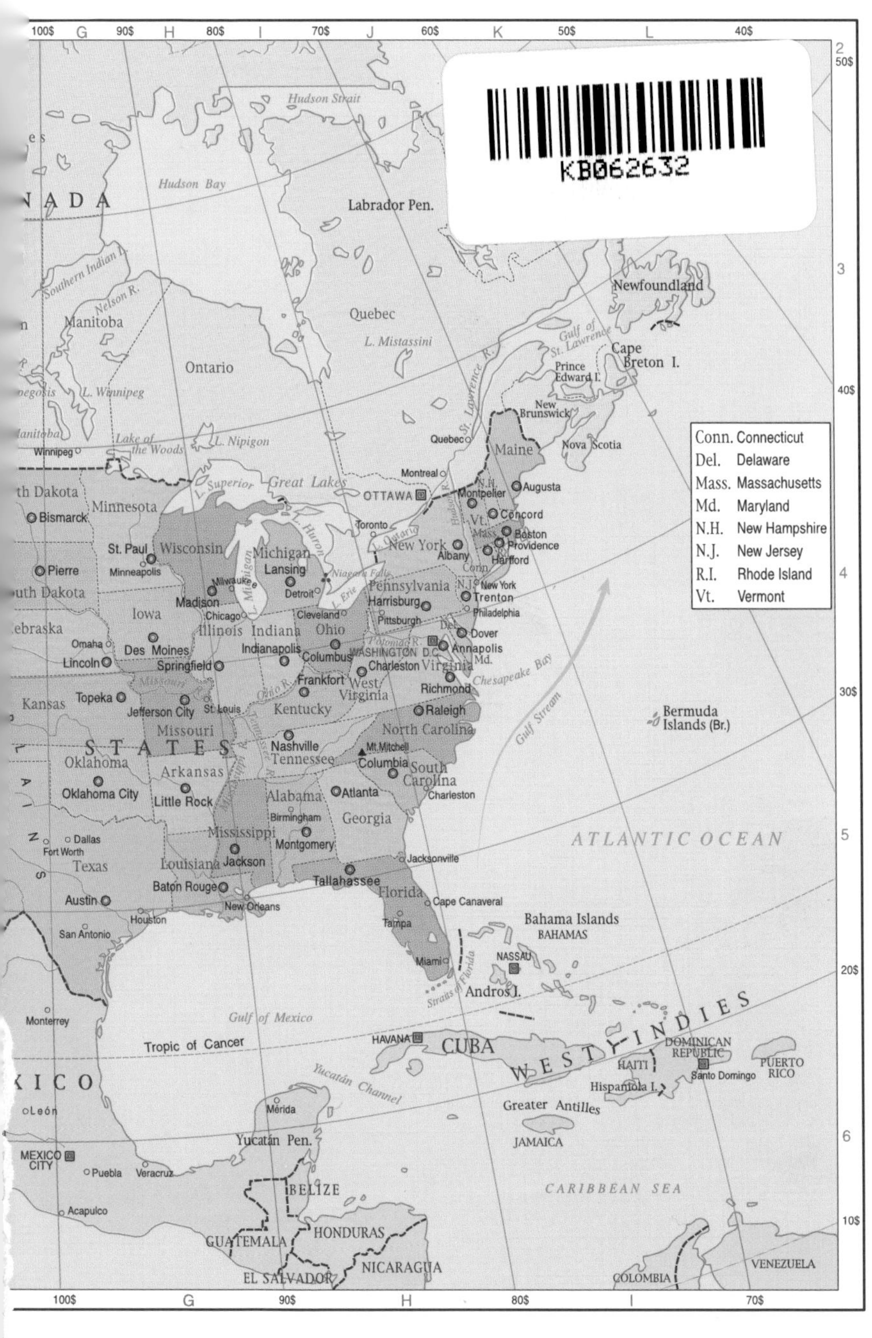

KB062632
Hudson Strait
Hudson Bay
NADA
Labrador Pen.
Southern Indian L.
Nelson R.
Manitoba
Quebec
L. Mistassini
Ontario
Newfoundland
Gulf of St. Lawrence
Cape Breton I.
Prince Edward I.
L. Winnipeg
New Brunswick
Nova Scotia
Lake of the Woods
L. Nipigon
Quebec
Winnipeg
Maine
Montreal
L. Superior
Great Lakes
OTTAWA
N.H.
Montpelier
Augusta
Vt.
Concord
Boston
Providence
Hartford
Mass.
Conn.
R.I.
N.J.
Bismarck
Minnesota
St. Paul
Minneapolis
Wisconsin
Michigan
Lansing
L. Huron
L. Ontario
Toronto
New York
Albany
Niagara Falls
L. Erie
Detroit
Pierre
Milwaukee
Madison
Chicago
L. Michigan
Pennsylvania
Harrisburg
New York
Trenton
Philadelphia
Iowa
Cleveland
Pittsburgh
Illinois
Indiana
Ohio
Del.
Dover
Omaha
Des Moines
Indianapolis
Columbus
WASHINGTON D.C.
Annapolis
Md.
Lincoln
Springfield
Charleston
Virginia
Chesapeake Bay
Potomac R.
Kansas
Topeka
Missouri R.
Ohio R.
Frankfort
West Virginia
Richmond
Jefferson City
St. Louis
Kentucky
Raleigh
Gulf Stream
Bermuda Islands (Br.)
Missouri
North Carolina
STATES
Nashville
Tennessee
Mt.Mitchell
Oklahoma
Arkansas
Tennessee R.
Columbia
South Carolina
Oklahoma City
Little Rock
Alabama
Atlanta
Charleston
Birmingham
Georgia
Mississippi
Dallas
Fort Worth
Montgomery
ATLANTIC OCEAN
Jacksonville
Texas
Louisiana
Jackson
Tallahassee
Baton Rouge
Florida
Austin
New Orleans
Cape Canaveral
Houston
Tampa
Bahama Islands
BAHAMAS
San Antonio
NASSAU
Miami
Straits of Florida
Andros I.
Monterrey
Gulf of Mexico
Tropic of Cancer
HAVANA
CUBA
WEST INDIES
DOMINICAN REPUBLIC
HAITI
PUERTO RICO
Santo Domingo
Yucatán Channel
Hispaniola I.
KICO
Greater Antilles
León
Mérida
Yucatán Pen.
JAMAICA
MEXICO CITY
Puebla
Veracruz
CARIBBEAN SEA
BELIZE
Acapulco
HONDURAS
GUATEMALA
NICARAGUA
EL SALVADOR
COLOMBIA
VENEZUELA
Conn. Connecticut
Del. Delaware
Mass. Massachusetts
Md. Maryland
N.H. New Hampshire
N.J. New Jersey
R.I. Rhode Island
Vt. Vermont
100$ G 90$ H 80$ I 70$ J 60$ K 50$ L 40$
100$ G 90$ H 80$ I 70$
2 50$ 3 40$ 4 30$ 5 20$ 6 10$

ENGLISH-KOREAN DICTIONARY

한국영어영문학회 추천

동아출판

제6판을 펴내며

시대가 정말 빠르게 그리고 크게 변하고 있음을 사전을 편찬하면서 새삼 느끼게 됩니다. 다양한 변화가 언어에 미치는 영향을 이번 6판 개정판에 담아 내려 하니 5판 이후 4년이란 시간이 너무도 부족하다는 것을 새삼 느끼게 되었습니다.

이번 개정 작업에서는 가장 최근까지 외국 유명 원서 사전에 등재된 신어와 새 말뜻을 수록하는 일에 특히 많은 노력을 기울였습니다. 주요 어휘에 대한 실제 용례를 강화하는 한편, 제한된 지면 안에 식자된 작은 글씨를 보는 데 있어 독자들의 시각적인 부담을 줄여 보려고 본문 디자인 면에서도 소홀히 하지 않았습니다. 이러한 노력들을 포함하여 이번 개정 작업에서 중요하게 다룬 사항들을 간략하게 소개해 드립니다.

1. 신어를 대폭 수록하였습니다. 시대가 급변하고 그에 따른 신어와 신조어(유행어)들이 끊임없이 생성되고 있습니다. 신조어의 경우, 세인의 입에서 회자되다가도 금방 사라질 위험이 있어 최대한 수록을 자제하였으며, 철저히 유명 원서에 등재된 신어를 기준으로 삼았습니다. 새로 등재된 신어는 약 3,000여 어휘 정도이며 성구와 복합어까지 감안한다면 이를 훨씬 초과하는 새로운 어휘가 추가되었습니다.

2. 새 성구와 새 말뜻을 추가로 수록하였습니다. 신어가 많이 생겨나듯 그에 따라 기존 어휘의 어의(語義)에 있어서도 분화가 많이 생기게 되었습니다. 현재 쓰이고 있지 않는 뜻은 과감히 삭제를 하고 새롭게 생성된 성구와 뜻풀이는 최대한 반영을 하였습니다.

3. 실용성을 한층 강화하였습니다. 토익, 토플 같은 주요 시험에 많이 출제되는 어휘들을 중심으로 실제로 출제된 용례를 엄선하여 수록하였습니다. 뿐만 아니라 어휘의 선택에 있어서 흔히 범하기 쉬운 오류(Common Errors)를 보여주기 위하여 C.E를 이번에 새로이 추가하였습니다.

이 외에도 학습자의 어휘력 증강을 위해 마련한 시소러스(thesaurus) 난을 전체적으로 손보았으며 본문 중에 있던 문법란을 한데 모아 부록으로 엮어 문법 관련 학습을 별도로 할 수 있도록 하였습니다. 이번 6판 개정과 관련한 모든 작업의 초점을 철저히 학습자의 관점에 맞추어 실용성과 편의성을 최대한 강화하려 노력하였습니다. 이러한 노력에 힘입어 부족한 부분이 많이 있음에도 독자분들의 끊임없는 사랑과 관심으로 본 사전은 '06년에 이어 '07년에도 '소비자 브랜드 대상'이라는 큰 영예를 안게 되었습니다.

이런 감사한 마음에 일말의 보답을 하고자 나름대로 최선을 다해 개정 작업에 임했으나, 6판을 선보이는 이 마당에 독자를 위해 미처 챙기지 못한 부분은 없지나 않은지 걱정이 앞섭니다. 앞으로도 계속 우리 사전은 독자의 편에 서서 실용성과 편의성을 강화해 나갈 것입니다. 그 과정에서 생겨날 수 있는 오류와 실수에 대해서는 따뜻한 사랑의 회초리를 들어 주시기를 바라면서, 앞으로도 변함없이 독자들의 기대에 어긋나지 않도록 최선의 노력을 다하겠다는 각오를 새롭게 다집니다.

외국어사전팀

머리말(초판)

눈부신 과학의 발전과 급격한 사회의 변천에 따라 새로운 낱말들이 쏟아져 나오고 있습니다. 따라서, 새로운 낱말들을 수록하기 위해 사전의 개편 주기도 전보다 훨씬 빨라지고 있습니다. 왜냐하면 적절한 시기에 개편하지 않은 사전은 조만간 부실한 사전이 되어 버리기 때문입니다.

그러므로, 우리 동아출판사에서는 '78년 이후 서의 3년 주기로 이 영한 사전을 개편하여 왔습니다. 이것은 두말할 나위도 없이 항상 앞서가면서 보다 쓸모 있는 사전을 만들기 위해서입니다. 또한 그렇게 함으로써 독자 여러분에게서 계속적인 신뢰를 받고, 전통 있는 사전으로서의 권위를 유지시킬 수가 있는 것입니다.

이번에 지금까지 호평리에 판을 거듭해 오던 「신콘사이스 영한 사전」을 개정·증보하여 판형을 약간 키우고 면수를 늘려 명칭을 「프라임 영한 사전」으로 바꾸었습니다. 그것은 속출하는 신어를 기존 판형과 면수로는 도저히 감당할 수 없기 때문이며, 아울러 시대의 흐름에 맞추어 새로운 사전으로 탈바꿈하고자 해서입니다. 그러나 이 사전은 기존의 장점과 특색은 그대로 살리고 더욱 발전시켰습니다.

이번 개편의 중요 골자를 들어 보면, ① 어휘를 최신어 위주로 엄선하여 새 표제어로 대폭 추가하였고, ② 「어의(말뜻)의 전개와 요약」 난을 신설하여 박스(box) 속에 처리하였으며, ③ 「준표제어」 난을 신설하여 연어 등을 찾아보기 쉽게 하였습니다.

이제 이 사전의 특색을 종합적으로 요약해 보면 다음과 같습니다.

(1) **미주 영종(美主英從)의 원칙** 미식 영어 우선을 원칙으로 하였다. 철자·발음·용법 등이 미식과 다른 영식은 미식과 함께 모두 표시하였다.

(2) **방대한 어휘** 소형 사전으로서는 최대한인, 대사전에 버금가는 방대한 어휘를 수록하였다.

(3) **최신 어휘** 각 분야에 걸쳐 꼭 필요하다고 생각되는 최신 어휘들을 정선하여 대폭 추가하였다.

(4) **풍부한 용례** 문형에 대응시킨 용례 외에도 지면이 허락하는 한 필요한 곳곳에 적절한 용례를 수록하였다.

(5) **동사·명사·형용사에 문형 표시** 동사를 위시하여 구문상 필요한 명사·형용사에 문형을, 이해하기 쉽도록 그 용례 앞에 표시하였다.

(6) **어의(語義)의 전개와 요약** 말뜻의 발달과 분화를 도식적으로 간결하게 정리하여 뜻풀이 앞 박스(box) 속에 처리하였다. 이는 우리나라 영한 사전으로서는 처음 시도하는 체제이다.

(7) **연어의 준표제어화** 부피 때문에 주표제어로 수록되지 못한 연어들을 준표제어난에 굵은 볼드체로 처리하여 찾아보기 쉽게 하였다.

(8) **인명·국명 등의 최신 처리** 인명·지명·국명 등을 최신 자료를 바탕으로 수정 처리하였다.

(9) **삽화의 도입** 풀이만으로 말뜻을 알기 어려운 낱말에는 삽화를 넣어 이해를 돕게 하였다.

(10) **전산**(computer)**조판** 첨단 기술인 본사의 CTS(Computer Typesetting System)를 이용함으로써 조판의 정확성을 기하였다.

(11) **세계 수준의 시설·기술로 제작** 첨단을 가는 최신 시설과 기술로 제작하여 제판·인쇄·제본 등이 세계 수준이다.

일찍이 영국의 사전 편찬의 대가 Samuel Johnson이 「사전을 편찬하는 동안에도 신어와 폐어가 속출하므로 완벽한 사전이란 있을 수 없다」고 한 말이 새삼 생각납니다. 우리도 이 사전이 완벽하다고는 하지 않습니다. 다만 어려운 여건 속에서도 최선을 다했다고 단언할 수는 있습니다. 앞으로도 우리는 개정·증보 등의 개편 작업을 통해 보다 좋은 사전을 만들기에 최선을 다할 것을 약속 드립니다. 여러분의 변함 없는 애호와 편달을 바랍니다.

동아출판사 편집국

일 러 두 기

구성과 배열

1. 영어의 일반 단어는 물론 파생어·복합어 이외에 접두사·접미사·약어·상용 외래 어구 및 가장 일반적인 고유 명사를 표제어로 수록하였다.

2. 모든 표제어는 ABC순으로 배열하였으며, 숫자가 포함된 표제어는 그 숫자의 철자 어순대로 배열하였다.

표제어

1. **자체**: 고딕(Gothic)체 활자

   ***a·bate**

   영어화되지 않은 외래 어구는 고딕 이탤릭체

   bon·jour [F]

2. **악센트 부호**: 분리 복합어로 된 표제어로서, 발음 기호를 찾아볼 수 있는 낱말에는 따로 발음을 표기하지 않고 악센트가 있는 음절의 모음 위에 [´] 또는 [`]만을 붙였다.

   cáll sìgn[**sìgnal**]

3. 이탤릭체로 표시된 외국어와, 영어화된 외래어 중에서 악센트 부호 [´, `, ~]가 붙는 것이 있는데, 이는 그 말에 본래 갖추어진 것이다.

   à la fran·çaise [F] ; ***ca·fé** [F] ; **se·ñor** [Sp.]

4. 미·영의 철자가 다를 경우에는 미식 철자를 우선하여 다음과 같이 나타내 보였다.

   ‡**col·or | col·our**

   《미》는 color, 《영》은 colour (⇨ 해설 Ⅱ 2)

   파생어·복합어에 대해서는 영식 철자를 일일이 표시하지 않았으며, -ize와 -ise는 원칙적으로 -ize만을 표시하였다.

5. 동일어로서 철자가 두 가지 이상 있고, 그 어순이 인접해 있을 경우에는 [,]로서 구분하여 병기하는 것을 원칙으로 하고, 사용 빈도가 높은 것을 우선하였으며, 공통 부분은 음절 단위로 생략하였다.

   al·lo·path, al·lop·a·thist

   ***ep·i·logue, -log**

6. 동일 철자라도 어원이 다른 것은 어깨 번호 [1, 2]로 구분하여 따로따로 표제어로 세우는 것을 원칙으로 하였다.

   ‡**link**[1] …(사슬의) 고리

   link[2] …횃불

7. 철자의 분철은 가운뎃점 [·]으로 표시하여 하이픈[-]을 쓰는 복합어와의 구별을 분명히 하였다. 발음 표기가 없는 낱말은 분철 표시를 하지 않았다.

8. 표제어 일부분의 대체는 [ ]를, 생략에는 ( )를 사용하였다.

   jéwel bòx[**càse**] (jewel box 또는 jewel case)

   théme sòng[**tùne**] (theme song 또는 theme tune)

   dóllar (**còst**) **àveraging** (dollar averaging 또는 dollar cost averaging)

9. 표제어와 같은 뜻으로 쓰이는 분리 복합어는 따로 표제어로 내세우지 않고 그 풀이 뒤의 ( ) 속에 작은 표제어로 나타내기도 하였다.

*ball-point ... 볼펜(=∽ **pén**)
*palm² ... 종려나무, 야자나무(=∽ **trèe**)

발 음

1. 국제 음성 기호(International Phonetic Alphabet)를 써서 표제어 바로 다음 [ ] 속에 표시하였다(⇨ 해설 I 발음).

2. 모음 위에 악센트 부호 [ˊ]를 붙여서 제 1 악센트를 표시하고 [ˋ]를 붙여서 제 2 악센트를 표시하였다.

‡**a·bound** [əbáund]
‡**rep·re·sent** [rèprizént]

3. 발음이 같고 악센트만이 다를 경우, 각 음절을 대시(dash)[–]로 나타내고 악센트 위치의 차이를 표시하였다.

‡**im·port** [impɔ́ːrt] *vt.* ... — [ˊ–] *n.* 에서 [ˊ–]은 = [ímpɔːrt]

4. 품사나 말뜻에 따라 발음이 다를 경우에는 해당하는 곳에 각각 발음을 나타내 보였다.

‡**reb·el** [rébəl] *n.* ... — [ribél] *vi.* ...

5. 발음하기도 하고 생략할 수도 있는 발음은 이탤릭체로 나타내었다.

‡**min·er·al** [mín*ə*rəl]은 = [mínərəl 또는 mínrəl]
‡**sug·gest** [sə*g*dʒést]는 = [səgdʒést 또는 sədʒést]

6. 강형(strong form)도 있지만, 약형(weak form)을 상용(常用)하는 것은 다음과 같이 표시하였다(⇨ 해설 I 10).

‡**him** [hím; 《약하게》 im] (hím 강형, im 약형)
‡**have** [hǽv; 《약하게》 həv, əv] (hǽv 강형, həv, əv 약형)

7. 미음과 영음이 다를 경우에는 그 각각의 음을 밝혀 두었다(⇨ 해설 I 11).

‡**hot** [hɑ́t | hɔ́t]는 = [미 hɑ́t | 영 hɔ́t]
‡**aunt** [ǽnt, ɑ́ːnt | ɑ́ːnt]는 = [미 ǽnt 또는 ɑ́ːnt | 영 ɑ́ːnt]
때로는 미식 발음만을 표기한 것도 있으므로 「해설 I 발음」 (특히 I 4 b 9, 10)을 참조.

8. 장음과 단음이 다 있을 때는 ( ) 속에 넣어 표기하기도 하였다.

*al·le·gor·i·cal [æligɔ́(ː)rikəl] = [æligɔ́rikəl 또는 æligɔ́ːrikəl]

9. 다음과 같은 경우에는 발음 표기의 반복을 피하기 위해 뒤에 합쳐서 표기하였다.

dom·ic, -i·cal [dóumik(əl)]
= **dom·ic** [dóumik], **-i·cal** [-ikəl]
e·quiv·a·lence, -len·cy [ikwívələns(i)]
= **e·quiv·a·lence** [ikwívələns], **-len·cy** [-lənsi]

10. 두 가지 이상의 발음을 병기해야 할 경우, 공통 부분은 하이픈을 써서 생략하였다.

‡**sec·re·tar·y** [sékrətèri | -təri]

[-]는 공통 부분 [sékrə]를 나타낸다.

11. 복합어 중에서 앞의 표제어로 미루어 제 1 구성 요소와 발음(강세 포함)을 쉽게 알 수 있는 것은 이를 생략하는 것을 원칙으로 하였다.

cab·i·net·mak·er [kǽbənitmèikər]
cab·i·net·mak·ing [-mèikiŋ] = [kǽbənitmèikiŋ]

12. 분리 복합어에서는 표제어로 수록되어 있지 않은 낱말에만 발음을 표기해 주었다.

Gúl·li·ver's Trávels [gʌ́ləvərz-]

13. 분리 복합어의 각각이 처음으로 나온 낱말인 경우에는 그 각각에 발음 기호를 표기하였다.

fla·gran·te de·lic·to [fləgrǽnti-dilíktou]

14. 외래어 및 외국어의 발음은 비슷한 영어음으로 표기하는 것을 원칙으로 하였다.

lais·ser-al·ler [léseiæléi]

품사의 구분

1. 한 표제어에 품사가 두 개 이상 있을 경우는 동일 항 속에서 — 를 써서 품사가 바뀜을 표시하였다. 별표가 붙어 있는 기본 어휘에는 품사가 바뀔 때마다 별색 — 를 써서 품사별로 별행 처리하여 주었다.

2. 분리 복합어에는 품사명을 표시하지 않는 것을 원칙으로 하였다. 단, 분리복합어 중에서 품사 구분이 확연한 명사를 제외한 기타 품사들은 표시하는 것을 원칙으로 하였다.

beaux yeux [bouz-jə́ː] [F = beautiful eyes] 아름다운 눈
no·lens vo·lens [nóulenz-vóulenz] [L = unwilling willing] *ad.* 싫든 좋든

어형의 변화

불규칙하거나 틀리기 쉬운 변화·철자·발음은 다음과 같이 드러내 보이는 것을 원칙으로 하였다.

1. 명사의 복수형

⁑**goose** [...] *n.* (*pl.* **geese** [gíːs]) / ⁑**deer** [...] *n.* (*pl.* **~, ~s**)

자음+o로 끝나는 말의 복수형

⁑**pi·an·o**[1] [...] *n.* (*pl.* **~s**) / ⁑**mos·qui·to** [...] *n.* (*pl.* ~(**e**)**s**)

자음+y로 끝나는 말로서 y가 i로 바뀌는 복수형

⁑**cit·y** [...] *n.* (*pl.* **cit·ies**)
de·bauch·er·y [...] *n.* (*pl.* **-er·ies**)

2. 불규칙 동사의 과거·과거분사

⁑**run** [rʌ́n] *v.* (**ran** [rǽn] ; **~** ; **~·ning**)
⁑**cut** [kʌ́t] *v.* (**~** ; **~·ting**)

⁑**be·gin** [bigín] *v.* (**-gan** [-gǽn] ; **-gun** [-gʌ́n] ; **~·ning**)

마지막 자음자를 겹치는 경우

⁑**sin**[1] [sín] *v.* (**~ned**; **~·ning**)은 = **sinned**; **sin·ning**
⁑**trav·el** [trǽvəl] *v.* (**~ed**; **~·ing** | **~led**; **~·ling**)은 = 《미》 **trav·eled**; **trav·el·ing** | 《영》 **trav·elled**; **trav·el·ling**

자음+y로 끝나는 말로서 y가 i로 바뀌는 경우

*__cer·ti·fy__ [...] *vt.* (**-fied**)
단, 현재 분사형에서는 바뀌지 않는다.

3. 형용사·부사의 비교급 최상급

단음절의 말에는 **-er**; **-est**를 붙이고 2음절 이상의 말에는 **more**; **most**를 붙이는 것을 원칙으로 하였다. 이 규칙을 따르지 않는 것, 또는 철자·발음을 주의해야 할 것에는 다음과 같이 나타내었다.

⁑**good** [gúd] *a.* (**bet·ter** [bétər] ; **best** [bést])
⁑**love·ly** [lʌ́vli] *a.* (**-li·er**; **-li·est**)
⁑**big** [bíg] *a.* (**~·ger**; **~·gest**) = **big·ger**; **big·gest**
⁂**se·vere** [səvíər] *a.* (**se·ver·er**; **-est**)
⁑**long** [lɔ́ːŋ | lɔ́ŋ] *a.* (**~·er** [lɔ́ːŋgər | lɔ́ŋg-] ; **~·est** [lɔ́ːŋgist | lɔ́ŋg-])

어의의 전개와 요약

1. 중요어에는 어의(말뜻)의 전개와 요약을 나타내는 난(box)을 마련하였다.

2. 어의의 전개는 어원을 바탕으로 의미의 발달과 분화를 도식적으로 나타낸 것이며, 요약은 어의를 간결하게 정리한 것이다.

풀이·성구·용례

1. 풀이가 복잡한 말은 **1**, **2**, **3** 등의 숫자로 풀이를 크게 나누고, 때로는 **a**, **b**, **c** 등으로 다시 구분하였다. 성구에서는 (1), (2), (3) 등을 썼다.

2. *__Sab·bath__ 항에서 **2**의 풀이 앞에 [**s~**]로 된 것은 「휴식 시간」이란 풀이는 소문자로 sabbath로 쓴다는 뜻이고, ⁑**fa·ther** 항에서 [**F~**]는 Father, 또 [the F~] 또는 [*pl.*]로 된 것은 각각 the Father, 또는 fathers로 쓴다는 뜻이다.

3. 풀이의 보충 설명은 풀이 앞의 ( ) 속에 수록하였으며, 풀이의 설명·해설 등은 풀이 뒤의 《 》 속에 수록하였다.

⁑**queen** ... *n.* (군주로서의) 여왕, 여자 군주 《영국에서는 현 군주가 여왕일 때, king을 포함하는 말의 king은 queen이 됨; King's English → Queen's English》

4. [ ] 안에 문법·어법상의 설명을 나타내고, 풀이에서는 〈 〉를 써서 동사의 주어·목적어, 형용사와 연결되는 명사 등을 구체적으로 밝혀 두었다.

-able *suf.* **1** [수동의 뜻으로 타동사에 붙여]
⁑**per·form** [pərfɔ́ːrm] ... *vt.* **1** 〈임무·일·약속·명령 등을〉 이행하다, 실행하다 ···

5. 표제어와 연관되는 전치사·부사는 풀이 뒤에 《*at*》 등과 같이 표시하였다.

⁑**ad·here** ... 부착하다 《*to*》: ... Wax *~d to* the finger. 초가

손가락에 묻었다. …

6. 해당 풀이 뒤에, 동의어구를 ( ) 안에 표시하고, 반의어는 이탤릭체를 써서 (opp. ...)로 나타내었으며, 참조어는 소형 대문자(SMALL CAPITAL)를 써서 (cf. ...)로 드러내 보였다.

***le·gal** ... *a.* (opp. *illegal*) ... **2** 합법의(lawful) ... **4** 보통법상의(cf. EQUITABLE) ...

7. 풀이 대신에 =소형 대문자로 된 것은 '그 뜻에서는 후자와 마찬가지이니 그것을 보라'는 뜻이다.

(**a·ban·don·ment** 항에서) **3** = ABANDON[2]

8. 성구는 고딕 이탤릭체를 써서 각 품사의 풀이 다음에 수록하는 것을 원칙으로 하였으나, 편의상 여러 품사의 성구들을 맨 마지막에 몰아서 수록하기도 하였다. 또한 성구 속에 중요어가 둘 이상 있을 경우에는 한 쪽에서 다른 쪽을 참고토록 하는 것을 원칙으로 하였으나 한 쪽만을 수록한 경우도 있다.

stack the *cards* ⇨ stack

9. 용례는 각 풀이 뒤 [:]의 다음에 수록하였는데, 표제어 대신에 ~(swung dash)를 썼고, 표제어의 변화형은 이탤릭체로 드러내 보였다.

어 원

어원은 어원학적인 것보다 어의를 이해하는 데 도움이 되는 어원적인 정보를 제공하는 데 주안점을 두고, [ ] 안에 가능한 한 우리말로 나타내 보였다. 또한 외래어 및 외국어의 일부는 그에 대응되는 영어를 밝히기도 하였다.

***fe·male** ... [L 「젊은 여자」의 뜻] ...

blanc·mange ... [F = white food] ...

한정·서술 형용사

보통, 명사·대명사 앞에서 이를 직접 수식하는 한정적 용법(attributive use)으로만 쓰이는 형용사는 Ⓐ로, 서술적 용법(predicative use)으로만 쓰이는 형용사는 Ⓟ로 표시하는 것을 원칙으로 하였다.

가산·불가산 명사

명사에 대하여는 고유 명사를 제외하고, 특별히 표시하지 않은 것은 Ⓒ (= Countable: 가산)이라는 전제 하에 Ⓤ (= Uncountable: 불가산)만을 표시하였다. 대체적으로는 Ⓤ인데 어느 풀이만 Ⓒ이면 전체를 Ⓤ로 하고 특히 그 풀이에만 Ⓒ를 붙였다. UC는 대체로 Ⓤ이지만 Ⓒ로도 쓰이는 명사이며, CU는 대체로 Ⓒ이지만 Ⓤ로도 쓰이는 명사라는 뜻이다. 각기 앞에 오는 쪽이 대체로 빈도가 높음을 나타낸다. 분리 복합어인 표제어의 Ⓤ, Ⓒ 표시에 대하여는 그 기본인 제2어의 표시에 준하므로 표시를 생략하였다. Ⓤ, Ⓒ의 구별은 절대적인 것이 아니다. 이론적으로는 모든 명사가 Ⓤ, Ⓒ 그 어느 쪽으로도 쓸 수 있는 가능성을 지니고 있다. 그러나 어의의 이해와 학습상의 효과를 고려한 편법으로 Ⓤ, Ⓒ를 구별하였다.

문 형

1. 주요 동사 전반에 걸쳐 문형을 표시하였으며, 명사·형용사에는 필요한 것에 한하여 문형을 표시하였다.

2. 문형은 《 》 속에 묶어 용례 바로 앞에 표시하였다. 또한 문형이 다른 용례 사이는 ∥로 구분하였다.

(**‡dis·cuss** 항에서) ... *vt.* ... 《~+목+전+명》 I ~*ed* the problem *with* him. ... ∥ 《~+***-ing***》 We ~*ed* joining the club. ...

3. 문형상 중요한 전치사·부사 등은 용례 속에서 이탤릭체로 표시하였다.

‡arrive ... *vi.* ... 《~+전+명》 ~ *at* the foot of the mountain ...
‡loi·ter ... *vi.* ... 《~+부》 ~ *along* ...

파생어·관련어

1. 주표제어로 수록된 것 이외의 파생어, 즉 표제어에 **-ed, -er, -ly, -ment, -ness, -tion** 등이 붙은 파생어는 주표제어 항 끝에 작은 표제어 자체로 수록하였다.

2. 발음·분철·악센트의 위치가 표제어와 다른 파생어는 이해하기 쉽게 필요에 따라 다 써 주거나 일부를 생략하여 악센트나 발음 또는 분철을 표시하였다.

re·nog·ra·phy [riːnɑ́grəfi | -nɔ́g-] *n.* ...
re·no·graph·ic [rìːnəgrǽfik] *a.*
‡ser·geant ... *n.* ...
sér·gean·cy, ~·shìp *n.* ...

3. 중요어에는 참고하여야 할 낱말들을 ▷ 다음에 몰아서 선별, 수록하였다.

‡se·ri·ous ... *a.* ...
▷ sériously *ad.*; sériousness *n.*

USAGE, 유의어, NOTE, 기타

어법(USAGE), 유의어(유의어), 관련어(구)(관련), 미·영의 문화적인 정보(NOTE) 등은 가급적 풀이 다음에 별행으로, 때로는 이어서 수록하였다. 또한 별표(★)로 어휘에 관한 주의 사항이나 참고 사항 등을 실었다. 그리고 이번 개정판에 새로 선보이는 C.E는 적합 어휘의 선택에 있어 흔히 범하기 쉬운 오류(Common Errors)를 용례로서 일부 수록하였다.

학습 기본 어휘의 표시

표제어 가운데 우선적으로 배워야 할 기본적인 말에 별표를 붙여 표시하였다. 별표 단어 선별 기준은 교육인적자원부가 고시한 「초·중등학교 교육 과정」을 중심으로 본사가 영·미 여러 사전의 단어 빈도를 조사·참고하여 선별하였다.

‡a·ble (별 3개: 중학교 정도에서 습득해야 할 말, 약 2,000)
‡a·bil·i·ty (별 2개: 고교 정도에서 습득해야 할 말, 약 4,000)
***ab·hor** (별 1개: 대학교 정도에서 습득해야 할 말, 약 6,000)

이상 합계 약 12,000어는 기본어의 기준을 나타낸 것이다. 이 어휘의 선택 결정은 구분의 기준에 따라 다소의 가감이 있을 수 있다.

부호의 특별 용법

1. ( )는 생략 가능한 것 ⇨ 표제어 8

(**al·le·gro** 항에서) *n.* 알레그로(의 악장) = 알레그로; 알레그로의 악장

2. [ ]는 대체 가능한 것 ⇨ 표제어 8

(**‡ac·count** 항에서) **by[from] all ~*s*** = **by all accounts** 또

는 **from all accounts** 누구 말을[어디서] 들어도 = 누구 말을 들어도, 어디서 들어도 // **make much[little, no] ~ of** …을 중요시하다[하지 않다] =**make much account of** …을 중요시하다, **make little[no] account of** …을 중요시하지 않다.

3. ~는 표제어의 대용

(***dis·mal** 항에서) **~·ly** *ad.* **~·ness** *n.*은 각각 **dismally, dismalness**
(**a·back** 항에서) **be taken ~**은 =**be taken aback**
(***a·bridge** 항에서) *~d*는 = *abridged*
(⁑**ap·pear** 항에서) *~s*는 = *appears*

4. -(하이픈)은 공통 부분의 생략

(***a·bom·i·na·ble** 항에서) **-bly**는 = **a·bom·i·na·bly**

5. 소형 대문자(SMALL CAPITAL)로 보인 어(구)는 그 어(구)를 참조하라는 뜻.

ae·ther … = ETHER (⇨ 풀이·성구·용례 7)
(⁑**few** 항에서) **but ~** 《문어》 = only a FEW는 '같은 few항의 only a few와 같은 뜻이므로 그것을 보라'는 뜻이다. 즉, **only a ~** 불과[극히] 소수만

6. ⇨ 그곳을 보라는 뜻. 즉 그곳에 주요한 풀이나 설명이 있음을 나타낸다.

(**a·fore** 항에서) **~ the mast** ⇨ mast[1]

thesaurus

시소러스(thesaurus)는 「유의어와 반의어를 모은 사전」이란 뜻이다. 유의어란은 엄선된 유의어를 들어 그 유사점과 차이점을 자세히 언급하여 학습자에게 도움을 주고자 한 것이고, thesaurus 난은 영어의 구사력이 한 단계 진보한 학습자의 어휘 수를 늘리고, 표현력을 다양하고 깊게 그리고 흥미 있게 하여 작문 실력을 풍부히 하는 데 도움을 주고자 한 것이다. thesaurus 를 이용하는 데 있어서 유의해야 할 점은 다음과 같다.

1. 표제어의 뜻은 여러 갈래가 있어도 시소러스에서는 뜻을 가르지 않고 한 가지만으로 유의어 (및 반의어)를 수록한 경우와 표제어의 뜻 갈래가 두 가지 이상인 것 중 각각의 번호 아래 유의어 (및 반의어)를 수록한 것이 있다. 이때 표제어 뜻 갈래의 숫자와 시소러스의 숫자와는 관련이 없고, 단지 학습자의 편의를 위해 뜻 갈래의 순서대로 수록하였다.

2. 품사별로 각각의 유의어 (및 반의어)를 수록한 것도 있다.

decisive *a.* **1** 결정적인 deciding, determining, final, critical, crucial, influential, important (opp. *insignificant*) **2** 단호한 determined, resolute, firm, unhesitating (opp. *hesitant, indecisive*)
digest *v.* **1** 소화하다 absorb, dissolve, break down, assimilate **2** 잘 이해하다 take in, understand, comprehend, grasp **3** 숙고하다 reflect on, ponder, consider — *n.* summary, synopsis, outline, abridgment, review

1) **digest**를 찾아볼 때, 필요로 하는 어휘가 명사인지 동사인지, 그리고 동사라면 **1**~**3** 중에서 어느 쪽인지 확실하게 해야 한다. 표제어의 명사란을 보면 뜻 갈래가 **1**~**5**까지 있는데, 시소러스에서는 중요하다고 생각되는 세 가지로 줄여 분류하였다.(**1** 소화하다… **2** 잘 이해하다… **3** 숙고하다…)

thesaurus

2) 유의어의 배열은, 뜻이 표제어 (또는 뜻 갈래)와 밀접한 관련이 있는 것부터 차츰 관련 정도가 엷은 표제어 (또는 뜻 갈래) 순으로 실었다.

3) 여러 유의어 중에 뜻을 잘 모르는 단어나 구가 나타날 때 그 말을 사전에서 찾아보면 다양하고 뉘앙스가 다른 어휘를 접할 수 있는 기회가 된다.

4) 찾고자 하는 표제어, 가령 **start**에 시소러스가 수록되어 있지 않으면 그 대신에 **begin**을 찾아보는 것도 시소러스를 유용하게 사용하는 방법이 될 것이다.

약 어 표

a. / djective	형용사
ad. / verb	부사
Arab. / ic	아랍 말
auxil. / iary v.	조동사
cf. =confer	참조하라
Chin. / ese	중국 말
conj. / unction	접속사
Du. / tch	네덜란드 말
fem. / inine	여성형
F / rench	프랑스 말
G / erman	독일 말
Gk. =Greek	그리스 말
Haw. / aii	하와이 말
Heb. / rew	히브리 말
Hind. / ustani	힌두스타니 말
int. / erjection	감탄사
It. / alian	이탈리아 말
Jap. / anese	일본 말
L / atin	라틴 말
ME =Middle English	중세 영어
MF =Middle French	중세 프랑스 말
n. / oun	명사
neg. / ative	부정형
n. pl. =plural noun	복수 명사
obj. / ective	목적격
OE =Old English	고대 영어
OF =Old French	고대 프랑스 말
ON =Old Norse	고대 스칸디나비아 말
opp. / osite	반대말
p. / ast	과거형
pl. / ural	복수형
poss. / essive	소유격
p.p. =past participle	과거분사
pref. / ix	접두사
prep. / osition	전치사
pres.p. =present participle	현재분사
pron. / oun	대명사
rel. / ative	관계사
sing. / ular	단수형
Skt. =Sanskrit	산스크리트 말
Sp. / anish	스페인 말
suf. / fix	접미사
v. / erb	동사
vi. =intransitive v.	자동사
vt. =transitive v.	타동사
Yid. / dish	이디시 말
a. Ⓐ *attributive adjective*	한정형용사
a. Ⓟ *predicative adjective*	서술형용사
(영)	영국 용법
(미)	미국 용법
(캐나다)	캐나다 영어
(스코)	스코틀랜드 방언
(북잉글)	북부 잉글랜드 방언
(아일)	아일랜드 방언
(호주)	오스트레일리아 영어
(뉴질)	뉴질랜드 영어
(인도)	인도 영어
(남아공)	남아프리카공화국 영어
(카리브)	카리브 영어
(문어)	literary, formal
(구어)	colloquial, informal
(속어)	slang
(비어)	vulgar
(시어)	poetical
(고어)	archaic
(폐어)	obsolete
(방언)	dialectal

해 설

I 발 음

1. 미음과 영음 이 사전에서 말하는 미음(美音)은 광대한 지역이면서 인구가 다른 지역보다 많은 중서부 지역에서 사용되고 있는 음을 말하며, 이를 소위 일반 미국어(General American)라 부른다. 17-18 세기의 표준 영음(英音)이 전해 내려온 미음은 상당한 변화를 보여 주고 있는 영음에 비해 그 변화가 오히려 적어서 보수적인 성향을 띠고 있다. 이 사전에서 영음은 영국 런던을 중심으로 잉글랜드 남부의 교양 있는 사람들이 쓰는 표준음을 말하며, 이를 용인음(容認音)(Received Pronunciation)이라 한다. 영국 북부에서 사용되는 발음은 미음과 유사한 점이 많으며, 미국 동부(New York과 Boston을 포함)에서 사용되는 발음은 영음과 많은 공통점을 지니고 있다. 이 사전에서는 미음과 영음이 서로 다른 음으로 발음될 경우에(|)을 경계로 왼쪽에 미음, 오른쪽에 영음을 표기했다《미음과 영음이 차이는 ⇨ I 11》.

2. 유성음과 무성음 발음할 때, 보통 호흡할 때처럼 성대가 넓게 벌어진 채 진동하지 않으면 무성음이 나며, 성대가 좁아져서 진동하면 유성음이 된다. 유성음(보기 : [z])을 내면서 두 손으로 양쪽 귀를 막으면 진동을 느낄 수 있지만 무성음(보기 : [s])에서는 진동이 없다.

3. 모음과 자음 목구멍에서 나오는 유성음이 입 안 아무데서도 막히지 않고 자유롭게 나오는 것을 모음(홀소리)이라 한다. 소리가 혀나 입술 등으로 잠깐 폐쇄되거나 그 통로가 좁혀져서 마찰하여 나오는 소리를 자음(닿소리)이라고 한다. 발음 기관의 미묘한 움직임에 의하여 생기는 모음·자음의 수는 상당히 많으나 한 나라 말에서 구별하지 않으면 뜻이 혼동되는 모음·자음의 수는 한정되어 있다. 영어의 모음과 자음을 다음에 간단히 해설한다.

4. 영어의 모음

a. 단순 모음 (단모음과 장모음)

1. [iː] **seat** [síːt]의 장모음 [iː] ([ː]은 장음 부호)는 긴장된 음으로, 대체로 우리말의「이ː」에 해당한다.
2. [i] **sit** [sít]의 단모음 [i]는 우리말의「이」처럼 혀를 긴장시키지 않고 낮게 하여 다소「에」에 가깝게 발음한다. 단모음과 장모음은 음량 외에 음질도 다르다는 점에 주의해야 한다.
3. [e] **egg** [ég]의 모음 [e]는 우리말의「에」와 같은 정도로 입을 벌린다. 미음에서는 입을 더 벌리기 때문에 자세히 표기하자면 **get** [gɛ́t | gét]로 되지만, 이 사전에서는 단순히 [e]를 미·영 공통음으로 사용하였다.
4. [æ] **bat** [bǽt]의 [æ]는 우리말의「애」와 비슷하나 그보다는 입을 더 벌린다. 미음에서는 약간 길게 발음되는 때도 있다. 또 미음으로는 [æ] (실제로 다소 긴 듯이 발음됨)로 나타내는 **ask** 등의 단어는, 영음으로는 [ɑː]로 나타낸다《⇨ 5》.
5. [æ | ɑː] **gasp** [gǽsp | gɑ́ːsp]. 미음에서는 I 4 a 4 의 [æ]로 발음되지만 영음에서는 I 4 a 6의 [ɑː]로 발음된다. 이 발음은 철자 a 다음에 [f, θ, s] 또는 [m *or* n]+자음이 계속될 때에 나타난다: half, laugh, staff, bath, path, class, last, example, plant, *etc.*
6. [ɑː] **father** [fɑ́ːðər]의 [ɑː]는 우리말의「아」와 같은 정도로 입을 벌려, 입의 안쪽에서 길게 발음한다.
7. [ɑ | ɔ] **hot**의 모음은 미음에서는 6 의 [ɑː] 보다 다소 짧은 [ɑ]가 쓰이고, 영음에서는 입술을 조금 둥글게 하여 발음하는 [ɔ]가 쓰인다.
8. [ɔː | ɔ] **long** [lɔ́ːŋ | lɔ́ŋ]. [f, θ, s, ŋ, g] 앞에서 또는 [r]+모음 앞에서 미음일 경우에는 다음 9의 모음이, 영음일 경우에는 위의 7의 모음이 쓰이는 때가 많다: foreign, orange, quarrel, coffee, soft, cloth, Boston, song. ★ 영음에서 [ɔ]로 발음될 때에는 미음에선 [ɑ]로 발음되는 것이 보통이다. 따라서 **hot**는 [hɑ́t | hɔ́t]로 발음된다. 그러나 비

교적 소수의 단어에서는 **dog** [dɔ́:g] 처럼, [ɔ:] 로 발음되기도 해서 **hot coffee**는 [hɑ́t-kɔ́:fi | hɔ́t-kɔ́fi] 로 된다.

9. [ɔ:] **all** [ɔ́:l] 의 장모음은 미음에서는 혀의 위치가 낮고 입술도 그다지 둥글게 하지 않아서 실제로 영음의 [ɔ] 와 별 차이가 없다. 한편 영음에서 [ɔ:] 는 혀의 위치가 높고 입술도 상당히 둥글게 되어 [o:] 에 가깝다.
10. [u] **book** [búk] 의 [u] 는 「우」처럼 입술을 오므려 발음한다.
11. [u:] **boots** [bú:ts] 의 장모음 [u:] 는 입술을 더 오므려 긴장된 발음을 한다.
12. [ʌ] **cut** [kʌ́t] 은 미음에서는 혀의 위치가 뒤로 치우쳐서 소리가 다소 높고 [ə] 에 가깝게 발음되며, 영음에서는 입안의 중간쯤에서, 때로는 더 앞쪽으로 치우쳐서 [ɑ] 에 가깝게 발음된다. 따라서 엄밀히 표시하자면 [ʌ | ɑ] 처럼 해야 하나 이 사전에서는 종래의 관습에 따라 단순히 [ʌ] 로 하였다.
13. [ə] **abide** [əbáid], **banana** [bənǽnə | -nɑ́:nə] 의 약한 모음. 언제나 약하게 악센트가 없는 음절에서만 쓰이는 애매한 모음이다 (⇨ I 8 d).
14. [ə:*r*] **bird** [bə́:*r*d], **stir** [stə́:*r*] 등의 모음에서 유일한 예외인 **colonel** [kə́:*r*nl]을 제외하면 모두 철자에 r 자가 있다. 미음에서는 [*r*]을 발음할 때는 혀의 가운데가 올라가는 동시에 혀끝이 경구개 쪽으로 반전하여 (또는 혀 전체가 뒤로 끌려) [ə] 를 발음한 느낌의 모음이 된다. 이를 「r 음색이 붙은 모음」 (*r*-colored vowel)이라 한다. 이것에는 특별한 기호 [ɚ:] (hooked schwa)가 쓰일 때도 있다.
    한편 영음에서는 [ə:] 이다. 따라서 미음과 영음을 자세히 구분하여 쓰면 [ɚ: | ə:] 로 되겠지만, 이 사전에서는 [ə:*r*] 을 미음= [ɚ:], 영음= [ə:] 의 뜻으로 사용해서 양자를 같은 기호로 표시하였다. 또한 영음에서는 **stir**처럼 [ə:] 가 어미에 오는 경우, 다음에 소리의 휴지(休止) 없이 모음으로 시작하는 말이 계속될 때에는 [r] 이 발음되어 **stir about** [stə́:rəbáut] 으로 되는 때가 있다. 이 현상을 「r의 연성(連聲)」(*r*-linking)이라고 하며, 이 r을 「연성 r」(linking *r*)이라고 한다. 다만 이 「연성 r」은 발음하지 않고 [stə́:-əbáut] 으로 되는 때도 많다.
15. [ə*r*] **Saturday** [sǽtə*r*di], **teacher**[tí:tʃə*r*] 의 약한 모음. [ə:*r*] 보다 약하고 짧은 모음으로, 미음에서는 [ɚ], 영음에서는 [ə] 이다. 다만 연성 r이 발음될 때에는 [ər] 로 된다.

b. 이중 모음 이중 모음이란 1음절 안에서 A 모음으로부터 출발하여 B 모음으로 향해 이동하는 음이다. 영어의 이중 모음은 출발점이 되는 모음이 강하고 분명하게 발음되며, 끝 모음은 약하고 흐리게 발음된다.

1. [ei] **name** [néim]의 [ei]. 우리말의 「에」 또는 그보다 약간 높은 소리 다음에 가볍게 [i] 를 더하여 발음한다.
2. [ou] **boat** [bóut]의 [ou]. 미음에서는 우리말의 「오」를 입술을 오므려 「오우」로 발음하면 된다. 그러나 현재의 영음에서는 입술을 오므리고 혀를 가운데로 모아 [ə:] 와 같은 모음으로 시작하여 [əu] 로 발음하는 일이 많다. 이 사전에서는 영음 [əu] 는 표시하지 않고 모두 [ou] 로만 표시하였다.
3. [ai] **ice** [áis] 의 [ai]. 제1음의 [a] 는 우리말의 「아」처럼 발음하면 된다.
4. [au] **out** [áut] 의 [au]. 제1음의 [a] 는 우리말의 「아」, 또는 [ɑ]. 미음에서는 종종 [æu] 로도 발음된다.
5. [ɔi] **boy** [bɔ́i] 의 [ɔi].
6. [iə*r*] 미음 [iɚ], 영음 [iə]. 따라서 **beer** [bíə*r*] = [bíɚ | bíə], **pierce** [píə*r*s] = [píɚs | píəs].
7. [ɛə*r*] 미음 [ɛɚ], 영음 [ɛə]. 따라서 **bear** [bɛ́ə*r*] =[bɛ́ɚ | bɛ́ə], **scarce** [skɛ́ə*r*s] = [skɛ́ɚs | skɛ́əs].
8. [uə*r*] 미음 [uɚ], 영음 [uə]. 따라서 **moor** [múə*r*] = [múɚ | múə], **assure** [əʃúə*r*] = [əʃúɚ | əʃúə].
    ★ 이중 모음 [iə*r*], [ɛə*r*], [uə*r*] 의 바로 다음에 모음이 계속될 때는, 미음에서는 [r] 앞의 [ə] 는 아주 약해지거나 사라지며, 영음에서는 [-ər-] 로 발음된다. 이 사전에서는 이와 같은 경우엔 [iər], [ɛər], [uər] 로 표시하였다: **serious** [síəriəs = 미음 síriəs, 영음 síəriəs], **area** [ɛ́əriə = 미음 ɛ́riə, 영음 ɛ́əriə], **jury** [dʒúəri = 미음 dʒúri, 영음 dʒúəri]. 그러나 이 경우 미음의 [r] 은 I 4 a 15 에서 말한 [ə*r*] (= [ɚ])와 같은 성질이기 때문에, [미음 síriəs = síɚiəs]와 [영음 síəriəs]와는 실제로 나는 소리는 그다지 차이가 없다.

9. [ɑːr] 미음에서는 Ⅰ 4 a 6 의 [ɑː]에 r 음색 모음인 [r]를 가볍게 붙인다. 한편 영음에서는 이중 모음이 아닌 Ⅰ 4 a 6 의 장모음 [ɑː]가 된다. **bar** [bɑ́ːr], **start** [stɑ́ːrt].
10. [ɔːr] 미음에서는 Ⅰ 4 a 9의 [ɔː] 뒤에 [r]를 붙인다. 한편 영음에서는 [ɔː]가 된다. **door** [dɔ́ːr], **course** [kɔ́ːrs]
6~10 의 모음은 영음에서 연성 r 《⇨ Ⅰ 4 a 14》이 발음될 때에는 [iər] → [iər] (*here is* [hiər-íz]), [ɛər] → [ɛər] (*there are* [ðɛər-ɑ́ːr]), [uər] → [uər] (*poor eyes* [púər-áiz]), [ɑːr] → [ɑːr] (*star is* [stɑ́ːr-iz]), [ɔːr] → [ɔːr] (*door is* [dɔ́ːr-iz])로 된다.

c. 삼중 모음 같은 음절 안에서 A 모음으로부터 출발하여 B 모음을 거쳐 C 모음 쪽으로 이동하면 삼중 모음을 이룬다. 가령 **fire** [fáiər], **flour** [fláuər]가 1음절로 발음될 경우, [aiər], [auər]는 삼중 모음이다. 그러나 이것들은 [fái-ər] [fláu-ər]처럼 2음절로 발음하는 때도 많다.

5. 영어의 자음

a. 폐쇄음[파열음] 구강 내에서 숨의 통로를 일시 폐쇄한 뒤, 갑자기 그 폐쇄를 터뜨려 내는 소리이다.
[p] (*p*ig) 「ㅍ」음 (무성)
[b] (*b*ig) 「ㅂ」음 (유성) } 위아래의 입술로 폐쇄한다.
[t] (*t*en) 「ㅌ」음 (무성)
[d] (*d*en) 「ㄷ」음 (유성) } 혀끝을 윗니 뿌리에 붙여서 폐쇄한다 《미음의 모음 사이의 [t]에 대하여는 ⇨ Ⅰ 11 8》.
[k] (*c*ome) 「ㅋ」음 (무성)
[g] (*g*um) 「ㄱ」음 (유성) } 후설면(後舌面)을 연구개(軟口蓋)에 붙여서 폐쇄한다.

b. 파찰음(破擦音) 파열음 [t, d]로 시작하지만, 발음 기관을 떼어 놓는 것이 완만하기 때문에 파열음에 대응하는 마찰음이 따르는 것.
[tʃ] (*ch*ain) 「ㅊ」음과 비슷한 자음(무성).
[dʒ] (*J*ane) 「tʃ」에 대응하는 「ㅈ」음 비슷한 유성 자음.

c. 마찰음 구강 내의 일정한 곳에서 좁혀진 통로로 숨을 내보낼 때 생기는 마찰의 소리.
[f] (*f*ine) (무성)
[v] (*v*ine) (유성) } 아랫입술과 위 앞니와의 사이에서 내는 마찰음.
[θ] (*th*ink) (무성)
[ð] (*th*is) (유성) } 혀끝과 위 앞니와의 사이에서 내는 마찰음.
[s] (*s*eal) 「ㅅ」 음(무성)
[z] (*z*eal) [s]에 대응하는 유성 자음 } 혀끝과 윗니 뿌리 사이에서 내는 마찰음.
[ʃ] (*sh*ip) (무성) 전(前)설면과 경(硬)구개 앞 부분에서 내는 마찰음. 「ㅅ」음보다도 입술을 둥글게 앞으로 내민다.
[ʒ] (mea*s*ure) [ʃ]에 대응하는 유성 자음.
[h] (*h*ouse) 「ㅎ」음 (무성). 성대를 마찰하여 내는 자음으로, 구강의 기관은 다음에 오는 모음에 대한 태세를 갖춘다.

d. 비음(鼻音) 구강을 완전히 폐쇄하여 목젖(uvula)을 내려뜨리고 콧구멍으로 소리를 낸다.
[m] (*m*ine, na*m*e) 「ㅁ」음 (유성). 두 입술로 폐쇄한다.
[n] (*n*ine, si*n*) 「ㄴ」음 (유성). 혀끝을 윗잇몸에 대고 폐쇄한다. 어미의 [n]에서는 혀끝이 반드시 잇몸에 붙어 있는 것에 특히 주의해야 한다.
[ŋ] (i*n*k, si*ng*) 「ㅇ」음 (유성). 후설면을 연구개에 붙여서 폐쇄한다.

e. 설측음(舌側音)
[l] (*l*ip, be*ll*) (유성). 혀끝을 윗잇몸에 대고 입 안의 중앙 통로를 막아, 소리를 혀의 측면으로부터 낸다. 어미 또는 자음 앞에서는 [u]처럼 들린다. 「ㄹ」음은 혀가 잇몸에 닿을 뿐이다.

f. 반모음 모음의 성질을 지니지만, 다른 모음 앞에서 그보다 약하게 발음되기 때문에 음절 주음(⇨ Ⅰ.7)으로 되지 않는 소리.

[j] (*y*ou) 뒤에 이어지는 모음보다 혀가 앞으로 높이 쏠린 위치에서 출발하여 곧 다음 모음으로 이동한다.

[w] (*w*ay) 뒤에 이어지는 모음보다 혀가 뒤로 높이 쏠린 위치에서 출발하여 곧 다음 모음으로 이동한다. 대체로 입술을 둥글게 하여 발음하는 자음(유성)이다.

[r] (*r*ain) 혀끝을 경(硬)구개 쪽으로 반전시키고 (또는 혀 전체가 뒤로 끌리어), 입술을 다소 둥글게 하여 [ər]를 발음하는 느낌에서 곧 다음 모음으로 이동한다. 영음에서는 아주 가벼운 마찰음을 동반하는 때도 있다.

6. 특수 기호

[x] 혀 뒷면을 연구개에 접근시켜서 내는 무성 마찰음. 우리말로는 「흐」로 표기하지만 영어로는 흔히 [k]로 대용한다: **loch** [lɑ́x]

[m̥] 무성음화된 [m]음: **humph** [m̥mm̥]

7. 음절

음절은 발음상의 한 단위로서 모든 말은 1개 또는 몇 개의 음절로 구성되어 있다. 음절 중에 가장 두드러지게 그 중심이 되는 음을 주음이라 한다. 한 개의 모음, 이중 모음의 제1요소는 음절 주음이다. 영어의 음절에서는 1음절의 모음의 전후에 자음이 1개 내지 서너 개가 연결되는 일이 있으므로 1음절에 자음과 모음이 섞여 구성되는 경우가 매우 많다.

자음군+모음의 보기: *pr*ess, *sn*ow, *str*ong, *scr*ew, *spr*ing, *spl*ash.

모음+자음군의 보기: le*nd*(*s*) [-nd(z)], te*nse*, a*ct*(*s*), si*lk*(*s*), te*xt*(*s*) [-kst(s)], ma*sk*(*ed*) [-sk(t)], triu*mph*(*ed*) [-mf(t)].

8. 악센트

2음절 이상의 말에서는 보통 한쪽 음절이 다른 쪽보다 더 힘 있게 발음된다. 이것을 그 음절에 악센트(Accent) 또는 강세(Stress)가 있다고 한다. 예컨대 **absent** (*a.*)는 제1음절에, **ago**는 제2음절에 악센트가 있다. 이 사전에서는 이것을 **ab·sent** [ǽbsənt], **ago** [əgóu]처럼 기호 [ˊ]를 음절의 중심을 이루는 모음 위에 표기하였다. 그런데 다(多)음절어가 되면 제1악센트 [ˊ] 이외에 제2악센트를 표시할 필요가 있을 경우가 많다. 이 사전에서는 제2악센트는 [ˋ]로 표기하였다.

internationalize [ìntərnǽʃənəlàiz]

a. 발음 기호의 생략 앞에 나온 발음의 일부를 생략할 경우는 하이픈(-)을 사용하였다.
Halloween, -e'en [hæ̀louíːn, -əwíːn, hɑ̀l-]

b. 단음절의 악센트 단음절의 낱말이라도 강세가 있는 것은 이를 표시하였다.
dog [dɔ́ːg, dɑ́g | dɔ́g] *n.*

c. 품사의 구분을 표시하는 악센트 영어에서는 다음 보기와 같이 명사·형용사에는 앞의 음절에, 동사에는 뒤의 음절에 악센트가 붙는 일이 많다.
conduct [kɑ́ndʌkt | kɔ́n-] *n.*, [kəndʌ́kt] *v.* / **absent** [ǽbsənt] *a.*, [æbsént] *v.*
보기: abstract, attribute, concert, contrast, decrease, digest, discount, export, extract, frequent, import, increase, insult, object, perfect, permit, present, produce, progress, protest, rebel, record, subject, survey, torment, transport.

d. 약한 음절 영어에서는 악센트가 있는 음절은 강하고 길게, 악센트가 없는 음절은 약하게 발음하여 강약이 물결의 리듬을 이루어 계속된다. 그 결과, 악센트가 없는 음절에서 모음은 약화되고 종종 그 성질에까지 영향을 받아 악센트 없는 음절에만 나타나는 모음도 있다.

[ə]: **about** [əbáut], **moment** [móumənt], **April** [éiprəl], **lemon** [lémən], **circus** [sə́ːrkəs]. 혀가 완만해진 상태에 있을 때에 내는 약하고 모호한 느낌의 모음으로 어두나 어미에서는 약한 「아」처럼 들리지만 말 가운데에서는 「어」에 가깝다. 영음에서는 **China** [tʃáinə], **sofa** [sóufə]처럼 어미에서는 혀의 위치가 더욱 내려가고 입을 크게 벌려 발음하는 경우도 있다.

[ər]: **butter** [bʌ́tər], **number** [nʌ́mbər], **teacher** [tíːtʃər]. 위의 [ə]에 「r 음색이 붙은 모음」이다.

9. 악센트의 이동 한 낱말 가운데 거의 같은 강도의 음절이 2개 존재할 수 있어서, 이런 것에는 제1악센트가 두 개 붙여져 있다. 예컨대 **tíghtfísted** [táitfístid] 등. 이와 같이 악센트가 둘인 낱말은 그 자체로서의 발음으로는 악센트가 두 개이지만 문장 중에서는 리듬에 지배되어, She is very *tìght-físted*. / She is a *tíght-fìsted* person. 처럼 발음된다. 이것은 영어에서 악센트가 있는 음절이 일정한 간격을 두고 발음되며 음절의 수에는 구애받지 않는 경향을 가지는 데에 그 원인이 있다. 또 대조되는 낱말들이 같이 쓰일 경우에는 *mérit* [mérit] and *dêmerit* [dí:merit] / *défense* [dí:fens] and *óffense* [ɔ́:fens] 처럼 되는 일도 있다. **afternoon**도 리듬에 따라, *góod* ***àfternóon*** 처럼 바로 앞 낱말에 악센트가 오면 앞 음절의 악센트가 약해지고, ***áfternòon*** *téa* 처럼 바로 다음 낱말에 악센트가 오면 뒤 음절의 악센트가 약해진다. 이와 같이 두 개의 제1악센트가 붙은 낱말의 악센트는 이동성이 많은 것이 특징이다.

보기 : báckstáge, dównstáirs, éx-président, fírst-cláss, fúll-léngth, hálf-dózen, hígh-spéed, hígh-spírited, hígh-strúng, míddle-áged, óne-éyed, sélf-respéct, wéll-dóne.

10. 문장의 악센트 문장 가운데 있는 각 낱말에 대한 악센트의 강약이 문제된다. 일반적으로 말해서 명확한 뜻과 내용을 지닌 명사·동사·형용사·부사 등 (총칭하여「내용어」)에는 문장의 악센트가 있다. 이에 반하여 전치사·접속사·관사·조동사 등 (총칭하여「기능어」)(a, am, an, and, are, as, can, could, do, does, for, from, had, has, have, he, her, him, his, me, must, of, or, shall, should, some, than, that, the, (장소란 뜻이 없는) there, to, us, was, were, will, would, your 등)에는 일반적으로 문장의 악센트가 없다. 그 결과 기능어 낱말에는 강형([éi], [ǽm] 등) 이외에 약형([ə], [əm, m] 등)이 있어 사용 빈도는 약형 쪽이 훨씬 많다. I'*m*, you'*ll*, it'*s*, let'*s* 등은 이런 현상이 철자에 나타난 생략형이다. *that* (지시사), *who* (의문사)는 강형을 쓰지만, *that* (관계사·접속사), *who* (관계사)는 약형을 쓰는 것이 보통이다. 이 사전에서 가령 **at** [ət, æ̀t, ǽt]로 악센트가 표기되어 있는 것은 보통 [ət]를 쓰는 일이 훨씬 많지만, 고립 또는 대조되는 등의 특별한 경우에는 [ǽt]가 된다는 뜻이다. 또한 전치사가 문장 끝에 올 때에는 [æ̀t]와 같이 제2악센트를 받는 일이 많다.

11. 미음과 영음의 차이 미음과 영음은 공통된 경우가 훨씬 더 많으므로, 다음에서는 특히 서로 다른 점만을 지적하기로 한다.

1. [æ | ɑ:] : **ask** [ǽsk | ɑ́:sk] : ⇨ Ⅰ 4 a 5
2. [ɑ | ɔ] : **hot** [hɑ́t | hɔ́t] : ⇨ Ⅰ 4 a 7
3. [ɔ: | ɔ] : **dog** [dɔ́:g | dɔ́g] : ⇨ Ⅰ 4 a 8
4. [*j*u: | ju:] : **duty** [d*j*ú:ti | djú:ti]. 미음에서 [j]를 발음하지 않는 것은 [t, d, n]의 다음일 때가 많다 : tune, Tuesday, dew, new, nude
5. [ə:*r*] [ə*r*] : **bird** [bə́:*r*d], **stir** [stə́:*r*], **butter** [bʌ́tə*r*] : ⇨ Ⅰ 4 a 14, 15
6. [iə*r*, ɛə*r*, uə*r*, ɑ:*r*, ɔ:*r*] : ⇨ Ⅰ 4 b 6~10
7. [-ə:r- | -ʌr-] : **current** [kə́:rənt | kʌ́rənt]. 미음에서는 정확하게 말하면 [kɚ́:ənt], 즉「r 음색이 붙은 모음」(⇨ Ⅰ 4 a 14)의 다음에 다시 모음이 이어지는 것이지만, 이 사전에서는 [kə́:rənt]와 같이 표기하였다.
   보기 : hurry, courage, worry, thorough
8. [t]의 변종(變種). 악센트 있는 모음과 없는 모음 사이에 끼인 [t]는 혀끝이 이(齒)에 가볍게 닿을 뿐, 우리말의「ㄹ」음처럼 발음된다. **water**는 미음에서는 [wɔ́:tə*r*, wɑ́tə*r*]이므로「워러」또는「와러」처럼 들리기도 한다.
9. *wh*-의 단어 : **when** [*h*wén, *h*wən | wén, wən]. 미음에서는 [hwén 또는 wén], 영음에서는 [wén]이 일반적이며, 약형도 병기하였다.
10. 일반적으로 미음은 영음보다도 제2악센트를 잘 보존하고 있다. 이것은 어미 *-ary*, *-ery*, *-ory* 등의 낱말에 가장 많다.
   secretary [sékrətèri | -təri], **dormitory** [dɔ́:*r*mətɔ̀:ri | -mitri], **stationery** [stéiʃənèri | -ʃənəri], **testimony** [téstəmòuni | -məni], **strawberry** [strɔ́:bèri, -bəri | -bəri], **consequence** [kɑ́nsəkwèns | kɔ́nsikwəns].

11. 그리고 **z** [zí: | zéd], **vase** [véis | vá:z], **schedule** [skédʒu:l | ʃédju:l]과 같은 특정 낱말에 있어서의 차이는 지면의 제약 등으로 여기에 일일이 예거하지 않는다.

이상은 미·영의 발음의 차이 가운데서 주요한 것을 약설한 것이지만, 미음으로 예거한 것이 영음의 변종으로도 쓰이고, 영음으로 예거한 것이 미음의 변종으로도 흔히 쓰인다는 사실을 다시 한번 강조해 둔다.

Ⅱ 철 자

1. **문자와 발음** 영어에서 사용하는 문자는 로마자로 a에서 z까지의 26 자이다. 이것을 영어의 알파벳(alphabet)이라 한다. 각 문자에는 소문자(small letter)와 대문자(CAPITAL LETTER)의 구별이 있다. 서체에는 로만체(Roman type) 외에 이탤릭체[사체](*Italic type*), 필기체(*Script type*)라든가 고딕체(**Gothic type**) 등도 있다. 영어의 모든 낱말은 이 26 자로 구성되는데, 그 중 a, e, i, o, u (때로는 y, w도)는 모음자로, 그 밖의 것은 자음자로 쓰이는 것이 원칙이다. 영어에는 모음과 자음의 결합 방식이 40 가지 이상이나 되는 데다가, 역사적인 철자법이 보존되어 있어서, 철자와 발음과의 관계는 복잡하지만, 예외는 별도로 하고 원칙적인 관계를 p. xviii에 일람표로 간추려 놓았다. 일반적으로, (1) 1개의 모음자를 단모음으로 하여 발음하는 것은, 어미의 자음자의 앞 (man, bed, sit, top, bus), 2 개의 자음자의 앞(apple, letter, signal, pond, public) 등이다. (2) 1개의 모음자를 장모음[이중 모음]으로 발음하는 것은, 어미 또는 그 밖의 모음의 앞 (we, no, lion), 「1개의 자음자+묵음의 -e」의 앞 (make, eve, like, tone, tune), 「1개의 자음자+ -le, -er」의 앞 (table, idle, meter, fiber) 등이다. (3) 이중의 동일 자음자는 하나의 자음과 마찬가지로 발음하나, 다만 그 앞의 모음은 단모음 [æ, e, i, ɔ, ɑ, ʌ, u]이 된다. 분철에는 자음자를 하나씩 앞뒤의 음절에 나누어 붙인다. ★ 보기는 뒤의 일람표(철자와 발음의 관계)의 (1) 참조. (4) 모음자에 r이 계속되면 발음이 변한다. 일람표의 (1)과 (2), (3)과 (4), (5)와 (6)의 보기를 좌우로 비교해 보기 바란다.

2. **미·영 철자의 차이** 미·영에서 철자의 관용을 달리하는 것이 있지만, 미국에서 교양인들이 일반적으로 사용하는 철자는 영국의 철자와 별다른 차이가 없고 주요한 차이는 몇 가지에 지나지 않는다. 그러나 그 중에 아주 흔히 쓰이는 말이 많이 포함되어 있어서 두드러지게 눈에 뜨이게 된다. 미국식 철자는 대부분 Noah Webster (1758-1843)의 견해에 따른 것으로, 그는 그것을 어원·발음에 충실하며 배우기가 쉽고 합리적인 것이라고 주장했다. 그의 견해에 비평의 여지가 없는 것은 아니지만, 어쨌든 간명한 철자법이라고 환영을 받아, 그의 spelling book과 사전이 널리 퍼져 마침내 표준적인 미국식 철자로 되었다. 다음에서, 미국식 철자와 영국식 철자를 그 차이가 가장 두드러진 것부터 차례로 비교해 보자.

a. 《미》 **-or,** 《영》 **-our**: color, colour.
보기: ardo(u)r, armo(u)r, behavio(u)r, cando(u)r, endeavo(u)r, favo(u)r, flavo(u)r, harbo(u)r, hono(u)r, humo(u)r, labo(u)r, neighbo(u)r, odo(u)r, parlo(u)r, rumo(u)r, vapo(u)r, vigo(u)r, succo(u)r, savio(u)r. ★ (1) 《미》 arbor, Arbor Day, 《영》 arbour(정자), arbor(축(軸)). (2) 《미》에서도 Saviour(=Christ), glamour의 두 낱말은 -our가 보통이지만 Savior, glamor도 쓰인다. (3) 활용 어미 -ed, -ing, -s나 접미사 -able, -er, -ite, -ful, -less가 붙는 경우도 마찬가지로 《미》 **-or-,** 《영》 **-our-**: colo(u)red, armo(u)ring, favo(u)rite, colo(u)rful, colo(u)rless, neighbo(u)rhood. (4) 다만 접미사 -ous, -ation, -ific, -ize, -ist가 붙는 경우는 《미·영》 공통으로 **-or-**: humorous, vaporous, coloration, colorific, vaporize, humorist.

b. 《미》 **-er,** 《영》 **-re**: center centering, centre centring.
보기: accouter, accoutre; caliber, calibre; fiber, fibre; liter, litre; meter, metre; theater, theatre. ★ (1) thermometer와 같은 복합어에서는 《미·영》 공통으로 -meter. (2) c의 다음에 올 때에는 c를 [k]로 읽을 수 있도록 《미·영》 공통으로 -cre: acre, lucre, massacre, mediocre, *etc.* (3) ch를 [k]로, g를 [g]로 읽을 수 있도록 -chre, -gre는 《미·영》 공통:euchre, ogre; ocher, ochre와 같은 예도 있다.

c. 《미》 **-l-,** 《영》 **-ll-**: traveled traveling traveler, travelled travelling traveller; crueler cruelest, crueller cruellest.
보기: apparel; cancel; carol; cavil; chisel; counsel; equal; level; jeweler, jeweller; jewelry, jewellery. ★ parallel(l)ed, paralleled; tranquil(l)ity, tranquillity.

d. 《미》 **-ll-,** 《영》 **-l-**: appáll(ing), appál(ling); distíll(ed), distíl(led); enthrál(l) enthrállment, enthrál(l) enthrálment; enróll(ment), enról(ment); fulfíll(ed) fulfíl(led), fulfíl(led); instíll(er), instíl(ler); thráll(dom), thráll thráldom; skíllful, skílful; wíllful, wílful.

e. 《미》 **-se,** 《영》 **-ce**: defense, defence.
보기: license, licence (*n.*); offense, offence; pretense, pretence. ★ defensive, offensive, expense, suspense는 《미·영》 공통.

f. 《미》 **-ection,** 《영》 **-ection, -exion**:
보기: deflection, deflexion; inflection, inflexion; reflection, reflexion.

g. 《미》 **-ol-,** 《영》 **-oul-**: mold, mould.
보기: mo(u)lt; smo(u)lder.

h. 《미》 **-e-, -ae-,** 《영》 **-ae-, -æ-**: Encyclopedia Americana, Encyclopædia Britannica.
보기: an(a)emia, anaemia; hemoglobin, haemoglobin; medieval, medi(a)eval.

i. 《미》 **-e-, -oe-,** 《영》 **-oe-, -œ-**: am(o)eba, amoeba; maneuver, manoeuvre; ph(o)enix, phoenix. ★ 그리스어·라틴어에서 온 말에서 ae(æ), oe를 e로 간소화하는 경향이 《미》에서는 뚜렷하지만, 고전의 고유 명사와 그 파생어 (보기: Caesar, Aeschylus [éskələs | íːs-], Ægean)나 전문 학명 (보기:archaeology) 등에서는 종종 《미·영》 공통으로 ae를 보존하고 있다.

j. 《미》 **-ize,** 《영》 **-ze, -ise**: realize -ization, realize -ise -ization -isation.
보기:colonize, -ize -ise, *etc.*; analyze, analyse. ★ chastise, exorcise, surprise 등은 《미·영》 공통.

k. 《미》 단자음자, 《영》 중자음자: fagot, faggot; wagon, waggon; idyl, idyll; woolen, woollen; kidnap(ed), kidnap(ped); worship(ed) worship(er), worship(ped) worship(per).

l. 《미》 에서는 발음에 영향을 주지 않는 어미는 생략한다: gram, gramme; program, programme; catalog(ue), catalogue; annex, annex(e); ax, axe; ay(e), aye; good-by(e), good-bye; story(층), stor(e)y.

m. 개개의 낱말:check, cheque; draft(도안), draught draft; jail, gaol jail; ga(u)ntlet, gauntlet; gray, grey; peddler, pedlar; plow(man), plough(man); curb, kerb; Gypsy, Gipsy; pajamas, pyjamas; skeptic, sceptic; tire, tyre tire.

철자와 발음의 관계

(1) 단모음

a =[æ] : *b***a***t*, **a***p·ple* [ǽpl]
e =[e] : *h***e***n*, *l***e***ss*, *m***e***r·ry* [méri]
i, **y** =[i] : *s***i***t*, *h***y***mn*, *b***i***t·ter* [bítər]
o =[ɑ | ɔ] : *h***o***t*, *d***o***ll*, *d***o***l·lar* [dɑ́lər | dɔ́l-]
u =[ʌ] : *c***u***t*, *b***u***t·ter* [bʌ́tər]
oo =[u] : *b***oo***k*

(2) 1모음자+r

ar =[ɑːr] : *c***ar**, *c***ar***d*
er =[əːr] : *h***er**, *h***er***d*
ir =[əːr] : *s***ir**, *b***ir***d*
or =[ɔːr] : *f***or**, *n***or***th*
ur =[əːr] : *f***ur**, *b***ur***n*

(3) 장모음, 이중 모음

a, **ai**, **ay** =[ei] : *c***a***se*, *f***ai***l*, *s***ay**
a =[æ | ɑː] : **a***sk*, *p***a***st*, *pl***a***nt*
e, **ee**, **ea**, **ie** =[iː] : *w***e**, **e***v***e**, *s***ee**, *s***ea**, *f***ie***ld*
i, **y** =[ai] : *f***i***ne*, *cr***y**
o, **oa** =[ou] : *st***o***ne*, *c***oa***t*
u, **eu**, **ew** =[juː] : *c***u***e*, **u***se*, *f***eu***d*, *f***ew**
ah =[ɑː] : *b***ah**
au, **aw** =[ɔː] : *s***au***ce*, *s***aw**
oo =[uː] : *t***oo**, *m***oo***n*
ou, **ow** =[au] : *s***ou***nd*, *c***ow**
oi, **oy** =[ɔi] : **oi***l*, *b***oy**

(4) 1모음자+re 2모음자+r

are, **air** =[ɛər] : *c***are**, *f***air**
ere, **eer**, **ear**, **ier** =[iər] : *h***ere**, *b***eer**, *h***ear**, *p***ier**
ire =[aiər] : *f***ire**
ore =[ɔːr] : *st***ore**
ure =[juər] : *c***ure**
oor =[uər] : *p***oor**
our =[auər] : *s***our**

(5) 악센트가 없는 음절의 모음자

a, **e**, **o**, **u** =[ə] : **a***gó*, *sí·l***e***nt*, *lém·***o***n*, *cír·c***u***s*
i, **y**, **e** =[i] : *pít·***i***·ful*, *cít***y**, *b***e***·gín*

(6) 악센트가 없는 음절의 모음자+r

ar, **er**, **o(u)r**, **ur** =[ər] : *bég·g***ar**, *bét·t***er**, *ác·t***or**, *cól·***o(u)r**, *múr·m***ur**

(7) 어미의 e

원칙적으로 발음되지 않지만, 때로는 모음을 장모음 또는 이중 모음으로 하거나, *c*, *g*, *th*를 [s, dʒ, ð]로 발음하게 하는 역할을 함: *not***e** [nóut], *ac***e** [éis], *ag***e** [éidʒ], *bath***e** [béið]

(8) 자 음

b =[b] : **b***ig*
c =[k] : **c***ut*, **c***ry*
c(*e*, *i*, *y* 앞) =[s] : *i***c***e*, **c***ity*, *i***c***y*
ch =[tʃ] : **ch***ild*
ck =[k] : *do***ck**
d =[d] : **d***og*
dg =[dʒ] : *e***dg***e*
f =[f] : **f***ive*
g =[g] : **g***o*
g (*e*, *i*, *y* 앞) =[dʒ] : **g***em*, **g***iant*, **g***ypsy*
h =[h] : **h***at*
j =[dʒ] : **j***am*
k =[k] : **k***ing*
l =[l] : **l***itt***l***e*
m =[m] : **m***oon*
n =[n] : **n***oo***n**
n (*k*, *c*[k], *q*, *x*앞) =[ŋ] : *ta***n***k*, *u***n***cle*, *ba***n***quet*, *sphi***n***x*
ng =[ŋ] : *ki***ng**
p =[p] : **p***i***p***e*
ph =[f] : **ph***oto*
qu =[kw] : **qu***een*
r (모음 앞) =[r] : **r***ed*
s =[s] : **s***even*
sh =[ʃ] : **sh***ut*
si, **su** =[ʒ] : *vi***si***on*, *plea***su***re*
tch =[tʃ] : *ma***tch**
th =[θ] : **th***ink*, *no***th***ing*
th =[ð] : **th***ey*, *fa***th***er*
v =[v] : *fi***v***e*
w (모음앞) =[w] : **w***ay*
wh =[*h*w] : **wh***en*
x =[ks] : *bo***x**
y (모음앞) =[j] : **y***es*
z =[z] : **z***ero*

A a

a[1], **A**[1] [éi] *n.* (*pl.* **a's, as, A's, As** [-z]) **1** 에이 《영어 자모의 첫 자》 **2** A자형(의 것) **3** (가정의) 제1, 갑(甲); 〖음악〗 가 음, 가 조(調); 〖수학〗 제1기지 **4** (연속된 것의) 첫 번째의 것; 최상의 것, 제1급, A급; 수(秀) 《학업 성적에서》: straight[all] *A's* 전과목 수 ***from A to Z*** 처음부터 끝까지 ***not know A from B*** A와 B의 구별도 모르다, 낫 놓고 기역자도 모르다, 일자무식이다 ***the A to Z of***…에 관한 모든 것

A[2] **1** (영) (영화가) 14세 미만은 부모의 지도가 필요함 《지금의 PG에 해당; ⇨ film rating》; (브레이지어 컵·구두 폭의) A사이즈; (혈액형의) A형 **2** (미·속어) LSD 《acid의 생략에서》

a[2] ⇨ a (p. 2)

a [éi, ɑ́:] [L =from] *prep.* **1** (공간적·시간적으로) …으로부터 **2** (공간적으로) …에서 떨어져서 **3** (시간적으로) …이래, …후: *a* priori 선험적으로

à [ɑ́:] [F =to, at, in, after] *prep.* …에서, …으로, …의: À LA CARTE, À LA MODE

a-[1] [ə] *pref.* **1** [명사에 붙여 형용사·부사를 만듦] on, to, in의 뜻: *a*foot 도보로/*a*shore 해안에 ★ 이 a-가 붙은 말은 형용사로서는 Ⓟ로만 쓰임. **2** [동명사에 붙여] 《고어·방언》 「…중인; …하러」의 뜻: fall (*a*-)cry*ing* 울기 시작하다/go (*a*-)fish*ing* 낚시질하러 가다/The house is (*a*-)build*ing*. 집은 건축 중이다. ★ 위 보기 중의 a-는 오늘날 보통 생략되기 때문에 -ing형은 현재분사로도 봄.

a-[2] [ə] *pref.* [명사·형용사에 붙여 형용사·부사를 만듦] of의 뜻: *a*new, *a*kin, *a*fresh

a-[3] *pref.* [동사에 붙여] up, out의 뜻: *a*wake, *a*rise

a-[4] [ei, æ, ə] *pref.* 「비(非)…; 무(無)…」의 뜻: *a*moral, *a*sexual, *a*chromatic

-a[1] [ə] *suf.* [그리스 어·라틴 어에서 차용한 명사에 붙여 복수를 나타냄]: phenomen*a*, dat*a*, criteri*a*

-a[2] *suf.* 〖화학〗 [산화물의 이름에 붙여]: alumin*a*, ceri*a*

A ampere; amphetamine; 〖물리〗 angstrom; answer; 〖화학〗 argon **a.** about; acre(s); act(ing); adjective; age(d); alto; ampere; *anno* (L = in the year) **A.** Absolute; Academy; Airplane; America(n); Army; Artillery **Å** 〖물리〗 angstrom

@ [ət] **1** 〖상업〗 단가(單價) …으로(at): @$100 a doz. 1다스에 100달러로 **2** 〖컴퓨터〗 앳 마크 《인터넷 사용자 ID와 도메인 사이에 씀》

a·a [ɑ́:ɑ:] *n.* Ⓤ 〖지질〗 아아용암, 괴상(塊狀) 용암

AA (영) 〖영화〗 accompanied by adult 《성인 영화; 지금의 15(15세 입장 가능)에 해당; ⇨ film rating》; (구두 폭의) AA 사이즈; Afro-Asian; American Airlines; Asian-African; author's alteration

AA, A.A. Advertising Association; Alcoholics Anonymous; antiaircraft (artillery); antiaircraft gun[fire]; Associate of Arts 준(準) 문학사; Automobile Association

AAA [trípléi] **1** 〖야구〗 3A 《마이너 리그의 최고 클래스》 **2** (구두 폭의) AAA 사이즈 《AA보다 좁음》 **3** (건전지의) AAA 사이즈

AAA [trípléi] (영) Amateur Athletic Association; American Automobile Association **AAAL** American Academy of Arts and Letters 미국 예술원 **AAAS** American Association for the Advancement of Science **AAD** analog analog digital **AAF** (미) Army Air Forces

aah [ɑ́:] *int., n.* 아!, 아아! (하는 소리) 《놀람·기쁨을 나타냄》 **—***vi.* 아! 하고 탄성을 발하다

AAM air-to-air missile 공대공 미사일 **AAMC** American Association of Medical Colleges 미국 의과 대학 협회 **A & E** (영) accident and emergency **a & h** 〖보험〗 accident and health **A & M, A and M** agricultural and mechanical (college); Ancient and Modern **A & P** Great Atlantic and Pacific Tea Company 《미국의 슈퍼마켓 회사》 **a & r** assault and robbery **A & R** artists and repertory[repertoire] 가수와 음반 제작 **AAP** Association of American Publishers **AAPSS** American Academy of Political and Social Science **AAR** 〖해상보험〗 against all risks 전(全) 위험 담보; average annual rainfall

aard·vark [ɑ́:rdvɑ̀:rk] *n.* 〖동물〗 땅돼지

aard·wolf [ɑ́:rdwùlf] *n.* (*pl.* **-wolves** [-wùlvz]) 〖동물〗 땅늑대 《남아프리카산(産) hyena의 일종》

aargh [ɑ́:r] *int.* 윽, 억 《놀람·역겨움을 나타내어》

A-arms [éiɑ̀:rmz] *n.* 원자 무기

Aar·on [ɛ́ərən] *n.* 〖성서〗 아론 《모세의 형; 유대 최초의 제사장》

Aa·ron·ic [ɛərɑ́nik | -rɔ́-] *a.* **1** 아론의 **2** (아론 자손의) 유대 제사직의; 〖모르몬교〗 하급 제사직의

Aar·on's-beard [ɛ́ərənzbìərd] *n.* 〖식물〗 범의귀

Áaron's ród **1** 〖건축〗 아론의 지팡이 《나무 막대기에 뱀이 감긴 모양의 장식》 **2** 〖식물〗 미역취

AARP American Association of Retired Persons

A.A.S. *Academiae Americanae Socius* (L= Fellow of the American Academy) 미국 학술 협회 회원; American Academy of Sciences; American Astronomical Society 미국 천문학회; Associate in Applied Science 응용과학 준(準) 학사

aas·vo·gel [ɑ́:sfougəl] *n.* 독수리의 일종 《남아프리카산(産)》

AAU Amateur Athletic Union **AAUP** American Association of University Professors **AAUW** American Association of University Women **AAVE** African-American Vernacular English 아프리카계 미국인[미국 흑인] 방언

A-ax·is [éiæksis] *n.* (*pl.* **-ax·es**) 〖결정〗 (수평의) a축

ab[1] [æb] [L] *prep.* from의 뜻: ⇨ *ab extra*

ab[2] (속어) (마약 주사 자국에 생기는) 농양(膿瘍)

Ab [ɑ́:b, ɑ́:v] *n.* 아브 《유대력의 5월; 그레고리오력의 7-8월에 해당》

ab-[1] [æb, əb] *pref.* 「떨어져서; 멀리에; 결여(缺如)되어」의 뜻: *ab*normal, *ab*duct, *ab*use

ab-[2] [æb] *pref.* 〖물리〗 (cgs 전자 단위계에서) 「절대…」의 뜻: *ab*coulomb

ab. about; absent **a.b., ab., A.B.** at bat 〖야구〗 타(석)수 **Ab** 〖화학〗 alabamine **AB** airborne; Airman Basic 〖미공군〗 신병 **AB** (혈액형의) AB형 **A.B.** able-bodied seaman; *Artium Baccalaureus* (L =Bachelor of Arts) 문학사

a·ba [əbɑ́:, ɑ́:bə] *n.* **1** 아바 《아라비아 사람의 소매 없는 헐렁한 옷》 **2** Ⓤ 아바 《낙타·염소 털의 직물》

ABA Amateur Boxing Association; American Bankers Association; American Bar Association; American Basketball Association; American Booksellers Association

ab·a·ca [æ̀bəkɑ́:, ɑ̀:bə-] *n.* Ⓤ **1** (밧줄 원료인) 마닐라삼의 섬유 **2** 〖식물〗 마닐라삼

a, an

1 [ei]는 특히 강조할 경우나 숨을 쉰 다음 발음할 경우에만 쓴다.
2 자음 앞에서는 a, 모음 앞에서는 an을 쓰며, 철자에 따르지 않는다(⇨ an[1]): *a* cow, *an* ox; *a* horse, *an* hour [áuər]; *an* uncle, *a* unit [júːnit]; *an* office girl, *a* one-act [wʌ́nӕkt] play; *a* u, *an* s
3 단수형의 가산명사에 형용사가 붙을 경우, 보통 「a(n)(+副)+形+名」의 어순이 된다: *a* fine day / *a* very fine day. 문어인 many, such, 감탄사인 what, 종종 half, quite, rather의 경우에는, a(n)은 그들 단어 뒤에 온다: *many a* boy / *such a* thing / *What a* pity! / *half an* hour / *quite a* young lady / *rather an* idle boy. as, so, too 뒤에 형용사가 오는 경우는 「as[so, too]+形+a(n)+名」의 어순이 된다: *as*[*so, too*] heavy *a* burden
4 this, that, some 등 한정사(限定詞)나 my, his 등 소유격과 a(n)을 함께 쓸 수는 없다: *a this* girl, *this a* girl, *a my* friend, *my a* friend는 잘못. cf. *a* friend of MINE[1]
5 「no such[형용사의 비교급]+名」의 경우에는 a(n)을 넣지 않는다: *no such a* disaster, *no greater an* honor는 잘못이다.
6 호칭일 경우에는 관사가 없다: Hello, friend!
7 보어가 되는 명사가 관직·지위·역할 등을 나타낼 경우에는 관사가 없다: She was elected chairperson. 그녀는 의장으로 뽑혔다.

‡**a** [ə, èi, éi], **an** [ən, ӕn, ǽn] *indef. art.* 《부정관사》

> OE one의 뜻에서; a는 자음 앞에서 an의 n이 탈락한 것.
> ① 어떤 하나의 **1 a**
> ② 하나의 **1 b**
> ③ …이라는 것, 모든 **2**
> ④ …당, …마다 **3**

1 a [가산명사의 단수형 앞에서] (막연히) **어떤 하나**[**한 사람**]의 《one의 약한 뜻으로, 보통 해석하지 않음》: There is *a* book on the desk. 책상 위에 책이 (한 권) 있다. / I need *a* pencil. 연필이 (한 개) 필요하다. / *A* patient came to see me. (한) 환자가 나를 만나러 왔다. / This may not be the perfect solution, but it is *a* [éi] solution. 이것은 완벽한 해결책은 아니지만 한 가지 해결책이다. / She has *a* [éi] (=such *a* wonderful[terrible]) voice. 그녀는 목소리가 썩 좋다[형편없다]. / *a* poet and novelist 시인이자 소설가 《한 사람》 《★ *a* poet and *a* novelist는 보통 시인과 소설가 《두 사람》의 뜻; 단, 한 사람의 양면 활동·성질을 강조할 때는 두 군데에 다 관사가 붙음: He was *a* doctor and *a* writer. 그는 의사인 동시에 작가였다.》 / *a* watch and chain 줄 달린 시계 《★ and는 with의 뜻으로서 한 개의 것으로 간주함》 **b** 하나의, **한 사람의**: Rome was not built in *a* day. 《속담》 로마는 하루아침에 이루어지지 않았다. / for *a* week 1주간 / in *a* day or two 하루 이틀에 / in *a* word 한 마디로 / to *a* man 한 사람도 빠짐없이 / ⇨ to *an* HOUR / *A* friend of mine in the United States called me yesterday. 미국에 있는 친구 하나가 어제 내게 전화를 했다.
2 [총칭적] **…이라는 것**, 모든 … 《any의 약한 뜻, 보통 해석하지 않음》: *A* dog is faithful. 개는 충직하다. 《복수 구문에서도 some, any를 쓰지 않음(cf. THE B 1 a): Dogs are faithful.》
3 [단위를 나타내는 낱말에 붙여] …**당**, …마다, …에(per) 《전치사의 구실을 하며, 새기지 않을 때도 있음; cf. THE B 5》: once *a* day 하루에 한 번 / twice *a* week 일주일에 두 번 / He charges 100 dollars *an* hour. 그는 한 시간에 100달러를 청구한다.
4 [수량을 나타내는 단어에 붙여 관용법적으로] ⇨ few *a.* 2, *pron.* 2, little *a.* B 1, *ad.* 2, many *a.* 2, *a* good[great] MANY
5 [보통 불가산명사로 쓰이는 명사에 붙여] …**의 한 조각**; …의 한 예; …의 1인분, 1회분; …의 한 종류; …의 결과(만들어지는 것): *a* stone 돌멩이 《stone Ⓤ 석재》 / *a* fire 모닥불, 화재, 난롯불 《등》 《fire Ⓤ 불》 / *a* murder 살인 사건 / *a* kindness (하나의) 친절한 행위 / *a* beer[coffee, wine] 맥주[커피, 포도주] 한 잔 / take *a* rest 쉬다 / *A* heavy rain began to fall. 폭우가 내리기 시작했다.
6 a [고유명사에 붙여] …**와 같은 사람**[**것**]: *an* Edison 에디슨 같은 사람[대발명가] **b** [… of a …의 형태로] …와 같은(cf. OF 13 b): a flower *of a* girl (꽃같이) 아름다운 소녀 **c** 《문어》 [고유명사에 붙여; 사람 등의 새로운 면이나 그때까지 알려지지 않았던 면을 나타내어]: *a* vengeful Peter Baron 복수심에 불탄 피터 배런
7 a 어느 (정도의) 《some, a certain의 약한 뜻》: in *a* sense 어떤 의미로는 / I have *a* knowledge of English. 영어에 관해서 조금은 알고 있다(전문가는 아니다). **b** 《문어》 [고유명사에 붙여] …**이라는 사람**(⇨ certain 4): *A* Mrs. Johnson has come to see you. 존슨 부인이라는 분이 당신을 찾아왔습니다. **c** [고유명사에 붙여] …집안[가문]의 사람: *a* Kennedy 케네디 가문의 사람 **d** [고유명사에 붙여] …의 작품[제품]: He paid $5 million for *a* Picasso. 그는 피카소의 작품에 5백만 달러를 지불했다.
8 동일한, 같은 《보통 of a …의 형태로 씀》: They are all *of a* mind[*a* size]. 모두 한마음[같은 크기]이다. / They are all *of an* age. 그들은 모두 동갑이다. / birds *of a* feather 깃털이 같은 새들; 같은 무리의 사람들

a·back [əbǽk] *ad.* 〚항해〛 돛이 역풍을 받고
***be taken* ~** 크게 당황하다[놀라다]; 〚항해〛 〈돛이〉 역풍을 받다

a·bac·te·ri·al [èibæktíəriəl] *a.* 〚의학〛 비세균성의

a·bac·u·lus [əbǽkjuləs] *n.* (*pl.* **-li** [-lài]) **1** 〚건축〛 모자이크용 각유리 **2** 작은 주판

*__ab·a·cus__ [ǽbəkəs, əbǽk-] [Gk 「판자」의 뜻에서] *n.* (*pl.* **~·es, -ci** [-sài, -kài]) **1** 주판 **2** 〚건축〛 (원주(圓柱) 꼭대기의) 관판(冠板)

A·bad·don [əbǽdn] *n.* **1** 지옥, 나락 **2** 〚성서〛 Apollyon의 히브리명

a·baft [əbǽft | əbáːft] 〚항해〛 *prep.* …의 뒤쪽에[으로]; …의 고물(쪽)에 — *ad.* 〈배의〉 고물쪽으로, 고물 부근에

ab·al·ien·ate [æbéiljənèit, -liən-] *vt.* 〚법〛 〈명의·재산 등을〉 양도하다

ab·a·lo·ne [æbəlóuni] *n.* 〚패류〛 전복

ab·amp [ǽbæmp] *n.* 〚전기〛 = ABAMPERE

thesaurus **abandon**[1] *v.* **1** 버리다 desert, leave, forsake **2** 그만두다 give up, stop, quit, cease, drop, renounce, forgo, dispense with

ab·am·pere [æbǽmpiər | æbǽmpɛə] *n.* 〖전기〗 애브[절대] 암페어《전류의 cgs 단위》

‡**a·ban·don**[1] [əbǽndən] *vt.* **1** 〈사람·집·지위 등을〉 버리다, 유기하다: ~ one's friend 친구를 버리다 **2** 〈계획·습관 등을〉 **그만두다,** 단념하다(give up): ~ one's plan 계획을 포기하다 **3** 〈소유물을〉 넘겨주다, 내주다(surrender); 〈…을〉 (…이) 하는 대로 내맡기다《*to, for*》: (~+목+전+명) ~ one's country *to* the invaders 자기 나라를 침략자들에게 내맡기다 **4** 〖법〗 〈권리·재산을〉 포기하다 **5** 〖해상보험〗 〈배·화물 등 피보험물을〉 위탁하다 **6** 〖컴퓨터〗 폐기[파기]하다
~ one***self to*** pleasure(s)[grief] (환락[비탄])에 빠지다 ~ a person ***to his***[***her***] ***fate*** …을 그[그녀]의 운명에 맡기다
~·a·ble *a.* ▷ abándonment *n.*

abandon[2] *n.* Ⓤ 자유분방; 방종; 《영》 자포자기
with[***in***] ~ 멋대로, 흥에 겨워; 마음껏

a·ban·doned [əbǽndənd] *a.* **1** 버림받은; 버려진, 황폐한(deserted): an ~ building (버려진 채) 황폐한 건물 **2** 자포자기한; 방자한, 파렴치한(immoral), 불량한 〈녀석〉, 방탕한 〈여자〉 **3** 자유분방한

a·ban·don·ee [əbæ̀ndəníː] *n.* **1** 〖법〗 피(被)유기자 **2** 〖해상보험〗 피위탁자

a·ban·don·er [əbǽndənər] *n.* **1** 〖법〗 유기자 **2** 〖해상보험〗 위탁자

a·ban·don·ment [əbǽndənmənt] *n.* Ⓤ **1** 포기 **2** 〖법〗 유기, 위탁 **3** = ABANDON[2]

ab·ap·tis·ton [æ̀bæptístən] *n.* 〖외과〗 소원추 천두기(小圓錐穿頭器)《두개골 절개용 톱》

à bas [ɑː-bɑ́ː] [F = to the bottom] *int.* …을 타도하라!(opp. *vive*)

a·base [əbéis] *vt.* 〈지위·품격 등을〉 떨어뜨리다; 깎아내리다 ~ one***self*** 자기를 비하(卑下)하다
~·ment *n.* Ⓤ 실추, 굴욕 **a·bás·er** *n.*

a·based [əbéist] *a.* **1** 멸시당한 **2** 〖문장〗 (방패 모양의 바탕에 그려진 문장의 위치가) 보통보다 낮은

a·bash [əbǽʃ] *vt.* [보통 수동형으로] 무안하게 하다; 당황하게 하다(⇨ abashed) **~·ment** *n.*

a·bashed [əbǽʃt] *a.* Ⓟ 부끄러워; 당황하여 《*at, by*》 ***be***[***feel***] ~ 겸연쩍어하다, 당황하다: The boy *was*[*felt*] ~ *at* the sight of the room filled with strangers. 그 소년은 그 방이 낯선 사람들로 가득 찬 것을 보고 당황했다.
a·bash·ed·ly [əbǽʃidli] *ad.* 부끄러워서, 당혹하여

a·ba·sia [əbéiʒə, -ʒiə] *n.* 〖병리〗 실보(失步), 보행 불능(증) **a·ba·sic** [əbéizik, -sik] *a.*

a·bask [əbǽsk | əbɑ́ːsk] *ad.* (볕에) 쬐어, 따사롭게

***a·bate** [əbéit] *vt.* **1 완화시키다**(moderate); 〈수·양·정도 등을〉 **감소시키다;** 〈값을〉 낮추다, 〈세금을〉 줄이다; 〈고통·기세 등을〉 누그러뜨리다: ~ his fury 그의 노여움을 누그러뜨리다 **2** 〖법〗 배제[중지]하다; 〈영장을〉 무효로 하다
— *vi.* **1** 〈세력·심한 정도가〉 줄다, 덜어지다; 경감되다, 〈홍수가〉 잦아들다, 〈열이〉 내리다, 〈비바람이〉 자다 (⇨ decrease 유의어) **2** 〖법〗 〈영장이〉 무효가 되다
a·bát·er *n.* ▷ abátement *n.*

a·bate·ment [əbéitmənt] *n.* ⓊⒸ **1** 감소, 감퇴; 경감, 완화; (가격·세 등의) 경감액 **2** 폐지, 금지, 제거 **3** 〖법〗 배제, 중지, 각하, 실효
plea in ~ 〖법〗 소송 각하 항변

ab·a·tis [ǽbətìː, -tis, əbǽtis | ǽbətis] *n.* (*pl.* ~ [-tìːz], **~·es** [-tisiz]) 〖군사〗 녹채(鹿砦), 가시울타리; 철조망

a·bat-jour [ɑ̀ːbɑːʒúər] [F] *n.* (채광을 위한) 천창(天窓), 반사창; (창문 따위에) 비스듬히 친 스크린

a·ba·tor [əbéitər] *n.* 〖법〗 (소송 절차 등의) 배제자, 공제자; (정당한 상속인이 아닌) 유산 불법 점유자

---

abbey *n.* monastery, cloister, convent, priory
abbreviation *n.* shortening, reduction, cutting, contraction, condensation, compression

---

Á bàttery 〖전자〗 A 전지《라디오 진공관 등의 필라멘트 가열용》

ab·at·tis [ǽbətìː] *n.* = ABATIS

ab·at·toir [ǽbətwɑ̀ːr, ⏑⏑´] [F] *n.* 《영》 도살장

ab·ax·i·al [æbǽksiəl] *a.* 〖생물〗 배축(背軸)의

a·ba·ya [əbɑ́ːjə] *n.* = ABA

abb [ǽb] *n.* 양털의 최하등품 (털실)

abb. abbess; abbey; abbot

Ab·ba [ǽbə] *n.* 〖성서〗 아바, 하나님 아버지《마가복음 14 : 36》; [**a~**] 사부(師父)《수도원장 등》

ab·ba·cy [ǽbəsi] *n.* (*pl.* **-cies**) ⓊⒸ 대수도원장(abbot)의 관할 구역[직(권), 임기]

ab·ba·tial [əbéiʃəl] *a.* 대수도원(abbey)의; 대수도[수녀]원장의

ab·bé [æbéi, ⏑ | ⏑] [F] *n.* (*pl.* **~s** [-z]) (프랑스인의) 대수도원장(abbot); 성직자, 신부

Áb·be condènser [ɑ́ːbə-, ǽbi-] [독일 물리학자 이름에서] 〖광학〗 아베 집광 렌즈《현미경에 씀》

Ábbe nùmber (광학 유리 등의) 아베수(數)

ab·bess [ǽbis] *n.* 대수녀원장

Ab·be·vill·i·an, -e·an [æbvíliən, æ̀bəvíl-] *n., a.* 〖고고학〗 아브빌 문화(기)(의)《구석기 문화의》

‡**ab·bey** [ǽbi] *n.* **1 대수도[수녀]원** 《abbot 또는 abbess가 관리하던》 **2** [종종 **A~**] 대성당, 대저택《원래 대수도원이었음》 **3** [the A~] = WESTMINSTER ABBEY **4** [the ~; 집합적] 대수사[수녀]단

***ab·bot** [ǽbət] *n.* **대수도원장** **~·cy** *n.* **~·ship** *n.* ▷ abbátial *a.*

abbr(ev). abbreviated; abbreviation(s)

‡**ab·bre·vi·ate** [əbríːvièit] [L 「짧게 하다」의 뜻에서] *vt.* **1** 〈낱말을〉 **줄여 쓰다,** 간략화하다, 생략하다, 단축하다(shorten): (~+목+전+명) "United Nations" is commonly ~*d to* "UN". United Nations는 보통 UN으로 약기된다. // (~+목+***as*** 보) You are to ~ "Avenue" *as* "Ave." Avenue는 Ave.로 줄여 써 주시오. **2** 〈말 등을〉 짧게 하다; 〈행사·설교·체류를〉 예정보다 빨리 마치다: ~ a speech 연설을 짧게 하다
— *vi.* 약어를 사용하다, 생략하다
— [əbríːviət, -vièit] *a.* 비교적 짧은
-à·tor *n.* ▷ abbreviátion *n.*

ab·bre·vi·at·ed [əbríːvièitid] *a.* **1** 단축[생략]된, 짧게 한 **2** 〈의복이〉 겨우 몸을 가리는 **3** 짧은 모양의

‡**ab·bre·vi·a·tion** [əbrìːviéiʃən] *n.* **1** Ⓤ 〈길이·기간 등의〉 **생략,** 단축 **2 약어,** 생략형, 약자《*for, of*》 **3** Ⓤ 〖음악〗 생략법, 약호(略號)

USAGE 낱말을 줄인 것은 (1) period 《.》로 나타낸다: Jan.(<January) / cf.(<confer) (2) 단어의 마지막 철자가 남았을 경우에도 마찬가지로 하는 것이 보통이지만 《.》를 쓰지 않는 수도 있다: Mr. *or* Mr(<Mister) / Ltd. *or* Ltd(<Limited) / Sgt. *or* Sgt(<Sergeant) (3) 흔히 쓰이는 술어·대문자어에서는 《.》를 쓰지 않는 일도 많다: OE *or* O.E.(<Old English) / SE(<Southeast) / UNESCO(<United Nations Educational, Scientific, and Cultural Organization) (4) 생략으로 만들어진 신어는 《.》가 필요없다: bus(<omnibus), ad(<advertisement), exam(<examination), etc.
▷ abbréviate *v.*

ab·bre·vi·a·to·ry [əbríːviətɔ̀ːri | -təri] *a.* 생략의

ABC [éibìːsìː] *n.* (*pl.* **~'s, ~s**) **1** [종종 *pl.*] 에이비시, 알파벳(alphabet) **2** [the ~] 초보, 입문《*of*》: *the* ~ *of* economics 경제학 입문 **3** 《영》 ABC 순 철도 여행 안내(= ~ **Ráilway Guíde**) **4** [⏑⏑´] 《영》 ABC 순 세계 정기 항공 시간표(= ~ **Wórld Áirways Guíde**) (***as***) ***easy as*** ~ 매우 간단한[쉬운]

ABC Advance Booking Charter; America, Britain and Canada; American Broadcasting Company; Australian Broadcasting Corporation; Audit Bureau of Circulations (신문·잡지) 발행 부수 감사 기구

ÁBĆ anàlysis 〚경영〛 ABC 분석 《효율적 관리 방법》
ABCC Atomic Bomb Casualties Commission (일본·미국 합동) 원폭 상해 조사 위원회
ÁBĆ mèthod 〚경영〛 ABC 재고 관리 방식 《재고품 등을 ABC로 분류, 중요 품목을 중점 관리하는 것》
ab·cou·lomb [æbkú:lɑm | -lɔm] *n.* 〚전기〛 10쿨롱 《전하(電荷)의 cgs 전자(電磁) 단위》
ÁBĆ Pówers[Repúblics] [the ~] 남미 Argentina, Brazil, Chile의 3대 공화국
ÁBĆ sóil 〚지질〛 ABC 토양 《세 층으로 된 토양》
ÁBĆ wárfare [*a*tomic, *b*iological, and *c*hemical] 〚군사〛 화생방전
ÁBĆ wéapons 〚군사〛 화생방 무기
ABD [éibì:dí] [*a*ll *b*ut *d*issertation] *n.* 대학원 박사 과정 수료자 《논문 통과만 기다리는》
abd. abdicated; abdomen; abdominal
ab·di·cant [ǽbdikənt] *a.* 〈왕위·권리 등을〉 버리는, 포기하는 《*of*》 **—** *n.* 퇴위자; 포기자
ab·di·cate [ǽbdəkèit] *vt., vi.* 〈왕위·권리를〉 버리다, 포기하다; 퇴위하다: ~ (*from*) the crown [throne] 퇴위하다 / the ~*d* queen 퇴위한 여왕
ab·di·ca·ble [ǽbdikəbl] *a.* **-ca·tive** *a.*
ab·di·ca·tion [æ̀bdəkéiʃən] *n.* Ⓤ 퇴위; (고관의) 사직; (권력의) 포기, 기권
ab·di·ca·tor [ǽbdəkèitər] *n.* 기권자; 퇴위자
abdom. abdomen; abdominal
***ab·do·men** [ǽbdəmən, æbdóu-] *n.* (사람의) 배, 복부(belly); 〚동물〛 복부 ▷ abdóminal *a.*
***ab·dom·i·nal** [æbdɑ́mənl | -dɔ́m-] *a.* Ⓐ 배의, 복부의: ~ breathing [respiration] 복식 호흡 / an ~ operation 개복 수술 / the ~ walls 복벽
— *n.* [보통 *pl.*] 복근
~·ly *ad.* ▷ ábdomen *n.*
abdóminal mùscles 복근
abdóminal protéctor = JOCKSTRAP
ab·dom·i·no·plas·ty [æbdɑ́mənəplæ̀sti | -dɔ́m-] *n.* (*pl.* **-ties**) 〚해부〛 복강 형성술 《미용을 위한 복벽 지방·피부 절제》
ab·dom·i·nous [æbdɑ́mənəs | -dɔ́m-] *a.* 올챙이 배의, 배불뚝이의
ab·duce [æbdjú:s | -djú:s] *vt.* 〚생리〛 = ABDUCT 2
ab·du·cens [æbdjú:senz | -djú:-] *n.* 〚해부〛 외전(外轉) 신경(= **~ nèrve**)
ab·du·cent [æbdjú:snt | -djú:-] *a.* 〚해부·생리〛 〈근육 등이〉 외전(外轉)의
ab·duct [æbdʌ́kt] *vt.* **1** 유괴하다(kidnap) 《*from*》 **2** 〚생리〛 외전시키다(opp. *adduct*)
ab·duct·ee [æbdʌktí:] *n.* 유괴된 사람
ab·duc·tion [æbdʌ́kʃən] *n.* Ⓤ **1** 유괴 **2** 〚해부〛 (근육 등의) 외전(外轉)
ab·duc·tor [æbdʌ́ktər] *n.* **1** 유괴자 **2** 〚해부〛 외전근(筋)(opp. *adductor*)
Ab·dy [ǽbdi] [*a*naglyphic *b*y *d*elay] *n.* 〚전자〛 TV 화면을 입체적으로 재현하는 방식의 하나
Abe [éib] *n.* 남자 이름 《Abra(ha)m의 애칭》
a·beam [əbí:m] *ad.* 〚항해·항공〛 …와 직각 방향으로, 정(正)우현[좌현]으로 《*of*》
a·be·ce·dar·i·an [èibi:si:dέəriən] *a.* ABC의; 초보의 **—** *n.* 초보자; 초보를 가르치는 선생
a·be·ce·dar·i·um [èibi:si:dέəriəm] *n.* (*pl.* **-dar·i·a** [-dέəriə]) 입문서
a·bed [əbéd] *ad., a.* Ⓟ 잠자리에; 누운 채로 ***ill*[*sick*] ~** 앓아 누워 ***lie* ~** 자리에 눕다
A·bel [éibəl] *n.* **1** 남자 이름 **2** 〚성서〛 아벨 《Adam과 Eve의 둘째 아들; 형 Cain에게 살해당함》
a·bele [əbí:l, éibəl] *n.* 〚식물〛 백양(白楊), 사시나무
A·bé·li·an gróup [əbí:liən-] 〚수학〛 아벨군, 가환군(可換群)
a·bel·mosk [éibəlmɑ̀sk | -mɔ̀sk] *n.* 〚식물〛 아벨모스크 《열대산(産) 닥풀》(musk mallow)

ABEND [ɑ́:bend] [*ab*normal *end*] *n.* 〚컴퓨터〛 (작업의) 이상(異常) 종료
Ab·er·deen [æ̀bərdí:n] *n.* **1** 애버딘 《스코틀랜드 북동부의 항구 도시》 **2** 스코치테리어(= **~ térrier**)
Áberdeen Ángus 스코틀랜드산(産)의 뿔 없는 검은 소 《식육용》
ab·er·de·vine [æ̀bərdəváin] *n.* = SISKIN
Ab·er·do·ni·an [æ̀bərdóuniən] *a., n.* Aberdeen의 (사람)
A·ber·glau·be [ɑ́:bərglàubə] [G = misbelief] *n.* 미신
ab·er·ne·th·y [ǽbərnèθi | ⌐–⌐–] *n.* 캐러웨이(caraway) 열매를 넣은 딱딱한 비스킷(= **~ bìscuit**)
ab·er·rance, -ran·cy [æbérəns(i)] *n.* ⓊⒸ 정도(正道)에서 벗어남, 탈선(행위), 과오
ab·er·rant [əbérənt, ǽbər-] *a.* **1** 정도(正道)에서 벗어난, 탈선적인 **2** 〚생물〛 변종의, 비정상의 **~·ly** *ad.*
ab·er·ra·tion [æ̀bəréiʃən] *n.* ⓊⒸ **1** 정도(正道)에서 벗어남; 탈선 **2** 〚정신의학〛 (일시적인) 정신 이상 **3** 〚생물〛 (발육·위치 등의) 변형, 변이 **4** 〚천문〛 광행차(光行差) **5** 〚광학〛 수차(收差) **~·al** *a.*
a·bet [əbét] *vt.* (**~·ted**; **~·ting**) **1** 〈범죄 등을〉 부추기다, 선동하다, 교사하다: (~+목+전+명) ~ a person *in* crime = ~ a crime 범죄를 교사하다 / ~ a servant *against* his master 하인을 부추겨서 주인을 배반하게 하다 **2** (목적 달성을) 지원하다(support) ***aid and* ~** 교사하다
~·ment *n.* Ⓤ 교사(敎唆), 선동 **~·ter, ~·tor** *n.* 교사자
ab ex·tra [æb-ékstrə] [L = from outside] *ad.* 외부로부터(opp. *ab intra*)
a·bey·ance [əbéiəns] *n.* Ⓤ **1** (일시적) 중지, 정지 **2** 〚법〛 소유자 미정 ***be in* ~** 〈권리 등이〉 정지 중이다 ***fall into* ~** 정지되다 ***hold*[*leave*] ... *in* ~** …을 미결로 두다
a·bey·ant [əbéiənt] *a.* **1** 정지 중의 **2** 소유자 미정의
ABF Asia Boxing Federation
ab·far·ad [æbfǽræd] *n.* 〚전기〛 절대 패럿 《정전(靜電) 용량의 cgs 전자 단위; 기호 aF》
ABH 〚영국법〛 actual bodily harm 신체상의 위해
ab·hen·ry [æbhénri] *n.* (*pl.* **-ries**) 〚전기〛 절대 헨리 《인덕턴스의 cgs 전자 단위; 기호 aH》
***ab·hor** [æbhɔ́:r | əb-] *vt.* (**~red**; **~·ring**) **1** 몹시 싫어하다, 혐오하다, 질색하다: I ~ snakes. 난 뱀이 질색이다. **2** 증오하다 **~·rer** *n.*
▷ abhórrence *n.*; abhórrer *n.*; abhórrent *a.*
ab·hor·rence [æbhɔ́:rəns | əb-] *n.* **1** Ⓤ 혐오, 증오 **2** 질색인 것 ***have an* ~ *of* ... = *hold* ... *in* ~** …을 몹시 싫어하다
ab·hor·rent [æbhɔ́:rənt | əb-] *a.* **1** 질색인, 싫어서 견딜 수 없는 《*to, of*》: It is ~ *to* me. = I am ~ *of* it. 나는 그게 질색이다. **2** 상반되는, 모순되는 《*to*》 **~·ly** *ad.*
ab·hor·rer [æbhɔ́:rər | əb-] *n.* **1** 몹시 싫어하는 사람 **2** [the A~s] 〚영국사〛 국회 소집 반대파
a·bid·ance [əbáidns] *n.* Ⓤ **1** 지속 **2** 거주(abiding), 체재 《*in, at*》 **3** 준수 《*by*》
‡**a·bide** [əbáid] *v.* (**a·bode** [əbóud], **a·bid·ed**; **a·bid·ing**) *vi.* (문어·고어) **1** 머물다, 체류하다(stay) **2** 살다(dwell) 《*in, at*》: (~+전+명) ~ *in* a little village 작은 마을에 살다 **3** (어떤 상태에) 지속하다, 남다(remain) 《*in*》: (~+전+명) ~ *in* memory 기억에 남다 **4** (규칙·약속 등을) 지키다, 준수하다 《*by*》 (⇨ law-abiding)
— *vt.* **1** [부정·의문문에서] 참다, 견디다: I can't ~ that fellow. 저 사나이에 대해서는 참을 수가 없다. //

thesaurus **abhor** *v.* detest, loathe, hate, abominate, dislike (opp. *love, admire*)
ability *n.* **1** 능력 capacity, capability, potential, power, competence, facility **2** 재능 talent, profi-

《~+*to* do》 He can*not* ~ *to* stay in one position for long. 그는 한 일자리에서 오래 참고 견디지 못한다. **2** …에 대항[저항]하다, 맞서다: ~ the storm 폭풍에 저항하다 **3** (참고) 기다리다 **4** 〈운명·판결을〉 달게 받다: ~ one's doom 운명을 감수하다 / ~ a punishment 처벌을 달게 받다 **5** 〈죄의 대가를〉 치르다
a·bíd·er *n.* ▷ abóde[1] *n.*
a·bid·ing [əbáidiŋ] *a.* Ⓐ 오래 지속되는, 영구적인: an ~ friendship 변치 않는 우정 / his ~ place 그의 주소 **~·ly** *ad.* 영구적으로, 영속하여 **~·ness** *n.*
Ab·i·djan [æbidʒɑ́:n] *n.* 아비장 《코트디부아르(Côte d'Ivoire)의 예전 수도》
A·bie [éibi] *n.* 남자 이름 《Abraham의 애칭》
ab·i·ent [ǽbiənt] *a.* 〖심리〗 배향적(背向的)인, 자극을 피하는
ab·i·ét·ic ácid [æbiétik-] 〖화학〗 아비에트산 《건조제·니스·비누 제조용》
Ab·i·gail [ǽbəgèil] *n.* **1** 여자 이름 **2** [**a~**] 시녀(侍女)
⁑**a·bil·i·ty** [əbíləti] *n.* (*pl.* **-ties**) **1 a** Ⓤ 할 수 있음 《*to* do》; 능력, 수완, 역량 《*in, at*》(opp. *inability*): 《~+*to* do》 He has the ~ *to* make a big plan. 그는 큰 계획을 세울 능력이 있다. **b** [종종 *pl.*] (타고난) 재주, 재능: a man of many *abilities* 다재다능한 사람

> 유의어 **ability** 타고난 또는 노력해서 얻은 모든 능력: diplomatic *ability* 외교적 수완 **faculty** 어떤 특정 분야의 선천적 또는 후천적인 능력: a *faculty* for mathematics 수학의 재능 **talent** 특히 예술 분야에 있어서의 선천적인 능력: a *talent* for music 음악의 재주 **genius** 과학·예술 등에서의 창조적이며 비범한 재능: a person of *genius* 천부의 재능을 가진 사람 **gift** 선천적으로 지니고 있어서 노력 없이도 자연히 발휘되는 뛰어난 재능: a *gift* for painting 타고난 그림 재주

2 Ⓤ 〖법〗 유자격 ***to the best of*** **one's ~** 힘 자라는 데까지, 능력껏 ▷ áble *a.*
-ability [əbíləti] *suf.* 「…할 수 있음」의 뜻 《-able의 명사 어미》: cap*ability*
ab in·i·ti·o [æb-iníʃiòu] [L =from the beginning] *ad.* 최초부터 《略 ab init.》
ab in·tra [æb-íntrə] [L =from inside] *ad.* 내부로부터(opp. *ab extra*)
a·bio·chem·is·try [èibaioukéməstri, æbi-] *n.* Ⓤ 〖화학〗 무기 화학(cf. BIOCHEMISTRY)
a·bi·o·gen·e·sis [èibaioudʒénəsis, æbi- | èibai-] *n.* Ⓤ 〖생물〗 자연 발생(론); 자생(自生), 우발
a·bi·o·ge·net·ic [èibaioudʒənétik, æbi- | èibai-] *a.* 〖생물〗 자연 발생의 **-i·cal·ly** *ad.* 자연 발생적으로
a·bi·o·gen·ic [èibaioudʒénik, æbi- | èibai-] *a.* 〖생물〗 비생물 기원의, 자연[우연] 발생의 **-i·cal·ly** *ad.*
a·bi·og·e·nist [èibaiɑ́dʒənist, æbi- | èibaiɔ́-] *n.* 자연 발생론자
a·bi·o·log·i·cal [èibaiəlɑ́dʒikəl, æbi- | èibaiəlɔ́dʒi-] *a.* 비생물(학)적인; 생명이 없는 **~·ly** *ad.*
a·bi·o·sis [èibaióusis] *n.* Ⓤ 〖병리〗 무기력 상태, 생활[생명]력의 결여
a·bi·ot·ic [èibaiɑ́tik | èibaiɔ́-] *a.* 생명[생물]에 관계 없는; 비생물적인 **-i·cal·ly** *ad.*
a·bi·ot·ro·phy [èibaiɑ́trəfi | èibaiɔ́-] *n.* 〖병리〗 (세포·조직의) 무생활력 **à·bi·o·tróph·ic** *a.*
ab·ir·ri·tant [æbírətənt] *n., a.* 〖의학〗 자극 완화제(의)
ab·ir·ri·tate [æbírətèit] *vt.* 〖의학〗 …의 자극을 완화하다 **ab·ir·ri·tá·tion** *n.* **ab·ír·ri·tà·tive** *a.*

ciency, skill, aptitude, qualification, gift
able *a.* competent, capable, talented, skillful, skilled, clever, intelligent, gifted, proficient, apt, fit, effective, efficient, qualified

⁎**ab·ject** [ǽbdʒekt, -ˊ | ˊ-] *a.* **1** 비참한, 영락한, 절망적인 〈상태〉: ~ poverty 극빈 **2** 비열한, 야비한, 비굴한, 천한 〈사람·행위〉: make an ~ apology 비열한 변명을 하다 **3** 버려진, 내팽개쳐진
~·ly *ad.* **~·ness** *n.*
▷ abjéction *n.*
ab·jec·tion [æbdʒékʃən] *n.* Ⓤ **1** 비참한 상태, 영락; 비천; 비열, 비굴 **2** 〖생물〗 (균류의) 포자 방출
ab·ju·ra·tion [æbdʒuəréiʃən] *n.* ⓊⒸ 《문어》 맹세하고 그만둠, 포기; 포기 선언
ab·jure [æbdʒúər, əb-] *vt.* 《문어》 **1** 〈악습 등을〉 맹세하고 버리다 **2** 〈고국·신앙 등을〉 공공연히 포기하다 **3** 회피하다, 피하다
Ab·kha·zia [æbkéiʒə | -kɑ́:ziə] *n.* 아브하즈 자치공화국 《수도 Sukhumi》
abl. ablative
ab·lac·tate [æblǽkteit] *vt.* 이유(離乳)시키다
ab·lac·ta·tion [æblæktéiʃən] *n.* Ⓤ 젖떼기, 이유
ab·late [æbléit] *vt., vi.* (용해·증발·부식 등으로) 제거하다[되다]
ab·la·tion [æbléiʃən] *n.* Ⓤ **1** (일부의) 제거, (수술에 의한) 절제 **2** 〖지질〗 (빙하·암석 등의) 삭마(削磨); 〖우주〗 융제(融除) 《로켓이 대기권에 재돌입할 때 두부(頭部) 보호 물질이 녹아서 증발하는 현상》
ab·la·ti·val [æblətáivəl] *a.* 〖문법〗 탈격적인
ab·la·tive[1] [ǽblətiv] 〖문법〗 *a.* 탈격(奪格)의
— *n.* **1** [the ~] 탈격 《「…에서」의 뜻을 나타내는 격(格) 형식》 **2** 탈격(형) 명사
ab·la·tive[2] [æbléitiv] *a.* 제거의; 〖우주〗 융제용의, 융제하기 쉬운 **~·ly** *ad.*
áblative ábsolute 〖문법〗 탈격 독립어구
ab·la·tor [æbléitər] *n.* 〖우주〗 융제재(材)
ab·laut [ǽblaut, ɑ́:b-] [G] *n.* Ⓤ 〖언어〗 모음 전환[교체] 《보기: s*i*ng-s*a*ng-s*u*ng》
a·blaze [əbléiz] *a.,* Ⓟ *ad.* **1** 불타고 **2** 빛나고 《*with*》 **3** 흥분한, 격한 《*with*》 ***set*** **~** 불타오르게 하다
⁑**a·ble** [éibl] *a.* (**better ~**; **best ~**) **1** Ⓟ …할 수 있는(opp. *unable*): 《~+*to* do》 They are ~ *to* find their own food. 그들은 스스로 음식을 발견할 수 있다. **2** (**a·bler**; **a·blest**) 유능한, 능란한; [the ~; 명사적] 유능한 사람들

> 유의어 **able** 일을 하는 데에 필요한, 또는 뛰어난 능력을 지닌: an *able* teacher 유능한 교사 **capable** 어떤 일을 하는 데에 필요한 실제적인 능력을 지닌: a *capable* lawyer 유능한 변호사 **competent** 특정한 일을 하는 데에 충분한 능력을 지닌: a *competent* player 유능한 선수

3 재능을 발휘한, 재기(才氣) 넘치는: an ~ speech 재기 넘치는 연설 **4** 〖법〗 자격 있는 **5** 〖항해〗 =ABLE-BODIED
be ~ to do …할 수 있다(⇨ 1)
USAGE (1) can의 과거형, 미래형, 완료형을 *was* [*were*] *able to*; *will*[*shall*] *be able to*; *have* [*has, had*] *been able to*로 보충한다. (2) 이 뜻의 비교급은 better [more] *able* to … than …이 된다.
▷ abílity *n.*; enáble *v.*; ábly *ad.*
-able [əbl], **-ible** [ibl] *suf.* **1** [수동의 뜻으로 타동사에 붙여] 「…할 수 있는; …하기에 적합한; …할 만한」의 뜻: us*able*, eat*able*, lov*able* **2** [명사에 붙여] 「…에 적합한; …을 좋아하는」의 뜻: marriage*able*, peace*able* ★ 명사형은 -ABILITY, ~NESS.
a·ble-bod·ied [éiblbɑ́did | -bɔ́-] *a.* 강건한; 숙달한; 〖항해〗 A.B.급의 〈선원〉
áble(-bodied) séaman 〖항해〗 A.B.급의 선원 《숙련 갑판원; 略 A.B.; cf. ORDINARY SEAMAN》
a·bled [éibld] *a.* 강건한 (몸을 가진): differently ~ 다른 능력을 가진 《disabled의 완곡한 말》
Áble Dày 제1회 Bikini 섬 원폭 실험일 《1946년 6월 30일》
ab·le·gate [ǽbləgèit] *n.* 교황 특사(特使)

a·ble·ism [éiblizəm] *n.* (건강한 사람의) 신체 장애자 차별 **á·ble·ist** *n., a.*
a·bloom [əblú:m] *ad., a.* ⦅문어⦆ Ⓟ 꽃이 피고
ab·lu·ent [ǽblu(:)ənt] *a., n.* 세정(洗淨)(의), 세제(의)
a·blush [əblʌ́ʃ] *ad., a.* Ⓟ 얼굴을 붉히고
ab·lut·ed [əblú:tid] *a.* ⦅구어⦆ 〈몸·얼굴·손을〉 깨끗이 씻은
ab·lu·tion [əblú:ʃən] *n.* Ⓤ **1** 목욕 (재계) **2** [보통 *pl.*] 〖그리스도교〗 몸·손·제기의 세정식(洗淨式) **3** 세정식용 정수(淨水) **~·àr·y** *a.*
a·bly [éibli] *ad.* 유능하게, 교묘히, 훌륭히(skillfully)
-ably [əbli] *suf.* [-able로 끝나는 형용사에 붙여] 「…하게, …같이, …의 방식으로 (like, in a manner)」의 뜻: peace*ably*
ABM antiballistic missile; 〖컴퓨터〗 asynchronous balanced mode 비동기(非同期) 평형 모드; ⦅캐나다⦆ automated banking machine 현금 자동 지급기
ab·mho [ǽbmou] *n.* (*pl.* **~s**) 〖전기〗 절대[애브]모 ⦅conductance의 cgs 전자 단위⦆
ab·mo·dal·i·ty [æbmoudǽləti] *n.* (*pl.* **-ties**) Ⓤ 〖통계〗 편차
abn airborne
ab·ne·gate [ǽbnigèit] *vt.* 〈권리 등을〉 버리다; 〈쾌락 등을〉 끊다, 자제하다 **-gà·tor** *n.*
ab·ne·ga·tion [æ̀bnigéiʃən] *n.* Ⓤ 포기; 금욕, 자제(self-denial), 극기
‡**ab·nor·mal** [æbnɔ́:rməl] *a.* **1** 비정상의, 이상한, 예외적인; 변칙의; 정상 이상[이하]의, 변태적인(opp. *normal*): ~ behavior 이상 행동 **2** 지나치게 큰, 막대한: ~ profit 거액의 이익 **~·ly** *ad.* **~·ness** *n.*
▷ abnormálity, abnórmity *n.*
ab·nor·mal·i·ty [æ̀bnɔ:rmǽləti] *n.* (*pl.* **-ties**) Ⓤ 이상, 변칙; Ⓒ 비정상적인[변칙적인] 것, 기형
▷ abnórmal *a.*
ab·nor·mal·ize [æbnɔ́:rməlàiz] *vt.* 이상하게 하다, 보통과 다르게 하다 **ab·nòr·mal·i·zá·tion** *n.*
abnórmal psychólogy 이상[변태] 심리(학)
ab·nor·mi·ty [æbnɔ́:rməti] *n.* (*pl.* **-ties**) = ABNORMALITY
ab·o [ǽbou] [*ab*origine, *ab*original] *n.* (*pl.* **~s**) ⦅호주·속어·경멸⦆ 원주민, 토착민 **— *a.*** 토착민의
‡**a·board** [əbɔ́:rd] *ad.* **1** 배로[에](opp. *ashore*); 승선하여; ⦅미⦆ 기차[버스, 비행기]에 타고: Welcome ~! 저희 비행기[배]를 이용해 주셔서 감사합니다! **2** 뱃전에 **3** ⦅야구속어⦆ 출루하여 **4** 새로 가입해서, 신입자로: The office manager welcomed him ~. 부장은 그가 입사한 것을 환영했다.
All ~! ⦅미⦆ (1) 여러분 타십시오, 발차합니다! (2) 발차!, 출발! ***come*** [***get***] **~** 〈계획 등에〉 새로 참가하다 ***fall*** [***run***] **~** (***of***) 〈딴 배·딴 사람〉과 충돌하다 ***have*** **~** 태우고[싣고] 있다 ***keep the land*** **~** 육지를 따라 항행하다 ***take*** **~** 태우다, 싣다
— *prep.* 〈배·열차·버스·비행기에〉 타고
go **~** a ship (배를) 타다
▷ bóard *n.*
‡**a·bode**[1] [əbóud] *n.* ⦅문어⦆ **1** 주소, 주거; 거주 **2** 체류(cf. ABIDE) ***make*** [***take up***] one***'s*** **~** 거주하다, 거처를 정하다 ⦅*at, in*⦆ ***of*** [***with***] ***no fixed*** **~** 일정한 거처가 없는 ▷ abíde *v.*
abode[2] *v.* ABIDE의 과거·과거분사
ÁBO gróup = ABO SYSTEM
ab·ohm [æbóum, ⌐⌐] *n.* 〖전기〗 절대 옴 ⦅전기 저항의 cgs 전자 단위; $=10^{-9}$ ohm⦆
a·boil [əbɔ́il] *a.* Ⓟ, *ad.* 끓고 있는; 들끓어
***a·bol·ish** [əbɑ́liʃ | əbɔ́-] *vt.* **1** 〈제도·법률·습관 등을〉 폐지하다(do away with): War should be ~*ed.* 전쟁은 없어져야 한다. **2** (완전히) 파괴하다
~·a·ble *a.* **~·er** *n.* **~·ment** *n.* Ⓤ 폐지
▷ abolítion *n.*
***ab·o·li·tion** [æ̀bəlíʃən] *n.* **1** Ⓤ 폐지; 사형 폐지: the ~ of nuclear weapons 핵무기의 완전 폐기 **2** [때로 **A~**] ⦅미⦆ 노예 제도 폐지 **~·àr·y** *a.* **~·ism** *n.* Ⓤ (사형) 폐지론; (노예 제도) 폐지론 **~·ist** *n.*
▷ abólish *v.*
a·bol·la [əbɑ́lə | əbɔ́lə] *n.* (*pl.* **-lae** [-li:]) 아볼라 ⦅고대 로마의 남자용 cape형 양모제 외투⦆
ab·o·ma·sum [æ̀bəméisəm], **-sus** [-səs] *n.* (*pl.* **-sa** [-sə]) 〖동물〗 추위(皺胃), 주름위 ⦅반추 동물의 제4위⦆ **ab·o·má·sal** *a.*
A-bomb [éibɑ̀m | -bɔ̀m] *n.* ⦅구어⦆ 원자(폭)탄(atomic bomb); ⦅속어⦆ 개조한 고속 자동차; ⦅속어⦆ 배합 강력 마약 **— *vt.*** 원자(폭)탄으로 공격하다
***a·bom·i·na·ble** [əbɑ́mənəbl | əbɔ́mə-] *a.* **1** 지긋지긋한, 혐오스러운, 가증스러운 **2** ⦅구어⦆ 질색인, 싫은, 지독한 〈날씨 등〉 **~·ness** *n.* **-bly** *ad.* 밉살맞게; ⦅구어⦆ 지독히, 지긋지긋하게
abóminable snówman [때로 **A- S-**] ⦅구어⦆ 설인(雪人)(yeti) ⦅히말라야 산중에 산다는 짐승⦆
a·bom·i·nate [əbɑ́mənèit | əbɔ́m-] [L 「흉조로 간주하다」의 뜻에서] *vt.* 혐오하다, 증오하다; ⦅구어⦆ 아주 질색하다 **-nà·tor** *n.*
***a·bom·i·na·tion** [əbɑ̀mənéiʃən | əbɔ̀mə-] *n.* **1** Ⓤ 혐오, 증오, 몹시 싫어함 **2** 혐오감을 주는 짓[일, 것]
have [***hold***] ***... in*** **~** …을 몹시 싫어하다
▷ abóminate *v.*
à bon droit [ɑ:-bɔ́:n-drwɑ́:] [F =with justice] *ad.* 올바르게, 공정히, 당연히
à bon mar·ché [ɑ:-bɔ́:n-mɑ:rʃéi] [F =at a good bargain] *ad.* 싸게, 헐하게; 쉽사리
a·boon [əbú:n] *prep., ad.* ⦅스코·방언⦆ = ABOVE
ab·o·rig·i·nal [æ̀bərídʒənl] *a.* **1** 원주(原住)의, 토착의: ~ races[fauna, flora] 토착 인종[동물, 식물] **2** 토착[원주]민의: ~ language 토착어
— *n.* = ABORIGINE 1, 2 **~·ly** *ad.*
ab·o·rig·i·nal·i·ty [æ̀bəridʒənǽləti] *n.* Ⓤ 원주(原住), 원생(原生), 원생 상태; 토착, 원시적임
ab o·rig·i·ne [æb-ɔ:rídʒənì:] [L =from the beginning] *ad.* 최초부터; 근원부터
ab·o·rig·i·ne [æ̀bərídʒənì:] *n.* **1** (한 나라·한 지방의) 원주민, 토착민(opp. *colonist*) **2** [**A~**] 오스트레일리아 원주민 **3** [*pl.*] 토착 동식물
a·born·ing [əbɔ́:rniŋ] *ad.* 막 태어날 때에; 실행 직전에 **— *a.*** Ⓟ 태어나려고 하는: A new age is ~. 새 시대가 열리려 하고 있다.
a·bort [əbɔ́:rt] *vi.* **1** 유산[낙태]하다 **2** 〖생물〗 발육하지 않다 **3** 〈계획 등이〉 실패하다, 중단되다 **4** 〖컴퓨터〗 〈처리를〉 중단하다
— *vt.* **1** 유산[낙태]시키다; 〈임신을〉 중절하다 **2** 〈계획 등을〉 중단[중지]하다, …의 성장[발전]을 억제하다 **3** 〖컴퓨터〗 〈프로그램의〉 실행을 중단하다
— *n.* **1** = ABORTION **2** 〖컴퓨터〗 (프로그램 진행의) 중단 **~·er** *n.*
a·bort·ed [əbɔ́:rtid] *a.* **1** 유산된 **2** 〖생물〗 발육 부전의 **3** 실패한
a·bor·ti·cide [əbɔ́:rtəsàid] *n.* **1** Ⓤ 낙태 **2** 낙태약
a·bor·ti·fa·cient [əbɔ̀:rtəféiʃənt] *a.* 유산시키는, 낙태용의 **— *n.*** 낙태약
a·bor·tion [əbɔ́:rʃən] *n.* ⓊⒸ **1** 유산, 낙태: ~ clinic 낙태 시술 병원 **2** (인공) 유산아 **3** (동식물·기관의) 발육 정지[부전] **4** (계획 등의) 실패, 불발
have an **~** 유산[낙태]하다
~·al *a.* **~·ism** *n.* 임신 중절 찬성[옹호] **~·ist** *n.* 임신 중절 지지자; 낙태 시술자
a·bor·tion-on-de·mand [əbɔ́:rʃənɑndimǽnd] *n.* (임신 6개월 이내의) 임신 중절권; 임산부 요구에 의한 낙태
abórtion píll 임신 중절약

thesaurus **abnormal** *a.* unusual, strange, odd, uncommon, peculiar, queer, weird, eccentric, extraordinary, unexpected (opp. *normal, regular*)

a·bor·tive [əbɔ́ːrtiv] *a.* **1** 유산의; 유산을 촉진시키는 **2** 발육 부전의, 미성숙의; 〈병이〉 비진행성의 **3** 실패의: an ~ enterprise 실패로 끝난 사업 / His efforts proved ~. 그의 노력도 허탕이었다.
— *n.* 유산; 낙태약(abortifacient)
~·ly *ad.* **~·ness** *n.*
a·bor·tu·ar·y [əbɔ́ːrtʃuèri | -tjuəri] [*abor*tion+mor*tuary*] *n.* (경멸) 임신 중절 병원
a·bor·tus [əbɔ́ːrtəs] *n.* **1** 유산 **2** 유산된 태아
ÁBÓ sỳstem (혈액형의) ABO식 분류법
a·bought [əbɔ́ːt] *v.* ABY의 과거·과거분사
a·bou·li·a [əbúːliə] *n.* = ABULIA
‡a·bound [əbáund] *vi.* **1** 〈동물이〉 많이 있다; 〈장소 등이〉 (…으로) 가득하다 (*in, with*): (~+전+명) Fish ~ *in* this river. = This river ~*s in* fish. 이 강에는 물고기가 많다. **2** 〈물건이〉 풍부하다; 잘 공급되다 (*in, on*): ~ *in* products 생산물이 많다
▷ abúndance *n.*; abúndant *a.*
a·bound·ing [əbáundiŋ] *a.* 풍부한, 많은 **~·ly** *ad.*
‡a·bout ⇨ about (p. 8)
a·bout-face [əbáutfèis, ⌐⌐⌐] *n.* 뒤로 돌기; (주의·태도 등의) 180도 전향
— [⌐⌐⌐] *vi.* 뒤로 돌다; 주의[태도]를 일변하다
a·bout-ship [əbàutʃíp] *vi.* 〖항해〗 돛의 바람 받는 방향으로 침로를 바꾸다(tack)
a·bout-sledge [əbáutslèdʒ] *n.* (대장간의) 큰 쇠메
a·bout-town·er [-táunər] *n.* (나이트클럽·극장 등에) 자주 가는 사람
a·bout-turn [-tɔ́ːrn] *n.* (영) = ABOUT-FACE
‡a·bove ⇨ above (p. 9)
a·bove-av·er·age [əbʌ̀vǽvəridʒ] *a.* 평균 이상의; 보통이 아닌
a·bove·board [əbʌ́vbɔ̀ːrd] [「판 위에서」의 뜻에서; 카드놀이에서 손을 판 위에 놓으면 부정을 못한다 해서] *ad., a.* 공명정대하게[한], 훤히 보이는
open and **~** 아주 공정하게
a·bove-cit·ed [-sáitid] *a.* 위에 인용한
a·bove·deck [əbʌ́vdèk] *ad.* **1** 갑판 위에서 **2** 공명정대하게; 있는 그대로
a·bove·ground [-gràund] *ad., a.* 지상에[의]; (미) 공공연히[한]; 땅에 묻히지 않고; 아직 살아
a·bove·men·tioned [-mènʃənd] *a.* 위에 말한, 상기(上記)한
a·bove-named [-néimd] *a.* 위[앞]에서 이름을 든
a·bove·stairs [-stɛ̀ərz] (영) *ad., a.* 위층에[의] ((미) upstairs)
a·bove-the-fold [-ðəfòuld] *a.* (인터넷의) 웹 페이지에서 화면 스크롤을 하지 않고도 볼 수 있는(cf. BELOW-THE-FOLD)
a·bove-the-line [-ðəláin] *a.* 경상 수지 계산의; 광고 회사에 수수료를 포함한; (업무의) 중추부의
ab o·vo [æb-óuvou] [L = from the egg] *ad.* 처음부터
abp. archbishop **abr.** abridge(d); abridgment
ab·ra·ca·dab·ra [æ̀brəkədǽbrə] *n.* (부적으로 썼던 또는 요술쟁이의) 주문(呪文); 뜻 모를 말
a·bra·chi·a [əbréikiə] *n.* 〖의학〗 무완(無腕)(증)
a·bra·dant [əbréidnt] *a., n.* = ABRASIVE
a·brade [əbréid] *vt.* **1** 문질러 벗겨지게[닳게] 하다 **2** 〈바위 등을〉 침식하다 **3** 신경질나게 하다
— *vi.* 닳다, 벗겨지다 **a·brád·a·ble** *a.*
a·brad·er [əbréidər] *n.* 연마기, 연삭기(研削器)
A·bra·ham [éibrəhæ̀m, -həm] *n.* **1** 남자 이름 **2** 〖성서〗 아브라함 《유대인의 조상》 ***in ~'s bosom*** 천당에 가서 ***sham*** **~** 아픈[미친] 체하다
A·bram [éibrəm] *n.* **1** 남자 이름 **2** 〖성서〗 아브람 《Abraham의 옛 이름》 ***sham*** **~** ⇨ Abraham

---

abridge *v.* shorten, cut down, condense, contract, compress, abbreviate, reduce, decrease, diminish
abrupt *a.* sudden, quick, hurried, hasty, swift

a·bran·chi·ate [eibrǽŋkiət, -èit | æb-, əb-] *a., n.* 〖동물〗 아가미 없는 (동물)
a·bras·er [əbréizər] *n.* = ABRADER
a·bra·sion [əbréiʒən] *n.* **1** (피부의) 찰과부[상], 찰상 **2** Ⓤ 연마, (기계의) 마멸; (바람·물에 의한) 침식, 마모 **3** Ⓤ 염증; 자극; 초조, (정신의) 소모
a·bra·sive [əbréisiv, -ziv] *a.* **1** 문질러 닳게 하는, 연마용의 **2** 신경에 거슬리는, 부아를 돋우는, 불쾌한
— *n.* 연마재[제], 연마분, 금강사 **~·ly** *ad.* **~·ness** *n.*
à bras ou·verts [ɑː-brɑ́ːz-uːvɛ́ər] [F = with open arms] *ad.* 충심으로 (환영하여), 기꺼이
a·bra·zo [əbrɑ́ːsou] [Sp. = to embrace] *n.* (*pl.* **~s** [-z]) (인사로서의) 포옹
ab·re·act [æ̀briǽkt] *vt.* 〖정신분석〗 〈억압된 감정을〉 해제[해방]시키다, 정화하다 **-ác·tive** *a.*
ab·re·ac·tion [æ̀briǽkʃən] *n.* Ⓤ 〖정신분석〗 해제[해방, 정화] 반응
a·breast [əbrést] *ad.* (옆으로) 나란히, …와 병행하여: walk three ~ 셋이 나란히 걷다 ***be*** [***keep***] **~** ***of*** [***with***] the times (시대)에 뒤떨어지지 않다
— *prep.* …와 나란히 ★ abreast of의 of를 생략한 용법: ~ the times 시류에 뒤떨어지지 않고
a·bri [əbríː] [F] *n.* 피난처, 은둔처
***a·bridge** [əbrídʒ] *vt.* **1** 〈서적·이야기 등을〉 요약[초록(抄錄)]하다: ~ a long story 긴 이야기를 요약하다 // (~+목+전+명) The book is ~*d from* the original work. 그 책은 원본의 초록이다. **2** 〈기간·범위 등을〉 단축하다, 줄이다 **3** 〈권력 등을〉 약화시키다: ~ the right of citizens 시민의 권리를 약화시키다 **4** (고어) 빼앗다(deprive) (*of*)
a·brídg(e)·a·ble *a.* **a·brídg·er** *n.*
a·bridged [əbrídʒd] *a.* 요약된: an ~ edition 요약판(版)
a·bridg(e)·ment [əbrídʒmənt] *n.* **1** (서적·연설 등의) 요약본, 초본; 적요 **2** Ⓤ 축소, 단축, 요약
a·bris·tle [əbrísl] *ad., a.* 털을 곧추세워[세운]
ABRO Animal Breeding Research Organization
a·broach [əbróutʃ] *ad., a.* Ⓟ (통의) 마개를 뽑아[뽑은]; 유포하여 ***set*** **~** (통의) 주둥이를 내다; 〈감정을〉 토로하다; 〈소문 등을〉 유포시키다
‡a·broad [əbrɔ́ːd] *ad.*

> 「널리」 **2** (⇨ broad)의 뜻에서 「널리 밖으로; 국외로」 **1**의 뜻이 되었음.

1 국외[해외]로[에]: at home and ~ 국내외에서 / live ~ 해외에서 살다 / send ~ 해외에 파견하다 **2** 〈소문 등이〉 널리, 유포되어: The news quickly spread ~. 그 소식은 금세 퍼졌다. **3** (고어) 집 밖으로, 외출하여: walk ~ 나다니다 **4** 넓게, 사방으로, 여기저기에: a tree spreading its branches ~ 사방에 가지를 뻗고 있는 나무 **5** 잘못하여, 엉뚱하게
be **~** 외국에 있다; 밖에 나가 있다; 널리 퍼져 있다 ***be all*** **~** 전혀 짐작이 틀리다; (구어) 어찌할 바를 모르다 ***from*** **~** 외국으로부터(의): news *from* ~ 해외통신 / return *from* ~ 귀국하다 ***get*** **~** 〈소문이〉 퍼지다; 외출하다 ***go*** **~** 해외로 가다; 외출하다 ***set*** **~** 〈소문 등을〉 퍼뜨리다
ab·ro·gate [ǽbrəgèit] *vt.* 〈법률·습관 등을〉 폐기하다 **-ga·ble** *a.* **-gà·tor** *n.*
ab·ro·ga·tion [æ̀brəgéiʃən] *n.* Ⓤ 폐기
ab·ro·ga·tive [ǽbrəgèitiv] *a.* 폐지[폐기]의
***ab·rupt** [əbrʌ́pt] [L 「찢어 없애다」의 뜻에서] *a.* **1** 갑작스러운, 뜻밖의; 〈커브가〉 급한: come to an ~ end 갑자기 끝나다 / an ~ turn in the road 도로의 급커브 **2** 〈말·태도가〉 퉁명스러운 **3** 〈문장·사고가〉 맥락이 없는, 비약이 많은 **4** 가파른, 깎아지른 **~·ness** *n.*
ab·rup·tion [əbrʌ́pʃən] *n.* Ⓤ **1** (고어) (갑작스런) 중단, 종결 **2** (갑작스런) 분리, 분열
***ab·rupt·ly** [əbrʌ́ptli] *ad.* 갑자기(suddenly), 불쑥, 뜻밖에; 퉁명스럽게, 무뚝뚝하게

about

기본적으로는 위치, 즉 「주위에」의 뜻이다. 따라서 around와 비슷한 뜻이나 around는 「둘러싸서」의 뜻이 강하다. 주로 부사와 전치사로 쓰이는데 양자의 구별이 어려울 때도 있다. 특히 유의해야 할 용법은 다음과 같다.

1 「…에 관하여」의 경우 about은 일반적인 것에, on은 특정하거나 전문적인 것에 쓴다: a conversation *about* birds 새에 관한 대화 / a lecture *on* economics 경제학에 관한 강의

2 be *about* to는 be *going* to보다 더 가까운 미래에 쓴다. 따라서 tomorrow 등 때를 나타내는 부사와 함께 쓰지 않는다(⇨ *a.* 1a).

3 hear, know, say, speak, talk, tell 등에 이어지는 about은 비교적 자세한 사항에 대해서, of는 가볍게 언급할 때 쓰는 경향이 있다.

4 「…에 관하여」의 뜻을 나타내는 낱말(concerning 등) 중에서는 about만이 목적어의 앞·뒤 어느 쪽에나 쓸 수 있다: There is nothing to complain *about*. ⇨ *prep.* 1a

‡**a·bout** [əbáut] *prep., ad., a., vt.*

OE 「주위에」의 뜻에서
① …에 대하여 전 **1 a, b**
② …의 주위에 전 **4 a** 부 **2 a**
③ …의 여기저기에 전 **6** 부 **2 b**
④ 대략, 약 부 **1 a**

— *prep.* **1** [관계·종사] **a** …에 관하여[관한], …에 대하여[대한] 《on의 경우보다 일반적인 내용의 것에 씀》: a novel ~ the Civil War 남북 전쟁에 관한 소설 / I'll have to think ~ that. 그것에 대해서 생각해 봐야만 한다. / What is the book ~? 그 책은 무슨 내용인가? / What is this fuss all ~? 도대체 왜들 이 법석이지? 《USAGE 「…에 관한, 관하여」의 뜻으로는 about이 가장 일반적인 말이며, 대신에 of, with가 쓰이기도 함》: complain ~[of] …에 대해 불평하다 / be concerned ~[with] …에 대해 우려하다 / He was anxious (~) how you were getting on. 그가 네가 어떻게 지내고 있는지 걱정하고 있더라. 《*wh.* 절·구 앞의 about는 《구어》에서는 흔히 생략됨》 **b** …에 대하여, …에게: He is crazy[mad] ~ Susan. 그는 수잔에게 미쳐 있다.

2 [몸의 주변·신변] (cf. ON *prep.* 2, WITH *prep.* C 4 b) [보통 there is … ~ …의 구문에서 사람·물건의 분위기를 나타내어] …의 신변에, …에(게)는: *There is* an air of mystery ~ the case. 그 사건에는 어딘지 수수께끼 같은 데가 있다. / *There is* something peculiar ~ him. 그는 어딘지 독특한 데가 있다.

3 …경[께](에), 대략 … 《수사 앞의 about은 부사로 봄; ⇨ *ad.* 1a》: ~ the end of May 5월말께 / She's ~ my height. 그녀는 키가 거의 나만 하다.

4 [주위] **a** 《영》 …의 주위에, …가까이에(《미》 around): ~ here 이 근처에 / stand ~ the door 문간 가까이에 서다 **b** …둘레를, 주위를: dance ~ the campfire 야영의 모닥불 둘레를 춤추며 돌다

5 …의 몸에 지니고, …을 갖고 있어: I have no money ~ me. 나는 지금 가진 돈이 없다. / Keep your wits ~ you. 늘 정신차리고 있어라.

6 《영》 …의 여기저기에[로], …의 사방에[으로] (《미》 around): There are papers scattered ~ the room. 방 여기저기에 종이가 흩어져 있다. / walk ~ the room 방 안을 이리저리 걸어다니다

7 …에 종사하여, …에 착수하여: Go and mail this letter, and while you're ~ it buy me a pack of cigarettes. 이 편지를 부쳐 다오, 그리고 가는 김에 담배 한 갑 사다 주게. / What is he ~? 그는 뭘 하고 있나? / Be quick ~ it. = Don't be long ~ it. 냉큼 해라.

— *ad.* **1 a** [수사와 함께] 대략, 약…(⇨*prep.* 3): We went ~ five miles. 우리는 약 5마일을 갔다. / It's ~ five (o'clock). 5시쯤 됐다. 《★ *at* ~ five o'clock라는 표현을 못 쓴다는 이도 있으나 실제로는 종종 씀》

유의어 **about** 가리키는 수·양에 이르고 있는가의 여부는 문제시 않고 대체로 그것에 가까운 경우에 쓰인다: *about* four kilometers 약 4킬로미터 **almost, nearly** 조금만 더하면 가리키는 수·양에 이를 것 같은 경우에 쓰이며, almost쪽이 nearly보다 그 접근 정도가 높을 때 쓰인다: It was *nearly*[*almost*] noon. 거의 정오가 다 됐었다.

b 《구어》 거의, 대략: Dinner is ~ ready. 저녁이 거의 준비되었다. / It's ~ time to start. 떠날 시각이 거의 됐다. **c** 《구어》 약간, 좀, 어쩐지: I'm ~ tired of his talk. 그의 얘기는 좀 따분하다.

2 《영》 **a** 주위에, 근처에, 가까이에(《미》 around): There is nobody ~. 가까이에 아무도 없다. / My bag is somewhere ~. 내 가방은 근처 어딘가에 있다. **b** [보통 동사와 함께] 여기저기에, 이리저리로, 사방에; …하고 돌아다니는(《미》 around): his papers strewn ~ 여기저기 흩어진 그의 서류 / We saw her walking ~. 우리는 그녀가 걸어 돌아다니는 것을 보았다. / look ~ 둘러보다 / move things ~ 물건을 이리저리 움직이다 **c** [보통 동사와 함께] 어슬렁어슬렁 (돌아다니다)(《미》 around): fool ~ 빈들빈들 지내다

3 방향을 바꾸어, 반대의 위치[방향]로: The ship turned ~ and left the spot. 그 배는 뒤로 방향을 바꾸어 그 지점을 떠났다. / face ~ 《군사》 뒤로 돌아를 시키다; 몸의 방향을 틀다 / *A*~ face[(《영》 turn]! 《구령》 뒤로 돌아!

4 빙 (돌아서); 에둘러: go a long way ~ 멀리 우회하다

5 차례로, 번갈아: We drove the car turn and turn ~. 우리는 번갈아 가며 차를 운전했다.

~ and ~ 《미》 비슷비슷하여, 거의 같아

How [***What***] **~?** ⇨ HOW *ad.*

much **~** 거의

take turns **~** 번갈아 하다 《《미》에서는 보통 about을 붙이지 않음》

That's **~ *it***[***all***]**.** 대충 그렇다; [일이 끝나서] 이만하면 됐다.

the wrong way **~** 거꾸로, 반대로

— *a.* Ⓟ **1** [부정사와 함께] **a** 지금 막 …하려고 하여 《USAGE be *about to* do는 be *going to* do보다도 'be on the point of doing' (지금 막 …하려고 하다)의 뜻이 더욱 명확하고 가까운 미래를 나타냄. 따라서 tomorrow 등의 부사(구)는 쓰지 않음》: The film is ~ *to* begin. 영화가 막 시작하려 하고 있다. / We're ~ *to* eat dinner. 우리는 막 저녁을 먹으려는 참이다. **b** [부정문에서] 《미·구어》 〈…할〉 생각은 전혀 없어: I'm *not* ~ *to* lend you money. 너에게 돈을 빌려줄 생각은 전혀 없다.

2 a 일어나서, 돌아다니고, 활동하여: I'll be ~ again when my leg heals. 다리가 나으면 다시 뛰어다녀야죠. **b** 〈병이〉 유행하여: The flu is ~. 독감이 유행이다.

— *vt.* 돛 방향을 반대로 바꾸다: *A*~ ship! 바람 불어오는쪽으로 돌려!

above

「위쪽에[으로], 표면에서 떨어져서 위에」의 뜻으로 사용 빈도가 높은 전치사·부사의 하나이다. 「표면에 접하여 위에」는 on이고, 「뒤덮듯이 위에」는 over이다.
above, on, over의 용법 차이의 예: The waterfall is two miles *above* the bridge. 폭포는 다리에서 2마일 상류에 있다. / The boat is *on* the river. 배가 강에 떠 있다. / build a bridge *over* the river 강에 다리를 놓다

‡**a·bove** [əbʌ́v] *prep., ad., a., n.*

① [장소] …보다 위에	전 **1 a** 부 **1 a**
② [수량] …을 넘어	전 **2 a** 부 **2 b**
③ [지위] …보다 윗자리에	전 **2 b** 부 **2 a**

— *prep.* **1** [방향·장소] **a** …보다 위에[로], …보다 높이[높은], …의 위에 (나와서)(opp. *below*): fly ~ the clouds 구름 위를 날다 / We saw the moon ~ the hill. 우리는 언덕 위의 달을 보았다. / 1,600m ~ sea level 해발 1,600미터 **b** (소리가) …보다 높이: I heard the whistle ~ the roar of the crowd. 군중의 고함 소리보다 더 높이 호각 소리가 들렸다. **c** …의 상류에[의]: We camped five miles ~ the waterfall. 폭포에서 상류 쪽으로 5마일 되는 곳에서 야영했다.
2 [수량·정도] **a** [수량 등] …을 넘는[넘어](cf. BEYOND 5): ~ a hundred 100이 넘는 / He drove just ~ 60 mph. 그는 시속 60마일 넘게 운전했다. / children ~ the age of 5 5세 이상의 어린이들 **b** [지위·신분 등] …보다 윗자리에[의], …보다 뛰어나; …을 넘어: A major is ~ a captain. 소령이 대위보다 지위가 더 높다. / He is far ~ me in skiing. 그는 스키에 있어서는 나보다 훨씬 뛰어나다. **c** …보다 오히려: I value honor ~ life. 나는 목숨보다 명예를 존중한다.
3 [보통 be동사의 보어로] **a** [능력 등] …이 미치지 못하는: The book is ~ me[my understanding]. 이 책은 나한테는 어려워서 이해가 안 된다. **b** …을 초월하여: You are ~ selfishness. 당신은 이기심을 초월하고 있소. / Your remarkable conduct is ~ all praise. 너의 훌륭한 행동은 칭찬할 말이 없다.
4 〈사람이〉 (고결하여) …따위 짓은 하지 않는, …을 부끄럽게 여기는: She is ~ bad behavior. 그녀는 버릇없는 짓은 하지 않는다. / He is ~ telling lies. 그는 거짓말을 할 사람이 아니다. / I am not ~ asking questions. 나는 질문하는 것을 부끄럽게 여기지 않는다.
5 …의 앞쪽[건너]에, 더 가서; …의 북쪽에[에서]: Run to the first house ~ the school. 학교 앞의 가장 가까운 집까지 뛰어가라. / Oxford is ~ Henley on the Thames. 옥스퍼드는 템스 강변의 헨리보다 북쪽에 있다.
~ all = ***~ all things*** 특히, 그 중에서도, 무엇보다도
~ and beyond … = ***over and ~ …*** ⇨ over *prep.*
be ~ doing ⇨ 4
be [***get***] ***~ oneself*** 분수를 모르다, 자만하다
— *ad.* (opp. *below*) **1 a** 위쪽에[으로]; 위층에: A noise was coming from the bedroom ~. 위층의 침실에서 소음이 들려왔다. ★ the room ~는 「바로 윗방」. **b** 하늘에, 공중에: in heaven ~ 하늘에, 천상에 / the stars ~ 하늘의 별 / the world ~ 천국 **c** 〈하천의〉 상류에: five miles ~ 5마일 상류에
2 a 〈지위·신분이〉 윗자리에 (있는): appeal to the court ~ 상급 법원에 항소하다 **b** 〈수량이 …을〉 넘어 (있는); 보다 많이[크게]: persons of 18 and ~ 18세 이상의 사람들
3 a (책 등의) 앞 글에; (페이지의) 위쪽에: as (stated[mentioned]) ~ 위[상기]와 같이 **b** [복합어를 이루어] 앞[위]에: ⇨ above-mentioned
~ and beyond = ***over and ~*** ⇨ over *ad.*
from ~ 위편으로부터(의), 상사로부터(의); 하늘[하느님]로부터(의)
— *a.* 위에서 말한, 상술(上述)의: the ~ instance 위의 예 / the ~ explanation 상기의 설명
— *n.* [the ~; 집합적으로] 《문어》 상기[이상]의 사실[사람] 《★ 집합체로 생각할 때는 단수, 구성 요소로 생각할 때는 복수 취급》: All *the* ~ just proves what I've been saying. 상기의 모든 사실은 내가 말해 오고 있는 것을 증명한다.

ABRV Advanced Ballistic Reentry Vehicle 신형 탄도 대기권 재돌입 우주선
abs [ǽbz] *n. pl.* (보디빌딩에서) 복근(腹筋)(abdominal muscles)
abs. absent; absolute(ly); abstract **ABS** American Bible Society; antilock braking system ABS 제동 장치
abs- [æbs, əbs] *pref.* ab¹-의 변형 《c, q, t 앞에 올 때》: *abs*cess, *abs*tract
Ab·sa·lom [ǽbsələm] *n.* **1** 〖성서〗 압살롬 《유대왕 다윗이 총애한 아들; 부왕에게 거역하여 죽게 됨; 사무엘 하 13-18》 **2** 총애하는 아들 **3** 거역한 아들
ab·scess [ǽbses, -sis] *n.* 〖병리〗 농양, 종기
áb·scessed [-sest] *a.* 종기가 생긴
ab·scind [æbsínd] *vt.* 절단하다, 잘라내다
ab·scise [æbsáiz] *vi.* 〖식물〗 〈잎이〉 이탈하다
ab·scís·ic ácid [æbsísik-] 〖생화학〗 아브시스산(酸) 《식물의 생장 기능을 조절하는 호르몬》
ab·scis·in, -scis·sin [ǽbsisin] *n.* 〖생화학〗 아브시신
ab·scis·sa [æbsísə] *n.* (*pl.* **~s, -sae** [-si:]) 〖수학〗 엑스(x) 좌표, 가로 좌표
ab·scis·sion [æbsíʃən] *n.* Ⓤ **1** 절단, 절제 **2** 〖식물〗 이탈 **3** 〖수사학〗 돈단법(頓斷法)
ab·scond [æbskɑ́nd | əbskɔ́nd] *vi.* 도망하다, 종적을 감추다 《*from, with*》: (~+전+명) ~ *with* public money 공금을 갖고 도망하다
ab·scond·ee [æbskɑndí: | əbskɔndí:], **~·er** *n.* 도망자, 실종자 **ab·scón·dence** *n.* Ⓤ 도망, 실종
ab·seil [ɑ́:pzail, ɑ́:b- | ɑ́:psail] [G] 〖등산〗 *n.* 압자일렌, 현수 하강 — *vi.* 현수 하강하다
‡**ab·sence** [ǽbsəns] *n.* **1** ⓊⒸ 부재(不在); 불참, 결석, 결근(opp. *presence*) 《*from*》: mark the ~ 출석을 부르다 / several *~s from* school 수 차례의 결석 / *A~* makes the heart grow fonder. 《속담》 떠나고 없으면 더 그리워지는 법. **2** Ⓤ [또는 an ~] (전혀) 없음, 결핍(lack) 《*of*》 **3** Ⓤ 멍함, 멍해 있음; 방심: He has fits of ~. 그는 가끔 멍해 있다.
~ of mind 방심, 얼빠짐(opp. *presence* of mind)
~ without leave 〖군사〗 무단결근[외출](cf. AWOL)
after ten years' ***~*** (10년)만에 〈돌아오다 등〉 ***during*** one***'s ~*** 없는 동안에 ***in*** one***'s ~*** …이 없는 사이에; …이 없는 데서 ***in the ~ of*** …이 없을 때는; …이 없으니까 ▷ ábsent *a., v.*
‡**ab·sent** [ǽbsənt] [L 「어떤 일에서 떨어져」의 뜻에서] *a.* **1** 부재의, 집[자리]에 없는, 집을 비운; Ⓟ 결석의, 결근의 《*from*》(opp. *present*): be ~ *from* home[school] 집을 비우다[결석하다] / be ~ in

Onyang 온양에 가고 없다 / Long ~, soon forgotten. (속담) 오래 떠나 있으면 잊혀지게 마련, 거자일소(去者日疎). **2** 없는(lacking), 결여된: be ~ from my life 내 생활과 전혀 무관하다 **3** Ⓐ 멍한, 방심한 상태의: an ~ air 멍한 모습 / in an ~ sort of way 멍하니 **~ *without leave*** ⇨ AWOL.
— [æbsént, ǽbsənt] *vt.* [~ one*self* 로] 결석[결근]하다 《*from*》; 〈집을〉 비우다: ~ *oneself from* school 결석하다
— [ǽbsənt] *prep.* …이 없을 때는, …없기 때문에 ▷ ábsence *n.*, ábsently *ad.*
ab·sen·tee [æ̀bsəntí:] *n.* **1** 불참자, 결석자, 결근자: an ~ without leave 무단결석자, 무단 외출자 **2** 부재자, 부재지주(= ~ **lándlord**[**lándowner**])
absentée bállot 부재자 투표; 부재자 투표 용지
ab·sen·tee·ism [æ̀bsəntí:izm] *n.* Ⓤ **1** 부재지주 제도 **2** 장기 결석[결근]; 계획적 결근 《노동 쟁의 전술의 하나》
absentée móther 집을 비우고 일하러 나가는 어머니
absentée vóte 부재자 투표
absentée vóter (미) 부재 투표자
ab·sen·te re·o [æbsénti:-rí:ou] 〔L =defendant being absent〕 *ad.* 〔법〕 피고의 결석으로 《略 abs. re.》
absent healing 〔심령〕 부재 치료 《병자와 떨어진 곳에서 하는 영적 치료》
ab·sen·ti·a [æbséntiə] *n.* ⇨ IN ABSENTIA
ab·sent·ly [ǽbsəntli] *ad.* 멍하니, 넋을 잃고
*__ab·sent·mind·ed__ [ǽbsəntmáindid] *a.* 방심 상태의, 멍하고[얼빠져] 있는 **~·ly** *ad.* **~·ness** *n.*
ábsent vóter (영) 부재 투표자
ab·sinth(**e**) [ǽbsinθ] *n.* **1** Ⓤ 압생트 《쓴쑥으로 맛들인 녹색의 독주》 **2** 〔식물〕 쓴쑥(wormwood)
ab·sinth·ism [ǽbsinθìzm] *n.* Ⓤ 압생트(술) 중독
ab·sit in·vi·di·a [ǽbsit-invídiɑ̀:] 〔L =let there be no ill will〕 나쁘게 생각지 마라
ab·sit o·men [-óumen] 〔L =may this omen be absent〕 *int.* 그런 일이 없기를
ab·so·blood·y·lute·ly [æ̀bsoublʌ́dilù:tli] *ad.* (속어) =ABSOLUTELY
absol. absolute(ly)
‡**ab·so·lute** [ǽbsəlù:t, ㅅ-ㅅ] *a.* **1** 절대적인(opp. *relative*): ~ truth 절대 진리 **2** 완전한, 완전무결한: a man of ~ sincerity 더없이 신실한 사람 **3** 순수한; 알코올이 무수(無水)인 **4** 전면적인, 무제한의, 무조건의(opp. *limited*): have ~ trust in a person …을 전폭적으로 신뢰하고 있다 **5** (왕권·정부 등이) 절대적인, 독재적인: ~ power 절대적인 권력 **6** 확고한, 의심의 여지가 없는: ~ evidence[proof] 확실한 증거 **7** 〔교육〕 절대 평가의: mark on an ~ scale 절대 평가로 채점하다 **8** 〔문법〕 독립의, 유리된: an ~ construction 독립 구문 / ~ infinitive 독립 부정사
— *n.* **1** [the ~] 절대적인 것 **2** 완전무결한 것; [the A~] 절대자, 신
~·ness *n.* ▷ ábsolutely *ad.*
ábsolute áddress 〔컴퓨터〕 절대 주소[번지]
ábsolute addréssing 〔컴퓨터〕 절대 주소 지정
ábsolute álcohol 무수(無水) 알코올
ábsolute altímeter 〔항공〕 절대 고도계
ábsolute áltitude 〔항공〕 절대 고도
ábsolute béing [the ~] 절대적 실재, 신
ábsolute céiling 〔항공〕 절대 상승 한도
ábsolute deviátion 절대 편차(偏差) **1** 〔통계〕 어떤 양과 변수와의 차 **2** 〔군사〕 사격에서 조준점과 탄착점과의 직선 거리
ábsolute érror 〔수학·컴퓨터〕 절대 오차
ábsolute humídity 〔기상〕 절대 습도
ábsolute impédiment 〔법〕 절대적 혼인 장애
ábsolute instrúction 〔컴퓨터〕 절대 명령 《기계어의 명령》
ábsolute júdgment 〔심리〕 절대 판단
ábsolute liabílity 〔보험〕 절대[무관심] 책임(liability without fault)
*__ab·so·lute·ly__ [ǽbsəlú:tli, ㅅ-ㅅ-] *ad.* **1** 절대적으로, 무조건으로; 전제[독재]적으로; 완전히: ~ impossible 절대로 불가능한 / govern the country ~ 그 나라를 독재적으로 지배하다 **2** [부정을 강조하여] (구어) 전혀 (…않다), 단연, 전적으로 **3** [대답으로서] (구어) 정말 그래, 그렇고말고: "Are you sure?" — "*A*~!" 확실해? — 그렇고말고! **4** 〔문법〕 독립하여, 단독으로: an adjective[a verb] used ~ 독립적으로 쓰인 형용사[동사] 《보기: The *blind* cannot *see.*》
ábsolute mágnitude (천체 광도의) 절대 등급
ábsolute majórity 절대 다수, 과반수
ábsolute mónarchy 전제 군주제[국](cf. LIMITED MONARCHY)
ábsolute músic 절대 음악(opp. *program music*)
ábsolute númber 〔수학〕 무명수(無名數)
ábsolute pítch 〔음악〕 절대 음고; 절대 음감
ábsolute préssure 〔물리〕 절대 압력
ábsolute scále 〔물리〕 (절대 온도 0도를 기점으로 하는) 절대 (온도) 눈금
ábsolute spáce 〔물리〕 절대 공간 《상대 운동에 따른 보정항(補正項) 등이 필요없는 공간》
ábsolute sýstem (of únits) 〔물리〕 절대 단위계(單位系)
ábsolute témperature 〔물리〕 절대 온도
ábsolute térm 〔수학〕 절대항
ábsolute únit 〔물리〕 절대 단위
ábsolute válue 〔수학〕 절대치
ábsolute wéapon 절대 무기 《최대의 위력을 가진 무기; 흔히 핵무기를 가리킴》
ábsolute zéro 〔물리〕 절대 영도 《−273.15℃》
ab·so·lu·tion [æ̀bsəlú:ʃən] *n.* Ⓤ **1** 〔법〕 면제; 면죄, 방면 《*from, of*》 **2** 〔그리스도교〕 사면; Ⓒ 사면식 [선언] ▷ absólve *v.*
ab·so·lut·ism [ǽbsəlu:tìzm] *n.* Ⓤ **1** 전제주의, 독재주의[정치] **2** 〔철학〕 절대론
ab·so·lut·ist [ǽbsəlù:tist] *n.* **1** 절대론자 **2** 전제 정치론자, 전제주의자 **àb·so·lu·tís·tic** *a.*
ab·so·lut·ize [ǽbsəlu:tàiz] *vt.* 절대화하다
*__ab·solve__ [æbzɑ́lv, -sɑ́lv | əbzɔ́lv] *vt.* **1** 〈사람을〉 (의무 등에서) 면제하다; 〈사람에게〉 무죄를 선고하다: (~+목+전+명) ~ a person *from* an obligation …의 의무를 면제하다 **2** 〔교회〕 〈사람을〉 (죄에서) 사하다, 사면하다: ~ a person *of* a sin …의 죄를 용서하다, 사면을 선언하다 **ab·sólv·er** *n.*
▷ absolútion *n.*
ab·so·nant [ǽbsənənt] *a.* 조화되지 않는
‡**ab·sorb** [æbsɔ́:rb, -zɔ́:rb | əb-] 〔L 「분리」와 「빨아들이다」의 뜻에서〕 *vt.* **1** 흡수하다, 빨아들이다; 〈작은 나라·기업 등을〉 흡수 병합하다 《*into, by*》: Dry sand ~*s* water. 마른 모래는 물을 빨아들인다. // (~+목+전+명) Those small states were ~*ed into* the empire. 그 작은 나라들은 그 제국에 병합되었다. **2 a** 〈사람·마음을〉 열중시키다(⇨ absorbed 1) **b** 〈시간·주의 등을〉 빼앗다: The task ~*ed* all my time. 그 일 때문에 시간을 모두 빼앗겼다. **3** 〈사상 등을〉 흡수 동화하다 **4** 〈충격·소리 등을〉 없애다, 완화시키다 **5** 〈비용을〉 부담하다 **6** 〈이민 등을〉 받아들이다; 〈벌 등을〉 받다 ▷ absórption *n.*; absórptive *a.*
ab·sorb·a·ble [æbsɔ́:rbəbl, -zɔ́:r- | əb-] *a.* 흡수되는, 합병할 수 있는
ab·sòrb·a·bíl·i·ty *n.* Ⓤ 흡수됨, 피(被)흡수성

thesaurus **absentminded** *a.* distracted, preoccupied, abstracted, inattentive, forgetful, oblivious (opp. *observant, attentive, alert*)
absolute *a.* **1** 완전한 complete, outright, total, utter, perfect **2** 무제한의 unlimited, unrestricted, unrestrained, boundless **3** 독재적인 despotic, dictatorial, tyrannical, authoritarian **4** 확실한 cer-

ab·sorb·ance, -an·cy [æbsɔ́:rbəns(i), -zɔ́:r- | əb-] *n.* 〖물리〗 흡광도(吸光度)
ab·sorbed [æbsɔ́:rbd, -zɔ́:rbd | əb-] *a.* **1** 열중한, 몰두한, 여념없는 《*in*》: He was ~ *in* deep thought. 그는 깊은 생각에 잠겨 있었다. **2** 흡수된; 병합된 ***with ~ interest*** 열중하여, 여념 없이
~·ly *ad.* 열중[몰두]하여 **~·ness** *n.*
absórbed dóse 〖물리〗 흡수선량(線量)
ab·sor·be·fa·cient [æbsɔ̀:rbəféiʃənt, -zɔ̀:r- | əb-] *a.* 흡수[촉진]성의 **—** *n.* 〖의학〗 흡수[촉진]제
ab·sorb·en·cy [æbsɔ́:rbənsi, -zɔ́:r- | əb-] *n.* Ⓤ 흡수성
ab·sorb·ent [æbsɔ́:rbənt, -zɔ́:r- | əb-] *a.* 흡수성의 **—** *n.* 흡수제; 〖해부〗 흡수관(管)
absórbent cótton 《미》 탈지면(《영》 cotton wool)
absórbent páper 압지(押紙)
ab·sorb·er [æbsɔ́:rbər, -zɔ́:rb- | əb-] *n.* **1** 흡수(장치); 흡수하는 사람; 〖물리〗 흡수체, 흡수재 《방사선을 흡수하는 물질》 **2** 〖기계〗 = SHOCK ABSORBER
ab·sorb·ing [æbsɔ́:rbiŋ, -zɔ́:rb- | əb-] *a.* **1** 흡수하는 **2** 열중하게 하는; 흥미진진한 **~·ly** *ad.*
ab·sorp·tance [æbsɔ́:rptəns, -zɔ́:rp- | əb-] *n.* 〖물리〗 흡수율[비]
*__ab·sorp·tion__ [æbsɔ́:rpʃən, -zɔ́:rp- | əb-] *n.* Ⓤ **1** **흡수**, 흡수 작용 **2** 병합 **3** 〖생물〗 (자양분의) 흡수 **4** 전념, 열중, 몰두 《*in*》: ~ *in* one's work 일에 몰두함 ▷ absórb *v.*
absórption bànd (스펙트럼의) 흡수대(帶)
absórption coefficient 〖물리〗 흡수 계수
absórption còsting 〖회계〗 전부(全部) 원가 계산 《전 비용을 제품 원가에 계상하는 일》
absórption èdge 〖물리〗 흡수 한계
absórption fàctor 〖물리〗 흡수 인자; 흡수율 (absorptivity)
absórption hygròmeter 흡수 습도계
absórption lìne 〖광학〗 (흡수 스펙트럼의) 흡수선
absórption nèbula 〖천문〗 = DARK NEBULA
absórption spèctrum 〖물리〗 흡수 스펙트럼
ab·sorp·tive [æbsɔ́:rptiv, -zɔ́:rp- | əb-] *a.* 흡수하는, 흡수성의: ~ power 흡수력 ▷ absórb *v.*
ab·sorp·tiv·i·ty [æ̀bsɔ:rptívəti, -zɔ:rp- | əb-] *n.* 흡수성; 〖물리〗 흡수력, 흡수율
ab·squat·u·late [æbskwɑ́tʃulèit | -skwɔ́tju-] *vi.* 《익살》 뺑소니치다, 종적을 감추다 **-làt·er** *n.*
ÁBS résin [*a*crylonitrile-*b*utadiene-*s*tyrene] 〖화학〗 ABS 수지
*__ab·stain__ [əbstéin, æb-] *vi.* **1** **삼가다, 절제하다**, 그만두다, 끊다; 금주하다 《*from*》(⇨ refrain[1] 유의어): (~+전+명) ~ *from* food[flesh and fish] 단식하다[육식을 피하다] **2** 기권하다 《*from*》
~·er *n.* 절제가, 금주가
▷ absténtion, ábstinence *n.*; ábstinent *a.*
ab·stain·ee [əbsteiníː, æ̀b-] *n.* 기권자
ab·ste·mi·ous [æbstíːmiəs, əb-] *a.* **1** 〈음식을〉 절제하는; 검소한, 삼가는: an ~ diet 절식 **2** 금욕적인: ~ life 금욕적인 삶 ***be ~ in*** …을 절제하다
~·ly *ad.* 절제하여 **~·ness** *n.*
ab·sten·tion [əbsténʃən, æb-] *n.* Ⓤ **1** 절제, 자제 《*from*》: ~ *from* drink 금주 **2** (권리 등의) 회피; 기권: ~ *from* voting 투표의 기권 **~·ism** *n.* **~·ist** *n.*
ab·sten·tious [æbsténʃəs, əb-] *a.* 〈음식을〉 절제하는

tain, positive, definite, unquestionable, undoubted
absorb *v.* **1** 흡수하다 soak up, suck up, sponge up, swallow, digest **2** 합병하다 take in, incorporate
abstain *v.* refrain, decline, hold back, keep from, refuse, avoid, shun
abstract *a.* theoretical, conceptual, notional, metaphysical, nonrealistic, complex, abscure

ab·sterge [æbstə́:rdʒ | əb-] *vt.* **1** 〖의학〗 변이 통하게 하다 **2** 닦아내다, 깨끗이 하다
ab·ster·gent [æbstə́:rdʒənt | əb-] *a.* 깨끗이 하는 **—** *n.* 세척제 《비누 등》; 설사제
ab·ster·sion [æbstə́:rʃən | əb-] *n.* Ⓤ 세정(洗淨)
ab·ster·sive [æbstə́:rsiv | əb-] *a.* = ABSTERGENT
ab·sti·nence, -nen·cy [ǽbstənəns(i)] *n.* Ⓤ **1** 절제, 끊음, 금욕 《*from*》; 금주: total ~ 절대 금주 **2** 자제; (피임을 위한) 성교 억제 **3** 〖그리스도교〗 금식; 〖가톨릭〗 금육재(禁肉齋) **4** 〖경제〗 제욕(制慾); 절욕(節慾) ▷ ábstinent *a.*
ábstinence ònly 《미》 (중·고교의) 성(性) 교육 교육 과정
ábstinence sỳndrome (약물의) 금단 증세
ábstinence thèory 〖경제〗 제욕(制慾)[절욕(節慾)]설
ab·sti·nent [ǽbstənənt] *a.* 절제하는, 금욕적인; 금주하는 **~·ly** *ad.* 삼가서, 절제하여
abstr. abstract; abstracted
‡**ab·stract** [æbstrǽkt, ∠– | ∠–] 〖L 「분리시켜 꺼내다」의 뜻에서〗 *a.* **1** **추상적인**(opp. *concrete*): an ~ idea 추상적 개념 **2** 추상 개념을 표현한 **3** 이론적인; 관념적인, 공상적인(opp. *practical*): be lost in ~ thought 비현실적인 생각에 몰두하다 **4** (추상적으로) 난해한, 심원한 **5** 〖미술〗 추상파의: an ~ painter 추상(파) 화가
— [∠–] *n.* **1** 개요, 발췌, 강령 **2** [보통 the ~] **추상**, 개괄; 추상 개념, 추상 명사 **3** 정수(essence) **4** 〖미술〗 추상 예술 작품 **5** [the ~] 이상, 관념적 사고
in the ~ 이론적인[으로], 추상적인[으로] ***make an ~ of*** a book (책)을 발췌하다
— [–∠] *vt.* **1** 〈개념 등을〉 **추상하다**; 추출하다 《*from*》: (~+목+전+명) ~ spirit *from* a substance 물질에서 요소[엑스]를 추출하다 **2** 《완곡》 빼내다, 훔치다(steal) 《*from*》: (~+목+전+명) ~ a wallet *from* the pocket 호주머니에서 지갑을 훔치다 **3** 떼어내다, 〈주의를〉 딴 곳으로 끌다 《*from*》: ~ (somewhat) *from* his credit (얼마간) 그의 신용을 떨어뜨리다 **4** [∠–] 발췌하다, 적요하다(summarize) ***~ away from*** 〈사물〉의 차이를 무시하다, …을 도외시하다 ***~ oneself from*** 〈활동 등〉에서 물러나다, 은퇴하다 **~·a·ble** *a.* **~·ly** *ad.* 추상적으로 **~·ness** *n.* Ⓤ 추상성 ▷ abstráction *n.*; abstráctive *a.*
ábstract álgebra 〖수학〗 추상 대수학
ábstract árt 추상 미술
ábstract dáta tỳpe 〖컴퓨터〗 추상 데이터형(型)
ab·stract·ed [æbstrǽktid] *a.* **1** 추상된; 추출된 **2** 넋 잃은, 멍한: with an ~ air 멍하니
~·ly *ad.* 추상적으로; 멍하니 **~·ness** *n.*
ab·stract·er, ab·strac·tor [æbstrǽktər] *n.* 추출하는 사람[물건]
ábstract expréssionism 추상 표현주의
ábstract expréssionist *n., a.* 추상 표현주의자(의)
ab·strác·ting jòurnal [æbstrǽktiŋ-] 초록지(抄錄誌) 《논문 등의 개요를 게재한 정기 간행물》
abstrácting sèrvice 초록 배포 서비스
*__ab·strac·tion__ [æbstrǽkʃən] *n.* Ⓤ **1** **추상** (**작용**); Ⓒ **추상적 개념** **2** 비현실적 관념 **3** 분리, 제거 **4** 《완곡》 절취(竊取), 빼냄 **5** 방심: with an air of ~ 멍하니, 넋을 잃고 **6** Ⓒ 〖미술〗 추상주의 작품[도안]
~·al *a.* **~·ism** *n.* Ⓤ 추상주의 **~·ist** *n.* 추상파 화가 ▷ ábstract *a., n., v.*; abstráctive *a.*
ab·strac·tive [æbstrǽktiv] *a.* **1** 추상적인 **2** 추출력이 있는 **3** 초록(抄錄)의 **~·ly** *ad.* **~·ness** *n.*
ábstract músic = ABSOLUTE MUSIC
ábstract nóun 〖문법〗 추상 명사
ábstract número 〖수학〗 = ABSOLUTE NUMBER
ab·struse [æbstrúːs] *a.* 〈사상 등이〉 난해한, 심오한 **~·ly** *ad.* **~·ness** *n.*
ab·stru·si·ty [æbstrúːsəti] *n.* Ⓤ 난해(함); Ⓒ 이해하기 어려운 말[행동]

‡**ab·surd** [æbsə́:rd, -zə́:rd | əbsə́:d] [L「귀가 아주 먹은」의 뜻에서] *a.* **1** 불합리한, 부조리한 **2** 어리석은(foolish), 바보 같은, 웃기는, 터무니없는: Don't be ~. 바보 같은 소리 하지 마. **3** [the ~; 명사적] 부조리(한 것) ***the theater of the ~*** 부조리(연)극
~·ly *ad.* **~·ness** *n.* ▷ absúrdity *n.*
ab·surd·ism [æbsə́:rdizm, -zə́:rd- | əbsə́:d-] *n.* Ⓤ (문학·연극 등의) 부조리주의 **-ist** *n., a.*
*__ab·sur·di·ty__ [æbsə́:rdəti, -zə́:rd- | əbsə́:d-] *n.* **1** Ⓤ 부조리, 불합리, 모순 **2** 어리석은 일[것]
▷ absúrd *a.*
abt. about
A.B.T.A. Association of British Travel Agents
Ábt sỳstem [ɑ́:pt-, ǽpt-] [창안자인 스위스의 철도 기사의 이름에서] 아프트식 철도
ABU Asian Broadcasters Union; Asia-Pacific Broadcasting Union
a·bub·ble [əbʌ́bl] *a.* Ⓟ 거품이 이는; 비등하는
A·bu Dha·bi [ɑ́:bu:-dɑ́:bi] 아부다비 《아랍 에미리트 연방 구성국의 하나; 그 수도》
a·build·ing [əbíldiŋ] *a.* Ⓟ (미) 건축[건조] 중인
A·bu·ja [əbú:dʒə] *n.* 아부자 《나이지리아의 수도》
a·bu·li·a [əbjú:liə | əbjú:-] *n.* Ⓤ 〖정신의학〗 무위(無爲), 무의지(無意志)
‡**a·bun·dance** [əbʌ́ndəns] *n.* **1** Ⓤ 풍부, 충만; 다수, 대량, 넘치도록 많은 양, 과다: an ~ of natural resources 천연자원의 풍부함 **2** Ⓤ 유복, 부유 **3** 〖물리〗 존재도 ***an ~ of*** 많은, 풍부한 ***a year of ~*** 풍년 ***in ~*** 많이, 풍족하게; 유복하게 〈살다〉
▷ abúndant *a.*; abóund *v.*
‡**a·bun·dant** [əbʌ́ndənt] *a.* 풍부한, 많은; 〈자원 등이〉 풍족한 《*in, with*》: an ~ harvest 풍작 / be ~ *in* 〈광물 등〉이 풍부하다
~·ly *ad.* 풍부하게; [강조하여] 참으로, 매우
▷ abóund *v.*; abúndance *n.*
abúndant númber 〖수학〗 과잉수
ab uno dis·ce om·nes [æb-jú:nou-díski-ɑ́mniz | -ɔ́m-] [L = from one learn to know all] 하나에서 모든 것을 배워라
ab ur·be con·di·ta [æb-ə́:rbi-kɑ́ndità | -kɔ́n-] [L = from the city built] 로마시 건설[기원전 753년] 이래 《略 AUC》
a·bus·age [əbjú:sidʒ, -zidʒ] *n.* Ⓤ 말의 오용
‡**a·buse** [əbjú:s] *n.* **1** ⓊⒸ (권력·지위 따위의) 남용, 악용, 오용: drug ~ 약물 남용 / government officials' ~ of power 정부 관료들의 권력 남용 **2** Ⓤ 욕설, 독설: personal ~ 인신공격 / a term of ~ 욕설 **3** Ⓤ 학대, 혹사; 〖법〗 강간, 폭행: child ~ 아동 학대 **4** [종종 *pl.*] 악폐, 폐해, 악습: election ~*s* 선거 때의 폐단 《매수 등》
— [əbjú:z] *vt.* **1** 〈권리 등을〉 남용하다, 악용[오용]하다: ~ one's authority 직권을 남용하다 **2** 학대하다, 혹사하다(treat badly): ~ one's health 무리하여 건강을 해치다 **3** 욕하다, 매도하다 **4** 〈여자를〉 욕보이다 ~ one***self*** 자위[수음]하다 ***~ the confidence of*** …을 배반하다
a·bús·a·ble *a.* **a·bús·er** *n.* (약·술의) 남용자; 학대하는 사람 **a·bú·sion** *n.* Ⓤ 오용; 남용, 부정; 매도
▷ abúsive *a.*; abúsage *n.*
a·bu·sive [əbjú:siv] *a.* **1** 입버릇 사나운, 욕설을 퍼붓는, 독설의: ~ language 욕지거리 / an ~ letter 독설을 늘어놓은 편지 **2** 학대[혹사]하는 **3** 남용[악용]하는 **~·ly** *ad.* **~·ness** *n.* ▷ abúse *n., v.*
a·but [əbʌ́t] *v.* (**~·ted**; **~·ting**) *vi.* **1** 〈나라·장소 등이 다른 곳과〉 접경하다, 인접하다 《*on, upon*》 **2** 〈건물의 일부가〉 (…에) 접하다, 끼고 있다 《*on*》; 〈다른 건물 등에〉 기대(듯 하)다 《*against, on*》
— *vt.* …에 접하다
a·bu·ti·lon [əbjú:təlɑ̀n | -lən] *n.* 〖식물〗 어저귀속(屬)의 식물

a·but·ment [əbʌ́tmənt] *n.* **1** 〖건축〗 홍예 받침대, 교대(橋臺) **2** 인접; 접합부 **3** 〖치과〗 교각치, 의치 받침대

abutment 1

a·but·tal [əbʌ́tl] *n.* 인접; [*pl.*] 경계(지)
a·but·ter [əbʌ́tər] *n.* 인접한 것; 〖법〗 인접지 소유주
a·but·ting [əbʌ́tiŋ] *a.* **1** 인접한, 접경한 **2** 〖건축〗 홍예 받침대[교대] 구실을 하는
a·buzz [əbʌ́z] *a.* Ⓟ **1** 윙윙거리는, 떠들썩한 **2** 활기에 넘치는, 한창 활동하는
abv. above
ab·volt [æbvóult, ⌐⌐] *n.* 〖전기〗 절대 볼트 《기전력의 cgs 전자 단위; $=10^{-8}$ volt; 기호 aV》
ab·watt [æbwɑ́t, ⌐⌐ | ǽbwɔ̀t] *n.* 〖전기〗 절대 와트 《전력의 cgs 전자 단위; $=10^{-7}$ watt; 기호 aW》
a·by(**e**) [əbái] *vt.* (**a·bought** [əbɔ́:t]) **1** 지속하다 (continue) **2** (고어) 〈죄를〉 갚다; 〈괴로움을〉 견디다
a·bysm [əbízm] *n.* (시어) = ABYSS
a·bys·mal [əbízməl] *a.* **1** 한없이 깊은, 심연의, 나락의 **2** (구어) 지독히 나쁜 **~·ly** *ad.*
*__a·byss__ [əbís] [Gk「밑이 없는」의 뜻에서] *n.* **1** ⓊⒸ 심연, 무저갱 **2** Ⓤ [the ~] 나락, 지옥 **3** (천지 창조 전의) 혼돈(chaos) ***the ~ of despair*** 절망의 구렁텅이 ***the ~ of time*** 영원
▷ abýsmal, abýssal *a.*
a·byss·al [əbísəl] *a.* 심해의; 무저갱의; 〖지질〗 심성(深成)의: ~ rock 심성암
a·byss·al·ben·thic [əbísəlbénθik] *a.* 심해저의
abýssal pláin 심해 평원
abýssal zóne [the ~] 〖생태〗 심해저대(深海底帶) 《수심 3,000-7,000 m》
Ab·ys·sin·i·a [æ̀bəsíniə] *n.* 아비시니아 《Ethiopia의 별칭》
Ab·ys·sin·i·an [æ̀bəsíniən] *a.* 아비시니아의
— *n.* 아비시니아 사람; Ⓤ 아비시니아 말
Ac 〖화학〗 actinium **Ac.** acetate; acetyl
ac- [æk, ək] *pref.* = AD- 《c, k, q 앞》: *ac*cede
-ac [æk, ək] *suf.* **1** [형용사 어미] 「…과 같은; …에 관한; …에 사로잡힌」의 뜻: demoni*ac*, elegi*ac* **2** [명사 어미] 「…병[증] 환자」의 뜻: mani*ac*, cardi*ac*
a/c, A/C account (current); air conditioning
a.c. 〖전기〗 alternating current; 〖처방〗 *ante cibum* 《L = before meals》 (처방전에서) 식전(食前) (복용); **AC** 〖컴퓨터〗 adaptive control; Aero Club; (미) air-conditioning; Air Corps; aircaft(s)man; Alpine Club; 〖전기〗 alternating current; analog computer; *ante Christum* 《L = before Christ》; 〖전화〗 area code; Army Corps; Athletic Club; Atlantic Charter **ACA** (영) Associate of the Institute of Chartered Accountants
a·ca·cia [əkéiʃə] *n.* 〖식물〗 **1** 아카시아(= ⌐ **trèe**) **2** (미) 개아카시아(locust) **3** 아라비아 고무
Acácia Ávenue (영·익살) 중류 계급이 사는 교외의 가로
Acad. Academician; Academy
ÁC adáptor [*a*lternating *c*urrent *adaptor*] AC 어댑터 《교류 전기를 직류 전기로 바꾸는 장치》
ac·a·deme [ǽkədì:m] *n.* **1** 학구적 생활, 학자 생활 **2** 학구(學究), 《특히》 학자연하는 사람 **3** [**A~**] (고대 아테네의) 아카데미 학원; (시어) 학원, 대학
ac·a·de·mese [æ̀kədəmí:z, -mí:s] *n.* Ⓤ (딱딱한) 학자풍의 문체[용어]

thesaurus **abuse** *v.* **1** 악용하다 misuse, misemploy, mishandle, exploit **2** 학대하다 mistreat, maltreat, ill-use **3** 욕하다 insult, swear at, curse

ac·a·de·mi·a [æ̀kədí:miə] *n.* Ⓤ **1** 학구적인 세계[생활, 흥미] **2** 학계

***ac·a·dem·ic** [æ̀kədémik] *a.* **1** 학원(學園)의; 대학의: an ~ curriculum 대학 과정 / an ~ degree 학위 **2** 학구적인; 이론적인; 비실용적인: ~ interest 학구적 관심 **3** 예술원의; 학사원의, 학회의 **4** 격식[전통]을 중시하는, 인습적인 **5** (미) (대학의) 인문과의, 문과 대학의, 일반 교양의(liberal) **6** [**A~**] 〖철학〗 플라톤 학파의 **—** *n.* **1** 대학생, 대학교수; 학구적인 사람 **2** 학사원 회원 **3** [*pl.*] 학과, 학문 **4** [**A~**] 플라톤 학파의 사람 ▷ acádemy *n.*

acadèmic advísor (대학의) 지도 교수

ac·a·dem·i·cal [æ̀kədémikəl] *a.* ＝ACADEMIC **—** *n.* [*pl.*] 대학 예복 **~·ly** *ad.* ▷ acádemy *n.*

acadèmic áptitude tèst 진학 적성 검사, 수학 능력 평가

acadèmic árt (전통에 얽매여 독창성이 없는) 아카데미 예술

acadèmic cóstume[róbe, dréss] (학위 수여식·졸업식 때 입는) 대학 예복(academicals)

acadèmic fréedom 학문(연구)의 자유

acadèmic gówn (대학의 예복으로서의) 가운

ac·a·de·mi·cian [æ̀kədəmíʃən, əkæ̀də-] *n.* **1** 아카데미[학술원, 예술원] 회원 **2** 학문[예술]의 전통 존중자 **3** 대학인; 학구적인 사람

ac·a·dem·i·cism [æ̀kədéməsìzm], **a·cad·e·mism** [əkǽdəmìzm] *n.* Ⓤ **1** 학구적 태도, 전통주의, 형식주의 **2** 〖철학〗 플라톤 학파 철학

acadèmic ránk 대학 교원의 직위《정교수·부교수·조교수·강사》

acadèmic yéar (대학 등의) 학년(도)(school year)《보통 9월부터 6월까지》

a·cad·e·mize [əkǽdəmàiz] *vt.* 딱딱한 규칙[형식]에 얽매이게 하다

a·cad·e·my** [əkǽdəmi] [철학자 Plato가 가르친 학원 이름에서] *n.* (*pl.* **-mies**) **1 a** 학원(學園), 학원(學院) **b** 전문학교: an ~ of music 음악 학교 **2** (학술·문예·미술의) 협회, 학회; 예술원, 학술원 **3** [the A~] **a** 플라톤 학파[신봉자] **b** (영) 왕립 미술원《the Royal Academy of Arts의 약칭》; 그 미술원에서 개최하는 전람회 **c** 프랑스 학술원 ***A~ of Motion Picture Arts and Sciences (미) 영화 예술 과학 아카데미《略 AMPAS》 ▷ acadèmic, acadèmical *a.*

Acádemy Awárd **1** 〖영화〗 아카데미상(Oscar) **2** [the Academy Awards] 아카데미상 수상식

acádemy blùe 녹청색

acádemy bòard 두꺼운 판지 캔버스《유화용》

acádemy fìgure 〖미술〗 아카데미 피겨《반등신(半等身) 크기의 나체화; 기초 연습용》

A·ca·di·a [əkéidiə] *n.* 아카디아《캐나다의 남동부의 예전 프랑스 식민지; 지금의 Nova Scotia 주(州)를 포함하는 지역》 **A·cá·di·an** *a.*, *n.* Acadia의 (사람·말)

acai (berry) [əsái(-) | æsái(-)] 아사이베리《아마존 유역의 열대 종려나무의 열매》

ac·a·jou [ǽkəʒù:, -dʒù: | -ʒù:] *n.* **1** 마호가니 목재《총칭》 **2** 〖식물〗 ＝CASHEW

-acal [əkəl] *suf.* ＝-AC《종종 -ac의 명사 용법과 구별하기 위하여 씀》

a·cal·cu·li·a [èikælkjú:liə] *n.* 〖정신의학〗 계산 불능(증)(dyscalculia)

ac·a·leph [ǽkəlèf] *n.* 〖동물〗 해파리의 일종

a·can·tho·cyte [əkǽnθəsàit] *n.* 〖병리〗 유극(有棘) 적혈구

a·can·thoid [əkǽnθɔid] *a.* 가시 모양의, 가시가 많은

a·can·thus [əkǽnθəs] *n.* (*pl.* **~·es, -thi** [-θai]) **1** 〖식물〗 아칸서스 **2** 〖건축〗 아칸서스 잎 장식《코린트식 기둥머리의》

a·cap·ni·a [əkǽpniə, eik-] *n.* 〖의학〗 탄산 결핍(증)

a cap·pel·la [à:-kəpélə] [It. ＝in chapel style] *a.*, *ad.* 〖음악〗 **1** 〈합창이〉 악기 반주 없는[없이], 아카펠라의[로] **2** 교회 음악의[식으로]

a ca·pric·cio [à:-kəprí:tʃiòu] [It. ＝capriciously] *ad.* 〖음악〗 〈템포·형식·발상은〉 연주자의 뜻대로

A·ca·pul·co [æ̀kəpúlkou] *n.* 아카풀코《멕시코 남서부 태평양 연안의 항구; 휴양지》

Acapúlco góld (속어) 아카풀코 골드《멕시코산(産)의 질 좋은 마리화나(marijuana)》

a·car·di·a [eiká:rdiə] *n.* 〖병리〗 무심증(無心症), 선천성 심장 결손 **a·car·di·ac** [eiká:rdiæ̀k] *a.*

ac·a·ri·a·sis [æ̀kəráiəsis] *n.* (*pl.* **-ses** [-sì:z]) 〖병리〗 진드기(기생)증

a·car·i·cide [əkǽrəsàid, ǽkərə-] *n.* 진드기 구충제 **a·càr·i·cíd·al** *a.*

ac·a·rid [ǽkərid] *n.*, *a.* 〖동물〗 진드기(의)

a·car·pous [eiká:rpəs] *a.* 〖식물〗 열매 맺지 않는

ac·a·rus [ǽkərəs] *n.* (*pl.* **-ri** [-rài]) 〖곤충〗 진드기

ACAS [éikæs] Advisory, Conciliation and Arbitration Service (영) (쟁의의) 조언·화해·조정 기관

a·cat·a·lec·tic [eikæ̀təléktik | æk-] 〖시학〗 *a.* 완전 운각(韻脚)의 **—** *n.* 완전구(句)

a·cat·a·lep·sy [eikǽtəlèpsi | æk-] *n.* Ⓤ 〖철학〗 불가지론(不可知論) **a·càt·a·lép·tic** *a.*, *n.*

a·cau·dal [eikɔ́:dl] *a.* 〖동물〗 꼬리가 없는

ac·au·les·cent [æ̀kɔ:lésnt, èikɔ:- | æ̀k-] *a.* 〖식물〗 줄기가 없는[보이지 않는] **-lés·cence** *n.*

À-Ć býpass [èisí:-] [*a*orta *c*oronary *bypass*] 〖의학〗 대동맥·관동맥 바이패스《두 동맥 사이가 막혔을 때 혈행(血行)을 우회하게 이식한 관》

ACC 〖컴퓨터〗 accumulator; (미) Air Coordinating Committee; American Culture Center

acc. accelerate; acceleration; acceptance; accepted; accompanied; accompaniment; according; account(ant); accusative **ACCA** Association of Chartered Certified Accountants **ACCD** American Coalition of Citizens with Disabilities 미국 장애자 시민 연합

ac·cede [æksí:d] [L 「…에 다가가다」의 뜻에서] *vi.* **1** 〈제의·요구 등에〉 동의하다, 응하다(agree, assent) (*to*): (~＋전＋명) ~ *to* terms 조건에 응하다 **2** 〈높은 지위에〉 취임하다; 뒤를 잇다 (*to*); 〈왕위에〉 오르다 (*to*): (~＋전＋명) He ~*d to* the governorship. 그는 지사에 취임했다. **3** 〈조약 등에〉 가입[가맹]하다 (*to*): ~ *to* a convention 협정에 가입하다 **ac·céd·ence** *n.* **ac·céd·er** *n.* ▷ accéssion *n.*

accel. accelerando

ac·cel·er·an·do [æksèlərǽndou] [It. ＝accelerate] 〖음악〗 *ad.*, *a.* 아첼레란도로[의], 점점 빠르게[빠른] **—** *n.* 아첼레란도 음(音)[악절](cf. STACCATO)

ac·cel·er·ant [æksélərənt, ək-] *n.* 〖화학〗 촉진제, 촉매

***ac·cel·er·ate** [æksélərèit, ək-] *vt.* **1** 〈차 등의〉 속력을 빠르게 하다, 가속하다; 촉진하다 **2** 〈일의〉 시기를 빠르게 하다 **3** 〈교과 과정의〉 이수 기간을 단축하다 **—** *vi.* 가속하다, 속도가 더하다, 빨라지다 ▷ accelerátion *n.*; accélerative *a.*

***ac·cel·er·at·ed** [æksélərèitid, ək-] *a.* 속도가 붙은, 가속된 **~·ly** *ad.*

accélerated depreciátion 〖회계〗 가속 상각(加速償却)(제도)

accélerated mótion 〖물리〗 가속 운동

accélerated móving wálk 자동 변속 보도《에스컬레이터식 보도》

ac·cel·er·a·tion [æksèləréiʃən, ək-] *n.* Ⓤ **1** 가속; 촉진 **2** 〖물리〗 가속도: positive[negative] ~ 가[감]속도 / the ~ of gravity 중력 가속도 ▷ accélerate *v.*; accélerative *a.*

---

abyss *n.* chasm, gorge, cavity, void, pit, hole, gulf, depth, ravine, canyon, crevasse
accelerate *v.* speed up, go faster, step up, spur

accelerátion clàuse 〖금융〗 가속 조항 《계약 위반시 채무 만기 전 조기 상환 조항》
accelerátion coefficient 〖경제〗 가속도 계수
ac·cel·er·a·tion·ist [æksèləréiʃənist, ək-] *n.* 〖경제〗 가속도 원리(acceleration principle) 주장자
accelerátion làne[strìp] (고속도로의) 가속 차선
accelerátion prìnciple 〖경제〗 가속도 원리
accelerátion sỳndrome 〖정신의학〗 일벌레 증후군 《바쁘게 일하지 않고는 못 견디는 증상》
ac·cel·er·a·tive [æksélərèitiv, ək-] *a.* 가속적인, 촉진적인
ac·cel·er·a·tor [æksélərèitər, ək-] *n.* **1** 가속자[물, 기]; 〖기계〗 가속 장치, 액셀러레이터(= **∠ pèdal**): step on[release] the ~ 액셀러레이터를 밟다[떼다] **2** 〖해부〗 촉진 신경[근(筋)]; 〖화학〗 촉진제; 〖사진〗 현상 촉진제; 〖컴퓨터〗 액셀러레이터
accélerator bòard 〖컴퓨터〗 액셀러레이터 보드 《컴퓨터 하드웨어의 특정 부분의 속도 성능을 향상시키기 위해 컴퓨터에 부가되는 보드》
accélerator càrd 〖컴퓨터〗 액셀러레이터 카드
accélerator glòbulin 〖생화학〗 촉진성 글로불린
ac·cel·er·o·gram [æksélərəgræ̀m, ək-] *n.* (가속도계에 의한) 가속도 기록도
ac·cel·er·o·graph [æksélərəgræ̀f, ək- | -grɑ̀:f] *n.* (지진 진동 등의) 가속도계
ac·cel·er·om·e·ter [æksèlərɑ́mətər, ək- | -rɔ́-] *n.* 〖항공·물리〗 가속도계
‡**ac·cent** [ǽksent] [L 「…에 덧붙인 노래」의 뜻에서] *n.* **1** ⓒⓤ 〖음성〗 **악센트,** 강세: the primary[secondary] ~ 제1[제2] 악센트 **2** 악센트 부호: an acute ~ 양부호(揚符號)(ˊ)/a grave ~ 억(抑)부호(ˋ)/a circumflex ~ 곡절(曲折) 부호(˜, ˆ) **3** 강조 《*on*》; 드러나게 하는 것; 특색, 특징 《개인·국가·지방 등의》 **4** (외국) **어투,** 말투, 사투리; [보통 *pl.*] (독특한) 말투, 어조: English with a foreign ~ 외국 말투가 섞인 영어/speak with an ~ 사투리로 말하다/in ~*s* of grief 슬픈 어조로 **5** [*pl.*] 《시어》 말; 시문(詩文) **6** 〖운율〗 강음(强音)(ictus)
— [ǽksent, —ˊ | —ˊ] *vt.* **1** 〈낱말·음절에〉 악센트를 두다[주다] **2** 악센트 부호를 붙이다 **3** 강조하다 (accentuate)
▷ accéntual *a.*; accéntuate *v.*
ac·cent·ed [ǽksentid] *a.* 〖음성〗 악센트가 있는, 악센트를 받은: an ~ syllable 악센트가 있는 음절/He spoke heavily ~ English. 그는 악센트가 강한 영어를 말했다.
ac·cent·less [ǽksentlis] *a.* 악센트가 없는
áccent màrk 악센트[강세] 부호
ac·cen·tol·o·gy [æ̀ksentɑ́lədʒi | -tɔ́-] *n.* 〖언어〗 강세학(强勢學)
ac·cen·tor [æksénter] *n.* 〖조류〗 (유럽·아시아 고산 지대에 사는) 바위종다릿과(科) 명금(鳴禽)의 총칭
ac·cen·tu·al [ækséntʃuəl] *a.* **1** 악센트의[가 있는] **2** 〖운율〗 음의 강약을 리듬의 기초로 삼는 〈시〉
ac·cèn·tu·ál·i·ty *n.* **~·ly** *ad.* ▷ áccent *n.*
ac·cen·tu·ate [ækséntʃuèit] *vt.* **1** 강조하다, 역설하다; 〈색·악음(樂音) 등을〉 두드러지게 하다, 〈그림 등을〉 눈에 띄게 하다 **2** = ACCENT *vt.* 1
▷ accentuátion *n.*
ac·cen·tu·a·tion [æksèntʃuéiʃən] *n.* ⓤ **1** 음의 억양법; 악센트(부호)를 붙이는 법 **2** 강조, 역설
ac·cen·tu·a·tor [ækséntʃuèitər] *n.* **1** 〖전자〗 엠파시스 회로 **2** 강조[역설]하는 사람
‡**ac·cept** [æksépt, ək-] [L =take] *vt.* **1** 〈선물 등을 기꺼이〉 **받아들이다,** 받다(⇨ receive 유의어); 〈여자가 남자의〉 구혼에 응하다 **2** 〈초대·신청·임명 등을〉 **수락하다,** 받아들이다 **3** 〈설명·학설 등을〉 **인정하다,** 용인하다, 믿다: ~ the story at its face value 그 이야기를 곧이곧대로 듣다[믿다] ∥ 《~+목+**as** 보》 ~ the explanation *as* true[*as* a fact] 설명을 진실[사실]로서 받아들이다 **4** 〈사람을〉 (대학·클럽 등에) 정식으로 받아들이다, 입회시키다 **5** 〈사태 등에〉 순응하다, 감수하다 **6** 〈어구의〉 뜻을 취하다, 해석하다 **7** 〖상업〗 〈어음을〉 인수하다(opp. *dishonor*); 〈신용 카드를〉 받아주다 **~ a person***'s* ***hand in marriage*** …의 청혼을 받아들이다
— *vi.* (초대·제의 등을) 수락하다, 받아들이다 《*of*》: 《~+전+명》 The envoys ~*ed of* the terms offered. 그 사절은 제시된 조건을 수락했다. ★ 종종 of를 수반하는데, 고풍의 격식 차린 어법; 〖상업〗에서는 쓰지 않음. ~ ***with open arms*** …을 환영하다, 포옹하다 ▷ accéptance, acceptátion *n.*
ac·cept·a·bil·i·ty [æksèptəbíləti, ək-] *n.* ⓤ 수락할 수 있음, 응낙; 용인(가능)성
‡**ac·cept·a·ble** [æksépt əbl, ək-] *a.* **1** 〈선물·제안 등이〉 **받아들일[수락할] 수 있는;** 만족스러운, 훌륭한, 마음에 드는: at a time and place ~ to both parties 쌍방이 수용할 수 있는 시간과 장소에서 **2** 〈어법·행위 등이〉 용인할 수 있는 **3** 무난한(passable) **4** 참을 수 있는
~·ness *n.* **-bly** *ad.* 받아들일 수 있게; 마음에 들게
accéptable dáily ìntake (식품 중 유해 물질의) 하루 허용 섭취량 《略 ADI》
accéptable lóss 〖군사〗 허용 손실[피해]
accéptable quálity lèvel 합격 품질 수준
accéptable tést (품질·성능의) 합격 판정 시험
***ac·cep·tance** [ækséptəns, ək-] *n.* ⓤ **1** 수납, 가납(嘉納), 수리(opp. *refusal*) **2** 수락, 용인 **3** 〖상업〗 어음의 인수; ⓒ 인수필 어음
~ ***of persons*** 편들기, 역성 ***find***[***gain, meet with***] ***general*** ~ 일반적으로 용인되다[받다] ***with*** ~ 잘 받아들여져서, 호평을 받아
▷ accépt *v.*; accéptant *a.*
accéptance bànk 《미》 어음 인수 은행
accéptance hòuse 《영》 어음 인수상(商) 《개인 금융업자》
accéptance ràte (대학 입시 등의) 경쟁률
accéptance sàmpling (무작위) 샘플링 검수
accéptance spèech 《미》 (후보 지명 등의) 수락[수상] 연설
accéptance tèst[tèsting] 합격 판정 시험 《제품의 품질·성능에 대한》
ac·cep·tant [ækséptənt, ək-] *a.* (…을) 기꺼이 받아들이는 《*of*》 — *n.* 받아들이는 사람; 수락자
ac·cep·ta·tion [æ̀kseptéiʃən, ək-] [accept 6의 명사형] *n.* (어구의 일반적인) 뜻, 어의 ▷ accépt *v.*
ac·cept·ed [ækséptid, ək-] *a.* **1** 일반적으로 인정된, 용인된 **2** 〖상업〗 인수가 끝난 **~·ly** *ad.*
accépted páiring 용인 대비(對比) 광고 《상대편 상품의 장점을 인정하나 자사 상품이 더 우수함을 강조하는》
ac·cep·tee [æksepti:] *n.* 받아들일 만한 사람, 적격자
ac·cept·er [ækséptər, ək-] *n.* **1** 받아들이는 사람, 수납자; 수락[승낙]자 **2** 〖상업〗 = ACCEPTOR 2
ac·cept·ing [ækséptiŋ] *a.* 쾌히 받아들이는 《*of*》, 솔직한 **~·ly** *ad.* **~·ness** *n.*
accépting hòuse 《영》 (런던의) 어음 인수 상사
ac·cep·tive [ækséptiv, ək-] *a.* 받아들일 수 있는 (acceptable); (사고방식 등을) 받아들이는 《*of*》
ac·cep·tor [ækséptər, ək-] *n.* **1** 수납자, 수락자 **2** 〖상업〗 어음 인수인 **3** 〖통신〗 통파기(通波器) **4** 〖화학〗 수용체 **5** 〖전자〗 억셉터
‡**ac·cess** [ǽkses] *n.* **1** ⓤ (장소·사람 등에의) **접근,** 면회, 출입; (자료 등의) 입수, 이용 《*to*》: a man of difficult[easy] ~ 접근하기 어려운[쉬운] 사람 **2** ⓤ **접근[입수] 방법,** 이용[참가]할 권리 **3** 진입로, 입구, 통로 《*to*》: direct ~ *to* terminal B 터미널 B로 직접 연결되는 통로 **4** 《문어·고어》 (감정의) 격발, (병의) 발

thesaurus **accent** *n.* **1** 강세 stress, emphasis, accentuation **2** 말투 pronunciation, intonation
accidental *a.* **1** 우연한 chance, unintentional,

작(fit): an ~ of anger[fever] 발노[발열] **5** (재산 등의) 증대, 증가: an ~ of wealth 재산의 증대 **6** 〖컴퓨터〗 액세스, 시스템에의 접근 : for ~ *to* account information 계좌 정보에 접근하기 위해
easy [***hard, difficult***] ***of ~*** 접근[면회]하기 쉬운[어려운] ***gain*** [***get, obtain***] ***~ to*** …에 접근[출입]하다, …을 면회하다 ***give ~ to*** …에게 접근[출입]을 허락하다 ***have ~ to*** …에게 접근[출입]할 수 있다, …을 면회할 수 있다 ***within easy ~ of*** …에서 쉽게 갈 수 있는 곳에
— *vt.* **1** 입수[이용]하다 **2** 〖컴퓨터〗 기억 장치로부터 〈정보를〉 호출하다; 기억 장치에 〈정보를〉 입력하다
▷ accéssible *a.*

áccess àrm 〖컴퓨터〗 액세스 암 《자기 디스크 장치 일부에서 헤드를 운반하는 장치》

*__ac·ces·sa·ry__ [æksésəri, ək-] *n.* (*pl.* **-ries**), *a.* 〖법〗 =ACCESSORY 2 **-ri·ly** *ad.*

áccess bròadcasting 《영》 자체[국외(局外)] 제작 방송

áccess chàrge 〖컴퓨터〗 액세스 차지 《컴퓨터 네트워크 접속 요금》

áccess còde 〖컴퓨터〗 접근 부호 《사용자 ID나 비밀 번호 등》

áccess contròl 〖컴퓨터〗 액세스 제어

áccess còurse 〖교육〗 (비자격자에 대한) 진학 특별 코스

ac·ces·si·bil·i·ty [æksèsəbíləti, ək-] *n.* Ⓤ 접근 (가능성), 접근하기 쉬움; 이해하기 쉬움

*__ac·ces·si·ble__ [æksésəbl, ək-] *a.* **1** 〈장소·사람 등이〉 접근하기 쉬운, 가기 쉬운; 면회하기 쉬운 《*to*》 **2** 손에 넣기 쉬운, 얻기 쉬운; 이용할 수 있는 **3** 이해하기 쉬운 《*to*》 **4** 〈사람·마음이〉 (…에) 영향을 받기 쉬운 《*to*》: ~ *to* pity 정에 무른 / ~ *to* reason 사리를 아는 / ~ *to* bribery 뇌물에 약한, 매수되기 쉬운
-bly *ad.* **~·ness** *n.*

*__ac·ces·sion__ [ækséʃən, ək-] *n.* **1** (어떤 상태로의) 접근, 도달; (권리·지위·재산 등의) 취득, 상속, 계승 《*to*》; 즉위 **2** (당·단체 등에의) 가입 《*to*》 **3** (첨가에 의한) 증가; Ⓒ 증가물, 획득물 **4** (도서관 등의) 수납(收納) 도서 《*to*》 **5** 〖법〗 재산 가치의 (자연) 증가 **6** 〖노동〗 (종업원의) 신규 채용 **7** Ⓤ.Ⓒ (요구·계획 등에 대한) 동의, 승인 **8** 〖국제법〗 (조약에의) 가맹 **9** (병의) 발작
— *vt.* 〈신착 도서 등을〉 수납 장부에 기입하다
~·al *a.* ▷ accéde *v.*

accéssion bòok (도서관의) 도서 수납 원부, 신착 도서 목록

accéssion nùmber (도서관의) 도서 수납 번호

áccess mèthod [**mòde**] 〖컴퓨터〗 액세스 법 《주기억 장치와 입출력 장치간의 데이터 전송 방법》

ac·ces·so·ri·al [æ̀ksəsɔ́:riəl] *a.* **1** 보조적인, 부대적인 **2** 〖법〗 종범의 **~·ly** *ad.*

ac·ces·so·ri·us [æ̀ksəsɔ́:riəs] *n.* (*pl.* **-ri·i** [-riài]) 〖해부〗 (근육·신경·선(腺) 등의) 보조 기관

ac·ces·so·rize [æksésəràiz] *vt., vi.* (…에) 액세서리[부속품]를 달다 《*with*》

*__ac·ces·so·ry__ [æksésəri, ək-] *n.* (*pl.* **-ries**) **1** [보통 *pl.*] 부속물, 부속품, 부대물, 액세서리; 복식품, 장신구 **2** 〖법〗 종범(accessary) 《*to*》
an ~ after [***before***] ***the fact*** 사후[사전] 종범
— *a.* **1** 보조적인, 부속의, 부(副)의, 부대적인 **2** 〖법〗 종범의(accessary) 《*to*》
-ri·ly *ad.* 보조적으로 **-ri·ness** *n.*
▷ accessórial *a.*

accéssory bud 〖식물〗 덧눈

accéssory chròmosome 〖유전〗 부(副) 염색체

accéssory frùit 〖식물〗 위과(僞果), 부과(副果)

accéssory glànd 〖해부〗 부속샘

accéssory nèrve 〖해부〗 부신경

áccess pèrmit 《미》 기밀 자료 열람[접근] 허가증

áccess pòint **1** 〖도서관학〗 책을 찾아내는 코드 **2** 〖컴퓨터〗 액세스 포인트 《네트워크 접속 중계점》

áccess prògram 《미》 **1** (지방국의) 자체 프로그램 **2** (방송국[프로그램] 개방을 이용한) 자체[국외(局外)] 제작 프로그램

áccess provìder 〖컴퓨터〗 인터넷 접속 서비스 업자[기관]

áccess rìght 〖컴퓨터〗 (파일 등에의) 접근권(權)

áccess ròad (고속도로로의) 진입로

áccess spèed 〖컴퓨터〗 접속[접근] 속도

áccess tèlevision 《영》 (방송국 개방을 이용한) 자체[국외(局外)] 제작 텔레비전 (프로그램)

áccess tìme **1** 〖컴퓨터〗 액세스 타임, 호출 시간 **2** 〖TV〗 (지방국의) 자체 프로그램 방송 시간(대)

áccess to súnlight 일조권, 태양 접근법

áccess tỳpe 〖컴퓨터〗 =ACCESS METHOD

ac·cess·way [ǽkseswèi] *n.* (공공 해수욕장·공원 등 특정 장소로의) 진입로, 연결 도로

ac·ciac·ca·tu·ra [ɑ:tʃɑ̀:kətúərə | ətʃæ̀kə-] [It =crushing] *n.* (*pl.* **~s, -tu·re** [-túərei]) 〖음악〗 아차카토라, 전타음(前打音)

ac·ci·dence [ǽksədəns] *n.* Ⓤ **1** 〖문법〗 어형(변화)론, 형태론; 어형 변화 **2** 초보, 입문, 기본

*****ac·ci·dent** [ǽksədənt] *n.*

> L 「일어난 일, 사건」의 뜻에서 「우연한 사건」 **3**, 특히 「뜻밖의 사고」 **1**로 되었음.

1 사고, 재난, 고장, 재해(⇨ incident 유의어); 《미》 자동차 사고: a railroad ~ 철도 사고 / *A~s* will happen. 《속담》 사고는 생기게 마련. **2** 〖법〗 우발 사고 **3** 우연; 우연한 일, 뜻밖의 일: an ~ of birth (부귀 또는 비천하게) 타고난 팔자 **4** 부수적인 사물[성질] **5** 《구어》 요실금(尿失禁) **6** 〖철학〗 우유성(偶有性) **7** 〖지질〗 지형의 기복 **8** 〖미술〗 한정 광선(=~ **lights**)
a chapter of ~s 《영》 일련의 불행한 사건 ***by*** (***a mere***) ***~*** 우연히(opp. *on purpose*) ***have*** [***meet with***] ***an ~*** 불의의 변을 당하다 ***without ~*** 무사히
▷ accidéntal *a.*

*__ac·ci·den·tal__ [æ̀ksədéntl] *a.* **1** 우연한: an ~ death 사고사 / an ~ fire 실화(失火) / ~ homicide 과실 치사 / an ~ war 우발적인 전쟁 **2** 비본질적인, 부수적인 **3** 〖음악〗 임시 변화의: ~ notation 임시 기호 **4** 〖철학〗 우유(偶有)적인(inessential)
— *n.* **1** 우발적인 사물; 비본질적인 사물 **2** 〖음악〗 임시음[기호] **àc·ci·den·tál·i·ty** *n.* **~·ness** *n.*
▷ áccident *n.*; accidéntally *ad.*

accidéntal cólor 〖광학〗 보색 잔상(補色殘像)

accidéntal déath bènefit 〖보험〗 재해 사망 보험금

accidéntal érror 〖수학·통계〗 우연[우발] 오차

ac·ci·den·tal·ism [æ̀ksədéntəlizm] *n.* 〖의학〗 우발설; 〖철학〗 우연론 **-ist** *n., a.*

ac·ci·den·tal·ly [æ̀ksədéntəli] *ad.* 우연히, 뜻하지 않게(by chance); 잘못하여: The remains were ~ discovered. 그 유물은 우연히 발견되었다.
~ on purpose 《구어》 우연을 가장하여 고의적으로

accidéntal président (대통령의 사망·사임에 따른 부통령으로부터의) 승격 대통령

áccident and emérgency 《영》 응급실(《미》 emergency room): the hospital ~ department (병원의) 응급과

áccident bòat (선박에 비치한) 긴급 구명보트

ac·ci·dent·ed [ǽksədèntid] *a.* 〖지질〗 울퉁불퉁한, 기복이 있는(opp. *even*[1] *a.* 1)

áccident insùrance 상해[재해] 보험

ac·ci·dent-prone [ǽksədəntpròun] *a.* 〈사람·차 등이 보통보다〉 사고를 많이 내기[당하기] 쉬운

ac·cid·ie [ǽksədi] *n.* =ACEDIA

---

unexpected, unforeseen, unplanned (opp. *intentional, calculated*) **2** 부수적인 inessential, incidental, extrinsic, secondary, supplementary

ac·cip·i·ter [æksípətər] *n.* 〖조류〗 **1** 새매속(屬)의 매 《익더귀새매·난추니 등》 **2** 《일반적으로》 매, 맹금
ac·cip·i·tral [æksípətrəl] *a.* = ACCIPITRINE
ac·cip·i·trine [æksípətrin, -tràin] *a.* 맹금류(猛禽類)의; 맷과(科)의
*__ac·claim__ [əkléim] *vt.* **1** 갈채[환호]하다 **2** 갈채하여 …으로 인정하다: (~+목+(**as**) 보) The people ~*ed* him (*as*) king. 민중은 환호 속에 그를 왕으로 맞이하였다. **3** 《캐나다》 만장일치로 선출하다
— *vi.* 환호[갈채]하다
— *n.* Ⓤ 환호, (대)갈채; 절찬 **~·er** *n.*
▷ acclamátion *n.*
ac·cla·ma·tion [æ̀kləméiʃən] *n.* Ⓤ **1** 환호, 갈채 《칭찬·찬성의》; [종종 *pl.*] 환호성: amidst loud ~*s* 대환호 가운데 / hail with ~(*s*) 환호로 맞이하다 **2** (갈채·박수로 찬성을 나타내는) 발성(發聲) 투표: carry by ~ 〈의안 등을〉 구두[발성] 표결로 통과시키다 **3** 《캐나다》 만장일치로 뽑기
ac·clam·a·to·ry [əklǽmətɔ̀ːri | -təri] *a.* 갈채의, 환호의
ac·cli·mat·a·ble [əkláimətəbl] *a.* 풍토에 순응시킬 수 있는
ac·cli·mate [ǽkləmèit, əkláimət] *vt.* 《미》 **1** 〈사람·동식물 등을 새 풍토에〉 익히다[순응시키다] 《*to*》 **2** [~ one*self* 로] 〈새 풍토에〉 익다[순응하다] 《*to*》: ~ one*self to* city life 도시 생활에 순응하다
— *vi.* 〈새 풍토에〉 익다[순응하다] 《*to*》
ac·cli·ma·tion [æ̀kləméiʃən, -lai- | -lai-] *n.* Ⓤ 《미》 새 환경 순응; 〖생태〗 새 풍토 순화(馴化)
acclimátion fèver 순화열 《새 이주민이나 가축이 걸리는 풍토 열병》
ac·cli·ma·ti·za·tion [əklàimətizéiʃən | -tai-] *n.* Ⓤ = ACCLIMATION
ac·cli·ma·tize [əkláimətàiz] *vt., vi.* = ACCLIMATE
ac·cliv·i·ty [əklívəti] *n.* (*pl.* **-ties**) 치받이, (치받이) 경사(opp. *declivity*)
ac·clív·i·tous, ac·cli·vous [əkláivəs] *a.*
ac·co·lade [ǽkəlèid, -lɑ̀ːd] *n.* **1** 나이트(knight) 작위 수여(식) **2** 칭찬, 찬양; 수상(授賞) **3** 〖음악〗 연결 괄호(brace)
ac·co·lat·ed [ǽkəlèitid] *a.* 〈화폐·메달 등의 초상이〉 같은 방향을 보고 부분적으로 겹쳐진
ac·com·mo·da·ble [əkɑ́mədəbl | əkɔ́-] *a.* 적응하는; 조절할 수 있는
‡**ac·com·mo·date** [əkɑ́mədèit | əkɔ́-] [L 「…에 적합하게 하다」의 뜻에서] *vt.* 《문어》 **1** 숙박시키다; 〈환자 등을〉 수용하다; 〈차·배 등이 손님을〉 태우다: Our ship ~*s* up to 200. 우리 배는 200명까지 탑승할 수 있다. **2** 편의를 도모하다; 〈부탁 등을〉 들어주다 **3** 〈돈 등을〉 융통[공급]해 주다: (~+목+전+명) ~ a person *with* a thing = ~ a thing *to* a person …에게 물건을 변통해 주다 / ~ a person *with* a night's lodging …을 하룻밤 재워 주다 **4** [보통 수동형으로] 설비가 있다: The hotel *is* well ~*d*. 그 호텔은 설비가 좋다. **5** 적응시키다, 조절시키다(adapt) 《*to*》; [~ one*self* 로] (환경·처지 등에) 순응하다 《*to*》: (~+목+전+명) ~ one*self to* new surroundings 새로운 환경에 순응하다 **6** 〈대립·분쟁 등을〉 화해시키다, 조정하다(adjust)
— *vi.* **1** 순응하다, 적응하다 《*to*》; 〈눈이〉 원근 조절을 하다 **2** 화해하다
▷ accommodátion *n.*; accómmodative *a.*
ac·com·mo·dat·ing [əkɑ́mədèitiŋ | əkɔ́-] *a.* **1** 남의 말을 잘 듣는, 다루기 쉬운 **2** (받아들이는 데) 호의적인, 친절한, 잘 돌봐 주는, 싹싹한 **~·ly** *ad.*
‡**ac·com·mo·da·tion** [əkɑ̀mədéiʃən | əkɔ̀-] *n.* **1** Ⓤ [《미》에서는 보통 *pl.*] 숙박[수용] 설비 《여관·여객선·기차·여객기·병원 등의》; (열차·비행기 등의) 자리, 좌석: phone a hotel for ~*s*[《영》 ~] 방을 예약하기 위해 호텔에 전화를 걸다 **2** ⓊⒸ 편의, 도움: for your ~ 편의를 위해, 편의상 **3** Ⓤ 적응, 조화; 조절 《*to*》 **4** 화해, 조정: reach[come to] an ~ 화해하다 《*with*》 **5** Ⓤ 〖상업〗 융통, 대부(금) **6** 〖생물〗 (눈의 수정체의) 원근 조절, (시력의) 순응 **~·al** *a.*
▷ accómmodate *v.*
accommodátion addrèss 임시 주소 《주소가 일정치 않거나 알리고 싶지 않은 사람의》
accommodátion àgency 《영》 부동산 중개소
accommodátion bìll[**dràft, nòte, pàper**] 융통 어음
accommodátion còllar 《미·속어》 (경찰의 건수를 올리기 위한) 편의적 체포
ac·com·mo·da·tion·ist [əkɑ̀mədéiʃənist | əkɔ̀-] *a., n.* 《미》 화해[타협]파의 (사람), 《특히》 백인 사회와의 화해파의 (흑인)
accommodátion làdder 〖선박〗 현측(舷側) 사다리

accommodation ladder

accommodátion lìne 〖보험〗 영업 정책적인 계약 인수
accommodátion pày·ment 짜고 하는 지불 《나중에 차액을 뇌물로 받음》
accommodátion ròad 특설 도로, 사도(私道)
accommodátion sàle (동업자 간의) 융통 판매, 전매(轉賣)
accommodátion tràin 《미》 (역마다 서는) 보통 열차, 완행 열차(opp. *express*)
accommodátion ùnit 주택 《관청 용어》
ac·com·mo·da·tive [əkɑ́mədèitiv | əkɔ́-] *a.* 적응[순응]적인; 조절적인; 협조적인 **~·ness** *n.*
▷ accómmodate *v.*
ac·com·mo·da·tor [əkɑ́mədèitər | əkɔ́-] *n.* **1** 적응[조절]하는 사람[것] **2** 《미》 파트타임의 가정부
*__ac·com·pa·ni·ment__ [əkʌ́mpənimənt] *n.* **1** 부속물, 딸린 것; 곁들인 것 《*of, to*》: ~ *to* a drink 술안주 **2** 〖음악〗 반주(부): sing to the ~ of …의 반주로 노래하다 / without ~ 반주 없이
ac·com·pa·nist [əkʌ́mpənist] *n.* 〖음악〗 반주자
‡**ac·com·pa·ny** [əkʌ́mpəni] [OF = to companion] *vt.* (**-nied**) **1** 〈사람이〉 동반하다, 동행하다, 함께 가다, 수행하다(go with): (~+목+전+명) ~ a person *to* the door …을 문까지 전송하다 / be *accompanied by* a friend 친구를 동반하다 **2** 〈사물이〉 …을 수반하다, …을 첨가하다; (…와) 동시에 일어나다: (~+목+전+명) The series is *accompanied by* an illustrated book. 이 총서는 삽화가 든 책 한 권이 딸려 있다. **3** 〖음악〗 (…의) 반주를 하다: (~+목+전+명) ~ a song[singer] *with* a flute[*on* the piano] 플루트[피아노]로 노래[가수]의 반주를 하다 **4** 따르게 하다, 곁들이다, 덧붙이다: (~+목+전+명) ~ one's angry words *with* a blow 호통치며 한 대 갈기다
— *vi.* 〖음악〗 반주하다
▷ accómpaniment, accómplice *n.*
ac·com·pa·ny·ing [əkʌ́mpəniiŋ] *n.* 수반하는 〈징조 등〉, 동봉[첨부]한 〈편지 등〉
ac·com·pa·ny·ist [əkʌ́mpəniist] *n.* = ACCOMPANIST
ac·com·plice [əkɑ́mplis | əkʌ́m-] *n.* 공범자, 종범, 방조범, 연루자, 한패 《*in, of*》

thesaurus **acclaim** *v.* applaud, cheer, celebrate, salute, welcome, honor, approve, praise
accommodate *v.* **1** 숙박시키다 house, board, lodge, provide shelter for **2** 편의를 제공하다 help, assist, aid, meet the needs of, do a favor for, provide **3** 적응시키다 adapt, adjust, modify
accomplish *v.* carry out, fulfill, perform,

‡ac·com·plish [əkámpliʃ, əkʌ́m-|əkʌ́m-, əkɔ́m-] *vt.* **1** 이루다, 성취하다, 완수하다, 완성하다

> 유의어 **accomplish** 어떤 특정한 일·목표 등을 노력하여 완성·달성하다: *accomplish* one's mission 사명을 완수하다 **attain** 달성이 곤란한 목표에 많은 노력의 결과로 도달하다: *attain* one's end 목적을 달성하다 **achieve** 기술·노력·능력 등에 의해 어떤 목표를 달성하다: try to *achieve* a lasting peace 항구적 평화 달성을 위해 노력하다

2 〈거리를〉 완주[주파]하다; 〈여행을〉 끝내다; 〈연령에〉 달하다 **~·a·ble** *a.* **~·er** *n.*
▷ accómplishment *n.*

***ac·com·plished** [əkámpliʃt|əkʌ́m-] *a.* **1** 성취[완료, 완성]된; 〈사실이〉 기정의: an ~ fact 기정사실 **2** 〈기예 등에〉 뛰어난, 능란한, 조예가 깊은 《*in, at*》; (프로는 아니지만) 숙달한: an ~ villain 지독한 악당 **3** 교양이 있는, 세련된

***ac·com·plish·ment** [əkámpliʃmənt, əkʌ́m-|əkʌ́m-, əkɔ́m-] *n.* **1** Ⓤ 성취, 완성; 수행, 실행 **2** 성과, 업적 **3** [*pl.*] (훈련으로 쌓은) 기예, 교양, 소양, 예능: a man of many ~*s* 다재다능한 사람 **4** 《경멸》 서투른 재주

accómplishment quòtient 〖심리·교육〗 = ACHIEVEMENT QUOTIENT

‡ac·cord [əkɔ́:rd] [L 「마음을 합치시키다」의 뜻에서] *vi.* 일치[조화, 화합]하다 《*with*》: (~+전+명) The theory ~*s with* the known facts. 그 이론은 알려진 사실과 일치한다.
— *vt.* **1** 〈…을〉 조화[일치, 적응]시키다 **2** 《문어》 〈…에게 허가·칭찬·명예 등을〉 주다, 허용하다(grant), 수여하다(bestow), 용인하다(concede) 《*to*》 (★ give 쪽이 일반적): ~ due praise 마땅한 칭찬을 하다 // (~+목+목) (~+목+전+명) ~ a literary luminary due honor = ~ due honor *to* a literary luminary 문호에게 당연한 명예를 주다
— *n.* **1** Ⓤ 일치, 조화 **2** (색·음 등의) 조화 **3** (의견·주의 등의) 일치, 합의 **4** (국제간의) 협정, 조약; 강화(peace treaty) **5** ⓊⒸ 〖음악〗 화음(opp. *discord*)
be in*[*out of*] ~ *with …와 조화되어 있다[있지 않다], 〈주장 등〉에 맞다[맞지 않다] ***be of one*** ~ 〈모두가〉 일치되어 있다 ***of one's*[*its*] *own*** ~ 자발적으로; 저절로 ***with one*** ~ 다 함께, 일제히, 만장일치로, 이구동성으로 ▷ accórdant *a.*; accórdance *n.*

***ac·cor·dance** [əkɔ́:rdəns] *n.* Ⓤ **1** 일치, 합치, 조화 **2** 인가, (권리 등의) 수여
in ~ with …에 따라서, …와 일치하여, …대로: *in ~ with* local customs 지방 관습에 따라서 ***out of ~ with*** …에 따르지 않고, …와 일치하지 않고
▷ accórd *v.*; accórdant *a.*

ac·cor·dant [əkɔ́:rdənt] *a.* 일치[조화]하여 《*with, to*》: His opinion is ~ *to* reason. 그의 의견은 이치에 맞는다. **~·ly** *ad.*

‡ac·cord·ing [əkɔ́:rdiŋ] *ad.* [보통 다음 성구로]
~ as ... 《문어》 [접속사적으로] …에 따라서[준하여], …나름으로: We see things differently ~ *as* we are rich or poor. 빈부에 따라 사물을 보는 눈이 서로 다르다. ***~ to ...*** [전치사적으로] (1) …에 따라, …에 의하여, …나름으로: arrangement ~ *to* authors 저자별로 된 배열 / ~ *to* plan 계획대로 / go or stay ~ *to* circumstances 가고 안 가고는 형편 나름이다 (2) …(이 말하는 바)에 의하면: ~ *to* the Bible[the papers] 성서[신문]에 의하면 ***That's*[*It's*] *all ~.*** 《영·구어》 그건 형편 나름이다. 《생략 어법》

‡ac·cord·ing·ly [əkɔ́:rdiŋli] *ad.* **1** [접속부사적으로] 따라서, 그러므로(therefore) **2** 그에 따라서, 그에 알맞게, 적절히: develop one's savings plan ~ 저축 계획을 적절히 진행해 나가다 ***~ as*** = ACCORDING as

‡ac·cor·di·on [əkɔ́:rdiən] *n.* 아코디언, 손풍금 **~·ist** *n.* 아코디언 연주자

accórdion dóor 접었다 폈다 하는 칸막이 문

accórdion efféct 아코디언 현상 《교통 정체가 늘어났다 줄어들었다 하는 것》

ac·cor·di·on-fold [əkɔ́:rdiənfòuld] *vt.* 〈종이·판지 등을〉 주름지게 접다

accórdion mánagement 〖경영〗 아코디언(식) 경영 《환경 변화·전략 변경에 대응하는 유연한 경영 관리법》

accórdion pléats (스커트의) 좁다란 주름

accórdion schèduling 〖경영〗 아코디언(식) 스케줄 조정 《노동력 과잉을 피하기 위한, 시간제·임시직 근로자의 작업 스케줄 조정 방식》

accórdion wáll 접었다 폈다 하는 칸막이(벽)

ac·cost [əkɔ́:st, əkást|əkɔ́st] *vt.* 〈모르는 사람이〉 다가와서 말을 걸다; 〈거지·매춘부가〉 말을 걸다, 〈손님을〉 끌다

ac·couche [əkú:ʃ] [F] *vi.* 조산(助産)하다; 조산사로 일하다 — *vt.* 《비유》 낳다, 생산하다

ac·couche·ment [əkú:ʃmənt] [F] *n.* 해산, 분만(childbirth)

ac·cou·cheur [æ̀ku:ʃɔ́:r] [F] *n.* 산부인과 의사 《남자》

ac·cou·cheuse [æ̀ku:ʃɔ́:z] [F] *n.* 산파, 조산사; 여자 산부인과 의사

‡ac·count [əkáunt] *n.*, *v.*

> 기본적으로는 「계산」의 뜻(cf. COUNT[1]).
> → 금전의 계산 ─┬→ (은행) 계좌 **4**
>   └→ 설명 **1** → 보고 **2**
> → 평가 → 고려(→ …을 …이라고 생각하다) **3**
> → 기술 → 이야기 **1**

— *n.* **1** (사건 등에 대한) 설명, 기술(記述), 보고, 기사(記事); (차례를 따라 하는 자세한) 이야기(narrative), 말: *A*~*s* differ. 사람에 따라 말이 다르다. / a brief ~ of the meeting 그 회의에 대한 간략한 보고 **2** (금전·책임의 처리에 관한) 보고, 전말서; 답변, 변명 **3** Ⓤ 평가, 고려; 《문어》 중요성 **4** (은행 등과의) 거래; (예금) 계좌; 예금(액); 외상 (거래): There was only $30 in his bank ~. 그의 은행 계좌에는 30달러밖에 없었다. **5** (금전상의) 계산, 셈, 회계; (대차) 계정; [보통 *pl.*] 계산서, 청구서: Short ~*s* make long friends. 《속담》 셈이 빨라야 친분이 오래간다. **6** Ⓤ 근거, 이유 **7** (외상에 의한) 거래 관계; 고객, 거래처 **8** Ⓤ 이익, 덕 **9** 〖컴퓨터〗 어카운트, 계정: an Internet [email] ~ 인터넷[이메일] 계정
~ of 《구어》 = on ACCOUNT of. ***ask*[*demand*] *an*** ~ 받을 돈을 청구하다; 답변[해명]을 요구하다 ***balance ~s with*** = settle ACCOUNTS with. ***by*[*from*] *all ~s*** 누구 말을[어디서] 들어도 ***by one's own*** ~ 본인의 말에 따르면 ***call*[*bring, hold*]** a person ***to*** ~ …의 책임을 추궁하다; 해명[설명]을 요구하다; 책망하다 ***cast ~s*** 계산하다 ***charge*[*place, pass*]** it ***to*** a person***'s*** ~ …앞으로 달다 ***close an ~ with*** …와 거래를 그만두다, 〈은행과〉 거래 관계를 끊다 ***find*** one***'s*[*no*] *~ in*** …은 수지가 맞다[맞지 않다] ***for ~ of*** …의 계정으로 〈팔다 등〉 ***give a bad*[*poor*] *~ of*** 《속어》 깎아내리다, 비방하다 ***give a good ~ of*** 〈상대·적을〉 지우다, 처치하다, 죽이다, 잡다; …을 잘 해내다; 《속어》 칭찬하다 ***give a good ~ of*** one***self*** 《구어》 (경기 등에서) 당당히 이기다, 훌륭하게 해내다 ***give an ~ of*** …을 설명[답변]하다, …의 전말을 밝히다; …의 이야기를 하다 ***go***

---

attain, finish, complete (opp. *fail, give up*)
accord *v.* agree, concur, fit, correspond, match, harmonize, conform
accordingly *ad.* **1** 따라서 as a result, consequently, therefore, so, thus **2** 적절히 appropriately, suitably, properly, correspondingly
account *n.* statement, description, explanation

to one***'s*** (***long***) ~ =《미·구어》 ***hand in*** one***'s*** ~(***s***) 저승에 가다, 죽다 ***have an ~ with*** …와 거래가 있다, 〈은행에〉 계좌가 있다 ***hold ... in***[***of***] ***great*** ~ …을 매우 중요시하다 ***hold in***[***of***] ***no***[***low***] ~ …을 경시하다 ***in ~ with*** …와 거래하고 ***keep ~s*** 치부[기장]하다, 경리를 맡아보다 ***keep*** (***a***) ***strict***[***careful***] ***~ of*** …을 꼼꼼하게[주의 깊게] 기장하다; 남김없이 지켜보다 ***lay*** one***'s ~ with***[***for, on***] 《고어》 …을 예기하다, 기대하다 ***leave ... out of ~*** = take no ACCOUNT of. ***make much***[***little, no***] ***~ of*** …을 중요시하다[하지 않다] ***of much***[***no***] ~ 중요한[하찮은] ***on ~*** (1) 내금(內金)[계약금]조로: money paid *on* ~ 내금, 계약금 (2) 외상(판매)로; 할부로 ***on ~ of*** …의 이유로, …때문에 ***on all ~s*** = ***on every ~*** 모든 점에서, 어느 모로 보나; 기어코 ***on no ~*** = ***not ... on any ~*** 결코 …(하지) 않다 ***on*** a person***'s ~*** 남의 셈[비용]으로; 남을 위하여 ***on*** one***'s own ~*** 독립하여, 자립하여; 자기 책임으로; 자기(의 이익)을 위하여 ***on that***[***this***] ~ 그[이] 때문에 ***open***[***start***] ***an ~ with*** …와 거래를 시작하다, 〈은행에〉 계좌를 개설하다[트다] ***pay an ~*** 셈을 치르다 ***put ...*** (***down***) ***to*** a person***'s ~*** …의 셈에 달다 ***render an ~*** 해명[답변]하다; 결산 보고를 하다 ***send*** (***in***) ***an ~*** (미불금의) 청산[청구]서를 보내다 ***send*** a person ***on ~*** …을 없애다, 죽이다 ***settle***[***square***] ***~s***[***an ~***] ***with*** …와의 거래를 청산하다; …에게 원한을 풀다 ***take ... into ~*** = ***take ~ of*** …을 고려하다; 참작하다 ***take no ~ of*** …을 무시하다 ***the great***[***last***] ~ 〔그리스도교〕 최후의 심판(날) ***turn***[***put***] ***... to*** (***good***) ***~*** …을 이용하다, …을 복으로 바꾸다, …으로부터 이익을 얻다.

— *vt.* **1** 〈…을〉 (…이라고) **생각하다**(consider), 간주하다(regard): 《~+[목]+(***to be***) [보]》 ~ oneself lucky 스스로 행복하다고 생각하다 / He was *~ed* (*to be*) guilty of the crime. 그는 유죄라고 생각되었다. **2** 《고어》 〈…을〉 (…탓으로) 돌리다 《*to*》

— *vi.* **1** 〈사람이〉 (…의 이유를) **밝히다, 설명하다** 《*for*》: 《~+[전]+[명]》 I will ~ *for* the incident. 내가 그 사건에 대해 설명하겠다. / There is no *~ing for* tastes. 《속담》 사람의 취미는 각양각색이다. **2** 〈사실이〉 (…의) **원인[설명]이 되다**(cause) 《*for*》: 《~+[전]+[명]》 His carelessness *~s for* his failure. 그의 실패는 부주의 탓이다. **3** (행위 등의) 책임을 지다 《*for*》 **4** (위탁금 등의) 용도[처리]에 대해 설명[보고]하다 《*to, for*》 **5** (적·사냥감 등을) 잡다, 죽이다; 사로잡다 《*for*》: 《~+[전]+[명]》 The terrier *~ed for* two of them. 테리어가 그 중의 둘을 잡았다. **6** 〔경기〕 (점수를) 따다, 득점하다 **7** (…의 비율을) **차지하다** 《*for*》: Black people ~ *for* 70% of the population of the district. 그 지역의 인구 70퍼센트를 흑인이 차지한다. ***be much***[***little***] ***~ed of*** 소중히 여겨지다[여겨지지 않다]

ac·count·a·bil·i·ty [əkàuntəbíləti] *n.* **1** Ⓤ 책임 (있음), 의무 **2** 〔교육〕 (교사의) 학생 성적 책임 《인사고과의 기준》

***ac·count·a·ble** [əkáuntəbl] *a.* **1** Ⓟ 〈사람이〉 (사람에게) (행위 등에 대하여) **책임이 있는**, 설명[해명]할 의무가 있는(responsible) 《*to, for*》: Politicians are ~ *to* the voters. 정치가는 유권자에 대한 책임이 있다. **2** 설명[해명]할 수 있는, 그럴듯한 《*for*》
hold a person ***~ for*** …의 책임을 남에게 지우다
~·ness *n.* **-bly** *ad.*

ac·coun·tan·cy [əkáuntənsi] *n.* Ⓤ 회계사의 직[사무]

***ac·count·ant** [əkáuntənt] *n.* **회계원**, 경리 사무원; 회계사, 계리사 **~·shìp** *n.*

accóuntant géneral (*pl.* **accountants general**) 회계 과장; 경리 국장

accóuntant's opínion 회계 감사 보고

accóunt bàlance 잔고, 계정 잔액

accóunt bòok 회계 장부, 출납부

accóunt càrd 신용 카드의 일종 《발행한 점포에서만 사용할 수 있는》

accóunt cúrrent (*pl.* **accounts current**) = CURRENT ACCOUNT 《略 a / c》

accóunt dày 결제일; (주식) 수도일(受渡日)

accóunt exècutive (광고업 등의) 고객 회계 주임

ac·count·ing [əkáuntiŋ] *n.* Ⓤ 회계(학); 계산, 계리(計理), 경리, 정산; 회계 보고(의 세출)

accóunting fìle 〔컴퓨터〕 회계 파일 《다중 사용자 시스템에서 사용자의 사용료에 대한 통계를 데이터로 기록해 두는 파일》

accóunting machìne 〔컴퓨터〕 계산[회계]기

accóunting mánager 경리 부장

accóunting pàckage 〔컴퓨터〕 회계[재무] 패키지 《컴퓨터 가동 시간의 측정·분석·기록용 프로그램》

accóunting pèriod 회계 기간[연도]

accóunting yèar 회계 연도 (fiscal year, 《영》 financial year)

accóunt páyable (*pl.* **accounts payable**) 〔회계〕 지급 계정, 외상 매입 계정, 채무 계정

accóunt recéivable (*pl.* **accounts receivable**) 〔회계〕 수취 계정, 외상 매출 계정, 미수금 계정

accóunt réndered (*pl.* **accounts rendered**) 〔상업〕 지급 청구서, 대차 청산서

accóunt rígging 분식(粉飾) 결산

accóunt sàle (위탁 판매의) 매출 계산서

accóunts depártment 경리부

ac·cou·ple·ment [əkʌ́plmənt] *n.* **1** 연결, 결합 **2** 〔건축〕 연결재; 두 원주를 접근[밀착]시키는 공법

ac·cou·ter | **-tre** [əkúːtər] *vt.* [보통 수동형으로] (특수한) 복장[장구(裝具)]을 착용시키다 《*for*》
be ~ed in[***with***] …을 착용하고 있다

ac·cou·ter·ment | **-tre·ment** [əkúːtərmənt] *n.* [보통 *pl.*] **1** (개인의) 의복, 장신구(trappings) **2** 〔군사〕 (무기·군복 이외의) 장비

Ac·cra [ǽkrə, əkrɑ́ː] *n.* 아크라 《Ghana의 수도》

ac·cred·it [əkrédit] *vt.* **1** 〈어떤 일을〉 …의 공적[짓]으로 치다, …으로 돌리다(attribute) 《*to, with*》; 〈…을〉 (…으로) 인정[간주]하다 《*with*》: 《~+[목]+[전]+[명]》 They ~ the invention *to* him. = They ~ him *with* the invention. 그들은 그가 그 발명을 했다고 알고 있다. **2** 믿다, 신용하다, 신임하다; 신임장을 주다; 신임장을 주어 〈대사 등을〉 파견하다: 《~+[목]+[전]+[명]》 ~ an envoy *to* a foreign country 신임장을 주어 사절을 외국에 파견하다 **3** 기준에 합격했다고 인정하다; 〈우유 등의〉 품질을 인정하다: the *~ing* system (대학의) 학점 제도
~·a·ble *a.* **~·ment** *n.*

ac·cred·i·ta·tion [əkrèdətéiʃən] *n.* (학교·병원 등의) 인정, 인가; 신임장

ac·cred·it·ed [əkréditid] *a.* **1** 〈사람·학교·단체 따위가〉 기준 합격의, 인정된, 공인된; 〈우유·소 등이〉 품질 인정된: an ~ school 공인된 (정규) 학교 / ~ milk 품질 보증 우유 **2** 〈외교관이〉 신임장을 받은 **3** 〈신앙이〉 정통의(orthodox); 〈학설 등이〉 일반적으로 인정된, 용인된

accrédited ófficer 〔군사〕 (외국인) 군사 고문

ac·créd·it·ing associátion [əkréditiŋ-] 《미》 대학 인정(認定) 협회 《대학 설치 기준을 정하고 심사하는 민간 단체》

ac·cres·cence [əkrésns] *n.* 계속 성장[증대]함

ac·cres·cent [əkrésnt] *a.* 증가[확대]하는; 풍부한; 〔식물〕 (꽃 핀 후에) 자란, 커진

ac·crete [əkríːt] *vi.* 함께 커지다[공생하다], (부착하여) 커지다; 부착하다 《*to*》 **—** *vt.* **1** 서서히 부착시키다 《*to*》 **2** 흡수하다 **—** *a.* 〔식물〕 공생의

ac·cre·tion [əkríːʃən] *n.* Ⓤ **1** 증대 《발육·부착 등에 의한》; 부착 **2** Ⓒ 증가[부착]물 **3** (밖으로부터의)

thesaurus **accumulation** *n.* stockpile, pile, heap, mass, collection, buildup, gathering, stock

첨가(물), 부가(물): The last part of the legend is a later ~. 이 전설의 마지막 부분은 후에 덧붙여진 것이다. **4** 〖식물〗 공생 **5** 〖법〗 **a** 첨가, 첨부 **b** (공동 상속인의 포기로 인한) 상속 증가분 **6** 〖천문〗 우주 먼지의 부착 성장 **~·ar·y** *a.*

accrétion dìsk 〖천문〗 응축 원반 《별 주변에 가스·먼지들로 이루어진 원반》

ac·cre·tive [əkríːtiv] *a.* 증가[첨가]하는

ac·cru·al [əkrúːəl] *n.* Ⓤ (자연) 증가[증식]; Ⓒ 증가물, 증가액 《이자·연체료 등》

accrúal bàsis 〖회계〗 발생주의[원칙] 《손익을 현금 수지와는 무관하게 발생액으로 계산하는 방법》(cf. CASH BASIS)

ac·crue [əkrúː] *vi.* **1** 〈이익 등이〉 생기다, 〈이자가〉 붙다; (…에[에서]) 생기다 《*to, from*》 **2** 〖법〗 (권리로서) 발생하다 **—** *vt.* **1** 모으다, 축적하다(accumulate) **2** 〈이자를〉 (증가분으로서) 기입하다

ac·crú·a·ble *a.*

accrúed dívidend [əkrúːd-] 미수 배당금

accrúed expénse 〖회계〗 미불 경비

accrúed íncome [**révenue**] 미수 수익

accrúed ínterest 미수[미불] 이자

accrúed liabílity 미불 부채

ac·crue·ment [əkrúːmənt] *n.* = ACCRUAL

acct. account; accountant

ac·cul·tur·ate [əkʌ́ltʃərèit] *vt., vi.* (다른 문화와의 접촉으로) 문화를 변용시키다, 문화가 변용하다; 〈어린이 등을〉 사회적으로 적응시키다 **-à·tive** *a.*

ac·cul·tur·a·tion [əkʌ̀ltʃəréiʃən] *n.* Ⓤ **1** 〖사회〗 (다른 문화 간의 접촉으로 인한) 문화 변용 **2** 〖심리〗 문화적 적응, 사회화 《어린이 성장 과정의》 **~·al** *a.*

ac·cul·tur·ize [əkʌ́ltʃəràiz] *vt., vi.* = ACCULTURATE

accum. accumulative

ac·cum·bent [əkʌ́mbənt] *a.* **1** 기댄 **2** 〖식물〗 측위(側位)의 **3** 〖동물〗 〈비늘 등이〉 빽빽이 붙은 **-ben·cy** *n.*

‡**ac·cu·mu·late** [əkjúːmjulèit] *vt.* **1** 〈돈 등을〉 (장기간에 걸쳐 조금씩) **모으다, 축적하다**; 《드물게》 쌓아 올리다: ~ a fortune 축재하다 **2** 《영》 (대학에서) 〈높은 학위와 낮은 학위를〉 동시 취득하다
— *vi.* 모이다, 쌓이다, 축적되다 **-la·ble** *a.*
▷ accumulátion *n.*; accúmulative *a.*

‡**ac·cu·mu·la·tion** [əkjùːmjuléiʃən] *n.* **1** Ⓤ **축적,** 누적; 축재; (복리에 의한) 원금 증가; (금리 등의) 이식(利殖) **2** 축적물, 모인 돈[재산] **3** 《영》 (대학에서 높은 학위와 낮은 학위를) 동시 취득하기
▷ accúmulate *v.*; accúmulative *a.*

accumulátion pòint 〖수학〗 집적점(集積點)

ac·cu·mu·la·tive [əkjúːmjulèitiv, -lə-] *a.* **1** 축적하는, 누적적인; 적립식의 **2** 축적[이식(利殖)]을 좋아하는, 축재적인 **~·ly** *ad.* **~·ness** *n.*
▷ accúmulate *v.*; accumulátion *n.*

ac·cu·mu·la·tor [əkjúːmjulèitər] *n.* **1** 축적자, 축재자 **2** 〖기계〗 축열기(蓄熱器); 어큐뮬레이터; 완충 장치; 《영》 축전지; 〖컴퓨터〗 누산기(累算器) **3** 《영》 (대학에서) 높은 학위와 낮은 학위를 동시에 취득하는 자

‡**ac·cu·ra·cy** [ǽkjurəsi] *n.* (*pl.* **-cies**) **1** Ⓤ **정확(성),** 정확성, 정밀도(opp. *inaccuracy*) **2** 〖수학·통계〗 정확도 ***with* ~** 정확히 ▷ áccurate *a.*

‡**ac·cu·rate** [ǽkjurət] [L 「주의하다」의 뜻에서] *a.* (주의를 기울여) **정확[적확]한,** 한치의 오차도 없는, 용의 주도한(careful)(⇨ correct 유의어); 〈계기 등이〉 정밀한, 엄밀한(exact) 《*in, at*》 ***to be* ~** 정확히 말해서 《문두·문미에 써서》 **~·ness** *n.*
▷ áccuracy *n.*

***ac·cu·rate·ly** [ǽkjurətli] *ad.* **정확히**(exactly), 정밀하게

accuse *v.* **1** 고소하다 charge, indict, impeach (opp. *absolve, exonerate*) **2** 비난하다 blame

ac·cu·rize [ǽkjuràiz] *vt.* 〈총의〉 조준 정밀도를 높이다

***ac·curs·ed** [əkə́ːrsid, əkə́ːrst], **ac·curst** [əkə́ːrst] *a.* **1 저주받은;** 운수가 사나운(ill-fated) **2** 저주할; 《구어》 가증스러운, 혐오스러운(damnable) **~·ly** *ad.* **~·ness** *n.*

accus. accusative

ac·cus·a·ble [əkjúːzəbl] *a.* 고소[고발]해야 할; 비난할 만한 **-bly** *ad.*

ac·cu·sa·tion** [æ̀kjuzéiʃən] *n.* UC **1** 〖법〗 **고발,** 고소; 죄상, 죄(명), 죄과(charge): (a) false ~ 무고/The ~ is murder. 죄상은 살인죄다. **2 비난:** make an ~ against …을 비난하다 ***bring an* ~ *against …을 고발[기소]하다 ***under an* ~ *of*** …의 죄로 고소되어; …을 비난받고 ▷ accúse *v.*

ac·cu·sa·ti·val [əkjùːzətáivəl] *a.* 〖문법〗 대격(對格)의, 직접 목적격의

ac·cu·sa·tive [əkjúːzətiv] 〖문법〗 *a.* (그리스 어·라틴 어·독일어 등의) 대격(對格)의, (영어의) 직접 목적격의 **—** *n.* **1** [the ~] 대격(= ~ **cáse**) **2** 대격어; 대격형 **~·ly** *ad.* 대격으로(서)

ac·cu·sa·to·ri·al [əkjùːzətɔ́ːriəl] *a.* 고발자의, 비난자의; 고발주의의 **~·ly** *ad.*

ac·cu·sa·to·ry [əkjúːzətɔ̀ːri | -təri] *a.* 고소의, 고발하는; 비난의, 힐문(詰問)적인; 고발[탄핵]주의적인

‡**ac·cuse** [əkjúːz] [L 「…에게 해명을 요구하다」의 뜻에서] *vt.* **1** 〖법〗 **고발[고소]하다,** …에게 죄를 추궁하다 《*of*》: (~+목+***as*** 보) ~ a person *as* a murderer …을 살인자로 고소하다 // (~+목+전+명) ~ a person *of* theft[stealing] …을 절도죄로 고발하다 **2 비난하다**(blame), 책망하다 《*of*》: ~ oneself 자책하다 // (~+목+전+명) They ~*d* the man *of* taking bribes. 그들은 그가 뇌물을 받았다고 비난했다. **3** 《고어》 〈사건을〉 폭로하다, 밝히다
— *vi.* 고발하다; 비난하다
▷ accusátion *n.*; accúsatory *a.*

ac·cused [əkjúːzd] *a.* **1** 고발[고소]당한 **2** [the ~; 명사적] (형사) 피고인(들), 피의자(opp. *accuser*) ***stand* ~** (***of***) (…점에서) 비난받고 있다; (…의 혐의로) 기소당하고 있다

ac·cus·er [əkjúːzər] *n.* 고소[고발]인; 비난자

ac·cus·ing [əkjúːziŋ] *a.* 고발하는; 비난하는 (듯한) **~·ly** *ad.* 힐난조로; 비난하듯

‡**ac·cus·tom** [əkʌ́stəm] *vt.* **1 익히다,** 익숙케 하다, 길들게 하다 《*to*》: (~+목+전+명) ~ one's ears *to* the noises of city life 도시 생활의 소음에 귀를 길들이다 **2** [~ one*self* 로] (…에) **익숙해지다,** 길들다 《*to*》(⇨ accustomed 2): She did not ~ *herself to* her surroundings. 그녀는 자신의 환경에 익숙해지지 않았다.

‡**ac·cus·tomed** [əkʌ́stəmd] *a.* **1** 여느 때와 다름없는, 평소의(usual) **2** (…에) **익숙해진,** 길들여진 《*to*》 ***be*** [***become, get***] **~ *to*** the cold 추위에 익숙하다[하여지다]

AC/DC [èisiːdíːsiː] *a.* 《미·속어》 양성애(兩性愛)의

AC/DC, ac/dc, a-c/d-c 〖전기〗 alternating current or direct current 교류 직류 양용(의)

***ace** [éis] *n.* **1** 〖카드·주사위〗 **에이스,** 1: 1의 패 **2** 《구어》 **최고의 것,** 넘버원; (최)우수[1류] 선수, 극히 노련한 사람 **3** 〖군사〗 (적기를 많이 격추한) 하늘의 용사, 격추왕 **4** 《속어》 1달러 지폐; 1년의 형기 **5** 《속어》 (음식점의) 1인용 테이블 **6** 《속어》 구운 치즈 샌드위치 **7** 《속어》 마리화나 담배 **8** 《미》 〖골프〗 홀인원(hole in one), 홀인원으로 얻은 점수 **9** 〖테니스·배구〗 서비스 에이스(service ace) 《받아칠 수 없는 서브》; 서비스 에이스로 얻은 1점

an [one***'s***] **~ *in the hole*** 〖카드〗 상대방이 눈치채지 않게 엎어둔 에이스; 《구어》 비장의 수 ***an* ~ *of* ~*s*** 하늘의 용사 중의 용사 ***an* ~ *of spades*** 《경멸》 흑인; 《비어》 여성의 음부 ***be* ~*s with*** 《속어》 …에게 존중되어지는, 높이 평가받는 ***have*** [***keep***] ***an* ~**

[*a card*] *up* one*'s sleeve* 《구어》 비장의 술수가 있다 *hold all the ~s* 모든 것을 장악하고 있다 *on* one*'s ~* 스스로, 혼자 힘으로 *play* one*'s ~ well* 임기 응변에 능하다; 홍정을 잘 하다 *within an ~ of* 막[하마터면] …할 찰나에
— *a.* Ⓐ 《구어》 최우수의, 숙달한, 일류의, 가장 인기 있는; 훌륭한, 굉장한
— *ad.* 최고로, 훌륭하게
— *vt.* **1** 〖테니스·배구〗 〈상대에게서〉 에이스로 득점하다 **2** 〖골프〗 홀인원을 하다 **3** 《속어》 …에서 A학점을 받다; 완패시키다, 능가하다
~ in 《미·구어》 (우위에 서려고) 계략을 부리다; 이해하다 *~ into* 《미·구어》 …에 자리잡다[안주하다] *~ it* 《미·구어》 완벽하게 (뭔가를) 해내다 *~ out* 《속어》 〈남을〉 앞지르다, 이기다; 《속어》 잘 되다[하다]
ACE [éis] American Council on Education; angiotensin-converting enzyme 〖생화학〗 앤지오텐신 변환 효소; Army Corps of Engineers
-acea [éiʃiə] *suf.* 〖동물〗 강(綱)(class) 및 목(目)(order)의 이름에 사용: Crust*acea*(갑각류)
-aceae [éisiì:] *suf.* 〖식물〗 과(科)(family)의 이름에 사용: Ros*aceae*(장미과(科))
Áce bándage 에이스 붕대 《손목·무릎 등의 염좌 탈구용의 신축성 있는 붕대; 상표명》
áce bóon (**cóon**) 《미·흑인속어》 가장 친한 친구
áce búddy 《미·흑인속어》 = ACE BOON
a·ce·di·a [əsí:diə] *n.* Ⓤ 나태, 게으름; 무관심
ace-high [éishái] *a.* 《미·구어》 크게 인기가 있는, 평가가 높은, 아주 훌륭한
ÁCE inhíbitor [*a*ngiotensin-*c*onverting *e*nzyme] 〖약학〗 ACE 억제제 《고혈압 치료제》
A·cel·da·ma [əséldəmə, əkél-] *n.* **1** 〖성서〗 아겔다마, 피의 밭 《예수를 배반한 유다가 자살한 밭》 **2** 유혈의 땅, 수라장
a·cel·lu·lar [eiséljulər] *a.* 무세포(無細胞)의
a·cen·tric [eiséntrik] *a.* 중심이 없는, 중심을 벗어난
-aceous [éiʃəs] *suf.* 「…와 같은, …성(性)의」의 뜻: crust*aceous*, ros*aceous*
a·ceph·a·lous [eiséfələs, əsé-] *a.* 〖동물〗 머리 없는; 무두(류)의 〈연체동물〉; 지도자가 없는
a·ce·quia [əséikjə] *n.* 《미남서부》 관개용 수로
ac·er [éisər] *n.* ⓊⒸ 단풍나뭇과(科)의 낙엽 교목
ac·er·ate [ǽsərèit, -rət] *a.* 〖식물〗 〈잎이〉 바늘 모양의
a·cerb [əsə́:rb] *a.* = ACERBIC
ac·er·bate [ǽsərbèit] *vt.* 시게[떫게] 하다; 화나게 하다 — [əsə́:rbət] *a.* 쓰라린, 신랄한; 화나는
a·cer·bic [əsə́:rbik] *a.* 〈맛이〉 신, 떫은; 〈말·태도·기질 등이〉 신랄한, 엄한 **a·cér·bi·cal·ly** *ad.*
a·cer·bi·ty [əsə́:rbəti] *n.* (*pl.* **-ties**) **1** Ⓤ 신맛, 떫은 맛 **2** Ⓤ 신랄함; Ⓒ 신랄한 말[태도]
ac·er·o·la [æ̀səróulə] *n.* 아세로라 (열매) 《서인도 제도산(産) 관목의 열매; 체리와 비슷함; 비타민 C가 풍부함》
ac·er·ose[1] [ǽsəròus] *a.* = ACERATE
acerose[2] *a.* 겉겨 모양의; 겉겨가 섞인
a·cer·vate [əsə́:rvət, ǽsərvèit] *a.* 〖식물〗 군생(群生)하는 **~·ly** *ad.*
ac·es [éisəz] *a.* 《미·속어》 최고의, 일류의, 멋진(tops)
a·ces·cent [əsésnt] *a.* 시금해지는, 약간 신맛이 있는 **-cence, -cen·cy** *n.* Ⓤ 시금해짐
ace·sul·fame [æsisʌ́lfeim] *n.* 〖화학〗 아세설팜 《무칼로리 감미료》
acet- [ǽsət, əsí:t], **aceto-** [ǽsətou, -tə, əsí:t-] 《연결형》 〖화학〗 「초산의, 아세틸을 함유한」의 뜻 《모음 앞에서는 acet-》
ac·e·tab·u·lar [æ̀sətǽbjulər] *a.* 〖해부〗 비구(髀臼)의; 〖동물〗 빨판의
ac·e·tab·u·lum [æ̀sətǽbjuləm] *n.* (*pl.* **~s, -la** [-lə]) 〖동물〗 빨판; 〖해부〗 비구(髀臼), 관골구(髖骨臼)
ac·e·tal [ǽsətæ̀l] *n.* Ⓤ 〖화학〗 아세탈 《용제나 향수 합성용》
ac·et·al·de·hyde [æ̀sətǽldəhàid] *n.* Ⓤ 〖화학〗 아세트알데히드 《가연성 무색 액체; 아세트산 제조용》
a·cet·am·ide [əsétəmàid, æ̀sətǽmaid], **a·cet·am·id** [əsétəmid, æ̀sətǽmid] *n.* Ⓤ 〖화학〗 아세트아미드 《유기 합성·용매용》
a·ce·ta·min·o·phen [əsì:təmínəfən, æ̀sətə-] *n.* Ⓤ 〖화학〗 아세트아미노펜 《해열·진통제》
ac·et·an·i·lide [æ̀sətǽnəlàid] *n.* Ⓤ 〖화학〗 아세트아닐리드 《해열·진통제》
ac·e·tar·i·ous [æ̀sətέəriəs] *a.* 샐러드용의: ~ plants 샐러드용 식물
ac·e·tate [ǽsətèit] *n.* ⓊⒸ **1** 〖화학〗 아세트산염, 초산염 **2** 아세테이트 《아세트산 인조 견사》 **3** 아세테이트 (필름) 《사진 등을 보호하기 위한 투명 필름》
ác·e·tàt·ed *a.* 아세트산으로 처리한
ácetate fíber 아세테이트 섬유
ácetate ráyon = ACETATE 2
a·cet·a·zol·a·mide [əsì:təzóuləmàid, -mid] *n.* 〖약학〗 아세타졸아미드 《이뇨제용》
a·ce·tic [əsí:tik, əsét-] *a.* 초의, 신맛 나는
acétic ácid 〖화학〗 아세트산 《식초의 주성분》
acétic anhýdride 〖화학〗 무수(無水) 아세트산
a·ce·ti·fi·ca·tion [əsì:təfikéiʃən, əsétə-] *n.* Ⓤ 〖화학〗 아세트산화, 초화(醋化)
a·ce·ti·fy [əsí:təfài, əsétə-] *vt., vi.* (**-fied**) 초[아세트산]로 하다[되다], 시게 하다, 시어지다
a·cé·ti·fi·er *n.* 초화기; 아세트산 제조기
ac·e·tim·e·ter [æ̀sətímətər] *n.* = ACETOMETER
aceto- [ǽsətou, -tə, əsí:-] 《연결형》 = ACET-
ac·e·to·a·cé·tic ácid [əsì:touəsí:tik-] 아세토아세트산($C_4H_6O_3$)
a·ce·to·bac·ter [əsì:təbǽktər, æ̀sətou-] *n.* 〖세균〗 초산균
ac·e·tom·e·ter [æ̀sətɑ́mətər | -tɔ́-] *n.* 〖화학〗 아세트산 비중계, 아세트산 농도 측정기
a·ce·to·met·ric, -ri·cal [əsì:təmétrik(əl)] *a.* **-ri·cal·ly** *ad.* **à·ce·tóm·e·try** *n.*
ac·e·tone [ǽsətòun] *n.* Ⓤ 〖화학〗 아세톤 《무색·휘발성의 가연(可燃) 액체》 **àc·e·tón·ic** *a.* 아세톤의
ácetone bòdy 〖생화학〗 아세톤체(ketone body)
ac·e·to·ni·trile [æ̀sətounáitril] *n.* 〖화학〗 아세토니트릴 《무색·유독·수용성의 액체; 합성·용제로 쓰임》
ac·e·tose [ǽsətòus] *a.* = ACETOUS
ac·e·tous [ǽsətəs, əsí:-] *a.* 초의, 초 같은; 신; 꾀까다로운, 신랄한
a·ce·tum [əsí:təm] *n.* **1** (식)초 **2** 〖약학〗 초제(酢劑)
a·ce·tyl [əsí:tl, ǽsətl | ǽsitàil] 〖화학〗 *n.* Ⓤ 아세틸(기) — *a.* 아세틸(기)를 함유한
a·cet·y·late [əsétəlèit] *vt.* 아세틸화(化)하다
— *vi.* 아세틸화되다 **a·cèt·y·lá·tion** *n.* **-là·tive** *a.*
a·ce·tyl·cho·line [əsì:tlkóuli:n | æ̀sətil-] *n.* 〖생화학〗 아세틸콜린 《혈압 강하제; 신경 전달 물질의 한 가지》 **-cho·lín·ic** *a.*
a·ce·tyl·cho·lin·es·ter·ase [əsì:tlkouli:néstərèis, -rèiz] *n.* 〖생화학〗 아세틸콜린에스테라아제 《아세틸콜린 가수 분해 효소》
acétyl Co·Á [-kòuéi] 〖생화학〗 = ACETYL COENZYME A
acétyl coénzyme Á 〖생화학〗 아세틸 보조 효소 A
a·ce·tyl·cys·te·ine [əsì:tlsísti:n] *n.* 〖약학〗 아세틸시스테인 《만성 기관지염·천식 등의 치료제》
a·cet·y·lene [əsétəlì:n] *n.* Ⓤ 〖화학〗 아세틸렌 (가스) **a·cet·y·len·ic** [əsètəlénik] *a.*
acétylene sèries [the ~] 〖화학〗 아세틸렌열(列)
acétylene tòrch 아세틸렌등(燈)
a·ce·tyl·sal·i·cyl·ic ácid [əsì:tlsæ̀ləsílik-] 〖약학〗 아세틸살리실산, 아스피린(aspirin)
ace·y-deuc·y [éisidjú:si | -djú:-] *n.* backgammon의 일종 — *a.* 《미·속어》 **1** 완전한, 훌륭한 **2** 옥석혼효의, 좋기도 나쁘기도 한, 그저 그런
ACGB Arts Council of Great Britain

ach [ɑ́:x] *int.* 《스코》 아, 저런, 어머나 《놀라움이나 아쉬움을 나타낼 때》

ACH acetylcholine

A·chae·a [əkí:ə], **A·chai·a** [əkáiə, əkéiə] *n.* 아카이아 《고대 그리스의 한 지방》

A·chae·an [əkí:ən], **A·chai·an** [əkáiən, əkéiən] *a.* 아카이아(Achaea)의; 《문어》 그리스의 —*n.* 아카이아 사람; 그리스 사람(Greek)

Acháean Léague 아카이아 동맹 《기원전 280년 그리스 도시 국가 사이에 결성된 정치 동맹》

ach·a·la·sia [æ̀kəléiʒiə, -ziə] *n.* 〖의학〗 (식도·직장 등의) 이완 불능(증), 무이완(증)

a·char·ne·ment [æ̀ʃɑ:rnmɑ́:ŋ] [F] *n.* **1** (공격·증오 등의) 맹렬, 격렬 **2** 열심, 열의

a·cha·ry·a [ətʃɑ́:rə] [Skt. =teacher] *n.* (*pl.* **~s**) 《인도》 아차리아 《힌두교·불교의 스승[지도자]》

A·cha·tes [əkéiti:z] *n.* **1** 〖그리스·로마신화〗 아카테스 《Virgil 작 *Aeneid* 중의 인물》 **2** 신실한 친구

ach·cha [ʌtʃɑ́:] *int.* 《인도·속어》 **1** 좋아! 《동의·수락 등을 나타낼 때》 **2** 아! 《놀람·행복감 등을 나타낼 때》

‡ache [éik] *vi.* **1** 〈이·머리·마음 등이〉 아프다, 쑤시다: My head[heart] ~*s.* 머리[가슴]가 아프다. **2** 《구어》 **a** …하고 싶어 못 견디다(be eager): (~+*to* do) Miss Johnson ~*s to* see you. 존슨 양이 당신을 몹시 만나고 싶어해요. **b** 동경하다, 열망하다(long, yearn) 《*for*》: (~+전+명) ~ *for* a person …을 몹시 그리워하다

—*n.* CU [종종 복합어를 이루어] 아픔, 쑤심, 아림; 동경, 열망(⇨ pain 유의어): have an ~ in the back 등이 아프다 / a head~ 두통 / a tooth~ 치통 / (a) heart~ 상심 ***~s and pains*** 온몸이 쑤시고 아픔

Ach·e·lo·us [æ̀kəlóuəs] *n.* 〖그리스신화〗 아켈로스 《강의 신》

a·chene [əkí:n, ei- | əkí:n] *n.* 〖식물〗 수과(瘦果) **a·che·ni·al** [əkí:niəl, eikí:- | əkí:-] *a.*

Ach·er·nar [éikərnɑ̀:r] *n.* 〖천문〗 아케르나르 《에리다누스(Eridanus)자리의 1등성》

Ach·er·on [ǽkərɑ̀n | -rɔ̀n] *n.* **1** 〖그리스·로마신화〗 아케론 강, 삼도(三途)내 《저승(Hades)에 있다는 강》 **2** 저승, 황천; 지옥

Ach·e·son [ǽtʃəsn] *n.* 애치슨 **Dean** (**Gooderham**) ~ (1893-1971) 《미국의 국무장관(1949-53)》

A·cheu·le·an [əʃú:liən] *a.* 〖고고학〗 (구석기 시대 전기(前期)의) 아슐기(期)의 —*n.* 아슐 문화

‡a·chieve [ətʃí:v] [OF 「정점[끝]에 이르다」의 뜻에서] *vt.* **1** 〈일·목적 등을〉 이루다, 성취[완수]하다, 달성하다(⇨ accomplish 유의어) **2** 〈공적을〉 세우다; 〈명성을〉 얻다; 〈좋은 결과·명예 등을〉 쟁취하다, 획득하다(gain, obtain): ~ victory 승리를 거두다 / ~ success 성공하다

—*vi.* **1** 목적을 이루다; 성공하다 **2** 《미》 (학업에서) 일정한 표준에 도달하다

a·chiev·a·ble *a.* **a·chiev·er** *n.* 달성[완수]자

achieved státus [ətʃí:vd-] 〖사회〗 성취 신분 《개인적 노력의 결과로 획득한》(cf. ASCRIBED STATUS)

‡a·chieve·ment [ətʃí:vmənt] *n.* **1** U 달성, 성취, 성공: the ~ of fame 명성의 획득 **2** 업적, 공적, 공로, 위업 **3** U 학업 성적, 학력 **4** =HATCHMENT

achíevement àge 〖심리·교육〗 성취[교육] 연령

achíevement motivàtion 성취 동기

achíevement quòtient 〖심리·교육〗 성취 지수 《교육 연령을 실제 연령으로 나눈 것에 100을 곱한 것; 略 AQ; cf. INTELLIGENCE QUOTIENT》

achíevement tèst 〖교육〗 학력 검사 《略 AT; cf. INTELLIGENCE TEST》

a·chi·la·ry [əkáiləri] *a.* 〖식물〗 무순판(無脣瓣)의

Ach·il·le·an [æ̀kəlí:ən] *a.* 아킬레스의[같은], 불사신의, 힘이 매우 센, 장사인

A·chil·les [əkíli:z] *n.* 〖그리스신화〗 아킬레스 《Homer 작 *Iliad* 중의 그리스 영웅; 그의 유일한 약점인 발꿈치에 활을 맞아 죽었음》

Achílles(') héel 치명적인 급소[약점]

Achílles(') jérk[réflex] =ANKLE JERK

Achílles(') téndon 〖해부〗 아킬레스건(腱)

ach·ing [éikiŋ] *a.* 쑤시는, 아리는; 마음 아픈: an ~ tooth 아픈 이 **~·ly** *ad.*

ach·kan [ǽtʃkən] *n.* (깃이 높은 인도 남성의) 웃옷

ach·la·myd·e·ous [æ̀kləmídiəs] *a.* 〖식물〗 무피화(無被花)의, 화피[꽃덮이]가 없는

a·chlor·hy·dri·a [èiklɔ:rháidriə] *n.* 〖병리〗 (위액 중의) 염산 결핍(증), 무산증(無酸症)

ach·lu·o·pho·bi·a [æ̀kluəfóubiə] *n.* U 〖정신의학〗 암흑 공포증

a·cho·li·a [eikóuliə] *n.* 〖병리〗 담즙 결핍(증)

a·chon·drite [eikɑ́ndrait | -kɔ́n-] *n.* 아콘드라이트, 무구과(無球顆) 운석 **à·chon·drít·ic** *a.*

a·chon·dro·pla·sia [eikɑ̀ndrəpléiʒiə, -ziə | -kɔ̀n-] *n.* 〖병리〗 연골 형성 부전(증) **-plás·tic** *a.*

a·choo [ɑ:tʃú:] *int.*, *n.* 《미》 =AHCHOO

ach·ro·mat [ǽkrəmæ̀t] *n.* 〖광학〗 색(色)지움 렌즈

ach·ro·mate [ǽkrəmèit] *n.* 〖안과〗 전(全)색맹자

ach·ro·mat·ic [æ̀krəmǽtik] *a.* **1** 〖광학〗 수색성(收色性)의; 무색의 **2** 〖생물〗 비(非)염색성의 **3** 〖음악〗 전음계의 **4** 전(全)색맹자의 **-i·cal·ly** *ad.*

achromátic cólor 무채색 《백색·흑색 등》

achromátic léns 〖광학〗 색지움 렌즈(achromat)

achromátic prísm 〖광학〗 색지움 프리즘

achromátic vísion 〖병리〗 전색맹(全色盲)

a·chro·ma·tin [eikróumətin] *n.* 〖생물〗 (세포핵 안의) 비염색질(非染色質)

a·chro·ma·tism [eikróumətìzm], **ach·ro·ma·tic·i·ty** [æ̀kroumətísəti] *n.* U 〖광학〗 색지움, 수색성(收色性); 무색

a·chro·ma·tize [eikróumətàiz, ækróu-] *vt.* …의 색을 지우다, 무색으로 하다; (렌즈의) 색수차(色收差)를 없애다 **a·chrò·ma·ti·zá·tion** *n.*

a·chro·ma·top·si·a [eikròumətɑ́psiə | -tɔ́p-] *n.* 〖병리〗 색맹

a·chro·ma·tous [eikróumətəs] *a.* 무색의; (표준보다) 색이 엷은

a·chro·mic [eikróumik] *a.* 무색의; 〖생물〗 색소 결여(증)의

Á chròmosome 〖유전〗 A 염색체 《과잉 염색체 이외의 보통 염색체》

Ach·ro·my·cin [æ̀kroumáisin] *n.* 〖약학〗 아크로마이신 《tetracycline의 상표명》

ach·y [éiki] *a.* (**ach·i·er**; **-i·est**) 아픈, 동통이 있는, 쑤시는 **ách·i·ness** *n.*

a·cic·u·la [əsíkjulə] *n.* (*pl.* **-lae** [-lì:]) 〖생물〗 침상(針狀) 부분, 가시, 강모(剛毛); 〖광물〗 침상 결정(체)

a·cic·u·lar [əsíkjulər] *a.* 바늘 모양의; 가시[강모]가 있는 **a·cic·u·lar·i·ty** [əsìkjulǽrəti] *n.* **~·ly** *ad.*

a·cic·u·late [əsíkjulət, -lèit] *a.* 바늘 모양의(돌기가 있는); 바늘로 긁은 자국이 있는; 바늘처럼 뾰족한

‡ac·id [ǽsid] *n.* **1** 〖화학〗 산(酸) **2** 신 것, 신맛이 나는 것 **3** 언짢음, 신랄함 **4** 《속어》 =LSD[1]

come the (***old***) ~ 《속어》 사람을 불쾌하게 하다, 가시 돋친 말을 하다; 《영》 〈…에게〉 책임을 전가하다 ***give*** a person ***the old*** ~ 《영·속어》 함부로 다른 사람을 속이다 ***put on the*** ~ 《영·속어》 허풍 떨다 ***put the*** ~ ***in*** 《영·속어》 거짓말하다 ***put the*** ~ ***on*** 《호주·속어》 허풍 떨다; 돈을 빌려 달라고[성적 관계·은밀한 정보 등을] 조르다

—*a.* **1** 신, 신맛이 나는 **2** 〖화학〗 산(성)의(opp. *alkaline*) **3** 〈기분·표정·말 등이〉 까다로운, 심술궂은, 신랄한 **4** 〈색채가〉 강렬한 **5** 〖지질〗 〈토양·기암 등이〉 산성인, 규토를 함유한 **~·ly** *ad.* **~·ness** *n.*

▷ acidify *v.*; acídity *n.*

ácid dròp 《영》 신 캔디 《설탕에 주석산을 섞은》

ácid dúst 산성 먼지

ácid dỳe 〖화학〗 산성 염료

ácid fallout 산성 강하물, (특히) 산성비

ac·id-fast [ǽsidfæ̀st | -fɑ̀:st] *a.* 산으로 탈색되지 않는, 항산성(抗酸性)의 〈염료〉 **~·ness** *n.*
ácid fíxing bàth 〖사진〗 산성 정착욕(定着浴)
ácid fóg 산성 안개
ac·id-form·ing [-fɔ̀:rmiŋ] *a.* **1** 〖화학〗 산을 만드는 **2** 〈식품이〉 산성의, 산성 물질을 만드는
ácid frèak 《속어》 = ACIDHEAD
ác·id-free páper [-frì:-] 중성지(中性紙)
ac·id·head [-hèd] *n.* 《속어》 LSD 상용자[중독자]
ácid hòuse 《영》 애시드 하우스 《신시사이저 등을 사용하는 단조롭고 환각적인 댄스 음악》
a·cid·ic [əsídik] *a.* **1** = ACID 2 **2** 〖지질〗 = ACID 5 **3** = ACID-FORMING 1 **4** 산성 물질을 포함한
acìdic músic 애시드 뮤직 《신시사이저를 사용한 업비트의 보컬 중심의 록 음악》
a·cid·i·fi·er [əsídəfàiər] *n.* 산성화하는 것; 〖약학〗 산미제(酸味劑)
a·cid·i·fy [əsídəfài] *vt., vi.* (**-fied**; **~·ing**) 시게 하다; 시어지다; 〖화학〗 산성화하다; 산패(酸敗)하다
a·cid·i·fi·ca·tion [əsìdəfikéiʃən] *n.*
ac·i·dim·e·ter [æ̀sədímətər] *n.* 〖화학〗 산정량기(酸定量器), 산적정기(酸滴定器)
a·cid·i·ty [əsídəti] *n.* Ⓤ 신맛; 산(성)도; 신랄함
ácid jàzz 〖음악〗 애시드 재즈 《소울·재즈·힙합 등을 혼합한 댄스 음악》
ác·id·less tríp [ǽsidlis-] 《미·속어》 LSD 없는 황홀감 《집단 감수성 훈련 또는 중독 환자 치료》
ac·id-lov·ing [-lʌ̀viŋ] *a.* 〈식물이〉 호산성의
ácid míst (대기 오염으로 인한) 산성 안개
ácid nùmber = ACID VALUE
a·cid·o·phile [əsídəfàil, ǽsədə-], **-phil** [-fìl] *a.* 〈미생물이〉 호산성(好酸性)인 **—** *n.* 호산성 물질; 〖해부〗 호산성 백혈구; 〖생물〗 호산성 세포[미생물, 물질]
a·cid·o·phil·ic [əsìdəfílik, æ̀sədə-] *a.* 〖생물〗 호산성(好酸性)의
ac·i·dóph·i·lus mílk [æ̀sədɑ́fələs- | -dɔ́-] 유산균(乳酸菌) 우유
ac·i·do·sis [æ̀sədóusis] *n.* Ⓤ 〖병리〗 애시도시스, 산(성)증(症), 산과다증, 산독증(酸毒症)
ac·i·dot·ic [-dɑ́tik | -dɔ́-] *a.*
ácid pàd 《미·속어》 마약 맞는 곳; LSD 파티
ácid precipitátion 산성 강수 《대기 오염으로 인한 산성비나 눈이 내림》
ácid ràdical 〖화학〗 산기(酸基), 산근(酸根)
ácid ráin (대기 오염으로 인한) 산성비
ácid réflux 〖병리〗 위산 역류
ácid róck 《속어》 애시드 록 《acid house보다 강렬한 비트의 환각적인 록 음악》 **ácid rócker** *n.*
ácid sàlt 〖화학〗 산성염(塩)
ácid snów (대기 오염으로 인한) 산성 눈
ácid sóil 산성 토양
ácid sóund 애시드 사운드 《LSD나 마약의 도취감을 느끼게 하는 환각적 음악》
ácid tést [원래 시금(試金)에 질산을 사용한 데서] [보통 the ~] 엄밀한 검사; 엄격한[결정적인] 시련
ácid tést ràtio 〖금융〗 당좌 비율 《당좌 자산에 대한 유동 부채의 비율》
ac·id-tongued [ǽsidtʌ́ŋd] *a.* 〈비평 등이〉 입이 사나운, 말이 날카로운, 신랄한
ácid trìp 《속어》 LSD에 의한 환각 체험
a·cid·u·late [əsídʒulèit | -dju-] *vt.* 신맛이 나게 하다; 〈사람을〉 기분 나쁘게 하다; 〈말 등을〉 신랄하게 하다 **a·cìd·u·lá·tion** *n.*
a·cid·u·lat·ed [əsídʒulèitid | -dju-] *a.* 좀 신맛이 나는; 성미가 까다로운
a·cid·u·lous [əsídʒuləs | -dju-], **-lent** [-lənt] *a.* 새콤한, 신맛이 나는; 신랄한
ácid vàlue 〖화학〗 산가(酸價)(acid number)
ac·id-washed [ǽsidwɑ̀ʃt | -wɔ̀ʃt] *a.* 〈청바지 등을〉 염소 표백제로 가공한, 표백한
ácid wàshing 〖복식〗 염소 표백

ac·id·y [ǽsidi] *a.* 산성의, 신
ac·i·form [ǽsəfɔ̀:rm] *a.* 침상(針狀)의; 끝이 뾰족한
ACII 《영》 Associate of the Chartered Insurance Institute
a·cin·i·form [əsínəfɔ̀:rm] *a.* **1** 포도송이 모양의 **2** = ACINOUS
ac·i·nous [ǽsənəs], **-nose** [-nòus] *a.* 입상과(粒狀果)의, 소핵과(小核果)의; 〖해부〗 선방(腺房)의
ac·i·nus [ǽsənəs] *n.* (*pl.* **-ni** [-nài]) **1** 〖식물〗 입상과, 소핵과; 소핵 《포도 등의》 **2** 〖해부〗 선방(腺房)
-acious [éiʃəs] *suf.* 「…의 경향이 있는, …을 좋아하는, …이 많은」 등의 뜻의 형용사를 만듦: pugn*acious*, loqu*acious*
ACIS 《영》 Associate of the Chartered Institute of Secretaries and Administrators
-acity [ǽsəti] *suf.* -acious로 끝나는 형용사에 대응하는 명사를 만듦: pugn*acity*, loqu*acity*
ACK 〖컴퓨터〗 acknowledge character 확인[긍정] 응답 문자 《통신문에서》
ack. acknowledge; acknowledg(e)ment
ack-ack [ǽkæ̀k] [AA(= antiaircraft)의 신호 용어] *n.* Ⓤ [때로 *pl.*] 《구어》 고사포 (사격)
— *a.* 대공의
ac·kee [ǽki] *n.* 〖식물〗 아키 《선홍색 열매를 맺는 나무; 남아프리카산(産)》; 아키 열매
áck ém·ma [ǽk-émə] [A.M.의 통신 용어] 《영·구어》 오전(에) 《전화 등에서 씀; cf. PIP EMMA》: at 10 ~ 오전 10시(에)
ackgt acknowledg(e)ment
‡ac·knowl·edge [æknɑ́lidʒ, ək- | -nɔ́l-] *vt.* **1** 인정하다, 〈…이〉 사실임[존재함]을 인정하다, 〈…이〉 진실임에 동의하다; 승인하다(admit): ~ one's fault 자기의 잘못을 시인하다 / ~ the truth of it = 《~+목+**as** 보》 ~ it *as* true = 《~+목+**to be** 보》 ~ it *to be* true = 《~+**that** 절》 ~ *that* it is true 그것을 진실이라고 인정하다 // 《~+**-ing**》 He did not ~ hav*ing* been defeated. = 《~+목+**done**》 He did not ~ himself *defeated*. 그는 자기의 패배를 인정하지 않았다. **2** 사례하다, 감사하다; 〈경례에〉 답하다: ~ a favor 호의에 감사하다 **3** 〈편지 등을〉 받았음을 알리다: I ~ (the receipt of) your letter. 편지는 잘 받아보았습니다. / *A*~ the gift at once. 선물을 받았다고 즉시 답장을 내시오. **4** (몸짓·표정 등으로) 〈…을〉 알아차렸음을 알리다, 〈…에게〉 인사하다 《*by, with*》 **5** 〖법〗 (증서 등을 정식으로) 승인하다, 자인하다: Do you ~ this signature? 이것이 너의 서명임을 승인하느냐? **~·a·ble** *a.*
acknówledge chàracter = ACK
ac·knowl·edged [æknɑ́lidʒd, ək- | -nɔ́-] *a.* (일반적으로) 인정된; 승인된; 정평 있는 **~·ly** *ad.*
ac·knowl·edg(e)·ment** [æknɑ́lidʒmənt, ək- | -nɔ́-] *n.* **1** Ⓤ 승인, 인정; 자인, 자백 《*of*》 **2** Ⓤ 사례, 감사; Ⓒ 감사의 표시, 답례품: a courteous ~ 정중한 사례 / in ~ of your kindness 당신의 친절에 감사하며 / as an ~ for[of] …에 대한 보답으로 **3** [*pl.*] (협력자에 대한 저자의) 감사의 뜻[말] **4** 〖법〗 승인, 승인서 **5** 〖상업〗 영수증, 수령증 ***bow** one's **~s of** applause* (갈채)에 답하여 절하다 ***in ~ of …을 승인[감사]하여, …의 답례[답장]로
a·clin·ic [eiklínik, ək-] *a.* 〖물리〗 (지자기(地磁氣)의), 무복각(無伏角)의
aclínic líne 자기 적도(磁氣赤道)(magnetic equator)
ACLS American Council of Learned Societies; advanced cardiac life support 개량형 인공심장 **ACLU** American Civil Liberties Union

thesaurus **acknowledge** *v.* **1** 인정하다 admit, grant, allow, recognize, accept, approve, agree to, concede **2** 감사하다 show appreciation for, express gratitude for, thank, give thanks for

a·clut·ter [əklʌ́tər] *a.* 어지러이 흩어진, 혼잡한, 몹시 붐비는
ACM air chief marshal; Association for Computing Machinery 《미》 컴퓨터 협회
ac·me [ǽkmi] *n.* [the ~] 절정, 정점; 극점, 극치; 전성기 《*of*》
ac·mat·ic [ækmǽtik] *a.*
ac·ne [ǽkni] *n.* 〖병리〗 좌창(痤瘡), 여드름(pimple) **ác·ned** *a.*
ac·ne·ge·nic [æ̀knidʒénik] *a.* 〖병리〗 좌창(痤瘡)의 원인이 되는
ácne rosácea 〖병리〗 = ROSACEA
ac·node [ǽknoud] *n.* 〖수학〗 고립점(isolated point) **ac·nó·dal** *a.*
a·cock [əkák | əkɔ́k] *ad., a.* Ⓟ 위로 세우고[세운] ***set*** one***'s hat ~*** (종종 도전적인 자세로) 모자의 테를 세우다
a·coe·lo·mate [eisíːləmèit] 〖동물〗 *a.* 무체강(無體腔)의, 체강이 없는 **—*n.*** 무체강 동물
ac·o·lyte [ǽkəlàit] *n.* **1** 〖가톨릭〗 시종직(侍從職), 시종품(品), 복사(服事) **2** 조수, 종자; 초심자
A·con·ca·gua [àːkɔːŋkáːgwɑː, æ̀kəŋkáːgwə] *n.* 아콩카과 《남미 안데스(Andes) 산맥 중의 최고봉》
ac·o·nite [ǽkənàit] *n.* **1** 〖식물〗 바꽃, 투구꽃 《독초》; 그 뿌리 《부자(附子)》 **2** Ⓤ 〖약학〗 아코닛 《진통제·강심제》
ac·o·nit·ic [æ̀kənítik] *a.* 바꽃(성질)의
a·con·i·tine [əkánətìːn, -tin | əkɔ́-] *n.* Ⓤ 〖약학〗 아코니틴 《바꽃에서 얻는 유독 화합물》
‡**a·corn** [éikɔːrn, -kərn | -kɔːn] *n.* **1** 도토리 《oak의 열매》 **2** (가구에 붙이는) 도토리 모양의 손잡이 ***sweet ~*** 모밀잣밤나무의 열매
á·corned *a.*

acorns 1

ácorn bàrnacle 〖패류〗 = ACORN SHELL
ácorn cùp (도토리의) 깍정이
ácorn shèll 도토리 껍질; 〖패류〗 굴등
ácorn squàsh 도토리 모양의 호박
ácorn tùbe[《영》 **vàlve**] 〖컴퓨터〗 에이콘관(管) 《도토리 모양의 진공관》
a·cot·y·le·don [eikàtəlíːdn | ækɔ̀-] *n.* 〖식물〗 무자엽(無子葉) 식물, 민떡잎 식물 **~·ous** *a.* 무자엽의
a·cou·me·ter [əkúːmətər] *n.* 〖의학〗 청력계(聽力計)
a·cous·tic [əkúːstik] *a.* **1** 청각의, 소리의, 음향의; 음향학의; 음파의: ~ education 음감 교육 / an ~ instrument 보청기 **2** 〈악기가〉 전기 증폭(增幅)이 되지 않은 **3** 〈건축 자재 등이〉 방음용의, 음향 조절된 **—*n.*** = ACOUSTICS 2; 청력을 교정하는 것
a·cous·ti·cal [əkúːstikəl] *a.* = ACOUSTIC **~·ly** *ad.*
acóustical clóud (홀 천장의) 음향 반사판
acóustical hológraphy 〖컴퓨터〗 음향 홀로그래피 《입체적 음상(音像)을 기록·재생하는 기술》
acóustical survéillance 음향 감시 《음향 장치를 사용한 정보 수집》
acóustical suspénsion 어쿠스틱 서스펜션 《밀폐형 스피커의 일종》
acóustical tíle 방음 타일 《천장·벽에 바르는》
acóustic cóupler 〖컴퓨터〗 음향 결합기 《디지털 신호 등을 음파로 바꾸어 전화 회선에 연결하는 장치》
acóustic emíssion 〖물리〗 음향 반출 《略 AE》
acóustic féature 〖음성〗 음향 특성
acóustic féedback 〖전자〗 음향적 피드백
acóustic guitár (전자 기타가 아닌) 보통 기타
ac·ous·ti·cian [æ̀kuːstíʃən] *n.* 음향학자
acóustic mémory 〖컴퓨터〗 초음파 기억 장치
acóustic mícroscope 초음파 현미경
acóustic míne 음향 기뢰
acóustic nérve 〖해부〗 청신경(auditory nerve)
acóustic óhm 〖음향〗 음향 옴
a·cous·ti·con [əkúːstəkàn | -kɔ̀n] *n.* 보청기 《상표명》
acóustic phonétics 음향 음성학
acóustic piáno 재래식 음향 피아노
a·cous·tics [əkúːstiks] *n. pl.* **1** [단수 취급] 음향학 **2** [복수 취급] 음향 상태[효과] 《강당·극장 등의》
acóustic stórage = ACOUSTIC MEMORY
acóustic theódolite 〖해양〗 음향 측류(測流) 경위의(經緯儀) 《음파에 의한 해류의 연직 분포 기록 장치》
acóustic tíle 방음 타일
acóustic torpédo 음향 (유도) 어뢰
acóustic wárfare 《미》 〖군사〗 (음파를 이용한) 수중 전투(행위)
acóustic wáve 음파(sound wave)
ac·ous·tim·e·ter [æ̀kuːstímətər] *n.* 소음 측정기
acousto- [əkúːstou, -tə] 《연결형》 「음, 음파, 음향(학)」의 뜻
a·cous·to·e·lec·tric [əkùːstouiléktrik] *a.* 전기 음향(학)의(electroacoustic)
a·cous·to·e·lec·tron·ics [əkùːstouilèktrániks | -trɔ́-] *n. pl.* [단수 취급] 음향 전자 공학
a·cous·to·op·tics [əkùːstouáptiks, -təáp-] *n., pl.* [단수 취급] 음향 광학, 초음파 광학
ACP African, Caribbean, and Pacific; American College of Physicians **acpt.** acceptance
‡**ac·quaint** [əkwéint] *vt.* **1** [~ one*self* 로] 익히 알게[정통하게] 하다 《*with*》(⇨ acquainted 1): 《~+목+전+명》 ~ him *with* our plan 그에게 우리들의 계획을 충분히 이해시키다 / You must ~ *yourself with* your new job. 너는 너의 새 일에 정통해야 한다. **2** 알리다, 기별하다 《*with*》: 《~+목+전+명》 *A~* your friend *with* what you have done. 당신 친구에게 당신이 한 일을 알리시오. // 《~+목+***that*** 절》 She *~ed* me *that* she would visit New York next year. 그녀는 내년에 뉴욕을 방문한다고 내게 알려왔다. **3** 《미》 〈사람을〉 (…에게) 소개하다 《*with*》: 《~+목+전+명》 She *~ed* her roommate *with* my cousin. 그녀는 룸메이트를 내 사촌에게 소개했다. ***~ oneself with*** (1) …을 알다, 정통하다(⇨ 1) (2) …와 알게 되다, 사귀다 ▷ acquáintance *n.*
‡**ac·quaint·ance** [əkwéintəns] *n.* **1** 아는 사람[사이] 《친구만큼 친밀하지는 않고 그저 일 관계 등으로 아는 사람》: He is not a friend, only an ~. 그는 친구가 아니라 좀 아는 사람이다. **2** [종종 an ~] 알고 있음, 면식, 지면 **3** [종종 an ~] 지식, 숙지 《*with*》
cultivate a person***'s ~*** …와 사귀려고 노력하다 ***cut***[***drop***] one***'s ~ with*** …와 절교하다 ***gain ~ with*** …을 알게 되다 ***have a nodding***[***bowing***] ***~ with*** …와는 만나면 인사나 나눌 정도의 사이이다 ***have a slight***[***an intimate***] ***~ with*** …을 조금[잘] 알고 있다 ***have a wide ~*** = ***have a wide circle of ~s*** 교제 범위가 넓다 ★ have *a* wide ~ (교제 범위가 넓다)는 단수형을 집합적으로 쓴 경우임. ***make***[***seek***] ***the ~ of*** a person = ***make***[***seek***] a person***'s ~*** …와 아는 사이가 되다[되고자 하다] ***on***[***upon***] (***further, closer***) ***~*** (더 깊이) 알고 보니 ***renew*** one***'s ~ with*** …와 옛정을 새로이 하다 ***scrape*** (***up***) (***an***) ***~ with*** 《구어》 …와 간신히 알게 되다 《특히 비밀 정보를 얻기 위해》 ▷ acquáint *v.*
acquáintance ràpe 아는 사람에게 당하는 성폭행
ac·quaint·ance·ship [əkwéintənsʃip] *n.* Ⓤ [종종 an ~] 아는 사이, 사귐, 교제 《*with*》; 지식
‡**ac·quaint·ed** [əkwéintid] *a.* **1** 정통한 《*with*》 **2** 안면이 있는, 사귀게 된, 친한 《*with*》

---

acme *n.* peak, climax, zenith (opp. *bottom*)
acquaintance *n.* **1** 아는 사람 associate, colleague **2** 면식 association, relationship, contact **3** 지식 familiarity, knowledge, awareness

be[**get, become**] **~ with** 〈사람과〉 아는 사이이다[가 되다]; 〈사물을〉 알고 있다[알다]; …에 정통하다[해지다], …에 밝다[밝아지다] **make** a person **~ with** a thing[person] …에게 〈사물을〉 알려 주다[〈사람을〉 소개하다]
~·ness *n.*

ac·quest [əkwést, æk-] *n.* 취득(물); 〖법〗 (상속에 의하지 않은) 취득 재산

ac·qui·esce [æ̀kwiés] *vi.* (수동적으로) 동의하다, (마지못해) 따르다, 묵인하다, 〈제안 등에〉 묵종(默從)하다 《*in*》: 《~+전+명》 ~ *in* a person's opinion …의 의견에 순순히 따르다

*__ac·qui·es·cence__ [æ̀kwiésns] *n.* Ⓤ 묵종, 말 없는 동의, 묵인

ac·qui·es·cent [æ̀kwiésnt] *a.* 잠자코 동의하는, 묵종하는, 묵인하는 **~·ly** *ad.*
▷ acquiésce *v.*; acquiéscence *n.*

‡**ac·quire** [əkwáiər] [L 「덧붙여 구하다」의 뜻에서] *vt.* **1** 〈재산·권리 등을〉 취득하다, 획득하다 **2** 〈지식·학문 등을 노력하여〉 얻다, 배우다, 습득하다(⇨ get¹ 유의어); 〈습관 등을〉 몸에 익히다, 지니게 되다: ~ a foreign language 외국어를 습득하다 / ~ a bad habit 나쁜 버릇이 들다 **3** 〈비평 등을〉 받게 하다 **4** 〈목표물 등을 레이더 등으로〉 잡다, 포착하다 **5** 훔치다; 불법으로 손에 넣다
▷ acquést, acquírement, acquisítion *n.*; acquísitive *a.*

*__ac·quired__ [əkwáiərd] *a.* **1** 획득한, 기득(既得)의 〈권리 등〉 **2** 습득한; 후천적인(opp. *innate*)

acquíred cháracter[**characterístic**] 〖유전〗 획득 형질(形質), 후천성 형질

acquíred immúne deficiency sỳndrome = AIDS

acquíred immúnity 〖면역〗 획득[후천] 면역

acquíred táste 후천적으로 익히는 기호[취미]

ac·quir·ee [əkwaiəríː] *n.* 손에 넣은[획득한] 물건

ac·quire·ment [əkwáiərmənt] *n.* **1** Ⓤ 취득, 획득, 습득 (능력) 《*of*》 ★ acquisition 쪽이 일반적임. **2** [종종 *pl.*] 습득한 것; 《특히》 학식, 기능, 기예(opp. *gift, talent*) ▷ acquíre *v.*

*__ac·qui·si·tion__ [æ̀kwəzíʃən] *n.* **1** Ⓤ 획득, 습득 **2** Ⓒ 취득물, 이득, 뜻밖에 얻은 귀한 물건[사람]; 입수 도서: recent *~s* to the library 도서관의 새 구입 도서 **3** 〖군사〗 (레이더나 광학 장치에 의한 인공위성·미사일 등의) 포착(捕捉): an ~ and tracking radar 포착 추적 레이더 **~·al** *a.* **ac·qúis·i·tor** *n.*
▷ acquíre *v.*

acquisítion cóst básis 〖경제〗 (자산 평가에서) 취득 원가주의

ac·quis·i·tive [əkwízətiv], **-to·ry** [-tɔ̀ːri | -təri] *a.* **1** Ⓟ 획득하려는, 내 것으로 하려는 《*of*》: be ~ *of* money 돈을 탐내다 **2** 탐내는; 욕심 많은: an ~ mind 향학심, 욕심 / ~ instinct 취득 본능
~·ly *ad.* 탐내어 **~·ness** *n.* Ⓤ 욕심
▷ acquíre *v.*

*__ac·quit__ [əkwít] *vt.* (**~·ted**; **~·ting**) **1** 무죄로 하다, 무죄를 선고하다, 방면하다, 석방하다 《*of*》: ~ a prisoner 죄인을 석방하다 // 《~+목+전+명》 He was *~ted of* the charge. 그는 고소가 취하되었다[면소되었다]. **2** (책임 등으로부터) 〈사람을〉 해제하다, 면제해 주다 《*of*》: 《~+목+전+명》 ~ a person *of* his[her] duty …의 의무를 해제하다 / He was *~ted of* his responsibility. 그는 책임이 면제되었다. **3** [~ one*self* 로] **a** [well 등의 양태 부사와 함께] (…하게) 처신하다; 연기하다: ~ *oneself* well[badly] 훌륭하게[졸렬하게] 처신하다; 맡은 역을 잘[서투르게] 연기하다 **b** 〈책임·채무 등을〉 수행[이행]하다 《*of*》: ~ *oneself of* one's duty 임무를 수행하다[다하다]
~·ter *n.* ▷ acquíttal *n.*

ac·quit·tal [əkwítl] *n.* ⓊⒸ **1** 〖법〗 무죄 방면, 석방 **2** 책임 해제; (부채의) 변제 **3** (임무의) 수행

*__ac·quit·tance__ [əkwítns] *n.* **1** ⓊⒸ (채무의) 면제, 소멸; 책임 해제 **2** 채무 소멸 증서, (정식) 영수증

a·crawl [əkrɔ́ːl] *ad., a.* Ⓟ 우글거려, 들끓어 《*with*》

‡**a·cre** [éikər] [OE 「밭」의 뜻에서] *n.* **1** 에이커 《면적의 단위; 약 4046.8 m², 약 1,224평; 略 a, A》 **2** 《고어》 경지; [*pl.*] 토지(lands): broad *~s* 넓은 토지 **3** [*pl.*] 《구어》 대량, 다수 《*of*》: *~s of* goods 방대한 물품 **God's ~** 《문어》 묘지

a·cre·age [éikəridʒ] *n.* **1** Ⓤ [종종 an ~] 에이커 수, 면적 **2** 《미》 에이커당 지급

a·cred [éikərd] *a.* (몇) 에이커 되는 (땅을 가진): a large-~ land 여러 에이커의 토지

a·cre-foot [éikərfút] *n.* (*pl.* **-feet** [-fíːt]) 에이커 풋 《관개 수량의 단위; 43,560 입방 피트》

a·cre-inch [-íntʃ] *n.* 에이커 인치 《1에이커 풋의 12분의 1 용적; 3,630 입방 피트》

ácre rìght 〖미국사〗 개척자가 개간한 토지를 구입할 권리

ac·rid [ǽkrid] *a.* **1** 〈냄새·맛 등이〉 매운, 쓴; (살갗에) 아리는 **2** 〈말·태도 등이〉 가혹한, 신랄한, 혹독한
~·ly *ad.* **~·ness** *n.* = ACRIDITY

ac·ri·dine [ǽkrədìːn, -din] *n.* 〖화학〗 아크리딘 《콜타르에서 채취하는 염료·의약품 원료》: ~ dyes 아크리딘 염료

a·crid·i·ty [əkrídəti] *n.* Ⓤ 매운, 씀; 자극성; 신랄함

ac·ri·fla·vine [æ̀krəfléivin, -viːn] *n.* 〖화학〗 아크리플라빈 《방부·소독제》

acriflávine hydrochloride 〖화학〗 염산 아크리플라빈 《살균제》

Ac·ri·lan [ǽkrəlæ̀n] *n.* 아크릴란 《아크릴계 섬유; 상표명》

ac·ri·mo·ni·ous [æ̀krəmóuniəs] *a.* 〈말 등이〉 통렬한, 신랄한, 독살스러운 **~·ly** *ad.* **~·ness** *n.*

ac·ri·mo·ny [ǽkrəmòuni | -mə-] *n.* Ⓤ (태도·말 등의) 호됨, 신랄함, 독살스러움

acro- [ǽkrou, -rə] 《연결형》 「선단, 처음; 정점, 높이; (신체의) 말단」의 뜻

ac·ro·bat [ǽkrəbæ̀t] [Gk 「발가락 끝으로 걷는 사람」의 뜻에서] *n.* **1** 곡예사 **2** (정견·주의의) 표변자, 변절자

ac·ro·bat·ic [æ̀krəbǽtik] *a.* 곡예의[같은], 곡예적인: an ~ dance 곡예 댄스 / ~ feats 재주넘기, 곡예
-i·cal·ly *ad.*

ac·ro·bat·ics [æ̀krəbǽtiks] *n. pl.* **1** [복수 취급] 재주넘기, 곡예, 줄타기: aerial ~ 곡예 비행 **2** [단수 취급] 곡예의 기술[재주]

ac·ro·bat·ism [ǽkrəbæ̀tizm] *n.* = ACROBATICS

ac·ro·cen·tric [æ̀krəséntrik] *a.* 〖유전〗 말단 동원체형(末端動原體型)의

ac·ro·gen [ǽkrədʒən] *n.* 〖식물〗 정생(頂生) 식물 《고사리·이끼 등》 **a·crog·e·nous** *a.*

ac·ro·lect [ǽkrəlèkt] *n.* 〖언어〗 (어떤 사회의) 가장 유력한[상층의] 방언 **àc·ro·léc·tal** *a.*

a·cro·le·in [əkróuliin] *n.* Ⓤ 〖화학〗 아크롤레인 《자극적인 냄새가 나는 무색 액체; 최루 가스 등에 씀》

ac·ro·lith [ǽkrəliθ] *n.* (고대 그리스의) 머리·손·발은 돌이고 몸은 나무로 된 상(像)

ac·ro·me·gal·ic [æ̀krəməgǽlik] *a., n.* 말단 비대증의 (사람)

ac·ro·meg·a·ly [æ̀krəmégəli] *n.* Ⓤ 〖병리〗 말단 비대증 《머리·손·발이 비대해지는》

ac·ro·mic·ri·a [æ̀krəmíkriə, -máik-] *n.* 〖병리〗 말단 왜소증

ac·ron [ǽkrɑn, -rən | -rɔn] *n.* 선절(先節), 구전부(口前部) 《절지동물의 입 앞에 있어 마디로 나뉘어져 있지 않은 부분》 **ác·ro·nal** *a.*

thesaurus **acquire** *v.* obtain, procure, get, come by, gain, pick up, collect, earn
acquit *v.* clear, absolve, exonerate, discharge, release, vindicate, liberate (opp. *convict*)

ac·ron·i·cal, ac·ron·y·cal [əkrάnikəl] *a.* 〖천문〗 〈별 등이〉 일몰에 나타나는; 저녁의

ac·ro·nym [ǽkrənìm] *n.* 머리글자어(語), 두문자어(頭文字語) 《보기 : WAC = *W*omen's *A*rmy *C*orps》

àc·ro·ným·ic *a.* **àc·ro·ným·i·cal·ly** *ad.*

a·cron·y·mize [əkrάnəmàiz | -rɔ́n-] *vt.* 머리글자[두문자]어(語)로 나타내다

a·cron·y·mous [əkrάnəməs | -rɔ́-] *a.* 머리글자[두문자]의

a·crop·e·tal [əkrάpətl | -rɔ́-] *a.* 〖식물〗 〈꽃차례 등이〉 위쪽을 향하는 **~·ly** *ad.*

ac·ro·phobe [ǽkrəfòub] *n.* 고소 공포증인 사람

ac·ro·pho·bi·a [æ̀krəfóubiə] *n.* Ⓤ 〖정신의학〗 고소 공포증

a·croph·o·ny [əkrάfəni | -rɔ́f-] *n.* (*pl.* **-nies**) 〖언어〗 두음서법(頭音書法) 《표의 문자의 어두음(語頭音)을 그 음을 나타내는 알파벳에 전용(轉用)하기》

ac·ro·phon·ic [æ̀krəfάnik | -fɔ́-] *a.*

a·crop·o·lis [əkrάpəlis | -rɔ́p-] *n.* **1** (고대 그리스 도시의) 성채(城砦) **2** [the A~] (아테네의) 아크로폴리스 《Parthenon 신전 유적지》

ac·ro·sin [ǽkrəsən] *n.* 〖생화학〗 아크로신 《정자(精子)의 첨체(尖體)에 있는 효소》

ac·ro·some [ǽkrəsòum] *n.* 〖생물〗 첨체(尖體) 《정자(精子)의 머리끝의 돌기 구조》 **-só·mal** *a.*

⁑a·cross [əkrɔ́:s, əkrάs | əkrɔ́s] *prep., ad., a.*

> 기본적으로는 「가로질러」의 뜻.
> ① (…을) 가로질러 전 **1** 부 **1**
> ② (…의) 맞은편에 전 **1** 부 **1**
> ③ …와 교차하여 전 **3**
> ④ 지름으로 부 **2**

— *prep.* **1** …을 가로질러, …을 횡단하여; …의 맞은편으로: a bridge (laid) ~ the river 강에 놓인 다리/go ~ the road 도로를 횡단하다 **2** …을 가로지른 곳에; …의 맞은[건너]편에: live ~ the river 강 건너에 살다 **3** …와 교차하여, …에 걸쳐서: with a rifle ~ one's shoulder 라이플총을 어깨에 메고 **4** …의 전역에 걸쳐, …의 도처에: ~ the world 온 세계에 ***~ country*** (도로로 가지 않고) 들판을 횡단하여 ***be ~ a horse's back*** 말을 타고 있다

— *ad.* **1** 가로질러 (맞은편에); (가로질러) 맞은편에: come ~ in a boat 배를 타고 건너 오다 **2** 지름으로(in diameter), 직경으로; 폭이 …인: a lake 5 miles ~ 지름 5마일의 호수/How far ~ is the river? 강 폭은 얼마 정도입니까? **3** (십자형으로) 교차하여: with one's arms[legs] ~ 팔짱을 끼고[책상다리를 하고] ***~ from*** (미) …의 맞은편에 ***be ~ to*** a person (미·구어) …의 책임[임무]이다 ***get*** [***go***] ~ 맞은편으로 건너다[넘어가다] ***get it ~*** (미) (청중 등에) 호소하다, 이해되다[시키다]

— *a.* **1** 십자형의, 교차한 **2** (크로스 퍼즐의 줄이) 가로의(opp. *down*)

a·cross-the-board [əkrɔ́:sðəbɔ́:rd | əkrɔ́s-] *a.* Ⓐ **1** 전면적인, 전체에 미치는: an ~ pay raise 일괄 임금 인상 **2** (미) (경마에서 한 장으로 1등·2등·3등을 거는) 복합식의 **3** 〖라디오·TV〗 월요일부터 금요일 주 5일에 걸친 〈프로〉: an ~ program 연속 프로

— *ad.* 포괄적으로; 전반적으로, 일률적으로

a·cross-the-ta·ble [əkrɔ́:sðətéibl | əkrɔ́s-] *a.* (정면으로) 마주 앉아 하는, 대면하는 〈협의〉

a·cros·tic [əkrɔ́:stik, -rάs- | -rɔ́s-] *n.* 아크로스틱 《각 행의 머리글자나 끝 글자를 이으면 말이 되는 유희시》; (일종의) 글자 수수께끼

— *a.* 아크로스틱의: an ~ puzzle 아크로스틱 퍼즐 **a·crós·ti·cal** *a.* **a·crós·ti·cal·ly** *ad.*

ac·ro·te·ri·on [æ̀krətíəriὰn | -ɔ̀n], **-ri·um** [-riəm] *n.* (*pl.* **-ri·a** [-riə]) 〖건축〗 조상대(彫像臺)

ac·ro·tism [ǽkrətìzm] *n.* Ⓤ 〖병리〗 무맥증(無脈症), 맥박 미약, 약맥(弱脈)

ACRR American Council on Race Relations

ac·ryl [ǽkrəl] *n.* 〖화학〗 아크릴

a·cryl·a·mide [əkríləmàid, æ̀krəlǽmaid, -mid] *n.* 〖화학〗 아크릴아미드 《플라스틱·접착제의 원료》

ac·ry·late [ǽkrəlèit, -lit] *n.* 〖화학〗 **1** 아크릴산염(酸鹽) **2** = ACRYLIC RESIN

ácrylate plástic = ACRYLIC PLASTIC

ácrylate résin = ACRYLIC RESIN

a·cryl·ic [əkrílik] *a.* 〖화학〗 아크릴의

— *n.* **1** = ACRYLIC RESIN; = ACRYLIC FIBER **2** [보통 *pl.*] 아크릴 제품 **3** 아크릴 도료[그림물감]; 아크릴 그림

acrýlic ácid 〖화학〗 아크릴산(酸)

acrýlic cólor[**páint**] 아크릴 물감

acrýlic éster 〖화학〗 아크릴산(酸) 에스테르 《접착제용》

acrýlic fíber 아크릴 섬유

acrýlic nítrile = ACRYLONITRILE

acrýlic plástic 아크릴 플라스틱[합성수지]

acrýlic résin 〖화학〗 아크릴 수지

ac·ry·lo·ni·trile [æ̀krəlounáitril, -tri:l, -trail] *n.* Ⓤ 〖화학〗 아크릴로니트릴 《인공 수지의 원료》

ACS American Chemical[Cancer] Society; American College of Surgeons; antireticular cytotoxic serum 〖생화학〗 항망양(抗網樣) 세포독 혈청

A/cs pay accounts payable **A/cs rec** accounts receivable

⁑act [ǽkt] *n., v.*

> 행위, 행동 **1**
> (의회에서의 입법 행위) → 법령 **2**
> (연기의 한 구분) → 막 **3**

— *n.* **1** 행위, 행동, 짓, 소행: an ~ of kindness 친절한 행위

> 유의어 **act** 단시간의 (개개의) 행위 **action** 보통 어떤 기간에 걸쳐 단계적으로 완료한 행위로, 예를 들어 화재 현장의 인명 구조 활동은 a heroic *action*이며, 불길에 뛰어드는 것은 a brave *act*이다 ⇨ conduct 유의어

2 [종종 **A~**] 법령, 조례(條例)(law); [보통 the A~s] (법정·의회의) 결의, 결의서 《*of*》: *the* Gun Control *A~* (미) 총기 단속법 **3** [종종 **A~**] (연극의) 막: a one-~ play 단막극/in *A~* I, Scene ii 제 1막 제 2장에서 **4** (쇼·서커스 등의) 프로그램 중의 하나 **5** [an ~] 《구어》 겉모습, 시늉, 연극조의 행위, '연극', '연기'; 흉내: Don't take him so seriously. It's all an ~. 그를 너무 심각하게 받아들이지 마. 모두 연극이라고. **6** 〖철학〗 (스콜라 철학에서) 활동, 작용; 작용의 원리; (잠재력에 대한) 구현형(具現形) **7** 〖심리〗 (구체적 결과를 낳는) 행동 **8** 〖종교〗 행위 《회개의 깊이를 나타내기 위한 행위》 **9** [the A~s; 단수 취급] 〖성서〗 사도행전 **10** (대학에서) 학위 논문의 구술시험

~ and deed (후일의) 증거(물) ***~ of faith*** (자기 희생 등의) 신념에 입각한 행위 ***~ of God*** 〖법〗 불가항력 ***~ of grace*** 특전(特典); 특사(特赦)(법); 사면령 ***A~*** [~] ***of Congress*** [(영) ***Parliament***] (미) 국회 제정법 ***A~ of Indemnity*** (공무상의 위법 행위에 대한) 면책법 ***~ of love*** [***shame***] 성교 ***~ of Providence*** 불가항력 ***A~ of Settlement*** [the ~] (영) 왕위 계승법 ***~ of war*** (선전 포고 없는) 전쟁 행위 ***a hard*** [***tough***] ***~ to follow*** 이기기 어려운 사람, 흉내 낼 수 없는 사람 ***clean up*** one***'s ~*** 행실을

---

act *n.* **1** 행위 deed, action, feat, performance, exploit **2** 법령 bill, law, decree, statute, edict, ruling, judgment, enactment, ordinance **3** (연극의) 막 division, part, section, segment

고치다 ***do*** [***perform, stage***] ***a disappearing*** [***vanishing***] **~** (필요한 때에) 모습을 감추다, 없어지다 ***get*** [***muscle***] ***in on*** [***get into***] ***the*** [a person***'s***] **~** 《구어》 (남이 시작한 유망한 일에) 가담하다, 한몫 끼다 ***get*** one***'s*** **~** ***together*** 《구어》 마음[자신]을 가다듬다 ***go into*** one***'s*** **~** 《미·속어》 (주어진) 역할을 다하다, 기대한 대로 잘하다 ***have*** **~** ***or part in*** …에 가담하다, …의 공범자이다 ***in the*** (***very***) **~** (***of***) (…하는) 현장에서 ***put on an*** **~** 《구어》 짤막한 연기[연예]를 해 보이다; '연극'하다, 시늉을 하다, 꾀병을 부리다 ***the A~s of the Apostles*** 〖성서〗 사도행전

— *vi.* **1 a** 행동하다, 처신하다, 행하다, 실행하다; (…에 따라) 행동하다, (…을) 따르다 《*on, upon*》: We are judged by how we ~. 사람은 행동 여하로 판단된다. // (~+전+명) ~ *against* a person's advice …의 충고를 거역하다 / ~ *on* a friend's advice 친구의 조언에 따라 행동하다 / ~ *from* a sense of duty 의무감에서 행동하다 **b** [보어를 수반하여] (…처럼) **처신하다**, …인[하는] 체하다, 가장하다 (pretend): (~+보) ~ angry 화가 난 체하다 / ~ old [tired] 늙은[지친] 듯이 처신하다 // (~+전+명) ~ *like* a mad man 미친 사람처럼 행동하다 **2** 《미》 결정하다, 판결을 내리다 《*on*》 **3** 직무를 맡아보다(serve) 《*as*》; 대리를 하다, 대행하다(substitute) 《*for*》: (~+***as*** 보) ~ *as* chairman[consultant, interpreter] 의장[고문, 통역]의 일을 맡아보다 ★ as의 뒤에 오는 명사는 종종 무관사 // (~+전+명) I'll ~ *for* you while you are away. 당신이 없는 동안 제가 대리를 맡겠습니다. **4** 〈기계가 정상적으로〉 작동하다, 움직이다; 〈브레이크가〉 듣다; 〈일이〉 잘되어 가다; 작용하다, 〈약 등이〉 듣다: The brake did not ~. 브레이크가 듣지 않았다. // (~+부) This medicine ~*s well.* 이 약은 잘 듣는다. // (~+전+명) This drug ~*ed on* his nerves. 이 약은 그의 신경에 효험이 있었다. **5** 〈사람이〉 무대에 서다, 출연하다; 〈각본이〉 상연되다, 상연할 수 있다; 〈극·역이〉 상연하기에 알맞다: (~+부) ~ *well* 연기를 잘하다 / His plays do not ~ *well.* 그의 각본은 상연에 부적합하다. // (~+전+명) She will ~ *on* the stage. 그녀는 무대에 설 것이다.

— *vt.* **1** 하다, 행하다(do) **2** 연기하다, 〈역을〉 맡아 하다; 〈극을〉 상연하다: ~ Hamlet 햄릿 역을 하다 **3** [보통 the+단수 명사를 목적어로 하여] 〈…의〉 시늉을 하다: ~ *the* giddy goat 바보짓을 하다 / ~ *the* child 어린애 짓을 하다

~ against …에 반대하다; …에 불리한 일을 하다 ***~ a part*** 한 역을 맡아 하다; 시늉을 하다, 「연극」하다 ***~ for*** [***on behalf of***] a person …의 대리를 하다 ***~ on*** [***upon***] (1) …에 작용하다 (2) 〈주의·충고 등〉을 좇아 행동하다(follow) (3) 《미·구어》 의결하다 ***~ out*** 〈이야기·역 등을〉 실연(實演)하다, 연출하다; 〈욕망 등을〉 실행에 옮기다; 〖정신분석〗 〈억압된 감정 등을〉 행동화하다 ***~ the part of*** …의 역을 하다; …을 흉내내다 ***~ up*** 《구어》 사납게 굴다, 떠들다; 장난치다; 〈기계 등이〉 기능이 나빠지다; 〈증세 등이 다시〉 악화하다, 재발하다 ***~ up to*** 〈명성·기대 등〉에 어긋나지 않게 행동하다, 〈주의 등을〉 실행에 옮기다

▷ áction *n.*; áctive *a.*; enáct *v.*

ACT American College Test 미국 대학 수능 시험 (cf. SAT) ; Association of Classroom Teachers: Australian Capital Territory **act.** acting; active; actor; actual

ac·ta [ǽktə] *n. pl.* [종종 **A~**] (법령·증서·회보·의사록 등의) 공식 기록

act·a·ble [ǽktəbl] *a.* 〈희곡·배역·장면 등이〉 상연하기에 알맞은, 상연할 수 있는; 실행할 수 있는 **act·a·bil·i·ty** [æ̀ktəbíləti] *n.*

Ac·tae·on [æktíːən] *n.* 〖그리스신화〗 악타이온 《아르테미스 여신의 목욕하는 모습을 엿보았기 때문에 저주받아 사슴으로 변해 버린 사냥꾼》

ac·tant [ǽktənt] *n.* 〖언어〗 행위자, 행위항(項)

áct càll 〖연극〗 연기 개시 신호; 개막 신호

áct cùrtain[**dròp**] 〖연극〗 막간에 내리는 막

actg. acting

Acth, ACTH [éisìːtìːéitʃ, ǽkθ] [*a*dreno*c*ortico*t*ropic *h*ormone] *n.* 부신 피질 자극 호르몬(제)

ac·tin [ǽktən] *n.* 〖생화학〗 액틴 《근육을 구성하며 그 수축에 필요한 단백질의 일종》

actin- [ǽktən], **actini-** [ǽktinə], **actino-** [æktínou, -nə, ǽktənou, -nə] 《연결형》 「광(光)…, 방사선의, 방사상의」의 뜻

‡act·ing [ǽktiŋ] *a.* Ⓐ **1** 직무 대행의; 대리[서리]의: an ~ manager[principal] 지배인[교장] 대리 **2** 연출용의; 상연하기 알맞은: an ~ copy (연출용) 대본

— *n.* Ⓤ **1** 연출(법), 실연 **2** 연기, 짓: good[bad] ~ 훌륭한[서툰] 연기 **3** 시늉, 허울, '연극'

ácting pílot òfficer 영국 공군 준위 《소위 아래 최하위 장교》

ac·tin·i·a [æktíniə] *n.* (*pl.* **-i·ae** [-iìː], **~s**) 〖동물〗 말미잘 무리 **-i·an** *n., a.* 말미잘(의[비슷한])

ac·tin·ic [æktínik] *a.* 화학선의 **-i·cal·ly** *ad.*

actínic ráy 화학 방사선 《사진용》

ac·ti·nide [ǽktənàid] *n.* 〖화학〗 악티니드 《악티노이드 속에서 악티늄을 뺀 14원소》

áctinide sèries 〖화학〗 악티니드 계열 《원자 번호 89의 악티늄부터 103의 로렌슘까지의 방사성 원소》

ac·tin·i·form [æktínəfɔ̀ːrm] *a.* 〖동물〗 방사형의

ac·ti·nin [ǽktənin] *n.* 〖생화학〗 악티닌 《가로무늬근 속의 단백질》

ac·tin·ism [ǽktənìzm] *n.* Ⓤ 화학선 작용

ac·tin·i·um [æktíniəm] *n.* Ⓤ 〖화학〗 악티늄 《방사성 원소; 기호 Ac, 번호 89》

actínium sèries 〖화학〗 악티늄 계열

ac·tin·o·chem·is·try [æktìnoukémәstri] *n.* 방사(선) 화학, 광화학(photochemistry)

ac·tin·o·der·ma·ti·tis [æktìnoudəːrmətáitis] *n.* 〖병리〗 방사선 피부염

ac·tin·o·gram [æktínəgræ̀m] *n.* 자기 일사계(自記日射計)의 기록

ac·tin·o·graph [æktínəgræ̀f | -grɑ̀ːf] *n.* 자기 일사계(自記日射計)[광량계(光量計)]; 〖사진〗 노출계

ac·ti·nog·ra·phy [æ̀ktənάgrəfi | -nɔ́g-] *n.* Ⓤ 광량 측정(법)

ac·ti·noid [ǽktənɔ̀id] *a.* 방사상[형]의

ac·tin·o·lite [æktínəlàit, ǽktə-] *n.* Ⓤ 〖광물〗 각섬석(角閃石)의 일종 《녹색의 결정체》

ac·ti·nom·e·ter [æ̀ktənάmətər | -nɔ́-] *n.* 〖화학〗 (화학) 광량계(光量計); 〖사진〗 노출계

ac·ti·nom·e·try [æ̀ktənάmətri | -nɔ́-] *n.* Ⓤ 〖물리〗 광량 측정(법), 방사 에너지 측정(학)

ac·tin·o·mor·phic [æktìnoumɔ́ːrfik, æ̀ktə-, -nə-] *a.* 〖생물〗 방사 대칭을 이루는

ac·tin·o·my·ces [æktìnoumáisiːz] *n.* (*pl.* **~**) 〖세균〗 악티노미세스속(屬)의 방선균(放線菌)

ac·tin·o·my·ce·tal [æktìnoumaisíːtl] *a.*

ac·tin·o·my·cete [æktìnoumáisiːt] *n.* [보통 *pl.*] 〖세균〗 방선균(류) **ac·tin·o·my·cét·ous** *a.*

ac·ti·no·my·cin [æktìnoumáisin] *n.* Ⓤ 〖생화학〗 악티노마이신 《땅속의 방선균에서 분리한 항생 물질》

ac·ti·no·my·co·sis [æktìnoumaikóusis, æ̀ktə-, -nə-] *n.* 〖병리〗 방선균증(lumpy jaw)

ac·ti·non [ǽktənɑ̀n | -nɔ̀n] *n.* 〖화학〗 악티논 《radon의 방사성 동위 원소; 기호 An》

ac·ti·no·ther·a·py [æktìnouθérəpi] *n.* Ⓤ 〖의학〗 방사선[화학선] 요법

ac·ti·no·u·ra·ni·um [æktìnoujuréiniəm] *n.* 〖화학〗 악티노우라늄 《우라늄의 방사성 동위 원소의 하나》

ac·tin·o·zo·an [æktìnouzóuən, æ̀ktə-] *a., n.* 〖동물〗 산호충 무리의 (동물)(anthozoan)

thesaurus **acting** *a.* deputy, temporary, interim **activate** *v.* **1** 행동하게 하다 actuate, motivate, stimulate **2** 작동시키다 turn on, switch on, start

‡ac·tion [ǽkʃən] *n.* **1** Ⓤ 행동, 활동, 실행: ~ of the mind 정신 활동 / a man of ~ 활동가《학자 등에 대비하여 정치가·군인·탐험가 등》 **2** (구체적인) 행동, 행위(deed)(⇨ act 유의어); [*pl.*] (평소의) 행위, 행실, 거동: a kind ~ 친절한 행위 / *A~s* speak louder than words. 《속담》 행위는 말보다도 웅변적이다. **3 a** (힘·약품 등의) 작용; 효과, 영향《*on, upon*》 **b** 〖생물〗 환경 작용 **4** 〖생리〗 기능, 작용: the ~ of the bowels 변통(便通) **5 a** (기계 등의) 작동, 운전 상태; (피아노 등의) 기계 장치 **b** 움직임, 동작, 운동; 활동, 가동, 운전 **6** 전투, 교전; 군사 행동 **7** 〖문학〗 주제 **8** 〖희곡〗 **a** (줄거리 중의) 한 가지 사건(event) **b** 행동《극의 3일치 법칙 중 한 가지》 **9** Ⓤ (배우·운동 선수 등의) 동작, 연기; (영화 등에서 손에 땀을 쥐게 하는) 활동적 연기(가 많은 장면), 액션 **10** 〖미술〗 (인물의 자태·표정에 나타나는) 생기, 감정, 움직임 **11** 〖법〗 소송(suit) **12** 〖경제〗 **a** 주식 **b** (상품·증권·시장 등의) 가격 변동, 거래량 **13** Ⓤ 《미》 (정부·의회 등에 의한) 결정, 결의; 방책, 수단, 처치 **14** 〖스포츠〗 경기

A~! 〖영화〗 액션!, 연기 시작! ***break off an ~*** 전투를 그치다 ***bring*** [***file, have, take***] ***an ~ against*** a person …을 (상대로 하여) 고소하다 ***bring*** [***come***] ***into ~*** 활동시키다[하다]; 발휘하다[되다]; 실행하다[되다]; 전투에 참가시키다[하다] ***call … into ~*** 〈근육 등을〉 움직이게 하다 ***clear for ~*** 〖항해〗 전투 준비를 하다 ***go into ~*** 활동[전투]을 개시하다 ***in*** [***into***] ***~*** (1) 활동하여; 실행하여 (2) 〈기계 등이〉 작동하여 (3) 교전[전투] 중에: be killed *in* ~ 전사하다 (4) 경기[시합] 중에 ***line of ~*** 작업 계통; 행동의 방침; 〖물리〗 작용선(線) ***out of ~*** (1) 〈기계 등이〉 움직이지 않아; 〈사람이 부상·질병 등으로〉 움직일 수 없게 되어 (2) 〈군함·전투기 등이〉 전투력을 상실하여 ***piece*** [***bit, share, slice***] ***of the ~*** 《구어》 분담 ***put … in*** [***into***] ***~*** …을 운전시키다; 실행에 옮기다 ***put … out of ~*** 〈기계를〉 움직이지 않게 하다; 〈군함 등의〉 전투력을 잃게 하다 ***rouse to ~*** 분발하게 하다 ***see ~*** 전투에 참가하다 ***suit the ~ to the word*** = ***suit*** one***'s ~s to*** one***'s words*** 《문어》 언행을 일치시키다 ***swing into ~*** 신속히 행동하다 ***take ~*** 활발해지다; 조치를 취하다《*in, on*》; 착수하다《*on*》; 단속하다; 고소하다《*against*》; 《미》 의결(議決)하다

— *a.* 움직임이 활발한

— *vt.* **1** 〈약속·계획 등을〉 실행하다, …에 대처하다 **2** 《영》 고소하다(sue)《*for*》 ▷ áct *v.*

ACTION [ǽkʃən] *n.* 액션《미국 정부가 주관하는 자원 봉사 활동을 통합하는 정부 기관》

ac·tion·a·ble [ǽkʃənəbl] *a.* 소송을 제기할 수 있는 **àc·tion·a·bíl·i·ty** *n.* **-bly** *ad.*

áction commìttee[**gròup**] (정치적) 행동대

áction dràma 활극(活劇), 액션 드라마

ac·tion·er [ǽkʃənər] *n.* 《구어》 액션 영화

áction figure 전투 인형《손발이 움직이는》

áction film 〖영화〗 액션 영화

áction grànt 《미》 (연방 정부의) 시가지 개발 보조금

áction gròup 활동[운동] 단체: the Child Poverty *Action Group* 아동 빈곤 구호 단체

áction hòuse 대중[일반] 영화관(cf. ART HOUSE)

áction informátion cènter 〖군사〗 (군함의) 전투 정보 지휘소

ac·tion·ist [ǽkʃənist] *n.* 행동파의 사람[정치가]

ac·tion·less [ǽkʃənlis] *a.* 움직임이 없는

áction lèvel 《미》 (식품의 유해 물질 함유량의) 한계 수준

áction lìne (뉴스 미디어에 의한) 전화 상담실

áction màn 《영·속어》 저돌적 행동파의 남자; [**A-M-**] 액션 맨《군인·운동 선수의 인형》

---

active *a.* **1** 활동적인 energetic, vigorous, vital, lively, sprightly, busy, spry **2** 활동 중인 working, functioning, operating, in action

---

ac·tion-packed [ǽkʃənpǽkt] *a.* 《구어》 (영화·드라마 등이) 액션 신이나 아슬아슬한 장면이 많은

áction pàinter 행위 미술가

áction pàinting 〖미술〗 행위 미술, 액션 페인팅《미국에서 비롯된, 물감을 던지거나 하는 전위 회화》

áction plàn (서류로 된) 상세한 사업 계획

áction pòint (회의 등에서 채택된) 행동 계획안

áction potèntial 〖생리〗 활동 전위(電位)

áction prógram (정책·전략의) 실행 계획

áction ràdius 〖군사〗 행동 반경

áction rèplay 《영》 = INSTANT REPLAY

áction resèarch 〖심리〗 액션 리서치《실천 활동을 연구 대상으로 하는 과학적 연구 방법》

áction stàtions *n. pl.* 〖군사〗 전투 배치

— *int.* 〖군사〗 전투 배치!; 《구어》 전원 준비!

ac·ti·vate [ǽktəvèit] *vt.* **1** 활동적으로 하다, 작동시키다 **2** 〖물리〗 방사능을 부여하다 **3** 〖화학〗 활성화하다; 반응을 촉진하다 **4** 〈하수를〉 정화하다 **5** 〖미군〗 〈부대를〉 전시 편성하다 **6** 〖컴퓨터〗 기동(起動)시키다

ac·ti·vat·ed [ǽktəvèitid] *a.* 활성화된

áctivated cárbon[**chárcoal**] 활성탄

áctivated slúdge 활성 슬러지, 하수 정화용 진흙

áctivated wáter 〖화학〗 활성화수

ac·ti·va·tion [æ̀ktəvéiʃən] *n.* Ⓤ 활동적으로 하기; 〖화학〗 활성화; 〖미군〗 부대 신설[편성]

activátion anàlysis 〖물리〗 방사화(放射化) 분석《시료(試料)의 방사능 측정을 통한 정성·정량 분석》

activátion ènergy 〖화학〗 활성화 에너지

ac·ti·va·tor [ǽktəvèitər] *n.* 활동적이 되게 하는 사람; 〖생화학〗 활성물, 활성제, 활성체

áctivator RNÁ 〖생화학〗 활성화 RNA

‡ac·tive [ǽktiv] *a.* **1** 활동적인, 활발한, 민활한; 적극적인, 의욕적인 **2** 〈상황(商況) 등이〉 활기찬(lively), 활발한(busy): The market is ~. 시장은 활발하다. **3 a** 《미》 적극적인, 의욕적인(opp. *passive*): take an ~ part in the war 자진해서 전쟁에 참가하다 **b** 활동 중인; 실제의, 현실의(actual); 〈운동·경기 등이〉 체력을 요하는, 격심한 **4** 〈법률 등이〉 유효한 **5** 〖군사〗 현역의(opp. *retired*) **6** 〖문법〗 능동(태)의(opp. *passive*) **7** 〖컴퓨터〗 (다기능으로) 프로그램된; 고성능의 **8** 〈장치 등이〉 인간의 손을 필요로 하는, 수동의 **9** 〖사회〗 〈군중이〉 (어떤 목적을 가지고) 행동적인《종종 폭력적 성격을 띠는》 **10** 〖화학〗 활성의 **11** 〖의학〗 **a** 〈병이〉 진행 중의 **b** 〈약이〉 즉효성의 ***take an ~ interest in*** …에 자진하여 관계하다, …에 투신하다

— *n.* Ⓤ [보통 the ~] 〖문법〗 능동태, 능동 구문; (조직의) 활동 분자, 현역 회원, 활동가; 《구어》 활발한 움직임을 나타내는 것

~·ness *n.* Ⓤ 활발함, 적극성

▷ áct, áctivate *v.*; actívity *n.*

áctive bírth 적극적 출산법; 능동 분만

áctive blóck 〖컴퓨터〗 활동 블록

áctive cápital 〖경제〗 활동 자본

áctive cárbon = ACTIVATED CARBON

áctive cítizen (방범 등 지역 사회에서) 적극적으로 활동하는 시민

áctive communicátions sàtellite (송수신 기능을 갖춘) 능동형 통신 위성

áctive dúty[**sérvice**] 〖군사〗 현역 (근무); 전시 근무: on ~ 현역의; 종군 중인

áctive euthanásia 적극적 안락사

áctive fáult 〖지학〗 활단층(活斷層)

áctive immúnity 능동 면역《항원 항체 반응에 의한》

áctive làyer 〖지질〗 활동층《영구 동토층보다 위의 토양층; 여름철에 해빙하는 곳》

áctive líst [the ~] 〖군사〗 현역 군인 명부: on *the* ~ 현역의〈장교〉, 취역 중의〈군함〉

∗ac·tive·ly [ǽktivli] *ad.* 활발히, 활동적으로; 적극적으로; 〖문법〗 능동으로

áctive máss 〖화학〗 활동량《화학 반응에 관여한 물질의 농도》

áctive mátrix 〖전자〗 액티브 매트릭스 《잔존(殘存) 현상이 적은 고해상도의 액정 표시 방식의 하나》
ac·tive-ma·trix [ǽktivméitriks] *a.* 액티브 매트릭스 방식의
áctive-mátrix LĆD 〖컴퓨터〗 액티브 매트릭스형(型) 액정 표시 장치(cf. PASSIVE-MATRIX LCD)
áctive pártner (합명 회사의) 업무 담당 사원
áctive prógram 〖컴퓨터〗 활동 프로그램 《load되어 실행 가능 상태에 있는 프로그램》
áctive restráint[sáfety] (자동차의) 능동적 사고 회피 장치
áctive sátellite 능동 위성 《전파를 수신·증폭·재송신하는 통신 위성》
áctive síte 〖생화학〗 활성 부위[중심] 《효소 분자 중 촉매 작용이 행해지는 특정 부분》
áctive sún 태양 활동이 최대시의 태양 《11년마다의》
áctive suspénsion (자동차의) 능동 현가 장치 《노면 상태에 맞춰 바퀴 움직임을 제어해 충격을 흡수하는 장치》
áctive terminátion 〖컴퓨터〗 능동 종단(終端) 《SCSI에 의한 주변 기기 접속 체인의 종단 방식의 하나》
áctive tránsport 〖생리〗 능동 수송 《생체막을 통해 이온·당 등 특정 물질을 투과시키는 세포 기능》
áctive vocábulary 〖교육〗 능동[사용 가능] 어휘
áctive vóice 〖문법〗 능동태
áctive volcáno 활화산
ac·tive·wear [ǽktivwὲər] *n.* 레크리에이션[스포츠]용 의복
Áctive X́ 〖컴퓨터〗 액티브 엑스 《Microsoft 사가 개발한 하이퍼 텍스트 관련 기술의 총칭》
ac·tiv·ism [ǽktəvìzm] *n.* **1** (정치적 목적을 위한) 행동주의 **2** 〖철학〗 능동주의; 활동주의
ac·tiv·ist [ǽktəvist] *n.* **1** (정치적) 행동주의자: a student ~ 학생 운동가, 운동권 학생 **2** 〖철학〗 능동[활동]주의자 **ac·tiv·ís·tic** *a.*
‡ac·tiv·i·ty [æktívəti] *n.* (*pl.* **-ties**) **1** Ⓤ 활동(action), 운동(motion) **2** [종종 *pl.*] (여러 가지) 활약, 활동 《사교·스포츠·학생의 과외 활동 등》; 활동 범위, 활동력: social[diplomatic] *activities* 사회[외교] 활동 / fund-raising *activities* 모금 활동 **3** Ⓤ 활발, 민활 **4** Ⓤ (상황(商況) 등의) 활기(liveliness), 활황(活況), 호경기; (정신·육체의) 정상적인 움직임, 기능 **5** Ⓤ 〖물리〗 활동도(度), 활량(活量); = RADIOACTIVITY ***be in*** **~** 〈화산 등이〉 활동 중이다 ***with*** **~** 활발히; 민첩하게
▷ áctive *a.*; áctivize *v.*
actívity chàrt 업무[실적] 차트[그래프, 도표]
actívity ràte (총인구 중) 노동[취로] 인구 비율, 경제 활동 참가율
ac·tiv·ize [ǽktəvàiz] *vt.* = ACTIVATE
ac·to·my·o·sin [æ̀ktəmáiəsin] *n.* 〖생화학〗 액토미오신 《근원(筋原) 섬유의 20%를 차지하는 단백질》
ac·ton [ǽktən] *n.* 갑옷 밑에 받쳐 입는 홑옷
‡ac·tor [ǽktər] *n.* **1** 배우, 남자 배우(opp. *actress*); '연극'을 잘 하는 사람: a film ~ 영화배우 / a leading ~ 주연 배우 **2** (사건의) 관여자, 관계자, 장본인; 행위자, 행동자
a bad **~** 믿지 못할 사람, 고약한 인간[동물]; 《속어》 무법자, 위험인물; 상습범 **~·ish** *a.*
ac·tor-man·ag·er [-mǽnidʒər] *n.* 배우 겸 감독
Áctors' Équity Associàtion (미국의) 연극배우 노동조합
Áctors' Stúdio [the ~] (뉴욕의) 연극인 양성기관
‡ac·tress [ǽktris] *n.* 여배우(opp. *actor*)
ac·tress·y [ǽktrəsi] *a.* 〈여자의 어조·태도 등이〉 연극[연기]조의
ACTU Australian Council of Trade Unions
‡ac·tu·al [ǽktʃuəl] *a.* **1** 현실의, 실제상의, 사실상의 (⇨ real[1] 유의어): an ~ person 실재 인물 / I don't know his ~ date of birth. 나는 그의 진짜 생일을 모른다. **2** [the ~] 현행의, 현재의: *the* ~ state 현상(現狀) **3** 행위의, 행동의, 활동의 ***in*** **~** ***fact*** 사실상, 실제로(는) ***your*** **~** 《영·구어》 진짜의
—*n.* **1** (예측과 대비하는) 실적(實績) **2** 《구어》 (영화 등의) 다큐멘터리 **3** 현실(의 것)(reality) **4** [*pl.*] 〖상업〗 현물 《선물(先物)과 대비한》 **~·ness** *n.*
▷ actuálity *n.*; áctually *ad.*
áctual addréss 〖컴퓨터〗 실효(實效) 주소
áctual bódily hàrm (중상보다 가벼운) 타박상이나 골절상
áctual capácity 실용량(實容量)
áctual cásh válue 〖보험〗 현금 환산 가치, 시가(時價) 《略 ACV》
áctual cóst 〖회계〗 (상품의) 실제 원가
áctual gráce 〖가톨릭〗 도움의 은총
áctual gróund zéro (미) 핵폭발 중심 지점
áctual instrúction 〖컴퓨터〗 실효 명령
ac·tu·al·ism [ǽktʃuəlìzm] *n.* 〖철학〗 현실(활동)설
ac·tu·al·ist [ǽktʃuəlist] *n.*, *a.* 현실주의자(의)
ac·tu·a·li·té [æktjuæli:téi] [F] *n.* 현대적[시사적] 흥미; [*pl.*] 시사(적 화제), 뉴스, 다큐멘터리
***ac·tu·al·i·ty** [æ̀ktʃuǽləti] *n.* (*pl.* **-ties**) **1** Ⓤ 현실(성), 현존; 실재(實在); 실제 **2** [보통 *pl.*] 실상 **3** 현실의 것; (텔레비전·라디오 등의) 실황 방송; (영화 등의) 생생한 기록, 실록, 기록 영화, 다큐멘터리
in **~** 실제로, 현실적으로 ▷ áctual *a.*
ac·tu·al·ize [ǽktʃuəlàiz] *vt.* 현실화하다, 실현하다
àc·tu·al·i·zá·tion *n.* Ⓤ 현실화, 실현
áctual locálity 현지
‡ac·tu·al·ly [ǽktʃuəli] *ad.* **1** 실지로(in fact), 실제로: What ~ happened? 실제로 무슨 일이 일어났느냐? **2** 현시점에서, 현재: the government ~ in office 현 정부 **3** (설마 하겠지만) 사실은, 실은; 참으로, 정말로(really): He ~ refused! 그가 정말 거절했어요!
áctual sín 〖가톨릭〗 현행죄, 자죄(自罪)(opp. *original sin*)
ac·tu·ar·i·al [æ̀ktʃuέəriəl] *a.* Ⓐ 보험 통계의; 보험 계리인의 **~·ly** *ad.*
ac·tu·ar·y [ǽktʃuèri | -tʃuəri] *n.* (*pl.* **-ar·ies**) 보험 회계사[계리인]
ac·tu·ate [ǽktʃuèit] *vt.* **1** …에 작용하다(act upon); 〈기계 등을〉 가동[작동]시키다 **2** 〈사람을〉 행동시키다: be ~*d* by love 사랑에 의해 그 행위를 하게 되다 // (~+목+*to* do) What ~*d* him *to* steal? 그는 어째서 훔칠 마음을 갖게 되었느냐?
ac·tu·a·tion [æ̀ktʃuéiʃən] *n.* Ⓤ 발동[충동] 작용
ac·tu·a·tor [ǽktʃuèitər] *n.* 작동시키는 것, 작동기[장치]; 발동자[물]
ACT UP Aids Coalition To Unleash Power 액트 업 《정부의 에이즈 대책 강화를 요구하는 미국의 단체》
ACU 〖컴퓨터〗 automatic calling unit
ac·u·ate [ǽkjuət, -èit] *a.* (끝이) 뾰족한, 날카로운
a·cu·i·ty [əkjú:əti] *n.* Ⓤ 《문어》 날카로움, 뾰족함; (병의) 격심함; (지각의) 예민함 ▷ acúte *a.*
a·cu·le·ate [əkjú:liət, -lièit] *a.* **1** 끝이 뾰족한, 날카로운 **2** 〖생물〗 가시[침] 있는 **3** 신랄한
a·cu·le·us [əkjú:liəs] *n.* (*pl.* **-le·i** [-liài]) (식물의) 가시; (동물의) 침, 독침
a·cu·men [əkjú:mən, ǽkju-] *n.* Ⓤ 《문어》 예리함, 혜안(慧眼), 총명, 통찰력: critical ~ 날카로운 비평력
a·cu·mi·nate [əkjú:mənət, -nèit] *a.* 〖식물〗 〈잎 등이〉 뾰족한, 날카로운
—*v.* [əkjú:mənèit] *vt.* 뾰족하게[날카롭게] 하다; 예민하게 하다 **—***vi.* 뾰족해지다
a·cù·mi·ná·tion *n.* Ⓤ 첨예화; 예봉

thesaurus **actual** *a.* real, true, factual, authentic, genuine, verified, veritable, existing
acute *a.* **1** 격렬한 intense, severe, fierce, violent **2** 예민한 sharp, keen, sensitive, incisive **3** (지성이)

a·cu·mi·nous [əkjúːmənəs] *a.* 예리[명민]한
a·cu·point [ǽkjupɔ̀int] *n.* 침 놓는 자리[혈]
ac·u·pres·sure [ǽkjuprèʃər] *n.* Ⓤ 지압(요법)
ác·u·près·sur·ist *n.* 지압(요법)사
ac·u·punc·tur·al [æ̀kjupʌ́ŋktʃərəl] *a.* 침(針)(요법)에 의한
ac·u·punc·ture [ǽkjupʌ̀ŋktʃər] *n.* Ⓤ 침술
— [∸-∸] *vt.* …에게 침술을 베풀다
-tur·ist *n.*
ácupuncture anesthésia 〖외학〗 침술 마취
a·cus [éikəs] *n.* (*pl.* ~) 〖외과〗 (수술용) 바늘
ac·u·sec·tor [æ̀kjuséktər] *n.* 〖외과〗 전기 메스
a·cut·ance [əkjúːtns] *n.* 〖사진〗 (화상(畫像) 윤곽의) 첨예도(尖銳度)
***a·cute** [əkjúːt] *a.* (종종 **a·cut·er**; **-est**) **1** 〈아픔·감정 등이〉 격렬한(intense); 심한: (an) ~ pain 격통/~ anxiety 심한 걱정 **2** 〈감각·통찰력 등이〉 예리한(keen), 민감한: ~ hearing 예민한 청각 **3** 〈사물의〉 끝이 뾰족한, 예리한, 날카로운: an ~ leaf 끝이 뾰족한 잎 **4** 〈상황·사태·문제 등이〉 중대한, 심각한, 매우 어려운: an ~ shortage of houses 심각한 주택난 **5** 〈병이〉 급성의(opp. *chronic*): ~ arthritis 급성 관절염 **6** 단시간의 **7** 〖수학〗 예각(銳角)의: an ~ angle 예각 **~·ly** *ad.* 날카롭게, 격렬하게 **~·ness** *n.* Ⓤ 날카로움; 격렬함
▷ acúity *n.*
acúte ábdomen 〖의학〗 급성 복통증
acúte áccent 〖음성〗 양음 악센트 부호 (´)
a·cute-care [əkjúːtkɛ̀ər] *a.* (미) 급성 환자 치료의
acúte dóse 단기간에 받은 치사량의 방사선량
acúte expósure 급성 노출 (생체에 치명적인 위해가 될 수 있는, 독성 물질의 단기 노출)
ACV actual cash value; air-cushion vehicle
ACW alternating continuous waves 〖무선〗 교번(交番) 지속파; 〖컴퓨터〗 access control word 접근 제어어(語)
-acy [əsi] *suf.* 「성질; 상태; 직(職)」의 뜻: accur*acy*, celib*acy*, magistr*acy*
a·cy·clic [eisáiklik, -sí-] *a.* **1** 〖식물〗 〈꽃이〉 비윤생(非輪生)의 **2** 〖화학〗 비환식(非環式)의(opp. *cyclic*)
a·cy·clo·vir [eisáiklouviər, -klə-] *n.* 아시클로비어 (헤르페스 감염증 치료용 항바이러스제)
ac·yl [ǽsil, ǽsiːl] 〖화학〗 *a.* 아실기(基)를 함유한
— *n.* 아실(기)
ácyl gròup[ràdical] 〖화학〗 아실기(基)
***ad¹** [ǽd] [*ad*vertisement] *n.* (구어) 광고; 광고업, 광고 활동 ***classified[want]* ~s** (신문의) 안내 광고, 3행 광고
— *a.* Ⓐ 광고의: an ~ agency 광고 대행업소
ad² [*ad*vantage] *n.* 〖테니스〗 = VANTAGE 3
ad³ [æd] [L] *prep.* 「to, up to, toward(s), according to」의 뜻
ad- [æd, əd] *pref.* 「…으로; …에」 (「방향, 변화, 완성, 부가, 증가, 개시」의 뜻; 또는 강의)
-ad¹ [æd, əd] *suf.* **1** 집합 수사의 어미: mon*ad*, tri*ad*, myri*ad* **2** 요정 이름: Dry*ad* **3** 서사시의 제목: Illi*ad*, Dunci*ad*
-ad² [əd] *suf.* = -ADE (e의 탈락형: ball*ad*, sal*ad*)
***AD¹, A.D.** [éidíː, ǽnoudɑ́mənài | -dɔ́-] [L *A*nno *D*omini(=in the year of our Lord)] 그리스도 기원[서기] …년(cf. B.C.): A.D. 92; 92 A.D. 서기 92년 USAGE 연대 앞(주로 (영)) 또는 뒤(주로 (미))에 쓰임; 단, the 5th century A.D. (5세기) 등은 항상 뒤에 둠.
AD² [èidíː] [*ad*dict] *n.* (미·속어) 마약 상용자
ad. adapt; adapted; adverb; advertisement

a.d. *ante diem* (L = before the day) **a/d, a.d.** after date 〖어음〗 일자후(日字後) **A/D** 〖컴퓨터〗 analog-to-digital: *A/D* conversion 아날로그-디지털[A/D] 변환
A·da [éidə] *n.* **1** 여자 이름 (애칭 Addie) **2** 〖컴퓨터〗 에이더 (미국 국방부가 개발한 프로그램 언어)
ADA adenosine deaminase; American Dental Association; American Diabetes Association; Americans for Democratic Action
ADAD [éidæd] [*a*utomatic telephone *d*ialing *a*nnouncing *d*evice] *n.* 자동 전화 연결 카드
ad·age [ǽdidʒ] *n.* (문어) 금언, 격언, 속담
ád àgent 광고 대행업자
a·da·gio [ədɑ́ːdʒou, -dʒiou] [It.] 〖음악〗 *ad.*, *a.* 아다지오로[의], 느리게, 느린 (largo와 andante의 중간) — *n.* (*pl.* **~s**) 느린 곡[악장, 악절]
Ad·a·line [ǽdəlin] [*ad*aptive *lin*ear *ne*urons] *n.* 적응형 선형 뉴런 (신경 세포의 초기 모델)
***Ad·am¹** [ǽdəm] *n.* **1** 〖성서〗 아담 (구약 성서에서 하느님이 처음으로 창조한 남자; 인류의 시조) **2** 남자 이름 **3** (영·속어) 환각제, 엑스터시
~ and Eve on a raft (미·속어) 베이컨 에그(bacon and egg) (***as***) ***old as ~*** 태고로부터의 ***not know*** a person ***from ~*** …을 전혀 모르다 ***since ~ was a boy*** (면) 옛날부터, 원래부터 ***the old ~*** = OLD ADAM ***the second[new] ~*** 제2의[새로운] 아담 (그리스도)
Adam² [18세기 영국의 가구 디자이너 이름에서] *a.* 아담 양식의 (고대 로마 디자인과 섬세한 장식이 특징)
ad·a·man·cy [ǽdəmənsi], **-mance** [-məns] *n.* 견고함; 확고, 불굴; 단호함
ad·a·mant [ǽdəmənt, -mæ̀nt | -mənt] [Gk 「가장 단단한 금속」의 뜻에서] *n.* Ⓤ **1** (전설상의) 단단한 돌 (금강석 등) **2** 견고하기 짝이 없는 것: a will of ~ (철석 같은) 강한 의지
as hard as ~ 쉽게 굴하지 않는; 매우 견고한
— *a.* (문어) **1** 매우 견고한 **2** 〈사람·태도 등이〉 단호한, 확고한(firm) **3** Ⓟ 불굴의 (*to*); 단호하여 (*in, on, about*); (…함을) 단호히 주장하여: be ~ *to* temptation 유혹에 굴하지 않다 **~·ly** *ad.*
▷ adamántine *a.*
ad·a·man·tine [æ̀dəmǽntiːn, -tin, -tain | -tain] *a.* 금강석으로 만든, 금강석 같은; 견고한, 철석 같은; 불굴의: ~ courage 굳센 용기
▷ ádamant *n.*
ADAMHA Alcohol, Drug Abuse, and Mental Health Administration
Ad·am·ic, -i·cal [ədǽmik(əl), ǽdəm-] *a.* 아담의[같은]
Ad·am·ite [ǽdəmàit] *n.* **1** 아담의 자손, 인간 **2** 나체주의자 **3** 아담파의 사람 (고대 그리스도교의 한 파)
Ad·am·it·ic, -i·cal [æ̀dəmítik(əl)] *a.* 아담 같은; 아담파의
Ad·am·it·ism [ǽdəmàitizm] *n.* 나체주의
Ad·ams [ǽdəmz] *n.* 애덤스 **1 John ~** (1735-1826) (미국의 제2대 대통령(1797-1801)) **2 John Quincy ~** (1767-1848) (미국의 제6대 대통령(1825-29))
Ádam's ále[wíne] (익살) 물(water)
Ádam's àpple 결후(結喉), 후골(喉骨)
ad·ams·ite [ǽdəmzàit] *n.* 〖화학·군사〗 애덤자이트 (재채기가 나게 하는 독가스)
Ad·am's-nee·dle [-níːdl] *n.* 〖식물〗 유카(yucca) (관상용으로 재배)
Ádam's proféssion 원예, 농업
Ádam's sín 아담의 죄, 원죄(original sin)
***a·dapt** [ədǽpt] *vt.* **1 a** 〈언행·풍습 등을 환경·목적 등에〉 적응[조화, 순응]시키다 (*to, for*)(⇨ adapted 2): You must ~ method *to* circumstances. 방법을 상황에 적합하게 해야 한다. **b** [~ one*self* 로] 〈새로운 환경 등에〉 순응하다, 익숙해지다 (*to*): ~ *one-*

예리한 shrewd, clever, smart, discerning **4** 중대한 critical, crucial, grave, serious, urgent, vital
adapt *v.* **1** 적응시키다 adjust, conform, accommodate **2** 개조하다 adjust, convert, change, alter

self to circumstances 환경에 순응하다; 융통성 있게 행동하다

> 유의어 **adapt** 새로운 환경에 적합하도록 유연하게 변경하다: *adapt* oneself to the new life 새 생활에 적응하다 **adjust** 두 가지 것의 비교적 작은 차이를 기술 또는 계산·판단에 의해 조절하다: *adjust* differences of opinion 의견 차이를 조정하다

2 〈건물·기계 등을 용도에 맞추어〉 개조하다 《*for*》; 〈소설·극을〉 개작[번안, 각색]하다(modify) 《*for, from*》(⇨ adapted 1): 《~+목+전+명》 The story was *~ed for* the movies; it was *~ed from* a novel. 그 이야기는 영화로 각색되었는데 이는 소설을 개작한 것이다.
— *vi.* (환경 등에) 적응하다, 순응하다 《*to*》; 익숙해지다: She had the ability to ~ easily *to* new circumstances. 그녀는 새로운 상황에 적응하는 능력이 있었다. ▷ adaptátion *n.*; adáptive *a.*

a·dapt·a·bil·i·ty [ədæ̀ptəbíləti] *n.* Ⓤ 적응성, 순응성; 융통성

a·dapt·a·ble [ədǽptəbl] *a.* **1** 〈동식물이〉 적응할 수 있는; 〈사람·기질이〉 융통성 있는 《*to, for*》 **2** Ⓟ 개조[개작, 각색, 번안]할 수 있는 **~·ness** *n.* **-bly** *ad.*

‡**ad·ap·ta·tion** [æ̀dəptéiʃən, æ̀dæp-] *n.* **1** Ⓤ 적응, 적합(accommodation) **2** ⓊⒸ 개조; 개작, 번안(물), 각색 (작품) 《*for, from*》: The film is an ~ of a novel. 그 영화는 소설을 각색한 것이다. **3** 〖생물〗 적응; 적응 형태[구조]; 〖사회〗 순응
~·al [-ʃənl] *a.* **~·al·ly** *ad.* ▷ adápt *v.*

*__a·dapt·ed__ [ədǽptid] *a.* **1** 개조된; 개작[번안, 각색]된: an ~ story for children 아동용으로 개작한 이야기 **2** Ⓟ (…에) 적당한, 알맞은 《*for, to*》: The book is not ~ *to* children. 그 책은 어린이에게 맞지 않다. **~·ness** *n.*

a·dapt·er, a·dap·tor [ədǽptər] *n.* **1** 개작자, 번안자 **2** 〖기계〗 어댑터; 접속 소켓; 〖컴퓨터〗 확장 카드

a·dap·tion [ədǽpʃən] *n.* (미) = ADAPTATION

a·dap·tive [ədǽptiv] *a.* 적응할 수 있는, 적응성의 **~·ly** *ad.* **~·ness** *n.* **àd·ap·tív·i·ty** *n.* ▷ adápt *v.*

adáptive contról 〖컴퓨터〗 적응 제어 《略 AC》

adáptive convérgence 〖유전〗 적응적 수렴

adáptive óptics 〖광학〗 적응 제어 광학

adáptive radiátion 〖진화〗 적응 방산(放散)

adáptive reúse 건물의 전용(轉用)

adáptive róuting 〖컴퓨터〗 적응 경로 선택

a·dap·to·gen [ədǽptədʒən] *n.* (약초에 의한) 강장제 《인삼 등》 **a·dàp·to·gén·ic** *a.*

ad·ap·tom·e·ter [æ̀dəptɑ́mətər | -tɔ́-] *n.* 〖안과〗 명암 순응 측정기

ADAPTS [ədǽpts] [*a*ir *d*eliverable *a*nti*p*ollution *t*ransfer *s*ystem] *n.* 어댑츠 《해상의 석유 유출 사고 때 쓰는 공중 투하식 석유 확산 방지·회수 설비》

A·dar [ədɑ́ːr | éidɑː] *n.* (유대력의) 12월 《태양력의 2-3월》

ad a·stra per a·spe·ra [æ̀d-ǽstrə-pər-ǽspərə] [L] 곤란을 넘어서 별까지 《미국 Kansas주의 표어》

ad·ax·i·al [ædǽksiəl] *a.* 〖식물〗 축(軸)을 향하는

A-day [éidèi] *n.* **1** = ABLE DAY **2** 개시[완료] 예정일

a·daz·zle [ədǽzl] *ad., a.* Ⓟ 눈부시게, 휘황찬란하여

ADB Asian[African] Development Bank 아시아[아프리카] 개발 은행 **A.D.B.** 〖보험〗 accidental death benefit **ADC** advanced developing countries **ADC, A.D.C., a.d.c.** aide-de-camp **A.D.C.** (미) Aerospace Defense Command; (영) Amateur Dramatic Club

ad cap·tan·dum vulgus [æ̀d-kæptǽndəm-vʌ́lgəs] [L = for courting the crowd] *a., ad.* 대중의 인기를 끌기 위한[위하여]; 선정적(煽情的)인

Ád·cock antènna [ǽdkɑk- | -kɔk-] [발명자 이름에서] 〖전자〗 애드콕 안테나 《방향 측정용 2극 안테나》

ád còlumn (미) 광고란

A/D convérter 〖전자〗 A/D 변환기

‡**add** [ǽd] *vt.* **1** 더하다, 보태다, 추가하다; 〈집을〉 증축시키다 《*to*》(opp. *subtract*): 《~+목+전+명》 ~ a name *to* a list 명부에 이름 하나를 추가하다 / ~ sugar *to* tea 홍차에 설탕을 넣다 / Three *~ed to* four make(s) seven. 4 더하기 3은 7. **2** 〈둘 이상의 것을〉 합치다, 합계하다(sum up) 《*up, together*》: ~ A and B A와 B를 합치다 **3** 덧붙여 말하다, 부언하다: 《~+*that* 절》 He *~ed* (*that*) he would come again soon. 그는 머지않아 다시 오겠다고 덧붙였다. **4** 삽입하다, 포함시키다(include) 《*in*》; 〈새 문구를〉 써넣다, 첨가하다, 덧붙이다 《*to*》: 《~+목+부》 Don't forget to ~ me *in*. 잊지 말고 나를 포함시켜 주게.
— *vi.* **1** 더하다, 첨가하다, 증가하다(increase) 《*to*》: 《~+전+명》 ~ *to* the beauty of the scenery 그 풍경의 아름다움을 더해 주다 **2** 덧셈을 하다: learn how to ~ and subtract 덧셈과 뺄셈을 배우다
~ in ⇨ *vt.* 4. **~ on** …을 덧붙이다, 보태다 **~ to** ⇨ *vi.* 1. **~ [~ed] to this** [접속사적] 이에 더하여 **~ up** 합계하다; 계산이 맞다; (구어) 이해가 가다 **~ up to** 합계 …이 되다; (구어) 요컨대 …이라는 뜻이 되다, …을 의미하다(mean) **to ~ insult to injury** 설상가상으로 **to ~ to** this [보통 문두에 써서] (이)에 더하여, (이)외에 또
— *n.* (신문·잡지 등의) 추가 원고[기사]; 〖컴퓨터〗 가산 **~·a·ble, ~·i·ble** *a.* ▷ addítion *n.*; ádditive *a.*

ADD 〖의학〗 attention deficit disorders **add.** addenda; addendum; additional; address

Ád·dams Fàmily [ǽdəmz-] [the ~] (미) 애덤스 가족 《미국의 인기 만화·TV 시트콤》

ad·dax [ǽdæks] *n.* (*pl.* **~·es,** ~) 〖동물〗 나사뿔영양, 아닥스 《북아프리카산(産) 큰 영양》

add·ed [ǽdid] *a.* Ⓐ 추가된, 부가된 **~·ly** *ad.*

ádded líne 〖음악〗 덧줄, 가선(加線)

ádded títle pàge 부표제지 《책의 표제지의 앞 또는 뒤에 붙인 표제지》

ádded vàlue 부가 가치

ádd·ed-vál·ue tàx [ǽdidvǽljuː(ː)-] 부가 가치세

ad·dend [ǽdend, ədénd] *n.* 〖수학〗 가수(加數)

ad·den·dum [ədéndəm] *n.* (*pl.* **-da** [-də]) 추가물[부분]; 보유(補遺), 부록(appendix)

add·er[1] [ǽdər] *n.* **1** 계산하는 사람 **2** 가산기

ad·der[2] [ǽdər] *n.* 〖동물〗 살무사의 일종

ad·der's-mouth [ǽdərzmòuθ] *n.* 〖식물〗 일엽란의 일종 《북미산(産)》

ad·der's-tongue [ǽdərztʌ̀ŋ] *n.* 〖식물〗 고사리의 일종; (미) 얼레지(dogtooth violet)

ad·dict [ədíkt] *vt.* **1** [~ one*self* 또는 be *~ed*로] 중독되게 하다, 〈악습에〉 빠지게 하다 《*to*》(⇨ addicted): 《~+목+전+명》 ~ *oneself to* gambling 도박에 빠지다 **2** 〈사람을〉 마약[알코올] 중독시키다 ★ 대체로 나쁜 뜻.
— [ǽdikt] *n.* **1** (마약 등의) 상용자, 중독자: an opium[a drug] ~ 아편[마약] 중독자 **2** 열중자, 열광하는 사람, 열렬한 팬: an opera ~ 열렬한 오페라 팬

ad·dict·ed [ədíktid] *a.* Ⓟ 〈마약 등을〉 상용하여, (…에) 중독되어, 빠져; (…에) 탐닉하여, 열중[몰두]하여 《*to*》: He is ~ *to* drink*ing*[watch*ing* TV]. 그는 술[텔레비전]에 중독되어 있다. **~·ness** *n.*

ad·dic·tion [ədíkʃən] *n.* Ⓤ 탐닉, (마약 등의) 중독; 열중, 몰두 《*to*》

ad·dic·tive [ədíktiv] *a.* 〈약이〉 습관[중독]성의

Ad·die [ǽdi] *n.* 여자 이름 《Ada, Adelaide, Adeline의 애칭》

> **thesaurus** **addict** *n.* **1** 상용자 abuser, user, dopehead **2** 열렬한 팬 fan, enthusiast, devotee, follower, adherent, fiend, buff

add-in [ǽdìn] 〖컴퓨터〗 *n.* 애드인 《컴퓨터에 부가적으로 이식하여 그 기능을 강화하는 것; 확장 카드나 증설용 메모리 IC 등》 **—***a.* 애드인의, 증설용의
ádd·ing machìne [ǽdiŋ-] 계산[가산]기
ad·dio [ɑːdíːou] [It.] *int.* 안녕히 가시오
Ad·dis A·ba·ba [ǽdis-ǽbəbə] 아디스아바바 《에티오피아(Ethiopia)의 수도》
Ad·di·son [ǽdəsn] *n.* 애디슨 **Joseph ~** (1672-1719) 《영국의 평론가·시인》 **Ad·di·só·ni·an** *a.*
Áddison's disèase [발견자인 영국 의사의 이름에서] 애디슨병 《부신(副腎)의 병》
ad·dit·a·ment [ədítəmənt] *n.* 부가[첨가]물
‡**ad·di·tion** [ədíʃən] *n.* **1** Ⓤ 추가, 부가 《*to*》 **2** ⓊⒸ 〖수학〗 덧셈, 가법: easy ~*s* 쉬운 덧셈 (문제) **3** 추가물; 증축 부분 《*to*》; 늘어난 토지
have an ~ to one's family 식구가 하나 더 늘다, 아기가 태어나다 ***in ~*** 게다가, 더구나, 그 위에(besides) ***in ~ to*** …에 더하여, …외에 또(besides)
▷ ádd *v.*; additional *a.*
‡**ad·di·tion·al** [ədíʃənl] *a.* 부가적인, 추가의, 보충의; 특별한: an ~ charge 할증 요금
—*n.* 부가물; 과외 강의 **~·ly** *ad.* ▷ addítion *n.*
addítional táx 부가세
addítion pòlymer 〖화학〗 첨가 중합체
addítion pròduct 〖화학〗 부가(생성)물
addítion reàction 〖화학〗 부가[첨가] 반응(cf. ELIMINATION REACTION)
ad·di·tive [ǽdətiv] *a.* 부가적인; 〖수학〗 덧셈의, 가법의 **—***n.* (식품·휘발유 등에의) 첨가물, 첨가제
~·ly *ad.* **àd·di·tív·i·ty** *n.*
ad·di·tive-free [ǽdətivfríː] *a.* 〈식품 등이〉 첨가물이 없는
ádditive idéntity 〖수학〗 덧셈에 관한 항등원
ádditive pròcess 〖광학〗 가색법(加色法)
ad·di·to·ry [ǽdətɔ̀ːri | -təri] *a.* 부가할 수 있는, 추가적인, 보충의
ad·dle [ǽdl] *vt.* 〈달걀을〉 썩이다; (구어) 〈머리를〉 혼란시키다 《*with, over*》 **—***vi.* 썩다; (구어) 혼란해지다 **—***a.* 썩은; [보통 복합어를 이루어] 혼란한
ad·dle·brained [ǽdlbrèind], **-head(·ed)** [-hèd(id)], **-pat·ed** [-pèitid] *a.* 머리가 혼돈된, 우둔한(stupid)
ad·dled [ǽdld] *a.* = ADDLE
addn. addition **addnl.** additional
add-on [ǽdɔ̀ːn | -ɔ̀n] *n.* **1** 추가액[량, 항목] **2** (스테레오·컴퓨터 등의) 추가물[장치], 주변 기기 **3** 〖건축〗 증축 가옥[시설] **—***a.* Ⓐ 부속[부가]의
ádd-on bóard 〖컴퓨터〗 = EXPANSION BOARD
ádd-on mémory 〖컴퓨터〗 부가 메모리[기억 장치]
ádd operátion 〖컴퓨터〗 덧셈 연산
‡**ad·dress** [ədrés, ǽdres | ədrés] *n., v.*

> L 「…에게 향하게 하다」의 뜻에서
> ┌…에게 말을 걸다 ㊀**1** → 연설 ㊔**1**
> └…에 주소(성명)을 쓰다 ㊀**2** → 주소(성명) ㊔**2**

—*n.* **1** (청중을 향한 공식적인) 인사말; 연설, 강연 (⇨ speech 유의어): an opening[a closing] ~ 개회[폐회]사 / a funeral ~ 조사(弔辭) / deliver an ~ of thanks 감사 연설을 하다 **2** [ǽdres] (수신인) 주소(성명), (편지나 소포의) 겉봉 주소; 〖컴퓨터〗 번지, 어드레스 《기억 장치 안에 특정 정보가 있는 위치 또는 그것의 번호》: What is your ~? 주소가 어디죠? / one's name and ~ 주소와 성명 / one's business [home, private] ~ 영업소[자택] 주소 **3** 호칭, 부름: polite forms of ~ 경칭 **4** Ⓤ (특히) 말하는 태도, 사람을 대하는 품, 응대 태도: a man of good[winning] ~ 사람 응대에 능한 사람 **5** Ⓤ 사무 능력, (좋은) 솜씨 **6** 청원; [the A~] 《영》 칙어(勅語)에 대한 봉답문(奉答文), 《미》 대통령의 교서(敎書): an ~ to the throne 상주문(上奏文) **7** [*pl.*] 구혼, 구애 **8** Ⓤ 〖골프〗 타구 자세 《타구를 치기 전의》
of* [*with*] *no fixed ~ 주소 부정의 ***pay one's ~es to*** 〈여자〉에게 구애[구혼]하다 ***with ~*** 솜씨 있게
— [ədrés] *v.* (**-dressed** [-drést]; **~·ing**) *vt.* **1 a** 〈…에게〉 말을 걸다; 〈청중에게〉 연설[강연]하다: ~ an audience 청중에게 연설[강연, 설법]하다 **b** 〈…을 …이라고〉 부르다; (정식 호칭이나 올바른 경칭을 써서) 〈…을 …이라고〉 부르다: (~+목+부) How should one ~ the Mayor? 시장은 어떻게[어떠한 경칭으로] 불러야 합니까? // (~+목+***as*** 보) ~ a person *as* 'General' …을 「장군」으로 호칭하다 **2 a** 〈편지·소포 등의 겉봉에〉 주소와 성명을 쓰다; 〈편지·소포 등을〉 …앞으로 하다 《*to*》: (~+목+전+명) ~ a letter *to* a person …앞으로 편지를 하다 **b** 〖컴퓨터〗 〈데이터에〉 어드레스[번지]를 지정하다(cf. *n.* 2) **3** 〈항의 등을〉 제기하다, 제출하다, 신청[청원, 건의]하다 《*to*》: (~+목+전+명) ~ a protest *to* a person …에게 항의를 제기하다 / ~ *to* a governor a plea for clemency 주지사에게 자비를 탄원하다 《목적어가 후치된 것》 / ~ a message *to* Congress 《미》 〈대통령이〉 의회에 교서를 보내다 **4** 〈사물에〉 초점을 맞추다; 〈어려운 문제 등을〉 다루다, 처리하다, (본격적으로) 착수하다 **5** 〖골프〗 〈공을〉 칠 자세를 취하다: ~ the ball 공을 향해 칠 자세를 취하다 **6** 〖상업〗 〈배 등을〉 탁송하다, 위탁하다 《*to*》
—*vi.* 《폐어》 **1** 준비하다 **2** 연설하다
~ one*self* (…에게) 말을 걸다 《*to*》; (…에) 본격적으로 착수하다, 전념하다 《*to*》
ad·dress·a·ble [ədrésəbl] *a.* 〖컴퓨터〗 어드레스로 불러낼 수 있는 **ad·drèss·a·bíl·i·ty** *n.*
addréss assìgnment 〖컴퓨터〗 번지 지정
addréss bàr 〖인터넷〗 주소창
addréss bòok 주소록
addréss bùs 〖컴퓨터〗 어드레스 버스, 번지 버스
addréss cònstant 〖컴퓨터〗 번지 상수
addréss corréction requésted 《미》 주소 정정 요청 《우편물에 기입하는 글》
addréss cóunter 〖컴퓨터〗 어드레스 카운터 《중앙 처리 장치(CPU)의 레지스터(register)의 하나》
addréss decòder 〖컴퓨터〗 번지 디코더 《번지 데이터를 해독하여 기억 장소를 선택하는 회로》
ad·dress·ee [æ̀dresíː, əd-] *n.* (우편물·메시지의) 수취인, 수신인; 듣는 사람
ad·dress·er, ad·dres·sor [ədrésər] *n.* **1** 발신인 《sender 쪽이 일반적임》; 말하는 사람 **2** [보통 **-sor**] 청원인
ad·dress·ing [ədrésiŋ] *n.* **1** 〖통신〗 어드레싱 《국간(局間), 단말과의 통신에서 교신 상대와 접속 또는 선택하기》 **2** 〖컴퓨터〗 어드레스[번지] 지정
addréssing machìne (자동) 주소 인쇄기
addréssing mòde 〖컴퓨터〗 번지 지정 방식
addréss làbel 주소 라벨
addréss màpping 〖컴퓨터〗 번지 대응 《가상 번지를 절대 번지로 변환하는 방법》
addréss mòdifier 〖컴퓨터〗 번지 수식[변경]자
Ad·dres·so·graph [ədrésəgræ̀f | -grɑ̀ːf] *n.* = ADDRESSING MACHINE 《상표명》
addréss règister 〖컴퓨터〗 번지 레지스터 《실행되고 있는 명령의 번지를 기억하고 있는 레지스터》
Addréss Resolùtion Pròtocol 〖컴퓨터〗 번지 해결 규약 《略 ARP》
addréss spàce 〖컴퓨터〗 번지 공간 《기억 번지(memory address)의 범위》
addréss tèrm 〖언어〗 호칭
addréss translàtion 〖컴퓨터〗 번지 변환
ad·duce [ədjúːs | ədjúːs] *vt.* 예증(例證)하다, 인증[인용]하다 **ad·duc·i·ble, ~·a·ble** *a.* **ad·dúc·er** *n.*

---

additional *a.* extra, supplementary, further, more
address *v.* **1** 연설하다 lecture, make a speech, give a discourse **2** 말을 걸다 talk to, speak to

ad·du·cent [ədjúːsnt | ədjúː-] *a.* 〖생리〗 내전(內轉)의
ad·duct¹ [ədʌ́kt] *vt.* 〖생리〗 내전(內轉)시키다(opp. *abduct*)
ad·duct² [ǽdʌkt] *n.* 〖화학〗 부가 생성물, 부가물
ad·duc·tion [ədʌ́kʃən] *n.* Ⓤ **1** 예증, 인증 **2** 〖생리〗 내전
ad·duc·tive [ədʌ́ktiv] *a.* 〖생리〗 내전하는, 내전의
ad·duc·tor [ədʌ́ktər] *n.* 〖해부〗 내전근(內轉筋)
add-up [ǽdʌ̀p] *n.* (미·구어) 결론, 요점
-ade [eid, ɑːd, æd] *suf.* **1** 「동작, 과정」의 뜻: escap*ade*, tir*ade* **2** 「달콤한 음료」의 뜻: lemon*ade*, orange*ade* **3** 「행위자(들)」의 뜻: crus*ade*
Ad·e·laide [ǽdəlèid] *n.* **1** 여자 이름 **2** 애들레이드 《오스트레일리아 남부의 도시》
A·dé·lie Cóast[Lánd] [ədéili-] 아델리 해안 《오스트레일리아 남쪽, 남극 대륙쪽》
Adélie pénguin 〖조류〗 아델리 펭귄 《소형》
Ad·e·line [ǽdəlàin] *n.* 여자 이름 《애칭은 Addie, Addy》
-adelphous [ədélfəs] 《연결형》 〖식물〗 다발 모양으로 된 수술을 가진
a·demp·tion [ədémpʃən] *n.* Ⓤ 〖법〗 유증(遺贈) 철회
A·den [ɑ́ːdn, éi- | éi-] *n.* 아덴 《예멘 남부의 항구 도시》
aden- [ǽdən], **adeno-** [ǽdənou, -nə] 《연결형》 「선(gland)」의 뜻 《모음 앞에서는 aden-》
A·de·nau·er [ǽdənàuər, ɑ́ːd-] *n.* 아데나워 **Konrad** ~ (1876-1967) 《통일 전 서독의 초대 수상(1949-63)》
ad·e·nec·to·my [æ̀dənéktəmi] *n.* (*pl.* **-mies**) ⓊⒸ 〖외과〗 선(腺) 절제(술)
ad·e·nine [ǽdənin, -nìːn, -nàin] *n.* Ⓤ 〖생화학〗 아데닌 《췌장 등 조직 또는 찻잎에 있는 푸린 염기》
ad·e·ni·tis [æ̀dənáitis] *n.* 〖병리〗 선염(腺炎)
ad·e·no·car·ci·no·ma [æ̀dənoukɑ̀ːrsənóumə | -kɑː-] *n.* (*pl.* **~s, ~·ta** [-tə]) 〖병리〗 선암(腺癌)
ad·e·noid [ǽdənɔ̀id] 〖의학〗 *a.* 선양(腺樣)의; 아데노이드의 **—** *n.* [보통 *pl.*] 아데노이드, 선양 증식(증)
ad·e·noi·dal [æ̀dənɔ́idl] *a.* = ADENOID
ad·e·noid·ec·to·my [æ̀dənɔidéktəmi] *n.* (*pl.* **-mies**) ⓊⒸ 〖외과〗 아데노이드 절제술
ad·e·noid·i·tis [æ̀dənɔidáitis] *n.* 〖병리〗 아데노이드 인두[편도]염
ad·e·no·ma [æ̀dənóumə] *n.* (*pl.* **~s, ~·ta** [-tə]) 〖병리〗 아데노마, 선종(腺腫) **-a·tous** *a.*
ad·e·nose [ǽdənòus] *a.* 선(腺)의, 선 모양의; 선이 (가득) 있는
a·den·o·sine [ədénəsìːn, -sin] *n.* 〖생화학〗 아데노신
adénosine deáminase 〖생화학〗 아데노신 데아미나아제 《핵산 분해 경로의 효소의 하나; 略 ADA》
adénosine deáminase deficiency 〖병리〗 아데노신 데아미나아제 결손증
adénosine diphósphate 〖생화학〗 아데노신 2인산(燐酸)
adénosine monophósphate 〖생화학〗 아데노신 1인산
adénosine triphósphate 〖생화학〗 아데노신 3인산
ad·e·no·sis [æ̀dənóusis] *n.* (*pl.* **-ses** [-siːz]) 〖의학〗 선(腺) 조직의 이상 발달; (일반적으로) 선(腺) 질환
ad·e·no·vi·rus [æ̀dənouváiərəs] *n.* 〖의학〗 아데노바이러스 《호흡관의 상부에 침범하는》
ad·e·nyl [ǽdənìl] *n.* 〖화학〗 아데닐 《아데닌에서 유도되는 1가의 기》
ad·é·nyl·ate cýclase [ədénələt-] 〖생화학〗 아데닐(산) 시클라아제 《효소의 하나》
ádenyl cýclase 〖생화학〗 = ADENYLATE CYCLASE
ad·e·nýl·ic ácid [æ̀dənílik-] 〖생화학〗 아데닐산
a·dept [ədépt, ǽdept] *a.* 숙달[정통]한(expert) 《*at, in*》 **—** [ǽdept, ədépt] *n.* 숙련자, 정통한 사람, 명수(expert) 《*at, in*》; 열렬한 신봉자[지지자] 《*of*》 **~·ly** *ad.* **~·ness** *n.*
ad·e·qua·cy [ǽdikwəsi] *n.* (*pl.* **-cies**) Ⓤ 적절, 타당성 ▷ ádequate *a.*
‡ad·e·quate [ǽdikwət] [L 「동등하게 하다」의 뜻에서] *a.* **1** (어떤 목적에) **충분한,** 〈양이〉 알맞은 《*for, to*》(⇨ enough 유의어): an ~ supply of food 식량의 충분한 공급 // (~+*to* do) a salary ~ *to* support a family 가족을 부양할 만한 급료 **2** Ⓟ 〈사람이〉 (…에) **알맞은,** 어울리는, 적당한, 적임의 《*to, for*》: She isn't ~ *for* the task. 그녀는 그 일에 적임이 아니다. **3** 겨우 합격할 만한, 그만하면 괜찮은, 그만그만한: (only) an ~ performance 그만그만한 연기 **4** 〖법〗 (소송 제기에) 충분한: ~ grounds (소송 제기에) 충분한 근거 **~·ly** *ad.* 충분히, 적절히; 그만그만하게, 평범하게 **~·ness** *n.* ▷ ádequacy *n.*
à deux [ɑː-dɔ́ː] [F = for two] *ad., a.* 둘이서, 2인용의, 둘 만으로[의]
ad ex·tre·mum [æd-ekstríːməm] [L = to the extreme] *ad.* 극단적으로; 결국, 마침내
ADF Asian Development Fund 아시아 개발 기금; automatic direction finder 〖항공〗 자동 방향 탐지기
ad fin. *ad finem*
ad fi·nem [æd-fáinem] [L = toward the end] *ad.* 최후까지, 최후로
ad·freeze [ædfríːz] *vt.* (**-froze**; **-fro·zen**) 빙결력(氷結力)으로 고정[고착]시키다
ADH antidiuretic hormone **ADHD** attention deficit hyperactivity disorder
‡ad·here [ædhíər, əd-] *vi.* **1** (두 면이 단단히 서로) **들러붙다,** 접착하다, 부착하다 《*to*》: (~+전+명) Wax ~*d to* the finger. 초가 손가락에 묻었다. **2** (주의·신념·의견에) 충실하다, 신봉하다 《*to*》: (~+전+명) ~ *to* a creed 주의를 신봉하다 / existing network equipment that does not ~ *to* the required standards 필요 기준에 맞지 않는 현재의 네트워크 장비 **3** (계획·약속 등에) 집착하다, 고수하다, 고집하다 《*to*》: ~ *to* neutrality 중립을 지키다 **—** *vt.* 〈물건을〉 (…에) 부착시키다 《*to*》
ad·hér·a·ble *a.* **ad·hér·er** *n.*
▷ adhérence, adhésion *n.*; adhérent, adhésive *a.*
ad·her·ence [ædhíərəns, əd-] *n.* Ⓤ **1** 고수, 집착; 충성, 지지 《*to*》 **2** = ADHESION 1
ad·her·end [ædhíərənd, əd-] *n.* 〖화학〗 부착[점착, 접착, 밀착]물, 접착면
***ad·her·ent** [ædhíərənt, əd-] *a.* **1 점착성의,** 부착력 있는, 부착하는 《*to*》; (…에) 집착한 《*to*》; 〖식물〗 착생(着生)의 **2** (…에) 묶여 있는, (조약·협정 등에) 가맹한, 가입한 《*to*》 **3** 〖문법〗 〈형용사가〉 접착성의 《명사 앞에서 명사를 수식하는》
— *n.* 자기편, 지지자; 당원; 신봉자 《*of, to*》; [*pl.*] 여당: gain[win] ~*s* 지지자를 얻다 **~·ly** *ad.*
▷ adhére *v.*
ad·he·sion [ædhíːʒən, əd-] *n.* Ⓤ **1** 부착, 점착(력), 들러붙음 **2** ⓊⒸ 〖병리〗 유착; 〖화학〗 응착(력); 〖식물〗 착생; Ⓒ 유착 장소 **3** = ADHERENCE 1
give in one'***s*** **~** ***to*** the treaty (조약) 가맹을 통고하다 **~·al** *a.*
▷ adhére *v.*; adhérent, adhésive *a.*; adhérence *n.*
ad·he·sive [ædhíːsiv, əd-, -ziv] *a.* 점착성의, 끈끈한; 잘 들러붙는(sticky): an ~ envelope 풀칠이 되어 있는 봉투
— *n.* 점착성이 있는 것, 끈끈한 것; 접착제, 접착 테이프, 반창고 **~·ly** *ad.* 끈끈하게 **~·ness** *n.*
adhésive bàndage 거즈가 붙은 반창고

thesaurus **adequate** *a.* **1** 충분한 sufficient, enough, ample, satisfactory **2** 그만하면 괜찮은 passable, acceptable, tolerable, fair, so-so, average
adherent *n.* supporter, follower, upholder

adhésive bínding 〖제본〗 = PERFECT BINDING
adhésive plàster 반창고 《특히 폭이 넓은 것》
adhésive tàpe 접착 테이프; 반창고
ad·hib·it [ædhíbit, əd-] *vt.* **1** 〈사람·물건을〉 들이다, 받아들이다 **2** 〈약·요법 등을〉 쓰다, 바르다, 붙이다
ad·hi·bi·tion [ædhibíʃən] *n.*
ad hoc [æd-hák | -hɔ́k] [L = for this] *a., ad.* 특별한[히], 특별한 목적을 위한[위하여], 임시변통[임기응변]의[으로]: an ~ election[commition] 특별 선거[위원회]
ad-hoc·(k)er·y [ædhákəri | -hɔ́k-] *n.* (속어) 임기응변의 정책[결정]
ad-hoc·ra·cy [ædhákrəsi | -hɔ́k-] *n.* UC (속어) 임기응변의 유연한 정치 조직 (운영); (임시의) 특별 기구[조직]
ad ho·mi·nem [æd-hámənəm | -hɔ́-] [L = to the man] *a., ad.* 대인적(對人的)인[으로]; (이성보다) 감정·편견에 호소하는[하여]; 인신공격적인[으로서]
ADI acceptable daily intake (유해 물질의) 1일 허용 섭취량; approved driving instructor
ad·i·a·bat [ǽdiəbæ̀t] *n.* 〖물리〗 단열(곡)선
ad·i·a·bat·ic [æ̀diəbǽtik, eidàiə-] *a.* 〖물리〗 단열적(斷熱的)인, 단열의 **-i·cal·ly** *ad.*
adiabátic cúrve 〖물리〗 단열 곡선
adiabátic prócess 〖물리〗 단열 과정
ad·i·an·tum [æ̀diǽntəm] *n.* 〖식물〗 공작고사리속(屬)(maidenhair)
ad·i·aph·o·re·sis [æ̀diæ̀fəríːsis] *n.* 〖의학〗 무한(無汗)(증)
ad·i·aph·or·ism [æ̀diǽfərìzm] *n.* (성서에서 자유 재량에 맡겨져 있는 행위·신조에 대한) 관용적인 태도; 무관심주의 **-o·rist** *n.* **àd·i·àph·o·rís·tic** *a.*
ad·i·aph·o·rous [æ̀diǽfərəs] *a.* 〈약 등이〉 무해 무익한, 독도 약도 되지 않는
Adi·das [ədíːdəz] *n.* 아디다스 《독일의 스포츠 용품 제조 회사(의 상품); 상표명》
***a·dieu** [ədjúː | ədjúː] [F = to God] *int.* 안녕, 잘 가시오[계시오](good-by(e))
— *n.* (*pl.* **~s, ~x** [-z]) (문어) 작별 (인사), 고별 (farewell) ***bid ~ to*** = ***make***[***take***] one***'s ~ to*** …에게 작별을 고하다
ad inf. ad infinitum
ad i·n·fi·ni·tum [æd-ìnfənáitəm] [L = to infinity] *ad.* 무한히, 영구히
ad init. *ad initium*
ad ini·ti·um [æ̀d-iníʃiəm] [L = at the beginning] *ad.* 최초에, 처음에
ad int. ad interim
ad in·te·rim [æd-íntərim] [L = for the time between] *ad., a.* 중간에[의], 그동안에[의], 임시로[의]: an ~ report 중간 보고
ad·i·os [æ̀dióus, ɑ̀ːdi-] [Sp. = to God] *int.* 안녕, 안녕히 가시오[계시오](adieu)
adip-, adipo- [æ̀dəpou, -pə] 《연결형》 「지방, 지방 조직」의 뜻
ad·i·po·cere [ǽdəpousìər | ⌐-⌐] *n.* U 〖생리〗 시랍(屍蠟), 사체 지방(死體脂肪)
ad·i·po·cyte [ǽdəpousàit] *n.* = FAT CELL
ad·i·pose [ǽdəpòus] *a.* 지방(질)의, 지방이 많은 (fatty) — *n.* U (동물성) 지방 **~·ness** *n.*
ádipose fín (물고기의) 기름 지느러미
ádipose tìssue 〖동물〗 지방 조직
ad·i·po·sis [æ̀dəpóusis] *n.* (*pl.* **-ses** [-siːz]) 〖병리〗 = ADIPOSITY
ad·i·pos·i·ty [æ̀dəpásəti | -pɔ́s-] *n.* U 〖병리〗 지방 과다(증); 비만(증)

---

adjacent *a.* adjoining, neighboring, next door, abutting, near, bordering, alongside
adjourn *v.* **1** 연기하다 suspend, postpone, put off, defer, delay **2** 휴회하다 break, discontinue, pause

Ad·i·ron·dack [æ̀dərándæk | -rɔ́n-] *n.* (*pl.* **~, ~s**) **1** [the ~(s)] 애디론댁 족; 애디론댁 족의 사람 **2** [the ~s] = ADIRONDACK MOUNTAINS
Adiróndack Móuntains [the ~] 애디론댁 산맥 《미국 애팔래치아 산맥의 일부》
ADIS automatic data interchange system
ad·it [ǽdit] *n.* 입구(entrance); (광산의) 횡갱(橫坑)도(cf. PIT[1] 3); 접근 ***have free ~*** 출입이 자유이다
ad·i·to·ri·al [æ̀ditɔ́ːriəl] [*ad*vertisement+edi*torial*] *n.* 논설형 광고 《상품이 아닌 주장을 선전하는》
ADIZ Air Defense Identification Zone 〖군사〗 방공(防空) 식별권 **adj.** adjective; adjunct; adjustment **Adj.** Adjutant
ad·ja·cen·cy [ədʒéisnsi] *n.* (*pl.* **-cies**) **1** U 인접, 이웃 《*of*》 **2** [보통 *pl.*] 인접지, 근방; 〖방송〗 (어떤 프로그램의) 직전[직후]의 프로그램
***ad·ja·cent** [ədʒéisnt] [L 「가까이에 가로놓이다」의 뜻에서] *a.* **1** 이웃의, 인접한, 부근의, 가까이 있는 《*to*》: ~ houses 서로 이웃한 집들 / a park ~ *to* the castle 성에 인접한 공원 **2** 직전의, 직후의: a map on an ~ page 다음 페이지의 지도 **3** 〖기하〗 〈2개의 각이〉 인접한 **~·ly** *ad.*
▷ adjácency *n.*
adjácent ángles 〖수학〗 이웃각, 인접각
adjácent domáin 〖컴퓨터〗 인접 도메인
ad·ject [ədʒékt] *vt.* [L] …을 보태다, 덧붙이다
ad·jec·ti·val [æ̀dʒiktáivəl] *a.* 형용사의, 형용사적인; 형용사가 많은 〈문체〉 — *n.* 형용사 상당 어구 **~·ly** *ad.*
****ad·jec·tive** [ǽdʒiktiv] [L 「(명사에) 덧붙여진」의 뜻에서] *n.* 〖문법〗 형용사
— *a.* **1** 〖문법〗 형용사의[적인]: an ~ phrase [clause] 형용사구[절] **2** 부수적[종속적]인; 〖법〗 (소송) 절차에 관한 **~·ly** *ad.* ▷ adjectíval *a.*
ádjective láw 〖법〗 부속법, 절차법
****ad·join** [ədʒɔ́in] *vt.* **1** …에 인접하다: Canada ~*s* the U.S. 캐나다는 미국과 서로 접해 있다. **2** …을 (…에) 접합하다, 연결하다
— *vi.* 〈두 가지가〉 서로 인접하다
****ad·join·ing** [ədʒɔ́iniŋ] *a.* 서로 접한, 옆의; 부근의: ~ rooms 서로 붙은 방 / two ~ houses 접해 있는 두 집
ad·joint [ǽdʒɔint] *n.* 〖수학〗 수반(隨伴) 행렬
****ad·journ** [ədʒə́ːrn] [L 「(일정한) 날로 (옮기다)」의 뜻에서] *vt.* **1** 〈회의 등을〉 연기하다: ~ a meeting 회의를 연기하다 // (~+목+전+명) The hearing was ~*ed for* a week[*until* the following day]. 청문회는 1주일 동안[다음 날까지] 연기되었다. **2** 〈회의 등을〉 (일시) 휴회[산회]하다: ~ the court 공판을 휴정하다
— *vi.* **1** 회의를 연기하다; 정회[휴회, 산회]하다: ~ without day[sine die] 무기 연기하다 **2** 회의장을 옮기다 《*to*》; (구어) 자리를 옮기다 《*to*》: (~+전+명) Let's ~ *to* the hall. 홀로 자리를 옮깁시다.
~·ment *n.* UC 연기; 회의 연기, 산회, 휴회(기간)
Adjt. (Gen.) Adjutant (General)
ad·judge [ədʒʌ́dʒ] *vt.* (문어) **1** 〈법원이〉 (…으로) 판결하다, 결정[재결]하다; 〈…에게 …을〉 선고하다 (pronounce): (~+목+(***to be***) 보) (~+***that*** 절) ~ a person (*to be*) guilty = ~ *that* he is guilty …을 유죄로 판결하다 / The will was ~*d* (*to be*) void[valid]. = They ~*d that* the will was void [valid]. 유언은 무효[유효]의 재결을 받았다. / She was ~*d* (*to be*) insane. 그녀는 정신 이상이라는 선고를 받았다. // (~+목+***to*** do) The kidnapper was ~*d* *to* die. 유괴범에게 사형이 선고되었다. **2** 〈소송에〉 판결을 내리다, 〈사건을〉 판결하다, 재판하다 **3** 판단하다, 간주하다(consider): (~+목+보) It was ~*d* wise to take small risks. 큰 모험을 하지 않는 편이 현명한 것으로 생각되었다. **4** 〈법률의 결정으로 정당한 소유자에게 재산 등을〉 주다; 〈심사하여 상 등

을〉 수여하다(award) ((*to*)): ((~+목+전+명)) The prize was ~*d to* him. 상[상금]은 그에게 수여되었다.

ad·judg(e)·ment [ədʒʌ́dʒmənt] *n.* 판결, 선고; 심판, 판정; (심사한 뒤의) 수여, 수상

ad·ju·di·cate [ədʒú:dikèit] *vt.* **1** 〈법관·법정이〉 〈소송에〉 판결을 내리다; 재정(裁定)을 내리다 **2** 〈사람을〉 (…으로) 판결[재결, 선고]하다: ((~+목+*to be* 보)) The court ~*d* him (*to be*) guilty[bankrupt]. 법정은 그에게 유죄[파산]를 선고했다.
— *vi.* (콘테스트 등에서) 심사원 노릇을 하다; (사건 등에) 판결을 내리다 ((*on, upon*)): ((~+전+명)) He ~*d upon* the case of murder. 그가 그 살인 사건을 재판했다. **-ca·to·ry** [-kətɔ̀:ri | -təri] *a.* **-cà·tor** *n.*

ad·ju·di·ca·tion [ədʒù:dikéiʃən] *n.* **1** Ⓤ 판결, 재결, 선고; 재정 **2** ⓊⒸ 〖법〗 파산 선고

ad·ju·di·ca·tive [ədʒú:dikèitiv, -kə-] *a.* 판결의

***ad·junct** [ǽdʒʌŋkt] *n.* **1** 부가물, 부속물 ((*to, of*)) **2** (직무 등의) 조수, 보좌역; = ADJUNCT PROFESSOR **3** 〖문법〗 부가어(구), 부속[수식]어(구); Ⓤ 〖논리〗 첨성(添性), 부속성
— *a.* 종속[수반]하는; 보좌의 **~·ly** *ad.*
▷ adjúnction *n.*; adjúnctive *a.*

ad·junc·tion [ədʒʌ́ŋkʃən] *n.* ⓊⒸ 부가, 부속, 첨가; 〖수학〗 첨가

ad·junc·tive [ədʒʌ́ŋktiv] *a.* 부속의 **~·ly** *ad.*

ádjunct proféssor ((미)) 비상근[외래] 교수; (일부 대학의) 부교수(associate professor)

ad·ju·ra·tion [æ̀dʒuəréiʃən] *n.* ⓊⒸ 서원(誓願), 간청; 엄명, 권고

ad·jur·a·to·ry [ədʒúərətɔ̀:ri | -təri] *a.* 엄명의[적인]; 간청의[적인]

ad·jure [ədʒúər] *vt.* ((문어)) **1** 엄명하다 **2** 간청하다 (entreat): ((~+목+*to* do)) ~ a person in Heaven's name[by all that is holy] *to* do 하느님[거룩한 것]의 이름으로 …하도록 …에게 간청하다 ★ ABJURE와는 다른 말. **ad·júr·er, ad·jú·ror** *n.*

‡**ad·just** [ədʒʌ́st] [L 「바르게 하다」의 뜻에서] *vt.* **1** 조절하다, 적합하게 하다, 맞추다 ((*to*))(⇨ adapt 유의어): ((~+목+전+명)) ~ expenses *to* income 지출을 수입에 맞추어 조절하다 **2** 〈기계를〉 조정하다, 정비하다; 〈옷차림을〉 바로[단정히] 하다: ~ a radio (dial) 라디오(의 다이얼)을 맞추다 / ~ one's appearance 몸차림을 바로 하다 / ~ one's tie in a mirror 거울을 보며 넥타이를 바로 하다 **3** 〈의견·분쟁 등을〉 조정하다: ~ our differences 우리의 차이점을 조정하다 **4** [~ one*self* 로] (환경 등에) 순응하다 ((*to*)) **5** 〖보험〗 〈보험금 청구·손해의〉 지불액을 결정하다; 〈가격을〉 조정하다 **6** 조직화하다
— *vi.* **1** 〈기계가〉 조정되다 **2** (…에) 순응하다 ((*to*))
▷ adjústment *n.*

ad·just·a·ble [ədʒʌ́stəbl] *a.* 조정[조절, 순응]할 수 있는 **ad·jùst·a·bíl·i·ty** *n.* **-bly** *ad.*

ad·júst·a·ble-rate mórtgage [-rèit-] 변동 금리 저당 대출 ((略 ARM))

adjústable spánner ((영)) = MONKEY WRENCH

adjùstable wrénch ((미)) 조절 가능 스패너

ad·just·ed [ədʒʌ́stid] *a.* **1** 조절[조정]된; 보정(補正)된 **2** 적응[순응]한

adjústed gróss íncome (필요 경비를 뺀) 조정 후 총소득 ((略 AGI))

ad·just·er, ad·jus·tor [ədʒʌ́stər] *n.* **1** 조정자; 조절 장치 **2** 〖해상보험〗 (해손(海損)의) 정산인; 손해 사정인 **3** [보통 **adjustor**] 〖생리〗 조절 기관

ad·jus·tive [ədʒʌ́stiv] *a.* 조절[조정](용)의

‡**ad·just·ment** [ədʒʌ́stmənt] *n.* ⓊⒸ **1** 조정(調整), 조절; 수정; 〖해상보험〗 정산(서); (기계 등의) 조절 장치; 적응, 순응 **2** (쟁의 등의) 조정(調停)

adjústment cénter ((미)) (교도소의 난폭한 죄수·정신 이상자의) 교정(矯正) 센터

ad·ju·tage [ǽdʒutidʒ, ədʒú:-] *n.* (분수 등의) 분수구(口), 방수관(放水管), 노즐

ad·ju·tan·cy [ǽdʒutənsi] *n.* (*pl.* **-cies**) Ⓤ 부관의 직[지위]

ad·ju·tant [ǽdʒutənt] *n.* **1** 〖군사〗 (부대장의) 부관(副官)(cf. AIDE-DE-CAMP) **2** 조수(helper) **3** 〖조류〗 = ADJUTANT BIRD — *a.* 보조의

ádjutant bìrd[stòrk, cràne] 〖조류〗 무수리 ((인도산(産) 황새과(科)의 새))

ádjutant géneral (*pl.* **adjutants general**) 〖미군〗 **1** 고급 부관 ((대령·중령)) **2** [the A- G-] 군무(軍務) 국장 ((소장)) **3** (구군(州軍) 부대의) (최)고급 장교

ad·ju·vant [ǽdʒuvənt] *a.* 도움이 되는, 보조의
— *n.* 도움이 되는 것[사람]; 〖약학〗 보조약

ádjuvant thèrapy 〖의학〗 보조 요법

ad·land [ǽdlæ̀nd] *n.* ((익살)) 광고에 나오는 이상적인 가공의 세계; 광고업계

ad·lay, -lai [ǽdlài] *n.* 〖식물〗 율무

Ad·le·ri·an [ædlíəriən] [오스트리아 정신과 의사 Alfred Adler의] *a.* 아들러(설)의
— *n.* 아들러 학설 신봉자

ad·less [ǽdlis] *a.* ((구어)) 광고 없는 〈잡지 등〉

ad·let [ǽdlit] *n.* 작은 광고

ad lib [æd-líb] [L=*ad libitum*] *ad.* 임의로, 즉흥적으로; 무제한으로
— *n.* (*pl.* **ad libs**) 즉흥적인 것[연주, 대사]

ad-lib [ædlíb] ((구어)) *v.* (**~bed**; **~·bing**) *vt.* 즉석에서 만들다, 〈대사·곡을〉 즉흥적으로 지껄이다[노래하다, 연주하다]: ~ a gag 즉흥적으로 익살을 부리다
— *vi.* 즉석에서[즉흥적으로] 하다[연주하다], 즉석 연설을 하다 — *a.* 즉흥적인; 임의의, 무제한의
~·ber *n.* **~·bing** *n.*

ad lib. *ad libitum*

ad lib·i·tum [æd-líbitəm] [L =at pleasure] *ad., a.* 〖음악〗 (연주자의) 임의로[의]

ad li·tem [æd-láitem] [L =for the suit] *ad., a.* 〖법률〗 당해 소송에 관하여[관한]

ad lit·te·ram [æd-lítəræ̀m] [L =to the letter] *ad.* 문자 그대로; 정확히

ad loc. *ad locum*

ad lo·cum [æd-lóukəm] [L =to[at] the place] *ad.* 그 장소로[에서]

adm. administrative; administrator **Adm.** Admiral; Admiralty

ad ma·jo·rem De·i glo·ri·am [ɑ̀:d-mɑ:jɔ́:rem-déii-glɔ́:riɑ̀:m] [L =to the greater glory of God] 신의 크나큰 영광을 위해 ((예수회의 표어))

ad·man [ǽdmæ̀n, -mən] *n.* (*pl.* **-men** [-mèn, -mən]) ((구어)) 광고업자, 광고 선전원

ad·mass [ǽdmæ̀s] *n.* Ⓤ ((영)) 광고에 영향받기 쉬운 사회층, 매스컴 대중; 대중을 사로잡는 매스컴 광고

ad·meas·ure [ædméʒər] *vt.* 〈토지 등을〉 할당하다; 재다, 측정하다(measure) **ad·méas·ur·er** *n.*

ad·meas·ure·ment [ædméʒərmənt] *n.* ⓊⒸ 할당; 측정, 계량; 크기, 치수

Ad·me·tus [ædmí:təs] *n.* 〖그리스신화〗 아드메토스 ((Thessaly의 왕, Alcestis의 남편))

ad·min [ǽdmin] *n.* ((영·구어)) = ADMINISTRATION

admin. administration; administrator

ad·min·i·cle [ædmínikl] *n.* ⓊⒸ 보조(aid), 보조자[물]; 〖법〗 보강 증거

ad·mi·nic·u·lar [æ̀dmənikjulər] *a.* 보조의; 〖법〗 보강의, 보충의

***ad·min·is·ter** [ædmínistər | əd-] *vt.* **1** 〈업무 등을〉 관리하다, 운영하다: ~ financial affairs 재무를 관리[담당]하다 **2** 〈국가·회사·가정 등을〉 다스리다, 통치하다, 관리[처리]하다; 〈법률·규칙 등을〉 시행[집행]하다 ((*to*)): ((~+목+전+명)) ~ justice *to* him 그를 재판하다 **3** 〈종교적 의식·시험 등을〉 실행하다, 실시하

thesaurus **administer** *v.* manage, direct, control, conduct, run, govern, operate, supervise
admirable *a.* worthy, commendable, praisewor-

다 **4** 〈약 등을〉 투여하다, 〈치료를〉 해주다 《*to*》: 《~+목+전+명》 ~ medicine *to* a person …에게 약을 복용시키다[투여하다] **5** 〈처치 등을〉 집행하다; 〈꾸지람을〉 주다; 〈타격 등을〉 주다, 가하다: ~ a rebuke 꾸짖다 // 《~+목+목》 ~ him a box on the ear 그에게 따귀를 한 대 갈기다 // 《~+목+전+명》 ~ a severe blow *to* a person …에게 맹렬한 일격을 가하다 **6** 〈선서를〉 시키다: 《~+목+전+명》 ~ an oath *to* a person …에게 선서시키다

— *vi.* 행정관[관리인, 관재인]이 되다; 공헌하다, 〈사람을〉 돕다, 도움을 주다(be of service) 《*to*》: 《~+전+명》 Health ~*s to* peace of mind. 건강은 마음의 평화를 돕는다.

▷ administrátion *n.*; admínistrative *a.*

ad·mín·is·tered príce [ædmínistərd- | əd-] 〖경제〗 관리 가격

ad·min·is·te·ri·al [ædmìnəstíəriəl | əd-] *a.* = ADMINISTRATIVE

ad·min·is·tra·ble [ædmínəstrəbl | əd-] *a.* 관리[집행]할 수 있는

ad·min·is·trant [ædmínəstrənt | əd-] *a.*, *n.* 관리하는 (사람)

ad·min·is·trate [ædmínəstrèit | əd-] *vt.*, *vi.* = ADMINISTER

‡**ad·min·is·tra·tion** [ædmìnəstréiʃən | əd-] *n.* **1** Ⓤ 경영, 관리, 운영(management); 〖법〗 유산[재산] 관리: letters of ~ 유산 관리장(狀) **2 a** Ⓤ 통치, 행정, 시정: the civil[military] ~ 민정[군정] **b** [종종 the A~] 《미》 정부, 내각(《영》 government); Ⓤ (행정관·관리자 등의) 임기: mandatory ~ 위임 통치 / *the* Kennedy *A*~ 케네디 정부[정권] / ~ senators [witnesses] 정부 측의 상원 의원[증인] **3** [종종 the ~; 집합적] 관리자 측, 경영진; (대학 등의) 본부, 당국; 행정 기관, (행정) 관청, 관리국 **4** 이사회 **5** Ⓤ (법률 등의) 시행, 집행 《*of*》; (종교적 의식·식전 등의) 집행 《*of*》 **6** Ⓤ (약 등의) 투여, 투약 ***the ~ of justice*** 법의 집행 ***the board of ~*** 이사회 **~·al** *a.*

▷ admínister *v.*; admínistrative *a.*

administrátion offícial 정부 고관[당국자]

*****ad·min·is·tra·tive** [ædmínəstrèitiv, -strə- | əd-] *a.* **1** 관리의, 경영상의 **2** 행정상의: ~ ability 행정 수완, 관리[경영] 솜씨 / an ~ district 행정 구역 / ~ readjustments 행정 기구 재조정 **~·ly** *ad.*

admínistrative assístant 이사 보좌관[역]

admínistrative cènter 행정의 중심지 《수도·주도(州都)·도청 소재지》

admínistrative cóunty 《영》 행정상의 주(州)

admínistrative cóurt 행정 재판소[법원]

admínistrative expénse 일반 관리비, 경상비

admínistrative guídance 행정 지도

admínistrative láw 행정법

ad·mín·is·tra·tive-láw jùdge [-lɔ́:-] 《미》 행정법 판사

admínistrative léave 공무 휴양, 휴직

*****ad·min·is·tra·tor** [ædmínəstrèitər | əd-] *n.* **1** 관리자; 이사; 집행자 **2** 행정관, 통치자 **3** 행정[관리] 능력이 있는 사람, 행정가 **4** 〖법〗 재산 관리인

~·shìp *n.* Ⓤ 행정[사무]관 직; 관리[경영]자 직

ad·min·is·tra·trix [ædmìnəstréitriks | əd-] *n.* (*pl.* **-tri·ces** [-trəsì:z], **~·es**) 여자 관리[관재]인

*****ad·mi·ra·ble** [ǽdmərəbl] *a.* **1** 칭찬[감탄]할 만한 (worth admiring) **2** 〈물건이〉 훌륭한, 우수한(excellent) **3** [감탄사적] 좋다, 훌륭해

àd·mi·ra·bíl·i·ty *n.* **~·ness** *n.* **-bly** *ad.*

Ádmirable Críchton [-kráitn] [스코틀랜드의 천재 학자·모험가의 별명에서] [the ~] 《영》 다재다능한 사람

---

thy, laudable, good, honorable, estimable

admire *v.* approve of, respect, appreciate, applaud, compliment (opp. *disapprove, despise*)

*****ad·mi·ral** [ǽdmərəl] [Arab. 「(바다의) 지배자」의 뜻에서] *n.* **1** 해군 대장, 해군 장성, 제독(cf. GENERAL) 《略 Adm., Adml.》 **2** 《영》 어선[상선] 대장 **3** 《고어》 기함(flagship) **4** 〖곤충〗 네발나빗과(科) 나비의 속칭 ***Fleet A~*** 《미》 = ***A~ of the Fleet*** 《영》 해군 원수 (***Full***) ***A~*** 해군 대장 ***Lord High A~*** 《영》 함대 사령 장관 《국왕 칭호의 하나》 ***Rear A~*** 해군 소장(cf. COMMODORE) ***Vice A~*** 해군 중장

▷ ádmiralty *n.*

Àdmiral's Cúp [the ~] 애드미럴스 컵 《영불 해협에서 2년마다 열리는 국제 요트 레이스; 그 우승컵》

ad·mi·ral·ship [ǽdmərəlʃip] *n.* Ⓤ 해군 대장[장성]의 지위[임무]

ad·mi·ral·ty [ǽdmərəlti] *n.* (*pl.* **-ties**) **1** [the A~] 《영》 (전의) 해군 본부(건물) 《1964년에 국방성에 합병됨》 **2** = ADMIRALSHIP **3** 해사법; 《미》 해사 재판소 **4** Ⓤ 《문어》 제해권 ***the Court of A~*** 《영》 해군 재판소 ***the First Lord of the A~*** 《영》 해군 본부 위원회 수석 위원, 해군 대신 《1964년 폐지》 ***the Lords Commissioners of A~*** 《영》 해군 본부 위원회 위원 《1964년 폐지》

Àdmiralty Árch [the ~] 《영》 애드미럴티 아치 《런던의 the Mall에 있는 빅토리아 여왕을 기념한 아치》

Ádmiralty Bòard [the ~] 《영》 해군 본부 위원회

ádmiralty clòth 《영》 (해군 군복용의) 멜턴 복지 (melton)

Ádmiralty Ìslands [the ~] 애드미럴티 제도 《남서 태평양 뉴기니 섬 북방의》

ádmiralty làw = MARITIME LAW

Ádmiralty mìle 《영》 〖항해〗 해리(nautical mile)

‡**ad·mi·ra·tion** [æ̀dməréiʃən] *n.* **1** Ⓤ 감탄, 찬양, 찬탄, 탄복 《*of*, *for*》: I feel ~ *for* his talent. 그의 재주에 탐복한다. **2** [the ~] 찬양[탄복]의 대상 《*of*》 ***in ~ of*** …에 감탄[찬탄]하여 ***note of ~*** 감탄 부호 《!》(exclamation mark) ***stand in ~ before*** = ***be lost in ~ of*** …을 감탄[찬양]해 마지않다 ***struck with ~*** 감탄을 금할 수 없이 ***to ~*** 훌륭하게 ***to the ~ of everybody*** 만인이 탄복한 바로는[할 정도로] ***with ~*** 감탄하여 ▷ admíre *v.*

‡**ad·mire** [ædmáiər, əd- | əd-] *vt.* **1** 감탄하다, 탄복[찬탄]하다(⇨ respect 유의어); 〈여성 등을〉 경애하다, 동경하다, 사모하다: I ~ his impudence. [반어적] 그의 뻔뻔스러움에 감탄하지 않을 수 없다. **2** 탄복하며[황홀하게] 바라보다 **3** 《구어》 (인사말로) 칭찬하다: ~ a person's dog …의 개를 칭찬하다 **4** 《미·방언》 …하고 싶어하다: 《~+**to** do》 I would ~ *to* go there. 나는 거기에 가고 싶다.

— *vi.* 감탄하다 《*at*》: I ~ *at* your performance. 네 연기에 감탄한다. ▷ admirátion *n.*

‡**ad·mir·er** [ædmáiərər, əd- | əd-] *n.* **1** 찬양자, 팬 《*of*》; 숭배자 **2** (여성에 대한) 구애자, 구혼자(suitor)

*****ad·mir·ing** [ædmáiəriŋ, əd- | əd-] *a.* Ⓐ 감탄하는, 찬양하는 **~·ly** *ad.* 감탄하여

ad·mis·si·ble [ædmísəbl, əd- | əd-] *a.* **1** 들어갈 자격이 있는; 〈생각·증거 등이〉 용인될 수 있는 **2** Ⓟ (지위에) 취임할 권리[자격]가 있는 《*to*》

ad·mìs·si·bíl·i·ty *n.* **-bly** *ad.*

‡**ad·mis·sion** [ædmíʃən, əd- | əd-] *n.* **1 a** Ⓤ 들어감을 허락함[받음], 입장; 입학, 입회, 입국 《*to*, *into*》; 들어갈 권리: *A*~ by ticket. 《게시》 입장권 지참자만 입장. / an ~ ticket 입장권 / ~ free 무료 입장 **b** Ⓤ [또는 an ~] 입장료, 입회금(= ~ fee) **2** Ⓤ 승인, 용인; (과오 등 좋지 않은 일을) 자인(하기), 고백, 자백 《*of*》; Ⓒ 승인된 사실

charge ~ 입장료를 받다 ***gain*** [***obtain***] ***~*** 입장을 허락받다 ***give*** a person ***free ~ to*** …을 자유로이 출입시키다, 무료 입장을 허락하다 ***grant ~ to*** a person = ***grant*** a person ***~*** …에게 입장[입회, 입학]을 허가하다 ***make an ~ of*** the fact ***to*** a person (사실)을 …에게 고백하다

▷ admít *v.*; admíssive *a.*

Admíssion Dày ((미)) (주(州)의) 합중국 편입 기념일 ((법정 공휴일))
admíssion fèe 입장료, 입회[입학]금 ((to))
ad·mis·sive [ædmísiv, əd-|əd-] *a.* 입장[입회]의; 입장[입회]시키는; 용인적인
⁑ad·mit [ædmít, əd-|əd-] *v.* (~·**ted**; ~·**ting**)

L「들어오게 하다」의 뜻에서
→(사물·장소가) 들이다, 수용하다 **1, 2**
→인정하다 **3**

— *vt.* **1** 〈사람·사물이 사람·사물을〉 **들이다, 넣다**(let in)(⇨ receive 유의어); 입장[입학, 입회]을 허락하다: The window was opened, *~ting* fresh air. 신선한 공기가 들어오도록 창문은 열려 있었다. / This ticket *~s* two persons. 이 표로 두 사람이 입장할 수 있다. // ((~+목+전+명)) ~ a student *to*[*into*] the third-year class[((미)) third grade] 학생을 3학년에 편입시키다 / be *~ted to* the bar 변호사의 자격을 얻다 **2** 〈장소가 사람을〉 **수용할 수 있다**(have room for): This hall *~s* 50 persons. 이 홀은 50명을 수용할 수 있다. **3** 〈변명·증거 등을〉 **인정하다**; 허락하다(allow); 〈사람에게〉 (지위·특권 등을) 부여하다, 직무 집행을 허가하다; 〈주장·죄 등을〉 (사실로, 정당하다고) 인정하다; (…을) 승인하다: This, I ~, is true. 이것이 사실임을 인정한다.(하지만…) // ((~+목+***to be*** 보)) He *~s* the charge *to be* groundless. 그는 그 고소가 사실무근임을 인정하고 있다. // ((~+(전+명+) ***that*** 절)) She *~ted* (*to* her employer) *that* she had made a mistake. 그녀는 (고용주에게) 자기가 실수를 한 것을 인정했다. // ((~+***-ing***)) ((~+(***that***) 절)) He *~s* hav*ing* done it himself. = He *~s* (*that*) he did[has done] it himself. 그는 자기가 그것을 했음을 인정하고 있다. ★ admit는 직접 목적어구로 *to*-infinitive를 취하지 않음.
(***While***) ***~ting*** (***that***) …이라는 점은 일단 인정하지만
— *vi.* **1** [사물을 주어로, 보통은 부정문으로] 〈사실 등이 …의〉 **여지가 있다**, 〈…을〉 허용하다 ((*of*)): ((~+전+명)) ~ *of* discussion 논의의 여지가 있다 / This *~s of* no doubt. 이것은 의심할 여지가 없다. **2** …에 들어갈 수단이 되다, …에 이르다[통하다] ((*to*)): ((~+전+명)) This ticket *~s to* the hall. 이 표로 홀에 들어갈 수 있다. **3** (…을) 인정[시인]하다 ((*to*))
~·ter *n.* ▷ admíssion, admíttance *n.*
ad·mit·ta·ble, -ti·ble [ædmítəbl, əd-|əd-] *a.* 용인할 수 있는, 허용할 수 있는; 들어갈 자격이 있는
ad·mit·tance [ædmítns, əd-|əd-] *n.* Ⓤ 입장, 입장 허가 ((*to*)) USAGE admittance는 구체적인 「입장(허가)」의 뜻으로만 쓰며, 「입학」, 「입회」 등의 뜻으로는 admission을 씀(cf. ADMISSION): grant[refuse] a person ~ *to* …에게 …에의 입장을 허락[거절]하다 / gain[get] ~ *to* …에의 입장을 허가받다, …에 입장하다 ***No ~*** (***except on business***). ((게시)) (용무 이외의) 입장 사절[금지].
ad·mit·ted [ædmítid, əd-|əd-] *a.* Ⓐ 공인된: an ~ fact 공공연한[명백한] 사실
ad·mit·ted·ly [ædmítidli, əd-|əd-] *ad.* [종종 문장을 수식하여] 일반적으로[스스로] 인정하는 바와 같이; 틀림없이, 확실히, 명백하게
ad·mit·tee [ædmitíː, ædmítiː] *n.* 입장[입학, 입회]이 허락된 사람
ad·mix [ædmíks, əd-] *vt.* 〈두 가지를〉 혼합하다(mix) ((*with*)) — *vi.* (…와) 혼합되다 ((*with*))
ad·mix·ture [ædmíkstʃər, əd-] *n.* Ⓤ 혼합; Ⓒ 혼합물
Adml. Admiral; Admiralty
∗ad·mon·ish [ædmániʃ, əd-|ədmɔ́-] [L「…에게 경고하다」의 뜻에서] *vt.* ((문어)) **1** (부드럽게) **훈계하다**, 타이르다, 질책하다(reprove); 권고[충고]하다(advise), (…하지 않도록) 주의를 주다 ((*against*)): ~ silence 조용히 하라고 주의를 주다 // ((~+목+***to*** do)) ((~+목+전+명)) ((~+목+***that*** 절)) I *~ed* him not *to* go there. = I *~ed* him *against* going there. = I *~ed* him *that* he should not go there. 나는 그에게 거기에 가지 말도록 충고했다. **2** 〈사람에게〉 (어떤 일을) 깨닫게 하다, 경고하다 ((*of, about*)): ((~+목+전+명)) I *~ed* him *of*[*about*] the danger. 나는 그에게 위험을 경고했다. // ((~+목+***that*** 절)) I *~ed* him *that* it was dangerous. 나는 그에게 위험하다고 경고했다. **~·er** *n.* **~·ing·ly** *ad.* 타이르듯, 충고[경고]하듯 **~·ment** *n.* = ADMONITION
▷ admonítion *n.*; admónitory *a.*
∗ad·mo·ni·tion [ædməníʃən] *n.* ⒸⓊ **훈계**; 질책; 경고; 충고 ▷ admónish *v.*
ad·mon·i·tor [ædmánətər, əd-|ədmɔ́n-] *n.* 훈계[경고, 충고]하는 사람
ad·mon·i·to·ry [ædmánətɔ̀ːri, əd-|ədmɔ́nətəri] *a.* ((문어)) 훈계[권고, 충고]하는, 경고적인
-tó·ri·ly *ad.*
admor. administrator
ad·nate [ǽdneit] *a.* 『생물』 측생(側生)의; 합생(合生)의
ad·na·tion [ædnéiʃən] *n.* 측생; 합생
ad nau·se·am [æd-nɔ́ːziəm, -æ̀m] [L = to nausea] *ad.* 싫증이 나도록, 지겹도록
ad·nex·a [ædnéksə] *n. pl.* 『해부』 부속기(器); 자궁 부속기 **ad·néx·al** *a.*
ad·nom·i·nal [ædnámənl|-nɔ́-] 『문법』 *a.* (명사) 수식어(구)의 ((the new theater의 'new', the house on the corner의 'on the corner' 등))
— *n.* 명사 수식어(구)
ad·noun [ǽdnàun] *n.* 『문법』 ((특히)) 명사적 용법의 형용사 ((the useful, the poor 등의 useful, poor))
∗a·do [ədúː] *n.* Ⓤ [보통 much[more, further] ~로] 야단법석(fuss), 소동; 노고, 고생, 고심(difficulty)
make [***have***] ***much ~*** 떠들어대다 ((*in* do*ing*))
much ~ about nothing 헛소동 ((Shakespeare의 희곡명에서)) ***with much ~*** 크게 법석거리며, 야단법석을 하여, 고심하여 ***without more*** [***further***] ***~*** 그 이상 별 어려움 없이
ado. adagio
a·do·be [ədóubi] *n.* **1** Ⓤ 어도비 벽돌 ((햇볕에 말려서 만듦)); 어도비 벽돌용 점토 **2** 어도비 벽돌 집[담 ((등))] — *a.* Ⓐ 어도비 벽돌의
Adóbe Àcrobat 『컴퓨터』 어도비 애크로뱃 ((Adobe Systems사가 개발한, 호환성 문서 공유 소프트웨어; 상표명))
a·do·bo [ədóubou] *n.* 아도보 ((양념을 한 고기·생선 요리; 필리핀 요리))
ad·o·lesce [ædəlés] [adolescence의 역성(逆成)] *vi.* ((미)) 사춘[청년]기에 이르다; 청년기를 지내다
∗ad·o·les·cence, -cen·cy [ædəlésns(i)] *n.* Ⓤ [또는 an ~] **사춘기** ((12, 13세부터 18세쯤까지)); 청춘기, 청춘(youth)
ad·o·les·cent [ædəlésnt] [L「(어른으로) 성장하다」의 뜻에서] *a.* **1** 사춘[청년]기의, 청춘의 **2** 한창 젊은; ((구어)) 미숙한, 불안정한
— *n.* 사춘기의 사람, 젊은이(cf. CHILD, ADULT)
~·ly *ad.*
adoléscent crìsis 사춘기의 위기
Ad·olf [ǽdɑlf, éi-|-dɔlf] *n.* 남자 이름
A·dol·phus [ədálfəs|ədɔ́l-] *n.* 남자 이름
A·do·nai [ɑ̀ːdounái|æ̀dɔnái, -néiai], **A·do·noy** [ɑ̀ːdounɔ́i] [Heb.] *n.* 하느님, 주(主)
A·don·ic [ədánik|ədóu-] *a.* **1** 『운율』 (고전시에서)

thesaurus **admit** *v.* **1** 들이다 let in, allow[permit] entry to, give access to (opp. *exclude*) **2** 인정하다 acknowledge, confess, reveal, make known, disclose, concede, accept (opp. *deny*)
admonish *v.* **1** 꾸짖다 reprimand, rebuke, scold, reprove, upbraid, censure **2** 충고하다 advise,

아도니스 시격의 **2** Adonis의[같은], 미모의, 수려한 **—** *n.* 〖운율〗 아도니스격의 시[시행]

A·do·nis [ədánis, ədóu- | ədóu-] *n.* **1** 〖그리스신화〗 아도니스 《여신 Aphrodite가 사랑한 미소년》 **2** [종종 **a~**] 미소년, 미청년 **3** [**a~**] 〖식물〗 복수초

Adónis blúe 〖곤충〗 부전나비의 일종

ad·o·nize [ǽdənàiz] *vt., vi.* 멋부리(게 하)다: ~ oneself 〈남자가〉 멋부리다

‡**a·dopt** [ədápt | ədɔ́pt] [L 「스스로 선택하다」의 뜻에서] *vt.* **1** 〈사상·이론·방법·의견·정책 등을〉 **채용[채택]하다**(take up), 고르다(choose); (자기의 것으로서) 받아들이다; 〈외국어 등을〉 차용하다: ~ a method 한 방법을 택하다 // (~+목+전+명) ~ a word *from* German 독일어에서 단어를 차용하다 **2** **양자[양녀]로 삼다,** 입양하다 《*as*》; (상속인·친구·시민)으로 받아들이다 《*into*》: Tim was ~*ed* when he was two. 팀은 두 살 때 입양되었다. // (~+목+전+명) ~ a child *as* one's heir 아이를 상속자로서 양자 삼다 / ~ a person *into* a family …을 가족의 일원으로 삼다 **3** 〈이름·태도 등을〉 취하다, 선택하다 **4** 〈의회 등에서 의안·보고 등을〉 **채택하다,** 가결하다; 《영》 〈정당이 후보자를〉 지명하다, 공인하다; 〈교과서 등을〉 채택하다: ~ a constitutional amendment 헌법 수정안을 채택하다

~ ... out = ***~ out ...*** (미) 〈아이를〉 양자로 보내다

▷ adóption *n.*; adóptive *a.*

a·dopt·a·ble [ədáptəbl | ədɔ́p-] *a.* 양자로 삼을 수 있는; 채택할 수 있는 **a·dòpt·a·bíl·i·ty** *n.*

a·dopt·ed [ədáptid | ədɔ́p-] *a.* Ⓐ **1** 양자가 된; 채택된: my ~ son[daughter] 나의 양자[양녀] / ~ words 차용어 **2** 귀화한 **~·ly** *ad.* 양자 결연으로

a·dopt·ee [ədaptí:, ǽdap- | ədɔp-] *n.* 양자

a·dopt·er [ədáptər | ədɔ́p-] *n.* 채용[채택]자; 양부모

*__a·dop·tion__ [ədápʃən | ədɔ́p-] *n.* ⓊⒸ **1** **채택,** 채용 《*of*》; (외국어의) 차용: the ~ of new technology 새로운 기술의 채용 **2** **양자 결연** **3** 《영》 (후보자의) 지명 ***put*** a person ***up for ~*** …을 입양시키다 **~·al** *a.* ▷ adópt *v.*; adóptive *a.*

a·dop·tion·ism [ədápʃənìzm | ədɔ́p-] *n.* Ⓤ 〖신학〗 양자론(養子論) 《예수는 본래 보통 인간이었으나 성령으로 신의 아들이 됐다는 주장》 **-ist** *n.*

a·dop·tive [ədáptiv | ədɔ́p-] *a.* Ⓐ 채용의; 양자 관계의: an ~ son[mother] 양자[양모] **~·ly** *ad.*

adóptive immúnity 〖의학〗 양자 면역 《감작(感作) 임파구를 이입하여 얻는 면역》

adóptive prégnancy 〖의학〗 양자 임신 《수정란을 다른 수용자의 자궁으로 이식한 임신》

a·dor·a·ble [ədɔ́:rəbl] *a.* **1** 숭앙[숭배]할 만한 **2** 《구어》 홀딱 반할 만한, 귀여운(charming) 《주로 여성이 씀》 **~·ness** *n.* **a·dòr·a·bíl·i·ty** *n.* **-bly** *ad.*

ad·o·ra·tion [ǽdəréiʃən] *n.* **1 a** Ⓤ (신에 대한) 숭배, 숭앙 **b** [the A~] (아기 예수에 대한) 예배; 그 그림[성화] **2** Ⓤ 동경, 사모, 열애 《*for*》

‡**a·dore** [ədɔ́:r] [L 「기도로 말하다」의 뜻에서] *vt.* **1** 〈하느님을〉 **숭배하다,** 받들다 **2** 〈사람을〉 숭배하다, 애모하다, 열애하다; 〈사람을 신으로서〉 숭앙하다, 흠모하다(⇨ worship 유의어) **3** 《구어》 아주 좋아하다: I ~ baseball. 나는 야구를 매우 좋아한다. // (~+*-ing*) I ~ swim*ming*. 나는 수영을 매우 좋아한다.

— *vi.* 숭배하다, 받들다

▷ adorátion *n.*

a·dor·er [ədɔ́:rər] *n.* 숭배자; 열렬하게 애모하는 사람

a·dor·ing [ədɔ́:riŋ] *a.* 숭배[경모]하는; 경배할 만한; 홀딱 반한 **~·ly** *ad.*

---

urge, caution, warn, counsel, exhort

adolescent *a.* **1** 청년기의 teenage, youthful, pubescent **2** 미숙한 immature, juvenile, childish

adore *v.* worship, glorify, praise, revere, exalt

adorn *v.* decorate, embellish, ornament, trim, enhance, beautify, enrich, bedeck, emblazon

‡**a·dorn** [ədɔ́:rn] [L 「…에 장비하다」의 뜻에서] *vt.* **1** 〈사람·사물을〉 **꾸미다,** 장식하다(⇨ decorate 유의어), 〈…을〉 (…로) 꾸미다 《*with*》: (~+목+전+명) ~ oneself *with* jewels 보석으로 치장하다 **2** 〈…의〉 아름다움을 돋보이게 하다 **~·er** *n.* **~·ing·ly** *ad.*

▷ adórnment *n.*

a·dorn·ment [ədɔ́:rnmənt] *n.* **1** Ⓤ 꾸미기, 장식(decoration) **2** 장식품: personal ~*s* 장신구

a·down [ədáun] *ad., prep.* 《고어·시》 = DOWN[1]

ADP 〖생화학〗 adenosine diphosphate; automatic data processing; 〖컴퓨터〗 자동 정보 처리

ad pa·tres [æd-péitri:z | -pá:t-] [L = to his fathers] *a., ad.* 조상 곁으로, 죽은

ad·per·son [ǽdpə̀:rsn] *n.* 광고업자

ad quem [æd-kwém] [L = to[at] which] *ad.* 거기로, 거기에 **—** *n.* 종착점

ADR American Depository Receipt 미국 예탁 증권

ad·rate [-rèit] *n.* 광고료

ad ref·er·en·dum [æd-rèfəréndəm] [L = for reference] *a., ad.* 더 고려[검토]해야 할, 잠정적인[으로]

ad rem [-rém] [L = to the point] *ad., a.* 문제의 본질을 찔러[찌른], 요령 있게[있는], 적절히[한]

adren- [ədrí:n, -rén], **adreno-** [ədrí:nou, -ré-] 《연결형》 「부신 (호르몬), 아드레날린」의 뜻

ad·re·nal [ədrí:nl] 〖해부〗 *a.* **1** 신장 부근의 **2** 부신(副腎)의 **—** *n.* = ADRENAL GLAND **~·ly** *ad.*

adrénal córtex 〖해부〗 부신 피질

adrénal glànd 〖해부〗 부신 《내분비 기관의 하나》

A·dren·al·in [ədrénəlin] *n.* 아드레날린제 《상표명》

a·dren·a·line [ədrénəlin, -lì:n] *n.* **1** Ⓤ 〖생화학〗 아드레날린(epinephrine) 《부신 호르몬의 하나》 **2** 흥분시키는 것 ***get the ~ going*** 《구어》 (아드레날린을 분비시킬 만큼) 흥분시키다

a·dren·a·line-charged [-tʃà:rdʒd] *a.* 〈경기·영화 등이〉 몹시 흥분시키는[자극적인], 크게 놀라게 하는

adrénal insuffíciency = ADDISON'S DISEASE

ad·re·nal·ize [ədrí:nəlàiz] *vt.* 흥분시키다, 자극하다(excite)

adrénal medúlla 〖해부〗 부신 수질

ad·ren·er·gic [ǽdrənə́:rdʒik] *a.* 아드레날린 작용의 **—** *n.* 아드레날린 작용성 약물

ad·re·no·cor·ti·cal [ədrì:noukɔ́:rtikəl] *a.* 부신 피질의, 부신 피질로부터의

ad·re·no·cor·ti·co·ste·roid [ədrì:noukɔ̀:rti-koustíroid] *n.* 〖생화학〗 부신 피질 스테로이드

ad·re·no·cor·ti·co·troph·ic [ədrì:noukɔ̀:rti-koutráfik | -trɔ́-], **-trop·ic** [-pik] *a.* 〖생화학〗 부신 피질을 자극하는

adrènocorticotróphic hórmone 〖생화학〗 부신 피질 자극 호르몬

a·dret [ædréi] *n.* (산의) 양지 바른 비탈

A·dri·a·my·cin [èidriəmáisin] *n.* 〖약학〗 아드리아마이신 《암 치료에 사용되는 항생 물질; 상표명》

A·dri·an [éidriən] *n.* 남자 이름

A·dri·at·ic [èidriǽtik, æ̀d-] *a.* 아드리아 해의 **—** *n.* [the ~] 아드리아 해(= **~ Séa**) 《이탈리아와 발칸 반도 사이》

a·drift [ədríft] *ad., a.* Ⓟ **1** 〈배가〉 표류하여, 떠돌고; 〈목표가〉 정처 없이[없는]; 〈방향을〉 알 수 없어 **2** 〈사람이 정처 없이〉 떠돌아, 방황하여; 어찌할 바를 몰라; 〈사물이〉 풀리어, 벗어나; 《영》 〈선수·팀이〉 리드당하여, 지고 《*of*》

come ~ 벗겨지다, 떨어지다 《*from*》 ***cut ~*** 〈배를〉 표류시키다; 헤어지게 하다; …와 교제[연분]를 끊다 《*from*》 ***get ~*** 〈배가〉 떠내려 가다 ***go ~*** 표류하다; (주제에서) 탈선하다 《*from*》; 《구어》 〈물건이 …에서〉 없어지다, 도난당하다 《*from*》; 《구어》 〈수병 등이 허가 없이〉 배를 떠나다 ***set*** [***cast***] ***~*** [종종 수동형으로] 〈배를〉 표류시키다 ***turn*** a person ***~*** …을 내쫓다, 해고하다

a·droit [ədrɔ́it] [F「오른쪽에, 똑바로」의 뜻에서] *a.* 교묘한, 손재주가 있는(dexterous); 기민한, 재치 있는(clever) 《*at, in*》 **~·ly** *ad.* **~·ness** *n.*
a·dry [ədrái] *a.* 마른, 목마른
ADS American Dialect Society 미국 방언 학회
ads. advertisements **a.d.s.** autograph document, signed 〖출판〗 서명 있는 자필문서
ad·sci·ti·tious [ӕdsitíʃəs] *a.* **1** 밖에서 추가된, 외래의, 고유의 것이 아닌 **2** 보충의, 부가적인
ad·script [ǽdskript] *a.* **1** 〈문자·부호가〉 후에 쓴, 오른쪽에 쓴[인쇄된] **2** 〈농노가〉 토지에 부속된
— *n.* 우에 써넣은 문자[부호]; (토지에 부속된) 농노
ad·scrip·tion [ædskrípʃən] *n.* = ASCRIPTION
ADSL asymmetric digital subscriber line[loop] 〖통신〗 비대칭 디지털 가입자 회선
ad·smith [ǽdsmìθ] *n.* 《구어》 광고 문안 작성자
ad·sorb [ædsɔ́ːrb, -zɔ́ːrb] *vt., vi.* 〖화학〗 흡착(吸着)하다[되다] **~·a·ble** *a.* **~·er** *n.*
ad·sorb·ate [ædsɔ́ːrbət, -zɔ́ːr-] *n.* 〖화학〗 흡착되는 것, 흡착(물)질
ad·sorb·ent [ædsɔ́ːrbənt, -zɔ́ːr-] 〖화학〗 *a.* 흡착성의 — *n.* 흡착제
ad·sorp·tion [ædsɔ́ːrpʃən, -zɔ́ːr-] *n.* Ⓤ 〖화학〗 흡착 (작용)
ad·sorp·tive [ædsɔ́ːrptiv, -zɔ́ːr-] *a.* 〖화학〗 흡착(작용)의, 흡착성의 **~·ly** *ad.*
ad·spend [ǽdspend] *n.* 광고비
ad·sum [ǽdsʌm] [L = I am here] *int.* 네, 예 《호명에 대한 대답》
ADT 〖컴퓨터〗 abstract data type; Atlantic Daylight Time 대서양 지역 서머 타임
ad·ú·ki (bèan) [ədúːki(-)] = ADZUKI BEAN
ad·u·late [ǽdʒulèit] *vt.* 《문어》 아첨하다, 비위 맞추다; 무턱대고 칭찬하다 **-là·tor** *n.*
ad·u·la·tion [ӕdʒuléiʃən] *n.* Ⓤ 아첨, 알랑거림
ad·u·la·to·ry [ǽdʒulətɔ̀ːri | ǽdʒulèitəri] *a.* 아첨하는, 알랑거리는
A·dul·lam·ite [ədʌ́ləmàit] *n.* **1** 〖영국사〗 어덜럼 당원 《영국에서 1886년 선거법 개정안에 반대하여 자유당을 탈당한 의원》 **2** 탈당파 의원
‡**a·dult** [ədʌ́lt, ǽdʌlt] [L「성장한」의 뜻에서] *a.* **1** 어른의, 성인의; 성인용의: an ~ disease 성인병 / ~ movies 성인용 영화 **2** 성장한, 성숙한; 성인이 된(mature): an ~ person 성인 **3** 〈태도 등이〉 어른스러운, 어른다운: ~ behavior 어른스러운 행동
— *n.* **1** 어른, 성인(grown-up); 〖법〗 성년자 **2** (동식물의) 성체(成體), 성충 ***A~s Only.*** 《게시》 미성년자 사절. **~·like** *a.* **~·ly** *ad.* **~·ness** *n.*
adúlt chíld 정신적으로 어른이 안 된 사람
adúlt educátion 성인 교육
a·dul·ter·ant [ədʌ́ltərənt] *n., a.* 혼합물(의), 불순물(의) 《우유에 섞은 물 등》
a·dul·ter·ate [ədʌ́ltərèit] *vt.* **1** 〈식품·약 등에〉 섞음질하다 《*with*》: ~ milk *with* water 우유에 물을 타다 **2** (품)질을 떨어뜨리다
— [-ət, -èit] *a.* **1** 섞음질을 한, 품질을 떨어뜨린, 불량의; 가짜의 **2** 불륜의, 간통한(adulterous)
a·dul·ter·at·ed [ədʌ́ltərèitid] *a.* 섞음질을 한; 불순한, 불량한: ~ drug 불량 약품
a·dul·ter·a·tion [ədʌ̀ltəréiʃən] *n.* Ⓤ 섞음질; Ⓒ 불순품, 저질품
a·dul·ter·a·tor [ədʌ́ltərèitər] *n.* 불순품[저질품] 제조자; 〖법〗 통화 위조자
a·dul·ter·er [ədʌ́ltərər] *n.* 간부(姦夫)
a·dul·ter·ess [ədʌ́ltəris] *n.* 간부(姦婦)
a·dul·ter·ine [ədʌ́ltəriːn, -təràin] *a.* **1** 불순한, 가짜의 **2** 간통의, 간통으로 태어난 **3** 부정한, 불법의
a·dul·ter·ous [ədʌ́ltərəs] *a.* **1** 간통의, 불륜의; 불법의 **2** 섞음질한, 불순한, 가짜의 **~·ly** *ad.*
*__a·dul·ter·y__ [ədʌ́ltəri] *n.* (*pl.* **-ter·ies**) ⓊⒸ **1** 간통, 부정(不貞), 불륜: commit ~ 간통하다 **2** 〖성서〗 간음; 정신적 간음; 우상 숭배
adúlt fántasy 성인용 동화[공상 소설]
a·dult·hood [ədʌ́lthùd, ǽdʌlt-] *n.* Ⓤ 성인[어른]임; 성인기(成人期)
adúlt ónset dìabetes 〖병리〗 성인기 발증형(發症型) 당뇨병
adúlt réspiratory distrèss sỳndrome 〖병리〗 성인 호흡 장애 증후군 《略 ARDS》
adúlt schòol 성인반, 성인 강좌[학교]
adúlt tòoth 영구치(permanent tooth)
ad·um·bral [ædʌ́mbrəl] *a.* 그늘진, 좀 어두운
ad·um·brate [ǽdʌmbrèit] *vt.* 《문어》 **1** …의 윤곽을 나타내다; 〈생각 등을〉 막연히 나타내다 **2** 〈미래를〉 예시하다 **3** 어둡게[그늘지게] 하다
ad·um·bra·tion [ӕdʌmbréiʃən] *n.* ⓊⒸ **1** 희미한 윤곽 묘사, 약화(sketch) **2** 표상(表象); 예시(豫示), 전조 **3** 그늘지게 함, 그늘(shade)
ad·um·bra·tive [ædʌ́mbrətiv] *a.* 윤곽[개략]적인; 예시하는, 암시하는 《*of*》 **~·ly** *ad.*
a·dunc [ədʌ́ŋk], **a·dun·cous** [ədʌ́ŋkəs] *a.* 안쪽으로 굽은, 갈고리 모양으로 굽은(hooked)
Ad·u·rol [ǽdərɔ̀ːl, -ròul] *n.* 아듀롤 《사진 현상약; 상품명》
a·dust [ədʌ́st] *a.* 바싹 탄[마른], 햇볕에 탄
adv. ad valorem; advance; advent; adverb; adverbial(ly); advertisement; advocate
ad val ad valorem
ad va·lo·rem [æd-vəlɔ́ːrəm] [L = according to the value] *a. ad.*, 값에 따르는[따라]: an ~ duty[tax] 종가세(從價稅)
‡**ad·vance** [ædvǽns, əd- | ədvɑ́ːns] *vt.* **1** 나아가게 하다(move forward), 전진시키다, 진격시키다, 진보시키다 《*to*》: ~ the hour hand 시침을 앞으로 돌리다 **2** 진척시키다, 촉진하다(help on): ~ the growth of plants 식물의 생장을 촉진하다 **3** 승진시키다(promote) 《*from* ... *to*》: 〈~+목+전+명〉 He has been ~*d from* lieutenant *to* captain. 그는 중위에서 대위로 승진했다. **4** 〈의견·요구·제의 등을〉 제출하다, 내다(bring forward); 〈신학설 등을〉 창도하다: ~ an opinion 의견을 말하다 / ~ a new theory 새로운 이론을 제시하다 **5** 〈시간·기일을〉 앞당기다; 〈돈을〉 선불하다, 가불하다, 빌려 주다; 〈약조금을〉 치르다: 〈~+목+목〉 ~ a person money on his [her] wages …에게 급료를 가불해 주다 // 〈~+목+전+명〉 ~ money *to* a person …에게 돈을 선불하다 / ~ money *on* a contract 계약금을 치르다 **6** 〈값을〉 올리다(raise) **7** 《구어》 미리 선전하다: ~ a rock singer's personal appearances 록가수 데뷔를 미리 선전하다 **8** 〖음성〗 〈혀를〉 앞으로 내밀다
— *vi.* **1** 나아가다, 전진하다; 〈시간이〉 경과하다, 〈밤·계절이〉 깊어가다; 〈나이를〉 먹다 《*in*》: as the night ~*d* 밤이 깊어짐에 따라 // 〈~+전+명〉 ~ *on*[*upon, against*] an enemy 적을 향해 진격하다 / ~ *in* age [years] 나이를 먹다 **2** 〈지식·연구·출세 등이〉 진보[향상, 숙달]하다, 출세하다 《*in*》: 〈~+전+명〉 ~ *in* knowledge 지식이 향상하다 / ~ *in* one's studies 연구가 진척되다 / ~ *in* life[the world] 출세하다 **3** 승진하다: 〈~+전+명〉 ~ *to* colonel 대령으로 승진하다 / ~ *in* office 승진하다 **4** 〈값이〉 오르다 **5** 〈색이〉 도드라져 보이다 **6** 《미》 (선거) 유세의 선발대를 맡다
— *n.* **1 a** [보통 *sing.*] 전진, 진군 **b** ⓊⒸ (때의) 진행 **c** ⓊⒸ 진보, 향상, 진척, 증진 《*in*》(⇨ progress 유의어): the ~ of science 과학의 진보 **2** [보통 *sing.*] 승급, 승진, 출세 《*in*》 **3** [보통 *pl.*] (남에게) 빌붙음, 접근; (여자에게의) 구애, 접근; (화해·교제 등의) 제의, 신청(approaches) **4** (…의) 가격[요금] 인상, 상승 《*in, on*》: an ~ *on* cottons 면제품의 가격

thesaurus **advantage** *n.* **1** 우위 superiority, dominance, ascendancy, supremacy, power, mastery **2** 이점 benefit, asset, good point, boon,

상승 **5** 선불, 선금, 가불금, 대출금 《*on*》 **6** 〖저널리즘〗 (신문의) 사전(事前)[예정] 기사, (통신사의) 뉴스 정보 **7** 《미》 (선거 유세의) 사전 준비 **8** 〖군사〗 **a** 《미》 선발 부대, 선봉대 **b** 전진 명령 **9** (사람이나 연회·모임 등의) 선전; 선전 요원, 판촉 사원 《*for*》 **10** 〖기계〗 어드밴스 《내연기관에 장치되어진 디스트리뷰터의 점화 시기를 빠르게 한 상태》 **11** 〖지질〗 해퇴(海退) 《해안선이 바다 쪽으로 후퇴하는 것》; 빙하의 전진
in **~** (1) 전방에, 앞에; 선두에 서서 (2) 미리, 선금으로 ***in*** **~** ***of*** …에 앞서서(before); 보다 나아가서[진보하여] ***make*** **~*s*** 〈사람이〉 돈을 대체하다; 제의하다; 환심을 사려 들다; 〈여자〉에게 접근하다, 구애하다 《*to, toward*》 ***on the*** **~** 값이 오르고 있는
— *a.* Ⓐ **1** 전진의, 선발의: an ~ party 선발대 **2** 앞서의, 사전의: an ~ notice 예고, 사전 통고/~ sale 예매/an ~ ticket 예매표/~ sheets 견본쇄, 내용 견본/~ booking 《영》 (호텔·극장 등의) 예약 **3** 선금의, 선불의: an ~ payment 선불금, 선금 **4** 〈기사·뉴스 등이〉 미리 발송된

advánce àgent (흥행 단체 등의) 선발 교섭자, 사전 준비자(《미》 advance man)

advánce cópy (출판사가 보내는) 신간 서적 견본

⁑ad·vanced [ædvǽnst, əd-|ədvɑ́:nst] *a.* **1** 앞쪽에 놓은, 전진한: with one foot ~ 한 발을 앞으로 내밀고/an ~ guard 전방 부대(advance guard) **2 a** 진보한; 진보적인(⇨ progressive 유의어): ~ ideas 진보적 사상 **b** (초급·중급을 지난) 고급의, 고등의, 고도의: an ~ course 고등 과정/~ studies 고등 학술 연구 **3 a** 〈때가〉 많이 경과한; 〈밤이〉 이슥한, 깊어진: The night was far ~. 밤이 이슥하였다. **b** 〈연령이〉 많은, 늙은 《*in*》: an ~ age 고령/He is ~ *in* years. 그분은 고령이시다.

advánced ballístic re-éntry sỳstem 신형 탄도 대기권 재진입 시스템 《略 ABRS》

advánced compátible tèlevision 고화질 텔레비전, ACTV 《지상파 디지털 TV 방송의 규격》

advánced cóuntry 선진국: ~ disease 선진국병 (cf. DEVELOPING COUNTRY)

advánced crédit 《미》 (전입한 대학에서 인정하는) 전(前) 대학의 취득 학점

ad·vánced-de·clíne lìne [-dikláin-] 〖증권〗 (주가) 등락선 《월별 가격 상승주와 하락주의 차; 略 A/D》

advánced degrée (학사 위의) 고급 학위 《석사·박사》

advánced gás-cooled reáctor 《영》 〖원자력〗 개량형 가스 냉각로 《略 AGR》

advánced guárd = ADVANCE GUARD

advánced lével 《영》 〖교육〗 상급 학력 고사 (합격)(A level)

advánced pássenger tràin 《영》 초고속 여객 열차

advánced plácement 《미》 대학 과목 선이수 제도 《우수한 학생이 고등학교에서 대학 과정을 미리 이수하는 것; 略 AP》

advánced stánding **1** (전입생에 대해 대학이 행하는) 타교에서의 이수 과목 단위 승인 **2** = ADVANCED CREDIT

advánce fée 선급금(front money)

advánce guárd **1** 〖군사〗 전위 (부대), 선발대 **2** = AVANT-GARDE

advánce màn 《미》 **1** = ADVANCE AGENT **2** (선거 유세의) 선발대원

***ad·vance·ment** [ədvǽnsmənt|-vɑ́:ns-] *n.* Ⓤ **1** 전진, 진출 **2** 진보, 발달 《*in*》; 증진, 촉진, 진흥 《*of*》: the ~ *of* science 과학의 진흥 **3** 승진, 출세, 향상 《*in*》: ~ *in* life[one's career] 입신출세, 영달 **4** 〖법〗 (상속분의) 선불, 생전 증여분

> 유의어 **advance**는 동사 advance의 자동사적 의미의 명사: the *advance* of learning 학문의 발달 **advancement**는 타동사적 의미의 명사이다: the *advancement* of learning 학문의 진흥

advánce órder 〖상업〗 계절전[예약] 주문

advánce pérson (정치가·고관 등의 여행·공식 행사의 사전 준비를 위한) 선발대원

advánce póll 《캐나다》 부재(자) 투표

ad·vanc·er [ædvǽnsər, əd-|ədvɑ́:ns-] *n.* **1** 전진하는 사람[것] **2** 수사슴 뿔의 두 번째 가지

ad·van·cing [ədvǽnsiŋ|-vɑ́:n-] *a.* **1** 전진하는 **2** 연세가 많은: in spite of one's ~ years 연세가 많음에도 불구하고

⁑ad·van·tage [ædvǽntidʒ|-vɑ́:n-] [L 「…이전의 상태; 우위」의 뜻에서] *n.* **1** Ⓤ 유리(한 입장); (어떤 일을 하는 것에 의한) 이익, 득: be of great[no] ~ to a person …에게 있어서 크게 유리하다[조금도 유리하지 않다] **2** 유리한 점, 강점, 이점 《*of, over*》: the ~*s of* birth, wealth, and good health 가문, 재산, 건강의 여러 이점/a personal ~ 미모/gain [get, win] an ~ *over* a person …보다 유리한 입장이 되다 **3** 〖테니스〗 듀스(deuce) 후의 처음 얻는 1점(vantage)
have all the **~*s*** ***in life*** 좋은 것을 누리다, 특권을 가지다 ***have an***[***the***] **~** ***of***[***over***] …보다 유리하다 ***have the*** **~** ***of*** …이라는 이점이 있다 ***take*** **~** ***of*** (1) 〈좋은 기회·사실〉을 이용하다: *take* ~ *of* market momentum 시장 장악력을 이용하다 (2) 〈무지 등〉을 틈타다, 역이용하다, 속이다; 〈여자〉를 유혹하다 ***take*** a person ***at*** **~** …의 허를 찌르다 ***to*** **~** (1) 유리하게 (2) 한결 낫게 〈보이다, 들리다 등〉, (보다) 효과적으로 ***to*** one***'s*** **~** (…에게) 유리하게 ***to the*** **~** ***of*** …에게 유리하도록 ***turn … to*** **~** …을 이용하다, 유리하게 하다 ***with*** **~** 유리하게, 유효하게 《*to*》
— *vt.* 이롭게 하다(benefit), …에 이익이 되다; 촉진[조장]하다(promote)
▷ advantágeous *a.*

advántage còurt 〖테니스〗 어드밴티지 코트 《어드밴티지 뒤에 서브를 하는 코트》

advantaged [ædvǽntidʒd, əd-|ədvɑ́:n-] *a.* (태생·환경 등에서) 유리한, 혜택받은 〈아이 등〉

advántage gròund = VANTAGE GROUND

***ad·van·ta·geous** [æ̀dvəntéidʒəs] *a.* 유리한(opp. *disadvantageous*); 이로운, 유익한, 편리한 《*to, for*》 **~·ly** *ad.* **~·ness** *n.* ▷ advántage *n.*

advántage rùle [**làw**] 〖럭비·축구〗 어드밴티지 룰 《반칙당한 쪽이 유리하면 경기의 중단 없이 진행하는 규칙》

advántage sèrver 〖테니스〗 어드밴티지 서버 《서브 측의 득점》

ad·vect [ædvékt] *vt.* 〖물리〗 이류(移流)시키다; 기류[해류]로 나르다

ad·vec·tion [ædvékʃən] *n.* 〖물리·기상〗 이류 **-tive** *a.* 이류의, 이류로 생기는

advéction fòg 〖기상〗 이류무(移流霧)

***ad·vent** [ǽdvent, -vənt] [L 「…에 옴」의 뜻에서] *n.* **1** [the ~] (중요한 인물·사건의) 출현, 도래 《*of*》 **2** [**A~**] 그리스도의 강림; 강림절 《크리스마스 전 약 4주일간》 **3** [**A~**] 그리스도의 재림(Second Coming)

Ádvent càlendar 강림절 달력[일력] 《어린이가 선물받는》

Ad·vent·ism [ǽdventìzm] *n.* Ⓤ 그리스도 재림설

Ad·vent·ist [ǽdventist] *n.* 그리스도 재림론자 (= Second ~) **—** *a.* 그리스도 재림설의

ad·ven·ti·tious [æ̀dventíʃəs, -vən-] *a.* **1** 우연의(accidental); 외래의; 〖생물〗 부정(不定)의, 이상한 곳에서 발생하는 **2** 〖병리〗 우발적인: an ~ disease 우발병 《후천성의 병》 **~·ly** *ad.* **~·ness** *n.*

---

blessing (opp. *disadvantage, handicap*)
advent *n.* arrival, coming, appearance, approach (opp. *departure, disappearance*)

ad·ven·tive [ædvéntiv] 〖생물〗 *a.* 외래의, 토착이 아닌 ━*n.* 외래 동물[식물] **~·ly** *ad.*
Ádvent Súnday 강림절의 첫 일요일
‡**ad·ven·ture** [ædvéntʃər, əd-] [L「지금부터 일어나려 하는 것」의 뜻에서] *n.* **1** Ⓤ 모험; 모험심: a spirit of ~ 모험심/a story of ~ 모험 소설 **2** (우연히 일어난) 희한한[뜻밖의] 사건, 진기한 경험; [종종 *pl.*] 모험(담): a strange ~ 기묘한 사건/What an ~! 굉장한 사건이군!/the *A~s* of Robinson Crusoe 로빈슨 크루소 표류기 **3** 대담[위험]한 계획, 위험한[모험적인] 행동 **4** ⓊⒸ 〖상업〗 투기
━*vt.* **1** 《문어》 위험에 빠뜨리다, 〈목숨을〉 걸다 《*on, upon*》: ~ oneself 위험을 무릅쓰다//(~+목+전+명) ~ one's life *on*[*upon*] an undertaking 사업에 목숨을 걸다 **2** 감행하다; 감히 말하다: ~ an opinion 감히 의견을 진술하다 ★ 이 뜻으로는 보통 venture가 쓰임. venture *to* do라고는 하지만 adventure *to* do라고는 하지 않음.
━*vi.* **1** 위험을 무릅쓰다 《*into, in, upon*》 ★ venture 쪽이 일반적임. **2** (일을) 대담하게 시도[착수]하다 《*on, upon*》; (위험한 장소에) 발을 들여놓다 《*on, upon, into*》 **~·ful** *a.*
▷ advénturous, advénturesome *a.*
advénture gàme 어드벤처 게임 《player가 역할을 설정하고 다양한 선택을 하면서 모험하는 게임》
advénture plàyground 《영》 모험 놀이터 《어린이의 창의성을 기르기 위해 폐타이어 등을 갖춘》
*__ad·ven·tur·er__ [ædvéntʃərər, əd-] *n.* **1** 모험가 **2** 용병 **3** 투기꾼(speculator); 협잡꾼, 사기꾼; 책략가
ad·ven·ture·some [ædvéntʃərsəm, əd-] *a.* = ADVENTUROUS
ad·ven·tur·ess [ædvéntʃəris, əd-] *n.* ADVENTURER의 여성형
advénture tràvel 모험 여행 《등산·캠핑 등 야외 활동 위주의》
ad·ven·tur·ism [ædvéntʃərìzm, əd-] *n.* Ⓤ 모험주의 《특히 정치·재정에서의》 **-ist** *n., a.*
*__ad·ven·tur·ous__ [ædvéntʃərəs, əd-] *a.* **1** 모험을 좋아하는, 대담한 **2** 모험적인, 위험한; 새로운 요소[신선미]가 있는 **~·ly** *ad.* **~·ness** *n.*
▷ advénture *n., v.*
‡**ad·verb** [ǽdvəːrb] 〖문법〗 *n.* 부사 《略 *adv., ad.*》
━*a.* 부사의: an ~ clause = ADVERBIAL clause
▷ advérbial *a.*
ad·ver·bi·al [ædvə́ːrbiəl, əd-] *a.* 부사의, 부사적인: an ~ phrase[clause] 부사구[절]
━*n.* 부사적 어구 **~·ly** *ad.* ▷ ádverb *n.*
advérbial párticle 〖문법〗 부사격 조사 《'come back'의 back, 'break down'의 down 등》
ad ver·bum [æd-və́ːrbəm] [L = to a word] *ad., a.* 축어적(逐語的)으로[인], 직역적으로[인]
ad·ver·sar·i·a [æ̀dvərsɛ́əriə] *n. pl.* [단수·복수 취급] 주석; 각서, 비망록
ad·ver·sar·i·al [æ̀dvərsɛ́əriəl] *a.* **1** 두 당사자가 적대 관계에 있는 **2** 〖법〗 = ADVERSARY
*__ad·ver·sar·y__ [ǽdvərsèri | -səri] [L「…으로 향한 사람」의 뜻에서] *n.* (*pl.* **-sar·ies**) **1** 적, 반대자 **2** (경기 등의) 상대편(contestant) **3** [the A~] 마왕
━*a.* **1** 적의, 적수의 **2** 〖법〗 (원고·피고 등) 당사자의 **-sàr·i·ness** *n.*
ad·ver·sar·y·ism [ǽdvərsèriìzm | -səri-] *n.* (노사 교섭 등에서의) 적대주의
ádversary sỳstem 《미》 〖법〗 당사자 주의, 대심(對審) 제도 《원고 측과 피고 측을 대립시켜 진행하는 재판 제도》
ad·ver·sa·tive [ædvə́ːrsətiv, əd-] 〖문법〗 *a.* 반대의 뜻을 나타내는 〈말 등〉 ━*n.* 반의 접속사 《but, nevertheless, while 등》 **~·ly** *ad.*
*__ad·verse__ [ædvə́ːrs, ⌐⌐] [L「…으로 향하게 한」의 뜻에서] *a.* 《문어》 **1** 거스르는, 반대의(opposed) 《*to*》: an ~ wind 맞바람 **2** (…에) 반대[적대]하는, 적의를 가진 《*to*》: ~ criticism 적대심을 가진 비평 **3** (…에) 불리한, 불운한(unfavorable): ~ circumstances 역경/an ~ balance of trade 무역 역조, 수입 초과 **4** 〖식물〗 마주나기의 **~·ly** *ad.* **~·ness** *n.*
advérse bálance (예금 계좌의) 마이너스 잔고
advérse opínion 부정적[반대] 의견
advérse posséssion 〖법〗 불법 점유
·**advérse seléction** 〖보험〗 역(逆)선택 《사고 발생률이 높은 사람이 가입하려는 경향》
*__ad·ver·si·ty__ [ædvə́ːrsəti | əd-] *n.* (*pl.* **-ties**) **1** Ⓤ 역경, 불운 **2** [종종 *pl.*] 불행, 재난 ▷ advérse *a.*
ad·vert[1] [ædvə́ːrt, əd-] *vi.* 《문어》 **1** 언급하다(refer) 《*to*》 **2** 주의를 돌리다 《*to*》: (~+전+명) ~ *to* a person's opinion …의 의견에 주의를 돌리다
ad·vert[2] [ǽdvəːrt] *n.* 《영·구어》 = ADVERTISEMENT(cf. AD[1])
ad·vert·ence, -en·cy [ædvə́ːrtns(i), əd-] *n.* (*pl.* **-tenc·es**; **-cies**) ⓊⒸ 주의; 언급
ad·vert·ent [ædvə́ːrtnt, əd-] *a.* 주의 깊은 **~·ly** *ad.*
‡**ad·ver·tise, -tize** [ǽdvərtàiz] [MF「…에 주의하다」의 뜻에서] *vt.* **1** 광고하다, 선전하다; 공시하다: ~ a house (for sale) 집을 팔려고 광고하다//(~+목+전+명) ~ one's wares *in* a newspaper 상품을 신문에 선전하다//(~+목+**as** 보) ~ a child *as* lost 미아 광고를 내다/~ oneself *as* …라고 자기 선전을 하다 **2** 통지하다, 알리다(inform) 《*of, that* ...》
━*vi.* **1** 광고하다, 광고를 내다; 광고하여 구하다 《*for*》: (~+전+명) ~ *for* a babysitter[a job] 보모[직업]를 구하는 광고를 내다 **2** (상품 등을 광고에 의해) 선전하다 **3** 자기 선전을 하다: He *~s* so much. 그는 몹시 자기 선전을 한다. **-tìs·a·ble** *a.*
▷ advertísement *n.*
‡**ad·ver·tise·ment, -tize-** [æ̀dvərtáizmənt, ədvə́ːrtis- | ədvə́ːtis-] *n.* ⓊⒸ **1** 광고: place an ~ *for* a situation 구직 광고를 내다 **2** (특히 인쇄물·방송에 의한) 고지, 통지, 통고, 공시 **3** 널리 알리는 것, 주지 ***put*** [***insert***] ***an ~ in*** …에 광고를 내다
advertísement cólumn 광고란
*__ad·ver·tis·er, -tiz-__ [ǽdvərtàizər] *n.* **1** 광고자[주] **2** [**A~**] …신문 《제명(題名)》
*__ad·ver·tis·ing__ [ǽdvərtàiziŋ] *n.* Ⓤ **1** [집합적] 광고(advertisements) **2** 광고업
━*a.* 광고의, 광고에 관한: ~ matter 광고 우편물/an ~ pamphlet 광고용 소책자/an ~ pillar 광고탑
ádvertising àgency 광고 대행사[대리점]
ádvertising àgent 광고 대행업자
ádvertising awàreness 광고 인식[인지]도
ádvertising ballóon[**blímp**] 애드벌룬, 광고 풍선, 광고 기구
ádvertising línage 광고행수
ádvertising màn = ADMAN
ádvertising mèdia[**mèdium**] 광고 매체
ádvertising ràte 광고료[요금]
ad·ver·to·ri·al [æ̀dvərtɔ́ːriəl] [*adver*tisement+edi*torial*] *n.* (신문·잡지의) 기사 형식 광고, PR 기사
advg. advertising
‡**ad·vice** [ædváis, əd-] *n.* **1** Ⓤ 충고, 조언, (공적인) 권고(counsel) 《*on, of, about*》; (의사의) 진찰, 진단; (변호사의) 의견: seek medical ~ 의사의 진찰을 받다 **2** 통지; [보통 *pl.*] 《문어》 (외교·정치상의) 보고; 〖상업〗 (거래상의) 보고, 통지(서): a remittance ~ 송금 통지/shipping *~s* 발송 통지/an ~ slip 통지 전표/as per ~ 통지한 바와 같이 《환어음에 기재하여, 지급 통지필을 나타냄》

thesaurus **adventure** *n.* **1** 모험 exploit, deed, feat, experience, incident **2** 위험 risk, hazard, danger, peril, gamble, uncertainty
adversity *n.* misfortune, bad luck, ill luck, hardship, trouble, disaster, suffering, affliction

act on*[*against*] a person*'s* ~** …의 충고에 따라[거역하고] 행동하다 ***ask ~ of …의 조언을 구하다 ***follow*** a person***'s ~*** …의 권고에 따르다 ***give*** a person ***a piece*[*a bit, a word*] *of ~*** …에게 한마디 충고를 하다 ***take*** a person***'s ~*** (전문가의) 의견을 묻다[에 따르다] ▷ advíse *v.*

advíce and consént 『미정치』 조언과 동의 《조약 체결·대사 등의 임명 때 상원이 대통령에게 주는》

advíce bòat 통신정(艇) 《함대와 육상 또는 함정 끼리의 문서 연락용 쾌속정》(dispatch boat)

advíce còlumn (신문·잡지의) 상담란, 질문란

advíce còlumnist 상담란 응답자

advíce nòte 『상업』 (화물 발송 등의) 통지서

ad·vid [ǽdvid] [*ad*vertisement+*vid*eo] *n.* 선전용[광고] 비디오

Ad·vil [ǽdvil] *n.* 애드빌 《항염증제; 상표명》

*__ad·vis·a·ble__ [ədváizəbl, əd-] *a.* Ⓟ **1 권할 만한,** 타당한; 현명한: It is ~ *for* you to start early in the morning. 아침 일찍 출발하는 게 현명하다. **2** 충고를 받아들일 생각이 있는 **ad·vìs·a·bíl·i·ty** *n.* Ⓤ 권할 만함, 타당함; 득책 **~·ness** *n.*

ad·vis·a·bly [ədváizəbli, əd-] *ad.* [종종 문장 전체를 수식하여] 타당하여, 현명하게

‡**ad·vise** [ədváiz, əd-] [L 「…으로 보다」의 뜻에서] *vt.* **1 충고하다,** 조언하다; **권하다**(recommend): ~ a change of air 전지 요양을 권하다 / He ~*d* secrecy. 그는 비밀로 해 두는 것이 좋겠다고 말했다. // 《~+목+*to* do》 He ~*d* me not *to* go there. 그는 나에게 거기에 가지 않는 것이 좋겠다고 말했다. / I ~ you *to* be cautious. 조심하도록 충고합니다. // 《~+목+*wh. to* do》 He ~*d* me *which to* buy. 그는 어느 것을 사야 좋을지 내게 조언해 주었다. // 《~+목+*wh.* 절》 He ~*d* me *whether* I should choose the way. 그는 내가 그 방법을 택해야 할지 어떨지를 충고해 주었다. // 《~+*-ing*》 I ~*d* his start*ing* at once. 그에게 즉시 출발하도록 권했다. // 《~+목+전+명》 ~ a person *on* the choice of a career[*in* the matter of the investment; *against* marrying in haste] …에게 직업의 선택에 대해[투자하는 일에 대해; 서둘러 결혼하지 말도록] 충고하다 **2** 《문어》 『상업』 통지[통고]하다, 알리다(inform) 《*of*》: 《~+목+전+명》 ~ a person *of* one's address …에게 자기 주소를 알리다 / We are ~*d of* the dispatch of the goods. 우리는 상품의 발송 통지를 받았습니다.
— *vi.* **1** 《미》 (남과) 의논하다, 상담하다(consult) 《*with*》: 《~+전+명》 ~ *with* one's teacher *about* [*on*] 선생님과 …에 대해 의논하다 **2** 충고하다 《*on*》: Do as your doctor ~*s.* 의사의 충고대로 하시오.
~ one*self* 숙고하다 ***A~ with your pillow.*** 밤새 잘 생각해 보게. ▷ advíce *n.*; advísory *a.*

ad·vised [ədváizd, əd- | əd-] *a.* [보통 복합어를 이루어] 숙고한, 신중한(deliberate): ill-[well-]~ 무분별한[분별 있는] ***be better ~ to*** do …하는 것이 현명하다 **-vís·ed·ness** [-váizidnis] *n.*

ad·vis·ed·ly [ədváizidli, əd-] *ad.* 숙고한 끝에, 신중하게; 고의로, 일부러(deliberately)

ad·vis·ee [ædvaizíː, əd-] *n.* 조언을 받는 사람; 《미》 (지도 교수의) 지도를 받는 학생

ad·vise·ment [ədváizmənt, əd-] *n.* Ⓤ **1** 《미》 숙고 **2** 《고어》 조언 ***take … under ~*** …을 숙고하다

*__ad·vis·er, ad·vi·sor__ [ədváizər, əd-] *n.* **1 충고자,** 조언자; 의논 상대자, 고문 《*to*》: a legal ~ 법률 고문 **2** 《미》 (대학 등의) 지도 교수 ★ adviser는 advise하는 행위를, advisor는 그 직책을 강조함; adviser가 일반적임. **~·shìp** *n.*

---

advise *v.* **1 충고하다** counsel, guide, give hints [tips] to, recommend, suggest **2 알리다** inform, notify, give notice to, apprise, warn

advocate *n.* supporter, upholder, backer, spokesperson, campaigner, pleader, promoter

---

ad·vi·so·ry [ædváizəri, əd-] *a.* 조언하는; 권고하는; 자문[고문]의: an ~ committee 자문 위원회 / an ~ group 고문단 / ~ service 고문 업무
— *n.* (*pl.* **-ries**) 《미》 (기상 등의) 보고, 주의보

advísory cìrcular 통고[주의] 사항 《운수·항공·항 관계 당국으로부터 게시됨》

advísory opínion 『법』 조언[권고]적 의견

ad vi·vum [æd-váivəm] [L=to the life] *ad., a.* 실물 그대로(의), 꼭 닮아[은]

ad·vo·caat [æ̀dvoukɑ́ːt, -və-] *n.* 애드보카트 《브랜디·설탕·달걀로 만드는 네덜란드의 리큐어》

ad·vo·ca·cy [ǽdvəkəsi] *n.* Ⓤ 옹호, 지지; 고취, 창도 《*of*》

ádvocacy ádvertising[**ád**] (자기) 옹호적 광고

ádvocacy gròup 《미》 (특정 운동의) 활동 그룹, 시민 단체; =INTEREST GROUP

ádvocacy jòurnalism 특정의 주의[견해]를 창도[옹호]하는 보도 (기관) **ádvocacy jòurnalist** *n.*

ádvocacy tànk (세미나·연구회를 통하여 외교·경제·국방 등에 관한 견해를 국회의원에게) 조언하는 조사·연구 기관

*__ad·vo·cate__ [ǽdvəkèit] [L 「…으로 부르다」의 뜻에서] *vt.* **옹호[변호, 지지]하다**(support); **주장[창도]하다**: ~ war[peace] **전쟁[평화]을 주장하다** // 《~+*-ing*》 ~ abolish*ing* class distinctions 계급 차별의 폐지를 창도하다
— [-kət, -kèit] *n.* **1 창도자,** 지지[옹호]자 《*of, for*》: an ~ *of* children's right 어린이 인권론자 **2** 대변자, 중재자 **3** (법정) 변호사(⇨ lawyer 유의어) **~·shìp** *n.* **ád·vo·cà·tive** *a.*
▷ ádvocacy *n.*

ad·vo·ca·tion [æ̀dvəkéiʃən] *n.* 『스코법』 이송 절차 《하급 법원에서 판결 전에 상급 법원으로 옮기는》

ad·vo·ca·tor [ǽdvəkèitər] *n.* 주창[창도]자

ad·voc·a·to·ry [ædvɑ́kətɔ̀ːri | æ̀dvəkéitəri] *a.* 창도[옹호]자의; 변호(인)의

ad·vow·son [ədváuzn, əd-] *n.* Ⓤ 『영국법』 성직자 추천권

advt advertisement

ad·writ·er [-ràitər] *n.* 광고 문안 작성자

ad·y·na·mi·a [æ̀dainéimiə, -nǽ-, -æ̀də-] *n.* Ⓤ 『병리』 (근(筋))무력증

ad·y·nam·ic [æ̀dainǽmik, æ̀də-] *a.* (근)무력증의

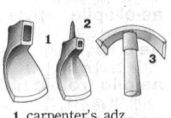

ad·y·tum [ǽditəm] *n.* (*pl.* **-ta** [-tə]) **1** (고대 신전의) 지성소(至聖所) **2** 사실(私室), 밀실(sanctum)

adz(**e**) [ǽdz] *n., vt.* 까뀌(로 깎다)

adzes

1 carpenter's adz
2 ship carpenter's adz
3 cooper's adz

A·dzha·ri·a [ədʒɑ́ːriə] *n.* =ADZHAR REPUBLIC

A·dzhár Repúblic [ədʒɑ́ːr-] [the ~] 아자르 공화국 《러시아 남서부의 자치 공화국》

ad·zú·ki bèan [ædzúːki-] 팥 《콩과(科)의 1년생 식물》

ae [éi] *a.* 《스코》 =ONE

AE account executive; American English

æ, ae, Æ, Ae [iː] **1** 라틴 말에 쓰이는 a와 e의 합자: Cæsar, Caesar, Æsop, Aesop **2** -a로 끝나는 라틴 말의 명사의 복수 어미: formul*ae* ★ 고유명사 이외는 종종 e로 줄임.

ae. *aetatis* 《at the age of; aged》

AEA 《미》 Actors' Equity Association 배우 조합; 《영》 Atomic Energy Authority

Ae·a·cus [íːəkəs] *n.* 『그리스신화』 아이아코스 《Zeus의 아들; 저승 Hades의 재판관이 됨》

AE and P Ambassador Extraordinary and Plenipotentiary **AEC** Atomic Energy Commission 《미》 원자력 위원회

ae·ci·o·spore [íːsiəspɔ̀ːr] *n.* 녹홀씨, 수포자(銹胞子)
ae·ci·um [íːʃiəm, -si-] *n.* (*pl.* **-ci·a** [-ʃiə, -siə]) 〖균류〗 속홀씨기(器) **áe·ci·al** *a.*
a·e·des [eiíːdiːz] *n.* (*pl.* ~) 〖곤충〗 (황열병을 매개하는) 각다귀의 일종
ae·dile [íːdail] *n.* (고대 로마의) 조영관(造營官) 《공공 건물·도로·시장 등을 관장하던 공무원》
AEF Allied Expeditionary Force(s) 연합국 해외 파견군
A-ef·fect [éiifèkt] [*a*lienation *effect*] *n.* 〖연극〗 브레히트(Brecht)의 이화(異化) 효과
Ae·ge·an [i(ː)dʒíːən] *a.* 에게 해의, 다도해의: ~ civilization[culture] 에게 문명[문화] ***the ~* (*Sea*)** 에게 해, 다도해 《그리스와 터키 사이의 바다》
Aegéan Íslands [the ~] 에게 해 제도
ae·ger [íːdʒər] *n.* =AEGROTAT
Ae·ge·us [íːdʒiəs] *n.* 〖그리스신화〗 아이게우스 《Athens의 왕; Theseus의 아버지》
Ae·gir [íːdʒiər] *n.* 〖북유럽신화〗 아에기르 《항해와 고기잡이를 방해하는 바다의 신》
ae·gis, e·gis [íːdʒis] *n.* **1** 〖그리스신화〗 (Zeus 신이 딸 Athena 신에게 주었다는) 방패 **2** 보호; 후원, 주최, 지도: under the ~ of …의 보호[후원] 아래
Áegis sỳstem 〖군사〗 이지스 시스템 《미국 해군이 개발한 대공·대잠함·대해전용 컴퓨터 시스템》
Ae·gis·thus [iːdʒísθəs] *n.* 〖그리스신화〗 아이기스토스 《Agamemnon의 아내를 유혹하고, 귀환한 그를 살해; 나중에 그의 아들 Orestes에게 살해됨》
ae·gro·tat [íːgrou*t*æ̀t, iːgróutæt] *n.* 《영》 (대학의) 질병 진단서 《수험 불능을 증명하는》
-aemia [íːmiə] 《연결형》 =-EMIA
Ae·ne·as [iníːəs] *n.* 〖그리스·로마신화〗 아이네아스 《트로이의 영웅으로 로마의 건설자》
Ae·ne·id [iníːid | íːniid] *n.* [the ~] Aeneas의 유랑을 읊은 서사시 《버질(Virgil) 작》
A·e·ne·o·lith·ic [eiìːniouli̇́θik] *a.* =CHALCOLITHIC
a·e·ne·ous [eiíːniəs] *a.* 청동색의
Ae·o·li·an [iːóuliən] *a.* **1** 바람의 신 Aeolus의 **2** Aeolis(사람)의 **—** *n.* Aeolis 사람
aeólian hárp[lýre] 에올리언 하프, 풍명금(風鳴琴)(wind harp) 《바람을 받으면 저절로 울림》
Ae·ol·ic [iːɑ́lik | iːɔ́l-] *a.* Aeolis 지방[사람]의 **—** *n.* Ⓤ (고대 그리스말의) Aeolis 방언
ae·ol·i·pile, -pyle [iːɑ́ləpàil | iːɔ́l-] *n.* 기력계(汽力計), 기력솥 《기원전 2세기에 발명된 최초의 증기 기관》
Ae·o·lis [íːəlis] *n.* 아이올리스 《소아시아 북서안의 고대 그리스 식민지》
ae·o·lo·trop·ic [ìːəloutrɑ́pik | -trɔ́-] *a.* 〖물리〗 이방성(異方性)의
ae·o·lot·ro·py [ìːəlɑ́trəpi | -lɔ́-] *n.* Ⓤ 〖물리〗 이방성
Ae·o·lus [íːələs] *n.* 〖그리스신화〗 아이올로스 《바람의 신》
ae·on, e·on [íːən, -ɑn | -ən] *n.* **1** 영겁(eternity) **2** 〖천문〗 이온 《시간의 단위; 10억년》
ae·o·ni·an [iːóuniən], **ae·on·ic** [iːɑ́ːnik] *a.* 영원한(eternal)
ae·py·or·nis [ìːpiɔ́ːrnis] *n.* 〖조류〗 에피오르니스 《타조류의 큰 새; Madagascar에 살았음》
aeq. *aequales* (L=equal)
ae·quo a·ni·mo [íːkwou-ǽnəmòu] [L =with even mind] *ad.* 침착하게, 냉철하게
ae·quor·in [iːkwɔ́ːrin, -kwɑ́r- | -kwɔ́r-] *n.* 〖생화학〗 에쿼린 《해파리의 발광(發光) 단백질》
aer- [ɛər] 《연결형》 =AERO-
aer·ate [ɛ́əreit, éiərèit] *vt.* **1** 공기에 쐬다 **2** 〈혈액에〉 (호흡으로) 산소를 공급하다 **3** 〈액체에〉 탄산가스를 포화시키다
aer·at·ed [ɛ́əreitid, éiərèit-] *a.* 탄산가스가 든 〈액체〉; 《영·속어》 화난, 흥분한
áerated bréad (효모 대신에) 탄산가스로 부풀린 빵
áerated cóncrete 발포(發泡) 콘크리트
áerated wáter 《영》 탄산수
áer·at·ing ròot [ɛ́əreitiŋ-] 〖식물〗 공중에 나온 호흡근, 기근(氣根)
aer·a·tion [ɛəréiʃən, èiər-] *n.* Ⓤ 공기에 쐼; 탄산가스 포화; 〖생리〗 (정맥혈의) 동맥혈화(化)
aer·a·tor [ɛ́əreitər, éiərèi-] *n.* 통풍기; 탄산수 제조기; (밀 등의) 훈증(燻蒸) 살충기
AERE Atomic Energy Research Establishment 《영》 원자력 연구소
aeri- [ɛ́əri | -rə] 《연결형》 aero-의 이형(異形)
‡**aer·i·al** [ɛ́əriəl, eiíəriəl | ɛ́ər-] *a.* **1** Ⓐ 공기의, 대기의; 기체의: ~ currents 기류 **2** 공기 같은, 희박한, 엷은 **3** 공중에 걸린, 공중 케이블식의, 고가의 **4** 공중에 [하늘 높이] 솟은: ~ spires 우뚝 솟은 첨탑 **5** 가공의, 꿈같은(unreal): ~ music 몽환적인 음악 **6** 〖식물〗 기생(氣生)의: an ~ plant 기생(氣生) 식물 **7** Ⓐ 항공(기)의; 항공기에 의한: an ~ war[observation, transport] 공중전[관측, 수송] / an ~ attack 공습 / ~ defense 방공 / an ~ lighthouse 항공 등대 / ~ navigation 항공술 / an ~ navigator 항공사 / ~ performance 공중 곡예 / ~ sickness 항공병 《멀미 등》
★ 종종 aerial =air: an ~ attack =an air attack.
— [ɛ́əriəl] *n.* **1** 공중선(空中線), 안테나 **2** 〖미식축구〗 전진 패스(forward pass) **~·ly** *ad.*
▷ aeriálity *n.*
áerial acrobátics 공중 곡예
áerial béacon 항공 표지
áerial bòmb 공중 투하 폭탄
áerial cábleway 공중 케이블, 가공 삭도
áerial cámera 항공 카메라
áerial díscharge 공중 방전
áerial inspéction 공중 사찰
aer·i·al·ist [ɛ́əriəlist, eiíər- | ɛ́ər-] *n.* **1** 공중 그네의 곡예사 **2** 〖스키〗 공중 곡예 스키어
aer·i·al·i·ty [ɛ̀əriǽləti, eiìər- | ɛ̀ər-] *n.* Ⓤ 공허함, 공상적임, 비현실성
áerial làdder 《미》 (소방용) 고가(高架) 사다리 (《영》 turntable ladder)
áerial mìne 〖군사〗 공중 투하 기뢰; (낙하산 달린) 대형 폭탄
áerial perspéctive 〖회화〗 공기[농담] 원근법
áerial phótograph 항공 사진(aerophoto)
áerial photógraphy 항공[공중] 사진술
áerial píracy 항공기[공중] 납치(hijack)
áerial ráilway =AERIAL CABLEWAY
áerial recónnaissance 공중 사찰
áerial refùeling 〖항공〗 공중 급유
áerial rócket 공중 발사 로켓
áerial róot 〖식물〗 기근(氣根)
áerial rópeway =AERIAL CABLEWAY
áerial súrvey 항공(사진) 측량
áerial tánker 공중 급유기
áerial tópdressing (비료·농약 따위의) 공중 살포
áerial torpédo 공중 어뢰, 공뢰
áerial trámway 공중 케이블, 로프웨이
áerial wíre 〖통신〗 공중선, 가공선, 안테나
aer·ie [ɛ́əri, íəri] *n.* **1** (높은 곳에 있는 맹금의) 둥지; (맹금의) 한배 새끼 **2** 높은 곳에 있는 집[요새]
aer·i·fi·ca·tion [ɛ̀ərəfikéiʃən, eiìər- | ɛ̀ər-] *n.* Ⓤ 공기를 채우기; 기체화, 기화
aer·i·form [ɛ́ərəfɔ̀ːrm, eiíər- | ɛ́ər-] *a.* 공기 같은, 기체의; 실체 없는, 촉지(觸知)할 수 없는
aer·i·fy [ɛ́ərəfài, eiíər- | ɛ́ər-] *vt.* (**-fied**) 공기에 쐬다; 기화하다
aer·o [ɛ́ərou] *a.* 항공(기)의; 항공학[술]의: an ~ society 비행 협회
aero- [ɛ́ərou] 《연결형》 「공기, 공중, 기체, 항공(기)」의 뜻 《모음 앞에서는 aer-》
aer·o·a·cous·tics [ɛ̀ərouəkúːstiks] *n. pl.* [단수 취급] 항공 음향학

aer·o·al·ler·gen [ὲərouǽlərdʒən] *n.* 〖생화학〗 공기 알레르겐 《알레르기를 일으키는 대기 중의 물질》
aer·o·bac·ter [έəroubæ̀ktər] *n.* 호기성(好氣性) 세균
aer·o·bal·lis·tics [ὲəroubəlístiks] *n. pl.* [단수 취급] 항공 탄도학 **àer·o·bal·lís·tic** *a.*
aer·o·bat [έərəbæ̀t] *n.* 곡예 비행사
aer·o·bat·ic [ὲərəbǽtik] [*aero*+acro*batic*] *a.* 고등[곡예] 비행의: an ~ flight 고등[곡예] 비행
aer·o·bat·ics [ὲərəbǽtiks] *n. pl.* **1** [단수 취급] 고등[곡예] 비행술 **2** [복수 취급] 곡예 비행
aer·obe [έəroub] *n.* 〖생물〗 호기성(好氣性) 생물; 《특히》 호기성 (세)균류
aer·o·bee [έərəbìː] *n.* (미) 에어로비 《초고층 대기 연구용 로켓의 일종》
aer·o·bic [εəróubik] *a.* **1** 〖생물〗 〈세균 등이〉 호기성의; 호기성 세균의[에 의한] **2** 에어로빅스(aerobics)의 **-bi·cal·ly** *ad.*
aeróbic dáncing 에어로빅댄스 《음악에 맞춰 에어로빅과 춤을 결합한 건강 체조》
aeróbic éxercise = AEROBICS
aer·o·bi·cize [εəróubisàiz] *vi.* 에어로빅 체조를 하다
aer·o·bics [εəróubiks] *n. pl.* **1** [단수 취급] 에어로빅스 《산소의 소모량을 늘려 심장·폐 등의 기능을 활발하게 하는 운동》: do ~ 에어로빅을 하다 **2** [복수 취급] 에어로빅 체조
aer·o·bi·ol·o·gy [ὲəroubaiɑ́lədʒi- | -ɔ́lə-] *n.* Ⓤ 공중 생물학 **-bì·o·lóg·i·cal** *a.* **-i·cal·ly** *ad.*
aer·o·bi·o·sis [ὲəroubaióusis] *n.* (*pl.* **-ses** [-siːz]) 〖생물〗 호기(好氣)[유기(有氣)] 생활
aer·o·bi·um [εəróubiəm] *n.* (*pl.* **-bi·a** [-biə]) = AEROBE
aer·o·boat [έəroubòut] *n.* 비행정(艇), 수상 비행기(seaplane)
aer·o·bod·y [έəroubɑ̀di | -bɔ̀di] *n.* 경비행기
aer·o·bomb [έəroubɑ̀m | -bɔ̀m] *n.* (전투기의) 투하 폭탄
aer·o-brak·ing [έəroubrèikiŋ] *n.* 〖우주〗 에어로브레이킹 《대기의 마찰을 이용한 우주선의 감속》
aer·o·cade [ὲəroukéid] *n.* 비행기 편대
aer·o·cam·era [έəroukæ̀mərə] *n.* 항공 사진기
aer·o·car [έəroukɑ̀ːr] *n.* = HOVERCRAFT
aer·o·club [έərəklʌ̀b] *n.* 항공[비행] 클럽
aer·o·craft [έəroukræ̀ft | -krɑ̀ːft] *n.* (*pl.* ~) = AIRCRAFT
aer·o·cul·ture [-kʌ̀ltʃər] *n.* 〖농업〗 공중 재배법 《물과 양분을 노출된 뿌리에 직접 분무하는 재배법》(aeroponics)
aer·o·cy·cle [έərəsàikl] 〖미육군〗 소형 헬리콥터
aer·o·do·net·ics [ὲəroudənétiks] *n. pl.* [단수 취급] (글라이더 등의) 활공 역학, 활공술
***aer·o·drome** [έərədròum] *n.* (영) (소형) 비행장(airfield), 공항(airport)
aer·o·dy·nam·ic [ὲəroudainǽmik] *a.* Ⓐ 공기 역학의 **-i·cal·ly** *ad.*
aerodynámic bráking = AERO-BRAKING
aerodynámic héating 〖우주〗 공력 가열(空力加熱) 《로켓이 공기와의 마찰로 가열되는 현상》
aer·o·dy·nam·i·cist [ὲəroudainǽməsist] *n.* 공기 역학자
aer·o·dy·nam·ics [ὲəroudainǽmiks] *n. pl.* [단수 취급]공기 역학, 항공 역학
aer·o·dyne [έərədàin] *n.* 〖항공〗 중(重)항공기 《기구(氣球)·비행선 등》(opp. *aerostat*)
aer·o·e·las·tic [ὲərouilǽstik] *a.* 〖항공〗 공기력(空氣力) 탄성(彈性)의
aer·o·em·bo·lism [ὲərouémbəlìzm] *n.* Ⓤ 〖병리〗 공기 색전증(塞栓症)
aer·o·en·gine [ὲərouéndʒin] *n.* 항공(기용) 엔진
aer·o·foil [έərəfɔ̀il] *n.* (영) = AIRFOIL
aer·o·gen·er·a·tor [ὲərədʒénərèitər] *n.* 풍력 발전기
aer·o·gen·ic [ὲərədʒénik] *a.* 〈세균이〉 가스를 발생하는
aer·o·gram, -gramme [έərəgræ̀m] *n.* **1** 무선 전보(radiogram) **2** 항공 우편 **3** 기상 자기기(氣象自記器)의 기록
aer·o·graph [έərəgræ̀f | -grɑ̀ːf] *n.* 〖기상〗 (고층) 기상 자동 기록기; = (영) AIRBRUSH
aer·og·ra·pher [εərɑ́grəfər | -ɔ́grə-] *n.* 〖미해군〗 항공 기상 관측병(兵)
aer·og·ra·phy [εərɑ́grəfi | -ɔ́grə-] *n.* 기술(記述) 기상학; 대기 관측 기록[일지]; = METEOROLOGY
aer·o·hy·dro·plane [ὲərouháidrəplèin] *n.* 수상 비행기
aer·o·lite [έərəlàit], **-lith** [-lìθ] *n.* 석질(石質)운석 **àer·o·lít·ic** *a.*
aer·ol·o·gy [εərɑ́lədʒi | -ɔ́l-] *n.* Ⓤ (고층) 기상학; = METEOROLOGY **-gist** *n.*
aer·o·mag·net·ic [ὲəroumægnétik] *a.* 공중 자기(磁氣)의
aer·o·map [έərəmæ̀p] *n.* 비행 지도
aer·o·ma·rine [ὲəroumərίːn] *a.* 〖항공〗 해양 비행의
aer·o·me·chan·ic [ὲəroumikǽnik] *a.* 항공 역학의 **—** *n.* 항공 기사, 항공기 정비사; 항공 역학자
aer·o·me·chan·ics [ὲəroumikǽniks] *n. pl.* [단수 취급] 항공[공기] 역학 **-i·cal** *a.*
aer·o·med·i·cine [ὲəroumédəsin | -médsin] *n.* Ⓤ 항공 의학 **-méd·i·cal** *a.*
aer·o·me·te·or·o·graph [ὲəroumiːtiɔ́ːrəgræ̀f | -tiɔ́rəgrɑ̀ːf] *n.* 〖기상〗 (고층) 자기(自記) 기상계
aer·om·e·ter [εərɑ́mətər | -ɔ́mə-] *n.* 양기계(量氣計), 기체계 **àer·o·mét·ric** *a.*
aer·om·e·try [εərɑ́mətri | -ɔ́mə-] *n.* Ⓤ 기체 측정, 양기학
aer·o·mod·el·ler [έəroumɑ̀dlər | -mɔ̀-] *n.* (영) 비행기 모형 제작자 **-ling** *n.* Ⓤ 비행기 모형 제작
aer·o·mo·tor [έəroumòutər] *n.* 항공기용 모터
aeron. aeronautical; aeronautics
aer·o·naut [έərənɔ̀ːt] *n.* 기구[비행선] 조종사; 그 비행선의 승객
aer·o·naut·ic, -nau·ti·cal [ὲərənɔ́ːtik(əl)] *a.* 항공학의; 항공술의; 비행선 조종사의: an ~ chart 항공도 **-ti·cal·ly** *ad.*
aeronáutical engineéring 항공 공학
aeronáutical en-róute informátion sèrvice 항공로 정보 제공 업무 《略 AEIS》
aeronáutical státion 〖항공〗 지상 통신국
aer·o·naut·ics [ὲərənɔ́ːtiks] *n. pl.* [단수 취급] 항공술; 항공학
aer·o·neu·ro·sis [ὲərənjuróusis | -njuə-] *n.* Ⓤ 〖병리〗 항공 신경증
ae·ron·o·my [εərɑ́nəmi | -rɔ́-] *n.* Ⓤ 초고층 대기 물리학 **aer·o·nóm·ic, -i·cal** *a.* **-o·mist** *n.*
aer·o-o·tí·tis média [ὲərououtáitis-] 〖병리〗 항공 중이염(aviator's ear)
aer·o·pause [έərəpɔ̀ːz] *n.* 대기계면(大氣界面) 《지상 약 20,000-23,000m의 대기층》
aer·o·pha·gia [ὲərəféidʒə, -dʒiə] *n.* 〖정신의학〗 공기 연하(증), 탄기(呑氣)(증) 《무의식 중에 공기를 과다하게 들이마시는 현상》 **-gist** *n.*
aer·o·phobe [ὲərəfóub] *n.* 비행 공포증이 있는 사람
aer·o·pho·bi·a [ὲərəfóubiə] *n.* Ⓤ 〖정신의학〗 혐기증(嫌氣症); 비행 공포증 **-bic** *a.*
aer·o·phone [έərəfòun] *n.* 기명(氣鳴)악기, 관악기
aer·o·phore [έərəfɔ̀ːr] *n.* 통풍기, 환기 장치
aer·o·pho·to [έərəfòutou] *n.* (*pl.* **~s**) 항공사진
aer·o·pho·tog·ra·phy [ὲəroufətɑ́grəfi | -tɔ́-] *n.* Ⓤ 항공사진술
aer·o·phys·ics [ὲərəfíziks] *n. pl.* [단수 취급] 공기 물리학[역학]; 항공 물리학

aer·o·phyte [ɛ́ərəfàit] *n.* 〖식물〗 기생(氣生) 식물
‡aer·o·plane [ɛ́ərəplèin] *n.* 《영》 비행기(《미》 airplane) **by** ~ 비행기로 **take an** ~ 비행기를 타다
aer·o·plank·ton [ɛ̀ərəplǽŋktən] *n.* Ⓤ 공중 부유 생물
aer·o·pon·ics [ɛ̀ərəpániks | -pɔ́n-] *n. pl.* [단수 취급] = AEROCULTURE
aer·o·scope [ɛ́ərəskòup] *n.* 대기 오염물 수집(검사)기
aer·o·shell [ɛ̀ərouʃél] *n.* (연착륙용의) 소형 제어 로켓이 달린 보호각(殼)
aero·sol [ɛ́ərəsɑ̀l, -sɔ̀:l | -sɔ̀l] *n.* 〖물리·화학〗 에어로졸, 연무질(煙霧質); 연무제; 분무기
áerosol bòmb[sprày] (살충제 등의) 분무기
aer·o·space [ɛ́ərouspèis] *n.* Ⓤ 대기권과 그 밖의 우주; 항공 우주 (공간); 항공 우주 산업; (항공) 우주 과학 **—** *a.* Ⓐ 항공 우주의; 항공 우주선(제조)의
áerospace engineéring 항공 우주 공학
áerospace mèdicine 항공 우주 의학
áerospace plàne 우주 항공기[비행체]
aer·o·sphere [ɛ́ərəsfìər] *n.* 〖항공〗 대기권
aer·o·stat [ɛ́ərəstæ̀t] *n.* **1** 경(輕)항공기《경기구·비행선 등》(opp. *aerodyne*) **2** 〖동물〗 기낭(氣囊)
aer·o·stat·ic, -i·cal [ɛ̀ərəstǽtik(əl)] *a.* 기체 정역학(靜力學)의; 항공술의; 경항공기의
aer·o·stat·ics [ɛ̀ərəstǽtiks] *n. pl.* [단수 취급] 기체 정역학(靜力學); 경항공기학; 기구 항공학
aer·o·sta·tion [ɛ̀ərəstéiʃən] *n.* Ⓤ 경기구[경항공기] 조종술[학]
aer·o·ther·a·peu·tics [ɛ̀ərouθèrəpjú:tiks] *n. pl.* [단수 취급] 〖의학〗 대기[공기] 요법(학)
aer·o·ther·a·py [ɛ̀ərouθérəpi] *n.* = AEROTHERAPEUTICS
aer·o·ther·mo·dy·nam·ics [ɛ̀ərouθə̀:rmoudainǽmiks] *n. pl.* [단수·복수 취급] 공기 열역학(熱力學) **-nám·ic** *a.*
áer·o·ti·tis média [ɛ̀ərətàitis-] 〖병리〗 항공 중이염(aviator's ear)
aer·o·train [ɛ́ərətrèin] *n.* 에어로트레인《프로펠러 추진식 공기 부상(浮上) 고속 열차》
Aer·tex [ɛ́ərteks] *n.* Ⓤ 에어텍스《셔츠·내의용의 성긴 직물; 영국 상표명》
ae·ru·gi·nous [irú:dʒənəs, airú:- | iərú:-] *a.* 녹청(綠靑)의[같은], 청록색의
ae·ru·go [irú:gou, airú:- | irú:-] *n.* Ⓤ 녹, 《특히》 녹청
aer·y[1] [ɛ́əri, íəri] *n.* (*pl.* **-ries**) = AERIE
aer·y[2] [ɛ́əri, éiəri] *a.* (**aer·i·er**; **-i·est**) 《시어》 공기의[같은]; 실체 없는, 공허한, 비현실적인(aerial)
Aes·chy·lus [éskələs | í:s-] *n.* 아이스킬로스《525-456 B.C.; 그리스의 비극 시인》
Aes·cu·la·pi·us [èskjuléipiəs | ì:s-] *n.* 〖로마신화〗 아이스쿨라피우스《의약과 의술의 신》
Àes·cu·lá·pi·an *a.* Aesculapius의; 의술의
Ae·sir [éisiər, -ziər] *n. pl.* [the ~] 〖북유럽신화〗 아사 신족(神族)《Asgard에 살았던 신들》
‡Ae·sop [í:sɑp, -səp | -sɔp] *n.* 이솝《620?-560? B.C.; 그리스의 우화(寓話) 작가》
Ae·so·pi·an [i:sóupiən, i:sɑ́p- | i:sɔ́p-] *a.* 이솝(식)의; 이솝 이야기 같은; 우의(寓意)적인
Áesop's Fábles 이솝 우화[이야기]
aes·thete [ésθi:t | í:s-] *n.* **1** 유미(唯美)[탐미]주의자 **2** 심미가(審美家); 예술 애호가 **3** 《영》 (대학에서) 연구에 열중하는 학생
∗aes·thet·ic, es- [esθétik | i:s-] *a.* **1** (예술적) 미의; 심미(審美)적인; 미를 사랑하는, 미적 감각이 있는; 풍취 있는 **2** 미학의
— *n.* (특정 시대·장소의) 미학 이론[사상], 미적 가치관, 미의식
aes·thet·i·cal [esθétikəl | i:s-] *a.* = AESTHETIC **~·ly** *ad.*
aesthétic dístance 심미적 거리
aes·the·ti·cian [èsθətíʃən | ì:s-] *n.* 미학자; 《미》 미용사
aes·thet·i·cism [esθétəsìzm | i:s-] *n.* Ⓤ 유미[탐미]주의; 예술 지상주의
Aesthétic Mòvement [the ~] 유미주의 운동《'예술을 위한 예술'을 주창한 19세기말 영국의 예술 사조》
aes·thet·ics [esθétiks | i:s-] *n. pl.* [단수 취급] 〖철학〗 미학; 〖심리〗 미적 정서의 연구
aes·tho·phys·i·ol·o·gy [èsθoufiziɑ́lədʒi | ì:s-θoufiziɔ́lə-] *n.* = ESTHESIOPHYSIOLOGY
aes·ti·val [éstəvəl, estái- | i:stái-] *a.* 여름(철)의, 하계의
aes·ti·vate [éstəvèit | í:s-] *vi.* 여름을 지내다, 피서하다; 〖동물〗 여름잠을 자다(opp. *hibernate*)
aes·ti·va·tion [èstəvéiʃən] *n.* Ⓤ 피서; 〖동물〗 여름잠
aet., aetat. *aetatis*
ae·ta·tis [i:téitis] 〖L = aged〗 *a.* 〈나이가〉 …살의 《略 aet. [i:t], aetat. [í:tæt]》: *aet.* 17 열일곱 살의
ae·ther [í:θər] *n.* = ETHER
ae·the·re·al [iθíəriəl] *a.* = ETHEREAL
ae·ti·ol·o·gy [ì:tiɑ́lədʒi | -ɔ́lə-] *n.* = ETIOLOGY
AEW airborne early warning 공중 조기 경보(기)
af- [æf, əf] *pref.* = AD- 《f 앞에서》: *af*firm
AF Asian female **Af.** Africa(n) **A.F., a.f., a-f** 〖통신〗 audio frequency **A.F., AF** Admiral of the Fleet; Air Force; Allied Forces; Anglo-French **AFA** Amateur Football Association; 《미》 Associate in Fine Arts (junior college 따위의) 미술학과 수료자 **AFAIK** as far as I know **AFAM** Ancient Free and Accepted Masons 초기의 프리메이슨(Freemason)
a·far [əfɑ́:r] *ad.* 《문어》 멀리, 아득히(far) **~ off** 멀리에, 멀리 떨어져
— *n.* [다음 성구로] **from ~** 멀리서
a·far·a [əfɑ́:rə] *n.* **1** Ⓒ 아파라 《서아프리카의 교목의 일종》 **2** Ⓤ 아파라 목재 또는 그 가구 **3** Ⓒ (서아프리카의) 목제 다리
AFB 《미》 Air Force Base **AFBF** American Farm Bureau Federation **AFC** Air Force Cross; 《미》 American Football Conference; automatic flight control; automatic frequency control **AFDC** 《미》 Aid to Families with Dependent Children
a·fe·brile [eifí:brəl, -féb- | æfí:brail] *a.* 열 없는(feverless)
aff. affirmative; affirming
af·fa·bil·i·ty [æ̀fəbíləti] *n.* Ⓤ 상냥함, 붙임성 있음
af·fa·ble [ǽfəbl] 〖L 「…에게 말을 걸다」의 뜻에서〗 *a.* **1** 상냥한, 붙임성 있는, 사근사근한(sociable) **2** 정중한(courteous) **~·ness** *n.* **-bly** *ad.*
‡af·fair [əfɛ́ər] *n.* **1** 사건, 일(event): an ~ of great moment 중대 사건 **2** 일거리(business); [보통 *pl.*] 사무, 직무, (일상의) 업무, 할 일, 용무; [보통 one's ~] 개인적인 문제[관심사]: family ~*s* 집안일, 가사 / private[public] ~*s* 사무(私務)[공무] / the ~*s* of another 남의[자기와 관계없는] 일 / the ~*s* of state 나랏일, 국사(國事) / current ~*s* 시사 (문제) / Attend to[Mind] your own ~. 네 할 일이나 해라. **3** [보통 형용사와 함께] 《구어》 (막연한) 것, 물건(thing): a laborious ~ 고된 일 / a difficult ~ to manage 처리하기 어려운 문제 / The new chair is a badly made ~. 이 새 의자는 형편없이 만들어졌다. **4** [*pl.*] 상황, 정세 **5** (일시적인 불륜의) 정사, 연애 사건 (= love ~): have an ~ with …와 정사를 가지다

thesaurus **affair** *n.* **1** 사건 event, happening, incident, occurrence **2** 일 business, matter, responsibility, concern **3** 추문 love affair, romance, liai-

6 [종종 고유 명사와 함께] …사건, 추문, 스캔들: the Watergate ~ 워터게이트 사건 7 모임, 파티: a social ~ 친목 파티
a man of ~s 사무가, 실무가 ***an ~ of honor*** 결투 ***an ~ of the heart*** = AFFAIRE DE COEUR. ***a pretty state of ~s*** 곤경 ***That's my[your] ~!*** 그것은 네가[내가] 알 바 아니다 ***the state of ~s*** 사태, 형세 ***wind up*** one***'s ~s*** 업무를 결말짓다, 점포를 걷어치우다
af·faire [əfέər] [F] *n.* = AFFAIRE DE CŒUR
af·faire d'a·mour [-dəmúər] [F] *n.* 정사(情事)
af·faire de cœur [-də-kə́:r] [F] *n.* 정사(情事)
af·faire d'hon·neur [-dənə́:r] [F] *n.* 결투(duel)
‡ **af·fect**[1] [əfékt] [L 「…에 작용하다」의 뜻에서] *vt.* **1** …에 영향을 미치다, 작용하다; 악영향을 미치다: be ~*ed* by heat 더위를 먹다 / Care ~*s* the health. 걱정은 건강을 해친다. **2** 〈병이 사람·신체 부위를〉 침범하다(attack): The cancer ~*ed* his stomach. 암이 그의 위를 침범했다. **3** 감동시키다(touch), …에게 감명을 주다(impress, move): The performance ~*ed* me deeply. 그 연기는 내게 깊은 감동을 주었다. // (~+목+전+명) be ~*ed by*[*with*] compassion 측은한 마음이 들다 / We were much ~*ed at* the miserable sight. 우리는 그 비참한 광경에 큰 충격을 받았다.
— [ǽfekt] *n.* UC 〚심리〛 정서, 감정; 〚정신의학〛 정동(情動) **af·fèct·a·bíl·i·ty** *n.* **~·a·ble** *a.*
▷ afféction *n.*; afféctive *a.*
affect[2] [L 「…을 목표로 노력하다」의 뜻에서] *vt.* **1** …체하다, 가장하다, …인 양 꾸미다(⇨ assume 유의어): ~ a poet 시인인 체하다 / ~ ignorance 모르는 체하다 // (~+*to* do) ~ *to* be faithful 충실을 가장하다 / He ~*ed* not *to* see me. 그는 나를 보고도 못 본 체했다. **2** 즐겨 사용[선택]하다 **3** 〈물건이 어떤 형태를〉 취하는 경향이 있다 **4** 〈동식물이〉 즐겨 〈장소에〉 살다 ▷ affectátion *n.*
* **af·fec·ta·tion** [æ̀fektéiʃən] *n.* UC **1** (비판적인 의미로) 가장, …체함 **2** 태, 허식, 뽐냄, 으스댐 (*of*)
without ~ 꾸밈없이, 솔직하게
af·fect·ed[1] [əféktid] *a.* **1** 영향을 받은; (병 등에) 걸린, 침범된; 〈더위 등을〉 먹은: the ~ part 환부 / the ~ areas 피해 지역 **2** 감동받은(touched) **3** [양태 부사(구)와 함께] (어떤) 감정을 품고(disposed): *well-*[*ill-*]~ 호의[악의]를 가진 / How is he ~ toward(s) us? 그는 우리에 대해 어떤 생각을 하고 있는가?
affected[2] *a.* …체하는, 짐짓 꾸민, 젠체하는(opp. *natural*) **~·ly** *ad.* **~·ness** *n.*
af·fect·ing [əféktiŋ] *a.* (눈물이 나도록) 감동적인; 가련한, 애처로운(touching) **~·ly** *ad.*
‡ **af·fec·tion** [əfékʃən] *n.* **1** U 애정, 호의 (*for, toward*(*s*)); [*pl.*] 애착, 사모: the object of one's ~*s* 사랑의 대상, 마음에 있는 사람 **2** U 감동, 감정 **3** UC 영향, 작용 **4** 병, 질환(disease) ***set*** one***'s ~ on*** …에 애정을 품다 **~·less** *a.* 애정이 없는
▷ afféct[1] *v.*; afféctionate *a.*
af·fec·tion·al [əfékʃənl] *a.* 애정의, 감정[정감]의 **~·ly** *ad.*
‡ **af·fec·tion·ate** [əfékʃənət] *a.* **1** 애정이 깊은, 자애로운, 상냥한(tender) **2** 〈말·편지 등이〉 애정 어린, 친애하는(loving): Your ~ brother[cousin, etc.] = Yours AFFECTIONATELY **~·ness** *n.*
* **af·fec·tion·ate·ly** [əfékʃənətli] *ad.* 애정을 담고, 애정 어리게, 자애롭게
Yours ~ = A~ (yours) 친애하는 …으로부터 (근친, 형제자매 또는 연인 사이에서 편지를 맺는 말)
af·fec·tive [əféktiv, æ-] *a.* 감정의(emotional), 감정적인, 정서적인: ~ behavior 감정적 행동 **~·ly** *ad.*
afféctive disórder 〚정신의학〛 정동[정서] 장애
afféctive invólvement 〚심리〛 정서적 몰입
afféctive neutrálity 〚심리〛 정서적 중립성
af·fec·tiv·i·ty [æ̀fektívəti] *n.* U 정서; 감정 상태
af·fect·less [ǽfektlis] *a.* 감동 없는, 냉담한
af·fen·pin·scher [ǽfənpìnʃər] [G] *n.* 아펜핀셔 (독일 원산의 털이 긴 애완견)
af·fer·ent [ǽfərənt] 〚생리〛 *a.* 수입성(輸入性)의 〈혈관〉; 구심성(求心性)의 〈신경〉(opp. *efferent*)
— *n.* 수입관(管), 구심성 신경 **~·ly** *ad.*
af·fet·tuo·so [əfètʃu:óusou | -zou] [It.] *ad.* 〚음악〛 감정을 담아
af·fi·ance [əfáiəns] *vt.* [보통 수동형 또는 one*self* 로] (문어) 약혼시키다(betroth) (*to*): ~ one*self to* …와 약혼하다
af·fi·anced [əfáiənst] *a.* (문어) 약혼한: one's ~ (husband[wife]) 약혼자 / the ~ couple 약혼한 남녀
be ~ to …와 약혼한 사이이다
af·fi·ant [əfáiənt] *n.* 〚미국법〛 선서 진술인
af·fiche [æfí:ʃ] [F] *n.* (*pl.* **~s**) 게시, 벽보, 포스터
af·fi·cio·na·do [əfìʃiənɑ́:dou] *n.* (*pl.* **~s** [-z]) = AFICIONADO
af·fi·da·vit [æ̀fidéivit] *n.* 〚법〛 선서서, 선서 진술서
swear [(구어) ***make, take***] ***an ~*** 〈증인이〉 진술서에 거짓이 없음을 선서하다 ***take an ~*** 〈판사가〉 진술서를 받다
af·fil·i·ate [əfílièit] [L 「아들로 맞다」의 뜻에서] *vt.* **1** 특별 관계를 맺다; 회원으로 가입[가맹]시키다; 지부[분교(分校)]로 삼다; 합병시키다(⇨ affiliated) **2** (드물게) 양자로 삼다 (*to*); 〚법〛 〈사생아의〉 아버지로 정하다 (*to, on*) **3** …의 기원[유래]을 밝히다(ascribe) (*to, on, upon*): ~ Greek art *upon* Egypt 그리스 예술의 기원을 이집트에 있다고 하다
— *vi.* **1** (미·구어) 교제하다, 친분을 맺다 (*with*) **2** 제휴하다(associate), …에 가입[가맹]하다 (*with*)
~ one***self with***[***to***] …에 가입하다
— [əfíliət] *n.* **1** (미) 관계[외곽] 단체, 지부, 지점, 분회(branch); 계열[자매] 회사 **2** 가입자, 회원
-a·tive [-ətiv] *a.*
af·fil·i·at·ed [əfílièitid] *a.* 가입[가맹]한, 제휴하고 있는, 계열의, 지부의: ~ societies 지부, 분회 / ~ unions 가맹 조합 / one's ~ college 출신 대학
be ~ with …와 특별 관계가 있다; …에 가입하고 있다
affíliated cómpany 계열[자매] 회사, 자회사
af·fil·i·a·tion [əfìliéiʃən] *n.* U **1** 입회, 가입; 합병, 합동, 제휴: The research center has an ~ with the university. 그 연구소는 대학과 제휴하고 있다. **2** 양자 결연; 〚법〛 사생아의 인지(認知) **3** 사물의 기원의 인정 **4** [*pl.*] (미) (정치적인) 관계, 제휴: party ~*s* 당파 관계
affiliátion òrder 〚영국법〛 (치안 판사가 부친에게 내는) 비적출자 부양료 지불 명령
affiliátion procèedings 〚법〛 부자(父子) 관계 인지[결정] 소송
affíliative drìve 친화 욕구
af·fi·nal [æfáinl] *a., n.* 인척(관계)의 (사람)
af·fine[1] [æfáin, əfáin] *n.* 인척(인 사람)
affine[2] *a.* 〚수학〛 아핀의 **~·ly** *ad.*
af·fined [əfáind] *a.* 인척 관계의; 밀접하게 결합된
affíne geómetry 〚수학〛 아핀 기하학
af·fin·i·tive [əfínətiv] *a.* 밀접한 관계가 있는
* **af·fin·i·ty** [əfínəti] *n.* (*pl.* **-ties**) **1** [보통 an ~] (…에 대한) 애호, 좋아함; 친근감, 공감, 호감 (*for, with, between*): She had a deep ~ *with* animals. 그녀는 동물과 깊은 친밀감을 가졌다. **2** 맞는 성질; 성미가 맞는 사람 **3** UC (혈연 이외의) 인척 관계 (cf. CONSANGUINITY) **4** (공통의 기원 등에서 오는) 밀접한 관계, 유사성[점] (*between, with*) **5** U 〚생물〛 유연(類緣); 〚화학〛 친화력
▷ affínitive, affíned *a.*

---

son **4** 파티 party, reception, gathering
affection *n.* love, liking, fondness, warmth, devotion, caring, attachment, friendship

affínity càrd affinity group의 회원에게 발행되는 신용 카드

affínity gròup 유연(類緣) 단체 《공통 목적을 가진 단체; 대금 할인의 대상이 됨》

‡**af·firm** [əfə́ːrm] [L 「확실하게 하다」의 뜻에서] *vt.* **1** 단언하다, 확언하다, 주장하다: ~ one's loyalty 충성을 맹세하다 // (~+*that* 절) He ~*ed that* the news was true. 그는 그 소식이 정말이라고 단언했다. **2** 〖법〗 〈하급 법원의 판결을〉 확인하다(confirm): The appellate court ~*ed* the judgment of the lower court. 항소 법원은 하급 법원의 판결을 확인했다. **3** 〖논리〗 찬동하다, 지지하다; 긍정하다
— *vi.* **1** 확언하다, 단언하다 《*to*》 **2** 〖법〗 〈증인 등이〉 (선서 대신에) 확약하다
~**·a·ble** *a.* 단언할 수 있는 ~**·er** *n.* ~**·ing·ly** *ad.*
▷ affirmátion *n.*; affírmative *a.*, *n.*; affírmatory *a.*

af·firm·ance [əfə́ːrməns] *n.* [U] 단언; 확인

af·firm·ant [əfə́ːrmənt] *n.* 〖법〗 affirm하는 사람; 증언자

*__af·fir·ma·tion__ [æ̀fərméiʃən] *n.* [UC] **1** 확언, 단언 **2** (진실성의) 확인; 확인된 것[말, 진술] **3** 지지, 확인 **4** 〖논리〗 긍정 **5** 〖법〗 확약, 무선서 증언

*__af·firm·a·tive__ [əfə́ːrmətiv] *a.* **1** 긍정의, 확언적인, 단정적인, (미) 적극적인(opp. *negative*): an ~ answer 긍정적 대답 **2** 〖논리〗 긍정적인
— *n.* **1** 긍정적 대답 **2** 긍정어(구), 긍정적 표현; 〖논리〗 긍정 (명제) **3** [the ~] 동의자 측(側), 찬성표 ***answer in the*** ~ 긍정하다(say yes) ~**·ly** *ad.*
▷ affírm *v.*; affirmátion *n.*; affírmatory *a.*

affírmative áction (미) 차별 철폐 조처 《소수 민족과 여성의 교육 기회와 고용에 있어서》

affírmative flág 〖항해〗 C플래그 《국제 선박 신호의 C의 문자기; yes를 뜻함》

affírmative séntence 〖문법〗 긍정문

af·firm·a·to·ry [əfə́ːrmətɔ̀ːri | -təri] *a.* 단정적인, 긍정의(affirmative)

af·fírm·ing gùn [əfə́ːrmiŋ-] 수색 통지포 《군함이 상선의 정선을 명할 때 쏘는 포》(informing gun)

af·fix [əfíks] *vt.* **1** 첨부하다, 〈우표 등을〉 붙이(stick) 《*to, on*》: ~ the label *to* the package 라벨을 소포에 붙이다 **2** 〈서명 등을〉 써 넣다, 〈도장을〉 찍다 《*to*》 **3** 〈허물·책임 등을〉 지우다(attach): (~+목+전+명) ~ blame *to* a person 책임을 …에게 씌우다
— [ǽfiks] *n.* **1** 부착(물), 첨부(물) **2** 〖문법〗 접사(接辭) 《접두사·접미사 등》
~**·a·ble,** *a.* ~**·al,** ~**·i·al** *a.* ~**·ment** *n.*

af·fix·a·tion [æ̀fikséiʃən] *n.* [U] 첨부, 부가, 덧붙임; 〖문법〗 접사 첨가

af·fix·ture [əfíkstʃər] *n.* [U] 부가, 첨부; [C] 부가[첨부]물

af·flat·ed [əfléitid] *a.* 영감을 받은(inspired)

af·fla·tion [əfléiʃən] *n.* = AFFLATUS

af·fla·tus [əfléitəs] *n.* [U] (시인·예언자 등의) 영감

‡**af·flict** [əflíkt] [L 「…에 치다」의 뜻에서] *vt.* **1** [보통 수동형으로] (정신적·육체적으로) 괴롭히다, 시달리게 하다(distress): (~+목+전+명) *be* ~*ed with* debts 빚에 시달리다 / He *was* ~*ed at* your failure. 그는 너의 실패를 알고 마음 아파했다. / ~ one*self with* illness 병으로 고생하다 **2** (폐어) …을 쓰러뜨리다, 지게 하다; 깔보다 ~**·er** *n.*
▷ afflíction *n.*

af·flict·ed [əflíktid] *a.* **1** 괴로워하는, 고민하는 **2** [the ~; 명사적] 고통받는[괴로워하는] 사람들 ~**·ness** *n.*

af·flict·ing [əflíktiŋ] *a.* 비참한, 고통스러운

*__af·flic·tion__ [əflíkʃən] *n.* **1** [U] (심신의) 고통(pain), 괴로움(misery) **2** 고민거리, 불행의 원인 《*to*》
▷ afflíct *v.*; afflíctive *a.*

af·flic·tive [əflíktiv] *a.* 고통을 주는, 괴롭히는 ~**·ly** *ad.*

af·flu·ence [ǽfluəns, əflúː- | ǽflu-] *n.* **1** [U] 풍족; 부(富), 부유(wealth): live in ~ 부유하게 살다 **2** (사고·말 등의) 풍부함: ~ of words 말의 풍부함 **3** [an ~] 유입(流入), 쇄도(influx) 《*of*》: *an* ~ *of* tourists 관광객의 쇄도 ▷ áffluent *a.*; áfflux *n.*

af·flu·en·cy [ǽfluənsi, əflúː- | ǽflu-] *n.* (*pl.* **-cies**) = AFFLUENCE 2

af·flu·ent [ǽfluənt, əflúː- | ǽflu-] *a.* **1** 풍부[풍족]한(abundant) 《*in*》; 부유한: in ~ circumstances 유복하게 **2** 거침없이 흐르는
— *n.* **1** 지류(tributary) **2** 부유한 사람 ~**·ly** *ad.*

áffluent socíety [the ~] 풍요한 사회 《경제학자 J.K. Galbraith의 저서명에서》

af·flu·en·za [æfluénzə] [*af fluence*+influ*enza*] *n.* 부자병 《부자(자녀)들의 무기력증》

af·flux [ǽflʌks] *n.* [U] 유입 《*to*》; (사람의) 쇄도; 〖병리〗 충혈: an ~ of blood *to* the brain 뇌충혈

af·force [əfɔ́ːrs] *vt.* 〖영국법〗 〈배심 등을〉 (전문가를 참가시켜) 보강하다 ~**·ment** *n.*

‡**af·ford** [əfɔ́ːrd] [OE 「앞으로 나아가게 하다」의 뜻에서] *vt.* **1** [보통 can, could, be able to와 함께; 종종 부정·의문문에서] **a** …할 수 있다, …할 여유가 있다: (~+*to* do) He *could not* ~ *to* go every night. 그는 도저히 매일 밤 갈 수가 없었다. / How *can* he ~ *to* jog every morning? 어떻게 그는 매일 아침 조깅할 수 있는 거니? **b** (경제적·시간적으로) 여유가 있다: I *cannot* ~ (*to* have) holidays. 휴가를 가질 여유가 없다. / I'm *not* rich enough to ~ a car. 나는 차를 살 만큼 경제적 여유가 없다. **2** (문어) 〈천연자원 등을〉 공급하다, 산출하다(yield): The U.S.A. ~*s* minerals of various kinds. 미국은 여러 가지 종류의 광물을 산출한다. **3** (문어) 주다, 제공하다(give) 《*to*》: His words ~ no explanation. 그의 말로는 설명이 되지 않는다. // (~+목+목) (~+목+전+명) Reading ~*s* me great pleasure. = Reading ~*s* great pleasure *to* me. 독서는 나에게 큰 즐거움을 준다.

af·ford·a·ble [əfɔ́ːrdəbl] *a.* 줄 수 있는; 입수 가능한, 〈가격이〉 알맞은: at an ~ price 알맞은 가격에
— *n.* [보통 *pl.*] 감당할 수 있는 물건[비용]
-bíl·i·ty *n.* **-bly** *ad.*

af·for·est [æfɔ́ːrist, əfɑ́r- | əfɔ́r-] *vt.* 〈토지를〉 삼림으로 만들다, 조림[식림]하다(opp. *deforest*) ~**·ment** *n.*

af·for·est·a·tion [əfɔ̀ːristéiʃən] *n.* [U] 조림, 식림

af·fran·chise [əfrǽntʃaiz] *vt.* 〈사람·국가를〉 (종속·예속·의무 등에서) 해방하다 ~**·ment** *n.*

af·fray [əfréi] *n.* (문어) 싸움, 소란; (공공장소에서의) 난투; (작은 집단 간의) 충돌 ~**·er** *n.*

af·freight [əfréit] *vt.* 〈배를〉 화물선으로서 용선(傭船)하다(charter) ~**·er** *n.* ~**·ment** *n.*

af·fri·cate [ǽfrəkət] 〖음성〗 *n.* 파찰음 《[tʃ, dʒ] 등》 — [ǽfrəkèit] *vt.* 파찰음화하다
àf·fri·cá·tion *n.* [U] 파찰음화

af·fric·a·tive [əfríkətiv, ǽfrəkèitiv] *n.*, *a.* 〖음성〗 파찰음(의)

af·fright [əfráit] (고어) *n.* 공포(fright), 놀람; 위협; 공포의 원인 — *vt.* 두려워하게 하다(frighten)

*__af·front__ [əfrʌ́nt] *n.* (공공연한, 의도적인) 모욕, 무례한 언동 ***put an*** ~ ***upon*** = ***offer an*** ~ ***to*** …을 모욕하다 ***suffer an*** ~ 모욕을 당하다 《*at*》
— *vt.* **1** (면전에서) 모욕하다, 무례한 언동을 하다 **2** 〈죽음·위험 등에〉 태연하게[과감히] 맞서다
~**·ed** *a.* 모욕을 당한, (모욕을 당하여) 분한 ~**·er** *n.*; **-tive** *a.*

thesaurus **affirm** *v.* state, assert, declare, proclaim, swear, attest, pronounce, aver
affirmative *a.* assenting, consenting, favorable, approving, agreeing, concurring, positive
affliction *n.* trouble, distress, pain, misery, suf-

afft. affidavit
af·fu·sion [əfjú:ʒən] *n.* Ⓤ 〖그리스도교〗 (세례의) 관수식(灌水式); 〖의학〗 관주(灌注) (요법)
Afg., Afgh. Afghanistan
Af·ghan [ǽfgæn, -gən] *a.* 아프가니스탄(말, 사람)의 **—** *n.* **1** 아프가니스탄 사람; Ⓤ 아프가니스탄 말 **2** [**a~**] 모포[숄]의 일종 **3** = AFGHAN COAT; = AFGHAN HOUND
Áfghan cóat 아프간 코트 《양피 코트》
Áfghan hóund 아프간 하운드 《발이 빠른 사냥개》
af·ghan·i [æfgǽni, -gɑ́:ni] *n.* 아프가니 《아프가니스탄의 화폐 단위; =100 puls; 기호 Af》
Af·ghan·i·stan [æfgǽnəstæ̀n] *n.* 아프가니스탄 《서아시아의 공화국; 수도 Kabul》
a·fi·cio·na·da [əfìʃiənɑ́:də] [Sp.] *n.* (*pl.* **~s**) AFICIONADO의 여성형
a·fi·cio·na·do [əfìʃiənɑ́:dou] [Sp.] *n.* (*pl.* **~s** [-z]) 열렬한 애호가, 《특히》 투우 팬
a·field [əfí:ld] *ad., a.* Ⓟ **1** 〈농부가〉 들에, 〈군대가〉 싸움터에 **2** 집[고향]에서 멀리 떨어져; 정상을 벗어나 ***far* ~** 멀리 떨어져
AFIPS American Federation of Information Processing Societies 미국 정보 처리 협회
a·fire [əfáiər] *ad., a.* Ⓟ **1** 불타서(on fire) **2** (감정이) 격하여 ***set* ~** 불지르다; 격정을 불러 일으키다 ***with heart* ~** 가슴이 불타올라
AFKN American Forces Korea Network 주한 미군 방송망 《지금은 AFN》 **AFL** American Federation of Labor 《지금은 AFL-CIO》; American Football League
a·flame [əfléim] *ad., a.* Ⓟ **1** 불타올라(in flames) **2** (얼굴이) 화끈 달아, 빛나 **3** (열의 등에) 불타 《*with*》 ***set* ~** (1) 타오르게 하다 (2) 〈피를〉 끓게 하다
af·la·tox·in [æ̀flətɑ́ksin | -tɔ́k-] *n.* Ⓤ 〖생화학〗 아플라톡신 《곡물의 곰팡이가 내는 발암성 독소》
AFL-CIO American Federation of Labor and Congress of Industrial Organizations 미국 노동 총연맹 산업별 회의
*__a·float__ [əflóut] *ad., a.* Ⓟ **1** 〈물위·공중에〉 떠서 (floating about) **2** 해상에(at sea), 배 위에: the largest battleship ~ 세계 최대의 전함 / cargo ~ 해상의 화물 / life[service] ~ 해상 생활[근무] **3** 〈갑판·전답 등이〉 침수하여 **4** 헤매고, 방황하고; 불안정하여 **5** 〈소문이〉 퍼져 **6** 빚지지 않고; 활동하여 **7** 〖상업〗 〈어음이〉 유통하여 ***keep* ~** 가라앉지[빚지지] 않게 하다[않고 있다] ***set* ~** …을 뜨게 하다; 유포시키다, 〈소문〉을 퍼뜨리다 ▷ flóat *v., n.*
a·flut·ter [əflʌ́tər] *ad., a.* Ⓟ 〈날개·기 등이〉 펄럭이고; 흥분하여, 안절부절못하여
AFM (영) Air Force Medal; American Federation of Musicians **AFN** American Forces Network 미군 방송망 **AFNOR** *Association Française de Normalisation* 《F =Standards Organization of France》 프랑스 규격 협회 **A.F.O.** Admiralty Fleet Order
a·fo·cal [eifóukəl] *a.* 〖광학〗 무한 초점의
à fond [ɑ:-fɔ́ŋ] [F =to the bottom] *ad.* 철저히, 근본적으로
*__a·foot__ [əfút] *ad., a.* Ⓟ **1** 일어나, 움직여; 기동하여; 〈일이〉 발생하여, 진행 중인; 계획 중에: There is mischief ~. 나쁜 일이 벌어지고 있다. **2** (고어) 걸어서(on foot) ***get* ~** 〈병자가〉 기동하게 되다; 〈일이〉 시작되다 ***set* ~** 〈계획을〉 세우다, 〈일을〉 시작하다
a·fore [əfɔ́:r] *ad., prep., conj.* 《고어·방언》 〖항해〗 = BEFORE **~ *the mast*** ⇨ mast[1]

fering, wretchedness, hardship, sorrow, torment
afraid *a.* **1** 두려워하는 frightened, scared, fearful, terrified, alarmed **2** 걱정하는 nervous, apprehensive, worried, anxious **3** 유감으로 생각하는 sorry, regretful, apologetic, unhappy

afore- [əfɔ́:r] 《연결형》 before의 뜻
a·fore·hand [əfɔ́:rhæ̀nd] *ad., a.* 《고어·방언》 = BEFOREHAND
a·fore·men·tioned [-ménʃənd] *a.* 《문어》 앞서 말한, 전술(前述)한 **—** *n.* Ⓤ [the ~] 전술한 사항
a·fore·said [-sèd] *a., n.* = AFOREMENTIONED
a·fore·thought [-θɔ̀:t] *a.* [보통 명사 뒤에서] 미리 [사전에] 생각한, 계획적인, 고의의: with malice ~ 〖법〗 살의를 품고 **—** *n.* ⓊⒸ 사전 숙고, 고의
a·fore·time [-tàim] 《고어》 *ad., a.* 이전에[의]
a for·ti·o·ri [ei-fɔ̀:rʃiɔ́:rai] [L =with the stronger reason] *ad.* 한층 유력한 이유로, 더욱더 **—** *a.* Ⓐ 더욱 유력한 (논거가 되는)
a·foul [əfául] *ad., a.* Ⓟ 《미》 엉클어져서; 충돌하여 ***run*** [***fall, come***] **~ *of*** (1) …와 옥신각신하다, 충돌하다 (2) 〈법률·규칙 등〉에 저촉되다
AFP *Agence France-Presse* 프랑스 통신사 **Afr.** Africa(n) **A.-Fr.** Anglo-French
Afr- [æfr] 《연결형》 Afro-의 이형(異形)
‡**a·fraid** [əfréid] [「두려워한」의 뜻에서] *a.* Ⓟ **1** 두려워하여, 무서워하여 《*of*》: She is much ~ *of* snakes. 그녀는 뱀을 몹시 무서워한다. / He is ~ *of* his own shadow. 그는 자신의 그림자를 두려워한다. 《겁쟁이다.》

> 유의어 **afraid** 마음이 약함, 겁이 많음을 암시하고 일반적으로 행동·발언 등을 할 수 없음을 나타낸다 **fearful** 성질적으로 겁이 많고 불안한 마음이 강함을 나타낸다: The child is *fearful* of loud noises. 그 아이는 시끄러운 소리를 무서워한다.

2 걱정[염려]하여, 근심하여 《*of, about, for, to* do, *that, lest*》: I am ~ *of* dying. 나는 죽는 것이 아닌가 하고 걱정하고 있다. / The students are ~ *to* speak out boldly. 학생들은 두려워서 대담하게 의견을 말하지 못한다. / I am ~ *lest* I should miss the last train. 막차를 놓칠까 걱정이다. / I am ~ *that* I should be fired. 해고당할까 걱정이다. USAGE afraid+절과, afraid+***to*** do와, afraid+of+***-ing***의 차이: He is ~ (*that*) he will die.는 「그는 죽는 것이 아닌가 하고 걱정하고 있다.」의 뜻; He is ~ *to* die. 「죽을 만한 용기가 없다.」의 뜻; He is ~ *of* dy*ing*.은 위의 어느 쪽 뜻도 되지만, afraid+절의 뜻이 되는 경우가 많음. **3** [I'm ~, I am ~로, 어투를 부드럽게 하는 데 쓰여서] **유감으로 생각하다,** (유감이지만) …라고 생각하다: *I'm* ~(= I'm sorry) I cannot help you. (미안하지만) 도와줄 수가 없습니다. / *I'm* ~ it's going to rain. 비가 올 것 같다. 《이 용법에서는 보통 that이 생략됨》/ "Is this your writing?" — "*I am* ~ it is." 이것이 당신이 쓴 것입니까? — 그런 것 같습니다. USAGE I hope와 I am afraid의 차이: 자신의 발언에 「…이라고 생각한다」라고 가볍게 부가하는 경우, 바람직한 것에는 I hope를, 바람직하지 못한 것에는 I am afraid를 씀. **4** (구어) 싫어하여 《*of*》: He's ~ *of* even a little work. 그는 사소한 일도 하기 싫어한다. USAGE afraid의 1, 2, 3을 강조하는 부사로서 much는 딱딱한 말이며, 특히 (구어)에서는 very를 씀; 4를 강조할 때에는 very much를 씀.
(***I'm***) **~ *not.*** 아무래도 안될 것 같습니다: "Is he coming, too?" — "*I'm* ~ *not.*" 그도 올 것인가? — 아무래도 안 올 것 같습니다. (***I'm***) **~ *so.*** 아무래도 그런 것 같습니다.: "Are we lost?" — "*I'm* ~ *so.*" 우리는 길을 잃었습니까? — 아무래도 그런 것 같습니다.
A-frame [éifrèim] *a.* A(자)형의 **—** *n.* **1** 〖건축〗 A형 틀 《무거운 물건을 받치는 데 씀》 **2** (미·속어) 지게
Af·ra·mer·i·can [æ̀frəmérikən] *a., n.* = AFRO-AMERICAN
Á-frame tènt A자형 텐트(ridge tent)
Af·ra·sia [æfréiʒə, -ʃə] *n.* 아프라시아 《아프리카 북부와 아시아 남서부를 일괄해서 부르는 이름》

Af·ra·sian [æfréiʒən, -ʃən] *a.* 아프라시아의; 아프리카 인과 아시아 인의 혼혈의
—*n.* 아프리카 인과 아시아 인의 혼혈아

af·reet [ǽfri:t, əfrí:t | ǽfri:t] *n.* (아라비아 신화의) 악마

*__a·fresh__ [əfréʃ] *ad.* 새로이(anew), 신규로, 다시(again): start ~ 다시 시작하다 ▷ frésh *a.*

Af·ric [ǽfrik] *a.* 《고어·시어》 = AFRICAN

‡**Af·ri·ca** [ǽfrikə] *n.* 아프리카 (대륙)
▷ Áfrican *a.*; Áfricanize *v.*

*__Af·ri·can__ [ǽfrikən] *a.* 아프리카의; 아프리카 사람의, 흑인의
—*n.* 아프리카 사람[흑인] **~·ness** *n.*

Af·ri·ca·na [æ̀frikɑ́:nə] *n. pl.* 아프리카에 관한 문헌[풍물], 아프리카지(誌)

Af·ri·can-A·mer·i·can [-əmérikən] *n., a.* (아프리카계) 미국 흑인(의)

Áfrican Canádian *n., a.* 아프리카계 캐나다인(의)

Af·ri·can-Car·ib·be·an [-kærəbí:ən] *n., a.* = AFRO-CARIBBEAN

Af·ri·can·der, -kan- [æ̀frikǽndər] *n.* **1** = AFRIKANER **2** 남아프리카산(産)의 육우(肉牛)

Áfrican dóminoes (미·속어) 주사위 (노름), 《특히》 크랩(craps)

Áfrican hóneybee = KILLER BEE

Af·ri·can·ism [ǽfrikənizm] *n.* **1** 아프리카 문화의 특질 **2** 아프리카 언어에서 온 차용어구 **3** 아프리카 문화[혼]; 아프리카 민족(독립)주의

Af·ri·can·ist [ǽfrikənist] *n.* 아프리카 언어[문화] 연구자; 아프리카 민족 해방주의자

Af·ri·can·ize [ǽfrikənàiz] *vt.* 아프리카화하다; 아프리카 흑인의 세력하에 두다 **Àf·ri·can·i·zá·tion** *n.*

Áfrican líly 〖식물〗 = AGAPANTHUS

Áfrican mahógany 〖식물〗 아프리카 마호가니

Áfrican Nátional Cóngress [the ~] 아프리카 민족 회의 《남아공화국의 민족 운동 조직; 略 ANC》

Áfrican renáissance 아프리카 르네상스 《20세기 말에 시작된, 아프리카의 경제·문화적 급발전 시기》

Áfrican sléeping sickness 〖병리〗 = SLEEPING SICKNESS

Áfrican víolet 〖식물〗 아프리카 제비꽃 《탕가니카 고지 원산》

Af·ri·kaans [æ̀frikɑ́:ns] *n.* Ⓤ (남아프리카의) 공용 네덜란드 말 《略 Afrik.》

Af·ri·kan·der [æ̀frikǽndər] *n.* = AFRICANDER

Af·ri·ka·ner [æ̀frikɑ́:nər, -kǽ- | -kɑ́:-] *n.* 남아프리카 태생의 백인 《특히 네덜란드계》(cf. BOER)
~·dom *n.* (남아프리카 태생의) 백인의 세력[사회]; 아프리카너 민족주의 **~·ism** [-rìzm] *n.* 아프리칸스(Afrikaans)어 특유의 어법

A·fri·la·chian [æ̀friléitʃiən] [*Afri*can+Appa*lachian*] *a.* (미) 애팔래치아 산맥 지대 거주[출신] 흑인의

af·rit [ǽfri:t, əfrí:t | ǽfri:t] *n.* = AFREET

Af·ro [ǽfrou] *n.* (*pl.* **~s**) 아프로 머리 《흑인의 헤어스타일》; 아프리카 흑인 —*a.* 〈머리가〉 아프로형의
Áf·roed [-d] *a.* 아프로 머리 모양을 한

Afro- [ǽfrou] 《연결형》 「아프리카」의 뜻

Af·ro-A·mer·i·can [æ̀frouəmérikən] *n., a.* = African-American의 이전 용어

Af·ro-A·sian [æ̀froueíʒən | -éiʃən] *a.* 아시아·아프리카의; 아시아계 아프리카 인의

Af·ro-A·si·at·ic [æ̀frouèiʒiǽtik | -èiʃiǽ-] *n.* Ⓤ, *a.* 〖언어〗 아시아·아프리카 어족(의)

Af·ro·beat [ǽfroubì:t] *n.* 〖음악〗 애프로비트 《아프리카의 여러 리듬을 융합하여 만든 음악》

Af·ro-Car·ib·be·an [-kærəbíən] *n., a.* 카리브 해 지역 흑인(의); 카리브 해 지역 흑인 언어[화](의) (African-Caribbean)

Af·ro·cen·tric [-séntrik] *a.* 아프리카 중심주의의
-cén·trism *n.* Ⓤ (미국에서의) 흑인 중심주의
-cén·trist *n.*

Af·ro-Cu·ban [ǽfroukjú:bən] *a.* 아프리카계 쿠바 사람의[문화의] —*n.* 아프로큐반 음악

Af·ro·ism [ǽfrouìzəm] *n.* 아프리카 흑인 문화 중심주의

Af·ro-pop [ǽfroupɑ̀p | -pɔ̀p] *n.* (전자 악기로 연주하는) 아프리카 팝 음악

af·ror·mo·si·a [æ̀frɔ:rmóuziə, -ʒə] *n.* 아프로모지아 《아프리카산(産) 콩과(科)의 교목; 그 가구용 재목》

Af·ro-rock [ǽfrourɑ̀k | -rɔ̀k] *n.* 아프로 록 《록 음악을 도입한 아프리카 음악》

AFS American Field Service 미국 국제 장학 재단(에 의한 고교생 유학 제도) **AFSC** American Friends Service Committee 아메리카 프렌즈 봉사단

aft[1] [ǽft, ɑ́:ft | ɑ́:ft] 〖항해·항공〗 *ad.* 고물(쪽)에, 기미(機尾)에[로], 후미에[로](opp. *fore*) ***right*** ~ (배의) 바로 뒤에; 선미[기미] 가까이에
—*a.* 고물(쪽)에 있는, 후미[기미]의

aft[2] *ad.* 《스코》 = OFT

AFT American Federation of Teachers 미국 교원 연맹 **aft.** afternoon

‡**af·ter** ⇨ after (p. 49)

after- [ǽftər | ɑ́:f-] 《연결형》 「뒤에, 후에」의 뜻: *after*body, *after*shave

af·ter-ac·tion [-ǽkʃən] *a.* 전투[교전] 후의

af·ter·beat [ǽftərbì:t] *n.* 〖음악〗 애프터비트, 후박(後拍)

af·ter·birth [-bə̀:rθ] *n.* 〖의학〗 후산(後産)

af·ter·bod·y [-bɑ̀di | -bɔ̀di] *n.* (*pl.* **-bod·ies**) (배·항공기·로켓 등의) 후부 선체[기체, 동체]

af·ter·brain [-brèin] *n.* 〖해부〗 후뇌(後腦)

af·ter·burn·er [-bə̀:rnər] *n.* 애프터버너 《제트 엔진·자동차의 재연소(再燃燒) 장치》

af·ter·burn·ing [-bə̀:rniŋ] *n.* Ⓤ (제트 엔진의) 재연소(법)

af·ter·care [-kɛ̀ər] *n.* Ⓤ **1** 병후[산후]의 몸조리 **2** 보도, 갱생 지도 《출소 후 등의》 **3** (영) 〈차·기계류 등의 상품에 대한〉 애프터서비스, 사후 관리

af·ter·clap [-klæ̀p] *n.* 후탈, 도짐; 뜻밖의 여파[반향]

af·ter·cool·er [-kù:lər] *n.* 최종 냉각기

áfter còst 〖회계〗 사후(事後) 비용

af·ter·crop [-krɑ̀p | -krɔ̀p] *n.* 후작(後作), 뒷그루

af·ter·damp [-dæ̀mp] *n.* Ⓤ 폭발 후 갱내에 남은 유독 가스 《주로 이산화탄소와 니트로겐의 합성물》

af·ter·dark [-dɑ́:rk] *a.* 해진 뒤의, 밤의

af·ter·deck [-dèk] *n.* 〖항해〗 후갑판

af·ter-din·ner [-dínər] *a.* 정찬[만찬] 후의, 식후의: an ~ speech (식후의) 탁상연설

af·ter·ef·fect [-ifèkt] *n.* [종종 *pl.*] **1** 여파; 잔존 효과; (사고의) 후유증 《*of*》 **2** (약 등의) 후작용

af·ter·glow [-glòu] *n.* **1** 저녁놀 **2** (성공 후의) 즐거운 쾌감[회상], 여운 **3** 〖기상〗 잔광(殘光)

af·ter·grass [-græ̀s | -grɑ̀:s] *n.* 처음 베어낸 후에 다시 자라는 풀

af·ter·growth [-gròuθ] *n.* (곡물·나무 등의) 뒷그루; 2차 성장; (바람직하지 않은 것의) 2차적 발생

af·ter·guard [-gɑ̀:rd] *n.* (항해속어) 요트 소유주와 승객들; 후갑판원

af·ter·heat [-hì:t] *n.* Ⓤ 〖물리〗 (원자로의 잔류 방사능에서 발하는) 여열(餘熱)

af·ter-hours [-áuərz] *a.* Ⓐ 근무[영업] 시간 후의

af·ter·im·age [-ìmidʒ] *n.* 〖심리〗 잔상(殘像)

af·ter·life [-làif] *n.* **1** [보통 *sing.*] 내세, 사후(의 삶) **2** Ⓤ 여생, 만년

af·ter·light [-làit] *n.* Ⓤ 저녁놀, 잔광(殘光); 뒤늦은 생각[꾀]; Ⓒ 회고, 회상

af·ter·mar·ket [-mɑ̀:rkit] *n.* 부품[제2차] 시장, 서비스 용품 시장; 신규 증권 발행 후의 시장

af·ter·math [-mæ̀θ] *n.* [보통 *sing.*] **1** (전쟁·재해 등의) 여파, 영향 **2** 첫 수확 후 두 번째 자라난 풀

after

시간적·위치상으로 「뒤에」라는 것이 본 뜻이다. 용법은 반의어인 before와 거의 같고, 동계어인 behind보다는 동적(動的)인 뉘앙스가 짙다. 전치사·접속사로의 사용도가 높다.
1 장소를 나타낼 때는 after를 쓰지 않고 behind를 쓰는 것이 일반적이다.
2 search, seek, hungry 등은 after, for와 결합하여 목적·추구를 나타내는데 오늘날에는 for가 일반적이다.
3 접속사의 경우 after 다음에 과거완료 대신에 현재형·과거형만으로 표현하는 경우가 많다. ⇨ *conj.* USAGE

af·ter [ǽftər | ɑ́ːf-] *ad., prep., conj., a., n.*

기본적으로는 「뒤에」의 뜻에서	
① [때] (…의) 뒤에	부 **2** 전 **2a** 접
② [차례·장소] (…의) 뒤에	부 **1** 전 **1a**
③ [인과 관계] …하였으므로; …하고 나서	전 **3** 접
④ …을 찾아서	전 **6**
⑤ …에 따라서	전 **5**

— *ad.* **1** [차례] **뒤에**: go ~ 뒤에 가다/He came tumbling ~. 그는 뒤에서 허둥지둥 달려왔다./Having lost the final pages, we can only guess what might come ~. 마지막 부분의 페이지를 잃어버렸기 때문에 후에 무슨 일이 일어날지는 상상할 수밖에 없었다.
2 [때] **뒤에, 나중에**: I arrived ~ 2 days and Jim arrived 3 days ~. 나는 (어떤 사건이 있은 지) 이틀 뒤에 도착했고 짐은 (그로부터) 사흘 후에 도착했다. ((★ 첫 after는 *prep.* 2 a의 용법; 뒤의 after는 later의 뜻))/the day[week, year] ~ 그 다음 날[주, 해]/long[soon] ~ 오랜[바로] 뒤에/Once you've purchased this we guarantee it for up to 5 years ~. 당신이 이것을 구입만 하시면 향후 5년간 보장해 드립니다./They lived happily ever ~. 그들은 그 후 내내 행복하게 살았다.(⇨ ever 5 a)
— *prep.* **1** [차례·장소] **a** …**의 뒤에,** …**에 뒤이어** ((장소를 나타낼 때는 behind가 일반적)): follow ~ him 그의 뒤를 따라가다/Repeat ~ me. 내 말을 따라 말하세요./Shut the door ~ you. 들어오거든[나오거든] 문을 닫아라. ((Shut the door *behind* you.라고도 하는데 「등 뒤의 문을 닫아라」의 뜻도 됨)); ((구어)) (이 방에서) 나가시오. **b** [앞뒤에 같은 명사를 써서 계속·반복을 나타내어] …**에 계속하여, 차례로** …**도** ((명사는 보통 관사 없이)): read page ~ page 여러 페이지를 계속 읽다/Car ~ car passed by. 차가 줄지어 지나갔다.
2 [때] **a** …**의 뒤에**(later than) ((★ 보통 after는 과거의, in은 미래의 「…뒤에」의 뜻으로 쓰는 경향이 있으나 실제로는 구별할 수 없을 때가 많음)): ~ dark 해가 진 뒤에/~ breakfast 아침 식사 후에/~ school 방과 후에/the day ~ tomorrow 모레/~ a month 한 달이 지나서/He often stays in the office ~ hours. 그는 근무 시간 이후에도 자주 사무실에 남곤 한다. **b** [앞뒤에 같은 명사를 써서 계속·반복을 나타내어] …**에 계속하여,** …**도,** …**씩이나** ((명사는 보통 관사 없이)): day ~ day 다음날도 그 다음날도, 매일/hour ~ hour 몇 시간씩이나 **c** ((미)) (…시) **지나**(((영)) past): ten minutes ~ six 6시 10분
3 [인과 관계] …**하였으므로,** …**에 비추어**: *A*~ what he said to me, I won't go to his party. 그가 나에게 그런 말을 했으니 그가 여는 파티에 가지 않겠다.
4 …**다음에,** …**다음가는**: the greatest poet ~ Shakespeare 셰익스피어 다음가는 대시인 ((「셰익스피어 이후의 대시인」이라고도 해석됨; cf. 2 a))
5 [모방] …**에 따라서,** …**을 본받아,** …**을 따서,** …**식의**: a painting ~ Picasso 피카소풍의 그림/He was named ~ his grandfather. 그는 할아버지의 이름을 따서 명명되었다.
6 [목적·추구] …**의 뒤를 쫓아서,** …**을 찾아,** …**을 추구하여**: The police are ~ the thief. 경찰은 도둑을 쫓고 있다./He seeks ~ fame[happiness]. 그는 명예[행복]를 추구한다./Run ~ him! 그를 뒤쫓아라!/I'm ~ a better paying job. 나는 좀 더 보수가 좋은 일자리를 찾고 있다.
7 [관심] …**의 형편을,** …**에 관하여**: inquire[ask] ~ a friend 친구의 안부를 묻다/look[see] ~ the boys 아이들을 감독하다[돌보다]
8 [all 등과 함께] …**에도 불구하고**(in spite of) ((AFTER all(관용구)과 혼동하지 말 것)): *A*~ *all* her troubles, she's still optimistic. 온갖 고난에도 불구하고 그녀는 여전히 낙천적이다./*A*~ *all* my advice, he married her. 그만큼 충고를 했음에도 불구하고 그는 그녀와 결혼했다.
~ all (1) [문장 머리에 써서] 아무튼, 하지만, 어쨌든: *A*~ *all,* we are friends. 뭐니뭐니 해도 우린 친구 사이니까. (2) [문장 끝에 써서] 역시, 결국: He had many things to do, but he decided to go to the concert ~ *all.* 그는 할 일이 많았는데도 결국 음악회에 가기로 했다.
~ hours ⇨ hour
A~ you. 먼저 타세요[가세요, 하세요], 어서 먼저. ((보통은 please를 붙이지 않음)): "Do you need the copy machine?" — "*A*~ *you.*" 복사기 쓰실래요? — 먼저 쓰세요.
A~ you with ... 먼저 쓰시고 건네주십시오: *A*~ *you with* the sauce. 소스를 먼저 쓰고 건네주시오.
be ~ …을 추구하다, …을 찾다(⇨ *prep.* 6)
be eager ~ …을 열망하다
one ~ another ⇨ one *pron.*
one ~ the other ⇨ one *pron.*
run ~ ⇨ run
see ~ ⇨ see
seek[***search***] ***~*** …을 찾다
time ~ time ⇨ time
— *conj.* (…한) **뒤에,** …**하고 나서**: She always washes her hands ~ she gets home. 집에 돌아온 후에 그녀는 항상 손을 씻는다.
USAGE 접속사 after는 그 자체만으로도 때의 전후 관계를 분명히 나타내므로 그것이 이끄는 절 가운데다 새삼스레 완료형을 쓸 필요는 없으나 실제로는 자주 눈에 띈다: I arrived there ~ she *had left*[~ she *left*]. 그녀가 떠나간 뒤에야 나는 거기 도착했다./I will go with you ~ I *have finished* (my) breakfast[~ I *finish* (my) breakfast]. 아침을 먹고 나서 당신과 함께 가겠습니다.
~ all is said and done 역시, 결국: *A*~ *all is said and done,* it was my fault. 역시 그것은 내 잘못이었다.
— *a.* Ⓐ **1** 뒤의(later): ~ ages 후세(에)/(in) ~ year 후년(에) **2** [[항해]] 선미[후부, 고물]의[에 가까운]: ~ cabins 후부 선실
— *n.* **1** 미래, 그 후: all the before and ~ of Greek thought 그리스 사상의 전후 **2** [*pl.*] =AFTERS **3** ((구어)) 오후(afternoon)

af·ter-men·tioned [-mènʃənd] *a.* 뒤에 말한, 후술(後述)한

af·ter·most [-mòust] *a.* 〖항해〗 최후부(最後部)의; 맨 뒤의(opp. *foremost*)

‡**af·ter·noon** [æ̀ftərnúːn | ɑ̀ːf-] *n.* **1** 오후 《정오에서 일몰까지》: this[tomorrow, yesterday] ~ 오늘[내일, 어제] 오후 / in[during] the ~ 오후에[동안에] / on Sunday ~ 일요일 오후에 / on the ~ of the 2nd 2일 오후에 ★ 특정한 날의 오후를 나타낼 경우는 보통 on을 씀. **2** [the ~] 《문어》 후반, 후기 《*of*》: *the* ~ *of* life 만년, 늘그막 / one's pensioned ~ 연금 생활의 만년 ***good*** **~** ⇨ good afternoon
— [⌐–⌐, ⌐–⌐] *a.* Ⓐ 오후의, 오후에 쓰는[하는]: an ~ farmer 게으름쟁이 / an ~ lady 분꽃 / an ~ sleep 낮잠

áfternoon dréss 애프터눈 드레스

áfternoon dríve 《미·속어》 〖방송〗 저녁의 러시아워 《자동차 통근자가 귀가하며 라디오를 듣는 시간》

af·ter·noon·er [æ̀ftərnúːnər | ɑ̀ːf-] *n.* 《구어》 오후에 나타나는[활동적이 되는] 사람[것]; 《야구 경기 등이》 오후에 행해지는 것

áfternoon páper 석간(신문) 《evening paper보다 먼저 나옴》

af·ter·noons [æ̀ftərnúːnz | ɑ̀ːf-] *ad.* 《미·구어》 오후에는 흔히[언제나](cf. EVENINGS, MORNINGS)

áfternoon téa 《영》 오후의 차[다과회]

af·ter·pain [ǽftərpèin | ɑ́ːf-] *n.* 〖의학〗 **1** Ⓤ 후통(後痛) **2** [*pl.*] 산후 복통, 훗배앓이

after-party [ǽftərpɑ̀ːrti | ɑ́ːf-] *n.* 특히 시끌벅적한 파티 후의 사교 모임

af·ter·peak [-pìːk] *n.* 〖항해〗 후부 선창(船倉)

af·ter·piece [-pìːs] *n.* 《본 연극 뒤의》 익살맞은 촌극(寸劇)

af·ters [ǽftərz | ɑ́ːf-] *n. pl.* 《영·구어》 디저트(dessert)

af·ter-sales [ǽftərséilz | ɑ́ːf-] *a.* 《영》 판매 후의

áfter-sales sèrvice 애프터서비스

af·ter-school [-skùːl] *a.* 방과 후의

af·ter·sen·sa·tion [-sensèiʃən] *n.* 〖심리〗 잔류 감각 《자극이 없어져도 남아 있는 감각》

af·ter·shaft [-ʃæ̀ft] *n.* 〖조류〗 뒷깃털 《깃축 뒷면에 난 작은 털》; 뒷깃축 **~·ed** *a.*

af·ter·shave [-ʃèiv] *n.* 면도 후의 로션
— *a.* Ⓐ 면도 후의, 면도한 뒤에 쓰는

af·ter·shock [-ʃɑ̀k | -ʃɔ̀k] *n.* 여진(餘震); 여파

af·ter-ski [-skìː] *a.*, *n.* = APRÈS-SKI

af·ter·sun [-sʌ̀n] *a.*, *n.* 볕에 탄 후의[에 쓰는 로션]

af·ter·taste [-tèist] *n.* ⓊⒸ **1** 뒷맛 **2** 《어떤 체험 후의 불쾌한》 뒷맛, 여운(餘韻) 《*of*》

af·ter-tax [-tæ̀ks] *a.* 세금을 공제한: an ~ income 세금을 뺀 순수입

af·ter·thought [-θɔ̀ːt] *n.* **1** 뒷궁리, 뒤늦은 꾀[생각] **2** 보충, 추가, 수정; 〖문법〗 추가 표현

af·ter·time [-tàim] *n.* Ⓤ 앞날, 장래, 미래

af·ter·treat·ment [-trìːtmənt] *n.* 《염색 견뢰도(堅牢度)를 높이기 위한》 후(後)처리

af·ter·war [-wɔ̀ːr] *a.* = POSTWAR

‡**af·ter·ward** [ǽftərwərd | ɑ́ːf-] *ad.* **후에, 나중에**(later); 그 후에: two months ~ 두 달 후에
—*n.* [*pl.*] = AFTERS

‡**af·ter·wards** [ǽftərwərdz | ɑ́ːf-] *ad.*, *n.* 《영》 = AFTERWARD

af·ter·wit [ǽftərwìt | ɑ́ːf-] *n.* ⓊⒸ 뒤늦은 지혜

af·ter·word [-wɔ̀ːrd] *n.* 맺는 말, 발문(跋文), 후기

af·ter·work [-wɔ̀ːrk] *a.* 일[작업]이 끝난 후의

af·ter·world [-wɔ̀ːrld] *n.* 후세; 내세

af·ter·years [-jìərz] *n. pl.* 그 후의 세월, 후년; 만년(晩年)

af·to [ǽftou | ɑ́ːf-] *n.* 《호주·속어》 = AFTERNOON

af·to·sa [æftóusə, -zə] [Sp.] *n.* = FOOT-AND-MOUTH DISEASE

AFTRA American Federation of Television and Radio Artists

ag [ǽg] *a.*, *n.* 《구어》 = AGRICULTURAL; AGRICULTURE

Ag antigen; 〖화학〗 argentum 《L = silver》 **ag.** agriculture **Ag.** August **A.G.** Adjutant General; Attorney General

ag- [æg, əg] *pref.* = AD- 《g 앞에서의 변형》: *ag*gression

a·ga [ɑ́ːgə] *n.* 《터키 제국의》 고관, 사령관

A·ga [ɑ́ːgə] *n.* 《영》 아가 오븐 《영국제 주방 기구; 상표명》

A·ga·da [əgɑ́ːdə] *n.* = HAGGADA(H)

‡**a·gain** [əgén, əgéin] *ad.* **1** 다시, 한 번 더, 또(다시): Do it ~. 한 번 더 해라. **2** 원위치[원상태]로: come[go] home ~ 돌아가다, 귀가하다 / get well ~ 건강을 회복하다 / come to life ~ 소생하다 **3** 게다가 또(besides): And, ~, it is not strictly legal. 게다가 또 합법적이 아니다. **4** [보통 and, and[but] then 뒤에서] 또 한편, 반면에(on the other hand): This is better, *and*[*but*] *then* ~ it costs more. 이 편이 좋으나 그 반면에 값이 비싸다. **5** 《드물게》 응하여, 대답하여, 〈소리가〉 반향하여: answer him ~ 말대꾸하다 / He shouted till the valley rang ~. 산골짜기가 메아리치도록 소리쳤다.
~ and ~ = ***time and*** (***time***) ***~*** 몇 번이고, 되풀이하여 (***all***) ***over ~*** 한 번 더, 되풀이하여 ***as large*** [***many, much***] ***~*** (***as ...***) (…의) 두 배의 크기[수, 양]이고 ***back ~*** 본 자리로, 원래대로 ***be*** one***self ~*** 《병이 나아서》 원래대로 되다; 의식을 회복하다 ***half as many***[***much***] ***~*** (***as ...***) (…의) 1배 반의 수[양] ***never ~*** 두 번 다시 …않다 ***Not ~!*** 또야! ***once ~*** 다시 한 번 ***once and ~*** 다시 되풀이하여, 새로 ***to and ~*** 여기저기, 왔다갔다

‡**a·gainst** ⇨ against (p. 51)

A·ga Khan [ɑ́ːgə-kɑ́ːn] 〖이슬람교〗 아가 칸 《시아파에 속하는 이스마일파 교주의 세습 칭호》

ag·a·ma [ǽgəmə] *n.* 〖동물〗 아가마도마뱀 《아프리카·인도산(産)》

Ag·a·mem·non [æ̀gəmémnɑn, -nən | -nən] *n.* 〖그리스신화〗 아가멤논 《트로이 전쟁 당시 그리스군 총지휘관》

a·gam·ic [əgǽmik] *a.* 〖생물〗 무성 생식의; 〖식물〗 민꽃의

a·ga·mo·gen·e·sis [æ̀gəmoudʒénəsis] *n.* Ⓤ 〖생물〗 무성 생식

ag·a·mo·sper·my [ǽgəmouspə̀ːrmi, eigǽmə-] *n.* 〖식물〗 무배우(無配偶) 생식

ag·a·mous [ǽgəməs] *a.* 〖생물〗 = AGAMIC

ag·a·my [ǽgəmi] *n.* = AGAMOGENESIS

A·ga·ña [ɑgɑ́ːnjə] *n.* 아가냐 《Guam의 중심 도시》

ag·a·pan·thus [æ̀gəpǽnθəs] *n.* 〖식물〗 아가판투스, 자주군자란

a·gape[1] [əgéip, əgǽp | əgéip] *ad.*, *a.* Ⓟ 입을 딱 벌리고(openmouthed); 멍하니; 아연하여

a·ga·pe[2] [ɑgɑ́ːpei | ǽgəpìː] [Gk.] *n.* 〖그리스도교〗 사랑, 아가페 《인간에 대한 신의 사랑》; 애찬(愛餐) 《초기 그리스도교도의 회식》

Ag·a·pe·mo·ne [æ̀gəpémənì | -píː-] *n.* [the ~] 사랑의 집 《19세기 중엽 영국의 자유 연애주의자 집단》; [때로 **a~**] 자유연애자 집단

a·gar(-a·gar) [ɑ́ːgɑːr, ǽgər | éigə] *n.* Ⓤ **1** 우뭇가사리; 우무, 한천 **2** 〖생물〗 한천 배양기[배지]

ag·a·ric [ǽgərik, əgǽr-] *n.* 〖식물〗 주름버섯(속(屬)의 버섯)

a·gar·ose [ɑ́ːgəròus, -ròuz] *n.* 〖화학〗 아가로스 《우무에서 추출하여 착색[색층] 분리에 사용》

ag·a·ta [ǽgətə] *n.* 아가타 《19세기 미국의 공예 유리》

ag·ate [ǽgət] *n.* Ⓤ **1** 〖광물〗 마노(瑪瑙) **2** 《미》 〖인쇄〗 아게이트 《5 1/2포인트 활자; 《영》 ruby》

ágate jàsper 〖광물〗 마노 벽옥(碧玉)

against

against는 전치사로서 반대·대립·적대 관계를 나타내며 이에 따라 충돌 또는 불리 등의 뜻이 나타날 경우도 있다: *against* one's will 자기 의사에 반하여 / dash *against* …와 충돌하다
접속사로서의 용법은 《고어·방언》이다.

⁑a·gainst [əgénst, əgéinst] *prep., conj.*

기본적으로는 「거슬러서」의 뜻.	
① …에 반대하여	**1**
② …에 부딪쳐	**5**
③ …에 기대어	**2**
④ …을 배경으로	**4**
⑤ …에 대비하여	**3**

— *prep.* **1 a** …**에 반대하여,** 반항하여(opp. *for, in favor of*; cf. WITH A 3 b): fight ~ the enemy 적과 싸우다 / rise ~ the tyrant 폭군에 반대하여 봉기하다 / Are you for (it) or ~ it? 거기에 찬성이요, 반대요? / She was ~ buying another car. 그녀는 또 다른 차를 사는 것을 반대했다. **b** …**에 거슬러;** …에 거역하여, …에 반하여: swim ~ the current 흐름에 거슬러 헤엄치다 / Running ~ a strong wind is very hard. 강풍을 안고 뛰는 것은 매우 힘들다. / ⇨ against all CHANCES **c** …**에 불리하게[하여]**: The evidence is ~ him. 증거는 그에게 불리하다.
2 a …**에 기대어,** …에 의지하여, …에 대고: lean ~ the door 문에 기대다 / with one's back ~ the railing 난간에 등을 대고 **b** …**에 기대어 세우고;** …에 바싹 붙여, 접촉하여: stand an umbrella ~ the doorjamb 우산을 문설주에 기대어 세우다 / Please push the cupboard ~ the wall. 찬장을 벽에 밀어 붙여 주시오.
3 …**에 대비하여**: save money ~ retirement 퇴직에 대비해서 돈을 저축하다 / Passengers are warned ~ pickpockets. 《게시》 승객 여러분, 소매치기에 조심하십시오.
4 …**을 배경으로**: ~ the evening sky 저녁 하늘을 배경으로
5 …**에 부딪쳐**: throw a ball ~ the wall 담에 대고 공을 던지다 / I hit my elbow ~ the window. 창문에 팔꿈치를 부딪쳤다.
6 …**와 대조하여**: by a[the] majority of 50 ~ 20 20표 대 50표의 다수로 / The pearls looked good ~ her tanned neck. 진주 목걸이가 그녀의 검게 탄 목과 대조되어 멋져 보였다.
7 〖상업〗 …**와 교환으로**: What's the won's current exchange ~ the U.S. dollars? 달러당 원화의 현재 환율은 어떻게 됩니까?
as **~** …와 비하여, 대하여: reason *as* ~ emotion 감정과 대비한 이성, 이성 대 감정
close **~** …에 접하여
over **~** ⇨ over *ad.*
run **~** ⇨ run *v.*
— *conj.* 《고어·방언》 …하기 전에; …까지에는

ágate lìne 광고면의 1행 《광고 스페이스의 단위; 높이 1/14인치》
ag·ate·ware [ǽgətwὲər] *n.* Ⓤ 마노 무늬의 도기(陶器)[법랑 철기(琺瑯鐵器)]
Ag·a·tha [ǽgəθə] *n.* 여자 이름 《애칭 Aggie》
a·ga·ve [əgɑ́ːvi | əgéi-] *n.* 〖식물〗 용설란
a·gaze [əgéiz] *ad., a.* Ⓟ 응시하여, 바라보고; (놀라서) 눈이 휘둥그레져
ag·ba·da [ægbɑ́ːdə] *n.* (서아프리카의) 남성용의 헐겁고 긴 옷
AGC advanced graduate certificate; automatic gain control 〖통신〗 자동 이득 조정 **agcy** agency
⁑age [éidʒ] *n., v.*

기간 ─ 나이 **1** → 성년 **2 a** → 노령 **2 b**
세대 **4** → (역사상의) 시대 **5**

— *n.* **1** Ⓤ **a 나이,** 연령: ten years of ~ 열 살 / at the ~ of ten 열 살 때에 / What's his ~? 그는 몇 살인가? / The ~ of this church is 100 years. 이 교회는 세워진 지 100년이 되었다. **b** [서술 형용사적으로] …나이의: He is just my ~. 그는 나와 동갑이다. / when I was your ~ 자네 나이 때에 / a girl your ~ 네 또래의 소녀 ★ of one's age의 of가 생략된 것. **2** Ⓤ **a 성년,** 정년(丁年)(= full ~) 《보통 만 18세 또는 21세》; (규정된) 연령: be[come] of ~ 성년이다[에 달하다] / over[under] ~ 연령 초과[미달]인 **b 노년,** 노령, 장수 《보통 65세 이상》; [집합적] 노인들 (opp. *youth*) **3** Ⓤ **a** (생애의) **한 시기**: middle[old] ~ 중년[노년] **b** 수명, 일생(lifetime): the ~ of man[a horse] 인간[말]의 수명 **c** 발달 연령 **4** 세대, 일대(generation); [보통 *pl.*] 시대의 사람들: for the ~*s* to come 후세의 사람들을 위해서 **5** [종종 **A~**] **시대,** 시기(⇨ period 유의어): the spirit of an ~ 시대정신 / the Victorian *A~* 〖역사〗 빅토리아조(1837-1901) / the Middle *A~s* 중세 시대(500-1450 A.D.) / the Golden *A~* 〖문예·신화〗 황금시대 / the Ice[Stone, Bronze, Iron] *A~* 빙하[석기, 청동기, 철기] 시대 / the atomic ~ 원자력 시대 **6** [종종 *pl.*] 《구어》 오랫동안(long time): ~*s* ago 옛날에, 《속어》 옛날 옛적에 / I haven't seen you for ~*s*[an ~]. = It is ~*s* since I saw you last. 오래간만입니다. ***A~ before beauty.*** 《익살》 미인보다 노인이 우선. 《젊은 여성 등이 길을 양보할 때 쓰는 말》 ***at a tender* ~ = *at the tender* ~ *of*** 어릴 때에 ***be*** [***act***] one***'s*** **~** 나이에 걸맞게 행동하다 ***for an*** **~** = ***for*** **~*s*** 오랫동안 ***for*** one***'s*** **~** 나이치고는 ***from*** [***with***] **~** 나이 탓으로, 고령으로 ***in all*** **~*s*** 어느 시대에나, 예나 지금이나 ***look*** one***'s*** **~** 나이에 걸맞게 보이다 ***of all*** **~*s*** 모든 시대[연령]의
— *v.* (**aged; ag(e)·ing**) *vi.* **1** 나이를 먹다, 늙다; 오래되다, 묵다 **2** 〈술·치즈가〉 숙성(熟成)하다
— *vt.* **1** 〈사람을〉 늙게 하다; 〈물건을〉 낡게 하다: Worry and illness ~ a man. 근심과 병은 사람을 늙게 한다. **2** 〈술·치즈를〉 익히다, 숙성시키다
-age [idʒ] *suf.* 「집합·상태·동작·결과·수량·요금」의 뜻: bagg*age*, pass*age*, post*age*
áge bràcket (일정한) 연령층(의 사람들)
áge càtegory 연령 구분
áge clàss = AGE GROUP
⁑a·ged¹ [éidʒd] *a.* **1** Ⓟ …**살의[에]**(⇨ old 유의어): a boy ~ 10 (years) 10세 소년 / He died ~ 30. 그는 30세에 죽었다. **2** 〈술·치즈 등이〉 숙성한: ~ wine 숙성된 포도주
⁑a·ged² [éidʒid] *a.* **1 a 늙은**(old), 노령의 **b** [the ~; 집합적; 복수 취급] 노인(들) : an ~ man 노인 **2** 노인 특유의, 노인의: ~ wrinkles 늙은이 주름살 **3** 〖지질〗 노년기의 **~·ly** *ad.* **~·ness** *n.*
age-date [éidʒdèit] 〖고고학·지질〗 *vt., vi.* (발굴물 등의) 연대를 과학적으로 결정하다
— *n.* 과학적으로 결정된 연대
áge discrimìnation (고용) 연령 차별

a·gee [ədʒíː] *ad.* 《영·방언》 한쪽으로; 굽어져, 일그러져

age-grade [éidʒgrèid] *n.* 〖사회〗 연령 계급 《연령을 일정한 층으로 나눈 통계 집단》

áge gròup (특정한) 연령 집단

áge hàrdening 〖야금·화학〗 (합금의) 시효 경화(時效硬化)

age·ing [éidʒiŋ] *n.* = AGING

age·ism, ag·ism [éidʒizm] *n.* Ⓤ 《미》 연령 차별, 《특히》 고령자 차별 **áge·ist, ág·ist** *n., a.*

age·less [éidʒlis] *a.* **1** 불로(不老)의 **2** 영원한, 영구한(eternal) **~·ly** *ad.* **~·ness** *n.*

áge lìmit 연령 제한, 정년(停年): retire under the ~ 정년으로 퇴직하다

age·long [éidʒlɔ̀ːŋ | -lɔ̀ŋ] *a.* 오랜 세월의; 오래 계속되는(everlasting); = AGE-OLD

age·mate [-mèit] *n.* 동년배(의 사람)

A·ge·na [ədʒíːnə] *n.* **1** 〖천문〗 켄타우루스자리의 *β*성(星) **2** 《미》 아제나 《우주 로켓의 하나》

a·gen·bite of in·wit [əgénbait-əv-ínwit] 《영》 양심의 가책

****a·gen·cy** [éidʒənsi] *n.* (*pl.* **-cies**) **1** 대리점, 특약점, (타인의 일의) 대행 회사; 알선소, 알선업자: a general ~ 총대리점 / an advertising ~ 광고 대리점 / an employment ~ 직업소개소 / a news ~ 통신사 / a travel ~ 여행사 **2** Ⓤ 대리, 대행; (…의) 대리권 《*for*》; 대리업[행위] **3** [종종 **A~**] 《미》 (정부) 기관, …청(廳), …국(局) **4** Ⓤ (어떤 결과를 가져오는) 작용, 힘(force); 〖철학〗 작인(作因): the ~ of Providence 신의 힘, 섭리 **5** Ⓤ 중개, 주선, 알선, 매개(instrumentality)

by [***through***] ***the ~ of*** (1) …의 중개[주선]로 (2) …의 작용으로, …의 힘으로

Ágency for Internátional Devélopment [the ~] 《미》 국제 개발처 《국무부의 일부; 略 AID》

ágency shòp 《미》 에이전시 숍 《조합 미가입자도 조합비를 내는 노동조합 형태의 하나》

***a·gen·da** [ədʒéndə] [L] *n. pl.* (*sing.* **-dum** [-dəm]; *pl.* **~s**) ★ agenda의 단수 취급이 확립되어 왔으므로 복수형은 ~*s*가 일반적임. [보통 단수 취급] 의제(議題), 의사 일정, 협의 사항; 비망록: the first item on the ~ 의사 일정의 제1 항목 **~·less** *a.*

a·gen·dum [ədʒéndəm] [L] *n.* (*pl.* **-da** [-də], **~s**) = AGENDA

Ag·ene [éidʒiːn] *n.* Ⓤ 〖화학〗 3염화 질소(三塩化窒素) 《밀가루 표백용; 상표명》

a·gen·e·sis [eidʒénəsis] *n.* **1** 〖생물〗 발육[형성] 부전 **2** 〖의학〗 음위(陰痿); 불임 **à·ge·nét·ic** *a.*

a·ge·nize [éidʒənàiz] *vt.* 〈밀가루를〉 3염화 질소로 표백하다

áge nòrm 〖심리〗 연령 기준 《일정한 연령 단계에서 기준이 되는 심신 발달 수준》

****a·gent** [éidʒənt] [L 「행위하다」의 뜻에서] *n.* **1 a** 대리인, 대행자; 특약점, 중개상; 알선인, 관리자: a commission ~ 위탁 판매인 / an estate ~ 《영》 부동산 중개인 / a forwarding ~ 운송업자 / a general ~ 총대리인 / a house[land] ~ 가옥[토지] 관리자 / an insurance ~ 보험 대리점 / a shipping ~ 해운업자 / a patent ~ 특허 변리사 / a sole ~ 독점 대리인 / a baggage[passenger, ticket] ~ 《미》 수하물[여객, 출찰]계원 **b** 《미·구어》 외판원(traveling salesman) **2** 행위자: a free ~ 자유 행위자 **3 a** 작인(作因), 동인(動因); (어떤 변화를 일으키는) 힘, 자연력: natural ~*s* 자연력 / Electricity is an important ~. 전기는 중요한 동인(動因)이다. **b** 작용제, 약품: chemical ~*s* 화학 약품 **4 a** (관청의) 대표자, 사무관 **b** 앞잡이, 스파이, 첩보원(=secret ~) **c** 수사관 **5** 〖문법〗 동작의 주체, 동작주 **6** 병원체: an ~ of disease 병원균

— *vi.* 대리인으로서 (사람·사물을) 대표하다; …에 관한 대리인으로서 행동하다 《*for*》 ▷ agéntial *a.*

a·gent-gen·er·al [-dʒénərəl] *n.* (*pl.* **a·gents-**) (런던 주재 캐나다·오스트레일리아의) 자치령[주] 대표

a·gen·tial [eidʒénʃəl] *a.* 행위자의; 대리자[점]의

a·gen·tive [éidʒəntiv] *a., n.* 〖문법〗 동작주를 나타내는 (접사) 《teacher의 -er 등》

ágent nòun 〖문법〗 행위자 명사 《maker, actor, student 등》

Ágent Órange 오렌지제(劑) 《월남전에서 미군이 쓴 고엽제; 용기의 줄무늬가 오렌지색》

a·gent pro·vo·ca·teur [éidʒənt-prəvɑ̀kətə́ːr | -vɔ̀] [F = provoking agent] *n.* (*pl.* **a·gents pro·vo·ca·teurs** [éidʒənts-prəvɑ̀kətə́ːr | -vɔ̀-]) (불법 행위를 선동하는) 공작원, 첩자, 앞잡이

a·gent·ry [éidʒəntri] *n.* Ⓤ agent의 직[의무]

áge of consént [the ~] 〖법〗 (결혼·성교에 대한 여자의) 승낙 연령

Áge of Enlíghtenment [the ~] (18세기 유럽의) 계몽주의 시대

áge of réason [the ~] 이성 시대 《특히 영국·프랑스의 18세기》; 이성[분별] 연령, 철들 나이

age-old [éidʒòuld] *a.* 옛날부터의, 고래의, 오랜 세월을 거친

áge pýramid 연령 피라미드 《연령별 인구 구성비의 도표가 피라미드형임》

ag·er [éidʒər] *n.* 〖염색〗 발색(發色)[고착(固着)] 기계[설비]

ag·er·a·tum [ædʒəréitəm] *n.* 〖식물〗 불로화, 아게라툼 《엉거싯과(科)의 일년초》

áge sèt 연령 집단

age-spe·cif·ic [éidʒspisífik] *a.* 〈기능·효과가〉 특정한 연령층에 한정된

AGF Asian Games Federation 아시아 경기 연맹

ag·fay [ǽgfei] *n.* 《미·속어》 (남성의) 호모

ag·ger [ǽdʒər] *n.* 이중 조수(潮水)(double tide)

ag·gie[1] [ǽgi] *n.* 《미·구어》 (마노 같은) 유리구슬

aggie[2] *n.* 《미·속어》 농업 학교, 농과 대학(생)

Ag·gie [ǽgi] *n.* 여자 이름 《Agatha, Agnes의 애칭》

ag·gior·na·men·to [ədʒɔ̀ːrnəméntou] [It.] *n.* (*pl.* **-ti** [-tiː]) 〖가톨릭〗 현대화(modernization)

ag·glom·er·ate [əglɑ́mərèit | -lɔ́-] *vt., vi.* 덩어리로 만들다[되다]

— [-rət] *a.* 덩어리의, 집적(集積)된

— [-rət] *n.* 덩어리; 집괴암(集塊岩)

ag·glom·er·a·tion [əglɑ̀məréiʃən | -lɔ̀-] *n.* ⓊⒸ 덩어리로 만듦[됨], 응집 작용; 덩어리

ag·glom·er·a·tive [əglɑ́mərèitiv | -lɔ́-] *a.* 덩어리가 되는, 응집하는

ag·glu·ti·na·bil·i·ty [əglùːtənəbíləti] *n.* Ⓤ (적혈구 등의) 응집성, 응집력

ag·glu·ti·nant [əglúːtənənt] *a.* 교착(膠着)[접착]하는, 점착성(黏着性)의 — *n.* 접착제

ag·glu·ti·nate [əglúːtənèit] *vt., vi.* 교착[접합]시키다[하다]; 〖언어〗 〈말을〉 접합하여 복합어를 만들다

— [-nət] *a.* 교착한; 〈언어가〉 교착성의

ag·glú·ti·nàt·ed *a.* 접합한; 교착성의

ag·glú·ti·na·ting lánguage [əglúːtənèitiŋ-] 〖언어〗 교착어

ag·glu·ti·na·tion [əglùːtənéiʃən] *n.* Ⓤ **1** 교착, 접합 **2** (상처의) 유착(癒着); (적혈구 등의) 응집 (작용) **3** 〖언어〗 교착; Ⓒ 교착 어형 《steamboat 등의 복합어》

ag·glu·ti·na·tive [əglúːtənèitiv, -tənə-] *a.* **1** 교착하는, 접합적인 **2** 〖언어〗 교착성의: an ~ language 교착어 《한국어·일본어 등》

thesaurus

agenda *n.* program, schedule, list

agent *n.* representative, negotiator, emissary, envoy, delegate, spokesperson, go-between

aggravate *v.* **1** 악화시키다 worsen, exacerbate, inflame, intensify **2** 화나게 하다 annoy, irritate, anger, exasperate, provoke, vex, irk

aggressive *a.* **1** 공격적인 hostile, belligerent,

ag·glu·ti·nin [əglú:tənin] *n.* Ⓤ 〖의학〗 응집소
ag·glu·tin·o·gen [æ̀glu:tínədʒən] *n.* 〖의학〗 (세포) 응집원(原) **àg·glu·tin·o·gén·ic** *a.*
ag·gra·da·tion [æ̀grədéiʃən] *n.* 〖지질〗 매적 작용
ag·grade [əgréid] *vt.* 〖지질〗 〈강바닥을〉 매적(埋積)하다
ag·gran·dize [əgrǽndaiz, ǽgrəndàiz] *vt.* **1** 크게 하다, 확대하다(enlarge); 과장하다 **2** 〈사람·국가 등의 지위·중요성 등을〉 강화[증대]하다 **-diz·er** *n.*
ag·gran·dize·ment [əgrǽndizmənt] *n.* Ⓤ (부·지위 등의) 증대, 강화
***ag·gra·vate** [ǽgrəvèit] [L 「무겁게 하다」의 뜻에서] *vt.* **1** 악화시키다, 심화시키다(make worse); 〈부담·죄 등을〉 한결 무겁게 하다 **2** (구어) 화나게 하다, 괴롭히다(annoy): feel *~d* 약오르다, 화나다
▷ aggravátion *n.*
ag·gra·vat·ed [ǽgrəvèitid] *a.* Ⓐ 〖법〗 (죄·폭력 등이) 가중의, 더욱 무거운
ággravated assáult 〖법〗 가중(加重) 폭행(죄)
ag·gra·vat·ing [ǽgrəvèitiŋ] *a.* **1** 악화하는 **2** (구어) 약오르는, 화나는 **~·ly** *ad.*
ag·gra·va·tion [æ̀grəvéiʃən] *n.* ⓊⒸ **1** 악화(시킴), 심각[악질]화 (*of*); 도발; 악화시키는 것 **2** (구어) 화남, 약오름; 약오르게 하는 것
ag·gra·va·tor [ǽgrəvèitər] *n.* 악화시키는 것
ag·gre·gate [ǽgrigèit] [L 「떼짓게 하다」의 뜻에서] *vi.* 집합하다; 모이다 **—** *vt.* **1** 모으다, 결집시키다 **2** (드물게) 총계 …이 되다(amount to): (~+목) The money collected *~d* $2,000. 수금된 돈은 총계 2,000달러가 되었다.
— [-gət] *a.* Ⓐ **1** 집합적인(collective) **2** 총계의(total): ~ tonnage 총톤수 (선복(船腹)의) / ~ demand 〖경제〗 (일정 기간의 상품 및 서비스의) 총수요 **3** 〖식물〗 〈꽃·과실이〉 집합의
— [-gət] *n.* **1** 집합(체) **2** [*sing.*] (콘크리트용) 골재 **3** [the ~] (문어) 총계, 총수, 총액 ***in* (*the*) ~** 전체로서; 총계로 ***on* ~** (영) 합치면, 총계하면
~·ly *ad.* **~·ness** *n.*
ággregate àrgument 〖컴퓨터〗 집합체 인수(引數)
ággregate assìgnment 〖컴퓨터〗 집합체 대입(代入)
ággregate fùnction 〖컴퓨터〗 집계 함수
ággregate márket vàlue 〖경제〗 (주식 등의) 시가 총액
***ag·gre·ga·tion** [æ̀grigéiʃən] *n.* **1** Ⓤ 집합, 집성(集成), 집적(集積) **2** 집합체, 집단; 〖야구〗 팀 **~·al** *a.*
ag·gre·ga·tive [ǽgrigèitiv], **-ga·to·ry** [-gətɔ̀:ri | -təri] *a.* 집합하는; 집합성의; 사교적인 **~·ly** *ad.*
ag·gre·ga·tor [ǽgrigèitər] *n.* 〖경제〗 통합 관리자, 애그리게이터 (기업 제품 및 서비스 정보·수집·공급업자[회사])
ag·gress [əgrés] *vi.* 공세를 취하다, 시비를 걸다 **—** *vt.* 공격하다, 침입하다 (*on*)
ag·gres·sion [əgréʃən] *n.* ⓊⒸ (정당한 이유 없는) 침략, 공격, 침해 (*on*); 호전성; 〖정신의학〗 공격성
***ag·gres·sive** [əgrésiv] *a.* **1** 침략적인, 공격적인, 공세의(offensive)(opp. *defensive*): an ~ war 침략 전쟁 **2** (미) 적극적인, 의욕적인, 활동적인(active); 저돌적인, 지나친: an ~ salesperson 적극적인 판매원 **3** 〖경제〗 공격적(투자)의 **4** 〈무기가〉 공격용의 **~·ly** *ad.* **~·ness** *n.*
▷ aggréss *v.*; aggréssion *n.*
aggréssive dríver 난폭 운전자

combative, warring, bellicose, invasive, intrusive (opp. *peaceable, friendly*) **2** 적극적인, 공세의 assertive, forceful, insistent, vigorous, energetic
agitate *v.* **1** 흔들다 stir, whisk, shake **2** 〈마음을〉 혼란시키다 upset, perturb, disconcert, trouble, worry **3** 선동하다 stir up, rouse, arouse, disturb, perturb, excite, inflame, incite

aggréssive drìving 공격적 운전 (차간 거리를 지키지 않고 다가와서는 경적을 울리는 따위의 운전)
ag·grès·sive-grówth fùnd [əgrèsivgróuθ-] 공격적 성장형 투자 신탁 펀드 (수익율이 높은 성장에 중점을 둔)
ag·gres·sor [əgrésər] *n.* 침략자, 침략국: an ~ nation[country] 침략국
ag·grieve [əgrí:v] *vt.* [보통 수동형으로] 괴롭히다, 고통을 주다, 학대하다; …의 감정을 해치다 ***be* [*feel*] *~d at* [*by*]** …에 불만을 품다, 감정이 상하다
ag·grieved [əgrí:vd] *a.* 고민하는, 고통받는; 화가 난, 기분이 상한 **ag·gríev·ed·ly** [-vidli] *ad.*
ag·gro [ǽgrou] *n.* (영·속어) 골칫거리; (폭력적인) 항쟁, 분쟁; (깡패의) 도발, 시비, 주먹 싸움
Agh. afghani
a·gha [ɑ́:gə] *n.* = AGA
a·ghast [əgǽst | əgɑ́:st] *a.* Ⓟ 깜짝 놀라, 혼비백산하여 (*at*): be ~ *at* …을 보고 아연실색하다
AGI adjusted gross income; American Geographical Institute
ag·ile [ǽdʒəl | ǽdʒail] *a.* **1** (동작이) 기민[민첩]한, 재빠른 (*in*) **2** 머리 회전이 빠른, 예민한 **3** 생기발랄한 **~·ly** *ad.* **~·ness** *n.*
a·gil·i·ty [ədʒíləti] *n.* Ⓤ 민첩; 명민함
a·gin[1] [əgín] *prep.* (영·방언) = AGAINST
agin[2] *ad.* (구어·방언) = AGAIN
ag·ing [éidʒiŋ] *n.* **1** Ⓤ 나이 먹음, 노화; (술 등의) 숙성(熟成) **2** = AGE HARDENING
áging socìety 〖사회〗 노령화 사회
a·gin·ner [əgínər] *n.* (속어) 변화[개혁] 반대자
ag·i·o [ǽdʒiòu] *n.* (*pl.* **~s**) 〖상업〗 프리미엄; 환전 수수료[차액]; Ⓤ 환전업
ag·i·o·tage [ǽdʒiətidʒ | ǽdʒə-] *n.* Ⓤ 〖상업〗 환전업(換錢業); 증권 매매업; (증권의) 투기 거래[매매]
a·gist [ədʒíst] *vt., vi.* 〖법〗 〈가축을〉 위탁 사육하다
~·er, a·gís·tor *n.*
ag·i·ta [ǽdʒitə] *n.* 가슴앓이, 소화 불량; 불안
****ag·i·tate** [ǽdʒitèit] [L 「끊임없이 움직이다」의 뜻에서] *vt.* **1** 〈액체를〉 흔들다; 휘젓다; 〈바람이 파도를〉 일으키다 **2** 〈사람을〉 선동하다, 〈마음을〉 교란하다(excite), 동요시키다 **3** 〈문제를〉 활발히 논의하다, 열심히 검토하다; 〈주의 등에〉 관심을 환기하다: ~ a social problem 사회 문제를 토론하다
— *vi.* 선동하다 (*for, against*), 여론을 환기하다, …의 (정치) 운동을 하다 (*for*): (~+전+명) ~ *for* disarmament 군비 철폐 운동을 하다 / The papers *~d for* better housing. 신문은 주택 문제 개선을 위한 운동을 했다.
~ one***self*** 초조해하다, 안절부절못하다 ***be ~d over*** …에 흥분하다; …에 대하여 떠들고 있다
ág·i·ta·ble *a.* ▷ agitátion *n.*; ágitative *a.*
ag·i·tat·ed [ǽdʒitèitid] *a.* 흥분한; 동요한
~·ly *ad.* 흥분[동요]하여
ágitated depréssion 〖정신의학〗 격정성 우울증
****ag·i·ta·tion** [æ̀dʒitéiʃən] *n.* Ⓤ **1** 뒤흔들기, 휘저어 뒤섞기, 교반(攪拌) **2** (인심의) 동요, 흥분 **3** ⓊⒸ 선동, 선동적 유세, 여론 환기 운동 **4** 〖정신의학〗 흥분 **5** 논의, 검토 **~·al** *a.* ▷ ágitate *v.*; ágitative *a.*
ag·i·ta·tive [ǽdʒitèitiv] *a.* 선동적인
a·gi·ta·to [æ̀dʒitɑ́:tou] [It.] *a., ad.* 〖음악〗 격한, 격하게, 급속한[히]
***ag·i·ta·tor** [ǽdʒitèitər] *n.* **1** 선동자, 정치 운동가, 선전원 **2** (세탁기 등의) 교반기
a·git-pop [ǽdʒitpɑ̀p | -pɔ̀p] [*agit*ation+*pop*] *n.* Ⓤ (영) 선동 음악[가요] (정치 참여와 노동자의 권익을 위한 음악)
ag·it·prop [ǽdʒitprɑ̀p | -prɔ̀p] [*agit*ation+*prop*aganda] *n., a.* (특히 공산주의의) 선동과 선전(의) (특히 문학·음악·연극·미술 등을 통하여)
A·gla·ia [əgléiə] *n.* 〖그리스신화〗 아글라이아 (미(美)의 3여신(three Graces)의 하나)

a·glare [əglέər] *ad.*, *a.* Ⓟ 번쩍번쩍 빛나고 《*with*》
a·gleam [əglíːm] *ad.*, *a.* Ⓟ 번쩍번쩍; (반사된 빛으로) 반짝이는, 빛나는(gleaming)
ag·let [ǽglit] *n.* (구두끈 등의 끝을 감은) 쇠붙이; (군복 등에 다는) 장식용 술
a·gley [əgléi, -líː, -lái] *ad.* 《스코》 비스듬히, 빗나가; 어긋나서, 잘못되어(awry); 기대[계획]에 반하여
a·glim·mer [əglímər] *ad.*, *a.* Ⓟ 깜박깜박[희미하게] 빛나서[빛나는]
a·glit·ter [əglítər] *a.* Ⓟ 번쩍번쩍 빛나는(glittering) — *ad.* 번쩍번쩍 빛나서
a·glow [əglóu] *ad.*, *a.* Ⓟ 불타, 발개져 《*with*》; 흥분하여 《*with*》: be ~ *with* …으로 빛나고[흥분해] 있다
a·glu·con [əglúːkɑn | -kɔn], **-cone** [-koun] *n.* 〖생화학〗 아글루콘 《배당체(配糖體)의 비당(非糖) 부분; AGLYCON(E)》
a·gly·con [əgláikɑn | -kɔn], **-cone** [-koun] *n.* 〖생화학〗 아글리콘 《배당체(配糖體)의 가수 분해로 얻어지는 탄수화물 이외의 성분》
AGM air-to-ground missile; Annual General Meeting 《영》 연차(年次) 총회
ag·ma [ǽgmə] *n.* 〖음성〗 연구개 비음; = ENG
ag·mi·nate [ǽgmənət, -nèit] *a.* 모인, 무리를 이룬
ag·nail [ǽgnèil] *n.* 손거스러미; 〖병리〗 표저(瘭疽)
ag·nate [ǽgneit] *a.* 부계(父系)의, 〖법〗 남계친(男系親)의; 동족[동종]의 — *n.* 부계 친족(cf. COGNATE)
ag·na·than [ǽgnəθən] *a.* 무악류(無顎類)의; 턱이 없는 — *n.* 무악류의 동물
ag·nat·ic [ægnǽtik] *a.* 부계의, 남계의
-i·cal·ly *ad.*
ag·na·tion [ægnéiʃən] *n.* Ⓤ 부계의 친족 관계, 일가 관계(cf. COGNATION)
Ag·nes [ǽgnis] *n.* **1** 여자 이름 《애칭 Aggie》 **2 Saint ~** 성(聖) 아그네스 《292?-304?; 로마 가톨릭의 처녀 순교자; 순결과 소녀의 수호성인》
ag·no·men [ægnóumən | -men] *n.* (*pl.* **~s, -nom·i·na** [-nɑ́mənə | -nɔ́-]) **1** 〖고대로마〗 넷째 이름 《공적을 기리기 위해 덧붙이는》(cf. NOMEN) **2** 별명
ag·no·sia [ægnóuʒə, -ʒiə] *n.* Ⓤ 〖정신의학〗 실인(失認)(증), 인지 불능(증)
ag·nos·tic [ægnɑ́stik | -nɔ́s-] 〖철학〗 *a.* 불가지론(不可知論)(자)의, 불가지론적인 — *n.* 불가지론자
ag·nos·ti·cism [ægnɑ́stəsìzm | -nɔ́s-] *n.* Ⓤ 〖철학〗 불가지론
Ag·nus De·i [ǽgnəs-déii, ɑ́ːnjus-déi] 〔L = lamb of God〕 **1** 하느님의 어린 양 《그리스도의 호칭의 하나》 **2** 하느님의 어린 양의 상 《그리스도의 상징》 **3** [the ~] 〖가톨릭〗 이 말로 시작되는 기도[음악] **4** 〖영국국교〗 이 말로 시작되는 성가; 그 음악

Agnus Dei 2

‡**a·go** [əgóu] 〔OE 「지나간」의 뜻에서〕 *a.* [기간을 나타내는 명사 뒤에 쓰여] (지금부터) …전, …이전 《이 용법도 부사로 간주할 수 있음》: five days ~ 5일 전에 / a long time[while] ~ 오래 전에
— *ad.* [long ~로] 지금부터 전에, 이전에: long, long ~ 옛날 옛적
USAGE (1) ago는 현재를 기준으로 하여 과거를 가리키는 표현이므로 동사는 과거형을 사용한다. 완료형과 함께 쓰지는 않는다: I met him two months ~. 두 달 전에 그를 만났다. 《비교: I *have* met him somewhere *before*. 전에 어디서 그를 만난 일이 있다.》 (2) 과거의 어느 시점을 기준으로 하여 그 이전의 일을 나타낼 때는 before를 사용한다. 따라서 직접화법에서 ago를 사용한 것을 간접화법으로 표현할 때에는 before가 된다: He said, "I met her two months ~." → He said that he had met her two months *before*. (3) 다음 구문에서 since를 사용하는 것은 잘못이다: *It was* five years ~ *that*[*when*] this journal was first published. 이 잡지가 처음 발간된 것은 5년 전이었다. 《비교: *It is* five years *since* this journal was first published. 이 잡지가 처음 발행된 지 5년이다.》
a·gog [əgɑ́g | əgɔ́g] *ad.*, *a.* Ⓟ [종종 all과 함께 쓰여] (기대로) 들먹들먹하여, 흥분하여 《*with*》; 열망하여; (…하고 싶어) 좀이 쑤셔: (~+*to* do) The villagers were *all* ~ *to* hear the news. 마을 사람들은 그 뉴스를 기다리다 못해 웅성거리고 있었다.
set the whole town ~ (온 고을을) 떠들썩하게 하다
a·go·go [əgóugou] *n.* (*pl.* **~s**) 아고고 《라틴·아프리카 타악기의 일종》
à go·go, a-go-go [ə-góugòu] *ad.*, *a.* 마음껏, 실컷, 열광적으로[인]; 고고로[의](cf. GO-GO); 최신의 — *n.* 디스코텍(discotheque); 디스코 클럽
-agog(ue) [əgɔ̀ːg, əgɑ̀g | əgɔ̀g] 《연결형》 「이끄는 것; 분비·배설을 촉진하는 것」의 뜻: dem*agogue*, emmen*agogue*
a·go·ing [əgóuiŋ] 《구어·방언》 *ad.*, *a.* Ⓟ 움직여, 진행하여 ***set* … ~** 〈사업 등을〉 시작하다; 〈기계 등을〉 가동하다
ag·on [ǽgoun, -gɑn, ɑːgóun] *n.* (*pl.* **~s, a·go·nes** [əgóuniːz]) **1** (고대 그리스의) 경품이 걸린 경기, 경연 **2** 〖문예〗 (연극에서 인물 간의) 갈등, 대결
ag·o·nal [ǽgənl] *a.* 고민의; 《특히》 죽음의, 고통의
a·gon·ic [eigɑ́nik | -gɔ́-] *a.* 각을 이루지 않는
agónic líne (지자기의) 무편각선(無偏角線)
ag·o·nist [ǽgənist] *n.* **1** 투쟁자, 경쟁자; (문학 작품의) 주인공 **2** 〖해부〗 주동근(筋); 〖약학〗 작용[작동]약
ag·o·nis·tic, -ti·cal [æ̀gənístik(əl)] *a.* **1** (고대 그리스의) 운동 경기의; 경기의; 논쟁을 좋아하는 **2** 무리한, 부자연스러운 **-ti·cal·ly** *ad.*
ag·o·nize [ǽgənàiz] *vt.* 몹시 괴롭히다, 고뇌하게 하다 — *vi.* 몹시 괴로워하다, 고뇌하다; 필사의 노력을 하다, 〈투기자 등이〉 악전고투하다
▷ ágony *n.*
ag·o·nized [ǽgənàizd] *a.* 괴로워하는, 고뇌하는
ag·o·niz·ing [ǽgənàiziŋ] *a.* 고뇌하게 하는; 괴로워하는, 고뇌하는 **~·ly** *ad.*
‡**ag·o·ny** [ǽgəni] 〔Gk 「경기」의 뜻에서〕 *n.* (*pl.* **-nies**) **1** Ⓤ (정신 또는 육체의) 심한 고통, 고뇌(anguish): in ~ 고민하여, 괴로워서 **2** 죽음의 고통; [*pl.*] (고통의) 몸부림: in *agonies* of pain 고통에 몸부림치며 / the death ~ 단말마[죽음]의 고통 **3** 사투, 고투, 분투 **4** (감정의) 격발(outburst), 극도: in an ~ of joy 미칠 듯이 기뻐서 **5** [the A~] 〖그리스도교〗 (수난 전 겟세마네에서의) 그리스도의 고통 ***pile up*** [***on***] ***the ~*** 《구어》 괴로움을 과장하여 말하다
▷ ágonize *v.*
ágony àunt 《영·구어》 (신문·잡지의) 인생 상담란의 여성 상담자
ágony còlumn 《영·구어》 (신문의) 개인 광고란 《찾는 사람·분실물·부음 광고》; (신문의) 인생 상담란
ágony ùncle 《영·구어》 (신문·잡지의) 인생 상담란의 남성 상담자
ag·o·ra[1] [ǽgərə] 〔Gk 「시장」의 뜻에서〕 *n.* (*pl.* **~s, -rae** [-rìː]) (고대 그리스의) 시민 집회; 집회장, 시장, 광장
a·go·ra[2] [ɑːgɔ́ːrə | æ̀gərɑ́ː] *n.* (*pl.* **-rot** [-rout]) 아고라 《이스라엘 화폐 단위; = 1/100 shekel》
ag·o·ra·pho·bi·a [æ̀gərəfóubiə] *n.* Ⓤ 〖정신의학〗 광장(廣場) 공포증 **ág·o·ra·phòbe** *n.* 광장 공포증 환자
ag·o·ra·pho·bic [æ̀gərəfóubik] *a.*, *n.* 광장 공포증의 (사람)
a·gou·ti, -ty [əgúːti] *n.* (*pl.* **~s, -ties**) 〖동물〗 아구티 《중남미산(産) 들쥐의 일종; 사탕수수밭에 해를 끼침》
AGR advanced gas-cooled reactor 《영》 개량형 가스 냉각로 **agr.** agricultural; agriculture

A·gra [ɑ́:grə] *n.* 아그라 《인도 중북부의 도시; Taj Mahal의 소재지》

a·gra(f)fe [əgrǽf] *n.* **1** 작은 꺾쇠(small cramp) **2** (의류·갑옷의) 걸쇠 **3** (피아노 현의) 진동 방지 장치

a·gram·ma·tism [eigrǽmətìzm] *n.* 〖병리〗 실문법증(失文法症) 《단어는 알지만 문법에 맞는 글을 못 씀》

à grands frais [ɑ:-grɑ́n-fré] [F =at great expense] *ad.* 큰돈을 들여, 큰 희생을 치르고

a·gran·u·lo·cyte [əgrǽnjulousàit] *n.* 〖해부〗 무과립 백혈구(cf. GRANULOCYTE)

a·gran·u·lo·cy·to·sis [əgræ̀njulousaitóusis] *n.* 〖의학〗 과립구(顆粒球) 감소증 《백혈구의 이상 감소로 인해 발생되는 혈액병》

ag·ra·pha [ǽgrəfə] *n. pl.* 아그라파 《성서 외의 그리스도 어록》

a·graph·i·a [eigrǽfiə] *n.* Ⓤ 〖정신의학〗 실서증(失書症) 《대뇌 장애로 글을 못 씀》

a·grar·i·an [əgrέəriən] *a.* 농지의, 토지의; 농민의; 농업의: ~ outrage 소작 폭동 / an ~ reformer 농지 개혁자 **—** *n.* 토지 균분[재분배]론자 **~·ly** *ad.*

a·grar·i·an·ism [əgrέəriənìzm] *n.* Ⓤ 토지 균분론[운동], 농민 생활 향상 운동

agrárian revolútion [종종 the A- R-] 농업 혁명

a·grav·ic [əgrǽvik] *a.* 〖우주〗 무중력 (상태)의

a·gré·a·tion [ɑ:grèiɑ:sjɔ́:ŋ] [F] *n.* 아그레아숑 《타국의 외교관을 받아들일 것인지 아닌지를 결정하기 위한 절차》

***a·gree** [əgrí:] *v.* (opp. *disagree, refuse, reject*)

> OF 「기꺼이 받아들이다」의 뜻에서
> 「동의하다」 **1** → 「일치하다」 **2**
> (기껍다) → 「성미에 맞다」 **6**

— *vi.* **1** (토론 등을 하여) **동의하다**; (제의 등에) 응하다; 승낙[찬성]하다 《*to*》(⇨ consent 유의어): 《~+전+명》 I cannot ~ *to* such a proposal[plan]. 그런 제안[계획]에는 찬성할 수 없다. **2 의견이 일치하다**, 동감이다 《*with, among*》(opp. *differ*): 《~+전+명》 They *~d among* themselves. 그들은 서로 의견이 일치했다. / I cannot ~ *with* you on the matter. 그 일에 대해 나는 당신에게 동의할 수 없소. / I ~ *with* you in your opinion. 당신의 의견에 동감이오. // 《~+***that*** 절》 I ~ (*with* you) *that* he is untrustworthy. 그가 믿을 수 없는 사람이라는 점에서는 (당신과) 같은 의견이오. **3** (조건·안 등의) 합의에 도달하다 《*about, on*》: 《~+전+명》 They *~d about*[*on*] the terms. 그들은 그 조건에 대해서 합의를 보았다. // 《~+***wh.*** 절》 We could not ~ (*as to*) *how* the work should be done. 그 일을 하는 방법에 대해서는 우리의 의견이 합치될 수 없었다. **4** 마음이 맞다, 사이가 좋다; 화합하다 《*with*》: 《~+전+명》 I ~ *with* him. 그와는 마음이 맞는다. **5** 합치[부합]하다(accord, coincide); 조화하다(harmonize) 《*with*》: 《~+전+명》 His statements do not ~ *with* the facts. 그의 진술은 사실과 일치하지 않는다. **6** [보통 부정·의문문에서] 〈일·음식·기후 따위가〉 **성미[몸]에 맞다**; 일치하다 《*with*》: 《~+전+명》 Milk does *not* ~ *with* me. 우유는 내게[나의 체질에] 맞지 않는다. / The climate here does *not* ~ *with* me. 이 고장 기후는 내게 안 맞는다. **7** 〖문법〗 〈어형이〉 (인칭·성·수·격 등에서) 일치하다, 호응하다 《*with*》: 《~+전+명》 The predicate verb must ~ *with* its subject in person and number. 술어 동사는 인칭과 수에 있어서 주어와 일치하여야 한다. ★ agree *with*는 일반적으로 사람 또는 일에, agree *to*는 일에 쓰임.

— *vt.* **1** 〈…하기로〉 **의견이 일치하다**, 합의하다: 《~+***to*** do》 We *~d to* start at once. 즉시 출발하기로 합의했다. // 《~+***that*** 절》 We *~d*[It was *~d*] *that* we should travel first-class. 최고급으로 여행하기로 의견 일치를 보았다. **2** 《주로 영》 **승인하다**; 동의하다: Those terms have been *~d*. 그 조건은 승인되었다. ***~ like cats and dogs*** 사이가 매우 나쁘다, 견원지간이다 ***~ to differ***[***disagree***] 서로 견해 차이를 인정하여 다투지 않기로 하다 ***I couldn't ~ more.*** 대찬성이요. **~·ing·ly** *ad.*
▷ agréement *n.*

***a·gree·a·ble** [əgrí:əbl] *a.* **1 기분 좋은**, 쾌적한; 사근사근한, 상냥한(pleasing, pleasant) 《*to*》: an ~ change 기분 좋은 변화 / ~ *to* the ear[taste] 듣기[맛이] 좋은 **2** Ⓟ **기꺼이 동의하는**[찬동하는] 《*to*》 **3** Ⓟ 적당한, 맞는 《*to, with*》: music ~ *to* the occasion 그 행사에 어울리는 음악
~ to (규칙·이론 등)에 따라, …대로 ***be ~ to*** (제안 등)에 기꺼이 응하다, 마음이 내키다; (사리)에 맞다 ***make*** one***self ~*** …에게 상냥하게 대하다, 장단을 맞추다 《*to*》
a·grèe·a·bíl·i·ty *n.* **~·ness** *n.*

a·gree·a·bly [əgrí:əbli] *ad.* **1** 기꺼이, 유쾌하게: I was ~ surprised. 기분 좋게 놀랐다. 《뜻밖의 좋은 일 등에》 **2** (지시·약속 등)에 따라 《*to*》: ~ *to* your instructions 지시대로

a·greed [əgrí:d] *a.* **1** Ⓐ 협정한[에 의한]: an ~ rate 협정 (할인) 요금 **2** Ⓟ 동의하여: 《~+***to*** do》 I am ~ *to* accept the offer. 그 제의의 수락에 동의합니다. (***That is***) ***~!*** 좋소, 알았소!

a·gree·ment** [əgrí:mənt] *n.* **1** ⓊⒸ **일치**, 조화; 동의, 합의, 승낙(opp. *disagreement*): ~ with our terms and conditions 약관에 대한 동의 **2 협정**; 계약: a labor ~ 노동 협약 // 《~+to*** do》 The two parties entered into an ~ *to* accept these proposals. 양당은 이 제안을 수용하기로 협정했다. **3** Ⓤ 〖문법〗 (수·격·인칭·성의) 일치, 호응(concord)(cf. SEQUENCE)
arrive at[***come to, reach***] ***an ~*** 협정이 성립하다, 합의를 보다 ***by*** (***mutual***) ***~*** 합의로, 협정에 따라 ***in ~ with*** …에 일치[동의]하여, …에 따라서 ***make***[***enter into***] ***an ~ with*** …와 계약을 맺다
▷ agrée *v.*

a·gré·ment [ɑ̀:greimɑ́:ŋ] [F] *n.* **1** 〖외교〗 아그레망 《대사·공사 파견에 대한 주재국의 승인》 **2** [*pl.*] 쾌적함, 쾌적한 환경 **3** 〖음악〗 장식음

a·gres·tal [əgréstl], **-tial** [-tʃəl] *a.* 〈식물이〉 야생하는

a·gres·tic [əgréstik] *a.* 시골(풍)의; 촌스러운

agri- [ǽgri] 《연결형》 「밭의; 농업의; 토양의」의 뜻

ag·ri·a [ǽgriə] *n.* 〖병리〗 농포(膿胞), 수포진(水胞疹)

ag·ri·biz [ǽgribìz] *n.* 《구어》 =AGRIBUSINESS

ag·ri·busi·ness [ǽgrəbìznis] [*agri*culture+*business*] *n.* Ⓤ 농업 관련 사업, 기업 농업 **~·man** *n.*

agri(c). agricultural; agriculture; agriculturist

ag·ri·chem·i·cal [æ̀grikémikəl] *n., a.* =AGROCHEMICAL

***ag·ri·cul·tur·al** [æ̀grikʌ́ltʃərəl] *a.* **농업의**, 농사[농예]의, 농학(상)의: ~ chemistry 농예 화학 / an ~ (experimental) station 농업 시험장 / an ~ show 농산물 품평회 **~·ly** *ad.* ▷ ágriculture *n.*

agricúltural ágent =COUNTY AGENT

agricúltural chémical 농약

agricúltural coóperative 농업 협동조합

agricúltural engineéring 농업 공학

ag·ri·cul·tur·al·ist [æ̀grikʌ́ltʃərəlist] *n.* 《미》 =AGRICULTURIST

***ag·ri·cul·ture** [ǽgrikʌ̀ltʃər] [L 「밭의 경작」의 뜻에서] *n.* Ⓤ **농업**, 농사(farming); **농학**, 농예 《축산·임업을 포함》: the Ministry of *A~* and Forestry 농림부 / the Department of *A~* 《미》 농무부 / mechanized ~ 기계화 농업
▷ agricúltural *a.*

ag·ri·cul·tur·ist [æ̀grikʌ́ltʃərist] *n.* **1** 농학자; 농업 전문가 **2** 농업가; 농업 종사자

ag·ri·mo·ny [ǽgrəmòuni | -mə-] *n.* (*pl.* **-nies**) 〖식물〗 짚신나물속(屬)의 식물

ag·ri·mo·tor [ǽgrəmòutər] *n.* 농경용 트랙터
ag·ri·ol·o·gy [æ̀griɑ́lədʒi | -ɔ́lə-] *n.* Ⓤ 미개(未開) 사회학 《미개 사회의 풍속·역사를 비교 연구함》
A·grip·pa [əgrípə] *n.* 아그리파 **Marcus Vipsanius** ~ (63-12 B.C.) 《로마의 장군·정치가》
ag·ri·prod·uct [ǽgriprɑ̀dəkt | -prɔ̀-] *n.* 농업 필수품 《비료·사료 등》
ag·ri·sci·ence [ǽgrisàiəns] *n.* 농업 과학
ag·ri·tour·ist [ǽgritùərist] *n.* 농촌 관광객 《휴일을 농가에서 보내는 도시민》
ag·ro [ǽgrou] *n.* =AGGRO
agro- [ǽgrou] 《연결형》 「토양; 농업」의 뜻
ag·ro·bac·te·ri·a [æ̀groubæktíəriə] *n. pl.* (*sing.* **-ri·um** [-riəm]) 〖세균〗 (식물의) 종양균, 암종균
ag·ro·bi·ol·o·gy [æ̀groubaiɑ́lədʒi | -ɔ́lə-] *n.* Ⓤ 농업 생물학 **àg·ro·bi·o·lóg·ic, -i·cal** *a.* **-gist** *n.*
ag·ro·busi·ness [ǽgrəbìznis] *n.* =AGRIBUSINESS
ag·ro·chem·i·cal [æ̀grəkémikəl] *n., a.* 농약(의); 화학 비료(의)(agrichemical)
ag·ro·e·co·log·i·cal [æ̀groui:kəlɑ́dʒikəl | -lɔ́-] *a.* 농업과 환경[생태학]에 관한
ag·ro-ec·o·nom·ic [-ekənɑ́mik | -nɔ́-] *a.* 농업 경제의
ag·ro·ec·o·sys·tem [-í:kousìstəm] *n.* 농업 생태계
ag·ro·for·est·ry [-fɔ́:ristri] *n.* 농림업, 식림업
ag·ro-in·dus·tri·al [-indʌ́striəl] *a.* 농업 및 공업의, 농공용의; 농업 관련 산업의 **~·ist** *n.*
ag·ro-in·dus·tri·al·ize [-indʌ́striəlàiz] *v.* (나라 등의) 농업을 공업화하다; 대규모 농업화하다[되다] **àg·ro-in·dùs·tri·al·i·zá·tion** *n.*
ag·ro-in·dus·try [ǽgrouìndʌstri] *n.* 농공업 필수품을 공급하는 생산 분야; 대규모 농산업
a·grol·o·gy [əgrɑ́lədʒi | -grɔ́-] *n.* Ⓤ 농업 과학, 응용 토양학 **àg·ro·lóg·ic, àg·ro·lóg·i·cal** *a.*
ag·ro·nom·ic, -i·cal [æ̀grənɑ́mik(əl) | -nɔ́-] *a.* 작물(재배)학의; 농경법(農耕法)의
ag·ro·no·mics [æ̀grənɑ́miks | -nɔ́-] *n. pl.* [단수 취급] 작물(재배)학, 경종학(耕種學); 농업 경영학
ag·ro·no·mist [əgrɑ́nəmist | -rɔ́-] *n.* 농업 경제 학자, 경종학자
a·gron·o·my [əgrɑ́nəmi | -rɔ́-] *n.* Ⓤ 농업 경제학, 농경학, 경종학 《축산·임업 외의 협의의 농학》
ag·ros·tol·o·gy [æ̀grəstɑ́lədʒi | -tɔ́-] *n.* Ⓤ 초본학(草本學) **a·gròs·to·lóg·ic** *a.*
ag·ro·tech·ni·cian [æ̀grouteknίʃən] *n.* 농업 기술자
ag·ro·tech·nol·o·gy [-teknɑ́lədʒi | -nɔ́-] *n.* Ⓤ 농업 기술 **-gist** *n.*
ag·ro·type [ǽgroutàip] *n.* 토양형; (농작물의) 재배 품종
a·ground [əgráund] *ad., a.* Ⓟ 〖항해〗 뭍에; 좌초하여 ***go*** [***run, strike***] ~ 〈배가〉 좌초하다; 〈계획이〉 좌절되다 ***run*** a ship ~ (배를) 좌초시키다
AGS abort guidance system 〖우주〗 보조 유도 장치
agst. against **agt.** agent; agreement
a·guar·dien·te [à:gwɑ:rdiénti] [Sp.] *n.* 스페인과 포르투갈산(産)의 브랜디; 중남미의 대중적인 증류주
a·gue [éigju:] *n.* Ⓤ **1** 〖병리〗 학질 **2** 오한 **~·like** *a.*
a·gued [éigju(:)d] *a.* 학질에 걸린
a·gu·ish [éigju(:)iʃ] *a.* **1** 학질의[같은]; 학질에 걸린[걸리기 쉬운] **2** 오한이 나는 **~·ly** *ad.*
‡**ah** [ɑ́:] *int.* 아아! 《기쁨·슬픔·놀람·고통·경멸·동정·한탄 등을 나타냄》
Ah, but ... 그렇지만 말이야 ***Ah, me!*** 아아(어쩌면 좋을까). ***Ah, well,*** … 뭐, 할 수 없지.
Ah, a.h. ampere-hour **AH, A.H.** anno hegirae 《L = in the year of the Hegira》 이슬람(교) 기원
***a·ha** [ɑ:hɑ́:, əhɑ́:] *int.* **1** 아하!, 으흥! 《놀람·기쁨·승리·비웃음·비꼼 등을 나타냄》 **2** 그래, 알았어 《말·의도를 이해하였음을 나타냄》

AHA American Heart Association; American Historical Association; American Hospital Association; Area Health Authority
A·hab [éihæb] *n.* 〖성서〗 아합 《이스라엘의 왕》
ahá expèrience 〖심리〗 아하[「아 그렇구나」] 체험 (cf. AHA REACTION)
ahá reàction 〖심리〗 아하[「아 그렇구나」] 반응 《문득 떠오르는 통찰·해명》
ah·choo [ɑ:tʃú:] *int., n.* 에취 《재채기 소리》(a-choo, atchoo, atishoo, kerchoo; cf. SNEEZE)
‡**a·head** [əhéd] *ad.* **1** 앞쪽에, 앞길에(in front): Breakers ~! 암초상에 암초 있음!; 전방에 위험이 있음! **2** (거침없이) 앞으로(forward): Go straight ~. 곧장 앞으로 나가시오. **3** [시간적으로] 앞에; 앞으로 **4** (시간을) 빠르게 (하여): set a clock ~ (늦은 시계를 맞추는 등을 위해) 시계를 빠르게 하다 **5** (기한 등을) 앞당겨, 이르게 하여; 늦춰서: push a deadline ~ one day from Tuesday to Monday [Wednesday] 마감일을 화요일에서 월요일[수요일]로 하루 앞당기다[늦추다] **6** 앞서, 이겨; 출세하여, 진보[선행]하여, 유리한 입장에[으로]: be three points ~ 3점 이기고 있다
~ of (1) …의 전방에; …보다 앞에 (나아가) (2) (시간적으로) …보다 이전에 (3) …보다 나아, …보다 앞서 ***get ~*** ⇨ get[1]. ***get ~ in the world*** 출세하다, 성공하다 ***go ~*** (1) 앞으로 나아가다 (2) 〈일이〉 진행되다 (3) (망설이지 않고) 〈이야기·일 등을〉 진행시키다 ***Go ~!*** (1) 해라! (2) (재촉하여) 자 어서; (허가를 구하는 말에 답하여) 그러세요 (3) 《미》 (전화에서) 말씀하세요. (4) 〖항해〗 전진!
A-head [éihèd] *n.* 《미·속어》 암페타민[LSD] 상용자
a·heap [əhí:p] *ad., a.* Ⓟ 산더미같이 (쌓여)
a·hem [hm, əhém] *int.* 음, 으흠, 에헴 《주의·환기·의심을 나타낼 때, 말이 막혔을 때의 소리》
ahh [ɑ́:] *int.* =AH
ah-ha [ɑ́:hɑ́:] *int.* =AHA
a·him·sa [əhímsɑ: | ɑ:hímsɑ:] *n.* Ⓤ (힌두교·불교 등의) 불살생(不殺生), 비폭력주의
a·his·tor·ic, -i·cal [èihistɔ́:rik(əl), -tɑ́r- | -tɔ́r-] *a.* 역사와 관계없는; 역사에 무관심한
AHL American Hockey League
a·hold [əhóuld], **a·holt** [əhóult] *n.* 《구어》 붙잡기(hold, grasp); 입수 ***get ~ of*** …을 잡다, (얼마 후에) …와 연락이 되다; …을 입수하다
a-hole [éihòul] *n.* 《미·속어》 =ASSHOLE
-aholic [əhɔ́:lik, -hɑ́- | -hɔ́-] 《연결형》 「…중독자, …광(狂)」의 뜻: food*aholic*; work*aholic*
Á horizon 〖지질〗 A층위 《토양의 맨 위층》
a·horse [əhɔ́:rs] *ad., a.* 말을 타고
a·hoy [əhɔ́i] *int.* 〖항해〗 어어이! 《다른 배를 부르는 소리》 ***A~ there!*** 《익살》 어어이, 이봐! 《먼 데 있는 사람을 부를 때》 ***Ship ~!*** 어어이, 이봐 그 배!
AHQ Air[Army] Headquarters 공군[육군] 사령부
Ah·ri·man [ɑ́:rimən] *n.* 〖조로아스터교〗 아리만 《암흑과 악의 신》
AHS *Anno Humanae Salutis* 《L = in the year of human salvation》
a·hu [ɑ́:hu:] *n.* 폴리네시아 인이 묘비·기념비로 쓰는 석총(石塚)[석대(石臺)]
à huis clos [ɑ:-wí:-klóu] [F = with closed doors] *ad.* 비공개로, 비밀로; 문을 닫고
a·hull [əhʌ́l] *ad.* 〖항해〗 돛을 걷고 타륜을 바람 불어 가는 쪽으로 잡아매어 《폭풍우에 대비해서》
Á·hu·ra Mázda [əhúrə-, ɑ́:hurə-] 〖조로아스터교〗 아후라 마즈다 《선과 빛의 최고신》
a·i[1] [ɑ́:i] *n.* 〖동물〗 세발가락나무늘보 《중남미산(産)》
ai[2] [ái] *int.* 아아 《고통·슬픔·연민 등을 나타냄》
AI Amnesty International; artificial insemina-

thesaurus **aid** *v.* help, assist, support, lend a hand, succor, sustain, facilitate, abet, encourage

tion; artificial intelligence; avian influenza 조류 독감 **AIA** American Institute of Architects; American Insurance Association

A·ias [éijæs, áiæs] *n.* 〖그리스신화〗 =AJAX

AIB 《영》 Associate of the Institute of Bankers

ai·blins [éiblinz] *ad.* 《스코》 아마도, 필경

AIC American Institute of Chemists **AIChE** American Institute of Chemical Engineers

*** **aid**[éid] *vt.* **1** 돕다, 거들다, 원조하다 《help보다 딱딱한 말; ⇨ help 유의어》: ~ flood victims 홍수 피해자를 원조하다 // 《~+목+*to* do》 ~ a country *to* stand on its own feet 나라가 자립할 수 있도록 원조하다 / She *~ed* me *to* cook[*in* cooking]. 그녀는 내가 요리하는 것을 거들어 주었다. ★ 보통은 She helped me (to) cook. // 《~+목+전+명》 We *~ed* him *in* the enterprise. 우리는 그의 사업을 원조했다. / I *~ed* him *with* advice. 나는 그에게 조언했다. **2** 조성(助成)하다, 촉진하다(promote): ~ recovery 회복을 촉진하다

—*vi.* 돕다, 원조하다, 도움이 되다 《*in*》 **~ *and abet*** 〖법〗 범행을 방조하다

—*n.* **1** Ⓤ 도움, 조력; 원조, 부조; 구원 **2** 조력자, 보조자, 조수 《이 뜻으로는 aide 형태가 많이 쓰임》 **3** [종종 *pl.*] 보조 기구, 《특히》 보청기(hearing aid): audio-visual *~s* 시청각 교구 **4** 〖영국사〗 (국왕에게 바치는) 임시 상납금 ***by* (*the*) *~ of*** …의 도움으로 ***call in* a person*'s ~*** …의 원조를 청하다 ***come* [*go*] *to* a person*'s ~*** …을 원조하러 오다[가다] ***first ~*** 구급 요법, 응급 치료 ***in ~ of*** …을 돕기 위해 ***What's* (*all*) *this in ~ of?*** 《영·구어》 도대체 목적[이유]이 무엇인가?; 도대체 무슨 뜻인가?; 도대체 어떻게 된 일인가?

AID Agency for International Development; artificial insemination by donor 비배우자(非配偶者)간 인공 수정(cf. AIH)

ai·da [éidə] *n.* 에이더 《자수용 성긴 바탕 천》(= **~ clòth**[**fàbric**])

A·i·da [ɑːíːdə | aiíː-] *n.* 아이다 《베르디의 오페라 (1871); 그 여주인공인 에티오피아 왕녀》

áid clìmbing (보조 장비를 가지고 하는) 인공 (암벽) 등반(cf. FREE CLIMBING)

aide [éid] *n.* **1** =AIDE-DE-CAMP **2** 조수, 조력자; 측근자; 〖군사〗 부관 **3** 《미》 (대통령 등의) 보좌관

aide-de-camp, aid- [éiddəkǽmp | -kɑːŋ] [F =assistant in the field] *n.* (*pl.* **aides-, aids-** [éidz-]) 〖군사〗 (장성에게 딸린) 부관, 보좌관 (cf. ADJUTANT)

áid·ed schóol [éidid-] 《영》 정부 지원 학교

aide-mé·moire [éidmemwɑ́ːr] [F] *n.* (*pl.* **aide**(**s**)**-** [éidz-]) 비망록; 〖외교〗 각서

aid·ing [éidiŋ] *n.* Ⓤ =AID CLIMBING

aid·man [éidmæ̀n, -mən] *n.* (*pl.* **-men** [-mèn, -mən]) 〖군사〗 위생병 《전투 부대에 배속된》

áid pòst 《영》 =AID STATION

AIDS[1]**, Aids** [éidz] [*a*cquired *i*mmuno-*d*eficiency *s*yndrome] *n.* 〖병리〗 에이즈, 후천성 면역 결핍증 (cf. HIV): a person (living) with ~ 에이즈 환자 《略 PWA, PLWA》 / an ~ test 에이즈 검사

AIDS[2] [*a*n *i*nfected *d*isk *s*yndrome] *n.* 〖컴퓨터〗 《속어》 컴퓨터 바이러스 오염 디스크 증후군

Aids-line [éidzlàin] *n.* 《영》 AIDS 환자를 위한 전화 상담 서비스 《상표명》

áid socìety 《미》 (교회의) 여성 자선 협회

ÁIDS-re·lat·ed còmplex [éidzrilèitid-] 에이즈 관련 증후군 《略 ARC》

ÁIDS-related vìrus 〖병리〗 에이즈 관련 바이러스 《略 ARV》

áid stàtion 〖미군〗 전방[야전] 응급 치료소

(opp. *hinder, block, impede, discourage*)
ailment *n.* illness, disease, disorder, sickness

ÁIDS vìrus 에이즈 바이러스 《정식명은 HIV》

ai·glet [éiglit] *n.* =AGLET

ai·gret(**te**) [eigrét, éigret] *n.* **1** 〖조류〗 백로, 해오라기(egret) **2** 백로 깃털 장식 《모자·투구 등의》 **3** 〖식물〗 관모(冠毛)

aigret(te) 2

ai·guille [eigwíːl, ⌐-] [F= needle] *n.* 첨봉(尖峯), 뾰족한 산봉우리 《알프스 등의》

ai·guil·lette [èigwilét] [F] *n.* (군복의) 장식술, 장식끈 《특히 어깨 위에 달린》

AIH artificial insemination by husband 배우자[부부]간 인공 수정

ai·kid·o [aikíːdou] [Jap.] *n.* Ⓤ 아이키도 《합기도와 유사한 일본의 무술》

* **ail**[éil] *vt.* 《고어》 [비인칭 구문으로] 괴롭히다, 고통을 주다(afflict) ★ 보통 다음 구문으로 쓰임: What *~s* you? 왜 그러느냐, 어디가 아프냐?

—*vi.* [보통 진행형으로] 병을 앓다: The child is *~ing.* 애가 아프다. ▷ áilment *n.*

ai·lan·thus [eilǽnθəs] *n.* 〖식물〗 가죽나무속(屬)의 식물 **-thic** *a.*

Ai·leen [ailíːn, ei-] *n.* 여자 이름 《Helen의 아일랜드 어형》

ai·ler·on [éilərɑ̀n | -rɔ̀n] *n.* 〖항공〗 보조 날개

* **ail·ing**[éiliŋ] *a.* 병든, 앓고 있는; 괴로워하는; 〈회사·경제가〉 업적 부진의, 침체한

ail·ment [éilmənt] *n.* 《문어》 (보통 가벼운 또는 만성의) 병; 불쾌, 불안: a slight ~ 가벼운 병

ai·lu·ro·phile [ailúərəfàil, ei-] *n.* 고양이를 좋아하는 사람

ai·lu·ro·phil·i·a [ailùərəfíliə, ei-] *n.* Ⓤ 고양이를 좋아함

ai·lu·ro·phobe [ailúərəfòub, ei-] *n.* 고양이 공포증을 가진 사람, 고양이를 싫어하는 사람

ai·lu·ro·pho·bi·a [ailùərəfóubiə, ei-] *n.* Ⓤ 고양이 혐오[공포]증

*** **aim**[éim] *vt.* **1** 〈총 등을〉 겨누다(point), 겨누어 …을 던지다[발사하다]: 《~+목+전+명》 ~ a gun *at* a target 과녁에 총을 겨누다 / ~ a stone *at* a person …을 향해 돌을 던지다 **2** 〈말·비판·노력 등을〉 (…에게) 향하다, 빗대어 말하다 《*at*》: ~ a satire *at* a person … 을 빗대어[비꼬아] 말하다 / That remark was *~ed at* him. 그 말은 그를 겨냥한 것이었다.

—*vi.* **1** 겨냥하다(direct), 노리다, 겨누다 《*at*》; 빗대어 말하다 《*at*》: fire without *~ing* 마구잡이로 쏘다 // 《~+전+명》 ~ *at* a mark with a gun 총으로 표적을 겨누다 **2** 목표 삼다, 뜻하다, 마음먹다 《*at, for*》: 《~+전+명》 ~ *at* success 성공을 목표 삼다 / ~ *at* perfection = 《영》 ~ *at* being perfect [《미》 ~ *to* be perfect] 완벽을 지향하다 / ~ *for* London 런던으로 향하다 / ~ *for* dictatorship 독재자가 되려고 마음먹다 **3** …할 작정이다(intend), …하려고 애쓰다: 《~+*to* do》 He *~s to* go tomorrow. 그는 내일 갈 작정[예정]이다.

***~ high* [*low*]** 뜻하는 바가 크다[작다]

—*n.* **1** Ⓤ 겨냥, 조준(照準), 가늠 **2** 목적, 뜻, 의도, 계획: my ~ in life 나의 인생 목표 **3** 조준의 방향, 조준선: within the cannon's ~ 대포의 조준선 내에 **4** 표적, 과녁, 목표물: miss one's ~ 과녁을 빗나가다 ***attain* [*achieve*] one*'s ~*** 자기 목적을 이루다 ***take* (*good*) *~* (*at*)** (잘) 겨냥하다 ***the ~ and end*** 궁극[최종]의 목적 ***without ~*** 목적 없이, 막연히

AIM Air Interceptor Missile 공대공 요격 미사일; American Indian Movement

Ai·mee [éimi] *n.* 여자 이름

aim·er [éimər] *n.* 겨냥하는 사람[것], 조준기

aim·ing [éimiŋ] *n., a.* 겨냥(하는), 조준(의)

áiming pòint 조준점 《무기·관측 기구에서》

⁎**aim·less** [éimlis] *a.* (이렇다 할) 목적[목표]이 없는: an ~ existence 막연한 삶 **~·ly** *ad.* **~·ness** *n.*
ain [éin] *a., n.* 《스코》 =OWN
aî·né [einéi] [F] *a.* (*fem.* **~e**) 〈형제가〉 연상의, 연장의; 맏이의, 최연장의(opp. *cadet*)
Ai·no [áinou] *n.* (*pl.* **~s**), *a.* =AINU
⁎**ain't** [éint] **1** 《구어》 am not의 단축형: I ~(=am not) ready. 준비가 안 되어 있다. 《★ 교육을 못 받은 사람이 쓰는 말 또는 사투리라고 하지만 《구어》에서는 교양 있는 사람들도 종종 씀. 의문형, 특히 부가 의문의 ain't I?, an't I?(=am I not?)는 허용되고 있음》: I'm going too, ~ I? 나도 가는 거야, 그렇지? **2** 《비표준》 are[is] not, have[has] not의 단축형: I ~(=haven't) done it. 그걸 하지 못했어. / Things ~ what they used to be. 사정이 이전과는 다르다.
Ai·nu [áinu:] *n.* (*pl.* **~, ~s**) 아이누 사람; Ⓤ 아이누 말 **—***a.* 아이누 사람[말]의
ai·o·li, aï- [aióuli, ei-] *n.* 아이올리 《마늘·노른자위·올리브유·레몬 주스로 만든 소스》
⁑**air** [ɛ́ər] *n.* **1** Ⓤ **공기,** 대기: fresh[foul] ~ 신선한[탁한] 공기 / We should[would] die without ~. 공기가 없으면 사람은 죽고 말 것이다. **2 외양,** 외모, 풍채, 태도(bearing): an ~ of dignity 근엄한 태도 **3** 미풍: a slight ~ 산들바람 **4** [the ~] **공중,** 하늘: the birds of *the* ~ 공중의 나는 새들 **5** Ⓤ (의견 등의) 발표, 공표 **6** [*pl.*] (특히 여자의) 뽐내는 꼴 **7** 〖음악〗 (쉽게 욀 수 있는) 멜로디, 가락(tune), 곡조; 아리아 《선율적인 악곡》: sing an ~ 한 곡조 부르다 **8** 항공 교통[수송]; 공군 **9** [보통 the ~] 전파 송신 매체; 라디오 (방송), 텔레비전 (방송) **10** 공기 조절[냉방] (장치)(air conditioning)
~s and graces 점잔빼는 태도 ***assume ~s*** 젠체하다, 뽐내다 ***beat the ~*** 〖성서〗 헛수고하다 ***build a castle in the ~*** ⇨ castle. ***by ~*** (1) 비행기로 (2) 무전으로 ***change of ~*** 전지(轉地) ***clear the ~*** ⇨ clear. ***dance on ~*** 〈범죄자 등이〉 교수형에 처해지다 ***fan the ~*** 《야구·속어》 삼진하다 ***get*** [***catch***] ***some ~*** 《속어》 (농구·스키·스케이트보드에서) 높이 점프하다 ***get the ~*** 《미·속어》 해고되다; 〈친구·애인에게서〉 버림받다 ***give ~ to*** 〈의견 등을〉 발표하다 ***give*** one***self ~s*** 젠체하다, 점잔 빼다 ***give*** a person ***the ~*** 《미·속어》 해고하다; 〈애인·친구 등을〉 버리다 ***hit the ~*** 방송되다 ***in the ~*** (1) 공중에 (2) 〈분위기 등이〉 감돌고 (3) 〈풍설 등이〉 퍼져서 (4) 〈계획 등이〉 막연하여, 미정으로 (5) 적의 공격에 무방비로 ***in the open ~*** 옥외[야외]에(서) ***into thin ~*** 흔적도 없이: vanish[disappear] *into thin* ~ 흔적도 없이[감쪽같이] 사라지다 ***off the ~*** 방송되지[하지] 않고; 〈컴퓨터가〉 작동하지 않고: go *off the* ~ 방송을 중단하다 ***on the ~*** 방송 중에: go[be] *on the* ~ 방송하다[되고 있다] ***out of thin ~*** 무(無)에서; 난데없이 ***over the ~*** 방송에 의해서 ***pound the ~*** 〖야구〗 헛치다 ***put on ~s*** 젠체하다, 으스대다 ***put*** [***send***] ***... on the ~*** …을 방송하다 ***take ~*** 《영》 알려지다, 널리 퍼지다 ***take the ~*** (1) 《고어》 외출하다 (2) 산책[드라이브]하러 나가다 (3) 《속어》 (급히) 떠나가다 (4) 이륙하다(take off) (5) 방송을 시작하다 ***take to the ~*** 하늘을 날다; 비행기로 여행하다 ***tread*** [***walk, float***] ***on ~*** 기뻐 어쩔 줄 모르다 ***up in the ~*** (1) 공중에 (2) 《구어》 기뻐 어쩔 줄 몰라 (3) 《구어》 흥분하여, 화나서 (4) 《구어》 미정의, 미해결의, 막연한 ***with an ~*** 자신을 가지고; 점잔빼며 ***with a sad ~*** 쓸쓸하게, 풀이 죽어
— *a.* Ⓐ **1** 공기의[를 사용하는] **2** 하늘의, 공중의; 비행기의[에 의한] **3** 공군의: an ~ base 공군 기지 **4** 눈에 보이지 않는, 상상의: live on ~ pie 《영·속어》 아무것도 먹지 않고 있다
— *vt.* **1** 〈의복 등을〉 바람에 쐬다, 널다; 〈방을〉 환기하다 **2** 〈의견을〉 발표하다; 〈불평을〉 늘어놓다 **3** 《미·구어》 〖라디오·TV〗 방송하다 **4** 《미·속어》 〈애인 등을〉 버리다 **~ *it out*** 〖야구〗 장타를 치다 **~** one***self*** 바람 쐬다, 산책하다
— *vi.* **1** 바람을 쐬다, 거풍하다; 마르다 **2** 〖라디오·TV〗 방송[방영]되다 ▷ áiry *a.*
áir alèrt 공습 경계 (태세); 공습 경계 경보
áir àmbulance 환자 수송기 《헬리콥터나 비행기》
áir àrm 공군 (전력)
áir attaché 대사[공사]관부 공군 무관
áir attàck 공습(air raid)
air-at·tack [-ətæ̀k] *vt.* 공습하다
áir bàg (자동차의) 공기주머니, 에어백
áir bàll 〖농구〗 슛한 것이 링이나 백보드에도 닿지 않는 공; 고무풍선
áir ballòon 《영》 고무풍선
air·band [ɛ́ərbæ̀nd] *n.* (무선 통신용) 주파수대
áir bàse 공군 기지; 항공 기지
áir bàth **1** (건강을 위한) 공기욕(空氣浴) **2** 통풍 건조기
áir bàttery 〖전기〗 공기 전지 《air cell을 이은 것》
áir bèaring 공기 베어링, 공기 축받이
áir bèd 공기 침대
áir bèll (유리 제조시 생기는) 기포
áir bènds 〖의학〗 항공 색전증(塞栓症)
air·bill [-bìl] *n.* =AIR WAYBILL
áir blàdder **1** (물고기의) 부레 **2** 〖식물〗 기포(氣泡)
áir blàst 인공 분사 기류 《기계로 만드는 제트 기류》; 충격파
air·boat [-bòut] *n.* **1** 비행정, 수상 비행기(seaplane) **2** 프로펠러선(船); 에어보트
air·borne [-bɔ̀:rn] *a.* **1** 공중 수송의, 공수의 〈부대〉 **2** 이륙한 **3** 공기로 운반되는; 풍매(風媒)의
áirborne alért (전투기의) 공중 대기
áirborne commánd pòst 〖군사〗 공중 사령기
áirborne sóccer 《미》 공중 사커 《공 대신 프리스비(Frisbee)를 쓰고 7명이 한 팀》
air·bound [-bàund] *a.* 〈파이프 등이〉 공기로 막힌
air·brain [-brèin] *n.* 《미·속어》 바보, 얼간이
~ed *a.* 머리에 바람이 든, 바보의
áir bràke 〖기계·항공〗 공기 제동기, 에어 브레이크
air·bra·sive [ɛ́ərbrèisiv] *n.* 〖치과〗 공기 연마기
air-breathe [-brì:ð] *vi.* 〈엔진 등이〉 (연료 산화를 위해) 공기를 빨아들이다
air-breath·er [-brì:ðər] *n.* 공기 흡입 엔진
áir brìck 통풍[구멍 있는] 벽돌
áir brìdge 공중 가교 《공수에 의한 두 지점 간의 연결》; (두 건물 사이의) 구름다리; (공항 대합실과 비행기를 연결하는) 공중 통로
air·brush [-brʌ̀ʃ] *n.* 에어브러시 《사진 수정·도료 분무용》 **—***vt.* 에어브러시로 수정하다[뿜어 칠하다]
áir bùbble 기포(氣泡)
áir bùmp 〖항공〗 (에어 포켓의) 상승 기류
air·burst [-bə̀:rst] *n.* (폭탄의) 공중 폭발
air·bus [-bʌ̀s] *n.* 에어 버스 《중·단거리용 여객기》
áir càrgo 항공 화물
áir càrrier 항공 (운송) 회사; (화물) 수송기
áir càsing 〖기계〗 (열의 발산을 방지하는) 공기벽, 방열 피복(防熱被覆)
áir càstle 공중누각; 백일몽
áir càvalry 〖군사〗 헬리콥터 무장 정찰기; 공수 정찰 부대
áir cèll 〖생물〗 폐포(肺胞), 기포(氣胞); 〖전기〗 공기 전지
áir chàmber 〖기계〗 (수압 펌프 등의) 공기실; 〖동물〗 (새알의) 기실(氣室)
áir chìef màrshal 《영》 공군 대장
áir clèaner 공기 청정기
áir còach 운임이 싼 여객기
áir còck 〖기계〗 공기 콕 《통풍을 조절하는》

thesaurus **aimless** *a.* purposeless, pointless, goalless, futile, undirected, objectless, unambitious, wandering (opp. *purposeful, determined*)

áir commànd 항공 군단[총군] 《미공군의 최대 단위; ⇨ air force》
áir còmmodore 《영》 공군 준장
áir comprèssor 공기 압축기
áir còn = AIR CONDITIONER
áir condènser 〖기계〗 공기 냉각기; 〖전기〗 공기 콘덴서
air-con·di·tion [-kəndíʃən] *vt.* 〈실내 공기를〉 에어컨으로 조절하다; 〈실내 등에〉 에어컨을 설치하다
air-con·di·tioned [-kəndíʃənd] *a.* 냉난방[공기 조절] 장치를 한
áir condìtioner 공기 조절[냉난방] 장치, 에어컨
áir condìtioning 공기 조절 (장치) 《실내의 공기 정화, 온도·습도의 조절; 略 AC, A/C》
áir contròl 제공(권); 항공 (교통) 관제
áir contròller 항공 관제관
air-cool [-kù:l] *vt.* 〈내연 기관 등을〉 공랭(空冷)하다; …에 냉방 장치를 하다
air-cooled [-kù:ld] *a.* 공랭한, 공랭식의
áir còoling 공기 냉각법, 공랭(空冷)
air-core [-kɔ̀:r] *a.* 〖전기〗 공심(空心) 코일이 있는
Áir Còrps 《미》 (제2차 세계 대전 전의) 육군 항공대
áir còrridor 〖항공〗 공중 회랑 《국제 지정 항로》
áir còver 공중[상공] 엄호(대)(air umbrella)
*__air·craft__ [ɛ́ərkræ̀ft | -krɑ̀:ft] *n.* (*pl.* **~**) **항공기** 《비행기·비행선·기구·헬리콥터 등의 총칭》: by ~ 항공기로/an ~ station 〖항공〗 기상(機上) 무전국
áircraft càrrier 항공모함
áircraft obsèrver = AIR OBSERVER
air·craft(s)·man [-(s)mən] *n.* (*pl.* **-men** [-mən]) 《영》 공군 2등병 《최하위 계급》
air·craft(s)·wom·an [-(s)wùmən] *n.* (*pl.* **-wom·en** [-wìmin]) 〖영국공군〗 여자 항공병 《하사관급》
air·crew [ɛ́ərkrù:] *n.* [집합적] 항공기 승무원
air·crew·man [ɛ́ərkrù:mən] *n.* (*pl.* **-men** [-mən]) 항공기 승무원의 한 사람
air-cure [ɛ́ərkjùər] *vt.* 〈담배·목재 등을〉 바람에 쐬다, 공기 건조 처리하다
áir cùrrent 기류(氣流)
áir cùrtain 〖건축〗 에어 커튼 《외풍과 실내 공기를 차단하는 장치》
áir cùshion **1** 공기쿠션 《공기베개 등》 **2** (호버크라프트 등의) 공기쿠션 《완충 장치》
áir-cùsh·ioned *a.*
áir-cùsh·ion vèhicle [-kùʃən-] 〖항공〗 호버크라프트(hovercraft) 《略 ACV》
áir cỳlinder 〖기계〗 공기 실린더
áir dàm 에어 댐 《자동차·비행기의 공기 저항을 감소시키고 안정도를 높이는 장치》
air·dash [-dæ̀ʃ] *vi.* 비행기로 급히 가다
air·date [-dèit] *n.* 방송(예정)일
áir defènse 방공(防空)
áir dèfense identificátion zòne 방공 식별권 《略 ADIZ》
áir dèpot 《미》 항공기 발착장; 항공 보급소
áir divìsion 〖미공군〗 항공 사단(⇨ air force)
áir dòor 〖건축〗 = AIR CURTAIN
áir dràin 〖건축〗 (외벽 방습용) 통기구(溝)
áir drìll 공기 송곳[드릴]
air-driv·en [-drìvən] *a.* 압축 공기를 동력으로 하는
air·drome [-dròum] *n.* 《미》 비행장, 공항 《소형의》
air·drop [-drɑ̀p | -drɔ̀p] *v.* (**~ped**; **~·ping**) *vt.* 〈인원·보급 등을〉 공중 투하하다 **—** *vi.* 〈부대 등이〉 공중 강하하다
— *n.* 공중 투하 **~·pa·ble** *a.*
air-dry [-drài] *vt.* (**-dried**) 공기 건조시키다
— *a.* 공기 건조한, 완전히 건조된
áir dùct 통풍관 공기통; 급기관(給氣管)
Aire·dale [ɛ́ərdèil] *n.* 에어데일 테리어종(種)의 개 (= **~ tèrrier**)
áir èddy 기류의 소용돌이
áir edìtion (신문·잡지의) 항공 속달판(版)
áir èngine 항공 발동 기관; (압축) 공기 기관
air·er [ɛ́ərər] *n.* 《영》 빨랫대[틀]; 떠벌이
áir exprèss 《미》 (소화물) 항공 수송(업); 항공 소화물[속달]
air·fare [ɛ́ərfɛ̀ər] *n.* 항공 운임[요금]
áir fèrry (수역을 건너는) 공중 수송, 에어 페리
⁑**air·field** [ɛ́ərfì:ld] *n.* **비행장**; (설비 없는) 이착륙장
air·fight [-fàit] *n.* 공중전
áir fìlter 공기 정화 장치, 공기 여과기
áir flèet 항공기 편대; (일국의) 공군력, 공군
air·flow [-flòu] *n.* 공기의 흐름; 기류 《비행기 등의 주위에 생기는》 **—** *a.* 유선형의
air·foil [-fɔ̀il] *n.* (항공기·프로펠러 등의) 날개, 익(翼)(《영》 aerofoil)
áir fòrce 공군 《略 AF》; 《미》 항공군 《미공군의 편성 단위; air division과 air command의 중간》
the Royal* [*United States*] *A- F- 영[미]공군
NOTE [미국 공군의 편성] air command 항공 군단 《둘 이상의 air forces를 지휘함》, air force 항공군 《둘 이상의 (air) divisions로 됨》, (air) division 항공 사단 《둘 이상의 (air) wings로 됨》, (air) wing 항공단, (air) group 항공군, squadron 비행대, flight 비행 중대. [영국 공군의 편성] air force 공군, wing 《3-5 squadrons로 됨》, group, squadron, flight
Áir Fòrce Acádemy 《미》 공군 사관학교
Áir Fòrce Cróss 〖미공군〗 공군 십자장 《무공 훈장의 하나; 略 AFC》
Áir Fòrce Óne 미국 대통령 전용기
air·frame [-frèim] *n.* 〖항공〗 (엔진을 제외한) 기체
Áir Fránce 에어 프랑스 《프랑스 항공 회사》
air·freight [-frèit] *n.* Ⓤ 항공 화물편; 항공 화물 운임; 항공 화물 **—** *vt.* 항공 화물로 보내다
~·er *n.* 화물 수송기
áir frèshener 공기 청정제, 탈취(脫臭) 방향제[스프레이]
áir gàp 〖전기〗 에어 갭, 공극(空隙)
áir gàs 공기가스; 발생로 가스(producer gas)
air·gate [-gèit] *n.* (공항의) 항공기 연결 게이트
áir gàuge 기압계
air·glow [-glòu] *n.* 〖기상〗 대기광(光)
air·graph [-græ̀f | -grɑ̀:f] 《영》 *n.* 항공 축사(縮寫) 우편 **—** *vt.* 항공 축사 우편으로 보내다
áir gròup 〖공군〗 비행군(群)
áir guitàr 《미·속어》 (기타를 연주하는 시늉만 할 때의 그) 가공의 기타
áir gùn 공기총; 에어 건 《페인트 등의 분사 장치》
áir hàll 《영》 에어 홀 《옥외 수영장·테니스장 등을 덮는 플라스틱제 돔》
áir hàmmer 공기 해머
áir hàrbor 수중익선(翼船)[수상기(水上機)]용의 발착항
air-hard·en·ing [ɛ́ərhɑ̀:rdniŋ] *a.* 〖야금〗 〈합금강이〉 공랭 경화(空冷硬化)된, 자경성(自硬性)의
air·head [-hèd] *n.* **1** 《미·속어》 바보, 멍청이 **2** 낙하산 부대가 적지에 확보한 교두보
áir hòist (압축 공기를 이용한) 권양[기중]기
áir hòle 바람 구멍, 통기공; 얼음 위의 구멍; 〖항공〗 = AIR POCKET
air·hop [-hɑ̀p | -hɔ̀p] *n.* 단거리 비행기 여행
— *vi.* 비행기로 단거리 여행을 하다
air hòrn 에어 혼 《압축 공기로 작동하는 경적》
áir hòse 《미·속어》 (loafers를 신을 때의) 공기 양말 《맨발로 신음을 일컬음》
áir hòstess = AIR STEWARDESS

---

air *n.* **1** 대기, 하늘 atmosphere, sky, heaven, aerospace **2** 풍채, 태도 appearance, impression, look, atmosphere, mood, aura, quality, manner

air·house [-hàus] *n.* 에어하우스 《압축 공기를 넣어 부풀려 만든 기둥이 없는 공사용 비닐하우스》
áir hùnger 〖의학〗 공기 기아 《심장병·천식에서 기인한 호흡 곤란》
air·i·ly [ɛ́ərəli] *ad.* 경쾌하게; 마음이 들떠서, 쾌활하게; 뻐기며
air·i·ness [ɛ́ərinis] *n.* Ⓤ 통풍이 잘됨; 경쾌; 쾌활, 유쾌; 공허함
air·ing [ɛ́əriŋ] *n.* **1** 공기[바람]에 쐼, 거풍(擧風); 환기 **2** [보통 *sing.*] 외출, 산책; 드라이브, 옥외 운동: take an ~ 옥외 운동을 하다 **3** (미·구어) (라디오·텔레비전의) 방송 **4** (의견 등의) 떠벌리기, 공표, 폭로
áiring cùpboard (영) 세탁물 건조 선반[장]
áir injèction (액체 연료의) 공기 분사
air-in·take [-ìnteik] *n.* 공기 흡입구[량]
áir jàcket (영) = LIFE JACKET; 〖기계〗 공기 재킷
áir kìss (익살) (키스할 때와 똑같은 입모양을 내는) 키스의 흉내 **aír-kìss** *vt., vi.*
áir lànce 〖기계〗 압축 공기 분사용 노즐
áir-lànce *vt.* 공기 분사로 제거하다
áir làne 항공로(airway)
air-launch [ɛ́ərlɔ̀:ntʃ] *vt.* (비행기 등에서) 〈미사일 등을〉 공중 발사하다
áir-launched crúise mìssile [-lɔ̀:ntʃt-] 〖군사〗 공중 발사 순항 미사일 《略 ALCM》
áir làyering 〖원예〗 고취법(高取法) 《휘묻이의 한 방법》
air·less [ɛ́ərlis] *a.* 공기[바람] 없는; 바람이 통하지 않는, 통풍이 나쁜 **~·ness** *n.*
áir lètter 항공 우편; 항공 서간(aerogram)
air·lift [ɛ́ərlìft] *n.* **1** 공수(空輸) (작전); 항공 보급(로), 공수 물자[인원] **2** (액체를 퍼올리는) 공기 펌프 (= **~ pùmp**) **—***vt.* 항공 보급하다, 공수하다
air·lift·er [-lìftər] *n.* 대형 화물 수송기
air·light [-làit] *n.* 대기 산란광
air·like [ɛ́ərlàik] *a.* 공기 같은
***air·line** [ɛ́ərlàin] *n.* **1 정기 항공(로)**: ~ passenger tariff 국제 항공 운임표 / ~ ticket 항공권, 비행기표 **2** [종종 *pl.*; 단수 취급] **항공 회사** 《Air Lines로도 씀》 **3** (미) 일직선, 최단 거리 **4** 공기 파이프[호스]
air-line [-làin] *a.* (미) 일직선의; 직행의; 최단의 **—** *a.* = AIR-LINE
áirline còde 항공 회사 코드: an ~ number 항공 회사 코드 번호
áirline hòstess (미) (정기 여객기의) 스튜어디스
***air·lin·er** [ɛ́ərlàinər] *n.* (대형) **정기 여객기**
air·load [-lòud] *n.* (승무원·연료를 포함한) 항공기의 총적재 중량
áir lòck 〖토목〗 에어 로크, 기갑(氣閘); (우주선 등의) 기밀식 (출입구); 〖기계〗 공기 폐색
air-lock [-lɑ̀k | -lɔ̀k] *vt.* 에어 로크에 넣다[가두다]
áirlock módule (우주 정거장 내의) 기밀(氣密) 구획실 《기압·온도 등이 조정 가능》
áir lòg 〖항공〗 항공 일지; (비행기 등의) 비행[사정] 거리 기록 장치; (유도탄 등의) 사정 조절 장치
‡**air·mail** [ɛ́ərmèil] *n.* Ⓤ **항공 우편**; [집합적] 항공 우편물; 항공 우표: by ~ 항공 우편으로
—*a.* 항공 우편의: an ~ stamp 항공 우표
—*ad.* 항공 우편으로
—*vt.* 항공 우편으로 부치다[보내다]
***air·man** [ɛ́ərmən] *n.* (*pl.* **-men** [-mən]) 비행사, 비행가(aviator), 항공병, 파일럿: a civil(ian) ~ 민간 비행가 **~·shìp** *n.* Ⓤ 비행술
Áirman's Mèdal 〖군사〗 항공병 기장(記章)
áir màp (항공 사진에 의한) 항공 지도
air·mark [ɛ́ərmɑ̀:rk | -mɑ̀:k] *vt.* 대공 표지를 하다
áir màrshal (영) 공군 중장; = SKY MARSHAL
áir màss 〖기상〗 기단(氣團)
áir màttress 에어 매트리스 《침대·구명대용》
áir mechànic 항공 정비공
Áir Mèdal 〖미공군〗 공군 수훈장(殊勳章)
áir mèter 미풍계
áir mìle 항공 마일 《1항공 마일은 1,852m》
Áir Mìles 에어 마일스 《영국 항공이 실시하는 항공 운임 특별 할인 제도》
air-mind·ed [-máindid] *a.* 비행기 여행을 좋아하는; 항공 분야에 관심을 가진 **~·ness** *n.*
áir mìss 에어 미스 《near miss의 공식 용어》
air·mo·bile [-mòubəl] *a.* 〖군사〗 〈군대·장비가〉 (헬리콥터로) 공수되는, 공중 기동의 〈작전〉: ~ operation 공수 기동 작전
áir mosàic (항공사진을 이어 만든) 항공 지도
áir mòtor = AIR ENGINE
Áir Nátional Guárd (미) 주(州) 공군 《특정 주에 배치된 예비 전력》
áir obsèrver 〖미공군〗 기상[공중] 정찰병
áir ófficer 〖미해군〗 (항공모함의) 해군 항공 참모; [**A- O-**] (영) 공군 참모 《공군 준장 이상》
air·pack [-pæ̀k] *n.* 에어팩 《휴대용 공기통과 보호 마스크가 연결된 공기 공급 장치; 소방관 등이 사용》
air·park [-pɑ̀:rk] *n.* 작은 비행장 《공업 지대 근처의》
áir pàssage **1** 통풍구, 통풍로 **2** 항공 여행 **3** 여객기의 좌석 **4** 〖해부〗 기도(氣道)
áir patròl 공중 정찰; 비행 정찰대
áir pìllow 공기 베개
air·pipe [-pàip] *n.* 공기 흡입관 《입에 연결되어 산소를 흡입할 수 있는 스쿠버 다이빙 장비의 하나》
áir pìracy 항공기 납치(skyjacking), 하이재킹
áir pìrate 항공기 납치범(skyjacker), 하이재커
áir pìstol 공기총
‡**air·plane** [ɛ́ərplèin] *n.* (미) **비행기**((영) aeroplane) 《(구어)에서는 종종 plane》; 항공기 《글라이더나 헬리콥터 등》: by ~ 비행기로 / take an ~ 비행기를 타다
—*vi.* 비행기로 가다
áirplane càrrier 항공모함(aircraft carrier)
áirplane clòth[fàbric] 비행기 부품용 면포; 그 비슷한 무명 《셔츠감》
áirplane spìn 〖레슬링〗 비행기 던지기 《상대편을 들어올려 어깨 너머로 던지는 기술》
áir plànt 〖식물〗 기생(氣生) 식물, 착생 식물
air·play [ɛ́ərplèi] *n.* 라디오[TV]에서 녹음[녹화]된 연주[화면]의 방송
áir plòt 〖항공〗 대기 경로 도시(對氣經路圖示); (항공모함의) 지휘실
áir pòcket 〖항공〗 에어 포켓, 수직 하강 기류
áir políce 공군 헌병대
áir pollùtion 공기[대기] 오염
‡**air·port** [ɛ́ərpɔ̀:rt] *n.* **공항** 《정비 시설 등을 포함; cf. AIRFIELD》: Incheon International *A*~ 인천 국제 공항 / ~ facilities 공항 시설
áirport còde 공항명 코드 《3글자로, 인천 국제 공항은 ICN》
áirport fiction 공항 (판매용) 소설 《독자가 기내에서 읽는 가벼운 소설》
air·post [ɛ́ərpòust] *n.* (영) = AIRMAIL
áir pòwer 공군력; 공군
áir prèssure 기압
air·proof [-prù:f] *a.* 공기가 통하지 않는, 내기성(耐氣性)의 **—***vt.* 내기성으로 하다
áir propèller (항공기 등의) 프로펠러
áir pùmp 공기[배기(排氣)] 펌프
áir quàlity 공기 청정도, 공기의 질
áir quòte [보통 *pl.*] 허공의 인용 부호 《어떤 말을 액면 그대로 받아들이지 말라는 손짓》
áir ràge (항공기 승객의) 기내(機內) 난동
áir ràid 공습 《공격받는 쪽의 말; cf. AIR STRIKE》
air-raid [-rèid] *a.* 공습의: an ~ alarm 공습 경보
áir ràider 공습 대원; 공습 항공기
áir-raid shèlter 방공호, 공습 대피소
áir-raid wàrden 공습 감시원, 공습 대피 지도원
áir rànk (영) 공군 장성 계급

áir resìstance 공기 저항
áir rìfle 공기총
áir rìght 〖법〗 공중권《토지·건물 상공의 사용권》
áir ròute 항공로
áir sàc 〖생물〗 공기주머니; 〖해부〗 폐포(肺胞)
air·scape [-skèip] *n.* (비행기에서 내려다본) 지상의 풍경; 항공사진
áir scòop 〖항공·자동차〗 공기 흡입구
áir scòut 비행 정찰병; 정찰기
air·screw [-skrù:] *n.* 《영》 프로펠러
áir-sea réscue [-sì:-] 해공 협동 해난 구조 활동
áir sèrvice 공군; [**A- S-**] (육·해군의) 항공부; 항공 운수 사업
áir shàft (빌딩 등의) 통풍 공간; (광산·터널의) 통풍 수직굴[수갱(竪坑)]
air·shed [-ʃèd] *n.* 한 지역의 대기(大氣); (지역별로 구분한) 대기 분수계
*****air·ship** [ɛ́ərʃìp] *n.* **1** 비행선: an ~ shed 비행선 격납고 / a rigid[nonrigid] ~ 경식(硬式)[연식] 비행선 **2** 조종할 수 있는 기구(dirigible)
— *vt.* 《미》 〈화물을〉 항공(화물)편으로 부치다
áir shòt (골프·크리켓의) 헛침
air·show [ɛ́ərʃòu] *n.* 항공기의 공중 묘기; 에어쇼
áir shòwer 〖물리〗 공기 샤워
áir shùttle 《구어》 (통근용) 근거리 정기 항공편
air·shut·tle [-ʃʌ̀tl] *vi.*, *vt.* (근거리) 정기 항공편으로 여행하다
air·sick [-sìk] *a.* 비행기 멀미가 난
~·ness *n.* Ⓤ 항공병; 비행기 멀미
air·side [-sàid] *n.* 출국 게이트의 안쪽 《승객과 공항 관계자만이 들어갈 수 있는 곳》
air-slake [-slèik] *vt.* 〈생석회 등을〉 습한 공기에 소화(消和)시키다
áir slèeve[**sòck**] = WIND SOCK
air·space [-spèis] *n.* **1** 공간; 영공(領空) 《영토·영해와 대비하여》; 공역(空域): controlled ~ 관제 공역 **2** (실내의) 공기량; 〖건축〗 공기층; (식물의) 기실(氣室) **3** 방송 주파수대; 방송 시간(airtime)
air·speed [-spì:d] *n.* 〖항공〗 대기(對氣) 속도(cf. GROUND SPEED)
áirspeed ìndicator[**mèter**] 〖항공〗 대기(對氣) 속도계
áir spràу 분무액(이 든 분무기)(aerosol)
air-spray [-sprèi], **-sprayed** [-sprèid] *a.* 압축 공기로 분무하는
áir spràyer 기압식 분무기
áir sprìng 〖기계〗 공기 (완충) 스프링
áir stàck (공항 상공에서) 착륙 대기 중인 비행기들(stack)
áir stàtion (격납고·정비 시설이 있는) 비행장
áir stèwardess (여객기의) 스튜어디스
áir stòp 《영》 헬리콥터 발착소
air·stream [-strì:m] *n.* 기류, 《특히》 고층 기류
áir strìke 공습 《공격하는 쪽의 말; cf. AIR RAID》
air·strip [-strìp] *n.* (가설) 활주로; 소형 비행장
áir strìpping 물을 미세분자로 분리하여 정화하기[하는 기술]
áir superiòrity[**suprèmacy**] 제공권(制空權)
áir suppòrt = AIR COVER
áir sỳstem 공기 냉동 장치; 압축 공기[진공]를 이용한 장치의 총칭
airt [ɛ́ərt] 《주로 스코》 *n.* 방위, 방향
— *vt.* 〈사람에게〉 길을 가리키다, 안내하다
— *vi.* 나아가다
áir tàxi, air·tax·i [ɛ́ərtæ̀ksi] *n.* 《미》 에어 택시 《부정기의 근거리 소형 여객기》
air-tax·i [-tæ̀ksi] *vi.* 근거리 비행을 하다
air·tel [ɛərtél] [*air*+*hotel*] *n.* 공항 (근처의) 호텔
áir tèrminal 공항 터미널 《여객의 출입구가 되는 건물·사무소 등; 시내의 공항 연계 터미널》
áir tèrrorism 항공[공중] 테러
áir thermòmeter 공기 온도계
air·tight [ɛ́ərtàit] *a.* 밀폐된, 기밀(氣密)의; 《미》 〈논리 등이〉 공격할 여지가 없는, 완벽한: ~ infield 〖야구〗 철벽의 내야진 **~·ness** *n.*
air·time [-tàim] *n.* 〖라디오〗 방송 시간
áirtime provìder 휴대 전화의 송수신 서비스 제공 회사
air-to-air [ɛ́ərtuɛ́ər] *a.* Ⓐ, *ad.* 공대공(空對空)의[으로], 비행 중의 항공 기간의[에]: an ~ missile 공대공 미사일 《略 AAM》/ ~ refueling 공중 급유
air-to-sur·face [-təsə́:rfis], **air-to-ground** [-təgráund] *a.* Ⓐ, *ad.* 공대지(空對地)의[로]: an ~ missile 공대지 미사일 《略 ASM, AGM》
air-to-un·der·wa·ter [-tuʌ̀ndərwɔ́:tər] *a.* Ⓐ, *ad.* 공대 수중의[으로]: an ~ missile 공대 수중 미사일 《略 AUM》
áir tràctor 농업용[농약 살포용] 항공기
áir tràffic 〖항공〗 항공 교통[수송](량)
áir-traf·fic contròl [-træ̀fik-] 〖항공〗 항공 교통 관제 (기관) 《略 ATC》
áir-traffic contròller 항공 교통 관제관
áir tràin = SKY TRAIN
áir trànsport 항공 운수, 공수(空輸); 수송기
air-trans·port·a·ble [-trænspɔ̀:rtəbl] *a.* 공수 가능한 **áir-trans·port·a·bíl·i·ty** *n.*
áir tràp (하수관 등의) 방취기(防臭器), 방취판(瓣)
áir tràvel 비행기 여행(자수)
áir tùrbine 〖기계〗 공기 터빈
áir tùrbulence 난기류(亂氣流)
áir twìst (유리 술잔 굽의) 기포(氣泡)로 나사 모양으로 만든 무늬(cf. AIR BELL)
áir umbrèlla = AIR COVER
áir vàlve 공기 밸브
áir vèsicle 〖식물〗 기포(氣胞), 기낭(氣囊)
áir vice-már·shal [-vàismɑ́:rʃəl] 《영》 공군 소장
air·view [-vjù:] *n.* = AIRSCAPE
áir wàlk (두 빌딩 사이의) 구름다리, 연결 통로
áir wàr 공중전
áir wàrden 《미》 공습 감시원, 방공 지도원
air·wash [ɛ́ərwɑ̀ʃ | -wɔ̀ʃ] *n.* (지붕 등을 식히기 위한) 송풍
— *vt.* 〈지붕 등을〉 바람을 보내어 식히다
air·wave [-wèiv] *n.* [보통 *pl.*] 방송 전파; 채널
***air·way** [ɛ́ərwèi] *n.* **1** 항공로 **2** 기도(氣道) **3** 〖의학〗 기도 내 튜브 **4** 〖광산〗 통풍로 **5** [*pl.*; 집합적] (방송) 채널, 방송 전파 **6** [*pl.*; 단수 취급] 항공 회사: British *A~s* 영국 항공
áirway béacon 항공(로) 등대
áir wàybill 항공 화물 운송장
áir wèll (빌딩 등의) 통풍 공간(air shaft)
áir wìng 〖항공·군사〗 비행단(cf. WING)
air-wise [ɛ́ərwàiz] *a.* 항공 지식[경험]이 많은
air·wom·an [-wùmən] *n.* (*pl.* **-wom·en** [-wìmin]) 여류 비행가, 여자 비행사
áir wòod 자연 건조재
air·wor·thy [-wə̀:rði] *a.* 항공에 견딜 수 있는, 내공성(耐空性)이 있는(cf. SEAWORTHY)
-thi·ness *n.* Ⓤ 내공성
***air·y** [ɛ́əri] *a.* (**air·i·er**; **-i·est**) **1** 바람이 잘 통하는: The bedrooms were all light and ~. 침실들은 모두 볕이 잘 들고 통풍이 잘 되었다. **2** 공기 같은, 공허한 **3** 〈사물이〉 가벼운 **4** 〈기분이〉 쾌활한, 활발한; 들뜬, 경박한 **5** 비현실적인, 가공의 **6** 〈말 등이〉 겉치레인; 공허한: an ~ promise 성의 없는 약속 **7** 머리가 빈 **8** 공중(에서)의 **9** 하늘 높이 솟은 **10** 《구어》 젠체하는, 뽐내는 **11** 〈장소가〉 널찍한 ▷ áir *n.*
air·y-fair·y [ɛ́ərifɛ́əri] *a.* 《영·구어》 요정 같은; 공상적인 〈생각·계획〉
AIS 〖회계〗 accounting information system **AISI** American Iron and Steel Institute 미국 철강 협회
ÁISI stèel AISI 규격강(規格鋼)

aisle 2

aisle** [áil] [L「날개」의 뜻에서] *n.* **1** 《미》 (극장·교실·열차·버스 등의) **통로,** 복도 **2** (교회당의) **측면의 복도,** 측랑(側廊) ***cross the ~ 《미·구어》 변절하다, 전향하다 ***rock*** [***knock, have, lay, put, roll***] the audience ***in the ~s*** 《미·구어》 (관중)을 와자그르르 웃기다 ***two on the ~*** 극장 정면 통로 측의 두 좌석 《한 쌍의 가장 좋은 자리》 ***walk down the ~*** (신랑과 신부가 식후에) 정면 통로로 나오다; 결혼하다

aisled [áild] *a.* 측랑이 있는

áisle sèat 통로 쪽 좌석(cf. WINDOW SEAT)

áisle sìtter 《구어》 연극 평론가

ait [éit] *n.* 《영》 강[호수] 가운데의 작은 섬

aitch [éitʃ] *n.* 'H'자[꼴, 음] ***drop*** one***'s ~es*** 〈무교육자가〉 h음을 빠뜨리고 발음하다 《hair [hέər]를 air [έər]로 하는 등》

aitch·bone [éitʃbòun] *n.* (소의) 궁둥이뼈; 뼈가 붙은 우둔살

AIU American International Underwriters 미국 국제 보험 회사

A·jan·ta [ədʒʌ́ntə] *n.* 아잔타 《인도 서부의 마을; 석굴과 벽화가 유명》

a·jar[1] [ədʒɑ́:r] *ad., a.* Ⓟ 〈문이〉 조금 열려져

ajar[2] *ad., a.* Ⓟ 조화를 잃어, 불화의 상태로: set nerves ~ 신경을 초조하게 하다

A·jax [éidʒæks] *n.* 〖그리스신화〗 아약스 《Aias의 라틴 이름; 트로이 공격군의 용사》

AK 《미》 〖우편〗 Alaska **aka** also known as 별명은 **AKC** American Kennel Club 미국 애견가 클럽

a·ke·la [əkí:lə | ɑ:kéilə] *n.* (Cub Scouts의) 대장, 반장

a·kene [eikí:n, ə-] *n.* = ACHENE

a·kim·bo [əkímbou] *a.* Ⓟ, *ad.* 손을 허리에 대고 팔꿈치를 양 옆으로 펴고: stand with (one's) arms ~ 양손을 허리에 대어 버티고 서다

***a·kin** [əkín] *a.* Ⓟ **혈족의,** 동족의 《*to*》; 유사한, 비슷한 《*to*》; 〖언어〗 동족의: Pity is ~ *to* love. 《속담》 연민은 사랑에 가깝다.

a·ki·ne·sia [èikainí:ʒə, èiki-] *n.* 〖병리〗 무운동 《완전 또는 부분적 운동 마비》

Ak·kad, Ac·cad [ǽkæd, ɑ́:kɑ:d] *n.* 아카드 《Nimrod 왕국에 있었던 4도시의 하나》

Ak·ka·di·an [əkéidiən, əkɑ́:-] *n.* Ⓤ 아카드 말 《바빌로니아·아시리아 지방을 포함하는 동부 지방의 셈 어(語)》; Ⓒ 아카드 사람
— *a.* 아카드의; 아카드 사람[말]의

Al [ǽl] *n.* 남자 이름 《Albert, Alfred의 애칭》

Al 〖화학〗 alumin(i)um **AL** Alabama; American League; American Legion

al- [əl, æl] *pref.* = AD- 《l 앞에서》: *al*lure

-al [əl] *suf.* **1** [형용사 어미] 「…한 (성질의)」의 뜻: post*al*, sensation*al* **2** [명사 어미] 「…함」의 뜻: arrive>arriv*al* **3** 〖화학〗 aldehyde기(基)를 함유한 것을 나타내는 화학 용어를 만듦: chlor*al*

a·la [éilə] *n.* (*pl.* **a·lae** [-li:]) 〖동물〗 날개; 익상부(翼狀部)

à la, a la [ɑ́:-lɑ:, ɑ́:-lə | ɑ́:-lɑ:] [F = after the manner of] *prep.* …류[풍]의[으로], …식의[으로]; 《구어》 …을 본딴; 〖요리〗 …식의: ⇨ à la carte

Ala Alabama **ALA** American Library Association; Associate in Liberal Arts; Authors League of America

***Al·a·bam·a** [æ̀ləbǽmə] *n.* **1** 앨라배마 《미국 남동부의 주; 略 Ala.》 **2** [the ~] 앨라배마 강 《Alabama 주 중부에서 남서로 흐름》(= **∸ Rìver**)
▷ Alabámian *a.*

Al·a·bam·i·an [æ̀ləbǽmiən], **-bam·an** [-ən] *a.* Alabama의 — *n.* Alabama 사람

al·a·bam·ine [æ̀ləbǽmi:n, -min] *n.* 〖화학〗 앨라배민 《astatine의 구칭; 기호 Ab》

al·a·bas·ter [ǽləbæ̀stər, -bɑ̀:s-] *n.* **1** Ⓤ 설화 석고(雪花石膏) **2** 앨러배스터석(= **Oriental ∸**) **3** = ALLEY[2] — *a.* 설화 석고로 만든; 설화 석고와 같은; 희고 보드라운: her ~ throat 그녀의 희고 매끄러운 목

al·a·bas·trine [æ̀ləbǽstrin] *a.* = ALABASTER

à la bonne heure [ɑ̀:-lə:-bɔn-ə́:r] [F = at the good hour] *ad.* 때마침; 좋아, 잘했어(well done)

à la carte, a la carte [ɑ̀:-lə-kɑ́:rt, æ̀-lə- | ɑ̀:-lɑ:-] [F = by the bill of fare] *ad., a.* 메뉴에서 골라, 일품 요리로[의](cf. TABLE D'HÔTE)

a·lack [əlǽk] *int.* 《고어》 아아 《비탄·유감·놀람》

a·lac·ri·tous [əlǽkrətəs] *a.* 민활한, 민첩한

a·lac·ri·ty [əlǽkrəti] *n.* Ⓤ 민활, 민첩; 활발 ***with ~*** 민첩하게

A·lad·din [əlǽdn] *n.* 알라딘 《*Arabian Nights*에 나오는 인물로서 마법 램프의 주인》

Aláddin's cáve 알라딘의 동굴 《값진 보물이 가득한 곳; 또는 장물을 숨기는 장소》

Aláddin's lámp 알라딘의 램프 《모든 소원을 이루어 준다는 마법의 램프》

a·lae [éili:] *n.* ALA의 복수

à la fran·çaise [æ̀-lə-frɑ:nséiz, ɑ̀:-] [F] *a., ad.* 프랑스식의[으로]

à la king [ɑ̀:-lə-kíŋ, æ̀-lə- | ɑ̀:-lɑ:-] [F] *a.* 《미》 고추와 버섯을 넣고 크림소스로 조리한

a·la·li·a [əléiliə] *n.* Ⓤ 〖병리〗 발어(發語) 불능증

al·a·me·da [æ̀ləmí:də, -méi-] *n.* 《미남서부》 가로수길; 가로수가 있는 산책길

al·a·mo [ǽləmòu, ɑ́:lə-] *n.* (*pl.* **~s**) 《미남부》 = ASPEN

Al·a·mo [ǽləmòu] *n.* [the ~] 알라모 요새 《미국 Texas 주 San Antonio에 있음; 1836년 멕시코군에 포위된 미국인 187명이 전멸》

à la mode, a la mode [ɑ̀:-lə-moúd, æ̀-lə-] [F = in the fashion] *a., ad.* **1** 유행의, 유행을 따라 **2** [명사 뒤에서] 〖요리〗 〈파이 등이〉 아이스크림을 얹은; 〈쇠고기가〉 야채와 끓인 육즙 소스를 곁들인 ***beef ~*** 비프스튜의 일종 ***pie ~*** 아이스크림을 얹은 파이

al·a·mode [æ̀ləmóud] *a.* = À LA MODE
— *n.* Ⓤ 얇고 윤이 나는 검은 명주

à la mort [ɑ̀:-lə-mɔ́:rt] [F] *ad., a.* Ⓟ 위독 상태의; 우울한; 치명적으로

Al·an [ǽlən] *n.* 남자 이름

à l'an·glaise [ɑ́:-lɑ:ŋgléiz, -gléz] [F] *a., ad.* 영국식의[으로]

al·a·nine [ǽlənì:n] *n.* 〖화학〗 알라닌 《아미노산의 일종》

Al-A·non [ǽlənɑ̀n | -nɔ̀n] [*Al*coholics *Anony*mous] *n.* 알코올 중독자 구제회

al·a·nyl [ǽlənil] *n., a.* 〖화학〗 알라닐(기)(의)(= **∸ ràdical**[**gròup**])

à la page [ɑ̀:-lə-pɑ́:ʒ, æ̀-lə-] [F] *a.* Ⓟ 첨단적인, 최신의

a·lar [éilər] *a.* 날개의[같은]; 날개 있는; 겨드랑이의

A·lar [éilɑ:r] *n.* 식물 생장 조절 화학제 《상품명》

A·lar·cón [ɑ̀:lɑ:rkɔ́:n] *n.* 알라르콘 **Pedro Antonio de ~** (1833-91) 《스페인의 시인·소설가·외교관》

*****a·larm** [əlɑ́:rm] [It. = To arms! (무기를 들어라!)] *n.* **1** Ⓤ **놀람,** 공포, 겁, 불안 **2 경보,** 비상 경보 **3 경보기**[**장치**], 경종; 자명종(= ~ clock): a fire[burglar] ~ 화재[도난] 경보기 **4** 〖펜싱〗 1보 내딛고 하는 도전 **5** 《고어》 비상 소집 ***give a false ~*** 거짓 경보를 전

thesaurus **aisle** *n.* passageway, gangway, passage, corridor, path, lane, alley
alarm *n.* **1** 경보 warning[alarm] signal, siren,

하여 놀라게 하다 ***give the ~ = raise an ~*** 경보하다 ***in*** [***with***] **~** 놀라서, 걱정하여 ***sound*** [***ring***] ***the ~*** 경적[경종]을 울리다, 위급함을 알리다 ***take*** (***the***) **~** 놀라다, 경계하다
—*vt.* 경보하다, 위급을 알리다; 놀라게 하다; 경보기를 설치하다, 경보 장치를 갖추다: Don't ~ yourself. 놀라지 마라.

alárm bèll 경종, 비상벨

alárm càll 〖군사〗 비상[경계] 신호

‡**alárm clòck** 자명종(自鳴鐘)

a·larmed [əlɑ́ːrmd] *a.* Ⓟ 겁먹은, 불안해하는; 깜짝 놀란 ***be ~ at*** (the news) (그 소식)에 놀라다 ***be ~ for*** (a person's safety) (…의 안부)를 염려하다
~·ly [-midli] *ad.*

alárm gùn 비상 신호포, 경포

∗**a·larm·ing** [əlɑ́ːrmiŋ] *a.* 놀라운, 심상치 않은, 불안하게 하는 **~·ly** *ad.*

a·larm·ism [əlɑ́ːrmizm] *n.* ⓊⒸ 기우(杞憂); 부질없이 세상을 소란케 함

a·larm·ist [əlɑ́ːrmist] *n.* 민심을 소란하게 하는 사람; 기우가 심한 사람 **—***a.* 민심을 소란하게 하는

a·larm-ra·di·o [-rèidiou] *n.* 자명 라디오

alárm reàction 〖생리〗 경고 반응 《적응하기 어려운 돌발적 자극에 대한 일반 반응》

alárm sìgnal 비상경보(기)

alárm sỳstem 비상 경보[방범] 장치

alárm wòrd 군호, 암호

a·lar·um [əlǽrəm, əlɑ́ːr-, əlέər-] *n.* 《영》 자명종 소리; 자명 장치

alárums and excúrsions 난투; 갈팡질팡

a·la·ry [éiləri, ǽlə-] *a.* 날개[깃]의; 날개 모양의

‡**a·las** [əlǽs, əlɑ́ːs] *int.* 아아, 슬프도다, 가엾도다 《슬픔·염려 등을 나타내는 소리》: *A~* for poor John! 아아, 가엾은 존아!

Alas. Alaska

∗**A·las·ka** [əlǽskə] *n.* 알래스카 《캐나다 북서부에 있는 미국의 주; 주도 Juneau; 별칭 the Last Frontier; 略 Alas.》

Aláska cédar 〖식물〗 알래스카 삼나무

A·lás·ka-Haw·ái·i tìme [-həwáiiː-] = ALASKA (STANDARD) TIME

Aláska Híghway [the ~] 알래스카 간선 도로 《알래스카의 Fairbanks와 캐나다의 Dawson Creek 사이의 도로; 통칭 Alcan Highway》

A·las·kan [əlǽskən] *a.* 알래스카(사람)의
—*n.* 알래스카 사람

Aláskan málamute 알래스카 맬러뮤트 《썰매 개》

Aláska Peninsula [the ~] 알래스카 반도

Aláska Ránge [the ~] 알래스카 산맥 《Alaska 주 남부의 산맥; 최고봉은 Mt. Mckinley》

Aláska (**Stándard**) **Tìme** 알래스카 표준시 《GMT보다 9시간 늦음》

A·las·tor [əlǽstər | -tɔː] *n.* **1** 〖그리스신화〗 알라스토르 《복수의 신》 **2** 남자 이름

a·late, a·lat·ed [éileit(id)] *a.* 날개가 있는

alb [ǽlb] *n.* 〖가톨릭〗 장백의(長白衣)

Alb. Albania(n); Albany; Albert; Alberta

Alba. Alberta

al·ba·core [ǽlbəkɔ̀ːr] *n.* (*pl.* **~, ~s**) 〖어류〗 날개다랑어

Al·ba·ni·a [ælbéiniə, -njə] *n.* 알바니아 《발칸 반도의 공화국; 수도 Tirana [tirɑ́ːnə]》

Al·ba·ni·an [ælbéiniən, -njən] *a.* 알바니아(사람·말)의 **—***n.* 알바니아 사람; Ⓤ 알바니아 말

Al·ba·ny [ɔ́ːlbəni] *n.* 올버니 《(1) 미국 New York 주의 주도 (2) 미국 Georgia주 남서부의 도시》

al·ba·ta [ælbéitə] *n.* Ⓤ 양은(洋銀)

alert **2** 놀람, 공포 fear, fright, terror, panic, unease
alarming *a.* frightening, terrifying, shocking, startling, distressing, perturbing

al·ba·tross [ǽlbətrɔ̀ːs, -trɑ̀s | -trɔ̀s] *n.* (*pl.* **~·es, ~**) **1** 〖조류〗 신천옹, 앨버트로스 **2** 걱정거리; 장애, 제약 **3** 《영》 〖골프〗 앨버트로스(《미》 double eagle) 《par보다 3타 적음》

albatross 1

al·be·do [ælbíːdou] *n.* (*pl.* **~s**) ⓊⒸ **1** 〖천문·물리〗 알베도 《달·행성이 반사하는 태양 광선의 비율》 **2** 알베도 《감귤류의 껍질 안쪽의 흰 부분》

al·be·it [ɔːlbíːit] *conj.* 《문어》 비록 …이기는 하나, …(임)에도 불구하고(even though)

al·ber·go [ɑːlbέərgou] [It.] *n.* (*pl.* **-ghi** [-gi]) 여관, 여인숙

Al·bert [ǽlbərt] *n.* **1** 남자 이름 **2** 앨버트 공 **Prince ~** 《Victoria 여왕의 부군; Prince Consort 라 불렸음》 **3** [**a~**] 앨버트형 시계줄(= **~ cháin**)

Al·ber·ta [ælbə́ːrtə] *n.* **1** 여자 이름 **2** 앨버타 《캐나다 서부의 주; 주도 Edmonton》

Álbert Háll [the ~] 앨버트 기념 회관 《런던의 Kensington에 있고 음악회 등에 사용됨》

Al·bert·ville [ɑlbervíːl] *n.* 알베르빌 《프랑스 동부의 도시; 제16회 동계 올림픽 개최지(1992)》

al·bes·cent [ælbésənt] *a.* 희어지는, 희끔한

al·bi·nism [ǽlbənìzm] *n.* Ⓤ 피부 백변증(白變症), (피부) 색소 결핍증(opp. *melanism*)

al·bi·no [ælbáinou | -bíː-] *n.* (*pl.* **~s**) 알비노인 사람 《색소가 결핍된 사람》; 〖동물·식물〗 백변종 **al·bín·ic** *a.*

al·bi·not·ic [æ̀lbənɑ́tik | -nɔ́t-] *a.* (선천성) 백피증(白皮症)의; 백변종(白變種)의

Al·bi·on [ǽlbiən] [L 「흰 땅」의 뜻에서] *n.* 《문어》 앨비언 《Great Britain, 후에 England의 옛 이름》

al·bite [ǽlbait] *n.* Ⓤ 〖광물〗 조장석(曹長石)

ALBM air-launched ballistic missile 공중 발사 탄도탄

‡**al·bum** [ǽlbəm] [L 「흰」의 뜻에서] *n.* **1** 앨범 《사진첩·우표첩·사인북·비망록·스크랩북 등》 **2** CD 세트[선집]; 명곡 앨범; 《주로 영》 문학[음악, 명화] 선집 **3** 《미》 (방문객의) 방명록(《영》 visitor's book)
NOTE 영·미의 가정에서는 방문객에게 album에 사인을 받아 기념으로 보관하는 관습이 있다.

al·bu·men [ælbjúːmən | ǽlbju-] [L 「흰」의 뜻에서] *n.* (알의) 흰자위; 〖식물〗 배젖; = ALBUMIN

al·bu·me·nize [ælbjúːmənàiz] *vt.* 〈인화지 등에〉 단백을 칠하다; 단백액으로 처리하다
al·bù·me·ni·zá·tion *n.*

albúmen pàper 〖사진〗 계란지 《초기의 사진 인화지》

albúmen plàte 〖인쇄〗 난백판(卵白版) 《옵셋용》

al·bu·min [ælbjúːmən | ǽlbju-] *n.* Ⓤ 〖생화학〗 알부민 《단백질의 일종》

albúmin còlor 알부민 컬러 《직물 프린트 가공에서 알부민을 매염제로 사용하는 염색》

al·bu·mi·noid [ælbjúːmənɔ̀id] 〖생화학〗 *a.* 알부민과 비슷한 성질의 **—***n.* 알부미노이드; 경(硬)단백질, 골격성 단백질

al·bu·mi·nous [ælbjúːmənəs], **-nose** [-nòus] *a.* 알부민의, 알부민을 함유한; 〖식물〗 배젖이 있는

al·bu·mi·nu·ri·a [ælbjùːmənjúəriə | -njúər-] *n.* Ⓤ 〖병리〗 단백뇨증(症) **-ric** *a.*

al·bum-leaf [ǽlbəmlìːf] *n.* 짤막한 기악곡

al·bu·mose [ǽlbjumòus] *n.* 〖생화학〗 알부모오스 《소화 효소 작용으로 단백질에서 생기는 물질들》

al·bur·num [ælbə́ːrnəm] *n.* Ⓤ 〖식물〗 (나무의) 겉재목, 변재(邊材)(sapwood) **al·búr·nous** *a.*

alc. alcohol; alcoholic

al·ca·hest [ǽlkəhèst] *n.* = ALKAHEST

Al·ca·ic [ælkéiik] *a.* 고대 그리스의 시인 알카이오스(Alcaeus [ælsíːəs])의; [**a~**] 〖운율〗 알카이오스격의

al·cai·de, -cay·de [ælkáidi] [Sp.] *n.* (스페인 등의) 요새 사령관; 교도소 소장[간수]
al·cal·de [ælkǽldi], **al·cade** [ælkéid] [Sp.] *n.* (스페인·포르투갈 등의) 재판관 겸 시장(市長)
Ál·can Híghway [ǽlkæn-] [*Al*aska-*Can*adian] [the ~] = ALASKA HIGHWAY
Al·ca·traz [ǽlkətræ̀z] *n.* 앨커트래즈 《미국 San Francisco 만의 작은 섬; 연방 교도소가 있었음》
Al·ca·zar [ǽlkəzɑ̀:, ælkǽzər | æ̀lkəzɑ́:] *n.* (스페인의) 궁전, 요새
Al·ces·tis [ælséstis] *n.* 〖그리스신화〗 알케스티스 《Thessaly 왕 Admetus의 처》
al·chem·ic, -i·cal [ælkémik(əl)] *a.* 연금술(鍊金術)의 **-i·cal·ly** *ad.*
*__al·che·mist__ [ǽlkəmist] *n.* 연금술사
al·che·mis·tic, -ti·cal [æ̀lkəmístik(əl)] *a.* 연금술적인 **-ti·cal·ly** *ad.*
al·che·mize [ǽlkəmàiz] *vt.* (연금술로) 〈금속 따위를〉 변질시키다
*__al·che·my__ [ǽlkəmi] *n.* (*pl.* **-mies**) **1** Ⓤ 연금술, 연단술 **2** (물건을 변질시키는) 비법, 마력
al·che·rin·ga [æ̀ltʃəríŋgə] *n.* (호주 원주민의 신화에서) 꿈의 시대(dreamtime)
al·chy [ǽlki] *n.* 《미·속어》 알코올 음료
Al·ci·des [ælsáidi:z] *n.* = HERCULES
Al·clad [ǽlklæd] *n.* 앨클래드 《알루미늄 등을 얇게 입힌 합성 소재; 상표명》
ALCM air-launched cruise missile
Alc·me·ne [ælkmí:ni] *n.* 〖그리스신화〗 알크메네 《Hercules의 어머니》
alco- [ǽlkou] 《연결형》 「알코올(을 연료로 하는)」의 뜻
‡**al·co·hol** [ǽlkəhɔ̀:l, -hɑ̀l | -hɔ̀l] *n.* Ⓤ 〖화학〗 알코올, 주정(酒精); 알코올 음료, 술: ~ abuse 알코올 남용 관련 beer, brandy, cocktail, gin, highball, whisky, vodka, wine
▷ alcohólic *a.*; álcoholize *v.*
al·co·hol·ate [ǽlkəhɔ:lèit] *n.* 〖화학〗 알코올레이트 《알코올과 결합한 화합물의 총칭》
al·co·hol-free [ǽlkəhɔ̀:lfrí:] *a.* 〈식사·음료가〉 알코올이 없는, 무알코올의
*__al·co·hol·ic__ [æ̀lkəhɔ́:lik, -hɑ́l- | -hɔ́l-] *a.* 알코올성(性)의; 알코올에 담근; 알코올 중독의: ~ beverages (여러 가지) 알코올 음료 / ~ poisoning 알코올 중독 / ~ liver disease 알코올성 간 질환
— *n.* 알코올 중독 환자; (습관성) 대주객(大酒客)
-i·cal·ly *ad.* ▷ álcohol *n.*
al·co·hol·ic·i·ty [æ̀lkəhɔ:lísəti, -hɑl- | -hɔl-] *n.* Ⓤ 알코올 도수[함유량]
alcohólic psychósis 알코올성 정신병
Alcohólics Anónymous 《미》 알코올 중독 방지회, 금주회 《略 A.A., AA》
al·co·hol·ism [ǽlkəhɔ:lìzm, -hɑl- | -hɔl-] *n.* Ⓤ 알코올 중독(증) **-ist** *n.* 알코올 중독 환자
al·co·hol·ize [ǽlkəhɔ:làiz, -hɑl- | -hɔl-] *vt.* 알코올화(化)하다; 알코올에 담그다; 알코올로 취하게 하다
al·co·hol·om·e·ter [æ̀lkəhɔ:lɑ́mətər, -hɑl- | -hɔlɔ́-] *n.* 알코올 비중계, 주정계
-óm·e·try *n.* Ⓤ 알코올 정량(定量)
al·co·hol·y·sis [æ̀lkəhɔ́:ləsis, -hɑ́:l- | -hɔ́l-] *n.* 알코올 분해 **àl·co·hol·ýt·ic** *a.*
al·com·e·ter [ælkɑ́mətər | -kɔ́-] *n.* 음주 측정기
al·co·pop [ǽlkəpɑ̀p | -pɔ̀p] *n.* 《영》 알코팝 《알코올 함유 음료》
Al·co·ran [æ̀lkərɑ́:n] *n.* 《고어》 = KORAN
~·ic *a.* **~·ist** *n.* 코란 신봉자
Al·cott [ɔ́:lkət, -kɑt] *n.* 올컷 **Louisa May ~** (1832-88) 《미국의 여류 작가》
al·cove [ǽlkouv] *n.* **1** 반침, 벽감(壁龕); 주실(主室)에 이어진 골방; 우묵한 곳 《정원·수풀 사이 등의》 **2** 정자
ALCS American League Championship Series
Al·cy·o·ne [ælsáiənì: | -ni] *n.* 〖천문〗 황소자리의 3등성
Ald., Aldm. Alderman
Al·deb·a·ran [ældébərən] *n.* 〖천문〗 알데바란 《황소자리 중의 1등성》
Álde·burgh Fèstival [ɔ́:l*d*bərə-] 올드버러 음악제 《영국 Suffolk 주의 휴양지 Aldeburgh에서 매년 여름 열리는》
al·de·hyde [ǽldəhàid] *n.* 〖화학〗 알데히드
Al·den [ɔ́:ldən] *n.* 남자 이름
al den·te [æl-dénti, -tei] [It.] *a.* 〈마카로니 등이〉 되직하게 조리한
*__al·der__ [ɔ́:ldər] *n.* 〖식물〗 오리나무
al·der·fly [ɔ́:ldərflài] *n.* 〖곤충〗 시베리아 잠자리 《유충은 낚싯밥》
*__al·der·man__ [ɔ́:ldərmən] [OE 「고참자」의 뜻에서] *n.* (*pl.* **-men** [-mən]) **1** 《미》 시의회 의원; 《영》 시[읍] 참사 회원, 부시장 **2** 〖영국사〗 (주의) 행정 장관
~·cy *n.* **~·ry** *n.* alderman의 직[선거구] **~·shìp** *n.* Ⓤ alderman의 직[신분]
al·der·man·ic [ɔ̀:ldərmǽnik] *a.* alderman의[다운]
Al·der·ney [ɔ́:ldərni] *n.* 올더니 섬 《영국 해협의》; 올더니종 젖소
al·der·per·son [ɔ́:ldərpə̀:rsn] *n.* 시의회 의원
Al·der·shot [ɔ́:ldərʃɑ̀t | -ʃɔ̀t] *n.* 올더숏 《잉글랜드 남부의 도시; 영국군 훈련 기지가 있음》
al·der·wom·an [ɔ́:ldərwùmən] *n.* (*pl.* **-wom·en** [-wìmin]) 《미》 여성 시의회 의원
Al·dine [ɔ́:ldain, -di:n] *a.* 올더스판(版)의 《16세기 Venice의 인쇄가 Aldus가 발행한》
— *n.* 올더스판(= ~ **edítion**)
Ál·dis lámp [ɔ́:ldis-] (모스 신호용) 올디스 램프
Aldm., aldm. alderman
al·do·hex·ose [æ̀ldouhéksous] *n.* 〖화학〗 알도헥소오스 《탄소 원자 6개를 가진 aldose》
al·dol [ǽldɔ:l, -dɑl | -dɔl] *n.* 〖화학〗 알돌 《가황 촉진제 및 향수 제조용》
al·dol·ase [ǽldəlèis] *n.* 〖생화학〗 알돌라아제 《당(糖) 분해 작용을 하는 효소》
al·dose [ǽldous] *n.* 〖화학〗 알도오스 《알데히드기(基)가 있는 단당류(單糖類)의 총칭》
al·do·ste·rone [æ̀ldoustiróun, ældɑ́stəròun | ældɔ́stəròun] *n.* 〖생화학〗 알도스테론 《부신 피질 호르몬의 일종》
al·do·ster·on·ism [æ̀ldoustérənìzm, ældɑ́stərou- | ældɔ́stərou-] *n.* 〖병리〗 알도스테론증(症) 《알도스테론의 과다 분비로 인한 고혈압·수족 마비 등》
Al·dous [ɔ́:ldəs, ǽl-] *n.* 남자 이름
al·drin [ɔ́:ldrin] *n.* 〖화학〗 앨드린 《강력 살충제》
‡**ale** [éil] *n.* Ⓤ 에일 《맥주의 일종; lager보다 독하고 porter보다 약함》; 《영》 맥주; 《영·고어》 (에일을 마시는) 축제
a·le·a·tor·ic [èiliətɔ́:rik, -tɑ́r- | -tɔ́r-] *a.* = ALEATORY
a·le·a·to·ry [éiliətɔ̀:ri | -təri] *a.* **1** 요행을 노리는, 우연에 의한, 도박적인 **2** 〖법〗 사행적인: ~ contract 〖법〗 사행적 계약 **3** 〖음악〗 우연성의
al·ec [ǽlik] *n.* 《폐어》 청어; 청어로 만든 소스[조미료]
al·ec(k) [ǽlik] *n.* 《호주·속어》 바보, 멍청이
Al·ec(k) [ǽlik] *n.* 남자 이름 《Alexander의 애칭》
ale·con·ner [éilkɑ̀nər | -kɔ̀n-] *n.* 〖영국사〗 주류(酒類) 검사관
A·lec·to [əléktou] *n.* 〖그리스·로마신화〗 알렉토 《복수의 여신(Furies) 중의 하나》
aled(-up) [éild(ʌ̀p)] *a.* 《영·속어》 (술·마약에) 취한
a·lee [əlí:] *ad.* 〖항해〗 바람 불어가는 쪽에[으로] (opp. *aweather*) ***Helm ~!*** 키를 아래로! 《바람 불어가는 쪽으로 돌리라는 구령》 ***Luff ~!*** 키를 한껏 아래로!
a·left [əléft] *ad.* 왼쪽에[으로]
al·e·gar [ǽləgər] *n.* Ⓤ 맥아초(麥芽酢); 시큼한 에일(ale)

ale·house [éilhàus] *n.* (*pl.* **-hous·es** [-hàuziz]) 《고어》 맥주홀, 선술집
Al·e·man·ni [æ̀ləmǽnai | -mɑ́:ni] *n. pl.* 알라만 족(族) 《4세기경 기록에 나타난 게르만 부족 집단》
Al·e·man·nic [æ̀ləmǽnik] *n.* Ⓤ 알라만 말 《고지(高地) 독일어》 **—** *a.* 알라만 말[사람]의
a·lem·bic [əlémbik] *n.* (옛날의) 증류기(蒸溜器); 정화[정련]하는 것; 정화 장치
a·length [əléŋkθ] *ad.* 몸을 길게 뻗고; 상세히, 줄이지 않고
a·leph [ɑ́:lef, -lif] *n.* 알레프 《히브리 어 알파벳의 첫 자; ℵ》
a·leph-null [ɑ́:lefnʌ́l], **-ze·ro** [-zí:rou] *n.* 〖수학〗 알레프 제로 《자연수 전체 집합의 농도》
‡**a·lert** [əlɔ́:rt] [It. 「망을 보는」의 뜻에서] *a.* **1** 방심하지 않는, 경계하는, 조심하는(watchful): (~+*to* do) The soldiers were ~ *to* capture a spy. 병사들은 간첩을 생포하려고 감시하고 있었다. **2** 기민한, 재빠른, 민활한: (~+전+*-ing*) He was very ~ *in* answer*ing*. 그는 재빨리 대답했다. **3** 눈을 부릅뜬, (기회를) 노리는 《*for*》
— *n.* (공습·폭풍우에 대한) **경보**; **경계**; 경계 태세[상태]; 경계 경보 기간; 〖컴퓨터〗 경고: raise a terrorist ~ 테러리스트 경보를 해제하다
***on* (*the*) ~** 빈틈없이 경계하고, 대기하여 《*for*》
— *vt.* **1 경고하다**; 주의하다; 경계시키다 **2** …에 경보를 발하다 **3** 〈군대·배 등을〉 대기시키다
~·ly *ad.* 방심 않고; 기민하게 **~·ness** *n.*
alért bòx 〖컴퓨터〗 경고 상자
alért fòrce 〖군사〗 비상 대기 부대
-ales [éili:z] *suf.* 〖식물〗 목(目)(order)의 학명을 만드는 명사 어미: Ros*ales* 장미목
a·lette [əlét] *n.* 〖건축〗 얼렛 《아치문의 문설주의 일부》; (출입구의) 곁기둥
a·leu·ki·a [əlú:kiə] *n.* 〖의학〗 무백혈구증(無白血球症) 《백혈구의 감소·결여》
al·eu·rone [ǽljəròun] *n.* Ⓤ 〖식물〗 호분(糊粉)
àl·eu·rón·ic *a.*
Al·eut [əlú:t, ǽliù:t] *n.* (*pl.* **~, ~s**) 알류트 족(族) 《Aleutian 열도·Alaska에 삶》; Ⓤ 알류트 말
Al·eu·tian [əlú:ʃən] *a.* 알류샨 열도(列島)의; 알류트 족[말]의 **—** *n.* **1** =ALEUT **2** [the ~s] =ALEUTIAN ISLANDS
Aléutian Íslands [the ~] 알류샨 열도
Á lèvel 《영》 A급 (시험)(advanced level) 《대학 입학 자격 고사 GCE의 상급 수준; cf. O LEVEL》
al·e·vin [ǽləvən] *n.* 치어(稚魚), 《특히》 연어 새끼
ale·wife¹ [éilwàif] *n.* (*pl.* **-wives** [-wàivz]) 《미》 청어의 일종 《북미산(産)》
alewife² *n.* 맥줏집 안주인
Al·ex [ǽliks] *n.* 남자 이름 《Alexander의 애칭》
Al·ex·an·der [æ̀ligzǽndər | -zɑ́:n-] *n.* **1** 남자 이름 《애칭 Alec(k), Sander, Sandy》 **2** 알렉산더 대왕 **~ the Great**(356-323 B.C.) **3** [**a~**] 알렉산더 칵테일
Alexánder technìque [발명자의 이름에서] 나쁜 자세 교정법
Al·ex·an·dra [æ̀ligzǽndrə, -zɑ́:n-] *n.* 여자 이름 《애칭 Sandra, Sandy》
Al·ex·an·dri·a [æ̀ligzǽndriə, -zɑ́:n-] *n.* 알렉산드리아 《이집트의 항구 도시》
Al·ex·an·dri·an [æ̀ligzǽndriən, -zɑ́:n-] *a.* Alexandria의; Alexander 대왕의
al·ex·an·drine [æ̀ligzǽndrin | -drain] 〖운율〗 *a.* [종종 **A~**] 알렉산더격(格)의
— *n.* [종종 **A~**] 알렉산더격 시행(詩行) 《억양격 ⌣– 또는 약강격 ×⏊의 6시각(詩脚)으로 된 시구》; 그 시
al·ex·an·drite [æ̀ligzǽndrait, -zɑ́:n-] *n.* Ⓤ 〖광물〗 알렉산드라이트 《짙은 초록색의 보석》
a·lex·i·a [əléksiə] *n.* Ⓤ 〖정신의학〗 실독증(失讀症), 독서 불능증
a·lex·in [əléksin] *n.* Ⓤ 〖면역〗 보체(補體)
a·lex·i·phar·mic [əlèksəfɑ́:rmik] 〖의학〗 *a.* 해독성의 **—** *n.* 해독제
Alf [ælf] *n.* 남자 이름 《Alfred의 애칭》
Al·fa, al·fa [ǽlfə] *n.* a자를 나타내는 통신 용어
*****al·fal·fa** [ælfǽlfə] *n.* **1** 〖식물〗 **자주개자리** 《사료 작물인 콩과(科) 식물》(《주로 영》 lucern(e)) **2** 《미·속어》 잔돈
alfálfa wèevil 〖곤충〗 알팔파바구미 《유럽산(産); 자주개자리(alfalfa)에 치명적인 해충》
Al Fat·ah [æl-fǽtə, ɑ̀:l-fɑ:tɑ́:] 알파타 《PLO(팔레스타인 해방 기구)의 주류 온건파》
al fi·ne [æ̀l-fí:nei] [It. =to the end] *ad.* 〖음악〗 끝까지
al·for·ja [ælfɔ́:rdʒə] [Sp.] *n.* 《미서부》 안장주머니, 안낭; (비비·다람쥐 등의) 협낭(頰囊), 볼주머니
Al·fred [ǽlfrəd] *n.* **1** 남자 이름 《애칭 Fred》 **2** 앨프레드 대왕 **~ the Great** (849-899) 《West Saxon 왕국의 왕》
al·fres·co, al fres·co [ælfréskou] [It. =in the fresh (air)] *ad., a.* **1** 야외에서[의]: an ~ lunch 야외에서의 식사 **2** 프레스코 화법으로(그린)
Alf·vén wàve [ɑ:lvéin-] [스웨덴의 물리학자 이름에서] 〖물리〗 알벤파(波), 자기 유체파(磁氣流體波)
alg- [ælg, ældʒ] 《연결형》 「아픔」의 뜻
alg. algebra; algebraic **Alg.** Algeria(n); Algiers
*****al·ga** [ǽlgə] *n.* (*pl.* **-gae** [-dʒi:], **~s**) 〖식물〗 조류(藻類), 말, 바닷말, 해조
al·gal [ǽlgəl] *a.* 조류(藻類)의, 해조의[같은]
al·ga(r)·ro·ba [æ̀lgəróubə] *n.* 〖식물〗 **1** 메스키트 《콩과(科) 식물의 관목》(mesquit(e)); 그 식물의 콩깍지 **2** 캐러브 《지중해 원산의 콩과(科) 식물》(carob); 그 열매
‡**al·ge·bra** [ǽldʒəbrə] [Arab. 「조각을 잇기」의 뜻에서] *n.* **1** Ⓤ 대수(학) **2** 대수 교과서[논문] ***~ of logic*** 논리 대수 ***~ of sets*** 〖수학〗 집합 대수
▷ algebráic *a.*
al·ge·bra·ic, -i·cal [æ̀ldʒəbréik(əl)] *a.* 대수의, 대수적인 **-i·cal·ly** *ad.* 대수적으로
algebráic equátion 〖수학〗 대수 방정식
algebráic expréssion 〖컴퓨터〗 대수식
algebráic geómetry 〖수학〗 대수 기하학
algebráic númber 〖수학〗 대수적 수
algebráic operátion 〖수학〗 대수적 연산(演算)
algebráic sígn 〖컴퓨터〗 대수 부호 《수의 +와 −》
al·ge·bra·ist [ǽldʒəbrèiist] *n.* 대수학자
Al·ge·ri·a [ældʒíəriə] *n.* 알제리 《북아프리카의 공화국; 수도 Algiers》
Al·ge·ri·an [ældʒíəriən] *a.* 알제리 (사람)의
— *n.* 알제리 사람
-algia [ǽldʒiə] 《연결형》 「…통(痛)」의 뜻: neur*algia*
al·gi·cide, -gae- [ǽldʒəsàid] *n.* 살조제(殺藻劑)
al·gid [ǽldʒid] *a.* 추운, 한기가 드는 **~·ness** *n.*
al·gid·i·ty [ældʒídəti] *n.* Ⓤ 오한(惡寒)
Al·giers [ældʒíərz] *n.* 알제 《Algeria의 수도》
al·gin [ǽldʒin] *n.* 〖화학〗 알긴; 알긴산
álgin fiber 〖화학〗 알긴 섬유
al·gín·ic ácid [ældʒínik-] 〖화학〗 알긴산 《갈조류의 세포막을 구성하는 다당류》
algo- [ǽlgou, -gə] 《연결형》 =ALG-
al·goid [ǽlgɔid] *a.* 조류(藻類)의[같은]
Al·gol¹ [ǽlgɑl, -gɔ:l | -gɔl] *n.* 〖천문〗 알골성(星) 《페르세우스 자리의 2등성》
AL·GOL, Al·gol² [ǽlgɑl, -gɔ:l | -gɔl] [*algo*rithmic *l*anguage] *n.* 알골 《프로그래밍 언어의 한 가지》
al·go·lag·ni·a [æ̀lgəlǽgniə] *n.* Ⓤ 고통 성애(性愛), 가학(加虐) 성애 《마조히즘 또는 사디즘》
-nic *a.* **-nist** *n.*
al·gol·o·gy [ælgɑ́lədʒi | -gɔ́-] *n.* Ⓤ 조류학(藻類學) **àl·go·lóg·i·cal** *a.* **-gist** *n.* 조류학자

al·gom·e·ter [ælgámətər | -gɔ́m-] *n.* 〖의학〗 통각계(痛覺計) **àl·go·mét·ric, -cal** [ælgəmétrik(əl)] *a.* **al·góm·e·try** *n.* Ⓤ 통각 측정

Al·gon·ki·an [ælgáŋkiən | -gɔ́ŋ-] *n., a.* (*pl.* **~, ~s**) **1** 〖지질〗 원생대(의)(proterozoic) **2** = ALGONQUI(A)N

Al·gon·qui·an, -quin [ælgáŋkwiən | -gɔ́ŋ-] *n.* (*pl.* **~, ~s**) **1** 알곤킨 족 《캐나다·미국 동부에 사는 북미 원주민》; 알곤킨 족의 사람 **2** Ⓤ 알곤킨 말
— *a.* **1** 알곤킨 족의; 알곤킨 족 사람의 **2** 알곤킨 말의

al·go·pho·bi·a [ælgəfóubiə]] *n.* 〖정신의학〗 동통(疼痛) 공포(증)

al·gor [ǽlgɔːr] *n.* 〖의학〗 오한, 한기

al·go·rism [ǽlgərìzm] *n.* Ⓤ 아라비아 기수법(記數法); 아라비아 숫자 계산법; 산수; = ALGORITHM
cipher in ~ 영, 제로; 유명무실한 사람

al·go·rithm [ǽlgərìðm] *n.* Ⓤ 〖수학·컴퓨터〗 연산(법), 알고리듬 《문제 해결 절차 및 방법》
al·go·rith·mic [ælgəríðmik] *a.*

algoríthmic lánguage 〖컴퓨터〗 = ALGOL

álgor mór·tis [-mɔ́ːrtəs] [L] 사후(死後) 체온 하강

al·gous [ǽlgəs] *a.* 조류(藻類)[말]의[같은], 조류가[말이] 무성한

al·gra·phy [ǽlgrəfi] *n.* Ⓤ 〖인쇄〗 알루미늄 평판 인쇄법 **al·graph·ic** [ælgrǽfik] *a.*

al·gua·cil [ælgwəsíːl], **-zil** [-zíːl] [Sp.] *n.* (스페인·중남미의) 경찰관

al·gum [ǽlgəm, ɔ́ːl-] *n.* 〖성서〗 백단향(白檀香)

al·ha·ja [ælhǽdʒə] *n.* (서아프) 알하자 《메카 순례를 마친 여자 이슬람 교도; 흔히 경칭으로 씀》

al·ha·ji [ælhǽdʒi] *n.* (서아프) 알하지 《메카 순례를 마친 남자 이슬람 교도; 흔히 경칭으로 씀》

Al·ham·bra [ælhǽmbrə] *n.* [the ~] 알람브라 궁전 《스페인 Granada에 있는 무어 왕들의 옛 성》

Al·ham·bresque [ælhæmbrésk] *a.* 알람브라 궁전식의 〈건축·장식〉

A·li [áːli, ɑːlíː] *n.* 알리 **1 ~ ibn-Abu-Talib** (600?-661) 이슬람의 제4대 칼리프 《Muhammad의 사촌이자 사위》 **2 Muhammad ~** (1942-) 《미국의 권투 선수; 세계 헤비급 챔피언》

-a·lia [eiliə] *suf.* [복수명사로 쓰여] (특정 용도에 쓰이는) …용품들, …용 도구들: kitchen*alia* 부엌 용품들

a·li·as [éiliəs] [L = at another time] *ad.* 일명 …, 별명은: Smith ~ Johnson (본명은) 스미스, 통칭[일명] 존슨 — *n.* 별명, 가명; 〖전자〗 위신호(僞信號)

a·li·as·ing [éiliəsiŋ] *n.* 에일리어싱 **1** 〖컴퓨터〗 컴퓨터 그래픽에서 해상도의 한계로 선 등이 우둘투둘하게 되는 현상 **2** 〖라디오〗 디지털 신호 처리 과정에서 발생하는 노이즈

A·li Ba·ba [áːli-báːbɑː, ǽli-bǽbə | ǽli-báːbə] 알리바바 《*Arabian Nights* 중의 *Ali Baba and the Forty thieves*의 주인공》

⁎**al·i·bi** [ǽləbài] [L 「다른 데서」의 뜻에서] *n.* (*pl.* **~s**) **1** 〖법〗 알리바이, 현장 부재 증명 **2** (구어) 변명, 구실(excuse) **3** 알리바이를 입증하는 사람; 변명[구실]에 이용되는 사람 ***set up*** [***establish, prove***] ***an ~*** 알리바이를 증명하다
— *vi.* (구어) 변명하다
— *vt.* **1** (구어) …의 알리바이를 증언하다 **2** …을 위해 변명해 주다

Al·ice [ǽlis] *n.* 여자 이름 《애칭 Allie, Ally [ǽli]》

Álice bànd (주로 영) (폭이 넓은) 컬러 헤어밴드

Álice blúe 회색 띤 연푸른색

Al·ice-in-Won·der·land [-inwʌ́ndərlæ̀nd] *a., n.* (구어) 공상적인[터무니없는] (일[것])
~ approach 비현실적인 해결 자세[정책]

A·li·cia [əlíʃiə] *n.* 여자 이름 《Alice의 애칭》

al·i·cy·clic [æləsáiklik, -sík-] *a.* 〖화학〗 지환식(脂環式)의, 지환 화합물의

al·i·dade [ǽlədèid], **-dad** [-dæ̀d] *n.* 〖측량〗 앨리데이드, 조준의(照準儀), 지방규(指方規)

⁎**al·ien** [éiljən, -liən] [L 「다른」의 뜻에서] *a.* **1** 외국의(foreign); 외국인의; 외래의: ~ property 외국인 재산 / ~ corporation 외국 회사 / an ~ enemy (국내에 사는) 적국인 **2** Ⓟ 이질적인, (성질이) 다른 《*from*》; 반대의, 조화되지 않는 《*to*》; 〖컴퓨터〗 이종의: ideas ~ *to* modern thinking 현대적인 사고와 다른 생각들 **3** 지구 밖의, 우주의(extraterrestrial)
— *n.* 외국[이방]인(foreigner); 거류 외국인; 따돌림 당하는 자, 문외한(門外漢); 외계인, 우주인; 〖생태〗 귀화 식물
— *vt.* (드물게) 〈재산 등을〉 양도하나 **~·ness** *n.*

al·ien·a·ble [éiljənəbl, -liə-] *a.* 〖법〗 〈재산 등이〉 양도할 수 있는 **àl·ien·a·bíl·i·ty** *n.*

al·ien·age [éiljənidʒ, -liə-] *n.* Ⓤ (거류) 외국인임, 외국인의 신분

al·ien·ate [éiljənèit, -liə-] *vt.* **1** 〈친구 등을〉 멀리하다, 소원하게 하다; 이간하다: (~+목+전+명) ~ A *from* B A와 B를 이간하다 / She was ~*d from* her sister by her follies. 그녀는 어리석은 짓을 하여 언니와 사이가 벌어졌다. **2** 〖법〗 〈명의·재산·권리 등을〉 양도하다: (~+목+전+명) ~ land *to* another 토지를 남에게 양도하다 **3** 〈감정 등을〉 딴 데로 돌리다(turn away); 전용(轉用)하다 《*from*》

al·ien·a·tion [èiljənéiʃən, -liə-] *n.* Ⓤ 멀리함, 소외, 이간; 〖법〗 양도, (소유권의) 이전; (예산의) 전용(轉用); 〖정신의학〗 정신 이상 ***~ of affections*** 〖법〗 애정 이전 《상대방의 애정을 잃게 하는 당사자[제3자]의 악의적 행위》

al·ien·a·tor [éiljənèitər, -liə-] *n.* 소원하게 하는 사람; 〖법〗 양도인

al·ien·ee [èiljəníː, -liə-] *n.* 〖법〗 양수인(讓受人)

al·ien·ism [éiljənìzm, -liə-] *n.* = ALIENAGE

al·ien·or [éiljənər, èiljənɔ́ːr, -liə-] *n.* 〖법〗 양도인

a-life [éilàif] *n.* = ARTIFICIAL LIFE

al·i·form [ǽləfɔ̀ːrm, éilə-] *a.* 날개 모양의

⁎**a·light¹** [əláit] *vi.* (**~·ed, a·lit** [əlít]) **1** (말·차·배 등에서) 내리다, 하차[하선, 하마]하다 《*from*》; 〈새가〉 (나무 등에) 내려앉다; 〖항공〗 착륙[착수]하다 《*on*》: (~+전+명) ~ *from* a horse 말에서 내리다 / ~ *at* one's stop 평소에 내리던 정거장에서 내리다 / A robin ~*ed on* a branch. 울새[로빈]가 나뭇가지에 내려앉았다. **2** (문어) 우연히 마주치다[발견하다] 《*on, upon*》 ***~ on one's feet*** 뛰어 내려서다

alight² *ad., a.* Ⓟ 불타고(on fire); 등불이 켜져, 빛나고 ***catch ~*** 불이 붙다, 타다 ***set ~*** 불을 붙이다; 불을 켜다

a·lign [əláin] *vt.* **1** 일직선으로 하다; 정렬시키다; 〈표적과 총의 조준을〉 일직선에 맞추다 **2** …에게 같은 태도를 취하게 하다; …을 …와 제휴시키다 《*with*》: (~+목+전+명) ~ oneself *with* others 남과 동조하다[공동 전선을 펴다] **3** 〖기계〗 〈부품을〉 중심에 맞추다; 〈라디오·텔레비전을〉 조절[조정]하다; 〈자동차의 앞바퀴를〉 평행으로 하다 — *vi.* **1** 한 줄이 되다, 정렬하다: The troops ~*ed.* 부대가 정렬했다. **2** (어떤 목적으로) 결합하다, 제휴[약속]하다 **3** 〈기계의 부분이〉 (다른 부분과) 정밀히 조정되다 **~·er** *n.*

a·lign·ment [əláinmənt] *n.* ⓊⒸ **1** 일직선(을 이루기); (일렬) 정렬(整列); 정돈(선): in ~ (*with*) (…와) 일직선이 되어 (있는) **2** 계열, 제휴 《*with*》 **3** (라디오 등의) 조정; (자동차의) 앞바퀴 조정 **4** (철도·도로 등의) 평면도

alígnment requìrement 〖컴퓨터〗 정렬 요구

⁑**a·like** [əláik] *ad.* 마찬가지로, 같게, 동등하게: treat all men ~ 모든 사람을 차별 없이 대하다 / young and old ~ 노소를 막론하고
— *a.* Ⓟ 서로 같은, 비슷한: They are just[much] ~. 그(것)들은 꼭[대체로] 같다. / Their opinions are

thesaurus **alien** *a.* **1** 외국의 foreign, overseas, nonnative **2** 이질적인 strange, unfamiliar, exotic **3** 반대의 opposed, conflicting, contrary, adverse

very ~. 그들의 의견은 아주 비슷하다. ★ 《구어》에서는 much 대신에 very도 씀. **~·ness** *n.*

al·i·ment [ǽləmənt] *n.* ⓊⒸ **1** 자양물, 영양물; 음식물 **2** 부양, 부조(扶助); (마음의) 양식
— [-mènt] *vt.* …에(게) 자양분을 주다; 부양하다; 지지[지원]하다

al·i·men·tal [æ̀ləméntl] *a.* 영양의, 영양이 되는; 양분이 많은 **~·ly** *ad.*

al·i·men·ta·ry [æ̀ləméntəri] *a.* 영양의; 소화의; 영양을 주는; 부양하는

aliméntary canál [the ~] 소화관 《입에서 항문까지》

al·i·men·ta·tion [æ̀ləmantéiʃən] *n.* Ⓤ 영양, 자양; 부양, 부조(扶助)

al·i·men·ta·tive [æ̀ləméntətiv] *a.* 영양이 있는, 영양의(nutritive) **~·ly** *ad.* **~·ness** *n.*

al·i·men·to·ther·a·py [æ̀ləméntouθèrəpi] *n.* ⓊⒸ 식이 요법

al·i·mo·ny [ǽləmòuni | -məni] *n.* (*pl.* **-nies**) **1** 〚법〛 별거[이혼] 수당 **2** 부양 **ál·i·mò·nied** *a.*

álimony dróne 《미·경멸》 이혼 수당으로 살아가기 위해 재혼하지 않으려고 하는 여자

à l'im·pro·viste [ɑ̀:-læ̀mprouví:st] [F = unexpectedly] *ad.* 갑자기, 느닷없이

a·line [əláin] *vt., vi.* = ALIGN

A-line [éilàin] *a.* A라인의 《여성복이 위가 좁고 아래가 퍼진》 — *n.* A라인(의 의상)

a·line·ment [əláinmənt] *n.* = ALIGNMENT

al·i·ped [ǽləpèd] 〚동물〛 *a.* (박쥐처럼) 익수(翼手)가 있는 — *n.* 익수류 동물

al·i·phat·ic [æ̀ləfǽtik] 〚화학〛 *a.* 지방족(脂肪族)의, 지방성의 — *n.* 지방족 화합물

al·i·quant [ǽləkwənt] 〚수학〛 *a.* 나누어 떨어지지 않는(opp. *aliquot*) — *n.* 비약수(非約數)(= ∠ **pàrt**)

al·i·quot [ǽləkwət | -kwɔ̀t] 〚수학〛 *a.* 나누어 떨어지는(opp. *aliquant*) — *n.* 약수(= ∠ **pàrt**)

Al·i·son [ǽləsn] *n.* 여자 이름

A-list [éilìst] *n.* 〈지위·능력 등의〉 일류 인사 리스트; 《구어》 사교계의 명사

a·lit [əlít] *vi.* ALIGHT[1]의 과거·과거분사

Al·i·tal·i·a [ɑ̀:litɑ́:liə] *n.* 알리탈리아 《이탈리아 항공사》

a·lit·er·ate [eilítərət] *n.* (읽을 수 있으나) 글[책]을 읽지 않는 사람; 활자를 싫어하는 사람
— *a.* 글[활자]을 싫어하는

a·li·un·de [èiliʌ́ndi] [L] *a., ad.* 〚법〛 기록 외의[에]

***a·live** [əláiv] *a.* Ⓟ **1** 살아 있는(opp. *dead*); [최상급 형용사를 가진 명사 등의 뒤에서 강조적으로] 현존하는, 이 세상에 있는: the strongest man ~ 세상에서 가장 힘센 사람 / the greatest scoundrel ~ 세계 제일의 악당 USAGE 이 의미의 한정 형용사로는 live [láiv] 또는 living이 쓰임. **2** 생생하여, 활발한, 활동하는: The party came ~ when she showed up. 그녀가 나타나자 파티는 활기를 띠었다. USAGE 이 뜻으로는 한정 용법으로 쓰기도 함. 보통은 수식어가 따름. 또한 이 뜻으로는 비교 변화나 very (much), so 등으로 수식되기도 함: a really ~ student 생기발랄한 학생 / My grandfather is more ~ than most of his contemporaries. 우리 할아버지는 대개의 같은 연배의 노인들보다 정정하시다.
3 떼 지어, 우글거려: a pond ~ *with* fish 물고기가 떼지어 있는 연못 **4** 민감한, 알아채는 《*to*》 **5** 〈마이크·전화·라디오 등이〉 전류가 통하여
~ and kicking [***well***] 《구어》 원기왕성하여; 유행하여 ***any man ~*** 누구나 다 ***as sure as I am ~*** 절대로, 확실히 ***bring ~*** 〈이야기 등〉을 생생하게 만들다 ***catch ~*** 생포하다 ***come ~*** 〈주제·사건 등이〉 흥미로워지다, 생생해지다; 〈장소 등이〉 활기를 띠다; 〈사람이〉 흥미를 보이다 ***keep ~*** (1) 살아 있다, 살려 두다 (2) 〈불·흥미를〉 꺼지지 않게 하다 ***keep the matter ~*** 문제를 계속 논의하다 ***look ~*** 싱싱해 보이다 ***Look ~!*** 정신 차려!, 꾸물거리지 마라! ***Man*** [***Heart, Sakes***] ***~!*** 《구어》 뭐라고!, 농담 마라!, 기가 막혀! ***more dead than ~*** 《구어》 기진맥진하여, 너무 지쳐서
~·ness *n.*

> **alive** *a.* **1** 살아 있는 living, live, breathing **2** 현존하는 active, continuing, going on, existing, prevalent **3** 활발한 full of life, lively, active, energetic

a·liz·a·rin(e) [əlízərin] *n.* Ⓤ 〚화학〛 알리자린 《붉은 물감》

alk. alkaline

al·ka·hest [ǽlkəhèst] *n.* Ⓤ 만물 용해액 《연금술사가 추구했던 액체》 **àl·ka·hés·tic, -hés·ti·cal** *a.*

al·ka·les·cent [æ̀lkəlésənt] *a.* 약(弱)알칼리성의 **àl·ka·lés·cence** *n.* Ⓤ 약알칼리성

***al·ka·li** [ǽlkəlài] *n.* (*pl.* **~(e)s**) **1** 〚화학〛 알칼리 **2** = ALKALI METAL **3** 〚농업〛 (토양 중의) 알칼리염류
— *a.* 〚화학〛 알칼리(성)의(alkaline)

al·kal·ic [ælkǽlik] *a.* 〚지질〛 〈화성암이〉 알칼리질의

al·ka·li·fy [ǽlkələfài, ælkǽl-] *vt., vi.* (**-fied**) 알칼리화하다 **ál·ka·li·fi·a·ble** *a.* 알칼리화할 수 있는

álkali mètal 〚화학〛 알칼리 금속

al·ka·lim·e·ter [æ̀lkəlímətər] *n.* 〚물리·화학〛 알칼리미터, 이산화탄소 측정기
àl·ka·li·mét·ric, -ri·cal *a.*

al·ka·lim·e·try [æ̀lkəlímətri] *n.* Ⓤ 알칼리 정량(법)

al·ka·line [ǽlkəlàin, -lin | -làin] *a.* 〚화학〛 알칼리성의(opp. *acid*); 알칼리를 함유한

álkaline éarth 〚화학〛 알칼리 토류 (금속)

ál·ka·line-éarth mètal [-ɔ́:rθ-] 〚화학〛 알칼리 토류 금속

álkaline phósphatase 〚생화학〛 알칼리 포스파타아제 《알칼리로 활성을 나타내는 포스파타아제》

al·ka·lin·i·ty [æ̀lkəlínəti] *n.* Ⓤ 알칼리성[도]

al·ka·lin·ize [ǽlkəlinàiz] *vt.* = ALKALIFY
àl·ka·lin·i·zá·tion [æ̀lkəlinizéiʃən | -nai-] *n.*

álkali sòil 알칼리(성) 토양 《건조 지대에 많음》

al·ka·lize [ǽlkəlàiz] *vt., vi.* = ALKALIFY
al·ka·li·za·tion [æ̀lkəlizéiʃən | -lai-] *n.*

al·ka·loid [ǽlkəlɔ̀id] 〚화학〛 *n.* 알칼로이드 《식물 염기》 — *a.* 알칼로이드의; 알칼리성의

al·ka·loi·dal [æ̀lkəlɔ́idl] *a.* = ALKALOID

al·ka·lo·sis [æ̀lkəlóusis] *n.* (*pl.* **-ses** [-si:z]) Ⓤ 〚병리〛 알칼리 혈증(血症) **àl·ka·lót·ic** *a.*

al·kane [ǽlkein] *n.* 〚화학〛 알칸 《메탄계 탄화수소의 총칭(paraffin)》

álkane sèries 〚화학〛 알칸 (계)열

al·ka·net [ǽlkənèt] *n.* 〚식물〛 알카넷; Ⓤ 알카넷 염료 《붉은색》

Al·ka-Sel·tzer [æ̀lkəséltsər] *n.* ⒸⓊ 알카셀쩌 《물에 타 먹는 소화제; 상표명》

al·kene [ǽlki:n] *n.* 〚화학〛 알켄 《에틸렌계 탄화수소의 총칭》

álkene sèries 〚화학〛 알켄 계열

al·kie [ǽlki] *n.* = ALKY

al·kine [ǽlkain] *n.* = ALKYNE

Al·ko·ran [æ̀lkɔ:rɑ́:n] *n.* = KORAN

al·ky [ǽlki] *n.* 《속어》 알코올 중독자; 《속어》 술, 알코올(alchy)

alky. alkalinity

al·kyd [ǽlkid] *n.* ⓊⒸ 〚화학〛 알키드 수지(= ∠ **rèsin**) 《점착성의 합성수지》

al·kyl [ǽlkil] 〚화학〛 *n.* Ⓤ 알킬(기)(= ∠ **gròup** [**ràdical**]) — *a.* 알킬의[을 함유한]

al·kyl·ate [ǽlkəlèit] 〚화학〛 *vt.* 알킬화하다
— *n.* 알킬레이트 《알킬화 반응의 생성물》

ál·kyl·at·ing drúg [ǽlkəlèitiŋ-] 〚약학〛 알킬화제(化劑)

al·kyl·a·tion [æ̀lkəléiʃən] *n.* 〚화학〛 알킬화(化); (휘발유 제조에서의) 알킬레이션

al·kyne [ǽlkain] *n.* 〚화학〛 알킨 《아세틸렌계 탄화수소의 총칭》: ~ series 알킨 계열

‡all ⇨ ALL (p. 69)
all-¹ [æl], **allo-** [ǽlou, ǽlə] 《연결형》「다른」의 뜻 《모음 앞에서는 all-》
all-² [ɔ́:l] 《연결형》「모든」의 뜻
al·la bre·ve [ɑ́:lə-brévei] [It.] 〖음악〗 *n.* 알라 브레베, 2분의 2박자 《기호 ¢》
— *ad., a.* 2분의 2박자로[의]
all-ac·tion [ɔ̀lǽkʃən] *a.* Ⓐ 흥미진진한, 짜릿한: an ~ movie 스릴 넘치는 영화
Al·lah [ǽlə, ɑ́:lə] *n.* 알라 《이슬람교의 신》
al·la mar·cia [ɑ̀:lə-mɑ́:rtʃə] [It.] *ad., a.* 〖음악〗 행진곡풍으로[의]
all-A·mer·i·can [ɔ́:ləmérikən] *a.* **1** 전미(全美) 대표의 **2** 미국인[미국적 요소]만으로 된 **3** 가장 미국적인
— *n.* 미국 대표 선수[팀]
Al·lan [ǽlən] *n.* 남자 이름(cf. ALAN)
al·lan·to·ic [æ̀ləntóuik] *a.* 요막(尿膜)의
al·lan·toid [əlǽntɔid] *a.* **1** = ALLANTOIC **2** 〖식물〗 소시지 모양의 — *n.* = ALLANTOIS
al·lan·to·in [əlǽntouin] *n.* 〖화학〗 알란토인 《요산의 산화 생성물; 외상약에 씀》
al·lan·to·is [əlǽntouis, -tɔis] *n.* (*pl.* **-to·ides** [æ̀ləntóuədi:z]) 〖해부〗 요막(尿膜)
▷ allantóic *a.*
al·lar·gan·do [ɑ̀:lɑ:rgɑ́:ndou] [It.] *ad., a.* 〖음악〗 크레센도하면서 점차 느리게 (되는)
all-a·round [ɔ́:ləráund] *a.* Ⓐ 《미》 전반[다방면]에 걸친; 전면적인; 만능의 〈선수〉, 다재다능한
~·er *n.* = ALL-ROUNDER
all-at-once·ness [ɔ́:lətwʌ́nsnis] *n.* 동시 다발성
∗al·lay [əléi] *vt.* **1** 〈흥분·화 등을〉 진정시키다, 가라앉히다(calm) **2** 〈고통·슬픔 등을〉 누그러뜨리다, 완화하다, 경감하다: ~ pain 고통을 완화하다 **3** 〈불쾌한 일 등이 기쁨·효과 등을〉 반감시키다 **~·er** *n.* **~·ment** *n.*
Áll Blácks [the ~] 올블랙스 《뉴질랜드 대표 럭비팀》
all-Ca·na·di·an [ɔ̀lkənéidiən] *a.* **1** (스포츠 등에서) 전(全) 캐나다에서 최고의 **2** (성향이) 전형적인 캐나다 사람의
áll cléar 공습 경보 해제 (신호); 위험이 사라짐 《신호》
áll cómers (경기 등에의) 모든 참가자
all-com·ers [ɔ́:lkʌ́mərz] *a.* Ⓐ 누구나 참가할 수 있는 〈경기 《등》〉
all-con·sum·ing [ɔ̀lkənsú:miŋ] *a.* (관심의 대상에) 전력을 다하는: an ~ love of the Beatles 비틀스에 대한 전폭적인 애정
all-day [ɔ́:ldéi] *a.* Ⓐ 하루 걸리는, 온종일의
al·lée [æléi] [F] *n.* 산책길, 가로수 길
al·le·ga·tion [æ̀ligéiʃən] *n.* ⓒⓤ (충분한 증거가 없는) 주장, 변증(辯證), (소송 당사자의) 진술
‡al·lege [əlédʒ] [ME 「증거로서 끄집어내다」의 뜻에서] *vt.* 《문어》 **1** (충분한 증거도 없이) 단언하다, 강력히 주장하다, 우겨대다: ~ (one's) innocence 무죄를 주장하다 // (~+목+***as*** 보) ~ a matter *as* a fact 어떤 일을 사실이라고 주장하다 // (~+***that*** 절) The prosecution ~*s that* he was driving carelessly. 검찰은 그가 부주의하게 운전했다고 주장하고 있다. **2** (법정 등에서 선서하고) 증언하다(declare), 진술하다 **3** (변명으로) 내세우다: ~ illness 병을 핑계대다 **4** 《고어》 인용하다 **~·a·ble** *a.* **al·lég·er** *n.*
▷ allegátion *n.*
al·leged [əlédʒd, -dʒid] *a.* **1** Ⓐ (증거 없이) 주장된: the ~ murderer 살인 혐의자 **2** Ⓟ …이라고들 말하는: (~+***to*** do) He is ~ *to* have done it. 그것은 그가 한 짓으로 알려져 있다.
al·leg·ed·ly [əlédʒidli] *ad.* 주장한[전해진] 바에 의하면, 이른바
Al·le·ghe·nies [æ̀ləgéiniz] *n. pl.* [the ~] = ALLEGHENY MOUNTAINS
Al·le·ghé·ny Móuntains [æ̀ləgéini- | ǽligèni-] [the ~] 앨러게니 산맥 《미국 Pennsylvania, Maryland, West Virginia 주에 걸친 산맥》
∗al·le·giance [əlí:dʒəns] *n.* Ⓤ 충성, 충절, 충직(loyalty); (봉건 신하의) 충성의 의무; (사람·사물에 대한) 충실, 헌신 《*to*》: pledge ~ *to* the flag 국기에 대해 충성을 맹세하다 / give one's ~ *to* the cause of world peace 세계 평화라는 대의를 위해 헌신하다
al·le·giant [əlí:dʒənt] *a.* 충성을 다하는
— *n.* 충성스러운 신하
∗al·le·gor·i·cal [æ̀ligɔ́(:)rikəl, -gɑ́r- | -gɔ́r-] *a.* 우화의, 우화적인, 우의(寓意)의, 우의적인 **-i·cal·ly** *ad.*
▷ állegory *n.*; állegorize *v.*
al·le·go·rism [ǽligɔ̀:rizm, -gərìzm] *n.* ⓤⓒ 풍유 (사용); (성서의) 우의적 해석
al·le·go·rist [ǽligɔ̀:rist, -gər-] *n.* 풍유가(諷諭家), 우화 작가
al·le·go·ris·tic [æ̀ligərístik] *a.* 우화[풍유]적인
al·le·go·rize [ǽligəràiz] *vt.* 우화화하다
— *vi.* 비유[풍유]를 사용하다; 우화를 짓다 **-riz·er** *n.*
àl·le·go·ri·zá·tion *n.* Ⓤ 우화화
al·le·go·ry [ǽləgɔ̀:ri | -gəri] [Gk 「어떤 일을 다른 형식으로 말하다」의 뜻에서] *n.* (*pl.* **-ries**) 풍유; 우화, 비유한 이야기; 상징
al·le·gret·to [æ̀ləgrétou] [It.] 〖음악〗 *a., ad.* 조금 빠른[빠르게] 《andante와 allegro의 중간》
— *n.* (*pl.* **~s**) 알레그레토(의 악장)
al·le·gro [əlégrou, əléi-] [It. 「쾌활한」의 뜻에서] 〖음악〗 *a., ad.* 빠른[빠르게] 《allegretto와 presto의 중간》 — *n.* (*pl.* **~s**) 알레그로(의 악장)
al·lele [əlí:l] *n.* 〖유전〗 대립 유전자[형질]
al·lel·ic [əlí:lik] *a.*
all-e·lec·tric [ɔ́:liléktrik] *a.* 〈난방·조명 등이〉 모두 전력에 의한
alléle frèquency 〖유전〗 대립 유전자 빈도
al·lel·ism [əlí:lizm] *n.* Ⓤ 〖유전〗 대립(성)
al·le·lo·morph [əlí:ləmɔ̀:rf, əlélə-] *n.* 〖유전〗 대립 유전자(allele) **al·lè·lo·mór·phic** *a.*
al·le·lop·a·thy [əli:lɑ́pəθi, æ̀lə- | æ̀lilɔ́-] *n.* 〖식물〗 알렐로파시, 타감(他感) 작용 《다른 식물의 영향을 받기》 **al·le·lo·path·ic** [əli:ləpǽθik, əlèlə-] *a.*
al·le·lu·ia(h), -ja, -ya [æ̀ləlú:jə] *int., n.* = HALLELUJAH
al·le·mande [ǽləmæ̀nd] [F] *n.* 독일 댄스의 일종; 그 무곡
állemande sàuce 〖요리〗 알망드 소스 《노른자위를 넣은 화이트소스》
all-em·brac·ing [ɔ́:limbréisiŋ] *a.* 모든 것을 포함하는, 포괄적인, 총괄적인
Al·len [ǽlən] *n.* 남자 이름
all-en·com·pass·ing [ɔ́:linkʌ́mpəsiŋ] *a.* = ALL-EMBRACING
Állen kèy[wrènch] Allen screw용 스패너
Állen scrèw 육각 구멍이 있는 볼트 《원래 상표명》
al·ler·gen [ǽlərdʒən, -dʒèn] *n.* 〖의학〗 알레르겐 《알레르기를 일으키는 물질》
al·ler·gen·ic [æ̀lərdʒénik] *a.* 알레르기를 일으키는
al·ler·gic [ələ́:rdʒik] *a.* 알레르기의, 알레르기 체질의, 알레르기성의; 《구어》 (…이) 질색인; 신경과민의 《*to*》: be ~ *to* card playing 카드놀이를 아주 싫어하다
allérgic rhinítis 〖병리〗 알레르기성 비염(cf. HAY FEVER)
al·ler·gist [ǽlərdʒist] *n.* 알레르기 전문 의사
al·ler·gol·o·gy [æ̀lərdʒɑ́lədʒi | -dʒɔ́-] *n.* Ⓤ 알레르기학
∗al·ler·gy [ǽlərdʒi] *n.* (*pl.* **-gies**) **1** 〖병리〗 알레르기, 과민증 《*to*》 **2** 《구어》 질색, 반감, 혐오(antipathy) 《*to*》 ***have an ~ to[for]*** …을 몹시 싫어하다: She *has an ~ to* cats. 그녀는 고양이를 몹시 싫어한다.
▷ allérgic *a.*

thesaurus **allege** *v.* claim, profess, declare, state, assert, aver, avow, affirm

all

형용사·(대)명사·부사의 세 가지로 대별된다. (대)명사와 부사의 구별은 분명치 않을 때도 있다. all은 any, each 등과 같은 구문을 이룬다.
some[any], no와 마찬가지로 수·양에 다 쓰여 단수·복수 취급이 가능하다.
all these books처럼 「all +(the, 지시형용사, 인칭대명사)+명사」의 어순에 주의해야 한다. 또한 all이 부정형과 함께 쓰이면 부분부정을 나타낸다. ⇨ *a.* 3 USAGE

‡**all** [ɔ́:l] *a., pron., ad., n.*

① 전체의[모든] (것)	형 **1a** 대 **1**
② 모든 (사람)	형 **1b** 대 **2**
③ 완전히	부 **1**

—*a.* **1 a** [단수 명사 앞에서] **전체의, 전부의, 모든,** 전… 《종종 부사구가 됨》(⇨ whole 유의어): ~ Korea 전 한국/~ day[night] (long) 종일[밤새]/~ the morning = ~ morning (long) 오전 내내/~ yesterday 어제 종일/~ one's life 평생, 일생 내내/~ this time 지금껏 내내/*A*~ London was against it. 전 런던이 그것에 반대했다. **b** [복수 명사 앞에서] **온갖, 모든, 모두**: ~ men 사람은 다/in ~ directions 사방팔방으로/in ~ respects 모든 점에서/The hotel can accommodate ~ the students of this school. 그 호텔은 이 학교의 모든 학생을 수용할 수 있다.
2 [성질 · 정도를 나타내는 추상명사를 수식하여] **최대한의,** 최대의, 최고의: make ~ haste 황급히 서두르다/in ~ truth 진정으로, 틀림없이/in ~ sincerity 성심성의껏/The fire fighters came with ~ speed. 소방관들은 전속력으로 달려 왔다.
3 [부정적 뜻의 동사나 전치사 뒤에서] 일체의, 아무런, 전혀(any): beyond ~ doubt 아무런 의심 없이/He denied ~ knowledge of the case in question. 그는 문제의 그 사건에 대해 아는 것이 전혀 없다고 말했다.
USAGE (1) all은 정관사·지시형용사·소유격의 인칭대명사 등의 앞에 놓는다: ~ *the* world 전 세계/~ *these* children 이 모든 아이들/~ *her* life 그녀의 평생 (2) all이 부정문에서 쓰이면 부분부정을 나타낸다. 단, all과 not이 떨어져 있거나 하면 전체부정이 되기도 한다: *Not* ~ men are wise. 모든 사람이 현명한 것은 아니다./*A*~ the people could *not* solve the problem. 아무도 그 문제를 풀 수가 없었다. ★ 단, 이와 같은 문장은 부분부정인 *Not all* the people could solve ...로도 해석되므로 악센트나 인토네이션으로 구별할 수 있는 회화문 이외에서는 *None* of the people could solve ...로 하는 것이 좋다.
4 …뿐(only): ~ words and no thought 말뿐이지 사상이 없는/This is ~ the money I have. 내가 가진 돈은 이것뿐이다.
5 [수사적 강조 표현으로서 보어 또는 동격으로 써서] **a** [추상명사를 수식하여] 대단히 …인: She is ~ kindness. 그녀는 매우 친절하다./He is ~ attention. 그는 정신을 바짝 차리고 듣고 있다. **b** [신체의 부위를 나타내는 명사를 수식하여] 전신이 …뿐인, 전신을 …삼아: I was ~ ears as he told his story. 나는 그가 자신의 이야기를 할 때 귀를 세우고 들었다./He was ~ skin and bones. 그는 피골이 상접해 있었다.
~ kind(s) of ⇨ kind[1]
A~ my eye (and Betty Martin)! 《영·속어》 시시한 소리!, 바보 같은 소리!
~ the best 잘 가, 안녕히 가십시오 《작별 인사》
~ the go[rage] 대단한 인기로, 대유행으로
and ~ that 《구어》 (1) …하며 …하며, …니 어쩌니, …등등: Do you really believe in the supernatural *and* ~ *that*? 당신은 진심으로 초자연적 존재니 뭐니 하는 것을 믿습니까?/There we can get cabbages and carrots *and* ~ *that*. 거기에서 양배추며 홍당무 등등을 살 수 있다. (2) [감사·축하 등의 상투 문구에 붙여] 진심으로, 부디부디: Very many happy returns of the day, *and* ~ *that*. 오래오래 사십시오, 만수무강하십시오. 《생일·기념일의 인사》
be ~ things to ~ men 사람에 따라 태도를 바꾸다, 팔방미인이 되다
of ~ ... 《구어》 많은 …가운데서, 하필이면 …: *of* ~ days on Christmas Day 하고많은 날 가운데서 하필이면 크리스마스에/She wants to travel to Antarctica, *of all* places. 그녀는 하고많은 곳 중에서도 하필 남극 대륙을 여행하고 싶어한다.
of ~ the ... 《구어》 (어처구니없게) 이런, …이잖아
—*pron.* **1** [단수 취급] **a 모든 것, 모두,** 만사: *A*~ is lost. 만사가 글렀다./*A*~ is calm tonight. 오늘 밤은 아주 조용하다./That's ~. 그게 다야./*A*~'s well that ends well. ⇨ well[1] *a.* 2a **b** [관계사절을 이끌어] (…한) **모든 것** 《★ 관계대명사는 보통 생략함》: *A*~ I want is money. 내가 원하는 것은 돈뿐이다./*A*~ we can do is to wait for him. 그를 기다리는 것밖에 할 도리가 없다. **c** [동격으로] …은 전부, 모조리, 죄다: He ate ~ of it. =He ate it ~. 그는 그것을 다 먹었다./I want ~ of it. 나는 그것 전부를 원한다.
2 [복수 취급] **a 모든 사람(들)**: *A*~ were happy. 다들 행복해했다. ★ Everybody was happy.가 구어적. **b** [동격으로] **누구나, 모두** 《보통 대명사의 경우에 씀》: We ~ have to go. = *A*~ of us have to go. = We ~ of us have to go. 우리는 모두 가야 한다./They are ~ happy. 그들은 모두 행복하다. **c** [all of the[these, those] ...로] 《미》 모두, 죄다: ~ *of* the boys 소년들 모두/He ate ~ *of* the apples. 그는 그 사과를 모두 다 먹었다. **d** [호칭으로 써서] 여러분: Morning ~! 여러분, 좋은 아침!
USAGE (1) all of us[them]처럼 복수 인칭 대명사 앞에서는 of를 생략할 수 없음; 단, 복수 명사 앞에서는 생략할 수도 있음: *all* (of) my friends/*all* (of) the books 등 (2) all이 부정문에 쓰이면 부분부정을 나타낸다: *A*~ is *not* gold that glitters. 《속담》 번쩍거리는 것이 다 금은 아니다. 《★ that은 all에 걸리는 관계대명사》/We do *not* ~ go. 우리는 모두 가는 것은 아니다. (3) 단, 예컨대 *A*~ that he says is *not* true.는 부분부정으로도, 전체부정으로도 해석되므로 부분부정이면 *Not* ~ that he says is true. 전체부정이면 *Nothing* that he says is true.로 하는 것이 좋다.
~ but ⇨ but[1] *ad.*
~ in ~ (1) [보통 문두에서] 대체로, 대강 말하면: *A*~ *in* ~, it was a nice trip. 대체로 좋은 여행이었다. (2) 전부 해서, 통틀어, 합계 《★ 이 뜻으로는 《미》에서는 in all이 일반적》: There are ten ~ *in* ~. 전부 해서 10개 있다. (3) 가장 소중하여: She wished to be his ~ *in* ~. 그녀는 그의 가장 사랑하는 대상이 되고 싶었다.
~ of ... (1) ⇨ *pron.* 1c, 2b (2) ⇨*pron.* 2c (3) 《구어》 완전히 …한 상태로: ~ *of a* muddle 온통 뒤범벅이 되어/~ *of a* tremble 벌벌 떨어 (4) [수사를 이끌어] 실하게; 좋이: He is ~ *of* six feet[foot] tall. 그는 좋이 6피트가 된다.
~ or nothing (1) 〈조건 등이〉 타협의 여지가 없는, 예

스냐 노냐(로)(cf. ALL-OR-NOTHING) (2) 이판사판으로 ***A~ out!*** 《미》 여러분, 모두 갈아 타십시오!(《영》 *A~ change!*)

and ~ (1) 그 밖의 모든 것, …등: He ate it, bones *and* ~. 그는 그것을 뼈까지 먹었다. / She gave the children cookies, candies, cakes *and* ~. 그녀는 아이들에게 과자, 사탕, 케이크 등을 주었다. (2) 《구어》 …따위를 …하다니 《불만의 말투》: Mother is sick with flu, *and* ~. 어머니는 독감 따위에 걸리셔 가지고.

at ~ (1) [부정문에서] 조금도 (…아니다); 필요, 천만에(You're welcome) 《사례의 인사를 받았을 때》: I do*n't* know him *at* ~. 그는 생판 모르는 사람이다. / He is *not* ill *at* ~. 그는 조금도 아프지 않다. 《★ He is *not at* ~ ill.은 보통 「그는 별로 아프지 않다」의 뜻》/ "Thank you so much." — "*Not at* ~." 정말 고맙습니다. — 별말씀을. (2) [의문문에서] 조금이라도, 도대체, 이왕이면: Do you believe it *at* ~? 너는 도대체 그걸 믿니? (3) [조건문에서] 이왕, 적어도: If you do it *at* ~, do it well. 이왕 할 바에야 잘해라.

in ~ 전부 해서, 합계 …, 죄다: That makes[comes to] $50 *in* ~. 합계 50달러가 된다.

once* (*and*) *for ~ ⇨ once *ad.*

one and ~ 누구나 다, 어느 것이나: Welcome, *one and* ~! 어서들 오십시오!

— *ad.* **1 완전히, 온통,** 전적으로: be ~ covered with dust 온통 먼지투성이다 / ~ alone 순전히 혼자서 / I'm ~ for your proposal. 나는 당신의 제안에 전적으로 찬성합니다.

2 〖스포츠〗 양편이 다, 쌍방이: three ~ 3대 3 / The score is one[fifteen] ~. 득점은 양편이 1[15]점이다.

3 단지 …만, **오로지** …뿐: He spends his money ~ on books. 그는 오로지 책을 사는 데만 돈을 쓴다.

4 [the+비교급 앞에서] **그만큼, 더욱,** 오히려: The shortage of water grew ~ *the more* serious. 물의 부족은 더욱 심각해졌다.

~ along ⇨ along

~ anyhow 되는대로, 아무렇게나

~ at once ⇨ once *n.*

~ fired up 《구어》 열광적인

~ in 《구어》 기진맥진하여(tired out)

~ in ~ 대체로

~ one 매한가지로, 똑같이: It's ~ *one* to me. 내게는 매한가지다.

~ out 《구어》 (1) 전적으로, 순전히 (2) 전력을 기울여, 총력으로; 전속력으로(cf. ALL-OUT): We went ~ *out* to prepare dinner for nine guests. 손님 9인분의 정찬을 준비하느라고 전력을 다했다. (3) 기진맥진하여

~ over (1) 다 끝나: Relax! It's ~ *over.* 마음을 놓게, 다 끝났으니. / It's ~ *over* with[《미》 for] him. 그는 이젠 글렀어. (2) 도처에, 어디나 다: look ~ *over* for it 그것을 곳곳에서 찾아보다 (3) 온몸이[에]: I feel hot ~ *over.* 온몸이 덥다. (4) 꼭, 아주: That's Mary ~ *over.* 그것은 과연 메리답다. (5) [전치사적으로] …의 도처에; …위에 온통: ~ *over* the world 세계 도처에, 온 세계에 / ~ *over* the desk 책상 위에 온통

~ over the place 그 근처 사방에, 온통 어질러져

~ over with …이 요절[결딴]나서, 가망이 없어

~ right ⇨ ALL RIGHT

~ round [《미》 ***around***] 골고루, 한 바퀴 빙 둘러, 모두에게

~ that [형용사 등의 앞에 놓아, 부정·의문문에 써서] 《구어》 그만치…, 그토록…, 그다지…: My opinion is not ~ *that* different from yours. 내 의견은 당신과 그다지 다르지 않다.

~ the better [***worse***] …때문에 오히려 더 낫게[나쁘게] (*for*)(cf. *ad.* 4)

~ there 《구어》 (1) [부정문에서] 정신이 멀쩡한: not ~ *there* 정신이 이상한 (2) 매우 영악한[유능한]

~ the same ⇨ same *a.*

~ the way ⇨ way[1]

~ together (1) 다 함께 (2) 모두, 합계

~ told ⇨ tell[1]

~ too ⇨ too

~ up (1) 《영》 만사가 끝장나 (*with*): It's ~ *up with* him. 그는 이젠 끝장이다. (2) 〖인쇄〗 〈원고가〉 조판[식자]이 끝나

~ very well [***fine***], (***but …***) [불만의 표현으로] 썩 좋지만(…): That's ~ *very fine, but* I will stand it no longer. 거 썩 잘 됐구먼, 하지만 더는 참을 수 없어.

be ~ for ⇨ *ad.* 1

be not ~ that 《미·속어》 〈사람·물건이〉 그다지 좋지[바람직하지] 않다, 별로다

he* [*she*] *was ~ 《미·구어》 그[그녀]가 기껏 한다는 말[짓]이 …더라: He once drove me somewhere, and *he was* ~, "I love this car — it's like a rocket!" 한번은 그와 드라이브를 갔는데, 기껏 한다는 말이 「난 이 차를 사랑해 — 마치 로켓 같아!」 그러더라고.

— *n.* **1** [one's ~로] 전부, 전 소유물; 전력: He lost *his* ~. 그는 몽땅 잃었다. / The coach expects everyone to give *their* ~ in every game. 코치는 모든 선수들이 매 경기마다 전력을 다하길 바란다.

2 [종종 **A~**] 만물, 우주, 삼라만상

for ~ I know ⇨ know

for ~ of …에 관한 한

***for ~* (*that*)** [접속사적으로] …에도 불구하고

give* one*'s ~ 온갖 노력을 쏟다

not at ~ ⇨ at ALL *pron.* (1)

That's ~. ⇨ *pron.* 1a

That's ~ there is to it. 그게 다야, 아주 간단하다.

when ~ comes* [*goes*] *to ~ 결국

when ~ is said and done = AFTER(*conj.*) ~ is said and done

al·le·thrin [ǽləθrin | ælə́-] *n.* 〖화학〗 알레트린 《살충제》

al·le·vi·ant [əlíːviənt] *n.* 완화[경감]하는 것

al·le·vi·ate [əlíːvièit] *vt.* 〈고통 등을〉 덜다, 완화하다, 경감하다, 편하게 하다: in an effort to ~ congestion 혼잡을 완화하기 위한 노력으로 **-à·tor** *n.*

al·le·vi·a·tion [əlìːviéiʃən] *n.* Ⓤ 경감, 완화; Ⓒ 경감[완화]하는 것

al·le·vi·a·tive [əlíːvièitiv, -viə-] *a.* 완화하는

al·le·vi·a·to·ry [əlíːviətɔ̀ːri | -təri] *a.* 경감하는

all-ex·pense [ɔ́ːlikspéns] *a.* 모든 비용 포함의 〈여행〉

*__al·ley__[1] [ǽli] [OF 「가다」의 뜻에서] *n.* **1** (정원·공원 등의) **오솔길,** 좁은 길 **2** (건물 사이의) **골목,** 샛길, 골목길(⇨ path 유의어); 《미》 좁은 뒷길: a blind ~ 막다른 골목 **3** (skittles, bowling 등의) 경기장; 레인(lane); [종종 *pl.*] 볼링장 **4** 〖테니스·배드민턴〗 앨리 《복식 시합의 사이드라인과 단식 시합의 사이드라인 사이의 좁다란 공간》 **5** 《드물게》 (교회 좌석 간의) 통로(aisle) ***down the ~*** 〖야구〗 한복판의 (***right***) ***up* [*down*] one*'s ~*** 《속어》 기호[성미]에 맞는, 전문에 속하는 ***strike into another ~*** (이야기 도중에) 말머리를 돌리다

alley[2] *n.* (*pl.* **~s**) 《영》 (대리석 등의) 공깃돌

álley àpple 《미·속어》 (길바닥의) 말똥; 돌멩이

álley bàll 《속어》 길거리 농구

álley càt 1 도둑고양이 **2** 《속어》 헤픈 여자

al·leyed [ǽlid] *a.* 골목이 있는, 골목 모양의

thesaurus **alliance** *n.* union, association, league, confederation, partnership, affiliation

al·ley-oop [ǽliúːp] *int.* 영차, 이여차 《물건을 들어 올리거나 몸을 일으킬 때의 소리》
— *n.* 〚농구〛 (바스켓 근처의 자기네 선수에게로의) 고공 패스(= **∼ pàss**)
al·ley·way [-wèi] *n.* 골목, 좁은 길[통로]
all-faith [ɔ́ːlféiθ] *a.* 모든 종파(용)의
All-fa·ther [ɔ́ːlfɑ̀ːðər] *n.* [the ∼] 최고신(神), 하느님
all-fi·nanz [ɔːlfáinæns, ǽlfinæns] *n.* 종합 금융업 《한 회사가 은행 업무와 보험 업무를 겸하는》
all-fired [-fàiərd] ['hell-fired'의 완곡어] *a., ad.* 《구어》 대단한[히], 무서운[무섭게], 지독한[히]
Áll Fóols' Dày = APRIL FOOLS' DAY
áll fóurs **1** (짐승의) 네 발; (사람의) 수족, 사지 **2** [단수 취급] = SEVEN-UP 《카드 게임의 일종》
on ∼ 네 발로 기어; 《영》 꼭 들어맞아 《*with*》
All·hal·lows [ɔ̀ːlhǽlouz] *n.* = ALL SAINTS' DAY
Allhállows Éve = HALLOWEEN
all·heal [-hìːl] *n.* 〚식물〛 쥐오줌풀, 꿀풀; (외상용) 약초
al·li·a·ceous [æ̀liéiʃəs] *a.* 〚식물〛 파속(屬)의; 파[마늘, 부추] 냄새가 나는
al·li·ance** [əláiəns] *n.* **1** ⓒⓤ **동맹**, 연합; 동맹 관계: a triple ∼ 삼국 동맹 **2** ⓒⓤ **결연**(結緣); 혼인; 인척 관계 **3** (개인·가족·조직·국가 등의) 협력, 협조 **4** [집합적] 동맹국 **5** ⓤⓒ (성질 등의) 유사, 공통점; 〚식물〛 동속(同屬) ***form [***enter into***] ***an ∼ with*** …와 동맹[제휴]하다; …와 결연하다 ***in ∼ with*** …와 연합[결탁]하여 ▷ allý¹ *v.*
Allíance for Prógress 〚미정치〛 진보를 위한 동맹 《Kennedy 대통령이 제안·추진한 미국의 라틴 아메리카 개발 원조 계획》
al·li·cin [ǽləsin] *n.* 〚생화학〛 알리신 《마늘에서 추출되는 항균성 물질》
‡**al·lied** [əláid, ǽlaid] *a.* **1** **동맹한, 연합한**; [**A∼**] 연합국 측의: ∼ nations 동맹국 **2** 결연한, 인척 관계의 **3** 동류의, 유사한, 관련된: ∼ products 관련 제품 / Dogs are ∼ to wolves. 개는 늑대와 동류이다.
the A∼ Forces [***Powers***] 연합군
al·li·ga·tion [æ̀ligéiʃən] *n.* ⓤ 〚수학〛 혼합법
***al·li·ga·tor** [ǽligèitər] *n.* **1** 〚동물〛 **악어** 《미국·중국산(産); cf. CROCODILE》 **2** ⓤ 악어 가죽 **3** 〚기계〛 (악어 입처럼) 맞물리는 금속 공구 **4** 수륙 양용 전차 **5** 스윙[재즈] 음악광(狂)
— *a.* 악어의[같은]; 악어 입처럼 맞물리는
— *vi.* 〈페인트 등이〉 금이 가다
álligator bàit 《미흑인속어·경멸》 (Florida, Louisiana 출신의) 흑인
álligator clìp (전기 계측용) 악어입 클립
álligator pèar = AVOCADO
álligator snàpper 〚동물〛 악어거북 《멕시코 만에 면한 여러 주에 삶》; = SNAPPING TURTLE
álligator tórtoise = ALLIGATOR SNAPPER
all-im·por·tant [ɔ́ːlimpɔ́ːrtənt] *a.* 가장 중요한
all-in [-ín] *a.* 《영》 **1** 모든 것을 포함한: an ∼ 5-day tour 전 비용을 선납한 5일의 여정 **2** 결연한, 단호한 〈결심 등〉 **3** 자유형의 〈레슬링〉 **4** (재즈에서) 총출연의, 앙상블의 **5** 《속어》 녹초가 된; 무일푼의
all-in·clu·sive [-inklúːsiv] *a.* 모두 포함한, 포괄적인
all-in-one [ɔ́ːlinwʌ́n] *n.* 올인원 《분리되지 않은 일체형의 속옷·아기 옷 등》 **—** *a.* 전부가 하나로 된, 필요 부품을 한데 묶은
áll-ín wrèstling 《영》 자유형 레슬링
al·li·sion [əlíʒən] *n.* 〚법〛 선박 충돌
al·lit·er·ate [əlítərèit] *vi., vt.* 두운(頭韻)을 사용하다[맞추다] **-à·tor** *n.*
al·lit·er·a·tion [əlìtəréiʃən] *n.* ⓤⓒ 〚운율〛 두운(頭韻)(법) 《보기: *C*are *k*illed the *c*at. / with *m*ight and *m*ain》

al·lit·er·a·tive [əlítərèitiv, -rə-] *a.* 두운체(體)의, 두운을 맞춘 **∼·ly** *ad.* **∼·ness** *n.*
al·li·um [ǽliəm] *n.* 〚식물〛 파·마늘류
all-know·ing [ɔ́ːlnóuiŋ] *a.* 전지(全知)의
all-mains [-méinz] *a.* 어떤 전압(電壓)에도 맞는
all·ness [ɔ́ːlnis] *n.* ⓤ 전체성, 보편성, 완전, 완벽
***all-night** [ɔ́ːlnàit] *a.* **철야의**, 밤새도록 하는: ∼ service 철야 운행[영업]
all-night·er [-náitər] *n.* 《구어》 밤새도록 계속되는 것 《회의·게임 등》, 철야 작업[공부], 24시간 슈퍼마켓
allo- [ǽlou, ǽlə] 《연결형》 = ALL-[1]
allo. allegro
al·lo·an·ti·body [æ̀louǽntibɑ̀di | -bɔ̀di] *n.* 〚면역〛 동종 (이계) 항체
al·lo·an·ti·gen [æ̀louǽntidʒən, -dʒèn] *n.* 〚면역〛 동종 (이계) 항원(isoantigen)
al·lo·bar [ǽləbɑ̀ːr] *n.* 〚기상〛 기압 변화역(域), 기압 등변화선 **àl·lo·bár·ic** *a.* 기압 변화의[로 인한]
al·lo·ca·ble [ǽləkəbl] *a.* 할당[배분]할 수 있는
al·lo·cate [ǽləkèit] [L 「장소에 두다」의 뜻에서] *vt.* 〈일·임무 등을〉 할당하다; 〈이익 등을〉 배분하다 (assign) 《*to*》; 배치하다 《*to*》; 〚컴퓨터〛 …에 할당하다
ál·lo·càt·a·ble *a.* = ALLOCABLE **-cà·tor** *n.*
al·lo·ca·tion [æ̀ləkéiʃən] *n.* **1** ⓤ 배당, 배급; 배치; 〚컴퓨터〛 할당: ∼ of resources 자원의 배분 **2** 배당액, 배급량
al·loch·thon [əlɑ́kθən, -θɑn | əlɔ́kθən] *n.* 〚지질〛 외래 지층(外來地層), 이지성(異地性) 지층 《지각 운동으로 다른 곳에서 이동해 온 지층》
-tho·nous *a.* 〚지질〛 외래의, 이지성(異地性)의
al·lo·cu·tion [æ̀ləkjúːʃən] *n.* 훈시, 유시 《로마 교황 등의》(cf. LOCUTION)
al·lo·di·al [əlóudiəl] *a.* 〚법〛 완전 사유지의, 자유 보유 토지의(cf. FEUDAL) **∼·ly** *ad.*
al·lo·di·um [əlóudiəm] *n.* (*pl.* **-di·a** [-diə]) 〚법〛 (봉건 시대의) 완전 사유지
al·log·a·mous [əlɑ́gəməs | əlɔ́-] *a.* 〚식물〛 타화(他花)[타가(他家)] 수분의
al·log·a·my [əlɑ́gəmi | əlɔ́-] *n.* ⓤ 〚식물〛 타가[타화] 수분(opp. *autogamy*)
al·lo·ge·ne·ic [æ̀loudʒəníːik], **-gen·ic** [-dʒénik] *a.* 〚면역〛 〈세포·조직 등이〉 동종 이계(同種異系)의 **-cal·ly** *ad.*
al·lo·graft [ǽləgræ̀ft | -grɑ̀ːft] 〚외과〛 *n.* 동종 이식편(片) **—** *vt.* 동종 이식하다
al·lo·graph [ǽləgræ̀f, -grɑ̀ːf] *n.* 〚언어〛 이서(異書)(체); 〚법〛 비(非)자필, 대필(代筆)
al·lo·im·mune [æ̀ləimjúːn] *a.* 동종 면역의
al·lom·er·ism [əlɑ́mərìzm | əlɔ́-] *n.* ⓤ 〚화학〛 이질 동형(異質同形) **al·lóm·er·ous** *a.* 이질 동형의
al·lom·e·try [əlɑ́mətri | əlɔ́-] *n.* 〚생물〛 상대 성장 (측정) **al·lo·met·ric** [æ̀ləmétrik] *a.*
al·lo·mone [ǽləmòun] *n.* 〚생화학〛 알로몬 《다른 생물의 공격에 대해 식물·곤충이 분비하는 화학 물질》
al·lo·morph [ǽləmɔ̀ːrf] *n.* 〚언어〛 이형태(異形態); 〚화학〛 이형 가상(假像) 《화학 변화가 없는 가상》
àl·lo·mór·phic *a.*
al·lo·mor·phism [æ̀ləmɔ́ːrfizm] *n.* 〚화학〛 동질 이형
al·longe [əlʌ́ndʒ] *n.* 〚법〛 (어음 등의 이서를 위한) 부전(附箋)
al·lo·nym [ǽlənìm] *n.* (작가의) 가명; 가명으로 발표된 저작 **al·lon·y·mous** [əlɑ́nəməs | -lɔ́n-] *a.*
al·lo·path [ǽləpæ̀θ], **al·lop·a·thist** [əlɑ́pəθist | əlɔ́p-] *n.* 대증(對症) 요법 의사[지지자]
al·lop·a·thy [əlɑ́pəθi | əlɔ́-] *n.* ⓤ 〚의학〛 대증 요법(對症療法) **al·lo·path·ic** [æ̀ləpǽθik] *a.*
al·lo·pat·ric [æ̀ləpǽtrik] *a.* 〚생태〛 이소(성)(異所(性))의 **-ri·cal·ly** *ad.*
al·lo·phane [ǽləfèin] *n.* ⓤ 〚광물〛 앨러페인 《무정형 함수(無定形含水) 알루미늄 규산염》

allied *a.* associated, related, connected, linked
allocate *v.* allot, assign, distribute, dispense

al·lo·phone [ǽləfòun] *n.* 〖음성〗 이음(異音) 《같은 음소에 속하는 음》 **àl·lo·phón·ic** *a.*
al·lo·plasm [ǽləplæ̀zm] *n.* Ⓤ 〖생물〗 이형질
al·lo·plas·ty [ǽləplæ̀sti] *n.* 〖외과〗 이물 사용 형성(술)
al·lo·poly·ploid [æ̀ləpɑ́liplɔ̀id | -pɔ́li-] 〖생물〗 *a.* 이질 배수성(異質倍數性)의 **—***n.* 이질 배수체
al·lo·pu·ri·nol [æ̀ləpjúərənɔ̀:l, -nɑ̀l | -nɔ̀l] *n.* 〖약학〗 알로퓨리놀 《혈액 중의 요산 배출 촉진약》
áll-orig·i·nals scène [ɔ́:lərídʒənəlz-] 《미·속어》 흑인만의 집회[파티]
all or·none [ɔ́:lɔ:rnʌ́n] *a.* = ALL-OR-NOTHING
áll-or-nóne láw 〖생리〗 실무율(悉無律)
all-or-noth·ing [ɔ́:lɔ:rnʌ́θiŋ] *a.* 전부가 아니면 무의, 타협 없는; 성공 아니면 실패의
al·lo·saur [ǽləsɔ̀:r], **-sau·rus** [æ̀ləsɔ́:rəs] *n.* 〖고대생물〗 알로사우루스 《육식 공룡》
al·lo·ster·ic [æ̀ləstérik] *a.* 〖생화학〗 알로스테릭한 〈효소·단백질〉 **-i·cal·ly** *ad.*
al·los·ter·y [ǽləstèri] *n.* 알로스테릭 효과 《효소의 비활성 부위에 타물질이 결합함으로써 효소의 활성이 변하는 효과》
‡**al·lot** [əlɑ́t | əlɔ́t] [OF 「제비(lot)로 가르다」의 뜻에서] *v.* (**~·ted**; **~·ting**) *vt.* **1** 할당하다(assign), 분배하다, 배분하다: (~+목+전+명) ~ shares *to* persons 주식을 사람들에게 배당하다 **2** 충당하다, 충용(充用)하다(appropriate); 가져다 대다; 지정하다: (~+목+전+명) ~ money *for* investigation 조사에 비용을 충당하다 **~ *on*[*upon*]** 《미·방언》 …할 작정이다 **~·ta·ble** *a.* **~·ter** *n.*
▷ allótment *n.*
***al·lot·ment** [əlɑ́tmənt | əlɔ́t-] *n.* **1** Ⓤ 할당, 분배 **2** 몫; 분담액 **3** 〖미군〗 특별 수당 《가족 수당·보험 수당 등》 **4** 지정, 배치; 《영》 (시민에게 임대하는) 채소밭 **5** Ⓤ 운수, 천명
al·lo·trans·plant [æ̀loutrænsplǽnt | -plɑ́:nt] *n.*, *vt.* = ALLOGRAFT
al·lo·trope [ǽlətròup] *n.* 〖화학〗 동소체(同素體)
al·lo·trop·ic, -i·cal [æ̀lətrɑ́pik(əl) | -trɔ́-] *a.* 동소체의 **-i·cal·ly** *ad.*
al·lot·ro·py [əlɑ́trəpi | əlɔ́-], **-pism** [-pìzm] *n.* Ⓤ 〖화학〗 동질 이체(同質異體), 동소(성)(同素(性))
all' ot·ta·va [ɑ̀:l-ətɑ́:və] [It.] *ad*, *a.* 〖음악〗 = OTTAVA
al·lot·tee [əlɑtí: | -lɔ-] *n.* 할당 받는 사람
al·lo·type [ǽlətàip] *n.* 〖생물〗 (분류상의) 별모식(別模式) 표본; 〖면역〗 알로타이프 《종족 내(內) 항원》
al·lo·typ·ic [æ̀lətípik] *a.* **ál·lo·tỳp·y** [-tàipi] *n.*
all-out [ɔ́:láut] *a.* Ⓐ 총력을 다한, 전면적인; 철저한 **~·er** *n.* 철저한 정책 주창자
áll-óut wár 총력전, 전면전
all·over [-òuvər] *a.* 전면적인; 천 전체에 무늬[자수]가 있는 **—***n.* 전면에 무늬가 있는 천
all-over·ish [-óuvəriʃ] *a.* 《구어》 어쩐지 불안한; 어쩐지 기운이 없는[몸이 나른한]
‡**al·low** [əláu] *vt.* **1** 허락하다, 허가하다(⇨ let[1] 유의어); …하게 두다, …하는 대로 두다, 묵인하다(permit): (~+*-ing*) Smok*ing* is not *~ed* here. 금연. ∥ (~+목+*to* do) I can't ~ you *to* behave like that. 네가 그렇게 행동하는 것을 내버려둘 수는 없다. **2** (정기적으로) 주다, 지급하다(grant): (~+목+목) ~ him 50,000 won a month 그에게 월 5만 원을 지급하다 **3** 〈요구·논의 등을〉 인정하다, 시인하다 《이 뜻으로는 admit이 일반적》: ~ a claim 요구를 인정하다 ∥ (~+목+*to be* 보) (~+*that* 절) I ~ him *to be* a genius. = I ~ *that* he is a genius. 과연 그는 천재다. **4** 〈사람·사물을〉 (실수로) …한 채로 두다: (~+목+*to* do) ~ a door *to* remain open 깜박하고 문을 연 채로 두다 **5** 공제하다, 할인하다, 참작하다, 덜다; …의 여유를 잡아 두다: (~+목+전+명) We ~ five shillings *for* the tear. 찢어진 데가 있으므로 5실링 할인해 드립니다. / ~ 5,000 won *for* expenses 비용으로 5,000원을 잡아 두다 **6** 《미·방언》 …이라고 생각하다(think); …할 작정이다: (~+*that* 절) I ~ *that* it's quite right. 그것은 아주 옳다고 생각한다. ∥ (~+*to* do) I ~ *to* go fishing tomorrow. 내일 낚시질하러 갈 작정이다. **7** 《미》 (분명히) 말하다, 주장하다
—*vi.* **1** 인정하다, 허용하다(permit, admit); …의 여지가 있다: (~+전+명) ~ *of* no delay 조금도 지체할 수 없다 / ~ *of* some alteration 다소 변경의 여지가 있다 **2** (사정 등을) 참작하다, 계산[고려]에 넣다; …의 여유를 생각해 두다: (~+전+명) We must ~ *for* some delay. 다소의 지연을 생각해 두어야 한다.
~ing that ... …이라고 하더라도 ***~ me to*** (do) (실례지만) …하겠습니다: *A~ me to* introduce to you Mr. X. X씨를 소개하겠습니다. ***~ oneself in*** …에 몰두[열중]하다
▷ allówance *n.*
al·low·a·ble [əláuəbl] *a.* 허락할 수 있는, 무방한 (permissible); 정당한 **—***n.* 허가 사항[량]; 〖생태〗 (자원 보호를 위한) 허용 채취[벌채]량(= ~ **cút**) **-bly** *ad.*
‡**al·low·ance** [əláuəns] *n.* **1** (정기적으로 지급하는) 수당, 급여액, …비(費); 《미》 (가족에게 주는) 용돈 (《영》 pocket money): clothing[family] ~ 피복[가족] 수당 / a retiring ~ 퇴직 수당 **2** 공제, 할인 (deduction): make an ~ of 20% 20% 할인하다 **3** Ⓤ 허용, 허가, 승인(permission): baggage ~ 수하물 허용량 **4** 여유; [보통 *pl.*] 참작 **5** (기계 치수 등의) 허용차, 치수차, 공차(公差) **6** (요트 경기에서) 실제 경과 시간에서 공제되는 수정량 ***an ~ for long service*** 연공 가봉(年功加俸) ***at no ~*** 참작하지 않고 ***make ~(s) for*** (1) …을 참작하다, 고려하다 (2) …을 봐주다, 감안하다
—*vt.* 〈수당·식량 등을〉 일정량[일정액]으로 제한하다, 배급하다 ▷ allów *v.*
al·lowed [əláud] *a.* 허가받은; 〖물리〗 (양자(量子) 역학의 선택 규칙에 따라) 허용된
al·low·ed·ly [əláuidli] *ad.* **1** 인정되어 **2** [문장 전체를 수식하여] 당연히, 명백히
al·lox·an [əlɑ́ksən | -lɔ́k-] *n.* 〖생화학〗 알록산 《동물 실험에서 당뇨병을 유발시키는 데 씀》
***al·loy** [ǽlɔi, əlɔ́i] *n.* ⓊⒸ **1** 합금 **2** (금·은의) 품위 **3** 합금에 쓰는 비(卑)금속 **4** [əlɔ́i] 《비유》 섞음질; 불순물, 혼합물: joy without ~ 순수한 기쁨
—*v.* [əlɔ́i] *vt.* **1** 합금하다; 섞다(mix) 《*with*》 **2** (합금하여) 순도를 떨어뜨리다(debase) **3** 〈쾌감 등을〉 덜다; 잡치다(spoil); 해치다(impair)
—*vi.* 합금이 되다
álloy stèel 〖야금〗 합금강, 특수강
all-par·ty [ɔ́:lpɑ́:rti] *a.* 초당파의
all-pass [-pǽs, -pɑ́:s] *a.* 〖무선〗 〈회로망·변환기 등이〉 전(全) 통과(회로)의
all-per·vad·ing [-pərvéidiŋ] *a.* 전반적으로 퍼진[보급된]
all-play-all [-plèiɔ́:l] *a.*, *n.* 《영》 〖경기〗 모든 선수[팀]가 대전하는 (방식)
áll-points búlletin [-pɔ̀ints-] (경찰의) 전국 지명 수배 《略 APB》
all-pow·er·ful [-páuərfəl] *a.* 전능한, 최강의; 전권을 가진
all-pro [-próu] *a.* 《미·구어》 제1급의, 최고의, 일류의, 우수한
all-pur·pose [-pə́:rpəs] *a.* Ⓐ 만능의, 다목적의, 다용도의: an ~ tool 만능 기구
áll-purpose flóur 다목적용 밀가루 《밀에서 기울과 배아를 제거한 후 만든 밀가루》

thesaurus **allot** *v.* allocate, distribute, give out, dispense, apportion, set aside
allow *v.* **1** 허락하다 permit, let, authorize, sanction (opp. *prevent, forbid, prohibit*) **2** 주다 allo-

all-red, All-Red [-réd] *a.* (지도에 빨간색이 칠해진) 영국령(領)만을 통과하는: ~ routes 전 영령(全英領) 연락 항로
*__áll ríght__ *a.* 《구어》 **1** [감탄사적] 좋아, 알았어 《승낙》; [의문문에서] 좋아?, 너도 동의하니?: *All right* on the night[day]. 《구어》 오늘밤[오늘]은 이쯤으로 됐다. **2** 더할 나위 없는, 만족스러운; 걱정 없는, 지장 없는; 훌륭한, 마음에 드는, 괜찮은: a film that is ~ for children 어린이가 보아도 괜찮은 영화 **3** 건강한, 무사한 **4** Ⓐ 신뢰할 수 있는, 선량한
— *ad.* 더할 나위 없이, 훌륭하게
all·right·nik [ɔ̀:lráitnik] *n.* 《속어》 중간(의 지위)에 안주하는 사람
all-risks [ɔ́:lrìsks] *a.* 〖보험〗 전 위험 담보의 《略 a.r.》: an ~ policy 전 위험 담보 보험
all-round [-ráund] *a.* 《영》 = ALL-AROUND
all-round·er [-ráundər] *n.* 만능인 사람, 만능선수
Áll Sáints' Dày 〖가톨릭〗 모든 성인의 축일, 제성첨례(諸聖瞻禮); 《속칭》 만성절(萬聖節) 《11월 1일; 성인의 영혼에 제사 지냄; cf. HALLOWMAS》
alls-bay [ɔ́:lzbèi] *n.* 《미·속어》 고환, 불알
all-seat·er [ɔ́:lsì:tər] *a.* 《영》 전원 좌석식의
all·seed [-sì:d] *n.* 〖식물〗 씨 많은 초본 《마디풀·명아주 등》
all-sing·ing all-danc·ing [ɔ:lsíŋiŋ-ɔ:ldǽnsiŋ] *a.* Ⓐ 《구어》 (관심을 끌기 위해) 가능한 모든 수단을 동원하는; 다목적의, 다기능의 〈기계 《등》〉
all-sorts [ɔ́:lsɔ̀:rts] *n. pl.* 《영》 여러 가지를 섞은 것, 《특히》 각종 캔디를 섞어 놓은 것
Áll Sóuls' Dày 〖가톨릭〗 위령의 날; 《속칭》 만령절(萬靈節) 《11월 2일》
all·spice [-spàis] *n.* **1** 〖식물〗 올스파이스 나무 《열대 아메리카산(産)》 **2** Ⓤ 그 열매로 만든 향신료
all-star [-stɑ̀:r] *a.* Ⓐ 명배우 총출연의, 명선수 총출전의: on ~ cast 스타 총출연 — *n.* 올스타 팀의 선수
áll-star gáme 《미》 올스타 게임 《스포츠에서의 최고 선수들로 팀을 짜서 하는 경기》
all-state, all-State [-stéit] *a.* 주(州) 대표[선발]의
áll-ter·ráin bìke [-təréin-] = MOUNTAIN BIKE
áll-terráin véhicle 전지형(全地形) 만능차, 4륜 산악 오토바이 《略 ATV》
all-tick·et [-tíkit] *a.* [보통 Ⓐ] 예매해야 하는, 예매 필수의: an ~ match 예매를 해야 하는 경기
all-time [-tàim] *a.* Ⓐ **1** 전대미문의, 미증유의, 사상(史上) 처음 보는: an ~ high[low] 최고[최저] 기록 / an ~ baseball team 사상 최고의 야구팀 **2** = FULL-TIME **3** 영원한, 불변의
*__al·lude__ [əlú:d] *vi.* **1** 암시하다, 시사(示唆)하다, 넌지시 말하다 《*to*》 《직접 언급할 때는 refer, mention을 씀; ⇨ refer 유의어》: (~+전+명) ~ *to* one's poverty 자기의 가난함을 넌지시 말하다 **2** (암시적으로) 언급[논급]하다 《*to*》: (~+전+명) Whom were you *alluding to* just now? 방금 당신은 누구에 대해 말하고 있었습니까?
▷ allúsion *n.*; allúsive *a.*
all-up [ɔ́:lʌ̀p] *n.* 기체(機體) 총중량
— *a.* 총계의, 전체의; 《영·구어》 다 끝난; 망한, 끝장난 ***go*** ~ 《영·구어》 만사 끝장이다
áll-up wéight [ɔ́:lʌ̀p-] 〖항공〗 기체(機體) 총중량 《비행 중의》
*__al·lure__ [əlúər | əljúə] [OF 「…으로 유인하다」의 뜻에서] *vt.* **1** (미끼로) 꾀다; 후리어 들이다, 유인하다(entice): (~+목+전+명) ~ a person *from*[*to*, *into*] a party …을 패거리에서 꾀어내다[로 꾀어넣다] // (~+목+***to*** do) ~ a person *to* buy it …을 꾀어서 그것을 사도록 하다 **2** 매혹하다(charm), 〈마음을〉 사로잡다
— *n.* 《문어》 매력(charm), 매혹, 유혹(하는 것)
al·lúr·er *n.* ▷ allúrement *n.*
al·lure·ment [əlúərmənt | əljúər-] *n.* Ⓤ 매혹, 유혹; Ⓒ 유혹물: the ~*s* of a big city 대도시의 여러 유혹물
*__al·lur·ing__ [əlúəriŋ | əljúər-] *a.* 유혹하는 《*to*》; 마음을 끄는, 매혹적인, 황홀한: an ~ voice 매혹적인 목소리 **~·ly** *ad.* 매혹적으로 **~·ness** *n.*
*__al·lu·sion__ [əlú:ʒən] *n.* ⓊⒸ 암시, 언급, 넌지시 하는 말; 〖수사학〗 인유(引喩) ***in ~ to*** 넌지시 …을 가리켜 [빗대어] ▷ allúde *v.*
*__al·lu·sive__ [əlú:siv] *a.* 암시적인; 넌지시 빗대고 말하는 《*to*》; 인유가 많은 〈문장 등〉 **~·ly** *ad.* **~·ness** *n.*
▷ allúde *v.*
al·lu·vi·a [əlú:viə] *n.* ALLUVIUM의 복수
al·lu·vi·al [əlú:viəl] 〖지질〗 *a.* 충적(沖積)의: the ~ epoch 충적기 / ~ gold 사금(砂金) / ~ soil 충적토
— *n.* Ⓤ (사금을 함유한) 충적토
allúvial cóne 〖지질〗 충적추(沖積錐)
allúvial fán 〖지질〗 충적 선상지(扇狀地)
allúvial pláin 충적 평야
al·lu·vi·on [əlú:viən] *n.* **1** 파도의 밀려듦, 홍수, 범람(氾濫) **2** = ALLUVIUM **3** 〖법〗 (강물로 인한) 신생지
al·lu·vi·um [əlú:viəm] *n.* (*pl.* **~s, -vi·a** [-viə]) 〖지질〗 충적층, 충적토
all-weath·er [ɔ́:lwèðər] *a.* 전천후(용)의
áll-wheel drìve [-*h*wì:l-] 《미》 전륜(全輪) 구동(차)(four-wheel drive)
all-white [-*h*wáit] *a.* 백인만의, 백인 전용의
áll-wing àirplane [-wìŋ-] (동체부가 없는) 전익(全翼) 비행기
‡**al·ly**[1] [əlái] *v.* (**-lied**) *vt.* **1** [보통 수동형, 때로 ~ one*self* 로] 〈…을〉 동맹[결연, 연합, 제휴]시키다(unite) 《*with, to*》: (~+목+전+명) He *allied himself with* a wealthy family by marriage. 그는 부유한 집안과 혼인을 맺었다. / Japan was once *allied with* England. 일본은 영국과 동맹을 맺은 적이 있다. **2** 〈…을〉 결합시키다, 동류(同類)에 속하게 하다(associate) 《*to*》(⇨ allied 3)
— *vi.* 동맹[결연, 연합, 제휴]하다
— [ǽlai, əlái] *n.* (*pl.* **-lies**) **1** 동맹국, 맹방; 동맹자, 맹우(盟友), 자기편; [the Allies] (세계 대전 중의) 연합국(cf. AXIS[1]) **2** 〖생물〗 동류[동속, 동종]의 것
al·lí·a·ble *a.* ▷ allíance *n.*
al·ly[2] [ǽli] *n.* = ALLEY[2]
-ally [əli] *suf.* -ic으로 끝나는 형용사에 붙여서 부사를 만듦
all-year [ɔ́:ljìər] *a.* 연중(무휴)의
al·lyl [ǽlil] *n.* ⓊⒸ, *a.* 〖화학〗 알릴기(의)
állyl álcohol 〖화학〗 알릴 알코올
állyl résin 〖화학〗 알릴 수지(樹脂)
állyl súlfide 〖화학〗 황화알릴 《마늘 등에 들어 있는 무색의 액체》
all-you-can-drink [ɔ́:ljukæ̀ndríŋk] *a.* 얼마든지 마실 수 있는
ALM audio-lingual method
Al·ma-A·ta [æ̀lməətɑ́:] *n.* 알마아타 《카자흐스탄 공화국의 옛 수도; 현재의 알마티(Almaty); cf. ASTANA》
Al·ma·gest [ǽlmədʒèst] *n.* 알마게스트 《Ptolemy의 천문학서》; [**a~**] 중세의 천문서·연금술 저서
al·ma(h) [ǽlmə] *n.* (이집트의) 무희(舞姬), 가수
al·ma ma·ter [ǽlmə-mɑ́:tər, -méitər] [L= fostering mother] *n.* **1** 모교, 출신교 **2** 《미》 교가
*__al·ma·nac__ [ɔ́:lmənæ̀k] *n.* 책력 《일출 시각·월령·조석 등을 기록》; 연감(年鑑)(cf. CALENDAR)
Al·ma·nach de Go·tha [ɔ́:lmənæ̀k-də-gɑ́θə | -gɔ́θə] 고타 연감 《유럽의 왕가·귀족의 족보 등을 기재한 것》

---

cate, allot, grant, give, assign, remit, spare
ally[1] *v.* unite, join, combine, affiliate — *n.* confederate, associate, partner, accomplice, colleague, friend (opp. *enemy, opponent*)

al·man·dine [ǽlməndìːn, -dàin, -din], **-dite** [-dàit] *n.* Ⓤ 〖광물〗 귀석류석(貴石榴石)
al·me(h) [ǽlmei] *n.* = ALMA(H)
al·might·i·ness [ɔːlmáitinis] *n.* Ⓤ 전능
‡**al·might·y** [ɔːlmáiti] *a.* **1** [종종 **A~**] 전능한, 만능의 **2** Ⓐ (구어) 대단한, 어마어마한(great): an ~ nuisance 대단히 귀찮은 일
A~ God = ***God A~*** 전능하신 하느님
—*ad.* (속어) 대단히, 무척: ~ glad 무척 기쁜
—*n.* [the A~] 전능자, 하느님(God)
al·míght·i·ly *ad.*
almíghty dóllar (미·구어) 만능의 돈, 만능의 달러 통화
al·mi·rah [ælmáiərə] *n.* (인도) 옷장; 찬장
***al·mond** [ɑ́ːmənd, ǽm-, ǽl- | ɑ́ːm-] *n.* **1** 〖식물〗 편도(扁桃), 아몬드 《나무, 열매, 씨; 희망이나 풍요를 상징함》 **2** 〖해부〗 편도선 **3** 아몬드 모양의 것[장식] **4** Ⓤ 연한 황갈색
—*a.* **1** 아몬드 색[모양, 맛]인 **2** 아몬드로 만든
al·mond-eyed [ɑ́ːməndàid] *a.* 아몬드 같은[가는 타원형의] 눈을 가진 《한국인·중국인·일본인의 특징》
álmond èyes 아몬드 모양의 눈
álmond grèen 엷은 황록색
álmond òil 아몬드유(油) 《윤활유·약용유》
al·mond-shaped [ɑ́ːmənd∫èipt] *a.* 아몬드 형의, (한쪽 또는 양쪽의) 끝이 뾰족한 타원형의
al·mon·er [ǽlmənər, ɑ́ːm-] *n.* **1** 구호금[품] 분배 관리 《중세의 수도원·왕실 등의》 **2** (영) (병원의) 의료 복지 담당원
al·mon·ry [ǽlmənri, ɑ́ːm-] *n.* (*pl.* **-ries**) 구호금[품] 분배소
‡**al·most** [ɔ́ːlmoust, ―´ | ´―] *ad.* **1** 거의, 거반(⇨ about 유의어); 대체로, 대부분: It's ~ three o'clock. 거의 3시이다. 《시간의 접근》/ *A~* all the people came out. 거의 모든 사람들이 밖으로 나왔다. 《almost (the) people은 잘못》/ Dinner is ~ ready. 저녁 준비가 거의 다 되었다. **2** 하마터면: I'd ~ forgotten that. 하마터면 그것을 잊을 뻔했다.
USAGE 형용사·동사·부사를 수식하는 것이 보통이나 「…이라고 해도 좋을 정도로」의 뜻으로는 명사도 수식한다. 또한 수식하는 어구 직전의 위치를 벗어날 수도 있는데, 이 때는 문장 전체를 수식하는 부사로 보면 된다. 그리고 almost는 nearly보다도 근접함을 의미한다. 예를 들면: The book is *almost*[*nearly*] completed. 「이 책은 거의 완성되었다」에서 almost 쪽이 보다 완성에 가까움을 나타낸다.
~ always 거의 언제나 ***~ never***[***no, nothing***] (미) 거의 …않다(scarcely ever[any, anything])
—*a.* Ⓐ 거의 …라고 할 만한: his ~ arrogance 거의 거만하다고 할 만한 그의 태도
—*n.* [the ~] (미·속어) 거의 최고의 것[사람]
***alms** [ɑ́ːmz] *n.* (*pl.* ~) **1** (빈민에게의) 자선품, 의연금, 구호금, 구호품, 자선 기부금: ask for (an) ~ 베풀어 주기를 청하다 / live by ~ 구호품으로 살아가다 **2** (고어) 자선 (행위), 희사
álms bòx[**chèst**] 자선함
alms·deed [ɑ́ːmsdìːd] *n.* (고어) 자선 (행위)
alms·folk [-fòuk] *n.* 구호금으로 생활하는 사람들
alms·giv·er [-gìvər] *n.* 자선가
alms·giv·ing [-gìviŋ] *n.* Ⓤ 구호, 희사, 자선
alms·house [-hàus] *n.* (*pl.* **-hous·es** [-hàuziz]) (영) (옛날의) 사설 구빈원; 극빈자 수용소
alms·man [-mən] *n.* (*pl.* **-men** [-mən]) **1** 구호받고 생활하는 사람 **2** (고어) 베푸는 사람
alms·wom·an [-wùmən] *n.* (*pl.* **-wom·en** [-wìmin]) 구호받는 여자
al·mug [ǽlməg, ɔ́ːl-] *n.* 〖성서〗 = ALGUM
al·ni·co [ǽlnikòu] [*al*uminum+*ni*ckel+*co*balt] *n.* Ⓤ 알니코 《철·니켈·알루미늄·코발트의 합금》
a·lo·di·al [əlóudiəl] *a.* = ALLODIAL
a·lo·di·um [əlóudiəm] *n.* = ALLODIUM

al·oe [ǽlou] *n.* (*pl.* **~s**) **1** 〖식물〗 알로에, 노회(蘆薈); [*pl.*; 단수 취급] 알로에 즙 《하제(下劑)》 **2** 〖식물〗 침향(沈香) **3** 〖식물〗 용설란(= American ~)
al·oes·wood [ǽlouzwùd] *n.* 〖식물〗 침향(沈香)
al·o·et·ic [æ̀louétik] *a.*, *n.* 알로에 즙이 든 (하제)
áloe vér·a [-vérə, -víərə] 〖식물〗 알로에 베라
a·loft** [əlɔ́ːft, əlɑ́ft | əlɔ́ft] *ad.* (문어) 위에, 높이(high up), 공중에; 〖항해〗 돛대 꼭대기에; (속어) 천국에 ***climb ~ 〈선원이〉 돛대 꼭대기에 올라가다 ***go*** ~ 천당에 가다, 죽다
—*prep.* …위[정상]에
a·log·i·cal [eilɑ́dʒikəl | -lɔ́dʒ-] *a.* 비논리적인, 논리에 반하는 **~·ly** *ad.*
a·lo·ha [əlóuə, ɑːlóuhɑː] [Haw. = love] *n.* ⓊⒸ **1** 인사; 만날 때의 인사 **2** 사랑; 친절
—*int.* 안녕!, 어서 오십시오; 안녕히 가세요
a·lo·ha·oe [ɑːlòuhɑːɔ́i, -óui] [Haw.] *int.* 어서 오세요; 안녕히 가세요
alóha shìrt 알로하 셔츠 《색이 화려한 남방셔츠》
Alóha Stàte [the ~] 미국 Hawaii 주의 속칭
al·o·in [ǽlouin] *n.* Ⓤ 〖화학〗 알로인 《알로에 잎의 즙을 달인 결정체; 하제로 쓰임》
‡**a·lone** [əlóun] [ME 'all one'에서] *a.* Ⓟ **1** 홀로, 외로이: I was ~. 나 혼자였다. / I am not ~ *in* this opinion. 이 의견을 가진 사람은 나 혼자만이 아니다. / I felt so ~. 나는 너무 외로웠다. / Let well (enough) ~. (속담) 긁어 부스럼을 만들지 마라. **2** [명사·대명사 바로 뒤에서 그것을 수식하여] 다만 …만, …뿐(only): Man shall not live by bread ~. 〖성서〗 사람은 빵만으로 사는 것이 아니다. / The shoes ~ cost $200. 신발만 200 달러였다. **3** 〈사람·사물이〉 (능력·특성 등에서) 필적할 것이 없는, 견줄 것이 없는: He is ~ in the field of microbiology. 미생물학에서 그와 견줄 만한 사람은 없다.
all ~ 오로지 혼자서; 혼자 힘으로 ***go it*** ~ (구어) 혼자서[혼자 힘으로]하다 ***let*** ~ …은 말할 것도 없이: It takes up too much time, *let* ~ the expenses. 비용은 말할 것도 없거니와 시간이 너무 걸린다. ***let***[***leave***] someone[something] ~ (사람[물건])을 내버려[그냥] 두다; (구어) 방해하지 않다: *Let* him ~ to do it. 그가 하게 내버려 둬라. ***let***[***leave***] ***well***(***enough***) ~ 현상에 만족하다 ***stand*** ~ 비길 데 없다, 당할 사람이 없다
—*ad.* (문어) 홀로, 단독으로; 다만 ***not ... ~, but***(***also***) …뿐만 아니라 (또한) ★ but (also)를 생략, 또는 대신 as well도 씀. **~·ly** *ad.* **~·ness** *n.*
‡**a·long** [əlɔ́ːŋ, əlɑ́ŋ | əlɔ́ŋ] *prep.*, *ad.*

기본적으로는 「…을 따라서」의 뜻에서
① …을 따라서 전 **1**
② 따라서 부 **1**
③ 데리고 부 **5**

—*prep.* **1** …을 따라서, …을 지나서, …을 끼고; …의 한끝에서 다른 끝으로: ~ the street 거리를 따라 / go ~ the river 강을 끼고[따라서] 가다 / all ~ the line 전선(全線)에 **2** 〈길 등〉의 도중에; 〈여행 등〉의 사이에: I dropped my wallet somewhere ~ the way back. 돌아오는 도중에 어디선가 지갑을 잃었다. **3** 〈방침·방향 등〉에 따라, …대로: ~ here 이쪽 방향으로
—*ad.* **1** [보통 ~ by로] 따라서; 이쪽으로: ~ *by* the hedge 울타리를 따라서 / Come (~) here. 이리 오시오. **2** [운동의 동사와 함께 단순한 강조로] (멎지 않고) 앞으로, 나아가: walk[run] ~ 계속 걷다[뛰다] **3** (구어) [보통 far, well 등과 함께] 〈시간이〉 지나서; 진척되어: The night was *well* ~. 밤이 이슥했었다. **4** (…와) 함께, …와 동조해서, (…와) 동시에 《*with*》:

thesaurus **alone** *a.* solitary, unaccompanied, unattended, unassisted, unaided, lonely, deserted,

I'll go ~ *with* you. 《구어》 함께 가겠습니다. **5** 《미》 데리고, 동반하여: I took my sister ~. 여동생을 데리고 왔다. / He was not ~. 그는 같이 오지 않았다. **6** 차례로 잇달아, 사람에서 사람으로 **7** 〈사물을〉 지니고, 가지고, (바로) 곁에, 수중에: Bring ~ your umbrella. 우산을 가지고 오세요.

USAGE 《구어》에서는 come, go, move, walk 등의 동작 동사 및 bring, invite, take 등과 함께 쓰여 단순히 그 동작을 강조할 경우도 있음: Come ~. 이리 온. / She took her dog ~. 그녀는 개를 데리고 갔다.

8 《구어》 [보통 about과 함께] 〈어느 시기·나이가〉 가까워져서, 약…, …무렵에: ~ *about* 5 o'clock 약 5시경에 ***all ~*** 처음부터, 죽, 내내 (***all***) ***~ of*** 《속어》 …의 탓으로 ***~ about*** [***toward***] 《미·구어》 …무렵에 ***~ back*** 《미·구어》 최근에 ***~ here*** [***there***] 이쪽[저쪽]으로(⇨ *prep.* 3) ***be ~*** 《구어》 오다, 가다; 가까워지다 《미래 시제와 함께》 ***Come ~*** (***with me***). 자, (나와 함께) 갑시다. ***get ~*** (1) 지내다, 살아가다: How are you *getting* ~? 어떻게 지내십니까? (2) 번영하다 (3) 《속어》 물러가라, 꺼져라 ***get ~ with*** 〈연구 등을〉 해 나가다, 진행시키다; 〈동료 등과〉 사이좋게 지내다 ***go ~*** 나아가다 ***Go ~*** (***with you***)***!*** 그만둬라!, 어리석은 말 마라! ***right ~*** 《구어》 쉬지 않고, 줄곧

a·long·ships [əlɔ́:ŋʃíps] *a., ad.* 〖항해〗 이물·고물의 선을 따르는[따라서]

a·long·shore [əlɔ́:ŋʃɔ́:r] *ad., a.* 물가[바닷가]를 끼고[낀]

∗**a·long·side** [əlɔ́:ŋsáid, əlάŋ- | əlɔ́ŋ-] *ad., prep.* 〖항해〗 (…에) **옆으로 대고,** (…의) 뱃전에[을]; (…의) 쪽에[을](beside)

~ of …와 나란히; …와 함께

al·oo [ǽlu:] *n.* Ⓤ 《인도》 감자(potato)

∗**a·loof** [əlú:f] *ad.* **1** 떨어져서, 멀리서(away) 《*from*》 **2** 〖항해〗 바람 불어오는 쪽에 ***keep*** [***stand, hold***] ***~*** 떨어져 있다, 초연하다 《*from*》 ***spring ~*** 〖항해〗 역풍으로 물결을 헤쳐 가다

— *a.* 쌀쌀한, 무관심한, 냉담한

~·ly *ad.* **~·ness** *n.* Ⓤ 무관심

al·o·pe·ci·a [æ̀ləpí:ʃiə] *n.* Ⓤ 〖병리〗 독두병(禿頭病), 탈모증, 대머리(baldness) **-cic** [-sik] *a.*

alopécia ar·e·á·ta [-æ̀riéitə] 〖병리〗 원형 탈모(증)

⁑**a·loud** [əláud] *ad.* **1** 소리내어, 들을 수 있을 정도로: read ~ 소리내어 읽다 / think ~ (부지중에) 혼잣말을 하다 **2** 《고어》 큰 소리로(loudly): cry[shout] ~ 큰 소리로 외치다 **3** 《영·구어》 명백히 ***out ~*** 《구어》 큰 소리를 내어 ***reek ~*** 냄새가 코를 찌르다

a·low [əlóu] *ad., a.* 〖선박〗 밑으로(의), 배 아래쪽으로(의) ***~ and aloft*** 어디에나, 도처에

alp [ǽlp] [Alps의 역성(逆成)] *n.* **1** 높은 산; 알프스 산 허리의 목장 **2** 《비유》 탁월한 것[사람]

~s on ~s 첩첩산중; 잇단 난관

ALP American[Australian] Labor Party **ALPA** Air Line Pilots Association

al·pac·a [ælpǽkə] *n.* **1** 〖동물〗 알파카 《남미 페루산(産)의 가축》 **2** Ⓤ 알파카 털[모직물]; Ⓒ 알파카 옷

al·par·ga·ta [æ̀lpɑ:rgɑ́:tə] *n.* = ESPADRILLE

al·pen·glow [ǽlpənglòu] *n.* Ⓤ 산꼭대기의 아침[저녁]놀

al·pen·horn [ǽlpənhɔ̀:rn] *n.* 알펜호른 《스위스의 목동이 쓰는 긴 목제 피리》

al·pen·stock [ǽlpənstɑ̀k | -stɔ̀k] *n.* 등산 지팡이

al·pes·trine [ælpéstrin] *a.* 〖식물〗 아(亞)고산성의

al·pha [ǽlfə] *n.* **1** 알파 《그리스 어 알파벳의 제1자; *A, α*》 **2** [the ~] 근본적인 이유, 가장 중요한 부분[특징] **3** 《영》 (학업 성적의) A, 수(秀): ~ plus (학업 성적의) A⁺, 수 **4** [보통 **A~**] 〖천문〗 (별자리 중의) 주성(主星), 알파 별 《빛이 가장 밝음》 **5** 〖화학〗 알파 《유기 화합물의 치환기의 위치나 이성질체의 구별 기호》 ***the ~ and omega*** 처음과 끝; 주요소 《*of*》

— *a.* 〖컴퓨터〗 〈키보드·디스플레이 등이〉 문자식의; = ALPHABETIC

al·pha-ad·ren·er·gic [ǽlfəædrənə́:rdʒik] *a.* 〖생리〗 알파 수용체(alpha receptor)의[에 관한]

⁑**al·pha·bet** [ǽlfəbèt, -bit] [Gk alpha와 beta에서] *n.* **1** 알파벳, 자모(字母): the Roman ~ 로마자 《원래 고대 로마 인이 라틴 어의 표기에 썼던 것》 / a phonetic ~ 음표 문자 **2** [the ~] 초보, 입문 《*of*》 ▷ alphabétic *a.*; álphabetize *v.*

⁑**al·pha·bet·ic, -i·cal** [æ̀lfəbétik(əl)] *a.* 알파벳의; ABC순의 ***in ~ order*** 알파벳순으로[의]

-i·cal·ly *ad.* ABC순으로 ▷ álphabet *n.*

alphabétic còde 〖컴퓨터〗 알파벳 부호

al·pha·bet·ize [ǽlfəbətàiz] *vt.* 알파벳순으로 하다, 알파벳으로 표시하다

álphabet sóup 알파벳 모양의 파스타를 넣은 수프; [집합적] 《미·속어》 (관청의) 헷갈리는 약어 《WPA, PWA 등》

álpha blòcker 〖약학〗 알파(*α*) 차단제 《알파(*α*) 수용체 활동을 간섭하는 물질의 총칭》

Álpha Cen·táu·ri [-sentɔ́:rai] 〖천문〗 켄타우루스자리의 알파(*α*)별

álpha decày 〖물리〗 (원자핵의) 알파 붕괴

álpha fèmale =ALPHA GIRL

al·pha-fe·to·pro·tein [æ̀lfəfì:touprόuti:n] *n.* 〖생화학〗 알파페토프로테인 《태아의 간장에서 분비되는 혈청 단백질》

álpha gèek 《미·속어》 (동료 중에서) 컴퓨터통(通)[전문가]

álpha gìrl 《속어》 알파 걸 《모든 방면에서 남자를 능가하는 소녀》

álpha glóbulin 〖생화학〗 알파 글로불린

al·pha-he·lix [ǽlfəhí:liks] *n.* 〖생화학〗 (단백질 중의 폴리펩티드 사슬의) 알파(*α*) 나선

álpha ìron 〖야금〗 알파 철(鐵)

álpha màle 〖동물〗 우두머리 수컷; 《익살》 최고 권력을 가진 사람

al·pha·met·ic [ælfəmétik] *n.* 숫자 퍼즐

al·pha·nu·mer·ic, -i·cal [-nju:mérik(əl)], **al·pha·mer·ic** [-mérik] *a.* 〖컴퓨터〗 알파벳 등의 문자와 숫자를 조합한; 문자 숫자식(式)의

álpha pàrticle 〖물리〗 알파 입자 《헬륨의 원자핵》

al·pha·pho·to·graph·ic [æ̀lfəfòutəgrǽfik] *a.* 〖컴퓨터〗 알파포토그래픽 《문자를 써서 그림 그리는》

álpha prívative 접두사 a(n)- 《그리스 어 또는 영어에서 부정(否定)을 나타냄》

álpha rày[**radiàtion**] 〖물리〗 알파선(線)

álpha recèptor 〖생리〗 알파 수용체(受容體)

álpha rhỳthm 〖생리〗 (뇌파의) 알파 리듬[파(波)]

al·pha·scope [-skòup] *n.* 알파스코프 《컴퓨터의 브라운관 표시 장치》

álpha stòck 《영》 알파주(株) 《거래가 활발한 주식》

álpha tèst 〖심리〗 알파[A식] 지능 검사; 〖컴퓨터〗 알파 테스트 《새 소프트웨어의 내부 동작 시험》(cf. BETA TEST) **ál·pha-test** *vt.* 〈제품에〉 알파 테스트를 하다

al·pha-to·coph·er·ol [-toukάfərɔ̀l | -kɔ́-] *n.* 〖생화학〗 비타민 E

álpha wàve 〖생리〗 (뇌파의) 알파파(波)

Al·phe·us [ælfí:əs] *n.* 〖그리스신화〗 알페이오스 《강의 신》

Al·phonse and Gas·ton [ǽlfɑns-ən-gǽstən | -fɔn-] *a.* 앨폰스와 개스턴(식)의, (경쟁하는 사람끼리) 무턱대고 공손하고 집요하게 양보하는

alp·horn [ǽlphɔ̀:rn] *n.* = ALPENHORN

∗**Al·pine** [ǽlpain, -pin | -pain] *a.* **1** 알프스 산맥의 **2** 〖스키〗 알펜의, 활강의 **3** [때로 **a~**] 높은 산의, 아주 높은, 고산성(高山性)의: an ~ club 산악회 / the ~ flora 고산 식물상(相) / an ~ plant 고산 식물 **4** 알프스 인종의 **5** 〖지질〗 알프스 조산 운동의

abandoned, forsaken, desolate, isolated
aloof *ad.* at a distance, apart, separately

— *n.* **1** [a~] 고산 식물 **2** 〖인류〗 알프스 인종 《유럽 중부·동부의 백인종》 ▷ Álps *n.*
Álpine combíned 〖스키〗 알파인 복합 경기 《활강과 회전을 합친 경기 종목》
álpine gárden 고산 식물원
Álpine hát 알프스 모자 《깃털 달린 등산모》
Álpine skíing 알파인 스키 《활강·회전을 포함한 경기》
al·pine-style [-stáil] *a.* 〖등산〗 알프스 방식의
al·pin·ism [ǽlpənìzm] *n.* [종종 **A~**] 알프스 등산; (고산의) 등산
al·pin·ist [ǽlpənist] *n.* [종종 **A~**] 알프스 등산가; (고산) 등산가
al·pra·zo·lam [ælpréizəlæ̀m] *n.* 〖약학〗 알프라졸람 《정신 안정제》
***Alps** [ǽlps] *n. pl.* [the ~] **1** 알프스 산맥 《최고봉 Mont Blanc (4,807m)》 **2** 달 표면 북서부의 산맥명
Al-Qae·da [ælkáidə, -kéi-] *n.* 알 카에다 《이슬람교 급진파 국제 무장 세력 조직》
***al·ready** [ɔːlrédi] [all과 ready에서] *ad.* **1** [긍정문에서] 이미, 벌써 《의문문·부정문에는 yet을 씀》: I have ~ seen him. 벌써 그를 만났다. / They are ~ there. 그들은 이미 거기에 있다. / When I called, he had ~ started. 내가 방문했을 때 그는 벌써 출발했었다. / I have been there ~. 전에 거기에 가 본 적이 있다. **2** [놀람 등을 나타내어] **a** [의문문에서] (아니) 벌써, 그렇게 빨리(thus early): Is he back ~? 그가 벌써 돌아왔는가? 《놀랐어, 뜻밖이야》 **b** [부정문에서] 설마: She *isn't* up ~, is she? 그녀가 설마 벌써 일어나진 않았겠지? **3** (미·구어) [화남·초조함을 나타내어] 빨리, 지금 즉시
USAGE 완료를 나타내는 문장에서 yet은 주로 부정문·의문문에 사용되는데 already가 의문문에 사용될 때는 놀라움을 나타낸다. 보기: Has he started *yet*? 그는 출발했는가? 《보통의 질문》/ Has he started *already*? 그는 벌써 출발했나? 《놀라움을 나타내어》
al·right [ɔːlráit] *ad., a.* (속어) = ALL RIGHT
ALS amyotrophic lateral sclerosis; automatic landing system 자동 착륙 장치 **ALS, a.l.s.** autograph letter signed 자필 서명의 편지
Al·sace [ǽlsæs, ælséis] *n.* 알자스 《프랑스 동북부의 지방으로 독일과 접함》
Al·sace-Lor·raine [ǽlsæslɔːréin] *n.* 알자스로렌 《프랑스 북동부의, 독일과 소유권을 다투던 지역》
Al·sa·tia [ælséiʃə] *n.* **1** Alsace의 옛 이름 **2** 알세이셔 《옛날 런던의 범죄자나 빚에 쫓긴 사람들의 도피 장소; 지금의 Whitefriars에 해당》
Al·sa·tian [ælséiʃən] *a.* **1** 알자스(Alsace)(주민)의 **2** (런던의) 알세이셔(Alsatia)의
— *n.* **1** 알자스 사람 **2** 독일종 셰퍼드 개
al·sike [ǽlsaik, -sik-] *n.* 〖식물〗 앨사이크 클로버 《유럽산(産); 목초》(= ∠ **clóver**)
Al Si·rat [æl-sirɑ́ːt] 〖이슬람교〗 **1** (종교의) 정도(正道) **2** (천국으로 가는 자가 지나야 할) 좁은 다리
***al·so** [ɔ́ːlsou] *ad.* (…도) 또한, 역시, 마찬가지로; 게다가, …뿐만 아니라(too, as well): Candy is ~ sold there. 캔디도 거기서 팔고 있다.
USAGE (1) also는 보통은 본동사 앞에 놓인다. 다만 조동사나 be 동사가 있으면 그 뒤에 놓인다: The college *also* has a new swimming pool. 그 대학에는 또한 새 수영장도 있다. / Tom can *also* play the piano. 톰은 피아노를 칠 줄도 안다. (2) also는, 특히 연설이나 비격식의 문장에서 문두에 놓일 수 있다. 그러나 too나 as well은 문두에 올 수가 없다.
— *conj.* (구어) 그리고 또한(and also): He was mean, ~ ugly. 그는 천하고 또 못생겼었다.
USAGE (문어)에서는 접속사 용법을 피하여 and also라고 씀.
al·so-ran [ɔ́ːlsouræ̀n] *n.* **1** (경마에서) 등외로 떨어진 말; 낙선자 **2** (구어) 범용한[하찮은] 사람, 낙오자
al·so-run·ner [-rʌ́nər] *n.* (경기 등의) 패자
alt [ǽlt] *n., a.* 〖음악〗 알토(의), 중고음(의)(alto)
in ~ 의기양양하여, 뽐내어
Alt, alt [ǽlt] 〖컴퓨터〗 alternate key **ALT, alt.** alternate; altitude; 〖음악〗 alto **Alta.** Alberta 《캐나다의》
Al·tai [ǽltai] *n.* **1** 알타이 《러시아 공화국의 한 지방》 **2** [the ~] = ALTAI MOUNTAINS **3** 알타이 어 《한국어·몽골 어·터키 어 따위》; 알타이 족
Al·ta·ic [æltéiik] *a.* 알타이 산맥 (주민)의; 알타이 어족의 — *n.* 알타이 어족
Áltai Móuntains [the ~] 알타이 산맥
Al·tair [æltέər, -táiər] *n.* 〖천문〗 견우성 《독수리자리의 주성(主星)》
Al·ta·mi·ra [æ̀ltəmíərə] *n.* 알타미라 《스페인 북부의 구석기 시대의 동굴 유적》
al·tar** [ɔ́ːltər] *n.* (교회의) 제단, 제대(祭臺), 성찬대; (건독(dry dock)의) 계단 ***lead a woman ***to the*** ~ (문어) (여자와) 결혼하다 《특히 교회에서》
áltar bòy 복사(服事)(acolyte)
áltar brèad 성찬용 빵, 미사용 빵
áltar clòth 제대포(祭臺布)
áltar of repóse 〖가톨릭〗 수난 감실(受難龕室) 《성주간 동안의》(repository)
al·tar·piece [ɔ́ːltərpìːs] *n.* 제단 뒤쪽[위쪽]의 장식 《그림·조각·병풍 등》
áltar ràil 제단의 난간
áltar stòne 〖가톨릭〗 **1** 제대(祭臺) 《제단 위의 석판》 **2** 휴대 제단
alt·az·i·muth [æltǽzəməθ] *n.* 〖천문〗 경위의(經緯儀)
***al·ter** [ɔ́ːltər] [L 「다른」의 뜻에서] *vt.* **1** 〈모양·성질·위치 등을〉 변경하다, 바꾸다; 〈집을〉 개조하다(⇨ change 유의어): (~+목+전+명) ~ a house *into* a store 주택을 점포로 개조하다 / ~ the course *to* the northerly direction 침로를 북으로 바꾸다 **2** 〈의복을〉 고쳐 만들다 **3** (미) 〈수컷을〉 거세하다; 〈암컷의〉 난소를 제거하다
— *vi.* 달라지다, 변경되다; 일변하다; 〈사람이〉 늙다 ~ ***for the better***[***worse***] 개선[개악]하다, 좋아[나빠]지다 **~·er** *n.*
▷ álterative *a.*; alterátion *n.*
al·ter·a·ble [ɔ́ːltərəbl] *a.* 변경할 수 있는
àl·ter·a·bíl·i·ty *n.* Ⓤ 가변성 **-bly** *ad.*
al·ter·ant [ɔ́ːltərənt] *a., n.* = ALTERATIVE
***al·ter·a·tion** [ɔ̀ːltəréiʃən] *n.* CU **1** 변경, 개조; 수정(modification): make ~*s* to a building 건물을 개축하다 **2** 변화, 변질 **3** 변경된 곳
▷ álter *v.*; álterative *a.*
al·ter·a·tive [ɔ́ːltərèitiv, -rət-] *a.* 〈체질 등을〉 바꾸는, 대사 기능을 개선하는; 서서히 회복시키는
— *n.* 〖의학〗 변질제, 변질 요법 《체질을 변화시키는》
al·ter·cate [ɔ́ːltərkèit] *vi.* 언쟁[격론]하다 《*with*》
al·ter·ca·tion [ɔ̀ːltərkéiʃən] *n.* CU 언쟁, 격론
ál·tered chórd [ɔ́ːltərd-] 〖음악〗 변화 화음
áltered státe of cónsciousness (수면·명상·최면 등에 의한) 의식 변성(變性) 상태
al·ter e·go [ɔ́ːltər-íːgou, -égou] [L = second I] 제2의 자기, 분신(分身)(other self); 둘도 없는 친구
al·ter·i·ty [ɔːltérəti, æl-] *n.* 남임, 다른 것임(otherness)
al·ter·nant [ɔ́ːltərnənt, ǽl- | ɔːltə́ːn-] *a.* 교호(交互)의, 교대의 — *n.* 〖수학〗 교대 함수; 〖언어〗 교체형, 변이형
***al·ter·nate** [ɔ́ltərnèit, ǽl- | ɔ́ːl-] *vi.* **1** 번갈아 일어나다, 교체하다; 엇갈리다, 교차하다, …의 사이를 오락가락하다 《*with, between*》: Joy and grief ~*d* in my breast. = I ~*d between* joy and grief. 기쁨과 슬픔이 내 가슴 속에서 엇갈렸다. // (~+전+명) ~

thesaurus **alter** *v.* **1** 변경하다 change, make difference, vary, transform, transfigure, diversify, metamorphose **2** 수선하다, 개조하다 adapt, modify, convert, reshape, remodel

with each other 서로 교대하다 / Day ~*s with* night. 낮은 밤과 교대로 온다. **2** 〈전류가〉 교류하다
—*vt.* 번갈아 하다; 교대시키다; 엇갈리게 하다: 《~+목+전+명》 ~ A *and* B = ~ A *with* B A와 B를 교대시키다 / He ~*s* kindness *with* severity. 그는 (번갈아) 친절하게도 하고 엄격하게도 한다.
— [ɔ́:ltərnət, ǽl- | ɔ:ltə́:-] *a.* **1** 번갈아 하는, 교대의, 교호(交互)의 **2** 하나씩 거른, 교체되는; 〖식물〗 〈잎이〉 교대로 있는, 어긋나기의 호생의: ~ leaves 호생엽, 어긋나기 잎 / on ~ days[lines] 하루[한 줄]씩 걸러서 **3** 〖전기〗 교류의 **4** 《미·속어》 택일의; 부(副)의, 대리의(alternative)
— [ɔ́:ltərnət, ǽl- | ɔ:ltə́:-] *n.* 《미》 교대자, (회의 등의) 대리인; 〖연극〗 더블 캐스트; 대역(understudy) **~·ly** [-nətli] *ad.* 번갈아, 교대로; 엇갈리게, 하나씩 걸러 **~·ness** *n.* Ⓤ 교호(交互), 엇갈림
▷ alternátion *n.*; altérnative *a.*

álternate áirport 대체(代替) 공항 《예정된 공항으로 착륙이 불가능한 경우 착륙하도록 선정해 놓은》
álternate ángles 〖수학〗 엇각
álternate hóst 〖생태〗 대체 숙주(代替宿主)
álternate índex 〖컴퓨터〗 대체 색인
álternate kéy 〖컴퓨터〗 교체 키
álternate mémory 〖컴퓨터〗 대체 메모리
álternate róute 〖컴퓨터〗 교체 경로 《데이터 통신에서 주경로의 접속이 불가능할 때 쓰는 부경로》
al·ter·nat·ing [ɔ́:ltərnèitiŋ, ǽl- | ɔ́:l-] *a.* 교호(交互)의, 교차의; 〖전기〗 교류의 **~·ly** *ad.*
álternating cúrrent 〖전기〗 교류 《略 ac, a-c, AC》
álternating gróup 〖수학〗 교대군(群)
álternating líght 〖항해〗 호광(互光)(등) 《다른 색을 연속적으로 번갈아 내는 신호등》
álternating séries 〖수학〗 교대급수(級數)
álternating vóltage 〖전기〗 교류 전압
* **al·ter·na·tion** [ɔ̀:ltərnéiʃən, æ̀l- | ɔ̀:l-] *n.* ⓊⒸ **1** 교대, 교체; 하나씩 거름 **2** 〖수학〗 교대 수열 **3** 〖전기〗 교번(交番) ***~ of generations*** 〖생물〗 세대 교번
*** **al·ter·na·tive** [ɔ:ltə́:rnətiv, æl- | ɔ:l-] *n.* **1** [보통 the ~] 둘 중에서의 선택, 양자택일: *the* ~ of death or submission 죽음이냐 항복이냐 둘 중의 하나 ★ 드물게 셋 이상에서도 쓰임. **2** 그 중 하나를 택해야 할 양자(兩者): The ~*s* are death and submission. 죽음이냐 항복이냐 둘 중의 하나이다. **3** 달리 취할 길, 다른 방도, 대안: He has no ~ but to confess. 그는 자백하는 것 외에 다른 방도가 없다. / There is no (other) ~. 달리 방도가 없다. / That's the only ~. 그것이 취할 수 있는 유일한 방법이다.
—*a.* **1** (둘 중에서) 하나를 택해야 할, 양자택일의: ~ courses of death or life 죽느냐 사느냐의 두 갈래 길 **2** 대신의: have no ~ course 다른 수단은 없다 / an ~ plan 대안 **3** 〖문법〗 선택적인; 〖논리〗 〈명제가〉 선언(選言)적인 **4** 기존의 방식과는 전혀 다른, 획기적인 **~·ly** *ad.* 양자택일로 **~·ness** *n.*
▷ álternate *v.*; alternátion *n.*

altérnative bírth(ing) 대체 분만법 《분만 때 기구·약을 사용하지 않는 출산》
altérnative cómedy 〖연극〗 대체 희극 《전통적인 틀에서 벗어나서 블랙 유머·초현실주의·공격성 등 다양한 요소를 가진 희극》
altérnative conjúnction 〖문법〗 선택 접속사 《or, either ... or 등》
altérnative énergy 대체 에너지 《태양열 등》
altérnative fúel (휘발유 외의) 대체[대안] 연료
altérnative hypóthesis 〖통계〗 대립[대안] 가설
altérnative lífestyle (물질문명적인 종래의 생활양식을 탈피하는) 대안[새로운] 생활양식

alternative *n.* choice, option, preference, election, substitute **—*a.*** another, other, second, different; nonstandard, unconventional
altitude *n.* height, elevation; tallness, loftiness

altérnative médicine 대체 의학[의료]
altérnative pítch 〖야구〗 반칙 투구
altérnative préss 새로운 생활양식을 창도하는 신문[출판물]
altérnative quèstion 〖문법〗 선택 의문(문) 《Is he a teacher *or* a doctor? 등》
altérnative schòol (전통적인 교육 과정을 탈피한) 대안 학교
altérnative socíety 〖사회〗 신(新)사회 《현재의 사회와는 다른 질서와 가치관을 지닌 사회》
altérnative technólogy (대체 에너지 사용 등을 위한) 대체 과학 기술
al·ter·na·tor [ɔ́:ltərnèitər, ǽl- | ɔ́:l-] *n.* 〖전기〗 교류(발전)기
al·thae·a, al·the·a [ælθí:ə] *n.* 〖식물〗 접시꽃속(屬)의 식물; 무궁화
Al·the·a [ælθí:ə] *n.* 여자 이름
Al·thing [ɑ́:lθiŋ] *n.* 아이슬란드 국회
al·tho [ɔ:lðóu] *conj.* = ALTHOUGH
alt·horn [ǽlthɔ̀:rn] *n.* 〖음악〗 알토 호른 《고음 나팔; cf. SAXHORN》

althorn

*** **al·though** [ɔ:lðóu] *conj.* 비록 …일지라도, …이기는 하지만(though): *A*~ he is old, he is quite strong. = He is quite strong ~ he is old. 그는 나이는 많아도 아주 정정하다.
USAGE (1) although는 일반적으로 though보다 딱딱한 말인데 가정보다는 사실을 말할 때 많이 쓴다; 주절보다 앞설 때는 대개 although를 쓰며, as *though*, even *though*, What *though* ...? 에서는 though 대신에 although를 쓸 수 없다; 또 though와 달리 부사적으로 문미에 둘 수 없다. (2) although가 이끄는 절과 주절과의 주어가 같을 경우 그 주어와 be 동사를, *Although old*, he is quite strong.과 같이 생략할 수가 있으나 though의 경우는 드물다. (3) although, though가 이끄는 절이 문두에 올 때 그 뜻을 강조하기 위하여 주절에 다시 yet을 쓸 수도 있다: *Although*[*Though*] she could not study well because of sickness, *yet* she won good marks in the examination. 「그녀는 아파서 충분히 공부할 수 없었으나 시험에서 좋은 성적을 땄다」에서 yet은 《문어》에서는 특히 문장이 길어질 때에 종속절과 주절과의 관계를 명확히 하기 위해서 쓴다.
alti- [ǽlti, -tə] 《연결형》 「높은, 고도의」의 뜻
al·ti·graph [ǽltəgræ̀f | -grɑ̀:f] *n.* 〖항공〗 자기 고도계(自記高度計)
al·tim·e·ter [æltímətər, ǽltəmì:tər | ǽltimì:tə] *n.* 〖항공〗 고도계
al·tim·e·try [æltímətri] *n.* Ⓤ 〖천문〗 고각(高角)[고도] 측량(법) **àl·ti·mét·ri·cal** *a.*
al·ti·plane [ǽltəplèin], **al·ti·pla·no** [æ̀ltəplɑ́:nou] *n.* (*pl.* **~s**) 알티플라노 《안데스 산맥 산정의 고원상 분지》
al·tis·si·mo [æltísəmòu] [It.] 〖음악〗 *a.* 〈음조가〉 가장 높은 **—*n.*** [다음 성구로] ***in ~*** 알티시모로
* **al·ti·tude** [ǽltətjù:d | -tjù:d] [L 「높음」의 뜻에서] *n.* ⓊⒸ **1** (산·비행기 등의) 높이, 고도; 해발(海拔), 표고(標高)(⇨ height 유의어) **2** [보통 *pl.*] 높은 곳, 고지 **3** 〖천문〗 (천체의) 고도 **4** 〖기하〗 (도형의) 높이 **5** 고위(high position) ***at an*** [***the***] ***~ of*** …의 고도로 ***in high ~s*** 《미·속어》 의기양양하여
▷ altitúdinal *a.*
áltitude chàmber 〖항공〗 저압(低壓) 시험실, 감압실(減壓室)
áltitude dìal 태양 고도를 이용한 해시계
áltitude sìckness 고공[고산]병
al·ti·tu·di·nal [æ̀ltətjú:dənl | -tjú:-] *a.* 고도[표고]의

Ált[ÁLT] kèy 〖컴퓨터〗 교체 키(alternate key)
***al·to** [ǽltou] *n.* (*pl.* **~s**) 〖음악〗 **1 알토 a** 여성 최저음(역)(contralto) **b** 남성 최고음(역)(countertenor)(⇨ bass¹ 〖관련〗) **2** 알토 가수[악기]
— *a.* 알토의; 알토 가수의: an ~ solo 알토 독창
— *ad.* 알토로: sing ~ 알토로 노래하다
alto- [ǽltou] 《연결형》「높은, 고도의」의 뜻
álto clèf 〖음악〗 알토 음자리표 (《'다'음자리표》)
al·to·cu·mu·lus [æ̀ltoukjú:mjuləs] *n.* (*pl.* **-li** [-lài]) 〖기상〗 고적운, 높쌘구름 (《略 Ac》)
álto flúte 〖음악〗 알토 플루트 (《4도 낮은 대형의 것》)
‡al·to·geth·er [ɔ̀:ltəgéðər, ´-`-] [all과 together에서] *ad.* **1 전적으로,** 완전히; 전혀(entirely): That is not ~ false. 아주 거짓말은 아니다. ★ not과 함께 쓰면 부분부정. **2 다 합하여,** 전체로서, 총계로 **3** [문두에 쓰여 문장 전체를 수식하여] **전체적으로 보아,** 요컨대: *A*~, it was a successful party. 대체로 성공적인 파티였다. ***taken ~*** 전체적으로 보아, 대체로
— *n.* Ⓤ **1** 전체(whole) **2** [the ~] 《구어》 벌거숭이(the nude) ***in the ~*** 나체로, 벌거숭이로
álto hórn = ALTHORN
al·tom·e·ter [æltɑ́mitər | -tɔ́-] *n.* = ALTIMETER
al·to-re·lie·vo [ǽltourilí:vou] [It.] *n.* (*pl.* **~s**) 〖조각〗 고부조(高浮彫)(opp. *basso-relievo*)
al·to·stra·tus [æ̀ltoustréitəs, -strǽ-] *n.* (*pl.* **-ti** [-tai]) 〖기상〗 고층운, 높층구름 (《略 As》)
al·tri·cial [æltríʃəl] *a., n.* 부화 후에 잠시 어미새가 돌봐야 하는 (새), 만성조(晩成鳥)(의)
al·tru·ism [ǽltru:ìzm] *n.* Ⓤ 이타[애타]주의(opp. *egoism*); Ⓒ 이타적 행위 **-ist** *n.* 이타주의자
al·tru·is·tic [æ̀ltru:ístik] *a.* 이타적인(opp. *egoistic, selfish*) **-ti·cal·ly** *ad.* 이타적으로
ALU 〖컴퓨터〗 arithmetic (and) logic unit 산술(算術) 논리 장치
al·u [ǽlu:] *n.* Ⓤ 《인도》 = ALOO
al·u·la [ǽljulə] *n.* (*pl.* **-lae** [-lì:]) 〖조류·곤충〗 작은 날개
al·um¹ [ǽləm] *n.* Ⓤ 〖화학〗 백반(白礬), 명반(明礬)
a·lum² [əlʌ́m] *n.* 《미·속어》 = ALUMNUS
alum. aluminium; aluminum
a·lu·mi·na [əlú:mənə] *n.* Ⓤ 〖화학〗 알루미나, 산화알루미늄, 반토(礬土)
alúmina cemènt 알루미나 시멘트 (《bauxite를 다량 함유하여 빨리 굳는 시멘트》)
a·lu·mi·nate [əlú:mənət, -nèit] *n.* 〖화학〗 알루민산염
A·lu·mi·naut [əlú:mənɔ̀:t] *n.* 《미》 알루미노트호(號) (《심해 탐사용 알루미늄 소형 잠수함》)
a·lu·mi·nite [əlú:mənàit] *n.* 반토석(礬土石)
‡al·u·min·i·um [æ̀ljumíniəm] *n.* 《주로 영》 〖화학〗 = ALUMINUM
a·lu·mi·nize [əlú:mənàiz] *vt.* 알루미늄으로 처리하다, 알루미늄 도금을 하다
a·lu·mi·no·sil·i·cate [əlù:mənousíləkit, -keit] *n.* 알루미노 규산염(硅酸塩) (《점토의 주성분》)
a·lu·mi·nous [əlú:mənəs] *a.* 백반[명반]의; 알루미늄을 함유한
‡a·lu·mi·num [əlú:mənəm] *n.* Ⓤ 《미》 〖화학〗 **알루미늄** (《금속 원소; 기호 Al》)(《영》 aluminium)
— *a.* Ⓐ 알루미늄의: an ~ bat 〖야구〗 알루미늄 배트 **al·u·min·ic** [æ̀ljumínik] *a.* ▷ alúminize *v.*
alúminum ácetate 〖화학〗 초산알루미늄
alúminum bràss 알루미늄 황동
alúminum brònze 알루미늄 청동
alúminum fòil 알루미늄박(箔)
alúminum hydróxide 수산화알루미늄
alúminum nítrate 〖화학〗 질산알루미늄
alúminum óxide 〖화학〗 산화알루미늄(alumina)
alúminum sílicate 〖화학〗 규산알루미늄 (《유리·시멘트 등의 원료》)
alúminum súlfate 〖화학〗 황산알루미늄

a·lum·na [əlʌ́mnə] *n.* (*pl.* **-nae** [-ni:, -nai]) 《미》 대학의 여자 졸업생 (《ALUMNUS의 여성형》)
a·lum·ni [əlʌ́mnai] *n.* ALUMNUS의 복수
a·lum·nus [əlʌ́mnəs] [L] *n.* (*pl.* **-ni** [-nai, -ni:]) **1** 《미》 (남녀 공학 대학의) 남자 졸업생, 동창생, 교우(校友)(《영》 old boy) **2** 전에 살던 사람, 이전의 사원[기고가] ***alumni association*** (남녀의) 동창회(《영》 old boys'[girls'] association) ★「동창회 모임」은 an alumni meeting(《영》 an old boys'[girls'] meeting)
al·um·root [ǽləmrù:t] *n.* 〖식물〗 범의귀과(科)에 속하는 다년초 식물
al·u·nite [ǽljunàit] *n.* Ⓤ 〖광물〗 명반석(明礬石)
al·ve·o·la [ælví:ələ | -víə-] *n.* (*pl.* **-lae** [-lì:]) 〖식물·동물〗 포(胞); 폐포(肺胞); 치조(齒槽)
al·ve·o·lar [ælví:ələr | -víə-] *a.* 〖해부〗 폐포의; 치조의; 〖음성〗 치경음의: ~ arch 치조궁(弓)
— *n.* 〖음성〗 치경음 **~·ly** *ad.*
alvéolar rídge 〖해부〗 치조 융선(隆線)
al·ve·o·late [ælví:ələt, -lèit | -víə-] *a.* 벌집 모양의; 작은 구멍이 송송 난 **al·vè·o·lá·tion** *n.*
al·ve·ole [ǽlviòul] *n.* = ALVEOLUS
al·ve·o·lus [ælví:ələs | -víə-] *n.* (*pl.* **-li** [-lài]) **1** (벌집 모양의) 작은 구멍, 소와(小窩); 폐포(肺胞) **2** 〖해부〗 치조
al·ve·o·pal·a·tal [æ̀lvioupǽlətl] *a., n.* 〖음성〗 치경 경구개음(齒莖硬口蓋音)(의)
Al·vin [ǽlvin] *n.* **1** 남자 이름 **2** 《미·속어》 잘 속는 사람, 「봉」
alw. allowance
al·way [ɔ́:lwei] *ad.* 《고어·시어》 = ALWAYS
‡al·ways [ɔ́:lweiz, -wiz] *ad.* **1** 늘, 항상, 언제나: He is ~ late. 그는 언제나 늦는다. / He ~ comes late. 그는 언제나 늦게 온다. **2** [보통 진행형과 함께] 노상, 줄곧 (《★ 흔히 말하는 사람의 불만·분노 등의 감정이 섞임》): He is ~ grumbl*ing*. 그는 노상 투덜댄다. **3 언제까지나,** 영구히: I will remember this day ~. 오늘이라는 날을 언제까지나 잊지 않겠다. **4** [보통 완료형과 함께] **죽,** 내내, 그전부터: He's ~ *been* kind to me. 그는 죽 내게 친절히 대해 주었다. **5** [보통 can, could와 함께; 강조 부사로] 언제든지, 필요하다면: You *can* ~ quit the job. 너는 언제든지 그 일을 그만둘 수 있다.
USAGE always의 어순은 조동사 및 be 동사의 다음에, 일반동사의 앞에 놓이지만, 조동사 또는 be 동사가 강조될 때는 그 앞에 놓는다: He *always is* [íz] late. / He *always does* [dʌ́z] come late.
~ excepting [***provided***] (1) 〖법〗 단 …은 차한(此限)에 부재(不在)함 (2) 《영》 …을 제외하고(는) ***~ granting*** 〖법〗 단… ***~ supposing*** (***that***) 단 …하기만 하면 ***as*** [***like***] ***~*** 여느 때처럼, 평소와 같이 ***for ~*** 《구어》 영원히 ***nearly*** [***almost***] ***~*** 대개는 ***not ~*** happy [부분 부정] 반드시 (행복)한 것은 아니다 ***Not ~.*** 꼭 그런 것은 아니다.
al·ways-on [ɔ̀:lweizɑ́n | -ɔ́n] *a.* 〖컴퓨터〗 인터넷에 상시 접속된
al·yo [ǽljou] *n.* 《미·속어》 **1** 늘 정해진 일, 일과 **2** 평온한 상태; 침착한 사람 **3** 매수, 뇌물
a·lys·sum [əlísəm | ǽlis-] *n.* 〖식물〗 알리숨, 뜰냉이 (《겨잣과(科)의 1년생 식물》)
Álz·hei·mer's (**disèase**) [ɑ́:ltshaimərz-, ǽlts-] 알츠하이머병 (《노인성 치매의 일종》)
‡am [ǽm; əm, m] *vi.* BE의 1인칭 단수 직설법 현재형 (《★ 발음: I am [ai-ǽm, ái-əm], I'm [áim]; am not [æm-nɑ́t, m-nɑ́t | -nɔ́t] ⇨ ain't, an't; be》): I *am* a student. 나는 학생이다.

thesaurus **amalgamate** *v.* combine, merge, unite, integrate, fuse, blend, mingle, incorporate
amass *v.* collect, gather, accumulate, pile[heap] up, hoard, store up, assemble

Am 〖화학〗 americium **AM** amplitude modulation(cf. FM); 《미》 *Artium Magister* 《L =Master of Arts》(cf. M.A.); Asian male **am.** ammeter **Am.** America(n)

‡**a.m.**[1], **A.M.** | **am** [éiém] [L *a*nte *m*eridiem (=before noon)] *ad.*, *a.* **오전에(의)**(opp. *p.m.*): at 7 *a.m.* 오전 7시에 / Business hours, 10 *a.m.* to 5 p.m. 영업 시간은 오전 10시부터 오후 5시까지 USAGE 시각을 나타내는 숫자 뒤에 붙여서 쓴다: in the mornig[evening]이나 o'clock과는 같이 쓰지 않는 것이 원칙이다.
— *n.* 오전; 조간지(朝刊紙)

a.m.[2] *anno mundi* 《L =in the year of the world》 **AMA** American Medical Association

a·ma·dan [ɑ́:mədɔ̀:n] [Ir.] *n.* 바보, 멍청이

am·a·da·vat [æ̀mədəvǽt] *n.* 〖조류〗 방울새 비슷한 작은 명금(鳴禽) 《인도산(産)》

am·a·dou [ǽmədù:] *n.* Ⓤ 말굽버섯과(科)의 버섯으로 만든 해면상(海綿狀) 물질 《부싯깃·지혈 등에 씀》

a·mah [ɑ́:mə, ǽmə] *n.* (인도·중국 등 동양의) 유모(wet nurse), 하녀(maid), 아이 보는 여자

a·main [əméin] *ad.* 《시어》 **1** 힘껏 **2** 쏜살같이; 황급히 **3** 매우, 심히

A·mal [əmɑ́:l] *n.* 아말 《레바논의 시아파 정치 조직》

a·mal·gam [əmǽlgəm] *n.* **1** Ⓤ 〖야금〗 아말감 《수은과 다른 금속과의 합금》 **2** 혼합물: an ~ of wisdom and nonsense 지혜와 난센스의 혼합

*__a·mal·ga·mate__ [əmǽlgəmèit] *vt.* **1** 〈회사 등을〉 **통합[합병]하다**(combine) **2** 〈다른 종족·사상 등을〉 혼합[융합]시키다 **3** 〖야금〗 〈금속을〉 아말감으로 만들다
— *vi.* **1** 〈회사 등이〉 합병하다 **2** 융합[혼합]하다 **3** 〖야금〗 아말감이 되다
-ga·ma·ble [-gəməbl] *a.*

a·mal·ga·ma·tion [əmæ̀lgəméiʃən] *n.* Ⓤ **1** 〖야금〗 아말감화(化), 수은을 섞은 것 **2** (회사 등의) 합동, 합병 **3** 융합; 《미》 흑인과 백인과의 혼혈

a·mal·ga·ma·tive [əmǽlgəmèitiv] *a.* 혼합하기 쉬운, 융합적인; 합동적인

a·mal·ga·ma·tor [əmǽlgəmèitər] *n.* **1** 수은을 섞는 기계, 혼합기 **2** 합병자

A·man·da [əmǽndə] *n.* 여자 이름

a·man·dine [ɑ̀:məndí:n, æ̀mən- | əmǽndain] *a.* 〈요리가〉 아몬드를 사용[첨가]한

am·a·ni·ta [æ̀mənáitə, -ní:tə] *n.* 〖식물〗 광대버섯속(屬)의 독버섯

a·man·ta·dine [əmǽntədì:n] *n.* 〖약학〗 아만타딘 《항(抗)바이러스 약》

a·man·u·en·sis [əmæ̀njuénsis] *n.* (*pl.* **-ses** [-si:z]) 《익살》 필기자, 필생(筆生), 속기자; 비서

am·a·ranth [ǽmərænθ] [L 「시들지 않는」의 뜻에서] *n.* **1** 《시어》 (전설의) 영원한 꽃, 시들지 않는 꽃 **2** 〖식물〗 아마란스 《비름속(屬)의 관상 식물》 **3** Ⓤ 자줏빛

am·a·ran·thine [æ̀mərǽnθin | -θain] *a.* **1** 시들지 않는; 불사의 **2** 자줏빛의

am·a·relle [ǽmərèl] *n.* 〖식물〗 아마렐 《앵두의 한 품종; 과즙은 신맛이 남》

am·a·ret·ti [æ̀mərέti:] *n.* 아마레티 《아몬드가 들어 있는 마카롱(macaroon)》

am·a·ret·to [æ̀mərétou, ɑ̀:mə-] *n.* [종종 **A~**] 아마레토 《이탈리아산(産)의 아몬드 향취가 있는 리큐어》

am·a·ryl·lis [æ̀mərílis] *n.* **1** 〖식물〗 아마릴리스 《수선과(科)의 식물》 **2** [**A~**] 《시어》 아마릴리스 《전원시에 나오는 소녀의 이름》; 애인

a·ma·si [əmɑ́:si] *n.* Ⓤ 《남아공》 아마시 《시큼한 맛의 발효유(乳)》

---

amateur *n.* nonprofessional, layman, dabbler
amazing *a.* astonishing, astounding, marvelous
ambassador *n.* diplomat, consul, envoy, emissary, legate, representative, deputy

---

*__a·mass__ [əmǽs] *vt.* **1 쌓다**(heap), 모으다(gather); 〈재산을〉 축적하다(accumulate): ~ a fortune 재산을 모으다 **2** 대량으로 수집하다
— *vi.* 《시어》 모이다
— *n.* 〖야구〗 대량 득점
~·a·ble *a.* **~·er** *n.* 축적자 **~·ment** *n.* ⓊⒸ 축적

‡**am·a·teur** [ǽmətʃùər, -tʃər, -tər, æ̀mətə́:r] [L 「사랑하다」의 뜻에서] *n.* **1 아마추어**(선수), 비전문가 《*at, in*》(opp. *professional*); 아마추어 선수 **2** 비숙련자 **3** 애호가, 예찬가, 팬
— *a.* **1** Ⓐ **아마추어의**, 직업적이 아닌: an ~ dramatic club 아마추어 연극 클럽 《略 A.D.C.》 / ~ theatricals 아마추어 연극 **2** = AMATEURISH

ámateur dramàtics 아마추어 연극 활동

am·a·teur·ish [æ̀mətʃúəriʃ, -tʃə́:r-, -tjúər-, -tə́:r-] *a.* 아마추어 같은, 전문적이 못 되는; 서투른, 미숙한 **~·ly** *ad.* **~·ness** *n.*

am·a·teur·ism [ǽmətʃuərìzm, -tjuər-, -tʃər-, æ̀mətə́:rizm] *n.* Ⓤ **1** 아마추어 솜씨; 도락(道樂) **2** (스포츠의) 아마추어의 자격[규정]

ámateur nìght 《미·속어》 아마추어 연극[쇼]의 밤; 프로답지 않은 서투름[실수]

A·ma·ti [ɑ:mɑ́:ti] *n.* 아마티 **1 Nicolo ~** (1596-1684) 《이탈리아의 바이올린 제작자》 **2** 아마티가(家) 제작의 바이올린

am·a·tive [ǽmətiv] *a.* 연애의, 색골의, 호색의 (amatory) **~·ly** *ad.* **~·ness** *n.*

am·a·tol [ǽmətɔ̀:l, -tɑ̀l | -tɔ̀l] *n.* Ⓤ 아마톨 폭약 《질산암모늄과 TNT 화약을 혼합한》

am·a·to·ri·al [æ̀mətɔ́:riəl] *a.* = AMATORY

am·a·to·ry [ǽmətɔ̀:ri | -təri] *a.* 연애의; 색욕적인

am·au·ro·sis [æ̀mɔ:róusis] *n.* Ⓤ 〖병리〗 흑내장(黑內障) **-rot·ic** [-rɑ́tik | -rɔ́-] *a.*

‡**a·maze** [əméiz] *vt.* **몹시 놀라게 하다**, 경악하게 하다(⇨ surprise 유의어); Jenny *~d* her friends by suddenly getting married. 제니는 갑자기 결혼을 해서 친구들을 놀라게 했다. / It ~s me that they never gets tired. 그들이 전혀 지치지 않는 것이 정말 놀랍다.
— *vi.* 몹시 놀라다
— *n.* 《시어》 = AMAZEMENT

a·mazed [əméizd] *a.* 놀란 《*at, by, to* do, *that*》: We were ~ *at* his rapid recovery. 우리는 그의 빠른 회복에 놀랐다. / She was ~ *to* find her husband seriously wounded. 그녀는 남편이 중상을 입은 것을 보고 몹시 놀랐다.
a·máz·ed·ly [-zidli] *ad.* 몹시 놀라 **~·ness** *n.*

‡**a·maze·ment** [əméizmənt] *n.* Ⓤ **놀람**, 경탄
***in* ~** 놀라서 ***to* one's ~** 놀랍게도

‡**a·maz·ing** [əméiziŋ] *a.* **놀랄 만한**, 굉장한
— *ad.* 《방언》 대단히, 매우 **~·ly** *ad.* 놀랄 만큼, 굉장하게; [문장 전체를 수식하여] 놀랍게도

Amázing Gráce 놀라운 은총 《찬송가》

*__Am·a·zon__ [ǽməzɑ̀n, -zən | -zən] [Gk 「유방이 없는」의 뜻에서] *n.* **1** [the ~] **아마존 강** 《남아메리카에 있는 세계 최대의 강》 **2** [종종 **a~**] **여장부**, 여걸; 키다리 여자 선수; 사나운 여자(virago) **3** (그리스 신화의) 아마존 《용맹한 여전사》

Ámazon ánt 〖곤충〗 노예사냥개미

Am·a·zon.com [-dɑ̀tkɑ́m | -dɔ̀tkɔ́m] *n.* 아마존닷컴 《미국의 인터넷 서적·CD 온라인 판매 회사》

Am·a·zo·ni·a [æ̀məzóuniə] *n.* 아마조니아 《Amazon 강 유역의 지대》

Am·a·zo·ni·an [æ̀məzóuniən] *a.* **1** 아마존 강의; 아마존 강 유역[지방]의 **2** [종종 **a~**] 〈여자가〉 용맹한

am·a·zon·ite [ǽməzənàit] *n.* 〖광물〗 천하석(天河石), 아마조나이트 《녹색 장석의 일종》

amb. ambassador; ambulance

‡**am·bas·sa·dor** [æmbǽsədər] *n.* **대사**(cf. EMBASSY; MINISTER; CONSUL); 사절, 특사, 대표: an ~ extraordinary and plenipotentiary 특명 전권

대사/the Korean *A*~ to Great Britain[to the Court of St. James's] 주영(駐英) 한국 대사/a roving ~ 순회 대사/an ordinary[a resident] ~ 주재 대사/an ~ of goodwill 친선 사절
~·shìp *n.* Ⓤ 대사의 직[신분, 자격]
▷ ambassadórial *a.*

am·bas·sa·dor-at-large [æmbǽsədərət-lɑ́:rdʒ] *n.* (*pl.* **am·bas·sa·dors-**) (미) 무임소(無任所)[순회] 대사, 특사

am·bas·sa·do·ri·al [æmbæ̀sədɔ́:riəl] *a.* 대사의; 사절의

am·bas·sa·dress [æmbǽsədris] *n.* **1** 여자 대사[사절] **2** 대사 부인

am·beer [ǽmbiər] *n.* (미남부) =TOBACCO JUICE

*__am·ber__ [ǽmbər] *n.* **1** 호박(琥珀) **2** Ⓤ 호박색(yellowish brown); (영) (교통 신호의) 황색(yellow)
—*a.* 호박의[으로 만든]; 호박색의

ámber flúid[**líquid**] (호주·구어) 맥주(beer)

am·ber·gris [ǽmbərgri(:)s] *n.* Ⓤ 용연향(龍涎香) ((향유고래에서 얻는 향료의 원료))

am·ber·i·na [æ̀mbərí:nə] *n.* 호박유리 ((19세기의 미국산(産) 공예유리))

am·ber·ite [ǽmbəràit] *n.* Ⓤ 앰버라이트 ((입상(粒狀)의 무연(無煙) 화약))

am·ber·jack [ǽmbərdʒæ̀k] *n.* 〖어류〗 방어류(類)의 물고기

am·ber·oid [ǽmbərɔ̀id] *n.* 인조 호박(琥珀)

ambi- [ǽmbi, -bə] *pref.* 「양쪽; 둘레」의 뜻: *ambi*dextrous

am·bi·ance, -ence [ǽmbiəns] *n.* (문어) **1** 환경 **2** (장소 등의) 분위기

am·bi·dex·ter·i·ty [æ̀mbidekstérəti] *n.* Ⓤ **1** 양손잡이 **2** 비범한 손재주 **3** 표리부동, 이심(二心)

am·bi·dex·trous [æ̀mbidékstrəs] *a.* **1** 양손잡이의 **2** 두 마음을 품은(deceitful)
~·ly *ad.* **~·ness** *n.*

am·bi·ent [ǽmbiənt] *a.* (문어) 포위한, 에워싼: (the) ~ air 주위의 공기, 대기 **—***n.* 환경

ámbient áir stàndard 대기 오염 허용 한도(치)

ámbient líght 〖컴퓨터〗 주위 밝기, 환경광 ((주위의 모든 방향에서 오는 빛))

ámbient músic 환경 음악 ((공공장소에서 제공되는 조용하고 명상적인 느낌의))

ámbient nóise 〖음향〗 환경 소음; 〖컴퓨터〗 주변 소음

*__am·bi·gu·i·ty__ [æ̀mbigjú:əti] *n.* (*pl.* **-ties**) **1** Ⓤ 두[여러] 가지 뜻; 모호, 애매 **2** 모호한 표현

*__am·big·u·ous__ [æmbígjuəs] *a.* **1** 두 가지 이상의 뜻으로 해석할 수 있는; 다의(多義)의(⇨ vague 유의어) **2** 모호한; 분명하지 않은; 확실치 않은: an ~ reply 애매모호한 대답
~·ly *ad.* 애매모호하게 **~·ness** *n.*

am·bi·lat·er·al [æ̀mbilǽtərəl] *a.* 양측의[에 관한, 에 영향을 미치는]
àm·bi·làt·e·rál·i·ty *n.* Ⓤ 양면성 **~·ly** *ad.*

am·bi·po·lar [æ̀mbipóulər] *a.* 〖물리〗 (동시) 2극성의

am·bi·sex·trous [æ̀mbisékstrəs] *a.* 양성애의 (bisexual); 〈복장 등이〉 남녀 공용의

am·bi·sex·u·al [æ̀mbisékʃuəl] *a.* 양성의; 양성애의 **—***n.* 양성애자(兩性愛者)

am·bi·son·ics [æ̀mbisɑ́niks | -sɔ́-] *n. pl.* [단수 취급] 앰비소닉스 ((재생음에 방향감을 내는 고충실도 재생)) **àm·bi·són·ic** *a.*

am·bi·syl·lab·ic [æ̀mbisilǽbik] *a.* 〖음성〗 〈자음·자음군이〉 양(兩) 음절에 걸치는

am·bit [ǽmbit] *n.* (문어) **1** 구내(precincts), 구역 **2** 범위, 영역(scope); 주위

am·bi·tend·en·cy [æ̀mbiténdənsi] *n.* Ⓤ 〖심리〗 서로 상반되는 경향의 공존

‡**am·bi·tion** [æmbíʃən] [L 「걸어 돌아다니다」의 뜻에서] *n.* Ⓤ **1** 큰 뜻, 대망, 공명심, 포부, 향상심, 명예심, 패기, 열망; 야심, 야망: (~+*to* do) He had the high ~ *to* be a great statesman. 그는 위대한 정치가가 되겠다는 대망을 품고 있었다. **2** Ⓒ 야심의 대상 **3** 원기, 정력 **4** (미중부) 원한(grudge)
—*vt.* (구어) 열망하다 **~·less** *a.* **~·less·ly** *ad.*
▷ ambítious *a.*

‡**am·bi·tious** [æmbíʃəs] *a.* **1** 대망[야심]을 품은 ((*for*)); 패기만만한, 열망하는 ((*of*, *to* do)); 야심적인: Boys, be ~! 소년들이여, 대망을 품어라! // (~+*to* do) Tom is ~ *to* get through high school in two years. 톰은 고등학교를 2년 안에 마치려는 포부를 갖고 있다. **2** 〈작품·계획 등이〉 야심적인, 의욕적인 **3** (미중부) 성질이 과격한, 사나운 **4** (미) 활발한 **~·ly** *ad.* **~·ness** *n.* ▷ ambítion *n.*

am·biv·a·lence [æmbívələns] *n.* Ⓤ **1** 〖심리〗 양면 가치, 반대 감정 병존 **2** 모순, 동요, 주저

am·biv·a·lent [æmbívələnt] *a.* **1** 서로 용납하지 않는, 상극인 **2** 〖심리〗 양면 가치의 **~·ly** *ad.*

am·bi·ver·sion [æ̀mbivə́:rʒən, -ʃən | æ̀mbivə́:-ʃən] *n.* Ⓤ 〖심리〗 양향(兩向) 성격 ((내향성과 외향성의 중간 성격)) **-vér·sive** *a.*

am·bi·vert [ǽmbivə̀:rt] *n.* 〖심리〗 양향 성격자(cf. INTROVERT, EXTROVERT)

am·ble [ǽmbl] *vi.* **1** 〈말이〉 측대보(側對步)로 걷다 **2** 〈사람이〉 느릿느릿 걷다 ((*along, about, around*))
—*n.* **1** 〖승마〗 측대보 ((말이 같은 편의 두 발을 동시에 올려 걷기)) **2** 완보(緩步); 산보

am·bler [ǽmblər] *n.* **1** 측대보로 걷는 말 **2** 느리게 걷는 사람

am·bling [ǽmbliŋ] *a.* 느린 걸음걸이의

am·blyg·o·nite [æmblígənàit] *n.* 〖광물〗 앰블리고나이트((리튬의 중요한 광석의 하나))

am·bly·o·pi·a [æ̀mblióupiə] *n.* Ⓤ 〖병리〗 약시(弱視) **àm·bly·óp·ic** [-ɑ́pik | -ɔ́pik] *a.*

am·bly·o·scope [ǽmbliəskòup] *n.* 약시 교정기

am·bo [ǽmbou] *n.* (*pl.* **~s**) 〖그리스도교〗 (초기 교회의) 설교단, 낭독대

am·bo·cep·tor [ǽmbousèptər, -bə-] *n.* 〖면역〗 양수체(兩受體)

Am·bon [ǽmbɑn | -bɔn] *n.* 암본 ((인도네시아 Molucca 제도 중의 섬; 또는 그 섬의 항구 도시))

am·broid [ǽmbrɔid] *n.* =AMBEROID

am·bro·sia [æmbróuʒə | -ziə] *n.* ⓊⒸ **1** 〖그리스 신화〗 암브로시아, 신들의 음식, 신찬(神饌) ((먹으면 늙지도 죽지도 않는다고 함))(cf. NECTAR) **2** (문어) 맛이나 냄새가 매우 좋은 음식 **3** 오렌지·코코넛 등으로 만든 디저트

am·bro·sial [æmbróuʒəl | -ziəl] *a.* 아주 맛 좋은; (시어) 향기로운; 신성한(divine) **~·ly** *ad.*

Am·bró·sian chánt [æmbróuʒən- | -ziən-] 〖그리스도교〗 암브로시오 성가(聖歌)

am·bro·type [ǽmbrətàip, -brou-] *n.* Ⓤ 〖사진〗 (초기의) 유리판 사진

am·bry [ǽmbri] *n.* (*pl.* **-bries**) **1** (영·방언) 찬장 (cupboard) **2** (교회의) 성기실(聖器室)

ambs·ace [éimzèis, ǽmz-] *n.* **1** 주사위 2개를 던져 둘 다 1점(ace)이 나오기, 따라지 **2** 운이 나쁨 **3** 최소량, 무가치한 것

am·bu·lac·rum [æ̀mbjulǽkrəm, -léi-] *n.* (*pl.* **-ra** [-rə]) (극피동물의) 보대(步帶)

*__am·bu·lance__ [ǽmbjuləns] [L 「걷는 (병원)」의 뜻에서] *n.* **1** 구급차; 병원선(船); 부상자[환자] 수송기: by ~ 구급차로 **2** (이동식) 야전 병원(field hospital) **3** (미서부) 여행용 포장마차
▷ ámbulant *a.*; ámbulate *v.*

thesaurus **ambiguous** *a.* **1** 다의의 equivocal, ambivalent, two-edged **2** 모호한 obscure, doubtful, dubious, unclear, vague, uncertain, indefinite (opp. *clear, definite*)

ámbulance càr 구급차
ámbulance chàser (미·속어) 교통사고로 돈벌이하는 변호사; 악랄한 변호사
ámbulance còrps 야전 의무대
am·bu·lance·man [ǽmbjulənsmən] *n.* (영·호주) 구급차 승무원
am·bu·lance·wom·an [ǽmbjulənswùmən] (영·호주) *n.* 여자 구급차 승무원
ámbulance wòrker (영) 구급차 요원, 응급 구조 요원(cf. PARAMEDIC[2])
am·bu·lant [ǽmbjulənt] *a.* **1** 이동하는(shifting), 순회하는 **2** 〖의학〗 걸을 수 있는, 외래[통원]의
am·bu·late [ǽmbjulèit] [L 「걷다」의 뜻에서] *vi.* 이동하다; 걷다, 돌아다니다 **-là·tor** *n.*
am·bu·la·tion [æ̀mbjuléiʃən] *n.* Ⓤ 보행, 이동
am·bu·la·to·ry [ǽmbjulətɔ̀:ri | -təri, æ̀mbjuléi-] *a.* **1** 보행의; 보행용의 **2** 이동성의; 이동식의 **3** 〖의학〗 〈환자가〉 걸을 수 있는, 외래의(opp. *bedrid(den)*) **4** 〖법률〗 변경[취소]할 수 있는
— *n.* 지붕이 있는 유보장(遊步場)[복도, 회랑]
am·bu·lette [ǽmbjulet] *n.* 〖의학〗 회복기 환자·신체장애자 이송용 특수차
am·bus·cade [æ̀mbəskéid, ㅅㅡ] *n., v.* = AMBUSH **àm·bus·cád·er** *n.*
*__am·bush__ [ǽmbuʃ] [L 「bush(덤불)의 가운데에서」의 뜻에서] *n.* **1** ⓊⒸ **매복, 잠복**; 매복 공격; 매복 장소(=~ **site**): The soldiers were killed in an ~. 병사들이 매복 공격으로 사망했다. **2** [집합적] 복병
fall into an ~ 복병을 만나다 ***lay*** [***make***] ***an ~*** 복병을 숨기다, 매복시키다 《*for*》 ***lie*** [***hide, wait***] ***in ~*** 매복[잠복]하다 《*for*》
— *vi., vt.* 매복하다; 매복하여 습격하다; 〈복병을〉 숨겨 두다: ~ the enemy 적을 숨어서 기다리다
~·er *n.*
AMDG *ad majorem Dei gloriam* 《L = to the greater glory of God》 **amdt.** amendment
AME African Methodist Episcopal
a·me·ba [əmí:bə] *n.* (*pl.* **~s, -bae** [-bi:]) 〖동물〗 아메바(amoeba) **~·like** *a.*
am·e·bi·a·sis, am·oe- [æ̀mibáiəsis] *n.* 〖병리〗 아메바성 감염[질환]
a·me·bic [əmí:bik] *a.* = AMOEBIC
a·mébic dýsentery 〖병리〗 아메바성 이질
a·me·bo·cyte [əmí:bəsàit] *n.* = AMOEBOCYTE
a·me·boid [əmí:bɔid] *a.* = AMOEBOID
âme dam·née [ɑ́:m-dɑ:néi] [F = damned soul] (자진해서 남에게 헌신하는) 앞잡이, 부하
a·meer [əmíər] *n.* = EMIR
a·mei·o·sis [èimaióusis] *n.* 〖생물〗 비감수(非減數) 분열 《감수 분열시에 염색체 수가 반으로 줄지 않는 이상 분열》 **a·mei·ot·ic** [èimaiɑ́tik | -ɔ́t-] *a.*
a·mel·i·a [əméliə, eimí:liə] *n.* 〖병리〗 무지증(無肢症) 《팔다리의 하나 또는 그 이상의 선천적인 결여》
A·mel·ia [əmí:ljə, -liə] *n.* 여자 이름
a·mel·io·ra·ble [əmí:ljərəbl] *a.* 개량[개선]할 수 있는 **~·ness** *n.*
a·mel·io·rate [əmí:ljərèit, -liə-] [L 「보다 낫게 하다」의 뜻에서] *vt., vi.* (문어) 개량하다[되다], 개선하다(improve); 좋아지다(opp. *deteriorate*)
-rà·tor *n.* 개량자
a·mel·io·ra·tion [əmì:ljəréiʃən, -liə-] *n.* Ⓤ 개량, 개선, 개수, 향상(opp. *deterioration*)
a·mel·io·ra·tive [əmí:ljərèitiv | -rə-] *a.* 개량의, 개선적인
am·e·lo·blast [ǽməloublæ̀st] *n.* 〖해부〗 (치아의) 에나멜 아세포(芽細胞) **àm·e·lo·blás·tic** *a.*

---

ambitious *a.* **1** 야심을 품은 aspiring, forceful, enterprising, zealous, assertive **2** (계획 등이) 야심적인 challenging, demanding, exacting, difficult
ambush *v.* waylay, trap, entrap, ensnare, decoy

*__a·men__ [èimén, ɑ̀:mén] [Heb. 「확실히」의 뜻에서] *int.* **1** 아멘 《그리스도교에서 기도 끝에 하는 말; 그리되게 해 주시옵소서(So be it!)》 **2** (구어) 좋다, 그렇다! 《찬성의 뜻》
— *n.* **1** 아멘(이라는 말) **2** Ⓤ 동의, 찬성
A~ to that! 그 말이 맞다. 《동의를 나타냄》 ***say ~*** (속어) 찬성하다(agree) 《*to*》
A·men [ɑ́:mən] *n.* = AMMON
a·me·na·ble [əmí:nəbl, əmé- | əmí:-] *a.* Ⓟ **1** 순종하는, (도리를) 따르는 《*to*》 **2** 복종할 의무가 있는, (법의) 제재를 받는 《*to*》 **3** (비난 등을) 받을 여지가 있는 《*to*》 **4** (시험·검사 등을) 받을 수 있는 《*to*》
a·mè·na·bíl·i·ty *n.* Ⓤ 복종의 의무, 순종 **~·ness** *n.*
-bly *ad.*
ámen còrner [the ~] (미) 교회 설교단 옆자리; 교회에서 독실한 신자들이 앉는 자리
‡**a·mend** [əménd] [L 「결점을 없애다」의 뜻에서] *vt.* **1** 〈행실 등을〉 **고치다**, 개선하다: ~ one's way 행실을 고치다 **2** 〈의안 등을〉 **수정하다**, 개정하다: ~ the Constitution 헌법을 개정하다
— *vi.* 고쳐지다; 개심(改心)하다 **~·er** *n.*
▷ améndatory *a.*; améndment *n.*
a·mend·a·ble [əméndəbl] *a.* 수정[개정]할 수 있는
a·mend·a·to·ry [əméndətɔ̀:ri | -təri] *a.* 개정의
a·mende ho·no·ra·ble [əménd-ɑ́nərəbl | -ɔ́n-] [F = honorable amends] *n.* 공식 사과[배상]
‡**a·mend·ment** [əméndmənt] *n.* ⓊⒸ **1 개정**, 수정(안): move an ~ to the Constitution 헌법 개정을 제안하다 **2** 개심(改心) **3** [the A~s] Ⓒ (미국 헌법의) 수정 조항 **4** 토양 개량제
Eighteenth A~ (미) 헌법 수정 제18조 《1920년의 금주법》 ***Twenty-first A~*** (미) 헌법 수정 제21조 《1933년의 금주법 폐지법》
*__a·mends__ [əméndz] *n. pl.* [단수·복수 취급] **보상** (reparation) ***make ~*** (***to*** a person ***for***) (…에게 …을) 배상하다, 보상하다(make up)
*__a·men·i·ty__ [əménəti, əmí:-] *n.* (*pl.* **-ties**) **1** [the ~] (장소·건물·기후 등의) **기분 좋음**, 쾌적함; (사람됨 등의) 싹싹함 **2** [보통 *pl.*] 쾌적한 오락[문화, 편의] 시설; 화장실 **3** [보통 *pl.*] 예의; 정의(情誼)
exchange amenities 정중한 인사를 나누다
aménity bèd (영) (병원의) 차액(差額) 침대 《의료보험과의 차액은 본인이 부담함》
a·men·or·rhe·a [eimènərí:ə, əmè- | æmènəríə] *n.* Ⓤ 〖병리〗 무월경, 월경 불순(月經不順)
a·ment[1] [éiment, -mənt] *n.* 〖정신의학〗 (선천성) 정신박약아 **a·men·tal** [eiméntl] *a.*
am·ent[2] [ǽmənt, éimənt] *n.* 〖식물〗 꼬리 모양[미상(尾狀)] 꽃차례(catkin)
am·en·ta·ceous [æ̀məntéiʃəs] *a.* 〖식물〗 꼬리 모양 꽃차례의[로 된]
a·men·tia [eiménʃə, əménʃə-] *n.* Ⓤ 〖정신의학〗 (선천성) 정신박약
a·men·tum [əméntəm] *n.* (*pl.* **-ta** [-tə]) 〖식물〗 꼬리 모양 꽃차례(ament)
Amer. America; American
Am·er·a·sian [æ̀məréiʒən, -ʃən] [*American*+*Asian*] *n., a.* 미국인과 동양인의 혼혈아(의)
a·merce [əmə́:rs] *vt.* …에게 벌금을 과하다; 벌하다
~·ment *n.* Ⓤ 벌금형; Ⓒ 벌금 **~·a·ble** *a.*
‡**A·mer·i·ca** [əmérikə] [미대륙의 발견자 Amerigo Vespucci의 라틴명 *Americus* Vespucius의 이름에서] *n.* 아메리카 《전후 관계로 다음의 어느 하나를 뜻함》 (1) 미합중국, 미국(the United States of America, the United States, the US(A), the States) **NOTE** 미국인 스스로는 보통 the United States라고 함. (2) 북아메리카(North America) (3) 남아메리카(South America) (4) [the ~s] 남·북·중앙 아메리카, 미주(美洲)(North, South, and Central America) 《미대륙 전체》
▷ Américan *a.*

‡A·mer·i·can [əmérikən] *a.* 아메리카의, 미국의; 미합중국의; 아메리카 사람[원주민]의; 미국 영어의: an ~ citizen 미국 시민
— *n.* **1** 미국인, 아메리카 사람: an ~ 미국인 《한 사람》/ ten ~*s* 10명의 미국인 / the ~*s* 미국인 《전체》; 미군(美軍) **2** Ⓤ 미국 영어 ***as ~ as apple pie*** 지극히 미국적인[미국인다운] **~·ly** *ad.* **~·ness** *n.*
▷ América *n.*; Américanize *v.*

A·mer·i·ca·na [əmèrikǽnə, -kɑ́:nə, -kéinə | -kɑ́:nə] *n. pl.* 아메리카[미국]에 관한 문헌[사물], 아메리카[미국]의 풍물[사정], 아메리카지(誌)

Américan Acádemy of Árts and Scíences [the ~] 미국 예술 과학 아카데미

Américan Áirlines 아메리카 항공 《미국의 민간 항공 회사; 코드 AA》

Américan áloe 〖식물〗 = CENTURY PLANT

Américan Associátion of Retíred Pèrsons [the ~] 미국 퇴직자 협회 《略 AARP》

Américan Bár Associàtion [the ~] 미국 변호사 협회 《略 ABA》

Américan Béauty 〖식물〗 붉은 장미의 일종 《미국산(産)》

Américan Bréakfast 미국식 아침 식사 《주스·시리얼·팬케이크·토스트·햄에그·해시 브라운 등이 나옴》

Américan chèese 체더치즈 《미국산(産)》(Cheddar cheese)

Américan Cívil Líberties Ùnion [the ~] 미국 시민 자유 연맹 《略 ACLU》

Américan Cívil Wár [the ~] 〖미국사〗 남북 전쟁(1861-65)

Américan clòth 《영》 모조 에나멜가죽 《부드러운 유포(油布); 의자 커버·식탁보 등으로 쓰임》

Américan Cóllege Tèst 《미국의》 대학 입학 학력고사 《略 ACT》

Américan dréam [the ~] 《미》 아메리칸드림 《민주주의와 물질적 번영을 구현하려는, 대다수 미국인의 공통된 소망》

Américan éagle 〖조류〗 흰머리독수리 《미국의 국장(國章)》

Américan Énglish 미국 영어(cf. BRITISH ENGLISH)

Américan Expréss (**càrd**) 아메리칸 익스프레스 카드 《신용 카드의 하나; 略 Amex》

Américan Federátion of Informátion Prócessing Socìeties [the ~] 미국 정보 처리 협회 《略 AFIPS》

Américan Federátion of Lábor [the ~] 미국 노동 총동맹 《略 AFL, AF of L》

Américan fóotball 미식축구(cf. FOOTBALL)

Américan Fórces Nètwork [the ~] 미군 방송망 《해외 파병 미군을 대상으로 한 TV·라디오 방송망; 略 AFN》

Américan fríed potátoes, Américan fríes = HOME FRIES

Américan Índian 아메리칸 인디언; 아메리칸 인디언의 언어 ★ 이 말보다 Native American(아메리카 원주민)이 바람직하다고 함.

A·mer·i·can·ism [əmérikənìzm] *n.* **1** Ⓤ 친미주의 **2** Ⓤ Ⓒ 미국 기질[정신] **3** Ⓤ Ⓒ 미국 특유의 말[어법], 미어(美語) 《cookie, prairie, corn, store 등; cf. BRITICISM》: A Dictionary of ~*s* 미어 사전

A·mer·i·can·ist [əmérikənist] *n.* **1** 미국 연구가 《역사·지리 등의》 **2** 아메리칸 인디언의 언어·문화 연구가 **3** 친미주의자

Américan ívy 〖식물〗 아메리카 담쟁이덩굴

A·mer·i·can·i·za·tion [əmèrikənizéiʃən | -nai-] *n.* Ⓤ 미국 귀화; 미국화

A·mer·i·can·ize [əmérikənàiz] *vt., vi.* 아메리카화하다[되다]; 미국식으로 하다[이 되다], 미국에 귀화시키다[하다]; 미국 어법을 쓰다
▷ Américan *a.*

Américan lánguage [보통 the ~] 미국 영어 (American English)

Américan Léague [the ~] 아메리칸 리그 《미국 프로 야구의 양대 리그의 하나; 略 AL; cf. NATIONAL LEAGUE》

Américan léather = AMERICAN CLOTH

Américan Légion [the ~] 미국 재향 군인회

Américan léopard 〖동물〗 = JAGUAR

Américan Nátional Stándards Ìnstitute [the ~] 미국 표준 협회 《略 ANSI》

A·mer·i·can·ol·o·gist [əmèrikənɑ́lədʒist | -ɔ́lə-] *n.* 《미국인 외의》 미국 정책·문화 연구가, 미국 정치통

A·mer·i·ca·no·pho·bi·a [əmèrikənəfóubiə, -kæ̀n-] *n.* Ⓤ 미국을 싫어함[두려워함]

Américan órgan 아메리칸 오르간 《페달식의 리드 오르간의 일종》(melodeon)

Américan plàn 미국식 호텔 요금제 《방세와 식비를 합산하는; opp. *European plan*》

Américan Revísed Vérsion [the ~] 미국 개정역 성서

Américan Revolútion [the ~] 〖미국사〗 미국 독립 혁명(1775-83) 《영 본국과 아메리카 식민지와의 전쟁; 《미》 the Revolutionary War, 《영》 the War of Independence라고도 함》

Américan sáddle hòrse 아메리칸 새들 호스 《미국의 야생마와 서러브레드(thoroughbred)를 교배한 승용마》

Américan Samóa 미국령 사모아 《Samoa 제도 중의 미국 신탁 통치령; 수도 Pago Pago》

Américan sélling prìce 미국 내 판매 가격 《수입품과 같은 종류의 국산품 도매 가격; 수입품과의 차액이 관세 기준이 됨; 略 ASP》

Américan Sígn Lànguage 미식 수화(手話) (Ameslan) 《略 ASL》

Américan Spánish 라틴 아메리카에서 사용되는 스페인 어

Américan Stáffordshire térrier 투견용으로 사육된 테리어 《미국산(産)》

Américan Stándard Códe for Informátion Ìnterchange = ASCII

Américan Stándard Vérsion [the ~] 미국 표준역 성서(American Revised Version)

Américan Stóck Exchànge [the ~] 미국 증권 거래소 《略 ASE, Amex》

Américan tíger = JAGUAR

Américan trypanosomíasis 〖병리〗 = CHAGAS' DISEASE

Américan wáter spàniel 중간 크기의 물새 사냥개 《미국산(産)》

Américan wáy [the ~] 미국식 《좋은 뜻으로는 근면·공평함을 중시하는 전통을, 나쁜 뜻으로는 물질적 행락을 추구하는 생활 방식을 이름》

América Ón-Líne 아메리카 온라인 《종합 정보 통신 서비스망; 略 AOL》

América's Cùp [the ~] 아메리카 컵 《1851년 창설된 국제 요트 경기(의 우승컵)》

América the Béautiful 미국의 국가(國歌)

A·mer·i·Corps [əmérikɔ:r] *n.* 아메리코, 미국 봉사단 《미국의 지역 사회 봉사 조직으로, 참가자들에게 교육비가 지급됨》

am·er·i·ci·um [æ̀mərìʃiəm | -siəm, -ʃiəm] *n.* Ⓤ 〖화학〗 아메리슘 《인공 방사성 원소; 기호 Am, 번호 95》

A·me·ri·go Ves·puc·ci [əmérigòu-vespjú:tʃi | -pú:-] = VESPUCCI

A·mer·i·ka [əmérikə] [G] *n.* 《속어》 파쇼적 미국, 인종 차별 사회인 미국

Am·er·ind [ǽmərìnd] [*Amer*ican+*Ind*ian] *n.* 아메리카 원주민 《인디언 또는 에스키모 인》; Ⓤ 아메리카 인디언 어(語) **Àm·er·índ·ic** *a.*

Am·er·in·di·an [æ̀mərí ndiən] [*American*+*Indian*] *n., a.* 아메리카 원주민[원주민의 언어](의)

ames·ace [éimzèis, ǽmz-] *n.* ＝AMBSACE
Am·es·lan [ǽməslæ̀n] *n.* ＝AMERICAN SIGN LANGUAGE
Ámes tèst [éimz-] [미국 생화학자 이름에서] 〖의학〗 에임스 검사법《돌연변이 유발성 측정에 의한 발암성 물질 검출 시험》
am·e·thop·ter·in [æ̀məθɑ́ptərin | -θɔ́p-] *n.* 〖약학〗 아메톱테린《면역 억제제·항암제》
am·e·thyst [ǽməθist] [Gk 「취하지 않는」의 뜻에서] *n.* Ⓤ **1** 〖광물〗 자석영, 자수정《2월의 탄생석》 **2** 자주색 ***Oriental*** ~ 동양 자수정《자줏빛의 강옥석》 **~·like** *a.*
am·e·thys·tine [æ̀məθístin, -tain | -tain] *a.* **1** 자수정의[과 같은] **2** 자줏빛의
am·e·tro·pi·a [æ̀mətróupiə] *n.* Ⓤ 〖병리〗 비정시안(非正視眼), 굴절 이상(증)《난시·원시·근시 등》
am·e·tro·pic [æ̀mətróupik] *a.* 〖병리〗 굴절 이상의
Amex American Express
AMEX [ǽmeks] *n.* American Stock Exchange의 약칭
AM/FM, am/fm [éièméfèm] *a.* AM과 FM 양쪽 다 수신 가능한
AMG Allied Military Government (of Occupied Territory)
Am·ha·ra [ɑːmhɑ́ːrə | æm-] *n.* 암하라《에티오피아 북서부의 지방[주]; 옛 왕국》; 암하라 족(族)
Am·har·ic [æmhǽrik, ɑːmhɑ́ːr-] *n.* Ⓤ, *a.* 암하라 말(의)《에티오피아의 공용어》
a·mi [æmíː, ɑːmíː] [F＝friend] *n.* (*pl.* **~s** [-z]) 남자 친구; (남자) 애인(cf. AMIE)
a·mi·a·bil·i·ty [èimiəbíləti] *n.* Ⓤ 상냥함, 온화
***a·mi·a·ble** [éimiəbl] *a.* **붙임성 있는,** 귀염성 있는; 마음씨 고운; 상냥한 (*to*): make oneself ~ *to* a person …에게 상냥하게 대하다 **~·ness** *n.* ＝AMIABILITY **-bly** *ad.* 상냥하게, 친절하게, 온화하게
am·i·an·thus [æ̀miǽnθəs], **-tus** [-təs] *n.* Ⓤ 〖광물〗 석면(asbestos)의 일종 **-thine** [-θin, -θain] *a.* **-thoid** *a.*
am·ic [ǽmik] *a.* 〖화학〗 아미드의; 아민의
am·i·ca·bil·i·ty [æ̀mikəbíləti] *n.* **1** Ⓤ 우호, 화친, 친선 **2** 친선 행위
***am·i·ca·ble** [ǽmikəbl] [L 「친구」의 뜻에서] *a.* 우호적인; 평화적인, 타협적인, 유쾌한: ~ relations 우호 관계 / an ~ settlement 원만한 해결, 화해 **~·ness** *n.* **-bly** *ad.* 평화적으로, 의좋게
am·ice [ǽmis] *n.* **1** 〖가톨릭〗 개두포(蓋頭布)《미사 때 사제가 어깨나 목에 걸치는 긴 네모꼴의 아마포》 **2** (옛날 승려의) 털모자; (프랑스 canon의) 완팔 완장

amices 1

a·mi·cus [əmáikəs, əmíː-] [L] *n.* ＝AMICUS CURIAE
amícus brief [L] 〖미국법〗 법정 조언자에 의한 의견서
amicus cu·ri·ae [-kjúəriìː] [L] *n.* (*pl.* **a·mi·ci cu·ri·ae** [əmáikai-kjúəriìː]) 〖법〗 법정 조언자《보통은 변호사》
‡**a·mid** [əmíd] *prep.* 《문어》 …의 **한복판에**; …이 한창일 때에: ~ shouts of dissents 반대의 아우성 소리를 들으면서 / ~ tears 눈물을 흘리면서

> 유의어 **amidst**도 문어이다. 영국에서는 amid보다는 보통어에 가까우나 미국에서는 그 반대이다. 대개의 경우 in이나 among이 대신 쓰인다. 또한 **among**은 「…속에 섞여」의 뜻으로서 그 일원임을 나타내는 데 대해서 **amid, amidst**는 「이분자(異分子)에게 둘러싸여」의 뜻으로서 주위로부터의 분리를 의미한다.

A·mi·da [ɑ́ːmidə] *n.* 〖불교〗 ＝AMITABHA
am·i·dase [ǽmədèis, -dèiz] *n.* 〖생화학〗 아미다아제《아미드의 가수 분해를 촉매하는 효소의 총칭》
am·i·date [ǽmədèit] *vt.* 〖화학〗 아미드화(化)하다
am·ide [ǽmaid, ǽmid] *n.* Ⓤ 〖화학〗 (산)아미드
am·i·dine [ǽmədìːn, -din] *n.* Ⓤ 〖화학〗 아미딘
am·i·dol [ǽmidɔ̀ːl, -dɑ̀l | -dɔ̀l] *n.* Ⓤ 〖사진〗 아미돌《사진 현상약》
am·i·done [ǽmədòun] *n.* 〖약학〗 ＝METHADONE
a·mid·ships [əmídʃìps] *ad.* **1** 〖항해〗 배 복판에 **2** 중앙에
‡**a·midst** [əmídst] *prep.* ＝AMID
a·mie [æmíː, ɑː-] [F] *n.* (*pl.* **~s** [-z]) 여자 친구 (cf. AMI); (여자) 애인
AMIEE 《영》 Associate Member of the Institution of Electrical Engineers
a·mi·ga [əmíːgə, ɑːmíː-] [Sp.] *n.* 여자 친구
a·mi·go [əmíːgou, ɑːmíː-] [Sp.＝friend] *n.* (*pl.* **~s**) 친구; 《미·속어》 (백인·흑인이 보아) 스페인계 사람
a·mim·i·a [eimímiə] *n.* Ⓤ 〖병리〗 무표정증
a·mine [əmíːn, ǽmin] *n.* 〖화학〗 아민
a·min·o [əmíːnou, -nə, ǽmə-] *a.* 〖화학〗 아민(amine)의[을 함유한]
amino- [əmíːnou] 《연결형》 〖화학〗 「아미노」의 뜻: *amino*compound 아민 화합물
amíno ácid 〖화학〗 아미노산
a·mín·o·ác·id dàting [-ǽsid-] (지질[고고]학상 표본의) 아미노산 연대 측정
a·mi·no·ac·id·u·ri·a [əmìːnouæ̀sidjúəriə | əmìː-nouæ̀sidjúəriə] *n.* 〖생리〗 아미노산뇨(증)
a·mi·no·ben·zó·ic ácid [əmìːnoubenzóuik-] 〖생화학〗 아미노벤조산
a·mi·no·phyl·line [əmìːnoufílain, -liːn, æ̀mə-] *n.* 〖약학〗 아미노필린《이뇨제·혈관 확장제》
a·mi·no·py·rine [əmìːnoupáiriːn, æ̀mə-] *n.* 〖약학〗 아미노피린《해열·진통제》
a·mi·no·trans·fer·ase [əmìːnoutrǽnsfərèis, -rèiz] *n.* 〖생화학〗 아미노기(基) 전이 효소
a·mi·no·tri·a·zole [əmìːnoutráiəzòul] *n.* 〖화학〗 아미노트리아졸《제초제》
a·mir [əmíər] *n.* ＝EMIR
a·mir·ate [əmíərət, -reit] *n.* ＝EMIRATE
A·mis [éimis] *n.* 에이미스 **Kingsley** ~ (1922-95) 《영국의 소설가; Angry Young Men의 한 사람》
A·mish [ɑ́ːmiʃ, ǽ-] *n.* 아미시, 암만(Ammann)파의 신도《17세기의 스위스 목사 J. Ammann이 창시한 메노(Menno)파의 한 분파》 **—** *a.* 아만파의
a·miss** [əmís] *ad.* **잘못되어,** 빗나가, 틀어져, 고장나; 부적당하게 ***come ~ [부정문에서] 탐탁치 않다, 잘못되다: *Nothing comes* ~ to a hungry man. 《속담》 시장이 반찬이다. ***do*** ~ 실수하다, 그르치다 ***go*** ~ 〈일이〉 틀어지다 ***speak*** ~ 실언하다, 엉뚱한 소리를 하다 ***take ...*** ~ …을 나쁘게 해석하다, …에 기분이 상하다 ***turn out*** ~ 좋지 않은 결과가 되다 **—** *a.* Ⓟ (…이) **적절하지 않은,** 형편이 나쁜, 고장난 (*with*), 잘못된: What's ~ *with* it? 그것이 어떻게 잘못됐는가?
A·mi·ta·bha [ʌmitɑ́ːbə] [Skt.＝infinite light] *n.* 〖불교〗 아미타불, 무량광불(無量光佛)
am·i·to·sis [æ̀mətóusis, èimai-] *n.* (*pl.* **-ses** [-siːz]) 〖생물〗 (세포의) 무사 분열(無絲分裂)
am·i·trip·ty·line [æ̀mətríptəlìːn, -làin, -lin] *n.* 〖약학〗 아미트리프틸린《우울증 및 야뇨증 치료제》
am·i·ty** [ǽməti] *n.* (*pl.* **-ties**) ⓊⒸ **우호,** 친목, 친선 (관계), 친교: a treaty of ~ 우호 조약 ***in ~ (***with***) 의좋게, 우호적으로
AMM antimissile missile
am·ma [ʌ́mɑː] *n.* 《인도》 [특히 호칭으로] 엄마
Am·man [æmɑ́ːn, æmǽn | əmɑ́ːn] *n.* 암만《Jordan 왕국의 수도》
am·me·ter [ǽmmìːtər] [*ampere*+*meter*] *n.* 〖전기〗 전류계

am·mine [ǽmiːn, əmíːn] *n.* 〖화학〗 암민
am·mi·no [ǽmənòu, əmíːnou] *a.* 〖화학〗 암민의
am·mo [ǽmou] *n.* 《구어》 = AMMUNITION
am·mo·cete, -coete [ǽməsìːt] *n.* 《칠성장어 등의》 어린 물고기
Am·mon [ǽmən] *n.* 아몬 《고대 이집트의 태양신》
am·mo·nal [ǽmənæ̀l] *n.* Ⓤ 암모날 《강력 폭약》
am·mo·nate [ǽmənèit] *n.* = AMMONIATE
***am·mo·nia** [əmóunjə, -niə] *n.* Ⓤ 〖화학〗 **1** 암모니아 《기체》 **2** 암모니아수
▷ ammoníacal *a.*; ammóniate *v.*
am·mo·nl·ac [əmóuniæ̀k] *a.* = AMMONIACAL
— *n.* Ⓤ 암모니아 고무(=gum ~) ***sal*** **~** 염화암모늄
am·mo·ni·a·cal [æ̀mənáiəkəl] *a.* 암모니아의[와 같은], 암모니아를 함유한
am·mo·ni·ate [əmóunièit] *vt.* 암모니아와 화합시키다 — *n.* 암모니아 화합물 **-àt·ed** [-èitid] *a.* 암모니아와 화합한 **am·mò·ni·á·tion** *n.*
ammónia wàter[solùtion] 〖화학〗 암모니아수
am·mo·ni·fy [əmɑ́nəfài, əmóunə- | əmɔ́n-, əmóun-] *vt.* 암모니아와 화합시키다, 암모니아를 침투시키다 — *vi.* 암모니아화(化)하다, 암모니아 화합물이 되다 **am·mòn·i·fi·cá·tion** [-fikéiʃən] *n.*
am·mo·nite [ǽmənàit] *n.* **1** 〖고생물〗 암모나이트, 국석(菊石) **2** Ⓤ 암모니아 비료
am·mo·ni·um [əmóuniəm] *n.* Ⓤ 〖화학〗 암모늄 《암모니아 염기》 ▷ ammóno *a.*
ammónium cárbonate 〖화학〗 탄산암모늄
ammónium chlóride 〖화학〗 염화암모늄
ammónium hydróxide 〖화학〗 수산화암모늄
ammónium nítrate 〖화학〗 질산암모늄, 초안(硝安)
ammónium phósphate 〖화학〗 인산암모늄
ammónium súlfate 〖화학〗 황산암모늄, 유안(硫安)
am·mo·no [ǽmənòu] *a.* 암모니아의; 암모니아 유도체의
am·mo·noid [ǽmənɔ̀id] *n.* = AMMONITE 1
***am·mu·ni·tion** [æ̀mjuníʃən] [F *la munition*(군수품)을 *l'amunition*으로 분석한 데서 생긴 말] *n.* Ⓤ **1** 〖집합적〗 〖군사〗 탄약, 무기: an ~ box[chest] 탄약 상자 **2** 《논쟁 등에서의》 공격[방어] 수단 **3** [복합어로] 《영》 군수품: ~-boots 군화
ammunítion bèlt 탄띠
am·ne·sia [æmníːʒə | -ziə] [Gk 「기억하지 않음」의 뜻에서] *n.* Ⓤ 〖병리〗 기억 상실(증), 건망증(forgetfulness) **-sic** [-sik, -zik] *a.*, *n.* 건망증의 (사람)
am·ne·si·ac [æmníːʒiæ̀k, -zi- | -zi-] *n.* 기억 상실증[건망증] 환자 — *a.* 기억 상실증의 (증세가 있는)
am·nes·tic [æmnéstik] *a.* 건망증의
am·nes·ty [ǽmnəsti] [Gk 「망각」의 뜻에서] *n.* (*pl.* **-ties**) ⓊⒸ 대사(大赦), 특사; 사면: grant an ~ to …에게 사면을 허락하다
— *vt.* (**-tied**) 사면하다, 대사[특사]하다
Ámnesty Internátional 국제 사면 위원회, 국제 엠네스티 《정치·사상범의 석방 운동을 위한 국제 조직; 본부는 London; Nobel 평화상(1977) 수상》
am·ni·o [ǽmniːòu] *n.* (*pl.* **~s**) 《구어》 = AMNIOCENTESIS
am·ni·o·cen·te·sis [æ̀mniousentíːsis] *n.* (*pl.* **-ses** [-siːz]) 〖의학〗 양수 천자(羊水穿刺) 《양수를 추출하여 태아의 성별·염색체 이상을 판정하는 방법》
am·ni·og·ra·phy [æ̀mniɑ́grəfi | -ɔ́grə-] *n.* (*pl.* **-phies**) 〖의학〗 양수 조영(羊水造影)(술)
am·ni·on [ǽmniən] *n.* (*pl.* **~s, -ni·a** [-niə]) 〖해부〗 양막 《태아를 싸는》
am·ni·on·ic [æ̀mniɑ́nik | -ɔ́n-] *a.* = AMNIOTIC
am·ni·o·scope [ǽmniəskòup] *n.* 〖의학〗 양막 내시경
am·ni·os·co·py [æ̀mniɑ́skəpi | -ɔ́s-] *n.* (*pl.* **-pies**) 〖의학〗 양막 내시경 검사(법)
am·ni·ote [ǽmniòut] *n.* 〖동물〗 양막(羊膜) 동물
— *a.* 양막류의
am·ni·ot·ic [æ̀mniɑ́tik | -ɔ́tik] *a.* 〖해부〗 양막의[이 있는]
amniótic flúid 〖생리〗 양수(羊水)
amn't [ǽnt, ǽmənt] 《방언》 am not의 단축형
am·o·bar·bi·tal [æ̀moubɑ́ːrbitæ̀l, -tɔ̀ːl] *n.* 〖약학〗 아모바비탈($C_{11}H_{18}N_2O_3$) 《무색 결정상(結晶狀)의 바르비탈산염; 주로 진정제로 쓰임》
a·moe·ba, a·me- [əmíːbə] *n.* (*pl.* **-bae** [-biː], **~s**) 〖동물〗 아메바 《단세포 원생 동물》
am·oe·be·an [æ̀məbíːən] *a.* 〈시 등이〉 대화체의, 문답체의
am·oe·bi·a·sis [æ̀məbáiəsis] *n.* = AMEBIASIS
a·moe·bic, a·me- [əmíːbik] *a.* 아메바의[같은]; 아메바로 인한
amóebic dýsentery = AMEBIC DYSENTERY
a·moe·bo·cyte, a·me- [əmíːbəsàit] *n.* 〖생물〗 변형[유주(遊走)] 세포
a·moe·boid, a·me- [əmíːbɔid] *a.* 아메바 모양의[비슷한]
a·mok [əmʌ́k, əmɑ́k | əmɔ́k] *n.* 《말레이 인의》 맹렬한 살상욕을 수반하는 정신 착란 — *ad.* 〈사람이〉 미친 듯이 날뛰어 ***run*** **~**[***amuck***] 《피에 굶주려》 날뛰다, 닥치는 대로 베다; 몹시 난폭하게 굴다
a·mo·le [əmóulei] *n.* (*pl.* **~s** [~z]) 《미남서부》 비누나무 무리의 식물(의 뿌리) 《비누 대용으로 씀》
‡**a·mong** [əmʌ́ŋ] *prep.* **1** …의 사이에, …의 가운데에, …에 둘러싸여: a house ~ the trees 나무에 둘러싸인 집/She was sitting ~ the boys. 그녀는 남자들 사이에 앉아 있었다. ★ 보통 셋 이상의 사물[사람]의 경우에 쓰이므로 목적어는 복수명사·집합명사임(cf. BETWEEN) **2** 〈동료·동류〉 …중의 한 사람으로[하나로] (⇨ amid 유의어); 〈동류〉 [보통 최상급과 함께] …중에서 뛰어난: She is ~ the prize winners. 그녀는 수상자의 한 사람이다./She was the eldest ~ them. 그 사람들 중에서 그녀가 가장 연장자였다. **3** …의 사이에서; …의 사이에서 분배하여; …의 사이에서 서로: Divide these ~ you three. 이것을 너희들 셋이 나누어라.
~ *others*[***other things***] 여럿 가운데서, 그 중에 끼어; 그 중에서도 특히: *A~ others* there was Mr. A. 그 중에 A씨도 있었다. **~ *ourselves***[***yourselves***] 우리[너희들]끼리; 비밀로 **~ *the missing*** 《미》 행방불명인, 없어져서 **~ *themselves*** 저희끼리: They quarreled ~ *themselves.* 저희들끼리 서로 싸웠다. ***from*** **~** …의 가운데서: The chairman will be chosen *from* ~ the members. 의장은 회원들 중에서 선출된다. ***one*** **~ *a thousand*** 천[천 명]에 하나[한 사람]
***a·mongst** [əmʌ́ŋkst] *prep.* 《주로 영》 = AMONG
a·mon·til·la·do [əmɑ̀ntəlɑ́ːdou | əmɔ̀n-] [Sp.] *n.* Ⓤ 아몬틸라도 《스페인산(産) 셰리》
a·mor·al [eimɔ́ːrəl, eimɑ́r-, æm-] *a.* 도덕과 관계없는; 도덕성이 없는; 초(超)도덕의: ~ customs 초도덕적인 풍습/Infants are ~. 유아는 도덕 관념이 없다. **~·ism, ~·ist** *n.* **a·mo·rál·i·ty** [èimərǽləti, æ̀mə-] *n.* **~·ly** *ad.*
a·morce [əmɔ́ːrs] *n.* 장난감 권총의 뇌관; 기폭제
am·o·ret·to [æ̀mərétou] [It.] *n.* (*pl.* **-ret·ti** [-rétiː]) 큐피드(cupid)
a·m·o·ri·no [æ̀məríːnou] *n.* (*pl.* **~s, -ni** [-niː]) 〖미술〗 아모리노 《아이 모양의 큐피드 상(像)》(putto)
am·o·rist [ǽmərist] *n.* 호색꾼; 연애 문학 작가
Am·o·rite [ǽməràit] *n.* 아모리 인(人) 《가나안 땅을 지배했던 셈 족》; 아모리 어(語)
a·mo·ro·so[1] [ɑ̀ːməróusou | æ̀m-] [It.] *a.*, *ad.* 〖음악〗 부드러운[부드럽게], 애정을 깃들인[깃들여서]
amoroso[2] [Sp.] *n.* 아모로소 《셰리주(酒)의 일종》
am·o·rous [ǽmərəs] *a.* **1** 호색적인, 색정적인, 바람기 있는 **2** 사랑의, 연애(중)의 **3** 요염한: ~ glances 추파 ***be*** **~ *of*** …을 연모하고 있다
àm·o·rós·i·ty *n.* **~·ly** *ad.* **~·ness** *n.*

a·mor pa·tri·ae [éimɔːr-péitriìː] [L = love of fatherland] *n.* 조국애, 애국심
a·mor·phism [əmɔ́ːrfizm] *n.* Ⓤ **1** 무정형(無定形) **2** 〖화학·광물〗 비결정(非結晶) **3** 《폐어》 허무주의
a·mor·phous [əmɔ́ːrfəs] *a.* **1** 무정형의(formless); 〖화학·광물〗 비결정질의 **2** 조직이 없는 **~·ly** *ad.* **~·ness** *n.*
amórphous semicondúctor 비정질(非晶質) 반도체
amórphous sílicon 〖컴퓨터〗 비정질 실리콘
am·or·ti·za·tion [æ̀mərtəzéiʃən, əmɔ̀ːr-|əmɔ̀ːrtai-, -ti-] *n.* Ⓤ **1** 〖법〗 법인에의 부동산 양도 **2** 〖경제〗 (부채의) 할부 상환(액)
am·or·tize [ǽmərtàiz, əmɔ́ːrtaiz|əmɔ́ːrtaiz] *vt.* **1** 〖법〗 〈부동산을〉 법인에게 양도하다 **2** 〖경제〗 〈부채를〉 할부 상환하다 **-tiz·a·ble** *a.*
àm·or·tíze·ment *n.* = AMORTIZATION
A·mos [éiməs|-mɔs] *n.* **1** 남자 이름 **2** 〖성서〗 아모스 《Hebrew의 예언자》; 아모스서(書) 《구약 성서 중의 한 권》
am·o·site [ǽməsàit] *n.* 〖광물〗 아모사 석면
a·mo·ti·va·tion·al [èimoutəvéiʃənl] *a.* 동기가 없는
‡**a·mount** [əmáunt] *n.* **1** [the ~] 총액, 총계; (대부금의) 원리 합계(total) 《*of*》(⇨ sum 유의어) **2** 양(quantity), 액수(sum): a large[small] ~ of sugar 다량[소량]의 설탕 / a considerable ~ of money 꽤 많은 돈 **3** [the ~] 요지(substance)
USAGE amount는 '양'을 나타내어 불가산 명사와 함께 쓰인다. 복수 가산 명사와 함께 쓰일 때는 가령 a number of students처럼 number가 쓰인다: a large *amount* of food 다량의 식량. 이때 a high *amount* 나 a big[little] *amount*라고 하지 않음. 만약에 amount가 복수 가산 명사와 함께 쓰인다면, 그 복수를 한 집단으로 간주한 것이다: We didn't expect such a large *amount* of people. 우리는 그토록 많은 사람이 오리라고 기대하지 않았다.
an ~ of ... 상당한 (양의) ***any ~ of ...*** 아무리 많은 …이라도, (양·액수가) 얼마 되든지 ***in ~*** 양으로 말하면; 총계; 요컨대 ***no ~ of*** 《구어》 최대한[최대량]의 …일지라도 …아니다 ***to the ~ of*** (five million won) (5백만 원)이나[까지나]
— *vi.* **1** 총계가 …에 이르다, 〈금액이〉 (얼마가) 되다, 달하다(add up) 《*to*》: (~+전+명) The annual net profit *~s to* ten million dollars. 연간 순익금이 1,000만 달러에 달한다. **2** 결과적으로 …이 되다, …에 해당[상당]하다, …와 매한가지이다[같다] 《*to*》: (~+전+명) This answer *~s to* a refusal. 이 대답은 거절이나 마찬가지다. **3** 발전하다(develop); (어떤 상태에) 도달하다, 이르다, …로 되다
~ to much 대단한 것이 되다; 훌륭하게 되다 ***~ to very little*** 거의 무가치하다
amóunt at rísk 〖보험〗 위험 보험금 《보험 금액에서 적립금을 뺀 금액》
a·mour [əmúər] [F = love] *n.* **1** 정사(情事), 바람기 **2** Ⓤ 불의, 밀통(密通)
am·ou·rette [æ̀murét, æ̀mə-] [F] *n.* 한때의[잠깐의] 정사; 바람[연애] 상대자 《여자》
a·mour fou [əmùər-fúː] [F] *n.* 미친 듯한 사랑
a·mour pro·pre [əmúər-próuprə] [F = love of oneself] *n.* 《문어》 자존심, 자부심(self-esteem)
am·ox·i·cil·lin [əmɑ̀ksəsílin, əmɑ̀k-|əmɔ̀k-] *n.* 〖약학〗 아목시실린 《경구(經口) 페니실린》
A·moy [ɑːmɔ́i] *n.* 샤먼(Xiamen)의 구칭
amp[1] [ǽmp] *n.* 《속어》 전기 기타(amplified guitar); (스테레오 등의) 앰프(amplifier)
amp[2] *n.* 《속어》 마약 앰풀(ampule)
amp[3] *n.* 《미·구어》 = AMPERE
AMP 〖생화학〗 adenosine monophosphate **amp.** 〖전기〗 amperage; ampere **AMPAS** Academy of Motion Picture Arts and Sciences 《미》 영화 예술 과학 아카데미

amped [ǽmpt] *a.* Ⓟ 《미·속어》 몹시 흥분한 《*about*》; (마약으로) 흥분한
am·pe·lop·sis [æ̀mpəlɑ́psis|-lɔ́p-] *n.* 〖식물〗 개머루
am·per·age [ǽmpəridʒ, æmpíər-|ǽmpər-] *n.* Ⓤ 〖전기〗 암페어 수(數), 전류량
am·pere [ǽmpiər, -́|ǽmpεə] [프랑스의 물리학자 이름에서] *n.* 〖전기〗 암페어 《전류의 단위; 略 A, amp.》
am·pere-hour [ǽmpiəráuər] *n.* 〖전기〗 암페어시(時) 《略 Ah》
am·pere·me·ter [ǽmpiərmìːtər] *n.* 전류계
am·pere-turn [-tə̀ːrn] *n.* 〖전기〗 암페어 횟수 《略 At》
am·per·o·met·ric [æ̀mpiərəmétrik] *a.* 〖전기〗 전류 측정의[에 관한]
am·per·sand [ǽmpərsæ̀nd, -́-̀|-́-̀] *n.* 앰퍼샌드 《&(=and)의 이름; short and라고도 함》
Am·pex [ǽmpeks] *n.* 암펙스 《TV 신호의 자기(磁氣) 녹음 시스템; 상표명》 — *vt.* 암펙스로 녹음하다
am·phet·a·mine [æmfétəmìːn, -min] *n.* Ⓤ 〖약학〗 암페타민 《중추 신경을 자극하는 각성제》
amphi- [ǽmfi, -fə] 《연결형》 「양(兩)…, 두 가지로…, 둘레의」의 뜻(cf. AMBI-)
am·phi·ar·thro·sis [æ̀mfiɑːrθróusis] *n.* (*pl.* **-ses** [-siːz]) 〖해부〗 반관절 《굴절이 한정된 관절》
am·phi·as·ter [ǽmfiæ̀stər] *n.* 〖생물〗 쌍성상체(雙星狀體) 《유사 핵분열 때의 한 쌍의 성상체(星狀體)를 가진 상태》
am·phib·i·a [æmfíbiə] *n. pl.* 〖동물〗 양서류
am·phib·i·an [æmfíbiən] *a.* **1** 양서류의 **2** 수륙 양용의: an ~ tank 수륙 양용 탱크
— *n.* **1** 양서 동물[식물] **2** 수륙 양용 비행기[전차]
am·phib·i·ol·o·gy [æ̀mfibaiɑ́lədʒi|-ɔ́lə-] *n.* Ⓤ 〖동물〗 양서류학[론]
am·phi·bi·ot·ic [æ̀mfibaiɑ́tik|-ɔ́tik] *a.* 〖동물〗 수륙 양서의
am·phib·i·ous [æmfíbiəs] *a.* **1** 수륙 양서의: 수륙 양쪽에 속하는 **2** 수륙 양용의; 육해(공)군 공동의, 상륙 작전의: ~ operations 육해(공) 공동 작전 **3** 이중 인격의 **~·ly** *ad.* **~·ness** *n.*
am·phi·bole [ǽmfəbòul] *n.* Ⓤ 〖광물〗 각섬석(角閃石)
am·phi·bol·ic [æ̀mfəbɑ́lik|-bɔ́-] *a.* **1** 각섬석의 **2** 모호한, 불분명한(ambiguous); 〖의학〗 불안정한
am·phib·o·lite [æmfíbəlàit] *n.* 〖지질〗 각섬암
am·phi·bol·o·gy [æ̀mfəbɑ́lədʒi|-bɔ́-] *n.* (*pl.* **-gies**) ⓊⒸ 글귀의 모호함; 모호한 어법[어구, 구문]
am·phib·o·lous [æmfíbələs] *a.* 두 가지로 해석되는, 뜻이 모호한
am·phi·brach [ǽmfəbræ̀k] *n.* 〖운율〗 (고전시의) 단장단격(短長短格) 《⏑–⏑》, (영시의) 약강약격(弱强弱格) 《×́×》
àm·phi·brách·ic *a.*
am·phi·car [ǽmfəkɑ̀ːr] *n.* 수륙 양용 자동차
am·phic·ty·on [æmfíktiən] *n.* 〖그리스사〗 인보동맹(隣保同盟) 회의의 대의원
Am·phic·ty·on [æmfíktiən] *n.* 〖그리스신화〗 암피크티온 《Deucalion과 Pyrrha의 아들》
am·phic·ty·o·ny [æmfíktiəni] *n.* (*pl.* **-nies**) 〖그리스사〗 인보(隣保)[근린] 동맹 《고대 그리스에서 공통의 신전을 옹호하기 위해 발생한 이웃 도시 국가 간의 동맹》 **am·phìc·ty·ón·ic** *a.*
am·phi·dip·loid [æ̀mfidíplɔid] *n., a.* 〖생물·유전〗 복이배체(複二倍體)(의)
am·phig·a·mous [æmfígəməs] *a.* 〈식물이〉 뚜렷한 암수 생식 기관이 따로 없는
am·phi·go·ry [ǽmfəgɔ̀ːri|-gəri], **-gou·ri** [-gùəri] *n.* (*pl.* **-ries**) 무의미한 문장[글, 시]
am·phim·a·cer [æmfíməsər] *n.* (고전시의) 장단장격(長短長格) 《–⏑–》, (영시의) 강약강격 《́×́》

am·phi·mix·is [æ̀mfəmíksis] *n.* (*pl.* **-mix·es** [-míksi:z]) ⓊⒸ 〖생물〗 양성(兩性) 혼합《수정에 의한 암수 유전질의 혼합》; 〖정신분석〗 (성 발달 과정에서의) 성기 쾌감과 항문 쾌감의 공존 상태

Am·phi·on [æmfáiən, ǽmfi- | æmfái-] *n.* 〖그리스신화〗 암피온《Niobe의 남편; 하프의 명수》

am·phi·ox·us [æ̀mfiɑ́ksəs | -ɔ́k-] *n.* (*pl.* **-ox·i** [-ɑ́ksai | -ɔ́k-], **~·es**) 〖어류〗 활유어(lancelet)

am·phi·path·ic [æ̀mfəpǽθik] *a.* 〖화학·물리〗 〈분자가〉 양(兩)친매성의

am·phi·phile [ǽmfəfàil] *n.* 〖생화학〗 양친매성(兩親媒性) 물질 **am·phi·phil·ic** [æ̀mfəfílik] *a.*

am·phi·ploid [ǽmfəplɔ̀id] *n.* 복배수체

ám·phi·plòi·dy *n.* Ⓤ 복배수성

am·phi·pod [ǽmfəpɑ̀d | -pɔ̀d] *a., n.* 〖동물〗 단각류(端脚類)의 (동물)《절지동물의 갑각류》

am·phip·ro·style [æmfíprəstàil, æ̀mfəpróu-stail] *a., n.* 〖건축〗 양면 주랑(柱廊)식의 (건물)

am·phis·bae·na [æ̀mfəsbí:nə] *n.* (*pl.* **-nae** [-ni:], **~s**) **1** (전설상의) 쌍두의 뱀《앞뒤에 머리가 있어 앞뒤로 움직일 수 있는》 **2** 〖동물〗 발 없는 도마뱀《열대산(産)》

am·phi·sty·lar [æ̀mfəstáilər] *a.* 〖건축〗 2주(柱)식[양주(兩柱)식]의

am·phi·the·a·ter [ǽmfəθì:ətər | -θìə-] *n.* **1** (고대 로마의) 원형 극장[경기장]; (극장의 반원형) 계단식 관람석 **2** (미) 계단식 교실[강당]

am·phi·the·at·ric, -ri·cal [æ̀mfəθiǽtrik(əl)] *a.* 원형 극장(식)의

am·phi·the·ci·um [æ̀mfəθí:ʃi:əm, -siəm] *n.* (*pl.* **-ci·a** [-ʃiə]) 〖식물〗 이끼의 포자낭(胞子囊) 속의 포자를 싸는 세포층(層)

Am·phi·tri·te [ǽmfitràiti] *n.* 〖그리스신화〗 암피트리테《Poseidon의 아내; 바다의 여신》

Am·phit·ry·on [æmfítriən] *n.* **1** 〖그리스신화〗 암피트리온《Alcmene의 남편》 **2** (환대하는) 접대역

am·pho·gen·ic [æ̀mfədʒénik] *a.* 〖생물〗 양성(兩性) 산출성의《거의 동수의 암수 새끼를 낳음》

am·phog·e·ny [æmfɑ́dʒəni | -fɔ́-] *n.*

am·pho·ra [ǽmfərə] *n.* (*pl.* **-rae** [-rì:], **~s**) (고대 그리스·로마의) 양손잡이가 달린 단지·항아리

amphora

am·phor·ic [æmfɔ́:rik, -fɑ́r- | -fɔ́r-] *a.* 〖병리〗 공동음(空洞音)의

am·pho·ter·ic [æ̀mfətérik] *a.* 양쪽에 작용하는; 〖화학〗 (산과 염기의) 두 성질을 가진

amp-hr, amp. hr. 〖전기〗 ampere-hour

am·pi·cil·lin [æ̀mpəsílin] *n.* Ⓤ 〖약학〗 암피실린《합성 페니실린》

‡am·ple [ǽmpl] *a.* (**-pler**; **-plest**) **1** (남을 정도로) **충분한**(more than enough), 풍부한: ~ means 유복한 자산 / do ~ justice to a meal 음식을 남기지 않고 다 먹어버리다 **2** Ⓐ **넓은**, 광대한, 대형의: an ~ house 넓은 집 **3** Ⓐ 뚱뚱한(stout), 풍만한 **~·ness** *n.* Ⓤ 광대, 풍부함
▷ ámplitude *n.*; ámplify *v.*; ámply *ad.*

am·plex·i·caul [æmpléksəkɔ̀:l] *a.* 〖식물〗 〈잎이〉 줄기를 둘러싼

am·plex·us [æmpléksəs] *n.* (*pl.* **~·es, ~**) 〖동물〗 포접(抱接)《개구리처럼 암수가 몸을 밀착시켜 낳은 알에 즉시 정액을 뿌리는 행위》

am·pli·ate [ǽmpliət, -lièit] *a.* 확대[확장]한

am·pli·dyne [ǽmplədàin] *n.* 〖전기〗 앰플리다인《직류 발전기의 일종》

am·pli·fi·ca·tion [æ̀mpləfikéiʃən] *n.* Ⓤ 확대, 확장; 〖광학〗 확대율; 〖전기〗 증폭(된 음량); 〖논리〗 확충; 〖수사학〗 확충, 부연(敷衍)

am·plif·i·ca·to·ry [æmplífikətɔ̀:ri | ǽmplifikèitəri] *a.* 확충[부연]적인

am·pli·fi·er [ǽmpləfàiər] *n.* **1** 확대하는 사람 **2** 확대하는 것, 확대경, 돋보기 **3** 〖전기〗 증폭기, 앰프

***am·pli·fy** [ǽmpləfài] *v.* (**-fied**) *vt.* **1** **확대[증대]하다**(enlarge); 〈장소 등을〉 넓히다, 확장하다(extend): The story only *amplified* his fear. 그 이야기는 그의 공포심을 크게 할 뿐이었다. **2** 〈서술·설명을〉 **더욱 상세히 하다**, 부연하다: (~+目+前+名) He *amplified* the matter *by* illustrations. 그는 예를 들어 그것을 부연했다. **3** (고어) 과장하다(exaggerate) **4** 〖전기〗 〈전류를〉 증폭하다
— *vi.* **상세히 설명하다**, 부연하다(expatiate) (*on*): (~+前+名) He *amplified on* the accident. 그는 그 사고에 대해 자세히 설명했다.
▷ ámple *a.*; amplificátion *n.*

am·pli·tude [ǽmplət*j*ù:d | -tjù:d] *n.* Ⓤ **1** 넓이, 크기; 도량(度量) **2** 충분함(fullness) **3** 〖물리·전기〗 진폭; 〖군사〗 사정(射程), 탄착 거리; 〖기하〗 각폭(角幅) **4** 〖천문〗 (천체의) 출몰 방위각, 각거리

ámplitude modulátion 〖전자〗 진폭 변조《略 AM》; AM 방송

am·ply [ǽmpli] *ad.* 충분히; 널따랗게; 상세하게

am·pul(e), -poule [ǽmpju:l | -pu:l] *n.* (주사약 1회분들이의) 작은 병, 앰풀

am·pul·la [æmpʌ́lə, -púlə | -púlə] *n.* (*pl.* **-lae** [-li:]) **1** (고대 로마의) 양손잡이가 달린 병, 단지 **2** 〖그리스도교〗 성유(聖油)[성수] 그릇 **3** 〖해부〗 팽대부

am·pul·la·ceous [æ̀mpəléiʃəs] *a.* 단지 모양의

am·pul·lar [æmpʌ́lər] *a.* = AMPULLACEOUS

am·pu·tate [ǽmpjutèit] *vt.* **1** 〈손·발 등을〉 (수술로) 절단하다: He had both legs *amputated*. 그는 두 다리를 절단했다. **2** 〈큰 가지를〉 잘라내다

am·pu·ta·tion [æ̀mpjutéiʃən] *n.* ⓊⒸ 절단 (수술)

am·pu·ta·tor [ǽmpjutèitər] *n.* 절단 수술자; 절단기(器)

am·pu·tee [æ̀mpjutí:] *n.* 절단 수술을 받은 사람

am·ri·ta [əmrí:tə, æm-] *n.* ⓊⒸ **1** (인도 신화에서) 불로불사의 음료, 감로 **2** 불로불사

AMS Agricultural Marketing Service (미) 농무부 마케팅 지원청; Army Medical Staff

AMSA advanced manned strategic aircraft 첨단 유인 전략 항공기

Am·ster·dam [ǽmstərdæ̀m | ⌐-⌐, ⌐-⌐] *n.* 암스테르담《네덜란드의 헌법상의 수도·항구; cf. HAGUE》

amt amount **AMT** airmail transfer

am·trac, -track [ǽmtræ̀k] [*am*phibious *trac*tor] *n.* 〖미군〗 수륙 양용 (장갑)차

Am·trak [ǽmtræ̀k] [*Am*erican *tra*vel on trac*k*] *n.* 전미(全美) 철도 여객 수송 공사

AMU, amu [ǽmju:] [*a*tomic *m*ass *u*nit] *n.* 〖물리〗 원자 질량 단위

a·muck [əmʌ́k] *ad.* = AMOK

am·u·let [ǽmjulit] *n.* 호부(護符), 부적

A·mund·sen [ɑ́:mənsən] *n.* 아문센 **Ro·ald** [róuɑ:l] ~ (1872-1928)《1911년에 처음으로 남극점에 도달한 노르웨이 탐험가》

A·mur [ɑ:múər | ə-] *n.* [the ~] 아무르 강, 헤이룽 강(黑龍江)

‡a·muse [əmjú:z] *vt.* **1** **재미있게 하다**, 웃기다(⇨ amused): The joke ~*d* all of us. 그 농담에 우리는 모두 웃었다. **2** **즐겁게 하다**, 달래다, 〈아기를〉 어르다 (*by, with*); [~ one*self* 로] **즐기다, 놀다**: (~+目+前+名) ~ a baby *with* a toy 장난감으로 아이를 어르다 **3** 기분 전환을 하다 **4** 〈시간을〉 때우다

You ~ me. 웃기지 말게, 시시한 소리 말게.

a·mús·a·ble *a.* **a·mús·er** *n.* ▷ amúsement *n.*

amuse-bouche [əmjú:zbù:ʃe] *n.* 식당에서 주는 무료 애피타이저[전채]

a·mused [əmjú:zd] *a.* 즐기는; 명랑한; 즐거워하는 (*at, with, by*): ~ spectators 흥겨워하는 구경꾼들 / We were very ~ *with* his tricks. 우리는 그의 묘기로 즐거웠다.

a·mus·ed·ly [əmjú:zidli] *ad.* 재미나서, 즐겁게
‡**a·muse·ment** [əmjú:zmənt] *n.* **1** Ⓤ 즐거움, 재미, 우스움 **2** 재미로 하는 것, 오락: my favorite ~s 내가 좋아하는 오락 ▷ amúse *v.*
amúsement arcàde (영) 실내 오락실, 게임 센터((미) penny arcade)
amúsement cènter 오락 센터, 오락장
amúsement pàrk[(영) **gròunds**] (미) 유원지, 놀이 공원
amúsement tàx 유흥세
a·mu·si·a [eimjú:ziə] *n.* 〖정신의학〗 실(失)음악(증), 음치
‡**a·mus·ing** [əmjú:ziŋ] *a.* 재미나는, 즐거운; 웃기는, 우스운(⇨ funny[1] 유의어): an ~ story 재미있는 이야기 **~·ly** *ad.* 재미나게; [문장을 수식하여] 재미있는 것은
a·mu·sive [əmjú:ziv] *a.* = AMUSING
AMVETS [ǽmvèts] [*Am*erican *Vet*erans] *n.* (제2차 대전과 그 후의 전쟁들에 참전한) 미국 재향 군인회 (1945년 창립)
A·my [éimi] *n.* 여자 이름
a·myg·da·la [əmígdələ] *n.* (*pl.* **-lae** [-lì:]) 〖해부〗 (소뇌의) 편도체[핵](amygdaloid nucleus)
am·yg·dal·ic [æ̀migdǽlik] *a.* **1** 편도의 **2** 〖화학〗 아미그달린의
a·myg·da·lin [əmígdəlin] *n.* Ⓤ 〖화학〗 아미그달린 (살구 등의 잎·씨에 있는 배당체(配糖體))
a·myg·da·loid [əmígdəlɔ̀id] *n.* Ⓤ 〖지질〗 살구씨형의 용암 **—** *a.* = AMYGDALOIDAL
a·myg·da·loi·dal [əmìgdəlɔ́idl] *a.* 살구씨형의 용암의; 편도 모양의, 아몬드형의
amýgdaloid núcleus 〖해부〗 편도핵(核)
am·yl [ǽmil] *n.* ⓊⒸ 〖화학〗 아밀(기)
amyl- [ǽməl], **amylo-** [ǽməlou, -lə] 《연결형》 「녹말; 아밀」의 뜻 《모음 앞에서는 amyl-》
am·y·la·ceous [æ̀məléiʃəs] *a.* 녹말질[성, 상]의
ámyl álcohol 〖화학〗 아밀알코올 《용제로 씀》
am·yl·ase [ǽməlèis, -lèiz] *n.* ⓊⒸ 〖생화학〗 아밀라아제 《녹말을 당화(糖化)하는 효소》
ámyl gròup 〖화학〗 아밀기(基)
ámyl nítrite 〖화학〗 아질산아밀 《협심증 치료용》
am·y·loid [ǽməlɔ̀id] 〖화학〗 *n.* ⓊⒸ 아밀로이드, 유사 녹말체 **—** *a.* 녹말 같은, 녹말을 함유한
am·y·lol·y·sis [æ̀məlɑ́ləsis | -lɔ́lə-] *n.* 〖생화학〗 녹말 (가수) 분해
am·y·lo·pec·tin [æ̀məloupéktin] *n.* 〖생화학〗 아밀로펙틴 《녹말 주성분의 하나》
am·y·lop·sin [æ̀məlɑ́psin | -lɔ́p-] *n.* Ⓤ 〖생화학〗 아밀롭신 《녹말을 맥아당으로 분해하는 소화 효소》
am·y·lose [ǽməlòus, -lòuz] *n.* 〖생화학〗 아밀로오스 《녹말의 주성분인 다당류》
ámyl ràdical 〖화학〗 = AMYL GROUP
am·y·lum [ǽmələm] *n.* Ⓤ 〖화학〗 녹말(starch)
a·my·o·tró·phic láteral sclerósis [èimaiətrɑ́fik-, -tróu-, eimàiə- | èimaiətrɔ́-] 〖병리〗 근위축성(筋萎縮性) 측색(側索) 경화(증), 루게릭 병
a·my·ot·ro·phy [æ̀miɑ́trəfi | -ɔ́t-] *n.* 〖병리〗 근(筋)위축증
Am·y·tal [ǽmitæ̀l, -tɔ̀:l | -tæ̀l] *n.* 아미탈 《진통제; 상표명》
‡**an**[1] [ən, n; ǽn] *indef. art.* ⇨ a[2]
USAGE (1) 악센트가 없는 제1음절이 발음되는 h로 시작되는 경우 a가 보통이지만 주로 (영)에서는 an도 가끔 쓰임: *a*[*an*] historian (2) [ju(:)]로 발음되는 u-, eu- 앞에서 (영)에서는 an도 쓰임: *a*[*an*] union [European]
an[2], **an'** [ən; ǽn] *conj.* **1** (방언·구어) = AND **2** (고어·방언) = IF
an- [æn] *pref.* **1** 「무(無)」의 뜻: *an*archy **2** = AD- 《n 앞에 올 때》: *an*nounce **3** = ANA-
-an [ən] *suf.* 「…의; …의 성질의; …사람」의 뜻: Anglic*an*, reptili*an*, Republic*an*
an. *anno* 《L = in the year》; anonymous **AN** acid number; Anglo-Norman; Arrival Notice
a·na[1] [ǽnə, ɑ́:nə | ɑ́:nə] *n.* (*pl.* **~, ~s**) **1** 어록; 일화집 **2** [*pl.*] 소화(小話), 일화(anecdote)
an·a[2] [ǽnə | éinə, ɑ́:nə] *ad.* 각각 같은 양으로 《略 aa, AA, Ā》: wine and honey ~ two ounces 와인과 꿀을 각각 2온스씩
ANA American Newspapers Association 미국 신문 협회; American Nurses Association 미국 간호사 협회; Association of National Advertisers 미국 광고주 협회; Australian National Airways
ana- [ǽnə, ənǽ] *pref.* 「상(上)…; 후(後)…; 재(再)…; 전면적; 유사적」의 뜻: *ana*baptism
-ana [ǽnə, ɑ́:nə | ɑ́:nə] *suf.* [인명·지명 뒤에 붙여] 「…의 자료(집); …어록; …일화집; …풍물지; …문헌」의 뜻(cf. -IANA): Shakespeare*ana*, Americ*ana*
an·a·bap·tism [æ̀nəbǽptizm] *n.* Ⓤ 재세례(再洗禮); [**A~**] 재세례교; 재세례파의 교의(敎義)
-tist *n.*, *a.* 재세례론자(의); [**A~**] 재세례 교도(의)
an·a·bas [ǽnəbæ̀s] *n.* 〖어류〗 아나바스, 등목어(登木魚) 《동남아시아산(産) 민물고기》
a·nab·a·sis [ənǽbəsis] *n.* (*pl.* **-ses** [-sì:z]) ⓊⒸ **1** 진군, 원정 **2** [the A~] 아나바시스 《페르시아왕 소(小)키루스(Cyrus the Younger)의 소아시아 원정기; Xenophon의 저서》 **3** 참담한 퇴각
an·a·bat·ic [æ̀nəbǽtik] *a.* 〖기상〗 상승 기류의[로 생기는](opp. *katabatic*)
an·a·bi·o·sis [æ̀nəbaióusis] *n.* Ⓤ 소생, 의식 회복
an·a·bi·ot·ic [æ̀nəbaiɑ́tik | -ɔ́t-] *a.* 소생의
an·a·bleps [ǽnəblèps] *n.* 〖어류〗 네눈박이 물고기(four-eyed fish)
an·a·bol·ic [æ̀nəbɑ́lik | -bɔ́-] *a.* 〖생물〗 동화(同化) 작용의(opp. *catabolic*)
anabólic stéroid 〖생화학〗 단백 동화 스테로이드 《근육 증강용의 합성 스테로이드》
a·nab·o·lism [ənǽbəlìzm] *n.* Ⓤ 〖생물〗 동화 작용 (opp. *catabolism*)
an·a·branch [ǽnəbræ̀ntʃ | -brɑ̀:ntʃ] *n.* 〖지리〗 (본류에 다시 합류하는) 지류(支流)
a·nach·ro·nism [ənǽkrənìzm] *n.* ⓊⒸ **1** 시대착오; 시대에 뒤진 것[사람] **2** 연대[날짜]의 오기(誤記)
a·nach·ro·nis·tic, -ti·cal [ənæ̀krənístik(əl)] *a.* 시대착오의, 시대에 뒤진 **-ti·cal·ly** *ad.*
a·nach·ro·nous [ənǽkrənəs] *a.* = ANACHRONISTIC **~·ly** *ad.*
an·a·cid·i·ty [æ̀næsídəti] *n.* Ⓤ 〖의학〗 위산 결핍증, 무산증(無酸症)
an·a·clas·tic [æ̀nəklǽstik] *a.* 〖광학〗 굴절(성)의
an·a·cli·nal [æ̀nəkláinəl] *a.* 〖지질〗 지층 경사와 반대 방향으로 하강하는(cf. CATACLINAL)
an·a·cli·sis [æ̀nəkláisis] *n.* 〖정신분석〗 의존적 자기애(自己愛), 의탁
an·a·co·lu·thon [æ̀nəkəlú:θɑn | -θɔn] *n.* (*pl.* **-tha** [-θə], **~s**) 〖수사학〗 **1** Ⓤ 파격 구문(破格構文) **2** 파격 구문의 문장 《보기: *Who* hath ears to hear, let *him* hear.에서 who와 him이 격을 달리 하고 있음》 **-lú·thic** *a.*
an·a·con·da [æ̀nəkɑ́ndə | -kɔ́n-] *n.* 〖동물〗 아나콘다 《남미산(産)의 큰 구렁이》; 큰 구렁이 《일반적인》
an·a·cous·tic [æ̀nəkú:stik] *a.* 소리[음향]가 없는: ~ zone 무음향대 《고도 약 1,600km 이상의 음파가 전파되지 않는 영역》
A·nac·re·on [ənǽkriən] *n.* 아나크레온(570?-480? B.C.) 《그리스의 서정 시인》
A·nac·re·on·tic [ənæ̀kriɑ́ntik | -ɔ́n-] *a.*, *n.* [종종 **a~**] 아나크레온식의 (시); 술과 사랑의
an·a·cru·sis [æ̀nəkrú:sis] *n.* (*pl.* **-ses** [-si:z]) 〖운율〗 행수 잉여음(行首剩餘音) 《시행(詩行)의 첫머리에 파격으로 덧붙인 하나 또는 두 개의 약한 음절》
an·a·cul·ture [ǽnəkʌ̀ltʃər] *n.* 〖세균〗 약독(弱毒) 세균 배양 《예방 접종 백신용》

an·a·dám·a brèad [æ̀nədǽmə-] 아나다마 빵 《밀가루·옥수수 가루·당밀로 만든 빵》
an·a·dem [ǽnədèm] *n.* 《시어》 화환, 화관(花冠)
an·a·di·plo·sis [æ̀nədiplóusis] *n.* 〖수사학〗 전사 반복(前辭反復) 《앞글의 중요어, 특히 끝말을 다음 글 앞에서 반복하기》
a·nad·ro·mous [ənǽdrəməs] *a.* 〖어류〗 (알을 낳으러) 강을 거슬러 올라가는, 소하성(遡河性)의(cf. CATADROMOUS)
a·nae·mi·a [əní:miə] *n.* 《영》 = ANEMIA
a·nae·mic [əní:mik] *a.* 《영》 = ANEMIC
an·aer·obe [ǽnəròub, ænέəroub] *n.* 〖생물〗 혐기성(嫌氣性) 생물 《미생물》 **àn·aer·ó·bic** *a.*
an·aes·the·sia [æ̀nəsθí:ʒə | -ziə] *n.* 《주로 영》 = ANESTHESIA
an·aes·the·si·ol·o·gy [æ̀nəsθì:ziάlədʒi | -ɔ́lə-] *n.* 《주로 영》 = ANESTHESIOLOGY
an·aes·thet·ic [æ̀nəsθétik] *a., n.* 《주로 영》 = ANESTHETIC
an·aes·thet·ist [ənésθətist | əní:s-] *n.* 《주로 영》 = ANESTHETIST
an·aes·the·tise [ənésθətàiz | əní:s-] *vt.* 《주로 영》 = ANESTHETIZE
an·a·glyph [ǽnəglìf] *n.* 얕은 돋을새김 장식(품); 〖광학〗 입체 사진 **an·a·glyph·ic** [æ̀nəglífik] *a.*
An·a·glyp·ta [æ̀nəglíptə] *n.* 아나글립타 《돌출 무늬가 있는 벽지; 상표명》
an·a·go·ge, -gy [ǽnəgòudʒi, ⌐–⌐– | ǽnəgɔ̀dʒi] *n.* Ⓤ (성서 어구 등의) 신비적[영적] 해석
an·a·gog·ic, -i·cal [æ̀nəgάdʒik(əl) | -gɔ́-] *a.* (성서 어구 등을) 신비적[영적]으로 해석하는; 〖심리〗 (무의식적인) 이상(理想)[덕성] 추구의
-i·cal·ly *ad.*
an·a·gram [ǽnəgræ̀m] *n.* **1** (어구의) 철자 바꾸기 《live에서 *vile*를 만드는 따위》; 철자를 바꾼 말 **2** [*pl.*; 단수 취급] 철자 바꾸기 놀이
an·a·gram·mat·ic, -i·cal [æ̀nəgrəmǽtik(əl)] *a.* 어구의 철자 바꾸기(놀이)의; 철자를 바꾼 어구의
an·a·gram·ma·tism [æ̀nəgrǽmətìzm] *n.* Ⓤ 어구의 철자 바꾸기 **-tist** *n.* 글자 수수께끼 고안[제작]자
an·a·gram·ma·tize [æ̀nəgrǽmətàiz] *vt.* 〈어구의 철자를〉 바꾸어 다른 말로 만들다
a·nal [éinl] *a.* **1** 항문(肛門)(부)의; 〖정신분석〗 항문(애)기의 **2** 《구어》 (지나치게) 꼼꼼한, 까다로운, 신경질적인(= ~-retentive)
anal. analogous; analogy; analysis; analytic; analyze; analyzer
ánal cháracter 〖정신분석〗 항문애 성격 《지나치게 꼼꼼하고 고집이 센 성격》
a·nal·cime [ənǽlsi:m] *n.* 〖광물〗 방비석(方沸石)
a·nal·cite [ənǽlsait] *n.* = ANALCIME
an·a·lec·ta [æ̀nəléktə] *n. pl.* = ANALECTS
an·a·lects [ǽnəlèkts] *n. pl.* 어록(語錄); 선집(選集): the *A*~ of Confucius 논어(論語)
an·a·lem·ma [æ̀nəlémə] *n.* (*pl.* **~s, ~·ta** [-tə]) 아날렘마 《매일 태양의 궤도 경사각과 균시차를 나타내는 8자형의 눈금자》 **àn·a·lem·mát·ic** *a.*
an·a·lep·tic [æ̀nəléptik] 〖의학〗 *a.* 체력[기력] 회복의(restorative), 몸을 보하는; 흥분성의
— *n.* 강장제; 보약(tonic); (중추) 흥분제
ánal eróticism [**érotism**] 〖정신분석〗 항문애(肛門愛), 항문 성감(性感)
ánal fín 〖어류〗 뒷지느러미
ánal fístula 치루(痔瘻)
an·al·ge·si·a [æ̀nəldʒí:ziə, -siə] *n.* Ⓤ 〖의학〗 무통각(無痛覺)(증), 통각 상실(증)
an·al·ge·sic [æ̀nəldʒí:zik, -sik] *a.* 아픔을 느끼지 않는, 진통성의 **—** *n.* 진통제, 마취약
an·al·get·ic [æ̀nəldʒétik] *a., n.* = ANALGESIC
an·al·gi·a [ænǽldʒiə] *n.* = ANALGESIA
ánal íntercourse 항문 성교(sodomy)
a·nal·i·ty [einǽləti] *n.* 〖정신분석〗 Ⓤ 항문애기(期)의 특성[상태]
an·a·log [ǽnəlɔ̀:g, -lὰg | -lɔ̀g] *n.* 《미》 = ANALOGUE **—** *a.* **1** 유사의; 상사형(相似型)의 **2** 아날로그의; 〈컴퓨터가〉 아날로그식의
ánalog compúter 아날로그 컴퓨터[계산기](cf. DIGITAL COMPUTER)
án·a·log-díg·i·tal convérter [-dídʒətl-] 〖전자〗 = ANALOG-TO-DIGITAL CONVERTER
an·a·log·i·cal [æ̀nəlάdʒikəl | -lɔ́-], **-log·ic** [-ik] *a.* 유사한; 유추적(類推的)인
-i·cal·ly *ad.* 유추적으로
a·nal·o·gism [ənǽlədʒìzm] *n.* ⓊⒸ 유추 추리, 추론; 유추 진단 **-gist** *n.* 유추론자
a·nal·o·gize [ənǽlədʒàiz] *vt., vi.* 유추하다, 유추로 설명하다; 유사하다 《*with*》
***a·nal·o·gous** [ənǽləgəs] *a.* Ⓟ 《문어》 (서로) 유사한, 닮은, 상사(相似)한 《*to, with*》

> [유의어] **analogous** 원래 종류가 다른 것이지만 많은 유사점을 가진: A brain and a computer are *analogous.* 두뇌와 컴퓨터는 유사하다. **similar** 헷갈릴 정도로 서로 비슷한: All the houses in the development are *similar.* 개발 단지의 집들은 모두가 비슷비슷하다.

be ~ to …와 비슷하다 **~·ly** *ad.* 비슷하게 **~·ness** *n.* Ⓤ 유사성 ▷ análogy, ánalogue *n.*; análogize *v.*
ánalog recórding 아날로그 녹음 (레코드[테이프])
ánalog sýstem 〖전자〗 아날로그 시스템 《아날로그 신호를 만들어 내거나 처리하는 시스템》
án·a·log-to-díg·i·tal convérter [-tədídʒətl-] 〖전자〗 AD[아날로그·디지털] 변환기
an·a·logue [ǽnəlɔ̀:g, -lὰg | -lɔ̀g] *n.* 《주로 영》 **1** 비슷한 것, 유사물 **2** 〖생물〗 상사(相似) 기관 **3** [보통 analog로] (화학적) 유사체 《구조적으로는 유사하나 조직이 약간 다른》 **4** 유사 식품 《첨가제 등을 넣어 고기의 품질과 맛을 낸 것; 두부로 만든 고기 등》 **5** 〖전자〗 상사형, 계량형(計量型) **—** *a.* 《주로 영》 = ANALOG
ánalog wátch 아날로그 시계 《시침과 분침이 있는》
‡**a·nal·o·gy** [ənǽlədʒi] *n.* (*pl.* **-gies**) **1** ⒸⓊ 유사, 비슷함 《*between, to, with*》 **2** Ⓤ 유추, 유추에 의한 설명 **3** Ⓤ 〖논리〗 **유추법**; 〖수학〗 유비(類比), 등비; 〖언어〗 유추: a forced ~ 견강부회 **4** 〖생물〗 상사(相似)(cf. HOMOLOGY) ***by ~*** 유추하여(analogically) ***have*** [***bear***] ***some ~ with*** [***to***] …와 약간 비슷하다 ***on the ~ of*** …에서 유추하여
▷ análogous *a.*; análogize *v.*
análogy tèst 〖심리〗 유추 검사
an·al·pha·bet [ænǽlfəbèt, -bit] *n.* 읽고 쓰지 못하는 사람, 문맹(illiterate)
an·al·pha·bet·ic [æ̀nælfəbétik, ænæ̀l-] *a.* **1** 알파벳 순이 아닌; 알파벳 문자에 의하지 않은 **2** 읽고 쓰지 못하는, 문맹의 **—** *n.* 무식자, 문맹
a·nal-re·ten·tive [éinlriténtiv] *a., n.* **1** 〖정신분석〗 항문애 성격의 (사람) **2** 꼼꼼한[신경질적인] (사람)
ánal séx 항문 성교
a·nal·y·sand [ənǽləsæ̀nd, -zæ̀nd] *n.* 정신 분석을 받는 사람[환자]
‡**an·a·lyse** [ǽnəlàiz] *vt.* 《영》 = ANALYZE
‡**a·nal·y·sis** [ənǽləsis] [Gk 「해방시킴」의 뜻에서] *n.* (*pl.* **-ses** [-sì:z]) ⓊⒸ **1 분석**, 해석; 분해; (opp. *synthesis*): make[do] an ~ of the poison 독물을 분석하다 **2** 분석적 검토 **3** 〖문법〗 (문의) 해부, 분석 **4** 〖심리〗 Ⓤ 정신 분석(psychoanalysis); 〖수학〗 해석(解析)(학); 〖화학〗 분석 ***in*** [***on***] ***the last*** [***final, ultimate***] ~ 결국(after all)
▷ ánalyze *v.*; analýtic *a.*

thesaurus **analogy** *n.* similarity, parallel, correspondence, likeness, resemblance, correlation

*__an·a·lyst__ [ǽnəlist] *n.* **1** 분석자, 분해자; 해부학자 **2** 정신 분석자(psychoanalyst) **3** 정세(情勢) 분석 해설자 **4** 〖컴퓨터〗 시스템 분석자

‡**an·a·lyt·ic, -i·cal** [æ̀nəlítik(əl)] *a.* **1** 분석적인, 분해의; 해부적인(opp. *synthetic*) **2** 〖심리〗 정신 분석의; 〖수학〗 해석(학)의
-i·cal·ly *ad.* 분해[분석]적으로 **-ly·tíc·i·ty** *n.*
▷ ánalyze *v.*; análysis *n.*

analýtical bálance 〖화학〗 화학 천칭

analýtical chémistry 분석 화학

analýtical reágent 〖화학〗 분석용 시약

analýtic geómetry 해석 기하학

analýtic lánguage 〖언어〗 분석적 언어

analýtic psychólogy 〖심리〗 분석 심리학

an·a·lyt·ics [æ̀nəlítiks] *n. pl.* [단수 취급] 〖수학〗 해석학; 〖논리〗 분석론

an·a·lyz·a·ble [ǽnəlàizəbl] *a.* 분해[분석, 해부]할 수 있는 《*into*》 **àn·a·lỳz·a·bíl·i·ty** [-əbíləti] *n.*

an·a·ly·za·tion [æ̀nəlizéiʃən | -lai-] *n.* 분석, 분해; 해석(解析); 〖문법〗 해부

‡**an·a·lyze** | **-lyse** [ǽnəlàiz] *vt.* **1** 〖물리·화학〗 분석하다, 분해하다; 〖수학〗 해석하다: 《~+목+전+명》 ~ something *into* its elements 어떤 것을 그 요소로 분해[분석]하다 / Water can be ~*d into* oxygen and hydrogen. 물은 산소와 수소로 분해할 수 있다. **2** 분석적으로 검토하다, 분석하다 **3** 〖문법〗 〈문(文)을〉 해부하다, 분석하다; 검토하다 **4** 정신 분석하다
▷ análysis *n.*; analýtic *a.*

an·a·lyz·er [ǽnəlàizər] *n.* **1 a** 분석자, 분해자 **b** 분석적으로 검토하는 사람 **2** 분석기; 〖광학〗 분광기

A·nam [ənǽm, ǽnæm] *n.* = ANNAM

an·am·ne·sis [æ̀næmní:sis, æ̀nəm-] *n.* (*pl.* **-ses** [-si:z]) **1** 추억, 회상(recollection) **2** 〖의학〗 병력(病歷) **-nes·tic** [-néstik] *a.*

an·a·mor·phic [æ̀nəmɔ́:rfik] *a.* 〖광학〗 일그러져 보이는 상(像)의, 왜상(歪像)의

an·a·mor·pho·sis [æ̀nəmɔ́:rfəsis] *n.* (*pl.* **-ses** [-sì:z]) ⓊⒸ **1** 〖광학〗 왜상(歪像) **2** 〖식물〗 기형, 변체(變體); 〖생물〗 점진적 진화

an·a·nas [ǽnənæ̀s, ənǽnəs | ənɑ́:nəs] *n.* 〖식물〗 아나나스속(屬)의 각종 식물 《파인애플 등》

an·an·drous [ænǽndrəs, ən-] *a.* 〖식물〗 수술이 없는

An·a·ni·as [æ̀nənáiəs] *n.* **1** 〖성서〗 아나니아 《신에게 거짓말하여 목숨을 잃음; 사도행전 5: 1-10》 **2** 《구어》 거짓말쟁이(liar)

an·an·kas·tic [æ̀nənkǽstik, æ̀næŋ-] *a.* 〖정신의학〗 강박 행위적인: ~ personality 강박 성격

an·a·pest, -paest [ǽnəpèst] *n.* 〖운율〗 단단장격(短短長格) 《◡◡–》, (영시의) 약약강격 《××⊥》
an·a·pes·tic, -paes·tic [æ̀nəpéstik] *a.*

an·a·phase [ǽnəfèiz] *n.* 〖생물〗 (핵분열의) 후기(後期), 제3기(cf. PROPHASE)

a·na·phor [ənǽfər] *n.* 〖문법〗 전방 조응사(前方照應詞) 《문맥에서 앞에 나오는 명사를 가리키는 대명사》 (cf. CATAPHOR)

a·naph·o·ra [ənǽfərə] *n.* **1** 〖수사학〗 첫머리 어구의 반복 **2** 〖문법〗 전방 조응(前方照應) 《명사의 반복을 피하기 위해 대명사 등을 쓰는 것》
an·a·phor·ic [æ̀nəfɔ́:rik] *a.*

an·aph·ro·di·sia [ænæ̀frədí:ʒə, -díʒə, -díziə] *n.* 〖정신의학〗 성욕 결여, 냉감증

an·aph·ro·di·si·ac [ænæ̀frədí:ziæ̀k] 〖의학〗 *a.* 성욕을 억제하는 —*n.* 성욕 억제제

an·a·phy·lac·tic [æ̀nəfəlǽktik] *a.* 〖의학〗 과민증[과민성]의, 아나필락시스의

an·a·phy·lax·is [æ̀nəfəlǽksis] *n.* Ⓤ 〖의학〗 (혈청·단백질 주사 등에 대한) 과민증[성], 아나필락시스

anaphyláxis shóck 〖의학〗 아나필락시스 쇼크 《주사 등을 맞고 이상 증세를 보이는 과민 반응》

an·a·pla·sia [æ̀nəpléiʒə, -ziə] *n.* Ⓤ 〖의학〗 퇴화

an·a·plas·tic [æ̀nəplǽstik] *a.* 〖의학〗 성형 (수술)의; 〈세포가〉 퇴화하는; 〈종양 등이〉 악성의

an·a·plas·ty [ǽnəplæ̀sti] *n.* Ⓤ 성형 수술

an·ap·tyx·is [æ̀nəptíksis, æ̀næp-] *n.* (*pl.* **-tyx·es** [-si:z]) 〖언어〗 모음 첨가[삽입](epenthesis) 《두 자음 사이에 모음을 넣는 일; 보기: athlete [ǽθli:t]이 [ǽθəli:t]으로 발음될 때의 [ə]》
-tyc·tic [-tíktik], **-týc·ti·cal** *a.*

an·arch [ǽnɑ:rk] *n.* 《시어》 반란 주모자; 《고어》 = ANARCHIST

an·ar·chic, -chi·cal [ænɑ́:rkik(əl)] *a.* 무정부 (상태)의; 무질서의, 무법 상태의; 무정부주의의
-chi·cal·ly *ad.*

an·ar·chism [ǽnərkìzm] *n.* Ⓤ **1** 무정부주의 **2** (폭력·혁명 행위 등의) 무정부주의자의 활동, 무정부주의의 실천 **3** = ANARCHY

*__an·ar·chist__ [ǽnərkist] *n.* **1** 무정부주의자 **2** 《구어》 테러리스트(terrorist); 반체제 운동가
—*a.* 무정부주의(자)적인

an·ar·chis·tic [æ̀nərkístik] *a.* 무정부주의(자)의

anarcho- [ənɑ́:rkou, -kə] 《연결형》 「무정부주의; 아나키스트」의 뜻

an·ar·cho-syn·di·cal·ism [æ̀nərkousíndikəlizm, ænɑ̀:r-] *n.* Ⓤ 무정부주의적 노동조합 운동 (사상) **~-ist** *a.*, *n.*

*__an·ar·chy__ [ǽnərki] [Gk 「지도자가 없음」의 뜻에서] *n.* Ⓤ **1** 무정부 상태(lawlessness) **2** (정권의 부재에 따른) 정치적·사회적 혼란: The death of the king was followed by a year of ~. 왕이 죽은 결과 정치적·사회적 혼란이 일 년간 계속되었다. **3** 무정부주의론(anarchism) **4** (일반적인) 혼란, 무질서: Loss of faith leads to intellectual and moral ~. 신앙의 상실은 지적·도덕적 혼란을 가져온다.
▷ anárchic *a.*

an·ar·thri·a [ænɑ́:rθriə] *n.* 〖의학〗 (뇌장애로 인한) 구어(構語) 장애, 실구어증(失構語症)

an·ar·throus [ænɑ́:rθrəs] *a.* **1** 〖동물〗 관절이 없는; 무절지(無節肢)의 **2** 〖그리스문법〗 무(無)관사의

an·a·sar·ca [æ̀nəsɑ́:rkə] *n.* Ⓤ 〖병리〗 전신 부종(全身浮腫) **an·a·sár·cous** *a.*

A·na·sa·zi [ɑ̀:nəsɑ́:zi] *n.* **1** 아나사지 문화 《AD 100년경부터 미국 애리조나·뉴멕시코·콜로라도·유타 접경 지역에서 발달한 인디언 문화》 **2** 아나사지 족(族)

an·a·stat·ic [æ̀nəstǽtik] *a.* **1** 〖인쇄〗 철판(凸版)의: ~ printing 철판 인쇄 **2** 〖생물·생리〗 = ANABOLIC

an·as·tig·mat [ənǽstigmæ̀t, æ̀nəstígmæt] *n.* 〖광학〗 비점 수차(非點收差) 보정(補正) 렌즈

an·as·tig·mat·ic [æ̀nəstigmǽtik] *a.* 비점 수차를 보정한

a·nas·to·mose [ənǽstəmòuz] *vt.* 〖해부〗 〈맥관 등을〉 문합(吻合)시키다 —*vi.* 문합하다; 〈강이〉 합류하다

a·nas·to·mo·sis [ənæ̀stəmóusis] *n.* (*pl.* **-ses** [-si:z]) **1** 〖해부〗 (혈관·신경 등의) 문합(吻合) **2** 〖생물〗 교차 연락 **3** (운하 등의) 망상(網狀) 형성, 합류
anas·to·mot·ic *a.*

a·nas·tro·phe, -phy [ənǽstrəfi] *n.* ⓊⒸ 〖수사학〗 도치(법)(倒置(法)) 《보기: Loud and long were the cheers.》

anat. anatomical; anatomist; anatomy

an·a·tase [ǽnətèis, -tèiz] *n.* 〖광물〗 예추석(銳錐石) 《백색 안료용》

a·nath·e·ma [ənǽθəmə] *n.* **1** 저주 **2** 〖가톨릭〗 파문(破門) **3** 저주받은 사람[것] **4** Ⓤ [또는 an ~] 아주 싫은 것 《*to*》: Alcohol is (*an*) ~ *to* me. 나는 술은 질색이다.

a·nath·e·mat·ic [ənæ̀θəmǽtik] *a.* 저주할, 혐오할; 증오에 찬

---

analyze *v.* study, examine, inquire into, investigate, dissect, review, evaluate, interpret

a·nath·e·ma·ti·za·tion [ənæ̀θəmətizéiʃən | -tai-] *n.* Ⓤ 비난, 저주; 파문

a·nath·e·ma·tize [ənǽθəmətàiz] *vt.* 저주하다; 파문하다

An·a·to·li·a [æ̀nətóuliə] *n.* 아나톨리아 《옛날의 소아시아, 현재의 터키》

An·a·to·li·an [æ̀nətóuliən] *a.* 아나톨리아 (사람[말])의 **—** *n.* 아나톨리아 사람; Ⓤ 아나톨리아 말

an·a·tom·ic, -i·cal [æ̀nətámik(əl) | -tɔ́m-] *a.* 해부의, 해부(학)상의: ~ features 해부학적 특징들 **-i·cal·ly** *ad.*

anatómical pathólogy 해부 병리학

a·nat·o·mist [ənǽtəmist] *n.* 해부학자; (세밀한) 분석자

a·nat·o·mize [ənǽtəmàiz] *vt.* 〈동물체를〉 해부하다; 분석[분해]하다

‡**a·nat·o·my** [ənǽtəmi] [Gk 「완전히 자름」의 뜻에서] *n.* (*pl.* **-mies**) **1 a** Ⓤ 해부; 해부학; 해부술: human[animal] ~ 인체[동물] 해부학 **b** 해부(학)에 관한 책[논문] **2 a** (동식물의) 해부학적 구조[조직]: the ~ of a frog 개구리의 조직 **b** 해부도(圖)[모형] **c** 해부된 동식물; 해부체; 해부 모형 **3** 《고어》 해골(skeleton); 《속어》 말라깽이 **4** 인체; 《완곡》 생식기 **5** 분석, 엄밀한 검사
▷ anátomize *v.*; anatómic *a.*

an·a·tox·in [æ̀nətáksin | -tɔ́k-] *n.* 〖면역〗 아나톡신, 톡소이드(toxoid)

an·bur·y [ǽnbəri] *n.* **1** 〖수의학〗 (마소의) 연종(軟腫) **2** 〖식물〗 근경(根莖) 비대증

ANC African National Congress 아프리카 민족 회의; Army Nurse Corps 육군 간호사단

anc. ancient(ly)

-ance [əns] *suf.* 「행동; 상태; 성질」 등을 나타내는 명사 어미: assist*ance*, brilli*ance*, dist*ance*

‡**an·ces·tor** [ǽnsestər, -səs-] [L 「앞서 가는 사람」의 뜻에서] *n.* **1** 조상, 선조(opp. *descendant*): be ~ to …의 조상이다 **2** 〖생물〗 시조, 원종 **3** 원형, 선구자: The balloon is an ~ of the modern dirigible. 기구(氣球)는 현대 비행선의 원형이다. **4** 모범으로 추앙되는 사람, 사표(師表): a philosophical ~ 철학의 사표 **5** 〖법〗 피(被)상속인(cf. HEIR)
▷ ancéstral *a.*

áncestor wòrship 조상 숭배

***an·ces·tral** [ænséstrəl] *a.* **1** 조상의, 조상 전래의: an ~ home 조상 전래의 집 / The Cro-Magnons are probably ~ to modern Caucasians. 크로마뇽인은 어쩌면 현대 코카서스 인종의 선조일지도 모른다. **2** 원형[선구(先驅)]을 이루는: an ~ language 조어(祖語) **~·ly** *ad.*
▷ áncestor, áncestry *n.*

an·ces·tress [ǽnsestris] *n.* 여자 조상

***an·ces·try** [ǽnsestri, -səs-] *n.* (*pl.* **-tries**) Ⓤ **1** [집합적] 조상, 선조(ancestors): Her father is of French ~. 그녀의 아버지는 프랑스계이다. **2** [때로 an ~] 가계, 가문; 문벌; 명문 **3** (현상·개념·양식 등의) 발단, 유래, 기원: More than half of English words are of Latin or Greek ~. 영어 단어의 반 이상은 라틴 어나 그리스 어에서 유래된 것이다. **4** 발달사, 계보, 계통

An·chi·ses [ænkáisi:z, æŋ-] *n.* 〖그리스신화〗 안키세스 《아들 Aeneas에 의해 Troy에서 구출됨》

‡**an·chor** [ǽŋkər] *n.* **1** 닻: a bower ~ 큰 닻, 이물닻 / a foul ~ 닻줄이 휘감긴 닻 / a kedge ~ 작은 닻 **2** 고정 장치[기구]; (기구(氣球) 계류용) 추; 조교(弔橋) 양 끝의 고정 장치 **3** (마음의) 의지할 힘이 되는 것 **4** (뉴스 프로의) 종합 사회자(anchorperson) **5** 인기 프로그램 **6** 대형 유명 상점 **7** 《속어》 (자동차·열차 등의) 브레이크 **8** 〖군사〗 (방위선의) 주요 지점 **9 a** 야구 팀의 최강 타자; (특히 릴레이 팀의) 최종 주자[수영자] **b** (줄다리기의) 맨 끝 사람 **10** 닻 모양을 한 것 **11** 《미·속어》 마누라 **12** (미 해군 사관학교의) 꼴찌 학생

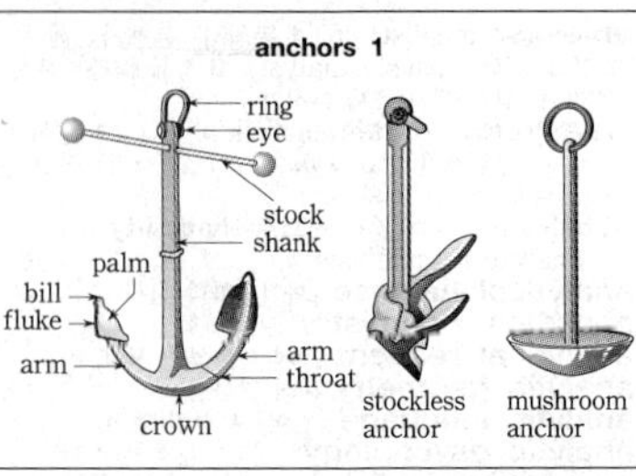

be*[*lie, ride*] *at* ~** 정박하고 있다 ***cast an ~ to windward (1) 〖항해〗 바람이 불어오는 쪽으로 닻을 내리다 (2) 안전 대책을 강구하다 ***cast*[*drop*] ~** 닻을 내리다; (어떤 장소에) 머물다, 자리잡다 ***come to* (*an*) ~** 정박하다 ***drag* ~** (풍파 등으로) 표류하다; 뒤처지다; 실수하다; 실패하다 ***heave* ~** 닻을 (감아) 올리다 ***let go the* ~** 닻을 내리다; 《구령》 닻 내려! ***sheet* ~** 예비용의 큰 닻; 최후의 수단, 마지막 믿는 것[사람] ***swallow the* ~** 《속어》 선원을 그만두다; 《미·속어》 해군에서 제대하다 ***up* (*the*) *anchor*** (1) 닻을 올리다 (2) [명령문] 나가! ***weigh* ~** 닻을 감다, 출항하다; 떠나다

— *vt.* **1** 〈배를〉 닻으로 고정시키다, 정박시키다 **2 a** 단단히 묶어 두다, 부착[고정]시키다 《*to*》: 《~+목+전+명》 ~ a button *to* a cloth 단추를 옷감에 단단히 달다 **b** 〈생각·주의력 등을〉 (…에) 고정시키다 《*in, on*》: ~ one's hope *in*[*on*] …에 희망을 걸다 **3** 〖라디오·TV〗 앵커맨[앵커우먼] 노릇을 하다 **4** [~ one*self* 로] 주저앉다, 쉬다, 머물다 **5** 〖스포츠〗 …의 최종 주자를 맡다 ***be ~ed in*[*to*]** …에 뿌리박고[입각하고] 있다

— *vi.* **1** 닻을 내리다; 정박하다: 《~+전+명》 The ship *~ed in* the harbor[*off* the shore]. 배는 항구[앞바다]에 닻을 내렸다[정박했다]. **2** 달라붙어 떨어지지 않다, 단단히 붙어 있다 《*to*》: 《~+전+명》 The suckerfish *~ed* fast *to* the whale. 빨판상어는 고래에 꽉 달라붙어 있었다. **3** 〖라디오·TV〗 앵커맨[앵커우먼]을 맡다 **4** 주저앉다, 쉬다, 머물다 **~·less** *a.*
▷ ánchorage *n.*

***an·chor·age** [ǽŋkəridʒ] *n.* **1** Ⓤ 닻을 내림, 투묘, 정박 **2** Ⓒ 정박지; Ⓤ [또는 an ~] 정박료 **3** 고정[안정, 정착]시키는 것[수단] **4** 의지(가 되는 것) **5** 〖치과〗 **a** = ABUTMENT 3 **b** 고정 **6** 은자(隱者)의 주거, 은둔처

An·chor·age [ǽŋkəridʒ] [옛날, 보급선이 여기에 정박했다고 해서] *n.* 앵커리지 《미국 Alaska 주 남부의 항구 도시; 국제 공항이 있음》

ánchor bèll 정박 중인 배의 안개 속 신호종

ánchor bòlt 〖건축〗 기초 볼트, 앵커 볼트

ánchor bùoy 〖항해〗 (닻의 위치를 나타내는) 앵커 부표[부이]

ánchor escàpement (시계의) 앵커 지동기(止動機)[탈진기(脫進機)]

an·cho·ress [ǽŋkəris] *n.* 여자 은자(隱者)(cf. ANCHORITE)

an·cho·ret [ǽŋkərèt, -rit] *n.* = ANCHORITE

an·cho·ret·ic [æ̀ŋkərétik] *a.* = ANCHORITIC

an·cho·rette [æ̀ŋkərét] *n.* 《미》 앵커우먼

ánchor gròund 투묘지(投錨地)

an·chor·hold [ǽŋkərhòuld] *n.* **1** 닻의 박힘; 닻이 걸리는 곳 **2** 안전(security)

ánchor ìce 저빙(底氷) 《배 밑바닥에 붙는 얼음》

an·cho·rite [ǽŋkəràit] *n.* 은자, 은둔자 《종교적 이유로 인한》(hermit)

thesaurus **ancestry** *n.* **1** 조상 ancestors, antecedent, forefathers, forebears, progenitors **2** 가문 lineage, descent, extraction, parentage, origin,

an·cho·rit·ic [æ̀ŋkərítik] *a.* 은자(隱者)의[와 같은], 은둔적인
ánchor light 〖항해〗 정박등(停泊燈)
an·chor·man [ǽŋkərmæ̀n, -mən] *n.* (*pl.* **-men** [-mèn]) **1** = ANCHOR *n.* 9 **2** = ANCHORPERSON **3** 《미·학생속어》 꼴찌 학생
an·chor·peo·ple [-pì:pl] *n. pl.* = ANCHORPERSONS 《남녀 공통어》
an·chor·per·son [-pə̀:rsn] *n.* (뉴스 프로의) 종합사회자 《남녀 공통어》(anchorman, anchorwoman)
ánchor ròpe 닻줄
an·chor·wom·an [-wùmən] *n.* (*pl.* **-wom·en** [-wìmin]) 《미》 (뉴스 프로의) 앵커우먼, 여성 앵커
an·cho·vy [ǽntʃouvi, -tʃə-, æntʃóu-] *n.* (*pl.* **-vies,** ~) 〖어류〗 멸치; 《특히》 안초비
ánchovy pèar 안초비 배 《망고 비슷한 과실》; 〖식물〗 안초비 배나무
ánchovy sàuce 안초비로 만든 소스
ánchovy tòast 안초비 페이스트를 바른 토스트
an·chu·sa [æŋkjú:sə, -zə] *n.* 〖식물〗 지칫과(科)의 약초
an·chy·lose [ǽŋkəlòus, -lòuz] *vt., vi.* = ANKYLOSE
an·chy·lo·sis [æ̀ŋkəlóusis] *n.* = ANKYLOSIS
an·cienne no·blesse [ɑ:nsjén-noublés] [F = old-time nobility] *n.* [the ~; 집합적] 구제도의 귀족 《프랑스 혁명 전의》
an·cien ré·gime [ɑ:nsjǽŋ-reiʒí:m] [F = old regime] *n.* **1** 구제도, 구체제 《1789년 프랑스 혁명 전의》 **2** 시대에 뒤진 제도[체제]
‡an·cient [éinʃənt] *a.* **1** 고대의, 먼 옛날의, 태곳적의 (opp. *modern*): ~ civilization 고대 문명 / ~ relics 고대의 유물 **2** 고래(古來)의, 오래된: an ~ custom 고래의 관습 / an ~ tree 고목 **3** 《익살》 구식의(old-fashioned) **4** 경험을 쌓아 지혜가 있는; 고덕(高德)의 **5** 《고어》 노령(老齡)의: *The Rime of the A~ Mariner* 「노수부의 노래」 《Coleridge의 시》 **6** 〖법〗 30년[20년]이 흐른
— *n.* **1** 고대인 **2** [the ~s] **a** 고대 문명인 《고대 그리스·로마 인》 **b** 고대 작가[예술가] **3** 《고어》 노인, 고로(古老) **4** 고대 화폐 ***the A~ of Days*** 〖성서〗 옛날부터 계신 분, 하느님
~·ly *ad.* 옛날에는, 고대에; 고래로 **~·ness** *n.*
Áncient Gréek 고대 그리스 어(⇨ Greek; cf. KOINE)
áncient hístory **1** 고대사 《서로마 제국 멸망(A.D. 476)까지》 **2** 《구어》 누구나 아는 일, 진부한 이야기
áncient líghts 〖영국법〗 채광권 소유 《창문에 내거는 게시문; 20년 이상 채광을 방해받지 않은 창문은 이 권리를 인정받음》
áncient mónument 《영》 (국가 관리하의) 유적
an·cil·la [ænsílə] *n.* (*pl.* **-lae** [-li:]) **1** 부속물 **2** 조수, 보조자(helper) **3** 《고어》 하녀
an·cil·lar·y [ǽnsəlèri | ænsíləri] *a.* 보조적인, 부수적인, 부(副)의 《*to*》 — *n.* (*pl.* **-lar·ies**) **1** 종속적인 것; 자회사(子會社); 부속 부품 **2** 조수
an·cle [ǽŋkl] *n.* = ANKLE
an·con [ǽŋkɑn | -kən] *n.* (*pl.* **an·co·nes** [æŋkóuni:z]) **1** 〖해부〗 팔꿈치 **2** 〖건축〗 첨차(檐遮)
an·co·ne·al [æŋkóuniəl] *a.* **1** 〖건축〗 첨차의 **2** 〖해부〗 팔꿈치의
an·cress [ǽŋkris] *n.* = ANCHORESS
anct. ancient
-ancy [ənsi] *suf.* 「…한 성질[상태]」의 뜻: expec*tancy*, flamboy*ancy*
an·cy·lo·sto·mi·a·sis [æ̀nsəloustəmáiəsis, æŋkil-] *n.* (*pl.* **-ses** [-sì:z]) 〖병리〗 십이지장충증

---

pedigree, geneology, blood, stock
ancient *a.* **1** 고대의 earliest, primeval, prehistoric **2** 오래된 age-old, time-worn, antique

---

‡and ⇨ and (p. 92)
AND [ǽnd] *n.* 〖컴퓨터〗 앤드, 논리곱 《논리곱을 만드는 논리 연산자(論理演算子); cf. OR》
and. andante
An·da·lu·sia [æ̀ndəlú:ʒə, -ʃiə | -ziə] *n.* 안달루시아 《스페인 남부의 지방; 옛 Moor 문명 중심지》
An·da·lu·sian [æ̀ndəlú:ʒən, -ʃiən | -ziən] *a., n.* 안달루시아의 (사람): an ~ fowl 안달루시아 닭 《털이 검푸른 닭》
an·da·lu·site [æ̀ndəlú:sait] *n.* Ⓤ 〖광물〗 홍주석
An·da·man [ǽndəmən] *a., n.* 안다만 제도[사람, 말]의; 안다만 섬사람
Ándaman Íslands [the ~] 안다만 제도 《말레이 반도 서쪽의 인도령 섬들》
an·dan·te [ændǽnti, ɑ:ndɑ́:ntei | ændǽnti] [It.] 〖음악〗 *a., ad.* 느린, 느리게
— *n.* 안단테(의 악장[곡])
an·dan·ti·no [æ̀ndæntí:nou, ɑ̀:ndɑ:n- | æ̀ndæn-] [It.] 〖음악〗 *a., ad.* 안단티노의[로], 안단테보다 좀 빠른[빠르게] — *n.* (*pl.* **~s**) 안단티노(의 악장[곡])
ÁND circuit[gàte] 〖컴퓨터〗 앤드[논리곱] 회로
An·de·an [ǽndiən, ændí:ən] *a.* 안데스(Andes) 산맥의 — *n.* 안데스 산지 사람
An·der·sen [ǽndərsn] *n.* 안데르센 **Hans Christian ~** (1805-75) 《덴마크의 동화 작가》
Án·der·son shèlter [ǽndərsn-] 《영》 (아치형의) 간이 방공 대피소
***An·des** [ǽndi:z] *n. pl.* [the ~] 안데스 산맥 《남아메리카 서부의 대산맥》 ▷ Ándean *a., n.*
an·des·ite [ǽndəzàit] *n.* Ⓤ 〖암석〗 안산암(安山岩)
and·i·ron [ǽndaiərn] *n.* [보통 *pl.*] 난로 안의 장작 받침쇠[대]
ÁND operàtion 〖컴퓨터〗 논리곱 연산
and/or [ǽndɔ́:r] *conj.* … 및 또는 …(both or either), 양쪽 다 또는 어느 한쪽: Money ~ clothes are welcome. 돈과 의류 또는 그 어느 쪽도 환영한다.
An·dor·ra [ændɔ́:rə, -dɑ́rə | -dɔ́:rə] *n.* 안도라 《피레네 산맥 중에 있는 공화국; 수도 Andorra la Vella [-lɑ-véljɑ:]》 **An·dór·ran** *a., n.*
andr- [ændr] 《연결형》 「인간; 남성; 꽃밥; 수꽃술」의 뜻 《모음 앞에서》
an·dra·dite [ǽndrədàit] *n.* 회철(灰鐵)석류석
an·dra·go·gy [ǽndrəgɑ̀dʒi, -gòu- | -gɔ̀-] *n.* Ⓤ 성인 교육학[법]
An·drew [ǽndru:] *n.* **1** 남자 이름 《애칭 Andy》 **2 St. ~** 〖성서〗 안드레 《12사도 중의 한 사람》
Án·drews Áir Fòrce Báse [ǽndru:z-] 앤드루스 공군 기지 《Washington D.C.의 교외에 있음》
andro- [ǽndrə, -drou] = ANDR-
an·dro·cen·tric [æ̀ndrəséntrik] *a.* 남성 중심의 **-trism** *n.* Ⓤ 남성 중심주의
An·dro·cles [ǽndrəklì:z], **-clus** [-kləs] *n.* 안드로클레스 《로마 전설에 나오는 노예; 이전에 구해준 사자와 경기장에서 재회하였음》
an·droc·ra·cy [ændrɑ́krəsi | -drɔ́-] *n.* 남성에 의한 사회적·정치적 지배; 남성 우위
an·droe·ci·um [ændrí:ʃiəm] *n.* (*pl.* **-ci·a** [-ʃiə]) 〖식물〗 수술군(群)
an·dro·gen [ǽndrədʒən] *n.* Ⓤ 〖생화학〗 남성 호르몬, 안드로겐 **àn·dro·gén·ic** [-dʒénik] *a.*
an·dro·gen·e·sis [æ̀ndrədʒénəsis] *n.* 〖생물〗 **1** 웅성(雄性)[수] 발생 **2** 동정(童貞) 생식
an·drog·en·ize [ændrɑ́dʒənàiz | -drɔ́-] *vt.* (남성 호르몬을 주사하여) 남성화하다
an·drog·e·nous [ændrɑ́dʒənəs | -drɔ́-] *a.* 〖생물〗 수 발생의
an·dro·gyne [ǽndrədʒàin] *n.* **1** 남녀추니, 양성구유자(具有者), 반음양 **2** 〖식물〗 양성화(兩性花) **3** 양성성; 양성적인 특징을 모두 지닌 사람
an·drog·y·nous [ændrɑ́dʒənəs | -drɔ́-] *a.* **1** 남녀추니의 **2** 〖식물〗 양성화의

and

등위접속사로서 가장 널리 쓰이는 낱말이며, 대명사·명사·형용사·부사·전치사 등의 낱말 및 구·절을 연결한다. 이때 앞뒤의 낱말이나 구·절이 원칙적으로 문법상 동일한 성질의 것이어야 한다. and로 연결된 두 요소는 보통 복수 취급이지만, 「동일 인물」, 「전체로서 한 개념이 된 것」, 「every, each, no 등으로 수식되는 경우」에는 단수 취급이 된다.
both ... and ...의 중요한 상관접속사(Correlative conjunction)로서도 쓰인다. 또한 「명령형, and ...」의 형태, 「come[go, try], and ...」의 형태도 중요하다.

‡**and** [ənd, n, ænd, ǽnd] *conj.* 《등위접속사》

① [둘 이상을 연결] …와 (…)	**1**
② [시각적인 순서] …하면서, 하고 (나서)	**3**
③ [결과·이유] 그러자, 그래서	**4 b**
④ [명령문 뒤에서] 그리하면	**4 a**

1 a [문법상 같은 성질의 어·구·절을 대등히 연결하여] …와 …, 및, 그리고: you ~ I 당신과 나 ★ 2인칭, 3인칭, 그리고 마지막에 1인칭의 순서로 놓음 / There are hats, gloves(,) ~ shoes. 모자, 장갑 그리고 구두가 있다. 《USAGE 셋 이상의 어[구·절]를 연결할 때는 마지막 것 앞에만 and를 놓고 다른 것은 콤마로 끊는 (and 앞의 콤마는 없는 경우도 있음) 것이 원칙이다》/ She put my plate on the table ~ helped me to bread ~ butter ~ a little ham. 그녀는 내 접시를 식탁에 올려 놓고, 빵과 버터와 그리고 햄을 조금 덜어 담아 주었다. ★ 위의 경우와는 달리 각 요소를 강조하기 위해서 and를 쓴 것(cf. He has his own joys—wife, children, snug little home. 그에게는 아내, 아이들, 아늑한 작은 집이라는 그만의 기쁨이 있다. ★ 각 요소를 생각나는 대로 나열하는 기분일 때는 and를 쓰지 않는 수가 있음) / He is a poet ~ novelist. 그는 시인인 동시에 소설가이다. / The store sells vegetables ~ canned food. 그 상점에서는 야채와 통조림을 판다. **b** [between ... and ...로] …와 …(와의 사이에): We must decide *between* A ~ B. A와 B 중에서 어떤 것을 결정하지 않으면 안 된다. **c** [both ... and ...로] (…도) …도: *Both* you ~ I are not wrong. 너도 나도 틀리지 않았다.
2 a [덧셈에서] …더하기 …(plus): Four ~ two make(s)[equal(s)] six. 4 더하기 2는 6. **b** [수사를 접속하여]: one hundred ~ twenty-one 121 《이런 식으로 100 자리 뒤에 and를 넣음; (미)에서는 때로 생략됨》/ one thousand ~ one 1001 《이런 식으로 100 자리가 0일 때는 1000 자리 뒤에 and를 넣음; 단, 연호·전화번호 등에서는 and를 넣지 않음》 **c** [1에서 9까지의 수에 20, 30…90까지의 수를 써서]: one ~ twenty 《고어》 =twenty-one 21 《이런 식으로 22에서 99까지; 이 형식은 감정을 담은 일종의 강조형인데, 큰 수에는 별로 쓰지 않음》 **d** [단위가 다른 것을 나타내어] (…와) 《종종 and는 생략됨》: two dollars ~ fifty cents 2달러 50센트 / three pounds ~ five pence 3파운드 5 펜스
3 a [동시성] (…와 동시에) 또, …하면서: eat ~ drink 먹고 마시다 / They walked ~ talked. 그들은 걸으면서 얘기했다. **b** [전후 관계] …하고 (나서), 그 다음에: He said so ~ went out. 그는 그렇게 말하고는 나가 버렸다. / He slept for an hour ~ went to work. 그는 한 시간 동안 잠을 잔 후 일하러 나갔다. **c** [ən, n] [come, go, run, try 등의 원형 또는 명령법 뒤에 써서] 《구어》 …하러 《★ 부정사의 구실을 함; (미)에서는 come, go 뒤의 and를 생략하기도 함》: Come (~) see me tomorrow. 내일 찾아오게. 《Come to see ...로 고쳐 쓸 수 있음》/ Be sure ~ call me tonight. 오늘밤에 전화하는 것 명심해라. **d** [두 동사를 연결, 뒤의 동사가 현재분사의 뜻을 나타내어] …하면서: He walked ~ sang. 그는 노래하면서 걸었다. 《He walked singing.으로 고쳐 쓸 수 있음》
4 a [명령법 또는 그에 상당하는 어구 다음에 써서] 만약 그리하면(cf. OR 3): Hurry up, ~ you will be in time. 서둘러라, 그러면 제시간에 도착할 것이다. **b** [결과·이유] 그러자, 그래서: He spoke, ~ the hall fell still. 그가 입을 떼자 홀은 잠잠해졌다.
5 [ǽnd] **a** [대립적 내용] …이면서도, 그러면서도, 그런데도: He is so rich, ~ lives like a beggar. 그는 부자이면서도 마치 거지처럼 산다. / He tried to run five miles ~ couldn't. 그는 5마일을 달리려고 시도했지만 할 수 없었다. / He is a student ~ not a teacher. 그는 학생이지 교사가 아니다. 《He is not a teacher but a student.로 고쳐 쓸 수 있는데, 이것이 다소 부드러운 표현》 **b** [추가적으로 보충하여] 더욱이, 그것도: He did it, ~ did it well. 그는 그것을 해냈다, 그것도 훌륭히. **c** [비난조로] 《구어》 그런데, …인 주제에: A sailor, ~ afraid of the sea! 선원인데도 바다를 겁내다니!
6 a [동일어를 연결, 반복·강조를 나타내어] …도 …도: again ~ again 재삼, 자꾸 / walk miles ~ miles 몇 마일이고 걷다 / hours ~ hours 몇 시간이나 / through ~ through 철저히 **b** [비교급과 함께] 더욱…, 점점 더…: It is getting colder ~ colder. 날씨가 점점 더 추워지고 있다. / The wind blew more ~ more violently. 바람은 더욱 더 세차게 불었다. **c** [there are ...의 문장 중에서 같은 복수 명사를 연결하여] 여러 가지의, 갖가지의: There are bargains ~ bargains, so watch out. 특가품에도 여러 가지가 있으니 주의해라.
7 [ən, n] **a** [밀접한 관계를 나타내어; 단수 취급] …을 곁들인: (a) whiskey ~ soda 위스키소다, 하이볼 (한 잔) 《두 잔은 two whiskey and sodas; two whiskeys and soda는 「위스키 두 잔과 소다수」》/ bread ~ butter [brédn-bʌ́tər] 버터 바른 빵 / a coach ~ four 4두 마차 / man ~ wife 부부 ★ 여러 쌍의 부부는 men and wives. **b** [ǽnd] [식당에서 으레 정해 놓고 두 가지를 합쳐 파는 요리의 주문 용어로] 《미·속어》: ham[bacon] ~ =ham [bacon] ~ eggs 햄[베이컨] 에그 / coffee ~ =coffee ~ doughnuts 도넛과 커피 **c** [형용사 nice, fine, good, rare 등과 결합되어 부사적으로] 《구어》 대단히, 아주: It's nice ~ warm. 기분좋게 따뜻하다. / I'm good ~ hungry. 몹시 배가 고프다.
8 《미》 [두 가로명을 연결하고 그 교차점을 나타내어]: at West 39th Street ~ Seventh Avenue (뉴욕의) 서(西) 39번가와 7번가의 교차점에(서)
~ all ⇨ all *pron.*
~ all this 그리고 이것도 모두
~ co. 《영·구어》 (모임의) 그 밖의 다른 사람들
~ &*(=and) *Co. …회사, …상회(⇨ Co.)
~ how ⇨ how *ad.*
***~ me*[*him, her*] ...** 나[그, 그녀]는 …인데도: Mike wants to marry me, ~ *me* only sixteen! 나는 겨우 열여섯 살인데도 마이크는 나와 결혼하고 싶어한다.
~ so forth = ***~ so on*** …등, …따위: She grows many kinds of flowers—roses, violets, sunflowers, ~ *so on.* 그녀는 장미, 제비꽃, 해바라기 등등 많은 종류의 꽃을 재배한다.
~ the like = AND so forth
~ then 그리고 나서

an·drog·y·ny [ændrɑ́dʒəni | -drɔ́-] *n.* Ⓤ 남녀 양성구유; 〖식물〗 자웅 양화(兩花) 소유
an·droid [ǽndrɔid] *n.* 인조인간
— *a.* 인간의 특징을 가진
an·drol·o·gy [ændrɑ́lədʒi | -drɔ́-] *n.* 남성병학 《특히 남성 생식기병의 연구》 **-gist** *n.*
An·drom·a·che [ændrɑ́məki: | -drɔ́məki] *n.* 〖그리스신화〗 안드로마케 《Hector의 정숙한 아내》
An·drom·e·da [ændrɑ́mədə | -drɔ́-] *n.* **1** 〖그리스신화〗 안드로메다 《Perseus가 구해 준 미녀》 **2** 〖천문〗 안드로메다 자리(Chained Lady)
Andrómeda gàlaxy [the ~] 〖천문〗 안드로메다 은하
Andrómeda stràin [동명의 소설 이름에서] 안드로메다 병원체 《미지(未知)의 통제 불가능한 위험한 병원체》
an·dro·pause [ǽndrəpɔ̀:z] *n.* Ⓤ 남성 갱년기 《50세 전후의》
an·dro·sphinx [ǽndrəsfìŋks] *n.* 머리가 남자인 스핑크스 《보통은 여자의 머리임》
an·dros·ter·one [ændrɑ́stəròun | -drɔ́s-] *n.* Ⓤ 〖생화학〗 안드로스테론 《남성 오줌 속에 있는 호르몬》
-androus [ǽndrəs] 《연결형》 「…한 남성[수술]을 가진」의 뜻: poly*androus*, mon*androus*
-andry [ændri] 《연결형》 「남성[수술]의 보유」의 뜻
An·dy [ǽndi] *n.* 남자 이름 《Andrew의 애칭》
ane [éin] *n., pron., a.* 《스코》 = ONE
-ane [ein] *suf.* **1** -AN의 변형 《뜻은 약간 다름》: hum*ane*(cf. HUMAN) **2** 「포화 탄소 화합물」의 뜻 《화학 용어의 명사적 어미》: meth*ane*
an·ec·dot·age [ǽnikdòutidʒ] *n.* Ⓤ **1** [집합적] 일화집 **2** 《익살》 옛날 이야기만 늘어놓는 노년기
an·ec·dot·al [ӕnikdóutl, ⌐⌐⌐] *a.* 일화의, 일화적인; 이야깃거리가 많은 **~·ly** *ad.*
an·ec·dot·al·ism [ӕnikdóutəlìzm] *n.* 일화주의(逸話主義); 일화적 방법을 즐겨 쓰기 **-ist** *n.*
‡**an·ec·dote** [ǽnikdòut] [Gk 「아직 밝혀지지 않은 일」의 뜻에서] *n.* **1** 일화(逸話), 기담(奇談), 기문 **2** (*pl.* **~s, -do·ta** [ӕnikdóutə]) (역사·전기 등의) 비사(秘史), 비화 **3** 〖미술〗 일화에서 취재한 작품
▷ anecdótal, anecdótic *a.*
an·ec·dot·ic, -i·cal [ӕnikdɑ́tik(əl) | -dɔ́-] *a.* 일화적인, 일화 같은; 일화가 많은 **-i·cal·ly** *ad.*
an·ec·dot·ist [ǽnikdòutist] *n.* 일화를 이야기하는 사람; 일화 수집가
an·e·cho·ic [ӕnikóuik] *a.* 〈녹음실·방송실 등이〉 울림[반향]이 없는
an·e·las·tic·i·ty [ӕnilæstísəti] *n.* Ⓤ 〖물리〗 비탄성(非彈性) **an·e·lás·tic** [ӕnilǽstik] *a.*
an·e·lec·tric [ӕniléktrik] *a.* 〖전기〗 무전기성(無電氣性)의, 마찰해도 정전기가 생기지 않는
anem- [ǽnəm], **anemo-** [ǽnəmou] 《연결형》 「바람; 흡입」의 뜻 《모음 앞에서 anem-》
a·ne·mi·a [əní:miə] *n.* Ⓤ 〖병리〗 빈혈증
a·ne·mic [əní:mik] *a.* 〖병리〗 빈혈(증)의
a·nem·o·chore [ənéməkɔ̀:r | əní:mou-] *n.* 〖식물〗 풍매(風媒) 식물
a·nem·o·gram [ənéməgrӕm] *n.* 풍력 자기(自記) 기록지(紙)
a·nem·o·graph [ənéməgrӕf | -grɑ̀:f] *n.* 〖기상〗 자기(自記) 풍속계[풍력계]
an·e·mog·ra·phy [ӕnimɑ́grəfi | -mɔ́-] *n.* Ⓤ 풍력 측정
an·e·mom·e·ter [ӕnəmɑ́mətər | -mɔ́mə-] *n.* 〖기상〗 풍속계, 풍력계
an·e·mo·met·ric [ӕnəmoumétrik] *a.* 풍속[풍력] 측정의
an·e·mom·e·try [ӕnəmɑ́mətri | -mɔ́mə-] *n.* Ⓤ 〖기상〗 풍속[풍력] 측정(법)

thesaurus **anecdote** *n.* story, tale, narrative
anew *ad.* again, afresh, once more

***a·nem·o·ne** [ənéməni] [Gk 「바람의 딸」의 뜻에서] *n.* **1** 〖식물〗 아네모네 **2** 〖동물〗 말미잘(= sea ~)
an·e·moph·i·lous [ӕnəmɑ́fələs | -mɔ́-] *a.* 〖식물〗 풍매의(cf. ENTOMOPHILOUS)
a·nem·o·scope [ənéməskòup] *n.* 〖기상〗 풍향 측정기, 풍향계
an·en·ce·pha·ly [ӕnenséfəli] *n.* 〖의학〗 무뇌증 《뇌의 일부 혹은 전부의 선천적 결여》
a·nent [ənént] *prep.* **1** 《스코·고어》 …에 관하여 **2** 《방언》 …가까이에, …와 나란히
an·er·gy [ǽnərdʒi] *n.* Ⓤ **1** 〖의학〗 아네르기, 무력 체질, 정력 결핍 **2** 면역성 결여 **an·ér·gic** *a.*
an·er·oid [ǽnərɔ̀id] *a.* 액체[수은]를 사용하지 않은
— *n.* 아네로이드 기압계(= ~ **barómeter**)
áneroid bárograph 〖기상〗 아네로이드 자기(自記) 기압계
an·es·the·sia [ӕnəsθí:ʒə | -ziə] *n.* Ⓤ 〖의학〗 마취, 무감각증 ***local***[***general***] ~ 국소[전신] 마취
an·es·the·si·ol·o·gy [ӕnəsθì:ziɑ́lədʒi | -ɔ́lə-] *n.* Ⓤ 마취학 **-gist** *n.* 마취 전문 의사
an·es·thet·ic [ӕnəsθétik] *a.* 마취의; 무감각한
— *n.* 마취제 **-i·cal·ly** *ad.*
an·es·the·tist [ənésθətist] *n.* 마취사; 마취 전문의사
an·es·the·ti·za·tion [ənèsθətizéiʃən | -tai-] *n.* Ⓤ 마취(법), 마취 상태
an·es·the·tize [ənésθətàiz] *vt.* 마취시키다, 마비시키다
an·es·trous [ænéstrəs] *a.* 〖동물〗 비(非)발정(기)의; 발정 휴지기의
an·es·trus [ænéstrəs] *n.* 〖동물〗 비발정기(非發精期), 발정 휴지기(休止期)
an·eup·loid [ǽnju:plɔ̀id] 〖생물〗 *a.* 〈염색체가〉 이수성(異數性)의 — *n.* 이수체
an·eu·rin [ǽnjuərin] *n.* 〖생화학〗 = THIAMINE
an·eu·rysm, -rism [ǽnjuərìzm] *n.* 〖병리〗 동맥류(動脈瘤)
an·eu·rys·mal, -ris- [ӕnjuərízməl] *a.* 동맥류의
***a·new** [ənjú: | ənjú:] *ad.* 《문어》 **1** 다시: play the tune ~ 멜로디를 다시 연주하다 **2** 새로이, 신규로: write the story ~ 이야기를 새로이 고쳐 쓰다
ANF 〖생화학〗 atrial natriuretic factor 심방성 나트륨 이뇨 인자
an·frac·tu·os·i·ty [ӕnfrӕktʃuɑ́səti | -ɔ́sə-] *n.* (*pl.* **-ties**) ⓊⒸ 굴곡; [*pl.*] 구불구불한 길[수로]
an·frac·tu·ous [ænfrǽktʃuəs] *a.* 굴곡이 많은, 구불구불한(circuitous)
ANG Air National Guard 미국 주(州) 공군
an·ga [ʌ́ŋgə] *n.* (요가의) 행법(行法)
an·ga·ry [ǽŋgəri] *n.* Ⓤ 〖국제법〗 전시(戰時) 수용권(收用權) 《중립국 재산의 수용·파괴권》
‡**an·gel** [éindʒəl] [Gk 「사자(使者)」의 뜻에서] *n.* **1** 천사, (하느님의) 사자(使者): a fallen ~ 타락한 천사 / Fools rush in where ~*s* fear to tread. 《속담》 하룻강아지 범 무서운 줄 모른다. / Talk of ~*s* and you will hear the flutter of their wings. 《속담》 호랑이도 제 말 하면 온다. **2 a** 천사 같은 사람 **b** 몸도 마음도 아름다운 여성, 귀여운 아이; 친절한 사람 **3** 수호천사, 수호신(=guardian ~) **4** 《구어》 (연극·음악·선거·벤처 기업 등의) 재정적 후원자 **5** 옛날의 영국 금화 이름 **6** 《속어》 (레이더에 나타나는) 정체 불명의 상(像) 《새 등의 저공 비행 물체》 **7** 《미·속어》 여성적이고 귀여운 호모
an ~ of a child 천사 같은 (아이) ***~ of death*** 죽음의 사자(使者) ***Be an ~ and*** sharpen my pencil. 착하지[부탁하네] (연필 좀 깎아 다오). ***enough to make the ~s weep*** 천사를 울릴 정도인, 무자비한, 절망적인 ***entertain an ~ unawares*** 〖성서〗 고귀한 사람인지도 모르고 대접하다 ***on the side of the ~s*** 천사 쪽에 서서; 착한 [정의의] 편을 들어
write like an ~ 아름답게 쓰다; 훌륭한 문장을 쓰다

—*vt.* (미·구어) 〈연극 등에〉 경제적 원조를 하다
▷ angélic *a.*
an·ge·la [ǽndʒələ] *n.* (속어) = ANGEL 7
An·ge·la [ǽndʒələ] *n.* 여자 이름
ángel bèd 닫집 달린 침대
ángel càke 에인젤 케이크 ((스펀지케이크의 일종))
ángel dùst (미·속어) 합성 헤로인, 분말 PCP
An·ge·le·no [æ̀ndʒəlíːnou] *n.* (*pl.* **~s**) (구어) 로스앤젤레스 주민[출신자]
an·gel-face [éindʒəlfèis] *n.* (구어) 천진하고 귀여운 얼굴(의 젊은이)
an·gel·fish [éindʒəlfìʃ] *n.* (*pl.* **~, ~·es**) 〖어류〗 **1** 전자리상어 **2** 에인절피시 ((관상용 열대어))
ángel fòod càke (미) = ANGEL CAKE
ángel hàir **1** 가느다란 스파게티 (가락) **2** 가느다란 흰 유리 섬유 ((크리스마스 트리 장식용))
***an·gel·ic, -i·cal** [ændʒélik(əl)] *a.* **1** 천사의: the ~ host 천사의 무리 **2** 〈사람·행위가〉 천사 같은, 청아한, 고결한(saintly): ~ sweetness 천사 같은 친절함
-i·cal·ly *ad.* ▷ ángel *n.*
an·gel·i·ca [ændʒélikə] *n.* **1** 〖식물〗 안젤리카 ((멧두릅속(屬); 약용·요리용)) **2** Ⓤ 그 줄기의 설탕 절임 **3** [**A~**] (미) 캘리포니아산(産) 백포도주
angélica trèe (미) = HERCULES'-CLUB
An·ge·li·na [æ̀ndʒəlíːnə] *n.* 여자 이름
An·ge·line [ǽndʒəlìːn] *n.* 여자 이름
An·ge·li·no [æ̀ndʒəlíːnou] *n.* = ANGELENO
an·gel·ol·a·try [èindʒəlɑ́lətri | -lɔ́lə-] *n.* Ⓤ 천사 숭배
an·gel·ol·o·gy [èindʒəlɑ́lədʒi | -lɔ́lə-] *n.* Ⓤ 〖신학〗 천사론[학], 천사 신앙
ángel shàrk 〖어류〗 전자리상어(angelfish)
ángel('s) vísit (구어) 귀한 손님, 진객(珍客)
An·ge·lus [ǽndʒələs] *n.* **1** 〖가톨릭〗 안젤루스, 삼종(三鐘) 기도 ((그리스도의 수태를 기념하는)) **2** 안젤루스의 종(= **~ bèll**) ((아침·낮·저녁의 기도 시각에 울림))
‡**an·ger** [ǽŋgər] *n.* Ⓤ **1** (일시적으로 격한) 노여움, 성, 화 ((*at, for, against*)): be filled with ~ *at* …에 몹시 화나다 / He felt ~ *against* her for having given him such a fright. 크게 놀라게 한 그녀에게 그는 화를 냈다. / He felt the ~ rise in him. 그는 화가 치밀어 오르는 것을 느꼈다. **2** (자연 등의) 노한[험악한] 상태 **3** (영·방언) 아픔, 염증 **4** (폐어) 슬픔, 고뇌 ***contain* one*'s* ~** 화를 억누르다 ***in a fit of* ~** 발끈해서 ***in* ~** 성내어
—*vt.* **1** 성[화]나게 하다: She *~ed* her boss by asking for another vacation day. 또 휴가를 달라고 요청해서 그녀는 상사를 화나게 했다. **2** (영·방언) 〈상처 등에〉 아픔을 주다, 염증을 일으키다(inflame)
—*vi.* 성나다, 화나다: He *~s* with little provocation. 그는 걸핏하면 화낸다.
An·ge·vin(e) [ǽndʒəvin] *a.* 앙주(Anjou)의; Anjou[Plantagenet] 왕가(王家)의
—*n.* Anjou[Plantagenet] 왕가 사람(cf. ANJOU)
angi- [ǽndʒi], **angio-** [ǽndʒiou, -dʒiə] ((연결형)) 「혈관; 림프관; 혈관종; 과피(果皮)」의 뜻 ((모음 앞에서는 angi-)): *angio*sperm
an·gi·na [ændʒáinə] *n.* Ⓤ 〖병리〗 **1** 앙기나, 후두염(喉頭炎) **2** 협심증(狹心症)(= **~ péc·to·ris** [-péktəris]) **-nal** [-nl] *a.*
an·gi·o·car·di·og·ra·phy [æ̀ndʒiəkɑ̀ːrdiɑ́grəfi | -ɔ́gə-] *n.* Ⓤ 〖의학〗 혈관 심장 촬영(법)
an·gi·o·gram [ǽndʒiəgræ̀m] *n.* 〖의학〗 혈관 촬영[조영(造影)]도
an·gi·og·ra·phy [æ̀ndʒiɑ́grəfi | -ɔ́gə-] *n.* Ⓤ 〖의학〗 혈관 촬영(법) ((X선 특수 조영법의 하나))
an·gi·o·gráph·ic [æ̀ndʒiəgrǽfik] *a.*
an·gi·ol·o·gy [æ̀ndʒiɑ́lədʒi | -ɔ́lə-] *n.* Ⓤ 맥관학(脈管學) ((혈관과 림프관을 연구하는 해부학의 한 분야))
an·gi·o·ma [æ̀ndʒióumə] *n.* (*pl.* **~s, ~·ta** [-tə]) 〖의학〗 혈관종(腫)
an·gi·om·a·tous [æ̀ndʒiɑ́mətəs | -ɔ́mə-] *a.* 혈관종의
an·gi·o·plas·ty [ǽndʒiəplæ̀sti] *n.* (*pl.* **-ties**) 〖외과〗 혈관 형성(술) ((혈관을 고치거나 형성하는 일[수술])): coronary ~ 관상 동맥 형성술
an·gi·o·sperm [ǽndʒiəspə̀ːrm] *n.* 〖식물〗 피자(被子)식물, 속씨식물(cf. GYMNOSPERM)
an·gi·o·sper·mous [æ̀ndʒiouspə́ːrməs] *a.* 〖식물〗 피자[속씨]식물의
an·gi·o·ten·sin [æ̀ndʒiouténsin] *n.* 〖생화학〗 앤지오텐신 ((혈액 중에 만들어지는 혈압 상승 호르몬))
Ang·kor Wat [ǽŋkɔːr-wɑ́ːt | -wɔ́t] 앙코르와트 ((캄보디아 앙코르에 있는 석조 사원 유적))
Angl. Anglican
‡**an·gle**[1] [ǽŋgl] [Gk 「굽은」의 뜻에서] *n.* **1** 각도, 각: a right ~ 직각 / an acute[obtuse] ~ 예[둔]각 / an external[exterior] ~ 외각 / an internal[interior] ~ 내각 / at right *~s* with …와 직각으로 / take the ~ of …의 각도를 재다 **2** 모, 모서리, 귀퉁이, 모퉁이(corner): the *~s* of a building 건물 모퉁이 **3** (구어) 각도, 견지(standpoint), 관점, 처지; (특정 독자의) 시점(視點): try another ~ 다른 견지로 보다 / He looked at the problem only from his own ~. 그는 그 문제를 오로지 자신의 입장에서 바라보았다. **4** (사물의) 양상(aspect), 국면: The accountant emphasized the tax ~ of the leasing arrangement. 회계사는 그 임대 계약의 세금 부분을 강조했다. **5** 〖영화·사진〗 **a** = ANGLE SHOT 1 **b** 카메라 앵글 **6** (구어) 불순한 동기; 간악한 책략, 음모 **7** 〖미식축구·테니스〗 공에 각도를 주고 차기[치기]
at an* ~** 굽어서, 비스듬히 ***get a new* ~ *on …에 대하여 새로운 사고방식을 갖다 ***have an* ~** (구어) 부당한 방법을 쓰다 ***have an* ~ *on*** (구어) …에 대해 의견[관점]을 갖고 있다 ***know all the ~s*** (미·구어) 단맛 쓴맛을 다 알다 ***meet*[*cross*] *at right ~s*** 직각을 이루다 ***play* (*all*) *the ~s*** (속어) (목표 달성을 위해) 온갖 수단을 활용하다
—*vt.* **1** (어떤 각도로) 움직이다[구부리다]; 비스듬하게 하다, 기울이다: ~ a camera 카메라의 앵글을 잡다 **2** 어떤 각도로 두다[향하게 하다, 맞추다]: ~ a spotlight 스포트라이트를 향하다 **3** 특정한 관점에서 쓰다: (~+목+전+명) ~ an article *toward* lowbrows 기사를 저급층 상대로 쓰다 **4** 〈의견·보도 등을〉 왜곡하다 **5** 〖사진〗 〈카메라의〉 각도를 정하다 **6** 〈공을〉 각도를 두어 치다[차다]
—*vi.* **1** 굽다, 구부러지다 **2** 구부러지며 나아가다
▷ ángular *a.*; ángulate *a.*, *v.*
angle[2] [OE 「낚시」의 뜻에서] *n.* (고어) 낚시 (바늘)
***brother of the* ~** (문어) 낚시꾼
—*vi.* **1** 낚시질하다 **2** (잔꾀를 부려 …을) 얻으려고 하다 ((*for*)): (~+전+명) ~ *for* praise 칭찬을 받으려고 수를 쓰다
An·gle [ǽŋgl] *n.* [the ~s] 앵글 족(族) ((5세기 이후 Saxons, Jutes와 함께 영국에 이주한 게르만 족; 지금의 영국인의 조상)); 앵글 족 사람
ángle bàr = ANGLE IRON
ángle bràcket **1** 〖건축〗 모서리용 까치발 **2** [보통 *pl.*] 〖인쇄〗 가랑이표 ((〈, 〉 등))
an·gled [ǽŋgld] *a.* 모난, 각이 있는; 치우친
An·gle·doz·er [ǽŋgldòuzər] [*angle*+bull*dozer*] *n.* 앵글 도저 ((대형 불도저; 상표명))
ángle grìnder 앵글 그라인더 ((금속 절단 또는 연마용 전동 공구))
ángle ìron 앵글 (철) ((L자형 철재))
ángle mèter 각도계; 경사계(clinometer)
ángle of attáck **1** 〖항공〗 영각(迎角), 받음각 ((항

thesaurus **anger** *n.* annoyance, rage, fury, indignation, temper, wrath, exasperation, irritation, vexation **—***v.* annoy, infuriate, enrage, irritate, fume, madden, arouse, annoy

공기의 익현(翼弦)과 기류의 방향으로 생기는 각도) **2** 〚철도〛 영각《레일의 유선 부분과 동륜 사이의 각도》
ángle of clímb 〚항공〛 상승각
ángle of depréssion 〚측량〛 내려본각, 내림각
ángle of deviátion 〚광학〛 편각
ángle of elevátion 〚측량〛 올려본각, 앙각(仰角)
ángle of íncidence **1** 〚광학·물리〛 입사각, 투사각 **2** 〚항공〛 (날개의) 붙임각; 《영》 영각(迎角)
ángle of refléction 〚물리〛 반사각
ángle of refráction 〚광학·물리〛 굴절각
ángle of víew 〚광학〛 사각(寫角), 화각(畫角)
an·gle-park·ing [ǽŋglpɑ̀ːrkiŋ] *n.* Ⓤ (길가의) 비스듬한 주차
∗**an·gler** [ǽŋglər] *n.* **1** 낚시꾼 **2** 〚어류〛 아귀 **3** 계책을 써서 손아귀에 넣는[넣으려는] 사람
ángle shòt **1** 〚사진〛 앵글 숏《극단적인 카메라 앵글로 하는 촬영》 **2** 〚경기〛 공[팩]을 비스듬한 방향으로 치기
an·gle·site [ǽŋglsàit] *n.* Ⓤ 〚광물〛 황산연(鉛)
ángle stèel 〚기계〛 산형강(山形鋼), L자형강(鋼)
ángle stòne 모퉁잇돌, 귀돌
an·gle·wise [ǽŋglwàiz] *ad.* 각을 이루고, 각 모양으로
an·gle·worm [ǽŋglwə̀ːrm] *n.* 지렁이《낚시 미끼》
An·gli·a [ǽŋgliə] *n.* England의 라틴명
An·gli·an [ǽŋgliən] *a.* 앵글 족의
— *n.* **1** 앵글 사람 **2** Ⓤ 앵글 말
An·glic [ǽŋglik] *n.* Ⓤ 앵글릭《스웨덴의 영어학자 R.E. Zachrisson(1880-1937)이 고안한 철자법을 개량한 영어》 **—** *a.* = ANGLIAN
∗**An·gli·can** [ǽŋglikən] *a.* **영국 국교회**(the Church of England)의, **성공회의**
— *n.* 영국 국교도; 영국 국교 지지자
~·ìsm *n.* Ⓤ 영국 국교회주의
Ánglican Chúrch [the ~] **1** 영국 국교회(the Church of England) **2** = ANGLICAN COMMUNION
Ánglican Commúnion [the ~] 성공회 연합
An·gli·ce, a- [ǽŋgləsi] [L = in English] *ad.* 영어로, 영어식으로 말하면
An·gli·cise [ǽŋgləsàiz] *vt.* = ANGLICIZE
An·gli·cism, a- [ǽŋgləsìzm] *n.* ⓊⒸ **1** 영국식[풍], 영국민 특유의 습관[양식, 사고방식] **2** 영어 특유의 관용어법 **3** 《미》 영국어법 **4** (다른 언어의) 영어식의 어구[어법]
An·gli·cist [ǽŋgləsist] *n.* 영국통; 영어[영문]학자, 영어[영문학]의 대가
An·gli·cize, a- [ǽŋgləsàiz] *vt.* 영국식으로 하다; 〈외국어를〉 영어화하다 **—** *vi.* 영국[영어]식으로 되다
An·gli·ci·zá·tion [æ̀ŋgləsizéiʃən | -sai-] *n.*
An·gli·fy [ǽŋgləfài] *vt.* (**-fied**) = ANGLICIZE
An·gli·fi·cá·tion [æ̀ŋgləfikéiʃən] *n.*
an·gling [ǽŋgliŋ] *n.* Ⓤ 낚시질, 낚시 기술
An·glist [ǽŋglist] *n.* = ANGLICIST
Ang·lis·tics [æŋglístiks] *n. pl.* [단수 취급] 영어[영문]학
An·glo [ǽŋglou] *n.* (*pl.* **~s**) 《미남서부》 영국계 미국 사람, (라틴계가 아닌) 미국 백인
Anglo- [ǽŋglou] 《연결형》 「영국[영어]의」의 뜻: *Anglo*-Irish
An·glo-Af·ri·can [ǽŋglouǽfrikən] *n., a.* 영국계 아프리카 사람(의)
∗**An·glo-A·mer·i·can** [ǽŋglouəmérikən] *a.* **1** 영미(英美)의 **2** 영국계 미국 사람의
— *n.* 영국계 미국 사람 **~·ìsm** *n.*
An·glo-Cath·o·lic [ǽŋgloukǽθəlik] *n., a.* 영국 국교회 가톨릭파(의)

---

angry *a.* annoyed, furious, infuriated, indignant, enraged, irate, wrathful, exasperated, irritated, incensed, maddened, hot-tempered, outraged, vexed, provoked (opp. *calm, pleased*)

An·glo-Ca·thol·i·cism [ǽŋgloukəθɑ́ləsìzm | -θɔ́-] *n.* Ⓤ 영국 국교회 가톨릭파주의(의 교리)
An·glo·cen·tric [æ̀ŋglouséntrik] *a.* 영국 중심의
An·glo-French [ǽŋgloufréntʃ] *a.* **1** 영불(英佛)의 **2** 앵글로 프랑스 말의 **—** *n.* Ⓤ 앵글로 프랑스 말《영국 노르만 왕조에서 사용한 프랑스 말》
An·glo-In·di·an [ǽŋglouíndiən] *a.* **1** 영국과 인도의 **2** 영국·인도 혼혈아의; 인도 거주 영국 사람의 **3** 인도 영어의 **—** *n.* **1** 인도에서 사는[태어난] 영국 사람 **2** 영국인과 인도인의 혼혈아 **3** Ⓤ 인도 영어
An·glo-I·rish [ǽŋglouáiriʃ] *a.* 잉글랜드와 아일랜드의; 영국·아일랜드 혼혈의; 아일랜드 거주 영국인의
— *n.* **1** 영국계 아일랜드 사람 **2** Ⓤ 아일랜드 영어
An·glo-La·tin [ǽŋgloulǽtin, -tn] *n., a.* (영국에서 사용되던) 중세 라틴 어(의)
An·glo·ma·ni·a [æ̀ŋgləméiniə, -njə] *n.* Ⓤ (외국인의) 영국 숭배, 영국광(狂)
An·glo·ma·ni·ac [æ̀ŋgləméiniæ̀k] *n.* 영국 숭배자
An·glo-Nor·man [ǽŋglounɔ́ːrmən] *a.* **1** 노르만 사람의 영국 점령 시대(1066-1154)의 **2** 노르만계 영국 사람의 **3** 앵글로노르만 어의
— *n.* Ⓤ 앵글로노르만 어
An·glo·phile [ǽŋgləfàil], **-phil** [-fìl] *n.* 친영파 사람 **An·glo·phíl·ic** [æ̀ŋgləfílik] *a.*
An·glo·phil·i·a [æ̀ŋgləfíliə] *n.* 영국 편애, 영국 숭배
An·glo·phobe [ǽŋgləfòub] *n., a.* 영국(사람)을 싫어하는 (사람)
An·glo·pho·bi·a [æ̀ŋgləfóubiə] *n.* Ⓤ 영국 (사람) 혐오(opp. *Anglomania*)
An·glo·phone [ǽŋgləfòun] *n.* (복수의 공용어가 있는 나라의) 영어 사용자, 영어를 말하는 사람
— *a.* 영어 사용자의; 영어를 말하는
⁑**An·glo-Sax·on** [ǽŋglousǽksn] *n.* **1** [the ~s] 앵글로색슨 민족《5세기경 영국에 이주한 튜튼 족》; **앵글로색슨 족의 사람** **2** Ⓤ 앵글로색슨 말(Old English) **3** 영어 속의 게르만 어의 요소 **4** 《미》 **a** (현대) 영어 **b** 평이한 영어《단음절에서 생긴 말》 **5** (영어를 모국어로 하는) 영국인, 영국계 사람 **6** 《미》 식민지 시대 영국계의 자손
— *a.* **1** 앵글로색슨 사람의 **2** 옛 영어의 **3** 영어를 말하는; 영국인[미국인]의 **4** 《(영어) 표현이》 하찮은 **5** (영·미·호주의) 백인 프로테스탄트 문화의
An·glo-Sax·on·dom [-sǽksəndəm] *n.* 앵글로색슨 민족의 영토; (세계 정치에서 활약하는) 앵글로색슨 민족; 앵글로색슨권(圈)《영국 본토·식민지·미국의 총칭》
An·glo-Sax·on·ism [-sǽksənizm] *n.* 영국 사람 기질; 앵글로색슨계의 말
An·go·la¹, a- [æŋgóulə] *n.* = ANGORA 2
Angola² *n.* 앙골라《아프리카 남서부의 독립국; 수도 Luanda》 **An·gó·lan** *n., a.* 앙골라 사람(의)
An·go·ra [æŋgɔ́ːrə, æn- | æŋ-] *n.* **1** [æŋgɔ́ːrə, ǽŋgərə] 앙고라《1930년 이전의 Ankara의 옛 이름》 **2** = ANGORA CAT[GOAT, RABBIT] **3** Ⓤ 앙고라 모직《앙고라염소(Angora goat)의 털로 짠 직물》
Angóra cát 앙고라고양이
Angóra góat 앙고라염소《그 털은 mohair》
Angóra rábbit 앙고라토끼
Angóra wóol = MOHAIR
an·gos·tú·ra (bárk) [æ̀ŋgəstjúərə- | -tjúə-] *n.* 앙고스투라 (나무)껍질《해열 강장제》
Angostúra Bítters 앙고스투라 비터즈《칵테일에 쓴 맛을 내는, 나무껍질·뿌리에서 얻는 액체; 상표명》
ang·rez [ʌŋréiz] *n.* (*pl.* **~**) 《인도·구어》 영국인, 영국 사람
⁑**an·gri·ly** [ǽŋgrəli] *ad.* **노하여**, 성나서, 화내어: "You're a donkey." he said ~. 그는 화가 나서 "이 멍청이야."라고 말했다. ▷ ángry *a.*; ánger *n.*
an·gri·ness [ǽŋgrənis] *n.* Ⓤ 노여움, 화, 성
⁑**an·gry** [ǽŋgri] *a.* (**-gri·er**; **-gri·est**) **1** Ⓟ **성난**, 노한《*at, about, over*》; (사람에게) 화난《*with, at*》

《★ at은 화를 나게 한 직접 대상을 표시》; (…라는 일로) 화난(opp. *calm*) 《*that* 절, *at doing, to do*》: be ~ *about*[*over*] a person's error …의 과실에 화내다 / be ~ *at* a person for coming late 늦게 온다고 남에게 화내다 / I'm ~ *with* you. 너에게 화났어. / I was ~ *that* the door was locked. 문이 잠겨 있어서 화가 치밀었다. **2** Ⓐ **화난,** 〈얼굴 표정이〉 화로 가득찬: an ~ look[face] 화난 얼굴 / I came to ~ words with him. 나는 화가 나서 그와 말다툼하게 되었다. **3** 〈파도·바람·하늘 등이〉 험한, 험악한, 심한: ~ waves 노도 **4** 〈상처가〉 염증을 일으킨
— *n.* (*pl.* **-gries**) [*pl.*] 《구어》 (사회 등에 항의하는) 성난 사람들; = ANGRY YOUNG MEN

ángry yòung mán **1** [보통 **A- Y- Men**으로] 【문학】 성난 젊은이 《전후 영국 문단에서 기성 제도에 분노를 나타내는 문학을 쓴 청년 작가 그룹》 **2** 반체제의 젊은이

Ang.-Sax. Anglo-Saxon

angst [ɑ́:ŋkst | ǽŋ-] [G] *n.* (*pl.* **äng·ste** [éŋkstə]) 불안, 걱정; 공포; 고뇌

angst-rid·den [-rìdn] *a.* 늘 걱정하는[불안해 하는]

ang·strom, A- [ǽŋstrəm-] [스웨덴의 물리학자 이름에서] *n.* 【물리】 옹스트롬 《1센티미터의 1억분의 1; 단파장의 측정 단위; 略 Å, A》(= ∠ ùnit)

an·guine [ǽŋgwin] *a.* 뱀 같은(snakelike), 뱀의

***an·guish** [ǽŋgwiʃ] *n.* Ⓤ (심신의) **격통**(激痛), 비통, 고뇌, 번민 **in** ~ 고뇌하여
— *vi., vt.* 괴로워하다; 괴롭히다: ~ over the loss of a loved one 사랑하는 사람을 잃어서 괴로워하다

an·guished [ǽŋgwiʃt] *a.* 번민의, 고뇌에 찬: an ~ look 고뇌의 표정

***an·gu·lar** [ǽŋgjulər] *a.* **1** 모난; 각을 이룬; 각도의; 각도로 잰: an ~ distance 각거리(角距離) **2** 【물리】 각의 《회전축 주위에서 측정한 회전체의 회전량의》 **3** 뼈가 앙상한, 여윈, 마른, 수척한 **4** 〈성격이〉 딱딱한, 외고집의, 모난 **~·ly** *ad.* **~·ness** *n.*

ángular accelerátion 【물리】 각(角)가속도

ángular displácement 【물리】 각변위(角變位) 《축(軸) 둘레 물체의 회전 때의》

an·gu·lar·i·ty [æ̀ŋgjulǽrəti] *n.* (*pl.* **-ties**) **1** Ⓤ 모남 **2** [보통 *pl.*] 모난 모양, 뾰족한 모서리

ángular léaf spòt 【식물】 각반병(角斑病)

ángular moméntum 【물리】 각운동량

ángular spéed[**velócity**] 【물리】 각속도

an·gu·late [ǽŋgjulèit] *vt.* 모나게 하다, 각지게 하다 — *vi.* 각지다, 모나다 — [-lət] *a.* 모가 있는, 모난 **-lat·ed** [-lèitid] *a.* 모가 있는, 각을 이룬 **~·ly** *ad.*

an·gu·la·tion [æ̀ŋgjuléiʃən] *n.* Ⓤ 모서리를 만듦; 모서리가 있는 모양[부분, 부위]

An·gus [ǽŋgəs] *n.* **1** 남자 이름 **2** 【켈트신화】 앵거스 《사랑과 젊음과 아름다움의 신(神)》

Ángus Óg [-óug] 【아일랜드신화】 앵거스 오그 《사랑과 미의 신》

angusti- [æŋgʌ́stə] 《연결형》 「좁은(narrow)」의 뜻

an·har·mon·ic [æ̀nhɑ:rmɑ́nik | -mɔ́-] *a.* 【수학·물리】 부조화의

an·he·do·ni·a [æ̀nhi:dóuniə] *n.* 【심리】 (성)쾌감 상실 **an·he·don·ic** [æ̀nhidɑ́nik | -dɔ́-] *a.*

an·he·dral [ænhí:drəl] *n.* 【항공】 하반각(下反角) — *a.* 〈날개가〉 하반각을 이룬

an·he·la·tion [æ̀nhəléiʃən] *n.* 【의학】 호흡 촉박

an·hin·ga [ænhíŋgə] *n.* 【조류】 가마우지의 일종 (snakebird)

anhyd. anhydrous

an·hy·dride [ænhάidraid, -drid] *n.* 【화학】 무수물(無水物)

an·hy·drite [ænhάidrait] *n.* Ⓤ 【광물】 경석고(硬石膏), 무수(無水) 석고

an·hy·drous [ænhάidrəs] *a.* 【화학·광물】 무수의

a·ni[1] [ɑ́:ni, ɑ:ní:] *n.* 【조류】 아니 《열대 아메리카산(産) 두견의 일종》

a·ni[2] [éinai] *n.* ANUS의 복수

an·i·con·ic [æ̀naikɑ́nik | -kɔ́-] *a.* **1** 〈종교가〉 우상을 모시지 않는, 우상 반대의 **2** 상징적인

ANICs Asian newly industrialized countries 아시아 신흥 공업국 《한국·대만·홍콩·싱가포르 등》

An·ik [ǽ:nik] [Eskimo = brother] *n.* 아니크 《캐나다의 통신 위성의 애칭》

an·il [ǽnil] *n.* **1** 【식물】 개물깜싸리, 목람(木藍) **2** Ⓤ 【염색】 쪽빛(indigo)

an·ile [ǽnail, éin-] *a.* 노파 같은(old-womanish), 노망한

an·i·line [ǽnəlin, -làin], **-lin** [-lin] *n.* Ⓤ 【화학】 아닐린 《염료·합성수지의 원료》

ániline dỳe 아닐린 염료(染料)

a·ni·lin·gus [èinilíŋgəs], **-linc·tus** [-líŋktəs] *n.* Ⓤ (성적 흥분을 위한) 항문을 입으로 자극하기

a·nil·i·ty [əníləti] *n.* Ⓤ (노파의) 노망

anim. animato

an·i·ma [ǽnəmə] [L] *n.* **1** ⓊⒸ 영혼, 정신; 생명 **2** [the ~] 【심리】 아니마 《남성의 여성적 특성; cf. ANIMUS 3》

an·i·mad·ver·sion [æ̀nəmædvə́:rʒən, -ʃən] *n.* ⓊⒸ 《문어》 비평, 비난, 혹평 《*on*》

an·i·mad·vert [æ̀nəmædvə́:rt] *vi.* 비평[혹평]하다, 비난하다 《*on, upon, about*》

‡an·i·mal [ǽnəməl] [L 「살아 있는 것」의 뜻에서] *n.* **1 동물** 《식물에 대비하여》: the higher ~ 고등 동물 / plants and ~*s* 동식물 《이 어순이 일반적임》 / Man is by nature a political ~. 인간은 본성이 정치적 동물이다. **2** (인간 이외의) **동물, 짐승**: wild ~*s* 야수 / domesticated[domestic] ~*s* 가축 **3** (어류·조류 등에 대비해) 네발짐승; 포유동물 **4** [the ~] (사람의) 동물성, 수성(獸性)(animality) **5** 《미·구어》 짐승 같은 인간; 천한[더러운] 녀석 **6** 《익살》 사람; 물건 **7** 《영·속어》 경찰관 **8** 《미·속어》 운동선수
— *a.* **1 동물의**; 동물성[질]의: ~ life 동물의 생태; [집합적] 동물 / ~ matter 동물질 / ~protein 동물성 단백질 **2** (정신에 대비하여) 동물적인, 야수적인; 육욕적인: ~ courage 만용 / ~ needs[wants] 동물적 욕구 **3** 【생물】 동물극(極)의

ánimal assísted thérapy 【사회】 동물 보조 치료법

ánimal bláck 애니멀 블랙 《동물질을 탄화시켜 얻은 흑색 분말; 안료·탈색제》

ánimal bòdy 동물체

ánimal chárcoal 수탄(獸炭) 《동물질을 탄화시킨 것》; 《특히》 골탄(骨炭)(bone black)

ánimal compánion 반려 동물, 벗으로서의 동물 《pet의 완곡어; companion animal이라고도 함》

ánimal contròl òfficer 《미·구어》 동물 관리요원 《버려진 동물들을 포획·관리함》

ánimal cràcker 《미》 동물 모양의 비스킷

an·i·mal·cule [æ̀nəmǽlkju:l] *n.* 극미(極微) 동물 **-cu·lar** [-kjulər] *a.*

an·i·mal·cu·lism [æ̀nəmǽlkjulìzm] *n.* Ⓤ 정자론(精子論) 《정자 속에 태아가 들어 있다는 이론》; (병원체 등의) 극미 동물설

an·i·mal·cu·lum [æ̀nəmǽlkjuləm] *n.* (*pl.* **-la** [-lə]) = ANIMALCULE

Ánimal Fàrm 동물 농장 《George Orwell의 풍자 소설(1945)》

ánimal fòod 동물성 식품

an·i·mal-free [-frí:] *a.* 〈화장품 등이〉 동물질이 사용되지 않은

ánimal hèat 【생리】 동물 체온 《물질 교대 활동에 의해 동물 체내에 생기는 열》

ánimal húsbandman 축산학자, 축산업자

ánimal húsbandry 축산학; 축산(업)

thesaurus **animate** *v.* **1** 생명을 불어넣다 give live to, enliven, liven up, cheer up, gladden, vital-

An·i·ma·li·a [æ̀nəméiliə, -ljə] *n. pl.* 동물계
an·i·ma·lier [ǽnəməlìə, æ̀nimǽliei] *n.* 동물 화가[조각가]
an·i·mal·ism [ǽnəməlìzm] *n.* Ⓤ **1** 동물적 생활; 동물성, 수성(獸性); 수욕주의 **2** 인간 동물설
an·i·mal·ist [ǽnəməlist] *n.* **1** 동물 권리 옹호자 **2** 수욕주의자 **3** 동물 화가[조각가]
an·i·mal·is·tic [æ̀nəməlístik] *a.* 동물성의, 수욕주의적인; 동물의 모양을 한
an·i·mal·i·ty [æ̀nəmǽləti] *n.* Ⓤ **1** 동물성, 수성(獸性) **2** 동물계; [집합적] 동물
an·i·mal·i·za·tion [æ̀nəməlizéiʃən | -lai-] *n.* Ⓤ **1** 동물화 **2** (음식 등의) 동물질화
an·i·mal·ize [ǽnəməlàiz] *vt.* **1** 동물화하다, 짐승같이 만들다 **2** 〈음식을〉 동물질로 바꾸다
ánimal kìngdom [the ~] 동물계
ánimal liberátion[líb] 동물 해방 운동
Ánimal Liberátion Frònt [the ~] 동물 해방 전선 《영국의 동물 애호 단체; 略 ALF》
an·i·mal·ly [ǽnəməli] *ad.* 육체적으로
ánimal mágnetism **1** 동물 자기 《다른 사람들을 최면 상태로 만드는 선천적 능력》 **2** 육체적[성적] 매력
ánimal mòdel 동물 모델 《의학·약물 실험용의》
ánimal pàrk 《미》 동물 공원, 자연 동물원 《야생 동물을 방사(放飼)하여 구경하게 하는 곳》
ánimal póle 〖생물〗 동물극 《다세포 동물의 난세포 및 발생 초기 배에서 극체에 생기는 부분》
ánimal ríghts (학대로부터 보호받을) 동물의 권리
ánimal spírits **1** 발랄한 생기, 정기(精氣): The children romped on the lawn, full of ~. 아이들은 잔디 위에서 생기발랄하게 뛰어놀았다. **2** 〖철학〗 (특히 데카르트의 심신관계론에서) 동물 정기
ánimal tésting (신약 개발 등을 위한) 동물 실험
an·i·ma mun·di [ǽnəmə-mʌ́ndai] [L = soul of the world] *n.* (*pl.* **an·i·mae mun·di** [ǽnəmi:-, -mai-]) 세계 영혼, 우주혼
*__an·i·mate__ [ǽnəmèit] *vt.* **1** …에 생명을 불어넣다, 살리다: The dust of the ground was ~*d* by God. 땅의 먼지는 신에 의해 생명이 불어넣어졌다. **2** 생기 있게[활기 띠게] 하다; 격려[고무]하다: (~+목+전+명) The success ~*d* him *to* more efforts. 성공에 고무되어 그는 더욱 노력했다. **3** …에 움직임을 주다 **4** 만화 영화[동화(動畵)]로 하다
— [-mət] *a.* **1** 생명 있는, 살아 있는(living, alive): ~ creatures 생물 **2** 생기 있는, 활기가 있는(lively) **3** 생물인(opp. *inanimate*): ~ nature 생물계, 동식물계 **4** 움직이고 있는, 움직일 수 있는 **5** 〖언어〗 유생(有生)의, 생물을 나타내는: ~ nouns 유생 명사
things ~ and inanimate 생물과 무생물
~·ly [-mətli] *ad.* **~·ness** *n.*
▷ animátion *n.*
an·i·mat·ed [ǽnəmèitid] *a.* **1** 생기가 있는(lively), 살아 있는, 생물인 **2** 싱싱한; 활기에 넘치는, 기운찬: an ~ discussion 활발한 토론 **3** 동화(動畵)[만화 영화]의 **~·ly** *ad.*
ánimated cartóon 만화 영화, 애니메이션
ánimated pícture 활동사진 《motion picture의 구칭》
a·ni·ma·teur [æ̀nəmətə́:r] *n.* 추진자, 주모자(prime mover); (계획 등의) 발기인
an·i·mat·ing [ǽnəmèitiŋ] *a.* 생기를 주는; 고무하는 **~·ly** *ad.*
*__an·i·ma·tion__ [æ̀nəméiʃən] *n.* **1** Ⓤ 생기, 활기, 활발; 활기 띠움, 고무 **2** 생기를 주는 일, 활기를 더하는 일 **3** 〖영화〗 애니메이션, 만화 영화; 만화 영화 제작
with ~ 기운차게, 활발히, 열심히
▷ ánimate *v., a.*
animátion cartóonist 만화 영화 작가

ize **2** 격려하다 encourage, hearten, inspire, excite, fire, rouse, stir, stimulate, incite, energize

an·i·ma·tism [ǽnəmətìzm] *n.* Ⓤ 〖철학〗 유생관(有生觀), 애니머티즘 《무생물에 의식·인격을 인정하는 원시 종교》
an·i·ma·to [ɑ̀:nəmɑ́:tou] [It.] *a., ad.* 〖음악〗 활기 있는[있게], 생기 있는[있게] 《略 anim.》
an·i·mat·o·graph [æ̀nəmǽtəgræ̀f | -grɑ̀:f] *n.* (초기의) 영화 촬영기
an·i·ma·tor, -mat·er [ǽnəmèitər] *n.* **1** 생기를 주는 사람[것]; 활력소, 고무자 **2** 〖영화〗 만화 영화 제작자[작가]
a·ni·ma·tron·ics [æ̀nəmətrɑ́niks | -trɔ́-] [*ani*mate+elec*tronics*] *n. pl.* [단수 취급] 애니매트로닉스 《영화 제작 등에서 동물·사람의 로봇을 실제처럼 보이게 하는 전자 공학 기술》
an·i·mé [ǽnəmèi, -mi] [F] *n.* Ⓤ 아니메 《방향성 수지; 니스의 원료》
an·i·mism [ǽnəmìzm] *n.* Ⓤ 〖철학·심리〗 **1** 물활론(物活論) 《목석 등도 생물과 마찬가지로 영혼이 있다고 믿음》 **2** 정령(精靈) 신앙, 정령설, 애니미즘 《사람 및 사물의 활동은 모두 영(靈)의 힘에 의한다는 설》
an·i·mist [ǽnəmist] *n.* **1** 물활론자 **2** 정령 신앙자
an·i·mis·tic [æ̀nəmístik] *a.* 물활론적인
an·i·mos·i·ty [æ̀nəmɑ́səti | -mɔ́-] *n.* (*pl.* **-ties**) ⓊⒸ 악의, 증오(hatred), 원한, 앙심 《*against, toward, between*》: have[harbor] (an) ~ *against* …에게 원한을 품다
an·i·mus [ǽnəməs] [L 「혼(魂)」의 뜻에서] *n.* Ⓤ **1** 적의(敵意), 미움 **2** 의지, 의향 **3** [the ~] 〖심리〗 아니무스 《여성의 남성적 특성; cf. ANIMA 2》
an·i·on [ǽnàiən] *n.* 〖화학〗 음이온(opp. *cation*)
an·i·on·ic [æ̀naiɑ́nik | -ɔ́nik] *a.*
a·nis [ɑ́:ni:s] *n.* 아니스 《aniseed로 맛을 낸 스페인·라틴 아메리카의 독한 술》
anis- [ænáis, ǽnais], **aniso-** [ænáisou, ǽnai-, -sə] 《연결형》 「부등(不等); 부동(不同)」의 뜻(opp. *is-, iso-*) 《모음 앞에서는 anis-》
an·ise [ǽnis] *n.* 〖식물〗 아니스 《지중해 지방산(産) 미나릿과(科) 약용·향료 식물》; = ANISEED(cf. DILL)
an·i·seed [ǽnisì:d] *n.* ⓊⒸ 아니스의 열매 《과자의 풍미료·감기약》
an·is·ei·ko·ni·a [æ̀nəsaikóuniə, æ̀nai-] *n.* 〖안과〗 (두 눈의) 부등상시증(不等像視症)
an·i·sette [æ̀nəsét, -zét | æ̀nizét, -sét] [F] *n.* Ⓤ 아니스(anise)로 맛들인 리큐어
an·i·so·ga·mete [ænàisougəmí:t, -gǽmi:t] *n.* 〖생물〗 이형 배우자(異型配偶者) **-met·ic** [-métik] *a.*
an·i·sog·a·mous [æ̀naisɑ́gəməs | -sɔ́g-], **-so·gam·ic** [-səgǽmik] *a.* 〖생물〗 이형 접합의
an·i·sog·a·my [æ̀naisɑ́gəmi | -sɔ́-] *n.* 〖생물〗 이형(배우자) 접합
an·i·sole [ǽnəsòul] *n.* 〖화학〗 아니솔 《무색·비수용성 액체; 향료·살충제용》
an·i·so·met·ric [ænàisəmétrik] *a.* **1** 부등(不等)의, 부동(不同)의 **2** 〈결정체가〉 등축(等軸)이 아닌
an·i·so·me·tro·pi·a [ænaisəmətróupiə, æ̀nəi-] *n.* 〖안과〗 (두 눈의) 굴절 부동(증), 부동시(不同視)
an·i·so·trop·ic [æ̀naisətrɑ́pik, ænài- | -trɔ́-] *a.* 〖화학〗 이방성(異方性)의
A·ni·ta [əní:tə] *n.* 여자 이름 《Anna의 애칭》
An·jou [ǽndʒu:] [F] *n.* 앙주 《프랑스 서부의 옛 공국(公國)》
An·ka·ra [ǽŋkərə] *n.* 앙카라 《터키의 수도》
an·ker [ǽŋkər] *n.* **1** 앵커 《네덜란드·덴마크·러시아 등의 액량 단위; 약 10갤런》 **2** 1앵커들이 통
an·ker·ite [ǽŋkəràit] *n.* 〖광물〗 철백운석
ankh [ǽŋk] *n.* (고대 이집트의) 안사타[앙크] 십자(가) 《위쪽에 고리가 달린 T자형 십자가》
‡**an·kle** [ǽŋkl] *n.* **1** 발목 (관절): twist[sprain] one's ~ 발목을 삐다 **2** (네발짐승의) 복사뼈 관절 **3** 《미·속어》 좋은 여자
—*vi.* 《미·속어》 **1** 걸어가다 **2** 직장을 사임하다

ánkle bìter 《영·호주·속어》 아이, 아동
an·kle·bone [ǽŋklbòun] *n.* 〖해부〗 복사뼈
an·kle-deep [-dí:p] *ad., a.* 발목까지 (올라오는)
ánkle jèrk 아킬레스건 반사(Achilles reflex)
ánkle sóck 《영》 짧은 양말(《미》 anklet)
an·klet [ǽŋklit] *n.* **1** 발목 장식; 차꼬 **2** 《미》 (여성·어린이용 발목까지의) 짧은 양말(《영》 ankle sock) **3** (복사뼈 위치에 가죽 띠가 달린) 여자[어린이] 구두
an·ky·lo·saur [ǽŋkəlousɔ̀:r] *n.* 안킬로사우루스(armored dinosaur) 《백악기의 초식 공룡》
an·ky·lose [ǽŋkəlòus, -lòuz] *vt., vi.* 〈뼈 등을〉 교착시키다, 교착하다; 〈관절 등을〉 경직(되게) 하다
an·ky·los·ing spondylítis [ǽŋkəlòusiŋ-, -ziŋ-] 〖병리〗 강직성 척추염
an·ky·lo·sis [æ̀ŋkəlóusis] *n.* Ⓤ 〖해부〗 교착; 〖병리〗 관절 강직 **an·ky·lot·ic** [æ̀ŋkəlάtik | -lɔ́-] *a.*
an·ky·lo·sto·mi·a·sis [æ̀ŋkəloustəmáiəsis] *n.* 〖병리〗 = ANCYLOSTOMIASIS
an·lace [ǽnlis] *n.* (중세의) 양날 단검
an·la·ge [ά:nlα:gə | ǽn-] [G = setup, layout] *n.* (*pl.* **-gen** [-gən], **~s**) **1** 〖생물〗 원기(原基)(rudiment) 《기관이 될 세포》 **2** 〖심리〗 유전 소질
Ann [ǽn] *n.* 여자 이름 《애칭 Annie, Nan, Nancy, Nanny, Nina》
ann. annals; annual; annuity
an·na[1] [ǽnə] *n.* 아나 《인도·파키스탄의 구화폐 (단위), rupee의 $^1/_{16}$; 略 a.》
anna[2] [ʌ́nə] *n.* 《인도》 **1** 형(older brother) **2** (불량배 무리의) 대장
An·na [ǽnə] *n.* 여자 이름 《애칭은 Anita, Ann, Anne, Annie, Nan, Nancy》
An·na·bel, -belle [ǽnəbèl], **An·na·bel·la** [æ̀nəbélə] *n.* 여자 이름
Annabel Lée 애너벨 리 《E.A. Poe의 동명(同名)의 시(1849)에 나오는, 해변 왕국에 사는 아름다운 소녀》
an·nal·ist [ǽnəlist] *n.* 연대기 편자
an·nal·is·tic [æ̀nəlístik] *a.* 연대기 (편자)의
*__an·nals__ [ǽnlz] *n. pl.* **1** 연대기; 연보(年譜) **2** 사료(史料), (역사적) 기록 **3** [때로 단수 취급] (학계 등의) 연보(年報)
An·nam [ænǽm, ⌐–] *n.* 안남(安南) 《베트남 중부의 옛 왕국》
An·nam·ese [æ̀nəmí:z, -mí:s] *a.* 안남 (사람)의; 안남 말의 **—** *n.* (*pl.* **~**) 안남 사람; Ⓤ 안남 말
An·nam·ite [ǽnəmàit] *a., n.* = ANNAMESE
An·nan [ænǽn, ǽnən] *n.* 아난 **Kofi** (**Atta**) ~ (1938-) 《가나(Ghana)의 외교관; 유엔 사무총장(1997-2006); 노벨 평화상 수상(2001)》
An·nap·o·lis [ənǽpəlis] *n.* 아나폴리스 《미국 Maryland 주의 주도; 미국 해군 사관학교 소재지》
An·na·pur·na, An·a- [æ̀nəpúərnə, -pɔ́:r-] *n.* **1** 〖힌두교〗 시바(Siva)의 배우자 여신(Devi) **2** 안나푸르나 《네팔 북부의 히말라야 산맥의 산》
an·nates [ǽnets, -nəts] *n. pl.* 〖가톨릭〗 성직 취임 후 첫 해의 수입 《원래 로마 교황에게 바쳤음》
Anne [ǽn] *n.* 여자 이름
an·neal [əní:l] *vt.* **1** 〈강철·유리 등을〉 달구었다가 천천히 식히다, 풀림 하다 **2** 〈정신을〉 단련하다
— *n.* Ⓤ 풀림 (공정); Ⓒ 풀림을 한 제품
~·ing *n.* Ⓤ 가열 냉각, 풀림 **~·er** *n.*
an·ne·lid [ǽnəlid] *n., a.* 〖동물〗 환형(環形)동물(의) 《지렁이·거머리 등》
An·nel·i·da [ənélədə] *n. pl.* 〖동물〗 환형동물문(門)
an·nel·i·dan [ənélədn] *a.* = ANNELID
*__an·nex__ [ənéks, ǽneks | ənéks] [L 「…에 매다」의 뜻에서] *vt.* **1** 부가하다, 첨부하다; 〈서명·도장 등을〉 (문서에) 첨가해 쓰다 (*to*): (~+목+전+명) ~ notes *to* a book 책에 주를 달다 / ~ a postscript *to* a letter 편지에 추신을 첨가하다 **2** 〈소국·영토 등을〉 합병하다: Britain *~ed* the Malta in 1814. 영국은 몰타 섬을 1814년에 합병했다. // (~+목+전+명) Texas was *~ed to* the United States in 1845. 텍사스는 1845년 미합중국에 합병되었다. **3** (속성·수반물·결과로서) 부수[동반]시키다 (*to*): (~+목+전+명) Unhappiness is not necessarily *~ed to* poverty. 가난에 불행이 반드시 동반되는 것은 아니다. **4** 입수하다, 얻다(obtain) **5** 《구어》 훔치다(steal), 무단으로 가져가다
— [ǽneks, -niks | ǽneks] *n.* **1** 부가물, 부속물, 부가 조건 **2** 별관, 별채, 증축[부속] 건물 (*to*) **3** 부속 문서, 부속 서류, 부록 **~·a·ble** *a.* ▷ annexátion *n.*
an·nex·a·tion [æ̀nikséiʃən, -nek-] *n.* **1** Ⓤ 부가, 첨가; (영토의) 합병 **2** 부가물, 부록, 부대물; 합병지 **~·al** *a.* **~·ist** *n.* 영토 합병론자
an·nexe [ǽneks] *n.* 《영》 = ANNEX
An·nie [ǽni] *n.* 여자 이름 《Ann(e)의 애칭》
Ánnie Óak·ley [-óukli] 《미·속어》 **1** 무료 입장권[승차권] **2** 〖야구〗 사구(四球), 포볼
an·ni·hi·la·ble [ənáiələbl] *a.* 전멸[절멸]시킬 수 있는 **an·ni·hi·la·bíl·i·ty** *n.*
*__an·ni·hi·late__ [ənáiəlèit] [L 「무(無)로 만들다」의 뜻에서] *vt.* **1** 전멸[절멸, 멸망]시키다: ~ the enemy soldiers 적군 병사들을 전멸시키다 **2** 무력하게 하다; 폐기[무효화]하다; 〖물리〗 소멸(消滅)시키다 **3** 《구어》 〈상대 등을〉 완패시키다, 압도하다
-la·to·ry [-lətɔ̀:ri | -lèitəri] *a.* ▷ annihilátion *n.*
*__an·ni·hi·la·tion__ [ənàiəléiʃən] *n.* Ⓤ 전멸, 절멸; 〖물리〗 소멸(消滅)
annihilátion radiàtion 〖물리〗 소멸 방사(선)
an·ni·hi·la·tive [ənáiəlèitiv | -lə-] *a.* 전멸시키는
an·ni·hi·la·tor [ənáiəlèitər] *n.* 절멸[섬멸]자
‡**an·ni·ver·sa·ry** [æ̀nəvə́:rsəri] [L 「해마다 돌아오는」의 뜻에서] *n.* (*pl.* **-ries**) (해마다 돌아오는) 기념일; 기념제; 〈몇〉 주년제, 주기(周忌): the 60th ~ of one's birth 환갑 / one's wedding ~ 결혼기념일
— *a.* 기념일[제]의; 해마다의
Anniversary Dày Australia Day의 구칭
an·no ae·ta·tis su·ae [ǽnou-i:téitis-sjú:i:] [L = in the ... year of his age] *ad.* (나이) …살 때에 《略 aet., aetat.》
an·no Dom·i·ni [ǽnou-dάməni, -nài | -dɔ́minai] [L = in the year of our[the] Lord] *ad.* 그리스도 기원 (후), 서기 《略 A.D.; cf. A.D.》
an·no he·gi·rae [ǽnou-hidʒáiəri, -hédʒəri:, ά:nou-] [L = in the year of the Hegira] *ad.* [종종 **A- H-**] (마호메트가 메카로의) 이주의 해에, 헤지라 기원으로 《이슬람력의 기준이 됨; 略 A. H.》
an·no mun·di [ǽnou-mʌ́ndai] [L = in the year of the world] *ad.* 천지 창조 이래, 세계 기원 (후) 《略 a.m., A.M.》
an·no·tate [ǽnətèit] *vt., vi.* 주석을 달다
-ta·tive *a.*
an·no·tat·ed [ǽnətèitid] *a.* 〈책 등이〉 주석[주해]이 달린: an ~ edition 주석판
an·no·ta·tion [æ̀nətéiʃən] *n.* ⓊⒸ 주석(을 달기)
an·no·ta·tor [ǽnətèitər] *n.* 주석자
‡**an·nounce** [ənáuns] [L 「…에게 소식을 가져다 주다」의 뜻에서] *vt.* **1** 알리다, 발표[공표]하다; 공고하다; 고시[고지]하다: (~+목+전+명) She has *~d* her marriage *to* her friends. 그녀는 친구들에게 결혼한다고 발표했다. // (~+목+***as*** 보) He *~d* himself to me *as* my father. 그는 자기가 내 아버지라고 말했다. **2** 큰 소리로 알리다, 전하다; (손님·탈것의) 도착을 알리다: Dinner was *~d.* '식사 준비가 되었어요'라고 알렸다. / The servant *~d* Mr. and Mrs. Jones. 하인은 존스 내외의 내방을 알렸다. // (~+목+***to be*** 보) (~+***that*** 절) He *~d* my

thesaurus **annex** *v.* add, attach, join, connect, append, adjoin, affix
announce *v.* declair, make public[known], give out, intimate, proclaim, report, disclose, reveal,

statement *to be* a lie. = He *~d that* my statement was a lie. 그는 나의 진술을 거짓이라고 말했다. **3** 〈광고 등이〉 …임을 표시하다, 나타내다: A shot *~d* the presence of the enemy. 한 발의 총소리로 적이 있다는 것을 알게 되었다. // (~+목+***to be*** 보) Her dress *~s* her *to be* a nurse. 복장을 보아 그녀가 간호사라는 것을 알 수 있다. **4** 〚라디오·TV〛 …의 아나운서를 맡아 하다; 〈출연자를〉 소개하다 **5** 〈사람이〉 예고하다: as already *~d* (사전에) 예고한 대로

—*vi.* **1** 아나운서로 일하다 《*for*》: (~+전+명) He *~s for* the private station. 그는 그 민간 방송국의 아나운서로 일하고 있다. **2** 《미》 입후보를 표명하다 《*for*》: (~+전+명) He will ~ *for* governor. 그는 주지사로 입후보할 뜻을 표명할 것이다.

~·a·ble *a.* ▷ annóuncement *n.*

‡**an·nounce·ment** [ənáunsmənt] *n.* ⓊⒸ **1** 공고, 고시, 고지(告知), 포고 **2** 발표, 공표; 성명(서): make an ~ of …을 공표하다 **3** 짧게 알리는 말(short message); (라디오·텔레비전의) 상업 광고 **4** (결혼식 등의) 청첩장, 정식 통지서 **5** 〚카드〛 가진 패를 보이기

‡**an·nounc·er** [ənáunsər] *n.* **1** 고지자, 발표자, 알리는 사람 **2** 아나운서, 방송원

‡**an·noy** [ənɔ́i] [L 「미워하여」의 뜻에서] *vt.* **1** 〈남을〉 성가시게 굴다, 약 오르게[화나게] 하다, 짜증 나게 하다(⇨ bother 유의어); She *~ed* him with her stupid questions. 그녀는 바보같은 질문들을 해서 그를 짜증 나게 했다. / It really *~s* me when people forget to say thank you. 사람들이 고맙다는 말을 잊을 때 정말 화가 난다. **2** 〈적 등을〉 괴롭히다

—*vi.* 귀찮다, 불쾌하다

~·er *n.* ▷ annóyance *n.*

an·noy·ance** [ənɔ́iəns] *n.* Ⓤ 성가심; 불쾌감; 괴로움, 곤혹; Ⓒ 곤란한 것[사람], 골칫거리: to one's ~ 곤란하게도 ***put a person ***to ~*** …을 괴롭히다; 괴로움을 주다

▷ annóy *v.*

***an·noyed** [ənɔ́id] *a.* 약 오르는, 짜증 나는, 화가 난, 불쾌한 《*at, with, about, by, that*》: I was so ~ *with* him for turning up late. 그가 늦게 와서 나는 짜증이 났다.

***an·noy·ing** [ənɔ́iiŋ] *a.* 성가신, 귀찮은, 약 오르는: How ~! 아이 귀찮아! **~·ly** *ad.* **~·ness** *n.*

‡**an·nu·al** [ǽnjuəl] *a.* **1** 1년의, 1년에 걸치는: ~ expenditure[revenue] 세출[세입] / an ~ income 연수(年收) / an ~ salary 연봉 **2** 해마다의; 한 해 한 번씩의, 연간(年刊)의(yearly) **3** 〚식물〛 일년생의: an ~ plant 일년생 식물

—*n.* **1** 연보, 연감(年鑑) **2** 《미》 졸업 앨범 **3** 일년생 식물 ***hardy ~*** 온실이 필요 없는 일년생 식물; 《익살》 해마다 겪는 귀찮은 일

ánnual accóunts 연차 결산 보고서

ánnual géneral méeting 《영》 연차 주주 총회 (《미》 annual meeting) 《略 AGM》

an·nu·al·ize [ǽnjuəlàiz] *vt.* 연율(年率)로 환산하다; 1년에 한 번 하다

an·nu·al·ized [ǽnjuəlàizd] *a.* 연 단위[연율]로 환산[계산]된

***an·nu·al·ly** [ǽnjuəli] *ad.* 매년, 1년에 한 번씩

ánnual méeting 《미》 연차 주주 총회

ánnual mèssage 《미》 연두 교서

ánnual percéntage ràte 〚금융〛 (실질) 연이율

ánnual repórt 연차 보고서; 연보(年報)

ánnual ríng 〚생물〛 연륜, 나이테

an·nu·i·tant [ənjúːitənt | ənjúː-] *n.* 연금받는 사람

an·nu·it coep·tis [ǽnjuːit-séptis] [L = He [God] has favored our undertakings] 신은 우리가 하는 일을 좋아하시니라 《미국 국새(國璽) 뒷면에 새겨진 표어》

***an·nu·i·ty** [ənjúːəti | ənjúː-] *n.* (*pl.* **-ties**) **1** 연금, 연부금; 출자금: a life[terminable] ~ 종신[기한부] 연금 / an ~ certain 확정 연금 **2** 연금 수령권; 연금 지급 의무

an·nul [ənʌ́l] *vt.* (**~led**; **~·ling**) **1** 〈법률·규정 등을〉 무효로 하다, 〈명령·결의를〉 취소하다(cancel), 폐기하다 **2** 소멸시키다, 제거하다

an·nu·lar [ǽnjulər] *a.* 고리 모양의; 환상(環狀)의 **~·ly** *ad.* 고리 모양으로

ánnular eclípse 〚천문〛 금환식(金環蝕)

an·nu·late [ǽnjulət, -lèit], **-lat·ed** [-lèitid] *a.* 고리의, 고리가 달린; 고리 모양의 무늬가 있는

an·nu·la·tion [æ̀njuléiʃən] *n.* **1** Ⓤ 고리의 형성; 〚동물〛 체환(體環) 형성 **2** 환상(環狀) 구조, 환상부

an·nu·let [ǽnjulit] *n.* **1** 작은 고리(ringlet) **2** 〚건축〛 고리 모양의 테 또는 띠 《특히 Doric식 원기둥의》

an·nul·ment [ənʌ́lmənt] *n.* Ⓤ **1** 취소, 실효(失效), 폐지 **2** (혼인의) 무효 선언 **3** 〚정신분석〛 (불쾌한 관념 등의) 소멸

an·nu·loid [ǽnjulɔ̀id] *a.* 환상(環狀)의

an·nu·lose [ǽnjulòus] *a.* 고리(마디)가 있는, 환상(環狀)의; 〚동물〛 환상체의

an·nu·lus [ǽnjuləs] *n.* (*pl.* **-li** [-lài], **~·es**) **1** 고리 (모양의 것)(ring) **2** 〚기하〛 환형(環形) **3** 〚천문〛 금환(金環) **4** 〚식물〛 환대(環帶); 〚동물〛 체환(體環)

an·num [ǽnəm] [L = year] *n.* Ⓤ 연(年), 해 ***per ~*** 한 해에 (얼마)

an·nun·ci·ate [ənʌ́nsièit] *vt.* 《고어》 알리다

an·nun·ci·a·tion [ənʌ̀nsiéiʃən] *n.* **1** ⓊⒸ 《문어》 포고, 예고 **2** [the A~] **a** 〚그리스도교〛 수태 고지 **b** 〚가톨릭〛 성모 영보 대축일(Lady Day) 《3월 25일》

an·nun·ci·a·tor [ənʌ́nsièitər] *n.* **1** 통고자, 예고자 **2** 신호, 호출 표시기(表示器) 《버저가 울리면 그 방의 번호가 나타나는 장치》 **-tò·ry** *a.*

an·nus mi·ra·bi·lis [ǽnəs-mərɑ́ːbəlis] [L = wonderful year] *n.* 놀라운[경이적인] 해 《특히 영국에서 London의 큰 불이나 페스트가 크게 유행한 1666년을 일컬음》

ano-[1] [ǽnou, éi-] 《연결형》 「항문」의 뜻(cf. ANUS)

ano-[2] *pref.* 「위; 위쪽」의 뜻: *ano*opsia 상향성 사시(斜視)

an·ode [ǽnoud] *n.* 〚전기〛 **1** (전해조·전자관의) 양극(opp. *cathode*) **2** (축전지 등의) 음극

a·nód·al *a.* **an·od·ic** [ænɑ́dik | -nɔ́-] *a.*

ánode rày 〚물리·화학〛 양극선(陽極線)

an·o·dize [ǽnədàiz] *vt.* 〚야금〛 〈금속을〉 양극 처리하다, 산화 피막이 생기게 하다

an·o·dyne [ǽnədàin] *a.* **1** 진통의 **2** 감정을 완화시키는 **—***n.* **1** 진통제 **2** 감정을 완화시키는 것

an·o·e·sis [æ̀nouíːsis] *n.* (*pl.* **-ses** [-siːz]) 〚심리〛 비지적(非知的) 의식, 감각[감정]적 정신 상태

an·oes·trous [ænéstrəs | æníːs-] *a.* = ANESTROUS

an·oes·trus [ænéstrəs | æníːs-] *n.* = ANESTRUS

a·noi·a [ənɔ́iə] *n.* 정신박약; 《특히》 백치

***a·noint** [ənɔ́int] *vt.* **1** …에 유성 액체[약제]를 바르다 《*with*》: (~+목+전+명) ~ the burn *with* ointment 덴 곳에 연고를 바르다 **2** 〚그리스도교〛 〈사람·머리에〉 성유(聖油)를 바르다

the (***Lord's***) ***Anointed*** (1) 주의 기름 부음을 받은 자, 그리스도 (2) 신권(神權)에 의한 왕, 고대 유대의 왕

~·er *n.* 기름을 바르는[붓는] 사람

▷ anóintment *n.*

a·noínt·ing of the síck [ənɔ́intiŋ-] 〚가톨릭〛 병자 성사 《위독한 병자에 대해 혹은 수술 전에 행하는》

a·noint·ment [ənɔ́intmənt] *n.* Ⓤ 기름 부음; 〚그리스도교〛 도유식(塗油式); (약제 등의) 도포, 문질러 바름 《*with*》

---

publicize, divulge, broadcast, promulgate

annoy *v.* irritate, exasperate, vex, provoke, displease, anger, disturb, pester, trouble

annual *a.* yearly, once a year

a·no·le [ənóuli] *n.* 〖동물〗 아놀도마뱀 《열대산(産)》
an·o·lyte [ǽnəlàit] *n.* 〖전기·화학〗 **1** 양극액(陽極液) **2** 애노드(anode) 액(液)
a·nom·a·lism [ənɑ́məlìzm | ənɔ́-] *n.* **1** Ⓤ 변칙(성), 비정상 상태 **2** 예외, 이례(異例)
a·nom·a·lis·tic [ənɑ̀məlístik | ənɔ̀-] *a.* **1** 보통과 다른; 예외의 **2** 〖천문〗 근점(近點)의, 근일(近日)[근지(近地)]점의: an ~ month[year] 근점월[년]
a·nom·a·lous [ənɑ́mələs | ənɔ́m-] *a.* **1** 변칙의, 예외의, 이례(異例)의 **2** 기묘한(abnormal), 기이한 **3** 〖문법〗 변칙의 **~·ly** *ad.* **~·ness** *n.*
anómalous fínite 〖문법〗 변칙 정동사(定動詞) 《be, have, do, shall, will, can, may의 과거형·현재형과 must, ought, need, dare, used 등 12종(조)동사의 24어형》
anómalous wáter 〖화학〗 중합수(重合水)(polywater)
a·nom·a·ly [ənɑ́məli | ənɔ́-] *n.* (*pl.* **-lies**) ⓊⒸ **1** 변칙, 예외, 이례; 변칙[예외]적인 것[사람]; 〖생물〗 이형(異形) **2** 〖천문〗 근점 거리
anom. fin. anomalous finite
a·no·mi·a [ənóumiə] *n.* Ⓤ 〖정신의학〗 건망성 실어증(失語症)
an·o·mie [ǽnəmìː], **-my** [-mi] *n.* ⓊⒸ 〖사회〗 사회[도덕]적 무질서 **a·nom·ic** [ənɑ́mik | ənɔ́-] *a.*
a·non [ənɑ́n | ənɔ́n] *ad.* (고어) 곧, 이내(soon)
***ever and* ~** 가끔, 때때로
anon. anonymous(ly)
an·o·nym [ǽnənìm] *n.* **1** 익명, 가명 **2** 익명자 **3** 작자 불명의 저작(물)
an·o·nym·i·ty [æ̀nəníməti] *n.* Ⓤ 익명; 무명; 작자 불명; 개성의 결여; Ⓒ 정체불명의 인물
a·non·y·mize [ənɑ́nəmàiz | -nɔ́nə-] *vt.* 익명으로 하다, …의 신원을 숨기다
***a·non·y·mous** [ənɑ́nəməs | ənɔ́-] *a.* **1** **익명의**, 신원 불명의; 〈서적 등이〉 **작자 불명의**, 〈노래 등이〉 읊은이 미상의: an ~ letter 익명의 편지 / an ~ donation 익명의 기부 / an ~ author 익명[가명] 작가 **2** 개성[특성]이 없는
~·ly *ad.* **~·ness** *n.* = ANONYMITY
anónymous FTP 〖컴퓨터〗 익명 FTP 《등록 사용자가 아니어도 이용할 수 있는 공개된 FTP》
a·noph·e·les [ənɑ́fəlìːz | ənɔ́-] *n.* (*pl.* **~**) 〖곤충〗 학질[말라리아]모기(= **~ mosquito**)
-line [-làin] *a., n.*
an·o·pi·a [ænóupiə] *n.* Ⓤ 〖안과〗 시각 결여; 무시(無視)(증)
a·no·rak [ǽnəræ̀k] *n.* **1** 아노락 《후드가 달린 방한용 재킷》 **2** (영·속어) (사소한 것을 꼬치꼬치 캐는) 지겨운 사람: an ~ brigade 지겨운 사람들의 무리
an·o·rec·tic [æ̀nəréktik], **-ret·ic** [-rétik] *a.* 식욕이 없는, 식욕을 감퇴시키는
— *n.* 식욕 감퇴제; 식욕 부진증 환자
an·o·rex·i·a [æ̀nəréksiə] *n.* Ⓤ 〖정신의학〗 **1** 식욕 감퇴 **2** 신경성 식욕 부진증, 거식증
anoréxia ner·vó·sa [-nəːrvóusə] [L] 〖정신의학〗 (사춘기 여성의) 신경성 무식욕증, 거식증
an·o·rex·i·ant [æ̀nəréksiənt] *n.* 〖의학〗 식욕 상실[억제]제(劑)
an·o·rex·ic [æ̀nəréksik] 〖의학〗 *a.* 식욕 부진의, 거식증의, 식욕을 감퇴시키는
— *n.* 신경성 무식욕증[거식증] 환자
an·or·gas·mi·a [æ̀nɔːrgǽzmiə] *n.* Ⓤ 무(無)오르가슴(증), 성불감증
an·or·gas·tic [æ̀nɔːrgǽstik] *a.* 오르가슴을 얻지 못하는, 불감증의
an·or·thite [ænɔ́ːrθait] *n.* 〖광물〗 회장석(灰長石)
an·or·tho·site [ænɔ́ːrθəsàit] *n.* 〖암석〗 사장암
an·os·mi·a [ænɑ́zmiə, ænɑ́s- | ænɔ́z-, ænɔ́s-] *n.* Ⓤ 〖병리〗 후각(嗅覺) 상실(증)
‡**an·oth·er** ⇨ another (p.101)

Á.N. Óther [éien-ʌ́ðər] (영) 익명씨 《another를 인명처럼 쓴 것》; 한 명 미정 《미결정 선수[스태프]에 대해 씀》
an·o·vu·lant [ænɑ́vjulənt, ænóuv- | ænɔ́v-] *n.* 배란 억제제 **—** *a.* 배란 억제의
an·ov·u·la·tion [æ̀nɑvjuléiʃən, ænɑ̀v- | æ̀nɔv-] *n.* Ⓤ 〖생리〗 무배란, 배란 정지
an·o·vu·la·to·ry [ænɑ́vjulətɔ̀ːri, æ̀nóuv- | ænɔ́vjulətəri] *a.* 무배란(성)의; 배란을 억제하는
an·ox·e·mi·a [æ̀nɑksíːmiə | æ̀nɔk-] *n.* Ⓤ 〖병리〗 무[저]산소 혈증 **-mic** *a.*
an·ox·i·a [ænɑ́ksiə, ənɑ́k- | ænɔ́k-] *n.* Ⓤ 〖병리〗 산소 결핍(증) **an·óx·ic** *a.*
ANP Aircraft Nuclear-Powered Program 〖미공군〗 항공기 원자력 추진 계획 **ANPA** American Newspaper Publishers Association 미국 신문 발행인 협회 **ANS** American Nuclear Society 미국 원자력 학회; Army News Service 육군 보도반
ans. answer(ed)
an·sate [ǽnseit] *a.* 손잡이가 달린
An·schluss [ɑ́ːnʃlus] [G] *n.* 결합, 합병, 《특히》 (1938년 독일에 의한) 오스트리아 합병
an·ser·ine [ǽnsəràin, -rin] *a.* 거위의, 거위 같은; 어리석은(silly)
an·ser·ous [ǽnsərəs] *a.* = ANSERINE
ANSI American National Standards Institute 미국 규격 협회
‡**an·swer** [ǽnsər, ɑ́ːn- | ɑ́ːn-] [OE 「…에 대하여 맹세하다(swear)」의 뜻에서] *n.* **1** (질문·요구·편지 등의) 대답, 회답, 답신 《*to*》 **2** (시험 문제 등의) 해답(solution) **3** (…에) 상당[대응]하는 사람[것] **4** (행위에 의한) 응답, 반응; 응보, 보복(retaliation) 《*to*》 **5** (문제 등의) 해결책, 대처법 《*to*》 **6** (비난에 대한) 해명 《*to*》; (행위의) 변명 《*for*》 **7** 〖법〗 **a** (원고 승소에 대한 피고의) 답변 **b** (증거 개시 수속 질문서의) 회답 **8** 〖음악〗 (푸가 곡에서의) 응답 악구(樂句)
an ~ to a maiden's prayer (영·익살) 남편으로 삼을 만한 이상적인 남자 ***give*[*make*] *an ~*** 답하다, 응답하다 《*to*》 ***in ~ to*** …에 답하여; …에 응하여 ***know*[*have*] *all the ~s*** (1) 그 방면의 대가(大家)이다 (2) 머리가 좋다 ***The ~ is a lemon.*** ⇨ lemon[1]
— *vi.* **1** 대답[회답]하다 《*to*》: ~ with a nod 고개를 끄덕여 대답하다 // (~+전+명) ~ *to* a question [a person] 질문에[…에게] 답하다 ★ 이 뜻으로는 보통 ~ a question[a person].

> 유의어 **answer** 「질문·명령·부름·요구 등에 응해 대답하다」를 뜻하는 가장 일반적인 말이다: *answer* a summons 소환에 응하다 **reply** 질문·요구 등에 대해 그것에 상응한 회답·대답을 하다: an invitation that requires you to *reply* 당신이 회답을 해야 하는 초대 **respond** 문의·호소 등에 대한 반응으로서 즉석에서 응답하다: *respond* to an appeal 호소에 응하다

2 응하다, 응답하다 《*with, by*》: ~ *with* a blow (말 대신) 주먹으로 대답하다 **3** 책임을 지다: (~+전+명) ~ *for* the consequence 결과에 대해 책임을 지다 **4** 보증하다 《*for*》: (~+전+명) I will ~ *for* his honesty. 그가 정직하다는 것을 내가 보증한다. **5** 아쉬운 대로 도움이 되다, 쓸 만하다, 들어맞다 《*for*》: (~+전+명) ~ *for* the purpose 목적에 들어맞다 **6** 일치[합치]하다 《*to*》: (~+전+명) The prisoner ~*ed to* the description issued by the police. 그 범인은 경찰이 유포한 인상서와 일치했다.
— *vt.* **1** 〈사람·질문·요구 등에〉 답[대답]하다 (reply): ~ a letter[a question] 편지에 답장을 보내

thesaurus **anonymous** *a.* unnamed, nameless, unidentified, unknown, unspecified, undesignated, unacknowledged, unsigned, incognito

another

기본적으로는 「또 하나의」란 뜻이지만, 그 뜻은 다시 크게 나누어져서 「다른(a different)」과 「또 하나의(an additional)」의 두 가지로 되며, 형용사·대명사적 용법이 있다.
1 형용사로 쓰일 경우 another 앞에는 the, no, any, some은 붙지 않으며, 복수 명사를 직접 수식할 때는 other를 쓴다.
2 대명사로 쓸 경우 another 앞에는 an, the; this, that; my, your, his 등은 붙이지 않는다.

‡an·oth·er [ənʌ́ðər] *a., pron.*

an+other로서, 기본적으로 「또 하나」의 뜻.
① 또 하나[한 사람](의) 형 **1** 대 **1a**
② 다른 하나[사람](의) 형 **2a** 대 **2a**
③ 다른 (것) 형 **2b** 대 **2b**

— *a.* Ⓐ **1** [단수 명사를 직접 수식하여] **또 하나[한 사람]의**: Have ~ cup[glass]. 한 잔 더 하시오. 《cup이나 glass를 생략하여 대명사로도 씀》/ I'll be here in ~ five weeks. 5주 후에 돌아오겠습니다. 《five weeks를 한 단위로 생각하여 another를 쓴 것》/ *A*~ five weeks is[are] required to master the skill. 그 기술을 습득하려면 앞으로 5주간이 더 필요하다. 《five weeks를 한 단위로 보아 보통은 단수 취급하나 때로 복수 취급도 함》/ ~ Edison 제2의 에디슨 / in ~ moment 다음 순간에, 순식간에
2 a 다른, 딴 : She looked like ~ person. 그녀는 마치 딴 사람처럼 보였다. / But that is ~ story. 그러나 그건 딴 얘기이다. 《이젠 사정이 다르다》/ *A*~ dress *than* this will suit you better. 이 옷 말고 다른 옷이 당신한테 잘 어울릴 텐데. ★ than을 쓰는 것이 옳지만 from을 쓰는 이도 있음. **b** [one과 대조적으로: cf. ONE *a.* 3] (별개의) 다른 《*pron.* 2 b와 같이 one ... another는 양자를 대조적으로 말할 때 씀; 다만 (the) one ... the other와 같이 기정의 양자에 관해서 말한다는 특정한 개념은 없음; ⇨ other *pron.* 2 a》: *One* man's meat is ~ man's poison. 《속담》 갑의 약은 을의 독, 사람마다 기호는 다른 법.
such ~ 그와 같은 또 하나[한 사람]의
— *pron.* **1 a 또 하나의 것, 또 한 사람**: distinguish one from ~ 어떤 것을 다른 것과 구별하다 / That first hot dog tasted so good, I'd like ~. 첫번째 핫도그가 썩 맛이 좋았다, 하나 더 먹어야지. **b** 그러한 것, 같은 것 : "Coward !" — "You're ~ !" 「이 겁쟁이야!」—「(뭐라고) 너야말로 겁쟁이다!」/ You'll never see ~ like him. 그런 사람은 다시 못 볼 거야.
2 a 다른 것[사람]: I don't like this one. Show me ~. 이것은 마음에 안 드니, 다른 것을 보여 주시오. **b** [one과 대조적으로: ⇨ *a.* 2 b] (별개의) 다른 것: Saying is *one* thing and doing (is) ~. 말하는 것과 행동하는 것은 다른 것이다.
Ask ~! 《구어》 바보 같은 소리 작작해!
Ask me ~! 《구어》 알 게 뭐야!, 내 알 바 아니다!
just[***like***] ~ 《구어》 흔해 빠진, 그렇고 그런
one after ~ ⇨ one *pron.*
one ~ ⇨ one *pron.*
such ~ 그와 같은 (또 한) 사람[것](cf. 1b)
taking[***taken***] ***one with ~*** 이것저것 생각해 보면, 대체로(cf. ONE with another): *Taking one with* ~ he decided not to go there. 이것저것 생각해 본 끝에 그는 거기에 가지 않기로 했다.
Tell me ~! 《구어》 엉터리 같은 소리 하고 있네!, 그럴 리가 있나!

다[질문에 대답하다] / ~ the client's request promptly 고객의 요청에 신속하게 응답하다. // (~+*that* 절) She ~*ed that* she would do anything to please her father. 그녀는 아버지를 기쁘게 해드리기 위해서는 어떤 일이라도 하겠다고 대답했다. // (~+목+목) *A*~ me this question. 이 질문에 대답해 주시오. / He didn't ~ me a word. = He didn't ~ a word *to* me. 그는 나에게 한마디도 대답하지 않았다. **2** 〈노크 등에〉 응하다(respond); 〈전화를〉 받다 **3** 〈비난·공격 등에〉 응수하다 (refute), 반론하다; …으로 보답하다: (~+목+전+명) ~ good *for* evil 악에 대해 선으로 보답하다 / ~ blows *with* blows 주먹에는 주먹으로 응수하다 **4** 〈요구 등을〉 들어주다, …에 응하다; 〈기대에〉 부합하다: ~ a person's prayer 〈하느님이〉 소원을 들어주다 / My prayer was ~*ed*. 내 기도가 이루어졌다. **5** 〈문제·수수께끼 등을〉 풀다(solve): ~ a riddle[problem] 수수께끼[문제]를 풀다 **6** 효과가 있다, 당해내다 **7** 〈책임을〉 완수하다(fulfill); 〈부채를〉 갚다 **8** 〈죄의〉 대가를 치르다
~ back 《구어》 말대꾸하다; 〚군사〛 복창하다 ***~ for*** …대신에 대답하다; …의 책임을 지다; …의 대가를 치르다; …을 보증하다 ***~ for it that*** …임을 보증하다 ***~ the bell***[***the door***] 〈방문자를〉 응대하러 나가다 ***~ to*** …에 일치하다, 부합하다 ⇨ *vi.* 6. ***~ to the name of*** Tom (톰)이라고 불려 대답하다; 〈애완동물이〉 (톰)이라는 이름이다 ***~*** (***to***) ***the purpose of*** …으로서의 구실을 다하다, …에 이바지하다 ***~ up*** 즉시 대답하다; 명확히 대답하다 ***~ up to*** …에게 대답하다; 척척[거침없이] 대답하다 ***be ~ed for*** 〈좌석 등이〉 예약이 되어 있다 ***have a lot to ~ for*** 《구어》 〈사람·일이〉 책임이 크다
~·less *a.* **~·less·ly** *ad.*

answer *n.* **1** 대답 reply, response, acknowledgment, rejoinder, retort (opp. *question, query*) **2** 해답 solution, explanation, resolution

∗an·swer·a·ble [ǽnsərəbl, ɑ́:n- | ɑ́:n-] *a.* **1** Ⓟ 책임이 있는 《*for*》: He is ~ (*to* me) *for* his conduct. 그는 (내게) 그의 행위에 대한 책임을 져야 한다. **2** 〈질문에〉 답할 수 있는 **3** 《고어》 비례하는; 적합한 《*to*》 **-bly** *ad.* **~·ness** *n.*
an·swer·back [ǽnsərbæ̀k, ɑ́:n- | ɑ́:n-] *n.* 〚통신〛 응답 《텔레타이프·컴퓨터의 자동 응답 장치로 송신되는 응답 신호》 **—** *a.* 응답의: a computer with ~ capability 응답 능력이 있는 컴퓨터
ánswerback còde 앤서백 코드, 수신 단말 확인 부호 《텔렉스 등의 식별 코드》
an·swer·er [ǽnsərər, ɑ́:n- | ɑ́:n-] *n.* 회답[해답]자, 답변인, 응답자
an·swer·ing [ǽnsəriŋ, ɑ́:n- | ɑ́:n-] *a.* 응답[대답]의; 상응[일치]하는(corresponding) 《*to*》
ánswering machìne 전화 자동 응답기; 자동 응답 전화
ánswering pénnant 〚항해〛 응답기(應答旗) 《만국 선박 신호》
ánswering sèrvice 《미》 전화 자동 응답 (업무)
an·swer·phone [ǽnsərfòun, ɑ́:n- | ɑ́:n-] *n.* = ANSWERING MACHINE
ánswer prìnt 〚영화〛 초벌 프린트 《시사용 완성 프린트》
ánswer shèet 답안지

ant [ǽnt] *n.* 〖곤충〗 개미(cf. TERMITE) ***have ~s in** one**'s pants*** 《속어》 안절부절못하다; (무엇을 하고 싶어) 좀이 쑤시다
an't [éint, ǽnt, ɑ́:nt | ɑ́:nt] = AIN'T
ant- [ænt] *pref.* = ANTI- 《모음 앞에서》: *ant*acid
-ant [ənt] *suf.* **1** [형용사어미] 「…성(性)의」의 뜻: malign*ant*, simul*ant* **2** [명사어미] 「…하는 사람[것]」의 뜻: serv*ant*, stimul*ant*
ant. antenna; antiquary; antique; antonym
an·ta [ǽntə] *n.* (*pl.* **-tae** [-ti:], **~s**) 〖건축〗 벽끝의 기둥
ANTA [ɑ́ntə] [*A*merican *N*ational *T*heater and *A*cademy] *n.* 미국 국립 연극 아카데미
Ant·a·buse [ǽntəbjù:s, -bjù:z] *n.* 안타부스 《알코올 중독 치료제; 상표명》
ant·ac·id [æntǽsid] *a.* 산(酸)을 중화하는 **—** *n.* 산 중화물, 제산제(制酸劑)
An·tae·an [æntí:ən] *a.* Antaeus 같은, 괴력을 가진; 매우 거대한
An·tae·us [æntí:əs] *n.* 〖그리스신화〗 안타이오스 《바다의 신 Poseidon과 땅의 신 Gaea 사이에서 태어난 거인》
an·tag·o·nism** [æntǽgənìzm] *n.* Ⓤ **1** 반대, 적대, 대립(opposition); 적대심, 적개심(hostility), 반항심 《*to, against, between, toward*》: The project aims to lessen the ~ *between* racial groups. 그 계획은 인종 집단 간의 적대심을 완화시키는 데 그 목적이 있다. **2** 반작용; 반대 경향 **3** 〖생태〗 길항 작용, 대항 작용 (현상), 상호 작용 **4** 〖약학〗 길항 작용 ***be in ~ to …와 적대[대립]하고 있다 ***come into ~ with*** …와 반목하게 되다 ***the ~ between A and B*** A와 B 사이의 반목[대립]
▷ antágonize *v.*
***an·tag·o·nist** [æntǽgənist] *n.* **1** 적대자, 경쟁자, 맞상대 **2** (연극·문학 작품 등에서 주인공에 대립하는) 적(敵)(역) **3** 〖해부〗 길항근(拮抗筋) **4** 대합치 《씹을 때 부딪히는 치아》 **5** 〖약학〗 길항제 ▷ antagonístic *a.*
an·tag·o·nis·tic [æntæ̀gənístik] *a.* **1** 적대적인, 반대의, 상반되는, 상극인, 대립하는 《*to*》: be ~ *to* religion 종교와 서로 상극이다 **2** Ⓟ 적대[반목]하는, 사이가 나쁜 《*to, toward*》
-ti·cal·ly *ad.* 반대[적대, 반목]하여
an·tag·o·nize [æntǽgənàiz] *vt.* **1** 대항하다, 적대하다 **2** 반대[대립]하다; 《미》 적으로 만들다; …의 반감을 사다 **3** 《미》 〈의안(議案)에〉 반대하다: ~ a measure 시책에 반대하다 **4** 중화하다, 상쇄하다; 반대로 작용하다 **-nìz·a·ble** *a.*
ant·al·ka·li [æntǽlkəlài] *n.* (*pl.* **~(e)s**) 〖화학〗 알칼리 중화제(中和劑) 《보통 acid》
ant·al·ka·line [æntǽlkəlin, -làin | -làin] *n., a.* 알칼리 중화제(의)
An·ta·na·na·ri·vo [æ̀ntənæ̀nərí:vou] *n.* 안타나나리보 《Madagascar의 수도; 구칭은 Tananarive》
ant·a·pex [æntéipeks] *n.* (*pl.* **~·es, -ap·i·ces** [-ǽpəsì:z, -éip-]) 〖천문〗 (태양의) 배점(背點)
ant·aph·ro·dis·i·ac [æntæ̀frədí(:)ziæ̀k] *a.* 성욕을 억제하는 **—** *n.* 제음제(制淫劑)
***ant·arc·tic** [æntɑ́:rktik] [Gk 「북쪽과 정반대의」의 뜻에서] *a.* [때로 **A~**] 남극의, 남극 지방의(opp. *arctic*): an ~ exploration 남극 탐험 / an ~ expedition 남극 탐험대
— *n.* [the A~] **1** 남극 지방[대륙] **2** 남빙양(南氷洋), 남극해(= A~ Ocean)
Ant·arc·ti·ca [æntɑ́:rktikə] *n.* 남극 대륙(the Antarctic Continent)
Antárctic Archipélago [the ~] 남극 열도 《Palmer Archipelago의 별칭》
Antárctic Círcle [the ~] 남극권(南極圈)
Antárctic Circumpólar Cúrrent [the ~] 주남극(周南極) 해류 《남극 대륙 주변을 서쪽에서 동쪽으로 흐르는 해류》
Antárctic Cóntinent [the ~] 남극 대륙 (Antarctica)
Antárctic Convérgence [the ~] 남극 수렴선
Antárctic Ócean [the ~] 남극해, 남빙양
Antárctic Península [the ~] 남극 반도
Antárctic Póle [the ~] 남극(점)(South Pole)
Antárctic Trèaty [the ~] 남극 조약
Antárctic Zòne [the ~] 남극대(南極帶)
An·tar·es [æntέəri:z] *n.* 〖천문〗 안타레스 《전갈자리의 주성; 붉은 일등성(星)》
ant·ar·thrit·ic [æ̀ntɑ:rθrítik] 〖약학·의학〗 *a.* 항(抗)관절염의 **—** *n.* 항관절염제
ant·asth·mat·ic [æ̀ntæzmǽtik, -æs- | -æs-] 〖의학〗 *a.* 천식 치료[방지]의 **—** *n.* 항천식제, 천식약
ant·a·troph·ic [æ̀ntətrɑ́fik | -trɔ́-] 〖의학〗 *a.* 위축(萎縮) 예방[치료]의 **—** *n.* 위축 예방[치료]제
ánt bèar 〖동물〗 큰개미핥기 《남미산(産)》
ant·bird [ǽntbə̀:rd] *n.* 〖조류〗 개미잡이새 《남미산》
ánt còw 〖곤충〗 진딧물
an·te [ǽnti] [L = before] *n.* **1** [보통 *sing.*] 〖카드〗 (포커에서) 패를 돌리기 전에 참가자가 내는 일정액의 돈 **2** 《미·구어》 (사업 등의) 분담금, 자금 ***raise*** (***up***) ***the ~*** 《구어》 (1) 분담금[자금]을 인상하다 (2) (합의하기 위하여) 양보하다, (양보하여) 의견의 일치를 보다
— *vt.* (**~(e)d**; **~·ing**) **1** 〖카드〗 〈자기 몫의 돈을〉 내다; 《미》 돈을 걸다(stake) **2** 〈분담금을〉 내다, 치르다(pay) 《*off, up*》: I was asked to ~ *up* $100 for the church. 교회에 100달러를 기부하도록 부탁을 받았다.
ante- [ǽnti] *pref.* 「앞(before)」의 뜻(opp. *post-*) ★ ANTI와는 다른 뜻.

anteater

ant·eat·er [ǽntì:tər] *n.* 〖동물〗 개미핥기 《남미산》
an·te·bel·lum [æ̀ntibéləm] [L = before the war] *a.* 전쟁 전의(opp. *postbellum*) ★ 문맥에 따라서, 세계 대전, 《영》 보어 전쟁, 《미》 남북 전쟁 전을 말함. ***status quo ~*** 전전(戰前)의 상태
an·te·bra·chi·al [æ̀ntibréikiəl] *a.* 〖해부〗 전박의
an·te·bra·chi·um [æ̀ntibréikiəm] *n.* (*pl.* **-chi·a** [-kiə]) 〖해부〗 전박(前膊), 팔뚝
an·te·cede [æ̀ntəsí:d] *vt.* …에 선행하다, 앞서다
an·te·ced·ence, -en·cy [æ̀ntəsí:dns(i)] *n.* Ⓤ **1** (순서·시간 등이) 앞섬, 선행, 선재(先在) **2** 〖천문〗 (행성의) 역행
***an·te·ced·ent** [æ̀ntəsí:dnt] [L 「앞서 가다」의 뜻에서] *a.* **1** 앞서는, 선행의(prior); …보다 이전의 《*to*》 **2** 〖논리〗 전제(前提)의, 가정의
— *n.* **1** [보통 *pl.*] 전례 **2** 선행자, 선재자 **3** [*pl.*] **a** 선조(ancestors) **b** (사람의) 경력, 이력, 전력(past history): Little is known about his birth and ~*s*. 그의 출생과 전력에 대해 거의 알려진 것이 없다. **4** 〖문법〗 (관계사의) 선행사 **5** 〖수학〗 (비례의) 전항 **6** 〖논리〗 전항(前項) **7** 〖음악〗 주창 선행구[성부]
~·ly *ad.* 앞서서, 그 전에
an·te·ces·sor [æ̀ntəsésər] *n.* 선행자; 《드물게》 전임자, 전소유자
an·te·cham·ber [ǽntitʃèimbər] *n.* (큰 방으로 통하는) 곁방, 대기실
an·te·chap·el [ǽntitʃæ̀pəl] *n.* 예배당 전실(前室)
an·te·choir [ǽntikwàiər] *n.* Ⓤ (교회의) 성가대석 앞의 공간
an·te-Chris·tum [ǽntikrístəm] [L = before Christ] *a.* 기원전… 《略 A.C.》
an·te·court [ǽntikɔ̀:rt] *n.* 앞뜰
an·te·date [ǽntidèit, ╲-╱] *vt.* **1** 〈날짜·시기·시대 등이〉 …보다 선행하다 **2** 〈편지·수표 등을〉 (실제보다) 앞의 날짜로 하다, 앞당기다 **3** 예상하다, 내다보다 **4** 〈일을〉 재촉하다 **—** [╱-╲] *n.* 실제보다 앞선 날짜

an·te·di·lu·vi·an [æ̀ntidilúːviən] *a.* **1** (Noah의) 대홍수 이전의 **2** (구어) 태고의, 구시대적인
— *n.* **1** 대홍수 이전의 사람[동식물] **2** 아주 늙은 사람; 시대에 뒤진 사람(old fogy)
an·te·fix [ǽntəfiks] *n.* (*pl.* **~·es, -fi·xa** [-fiksə]) 〖건축〗 (처마 끝의) 장식 기와, 막새
an·te·flex·ion [æ̀ntəflékʃən] *n.* Ⓤ 〖병리〗 《특히》 (자궁) 전굴(前屈)(증)
ánt ègg 개미 알 《실제로는 개미의 번데기; 말려서 물고기·새 등의 먹이로 씀》
an·te·lope [ǽntəlòup] *n.* (*pl.* **~, ~s**) 〖동물〗 영양; Ⓤ 영양 가죽; 《미》 =PRONGHORN
an·te·me·ri·di·an [æ̀ntimərídiən] *a.* 오전 (중)의, 오전에 일어나는: an ~ meal 아침 식사
an·te me·ri·di·em [ǽnti-mərídiəm, -èm] [L =before noon] *a.* 오전(의)(opp. *post meridiem*) 《略 a.m., A.M., AM, am [éiém]》
an·te·mor·tem [æ̀ntimɔ́ːrtəm] [L =before death] *a.* 죽기 전의: ~ inspection (병을 확인하기 위해) 수의사가 가축 도살 직전에 하는 검사
an·te·mun·dane [æ̀ntimʌndéin, ⌐-⌐-⌐] *a.* 천지 창조 이전의
an·te·na·tal [æ̀ntinéitl] *a.* 출생[출산, 탄생] 전의: an ~ clinic 임산부 진료소 — *n.* 《영》 임산부 건강 진단(《미》 prenatal checkup) **~·ly** *ad.*
antenátal tràining 태교(胎教); 임부 체조
‡**an·ten·na** [ænténə] [L 「돛대 위에 건너지른 활대」의 뜻에서] *n.* **1** (*pl.* **~s**) 《미》 〖통신〗 안테나, 공중선(《영》 aerial) **2** (*pl.* **-nae** [-niː], **~s**) 〖동물〗 촉각, 더듬이; (달팽이의) 뿔 **3** 《비유》 (사람의) 감각, 감수성
anténna arrày 공중 선열(列)(beam antenna)
anténna cìrcuit 〖통신〗 안테나 회로
an·ten·nal [ænténl] *a.* 〖동물〗 촉각의
an·ten·na·ry [ænténəri] *a.* 〖동물〗 촉각 (모양)의; 촉각이 있는
an·ten·nate [ǽntənət] *a.* 〖동물〗 촉각을 가진
an·ten·nule [ænténjuːl] *n.* 〖동물〗 (갑각류의 두 쌍의 촉각 중) 작은 촉각 《큰 촉각은 antenna》 **-nu·lar** *a.*
an·te·nup·tial [æ̀ntinʌ́pʃəl] *a.* 결혼 전의, 혼전의
an·te·or·bit·al [æ̀ntiɔ́ːrbitl] *a.* 〖해부〗 안와(眼窩) 앞의; 눈 앞의
an·te·par·tum [æ̀ntipɑ́ːrtəm] *a.* 〖의학〗 분만 전의
an·te·pas·chal [æ̀ntipǽskəl] *a.* 부활절 이전의
an·te·pen·di·um [æ̀ntipéndiəm] *n.* (*pl.* **-di·a** [-diə], **~s**) (교회의) 제단의 앞 장식(frontal)
an·te·pe·nult [æ̀ntipíːnʌlt, -pinʌ́lt | -pinʌ́lt], **-pen·ul·ti·ma** [-pinʌ́ltəmə] *n.* 어미(語尾)에서 세 번째 음절 《예를 들면 il-lus-trate의 il-》
an·te·pen·ul·ti·mate [æ̀ntipinʌ́ltəmət] *a.*, *n.* 어미에서 세 번째 음절(의); 끝에서 세 번째의 (것)
an·te·po·si·tion [æ̀ntipəzíʃən] *n.* Ⓤ 〖문법〗 보통 뒤에 두는 말을 앞에 두는 일, 정상 어순의 역(逆)
an·te·post [æ̀ntipóust] *a.* 《영》 〖경마〗 경쟁마의 번호가 게시되기 전의 〈내기〉
an·te·pran·di·al [æ̀ntiprǽndiəl] *a.* 식사 전의, 식전의(opp. *postprandial*)
***an·te·ri·or** [æntíəriər] [L 「앞의」의 뜻의 비교급에서] *a.* (opp. *posterior*) 《문어》 **1** [장소·위치] **앞의, 전방의** **2** [때·사건] **전의,** 먼저의 《*to*》: events ~ *to* the outbreak of war 전쟁 발발 전에 생긴 일들 **3** 〖언어〗 전방성(前方性)의 《조음역이 잇몸보다 앞쪽에 있는 음의》 **4** (동물·태아의) 두부(頭部)의, 몸의 앞쪽 끝의 **5** (인체의) 정면의 **6** 〖식물〗 〈꽃·잎·싹 등이 붙은 위치가〉 앞쪽의 **~·ly** *ad.* 전에, 먼저, 앞에
▷ anteriórity *n.*
an·te·ri·or·i·ty [æntìəriɔ́ːrəti, -ɑ́r- | -ɔ́r-] *n.* Ⓤ 앞[먼저]임, 선재(先在), 앞선 시간[위치]
antérior pitúitary 〖해부〗 하수체 전엽(前葉)
antérior tóoth 〖치과〗 전치(前齒) 《앞니, 송곳니》
an·te·room [ǽntirù(ː)m] *n.* 곁방; 대기실
an·te·ro·pos·te·ri·or [æ̀ntəroupoustíəriər | -pɔs-] *a.* 〖해부〗 전후 방향의, 복배(腹背)의
an·te·type [ǽntitàip] *n.* 원형(原型)
an·te·ver·sion [æ̀ntivə́ːrʒən, -ʃən] *n.* Ⓤ 〖병리〗 (자궁 등의) 전경(前傾)
an·te·vert [æ̀ntivə́ːrt] *vt.* 〖병리〗 〈자궁 등을〉 전경(前傾)시키다
ánt flỳ 날개미 《낚시 미끼로 씀》
anth-[1] [ænθ] *pref.* =ANTI- 《h음 앞에서의 변형》
anth-[2], **antho-** [ǽnθou] 《연결형》 「꽃(과 같은)」의 뜻 《모음 앞에서는 anth-[2]》
An·the·a [ænθíːə] *n.* 여자 이름
ánt hèap 개밋둑(anthill)
ant·he·li·on [ænthíːliən, ænθíː-] *n.* (*pl.* **-li·a** [-ljə], **~s**) 〖천문〗 맞무리해, 반대 환일(幻日) 《태양과 정반대 위치의 구름[안개]에 나타나는 광점(光點)》
ant·hel·min·tic [æ̀nthelmíntik, æ̀nθel-], **-thic** [-θik] 〖약학〗 *a.* 구충(驅蟲)의 — *n.* 구충제, 회충약
‡**an·them** [ǽnθəm] *n.* **1** 성가, 찬송가 **2** 《문어》 축가, 송가(頌歌) ***national ~*** 국가(國歌) ***the Royal A~*** = ***the British national ~*** 영국 국가
— *vt.* 성가[축가]로 칭송[찬양]하다
an·them·ic [ænθíːmik] *a.* 《문어》 (음악이) 성가적인, 찬가풍의; 열정적인
an·the·mi·on [ænθíːmiən] *n.* (*pl.* **-mi·a** [-miə]) 인동무늬 《인동덩굴을 도안화한 건축의 덩굴무늬》
***an·ther** [ǽnθər] *n.* 〖식물〗 꽃밥, 약(葯)
an·ther·al [ǽnθərəl] *a.* 약(葯)의, 꽃밥의
ánther dùst 꽃가루, 화분(花粉)(pollen)
an·ther·id·i·um [æ̀nθərídiəm] *n.* (*pl.* **-id·i·a** [-ídiə]) 〖식물〗 (포자식물의) 장정기(藏精器)
an·ther·id·i·al [æ̀nθərídiəl] *a.*
an·ther·o·zo·id [æ̀nθərəzóuid, ǽnθərəzɔ̀id] *n.* 〖식물〗 (포자식물의) 웅성(雄性) 유주자(遊走子)
an·the·sis [ænθíːsis] *n.* (*pl.* **-ses** [-siːz]) 〖식물〗 개화(기)
ant·hill [ǽnthìl] *n.* **1** 개밋둑, 개미탑, 개미총 **2** 많은 사람이 늘 붐비는 거리[건물]
an·tho·car·pous [æ̀nθəkɑ́ːrpəs] *a.* 〖식물〗 가과(假果)의: ~ fruits 가과, 부과(副果)
an·tho·cy·an [æ̀nθəsáiən] *n.* 〖생화학〗 안토시안, 화청소(花青素)
an·tho·cy·a·nin [æ̀nθəsáiənin] *n.* 안토시아닌 《빨강에서 파랑까지의 여러 색을 나타내는 식물 색소》
an·tho·di·um [ænθóudiəm] (*pl.* **-di·a** [-diə]) *n.* 〖식물〗 (국화과(科) 식물 등의) 두상화
anthol. anthology
an·tho·log·i·cal [æ̀nθəlɑ́dʒikəl | -lɔ́-] *a.* (문학 작품·미술 등 골라서 모은) 선집(選集)의, 명시 선집의, 명문집의
an·thol·o·gize [ænθɑ́lədʒàiz | -θɔ́-] *vi.* 명시 선집을 편찬하다 — *vt.* 명시 선집에 수록하다
***an·thol·o·gy** [ænθɑ́lədʒi | -θɔ́-] *n.* (*pl.* **-gies**) **1 명시 선집,** 시집, 명문집 **2** (개인의) 명시 선집 **3** (음악·회화·영화·건축 등의) 명곡집, 명화집
-gist *n.* 명시 선집[명문집] 편집자
An·tho·ny [ǽntəni, -θə-] *n.* **1** 남자 이름 《애칭 Tony》 **2** (성) 안토니우스 **St. ~** (251?-356?) 《수도 생활의 창시자인 이집트 사람》 **3** 앤터니 **Susan Brownell ~** (1820-1906) 《미국의 여성 참정권·노예 제도 폐지 운동가》
Ánthony dòllar 《미》 앤터니 동전 《1979년 7월에 발행된 1달러 동전; S.B. Anthony의 초상이 있음》
an·thoph·i·lous [ænθɑ́fələs | -θɔ́-] *a.* 〈곤충이〉 꽃을 좋아하는, 꽃에서 사는
an·tho·phore [ǽnθəfɔ̀ːr] *n.* 〖식물〗 화관(花冠) 자루 《꽃받침과 꽃잎 사이의 자루》
an·tho·tax·y [æ̀nθətǽksi] *n.* =INFLORESCENCE
an·tho·zo·a [æ̀nθəzóuə] *n. pl.* 〖동물〗 산호충류(珊瑚蟲類) 《산호·말미잘 등》
-zo·an [-zóuən] *a.*, *n.* 산호충류의 (동물)

an·thra·cene [ǽnθrəsì:n] *n.* Ⓤ 〖화학〗 안트라센 《alizarin의 원료》
an·thra·ces [ǽnθrəsì:z] *n. pl.* ANTHRAX의 복수
*__an·thra·cite__ [ǽnθrəsàit] *n.* Ⓤ 무연탄(= ∼ **còal**) ▷ anthracític *a.*
an·thra·cit·ic [æ̀nθrəsítik] *a.* 무연탄의[같은]
an·thra·cit·ous [ǽnθrəsàitəs] *a.* 무연탄을 함유한
an·thrac·nose [ænθrǽknous] *n.* 〖식물〗 탄저병
an·thra·coid [ǽnθrəkɔ̀id] *a.* 탄저(炭疽) 같은; 숯[탄소] 같은
an·thra·co·sil·i·co·sis [æ̀nθrəkousiləkóusis] *n.* 〖병리〗 탄규폐증(炭珪肺症)
an·thra·co·sis [æ̀nθrəkóusis] *n.* 〖병리〗 **1** 탄분증(炭粉症) **2** = BLACK LUNG
an·thra·cot·ic [æ̀nθrəkátik | -kɔ́-] *a.*
an·thra·ni·late [ænθrǽnəlèit] *n.* 〖화학〗 안트라닐산염[에스테르]
án·thra·níl·ic ácid [ǽnθrənílik-] 〖화학〗 안트라닐산 《염료 합성 원료·의약품·향료용》
an·thra·qui·none [æ̀nθrəkwənóun, -kwí(:)noun] *n.* 〖화학〗 안트라퀴논 《고급 염료의 주요 원료》
an·thrax [ǽnθræks] *n.* (*pl.* **-thra·ces** [-θrəsì:z]) ⓊⒸ 〖병리〗 탄저병, 비탈저(脾脫疽); 탄저균
anthrop. anthropological; anthropology
an·throp·ic, -i·cal [ænθrápik(əl) | -θrɔ́-] *a.* 인류의; 인류 시대의; 인류 발생[발달]론의
anthropo- [ǽnθrəpou, -pə] 《연결형》 「사람; 인류; 인류학」의 뜻
an·thro·po·cen·tric [æ̀nθrəpouséntrik] *a.* 〈사상·관점 등이〉 인간 중심의 **-tri·cal·ly** *ad.*
an·thro·po·cen·tric·ism [æ̀nθrəpouséntrisìzm], **-trism** [-trizm] *n.* Ⓤ 인간 중심주의
an·thro·po·gen·e·sis [æ̀nθrəpoudʒénəsis] *n.* Ⓤ 인류 발생[기원]론
an·thro·po·gen·ic [æ̀nθrəpədʒénik] *a.* 인류 발생(론)의; 〖생태〗 인위 개변(人爲改變)의
an·thro·pog·e·ny [æ̀nθrəpádʒəni | -pɔ́dʒi-] *n.* = ANTHROPOGENESIS
an·thro·po·ge·og·ra·phy [æ̀nθrəpədʒiágrəfi | -dʒiɔ́-] *n.* Ⓤ 인문 지리학
an·thro·pog·ra·phy [æ̀nθrəpágrəfi | -pɔ́-] *n.* Ⓤ 기술적(記述的) 인류학, 인류지(人類誌)
an·thro·poid [ǽnθrəpɔ̀id] *a.* **1** 〈동물이〉 사람을 닮은; 유인원 무리의 **2** 〈사람이〉 원숭이 같은
— *n.* 유인원(= ∼ **ápe**)
an·thro·poi·dal [æ̀nθrəpɔ́idl] *a.* 유인원의[같은]
an·throp·o·lite [ænθrápəlàit | -θrɔ́-], **-lith** [-liθ] *n.* Ⓤ 인체 화석
an·thro·po·log·i·cal [æ̀nθrəpəládʒikəl | -lɔ́-], **-ic** [-ik] *a.* 인류학의 **-i·cal·ly** *ad.*
anthropológical linguístics [단수 취급] 인류 언어학
*__an·thro·pol·o·gy__ [æ̀nθrəpálədʒi | -pɔ́-] *n.* Ⓤ 인류학: cultural ∼ 문화 인류학
-gist *n.* 인류학자
an·thro·po·met·ric, -ri·cal [æ̀nθrəpəmétrik(əl)] *a.* 인체 측정학의
an·thro·pom·e·try [æ̀nθrəpámətri | -pɔ́-] *n.* Ⓤ 인체 측정학
an·thro·po·mor·phic [æ̀nθrəpəmɔ́:rfik] *a.* 의인화[인격화]된, 사람의 모습을 닮은
an·thro·po·mor·phism [æ̀nθrəpəmɔ́:rfizm] *n.* Ⓤ **1** 의인화 **2** 신인(神人) 동형[동성]론 **3** 의인관(擬人觀) **-phist** *n.* 신인 동형[동성]론자
an·thro·po·mor·phize [æ̀nθrəpəmɔ́:rfaiz] *vt., vi.* 〈신·동물을〉 인격화하다, 의인화(擬人化)하다
an·thro·po·mor·phous [æ̀nθrəpəmɔ́:rfəs] *a.* 사람 모양을 한 **∼·ly** *ad.*
an·thro·pon·o·my [æ̀nθrəpánəmi | -pɔ́n-] *n.* Ⓤ 인류 발달 법칙학 **àn·thro·po·nóm·i·cal** *a.*
an·throp·o·nym [ænθrápənìm | -θrɔ́p-] *n.* 인명(人名) **àn·thro·pón·y·my** *n.* Ⓤ 인명학
an·thro·pop·a·thy, -thism [æ̀nθrəpápəθi, -θìzm | -pɔ́pə-] *n.* Ⓤ 신인(神人) 동감 동정설 《사람의 감정을 사람 이외의 자연이나 동물, 특히 신에게 부여하는 일》
an·thro·poph·a·gi [æ̀nθrəpáfədʒài, -gài | -pɔ́fəgài] *n. pl.* (*sing.* **-gus** [-gəs]) 식인종(cannibals)
an·thro·poph·a·gite [æ̀nθrəpáfədʒàit | -pɔ́fəgàit] *n.* 인육을 먹는 사람
an·thro·poph·a·gous [æ̀nθrəpáfəgəs | -pɔ́-] *a.* 사람 고기를 먹는, 식인의
an·thro·poph·a·gy [æ̀nθrəpáfədʒi | -pɔ́-] *n.* Ⓤ 식인 풍습
an·thro·pos·o·phy [æ̀nθrəpásəfi | -pɔ́s-] *n.* Ⓤ 〖철학〗 인지학(人智學) 《R. Steiner(1861-1925)가 주창한, 신지학(theosophy)에 반대하여 인간 인식에 중심을 두는 철학 체계》
an·thro·pot·o·my [æ̀nθrəpátəmi | -pɔ́t-] *n.* Ⓤ 인체 해부학; 해부학적 인체 구조
an·thu·ri·um [ænθúəriəm | -θjúər-] *n.* 〖식물〗 안수리움속(屬)의 각종 관엽 식물의 총칭
*__an·ti__ [ǽntai, -ti | -ti] 《구어》 *n.* (*pl.* **∼s**) 반대(론)자(opp. *pro*); 《미》 반연방주의자(anti-federalist)
— *a.* 반대 (의견)의, 반대하는
— *prep.* …에 반대하여(against)
anti- [ǽnti, -tai | -ti] *pref.* 「반대, 적대, 대항, 배척」의 뜻(opp. *pro-*) ★ 고유 명사·형용사의 앞, 모음 i, 때로는 다른 모음 앞에서는 hyphen(-)을 씀. ANTE-와는 다른 말: *anti*-American / *anti*-imperialism
an·ti·a·bor·tion [æ̀ntiəbɔ́:rʃən, -tai-] *a.* 임신 중절에 반대하는: the ∼ movement 임신 중절 반대 운동 **∼·ìsm** *n.* **∼·ist** *n.*
an·ti·ag(e)·ing [æ̀ntiéidʒiŋ, -tai-] *a.* 노화 방지의: an ∼ drug 노화 방지약
an·ti·air [æ̀ntiέər, -tai-] *a.* 《구어》 = ANTIAIRCRAFT
an·ti·air·craft [æ̀ntiέərkræ̀ft, -tai- | -krɑ̀:ft] *a.* 방공(防空)(용)의: an ∼ gun 고사포
— *n.* (*pl.* ∼) **1** 고사포; 대공(對空) 화기 **2** Ⓤ 대공 포화[사격]
antiáircraft báttery 〖군사〗 대공(對空) 부대; (군함상의) 전(全) 대공 포화
an·ti·al·co·hol·ism [æ̀ntiǽlkəhɔ:lìzm, -tai-] *n.* Ⓤ 음주 반대, 절주; 금주
an·ti·al·ien [æ̀ntiéiliən, -tai-] *a.* 배타적인
an·ti·al·ler·gen·ic [æ̀ntiælərdʒéik, -tai-], **-al·ler·gic** [-ələ́:rdʒik] *a.* 〖면역〗 항(抗)알레르기의
— *n.* 항알레르기 물질; 《특히》 항히스타민제
an·ti-A·mer·i·can [æ̀ntiəmérikən, -tai-] *a.* 반미(反美)의 **—** *n.* 반미주의자 **∼·ism** *n.*
an·ti·an·ti·bod·y [æ̀ntiǽntibàdi, -tai- | -bɔ̀di] *n.* 〖면역〗 항항체(抗抗體)
an·ti·anx·i·e·ty [æ̀ntiæŋzáiəti, -tai-] *a.* 〖의학〗 항(抗)불안성의: ∼ drugs 항불안제
an·ti·a·part·heid [æ̀ntiəpɑ́:rtheit, -hait] *n.* Ⓤ 《남아공》 반(反)인종격리 정책
an·ti·art [æ̀ntiɑ́:rt, -tai-] *n.* Ⓤ 반(反)예술, 《특히》 다다(Dada) **àn·ti·árt·ist** *n., a.*
an·ti·at·om [ǽntiæ̀təm] *n.* 반(反)원자
an·ti·au·thor·i·tar·i·an [æ̀ntiəθɔ̀:rətέəriən, -tai-] *a.* 반(反)권위주의의 **∼·ìsm** *n.*
an·ti·au·thor·i·ty [æ̀ntiəθɔ́:rəti, -tai-] *a.* 반(反)권위의
an·ti·bac·chi·us [æ̀ntibəkáiəs, -tai-] *n.* 〖운율〗 역(逆)바키우스격 《장장단격(——◡) 또는 강강약격(∠∠×)》

thesaurus **anticipate** *v.* **1** 예상하다 expect, foresee, predict, forecast, contemplate **2** 고대하다 look forward to, await, look toward **3** 방지하다

an·ti·bac·te·ri·al [æ̀ntibæktíəriəl, -tai-] *a.* 항균성의

an·ti·bal·lis·tic [æ̀ntibəlístik, -tai-] *a.* 대(對)탄도탄의

antiballístic míssile 탄도탄 요격 미사일 ((略 ABM))

an·ti·bil·ious [æ̀ntibíljəs, -tai-] *a.* 담즙병 예방[치료]의

an·ti·bi·o·sis [æ̀ntibaióusis, -tai-] *n.* Ⓤ 〖생화학〗 항생(抗生) 작용

an·ti·bi·ot·ic [æ̀ntibaiάtik, -tai- | -ɔ́t-] 〖생화학〗 *a.* 항생 (작용)의, 항생 물질의 **—** *n.* 항생 물질; [*pl.* 단수 취급] 항생 물질학 **-i·cal·ly** *ad.*

antibiótic resìstance (세균의) 항생 물질에 대한 내성

an·ti·black [æ̀ntiblǽk, -tai-] *a.* 흑인에 적대적인, 반(反)흑인의 **~·ism** *n.* Ⓤ 흑인 배척주의

an·ti·blas·tic [æ̀ntiblǽstik, -tai-] *a.* 세균 발육 억제성의, 항(抗)세균 발육성의

an·ti·bod·y [ǽntibὰdi | -bɔ̀di] *n.* (*pl.* **-bod·ies**) 〖면역〗 항(抗)독소, 항체(抗體)(cf. ANTIGEN)

án·ti·bod·y-mé·di·at·ed immúnity [-míːdièitid-] 〖면역〗 항체 매개(성) 면역

an·ti·bug·ging [æ̀ntibʌ́giŋ, -tai-] *a.* 도청 장치 발견용의; 도청 방지(용)의

an·ti·bus·er [æ̀ntibʌ́sər, -tai-] *n.* ((미·구어)) (흑·백인 공학을 촉진하기 위한) 강제 버스 통학(법) 반대자

an·ti·busi·ness [æ̀ntibíznəs, -tai-] *a.* 대기업에 적대심을 가진

an·ti·bus·ing [æ̀ntibʌ́siŋ, -tai-] *a.* ((미)) (흑·백인 공학을 촉진하기 위한) 강제 버스 통학을 반대하는 (cf. BUSING)

an·tic [ǽntik] *a.* 색다른, 이상야릇한, 괴상한; ((고어)) 익살스러운 **—** *n.* [보통 *pl.*] 익살스러운[우스꽝스러운] 짓: play ~*s* 익살을 부리다 **án·ti·cal·ly** *ad.*

an·ti·can·cer [æ̀ntikǽnsər, -tai-], **-can·cer·ous** [-kǽnsərəs] *a.* 〖약학〗 항암(성)의

an·ti·cat·a·lyst [æ̀ntikǽtəlist, -tai-] *n.* 〖화학〗 항촉매 ((반응 속도를 느리게 하는 촉매)); 역(逆)촉매

an·ti·cath·ode [æ̀ntikǽθoud, -tai-] *n.* 〖전기〗 (X선관의) 대음극(對陰極); (진공 방전관의) 양극

an·ti-Cath·o·lic [æ̀ntikǽθəlik, -tai-] *a.* 반(反)가톨릭의 **-Ca·thól·i·cìsm** *n.*

an·ti·cav·i·ty [æ̀ntikǽvəti, -tai-] *a.* 충치 예방의

an·ti·chlor [ǽntiklɔ̀ːr] *n.* 〖화학〗 염소 제거제

an·ti·choice [ǽntitʃɔ̀is, -tai-] *n.* 임신 중절 반대파 **—** *a.* 임신 중절 반대(파)의

an·ti·cho·lin·er·gic [æntikòulənə́ːrdʒik, -tai-] *a.*, *n.* 〖약학〗 콜린 억제성의[억제제]

an·ti·cho·lin·es·ter·ase [æntikòulənéstərèis, -rèiz, -tai-] *n.* 〖약학〗 항콜린에스테라아제

an·ti·christ [ǽntikràist, -tai-] *n.* **1** 그리스도의 적, 그리스도 반대자; 가짜 그리스도 **2** [(the) A~] 적그리스도

an·ti-chris·tian [æ̀ntikrístʃən, -tai-] *a.* 그리스도교에 반대하는 **—** *n.* 그리스도교 반대자

an·tic·i·pant [æntísəpənt] *a.* 앞을 내다보는; 예기하는, 기대하는; 앞서는 ((*of*)) **—** *n.* = ANTICIPATOR

‡**an·tic·i·pate** [æntísəpèit] *v.*

> 「선취하다」가 본래의 뜻 → 선수 치다 **3**
> → 미리 알아서 하다 **2**
> (미리 생각하다) → 예기하다 **1**

— *vt.* **1** 예기하다, 예상[예지, 예견]하다 ((expect가 일반적))(⇨ want 유의어); (즐거운 마음으로) **기대하다, 고대하다; 미리 걱정하다,** 〈좋지 않은 일을〉 예상하다: ~ a good vacation 멋진 휴가를 예상[고대]하다 / ~ trouble 곤란한 일이 생길 것을 근심하다 // ((~+**-ing**)) I ~ pick*ing* up all the information while traveling. 여행 중에 여러 가지 견문을 얻게 되기를 고대하고 있다. ★ expect와 달리 ((~+***to*** do))를 쓰지 않음 // ((~+***that*** 절)) Nobody ~*d that* there would be anything wrong. 아무도 무슨 일이 잘못되리라고는 예상하지 않았다. // ((~+목+전+명)) He ~*s* great pleasure *from* his visit to France. 그는 프랑스 여행에서 큰 즐거움을 기대하고 있다. **2** 미리 알아서 하다[처리하다]: The maid ~*s* her master's request. 그 하녀는 주인이 말하기 전에 미리 알아서 일을 한다. **3** (사람·물음·요구·의뢰 등에) 〈상대편에게〉 **선수 치다,** 선손 쓰다; 〈사람을〉 **앞서다,** 앞지르다(forestall) **4** 〈대책을〉 (사전에) 세워 두다, 〈악영향을〉 미연에 방지하다 **5** 〈시기·일 등을〉 앞당기다 **6 a** 〈수입을〉 예상하고 미리 쓰다: ~ one's salary 봉급을 예상하고 돈을 쓰다 **b** 〈부채 등을〉 기한 전에 갚다

~ a person***'s desires*** [***wishes***] …의 욕구[소망]를 알아차리고 들어주다; …의 가려운 곳을 긁어 주듯 돌보아 주다 **~ *the worst*** 최악의 경우를 예상하다

— *vi.* **1** (뒷일을) 미리 말하다[쓰다]; 넘겨짚다, 예상하다 **2** 〈증후 등이〉 예상보다 빨리 나타나다

-pàt·a·ble *a.* **-pat·ed** [-pèitid] *a.* 기대하던, 대망의 ▷ anticipátion *n.*; antícipant, antícipative, antícipatory *a.*

‡**an·tic·i·pa·tion** [æntìsəpéiʃən] *n.* Ⓤ **1** 예상, 예기, 예견 **2** 기대, 희망: The child waited with eager ~ for Christmas. 그 아이는 기대로 가슴을 졸이며 크리스마스를 기다렸다. **3** 예감, 직감, 선견 **4** 선손 쓰기; 앞당겨 함[씀], 앞지름, 선취(先取) **5** (발명·발견 등에) 선행하는 것 **6** 〖법〗 (신탁 자산의) 기한 전 처분 **7** 〖음악〗 선행음, 앞선음 **8** 〖금융〗 (입금을 예견한) 선지급, 선불; 현금 할인 ***in* ~** 미리 ***in* ~ *of*** …을 예상[기대]하고: *in* ~ *of* taking her out to dinner 그녀와 저녁 식사를 할 것이라고 기대하여 ***Thanking you in* ~.** 미리 감사드립니다, 잘 부탁드립니다. ((의뢰 편지 등의 끝맺는 말))

▷ antícipate *v.*; antícipative, antícipatory *a.*

an·tic·i·pa·tive [æntísəpèitiv, -pə-] *a.* 예상한, 선수를 치는, 선제적인; 기대에 찬 **~·ly** *ad.*

an·tic·i·pa·tor [æntísəpèitər] *n.* 예상자, 예기하는 사람; 선손을 쓰는 사람

an·tic·i·pa·to·ry [æntísəpətɔ̀ːri | -pèitəri] *a.* **1** 예상[예기]하고서의, 예상하고[앞질러] 하는 **2** 〖문법〗 선행하는 **an·tíc·i·pa·tò·ri·ly** *ad.*

antícipatory sùbject 〖문법〗 선행 주어 ((예를 들면 *It* is wrong to tell lies.의 it))

an·tic·i·point·ment [æntìsəpɔ́intmənt] [*antici*pation+disap*pointment*] *n.* Ⓤ ((익살)) (영화·책 등을) 처음 본[읽은] 후 기대에 어긋날 때 느끼는 실망감

an·ti·cler·i·cal [æ̀ntiklérikəl, -tai-] *a.* (공사(公事)에 대한) 교권(敎權) 개입에 반대하는 **~·ìsm** *n.* Ⓤ 교권 반대주의 **~·ist** *n.*

an·ti·cli·mac·tic [æ̀ntiklaimǽktik, -tai-] *a.* **1** 점강적(漸降的)인 **2** 용두사미의 **-ti·cal·ly** *ad.*

an·ti·cli·max [æ̀ntikláimæks, -tai-] *n.* **1** Ⓤ 〖수사학〗 점강법(漸降法)(opp. *climax*) **2** 용두사미

an·ti·cli·nal [æ̀ntikláinl] *a.* **1** 〖지질〗 배사(背斜)의 (opp. *synclinal*) **2** 서로 반대쪽으로 경사진

an·ti·cline [ǽntiklàin] *n.* 〖지질〗 배사층

an·ti·clock·wise [æ̀ntiklάkwaiz, -tai- | -klɔ́k-] *a.*, *ad.* = COUNTERCLOCKWISE

an·ti·co·ag·u·lant [æ̀ntikouǽgjulənt, -tai-] *a.*, *n.* 〖의학〗 (혈액의) 응고를 방해하는 (물질)

an·ti·co·don [æ̀ntikóudαn, -tai- | -dɔn] *n.* 〖생화학〗 대응(對應) 코돈

an·ti·co·ín·ci·dence cìrcuit [æ̀ntikouínsidəns-, -tai-] 〖컴퓨터〗 배타적 회로

an·ti·col·li·sion [æ̀ntikəlíʒən, -tai-] *a.* 공중 충돌 방지의: the ~ light (공중) 충돌 방지등

---

prevent, intercept **4** 앞당기다 antedate, predate
anticipation *v.* **1** 예상 expectation, prediction, contemplation **2** 기대 expectancy, hope

an·ti·co·lo·ni·al [æ̀ntikəlóuniəl, -tai-] *a.* 반(反)식민지주의의 **~·ìsm** *n.* Ⓤ 반식민주의 **~·ist** *n.*, *a.*
an·ti·com·mu·nism [æ̀ntikɑ́mjunìzm, -tai- | -kɔ́m-] *n.* Ⓤ 반공(산)주의
an·ti·com·mu·nist [æ̀ntikɑ́mjunist, -tai- | -kɔ́m-] *a.* 반공(反共)의 **—** *n.* 반공주의자
an·ti·com·mu·ta·tive [æ̀ntikəmjú:tətiv, -tai-] *a.* 〖수학〗 비가환(非可換)의
an·ti·com·pet·i·tive [æ̀ntikəmpétətiv, -tai-] *a.* (기업 간의) 반(反)경쟁적인
an·ti·con·vul·sant [æ̀ntikənvʌ́lsənt, -tai-] 〖의학〗 *a.* 경련 방지[억제]의 **—** *n.* 경련 방지[억제]제
an·ti·cor·ro·sive [æ̀ntikəróusiv, -tai-] *a.* 부식[녹]을 막는, 방식(防蝕)의 **—** *n.* 방식제, 녹 방지제
an·ti·crime [ǽntikràim] *a.* 방범(防犯)의
an·ti·crop [æ̀ntikrɑ́p | -krɔ́p] *a.* 〈화학 무기 등이〉 농산물을 해치는, 곡류 고사(枯死)용의
an·ti·cy·clone [ǽntisàikloun, -tai-] *n.* 〖기상〗 역(逆)선풍; 고기압(권)
an·ti·cy·clon·ic [æ̀ntisaiklɑ́nik, -tai- | -klɔ́n-] *a.* 역선풍의; 고기압성의
an·ti·dem·o·crat·ic [æ̀ntidèməkrǽtik, -tai-] *a.* 반(反)민주주의의 **-crát·i·cal·ly** *ad.*
an·ti·de·pres·sant [æ̀ntidiprésənt, -tai-] 〖약학〗 *a.* 항울성(抗鬱性)의 **—** *n.* 항울제
an·ti·diph·the·rit·ic [æ̀ntidìfθərítik, -tai-] 〖약학〗 *a.*, *n.* 항(抗)디프테리아의 (약)
án·ti·di·u·rét·ic hòrmone [æ̀ntidàiərétik-, -tai-] 〖생화학〗 항이뇨(抗利尿) 호르몬 (略 ADH)
an·ti·dot·al [æ̀ntidóutl] *a.* 해독의 **~·ly** *ad.*
***an·ti·dote** [ǽntidòut] *n.* **1** 해독제 **2** (악영향 등의) 교정(矯正) 수단, 대책, 해결 방법 (*to*, *for*, *against*): Good jobs are the best ~ *to* teenage crime. 좋은 일자리가 십대 범죄에 대한 가장 좋은 교정 수단이다. **—** *vt.* 〈독물 등을〉 해독제로 중화하다 ▷ antidótal *a.*
an·ti·draft [æ̀ntidrǽft, -tai-] *a.* 징병 반대의
an·ti·drom·ic [æ̀ntidrɑ́mik, -tai- | -drɔ́-] *a.* 〖생리〗 역방향성의 (신경 섬유의 흥분 전달 방향이)
an·ti·drug [æ̀ntidrʌ́g, -tai-] *a.* 마약 사용을 반대하는, 반(反)마약의, 마약 방지의
an·ti-dump·ing [æ̀ntidʌ́mpiŋ, -tai-] *a.* (외국 제품의) 덤핑[해외 투매] 방지를 위한, 반덤핑의: ~ tariffs 반덤핑 관세
an·ti·e·lec·tron [æ̀ntiiléktrɑ̀n, -tai- | -trɔ̀n] *n.* 〖물리〗 = POSITRON
an·ti·e·met·ic [æ̀ntiimétik, -tai-] 〖약학〗 *a.* 구토 방지[억제] 작용의 **—** *n.* 구토 방지[억제]제
an·ti·es·tab·lish·ment [æ̀ntiistǽbliʃmənt, -tai-] *a.* 반체제(反體制)의
an·ti·es·tab·lish·men·tar·i·an [æ̀ntiistæ̀bliʃməntέəriən, -tai-] *n.*, *a.* 반체제주의자(의)
an·ti-Eu·ro·pe·an [æ̀ntijùərəpí:ən, -tai-] *a.* 서유럽 통합 반대의; 영국의 EC가맹 반대의; 반(反)유럽의 **—** *n.* 서유럽 통합 반대론자; 영국의 EC가맹 반대론자; 반유럽주의자
an·ti·fe·brile [æ̀ntifí:brəl, -tai-, -fé-] 〖의학〗 *a.* 해열(解熱)의, 해열 효과가 있는 **—** *n.* 해열제
an·ti·fed·er·al [æ̀ntifédərəl, -tai-] *a.* 연방주의에 반대하는 **~·ism** *n.* Ⓤ 반(反)연방주의 **~·ist** *n.*
an·ti·fe·male [æ̀ntifí:meil, -tai-] *a.* 여성에 적대적인
an·ti·fem·i·nist [æ̀ntifémənist, -tai-] *n.*, *a.* 반(反)여권 확장주의자(의), 반페미니스트(의) **-nìsm** *n.*
an·ti·fer·ro·mag·net [æ̀ntiferoumǽgnit, -tai-] *n.* 〖물리〗 반강자성체(反強磁性體)
àn·ti·fer·ro·mag·nét·ic *a.* 반강자성의
an·ti·fer·til·i·ty [æ̀ntifə:rtíləti, -tai-] *a.* 불임의; 피임(용)의: ~ agents 피임약
an·ti·fog [ǽntifɔ̀:g, -tai-, -fɑ̀g | -fɔ̀g] *a.* 〖사진〗 (렌즈의) 흐림 방지의 **~·gant** *n.* 흐림 방지제
an·ti·for·eign·ism [æ̀ntifɔ́:rənìzm, -tai-, -fɑ́r- | -fɔ́r-] *n.* Ⓤ 배외주의(排外主義), 배외사상
an·ti·form [æ̀ntifɔ́:rm, -tai-] *a.* 〖미술〗 반(反)형식의, 전위적인
an·ti·foul·ing [æ̀ntifáuliŋ, -tai-] *a.*, *n.* 오염 방지의 (페인트) (배 밑바닥에 삿갓조개·조류(藻類) 등이 부착되는 것을 막는 유독 도료)
an·ti·freeze [ǽntifrì:z] *n.* Ⓤ **1** 부동액(不凍液) **2** (미·속어) 술, 헤로인(heroin)
an·ti·fric·tion [æ̀ntifríkʃən, -tai-] *n.* 감마재(減摩材), 윤활제 **—** *a.* 마찰을 감소시키는 **~·al** *a.*
an·ti·fun·gal [æ̀ntifʌ́ŋgəl, -tai-] 〖약학·생화학〗 *a.* 항진균성(抗眞菌性)의, 항균의, 살균용의 **—** *n.* 항진균제[물질, 인자]
an·ti-G [æ̀ntidʒí:, -tai-] [*anti*+*g*(ravity)] *a.* 내(耐)중력의
an·ti·gas [æ̀ntigǽs] *a.* 방독(防毒)용의
an·ti·gay [æ̀ntigéi, -tai-] *a.* 반동성애(자)의
an·ti·gen [ǽntidʒən, -dʒèn] *n.* 〖생화학〗 항원
an·ti·gen·ic [æ̀ntidʒénik] *a.* 〖생화학〗 항원(抗原)의 **-i·cal·ly** *ad.*
an·ti·glob·al·i·za·tion [æ̀ntigloubəlizéiʃən, -tai- | -lai-] *n.* Ⓤ (시장·기업의) 반세계화
An·tig·o·ne [æntígənì: | -ni] *n.* 〖그리스신화〗 안티고네 (Oedipus의 딸)
an·ti·gov·ern·ment [æ̀ntigʌ́vərnmənt, -tai-] *a.* 반정부의, 반정부적인
an·ti·grav·i·ty [æ̀ntigrǽvəti, -tai-] *n.* Ⓤ 반중력(反重力) **—** *a.* 반중력의
anti-G sùit 〖항공〗 내중력복(耐重力服), 내가속도복
An·ti·gua and Bar·bu·da [ænti:gə-ənd-bɑ:rbú:də, -tí:gwə-] 앤티가 바부다 (카리브 해 동부의 독립국; 수도 St. John's)
an·ti·gun [æ̀ntigʌ́n] *a.* 총포 단속의, 총기 규제의
an·ti·ha·la·tion [æ̀ntiheiléiʃən, -tai-] *n.*, *a.* 〖사진〗 헐레이션 방지(의)
an·ti·he·lix [æ̀ntihí:liks, -tai-] *n.* (*pl.* **-hel·i·ces** [-héləsì:z], **~·es**) 〖해부〗 대이륜(對耳輪)
an·ti·he·mo·phíl·ic fàctor [æ̀ntihi:məfílik-, -tai-] 〖생화학〗 항혈우병 인자
an·ti·he·ro [ǽntihì:rou, -tai-] *n.* (*pl.* **~es**) (문학 작품의) 주인공답지 않은 주인공; 반영웅(反英雄)
àn·ti·he·ró·ic *a.* 주인공[영웅]답지 않은
an·ti·her·o·ine [ǽntihèrouin, -tai-] *n.* (소설·연극 등의) 주인공답지 않은 여주인공
an·ti·hi·jack·ing [æ̀ntiháidʒækiŋ, -tai-] *a.* (비행기의) 공중 납치[하이재킹] 방지의
an·ti·his·ta·mine [æ̀ntihístəmì:n] *n.* ⓊⒸ 〖약학〗 항(抗)히스타민제(劑) (감기·알레르기 치료제)
-his·ta·min·ic [-histəmínik] *a.*, *n.*
an·ti·hu·man [æ̀ntihjú:mən, -tai-] *a.* 인간에 반대하는, 반인간의; 〖생화학·의학〗 항인(抗人)의: ~ serum 항인 혈청
an·ti·hy·per·ten·sive [æ̀ntihàipərténsiv, -tai-] 〖의학·약학〗 *a.* 항고혈압성의; 강압성의 **—** *n.* 항고혈압제, 강압제(降壓劑)
an·ti-ic·er [æ̀ntiáisər] *n.* 〖항공〗 방빙(防氷) 장치
an·ti-im·pe·ri·al·ism [æ̀ntiimpíəriəlizm, -tai-] *n.* Ⓤ 반(反)제국주의 **-ist** *n.*, *a.* 반제국주의자(의)
an·ti-in·fec·tive [æ̀ntiinféktiv, -tai-] 〖약학〗 *a.* 항감염(성)의 **—** *n.* 항감염약
an·ti-in·flam·ma·to·ry [æ̀ntiinflǽmətɔ̀:ri, -tai-] 〖약학〗 *a.* 항염증(抗炎症)의 **—** *n.* 항염증약
an·ti·in·fla·tion [æ̀ntiinfléiʃən, -tai-] *n.*, *a.* 인플레이션 방지[억제](의)
an·ti-in·tel·lec·tu·al [æ̀ntiintəléktʃuəl, -tai-] *n.*, *a.* 반주지(反主知)주의자; 반주지주의의, 지식인에 반감을 가진 (사람)

thesaurus **antipathy** *n.* **1** 반감 aversion, hostility, dislike, enmity, opposition, antagonism,

an·ti-in·tel·lec·tu·al·ism [æ̀ntiintəléktʃuəlìzm, -tai-] *n.* Ⓤ 반주지주의; 지식인에 대한 반감
an·ti·knock [æ̀ntinák, -tai- | -nɔ́k] *n.* 폭연(爆燃) 방지제 《엔진의 노킹을 억제하는 물질》
— *a.* 내폭성(耐爆性)의, 제폭(制爆)의
An·ti-Leb·a·non [æ̀ntilébənən] *n.* [the ~] 안티레바논 산맥 《아라비아 반도 북서부, 시리아와 레바논 국경에 있는 산맥》(= ∠ **Rànge**)
an·ti·leu·ke·mic [æ̀ntilu:kí:mik, -tai-] *a.* 〚약학〛 항백혈병의, 백혈구의 증가를 억제하는
an·ti·life [æ̀ntiláif, -tai-] *a.* **1** 정상적 생활에 반하는 **2** (낙태·산아 제한 등을 옹호하는) 반(反)생명의
an·ti·lip·id [æ̀ntiláipid, -lipid] *a.* 탈지성의, 항지질성의
an·ti·lit·ter [æ̀ntilítər, -tai-] *a.* (공공장소에서) 쓰레기 투기 금지의, 폐기물 오염 방지의
An·til·les [æntíli:z] *n. pl.* [the ~] 앤틸리스 제도 《서인도 제도의》 **An·til·le·an** [æntílian, æ̀ntəlí:-] *a.*
an·ti·lock [ǽntilàk, -tai- | -lɔ̀k] *a.* 〚자동차〛 〈브레이크가〉 앤티록식의 《급제동 시 바퀴가 잠기는 것을 방지하고 핸들 조작 불능이나 차량의 미끄러짐을 막음》
án·ti·lock bráke [ǽntilàk-, ǽntai- | -lɔ̀k-] 〚자동차〛 앤티록식 브레이크: ~ system 앤티록식 브레이크 장치 《antilock braking system이라고도 함; 略 ABS》
an·ti·log [ǽntilɔ̀(:)g, -làg] *n.* = ANTILOGARITHM
an·ti·log·a·rithm [æ̀ntilɔ́(:)gərìðm, -tai-, -lá- | -lɔ́-] *n.* 〚수학〛 진수(眞數), 역대수(逆對數)
an·til·o·gism [æntíləd͡ʒìzm] *n.* 〚논리〛 반(反)논리주의 **an·til·o·gís·tic** *a.*
an·til·o·gy [æntíləd͡ʒi] *n.* (*pl.* **-gies**) ⓊⒸ 자가당착, 전후 모순 **-gous** [-gəs] *a.*
an·ti·lým·pho·cyte sérum [æ̀ntilímfousàit-, -tai-] *n.* 〚의학〛 항(抗)림프구 혈청
an·ti·ma·cas·sar [æ̀ntiməkǽsər] *n.* (의자의 등받이·팔걸이에 씌우는) 장식 달린 덮개(tidy)
an·ti·mag·net·ic [æ̀ntimægnétik, -tai-] *a.* 〈시계 등이〉 항자성(抗磁性)의, 자화(磁化) 방지의
an·ti·ma·lar·i·al [æ̀ntiməléəriəl, -tai-] 〚약학〛 *a.* 말라리아 예방[치료]의
— *n.* 말라리아 예방[치료]약
an·ti·man·ic [æ̀ntimǽnik, -tai-] 〚약학〛 *a.* 조병(躁病) 억제[치료]의 — *n.* 항조제(抗躁劑)
an·ti-mar·ke·teer [æ̀ntimà:rkətíər, -tai-] *n.* 영국의 EC 가맹 반대자(cf. ANTI-EUROPEAN)
an·ti·masque, -mask [ǽntimæ̀sk, -mà:sk | -mà:sk] *n.* 〚연극〛 막간의 광대놀이
an·ti·mat·ter [ǽntimæ̀tər, -tai-] *n.* Ⓤ 〚물리〛 반물질(反物質)
an·ti·me·tab·o·lite [æ̀ntimətǽbəlàit, -tai-] *n.* 〚생화학〛 대사 길항(代謝拮抗) 물질
an·ti·mi·cro·bi·al [æ̀ntimaikróubiəl, -tai-] 〚생화학〛 *a.* 항균성의 — *n.* 항균제(劑), 항균 물질
an·ti·mil·i·ta·rism [æ̀ntimílətərìzm, -tai-] *n.* Ⓤ 반(反)군국주의 **-rist** *n., a.*
an·ti·mis·sile [æ̀ntimísəl, -tai- | -mísail] *a.* 대(對)(탄도) 미사일의, 미사일 방어용의
— *n.* = ANTIMISSILE MISSILE
antimíssile mìssile 대(對)미사일용 미사일, 미사일 요격 미사일 《略 AMM》
an·ti·mi·tot·ic [æ̀ntimaitátik, -tai- | -tɔ́tik] *a., n.* 〚생화학〛 세포 분열 저지성의 (물질)
an·ti·mo·nar·chi·cal [æ̀ntimənɑ́:rkikəl, -tai-] *a.* 군주 정치를 반대하는
an·ti·mon·ar·chist [æ̀ntimánərkist, -tai- | -mɔ́-] *n.* 군주 정치 반대자
an·ti·mo·ni·al [æ̀ntimóuniəl] 〚화학〛 *a.* 안티몬(antimony)의, 안티몬질(質)의 — *n.* 안티몬 화합물

hatred **2 혐오** abhorrence, loathing, repugnance, animus (opp. *liking, friendship*)

an·ti·mo·nic [æ̀ntimánik, -móu- | -mɔ́-] *a.* 〚화학〛 안티몬성(性)의: an ~ acid 안티몬산(酸)
an·ti·mo·nop·o·ly [æ̀ntimənápəli, -tai- | -nɔ́p-] *a.* 독점에 반대하는; 독점 금지의: the ~ law 독점 금지법
an·ti·mo·nous [ǽntəmənəs, -mòu- | -mə-] *a.* 〚화학〛 삼가(三價)의 안티몬의
an·ti·mon·soon [æ̀ntimansú:n, -tai- | -mɔn-] *n.* 〚기상〛 반대 계절풍(opp. *monsoon*)
an·ti·mo·ny [ǽntimòuni | -mə-] *n.* Ⓤ 〚화학〛 안티몬 《금속 원소; 기호 Sb, 번호 51》
an·ti·mu·ta·gen [æ̀ntimjú:təd͡ʒən, -tai-] *n.* 〚유전〛 항(抗)돌연변이 물질 **àn·ti·mu·ta·gén·ic** *a.*
an·ti·na·tal·ism [æ̀ntinéitəlìzm, -tai-] *n.* 인구(증가) 억제주의 **-ist** *n., a.*
an·ti·na·tion·al [æ̀ntinǽʃənl, -tai-] *a.* 반국가적인, 국가주의에 반대하는 **-ist** *n., a.*
an·ti-Ne·gro [æ̀ntiní:grou, -tai-] *a.* 반(反)흑인의
an·ti·ne·o·plas·tic [æ̀ntinì:ouplǽstik, -tai-] 〚약학〛 *a.* 항(抗)종양성의 — *n.* 항종양약
an·ti·neu·ral·gic [æ̀ntinjurǽld͡ʒik, -tai-] 〚약학〛 *a.* 항(抗)신경통의 — *n.* 신경통약
an·ti·neu·tri·no [æ̀ntinju:trí:nou, -tai-] *n.* (*pl.* **~s**) 〚물리〛 반중성미자(反中性微子)
an·ti·neu·tron [æ̀ntinjú:tran, -tai- | -njú:trɔn] *n.* 〚물리〛 반(反)중성자
an·ti·node [ǽntinòud, -tai-] *n.* 〚물리〛 파복(波腹) 《두 파절(波節) 사이의 진폭이 최대인 곳》
an·ti·noise [æ̀ntinɔ́iz, -tai-] *a.* 소음 방지의
an·ti·no·mi·an [æ̀ntinóumiən] 〚신학〛 *n., a.* 도덕률 폐기론자(의) **~·ìsm** *n.* Ⓤ 도덕률 폐기론
an·ti·nom·ic [æ̀ntinámik, -nóu- | -nɔ́-] *a.* 모순된; 이율배반의
an·tin·o·my [æntínəmi] *n.* (*pl.* **-mies**) ⓊⒸ 〚철학〛 이율배반; 자가당착
an·ti·nov·el [ǽntinàvəl, -tai- | -nɔ̀-] *n.* 반(反)소설 《전통적인 수법에서 벗어난 소설》 **~·ist** *n.*
an·ti·nu·cle·ar [æ̀ntinjú:kliər, -tai-] *a.* **1** 핵에너지 사용에 반대하는, 원자력 발전에 반대하는; 핵무기 반대의 **2** 〚생물〛 항핵(抗核)의 **~·ist** *n.*
an·ti·nu·cle·on [æ̀ntinjú:kliàn, -tai- | -ɔ̀n] *n.* 〚물리〛 반핵자(反核子)
an·ti·nuke [æ̀ntinjú:k, -tai-] *a.* = ANTINUCLEAR 1
an·ti·ob·scen·i·ty [æ̀ntiəbsénəti, -tai-] *a.* 외설물 단속의; 반(反)외설의
an·ti·o·don·tal·gic [æ̀ntiòudantǽld͡ʒik, -tai- | -dɔn-] 〚치과〛 *a.* 치통을 멈추는 — *n.* 치통 (진정)약
an·ti-on·co·gene [æ̀ntiáŋkəd͡ʒì:n, -tai- | -ɔ́ŋ-] *n.* 〚의학〛 암 억제 유전자
An·ti·ope [ǽntioup] *n.* 안티오프 《프랑스의 문자 다중(多重) 방송 시스템; cf. TELETEXT》
an·ti·ox·i·dant [æ̀ntiáksədənt, -tai- | -ɔ́k-] *n.* 〚화학〛 산화[노화] 방지제(劑)
an·ti·par·a·sit·ic [æ̀ntipærəsítik, -tai-] *a.* 항기생충(성)의, 구충(성)의 — *n.* 구충제
an·ti·par·ti·cle [ǽntipɑ̀:rtikl, -tai-] *n.* 〚물리〛 반입자 《반양성자·반중성자 등》
an·ti·pas·to [æ̀ntipǽstou, -pɑ́:s-] [It.] *n.* (*pl.* **~s, -ti** [-ti:]) (이탈리아식) 전채(前菜), 오르되브르
an·ti·pa·thet·ic [æ̀ntipəθétik, æntìpə-] *a.* 반감을 가진, 비위[성미]에 맞지 않는, 본래부터 싫은 《*to, toward*》
an·ti·path·ic [æ̀ntipǽθik] *a.* **1** 서로 맞지 않는 《*to*》 **2** = ANTIPATHETIC
an·tip·a·thy [æntípəθi] [L 「감정에 거슬리는」의 뜻에서] *n.* (*pl.* **-thies**) ⓊⒸ **1** 반감, 혐오(opp. *sympathy*) **2** (본능적으로) 몹시 싫은 일[것]: I have an ~ *to*[*against*] snakes. 뱀은 질색이다.
an·ti·pe·dal [æ̀ntipí:dl] *a.* (연체동물에 있어서) 발과 반대편에 있는

an·ti·pe·ri·od·ic [æ̀ntipiəriɑ́dik, -tai- | -ɔ́dik] *a.* 〖의학〗 (말라리아 따위의) 주기적인 병에 듣는, 항주기(週期)성의 **—** *n.* 주기병 약

an·ti·per·son·nel [æ̀ntipə̀:rsənél, -tai-] *a.* 〖군사〗 〈무기 등이〉 지상 병력의 살상을 위한, 대인(용)의

an·ti·per·spi·rant [æ̀ntipə́:rspərənt, -tai-] *n.* 지한제(止汗劑) 《땀내나 암내를 없애려고 땀을 멈추게 하는 약제》, 발한(發汗) 억제약(cf. DEODORANT)
— *a.* 지한제의

an·ti·phlo·gis·tic [æ̀ntifloudʒístik, -tai-] 〖약학〗 *a.* 염증 치료의, 소염(성)의 **—** *n.* 소염제

an·ti·phon [ǽntəfɑ̀n | -tən, -fɔ̀n] *n.* **1** (번갈아 가며 부르는) 응답 송가 **2** 〖가톨릭〗 교송(交誦) (성가)

an·tiph·o·nal [æntífənl] *a.* 번갈아 (노래) 부르는 **—** *n.* = ANTIPHONARY **~·ly** *ad.*

an·tiph·o·nar·y [æntífənèri | -nəri] *n.* (*pl.* **-nar·ies**) 교송(交誦) (성가)집

an·tiph·o·ny [æntífəni] *n.* (*pl.* **-nies**) = ANTIPHON

an·tiph·ra·sis [æntífrəsis] *n.* (*pl.* **-ses** [-sì:z]) ⓊⒸ 〖수사학〗 어의 반용(語義反用) 《어구를 그 본뜻의 반대로 쓰는 것》

an·ti·plas·tic [æ̀ntiplǽstik, -tai-] 〖의학〗 *a.* 조직 형성 억제성의 **—** *n.* 조직 형성 억제 물질

an·tip·o·dal [æntípədl] *a.* **1** 〖지리〗 대척지(對蹠地)의, 지구상의 정반대 쪽의 **2** 정반대의 《*to*》

an·ti·pode [ǽntipòud] *n.* 정반대(의 사물), 대립물 《*of, to*》

an·tip·o·de·an [æntìpədí:ən] *a.* **1** 대척지(對蹠地)의, 정반대 쪽 주민의 **2** [**A~**] 《영》 호주(사람)의
— *n.* **1** 대척지 주민 **2** [**A~**] 《영》 호주 사람

an·tip·o·des [æntípədi:z] *n. pl.* **1** 대척지 《지구상의 정반대 쪽에 있는 두 지점》 **2** 대척지의 주민 **3** 《영》 [the A~] 오스트레일리아와 뉴질랜드 **4** [the ~; 단수 취급] 정반대의 사물 《*of, to*》

an·ti·po·et·ic [æ̀ntipouétik, -tai-] *a.* 반시(反詩)의, 반전통시(反傳統詩)의

an·ti·pole [ǽntipòul] *n.* **1** 대극(對極) **2** 정반대 《*of, to*》

an·ti·pol·i·tics [æ̀ntipɑ́lətiks, -tai- | -pɔ́-] *n. pl.* [단수 취급] 반(反)정치

an·ti·pol·lu·tion [æ̀ntipəlú:ʃən, -tai-] *n.* Ⓤ, *a.* 공해(公害) 방지[반대](의): ~ measures 공해 방지책 **~·ist** *n.* 공해 반대론자

an·ti·pope [ǽntipòup] *n.* 〖역사〗 대립 교황

an·ti·pov·er·ty [æ̀ntipɑ́vərti, -tai- | -pɔ́-] *n.* Ⓤ, *a.* 빈곤 퇴치(의)

an·ti·pro·lif·er·a·tion [æ̀ntiprəlìfəréiʃən, -tai-] *a.* 핵(무기) 확산 반대의; 핵 확산 방지의: sign the ~ treaty 핵 확산 방지 조약에 조인하다

an·ti·pro·lif·er·a·tive [æ̀ntiprəlífərətiv, -tai-] 〖약학〗 *a., n.* 항(抗)증식성의 (물질)

an·ti·pros·ti·tu·tion [æ̀ntiprɑ̀stətjú:ʃən, -tai- | -prɔ̀s-] *a.* 매춘 금지의

an·ti·pro·ton [ǽntipròutɑn, -tai- | -tɔn] *n.* 〖물리〗 반양성자(反陽性子)

an·ti·psy·chi·a·try [æ̀ntisikáiətri, -tai-] *n.* Ⓤ 반(反)정신 의학

an·ti·psy·chot·ic [æ̀ntisaikɑ́tik, -tai- | -kɔ́-] 〖약학〗 *a.* 항(抗)정신병(성)의
— *n.* 항(抗)정신병약(neuroleptic)

an·ti·py·ret·ic [æ̀ntipairétik, -tai-] *a., n.* 〖약학〗 = ANTIFEBRILE

an·ti·py·rin(e) [æ̀ntipáiəri:n, -rən] *n.* Ⓤ 〖약학〗 안티피린 《해열·진통제》

an·ti·py·rot·ic [æ̀ntipairɑ́tik | -rɔ́t-] *a.* 〖약학〗 화상 치료의 **—** *n.* 화상 치료제

antiq. antiquarian; antiquary; antiquity

an·ti·quar·i·an [æ̀ntikwέəriən] *a.* 골동품 연구[수집]의, 골동품 애호의 **—** *n.* 골동품 애호가[수집가] **~·ism** *n.* Ⓤ 골동품 연구, 골동품 (수집) 취미

an·ti·quar·i·an·ize [æ̀ntikwέəriənàiz] *vi.* 《구어》 골동품을 수집[연구]하다

an·ti·quark [ǽntikwɔ̀rk, -kwɑ̀:rk, ǽntai-] *n.* 〖물리〗 쿼크(quark)의 반입자(反粒子), 반쿼크

an·ti·quar·y [ǽntikwèri | -kwəri] *n.* (*pl.* **-quar·ies**) **1** 골동품 연구[수집, 애호]가 **2** 골동품상

an·ti·quate [ǽntikwèit] *vt.* 한물가게 하다; 고풍스레 만들다[꾸미다] **àn·ti·quá·tion** *n.*

an·ti·quat·ed [ǽntikwèitid] *a.* 고풍스런, 시대에 뒤진; 노후한; 노령의

***an·tique** [æntí:k] [L 「낡은」의 뜻에서] *a.* **1** 〈가구 등이〉 고미술의, 골동의: an ~ shop[dealer] 골동품점[상] **2** 앤티크 차(車)의 《25년 이상 지난 고물 승용차의》 **3** 〈물건·양식이〉 옛날의, 과거의; 고대의 《고대 그리스·로마의》; 고풍스러운(opp. *modern*)
— *n.* **1** 골동품, 고미술품 **2** [the ~] 고대 미술, 고대 양식 《특히 그리스·로마의》 **3** Ⓤ 〖인쇄〗 앤티크체 활자 《활자체가 굵은》 **4** 〖제지〗 경량지
— *vt.* **1** 《미》 〈특히 가구 등을〉 (18세기풍으로) 고풍스레 만들다 **2** 〈종이·직물에〉 무늬가 돋아나게 하다
— *vi.* 골동품[고미술품]을 수집하다
~·ly *ad.* **~·ness** *n.* ▷ ántiquate *v.*; antíquity *n.*

an·ti·quer [æntí:kər] *n.* 골동품[고미술] 애호가[수집가]; 새 가구를 고풍스럽게 꾸미는 사람

***an·tiq·ui·ty** [æntíkwəti] *n.* (*pl.* **-ties**) **1** Ⓤ 낡음, 고색(古色), 고아(古雅): a city of great ~ 아주 오래된 도시 **2** Ⓤ 태고, 고대, 상고(上古): in ~ 고대에는 **3** [집합적] 고대인(the ancients); 《익살》 시대에 뒤떨어진 사람[물건] **4** [보통 *pl.*] 옛 기물[미술품], (고대의) 유물; [*pl.*] 고사(故事), 구제도, (고대의) 유풍

an·ti·rab·ic [æ̀ntirǽbik, -tai-] *a.* 광견병 예방[치료]의

an·ti·ra·chit·ic [æ̀ntirəkítik, -tai-] *a.* 구루병(rickets) 치료[예방]의 **—** *n.* 구루병 치료제[예방약]

an·ti·rac·ism [æ̀ntiréisizm, -tai-] *n.* 인종 차별 반대주의 **-ist** *n., a.*

an·ti·rad·i·cal [æ̀ntirǽdikəl, -tai-] *a.* 반(反)급진[과격]주의(자)의

an·ti·re·ces·sion·ar·y [æ̀ntiriséʃənèri, -tai- | -séʃənəri] *a.* 불경기 대책의

an·ti·ret·ro·vi·ral [æ̀ntirètrəváiərəl] *a.* 항(抗)레트로 바이러스의

an·ti·ri·ot [æ̀ntiráiət, -tai-] *a.* 폭동 진압[방지]의

an·ti-róll bàr [æ̀ntiróul-, -tai-] (자동차의) 좌우 요동 방지 바 《선회시 차체의 흔들림을 방지하는 것》

an·ti·ro·man [æ̀ntiroumɑ́:ŋ] [F] *n.* 〖문학〗 반(反)소설(cf. ANTINOVEL)

an·tir·rhi·num [æ̀ntiráinəm] *n.* 〖식물〗 금어초

an·ti·rust [æ̀ntirʌ́st, -tai-] *a.* 녹슬지 않는; 녹슬지 않게 하는 **—** *n.* 녹 방지제, 방수제(防銹劑)

an·ti-sab·ba·tar·i·an [æ̀ntisæ̀bətέəriən, -tai-] *a., n.* 안식일 지키기를 반대하는 (사람)

an·ti-sa·loon [æ̀ntisəlú:n, -tai-] *a.* 《미》 주류 판매 반대의: *A*~ League 주류 판매 반대 연맹

an·ti·sat·el·lite [æ̀ntisǽtəlàit, -tai-] 〖군사〗 *a.* 위성 공격용의 **—** *n.* 위성 공격(용) 미사일[위성]

an·ti·sci·ence [æ̀ntisáiəns, -tai-] *a.* 반과학의: an ~ movement 반과학 운동
— *n.* Ⓤ 반과학(주의) **àn·ti·sci·en·tíf·ic** *a.*

an·ti·scor·bu·tic [æ̀ntiskɔ:rbjú:tik, -tai-] 〖약학〗 *a.* 괴혈병(scurvy) 치료의 **—** *n.* 괴혈병 치료제

an·ti·scrip·tur·al [æ̀ntiskríptʃərəl, -tai-] *a.* 성서(의 교의)에 반대하는, 반성서의

an·ti-Sem·ite [æ̀ntisémait, -sí:mait-, -tai-] *n.* 반유대주의자 **—** *a.* = ANTI-SEMITIC

an·ti-Se·mit·ic [æ̀ntisimítik, -tai-] *a.* 반유대주의의 **-ti·cal·ly** *ad.*

an·ti-Sem·i·tism [æ̀ntisémətìzm, -tai-] *n.* Ⓤ 반유대주의[운동]

an·ti·sense [æ̀ntiséns, -tai-] *a.* 〖유전〗 안티센스의, 역배열(逆配列)의

an·ti·sep·sis [æ̀ntəsépsis] *n.* (*pl.* **-ses** [-si:z]) Ⓤ 방부(防腐)(법), 소독(법); Ⓒ 방부제
an·ti·sep·tic [æ̀ntəséptik] *a.* **1** 살균의, 멸균의; 방부(防腐)성의 **2** 소독[멸균]된, 무균 상태의 **3** 청결한 **4** 〈말 등이〉 냉담한, 인간미 없는
— *n.* 소독제, 방부제 **-ti·cal·ly** *ad.* 방부제로
an·ti·sep·ti·cize [æ̀ntəséptəsàiz] *vt.* 소독[멸균]하다, 방부 처리하다
an·ti·se·rum [ǽntisìərəm] *n.* (*pl.* **~s, -ra** [-rə]) ⓊⒸ 〖의학〗 항혈청(抗血清), 면역 혈청
an·ti·sex [æ̀ntiséks, -tai-], **-sex·u·al** [-sékʃuəl | -séksjuəl] *a.* 성행위[성표현]에 반대하는
àn·ti·sex·u·ál·i·ty *n.*
an·ti·sex·ist [æ̀ntiséksist, -tai-] *a.* 성차별(sexism) 반대의 — *n.* 성차별 반대론자
an·ti·skid [æ̀ntiskíd, -tai-] *a.* 미끄럼 방지의
an·ti·slav·er·y [æ̀ntisléivəri, -tai-] *n.* Ⓤ 노예제도 반대 — *a.* Ⓐ 노예 제도 반대의
an·ti·smog [æ̀ntismág, -tai- | -smɔ́g] *a.* 스모그 방지의
an·ti·smok·ing [æ̀ntismóukiŋ, -tai-] *a.* 금연의, 흡연에 반대하는 — *n.* Ⓤ 금연
an·ti·so·cial [æ̀ntisóuʃəl, -tai-] *a.* **1** 반사회적인; 사회 질서[제도] 반대의; (완곡) 범죄적인 **2** 비사교적인; 비우호적인 — *n.* 비사교적[반사회적]인 사람
~·ìsm *n.* **~·ist** *n., a.* 반사회주의자(의); 비사교적인 사람 **~·ly** *ad.*
antisócial personálity 반사회적 인격
an·ti·so·lar [æ̀ntisóulər, -tai-] *a.* (천구(天球)에서) 태양과 정반대 쪽의
an·ti-spam [æ̀ntispǽm] *a.* 〖컴퓨터〗 안티 스팸의, 스팸(spam) 제거의
an·ti·spas·mod·ic [æ̀ntispæzmádik, -tai- | -mɔ́-] 〖약학〗 *a.* 경련을 막는 — *n.* 진경제(鎭痙劑)
an·ti·stat [ǽntistæ̀t, -tai-] *a., n.* = ANTISTATIC
an·ti·stat·ic [æ̀ntistǽtik, -tai-] *a.* **1** 공전(空電) 제거의 **2** 정전기 방지의 — *n.* 정전기 방지제
an·tis·tro·phe [æntístrəfi] *n.* **1** (고대 그리스 무용 합창대의) 우로 회전; (그때 부르는) 합창곡의 1절 (cf. STROPHE); 〖음악〗 대조[응답] 악절 **2** 〖수사학〗 **a** 도치 반복(倒置反復) **b** 역용(逆用) 논법
an·ti·stroph·ic [æ̀ntistráfik, -stróu- | -strɔ́-] *a.*
an·ti·sub·ma·rine [æ̀ntisʌ́bməri̇̀:n, -tai-] *a.* 대(對)잠수함의
an·ti·sun [ǽntisʌ̀n, -tai-] *n.* = ANTHELION
an·ti·tank [æ̀ntitǽŋk, -tai-] *a.* 〖군사〗 대(對)전차용의: an ~ gun 대전차포
an·ti·tech·nol·o·gy [æ̀ntiteknálədʒi, -tai- | -nɔ́l-] *n.* 반(反)과학 기술 **-gist** *n.*
an·ti·ter·ror·ist [æ̀ntitérərist, -tai-] *a.* 테러에 대항하는, 대(對)테러리스트용의 **-tér·ror·ìsm** *n.*
an·ti·theft [æ̀ntiθéft, -tai-] *a.* 도난 방지의: an ~ alarm[device] 도난 방지용 경보[장치]
an·ti·the·ism [æ̀ntiθí:izm] *n.* 반유신론(反有神論) **-ist** *n.* 반유신론자
an·tith·e·sis [æntíθəsis] [Gk 「반대로 놓다」의 뜻에서] *n.* (*pl.* **-ses** [-sì:z]) ⓊⒸ **1** 대조(contrast); 정반대(의 사물) **2** 〖수사학〗 대조법; 대구(對句) **3** 〖철학〗 안티테제, 반정립(反定立)
an·ti·thet·ic, -i·cal [æ̀ntəθétik(əl)] *a.* 대조되는; 정반대의; 대조법의, 대구(對句)의
-i·cal·ly *ad.* 대조적으로
an·ti·tox·ic [æ̀ntitáksik, -tai- | -tɔ́k-] *a.* 항독소의
an·ti·tox·in [æ̀ntitáksin, -tai- | -tɔ́k-] *n.* 항독소, 항독성 혈청
an·ti·trade [ǽntitrèid, -tai-] *a.* 반대 무역풍의 — *n.* [*pl.*] 역항풍(逆恒風), 반대 무역풍(= ~ **wìnd**)
an·tit·ra·gus [æntítrəgəs] *n.* (*pl.* **-gi** [-dʒài]) 〖해부〗 대(이)주(對(耳)珠)
an·ti-Trin·i·tar·i·an [æ̀ntitrìnətέəriən, -tai-] *a., n.* 삼위 일체론 반대의 (사람) **~·ìsm** *n.*
an·ti·trust [æ̀ntitrʌ́st, -tai-] *a.* (미) 트러스트 반대의, 독점 금지의: an ~ law 독점 금지법
~·er *n.* (구어) 반트러스트론자, 자유 경쟁론자
an·ti·tu·mor [æ̀ntitjú:mər, -tai- | -tjú:-] *a.* 〖약학〗 항종양(抗腫瘍)의, 항암(성)의(anticancer)
an·ti·tus·sive [æ̀ntitʌ́siv, -tai-] 〖약학〗 *a.* 기침을 억제하는 — *n.* 진해제(鎭咳劑), 기침약
an·ti·type [ǽntitàip] *n.* **1 a** (특히 성서에서) 대형(對型), 예표(豫表) (과거에 그 상징적 원형이 있는 것; 특히 신약 성서의 사건이 구약 성서에 예시되어 있는 것) **b** 그것을 상징하는 사람[물건] **2** 대조적인[반대의] 형(型)
an·ti·typ·ic, -i·cal [æ̀ntitípik(əl)] *a.* 예표의, 대형(對型)의 **-i·cal·ly** *ad.*
an·ti·un·ion [æ̀ntijú:njən, -tai-] *a.* 노동조합 반대의 **~·ìsm** *n.* **~·ist** *n.*
an·ti-u·ni·verse [ǽntijù:nəvə:rs, -tai-] *n.* 〖천문〗 반우주(反宇宙)
an·ti-u·to·pi·a [æ̀ntiju:tóupiə, -tai-] *n.* = DYSTOPIA **-u·tó·pi·an** *a., n.*
an·ti·ven·in [æ̀ntivénən, -tai-], **-ve·nene** [-viní:n] *n.* 〖의학〗 항사독소(抗蛇毒素); 사독 혈청
an·ti·ven·om [æ̀ntivénəm, -tai-] *n.* 해독제
an·ti·vi·ral [æ̀ntiváiərəl, -tai-] *a.* 〖생화학〗 항바이러스(성)의 — *n.* 항바이러스 물질[약]
an·ti·vi·rus [æ̀ntiváirəs, -tai-] *a.* 항바이러스성의 — *n.* 〖미생물〗 항바이러스; 〖컴퓨터〗 바이러스 대항 프로그램
antivírus sòftware[prògram] 〖컴퓨터〗 바이러스 방어 프로그램
an·ti·vi·ta·min [æ̀ntiváitəmin, -tai- | -ví-] *n.* 항비타민(물), 비타민 파괴물
an·ti·viv·i·sec·tion [æ̀ntivivəsékʃən, -tai-] *n.* Ⓤ 생체 해부 반대 **~·ìsm** *n.* **~·ist** *n., a.*
an·ti·war [æ̀ntiwɔ́:r, -tai-] *a.* 전쟁 반대의, 반전의: an ~ movement 반전 운동
an·ti·white [æ̀ntihwáit, -tai-] *a.* 반(反)백인의
an·ti·world [ǽntiwə̀:rld, -tai-] *n.* 〖물리〗 반(反)세계
ant·ler [ǽntlər] *n.* [보통 *pl.*] (사슴의) 가지진 뿔
ánt·lered [-lərd] *a.* 가지진 뿔이 있는; 사슴뿔로 꾸민 **~·less** *a.*
ant·lion [ǽntlàiən], **ánt lìon** *n.* 〖곤충〗 명주잠자리; 개미귀신 (명주잠자리의 애벌레)
An·toi·nette [æ̀ntwənét, -tə- | -twɑ:-] [F] *n.* **1** 여자 이름 **2** 마리 앙투아네트 **Marie ~** (1755-93) (루이 16세의 왕비; 프랑스 혁명 때 처형됨)
An·to·ni·a [æntóuniə, -njə] [It.] *n.* 여자 이름
An·to·ni·o [æntóuniòu, -njə] [It.] *n.* 남자 이름
an·ton·o·ma·sia [æ̀ntənəméiʒə | -ziə] *n.* ⓊⒸ 〖수사학〗 환칭(換稱), 대칭(代稱) (a wise man을 a *Solomon*이라고 말하는 등)
An·to·ny [ǽntəni] *n.* **1** 남자 이름 **2** 안토니우스 **Mark ~** (83?-30 B.C.) (로마의 장군·정치가)
* **an·to·nym**[ǽntənìm] *n.* 반의어, 반대어(opp. *synonym*): 'Hot' is the ~ of 'cold'. hot은 cold의 반의어이다. **àn·to·ným·ic, an·ton·y·mous**[æntánəməs | -tɔ́n-] *a.* 반의어의
an·ton·y·my [æntánəmi | -tɔ́-] *n.* Ⓤ 반의성
an·tre [ǽntər] *n.* (시어) 동굴(cavern, cave)
an·trum [ǽntrəm] *n.* (*pl.* **-tra** [-trə]) 〖해부〗 (뼈의) 공동(空洞) **án·tral** *a.*
ant·sy [ǽntsi] *a.* Ⓟ (**-si·er**; **-si·est**) (미·구어) 침착하지 못한(restless), 안절부절못하는, 좀이 쑤시는
ANTU [ǽntu:] [*a*lpha-*n*aphthyl*t*hio*u*rea] *n.* 안투 (쥐약; 상표명)
Ant·werp [ǽntwə:rp] *n.* 앤트워프 (벨기에의 항구 도시)
A·nu·bis [ənjú:bis | ənjú:-] *n.* 〖이집트신화〗 아누비스 (죽은 자의 신으로 죽은 자의 심장을 달아서 생전의 행위를 판정; 머리는 자칼이고 몸은 인간의 형상)

Á nùmber 1 [-wʌ́n] = A ONE
An·u·ra [ənjúərə | ənjúərə], **An·ou·ra** [ənú:rə] *n. pl.* 〖동물〗 무미류(無尾類)
an·u·ran [ənjúərən | ənjúə-] *a., n.* 〖동물〗 무미류의 (동물)(salientian)
an·u·re·sis [æ̀njuərí:sis | æ̀njuər-] *n.* (*pl.* **-ses** [-si:z]) 〖병리〗 **1** 요폐(尿閉) **2** 무뇨(증)(無尿(症))
an·u·rét·ic [-rétik] *a.*
an·u·ri·a [ənjúəriə, ænjúər- | ənjúər-] *n.* = ANURESIS 2 **an·ú·ric** *a.*
an·u·rous [ǽnjurəs, ənjúər- | ənjúər-] *a.* 〖동물〗 〈개구리 등이〉 꼬리가 없는, 무미(無尾)의
a·nus [éinəs] [L 「고리」의 뜻에서] *n.* 〖해부〗 항문 ▷ ánal *a.*
*__an·vil__ [ǽnvil] *n.* **1** 모루: an ~ block 모루대 **2** 《일반적으로》 물건을 받치는 받침 **3** 측량기의 고정된 턱[끼우는 구멍] **4** 〖해부〗 침골(砧骨) **5** 앤빌 《타악기의 일종; 강철판을 망치로 침》
on [***upon***] ***the ~*** 준비 중, 심의 중

anvil 1

‡**anx·i·e·ty** [æŋzáiəti] *n.* (*pl.* **-ties**) **1** Ⓤ 걱정, 근심, 불안 《*about*》(⇨ care 유의어); Ⓒ 걱정[근심]거리: She is all ~. 그녀는 걱정이 태산 같다. // (~+*that* 절) My ~ *that* my parents might leave me made it impossible to sleep. 부모님이 나를 두고 가시지 않을까 하는 불안 때문에 잠을 이루지 못했다. **2** Ⓤ 염원, 갈망, 열망(eagerness) 《*for*》: His ~ *for* knowledge is to be praised. 그의 지식욕은 칭찬받을 만하다. // (~+*to* do) I went over to Brazil in my ~ *to* succeed. 성공을 꿈꾸며 브라질로 건너갔다. // (~+*that* 절) He expressed ~ *that* fund (should) be sent at once. 그는 자금을 즉시 보내달라는 열망을 말했다. ★ 《구어》에서는 흔히 should를 생략함. **3** 〖정신의학〗 불안
be in great ~ 《몹시》 근심하고 있다 ***give ~ to*** …에게 걱정을 끼치다 ***with ~*** 근심스럽게, 걱정하여 ▷ ánxious *a.*
anxíety disòrder 〖정신의학〗 불안 장애
anxíety neuròsis 〖정신의학〗 불안 신경증
anx·i·o·lyt·ic [æ̀ŋziəlítik] 〖약학〗 *a.* 불안을 완화하는 — *n.* 불안 완화제
‡**anx·ious** [ǽŋkʃəs] [L 「불안한」의 뜻에서] *a.* **1** 걱정하는, 근심하는, 불안한(uneasy) 《*about, lest*》: I'm ~ *about* his health. 그의 건강이 걱정스럽다. / I am ~ *lest* he (should) fail. 그가 실패하지 않을까 걱정이다. ★ 《구어》에서는 흔히 should를 생략함. **2** 열망하여, 몹시 …하고 싶어하는, 열심인 《*for, to* do, *that* ...》(⇨ eager[1] 유의어): He is ~ *for* wealth. 그는 부를 갈망하고 있다. // (~+*to* do) He is ~ *to* know the result. 그는 몹시 결과를 알고 싶어한다. // (~+*that* 절) We were all ~ *that* you (should) return. 우리 모두가 당신이 돌아오기를 간절히 바라고 있었습니다. ★ 《구어》에서는 흔히 should를 생략함. **3** Ⓐ **a** 〈마음·생각이〉 걱정하는, 불안한: an ~ matter 마음에 걸리는 일 / an ~ feeling 불안한 기분 **b** 〈얼굴 등이〉 불안한 듯한, 걱정스러운: an ~ look 걱정스러운 얼굴 / an ~ manner 불안한 듯한 태도 **~·ness** *n.* ▷ anxíety *n.*
ánxious bènch[**sèat**] 《미》 **1** 《신앙 부흥회 등의》 설교단에 가까운 자리 《종교 생활에 고민하여 신앙을 굳게 하려는 사람들의 자리》 **2** 《협상·투표 등 결과를 기다리는》 불안한 상태, 바늘방석: be on the ~ 몹시 걱정하고 있다
*__anx·ious·ly__ [ǽŋkʃəsli] *ad.* 근심[걱정]하여, 걱정스럽게; 열망하여: So she said ~. 그렇게 그녀는 걱정스럽게 말했다.
‡**an·y** ⇨ any (p. 111)

‡**an·y·bod·y** [énibὰdi, -bʌ̀di, -bədi | -bɔ̀di, -bədi] *pron., n.*

① [긍정문에서] 누구든지	대 **1**
② [부정문·의문문 등에서] 아무도, 누군가	대 **2, 3**

— *pron.* **1** [긍정문에서] 누구든지, 아무라도, 아무나 《anyone보다 구어적인 말투》: *A~* can do that. 아무라도 그것을 할 수 있다. **2** [부정문에서] 아무도: I have*n't* seen ~. 아무도 못 만났다. / I do*n't* like wearing ~ else's clothes. 남의 옷을 입기는 싫다. **3** [의문문·조건절에서] 누군가, 누가: Does ~ know? 누가 아는 사람이 있는가? / If ~ calls, tell him [them] I have gone out. 만일 누가 오거든 나갔다고 말해 주시오. USAGE (1) anybody는 단수형이며 he [him, his]로 받는 것이 보통이지만, they[them, their, etc.]로 받는 일도 흔하다: If you happen to meet ~ there, please bring *him*[*them*] along to me.(만약에 거기서 누군가를 만나거든 나한테로 데리고 와 주세요); anyone도 they[them, their, etc.]로 받기도 하지만, 이 용법은 anybody의 경우만큼 흔하지 않다. (2) 부정 구문에서 anybody를 사용하는 경우는 부정어를 앞세운다. 따라서 There was *nobody* there.(그곳에는 아무도 없었다.)를 There was*n't* ~ there.라고 바꾸어 쓸 수는 있으나, 부정 구문에서 주어로 내세워 *A~* did *not* come. (아무도 오지 않았다.)이라고 말할 수 없으므로, Nobody came.이라고 한다.
~'s game[***race***] 《구어》 어느 편이 이길지 모르는 게임[경주] ***~'s guess*** 아무도 짐작할 수 없는 것, 순전한 억측 ***play with ~*** 〖야구〗 어떤 팀이든지 맞서 싸울 수 있다
— *n.* (*pl.* **-bod·ies**) **1** 제법 알려진 사람, 이렇다 하는 사람: Is he ~? 그는 이름난 사람인가? / If you wish to be ~, ... 어디의 아무개라고 할 만한 사람이 되려거든 … / Everybody who is ~ at all was there. 이렇다 할 만한 사람은 전부 거기에 있었다. **2** [종종 just ~] 보잘것없는[범용한] 사람, 어중이떠중이(opp. *somebody*)
~ who's ~ 이렇다 할 사람, 높은 양반
‡**an·y·how** [énihàu] *ad.* 《구어》 **1 a** [긍정문에서] 어떻게 해서든지(by any means) 《이 뜻으로는 somehow가 일반적》: I must finish this work ~. 어떻게 해서든지 이 일을 끝내야 한다. **b** [부정문에서] 아무리 해도: I could*n't* get up ~. 아무리 해도 일어날 수 없었다. **2** [접속사적으로] 여하튼, 어쨌든, 어차피, 좌우간(in any case): *A~*, let's begin. 어쨌든 시작하자. **3** 아무렇게나, 되는대로: He does his work ~. 그 사람은 일을 되는대로 한다. **4** [강조적] 도대체: Why did you do such a thing ~? 도대체 왜 그런 짓을 했니? (***all***) ***~*** 《미·구어》 (1) 아무렇게나, 날림으로; 무질서하게 (2) 어떤 일이 있어도, 어떻게 해서든 ***feel ~*** 《구어》 어쩐지 몸이 불편하다
an·y·more [ènimɔ́:r] *ad.* [부정문·의문문에서] 《미》 이제는(now), 더 이상(any more): He does*n't* live here ~. 그는 이제는 여기 살고 있지 않다.
Not ~. 《구어》 이젠 달라, 이젠 안 그래.
‡**an·y·one** [éniwʌ̀n, -wən] *pron.*

① [의문문·부정문 등에서] 누군가	**1**
② [긍정문에서] 누구든지	**2**

1 [의문문·부정문에서] 누군가, 누가(anybody) 《anybody보다 다소 격식을 차린 말》: Can ~ answer my question? 누군가 내 질문에 대답할 수 있느냐? **2** [긍

thesaurus **anxiety** *n.* **1** 걱정 worry, concern, uneasiness, apprehension, disquiet, nervousness **2** 열망 eagerness, desire, longing, yearning,
anxious *a.* **1** 걱정하는 worried, concerned, uneasy, apprehensive, fearful, nervous, disturbed **2** 열망하여 eager, keen, longing, yearning

any

any는 부정(不定)의 수·양을 나타내는 대명사·형용사이다. 의미상으로는 some과 흡사하나 용법상 다음과 같은 차이가 있다.
1 any는 긍정문에서 부정관사 a, an과 동의어로, 단수 보통명사와 단수 취급 명사에 붙으나, some은 단수·복수 어느 명사에나 붙는다.
2 의문문·부정문·조건문에서는 주로 any만 쓰고, some은 특수한 경우 외에는 쓰지 않는다: Would you have some tea? 차 좀 드시겠습니까?
any는 부사로서 의문·부정·조건문에 쓰이며 대개의 경우 비교급을 동반하여 「정도」를 나타낸다.
any가 대명사로서 사람을 뜻할 때는 보통 복수로 취급하며 any of가 주어가 되었을 경우에는 동사의 수는 of 다음의 명사의 수에 일치한다.
anybody, anyone, anything, anywhere 등 복합어의 용법도 any에 준한다.

an·y [éni] *a.*, *pron.*, *ad.*

① [의문문·조건절에서] 얼마간의 (사람[것])	형 1 대 3
② [긍정문에서] 어떠한 …이라도, 누구[무엇이]든	형 2 대 1
③ [부정문에서] 조금도[아무도] (…아니다)	형 3
④ 조금(이라)도	부 1

—*a.* Ⓐ **1** [əni, éni] [의문문·조건절에서 명사 앞에 써서] **a** [가산명사의 복수형 또는 불가산명사에 붙여] **얼마간의 …, 몇 사람의 …**: Do you have ~ friends in this town? 이 도시에 친구가 (몇 사람) 있습니까? / Do you have ~ ballpoints[money]? 볼펜[돈] 가진 게 있습니까? / Did you buy ~ meat in the supermarket? 그 슈퍼마켓에서 고기를 좀 샀니? / If you have ~ pencils, will you lend me one? 연필이 있거든 하나 빌려 주십시오. **b** [Ⓒ 명사의 단수형에 붙여] **어떤 하나의, 누구 한 사람의**: Is there ~ drugstore in this area? 이 근처[지역]에 약국이 있는가? / Do you have ~ sister? 당신은 여자 형제가 있습니까? / If there is ~ trouble with the machine, call me right away. 만약 기계에 어떤 고장이 생긴다면 저에게 즉시 전화해 주십시오.
USAGE 남에게 음식 등을 권할 때의 의문문에서는 some을 씀(⇨ some *a.* 1 b) : Would you like *some* tea? 차 좀 드시겠습니까?
2 [긍정문에서, 강조적으로, 보통 단수 명사 앞에 써서] **a 어떠한 …이라도, 어느 것이든 …, 누구든 …, 무엇이든 …**; 임의의 …: *A*~ boy can do it. 어떤 소년이라도 그것을 할 수 있다. / Buy ~ book(s) (that) you want. 원하는 책을 마음대로 구입해라. / *A*~ help is better than no help. 어떤 도움이라도 없는 것보다 낫다. / Choose ~ dress you like. 좋아하는 옷을 맘대로 골라라. / Tom is taller than ~ *other* boy in his class. 톰은 반에서 누구보다도 키가 크다. ★ 동종의 비교일 때는 any other …를 씀; Tom is the tallest of all the boys in his class. 또는 No other boy in his class is as[so] tall as Tom. 으로 고쳐 쓸 수 있음. **b** [~ number[amount, length, quantity] of …로] **얼마의 …든지, 무한한**: He has ~ *amount of* money. 그는 돈은 얼마든지 있다. **c** [가산명사의 복수형 또는 불가산명사에 붙여] **얼마든지, 몇 개든지**: I'll loan you ~ books you need. 네가 필요한 책이면 얼마든지 빌려 주겠다. **d** [가산명사의 복수형 또는 불가산명사에 붙여] **모든**: Save ~ foreign stamps for me. 외국 우표가 들어오면 모두 따로 모아 주게.
3 [əni, éni] [부정문에서 명사 앞에 써서] **a** [가산명사의 복수형 또는 불가산명사에 붙여] **조금도** (…아니다), **아무것도** (…아니다), **아무도** (…아니다): I do*n't* have ~ books[money]. 나는 책[돈]이라고는 조금도 없다. 《I have *no* books[money].로 고쳐 쓸 수 있음》/ There is*n't* ~ sugar. 설탕이 조금도 없다. 《There's *no* sugar.로 고쳐 쓸 수 있음》 **b** [가산명사의 단수형에 붙여] **어떤 하나의** (…도 없다), **누구 한 사람의** (…도 없다) 《a(n)의 대용인데, 다소 강조적》: She does*n't* have ~ brother. 그녀는 남자 형제라고는 단 한 명도 없다. 《She has *no* brother.로 고쳐 쓸 수 있음》/ There is*n't* ~ bookstore on this street. 이 거리에는 서점이 한 군데도 없다. 《There's *no* bookstore ….로 고쳐 쓸 수 있음》/ Friend? I *never* had ~ friend. 친구라고요? 친구 따위는 한 사람도 없었습니다.
USAGE 관계대명사 등의 수식이 따르지 않는 경우의 any가 주어가 되었을 경우에, 그것을 부정하려면 No …로 한다: *No* man could solve the problem. 아무도 그 문제를 풀 수 없었다. ★ *A*~ man could not solve the problem.은 잘못 / *A*~ man *who* tells a lie can*not* be trusted. 거짓말을 하는 사람은 아무도 믿을 수 없다.
~ and every 어느 …이나, 죄다, 모조리
~ old ⇨ old *a.*
~ one [éni(ː)wʌ̀n] (1) [형용사적으로도 써서] 어떤 하나[한 사람](의), 누구든 한 사람(의): You may take ~ *one* of these. 이것들 중에 아무 것이나 하나를 가져도 된다. / Take ~ *one* book you like. 아무 책이든 네가 좋아하는 것을 하나 집어라. (2) = ANYONE
~ other(s) 뭔가 다른 (것), 누군가 딴(사람)(cf. 2 a)
~ time ⇨ anytime
~ which way (미·구어) 무슨 방법으로라도; 되는 대로, 아무렇게나
at ~ moment ⇨ moment
at ~ price ⇨ price
at ~ rate ⇨ rate[1]
at ~ time ⇨ time
not just ~ … 보통의 …은 아니다 : She is*n't just* ~ ordinary student. 그녀는 보통의 평범한 학생이 아니다. / He does*n't* read *just* ~ books. 그는 책이면 뭐든지 다 읽는 것은 아니다.
scarcely[hardly] ~ 거의 …아니다 : He has *hardly* ~ sense of humor. 그는 유머 감각이 거의 없다.
—*pron.* **1** [긍정문에서 any of …의 형태나 기출 명사의 생략 형태로 써서] **무엇이든지, 누구든지, 얼마든지**: He did better than ~ before him. 그는 어느 전임자보다도 일을 잘 했다. / *A*~ *of* my friends will help me. 내 친구들 중 어느 누구든지 나를 도와줄 것이다.
2 [부정문에서 any of …의 형태나 기출 명사의 생략 형태로 써서] **아무것도, 아무도; 조금도** : I've never seen ~ *of* these films. 나는 이 영화들 중 어떤 것도 보지 못했다. / It is*n't* known to ~. 그것은 아무에게도 알려져 있지 않다.
3 [의문문·조건절에서 any of …의 형태나 기출 명사의 생략 형태로 써서] **무엇이든, 누구든; 얼마간, 다소**: *Do* you want ~ (*of* these books)? (이 책들 중에) 어느 것이든 갖고 싶은 것이 있느냐? / If ~ *of* them opposed to the plan, we'll have to think

it over. 만약 그들 중 누구든지 그 계획에 반대하는 사람이 있다면 다시 재고해 봐야 한다. ★ 사람을 나타낼 경우에는 보통 복수 취급 ; 또는 물건이든 사람이든 of 이하가 둘[두 사람]이면 any는 either가 됨.
if ~ ⇨ if
not having [***taking***] ***~*** (***of it***) 《구어》 흥미가 없다; 동의하지 않다, 무시하다, 거부하다: We suggested sharing the cost, but she was*n't having ~ of it*. 우리는 비용을 분담하자고 제안했지만, 그녀는 거부했다.
—*ad*. **1** [əni, éni] [보통 비교급 또는 different, too와 함께 써서] **a** [부정문에서] **소금노** (…아니나): He is *not* feeling ~ *better*. 그는 조금도 기분이 좋아지지 않았다. / She did*n't* sing ~ *too* well. 그녀는 노래를 조금도 잘하지 못했다. / His proposal was*n't* ~ *different* from yours. 그의 제안은 너의 제안과 별반 다르지 않았다. **b** [의문문·조건절에서] **다소나마, 조금이나마**: Do you feel ~ *better*? 기분은 좀 나아졌니? / If I were ~ *wiser*, I could solve this riddle. 내가 좀 더 총명하다면 이 수수께끼를 풀 수 있을 텐데.
2 [동사를 수식하여] 《미·구어》 **조금은, 조금이나마**: That won't help us ~. 그것은 우리에게 조금도 도움이 안 된다. / I couldn't sleep ~ last night. 나는 어젯밤에 조금도 잘 수 없었다.
~ good [부정·의문문에서] 조금은 도움이 되는[쓸 만한]: It is*n't* ~ *good* speaking to him. 그에게 말해도 소용이 없다.
~ longer [의문·부정문에서] 이미, 이 이상: Can you go on ~ *longer?* 더 이상 앞으로 갈 수 없겠는가? / I wo*n't* go there ~ *longer*. 이젠 거기에 가지 않겠다. ★ I will go there *no* longer.보다도 구어적; 또 부정문에서는 보통 not ... ~ longer처럼 not을 앞세움.
~ more [부정문에서] 이제는 이미, 이 이상 (많이): I ca*n't* give you ~ *more* money. 나는 더 이상 너에게 돈을 줄 수 없다.
~ old how 《속어》 되는대로, 아무렇게나(anyhow): He does his work ~ *old how*. 그는 자신의 일을 아무렇게나 한다.

정문에서] **누구든지**, 아무라도 **3** 《구어》 모든 사람, 전부: She is the most beautiful person of ~ I know. 그녀는 내가 알고 있는 사람 중에서 가장 아름다운 사람이다.
USAGE anyone은 단수형이므로 he[him, his]로 받는 것이 정식이지만, 흔히 they[them, their]로 받는다: If ~ asks for me, tell *them* I'm busy. 나를 찾는 사람이 있으면 내가 바쁘다고 말해라.
~'s guess = ANYBODY's guess
an·y·place [énipleis] *ad*. 《미·구어》 = ANYWHERE
an·y·road [éniròud] *ad*. 《영·속어》 = ANYWAY; = ANYHOW 《비표준적인 말》
⁑an·y·thing [éniθìŋ] *pron*., *n*., *ad*.

① [긍정문에서] 무엇이든	대 **1**
② [부정문·의문문 등에서] 아무것도, 무언가	대 **2, 3**

—*pron*. **1** [긍정문에서] **무엇이든**: *A~* will do. 아무것이라도 좋다. / You may take ~ you like. 무엇이든지 마음에 드는 것을 가져도 된다. **2** [부정문에서] **아무것도**: I do*n't* know ~ about it. 그것에 관해서는 아무것도 모른다. **3** [의문문·조건절에서] **무언가** (cf. SOMETHING): Do you see ~? 무언가 보이느냐? / If you know ~ about it, please let me know. 만일 그것에 관해서 무언가 알고 있다면 내게 알려 주시오.
USAGE (1) anything을 수식하는 형용사는 뒤에 놓인다: Is there ~ *interesting* in today's paper? 오늘 신문에 무언가 재미있는 기사가 있습니까? (2) 부정문에서 anything을 주어로 쓸 수는 없다. 따라서 *Nothing* that a man does can be perfect. (인간이 하는 것으로서 완전한 것은 있을 수 없다.)를 *A~* that a man does can*not* be perfect.라고는 할 수 없다.
~ but (1) …이외에는 무엇이든: I will do ~ *but* that. 그 이외의 일이라면 무엇이든 하겠다; 그것만은 못하겠다. (2) 결코 …아니다, …이기는커녕(far from): He is ~ *but* a scholar. 그는 결코 학자가 아니다. ***~ else*** 그밖에 또 무엇인가[다른] ***A~ goes.*** 《구어》 뭐든지[무엇을 해도] 괜찮다. ***~ like*** (1) 조금은, 좀: Is she ~ *like* pretty? 그녀는 좀 예쁜 편인가? (2) [부정문에서] 조금도 (…않다), …따위는 도저히: You can*not* expect ~ *like* perfection. 완벽 따위는 도저히 기대할 수 없다. ***A~ new down your way?*** 《미·구어》 네 주변에서는 뭔가 재미있는 것 없었니? ***~ of*** [부정문에서] 조금도; [의문문에서] 조금은: I have *not* seen ~ *of* Emily lately. 요즈음 에밀리를 전혀 만나지 못했다. / Is he ~ *of* a scholar? 그는 조금은 학자다운가? ***A~ you say.*** 《구어》 말씀하시는 대로 하겠습니다. (***as***) ***... as ~*** 《구어》 (비할 수 없을 만큼) 아주, 굉장히: He is *as* proud *as* ~. 그는 아주 의기양양하다. ***for ~*** [부정문에서] 별별 것을 다 준대도: I would *not* go *for* ~. 천만금을 다 준대도 가지 않겠네. ***for ~ I care*** 나는 상관없지만 ***for ~ I know*** 잘은 몰라도, 어쩌면, 아마 ***if ~*** ⇨ if. ***like ~*** = (as) ... as ANYTHING. ***not come to ~*** = come to NOTHING. ***not have ~ on*** = HAVE nothing on. ***not just ~*** 《구어》 예삿일[보통 일]이 아닌 ***... or ~*** …든가 …든가 ***too ... for ~*** 《구어》 상당히, 굉장히
—*n*. **1** 무슨 일 **2** 중요한 사람[것, 일]
—*ad*. [보통 부정문·의문문에서] 조금이라도, 조금도; 적어도 ***~ like*** 다소라도 …같은; [부정문에서] 전혀 (…않다)
an·y·thing·ar·i·an [èniθiŋέəriən] *n*. 일정한 신념[신조, 신앙]이 없는 사람
***an·y·time** [énitàim] *ad*. **1 언제든지**(at any time) 《흔히 any time으로 띄어 씀》: Call me ~, I'm always home. 늘 집에 있으니까 언제든지 전화해. **2** 언제나, 반드시, 예외 없이: I can do better than that ~. 언제 해도 그보다 잘 할 수 있다.
—*int*. 《미·구어》 언제든지 좋아요, 천만에요, 괜찮아요(You're welcome.)
—*n*. Ⓤ 언제라도: *A~* is OK with me. (나는) 언제라도 좋아.
⁑an·y·way [éniwèi], 《구어·방언》 **-ways** [-wèiz] *ad*. **1** 어쨌든, 뭐라 해도, 어차피, 결국(anyhow) **2** [문두에서] 그것은 그렇고, 그래서, 그런 이유로(anyhow) ★ 화제를 바꾸거나 본래 하던 화제로 돌아갈 때 쓰인다. **3** [보통 just ~로] 되는대로, 아무렇게나
USAGE (1) anyhow와 같은 뜻인데 《미》에서는 anyway를 선호한다. (2) any way로 띄어 쓰면 「어떤 방법으로라도」의 뜻이 된다: Finish the job *any way* you choose. 어떤 식으로든 네 좋을 대로 해서 일을 끝내라.
⁑an·y·where [éni*h*wὲər] *ad*. **1** [긍정문에서] **어디(로)든지**: You can go ~. 어디든지 가도 좋다. **2** [부정문에서] **아무데도**: I did *not* go ~ yesterday. 어제는 아무데도 가지 않았다. **3** [의문문·조건절에서] **어딘가에[로]**, 어디엔가: Did you go ~ yesterday? 어제 어디엔가 갔었나? **4** 다소라도; 《미·구어》 대체로, 대충 **5** 《속어》 마약을 가지고
~ between ... and ... = ***~ from ... to ...*** [수량·시간·가격 등의 대강의 범위를 표시하여] …에서 …의 사이에[정도]: ~ *from*[*between*] 10 *to*[*and*]

thesaurus **apart** *ad*. **1 산산이** to pieces, in pieces, to bits, asunder **2 떨어져** separately, at a distance, alone, aside

20 dollars 대략 10달러에서 20달러 정도 ~ ***near*** [대개 부정문에서] 《구어》 조금이라도, 조금도, 결코 ***get ~*** ⇨ get[1]. ***if ~*** 어딘가 (그런 곳이) 있다면; (그런 곳이 있다고 치더라도) 기껏 ***... or ~*** 또는 그 같은 곳에(서)
— *n.* 어디, 임의의 장소

an·y·wheres [énihwὲərz | -wὲəz] *ad.* 《미·속어》 = ANYWHERE

an·y·wise [éniwàiz] *ad.* 《문어》 어떻게든지, 어떻게 해서든지, 어쨌든

An·zac [ǽnzæk] [*A*ustralian and *N*ew *Z*ealand *A*rmy *C*orps] *n.* [the ~s] 앤잭 《제1차 대전 때의 오스트레일리아와 뉴질랜드 연합 군단》; 그 대원; (전형적인) 오스트레일리아[뉴질랜드] 사람[군인]
— *a.* 앤잭 군단의

An·zus [ǽnzəs] [*A*ustralia, *N*ew *Z*ealand and the *U.S.*] *n.* 앤저스 《오스트레일리아·뉴질랜드·미국 3국의 공동 방위체》

AO adults only; Army Order **A/O, a/o** account of; and others **aob, AOB** 《영》 any other business (의제 항목에서) 기타 **AOC(-in-C)** Air Officer Commanding(-in-Chief)

ao dai [áu-dái, ɔ́:-] [Viet] *n.* 아오자이 《베트남 여성의 민속 의상》

AOH Ancient Order of Hibernians

A-OK, A-O·kay [éioukéi] [*All OK*] *a.* 《미·구어》 완전무결한: an ~ rocket launching 더할 나위 없는 로켓 발사

AOL absent over leave 휴가 결근; America Online 《미국의 인터넷 회사명》

A1, Á óne [éi-wʌ́n] *a.* 《구어》 일류의, 우수한 (excellent) ★ A number 1이라고도 함.

AOR adult-oriented rock 성인을 겨냥한 록 음악; 〖법〗 advice of rights 권리 통지; 《미》 album-oriented radio; album-oriented rock

a·o·rist [éiərist, ɛ́ər-] *n.* 〖그리스문법〗 부정 과거 (不定過去) **à·o·rís·tic** *a.*

a·or·ta [eiɔ́:rtə] *n.* (*pl.* **~s, -tae** [-ti:]) 〖해부〗 대동맥 **a·ór·tic** [-tik] *a.* 대동맥의

aórtic árch 〖해부〗 대동맥궁(大動脈弓)

aórtic válve 〖해부〗 대동맥판(瓣)막

Ao·tea·ro·a [autèiəróuə] [마오리 어 「길고 하얀 구름이 있는 땅」의 뜻에서] *n.* 뉴질랜드

a·ou·dad [ɑ́:udæ̀d] *n.* 야생의 양 《북아프리카산(産)》

à ou·trance [ɑ̀:-u:trɑ́:ns, -trɔ́:ns] [F = to the limit] *ad.* 극한까지, 최후까지

ap-[1] [æp, əp] *pref.* = AD- 《p 앞에 올 때의 변형》

ap-[2] [æp] *pref.* = APO- 《모음 앞에 올 때의 변형》

AP adjective phrase; Air Police; American plan; antipersonnel; Associated Press **Ap.** Apostle; April **APA** American Philological Association; American Philosophical Association; American Psychiatric Association 미국 정신 의학회; American Psychological Association 미국 심리학회

***a·pace** [əpéis] *ad.* 《문어》 **1** 빨리, 신속히(fast): Ill news runs ~. 《속담》 나쁜 소문은 빨리 퍼진다. **2** (…와) 발맞추어 《*of, with*》 ▷ páce *n.*

a·pache [əpɑ́:ʃ, əpǽʃ] [F] *n.* (파리의) 조직 폭력 단원, 깡패

A·pach·e [əpǽtʃi] *n.* (*pl.* **~, ~s**) **1 a** [the ~(s)] 아파치 족 《북아메리카 원주민》 **b** 아파치 족의 사람 **2** Ⓤ 아파치 족의 말 **3** 〖군사〗 아파치 《미육군의 헬리콥터》 ***the ~ State*** Arizona 주의 속칭

A·pach·e·an [əpǽtʃiən] *n.* **1** 아파치 어(語) **2** 아파치 어를 말하는 사람

apáche dànce 일종의 난폭한 댄스

ap·a·nage [ǽpənidʒ] *n.* = APPANAGE

apathy *n.* unconcern, unresponsiveness, indifference, impassivity, dispassion, lethargy (opp. *enthusiasm, emotion, passion*)

ap·a·re·jo [æ̀pəréihou, ɑ̀:p-] [Sp.] *n.* (*pl.* **~s** [-z]) (가죽 쿠션을 댄 멕시코의) 길마

‡a·part [əpɑ́:rt] *ad.* **1** 산산이, 뿔뿔이: tear a book ~ 책을 잡아찢다/fall ~ 산산이 흩어지다[부서지다] **2** (시간·공간적으로) 떨어져, 헤어져, 따로: walk ~ 떨어져 걷다/live ~ 별거하다 **3** 별개로, 개별적으로: viewed ~ 개별적으로 보면 **4** 한쪽(구석)으로, 옆쪽으로; (어떤 목적·용도를 위해) 따로 두고: take a person ~ …을 옆쪽으로 데리고 가다 **5** [(대)명사·동명사의 뒤에서] …은 제쳐 놓고, 일단 보류하고[차치하고]: jesting[joking] ~ 농담은 그만두고
~ from …은 별문제로 하고(《미》 aside from) ***come ~*** 〈물건이〉 산산이 흩어지다; 〈사람이〉 (정신적으로) 산란해지다 ***set*** [***put***] ***~*** 몫으로 따로 두다, 보류하다 《*for*》 ***stand ~*** (…에서) 떨어져 있다 《*from*》; 〈사람이〉 고립[초연]해 있다 《*from*》 ***take ~*** ⇨ take. ***tell*** [***know***] (the two) ~ (양자를) 구별[분간]하다
— *a.* Ⓟ **1** 떨어져 《*from*》: be ~ *from* …에서[와] 떨어져 있다 **2** 의견이 분열된 **3** [명사 뒤에서] 별개의, 독특한: The English are a nation ~. 영국인은 독특한 국민이다. ***be worlds*** [***poles***] ***~*** 《구어》 〈견해 등이〉 천양지차이다
~·ness *n.*

a·part·heid [əpɑ́:rtheit, -hait] [Afrik. = apart] *n.* Ⓤ (남아공) (흑인에 대한) 인종 차별[격리] 정책(cf. SEGREGATION)

a·part·ho·tel [əpɑ̀:rthoutél] *n.* = APARTOTEL

‡a·part·ment [əpɑ́:rtmənt] [F] *n.* **1** 《미》 **a** 아파트(《영》 flat), 임대 아파트: a one-bedroom ~ 침실 한 개짜리 아파트/*A~s* for Rent. 아파트 세놓음. 《광고》(《영》 Flats to Let.) **b** = APARTMENT HOUSE **2** (일반적인) 방 **3** [*pl.*] 《영》 셋방 《가구가 딸려 있고 주(週)세나 월세를 내는, 방 몇 개의 단기간 체류자용》 **a·pàrt·mén·tal** [-méntl] *a.*

apártment blòck 《영》 아파트, 공동 주택 (《미》 apartment building)

apártment bùilding[**hòuse**] 《미》 공동 주택, 아파트(《영》 a block of flats)

apártment còmplex (공공시설을 건물·부지 안에 갖춘) 아파트 단지

apártment hotél 《미》 (장기 체류자용의) 아파트식 호텔

a·part·ment·ize [əpɑ́:rtməntàiz] *vt.* 〈장소에〉 아파트를 짓다; 〈건물을〉 아파트로 개조하다

a·part·o·tel [əpɑ̀:rtətél] *n.* (임대) 아파트식 호텔 《개인 소유의 단기 체재자용 아파트》

ap·a·tet·ic [æ̀pətétik] *a.* 〖동물〗 보호색[보호 형태]을 가진

ap·a·thet·ic, -i·cal [æ̀pəθétik(əl)] *a.* 무감각한; 냉담한 **-i·cal·ly** *ad.*

ap·a·thy [ǽpəθi] *n.* (*pl.* **-thies**) **1** 무감동(無感動), 무감정(opp. *ardor, fervor*) **2** (다른 사람이 흥미를 느끼는 것에 대해) 냉담, 무관심 《*to, toward*》 **3** 〖철학〗 아파테이아 《격정에 사로잡히지 않는 심경(心境)(apatheia, apathia)》 **4** 〖정신의학〗 무감정 ***have an ~ to*** …에 냉담하다

ap·a·tite [ǽpətàit] *n.* Ⓤ 〖광물〗 인회석(燐灰石)

ap·a·to·sau·rus [æ̀pətousɔ́:rəs] *n.* 〖고대생물〗 아파토사우루스 《쥐라기 후기에 서식했던 초식 공룡; 뇌룡 브론토사우루스(brontosaurus)라고도 함》

APB all-points bulletin 전국 지명 수배 **APC** all-purpose cure (익살) 만병통치약; armored personnel carrier; aspirin, phenacetin and caffeine 해열 진통제

ape** [éip] *n.* **1** 〖동물〗 유인원(類人猿), 꼬리 없는 원숭이 **2** [의미가 확대되어] (사람 이외의) 영장류 **3** 흉내를 잘 내는 사람 **4** 《미·속어》 덩치 크고 억세게 생긴 사람; (완력이 센) 폭한, 악당 **5** 《미·속어》 흑인(Negro) **6** 《미·속어》 절정, 극도, 최고, 최상 **7** 얼간이, 바보 ***grin like an ~ 이를 드러내고[바보같이] 히죽히죽 웃다 ***lead ~s in hell*** 〈여자가〉 평생 독신으로 지내

다 ***play the ~*** 남의 흉내를 내다, 장난하다 ***say an ~'s paternoster*** (춥거나 무서워서) 이가 덜덜 마주 치다[떨리다]
— *a.* 《미·속어》 야만[폭력]적인, 무모한, 어리석은; 《속어》 몹시 흥분한, 열중한 《*about*》
go ~ [***apeshit***] 《속어》 미치다, 몹시 화내다[흥분하다] ***go ~ over*** 《속어》 …에 대해 열광[심취]하다
— *vt.* 흉내내다 ~ ***it*** 남의 흉내를 내다 **~·like** *a.*

a·peak [əpíːk] *ad.* 〖항해〗 수직으로 세워서

APEC [éipek] [*A*sia-*P*acific *E*conomic *C*ooperation] *n.* 아시아 태평양 경제 협력체

ápe hàngers 《미·속어》 (자전거·오토바이의) 높은 핸들

ape-man [éipmæ̀n] *n.* (*pl.* **-men** [-mèn]) 원인(猿人)

Ap·en·nine [ǽpənàin] *a.* (이탈리아의) 아펜니노 산맥의 — *n.* [the ~s] 아펜니노 산맥(= **~ Móuntains**)

a·pep·sy [əpépsi], **-si·a** [-siə] *n.* 〖의학〗 소화 불량

a·per·çu [æ̀pərsúː] [F] *n.* (*pl.* **~s** [-s]) (서적·논문의) 개요(概要); 일람(一覽)(outline); 《특히》 통찰

a·per·i·ent [əpíəriənt] 〖약학〗 *a.* 변통(便通)을 순조롭게 하는 — *n.* 하제(下劑), 완하제

a·pe·ri·od·ic [èipiəriɑ́dik | -ɔ́dik] *a.* 비주기적인, 불규칙한; 〖암호〗 비반복성의; 〖물리〗 비주기적인, 비진동의 **-i·cal·ly** *ad.* **a·pè·ri·o·díc·i·ty** *n.*

a·pé·ri·tif [ɑːpèrətíːf] [F] *n.* (*pl.* **~s** [-s]) 아페리티프, 식전 반주(飯酒)

a·per·i·tive [əpérətiv] *a.* **1** = APERIENT **2** 식욕 증진의 — *n.* **1** = APERIENT **2** = APÉRITIF

***ap·er·ture** [ǽpərtʃər] *n.* **1** 틈, 구멍(hole), 균열 **2** 〖광학〗 **a** (카메라·반사기 등의) 조리개(= **~ stòp**) **b** (렌즈·반사경의) 유효 구경

áperture càrd 〖컴퓨터〗 애퍼처 카드, 간극 카드 《카드의 일부를 잘라내고 마이크로필름을 붙인 것》

ap·er·ture-pri·or·i·ty [-praiɔ́ːrəti] *a.* 〖사진〗 〈카메라가〉 조리개 우선의

ap·er·y [éipəri] *n.* (*pl.* **-er·ies**) **1** 원숭이 같은 행동; 흉내 **2** 어이없는 장난 **3** (동물원의) 원숭이 우리

ape·shit [éipʃit] *a.* 《미·비어》 열중한; 광포한, 흥분한; 화가 난 ***go ~*** = go APE

a·pet·al·ous [eipétələs] *a.* 〖식물〗 꽃잎이 없는

a·pex [éipeks] [L = peak] *n.* (*pl.* **~·es, ap·i·ces** [éipəsìːz, ǽpə-]) **1** (세모꼴·원뿔꼴·산·나뭇잎의) 꼭대기, 정점(summit) **2** 절정, 극치(climax) **3** 〖천문〗 향점(向點): the solar ~ 태양 향점 **4** 〖지질〗 지표에 노출된 광맥의 끝 **5** 〖음성〗 혀끝(tip)

APEX, Apex [éipeks] [*A*dvance *P*urchase *Ex*cursion] *n.* 에이펙스 《국제 항공 운임의 예매 할인》

Áp·gar scòre [ǽpgɑːr-] 아프가 채점법 《신생아의 심장 박동수·호흡 속도 등 신체 상태를 나타낸 수치》

aph. aphetic

a·phaer·e·sis [əférəsis] *n.* (*pl.* **-ses** [-sìːz]) = APHERESIS **aph·ae·rét·ic** *a.*

a·pha·sia [əféiʒə | -ziə] *n.* Ⓤ 〖병리〗 실어증(失語症)

a·pha·sic [əféizik], **-si·ac** [-ziæ̀k] *a., n.* 실어증의 (환자)

a·phe·li·on [əfíliən, æphíː-] *n.* (*pl.* **-li·a** [-liə]) 〖천문〗 원일점(遠日點)(opp. *perihelion*)

a·phe·li·o·trop·ic [əfìːliətrɑ́pik, æphìː- | -trɔ́-] *a.* 〖식물〗 배일성(背日性)의(opp. *heliotropic*)
a·phe·li·ot·ro·pism [əfìːliɑ́trəpìzm, æphìː-] *n.*

a·pher·e·sis [əférəsis | əfíə-] *n.* (*pl.* **-ses** [-sìːz]) 〖언어〗 어두음(語頭音) 소실 《보기: racoon이 coon으로 되는 등》 **aph·e·ret·ic** [æ̀fərétik] *a.*

aph·e·sis [ǽfəsis] *n.* Ⓤ 〖언어〗 어두(語頭) 모음 소실 《보기: especial이 *special*로 되는 등》

a·phet·ic [əfétik] *a.* 〖언어〗 어두 모음 소실의

aph·i·cide [ǽfəsàid] *n.* 진디 살충제

a·phid [éifid, ǽfid | éifid] *n.* 〖곤충〗 진디

áphid lìon 〖곤충〗 풀잠자리·무당벌레 등의 유충 《진디(aphid)의 천적》

a·phis [éifis, ǽfis] *n.* (*pl.* **a·phi·des** [éifədìːz, ǽfə-]) = APHID

a·pho·ni·a [eifóuniə], **aph·o·ny** [ǽfəni] *n.* Ⓤ 〖병리〗 실성증(失聲症), 무성증(無聲症)

a·phon·ic [eifɑ́nik | -fɔ́-] *a.* 〖음성〗 무성화한, 무성의(voiceless); 〖병리〗 실성증의 — *n.* 실성증 환자

aph·o·rism [ǽfərìzm] *n.* 경구(警句), 잠언(箴言), 격언, 금언(金言) **-rist** *n.* 격언[금언] 작가

aph·o·ris·tic [æ̀fərístik] *a.* 경구적인, 격언체의, 금언적인 **-ti·cal·ly** *ad.*

aph·o·rize [ǽfəràiz] *vi.* 경구(警句)를 말하다; 격언을 말하다[쓰다] **-riz·er** *n.*

a·pho·tic [eifóutik | əfɔ́-] *a.* 〈바다 밑 등에〉 빛이 없는; 〈식물 등이〉 빛 없이 자라는

aph·ro·di·sia [æ̀frədíʒə, -ziə | -ziə] *n.* 성적 흥분, 성욕; 성욕 항진

aph·ro·dis·i·ac [æ̀frədíziæ̀k] *a.* 성욕을 일으키는, 최음(催淫)성의 — *n.* 최음제, 미약(媚藥)
-di·si·a·cal [-dizáiəkl] *a.*

Aph·ro·di·te [æ̀frədáiti] *n.* 〖그리스신화〗 아프로디테 《사랑·미의 여신; 로마 신화의 Venus에 해당》

aph·tha [ǽfθə, ǽpθə] *n.* (*pl.* **-thae** [-θiː]) 〖의학〗 아구창(鵝口瘡) **aph·thous** [ǽfθəs, ǽpθəs] *a.*

a·phyl·lous [eifíləs] *a.* 〖식물〗 잎이 없는

API air-position indicator 〖공군〗 공중 위치 지시기; American Petroleum Institute 미국 석유 협회; 〖컴퓨터〗 application program interface

A·pi·a [ɑːpíːɑː, ǽpiə] *n.* 아피아 《Western Samoa의 수도》

a·pi·an [éipiən] *a.* 꿀벌(bee)의

a·pi·ar·i·an [èipiέəriən] *a.* 꿀벌의, 양봉(養蜂)의

a·pi·a·rist [éipiərist] *n.* 양봉가

a·pi·ar·y [éipièri | -piəri] *n.* (*pl.* **-ar·ies**) 양봉장

ap·i·cal [éipikəl, ǽpi-] *a.* **1** 정점의 **2** 〖음성〗 혀끝의, 설첨음(舌尖音)의 — *n.* 〖음성〗 설첨음
~·ly *ad.*

ap·i·ces [ǽpəsìːz, éipə-] *n.* APEX의 복수

a·pic·u·late [əpíkjulət, -lèit] *a.* 〖식물〗 〈잎 등이〉 끝이 짧고 뾰족한

a·pi·cul·ture [éipikʌ̀ltʃər] *n.* Ⓤ 양봉(養蜂)
a·pi·cul·tur·al [èipikʌ́ltʃərəl] *a.*

a·pi·cul·tur·ist [èipikʌ́ltʃərist] *n.* 양봉가[업자]

***a·piece** [əpíːs] *ad.* 하나에 대하여, 한 사람에 대하여, 각자에게: give five dollars ~ 각자에게[각각에] 5달러씩 주다 ▷ píece *n.*

à pied [ɑ-pjé] [F = on foot] *ad.* 걸어서, 도보로

a·pi·ol·o·gy [èipiɑ́lədʒi | -ɔ́lə-] *n.* 양봉학 **-gist** *n.*

A·pis [éipis | ɑ́ːpis, éipis] *n.* 〖이집트신화〗 아피스 《Memphis에서 숭배된 성우(聖牛)》

ap·ish [éipiʃ] *a.* 원숭이 같은; 남의 흉내를 내는; 어리석은(silly); 어리석게 뽐내는 **~·ly** *ad.* **~·ness** *n.*

a·piv·o·rous [eipívərəs] *a.* 〖동물〗 〈새 등이〉 꿀벌을 잡아먹는

APL [*A* *P*rogramming *L*anguage] *n.* 〖컴퓨터〗 에이피엘 프로그래밍 언어 《산술·논리 연산의 간결한 기술을 목적으로 고안된》

Apl. April

ap·la·nat [ǽplənæ̀t] *n.* 〖광학〗 구면 수차(球面收差)를 없앤 렌즈 **àp·la·nát·ic** *a.* 구면 수차를 없앤

a·pla·sia [əpléiʒə] *n.* 〖병리〗 결여증, 무형성(증)

a·plás·tic anémia [eiplǽstik-] 〖병리〗 무형성 빈혈, 재생 불량성 빈혈 《골수 파괴 등으로 인한》

a·plen·ty [əplénti] 《미·구어》 *ad.* 많이, 잔뜩
— *a.* Ⓟ [또는 명사 뒤에서] 많은, 풍부한

ap·lite [ǽplait] *n.* Ⓤ 애플라이트, 반(半)화강암

a·plomb [əplɑ́m, əplʌ́m | əplɔ́m] [F] *n.* Ⓤ **1** 태연자약, 침착 **2** 수직, 연직

A-plus [éiplʌ̀s] *n.* A 위의 성적 《A^+》

thesaurus **aperture** *n.* opening, gap, hole, window, crack, slit, space, breach

apmt. appointment
ap·ne·a | **-noe·a** [ǽpniə, æpníːə | æpníə] *n.* 〖병리〗 **1** 무호흡 **2** 가사(假死), 질식
áp·ne·al *a.* **ap·né·ic** *a.*
apo- [ǽpou, ǽpə] *pref.* 「(…에서) 떨어져(off, away); 〖화학〗 …에서 유도된」의 뜻
APO Army & Air Force Post Office 《미》 군사 우체국; Asian Productivity Organization 아시아 생산성 기구
ap·o·ap·sis [æ̀pouǽpsis] *n.* (*pl.* **-si·des** [-sədìːz]) 〖천문〗 궤도 최원점(最遠點)
Apoc. Apocalypse; Apocrypha; Apocryphal
a·poc·a·lypse [əpɑ́kəlìps | əpɔ́-] *n.* **1** 묵시, 계시 **2** [the A~] 〖성서〗 요한 계시록(the Revelation) **3** (사회의) 대참사, 대사건: the ~ of nuclear war 핵전쟁의 대참사
a·poc·a·lyp·tic, -ti·cal [əpɑ̀kəlíptik(əl) | əpɔ̀-] *a.* **1** 계시의, 계시[예언]적인 **2** 계시록의 **3** (재난이나 파멸의) 전조가 되는, 예언하는; 종말론적인
—*n.* **1** 묵시록 작자[기록자] **2** (종교·철학·문학 등에서의) 종말론적 사조 **-ti·cal·ly** *ad.*
a·poc·a·lyp·ti·cism [əpɑ̀kəlíptəsìzm | əpɔ̀-], **-tism** [-tizm] *n.* 계시록적 세계의 도래에 대한 기대; 〖신학〗 계시 신앙; (계시록에 의거한) 지복 천년설
a·poc·a·lyp·tist [əpɑ̀kəlíptist] *n.* 계시록적 세계 도래의 예언자, 종말론자
ap·o·carp [ǽpəkɑ̀ːrp] *n.* 〖식물〗 이생(離生) 씨방
ap·o·car·pous [æ̀pəkɑ́ːrpəs] *a.* 〖식물〗 이생 심피(離生心皮)의
ap·o·chro·mat [ǽpəkroumæ̀t] *n.* 〖광학〗 고차(高次) 색지움 렌즈 《색 수차(色收差) 및 구면(球面) 수차를 없앤 렌즈》
ap·o·chro·mat·ic [æ̀pəkroumǽtik] *a.* 〖광학〗 색 수차 및 구면 수차를 없앤
a·poc·o·pate [əpɑ́kəpèit | əpɔ́-] *vt.* 〖언어〗 〈단어의〉 어미음(語尾音)을 없애다
a·pòc·o·pá·tion *n.* Ⓤ 어미음 소실
a·poc·o·pe [əpɑ́kəpìː | əpɔ́-] *n.* ⓊⒸ 〖언어〗 어미음 생략 《보기: the → th' 따위》(cf. APHAERESIS, SYNCOPE) **ap·o·cop·ic** [æ̀pəkɑ́pik | -kɔ́-] *a.*
ap·o·crine [ǽpəkrin, -kràin] *a.* 〖생리〗 아포크린의 《땀샘 분비의 일종》: an ~ gland 아포크린샘
A·poc·ry·pha [əpɑ́krəfə | əpɔ́-] *n. pl.* [종종 단수 취급] **1** [the ~] 외전(外典), 외경(外經) 《전거(典據)가 의심스럽다고 하여 개신교 측에서 구약 성서에서 삭제한 14편》 **2** [**a~**] 출처가 의심스러운 문서
a·poc·ry·phal [əpɑ́krəfəl | əpɔ́-] *a.* **1** 저작자[전거(典據)]가 의심스러운 **2** 〖신학〗 **a** [**A~**] (성서의) 외경의, 외전(Apocrypha)의 **b** 정전(正典)으로 인정할 수 없는 **3** 거짓의, 진짜가 아닌
~·ly *ad.* **~·ness** *n.*
ap·od [ǽpəd] 〖동물〗 *n.* 무족(無足) 동물; 배지느러미가 없는 물고기 **—***a.* = APODAL
ap·o·dal [ǽpədl] *a.* 〖동물〗 발이 없는; 배지느러미가 없는
ap·o·dic·tic [æ̀pədíktik], **-deic-** [-dáik-] *a.* **1** 〖논리〗 필연적인 **2** 증명할 수 있는, 명백한, 의심할 여지가 없는 **-ti·cal·ly** *ad.*
a·pod·o·sis [əpɑ́dəsis | əpɔ́-] *n.* (*pl.* **-ses** [-sìːz]) 〖문법〗 조건문의 귀결절 《보기: If I could, I would. 의 *I would*; cf. PROTASIS》
ap·o·en·zyme [æ̀pouénzaim] *n.* 〖생화학〗 아포 효소(酵素) 《복합 효소의 단백질 성분》
a·pog·a·my [əpɑ́gəmi | əpɔ́-] *n.* Ⓤ 〖식물〗 무배(無配) 생식 **-mous** [-məs] *a.*
ap·o·ge·an [æ̀poudʒíːən] *a.* 〖천문〗 원지점의
ap·o·gee [ǽpədʒìː] *n.* 최고점, 극점(climax); 〖천문〗 원지점(遠地點)(opp. *perigee*)

---

apologetic *a.* sorry, regretful, remorseful, penitent, repentant, contrite, rueful

ap·o·graph [ǽpəgræ̀f, -grɑ̀ːf | -grɑ̀ːf] *n.* 사본
ap·o·laus·tic [æ̀pəlɔ́ːstik] *a.* 향락적인
a·po·lit·i·cal [èipəlítikəl] *a.* 정치에 무관심한; 정치적 의의가 없는 **~·ly** *ad.*
‡**A·pol·lo** [əpɑ́lou | əpɔ́-] *n.* (*pl.* **~s**) **1** 〖그리스·로마신화〗 **아폴로** 《고대 그리스·로마의 태양신; 시·음악·예언 등을 주관함; cf. HELIOS》 **2** 미(美)남자 **3** 《시어》 태양 **4** 《미》 아폴로 우주선 《1969년 7월 20일 달 착륙》; 아폴로 계획(= **~ Prògram**)
Ap·ol·lo·ni·an [æ̀pəlóuniən] *a.* 아폴로의[같은]; [보통 **a~**] 고전미를 갖춘, 당당한
A·pol·lyon [əpɑ́ljən | əpɔ́l-] *n.* 〖성서〗 악마, 무저갱(無底坑)의 사자(使者)
a·pol·o·get·ic** [əpɑ̀lədʒétik | əpɔ̀l-] *a.* **사죄[사과]의**; 변명의; 미안해하는 〈태도〉: an ~ letter 사과의 편지 ***be ~ for [***about***] …에 대해서 사과하다
—*n.* (정식의) 변명, 변호; 사과
-i·cal·ly *ad.* 변명하여, 변명적으로
a·pol·o·get·ics [əpɑ̀lədʒétiks | əpɔ̀-] *n. pl.* [단수 취급] 〖신학〗 (그리스도교의) 변증론[학]
ap·o·lo·gi·a [æ̀pəlóudʒiə] *n.* (사상·믿음의 정당화를 위한) 변명(서)
a·pol·o·gist [əpɑ́lədʒist | əpɔ́-] *n.* 변명자; 〖신학〗 (그리스도교의) 호교(護敎)론자, 변증자
‡**a·pol·o·gize** [əpɑ́lədʒàiz | əpɔ́-] *vi.* **1 사과하다,** 사죄하다 (*to, for*): If I have offended you, I ~. 기분을 상하게 해드렸다면 사과드립니다. // (~+전+명) ~ *for* oneself 변명[해명]하다 / He ought to ~ *to* her *for* his rudeness. 그는 그녀에게 무례하게 행동한 것을 사과해야 한다. **2** 변명하다, 변호하다 (defend) **-giz·er** *n.*
▷ apólogy *n.*
ap·o·logue [ǽpəlɔ̀ːg, -lɑ̀g | -lɔ̀g] *n.* 교훈담, 교훈적인 우화(寓話)
‡**a·pol·o·gy** [əpɑ́lədʒi | əpɔ́-] [Gk 「자기 변호로 말하다」의 뜻에서] *n.* (*pl.* **-gies**) **1 사과,** 사죄: a written ~[a letter of ~] 사과장 / With *apologies* for troubling you. 폐를 끼쳐 죄송하오나 잘 부탁합니다. **2** 변명, 해명(excuse) (*for*) **3** (정식의) 옹호 (*for*) **4** 명색뿐인 것, 체면치레의 것 (*for*): an ~ *for* a dinner 명색뿐인 만찬
in ~ for …에 대한 사과로 ***make*** [***accept***] ***an ~*** 사과하다[사과를 받아들이다] (*for*)
▷ apólogize *v.*; apologétic *a.*
ap·o·lune [ǽpəlùːn] *n.* 〖천문〗 원월점(遠月點) 《달 궤도에서 우주선 등이 가장 멀어지는 점》
ap·o·mict [ǽpəmìkt] *n.* 〖생물〗 아포믹트 《무수정 생식(apomixis)으로 생긴 생물》
ap·o·mix·is [æ̀pəmíksis] *n.* (*pl.* **-mix·es** [-míksiːz]) ⓊⒸ 〖생물〗 아포믹시스, 무수정 생식 《단위 생식·무배(無配) 생식·무포자 생식 등》
ap·o·phthegm [ǽpəθèm] *n.* = APOTHEGM
a·poph·yl·lite [əpɑ́fəlàit, æ̀pəfílait | əpɔ́f-] *n.* 어안석(魚眼石)
a·poph·y·sis [əpɑ́fəsis | əpɔ́-] *n.* (*pl.* **-ses** [-sìːz]) 〖식물〗 융기; 〖해부〗 골(骨)돌기
a·poph·y·se·al [əpɑ̀fəsíːəl | æ̀pəfíziəl] *a.*
ap·o·plec·tic [æ̀pəpléktik] *a.* **1** 중풍(성)의, 졸중에 걸리기 쉬운: an ~ fit[stroke] 졸중의 발작 **2** 몹시 흥분한 (*with*), 성마른
—*n.* 중풍 환자, 졸중성의 사람 **-ti·cal·ly** *ad.*
ap·o·plex·y [ǽpəplèksi] *n.* Ⓤ 〖병리〗 졸중: cerebral ~ 뇌일혈 / heat ~ 열사병(熱射病) / be seized with ~ = have (a fit of) ~ = have a stroke of ~ 졸중으로 쓰러지다
a·po·ri·a [əpɔ́ːriə] *n.* (*pl.* **~s, ~ri·ae**) 〖철학〗 **1** 아포리아 《해결이 곤란한 문제》 **2** 난문(難問), 난점(難點)
a·port [əpɔ́ːrt] *ad.* 〖항해〗 좌현(左舷)으로
Hard ~! (키를) 좌현으로 바짝 돌려!
ap·o·se·mat·ic [æ̀pəsəmǽtik] *a.* 〖동물〗 〈체색 등이〉 방어 효과가 있는, 경계(색)의 **-i·cal·ly** *ad.*

ap·o·si·o·pe·sis [æ̀pəsaiəpíːsis] *n.* (*pl.* **-ses** [-siːz]) 〖수사학〗 돈절법(頓絶法) 《문장을 도중에서 그치는 것; 보기: I will never (do it again). 다시는 그걸 하지 않겠다.》 **-pet·ic** [-pétik] *a.*

ap·o·spor·y [ǽpəspɔ̀ːri, əpɑ́spəri] *n.* 〖식물〗 (균류의) 무포자(無胞子) 생식

a·pos·ta·sy [əpɑ́stəsi | əpɔ́s-] *n.* (*pl.* **-sies**) UC 배교(背教), 배신(背信); 변절, 탈당

a·pos·tate [əpɑ́steit, -tət | əpɔ́s-] *n.* 배교자, 배신자; 변절자, 탈당자 **—** *a.* 배교의; 배신[변절]의

ap·o·stat·ic, -i·cal [æ̀pəstǽtik(əl)] *a.*

a·pos·ta·tize [əpɑ́stətàiz | əpɔ́s-] *vi.* 신앙을 버리다 《*from*》; 변절[탈당]하다 《*from*》

a pos·te·ri·o·ri [èi-pɑstìəriɔ́ːrai, -ɔ́ːri | -pɔs-] [L =from what comes after] *a., ad.* 후천적인[으로]; 귀납적인[으로](opp. *a priori*)

a·pos·til(le) [əpɑ́stil | əpɔ́s-] *n.* 방주(傍註)

*__a·pos·tle__ [əpɑ́sl | əpɔ́sl] *n.* **1** [**A~**] 사도 《복음을 전하기 위해 그리스도가 파견한 12명의 제자의 한 사람》 **2** 사도 《그리스도의 가르침을 세계에 전한 초기 신도》 **3** [때로 **A~**] (어느 나라·지방의) 최초의 전도자; 가장 잘 알려진 전도자 **4** 〖그리스정교회〗 그리스도의 70명의 제자의 한 사람 **5** (개신교 분파에서) 최고 지도자의 호칭 **6** (그리스도 시대의 유대인 사이에서) 외국 전도에 파견된 사람에게 주어진 호칭 **7** (모르몬교에서) 사도, 총무 위원 《포교 활동을 관리》 **8** (도덕 개혁 등의) 창도자, 주창자 **9** [**A~**] (영) Cambridge 대학의 사교 클럽 The Apostles의 회원 ***the A~ of Ireland*** = St. PATRICK. ***the A~ of the English*** = St. AUGUSTINE. **~·ship** *n.* U 사도의 신분[직분]
▷ apostólic, apostólical *a.*

A·pós·tles' Créed [əpɑ́slz- | əpɔ́s-] [the ~] 사도 신경

apóstle spòon 자루 끝이 사도상(像)으로 된 스푼

a·pos·to·late [əpɑ́stələt, -lèit | əpɔ́s-] *n.* U 사도의 직[임무]; 로마 교황의 직[지위]

ap·os·tol·ic, -i·cal [æ̀pəstɑ́lik(əl) | -tɔ́-] *a.* 사도의, 사도적인; [때로 **A~**] 로마 교황의(papal)

Apostólic Chúrch = APOSTOLIC SEE 2

apostólic délegate 〖가톨릭〗 교황 사절 《교황청과 외교 관계가 없는 나라에 파견되는》

Apostólic Fáthers 사도 교부(教父)

Apostólic Sée 〖가톨릭〗 **1** (St. Peter가 세웠다고 하는) 로마 가톨릭 교회 **2** [종종 **a- s-**] 사도들이 세운 교회 **3** 교황좌(座)(Holy See)

apostólic succéssion 〖가톨릭·영국국교〗 사도 전승 《주교의 권위는 사도로부터 이어져 왔다고 함》

‡**a·pos·tro·phe** [əpɑ́strəfi, -fiː | əpɔ́s-] *n.* **1** 〖문법〗 아포스트로피 《'》 USAGE (1) 생략 부호: *can't, ne'er,* '65 《sixty-five라고 읽음》. (2) 소유격 부호: *boy's, boys', Jesus'.* (3) 복수 부호 《문자나 숫자의 경우》: two *M.P.'s,* two *l's,* three 7's.
2 U 〖수사학〗 돈호법(頓呼法) 《문장 도중에서 불쑥 사람이나 물건의 이름을 부르는 일》 **àp·os·tróph·ic** *a.*

a·pos·tro·phize [əpɑ́strəfàiz | əpɔ́s-] *vt., vi.* 아포스트로피를 붙이다; 돈호하다

a·póth·e·car·ies' mèasure [əpɑ́θəkèriz- | əpɔ́θəkə-] 약(제)용 액량법(液量法) 《약제를 조제할 때 사용하는 액량을 측정하는 단위》

apóthecaries' wèight 약제용 형량[도량형]법

a·poth·e·car·y [əpɑ́θəkèri | əpɔ́θəkəri] *n.* (*pl.* **-car·ies**) (미·고어) 약종상, 약제사(druggist); (미) 약국

apóthecary jàr (약제용) 아가리가 넓은 병 《현재는 양념·향신료를 담는 데 쓰임》

ap·o·thegm [ǽpəθèm] *n.* 경구, 격언

ap·o·theg·mat·ic, -i·cal [æ̀pəθegmǽtik(əl)] *a.* 격언[경구]의

ap·o·them [ǽpəθèm] *n.* 〖수학〗 변심거리(邊心距離)

a·poth·e·o·sis [əpɑ̀θióusis, æ̀pəθíːə- | əpɔ̀θióu-] *n.* (*pl.* **-ses** [-siːz]) **1** UC (사람을) 신으로 모심, 신격화; 신성시, 숭배; 신격화 된 것 **2** 이상(理想)의 상(像), 극치; 권화(權化) 《*of*》

a·poth·e·o·size [əpɑ́θiəsàiz, æ̀pəθíːə- | əpɔ́θi-] *vt.* 신으로 모시다, 신격화하다; 예찬하다

ap·o·tro·pa·ic [æ̀pətrəpéiik] *a.* 액막이의 (힘이 있는) **-i·cal·ly** *ad.* **-pá·ism** *n.* U 액막이

app applet; application; (해커속어) application program **app.** apparatus; apparent(ly); appendix; applied; appointed; apprentice; approved

ap·pa [ʌ́pə] *n.* (인도) [보통 호칭으로 쓰여] 아버지

ap·pal [əpɔ́ːl] *vt.* (**~led**; **~·ling**) (영) = APPALL

Ap·pa·la·chi·a [æ̀pəléitʃiə, -tʃə, -lǽtʃiə, -lǽtʃə | -léitʃiə] *n.* **1** 〖지질〗 애팔래치아 《고생대에 애팔래치아 산맥의 동쪽에 존재하였다고 하는 육지》 **2** 애팔래치아 (지방) 《미국 동부》

Ap·pa·la·chi·an [æ̀pəléitʃiən, -tʃən, -lǽtʃiən, -lǽtʃən | -léitʃiən] *a.* **1** 애팔래치아 산맥의 **2** 애팔래치아 지방의; 애팔래치아 사람[문화]의 **3** 〖지질〗 애팔래치아 조산 운동의 **—** *n.* **1** [the ~s] 애팔래치아 산맥 《북미 동부》(= **~ Móuntains**) **2** 애팔래치아 사람 《애팔래치아 지방에 사는 백인》

*__ap·pall | -pal__ [əpɔ́ːl] [OF 「창백하게(pale) 하다」의 뜻에서] *vt.* (**-palled**; **-pall·ing**) 오싹하게[질겁하게] 하다, 질리게 하다(terrify)

ap·palled [əpɔ́ːld] *a.* (불유쾌한 것 등으로) 섬뜩한, 오싹한, 소름 끼치는; 진저리 나는 《*at, by*》: I was ~ *by* his arrogant attitude. 나는 그의 거만한 태도에 진저리가 났다.

*__ap·pall·ing__ [əpɔ́ːliŋ] *a.* **1** (오싹) 소름 끼치는, 간담이 서늘해지는, 무시무시한(dreadful) **2** (구어) 질리는, 지독한: He developed an ~ toothache. 그에게 지독한 치통이 생겼다. **~·ly** *ad.*

Ap·pa·loo·sa [æ̀pəlúːsə] *n.* 애팔루사 종(種) 《북미 서부산(産)의 튼튼한 승용마》

ap·pa·nage [ǽpənidʒ] *n.* **1** (문어) 속성 **2** (지위·신분에 따르는) 이득, 부수입 **3** (고어) (세자가 아닌) 왕자의 속령, 속지(屬地)

ap·pa·rat [æ̀pərǽt, ɑ̀ːpərɑ́ːt] [Russ.] *n.* (정부·정당의) 기관, 기구

ap·pa·rat·chik [ɑ̀ːpərɑ́ːtʃik] [Russ.] *n.* (*pl.* **~s, -chi·ki** [-tʃìkiː]) (정부·당 기관·지하 조직의) 기관원

‡**ap·pa·ra·tus** [æ̀pərǽtəs, -réi- | -réi-] [L 「준비하다」의 뜻에서] *n.* (*pl.* **~, ~·es**) **1** (한 벌의) 기구(器具), 기계, 장치: a chemical ~ 화학 기구 / a heating ~ 난방 장치 / a wireless ~ 무선 장치 **2** (정치 활동 등의) 기구(機構), 조직: the ~ of government 정부 기구 **3** 〖생리〗 (일련의) 기관(器官): the digestive ~ 소화 기관 **4** = APPARATUS CRITICUS **5** (완곡) 음경(penis)

ap·pa·ra·tus crit·i·cus [æ̀pərǽtəs-krítikəs, -réitəs- | -réitəs-] [L] (문학 연구의) 참고 자료; (원전(原典) 비평의) 비교 자료

*__ap·par·el__ [əpǽrəl] *n.* **1** U (문어) (좋은) 의복, 의류, 복장: ready-to-wear ~ 기성복 **2** (화려한) 의상; 장식물 **3** 외관, 외견, 모습 **4** 〖해양〗 배의 장구(裝具) 《돛·닻 따위》 **5** 〖종교〗 성직자의 제복에 붙이는 직사각형의 자수
— *vt.* (**~ed**; **~·ing** | **~led**; **~·ling**) **1** 〈…에게〉 의복을 입히다 **2** (의복으로) 꾸미다 《*in*》 **3** 〖해양〗 〈배를〉 의장(艤裝)하다

‡**ap·par·ent** [əpǽrənt, əpɛ́ər-] *a.* **1** (시각적으로) 또렷이 보이는, 식별할 수 있는 《*to*》: ~ *to* the naked eye 육안으로도 똑똑히 보이는 **2** 명백한, 분명한(clear) 《*to*》(⇨ evident 유의어): It is quite ~ *to* everybody. 그것은 누구에게나 아주 명백하다. **3** 겉모

thesaurus **appalling** *a.* shocking, horrifying, frightful, outrageous, terrible, awful, dreadful
apparent *a.* **1** 명백한 clear, plain, obvious, evident, discernible, perceptible, manifest **2** 외견상의

양만의, 외견상의, 겉보기에는(opp. *actual*, *real*): The contradiction was only ~. 겉보기에만 모순이었다. **4** 〖법〗 〈상속인이〉 무효화될 수 없는 계승권을 가진 **~·ness** *n.* ▷ appéar *v.*; appéarance *n.*

appárent horízon [the ~] 〖천문〗 시(視)수평[지평]선(visible horizon)

‡**ap·par·ent·ly** [əpǽrəntli, əpɛ́ər-] *ad.* **1** (실제는 어떻든) **보기에**, 보매, 외관상으로는(seemingly): He is ~ a gentleman. 그는 보기에 신사인 것 같다. **2** 분명히, 명백히(clearly)

appárent mágnitude 〖천문〗 시(視)등급

appárent tíme 시(視)태양시 《태양의 위치로 측정하는 시간》

*__ap·pa·ri·tion__ [æ̀pəríʃən] *n.* **1** 유령, 망령, 환영 **2** 경이적인[불가사의한] 것 **3** (모습 등의) 출현 **4** 〖천문〗 (혜성 등의, 특히 정기적인) 출현 ▷ appéar *v.*

ap·pa·ri·tion·al [æ̀pəríʃənl] *a.* 허깨비의[같은]

ap·pas·sio·na·to [əpɑ̀ːsiənɑ́ːtou, əpæ̀ʃə-|əpæ̀sjə-] [It.] *a.*, *ad.* 〖음악〗 열정적인[으로]

‡**ap·peal** [əpíːl] [L 「다가가다」의 뜻에서] *vi.* **1** 애원하다, 간청하다, 빌다 《*to*; *for*》: (~+전+명) They ~*ed to* him in vain *for* help[*to* help them]. 그들은 그에게 원조를 간청했지만 소용이 없었다. **2** (법률·여론·무력 등에) **호소하다** 《*to*》: (~+전+명) ~ *to* arms[force, the public, reason] 무력[폭력, 여론, 이성]에 호소하다 **3** 항소하다, 상고[상소]하다 《*to*, *against*》; 〖스포츠〗 (심판에게) 항의하다 《*to*, *against*》: (~+전+명) ~ *to* the Supreme Court 대법원에 상고하다 / ~ *against* a decision 판결에 불복하여 상고하다 / ~ *to* the referee 심판에게 항의하다 **4** 〈사물이〉 (사람의) 마음에 호소하다, 마음에 들다, 흥미를 끌다 《*to*》: (~+전+명) It ~*s to* me. 그것은 내 마음에 든다[재미있다]. **~ *to the country*** 《영》 (국회를 해산하여) 국민 여론에 호소하다

— *vt.* 〖법〗 항소하다, 상고하다

— *n.* **1** 애원, 간청 《*for*》: a direct ~ 직소(直訴) / make an ~ *for* help 원조를 간청하다 **2** (여론·무력 등에의) **호소** **3** 〖스포츠〗 (심판에의) 항의 **4** Ⓤ 사람의 마음을 움직이는 힘, 매력: sex ~ 성적 매력 **5** 〖법〗 **a** 항소, 상고, 상소 (청구) **b** 의장 재정 표결 요구 **c** 상소권(權); 상소 사건 ***a court of ~*** 항소 법원, 상고 법원 ***an ~ to the country*** 국회를 해산하여 국민의 의사를 물음 ***have*** [***be of***] ***little*** [***great***] ***~ for*** …에게 마음에 들지 않다[썩 마음에 들다] ***lodge*** [***enter***] ***an ~*** 항소하다 ***make an ~ to*** …에 호소하다; 호감을 사다; 매혹하다 ***the final ~*** 최후의 수단

~·er *n.*

ap·peal·a·ble [əpíːləbl] *a.* 항소[상고, 상소]할 수 있는 《*to*》 **ap·pèal·a·bíl·i·ty** *n.*

appéal còurt **1** =COURT OF APPEAL **2** [**A-s C-**] 《미》 =COURT OF APPEALS

ap·peal·ing [əpíːliŋ] *a.* 애원적인; 사람의 마음에 호소하는; 마음을 끄는, 매력적인: an ~ smile 매력적인 미소 **~·ly** *ad.* 매력적으로; 애원하듯

appéal plày 〖야구〗 어필 플레이 《주자가 베이스를 밟지 않고 지나쳤을 때 볼로 베이스 터치한 후 심판에게 어필하기; 주자는 아웃》

‡**ap·pear** [əpíər] *vi.*

① 나타나다	**1**
② …인 듯하다	**2**
③ 〈…임이〉 분명하다	**3**

1 나타나다, 출현하다, 나오다, 보이게 되다; (사교계에) 나오다(opp. *disappear*): (~+전+명) ~ *on* the horizon 지평선 위에 나타나다 / ~ *before* the audience 청중 앞에 나타나다 / ~ *in* society 사교계에 나오다 **2** …인 것같이 보이다, …이라고 여겨지다, …인 듯하다(⇨ seem 유의어): (~+(*to be*) 보) (~+*that* 절) He ~*s* (*to be*) rich. = It ~*s* (to me) *that* he is rich. 그는 부자인 듯하다. / He ~*s to have been* rich. 그는 부자였던 것 같다. / The orange ~*s* rotten inside. 그 오렌지는 속이 썩은 것 같다. / Strange as it may ~, it is true for all that. 이상하게 생각될지 모르지만 그래도 그것은 사실이다. **3 a** 〈…임이〉 분명하다, 분명해지다(be obvious): for reasons that do not ~ 분명하지 않은 이유로 **b** [It ... that의 구문으로] (…에게) 〈…라는〉 생각이 들다: (~+*that* 절) *It* ~*ed* to me *that* he was telling a lie. 그가 거짓말을 하고 있다는 생각이 들었다. **4** 〈작품·작가 등이〉 세상에 나오다; 〈책 등이〉 출판[발행]되다; (신문 등에) 나다 **5** (연극·춤 등에) 출연하다 《*in*, *on*》; 〈…의 역을〉 연기하다 《*as*》: (~+*as* 보) ~ *as* Hamlet 햄릿 역으로 등장하다 **6** (회합 등에) 모습을 나타내다, 출석하다 **7** 태어나다, 생기다; 창조[발명]되다 **8** 〖법〗 〈당사자·변호사·증인 등이〉 출정(出廷)하다, 출두하다 ***~ before the judge*** 재판을 받다 ***~ in court*** 출정하다 ***It ~s that*** (he is rich.) ⇨ *vi.* 2. ***make it ~ that ...*** …이라는 것을 분명히 하다 ***strange as it may ~*** ⇨ *vi.* 2 ▷ appéarance, apparítion *n.*; appárent *a.*

‡**ap·pear·ance** [əpíərəns] *n.* ⒸⓊ **1** **출현**, 출석; **출연**, 출장(出場); 출판, 발간, 발표 **2** **외관**, 외양, 겉모습; 양상; (사람의) 풍채, 생김새, 용모 《★ 이 뜻으로는 look이 일반적임》: *A*~*s* are deceptive. 겉모양은 믿을 게 못 된다. **3** [*pl.*] 형세, 상황, 정세: *A*~*s* are against you[in your favor]. 형세는 자네한테 불리[유리]하다. **4** [*pl.*] 체면, 면치레: keep up[save] ~*s* 체면을 유지하다 **5** 〖법〗 **a** 출정(出廷), 출두: make an ~ in court 출정하다 **b** 응소(應召) **6** 〖철학〗 (reality에 반대되는) 현상 ***against*** [***contrary to***] ***all ~s*** 상황에 거슬러, 모든 증거가 불리함에도 불구하고 ***enter an ~*** 나타나다, 출두하다 ***for ~'s sake*** = ***for the sake of ~*** 체면상 ***in ~*** 보기에는, 외관은 ***judge by ~s*** 겉모양만으로 판단하다 ***make a good*** [***fine***] ***~*** 풍채[겉모양]가 좋다 ***make*** [***put in***] one***'s*** [***an***] ***~*** 잠깐 모습을 보이다, 출두하다 ***make*** one***'s first ~*** 처음으로 나타나다; (처음으로) 세상에 나오다 ***make*** one***'s first*** [***last***] ***~ on the stage*** 처음[마지막]으로 무대를 밟다 ***put on*** [***give***] ***the ~ of*** (innocence) (천진난만한) 체하다 ***to*** [***by***] ***all ~***(***s***) 보기에는, 어느 모로 보나 《★ 문두나 동사 바로 뒤에 놓임; 복수형이 일반적임》 ▷ appéar *v.*; appárent *a.*

appéarance mòney (초대 선수에게 얼굴값으로 주는) 출장 사례금

ap·pear·ing [əpíəriŋ] *a.* 《미》 …인 듯한(looking): a youthful-~ man 젊어 보이는 사람

ap·peas·a·ble [əpíːzəbl] *a.* 달랠 수 있는; 가라앉힐 수 있는 **~·ness** *n.* **-bly** *ad.*

*__ap·pease__ [əpíːz] [OF 「평화(peace)롭게 하다」의 뜻에서] *vt.* **1** 〈사람을〉 달래다; 〈싸움을〉 진정시키다; 〈노염·슬픔을〉 가라앉히다: The sight ~*d* his anger. 그 광경을 보고 그는 화가 가라앉았다. // (~+목+전+명) ~ a person *by* kindness[*with* a present] 친절[선물]로 …을 달래다 **2** 〈갈증을〉 풀어 주다; 〈식욕·호기심 등을〉 충족시키다: ~ one's hunger [curiosity] 허기[호기심]를 채우다 **3** (절개를 굽혀) 양보하다 **~·ment** *n.* ⒸⓊ 달램, 진정, 완화, 양보; Ⓤ 유화 정책 **ap·péas·er** *n.*

ap·pel [əpél, æ-] *n.* (*pl.* **~s** [-z]) 〖펜싱〗 아펠 《공격의 의사 표시로 마루를 쿵 딛거나 상대방 검을 치기》

ap·pel·lant [əpélənt] 〖법〗 *a.* 항소의, 상고의

— *n.* 항소인, 상고인

ap·pel·late [əpélət] *a.* Ⓐ 〖법〗 항소[상고]의, 항소[상고]를 처리하는

appéllate còurt 항소[상고] 법원

---

seeming, ostensible, outward, superficial

appeal *n.* **1** 간청 request, call, plea, entreaty, petition, solicitation, imploration **2** 매력 attraction, allure, charm, fascination, temptation

ap·pel·la·tion [æ̀pəléiʃən] *n.* 명칭, 통칭, 호칭, 명명

ap·pel·la·tive [əpélətiv] *a.* **1** 지시적인; 기술적인 **2** 명명(命名)의 **3** 〖문법〗 보통 명사의, 보통 명사적인 — *n.* **1** 통칭 **2** 〖문법〗 보통 명사 **~·ly** *ad.*

ap·pel·lee [æ̀pəlíː | æ̀pe-] *n.* 〖법〗 피항소인, 피상고인(opp. *appellant*)

ap·pel·lor [əpélɔːr, ǽpəlɔ̀ːr | əpélə] *n.* 〖영국법〗 = APPELLANT

ap·pend [əpénd] *vt.* **1** 덧붙이다, 부가[추가]하다, 부록에 달다 《*to*》: I ~ Mr. A's letter herewith. 여기에 A씨의 편지를 첨부합니다. // 《~+目+前+名》 ~ a label *to* a trunk 트렁크에 꼬리표를 붙이다 **2** 〈펜던트 등을〉 달다, 매달다 《*to*》 **3** 〈서명·도장을〉 (문서에) 쓰다, 찍다(affix) 《*to*》

ap·pend·age [əpéndidʒ] *n.* **1** 첨가물, 부가물; 부속물 《*to*》 **2** 〖동물〗 부속지(付屬肢) 《다리·꼬리·지느러미 등》 **3** 종자(從者)

ap·pend·ant, -ent [əpéndənt] *a.* 부가의, 부수의, 부대적인 《*to*》; 〖법〗 (…에) 부대 권리로 종속하는 — *n.* 부수물, 부대적인 사람; 〖법〗 부대(附帶) 권리

ap·pen·dec·to·my [æ̀pəndéktəmi] *n.* (*pl.* **-mies**) 〖외과〗 충수(蟲垂) 절제 (수술), 맹장 수술

ap·pen·di·ceal [æ̀pəndíʃəl] *a.* 〖해부〗 충수의

ap·pen·di·cec·to·my [əpèndəséktəmi] *n.* (*pl.* **-mies**) 《영》 = APPENDECTOMY

***ap·pen·di·ces** [əpéndəsìːz] *n.* APPENDIX의 복수

ap·pen·di·ci·tis [əpèndəsáitis] *n.* Ⓤ 〖병리〗 충수염(蟲垂炎), 《속칭》 맹장염

ap·pen·di·cle [əpéndikl] *n.* 작은 부가물

ap·pen·dic·u·lar [æ̀pəndíkjulər] *a.* 부속 부분의; 〖생물〗 부속지(肢)의; 〖해부〗 충수의

‡ap·pen·dix [əpéndiks] *n.* (*pl.* **~·es, -di·ces** [-dəsìːz]) **1** 부가물, 부속물(⇨ supplement 유의어); **부록**, 부표, 추가물 **2** 〖해부〗 충수(蟲垂), 《속칭》 맹장 **3** (비행선·기구의 가스) 보급통(補給筒) — *vt.* (…에) 덧붙이다, 부가하다 《*to*》 ▷ appénd *v.*; appéndant *a.*; appéndage *n.*

ap·per·ceive [æ̀pərsíːv] *vt.* 〖심리〗 지각(知覺)하다, 통각(統覺)하다; 〖교육〗 〈새 개념을〉 (기존 개념에 동화시켜) …을 이해하다, 유화(類化)하다

ap·per·cep·tion [æ̀pərsépʃən] *n.* Ⓤ 〖심리〗 통각(統覺) (작용); 〖교육〗 이해, 유화(類化)

ap·per·cep·tive [æ̀pərséptiv] *a.* 〖심리〗 통각적인

ap·per·tain [æ̀pərtéin] *vi.* **1** 〈부분·권리·의무 등이〉 (…에) 속하다, 부속하다(belong) 《*to*》; (…에) 관계[관련]하다(relate) 《*to*》 **2** (…에) 적절하다 《*to*》

ap·pe·stat [ǽpəstæ̀t] *n.* 〖의학〗 식욕 조절 중추

ap·pe·ten·cy [ǽpətənsi], **-tence** [-təns] *n.* (*pl.* **-cies**; **-tenc·es**) ⓊⒸ 강한 욕망[욕구] 《*for, after, of*》; 〖화학〗 친화력(affinity) 《*for*》

ap·pe·tent [ǽpətənt] *a.* 열망하는 《*after, of*》

‡ap·pe·tite [ǽpətàit] [L 「찾다」의 뜻에서] *n.* ⒸⓊ **1** **식욕**: A good ~ is a good sauce. 《속담》 시장이 반찬이다. **2** (생리적·정신적) 욕망(desire), 욕구; 좋아함 《*for*》: carnal[sexual] ~ 성욕 ***be to*** one***'s*** ~ 입에 맞다 ***get up an***[one***'s***] ~ = ***work up an*** ~ (운동 등을 하여) 식욕이 나게 하다; 〈운동 등이〉 시장기를 느끼게 하다 ***give an*** ~ 식욕을 돋우다 ***have a good***[***poor***] ~ 식욕이 있다[없다] ***have an*** ~ ***for*** (music) (음악)을 좋아하다 ***lose***[***sharpen***] one***'s*** ~ 식욕을 잃다[돋우다] ***loss of*** ~ 식욕 부진 ***take the edge off*** one***'s*** ~ (가벼운 식사로) 요기하다 ***whet*** a person***'s*** ~ …의 흥미[욕망]를 돋우다; …을 열중케 하다 ***with a good*** ~ 맛있게 ▷ áppetitive *a.*

áppetite sùppressant 식욕 억제제

ap·pe·ti·tive [ǽpətàitiv] *a.* **1** 식욕이 있는; 식욕을 증진시키는 **2** 〖생물〗 욕구의

áppetitive behávior 〖문화인류〗 욕구 행동

ap·pe·tiz·er [ǽpətàizər] *n.* **1** 식욕[입맛]을 돋우는 것, 반주, 전채 **2** 의욕[기대]을 돋우는 것 《*to, for*》

***ap·pe·tiz·ing** [ǽpətàiziŋ] *a.* **1** 식욕을 돋우는, 맛있어 보이는 **2** 욕망[기대]을 돋우는 **~·ly** *ad.*

Áp·pi·an Wáy [ǽpiən-] [the ~] 아피아 가도 《Rome에서 Brundisium까지의 고대 로마의 길》

appl. applicable; applied

‡ap·plaud [əplɔ́ːd] [L 「…에게 손뼉을 치다」의 뜻에서] *vi.* **박수치다**(clap), 성원하다(cf. CHEER) 《보통은 갈채가 포함되지 않음》; 칭찬하다: The audience ~*ed.* 청중은 박수를 보냈다. — *vt.* …에게 **박수치다**, 박수를 보내다; 칭찬하다, 절찬하다(praise): 《~+目(+前+名)》 I ~ you (*for* your decision). 그 결심 잘 하셨습니다. ~ ***to the echo*** 극구 칭찬하다 **~·a·ble** *a.* **~·er** *n.*

‡ap·plause [əplɔ́ːz] *n.* Ⓤ **박수(갈채)**; 칭찬: a storm[thunder] of ~ 우레 같은 박수(갈채) / greet a person with ~ …을 박수로 맞다 / win general ~ 세상의 칭찬을 받다 ▷ appláud *v.*; appláusive *a.*

ap·plau·sive [əplɔ́ːsiv, -ziv | -siv] *a.* 박수갈채의; 칭찬의 **~·ly** *ad.*

‡ap·ple [ǽpl] *n.* **1** 사과 《과일 중에 가장 전형적인 것》; 사과나무(= ~ tree) **2** 사과 비슷한 과실 《crab apple, love apple, mayapple 등》 **3** (크기·형태·색 등이) 사과 같은 것 **4** 《구어》 야구공 **5** [종종 the ~] 금단의 열매 **6** 《미·속어》 녀석, 놈 **7** 〖전자〗 진공관, 열전자관 **8** 《미·속어》 번화가, 대도시 **9** 《미·속어》 [종종 the (Big) A~] 뉴욕 시 **10** 《미·속어》 (정신 안정제의) 빨간 캡슐 **11** 《미·속어》 강력한 전파를 보내어 불법으로 교신하는 시민 라디오 교신자 **12** [**A~**] 애플사 《미국의 개인용 컴퓨터 제조 회사; 정식 명칭은 Apple, Inc.》; 그 제품 《상표명》

a[***the***] ***bad***[***rotten***] ~ 악영향을 미치는 것[사람], 암적인 존재 ***an*** ~ ***of love*** 토마토 《별명》 ***~s and oranges*** 비교할 수 없는 것 ***Carthaginian*** ~ 석류 ***compare ~s and oranges*** 전혀 다른 것들을 비교하다 ***polish ~s***[***the*** ~] 《구어》 비위 맞추다, 아첨하다 ***the*** ~ ***of discord*** 분쟁의 씨 《Troy 전쟁의 원인이 된 황금의 사과에서》 ***the*** ~ ***of*** one***'s***[***the***] ***eye*** 눈동자; 장중보옥(掌中寶玉), 매우 소중한 것[사람] ***the*** ~ ***of Sodom*** = ***the Dead Sea*** ~ 소돔의 사과 《따면 연기를 내고 재가 된다고 함》; 유명무실; 실망의 원인

ápple blòssom 사과꽃 《Arkansas와 Michigan 주의 주화(州花)》

ápple brándy 사과 브랜디(《미》 applejack)

ápple bùtter 사과 잼; 《미·방언》 능변, 수다

ap·ple·cart [ǽplkɑ̀ːrt] *n.* 사과 장수의 손수레 ***upset the***[a person***'s***] ~ …의 계획을 망쳐 놓다; 종래의 전통[방식]을 뒤엎다

ápple chèese (사과주 만들 때 짜고 남은) 사과 찌꺼기의 덩어리

ápple dúmpling 사과(가 든) 경단

ápple gréen 밝은 녹황색

ap·ple·head [-héd] *n.* 바보, 멍청이(idiot)

ap·ple·jack [-dʒæ̀k] *n.* 《미》 = APPLE BRANDY

ápplejack càp 애플잭 모자 《흑인·푸에르토리코 청년이 쓰는, 보통 털실로 짠 화려한 색의 빵모자》

ápple knòcker 《미·속어》 시골뜨기, 농부

ápple òrchard 사과밭; 《야구속어》 야구장

ápple pandówdy 《미》 당밀을 친 애플파이

ápple píe** **1** 사과 파이, 애플파이 **2** (부탁에 대해) 간단한 일, 식은 죽 먹기 (as***) ***American as*** ~ 극히[가장] 미국적인 ***as easy as*** ~ 아주 쉬운, 퍽 간단한 ***Mom's*** ~ 《미》 어머니의 음식 맛

NOTE 가장 미국적인 디저트로서, 그 맛은 어머니의 이미지와 관련지어지고, 따라서 미국 생활의 좋은 면을 대표하는 말임.

ap·ple-pie [-pái] *a.* Ⓐ 완전한, 정연한; 《구어》 가장[순] 미국적인

ápple-píe bèd 《영》 다리를 충분히 뻗을 수 없도록 장난으로 시트를 접어 깐 잠자리

ápple-pie órder ((구어)) 정돈; 질서정연한 상태: in ~ 질서정연하게

ap·ple-pol·ish [-pὰliʃ | -pɔ̀-] [미국에서 학생이 선생님에게 반질반질하게 닦은 사과를 선물하는 풍습에서] *vi., vt.* ((미·구어)) (…의) 비위를 맞추다, 아첨하다 **~·er** *n.* ((미·구어)) 아첨꾼 **~·ing** *n.*

ap·ple·sauce [-sɔ̀:s] *n.* Ⓤ **1** 사과 소스 **2** ((미·속어)) 아첨(flattery), 허튼소리(nonsense)

ap·plet [ǽplət] [*app*lication+*-let*] *n.* 〖컴퓨터〗 애플릿 ((특히 자바 프로그래밍에 이용되는 간단한 모듈))

Áp·ple·ton làyer [ǽpltən-] 〖지구물리〗 애플턴 층(層)(F layer)

ápple trèe 사과나무

*__ap·pli·ance__ [əpláiəns] *n.* **1** (가정용) **기구**; 장치, 설비; 전기 제품[기구]: household ~*s* 가전제품 / medical ~*s* 의료 기구 / office ~*s* 사무용품 **2** ⓊⒸ ((드물게)) 적용, 응용 **3** 소방차(fire engine) —*vt.* …에 기구를 설치[비치]하다 ▷ applý *v.*

*__ap·pli·ca·ble__ [ǽplikəbl, əplí-] *a.* **적용[응용]할 수 있는**; 들어맞는, 적절한 ((*to*)): The rule is only ~ *to* this case. 그 규칙은 이 경우에만 적용된다. **àp·pli·ca·bíl·i·ty** *n.* Ⓤ 적용 가능성; 응용할 수 있음 **-bly** *ad.* 적절히

*__ap·pli·cant__ [ǽplikənt] *n.* **응모자**, 출원자, 신청자, 지원자, 후보자 ((*for*)): an ~ *for* a position 구직자 / an ~ *for* admission to a school 입학 지원자 ▷ applý *v.*

‡**ap·pli·ca·tion** [æ̀pləkéiʃən] *n.* **1** ⓊⒸ (특정의 용도·목적에) **적용**, 응용, 이용 ((*to*)): practical ~ 응용 / a rule of general ~ 일반적으로 적용되는 규칙, 통칙 **2** 특정의 용도[목적] **3** ⓊⒸ 적응성, 응용성, 실용성 **4** ⒸⓊ **신청**, 지원, 응모 ((*to, for*)); (…의) **원서**, 신청서 ((*for*)): an ~ *for* admission *to* a college 대학 입학 지원 / North Korea's ~ *to* join the United Nations 북한의 UN 가입 신청 / fill out[in] an ~ 신청서에 (필요한 사항을) 기입하다 **5** Ⓤ 전념, 전심, 열중, 몰두 **6** ⒸⓊ (물건·약제 등을) (…에) 붙임, 바름; (열·힘 등을) 가함: external[internal] ~ (약의) 외용(外用)[내용(內用)] **7** Ⓤ 고약, 연고, 외용약, 바르는 약 **8** Ⓒ 〖컴퓨터〗 애플리케이션 ((응용 소프트웨어의 총칭 또는 컴퓨터에 의한 실무 처리 등에 적합한 특정 업무)) ***have ~ to*** …에 적용되다, …와 관계가 있다 ***make an ~ for*** …을 신청하다, …을 출원하다 ((*to*)) ***on ~*** 신청하면, 신청하는 대로 ***send in a written ~*** 원서를 제출하다 ▷ ápplicative, ápplicatory *a.*; applý *v.*

applicátion déadline dàte 원서[신청] 마감일

applicátion fòrm[((미)) **blànk**] 신청 용지, 신청서

applicátion pàckage 〖컴퓨터〗 응용 패키지 ((급여 계산·구조 해석 등의 프로그램 집합체))

applicátion prògram 〖컴퓨터〗 응용 프로그램 ((사용자(user)가 구체적인 일을 처리하는 데에 쓰도록 만들어진 프로그램; cf. SYSTEM PROGRAM))

applicàtion sérvice provìder 〖컴퓨터〗 애플리케이션 서비스 제공 회사

applicátion sòftware 〖컴퓨터〗 응용 소프트웨어

ap·pli·ca·tion-spe·cif·ic [æ̀pləkéiʃənspisífik] *a.* 특수 용도의: an ~ integrated circuit 특수 용도의 집적 회로 ((略 ASIC))

applicátions sátellite 응용[실용] 위성 ((기상 위성·통신 위성·항행 위성 등))

ap·pli·ca·tion·ware [-wὲər] *n.* 〖컴퓨터〗 애플리케이션웨어 ((컴퓨터의 이용 분야))

ap·pli·ca·tive [ǽpləkèitiv, əplíkə-] *a.* 실용적인, 응용적인 **~·ly** *ad.*

ap·pli·ca·tor [ǽpləkèitər] *n.* **1** 약 바르는 데 쓰는 도구 ((면봉 등)) **2** ((미)) 지붕 이는 직공

ap·pli·ca·to·ry [ǽpləkətɔ̀:ri, əplíkə- | ǽplikèitəri] *a.* 적용[응용]할 수 있는; 실용적인

*__ap·plied__ [əpláid] *a.* **응용의**, (실지로) 적용된, 실용적인(opp. *pure, abstract, theoretical*): ~ chemistry[tactics] 응용 화학[전술] / ~ fine arts 응용 미술, 공예 미술

applíed genétics 응용 유전학 ((품종 개량·물질 생산·의료 등에 응용하는))

applíed linguístics 응용 언어학 ((언어학의 연구 결과를 실용적인 문제에 적용하는 학문))

applíed músic (이론을 뺀) 실용 음악 (과목), 음악 실기

ap·pli·qué [æ̀plikéi | æplí:kei] [F =applied] *a.* (다른 재료에) 갖다 붙인, 바른 —*n.* Ⓤ 아플리케 ((갖가지 모양으로 오린 작은 헝겊을 붙인 장식)) —*vt.* …에 아플리케를 하다

‡**ap·ply** [əplái] *v.* (**-plied**)

> L 「…에 꼭 붙이다」의 뜻에서 → 대다 ㊊ **1**
> →(사물을) 들어 맞추다 → 적용하다 ㊊ **3**
> 적용되다 ㊋ **1**
> →(자신을) 해당시키다 → 당해 보다 →
> ┌ 신청하다 ㊋ **2**
> └ 문의[조회]하다 ㊋ **2**

—*vt.* **1** 〈물건을〉 **대다**; 〈열을〉 가하다; 〈성냥을〉 켜다; 〈약 등을〉 바르다: ((~+목+전+명)) ~ a plaster *to* a wound 상처에 반창고를 붙이다 / She *applied* the dye *on* her hair. 그녀는 머리에 염색약을 발랐다. **2 쓰다**, 사용하다; 〈자금 등을〉 (어떤 목적에) **충당하다**, 돌리다: ~ force 폭력을 쓰다 // ((~+목+전+명)) ~ a word *to* an idea different from its ordinary sense 어떤 낱말을 일반적인 뜻과 다른 뜻으로 쓰다 **3** 〈규칙을〉 **적용하다**, 〈원리를〉 **응용하다**; 〖컴퓨터〗 〈설정 등을〉 (…에) 적용하다 ((*to*)): ((~+목+전+명)) ~ steam *to* navigation 증기를 항해에 응용하다 / The term "foul" can be *~ed to* any sport. '파울'이라는 용어는 어떠한 스포츠에도 적용될 수 있다. **4** 〈마음·주의력·정력 등을〉 **쏟다**, 기울이다(direct); [~ one*self* 로] 전념하다, 열중하다 ((*to*)): ((~+목+전+명)) ~ one*self to* one's studies 연구에 전념하다 **5** …할 것을 신청하다: ((~+(목+)***to*** do)) He *applied to* go back. 그는 귀국을 신청했다.

—*vi.* **1 적용되다**, 적합하다, 해당되다 ((*to*)): ((~+전+명)) This does not ~ *to* beginners. 이것은 초보자에게는 적당치 않다. **2 신청하다**, 출원하다, 지원하다 ((*to, for*)); 의뢰하다, 문의하다, 조회하다 ((*to, for*)): ((~+전+명)) *For* particulars, ~ *to* the office. 자세한 것은 사무실에 문의하시오. **3** [부사와 함께] 〈도료·약 등이〉 퍼지다, 발라지다, 붙다, 묻다 **4** 〈사람이〉 (…에) 전념하다, 몰두하다 **ap·plí·a·ble** *a.* **ap·plí·er** *n.* ▷ applicátion, applíance, ápplicant *n.*; ápplicable *a.*

appmt. appointment

ap·pog·gia·tu·ra [əpὰdʒətjúərə | əpɔ̀-] [It.] *n.* 〖음악〗 아포자투라, 전타음(前打音), 앞꾸밈음 ((장식음(grace note)의 일종))

‡**ap·point** [əpɔ́int] *vt.* **1 지명[임명]하다**: ~ a new secretary 새 비서를 임명하다 // ((~+목+전+명)) ~ a person *to* a post …을 어떤 지위에 앉히다 / ~ a person *to* the headmastership …을 교장에 임명하다 // ((~+목+***as*** 보)) ((~+목+(***to be***) 보)) He was *~ed* headmaster. 그는 교장으로 임명되었다. / He was *~ed* (*as*[*to be*]) one of the committee. 그는 위원의 한 사람으로 임명되었다. // ((~+목+***to*** do)) He *~ed* me *to* do the duty. 그는 그 임무를 수행하도록 나를 임명했다. **2** ((문어)) 〈시일·장소를〉 **정하다**, 지정하다(fix), 약속하다: ((~+목+전+명)) He *~ed* the place *for* the meeting. 그는 회합의 장소를 지정했다. // ((~+목+***as*** 보)) April 5 was *~ed as* the day for the meeting. 회합의 날은 4월 5일로 정해졌다. ★ 명사형인 appointment는 잘 쓰이지만, 동사의 경우는 fix가 더 일반적임. **3** ((드물게)) 〈하늘이〉 명하다(decree), 정하다: ((~+***that*** 절)) God *~s that* this shall be done. 신이 이것을 하도록 명하신다.

4 〖법〗 (재산의) 귀속을 정하다 5 [보통 과거분사로] 〈방 등에〉 비품[설비]을 갖추다 (⇨ appointed 3)
— *vi.* 〖법〗 지명[임명]권을 행사하다 **~·a·ble** *a.*
▷ appóintive *a.*; appóintment *n.*

*__ap·point·ed__ [əpɔ́intid] *a.* **1** 정해진, 지정된; 약속된: one's ~ task 자기의 정해진 일 / at the ~ time 정각에, 약속된 시간에 **2** 임명된: a newly ~ official 새로 임명된 관리 **3** [보통 부사와 함께 복합어로] 설비를 갖춘: a *well-*~ house 설비가 잘된 집

ap·point·ee [əpɔ̀intíː, æ̀pɔin-] *n.* 임명[지명]된 사람; 〖법〗 (재산권의) 피지정인

ap·point·er [əpɔ́intər] *n.* 임명자

ap·point·ive [əpɔ́intiv] *a.* **1** 임명에 의한(opp. *elective*) **2** 임명[지명]권이 있는

‡**ap·point·ment** [əpɔ́intmənt] *n.* **1 a** (만날) 약속, 예약(⇨ promise 유의어): an ~ *for* an interview 면접 약속 / a dental ~ 치과 진료 예약 / I have an ~ with my friend this afternoon. 오늘 오후에 친구와 약속이 있다. **b** 약속 장소 NOTE 영·미에서는 의사의 진찰을 받거나 미용실에서 머리를 하거나 남을 방문하고자 할 때는 appointment를 하는 것이 일반 상식임. **2** CU 지정, 선정 **3** CU 임명, 지명, 임용; C 관직, 지위(position): have[hold] an ~ 관직에 있다 **4** [*pl.*] (내부의) 설비, 장비(outfit); 가구, 장식품 **5** [*pl.*] (병사나 군마(軍馬)의) 장구, 장비 **6** 《고어》 법령, 포고, 명령 **7** (출장자는 규정된 수렵복을 입게 되어 있는) 마술(馬術) 대회 **8** 〖법〗 (재산 귀속의) 지명[지정]
by **~** 때와 장소를 약속하여 (만나다) ***keep*** [***break***] one***'s*** **~** (…와의) 약속을 지키다[어기다] 《*with*》 ***make an* ~ *with*** …와 만날 시일[장소]을 정하다 ***take up an* ~** 취임하다 ▷ appóint *v.*

ap·poin·tor [əpɔ́intər] *n.* **1** = APPOINTER **2** 〖법〗 지정권자

ap·port [əpɔ́ːrt] *n.* 〖심령〗 (영매가 불러낸) 환영, 강령(降靈) 《물체가 움직이거나 나타나는 일》

ap·por·tion [əpɔ́ːrʃən] *vt.* 배분하다, 할당하다 《*to*》: (~+목+전+명) ~ something *between* [*among*] persons 물건을 사람들에게 배분하다
~·a·ble *a.* **~·er** *n.*

ap·por·tion·ment [əpɔ́ːrʃənmənt] *n.* UC 배분, 할당; 분담 《손해 보상액의》; 《미》 의원 수의 할당

ap·pose [əpóuz] *vt.* 〈두 물건을〉 나란히 놓다; 덧붙이다 **ap·pós·a·ble** *a.* **-pós·er** *n.*

ap·po·site [ǽpəzit, əpɑ́-] *a.* 적절한 《*to, for*》: ~ *to* the case 실정에 맞는, 시의(時宜) 적절한 / an ~ answer 명답 **~·ly** *ad.* **~·ness** *n.*

‡**ap·po·si·tion** [æ̀pəzíʃən] *n.* **1** 병렬, 병치 **2** 〖문법〗 동격 (관계)(⇨ 문법 해설 (1)) **3** 〖생리〗 부가[부착] 성장 ***in* ~ *with*** [***to***] …와 동격인[으로]
~·al *a.* **~·al·ly** *ad.*
▷ ápposite *a.*; appósitive *a.*, *n.*

ap·pos·i·tive [əpɑ́zitiv | əpɔ́-] 〖문법〗 *a.* **1** 동격의 **2** 〈형용사(구)가〉 후치 수식(後置修飾)의 **3** 〈단어·절이〉 비한정적인 — *n.* 동격어[구, 절] **~·ly** *ad.*

ap·prais·al [əpréizəl] *n.* UC **1** 값 매김, 평가; 감정, 견적, 사정(査定); U 견적[사정]액(appraisement) **2** 《영》 (노사 간의) 업적 평가 (회의)

ap·praise [əpréiz] *vt.* 〈물건·재산을〉 값을 매기다, 견적[감정]하다; 〈사람·능력을〉 평가하다(⇨ estimate 유의어); …의 〈치수·중량·품질 등을〉 평가[계산]하다: I had an expert ~ the house beforehand. 나는 사전에 전문가에게 그 가옥을 감정하게 했다. // (~+목+전+명) ~ property[land] *at* fifty thousand dollars 재산[토지]을 5만 달러로 평가하다 / ~ property *for* taxation 과세하기 위해 재산을 평가하다
ap·práis·ee *n.* **~·ment** *n.* **ap·práis·ive** *a.*
▷ appráisal *n.*

ap·prais·er [əpréizər] *n.* **1** 《미》 부동산 감정사; (세관의) 감정관; (손해 배상 등의) 감정인(《영》 valuer) **2** 경영 카운슬러 **3** 골동품 감정사

ap·prais·ing [əpréiziŋ] *a.* A 평가하는 (듯한)

*__ap·pre·ci·a·ble__ [əpríːʃiəbl | -ʃə-] *a.* 감지할 수 있을 정도의, 평가할 수 있는; 분명한, 상당한: an ~ change 뚜렷한 변화 **-bly** *ad.* ▷ appréciate *v.*

‡**ap·pre·ci·ate** [əpríːʃièit] [L 「…에 가격을 매기다」의 뜻에서] *vt.* **1** 진가[좋은 점]를 알다, 가치를 인정하다; 높이 평가하다(⇨ understand 유의어): I can ~ fine works of art. 나는 좋은 예술작품을 알아볼 수 있다 **2** 〈사소한 차이를〉 식별하다; 〈문학 등을〉 감상하다: ~ good wine 좋은 포도주를 음미하다 **3** 〈사물을〉 올바르게 인식하다; 〈중대성 등을〉 통찰하다: A musician can ~ small differences in sounds. 음악가는 미묘한 음의 차이도 식별할 수 있다. **4** 〈사람의 호의 등을〉 고맙게 생각하다, 감사하다: I ~ your help. 도와주신 데 대해 감사드립니다. / I'd ~ it if you would turn the light off. 불을 꺼주시면 고맙겠습니다. **5** 시세[값]를 올리다
— *vi.* 시세[값]가 오르다(opp. *depreciate*)
-àt·ing·ly *ad.*
▷ appreciátion *n.*; appréciable, appréciative *a.*

*__ap·pre·ci·a·tion__ [əprìːʃiéiʃən] *n.* U **1** 진가(를 인정함), 올바른 인식; 식별, 감지(感知) **2** 감상, 완미(玩味), 이해: ~ of music 음악의 감상 **3** 감사, 존중: a letter of ~ 감사장 **4** (가격의) 등귀, (수량의) 증가 **5** (인물·상황 등에 대한) 평가, 의견, 평언(評言) **6** (예술 작품·저서에 대한) 비평, 논평, (특히 호의적인) 평론
in* ~ *of [***for***] …을 인정하여; …에 감사하여 ***with* ~** 감사하여; 충분히 이해하여 **~·al** *a.*
▷ appréciate *v.*; appréciative *a.*

*__ap·pre·ci·a·tive__ [əpríːʃətiv, -ʃiə-, -ʃièi-] *a.* **1** 감식력이 있는, 눈이 높은; 감상하는 《*of*》: an ~ audience 눈[안목]이 높은 청중 **2** 감사의, 감사하고 《*of*》: ~ words 감사하는 말 ***be* ~ *of*** …을 감사하고 있다: I *am* really ~ *of* your support. 진심으로 성원에 감사드립니다. **~·ly** *ad.*
▷ appréciate *v.*; appreciátion *n.*

ap·pre·ci·a·tor [əpríːʃièitər] *n.* 진가를 이해하는 사람; 감상자; 감사하는 사람

ap·pre·ci·a·to·ry [əpríːʃiətɔ̀ːri, -ʃə- | -ʃiətəri] *a.* = APPRECIATIVE

*__ap·pre·hend__ [æ̀prihénd] [L 「파악하다」의 뜻에서] *vt.* **1** 《문어》 〈범인을〉 체포하다 《catch, seize, arrest가 일반적》: The thief was ~*ed*. 도둑은 체포되었다. **2** 〈의미를〉 파악하다, 이해하다, 깨닫다: (~+***that*** 절) I ~*ed that* the situation was serious. 사태가 심각함을 깨달았다. **3** 우려하다, 염려하다 (fear): It is ~*ed that* ... …할 우려가 있다 / There is nothing to ~. 아무것도 염려할 게 없다.
— *vi.* **1** 깨닫다, 이해되다 **2** 걱정되다, 염려되다
~·er *n.* ▷ apprehénsion *n.*; apprehénsive *a.*

ap·pre·hen·si·ble [æ̀prihénsəbl] *a.* 이해할 수 있는 《*to*》 **àp·pre·hèn·si·bíl·i·ty** *n.* **-bly** *ad.*

*__ap·pre·hen·sion__ [æ̀prihénʃən] *n.* U **1** [또는 *pl.*] 우려, 염려, 걱정(fear): under the ~ that[lest] …을 두려워하여, …을 염려하여 **2** [또는 an ~] 《문어》 이해, 이해력; 판단, 견해, 생각, 의견: in my ~ 내가 보는 바로는 **3** 체포(arrest) ***be above*** one***'s* ~** 이해할 수 없다, 전혀 알 수 없다 ***be quick*** [***dull***] ***of* ~** 이해가 빠르다[더디다] ***have*** [***entertain***] ***some* ~**(***s***) 염려하다
▷ apprehénd *v.*; apprehénsive *a.*

*__ap·pre·hen·sive__ [æ̀prihénsiv] *a.* **1** P 우려하는, 염려하는 《*of, for, about*》: help candidates feel less ~ 지원자들이 걱정을 덜하도록 돕다 / We felt ~ *about* their visit. 우리는 그들의 방문을 우려했다. **2** 이해가 빠른, 총명한(intelligent) **3** 알아채고[깨닫고]

thesaurus **appointment** *n.* **1** 약속 meeting, engagement, date, arrangement **2** 지위 job, post, position, **3** 임명 naming, nomination, selection
appreciate *v.* **1** 진가를 인정하다 value, prize, cherish, treasure, respect **2** 올바르게 인식하다 recog-

(있는) ⟪*of*⟫ ***be ~ for*** (a person's safety) (…의 안부)를 걱정하다 ***be ~ of*** …을 염려하다 ***be ~ that*** a person ***may*** …하지 않을까 근심하다
~·ly *ad.* **~·ness** *n.*
▷ apprehénd *v.*; apprehénsion *n.*

***ap·pren·tice** [əpréntis] [OF 「배우다」의 뜻에서] *n.* **1 도제**(徒弟), 견습생, 수습[실습]생: an ~*s'* school 도제 학교 **2 초심자**(novice) **3** 〖미해군〗 실습생[병] **4** 견습 기수(騎手)
bind a person[***be bound***] ***~ to*** (a carpenter) (목수)의 도제로 삼다[가 되다]
— *vt.* 도제로 보내다
— *vi.* 도제가 되다, 수습하다
~ a person[one***self***] ***to*** …의 도제로 보내다[가 되다] ***be ~d to*** …의 도제가 되다

ap·pren·tice·ship [əpréntisʃìp] *n.* Ⓤ 도제살이, 도제의 신분[연한] ***serve*** [***serve out***] one***'s ~*** 도제의 연한을 근무하다[채우다]

ap·pressed [əprést] *a.* 바싹 밀어붙여진, 착 들러붙은

ap·prise[1], **ap·prize**[1] [əpráiz] *vt.* ⦅문어⦆ 〈사람에게 …을〉 통지하다(inform), 알리다 ⟪*of*⟫
be ~d of …을 통지받다, 알려지다

apprise[2], **apprize**[2] *vt.* 존중하다, …의 진가를 인정하다

ap·pro [ǽprou] *n.* ⦅영·구어⦆ = APPROVAL
on ~ = on APPROVAL

‡ap·proach [əpróutʃ] [L 「…에 가까워지다」의 뜻에서] *vt.* **1** …**에 다가가다, 가까이 가다,** 접근하다: ~ the moon 달에 접근하다 **2** 〈성질·시간·상태 등이〉 …에 가까워지다, …와 비슷하게 되다: ~ completion 완성에 가까워지다 **3** (교섭할 목적으로) 〈…에게〉 접근하다; 이야기를 꺼내다, …와 교섭하다; (환심을 사려고) 〈…에게〉 알랑거리다 ⟪*on*⟫; 〈이성에게〉 접근하다, 구애하다: (~+목+전+명) ~ a person *on* a matter 어떤 일로 …와 교섭하다 / He ~*ed* the manager *for* a job. 그는 일자리를 구하려고 지배인과 만나보았다. **4** ⦅드물게⦆ 〈…을〉 (…에) 접근시키다 ⟪*to*⟫ **5** 〈일·문제 등에〉 착수하다
— *vi.* **1** 〈사람·물건·때 등이〉 **다가오다,** 가까워지다: Spring ~*es.* 봄이 다가온다. / The time ~*ed.* 시간이 다가왔다. **2** 〈성질·금액 등이〉 …에 가깝다, 거의 …와 같다(amount) ⟪*to*⟫: (~+전+명) This reply ~*es to* a denial. 이 대답은 거절이나 다름없다. **3** 〖골프〗 어프로치하다 ⟪공을 홀에 접근시키다⟫ **4** 〖항공〗 (활주로를 향해서) 진입하다, 착륙 태세에 들어가다
— *n.* **1** Ⓤ 다가옴[감], **접근** ⟪*of, to*⟫; (성질·정도 등의) 가까움, 근사 ⟪*to*⟫: the ~ *of* winter 겨울철이 다가옴 / his nearest ~ *to* a smile 그로서는 한껏 지어 보이는 미소 **2** 가까이 가는 길, 입구, 출입로, 접근로(access) **3** (학문 등에의) **접근법,** 학습[연구]법, 길잡이 ⟪*to*⟫: the best ~ *to* the learning of English 최선의 영어 학습법 **4** [종종 *pl.*] 가까이하기; (여자에게) 접근함, 구애(advances) ⟪*to*⟫ **5** 〖항공〗 (착륙) 진입(로); [*pl.*] 〖군사〗 접근 수단; 〖골프〗 어프로치(=~ shot) ⟪공을 홀에 접근시킴⟫; 〖스키〗 (점프하기 위하여) 지쳐 나가기; 〖테니스〗 어프로치 샷; 〖볼링〗 도움닫기, 도움닫기 길 **6** [*pl.*] **a** 〖토목〗 (다리·터널에서의) 어프로치, 설비 (도로) **b** 〖철도〗 어프로치 ⟪신호 제어 구간에 들어가기 전에 설치된 철도 선로⟫ **7** 〖트럼프〗 (브리지에서) 어프로치 ⟪상대의 반응을 보면서 신중히 최종 비드(bid)를 결정하는 방법⟫ ***easy*** [***difficult***] ***of ~*** 가까이하기 쉬운[어려운], 가기 쉬운[어려운] ***make*** one***'s ~es*** 접근하려 하다, 환심을 사려 하다
~·er *n.*

---

nize, acknowledge, realize, understand
apprehension *n.* **1** 우려 anxiety, dread, worry, uneasiness, nervousness, fear **2** 이해 understanding, realization, appreciation, comprehension **3** 체포 arrest, seizure, capture, detention

ap·proach·a·ble [əpróutʃəbl] *a.* 가까이하기 쉬운; 사귀기 쉬운 **ap·pròach·a·bíl·i·ty** *n.*

appróach àid 〖항공〗 (공항의) 진입용 보조 설비

ap·próach-ap·próach cònflict [-əpróutʃ-] 〖심리〗 접근-접근 갈등 ⟪동시에 두 유인(誘因)에 끌리는 경우⟫

ap·próach-a·vóid·ance cònflict [-əvɔ́idəns-] 〖심리〗 접근-회피 갈등 ⟪양면 가치의 경우⟫

appróach lìght 〖항공〗 진입등 ⟪야간 착륙 유도등⟫

appróach pàth 〖항공〗 (착륙) 진입로

appróach ròad ⦅영⦆ (고속도로 등에의) 진입로

appróach shòt **1** 〖테니스〗 어프로치 샷 ⟪네트 플레이를 하기 위해 상대방 코트에 치는 강력한 스트로크⟫ **2** 〖골프〗 = APPROACH *n.* 5

ap·pro·bate [ǽprəbèit] *vt.* ⦅미⦆ 승인[찬성]하다(approve); 허가하다(license)

***ap·pro·ba·tion** [æ̀prəbéiʃən] *n.* Ⓤ **허가,** (공식) 인가, 재가, 면허; 승인, 찬동; 칭찬: meet with general ~ 일반 대중의 찬동을 얻다
on ~ = on APPROVAL
▷ áprobate *v.*; áprobative, appróbatory *a.*

ap·pro·ba·tive [ǽprəbèitiv] *a.* 승인하는, 인가의, 찬성의

ap·pro·ba·to·ry [əpróubətɔ̀:ri | æ̀prəbéitəri] *a.* 승인의; 칭찬의

ap·pro·pri·a·ble [əpróupriəbl] *a.* 전용[사용(私用)]할 수 있는; 유용[충당]할 수 있는 ⟪*to, for*⟫

ap·pro·pri·a·cy [əpróupriəsi] *n.* Ⓤ (말·표현이 문맥상으로) 적절함

‡ap·pro·pri·ate [əpróuprièit] [L 「자기 것으로」의 뜻에서] *vt.* **1** ⦅완곡⦆ 〈공공물을〉 **사용**(私用)**하다,** 전유(專有)하다, 착복하다, 횡령하다: Let no one ~ a common benefit. 아무도 공공의 이익을 독차지하지 못하게 해야 한다. // (~+목+전+명) ~ public money *for* one's own use 공금을 횡령하다 **2** (특수한 목적에) 〈돈 등을〉 **충당하다:** (~+목+전+명) ~ a sum of money *for* education 돈을 교육에 충당하다 / ~ the money *to* payment 그 돈을 지불에 충당하다 **3** ⦅미⦆ 〈의회가〉 (예산의) 지출을 승인하다, 〈정부가 어떤 금액을〉 예산에 계상(計上)하다 ⟪*for*⟫: (~+목+전+명) The legislature ~*d* the funds *for* the construction of the university library. 의회는 대학 도서관 건립을 위한 자금의 지출을 승인했다.
— [əpróupriət] *a.* **1 적당한,** 적절한, 알맞은, 어울리는 ⟪*to, for*⟫ (⇨ fit[1] 유의어): ~ *to* the occasion 그 경우에 어울리는 / be ~ *for* school wear 학생복으로 알맞다 **2** 특유한, 고유한 ⟪*to*⟫
~·ly [-ətli] *ad.* **~·ness** [-ətnis] *n.*
▷ appropriátion *n.*; appрópriative *a.*

apprópriate technólogy 적합 기술 ⟪도입국의 특유한 조건에 알맞은 기술⟫

ap·pro·pri·a·tion** [əpròupriéiʃən] *n.* **1** Ⓤ ⦅완곡⦆ **전유**(專有); 사용(私用), 도용 **2** ⓊⒸ **충당,** 할당 **3** ⦅미⦆ (의회의 승인을 받은) 정부 지출금; …비(費) ⟪*for*⟫: an ~ *for* defense 국방비 / an ~ bill (의회에 제출하는) 세출 예산안 / the ~*s* committee ⦅미⦆ (의회의) 세출 위원회 **4** 〖미국법〗 (재산의) 공용 징수(公用徵收) **5** ⦅미⦆ (의회의) 세출[예산 배당]의 승인 ⟪특별 회계 지출 예산안⟫ **6** 〖신학〗 귀속 ⟪삼위일체설에서 각각의 속성이 삼위에 귀착하는 것⟫ **7 a** 〖그리스도교〗 중세 교회 재산의 일종 **b** 〖가톨릭〗 (교회법에 의해 정해진) 성직록의 전유 ***make an ~ of 1,000 dollars ***for*** …을 위하여 (천 달러)를 지출하다

ap·pro·pri·a·tive [əpróuprièitiv, -priə-] *a.* 전유[사용]의; 충당의; 특별 사용의

ap·pro·pri·a·tor [əpróuprièitər] *n.* **1** ⦅완곡⦆ 전용자, 사용자(私用者); 유용자 **2** 충당자

ap·prov·a·ble [əprú:vəbl] *a.* **1** 승인[찬성]할 수 있는 **2** 칭찬할 만한 **-bly** *ad.*

‡ap·prov·al [əprú:vəl] *n.* Ⓤ **1 찬성,** 동의; (정식) 승인, 인가: show one's ~ 찬성을 나타내다 / with the

full ~ of …의 전폭적인 찬성을 얻어 / His proposals have won the ~ of the board. 그의 제안들은 이사회의 승인을 받았다. **2** 〖상업〗 (반품 가능한) 시제품 ***for** a person's* **~** …의 승인[찬성]을 얻고자 ***meet with** a person's* **~** …의 찬성을 얻다 ***on* ~** 《영·구어》 상품이 마음에 들면 산다는 조건으로 ***with your kind* ~** (고맙게도) 귀하의 찬성을 얻어
▷ appróve *v.*

appróval ràting (대통령 등에 대한) 지지율

‡**ap·prove** [əprúːv] *vt.* **1 찬성**[찬동]**하다,** 좋다고 인정하다: I ~ your plan. 당신의 계획에 찬성한다. **2** 〈의회 등이〉 (정식으로) **승인하다,** 허가하다, 인가[재가]하다: The committee *~d* the budget. 위원회는 예산안을 승인했다. **3** …에 승낙하다, 동의하다 **4** [~ one*self* 로] 자신이 (…인 것을) 나타내다, 가치 있음을 보이다: ~ one*self* a good teacher 자신이 훌륭한 교사임을 입증하다
— *vi.* **찬성하다,** 승인하다 《*of*》: 《~+전+명》 Her parents did not ~ *of* her marriage. 그녀의 부모는 그녀의 결혼을 찬성하지 않았다.
ap·próv·er *n.* ▷ appróval *n.*

ap·proved [əprúːvd] *a.* 인가된; 입증된, 정평 있는, 공인된

appróved schóol 《영》 (비행 소년을 선도하는) 소년원 《지금은 community home이라 함》

ap·prov·ing [əprúːviŋ] *a.* 찬성[승인]하는; 만족해하는: an ~ smile 만족스러운 미소 **~·ly** *ad.*

approx. approximate(ly)

ap·prox·i·mant [əpráksəmənt | -rɔ́k-] *n.* 〖음성〗 접근(음)(接近(音)) 《조음(調音) 기관이 접근해도 마찰음이 생기지 않는 음; (w), (y), (r), (l) 따위》

*__ap·prox·i·mate__ [əpráksəmèit | -rɔ́k-] [L 「가장 가까이에」의 뜻에서] *vi.* 〈위치·성질·수량 등이〉 (…에) **가까워지다,** 가깝다, 거의 같아지다; 비슷해지다 《*to*》: 《~+전+명》 His account *~d to* the truth. 그의 이야기는 진실에 가까웠다. / The total income *~s to* 10,000 dollars. 총수입은 약 1만 달러에 가깝다.
— *vt.* **1** 〈수량 등이〉 …**에 가까워지다,** 가깝다, 거의 …가 되다; …와 비슷하다: ~ a solution 해결에 접근하다 / The number *~s* three thousand. 그 수는 3천에 가깝다. / The gas *~s* air. 그 가스는 공기와 비슷하다. **2** 〈…을〉 **접근시키다** 《*to*》: ~ two surfaces 두 면을 접근시키다 // 《~+목+전+명》 ~ something *to* perfection 어떤 것을 완벽에 가깝게 하다 **3** 어림잡다(estimate) 《*at*》 **4** …에 닮게 하다, 모방하다(simulate) **5** 〖수학〗 근삿값을 구하다
— [əpráksəmət | -rɔ́k-] *a.* **1** (상태·목표·표준에) 가까운, 접근한 《*to*》 **2 대략의,** 거의 정확한; 비슷한, 근사한: an ~ estimate 개산(槪算) / ~ value 개산 가격; 〖수학〗 근삿값 **3** 위치가 가까운, (서로) 근접한 **4** 흡사한, 유사한
▷ approximátion *n.*; appróximative *a.*

*__ap·prox·i·mate·ly__ [əpráksəmətli | -rɔ́k-] *ad.* 대략, 대체로, 거의(nearly): The area is ~ 100 square yards. 면적은 대략 100평방 야드이다.

*__ap·prox·i·ma·tion__ [əpràksəméiʃən | -rɔ̀k-] *n.* **1** ⓤⓒ **접근,** 근사, (…에) 가까움 《*to, of*》; 비슷한 것[일]: an ~ *to* the truth 진상에 가까운 것 **2** 개산(槪算); 〖수학〗 근사치, 근삿값

ap·prox·i·ma·tive [əpráksəmèitiv, -mə- | -rɔ́ksimə-] *a.* 대략의, 개산의

appt. appoint(ed); appointment **apptd.** appointed

ap·pui [æpwíː, əp-] [F] *n.* ⓤ 〖군사〗 지원, 지지: a point of ~ 〖군사〗 거점, 지지점

ap·pulse [əpʌ́ls, æ-] *n.* ⓤⓒ (천체의) 근접; (배·군대 등의) 충돌; (한 점을 향한) 운동 **ap·púl·sive** *a.*

ap·pur·te·nance [əpə́ːrtənəns] *n.* **1** [보통 *pl.*] 부속물; [*pl.*] 기계 장치 **2** 〖법〗 종물(從物)

ap·pur·te·nant [əpə́ːrtənənt] *a.* **1** 부속의, 종속하는 《*to*》 **2** (…에) 적절한 《*to*》 — *n.* 부속물

APR annual percentage rate (금리 등의) 연율(年率); Annual Purchase Rate **Apr.** April

a·prax·i·a [əprǽksiə, ei-] *n.* 〖의학〗 운동 불능(증) **a·prác·tic, a·práx·ic** *a.*

a·près [áːprei, ǽprei] [F] *prep.* …의 뒤[후]에[의](after) — *ad.* 뒤에, 나중에

a·près-mi·di [àːpreimídi] [F =afternoon] *n.* 오후

a·près-ski [àːpreiskíː, æ̀-] [F =after-ski] *a., n.* 스키를 타고난 뒤의 (모임)

*__ap·ri·cot__ [ǽprəkàt, éi- | éiprikɔ̀t] *n.* 〖식물〗 **살구** 《열매》; 살구나무; ⓤ 살구색, 황적색
— *a.* **1** 살구의 **2** 살구색의, 황적색의

‡**A·pril** [éiprəl] [L 「열리다」의 뜻에서, 또는 「아프로디테(Aphrodite)의 달」의 뜻에서, 또는 「둘째 달(고대 로마 달력은 3월에서 **시작**되었음)」의 뜻에서라고도 함] *n.* **4월** 《略 Apr.》: on ~ 1st 4월 1일에

Ápril fóol 4월의 바보 《만우절에 속은 사람》; 그 장난

Ápril Fóols'[Fóol's] Dày 만우절(All Fools' Day) 《4월 1일; 속이는 것은 정오까지》

Ápril shòwer 4월의 소낙비

Ápril wéather (영국의) 비가 오다 개다 하는 날씨; 울다 웃다 하기

a pri·o·ri [èi-praiɔ́ːrai, èi-priɔ́ːri, àː-priɔ́ːri] [L =from what is before] *ad., a.* (opp. *a posteriori*) 〖논리〗 연역적으로[인]; 〖철학〗 선험[선천]적으로[인], 아프리오리의, 추측적으로[인]
— *n.* (*pl.* **a pri·o·ris**) 선험적 관념, 선험 명제

a·pri·o·rism [èipraiɔ́ːrizm, èipri-] *n.* ⓤ 〖철학〗 선천설; 〖논리〗 연역[선험]적 추론(推論)

a·pri·or·i·ty [àːpriɔ́ːrəti | èipraiɔ́r-] *n.* ⓤ 〖철학〗 선천적임, 선험성, 연역성

‡**a·pron** [éiprən] [L 「천」의 뜻에서; ME의 a napron이 an apron으로 되었음] *n.* **1 에이프런,** 앞치마, 행주치마; 앞자락 《영국 국교회 주교 성직복의》; 〖기계〗 에이프런 《선반의 앞으로 처진 부분》 **2** 〖극장〗 (막 앞으로 나온) 앞무대(=~ stage) **3** 〖항공〗 격납고 앞의 포장된 광장 **4** (마차 등의) 비를 막는 덮개, 무릎덮개 **5** (형태·위치·기능이) 에이프런과 비슷한 것 **6** (체인과 강철판으로 된) 무단(無端) 환상 벨트(=~ **convèyor**) **7** 갓길의 정차 지대 **8** 〖토목〗 **a** (하천 등의) 호안(護岸) **b** (댐의) 호상(護床) 《댐에서 떨어지는 물을 받는 플랫폼》 **9** 〖골프〗 에이프런 《그린(green)을 둘러싼 지역》 **10** 〖지질〗 모래와 자갈로 된 선상(扇狀) 퇴적지 **11** 〖권투〗 링 위의 줄보다 바깥 부분 **12** (부두의) 에이프런 《화물 하역용 광장》 **13** (털이 긴 개의) 목에 난 긴 털 **14** (보강·장식용으로) 건조물의 주위에 덧붙인 부분 **15** 〖자동차〗 에이프런 《라디에이터의 아래 부분에 있는 금속판》
— *vt.* …에 앞치마를 두르다
á·proned *a.* 앞치마를 두른 **~·lìke** *a.*

a·pron·ful [éiprənfùl] *n.* 앞치마에 가득 담을 수 있는 분량

ápron pìece 〖건축〗 계단보 받침

ápron stàge 〖극장〗 **1** 막(幕) 앞으로 내민 무대 **2** 앞무대 《Elizabeth 시대의 관람석 쪽으로 내민》

ápron strìngs 앞치마 끈 ***be tied to** one's mother's*[*wife's*] **~** 어머니[아내]에게 쥐여살다

ap·ro·pos [æ̀prəpóu] [F =to the purpose] *a.* 적절한(fitting), 알맞은
— *ad.* 적절하게; 때마침; 그건 그렇고, 그런데(by the way) **~ *of*** …에 관하여; …의 이야기로 생각났는데: ~ *of* nothing 난데없이, 아닌 밤중에 홍두깨격으로
— *prep.* …와의 관련으로

APS American Peace Society; American

thesaurus **approve** *v.* agree to, consent to, ratify, sanction, authorize, validate, accede to (opp. *disapprove, reject*)
approximate *a.* **1** 대략의 rough, estimated, near, close, inexact **2** 가까운 adjacent, next, neighboring, next-door, near, nearby, adjoining

Philatelic[Philosophical, Physical] Society; American Protestant Society
apse [ǽps] *n.* **1** 〖건축〗 후진(後陣) 《교회당 동쪽 끝에 내민 부분》 **2** 〖천문〗 = APSIS 1
ápse lìne 〖천문〗 장축(長軸)
ap·si·dal [ǽpsədl] *a.* apse[apsis]의
ap·sis [ǽpsis] *n.* (*pl.* **-si·des** [-sədìːz]) **1** 〖천문〗 원[근]일점 **2** 〖건축〗 = APSE 1
‡**apt** [ǽpt] *a.* **1** 적절한(suitable); 적당한 (*for*): an ~ quotation 적절한 인용 / a piece of advice ~ *for* the occasion 시의 적절한 충고 **2** 재주[총기] 있는, (…에) 능한 (*at*): (~+전+*-ing*) He is ~ *at* devis*ing* new means. 그는 새로운 방법을 안출하는 재주가 있다. // (~+*to* do) She is ~ *to* learn. 그녀는 총기가 있다. **3** …하기 쉬운, …하는 경향이 있는: (~+*to* do) There are few things of which we are ~ *to* be so wasteful as time. 시간만큼 낭비하기 쉬운 것은 없다. **4** (미·구어) 〈…할〉 것 같은(likely): (~+*to* do) It is ~ *to* snow. 눈이 올 것 같다.
APT advanced passenger train 초특급 열차; automatic picture transmission 자동 사진 송신; automatically programmed tool(s) 〖컴퓨터〗 《수치 제어용 시스템 언어》 **apt.** apartment; aptitude
ap·ter·al [ǽptərəl] *a.* 〖곤충〗 날개가 없는; 〖건축〗 측면 기둥이 없는
ap·ter·ous [ǽptərəs] *a.* 〖곤충〗 무시(류)(無翅(類))의; 〖조류·식물〗 날개[날개 모양의 것]가 없는
ap·ter·yx [ǽptəriks] *n.* 〖조류〗 키위(kiwi)
***ap·ti·tude** [ǽptətjùːd | -tjùːd] *n.* **1** (…에의) 경향, 습성 (*to*); (…하는) 기질, 성질 (*for* do*ing*, *to* do) **2** (…의) 소질, 재능, 능력, 수완; (학문·공부의) 총명함, 지력 (*for*, *in*) **3** 적성, 어울림(fitness) (*for*)
have an ~ for …에 소질[재능]이 있다 ***have an ~ to*** vices (악)에 물들기 쉽다
àp·ti·tú·di·nal [-dənl] *a.* **àp·ti·túdi·nal·ly** [-dənəli] *ad.* ▷ ápt *a.*
áptitude tèst 적성 검사
***apt·ly** [ǽptli] *ad.* 적절히: It has ~ been said that .... …이라 함은 지당한 말이다.
apt·ness [ǽptnis] *n.* Ⓤ 적절 (*for*); 경향 (*to*); 재능 (*at*)
apts apartments **APU** Asian Parliamentary Union 아시아 의회 연맹; auxiliary power unit 〖항공〗 보조 동력원 **AQ** accomplishment quotient (학업) 성취 지수; 〖심리〗 achievement quotient **aq.** aqua (L = water) **AQMG** Assistant Quartermaster General 군[군관구] 병참 부장
aq·ua [ǽkwə, áː- | ǽ-] [L = water] *n.* (*pl.* **aq·uae** [ǽkwiː, áː- | ǽ-], **~s**) 물; 용액; 옥색
aqua- [ǽkwə, áː- | ǽ-] 《연결형》 「물」의 뜻
áqua ammónia [L] 〖화학〗 = AMMONIA WATER
áqua am·mó·ni·ae [-əmóuniìː] [L] 〖화학〗 = AMMONIA WATER
aq·ua·cade [ǽkwəkèid, áː-] [*aqua*+caval*cade*] *n.* (미) 수상(水上) 쇼((영) aquashow)
aq·ua·cul·ture [ǽkwəkʌ̀ltʃər, áː- | ǽ-] *n.* **1** (어류·패류의) 수산(水産) 양식 **2** 〖농업〗 = HYDROPONICS **àq·ua·cúl·tur·al** *a.* **àq·ua·cúl·tur·ist** *n.*
aq·uae·rob·ics [æ̀kwəróubiks] *n. pl.* [단수 취급] = AQUAROBICS
aq·ua·farm [ǽkwəfɑ̀ːrm] *n.* 양식장, 양어장
áqua fórtis [L = strong water] 강수(强水), 질산(nitric acid)
aq·ua·ki·net·ics [æ̀kwəkinétiks, ɑ̀ːk-] *n. pl.*

apt *a.* **1** 적절한 suitable, fitting, appropriate, applicable **2** 총기 있는 quick, bright, sharp, clever, smart, intelligent, gifted **3** …하기 쉬운 inclined, likely, liable, prone, subject, ready
aptitude *n.* **1** 재능, 소질 talent, gift, bent, skill **2** 능력 ability, proficiency, competence, capability

[단수 취급] 부유(浮遊) 훈련법[술] 《유아를 풀에 넣어 수영을 익히게 하기》
Aq·ua-Lung [ǽkwəlʌ̀ŋ, áː- | ǽ-] *n.* 애퀄렁 《잠수용 수중 호흡기; 상표명》
— *vi.* [aqualung으로] 애퀄렁을 사용해서 잠수하다
áq·ua·lùng·er *n.*
aq·ua·ma·rine [æ̀kwəməríːn, ɑ̀ː- | æ̀-] *n.* **1** 〖광물〗 남옥(藍玉) 《beryl의 변종》 **2** Ⓤ 남청색, 담청록색; [형용사적으로] 담청록색의
aq·ua·naut [ǽkwənɔ̀ːt, áː- | ǽkwənɔ̀ːt] *n.* **1** (해중 시설에서 데이터를 수집하는) 해중 작업[탐사]원; 잠수 기술자 **2** = SKIN DIVER
aq·ua·nau·tics [æ̀kwənɔ́ːtiks, ɑ̀ː- | æ̀-] *n. pl.* [단수 취급] (스쿠버를 사용한) 수중 탐사
aq·ua·pho·bi·a [æ̀kwəfóubiə] *n.* 물 공포(증)(cf. HYDROPHOBIA)
aq·ua·plane [ǽkwəplèin, áːk-] *n.* (모터보트로 끄는) 수상 스키용 널빤지 — *vi.* 수상 스키를 타다; = HYDROPLANE **-plàn·er** *n.*
aq·ua·plan·ing [ǽkwəpleiniŋ] *n.* **1** 애쿼플래닝 《모터보트에 판자를 매달아 물 위를 활주하는 수상 스포츠》 **2** (영) = HYDROPLANING
Áq·ua·pulse gùn [ǽkwəpʌ̀ls-, áː- | ǽ-] (해저 탐사용) 압축 공기총 《상표명》
áqua pú·ra [-pjúərə] [L = pure water] 증류수
áqua ré·gi·a [-ríːdʒiə] [L = royal water] 〖화학〗 왕수(王水) 《진한 질산과 진한 염산의 혼합액》
aq·ua·relle [æ̀kwərél, ɑ̀ː- | æ̀-] [F] *n.* CU 수채화법; 수채화 **aq·ua·réll·ist** *n.* 수채화가
A·quar·i·an [əkwέəriən] *a.* **1** 〖천문〗 물병자리의 **2** 〖점성〗 물병자리 태생의
— *n.* 물병자리 태생의 사람
a·quar·ist [əkwέərist | ǽkwər-] *n.* 수족관 관리자, 어류 사육가[연구자]
***a·quar·i·um** [əkwέəriəm] *n.* (*pl.* **~s**, **-i·a** [-iə]) 수족관; 양어지(池); (물고기·수초용) 유리 수조
A·quar·i·us [əkwέəriəs] *n.* 〖천문〗 물병자리(the Water Bearer, the Water Carrier); 〖점성〗 물병자리 《12궁도(zodiac) 별자리의 하나》
a·qua·rob·ics [æ̀kwəróubiks] [*aqua*+aer*obics*] *n.* 아쿠아로빅 《얕은 풀장에서 하는 에어로빅》
aq·ua·scape [ǽkwəskèip, áːkwəskèip] *n.* **1** 뛰어난 경치를 가진 해안가 **2** 호수나 폭포 따위로 유명한 지역
aq·ua·show [ǽkwəʃòu] *n.* (영) = AQUACADE
aq·ua·space·man [ǽkwəspèismæ̀n, áːkwəspèismən] *n.* 수중 생활자[작업원]
aq·ua·tel [æ̀kwɑtél] [*aqua*tic+ho*tel*] *n.* (영) 해상 호텔(boatel)
***a·quat·ic** [əkwǽtik, -kwɑ́- | -kwǽ-, -kwɔ́-] *a.* 물의; 물속에 사는, 수생(水生)의; 물속[위]의: ~ birds[plants] 물새[수초] / ~ products 수산물 / ~ sports 수상 경기
— *n.* **1** 수생 동물[식물], 수초 **2** [*pl.*; 때로 단수 취급] 수상 경기 **-i·cal·ly** *ad.*
aq·ua·tint [ǽkwətìnt, áː- | ǽ-] *n.* UC 애쿼틴트 《식각 요판(蝕刻凹版)의 일종》; 애쿼틴트 판화(版畫)
— *vt.*, *vi.* 애쿼틴트 식각을 하다: an *~ed* picture 애쿼틴트 판화 **~·er**, **~·ist** *n.*
aq·ua·vit [áːkwəvìːt, ǽ- | ǽkwəvìt] *n.* (스칸디나비아산(産)) 투명한 증류주 《식전 반주용》
áqua ví·tae [-váitiː, -víː-] [L = water of life] 알코올; 독한 술 《brandy, whiskey 등》
aq·ue·duct [ǽkwədʌ̀kt] *n.* **1** 〖토목〗 수로(水路), 수도; 수도교(橋) **2** 〖해부〗 도관(導管), 맥관 **3** [**A~**] 애퀴덕트 경마장 《New York 시의 Queens 구(區)에 있음》
a·que·ous [éikwiəs, ǽ-] *a.* 물의, 물 같은(watery); 〈암석이〉 수성(水成)의; 〖해부〗 수양액(水樣液)의
áqueous ammónia = AMMONIA WATER
áqueous húmor 〖해부〗 (안구의) 수양액(水樣液)
áqueous róck 〖암석〗 수성암(水成岩)

aqui- [ǽkwə, ɑ́ː-|ǽ-] 《연결형》「물」의 뜻
aq·ui·cul·ture [ǽkwəkʌ̀ltʃər, ɑ́ː-|ǽ-] *n.* Ⓤ **1** 수산(水産) 양식 **2** = HYDROPONICS
àq·ui·cúl·tur·al *a.* **àq·ui·cúl·tur·ist** *n.*
aq·ui·fer [ǽkwəfər, ɑ́ː-|ǽ-] *n.* 〖지질〗 대수층(帶水層) 《지하수를 간직한 다공질 삼투성 지층》
A·quil·a [əkwílə, ǽkwələ] *n.* 〖천문〗 독수리자리 (the Eagle)
aq·ui·line [ǽkwəlàin, -lin|-làin] [L *aquila* = eagle] *a.* 독수리의[같은]; 독수리 부리 같은, 갈고리 모양의: an ~ nose 매부리코
A·qui·nas [əkwáinəs|-næs] *n.* 아퀴나스 **St. Thomas** ~ (1225?-74) 《이탈리아의 신학자·철학자》
a·quiv·er [əkwívər] *a.* Ⓟ 부들부들 떨며 《*with*》
a·quos·i·ty [əkwɑ́səti|əkwɔ́s-] *n.* Ⓤ 물기가[젖어] 있음(wateriness)
ar- [ær, ər] *pref.* = AD- 《r 앞에 올 때의 변형》
-ar [ər] *suf.* **1**「…한 성질의」의 뜻: famili*ar*, muscul*ar* **2**「…하는 사람」의 뜻: schol*ar*, li*ar*
Ar 〖화학〗 argon **AR** (미) 〖우편〗 Arkansas; acknowledgment[advice] of receipt 수령 통지; 〖해상보험〗 all risks 전(全)위험 담보; annual return 연차 보고; Army Regulation(s); Autonomous Region 자치주 **ar.** area; arrival; arrive(s) **Ar.** Arabic; Aramaic; argumentum **a.r.** *anno regni* 《L = in the year of the reign》 **ARA** Associate of the Royal Academy (영) 왕립 미술원 준회원
‡**Ar·ab** [ǽrəb] *n.* **1** 아랍 사람 《셈 인종》; [the ~s] 아랍 민족 **2** (아라비아 반도의) 아라비아 사람 **3** = ARABIAN HORSE **4** [**a~**] 부랑아(= street ~); 《속어》 길거리의 상인
—*a.* 아랍 (사람)의
USAGE 다음 형용사들은 각각 그 용법이 다르다. arab 아랍 사람의, arabian 아라비아의, arabic 아라비아 말[문자]의
Arab. Arabia(n); Arabic
Ar·ab·dom [ǽrəbdəm] *n.* 아랍 세계(the Arab world)
Ar·a·bel [ǽrəbèl], **Ar·a·bel·la** [ærəbélə] *n.* 여자 이름
ar·a·besque [æ̀rəbésk] *n.* 아라베스크 **1** 아라비아식 의장(意匠), 덩굴무늬 **2** 발레의 자세의 하나 **3** 〖음악〗 환상적·장식적 (피아노) 소곡 **4** 〖문학〗 복잡하고 기교적인[정교한] 표현
— *a.* 〈의장이〉 아라비아풍의; 덩굴무늬의; 기이한
— *vt.* …에 덩굴무늬를 넣다
— *vi.* 아라베스크식으로 춤추다
‡**A·ra·bi·a** [əréibiə] *n.* 아라비아(Arabian Peninsula) 《아시아 남서부 끝의 큰 반도》
▷ Arábian, Árabic *a.*
‡**A·ra·bi·an** [əréibiən] *a.* Ⓐ 아라비아의; 아라비아 사람의, 아랍의: ~ gum 아리비아 고무
—*n.* **1** 아라비아 사람 **2** = ARABIAN HORSE
Arábian bírd 불사조(phoenix)
Arábian cámel 아라비아 낙타, 단봉낙타
Arábian Désert [the ~] 아라비아 사막 《(1) 이집트 동부 사막 (2) 아라비아 반도 북부의 사막》
Arábian hórse 아라비아말(馬) 《아라비아 및 그 주변 지역 원산으로, 몸매가 날씬하고 빠르고 영리함》
Arábian Níghts [The ~] 「아라비안 나이트」, 「천일야화(千一夜話)」 《*The Arabian Nights' Entertainments* 또는 *The Thousand and One Nights*라고도 함》
Arábian Península [the ~] 아라비아 반도(Arabia)
Arábian Séa [the ~] 아라비아 해(海)
***Ar·a·bic** [ǽrəbik] *a.* 아라비아 말[문학, 숫자]의, 아라비아식의; 아라비아(인)의: ~ literature[architecture] 아라비아 문학[건축]
—*n.* Ⓤ 아라비아 말[문자]
a·rab·i·ca [ərǽbikə] *n.* 〖식물〗 아라비아 커피 (Arabian coffee); 그 원료가 되는 커피콩
A·rab·i·cize [ərǽbəsàiz] *vt.* **1** 〈언어를〉 아라비아 어화하다 **2** = ARABIZE 1 **A·ràb·i·ci·zá·tion** *n.*
Árabic númerals[fígures] 아라비아 숫자 《0, 1, 2, 3 등; cf. ROMAN NUMERALS》
a·rab·i·nose [ərǽbənòus, ǽrə-] *n.* 〖화학〗 아라비노오스 《$C_5H_{10}O_5$; 백색, 수용성의 결정》
ar·a·bin·o·side [æ̀rəbínəsàid, ərǽ-] *n.* 〖생화학〗 아라비노사이드 《항바이러스 요법에 이용》
Ar·ab·ism [ǽrəbìzm] *n.* ⓊⒸ 아라비아풍, 아라비아 어의 특징; 아라비아 (문화·관습) 연구[애호]; 아랍 민족주의
Ar·ab·ist [ǽrəbist] *n.* 아라비아 어[문학·역사] 연구가; 아랍 지지자
Ar·ab·ize [ǽrəbàiz] *vt., vi.* **1** 아랍화하다, 아랍 사람의 지배하에 두다 **2** 〈언어를〉 아라비아 어화하다
Àr·ab·i·zá·tion *n.*
ar·a·ble [ǽrəbl] *a.* 경작할 수 있는, 경작에 알맞은: ~ land 경지 **—** *n.* Ⓤ 경지
àr·a·bíl·i·ty *n.*
Árab Léague [the ~] 아랍 연맹 《1945년 결성; 아랍 각 국의 정부 간 연대·협력 기구》
Árab Repúblic of Égypt [the ~] 이집트 아랍 공화국 《Egypt의 공식명; 수도 Cairo》
Ar·ab·sat [ǽrəbsæ̀t] *n.* 아랍 통신 위성
Ar·a·by [ǽrəbi] *n.* 《시어》 = ARABIA
A·rach·ne [əræ̀kni] *n.* 〖그리스신화〗 아라크네 《베짜기에서 Athena에게 져서 거미가 된 여자》
a·rach·nid [ərǽknid] *n.* 〖동물〗 거미류의 동물 《거미·전갈·진드기 등》 **-ni·dan** [-nidən] *a., n.*
ar·ach·ni·tis [æ̀ræknáitəs] *n.* Ⓤ 〖병리〗 거미막염
a·rach·noid [ərǽknɔid] *a.* 거미집 모양의
— *n.* 〖해부〗 거미막(膜)
a·rach·no·pho·bi·a [əræ̀knəfóubiə] *n.* 거미 공포증
ARAD Associate of the Royal Academy of Dancing
A·ra·gon [ǽrəgɑ̀n|-gən] *n.* 아라곤 《스페인 북동부의 지방, 옛날은 왕국》
Ar·a·go·nese [æ̀rəgəníːz] *a.* 아라곤의; 아라곤 사람[말]의 **—** *n.* (*pl.* ~) 아라곤 사람; Ⓤ 아라곤 말
a·rag·o·nite [ərǽgənàit, ǽrə-] *n.* 〖광물〗 아라고나이트
ar·ak [ǽrək, ərǽk|ǽrək] *n.* = ARRACK
Ar·al·dite [ǽrəldàit] *n.* 애럴다이트 《에폭시 수지계의 강력 접착제; 상표명》
Ár·al Séa [ǽrəl-|ɑ́ː-] [the ~] 아랄 해 《카자흐스탄과 우즈베키스탄 사이에 있는 내해(內海)》
A·ram [éiræm|ɛ́əræm] *n.* 아람 《시리아의 고대 이름》
ARAM Associate of the Royal Academy of Music
Ar·a·m(a)e·an [æ̀rəmíːən] *a.* 아람의, 아람 사람[말]의 **—** *n.* 아람 사람; Ⓤ 아람 말
Ar·a·ma·ic [æ̀rəméiik] *a.* 아람의
— *n.* Ⓤ 아람 말 《셈계(系)》
ARAMCO [ǽrəmkou] [*Ar*abian-*Am*erican (Oil) *Co*mpany] *n.* 아람코 《석유 생산 회사》
ar·a·mid [ǽrəmid] *n.* 아라미드 《합성 방향족 폴리아미드; 내열성 섬유 제품에 사용》
Ar·an [ǽrən] *a.* **1** (아일랜드의) 애런 제도(諸島)의 **2** 애런식으로 뜬 〈스웨터〉
a·ra·ne·id [əréiniid] *n.* 〖동물〗 거미
ar·a·ne·i·dan [æ̀rəníːədən] *a., n.* 거미목(目)의 (동물)
A·rap·a·ho(e) [ərǽpəhòu] *n.* (*pl.* **~, ~s**) (북미 인디언의) 아라파호 족 ; Ⓤ 아라파호 말

thesaurus **arbitrary** *a.* **1** 임의의 discretional, personal, subjective, random, chance, capricious, inconsistent **2** 전제적인 despotic, tyrannical,

Ar·a·rat [ǽrəræ̀t] *n.* **1 Mount ~** 아라라트 산 《터키 동쪽, 이란·아르메니아 국경 근처의 산; 5,164m》 **2** 〖성서〗 노아의 방주가 상륙했다는 곳
a·ra·ro·ba [æ̀rəróubə] *n.* 브라질산 콩과(科)의 나무
A·ras [ǽrəs] *n.* **1** 아라스 강 《터키 북동부에서 발원하여 Armenia를 거쳐 카스피 해로 흐르는 강; 고대명 Araxes》 **2** 〖그리스신화〗 아라스 《Phliasia의 초대 왕》
a·ra·ti·o·nal [eiræ̀ʃənl] *a.* 합리성[이성]을 벗어난
Ar·au·ca·ni·an [æ̀rɔːkéiniən] *n.* **1** 아라우칸 족(族)(의 사람) 《칠레 중부의 인디오》 **2** 아라우칸 말
— *a.* 아라우칸 족의; 아라우칸 말의
ar·au·car·i·a [æ̀rɔːkέəriə] *n.* 〖식물〗 아라우카리아, 남양삼나무 《남미·호주산(産)》 **-i·an** *a.*
Ar·a·wak [ǽrəwɑ̀ːk, -wæ̀k] *n.* (*pl.* **~, ~s**) (남미 인디오의) 아라와크 족; Ⓤ 아라와크 말
— *a.* 아라와크 족의; 아라와크 말의
Ar·a·wak·an [æ̀rəwɑ́ːkən, -wǽ-] *a.* 아라와크 어족의 — *n.* (*pl.* **~, ~s**) 아라와크 족; 아라와크 어족
arb [ɑ́ːrb] *n.* [*arb*itrageur] 《구어》 매매 차액을 노리는 거래자
ar·ba·lest, -list [ɑ́ːrbəlist] *n.* (중세기의) 석궁(石弓) **~·er** *n.* 석궁 사수
ar·bi·ter [ɑ́ːrbətər] *n.* **1** 중재인, 조정자 **2** (운명 등의) 결정자, 재결자(裁決者); 권위자 《*of*》; 〖야구〗 심판원
ár·bi·ter e·le·gán·ti·ae [**el·e·gan·ti·á·rum**] [ɑ́ːrbətər-èləgǽnʃiìː | -èləgænʃiέərəm] 〖L〗 *n.* 취미·기호의 심판자; 예의 규범 제정자
ar·bi·tra·ble [ɑ́ːrbətrəbl] *a.* 중재[조정]할 수 있는
ar·bi·trage [ɑ́ːrbətrɑ̀ːʒ] *n.* Ⓤ 〖금융〗 차액을 버는 거래 — *vi.* 〖금융〗 차액을 바라고 매매하다
ar·bi·tra·geur [ɑ̀ːrbətrɑːʒə́ːr], **ar·bi·trag·er** [ɑ́ːrbətrɑ̀ːʒər] *n.* 차액을 노리는 매매인[중개인]
ar·bi·tral [ɑ́ːrbətrəl] *a.* 중재의; 중재자의: an ~ tribunal 중재 재판소
ar·bit·ra·ment [ɑːrbítrəmənt] *n.* ⓊⒸ 중재(arbitration), 재정(裁定); 《고어》 재결권
ar·bi·trar·i·ly [ɑ́ːrbətrèrəli, ɑ̀ːrbətrέər-] *ad.* 독단[전단]적으로; 제멋대로, 마음대로
∗**ar·bi·trar·y** [ɑ́ːrbətrèri | -trəri] 〖L 「정해지지 않은」의 뜻에서〗 *a.* **1** 임의의, 멋대로인, 자의(恣意)적인: an ~ decision 임의의 결정 **2** Ⓐ 전제적인, 독단적인, 전행적인: ~ rule[monarchy] 전제 정치[왕국] **3** 변덕스러운, 방자한; 마음대로 정한 **4** 〖수학〗 임의의, 부정(不定)의 **5** 〖언어〗 자의적인 《단어의 형태와 의미와의 관계 등이》 **6** 《영》 〖인쇄〗 〈활자가〉 특수한
— *n.* (*pl.* **-trar·ies**) [*pl.*] 《영》 〖인쇄〗 특수 활자
-tràr·i·ness *n.* ▷ árbitrarily *ad.*
ar·bi·trate [ɑ́ːrbətrèit] 〖L 「판정하다」의 뜻에서〗 *vi., vt.* 중재[조정]하다 《*between, in*》; 〈사건을〉 중재 재판에 회부하다 **ár·bi·trà·tive** *a.*
∗**ar·bi·tra·tion** [ɑ̀ːrbətréiʃən] *n.* ⓊⒸ 중재, 조정, 재정; 중재 재판; (국제 분쟁의) 중재, 국제 중재 재판: a court of ~ 중재 재판소
go [***be taken***] ***to*** **~** 중재에 부쳐지다 ***refer*** [***take***] a dispute ***to*** **~** (쟁의)를 중재에 회부하다 **~·al** *a.*
ar·bi·tra·tor [ɑ́ːrbətrèitər] *n.* 중재인; 심판자
ar·bi·tress [ɑ́ːrbətris] *n.* 여자 중재인
∗**ar·bor**[1] [ɑ́ːrbər] 〖L 「나무」의 뜻에서〗 *n.* (*pl.* **-bo·res** [-bəriːz]) 〖식물〗 나무, 수목, 교목, 목본(tree)
arbor[2] *n.* 〖기계〗 축(axle), 굴대
∗**ar·bor**[3] | **ar·bour** [ɑ́ːrbər] *n.* **1** 나무 그늘(의 쉼터) **2** (나뭇가지나 덩굴로 덮인) 정자
ar·bo·ra·ceous [ɑ̀ːrbəréiʃəs] *a.* 《문어》 = ARBOREAL
Árbor Dày (미·캐나다) 식목일 《4월 하순에서 5월 상순에 걸쳐 각 주에서 행함; Tree-planting Day라고도 함》

ar·bo·re·al [ɑːrbɔ́ːriəl] *a.* **1** 나무의, 교목성의 **2** 〈동물이〉 나무에서 사는[살기 알맞은] **~·ly** *ad.*
ar·bored [ɑ́ːrbərd] *a.* 정자가 있는, 나무 그늘이 진; 나무가 늘어선, 가로수의
ar·bo·re·ous [ɑːrbɔ́ːriəs] *a.* **1** 교목 같은; 수목이 많은(wooded) **2** 나무에서 사는
ar·bo·res·cence [ɑ̀ːrbərésns] *n.* Ⓤ 나무[나뭇가지] 모양 《결정(結晶) 등의》
ar·bo·res·cent [ɑ̀ːrbərésnt] *a.* 나무[나뭇가지] 모양의
ar·bo·re·tum [ɑ̀ːrbəríːtəm] *n.* (*pl.* **~s, -ta** [-tə]) 수목원(樹木園), 삼림 공원, 식물원
ar·bor·i·cul·tur·al [ɑ̀ːrbərikʌ́ltʃərəl | ɑːrbɔ́ːr-] *a.* 수목 재배의
ar·bor·i·cul·ture [ɑ́ːrbərikʌ̀ltʃər, ɑːrbɔ́ːr-] *n.* Ⓤ 수목 재배
ar·bor·i·cul·tur·ist [ɑ̀ːrbərikʌ́ltʃərist | ɑːrbɔ́ːr-] *n.* 수목 재배가
ar·bor·i·form [ɑ́ːrbərəfɔ̀ːrm, ɑːrbɔ́ːr-] *a.* 나뭇가지 모양의, 나무 모양의
ar·bor·io [ɑːrbɔ́ːriou] *n.* Ⓤ [종종 **A~**] 아르보리오 《이탈리아산(産); 알이 짧고 통통 리조토에 사용》(= **~ ríce**)
ar·bor·ist [ɑ́ːrbərist] *n.* 수목 재배가
ar·bor·i·za·tion [ɑ̀ːrbərizéiʃən | -rai-] *n.* Ⓤ (광물·화석의) 수지상(樹枝狀)(의 부분); 〖해부〗 (신경 세포의) 수지상부(部)
ar·bor·ize [ɑ́ːrbəràiz] *vi.* 나뭇가지 모양으로 되다
ar·bor·ous [ɑ́ːrbərəs] *a.* 수목의
árbor ví·tae [-váiti] 〖L = tree of life〗 〖해부〗 소뇌 활수(小腦活樹); 생명수(生命樹)
ar·bor·vi·tae [ɑ̀ːrbərváiti] *n.* 〖식물〗 미국측백나무
ar·bo·vi·rus [ɑ́ːrbəvàiərəs] *n.* 〖의학〗 아르보바이러스 《진드기·모기 등 절지동물에 의해 전염되는 바이러스 총칭; 황열[뇌염] 바이러스 등》
ar·bu·tus [ɑːrbjúːtəs] *n.* 〖식물〗 **1** 아르부투스 《남유럽산(産)의 상록 관목》 **2** 철쭉과(科)의 상록 관목 《북아메리카산(産)》
‡**arc** [ɑ́ːrk] *n.* **1** 〖기하〗 호(弧), 원호(圓弧); 호형(弧形), 궁형(弓形) **2** 〖전기〗 전호(電弧), 아크(= **eléctric ~**) **3** 〖천문〗 호 ***diurnal*** [***nocturnal***] **~** 〖천문〗 일주(日週)[야주(夜週)]호
— *vi.* (**arced, arcked**; **arc·ing, arck·ing**) **1** 호광(弧光)을 발하다 **2** 호상(弧狀)[궁상]을 그리다, 호(弧)를 이루어 움직이다
— *a.* Ⓐ **1** 〖전기〗 아크[전호]의 **2** 〖기하〗 〈사인·코사인 등 삼각 함수가〉 역의
ARC 〖병리〗 AIDS-related complex[condition]; American Red Cross
∗**ar·cade** [ɑːrkéid] *n.* **1** 아케이드, 대형 상가 건물[빌딩](= shopping ~) **2** 〖건축〗 아치, 아치형 지붕이 있는 회랑 **3** 게임 센터 **4** (가구 등의) 아치형 장식 조각 **5** 아치형 지붕의 건물
— *vt.* …에 아케이드를 설치하다, …을 지붕이 있는 회랑[도로]으로 만들다

arcade 2

arcáde arthrìtis 게임방 관절염 《전자 게임에 열중하여 생기는 관절염》
ar·cad·ed [ɑːrkéidid] *a.* 아케이드를 이룬; 회랑을 붙인
arcáde gàme 오락실[게임 센터]에 있는 비디오[컴퓨터] 게임
ar·cade·nik [ɑːrkéidnik] *n.* 《미·속어》 비디오 게임[오락실]의 단골, 비디오 게임 중독자
Ar·ca·des am·bo [ɑ́ːrkədès-ɑ́ːmbou] 〖L〗 직업[취미]이 같은 두 사람; 두 악당
Ar·ca·di·a [ɑːrkéidiə] *n.* 아르카디아 《고대 그리스 펠로폰네소스 반도 내륙의 경치 좋은 이상향》

---

absolute, autocratic, dictatorial, imperious
arc *n.* curve, bow, bend, arch, crescent, half-moon, semicircle

Ar·ca·di·an [ɑːrkéidiən] *a.* **1** 아르카디아(Arcadia)의 **2** 아르카디아풍의, 전원풍의; 목가적인
— *n.* **1** 아르카디아 사람 **2** 목가적 이상향의 주민 **3** 아르카디아 방언
~·ism *n.* Ⓤ 전원 취미, 목가적 정취 **~·ly** *ad.*
ar·cad·ing [ɑːrkéidiŋ] *n.* 〖건축〗 (일련의) 아치[아케이드] 장식
Ar·ca·dy [ɑ́ːrkədi] *n.* 《시어》 = ARCADIA
ar·ca·na [ɑːrkéinə] *n.* **1** arcanum의 복수형 **2** 아르카나 《타로(tarot) 점에 쓰이는 두 종류의 카드; major arcana와 minor arcana로 나뉨》
ar·cane [ɑːrkéin] *a.* 《문어》 비밀의; 불가해한
ar·ca·num [ɑːrkéinəm] *n.* (*pl.* **-na** [-nə]) 비밀; 신비, 불가사의; 비결; 비약, 영약(elixir); (연금술사가 발견하려고 노력했던) 자연계의 대신비
arc-back [ɑ́ːrkbæ̀k] *n.* 〖전자공학〗 역호(逆弧)
árc fùrnace 〖야금〗 아크로(爐) 《전호(電弧)에 의한 열을 이용한 전기로》
⁑**arch**[1] [ɑ́ːrtʃ] [L 「활」의 뜻에서] *n.* **1** 〖건축〗 **a** 아치, 홍예: a round[horseshoe, lancet] ~ 반원[마제형, 첨두] 아치 **b** 아치형 건조물, 홍예문: a memorial [triumphal] ~ 기념[개선]문 **c** = ARCHWAY **d** (출입구의) 활처럼 굽은 상부(上部) **2** 아치형 만곡(灣曲); 활 모양의 것: the ~ of an eyebrow 활 모양의 눈썹 **3** (구두의) 아치, (발바닥의) 장심(掌心) **4** (댐의 구조 형식에서) 아치형 구조 **5** 아크 《선미 골재(船尾骨材)》 **6** 〖유리제조〗 유리 용융로(溶融爐)의 입구 **7** (지문(指紋)의) 활 모양 **8** 〖해부〗 활 모양 구조의 것 ***the blue ~ of heavens*** 창공, 창궁(蒼穹)
— *vt.* **1** …에 아치를 설치하다[놓다] **2** 아치형으로 하다; 둥글게 굽히다
— *vi.* **1** 아치형이 되다; (…의 위에) 덮이다 **2** 〖댄스〗 (파트너[옆 사람]와 손을 잡고) 아치를 만들다
arch[2] *a.* **1** Ⓐ 주요한(chief), 제1의 **2** 깔보는 듯한; 교활하게 보이는; 장난꾸러기 같은
arch-[1] [ɑ́ːrtʃ] 《연결형》 「으뜸의; 우두머리의; 제일의」의 뜻: *arch*bishop
arch-[2] 《연결형》 ARCHI-[1]의 변형
-arch [ɑːrk] 《연결형》 「지배자; 왕; 군주」의 뜻: patri*arch*
arch. archaic ; archaism ; archery ; archipelago; architect(ural); architecture; archive(s)
Arch. archbishop
Ar·chae·an [ɑːrkíːən] *a.* = ARCHEAN
ar·chae·bac·te·ri·a [ɑ̀ːrkibæktíəriə] *n. pl.* (*sing.* **-ri·um** [-riəm]) 고세균(古細菌)
archaeo- [ɑ́ːrkiou, -kiə] 《연결형》 「고대의, 원시의」의 뜻
ar·chae·o·as·tron·o·my, -che- [ɑ̀ːrkiouəstrɑ́nəmi | -trɔ́-] *n.* Ⓤ 고(古)천문학, 천문 고고학
ar·chae·o·bot·a·ny, -che- [ɑ̀ːrkioubɑ́təni | -bɔ́-] *n.* Ⓤ 식물 고고학 **-nist** *n.*
archaeol. archaeological; archaeology
ar·chae·o·lith·ic, -che- [ɑ̀ːrkiəlíθik] *a.* 구석기 시대의(opp. *neolithic*)
ar·chae·o·log·i·cal, -che- [ɑ̀ːrkiəlɑ́dʒikəl | -lɔ́-] *a.* 고고학의 **~·ly** *ad.*
∗**ar·chae·ol·o·gy, -che-** [ɑ̀ːrkiɑ́lədʒi | -ɔ́lə-] *n.* Ⓤ **1** 고고학 **2** 〖고고학〗 (고대 문화의) 유적, 유물 **-gist** *n.* 고고학자 ▷ archaeológical *a.*
ar·chae·om·e·try, -che- [ɑ̀ːrkiɑ́mətri | -ɔ́mə-] *n.* Ⓤ 고고 표본 연대 측정학[법]
ar·chae·op·ter·yx [ɑ̀ːrkiɑ́ptəriks | -ɔ́p-] *n.* 〖고대생물〗 시조새 《조류의 조상》
Ar·chae·o·zo·ic [ɑ̀ːrkiəzóuik] *a., n.* = ARCHEOZOIC
ar·chae·o·zo·ol·o·gy, -che- [ɑ̀ːrkiɑzouɑ́lədʒi | -ɔ́lə-] *n.* Ⓤ 동물 고고학 **-gist** *n.*
∗**ar·cha·ic** [ɑːrkéiik] *a.* **1** 〈사고·풍습 등이〉 고풍의; 예스러운 **2** 〈언어가〉 형태가 오래된, 고체(古體)의: an ~ word 고어 **3** 초기의, 충분히 발달되지 않은 **4** [종종 **A~**] (고대 그리스의) 아르카이크기(期)의 **5** 원시적인, 고대의 **-i·cal·ly** *ad.*
archáic smíle 아케익 미소 《초기 그리스 조각의 미소 띤 듯한 표정》
ar·cha·ism [ɑ́ːrkiìzm, -kei-] *n.* ⓊⒸ 고문체(古文體); 고어, 고풍스러운 표현; (문학·미술의) 의고주의(擬古主義); 고풍, 고풍스러운 습관
-ist *n.* 의고주의자; 유물 연구가
ar·cha·is·tic [ɑ̀ːrkiístik, -kei-] *a.* 고풍의, 고체의; 의고적인
ar·cha·ize [ɑ́ːrkiàiz, -keiàiz] *vi., vt.* 고풍으로 하다, 고풍[구식]을 본뜨다; 고문체(古文體)를 쓰다
arch·an·gel [ɑ́ːrkèindʒəl] *n.* 〖가톨릭〗 대천사; 〖그리스정교〗 천사장(長) 《9천사 중 제8위》
arch·an·gel·ic, -i·cal [ɑ̀ːrkændʒélik(əl)] *a.* 대천사의, 천사장의
∗**arch·bish·op** [ɑ̀ːrtʃbíʃəp] *n.* [때로 **A~**] 〖가톨릭·그리스정교〗 **대주교**; 〖영국국교〗 대주교; 〖개신교〗 대감독(cf. BISHOP, PRIEST, DEACON): the *A~* of Canterbury[York] 《영》 캔터베리[요크] 대주교
~·ric *n.* ⓊⒸ archbishop의 직[관구(管區)]
Archbp. Archbishop
Archd. Archdeacon; Archduke
arch·dea·con [ɑ̀ːrtʃdíːkən] *n.* 〖개신교〗 부(副)감독; 〖가톨릭·영국국교〗 부주교 **~·ry** *n.* ⓊⒸ archdeacon의 직[관구, 주거] **~·shìp** *n.*
arch·di·o·cese [ɑ̀ːrtʃdáiəsìs] *n.* archbishop의 관구 **arch·di·oc·e·san** [-daiɑ́səsən | -ɔ́sə-] *a.*
arch·du·cal [ɑ̀ːrtʃdjúːkəl | -dúː-] *a.* 대공(大公)(령(領))의
arch·duch·ess [ɑ̀ːrtʃdʌ́tʃis] *n.* 대공비(大公妃) 《archduke의 부인》; 옛 오스트리아 황녀
arch·duch·y [ɑ̀ːrtʃdʌ́tʃi] *n.* (*pl.* **-duch·ies**) 대공국[령(領)]
arch·duke [ɑ̀ːrtʃdjúːk | -djúːk] *n.* 대공 《옛 오스트리아 왕자의 칭호》 **~·dom** [-dəm] *n.* = ARCHDUCHY; 대공이라는 지위[신분]
arche- [ɑ́ːrki] 《연결형》 **1** 「전의(prior), 최초의, 제일의(first)」의 뜻 **2** 〖생물〗 「원(原)…」의 뜻
Ar·che·an [ɑːrkíːən] *a.* 〖지질〗 시생대(始生代)의, 태고의
arched [ɑ́ːrtʃt] *a.* 아치형의, 궁형의; 홍예가 있는: an ~ bridge 홍예교, 아치형 다리
árched squáll 〖기상〗 아치형 스콜 《적도 지방의 심한 뇌우를 동반한 돌풍》
ar·che·go·ni·um [ɑ̀ːrkigóuniəm] *n.* (*pl.* **-ni·a** [-niə]) 〖식물〗 (이끼류의) 장란기(藏卵器) **-ni·al** *a.*
arch·en·ceph·a·lon [ɑ̀ːrkenséfəlɑ̀n | -lɔ̀n] *n.* (*pl.* **~s, -la** [-lə]) 〖발생〗 원뇌(原腦)
arch·en·e·my [ɑ̀ːrtʃénəmi] *n.* (*pl.* **-mies**) 대적(大敵), 최대의 적: the ~ (of mankind) 인류의 대적, 사탄
arch·en·ter·on [ɑːrkéntərɑ̀n | -rɔ̀n] *n.* 〖발생〗 원장(原腸) **arch·en·ter·ic** [ɑ̀ːrkəntérik] *a.*
archeo- [ɑ́ːrkiou, -kiə] 《연결형》 = ARCHAEO-
ar·che·ol·o·gy [ɑ̀ːrkiɑ́lədʒi | -ɔ́lə-] *n.* = ARCHAEOLOGY **àr·che·o·lóg·i·cal** *a.*
Ar·che·o·zo·ic [ɑ̀ːrkiəzóuik] 〖지질〗 *a.* 시생대(始生代)의(Archean) — *n.* [the ~] 시생대(= ~ **éra**)
∗**arch·er** [ɑ́ːrtʃər] *n.* **1** 활 쏘는 사람, 궁수(弓手), 궁술가 **2** [the A~] 〖천문〗 궁수자리, 〖점성〗 인마궁(人馬宮)(Sagittarius)
arch·er·ess [ɑ́ːrtʃəris] *n.* 여자 궁수
arch·er·fish [ɑ́ːrtʃərfìʃ] *n.* (*pl.* **~, ~·es**) 〖어류〗 사수어(射水魚) 《인도·남양산(産)》
∗**arch·er·y** [ɑ́ːrtʃəri] *n.* Ⓤ **궁술**, 양궁(술); [집합적] 활과 화살, 양궁 용구; [집합적] 사수대(射手隊)

thesaurus **archaic** *a.* old, obsolete, out of date, old-fashioned, by gone, outmoded, antique (opp. *new, modern, up-to-date*)

Árch·es Nátional Párk [ά:rtʃiz-] 아치즈 국립 공원《미국 Utah 주 동부에 있음》
ar·che·spore [ά:rkəspɔ̀:r] *n.* 〖식물〗 포원 세포(胞原細胞)(군)《포자(胞子)의 바탕이 되는 세포》
ar·che·spo·ri·um [ὰ:rkispɔ́:riəm] *n.* (*pl.* **-ri·a** [-riə]) = ARCHESPORE
ar·che·typ·al [ά:rkitàipəl, ⌐-⌐-] *a.* 원형의; 전형적인
ar·che·type [ά:rkitàip] *n.* **1** 원형(原型)(prototype); 전형: "The Iliad" is regarded as the ~ of epic poetry. 「일리아드」는 서사시의 전형으로 여겨지고 있다. **2** 〖철학〗 원형, 이데아; 〖심리〗 원형(元型)《인류에 보편적인 원시적인 심상; Jung의 용어》
ar·che·typ·i·cal [ὰ:rkitípikəl] *a.* = ARCHETYPAL **~·ly** *ad.*
arch·fiend [ὰ:rtʃfí:nd] *n.* 대악마; [the ~] 사탄, 마왕(Satan)
archi-[1] [ά:rki] 《연결형》 〖생물〗 「원(原)…(primitive, original)」의 뜻
archi-[2] 《연결형》 ARCH-[1]의 변형
Ar·chi·bald [ά:rtʃəbɔ̀:ld, -bəld] *n.* **1** 남자 이름《애칭 Archie, Archy》 **2** [**a~**] 《영·속어》 고사포(archie)
ar·chi·carp [ά:rkikὰ:rp] *n.* 〖식물〗 자낭균류(ascomycete)의 자성(雌性) 생식 기관
ar·chi·di·ac·o·nal [ὰ:rkidaiǽkənl] *a.* archdeacon의
ar·chi·di·ac·o·nate [ὰ:rkidaiǽkənət, -nèit] *n.* ⓊⒸ archdeacon의 직[관구]
Ar·chie [ά:rtʃi] *n.* **1** [**a~**] 《영·속어》 고사포 **2** 남자 이름《Archibald의 애칭》
Árchie Bún·ker [-bʌ́ŋkər] [TV 연속극의 인물에서] 《미·캐나다》 완고하고 독선적인 백인 노동자
Árchie Bún·ker·ism [-bʌ́ŋkərìzm] 《미》 바보스럽고 교양 없는 표현
ar·chi·e·pis·co·pa·cy [ὰ:rkiipískəpəsi] *n.* ⓊⒸ archbishop의 교구제; = ARCHIEPISCOPATE
ar·chi·e·pis·co·pal [ὰ:rkiipískəpəl] *a.* archbishop의 **~·ly** *ad.*
ar·chi·e·pis·co·pate [ὰ:rkiipískəpət, -pèit] *n.* ⓊⒸ archbishop의 직[임기]
ar·chil [ά:rkil, -tʃil] *n.* = ORCHIL
ar·chi·mage [ά:rkəmèidʒ] *n.* 대마술사
ar·chi·man·drite [ὰ:rkimǽndrait] *n.* 〖그리스정교〗 대수도원장; 수도사의 명예 칭호
Ar·chi·me·de·an [ὰ:rkəmí:diən, -midí:ən] *a.* 아르키메데스(의 원리 응용)의
Ar·chi·me·des [ὰ:rkəmí:di:z] *n.* 아르키메데스(287-212? B.C.)《고대 그리스의 수학자·물리학자》
Archimédes' príncipIe 〖물리〗 아르키메데스의 원리
Archimédes'[Archimédean] scréw 〖기계〗 아르키메데스의 나선식 양수기, 나선 펌프
arch·ing [ά:rtʃiŋ] *n.* **1** Ⓤ 아치 쌓기 **2** 활 모양(의 부분), 궁형(弓形); (일련의) 아치
— *a.* 아치를 이루는
ar·chi·pel·a·go [ὰ:rkəpéləgou] [Gk 「주된 바다」의 뜻에서] *n.* (*pl.* **~(e)s**) 군도(群島); [the A~] 에게 해, 다도해《Aegean Sea의 구칭》
-pe·lág·ic [-pəlǽdʒik] *a.* 군도의
ar·chi·pho·neme [ά:rkəfòuni:m, ⌐-⌐-] *n.* 〖언어〗 원음소(原音素)
ar·chi·plasm [ά:rkəplæ̀zm] *n.* Ⓤ 〖생물〗 미분화(未分化) 원형질
archit. architecture
‡ar·chi·tect [ά:rkətèkt] [Gk 「주된 건축가」의 뜻에서] *n.* **1** 건축가, 건축 기사 **2** 설계자, 기획자, 창조자: the ~ of one's own fortune 자기 운명의 개척자 **3** [the (Great) A~] 조물주, 신(God)
— *vt.* 설계하다, 구성하다 ▷ árchitecture *n.*
ar·chi·tec·ton·ic [ὰ:rkətektάnik | -tɔ́-] *a.* 건축술의; 구조상의, 구성적인; 지식 체계의
— *n.* [*pl.*; 단수·복수 취급] 구성, 구도; 건축학; 〖철학〗 지식 체계론 **-i·cal·ly** *ad.*
***ar·chi·tec·tur·al** [ὰ:rkətéktʃərəl] *a.* **1** 건축술[학]의; 건축(상)의: an ~ engineer 건축 기사 **2** 건축적인, 구성적인 **~·ly** *ad.*
architéctural bárrier (신체 장애자가 이용하기 불편한) 건축상의 장애물
architéctural brónze 〖야금〗 조형용 청동
‡ar·chi·tec·ture [ά:rkətèktʃər] *n.* Ⓤ **1** 건축(술), 건축학: civil ~ 보통 건축《주택·공공 건축 등》/ ecclesiastical ~ 사원 건축 / military ~ 〖군사〗 축성법 / naval[marine] ~ 조선학[술] **2** ⓊⒸ 건축 양식: Gothic ~ 고딕 건축 양식 **3** [보통 the ~] 구조, 구성(construction): *the* ~ of a novel 소설의 구성 **4** [the ~; 집합적] 건축물 **5** 〖컴퓨터〗 아키텍처《하드웨어와 소프트웨어를 포함한 시스템의 구조[구성]》 ▷ architéctural, architectónic *a.*; árchitect *n.*
ar·chi·trave [ά:rkətrèiv] *n.* 〖건축〗 **1** 아키트레이브, 평방(平枋)《entablature의 최하부》 **2** (문·창의) 장식틀
ar·chi·val [ɑ:rkáivəl] *a.* 기록의, 고문서의, 공문서의; 기록 보관소의
ar·chive [ά:rkaiv] *n.* **1** [보통 *pl.*] (보관되어 있는) 고(古)기록; 공문서 **2** [*pl.*] 기록[공문서] 보관소, 문서국: The library has an ~ of rare books and papers. 그 도서관엔 희귀 서적과 논문의 보관소가 있다. **3** (데이터 등의) 보관, 보존; 〖컴퓨터〗 아카이브《다수의 파일을 압축하여 하나로 모은 것》
— *a.* 고문서에 관한: ~ science 고문서학
— *vt.* 〈문서·기록 등을〉 (기록 보관소 등에) 보관하다; 〖컴퓨터〗 〈데이터를〉 아카이브에 수록하다
ár·chived fíle [ά:rkaivd-] 〖컴퓨터〗 일정 기간 보존 대상 파일
ar·chiv·ing [ά:rkaiviŋ] *n.* 〖컴퓨터〗 파일 보관
ar·chi·vist [ά:rkəvist] *n.* 기록[공문서] 보관인
ar·chi·volt [ά:rkəvòult] *n.* 〖건축〗 장식 홍예 창도리
arch·ly [ά:rtʃli] *ad.* 능글맞게; 장난스럽게
arch·ness [ά:rtʃnis] *n.* Ⓤ 교활; 능글맞음
ar·chol·o·gy [ɑ:rkάlədʒi] *n.* 기원 연구
ar·chon [ά:rkɑn, -kən] *n.* 〖역사〗 집정관《고대 그리스 Athens의 9명》; 지배자, 장(長)
~·ship *n.* Ⓤ 집정관의 직
ar·cho·plasm [ά:rkəplæ̀zm] *n.* Ⓤ = ARCHIPLASM
ar·cho·saur [ά:rkəsɔ̀:r] *n.* 〖고생물〗 조룡(祖龍)
arch·priest [ὰ:rtʃprí:st] *n.* 대사제, 사제장; 〖가톨릭〗 수석 사제
arch·ri·val [ὰ:rtʃráivəl] *n.* 최대의 라이벌[경쟁 상대]
archt. architect
arch·trai·tor [ὰ:rtʃtréitər] *n.* 최대의 반역자[배신자]
arch·way [ά:rtʃwèi] *n.* 〖건축〗 아치 길; 통로 위의 아치
arch·wise [ά:rtʃwàiz] *ad.* 아치형으로, 활꼴로
Ar·chy [ά:rtʃi] *n.* 남자 이름《Archibald의 애칭》
-archy [ὰ:rki] 《연결형》 「…정체(政體)」의 뜻: mon*archy*
ar·ci·form [ά:rsəfɔ̀:rm] *a.* 아치형의, 활 모양의
arc·jet [ά:rkdʒèt] *n.* 아크 제트 엔진(= ⌐ **èngine**)《추진 연료를 전기 아크로 가열하는 로켓 엔진》
árc làmp[lìght] 아크등(燈)
ARCM Associate of the Royal College of Music
ar·co [ά:rkou] [It.] *ad.* 〖음악〗 활(bow)로
ARCO Associate of the Royal College of Organists
arc·o·graph [ά:rkəgræ̀f | -grὰ:f] *n.* 〖수학〗 원호(圓弧)자《원호를 그릴 때 쓰는 도구》

---

architect *n.* designer, planner, draftsman
archives *n.* records, chronicles, annals, documents, papers, registers

ar·col·o·gy [ɑːrkɑ́lədʒi | -kɔ́-] [*ar*chitecture+*ecology*] *n.* (*pl.* **-gies**) 생태 건축학 《환경 친화적이고 공간 효율적인 생태 도시 계획》

ARCS Associate of the Royal College of Science

:arc·tic [ɑ́ːrktik, ɑ́ːrtik | ɑ́ːktik] [Gk 「곰자리의; 북쪽의」의 뜻에서] *a.* **1** [때로 **A~**] **북극의**, 북극 지방의(opp. *antarctic*): an ~ expedition 북극 탐험 **2** 〈바람 등이〉 북극에서 오는: an ~ wind 북극풍 **3** 북극성 기후의, 극한의: ~ weather 극한(의 날씨) **4** 북극용의 **5** (구어) 추운, 얼 듯한 **6** 〈태도·분위기·행위 등이〉 냉랭한, 냉담한: an ~ smile 냉소
— *n.* **1** [the A~] 북극 (지방); 북극해 **2** [*pl.*] (미) 방한 방수용 오버슈즈 **árc·ti·cal·ly** *ad.*

Árctic chár(r) 〖어류〗 북극민물송어의 일종

Árctic Círcle [the ~] 북극권(圈)(opp. *Antarctic Circle*)

Árctic dáisy 〖식물〗 해국

Árctic fóx 〖동물〗 북극여우, 흰여우(white fox)

Árctic Ócean [the ~] 북극해, 북빙양(opp. *Antarctic Ocean*)

Árctic Póle [the ~] 북극(North Pole)(opp. *Antarctic Pole*)

Árctic Séa [the ~] = ARCTIC OCEAN

Árctic séal [때로 **a~**] 모조 바다표범 모피 《토끼털로 가공》

Árctic térn [때로 **a~**] 〖조류〗 북극제비갈매기

Árctic Zòne [the ~] 북극대(帶)(opp. *Antarctic Zone*)

Arc·to·gae·a [ɑ̀ːrktədʒíːə] *n.* 〖생물지리〗 북계(北界)

arc·to·phile [ɑ́ːrktəfàil] *n.* 봉제 곰(teddy bear) 애호가[수집가]

Arc·tu·rus [ɑːrktjúərəs | -tjúər-] *n.* 〖천문〗 아르크투루스, 대각성(大角星) 《목동자리의 가장 큰 별》

ar·cu·ate [ɑ́ːrkjuət, -kjuèit], **-at·ed** [-èitid] *a.* 궁형(弓形)의, 아치형의 **~·ly** *ad.*

ar·cu·a·tion [ɑ̀ːrkjuéiʃən] *n.* 활꼴로 굽음; 〖건축〗 아치 구조[사용]; (일련의) 아치

ar·cus [ɑ́ːrkəs] *n.* 〖기상〗 아치 구름

árcus se·ní·lis [-sənáilis] 〖병리〗 노인환(老人環) 《고령자의 각막에 나타나는》

árc wèlding 아크 용접

-ard [ərd] *suf.* 「매우 …하는 사람」의 뜻 《대개는 비난》: dot*ard*, drunk*ard*

ARD acute respiratory disease 〖의학〗 급성 호흡기 질환

ar·deb [ɑ́ːrdəb] *n.* 알데브 《이집트의 건량(乾量) 단위》

Ar·den [ɑ́ːrdn] *n.* [the Forest of ~] 아든 《잉글랜드 중동부의 옛 삼림 지대》

ar·den·cy [ɑ́ːrdənsi] *n.* Ⓤ 열심, 열렬함(zeal)

Ar·dennes [ɑːrdén] *n.* 아르덴 《프랑스 북동부, 벨기에와 접한 삼림 지대; 제1·2차 세계 대전의 격전지》

***ar·dent** [ɑ́ːrdənt] *a.* **불타는 듯한**; **열렬한**, 열심인(eager): an ~ patriot 열렬한 애국자
~·ly *ad.* **~·ness** *n.*

árdent spírits 독한 증류주 《위스키 등》

***ar·dor | ar·dour** [ɑ́ːrdər] [L 「열」의 뜻에서] *n.* ⓊⒸ **열정**, 정열, 열심; 열렬, 열중; Ⓤ 작열
with **~** 열심히

ARDS adult respiratory distress syndrome

***ar·du·ous** [ɑ́ːrdʒuəs | -dju-] *a.* (문어) **1** 〈일 등이〉 고된, 힘드는: ~ work 고된 일 **2** 분투적인, 끈기 있는(laborious): make ~ efforts 끈질긴 노력을 기울이다 **3** 험한, 가파른(steep)
~·ly *ad.* **~·ness** *n.*

:are¹ [ɑ́ːr, ər] *vi.* BE의 복수[2인칭 단수] 직설법 현재형: We[You, They] ~ students. 우리[여러분, 그들]는 학생이다.

are² [ɑ́ːr, ɛ́ər | ɑ́ː] [F =area] *n.* 아르 《미터법의 면적 단위; 100제곱 미터; 略 a》

ARE Arab Republic of Egypt 이집트 아랍 공화국

:ar·e·a [ɛ́əriə] *n.* **1** ⓊⒸ (공간·표면의) **범위**; **부분**: the dark ~*s* in the painting 그 그림의 어두운 부분 **2** (지리상의) **지역**, 지방; 행정 구획: a residential ~ 주택 지구

> **유의어** **area** 넓이와는 관계 없이 하나의 지역을 나타내는 가장 일반적인 말이다: an agricultural *area* 농업 지역 **region** 꽤 넓은 지역에서 문화·사회·지리적인 면에서의 특징을 지닌 지방: a tropical *region* 열대 지방 **district** 행정상의 구획 또는 다기역과 다른 특징을 지닌 지방: an election *district* 선거구

3 (특정 용도로 이용되는) **구역**, **지역**: a free parking ~ 무료 주차 구역 **4** (활동 등의) **범위**, 영역; 연구 분야 **5** (영) 지하실[부엌] 출입구 《채광·통행을 위한 지하층 입구의 공간》((미) areaway) **6** 지면, 공지 **7** (건물의) 대지, (집) 안뜰 **8 면적**, 지적; 평수, 바닥 면적(floor space)
▷ áreal *a.*

área bèll 지하실 출입문의 초인종

área bòmbing 지역 폭격 《목표 지역 전역의》

área còde (미) (전화의) 지역 번호, 시외 국번

ar·e·al [ɛ́əriəl] *a.* 지면의; 면적의; 지역의 **~·ly** *ad.*

áreal linguístics 지역 언어학

área mánager (한 나라·도시·구역의 생산·판매 등의) 지역 담당 책임자

área navigátion 〖항공〗 지상의 무선 표지로부터 신호를 받아 컴퓨터로 위치를 계산하는 항법 장치

área rùg 바닥 일부에 까는 융단

área stùdy 지역 연구 《어느 지역의 지리·역사·언어·문화 등의 종합적 연구》

ar·e·a·way [ɛ́əriəwèi] *n.* (미) =AREA 5; 건물 사이의 통로

ar·e·ca [ərí:kə, ǽri-] *n.* 〖식물〗 빈랑나무(=~ pàlm); 빈랑(betel nut) 《열매》

***a·re·na** [ərí:nə] [L 「모래를 깐 곳」의 뜻에서] *n.* **1 투기장**(鬪技場) 《고대 로마의 원형 경기장(amphitheater) 내의》; 경기장, 씨름판, 도장 **2** 활동 무대, 경쟁의 장, …계(界): enter the ~ of politics 정계에 들어가다

ar·e·na·ceous [æ̀rənéiʃəs] *a.* 사질(砂質)의, 모래땅의(sandy); 모래땅에서 자라는; 무미건조한

aréna stáge (원형 극장의) 중앙 무대

aréna théater 원형 극장

ar·en·a·vi·rus [ərí:nəvàiərəs] *n.* 아레나바이러스 《RNA 바이러스의 일종》

ar·e·nic·o·lous [æ̀rəníkələs] *a.* 〖동물〗 모래땅에 사는

ar·e·nite [ǽrənàit, ərí:nait] *n.* 〖지질〗 사암(砂岩)

ar·e·nose [ǽrənòus], **-nous** [-nəs] *a.* 모래의, 모래 같은; 모래투성이의; 모래 섞인

:aren't [ɑ́ːrnt, ɑ́ːrənt | ɑ́ːnt] **1** are not의 단축형 **2** [의문문에서] (영·구어) am not의 단축형(cf. AIN'T): *A~* I stupid? 내가 어리석지?

> **USAGE** am not의 부가의문으로 3가지가 있는데, (구어)에서는 aren't I?, 정식으로는 am I not?이다. ain't I?는 비표준 용법이다.

areo- [ɛ́əriou, -riə] 《연결형》 「화성(Mars)」의 뜻

thesaurus **ardent** *a.* passionate, avid, impassioned, fervent, eager, earnest, enthusiastic
arduous *a.* difficult, hard, heavy, laborious, burdensome, exhausting (opp. *easy, effortless*)
area *n.* zone, region, district, sector, territory,

a·re·o·cen·tric [ὲəriouséntrik] *a.* 화성 중심의
ar·e·og·ra·phy [ὲəriágrəfi] *n.* Ⓤ 화성 지리학[지지(地誌)]
a·re·o·la [ərí:ələ | əríə-] *n.* (*pl.* **-lae** [-lì:], **~s**) 〖생물〗 그물코 틈 《엽맥(葉脈)·시맥(翅脈) 간의》, (표면의) 작은 구멍; 〖해부〗 유륜(乳輪)
a·re·o·lar [ərí:ələr | əríə-], **-late** [-lət, -lèit] *a.* 그물코 모양의, 작은 구멍의; 유륜의
ar·e·o·la·tion [ὲəriəléiʃən] *n.* ⓊⒸ 〖생물〗 그물코 모양 조직 형성
ar·e·ole [ɛ̀əriál] *n.* = AREOLA
ar·e·ol·o·gy [ὲəriálədʒi | -ɔ́lə-] *n.* Ⓤ 〖천문〗 화성 관측, 화성학
ar·e·om·e·ter [ὲəriámətər, æ̀ər-] *n.* 액체 비중계
Ar·e·op·a·gite [æ̀riápədʒàit, -gàit | -ɔ́pə-] *n.* 〖역사〗 아레오파고스(Areopagus)의 재판관
Ar·e·op·a·gus [æ̀riápəgəs | -ɔ́p-] *n.* 아레오파고스 《아테네의 언덕》; (고대 아테네의) 최고 재판소 《아레오파고스 언덕에 있었음》; 《일반적으로》 상급 재판소
Ar·es [ɛ́əri:z] *n.* 〖그리스신화〗 아레스 《군신(軍神); 로마 신화의 Mars에 해당》
a·rête [əréit, æréit] [F 「물고기 뼈」의 뜻에서] *n.* 〖지질〗 아레트《빙하 침식으로 인한 뾰족한 산등성이》
Ar·e·thu·sa [æ̀rəθú:zə] *n.* 〖그리스신화〗 아레투사 《숲의 요정》
arf [á:rf] *int.* 멍멍 《개 짖는 소리》
arg [á:rg] [*arg*ument] *n.* 〖컴퓨터〗 아그 《함수의 독립 변수》
arg. argentum 《L =silver》 **Arg.** Argentina; Argentine; Arginine
ar·gal [á:rgəl] *n.* = ARGOL
ar·ga·la [á:rgələ] *n.* 〖조류〗 대머리황새 《인도산(産)》
ar·ga·li [á:rgəli] *n.* (*pl.* **~, ~s**) 큰뿔양 《중앙아시아산(産)의 뿔이 큰 야생 양》
Ár·gand bùrner [á:rgænd-] 아르강 버너 《Argand lamp식의 가스[석유] 버너》
Árgand dìagram 〖수학〗 아르강 도표
Árgand làmp 아르강 등(燈) 《원통형의 심지 안팎에서 공기를 주는 램프》
ar·gent [á:rdʒənt] *n.* Ⓤ 《시어》 은(銀)(silver); 은빛 **—** *a.* 은의, 은 같은; 은백색인
ar·gen·tal [ɑ:rdʒéntl] *a.* 은의[같은], 은을 함유한
ar·gen·tan [á:rdʒəntæ̀n] *n.* 양은(洋銀)의 일종 《니켈·동·아연의 합금》
ar·gen·te·ous [ɑ:rdʒéntiəs] *a.* 은 같은, 은백의
ar·gen·tic [ɑ:rdʒéntik] *a.* 〖화학〗 (제2)은의
ar·gen·tif·er·ous [ɑ̀:rdʒəntífərəs] *a.* 은이 나는, 은을 함유한
***Ar·gen·ti·na** [ɑ̀:rdʒəntí:nə] [Sp. 「은(색)의」의 뜻에서; 그곳의 강·호수의 아름다움에서] *n.* 아르헨티나 《남미의 공화국; 공식명 the Argentine Republic, 수도 Buenos Aires》 ▷ Árgentine *a.*
ar·gen·tine [á:rdʒəntin, -tàin | -tàin] *a.* 은의, 은 같은; 은빛의 **—** *n.* 은; 은빛 (금속)
***Ar·gen·tine** [á:rdʒənti:n, -tàin] *a.* 아르헨티나의; 아르헨티나 사람의
— *n.* **1** 아르헨티나 사람 **2** [the ~ (Republic)] = ARGENTINA **Àr·gen·tín·e·an** [-tíniən] *a.* 아르헨티나의 ▷ Argentína *n.*
ar·gen·tite [á:rdʒəntàit] *n.* Ⓤ 〖광물〗 휘은석(輝銀石) (Ag_2S)
ar·gen·tous [ɑ:rdʒéntəs] *a.* 〖화학〗 (제1)은의
ar·gen·tum [ɑ:rdʒéntəm] *n.* Ⓤ 〖화학〗 은(銀)
argh [á:rf] *int.* 화 날때의 소리

---

tract, quarter, locality, domain, sphere
argue *v.* **1** 말다툼하다 quarrel, disagree, fight, dispute **2** 주장하다 assert, declare, maintain, insist, hold, claim **3** 논쟁하다 debate, dispute, discuss, controvert **4** 설득하다 persuade, convince

ar·ghan [á:rgən] *n.* 아나나스속(屬)의 야생 파인애플 《중미산(産)》
Ar·gie [á:rdʒi] *n.* 《영·속어》 아르헨티나 사람
ar·gil [á:rdʒil] *n.* Ⓤ 도토(potter's clay)
ar·gil·la·ceous [ɑ̀:rdʒəléiʃəs] *a.* 점토질의
ar·gil·lite [á:rdʒəlàit] *n.* Ⓤ 규질(硅質) 점토암
ar·gi·nase [á:rdʒənèis] *n.* Ⓤ 〖화학〗 아르기나아제 《아르기닌을 분해하는 효소》
ar·gi·nine [á:rdʒəni:n, -nàin, -nín | -nàin, -nì:n] *n.* Ⓤ 〖화학〗 아르기닌 《아미노산의 일종》
Ar·give [á:rdʒaiv, -gaiv] *a.* 아르고스(Argos)의; 그리스의 **—** *n.* 아르고스[그리스] 사람
ar·gle-bar·gle [á:rglbá:rgl] *n.* 《구어》 = ARGY-BARGY
Ar·go [á:rgou] *n.* **1** 〖그리스신화〗 아르고호(號)(cf. ARGONAUT) **2** 〖천문〗 아르고자리 《성좌》
ar·gol [á:rgəl | -gɔl] *n.* 주석(酒石)
Ar·go·lis [á:rgəlis] *n.* 아르골리스 《그리스 남동부에 있는 고대의 한 지방》 ***the Gulf of ~*** 아르골리스 만 《그리스 남동부 에게 해에 면한 만》
ar·gon [á:rgɑn | -gɔn] *n.* Ⓤ 〖화학〗 아르곤 《기체 원소; 기호 A 또는 Ar; 원자 번호 18》
Ar·go·naut [á:rgənɔ̀:t] *n.* **1** 〖그리스신화〗 아르고호(Argo)의 승무원 **2** [때로 **a~**] 모험가
Ar·go·nau·tic [ɑ̀:rgənɔ́:tik] *a.* 아르고호 일행의: the ~ expedition 아르고호 일행의 원정
Ar·gos [á:rgɑs, -gəs | -gɔs] *n.* 아르고스 《고대 그리스 남동부의 도시》
ar·go·sy [á:rgəsi] *n.* (*pl.* **-sies**) **1** 《시어》 큰 상선 《이탈리아의》; 배; 대상선대(大商船隊) **2** 보고(寶庫), 풍부한 비축[저장]
ar·got [á:rgou, -gət] [F] *n.* Ⓤ (도둑 등의) 변말, 은어(jargon) **~·ic** [ɑ:rgátik | -gɔ́tik] *a.*
ar·gu·a·ble [á:rgjuəbl] *a.* 논[논증]할 수 있는; 논쟁의 여지가 있는
ar·gu·a·bly [á:rgjuəbli] *ad.* [문장을 수식하여; 대개 최상급 형용사 앞에서] 이론의 여지는 있지만; 거의 틀림없이: The air in El Paso is ~ the dirtiest in Texas. 엘파소의 공기는 아마 텍사스 주에서 가장 오염되어 있을 것이다.
:ar·gue [á:rgju:] *v.*

> L 본래는 「분명히 하다」의 뜻에서, 입증하다
> →(입증하기 위해) 논의[논쟁]하다 ㉮ **1**, ㉯ **1**
> ┌언쟁하다 ㉮ **2**
> └설득하다 ㉯ **3**

— *vi.* **1** 논하다, 논의하다; 논쟁하다(dispute) 《*about, on, upon*》: ~ along lines 일정한 줄거리를 따라 논하다 // (~+전+명) He *~d with* his father *about*[*on*] the matter. 그는 아버지와 그 일에 대해 논의하였다. / He *~d against*[*for, in favor of*] the proposition. 그는 그 제안에 반대[찬성] 의견을 말했다. **2** 언쟁하다, 말다툼하다 《*about, over*》: (~+전+명) The kids were *arguing over* which TV program to watch. 아이들은 어느 TV 프로를 볼 것인가에 대해서 말싸움을 하고 있었다.
— *vt.* **1** 논하다, 논의하다(⇨ discuss 유의어) **2** (이론적으로) 〈…이라고〉 주장하다(maintain): (~+***that*** 절) He is always *arguing that* honesty is not the best policy. 그는 정직이 최선의 방책은 아니라고 언제나 주장하고 있다. **3** 설득하다, 설복시키다, 설득해서 …하게[그만두게] 하다 《*into, out of*》: (~+목+전+명) You can't ~ me *into* believing what you say. 아무리 해도 네 말을 내가 믿도록 할 수는 없다. / I *~d* him *out of* smoking. 나는 그를 설득해서 담배를 끊게 했다. **4** 《문어》 논증[입증]하다(prove), 〈이유·증거 등이 …임을〉 나타내다(indicate): His manners ~ good upbringing. 그의 예의범절은 훌륭한 가정 교육을 받았음을 나타내고 있다. // (~+목+(***to be***) 보) His action *~s* him (*to be*) a rogue.

그의 행동으로 보아 그가 나쁜 놈인 것이 분명하다.
~ against[**for, in favor of**] ⇨ *vi.* 1. **~** a person **down** …을 설복시키다 **~** a person **into**[**out of**] ⇨ *vt.* 3. **~ it away**[**off**] 설파하다; 설복시키다 **~ it out** 끝까지[철저히] 논하다 **~ with** a person **about**[**on**] ⇨ *vi.* 1. **arguing in a circle** 〖논리〗 순환 논법(cf. CIRCULAR reasoning)
▷ árgument *n.*; árgufy *v.*

ar·gu·er [ɑ́:rgju:ər] *n.* 논쟁자, 논자

ar·gu·fy [ɑ́:rgjufài] *vt., vi.* (**-fied**) 《구어·방언》 귀찮게 논쟁하다, (쓸데없이) 오래 논의하다 **-fi·er** *n.*

‡**ar·gu·ment** [ɑ́:rgjumənt] *n.* **1** UC 논의, 토론, 논증; 논쟁; (…라는) 주장, 논(論) 《찬성·반대의》; 논법, 논거 《*against, for, in favor of, with, on, over*》: an ~ *for*[*against*] the bill 그 법안에 대한 찬성[반대]론 / get into an ~ *with* a person *over* …에 대하여 …와 논의를 시작하다

> 유의어 **argument** 사실이나 논리에 입각하여 의견을 주장하거나 의견이 다른 사람을 설득하려는 논의: We rely on *arguments* for persuasion. 우리는 남을 설득하기 위해서 논의에 의존한다. **dispute** 다소 격식 차린 말로, 논리보다는 현실에 입각하여 남에게 반박하는 감정적인 논의: a labor *dispute* about efficiency wages 능률급에 대한 노동 쟁의 **discussion** 문제 해결을 위해 서로 이성적으로 의견을 교환하는 토론: After much *discussion* they settled the question. 많은 토론을 거듭한 끝에 그들은 그 문제를 해결했다. **debate** 일정한 진행 절차에 따라 행하는 공식적 토론: the abortion *debate* 임신 중절 (찬반) 논쟁 **controversy** 사회적·도덕적으로 중요한 문제에 관한 장기간에 걸친 논쟁: *Controversy* over the drug's safety still continues. 그 약의 안전성에 관한 논쟁은 아직도 계속되고 있다.

2 말다툼, 언쟁 《*with*》: have an ~ *with* one's wife 《*over*》 (…에 관해) 아내와 말다툼하다 **3** 《문어》 요지 《주제의》, 개요 《책의》, 줄거리(plot) 《이야기·각본의》; 주제, 테마 **4** 〖철학·논리〗 증명 **5** 〖수학〗 편각(偏角) **6** 〖컴퓨터〗 (함수의) 인수(引數), 독립 변수 ***start***[***put forward***] ***an ~*** 의론을 시작하다[끄집어내다] ***without ~*** 이의없이
▷ arguméntative *a.*; argumentátion *n.*

ar·gu·men·ta·tion [ɑ̀:rgjumentéiʃən, -mən-] *n.* UC 입론(立論); 논증; 논쟁, 변론, 토론

ar·gu·men·ta·tive [ɑ̀:rgjuméntətiv], **-men·tive** [-méntiv] *a.* 〈발언 등이〉 논쟁적인, 토론적인; 〈사람이〉 논쟁을 좋아하는, 따지기 좋아하는; 〈사건·일 등이〉 (…을) 나타내는, 암시하는 《*of*》: avoid becoming ~ with difficult clients 까다로운 고객과 논쟁에 휘말리는 것을 피하다
-ta·tive·ly *ad.* **-ta·tive·ness** *n.*

ar·gu·men·tum [ɑ̀:rgjuméntəm] [L] *n.* (*pl.* **-ta** [-tə]) (…라는) 논(論), 논의, 논증; 논거

argumentum ad ba·cu·lum [-æd-bɑ́:kulum] [L] *n.* 위력[폭력]에 의한 논증

Ar·gus [ɑ́:rgəs] *n.* **1** 〖그리스신화〗 아르고스 《눈이 100개 달린 거인》 **2** 엄중한 감시인 **3** [**a~**] 〖조류〗 (말레이산(産)) 청란(青鸞)(= ~ **phèasant**)

Ar·gus-eyed [ɑ́:rgəsàid] *a.* 감시가 엄중한, 빈틈없는

ar·gute [ɑ:rgjú:t] *a.* 날카로운, 예리한, 예민한, 빈틈없는 **~·ly** *ad.* **~·ness** *n.*

ar·gy-bar·gy [ɑ́:rgibɑ́:rgi | ɑ́:dʒibɑ́:dʒi] 《구어》 *n.* (*pl.* **-gies**) 토론, 언쟁
— *vi.* (**-gied**) 토론[언쟁]하다

ar·gyle, ar·gyll [ɑ́:rgail] *n.* [종종 **A~**] 아가일 무늬 《여러 색의 마름모·다이아몬드 모양》; 아가일 무늬의 양말 — *a.* 〈편물이〉 아가일 무늬의

Ar·gyll and Bute [ɑ:rgáil-ənd-bjú:t] 아가일 앤드 뷰트 《스코틀랜드 서부의 행정 구역》

argyr- [ɑ́:rdʒər], **argyro-** [ɑ́:rdʒərou] 《연결형》 「은, 은빛」의 뜻 《모음 앞에서는 argyr-》

ar·gyr·i·a [ɑ:rdʒíriə] *n.* U 〖병리〗 은(銀) 중독

Ar·gy·rol [ɑ́:rdʒərɔ̀:l, -rɑ̀l | -rɔ̀l] *n.* 〖약학〗 아르지롤 《은(銀)을 함유한 방부제; 상표명》

ar·hat [ɑ́:rhət] *n.* [종종 **A~**] 〖불교〗 아라한(阿羅漢) **~·shìp** *n.*

***a·ri·a** [ɑ́:riə, ɛ́əriə] [It. = air] *n.* 〖음악〗 아리아, 영창(詠唱) 《오페라 등에서 악기의 반주가 있는 독창곡》; (서정적) 가곡, 선율

-aria [ɛ́əriə | ɑ́:riə] *suf.* 생물학상의 목(order)을 나타내는 복수명사를 만듦

Ar·i·ad·ne [æ̀riǽdni] *n.* 〖그리스신화〗 아리아드네 《Theseus에게 실패를 주어 미궁 탈출을 도운 Minos 왕의 딸》

Ar·i·an[1] [ɛ́əriən, ǽri- | ɛ́əri-] *a.* 아리우스(Arius)의; 아리우스파(派)의 — *n.* 아리우스파의 사람

Arian[2] *a., n.* = ARYAN

-arian [ɛ́əriən] *suf.* [명사·형용사 어미] **1** 「…파의 (사람), …주의의 (사람)」의 뜻: humanit*arian*, veget*arian* **2** (주의·설·원리 등의) 지지자, 창도자, 실행자: octogen*arian*

Ar·i·ane [æ̀riǽn] *n.* 〖우주과학〗 아리안 《프랑스가 개발한 3단식 액체 연료 로켓》

Ar·i·an·ism [ɛ́əriənìzm, ǽri- | ɛ́əri-] *n.* U 아리우스(Arius)주의 《그리스도의 신성(神性)을 부인》

ARIBA Associate of the Royal Institute of British Architects

a·ri·bo·fla·vin·o·sis [eiràibəflèivinóusis] *n.* 〖병리〗 비타민 B_2[리보플라빈] 결핍(증)

ARIC Associate of the Royal Institute of Chemistry

***ar·id** [ǽrid] *a.* **1** 〈땅 등이〉 건조한, 메마른, 불모의 **2** 〈두뇌·사상 등이〉 빈약한; 무미건조한(dull), 지루한 **~·ly** *ad.* **~·ness** *n.*

a·rid·i·sol [ərídəsɔ̀:l, -sɑ̀l | -sɔ̀l] *n.* 아리디졸 《건조지의 토양으로, 유기물이 빈약하고 염류가 많음》

a·rid·i·ty [ərídəti] *n.* U 건조 (상태); 빈약; 무미건조

arídity ìndex 〖기상〗 건조 지수

ar·i·el [ɛ́əriəl] *n.* 〖동물〗 아라비아 가젤(gazelle)

Ar·i·el [ɛ́əriəl] *n.* **1** 아리엘 《중세 전설의 공기의 요정; Shakespeare작 *The Tempest*에도 나옴》 **2** 〖천문〗 아리엘 《천왕성의 제1 위성》

Ar·i·es [ɛ́əri:z | -rii:z] [L = ram] *n.* **1** 〖천문〗 양자리(the Ram) **2** 〖점성〗 백양궁; 백양궁 태생의 사람

ar·i·et·ta [æ̀riétə] [It.] *n.* (*pl.* **~s, -et·te** [-ét]) 〖음악〗 아리에타, 소영창(小詠唱)

a·right [əráit] *ad.* 《문어》 바르게, 옳게 《rightly 쪽이 일반적》: if I remember ~ 내 기억이 맞다면

A·rik·a·ra [əríkərə] *n.* **1** (*pl.* **~s,** [집합적] **~**) 아리카라 족의 한 사람 《북미 인디언으로 Pawnee 인디언의 한 일족; Dakota 지방에 거주》 **2** 아리카라 어

ar·il [ǽrəl] *n.* 〖식물〗 가종피(假種皮)

ar·il·late [ǽrəlèit, -lət] *a.* 가종피가 있는

a·ri·o·so [ɑ̀:rióusou, æ̀r- | -zou] [It.] 〖음악〗 *a., ad.* 영서창조(詠敍唱調)의[로], 아리아풍의[으로]
— *n.* (*pl.* **~s, -si** [-si:]) 아리오소, 영서창(詠敍唱)

-arious [ɛ́əriəs] *suf.* 「…에 관한」의 뜻

‡**a·rise** [əráiz] *vi.* (**a·rose** [əróuz]; **a·ris·en** [ərízn]) **1** 〈문제·곤란 등이〉 일어나다, 발생하다(⇨ rise 유의어): A serious problem has *arisen.* 심각한 문제가 발생했다. **2** 〈일 등이〉 (…에서) 생기다, 비롯되다, 기인하다 《*from, out of*》: 《~+전+명》 Accidents ~ *from* carelessness. 사고는 부주의에서 일어난다. / The facts *arising out of* the case proved his guilt. 그 사건에서 드러난 사실에 의해 그에게 죄가 있음이 판명되었다. **3** 일어나다, 기상하다(get up); 일어서다(stand up); 〈죽은 사람이〉 되살아나다 **4** 《드물게》 〈연기 등이〉 피어오르다; 〈바람 등이〉 불기 시작하다; 〈소리·함성 등이〉 들끓다, 터져나오다 **5** (권리 등을 요구하여) 일어서다, 반란을 일으키다

*__a·ris·en__ [ərízn] *vi.* ARISE의 과거분사
a·ris·ings [əráiziŋz] *n. pl.* (생산의) 부산물, 폐기물
Arist. Aristotle
a·ris·ta [ərístə] *n.* (*pl.* **-tae** [-ti:], **~s**) 〖식물〗 까끄라기, 수염(awn); 〖동물〗 (촉각의) 극모(棘毛)
Ar·is·tar·chus [æ̀rəstɑ́:rkəs] *n.* **1** 사모스의 아리스타르코스 **~ of Samos** 《기원전 3세기 말 그리스의 천문학자》 **2** 사모트라케의 아리스타르코스 **~ of Samothrace** (216?-144 B.C.) 《그리스의 문헌학자》
Ar·is·ti·des [æ̀rəstáidi:z] *n.* 아리스테이데스 (530?-468? B.C.) 《아테네의 정치가·장군》
a·ris·to [ərístou] *n.* (*pl.* **~s**) (영·구어) = ARISTOCRAT
aristo- [ərístou, -tə] 《연결형》 「최상의, 귀족의」의 뜻
*__ar·is·toc·ra·cy__ [æ̀rəstɑ́krəsi | -tɔ́-] [Gk =rule of the best] *n.* (*pl.* **-cies**) **1** Ⓤ **귀족 정치**; Ⓒ 귀족 정치의 나라 **2** [the ~; 집합적] 귀족, 귀족 사회 (the nobility); 상류[특권] 계급 《집합체일 때에는 단수, 구성 요소로 볼 때에는 복수 취급》 **3** [집합적] 일류의 사람들 《*of*》: the ~ *of* wealth 손꼽히는 부호들 **4** Ⓤ 귀족적인 성질[정신], 귀족풍
▷ arístocrat *n.*; aristocrátic *a.*
*__a·ris·to·crat__ [ərístəkræ̀t, ǽrəs-] *n.* **1 귀족**; 귀족적인 사람; 귀족티 내는 사람 **2** 귀족 정치주의자 **3** (어떤 것 중의) 최고[최상]의 것 《*of*》
▷ aristócracy *n.*; aristocrátic *a.*
*__a·ris·to·crat·ic__ [ərìstəkrǽtik, æ̀rəs-] *a.* **1** 귀족 정치의; 귀족주의의 **2 귀족의**, 귀족적인, 귀족다운, 품위 있는, 당당한 **3** 귀족풍의, 상류 계급(특유)의, 배타적인, 거만한 **-i·cal·ly** *ad.*
▷ aristócracy, arístocrat *n.*
ar·is·toc·rat·ism [æ̀rəstɑ́krətìzm | -tɔ́-] *n.* Ⓤ 귀족주의; 귀족적 기풍[정신]; 귀족 정치주의
Ar·is·toph·a·nes [æ̀rəstɑ́fənì:z | -tɔ́-] *n.* 아리스토파네스(448?-385? B.C.) 《고대 아테네의 희극 작가》
A·ris·to·phan·ic [ərìstəfǽnik] *a.* 아리스토파네스풍(風)의 《풍자적 희극 등에 관해서 말함》
Ar·is·to·te·lian, -lean [æ̀rəstətí:ljən] *a.*, *n.* 아리스토텔레스(파)의 (학자) **~·ìsm** *n.* Ⓤ 아리스토텔레스 철학, 아리스토텔레스주의
Ar·is·tot·le [ǽrəstɑ̀tl | -tɔ̀tl] *n.* 아리스토텔레스 (384-322 B.C.) 《고대 그리스의 철학자》
a·ris·to·type [ərístətàip] *n.* ⓊⒸ 〖사진〗 아리스토 인화법; 아리스토 인화
arith. arithmetic; arithmetical
‡**a·rith·me·tic** [əríθmətik] [Gk 「계산의 (기술)」의 뜻에서] *n.* **1** Ⓤ **산수**, 셈; Ⓒ 산수 책: decimal ~ 십진 산수법 / mental ~ 암산 **2** Ⓤ 산수의 능력; 계산
— [æ̀riθmétik] *a.* **산수의**, 산수에 관한
ar·ith·met·i·cal [æ̀riθmétikəl] *a.* = ARITHMETIC **~·ly** *ad.*
arithmétic and lógic ùnit 〖컴퓨터〗 산술 논리 연산 장치 《略 ALU》
a·rith·me·ti·cian [ərìθmətíʃən, æ̀riθ-] *n.* 산술가(算術家), 산술의 달인(達人)
arithmétic méan 〖수학〗 산술 평균
arithmétic operátion 〖컴퓨터〗 산술 연산
arithmétic progréssion 〖수학〗 등차수열(等差數列)
arithmétic séries 〖수학〗 등차[산술]급수
arithmétic únit 〖컴퓨터〗 산술 연산 장치 《略 AU》
ar·ith·mom·e·ter [æ̀riθmɑ́mətər | -mɔ́-] *n.* (초기의) 계산기, 계수기
ar·ith·mo·pho·bi·a [æ̀riθməfóubiə] *n.* Ⓤ 숫자 공포증
-arium [ɛ́əriəm] *suf.* 「…에 관한 물건[장소]」의 뜻: sacr*arium*, aqu*arium*
A·ri·us [əráiəs, ɛ́əri-] *n.* 아리우스(250?-336) 《알렉산드리아의 신학자; 그리스도의 신성(神性)을 부인한 Arianism 창시자》
Ariz. Arizona

*__Ar·i·zo·na__ [æ̀rəzóunə] [북미 인디언 말 「작은 샘」의 뜻에서] *n.* **애리조나 주** 《미국 남서부의 주; 주도 Phoenix; 애칭 the Apache State, the Grand Canyon State; 略 Ariz.》
-nan, -ni·an *a.*, *n.* 애리조나 주의 (사람)
*__ark__ [ɑ́:rk] [L 「상자」의 뜻에서] *n.* **1** 〖성서〗 (Noah가 대홍수를 피한) **방주**(方舟); (방언·시어) 궤, 상자(chest) **2** (미) 평저선(平底船)(flatboat) **3** 피난처, 안전한 장소 **4** (구어) 크고 볼품없는 배[차, 집]; 오래된 차 (***come***) ***out of the ~*** (구어) 예스럽다, 오래되다 ***the A~ of Testimony***[***the Covenant***] 〖유대교〗 계약의 궤 《Moses의 십계명을 새긴 두 짝의 석판을 넣은 궤》
Ark. Arkansas
Ar·kan·san [ɑ:rkǽnzən], **-si·an** [-ziən] *a.*, *n.* Arkansas 주의 (사람)
*__Ar·kan·sas__ [ɑ́:rkənsɔ̀:] [북미 인디언 말 「하류의 사람들」의 뜻에서?] *n.* **1 아칸소 주** 《미국 중부의 주; 주도 Little Rock; 애칭 the Bear State, the Land of Opportunity; 略 Ark.》 **2** [ɑ:rkǽnzəs] [the ~] 아칸소 강 《Colorado 주에서 남으로 흐르는 Mississippi 강의 지류》
Árkansas tóothpick (미·속어) = BOWIE KNIFE
Ar·kan·saw·yer [ɑ́:rkənsɔ̀:jər] *n.* (구어·방언) Arkansas 주의 사람 《별명》
Ar·kie [ɑ́:rki] *n.* (미·구어) 아칸소 주 출신의 유랑 농부; 이동 농장 노동자; 미국 남부의 빈농
Ark·wright [ɑ́:rkràit] *n.* 아크라이트 **Sir Richard ~** (1732-92) 《영국의 수력 방적기의 발명자》
ARL Association of Research Libraries (미) 연구 도서관 협회
arles [ɑ́:rlz] *n. pl.* (스코) 예약금, 착수금, 계약금
Ár·ling·ton Nátional Cémetery [ɑ́:rliŋtən-] (미국 Washington D.C. 교외에 있는) 알링턴 국립묘지
‡**arm**[1] [ɑ́:rm] *n.* **1 팔**; (동물의) 앞발, 앞다리: one's better ~ 오른팔, 주로 잘 쓰는 팔 / one's right ~ 오른팔; 유능한 부하 **2** 팔처럼 생긴 것; (나무의) 큰 가지, (옆으로 내민) 가로대; 닻가지, 지렛대; (옷의) 소매; (의자의) 팔걸이; (배의) 활대; (안경의) 테; (강의) 지류; (바다 등의) 만(灣) **3** Ⓤ 힘, 권력; (속어) 지배력, 영향력; (미·속어) 경관 **4** (조직·기구 등의) 부문, 지부; 〖군사〗 (육군의) 전투 부대, 전투 부문 **5** (투수 등의) 투구력
a child[***a baby, an infant***] ***in ~s*** 안고 다니는 아이, 아직 걷지 못하는 아이[갓난아이, 젖먹이] ***an ~ of the sea*** 바다의 만입부(灣入部), (작은) 만 ***~ in ~*** 서로 팔짱을 끼고 《*with*》 ***as long as my***[***your***] ***~*** (구어) 〈목록·서류 등이〉 몹시 긴 ***at ~'s length*** 팔을 뻗치면 닿는 곳에(서); 어느 정도 거리를 두고, 쌀쌀하게: keep[hold] a person *at ~'s length* …을 멀리하다, 쌀쌀하게 대하다 ***cost***[***pay***] ***an ~ and a leg*** (구어) 엄청난 금액이 들다 ***cross*** one***'s ~*** 두 팔을 엇걸어 가슴에 대다 《여자의 놀람·공포의 몸짓》 ***fold*** one***'s ~s*** 팔짱을 끼다 ***give***[***offer***] one***'s ~s*** 팔을 내밀다 《동행하는 여자에게》; 협조를 제의하다 《*to*》 ***have*** a child ***in*** one***'s ~s*** (아이)를 안고 있다 ***in the ~s of Morpheus*** ⇨ Morpheus ***make a long ~*** (물건을 잡으려고) 팔을 쑥 내밀다 ***on the ~*** (속어) 신용 대부로; 무료로 ***put the ~ on*** (미·속어) 〈사람을〉 붙잡다, 체포하다; …에게 〈돈 등을〉 달라고 조르다, 강요하다 ***take the ~*** 내민 팔을 붙잡다; 제휴하다 ***the fore ~*** 팔뚝, 전박(前膊) ***the*** (***long***) ***~ of the law*** 법의 힘, 《특히》 경찰(력) ***the secular ~*** 〖역사〗 속권(俗權) 《교권에 대한 법원의 권력》 ***throw*** one***'s ~s around*** another***'s neck*** 두 팔로 …의 목을 껴안다 ***twist*** a person***'s ~*** …의 팔을 비틀다; …에게 협박하다[강요하다] (hold) ***under*** one***'s ~*** 겨드랑이에 (끼다) ***with folded ~s*** = ***with*** one***'s ~s folded*** 팔짱을 끼고; 방관하고 ***within ~'s reach*** 손이 닿는[가까운] 곳에 ***with open ~s*** 양팔을 벌리고; 충심으로 〈환영하다〉

— *vt.* 팔을 끼고 동반하다, 〈사람의〉 팔을 잡아 데리고 가다 ~ ***it*** 《미·속어》 〈택시 기사가〉 미터를 꺾지 않고 달려 요금을 속이다 **~·like** *a.*
▷ ármful *n.*

‡arm² [ɑ́:rm] *n.* **1** [보통 *pl.*] 무기, 병기, 화기(⇨ weapon 유의어): side ~*s* 허리에 차는 무기 《총검·권총 등》/ small ~*s* 소형[휴대] 무기 《소총·권총 등》 **2** [*pl.*] 군사, 전쟁, 전투, 투쟁; 병역, 군인의 직 **3** 〖군사〗 병종, 병과 《보병·기병·포병·공병》 **4** [*pl.*] 《방패·기 등에 사용한》 문장(紋章), 표지
appeal [***go***] ***to ~s*** 무력에 호소하다 ***~s and the man*** 무예와 사람 《Virgil의 말》; 부봉담 ***bear ~s*** (1) 무기를 소유[휴대]하다 (2) 《문어》 무장하다, 병역에 복무하다 (3) 《방패에》 문장(紋章)을 달다 (4) 《…와》 싸우다 《*against*》 ***be bred to ~s*** 군사 교육을 받다 ***be up in ~s*** 전투 준비를 갖추다; 무기를 들고 일어서다; 반기를 들다; 분격하다 《*about, over*》 ***by ~s*** 무력에 호소하여 ***call to ~s*** 《부대에게》 전투 준비를 명하다; 〈병력을〉 동원[소집]하다 ***carry ~s*** 무기를 휴대하다 ***change ~s*** 총을 《다른 쪽 어깨로》 바꿔 메다 ***deeds of ~s*** 무훈 ***get under ~s*** 무장하다 ***give up*** one***'s ~s*** 항복하여 무기를 넘겨주다 ***in ~s*** 무장하여 ***lay down*** one***'s ~s*** 무기를 버리다; 항복하다 ***lie upon*** one***'s ~s*** 무장한 채로 자다 ***man of ~s*** 전사; 장갑병 ***Order ~s!*** 《구령》 세워 총! ***passage at ~s*** 논쟁, 필전(筆戰) ***Pile ~s!*** 《구령》 걸어 총! ***Port ~s!*** 《구령》 앞에 총! ***Present ~s!*** 《구령》 받들어 총! ***rise*** (***up***) ***in ~s*** 무기를 들고 일어서다, 군사를 일으키다 ***Shoulder*** [***Carry, Slope***] ***~s!*** 《구령》 어깨 총! ***Stand to*** (***your***) ***~s!*** 《구령》 받들어 총하여 전투 대형으로! ***suspension of ~s*** 휴전 ***take*** (***up***) ***~s*** 무기를 들다, 개전하다 《*against*》; 군인이 되다 ***To ~s!*** 《구령》 전투 준비! ***turn*** one***'s ~s against*** …을 공격하다 ***under ~s*** 무장을 갖추고, 전쟁[전투] 준비가 되어 ***up in ~s*** (1) 싸울 채비를 하고 (2) 격노하여 《*about*》
— *vi.* **1** 전쟁 상태로 들어가다, 전투 준비를 하다 《*against*》; 무장하다 **2** 《…에》 태세를 갖추다 《*against*》
— *vt.* **1** 무장시키다, 〈배를〉 장갑하다 《*with*》; 〈호신용 무기 등을〉 몸에 지니다: (~+목+전+명) ~ a person *with* a weapon …을 무장시키다 **2** 〈무기 등에 …을〉 장비하다 《*with*》: ~ a missile *with* a nuclear warhead 미사일에 핵탄두를 장비하다 **3** 〈필수품을〉 몸에 갖추다, 〈사람 등에게 용구·지식 등을〉 주다, 공급하다 《*with*》: (~+목+전+명) people ~*ed with* patience 인내력이 강한 사람들/~ a person *with* full powers …에게 전권을 맡기다 **4** 〖전기〗 《유사시에 끊어지게》 〈퓨즈를〉 활성화하다
~ one***self*** 무장하다; 빈틈없이 대비하다 ***be ~ed at all points*** 완전 무장을 하다; 논변(論辯)에 빈틈이 없다 ***be ~ed to the teeth*** 빈틈없이 (완전) 무장하고 있다 ***be ~ed with*** …으로 무장하다; …을 갖추고 있다: *be ~ed with* a letter of introduction 소개장을 갖고 있다

Arm. Armenia(n)

ar·ma·da [ɑ:rmɑ́:də, -méi-] [Sp. =armed forces] *n.* **1** [the A~] 《스페인의》 무적 함대 **2** [**a~**] 함대 **3** [**a~**] 《비행기·탱크 등의》 대편성 부대

ar·ma·dil·lo [ɑ̀:rmədílou] *n.* (*pl.* **~s**) 〖동물〗 아르마딜로 《남미산(産)의 야행성 포유동물》

Ar·ma·ged·don [ɑ̀:rməgédn] *n.* **1** 〖성서〗 아마겟돈 《세계의 종말에 있을 선과 악의 결전장》 **2** Ⓒ 《국제적인》 대결전(장); 대충돌

Ar·magh [ɑ:rmɑ́:] *n.* 아마 《북아일랜드 남부의 주》

Ar·ma·gnac [ɑ̀:rmənjǽk] *n.* 아르마냐크 《프랑스 아르마냐크 지방산(産)의 브랜디》

ar·mal·co·lite [ɑ:rmǽlkəlàit, -mɔ́l-] *n.* 〖광물〗 아말콜라이트 《아폴로 11호의 우주 비행사가 달에서 가져온 현무암 속의 새 광물》

Ar·ma·lite [ɑ́:rməlait] *n.* 《돌격용》 자동 소총의 일종 《상표명》

∗ar·ma·ment [ɑ́:rməmənt] *n.* **1** Ⓒ [종종 *pl.*] 《한 나라의》 군비, 군사력 《군인·무기·소요 물자·군수 산업 등을 포함》: an ~ race 군비 경쟁/limitation [reduction] of ~*s* 군비 제한[축소] **2** Ⓤ [집합적] 장비, 병기, 무기: main[secondary] ~ 주(主)[부(副)]포 **3** Ⓤ 군사력 정비[증강], 무장: atomic ~ 핵무장
▷ árm² *v.*

ar·ma·men·tar·i·um [ɑ̀:rməmentέəriəm] *n.* (*pl.* **-i·a** [-riə], **~s**) **1** 《특정 분야에 필요한》 모든 설비[자료] **2** 〖의학〗 의료에 필요한 모든 설비 《기구·약품·서적 포함》

ármaments expénditures 군사비

ar·mar·i·um [ɑ:rmέəriəm] *n.* (*pl.* **-i·a** [-iə], **~s**) = AMBRY 2

ar·ma·ture [ɑ́:rmətʃər | -tʃə, -tjùə] *n.* **1** 〖동물·식물〗 방호 기관 《이빨·가시 등》; 갑옷, 갑주 **2** 〖전기〗 전기자(電機子); 《자극(磁極)의》 접극자(接極子) **3** 〖건축〗 보강재; 《해저 케이블의》 외장(外裝)

árm bàdge 완장, 팔띠, 견장

arm·band [ɑ́:rmbæ̀nd] *n.* 《두르는》 완장; 상장(喪章)

árm càndy 《속어》 《파티 등에 가는 남자의》 동반자 역의 미녀, 《여자의》 동반자 역의 남자

‡arm·chair [ɑ́:rmtʃὲər] *n.* 안락의자
— *a.* Ⓐ **1** 《실제》 경험에 의하지 않은, 탁상공론적인: an ~ coach 실전 경험이 적은 코치/an ~ critic 관념적인 비평가 **2** 간접 경험의, 남의 경험에 의한: an ~ traveler 간접 여행자 《여행기 등을 읽고 즐기는》

ármchair géneral[**strátegist**] 《구어》 《자기》 전문 이외의 일에 잘 아는 체하는 사람

ármchair shópping 우편·전화에 의한 쇼핑

arme blanche [ɑ́:rm-blɑ́:nʃ] [F =white weapon] *n.* 〖군사〗 **1** 백병, 백병 전용 무기 《기병총·기병창·총검 등》 **2** 기병(cavalry)

∗armed [ɑ́:rmd] *a.* **1** 무장한, 무기를 가진: a heavily ~ patrol 중무장한 정찰대 **2** 무기[군사력]에 의한, 무기를 사용하는: ~ peace 무장 평화/~ neutrality 무장 중립 **3** 〖생물〗 방호 기관을 갖춘; 《필요한 것을》 갖춘 《*with*》; 보강된: ~ eyes 《안경 등으로》 시력이 보강된 눈(opp. *naked eye*)

-armed [ɑ́:rmd] 《연결형》 「…한 팔을 가진」의 뜻: long-*armed*

ármed fórces[**sérvices**] [종종 the ~] 《일국의 육·해·공의》 군대, 3군

Ármed Fórces Dày 《미》 국군의 날 《5월 셋째 토요일》

ármed intervéntion 무력 개입[간섭]

ármed róbbery 무장 강도(죄)

Armen. Armenian

Ar·me·ni·a [ɑ:rmí:niə, -njə] *n.* 아르메니아 《이란 북서부의 한 공화국; 수도 Yerevan》

Ar·me·ni·an [ɑ:rmí:niən] *a.* 아르메니아 (사람[말])의 — *n.* 아르메니아 사람; Ⓤ 아르메니아 말; 〖그리스도교〗 아르메니아 교회의 신도

ar·met [ɑ́:rmet, -mət] *n.* 투구 《15세기의》

∗arm·ful [ɑ́:rmfùl] *n.* 한 아름 《*of*》: an ~ *of* flowers 한 아름의 꽃

arm·guard [ɑ́:rmgɑ̀:rd] *n.* 팔목 보호대

arm·hole [-hòul] *n.* 《옷의》 진동 둘레

ar·mi·ger [ɑ́:rmidʒər] *n.* 기사의 갑옷 시종; 문장(紋章)을 허락받은 사람 《knight와 yeoman의 중간 계급》 **ar·míg·er·al** *a.*

ar·mig·er·ous [ɑ:rmídʒərəs] *a.* 문장을 패용할 자격이 있는; 집안이 좋은

ar·mil·lar·y [ɑ́:rməlèri, ɑ:rmíləri | ɑ́:miləri, ─́──] *a.* **1** 팔찌의, 고리 (모양)의 **2** 혼천의의

ármillary sphére 〖천문〗 《고대의》 혼천의(渾天儀)

arm·ing [ɑ́:rmiŋ] *n.* Ⓤ 무장을 갖춤; 무장; 《자석의》 접극자(接極子)

árming chèst 무기 수납 상자

Ar·min·i·an [ɑ:rmíniən] *a., n.* 아르미니우스의 (신자)

Ar·min·i·an·ism [ɑːrmíniənìzm] *n.* Ⓤ 〘종교〙 아르미니우스설《그리스도의 죽음은 선택받은 자들만을 위한 것이 아니라 만인의 구원을 위한 것이라는 설》
Ar·min·i·us [ɑːrmíniəs] *n.* 아르미니우스 **Jacobus** ~ (1560-1609)《네덜란드의 신학자》
ar·mip·o·tent [ɑːrmípətənt] *a.* 《드물게》 무력이 뛰어난, 전쟁에 강한
*__ar·mi·stice__ [ɑ́ːrməstis] [L 「전쟁 정지」의 뜻에서] *n.* 휴전(truce), 정전, 휴전 협정: make an ~ 휴전하다
Ármistice Dày (제1차 대전의) 휴전 기념일《11월 11일》★ 미국에서는 1954년 Veterans Day로, 영국에서는 1946년 Remembrance Sunday로 개칭.
arm·less[1] [ɑ́ːrmlis] *a.* 팔이 없는; 팔걸이가 없는
armless[2] *a.* 무방비의, 무기가 없는
arm·let [ɑ́ːrmlit] *n.* **1** 팔찌(bracelet), 팔 장식; 완장 **2** (강의) 지류; 작은 만 **3** 짧은 소매
arm·load [-lòud] *n.* 《미》 한 아름(의 양)
arm·lock [-lɑ̀k | -lɔ̀k] *n.* 〘스포츠〙 암록《레슬링의 팔조르기》
ar·moire [ɑːrmwɑ́ːr] [F] *n.* (*pl.* **~s** [-z]) 대형 옷장[식기장]
‡**ar·mor** | **ar·mour** [ɑ́ːrmər] [L 「무장하다」의 뜻에서] *n.* Ⓤ **1** 갑옷; 철갑: a suit of ~ 갑옷 한 벌/in ~ 갑옷을 입고 **2** (군함 등의) 장갑(裝甲), 철갑(판); 방호구(防護具); 방호복; 잠수복; (전깃줄의) 외장(外裝) **3** [집합적] 〘군사〙 기갑 부대 **4** 〘생물〙 방호 기관《비늘·가시·껍질 등》; 《미·속어》 무기 ***be clad in ~*** 갑옷을 입고 있다, 무장하고 있다
—*vt.* …에게 갑옷을 입히다; 장갑시키다; (유리 공예에서) 〈유리를〉 강화하다
—*vi.* 장갑하다 **~·less** *a.*
ar·mor·bear·er [ɑ́ːrmərbὲərər] *n.* 기사의 갑옷 시종
ar·mor-clad [-klæ̀d] *a.* 갑옷을 입은; 장갑한: an ~ ship 장갑함
ar·mored | **ar·moured** [ɑ́ːrmərd] *a.* **1** 장갑한: an ~ battery 장갑 포대/an ~ cruiser[train] 장갑 순양함[열차] **2** 장갑차를 가진; 기갑 부대에 의한: an ~ division 기갑 사단 **3** 〈유리가〉 강화된
ármored cáble 〘전기〙 외장(外裝) 케이블
ármored cár 장갑차; (현금 수송용) 장갑 자동차
ármored cóncrete 철근 콘크리트《ferroconcrete가 더 일반적임》
ármored ców[héifer] 《미·군대속어》 깡통 우유, 분유
ármored fórces 〘군사〙 기갑 부대
ármored personnél càrrier 병력 수송 장갑차《略 APC》
ármored scále 〘곤충〙 개각충
ar·mor·er [ɑ́ːrmərər] *n.* **1** 병기[무기] 제조자 **2** (군함·연대의) 무기 담당 부사관, 병기공
ar·mo·ri·al [ɑːrmɔ́ːriəl] *a.* 문장(紋章)의; 문장이 달린: ~ bearings 문장 **—***n.* 문장 도감 **~·ly** *ad.*
ar·mor·ing [ɑ́ːrməriŋ] *n.* (케이블의) 외장(外裝)
ar·mor·ize [ɑ́ːrməràiz] *vt.* 장갑하다, 무장시키다
ármor plàte (군함·전차 등의) 장갑판, 방탄판
ar·mor-plat·ed [ɑ́ːrmərplèitid] *a.* 장갑판을 댄
ar·mor·y[1] [ɑ́ːrməri] *n.* Ⓤ **1** 문장학(heraldry) **2** 문장부(付) 인명록
armory[2] *n.* (*pl.* **-mor·ies**) **1** 무기고; 병기 공장, 조병창 **2** 《미》 주병(州兵)·예비군 본부[훈련장]
ar·mour [ɑ́ːrmər] *n.* 《영》 = ARMOR
ar·mour·y [ɑ́ːrməri] *n.* (*pl.* **-mour·ies**) 《영》 = ARMORY[2]
arm·pit [ɑ́ːrmpìt] *n.* 겨드랑이; 《미·속어》 불쾌한[더러운, 기분 나쁜] 장소 ***up to the ~s*** 《미》 완전히, 온통 (잠기어)
arm·rest [-rèst] *n.* (의자 등의) 팔걸이
‡**arms** [ɑːrmz] *n. pl.* = ARM[2]
árms contròl 군비 관리[제한]
árms cùt 군비 삭감, 군축
árms ràce[competìtion] 군비 (확장) 경쟁
Arm·strong [ɑ́ːrmstrɔ̀ːŋ] *n.* 암스트롱 **1 Louis ~** (1900-71)《미국의 재즈 트럼펫 주자·가수; 애칭 Satchmo [sǽtʃmou]》 **2 Neil A. ~** (1930-)《미국의 우주 비행사; 1969년 7월 20일 인류 최초로 달에 첫발을 디뎠음》(cf. APOLLO)
arm-twist [ɑ́ːrmtwìst] *vt.* …에 강한 압력을 가하다, 강요하다 **-twister** *n.*
arm-twist·ing [-twìstiŋ] *n.* Ⓤ 강요, 강제, 강압 **—***a.* 강요하는, 강제적인
arm-wav·er [-wèivər] *n.* 《미·속어》 (팔을 휘두르며 떠드는 등) 흥분하기 쉬운 사람
arm-wav·ing [-wèiviŋ] *n.* (신호·몸짓으로) 팔을 흔들기; 꼼꼼하지만 설득력 없는 설명[이론]
árm wrèstling 팔씨름
‡**ar·my** [ɑ́ːrmi] *n.* (*pl.* **-mies**) **1** [종종 the A~] (해·공군에 대하여) 육군(cf. NAVY, AIR FORCE): an ~ office 육군 장교 **2** (육군의) 군대(armed force); 군: a standing[reserve] ~ 상비[예비]군/the *A*~ Commander 군사령관
[관련] [army 이하의 편성] army group 군 집단《2개 야전군 이상》, field army 야전군《2개 군단 이상》, (army) corps 군단《2개 사단 이상》, division 사단《2개 여단 이상》, brigade 여단《2개 연대 이상》, regiment 연대《2개 대대 이상》, battalion 대대《2개 중대 이상》, company 중대《2개 소대 이상》, platoon 소대《2개 분대 이상》, squad 분대《병졸 10명과 하사관 2명》
3 (군대식 조직의) 단체: the Salvation *A*~ 구세군 **4** [an ~ of] 큰 무리[떼], 대군(大群), 대집단: *an ~ of* ants 개미의 큰 무리
be in the ~ 육군[군인]이다 ***enter[join, go into] the ~*** 육군에 입대하다, 군인이 되다 ***raise an ~*** 군사를 일으키다, 거병(擧兵)하다; 모병하다 ***serve in the ~*** 병역에 복무하다 ***the Blue Ribbon A~*** 《영》 청색 리본단《금주 단체의 이름》
—*a.* Ⓐ 군대의: ~ life 군대 생활
Ármy Àct 《영》 [the ~] 육군 형법
ármy ànt 〘곤충〙 군대개미《큰 무리를 지어 이동함》
ármy bràt 《미·구어》 (기지에서 자라는) 군인 자녀
ármy bròker[contràctor] 《영》 육군 군납업자
ármy còrps 〘육군〙 군단(corps)(⇨ army [관련])
ármy fatìgues 《미》 전투복
ármy gròup 군집단, 총군《2개 이상의 야전군(field army)으로 편성 ⇨ army [관련]》
ármy lìst 《영》 = ARMY REGISTER
ármy lòok 군대식 복장
ár·my-ná·vy stòre [-néivi-] 육·해군 불하품 전문점
ármy of occupátion 점령군
ármy règister 《미》 육군 현역·예비역 장교 명부
Ármy Sérvice Còrps [the ~] 《영》 육군 병참단
ármy sùrgeon 군의관
ármy súrplus (일반인에게 판매하는) 방출 군수품
ar·my·worm [ɑ́ːrmiwə̀ːrm] *n.* 〘곤충〙 거염벌레《떼를 지어 이동하며 작물을 해침》
ar·ni·ca [ɑ́ːrnikə] *n.* **1** 〘식물〙 아르니카《국화과(科)》 **2** Ⓤ 아르니카 팅크《타박상 등의 외용 진통제》
Ar·no [ɑ́ːrnou] *n.* [the ~] 아르노 강《이탈리아 서부의 강》
Ar·nold [ɑ́ːrnəld] *n.* **1** 남자 이름 **2** 아널드 **Matthew ~** (1822-88)《영국의 시인·비평가》
A-road [éiròud] *n.* 《영》 주요 간선 도로
ar·oid [ǽrɔid, ɛ́ər-] *n., a.* 〘식물〙 토란(의)
a·roint [ərɔ́int] *vt.* [다음 성구로] ***A~ thee[ye]!*** 《고어》 가라!, 물러가라!(begone)
a·ro·ma [əróumə] [Gk 「달콤한 약초」의 뜻에서] *n.* ⓊⒸ 방향(芳香), 향기(fragrance); (예술품 등의) 품격, 기품, 묘취(妙趣)
a·ro·ma·ther·a·py [əròuməθérəpi] *n.* 방향 요법《방향성 기름을 이용한 마사지로, 얼굴 미용에 많이 씀》
a·rò·ma·ther·a·péu·tic *a.* **-pist** *n.*

ar·o·mat·ic [æ̀rəmǽtik] *a.* 〈음식물이〉 향기로운, 방향의; 〖화학〗 방향족의
— *n.* 향료; 방향 식물; 방향제; 〖화학〗 방향족 화합물 (= **~ cómpound**) **-i·cal·ly** *ad.*
ar·o·ma·tic·i·ty [æ̀rəmətísəti, əròu- | əròu-] *n.* Ⓤ 방향(족)성
aromátic vínegar (냄새 맡는) 향초(香醋)
a·ro·ma·tize [əróumətàiz] *vt.* 향기롭게 하다 **a·rò·ma·ti·zá·tion** *n.* **a·ró·ma·tìz·er** *n.*
*__a·rose__ [əróuz] *v.* ARISE의 과거
‡**a·round** [əráund] (⇨ round) *ad., prep.*

기본적으로는 「둘레에」의 뜻	
① (…의 둘레를) 빙 돌아	부 **2** 전 **2**
② (…의) 둘레에[를]	부 **1** 전 **1, 3 a**
③ (…의) 여기저기에	부 **3** 전 **3 c**
④ 둘레가 (…으로)	부 **2**

— *ad.* **1 주위에,** 사방에, 둘레에(on every side): the scenery ~ 주위의 경치 / look ~ 사방을 둘러보다 **2** ((미)) **빙 돌아서,** 주변을; [수사 있는 명사 뒤에 써서] **둘레가** (…으로)(((영)) round): fly ~ over a city 도시 상공을 빙 선회하다 / run ~ 뛰어 돌아다니다 / The tree is four feet[foot] ~. 그 나무는 둘레가 4피트이다. **3 여기저기에,** 이곳저곳에, 곳곳에 (about); 근처에(somewhere near): travel ~ 여기저기 여행하고 다니다 / wait ~ for a person 근처를 거닐며 …을 기다리다 **4** (순번이) 모두에게 돌아가; 반대 방향으로 (빙) 돌아: turn ~ 방향을 빙 돌리다, 뒤돌아보다 **5** (계절·차례 등이) **돌아와;** 전기간을 통하여 ((보통 다음 구에서)): (all) the year ~ = all year ~ 1년 내내 **6** 멀리 돌아서, 우회하여: drive ~ by the lake 호반을 우회하여 드라이브하다 **7** [수사와 함께] **대충,** 약…(⇨ *prep.* 4): ~ two hundred years ago 약 200년 전에 **8** ((구어)) 정상 상태에; (의식을) 회복하여: bring a person ~ …을 제정신이 들게 하다 **9** ((구어)) (사람이) 살아서, 존재하여, 활동하여; (사물이) 활용되어, 유포되어: She is one of the best singers ~. 그녀는 현존하는 최고 가수 중의 한 사람이다. **10** ((구어)) 그 주변에, 둘레에 **11** (일정 기간 동안) 계속해서
all ~ 도처에; 빙 돌아서; 모든 사람에게 (악수하다 등) ***be ~*** (마침) 있다, 와 있다; (찾아)오다; ((미·구어)) 일어나다 ***be ~ and about*** …에 전념하다 ***be up and ~*** (환자가 회복해서) 일어나 있다; (건강해져서) 활동하다 ***come ~*** ⇨ come[1]. ***crowd ~*** (어중이떠중이가) 주변에 몰려들다, 운집하다 ***fool ~*** ⇨ fool[1]. ***get ~*** ⇨ get[1]. ***have been ~*** ((구어)) 세상사[인생]에 경험이 많다, 사람[세상]에 닳고 닳았다; 성 관계 경험이 많다, 바람둥이다
— *prep.* **1** …**의 주위에,** …을 둘러싸고: with his friends ~ him 친구들에게 둘러싸여 / sit ~ the fire 불을 둘러싸고 앉다 **2** ((미)) **a** …**의 주위를 돌아,** …을 일주하여; …을 중심으로 회전하여: a trip ~ the world 세계 일주 여행 **b** 〈모퉁이〉**를 돈 곳에**(((영)) round): a store ~ the corner 모퉁이를 돈 곳에 있는 가게 **c** …을 우회하여; 〈장애물〉**을 피하여** **3** ((미·구어)) **a** …**의 주변을**: look ~ the room 방 안을 빙 둘러보다 / He looked ~ him. 그는 주위를 둘러보았다. **b** …**가까이에**: play ~ the house 집 근처에서 놀다 **c** …**의 여기저기에,** …의 군데군데를: travel ~ the country 국내를 여기저기 여행하다 **4** ((구어)) **약**…, …쯤(about) ((수사 앞의 around는 일반적으로 부사로 취급됨; ⇨ *ad.* 7)): ~ five o'clock[dollars] 5시경[약 5달러] **5** …에 입각하여, …을 중심으로 하여; …에서 근무[종사]하여; …에 관해: The story is written ~ her life. 그 이야기는 그녀의 일생을 중심으로 해서 쓰인 것이다.
a·round-the-clock [əráundðəklɑ̀k | -klɔ̀k] *a.* Ⓐ ((미)) 24시간 꼬박의(((영)) round-the-clock): (in) ~ operation 무휴 조업(중)
a·round-the-world [-ðəwə́ːrld] *a.* Ⓐ ((미)) 세계 일주의
a·rous·al [əráuzəl] *n.* ⓊⒸ 각성; 환기; 자극, 흥분
‡**a·rouse** [əráuz] *vt.* **1** 〈사람을〉 (잠에서) **깨우다** (awake) ((*from*)): ((~+목+전+명)) ~ a person *from* sleep …의 잠을 깨우다 **2** 〈감정·호기심 등을〉 **자극하다, 환기하다**(excite); 〈사람을〉 (자극하여 어떤 행동으로) 몰아대다 ((*to*)); 분기시키다(stir up): ~ anger 화나게 하다 // ((~+목+전+명)) ~ a person *to* action[activity] (자극하여) …을 활동[분기]하게 하다
— *vi.* 각성하다, 분기하다
a·róus·a·ble *a.* **a·róus·er** *n.* ▷ róuse *v.*
a·roused [əráuzd] *a.* 흥분한
a·rous·ing [əráuziŋ] *a.* 자극적인
a·row [əróu] *ad.* 일렬로; 잇따라
ARP air-raid precautions 공습 경보 **ARPA** Advanced Research Projects Agency ((미)) 고등 연구 계획국
ARPANET [ɑ́ːrpənèt] [*A*dvanced *R*esearch *P*rojects *A*gency+*net*work] *n.* 〖통신·컴퓨터〗 아르파네트 ((미 국방부가 개발한 인터넷의 모체))
ar·peg·gi·o [ɑːrpédʒiòu] [It. = play on a harp] *n.* (*pl.* **~s**) 〖음악〗 아르페지오 ((화음을 빨리 연속적으로 연주하기))
ar·que·bus [ɑ́ːrkwəbəs] [F] *n.* = HARQUEBUS
arr. arranged (by); arrival; arrive(d)
ar·rack [ǽrək, ərǽk] *n.* Ⓤ 아라크 술 ((야자즙·당밀 등으로 만드는 중근동(中近東) 지역의 독한 증류주))
ar·rah [ǽrə] *int.* 아!, 어머!, 저런!
ar·raign [əréin] *vt.* **1** 〖법〗 〈피고를〉 법정에 소환하다, 죄상의 진위 여부를 묻다(charge) ((*for, on*)); be *~ed on* a charge of murder 살인 혐의로 소환되다 **2** 나무라다(accuse), 비난하다, 규탄하다
— *n.* **1** 심문, 고소, 공소 **2** 비난, 규탄
ar·raign·ment [əréinmənt] *n.* ⓊⒸ (피고의) 죄상 인부(認否); 비난, 규탄
‡**ar·range** [əréindʒ] [L 「늘어놓다」의 뜻에서] *vt.* **1 가지런히 하다,** 정돈하다, 정리하다(put in order); 배열하다, 배치하다; 정렬시키다, 가지런하게 갖추다: ~ flowers 꽃꽂이하다 / ~ things in order …을 깔끔히 정돈하다 **2** (미리) **정하다,** 준비하다, …의 예정을 세우다: as ~*d* previously 예정대로 / ~ oneself 준비하다 / ~ the details of a talk 회담에 대한 세부 예정을 세우다 / It is ~*d* that ... …하기로 되어 있다 // ((~+목+전+명)) The next meeting has been ~*d for* Monday evening. 다음 회합은 월요일 밤으로 정해졌다. **3** 〈분쟁 등을〉 **조정하다,** 해결하다(settle); 살펴서 처리하다: ~ the dispute 분쟁을 조정하다 **4** (방송용 등으로) 각색하다; 〖음악〗 편곡하다: ((~+목+전+명)) ~ a novel *for* the stage 소설을 상연용으로 각색하다 / This piece for the violin is also ~*d for* the piano. 이 바이올린곡은 피아노용으로도 편곡되어 있다.
— *vi.* **1 준비하다,** 마련하다(prepare, provide); 예정을 세우다, 조처하다, 정하다: ((~+전+명)) ~ *for* a hike 하이킹의 예정을 세우다[준비를 하다] // ((~+***to*** do)) They ~*d to* start early in the morning. 그들은 아침 일찍 출발하기로 정했다. // ((~+전+명+***to*** do)) I will ~ *for* a car *to* meet you at the airport. 당신을 마중하기 위해 공항에 차가 나가도록 준비하겠습니다. **2** 합의를 보다, 해결짓다, 협정하다: ((~+전+명)) ~ *with* a person *for*[*about*] …에 대하여 …와 합의를 보다 **3** 편곡하다 **ar·ráng·er** *n.* ▷ arrángement *n.*

thesaurus **arrange** *v.* **1** 정돈하다 order, set out, sort, group, organize, classify, array, systematize **2** 정하다 settle on, decide, determine, agree, devise, schedule **3** 준비하다 prepare, plan
arrest *v.* **1** 체포하다 apprehend, take into custody,

ar·range·able [əréindʒəbl] *a.* 가지런히 할 수 있는; 수습 가능한

ar·ránged màrriage [əréindʒd-] 중매결혼

‡**ar·range·ment** [əréindʒmənt] *n.* **1** [UC] **정돈**, 정리; **배열**, 정렬, 배치; 마련, 배합: flower ~ 꽃꽂이 **2** [CU] **조정**; 협정, 합의(agreement); 화해; 낙착: I'll leave the ~ of time and place to you. 시간과 장소의 조정은 자네에게 맡기겠네. **3** [보통 *pl.*] **준비**(preparation), 수배; 예정, 작정: an ~ committee 준비 위원회 / 《~+*to* do》 He has made ~*s to* spend his holiday in Wales. 그는 웨일스에서 휴가를 보낼 준비를 해 두었다. **4** (몇 가지 부품으로 된) 장치, 설치; 제도: the postal[post-office] ~ 우편 제도 **5** [U] 각색; 〖음악〗 편곡; [C] 편곡한 곡 **6** 〖수학〗 순열 ***arrive at*** [***come to***] ***an ~*** 합의가 이루어지다, 협정이 성립되다 ***make ~s for*** a party (파티)의 준비를 하다 ***make ~s with*** a person …와 합의[타협]하다 ▷ arránge *v.*

ar·ran·ger [əréindʒər] *n.* **1** 〖음악〗 편곡자 **2** 조정자; 주선하는 사람

ar·rant [ǽrənt] *a.* [A] 《문어》 순전한; 악명 높은, 소문난, 터무니없는: an ~ lie 새빨간 거짓말 **~·ly** *ad.*

ar·ras[1] [ǽrəs] [프랑스의 생산지 이름에서] *n.* (*pl.* ~) **1** [U] 아라스 직물 《아름다운 그림 무늬가 있는》 **2** 아라스 직물의 벽걸이

ar·ras[2] [ɑ́:rɑ:s] [Sp.] *n.* 〖법〗 (결혼할 때) 남편이 아내에게 주는 증여품

*__ar·ray__ [əréi] *vt.* 《문어》 **1** 〈군대를〉 **정렬시키다**(arrange), 배열하다, 배치하다 **2** 〈증거 등을〉 열거하다 **3** 성장(盛裝)시키다, 차려입히다: 《~+목+전+명》 They all ~*ed* themselves[were all ~*ed*] *in* ceremonial robes. 그들은 모두 예복을 차려입고 있었다. **4** 〖법〗 〈배심원 전원을〉 소집하다

— *n.* [U] **1** (군대의) **정렬**, 포진(布陣)(order), 군세(軍勢) **2** 군대(military force) **3** (…의) 열거; 한 줄로 죽 늘어세운 것 《*of*》 **4** (사람·물건 등의) 대군, 다량, 다수 《*of*》 **5** 《시어·문어》 옷, 의상(dress), 화려한 의상: bridal ~ 신부 차림 **6** 〖법〗 배심원의 소집; [C] (소집된) 배심원 **7** 〖수학·통계〗 배열; 〖컴퓨터〗 (데이터의) 배열; 〖통신〗 = ANTENNA ARRAY

an ~ of umbrellas[fishing rods] 죽 늘어선 (우산[낚싯대]) ***in battle ~*** 전투 대형을 취하여 ***in fine ~*** 곱게 단장하고 ***in proud ~*** 당당히 ***make an ~*** 정렬하다 ***set in ~*** 배열하다

~·er *n.* **~·ment** *n.* ▷ arráyal *n.*

ar·ray·al [əréiəl] *n.* [U] 정렬, 배열[배치](하기)

ar·ray·ed [əréid] *a.* 《문어》 (특히 예복 등으로) 치장한, 차려입은 《*in*》: She was ~ *in* a black velvet gown. 그녀는 검은 벨벳 드레스로 차려입었다.

arráy èlement 〖컴퓨터〗 배열 요소

arráy pròcessing 〖컴퓨터〗 배열 처리

arráy pròcessor 〖컴퓨터〗 배열 처리기

ar·rear [əríər] [L 「뒤에」의 뜻에서] *n.* [보통 *pl.*] (일·지불금의) 지체, 밀림 《*of*》; 지불 잔금, 연체금 ***fall*** [***get***] ***into ~s*** 지체되다 ***in ~***(***s***) (지불이) 밀려, 연체되어 ***in ~***(***s***) ***of*** …보다 뒤져서(opp. *in advance of*) ***in ~***(***s***) ***with*** payment[work] (지불[일])이 지체되어 ***work off ~s*** 일하여 지체된 것을 만회하다

ar·rear·age [əríəridʒ] *n.* [UC] 지체; 밀린 것[일]; [종종 *pl.*] 미불금, 미불 잔금, 연체 금액

ar·rect [ərékt] *a.* [P] 《구어》 〈개 등의 귀가〉 쫑긋 선; 〈사람 등이〉 귀를 기울인, 빈틈없이 조심하는

ar·rec·tis au·ri·bus [ɑ:réktì:s-áuribùs] [L] *ad.* 귀를 쫑긋 세우고, 주의 깊게

---

detain, seize, capture, catch **2** 저지하다 stop, halt, end, block, interrupt, prevent

arrival *n.* **1** 도착, 출현 coming, advent, appearance, entrance, entry, occurrence, approach **2** 도착자 newcomer, visitor, guest

‡**ar·rest** [ərést] *v., n.*

> OF 「멈추게 하다」의 뜻에서
> 정지시키다 **3** → 저지하다 **3** ┬ 체포하다 **1**
> └ (주의를) 끌다 **2**

— *vt.* **1** 〖법〗 **체포하다** 《*for*》; 검거[구속]하다, 억류하다: an ~*ed* vessel 억류되어 있는 배 // 《~+목+전+명》 ~ a person *for* murder …을 살인 혐의로 체포하다 **2** 〈주의·이목·흥미 등을〉 **끌다**(attract): ~ attention[his eyes] 주의[그의 시선]를 끌다 **3** 〈진행·성장 등을〉 정지시키다, 저지하다, 막다, 억제하다: ~*ed* development 발육 정지 / ~ progress 진행을 막다 / ~ the spread of AIDS 에이즈의 확산을 저지하다 **4** 〖법〗 〈판결을〉 억지(抑止)하다

— *vi.* 〈사람이〉 심장 박동이 정지되다

— *n.* [CU] **1** 〖법〗 **체포**, 검거, 구속, 구인; 억류 **2** 정지, 저지 **3** 〖기계〗 제동 장치; (비행기 등의) 구인 장치 **4** 〖법〗 판결 억지(抑止); (선박 등의) 압류 ***~ of judgment*** 판결 억지 ***make an ~*** 체포하다 ***under ~*** 구인[수감]되어: place[put] a person *under* ~ …을 구금하다 / You're *under* ~. 너를 체포한다.

▷ arréstive *a.*

ar·rest·a·ble [əréstəbl] *a.* 〖법〗 (영장 없이) 체포할 수 있는; 〖의학〗 진행을 억제할 수 있는

arréstable offénce 〖법〗 긴급 체포 범죄 《판사의 영장 없이 체포할 수 있는 범죄》

ar·res·tant [əréstənt] *n.* 활동[진행] 저지물; 〖동물〗 정착 물질, (해충의) 이동 저지제

ar·res·ta·tion [æ̀restéiʃən] *n.* 억지, 정지; 체포

ar·rest·ee [ərèstí:] *n.* 체포된 사람

ar·rest·er, ar·res·tor [əréstər] *n.* 체포자; 방지 장치; 피뢰기(器); = ARRESTER HOOK

arréster hòok 〖항공〗 착함(着艦) 훅, 구인(鉤引) 장치 《항공모함에 착함한 비행기를 감속하는 훅》

arréster wìre (비행기) 착함 제어 와이어

ar·rest·ing [əréstiŋ] *a.* **1** 사람의 이목을 끄는, 눈에 띄는 **2** [A] 체포하는 **~·ly** *ad.*

arrésting gèar 〖항공〗 제동 장치

ar·res·tive [əréstiv] *a.* 이목을 끌기 쉬운; 저지하는

ar·rest·ment [əréstmənt] *n.* [U] 체포, 검속, 억류

ar·rêt [æréi] [F] *n.* (법원·국왕 등의) 판결, 명령

ar·rhyth·mi·a [əríðmiə, ei-] *n.* [U] 〖병리〗 부정맥(不整脈)

ar·rhyth·mic, -mi·cal [əríðmik(əl)] *a.* 율동적[주기적]이 아닌, 불규칙적인 **-mi·cal·ly** *ad.*

ar·ri·ère-ban [ǽriɛ̀ərbǽn] [F] *n.* (봉건 시대의 프랑스 왕이 낸) 신하 소집령; [집합적] 소집된 신하들

ar·ri·ère-garde [ǽriɛ̀ərgɑ́:rd] [F] *n.* (전위에 대하여) 후위; (특히 예술계의) 시대에 뒤진 집단

ar·ri·ère-pen·sée [ǽriɛ̀ərpɑ:nséi] [F] *n.* (*pl.* **~s** [-z]) 속마음, 저의(底意)

ar·ris [ǽris] *n.* (*pl.* **~, ~·es**) 〖건축〗 모서리, 구석

árris gùtter 〖건축〗 (V자꼴의) 낙수 홈통

ar·ris·ways [ǽriswèiz], **-wise** [-wàiz] *ad.* 비스듬히; 모서리[각]를 이루어

‡**ar·riv·al** [əráivəl] *n.* **1** [UC] **도착** 《*at, in*》(opp. *departure*); 입항; 등장, 출현: the ~*s* and departures of trains 열차의 발착 / safe ~ 안착 **2** [U] (결론·연령 등에의) **도달** 《*at*》 **3** 도착자[물], 착하(着荷); 《구어》 신생아 ***cash on ~*** 〖상업〗 착하불(着荷拂) ***new ~*** 갓 온 사람, 신착품, 신착서(書); 신생아 ***on ~*** 도착하고 나서, 도착하는 대로

— *a.* [A] 도착의; 도착자[물]의: an ~ platform 열차 도착 플랫폼 / an ~ contract[sale] 〖상업〗 선물(先物) 계약[매매] ▷ arríve *v.*

arríval lìst 도착 승객 명단

‡**ar·rive** [əráiv] [OF 「〈배가〉 물가에 닿다」의 뜻에서] *vi.* **1** **도착하다**, 닿다 《*at, in, on*》(opp. *depart*) 《★ 비교적 좁은 장소에 도착할 때에는 at, 넓은 장소에 도착할 때에는 in, 대륙·섬·현장 등에 도착할 때에는 on을

쓰)): (~+전+명) ~ *at* the foot of the mountain 산기슭에 닿다 / ~ *in*[*at*] Seoul 서울에 도착하다 / ~ *from* a trip 여행에서 돌아오다 / ~ *on*[*upon*] the scene 현장에 도착하다 **2** 〈어떤 연령·시기·결론·확신 등에〉 **도달하다** 《*at*》: (~+전+명) ~ *at* man's estate 남자가 성년에 도달하다 / ~ *at* a good idea 좋은 생각이 떠오르다 **3** 〈일이〉 일어나다, 〈때가〉 오다, 도래하다 《*to*》 **4** (구어) 〈아기가〉 태어나다 **5** [프랑스어법] 성공하다, 명성을 얻다, (…으로서) 유명해지다: (~+*as* 보) He ~*d as* a writer. 그는 작가로서 성공했다. **~ *at a bargain*** 상담(商談)이 성립되다 **~ *back*** (…에) 놀아오다 《*at*》
— *vt.* (폐어) 〈공항에〉 도착하다

ar·rív·er *n.* ▷ arríval *n.*

ar·ri·vé [æ̀rivéi] [F] *n.* 벼락출세자[부자], 어정뱅이

ar·ri·ve·der·ci [ɑːrìːveidɛ́ərtʃi] [It. =till we meet again] *int.* 안녕, 또 만나세

ar·ri·vism(e) [ǽrivìzm] [F] *n.* 악착같은 야심; 출세 제일주의

ar·ri·viste [æ̀rivíːst] [F] *n.* 악착같은 야심가; 벼락출세자 《수단을 가리지 않는》

ar·ro·ba [əróubə] *n.* (*pl.* **~s** [-z]) 스페인·포르투갈의 질량 단위 《스페인: 9.5 kg, 포르투갈: 12 kg》

***ar·ro·gance, -gan·cy** [ǽrəgəns(i)] *n.* Ⓤ 거만, 불손, 오만 ▷ árrogant *a.*

***ar·ro·gant** [ǽrəgənt] *a.* 거만한, 거드름 부리는, 오만한(opp. *humble*): assume an ~ attitude 거만하게 굴다 **~·ly** *ad.* ▷ árrogance, árrogancy *n.*

ar·ro·gate [ǽrəgèit] *vt.* **1** 〈칭호 등을〉 사칭하다; 〈권리를〉 횡탈(橫奪)하다(usurp), 침해하다: ~ a person's rights …의 권리를 침해하다 // (~+목+전+명) ~ power *to* oneself 권력을 사적으로 남용하다 **2** 〈동기·속성 등을〉 부당하게 …의 탓으로 하다 《*to*》

ar·ro·ga·tion [æ̀rəgéiʃən] *n.* UC 사칭; 횡탈, 월권 행위, 횡포

ar·ron·disse·ment [ərɑ́ndismənt | æ̀rəndíːs-] [F] *n.* (프랑스의) 군(郡) 《현(縣)의 최대 행정구》; (대도시의) 구(區)

‡**ar·row** [ǽrou] [OE 「활(bow)에 딸린 것」의 뜻에서] *n.* **1 화살**(cf. BOW): shoot an ~ 화살을 쏘다 **2** 화살 모양의 물건; 화살표 《→》 **3** [*pl.*] (속어) 다트 **4** [the A~] 『천문』 화살자리 (*as*) ***straight as an*** ~ 똑바른; 고지식한
— *vt.* **1** 화살표로 표시하다 **2** (시어) (화살처럼) 돌진하다 **3** 화살로 상처입히다[죽이다]
— *vi.* (화살처럼) 날다, 달리다, 돌진하다
▷ árrowy *a.*

ar·row·head [ǽrouhèd] *n.* **1** 화살촉 **2** 『식물』 쇠귀나물속(屬)의 수초(水草)
~·ed [-id] *a.* 화살촉 모양의

árrowheaded cháracters 설형(楔形) 문자

árrow kèy (컴퓨터의) 화살표 키

ar·row·root [ǽrourùːt] *n.* **1** 『식물』 칡의 일종 《열대[남] 아메리카산(産)》 **2** Ⓤ (그 뿌리에서 얻은) 칡가루, 갈분

ar·row·wood [-wùd] *n.* 가막살나뭇속(屬)의 식물 《줄기가 곧아 화살을 만드는 데 사용》

ar·row·worm [-wə̀ːrm] *n.* 화살벌레 《모악(毛顎) 동물문(門)의 반투명 해양성 작은 동물의 총칭》

ar·row·y [ǽroui] *a.* 화살의, 화살 같은; 빠른; 신랄한 ▷ árrow *n.*

ar·roy·o [ərɔ́iou] *n.* (*pl.* **~s**) (미남서부) 시내; 건곡(乾谷) 《보통 때는 물이 없는》

ARS advanced record system 『컴퓨터』 기록 통신 시스템; (미) Agricultural Research Service 미국 농업 연구소; audio[automated] response system 음성[자동] 응답 시스템

arse [ɑːrs] [ass²의 변형] (영·비어) *n.* **1** 궁둥이; 항문 **2** 바보 **~ *over tit*** (영·비어) 거꾸로, 곤두박이로
— *vi.* [다음 성구로 쓰여] ~[***fool, mess***] ***around*** [***about***] 빈둥거리며 시간을 보내다

arse·hole [ɑ́ːrshòul] *n.* (영·속어·비어) = ASSHOLE

arsen- [ɑ́ːrsən, ɑːrsén], **arseno-** [ɑ́ːrsnou] 《연결형》 「비소를 함유한」의 뜻 《모음 앞에서는 arsen-》

ar·se·nal [ɑ́ːrsənl] *n.* **1** 무기고, 군수품 창고 **2** 병기[군수] 공장; 정비 보급창 **3** [집합적] 군수 물자·무기 탄약의 재고 **4** 《일반적인》 축적, 재고 《*of*》

ar·se·nate [ɑ́ːrsənèit, -nət] *n.* Ⓤ 『화학』 비산염

ar·se·nic [ɑ́ːrsənik] *n.* Ⓤ 『화학』 비소 《기호 As》
— [ɑːrsénik] *a.* 비소의; 비소를 함유한

arsénic ácid 『화학』 비산

ar·sen·i·cal [ɑːrsénikəl] *a.* = ARSENIC
— *n.* 비소 화합물; 비소제

ársenic trióxide 『화학』 3산화 비소, 무수아비산

ársenic trisúlfide 『화학』 3황화비소

ar·se·nide [ɑ́ːrsənàid] *n.* 『화학』 비화물

ar·se·ni·ous [ɑːrsíːniəs], **ar·se·nous** [ɑ́ːrsənəs] *a.* 『화학』 제1비소의, 아비(亞砒)의

arsénious ácid 『화학』 아비산

ar·se·nite [ɑ́ːrsənàit] *n.* Ⓤ 『화학』 아비산염

ar·se·no·py·rite [ɑ̀ːrsənoupáirait] *n.* Ⓤ 『광물』 황비철석(黃砒鐵石)

ars est ce·la·re ar·tem [ɑ́ːrz-est-silɛ́əri-ɑ́ːrtem] [L =it is (true) art to conceal art] 기교를 보이지 않는 것이 참다운 예술

ar·sey [ɑ́ːrsi] *a.* (호주·구어) 아주 운이 좋은, 행운의

ars gra·tia ar·tis [ɑ́ːrz-gréiʃiə-ɑ́ːrtis] [L= art for art's sake] 예술을 위한 예술

ARSH Associate of the Royal Society for the Promotion of Health

ar·sine [ɑːrsíːn, ∠-] *n.* 『화학』 아르신, 비화수소, 수소화비소 《유독 기체; 화학전에 이용》

ar·sis [ɑ́ːrsis] *n.* (*pl.* **-ses** [-siːz]) **1** 『운율』 강음부[절](opp. *thesis* 4) **2** 『음악』 상박(上拍)(upbeat)

ARSL Associate of the Royal Society of Literature

ars lon·ga, vi·ta bre·vis [ɑ́ːrz-lɔ́ːŋgə-víːtɑ-bríːvis, ɑ́ːrs-] [L =art is long, life is short] 예술은 길고 인생은 짧다 《원래 뜻은 「의술에 이르는 길은 멀고 인생은 짧다」》

ar·son [ɑ́ːrsn] *n.* Ⓤ 『법』 방화(죄)
~·ist *n.* 방화범; 방화마(魔) **~·ous** *a.*

ars·phen·a·mine [ɑːrsfénəmìːn] *n.* Ⓤ 『약학』 아르스페나민 《상표명은 살바르산(Salvarsan)》

ars po·e·ti·ca [ɑ́ːrz-pouétikə] [L] *n.* 시의 기법, 시학; 시론

ARSR air route surveillance radar 항공로 감시 레이더

ar·sy-var·sy [ɑ́ːrsivɑ́ːrsi], **-ver·sy** [-və́ːrsi] *a., ad.* (구어) 거꾸로(의), 뒤집힌[혀서]; 엉망진창인[으로]; 뒤죽박죽인[으로]

‡**art**[1] [ɑːrt] *n.* **1** Ⓤ **예술**; [종종 *pl.*] **미술**; [집합적] 예술[미술] 작품: a work of ~ 미[예]술품 / decorative ~ 장식 미술 / *A*~ is long, life is short. 예술은 길고 인생은 짧다.(cf. ARS LONGA, VITA BREVIS) **2** (잡지 등의) 삽화; 『인쇄』 (본문에 대하여) 삽화, 도판 **3** (특수한) **기술**, 기예; (특수 기술을 필요로 하는) 직업; 동업자의 조직: military ~*s* 무술 / the healing ~ 의술 / the ~ of building[war] 건축술[전술] **4** [*pl.*] (대학에서, 이공계 과학(science)과 대비하여) **인문 과학**, **문과계**; (미) (대학의) 교양 과목: the Faculty of *A*~*s* (대학의) 교양 학부 **5** Ⓤ 인공, 기교; 숙련, 솜씨, 수; 작위(作爲) **6** CU [종종 *pl.*] 술책, 수완(artifice)
~s and crafts 미술 공예 **~ *and part*** 『법』 공범, 종범; 관여, 관계: be[have] ~ *and part* in …에 가담하다 **~ *for* ~ *school*** 예술 지상파, 유미파(唯美派) **~ *for* ~'*s sake*** 예술 지상주의 **~ *for life's sake***

thesaurus **arrogant** *a.* haughty, proud, self-important, conceited, egotistic, snobbish,

인생을 위한 예술 ***by*** ~ 인공으로; 술책으로; 숙련으로 ***useful ~s*** 손기술 ***with*** ~ 솜씨 있게, 교묘히 ***without*** ~ 꾸밈없이, 자연스럽게(artlessly)
— *a.* Ⓐ 예술의, 미술의: ~ history 미술사
— *vt., vi.* 《구어》 예술적으로 보이게 하다 《*up*》
▷ ártful, artístic *a.*

art² *vi.* 《고어·시어》 be의 제2인칭 단수 직설법 현재형 《주어는 thou》: thou ~ =you are

Art [ɑ́:rt] *n.* 남자 이름 《Arthur의 애칭》

art. article; artificial; artillery; artist

-art [-ərt] *suf.* -ard의 변형: bragg*art*

árt dèaler 미술상, 화상

art de·co [ɑ̀:rt-déikou] Ⓕ [때로 **A- D-**] 〔미술〕 아르데코 《1920-30년대의 장식적인 디자인으로, 1960년대에 부활》

árt dirèctor 〔영화〕 미술 감독; 〔출판·인쇄〕 미술 책임자, 아트 디렉터

árt èditor 〔출판·인쇄〕 = ART DIRECTOR

ar·te·fact [ɑ́:rtəfæ̀kt] *n.* = ARTIFACT

Ar·te·mis [ɑ́:rtəmis] *n.* 〔그리스신화〕 아르테미스 《달과 사냥의 여신; 로마 신화의 Diana에 해당》

ar·te·mis·i·a [ɑ̀:rtəmíziə, -ʒiə] *n.* 〔식물〕 향쑥속(屬)의 식물

ar·te·ri·al [ɑ:rtíəriəl] *a.* Ⓐ **1** 〔생리〕 동맥의(cf. VENOUS): ~ blood 동맥혈 **2** 〈도로 등이〉 동맥과 같은; 근간(根幹)의: an ~ railway 철도 간선 / an ~ road[highway] 간선 도로 — *n.* 간선 도로
~·ly *ad.* ▷ ártery *n.*

ar·te·ri·al·i·za·tion [ɑ:rtìəriəlizéiʃən] *n.* Ⓤ 〔생리〕 (폐에 의한) 정맥혈의 동맥혈화(化)

ar·te·ri·al·ize [ɑ:rtíəriəlàiz] *vt.* 〔생리〕 〈폐가 정맥혈을〉 동맥혈로 변화시키다

arteri(o)- [ɑ:rtíəri(ou)] 《연결형》 「동맥」의 뜻

ar·te·ri·o·gram [ɑ:rtíəriəgræ̀m] *n.* 동맥 조영[촬영]도

ar·te·ri·og·ra·phy [ɑ:rtìəriɑ́grəfi] *n.* Ⓤ 〔의학〕 (X선에 의한) 동맥 촬영(법) **-ri·o·gráph·ic** *a.*

ar·te·ri·ole [ɑ:rtíəriòul] *n.* 〔해부〕 소동맥
ar·tè·ri·ó·lar *a.*

ar·te·ri·o·scle·ro·sis [ɑ:rtìəriousklərόusis] *n.* Ⓤ 〔병리〕 동맥 경화증 **-rot·ic** [-rɑ́tik | -rɔ́-] *a., n.*

ar·te·ri·ot·o·my [ɑ:rtìəriɑ́təmi | -ɔ́tə-] *n.* (*pl.* **-mies**) 〔외과〕 동맥 절개(술)

ar·te·ri·o·ve·nous [ɑ:rtìəriouví:nəs] *a.* 〔해부〕 동정맥(動靜脈)의[을 잇는]

ar·te·ri·tis [ɑ̀:rtəráitis] *n.* Ⓤ 〔병리〕 동맥염(動脈炎)

***ar·ter·y** [ɑ́:rtəri] [Gk 「기관(氣管)」의 뜻에서] *n.* (*pl.* **-ter·ies**) **1** 〔해부〕 동맥(opp. *vein*): the main ~ 대동맥 **2** 주요 수로[도로], 간선; 중추(中樞)

ar·té·sian wéll [ɑ:rtí:ʒən-] [프랑스의 지명 Artois(아르투아)에서] (지하수의 수압을 이용한) 분수(噴水) 우물, 자분정(自噴井)

Ar·tex [ɑ́:rteks] *n.* Ⓤ 《영》 (표면이 도드라져 보이는) 아르텍스 페인트 《상표명》

árt film 예술 영화

árt fòrm (전통적인) 예술 형식; (예술 형식으로서의) 장르

***art·ful** [ɑ́:rtfəl] *a.* **1** 기교를 부리는, 교활한(cunning): ~ schemes 교활한 계획 **2** 기교가 뛰어난, 솜씨 있는, 교묘한: an ~ thief 솜씨좋은 도둑 **3** 《고어》 기교적인 **~·ly** *ad.* **~·ness** *n.*

árt gàllery 미술관(art museum); 화랑

árt glàss 공예 유리 (제품)

árt hístory 미술사

art-his·tor·i·cal [ɑ́:rthistɔ́:rikəl] *a.* 미술사의 **~·ly** *ad.*

árt hòuse = ART THEATER

ar·thral·gia [ɑ:rθrǽldʒə] *n.* Ⓤ 〔병리〕 관절통

---

pompous, disdainful (opp. *modest, diffident*)
artful *a.* deceitful, wily, sly, crafty

ar·thral·gic [ɑ:rθrǽldʒik] *a.* 〔병리〕 관절통의

ar·thrit·ic [ɑ:rθrítik] *a.* 관절염의[에 걸린]; 노화(현상)의 — *n.* 관절염 환자

ar·thri·tis [ɑ:rθráitis] *n.* (*pl.* **-thrit·i·des** [-θrítədì:z]) 〔병리〕 관절염

arthr(o)- [ɑ́:rθr(ou)] 《연결형》 「관절」의 뜻 《모음 앞에서는 arthr-》

ar·throd·e·sis [ɑ:rθrɑ́dəsis | -θrɔ́də-] *n.* (*pl.* **-ses** [-sì:z]) 관절 고정(술)

ar·throp·a·thy [ɑ:rθrɑ́pəθi | -θrɔ́-] *n.* (*pl.* **-thies**) 〔병리〕 관절증

ar·thro·pod [ɑ́:rθrəpɑ̀d | -pɔ̀d] 〔동물〕 *n.* 절지동물 《새우·게·거미·지네 등》 — *a.* 절지동물의
ar·thróp·o·dal, ar·thróp·o·dan *a.*

Ar·throp·o·da [ɑ:rθrɑ́pədə | -θrɔ́-] *n. pl.* 〔동물〕 절지동물문(門)

ar·thro·scope [ɑ́:rθrəskòup] *n.* 〔의학〕 관절경(鏡)

ar·thros·co·py [ɑ:rθrɑ́skəpi | -θrɔ́-] *n.* 〔의학〕 관절경 검사(법) **àr·thro·scóp·ic** *a.*

ar·thro·sis [ɑ:rθróusis] *n.* (*pl.* **-ses** [-si:z]) 〔해부〕 관절 (접합); 〔병리〕 관절증

ar·thro·spore [ɑ́:rθrəspɔ̀:r] *n.* 〔생물〕 **1** 분절 포자(分節胞子) 《휴면기에 들어간 조류(藻類)에서 생기는 무성 포자》 **2** 〔식물〕 유절(有節) 아포

Ar·thur [ɑ́:rθər] *n.* **1** 남자 이름 《애칭 Art, Artie》 **2** 아서왕 **King** ~ 《6세기 경의 전설적인 영국 왕》

Ar·thu·ri·an [ɑ̀:rθúəriən | -θjúə-] *a.* 아서왕의[에 관한]: the ~ legend 아서왕 전설
— *n.* **1** 아서왕의 부하, 원탁의 기사 **2** 아서왕 전설의 연구가

ar·tic [ɑ́:rtik] *n.* 《영·구어》 = ARTICULATED LORRY

ar·ti·choke [ɑ́:rtətʃòuk] *n.* 〔식물〕 아티초크, 솜엉겅퀴; 뚱딴지(= Jerusalem ~)

⁑ar·ti·cle [ɑ́:rtikl] *n., v.*

> L 「이음매, 관절」의 뜻에서
> 「관절로 갈라진 개개의 것」
> →(문서의) 조항 **4** →(독립된) 기사 **1**
> →(개개의) 물품 **2**
> →(다른 품사와 다르다는 뜻의) 관사 **3**

— *n.* **1** (신문·잡지의) **기사**, 논설, (학술지·책의) (소)논문 《*on, about*》: an ~ *on* China 중국에 관한 기사 **2** **물품**(item), 물건, 품목; (같은 종류의 것의) 한 개, 하나: ~*s* of food[toilet] 식료[화장]품 / an ~ of clothing 의류 한 점 / What is the next ~, madam? 사모님, 또 무엇을 드릴까요? 《점원의 말》 **3** 〔문법〕 **관사** 《a, an, the》: the definite[indefinite] ~ 정[부정]관사 **4** (조약·계약 등의) **조항**, 조목(item); [*pl.*] 계약, 규약; [*pl.*] 도제(徒弟)(살이) 계약: ~ 3 제3조 **5** 《속어》 사람, 놈 《원래는 미국에서 매물의 대상이었던 노예의 뜻》 **6** [the ~] 《미·속어》 훌륭한[멋진] 물건, 일품(逸品)
~ by ~ 조목조목, 축조적(逐條的)으로 ***~ of faith*** 신조, 신앙 개조(個條) ***~s of association*** (회사) 정관 ***A~s of Confederation*** 〔미국사〕 연합 규약 ***~s of war*** 군율 ***be in*** [***under***] ***~s*** 도제살이 계약으로 일하고 있다 ***in the ~ of*** …의 항목에 있어서; …에 관하여 ***in the ~ of death*** 《고어》 죽는 순간에, 임종에 ***smooth ~*** 《미·속어》 빈틈없고 인사성 바른 사람
— *vt.* **1** 〈죄목을〉 열거하다, (죄목을 열거하여) 고발하다(accuse) 《*against*》: ~ a person's offenses …의 죄목을 열거하다 **2** 도제 계약으로 고용하다 《*to, with*》: be ~*d to* …의 도제가 되다 // (~+목+전+명) ~ a boy *to* a mason 소년을 석공의 도제로 삼다
— *vi.* **1** (죄상을 명확하게 나타내어) 고발하다 《*against*》 **2** 《캐나다》 (법률 사무소에서) 실무 수습생으로 일하다[훈련을 받다]

ar·ti·cled [ɑ́:rtikld] *a.* 도제(살이) 계약의: an ~ clerk 도제 계약으로 고용된 점원

ar·tic·u·lar [ɑ:rtíkjulər] *a.* 관절의

***ar·tic·u·late** [ɑːrtíkjulət] [L 「이음매로 나누다」의 뜻에서] *a.* **1** 〈말·발음 등이〉 또렷하게 발음된, 명료한; 〈음성·언어가〉 음절로 된, 분절적(分節的)인: ~ speech 뜻을 가진 어구로 된 말 **2** 〈사람이〉 말[생각]을 또렷하게 표현할 수 있는; 〈생각·논지 등이〉 명확한, 조리 있는 **3** 확실히 구분[구별]된 **4** (내용·형식·체계 등이 다른 부분과) 유기적으로 연관이 있는; 유기적으로 통합[구성]된 **5** 〚생물〛 관절[체절]이 있는
— [-lèit] *vt.* **1** 음절로 나누다; 〈음절·단어를〉 똑똑히[또렷하게] 발음하다; 〈생각·감정 등을〉 분명하게 표현하다; 〈부분을〉 (…와) 유기적으로 연관짓다, 통합하다 《*to, with*》 **2** 〈뼈를〉 관절로 잇다 《*to, with*》
— [-lèit] *vi.* 또렷또렷 발음하다; 명료하게 표현하다; 〚동물〛 관절을 형성하다; 〈부분이〉 (…와) 유기적으로 연관되다; (…와) 타협을 보다
— [-lət] *n.* 체절동물 《지네 등》
~·ly [-lətli] *ad.* **~·ness** *n.* ▷ articulátion *n.*

ar·tic·u·lat·ed [ɑːrtíkjulèitid] *a.* **1** 〈음이〉 똑똑히 발음되는 **2** 관절로 연결된 **3** 〈차량이〉 연결식인 **4** 〈부분이〉 유기적으로 연관된

artículated jóint 관절; (로봇 등의) 관절식 팔; (자동차 차량의) 연결부

artículated lórry 《영》 트레일러 트럭

artículated véhicle 연결식 차량

ar·tic·u·la·tion [ɑːrtìkjuléiʃən] *n.* Ⓤ **1** 또렷한[명확한] 발음; 발음(법); (생각 등의) 명확한 표현 《*of*》 **2** 〚음성〛 유절(有節) 발음, 개개의 조음(調音); 언어(음); 《특히》 자음 **3** 〚언어〛 분절 《발화(發話)의 각 부분을 의미 있는 언어음으로 가르기》 **4** 〚해부〛 관절 (접합); 〚식물〛 마디(node) ▷ artículate *v.*

ar·tic·u·la·tor [ɑːrtíkjulèitər] *n.* **1** 발음이 또렷한 사람 **2** 〚음성〛 조음 기관 《혀·입술·성대 등》 **3** 〚치과〛 (의치용) 교합기(咬合器)

ar·tic·u·la·to·ry [ɑːrtíkjulətɔ̀ːri | -təri] *a.* **1** 조음(상)의; 또렷한 음의 **2** 관절의

artículatory phonétics [단수 취급] 조음 음성학

Ar·tie [ɑ́ːrti] *n.* 남자 이름 《Arthur의 애칭》

ar·ti·fact [ɑ́ːrtəfæ̀kt] *n.* **1** (천연물과 대비하여) 인공물, 공예품 **2** 〚고고학〛 인공 유물 **3** 〚생물〛 인위(人爲) 구조[결과], 인공 산물 **àr·ti·fác·tu·al** *a.*

***ar·ti·fice** [ɑ́ːrtəfis] *n.* **1** Ⓤ 기술 **2** 교묘한 착상, 고안 **3** 기교; 숙련, 수완; 술책, 책략: by ~ 술책을 써서 **4** Ⓤ 교활, 기만

ar·ti·fi·cer [ɑːrtífəsər] *n.* 기능공, 공장(工匠), 숙련공; 고안자; 제작자(maker); 〚군사〛 기술병
the Great A~ 조물주

‡**ar·ti·fi·cial** [ɑ̀ːrtəfíʃəl] *a.* **1** 인조의; 인공적인, 모조의, 인위적인(opp. *natural*): ~ daylight 태양등 / ~ flowers 조화 / an ~ eye[limb, tooth] 의안[의지(義肢), 의치] / ~ ice 인조 얼음 / ~ leather[stone] 인조 가죽[석] / an ~ planet 인공 행성 / an ~ pump-oxygenator 〚의학〛 인공 심폐 장치 / ~ rain 인공 강우 / ~ silk 인조견 **2** 부자연스러운, 꾸민, 거짓의, 가짜의: an ~ smile 억지웃음 / ~ tears 거짓 눈물 **3** 〈사람·문체 등이〉 젠체하는, 허세 부리는
— *n.* 인공물, 모조물; 《특히》 조화; [*pl.*] 《영》 인조비료 **~·ness** *n.*
▷ ártifice, artificiálity *n.*; artifícialize *v.*

artifícial blóod 〚의학〛 인공 혈액

artifícial géne 〚생화학〛 인공 유전자

artifícial grávity 〚항공〛 인공 중력

artifícial horízon 인공 수평기(水平器); 〚항공〛 인공 수평의(儀) 《항공기의 경사를 재는》

artifícial inseminátion 〚의학〛 인공 수정

artifícial intélligence 〚컴퓨터〛 인공 지능 《略 AI》

ar·ti·fi·ci·al·i·ty [ɑ̀ːrtəfìʃiǽləti] *n.* (*pl.* **-ties**) **1** Ⓤ 인위적임; 부자연함, 꾸밈 **2** 인공적인[부자연스러운] 것, 인공물; 가짜

ar·ti·fi·cial·ize [ɑ̀ːrtəfíʃəlàiz] *vt.* 인위[인공]적으로 하다; 부자연스럽게 하다

artifícial kídney 〚의학〛 인공 신장

artifícial lánguage 인공 언어; 〚컴퓨터〛 기계어

artifícial lífe 인공 생명(체) 《컴퓨터·로봇 공학 등에서》

ar·ti·fi·cial·ly [ɑ̀ːrtəfíʃəli] *ad.* 인위적으로; 부자연스럽게

artifícial pérson 〚법〛 법인(juristic person)

artifícial radioactívity 〚물리〛 인공 방사능

artifícial reálity = VIRTUAL REALITY

artifícial respirátion 인공호흡

artifícial sátellite 인공위성

artifícial seléction 〚생물〛 인위 선택

artifícial swéetener 인공 감미료

artifícial túrf 인조 잔디

artifícial vóice 〚컴퓨터〛 = SYNTHETIC SPEECH

ar·ti·fí·cial-vóice technólogy [-vɔ́is-] 〚컴퓨터〛 음성 합성 기술

ar·til·ler·ist [ɑːrtílərist] *n.* 포병, 포수; 포술 연습생

***ar·til·ler·y** [ɑːrtíləri] *n.* Ⓤ **1** [집합적] **포**, 대포 (opp. *small arms*); 미사일 발사기 **2** **포병과**, 포병대 **3** 포술(gunnery) **4** [집합적] 《미·속어》 무기, 흉기 **5** [집합적] 《속어》 식기; (마약용의) 주사 도구

ar·til·ler·y·man [ɑːrtílərimən] *n.* (*pl.* **-men** [-mən]) 포병, 포사수

art·i·ness [ɑ́ːrtənis] *n.* Ⓤ 예술가인 체함

ar·ti·o·dac·tyl [ɑ̀ːrtioudǽktil] *a., n.* 〚동물〛 우제류의 (동물) **-ty·lous** [-tələs] *a.*

Ar·ti·o·dac·ty·la [ɑ̀ːrtioudǽktələ] *n. pl.* 〚동물〛 우제류(偶蹄類) 《소·양·염소·사슴 등》

***ar·ti·san** [ɑ́ːrtəzən | ɑ̀ːtizǽn] *n.* **장인**(匠人), 공장(工匠), 기능공; 직공, 기계공(mechanic)
~·al *a.* **~·ship** *n.*

‡**art·ist** [ɑ́ːrtist] *n.* **1** **예술가**; 미술가, 《특히》 화가 **2** (어느 방면의) 명수, 명인 《*at, in*》 **3** = ARTISTE **4** 《미·속어》 사기꾼
▷ artístic *a.*; ártistry *n.*

ar·tiste [ɑːrtíːst] [F] *n.* 예능인; 달인, 명인 《배우·음악가·댄서, 때로는 이발사·요리사 등의 자칭》

‡**ar·tis·tic, -ti·cal** [ɑːrtístik(əl)] *a.* **1** **예술적인**, 미술적인 **2** **예술[미술]의**; 예술[미술]가의; 기교가 뛰어난, 정교한: an ~ temperament 예술가적 기질 **3** 예술을 아는, 심미안을 가진 ▷ árt[1], ártist *n.*

ar·tis·ti·cal·ly [ɑːrtístikəli] *ad.* **1** 예술[미술]적으로 **2** [문장 전체를 수식하여] 예술적으로 보아[보면]

artístic diréctor 예술 감독 《극장·발레단 등의 상연 작품을 총괄하는》

art·ist·ry [ɑ́ːrtistri] *n.* Ⓤ **1** 예술적 수완[기교]; 예술성, 예술[미술]적 효과 **2** 예술적 재능; 예도(藝道)

art·less [ɑ́ːrtlis] *a.* **1** 꾸밈없는, 자연스러운 **2** 소박한, 순진한, 순박한(unsophisticated) **3** 비예술적인; 볼품없는, 서투른(clumsy) **~·ly** *ad.* **~·ness** *n.*

art·mo·bile [ɑ́ːrtməbìːl] *n.* 《미》 이동[순회] 미술관, 이동 화랑

árt musèum 미술관

árt mùsic 예술 음악 《팝송 등과 구별하여》

árt nèedlework 미술 자수

art nou·veau [ɑ̀ːr-nuːvóu, ɑ̀ːrt-] [F = new art] [종종 **A- N-**] 〚미술〛 아르 누보 《19세기 말부터 20세기 초의 장식 미술 양식》

ar·to·type [ɑ́ːrtətàip] *n.* ⓊⒸ 〚인쇄〛 = COLLOTYPE

árt pàper 《영》 아트지 《광택지》

árt ròck 아트록 《클래식 수법의 록 음악》

Árts and Cráfts Mòvement [the ~] 미술 공예 운동 《19세기 말 영국에서 기계 만능주의에 반대하여 수공예를 강조한 사조》

thesaurus **artificial** *a.* **1** 인조의 man-made, manufactured, synthetic **2** 가짜의 mock, fake, bogus, counterfeit, simulated **3** 꾸민 feigned, false, affected, unnatural, pretended, assumed
artist *n.* painter, drawer, sculptor

árt schòol 미술 학교
árt sìlk 인조견, 레이온
árt sòng 예술(적) 가곡
art·sy [ɑ́ːrtsi] *a.* (**-si·er**; **-si·est**) (구어) =ARTY
art·sy-craft·sy [ɑ́ːrtsikrǽftsi] *a.* (미·구어) = ARTY-(AND-)CRAFTY
art·sy-fart·sy [ɑ́ːrtsifɑ́ːrtsi] *a.* (미) 예술가인 척하는, 예술에 조예가 깊은 척하는: I expect he's out with his ~ friends. 나는 그가 예술가인 척하는 그의 친구들과 외출했다고 생각한다.
árt thèater 예술 극장 (예술 영화·실험 영화를 주로 상영하는 극장)
árt thérapy 〖심리〗 예술 요법
árt tìtle 〖영화〗 의장 자막(意匠字幕), 장식 자막
art·ware [ɑ́ːrtwɛ̀ər] *n.* 미술 도자기[도예품]
art·work [ɑ́ːrtwə̀ːrk] *n.* **1** 〖인쇄〗 (본문에 대하여) 삽화, 도판 제작 **2** 수공예품; 예술적 제작 활동
art·y [ɑ́ːrti] *a.* (**art·i·er**; **-i·est**) (구어) **1** 〈사람이〉 미술가인 체하는 **2** 〈가구 등을〉 예술품같이 꾸민
árt·i·ly *ad.*
arty. artillery
art·y-(and-)craft·y [ɑ́ːrti(ænd)krǽfti] *a.* (구어) **1** 〈가구 등이〉 지나치게 공들인, (예술적이지만) 실용성이 없는 **2** 〈사람이〉 예술가인 체하는
art·y-fart·y [ɑ̀ːrtifɑ́ːrti] *a.* (영·구어) =ARTSY-FARTSY
a·ru·gu·la [ərúːgələ] *n.* 〖식물〗 아루굴라 (지중해산(産) 에루카속(屬) 일년초(rocket); 샐러드용)
ar·um [ɛ́ərəm] *n.* 〖식물〗 아룸속(屬) 식물 (천남성과(科))
árum lìly 〖식물〗 칼라(calla)
a·run·di·na·ceous [ərʌ̀ndənéiʃəs] *a.* 〖식물〗 갈대의[같은]
ARV American Revised Version 미국 개역 성서
ar·vo [ɑ́ːrvou] *n.* (*pl.* **~s**) (호주·속어) 오후(afternoon)
ARWS (영) Associate of the Royal Society of Painters in Water Colours
-ary [èri, əri | əri] *suf.* **1** [형용사 어미] 「…의, …에 관한」의 뜻: milit*ary* **2** [명사 어미] 「…에 관한 사람[사물, 장소]」의 뜻: diction*ary*, gran*ary*
Ar·y·an [ɛ́əriən] *n.* **1** Ⓤ (고어) 아리아 말 (지금의 인도유럽 말) **2** Ⓤ 인도이란 말 **3** (나치 독일에서) 아리아 사람, 비유대계 백인 **—** *a.* **1** (고어) 아리아 어족[민족]의 **2** 인도이란 말의 **3** (나치 독일에서) 아리아 사람의, 비(非)유대계 백인의
ar·y·bal·los [æ̀rəbǽləs] *n.* (*pl.* **~·es, -loi** [-lɔi]) (고대 그리스의) 향유병 (목이 짧고 공 모양임)
ar·yl [ǽril] *n.* 〖화학〗 아릴기(基)
ar·y·te·noid, -tae- [æ̀rətíːnɔid, ərítənɔ̀id] 〖해부〗 *a.* 피열(披裂)의 **—** *n.* 피열 연골, 피열근(筋)
⁑as¹ ⇨ as (p. 140)
as² [ǽs] *n.* (*pl.* **as·ses** [ǽsiz]) 〖고대로마〗 **1** 아스 (중량 단위; 약 327g) **2** 아스 동전
as- [æs, əs] *pref.* =AD- (s 앞에 올 때의 변형): *as*similation
As 〖기상〗 altostratus; 〖화학〗 arsenic **AS, A-S** Anglo-Saxon **AS, A/S** 〖상업〗 account sales; after sight; antisubmarine
A·sa [éisə] *n.* 남자 이름
ASA [ǽsə] *n., a.* 〖사진〗 (American Standards Association이 정한) 필름 감도 기준(의)
ASA (영) Amateur Swimming Association; American Standards Association (현재는 ANSI); American Statistical Association

---

artistic *a.* **1** 예술적 재능이 있는 creative, talented, gifted, imaginative, sensitive **2** (사물이) 예술적인 decorative, beautiful, attractive, lovely, graceful, elegant, exquisite, ornamental, aesthetic
ascend *v.* go[move] up, climb, mount, rise

as·a·fet·i·da, -foe·ti- [æ̀səfétədə] *n.* **1** 〖식물〗 아위 **2** Ⓤ 그 진으로 만든 약 (경련 진통제·구충제)
A·san·te [əsǽnti] *n.* (*pl.* **~s,** [집합적] **~**) =ASHANTI
ASAP, a.s.a.p. [éièsèipíː, éisæp] as soon as possible **ASAS** Association of Southeast Asian States 동남아시아 국가 연합 **ASAT** [éisæ̀t] antisatellite **asb.** asbestos
as·bes·tine [æsbéstin, æz-] *a.* 석면(성)의
as·bes·tos, -tus [æsbéstəs, æz-] *n.* Ⓤ 석면(石綿), 아스베스토스: ~ cloth 석면포
asbéstos cemènt 석면 시멘트
as·bes·to·sis [æ̀sbestóusis, æ̀z-] *n.* Ⓤ 〖병리〗 아스베스토스증(症), 석면(침착)증
ASBO [ǽzbou] [*a*ntisocial *b*ehavior *o*rder] *n.* 반사회적 행동 규제 명령 (타인을 괴롭히거나 해를 주려는 행위를 규제하고자 하는 영국의 특별법)
ASC American Society of Cinematographers; American Standards Committee 미국 공업 규격 위원회
ASCAP [ǽskæp] [*A*merican *S*ociety of *C*omposers, *A*uthors, and *P*ublishers] *n.* 미국 작곡가·작가·출판인 협회
as·ca·ri·a·sis [æ̀skəráiəsis] *n.* (*pl.* **-ses** [-sìːz]) 〖병리〗 회충증
as·ca·rid [ǽskərid], **-ris** [-ris] *n.* (*pl.* **-rids, -car·i·des** [æskǽridìːz]) 〖동물〗 회충
ASCE American Society of Civil Engineers 미국 토목 학회
⁑as·cend [əsénd] [L 「…에 오르다」의 뜻에서] *vi.* (문어) (opp. *descend*) **1** (위로) 오르다, 올라가다(⇨ climb 유의어); 〈연기 등이〉 올라가다: (~+부+전+명) The balloon *~ed high up in* the sky. 기구가 하늘 높이 올라갔다. **2** 〈길 등이〉 오르막이 되다: (~+부) The path *~s here.* 길은 여기서 오르막이 된다. **3** 〈지위 등이〉 높아지다, 승진[승격]하다 **4** 〈값이〉 올라가다 **5** 〈강·시대·계도(系圖)를〉 거슬러 올라가다: (~+전+명) ~ *against* a stream 개울을 거슬러 올라가다 / ~ *to* the 18th century 18세기로 거슬러 올라가다 **6** 〖음악〗 〈음이〉 높아지다
— *vt.* **1** …을[에] 오르다, 올라가다; 〈강 등을〉 거슬러 올라가다: ~ the stairs[a hill] 계단[언덕]을 올라가다 **2** 〈왕위에〉 오르다; 〖음악〗 〈음계 등이〉 저음에서 고음으로 연주하다[노래하다]: ~ the throne 왕위에 오르다 **~·a·ble, ~·i·ble** *a.*
▷ ascéndant *n., a.*; ascénsion, ascént *n.*
as·cen·dance, -dence [əséndəns] *n.* =ASCENDANCY
as·cen·dan·cy, -den·cy [əséndənsi] *n.* Ⓤ 욱일승천의 세력, 우세, 패권, 지배권 ***gain*** [***have***] (***an***) ***~ over*** …보다 우세해지다[하다], …을 지배하다
as·cen·dant, -dent [əséndənt] *n.* **1** 우월, 우세, 지배 (*over*) **2** 선조, 조상 **3** Ⓤ 〖점성〗 (탄생할 때의) 성위(星位); 운세 ***in the ~*** 〈사람·세력 등이〉 우세하여, 욱일승천의 기세로; 〈운세가〉 트이기 시작하여 ***the lord of the ~*** 〖점성〗 수좌성(首座星)
— *a.* **1** 상승하는, 떠오르는(rising) **2** 〈지위·권력 등이〉 욱일승천의, 우세한(dominant) **3** 〖점성〗 동녘 지평선 위의; 〖천문〗 중천으로 올라가는: an ~ star 중천에 떠오르는 별 **~·ly** *ad.*
as·cend·er [əséndər] *n.* **1** 올라가는 사람[사물] **2** =ASCENDING LETTER
as·cend·ing [əséndiŋ] *a.* 오르는, 상승적인; 위를 향한: ~ powers 〖수학〗 승멱(昇冪), 오름차
ascénding cólon 〖해부〗 상행 결장(上行結腸)
ascénding létter 〖인쇄〗 어센더(ascender) (x자 높이보다 위로 나오는 부분; 또는 그것이 있는 활자 b, d, f, h 등)
ascénding órder 〖컴퓨터〗 오름차순
ascénding rhýthm =RISING RHYTHM
ascénding scále 〖음악〗 상승 음계

as

OE의 all so가 ME에서 also가 되었고 다시 약화되어 l과 o가 탈락한 것이다. 따라서 so와도 친척이다. 부사·접속사·관계대명사·전치사 등 실로 광범위하고 다양하게 쓰이는 기능어이다. as는 전치사·접속사로서는 물론, 부사로서도 「연결어」의 기능이 크다.

:as [əz, æz, ǽz] *ad., conj., rel. pron., prep.*

기본적으로는 「아주 똑같이」의 뜻으로서 also와 같은 어원.
① …와 같이[같은] 뷰 접 **1, 2** 대 **1** 전 **2**
② …할[의] 때에, …함에 따라 접 **3, 6**
③ …이므로, 때문에 접 **4**
④ …로서 전 **1, 3**

— *ad.* [보통 as … as …로 형용사·부사 앞에서] …**와 같을 정도로,** 마찬가지로, 같을 만큼 《as … as …에서, 앞의 as가 지시부사, 뒤의 as는 접속사(⇨ *conj.* 1)》: He runs *as* fast as you (run). 그는 너만큼 빨리 뛴다. / I love you *as* much as she (does). 나는 그녀 못지않게 당신을 사랑하고 있다. / I love you *as* much as I love her. 나는 그녀를 사랑하는 것만큼 너를 사랑하고 있다. / I love you *as* much as her. 나는 그녀를 사랑하는 것만큼 너를 사랑하고 있다; 《구어》 나는 그녀 못지않게 너를 사랑하고 있다. / This is twice[three times] *as* large as that. 이것은 저것의 2[3]배의 크기이다. / Susan is not *as* pretty as Jane. 수잔은 제인만큼 예쁘지 않다. 《USAGE as … as …의 부정에는 not as[so] … as …를 쓰는데, not so … as …쪽이 다소 딱딱한 표현; 또한 as busy as a bee, as strong as a horse 등 직유(直喩)의 관용구의 경우에는 보통 부정 표현은 쓰지 않음(⇨ *conj.* 1)》/ He is not *as* young as he was[as he used to be]. 그는 전처럼 젊지는 않다. / Take *as* much as you want. 갖고 싶은 만큼 가져라. / He has *as* many books. 그는 (내가 가지고 있는 것과) 같은 수의 책이 있다. ★ books 다음에 as I have가 생략되어 있음 / I can do it *as* well. 나도 할 수 있다. ★ 뒤에 as you, as she 등이 생략되어 있음.

as … as any 누구[어느 것] 못지않게: She calculates *as* quickly *as any*. 그녀는 누구 못지않게 계산을 빨리 한다.

as … as before 전과 마찬가지로

as … as one ***can*** = ***as … as possible*** 될 수 있는 대로: *as* soon *as possible* 가급적 빨리 / He ran *as* fast *as* he *could*. 그는 될 수 있는 대로 빨리 뛰었다.

as … as ever 변함없이…, 여전히…: He is *as* healthy *as ever*. 그는 변함없이 건강하다.

as far as it goes 어느 정도

as long as … ⇨ long[1] *ad.*

as many ⇨ many *a.*

as much ⇨ much *ad.*

as much as ⇨ much *ad.*

as well ⇨ well[1] *ad.*

as well as ⇨ well[1] *ad.*

— *conj.* **1 a** [as[so] … as …로 동등 비교를 나타내어] …**와 같이,** …처럼, …만큼(⇨ as *ad.*): He is as tall *as* I[me]. 그는 나만큼 키가 크다. 《문법적으로는 as I (am)인데 종종 목적격도 씀》/ Are you as good at English *as* him? 당신은 그 사람만큼 영어를 잘 합니까? / She was not as[so] beautiful *as* I had imagined. 그녀는 상상했었던 것만큼 아름답지는 않았다. **b** [(as) … as …로 직유(直喩)의 관용구를 만들어] …**처럼** (아주, 가장) 《종종 두운(頭韻)을 밟음》: (as) busy *as* a bee 무척 바쁜 / (as) cool *as* a cucumber 아주 냉정하여 / (as) black *as* coal 새까만 **c** [so[as] … as …로 명사 뒤에서] …**만큼의**: A man *so* clever *as* he is not likely to do such a thing. 그만큼 머리가 명석한 사람이 그런 일을 할 리가 없다. **d** [so … as *to* do로] …**할 만큼,** …하세도(⇨ so *ad.* A 6 b). He was *so* kind *as to* help me. 그는 친절하게도 나를 도와주었다. 《「도와줄 만큼 친절했다」의 뜻》

2 [양태·상태] **a** …**와 같이;** …대로: *as* you know 아시다시피 / England *as* she is 현재의 영국 / Do *as* you like. 좋을 대로 하시오. / Do in Rome *as* the Romans do. 로마에서는 로마 인처럼 행동해라. / Take things *as* they are. 사물을 있는 그대로 받아들여라. / My father cut down on salty food *as* I had advised. 아버지는 내가 충고해 드린 대로 짠 음식의 양을 줄이셨다. / Living *as* I do so remote from town, I rarely have visitors. 이런 외진 시골에 살고 있다 보니 찾아오는 사람도 드물다. 《doing *as* A does는 분사구문의 강조형으로 「이처럼[실제로] A는 …하고 있으므로」의 뜻》 **b** [as …, so …로 상관적으로 써서] …**와 같이,** …와 마찬가지로: *As* rust eats (into) iron, *so* care eats (into) the heart. 녹이 쇠를 갉아먹듯이 근심은 마음을 갉아먹는다.

3 a [때] …**하고 있을 때,** …하자마자, …하면서 《when의 뜻보다 동시성의 뜻이 강하며, while과 거의 같이 씀》: He came up (to me) *as* I was speaking. 내가 말을 하고 있노라니까 그가 내게로 왔다. / *As* spring comes, the birds move northward. 봄이 오면 새들은 북쪽으로 이동한다. / She sang *as* she walked. 그녀는 걸으면서 노래를 불렀다. **b** [as a child[children] 등의 주어·술어의 생략 형태로] (어릴) 적에, 때에는 《본래 동격어 앞에 as를 덧붙인 것으로서 전치사로도 생각할 수 있음》: *As* a child, he lived in England. 어릴 적에 그는 영국에서 살았다.

4 [보통 문두에 많이 쓰며, 원인·이유를 나타내어] **a** …**이므로,** …이기 때문에 《USAGE because는 직접적인 이유를 명시하고, as는 가볍고 부대적인 이유를 말할 때 쓰는데 뜻이 애매하기 때문에 《미》에서는 because나 since를 씀》: *As* I was tired, I soon fell asleep. 피곤했기 때문에 곧 잠들었다. / *As* you are leaving last, lock the door. 네가 마지막에 떠나니까 문을 잠그도록 해라. **b** [형용사[부사]+as …로] …**이므로,** …이니까(cf. 5 a): Honest *as* he was, he refused a bribe. 그는 정직했기 때문에 뇌물을 거절했다.

5 [양보] 《문어》 **a** [형용사[부사·관사 없는 명사]+as …로] …**이지만,** …이건만(cf. 4 b): Woman *as* she was, she was brave. 그녀는 여자이건만 용감했다. 《이 형태는 (*As*) woman *as* she was, she … (그녀는 여자인데도…)에서 비롯된 것인데 woman은 주절의 주어 she에 대한 동격적 서술어임》/ Pretty *as* the flower is, it has many thorns. 그 꽃은 예쁘지만 가시가 너무 많다. **b** [원형동사+as+주어+may[might, will, would]로] (아무리) …해봤자: Try *as* she *would*, she could not remember his phone number. 아무리 애써 봐도 그녀는 그의 전화번호가 기억나지 않았다.

6 [비례] …**함에 따라,** …할수록: *As* we go up, the air grows colder. 높이 올라갈수록 공기가 차가워진다. / Two is to three *as* four is to six. = *As* two is to three, four is to six. 2 : 3 =4 : 6

7 [바로 앞의 명사의 개념을 제한하여] **a** [형용사절을 이끌어]: Language *as* we know it is a unique human property. 우리가 알고 있는 언어는 인간에게

만 유일한 자질이다. **b** [형용사·과거분사·전치사와 함께] 《대부분은 해당어의 성구를 참조》: the earth *as* viewed from a spaceship 우주선에서 바라본 지구
as above 위[상기]와 같이
as against ⇨ against
as all that [보통 부정문에서] 예상[기대]한 만큼: He's *not* as intelligent *as all that.* 그는 생각했던 만큼 영리하지 않다.
as and when 《구어》 언젠가; 가능한 한 빨리; …하는[인] 한
as before 전과 같이
as below 아래[하기]와 같이
(***as***) ***compared with*** [***to***] ***...*** ⇨ compare
as for ... [보통 문두에 써서] …에 관한 한은, …은 어떠냐 하면 《as to (2)의 용법은 없음》: *As for* staying away, I wouldn't think of it. 결석에 관한 한 나는 생각하기도 싫다. / *As for* me[myself], I'm not interested in such thing. (남은 어떤지 몰라도) 나로 말할 것 같으면 그런 것에 흥미가 없다.
as from ... 《영》 (법률·계약 등에서) 〈날〉로부터 《★ 실시·폐지 등을 나타낼 때 씀; 《미》에서는 as of ...를 쓰는 일이 많음》: This price is effective *as from* next Sunday. 이 가격은 다음 일요일부터 유효하다. 《★ 종종 법률 문서 중에서 쓰는 문구》
as good as ⇨ good *a.*
as if (1) 마치 …인 것처럼 《as if절 안에서는 가정법을 쓰지만 《구어》에서는 직설법도 씀》: He talks *as if* he were an old man. 그는 마치 노인처럼 말을 한다. / She looks *as if* she had seen the ghost. 그녀는 마치 유령을 본 것처럼 보인다. / He looked at her *as if* he had never seen her before. 그는 마치 지금껏 그녀를 본 적이 없는 것 같은 표정으로 쳐다보았다. (2) [as if *to* do로] 마치 …하려는 듯이: She winked at me *as if to* say that I shouldn't say anything. 그녀는 내가 아무 말도 해서는 안 된다는 듯이 나에게 눈짓을 했다. (3) [It seems[looks] as if ...로] …처럼 (보이다, 생각되다) 《(1)과 같음》: *It seemed as if* the fight would never end. 싸움은 끝이 없을 것처럼 보였다. / *It looks as if* it's going to rain. 비가 올 것 같다. (4) [It isn't as if ... 또는 As if ...로] 설마 …인[한] 것은 아닐 테지: *It isn't as if* he were stupid. 그가 멍청하다는 건 아니겠지. / *As if* you didn't[don't] know! 설마 모른다는 것은 아닐 테지! (5) 《속어》 [감탄사적으로] 천만에, 그렇지 않아, 어림없어!: You're not still interested in Bill, are you? —*As if*! 너 아직 빌에게 관심을 갖고 있는 것은 아니겠지? —당연하지! (No, I am not.)
as it is 《과거형은 as it was》 (1) [문두에 써서; 보통 가상적인 표현 뒤에서] (가상에 반하여) (그러나) 실제로는: I thought things would get better, but *as it is* they are getting worse. 사정이 점차 나아질 것이라고 생각했지만 실상은 점점 나빠지고 있다. (2) [문두·문미에 써서] 현상으로(도), 지금대로도; 벌써, 이미: We're already late *as it is*! 우리는 이미 늦었다! / Don't take on any more work. You have too much to do *as it is.* 일을 더 이상 맡지 마시오. 지금도 벌써 일이 너무 많으니까.
as it stands ⇨ AS it is (2)
as it were [삽입구적으로] 말하자면, 마치: He is, *as it were,* a walking dictionary. 그는 말하자면 살아 있는 사전이다.
as of ... (1) 현재로: *as of* June 1 6월 1일 현재로 / *as of* today[yesterday] 오늘 현재로[어제 날짜로] (2) = AS from
as of old 옛날 그대로
as opposed to ... …에 대립되는 것으로서(의), …와 대조적으로
as regards ... = AS to
as ..., so ... ⇨ *conj.* 2 b
as soon as ⇨ soon
as though = AS if
as to ... (1) [문두에 써서] = AS for (2) [문중에 써서] …에 관하여, …에 대하여 《의문절[구] 앞의 as to는 생략되는 일이 많음》: He said nothing *as to* the money. 그는 돈에 관해서는 아무 말도 하지 않았다. / We are in agreement *as to* the essential points. 본질적인 점에 대해서는 의견이 일치하고 있다. / I am doubtful *as to* whether he can come. 그가 올 수 있을지는 의심스럽다. / Nobody could decide (*as to*) what to do. 무엇을 해야 할지 아무도 결정할 수가 없었다. (3) …에 따라서: classify eggs *as to* size and color 크기와 빛깔로 달걀을 분류하다
as we [***you, they***] ***call it*** = ***as it is called*** 소위, 이른바
as who should say ... ⇨ who
as yet ⇨ yet
As you were! 《구령》 바로!
(***just***) ***as you wish*** [***like, prefer***] 당신이 바라는 대로, 마음대로, 좋도록 《흔히 대답으로 씀》
so as to [***so as not to***] do ***...*** …하도록[하지 않도록]: We came early *so as to* have plenty of time. 우리는 시간에 여유가 많도록 일찍 왔다. 《... in order to have plenty of time으로 고쳐 쓸 수 있음》 / You must get up at 5 a.m. *so as to* be in time for the first train. 첫차에 댈 수 있도록 새벽 5시에 일어나야 한다. 《... in order to take the first train으로 고쳐 쓸 수 있음》
—*rel. pron.* **1** [such, the same 또는 as를 선행사로 하여, 제한적으로] …(와) **같은**: *such* friends *as* will benefit you 너에게 유익한 그런 친구들 / *Such* men *as* heard him praised him. 그의 얘기를 들은 사람들은 그를 칭찬했다. / This is *the same* kind of watch *as* I have lost. 이것은 내가 잃어버린 것과 같은 종류의 시계이다. / He is *as* honest a man *as* I've ever met. 그는 내가 만난 사람 중에서 가장 정직한 사람이다.
2 [앞 또는 뒤에 있는 주절 전체를 선행사로 하여, 비제한적으로] **그것은 …이지만**: He was a foreigner, *as* I knew from his accent. 그는 외국인이었다, (그것은) 그의 말투로 안 일이지만. / *As* we had expected, he did not show up in time. 예상했던 일이지만, 그는 제시간에 나타나지 않았다.
as follows ⇨ follow
as is 《구어》 현상대로, 정찰대로; (수리·개량 등을 하지 않고) 현품으로: buy a used car *as is* 중고차를 현품으로 사다
as is (***often***) ***the case*** (***with***) 흔히 있는 일이지만, 흔히 있듯이: *as is the case with* him 그에게는 흔히 있는 일이지만
—*prep.* **1** …**로서**: English *as* a spoken language 구어로서의 영어 / act *as* leader 지도자로서 행동하다 《USAGE as 다음의 명사가 관직·역할·자격·성질 등 기능적 내용을 나타낼 경우는 관사 없음》 / This box can be used *as* a table. 그 상자는 탁자 대신으로 쓸 수 있다. / He is famous *as* a statesman. 그는 정치가로서 유명하다.
2 가령 …와 같이[같은] 《such as가 일반적》: Some flowers, *as* the rose, require special care. 어떤 꽃, 예컨대 장미는 특별한 보살핌을 필요로 한다.
3 [regard, take, treat, consider, appear, pass 등 동사의 목적보어를 이끌어] …**으로,** …**이라고** 《as 뒤에 명사뿐 아니라 형용사나 분사가 쓰이기도 함》: I *regard* him *as* a fool. 그를 바보라고 생각한다. / She *took* his remark *as* an insult[*as* insulting]. 그녀는 그의 말을 모욕으로 받아들였다. / They *treat* him *as* a child. 그들은 그를 어린애 취급한다. / Children *look upon* middle-aged persons *as* extremely old. 아이들은 중년 사람들을 아주 늙은이로 간주한다.
as a (***general***) ***rule*** [***thing***] ⇨ rule
as such ⇨ such *pron.*

ascénding sórt 〖컴퓨터〗 오름차순 정렬
as·cen·sion [əsénʃən] *n.* Ⓤ **1** 오름, 상승(ascent), 올라감, 값이 오름 **2** 즉위 **3** 승천(昇天); [the A~] 예수 승천; [**A~**] =ASCENSION DAY
as·cen·sion·al [əsénʃənl] *a.* 상승의[하는]
Ascénsion Dày 예수 승천일 《부활절(Easter) 후 40일째의 목요일》(Holy Thursday)
As·cen·sion·tide [əsénʃəntàid] *n.* 승천절(昇天節) 《예수 승천일로부터 성령 강림제(Whitsunday)까지의 10일간》
as·cen·sive [əsénsiv] *a.* **1** 상승하는(ascending); 진보적인 **2** 〖문법〗 강조의, 강의적인
⁑**as·cent** [əsént] *n.* (opp. *descent*) ⒸⓊ **1** 상승, 오름, 올라감, (산에) 오름, 등반 **2** 향상, 승진 **3** 오르막(길); 오르막 경사: a gentle[rapid] ~ 완만한 오르막[급경사] **4** 경사도; 거슬러 올라가기, 소급
make an ~ (***of*** a mountain) (산에) 오르다
▷ ascénd *v.*
∗**as·cer·tain** [æ̀sərtéin] [OF 「확실하게 (하다)」의 뜻에서] *vt.* (실험·검토·검사 등으로) 확인하다; 〈사실 여부를〉 확정하다(determine); 규명하다: I want to ~ your wishes. 너의 희망을 확인하고 싶다. // (~+***that*** 절) He *~ed that* she was among them. 그는 그녀가 그들 속에 있는 것을 확인했다.
~·a·ble *a.* 확인할 수 있는 **~·ment** *n.* Ⓤ 확인, 탐지
as·ce·sis [əsí:sis] *n.* (*pl.* **-ses** [-si:z]) ⓊⒸ 고행; Ⓤ 자제, 극기, 금욕
as·cet·ic [əsétik] *n.* 금욕주의자; 고행자, 수도자; 은자(隱者) **—** *a.* 고행의; 금욕적인, 금욕 생활의
-i·cal [-kəl] *a.* =ASCETIC **-i·cal·ly** *ad.*
ascétical theólogy 〖가톨릭〗 수덕(修德) 신학
as·cet·i·cism [əsétəsìzm] *n.* Ⓤ **1** 금욕주의 **2** 〖종교〗 고행 (생활); 〖가톨릭〗 수덕(修德)주의
as·ci [ǽskai, ǽski:] *n.* ASCUS의 복수
as·cid·i·an [əsídiən] *n., a.* 〖동물〗 우렁쉥이속(屬)(의), 해초속(海鞘屬)(의)
as·cid·i·um [əsídiəm] *n.* (*pl.* **-i·a** [-iə]) 〖식물〗 배엽(杯葉), 낭상엽(囊狀葉); 병 모양의 기관
ASCII [ǽski] [*A*merican *S*tandard *C*ode for *I*nformation *I*nterchange] *n.* 〖컴퓨터〗 아스키, 미국 정보 교환 표준 코드
ÁSCII file 〖컴퓨터〗 아스키 파일
as·ci·tes [əsáiti:z] *n.* Ⓤ 〖병리〗 복수(腹水)
As·cle·pi·us [əsklí:piəs] *n.* 〖그리스신화〗 아스클레피오스 《의술의 신; 로마 신화의 Aesculapius》
as·co·carp [ǽskəkɑ̀:rp] *n.* 〖식물〗 자낭과(子囊果)
as·co·go·ni·um [æ̀skəgóuniəm] *n.* (*pl.* **-ni·a** [-niə]) 〖식물〗 조낭기(造囊器) 《자낭균류의》
as·co·my·cete [æ̀skəmáisi:t] *n.* 〖식물〗 자낭균(子囊菌) **-my·ce·tous** [-maisí:təs] *a.*
a·scor·bate [əskɔ́:rbeit, -bət] *n.* 〖생화학〗 아스코르브산염(酸塩)
a·scór·bic ácid [əskɔ́:rbik-] 〖생화학〗 아스코르브산(酸) 《비타민 C》
as·co·spore [ǽskəspɔ̀:r] *n.* 〖식물〗 자낭 포자(子囊胞子) **as·co·spor·ic** [æ̀skəspɔ́:rik, -spɑ́-|-spɔ́-] *a.*
As·cot [ǽskət] *n.* **1** 애스컷 경마장 《영국 Berkshire주, London의 서방 약 40km》; 애스컷 경마 《이곳에서 매년 6월의 셋째 주에 거행》 **2** [**a~**] (미) 폭이 넓은 넥타이의 하나 ((영) cravat)

ascot 2

as·crib·a·ble [əskráibəbl] *a.* …에 돌릴 수 있는, …에 기인하는, …의 탓인 《*to*》
∗**as·cribe** [əskráib] [L 「…에 적어두다」의 뜻에서] *vt.* **1** 〈원인·동기·기원 등을〉 …에 돌리다(attribute); 〈결과 등을〉 …의 탓으로 돌리다(impute) 《*to*》; 〈예술 작품·공적·발명 등을〉 (사람·사건·시대)의 것으로 하다: (~+목+전+명) ~ one's failure *to* bad luck 실패를 불운의 탓으로 돌리다 / This invention is *~d to* Mr. Kim. 이것은 김씨의 발명이라고 한다. **2** 〈성질·특징을〉 …에 속하는 것으로 생각하다 《*to*》
▷ ascríption *n.*
as·críbed státus [əskráibd-] 〖사회〗 생득 지위(生得地位) 《연령·성별·인종 등을 기초로 태어나면서부터 얻게 되는 사회적 지위; cf. ACHIEVED STATUS》
as·crip·tion [əskrípʃən] *n.* **1** Ⓤ 탓으로 함, 기인시킴 **2** Ⓒ 설교자가 설교 끝에 신을 찬미하는 말 **-tive** *a.*
ASCU Association of State Colleges and Universities
as·cus [ǽskəs] *n.* (*pl.* **-ci** [-kai, -ki:]) 〖식물〗 자낭(子囊)
ASDE Airport Surface Detection Equipment 공항면 탐지 장치
as·dic [ǽzdik] [*A*nti-*S*ubmarine *D*etection *I*nvestigation *C*ommittee] *n.* (영) 잠수함 탐지기
-ase [eis, eiz] *suf.* 〖생화학〗 「효소」의 뜻
ASE American Stock Exchange 미국 증권 거래소; Associate of the Society of Engineers
a·sea [əsí:] *ad., a.* **1** 바다로, 바다 쪽을 향해[한], 바다 쪽의 **2** =at SEA
ASEAN [ɑ́:siən, eisí:ən] [*A*ssociation of *S*outheast *A*sian *N*ations] *n.* 아세안 《동남아시아 국가 연합》
a·sea·son·al [eisí:zənl] *a.* 계절적이 아닌, 계절에 관계없는, 비계절성의
a·seis·mat·ic [èisaizmǽtik] *a.* 내진(耐震)의
a·seis·mic [eisáizmik] *a.* 지진이 없는
a·se·i·ty [əsí:əti, eis-] *n.* Ⓤ 〖철학〗 자존성(自存性)
ASEM Asia-Europe Meeting 아시아 유럽 정상 회의 《아시아 10개국과 유럽 연합(EU) 15개국의》
a·sep·sis [əsépsis, eis-] *n.* Ⓤ 〖의학〗 무균(無菌) 상태; 무균법, 방부법(防腐法)
a·sep·tic [əséptik, eisép-] *a.* **1** 〖의학〗 무균의; (외과의) 방부 처리의 **2** 생기[감정]가 없는
— *n.* 방부제 **-ti·cal·ly** *ad.*
a·sex·u·al [eisékʃuəl] *a.* **1** 〖생물〗 성별[성기] 없는, 무성(無性)의 **2** 성과 관계없는; 섹스가 없는 **~·ly** *ad.*
aséxual generátion 〖생물〗 무성 세대
a·sex·u·al·i·ty [eisèkʃuǽləti] *n.* Ⓤ 〖생물〗 무성
aséxual reprodúction 〖생물〗 무성 생식
asg. assigned; assignment
As·gard [ɑ́:sgɑ:rd, ǽs-|ǽs-], **As·garth** [-gɑ:rð], **As·gar·dhr** [-gɑ:rðər] *n.* 〖북유럽신화〗 아스가르드 《신들의 천상의 거처》
asgd. assigned **asgmt.** assignment
⁑**ash**[1] [ǽʃ] *n.* Ⓤ **1 a** [종종 *pl.*] 재; 화산재; 담뱃재 **b** [*pl.*] (화재 뒤의 타고 남은) 재 **c** 〖화학〗 회(灰): soda ~ 소다회 **2** [*pl.*] 유골; (시어) 유해(remains); 흙, 먼지: His *~es* repose in Westminster Abbey. 그의 유해는 웨스트민스터 성당에 안치되어 있다. / Peace (be) to his *~es!* 그의 영혼 길이 평안하소서! **3** [*pl.*] 슬픔[회한, 굴욕]을 상징하는 것 **4** [*pl.*] 회백색(ash gray); 창백함 **5** [the ~es] (영) 〖크리켓〗 영국과 호주간의 경기 우승 트로피
~es in one***'s mouth*** (미·구어) 환멸의 비애, 괴로운[쓰라린] 일 ***be burnt***[***reduced***] ***to ~es*** 전소하다, 재가 되다 ***bring back the ~es*** 〖크리켓〗 설욕하다 ***haul*** one***'s ~es*** (속어) 급히 떠나다, 줄행랑치다 ***haul*** a person***'s ~es*** (속어) (1) …을 떠나게 하다 (2) …을 호되게 때려주다 (3) (미·속어) …와 섹스하다 ***lay in ~es*** 태워서 재로 만들다, 태워 버리다 ***rake over the***[***old***] ***~es*** (불쾌한) 추억 등을 들추어내다 ***turn to ~es in*** a person***'s mouth*** (처음에는 좋았던 것이) 불쾌한 것이 되다, 기대에 어긋나고 말다

thesaurus **ashamed** *a.* humiliated, mortified, abashed, shamefaced, remorseful, embarrassed

turn to dust and ~es 〈희망 등이〉 사라져 버리다
—*vt.* …에게 재를 뿌리다; 재로 만들다
—*vi.* 재가 되다 **~·less** *a.*
▷ áshen[1], áshy *a.*

ash[2] *n.* **1** 〖식물〗 서양물푸레나무(=**~ trèe**) **2** Ⓤ 물푸레나무 재목 ▷ áshen[2] *a.*

ASH [ǽʃ] Action on Smoking and Health 《영》 금연 건강 운동 《단체》

a·shake [əʃéik] *a.* Ⓟ 흔들리는, 떨리는

ˌa·shamed [əʃéimd] *a.* Ⓟ **1** 부끄러워, 수치스러워 《*of, at*》: I am[feel] ~ *of* my behavior last night. 어젯밤 나의 행동을 부끄럽게 생각하고 있다. / It's nothing to be ~ *of*. 그것은 부끄러워할 일이 아니다. // 《~+***that*** 절》 I'm ~ *that* I cheated on the exam. 나는 시험에 커닝한 것이 부끄럽다. **2** 부끄러워[수치스러워] …하지 못하여, …하기를 수치스럽게 여기는: 《~+***to*** do》 I am ~ *to* see you. 부끄러워서 널 만나고 싶지 않다.
be ~ of** one**self for …때문에 부끄러워하다
a·sham·ed·ly [əʃéimidli] *ad.* **a·sham·ed·ness** [əʃéimidnis] *n.*

A·shan·ti [əʃǽnti, əʃɑ́:n-] *n.* **1** 아샨티 《아프리카 서부의 구왕국; 현재는 가나의 한 주》 **2** [the ~(s)] 아샨티 족; 아샨티 족의 사람 **3** Ⓤ 아샨티 말

ásh bìn 《영》 쓰레기통(cf. ASH CAN); 재받이통

ásh blónd(e) 은색이 도는 금발 (여성)

ash·cake [-kèik] *n.* 《미·방언》 잿불로 구운 옥수수 빵

ásh càn 《미》 **1** (금속제의) 재받이통; (재받이) 쓰레기통(《영》 ash bin) **2** 《속어》 폭뢰(爆雷)

Ásh·can Schòol [ǽʃkæn-] [the ~] 〖미술〗 애시캔파(派) 《20세기 초에 도시 생활의 현실면을 그린 미국의 생활 풍경 화가들》

ásh càt 《미·속어》 증기 기관차의 화부

ásh còlor 회색, 잿빛(ash gray)

ash-col·ored [ǽʃkʌ̀lərd] *a.* 잿빛의, 회백색의

ash·en[1] [ǽʃən] *a.* **1** 회색[회백색]의, 잿빛의 **2** (죽은 사람처럼) 〈얼굴이〉 매우 창백한, 핏기 없는: Her face was ~. 그녀의 얼굴은 창백했다. **3** 재의, 재로부터 생긴

ashen[2] *a.* 물푸레나무의[같은]; 물푸레나무로 만든

Ash·er [ǽʃər] *n.* **1** 남자 이름 **2** 〖성서〗 아셀 《야곱의 여덟째 아들》; 아셀 족

ash·er·y [ǽʃəri] *n.* 잿간; 칼륨 제조 공장

ásh fàll 〖지질〗 화산재 퇴적물

ásh fìre 잿불

ásh fùrnace (유리 제조용) 애시로(爐)

ásh gráy 회백색, 잿빛

a·shiv·er [əʃívər] *a.* Ⓟ 떠는, 떨고 (있는)

Ash·ke·na·zi [ɑ̀:ʃkənɑ́:zi | æ̀ʃ-] *n.* (*pl.* **-naz·im** [-nɑ́:zim]) 아시케나지 《독일·폴란드·러시아계 유대인》
-náz·ic *a.*

ash·key [ǽʃkì:] *n.* 물푸레나무의 익과(翼果)

ash·lar, -ler [ǽʃlər] *n.* ⓊⒸ [집합적] 마름돌; 마름돌 쌓기 —*vt.* …의 표면에 마름돌을 쌓다

ash·lar·ing [ǽʃləriŋ] *n.* Ⓤ 마름돌 (쌓기)

ash·man [ǽʃmæ̀n] *n.* (*pl.* **-men** [-mèn]) 《미》 재를 치우는 사람; 청소부(《영》 dustman) ★ garbage collector 쪽이 일반적임.

ˌa·shore [əʃɔ́:r] *ad.* 물가[해변]에; 물가로; 육상에 (opp. *aboard*): swim ~ 헤엄쳐 해안에 닿다
~ and adrift 육지와 바다에 ***be driven ~*** (바람이나 높은 파도 때문에) 좌초하다 ***go***[***come***] ***~*** (배에서) 상륙하다; 〈수영하는 사람이〉 뭍에 오르다 ***life ~*** 육상 생활(opp. *life afloat*) ***run ~*** (배의 조종 잘못 등으로) 좌초하다 ***take ~*** 뭍에 부리다, 양륙(揚陸)하다

ash·pan [-pæ̀n] *n.* (난로 안의) 재받이

ash·pit [-pìt] *n.* (난로 안의) 재 떨어지는 구멍

ásh plànt 어린 물푸레나무; 물푸레나무 지팡이

---

ashore *ad.* on[to] the shore, on (dry) land, on the beach, shoreward, landward

---

ash·ram [ɑ́:ʃrəm] *n.* **1** (힌두교의) 수행자의 마을 **2** 《미》 히피의 집[마을]

Ash·to·reth [ǽʃtərèθ] *n.* (구약 성서의) 아스다롯

ash·tray [ǽʃtrèi] *n.* (담배) 재떨이

A·shur, As·shur [ɑ́:ʃuər], **A·sur, As·sur** [ǽsər] *n.* **1** 아수르 《Assyria의 최고신》 **2** Assyria의 구칭; 그 수도

Ásh Wédnesday 성회일(聖灰日) 《사순절(Lent)의 첫날, 참회의 상징으로 머리에 재를 뿌린 관습에서》

ash·y [ǽʃi] *a.* (**ash·i·er**; **-i·est**) **1** 회색[회백색]의, 창백한(pale) **2** 재의; 재투성이의 ▷ ásh *n.*

ASI 〖항공〗 airspeed indicator

ˌA·sia [éiʒə, éiʃə] *n.* 아시아 (대륙)
▷ Ásian, Asiátic *a.*

A·si·ad [éiʒiæ̀d, éiʃi-] *n.* =ASIAN GAMES

A·sia·dol·lar [éiʒədɑ̀lər, -ʃə- | -dɔ̀lər] *n.* 아시아 달러 《아시아의 은행에 맡겨진 미국 달러》

Ásia Mínor 소아시아 《아시아 서부의 흑해·지중해 사이의 지역》

ˌA·sian [éiʒən, -ʃən] *a.* 아시아 (사람)의
—*n.* 아시아 사람
USAGE 《미》에서는 중국·한국·일본·타이 등 극동과 동남아계의 사람을 일컫는다: Several million *Asians* live in Los Angeles. (로스앤젤레스에는 수백만 명의 아시아 인이 살고 있다.) 한편 《영》에서는 인도·파키스탄·방글라데시·스리랑카 등 남아시아계의 사람을 일컫는다. ▷ Ásia *n.*

A·sian-Af·ri·can [-ǽfrikən] *n.* 아시아계 아프리카인 —*a.* 아시아·아프리카의

A·sian-A·mer·i·can [-əmérikən] *n., a.* 아시아계 미국인(의)

Ásian Gámes [the ~] 아시아 경기 대회

Ásian influénza[**flú**] 〖병리〗 아시아 독감

A·si·an·i·za·tion [èiʒənizéiʃən | -ʃənai-] *n.* Ⓤ 아시아화(化)

A·si·at·ic [èiʒiǽtik, èiʃi-, èizi- | èiʃi-, èisi-] *n., a.* **1** =ASIAN ★ 인종을 말할 경우는 멸시의 뜻이 있어서 Asian을 선호함. **2** 《미·속어》 미친, 난폭한

Asiátic chólera 〖병리〗 아시아[진성] 콜레라

ASIC application-specific integrated circuit

ˌa·side [əsáid] *ad.* **1** 곁에[으로], 옆에; 떨어져서; 〖연극〗 옆을 보고, 방백(傍白)으로 **2** (어떤 목적을 위해) 따로 두고, 제쳐 놓고 **3** (뒷일을 위해) 따로 간직해 두어, 챙겨 두어 **4** 생각하지 않고, 잊어버리고 **5** (비밀 이야기를 하려고) 따로 떨어져, 몰래 **6** [(동)명사 뒤에 써서] (…은) 별도로 하고, 제쳐 두고, 접어두고
~ from 《미》 …은 제쳐놓고; …말고(besides); …을 제외하고(except for): ~ *from* a few minor correction 몇 가지 사소한 교정을 제외하고 ***~ of*** 《고어·방언》 …의 옆[곁]에, …와 나란히; …와 견주어 보면 ***be ~ from the question*** 문제가 안 되다, 문제 밖이다 ***jesting***[***joking***] ***~*** 농담은 그만두고[집어치우고] ***lay ~*** 옆에 두다, 모아 두다; 버리다 ***put ~*** 옆에 두다; 모아 두다; 치우다; 그만두다 ***set ~*** =put ASIDE; 〈판결을〉 파기하다; …을 따돌리다, 제외하다 ***speak ~*** (상대방이 못 듣도록) 옆을 보고 (살며시) 말하다; 〈무대의 배우가〉 방백(傍白)을 하다 ***stand***[***step***] ***~*** 옆으로 비켜서다[비키다] ***take***[***draw***] ***a person ~*** …을 옆으로 데리고 가다 《귓속말 등을 하기 위하여》 ***turn ~*** ⇨ turn
—*n.* **1** 〖연극〗 방백; 혼잣말; 속삭임; 귓속말 **2** (본론에서 벗어난) 여담, 탈선

A-side [éisàid] *n.* (레코드·테이프의) A면 《주로 음반의 대표곡이 수록됨》

as·i·nine [ǽsənàin] *a.* 나귀(ass)의[같은]; 어리석은(stupid), 고집 센 **~·ly** *ad.* ▷ áss[1] *n.*

as·i·nin·i·ty [æ̀sənínəti] *n.* ⓊⒸ 고집 (센 언행); 어리석음, 어리석은 짓

ASIS American Society for Information Science

-asis [əsis] *suf.* 「증상·특질」의 뜻 《병명을 나타냄》: elephanti*asis*

ask [ǽsk, ɑ́:sk | ɑ́:sk] *v.*

> 「구하다(seek)」가 기본적인 뜻
> ① (대답을 구하다) → 묻다 **1**
> ② (사물을 구하다) → 부탁하다 **2**
> ③ (내방을 청하다) → 초대하다 **5**

— *vt.* **1** 〈…에게 …을〉 묻다, 질문하다(inquire): ~ the way 길을 묻다 // (~+목+목) (~+목+전+명) ~ him a question = ~ a question *of* him 그에게 질문을 하다 / Many people ~*ed* me *about* the accident. 많은 사람들이 그 사고에 대해 나에게 물었다. // (~+목+**wh. to** do) I ~*ed* him *how to* open the box. 그 상자를 어떻게 여는가 그에게 물었다. // (~+목+**wh.** 절) *A*~ him *whether*[*if*] he knows. 그에게 아는지 물어 보아라.

> 유의어 **ask** 「묻다」라는 뜻의 가장 일반적인 말 **inquire** 격식을 차린 말

2 〈원조·조언·허가 등을〉 부탁하다, 청하다, 요구하다(request), 청하다(solicit): ~ a person's advice [pardon] …의 조언을 청하다[용서를 빌다] // (~+목+부) ~ a person *out* to tea …을 차를 마시자고 불러내다 / Shall I ~ him *in*? 그에게 들어오라고 할까요? / Please ~ him *around*. 그에게 와주도록 부탁하십시오. // (~+목+목) (~+목+전+명) I wish to ~ you a favor. = I wish to ~ a favor *of* you. 부탁드릴 것이 하나 있습니다. / I ~ nothing *of* you. 너에게는 아무것도 부탁하지 않겠다. / It is too much to ~ *of* me. 그것을 나에게 요구하는 것은 무리다. / He never ~*ed* me *for* anything. = He never ~*ed* anything *from* me. 그는 아무것도 내게 부탁한[요구한] 적이 없었다. // (~+목+**to** do) He ~*ed* her *to* marry him. 그는 그녀에게 청혼했다. // (~+**to** do) I must ~ *to* be excused. 용서를 빌어야 하겠습니다. / Visitors are kindly ~*ed to* meet in front of the main entrance. 방문객들은 정문 앞에 모이셔야 합니다. // (~+**that** 절) He ~*ed that* he might be allowed to go home. 그는 집으로 돌아가게 해달라고 청했다. **3** (대가로서) 청구[요구]하다(demand) 《*for*》: How much did he ~? 그는 얼마를 달라고 하더냐? // (~+목+전+명) (~+목+목) He ~*s* (me) $5 *for* it. 그는 그것에 대해서 5달러를 (나에게) 청구하고 있다. **4** 〈사물이〉 〈…을〉 요구하다, 필요로 하다(require, call for) 《*of*》: It ~*s* your attention. 그것은 주의를 요한다. // (~+목+전+명) The study ~*ed* much money *of* him. 그는 그 연구에 많은 돈을 요했다. **5** 초대하다, 부르다(invite) 《*to*》: (~+목+전+명) ~ a person *to* an entertainment …을 연회에 초대하다 **6** (고어) (교회에서) 〈결혼 예고를〉 발표하다

— *vi.* **1** 묻다, 질문하다; 안부를 묻다: (~+전+명) ~ *about* a person's whereabouts …의 거처[소재]를 묻다 **2** 의뢰하다, 요구하다, 청하다, 청구하다; (남을) 만나러 오다[가다]; (남을) 만나고 싶다고 말하다, (남과) 이야기하고 싶다고 말하다 《*for*》: *A*~, and it shall be given you. 〖성서〗 구하라, 그러면 너희에게 주실 것이다.

~ ***after*** a person[a person***'s health***] …의 안부를 묻다, 문안하다 ~ ***again***[***back***] 되묻다, 반문하다 ~ ***around*** 물어보러 다니다 ~ a person ***down*** …을 시골에 초대하다 ~ ***for*** (1) …을 찾아오다 (2) 〈물건을〉 청하다, 청구하다 (3) 필요로 하다 ~ ***for it***[***trouble***] (구어) 재난[화]을 자초하다, 자승자박하다; 경솔한 짓을 하다 ~ ***for the moon*** ⇨ moon. ~ a person ***in*** …을 불러들이다 ***A~ me*** (***another***[***a harder***])***!*** (구어) 엉뚱한 질문은 마라!, 어떻게 대답하겠나!, 모르겠다! ~ ***out*** (1) 초대하다 (2) 물러나다, 사직하다 ~ one***self*** 불청객이 되어 가다 ~ ***too much*** 지나친[무리한] 부탁을 하다 ~ ***up to*** 값을 …까지 부르다 ***be ~ed in church*** = ***have*** one***'s banns ~ed*** 교회에서 결혼의 예고를 하게 하다 ***be ~ed out*** 초대받다 《*to*》 ***Don't ~.*** (구어) (답하기 곤란하여) 묻지 마, 대답하고 싶지 않다 ***Don't ~ me.*** (구어) 난 모르겠어. ***I ~ you.*** (미) (지긋지긋해서) 이건 뭐냐, 기가 막히는군. ***if I may ~*** 물어서는 실례일지 모르지만: How old are you, *if I may* ~? 실례지만, 몇 살입니까? ***if you ~ me, ...*** (구어) 내 견해[생각]로는… ***It may be ~ed whether ...*** …인지 아닌지 의문스럽다

a·skance [əskǽns], **a·skant** [əskǽnt] *ad.* 의심[불신]의 눈으로; 옆으로, 비스듬히; 곁눈으로; 빗대어, 어물어물 ***look ~ at*** …을 곁눈으로 보다, 흘겨보다
— *a.* 비스듬한, 옆으로 한, 기울어진(sideways): an ~ look 곁눈질, 불신의 눈

as·ka·ri [ǽskəri | əskɑ́:ri] *n.* (*pl.* **~s,** ~) (유럽 사람이 훈련한) 아프리카 원주민병(兵)

ask·er [ǽskər | ɑ́:skər] *n.* 묻는 사람; 구하는 사람; 거지

a·skew [əskjú:] *ad.* 비스듬히; 일그러져; 경멸스럽게, 수상쩍은 눈으로 ***look ~ at*** (의심쩍어) …을 곁눈질하다 — *a.* Ⓟ 비틀어진; 비스듬한
~**·ness** *n.*

ask·ing [ǽskiŋ | ɑ́:sk-] *n.* Ⓤ 질문; 의뢰, 부탁; 청구 ***for the ~*** 청구만 하면, 거저(for nothing)

ásking price (파는 쪽이) 부르는 값, 제시 가격; 호가

ASL American Sign Language **ASLA** American Society of Landscape Architects

a·slant [əslǽnt | əslɑ́:nt] *ad.* 기울어져; 비스듬히(obliquely) — *a.* Ⓟ 기운, 비스듬한
— *prep.* …을 비스듬히 가로질러(athwart) ***run ~*** 〈법령·관습에〉 저촉되다

a·sleep [əslí:p] *ad.* **1** 잠들어; 휴지[정지] 상태로 **2** (완곡) 죽어, 잠들어 **3** 〈돛이〉 느슨해져, 정지하여
— *a.* Ⓟ **1** 잠들어(opp. *awake*): The child is fast[sound] ~. 아이는 깊이 잠들고 있다. USAGE 같은 뜻의 한정용법은 sleeping을 씀: a *sleeping* child 잠자는 아이 **2** 〈활동을〉 정지한, 가만히 있는; 〈팽이가〉 (잘 돌아) 움직이지 않는 것 같은; 〈사람이〉 제정신이 아닌 **3** 〈손발이〉 저려, 마비되어(numb) **4** (완곡) 죽은, 영면한 **5** 〈돛이〉 느슨한, 정지한 ***~ on the job*** (구어·비유) 게으른, 방심한 ***fall ~*** 잠들다; (완곡) 죽다, 영면하다

ASLEF, As·lef [ǽzlef] (영) Associated Society of Locomotive Engineers and Firemen

a·slope [əslóup] *ad.* 경사져, 비탈[언덕]져
— *a.* Ⓟ 경사진, 기운

A/S level [*A*dvanced / *S*econdary *level*] 중간 수준(의 GCE 시험) 《GCSE와 A level의 중간 수준》

ASM air-to-surface missile **ASME** American Society of Mechanical Engineers

As·ma·ra [æsmɑ́:rə] *n.* 아스마라 《에리트레아의 수도》

As·mo·de·us [æ̀zmədí:əs, æ̀s- | æsmóudiəs] *n.* 아스모데우스 《탈무드에 등장하는 악령》

Asn 〖생화학〗 asparagine

a·so·cial [eisóuʃəl] *a.* 비사교적인; (구어) 자기중심적인; 반사회적인

asp[1] [ǽsp] *n.* 〖동물〗 이집트코브라 《북아프리카의 작은 독사의 일종》; 《일반적으로》 살모사

asp[2] *n., a.* (고어·시어) = ASPEN

ASP [ǽsp] Anglo-Saxon Protestant 영국계 백인 신교도

ASP American Selling Price 미국 판매 가격; application service provider 응용 프로그램 서비스 제공자

ASPAC [ǽspæk] Asian and Pacific Council 아시아 태평양 각료 이사회

thesaurus **ask** *v.* **1** 묻다 inquire, question, query, interrogate (opp. *answer, reply*) **2** 부탁하다 request, demand, appeal to, petition, entreat,

as·pa·rag·i·nase [æspərǽdʒənèis, -nèiz] *n.* 〖생화학〗 아스파라기나아제 《아스파라긴 분해 효소》

as·par·a·gine [əspǽrədʒìːn, -dʒin] *n.* Ⓤ 〖생화학〗 아스파라긴 《식물에 많은 α 아미노산의 일종》

*__as·par·a·gus__ [əspǽrəgəs] *n.* (*pl.* ~) ⓊⒸ 〖식물〗 아스파라거스 《어린순은 식용》

as·par·tame [əspáːrteim, æs-] *n.* 아스파테임 《인공 감미료로 쓰이는 저칼로리 단백질》

as·pár·tic ácid [əspáːrtik-] 〖생화학〗 아스파르트산 《아미노산의 일종으로 식물에서 발견됨》

as·par·to·ki·nase [əspáːrtoukàineis] *n.* 〖생화학〗 아스파르토키나아제, 아스파르트산 키나아제

As·pa·sia [æspéiʃə | -ʒiə] *n.* 아스파샤 (470?-410 B.C.) 《아테네의 창녀로 Pericles의 정부》

ASPCA American Society for the Prevention of Cruelty to Animals 미국 동물 애호 협회

‡**as·pect** [ǽspekt] [L 「…을 보다」의 뜻에서] *n.* **1 양상**, 외관, 모양, 경관: a mountain with a beautiful ~ 모습이 아름다운 산 **2** (문제를 보는) **관점**, 각도, 견지: consider a question in all its ~*s*[from every ~] 문제를 모든 각도에서 고찰하다 **3** (사물의) **면**, 국면, **양상**(⇨ phase 유의어): diverse ~*s* of human life 인생의 여러 양상 **4** 《문어》 (사람의) **용모**, 생김새(appearance), 표정; 태도 **5** [방향을 나타내는 수식어를 수반하여] (가옥 등의) 방향, 방위: His house has a southern ~. 그의 집은 남향이다. **6** Ⓤ 〖문법〗 (동사의) 상(相) **7** 〖천문〗 각거리 《지구에서 본 하늘 위의 두 점간의 거리》; 〖점성〗 별의 상(相), 성위(星位) ***assume*** [***take on***] ***a new*** ~ 〈사태 등이〉 새 국면에 접어들다, 면목을 일신하다

áspect rátio 〖TV·영화〗 화상(畫像)[영상]의 가로 세로의 비(比), 영상비; 〖항공〗 날개의 가로 세로의 비

as·pec·tu·al [æspéktʃuəl] *a.* 〖문법〗 상(相)의; 〖점성〗 성위(星位)의

as·pen [ǽspən] *n.* 〖식물〗 사시나무, 포플러(poplar) — *a.* Ⓐ 사시나무[포플러] 잎과 같은; 잘 떠는: tremble like an ~ leaf 사시나무 떨듯 하다

as·per·ate [ǽspərət] *a.* 거친, 꺼칠꺼칠한 — [ǽspərèit] *vt.* 거칠게 하다, 꺼칠꺼칠하게 하다

as·perge [əspə́ːrdʒ] *vt.* 〖가톨릭〗 …에(게) 성수를 뿌리다 — *n.* (성수) 살수기

Ás·per·ger's sỳndrome [áːspərdʒərz-] 〖정신의학〗 아스페르거 증후군 《자폐성을 특징으로 함》

As·per·ges, a- [əspə́ːrdʒiːz] *n.* 〖가톨릭〗 [때로 **a~**] 살수식(撒水式); 살수식에서 부르는 성가

as·per·gil·lo·sis [æ̀spərdʒəlóusis] *n.* (*pl.* **-ses** [-siːz]) 〖병리〗 아스페르길루스증(症)

as·per·gil·lum [æ̀spərdʒíləm] *n.* (*pl.* **-la** [-lə], **~s**) 〖가톨릭〗 (살수식에 쓰이는) 살수기

as·per·gil·lus [æ̀spərdʒíləs] *n.* (*pl.* **-li** [-lai]) 〖식물〗 아스페르길루스, 누룩곰팡이

as·per·i·ty [əspérəti] *n.* (*pl.* **-ties**) 《문어》 **1 a** Ⓤ (기질·어조의) 거칢, 무뚝뚝함: speak with ~ 거칠게 말하다 **b** [보통 *pl.*] 거친 말, 신랄한 말 **2** Ⓤ [또는 *pl.*] (기후·환경의) 혹독함, 매서움 **3 a** Ⓤ 꺼칠꺼칠함, 울퉁불퉁함 **b** 울퉁불퉁한[꺼칠꺼칠한] 곳

a·sper·mi·a [əspə́ːrmiə] *n.* 〖의학〗 무정자증(無精子症)

as·perse [əspə́ːrs] *vt.* **1** 〈사람·인격 등에 대해〉 험담하다, 중상하다(slander) 《*with*》 **2** 〖그리스도교〗 〈세례 물을〉 뿌리다(sprinkle) 《*with*》

as·per·sion [əspə́ːrʃən, -ʒən | -ʃən] *n.* ⓊⒸ 《문어》 **1** 비난, 비방, 중상: cast ~*s on* a person's honor …의 명예를 중상하다 **2** 〖그리스도교〗 (세례의) 성수 살포; 살수례(撒水禮)

as·per·so·ri·um [æ̀spərsɔ́ːriəm] *n.* (*pl.* **~s, -ri·a** [-riə]) 〖가톨릭〗 성수반(盤); = ASPERGILLUM

beg, implore, plead **3 초대하다** invite, summon

aspect *n.* **1 관점** side, angle, viewpoint, standpoint **2 용모** appearance, look

*__as·phalt__ [ǽsfɔːlt | -fælt] *n.* Ⓤ **아스팔트**, 아스팔트 포장재: an ~ pavement 아스팔트 포장도로 — *vt.* 〈길을〉 아스팔트로 포장하다

as·phal·tic [æsfɔ́ːltik | -fǽl-] *a.* 아스팔트의

as·phal·tite [æsfɔ́ːltait, ㅅㅡㅡ | æsfǽl-] *n.* 〖광물〗 아스팔트광(鑛) 《천연 아스팔트》

ásphalt júngle [종종 the ~] 아스팔트 정글 《폭력이 횡행하는 생존 경쟁이 치열한 대도시》; 그런 지역

ásphalt pàper 아스팔트지(紙)

ásphalt róck 〖지질〗 역청암(瀝青岩)

as·phal·tum [æsfɔ́ːltəm | -fǽl-] *n.* = ASPHALT

a·spher·ic, -i·cal [eisférik(əl)] *a.* 〖광학〗 〈반사면·렌즈가〉 비구면(非球面)의: an ~ lens 비구면 렌즈

a·spher·ics [eisfériks] *n. pl.* 비구면 렌즈

as·pho·del [ǽsfədèl] *n.* **1** 〖식물〗 아스포델 《백합과》 **2** 〖그리스신화〗 낙원에 피는 지지 않는 꽃; 수선화

as·phyx·i·a [æsfíksiə] *n.* Ⓤ 〖병리〗 기절, 가사(假死); 질식(suffocation)

as·phyx·i·al [æsfíksiəl] *a.* 기절한; 질식한

as·phyx·i·ant [æsfíksiənt] *a.* 질식시키는, 질식성의 — *n.* 질식제; 질식할 듯한 상태

as·phyx·i·ate [æsfíksièit] 《문어》 *vt.* 질식시키다 (suffocate): *asphyxiating* gas 질식 가스 — *vi.* 질식하다, 가사 상태가 되다

as·phyx·i·a·tion [æsfìksiéiʃən] *n.* Ⓤ 질식(suffocation); 기절, 가사 상태

as·phyx·i·a·tor [æsfíksièitər] *n.* **1** 동물 질식 시험기 **2** 소화기(消火器) 《탄산 가스를 응용한》

as·phyx·y [æsfíksi] *n.* = ASPHYXIA

as·pic[1] [ǽspik] *n.* Ⓤ (요리용) 육즙 젤리

aspic[2] *n.* 《시어·고어》 = ASP[1]

as·pi·dis·tra [æ̀spədístrə] *n.* 〖식물〗 엽란(葉蘭)

as·pir·ant [ǽspərənt, əspáiə-] *n.* 큰 뜻을 품은 사람; (지위 등의) 지망자, 열망하는 사람 《*after, for, to*》 — *a.* 큰 뜻을 품은, 열망하는(aspiring)

as·pi·rate [ǽspərèit] *vt.* **1** 〖음성〗 기식음으로 발음하다 《[h]음을 섞어 발음하다》 **2** 〈가스·먼지 등을〉 빨아들이다; 〖의학〗 〈체내의 가스·고름 등을〉 흡인기로 빨아내다 **3** 〈내열 기관에〉 공기를 보급하다 — [-rət] *n.* 〖음성〗 **1** 기(식)음(氣(息)音), [h]음; 기식음자 《h자》, 기식음표 《 ' 》 **2** 대기음(帶氣音) 《[p^h, k^h, b^h, d^h] 등의 음》 **3** 〖의학〗 흡인물 — [-rət] *a.* = ASPIRATED

as·pi·rat·ed [ǽspərèitid] *a.* 〖음성〗 기식음의

‡**as·pi·ra·tion** [æ̀spəréiʃən] *n.* **1** ⒸⓊ **포부**, 향상심, 대망, 큰 뜻, 열망 《*for, after*》; Ⓒ 염원[소원, 소망]의 대상, 목표, 꿈: (~+***to*** do) His ~ *to* attain the ideal has been realized. 이상을 달성하려는 그의 염원은 이루어졌다. **2** Ⓤ 《드물게》 호흡(breathing) **3** Ⓤ 〖음성〗 기식음 발성; Ⓒ 기식음, 대기음 **4** Ⓤ 〖의학〗 흡인(suction) **~·al** *a.*
▷ aspíre, áspirate *v.*; aspíratory *a.*

as·pi·ra·tor [ǽspərèitər] *n.* **1** 흡입기; 빨펌프 **2** 〖의학〗 흡인기(吸引器)

as·pir·a·to·ry [əspáiərətɔ̀ːri | -təri] *a.* 흡기[호흡, 흡인]의[에 알맞은]

‡**as·pire** [əspáiər] [L 「숨을 쉬다」의 뜻에서] *vi.* **1 열망하다**, 포부를 가지다, 큰 뜻을 품다; 동경하다 《*to, after*》: (~+전+명) ~ *after*[*to*] fame 명성을 열망하다 / ~ *to* literary success 문학적인 성공을 열망하다 // (~+***to*** do) ~ *to* attain to power 권력을 얻으려고 열망하다 / He ~*d to* be a doctor. 그는 의사가 되려는 소망이 있었다. **2** 《시어·고어》 높이 오르다, 높이 우뚝 솟다(tower up) **as·pír·er** *n.*
▷ aspirátion *n.*

*__as·pi·rin__ [ǽspərin] *n.* (*pl.* **~, ~s**) **1** Ⓤ 〖약학〗 아스피린 **2** Ⓒ 아스피린 정제 《진통 해열제》

as·pir·ing [əspáiəriŋ] *a.* **1** 대망을 품은, 포부[야심]가 있는(ambitious) **2** 상승하는, 높이 솟는 **~·ly** *ad.*

a·sprawl [əsprɔ́ːl] *ad., a.* Ⓟ 큰대 자로[아무렇게나] 누워[누운]

a·squint [əskwínt] *ad.*, *a.* Ⓟ 흘기는 눈으로[의], 곁눈으로[의], 비스듬히[한](obliquely); 사팔뜨기로[의]: look ~ 곁눈질하다, 흘겨보다

ASR airport surveillance radar; 〚미군〛 air-sea rescue; 〚컴퓨터〛 automatic send / receive

⁑ass[1] [ǽs] *n.* **1** 〚동물〛 나귀(cf. DONKEY) **2** [《영》 ɑ́:s] 고집쟁이, 바보(fool): Don't be an ~! 바보 같은 짓 그만해!

an ~ in a lion's skin 사자의 탈을 쓴 나귀, 남의 권세로 뽐내는 교활한 사람 ***make an ~ of*** a person …을 우롱하다 ***make an ~ of*** one***self*** 바보짓을 하다, 웃음거리가 되다 ***not within an ~'s roar of*** 《아일·속어》 …을 손에 넣을 정도까지는 가지 않은[진척되지 않은] ***play the ~*** 바보짓을 하다

—*vi.* 《속어》 [주로 다음 성구로] ~ ***about*** [***around***] = FOOL about. ~ ***along*** 어정거리다, 빈둥거리다, 바보 같은 짓을 하다 **~·like** *a.*

▷ ásinine *a.*

ass[2] *n.* (*pl.* **~·es**) 《미·비어》 **1** 엉덩이, 궁둥이 **2** 항문 **3** Ⓤ [a bit of ~로] (섹스 대상의) 여자(girl); 여자의 성기; 성교 **4** 《경멸》 개자식 **5** [보통 one's ~로] 자기; 몸: Get *your* ~ out of here. 여기서 꺼져라. **6** 뻔뻔함 **7** (물건의) 뒷부분, 아랫부분

NOTE ass는 비어이므로 점잖은 자리에서는 쓰지 말아야 하며, 대신에 《미》에서는 posterior 또는 buttocks를 쓴다. 친구 사이에서는 bottom을 쓰기도 한다.

a (***real***) ***pain in the ~*** 《미·속어》 눈엣가시, 골칫거리; 불쾌[안달]하게 하는 사람[것] ***~ backwards*** 《미·속어》 엉망으로 ***~ on backward*** 취하여 ***~ over tincups***[***teacups, teakettle, tit, appetite***] 거꾸로; 어쩔 수 없이 ***bag***[***barrel, cut, drag, haul***] ***~*** (…에서) 급히[서둘러] 떠나다 ***break*** one***'s ~*** 《미·속어》 필사적으로 버티다 ***burn*** a person***'s ~*** …을 화나게 하다, 발끈하게 하다 ***bust ~*** (1) = bag ASS (2) 주먹으로 치고받다 ***cover*** one***'s ~***[***tail***] 변명으로 발뺌하다, 알리바이 공작을 하다 ***drag ~*** (1) 어물어물하다 (2) 급히 떠나다 ***drag ~ around*** 《미·속어》 슬픈[침울한] 얼굴로 어슬렁대다 ***get*** one***'s head out of*** one***'s ~*** (잠에 취하지 않고) 똑똑히 하다 ***have a wild hair up*** one***'s ~*** (1) 정력적으로 활동하다 (2) 이상한 생각에 사로잡히다 ***have***[***get***] one***'s ~ in a crack*** 궁지에 빠지다 ***have***[***get, put***] one***'s ~ in a sling*** 곤란하게[귀찮게] 되다, 침울해 있다; 상사의 노여움을 사다 ***have*** one***'s head up*** one***'s ~*** 어리석은 짓을 하다, 틀리기만 하다 ***It's***[***It will be***] a person***'s ~.*** 그렇게 되면 (…은) 끝장이다. ***kick ~*** (1) 난폭하게 행동하다; 벌을 주다; 혼내 주다 (2) 강한 자극을 주다; 활기가 있다 ***Kiss my ~!*** 《미·비어》 엿이나 먹어라! ***kiss*** a person***'s ~*** 《미·속어》 …에게 굽실거리다 ***My ~!*** 설마, 바보 같은 소리, 아니야 《강한 부정》; 마음대로 해! ***not know*** one***'s ~ from*** one***'s elbow*** 아무것도 모르다, 바보다 ***off*** one***'s ~*** 몹시 ***on*** one***'s ~*** 《미·속어》 실패하여; 아주 난처하여 ***peddle*** one***'s ~*** 매춘하다 ***save*** one***'s ~*** 《미·속어》 몸을 지키다 ***shift*** one***'s ~*** 움직이기 시작하다 ***sit on*** one***'s ~*** (행동해야 할 때에) 아무것도 하지 않고 있다, 팔짱 끼고 보고 있다 ***to*** one***'s ~*** 완전히, 철저하게 ***up the ~*** 전부, 온통 ***Up your ~!*** 《미·비어》 빌어먹을!, 엿 먹어라!, 뒈져라! 《강한 모멸·혐오·도발의 표현》 ***work*** one***'s ~ off*** 지독하게 일하다, 기를 쓰고 하다

—*vi.* [다음 성구로] ***~ up*** 실수를 저지르다, 엉망으로 만들다

ass. assistant; association; assorted

As·sad [ɑsɑ́:d] *n.* 아사드 **Hafez al ~** (1928-2000) 《시리아의 지도자; 대통령(1971-2000)》

as·sa·fet·i·da, -foet- [æ̀səfétidə] *n.* = ASAFETIDA

as·sa·gai [ǽsəgài] *n.*, *vt.* = ASSEGAI

as·sa·i[1] [əsái | æ-] [It. =very] *ad.* 〚음악〛 매우: allegro ~ 매우 빠르게

as·sa·i[2] [əsɑ́:i | æsái] *n.* (*pl.* **-sa·is**) 〚식물〛 아사이야자나무, 캐비지야자나무

***as·sail** [əséil] [L 「…에 덤벼들다」의 뜻에서] *vt.* 《문어》 **1** 〈사람·물건·장소 등을〉 (무력으로) **맹렬히 공격하다**, 맹공하다, 습격하다(attack); 〈남을 질문·비난 등으로〉 공격하다, 공박하다, 몰아세우다, 비난하다 (*with, by*): ~ a castle 성을 공격하다 // (~+목+전+명) He ~*ed* me *with* questions. 그는 질문을 퍼부어 나를 몰아세웠다. **2** 〈일·난국 등에〉 과감히 부딪치다[맞서다]: ~ a task[difficulty] 과업[곤란]에 과감히 맞서다 **3** 〈의혹·공포 등이 사람·마음을〉 엄습하다, 괴롭히다: (~+목+전+명) He was ~*ed with*[*by*] doubts. 그는 의혹에 휩싸였다.

~·a·ble *a.* 공격[습격]할 수 있는

▷ assáult *n.*, *v.*; assáilant *n.*, *a.*

***as·sail·ant** [əséilənt] *n.* **공격자**, 습격자, 폭행자

—*a.* 《고어》 공격하는, 습격의

▷ assáil *v.*

As·sam [æsǽm, ⌐–] *n.* 아삼 《인도 북동부의 주; 주도는 Dispur》

As·sam·ese [æ̀səmí:z, -mí:s] *a.* 아삼 지방의, 아삼 사람[말]의 **—***n.* (*pl.* ~) 아삼 사람; Ⓤ 아삼 말

***as·sas·sin** [əsǽsn] [Arab 「하시시(hashish)를 마시는 사람」의 뜻; 암살 전에 이를 마셨던 데서] *n.* **1 암살자**, 자객(刺客); (인격·평판 등을) 손상[훼손]시키는 사람 **2** [the A~s] 〚역사〛 (이슬람교도의) 암살 비밀 결사단 《십자군 지도자 등을 암살》; [**A~**] 그 단원

▷ assássinate *v.*

***as·sas·si·nate** [əsǽsənèit] *vt.* 〈정치가 등을〉 **암살하다**(⇨ kill[1] 유의어); 〈명예 등을〉 (비열한 수단으로) 훼손하다 **-na·tor** *n.* 암살자

***as·sas·si·na·tion** [əsæ̀sənéiʃən] *n.* ⓊⒸ **암살**; (세평·명예의) 훼손 ▷ assássinate *v.*

assássin bùg 〚곤충〛 침노린잿과(科)의 흡혈충

***as·sault** [əsɔ́:lt] [L 「…에 덤벼들다」의 뜻에서] *n.* ⒸⓊ **1** (갑작스런) **습격**, 급습, 강습, 맹습(violent attack) (*on*); (말로써의) (…에의) 격한 공격, 비난 (*on*) **2** 〚군사〛 접근전, 돌격 **3** 〚법〛 폭행; 《완곡》 성폭행, 강간(rape): He was charged with ~. 그는 폭행죄로 기소되었다.

~ and battery 〚법〛 폭행 구타, 폭력 행위 ***~ of***[***at***] ***arms*** (1) (펜싱의) 상호 공격 (2) 백병전 ***make an ~ upon*** …을 강습하다 ***take*** a fortress ***by ~*** (요새를) 급습하여 공략하다

—*vt.* **1 급습하다**; 구타하다 **2** 〚법〛 폭행하다; 〈여자를〉 성폭행하다, 강간하다: sexually ~ 성폭행하다 **3** 〈빛·소리 등이〉 〈사람 등을〉 괴롭히다

—*vi.* 덮치다, 공격하다

~·a·ble *a.* **~·er** *n.*

assáult bòat[**cràft**] 〚군사〛 공격 주정 《상륙용》

assáult còurse 《영》 = OBSTACLE COURSE

assáult fìre 돌격 사격

as·saul·tive [əsɔ́:ltiv] *a.* 공격적인

~·ly *ad.* **~·ness** *n.*

assáult jàcket (경관이 입는) 방탄복

assáult rìfle 돌격용 자동 소총

as·say [æséi, ⌐–] *vt.* **1** 분석(검사)하다; 〈광석을〉 시금(試金)하다; 〚약학〛 〈약물을〉 효력 검사하다 **2** 〈물건의 성질·가치를〉 판단[평가]하다 **3** 시험하다(test): ~ one's strength 자신의 힘을 시험하다

—*vi.* 〈광석 등이〉 금속을 함유하다: (~+보) This ore ~*s* high in gold. 이 광석은 금 함유율이 높다.

— [ǽsei | əséi] *n.* 시금(試金); 분석 평가; 분석물, 시금물; (시금) 분석표 ***do*** one***'s ~*** 할 수 있는 데까지 해보다 **~·a·ble** *a.* **~·er** *n.*

ássay bàlance 시금 저울

thesaurus **assemble** *v.* **1** 모으다 get together, gather, collect, congregate, amass, rally (opp. *scatter, break up*) **2** 조립하다 put together, piece[fit] together, build, set up, construct

ássay bàr (정부에서 만든) 표준 순금[순은] 막대
ássay cùp (포도주) 시음용 작은 잔
as·say·ing [æséiiŋ] *n.* Ⓤ 〖화학〗 시금법, 분석 시험
ássay màster 분석 시험관
ássay òffice (귀금속 등의) 순분 검정소, 시금소
ássay tón 시금(試金) 톤 《29.1667g》
ass·bite [ǽsbàit] *n.* 《미·비어》 엄한 질책, 강한 비난
as·se·gai [ǽsəgài] *n.*, *vt.* (남아프리카 원주민이 사용하는) 가느다란 창(으로 찌르다)
*****as·sem·blage** [əsémblidʒ] *n.* **1** [집합적] **회중**(會衆), 집단; (사람의) 모임, 집합, 집회; (물건의) 집합, 수집 **2** (기계의 부품) **조립** 《*of*》: an ~ plant 조립 공장 **3** [æ̀sɑːmblɑ́ːʒ] ⒸⓊ 아상블라주 《지스러기·폐품 등을 이용한 예술 작품 및 그 예술》 **4** 〖고고학〗 (한 유적에서 발견된) 유물군, 석기군 ▷ assémble *v.*
as·sem·blag·ist [əsémblədʒist, æ̀sɑːmblɑ́ːʒist] *n.* 아상블라지스트 《assemblage 예술가》
‡**as·sem·ble** [əsémbl] [L 「함께 (하다)」의 뜻에서] *vt.* **1** 〈사람을〉 **모으다**, 집합시키다, 소집하다; 〈물건을〉 모아 정리하다: ~ a committee 위원회를 소집하다 **2** 〈기계 등을〉 **조립하다**; 〈부품을〉 조립하여 (…으로) 만들다 《*into*》: (~+목+전+명) ~ parts *into* a machine 부품을 조립하여 기계로 만들다 **3** 〖컴퓨터〗 〈프로그램을〉 어셈블리 언어로 번역하다
— *vi.* **모이다**, 집합하다, 회합하다; 조립되다
▷ assémblage, assémbly *n.*
as·sem·bled [əsémbld] *a.* 모인, 집합된, 결집한
as·sem·bler [əsémblər] *n.* **1** 조립공; (농산물의) 중개인 **2** 〖컴퓨터〗 어셈블러 《어셈블리 언어를 기계어로 변환하는 프로그램》
assémbler lànguage = ASSEMBLY LANGUAGE
‡**as·sem·bly** [əsémbli] *n.* (*pl.* **-blies**) **1** (사교·종교 등을 위한) **집회**, 회합, 회의; Ⓤ (초등학교 등의) 조회; Ⓤ 집합(하기), 모임: an unlawful ~ 불법 집회 **2** [종종 the A~] (입법) 의회, 입법부; 《미》 (네브라스카를 제외한 주의회의) 하원: the provincial[city, municipal] ~ 도[시]의회 / the General *A*~ (국제연합의) 총회 / the National *A*~ (한국 등의) 국회; 국민 의회 《프랑스 혁명 때의》 **3** 〖군사〗 집합 신호[나팔] **4** Ⓤ (부품의) 조립; Ⓒ 조립품, 조립 부품 **5** 〖컴퓨터〗 어셈블리 ▷ assémble *v.*
assémbly dìstrict 《미》 주(州) 하원의원 선거구
assémbly hàll **1** 회의장; (학교의) 강당, 회관 **2** (대형 기계·항공기 등의) 조립 공장
assémbly lànguage 〖컴퓨터〗 어셈블리 언어
assémbly lìne (대량 생산의) 일관 작업(열), 조립 라인
as·sem·bly·man [əsémblimən] *n.* (*pl.* **-men** [-mən]) 《미》 의원; [**A~**] (주의회의) 하원의원
Assémbly[Assémblies] of Gód [the ~] 〖그리스도교〗 하나님의 성회 《1914년에 미국에서 설립된 오순절계(五旬節系)의 한 교파》
as·sem·bly·per·son [-pə̀ːrsn] *n.* 《미》 주(州)의회 의원, 《특히》 주의회의 하원의원 《비차별 용어》
assémbly plànt = ASSEMBLY SHOP
assémbly ròom [종종 *pl.*] 집회실, 회의실; (무도회 등의) 회장(會場); 조립 공장
assémbly routìne 〖컴퓨터〗 = ASSEMBLER 2
assémbly shòp 조립 공장
assémbly tìme 〖컴퓨터〗 어셈블리 타임 《어셈블러가 기호 언어를 기계어 명령으로 번역하는 데 걸리는 시간》
as·sem·bly·wom·an [-wùmən] *n.* 《미》 여성 의원; [**A~**] (주의회의) 여성 하원의원
*****as·sent** [əsént, æs-] [L 「동일하게 느끼다」의 뜻에서] *vi.* **1** 〈제안·의견 등에〉 **동의[찬성]하다**(agree) 《*to*》(⇨ consent 유의어); (요구 등에) 따르다: (~+전+명) They formally ~*ed to* the statement. 그들은 정식으로 성명에 찬성했다. **2** 〈진실임을〉 인정하다; 양보하다, 굴하다 《*to*》
— *n.* Ⓤ **동의**, 찬성; 인정, 승인, 양보; 묵인; 굴종: give a nod of ~ 머리를 끄덕여 동의를 표시하다
~ and consent 《영》 의회의 협찬 ***by common ~*** 만장일치로, 전원 이의 없이 ***give*** one***'s ~ to*** a plan (계획에) 동의하다 ***Royal ~*** 재가, 비준 ***with one ~*** 《문어》 만장일치로 **~·er** *n.* = ASSENTOR 1
as·sén·tive *a.* ▷ assentátion *n.*; asséntient *a.*
as·sen·ta·tion [æ̀sentéiʃən] *n.* Ⓤ 동의, 《특히》 영합, 부화뇌동
as·sen·tient [əsénʃənt] *n.* 동의자, 찬성자
— *a.* 동의의, 찬성자의
as·sen·tor [əséntər] *n.* **1** 찬동자, 찬성자(assenter) **2** 《영》 입후보자 지지자
‡**as·sert** [əsə́ːrt] [L 「…에 참가하다」의 뜻에서] *vt.* **1** **단언하다**, 역설하다, 강력히 주장하다(⇨ declare 유의어): He ~*ed* his innocence. 그는 자기의 결백을 강력히 주장했다. // (~+목+***to be*** 보) (~+***that*** 절) He ~*s* his statement *to be* true. = He ~*s that* his statement is true. 그는 자기 진술이 진실이라고 주장하고 있다. **2** 〈권리 등을〉 주장[옹호]하다 (defend): ~ one's rights[claims, liberties] 자기의 권리[요구, 자유]를 주장하다 **3** [~ one*self* 로] **a** 의견[권리]을 주장하다; 고집하다, 주제넘게 나서다 **b** 〈천성 등이〉 나타나다; 〈사물이〉 저절로 밝혀지다: Justice will ~ *itself*. 정의는 반드시 밝혀진다. **4** (당연한 일로) 가정하다 **~·i·ble** *a.*
▷ assértion *n.*; assértive *a.*
*****as·ser·tion** [əsə́ːrʃən] *n.* ⒸⓊ **단언**, 단정; 주장
make an ~ 주장하다 **~·al** *a.*
▷ assért *v.*; assértive *a.*
as·ser·tive [əsə́ːrtiv] *a.* **1** 단정적인(positive), 독단적인(dogmatic); 자기 주장이 강한, 자신이 있는: an ~ sentence 단정문, (긍정) 평서문 **2** 향[색채]이 강한 **~·ly** *ad.* 단정적으로 **~·ness** *n.* Ⓤ 자기 주장
assértiveness tràining 적극성 훈련 《소극적인 사람에게 자신감을 길러 주는 훈련》
as·ser·tor [əsə́ːrtər] *n.* 주장자; 고집자
ass·es[1] [ǽsiz] *n.* ASS[1, 2]의 복수
as·ses[2] [ǽsiz] *n.* AS[2]의 복수
ásses' brídge 〖수학〗 = PONS ASINORUM
*****as·sess** [əsés, æ-] [L 「법원에서 보좌하다」의 뜻에서] *vt.* **1** 〈세금·벌금 등을〉 **사정하다** 《*at*》 **2** 〈재산·수입 등을〉 **평가하다** 《*at*》: (~+목+전+명) ~ a house *at* 30,000,000 won 가옥을 3천만 원으로 평가하다 **3** 〈세금·기부금 등을〉 할당하다, 부과하다(impose) 《*on*, *upon*》: (~+목+전+명) ~ 50,000 won *on* land 토지에 5만 원을 과세하다 / ~ a tax[fine] *on* [*upon*] a person …에게 세금[벌금]을 과하다 **4** 〈사람·사물 등의〉 성질[가치]을 평가하다: How do you ~ your students? 학생들(의 성적)을 어떻게 평가합니까? **~·a·ble** *a.* 과세[평가, 산정]할 수 있는
*****as·sess·ment** [əsésmənt, æ-] *n.* **1** Ⓤ (과세를 위한) **평가**, **사정**; Ⓒ 세액(稅額), 할당금, 사정액 **2** 〖증권〗 불입 추징; 〖보험〗 부과 **3** ⓊⒸ (사람·사물 등의) 평가, 판단 《*of*》; 《영》 성적 평가 ***an ~ of environmental impact*** 환경 영향 평가 ***a standard of ~*** 과세 표준, 과표
asséssment cènter 《특히 영》 〖경영〗 역량평가제; 평가 센터 《略 AC》
asséssment insùrance 〖보험〗 부과식 보험
as·ses·sor [əsésər, æs-] *n.* **1** 세액 사정자; 《영》 〖보험〗 손해 사정인; 《영》 성적 평가 담당자 **2** 〖법〗 (법정에서의) 전문 의견 진술인; 보좌역
as·ses·so·ri·al [æ̀səsɔ́ːriəl] *a.* **~·shìp** *n.* Ⓤ assessor의 임무[직]
*****as·set** [ǽset] [L 「충분히 가지고 있다」의 뜻에서] *n.* **1 a** **자산** 《한 항목》 **b** [*pl.*] (개인·회사의) **재산**, 자산

---

assert *v.* declare, state, announce, maintain, pronounce, proclaim, affirm, allege, claim
assess *v.* evaluate, gauge, judge, estimate, appraise, weigh up, determine, compute

2 [*pl.*] 〖법〗 (채무의 변제로 충당되는) 유산; (채무의 변제에 충당되는) 전 재산 **3** 유리[유용, 귀중]한 것[조건], 이점, 강점, 장점 《*to, for*》: Sociability is a great ~ *to* a salesman. 외판원에게 사교성은 커다란 강점이 된다. **4** 정보 제공자 《현지인》
~s and liabilities 자산과 부채 ***cultural ~s*** 문화재 ***personal*** [***real***] ***~s*** 동산[부동산]

ásset allocàtion (자산의 안전과 고수익을 위한) 자산 배분

ásset mànagement 〖금융〗 자산 관리

ásset strìpping 〖상업〗 자산 박탈

as·sev·er·ate [əsévərèit] *vt.* 《문어》 맹세코 난언[증언]하다 **as·sév·er·à·tive** *a.*

as·sev·er·a·tion [əsèvəréiʃən] *n.* UC 《문어》 단언, 확언; 서언(誓言)

ass·fuck [ǽsfʌ̀k] *n., vi.* 《비어》 항문 성교(를 하다)

ass·head [ǽshèd] *n.* 《비어》 바보
~·ed *a.* 어리석은, 미련한 **~·ed·ness** *n.*

ass·hole [-hòul] *n.* 《비어》 **1** 항문(anus) **2** 가장 싫은 장소; 지겨운[멍청한] 녀석
break out into ~s 《미·비어》 기겁을 하다 ***cut*** a person ***a new ~*** 《미·비어》 …을 호되게 야단치다 ***from ~ to breakfast time*** 《영·비어》 항상, 줄곧

as·sib·i·late [əsíbəlèit] 〖음성〗 *vt.* 치찰음(齒擦音)으로 발음하다, 치찰음화하다 **—** *vi.* 치찰음이 되다
as·sìb·i·lá·tion *n.*

as·si·du·i·ty [æ̀sidjúːəti | -djúː-] *n.* (*pl.* **-ties**) **1** Ⓤ 부지런함, 근면 **2** [보통 *pl.*] (여러 가지) 배려, 진력 《*to*》 ***with ~*** 부지런히, 열심히

as·sid·u·ous [əsídʒuəs] *a.* **1** 끊임없는, 계속하는; 〈사람이〉 끈기 있는, 근면한(diligent) **2** Ⓐ 배려가 세심한 **~·ly** *ad.* 부지런히 **~·ness** *n.*

‡**as·sign** [əsáin] *vt.* **1** 〈일·사물·방 등을〉 **할당하다,** 배당하다(allot) 《*to*》: 《~+목+전+명》 ~ work *to* each man 각자에게 작업을 할당하다 // 《~+목+목》 He *~ed* us the best room of the hotel. 그는 우리들에게 그 호텔에서 가장 좋은 방을 배정해 주었다. **2** 〈사람을 임무·직책 등에〉 **임명하다,** 선임하다(appoint), 선정하다 《*for, to*》; 〈남에게 …하도록〉 명하다, 임명하다: 《~+목+전+명》 ~ a person *for* a guard …을 수위[경호원]로 임명하다 // 《~+목+*to* do》 He *~ed* me *to* watch the house. 그는 나에게 그 집을 지키도록 명하였다. **3** 〈시일·한계 등을〉 **지정하다,** 정하다 《*for*》: 《~+목+전+명》 ~ a day *for* a festival 축제의 날을 지정하다 / ~ a limit *to* something 어떤 것의 한계를 정하다 **4** 〈원인 등을〉 …**에 돌리다,** …의 것[탓]으로 하다(ascribe) 《*to*》; 〈행동의 이유 등을〉 들다 《*to, for*》: 《~+목+전+명》 ~ one's absence *to* one's ill health 결석의 이유를 건강이 나쁜 탓으로 하다 **5** 〖법〗 〈남에게 재산·권리 등을〉 양도하다 《*to*》 **6** 〖군사〗 〈부대·인원을〉 배속하다 **7** 〖컴퓨터〗 할당[분배]하다, 대입(代入)하다
— *vi.* 〖법〗 (채권자를 위해 타인에게) 재산을 위탁하다
— *n.* [보통 *pl.*] 〖법〗 양수인, 수탁인(assignee)
▷ assignátion, assígnment *n.*

as·sign·a·ble [əsáinəbl] *a.* **1** 할당할 수 있는, 지정[지시]할 수 있는 **2** (…에) 돌려야 할, 돌릴 수 있는 **3** 양도할 수 있는 **as·sìgn·a·bíl·i·ty** *n.* **-bly** *ad.*

as·si·gnat [ǽsignæ̀t, æ̀sinjɑ́ː] *n.* 〖역사〗 아시냐 지폐 《프랑스 혁명 때 정부가 발행한 것》

as·sig·na·tion [æ̀signéiʃən] *n.* UC **1** 밀회의 약속; 밀회 **2** (시간·장소 등의) 지정; 할당 **3** 〖법〗 양도; 원인 등을 …에 돌림(ascription) 《*to*》

as·sígned cóunsel [əsáind-] 선정 변호인

assígned rísk 〖보험〗 위험 할당 물건, 위험 보험

as·sign·ee [əsainíː, æ̀səníː] *n.* 〖법〗 양수인; 수탁자(受託者); 《고어》 (파산의) 관재인(管財人)

as·sign·er [əsáinər] *n.* = ASSIGNOR

***as·sign·ment** [əsáinmənt] *n.* UC **1 a 할당**; 임명, 서임(敍任)(appointment) **b** (탐방 기자 등의) 할당된 일; (임명된) 직, 지위 **2** 《미》 (학생의) **숙제,** 연구과제(cf. HOMEWORK): give an ~ 숙제를 내주다 **3** (시일 등의) 지시, 지정; (이유 등의) 열거, (잘못 등의) 지적 **4** 〖법〗 (재산 등의) 양도; 양도 증서

as·sign·or [əsainɔ́ːr, æ̀sənɔ́ːr | æ̀sai-] *n.* 할당자, 분배자; (재산·권리의) 양도인; 위탁자

as·sim·i·la·ble [əsímələbl] *a.* 동화할 수 있는
as·sìm·i·la·bíl·i·ty *n.*

***as·sim·i·late** [əsímələ̀it] [L 「유사한(similar) 것으로 하다」의 뜻에서] *vt.* **1** 〈지식 등을〉 **자기 것으로 흡수하다,** 이해하다: ~ lessons 학과를 이해하다[자기 것으로 소화하다] / ~ the Western civilization 서양 문명을 흡수하다 **2 a 동화하다,** 같게 하다, 동질화하다(make similar) 《*to, into, with*》: 《~+목+전+명》 He tried to ~ his way of life *to* that of the surrounding people. 그는 자기의 생활 방식을 주위 사람들 것에 맞추도록 힘썼다. **b** 〈언어·국민·소국(小國) 등을〉 동화[융화]하다 **3** 〖생리〗 동화하다; 〈음식 등을〉 **소화하다,** (소화한 후) 흡수하다(absorb) **4** 〈갑을〉 (을에) 비유하다 《*to, with*》: 《~+목+전+명》 ~ a camel *to* a ship 낙타를 배에 비유하다 **5** 〖음성〗 (인접음으로) 동화[유화(類化)]하다(opp. *dissimilate*)
— *vi.* **1** 〈이민 등이〉 (문화적으로) 동화[융화]하다; 동질이 되다 《*to, into*》: 《~+전+명》 They rapidly *~d into* the American way of life. 그들은 미국의 생활 방식에 빠르게 동화되었다. **2** 〈음식물이〉 소화되다; 동화되다: The food will ~ soon. 그 음식은 곧 소화될 것이다. **3** 〖음성〗 동화하다
▷ assimilátion *n.*; assímilative, assímilatory *a.*

***as·sim·i·la·tion** [əsìməléiʃən] *n.* UC (opp. *dissimilation*) **1** 동화, 동화 작용; 융합, 융화 **2** 소화 **3** 〖음성〗 동화 **~·ism** *n.* (이민족·이문화에 대한) 동화 정책 **~·ist** *n.* 동화 정책주의자

as·sim·i·la·tive [əsímələ̀itiv, -lə-] *a.* 동화력이 있는; 동화 (작용)의 **~·ness** *n.*

as·sim·i·la·tor [əsímələ̀itər] *n.* 동화하는 자

as·sim·i·la·to·ry [əsímələtɔ̀ːri | -təri] *a.* = ASSIMILATIVE

As·sin·i·boin [əsínəbɔ̀in] *n.* (*pl.* **~s,** [집합적] **~**) **1** 어시니보인 족(의 사람) 《미국 Montana 주 북동부와 캐나다 인접 지역에 사는 인디언》 **2** 어시니보인 어

‡**as·sist** [əsíst] [L 「…(의 옆)에 서다」의 뜻에서] *vt.* **1 거들다, 원조하다,** 돕다(⇨ help 유의어); 조장하다(promote): ~ a person materially[financially] …을 물질적[재정적]으로 원조하다 // 《~+목+전+명》 ~ a person *in* his[her] work …의 일을 돕다 / ~ a person *in* do*ing* his[her] work …이 일을 하는 것을 돕다 / ~ a lady *from* a car 부인이 차에서 내리는 것을 돕다 / ~ a person *with* parcels …이 꾸러미 만드는 일을 돕다 // 《~+목+*to* do》 He *~ed* me *to* tide over the financial difficulties. 그는 내가 재정상의 위기를 극복하는 것을 도와주었다. **2** 〈…의〉 조수를 하다; 〈물건·일이〉 (…의 면에서) 도움이 되다: ~ a professor 교수의 조교를 하다 // 《~+목+전+명》 A good light *~s* the eyes *in* reading. 밝은 빛은 독서하는 데 눈에 도움을 준다.
— *vi.* **1** 돕다, 조력(助力)하다: 《~+전+명》 ~ *with* the campaign 캠페인을 돕다 / ~ *in* effecting a peaceful settlement of a conflict 분쟁의 평화적 해결에 조력하다 **2** 《드물게》 참가하다, 참석하다 《*at, in*》 **3** 〖야구〗 보살(補殺)하다; 〖스포츠〗 (득점의) 어시스트를 하다
— *n.* 원조, 조력; 〖야구〗 보살(補殺); 〖스포츠〗 어시스트 **~·er** *n.*
▷ assistance *n.*; assistant *n., a.*

thesaurus **assign** *v.* **1** 할당하다 allocate, allot, distribute, give out, dispense **2** 임명하다 appoint, select, designate, nominate, name
assimilate *v.* **1** 흡수[소화]하다 absorb, take in, incorporate, digest **2** 동화하다 adapt, adjust, accustom, accommodate, become like[similar]

‡**as·sis·tance** [əsístəns] *n.* Ⓤ 거듦(help), 조력, 원조, 보조; 《고어》 출석(한 사람들)
come [***go***] ***to*** a person***'s*** ~ …을 도우러 오다[가다] ***give*** [***render***] ~ 원조하다 《*to*》 ▷ assíst *v.*

‡**as·sis·tant** [əsístənt] *n.* **1** 조수, 보조자, 보좌인; 《영》 점원(=shop ~) **2** 보좌하는 것, 보조물, 보조 수단 **3** (대학의) 조교
— *a.* Ⓐ (…의) 도움이 되는 《*to*》; 보조의, 보좌의; 부(副)…, 조(助)…: an ~ secretary 차관보 / an ~ manager 부지배인 ▷ assístance *n.*; assíst *v.*

assístant proféssor 《미》 조교수(⇨ professor 1)

assístant referèe (경기나 시합의) 부심

as·sis·tant·ship [əsístəntʃìp] *n.* (조교로 일하는 대학원생에 대한) 조교 수당; 조수[조교]직

as·sìst·ed área [əsìstid-] 《영》 (정부에 의한) 산업 장려 지역

assìsted líving 《미》 (유료) 노인[병자] 원호 생활: ~ facility 노인[병자] 원호 생활 시설

assìsted reprodúction (체외 수정 등의) 의학적 도움을 받은 생식

assísted súicide 안락사 《의사나 타인의 도움을 받는 자살》

as·sis·tor [əsístər] *n.* 돕는 사람, 조력자, 원조자; 〖법〗 방조자

as·size [əsáiz] *n.* **1** [보통 *pl.*] 《영》 (England의 각 주의) 순회 재판; 순회 재판 개정기(開廷期)[개정지] **2** (입법부가 제정하는) 법령, 조례
the great [***last***] ~ 최후의 심판

ass·kick·er [ǽskìkər] *n.* 《비어》 활동적인 사람; 부하를 괴롭히는 상사; 고된 체험 **-kìck·ing** *a.*

ass-kiss·er [ǽskìsər] *n.* 《비어》 아첨쟁이

ass-lick·er [ǽslìkər] *n.* 《비어》 =ASS-KISSER

áss màn 《비어》 호색한, 색골

assn., assoc. association

as·so·ci·a·bil·i·ty [əsòuʃiəbíləti] *n.* Ⓤ 연상되기 쉬운 것[성질]; 〖의학〗 교감성(交感性)

as·so·ci·a·ble [əsóuʃiəbl] *a.* 연합할 수 있는; 연상할 수 있는 《*with*》; 〖의학〗 교감성의; 〈국가·주(州)가〉 경제 공동체에 가입한 — *n.* (경제 공동체의) 가맹국[주] **~·ness** *n.*

‡**as·so·ci·ate** [əsóuʃièit, -si-] [L 「한패에 끼다」의 뜻에서] *vt.* **1** 연상(聯想)하다, 상기시키다, 관련시켜 생각하다: (~+목+전+명) We ~ giving the presents *with* Christmas. 선물을 준다 하면 크리스마스를 연상한다. / His very name is ~*d with* horror. 그의 이름은 듣기만 해도 무서워진다. **2** [~ one*self* 로] **a** (…와) 교제하다, 한패가 되다 《*with*》 **b** 〈제안·의견·희망 등에〉 찬성[찬동]하다, 지지하다 《*with*》 **3** 연합시키다, 참가[가입]시키다(join, unite) 《*with*》; 결합[관련]시키다 《*with*》: (~+목+전+명) He is ~*d with* his son in law practice. 그는 아들과 공동으로 변호사업을 차리고 있다. / He is ~*d in* various companies. 그는 각종 회사와 관계하고 있다. / He was closely ~*ed* with the company's competitors. 그는 그 회사의 경쟁사들과 밀접하게 연관되어 있었다. **4** 〖화학〗 (…와) 회합시키다 《*with*》
— *vi.* **1** 제휴하다, 연합하다 《*with*》; 협동하다 《*in*》 **2** 교제하다 《*with*》: (~+전+명) I don't care to ~ *with* them. 그들과 교제하고 싶지 않다. **3** (물질과) 결합하다; 〖화학〗 회합하다
— [-ʃiət, -èit, -si-] *n.* **1** (일 등에서의) 동료, 패, 친구(companion); 제휴자, 조합원; 동인(同人) **2** (…의) 공범자 《*in*》 **3** 연상되는 것; 연상 관념, 부수물 **4** (단체·학회 등의) 준회원(cf. FELLOW 9); 《미》 (전문대학 졸업의) 준학사(호)
— [-ʃiət, -si-, -èit] *a.* Ⓐ **1** 연합한, 한패의, 동료의; 동맹의(associated) **2** 준…: an ~ judge 배석 판사 / an ~ member 준회원 **3** 〖심리〗 연상의; 〖의학〗 교감(交感)의 **-tor, ~·shìp** *n.*
▷ associátion *n.*; assóciative *a.*

as·so·ci·at·ed [əsóuʃièitid, -si-] *a.* 연합한, 조합의, 합동…: an ~ bank 조합 은행

assóciate degrée 《미》 준학사(호) 《2년제 대학 졸업생에게 수여되는 학위》

assóciated gás 부수(附隨) 가스 《천연가스》

Assóciated Préss [the ~] (미국의) AP 통신사, 연합 통신사 《略 AP; cf. UNITED PRESS INTERNATIONAL》

assóciate(d) státes (영국의) 연합주(州), 준(準)국가

assóciate proféssor 《미》 부교수(⇨ professor 1)

‡**as·so·ci·a·tion** [əsòusiéiʃən, -ʃi-] *n.* **1** 협회(society), 조합, 단체, 사단(社團), 회사, 결사(結社): freedom of ~ 결사의 자유 / form an ~ 협회를 조직하다 **2** Ⓤ 연합, 합동, 공동; 관련 《*with*》; 《완곡》 기업 연합, 담합 《*with*》 **3** Ⓤ 교제, 제휴, 연락 《*with*》; 《완곡》 혼외정사, 불륜 《*with*》 **4** Ⓤⓒ 〖심리〗 연상, 관념 연합; 함축, 암시적 의미; 〖수학〗 조합; 〖화학〗 (분자의) 회합 **5** = ASSOCIATION FOOTBALL **6** 〖생태〗 (생물) 군집
~ ***of ideas*** 〖심리〗 관념 연합, 연상 ***in ~ with*** …와 공동으로, …와 관련하여
▷ assóciate *v.*; assóciative *a.*

as·so·ci·a·tion·al [əsòusiéiʃənl, -ʃi-] *a.* 협회의, 사단의; 연상의, 연합의

associátion bòok[**còpy**] (유명인이 적어 넣은 어구 등이 있는) 수택본(手澤本)

associátion fóotball 《영》 축구, 사커(soccer)

as·so·ci·a·tion·ism [əsòusiéiʃənìzm, -ʃi-] *n.* Ⓤ 〖심리〗 관념 연합설, 연상 심리학
-ist *n.* 〖심리〗 관념 연합론자 **-à·tion·ís·tic** *a.*

Associátion of Nátional Olýmpic Commìttees [the ~] 국가 올림픽 위원회 연합회 《1975년 설립; 略 ANOC》

Associátion of Sóutheast Ásian Nátions [the ~] 동남아시아 국가 연합 《1967년 발족; 略 ASEAN》

as·so·ci·a·tive [əsóuʃièitiv, -si-, -ʃətiv] *a.* **1** 연합의; 조합의; 연상의 **2** 결합[연합, 연상]하기 쉬운 **3** 〖논리·수학〗 〈집합 연산이〉 결합적인, 결합의 성질을 가진 **~·ly** *ad.* **as·sò·ci·a·tív·i·ty** *n.*

assóciative léarning 〖심리〗 연상 학습

assóciative mémory[**stórage**] 〖컴퓨터〗 연상 기억 장치

assóciative néuron 〖해부〗 결합 뉴런 《뉴런 사이에서 신경 자극을 전달하는 뉴런》

as·soil [əsɔ́il] *vt.* 《고어》 사면하다; 보상하다

as·so·nance [ǽsənəns] *n.* Ⓤⓒ **1** 음의 유사, 유음(類音) **2** 〖운율〗 유운(類韻) 《모음만의 압운(押韻); 보기: *brave—vain* / *love—shut*》 **3** 부분적 일치[부합]

as·so·nant [ǽsənənt] *a.* 유사음[유음]의; 유운의, 모운(母韻)의 — *n.* 모음 유사어, 유음어 **~·al** *a.*

as·so·nate [ǽsənèit] *vi.* 음[모음]이 일치하다, 모음운을 밟다

***as·sort** [əsɔ́:rt] *vt.* **1** 분류하다(classify), 구분하다 **2** (가게에) 구색을 갖추다, (같은 종류끼리) 짜맞추다 **3** 《고어》 (같은 종류의 것과) 하나로 합치다 《*with*》
— *vi.* **1** [well, ill 등의 양태 부사와 함께] 어울리다, 조화하다(match) 《*with*》: (~+전+명) It *well*[*ill*] ~*s with* his character. 그것은 그의 성격과 잘 맞는다[안 맞는다]. **2** 《고어》 교제하다 《*with*》
as·sor·ta·tive [əsɔ́:rtətiv], **as·sort·ive** [-tiv] *a.* **as·sór·ta·tive·ly** *ad.* ▷ assórtment *n.*

assórtative máting 〖생태·심리〗 동류(同類) 교배, 선택 결혼

---

assist *v.* help, support, aid, lend a hand, succor, cooperate with, work with (opp. *hinder*)

associate *v.* **1** 연상하다 link, connect, relate, think of together, couple **2** 교제하다 mix, mingle, socialize, keep company **3** 결합시키다 combine, join, connect, attach, affiliate, ally

as·sort·ed [əsɔ́ːrtid] *a.* **1** Ⓐ 분류된, (용도·기호에 따라) 여러 구색을 갖춘, 여러 종류의, 다채로운: a box of ~ chocolates 구색을 갖춘 초콜릿 한 상자 **2** [well, ill 등의 부사와 함께] 어울리는, 조화된: a *well-~* couple 잘 어울리는 부부
as·sort·ment [əsɔ́ːrtmənt] *n.* **1** Ⓤ 구분, 분류, 유별 **2** 구색을 갖춘[갖추어 한데 넣은] 것 ((*of*)): Our store has a great ~ *of* candy. 우리 가게에는 갖가지 종류의 캔디가 있습니다. **3** 잡다한 것[사람]의 모임 ((*of*))
áss pèddler ((비어)) 매춘부; 남창(男娼)
ass-suck·er [ǽssʌkər] *n.* ((비어)) = ASS-KISSER
asst, Asst assistant **asstd.** assented; assorted
as·suage [əswéidʒ] *vt.* ((문어)) **1** 〈고통·노여움·불안 등을〉 완화하다, 진정시키다; 〈사람을〉 달래다 **2** 〈식욕 등을〉 채우다 **~·ment** *n.* Ⓤ 완화, 진정; Ⓒ 완화물
As·suan [æswáːn | æ̀suǽn] *n.* = ASWAN
as·sua·sive [əswéisiv] *a.* 진정[완화]시키는
as·sum·a·ble [əsúːməbl | əsjúː-] *a.* **1** 가정할 수 있는 **2** 〈임무·의무 등이〉 맡겨질 만한; 보증될 만한 **3** 가장할 수 있는 **as·sùm·a·bíl·i·ty** *n.* **-bly** *ad.* 아마
‡as·sume [əsúːm | əsjúːm] [L 「…으로 (태도를) 취하다」의 뜻에서] *vt.* **1 a** (증거는 없으나) 사실이라고 보다[생각하다]; 당연한 일로 치다; 추정[추측]하다: (~+목+*to be* 보) Let's ~ what he says *to be* true. 그가 말하는 것을 사실이라고 생각하자. // (~+*that* 절) He *~d that* the express would be on time. 급행열차가 제시간에 도착하리라고 그는 생각했다. **b** [보통 assuming의 형태로] (…이라고) 가정하여[하면] ((*that*)): *Assuming that* ... …이라고 가정하여, …이라고 한다면 **2** 〈역할·임무 등을〉 맡다, 〈책임 등을〉 지다; 〈권력 등을〉 쥐다: ~ the chair 의장석에 앉다, 의장이 되다 **3** 〈사람이 어떤 태도를〉 취하다; 〈사물이 어떤 성질·양상 등을〉 띠다, 나타내다: ~ the offensive 공세를 취하다 / His face *~d* a look of anger. 그의 얼굴은 노한 빛을 띠고 있었다. **4** …(인) 체하다, 꾸미다, 가장하다; (가명 등을) 사용하다: ~ ignorance 모르는 체하다 // (~+*to* do) ~ *to* be deaf 귀가 들리지 않는 체하다

> 유의어 **assume** 태도나 겉모습을 가장하다 ((속일 의도는 없음)): She *assumed* an air of cheerfulness. 그녀는 명랑한 태도를 가장했다. **pretend** 속일 의도를 갖고 거짓으로 꾸미다: The policeman *pretended* to be a visitor. 경관은 방문객으로 가장했다. **feign** ((문어)) 교묘히 속여서 어떤 태도·상태인 체하다: He *feigned* surprise. (일부러) 놀란 체했다. **affect** 남에게 어떤 인상을 주려고 어떤 태도를 취하다: She *affected* illness to avoid going to work. 그녀는 출근하지 않으려고 몸이 아픈 체했다.

5 제것으로 삼다, 횡령하다(usurp): (~+목+전+명) ~ a right *to* oneself 권리를 독차지하다 **6** 〈옷을〉 몸에 걸치다
— *vi.* 주제넘게 나서다, 거만한 태도를 취하다; …체하다 ▷ assúmption *n.*; assúmptive *a.*
***as·sumed** [əsúːmd | əsjúːmd] *a.* **1** 가장한, 꾸민, …체하는, 거짓의: an ~ name 가명 / ~ ignorance 모르는 체함, 시치미 뗌 / an ~ voice 꾸민 목소리, 가성 **2** 가정한, 상정(想定)한: an ~ cause 상정한 원인 **3** 전유(傳有)된, 침해당한, 강탈당한; 〖상업〗 인수(引受)한: ~ bonds 인수 회사채
as·sum·ed·ly [əsúːmidli | əsjúː-] *ad.* 아마
as·sum·ing [əsúːmiŋ | əsjúː-] *a.* 주제넘은, 거만한, 건방진(arrogant) **~·ly** *ad.*
as·sump·sit [əsʌ́mpsit] *n.* 〖법〗 **1** 인수(引受) 소송 **2** (구두·묵시에 의한) 무인장(無印章) 계약
as·sump·tion** [əsʌ́mpʃən] *n.* ⓊⒸ **1** (증거도 없이) 사실이라고 생각함; 가정, 가설, 억측, 억설: a mere ~ 단순한 억측 **2** (임무·책임 등의) 인수, 취임 **3** (권리·권력 등을) 장악함, 탈취, 독점 ((*of*)) **4** 거만, 외람됨, 주제넘음 **5** [the A~] 〖가톨릭〗 성모 마리아의 승천; 성모 승천 대축일 ((8월 15일)) **6** 〖논리〗 (3단 논법의) 소전제 ***on the ~ that ... …이라는 가정 아래
▷ assúme *v.*; assúmptive *a.*
as·sump·tive [əsʌ́mptiv] *a.* 가정의, 추정적인; 주제넘은, 거만한(arrogant); 횡령의 **~·ly** *ad.*
as·sur·a·ble [əʃúərəbl] *a.* 보증할 수 있는, 책임질 수 있는, 보험에 들 수 있는
‡as·sur·ance [əʃúərəns] *n.* **1** 보증, 언질, 보장: (~+*that* 절) I have an ~ *that* the goods shall be sent tomorrow morning. 물건을 내일 아침에 배달해 준다는 언질을 받고 있다. **2** Ⓤ 확신(certainty), 확실성: (~+*that* 절) Nothing can shake our ~ *that* our team will win the game. 우리 팀이 시합에 이긴다는 확신은 어떤 일이 있어도 흔들리지 않는다. **3** Ⓤ 자신(self-confidence); 뻔뻔스러움, 후안무치(impudence): (~+*to* do) He had the ~ *to* claim that he was an expert in psychoanalysis. 그는 뻔뻔스럽게도 정신 분석의 전문가라고 자칭했다. **4** Ⓤ ((영)) 보험(((미)) insurance); ((특히)) 해상 보험 **5** 토지 양도 (증서) ***give an ~*** 보증하다 ***have full ~ that ...*** …을 전적으로 확신하다 ***have the ~ to*** do ⇨ *n.* 3. act ***in the ~ of*** …을 확신하여 (행동하다) ***make ~ doubly*** [***double***] ***sure*** 틀림없도록 거듭거듭 다짐하다 ***with ~*** 자신을 가지고
▷ assúre *v.*
‡as·sure [əʃúər] [L 「확실하게 (하다)」의 뜻에서] *vt.* **1** 보증하다, 보장하다 ((*of*)); 책임지다, 확실히 …이라고 말하다; (보증하여) 안심[납득]시키다(convince), 확신시키다 ((*of*)): (~+목+전+명) (~+목+*that* 절) I ~ you *of* his innocence. = I ~ you *that* he is innocent. 나는 그의 결백을 보증합니다. **2** [~ one*self* 로] 납득하다, 확신하다, 확인하다 ((*of*, *that*))(⇨ assured 3): I *~d myself that* she was safe. 그녀가 안전하다는 것을 확신했다. **3** 확실하게 하다(ensure): This *~s* our success. 이것으로 성공은 확실하다. **4** ((영)) 〈사람·생명에〉 보험을 들다(((미)) insure) ***I*** (***can***) ***~ you.*** 틀림없이, 정말입니다.
▷ assúrance *n.*
as·sured** [əʃúərd] *a.* **1** 보증된, 확실한(certain) **2** 자신 있는(confident); 뻔뻔스러운(presumptuous) **3** Ⓟ (…을) 확신하여, 확인하여 ((*of*)); (…라고) 확신[납득]하여, 안심하여 ((*that*)): Unless they can be ~ *of* its security... 그들이 보안에 대해 확신하지 못한다면 … **4** ((영)) (생명) 보험을 든(((미)) insured) ***feel [***rest***] ***~ of*** [***that***] …에 안심하고 있다
— *n.* (*pl.* **~,** ((드물게)) **~s**) [the ~] ((영)) 피보험자(들); 보험금 수령인(beneficiary) **~·ness** *n.*
***as·sured·ly** [əʃúəridli] *ad.* **1** [문 전체를 수식하여] 확실히, 틀림없이(surely) **2** 자신[확신]을 가지고
as·sur·er, -sur·or [əʃúərər] *n.* 보증인; 〖보험〗 (생명) 보험업자; 생명[양로] 보험 가입자
as·sur·gent [əsə́ːrdʒənt] *a.* 위로 오르는; 〖식물〗 사상성(斜上性)의
as·sur·ing [əʃúəriŋ] *a.* 보증하는, 확신을 가진; 자신을 갖게 하는 **~·ly** *ad.* 단단히; 확신을 가지고
ass·y [ǽsi] *a.* ((미·비어)) 짓궂은, 성미 고약한, 치사한
assy assembly **Assyr.** Assyrian
As·syr·i·a [əsíriə] *n.* 아시리아 ((서남아시아의 고대 제국; 수도 Nineveh))
As·syr·i·an [əsíriən] *a.* 아시리아의; 아시리아 말[사람]의 — *n.* Ⓤ 아시리아 말; Ⓒ 아시리아 사람
As·syr·i·ol·o·gy [əsìriɑ́lədʒi | -ɔ́lə-] *n.* Ⓤ 아시리아학 ((그 언어·역사·풍속·유물의 연구)) **-o·log·i·cal** [əsìriəlɑ́dʒikəl | -lɔ́dʒ-] *a.* **-gist** *n.* 아시리아 학자

thesaurus **assume** *v.* **1** 사실이라고 보다 suppose, take for granted, presume, think, believe, imagine **2** (책임 등을) 지다 undertake, take on **3** (권력 등을) 잡다 seize, take, take over, commander

AST Atlantic Standard Time

-ast [æst, əst] *suf.* 「…에 관계가 있는 사람; …에 종사하는 사람」의 뜻: ecdysi*ast*

ASTA American Society of Travel Agents

a·sta·ble [eistéibl] *a.* **1** 안정되지 않은 **2** 〖전기〗 비안정의; 무정위(無定位)의

As·ta·na [ɑːstáːnə, əs-] *n.* 아스타나 《카자흐스탄의 수도》

a·star·board [əstáːrbɔːrd] *ad.* 〖항해〗 우현으로

As·tar·te [æstáːrti] *n.* 아스타르테 《고대 페니키아의 풍요와 생식의 여신》

a·stat·ic [eistǽtik] *a.* **1** 불안정한(unstable), 움직이기 쉬운 **2** 〖물리〗 무정위(無定位)의(cf. STATIC): an ~ galvanometer 무정위 검류계 / an ~ governor 무정위 조속기(調速機) **a·stát·i·cal·ly** *ad.*

a·stat·i·cism [eistǽtəsìzm] *n.* Ⓤ 〖물리〗 무정위

as·ta·tine [ǽstətiːn] *n.* Ⓤ 〖화학〗 아스타틴 《방사성 원소; 기호 At; 원자 번호 85》

as·ter [ǽstər] *n.* 〖식물〗 애스터 《국화과(科)의 개미취·쑥부쟁이 등》; 〖생물〗 (세포 중의) 성상체(星狀體) ***the China*** ~ 과꽃 《국화과(科)》

aster- [ǽstər], **astero-** [ǽstərou] 《연결형》 「별」의 뜻 《모음 앞에서는 aster-》

-aster[1] [ǽstər] *suf.* 「진짜가 아닌, 사이비의, 삼류의, 엉터리…」의 뜻 《경멸을 나타냄》: poet*aster*

-aster[2] 《연결형》 〖생물〗 「별, 별 모양의 것」의 뜻

a·ste·ri·a [æstíəriə] *n.* 성채석(星彩石) 《보석》

as·te·ri·at·ed [æstíərièitid] *a.* 〖광물〗 성채의, 성채빛을 발하는

as·ter·id [ǽstərəd] *n.* 〖동물〗 불가사리

as·ter·isk [ǽstərìsk] *n.* 별표 《*》; 별 모양의 것 ― *vt.* …에 별표를 하다 **~ed** [-t] *a.* 별표가 있는

as·ter·ism [ǽstərìzm] *n.* **1** 〖천문〗 성군(星群), 성좌 **2** 〖광물〗 성채(星彩) **3** 세 별표 《⁂ 또는 ⁂》

a·stern [əstə́ːrn] *ad.* 〖항해〗 고물에, 고물로; 뒤로, 뒤에 **~ *of*** …보다 뒤쪽에(서)(opp. *ahead of*) ***back*** ~ 배를 후진시키다 ***drop*** [***fall***] ~ (다른 배보다) 뒤떨어지다, 추월당하다 ***Go ~!*** 《명령》 뒤로 가!, 후진! (opp. *Go ahead!*)

as·ter·oid [ǽstərɔ̀id] *n.* **1** 〖천문〗 소행성(planetoid) 《화성과 목성의 궤도 사이의》 **2** 〖동물〗 불가사리(starfish) ― *a.* 별 모양의; 불가사리 모양의

as·ter·oi·dal [æ̀stərɔ́idl] *a.* 소행성의; 불가사리의

ásteroid bèlt 〖천문〗 소행성대(帶)

as·the·ni·a [æsθíːniə] *n.* Ⓤ 〖병리〗 무력(증); 무기력, 쇠약(debility)

as·then·ic [æsθénik] *a., n.* 〖병리〗 무력증의 (사람)

as·the·no·pi·a [æ̀sθənóupiə] *n.* 〖병리〗 안정(眼精) 피로

as·then·o·sphere [æsθénəsfìər, əs-] *n.* [the ~] 〖지질〗 (지표에 가까운) 암류권(岩流圈) **as·thèn·o·sphér·ic** *a.*

asth·ma [ǽzmə, ǽs- | ǽs-] *n.* Ⓤ 〖병리〗 천식

asth·mat·ic, -i·cal [æzmǽtik(əl), æs- | æs-] *a.* 천식의 ― *n.* 천식 환자 **-i·cal·ly** *ad.*

as·tig·mat·ic, -i·cal [æ̀stigmǽtik(əl)] *a.* **1** 〖안과〗 난시(안)의; 난시 교정의 **2** 〖광학〗 비점 수차(非點收差)의 ― *n.* 난시인 사람 **-i·cal·ly** *ad.* 난시같이

a·stig·ma·tism [əstígmətìzm, æs-] *n.* Ⓤ **1** 〖안과〗 난시 **2** 〖광학〗 (렌즈의) 비점 수차(非點收差)

a·stir [əstə́ːr] *ad., a.* Ⓟ **1** 움직이어; 활기를 띠어, 웅성거려 《*with*》 **2** (잠자리에서) 일어나: be early ~ 일찍 일어나다

As·ti spu·man·te [áːsti-spuːmáːnti, -tei] 발포성 백포도주 《이탈리아산(産)》

---

assured *a.* **1** 확실한 certain, sure, guaranteed, secure, reliable **2** 자신 있는 confident, self-reliant

astonishing *a.* amazing, astounding, surprising, breathtaking, striking, staggering, stunning

ASTM American Society of Testing Materials 미국 재료 시험 협회

as·told-to [əztóuldtə] *a.* 《구어》 〈작가가〉 담화에 의거하여 (들은 바를) 쓴

a·stom·a·tous [eistámətəs | æstɔ́-] *a.* 〖동물〗 입이 없는; 〖식물〗 기공(氣孔)이 없는

‡**as·ton·ish** [əstániʃ | -tɔ́n-] [L 「벼락맞은 듯 놀라다」의 뜻에서] *vt.* (깜짝) 놀라게 하다 《*by, with*》(⇨ astonished; ⇨ surprise 유의어): The news *~ed* her. 그 소식은 그녀를 깜짝 놀라게 했다. // 《~+목+전+명》 He *~ed* us *with* his strange idea. 그는 기묘한 아이디어로 우리를 놀라게 했다. **~·er** *n.* ▷ astónishment *n.*

∗**as·ton·ished** [əstániʃt | -tɔ́-] *a.* (깜짝) 놀란 《*at, by*》: He looked ~. 그는 놀란 표정이었다. / She was ~ *at*[*by*] the news. 그 소식을 듣고 그녀는 깜짝 놀랐다. // 《~+***to*** do》 He was ~ *to* hear it. 그는 그것을 듣고 놀랐다.

∗**as·ton·ish·ing** [əstániʃiŋ | -tɔ́-] *a.* 놀라운, 눈부신 (amazing): an ~ fact 놀라운 사실 / a man of ~ memory 놀라운 기억력의 소유자 **~·ness** *n.*

as·ton·ish·ing·ly [əstániʃiŋli | -tɔ́-] *ad.* **1** [문 전체를 수식하여] 놀랍게도 **2** 놀랄 만큼, 몹시

‡**as·ton·ish·ment** [əstániʃmənt | -tɔ́-] *n.* **1** Ⓤ 놀람, 경악 **2** 놀랄 만한 일[물건] ***in*** [***with***] **~** 깜짝 놀라서 ***to*** **one's ~** 놀랍게도

∗**as·tound** [əstáund] *vt.* 몹시 놀라게 하다, 망연자실하게 하다(⇨ astounded; ⇨ surprise 유의어) **~·ment** *n.*

∗**as·tound·ed** [əstáundid] *a.* Ⓟ 몹시 놀라 《*at, by*》: We were ~ *at* the news. 우리는 그 소식에 몹시 놀랐다. // 《~+***to*** do》 She was ~ *to* hear the news. 그 소식을 듣고 그녀는 몹시 놀랐다.

as·tound·ing [əstáundiŋ] *a.* 몹시 놀라게 하는, 망연자실하게 하는 **~·ly** *ad.* 깜짝 놀라서; 몹시 놀랍게도

ASTP Army Specialized Training Program

astr- [æstr], 《연결형》 = ASTRO

astr. astronomer; astronomical; astronomy

as·tra·chan [ǽstrəkæ̀n] *n.* = ASTRAKHAN

a·strad·dle [əstrǽdl] *ad., a.* Ⓟ (다리를 벌리고) 걸터앉아(있는)(astride): sit ~ of[on] a horse 말에 올라타다[걸터앉다] ― *prep.* = ASTRIDE

As·trae·a [æstríːə] *n.* 〖그리스신화〗 아스트라이아 《정의의 여신》 **As·tráe·an** *a.*

as·tra·gal [ǽstrəgəl] *n.* **1** 〖건축〗 염주 쇠시리 **2** 〖기계〗 (관(管)의) 권대(圈帶); 총부리의 불룩한 테 **3** 〖해부〗 복사뼈, 거골(距骨)

as·trag·a·lus [æstrǽgələs] *n.* (*pl.* **-li** [-lài]) **1** 〖해부〗 복사뼈, 거골(距骨)(anklebone) **2** 〖식물〗 자운영속(屬)

as·tra·khan [ǽstrəkæ̀n | ⌐–⌐] [러시아의 산지명에서] *n.* Ⓤ [종종 **A~**] **1** 아스트라한 《러시아 남동부 Astrakhan 지방산(産) 어린 양의 모피》 **2** 아스트라한 모직(= **~ clòth**)

as·tral [ǽstrəl] *a.* **1** 별의(starry); 별 모양의; 별나라의; 환상적인 **2** 〖식물〗 성상체(星狀體)의 **3** 성기(星氣)의, 아스트라의, (심령 과학에서) 저승의 **~·ly** *ad.*

ástral bódy **1** 〖천문〗 천체 **2** 성기체(星氣體), 영체(靈體)

ástral hátch 〖항공〗 천측창(天測窓)(astrodome) 《비행기의 천체 관측용 유리창》

ástral lámp 무영등(無影燈)

ástral spírit 성령(星靈) 《별세계의 정령》

as·tra·pho·bi·a [æ̀strəfóubiə] *n.* Ⓤ 〖정신의학〗 번갯불 공포(증)

as·tra·po·pho·bi·a [æ̀strəpəfóubiə] *n.* = ASTRAPHOBIA

as·tra·tion [əstréiʃən] *n.* 〖천문〗 신성(新星) 탄생

∗**a·stray** [əstréi] *ad., a.* Ⓟ 길을 잃고; 못된 길에 빠져, 정도에서 벗어나, 타락하여 ***go*** **~** 길을 잃다, 타락

하다 ***lead*** a person ~ …을 나쁜 길로 이끌다, 타락시키다
as·trict [əstríkt] *vt.* 《드물게》 **1** 제한[속박]하다(restrict); 도덕적[법적]으로 구속하다 **2** 〖의학〗 변비증을 일으키다(constipate) **as·tríc·tion** *n.*
a·stride [əstráid] *ad., a.* Ⓟ 걸터앉아; 올라타고; 두 다리를 크게 벌려: riding ~ (말에) 올라타기 — *prep.* **1** …에 (두 다리를 벌리고) 걸터앉아: sit ~ a horse 두 다리를 벌리고 말에 걸터앉다 **2** (강·도로의) 양쪽에 **3** (넓은 지역·긴 시간에) 걸쳐
as·tringe [əstríndʒ] *vt.* 수축[수렴]시키다
as·trin·gen·cy [əstríndʒənsi] *n.* Ⓤ 수렴성, 엄함
as·trin·gent [əstríndʒənt] *a.* 수렴성의; 엄한(severe) — *n.* 수렴제, 아스트린젠트 **~·ly** *ad.*
as·tri·on·ics [æ̀striάniks | -ɔ́n-] *n. pl.* [단수 취급] 우주 (항행) 전자 공학
as·tro [ǽstrou] *a.* = ASTRONAUTICAL — *n.* (*pl.* **~s**) = ASTRONAUT
as·tro- [æ̀strou, -trə] 《연결형》 「별; 천체」의 뜻 《모음 앞에서는 astr-, aster-》
as·tro·ar·ch(a)e·ol·o·gy [æ̀strouὰːrkiάlədʒi | -ɔ́lə-] *n.* Ⓤ 천문 고고학
as·tro·bi·ol·o·gy [æ̀stroubaiάlədʒi | -ɔ́lə-] *n.* Ⓤ 우주 생물학(exobiology) **-gist** *n.*
as·tro·bleme [ǽstrəbliːm] *n.* 〖지질〗 (지표의) 운석공(隕石孔)
as·tro·bot·a·ny [æ̀stroubάtəni | -bɔ́-] *n.* Ⓤ 우주[천체] 식물학
as·tro·chem·is·try [æ̀stroukémistri] *n.* Ⓤ 우주[천체] 화학(cosmochemistry)
as·tro·com·pass [ǽstroukʌ̀mpəs] *n.* 천측(天測) 컴퍼스; 〖항해〗 성측(星測) 나침반
as·tro·cyte [ǽstrəsàit] *n.* 〖해부〗 성상(星狀) 세포 **as·tro·cyt·ic** [æ̀strəsítik] *a.*
as·tro·dome [ǽstrədòum] *n.* **1** 〖항공〗 천측창(天測窓) 《비행기의 천체 관측용 유리창》 **2** [the A~] 아스트로돔 《Texas주 Houston의 돔형 야구장》
as·tro·dy·nam·ics [æ̀stroudainǽmiks] *n. pl.* [단수 취급] 우주 역학, 천체 동역학 **-dy·nám·ic** *a.*
as·tro·gate [ǽstrəgèit] [*astro-*+navi*gate*] *vt.* 〈우주선·로켓의〉 우주 항행을 유도하다 — *vi.* 우주를 항행하다 **-ga·tor** *n.*
as·tro·ga·tion [æ̀strəgéiʃən] *n.* Ⓤ 우주 항행
as·tro·ge·ol·o·gy [æ̀stroudʒiάlədʒi | -ɔ́lə-] *n.* Ⓤ 천체 지질학 **-gist** *n.*
as·tro·graph [ǽstrəgræ̀f, -grὰːf] *n.* 천체 항법도
as·tro·hatch [ǽstrəhæ̀tʃ] *n.* = ASTRODOME 1
astrol. astrologer; astrological; astrology
as·tro·labe [ǽstrəlèib] *n.* 〖물리〗 아스트롤라베 《고대의 천문 관측의(儀)》
as·trol·a·try [æ̀strάlətri | -trɔ́-] *n.* Ⓤ 천체 숭배
as·trol·o·ger [əstrάlədʒər | -trɔ́-] *n.* 점성가
as·tro·log·ic, -i·cal [æ̀strəlάdʒik(əl) | -lɔ́-] *a.* 점성술의 **-i·cal·ly** *ad.*
***as·trol·o·gy** [əstrάlədʒi | -trɔ́-] *n.* Ⓤ **점성학**, 점성술(cf. ASTRONOMY) **-gist** *n.* = ASTROLOGER
as·tro·man·cy [ǽstrəmæ̀nsi] *n.* Ⓤ 별점, 점성
as·tro·me·te·o·rol·o·gy [æ̀stroumìːtiərάlədʒi | -rɔ́-] *n.* Ⓤ 천체 기상학
as·trom·e·ter [əstrάmətər | -trɔ́-] *n.* 천체 광도(光度) 측정기
as·trom·e·try [əstrάmətri | -trɔ́-] *n.* Ⓤ 천체 측정학, 측정 천문학 **às·tro·mé·tric** *a.*
astron. astronomer; astronomical; astronomy
***as·tro·naut** [ǽstrənɔ̀ːt, -nὰt | -nɔ̀ːt] *n.* **우주 비행사**
as·tro·nau·tic, -ti·cal [æ̀strənɔ́ːtik(əl), -nά- | -nɔ́ː-] *a.* 우주 비행(사)의 **-ti·cal·ly** *ad.*
astronáutical engineéring 우주 (항공) 공학
as·tro·nau·tics [æ̀strənɔ́ːtiks, -nά- | -nɔ́ː-] *n. pl.* [단수 취급] 우주 항행학[술]
as·tro·nav·i·ga·tion [æ̀strounæ̀vəgéiʃən] *n.* Ⓤ 〖항공〗 천측(天測)[천문] 항법(celestial navigation)
as·tro·nette [æ̀strənét] *n.* 여류 우주 비행사
‡as·tron·o·mer [əstrάnəmər | -trɔ́-] *n.* **천문학자**; 《영》 천문대장
***as·tro·nom·i·cal, -nom·ic** [æ̀strənάmik(əl) | -nɔ́-] *a.* **1 천문(학상)의 2** 〈숫자·거리 등이〉 천문학적인, 방대한(enormous): ~ figures 천문학적 숫자 **-i·cal·ly** *ad.* 천문학적으로 ▷ astrónomy *n.*
astronómical clóck 천문 시계
astronómical dáy 천문일 《정오부터 다음 정오까지》
astronómical látitude 천문(하저) 위도
astronómical observátion 천체 관측
astronómical obsérvatory 천문대
astronómical photógraphy 천체 사진술
astronómical sátellite 천문[천체] 관측 위성
astronómical télescope 천체 망원경
astronómical tíme 천문시 《하루가 정오에서 시작하여 다음 날 정오에 끝나는》
astronómical únit 〖천문〗 천문 단위 《태양과 지구의 평균 거리; 略 AU》
astronómical yéar 천문년(solar year)
‡as·tron·o·my [əstrάnəmi | -trɔ́-] [Gk 「별의 법칙(의 연구)」의 뜻에서] *n.* **1** Ⓤ **천문학**: nautical ~ 항해 천문학 / spherical ~ 구면(球面) 천문학 **2** 천문학 논문[서적] ▷ astronómical *a.*
as·tro·pho·to·graph [æ̀stroufóutəgræ̀f, -grὰːf] *n.* 천체 사진
as·tro·pho·tog·ra·phy [æ̀stroufətάgrəfi, -tɔ́-] *n.* Ⓤ 천체 사진술 **-pher** *n.*
as·tro·pho·tom·e·ter [æ̀stroufoutάmətər | -tɔ́-] *n.* 천체 광도 측정기
as·tro·pho·tom·e·try [æ̀stroufoutάmətri | -tɔ́-] *n.* 〖천문〗 우주 측광학, 천체 광도 측정(법)
as·tro·phys·i·cal [æ̀stroufízikəl] *a.* 천체 물리학의 **~·ly** *ad.*
as·tro·phys·ics [æ̀stroufíziks] *n. pl.* [단수 취급] 천체 물리학 **-phýs·i·cist** *n.* 천체 물리학자
as·tro·sphere [ǽstrəsfìər] *n.* 〖생물〗 (세포의) 중심구(球); 성상체(星狀體)
As·tro·turf [ǽstrətə̀ːrf] *n.* 아스트로터프 《인공 잔디; 상표명》
Á stùdent 《미》 최우수 학생, A학점 학생
as·tute [əstjúːt, æs- | -tjúːt] *a.* 기민한, 눈치 빠른; 교활한 **~·ly** *ad.* **~·ness** *n.*
As·ty·a·nax [æstáiənæ̀ks, əs-] *n.* 〖그리스신화〗 아스티아낙스 《Hector와 Andromache의 아들》
a·sty·lar [eistáilər] *a.* 〖건축〗 무주식(無柱式)의
ASU American Students Union
A-sub [éisʌ̀b] [*a*tomic+*sub*marine] *n.* 《구어》 원자력 잠수함
A·sun·ción [əsùːnsióun, ɑː- | æsùnsiɔ́n, -óun] *n.* 아순시온 《남미 Paraguay의 수도》
a·sun·der** [əsʌ́ndər] *ad., a.* Ⓟ 《문어》 [주로 break, cut, fall, rend 등의 동사와 함께] (둘 이상의 것이) **따로따로 떨어져**(apart); 산산이 흩어져; (한 물건이) 두 동강으로 (되어), 조각조각으로: cut ~ 잘라 버리다 / They were driven ~ by the war. 그들은 전쟁 통에 이산가족이 되었다. ***break ~ (두 동강으로) 깨뜨리다[깨지다] ***come*** [***fall***] ~ 산산이 흩어지다[허물어지다] ***drive*** ~ 뿔뿔이 쫓아버리다 ***put*** ~ 잡아떼다, 산산이 흩뜨리다 ***tear*** ~ 갈기갈기 찢다 ***whole world*** ~ 하늘과 땅만큼 떨어져 ▷ súnder *v.*
ASV air-to-surface vessel (폭격기 등에 장비하는) 공대(空對) 해상[함선] 레이더; American Standard Version (of the Bible) **ASW** antisubmarine warfare

thesaurus **astronaut** *n.* spaceman, spacewoman, space traveler, cosmonaut
asunder *ad.* into pieces, to pieces[bits], apart

As·wan [æswɑ́:n, ɑ:s- | æswǽn] *n.* 아스완 《이집트 공화국 남동부의 도시; 그 부근에 the Aswan Dam과 the Aswan High Dam이 있음》
a·swarm [əswɔ́:rm] *a.* Ⓟ 〈장소·건물 등이〉 (…로) 가득한, 득실거려 《*with*》: a night sky ~ *with* stars 별이 가득한 밤하늘
a·swirl [əswə́:rl] *a.* Ⓟ 소용돌이쳐
a·swoon [əswú:n] *a.* Ⓟ 졸도[기절]하여
-asy [-əsi] *suf.* 「…한 성질·상태」의 뜻: fant*asy*, idiosyncr*asy*
a·syl·lab·ic [èisilǽbik] *a.* 음절로서 기능하지 않는
* **a·sy·lum** [əsáiləm] [Gk 「붙잡을 권리가 없는 (곳)」의 뜻에서] *n.* **1** (정신박약자·고아·노인 등의) **보호 시설**, 수용소; 《드물게》 정신 병원: an ~ for the aged 양로원 / an orphan ~ 고아원 / a lunatic ~ 정신 병원 **2** Ⓤ 피난, 망명, 보호: political ~ 정치적 망명 / seek ~ 망명을 요청하다 / He has been granted ~ in German. 그는 독일로의 망명을 허가받았다. **3** 피신처, 피난처 **4** 〚국제법〛 (망명자·정치범 등의) 일시적 피난(처) 《주로 외국 대사관 등》 **5** (옛날 죄인·빚진 사람 등의) 도피처 《교회 등》
asýlum séeker (정치적) 망명자
a·sym·met·ric, -ri·cal [èisəmétrik(əl), æ̀sə-] *a.* **1** 균형이 잡히지 않은, 어울리지 않는 **2** 〚식물·수학〛 비대칭의 **-ri·cal·ly** *ad.*
asymmétric bárs 〚체조〛 《영》 = UNEVEN (PARALLEL) BARS
asymmétric tíme 〚음악〛 비대칭 박자
a·sym·me·try [eisímətri, æ-] *n.* Ⓤ **1** 어울리지 않음, 불균형 **2** 〚식물·수학〛 비대칭
a·symp·to·mat·ic [eisìmptəmǽtik, æ-] *a.* 징조[징후] 없는; 〚의학〛 자각 증상이 없는, 무증후성의
as·ymp·tote [ǽsimtòut] *n.* 〚수학〛 점근선(漸近線)
as·ymp·tot·ic, -i·cal [æ̀simtɑ́tik(əl) | -tɔ́-] *a.* 〚수학〛 점근선의: ~ property 점근성 / an ~ circle [line] 점근원[선]
asymptótic fréedom 〚물리〛 점근적 자유성
a·syn·ap·sis [èisinǽpsis] *n.* (*pl.* **-ses** [-si:z]) 〚유전〛 비대합(非對合)
a·syn·chro·nism [eisíŋkrənìzm, æ-] *n.* Ⓤ 비동시성(非同時性)
a·syn·chro·nous [eisíŋkrənəs, æ-] **1** 비동시성의 **2** 〚전기·컴퓨터〛 비동기(식)의: ~ communication 비동기 통신 **~·ly** *ad.*
asýnchronous transmíssion 비동기 전송
a·syn·chro·ny [eisíŋkrəni] *n.* = ASYNCHRONISM
as·yn·det·ic [æ̀sindétik] *a.* 앞뒤의 맥락이 없는; 상호 참조가 없는; 〚수사학〛 접속사를 생략한
a·syn·de·ton [əsíndətɑ̀n, -tən | æsínditən] *n.* (*pl.* **~s, -ta** [-tə]) 〚수사학〛 접속사[연결사] 생략 《보기: I came, I saw, I conquered. 왔노라, 보았노라, 이겼노라.》
a·syn·tac·tic [èisintǽktik] *a.* 〚문법〛 통어법에 의거하지 않은; 비문법적인(ungrammatical)
⁑ **at** ⇨ at (p. 154)
At 〚전기〛 ampere-turn; 〚화학〛 astatine **AT** achievement test; air temperature; air transport(ation); Alaska Time; antitank; apparent time; Atlantic Time; automatic transmission **at.** atmosphere; atomic; attorney
At., At [ǽt] *n.* 《영·구어》 여자 방위군의 일원(cf. ATS)
at- [æt, ət] *pref.* = AD- 《t 앞에서의 변형》: *at*tend
-ata[1] [ɑ́:tə, éi-] *suf.* 복수형 어미 《라틴 어에서 차용; 보기: Vertebr*ata*》
-ata[2] *suf.* 복수형 어미 《그리스 어에서 차용; 보기: stom*ata*》

asylum *n.* **1 피신처** refuge, sanctuary, shelter, safety, haven, retreat, harbor **2 정신 병원** mental hospital, psychiatric hospital, institution

At·a·brine [ǽtəbrin, -brì:n] *n.* 〚약학〛 아타브린 《말라리아 예방약 quinacrine의 상표명》
At·a·lan·ta [æ̀təlǽntə] *n.* 〚그리스신화〛 아탈란타 《걸음이 빠른 미녀 사냥꾼》
at·a·man [ǽtəmən] [Russ.] *n.* (*pl.* **~s**) = HETMAN
at·a·mas·co [æ̀təmǽskou] *n.* 〚식물〛 달래꽃무릇속(屬)의 각종 다년초(= **~ líly**)
AT & T American Telephone and Telegraph (Company) 미국 전신 전화 회사
at·a·rac·tic [æ̀tərǽktik], **-rax·ic** [-rǽksik] *a.* 정신 안정 (작용)의; 정신 안정제의 **—** *n.* 정신 안정제
at·a·rax·y [ǽtərӕ̀ksi], **at·a·rax·i·a** [æ̀tərǽksiə] *n.* Ⓤ 무감동, 냉정, 태연, 평정
ATA(S) Air Transport Auxiliary (Service)
at·a·vism [ǽtəvìzm] *n.* ⓊⒸ **1** 〚생물〛 격세 유전 **2** 격세 유전을 나타내는 개체; (사람의) 원시적 상태로 되돌아가기
at·a·vist [ǽtəvist] *n.* 〚생물〛 격세 유전에 의한 형질을 가진 개체
at·a·vis·tic [æ̀təvístik] *a.* 격세 유전적인; Ⓐ 원시적인 **-ti·cal·ly** *ad.*
a·tax·i·a [ətǽksiə], **a·tax·y** [ətǽksi, æ-] *n.* Ⓤ 〚병리〛 (수족의) 기능 장애, 운동 실조(증)
a·tax·ic [ətǽksik] *a.* 운동 실조의
ATB 〚컴퓨터〛 address translation buffer; all-terrain bike[bicycle]
at bat [ət-bǽt] 〚야구〛 타수(打數) 《略 ab》
ATC 〚항공〛 Air Traffic Control; 《영》 Air Training Corps; 《미》 Air Transport Command; 〚철도〛 automatic train control **ATD** advanced technology development
atch·oo [ətʃú:] *int.* = AHCHOO
⁑ **ate** [éit | ét, éit] *v.* EAT의 과거
A·te [éiti | ɑ́:ti] *n.* 〚그리스신화〛 아테 《신과 인간을 각종 나쁜 일로 인도하는 여신》
ATE automatic test equipment 자동 검사기
-ate[1] [ət, éit], **-at·ed** [èitid] *suf.* 「…이 있는」의 뜻: foli*ate*
-ate[2] [ət, èit] *suf.* 「…시키다, …하다, …이 되다, …을 주다」의 뜻: loc*ate*, concentr*ate*
-ate[3] *suf.* **1** 「직위」의 뜻: consul*ate* **2** 「어떤 행위의 산물」의 뜻: condens*ate*
-ate[4] *suf.* 〚화학〛 「…산염(酸鹽)」의 뜻: sulf*ate*
Á Tèam 〚미군〛 A팀, 정예 부대 《12명의 특수 부대원으로 구성된》
at·el·ec·ta·sis [æ̀təléktəsis] *n.* 〚병리〛 폐확장부전, 무기폐(無氣肺)
at·el·ier [æ̀təljéi, ǽtəljèi] [F] *n.* 아틀리에, 제작실, 공방, 화실(studio)
a·te·li·o·sis, -lei·o·sis [ətì:lióusis, ətél- | -óu-] *n.* 〚병리〛 발육 부전, 난쟁이 《뇌하수체의 기능 부전으로 발생; 지능은 정상》 **a·tel·i·ot·ic** [ətelíɔ́tik] *a.*
a tem·po [ɑ:-témpou] [It. = in time] *ad.* 〚음악〛 본래의 속도로
a·tem·po·ral [eitémpərəl] *a.* 시간을 초월한, 시간이 없는
a ter·go [ɑ:-tɛ́ərgou] [L] *ad.* 뒤(쪽)에서, 뒤쪽으로
A·te·ri·an [ətíəriən] *n., a.* (북아프리카 구석기 시대 중기(中期)의) 아테리아 문화(의)
A-test [éitèst] *n.* 원폭 실험
ATGM antitank guided missile
Ath·a·bas·kan, -can [æ̀θəbǽskən] *n.* **1** 애서배스카 어족 《캐나다·알래스카 등 북미 북서부의 인디언 어족의 하나》; 애서배스카 족(의 한 사람) **—** *a.* 애서배스카 어[족]의
ath·a·na·sia [æ̀θənéiʒə, -ʃə] *n.* Ⓤ 불사, 불멸
Ath·a·na·sian [æ̀θənéiʒən, -ʃən] *a.* 아타나시오스(파)의 **—** *n.* 아타나시오스파 사람
Athanásian Créed [the ~] 〚그리스도교〛 아타나시오스 신경(信經)

at

사용 빈도가 아주 높은 전치사 중의 하나로서 그 용법도 다양하고 광범위하다. 특히 방향·목표·목적을 나타내는 용법(⇨ 5) 등에서 자동사와 결합하여 많은 중요한 타동사 상당어를 이루며, 때로는 수동형으로도 쓰임에 유의해야 한다: look at ... (…을 바라보다); laugh at ... (…을 비웃다) → be looked at; be laughed at 등.
또한 같은 때·장소를 나타내는 전치사 in, on과의 미묘한 용법 차이도 익혀야 한다.

‡**at** [ət, æ̀t, ǽt] *prep.* 《[ǽt]는 고립하거나, 대조적으로 또는 문장 끝에 올 경우의 발음》

기본적으로는 「어떤 한 점에 있어서」의 뜻.	
① [장소·위치] …에서	**1**
② [때] …에, …의 때에	**2**
③ [목표] …을, …을 향하여	**5**
④ [원인] …에 (의해)	**8**
⑤ [능력·성질] …의 점에서	**10**
⑥ [행위·상태] …하고	**6, 7**
⑦ [수량·비율] …로, …(의 비율)로	**4, 9**

1 [장소·위치] **a** [한 지점을 나타내어] …에, …에서, …에 있어서 《USAGE 원칙적으로 at은 「일점」이라고 (주관적으로) 생각할 때 쓰며, in은 넓은 장소에 씀; 나라·대도시는 *in* England, *in* London 등으로 말하며, in보다 좁은 장소인 소도시나 마을은 *at* Bath 등으로 말하는데, 같은 장소라도 지도상의 일점으로 생각하면 change *at* Chicago(시카고에서 갈아타다) 등으로 말함; 한편 자기가 살고 있는 도시·마을 등의 경우는 작더라도 꽤 넓은 느낌이 들므로 There are many historic places *in* our town.이라고도 할 수 있음》: *at* a point 한 점에서 / *at* the center 중심에 / *at* a distance 떨어진 곳에, 떨어져서 / Turn left *at* the next corner. 다음 모퉁이에서 좌회전하시오. / Open your book *at* page 30. 책의 30페이지를 펴시오. 《(미)에서는 at 대신 to를 씀》 / We met *at* the library. 우리는 도서관에서 만났다. / He was educated *at* Harvard. 그는 하버드에서 교육을 받았다. 《대학 이름에는 at을 쓰지만 대학 소재지의 고장 이름에는 in을 씀》 / He is a student *at* Yale. 그는 예일 대학 학생이다. 《*of* Yale은 《드물게》》 / The restaurant is *at* 54 Madison Street. 그 식당은 매디슨가 54번지에 있다. ★ 번지는 *at*으로, 가(街)·로(路)는 in, on을 씀. **b** [출입하는 점, 바라보는 장소] …에서, …으로: come in *at* the front door 현관으로 들어가다 / look out *at* the window 창에서[으로] 바깥을 내다보다 《그저 「창문으로」이면 at 대신 out of를 씀》 / Let's start *at* Lesson 5. 5과부터 시작합시다. **c** [도착지·도달점] …에: arrive *at* one's house 집에 다다르다 **d** [출석·참석 등] …에 (출석하여 등): *at* a meeting 모임에 나가 / *at* the theater 극장에서[에 가서] / He was *at* university from 1992 to 1996. 그는 1992년부터 1996년까지 대학생이었다. ★ at university는 (영), (미)에서는 in college라 함.
2 [때·나이] **a** [때의 한 점·시각·시절 등] …에: School begins *at* nine and ends *at* four. 학교는 9시에[부터] 시작하여 4시에 끝난다. 《begin *from* nine은 잘못; School is *from* nine *to* four. (학교는 9시부터 4시까지이다.)는 가능함》 / meet *at* noon 정오에 만나다 / *at* present 지금은 / *at* that time 그때는 / *at* the beginning[end] of the month 월초[말]에 / *at* the same time 동시에 / *at* this time of (the) year 이 계절에, 매년 지금쯤은 / *at* Christmas 크리스마스에 / *at* the weekend (영) 주말에 **b** [나이] …(살 때)에: *at* (the age of) ten 열 살 때에
3 [순위·빈도] **a** [순위] …에: *at* first 처음에는 / *at* last 마지막에; 마침내 / He attained his goal *at* the fifth trial. 그는 다섯 번째 시도에서 목적을 달성했다. **b** [빈도] …에, …로: *at* long[short] intervals 가끔[자주] / *at* all times 언제나, 늘 / *at* times 때때로 **c** [at a[an, one] …로]: *at a* time 한 번에 / *at a* mouthful 한 입에 / drink milk *at a*[*one*] gulp 우유를 한 모금에 마시다
4 [도수·비례] …(의 비례)로: *at* 80° 80도로[에서] / *at* (the[a] rate of) 40 miles an hour 시속 40마일로 / *at* full speed 전속력으로
5 [방향·목표·목적] …을 (노리고), …을 (향하여): look *at* the moon 달을 쳐다보다 / aim *at* a target 과녁을 겨냥하다 / What is he aiming *at*? 그는 무엇을 노리는가?, 무엇이 목적인가? / guess *at* ... …을 맞혀 보다 / hint *at* ... …을 넌지시 비치다, 풍기다 / laugh *at* a person …을 비웃다 / He glanced *at* the speedometer. 그는 속도계를 흘끗 보았다.
6 [종사·종사의 대상] **a** [종사 중임] …에 종사 중으로[인], …하고 《관용구는 보통 관사 없이》: *at* breakfast 아침 식사 중 / *at* church (교회에 가서) 예배 중 / All the children are *at* school in the morning. 모든 아이들은 오전에는 (학교에 가서) 수업 중이다. / be *at* work[play] 일하고[놀고] 있다 / What are you *at* now? 지금 무엇을 하고 있는가? **b** [종사의 대상] …에 (몰두하여), …을: work *at* math(s) 수학을 공부하다 / play a person *at* chess …을 상대로 체스를 하다
7 [상태·상황] **a** [at one's+형용사의 최상급으로; 극점을 나타내어] …에: The storm was *at* its worst. 폭풍우는 최악의 상태에 있었다. **b** [평화·불화] …하여, …한 상태로, …중으로: be *at* peace 평화롭다 / the nations *at* war 교전국 **c** [곤경·처지] …하여: *at* a loss 어찌할 바를 몰라, 당황하여 / a stag *at* bay 사냥개에 쫓겨 궁지에 몰린 수사슴 **d** [정지·휴지] …하고: negotiations *at* a standstill 교착된 협상 / *at* anchor 정박하고 / *at* rest 휴식하고 **e** [자유·임의] …로: *at* will 마음대로 **f** [조건] …로, …에 있어서: *at* one's own risk 자기 책임으로
8 [감정의 원인] …에 (접하여), …을 보고[듣고, 알고]: tremble *at* the thought of ... …을 생각만 해도 떨리다 / She was annoyed *at* his rude manner. 그녀는 그의 무례한 태도에 화가 났다. / He was pleased *at* Mary's present. 그는 메리의 선물을 받고 기뻐했다. ★ (영)에서는 at 대신 with를 씀.
9 [수량·값] …으로, …에: *at* a good[low] price 좋은[싼] 값에 / buy[sell] *at* 10 dollars 10달러에 사다[팔다] / estimate a crowd *at* 2,000 군중을 2,000명으로 추산하다
10 [능력·성질의 대상] …의 점에서, …을: He is good[poor] *at* soccer. 그는 축구를 잘[못]한다.
at about ... 쯤에, …께, 약…(⇨ about *ad.* 1 a): *at about* five o'clock 5시쯤에 / *at about* the same speed 거의 같은 속도로
at that 《구어》 ⇨ that *pron.*
be at ... 《구어》 (1) (귀찮게) …을 나무라다: She *was at* her husband again about his friends. 그녀는 남편의 친구 일로 또 남편에게 바가지 긁었다. (2) …을 공격하다, …을 노리다: The cat *is at* the fish again. 저 고양이는 또 생선에 눈독을 들이고 있다. (3) 〈남의 것 등을〉 만지작거리다: She's *been at* my dress again. 그녀는 또 내 옷을 만지작거렸다.
be at it again 《구어》 또 시작이다: She'*s at it again.* Interfering in other people's business. 저 여자 또 시작이군. 다른 사람들 일에 간섭하고 말이야.

Ath·a·na·sius [æ̀θənéiʃəs] *n.* 아타나시오스 **Saint** ~ (296?-373) 《Alexandria 대주교; 아리우스 교파(the Arians)를 반대한 신학자》
a·than·a·sy [əθǽnəsi] *n.* =ATHANASIA
A·thar·va-Ve·da [ətɑ́:rvəvéidə, -ví:də] *n.* 〖힌두교〗 아타르바베다 《바라몬교 성전(Samhita)의 하나》
a·the·ism [éiθiìzm] *n.* Ⓤ **1** 무신론 **2** 무신앙 (생활)(cf. DEISM) ▷ atheístic *a.*
***a·the·ist** [éiθiist] *n.* **무신론자**; 무신앙자
a·the·is·tic, -ti·cal [èiθiístik(əl)] *a.* 무신론(자)의 **-ti·cal·ly** *ad.*
ath·el·ing [ǽθəliŋ, ǽðə- | ǽðə-] *n.* 〖영국사〗 왕자, 왕족, 《특히》 황태자
Ath·el·stan [ǽθəlstæ̀n] *n.* 남자 이름
a·the·mat·ic [èiθi:mǽtik, -θi- | æ̀θi-] *a.* **1** 〖언어〗 〈명사·동사 어간이〉 어간 형성 모음이 없는 **2** 〖음악〗 무주제의, 비주제적인
A·the·na [əθí:nə] *n.* =ATHENE
Ath·e·n(a)e·um [æ̀θəní:əm] *n.* **1** [the ~] 아테나 신전 《시인·학자들이 모여 시문(詩文)을 논했던 곳》 **2** [a~] 학당; 문예[학술] 클럽; 도서실, 문고
A·the·ne [əθí:ni] *n.* **1** 여자 이름 **2** 〖그리스신화〗 아테네 《지혜·예술·전술의 여신; cf. MINERVA》
***A·the·ni·an** [əθí:niən] *a.* **아테네**(Athens)**의**
— *n.* 아테네 사람
***Ath·ens** [ǽθinz] *n.* **아테네** 《그리스의 수도; 고대 그리스 문명의 중심지》
a·the·o·ret·i·cal [eiθìərétikəl, æθ-] *a.* 비이론적인
a·ther·man·cy [æθə́:rmənsi] *n.* Ⓤ 〖물리〗 불투열성(不透熱性)
a·ther·man·ous [æθə́:rmənəs] *a.* 불투열성의
a·ther·mic [eiθə́:rmik, æθ-] *a.* 비(非)열전도의, 열이 없는
ath·er·o·gen·ic [æ̀θəroudʒénik] *a.* 〖의학〗 (동맥에) 아테롬을 발생시키는 〈식사〉
ath·er·o·ma [æ̀θəróumə] *n.* 〖의학〗 분류(粉瘤), 아테롬 《피부에 생기는 작은 지방 혹》; 동맥 아테롬
~·tous *a.*
ath·er·o·scle·ro·sis [æ̀θərousklərόusis] *n.* Ⓤ 〖병리〗 아테롬성 동맥 경화증
-scle·rót·ic *a.*
a·thirst [əθə́:rst] *a.* Ⓟ **1** 《고어·시어》 목말라 (thirsty) **2** 갈망하여(eager) 《*for*》
***ath·lete** [ǽθli:t] *n.* **1** 《일반적으로》 **운동 선수**, 스포츠맨, 경기자 **2** 《영》 (트랙과 필드 경기의) 육상 경기 선수 **3** 체격이 운동 선수 같은 사람 ▷ athlétic *a.*
áthlete's fóot 〖병리〗 (발의) 무좀
áthlete's héart (운동 과도에 따른) 스포츠맨 심장, 과도 운동성 심장 비대
‡ath·let·ic [æθlétik] *a.* **1** (운동) **경기의**; 체육의; 운동 선수용의: an ~ meeting 경기 대회, 운동회/~ sports 운동 경기; 《영》 운동회 **2** 〈체격이〉 스포츠맨다운, 강건한; 발랄한 **-i·cal·ly** *ad.*
▷ áthlete, athlétics *n.*
ath·let·i·cism [æθlétəsìzm] *n.* Ⓤ 운동 경기[스포츠]열; 집중적[정열적]인 활동성
***ath·let·ics** [æθlétiks] *n. pl.* **1** [보통 복수 취급] (각종의) **운동 경기**, 스포츠; 《영》 트랙과 필드 종목, 육상 경기 **2** [보통 단수 취급] 체육 실기, 체육 이론
▷ athlétic *a.*
athlétic shírt 운동 셔츠
athlétic shóe **1** (조깅·에어로빅 등의) 운동화 **2** = SNEAKER 3
athlétic suppòrter =JOCKSTRAP
ath·o·dyd [ǽθədìd] [*a*ero-*th*ermo-*dy*namic *d*uct] *n.* 〖항공〗 =RAMJET (ENGINE)

thesaurus **atheism** *n.* disbelief, heresy, godlessness, skepticism, irreligion, nihilism
athletic *a.* **1** 운동의 sports, sporting **2** 강건한 muscular, powerful, robust, sturdy, strong, vigorous

àt hóme (격식 없는) 가정 초대회(informal reception)
at-home [əthóum, æ̀t-] *a.* 〈옷이〉 집에서 알맞는; 집에서의: ~ dress 실내복
-athon, -thon [əθɑ̀n | -θɔ̀n] 《연결형》 「장시간 이벤트; 지구력 겨루기」의 뜻: walk*athon*, read*athon*
a·thrill [əθríl] *a.* Ⓟ 오싹하여, 흥분하여 《*with*》
ath·ro·cyte [ǽθrəsàit] *n.* 〖동물〗 집수(集受)세포 《체액 중의 배출물을 오줌으로써 흡수·저장하는 세포》
a·thwart [əθwɔ́:rt] *ad.* 어긋나게, 비스듬히, 가로질러서 — *prep.* …을 가로질러서(across); 〈목적〉에 어긋나서, 〈뜻〉에 반하여(against)
▷ thwárt *v., ad.*
a·thwart·ship [əθwɔ́:rtʃip] *a.* 〖항해〗 선측(船側)에서 선측으로 선체를 가로지르는
a·thwart·ships [-ʃips] *ad.* 〖항해〗 선체를 가로질러
-atic [ǽtik] *suf.* 「…의, …성(性)의」의 뜻: aqu*atic*, Asi*atic*, dram*atic*
a·tilt [ətílt] *ad., a.* Ⓟ **1** (마상(馬上) 시합에서) 창(槍)을 겨누고 **2** 기울어져(tilted): with a bottle ~ 병을 기울여
a·tin·gle [ətíŋgl] *a.* Ⓟ 얼얼하여, 쑤시어; 흥분하여
-ation [éiʃən] *suf.* [동작·결과·상태를 나타냄]: occup*ation*, civiliz*ation*
a·tip·toe [ətíptòu] *ad., a.* Ⓟ **1** 발끝으로, 발돋움하여; 몰래 **2** 이제나저제나 하고 기다려: be waiting ~ for the mail 이제나저제나 하고 편지를 기다리다
a·tish·oo [ətíʃu:] *int., n.* (*pl.* **~s**) 에취(ahchoo) 《재채기 소리》
-ative [èitiv, ət-] *suf.* [경향·성질·관계 등을 나타냄] 「…적인」의 뜻: decor*ative*, talk*ative*
At·kins [ǽtkinz] *n.* ⇨ Tommy Atkins
Átkins Dìet 앳킨스 규정식[다이어트], 황제 다이어트 《저탄수화물과 고단백질 식품을 섭취하는 식단》
Atl. Atlantic
At·lan·ta [ætlǽntə] *n.* 애틀랜타 《Georgia주의 주도》
At·lan·te·an [æ̀tlæntí:ən, -lən-] *a.* **1** 거인 Atlas 같은; 힘이 센(strong) **2** Atlantis 섬의
at·lan·tes [ætlǽnti:z, ət-] *n.* ATLAS 4의 복수
‡At·lan·tic [ætlǽntik, ət-] *n.* [the ~] **대서양**(the Atlantic Ocean)
— *a.* **1** 대서양의, 대서양 연안(부근)의: the ~ islands 대서양 제도/the ~ states 미국의 대서양 연안의 여러 주, 동부 여러 주 **2** (특히 북미·유럽의) 대서양 연안 제국의 **3** 거인 아틀라스(Atlas)의 **4** (아프리카 북서부의) 아틀라스 산맥의
Atlántic Chárter [the ~] 대서양 헌장 《1941년 미국 대통령 F.D. Roosevelt와 영국 수상 W. Churchill이 결정한 「미영 공동 선언」》
Atlántic Cíty 미국 New Jersey 주 동남부의 도시
Atlántic Dáylight Tìme 대서양 기준시[서머타임] 《GMT보다 다섯 시간 빠른, 캐나다 동부·푸에르토리코·버진아일랜드 지역의 시간대; 略 ADT》
At·lan·ti·cism [ætlǽntəsìzm, ət-] *n.* 범대서양주의 《서유럽과 미국의 군사·정치·경제의 긴밀한 협력을 주장하는》 **-cist** *n.*
‡Atlántic Ócean [the ~] **대서양**
Atlántic Páct [the ~] 북대서양 조약(North Atlantic Treaty)
Atlántic Províncés [the ~] (캐나다의) 대서양 연안 제주(諸州)
Atlántic (Stándard) Tìme (미국의) 대서양(표준)시 《GMT보다 4시간 늦음; 略 A(S)T》
At·lan·tis [ætlǽntis, ət-] *n.* 아틀란티스 섬 《신벌(神罰)을 받아 가라앉았다는 대서양상의 전설의 낙원》
at-large [æ̀tlɑ́:rdʒ] *a., ad.* 《미》 전주(全州) 대표의 [의원에 의해서]
***at·las** [ǽtləs] [옛 지도책에 Atlas의 그림이 실린 데서] *n.* **1 지도책**; 도해서 **2** 아틀라스판(判) 《대판(大判) 양지》 **3** 〖해부〗 환추(環椎) 《제1경추(頸椎)》 **4** (*pl.* **at·lan·tes** [ætlǽnti:z]) 〖건축〗 남상주(男像柱)

At·las [ǽtləs] *n.* **1** 〖그리스신화〗 아틀라스 《어깨에 지구를 짊어지고 있는 거인》 **2** 아틀라스 《미국의 대륙간 탄도탄》

Atlas 1

Átlas Móuntains [the ~] 아틀라스 산맥 《아프리카 북서부에 있음》
at·latl [ɑ́:tlɑ̀:tl] *n.* (고대 멕시코의) 창[화살] 발사기
atm- [ætm], **atmo-** [ǽtmou, -mə] 《연결형》 「증기; 공기」의 뜻
ATM automated[automatic] teller machine 〖금융〗 현금 자동 입금·지급기; asynchronous transfer mode 〖컴퓨터〗 비동기 전송 방식 **atm.** atmosphere; atmospheric **at.m.** atomic mass
at·man [ɑ́:tmən] [Skt. =breath, soul] *n.* 〖힌두교〗 아트만, 기식(氣息), 범(梵)(Brahman)
át márk 〖컴퓨터〗 앳 마크 《@》
ATM càrd 《미》 현금 인출 카드(《영》 cash card)
at·mol·o·gy [ætmɑ́lədʒi] *n.* Ⓤ 〖물리〗 증발학
at·mom·e·ter [ætmɑ́mətər | -mɔ́mə-] *n.* 증발계
‡**at·mo·sphere** [ǽtməsfìər] [Gk 「증기가 에워싸는 곳」의 뜻에서] *n.* **1** [the ~] (지구를 둘러싼) 대기; (천체를 둘러싼) 가스체 **2** [*sing.*] (특정한 장소 등의) 공기: a moist ~ 축축한 공기 **3** 〖물리〗 기압 《1cm²에 1,013,246다인의 압력》 **4** [*sing.*] 분위기, 환경, 주위의 상황: a tense ~ 긴장된 분위기 / a novel rich in ~ 분위기가 잘 나타나 있는 소설
▷ atmosphéric *a.*
*__at·mo·spher·ic, -i·cal__ [æ̀tməsférik(əl), -sfíər- | -sfér-] *a.* **1** 대기(중)의, 공기의; 대기에 의한: an ~ depression 저기압 / an ~ discharge 공중 방전 **2** 분위기의[를 내는]: ~ music 무드 음악
-i·cal·ly *ad.*
atmosphéric bráking 〖우주〗 대기 제동 《우주선의 연착륙 전에 대기 저항을 이용해 감속함》
atmosphéric distúrbance = ATMOSPHERICS
atmosphéric electrícity 〖물리〗 공중 전기
atmosphéric préssure 〖기상〗 기압
at·mo·spher·ics [æ̀tməsfériks, -sfíər- | -sfér-] *n. pl.* **1** 〖통신〗 공중 장애, 공전(空電); (공중 장애로 인한 라디오 등의) 잡음 **2** [단수 취급] 공전학, 공전 장애 연구 **3** (정치·국제 관계 등에서의) 분위기, 무드
atmosphéric tíde 〖물리〗 대기 조석(潮汐)
at·mo·sphe·ri·um [æ̀tməsfíəriəm] *n.* (*pl.* **~s, -ri·a** [-riə]) 기상 변화 투영 장치(를 설비한 방[건물])
at. no. atomic number **ATO** assisted take-off; Automatic Train Operation
at·oll [ǽtɔ:l, ǽtɑl, éi- | ǽtɔl, ətɔ́l] *n.* 환초(環礁), 환상 산호섬
‡**at·om** [ǽtəm] [Gk 「분할할 수 없는 것」의 뜻에서] *n.* **1** 〖물리·화학〗 원자: chemical ~*s* 원자 / physical ~*s* 분자 **2** 미립자; 티끌, 미진(微塵)(particle); [부정문에서] 극소량, 조금 ***not an ~ of*** …은 티끌만큼도 없는 ***smash*** [***break***] ***to ~s*** 가루가 되게 산산이 부수다 ▷ atómic *a.*; átomize *v.*
at·om·ar·i·um [æ̀təméəriəm] *n.* 전시용 소형 원자로, 원자로 전시관
átom bómb = ATOMIC BOMB
at·om-bomb [ǽtəmbɑ̀m | -bɔ̀m] *vt.* 원자 폭탄으로 공격하다 **—** *vi.* 원자 폭탄을 투하하다
‡**a·tom·ic** [ətɑ́mik | ətɔ́-] *a.* **1** 원자의: ~ value 원자가 **2** 원자력의[을 사용한]; 원자 폭탄의[을 사용하는] **3** 극소의(minute); 《구어·반어》 막대한(atomical) **-i·cal·ly** *ad.* 원자력적으로; 산산이 가루가 되어
atómic áge [the ~] 원자력 시대
atómic bómb 원자 폭탄(A-bomb)
atómic bómber 원자 폭탄 탑재 폭격기; 핵에너지 추진 폭격기
atómic cálendar 탄소 14법에 의한 연대 측정 장치
atómic clóck 원자 시계
atómic clóud (원자 폭탄으로 인한) 원자운(雲)
atómic cócktail (암 치료용) 방사성 물질 내복액
atómic disintegrátion 〖물리〗 원자핵 붕괴
atómic énergy 원자 에너지, 원자력
Atómic Énergy Authòrity [the ~] 《영》 원자력 공사(公社) 《略 AEA》
Atómic Énergy Commìssion [the ~] 《미》 원자력 위원회 《略 AEC》
atómic físsion 원자핵 분열
atómic fúrnace 원자로(爐)(reactor)
atómic fúsion 원자핵 융합
atómic héat 〖물리〗 원자열
at·o·mic·i·ty [æ̀təmísəti] *n.* Ⓤ 〖화학〗 원자수, 원자가(valence), 원자성
atómic máss 〖화학〗 원자 질량 《略 at. m.》
atómic máss ùnit 〖물리〗 원자 질량 단위 《略 amu》
atómic númber 〖화학〗 원자 번호
atómic párticle 〖물리〗 소립자(素粒子)
atómic philósophy = ATOMISM
atómic phýsics 〖물리〗 원자 물리학
atómic pówer = NUCLEAR POWER
atómic pówer plànt[**stàtion**] 원자력 발전소
atómic reáctor[**píle**] 원자로(爐)
atom·ics [ətɑ́miks | ətɔ́m-] *n. pl.* [단수 취급] 《미》 원자학
atómic spéctrum 〖물리〗 원자 스펙트럼
atómic strúcture 〖물리〗 원자 구조
atómic submaríne 원자력 잠수함
atómic théory **1** 〖물리·화학〗 원자론 **2** 〖철학〗 = ATOMISM
atómic tíme (원자 시계에 의한) 원자 시간
atómic vólume 〖화학〗 원자 부피
atómic wárfare 핵전쟁
atómic wárhead 원자 탄두
atómic wéapon 원자 무기, 핵무기(nuclear weapon)
atómic wéight 〖화학〗 원자량
at·om·ism [ǽtəmìzm] *n.* Ⓤ 〖철학〗 원자론, 원자설 **-ist** *n.* 원자론자
at·om·is·tic [æ̀təmístik] *a.* 원자(론)의; 원자론적인; 많은 구성 요소로 이루어진
at·om·is·tics [æ̀təmístiks] *n. pl.* [단수 취급] 원자 과학 《원자력의 개발·이용을 취급; cf. ATOMICS》
at·om·i·za·tion [æ̀təmizéiʃən | -mai-] *n.* Ⓤ **1** 원자화(化); 미립자화; 세분화 **2** 원자탄에 의한 파괴
at·om·ize [ǽtəmàiz] *vt.* **1** 원자로 하다 **2** 〈고체를〉 가루로 만들다 **3** 〈물·소독액 등을〉 분무하다 **4** 원자탄으로 파괴하다
at·om·iz·er [ǽtəmàizər] *n.* (약·향수 등의) 분무기
átom smàsher 《구어》 〖물리〗 입자 가속기
a·ton·a·ble [ətóunəbl] *a.* 보상할 수 있는
a·ton·al [eitóunl, æ-, ə-] *a.* 〖음악〗 무조(無調)의
a·ton·al·ism [eitóunəlìzm, æ̀-, ə-] *n.* Ⓤ 〖음악〗 무조주의; 무조 음악의 악곡[이론] **-ist** *n.*
a·to·nal·i·ty [èitounǽləti, æ̀-] *n.* ⓊⒸ 〖음악〗 **1** 무조성(性) **2** (작곡상의) 무조주의[형식]
*__a·tone__ [ətóun] [ME =at one] *vi.* 보상하다, 갚다, 속죄하다(make amends) 《*for*》 ▷ atónement *n.*
*__a·tone·ment__ [ətóunmənt] *n.* **1** Ⓤ 보상, 속죄, 죗값 **2** [the A~] 그리스도의 속죄
make ~ for …을 보상하다
a·ton·ic [ətɑ́nik, ei-, æ- | -tɔ́-] *a.* **1** 〖음성〗 악센트가 없는(unaccented) **2** 〖병리〗 이완증의, 아토니의, 무기력한, 활력 없는
— *n.* 〖음성〗 악센트 없는 말[음절]

thesaurus **atrocious** *a.* brutal, barbaric, savage, vicious, wicked, cruel, ruthless, murderous

at·o·ny [ǽtəni] *n.* Ⓤ **1** 〖병리〗 (수축성 기관의) 아토니, 이완, 무긴장증 **2** 〖음성〗 무강세

a·top [ətɑ́p | ətɔ́p] (문어) *ad., prep.* …의 꼭대기에(on[at] the top) (*of*) **—** *a.* …의 꼭대기에 있는

at·o·py [ǽtəpi] *n.* 〖병리〗 아토피성 (체질) 《선천적 알레르기 체질》 **a·top·ic** [eitɑ́pik | -tɔ́-] *a.*

-ator [èitər] 《연결형》 「…하는 사람[것]」의 뜻

-atory [ətɔ̀:ri | ətəri, èit-] *suf.* 「…의, …에 관계 있는, …같은, …을 위한」의 뜻: compens*atory*, exclam*atory*, reform*atory*

a·tox·ic [eitɑ́ksik | -tɔ́k-] *a.* 독이 없는

A-to-Z [éitəzí:] *a.* =A-Z

ATP adenosine triphosphate; (영) automatic train protection

ATP·ase [éitì:pí:eis, -eiz] *n.* 〖생화학〗 ATP아제 《ATP를 ADP와 인산으로 분해하는 반응을 촉매하는 효소》

at·ra·bil·iar [æ̀trəbíljər] *a.* =ATRABILIOUS

at·ra·bil·ious [æ̀trəbíljəs, -liəs] *a.* **1** 우울증의[에 걸린] **2** 침울한, 언짢은, 꾀까다로운 **~·ness** *n.*

at·ra·zine [ǽtrəzì:n] *n.* 아트라진 《제초제》

a·trem·ble [ətrémbl] *ad.* (부들부들) 떨면서

a·tre·sia [ətrí:ʒə, -ʒiə] *n.* 〖의학〗 (관(管) 등의) 폐쇄(증) **-sic** [-zik, -sik], **a·tret·ic** [ətrétik] *a.*

A·tre·us [éitriəs, -trjù:s] *n.* 〖그리스신화〗 아트레우스 《Mycenae의 왕; Pelops의 아들》

a·tri·o·ven·tric·u·lar [èitriouventríkjulər] *a.* 〖해부〗 (심장의) 방실(房室) 사이의, 방실계(系)의

atrioventrícular búndle 〖해부〗 (심)방실속(束) 《심장의 박동을 조절하는 특수한 근섬유 다발》

atrioventrícular nóde 〖해부〗 방실 결절(結節)

a·trip [ətríp] *a.* Ⓟ, *ad.* 〖항해〗 〈닻이〉 막 해저를 떠나; 〈돛이〉 막 펴지게 되어

at-risk [ǽtrìsk] *a.* Ⓐ 위험한 상태에 있는; 보호가 필요한 〈아동〉

a·tri·um [éitriəm, ɑ́:-] *n.* (*pl.* **a·tri·a** [-triə], **~s**) **1** 〖건축〗 (로마 건축의) 중앙 홀; 안뜰 **2** 〖해부〗 심방(心房); (귀의) 고실(鼓室) **3** 〖동물〗 강(腔)(cavity) **a·tri·al** [éitriəl] *a.*

***a·tro·cious** [ətróuʃəs] *a.* **1** 극악한, 잔학한(brutal): an ~ crime 흉악한 범죄 **2** (구어) 심한, 지독한; 형편없는: an ~ pun 심한 말장난 **~·ly** *ad.* **~·ness** *n.* ▷ atrócity *n.*

***a·troc·i·ty** [ətrɑ́səti | ətrɔ́-] *n.* (*pl.* **-ties**) **1** Ⓤ 포악, 극악무도, 잔학 **2** [보통 *pl.*] 잔학한 행위; (속어) 큰 실수; (구어) 지독한 것[일], 악취미의 것 ▷ atrócious *a.*

à trois [ɑ:-trwɑ́:] [F] *ad., a.* 셋이서 (하는), 3자 사이에서(의)

a·tro·phi·a [ətróufiə] *n.* Ⓤ 〖병리〗 위축증(atrophy)

a·troph·ic [ətrɑ́fik | -rɔ́-] *a.* 위축성의

at·ro·phied [ǽtrəfid] *a.* 소모한, 위축한, 쇠퇴한, 시든: an ~ arm 저린 팔 / an ~ talent 쇠퇴한 재능

at·ro·phy [ǽtrəfi] *n.* (*pl.* **-phies**) **1** Ⓤ 〖병리〗 (영양 부족 등에서 오는) 위축(증); 쇠약 **2** ⓊⒸ 〖생물〗 기능의 퇴화(degeneration); (도덕심 등의) 감퇴, 퇴폐
— *v.* (**-phied**) *vt.* 위축시키다; 쇠약케 하다
— *vi.* 위축하다; 쇠약해지다

at·ro·pine, -pin [ǽtrəpì:n, -pin] *n.* Ⓤ 〖화학〗 아트로핀 《유독성 알칼로이드; 경련 완화제》

at·ro·pism [ǽtrəpìzm] *n.* Ⓤ 아트로핀 중독

At·ro·pos [ǽtrəpɑ̀s | -pɔ̀s] *n.* 〖그리스신화〗 아트로포스 《운명의 세 여신(Fates) 중의 하나》

ATS American Temperance Society 미국 금주 협회; American Travel Service; Army Transport Service 육군 수송부; automatic train stop 자동 열차 장치; Auxiliary Territorial Service (영국군) 여자 국방군 **a.t.s.** at the suit of

attack *v.* **1** 공격하다 assault, strike at, charge **2** 비난하다 criticize, censure, reprove, blame

át sígn 〖컴퓨터〗 =AT MARK

att. attached; attention; attorney

at·ta·boy [ǽtəbɔ̀i] [That's the boy!] *int.* (미·구어) 좋아!, 잘한다!, 굉장한데! 《격려·칭찬》

‡**at·tach** [ətǽtʃ] [OF 「말뚝에 묶다」의 뜻에서] *vt.* **1** 붙이다, 달다, 바르다, 첨부하다, 접착하다(opp. *detach*) (*to, on*): (~+목+전+명) ~ a label *to* a parcel 소포에 꼬리표를 붙이다 / ~ a price tag *on* each article 각 상품에 가격표를 달다 **2** [흔히 ~ one*self* 로] 〈…을〉 (단체 등에) **소속시키다,** 부속시키다, 가입시키다 (*to*)(⇨ attached 3): (~+목+전+명) He *~ed himself to* the Socialist Party. 그는 사회당에 입당했다. **3** 〖군사〗 〈군인·부대 등을〉 일시적으로 타부대에 배속시키다 (*to*)(⇨ attached 3): (~+목+전+명) ~ an officer *to* a regiment 장교를 연대에 배속시키다 **4** 〈자격·조건 등을〉 (…에) 첨부하다, 첨가하다, 덧붙이다 (*to*): (~+목+전+명) A curse is *~ed to* this sword. 이 검에는 어떤 저주가 붙어 있다. / The signers *~ed* their names *to* the petition. 서명자들은 청원서에 이름을 적었다. **5** 〈책임 등을 …에〉 귀착시키다; …의 특성으로 생각하다; 〈중요성 등을〉 부여하다, …에 두다 (*to*): (~+목+전+명) The press *~es* no small importance *to* the present state of the country. 언론은 그 나라의 현 상황에 대해 적잖은 관심을 보이고 있다. **6** 애정에 매이게 하다, …에게 애착을 갖게 하다, 사모하게 하다 (*to*) (⇨ attached 4) **7** 〖법〗 구속하다(arrest); 〈재산을〉 압류하다(seize)
— *vi.* (문어) 부착하다; 부수하다 (*to*); 소속되다 (*to*): (~+전+명) No blame *~es to* me in the affair. 그 일에 대해서 나는 하등 비난받을 일이 없다.
▷ attáchment *n.*

at·tach·a·ble [ətǽtʃəbl] *a.* 붙일 수 있는; 압류할 수 있는; 구속할 수 있는

at·ta·ché [æ̀tæʃéi, æ̀tə- | ətǽʃei] [F =attached] *n.* **1** (대사·공사의) 수행원, 대사[공사]관원, 외교관 시보; (완곡) 스파이: a commercial ~ 상무관 / a military[naval] ~ 대사[공사]관부 육군[해군] 무관 **2** =ATTACHÉ CASE

at·ta·ché case [ətǽʃei-kèis] (단단한) 소형 서류 가방

at·tached [ətǽtʃt] *a.* **1** 붙여진; 덧붙여진, 첨부된 **2** 부속의 **3** Ⓟ 소속하여, 가입하고 (*to*): He is ~ *to* the embassy. 그는 대사관 소속이다. **4** Ⓟ (…에) 애착을 갖는, 사랑하는 (*to*): He is deeply ~ *to* his parents. 그는 부모를 깊이 사랑하고 있다. **5** 결혼한

***at·tach·ment** [ətǽtʃmənt] *n.* Ⓤ **1** 부착 **2** 애착, 사모, 애정 (*to, for*); [보통 *pl.*] (구어) 애착[애정]의 대상 《처자 등》: form an ~ *for* a woman 여자를 사랑하게 되다 **3** Ⓒ **부속물,** 부착물 (*to*); 연결 장치; 〖인터넷〗 (E-mail의) 첨부물[파일] **4** 〖법〗 Ⓤ 압류, 구속; Ⓒ 압류[구속] 영장; 소득[임금] 압류 (명령)

‡**at·tack** [ətǽk] *vt.* **1** 〈적군·논적·언행 등을〉 **공격하다,** 습격하다; 비난하다(opp. *defend*) **2** 〈일을〉 (정력적으로) **착수하다;** 〈식사 등을〉 왕성하게 하기 시작하다 **3** 〈병이 사람을〉 **침범하다:** be *~ed by*[*with*] …의 엄습을 받다, …에 걸리다 **4** 〈여자를〉 습격하다, 폭행하다
— *vi.* 공격하다, 습격하다
— *n.* **1** 공격, 습격; 비난: deliver[make] an ~ 공격(을 가)하다 (*against, on*) / *A~* is the best defense. 공격은 최선의 방어. **2** 발병; (병의) 발작 (*of*): have an ~ *of* fever 열병에 걸리다 **3** (일·식사 등의 정력적인) 개시, 착수 **4** 〖음악〗 (기악·성악에서 최초의) 발음[발성](법) ***advance to the ~*** 진격하다
— *a.* Ⓐ 공격용의: an ~ missile 공격용 미사일
~·a·ble *a.* **~·er** *n.*

attáck dòg (미) (경찰의) 전투견

at·tack·man [ətǽkmæ̀n] *n.* 〖경기〗 (라크로스 등의) 공격 위치의 선수

at·ta·girl [ǽtəgə̀:rl], **-gal** [ǽtəgæ̀l] [That's the girl!] *int.* (미·구어) 좋아!, 잘한다!

at·tain [ətéin] [L「…에 손대다」의 뜻에서] *vt.* **1** 〈목적·소원 등을〉 (끊임없는 노력으로) **달성하다**, 이루다, 성취하다(⇨ accomplish 유의어): ~ one's goal 목표를 달성하다 **2** 〈고령·목적·장소 등에〉 도달하다, 이르다
—*vi.* (운동·성장·노력에 의해) **도달하다**, 이르다 《*to*》: 《~+전+명》 ~ *to* man's estate 성년이 되다 / ~ *to* perfection 완벽의 경지에 이르다 / ~ *to* glory 영예를 얻다 **~·er** *n.*
▷ attáinment *n.*

at·tain·a·ble [ətéinəbl] *a.* 이를[이룰] 수 있는, 도달할 수 있는 **at·tain·a·bil·i·ty** [ətèinəbíləti] *n.*

at·tain·der [ətéindər] *n.* Ⓤ 〖법〗 사권(私權) 박탈

at·tain·ment [ətéinmənt] *n.* **1** Ⓤ 달성, 도달 **2** (노력하여 얻은) 위업, 공적(accomplishment); [종종 *pl.*] **학식**, 재능, 기능: a man of varied ~*s* 박식 다재한 사람

at·taint [ətéint] *vt.* **1** 〖법〗 …에게서 사권(私權)을 박탈하다 **2** 《고어》 〈명예 등을〉 더럽히다(taint) **3** 《폐어》 감염시키다 **—***n.* 《드물게》 = ATTAINDER

at·tar [ǽtər] *n.* Ⓤ 화향유(花香油) 《특히 장미 기름》

at·tempt [ətémpt] *vt.* **1** **시도하다**, 기도하다(try), 꾀하다 《실패할 수도 있는 경우에 씀》; 〈위험한 산 등에〉 등정을 꾀하다, …에 도전하다: ~ a difficult task 어려운 일을 기도하다 / Let us ~ K2[the Channel]. K2 등반[영국 해협 횡단]을 해보자. // 《~+*to* do》 ~ *to* solve a problem 문제를 풀어보려고 하다 // 《~+-*ing*》 He ~*ed* climb*ing* an unconquered peak. 그는 미정복의 정상 등반을 기도했다. **2** 《고어》 〈목숨을〉 노리다; 유혹하다 **~ *too much*** (자기 역량에) 지나치게 시도하다[욕심부리다]
—*n.* **1** **시도**, 기도 《*to* do, *at*》 **2** 《고어》 공격(attack) 《*on*》 **3** 〖법〗 미수 (행위): an ~ at[to] murder 살인 미수 ***make an* ~** 시도하다, 꾀하다 《*to* do, *at, on*》 **~·a·ble** *a.*

at·tempt·ed [ətémptid] *a.* 기도한, 미수의: ~ burglary 강도 미수

at·tend [əténd] *v.*

> 마음을 쓰다 → 돌보다 ㉶ **1**
> ┌ 정성을 들이다 ㉶ **2**
> ├ 시중들다 ㉶ **5** → 간호하다 ㉹ **3**
> └ 섬기다 ㉹ **4** → (몸소 나와서 섬기다)
> → 출석하다 ㉹ **1**, ㉶ **4**

—*vt.* **1** 〈…에〉 **출석하다**, 〈의식에〉 참석하다(be present at); 〈학교·교회에〉 다니다: ~ a meeting 모임에 참석하다 / ~ school 등교하다 / ~ church (예배드리러) 교회에 가다 **2** 《문어》 (결과로서) …에 수반하다 《*with, by*》: 《~+목+전+명》 The enterprise was ~*ed with* much difficulty. 그 사업에는 많은 애로가 따랐다. **3** 〈병자를〉 **간호하다**, 돌보다: Which doctor is ~*ing* you? 담당 의사가 누구입니까? **4** **섬기다**, 따라가다, 수행하다 **5** 맡다; 지키다, 〈…에〉 주의하다; 감시하다: ~ one's health 건강에 주의하다 **6** 경청하다, 〈…에〉 주목하다
—*vi.* **1** **보살피다**, 돌보다 《*to*》; 간호하다 《*to, on, upon*》: 《~+전+명》 The nurses ~*ed on* the sick day and night. 간호사들은 밤낮으로 환자들을 간호했다. **2** (일 등에) 전념하다, 정성을 들이다, 종사하다 《*to*》: 《~+전+명》 ~ *to* one's business[lesson] 일[학업]에 정성을 들이다 **3** …에 **귀를 기울이다**, 주의하여 듣다 《*to*》: 《~+전+명》 You are not ~*ing to* my words. 너는 내 말을 귀담아듣고 있지 않다. **4** **출석[참석]하다**; (학교에) 다니다 《*at*》: 《~+전+명》 ~ *at* a ceremony 식에 참석하다 《attend a ceremony 보다 격식을 차린 말》 / He ~*ed at* college for eight years. 그는 8년간이나 대학에 다녔다. **5** 〈하인 등이〉 **시중들다**, 섬기다 《*on, upon*》: 《~+전+명》 He had the honor of ~*ing on* the king. 그는 왕을 시중드는 영광을 입었다. **6** (결과로서) 수반하다, 따르다 《*on, upon*》: 《~+전+명》 Success ~*s on* hard work. 근면에는 성공이 따른다.
be well*[*badly*] *~ed 출석자[참석자]가 많다[적다]
▷ atténdance, atténtion *n.*; atténdant *a., n.*

at·ten·dance [əténdəns] *n.* Ⓤ **1** **출석**, 출근, 참석, 참가 《*at*》 **2** Ⓒ [집합적] 출석[참가, 참석]자, 회중(會衆) 《*at*》; [*sing.*] **출석자[관객] 수**: a large[small] ~ 다수[소수]의 참석자 **3** (…에의) **시중**, 수행; 간병, 간호; 봉사, 서비스(료) 《*on*》: medical ~ 의료 / ~ included 서비스료 포함 **4** 《폐어》 [집합적] 종자(從者), 수행원 ***be in* ~ *on*** a person …에게 봉사하고[시중들고] 있다: an officer *in* ~ *on* Her Majesty 《영》 시종 무관 ***dance* ~ *on*** a person …의 비위를 맞추다 ***give good* ~** 서비스를 잘해 주다 ***take* ~** 출석을 체크하다
▷ atténd *v.*; atténdant *a.*

atténdance allòwance 《영》 간호 수당

atténdance àrea 《미》 (공립학교의) 학구(學區)

atténdance bòok 출근[출석]부

atténdance cèntre 《영》 청소년 보호 관찰 센터

atténdance òfficer 《미》 (공립학교의) 출석 조사관

atténdance tèacher 《미》 출석 독려 교사

at·ten·dant [əténdənt] *n.* **1** **시중드는 사람**, 수행원; (호텔·주차장 등의) **안내원**, 접객 담당자; (미술관 등의) 안내원; 점원, 종업원 **2** 부수물, 수반물; 필연적 결과 **3** **참석자**, 출석자 《*at*》
—*a.* **1** **시중드는**, 수행하는: an ~ nurse 수행 간호사 **2** **따르는**; 부수적인, 부대적인: ~ circumstances 부대 상황 / Miseries are ~ on[upon] vice. 악덕에는 불행이 따른다. **3** 출석한, 참석[동석]한 **~·ly** *ad.*
▷ atténd *v.*; atténdance *n.*

at·tend·ee [ətendíː, æ̀ten-, əténdiː] *n.* 출석자

at·tend·er [əténdər] *n.* 감시인, 간호인; 출석자

at·tend·ing [əténdiŋ] *a.* (어떤 환자의) 주치의인; (대학 부속 병원에) 의사로서 근무하는

at·ten·tion [ətén∫ən] *n.* **1** Ⓤ **주의**, 주목; 주의력: He was all ~. 그는 경청하고 있었다. / He turned his ~ to the television again. 그는 다시 텔레비전으로 주의를 돌렸다. **2** Ⓤ **관심**, 흥미: media ~ 대중매체의 관심 / ~ on the issue of racism 인종 차별 문제에 대한 관심 **3** Ⓤ **배려**; 돌봄; 치료, 처리, (기계 등의) 손질, 수리: give care and ~ 보살피다 / medical ~ 의사의 치료 / The roof needs ~. 그 지붕은 수리를 받아야 한다. **4** 친절; 정중; [*pl.*] (여성의 환심을 사기 위한) 배려, 친절; 구애 **5** Ⓤ 〖군사〗 차려 자세: *A*~! [ətèn∫ʌ́n] 《구령》 차려! 《줄여서 'Shun [∫ʌ́n]!, 'tension[tèn∫ʌ́n]이라고 함》
arrest*[*attract, catch, draw*]** a person's* ~** …의 주의를[관심을] 끌다 《*to*》 ***A~, please!*** (1) 여러분께 알려드립니다! (2) 잠깐 들어보세요! 《시끄러울 때 등에》 ***call away the* ~** 주의를 딴 데로 돌리게 하다 ***call*** a person***'s* ~** …의 주의를 환기시키다 《*to*》 ***come to*[*stand at*] ~** 차려 자세를 취하다 ***devote*** one***'s* ~ *to*** …에 열중하다 ***direct*[*turn*]** one***'s* ~ *to*** …을 연구하다, 논하다 ***for the* ~ *of*** …앞 《업무용 서한·팩스 앞머리에 수신자를 명시할 때; 略 attn.》 ***give* ~ *to*** …에 주의하다; 〈직무에〉 정성을 쏟다 ***May I have your ~?*** 잠깐 실례합니다. 《용무 중인 상대방에게》 ***pay* ~ *to*** …에 유의하다 ***pay*** one***'s ~s to*** …의 비위를 맞추다, …에게 구애하다 ***receive immediate* ~** 응급 치료를 받다 ***with* ~** 주의하여 **~·al** *a.* ▷ atténd *v.*; atténtive *a.*

atténtion dèficit disòrder 〖정신의학〗 주의력 결여 장애 《주의 산만·충동성·다동성(多動性) 등이 특징; 略 ADD》

atténtion dèficit hyperactívity disòrder 주의력 결핍 과잉 활동 장애 《略 ADHD》

thesaurus **attain** *v.* **1** 달성하다 achieve, accomplish, obtain, reach, gain, procure **2** 도달하다 reach, arrive at
attempt *n.* effort, try, endeavor, venture, trial

at·ten·tion-get·ting [-gètiŋ] *a.* 주목[이목]을 끄는
atténtion lìne 〔상업〕 어텐션 라인 《상용문 등에서 특정 수신인을 적는 행》
atténtion spàn 〔심리〕 주의 지속 시간, 주의 범위
*__at·ten·tive__ [əténtiv] *a.* **1 주의 깊은,** 세심한 **2** 경청하는 《*to*》: an ~ audience 경청하는 청중 **3 친절한**; 정중한, 상냥한(polite) **~·ly** *ad.* **~·ness** *n.*
▷ atténtion *n.*; attén d *v.*
at·ten·u·ant [əténjuənt] *a.* 희석하는
—*n.* 〔의학〕 (혈액의) 희석제
at·ten·u·ate [əténjuèit] 《문어》 *vt.* **1** 가늘게 하다, 여위게 하다 **2** 희박하게 하다 **3** 〈힘·가치 등을〉 감소하다, 약하게 하다(lessen); 〈바이러스·백신 등의〉 독소를 약화시키다, 감독(減毒)하다 **—***vi.* **1** 가늘어지다 **2** 묽어지다, 희박해지다 **3** 감소하다, 약해지다
— [-ət, -èit] *a.* **1** 가는 **2** 묽은; 희박한
at·ten·u·at·ed [əténjuèitid] *a.* 《문어》 **1** (효과 등이) 줄어든, 약화된: an ~ form of the virus 약화된 형태의 바이러스 **2** (사람이) 매우 마른
at·ten·u·a·tion [ətènjuéiʃən] *n.* Ⓤ **1** 가늘게 됨, 쇠약, 수척(emaciation) **2** 희석; 희석도 **3** 〔전기〕 (전류·전압의) 감쇠(減衰)
at·ten·u·a·tor [əténjuèitər] *n.* 〔전기〕 감쇠기
*__at·test__ [ətést] *vt.* 《문어》 **1 증명하다,** 증언하다(testify); (특히 공적인 자격으로) 인증하다; 〈…라는 것이〉 진실이라고 선언하다 《*that, wh-*》; 〈…했다고〉 (구두·문서로) 확신하다 《do*ing*》: ~ the truth of a statement 진술이 사실임을 증명하다 **2** 〈사물이〉 …의 증거가 되다, 증명하다(prove); 명백히 하다; 〈사물·일의〉 사용[존재]을 입증[실증]하다: The child's good health ~*s* his mother's care. 그 아이가 건강한 것은 어머니가 잘 돌보고 있는 증거이다. **3** 〔법〕 (선서 등에 의해) 증명하다; (법정 등에서) 선서시키다
—*vi.* **1 증언[증명]하다** 《*to*》: 《~+전+명》 He ~*ed to* the genuineness of the signature. 그는 그 서명이 진짜라고 증언했다. **2** 〈사물이〉 …의 증거가 되다, 입증하다 《*to*》: 《~+전+명》 These facts all ~ *to* his innocence. 이러한 사실들은 그의 결백을 입증한다. **at·tést·ant** *n.* 입증자, 증인
▷ attéstator *n.*
at·tes·ta·tion [æ̀testéiʃən] *n.* ⓊⒸ **1** 증명; 입증, 증거 **2** 증명서; 선서(testimony)
at·test·ed [ətéstid] *a.* 《영》 증명[입증]된; 〈소·우유가〉 무균 보증된; 공정 기준 합격의: ~ milk 《영》 무균 보증 우유(《미》 certified milk)
at·test·er, at·tes·tor [əléstər] *n.* 〔법〕 입회 증인
Att. Gen. Attorney General
‡**at·tic** [ǽtik] 【F Attic 양식의 주형(柱形)(pilaster)을 사용한 데서】 *n.* **1 더그매** 《지붕과 천장 사이의 빈 공간》 **2 고미다락(방),** 지붕밑 층[방](garret) **3** 〔건축〕 애틱 《돌림띠 위쪽의 중이층(中二層) 또는 장식벽》
At·tic [ǽtik] *a.* **1** 아티카(Attica)의; 아테네(Athens)의 **2** 아테네식의; [때로 **a~**] 고전적인, 고아한 **3** 〔건축〕 아티카식의 **—***n.* 아티카 방언
At·ti·ca [ǽtikə] *n.* 아티카 《고대 그리스 남동부의 지방》
Áttic fáith 굳은 신의
At·ti·cism, at- [ǽtəsìzm] *n.* Ⓤ 친(親) 아테네 주의; 아테네 문학의 특질; 아테네 특유의 말; 간결하고 우아한 표현
At·ti·cize, at- [ǽtəsàiz] *vt., vi.* 아테네식으로 하다; 친(親) 아테네파가 되다
Áttic órder [the ~] 〔건축〕 아티카식 《네모진 기둥을 씀》
áttic sált[wít] [the ~] 점잖은 재담[기지]
At·ti·la [ǽtələ, ətílə] *n.* 아틸라 《5세기 전반에 동양에서 유럽에 침입한 흉노족(Huns)의 왕》

---

attire *n.* clothing, dress, wear, outfit, apparel, garb, ensemble, costume, array, wardrobe
attract *v.* **1** 끌어당기다 draw, pull, magnetize **2** 매혹하다 allure, entice, tempt, fascinate, charm

‡**at·tire** [ətáiər] 《문어》 *vt.* [보통 수동형 또는 ~ one*self*로] 〈…에게 …을〉 **차려입히다,** 성장(盛裝)시키다(dress up) 《*in*》: be simply[gorgeously] ~*d* 수수[화려]하게 차려입고 있다 / neatly ~*d* 단정한 복장으로 // 《~+목+전+명》 be ~*d in* green 녹색 옷으로 성장하고 있다 / She ~*d herself in* Korean dress. 그녀는 한복을 입고 있었다. // 《~+목+**as** 보》 She was ~*d as* a man. 그녀는 남장을 하고 있었다.
—*n.* **1** Ⓤ **옷차림새,** 복장, 의복; 성장(盛裝): a girl *in* male ~ 남장 소녀 **2** (가지 진) 사슴뿔
at·tired [ətáiərd] *a.* Ⓟ 옷을 잘 차려입은
‡**at·ti·tude** [ǽtitjù:d | -tjù:d] *n.*

> 그림·조각의 인물의 「포즈」의 뜻에서
> →자세 **2** → 태도 **1 a**
> →사고방식, 의견 **1 b**

1 a (사람·사물에 대한) **태도,** 마음가짐 **b** (사물에 대한) **사고방식,** 의견, 의향, 심정 **2 자세,** 몸가짐 **3** 〔항공〕 비행 자세 **4** 〔발레〕 애티튜드 《한 다리를 뒤로 구부린 자세》 **5** 《속어》 도전적인[싸울] 태세 one***'s ~ of mind*** 심적 태도, 마음가짐 ***strike an ~*** 뽐내는[꾸민] 태도를 보이다, 허세를 부리다 ***take*** [***assume***] ***a strong*** [***cool, weak***] ***~ toward*** [***to, on***] …에 대해 강경한[냉정한, 약한] 태도를 취하다
áttitude contról sỳstem (우주선의) 자세 제어 장치
áttitude stùdy (시장 조사에서) 태도 측정 조사
at·ti·tu·di·nal [æ̀titjú:dənl | -tjú:-] *a.* 태도의[에 관한]; 개인적인 의견에 관한[바탕을 둔] **~·ly** *ad.*
at·ti·tu·di·nar·i·an [æ̀titjù:dənέəriən | -tjù:-] *n.* 점잔 빼는[젠체하는] 사람
at·ti·tu·di·nize [æ̀titjú:dənàiz | -tjú:-] *vi.* 짐짓 점잔 빼다, 젠체하다 **-nìz·er** *n.*
attn. attention; for the attention of …앞 《업무용 서한·팩스 앞머리에 수신자를 명시할 때》
atto- [ǽtou, ǽtə] 《연결형》 「(단위의) 아토(10^{-18})」의 뜻 《기호 a》
at·torn [ətə́:rn] *vi.* 〔법〕 새 지주[소유주]에 대해서도 계속해서 임차자가 되는 것을 동의하다
~·ment *n.* Ⓤ 〔법〕 새지주[소유주]의 승인
*__at·tor·ney__ [ətə́:rni] *n.* 〔법〕 **1** (위임장으로 정식 위임받은) **대리인 2** 《미》 (사무) **변호사**(⇨ lawyer 유의어); 《미》 검사 ***a district*** [***circuit***] ***~*** 《미》 지방 검사 ***a letter*** [***warrant***] ***of ~*** 위임장 ***an ~ for government*** = ***a government ~*** 검사 ***by ~*** 대리인으로(opp. *in person*) ***power***(***s***) ***of ~*** 대리 위임권[장]
at·tor·ney-at-law [ətə́:rniətlɔ́:] *n.* (*pl.* **at·tor·neys-**) 《미》 변호사 (《영》에서는 현재 solicitor라 함)
attórney géneral [**A- G-**] 《영》 법무 장관; 《미》 (주의) 검찰 총장; 《미》 (연방 정부의) 법무 장관
at·tor·ney-in-fact [ətə́:rniinfǽkt] *n.* (*pl.* **at·tor·neys-**) (위임장에 의한) 대리인
at·tor·ney·ship [ətə́:rniʃìp] *n.* Ⓤ attorney의 직[신분], 대리권
‡**at·tract** [ətrǽkt] 【L 「…으로 끌다」의 뜻에서】 *vt.* **1** (자력 등으로) 끌어당기다 **2** 〈주의·흥미 등을〉 **끌다,** 끌어당기다; (매력 등으로) **유인하다**(allure), 매혹하다(entice); 〈지지·평판 등을〉 얻다

> 유의어 **attract** 자력과 같은 힘으로 상대방을 매혹하다: students *attracted* by the school's locale 학교의 위치에 매력을 느낀 학생들 **charm** 마법과 같은 힘으로 상대방의 마음을 사로잡다: be *charmed* by their hospitality 그들의 환대에 매료되다 **captivate** 사람의 마음과 관심을 끈다는 뜻으로서, 좀 딱딱한 말이다: Her performance *captivated* audiences. 그녀의 연기는 관중을 사로잡았다.

~ one***'s attention***[***notice***] 주의를 끌다, 눈에 띄다 ***be ~ed by*** …에 관심을 가지다 ***feel***[***be***] ***~ed to*** …에게 (성적) 매력을 느끼다, …에 끌리다
— *vi.* 끌어당기다, 인력이 있다; 매력이 있다
~·a·ble *a.* ▷ attráction *n.*; attráctive *a.*

at·tract·ant [ətrǽktənt] *n.* 끌어당기는 것; 〖동물〗 유인 물질, 유인제

‡at·trac·tion [ətrǽkʃən] *n.* **1** Ⓤ **끌어당김,** 빨아당김, 흡인; 유인; 〖물리〗 인력(opp. *repulsion*): magnetic ~ 자력 **2** 사람의 마음을 끄는 것, 인기거리, 어트랙션; Ⓤ 끌어당기는 힘, **매력**(charm): the chief ~ of the day 당일 제일의 인기거리 / She possesses personal ~*s.* 그녀는 인간적인 매력을 지니고 있다. **3** 〖문법〗 견인(牽引) 《가까이 있는 말에 끌려 수·격이 변하는 것; 보기: [수·인칭] Each of us *have* done *our* best. / [격] an old woman *whom* I guessed was his mother》 ***~ of gravity*** 중력 ***chemical ~*** 〖화학〗 친화력(affinity) **~·al·ly** *ad.*
▷ attráct *v.*; attráctive *a.*

attráction sphère 〖생물〗 (중심립(中心粒) 주위의) 중심구(中心球)

‡at·trac·tive [ətrǽktiv] *a.* **1** 사람의 마음을 끄는, 매력적인, 눈에 뜨이는, 흥미를 돋우는; 애교 있는(⇨ charming 유의어); (비유) 재미있는, 즐거운: an ~ woman 매력적인 여성 / proved ~ to real estate investors 부동산 투자가들의 마음을 끄는 것으로 판명된 **2** 〖물리〗 인력이 있는 **~·ly** *ad.* **~·ness** *n.*
▷ attráct *v.*; attráction *n.*

attráctive núisance 〖법〗 유인적 방해[위험]물

at·trac·tor, at·tract·er [ətrǽktər] *n.* **1** 끌어당기는 것[사람] **2** 〖물리〗 어트랙터

attrib. attribute; attributive(ly)

at·trib·ut·a·ble [ətríbjutəbl] *a.* Ⓟ 〈원인 등을〉 …에 돌릴 수 있는, …에 기인하는, …의 탓인 《*to*》

‡at·trib·ute [ətríbjuːt] *vt.* **1** 〈…의 원인을〉 …**에 귀착시키다,** …의 탓으로 하다(ascribe); …의 덕분으로 돌리다, 〈결과를〉 …에 돌리다(refer) 《*to*》; 〈어떤 일을〉 (어느 때·장소의) 것으로 하다(assign) 《*to*》: 《~+목+전+명》 ~ the rise in market share *to* price-cutting 시장 점유율의 상승을 가격 삭감의 덕으로 돌리다 / He ~*d* his success *to* hard work[good luck]. 그는 자기의 성공을 노력[행운]의 덕분이라고 했다. **2** 〈성질 등이〉 있다고 생각하다 《*to*》: 《~+목+전+명》 ~ evil motive *to* a person …에게 악의가 있다고 생각하다 / We ~ prudence *to* Tom. 우리는 톰에게 분별이 있다고 생각한다. **3** 〈작품 등을〉 …의 것이라고 하다 《*to*》: 《~+목+전+명》 The work is traditionally ~*d to* Shakespeare. 그 작품은 예로부터 세익스피어 작으로 생각되고 있다.
— [ǽtrəbjùːt] *n.* **1** **속성,** 특성, 특질 **2** 부속물, 상징 《소지자의 특성·지위를 상징하는 것》 **3** 〖논리〗 속성; 〖문법〗 한정사 《속성·성질 등을 나타내는 말; 형용사 등》; 〖컴퓨터〗 속성 《데이터나 파일이 각기 갖고 있는 관리 정보》 ▷ attribútion *n.*; attríbutive *a.*

at·tri·bu·tion [æ̀trəbjúːʃən] *n.* **1** Ⓤ 귀착시킴, 귀속, 귀인(歸因) 《*to*》 **2** (사람·사물의) 속성; (부속된) 권능, 직권 **~·al** *a.*

at·trib·u·tive [ətríbjutiv] *a.* **1** 속성을 나타내는 **2** 〖문법〗 한정적인, 관형사적인 《이 사전에서는 Ⓐ로 표시》 — *n.* 〖문법〗 한정 형용사, 한정어(opp. *predicative*) **~·ly** *ad.* **~·ness** *n.*

at·trit [ətrít] (미공군속어) *vt.* 소모 전법을 쓰다
— *n.* 예상되는 소모율

at·trite [ətráit] *a.* 닳아진, 마멸한
— *vt.* 마모시키다; 〈인원 등을〉 소모로 잃다
at·trít·ed *a.* 마모[마멸]된 **~·ness** *n.*

at·tri·tion [ətríʃən] *n.* Ⓤ **1** 마찰; 마멸, 마손(磨損): a war of ~ 소모전, 지구전 **2** (수 등의) 감소, 축소 **~·al** *a.* **at·tri·tive** [ətráitiv] *a.*

at·tune [ətjúːn | ətjúːn] *vt.* **1** 〈악기 등을〉 조음[조율]하다 **2** 〈마음 등을〉 맞추다, 조화시키다(accord), 익숙하게 하다 **3** 〖통신〗 (파장에) 맞추다, 동조(同調)하다 **~·ment** *n.*

at·tuned [ətjúːnd | ətjúːnd] *a.* Ⓟ (자극·환경 등에) 순응한, 적응된 《*to*》: He was ~ *to* living in the quiet country. 그는 조용한 시골에서 사는 것에 적응했다.

atty. attorney **Atty. Gen.** Attorney General

ATV all-terrain vehicle **at. vol.** atomic volume

a·twit·ter [ətwítər] *a.* Ⓟ 흥분하여, 들떠

at. wt. atomic weight

a·typ·i·cal, a·typ·ic [eitípik(əl)] *a.* 전형적이 아닌, 부정형(不定型)의, 불규칙적인
-i·cal·ly *ad.* **a·typ·i·cal·i·ty** [èitipəkǽləti] *n.*

Au 〖화학〗 aurum 《L = gold》 **Au, au** author **AU** astronomical unit **a.u., Au** 〖물리〗 angstrom unit

au·bade [oubǽd, -bάːd | -bάːd] [F = dawn] *n.* 새벽의 노래[곡](opp. *serenade*)

au·berge [oubέərʒ] [F] *n.* (*pl.* **-berg·es** [-bέərʒiz]) 주막, 여인숙(inn)

au·ber·gine [óubərʒiːn] [F] *n.* 〖식물〗 가지(eggplant) 《열매 및 식물》; Ⓤ 가지색, 암자색

au·brie·ta [ɔːbríːtə] *n.* 평지과의 관상 식물

***au·burn** [ɔ́ːbərn] *a.* **적갈색의**(reddish brown), 다갈색의, 황갈색의
— *n.* (머리털 등의) 적갈색, 다갈색, 황갈색

Au·bus·son [óubəsən, -sɔ̀ːŋ] [프랑스의 생산지명에서] *n.* 오뷔송 융단 《화려한 (벽걸이) 융단》

a.u.c., AUC *ab urbe condita* 《L = (in the year) from the founding of the city (of Rome)》 로마 건설 이래

au con·traire [òu-kɑntrέər | -kɔn-] [F = on the contrary] *ad.* 이에 반하여; 반대 쪽에

au cou·rant [òu-kurάːŋ] [F = in the current] *a.* 정세에 밝은; 〈사정 등에〉 밝은, 잘 아는

auc·tion** [ɔ́ːkʃən] *n.* **1** Ⓤ **경매,** 공매(公賣): a public ~ 공매, 경매 / Dutch ~ 역경매 《값을 차차 내려 부르는 경매》 ***buy[***sell***] a thing ***at***[(영) ***by***] ~ 경매로 (물건을) 사다[팔다] ***put up at***[(영) ***to***] ~ 경매에 부치다 **2** = AUCTION BRIDGE
— *vt.* 경매에서 팔다, 경매하다 《*off*》

áuction blòck 경매대 ***put on the ~*** 경매에 내놓다, 최고 입찰자에게 경매하다

áuction brìdge 〖카드〗 브리지놀이의 일종

auc·tion·eer [ɔ̀ːkʃəníər] *n.* 경매인: come under the ~'s hammer 경매에 부쳐지다 — *vt.* 경매하다

áuction hòuse 경매 회사

áuction ròom 경매실, 경매장

áuction sàle 경매(회)(auction)

auc·to·ri·al [ɔːktɔ́ːriəl, auk- | ɔːk-] *a.* 저자의, 저자에 의한

aud. audit; auditor

au·da·cious [ɔːdéiʃəs] *a.* **1** 대담한(bold) **2** 뻔뻔스러운, 파렴치한, 무엄한 **3** 기발한, 독창적인
~·ly *ad.* **~·ness** *n.*

***au·dac·i·ty** [ɔːdǽsəti] *n.* (*pl.* **-ties**) **1** Ⓤ **대담함,** 호방(豪放)함; 무모함; 뻔뻔스러움: 《~+*to* do》 He had the ~ *to* ask me such a question. 뻔뻔스럽게도 그는 내게 그러한 질문을 했다. **2** [보통 *pl.*] 대담한[뻔뻔스러운] 짓 ▷ audácious *a.*

au·di·al [ɔ́ːdiəl] *a.* 청각의[에 관한](aural)

au·di·bil·i·ty [ɔ̀ːdəbíləti] *n.* Ⓤ 들을 수 있음; 가청도(可聽度)

***au·di·ble** [ɔ́ːdəbl] *a.* **들리는,** 들을 수 있는: in a scarcely ~ voice 거의 들리지 않는 목소리로
~·ness *n.*

au·di·bly [ɔ́ːdəbli] *ad.* 들리도록, 들을 수 있게

‡au·di·ence [ɔ́ːdiəns] [L 「들음, 듣기」의 뜻에서] *n.* **1** [집합적] **청중; 관중,** 관객(spectators); (라디오의) 청취자(listeners), (TV의) 시청자; 독자(층)(readers): ~ figures[ratings] 시청률 / There was a

large[small] ~. 청중이 많았다[적었다]. **2** (예술(가)·주의 등의) 지지자, 애호자, 팬 **3** Ⓤ 〖법〗 (호소·의견 등의) 청취(hearing); Ⓒ 청취의 기회 **4** 공식 회견, 알현, 접견(formal interview)
be received [***admitted***] ***in*** ~ 알현이 허락되다 ***give*** ~ ***to*** …을 청취하다; …을 접견하다 ***grant*** a person ***an*** ~ …에게 알현을 허락하다 ***have*** ~ ***of*** = ***have an*** ~ ***with*** …을 알현하다 ***in general*** [***open***] ~ 공개 석상에서, 공공연하게 ***in the*** ~ ***of*** a person = ***in*** a person***'s*** ~ (남)이 듣고 있는 데서 ▷ áudient *a., n.*
áudience chàmber[ròom] 알현실
áudience flòw 〖TV·라디오〗 프로그램에 따른 시청[청취]자 수의 변화
áudience participàtion (텔레비전·라디오 방송이나 연극 등에의) 시청자[청취자, 관중, 관객]의 참여
áudience resèarch (TV·라디오 프로그램의) 시청자층 조사
áudience shàre[ràting] (텔레비전의) 시청률
au·di·ent [ɔ́:diənt] *a., n.* 듣는[경청하는] (사람)
au·dile [ɔ́:dil, -dail] *n.* 〖심리〗 청각형의 사람(cf. MOTILE, VISUALIZER)
aud·ing [ɔ́:diŋ] *n.* Ⓤ 청해(聽解) 《말을 듣고 이해하는 작용》
***au·di·o** [ɔ́:diòu] *a.* **1** 〖통신〗 가청 주파의 **2** 〖TV·영화〗 음(성)의; 오디오의, 음의 재생의; 하이파이의
— *n.* (*pl.* **~s**) **1** 음의 송수신; 〖TV·영화〗 음성 부분 **2** 음의 재생, 오디오
audio- [ɔ́:diou, -diə] 《연결형》 「청각; 음」의 뜻: *audio*meter
áudio bòok 오디오 북 《책의 내용을 녹음한 것》
au·di·o·cas·sette [ɔ̀:dioukəsét] *n.* 녹음 카세트
áudio cònference 전화 회의
áudio frèquency 〖통신〗 가청 주파(수), 저(低)주파 《略 AF, af, a-f》
au·di·o·gen·ic [ɔ̀:diədʒénik] *a.* 〖심리〗 〈발작 등이〉 소리에 기인한
au·di·o·gram [ɔ́:diəgræ̀m] *n.* 〖의학〗 오디오그램, 청력도
au·di·o-lin·gual [ɔ̀:dioulíŋgwəl] *a.* 〖교육〗 (언어 학습에서) 듣기와 말하기 연습의: an ~ method 듣기와 말하기를 중시하는 외국어 지도법
au·di·ol·o·gy [ɔ̀:diɑ́lədʒi | -ɔ́lə-] *n.* Ⓤ 청력[청각]학 **au·di·o·log·i·cal** [ɔ̀:diəlɑ́dʒikəl | -lɔ́-] *a.* **-gist** *n.*
au·di·om·e·ter [ɔ̀:diɑ́mətər | -ɔ́mə-] *n.* 청력계; 음향 측정기
au·di·om·e·try [ɔ̀:diɑ́mətri | -ɔ́mə-] *n.* Ⓤ 청력 검사(법) **àu·di·o·mét·ric** *a.*
au·di·o·phile [ɔ́:diəfàil] *n.* 오디오 애호가
au·di·o·phil·i·a [ɔ̀:diəfíliə] *n.* Ⓤ 오디오 애호
áudio pollùtion 소음 공해(noise pollution)
áudio respónse 〖컴퓨터〗 음성 응답
áudio respónse ùnit 〖컴퓨터〗 음성 응답 장치 《略 ARU》
au·di·o·spec·tro·graph [ɔ̀:diouspéktrəgræ̀f, -grɑ̀:f | -grɑ̀:f] *n.* (사운드 패턴을 기록하는) 분음(分音) 기록 장치
au·di·o·tac·tile [ɔ̀:dioutǽktl] *a.* 청각 및 촉각의
au·di·o·tape [ɔ́:dioutèip] *n.* 음성 녹음 테이프(cf. VIDEOTAPE)
áudio telecònference 음성 원격 회의
au·di·o·typ·ist [ɔ́:dioutàipist] *n.* 오디오타이피스트 《녹음 테이프를 들으면서 직접 타자하는》
au·di·o·vi·su·al [ɔ̀:diouvíʒuəl] *a.* 시청각의; 시청각 교재의[를 사용한]: ~ education 시청각 교육
— *n.* [*pl.*] = AUDIOVISUAL AIDS **~·ly** *ad.*
audiovísual áids 시청각 교재 《영화·라디오·텔레비전·레코드·테이프·지도·도표 등; 略 AV》
au·di·phone [ɔ́:dəfòun] *n.* 보청기
au·dit [ɔ́:dit] [L 「들음, 듣기」의 뜻에서] *n.* **1** 회계 감사, (회사 등의) 감사(監査); 결산: an internal ~ (회사 자체가 하는) 내부 감사/an independent ~ (외부 기관이 하는) 독립 감사 **2** (문제의) 심사
— *vt.* **1** 〈회계를〉 감사하다 **2** 《미》 〈대학의 강의를〉 청강하다 **~·a·ble** *a.*
áudit ále 《영》 대학에서 양조한 독한 맥주 《원래 회계 감사일에 마셨음》
Áudit Bùreau of Circulátions 《미》 발행부수 공사(公査) 기구 《略 ABC》
Áudit Commìssion [the ~] (영국의) 지방 정부 감사 위원회
au·dit·ee [ɔ̀:dití:] *n.* 회계 감사를 받는 사람[조직]
au·dit·ing [ɔ́:ditiŋ] *n.* 회계 감사; 〖컴퓨터〗 감사
au·di·tion [ɔ:díʃən] *n.* **1** Ⓤ 청력, 청각 **2** (예능 지원자 등에 대한) 오디션; (레코드의) 시청(試聽)
— *vt.* 〈예능 지원자의〉 오디션을 하다
— *vi.* (…의) 오디션을 받다 《*for*》
au·di·tive [ɔ́:dətiv] *a.* 귀의; 청각의
***au·di·tor** [ɔ́:dətər] *n.* **1** 회계 감사원; 감사역 **2** 《미》 (대학의) 청강생 **3** 《드물게》 청취자, 방청인(hearer) **~·shìp** *n.* ▷ auditórial *a.*
au·di·to·ri·al [ɔ̀:dətɔ́:riəl] *a.* 회계 감사(원)의
‡**au·di·to·ri·um** [ɔ̀:dətɔ́:riəm] *n.* (*pl.* **~s, -ri·a** [-riə]) **1** (극장 등의) 청중석, 관객석; 방청석 **2** 《미》 강당, 대강의실; 회관, 공회당(hall)
au·di·to·ry [ɔ́:dətɔ̀:ri | -təri] *a.* 귀의, 청각의: ~ difficulties 청각 장애, 난청
au·di·to·ri·ly [ɔ̀:dətɔ́:rəli] *ad.* 청각[청력]에 의하여
áuditory aphásia 〖병리〗 청각성 실어증
áuditory canál[meátus] 〖해부〗 이도(耳道)
áuditory nèrve 〖해부〗 청신경(聽神經)
áuditory phonétics [단수 취급] 청각 음성학 《음성이 귀에 들어가는 과정을 취급》
áuditory túbe 〖해부〗 이관(耳管)(Eustachian tube)
au·di·tress [ɔ́:dətris] *n.* auditor의 여성형
áudit tràil **1** 〖회계〗 감사 추적 **2** 〖컴퓨터〗 감사 추적, 추적 기록
Au·drey [ɔ́:dri] *n.* 여자 이름
au fait [ou-féi] [F = to the fact] *a.* Ⓟ 정통하여 《*with*》; 숙련하여 《*in, at*》 ***put*** [***make***] a person ~ ***with*** …을 …에게 가르치다
Auf·klä·rung [áufklὲəruŋ] [G] *n.* 계몽; [the ~] (18세기 독일의) 계몽 사조[운동]
au fond [ou-fɔ́:ŋ] [F = at bottom] *ad.* 근본적으로, 실제로는; 근저에는
auf Wie·der·seh·en [auf-ví:dərzèiən] [G = until we meet again] *int.* 또 만나요, 안녕! (good-bye; cf. AU REVOIR)
aug. augmentative; augmented **Aug., Aug** August
Au·ge·an [ɔ:dʒí:ən] *a.* 〖그리스신화〗 아우게이아스(Augeas) 왕의; (외양간처럼) 더러운; 〈일이〉 귀찮은
Augéan stábles [the ~] 〖그리스신화〗 Augeas 왕의 외양간 《30년간 한 번도 청소하지 않은 것을 Hercules가 강물을 끌어들여 하루 만에 청소했다고 함》
au·gend [ɔ́:dʒend, -ˊ] *n.* 〖수학〗 피가산수(被加算數)(opp. *addend*)
au·ger [ɔ́:gər] *n.* 도래 송곳, 나사송곳(cf. GIMLET); 오거 《땅에 구멍을 내는 기계》

auger

áuger bìt 나사송곳의 날끝
Au·gér effèct [ouʒéi-] [프랑스 물리학자 이름에서] 〖물리〗 (원자의) 오제 효과
Augér elèctron 〖물리〗 오제 전자 《오제 효과로 방출되는 전자》
aught[1], ought[1] [ɔ:t] *pron.* 《고어》 어떤 일[것], 어떤, 무언가, 무엇이든(anything) ***for*** ~ ***I care*** 《고어》 아무래도 상관없다: He may starve

for ~ *I care.* 그가 굶어 죽든 말든 아무래도 상관없다. ***for ~ I know*** 잘은 모르지만, 아마: He may be rich *for* ~ *I know.* 잘은 모르지만 그는 아마 부자일지도 몰라.
— *ad.* (고어) 조금도(at all); 하여튼(in any way)
if ~ there be 설사 있다손 치더라도

aught², ought² [a naught가 an aught로 이분석(異分析)된 것] *n.* (속어) 영(零)(naught)

au·gite [ɔ́:dʒait] *n.* Ⓤ 〖광물〗 보통 휘석(輝石)

*__aug·ment__ [ɔ:gmént] [L 「증가하다」의 뜻에서] (문어) *vt.* **1** 증가시키다, 증대시키다(increase) **2** 〖문법〗 접두 보음사(接頭母音字)를 붙이나, 〖음악〗 반음씩 늘리다; 〈주제를〉 확대하다
— *vi.* 증대[증가]하다
— [ɔ́:gmènt] *n.* 〖문법〗 (그리스 어 등의) 접두 모음자
▷ augmentátion *n.*; augméntative *a.*

aug·men·ta·tion [ɔ̀:gmentéiʃən] *n.* Ⓤ **1** 증가, 증대; 증가율 **2** Ⓒ 증가물 **3** 〖음악〗 (주제) 확대

aug·men·ta·tive [ɔ:gméntətiv] *a.* **1** 증가적인, 증대성의 **2** 〖문법〗 뜻을 확대하는
— *n.* 〖문법〗 증대사(增大辭) 《뜻을 강조하거나 확대하는 접두사·접미사; 보기: ball*oon*(=large ball); cf. DIMINUTIVE》

aug·ment·ed [ɔ:gméntid] *a.* 증가된; 〖음악〗 증음된: an ~ sixth 증6도(增六度)(음정)

augménted ínterval 〖음악〗 증음정(增音程)

aug·ment·er, -men·tor [ɔ:gméntər] *n.* 증대시키는 사람[것]; (로켓 등의) 추진 보조 장치; 산업용 로봇

au grand sé·rieux [ou-grάŋ-seriə́:] [F =in all seriousness] *ad.* 아주 진지하게

au gra·tin [ou-grά:tn, -grǽtn, ɔ:-] [F =with a gratin] *a.* 〖요리〗 그라탱식의 《치즈와 빵가루를 발라서 갈색으로 구운》

Áugs·burg Conféssion [ɔ́:gzbə:rg-] [the ~] 아우구스부르크 신앙 고백 《1530년 Luther가 Augsburg에서 발표한 신조(信條)》

au·gur [ɔ́:gər] *n.* **1** (고대 로마의) 복점관(卜占官) 《새의 움직임 등으로 공사(公事)의 길흉을 점치던 신관(神官)》 **2** 예언자, 점쟁이
— *vt.* **1** 점치다 **2** 징조를 나타내다 — *vi.* …의 징조가 되다 《*for*》 ~ ***well*** [***ill***] 길조[흉조]를 보이다, 징조가 좋다[나쁘다] **~·ship** *n.*

au·gu·ral [ɔ́:gjurəl] *a.* 점복(占卜)의; 전조(前兆)의

au·gu·ry [ɔ́:gjuri] *n.* (*pl.* **-ries**) **1** Ⓤ 점(占) **2** 전조

*__au·gust__ [ɔ:gʌ́st] *a.* 위엄 있는, 존엄한(majestic); 당당한(imposing); 존귀한: your ~ father 춘부장 **~·ly** *ad.* **~·ness** *n.*

‡**Au·gust** [ɔ́:gəst] [Augustus Caesar의 이름에서] *n.* 8월 《略 Aug.》: in ~ 8월에 / on ~ 3 = on 3 ~ = on the 3rd of ~ 8월 3일에

Au·gus·ta [ɔ:gʌ́stə, ə-] *n.* 여자 이름

Au·gus·tan [ɔ:gʌ́stən, ə-] *a.* 로마 황제 Augustus의; Augustus 시대의; 신고전주의 전성기의; 우아한, 품위 있는 — *n.* Augustus 시대의 작가; 신고전주의 문학의 연구자

Augústan Áge [the ~] 아우구스투스 황제 시대 《라틴 문학 융성기, 27 B.C.-14 A.D.》; (일국의) 문예 전성기 《영국 Anne 여왕 시대(1690-1745)》

Augústan Conféssion [the ~] = AUGSBURG CONFESSION

Au·gus·tine [ɔ́:gəstì:n, ɔ:gʌ́stin, əgʌ́stin] *n.* **1** 남자 이름 **2** [**St. ~**] 성 아우구스티누스 **a** 초기 그리스도교의 지도자(354-430) **b** 영국에 포교한 로마 선교사(?-604) 《초대 Canterbury 대주교》

Au·gus·tin·i·an [ɔ̀:gəstíniən] *a., n.* St. Augustine의 (교리 신봉자) **~·ism, Au·gús·tin·ism** *n.*

Au·gus·tus [ɔ:gʌ́stəs, əg-] *n.* **1** 남자 이름 **2** 아우구스투스 **Octavianus ~** (63 B.C.-14 A.D.) 《초대 로마 황제》

au jus [ou-ʒú:s, -dʒú:s] [F =with juice] *a.* 〈고기가〉 그 육즙(肉汁)과 함께 (식탁에) 나오는

auk [ɔ́:k] *n.* 〖조류〗 바다쇠오리

auk·let [ɔ́:klit] *n.* 〖조류〗 작은바다쇠오리

au lait [ou-léi] [F =with milk] *a.* 우유를 탄

auld [ɔ́:ld] *a.* (스코) =OLD

auld lang syne [ɔ́:ld-læŋ-záin, -sáin] [Sc. = old long since(=ago)] *n.* **1** 그리운 옛날(good old times): Let's drink to ~. 그리운 옛날을 위해 한잔 하자. **2** [**A- L- S-**] Robert Burns의 시 제목

au·lic [ɔ́:lik] *a.* 궁정의; 세련된

áulic cóuncil 〖독일사〗 (신성 로마 황제의) 자문 회의 《최고 재판소의 기능을 하였음》

AUM air-to-underwater missile **a.u.n.** *absque ulla nota* 《L =free from marking》

au na·tu·rel [òu-nætʃurél] [F =to the natural] *a.* 자연 그대로의; 벌거숭이의; 담백하게 요리한

Aung San Suu Kyi [ɔ́:ŋ-sά:n-sú:-tʃí:] 아웅 산 수 지 **Daw ~** (1945-) 《미얀마의 정치가·반정부 지도자; 노벨 평화상 수상(1991)》

‡**aunt** [ǽnt, ά:nt | ά:nt] *n.* **1** 아주머니 《백모, 숙모, 이모, 고모; cf. UNCLE》 **2** [종종 **A~**] (구어) (어린이가 친밀감을 느끼는 남의) 아주머니 **3** (미·속어) 여자 포주 ***My*** (***sainted***) ***~!*** 어머나!, 저런!
~·hòod *n.* **~·lìke** *a.*

Áunt Édna (영) 에드나 아줌마 《평범한 시민의 대표로서의 관객·시청자》

aunt·ie, aunt·y [ǽnti, ά:n- | ά:n-] *n.* (*pl.* **aunt·ies**) **1** (유아어) 아줌마 **2** (미·속어) 미사일 요격용 미사일 **3** [**A~**] (영·속어) 영국 방송 협회(BBC)

áuntie màn (카리브·구어) 여자 같은 남자

Áunt Jáne (미·속어) 열성적인 흑인 여성 신도

Áunt Jemíma (미·경멸) 백인에게 아첨하는 흑인 여자(cf. UNCLE TOM)

Áunt Sálly (영) **1** (축제일에) 여자의 목상(木像)의 입에 문 파이프를 막대기를 던져 떨어뜨리는 놀이; 그 목상 **2** (공격·조소의) 대상

Áunt Tóm (미·경멸) 백인에게 비굴한 흑인 여성; 여성 해방 운동에 냉담한 여자

au pair [ou-pɛ́ər] [F =on equal terms] *n.* 오페어 《가정에 입주하여 집안일을 거들며 언어를 배우는 외국인 유학생, 특히 젊은 여성》
— *a.* 오페어의; 교환 조건의: an ~ girl 오페어 걸
— *ad.* 오페어로

au poi·vre [ou-pwά:vr] [F =with pepper] *a.* 〖요리〗 (굵게 빻은) 후추를 많이 곁들인[친]

au·ra [ɔ́:rə] *n.* (*pl.* **~s, -rae** [-ri:]) **1** (사람·물체에서 발산하는) 기운, 매력 **2** [보통 *sing.*] 독특한 분위기 **3** 〖심령〗 오라, 영기(靈氣) **4** 〖병리〗 전조(前兆) 《히스테리·간질병 등의》 **5** [**A~**] 〖그리스신화〗 미풍의 여신

au·ral¹ [ɔ́:rəl] *a.* 귀의; 청각의: an ~ aid 보청기 / an ~ surgeon 이과의(耳科醫) **~·ly** *ad.*

aural² *a.* 영기(靈氣)의

au·ral·ize [ɔ́:rəlàiz] *vt.* 마음으로 듣다; …의 음을 상상하다; 청각화(化)하다

au·ral-o·ral [ɔ́:rəlɔ́:rəl] *a.* =AUDIO-LINGUAL

au·ra·min(e) [ɔ́:rəmì:n, -min] *n.* Ⓤ 〖화학〗 아우라민 《황색 물감》

au·re·ate [ɔ́:riət, -rièit] *a.* **1** 금빛의, 빛나는 **2** 〈문체·표현 등이〉 화려한, 현란한

áureate lánguage 화려체 《시적인 어법의 화려한 문체의 하나로 15세기 영국시에서 사용됨》

au·re·li·a [ɔ:rí:ljə, -ljə] *n.* (고어) (특히 나비의) 번데기; 〖동물〗 무럼해파리속(屬)

Au·re·li·a [ɔ:rí:ljə] *n.* 여자 이름

au·re·li·an [ɔ:rí:ljən, -ljən] *a.* aurelia의
— *n.* 나비·나방 연구가, 곤충 채집가

Au·re·li·us [ɔ:rí:liəs, -ljəs] *n.* **1** 남자 이름 **2** 아우렐리우스 **Marcus ~** (121-180) 《로마의 황제·철학자》

au·re·o·la [ɔ:rí:ələ] *n.* =AUREOLE

thesaurus **aura** *n.* ambiance, atmosphere, air, quality, mood, character, spirit, feeling, tone

au·re·ole [ɔ́:riòul] *n.* **1** (성자·순교자에게 주어지는 천상(天上)의) 보관(寶冠), 영광; (성상(聖像)의 머리 또는 온몸을 감싸는) 후광(後光)(cf. HALO, NIMBUS); 광휘, 영광 **2** 〖천문〗 =CORONA 1 **~d** *a.*
Au·re·o·my·cin [ɔ̀:rioumáisin] *n.* 〖약학〗 오레오마이신 《항생 물질의 일종; 상표명》
au reste [òu-rέst] [F] *ad.* 그 밖에는; 게다가
au·re·us [ɔ́:riəs] [L =golden] *n.* (*pl.* **-re·i** [-riài]) 아우레우스 《고대 로마의 금화》
au re·voir [òu-rəvwɑ́:r] [F =until we meet again] *int.* 안녕, 또 만나요(good-bye)
au·ric [ɔ́:rik] *a.* 금의; 〖화학〗 제2금의(cf. AUROUS)
au·ri·cle [ɔ́:rikl] *n.* **1** 〖해부〗 외이(外耳), 귓바퀴; (심장의) 심이(心耳) **2** 〖동물·식물〗 귀 모양의 부분[잎] **-cled** [-kld] *a.* 귀가 있는, 귀 모양의 부분이 있는
au·ric·u·la [ɔ:ríkjulə] *n.* (*pl.* **-lae** [-li:], **~s**) 〖식물〗 앵초의 일종 《노란 꽃이 핌》; =AURICLE 2
au·ric·u·lar [ɔ:ríkjulər] *a.* **1** 귀의, 청각의, 청각에 의한; 귀 모양의 **2** 〖해부〗 심이(心耳)의 **3** 귓속말의: an ~ confession 비밀 참회 **~·ly** *ad.*
au·ric·u·late [ɔ:ríkjulət, -lèit], **-lat·ed** [-lèitid] *a.* **1** 귓바퀴가 있는 **2** 귀 모양의
au·rif·er·ous [ɔ:rífərəs] *a.* 금을 산출하는[함유한]
au·ri·form [ɔ́:rəfɔ̀:rm] *a.* 귀 모양의
au·ri·fy [ɔ́:rəfài] *vt.* (**-fied**) 금으로 바꾸다; 금빛으로 물들이다
Au·ri·ga [ɔ:ráigə] *n.* 〖천문〗 마차부자리
Au·ri·gna·cian [ɔ̀:rinjéiʃən | -rignéi-] *n.*, *a.* 〖고고학〗 (유럽의 후기 구석기 시대의) 오리냐크 문화(기)(의)
au·ri·scope [ɔ́:rəskòup] *n.* 〖의학〗 검이경(檢耳鏡)
au·rist [ɔ́:rist] *n.* 이과의(耳科醫)(ear specialist)
au·rochs [ɔ́:rɑks | -rɔks] *n.* (*pl.* **~**) 들소의 일종 《유럽산(産); cf. BISON》
***au·ro·ra** [ɔ:rɔ́:rə, ə-] *n.* (*pl.* **~s, -rae** [-ri:]) **1** 오로라, 극광(極光) **2** 《시어》 서광, 여명(dawn) ▷ auróral *a.*
Au·ro·ra [ɔ:rɔ́:rə, ər-] *n.* **1** 〖로마신화〗 오로라 《여명의 여신; 그리스 신화의 Eos에 해당》 **2** 여자 이름
auróra aus·trá·lis [-ɔ:stréilis | -ɔs-] 남극광 (the southern lights)
auróra bo·re·ál·is [-bɔ̀:riǽlis | -éilis] 북극광 (the northern lights)
au·ro·ral [ɔ:rɔ́:rəl, ər-] *a.* 새벽의, 서광 같은, 장밋빛의; 극광 같은
au·rous [ɔ́:rəs] *a.* **1** 금의[을 함유한] **2** 〖화학〗 제1금의(cf. AURIC)
au·rum [ɔ́:rəm] *n.* Ⓤ 〖화학〗 금; 금빛
AUS Army of the United States 미육군 **Aus.** Australia(n); Austria(n)
Ausch·witz [áuʃvits] *n.* 아우슈비츠 《폴란드의 도시; 2차 대전 중 유대인이 대량 학살된 곳》
aus·cul·tate [ɔ́:skəltèit] *vt.* 〖의학〗 청진하다
aus·cul·ta·tion [ɔ̀:skəltéiʃən] *n.* Ⓤ 〖의학〗 청진(법)
aus·cul·ta·tor [ɔ́:skəltèitər] *n.* 〖의학〗 청진자; 청진기(stethoscope)
aus·cul·ta·to·ry [ɔ:skʌ́ltətɔ̀:ri | -təri] *a.* 청진의
Aus·gleich [áusglaik] [G =arrangement] *n.* (*pl.* **-gleich·e** [-glaikə]) 협정; 타협
Aus·länd·er [áuslændər] [G] *n.* 타국인, 외국인; 국외자
aus·pex [ɔ́:speks] *n.* (*pl.* **-pi·ces** [-pəsì:z]) (고대 로마의) 복점관(augur)
aus·pice** [ɔ́:spis] [L 「새를 보기, 새점」의 뜻에서] *n.* **1** [보통 *pl.*] 원조, 찬조, 보호(patronage) **2** [종종 *pl.*] 전조(前兆), 길조(favorable omen) **3** (새의 나는 방식 등에 의한) 점: take (the) ~*s* 길흉의 점을 보다 ***under favorable ~s 좋은 징조 아래 ***under the ~s of*** the company = ***under*** the company***'s ~s*** (회사)의 찬조로[후원으로] ▷ auspícious *a.*
aus·pi·cious [ɔ:spíʃəs] *a.* 길조의, 상서로운, 행운의 (favorable) **~·ly** *ad.* **~·ness** *n.*
Aus·sie [ɔ́:si | ɔ́zi, ɔ́si] *n.*, *a.* 《구어》 오스트레일리아 (사람)(의)(Ozzie)
Aust. Austria(n); Austria-Hungary
Aus·ten [ɔ́:stən | ɔ́stin, ɔ́:s-] *n.* 오스틴 **Jane ~** (1775-1817) 《영국의 여류 소설가; *Pride and Prejudice*의 저자》
aus·ten·ite [ɔ́:stənàit] *n.* 〖야금〗 오스테나이트 《탄소 등의 원소를 녹여 굳힌 감마철(gamma iron)》
Aus·ter [ɔ́:stər] *n.* 《시어》 남풍; 〖로마신화〗 남(서)풍의 신
***aus·tere** [ɔ:stíər | ɔs-, ɔ:s-] *a.* (**-ter·er**; **-est**) **1** 〈사람·성격 등이〉 엄한(stern), 엄격한, 엄숙한; 금욕적인 **2** 〈생활 등이〉 내핍의, 간소한; 〈문체·건물 등이〉 꾸밈없는, 간결한 **3** 단단한(hard) **~·ly** *ad.* **~·ness** *n.* =AUSTERITY
***aus·ter·i·ty** [ɔ:stérəti | ɔs-, ɔ:s-] *n.* (*pl.* **-ties**) **1** Ⓤ 엄격(severity); 엄숙; 간소; 내핍, 긴축 **2** [보통 *pl.*] 내핍 생활; 금욕 행위: *austerities* of monastery life 수도원의 금욕 생활 **3** Ⓤ 긴축 경제 ▷ austére *a.*
Aus·tin [ɔ́:stən | ɔ́(:)stin] *n.* 오스틴 **1** 남자 이름 **2** 미국 Texas주의 주도 **3** 영국제 소형 자동차
aus·tral[1] [ɔ́:strəl] *a.* **1** 남쪽(에서)의 **2** [**A~**] = AUSTRALIAN
aus·tral[2] [austrɑ́:l] *n.* (*pl.* **-tra·les** [-trɑ́:les]) 아르헨티나의 구화폐 단위
Austral. Australasia(n); Australia(n)
Aus·tral·a·sia [ɔ̀:strəléiʒə, -ʃə | ɔ̀s-, ɔ̀:s-] *n.* 오스트랄라시아 《오스트레일리아·뉴질랜드와 그 부근의 남양 제도》 **-sian** *a.*, *n.* 오스트랄라시아의 (사람)
⁑**Aus·tral·ia** [ɔ:stréiljə | ɔs-, ɔ:s-] [L 「남국」의 뜻에서] *n.* 오스트레일리아, 호주 《공식 명칭 the Commonwealth of Australia; 수도 Canberra》 ▷ Austrálian *a.*
Austrália àntigen 〖의학〗 오스트레일리아 항원 《간염 환자의 혈액 속에 있는》
Austrália Dày 오스트레일리아 건국 기념일 《1월 26일 이후의 첫 월요일》
⁑**Aus·tral·ian** [ɔ:stréiljən | ɔs-, ɔ:s-] *a.* 오스트레일리아의, 호주 (사람)의
—*n.* **1** 오스트레일리아 사람 **2** Ⓤ 오스트레일리아 영어
Austrálian Álps [the ~] 오스트레일리아 알프스 《오스트레일리아 동남부의 산맥; 최고봉 Mt. Kosciusko (2,234m)》
Austrálian bállot 〖정치〗 오스트레일리아식 투표 《모든 후보자명을 인쇄한 용지에 표를 하는 방식》
Austrálian béar 〖동물〗 =KOALA
Austrálian Cápital Térritory [the ~] 오스트레일리아 수도 특별 지역 《New South Wales주 내에 있으며, 수도 Canberra가 있음; 略 ACT》
Austrálian cáttle dòg 오스트레일리아산(産) 목축견
Austrálian cráwl 〖수영〗 오스트레일리아식 크롤 《팔을 한 번 저을 때마다 반대쪽 다리를 두 번 치는 영법》
Austrálian dóubles [단수 취급] 〖테니스〗 오스트레일리아식 포메이션 《복식 경기를 할 때 파트너가 서버와 같은 쪽에 일직선으로 서는 진형(陣形)》
Aus·tral·ian·ism [ɔ:stréiljənìzm | ɔs-, ɔ:s-] *n.* ⓊⒸ **1** 오스트레일리아 사람의 기질[국민성, 국민 정신] **2** 오스트레일리아 영어
Austrálian kélpie =KELPIE[2]
Austrálian Rùles (**fóotball**) 호주식 축구 《18명이 하는 럭비 비슷한 구기》
Austrálian salúte [the ~] 《호주·속어》 파리를 쫓는 동작
Austrálian térrier 오스트레일리아 테리어 《작은 테리어 개》

---

austere *a.* **1** 엄한 harsh, severe, strict, rigorous, stiff, grave **2** 간소한 plain, simple, unadorned

Aus·tra·loid [ɔ́:strəlɔ̀id | ɔ́s-, ɔ́:s-] *n.*, *a.* 오스트랄로이드(의) 《호주 원주민 및 그들과 인종적 특징이 같은 호주 주변의 여러 민족》
aus·tra·lo·pith·e·cine [ɔ:strèiloupíθəsìn | ɔ̀strəloupíθəsìn, ɔ̀:s-] 〖인류〗 *a.*, *n.* 오스트랄로피테쿠스속(屬)의 (원인(猿人))
Aus·tra·lo·pi·the·cus [ɔ:strèiloupíθikəs, ɔ̀:strə- | ɔ̀strə-, ɔ̀:s-] *n.* 오스트랄로피테쿠스 《100만-300만년 전 아프리카에 살았던 원인(猿人)》
Aus·tral·orp [ɔ́:strəlɔ̀:*r*p | ɔ́s-, ɔ́:s-] *n.* 오스트랄로프종 (닭) 《호주에서 개량된 흑색 산란 닭》
‡**Aus·tri·a** [ɔ́:striə | ɔ́s-, ɔ́:s-] [Gk 「동쪽의 왕국」의 뜻에서] *n.* 오스트리아 《유럽 중부의 공화국; 수도 Vienna》 ▷ Áustrian *a.*
Aus·tri·a-Hun·ga·ry [ɔ́:striəhʌ́ŋgəri | ɔ́s-, ɔ́:s-] *n.* 〖역사〗 오스트리아·헝가리 제국 《중부 유럽의 옛 왕국(1867-1918)》
‡**Aus·tri·an** [ɔ́:striən | ɔ́s-, ɔ́:s-] *a.* **오스트리아의; 오스트리아 사람의**
—*n.* **오스트리아 사람** ▷ Áustria *n.*
Áustrian blínd 오스트리안 블라인드 《올리면 주름 장식처럼 되는 차양》
austro- [ɔ́:strou, -trə | ɔ́s-, ɔ́:s-] 《연결형》 「남(南)」의 뜻 《보기: *Austro*nesia》
Austro- [ɔ́:strou, -trə | ɔ́s-, ɔ́:s-] 《연결형》 「Austria, Austrian, Australian」의 뜻
Aus·tro·a·si·at·ic [ɔ̀:strouèiʒiǽtik, -ʃi- | ɔ̀s-, ɔ̀:s-] *a.* 오스트로아시아 어족의
Aus·tro·ne·sia [ɔ̀:strəní:ʒə, -ʃə | ɔ̀s-, ɔ̀:s-] *n.* 오스트로네시아 《태평양 중부·남부의 여러 섬》
Aus·tro·ne·sian [ɔ̀:strouní:ʒən, -ʃən | ɔ̀s-, ɔ̀:s-] *a.* 오스트로네시아의 —*n.* ⓤ 오스트로네시아 어족
aut- [ɔ:t] 《연결형》 = AUTO-
au·ta·coid [ɔ́:təkɔ̀id] *n.* 〖생리〗 오타코이드 《세로토닌·브라디킨 등 호르몬과 화학 전달 물질의 중간적 성질을 가진 물질》
au·tarch [ɔ́:tɑ:*r*k] *n.* 독재자
au·tar·chic, -chi·cal [ɔ:tɑ́:*r*kik(əl)] *a.* 독재의, 전제의
au·tar·chy [ɔ́:tɑ:*r*ki] *n.* (*pl.* **-chies**) **1** ⓤ 독재권, 전제 정치; ⓒ 전제국, 독재국 **2** = AUTARKY
au·tar·kist [ɔ́:tɑ:*r*kist] *n.* 경제 자립주의자
au·tar·ky [ɔ́:tɑ:*r*ki] *n.* (*pl.* **-kies**) **1** ⓤ 경제적 자급 자족(self-sufficiency); 경제 자립 정책 **2** 경제 자립 국가 **au·tár·kic, au·tár·ki·cal** *a.*
aut·e·col·o·gy [ɔ̀:təkɑ́lədʒi | -kɔ́-] *n.* ⓤ 개체[종(種)] 생태학 **àut·e·co·lóg·i·cal** *a.*
au·teur [outə́:*r*] [F = author] *n.* (*pl.* **~s** [-z]) (독창적·개성적인) 영화감독 **~·ist** *a.*, *n.*
au·teur·ism [outə́:rizm] *n.* = AUTEUR THEORY
autéur thèory [the ~] (영화 비평에서의) 감독 지상주의
auth. authentic ; author ; authority ; authorized
***au·then·tic** [ɔ:θéntik] *a.* **1 진정한**, 진짜의: an ~ signature 본인의 서명 **2** 믿을 만한, 확실한, 출처가 분명한, 근거 있는: an ~ report 믿을 만한 보고 **3** 〖법〗 인증된: an ~ deed 인증된 문서 **4** 〖음악〗 〈교회 선법(旋法)이〉 정격(正格)의 **-ti·cal·ly** *ad.*
▷ authénticate *v.*; authenticátion, authentícity *n.*
au·then·ti·cate [ɔ:θéntikèit] *vt.* **1** 〈언설(言說) 등이〉 믿을 수 있음을 증명하다 **2** 〈필적·미술품 등이〉 진짜임을 증명하다 **3** 법적으로 인증하다
au·then·ti·ca·tion [ɔ:θèntikéiʃən] *n.* ⓤ 입증, 증명; 인증
au·then·ti·ca·tor [ɔ:θéntəkèitə*r*] *n.* 입증[인증]하는 사람[것]; (암호문의) 인증 부호
au·then·tic·i·ty [ɔ̀:θentísəti, -θən-] *n.* **1** ⓤ 확실성, 신뢰성; 《구어》 성실 **2** 진짜임
‡**au·thor** [ɔ́:θə*r*] [L 「만들어 내는 사람」의 뜻에서] *n.* **1 저자**, 작가, 저술가 《보통 여성도 포함함》: the ~ of a book 책의 저자 **2** (한 작가의) 저작물, 작품 **3** 창조자, 창시자; 입안자; 기초자 《*of*》: the ~ *of* the mischief 나쁜 장난의 장본인 **4** 〖컴퓨터〗 (소프트웨어) 프로그래머 ***the ~ of evil*** 마왕 ***the A~ of our being*** 조물주
—*vt.* **1** 〈책 등을〉 쓰다, 저술하다(write) **2** 만들어 내다; 창시하다 ▷ authórial *a.*
áuthor càtalog (도서관의) 저자(명) 목록
au·thor·ess [ɔ́:θəris] *n.* 《드물게》 여류 작가 《지금은 여성에게도 author를 쓰는 것이 일반적임》
au·tho·ri·al [ɔ:θɔ́:riəl] *a.* 저자[작자]의
au·thor·ing [ɔ́:θəriŋ] *n.* 〖컴퓨터〗 오서링 《멀티미디어 데이터의 구축》
au·thor·i·tar·i·an [ɔ:θɔ̀:rətέəriən, əθɑ̀r- | ɔ:θɔ̀r-] *a.* 권위[독재]주의의; 독재주의적인
—*n.* 권위[독재]주의자 **~·ism** *n.* ⓤ 권위주의
***au·thor·i·ta·tive** [əθɔ́:rətèitiv, əθɑ́r-, -tə- | ɔ:θɔ́r-] *a.* **1** 〈정보 등이〉 **권위 있는**, 믿을 만한 **2** 관헌의, 당국(으로부터)의 **3** 〈사람·태도 등이〉 강압적인, 위압적인, 명령적인(commanding) **~·ly** *ad.* 위압적으로, 명령적으로 **~·ness** *n.* ▷ authórity *n.*
‡**au·thor·i·ty** [əθɔ́:rəti, əθɑ́r- | ɔ:θɔ́r-] [L 「개인의 영향력」의 뜻에서] *n.* (*pl.* **-ties**) **1** ⓤ **권위**, 권력; 위신, 위광(威光) **2** ⓤ **권한**, 권능, 직권; (권력자에 의한) 허가, 인가, 자유 재량(권) 《*for*》: 《~+*to* do》 the ~ *to* make a decision 결정권 / I have no ~ *to* settle the problem. 그 문제를 해결할 권한이 내게는 없다. **3** [보통 *pl.*] **당국**, 관헌; 공공사업 기관, 공사(公社): the proper *authorities* = the *authorities* concerned 관계 당국 **4** ⒸⓊ (문제 해결의) **권위**; 전거(典據), 근거, 출전 《*on*》 **5** (특정 문제에 관한) **권위자**, 대가 《*on*》; 권위 있는 책, 전적(典籍) 《*of*》 **6** 설득력: She spoke with ~. 그녀의 이야기는 설득력이 있었다. **7** 〖법〗 판례, 선례; 증언 **8** (정당한) 이유
by the ~ of …의 권위로; …의 허가를 얻어 ***have no ~ over*** [***with***] …에 대하여 권위가 없다 ***on*** [***from***] ***good ~*** 믿을 만한 정보통으로부터(의) ***on*** one***'s own ~*** 자기 혼자 의견으로, 독단으로 ***on the ~ of*** …을 근거로 해서 ***the civil*** [***military***] ***authorities*** 행정[군사] 당국자 ***under the ~ of*** …의 지배[권력] 하에 ***with ~*** 권위를 가지고
▷ authoritárian, authóritative *a.*; áuthorize *v.*
au·tho·ri·za·tion [ɔ̀:θərizéiʃən | -rai-] *n.* ⓊⒸ 권한 부여, 위임; 공인, 관허; 인증, 허가(증)
***au·tho·rize** [ɔ́:θəràiz] *vt.* **1 권위[권한]를 부여하다**(empower), 위임하다: 《~+목+*to* do》 The Minister ~*d* him *to* do it. 장관은 그에게 그것을 행할 권한을 부여했다. **2** 〈행동·계획·지출 등을〉 정식으로 허가하다(sanction): ~ any use of the company credit card 법인 카드 사용을 허가하다 **3** (권위 또는 관례에 의한) 〈일·물건·사례 등을〉 확립하다, 인정하다(establish) **4** 정당하다고 인정하다(justify) **-riz·er** *n.*
▷ authórity, authorizátion *n.*
***au·tho·rized** [ɔ́:θəràizd] *a.* **1 인정받은**, 검정필의; 공인된, 올바른 **2 권한을 부여받은**: an ~ translation 원저자의 허가를 받은 번역
áuthorized cápital 수권(授權) 자본 《회사 발행 주식의 총수 또는 자본 총액》
Áuthorized Vérsion [the ~] 〖성서〗 흠정역(欽定譯) 성서(《미》 the King James Version) 《영국왕 James 1세의 명을 받아 편집, 1611년 발행한 영역 성경; 略 AV; cf. REVISED VERSION》
au·thor·less [ɔ́:θə*r*lis] *a.* 저자 불명의
au·thor·ling [ɔ́:θə*r*liŋ] *n.* (서투른) 글쟁이
au·thor-pub·lish·er [ɔ́:θə*r*pʌ́bliʃə*r*] *n.* 〖출판〗 자비 출판자
áuthor's alterátion 〖인쇄〗 저자 교정 《저자 자신이 하는 정정[변경]; 略 AA》

thesaurus **authentic** *a.* **1** 진짜의 genuine, true, legitimate **2** 믿을 만한 reliable, dependable, trustworthy, faithful, credible, truthful, honest

áuthor's edítion 자비 출판(본)
au·thor·ship [ɔ́:θərʃìp] *n.* **1** Ⓤ 저작자임, 저술업 **2** (저작물의) 원작자, 저자 **3** (소문 등의) 출처; 근원
Auth. Ver. Authorized Version (of the Bible)
au·tism [ɔ́:tizm] *n.* Ⓤ 〘심리〙 자폐성(自閉性) 《몽상·환상에 지배된 상태》; 〘정신의학〙 자폐증
au·tis·tic [ɔ:tístik] *a.* 자폐성[자폐증]의
⁑**au·to** [ɔ́:tou] [*auto*mobile] *n.* (*pl.* **~s**) 《미·구어》 자동차, 차 《지금은 car가 더 많이 쓰임》
—*vi.* 자동차로 가다
auto- [ɔ́:tou, -tə] 《연결형》 **1** 「자신의」의 뜻: *auto*cracy **2** 「자동차」의 뜻: *auto*camp **3** 「자동의」의 뜻
auto. automatic; automobile; automotive
au·to·ag·gres·sive [ɔ̀:touəgrésiv] *a.* = AUTOIMMUNE
au·to·a·larm [ɔ́:touəlɑ̀:rm] *n.* (선박 등의) 자동 경보기[장치]
au·to·a·nal·y·sis [ɔ̀:touənǽləsis] *n.* (*pl.* **-ses** [-sì:z]) 〘정신분석〙 자기 분석; 〘화학〙 자동 분석
au·to·an·a·lyz·er [ɔ̀:touǽnəlàizər] *n.* 〘화학〙 자동 분석기
au·to-an·swer [ɔ̀:touǽnsər | -ɑ́:n-] *n.* 자동 응답 《전화의 기능》 **~·ing** *n.* (전화의) 자동 수신
au·to·an·ti·bod·y [ɔ̀:touǽntibɑ̀di | -bɔ̀di] *n.* (*pl.* **-bod·ies**) 〘면역〙 자기 항체
au·to·an·ti·gen [ɔ̀touǽntidʒən] *n.* 〘면역〙 자기 항원(抗原)(self-antigen)
au·to·bahn [ɔ́:təbɑ̀:n] [G] *n.* (*pl.* **~s, -bahnen** [-bɑ̀:nən]) 아우토반 《독일의 고속도로》
au·to·bi·og·ra·pher [ɔ̀:toubaiɑ́grəfər | -baiɔ́-] *n.* 자서전 작가
au·to·bi·o·graph·i·cal, -ic [ɔ̀:toubàiəgrǽfik(əl)] *a.* 자서전(체)의 **-i·cal·ly** *ad.*
∗**au·to·bi·og·ra·phy** [ɔ̀:toubaiɑ́grəfi | -baiɔ́-] *n.* (*pl.* **-phies**) 자서전, 자전(自傳); Ⓤ 자전 문학
au·to·boat [ɔ́:toubòut] *n.* = MOTORBOAT
áuto brá (자동차의) 오토 브라(bra)
au·to·bus [ɔ́:toubʌ̀s] *n.* (*pl.* **~·es, ~·ses** [-bʌ̀siz]) 《미》 버스
au·to·cade [ɔ́:təkèid] *n.* 《미》 자동차 행렬
au·to·camp [ɔ́:toukæ̀mp] *n.* 자동차 여행자용 캠프장
au·to·car [ɔ́:toukɑ̀:r] *n.* 《영·고어》 자동차
au·to·ca·tal·y·sis [ɔ̀:toukətǽləsis] *n.* (*pl.* **-ses** [-sì:z]) 〘화학〙 자체 촉매 작용
au·to·ca·thar·sis [ɔ̀:toukəθɑ́:rsis] *n.* Ⓤ 〘정신의학〙 자기 정화 (요법)
au·to·ceph·a·lous [ɔ̀:təséfələs] *a.* 〘그리스정교〙 〈교회 등이〉 독립된, 자립의, 자치의
áu·to·cèph·a·ly *n.*
au·to·chang·er [ɔ́:tətʃèindʒər] *n.* 자동 음반 교환 장치(record changer)
au·to·chrome [ɔ́:təkròum] *n.* 〘사진〙 초기의 컬러 사진용 감광 재료
au·toch·thon [ɔ:tɑ́kθən | -tɔ́k-] *n.* (*pl.* **~s, -tho·nes** [-θənì:z]) 원주민; 토착 동식물
-tho·nìsm *n.* Ⓤ 토착, 자생
au·toch·tho·nous [ɔ:tɑ́kθənəs | -tɔ́k-], **-nal** [-nəl], **au·toch·thon·ic** [ɔ̀:tɑkθɑ́nik | -tɔkθɔ́-] *a.* 토착의, 자생(종)의 **-nous·ly** *ad.*
au·to·ci·dal [ɔ́:tousàidl] *a.* (해충의) 자멸 유도의
au·to·cide [ɔ́:tousàid] *n.* 자동차 충돌에 의한 자살
au·to·clave [ɔ́:toukléiv] *n.* 압력솥, 고압솥
—*vt.* 압력솥에 요리[살균]하다
au·to·code [ɔ́:təkòud] *n.* 〘컴퓨터〙 자동 코드 《입력된 기호 코드를 기계 코드로 변환하기》
au·to-com·mut·er [ɔ̀:toukəmjú:tər] *n.* 자동차 통근자

authority *n.* **1** 권력, 권한 right, power, might, influence, force, control, sanction, **2** 권위자 expert, specialist, master, scholar, pundit

au·to·com·plete [ɔ̀:toukəmplí:t] *vt., vi.* 〘컴퓨터〙 오토컴플리트하다 《첫 한 자를 입력하기만 하면 이어지는 문자열을 자동적으로 표시하는》
áuto cóurt 《미》 = MOTEL
∗**au·toc·ra·cy** [ɔ:tɑ́krəsi | -tɔ́-] *n.* (*pl.* **-cies**) **1** Ⓤ 독재 정치; 독재권 **2** 독재주의 국가 **3** (어떤 집단의 한 사람이 갖는) 절대 권력
▷ áutocrat *n.*; autocrátic *a.*
∗**au·to·crat** [ɔ́:təkræ̀t] *n.* **1** 독재[전제] 군주(despot) **2** 독재자 ▷ autócracy *n.*; autocrátic *a.*
au·to·crat·ic, -i·cal [ɔ̀:təkrǽtik(əl)] *a.* **1** 독재의; 독재적인(dictatorial) **2** 횡포한 **-i·cal·ly** *ad.*
au·to·cri·tique [ɔ̀:toukrití:k] [F] *n.* (특히 정치적) 자기 비판
au·to·cross [ɔ́:toukrɔ̀:s, -krɑ̀s | -krɔ̀s] *n.* (자동차·오토바이의) 크로스컨트리 레이스
Au·to·cue [ɔ́:təkjù:] *n.* 《영》 = TELEPROMPTER
au·to·cy·cle [ɔ́:tousàikl] *n.* 원동기 달린 자전거
au·to-da-fé [ɔ̀:toudəféi] [Port. =act of faith] *n.* (*pl.* **au·tos-** [ɔ̀:touz-]) 〘그리스도교〙 종교 재판소(Inquisition)의 사형 선고; 그 사형 집행 《화형》; 《특히》 이교도(異教徒)의 화형
au·to-de·struct [ɔ̀:toudistrʌ́kt] *vi.* = SELF-DESTRUCT **-strúc·tive** *a.* 자괴[자멸]형의
au·to·di·al [ɔ́:toudàiəl] *n.* (전화의) 자동 다이얼; 〘컴퓨터〙 자동 전화 호출 《PC에서 보낸 신호에 따라 자동적으로 전화를 거는 모뎀의 기능》
~·ing *n.* = AUTODIAL
au·to·di·dact [ɔ̀:toudáidækt, ∸--∸ | ɔ́:toudidækt] *n.* 독학[독습]자
au·to·drome [ɔ́:tədròum] *n.* 자동차 경주 트랙
au·to·dyne [ɔ́:toudàin] *n., a.* 〘통신〙 오토다인 수신 방식(의)(cf. HETERODYNE)
au·to·e·rot·ic [ɔ̀:touirɑ́tik | -rɔ́-] *a.* 〘심리〙 자기 발정[색정]적인; 《완곡》 자위의
au·to·er·ot·i·cism [ɔ̀:touirɑ́təsìzm | -rɔ́-] *n.* = AUTOEROTISM
au·to·er·o·tism [ɔ̀:touérətìzm] *n.* Ⓤ 〘심리〙 자기 발정[색정], 자체애; 《완곡》 자위
au·to·ex·po·sure [ɔ̀:touikspóuʒər] *n.* (카메라 등의) 자동 노출 (장치)
au·to·fo·cus [ɔ́:toufòukəs] *a.* 〈카메라가〉 자동 초점인[장치의] —*n.* (카메라의) 자동 초점 기능[장치]
au·tog·a·mous [ɔ:tɑ́gəməs | -tɔ́-] *a.* 〘동물〙 자가 생식의; 〘식물〙 자화 수분의
au·tog·a·my [ɔ:tɑ́gəmi | -tɔ́-] *n.* Ⓤ 〘동물〙 자가 생식; 〘식물〙 자화 수분
au·to·gen·e·sis [ɔ̀:toudʒénəsis] *n.* Ⓤ 〘생물〙 자연 발생(설)(abiogenesis)
au·to·gen·ic [ɔ̀:toudʒénik] *a.* = AUTOGENOUS
autogénic tráining 자율 훈련법 《자기 최면적 스트레스 이완 요법》
au·tog·e·nous [ɔ:tɑ́dʒənəs | -tɔ́-] *a.* 자생(自生)의, 내생(內生)하는; 〘생리〙 내인적인 **~·ly** *ad.*
autógenous váccine 자생 백신
au·tog·e·ny [ɔ:tɑ́dʒəni | -tɔ́-] *n.* Ⓤ 〘생물〙 자생, 자기 발생(self-generation)
au·to·ges·tion [ɔ̀:tədʒéstʃən, ɔ̀:tou-] *n.* (근로자 대표[위원회]에 의한 공장 등의) 자주적 관리
au·to·gi·ro [ɔ̀:tədʒáiərou] *n.* (*pl.* **~s**) 〘항공〙 오토자이로 《회전 날개를 가진 항공기; 헬리콥터의 전신》

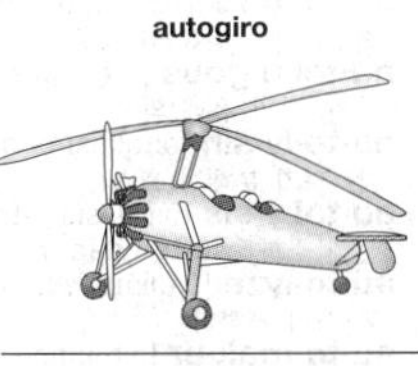
autogiro

au·to·graft [ɔ́:təgræ̀ft, -grɑ̀:ft] 〘외과〙 *n.* 자가 이식편(移植片)
—*vt.* 〈조직을〉 자가 이식하다

*__au·to·graph__ [ɔ́:təgræ̀f, -grɑ̀:f] *n.* [U.C] **1** 서명, 자서(自署), 사인; 자필의 원고[문서, 증서] **2** 자필, 육필(肉筆) **3** 육필 석판쇄(石版刷)

> [유의어] **autograph** 작가나 예능인 등 유명인이 자기 저서나 사진에 하는 서명. **signature** 편지나 서류에 하는 서명으로 본인이 쓰거나 대량으로 복사할 수도 있음.

—*a.* 자필의, 자서의
—*vt.* **1** 자필로 쓰다; 서명[사인]하다: an ~*ed* ball 〖야구〗 사인한 공 **2** 석판[등사판]으로 복사하다
▷ autográphic *a.*
áutograph álbum[**bóok**] 서명장, 사인북
áutograph hùnter[**hòund**] 《구어》 유명인의 사인을 모으는 사람
au·to·graph·ic, -i·cal [ɔ̀:təgræ̀fik(əl)] *a.* **1** 자필의, 친필의; 자서의 **2** 〈계기가〉 자동 기록의 **3** 〖인쇄〗 육필 석판 인쇄의 **-i·cal·ly** *ad.*
au·tog·ra·phy [ɔ:tɑ́grəfi | -tɔ́-] *n.* (*pl.* **-phies**) [U.C] **1** 자필 서명, 자필; [집합적] 자필 문서 **2** 〖인쇄〗 육필 인쇄술 《석판·등사판 등》
áuto gráveyard 《미·속어》 폐차장
au·to·gra·vure [ɔ̀:tougrəvjúər] *n.* 오토그라비어 《사진판 조각법의 일종》
au·to·gy·ro [ɔ̀:tədʒáiərou] *n.* (*pl.* **~s**) = AUTOGIRO
Au·to·harp [ɔ́:touhɑ̀:rp] *n.* 오토하프 《zither의 한 종류로 버튼을 눌러 연주함; 상표명》
au·to·hyp·no·sis [ɔ̀:touhipnóusis] *n.* [U] 자기 최면 **-hyp·nó·tic** *a.*
au·to·ig·ni·tion [ɔ̀:touigníʃən] *n.* (내연 기관의) 자기 점화, 자기 착화; 자연 발화
autoignítion pòint 〖화학〗 자기[자연] 발화점
au·to·im·mune [ɔ̀:touimjú:n] *a.* 〖병리〗 자기 면역(성)의 **-im·mú·ni·ty** *n.* [U] 자기 면역(성)
-im·mu·ni·zá·tion *n.* [U] 자기 면역화
autoimmúne disèase 〖병리〗 자기 면역 질환
au·to·in·fec·tion [ɔ̀:touinfékʃən] *n.* [U] 〖병리〗 자기 감염
au·to·in·jec·tor [ɔ̀:touindʒéktər] *n.* 자기 (피하) 주사기
au·to·in·oc·u·la·tion [ɔ̀:touinɑ̀kjuléiʃən | -nɔ̀-] *n.* [U] 〖의학〗 자기[자가] 접종
au·to·in·tox·i·ca·tion [ɔ̀:touintɑ̀ksəkéiʃən | -tɔ̀k-] *n.* [U] 〖병리〗 자가 중독
au·to·ist [ɔ́:touist] *n.* 《미》 = AUTOMOBILIST
au·to·ki·ne·sis [ɔ̀:toukiní:sis, -kai-] *n.* [U] 〖심리〗 자동 운동(autokinetic effect); 〖생리〗 수의(隨意) 운동
au·to·ki·net·ic [ɔ̀:toukinétik, -kai-] *a.* 자동적인
autokinétic efféct [**illúsion, phenómenon**] 〖심리〗 자동 운동 효과[현상]
au·to·land [ɔ́:toulæ̀nd] *n.* 〖항공〗 자동 착륙
áuto lìft 오토 리프트 《자동차를 들어올리는 장치》
au·to·load [ɔ̀:toulóud] *vi.* 〖컴퓨터〗 자동 로드하다, 소프트웨어를 자동 장전하다
au·to·load·er [ɔ́:toulòudər] *n.* 자동 장전식 화기; 〖컴퓨터〗 자동 로더
au·to·load·ing [ɔ̀:toulóudiŋ] *a.* 〈총기가〉 자동 장전(식)의; 〖컴퓨터〗 자동 로드하는
au·tol·o·gous [ɔ:tɑ́ləgəs | -tɔ́-] *a.* 〖생물〗 자가 조직의, 자기(유래)의
au·to·ly·sin [ɔ̀:təláisin, ɔ:tɑ́lə- | ɔ:tɔ́lə-] *n.* 〖생화학〗 자기 분해제[효소]
au·tol·y·sis [ɔ:tɑ́ləsis | -tɔ́-] *n.* [U] 〖생화학〗 자기 분해[소화] **àu·to·lýt·ic** *a.*
au·to·lyze [ɔ́:təlàiz] *vt., vi.* 〖생화학〗 자기 분해[소화]시키다[하다]
au·to·mak·er [ɔ́:toumèikər] *n.* 《미》 자동차 제조업자[회사]
au·to·ma·nip·u·la·tion [ɔ̀:toumənipjuléiʃən] *n.* 자위, 수음
au·to·mat [ɔ́:təmæ̀t] *n.* **1** 자동 판매기 **2** 자동 판매식 식당; [**A~**] 《미》 그 식당의 상표명
au·tom·a·ta [ɔ:tɑ́mətə | -tɔ́m-] *n.* AUTOMATON의 복수
au·to·mate [ɔ́:təmèit] *vt., vi.* 자동화하다[되다]; 자동화로 제조하다 **-màt·a·ble** *a.*
au·to·mat·ed [ɔ́:təmèitid] *a.* 자동화된, 자동의: an ~ factory 자동화 공장
áutomated crédit trànsfer 《영》 (은행 계좌의) 자동 이체 《특히 정기적 지급》
áutomated téller machìne 현금 자동 입출금기 《略 ATM》(《영》 cash dispenser)
‡**au·to·mat·ic** [ɔ̀:təmǽtik] *a.* **1** 〈기계·장치 등이〉 **자동의**, 자동식의; 자동적인: an ~ elevator 자동 엘리베이터 / ~ operation 오토메이션, 자동 조작 / an ~ telephone 자동 전화 **2** 〈행위·동작 등이〉 **기계적인**, 무의식적인, 습관적인 **3** 필연적인
—*n.* **1** 자동 조작 기계[장치] **2** 자동 권총(=~ pistol), 자동 소총 **3** 자동 변속 장치; 오토매틱 자동차 《자동 변속 장치가 달린》 **4** 자동 세탁기
▷ autómatism *n.*; autómatize *v.*
*__au·to·mat·i·cal__ [ɔ̀:təmǽtikəl] *a.* 자동적인
*__au·to·mat·i·cal·ly__ [ɔ̀:təmǽtikəli] *ad.* 자동적으로; 기계적으로, 무의식적으로: The camera focuses ~. 이 카메라는 자동으로 초점이 맞는다.
automátic cálling 자동 호출
automátic cálling ùnit 자동 호출 장치
automátic cámera 자동 카메라
automátic contról 자동 제어
automátic contróller 자동 제어 장치
automátic dáta pròcessing (컴퓨터에 의한) 자동 정보 처리 《略 ADP》
automátic diréction finder (항공기의) 자동 방위 탐지기 《略 ADF》
automátic díshwasher 자동 식기 세척기
automátic dóor 자동문
automátic dríve = AUTOMATIC TRANSMISSION
automátic expósure (카메라의) 자동 노출
automátic fréquency contròl (라디오·텔레비전의) 자동 주파수 제어
automátic gáin contròl 〖전자〗 자동 이득 제어 《略 AGC》
au·to·ma·tic·i·ty [ɔ̀:təmətísəti] *n.* [U] 자동성
automátic máil sórting machìne 자동 우편 분류기
automátic péncil = MECHANICAL PENCIL
automátic pícture transmíssion (기상 위성의) 자동 송화(送畫) 장치 《略 APT》
automátic pílot 〖항공〗 자동 조종 장치
automátic pístol 자동 권총
automátic próbe 자동[무인] 탐측기
automátic redíal (전화기의) 자동 재(再)다이얼 방식
automátic rífle 자동 소총(machine rifle)
automátic téller (**machìne**) = AUTOMATED TELLER MACHINE
automátic tráin contròl 열차 자동 제어 장치 《略 ATC》
automátic tráin operàtion 자동 열차 운전 장치 《略 ATO》
automátic tráin stòp 열차 자동 정지 장치
automátic transmíssion (자동차의) 자동 변속 (장치)
automátic týpesetting 〖인쇄〗 컴퓨터 식자 (computer typesetting)
automátic wríting 〖심리〗 자동 기술(記述) 《자기가 글을 쓰고 있다는 것을 의식하지 않고 쓰는 일》
*__au·to·ma·tion__ [ɔ̀:təméiʃən] [*automa*tic+opera*tion*] *n.* [U] **1** (기계·공장 등의) **오토메이션, 자동 조작**

2 (육체 노동을 줄이기 위한) 기계 사용; 자동(작업)화 3 자동화된 상태

au·tom·a·tism [ɔːtɑ́mətìzm | -tɔ́-] *n.* Ⓤ **1** 자동성, 자동 작용, 자동적 활동; 기계적[무의식적] 행위 **2** 〖철학·심리〗 자동 기계설 **3** 〖생리〗 자동 운동 《심장의 고동 따위》 **-tist** *n.*

au·tom·a·ti·za·tion [ɔːtɑ̀mətizéiʃən | -tɔ̀-] *n.* Ⓤ 자동화, 오토메이션

au·tom·a·tize [ɔːtɑ́mətàiz | -tɔ́-] *vt.* 자동화하다; 오토메이션화하다(automate)

au·to·mat·o·graph [ɔ̀ːtəmǽtəgræ̀f, -grɑ̀ːf] *n.* 자동 운동 기록기

au·tom·a·ton [ɔːtɑ́mətɑ̀n, -tn | -tɔ́mətn] *n.* (*pl.* **~s, -ta** [-tə]) **1** 자동 장치; 자동 인형, 로봇 **2** 기계적으로 행동하는 사람[동물]

au·tom·a·tous [ɔːtɑ́mətəs | -tɔ́-] *a.* 오토메이션의[같은], 기계적인

au·to·mech·an·ism [ɔ̀ːtoumékənìzm] *n.* 자동 기구(機構), 자동 장치

au·to·me·ter [ɔ́ːtoumìːtər] *n.* (복사기의) 자동 매수 기록 장치

‡**au·to·mo·bile** [ɔ́ːtəməbìːl, ˌ---ˈ, ɔːtəmóubiːl] *n.* **1** 《미》 **자동차**(《영》 motorcar) 《특히 승용차》 **2** 《미·속어》 일이 빠른 사람, 기민한 사람
— *a.* Ⓐ 자동차의; 자동의: ~ insurance 자동차 보험
— *vi.* 《미》 자동차를 타다, 자동차로 가다

au·to·mo·bi·li·a [ɔ̀ːtəməbíliə, ɔ̀ːtəmou-] [*auto*mobile+memora*bilia*] *n.* 자동차 관련 수집품

au·to·mo·bil·ism [ɔ̀ːtəməbíːlizm, -móubi-] *n.* 《미》 Ⓤ 자동차 사용[운전, 여행]

au·to·mo·bil·ist [ɔ̀ːtəməbíːlist, -móubi-] *n.* 《미》 자동차 운전자, 자동차 상용자

au·to·mo·bil·i·ty [ɔ̀ːtəməbíləti] *n.* Ⓤ 자동차에 의한 이동성

au·to·mor·phism [ɔ̀ːtəmɔ́ːrfizm] *n.* 〖수학〗 자기동형(同形), 자형(自形)

***au·to·mo·tive** [ɔ̀ːtəmóutiv, ˈ-ˌ--] *a.* **1** Ⓐ **자동차의**; 자동적인 **2** 자동 추진의

au·to·nom·ic [ɔ̀ːtənɑ́mik | -nɔ́-] *a.* **1** 자치의 **2** 〖생리〗 〈신경이〉 자율적인, 자율 신경계의 **3** 〖식물〗 자발적인 **-i·cal·ly** *ad.*

autonómic nérvous sỳstem 자율 신경계(系)

au·to·nom·ics [ɔ̀ːtənɑ́miks | -nɔ́-] *n. pl.* [단수 취급] 〖전자〗 자동 제어학

au·ton·o·mism [ɔːtɑ́nəmìzm | -tɔ́-] *n.* Ⓤ 자치주의, 자치 운동, 자치제 찬성론

au·ton·o·mist [ɔːtɑ́nəmist | -tɔ́-] *n.* 자치론자

au·ton·o·mous [ɔːtɑ́nəməs | -tɔ́-] *a.* **1** 자치권이 있는; 자율의; 자주적인: a local ~ body 지방 자치체 **2** 〖식물·생리〗 자발적인, 자율적인 **~·ly** *ad.*

autónomous phóneme 〖언어〗 자율적 음소

autónomous sýntax 〖언어〗 자율적 통어론

***au·ton·o·my** [ɔːtɑ́nəmi | -tɔ́-] *n.* (*pl.* **-mies**) Ⓤ **1 자치**; 자치권 **2** Ⓒ 자치 국가; 자치 단체 **3** 〖철학〗 자율

au·to·nym [ɔ́ːtənìm] *n.* **1** 본명, 실명(實名)(opp. *pseudonym*) **2** 본명으로 낸 저작

au·to·pha·gia [ɔ̀ːtəféiʒə] *n.* = AUTOPHAGY

au·toph·a·gous [ɔːtɑ́fəgəs | -tɔ́-] *a.* 자식(自食) 작용의, 자식성의, 자기 소모의

au·toph·a·gy [ɔːtɑ́fədʒi | -tɔ́-] *n.* Ⓤ 〖생물〗 자기 소모, 자식(自食) 작용

au·to·pho·bi·a [ɔ̀ːtoufóubiə] *n.* Ⓤ 〖정신의학〗 자기 (고독) 공포증

au·to·phyte [ɔ́ːtəfàit] *n.* 독립 영양 식물 《광합성 식물 등》

au·to·pi·lot [ɔ́ːtoupàilət] *n.* = AUTOMATIC PILOT

au·to·pis·ta [àutoupíːstɑː, ɔ̀ːtəpíːstə] [Sp.] *n.* (스페인 어권의) 고속도로

au·to·plas·ty [ɔ́ːtouplæ̀sti] *n.* Ⓤ 〖외과〗 자가 조직 이식(술) **àu·to·plás·tic** *a.*

au·top·sy [ɔ́ːtɑpsi, -təp- | -tɔp-, -təp-] *n.* (*pl.* **-sies**) **1** 검시(檢屍), 검시 해부, 부검 **2** 검시(檢視), 실지 검증; 상세한 분석

au·top·tic, -ti·cal [ɔːtɑ́ptik(əl) | -tɔ́p-] *a.* 검시(檢屍)의

áuto ràce[ràcing] 자동차 경주

au·to·ra·di·o·graph [ɔ̀ːtəréidiəgræ̀f | -grɑ̀ːf], **-gram** [-græ̀m] *n.* 방사능 사진

au·to·ra·di·og·ra·phy [ɔ̀ːtəreidiɑ́grəfi | -diɔ́-] *n.* 방사능 사진 촬영(술)

au·to·reg·u·la·tion [ɔ̀ːtourègjəléiʃən] *n.* Ⓤ (장기·생물·생태계 등의) 자기 조절 작용

au·to-re·peat [ɔ́ːtouripìːt] *n.* 〖컴퓨터〗 (키보드의) 자동 반복: a ~ key 자동 반복 키

au·to·re·verse [ɔ̀ːtourivə́ːrs] *n., a.* 〖전자〗 (카세트 플레이어의) 오토리버스 기능(의)

au·to-rick·saw [ɔ́ːtouríkʃɔː] *n.* 《인도》 오토릭샤 《모터가 달린 인력거》

au·to·ro·ta·tion [ɔ̀ːtəroutéiʃən] *n.* 〖항공〗 (동력에 의하지 않고) 자전하는 것, 자동 회전

au·to·route [ɔ́ːtourùːt] [F] *n.* (프랑스·벨기에의) 고속도로

au·to·save [ɔ́ːtouseiv] *n.* 〖컴퓨터〗 자동 저장 《변경된 문서 파일을 자동으로 저장하는 기능》

au·to·sex·ing [ɔ́ːtousèksiŋ] *a.* 〖축산〗 태어날[부화할] 때 암수 별로 각기 특징을 나타내는 — *n.* 오토섹싱 《출생[부화] 때 성별이 판별될 수 있게 교배하기》

au·to·shape [ɔ́ːtouʃèip] *vi.* 〖심리〗 (자극에 대해) 자기 반응을 형성하다 **áu·to·shàp·ing** *n.*

au·to·some [ɔ́ːtəsòum] *n.* 〖생물〗 상(常)염색체 《성염색체 이외의 염색체》 **àu·to·só·mal** *a.*

au·to·sta·bil·i·ty [ɔ̀ːtoustəbíləti] *n.* Ⓤ 〖기계〗 자율 안정; 자동 조종[제어] 안정

au·to·stra·da [ɔ́ːtoustrɑ̀ːdə] [It.] *n.* (*pl.* **~s, -de** [-dei]) (이탈리아의) 고속도로(expressway)

au·to·sug·ges·tion [ɔ̀ːtousəgdʒéstʃən | -sədʒés-] *n.* Ⓤ 자기 암시 **àu·to·sug·gést** *v.* **àu·to·sug·gést·ive** *a.* 자기 암시의[암시적인]

au·to·te·lic [ɔ̀ːtətélik] *a.* 〖철학·문예〗 자기 목적적인, 그 자체에 목적이 있는

au·to·tim·er [ɔ́ːtoutàimər] *n.* (전기 조리기 등의) 자동 타이머

au·tot·o·mize [ɔːtɑ́təmàiz | -tɔ́t-] *vi., vt.* 〖동물〗 〈도마뱀 등이〉 자절(自切)하다

au·tot·o·my [ɔːtɑ́təmi | -tɔ́tə-] *n.* (*pl.* **-mies**) Ⓤ 〖동물〗 (도마뱀 등의) 자기 절단, 자절(自切) **àu·to·tóm·ic** *a.* **au·tót·o·mous** *a.*

au·to·tox·(a)e·mi·a [ɔ̀ːtoutɑksíːmiə | -tɔk-] *n.* 〖병리〗 = AUTOINTOXICATION

au·to·tox·ic [ɔ̀ːtətɑ́ksik | -tɔ́k-] *a.* 〖병리〗 자가 중독(증)의

au·to·tox·in [ɔ̀ːtətɑ́ksin | -tɔ́k-] *n.* 〖병리〗 자가 독소(自家毒素)

au·to-train [ɔ́ːtoutrèin] *n.* 오토트레인 《승객과 자동차를 동시에 수송하는 열차》

au·to·trans·form·er [ɔ̀ːtoutrænsfɔ́ːrmər] *n.* 〖전기〗 단권(單捲) 변압기

au·to·trans·fu·sion [ɔ̀ːtoutrænsfjúːʒən] *n.* 자가[자기] 수혈법 《환자의 자기 혈액 사용의》

au·to·trans·plant [ɔ̀ːtoutrǽnsplænt] *n., vt.* = AUTOGRAFT

au·to·trans·plan·ta·tion [ɔ̀ːtoutræ̀nsplæntéiʃən | -plɑːn-] *n.* Ⓤ 〖외과〗 자가 이식

au·to·troph [ɔ́ːtətrɑ̀f, -trɔ̀ːf | -trɔ̀f] *n.* 〖생물〗 독립[자가] 영양 생물

au·to·tro·phic [ɔ̀ːtətrɑ́fik | -trɔ́-] *a.* 〖생물〗 독립[자가] 영양의

au·tot·ro·phy [ɔːtɑ́trəfi | -ɔːtɔ́-] *n.* Ⓤ 〖생물〗 독립[자가] 영양

au·to·truck [ɔ́ːtoutrʌ̀k] *n.* 《미》 화물 자동차, 트럭(《영》 motor lorry)

au·to·type [ɔ́:tətàip] *n.* =FACSIMILE; 〘사진〙 오토타이프, 단색 사진(법) **—*vt.*** 오토타이프법으로 만들다[전사하다] **áu·to·tỳp·y** *n.*
au·to·ty·pog·ra·phy [ɔ̀:tətaipɑ́grəfi | -pɔ́-] *n.* Ⓤ 〘사진·인쇄〙 단색 사진판법
au·to·wind(er) [ɔ́:touwaind(ər)] *n.* **1** (카메라의) 필름 자동 감김 장치 **2** Ⓤ 필름 자동 감김 기능
au·to·wor·ker [ɔ́:touwə̀:rkər] *n.* 자동차 제조[공장] 노동자
au·tox·i·da·tion [ɔ:tɑ̀ksidéiʃən | -tɔ̀k-] *n.* Ⓤ 〘화학〙 자동[자연] 산화(酸化) 《화합물이 공기에 노출됨으로써 일어나는》
⁑**au·tumn** [ɔ́:təm] *n.* ⓊⒸ **1** 가을, 가을철 《보통 영국에서는 8, 9, 10월, 북반구에서는 9, 10, 11월》 ★ 미국에서는 일상어로서 fall을 쓰는 경우가 많음. **2** 추수 **3** [the ~] 성숙기; (인생의) 초로기(初老期): in the ~ of life 초로기에
—*a.* 가을의, 가을용의, 가을에 익는: the ~ term 가을 학기 / ~ crops 가을에 익는 곡식
—*vi.* 가을을 보내다: ~ in Rome 로마에서 가을을 보내다 ▷ autúmnal *a.*
*__au·tum·nal__ [ɔ:tʌ́mnəl] *a.* 《문어》 **1** 가을의: ~ [autumn] tints 가을빛, 추색(秋色), 단풍 **2** 〘식물〙 가을에 피는, 가을에 열리는 **3** 초로기의, 중년이 지난
~·ly *ad.* 가을처럼; 단풍에 물들어
▷ áutumn *n.*
autúmnal équinox [the ~] 추분(점)(秋分(點))
áutumn státement 《영》 추계(秋季) 보고서 《정부의 금후 3년간의 경제 회계 보고서》
au·tun·ite [ɔ́:tənàit, outʌ́nait | ɔ́:tənàit] *n.* Ⓤ 〘광물〙 인회(燐灰) 우라늄광
aux., auxil. auxiliary
aux·a·nom·e·ter [ɔ̀:gzənɑ́mətər, ɔ̀:ksə- | -nɔ́-] *n.* (식물) 생장 측정기
aux·e·sis [ɔ:gzí:sis, ɔ:ksí:-] *n.* (*pl.* **-ses**) 〘생물〙 비대, 증대, 생장 《특히 세포의 팽창에 의한 용적 증대》
aux·et·ic [ɔ:gzétik, ɔ:ksé-] *a., n.* 생장[비대] 촉진의[촉진제]
*__aux·il·ia·ry__ [ɔ:gzíljəri] [L 「부가, 보조」의 뜻에서] *a.* Ⓐ **1** 보조의: an ~ engine 보조 기관 / an ~ agent 〘염색〙 조제(助劑) / ~ coins 보조 화폐 **2** 예비의; 대용의 **3** 〈보트 등이〉 보조 기관을 실은 **4** (…의) 도움이 되는, (…에) 유용한
—*n.* (*pl.* **-ries**) **1** 보조자, 조수; 보조물(aid); 보조 단체, (클럽 등의) 여성 준회원단 **2** [*pl.*] (외국의) 원군, 외인 부대(=~ **tróops**) **3** 〘해군〙 보조함 **4** 〘문법〙 조동사(=~ verb)
auxíliary lànguage 〘언어〙 (국제적) 보조 언어
auxíliary nòte 〘음악〙 =AUXILIARY TONE
auxíliary pówer ùnit 〘항공〙 보조 동력 장치 《略 APU》
auxíliary rótor (헬리콥터의) 꼬리 부분 회전 날개
auxíliary stórage[mémory] 〘컴퓨터〙 보조 기억 장치(secondary storage)(cf. MAIN STORAGE)
auxíliary tòne 〘음악〙 보조음
auxíliary vérb 〘문법〙 조동사
aux·in [ɔ́:ksin] *n.* ⓊⒸ 〘생화학〙 옥신 《식물 생장 물질의 총칭》; 식물 호르몬 **aux·ín·ic** *a.*
auxo- [ɔ́:ksou, -sə] 《연결형》 「생장, 증대」의 뜻
aux·o·car·di·a [ɔ̀:ksəkɑ́:rdiə] *n.* 〘병리〙 심장 비대
aux·o·troph [ɔ́:ksətrɑ̀f, -tròuf | -trɔ̀f] *n.* 〘생물〙 영양 요구체 《영양 합성이 불가한 균주(菌株)》
aux·o·tro·phic [ɔ̀:ksətrɑ́fik, -tróu- | -trɔ́-] *a.* 〘생물〙 영양 요구성의
aux. v. auxiliary verb **AV** arteriovenous; Artillery Volunteers; atrioventricular; audiovisual; Authorized Version (of the Bible); average value **av.** avenue; average; avoirdupois weight **Av.** Avenue **A-V** atrioventricular; audiovisual **a.v., A/V** ad valorem 〘상업〙 가격에 따라; audiovisual

⁑**a·vail** [əvéil] [OF 「가치가 있다」의 뜻에서] 《문어》 *vt.* [부정문·의문문에서] …에 도움이 되다[효력이 있다], …을 이롭게 하다(profit): (~+목+부) It will ~ you *little* or *nothing.* 그것은 네게 거의 아무 소용이 없을 것이다. **~ one*self* *of*** = 《주로 미·구어》 **~ *of*** …을 이용하다, …을 틈타다(make use of)
—*vi.* [주로 부정문·의문문에서] 쓸모가 있다(be of use); 도움이 되다, 소용되다; 가치가 있다, 이롭다, 이익이 되다: Such arguments will *not* ~. 그런 논쟁은 소용이 없을 것이다. // (~+부) This medicine ~*s* *little* against pain. 이 약은 통증에 대해서 거의 효력이 없다. // (~+전+명) *No* advice ~*s with* him. 그에게는 어떤 충고도 소용이 없다. / Thought will *not* ~ *without* action. 행동을 수반하지 않은 생각은 쓸모가 없다.
—*n.* Ⓤ **1** 이익, 유용성, 효용: Of what ~ is it? 그것이 무슨 도움이 되는가? **2** [*pl.*] 《미》 〘상업〙 이익, 수익 ***be of ~*** 도움[소용]이 되다, 효과가 있다(be available) ***be of no*** [***little***] **~** 전혀[거의] 쓸모가 없다 ***to no ~*** = ***without ~*** 무익하게, 보람 없이
▷ aváilable *a.*
a·vail·a·bil·i·ty [əvèiləbíləti] *n.* (*pl.* **-ties**) **1** Ⓤ 유효성, 유용성, 효용; (입수) 가능성 **2** 《미》 (선거 후보자의) 당선 가능성 **3** [*pl.*] 이용할 수 있는 사람[것]
⁑**a·vail·a·ble** [əvéiləbl] *a.* **1** 이용할 수 있는, 소용이 되는, 쓸모 있는 **2** 입수할 수 있는 **3** (면회[일]에 응할 수 있는) 시간이 있는, 여가가 있는: Are you ~ this afternoon? 오늘 오후에 시간 있니? **4** (정해진 상대가 없어서) 사귈 수 있는, (결혼·교제 등의) 상대가 될 수 있는: "Is Wendy married?" — "No, I happen to know that she is very ~. Why are you interested?" 웬디 결혼했니? — 아니, 아직 애인이 없는 걸로 아는데. 왜 관심 갖는 건데? **5** 〈카드·표 등이〉 유효한, 통용하는(good); 〈원고가〉 채용 가치가 있는: ~ on (the) day of issue only 발행 당일에 한해서 유효 **6** 《미》 〈후보자가〉 당선 가능한; 출마 의사가 있는 **7** 〈자원이〉 이용 가능한: ~ water 유효수
~·ness *n.* **-bly** *ad.*
▷ availabílity *n.*
aváilable ássets 〘회계〙 이용 가능 자산
aváilable énergy 〘물리〙 유효 에너지
aváilable líght 〘미술·사진〙 (대상이 받는) 자연광
*__av·a·lanche__ [ǽvəlæ̀ntʃ, -lɑ̀:ntʃ | -lɑ̀:ntʃ, -lɑ̀:nʃ] [F] *n.* **1** 눈사태, (산)사태 **2** (우편물·질문 등의) 쇄도 《*of*》: an ~ *of* questions 빗발치는 질문 **3** 〘물리·화학〙 전자 사태
—*vi.* 쇄도하다, 사태가 나다
—*vt.* 〈장소에〉 쇄도하다
ávalanche wìnd 눈사태 바람
av·a·lan·chine [æ̀vəlǽntʃin | -lɑ́:n-] *a.* 눈사태의[같은], 맹렬한
a·vale·ment [əvǽlmənt] [F] *n.* Ⓤ 〘스키〙 아발망 《속도를 낼 때 스키와 눈의 면이 접촉하도록 무릎을 굽히기》
Av·a·lon [ǽvəlɑ̀(:)n | -lɔ̀n] *n.* 〘켈트전설〙 아발론 《Arthur 왕이 죽은 후에 옮겨졌다고 하는 전설의 섬》
a·vant-cou·ri·er [ɑ:vɑ̀:ntkúriər | æ̀vɑ:ŋ-] [F] *n.* 선구자; 선발대
a·vant-garde [ɑ̀vɑ:ntgɑ́:rd, əvæ̀nt-, əvɑ̀nt-, æ̀vɑ:nt- | æ̀vɔ:ŋ-] [F =vanguard] *n.* [the ~; 집합적] 전위 예술가들, 전위파
—*a.* 전위적인: ~ pictures 전위 영화
-gárd·ism *n.* **-gárd·ist** *n.*
a·vant-pro·pos [əvɑ́:ntprɔ́pou] [F] *n.* 머리말, 서문
*__av·a·rice__ [ǽvəris] *n.* Ⓤ (금전 등에 대한) 탐욕
▷ avarícious *a.*

thesaurus **available** *a.* **1** 이용할 수 있는 unoccupied, free, untaken, vacant, usable, ready **2** 입수할 수 있는 accessible, obtainable, at hand

***av·a·ri·cious** [æ̀vəríʃəs] *a.* 탐욕스러운, 욕심 많은 (greedy) **~·ly** *ad.* **~·ness** *n.* ▷ ávarice *n.*

a·vast [əvǽst, əvɑ́:st | əvɑ́:st] *int.* 〖항해〗 그만!, 그쳐!(Stop!)

av·a·tar [ǽvətɑ̀:r, ⌐–⌐] *n.* UC **1** 〖인도신화〗 화신(化身), 권화 **2** 구현, 구체화 **3** 〖컴퓨터〗 아바타 《인터넷상의 공유 공간에서 유저(user)의 화신이 되는 캐릭터》

AVC additional voluntary contribution 《영》 할증 임의 분담금; American Veterans' Committee 미국 재향 군인회 **avdp.** avoirdupois

a·ve [ɑ́:vei, éivi | ɑ́:vi] [L =hail] *int.* **1** 어서 오세요(Welcome!) **2** 안녕히 가세요(Farewell!)
— *n.* **1** 환영[작별] 인사 **2** [**A~**] = AVE MARIA

Ave. 《미》 Avenue

A·ve Ma·ri·a [ɑ́:vei-mərí:ə | ɑ́:vi-məríə] 아베 마리아(Hail Mary) 《성모 마리아에게 드리는 기도》

Avé·na tèst [əví:nə-] 〖생물〗 귀리 테스트 《귀리(Avena)에 의한 식물 생장소의 함유량 테스트》

***a·venge** [əvéndʒ] *vt.* **1** 〈…의〉 **복수를 하다,** 앙갚음하다, 원수를 갚다(⇨ revenge 유의어): (~+목+전+명) ~ an insult *on* one's honor 모욕을 당한 앙갚음을 하다 / I will ~ my father's death *on* them. 나는 그들에게 아버지의 죽음에 대한 원수를 갚겠다. **2** [~ one*self* 또는 수동형으로] (…에게) 복수하다 《*on*》: (~+목+전+명) ~ *oneself on*[*upon*] a person …에 대해 복수하다 / I will *be* ~*d on* you sooner or later. 조만간 네게 복수를 하겠다.
USAGE avenge a person (아무에게 복수하다)처럼 복수의 대상을 직접 목적어로 가지는 일은 없다; 단, revenge는 가능하다.
— *vi.* 복수하다, 앙갚음하다

a·veng·er [əvéndʒər] *n.* 복수하는 사람, 원수를 갚는 사람 **~ *of blood*** (혈족 관계로 보아) 원수를 갚을 의무가 있는 사람

a·veng·ing [əvéndʒiŋ] *a.* 복수의, 보복의

av·ens [ǽvinz] *n.* (*pl.* **~, ~·es**) 〖식물〗 뱀무

av·en·tail [ǽvəntèil] *n.* (14세기 투구의 하단부로부터 늘어뜨려서 목·어깨를 보호하는) 쇠사슬 드림

a·ven·tu·rine [əvéntʃurì:n, -rin], **-rin** [-rin] *n.* U (구리 가루가 산재한) 어벤추린 유리; 사금석(砂金石)

‡av·e·nue [ǽvənjù: | -njù:] [F 「…에 접근하다」의 뜻에서] *n.* **1** 《미》 (도시의) **큰 가로, 대로**(main-street)(⇨ street 유의어) **2** (어떤 목적에 이르는) 수단, 길, 방법 《*to, of*》: an ~ *to* success 성공에의 길 **3** (어느 장소에) 다다르는 길, 들어가는 방법: the various ~*s* to India 인도로 가는 여러 가지 길 **4** 《주로 영》 (시골 저택의 나무가 줄 선) 넓은 길; (교외의 주택지를 지나는) 가로수 길
***explore every* (*possible*) ~** 가능한 모든 수단[방법]을 강구하다

a·ver [əvə́:r] *vt.* (**~red**; **~·ring**) **1** 《문어》 (사실이라고) 단언하다, 확언하다; …을 언명[주장]하다 **2** 〖법〗 증언하다(verify): (~+***that*** 절) She ~*red that* he had done it. 그녀는 그가 그것을 했다고 증언했다.

‡av·er·age [ǽvəridʒ] [Arab. =damaged merchandise; 손해를 소유주들이 균등히 분담한 데서] *n.* CU **1 평균**; 평균값: an arithmetical[geometrical] ~ 산술[기하] 평균 **2** (일반) 표준, 보통 수준 **3** 〖해상보험〗 해손(海損): a general[particular] ~ 공동[단독] 해손 ***above*[*below*] *the* ~** 보통[평균] 이상[이하] ***on an*[*the*] ~** 평균하여, 대략 ***strike*[*take*] *an* ~** 평균을 내다, 평균하다 ***up to the* ~** 평균에 달하여
— *a.* **1 평균의**: the ~ life span 평균 수명 **2 보통 수준의,** 보통의: of ~ quality 보통 품질의 / the[an] ~ man 보통 사람 ★ 「보통 사람들」은 ordinary people이라고 함.
— *vt.* **1** 평균하다, 평균 내다 **2** 평균하여 …하다: I ~ 8 hours' work a day. 하루 평균 8시간 일한다.
— *vi.* 평균하면 …이다; 평균선에 이르다
~ *down*[*up*] (상품·증권 등의 거래에서 나누어 사거나[팔거나] 하여) 평균 가격을 낮추다[올리다] **~ *out*** 《구어》 결국 평균에 달하다
~·ly *ad.* 평균적으로, 보통으로 **~·ness** *n.*

áverage áccess tìme 〖컴퓨터〗 평균 접근 시간

áverage adjústment 〖법〗 해손 청산

áverage cláuse 〖보험〗 (손해 보험의) 비례 (보전) 조항; (해상 보험의) 분손 담보 약관

áverage lífe 〖물리〗 (방사성 물질의) 평균 수명

av·er·ag·er [ǽvəridʒər] *n.* 〖상업〗 해손 청산인

a·ver·ment [əvə́:rmənt] *n.* UC **1** 언명, 단언 **2** 〖법〗 사실의 주장[진술]

A·ver·nus [əvə́:rnəs] *n.* **1** 아베르누스 호 《이탈리아의 나폴리 부근의 작은 호수; 옛날 지옥의 입구라고 일컬어짐》 **2** 〖로마신화〗 지옥 **A·vér·nal** *a.*

***a·verse** [əvə́:rs] *a.* **1** P 《문어·익살》 **싫어하는**; 반대하는(opposed) 《*to, from*; *to* do*ing, to* do》: be ~ *to* strenuous exercise 격렬한 운동을 싫어하다 **2** 〖식물〗 〈잎·꽃이〉 줄기에서 바깥쪽을 향한(opp. *adverse*) **~·ly** *ad.* **~·ness** *n.*

a·ver·sion** [əvə́:rʒən, -ʃən | -ʃən] *n.* **1** U [종종 an ~] 싫음, 반감, 혐오(antipathy) 《*to, for, to* do》: *a* strong ~ *to* snakes 뱀을 끔찍히 싫어함 **2** 싫은 것[사람] ★ 보통 다음 성구로 one's pet* ~** 가장 싫은 것[사람]

avérsion thèrapy 〖심리〗 혐오 요법 《나쁜 버릇·행동을 혐오하도록 자극을 주어 그만두게 하는 요법》

a·ver·sive [əvə́:rsiv, -ziv | -siv] *a.* **1** 혐오의 **2** 〈불쾌·고통 등을〉 피하려고 하는, 회피적인
~·ly *ad.* 혐오하여; 회피하여 **~·ness** *n.*

avérsive condítioning 〖심리〗 (혐오 요법에 이르는) 혐오감 유발

***a·vert** [əvə́:rt] [L 「…으로 향하게 하다」의 뜻에서] *vt.* **1** 〈눈·생각 등을〉 (…에서) 돌리다, 비키다, 외면하다(turn away) 《*from*》: (~+목+전+명) She ~*ed* her eyes *from* the terrible sight. 그녀는 그 무서운 광경으로부터 눈을 돌렸다. **2** 〈타격·위험을〉 피하다, 막다(prevent) **~·er** *n.*

a·vert·i·ble, -a·ble [əvə́:rtəbl] *a.* 피할 수 있는, 막을 수 있는

A·ver·y [éivəri] *n.* 남자 이름

A·ves [éivi:z] [L =bird] *n. pl.* 〖동물〗 조류

A·ves·ta [əvéstə] *n.* [the ~] 아베스타 《조로아스터교의 경전; ⇨ Zend-Avesta》

A·ves·tan [əvéstən] *n.* 아베스타 말 《고대 이란 어파》 — *a.* 아베스타 말[경전]의

AVF all-volunteer force **avg.** average

av·gas [ǽvgæ̀s] *n.* = AVIATION GASOLINE

avi- [éivi, ǽvi-, -və] 《연결어》 「새(bird)」의 뜻: *avi*culture, *avi*form

a·vi·an [éiviən] *a.* 새의, 조류의 — *n.* 새

ávian flù 〖병리〗 《문어》 =BIRD FLU

àvian influénza 조류 독감(bird flu, fowl plague) 《略 AI》

a·vi·a·rist [éiviərist | -vjər-, -viər-] *n.* 애조가, 새 기르는 사람

a·vi·ar·y [éivièri | -vjəri, -viəri] *n.* (*pl.* **-ar·ies**) (큰) 새장, 새 우리; 새 사육장

a·vi·ate [éivièit, ǽvi- | éi-] *vi.* 비행하다
— *vt.* 〈비행기를〉 조종하다

***a·vi·a·tion** [èiviéiʃən, æ̀vi- | èi-] *n.* U **1 비행,** 항공; 비행[항공]술(aeronautics); 항공기 산업: an ~ cap 비행모 / ~ sickness 항공병 《고공 비행 시에 일어나는 병》 **2** 항공기 산업 **3** [집합적] 군용기 《인원·무기를 포함》 ***civil* ~** 민간 항공 ▷ áviate *v.*

aviátion bàdge 공군 기장(記章)(wings)

aviátion cadèt 〖미공군〗 사관 후보생

---

average *a.* ordinary, normal, typical, everyday, common, mediocre, moderate, unexceptional, second-rate (opp. *outstanding, exceptional*)

aviátion gàsoline 항공용 휘발유
aviátion mèdicine 항공 의학
aviátion spìrit = AVIATION GASOLINE
*a·vi·a·tor [éivièitər, ǽvi-|éivi-] n. 비행가, 비행사: a civilian[private] ~ 민간 비행가
áviator glàsses 조종사용 안경
áviator's éar 〖병리〗 비행사 중이염
a·vi·a·tress [èiviéitris] n. = AVIATRIX
a·vi·a·trix [èiviéitriks, æ̀vi-|éivièi-] n. (pl. **~·es, -tri·ces** [-trəsi:z|-trisì:z]) 여류 비행가 ★ 보통 aviator, 또는 woman[lady] aviator라고 함.
a·vi·cul·ture [éivəkʌ̀ltʃər] n. Ⓤ 조류 사육(飼育)
à·vi·cúl·tur·ist n. 조류 사육가
av·id [ǽvid] a. **1** Ⓐ 욕심 많은, 탐욕스런; 열심인 **2** Ⓟ 탐내어, 갈망하여 《of, for》 **~·ly** ad. **~·ness** n.
av·i·din [ǽvədin, əvídin] n. 〖생화학〗 아비딘 《달걀 흰자에 함유된 단백질의 일종》
a·vid·i·ty [əvídəti] n. Ⓤ (열렬한) 욕망, 갈망; 탐욕 ***with*** **~** 몹시 탐내어
a·vi·fau·na [èivəfɔ́:nə, æ̀və-] n. (한 지방·시기·자연 조건에서의) 조류상(鳥類相) **à·vi·fáu·nal** a.
a·vi·form [éivəfɔ̀:rm, ǽvə-] a. 새 모양의
av·i·ga·tion [æ̀vəgéiʃən] [*avi*ation+navi*gation*] n. Ⓤ 항공(학); 항법
A·vi·gnon [æ̀vinjɔ́:ŋ|⌐-⌐] n. 아비뇽 《남프랑스의 도시; 한때 교황청 소재지(1309-77)》
a·vion [æviɔ́:ŋ] [F = airplane] n. (pl. **~s** [-z]) 비행기: par ~ 항공 우편으로(by airmail)
a·vi·on·ics [èiviɑ́niks, æ̀vi-|èiviɔ́-] [*avia*tion+electr*onics*] n. pl. [단수 취급] 항공 전자 공학
a·vi·o·pho·bi·a [èiviəfóubiə, æ̀vi-|èivi-] n. Ⓤ 〖정신의학〗 비행기 공포(증)
a·vir·u·lent [eivírjulənt|æví-] a. 〈생물체가〉 독성이 없는, 악성이 아닌
a·vi·so [əváizou] [Sp.] n. (pl. **~s**) 공문서 송달선
a·vi·ta·min·o·sis [eivàitəmənóusis|æ̀vìtə-, æ̀vitæ̀-] n. Ⓤ 비타민 결핍증
A.V.M. air vice-marshal **avn.** aviation
a·vo [ɑ́:vu:] n. (pl. **~s**) 아부 《마카오의 화폐 단위; 1/100 파타카(pataca)》
av·o·ca·do [æ̀vəkɑ́:dou, ɑ̀:və-|æ̀və-] n. (pl. **~(e)s**) **1** 〖식물〗 (열대 아메리카산(産)의) 아보카도 《열매》(= ∠ **péar**); 아보카도나무 **2** 연한 황록색
av·o·ca·tion [æ̀vəkéiʃən] n. **1** 부업, 내직(內職) **2** 《구어》 직업, 본업(vocation) **3** 《고어》 도락, 취미
a·voc·a·to·ry [əvɑ́kətɔ̀:ri|əvɔ́kətəri] a. 소환하는
av·o·cet [ǽvəsèt] n. 〖조류〗 뒷부리장다리물떼새
A·vo·ga·dro [æ̀vəgɑ́:drou, ɑ̀:v-] n. 아보가드로 **Count Amedeo ~** (1776-1856) 《이탈리아의 화학자·물리학자》
Avogádro's láw 〖물리·화학〗 아보가드로의 법칙
Avogádro's númber 〖물리·화학〗 아보가드로 수
‡**a·void** [əvɔ́id] [OF 「비우다」의 뜻에서] vt. **1** (의식적으로 미리) 피하다, 비키다, 회피하다(⇨ escape 유의어): ~ a financial setback 재정난을 피하다 / ~ bad[evil] company 나쁜 친구와의 교제를 피하다 // (~+**-ing**) I could not ~ say*ing* so. 그렇게 말하지 않을 수 없었다. **2** 〈…이 일어나는 것을〉 막다, 예방하다 《do*ing*》: They narrowly ~*ed* an accident. 그들은 가까스로 사고가 일어나는 것을 막았다. **3** 〖법〗 무효로 하다(annul), 취소하다
~·er n. ▷ avóidance n.
*a·void·a·ble [əvɔ́idəbl] a. 피할 수 있는; 무효로 할 수 있는 **-bly** ad.
*a·void·ance [əvɔ́idns] n. Ⓤ **1** 기피, 회피, 도피: tax ~ 절세(節稅) 《「탈세」는 tax evasion》 **2** 〖법〗 무효, 취소 **a·vóid·ant** a. 〖심리〗 회피성의
avoir. avoirdupois weight
av·oir·du·pois [æ̀vərdəpɔ́iz] n. Ⓤ **1** 상형(常衡) 《귀금속·약품을 제외한 것에 쓰이는 형량; 16온스를 1파운드로 침》 **2** 《미·구어》 무게, 체중; 비만
avoirdupóis wèight = AVOIRDUPOIS 1
A·von [éivən, ǽ-] n. **1** [the ~] 에이번 강 《영국 중부의 강; Shakespeare의 출생지 Stratford는 이 강가에 있음》 **2** 에이번 주 《잉글랜드 남서부의 주》
av·o·set [ǽvəsèt] n. = AVOCET
a·vouch [əváutʃ] vt. 《문어》 **1** 진실이라고 단언[언명]하다 **2** 자인하다, 승인하다 **3** 〈품질 등을〉 보증하다 **—** vi. 《고어》 보증하다 《for》
~·ment n. **~·er** n.
a·vow [əváu] vt. 《문어》 **1** 〈과실 등을〉 솔직히 인정하다; 공공연히 인정하다(admit); 고백[자백]하다 **2** 공언하다, 언명하다 **3** 〖법〗 승인하다 **~ one*self*** (***to be***) the culprit 자기가 (범인)이라고 공언[고백]하다
~·a·ble a. **~·er** n.
a·vow·al [əváuəl] n. ⓊⒸ 공언, 고백; 자인
a·vowed [əváud] a. Ⓐ 스스로 인정한[공언한]; 공공연한(open)
a·vow·ed·ly [əváuidli] ad. 공공연히, 명백히
AVR Army Volunteer Reserves; automatic voltage regulator; automatic volume recognition
a·vulse [əvʌ́ls] vt. (무리하게) 떼어 놓다; 〖의학〗 〈조직을〉 벗겨내다
a·vul·sion [əvʌ́lʃən] n. Ⓤ **1** (무리하게) 떼어냄[벗겨냄] **2** 〖법〗 (홍수 등에 의한) 토지의 전위(轉位)[자연분리] **3** Ⓒ 떼어 낸 부분; 〖법〗 분열지(分裂地)
a·vun·cu·lar [əvʌ́ŋkjulər] a. 숙부[백부]의[같은]; 자상[친절]한 **a·vùn·cu·lár·i·ty** n. **~·ly** ad.
aw [ɔ:] [의성음] int. 《미》 오, 저런, 에이! 《가벼운 항의·불쾌 또는 동정 등을 나타냄》
AW aircraft[airborne] warning; 〖영국군〗 Articles of War; atomic warfare; automatic weapon **AW, A/W** actual weight 〖상업〗 실량(實量); all water
AWACS [éiwæks] [*a*irborne *w*arning *a*nd *c*ontrol *s*ystem] n. 〖군사〗 공중 조기 경보 관제기
‡**a·wait** [əwéit] vt. **1** 〈사람이〉 기다리다, 대기하다 (wait for)(cf. WAIT): *A~ing* to hear from you soon. 조속히 회답 있기를 고대하면서. 《편지의 맺음말》 / Death ~*s* us all. 죽음이 우리 모두를 기다리고 있다. **2** 〈사물이〉 기다리고[준비되어] 있다 **—** vi. (기대하고) 기다리다; 〈사물이〉 대기하다
‡**a·wake** [əwéik] v. (**a·woke** [əwóuk], 《드물게》 **a·waked**; **a·waked,** 《드물게》 **a·woke, a·wo·ken** [əwóukən]) vt. **1** 〈자는 사람을〉 깨우다: (~+목+전+명) A shrill cry *awoke* me *from*[*out of*] my sleep. 날카로운 고함 소리에 잠이 깼다. **2** 각성시키다; (죄·책임 등을) 자각시키다, 깨닫게 하다 《to》: (~+목+전+명) ~ people *from* ignorance 사람들을 계몽하다 / Her death *awoke* him *to* a sense of sin. 그녀가 죽자 그는 죄의식을 깨달았다. **3** 〈기억·동정심 등을〉 일깨우다, 환기하다 《in》
— vi. **1** (잠에서) 깨어나다, 눈뜨다(wake up): I *awoke* with a start. 깜짝 놀라 눈을 떴다. // (~+전+명) ~ *from*[*out of*] sleep 잠에서 깨어나다 // (~+***to*** do) He *awoke to* find himself famous. 그는 자고 나니 자기가 유명해진 것을 알았다. **2** 자각하다, 깨닫다 《to》; 깨어나다, 각성하다 《from》: (~+전+명) ~ *to* a danger 위험을 깨닫다 / ~ *from* a delusion[an illusion] 현혹[환상]에서 깨어나다
— a. Ⓟ **1** 깨어 있는, 자지 않고, 눈을 뜨고(opp. *asleep*): stay ~ 자지 않고 깨어 있다 / I've been ~ for hours. 나는 몇 시간 동안 자지 않고 있다. **2** 정신 차리고(vigilant), 깨닫고, 자각하고 《to》 ***~ or asleep*** 자나깨나 ***be ~ to*** …을 알아채고 있다 ***be***

thesaurus **avid** a. keen, eager, enthusiastic, fond of, fervent, zealous, passionate
avoid v. shun, keep away from, evade, hide from, elude, dodge, shirk, refrain from, abstain from (opp. *confront, face*)

wide ~ 완전히 깨어 있다 ***keep*** ~ 자지 않고 있다

:a·wak·en [əwéikən] *vt.* **1** (잠에서) **깨우다**: 《~+목+전+명》 be ~*ed from* sleep 잠에서 깨다 **2** 〈…에게〉 **자각시키다**, 깨닫게 하다, 눈뜨게 하다: 《~+목+전+명》 It has ~*ed* him *to* a sense of his position. 그것은 그에게 자기 지위의 중요성을 깨닫게 했다. **3** 〈기억·호기심 등을〉 불러 일으키다
— *vi.* **1 깨다**, 눈뜨다 **2** 자각하다, 깨닫다 ★ 보통 비유적인 뜻으로, 타동사로 쓰이는 경우가 많음.

USAGE **awake, awaken, wake, waken** 중에서 -en이 붙은 것은 주로 수동태에서 쓰이며, a-가 붙은 것은 주로 비유적으로 쓰인다. 따라서 수동태이며 비유적인 경우에는 awaken이 가장 적당한 셈이다: She has been *awakened* to her danger. (그녀는 위험을 깨닫고 있었다.) 비유적이 아닌 문자 그대로의 뜻으로 능동태일 경우에는 wake가 가장 일반적인 말이다. a-형에는 up은 거의 사용되지 않는다.

~·a·ble *a.* **~·er** *n.*

a·wak·en·ing [əwéikəniŋ] *n.* UC 눈뜸, 각성; 자각: have[receive] a rude ~ 갑자기 불쾌한 일을 깨닫다 — *a.* 깨우치는, 각성의 **~·ly** *ad.*

:a·ward [əwɔ́ːrd] *vt.* **1** 〈사람에게 상·장학금 등을〉 (심사하여) **수여하다**, 주다(adjudge, grant)(⇨ give 유의어): 《~+목+목》 《~+목+전+명》 ~ a person a prize = ~ a prize *to* a person …에게 상을 주다 // He was ~*ed* a gold medal for his excellent performance. 그는 훌륭한 연주로 금메달을 받았다. **2** (중재·재판 등에서) 재정(裁定)하다, 사정(査定)하다; …에게 〈배상금 등을〉 인정하다, 주다 《*to*》
— *n.* **1 상**, 상금, 상패 **2** 심판, 판정; 재정 **3** 판정서; 재정액 《손해 배상 등의》 **4** 《영》 (대학생에게 주는) 장학금 **~·a·ble** *a.* **~·er** *n.*

a·ward·ee [əwɔːrdíː, əwɔ́ːrdiː] *n.* 수상자, 상금[장학금]을 받은 사람

awárd wàge 《호주》 법정 최저 임금

a·ward-win·ning [əwɔ́ːrdwíniŋ] *a.* 상[표창]을 받은, 우량한

:a·ware [əwέər] *a.* **1** Ⓟ **알아차리고**, 깨닫고 《*of, that*》, …을 알고(knowing) **2** …한 의식[인식]이 있는 ***be*** [***become***] ~ ***of*** …을 알아채다, …을 알다
▷ awáreness *n.*

***a·ware·ness** [əwέərnis] *n.* Ⓤ [때로 an ~] **알아채고[깨닫고] 있음**, 자각, 인식 《*of, that*》; 의식: the ~ *of* one's ignorance[~ *that* one is ignorant] 자기가 무식하다는 자각

a·wash [əwɑ́ʃ, əwɔ́ːʃ | əwɔ́ʃ] *ad., a.* Ⓟ **1** 《항해》 〈암초·침몰선 등이〉 수면과 거의 같은 높이로, 파도에 씻기어 **2** 파도에 시달려 **3** 〈장소가〉 …으로 가득하여

:a·way [əwéi] *ad., a., n.*

> 어원은 on+way(길에서) → 「떨어져」의 뜻
> ① 멀리 떠나, 떨어져 부 **1, 2** 형 **1**
> ② 저리로, 저쪽으로[에] 부 **3** 형 **2**

— *ad.* ★ be동사와 결합한 경우는 형용사로도 볼 수 있음. **1** (특정 장소로부터) **떨어져, 떠나** 《*from*》: go ~ 떠나다, 가버리다 / Come ~. 거기를 떠나서 (이쪽으로) 오너라. **2** (…로부터) 떨어진 곳에서 《*from*》: far ~ 멀리 떨어져 / miles ~ 몇 마일이나 떨어져 **3** (이동 방향이) **저리로**, 저쪽으로, 다른 곳으로, 다른 방향으로 (aside): look ~ 눈길을 돌리다 / The bird flew ~. 새는 날아갔다. **4** [확산] 멀리[아득히] 떨어진 곳으로: stretch[extend] ~ 넓게 펼쳐지다 **5** [양도] 내놓고; (…의) 소유로부터 떨어져서 《*from*》: give money ~ to a friend 친구에게 돈을 줘 버리다 **6** 안전한 장소로; 원래의 장소로 **7** [소실·제거] **사라져**, 없어져: cut ~ 베어내다 / fade ~ 사라져 버리다 / put ~ 치우다 / wash ~ 씻어 버리다 **8** [연속 행동] **끊임없이**, 연이어; [보통 명령법으로] 망설이지 않고, 우물쭈물하지 않고: work ~ 꾸준히 일하다[공부하다] / Ask ~! 자꾸 물어보시오! **9** 《구어》 [강조] 훨씬(far) ★ 다른 부사·전치사 above, ahead, back, behind, below, down, off, out, over, up 등을 강조함; 종종 'way, way로 생략됨: The temperature is ~[*way*] *below* the freezing point. 기온은 빙점을 훨씬 밑돌고 있다.
A~! 저리 가!, 가버려라!(Go away!) ~ ***back*** 《미·구어》 훨씬 전에 ***A~ with him!*** 그를 쫓아 버려라! ***A~ with it!*** 치워 버려!, 그만둬! ***A~ with you!*** 저기 비켜!, 꺼져! ***be*** ~ 부재중[결석]이다 《*from*》; (어디에 가서) 없다 《*in, on, for*》 ***cannot*** ~ ***with*** 《고어》 …을 참을 수 없다 ***do*** ~ ***with*** ⇨ do[1]. ***far and*** ~ 훨씬, 단연 ***from*** ~ 《미》 멀리서부터 ***get*** ~ ***from it all*** 《구어》 번거로운 일상 생활에서 떠나다 ***out and*** ~ = far and AWAY. ***Where ~?*** 《항해》 어느 방향으로?
— *a.* **1** Ⓟ 자리[집]에 없어; 결석하여: He's ~ on a trip. 그는 여행 가서 없습니다. **2** Ⓟ (위치가) 저쪽에, 떨어진 곳에[에서]; (시간적으로) 먼저: six miles ~ 6마일 떨어져서 **3** Ⓐ 원정지[적진]에서(opp. *home*) **4** Ⓟ 《야구》 아웃이 되어 **5** Ⓟ 《골프》 홀에서 (가장) 먼
— *n.* 원정 경기(에서의 승리)

awáy dày 《영·구어》 여행으로 없는 날; 《속어》 LSD의 1회분

awáy gàme (프로 야구 등의) 원정 경기

:awe [ɔː] *n.* Ⓤ **1 외경**(畏敬), 외경심(reverential fear) **2** 《폐어》 공포, 두려움
be [***stand***] ***in*** ~ ***of*** …을 두려워하다, 경외하다 ***be struck*** [***filled***] ***with*** ~ 두려워 위압당하다 ***keep*** a person ***in*** ~ 항상 …을 두려워하게 하다 ***with*** ~ 두려운 마음으로
— *vt.* **1** 경외하게 하다: be ~*d* 두려워하다 **2** 위압하여 …시키다: 《~+목+전+명》 He ~*d* the boy *into* obedience[doing it]. 그는 소년을 위압하여 복종시켰다[그것을 하게 했다].
▷ áwful, áwesome *a.*

a·wea·ry [əwíəri] *a.* 《시어》 = WEARY

a·weath·er [əwéðər] *ad.* 《항해》 바람 불어오는 쪽에[으로](opp. *alee*)

awed [ɔ́ːd] *a.* 외경심에 휩싸인[사로잡힌]

a·weigh [əwéi] *a.* Ⓟ 《항해》 닻이 해저에서 떨어져: with anchor ~ 닻을 감아 올리고

awe-in·spir·ing [ɔ́ːinspàiəriŋ] *a.* 외경심을 일으키는, 장엄한

awe·less [ɔ́ːlis] *a.* 두려움이 없는, 무례한

awe·some [ɔ́ːsəm] *a.* **1** 〈광경 등이〉 무시무시한 **2** 《미·구어》 굉장한, 아주 멋진 **~·ly** *ad.* **~·ness** *n.*

awe·struck [ɔ́ːstrʌ̀k], **-strick·en** [-strìkən] *a.* 위엄에 눌린, 두려운 생각이 든, 위압당한

:aw·ful [ɔ́ːfəl] *a.* **1** 《구어》 **지독한**(very bad), 심한 〈실패·감기·고통 등〉; (정도가) **대단한**, 아주 심한: an ~ lot of money 엄청나게 많은 돈 **2 무서운**, 무시무시한 〈광경·폭풍우 등〉: an ~ storm 무시무시한 폭풍우 **3** 《문어》 경외심을 일으키는; 장엄한
— *ad.* 《구어》 **몹시**(very): He is ~ tired. 그는 몹시 지쳐 있다. ▷ áwe *n.*

:aw·ful·ly [ɔ́ːfəli] *ad.* **1** [ɔ́ːfli] 《구어》 **대단히**, 지독하게, 엄청나게, 몹시: I'm ~ sorry. 정말 죄송합니다. / It is ~ good of you. 대단히 감사합니다. **2** 비난[불만]을 사도록, 아무렇게나 **3** 《문어》 **무섭게**, 두렵게; 두려워서, 위엄에 눌려

aw·ful·ness [ɔ́ːfəlnis] *n.* Ⓤ **1** 두려움; 장엄 **2** 《구어》 지독함, 굉장함

AWG American Wire Gauge

a·wheel [əhwíːl | əwíːl] *ad., a.* 자동차[자전거]를 타고 (가는)

---

aware *a.* awake, watchful, vigilant, alert, cautious (opp. *unaware, ignorant, oblivious*)
awe *n.* amazement, wonder, astonishment
awful *a.* serious, severe, horrible, troublesome, unattractive, nasty, foul, disgusting

***a·while** [əhwáil | əwáil] *ad.* 잠깐, 잠시(for a while): ~ ago 조금 전에 / rest ~ 잠깐 쉬다 ★ 《구어》에서는 for[after] a while 대신에 for[after] awhile을 쓰기도 함. ▷ whíle *conj.*

a·whirl [əhwə́ːrl | əwə́ːl] *ad.*, *a.* Ⓟ 빙빙 돌고

‡awk·ward [ɔ́ːkwərd] [ON 「틀린 방향으로」의 뜻에서] *a.* (**~·er**; **~·est**) **1** 〈사람·동작 등이〉 어색한, 거북한, 꼴사나운 《*in*》; 서투른 《*at*》: I feel ~ with her. 그녀와 같이 있으면 어색해진다. / He is still ~ *at* handling chopsticks. 그는 아직도 젓가락질이 서투르다. **2** 〈물건이〉 다루기 힘든, 불편한; 《영》 〈사람 등이〉 다루기 곤란한, 말 안 듣는, 사람을 곤란하게 하는: an ~ tool 다루기 힘든 도구 / an ~ newcomer 다루기 곤란한 신참자 **3** 〈입장·문제 등이〉 힘든, 귀찮은, 곤란한; 《영》 〈시간 등이〉 때가 좋지 않은; 〈침묵 등이〉 어색한: at an ~ moment 곤란한 때에

áwkward àge [the ~] 다루기 곤란한 나이, 사춘기

áwkward cústomer 《구어》 다루기 곤란한 녀석, 만만찮은 상대

***awk·ward·ly** [ɔ́ːkwərdli] *ad.* 어색하게, 서투르게, 어설프게; 거북하게, 꼴사납게

awk·ward·ness [ɔ́ːkwərdnis] *n.* Ⓤ 어색함; 다루기 어려움; 거북함

áwkward squád 신병반(新兵班)

awl [ɔ́ːl] *n.* (구두 직공 등의) 송곳

AWL, awl absent[absence] with leave

aw·less [ɔ́ːlis] *a.* 《미》 = AWELESS

awn [ɔ́ːn] *n.* (보리 등의) 까끄라기(beard) **~·less** *a.*

awned [ɔ́ːnd] *a.* 까끄라기가 있는

awn·er [ɔ́ːnər] *n.* 까끄라기 없애는 기계

***awn·ing** [ɔ́ːniŋ] *n.* **1** 차일, 차양 **2** (갑판 위의) 천막(canvas shelter): an ~ stanchion 〖선박〗 천막 기둥 **áwn·inged** [-d] *a.* 차양이 있는

áwning dèck 〖선박〗 차양 갑판

áwning wìndow 돌출창, 차양식 창

‡a·woke [əwóuk] *v.* AWAKE의 과거·《드물게》 과거분사

AWOL, a·wol [éidʌ̀bljuːòuél, éiwɔːl, -wɑl | éiwɔl] [*a*bsent *w*ith*o*ut *l*eave] 〖군사〗 *n.* 무단 외출자, 무단 결근자, 탈영(병) **—** *a.*, *ad.* 《구어》 무단 외출[결근]의[하여], 탈영의[하여]: go ~ 무단 외출하다, 탈영하다

AWRE 《영》 Atomic Weapons Research Establishment

a·wry [ərái] *ad.*, *a.* Ⓟ **1** 구부러져, 비뚤어져, 뒤틀어져(distorted) **2** 〈사물·사람의 행동 등이〉 틀려서, 잘못되어(wrong); 〈진로를〉 벗어나 ***go*** [***run, tread***] ~ 실패하다(fail) ***look*** ~ 흘겨보다

AWS 〖영·철도〗 automatic warning system

aw-shucks [ɔ́ːʃʌ̀ks] *a.* 《속어》 (시골뜨기처럼) 쩔쩔매는, 수줍어하는, 부끄럼 타는

‡ax [ǽks] *n.* (*pl.* **~·es** [ǽksiz]) **1** 도끼

관련 ax 보통의 도끼, chopper 까뀌, hatchet 자루가 짧은 손도끼(short ax), tomahawk (아메리카 원주민이 사용하던) 전투용 도끼

2 《미·속어》 재즈 악기 《기타, 색소폰 등》 **3** [the ~] 참수, 처형; 면직, 감원, 대삭감 《주로 공무원·공공 경비 등의》 ***get the*** ~ (1) 참수당하다 (2) 해고당하다 ***give the*** ~ …을 해고하다; 〈애인 등을〉 차버리다, …와 이혼하다 ***hang up*** one***'s*** ~ 쓸데없는 계획을 중지하다 ***have an*** ~ ***to grind*** 《구어》 딴 속셈이 있다, 속배포가 있다 ***lay the*** ~ ***to the root of*** …의 근본에 대삭감을 가하다 ***put the*** ~ ***in the helve*** 난문제를 해결하다, 수수께끼를 풀다

— *vt.* **1** 도끼로 자르다 **2** 《구어》 〈경비·인원 등을〉 대폭 삭감하다 **~·lìke** *a.*

ax. axiom; axis

ax·al [ǽksəl] *a.* = AXIAL

axe [ǽks] *n.* 《영》 = AX

ax·el [ǽksəl] *n.* 〖스케이팅〗 엑슬 점프

axe·man [ǽksmən, -mæ̀n] *n.* = AXMAN

a·xen·ic [eizénik, -zíː-] *a.* 〖생물〗 무균의(germ-free), 순수 배양의

ax·es[1] [ǽksiz] *n.* AX(E)의 복수

ax·es[2] [ǽksiːz] *n.* AXIS의 복수

ax-grind·er [ǽksgràindər] *n.* 《속어》 음모가, 속마음이 엉큼한 사람 **áx-grìnd·ing** *n.*

ax·ham·mer [ǽkshæ̀mər] *n.* (돌 등을 깨거나 다듬는 데 쓰는) 도끼처럼 생긴 메

ax·i·al [ǽksiəl] *a.* 〖식물〗 굴대의, 축(軸)의; 굴대 모양의, 굴대 위의; 굴대 둘레의; 축성(軸性)의 **àx·i·ál·i·ty** *n.* **~·ly** *ad.*

áxial flów (제트 엔진의) 축류(軸流)

áxial ròot 〖식물〗 주근(主根), 직근(直根)

áxial skéleton 〖해부〗 중축(中軸) 골격

ax·il [ǽksil] *n.* 〖식물〗 엽액(葉腋)

ax·ile [ǽksail] *a.* 〖식물〗 축(軸)의; 축에 있는

ax·il·la [æksílə] *n.* (*pl.* **-lae** [-liː]) **1** 〖식물〗 엽액(axil) **2** 〖해부〗 겨드랑이, 액와(腋窩)(armpit)

ax·il·lar [ǽksələr | æksílə] *n.* 겨드랑이 부분 《혈관, 신경, 깃 등》

ax·il·lar·y [ǽksəlèri | æksíləri] *a.* 〖식물〗 엽액의; 〖해부〗 겨드랑이의

ax·i·nite [ǽksənàit] *n.* Ⓤ 〖광물〗 부석(斧石)

ax·i·ol·o·gy [æ̀ksiɑ́lədʒi | -ɔ́lə-] *n.* Ⓤ 〖철학〗 가치론(價値論) **àx·i·o·lóg·i·cal** *a.*

ax·i·om [ǽksiəm] *n.* **1** 자명한 이치; 원리 **2** 〖논리·수학〗 공리(公理) **3** 격언(maxim)

ax·i·o·mat·ic, -i·cal [æ̀ksiəmǽtik(əl)] *a.* 공리의[같은], 자명한(self-evident); 격언적인 **-i·cal·ly** *ad.*

áxiom of chóice 〖수학〗 선택 공리

ax·i·on [ǽksiɑ̀n | -ɔ̀n] *n.* 〖물리〗 액시온 《양자 역학에서의 가상적인 소립자》

ax·is**[1] [ǽksis] *n.* (*pl.* **ax·es** [-siːz]) **1** 굴대, 축선(軸線); 〖천문〗 지축(地軸); 〖식물〗 축 **2** 〖수학〗 중심선 **3** 〖해부〗 축: the skeletal ~ 골격축 **4** 〖정치〗 추축(樞軸) 《국가 간의 연합》; [the A~] 독일·이탈리아·일본 추축국 《제2차 대전 때의》 **5** (운동·발전 등의) 주축, 중추 ***the ~ ***of the earth*** 지축(地軸) ***the major*** [***minor***] ~ (타원의) 장축[단축]

áxis[2] 〖동물〗 (인도산(産)) 액시스사슴(= ~ **dèer**)

ax·i·sym·met·ric, -ri·cal [æ̀ksisimétrik(əl)] *a.* 선대칭(線對稱)의 **ax·i·sým·me·try** *n.*

áx jòb 《구어》 = HATCHET JOB

***ax·le** [ǽksl] *n.* 굴대, 축(軸), 차축(axletree)

áxle bòx 〖기계〗 축함(軸函)

áxle guàrd 〖기계〗 축받이(대)

áxle jòurnal 〖기계〗 차축 머리

áxle pìn (짐수레 등의) 차축(車軸) 볼트

ax·le·tree [ǽksltrìː] *n.* 굴대, 차축(axle)

ax·man [ǽksmən, -mæ̀n] *n.* (*pl.* **-men** [-mən]) 도끼질하는 사람, 나무꾼(woodman)

Ax·min·ster [ǽksmìnstər] [영국의 원산지명에서] *n.* 양탄자의 일종(= ~ **cárpet**)

ax·o·lotl [ǽksəlɑ̀tl | -lɔ̀tl] *n.* 〖동물〗 아홀로틀 《미국·멕시코산(産) 도롱뇽》

ax·on [ǽksɑn | -sɔn], **ax·one** [ǽksoun] *n.* 〖해부·동물〗 (신경 섬유의) 축색(軸索)(돌기)

ax·o·neme [ǽksəniːm] *n.* 〖생물〗 축사(軸絲) 《편모 또는 섬모의 가운데 축의 탄성 섬유》

ax·o·nom·e·try [æ̀ksənɔ́mitri] *n.* Ⓤ 〖제도〗 축측(軸測) 투영법

ax·o·plasm [ǽksəplæ̀zm] *n.* Ⓤ 〖해부·동물〗 축색(軸索) 원형질 **àx·o·plás·mic** *a.*

ax·stone [ǽksstòun] *n.* 〖광물〗 도끼돌 《남미 원주민이 돌도끼를 만드는 비취(jade)의 일종》

ay[1] [éi] *int.* 아아! 《놀라움·후회 등을 나타냄》

a·yah [ɑ́ːjə | áiə] *n.* 《인도》 (인도인) 하녀, 유모

a·ya·tol·lah [ɑ̀ːjətóulə] *n.* 〖이슬람교〗 아야톨라 《이란 시아파에서 신앙·학식이 깊은 인물에 대한 칭호》

AYC American Youth Congress

‡aye[1], **ay**[2] [ái] *ad.*, *int.* 옳소, 네, 찬성!(yes) 《표

결합 때의 대답》 ***A~, a~, sir!*** 〖항해〗 예, 알겠습니다!《상관에 대한 대답》
—*n.* (*pl.* **ayes**) **1** 긍정, 찬성(opp. *no*) **2** [*pl.*] (의회 등에서의) 찬성 투표(opp. *nays*); 찬성 투표자, 찬성하는 사람 ***~ and no vote*** 구두에 의한 찬반 투표 ***the ~s and noes*** 찬반 쌍방의 투표자 ***The ~s have it.*** 찬성자 다수. 《의회 용어》
aye², ay [éi] *ad.* 《고어》 영구히, 항상(always) ***for*** (***ever and***) ***~*** 영구히, 언제까지나
aye-aye¹ [áiài] *n.* 〖동물〗 아이아이, 다람쥐원숭이 《마다가스카르산(産)》
aye-aye² *ad.* 《영》 아무렴 그렇고 말고
AYH American Youth Hostels
Ayles·bur·y [éilzbəri] *n.* 에일즈버리 《잉글랜드 Buckinghamshire주의 주도》
Ayl·mer [éilmər] *n.* 남자 이름
Ay·ma·ra [àimərɑ́:] *n.* (*pl.* **~s,** [집합적] **~**) [the ~(s)] 아이마라 족《볼리비아와 페루의 인디오》
Ayr [ɛ́ər] *n.* **1** = AYRSHIRE **2** 에어《구 Ayrshire의 주도로 항구 도시》
Ayr·shire [ɛ́ərʃiər, -ʃər] *n.* **1** 에어셔 《스코틀랜드 남서부의 옛 주》 **2** 그 주 원산의 젖소
A·yur·ve·da [ɑ́:jərvèidə, -vì:-] *n.* 아유르베다 《인도의 고대 의학·장수법》
Á·yur·ved·ic médicine [ɑ́:jərveidik-] 아유르베다 요법《음식·약초·호흡법·마사지 등을 이용한 고대 인도의 치료 요법》
AZ 〖우편〗 Arizona
A-Z [èizí:, -zéd] *a.* 포괄적인(all-inclusive)
—*n.* 《영》 ABC순 도로명이 있는 시가지 지도책; ABC순 사전
az-¹ [æz] 《연결형》 = AZO-
az-² 《연결형》 = AZA-
az. azimuth; azure
aza- [éizə, ǽzə | ǽzə] 《연결형》 「탄소 대신에 질소를 함유한」의 뜻
a·zal·ea [əzéiljə] *n.* 〖식물〗 진달래
a·zan [ɑ:zɑ́:n] *n.* (이슬람 성원에서 하루 다섯 번 울리는) 기도의 종
A·zan·de [əzǽndi] *n.* (*pl.* **~s,** [집합적] **~**) 아잔데 족(의 사람) 《중앙 아프리카 자이르로부터 수단에 사는 농경 민족》; 아잔데 어(語)
A·za·ni·a [əzéiniə, -njə] *n.* 아자니아 《민족주의자의 용어로서 남아프리카 공화국의 호칭》
-ni·an [-niən] *a.* 아자니아의, 남아프리카의
az·a·role [ǽzəròul] *n.* 〖식물〗 아자롤 《지중해 지방에 나는 산사나무류의 관목》; 그 열매
a·zed·a·rach [əzédəræ̀k] *n.* = CHINABERRY
a·ze·o·trope [əzí:ətròup, éiziə-] *n.* 〖물리·화학〗 공비(共沸) 혼합물 **-trop·ic** [eizì:ətrɑ́pik | -trɔ́-] *a.*
Az·er·bai·jan [ɑ̀:zərbaidʒɑ́:n, æ̀zərbaidʒǽn] *n.* 아제르바이잔 《Caucasus 남동부, 카스피 해에 면한 공화국; 수도 Baku》
az·ide [ǽzaid, ǽzid, éizaid, -zid] *n.* 〖화학〗 아지드, 아지드화물(化物) 《폭발하기 쉬운 화합물》
a·zi·do·thy·mi·dine [əzàidouθáimidì:n, əzì:-, æ̀zi-] *n.* 〖약학〗 = AZT
A·zil·ian [əzí:ljən, -liən, əzíl-] [피레네 산맥의 동굴 이름에서] *a., n.* 〖고고학〗 아질 문화(의) 《서유럽 중석기 시대의》
az·i·muth [ǽzəməθ] *n.* 〖천문〗 방위각(角); 방위 ***magnetic ~*** 자기(磁氣) 방위
az·i·muth·al [æ̀zəmʌ́θəl] *a.* 방위각의
~·ly *ad.* 방위각에 의해, 방위각으로
azimúthal equidístant projéction 〖지도〗 정거(正距) 방위 도법
azimúthal quántum nùmber 〖물리〗 방위 양자수(方位量子數)
ázimuth cìrcle 〖천문〗 방위권(方位圈), 방위환(環)
ázimuth cómpass 〖해양·항공〗 방위 나침반
az·o [ǽzou, éi-] *a.* 〖화학〗 〈화합물이〉 질소를 함유한, 아조의
azo- [ǽzou, ǽzə, éi-] 《연결형》 「질소」의 뜻
az·o·ben·zene [æ̀zoubénzi:n], **-ben·zol** [-bénzɑl | -zɔl] *n.* Ⓤ 〖화학〗 아조벤젠
ázo dỳe 〖화학〗 아조 염료
ázo gròup 〖화학〗 아조기(基)
a·zo·ic¹ [əzóuik, ei-] *a.* 〖지질〗 무생대의; 《드물게》 생물[생명]이 없는
azoic² 〖화학〗 아조기의
az·ole [éizoul, ǽ- | ǽ-] *n.* 〖화학〗 아졸 《질소 하나에 5개의 환상 원소를 포함한 화합물》
a·zon [éizoun, -zɑ(:)n | -zɔn] *n.* = AZON BOMB
a·zon·al [eizóunl] *a.* 지대·지역으로 나뉘지 않는
ázon bòmb 〖군사〗 방향 가변 폭탄, 원격 조정 폭탄
a·zon·ic [eizɑ́nik | -zɔ́-] *a.* 특정 지대[지역]에 한정되지 않는, 지역적이 아닌
a·zo·o·sper·mi·a [eizòuəspə́:rmiə] *n.* Ⓤ 〖병리〗 무정자(증) **-spérm·ic** *a.*
A·zores [əzɔ́:rz, éizɔ:rz | əzɔ́:z] *n. pl.* [the ~] 아조레스 제도《포르투갈 앞바다에 있는 군도》
az·o·te·mi·a [æ̀zətí:miə, èizə-] *n.* Ⓤ 〖병리〗 (고)질소혈(증) **-té·mic** *a.*
az·oth [ǽzɑθ | -zɔθ] *n.* (연금술에서 모든 금속의 원소로 생각되었던) 수은; 만능약
a·zot·ic [əzɑ́tik | əzɔ́-] *a.* 〖화학〗 질소의
az·o·tize [ǽzətàiz, éi-] *vt.* 질소화시키다
az·o·tu·ri·a [æ̀zətjúəriə, èi- | -tjúə-] *n.* 〖병리〗 질소뇨(증) 《오줌 속의 질소 화합물이 많아지는 병》
A·zov [ǽzɔ:f, éiz- | ɑ́:zɔf] *n.* **the Sea of ~** 아조프 해《흑해의 북쪽》
Az·ra·el [ǽzriəl, -reiəl] *n.* 〖유대교·이슬람교〗 아즈라엘《임종시에 영혼을 육체에서 분리시키는 천사》
AZT 〖약학〗 azidothymidine 아지도티미딘 《항 HIV 약》
Az·tec [ǽztek] *n.* **1** [the ~s] 아즈텍 족《멕시코 원주민; 1519년 Cortes에게 정복당함》 **2** Ⓤ 아즈텍 말
—*a.* 아즈텍 사람[말]의
Az·tec·an [ǽztekən] *a.* = AZTEC
Áztec twó-stèp [the ~] 《미·속어》 = MONTEZUMA'S REVENGE
∗**az·ure** [ǽʒər] *n.* Ⓤ **1** 하늘빛, 담청색(淡青色)(sky blue) **2** [the ~] 《시어》 푸른 하늘, 창천
—*a.* 하늘빛의; 푸른 하늘의 **~·ly** *ad.* **~·ness** *n.*
ázure stòne 〖광물〗 청금석(青金石), 유리
az·ur·ine [ǽʒəràin, -rən] *a.* 하늘색의(blue); 엷은 청색의(pale blue)
az·ur·ite [ǽʒuràit] *n.* Ⓤ 〖광물〗 남동석(藍銅石)
ázurite blúe 청록색 《안료》
az·y·gous [ǽzəgəs, eizái- | ǽzi-] 〖생물〗 *a.* 짝을 이루지 않는 —*n.* 짝을 이루지 않는 부분, 단일 부분
az·yme [ǽzaim], **az·ym** [ǽzim] *n.* Ⓤ 무교병(無酵餅) 《유대교도가 유월절에 먹는 누룩을 넣지 않은 빵》
az·ym·ous [ǽziməs] *a.* 누룩을 넣지 않은

B b

b, B [bíː] *n.* (*pl.* **b's, bs, B's, Bs** [-z]) **1** 비 《영어 알파벳의 둘째 자》 **2** B자형(의 것) **3** 〖음악〗 나음(音), 나조(調) **4** 〖수학〗 제2 기지수(旣知數) **5** 가정(假定)의 제2, 을(乙) **6** 2류[둘째]의 것; 《미》 (학업 성적의) 우 **7** B 사이즈 《구두의 폭이나 브래지어의 컵 사이즈》 **8** (ABO식 혈액형의) B형 **9** (도로의) B급, 비간선 도로 **10** 〖컴퓨터〗 (16진수의) B 《10진법에서는 11》 **—** *a.* 2류의, 2급품의: a *B* movie B급[2류] 영화

b 〖물리〗 bel(s); barn(s) **B** 〖체스〗 bishop; 〖연필〗 black 《연필심의 검은 정도를 표시》; 〖화학〗 boron **b., B.** bachelor; base(man); 〖음악〗 bass, basso; battery; bay; blend (of); bomber; book; born; bowled; breadth; brother(hood) **B.** Bible; British **B/** balboa(s) **B/-** 〖상업〗 bag; bale **Ba** 〖화학〗 barium **BA** bank acceptance; batting average; Bachelor of Arts; British Academy; British Airways 《예전의 BOAC》; British America; Buenos Aires

baa [bǽː, bɑ́ː | bɑ́ː] [의성어] *n.* 매 《양의 울음소리; ⇨ sheep 관련》 **—** *vi.* (**baa'd, baaed**) 〈양이〉 매 하고 울다; 양의 울음 같은 소리를 내다

BAA Bachelor of Applied Arts

Báa·der-Méin·hof Gàng[Gròup] [bɑ́ːdər-máinhɔ̀ːf-] [the ~] 바더-마인호프단(團) 《자본주의 사회의 타도를 목표로 하는 구서독의 게릴라 집단》

BAAE bachelor of aeronautical and astronautical engineering

Ba·al [béiəl, béil] [Heb. =lord] *n.* (*pl.* **~·im** [-im], **~s**) 바알신 《고대 페니키아 인·가나아 인이 숭배한 번식·자연의 신》; [때로 **b~**] 사신(邪神), 우상
~·ism *n.* 바알[우상] 숭배 **~·ist** *n.*

baa-lamb [bɑ́ːlæ̀m] *n.* 《유아어》 매매 《양》

baas [bɑ́ːs] *n.* 《남아공》 주인(master); 《호칭》 나리

baass·kap [bɑ́ːskɑːp] *n.* Ⓤ 《남아공》 백인에 의한 유색 인종 지배, 백인 우월주의

Ba·ath [bɑ́ːɑːθ] *n.* 바스당(黨) 《아랍의 민족주의 정당》(=**∠ pàrty**) **~·ist** *n.*, *a.*

Bab [bɑ́ːb] *n.* 여자 이름 《Barbara의 애칭》

ba·ba¹ [bɑ́ːbə] *n.* 럼주로 맛낸 건포도 과자

ba·ba² [bɑ́ːbɑː] *n.* 갓난아기, 어린이

ba·bas·su [bɑ̀ːbəsúː] *n.* 〖식물〗 바바수야자(나무) 《브라질 북동부산(産)》

bab·bitt [bǽbit] *n.* 〖야금〗 = BABBITT METAL

Bab·bitt [bǽbit] [Sinclair Lewis의 소설 *Babbitt*의 주인공 이름에서] *n.* [종종 **b~**] 《미·구어·경멸》 스스로 중산층인 체하는 저속한 실업가, 속물

Bábbitt mètal [미국의 발명가 이름에서] 〖야금〗 배빗메탈 《주석·안티몬·납·구리의 합금》

Bab·bitt·ry [bǽbitri] *n.* ⓊⒸ [때로 **b~**] 전형적 중산층 기질(의 언동), 저속한 실업가 기질

∗bab·ble [bǽbl] [의성어] *vi.* **1** 〈어린아이 등이〉 불명료한 소리를 내다 《*away, on*》 **2** (…에 대해서) 쓸데없는 말을 하다 《*about*》 **3** 〈시냇물이〉 졸졸 소리내다 《*away, on, along*》; 옹알거리다: Babies ~ before they can talk. 아기들은 말할 수 있는 능력이 되기 전까지 옹알거린다.
— *vt.* **1** 실없이 지껄이다 **2** 〈비밀을〉 입 밖에 내다 《*out*》: ~ (*out*) a secret 비밀을 누설하다
— *n.* Ⓤ 서투른 말, 재잘거림; (군중의) 왁자지껄한 소리; 쓸데없는 말; 졸졸 흐르는 소리; (전화 혼선으로 들리는) 남의 말소리 **~·ment** *n.*

bab·bler [bǽblər] *n.* **1** 서투르게 지껄이는 어린애; 수다쟁이; 비밀 누설자 **2** 〖조류〗 꼬리치레

bab·bling [bǽbliŋ] *a.* 재잘거리는, 졸졸 흐르는
— *n.* ⓊⒸ 수다; 졸졸 흐르는 소리

bábbling bróok 《속어》 수다쟁이

bab·by [bǽbi] *n.* (*pl.* **-ies**) 《영·방언》 아기

Báb·cock tèst [bǽbkɑ̀k- | -kɔ̀k-] [미국의 화학자 이름에서] 배브콕 측정법 《우유·크림 속의 지방 함량 측정법》

‡babe [béib] *n.* **1** 《시어》 아기(baby) **2** 순진한 사람; 경험 없는 사람 **3** 《미·속어》 매력적인 젊은이; [*pl.*] 《호칭》 (사랑하는 이에 대해) 여보, 내 사랑 《호칭》 **4** 《미·속어》 (귀여운) 계집애, 아가씨(girl)
a ~ in arms 젖먹이; 미숙한 사람, 풋내기 ***a ~ in Christ*** 기독교로 갓 개종한 사람 ***a ~ in the wood(s)*** 순진해서 속기 쉬운 사람 ***~s and sucklings*** 〖성서〗 풋내기들

Ba·bel [béibəl, bǽ- | béi-] *n.* **1** 〖성서〗 바벨, 바빌론(Babylon) 《고대 Babylonia의 도시》; 〖성서〗 바벨탑(= Tower of ~) 《고대 Babylon에서 하늘까지 닿도록 탑을 쌓으려다가 신의 노여움을 사서 언어의 혼란이 일어났다고 함》 **2** [보통 **b~**] Ⓤ 왁자지껄한 소리; 언어[음성]의 혼란; 떠들썩하고 혼란한 장소 **3** [또는 **b~**] 마천루, 고층 건물 **4** Ⓒ [또는 **b~**] 공상적인 계획 **~·ic** *a.* 바벨탑의; 떠들썩한

Ba·bel·ize [béibəlàiz, bǽ- | béi-] *vt.* 〈언어·습관·민족 등을〉 혼란에 빠뜨리다

bábe màgnet 《미·속어》 사람[《특히》 여성]을 사로잡는[유혹하는] 것; 매력적인 남자

bá·bies' brèath [béibiz-] 〖식물〗 안개꽃

Ba·bín·ski('s) réflex[sígn] 〖의학〗 바빈스키 반사[징후] 《발바닥을 자극하면 엄지발가락이 젖혀지는》

bab·i·ru(s)·sa, -rous·sa [bæ̀bərúːsə, bɑ̀ːbə-] *n.* 〖동물〗 멧돼지의 일종 《동인도산(産)》

bab·ka [bɑ́ːbkə] *n.* 바브카 《건포도·오렌지 껍질·럼주·아몬드 등이 든 케이크》

∗ba·boon [bæbúːn | bə-] *n.* **1** 〖동물〗 비비(狒狒), 개코원숭이 **2** 《속어》 추하고 야비한 사람
~·ish *a.* 비비 같은

ba·boon·er·y [bæbúːnəri | bə-] *n.* ⓊⒸ 추하고 야비한 짓[태도]; 비비 사육장

ba·bouche [bəbúːʃ] *n.* 슬리퍼 같은 신발 《터키·중동·북아프리카에서 신는》

ba·bu, ba·boo [bɑ́ːbuː] *n.* (*pl.* **~s**) 《인도》 군, 씨 《Mr., Sir, Esquire에 해당》; 인도 신사; 영어를 쓸 줄 아는 인도인 서기; 영국 물이 든 인도인

bábu Ènglish (인도인 서기가 책에서 배운 듯한) 딱딱하며 겉멋 부린 영어

ba·bul [bəbúːl, bɑ́ːbuːl] *n.* 〖식물〗 아카시아속(屬)의 고무나무; Ⓤ 그 재목[수지]

ba·bush·ka [bəbúːʃkə, -búʃ-] [Russ.] *n.* 바부슈카 《여자용 머리 스카프의 일종》

‡ba·by [béibi] [babe와 어미 -y²에서] *n.* (*pl.* **-bies**) **1** 갓난아이, 아기, 젖먹이: She gave birth to a ~ on Friday. 그녀는 금요일에 아기를 낳았다. **2** 동물의 갓난 새끼 **3** [종종 the ~] (가족·단체 중의) 최연소자, 막내: She's *the* ~ of the family. 그녀는 막내이다. **4** 《경멸》 어린애 같은 사람, 소심한 사람: smell of a ~ 젖비린내가 나다 **5** 《미》 젊은 여자, 여자 친구, 아내; 애인 **6** 《속어》 사람, 물건; 멋있는 것[사람], 자랑거리 **7** [the ~, one's ~] 《구어》 관심사, 골치 아픈 일, 책임 **8** 소형의 물건[사람] ***be*** one'***s ~*** …의 소관

이다, …의 일이다: It's *your* ~. 《영·속어》 그것은 네가 할 일이다. ***expect a ~*** 임신 중이다 ***hold***[***carry***] ***the ~*** = ***be left holding the ~*** 성가신 일[책임]을 맡다 ***throw the ~ out with the bathwater*** 《구어》 소중한 것을 필요없는 것과 함께 버리다 ***wet the ~'s head*** 아기 탄생 기념으로 축배를 들다

USAGE (1) baby 또는 child는 성별을 특히 따지지 않을 때는 보통 it으로 받는다; 그러나 성별을 분명하게 할 때는 he, she로 받는다. (2) 영어로 baby의 나이를 말할 때는 두 살 전후까지는 대개 달수로 세어 eighteen months old(18개월) 등과 같이 말한다.

— *a.* Ⓐ **1** 어린이용의: ~ clothes 유아복/a ~ bottle 젖병 **2** 어린애 같은: a ~ wife 어린애 같은 아내 **3** 소형의: a ~ car 소형 자동차 **4** 아기를 다루는: a ~ doctor 유아 전문 의사

— *vt.* (**-bied**) 《구어》 어린애처럼 다루다, 응석받다; 〈물건을〉 소중히 다루다; 〈공을〉 가볍게 치다

~·lìke *a.* 어린애 같은 ▷ bábyish *a.*

báby àct 어린애 같은 짓; 〖법〗 미성년 면책 법규

ba·by-bat·ter·er [béibibǽtərər] *n.* 유아 학대자

ba·by-bat·ter·ing [-bǽtəriŋ] *n.* Ⓤ 유아 학대

Báby Béll 베이비 벨 《AT&T의 자회사 American Bell Inc.의 속칭》

báby blúe 1 연한 청색[하늘색] **2** [*pl.*] 《구어》 푸른 눈 **3** [the ~s] 《구어》 산후 우울증

báby bònd 《미》 (액면 10, 25, 50달러의) 소액 채권

báby bònus 《호주·캐나다·구어》 아동 (부양) 수당

báby bòok 육아 일기; 《구어》 육아 가이드북

báby bòom 베이비 붐, 출생률의 급상승

báby bòomer 베이비 붐 시대에 태어난 사람 (boomer) 《미국의 경우 1946-64년 사이의 출생자》

báby bòom generátion 베이비 붐 세대

báby bòttle 《미》 젖병(《영》 feeding bottle)

báby bòuncer 《영》 아기용 그네 놀이 의자

báby bòy 남자 아기

báby brèak 출산 휴가, 육아 휴직

báby bùggy 유모차(baby carriage)

báby bùst 출생률의 급락[격감]

báby bùster 출생률 격감기에 태어난 사람

báby càrriage 《미》 유모차(《영》 pram[1])

báby càrrier (아기를 등에 업어 다니는) 캐리어

báby dòll 아기 인형; 《미·속어》 귀여운 여자

báby fàce 동안(童顔)(인 사람)

ba·by-faced [-fèist] *a.* 동안의, 아이 같은[순진한] 얼굴의

báby fàrm (유료) 탁아소, 보육원

báby fàrmer 탁아소 경영자, 보육원장

báby fàrming 탁아소 경영

báby fàt 《미·캐나다》 = PUPPY FAT

báby fòod 이유식, 유아식

báby gránd[**grànd piáno**] 소형 그랜드 피아노

Ba·by·gro [béibigròu] *n.* 《영》 베이비그로 《하나로 이루어진 어린이용 잠옷; 상표명》

ba·by·hood [béibihùd] *n.* **1** Ⓤ 유년기, 나이 어림; 유치함 **2** [집합적] 유아들

ba·by·ish [béibiiʃ] *a.* 어린애 같은; 유치한, 미숙한 **~·ly** *ad.* **~·ness** *n.*

ba·by·ism [béibiìzm] *n.* 분별없음; 어린애 같이 유치한 행동[말투]

báby jùmper 베이비 점퍼 《아기의 손발 운동 기구》

báby kìsser 《미·속어》 (선거 운동 중의) 정치가

báby lègs 〖TV·영화〗 소형 삼각대

Bab·y·lon [bǽbələn, -lɑ̀n | -lən] *n.* **1** 바빌론 《고대 Babylonia의 수도》 **2** 향락과 악덕의 도시

Bab·y·lo·ni·a [bæ̀bəlóuniə, -njə] *n.* 바빌로니아 《메소포타미아 남부의 고대 왕국》

Bab·y·lo·ni·an [bæ̀bəlóuniən, -njən] *a.* 바빌로니아[바빌론]의; 화려하고 악덕한[퇴폐적인]

— *n.* 바빌로니아 사람; Ⓤ 바빌로니아 말

Babylónian captívity 1 [the ~] 〖성서〗 바빌론 유수(幽囚) 《유대인이 바빌로니아의 포로가 된 기간; 597-538 B.C.》 **2** 교황의 아비뇽 유수(幽囚) 《로마 교황이 프랑스 왕권에 굴복해 Avignon에 있던 기간; 1309-77 B.C.》

Báby M 대리모가 출산아의 인도를 거부하는 경우의 어린아이

báby mìlk 《영》 유아용 우유

ba·by-mind·er [béibimàindər] *n., vi., vt.* 《영》 = BABYSIT(TER) **-mìnd·ing** *n.* = BABYSITTING

baby·nap [béibinæ̀p] *vt.* 〈갓난아이를〉 유괴하다

báby òil 베이비 오일

báby pínk 베이비 핑크, 밝은 핑크색 《어린이용 옷감색으로 잘 쓰임》

báby's brèath 〖식물〗 = BABIES' BREATH

báby shòwer 《미》 베이비 샤워 《임신한 것을 축하하기 위해 친구들이 아기 용품을 선물하는 축하 파티》

ba·by·sit [béibisìt] *v.* (**-sat** [-sæ̀t]; **~·ting**) *vi.* (고용되어 남의) 애를 봐주다 — *vt.* **1** 〈남의〉 아이를 봐주다 **2** 감시하다, 지켜보다 **3** 《속어》 〈곤경에 처한 사람을〉 도와주다 **-sìt·ting** *n.*

‡**ba·by·sit·ter** [béibisìtər] *n.* **1** (부모 없는 동안에 고용되어) 애를 봐주는 사람(《영》 baby-minder; ⇨ nanny 유의어) **2** 《미해군·속어》 (항공모함을 호위하는) 구축함

báby snàtcher 1 《구어》 유아 유괴범 **2** 《속어》 훨씬 연하인 사람과 결혼하는 사람

báby splìt 《속어》 〖볼링〗 베이비 스플릿 《스페어 처리가 쉬운 2번과 7번, 또는 3번과 10번의 핀이 남은 것》

báby spót 《속어》 (휴대용) 소형 스포트라이트

Báby Státe [the ~] 미국 Arizona 주의 속칭

báby tàlk 아기의 말(투); 혀튼소리

báby tòoth 《미》 젖니(milk tooth)

báby wàlker 《영》 유아의 보행기(《미》 walker)

ba·by·wear [-wɛ̀ər] *n.* 갓난아이의 의류품, 유아복

BAC blood-alcohol concentration 혈중 알코올 농도; British Aerospace[Aircraft] Corporation

bac·ca·lau·re·ate [bæ̀kəlɔ́:riət, -lɑ́:r- | -lɔ́:r-] *n.* 학사 학위(bachelor's degree); 《미》 (대학) 졸업식 연설[훈사](= **~ sèrmon**)

bac·ca·ra(t) [bɑ́:kərɑ̀:, bǽkə-, ⌐-⌐ | bǽkərɑ̀:, ⌐-⌐] [F] *n.* Ⓤ 바카라 《도박 카드놀이의 일종》

bac·cate [bǽkeit] *a.* 〖식물〗 장과(berry)를 맺는, 장과 모양의

Bac·chae [bǽki:] *n. pl.* 주신(酒神) 바커스의 시녀들

bac·cha·nal [bɑ̀:kənɑ́:l, bæ̀kənǽl | bǽkənl] *a.* Bacchus의; 술을 마시며 떠들어 대는

— *n.* 주신(酒神) 바커스의 신도; 취하여 떠드는 사람; 떠들썩한 술잔치

Bac·cha·na·li·a [bæ̀kənéiliə, -ljə] *n.* (*pl.* **~, ~s**) 바커스 축제; [**b~**] 떠들썩한 술잔치, 큰 술잔치

bac·cha·na·li·an [bæ̀kənéiliən, -ljən] *a., n.* = BACCHANAL

bac·chant [bǽkənt, bəkǽnt | bǽkənt] *n.* (*pl.* **~s, -chan·tes** [bəkǽnti:z, -kɑ́:n- | -kǽn-]) 바커스 신의 사제(司祭)[신도]; 취하여 떠들어 대는 사람

— *a.* = BACCHANTIC

bac·chan·te [bəkǽnt(i), -kɑ́:n-] *n.* 바커스 신의 여사제(女司祭)[여신도]; 여자 술꾼

bac·chan·tic [bəkǽntik, -kɑ́:n- | -kǽn-] *a.* 바커스 신을 숭배하는; 술 마시며 떠들어 대는; 술을 좋아하는

Bac·chic [bǽkik] *a.* 바커스 신의; [**b~**] 술 취한 (drunken), 취하여 떠들어 대는

Bac·chus [bǽkəs] *n.* 〖로마신화〗 바커스 《주신(酒神); cf. DIONYSUS》: a son of ~ 술꾼, 술고래

bac·cif·er·ous [bæksífərəs] *a.* 〖식물〗 장과(漿果)를 맺는

bac·ci·form [bǽksəfɔ̀:rm] *a.* 〖식물〗 장과 모양의

bac·civ·or·ous [bæksívərəs] *a.* 장과를 상식(常食)하는

bac·cy [bǽki], **bac·co** [bǽkou] [to*bacco*의 단축형] *n.* Ⓤ 《영·구어》 담배; 《영·속어》 코, 입

bach [bǽtʃ] *n.* **1** 《미·속어》 미혼[독신] 남자(bache-

lor) **2** 《뉴질》 (바닷가 등의) 작은 집[별장]
—*vi.* [종종 ~ it으로] 〈남자가〉 독신 생활을 하다

Bach [bɑ́:k] *n.* 바흐 **Johann Sebastian ~** (1685-1750) 《독일의 작곡가》

‡bach·e·lor [bǽtʃələr] [OF 「기사(騎士) 후보자」의 뜻에서] *n.* **1 미혼[독신] 남자** ★ 《구어》에서는 unmarried[single] man을 씀(cf. SPINSTER). **2 학사**(cf. MASTER 5): a *B*~ of Arts 문학사 《略 B.A.》/ a *B*~ of Medicine 의학사 《略 B.M.》/ a *B*~ of Science 이학사 《略 B.S.》 **3** 〖영국사〗 = BACHELOR-AT-ARMS ***keep*** **~(*'s*)** ***hall*** 《미》 독신 생활을 하다 **~·dom** *n.* Ⓤ (남자의) 독신(의 신분) **~·hòod** *n.* Ⓤ (남자의) 독신, 독신 생활[시대] **~·ism** *n.* Ⓤ (남자의) 독신 (생활) **~·shìp** *n.* Ⓤ (남자의) 독신; 학사의 자격[신분]

báchelor apàrtment 독신자용 소형 아파트; 《캐나다》 원룸 아파트

bach·e·lor-at-arms [bǽtʃələrətɑ́:rmz] *n.* (*pl.* **bach·e·lors-**) 〖영국사〗 다른 기사를 섬기는 젊은 기사

báchelor chèst 접은 판을 내리면 테이블이 되는 정리장

bach·e·lor·ette [bæ̀tʃələrét] *n.* (자립 생활하는) 독신 여성; 독신 여성 전용 아파트

báchelor gìrl[wòman] 독신 직업 여성

báchelor mòther 《미·속어》 미혼모; 혼자 힘으로 아이를 키우는 어머니

báchelor pàd 독신자용 집[아파트]

báchelor pàrty 총각[독신] 파티 《결혼식 전야에 신랑 친구들이 베풂》

báchelor's bùtton 1 〖식물〗 단추 모양의 꽃이 피는 식물 《수레국화류》; 그 꽃 **2** 《영》 (꿰매지 않고 다는) 단추

báchelor's degrèe 학사 학위

Bách flòwers =BACH FLOWER REMEDIES

Bách[Bách's] flòwer rèmedies 〖심리〗 바하 플라워 요법 《여러 가지 감정이나 마음 상태 등에 대응하여 질환을 치료하는 38종류의 꽃으로 만든 약; 영국인 의사 Edward Bach가 개발》

bac·il·lar·y [bǽsəlèri, bæsíləri | bæsíləri], **-lar** [bəsílər, bǽsələr] *a.* 바실루스[간균(杆菌)]의; 세균성의

bácillary dýsentery 〖병리〗 = SHIGELLOSIS

bac·il·li·form [bəsíləfɔ̀:rm] *a.* 막대[간균] 모양의

***ba·cil·lus** [bəsíləs] *n.* (*pl.* **-li** [-lai]) **1 바실루스, 간균(桿菌) 2** [*pl.*] 《구어》 세균(bacteria)
▷ bácillary *a.*

bac·i·tra·cin [bæ̀sətréisn] *n.* 〖생화학〗 바시트라신 《항생 물질의 일종》

‡back¹ [bǽk] *n., a., ad., v.*

① 뒤에[로]; 뒤의	부 **1** 형 **1**
② 제자리에, 원위치에	부 **3**
③ 거꾸로의, 반대의	형 **2**
④ 이전에; 이전의	부 **2** 형 **4**
⑤ 뒷부분; 등	명 **1**

—*n.* **1** (사람의) **등** 《등뼈가 있는 부분》; (동물의) 등 부위: sit on a horse's ~ 말 등에 올라타다 **2** (몸의 각 부분의) 뒷면, (손·발의) 등; 등뼈(backbone): The fall broke his ~. 그는 떨어져서 등뼈가 부러졌다. **3** (의복을 걸치는) 몸: with nothing but the clothes on one's ~ 옷만 걸친 채로 **4** (책임·수고 등을) 견디어 내는 힘: a man with a strong ~ 중책을 감당할 수 있는 사람 **5** (정면·겉과 대비해서) 뒤, 뒷면, 안쪽(opp. *front*) **6** 안감 **7** [the ~] **a** (의자 등의) 등 부분 《*of*》 **b** (산의) 등성이 《*of*》; *the* ~ *of* a hill 산등성이 **c** 〖제본〗 (책의) 등 《*of*》 **d** (배의) 용골(龍骨) 《*of*》 **8** 〖항해·항공〗 프로펠러의 배면(背面) **9** 〖항공〗 (항공기 동체의) 윗면 **10** 〖건축〗 (아치형의) 외호(外弧) **11** 〖스포츠〗 후위, 백 《full~, half~ 또는 quarter~》 **12** 〖언어〗 후설면(後舌面)

at the **~** ***of*** = ***at*** one***'s*** **~** …의 뒤에, …의 배후에; …을 후원하여; …을 추적하여: There is something *at the* ~ (*of* it). 이면에 무슨 꿍꿍이속이 있다. ***at the*** **~** ***of*** one***'s mind*** 마음속에, 내심으로 몰래 **~** ***and belly*** 등과 배; 의식(衣食); 앞뒤에서 **~** ***at the net*** 《속어》 훌륭한, 멋진 **~** ***to*** **~** 등을 맞대고 《*with*》; 《구어》 연달아, 연속적으로 **~** ***to front*** 뒤가 앞에 오도록 〈셔츠를 입다 등〉; 난잡하게; 속속들이 ***behind*** **~*s*** 몰래, 살짝 ***behind*** a person***'s*** **~** 본인이 없는 데서, 몰래 ***break*** a person***'s*** **~** …에게 감당 못할 짐을 지우다; …을 실패[좌절]시키다 ***break*** one***'s*** **~** 등골이 부러지다; 열심히 노력하다 ***break the*** **~** ***of*** …의 가장 어려운[중요한] 부분을 해치우다; 패배시키다, 좌절시키다 ***fall on*** one***'s*** **~** 뒤로 넘어지다 ***get off*** a person***'s*** **~** 《구어》 …에 대한 비난[훼방]을 중지하다 ***get***[***put, set***] one***'s***[a person***'s***] **~** ***up*** 성내다[…을 성나게 하다] ***get***[***have***] one***'s own*** **~** ***on*** 《영·구어》 …에게 복수하다, 보복하다 ***get the*** **~** ***of*** …의 뒤로 돌아가다 ***give***[***make***] a person ***a*** **~** (말타기 놀이에서) 말 노릇하다, …의 발판이 되어 주다 ***give*** a person ***the*** **~** …에게 등을 돌리다; 무시하다 ***have a broad*** **~** 관대하다 ***have ... on*** one***'s*** **~** 〈짐을〉 짊어지고 있다 ***have*** one***'s*** **~** ***to the wall*** 궁지에 몰리다 ***in*** (***the***) **~** ***of*** 《미》 = at the BACK of. ***in the*** **~** ***of*** one***'s mind*** = at the BACK of one's mind. ***I've got your*** **~.** 《미·구어》 내가 도와[밀어]주겠소. ***know ... like the*** **~** ***of*** one***'s hand*** 《구어》 〈장소 등을〉 내 집처럼 훤히 알고 있다 ***on*** a person***'s*** **~** …의 등에 업혀; (불평하여) …을 괴롭히고 ***on*** one***'s*** **~** 반듯이 누워; 앓아누워; 어찌할 바를 몰라, 완전히 손들어: be (flat) *on* one's ~ 앓아누워 있다 ***on the*** **~** ***of*** …의 뒤에; …의 뒤를 이어; …에 덧붙여 ***put*** one***'s*** **~** ***into*** …에 힘쓰다, …에 노력하다 ***see the*** **~** ***of*** …을 쫓아 버리다 ***show the*** **~** ***to*** …에 등을 보이다, …에서 달아나다 ***slap*** a person ***on the*** **~** (친근함을 나타내어) …의 등을 툭 치다 ***the*** **~** ***of beyond*** 《영·구어》 머나먼 곳; (외진) 변두리 땅 ***the*** **~** ***of*** one***'s hand*** 《구어》 비난; 거절 ***the*** **~** ***of*** one***'s mind*** 마음속; 속마음 ***to the*** **~** 《영》 골수까지 ***turn*** one***'s back*** 등을 돌리다 ***turn*** one***'s***[***the***] **~** ***on*** …에게 등을 돌리다; …을 외면하다, …을 무시하다; (분노로) …을 저버리다; …로부터 도망치다 ***with one hand***[***arm***] ***behind*** one***'s*** **~** 《구어》 간단히, 손쉽게 ***with*** one***'s*** **~** ***to the wall*** 막다른 골목에 몰려, 궁지에 빠져

—*a.* Ⓐ **1 뒤의, 배후의,** 후방의; 이면의(opp. *front*): the ~ seat of a car 자동차의 뒷 좌석 **2 되돌아가는,** 거꾸로의: a ~ current 역류 **3** 먼, 궁벽한, 외딴, 미개한: a ~ district 《미》 벽지, 미개발 지역 **4** 이전의, 과거의; 시대에 뒤떨어진; 〈잡지 등이〉 기간(旣刊)의, 지난 **5** 《미》 밀린, 미납의: a ~ rent 밀린 집세 / ~ taxes 체납 세금 **6** 〖언어〗 후설(後舌)의 **7** 〖골프〗 (18홀 중) 나머지 9홀의 ***take the*** **~** ***track*** 《미》 돌아가다, 물러나다, 〈사업을〉 포기하다

—*ad.* **1 뒤로,** 후방에, 안으로; 물러앉아; 떨어져서: Don't look ~. 뒤돌아보지 마라. **2** 《구어》 소급하여; 이전에; (지금부터) …전에(ago): two years ~ 2년 전에 **3 본래 자리[상태]로**; 되돌아가서[와서], 돌려주어: come[send] ~ 돌아오다[돌려주다] / I'll be ~ in a minute. 금방 돌아올게. **4** 밀려서: ~ in payment 급료가 밀려 **5** 억눌러서, 숨겨서: keep ~ truth 진실을 감추다 **6** 《구어》 되풀이하여, 한 번 더: I'll call you ~. 이따가 다시 전화할게.

answer[***talk***] **~** 말대꾸하다 **~** ***and forth*** 앞뒤로;

thesaurus **back¹** *n.* **1** 등 spine, backbone, spinal column **2** 뒷면 rear, reverse, other side **—***a.* **1** 뒤의 rear, hind, posterior **2** 지난 past, previous, earlier, former **—***ad.* **1** 뒤로 backward, behind **2** 이전에 earlier, previously, before **—***v.*

이리저리(to and fro) **~ from** the road (한길[도로])에서 쑥 들어선 **~ of** 《미·속어》 …의 뒤에(behind); …을 후원하여 **~ to** 원래의[도로] …에 **be ~** (…시까지는) 돌아와 있다, (곧) 돌아오다 **be ~ where** one **started** (실패하여) 도로아미타불이다 **get ~ on**[**at**] …에게 앙갚음하다 **go ~** ⇨ go. **go ~ on**[**upon**] ⇨ go. **help**[**see**] a person **~** 바래다 주다[전송하다]

— *vt.* **1 a 후원하다,** 지지하다 《*up*》: The main party ~ed the proposal. 여당은 그 의안을 지지했다. // (~+目+副) They *~ed* him *up* financially. 그들은 그를 경제적으로 원조했다. **b** 뒷받침하다 《*up*》: *B~ up* your opinions *with* facts. 당신의 의견을 사실로써 뒷받침하시오. **2 후진시키다,** 뒤로 물리다 《*up*》: ~ a car (*up*) 차를 후진시키다 // (~+目+前+名) ~ one's car *into* the garage 차를 후진시켜 차고에 넣다 **3** 〈경주마 등에〉 돈을 걸다 **4** 〈책에〉 등을 대다; …에 안을 대다 **5** 〈경치 등의〉 배경을 이루다 **6** 〖음악〗 〈가수에게〉 반주를 하다 **7** 〈수표 등에〉 배서하다(endorse): ~ a check[bill] 수표[어음]에 배서하다 **8** 《속어》 짊어지다, 업다

— *vi.* **1 후퇴하다,** 뒤로 물러서다: (~+前+名) ~ *up* two paces 두 걸음 물러서다 **2** 〖항해〗 〈바람이〉 좌선회(左旋回)하다 **3** 등을 보이다; 〈장소·건물 등이〉 등을 맞대다, 인접하다 《*onto, on to*》

~ and fill 〖항해〗 (조류와 반대쪽으로 바람이 불 때) 돛을 교묘히 조종하여 전진하다; 생각이 흔들리다 **~ a sail** 돛을 돌려 배를 후퇴시키다 **~ away** 후퇴하다; 꽁무니빼다 《*from*》 **~ down** 뒷걸음치며 내려오다 《*from*》; (의견·주장 등을) 굽히다, 철회하다, 취소하다 《*on*》 **~ off** 뒤로 물러서다; 뒷걸음질치다; 《미》 (주장 등을) 굽히다 **~ oars** 노를 뒤로 젓다 **~ on to** [**onto, on**] 〈장소·건물이〉 …의 뒤쪽에 있다, …에 접하다 **~ out** (1) (약속·계약 등을) 취소하다 《*of*》 (2) 퇴각하다, 벗어나다; (사업 따위에서) 손을 떼다 《*of*》 (3) 변심하여 (…을) 버리다; 〈차 등을〉 후진시켜 (…에서) 내보내다 **~ the field** (경마에서) 인기 말 이외의 말에 걸다 **~ the wrong horse** 《구어》 지는 말에 돈을 걸다; 약자를 지지하다 **~ up** 후원하다; 〖스포츠〗 후위(後衛)를 맡다, 백업하다; 〈물이〉 거꾸로 흐르다, 역류하다; 〈차를〉 후진시키다; 《미》 〈교통 등이〉 밀리다, 정체하다, 정체시키다; 〖컴퓨터〗 〈데이터 등의〉 (예비의) 카피를 만들다 **~ water** 〖항해〗 배를 후진시키다; 《미》 앞서 한 말을 취소하다

back[2] *n.* (양조·염색용의) 큰 통(vat)

back·ache [-èik] *n.* ⓊⒸ 등의 아픔, 요통

back·aching [-èikiŋ] *a.* (일이) 고된

báck álley 《미·속어》 뒷골목, 빈민가

back-al·ley [-ǽli] *a.* **1** (뒷골목같이) 지저분한, 음습한 **2** 숨긴, 은밀한 〈흥계 등〉, 수상쩍은

back-and-forth [-ənfɔ́ːrθ] *a.* 앞뒤(좌우)로의; 여기저기의; 오락가락하는 — *n.* 결론 없는 논쟁

báck ànswer 말대꾸: give a ~ 말대꾸하다

back·band [-bæ̀nd] *n.* (말안장과 수레를 연결하는) 등띠

back·bar [-bɑ̀ːr] *n.* 술집 카운터의 뒤쪽 (선반)

back·beat [-bìːt] *n.* 백비트 《록 음악 특유의 강한 비트》

back·bench [-béntʃ] *n.* [보통 *pl.*] 《영》 (하원의) 뒤쪽 좌석; [집합적] 평의원 (cf. FRONTBENCH)

back·bench·er [-béntʃər] *n.* 《영》 (하원의) 뒤쪽 좌석의 의원, 평의원

back·bend [-bènd] *n.* 후굴(後屈) 자세 《선 자세에서 손이 바닥에 닿도록 몸을 뒤쪽으로 구부리는 동작》

back·bite [-bàit] *vt., vi.* (**-bit** [-bìt]; **-bit·ten** [-bìtn], **-bit**) (뒤에서) 험담하다

-bìt·er *n.* 험담하는 사람 **-bìt·ing** *n.* 험담, 흠구덕

---

1 후원하다 support, advocate, uphold, help, sponsor **2 후진시키다** move backward, reverse

backbone *n.* **1 척추** spine, spinal[vertebral] column **2 중추, 주력** framework, mainstay, support, basis **3 의연함** firmness, determination, resolution

---

back·block [-blɑ̀k | -blɔ̀k] *n.* [종종 *pl.*] 《호주》 오지(奧地), 벽지의 목장

back·board [-bɔ̀ːrd] *n.* (짐수레의) 후판(後板); 등널, 배면판(背面板); (고물의) 등널; 〖의학〗 척추 교정판; (농구의) 백보드

báck bònd 〖법〗 금전 채무 증서 《보증인에게 내주는 손실 보상용》

‡back·bone [bǽkbòun] *n.* **1** [the ~] **등뼈,** 척추(spine) **2** 기간(基幹), 중추, 주력: the ~ of the party 그 정당의 주력 **3** Ⓤ 기개, 정신력, 의연함: He doesn't have the ~ to face the truth. 그는 진실과 대면할 만한 정신력이 없다. **4** [the ~] 산맥, 분수령; 중견(中堅), 주력(主力) **5** [the ~] 〖제본〗 (책의) 등 《*of*》 **6** 〖컴퓨터〗 인터넷 초고속 통신망 **to the ~** 철저한; 골수까지, 철두철미하게

back·boned [-bòund] *a.* 등뼈 있는; 기골이 있는

back·break·er [-brèikər] *n.* 몹시 힘든 일; 맹렬히 일하는 사람

back·break·ing [-brèikiŋ] *a.* 몹시 힘든[고된]

báck búrner 1 (레인지의) 안쪽[속] 버너 **2** 《구어》 (순서·중요도가) 약간 아래임; 잠정적 연기 **on the ~** 뒤로 돌려져[미루어서], 당분간 보류하여: The chair has put the proposal *on the* ~. 의장은 그 제안을 잠정적으로 유보했다.

back-burn·er [-bɔ́ːrnər] 《구어》 *vt.* 뒤로 미루다, 보류하다 — *a.* 2차적인, 중요하지 않은

back·cast [-kæ̀st | -kɑ̀ːst] *vt., vi.* (연구·자료에 의거) 〈과거의 일을〉 재구성하다, 기술하다, 묘사하다 — *n.* 뒤로 던지기; 〖낚시〗 백캐스트 《낚싯줄을 던지는 예비 동작》

báck cátalog 백 카탈로그 《흘러간 노래 또는 그 목록》

báck chànnel 《미》 (외교 교섭 등의) 이면[비정규] 경로; 맞장구: a ~ utterance 맞장구를 치는 발성 《uh-huh, yeah 등》

back·chat [-tʃæ̀t] *n.* Ⓤ 《영·구어》 응수, 말대꾸 (《미》 back talk)

báck-check [-tʃèk] *vi.* 〖아이스하키〗 (공격 지역에 있는 상대방의 돌진을 방해하면서) 자기편 방위 지역 안으로 미끄러져 들어오다(cf. FORE-CHECK)

báck clìpping 〖언어〗 어미(語尾) 생략(hind clipping) 《보기: advertisement → ad》

back·cloth [bǽkklɔ̀ːθ | -klɔ̀θ] *n.* (*pl.* **~s** [-ðz]) 《영》 배경막(backdrop)

back·comb [-kòum] *vt.* 《영》 〈머리를〉 거꾸로 빗어 세우다(《미》 tease)

báck cópy = BACK NUMBER 1

back·coun·try [bǽkkʌ̀ntri] *n.* ⓊⒸ 《미》 시골, 벽지; 미개척지

back·court [-kɔ̀ːrt] *n.* (테니스·농구 등의) 백코트 《테니스에서는 service line과 base line 사이; opp. *forecourt*》

báck cràwl 〖수영〗 배영(backstroke)

back·cross [bǽkkrɔ̀ːs | -krɔ̀s] 〖생물〗 *vt., vi.* 역교배(逆交配)를 시키다 — *n.* 역교배

back·date [-dèit] *vt.* 〈문서 등에〉 실제보다 앞선 날짜를 적어 넣다; 소급하여 적용하다.

báck dìve 〖수영〗 백 다이브 《뒤로 돌아서서 하는 다이빙》

báck dóor 뒷문; 뒷구멍, 비밀[부정] 수단; 《속어》 항문 **get in by**[**through**] **the ~** 뒷구멍으로 취직[입사]하다

back·door [bǽkdɔ́ːr] *a.* 뒷문의, 뒷구멍의; 비밀(수단)의(secret), 부정한; 간사한: a ~ treaty 비밀조약 — *vt., vi.* 《영·속어》 불륜 관계를 맺다; 내통하다

báckdoor mán 《미·속어》 기혼 여성의 정부(情夫), 샛서방

back·down [bǽkdàun] *n.* 퇴각, 후퇴; 철회, 단념

back·draft, -draught [-dræ̀ft, -drɑ̀ːft] *n.* 백드래프트 《화재 때 새로이 산소가 공급되어 일어나는 폭발》; 역기류, 역류(逆流)

back·drop [-drɑ̀p | -drɔ̀p] *n.* **1** (극장의) 배경막 **2** (사건 등의) 배경 **—***vt.* …에 배경막을 달다
backed [bǽkt] *a.* **1** [보통 복합어를 이루어] 등이 있는, …의 등을 한: a straight-~ old lady 등이 꼿꼿한 노부인 **2** 후원[지지]받는 **3** 〖상업〗 배서가 있는
báck ènd **1** 후부, 후미 **2** (영·구어) 늦가을 **3** 〖컴퓨터〗 백 엔드 《컴퓨터 시스템의 데이터 처리 부분》 **4** (핵연료 사이클의) 종말 재처리 과정
back-end [bǽkènd] *a.* Ⓐ **1** 후반부의, 최종 단계의 **2** 〖컴퓨터〗 (장치나 프로그램이) 백엔드의, 후위의 《사용자가 직접 이용하는 것이 아니라 컴퓨터나 프로그램이 이용하는》(cf. FRONT-END)
back·er [bǽkər] *n.* 후원자, 지지자, 보증인, 배서인; 등[안]을 대는 재료; 돈을 거는 사람; 받침, 지지물; (타자기의) 대지
back·fall [bǽkfɔ̀ːl] *n.* 〖레슬링〗 백폴 《상대방을 넘어뜨려 매트에 등이 닿게 함》
back-fence [-féns] *a.* 〈대화 등이〉 담 너머로의, 이웃끼리의, 잡담[험담]식의
back·field [-fìːld] *n.* 〖미식축구〗 quarterback, halfback, fullback의 총칭; 〖야구〗 외야
back·fill [-fìl] *vt.* 〈판 구멍을〉 도로 메우다
back·fire [-fàiər] *vi.* **1** 〈내연 기관이〉 역화(逆火)하다 **2** 기대에 어긋난 결과가 되다, 실패하다 **3** (미) 맞불을 놓다 《산불이 퍼지지 못하도록》 **4** 〈총포 등이〉 역발하다 **5** (미·속어) 방귀를 뀌다 **—***n.* **1** 역화 **2** 역발 **3** (미) 맞불 **4** 반대 결과 **5** [**B~**] 백파이어 폭격기 (=**B~ bòmber**) 《구소련의 초음속 전략 폭격기 Tu-22M에 대한 NATO의 호칭》
back·fit [-fìt] *vt.* …의 설비를 바꾸다, 개조하다
back·flip [-flìp] *n., vi.* 뒤로 공중제비(를 하다)
báck flòat 〖수영〗 백 플로트 《머리를 뒤로 젖히고 누운 자세로 물에 떠 있기》
back·flow [-flòu] *n.* 역류, 환류
báckflow vàlve =BACKWATER VALVE
back-for·ma·tion [-fɔːrmèiʃən] *n.* 〖언어〗 Ⓤ 역성(법); Ⓒ 역성어: Typewrite is a ~ from typewriter. Typewrite는 typewriter의 역성어이다.
back·gam·mon [bǽkgæ̀mən, ⌐⌐–] *n.* Ⓤ 백개먼 《서양 쌍륙의 일종》 **—***vt.* 백개먼에서 〈상대편에게〉 (3배점으로) 이기다

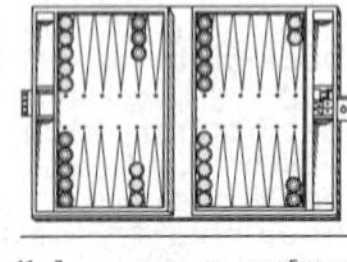
backgammon

:back·ground [bǽkgràund] *n.* **1** (사람의) 배경 《교양·가문·교우 등》, 성장 환경, 출신 성분, 경력, 학력, 경험: a man with a college[good family] ~ 대학 출신의[가문이 좋은] 남자 **2** ⒸⓊ (사건 등의) 배경, 원인, 배후 사정 《*of*》; (문제를 이해하는 데 필요한) 배경적 정보, 예비 지식: the historical ~ of a war 전쟁의 역사적 원인 **3** Ⓒ (풍경·그림·무대의) 배경, 원경(opp. *foreground*): The skyscraper stood against a ~ of blue sky. 그 마천루는 푸른 하늘을 배경으로 서 있었다. **4** Ⓒ 눈에 띄지 않는 곳, 이면: keep (oneself)[stay, be] in the ~ 표면에 나서지 않다 **5** Ⓒ (옷감 등의) 바탕 **6** 〖컴퓨터〗 (디스플레이 화면의) 배경, 백그라운드 **7** =BACKGROUND MUSIC **8** 〖통신〗 (무선 송신·수신 때의) 뚜렷하지 않은 잡음; 〖물리〗 배경광, 배경 복사[방사선](=**~ radiátion**)
in [***into***] ***the*** **~** 드러나지 않게, 눈에 띄지 않게 ***on*** **~** 공표하지 않고, (정보 제공자 등의 이름을) 숨기고
—*a.* Ⓐ 배경의, 배경이 되는: ~ information 예비 지식, 참고 자료 / ~ noise (무선 송수신 때의) 잡음
—*vt.* **1** …의 배경을 이루다 **2** …에게 예비 지식을 주다, 배경 설명을 하다 **3** (미·구어) 〈이야기·극 등의〉 고증을 하다
back·ground·er [-gràundər] *n.* (미) (정부측의) 배경 설명, 비공식 기자 회견; (사건·정책 등의) 배경 해설 기사
báckground héating 적당한 온도보다 다소 낮게 온도를 유지하는 난방
báckground ìmage 〖컴퓨터〗 배경 화면
báckground mùsic (영화·연극 등의) 배경 음악
báckground pròcessing 〖컴퓨터〗 배경 처리 《우선 순위가 높은 프로그램이 시스템을 사용하지 않을 때 하위 낮은 프로그램이 자동적으로 실행되는 것》
báckground projèction 〖영화〗 배경 영사 《영화 촬영시 반투명 스크린에 필름이나 슬라이드를 투사시켜 만드는 배경 효과》
back·hand [bǽkhæ̀nd] *n.* **1** 손등으로 치기 **2** 〖테니스〗 백핸드; 〖야구〗 백핸드 캐치 **3** Ⓤ 왼쪽으로 기운 글씨체 **—***a.* =BACKHANDED **—***ad.* 백핸드[역타]로; 왼쪽으로 기울여; 손등을 사용해서 **—***vt.* **1** 손등으로 치다 **2** 〈공을〉 백핸드로 치다[잡다]
back·hand·ed [-hǽndid] *a.* Ⓐ **1** 백핸드의; 손등으로 치는 **2** 〈서체가〉 왼쪽으로 기운 **3** 주저하는 **4** 〈의미가〉 애매한; 〈언동이〉 빈정대는 **~·ly** *ad.*
back·hand·er [-hæ̀ndər] *n.* **1** 역타; 간접 공격 **2** 덤으로 부어 주는 한 잔 술 《왼쪽에서 오른쪽 사람에게》 **3** (영·구어) 뇌물
back·haul [-hɔ̀ːl] *n.* (트럭·화물선 등의) 귀로, 역송(逆送); 귀로 화물
back-heel [bæ̀khíːl] *vt.* 발뒤꿈치로 〈볼을〉 차다 **—***n.* 발뒤꿈치 패스[슛]
back·hoe [-hòu] *n.* 〖기계〗 백호 《지면보다 낮은 곳에 있는 토사를 퍼올리는 데 사용되는 굴착기》
back·house [-hàus] *n.* (*pl.* **-hous·es** [-hàuziz]) **1** (미) 옥외 변소 **2** 뒤채
back·ing [bǽkiŋ] *n.* ⓊⒸ **1** 〖법〗 배서 보증; 후원(support) **2** [집합적] 후원자 단체 **3** 〖제본〗 (책 등의) 등받침 (붙이기); 이재(裏材), 이판(裏板) **4** 〖연극〗 무대를 감추기 위해 세우는 거울 **5** 안감 (재료[대기]) **6** (팝 뮤직의) 반주 **7** 역행, 후퇴 **8** 〖낚시〗 (릴낚시에서 릴에 감아 두는) 예비 실 **9** 〖인쇄〗 뒷면 인쇄 **10** 〖기상〗 풍향 역전 **—***a.* 역행의: a ~ signal 후퇴 신호
bácking stòrage[**stòre**] 〖컴퓨터〗 보조 기억 장치
báck íssue (잡지의) 지난 호(號)
báck jùdge 〖미식축구〗 후심 《수비측 깊숙이 위치하여 계시(計時)도 담당하는 심판원》
back·lands [bǽklæ̀ndz] *n. pl.* 오지, 벽지
back·lash [-læ̀ʃ] *n.* **1** 역회전 **2** 〖기계〗 백래시 《부품간의 헐거움으로 인한 역행》 **3** 〖낚시〗 (릴에) 얽힌 줄 **4** (개혁에 대한) 격렬한 반발, 반동 **—***vi.* 역회전하다; 반발하다; 릴낚싯줄이 얽히다 **~·er** *n.*
back·less [bǽklis] *a.* 등 (부분)이 없는
back·light [-làit] *n.* 백라이트, 배경 조명; 역광선 **—***vt.* 배후에서 비추다
back·light·ing [-làitiŋ] *n.* Ⓤ 역광 조명
back·lin·ing [-làiniŋ] *n.* ⓊⒸ 〖건축〗 (내리닫이 문틀의 홈을 막는) 세로 판자; 〖제본〗 등받침 붙이기
back·list [-lìst] *n.* 재고 목록, 기간(旣刊) 도서 목록 **—***vt.* 재고 목록에 넣다
back·lite [bǽklàit] (차의) 뒤창(rear window)
back·load [-lòud] *vi.* 귀로에 짐을 나르다 **—***vt.* 〈임금 인상·지불 등을〉 연기하다 **~·ed** *a.*
back·log [-lɔ̀ːg | -lɔ̀g] *n.* **1** (미) (오래 타게) 난로 안쪽에 넣어 두는 큰 장작 **2** 주문 잔고, 체화(滯貨); 잔무(殘務); 예비 저장품, 비축 **—***v.* (**~ged**; **~·ging**) *vt.* (일 등을) 미처리된 채로 쌓아두다; 후일 처리분으로 〈주문 등을〉 접수하다 **—***vi.* 〈주문·상품 등이〉 (미처리인 채) 쌓이다
báck lòt 〖영화〗 백로트 《부속 야외 촬영용 부지》
back·mark·er [bǽkmɑ̀ːrkər] *n.* (경주·경마 등에서) 불리한 조건의 경기자
báck màtter 〖인쇄〗 (책의) 권말의 부속물 《발문·색인·판권 등》(cf. FRONT MATTER)
back·most [bǽkmòust] *a.* Ⓐ 맨 끝[뒤]의

thesaurus **background** *n.* upbringing, rearing, education, history, environment, class, cul-

back-mu·tate [bǽkmjù:teit] *vi.* 〖유전〗 〈돌연변이 유전자가〉 복귀 돌연변이하다

báck mutàtion 〖유전〗 복귀 돌연변이(opp. *forward mutation*)

báck níne 〖골프〗 18홀 코스의 후반의 9홀

báck númber **1** 지난 호(號)(의 잡지) **2** 《구어》 시대에 뒤진 사람[것]

báck óffice (회사의) 배후 부문, (증권 회사 등의) 비영업 부문 **báck-óf·fice** *a.*

báck òrder 〖상업〗 (재고가 없어) 처리 못한[뒤로 미룬] 주문, 이월 주문 **—***vt., vi.* 이월 주문하다

báck òut 《미·구어》 철회, 탈퇴, 취소

back·pack [bǽkpæ̀k] *vt., vi.* 《미》 배낭을 지고 걷다; 져 나르다 **—***n.* **1** 《미》 배낭 《캠핑용·우주 비행사용 등》 **2** 져 나르는 짐 **~·er** *n.*

báck páge 뒤 페이지 《책을 폈을 때의 왼쪽》, 짝수 페이지

back-page [-péidʒ] *a.* 뒷면의; 보도 가치가 적은 (opp. *front-page*)

báck párlor 뒷방; 뒷거리; 빈민가(slum)

báck pàss 〖축구〗 백패스 《후방에 있는 자기편에게 보내는 패스》

báck pássage 《완곡》 직장(直腸)(rectum)

back-pat·ting [bǽkpæ̀tiŋ | ─́─̀─] *n.* (등을 가볍게 두드려서 나타내는) 동의, 격려, 찬사, 축복

báck pày 체불 임금; (임금 인상에 의한) 소급분 급여

back·ped·al [-pèdl] *vi.* (**~ed**; **~·ing** | **~led**; **~·ling**) (자전거의) 페달을 거꾸로 밟다; 후퇴하다; 《구어》 (의견·약속 등을) 철회하다; 행동을 취소하다

back·plane [-plèin] *n.* 〖컴퓨터〗 후면, 백플레인 《시스템의 본체 기판에 보조 기판들을 연결하기 위한 전기 및 기계적 장비》

back·plate [-plèit] *n.* (갑옷의) 등갑(甲); 〖기계·건축〗 (부재(部材)의) 뒤판

back·pro·ject [-prədʒèkt] *vt.* 〈영상을〉 배경 영사(背景映寫)하다 **—***n.* 배경 영사된 영상

báck projèction = BACKGROUND PROJECTION

back·rest [-rèst] *n.* (의자 등의) 등받이

báck róad 뒷길, 시골 길

báck ròom 안쪽 방; 비밀 연구소; (정치 등의) 무대 뒤, 밀실, 뒷거래 장소

báck·room bóy [bǽkrù:m-] 《영·구어》 비밀 연구원[전문가]; (회사를 받치는) 기술자; [*pl.*] 정계의 흑막들, 밀실 협상 정치인

báck ròw 〖럭비〗 스크럼의 최후[제3]열

back·saw [-sɔ̀:] *n.* 등대기톱

backsaw

back·scat·ter [-skæ̀tər] 〖물리〗 *n.* Ⓤ (방사선 등의) 후방 산란 **—***vt.* 후방 산란시키다 **~·ing** *n.*

back·scratch·er [-skræ̀tʃər] *n.* 등긁개

back·scratch·ing [-skræ̀tʃiŋ] *n.* 《구어》 (각자의 이익을 위해) 서로의 편의를 도모하는 것; 아첨; 추종

back·seat [-sí:t] *n.* 뒷자리; 《구어》 보잘것없는 지위, 말석 ***take a* ~** 나서지 않다; 하위에 있다 《*to*》

báckseat dríver 《구어》 자동차 객석에서 운전을 지시하는 손님; 참견을 잘 하는 사람

back·set [-sèt] *n.* 역행(逆行); 역류; 좌절

back·sheesh, -shish [-ʃi:ʃ] *n.* = BAKSHEESH

back·shift [-ʃìft] *n.* Ⓤ 〖언어〗 시제 전환 《직접 화법의 현재형이 간접 화법에서는 과거형으로 변하거나, 또는 과거형이 과거완료형으로 변하는 것》

back·side [-sàid] *n.* 후방, 후부, 이면; [종종 *pl.*] 《속어》 엉덩이, 둔부

back·sight [-sàit] *n.* **1** 〖측량〗 후시(後視) **2** (총의) 가늠자

ture, experience, circumstances, qualifications
backlash *n.* reaction, recoil, kickback, rebound

báck slàng 거꾸로 읽는 은어 《보기: *slop* 「경관」 (police)》

back·slap [-slæ̀p] 《구어》 *vt., vi.* (**~ped**; **~·ping**) 등을 탁 치다 **—***n.* 등을 탁 치기 **~·per** *n.* **~·ping** *n., a.*

back·slash [-læ̀ʃ] *n.* 백슬래시 기호(\) 《컴퓨터 프로그램에 쓰이는 특수 문자》

back·slide [-slàid] *vi.* (**-slid** [-slìd]; **-slid, -slid·den** [-slìdn]) (원래의 악습으로) 되돌아가다; 타락하다; 신앙을 버리다 《*into*》 **—***n.* 퇴보; 타락 **-slìd·er** *n.* **-slìd·ing** *n.*

back·space [-spèis] *vi.* (타자기에서) 한 자 역행시키다 **—***n.* 백스페이스; (컴퓨터·타자기의) 역행 키 **-spàc·er** *n.* 역행 키

back·spin [-spìn] *n.* (골프공 등의) 역회전

back·splash [-splæ̀ʃ] *n.* **1** 가스레인지·싱크대 등의 뒷벽의 더러움 방지판 **2** 싱크대 물 튀김막이 판

back·stab [-stæ̀b] *vt.* 중상[모함]하다 **~·ber** *n.*

back·stab·bing [-stæ̀biŋ] *n.* 중상, 험담, 모략

back·stage [-stéidʒ] *ad.* 무대 뒤에서[로]; 분장실에서, 막후에서; 몰래 **—** [─́] *a.* Ⓐ 분장실[무대 뒤]의, 막후의; 비밀의; (연예인 등의) 사생활에 관한: ~ negotiations 비밀 협상

back·stair [-stɛ̀ər] *a.* = BACKSTAIRS

back·stairs [-stɛ́ərz] [하인 방으로 통하는 「뒷계단의」의 뜻에서] *n. pl.* 뒤층계; 비밀[음흉한] 수단 **—***a.* Ⓐ **1** 간접적인; 비밀의 **2** 중상적(中傷的)인

back·stay [-stèi] *n.* (기계 장치의) 뒷받침; 〖항해〗 돛대 받침줄; 〖건축〗 버팀, 받침; 《일반적으로》 뒷받침, 지지(支持)

back·stitch [-stìtʃ] *n., vt., vi.* 박음질(하다)

back·stop [-stɑ̀p | -stɔ̀p] *n.* 〖야구·테니스〗 백네트; 《구어》 〖야구〗 포수; 《구어》 보좌역; 후방 방어벽 **—***vt., vi.* (**~ped**; **~·ping**) …의 포수를 하다; 지원[보좌]하다

back·sto·ry [-stɔ̀:ri] *n.* 《미》 배경 이야기[설명]

báck stréet 《미》 뒷길; [*pl.*] 뒷동네; 불법 행위

back-street [-strì:t] *a.* 몰래 행해지는, 불법적인, 막후의: ~ political maneuvering 막후 정치 공작

back·stretch [-strétʃ] *n.* 〖경기〗 백스트레치 《결승점이 있는 코스와 반대쪽의 코스; cf. HOMESTRETCH》

back·stroke [-stròuk] *n.* 되치기, 반격; (피스톤 등의) 되튐, 반동(recoil); 〖테니스〗 역타(逆打)(backhand); 〖수영〗 배영(背泳)

back·swept [-swèpt] *a.* 뒤쪽으로 경사진; 〖항공〗 〈날개가〉 후퇴각(後退角)이 있는

back·swim·mer [-swìmər] *n.* 〖곤충〗 송장헤엄치게

back·swing [-swìŋ] *n.* 〖구기〗 백스윙

back·sword [-sɔ̀:rd] *n.* 외날 검; 목검 《펜싱 연습용》

back·sword·man [-sɔ̀:rdmən] *n.* (*pl.* **-men** [-mən]) 외날 검을 쓰는 검객

báck tàlk 《미·구어》 무례한 말대답(《영》 backchat)

back-talk [-tɔ̀:k] *vi.* 말대답하다

báck tìme 《미·속어》 가석방 때의 남은 형기

back-to-back [bǽktəbǽk] *a.* 등을 서로 맞댄; 연속적인 **—***n.* 《영》 등을 맞대고 선 연립 주택 **—***ad.* [back to back으로 써서] 연속해서, 잇따라

back-to-ba·sics [-béisiks] *a.* 《미》 〈종교·교육이〉 근본[기본] 원리로 돌아가는

báck tràck 되돌아가는 길, 귀로: take the ~ 돌아가다, 물러가다

back·track [bǽktræ̀k] *vi.* 같은 코스를 따라 되돌아오다; 물러서다, 역행 정책을 쓰다

back·up [-ʌ̀p] *n.* **1** 지원 **2** 반주자 **3** (물이) 굄, (차량의) 정체 **4** 보결, 대리(인), 대용(품) **5** 〖컴퓨터〗 여벌, 백업 **6** 〖볼링〗 백업 **7** 《미》 (차의) 후진 **—***a.* Ⓐ 지원하는; 대체의, 예비의; 〖컴퓨터〗 보완의: a ~ candidate 예비 후보 / a ~ file 여벌 파일, 백업 파일

báckup lìght 《미》 (차의) 후진등(後進燈)

báckup sérvicing 애프터서비스

báckup sýstem 〖컴퓨터〗 보완 시스템 《고장이 났을 때의 대체용의 예비 시스템》
báck vówel 〖언어〗 후설(後舌) 모음
‡back·ward [bǽkwərd] *a.* **1** Ⓐ **뒤쪽(으로)의,** 뒤를 향한(opp. *forward*) **2** 거꾸로의: a ~ blessing (처음에 재난이라고 생각됐던 것이) 나중에 복이 되는 것 **3 진보가[발달이] 늦은**; 뒤떨어진, 머리가 둔한 《*in*》: a ~ country[child] 후진국[지진아] **4** Ⓟ …하기를 꺼리는, 수줍어하는(shy) 《*in*》 **~ *in coming forward*** 나서기를 꺼리는[수줍어하는]
— *ad.* 《(영)에서는 backwards가 일반적임》 **1 뒤쪽으로,** 뒤를 향하여: walk ~ 뒷걸음질치다 **2 거꾸로,** 끝에서부터: say the alphabet ~ 알파벳을 거꾸로 말하다 **3 소급하여,** (옛날로) 되돌아가서 **4** 역행[퇴보]하여, 타락하여 **~ *and forward*** 앞뒤로, 이리저리; 갈팡질팡하여 ***bend*[*lean, fall*] *over* ~** 전과는 딴판으로 …하다 《*to* do》; 필사적으로 …하려고 애쓰다 《*to* do》 ***go* ~** 되돌아가다; 퇴보[타락]하다 ***know ...* ~** (***and forward***) 〈사물을〉 잘 알고 있다
— *n.* **1** 후방, 뒤 **2** 과거, 옛날
~·ly *ad.* **~·ness** *n.*
back·ward·a·tion [bæ̀kwərdéiʃən] *n.* Ⓤ (영) 〖증권〗 (매매 주식의) 수도(受渡) 연기(금), 인도 유예 일변(日邊), 역일변(逆日邊)
báckward clásses (인도의) 하위 계층 《교육·고용 등에서 정부의 특별 지원을 받도록 되어 있는》
back·ward-com·pat·i·ble [-kəmpǽtəbl] *a.* 〖컴퓨터〗 〈신버전의 소프트웨어 등이〉 (구버전에 대해) 호환이 가능한
back·ward-look·ing [-lùkiŋ], **-gaz·ing** [-gèiziŋ] *a.* 회고적인, 퇴영적인
‡back·wards [bǽkwərdz] *ad.* = BACKWARD
back·wash [bǽkwɔ̀:ʃ | -wɔ̀ʃ] *n.* **1** 역류 **2** 후류 《추진기 등으로 생기는》 **3** [*sing.*; 종종 the ~] 밀려 나가는 파도[물살] **4** (구어) (사건의) 나쁜 여파
— *vt.* **1** …에 역류를 가하다 **2** 〈막힌 필터 등을〉 액체[기체]의 역류로 씻어내다 **~·er** *n.*
back·wa·ter [-wɔ̀:tər] *n.* **1** Ⓤ 밀려 나가는 물, 역류; 배수(背水) **2** 지적 부진(知的不振); 침체 **3** 독립되어 평화로운 장소 **4** (거북·보트 등의) 거꾸로 젓기 ***live in a* ~** 침체된 환경[사회]에서 살다
— *vi.* 거꾸로 젓다; (노·추진기를) 역작동시켜 배를 후진[정지]시키다; 앞서 한 말을 철회하다 — *a.* 침체된
báckwater vàlve (하수 따위의) 역류 방지용 밸브
báck wày (미·비어) 항문
back·wind [-wìnd] *n.* 〖항해〗 역풍
back·woods [-wúdz] *n. pl.* [the ~] (벽지의 개척되지 않은) 삼림지; 벽지 — *a.* 미개척지의, 벽지의; 소박한
back·woods·man [-mən] *n.* (*pl.* **-men** [-mən]) 벽지의 사람; (영·경멸) (시골에 살면서) 좀처럼 등원하지 않는 상원 의원
back·yard [bǽkjɑ́:rd] *n.* 뒤뜰(opp. *frontyard*); (뒤뜰처럼) 바로 가까운[늘 다니는] 장소; 세력 범위: in a person's (own) ~ 바로 근처에
bac·la·va [bɑ́:kləvɑ̀:, ⌐—⌐] *n.* = BAKLAVA
‡ba·con [béikən] *n.* Ⓤ **1 베이컨** 《돼지의 옆구리나 등의 살을 소금에 절여 훈제한 것》 **2** (미·속어) 이익, 수입 **3** (미·속어) 경찰, 경관 **~ *and eggs*** 베이컨 에그 《베이컨 조각에 계란 프라이를 얹은 요리》 ***bring home the* ~** (구어) 성공[입상(入賞)]하다; (구어) 생활비를 벌다 ***save* one's ~** (영·구어) 위험[손해]을 면하다 ***sell* one's ~** (속어) 몸을 팔다
Ba·con [béikən] *n.* 베이컨 **Francis** ~ (1561-1626) 《영국의 수필가·철학자; 경험학파의 시조》
ba·con·bur·ger [béikənbə̀:rgər] *n.* 베이컨 햄버거
Ba·co·ni·an [beikóuniən] *a.* 베이컨(학파)의: ~ method 귀납법 — *n.* 베이컨의 철학설을 신봉하는 사람; 베이컨설의 주장자 **~·ìsm** *n.* 베이컨 철학
Bacónian théory [the ~] 베이컨설 《셰익스피어의 희곡을 베이컨의 작품이라고 하는》
ba·con·y [béikəni] *a.* (영) 지방질의, 뚱뚱한
bact. bacteria(l); bacteriology; bacterium
bac·te·re·mi·a [bæ̀ktərí:miə] *n.* Ⓤ 〖병리〗 균혈증(菌血症) 《혈액에 세균이 있는 상태》
bacteri- [bæktíəri], **bacterio-** [bæktíəriou, -riə] 《연결형》 「세균, 박테리아」의 뜻: *bacteri*cide
‡bac·te·ri·a [bæktíəriə] [L 「작은 막대」의 뜻에서] *n. pl.* (*sing.* **-ri·um** [-riəm]) **박테리아,** 세균 ▷ bactérial *a.*; bácterize *v.*
bactéria bèd 미생물[산화] 여과지[여상(濾床)] 《미생물에 의한 하수의 최종 정화 처리 단계에서 하수를 공기에 노출시키기 위한 모래·자갈층》
bac·te·ri·al [bæktíəriəl] *a.* 박테리아[세균]의
bac·te·ri·cid·al [bæktìərəsáidl] *a.* 살균의
bac·te·ri·cide [bæktíərəsàid] *n.* 살균제
bac·ter·id [bǽktərid] *n.* 〖병리〗 세균성 피진(皮疹)
bac·ter·in [bǽktərin] *n.* Ⓤ 세균 백신
bac·te·ri·o·log·i·cal [bæktìəriəlɑ́dʒikəl | -lɔ́dʒi-], **-log·ic** [-dʒik] *a.* 세균학(상)의, 세균 사용의: ~ [germ] warfare 세균전 **-i·cal·ly** *ad.*
bac·te·ri·ol·o·gy [bæktìəriɑ́lədʒi | -ɔ́lə-] *n.* Ⓤ 세균학 **-gist** *n.* 세균학자
bac·te·ri·ol·y·sis [bæktìəriɑ́ləsis | -ɔ́lə-] *n.* Ⓤ 세균 분해 (처리); 용균(溶菌)[살균] 현상
bac·te·ri·o·lyt·ic [bæktìəriəlítik] *a.* 용균성의
bac·te·ri·o·phage [bæktíəriəfèidʒ] *n.* 〖세균〗 살균 바이러스 **-·oph·a·gy** [ɑ́fədʒi] *n.*
bac·te·ri·o·pho·bi·a [bæktìəriəfóubiə] *n.* 세균 오염 공포증
bac·te·ri·os·co·py [bæktìəriɑ́skəpi | -ɔ́skə-] *n.* Ⓤ 세균 검사 《현미경에 의한》
bac·te·ri·o·sta·sis [bæktìəriəstéisis] *n.* Ⓤ 세균 발육 저지[억제]
bac·te·ri·o·stat [bæktíəriəstæ̀t] *n.* 〖세균〗 세균 발육 저지제(劑) **bac·tè·ri·o·stát·ic** *a.*
bac·te·ri·o·ther·a·py [bæktìəriəθérəpi] *n.* 〖의학〗 세균 요법
bac·te·ri·o·tox·ic [bæktìəriətɑ́ksik] *a.* 〖세균〗 세균 독소의
bac·te·ri·um [bæktíəriəm] *n.* (*pl.* **-ri·a** [-riə]) BACTERIA의 단수
bac·te·rize [bǽktəràiz] *vt.* 세균으로 처리하다, 세균 작용으로 변화시키다 **bàc·te·ri·zá·tion** *n.*
bac·te·roid [bǽktərɔ̀id] *n.* 〖세균〗 박테로이드 《콩과(科) 식물의 근류(根瘤) 속의》, 가세균(假細菌)
— *a.* 세균 모양의, 세균 비슷한
bac·te·roi·dal [bæ̀ktərɔ́idl] *a.* = BACTEROID
Bac·tri·a [bǽktriə] *n.* 박트리아 《고대 그리스 인들이 중앙 아시아에 세운 왕국(246-138 B.C.)》
Bac·tri·an [bǽktriən] *n.* 박트리아 사람[말]
— *a.* 박트리아의
Báctrian cámel [중앙 아시아의 옛 지방명 Bactria에서] 〖동물〗 쌍봉낙타(cf. ARABIAN CAMEL)
bac·u·line [bǽkjulin, -làin] *a.* 회초리[채찍](rod)의, 태형(笞刑)의
‡bad[1] [bǽd] *a., ad., n.*

① 나쁜	**1, 3, 5, 15**
② (상태 등이) 심한	**8**
③ 서투른	**14**

— *a.* (**worse** [wə́:rs]; **worst** [wə́:rst])(opp. *good*) **1** 《일반적으로》 **나쁜,** 좋지 않은; 〈행위·성격이〉 **나쁜, 불량한**; 부정(不正)한; 악성의: ~ conduct 나쁜

thesaurus **backward** *a.* **1** 뒤쪽의 rearward, toward the back, reverse (opp. *forward*) **2** 뒤떨어진 slow, underdeveloped, retarded, unprogressive, dull, sluggish (opp. *progressive*) **3** 수줍은 bashful, shy, hesitant (opp. *bold*)
bad[1] *a.* **1** 사악한 immoral, wicked, wrong, evil,

품행 / ~ news 나쁜 소식 / ~ habits 나쁜 버릇

> 유의어 **bad** 「나쁜」을 뜻하는 가장 일반적인 말 **evil** bad보다도 뜻이 강하며 「도덕적으로 나쁜」 **wicked** evil보다 더욱 강한 뜻으로서 「고의적으로 도덕에 위배되는 일을 하거나 하려고 하는」

2 수준 미달의, **불충분한**; 부당한: ~ heating 불량한 난방 **3** Ⓟ **나쁜, 해로운**: be ~ for the health 건강에 나쁘다: Too much salt can be ~ for you. 소금을 너무 많이 섭취하면 너의 건강에 해로울 수 있다. **4 부적당한**; 공교로운, 불편한: a ~ day for fishing 낚시질하기에 부적당한 날 / "I'm afraid I called at a ~ time." — "That's all right." 불편하신 시간에 전화드린 건 아닌지 모르겠네요. — 괜찮습니다. **5** 〈날씨가〉 **나쁜**: ~ weather 나쁜 날씨 **6** 건강 상태가 좋지 않은; (몸이) 불편한, 아픈: I'm ~ today. 오늘은 몸이 불편하다. **7 썩은**; 영양분이 없는; **불쾌한**, 고약한: a ~ tooth 충치 / a ~ smell[taste] 고약한 냄새[맛] **8** 〈본래 나쁜 것이〉 (더) **심한**, 〈병·죄 등이〉 무거운: a ~ cold 독감 / a ~ crime 중죄 **9** 불리한, **불길한**, 불운한: ~ luck 불운 / ~ times 불경기 **10** 성미가 급한, 화를 잘 내는: ~ temper 성마른 기질 **11 틀린**: ~ grammar 틀린 어법 **12** Ⓟ 후회하는: feel ~ about an error 잘못을 후회하다 **13** 무효인(void), 회수 불능의: a ~ debt 회수 불능의 대출금 **14** Ⓟ **서투른**, 익숙하지 못한(poor): ~ at writing 글씨가 서투른 **15** 〈말·대화·문장이〉 질이 나쁜, **저급한**: a ~ word 추잡한 말 **16** 〈모습이〉 아름답지 못한, 매력이 없는: ~ skin 거친 피부 **17** 벌이가 안 되는, 수지가 맞지 않는: a ~ business 수지가 안 맞는 장사 **18** 가짜의, 거짓의: a ~ 100-dollar bill 가짜 100달러 지폐 **19** (**~·der**; **~·dest**) 《미·속어》 최고의, 굉장한
be [***be taken***] **~** 앓다[병들다] ***be nothing like*** [***nowhere near***] ***as ~ as*** …정도로 나쁘지 않다, …보다는 낫다 ***do ~ things*** 《구어·완곡》 폭력을 휘두르다, 흉악한 사건을 일으키다 ***feel ~*** 기분이 나쁘다; 유감스럽게 여기다 《*about*》 ***get*** [***have***] ***a ~ name*** 평판이 나빠지다[나쁘다] ***get into ~ ways*** 미치다 ***go ~*** 썩다, 나빠지다 ***have a ~ time*** (***of it***) 혼이 나다, 불쾌한 시간을 보내다 ***in a ~ way*** 《구어》 (건강·재정 상태가) 중태로, 위험한[심각한] 상태로 (***just***) ***too ~*** 《구어》 유감인, 마음이 안된; 불행한 ***not*** (***so***[***half, too***]) **~** 《구어》 그렇게 나쁘지 않은, 꽤 좋은(rather good) ★ 완곡한 영어 표현법의 하나. ***That can't be ~!*** 《구어》 그거 잘됐군요! ***That's*** [***It's***] ***too ~.*** 그것 참 안됐군; 이거 곤란하게 됐는데.
—*ad.* 《미·구어》 =BADLY
be ~ off = be BADLY off. ***so ~ one can taste it*** 《미·속어》 긴급하게; 심하게; 견딜 수 없을 정도로
—*n.* [the ~] Ⓤ 나쁨, 악; 나쁜 상태, 액운
be in ~ 《구어》 어려운 처지에 있다; 미움을 사다, 평판이 나쁘다 ***get in ~*** 《구어》 〈남과〉 문제가 생기다, 사이가 나빠지다 《*with*》 ***go from ~ to worse*** 점점 더 악화하다 ***go to the ~*** 파멸[타락]하다 ***in ~*** 《구어》 난처하여; 《미》 〈…의〉 미움을 받고 《*with*》 ***my ~!*** 《미·구어》 내 잘못이야!, 미안! ***take the ~ with the good*** 행운도 불운도 다 겪다 ***to the ~*** 미지불로; 빚지고; 적자로(opp. *to the good*)

bad[2] *v.* 《고어》 BID의 과거

BAD [*B*roken *A*s *D*esigned] *a.* 〖컴퓨터〗 (나쁜 설계 등으로) 망가진, 못쓰게 된

bada bing [bɑ́ːdɑ-] [TV연속극 *The Sopranos*의 막간물 이름에서] *int.* 쉬운 일, 누워서 떡먹기(= **bada boom**)

bád áctor 《미·속어》 말썽꾼; 부리기 힘든 동물; 상습범, 악당; 유해 물질[식물]

bád ápple 《구어》 =BAD EGG

bad·ass [bǽdæ̀s] *a.* **1** 〈사람이〉 사귀기 힘든, 난폭한; 화를 잘 내는 **2** 〈사람이〉 (겁이 날 정도로) 강하게 보이는 **3** 질이 나쁜 **4** 멋진 —*n.* 항상 말썽을 일으키는 사람, 난폭한 사내

bád bánk 〖금융〗 부실 채권 전담 은행

bád blóod 불화, 악감정, 미움; 원한: make ~ between two persons 두 사람 사이를 이간질하다

bád bóoks 나쁜 평판, 미움받음: be in a person's ~ 남의 미움을 받고 있다, 남에게 평판이 나쁘다

bád bóy (도덕·예술상의) 시대의 반역아

bád bréak 《미·구어》 불운(bad luck)

bád bréath 입내, 구취(口臭)(halitosis)

bád chéck 《미·속어》 부도 수표

bád cónduct dìscharge 〖미군〗 불명예 제대, 징계 제대

bád débt 불량 대출[대부]

bad·die, bad·dy [bǽdi] *n.* (*pl.* **-dies**) 《구어》 (영화 등의) 악역, 악인; 《속어》 범죄자, 부랑자

bad·dish [bǽdiʃ] *a.* 약간[좀] 나쁜

⁑**bade** [bǽd | bǽd, béid] *v.* BID의 과거

bád égg 《구어》 악당, 못 믿을 인간; 망나니

Ba·den-Ba·den [bɑ́ːdnbɑ́ːdn] *n.* 바덴바덴 《독일 남서부의 도시; 온천 휴양지》

Ba·den-Pow·ell [béidnpóuəl, bǽdnpáuəl] *n.* 베이든포엘 **Robert S. S.** ~(1857-1941) 《Boy Scouts와 Girl Guides를 창설한 영국의 군인; 1st Baron of Gilwell》

bád fáith 불성실, 부정직, 배신(opp. *good faith*): act in ~ 불성실[부정]한 짓을 하다

bád féeling =BAD BLOOD

bád fórm 《영》 버릇없음

⁑**badge** [bǽdʒ] *n.* **1 배지, 기장**(記章), **훈장**(勳章): a ~ of rank (군인의) 계급장 / a school ~ 학교 배지 / a ~ of honor 명예의 훈장 / wear a ~ 기장을 달다 **2** 표; 식별 표지; 상징(symbol, sign) **3** (이름·직장[학교]명이 씌여진) 신분 증명서, 명찰
—*vt.* …에 기장[견장]을 달다

BADGE [bǽdʒ] [*B*asic *A*ir *D*efense *G*round *E*nvironment] *n.* 〖미군〗 기지 방공 지상 경계 조직

bádge bàndit 《미·속어》 (흰 오토바이를 탄) 교통 경찰관

badge·less [bǽdʒlis] *a.* 식별 표지가 없는; 신분증이 없는

*__badg·er__[1] [bǽdʒər] *n.* (*pl.* **~s,** **~**) **1** 〖동물〗 **오소리**; Ⓤ 오소리의 털가죽 **2** 《호주》 〖동물〗 웜뱃(wombat); 캥거루쥐(bandicoot) **3** [**B~**] 《미》 Wisconsin 주 주민[출신 사람]
—*vt.* **집적대다**, 못살게 굴다, 괴롭히다; 조르다: (~+목 +전+명) ~ one's father *for* a car 자동차를 사 달라고 아버지를 조르다 / The lawyer ~*ed* the witness *with* leading questions. 변호사는 여러 유도 신문으로 증인을 괴롭혔다. // (~+목+***to*** do) My wife ~*ed* me *to* take her to the theater. 아내는 극장에 데리고 가 달라고 귀찮게 졸랐다.

badger[2] *n.* 《영·방언》 (특히 식료품의) 행상인

bádger bàiting[**dràwing**] 오소리 괴롭히기 《오소리를 통에 넣고 개로 하여금 덤벼들게 하는 장난》

bádger gàme 《속어》 미인계; 공갈, 사기

Bádger Stàte [the ~] 미국 Wisconsin 주의 속칭

bád gúy 《미·속어》 악당, 악한; 악역

bád háir dáy 불쾌한 날, 일진 사나운 날

bád hát 《영·속어》 악당, 불량배

bad·i·nage [bæ̀dənɑ́ːʒ, bǽdənidʒ | bǽdinɑ̀ːʒ] [F] *n.* Ⓤ 농담, 야유 —*vt.* 놀리다

bád jób 《영·구어》 일이 잘 안 된 상태

bad·lands [bǽdlæ̀ndz] *n. pl.* 《미》 (침식에 의한) 황무지, 악지(惡地)

---

sinful, corrupt, base **2** 불완전한 poor, unsatisfactory, inadequate, deficient, imperfect, defective, inferior **3** 해로운 harmful, hurtful, damaging, injurious **4** 아픈 sick, ill, diseased **5** 부패한 rotten, decayed, moldy, spoiled **6** 불리한 unfavorable, adverse, unfortunate, unsuitable

Bád Lànds [the ~] 미국의 South Dakota 주 남서부 및 Nebraska 주 북서부의 황무지
bád lánguage 상소리, 욕설, 독설
bád lót 《속어》 =BAD EGG
‡**bad·ly** [bǽdli] *ad.* (**worse** [wə́:rs]; **worst** [wə́:rst]) **1** 나쁘게, 부정확하게: do ~ in school 학교 성적이 나쁘다 **2** 서투르게(opp. *well*): write ~ 글씨가 서투르다 **3** 불친절하게; 기분 나쁘게; 형편이 나쁘게; 부정하게: treat one's parents ~ 불효를 하다 **4** [want, need 등을 수식하여] 대단히(greatly), 몹시, 심히: ~ wounded 중상을 입어 / ~ want 몹시 탐내다[필요로 하다] / He needs advice ~. 그는 조언이 꼭 필요하다. **5** 매우 슬프게[분개해서]
~ *done by*[*to*] 《구어》 혼난, 비참한, 애처로운(hard done by) *be ~ off* 생활이 쪼들리다, 가난하다(opp. *be well off*) *be ~ off for* …이 없어서[모자라서] 곤란하다 *feel ~* 건강이 좋지 않다; 《구어》 (…을) 후회하고 있다 《*about*》; 마음 졸이고 있다 *speak ~ of* …을 나쁘게 말하다
— *a.* Ⓟ **1** 《구어》 슬퍼하는; 후회하는 《*about*》 **2** 몸이 불편한[아픈]: I feel ~. 몸이 불편하다.
bad·man [bǽdmæ̀n] *n.* (*pl.* **-men** [-mèn]) 《미》 (서부 개척 시대의) 악당; (영화·연극 등의) 악역
bad·mash [bʌ̀dmɑ́:ʃ] *n.* 《인도》 무뢰한, 공격적이고 폭력적인 사람
***bad·min·ton** [bǽdmintn] [이 경기가 처음 개최된 영국의 지명에서] *n.* Ⓤ **1** 〖스포츠〗 배드민턴 **2** 《영》 적포도주에 소다수 등을 탄 청량음료
bád móuth 《미·속어》 욕, 중상, 비방, 혹평
bad-mouth [bǽdmàuθ, -màuð] *vt., vi.* 《미·속어》 혹평하다, 깎아내리다, 헐뜯다 **~·er** *n.*
bad·ness [bǽdnis] *n.* Ⓤ 나쁜 상태[모양]; 나쁨, 악, 불량, 부정; 해로움; 불길, 흉(凶)
bád néws [단수 취급] 나쁜 소식; 《구어》 골치 아픈 문제, 난처한 일; 《미·속어》 골치 아픈 녀석
bád páper 《속어》 위조 지폐; 부도 수표[어음]
bád pénny 《구어》 불쾌한 것[녀석]
bád préss 신문 지상의 혹평
bád ráp 《미·속어》 (오심으로 인한) 억울한 죄, 부당한 형벌, 부당한 비난
bád scéne 《미·속어》 불쾌한 경험, 실망 《매우 좋은 경험[체험]의 뜻으로도 쓰임》
bád shít 《미·속어》 **1** 위험한 일[상황]; 위험 인물 **2** 불행, 불운; 악의; 나쁜 습관 **3** 저질 마약
bád shót **1** 빗나간 탄환[화살]; 서투른 사격수 **2** 빗나간 추측; 실패로 끝난 시도
bad-tem·pered [bǽdtèmpərd] *a.* 기분이 상한, 심술궂은(cross); 성미가 까다로운
bád tíme 곤경; 《군대속어》 (영창 생활 등) 병역 기간에 가산되지 않는 기간
bád tríp 《속어》 (LSD 등에 의한) 무서운[악몽 같은] 환각 체험; 《구어》 불쾌한 체험
BAE bachelor of aeronautical[agricultural, architectural] engineering; bachelor of art education[arts in education]
Bae·de·ker [béidikər] [독일의 출판업자 이름에서] *n.* 베데커 여행 안내서; 《일반적으로》 여행 안내서
Ba·fa·na Ba·fa·na [bəfɑ́:nə-bəfɑ́:nə] 《남아공》 바파나 바파나 《남아공의 남자 축구 국가 대표팀의 애칭》
baff [bǽf] 〖골프〗 *vt.* 골프채로 땅을 쳐 〈공을〉 높이 올리다 — *n.* 배프 《그러한 타구》
báff·ing spòon [bǽfiŋ-] 〖골프〗 =BAFFY
***baf·fle** [bǽfl] *vt.* **1** 당황[당혹]하게 하다(⇨ bewilder [유의어]): The sudden question ~*d* me. 갑작스러운 질문에 나는 당황했다. **2** 〈계획·노력 등을〉 좌절시키다, 방해하다: ~ a person's plan …의 계획을 좌절시키다 / ~ inquiry 조사해도 밝혀지지 않다 // (~+목+전+명) This ~*d* him *out of* his design. 이 것으로 그의 계획은 실패로 돌아갔다. **3** 〈빛·액체 등의〉 흐름을 멈추다[비끼게 하다] *be ~d in* …에 실패하다
— *vi.* 〈사람·동물이〉 허덕이다, 허우적거리다, 고투(苦鬪)하다: (~+전+명) The ship was seen *baffling with* a gale from the NW. 그 배가 강한 북서풍에 시달리고 있는 것이 보였다.
— *n.* **1** 당혹; 좌절 **2** (기류·음향·유체 등의) 조절[차폐] 장치, 방해판(= **~ plàte**) **3** (스피커의) 배플
baf·fle·gab [bǽflgæ̀b] *n.* 《속어》 (관리가 쓰는) 어려운 말투[표현]
baf·fle·ment [bǽflmənt] *n.* Ⓤ 방해, 훼방, 좌절; 곤혹, 당혹
baf·fling [bǽfliŋ] *a.* 저해하는; 당황하게 하는; 이해할 수 없는: a ~ wind 방향이 일정하지 않은 바람 **~·ly** *ad.*, **~·ness** *n.*
baff·y [bǽfi] *n.* (*pl.* **baff·ies**) 〖골프〗 배피 《공을 높이 쳐 올리는 짧은 목제 클럽; 4번 wood》
BAFTA [bǽftə] [*B*ritish *A*cademy of *F*ilm and *T*elevision *A*rts] *n.* 영국 영화·텔레비전 예술 협회
‡**bag**[1] [bǽg] *n.* **1** 자루, 봉지; 가방, 여행 가방; 핸드백(handbag); 지갑; 한 자루[봉지]: a paper ~ 종이 봉지 / a shopping ~ 쇼핑백 / a ~ of rice 쌀 한 자루

> [유의어] **bag** 가방을 말하는 일반적인 말 **trunk** 대형 여행 가방 **suitcase** 여행 가방 **briefcase** 서류를 넣는 넓적한 가죽 가방 **portfolio** 접는 손가방 **satchel** 멜빵 있는 학생용 가방

2 사냥감 부대(game bag); 잡은 사냥감: make a good[poor] ~ 사냥감이 많다[적다] **3** 자루같이 생긴 것; [*pl.*] 《영·구어》 바지; 위(胃); (암소의) 젖통(udder); 눈 밑 등의 처진 살 **4** 〖야구〗 베이스 **5** [*pl.*] 《영·구어》 많음: ~*s* of time 많은 시간 **6** 《속어》 마약 한 봉지 **7** 《속어》 매춘부; 추녀 **8** 《미·속어》 음낭(陰囊); 《미·속어》 콘돔 **9** 《구어》 재즈의 양식[표현법] **10** 《구어》 (어떤 사람의) 좋아하는 것, 취미, 장기(長技): Golf is my ~. 골프를 좋아한다.
a ~ of bones 몹시 여윈 사람[동물] *a ~ of nerves* 신경과민인 사람 *a ~ of wind* 허풍선이; 뚱보 *~ and baggage* 《구어》 소지품[세간]을 모두 챙기고; 모조리; 완전히 *bear the ~* 돈주머니를 쥐고 있다, 돈을 맘대로 쓰다; 《해커속어》 〈프로그램·기계 등이〉 못 쓰게 되다, 제대로 작동하지 않다 *empty the ~* 남김없이 이야기하다 *get*[*give* a person] *the ~* 해고되다[시키다] *give*[*leave*] a person *the ~ to hold* …을 궁지에 빠뜨리다, …에게 책임을 지우다 *half in the ~* 술 취한 *have*[*get, tie*] *a ~ on* 술 마시며 떠들다, 취하다 *hold the ~* 《미·구어》 아무 소득도 없게 되다; 혼자 책임을 덮어쓰게 되다 *in the ~* 《구어》 〈승리 등이〉 확실하여; 성공이 확실하여 *in the bottom of the ~* 최후 수단으로서 *let the cat out of the ~* 무심코 비밀을 누설하다 *mixed ~ of* 《구어》 여러 가지 잡다한 *pack* one*'s ~s* 《구어》 짐을 챙기다, (불쾌한 일로) 나가다, 그만두다 *pull ... out of the ~* 뒤늦게나마 방도를 발견하다 *set* one*'s ~ for* 《미》 …에 야심을 품다 *the* (*whole*) *~ of tricks* 《구어》 온갖 수단[술책]; 온갖[모든] 것
— *v.* (**~ged**; **~·ging**) *vt.* **1** (자루처럼) 부풀리다 **2** 자루에 넣다: (~+목+부) ~ *up* the beans 콩을 자루에 채우다 **3** 〈사냥감을〉 잡다, 죽이다: ~ a rabbit 토끼를 잡다 **4** 〈자리 등을〉 차지[확보]하다; 《영·학생속어》 요구하다, 내 것이다 《보통 Bags (I) ...로 씀》: *B~s I* this seat! 이 자리는 내 차지야! **5** 《구어》 〈남의 물건을〉 악의 없이 슬쩍 가져가다 **6** 《구어》 취소하다, 해약하다
— *vi.* **1** 부풀다 《*out*》 **2** (빈 자루같이) 축 처지다
bag[2] *vt.* (**~ged**; **~·ging**) 〈풀 등을〉 낫으로 베다
B. Ag. Bachelor of Agriculture
ba·gasse [bəgǽs] *n.* Ⓤ (사탕수수의) 당분을 짜고

thesaurus **baffle** *v.* **1** 당황하게 하다 perplex, puzzle, mystify, bewilder, confuse, amaze, stun **2** 방해하다 thwart, frustrate, foil, block, hinder,

남은 찌꺼기 《연료·사료용》
bag·a·telle [bæ̀gətél] *n.* **1** 하찮은 것; 사소한 일 **2** Ⓤ 바가텔 《일종의 당구 놀이》 **3** 〖음악〗 (피아노를 위한) 소곡(小曲)
bag·bit·er [bǽgbàitər] *n.* 《컴퓨터속어》 제대로 작동되지 않는 것, 못 쓸 것
bag·bit·ing [bǽgbàitiŋ] *a.* 《컴퓨터속어》 쓸모없는, 잘 작동되지 않는
Bag·dad [bǽgdæd, bəgdǽd | bæ̀gdǽd] *n.* = BAGHDAD
ba·gel [béigəl] *n.* 《미》 베이글 《(유대식의) 도넛 모양의 딱딱한 빵의 일종》
bágel bènder 《미·속어·경멸》 유대인
bág fòx 부대에 넣은 여우 《사냥터에서 풀어 주고, 사냥개로 하여금 쫓게 함》
bag·ful [bǽgfùl] *n.* (*pl.* **~s, bags·ful**) 한 자루분(의 양) 《*of*》
⁑**bag·gage** [bǽgidʒ] [OF 「(짐)다발」의 뜻에서] *n.* **1** Ⓤ 《미》 **수하물** 《《영》 에서는 보통 luggage를 쓰지만, 배·비행기 여행의 짐은 baggage를 씀》: ~ allowance 수하물 허용량

> 유의어 **baggage** 여행용 수하물 **parcel** 종이로 싸서 끈으로 묶은 운반·우송용의 소포

2 〖육군〗 군용 행낭[고리짝] **3** 《구어》 낡은 인습[생각] **4** 《고어·익살》 말괄량이 **5** 《속어》 짓궂은 노파
heavy[***light***] **~** 〖육군〗 큰[작은] 고리짝
bággage càr 《미》 (객차에 연결한) 수하물차(《영》 luggage van)
bággage chèck 《미》 수하물 물표
bággage clàim (공항의) 수하물 찾는 곳
bággage hàndler 수하물 담당자
bag·gage·man [bǽgidʒmæ̀n, -mən] *n.* (*pl.* **-men**) 《미》 (철도·호텔 등의) 수하물 담당자
bag·gage·mas·ter [-mæ̀stər] *n.* 《미》 (철도·버스 회사 등의) 수하물 담당자; 〖군사〗 수송 대장
bággage òffice 《미》 수하물 취급소
bággage ràck 《미》 (찻간의) 선반
bággage reclàim 《영》 =BAGGAGE CLAIM
bággage ròom 《미》 (역의) 수하물 임시 보관소 (《영》 left-luggage office)
bággage smàsher 《미·속어》 =BAGGAGEMAN
bággage tàg 《미》 수하물 꼬리표
bagged [bǽgd] *a.* 《미·속어》 **1** 술 취한 **2** (살이) 축 처진 **3** (도박에서) 서로 짜고 하는
bag·ger [bǽgər] *n.* 자루에 담는 사람[기계]; 《속어》 〖야구〗 …루타(壘打): a two-[three-]~ 2[3]루타
Bag·gie [bǽgi] *n.* 《미》 배기 《식품 보관용 투명 플라스틱 봉지; 상표명》
bag·ging [bǽgiŋ] *n.* Ⓤ 자루에 넣음; 자루 만드는 천 《삼베·황마 등》
bag·gy [bǽgi] *a.* (**-gi·er**; **-gi·est**) 자루 모양의; 헐렁헐렁한, 축 늘어진 (*off.* tight); 불룩한: He was wearing ~ trousers. 그는 헐렁한 바지를 입고 있었다. **—***n.* 《영》 포퓰러 음악의 한 형태; 그 문화
bág·gi·ly *ad.* **bág·gi·ness** *n.*
Bagh·dad [bǽgdæd, bəgdǽd | bæ̀gdǽd] *n.* 바그다드 《Iraq의 수도》
bág jòb 《속어》 (증거를 잡기 위한) 비합법적 가택 수색; (주로 서류 등의) 절도, (절도를 위한) 주거 침입
bág làdy 《미·구어》 =SHOPPING-BAG LADY; 《미·속어》 여자 마약 장수
bag·like [bǽglàik] *a.* 자루[가방] 같은
bág lùnch 《미》 (샌드위치 등을 넣은) 점심 도시락
bag·man [bǽgmən] *n.* (*pl.* **-men** [-mən]) **1** 《미·속어》 (공갈·협박하는 폭력 단원) 상납금 수금원 **2** 《속어》 마약 판매상 **3** 《영》 외판원, 출장 판매인 **4** 부랑자 **5** 《미》 우편물 주머니 담당 계원 **6** 《캐나다·속어》 정치 자금 조달원
bagn·io [bǽnjou, bɑ́:n- | bɑ́:n-] [It.] *n.* (*pl.* **~s**) (이탈리아·터키의) 대중목욕탕; 매음굴(brothel), 창루; 《고어》 감옥
bág of wáters 〖해부〗 양막(羊膜)(amnion)
bág pèople 집 없는 사람들 《bag에 소지품을 넣고 다님》
*＊***bag·pipe** [bǽgpàip] *n.* [종종 *pl.*] **백파이프** 《스코틀랜드 고지 사람의 취주 악기》

bag·pip·er [bǽgpàipər] *n.* 백파이프를 부는 사람
bag-play [bǽgplèi] *n.* 《속어》 비위 맞추기, 아첨
B. Agr. Bachelor of Agriculture
ba·guette, -guet [bægét] *n.* 가느다란 직사각형으로 깎은 보석; 바게트 《가늘고 긴 프랑스 빵》
bag·wig [bǽgwìg] *n.* 주머니 가발 《18세기 영국에서 유행; 뒷머리를 싸는 주머니가 달림》
bag·wom·an [-wùmən] *n.* (*pl.* **-wom·en** [-wìmin]) 《미·속어》 =BAG LADY
bag·work [-wə̀:rk] *n.* 〖토목〗 흙주머니를 쌓는 호안(護岸) (공사)
bag·worm [-wə̀:rm] *n.* 〖곤충〗 도롱이벌레
bah [bɑ́:, bǽ: | bɑ́:] *int.* 《경멸》 흥, 체
ba·ha·dur [bəhɔ́:duər, -hɑ́:- | bəhɑ́:də] *n.* 《인도》 각하 《공문서 등에서》; 《인도·속어》 나리
Ba·ha'i, -hai [bəhɑ́:i, -hái] *n.*, *a.* 바하이교(도)(의)
Ba·ha·ism [bəhɑ́:izm] *n.* 바하이교(敎) 《세계 평화를 창도하는 Iran의 근대 종교》
Ba·há·ma Íslands [bəhɑ́:mə-] [the ~] 바하마 제도 《Florida와 Cuba 사이의 섬들》
Ba·ha·mas [bəhɑ́:məz, -héi- | -hɑ́:-] *n.* **1** [단수 취급] 바하마 《Bahama Islands로 이루어진 공화국; 수도 Nassau》 **2** [the ~; 복수 취급] =BAHAMA ISLANDS
Ba·ha·mi·an [bəhéimiən], **Ba·ha·man** [bəhɑ́:mən] *a.* 바하마 (제도)의; 바하마 사람의
—*n.* 바하마 사람
Ba·há·sa Indonésia [bəhɑ́:sə-] 바하사 인도네시아 《인도네시아의 공용어》
Bahása Maláysia[**Málay**] 바하사 말레이시아 《말레이시아의 공용어》
Bah·rain, -rein [bɑ:réin, -ráin, bə- | bɑ:réin] *n.* 바레인 《페르시아 만 내의 섬나라; 수도 Manama》
-rain·i, -rein·i [-réini] *a.*, *n.* 바레인(사람)(의)
baht [bɑ́:t] *n.* (*pl.* **~s, ~**) 바트 《타이의 화폐 단위; 기호 B; =100 satangs》
bai·gnoire [beinwɑ́:r, ⌐–] [F] *n.* (극장의) 아래층 특별석(stage box)
Bai·kal [baikɑ́:l] *n.* **Lake ~** 바이칼 호 《시베리아의 호수》
*＊***bail**[1] [béil] *n.* Ⓤ 〖법〗 **1 보석금**: pay the ~ 보석금을 지불하다 **2** 보석 보증인(cf. SURETY) **3 보석**: an application for ~ 보석 신청
accept[***allow***] **~** 보석을 허가하다 ***admit***[***hold***] a person ***to*** **~** …에게 보석을 인정하다 ***be*** **~** (***for***) (…의) 보석 보증인이 되다 ***be out on*** **~** 보석 출옥 중이다 ***forfeit*** one***'s*** **~** 보석금을 몰수당하다, 보석이 취소되다 ***give***[***offer***] **~** 〈피고가〉 보석금을 내다 ***go***[***put up***] **~** ***for*** …의 보석 보증인이 되다; …을 보증하다 ***jump***[***skip***] one***'s*** **~** 보석 중에 달아나다 ***on*** **~** 보석금을 내고 ***post*** **~** ***for*** a person …의 보석금을 내다, 보석 보증을 서다 ***save***[***surrender to***] one***'s*** **~** 〈보석 중의 피고가〉 출정하다 ***take***[***give***] ***leg*** **~** 《익살》 탈주하다

---

bar, prevent, obstruct, check
bail[1] *n.* surety, security, bond, pledge, warrant, guaranty, collateral

— *vt.* **1** (보석금을 내어) 보석받게 하다 《*out*》; 〈판사가〉 〈피고의〉 보석을 허가하다: (~+목+부) He offered to ~ his son *out*. 그는 아들의 보석을 신청했다. **2** 〈회사·사람 등을〉 (돈을 지원하여 어려움에서) 구출하다: (~+목+전+명) ~ a person *out of* financial trouble …을 재정 곤란에서 구해내다 **3** 〈물건을〉 위탁하다

bail² *n.* **1** 〖크리켓〗 삼주문(三柱門)에 얹는 가로장 **2** 《영》 (마구간의) 칸막이 가로장

bail³ *n.* (뱃바닥에 괸 물을 퍼내는) 파래박
— *vt.* **1** 〈배에 괸 물을〉 퍼내다 《*out of*》: (~+목+전+명) ~ water *out of* a boat 배에서 물을 퍼내다 **2** 〈배에서〉 괸 물을 퍼내다 《*out*》: (~+목+부) ~ water *out* =~ *out* a boat 배에서 괸 물을 퍼내다
— *vi.* (배에서) 괸 물을 퍼내다 《*out*》
~ ***on*** 《미·속어》 억압하다, 괴롭게 하다 ~ ***out*** 낙하산으로 탈출하다; 《속어》 책임을 회피하다; 위험을 벗어나다; 《속어》 손을 떼다, 단념하다

bail⁴ *n.* **1** (주전자·양동이 등의) 반원형 손잡이 **2** (타자기의) 종이 누르개 (막대)

bail·a·ble [béiləbl] *a.* 보석시킬 수 있는 〈죄·사람 등〉

báil bònd 〖법〗 보석 보증서

báil bòndsman 〖법〗 보석 보증인

bail·ee [beilíː] *n.* 〖법〗 수탁자(受託者)(opp. *bailor*)

bail·er [béilər] *n.* **1** 〖크리켓〗 삼주문(三柱門)의 가로장에 맞는 공 **2** 배에 괸 물을 퍼내는 사람; 파래박

bai·ley [béili] *n.* (*pl.* **~s**) (성의) 외벽; 성벽으로 둘러싸인 안뜰 ***the Old B~*** (런던의) 중앙 형사 법원 《속칭》

Bái·ley brìdge [béili-] [영국의 기사 이름에서] 〖군사〗 베일리식 조립교

bail·ie [béili] *n.* 《스코》 =ALDERMAN

bail·iff [béilif] *n.* **1** 《영》 (법의) 집행관 《sheriff의 밑에서 범인의 체포·영장·형 등의 집행을 맡아봄》 **2** 《미》 법정 경위 **3** 《영》 토지[농장] 관리인 **4** 〖영국사〗 수령(守令), 지방 행정관

bail·i·wick [béiləwìk] *n.* bailiff의 관할구; 《미》 전문 분야

bail·ment [béilmənt] *n.* ⓊⒸ 〖법〗 위탁; 보석(保釋)

bail·or [béilər, beilɔ́ːr] *n.* 〖법〗 위탁자, 기탁자 (opp. *bailee*)

bail·out [béilàut] *n.* 낙하산으로의 탈출; 비상 구제, 긴급 융자 — *a.* 탈출의[을 위한]; 긴급 대책의

bails·man [béilzmən] *n.* (*pl.* **-men** [-mən]) 보석 보증인

Bái·ly's béads [béiliz-] [영국의 천문학자 이름에서] 〖천문〗 베일리의 염주[목걸이] 《개기 일식 때 달 가장자리에 보이는 염주 모양의 광점(光點)》

bain-ma·rie [béinmərí:] [F] *n.* (*pl.* **bains-** [bǽn-]) 중탕 냄비; 이중 냄비; =STEAM TABLE

bairn [bɛ́ərn] *n.* 《스코·북잉글》 어린이, 아이

‡**bait** [béit] [ON 「물게 하다」의 뜻에서] *vt.* **1** 〈낚시·덫에〉 미끼를 달다 《*with*》: (~+목(+전+명)) ~ a hook (*with* a worm) 낚시에 (벌레) 미끼를 달다 **2** 미끼로 꾀어들이다, 유혹하다(tempt) **3** 〈매어 둔 짐승을〉 개를 시켜서 곯리다; 〈사람을〉 곯리다, 괴롭히다(worry) **4** (쥐 등의 구제를 위해) 〈땅에〉 독이 든 먹이를 뿌리다
— *vi.* 〈동물이〉 먹이를 먹다
— *n.* **1** 미끼: an artificial ~ 제물[모조] 낚시 / put ~ *on* a hook[*in* a trap] 낚시[덫]에 미끼를 달다 **2** 독이 든 먹이 **3** ⒸⓊ 유혹(물), 후리는 것, 후림 **4** 《영·구어》 격노: be in an awful ~ 매우 화가 나 있다
jump at the ~ 미끼에 쉽게 덤비다, 쉽게 속다 ***rise to the ~*** 〈물고기가〉 미끼를 물다; 〈사람이〉 유혹에 걸려들다 ***swallow the ~*** 〈물고기가〉 미끼를 물다; 〈사람이〉 덫에 걸리다

báit and swítch 《미》 유인 상술 《싼 광고 상품으로 손님을 끌어 비싼 것을 팔려는 상술》

bait-and-switch [béitnswítʃ] *a.* 유인 상술의

bai·za [báizɑː] *n* (*pl.* **~s,** ~) 바이자 《오만(Oman)의 통화 단위》

baize [béiz] *n.* Ⓤ (당구대·책상보·커튼용의) 녹색 모직 천 — *vt.* …에 베이즈를 씌우다[대다]

Bá·ja Califórnia [bɑ́ːhɑː-] 바하 캘리포니아, 캘리포니아 반도 《태평양과 캘리포니아 만(灣) 사이의 반도》

‡**bake** [béik] *vt.* **1** 〈빵·과자 등을〉 (오븐 등의 열로) 굽다(⇨ cook 유의어): (~+목+전+명) ~ bread *in* an oven 오븐에 빵을 굽다 **2** 〈기와 등을〉 구워 굳히다; 〈태양이〉 〈땅을〉 태우다 **3** 〈햇볕이〉 〈과실을〉 익게 하다; 〈태양이〉 〈피부를〉 태우다 **~ one*self*** (햇볕에) 피부를 태우다
— *vi.* **1** 구워지다; 빵[과자]을 굽다: (~+전+명) Bread ~*s in* an oven. 빵이 오븐 속에서 구워진다. **2** 〈땅 등이〉 타서 마르다 **3** 피부를 태우다; 《구어》 몹시 더워지다: I'm *baking*. 더워서 못 견디겠다.
— *n.* **1** 《미》 구운 즉석 요리의 회식 **2** 빵 굽기; 한 번 굽는 분량 **3** 《미·속어》 (인공) 피부 태우기, 인공 선탠
▷ bákery *n.*

báked Aláska [béikt-] 케이크에 아이스크림을 얹고 머랭으로 싸서 살짝 구운 디저트

báked béans 삶은 콩을 베이컨 등과 함께 구운 요리

báked potáto (껍질째) 구운 감자

bake·house [béikhàus] *n.* (*pl.* **-hous·es** [-hàuziz]) = BAKERY

Ba·ke·lite [béikəlàit] [발명자 Baekeland(1863-1944)의 이름을 딴 상표명] *n.* 베이클라이트 《합성수지》

bake-off [béikɔ̀ːf, -ɑ̀f | -ɔ̀f] *n.* 빵 굽기 콘테스트

‡**bak·er** [béikər] *n.* **1** 빵 굽는 사람, 제빵업자: at the ~'s 빵집에서 **2** 《미》 휴대용 오븐 **3** [보통 **B~**] (무선 통신에서 사용되는) B를 나타내는 암호

Báker dày [영국의 교육부 장관 이름에서] 《영·구어》 교사 연수일

bak·er-kneed [béikərnìːd], **-leg·ged** [-lègid] *a.* 외반슬(外反膝)의, X각(脚)의

Bá·ker-Núnn càmera [béikərnʌ́n-] [설계자인 미국인 Baker와 Nunn에서] 인공위성·탄도탄의 비적(飛跡) 촬영용 대형 카메라

báker's dózen [빵장수가 중량 부족에 대한 벌이 두려워 1다스에 1개씩 더 준 일에서] [a ~] 빵장수의 1다스, 13개

***bak·er·y** [béikəri] *n.* (*pl.* **-er·ies**) **1** 빵집, 제빵소 **2** 《미》 빵과자 판매점, 제과점 **3** [집합적] 빵·과자류

> 유의어 **bakery** 빵·과자 그리고 케이크류의 제조[판매]점 **confectionery** 캔디·아이스크림·케이크 등의 제조[판매]점

báke sàle (자선 모금을 위한) 가정에서 구운 빵·과자의 판매 (행사)

bake·shop [béikʃɑ̀p | -ʃɔ̀p] *n.* 《미》 =BAKERY

bake·ware [béikwɛ̀ər] *n.* (오븐용) 내열(耐熱) 접시

Báke·well tárt [béikwel-] 베이크웰 타르트 《파이의 일종》

***bak·ing** [béikiŋ] *n.* Ⓤ 빵 굽기, 한 번 굽기; Ⓒ 한 번 구운 빵의 양(batch)
— *a.* **1** 제빵용의 **2** 타는 듯한
— *ad.* 타는 듯이: ~ hot 타는 듯이 더운

báking flòur 《미》 (이스트를 넣을 필요 없는) 베이킹파우더가 들어간

báking pòwder 베이킹파우더

báking sòda 중조 《중탄산나트륨의 속칭》

báking shèet 쿠키나 빵 등을 굽는 데 쓰이는 철판 (cookie sheet)

Bák·ke decìsion [bǽkə-] [불합격이 된 백인 학생 이름에서] 《미》 배키 판결 《대학 입학에서 흑인 우대는 인종 역차별로 위헌이라는 대법원 판결(1978)》

thesaurus **bait** *n.* **1** 미끼 lure, decoy, fly **2** 유혹(물) attraction, lure, snare, temptation
balance *n.* **1** 균형 equilibrium, evenness, symmetry, equity, equivalence **2** (정서의) 안정 composure, poise, stability, self-possession, coolness **3**

bak·kie [bǽki, bʌ́ki] *n.* 《남아공》 (농민 등이 사용하는) 소형 트랙터
ba·kla·va, -wa [bɑ́:kləvɑ̀:, ⌐–⌐] *n.* 바클라바 《근동 지방의 과자의 일종》
bak·ra [bǽkrə] 《카리브》 *n.* (*pl.* **~, ~s**) (영국계) 백인 **—***a.* 백인의
bak·sheesh, bak·shish [bǽkʃi:ʃ, –⌐] *n.* Ⓤ (터키·이란 등에서) 팁(tip)
Ba·ku [bɑ:kú:] *n.* 바쿠 《카스피 해에 면한 Azerbaijan의 수도; 채유(採油)의 대중심지》
BAL[1] [bǽl] [*B*ritish *A*nti-*L*ewisite] *n.* 〖약학〗 밸, 영국 항(抗)비소제
BAL[2] [bì:èi:él] basic assembly language 〖컴퓨터〗 기본 어셈블리 언어; blood alcohol level 혈중 알코올 농도 **bal.** balance; balancing
Ba·laam [béiləm | -læm] *n.* **1** 〖성서〗 발람 《메소포타미아의 예언자》 **2** 믿을 수 없는 예언자[동지] **3** [**b~**] 《속어》 (신문 잡지의) 여백 기사: a ~ box [basket] 여백 기사 투서함
bal·a·cla·va [bæ̀ləklɑ́:və] *n.* 발라클라바 모자(=**∠ hèlmet**[**hòod**]) 《어깨까지 덮는 털실 모자》
bal·a·fon [bǽləfɑ:n | -fɔn] *n.* (서아프리카의) 대형 실로폰
bal·a·lai·ka [bæ̀ləláikə] [Russ.] *n.* 발랄라이카 《기타 비슷한 러시아의 삼각형 악기》

balalaika

***__bal·ance__** [bǽləns] [L 「두 접시」의 뜻에서] *n.* **1** Ⓤ [또는 a ~] **균형**, 평균, 평형, 조화: a ~ of mind and body 심신의 조화 **2** (정서의) 안정, 평정(opp. *imbalance, unbalance*) **3** 〖체조·무용〗 평균 운동; 평형[균형]을 잡는 것 **4 천칭**(天秤), **저울**: a spring ~ 용수철 저울 / weigh things in the ~ 물건을 저울에 달다 **5** [the ~] 남은 것, 잔여, 나머지(remainder); 거스름돈 **6** 결정권; 지배력, 영향력 **7** [보통 *sing.*] 〖회계〗 **대차 계정**, 수지 계정, 차액, 차감 잔액; (은행 계좌의) 잔고: The ~ of the account is against[for] me. 계정 잔액은 나에게 적자[흑자]이다. **8** 계량(計量), 저울에 달기; (능력 등의) 평가 **9** =BALANCE WHEEL **10** [보통 the ~] 우위, 우세 《*of*》 **11** [the B~] 〖천문〗 천칭자리(Libra)
~ at a bank 은행 예금의 잔고 ***~ brought forward*** (전부터의) 이월 잔액 ***~ carried forward*** (다음으로의) 이월 잔액 ***~ due*** [***in hand***] 차감 부족[잔여]액 ***~ of clearing*** 거래 쌍방이 장부상으로 계정을 청산한 후의 잔액 ***~ of current account*** 경상수지(經常收支) ***~ of exchange*** 어음 잔액 ***~ of*** (***international***) ***payments*** 〖경제〗 국제 수지 ***~ of nature*** (생태적) 자연의 평형 ***~ of power*** (강대국 간의) 세력 균형 ***~ of terror*** 공포의 균형 《핵무기의 상호 보유가 전쟁 억제력이 된 상태》 ***~ of trade*** 무역 수지: a favorable[an unfavorable] ~ *of trade* 수출[수입] 초과 ***hang*** [***be, lie***] ***in the ~*** 어느 쪽으로 기울지 모르는 불안정한 상태에 있다 ***hold in the ~*** 미결인 채로 두다 ***hold the ~*** 결정권을 쥐다 ***in ~*** 균형이 잡혀, 조화하여 ***in the ~*** 어느 쪽으로도 결정되지 않고 ***keep*** [***lose***] one***'s ~*** 균형[중심]을 유지하다[잃다] ***off*** [***out of***] ***~*** 평형을 잃고, 불안정하여; 평정을 잃고 ***on ~*** 모든 것을 고려하여, 결국 ***strike a ~*** (***between***) 대차를 결산하다; 균형적[공평한] 해결[조정]을 찾다; 타협하다, 중용을 택하다 ***throw*** a person ***off his*** [***her***] ***~*** 균형을 잃게 하다, 넘어뜨리다; 평정을 잃게 하다 ***tip the ~*** 사태를 좌우하다, 결과에 결정적인 영향을 주다
—*vt.* **1** …의 **평형[균형]을 잡다**[**맞추다**]; 균형이 잡히게 하다: ~ oneself 몸의 균형을 잡다 // (~+목+전+명) ~ a pail *on* one's head 균형을 잡아 물통을 머리에 이다 **2 비교하여 헤아리다**, 가늠하다, 비교 평가하다: ~ probabilities 여러 가능성을 가늠해 보다 // (~+목+전+명) ~ one opinion *against* another 어떤 의견을 다른 의견과 비교하여 헤아리다 **3** 〖회계〗 …의 대차를 대조하다; 청산하다; …의 수지를 계산하다: ~ one's accounts [the books] 장부의 대차를 대조하다, 결산하다
—*vi.* **1** 〈무게·액수·값 등이〉 맞다, 균형[평형]이 잡히다, 평균을 이루다; 몸의 균형을 잡다 《*on*》: (~+전+명) ~ *on* one leg 한쪽 다리로 균형을 잡다 **2** 〖회계〗 〈계산·장부 잔액이〉 맞아떨어지다 《*out*》: The account doesn't ~. 대차 잔액이 맞아떨어지지 않는다. **3** 망설이다, 주저하다 《*in, with*》: (~+전+명) ~ *in* one's choice 선택을 망설이다

나머지 remainder, rest, residue, surplus, excess
bald *a.* **1** 대머리의 hairless, depilated (opp. hairy) **2** 민둥민둥한 barren, treeless, bare, uncovered, stark, bleak (opp. fertile) **3** 꾸밈 없는 blunt, direct, straight, downright, plain, simple

bal·ance·a·ble [bǽlənsəbl] *a.* 균형 잡을 수 있는
bálance bèam 저울대; (체조의) 평균대
bal·anced [bǽlənst] *a.* Ⓐ 균형 잡힌; 안정된: a ~ budget 균형 예산
bálanced díet (영양을 고루 갖춘) 균형식, 완전 영양식
bálanced fùnd 〖금융〗 밸런스 펀드, 균형 투자 신탁 《개방형 투자 신탁의 한 형태》
bálanced líne 1 〖전기〗 밸런스트 라인, 평형 선로 **2** 〖미식축구〗 센터의 좌우에 3인씩 배치한 공격 라인
bálance pòint [the ~] 균형점
bal·anc·er [bǽlənsər] *n.* **1** 균형을 유지하는 사람[물건, 장치] **2** 〖곤충〗 =HALTER[2] **3** 곡예사 **4** 청산인
bálancer mèal (양계용) 완전 사료
bálance shèet 〖회계〗 대차 대조표
bálance wèight 평형추(錘)
bálance whèel (시계의) 평형 바퀴, 플라이휠; 안정시키는 힘
bál·anc·ing àct [bǽlənsiŋ-] (대립하는) 양자를 동시에 만족시키는 행위 ***do a ~*** 어느 쪽도 편들지 않다
bal·a·ni·tis [bæ̀lənáitis] *n.* 〖의학〗 귀두염
bal·as [bǽləs, béi-] *n.* 〖광물〗 발라스 루비 《붉은 장미색 또는 오렌지색의 루비》(=**∠ rúby**)
bal·a·ta [bəlɑ́:tə] *n.* **1** 〖식물〗 발라타(나무) 《서인도 제도산(產)》 **2** Ⓤ 발라타 고무 《전선 피복·껌의 원료》
bal·bo·a [bælbóuə] *n.* 발보아 《파나마의 화폐 단위; 기호 B/; =100 centesimos》
Bal·bo·a [bælbóuə] *n.* 발보아 **Vasco Núñez de ~** (1475-1519) 《태평양을 발견한 스페인 탐험가》
bal·brig·gan [bælbrígən] *n.* Ⓤ 발브리간 메리야스 《긴 양말·내의용》; [*pl.*] 메리야스제 긴 양말[파자마]
bal·co·nied [bǽlkənid] *a.* 발코니가 있는
***__bal·co·ny__** [bǽlkəni] [It. 「들보」의 뜻에서] *n.* (*pl.* **-nies**) **1 발코니**, (위층에서 밖으로 내민) 노대(露臺) **2** (극장의) 2층 특별석 (《미》 dress circle, 《영》에서는 한 단 위의 발코니석(upper circle)을 이름)

balcony 1

***__bald__** [bɔ́:ld] [OE 「흰 점」의 뜻에서] *a.* **1** 〈머리 등이〉 **벗어진**, 대머리의 **2** 〈산 등이〉 민둥민둥한, 나무가 자라지 않는: a ~ mountain 민둥산 **3** 〈문체가〉 운치 없는, 단조로운; 꾸밈 없는(unadorned): a ~ prose style 아취 없는 산문체 **4** 노골적인, 직설적인: a ~ statement 직설적인 진술 **5** 《구어》 (표면이) 닳은, 마모된: a ~ tire 밋밋하게 닳은 타이어 **6** 〖동물〗 머리에 흰 반점[털]이 있는
(***as***) ***~ as an egg*** [***a coot, a billiard ball***] 머

리가 훌렁 벗어진 ***get*** [***go***] ~ 머리가 벗어지다
—*vi.* 머리가 벗어지다 **~·ness** *n.*

bal·da·chin, -da·quin [bǽldəkin, bɔ́:l-], **-da·chi·no** [-kínou] *n.* **1** 〚건축〛 천개(天蓋) 《제단이나 옥좌 위에 금속·돌 따위로 만든 닫집》(canopy) **2** (종교적 행렬에서 들고 다니는) 천개, 보개(寶蓋) **3** Ⓤ (의식용) 비단

báld cóot **1** 〚조류〛 대머리물닭 **2** 대머리 《사람》

báld cýpress 〚식물〛 낙엽송 《미국 남부 소택지산(産)》

báld éagle 〚조류〛 흰머리독수리 《북미산(產); 미국의 국장(國章)》

bald eagle

bal·der·dash [bɔ́:ldərdæ̀ʃ] *n.* Ⓤ 허튼소리

bald-faced [bɔ́:ldfèist] *a.* **1** 얼굴에 흰 점이 있는 〈동물〉 **2** 뻔뻔한, 노골적인: a ~ lie 뻔뻔스런 거짓말

bald·head [-hèd] *n.* **1** 대머리(인 사람) **2** 〚조류〛 흰관비둘기 **3** 〚조류〛 = BALDPATE 2

bald-head·ed [-hédid] *a.* 대머리의
—*ad.* 무모하게 ***go*** ~ 《구어》 마구 달려들다, 앞뒤를 생각하지 않고 덤벼들다 《*for, at, into*》

bald·ie [bɔ́:ldi] *n.* = BALDY

bald·ing [bɔ́:ldiŋ] *a.* 〈머리가〉 벗어지기 시작한

bald·ish [bɔ́:ldiʃ] *a.* 〈머리가〉 조금 벗어진

bald·ly [bɔ́:ldli] *ad.* 노골적으로, 직설적으로(plainly): put it ~ 노골적으로 쓰다[말하다]

∗**bald·pate** [bɔ́:ldpèit] *n.* **1** 대머리(인 사람) **2** 〚조류〛 홍머리오리(baldhead) 《북미산(產)》
-pat·ed [-pèitid] *a.* = BALD-HEADED

bal·dric [bɔ́:ldrik] *n.* 수대(綬帶) 《어깨에서 옆구리에 걸치어 칼을 차는》

báld whéat 〚식물〛 까끄라기 없는 밀

Bald·win [bɔ́:ldwin] *n.* 볼드윈 **Stanley** ~ (1867-1947) 《영국의 정치가·수상(1923-29, 1935-37)》

bald·y [bɔ́:ldi] *n.* (*pl.* **bald·ies**) 《속어》 대머리 《사람》; 접지면이 마모된 타이어

∗**bale**[1] [béil] 〔ball[1](공)과 같은 어원〕 *n.* (배에 싣는 상품의) 곤포(梱包), 짐짝; [*pl.*] 화물(goods): a ~ of cotton 면화 한 꾸러미
—*vt.* 짐짝으로 만들다, 곤포로 포장하다

bale[2] *n.* Ⓤ 《시어》 재앙, 불행; 고통; 슬픔

bale[3] *n., v.* = BAIL[3]

Bal·e·ár·ic Íslands [bæ̀liǽrik-] [the ~] 발레아레스 제도 《지중해 서부의 스페인령; 수도 Palma》

ba·leen [bəlí:n] *n.* 고래수염(whalebone)

bale·fire [béilfàiər] *n.* (노천의) 큰 화톳불, 봉화

bale·ful [béilfəl] *a.* 해로운; 악의 있는(evil, harmful); 불길한 **~·ly** *ad.* **~·ness** *n.*

bal·er [béilər] *n.* 종이[면화, 건초]를 꾸러미로 묶는 기계

Ba·li [bá:li, bǽli] *n.* 발리 섬 《인도네시아령》

Ba·li·nese [bɑ̀:ləní:z, -ní:s, bæ̀-] *a.* 발리 섬 (사람[말])의 —*n.* (*pl.* ~) 발리 사람; Ⓤ 발리 말

∗**balk, baulk** [bɔ́:k] *vt.* **1** 방해하다, 좌절시키다: 《~+목+전+명》 ~ a person *in* his plan …의 계획을 방해하다 / ~ a person *of* his hopes …을 실망시키다 **2** 〈기회를〉 놓치다; 〈의무·화제를〉 피하다: ~ an opportunity 기회를 놓치다
—*vi.* **1** 망설이다, 난색을 보이다 《*at*》: 《~+전+명》 ~ *at* making a speech 연설하기를 망설이다 **2** 〈말이〉 갑자기 서다, 뒷걸음질치다; 〈사람이〉 멈춰 서다 **3** 〚야구〛 보크하다 ***be ~ed of*** 〈목적 등을〉 이루지 못하다, …이 꺾이다
—*n.* **1** 장애, 방해물 **2** 갈다가 남은 이랑 **3** 〚건축〛 죽각재, 들보 **4** 〚경기〛 도약하는 사람이 보크라인을 지난 후의 도약 중지; 〚야구〛 보크 《투수의 반칙적인 견제행위》 **5** = BALKLINE 2. ***in*** ~ 〚당구〛 공이 보크라인 안에; 《구어》 저지되어 **bálk·er** *n.* ▷ bálky *a.*

∗**Bal·kan** [bɔ́:lkən] *a.* 발칸 반도[제국, 산맥]의
—*n.* [the ~s] = BALKAN STATES; [the ~s] = BALKAN MOUNTAINS

Bal·kan·ize [bɔ́:lkənàiz] *vt.* [종종 **b~**] (서로 적대시하는) 소국으로 분열시키다
Bàl·kan·i·zá·tion *n.*

Bálkan Móuntains [the ~] 발칸 산맥

Bálkan Península [the ~] 발칸 반도

Bálkan Státes [the ~] 발칸 제국

Bálkan Wár [the ~] 발칸 전쟁 《발칸 제국 간의 전쟁; 제1차는 1912-13, 제2차는 1913년》

balk·line [bɔ́:klàin] *n.* **1** (트랙 경기의) 스타트 라인; (도약 경기에서) 보크라인 **2** 〚당구〛 스리 쿠션에 있어 당구대 위에 그은 정(井)자 꼴의 줄; 영국식 당구대 위의 각부(脚部) 제2성간(第二星間)을 맺는 선

balk·y [bɔ́:ki] *a.* (**balk·i·er**; **-i·est**) **1** 〈말 등이〉 갑자기 멈추는 버릇이 있는; 고집 센(opp. *submissive*) **2** 〚야구〛 보크할 듯한 **bálk·i·ness** *n.*

‡**ball**[1] [bɔ́:l] *n.* **1** 공, 구(球), (구기용) 볼: kick a ~ 공을 차다 **2** 공 모양의 것: a ~ of wool 털실 꾸리 / the ~ of the eye 눈알 **3** Ⓤ 공놀이, 구기(球技); 《미》 야구: Do you want to go out and play ~? 나가서 야구 하고 싶니? **4 a** (던지거나 친) 공, 투구(投球): a fast ~ 속구 / a curve ~ 커브 볼 관련 구질로 본 투구에는 knuckle ball, screwball, sinker, slider가 있음. **b** 〚야구〛 볼(opp. *strike*) **c** 〚크리켓〛 정구(正球)(opp. *no ball*) **5** (구식) 총탄, 포탄(cf. BULLET) **6** (몸의) 둥글게 볼록한 부분: the ~ of the thumb 엄지손가락 밑의 볼록한 부분 **7** [*pl.*] 《비어》 불알(testicles) **8** [*pl.*] 《속어》 용기, 만용 **9** 《영·비어》 바보 같은 짓, 허튼소리(nonsense); 《감탄사적》 (경멸·분노 등을 나타내어) 바보같이! 헛소리 마! 설마!
~ of fire 화구(火球); 활동가; 민완가 ***~ of fortune*** 운명에 시달린 사람 ***break*** one***'s ~s*** 《미·비어》 굉장히 애쓰다 ***carry the ~*** 《미·구어》 책임을 맡다; 솔선해서 하다 ***catch*** [***take***] ***the ~ before the bound*** 선수를 치다, 기선을 제압하다 ***drop the ~*** 실패[실수]하다 ***get*** [***start, set***] ***the ~ rolling*** 일을 시작하다; 문제를 꺼내다 ***have the ~ at*** one***'s feet*** [***before*** one] 《영》 성공의 기회가 눈앞에 오다 ***keep*** one***'s eye on the ~*** 방심하지 않다 ***keep the ~ in the air*** 〈토론 등을〉 잘 진행시키다 ***keep the ~ rolling*** = ***keep up the ~*** 이야기 등을 끊어지지 않게 잘 지속시키다 ***make ~s*** [***a ~***] ***of*** 《비어》 …을 망쳐놓다 ***on the ~*** 《구어》 방심하지 않고, 빈틈없이, 기민하여; 잘 아는, 유능하여: get *on the* ~ 잘 살피다, 기민해지다 / have a lot *on the* ~ 아는 것이 많아 유능하다 ***play ~*** 공놀이[《특히》 야구]를 하다; 플레이 볼, 경기 시작; 활동을 시작하다; 《구어》 협력하다 ***put*** (***some***) ***~s on*** 《미·속어》 매력적으로 만들다[하다] ***take up the ~*** 다른 사람 이야기를 받아 계속하다, 자기 차례를 맡다 ***That's the way the ~ bounces.*** 《미·구어》 인생[세상]이란 그런 거야. ***The ~ is with you.*** = ***The ~ is in your court.*** 자, 자네 차례야. ***the three*** (***golden***) ***~s*** 세 개의 금빛 공 《전당포 간판》 ***the whole ~ of wax*** 《구어》 모든 (어려운) 상황
—*vi., vt.* **1** 공같이 둥글게 되다[만들다], 뭉치다 **2** 《비어》 〈남자가〉 성교하다 ***~ the jack*** 《속어》 기민하게 서둘다; 죽기 아니면 살기로 하다 ***~ up*** 둥글게 뭉치다; 《영·비어》 혼란하게 하다, 당황하게 하다; 망치다: be (all) *~ed up* (완전히) 혼란되다

‡**ball**[2] [bɔ́:l] 〔F 「춤추다」의 뜻에서〕 *n.* **1** 무도회, 댄스파티 《성대하고 정식의》 **2** 《구어》 아주 즐거운 한때 ***give a ~*** 무도회를 열다 ***have*** (one***self***) ***a ~*** (구

thesaurus **bale**[1] *n.* bundle, truss, pack, parcel
balk *v.* hinder, prevent, obstruct, impede,

어) 즐거운 한때를 보내다: "I'm off to the Usher concert." — "*Have a* ~." 어셔의 콘서트에 가는 길이야.—재미있게 봐! ***lead the*** **~** 춤의 선두가 되다 ***open the*** **~** 무도회에서 맨 먼저 춤추다; 〈행동을〉 개시하다
—*vi.* 《미·속어》 신나게 놀다, 홍청망청 떠들다
~ *it up* 유쾌한 시간을 보내다

‡**bal·lad** [bǽləd] *n.* **민요,** 발라드; 담시(譚詩); 감상적인 유행가[연가]

bal·lade [bəlɑ́:d, bæ-] *n.* 〔운율〕 발라드 《8행의 구 3절과 4행의 envoy로 된 프랑스 시형(詩形)》; 〔음악〕 서사가[곡], 담시곡(譚詩曲)

bal·lad·eer [bæ̀lədíər] *n.* 민요 시인[작가]

bal·lad·ist [bǽlədist] *n.* 발라드 작곡가[가수]

bállad mèter 〔운율〕 발라드격 《약강 4보격과 3보격이 4행으로 된 stanza형》

bal·lad·mon·ger [bǽlədmʌ̀ŋgər, -mɑ̀ŋ-|-mʌ̀ŋ-] *n.* 발라드를 짓는[파는] 사람; 서투른 시인

bállad òpera 〔음악〕 발라드 오페라 《18세기 전반 영국에서 발생한 오페라 형식을 빌린 서민적인 음악극》

bal·lad·ry [bǽlədri] *n.* Ⓤ 민요, 발라드

bállad stànza 〔운율〕 발라드 연(聯) 《영국의 발라드에 흔히 있는 4행 연으로, 1·3행째는 4보격으로 압운하지 않고, 2·4행째는 3보격으로 압운함》

báll and cháin **1** 쇠사슬에 금속구(球)를 부착한 족쇄 《죄수용》 **2** 《일반적으로》 거치적거림, 구속, 속박 **3** 《속어·익살》 아내

báll-and-cláw fòot [bɔ́:lən*d*klɔ́:-] 〔가구〕 (공을 움켜쥔) 새의 갈고리발톱 모양을 한 가구의 발

báll-and-sóck·et jòint [bɔ́:lənsɑ́kit-|-sɔ́-] **1** 〔기계〕 볼 소켓 연결 **2** 《일반적으로》 거치적거림, 구속, 속박 **3** 《속어·익살》 아내

*****bal·last** [bǽləst] *n.* Ⓤ **1** 〔항해〕 **밸러스트,** 바닥짐 《배의 안정을 위하여 바닥에 싣는 돌·모래》 **2** (기구의) 모래주머니 **3** (마음의) 안정; 견실함: have[lack] ~ 마음이 안정되어 있다[있지 않다] **4** (철도·도로에 까는) 자갈 **5** 〔전기〕 안정기, 안정 저항 ***in*** **~** 〈배가〉 바닥짐만 싣고; 짐을 싣지 않고
—*vt.* **1** 〈배에〉 바닥짐을 싣다; 자갈을 깔다 **2** 마음을 안정시키다 **~·ing** *n.* Ⓤ 바닥짐 재료; 까는 자갈

báll béaring 〔기계〕 볼베어링; (볼베어링의) 알

ball-bear·ing [bɔ́:lbέəriŋ] *a.* 볼베어링의

báll bòy (테니스·야구 등에서) 공 줍는 소년

ball-break·er [-brèikər] *n.* = BALL-BUSTER

ball-bust·er [-bʌ̀stər] *n.* 《비어》 **1** 매우 힘든 일 **2** (남자의 기를 죽이는) 위협적인 여자

ball-bust·ing [-bʌ́stiŋ] *a.* 《비어》 **1** 쓰라린, 곤란한 **2** 〈여성이〉 위협적인, 기를 죽이는

ball-car·ri·er [-kæ̀riər] *n.* 〔미식축구〕 볼을 가지고 있는 공격측 선수

báll càrtridge 실탄(opp. *blank cartridge*)

báll clùb 《미》 야구[구기] 팀; 야구 팀의 후원 단체

báll còck (수조·탱크 등의 물의 유출을 자동적으로 조절하는) 부구판(浮球瓣)

báll contròl 〔구기〕 볼 콘트롤 《공을 오래 보유하여 공격권을 지속시키는 공격법》

ball-dress [-drès] *n.* 《영》 무도회용 정장(正裝)

bal·le·ri·na [bæ̀lərí:nə] [It.] *n.* (*pl.* **~s, -ne** [-ne]) 발레 댄서 《여자》, 발레리나

*****bal·let** [bǽlei, ─́] [F 「춤추다」의 뜻에서] *n.* **1 a** Ⓒ (예술로서의) **발레,** 무용극 **b** Ⓤ [the ~] 발레 《무용술》 **c** Ⓒ 발레곡 **2** Ⓒ [단수·복수 취급] 발레단

bállet dàncer 발레 댄서

bal·let·ic [bælétik, bə-] *a.* 발레의, 발레 같은 **-i·cal·ly** *ad.*

bállet màster 발레 교사[연출가]

bállet mìstress 발레 여교사[연출가]

bal·let·o·mane [bælétəmèin] *n.* 발레광 《사람》

bal·let·o·ma·ni·a [bælètəméiniə] *n.* Ⓤ 발레광 《열광·심취》

ballét slìpper[shòe] 발레화(靴); 발레화 비슷한 숙녀화

ball-flow·er [bɔ́:lflàuər] *n.* 〔건축〕 둥근 꽃송이 장식

báll gàme **1** 구기; 《특히》 야구, 소프트볼 **2** 《미·구어》 경쟁, 활동의 중심; 《미·구어》 상황, 사태

báll gìrl (테니스·야구 등에서) 공 줍는 소녀(cf. BALL BOY)

ball·gown [bɔ́:lgàun] *n.* 야회복

ball·hawk [-hɔ̀:k] *n.* **1** 〔미식축구·농구〕 상대 팀의 공을 뺏는 데 능숙한 선수 **2** 〔야구〕 플라이를 잘 잡는 외야수

báll hòckey 《캐나다》 볼하키 《얼음 위가 아닌 단단한 지면에서 퍽(puck) 대신 공을 치는 하키의 일종》

Bal·liol [béiljəl, -liəl] *n.* (Oxford 대학의) 베일렬 칼리지

bal·lis·ta [bəlístə] [L] *n.* (*pl.* **-tae** [-ti:]) 노포(弩砲) 《돌을 발사하는 옛 무기》

bal·lis·tic [bəlístik] *a.* **1** 탄도(학)의; 비행 물체의 **2** 《미·구어》 격노한: go ~ 격노하다

bal·lis·ti·cian [bæ̀listíʃən] *n.* 탄도학자

ballístic míssile 탄도탄, 탄도 미사일(cf. ICBM)

bal·lis·tics [bəlístiks] *n. pl.* [단수 취급] 탄도학

ballístic trajéctory 탄도 (궤도)

bal·lis·to·car·di·o·gram [bəlìstoukɑ́:rdiəgræ̀m] *n.* 〔의학〕 심탄동도(心彈動圖)

bal·lis·to·car·di·o·graph [bəlìstoukɑ́:rdiəgræ̀f, -grɑ̀:f|-grɑ̀:f, -græ̀f] *n.* 〔의학〕 심탄동계

báll jòint = BALL-AND-SOCKET JOINT

báll lìghtning 〔기상〕 구전광(球電光), 구상(球狀) 번개 《공모양의 번개로 드문 기상 현상》

bal·locks [bɑ́ləks|bɔ́-] *n. pl.* 《비어》 불알; 무의미한 말(nonsense)

bal·lon d'es·sai [bælɔ́:n-deséi] [F] = TRIAL BALLOON

bal·lo·net [bæ̀lənéi] [F] *n.* 〔항공〕 보조 기낭(氣囊) 《부력 조절용》

‡**bal·loon** [bəlú:n] [It. 「큰 공(ball)」의 뜻에서] *n.* **1** (고무) **풍선** **2 기구**(氣球): a captive ~ 계류 기구/a dirigible ~ 비행선 **3** 《구어》 (만화 중의 인물의 대화를 표시하는) 말풍선 **4** (문 기둥 위의) 공 모양의 장식 **5** (크고 둥근) 브랜디 잔(= **~ glàss**)
like a lead **~** 《구어》 〈농담 등이〉 아무런 효과 없이 ***when the*** **~ *goes up*** 《구어》 (위기·전쟁 등) 일이 벌어질 때, 사태 발생 시
—*vi.* **1** 기구를 타고 올라가다; 〈공 등이〉 커브를 그리며 높이 날아가다 **2** 부풀다 《*out, up*》 **3** 급증[급상승]하다: ~*ing* oil prices 급등하는 유가
—*vt.* 부풀리다; 《영》 공을 높이 차 올리다
—*a.* (풍선같이) 부푼

ballóon ángioplasty 〔의학〕 기구 혈관 형성(술)

ballóon astrónomy 기구(氣球) 천문학

ballóon barràge 방공 기구망

bal·loon·er [bəlú:nər] *n.* 〔항해〕 = BALLOON SAIL

bal·loon·fish [bəlú:nfìʃ] *n.* (*pl.* **~, ~·es**) 〔어류〕 복어(globefish, puffer)

bal·loon·flow·er [-flàuər] *n.* 〔식물〕 도라지

bal·loon-head [-hèd] *n.* 《미·속어》 멍텅구리

bal·loon·ing [bəlú:niŋ] *n.* Ⓤ **1** 기구(氣球) 비행[여행] **2** 〔의학〕 공기 주입법 **3** 〔항공〕 벌룬 현상, (비행기 착륙시의) 부상(浮上)

bal·loon·ist [bəlú:nist] *n.* (스포츠·취미로) 기구 타는 사람

bal·loon·like [bəlú:nlàik] *a.* 풍선 같은, 부푼

ballóon lòan 〔금융〕 벌룬론 《분할 불입을 하다가 최종회의 잔고를 일괄 지불하는》

ballóon mòrtgage 〔금융〕 주택 융자 등에서의 balloon loan 방식의 융자

ballóon pàyment 〔금융〕 분할불의 최종회 잔고의 일괄 지불(cf. BALLOON LOAN)

---

thwart, foil, stop, halt, bar, block
balky *a.* contrary, obstinate, stubborn, perverse

ballóon ròom 《미·속어》 마리화나를 피우는 방
ballóon sàil 〖항해〗 벌룬 세일 《요트에 쓰는, 부풀기 쉬운 각종 돛의 총칭》
ballóon sàtellite 《미》 기구 위성
ballóon tìre (폭이 넓은) 저압(低壓) 타이어
ballóon vìne 〖식물〗 풍선덩굴 《열대 아메리카산(産)》
ballóon whìsk (몇 개의 철사가 풍선 모양으로 휘어진) 거품기의 일종
bal·lot** [bǽlət] *n.* **1** Ⓒ (무기명) **투표용지**(ballot paper) **2** Ⓤ (무기명) **투표** **3** (투표용) 후보자 명부 **4** [the ~] 투표권; 투표 제도 **5** Ⓒ [the ~] 투표 총수 **6** 추첨, 제비뽑기 ***cast a **~** 투표하다 ***elect***[***vote***] ***by*** **~** 투표로 선거하다[결정하다] ***rig the*** **~** 표를 부정 조작하다 ***take a*** **~** 투표를 하다
— *vi.* **1** (비밀) 투표하다 《*for, against*》; 〈사람을〉 투표로 선출하다 《*for*》: (~+전+명) ~ *for*[*against*] a candidate 후보자에게 지지[반대] 투표를 하다 **2** 추첨[제비]으로 정하다 《*for*》: (~+전+명) ~ *for* places 장소를 제비로 정하다
— *vt.* **1** 투표하다; 투표로 정하다[선출하다]; 추첨하다 **2** (…에 대해) 〈사람들의〉 표결을 요구하다(poll) 《*on, about*》 **~·er** *n.*
bal·lo·tage [bæ̀lətɑ́:ʒ, ∠-∠] *n.* 결선 투표
bállot bòx 투표함; 무기명 투표
stuff the **~** (부정 투표로) 득표 수를 늘리다
bállot pàper 투표용지
bállot rìgging 투표 조작
bal·lotte·ment [bəlɑ́tmənt | -lɔ́t-] *n.* 〖의학〗 부구감(浮球感) (검사법)
ball·park [bɔ́:lpɑ̀:rk] *n.* **1** 구기장(球技場); 《미》 (야)구장 **2** 《구어》 대체적인 범위[계산]
in the (***right***) **~** 《미·구어》 개산(概算)으로; 〈수량이〉 대략 맞는: *in the* ~ of $200 대략 200달러의
— *a.* 〈수량 등이〉 거의 정확한; 〈견적 등이〉 거의 타당한: a ~ estimate 거의 근접한 견적
báll-peen hàmmer [bɔ́:lpì:n-] 볼핀 해머 《윗면 대가리가 둥근 망치》
ball·play·er [-plèiər] *n.* 야구[공놀이]를 하는 사람; 《미》 직업 야구 선수
***ball·point** [bɔ́:lpɔ̀int] *n.* 볼펜(=∠ **pén**)
ball·proof [bɔ́:lprù:f] *a.* 방탄의: a ~ jacket 방탄조끼
ball·room [-rù:m] *n.* 무도실[장]
bállroom dànce[**dàncing**] 사교 댄스
bállroom dàncer *n.*
balls [bɔ́:lz] *vi., vt.* [다음 성구로] ~ ***up*** = BALL[1] up
balls·i·ness [bɔ́:lzinis] *n.* 《미·속어》 대담함, 용감함, 강심장
balls-out [bɔ́:lzàut] *a.* 《속어》 매우 극단적인, 과격한
balls-up [bɔ́:lzʌ̀p] *n.* 《영·속어》 = BALLUP
balls·y [bɔ́:lzi] *a.* (**balls·i·er**; **balls·i·est**) 《미·속어》 간이 큰, 강심장의, 용감한
báll tùrret (폭격기 등의) 반구형 포탑
ball·up [bɔ́:lʌ̀p] *n.* 《미·속어》 혼란, 당황, 엉망; 실패
bal·lute [bəlú:t] [*ball*oon+parach*ute*] *n.* 기구 낙하산 《우주선 귀환용》
báll vàlve 〖기계〗 볼 밸브, 볼판(瓣); = BALL COCK
bal·ly [bǽli] [bloody의 완곡어] *a., ad.* 《영·속어》 지긋지긋한[하게]; 대단한[하게]; 도대체: be too ~ tired 지독하게 피곤하다
— *n., v.* = BALLYHOO
bal·ly·hack [bǽlihæ̀k] *n.* Ⓤ 《미·속어》 파멸, 지옥(hell): go to ~ 지옥에 가다
bal·ly·hoo [bǽlihù: | ∠-∠] *n.* Ⓤ 《구어》 떠들썩하고 저속한 선전, 과대 광고; 큰 소란: the ~ in the street 거리의 큰 소란 **—** *vt., vi.* 과대 선전하다
bal·ly·rag [bǽliræ̀g] *vt.* (**~ged**; **~·ging**) = BULLYRAG
***balm** [bɑ́:m] [L 「발삼(balsam)」의 뜻에서] *n.* **1** Ⓤ **향유**; 발삼 《유성(油性)·방향성 수지의 총칭》 **2** 발삼의 성분이 채취되는 식물; 〖식물〗 멜리사속(屬)의 산박하 **3** 《일반적으로》 방향(芳香)이 있는 연고 **4** 방향 **5** 방향제(劑), 진통제; 위안
— *vt.* 〈고통 등을〉 완화하다, 진정시키다, 아물게 하다 ▷ bálmy *a.*; embálm *v.*
bal·ma·caan [bæ̀lməkǽn, -kɑ́:n | -kɑ́:n] *n.* 거친 모직 천으로 만든 래글런 소매의 짧은 망토
bálm crícket 〖곤충〗 매미(cicada)
bálm of Gíl·e·ad [-gíliəd | -æd] 〖식물〗 길레아드 발삼나무 《감람과(科)의 상록수》; 그 방향성 수지
Bal·mor·al [bælmɔ́:rəl, -mɑ́r- | -mɔ́r-] *n.* **1** 스코틀랜드에 있는 영국 왕실 저택(=∠ **Cástle**) **2** [**b~**] 보식 페티코트, 편상화의 일종 **3** 펭모자
***balm·y** [bɑ́:mi] *a.* (**balm·i·er**; **-i·est**) **1** 향유의[같은], 방향(芳香)이 있는(fragrant) **2** 온화한; 〈마음을〉 진정시키는, 위안이 되는: ~ weather 온화한 날씨 **3** 방향성 수지를 내는 **4** 《미·구어》 정신 나간, 머리가 돈, 멍청한(《영》 barmy) **bálm·i·ly** *ad.* 향기롭게; 상쾌하게 **bálm·i·ness** *n.* ▷ balm *n.*
bal·ne·al [bǽlniəl], **-nea·ry** [-niəri] *a.* 욕탕의, 목욕의; 탕치(湯治)의
bal·ne·ol·o·gy [bæ̀lniɑ́lədʒi | -ɔ́lə-] *n.* Ⓤ 〖의학〗 온천 치료(법); 온천학 **-gist** *n.*
bal·ne·o·ther·a·py [bæ̀lniəθérəpi] *n.* Ⓤ 〖의학〗 광천[온천] 요법
ba·lo·ney [bəlóuni] *n.* Ⓤ **1** 《속어》 실없는 소리, 허튼소리, 엉터리, 거짓말 **2** 《구어》 = BOLOGNA
— *int.* 바보같이! 멍청아!
BALPA British Airline pilot's association
bal·sa [bɔ́:lsə, bɑ́:l- | bɔ́:l-, bɔ́l-] *n.* **1 a** 〖식물〗 발사 《열대 아메리카산(産)》 **b** Ⓤ 발사 재목 《가볍고 단단한 나무》 (=∠ **wòod**) **2** 발사 재목으로 만든 뗏목[부표(浮標)]
bal·sam [bɔ́:lsəm] *n.* **1** Ⓤ 발삼 수지(樹脂), 향유(香油)(balm); Ⓒ 발삼을 분비하는 나무 **2** 위안물; 진통제 **3** Ⓤ (의식용·약용의) 방향성 연고
bálsam ápple 〖식물〗 여주 《박과(科)》
bálsam fír 〖식물〗 Ⓤ 발삼 전나무 《북미산(産); 펄프재(材)·크리스마스 트리로 사용》
bal·sam·ic [bɔ:lsǽmik] *a.* 발삼 같은; 방향성의; 진통 효과가 있는 **—** *n.* 진통제
balsámic vínegar 검고 들큼한 이탈리아 식초
bal·sam·if·er·ous [bɔ̀:lsəmífərəs] *a.* 발삼(수지)를 산출하는
bal·sa·mine [bɔ́:lsəmì:n] *n.* 〖식물〗 봉선화(garden balsam)
bálsam péar 〖식물〗 = BALSAM APPLE
bálsam póplar 〖식물〗 미국포플러 《북미산(産)》
Balt [bɔ́:lt] *n.* 발트 사람 《발트 제국(諸國)의》
Balt. Baltic; Baltimore
bal·ti [bɑ́:lti | bɔ́(:)l-] *n.* ⓊⒸ 발티 《파키스탄 요리의 하나》
***Bal·tic** [bɔ́:ltik] *a.* **발트 해의**; 발트 해 연안 제국의; 발트 어파(語派)의
— *n.* Ⓤ 발트 어파; [the ~] = BALTIC SEA; = BALTIC EXCHANGE
Báltic Exchànge 발트 상업 해운 거래소 《런던에 있는 수송·용선에 관한 세계적 시장》
Báltic Séa [the ~] 발트 해
Báltic Státes [the ~] 발트 제국 《Estonia, Latvia, Lithuania, 때로 Finland도 포함》
Bal·ti·more [bɔ́:ltəmɔ̀:r] *n.* **1** 볼티모어 《미국 Maryland주의 도시》 **2** 〖조류〗 = BALTIMORE ORIOLE
Báltimore chóp 〖야구〗 홈베이스 근처에서 높이 튀어 내야 안타가 되는 타구
Báltimore óriole 〖조류〗 미국꾀꼬리 《북미산(産)》
Bal·to-Sla·vic [bɔ́:ltouslɑ́:vik, -slǽ-] *n.* 발트·

thesaurus **balmy** *a.* mild, gentle, calm, tranquil, soothing, temperate, soft, perfumed
ban[1] *v.* prohibit, forbid, veto, disallow, bar, outlaw, suppress, reject (opp. *allow, sanction*)

슬라브 어파(語派)《인도유럽 어족 구분의 하나; Baltic 및 Slavic 어군으로 이루어짐》

Ba·lu·chi [bəlúːtʃi] *n.* (*pl.* **~s,** **[집합적] ~**) 발루치족(의 사람)《파키스탄 서부 지방의 유목민으로 주로 수니파 이슬람 교도》; 발루치 어(語)

Ba·lu·chi·stan [bəlúːtʃəstáːn, -stǽn | ─́─̀─] *n.* 발루치스탄《이란 남동부와 파키스탄 서남부의 산악 지대》

Balúchistan stàtes [the ~] 발루치스탄 제국《옛 영국령 인도 서부의 3개 토후국; 현재는 파키스탄에 병합됨》

bal·us·ter [bǽləstər] *n.* 〖건축〗 난간동자; [*pl.*] = BALUSTRADE

bal·us·trade [bǽləstrèid, ─̀─́] *n.* 〖건축〗 (계단의) 난간 **-tràd·ed** [-id] *a.* 난간이 있는

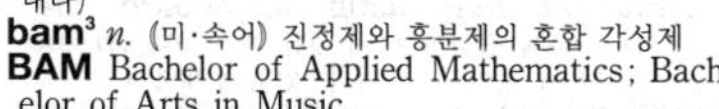

Bal·zac [bɔ́ːlzæk, bǽl- | bǽl-] *n.* 발자크 **Honoré de ~** (1799-1850) 《프랑스의 사실주의 작가》

bam[1] [bǽm] (속어·고어) *vt.* (**~med**; **~·ming**) 속이다 **—** *n.* Ⓤ 속이기

bam[2] *n., vt.* (**~med**; **~·ming**) 둔탁한 소리(를 내다)

bam[3] *n.* (미·속어) 진정제와 흥분제의 혼합 각성제

BAM Bachelor of Applied Mathematics; Bachelor of Arts in Music

Ba·ma·ko [bǽməkòu] *n.* 바마코 《Mali 공화국의 수도》

Bam·bi [bǽmbi] *n.* 밤비 《오스트리아 작가 Felix Salten의 동물 소설; 그 주인공인 아기 사슴》

bam·bi·no [bæmbíːnou, bɑːm-] [It. =baby] *n.* (*pl.* **~s, -ni** [-niː]) 아기 예수의 상(像)[그림]; 어린애

***bam·boo** [bæmbúː] *n.* (*pl.* **~s**) ⓊⒸ **1** 대(나무) **2** Ⓒ 대나무 (장)대; Ⓤ 죽재(竹材)
— *a.* Ⓐ 대(나무)의; 대로 만든: a ~ basket 대바구니 / ~ work 죽세공

bámboo cúrtain [the ~] 죽의 장막 《중국과 서방 세계 사이에 있던 정치적 장벽; cf. IRON CURTAIN》

bambóo shòots 죽순

bambóo wàre 뱀부 웨어 《J. Wedgwood가 구운 대나무 빛의 caneware의 일종》

bam·boo·zle [bæmbúːzl] (구어) *vt.* **1** 교묘한 말로 꾀다, 속이다 《*into, out of*》: ~ a person *into* do*ing*[*out of*] something …을 속여서 …하게 하다[물건을 빼앗다] **2** 어리둥절하게 하다
— *vi.* 속이다 **~·ment** *n.* **-zler** *n.*

ban**[1] [bǽn] [OE 「불러내다」의 뜻에서] *n.* **1** 금지, 금제(禁制), 금지령 《*on*》: a total ~ *on* nuclear arms 핵무기 전면 금지 / impose a ~ *on* sales 판매를 금지하다 **2** (여론의) 반대, 비난 《*on*》 **3** 파문; 추방; 공민권 박탈 ***lift**[*remove*] *a* ~** 금지를 해제하다 ***place*****[*put*] *under a* ~** 금지하다 ***under* (*the*) ~** 엄금되어; 파문되어
— *vt.* (**~ned**; **~·ning**) **1** 금지하다(prohibit): (~+목+전+명) ~ a person *from* driving a car …에게 자동차 운전을 금지하다 **2** (고어) 저주하다; 파문하다 **~·na·ble** *a.*

ban[2] [bǽn] *n.* (*pl.* **ba·ni** [báːniː]) 반 《루마니아의 화폐 단위; =1/100 leu》

ba·nal [bənǽl, -náːl | bənáːl] *a.* 진부한, 평범한 (commonplace) **~·ly** *ad.*

ba·nal·i·ty [bənǽləti, bei- | bənǽ-] *n.* Ⓤ 진부(함), 평범함; Ⓒ 진부한 말[생각]

ba·nal·ize [bənǽlaiz, bənáːlaiz | bənáːlaiz] *vt.* 진부[평범]하게 만들다

***ba·nan·a** [bənǽnə | -náːnə] *n.* **1** 바나나 《열매》: a bunch[hand] of ~*s* 바나나 한 송이 **2** 〖식물〗 바나나 《나무》(=~ **plànt**) **3** (미·속어) 코미디언(comedian) **4** (비어) 음경; 성교 **5** (미·속어) 피부색이 엷은 섹시한 흑인 여성 **6** (미·속어) 백인에게 알랑거리는 동양인; 백인 문화권에서 자란 동양인

banána bèlt (미·캐나다·속어) 온난 지방, 피한지

ba·nan·a·head [-hèd] *n.* (미·속어) 바보, 멍텅구리

Ba·nan·a·land [-lǽnd] *n.* (호주·구어) =QUEENSLAND

banána òil[lìquid] 〖화학〗 바나나 기름; (속어) 허튼소리, 감언(甘言)

banána plùg 〖전기〗 바나나 플러그 《끝이 스프링으로 되어 있는, 바나나 모양의 단극(單極) 플러그》

banána repùblic (경멸) 바나나 공화국 《과일 수출로 경제가 유지되는 중남미의 소국》

ba·nan·as [bənǽnəz | -náː-] *a.* (속어) 머리가 돈; 열광한, 흥분한; (미·속어) 동성애의
***go* ~** 열광[흥분]하다; 머리가 돌다

banána sèat (자전거의) 바나나 모양의 안장

banána skìn **1** 바나나 껍질 **2** (영·구어) 재난[실패]을 초래하는 것[원인]

banána splìt 바나나 스플릿 《세로로 반 자른 바나나에 아이스크림·견과 등을 얹은 디저트용 케이크》

ba·naus·ic [bənɔ́ːsik, -zik] *a.* 실용적인; 실리적인; 단조로운, 기계적인; 독창성 없는

Bán·bur·y càke[bún] [bǽnbèri-, -bəri- | bǽnbəri-] 밴버리 케이크 《건포도·과일·벌꿀·향신료를 넣은 달걀꼴 파이; 영국 Banbury산(産)》

Bánbury tárt 밴버리 타트 《건포도를 넣고 레몬 맛을 낸 (삼각형) 파이》

banc [bǽŋk] *n.* 판사석 ***in* ~** 재판관 전원이 배석하여

banc·as·sur·ance [bǽŋkəʃɔ̀ːrəns, ─̀─́─] *n.* (영) 방카슈랑스, 은행에 의한 보험 업무, 은행 보험
bánc·as·sùr·er *n.*

ban·co [bǽŋkou] *n.* (*pl.* **~s**) 은행의 기장(記帳)용 통화 《그 나라의 통화와 다를 수 있음》

***band**[1] [bǽnd] [ON 「묶다(bind)」의 뜻에서] *n.* **1** 묶는 것, 밴드, (띠 모양의) 끈, 띠; (나무통·모자 등의) 테: a rubber ~ 고무 밴드, 고무줄 **2** (새 다리의) 식별 밴드; 피대(belt) **3** (빛깔) 줄, 줄무늬(stripe) **4** (라벨 등에 사용하는) 띠, 밴드 **5** 띠 모양의 지역 **6** (보석 등 돌기가 없는) 수수한 반지: a wedding ~ 결혼반지 **7** =GENEVA BANDS **8** (일련의 수치 안의 범위를 나타내는) 대역(帶域), …대(帶); 〖통신〗 주파수대(帶) **9** 〖제본〗 (책등을) 꿰매는 실
— *vt.* **1** 끈[띠]으로 묶다; 〈새(다리)에〉 식별 밴드를 달다 **2** …에 줄무늬[띠모양 무늬]를 넣다

band**[2] [OF 「집단」의 뜻에서] *n.* **1** (사람의) 일단(一團), 일대(一隊), 무리(party); (미) (짐승의) 떼: a ~ of demonstrators 데모대 **2** (취주) 악단, 음악대, 밴드; 관현악단: a military ~ 군악대 / a jazz ~ 재즈밴드 / a brass ~ 취주 악단 NOTE 보통은 관악기의 악단을 이르며, 현악기는 포함되지 않음. ***then the* ~ *played (구어) 그리고 나서 야단이[난리가] 났다 ***to beat the* ~** (미·구어) 남을 압도하여, 맹렬히 ***when the* ~ *begins to play*** 사태가 심각해지면
— *vt.* 단결시키다 《*together*》: be ~*ed together* 단결해 있다 **~ one*self together*** 단결하다 《*against*》
— *vi.* 단결하다 《*together, with*》

***band·age** [bǽndidʒ] [F 「띠」의 뜻에서] *n.* **1** 붕대; 눈가리개, 안대: apply a ~ 붕대를 감다 《*to*》 **2** 감는 것, 묶는 것
— *vt.* …에 붕대를 감다 《*up*》: (~+목(+부)) ~ (*up*) a person's leg …의 다리에 붕대를 감다 / a ~*d* hand 붕대를 감은 손

Band-Aid [bǽndèid] *n.* **1** 반창고 《상표명》 **2**

band[2] *n.* **1** 무리 group, troop, company, gang, mob, pack, gathering, crowd, horde **2** 악단 musical group, pop group, orchestra, ensemble **—** *v.* join, group, unite, merge, combine, affiliate

[band-aid] 임시 수단, 미봉책 **3** 《미·군대속어》 위생병 **—** *a.* [**band-aid**] 응급의, 임시변통의: ~ measures 응급 조치 **—** *vt.* 응급 처치하다

ban·dan·na, -dan·a [bændǽnə] *n.* 홀치기 염색의 대형 손수건; 네커치프

ban·dar [bʌ́ndər] *n.* 〖동물〗 인도원숭이

b and[&] b, B and[&] B **1** bed and breakfast 《영·구어》 아침 식사가 나오는 간이 숙박[민박] **2** bread and butter 버터 바른 빵 **3** breasts and buttocks 《미·속어》 (나체의) 젖통과 엉덩이

band·box [bǽndbɑ̀ks | -bɔ̀ks] *n.* (모자 등을 넣는) 판지 상자; (보통보다) 좁은 장소[건물]
***look as if* one *came* [*had just came*] *out of a* ~** 말쑥한 옷차림을 하고 있다

B and[&] C [*b*uilding *and* *c*ontents] 〖보험〗 건물 및 가재 일습

bánd còuncil (캐나다) 부족 의회 《캐나다 토착민의 자치 정부에서 선출된 의원으로 구성》

B and[&] D [*b*ondage *and* *d*iscipline] 《미·속어》 결박과 체벌 《가학·피학성 변태 성욕 행위》

B and[&] E [*b*reaking *and* *e*ntering] 《영·속어》 주거 침입(죄)

ban·deau [bændóu, ∠–|∠–] [F =band] *n.* (*pl.* **~x** [-z]) 밴도우 **1** 여자용 가는 헤어밴드 **2** 폭이 좁은 브래지어

band·ed[1] [bǽndid] *a.* 줄무늬 모양의; 〖건축〗 대상(帶狀) 장식이 있는

banded[2] *a.* 단결된

ban·de·ril·la [bæ̀ndəríːə, -ríːljə] [Sp.] *n.* (투우에서 소의 목을 찌르는) 창

ban·de·ril·le·ro [bæ̀ndəriέərou, -riljέə-] [Sp.] *n.* (*pl.* **~s**) (banderilla를 쓰는) 투우사(cf. MATADOR)

ban·de·role, -rol [bǽndəròul] *n.* **1** (창·돛대의) 작은 기, 기드림 **2** 조기(弔旗)(bannerol) **3** (특히 르네상스 건축에서) 띠 장식

ban·der·snatch [bǽndərsnæ̀tʃ] *n.* **1** 광포한 성질을 가진 가공의 동물 **2** 기괴한 사람, 타인에게 위협·폐를 주는 사람

bandh [bʌ́nd] *n.* 《인도》 총파업(general strike)

ban·di·coot [bǽndikùːt] *n.* 〖동물〗 큰쥐 《인도산(産)》(=∠ **ràt**); 캥거루쥐 《오스트레일리아산(産)》

band·ing [bǽndiŋ] *n.* Ⓤ 〖교육〗 능력별 학급 편성(streaming)

ban·di·ni [bændíːni] *n.* 밴디니 《어깨끈 없이 넓은 띠로 가슴을 두르는 비키니의 일종》

***ban·dit** [bǽndit] *n.* (*pl.* **~s, ~·ti** [bændíti]) **1** (무장한) 산적, 강도, 도적; 《영·속어》 도둑: mounted ~*s* 마적들 / a set[gang] of ~*s* 산적의 일단 **2** 무법자: the ~*s* in the cowboy pictures 서부극에 나오는 무법자들 **3** 《미·군대속어》 적기(敵機) ***like a* ~** 《속어》 매우 훌륭히, 감쪽같이

ban·di·to [bændíːtou], **-do** [-dou] [Sp.] *n.* 《미》 (*pl.* **-tos, -dos**) 멕시코의 산적

ban·dit·ry [bǽnditri] *n.* Ⓤ 산적질; [집합적] 산적단, 강도 떼

band·lead·er [bǽndlìːdər] *n.* 악단의 지휘자

band·mas·ter [bǽndmæ̀stər | -mɑ̀ːs-] *n.* 악장(樂長), 밴드마스터

band·moll [bǽndmɑ̀l | -mɔ̀l] *n.* 《미·속어》 록밴드에 몰려다니는 젊은 여자 《보통 10대》(cf. GROUPIE)

ban·do·bast [bʌ́ndəbʌ̀st] *n.* ⓊⒸ 《인도》 = BUNDOBUST

ban·dog [bǽndɔ̀ːg, -dɑ̀g | -dɔ̀g] *n.* 줄에 매어 놓은 사나운 개 《mastiff, bloodhound 등》

ban·do·lier, -leer [bæ̀ndəlíər] *n.* 〖군사〗 탄약대(帶), 탄띠

ban·do·line [bǽndəlìːn, -lin | -lìːn] *n.* Ⓤ 밴덜린 《포마드의 일종》

ban·do·ni·on, -ne- [bændóuniɑ̀n | -ɔ̀n] *n.* 반도네온 《아코디언 비슷한 악기; 남미에서 쓰임》

ban·dore [bændɔ́ːr], **-do·ra** [bændɔ́ːrə] *n.* = PANDORA

bánd-pass fìlter [bǽndpæ̀s- | -pɑ̀ːs-] 〖전자〗 대역(帶域)필터[여파기]

bánd prìnter 〖컴퓨터〗 밴드식 프린터

bánd ràt 《미·속어》 =BANDMOLL

bánd ràzor 카트리지식 안전 면도기

B & S 《속어》 brandy and soda

bánd sàw (동력용) 띠톱

B́ and Ś (**bàll**) [*b*achelor *and* *s*pinsters *ball*] 처녀 총각 댄스 파티 《호주에서 젊은이들이 주말에 즐기는 야외 파티》

bánd shèll (뒤쪽이 반원형으로 된) 음악당

bands·man [bǽndzmən] *n.* (*pl.* **-men** [-mən]) 악사, 악대원

bánd spèctrum 〖물리〗 (전자의 궤도 운동으로 생긴) 띠 스펙트럼

band·stand [bǽndstæ̀nd] *n.* (야외 연주용) 음악당, (홀·레스토랑의) 연주단(壇)

bánd thèory 〖물리〗 띠 이론 《고체 중의 전자 운동에 관한 양자(量子) 역학적 이론》

Ban·dung [bɑ́ːnduːŋ, bǽn- | bǽn-] *n.* 반둥 《인도네시아 Java 섬의 도시》

B & W [*b*lack *and* *w*hite] *a.* 〈영화·사진·일러스트 등이〉 흑백의 **—** *n.* 흑백 영화[사진, 일러스트]

band·wag·on [bǽndwæ̀gən] *n.* 《미》 (행렬 선두의) 악대 차(車); (선거 운동·경쟁 등에서) 우세한 쪽
***climb* [*get, hop, jump*] *on* [*aboard*] *the* ~** 《구어》 시류에 편승하다; 우세한 쪽에 붙다 ***on the* ~** 《구어》 (선거 등에서) 인기가 있어, 우세하여

bánd whèel 〖기계〗 피대[벨트] 바퀴; 띠톱 바퀴

band·width [-wìdθ] *n.* 〖전자〗 대역폭(帶域幅) 《데이터 통신 기기의 전송 용량》

ban·dy [bǽndi] *vt.* (**-died**) **1** 〈타격·말 등을〉 주고받다 《*with*》: (~+목+전+명) ~ blows[words] *with* a person …와 치고받고 하다[언쟁하다] / ~ compliments *with* a person …와 인사를 나누다 **2** 〈공 등을〉 서로 치다 《*with*》 **3** 〈소문 등을〉 퍼뜨리다 《*about*》: (~+목+부) ~ a rumor *about* 소문을 퍼뜨리다 **4** 단결시키다 ***have* one*'s name bandied about*** 이름이 뭇사람의 입에 오르내리다
— *n.* (*pl.* **-dies**) Ⓤ (옛날의) 하키; Ⓒ 하키용 타봉
— *a.* (**-di·er**; **-di·est**) 〈다리가〉 굽은; =BANDY-LEGGED **-di·ness** *n.*

ban·dy·ball [bǽndibɔ̀ːl] *n.* (옛) 하키; 하키 공

ban·dy-leg·ged [-lègid, -lègd] *a., ad.* O다리의[로], 내반슬(內反膝)의[로]

bane [béin] *n.* **1** [the ~] 파멸[재난, 불행]의 원인 **2** Ⓤ 맹독: rats*bane* 쥐약 **3** 죽음, 멸망; 재난, 재화

bane·ber·ry [béinbèri, -bəri] *n.* (*pl.* **-ries**) 〖식물〗 노루삼속(屬)의 식물; 그 열매 《독이 있음》

bane·ful [béinfəl] *a.* **1** 파멸시키는, 파멸을 초래하는; 유해한 **2** 유독한, 치사의: ~ herbs 독초
~·ly *ad.* **~·ness** *n.*

Banff [bǽmf] *n.* 밴프 《캐나다 남서부 Rocky 산맥 중의 Banff National Park에 있는 관광지》

****bang**[1] [bǽŋ] [의성어] *vi.* **1** 탕 치다 《*at, on*》; 쿵 소리가 나다, 둥둥 울리다 《*away, about*》; 〈문 등이〉 쾅 하고 닫히다 《*to*》 **2** 탕 하고 발포하다 《*away*》; 꽝 부딪치다 《*against, into*》: (~+전+명) A handcart ~*ed against* the wall. 손수레가 벽에 쾅 부딪쳤다. **3** 쿵쾅대며 뛰어다니다 **4** 《비어》 성교하다 《*off*》 **5** 《속어》 마약을 주사하다
— *vt.* **1** 쾅 닫다; 세게 치다[두드리다], 세게 부딪치다; 거칠게 다루다: ~ a door 문을 쾅 닫다 // (~+목+부) Don't ~ the musical instrument *about.* 악기를 거칠게 다루지 마라. // (~+목+전+명) He

thesaurus **bandit** *n.* robber, outlaw, desperado, hijacker, plunderer, gangster, criminal
bang[1] *v.* hit, strike, beat, hammer, knock, rap, pound, pummel, whack **—** *ad.* noisily, violently,

~ed his fist *on* the table in anger. 그는 화가 나서 주먹으로 탁자를 쾅 쳤다. **2** 쳐서 소리를 내다 《*out*》; 〈총포를〉 쾅 하고 쏘다 《*off*》: 《~+목+부》 The clock *~ed out* nine. 시계가 9시를 쳤다. / He *~ed off* a gun at the lion. 그는 사자를 향하여 총을 탕 쏘았다. **3** 〈지식을〉 무리하게 주입하다 《*into*》: 《~+목+전+명》 The teacher *~ed* the formula *into* his pupils' head. 선생님은 학생들의 머리에 그 공식을 주입시켰다. **4** 《비어》 〈여자와〉 성교하다 **5** 《속어》 …에게 마약을 놓다 **~ *about*** ⇨ *vi.* 1, *vt.* 1 **~ *away*** (1) …에 계속 발포하다; 끈질기게 공격하다, 질문 공세를 하다 (2) 《구어》 〈공부 등을〉 열심히 하다 **~ *into*** …와 (우연히) 마주치다 **~ *on*** 《영·구어》 큰 소리로 쉴 새 없이 떠들다 **~ *out*** 《구어》 〈곡을〉 큰 소리로 연주하다; 〈기사 등을〉 워드프로세서로 쳐내다 **~ *up*** 〈물건을〉 부수다; 〈자기 몸 등을〉 다치다
—*n.* **1 쾅(하는 소리)**; 강타(하는 소리); 총성, 포성 **2** [a ~] 《미·구어》 자극, 흥분; 충격 **3** 《구어》 원기, 활력 **4** 《비어》 성교 **5** 《속어》 마약 주사 **~ *for the* [*one's*] *buck*** 《미·구어》 쓰는 돈[투자]에 부합되는 가치[서비스, 물건] ***get a ~ on the head*** 머리를 쾅 얻어맞다 ***get a ~ out of*** 《미·구어》 …으로 신나게 즐기다, …으로 흥분하다 ***the whole ~*** (***lot*** [***shoot***]) 《구어》 전부, 있는 대로 모두 ***with a ~*** (1) 쿵[탕] 하고 (2) 《구어》 성공적으로: go over[《영》 off] *with a ~* 〈공연 등이〉 대성공을 거두다 (3) 정력적으로, 기세 좋게: start things off *with a ~* 일을 기세 좋게 시작하다 (4) 《구어》 불쑥, 털썩
—*int.* 쿵, 탕, 쾅
—*ad.* **1** 쿵[탕, 쾅] 하고 **2** 《구어》 갑자기, 불쑥 **3** 꼭(exactly); 완전히; 바로: ~ in the middle 바로 한가운데에, 한복판에 **~ *off*** 《영·구어》 당장에, 즉시 **~ *on*** 《영·구어》 정확한, 딱 들어맞는[게]; 굉장한[히] **~ *to rights*** 《영·속어》 현행범으로 잡혀 **~ *up*** 《미·구어》 =BANG on. **~ *up against*** 《속어》 …의 아주 가까이에 ***go ~*** 탕 소리나다, 파열하다; 탕 하고 닫히다

bang² *n.* [보통 *pl.*] 단발의 앞머리 **—*vt.*** 〈앞머리 등을〉 가지런히 자르다: wear one's hair *~ed* 앞머리를 가지런히 하고 있다

bang²

bang³ *n.* =BHANG

bán·ga·lore torpédo [bæ̀ŋgəlɔ́ːr-, ⸗—⸗ | ⸗—⸗] (TNT를 채운) 폭약통

bang-bang [bǽŋbæ̀ŋ] *n.* 《구어》 요란스러운 총격전; 《속어》 서부극; 《속어》 권총 **—*a.*** 《미》 〈스포츠 플레이 등이〉 연달은

bang·er [bǽŋər] *n.* 《영·속어》 소음이 나는 고물차; 소시지; 자동차의 앞 범퍼(bumper); 격렬한 키스; 《미·속어》 강한 펀치; 《미·속어》 (마약 등의) 피하 주사기

Bang·kok [bǽŋkɑk, ⸗— | bæŋkɔ́k, ⸗—] *n.* 방콕 《Thailand의 수도》

Bang·la [bʌ́ŋlə] *n.* Ⓤ **1** 벵골 어 **2** 방글라데시 (Bangladesh)

Ban·gla·desh [bɑ̀ːŋglədéʃ, bæ̀ŋ-] *n.* 방글라데시 《1971년 파키스탄으로부터 분리 독립; 수도 Dhaka》

Ban·gla·desh·i [bɑ̀ːŋglədéʃi, bæ̀ŋ-] *n., a.* (*pl.* **~s,** ~) 방글라데시 사람(의)

ban·gle [bǽŋgl] *n.* 장식 고리, 팔찌, 발목 고리 《금·은·유리 등으로 만든 여성용의》

ban·gled [bǽŋgld] *a.* 장식 고리[팔찌]를 낀

bang-on [bæ̀ŋɑ́n | -ɔ́n] 《영·구어》 *a.* 굉장한, 멋진; 딱 들어맞는 **—*ad.*** 딱 (들어맞게), 꼭

Báng's disèase [bǽŋz-] 〔덴마크의 수의사 이름에서〕 〖수의학〗 뱅 병 《소의 전염병으로, 종종 유산의 원인이 됨》

bang·tail [bǽŋtèil] *n.* 꼬리 자른 말(의 꼬리); 짧은 꼬리의 야생마; 《속어》 경주마(racehorse)

Ban·gui [bɑːŋgíː] *n.* 방기 《중앙아프리카 공화국의 수도》

bang-up [bǽŋʌ̀p] *a.* 《미·속어》 일류[최고급]의, 훌륭한

báng zòne =BOOM CARPET

ban·ia [bʌ́njə] *n.* 《인도》 상인

ban·ian [bǽnjən] *n.* 〖식물〗 =BANYAN

‡ban·ish [bǽniʃ] 〔OE 「금지하다」의 뜻에서〕 *vt.* **1** (벌로서 국외로) **추방하다,** 유형에 처하다(⇨ expel [유의어]): 《~+목+전+명》 ~ a person *from*[*out of*] the country …을 국외로 추방하다 / ~ a person *for* treason …을 반역죄로 추방하다 **2** 〈사람을〉 (면전에서) 내쫓다 《*from*》; 〈근심 등을〉 떨쳐버리다 《*from, out of*》: 《~+목+전+명》 *B~* all troubles *from* your mind. 모든 근심 걱정을 죄다 떨쳐버리세요. **~·er** *n.* ▷ bánishment *n.*

ban·ish·ment [bǽniʃmənt] *n.* ⓊⒸ 추방, 유형 ***go into ~*** 추방당하다

ban·is·ter [bǽnəstər] *n.* 〖건축〗 난간동자(baluster); [*pl.*] 계단의 난간

ban·jax [bǽndʒæks] *vt.* 《속어》 때리다, 패다; 해치우다

***ban·jo** [bǽndʒou] *n.* (*pl.* **~(e)s**) **1 밴조** 《현악기》 **2** 《미·호주·속어》 삽 **3** 《호주》 프라이팬 **4** 《영·속어》 (큰) 샌드위치
—*vi.* **1** 밴조를 연주하다 **2** 때려눕히다 **~·ist** *n.* 밴조 연주자

banjo *n.* 1

bánjo hìtter 《야구속어》 애송이 타자

Ban·jul [bɑ́ːndʒuːl] *n.* 반줄 《Gambia의 수도》

ban·ju·le·le [bæ̀ndʒuléili], **-jo-** [-dʒə-] *n.* 밴줄렐레 《banjo와 ukulele의 중간 악기》

‡bank¹ [bǽŋk] 〔ON 「봉우리」의 뜻에서〕 *n.* **1 둑,** 제방; (둑처럼) 퇴적한 것: a ~ of clouds 층운(層雲), 구름의 층 / *~s* of snow 눈더미 **2** (언덕 등의) 비탈, 사면(斜面) **3 강둑,** 강기슭; [*pl.*] 양쪽 강기슭, 강변(의 땅): walk along the ~ 강둑을 따라 걷다. / the *~s* of the Thames 템스 강변의 땅 ★ 한 쪽 기슭이라도 ~s라고 할 때가 있음; 강의 right ~, left ~는 하류를 향하여 하는 말임. **4** (바다 속의) 퇴(堆), 모래톱: the *~s* of Newfoundland 뉴펀들랜드의 퇴 《어장》 **5** 《미》 (겨울에 야채를 저장해 두는) 움 **6** (커브길 등의 바깥쪽을 높인) 횡경사(橫傾斜), 뱅크 **7** 〖항공〗 뱅크 《비행기가 선회할 때 좌우로 경사하는 것》, 횡경사: the angle of ~ 뱅크각 《비행 중 선회시의 좌우 경사각》 **8** (당구대의) 쿠션, 고무테
—*vt.* **1** …에 제방을 쌓다, 둑으로 둘러싸다: ~ a river 강에 둑을 쌓다 **2** 쌓아 올리다 《*up*》: 《~+목+부》 ~ the snow (*up*) 눈을 쌓아 올리다 **3** 〈도로 등을〉 횡경사시키다 **4** 〈차체·기체를〉 경사시키다 **5** 〈당구공을〉 쿠션에 맞히다 **6** (재 등을 덮어) 〈불을〉 묻다: 《~+목+부》 ~ *up* a fire 불을 (재로) 묻다 **7** 〈보존용 감자 등을〉 움에 넣다
—*vi.* **1** 〈눈·구름 등이〉 겹겹이 쌓이다, 층을 이루다 《*up*》: 《~+부》 The snow *~ed up.* 눈이 쌓였다. **2** (우[좌]회전할 때) 〈자동차·비행기가〉 기웃하게 주행[비행]하다 ▷ embánk *v.*

‡bank² [bǽŋk] 〔It. 「(환전상의) 책상」의 뜻에서〕 *n.* **1 a 은행**: a savings ~ 저축 은행 / a ~ of issue [circulation] 발권 은행 **b** [the B~] 《영》 잉글랜드 은행(Bank of England) 《1694년 창립》 **2** [the ~] (노름판에서) 물주의 돈, 판돈 **3 a** 저장소: a blood ~ 혈액 은행 **b** 저금통 **4** 《미·속어》 돈: Got any ~? 돈 가진 거 있니?

---

suddenly, abruptly
banish *v.* exile, deport, expel, eject, drive away, cast out, evict, expatriate, oust, throw out, excommunicate (opp. *admit, welcome, accept*)

be makin' ~ ((속어)) 큰돈을 벌다 ***break the ~*** (노름판에서) 물주의 돈을 휩쓸다; 무일푼이 되게 하다 ***go to the ~*** ((영·속어)) 직업 소개소에 가다 ***in the ~*** 은행에 예금하여; ((영)) 빚을 지고(in debt) ***laugh*** [***cry***] ***all the way to the ~*** 수고를 들이지 않고 돈을 벌어 웃음이 그치지 않다 (***like***) ***the money in the ~*** ((구어)) 절대 확실한[안전한]

— *vt.* **1** 〈돈을〉 **은행에 예금하다** **2** 〈혈액·인체 조직 등을〉 저장하다

— *vi.* **1** 예금하다, 은행과 거래하다 ((*with, at*)): (~+전+명) Whom[Who] do you ~ *with*? 당신은 어느 은행과 거래하고 있습니까? **2** 은행을 경영하다 **3** (노름판의) 물주가 되다 ~ ***on*** [***upon***] ((구어)) …을 믿다, …에 의지하다, …을 기대하다

bank[3] [F 「벤치(bench)」의 뜻에서] *n.* **1** 한 줄로 늘어선 노[열] **2** (고대의 갤리선의) 노 젓는 사람의 자리 **3** (피아노·타자기의) 건반의 한 줄 **4** (신문의) 부표제어 **5** 〔전기〕 뱅크 ((동시에 움직이도록 줄선 스위치 또는 단자(端子))) **6** 〔컴퓨터〕 주기억 장치 구성의 최소 단위

— *vt.* 줄지어 늘어놓다

bank·a·ble [bǽŋkəbl] *a.* **1** 은행에 담보할 수 있는; 할인할 수 있는 **2** 수익이 확실한, 돈벌이가 되는

bánk accèptance 은행 인수 어음 ((略 BA))

bánk accòunt 은행 예금 계좌, 은행 계정

bank·as·sur·ance [bǽŋkəʃɔ̀:rəns, ´-´-] *n.* = BANCASSURANCE

bánk bàlance 은행 (예금) 잔고

bánk bìll 은행 어음; ((미)) 지폐

bank·book [bǽŋkbùk] *n.* 은행[예금] 통장

bánk càrd 은행 (발행의) 신용 카드

bánk chàrges (고객에게서 받는) 은행 수수료

bánk chèck 은행 수표

bánk clèrk 은행원; ((영)) 은행 출납계원(teller)

bánk crédit 은행 신용(장), 보증 대부

bánk crédit càrd = BANK CARD

bánk depòsit 은행 예금

bánk dìscount 은행의 어음 할인(료)

bánk dràft 은행 어음 ((略 B/D))

‡bank·er[1] [bǽŋkər] *n.* **1** Ⓒ **은행가**, 은행업자; 은행원 **2** Ⓒ (도박의) 물주; (카드를) 도르는 사람 **3** Ⓤ 〔카드〕 은행 놀이 **~·ly** *a.* 은행가(풍)의

banker[2] *n.* (뉴펀들랜드 어장의) 대구잡이 배[어부]

banker[3] *n.* (조각가·석공 등의) 작업대

bánker's accèptance = BANK ACCEPTANCE

bánker's bìll = BANK DRAFT

bánker's càrd = BANK CARD

bánker's chèck = CASHIER'S CHECK

bánkers' hòurs 짧은 노동[근무] 시간

bánker's òrder = STANDING ORDER 4

bánk exàminer 은행 감독관

Bánk for Internátional Séttlements [the ~] 국제 결제 은행 ((1930년 설립; 略 BIS))

***bánk hòliday** ((영)) **법정 공휴일**(((미)) legal holiday); (((정부의 지시에 의한) 은행 업무 중단 기간)); ((미)) 은행 휴일

bank·ing[1] [bǽŋkiŋ] *n.* ⓊⒸ **1** 제방 쌓기[공사] **2** 〔항공〕 횡경사(橫傾斜) **3** 근해 어업 ((뉴펀들랜드의))

banking[2] *n.* Ⓤ 은행업; 은행 업무

— *a.* 은행(업)의: ~ capital 은행 경영 자금 / a ~ center 금융 중심지 / ~ power (은행의) 대출 능력

bánking accòunt ((영)) = BANK ACCOUNT

bánking dòctrine[**prìnciple**] 은행주의(cf. CURRENCY DOCTRINE)

bánk lòan 은행 융자(금)

bánk mànager 은행 지점장

***bank·note** [bǽŋknòut] *n.* **은행권, 지폐**(((미)) bill)

bánk pàper [집합적] 은행 지폐; 어음

bánk pàssbook = BANKBOOK

bánk ràte 은행의 할인[이자]율

bánk resèrves 은행 지급 준비금

bank·roll [-ròul] *n.* 돈다발, 자금, 재원(財源), 가지고 있는 돈 — *vt.* ((구어)) …에 자금을 공급하다 **~·er** *n.* 자금주

***bank·rupt** [bǽŋkrʌpt, -rəpt] [bank(환전상의 책상)가 -rupt(파괴된)의 뜻에서] *n.* **1** 〔법〕 **파산자**, 지불 불능자 **2** 성격 파탄자

— *a.* **1 파산한**, 지불 능력이 없는: ~ laws 파산법 **2** (정신적으로) 파탄한 **3** Ⓟ 상실한, 잃은 ((*of*)), 결여된, 없는 ((*in, of*)) ***go*** [***become***] ~ 파산하다

— *vt.* 파산시키다 ▷ bánkruptcy *n.*

bank·rupt·cy** [bǽŋkrʌptsi] *n.* (*pl.* **-cies**) **1** ⓊⒸ **파산**, 도산, (성격의) 파탄: a trustee in 〔법〕 파산 관재인 **2** (명성 등의) 실추 ((*of*)) ***go into ~ 파산하다 ▷ bánkrupt *n., a., v.*

bánk shòt 〔당구〕 치거나 맞힐 공을 쿠션에 닿게 하는 타법

bank·si·a [bǽŋksiə] *n.* 〔식물〕 뱅크셔 ((오스트레일리아산(産) 상록 관목의 일종))

bánksia ròse 〔식물〕 목향화 ((중국산(産) 장미))

bank·side [bǽŋksàid] *n.* **1** (강의) 제방의 경사면 **2** [the ~] 뱅크사이드 ((Thames 강 남안의 극장가))

banks·man [bǽŋksmən] *n.* (*pl.* **-men** [-mən]) (탄광의) 갱외(坑外) 감독

bánk stàtement **1** (은행이 예금자에게 보내는) 은행 계좌 통지서 **2** 은행 보고 ((은행이 그 자산 상황을 정기적으로 공표하는 보고서))

ban·lieue [bɑ:nljə́:] [F] *n.* (*pl.* **~s** [-z], ***-lieux*** [~]) 교외, 시외; 교외 주택 지구

‡ban·ner [bǽnər] *n.* **1** ((문어)) **기**(旗) ((국기·군기·교기 등)) **2** (종교적·정치적 슬로건을 적은) **기치**(⇨ flag[1] 유의어); (광고용) **현수막** **3** (주의·주장의) 기치, 표상(表象) **4** ((미)) 신문의 톱 전단에 걸친 제목

carry the ~ for ((구어)) …을 편들다, 지지하다, …의 선두에 서다 ***follow*** [***join***] ***the ~ of*** …의 부하로서 가담하다 ***under the ~ of*** …의 기치 아래 ***unfurl*** one***'s ~*** 태도를 천명하다

— *a.* Ⓐ ((미)) 우수한, 주요한, 일류의(first-rate), 대성공의; (어느 정당 지지가) 두드러진: a ~ year 풍년 / a ~ crop 풍작 / a ~ student 우등생

— *vt.* **1** …에 기(旗)를 갖추다 **2** ((미)) 〔신문〕 제목을 크게 붙이다, 대대적으로 보도하다 **~·like** *a.*

bánner àd 〔컴퓨터〕 배너 광고

bánner bèarer 기수(旗手); 창도자

ban·nered [bǽnərd] *a.* 기를 갖춘, 기를 단

ban·ner·et[1] [bǽnərit, -rèt] *n.* 〔역사〕 휘하를 거느리고 출진할 수 있는 기사

ban·ner·et[2], **-ette** [bæ̀nərét] *n.* 작은 기(旗)

bánner hèad(**line**) = BANNER *n.* 4

ban·ner·line [bǽnərlàin] *n., vt.* 신문의 톱 전단에 걸친 제목(을 붙이다)

ban·ner·man [-mən] *n.* 기수(旗手)

ban·ne·rol [bǽnəròul] *n.* = BANDEROLE

bánner scrèen (난로 앞에 드리운) 방화용 스크린

ban·nis·ter [bǽnəstər] *n.* = BANISTER

ban·nock [bǽnək] *n.* ((스코)) 배넉 ((오트밀이나 보릿가루를 개서 구운 과자빵))

banns [bǽnz] *n. pl.* 결혼 예고 ((교회에서 식을 올리기 전에 연속 세 번 일요일에 예고하여 이의의 유무를 물음)) ***ask*** [***call, publish, put up***] ***the ~*** 교회에서 결혼을 예고하다 ***forbid the ~*** 결혼에 이의를 제기하다 ***have*** one***'s ~ called*** [***asked***] 결혼 예고를 해 달라고 하다

ban·óf·fi[**ban·óf·fee**] **píe** [bənɑ́fi- | -nɔ́f-] 바노피 파이 ((바나나·태피 사탕·크림으로 만든 파이))

‡ban·quet [bǽŋkwit] [It. 「작은 (연회용) 탁자」의 뜻에서] *n.* **1** (정식) **연회**, 축하연: give[hold] a ~ 연회를 베풀다 **2** [보통 a ~] 진수성찬: serve *a* delicious ~ 진수성찬을 베풀다

thesaurus **bar**[1] *v.* **1** 잠그다 bolt, lock, fasten, padlock, secure, latch (opp. *unlock*) **2** 금하다 pro-

—*vt.* 연회를 베풀어 대접하다
—*vi.* 연회 대접을 받다; 맛있는 음식을 먹다
~·**er** *n.* 연회 손님[참석자]
ban·quet·ing [bǽŋkwitiŋ] *a.* 연회의, 향연의: a ~ hall 연회장
bán·quet·ing háll =BANQUET ROOM
bánquet làmp 연회용 램프 《높고 정교한》
bánquet ròom (호텔·식당의) 연회장
ban·quette [bæŋkét] *n.* **1** (식당 등의) 벽 쪽의 긴 의자 **2** 흉벽 안의 사격용 발판 **3** 《미남부》 (차도보다 높은) 인도(sidewalk) **4** (카운터 안쪽의) 튀어나온 선반 **5** (역마차의) 승객용 의자
Ban·quo [bǽŋkwou | -kwou] *n.* 뱅쿼 《Shakespeare 작품 *Macbeth* 중의 인물; 유령이 되어 맥베스를 괴롭힘》
bans [bǽnz] *n. pl.* =BANNS
ban·shee, -shie [bǽnʃiː, ⌐⌐] *n.* 《아일·스코》 여자 요정 《가족의 죽음을 예고한다는》
bant [bǽnt] *vi.* banting[1]을 하다
ban·tam [bǽntəm] *n.* **1** [종종 **B~**] 밴텀닭, 당닭 **2** 싸움을 좋아하는 작은 남자; 지프 **3** =BANTAMWEIGHT —*a.* Ⓐ 몸집이 작은; 암팡진, 건방진; 소형의
ban·tam·weight [bǽntəmwèit] *n.* 〖권투〗 밴텀급(의 선수)
ban·teng [bǽnteŋ] *n.* (*pl.* **~s,** ~) (동남아시아산(産)) 들소
*__ban·ter__ [bǽntər] *n.* Ⓤ (악의 없는) **농담**; 놀림, 희롱
—*vt., vi.* 놀리다, 희롱하다, 농담하다 **~·er** *n.*
ban·ter·ing [bǽntəriŋ] *a.* 농담조의, 희롱하는 **~·ly** *ad.*
ban-the-bomb [bǽnðəbɑ́m | -bɔ́m] *a.* 핵무기 폐지를 주장하는 **~·er** *n.* 핵무기 폐지론자
ban·ting[1] [bǽntiŋ], **ban·ting·ism** [-ìzm] 〔의사의 지시로 이를 실행한 London의 장의사 W. *Banting*의 이름에서〕 *n.* Ⓤ [종종 **B~**] 밴팅 요법 《기름기·녹말·당분 등을 피하여 살 빼기》
banting[2] *n.* (*pl.* **~s,** ~) =BANTENG
bant·ling [bǽntliŋ] *n.* 《고어》 애송이
Ban·tu [bǽntuː, bɑ́ːn-, ⌐⌐] *n.* (*pl.* **~, ~s**) **1** [the ~(s)] (아프리카 남부·중부의) 반투 족; Ⓒ 반투 족의 사람 **2** 반투 말
—*a.* 반투 족[말]의
Ban·tu·stan [bǽntustæ̀n] *n.* 반투스탄 《남아프리카 공화국의 반자치 흑인 구역; 1993년 폐지》
ban·yan [bǽnjən] *n.* 〖식물〗 반얀나무, 벵골보리수 《인도산(産) 교목》(=⌐ **trèe**)
ban·zai [bɑːnzái, bɑ́ːn-] 〔Jap.〕 *int.* 만세
—*a.* 결사(決死)의, 무모한, 자살의
ba·o·bab [béioubæ̀b, bɑ́ː- | béi-] *n.* 〖식물〗 바오밥나무 《아프리카산(産)의 거대한 나무》(=⌐ **trèe**)
bap [bǽp] *n.* 《스코》 부드러운 롤빵
bap., bapt. baptized **Bap., Bapt.** Baptist
*__bap·tism__ [bǽptizm] 〔Gk 「물에 담금」의 뜻에서〕 *n.* **1** ⓊⒸ 〖그리스도교〗 **세례(식)**, 영세, 침례; 명명(식) **2** (세례 비슷한) 입회[입당]식 **3** (전환의 계기가 되는) 시련, 경험 ***~ by immersion*** [***effusion***] 침수(浸水)[관수(灌水)] 세례 ***~ of blood*** 피의 세례; 순교 ***~ of*** [***by***] ***fire*** (1) (성령에 의한) 영적 세례 (2) 포화(砲火)의 세례 《병사가 처음으로 전장에 나가는 것》 (3) (인내·용기 따위의) 시험
▷ baptísmal *a.*; baptíze *v.*
bap·tis·mal [bæptízməl] *a.* 세례의 **~·ly** *ad.*
baptísmal nàme 세례명(Christian name)
*__Bap·tist__ [bǽptist] *n.* **1** [**b~**] **세례를 베푸는 사람**; 뱁티스트, 침례교인 **2** [the ~] 세례 요한(John the ~) —*a.* Ⓐ 침례 교회[파]의
Báptist Chúrch [the ~] 침례 교회

hibit, forbid, debar, ban, exclude, block, keep out, impede (opp. *admit, accept*)

bap·tis·ter·y [bǽptistəri], **-try** [-tri] *n.* (*pl.* **-ter·ies**; **-tries**) 세례장[당(堂)]; 세례용 물통
Bap·tis·tic, -ti·cal [bæptístik(əl)] *a.* 세례의; 침례 교회(파)의
*__bap·tize__ | **-tise** [bæptáiz, ⌐⌐ | ⌐⌐] *vt.* **1** …에게 **세례를 베풀다**: (~+목+전+명) She was *~d into* the church. 그녀는 세례를 받고 교인이 되었다. **2** 정(淨)하게 하다 **3** …에게 세례명을 지어주다(christen); 명명하다; 별명을 붙이다: (~+목+보) He was *~d* (by the name of) Thomas. 그는 토마스라고 명명되었다. **4** 《비유》 (새로운 상황·시대를) 맞게 하다 《*into*》
—*vi.* 세례를 베풀다 **bap·tíz·er** *n.*
▷ báptism *n.*; baptísmal *a.*
ba·pu [bɑ́ːpuː] *n.* 《인도》 아버지
***__bar__[1] [bɑ́ːr] *n., vt., prep.*

「막대기」 **1** ─┬「빗장」 **1**
└ (가로장으로 칸 막은 곳) → 「술집」, 「간이식당」 **6** → 「법정」 **8** → 「법조계」 **9**

—*n.* **1 막대기**; **빗장**, 가로장; (문·창문의) 문살, 창살

유의어 **bar** 창·문 등에 고정시켜 놓은 나무 또는 금속의 가느다란 막대기 **stick** 가느다란 나무 막대 **rod** 곧고 가느다란 막대기

2 막대기 모양의 것; 막대 지금(地金); 쇠지렛대(crowbar): a ~ gold 금괴 **3** 방책(防柵), 장벽, 관문; 장애, 방해물 《*to*》: a ~ *to* happiness 행복을 가로막는 장애 **4** (강어귀 등에서 항해의 방해가 되는) 모래톱(sandbar) **5** 〖발레〗 (벽에 붙은 연습용) 가로장 **6** (카운터식) **술집, 바**; (술집·여관의) 카운터; (카운터 앞에 앉아 먹는) 간이식당

유의어 **bar** 원래 barroom에서 술을 내놓는 「카운터」의 뜻인데, 「술집」을 뜻하게 되었음. **pub** 샌드위치 같은 간단한 음식도 파는 술집 **tavern** 「술집」의 고어로서, 지금은 여행자를 위해 음식을 때로는 숙식을 제공하는 집 **nightclub** 또는 **club** 생음악이나 다른 오락을 제공하는 술집 **snack bar** 술을 팔지 않는 간이 음식점

7 (가게의) 매장: a hat[record] ~ 모자[레코드] 매장 **8 법정**; (법정의 일반석과 경계가 되는) 난간; 심판, 제재: the ~ of conscience[public opinion] 양심[여론]의 제재 **9** [보통 the ~, the B~; 집합적] 법조계, (법원 소속의) 변호사단; [the ~] 변호사업: a ~ association 법조 협회 / practice at *the* ~ 변호사를 개업하다 **10** (상원·하원의 위치를 구분하는) 막대[난간]; (의회 내의) 증인석 **11 가느다란 줄,** 줄무늬(stripe) **12** (군인의) 선장(線章) 《공을 세울 때마다 한 줄씩 느는》 **13** 〖음악〗 (악보의 소절을 나누는) 선; 소절(measure)
at ~ 공개 법정에서, 심리 중인 ***behind ~s*** 옥중에(서) ***behind bolt and ~*** 엄격히 감시·구류되어 ***chin the ~*** 턱걸이하다 ***cross the ~*** 죽다 ***in ~ of*** 〖법〗 …을 방지[예방]하기 위하여 ***prisoner at the ~*** 형사 피고인 ***prop up the ~*** 《구어》 단골 술집에서 한잔하다 ***put*** a person ***behind ~s*** 《구어》 …을 투옥하다 ***read*** [***study***] ***for the ~*** (법정) 변호사의 공부를 하다 ***the ~ of the House*** (영국 하원의) 징벌 제재소(制裁所) ***trial at*** (***the***) ***~*** 판사 전원 배석 심리
—*vt.* (**~red**; **~·ring**) **1** 〈문에〉 **빗장을 지르다,** 잠그다: (~+목+전+명) ~ a prisoner *in* his cell 죄수를 독방에 가두다 **2** 〈통행을〉 **방해하다,** 〈길을〉 막다(block): (~+목+전+명) ~ the street *to* vehicles 거리의 차량 통행을 막다 **3 금하다**; 제외하다: (~+목+전+명) ~ a person *from* action …의 행동을 금하다 / They were strictly *~red against* exterior intercourse. 그들은 외부와의 접촉이 엄금되어 있었다. / He was *~red from* membership

of the society. 그는 그 협회의 회원에서 제명되었다. **4** …에 줄(무늬)를 치다(⇨ barred 2) **5** 《속어》 〈사람·버릇 등에〉 반대하다, 싫어하다
~ ***in***[***out***] 가두다[내쫓다] ~ one***self in*** 틀어박히다, 칩거하다 ~ ***up*** (빗장을 지르고) 완전히 폐쇄하다
— *prep.* …을 제외하고(except): ~ a few names 몇 사람 외에는 ~ ***none*** 예외 없이, 단연코 ***be all over*** ~ ***the shouting*** 《구어》 승부가 사실상 끝나다, 대세가 결정나다
bar[2] *n.* 〖물리〗 바 《기압의 단위; =1000 hPa》
bar[3] *n.* 《미》 모기장(mosquito net)
bar- [bær], **baro-** [bǽrou, -rə] 《연결형》 「기압, 중량」의 뜻 《모음 앞에서는 bar-》
BAR Browning automatic rifle 브라우닝 자동 소총
bar. barometer; barometric; barrel; barrister
B. Ar. Bachelor of Architecture 건축학사
Ba·rab·bas [bərǽbəs] *n.* 〖성서〗 바라바 《그리스도 대신 석방된 도둑의 이름》
bar-and-grill [bɑ́ːrəngríl] *n.* 술도 파는 식당, 식당 겸용 바
bar·a·the·a [bæ̀rəθíːə] *n.* 배라시아 《양모 또는 견[면]을 섞어 짠 고급 옷감》
barb[1] [bɑ́ːrb] [L 「수염」의 뜻에서] *n.* **1** (화살촉·낚시 등의) 미늘; (철조망 등의) 가시 **2** (비유) 날카로운 비판, 가시 돋친 말 **3** 〖동물·식물〗 수염 모양의 것 **4** (새의) 깃가지 **5** 바브 《비둘기의 일종》 **6** 바브 《물고기의 일종》 **7** (수녀의) 목과 가슴을 가리는 흰 린네르 천 **8** 턱수염(beard) — *vt.* …에 미늘[가시]을 달다
barb[2] *n.* 바브 《Barbary 지방산(産)의 말》
barb[3] *n.* 《구어》 =BARBITURATE
Bar·ba·di·an [bɑːrbéidiən] *a.* 바베이도스 (사람)의
— *n.* 바베이도스 사람
Bar·ba·dos [bɑːrbéidouz, -dous] *n.* 바베이도스 《서인도 제도 카리브 해 동쪽의 섬으로, 영국 연방 내의 독립국; 수도 Bridgetown》
Bar·ba·ra [bɑ́ːrbərə] *n.* 여자 이름 《애칭 Babs, Bab》
∗**bar·bar·i·an** [bɑːrbέəriən] *n.* **1** 야만인, 미개인; 야만스러운[야비한] 사람 **2** 교양 없는 사람, 속물(cf. PHILISTINE 2) **3** 이방인
— *a.* **1** 미개인의, 야만스러운; 교양 없는 **2** 이방의
~·**ìsm** *n.* ▷ barbáric, bárbarous *a.*; bárbarism, barbárity *n.*
∗**bar·bar·ic** [bɑːrbǽrik] *a.* 야만인의[같은], 야만적인, 〈문체·표현 등이〉 세련되지 않은, 야비한, 조잡한; 잔인한 **-i·cal·ly** *ad.*
bar·ba·rism [bɑ́ːrbərìzm] *n.* **1** Ⓤ 야만, 미개(상태); 포학 **2** Ⓤ 막된 행동[말씨] **3** Ⓒ 파격적인 어법[구문]; 비어
bar·bar·i·ty [bɑːrbǽrəti] *n.* (*pl.* **-ties**) ⓊⒸ 야만, 잔인, 잔학 (행위); 야비; (문체 등의) 파격, 조잡
bar·ba·ri·za·tion [bɑ̀ːrbərizéiʃən | bɑ̀ːbərai-] *n.* Ⓤ 야만화; (문체의) 불순화
bar·ba·rize [bɑ́ːrbəràiz | bɑ́ːbəràiz] *vt., vi.* 야만화하다[되다]; 불순[조잡]하게 하다[되다]
Bar·ba·ros·sa [bɑ̀ːrbərɑ́sə | -rɔ́sə] *n.* **1** =FREDERICK 2 **2** 바르바로사 (작전) 《1941년 독일군의 소련 침공 작전의 암호명》
∗**bar·ba·rous** [bɑ́ːrbərəs] [Gk 「외국의」의 뜻에서; 그리스인이 외국인 발음을 경멸하여 말한 데서] *a.* **1** 야만스러운(savage), 미개한(opp. *civilized*); 교양 없는, 세련되지 못한 **2** 잔인한 **3** 〈소리가〉 귀에 거슬리는, 시끄러운 **4** 〈언어가〉 표준 용법이 아닌
~·**ly** *ad.* ~·**ness** *n.*
▷ barbárian *n., a.*; bárbarism, barbárity *n.*; barbáric *a.*; bárbarize *v.*
ba·ra·za [bərɑ́ːzə] *n.* 《동아프리카》 집회장; 집회, 상담, 교섭
Bar·ba·ry [bɑ́ːrbəri] *n.* 바르바리 《이집트를 제외한 북아프리카의 옛 이름》
Bárbary ápe (북아프리카산(産)) 꼬리 없는 원숭이
Bárbary Cóast **1** 바르바리 해안 《옛 Barbary States의 지중해 연안 지방》 **2** (19세기의) 샌프란시스코 암흑가 《술집, 노름, 사창가로 유명》
Bárbary shéep =AOUDAD
Bárbary Státes [the ~] 바르바리 제국 《16-19세기 터키 지배하의 Morocco, Algeria, Tunis, Tripoli》
bar·bate [bɑ́ːrbeit] *a.* 〖동물〗 수염이 있는; 〖식물〗 까끄라기가 있는
∗**bar·be·cue, bar·be·que** [bɑ́ːrbikjùː] [Haitian 「고기 굽는 나무틀」의 뜻에서] *n.* **1** (돼지·소 등의) 통구이, 바비큐, 직화(直火) 구이 고기 **2** (야외에서 하는) 바비큐 파티 **3** (돼지·소 등의) 통구이용 틀; 간편한 불고기용 기구 **4** 바비큐 요리 전문 식당
— *vt.* **1** 〈돼지·소 등을〉 통째로 굽다(broil), 불고기로 하다 **2** 〈생선·고기 등을〉 바비큐 소스로 맵게 요리하다
bárbecue pìt (벽돌 등으로 만든) 바비큐 화덕
bárbecue sàuce 바비큐 소스 《식초·야채·조미료·향신료로 만드는 매운 소스》
barbed [bɑ́ːrbd] *a.* 미늘[가시]이 있는; 신랄한: ~ words 가시 돋친 말
bárbed wíre 가시 철사, 유자 철선(有刺鐵線): ~ entanglements 철조망
bar·bel [bɑ́ːrbəl] *n.* 〖어류〗 (물고기의) 수염; 돌잉어 무리
bar·bell [bɑ́ːrbèl] *n.* 바벨, 역기(力器) 《역도용 기구》(cf. DUMBBELL)
bar·bel·late [bɑ́ːrbəlèit, bɑːrbélət] *a.* 〖동물·식물〗 짧은 센 털이 있는; 〖어류〗 수염[촉수]이 있는
‡**bar·ber** [bɑ́ːrbər] [L 「수염(barb)을 깎는 사람」의 뜻에서] *n.* **1** 이발사 《여성 상대의 이발사는 hairdresser》: at a ~'s 이발소에서 **2** 〖기상〗 빙무(氷霧), 서리 안개 **3** 《미·속어》 수다스러운 야구 선수, 빈볼을 던지는 투수 ***do a*** ~ 《미·속어》 잘 지껄이다
NOTE 영·미에서는 예약제가 흔하며, 이발과 면도·세발이 따로따로 구별되어 각각의 요금과 팁을 치름.
— *vt.* …이 이발을 하다; 〈잔디를〉 깎다
— *vi.* 이발업을 하다
bárber chàir 이발소의 의자; 《미·속어》 우주선의 좌석
bárber còllege 《미》 이발 학교
bar·ber·ry [bɑ́ːrbèri, -bəri | -bəri] *n.* (*pl.* **-ries**) 〖식물〗 매자나무(의 열매)
bárber's blóck 가발걸이[틀]
bar·ber·shop [bɑ́ːrbərʃɑ̀p | -ʃɔ̀p] *n.* 《미》 이발소 (《영》 barber's shop) — *a.* 《미·구어》 (무반주) 남성(男聲) 4부 합창의: a ~ quartet 남성 4부 합창
bárber's ítch[**rásh**] 〖병리〗 모창(毛瘡) 《동전 버짐 등》
bárber('**s**) **pòle** 이발소 간판 (기둥) 《옛날 이발사는 방혈(放血) 수술도 했는데, 그 피와 붕대를 나타낸 것》
bar·ber-sur·geon [bɑ́ːrbərsə́ːrdʒən] *n.* **1** (옛날의) 이발사 겸 외과 의사 **2** 돌팔이 의사
bar·bet [bɑ́ːrbit] *n.* 〖조류〗 오색조 《열대산(産)》
bar·bette [bɑːrbét] *n.* 〖축성〗 (성벽 안의) 포좌(砲座); 〖해군〗 (군함의) 고정 포탑
bar·bi·can [bɑ́ːrbikən] *n.* 〖축성〗 외보(外堡) 《누문·교루(橋樓) 등》; 감시 망루
bar·bie [bɑ́ːrbi] *n.* 《영·호주·구어》 바비큐(barbecue)
Bár·bie Dóll [bɑ́ːrbi-] 바비 인형 《금발의 플라스틱 인형; 상표명》; 《미·속어》 개성 없는[평범한] 사람
bár bìlliards 영국 선술집(pub)에서 많이 하는 포켓볼 비슷한 게임
bar·bi·tal [bɑ́ːrbətɔ̀ːl, -tæ̀l | -tæ̀l] *n.* Ⓤ 〖약학〗 바르비탈 《진정·수면제》
bar·bi·tone [bɑ́ːrbətòun] *n.* 《영》 =BARBITAL
bar·bi·tu·rate [bɑːrbítʃurət, -rèit] *n.* 〖화학〗 바르비투르산 염[유도체]

thesaurus **barbarian** *a.* savage, uncivilized, primitive, brutish, wild, rough, vulgar
bare[1] *a.* **1** 발가벗은 naked, uncovered, nude,

bar·bi·tu·ric ácid [bὰːrbətjúərik- | -tjúər-] 〖화학〗 바르비투르산

Bár·bi·zon Schòol [bάːrbizὰn- | -zɔ̀n-] 바르비종파(派) 《파리 근교 Barbizon에서 그림을 그린 19세기의 화가 Millet, Corot 등의 회화 유파》

bar·bo·la [bɑːrbóulə] *n.* (가소물(可塑物)로 만드는) 꽃·과일 등의) 압화(押畫) 세공(= ∠ **wòrk**)

Bar·bour [bάːrbər] *n.* 바버 코트 《왁스 처리한 면으로 만든 영국산(産) 방수·방풍용 진녹색 코트; 상표명》

Bar-B-Q, bar-b-q [bάːrbiːkjùː] *n.* 《구어》 barbecue의 상업용 변형 철자 《간판 등에 쓰임》

bar·bule [bάːrbjuːl] *n.* 작은 가시[수염]; 〖조류〗 작은 깃가지

barb·wire [bάːrbwáiər] *n.* = BARBED WIRE

bár càr 〖철도〗 바 설비가 있는 객차

bar·ca·rol(l)e [bάːrkəròul] *n.* 곤돌라(gondola)의 뱃노래; 뱃노래조의 곡조

Bar·ce·lo·na [bὰːrsəlóunə] *n.* 바르셀로나 《스페인 북동부의 Catalonia 주의 주도》

B Arch Bachelor of Architecture

bar·chan [bɑːrkάːn] [Russ.] *n.* 바르한 《초승달 모양의 사구(砂丘)》

bár chàrt 막대그래프(bar graph)

bár clàmp 한쪽은 바에 고정되어 있고 다른 한쪽은 나사로 조절할 수 있는 기구

bar code

01740
9 788900 070118

bár còde 바코드 《상품 식별을 위한 컴퓨터 판독용 부호》

bar-code [bάːrkòud] *vt., vi.* (상품 등에) 바코드를 붙이다

bár-code hàirstyle 《익살》 바코드 헤어스타일 《머리 위가 벗겨져서 한쪽 옆머리를 길게 길러 위쪽으로 빗어넘긴 머리》

bár-code rèader 〖컴퓨터〗 바코드 판독기

bard[1] [bάːrd] *n.* **1** (고대 켈트 족의) 음유 시인, 방랑 시인(minstrel) **2** 《문어·시어》 시인
the B~ of Avon Shakespeare의 속칭

bard[2] *n.* **1** 갑옷, 마갑(馬甲) **2** 〖요리〗 돼지·소의 지방분; 얇게 썬 베이컨 —*vt.* **1** …에 마갑(馬甲)을 입히다 **2** 〖요리〗 〈고기 등을〉 지방분으로 얇게 싸다

bard·ic [bάːrdik] *a.* 음유 시인(bard)의: ~ poetry 음유 시가

bard·ol·a·ter [bɑːrdάlətər | -dɔ́-] *n.* 셰익스피어 숭배자

bard·ol·a·try [bɑːrdάlətri] *n.* Ⓤ 셰익스피어(the Bard of Avon) 숭배

Bar·do·li·no [bὰːrdəlíːnou] *n.* Ⓤ 바르돌리노주 《양질의 순한 이탈리아산(産) 적포도주》

⁑**bare**[1] [bέər] *a.* **1 발가벗은**(naked), 살을 드러낸; 〈산 등이〉 헐벗은, 노출된; 〈칼을〉 칼집에서 뺀: ~ feet 맨발 / with ~ head 모자를 쓰지 않고 **2** Ⓐ 〈사실이〉 **있는 그대로의**; 꾸밈없는 **3 빈**, 텅 빈; 〈방 등이〉 가구가 없는; Ⓟ …이 없는 《*of*》: a ~ cupboard 텅 빈 찬장 / trees ~ *of* leaves 잎이 진 나무들 **4** Ⓐ **가까스로의**, 다만 …뿐인(mere); 얼마 안 되는: a ~ majority 가까스로 이룬 과반수 / ~ necessities of life 겨우 연명이나 할 만한 필수품 **5** Ⓐ 〈손이〉 도구[무기]를 갖지 않은, 맨손의: with (one's) ~ hands 맨손으로 **6** 〈천·양탄자 등이〉 닳아 빠진
at the ~ thought 생각만 하여도 ***believe*** a person ***on*** a person***'s ~ word*** …의 말만으로 그냥 믿다 ***go ~*** 《미·구어》 〈의사·기업이〉 배상 책임 보험 없이 영업하다 ***have*** one***'s head ~*** 모자를 쓰지 않고 있다 ***in*** one***'s ~ skin*** 알몸으로 ***lay ... ~*** 드러내다, 노출하다; 폭로하다, 누설하다 ***with ~ life*** 겨우 목숨만 건지어, 간신히 살아
—*vt.* **1** 발가벗기다; 〈이빨 등을〉 드러내다, 노출시키다; 〈칼을〉 빼다: ~ one's head 모자를 벗다 / ~ one's teeth 〈동물·사람이〉 이를 드러내다 // (~+목+전+명) ~ a person *of* his[her] clothing …의 옷을 벗기어 알몸이 되게 하다 / ~ a tree *of* its leaves[fruit] 나무에서 잎[열매]을 따 버리다 **2** 〈비밀·마음 등을〉 털어놓다 ~ one***'s heart***[***soul, thoughts***] 심중을 토로하다 ▷ bárely *ad.*

bare[2] *v.* 《고어》 BEAR[2]의 과거

bare·ass(ed) [bέəræ̀st] *a.* 《속어》 벌거벗은, 알몸의; 뻔뻔한

bare·back [bέərbæ̀k] *a.* Ⓐ, *ad.* **1** 안장 없는[없이]: a ~ rider 안장 없이 말 타는 사람 / ride ~ 안장 없이 말을 타다 **2** 《속어》 〈남자가〉 콘돔을 사용하지 않는[않고]

bare·boat [-bòut] *n., a.* 선체 용선(傭船)(의): a ~ charter 선체 용선 계약 《승무원 없이 배만 빌리는》

bare-bone [-bòun] *n.* 말라빠진 사람, 말라깽이

bare·boned [-bòund] *a.* 말라빠진; 골자[요점]만의, 내용이 빈약한

báre bónes [the ~] 골자, 요점 ***cut***[***strip***] ***...*** (***down***) ***to the ~*** 〈정보 등을〉 골자만을 추려내다

bare-bones [-bòunz] *a.* 지독히 여윈, 빼빼 마른; 빈약한(meager); 《비유》 〈서비스 등이〉 전혀 없는, 셀프서비스인: a ~ budget 빈약한 예산

báre cóntract 〖법〗 무약인(無約因) 계약

bare·faced [-fèist] *a.* **1** 얼굴을 가리지 않은; 수염 없는 **2** 공공연한; 뻔뻔스러운: ~ impudence 철면피, 몰염치, 뻔뻔함 / a ~ lie 뻔뻔스러운 거짓말
-faced·ly [-féistli, -féisidli] *ad.* **-faced·ness** [-féistnis, -féisid-] *n.*

bare·fist·ed [-fístid] *a., ad.* 맨주먹의[으로]

*∗***bare·foot**[bέərfùt], **-foot·ed**[-fùtid] *a., ad.* **1** 맨발의[로]: walk ~ 맨발로 걷다 **2** 〈말이〉 말발굽이 없는[없이]

bárefoot dóctor (특히 중국 농촌 등에서 비교적 간단한 의료 활동을 하는) 의료 보조원

ba·rege, -rège [bəréʒ] [F] *n.* Ⓤ 명주실과 무명실 등으로 짠 얇은 직물 《베일·옷감용》

bare·hand·ed [bέərhǽndid] *a., ad.* 맨손의[으로]

bare·head(·ed) [-hèd(id)] *a., ad.* 모자를 쓰지 않은[않고]

báre infínitive 〖문법〗 (to 없는) 원형 부정사

bare·knuck·le(d) [-nʌ́kl(d)] *a., ad.* 〖권투〗 (권투에서) 글러브를 끼지 않은[않고]; 마구잡이의[로]; 맹렬한[히]; 가차없는[이]

bare·leg·ged [-légid, -légd] *a., ad.* 다리를 드러낸[내고], 양말을 신지 않은[않고]

⁑**bare·ly** [bέərli] *ad.* **1 간신히**, 겨우, 가까스로(⇨ hardly 유의어): ~ escape death 간신히 목숨을 건지다 / He is ~ of age. 그는 이제 막 성년이 되었다. **2** 거의 …않다(scarcely): He showed ~ any interest in it. 그는 그것에 거의 관심을 보이지 않았다. **3** 빈약하게, 불충분하게: a ~ furnished room 가구가 거의 없는 방 ***~ ... when***[***before***] …하자 곧: *B~* had the game started *when*[*before*] it began to rain. 경기가 시작되자 곧 비가 오기 시작했다.

bare·necked [bέərnékt] *a.* 목을 드러낸

bare·ness [bέərnis] *n.* Ⓤ 발가벗음, 노출; 노골; (토지의) 불모; (방 등의) 텅 빔

bare·sark [bέərsɑːrk] *n.* = BERSERKER
—*ad.* 갑옷 없이, 무장하지 않고

bár examinátion[**exám**] 변호사 시험

barf [bάːrf] 《미·속어》 *vi.* 토하다; 〈컴퓨터가〉 에러를 내다, 이상한 반응을 보이다 ***~ out*** 구역질이 나다[나도록 불쾌하다] —*n.* 구토; 하찮은[시시한] 것

bárf bàg (비행기 등에 비치된) 구토 봉지

bar·fly [bάːrflài] *n.* (*pl.* **-flies**) 《미·구어》 바[술집]의 단골손님; 술집에 죽치고 있는 술꾼

---

exposed, unclothed, undressed, stripped **2** 텅 빈 empty, vacant, unfurnished, unadorned, stark
barely *ad.* hardly, scarcely, just (opp. *fully*)

barf·y [bɑ́ːrfi] *a.* ⦅미·속어⦆ 기분 나쁜, 토할 것 같은

‡**bar·gain** [bɑ́ːrgən] [OF 「값을 깎다」의 뜻에서] *n.* **1** 싼 물건, 특가품, 특매품: ~*s* in furniture 가구의 특매품 ★ 「바겐세일」은 sale. **2** 매매 계약, 거래; 협정, 약속: (~+*to* do) The two camps made a ~ *to* cease fire. 양 진영은 정전 협정을 맺었다. // (~+*that* [절]) They made a ~ *that* they would not forsake each other. 그들은 서로를 저버리지 않기로 약속했다. **3** 계약이 끝난 물건 ***A ~'s a ~.*** 약속은 약속이다. ⦅지키지 않으면 안 된다.⦆ ***at a*** (***good***) ***~*** 싸게, 헐하게: buy *at a* (*good*) ~ 싸게 사다 ***bad*** [***losing***] ***~*** 비싸게 산 물건 ***beat*** [***bear***] ***a ~*** 값을 깎나 ***drive a*** (***hard***) ***~*** ⦅구어⦆ 유리한 조건으로 흥정[거래]하다, 흥정[거래]을 유리하게 추진하다 ⦅*for*⦆ ***good*** [***advantageous***] ***~*** 싸게 산 물건 ***into*** [***in***] ***the ~*** 게다가, 덤으로 ***make the best of a bad ~*** 역경에 잘 대처하다 ***no ~*** ⦅미·구어⦆ 마음에 들지 않는 사람, (결혼 적령기인데도) 매력 없는 사람 ***sell*** a person ***a*** …을 놀리다; 뜻밖의 대답으로 당황하게 하다 ***strike*** [***make***] ***a ~*** 매매 계약을 맺다, 흥정이 성립되다 ***That's*** [***It's***] ***a ~!*** ⦅구어⦆ 그것으로 결정이 났다!

—*a.* Ⓐ 헐값의, 값싼 물건의: a ~ day 특매일, 할인 판매일/a ~ counter 특매품 매장

—*vi.* **1** 흥정하다, 매매 교섭을 하다: (~+[전]+[명]) ~ *with* the producer *about* the price of the article 생산자와 상품의 가격에 대해서 흥정하다 **2** (매매의) 약속을 하다, 계약하다: (~+[전]+[명]) We ~*ed* *with* him *for* the use of the property. 우리는 그와 그 땅의 사용에 대해 계약했다. **3** (…의) 값을 깎다: (~+[전]+[명]) ~ *for* a car 자동차 값을 깎다

—*vt.* **1** (교섭으로) 약정하다, 계약하다: (~+***that*** [절]) He ~*ed* *that* he should not pay for the car till the next month. 그는 자동차 값을 다음 달까지 지불하지 않아도 괜찮도록 약정했다. **2** 예상하다; 보장하다: (~+(***that***) [절]) I ~ (*that*) he will be there on time. 나는 그가 제시간에 그곳에 꼭 올 거라고 보장한다. **3** (…의) 대가로 제공하다: (~+[목]+[전]+[명]) He ~*ed* his watch *for* a meal. 그는 식사의 대가로서 시계를 내놓았다. ***~ away*** 가격 흥정을 계속하다; 〈토지 등을〉 헐값에 팔아 버리다 ***~ for*** (1) [부정어 또는 more than과 함께] …을 기대하다, 예상하다 (expect): That's *more than* I ~*ed for*. 그것은 생각지도 못한 일이다. (2) ⇨ *vi.* 2 ***~ on*** ⦅구어⦆ …을 기대하다, 예상하다

bárgain and sále 〖법〗 토지 매매 계약 및 대금 지불

bárgain básement (백화점의) 지하 특매장

bar·gain-base·ment [-bèismənt], **bar·gain-count·er** [-kàuntər] *a.* 값싼, 헐값의

bar·gain·ee [bɑ̀ːrgəníː] *n.* 〖법〗 (bargain and sale에서의) 매수자

bar·gain·er [bɑ́ːrgənər] *n.* 거래 흥정인[교섭인]

bárgain hùnter 염가품을 찾아다니는 사람

bar·gain·ing [bɑ́ːrgəniŋ] *n.* Ⓤ 거래, 교섭: collective ~ 단체 교섭 —*a.* 단체 교섭의: a ~ agent 교섭 대표(권자) ⦅보통은 노동조합⦆

bárgaining chìp 유리한 협상 카드

bárgaining cóunter ⦅영⦆ (교섭에 있어서의) 강점

bárgaining posìtion (교섭·거래에서의) 입장, 처지

bárgaining pòwer 교섭력

bárgaining rìghts (단체) 교섭권

bárgaining ùnit 〖노동〗 교섭 단위

bar·gain·or [bɑ́ːrgənɔ̀ːr, -ər] *n.* 〖법〗 매도인

bar·gain·ous [bɑ́ːrgənəs] *a.* 바겐세일 수준의

***barge** [bɑ́ːrdʒ] *n.* **1** 바지(선) ⦅바닥이 편편한 짐배⦆, 거룻배 **2** (의식용 호화) 유람객선; 집배(houseboat) **3** 〖해군〗 (장관(將官) 전용의) 대형 모터보트

—*vt.* **1** 바지(선)으로 나르다 **2** ⦅구어⦆ 헤치면서 나아가다 **3** (범선 경기에서) 〈다른 배에〉 접근하다

—*vi.* **1** 느릿느릿 움직이다 **2** ⦅구어⦆ 난폭하게 부딪치다 ⦅*into*⦆ **3** 난입하다, 침입하다(intrude); 참견하다 ⦅*in, into*⦆: (~+[전]+[명]) He ~*d into* our conversation. 그는 우리 이야기에 억지로 끼어들었다. **4** (범선 경기에서) 다른 배에 가까워지다 ***~ about*** ⦅속어⦆ 난폭하게 뛰어다니다 ***~ against*** …에 부딪치다 ***~ in*** (방 등에) 무턱대고 들어가다, 난입하다; 참견하다 ***~ in on*** …에 쓸데없이 참견하다 ***~ into*** =BARGE IN ON; …에 부딪치다 ***~ one's way through*** (the crowd) (군중을) 밀어제치고 나아가다

barge·board [bɑ́ːrdʒbɔ̀ːrd] *n.* 〖건축〗 박공널

bárge còurse 〖건축〗 박공처마

barg·ee [bɑːrdʒíː] *n.* ⦅영⦆ =BARGEMAN ***swear like a ~*** 욕을 퍼붓다

bar·gel·lo [bɑːrdʒélou] *n.* (*pl.* **~s**) 〖재봉〗 바젤로 깁기 ⦅지그재그 모양을 이루게 하는 바느질⦆

barge·man [bɑ́ːrdʒmən] *n.* (*pl.* **-men** [-mən, -mèn]) ⦅미⦆ 바지[거룻배, 유람선]의 선장[선원]

bárge pòle 거룻배의 삿대 ***I wouldn't*** [***won't***] ***touch ... with a ~.*** (그런 것[사람]은) 딱 질색이다.

bar·ghest, -guest [bɑ́ːrgest] *n.* ⦅북잉글·스코⦆ 귀신 ⦅큰 개 모습으로 나타나 흉사를 예고한다는⦆

bár gìrl 바의 호스티스; 여자 바텐더; 바에 드나드는 매춘부

bár gràph 막대그래프(bar chart)

bar·hop [bɑ́ːrhɑ̀p | -hɔ̀p] *vi.* (**~ped**; **~·ping**) ⦅미·구어⦆ 여러 술집을 돌아다니며 마시다

—*n.* ⦅미·구어⦆ 바에서 주문 배달하는 호스티스

bar·i·a·tri·cian [bæ̀riətríʃən] *n.* 비만학자

bar·i·at·rics [bæ̀riǽtriks] *n. pl.* [단수 취급] 비만학 **bar·i·át·ric** *a.*

bar·ic[1] [bǽrik] *a.* 〖화학〗 바륨의, 바륨을 함유한

baric[2] *a.* =BAROMETRIC

ba·ril·la [bəríːə, -ríːljə | -rílə] *n.* Ⓤ **1** 〖식물〗 수송나물 ⦅명아줏과(科)⦆ **2** 〖화학〗 소다회(灰)

bár ìron 철봉(鐵棒)

bar·is·ta [bərí(ː)stə] [It.] *n.* 바리스타 ⦅카페에서 커피를 전문적으로 만들어 주는 사람⦆

barit. baritone

bar·ite [bέərait, bǽ-] *n.* Ⓤ 〖광물〗 중정석(重晶石)

bar·i·tone [bǽrətòun] 〖음악〗 *n.* **1** ⓊⒸ 바리톤 ⦅tenor와 bass의 중간 남성음; ⇨ bass[1] [관련]⦆; 바리톤 목소리 **2** 바리톤 가수; 바리톤 악기

—*a.* Ⓐ 바리톤의: a ~ voice 바리톤 목소리

bar·i·um [bέəriəm, bǽr-] *n.* Ⓤ 〖화학〗 바륨 ⦅금속 원소; 기호 Ba, 번호 56⦆; (X선 조영(造影)용) 황산바륨

bárium méal 〖의학〗 바륨 용액 ⦅조영용⦆

bárium peróxide[**dióxide**] 〖화학〗 과산화바륨

bárium súlfate 〖화학〗 황산바륨

bárium títanate 〖화학〗 티탄산바륨

‡**bark**[1] [bɑ́ːrk] *vi.* **1** 〈개·여우 등이〉 짖다: (~+[전]+[명]) The dog ~*ed at* the beggar. 개가 거지에게 짖어댔다.

> [유의어] **bark** 「개 등이 짖다」의 일반적인 말 **howl** 소리를 높여 길게 뽑으며 짖다 **whine** 낑낑거리다 **yelp, yap** 캥캥 짖어대다 **growl** 성내어 으르렁거리다 **snarl** 이빨을 드러내고 으르렁거리다 **bay** 사냥개가 짐승을 뒤쫓으며 짖어대다

2 짖는 듯한 소리를 내다; 〈총·대포가〉 꽝 울리다 **3** 크게 야단치다, 고함치다 ⦅*at*⦆ **4** ⦅미·구어⦆ (흥행장·상점 등에서) 호객하다 **5** ⦅미·구어⦆ 기침하다(cough)

—*vt.* 소리지르며 말하다[선전하다]: (~+[목]+[전]+[명]) He ~*ed* orders *into* the telephone for food. 그는 전화통에 대고 소리질러 먹을 것을 주문했다. // (~+[목]+[부]) He ~*ed out* his order. 그는 고함을 질러 명령했다. ***~ at*** [***against***] ***the moon*** 달 보고 짖다; 쓸데없이 떠들어 대다; 헛수고를 하다 ***~ away*** [***back***] 짖어서 쫓아 버리다 ***~ up the wrong tree*** ⦅구어⦆ 헛다리짚다, 엉뚱한 사람을 추적[공격]하다

—*n.* 짖는 소리; 기침 소리; 총성, 포성; 호통, 명령 ***give a ~*** 짖다 One***'s ~ is worse than his***

bite. 말은 거칠지만 본성은 그렇게 나쁘지 않다.

∗**bark**[2] [bɑ́:rk] *n.* Ⓤ **1** 나무껍질; 기나피(皮)(cinchona) **2** 탠 수피(tanbark) **3** 견과가 든 초콜릿 캔디 **4** 《방언·속어》 피부(skin) **5** 《미·속어》 돈
a man with the ~ on 《미·구어》 거칠고 촌스러운 사람 ***between the ~ and the wood*** 피차 손해 없이 ***stick in***[***to***] ***the ~*** 《미·구어》 깊이 개입하지 않다 ***talk the ~ off a tree*** 《미·구어》 심한 욕을 하다 ***tighter than the ~ on a tree*** 《미·구어》 지독히 인색한
— *vt.* 〈나무의〉 껍질을 벗기다; 나무껍질로 덮다[싸다]; 탠 수피로 무두질하다; …의 피부를 까다, 벗기다: ~ (*up*) one's shin 정강이를 까다 ▷ bárky *a.*

bark[3] [L 「작은 배」의 뜻에서; ⇨ embark] *n.* 〖항해〗 돛대가 셋 있는 범선; 《시어》 돛단배, 소형 범선

bárk bèetle 〖곤충〗 나무좀 《침엽수의 해충》

bar·keep(**·er**) [bɑ́:rkì:p(ər)] *n.* 《미》 바[술집]의 주인; 바텐더(bartender)

bar·ken·tine [bɑ́:rkəntì:n] *n.* = BARQUENTINE

bark·er[1] [bɑ́:rkər] *n.* **1** 짖는 동물; 고함치는 사람 **2** (상점·흥행장 등에서) 호객하는 사람 **3** 관광 가이드 **4** 《속어》 권총, 대포 **5** 《야구속어》 1루 코치

barker[2] *n.* 나무껍질을 벗기는 기계[사람, 동물]

Bárk·hau·sen effèct [bɑ́:rkhàuzən-] [독일의 물리학자 이름에서] 〖물리〗 바크하우젠 효과

bark·ing [bɑ́:rkiŋ] *a.* (잘) 짖는; 정신이 이상한: the ~ iron 《속어》 권총 **~ *mad*** 완전히 정신 나간
— *n.* Ⓤ 짖는 소리; 심한 기침; 《구어》 호통

bárking déer 〖동물〗 짖는사슴(muntjac)

bárking fróg 〖동물〗 짖는개구리

bárk trèe 〖식물〗 기나(幾那)나무(cinchona)

bark·y [bɑ́:rki] *a.* (**bark·i·er**; **-i·est**) 나무껍질로 덮인, 나무껍질 비슷한

‡**bar·ley** [bɑ́:rli] *n.* Ⓤ 〖식물〗 보리 《식물 및 그 열매》, 대맥(⇨ wheat 유의어): harvest ~ 보리를 거둬들이다

bar·ley·break, -brake [bɑ́:rlibrèik] *n.* Ⓤ 술래잡기의 일종 《영국의 옛날 놀이》

bar·ley-bree [-brì:], **-broo** [-brù:] *n.* 《스코》 맥아주, 위스키

bar·ley·corn [-kɔ̀:rn] *n.* 보리알; 보리 한 알의 길이 (1/3 인치) ***John B~*** 보리로 만든 술의 별명 《맥주·위스키의 의인화》

bárley mòw 보리 낟가리

bárley sùgar 보리엿 《보리를 달인 물에 설탕을 넣어 졸인 엿》

bárley wàter 보리 미음 《환자용》

bárley wìne 《영》 발리 와인 《도수 높은 맥주》

bár lìft (스키장의) 바 리프트

bár lìne 〖음악〗 (악보의) 세로줄[종선(縱線)]

bar·low [bɑ́:rlou] *n.* 《미》 큰 주머니칼(= **B~ knìfe**)

barm [bɑ́:rm] *n.* Ⓤ 효모(yeast); 맥아 발효주(酒)의 거품

bár màgnet 막대자석

bar·maid [bɑ́:rmèid] *n.* 술집 여자; 여자 바텐더

bar·man [-mən] *n.* (*pl.* **-men** [-mən]) 《영》 = BARTENDER

Bar·me·cid·al [bɑ̀:rməsáidl] *a.* 허울뿐인, 가공의

Barmecídal féast 겉치레만의 향응[친절]

Bar·me·cide [bɑ́:rməsàid] [진미라 하여 빈 그릇만 내놓았다는 *Arabian Nights*의 부자 이름에서] *n.* 허울뿐인 향연[친절]을 베푸는 사람 — *a.* = BARMECIDAL

bar mi(**t**)**z·vah** [bɑ:r-mítsvə] [Heb.] *n.* [종종 **B- M-**] 〖유대교〗 바르 미츠바 《13세 남자의 성인식》; 그 식을 하는 소년 — *vt.* 〈소년에게〉 성인식을 베풀다

barm·y [bɑ́:rmi] *a.* (**barm·i·er**; **-i·est**) 효모질의, 발효 중인; 거품이 이는; 《영·속어》 머리가 돈: go ~ 머리가 돌다

‡**barn**[1] [bɑ́:rn] [OE 「보리(barley)를 넣는 곳」의 뜻에서] *n.* **1** (농가의) **헛간**, 광; 헛간 같은 건물; 《미》 외양간 **2** 《미》 전차[버스] 차고(carbarn)
between you and I and the ~ 《미·구어》 비밀 이야기인데 ***born in the ~*** 본데없이 자란, 버릇없는 ***can't hit the side of a ~*** (***door***) 《미·구어》 표적이 아무리 커도 맞히지 못하다
— *vt.* 헛간에 넣다[저장하다] **~·like** *a.*

barn[2] *n.* 〖물리〗 반 《소립자 등의 충돌 과정의 단면적의 단위; $=10^{-24}cm^2$; 기호 b》

Bar·na·bas [bɑ́:rnəbəs], **-by** [-bi] *n.* **1** 남자 이름 《애칭 Barney》 **2** 〖성서〗 바나바 《요셉(Joseph)의 별칭; St. Paul의 친구》

Bárnaby brìght[**dày**] 성(聖)바나비 축일 《6월 11일, 낮이 가장 긴 날》

bar·na·cle[1] [bɑ́:rnəkl] *n.* **1** 〖패류〗 삿갓조개, 따개비 《만각류(蔓脚類)의 갑각 동물》 **2** (지위 등에) 집착하는 사람 **3** 〖조류〗 흑기러기(= **~ góose**) **-cled** *a.*

barnacle[2] *n.* **1** [보통 *pl.*] 코집게 《편자를 박을 때 말이 날뛰지 못하게 하는 기구》 **2** [*pl.*] 《영·구어》 안경

Bar·nard [bɑ́:rnərd] *n.* 남자 이름

Bar·nar·do's [bərnɑ́:rdouz] *n.* 영국의 장애 아동 구호 단체

barn·burn·er [bɑ́:rnbə̀:rnər] *n.* 《미》 **1** 《구어》 이목을 끄는 것, 흥분시키는 것, 센세이션 **2** [**B-**] 과격파

bárn dànce 《미》 square dance식의 사교춤 《원래 광에서 추었음》; 시골 댄스 파티

bárn dóor 광문 《수확물을 싣고 마차가 들어갈 정도로 큼》; 대문짝만한 과녁 (***as***) ***big as a ~*** 〈과녁 등이〉 매우 큰 ***cannot hit a ~*** 사격이 서투르다

bárn-dóor fòwl [bɑ́:rndɔ́:r-] 가금, 《특히》 닭

bárn-dóor skàte 〖어류〗 대서양산(産) 적갈색의 대형 홍어

Bárnes & Nóble [bɑ́:rnz-] 반즈 엔드 노블 《미국의 대형 서점 체인; 略 B&N》

bar·net [bɑ́:rnit] *n.* 《영·구어》 머리, 머리털

bar·ney [bɑ́:rni] *n.* (*pl.* **~s**) 《구어》 시끄러운 싸움[언쟁]; 짜고 하는 권투 시합; 사기; 실수

Bar·ney [bɑ́:rni] *n.* 남자 이름 《Bernard의 애칭》

bárn òwl 〖조류〗 가면올빼미

bárn ràising 헛간 준공식 《이웃 사람들에게 베푸는 파티》

Barns·ley [bɑ́:rnzli] *n.* 반즐리 《잉글랜드 South Yorkshire 주의 주도; 공업 도시》

barn·storm [bɑ́:rnstɔ̀:rm] *vi.* 지방 유세[순회공연]를 하다; (지방에서) 곡예 비행을 하다 — *vt.* …을 여행하다[돌아다니다] **~·er** *n.* 지방 유세자, 지방 순회극단; 엉터리 배우; 곡예 비행가

barn·storm·ing [bɑ́:rnstɔ̀:rmiŋ] *a.* Ⓐ 〈공연·경기 등이〉 활기 넘치는, 아주 재미있는

bárn swàllow 《미》 〖조류〗 제비

∗**barn·yard** [bɑ́:rnjɑ̀:rd] *n.* **헛간 앞마당**; 농가의 마당
— *a.* Ⓐ 헛간 앞마당의; 야비한, 천한 〈말〉

bárnyard fówl 닭

bárnyard gólf 《미·구어》 편자 던지기 놀이

bárnyard gràss 〖식물〗 돌피 《잡초》

baro- [bǽrou, -rə] ⇨ BAR-

bar·o·co·co [bæ̀rəkóukou] *a.* 바로크와 로코코 절충 양식의, 더없이 정교한[장식적인]

bar·o·cy·clon·om·e·ter [bæ̀rousàiklounɑ́mətər | -nɔ́m-] *n.* 〖기상〗 열대 저기압계, 구풍계(颶風計)

baro·dy·nam·ics [bæ̀roudainǽmiks] *n. pl.* [단수 취급] 중량 역학

bar·o·gram [bǽrəgræ̀m] *n.* 〖기상〗 (barograph로 측정한) 기압 기록

bar·o·graph [bǽrəgræ̀f, -grɑ̀:f] *n.* 자기(自記) 기압계 **bàr·o·gráph·ic** *a.*

ba·rol·o·gy [bərɑ́lədʒi | -rɔ́-] *n.* Ⓤ 중량학

‡**ba·rom·e·ter** [bərɑ́mətər | -rɔ́-] *n.* **1 기압계**, 청우계, 바로미터 **2** (여론 등의) 지표; 변화의 징후: a ~ stock 〖증권〗 표준주 ▷ barométric *a.*

bar·o·met·ric, -ri·cal [bæ̀rəmétrik(əl)] *a.* 기압(계)의: *barometric* maximum[minimum] 고[저]기압 **-ri·cal·ly** *ad.* 기압상, 기압계로

barométric depréssion 〖기상〗 저기압
barométric grádient 〖기상〗 기압 경도(傾度)
barométric préssure 〖기상〗 기압
ba·rom·e·try [bərɑ́mətri | -rɔ́-] *n.* Ⓤ 기압 측정법
*__bar·on__ [bǽrən] *n.* **1** 남작 《NOBILITY의 제5 계급》 ★ 성과 함께 쓸 때 영국인의 경우에는 *Lord* A, 외국인의 경우에는 *Baron* A라고 함. **2** 외국 귀족 **3** 〖역사〗 (왕으로부터 영지를 받은) 봉신(封臣), (지방) 호족 **4** [보통 복합어를 이루어] 《미·구어》 호상(豪商), …왕 : a mine[an oil] ~ 광산[석유]왕 *~ of beef*[*lamb*] 소[양]의 양쪽 허리 고기
bar·on·age [bǽrənidʒ] *n.* **1** Ⓤ [집합적] 남작 ; 귀족 (계급) **2** Ⓤ 남작의 지위[칭호, 영지] **3** 남작 명부
*__bar·on·ess__ [bǽrənis] *n.* 남작 부인 ; 여남작 ★ 성과 같이 쓸 때 영국인은 *Lady* A, 외국인은 *Baroness* A.
*__bar·on·et__ [bǽrənit, bæ̀rənét] *n.* 준남작(cf. GENTRY) ★ 영국의 최하급 세습 위계 ; baron의 아래이며 knight의 위이나 귀족은 아님. 쓸 때는 *Sir* John Smith, *Bart.*처럼 (knight와 구별하기 위하여) Bart.를 덧붙임 ; 부를 때는 *Sir* John ; 그 부인은 *Dame* Jane Smith임. 《부를 때는 *Lady* Smith.》
— *vt.* 준남작에 서작하다
bar·on·et·age [bǽrənitidʒ, -nè-] *n.* **1** [집합적] 준남작 **2** 준남작의 지위 **3** 준남작 명부
bar·on·et·cy [bǽrənitsi, -nèt-] *n.* (*pl.* **-cies**) ⒸⓊ 준남작의 작위
ba·rong [bɑːrɔ́ːŋ, -rɑ́ŋ, bə- | bærɔ́ŋ] *n.* (필리핀 Moro 족이 쓰는) 폭이 넓은 칼
ba·ro·ni·al [bəróuniəl] *a.* Ⓐ 남작 (영지(領地))의 ; 귀족풍의, 당당한
bar·o·ny [bǽrəni] *n.* (*pl.* **-nies**) **1** 남작의 영지 **2** 남작의 작위 **3** 재벌, …왕국 **4** 《아일》 군(郡) ; 《스코》 대장원(大莊園)
*__ba·roque__ [bəróuk, -rɑ́k | -rɔ́k, -róuk] [이 양식의 창시자인 이탈리아 화가 Barocci에서] *a.* **1** 〖건축·미술·음악〗 바로크 양식의 **2** 〈취미 등이〉 세련된, 복잡하고 화려한 ; 〈문체가〉 지나치게 장식적인 **3** 〈진주가〉 완전 원형이 아닌
— *n.* [the ~] **1** 〖건축·미술·음악〗 바로크 양식 **2** 바로크 양식의 작품 **3** 별스러운 취미 **4** 완전 원형이 아닌 진주 **~·ly** *ad.*
bar·o·re·cep·tor [bæ̀rouriséptər] *n.* 〖해부〗 압수용기(壓受容器) 《혈관벽 등에 있으며 압력 변화를 감지하는 지각 신경 종말》
bar·o·scope [bǽrəskòup] *n.* 기압계
bar·o·stat [bǽroustæ̀t] *n.* 바로스탯 《항공기 안의 압력을 일정하게 유지하는 장치》
bar·o·tol·er·ance [bæ̀routɑ́lərəns | -tɔ́-] *n.* 〖공학〗 압력 내성(壓力耐性)
bar·o·trau·ma [bæ̀rətrɔ́ːmə, -trɔ́-] *n.* (*pl.* **-ma·ta**) 〖의학〗 기압[압력] 장애
ba·rot·ro·py [bərɑ́trəpi | -rɔ́t-] *n.* Ⓤ 〖기상〗 순압
ba·rouche [bərúːʃ] *n.* 4인승 4륜 포장마차
bár pàrlour 《영》 술집의 특별 응접[휴게]실
bár pìn 가느다란 장식 핀 《브로치의 일종》
barque [bɑ́ːrk] *n.* = BARK[3]
bar·quen·tine [bɑ́ːrkəntìːn] *n.* 〖선박〗 바컨틴 《돛대가 셋 있는 범선》
Barr. Barrister
*__bar·rack__[1] [bǽrək] [It. 「목조 오두막집」의 뜻에서] *n.* [보통 *pl.* ; 단수·복수 취급] **1** 막사, 병영 **2** 판잣집 ; 크고 엉성한 건물
— *vt.* 막사에 수용하다
— *vi.* 막사 생활을 하다
barrack[2] (호주·영) *vt.* 〈선수 등을〉 야유하다 ; 성원하다 — *vi.* 야유하다 《*at*》 ; 성원하다 《*for*》 **~·er** *n.*
bárracks bàg (군인의) 의복 부대, 잡낭
bárrack squàre (막사 근처의) 연병장
bar·ra·coon [bæ̀rəkúːn] *n.* 노예[죄수] 수용소
bar·ra·cou·ta [bæ̀rəkúːtə], **-cu·da** [-kúːdə] *n.* (*pl.* **~, ~s**) 〖어류〗 창꼬치류(類)

bar·rage [bərɑ́ːʒ | bǽrɑːʒ] *n.* **1** 연발 사격 ; 〖군사〗 탄막(彈幕) **2** (타격·질문 등의) 연속, 집중 포화, 빗발침 : a ~ of questions 빗발치는 질문, 질문 공세 **3** [bɑ́ːridʒ] 〖토목〗 둑 막기 ; 둑, 댐 — *vt.* …에 탄막 포화를 퍼붓다 ; (질문 등으로) 공격하다 《*with*》
barráge ballòon 방공(防空)[조색(阻塞)] 기구
barráge fire 〖군사〗 탄막 사격, 집중 포격
bar·ra·mun·da [bæ̀rəmʌ́ndə], **-di** [-di] *n.* (*pl.* ~(**s**)) 〖어류〗 폐어(肺魚) 《오스트레일리아산(産)의 담수어로 식용》
bar·ran·ca [bərǽŋkə] [Sp.] *n.* (*pl.* **~s**) 《미》 협곡
bar·ra·tor, -ter [bǽrətər] *n.* 〖법〗 소송 교사자(教唆者) ; 부정 선장[선원] ; 불화를 일으키는 사람
bar·ra·trous [bǽrətrəs] *a.* 소송 교사의 ; 부정한 ; 태만한 **~·ly** *ad.*
bar·ra·try, -re- [bǽrətri] *n.* (*pl.* **-tries**) ⓊⒸ 〖법〗 (판사의) 수회(收賄)죄 ; (선주 또는 하주에 대한) 선장[선원]의 불법 행위 ; 소송 교사죄
Bárr bòdy [bɑ́ːr-] [발견자인 캐나다 해부학자 이름에서] 〖유전〗 바 소체(小體)(sex chromatin) 《암컷에 있는 성염색체》
barre [bɑ́ːr] *n.* 〖발레〗 = BAR[1] 5
barred [bɑ́ːrd] *a.* **1** 빗장을 지른 **2** 가로줄(무늬)가 있는 《*with*》 ; 〈우표가〉 소인이 찍힌 : The sky was ~ *with* black clouds. 하늘에는 먹구름들이 쭉쭉 뻗쳐 있었다. **3** 모래톱이 있는
bárred ówl 〖조류〗 아메리카올빼미
bárred spíral gálaxy 〖천문〗 빗장 나선 은하
⁑__bar·rel__ [bǽrəl] *n.* **1** (중배가 불룩한) 통

barrel 1

> 유의어 **barrel** (중배 부른) 통 **cask** 특히 주류를 넣는 큰 통 **keg** 작은 통

2 한 통, 1배럴(의 양) 《略 bbl., bl.》 ★ 영국에서는 36 gallons, 미국에서는 31.5 gallons ; 석유의 경우는 42 미국 gallons, 35 영국 gallons. **3** [종종 *pl.*] 《미·구어》 다량(lot) 《*of*》 : *~s of* money 많은 돈 / have a ~ *of* fun 굉장히 재미있다 **4** (기계의) 원통, 동부(胴部) ; (시계의) 태엽통 ; (펌프의) 통(筒) ; (만년필의) 잉크집 ; (귀의) 고실(鼓室) **5** 총신, 포신 **6** 〖자동차〗 **a** 배럴 《카뷰레터의 구성 부품》 **b** 《미·속어》 (엔진의) 실린더 **7** (소·말의) 몸통 ; (깃의) 깃대 **8** 〖항해〗 캡스턴(capstan)의 동부(胴部) **9** 《미·속어》 선거 자금
be in the ~ 《속어》 빈털터리이다 ***have***[***get***] a person ***over a***[***the***] ***~*** 《구어》 …을 좌지우지하다, …에게 선택의 여지를 주지 않다 ***on the ~*** 현금으로 ***over a***[***the***] ***~*** 《구어》 궁지에 빠져, 꼼짝못하여 ***scrape*** (***the bottom of***) ***the ~*** 《구어》 최후의 수단을 사용하다 ; 남은 것을 쓰다[그러모으다]
— *v.* (**~ed** ; **~·ing** | **~led** ; **~·ling**) *vt.* **1** 통에 넣다 [채우다] **2** 《미·구어》 〈자동차를〉 질주시키다
— *vi.* 《미·구어》 〈자동차가〉 질주하다 : 《~+전+명》 The dump truck *~ed down*[*along*] the highway. 덤프트럭이 고속도로를 질주하였다.
bar·rel·age [bǽrəlidʒ] *n.* Ⓤ 통의 용량
bar·rel-bulk [bǽrəlbʌ̀lk] *n.* 5세제곱 피트의 용적 《1/8톤》
bárrel chàir (등받이가 통 모양의) 안락의자
bar·rel-chest·ed [-tʃèstid] *a.* 가슴이 두툼한
bar·reled | **-relled** [bǽrəld] *a.* **1** 통에 넣은 ; 원통형의 **2** [보통 복합어를 이루어] **a** 총신이 …인 : a dou-

thesaurus **barren** *a.* **1** 불모의 infertile, unproductive, uncultivable, unfruitful, arid, desert, waste, desolate **2** 임신 못하는 infertile, sterile, childless **3** 재미없는 uninteresting, boring

ble-~ gun 쌍발총 **b** 몸통이 …인: a well-~ horse 동체가 잘 발달한 말

bárrel èngine 〖기계〗 원통형[배렬] 엔진

bar·rel·ful [bǽrəlfùl] *n.* (*pl.* **~s**) 한 통(의 양); 대량, 많음

bar·rel·head [-hèd] *n.* 통의 뚜껑[바닥]
on the ~ 현찰로, 현금으로

bar·rel·house [-hàus] *n.* (*pl.* **-hous·es** [-hàuziz]) **1** 《미·속어》 싸구려 술집 **2** 초기의 소란한 재즈(=**~ jàzz**)

bárrel òrgan 손잡이를 돌리는 휴대용 풍금(hand organ)

bárrel ròll 〖항공〗 연속 횡전(橫轉), 통돌이

bárrel ròof 〖건축〗 반원통형 지붕

bárrel vàult 〖건축〗 반원통형 둥근 천장

⁑**bar·ren** [bǽrən] *a.* **1** 〈토지가〉 **불모의,** 메마른 **2** 임신 못하는; 열매[씨]를 맺지 않는: a ~ flower 수술[씨방]이 없는 꽃/a ~ stamen 꽃가루가 생기지 않는 수술 **3** 내용이 보잘것없는, 재미없는, 시시한; 초라한; 무력한, 어리석은 **4** 빈약한, …이 없는 《*of*》
—*n.* [*pl.*] 메마른 땅, 불모지, (특히 북미의) 황야
~·ly *ad.* **~·ness** *n.*

Bárren Gróunds[Lánds] 캐나다 북부의 툰드라 지대 《특히 허드슨 만의 서쪽 지역》

bar·ren·wort [bǽrənwə̀ːrt, -wɔ̀ːrt] *n.* 〖식물〗 삼지구엽초(三枝九葉草)

bar·ret [bǽrit] *n.* (베레모 비슷한) 납작한 모자(=**~ càp**)

bar·rette [bərét] [F] *n.* 《미》 여자용 머리핀

bar·ret·ter [bǽretər, bərét-] *n.* 〖전기〗 배레터 《고주파 전류 검파기의 일종》

bar·ri·a·da [bɑ̀riɑ́ːdə, bæ̀r-] [Sp.] *n.* (도시의) 지구, (특히 지방 출신자가 모여 사는) 빈민가

⁎**bar·ri·cade** [bǽrəkèid, ﹅-﹅] [F 「통(barrel)」의 뜻에서] *n.* **1** UC **바리케이드,** 방색(防塞); 장애(물) **2** [*pl.*] 논쟁[투쟁]의 장(場)
—*vt.* …에 바리케이드를 쌓다[치다], 방책으로 막다: (~+목+전+명) The radicals *~d* the road *with* desks and chairs. 과격파들은 책상과 의자로 길에 바리케이드를 쳤다.

Bar·rie [bǽri] *n.* 배리 **Sir James Matthew ~** (1860-1937) 《스코틀랜드 태생의 영국 단편 소설가·극작가; 대표작 *Peter Pan*》

⁑**bar·ri·er** [bǽriər] [OF 「장애물」의 뜻에서; bar[1]와 같은 어원] *n.* **1 방벽,** 방책, 국경의 요새, 관문; (역의) 개찰구; (경마의) 출발구; [*pl.*] 〖역사〗 (시합장의) 말뚝 울타리 **2 장애,** 장벽: tariff *~s* 관세 장벽/a ~ *to* progress 진보를 가로막는 것 **3** (지리적) 경계(선) **4** 〖지리〗 보빙(堡氷) 《바다까지 이르는 남극의 내륙 빙하》 **5** =BARRIER BEACH ***put a ~ between*** …의 사이를 갈라놓다
—*vt.* 울타리로 둘러싸다 《*off, in*》

bárrier bèach 연안 사주(砂洲), 제주(堤洲)

bárrier crèam (손이 트지 않게 바르는) 보호 크림

bárrier ísland 보초도(堡礁島) 《방파제 구실을 함》

bárrier mèthod 〖의학〗 차단식 피임법 《콘돔·페서리 등을 쓰는 방법》

bárrier rèef 보초(堡礁) 《해안의》; [**B- R-**] = GREAT BARRIER REEF

bar·ring [bɑ́ːriŋ] *prep.* …이 없으면; …을 제외하고는: ~ accidents 사고만 없으면

bar·ri·o [bɑ́ːriòu, bǽr-] *n.* (*pl.* **~s**) (미국의) 스페인어 통용 지역; (스페인어권 도시의) 한 구획

⁎**bar·ris·ter** [bǽrəstər] *n.* 《영》 **법정 변호사** 《상급법원에서 변호할 자격이 있음》(=**~-at-láw**)(⇨ lawyer 유의어); 《미·구어》 《일반적으로》 변호사(lawyer)
~·shìp *n.*

---

barrier *n.* **1 방벽** barricade, bar, fence, obstacle, blockade **2 장벽** obstacle, hindrance, impediment
barter *v.* trade, trade off, exchange **—*n.*** trading, exchange, swapping, bargaining

---

bar·room [bɑ́ːrrù(ː)m] *n.* (호텔 등의) 바, 술집

bar·row[1] [bǽrou] *n.* =HANDBARROW; =WHEELBARROW; 《영》 행상인의 2륜 손수레; =BARROWFUL

barrow[2] *n.* **1** 〖고고학〗 무덤; 고분 **2** 짐승의 굴(burrow) **3** 《영》 (지명에서) …언덕

barrow[3] *n.* 거세한 수퇘지

Bar·row [bǽrou] *n.* **Point ~** 배로 곶 《알래스카의 최북단》

bar·row-boy [bǽroubɔ̀i] *n.* 《영》 =COSTERMONGER

bar·row·ful [bǽroufùl] *n.* 손수레 한 대(의 짐)

bárrow pìt 《미서부》 도로변의 배수구(溝)

bár sínister BEND SINISTER의 오용(誤用)

bár snàck 《영》 바 스낵 《술집의 간단한 식사; 샌드위치·샐러드·파이 등》

bar·stool [bɑ́ːrstùːl] *n.* (술집의) 높고 둥근 걸상

BART [bɑ́ːrt] [*B*ay *A*rea *R*apid *T*ransit] *n.* 바트 《미국 San Francisco 시의 고속 통근 철도》

Bart. Baronet

bár tàck 보강을 위한 스티치(stitch)의 일종 《의복의 재봉 마무리나 주머니 입구에 사용》

bar·tend [bɑ́ːrtènd] *vi.* 바텐더 일을 하다

bar·tend·er [bɑ́ːrtèndər] *n.* 《미》 (술집의) 바텐더 (《영》 barman)

⁎**bar·ter** [bɑ́ːrtər] *vi.* **물물 교환하다,** (물물) 교역하다 《*with*》: (~+전+명) We *~ed with* the islanders. 우리들은 그 섬 주민들과 물물 교환을 했다.
—*vt.* **1** 〈물건을〉 **교환하다,** 교역하다 《*for*》: (~+목+전+명) ~ furs *for* powder 모피를 화약과 교환하다 **2** 헐하게 팔아 버리다; (이익을 탐하여) 〈자유·지위 등을〉 팔다 《*away*》: (~+목+부) He *~ed away* his position[freedom]. 욕심에 눈이 어두워 그는 지위[자유]를 팔았다.
—*n.* U **물물 교환;** C 교역품 ***exchange and ~*** 물물 교환 **~·er** *n.* 물물교환자

bárter ecònomy 교환 경제

bárter sỳstem [the ~] 바터제, 구상(求償) 무역

bárter tràding (물물) 교환 거래

Barth [bɑ́ːrt, bɑ́ːrθ] *n.* 바르트 **Karl ~** (1886-1968) 《스위스의 개신교 신학자; 변증법 신학의 창시자》

Barth·i·an [bɑ́ːrtiən, bɑ́ːrθi-] *a.* Karl Barth의, 바르트 신학의 **—*n.*** 바르트 신학자

Bar·thol·di [bɑːrθɑ́ldi, -tɑ́l-|-θɔ́l-, -tɔ́l-] *n.* 바르톨디 **Frédéric Auguste ~** (1834-1904) 《프랑스의 조각가; 뉴욕의 자유의 여신상 제작자》

Bar·thó·lin's glànd [bɑːrtóulinz-, bɑ́ːrtəlinz-] [덴마크의 해부학자 이름에서] 〖해부〗 바르톨린선 《질전정(膣前庭)에 있는 점액선》

Bar·thol·o·mew [bɑːrθɑ́ləmjùː] *n.* **1** 남자 이름 **2** 성(聖) 바르톨로뮤 《그리스도의 12사도 중의 한 사람》: ~ Fair 성 바르톨로뮤 축일에 열리는 장
St. ~'s Day 성 바르톨로뮤 축일 《8월 24일》 ***the Massacre of St. ~*** 성 바르톨로뮤의 학살 《1572년 성 바르톨로뮤 축일에 시작된 파리의 신교도 대학살》

bar·ti·zan [bɑ́ːrtəzn, bɑ̀ːrtəzǽn] *n.* 〖건축〗 (성벽·탑 등의) 망대, 망루

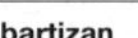
bartizan

Bart·lett [bɑ́ːrtlit] *n.* 바틀릿 종(種)의 배 《열매가 크고 황색》 (=**~ péar**)

Bar·tók [bɑ́ːrtɑk, -tɔːk|-tɔk] *n.* 바르토크 **Béla ~** (1881-1945) 《헝가리의 작곡가》

bar·ton [bɑ́ːrtn] *n.* 《영·방언》 농가의 안마당; 헛간

Bart's [bɑ́ːrts] *n.* 《영·구어》 (런던의) 성 바르톨로뮤 병원(St. Bartholomew's Hospital)

Bar·uch [bέərək|bɑ́ːruk] *n.* 〖성서〗 바루크 《예언자 예레미야의 제자》; 바루크서(書) 《구약 외경(外經)》

bar·ware [bɑ́ːrwὲər] *n.* (주점·바의) 기물[비품]

bary- [bǽri] 《연결형》「무거운, 중(重)(heavy)」의 뜻
bar·y·cen·ter [bǽrisèntər] *n.* 〖물리·수학〗 무게중심 **bàr·y·cén·tric** *a.*
bar·ye [bǽri] *n.* 〖물리〗 배리, 바라이 《압력의 cgs 단위; 1 microbar에 해당》
bar·y·on [bǽriɑ̀n | -ɔ̀n] *n.* 〖물리〗 바리온, 중(重)입자 《무거운 소립자의 일종》
Ba·rysh·ni·kov [bəríʃnikɔ̀:f, -kɑ̀f | -kɔ̀:f] *n.* 바리슈니코프 **Mikhail ~** (1948-) 《라트비아 태생의 미국 무용가》
bar·y·sphere [bǽrisfìər] *n.* 〖지학〗 중권(重圈)
ba·ry·ta [bəráitə] *n.* Ⓤ 〖화학〗 중토(重土), 바리타 《산화 바륨》
barýta pàper 〖사진〗 바리타지(紙) 《인화지 등에 씀》
bar·yte [bέərait], **ba·ry·tes** [bəráiti:z] *n.* Ⓤ 〖광물〗 중정석(barite)
ba·ryt·ic [bərítik] *a.* 중토(重土)(질)의
bar·y·ton [bǽrətɑ̀n | -tɔ̀n] *n.* (*pl.* **~s** [-z], ~) 바리톤 《18세기의 현악기; 6현 외에 공명현이 있음》
bar·y·tone[1] [bǽrətòun] *n.*, *a.* = BARITONE
barytone[2] *a.*, *n.* (고대 그리스 문법에서) 마지막 음절에 악센트가 없는 (말)
BAS Bachelor of Agricultural Science; Bachelor of Applied Science
ba·sal [béisəl, -zəl | -səl] *a.* 바닥[기초, 근본]의 **~·ly** *ad.* 기부(基部)에 ▷ base[1] *n.*
básal anesthésia 〖의학〗 기초 마취
básal bòdy 〖생물〗 기저 소체 《편모·섬모 세포의》
básal cèll 〖생물〗 기저 세포
básal cèll carcinóma 〖의학〗 기저 세포암
básal gánglion 〖해부〗 뇌저[기저] 신경절, 기저핵
básal metabólic ráte 〖생리〗 기초 대사율 《略 BMR》
básal metábolism 〖생리〗 기초 대사 《略 BM》
ba·salt [bəsɔ́:lt, bǽsɔ:lt | bǽsɔ:lt] *n.* Ⓤ 현무암; 흑색 석기(炻器)(basaltware)
ba·sal·tic [bəsɔ́:ltik] *a.* 현무암의
ba·salt·i·form [bəsɔ́:ltəfɔ̀:rm] *a.* 현무암 모양의
ba·salt·ware [bəsɔ́:ltwὲər, bǽsɔ:lt-] *n.* 석기(炻器)의 일종 《영국 도예가 J. Wedgwood가 개량한, 현무암 느낌을 주는 흑색 석기》
bas·an [bǽzən] *n.* 무두질한 가죽
bas·a·nite [bǽsənàit, bǽzə-] *n.* Ⓤ 〖암석〗 (주로 사장석·감람석·휘석으로 된) 현무암
bas bleu [bɑ́:-blə́:] [F] 여류 문인[학자](bluestocking), 인텔리 여성
bas·cule [bǽskju:l] *n.* 〖토목〗 도개(跳開) 구조
báscule brìdge 도개교(跳開橋)
‡**base**[1] [béis] [L 「토대」의 뜻에서; basis와 같은 어원] *n.* (*pl.* **bas·es** [béisiz]) **1 토대**, 기부(基部), 기저(基底), 바닥; 기슭(foot); 기반: the ~ of a column 원주의 기부 / the nation's industrial ~ 그 나라의 산업 기반

> 유의어 **base** 글자 그대로 「물건을 받치는 토대」의 뜻으로 **basis**는 보통 비유적인 뜻으로 쓰인다.

2 (이론·조직·제도 따위의) **기초**, 근거 **3** (화장 등의) 밑바탕; (도장 등의) 초벌칠 **4** 〖건축〗 **a** (원기둥·벽기둥 등의) 기반 부분 **b** (기념비·외벽 등의) 토대 **5** 주성분, 주재료: paint with a lead ~ 납을 주성분으로 한 도료 **6** 〖경기〗 출발점[선]; 〖야구〗 베이스, 누(壘): third ~ 3루 / a three ~ hit 3루타 **7** 〖군사〗 **기지**: a ~ of operation 작전 기지 **8** 〖화학〗 염기; 〖의학〗 주약(主藥); 〖염색〗 변색 방지약; 〖수학〗 기선(基線), 기수; 밑변, 밑면; 〖동물·식물〗 기부(基部); 〖언어〗 어간 **9** 〖측량〗 기준선(baseline) **10** 〖사진〗 필름 베이스 **11** 방패무늬 문장(紋章)의 하부
at ~ 기초로서, 기본적으로(basically) ***at the ~ of*** …의 근저[밑바닥]에 ***~ on balls*** 〖야구〗 4구 출루; 포볼 《walk, pass라고도 함》 ***change one's ~*** (미·속어) 도망가다 ***cover (all) the ~s*** (미) 만반의 준비를 하다 ***get to [make, reach, take] first ~*** ⇨ first base. ***load [fill] the ~s*** 〖야구〗 만루로 만들다 ***off ~*** 〖야구〗 누를 떠나; (구어) 전혀 엉뚱하게; 불시에: be caught *off* ~ 기습을 당하다 ***on ~*** 〖야구〗 출루하여: get *on* ~ 출루하다 ***touch all the ~s*** (미) 만사에 빈틈없게[철저히] 하다 ***touch ~*** …와 연락을 취하다, 접촉을 계속하다 《*with*》
—*a.* 기부의, 기초가 되는; 기본적인: a ~ angle 밑각 / a ~ line 밑변
—*vt.* **1** …의 **기초를 두다**; 기초로 하다 《*on*》 **2** 〈경험·사실 등을〉 (…에) 바탕을 두다, (…에) …의 논거를 두다 《*on, upon*》: (~+목+전+명) This is ~*d on* the same principle. 이것은 같은 원리에 바탕을 두고 있다. / an economy ~*d on* farming 농업 기반 경제 **3** (…에) …의 기지[본거지]를 두다 《*in, at*》
~ one*self on* …을 근거로 하다, …에 입각하다
—*vi.* 의거하다; 기지를 두다
▷ básal, básic *a.*
‡**base**[2] [béis] [F 「낮은」의 뜻에서; bass[1]와 같은 어원] *a.* **1** (문어) **천한**, 비열한, 치사한(opp. *noble*): a ~ action 비열한 행동 **2** 〈화폐가〉 위조의; 〈금속이〉 열위(劣位)의, 열등한(opp. *precious*): ~ coins 악화(惡貨), 가짜 동전 **3** 〖언어〗 순수하지 못한, 속된(opp. *classical*): ~ Latin 통속 라틴어
—*n.* (폐어) 〖음악〗 = BASS[1]
báse àddress 〖컴퓨터〗 기준 번지 《이것에 상대 번지를 가하면 절대 번지를 얻을 수 있음》
‡**base·ball** [béisbɔ̀:l] *n.* **1** Ⓤ **야구**: a ~ cap [glove] 야구 모자[글러브] / a ~ game[park] 야구 경기[장] / play ~ 야구를 하다 **2** Ⓒ 야구공 ***the B~ Hall of Fame*** ⇨ Hall of Fame
관련 [수비측] battery(배터리) 《pitcher와 catcher》, infielder(내야수), outfielder(외야수), tag(태그) 《touch라고 하지 않음》 / [공격측] hitter 또는 batter (타자), hit 또는 safety(안타), single(단타), double (2루타), triple(3루타), homer 또는 home run(홈런), inside-the-park homer(펜스를 넘지 않는 홈런), grounder(땅볼), stolen base 또는 theft(도루), walk 또는 base on balls(4구) 《four balls라고 하지 않음》, hit by a pitch(몸에 맞는 공) 《dead ball이라고 하지 않음》
NOTE 야구는 미국의 국민 스포츠로서, the Major Leagues는 the American League(14개 팀)와 the National League(16개 팀)로 크게 양분되어 있다. 3월 말에서 4월 초에 공식 경기가 시작되고 10월에 양 리그의 champion team이 각각 결정되고, 이들 champion team끼리 최후의 결전을 벌이는 것이 World Series이다. 그 아래에 minor leagues가 있는데 등급이 위에서부터 3A(AAA), 2A(AA), 1A(A), rookie league로 나누어진다.
~·er, ~·ist *n.* (미) 야구 선수 **~·ìsm** *n.* (미) 야구 용어
báseball Ánnie (미·속어) 젊은 여성 야구팬
báseball càrd 야구 카드 《겉면에는 선수의 사진, 뒷면에는 그 기록 등이 인쇄되어 있음》
base·band [béisbæ̀nd] *n.* 〖통신〗 베이스밴드, 기저대(基底帶) 《데이터 통신에서 반송파를 변조하는 신호의 주파수 대역(帶域)》 **—*a.*** 베이스밴드 (전송) 방식의
báseband (transmíssion) sýstem 〖통신〗 기저대[베이스밴드] (전송) 방식 《원(原) 디지털 신호를 변조시키지 않고 데이터를 전송하는 방식》
base·board [béisbɔ̀:rd] *n.* (미) 〖건축〗 굽도리 널 ((영) skirting board)
base·born [-bɔ̀:rn] *a.* 태생이 천한, 서출의; (천성이) 상스러운, 야비한
báse búrner 기부(基部) 연소 난로 《기부 연료가 소

thesaurus **base**[1] *n.* **1 토대** foundation, support, stand, pedestal, bottom, bed **2 주성분** basis, core, essence, component, fundamental, principle **3 기지** headquarters, camp, site, post

진되면 자동 공급됨》
báse càmp (등산 따위의) 베이스캠프
base·coat [-kòut] *n.* (페인트 등의) 밑칠
báse compónent (변형 문법에서의) 기저(基底) 부분
báse còurse 〖건축〗 (돌·벽돌의) 기초 쌓기; (도로의) 노반(路盤); 〖항해〗 직선 코스
base-court [-kɔ̀ːrt] *n.* 성의 바깥 마당; 농가의 뒤뜰; 《영》 하급 재판소
-based [bèist] 《연결형》「근거가 있는; …에 기지[기반]를 둔」의 뜻
Bá·se·dow's disèase [bɑ́ːzədòuz-] [독일의 의사 이름에서] 바제도병《갑상선 질환》
báse exchànge **1** 〖토양〗 염기 교환 **2** 〖미공군〗 물품 판매소《略 BX》
báse fòrm 〖문법〗 기본형《변화나 활용 형태소가 붙지 않은 단어의 원형》
base·head [béishèd] *n.* 《미·속어》 크랙(crack) 상용자
base·heart·ed [béishɑ́ːrtid] *a.* 품성이 비천한
báse hít 〖야구〗 히트, 안타(hit)
báse hòspital 〖군사〗 기지 병원(cf. FIELD HOSPITAL); 《호주》 (벽지의) 기지 병원
BÁSE júmp 베이스 점프《건조물 등에서 내리는 낙하산 점프》 **BÁSE júmper** *n.* **BÁSE júmping** *n.*
Ba·sel [bɑ́ːzəl] *n.* 바젤《스위스 북부의 Rhine 강에 면한 도시》
base·less [béislis] *a.* 기초[근거, 이유]가 없는 (groundless) **~·ly** *ad.* **~·ness** *n.*
báse lèvel 〖지질〗 기준면, 해수면
base·line [béislàin] *n.* **1** 베이스 라인 〖야구〗 베이스 사이를 잇는 선; 〖테니스〗 코트의 백라인[한계선] **2** 기준선; 기초, 토대 **3** 〖측량〗 기선; 기준 **4** 원근선, 투시선 **5** 〖전기〗 진공간의 전면에 생기는 선
— *a.* 기본적인(basic)
base·lin·er [béislàinər] *n.* 〖테니스〗 베이스 라인 근처에서 플레이하는 선수
báse lòad **1** 〖전기·기계·철도〗 (일정 시간 내의) 베이스 부하(負荷), 기초 하중 **2** 《영》 (기업 존속을 위한 수주 등의) 기초량
base·ly [béisli] *ad.* 천하게, 비열하게; 서출(庶出)로서
base·man [béismən] *n.* (*pl.* **-men** [-mən]) 〖야구〗 누수; 《미·속어》 순화 코카인(freebase) 사용자
báse màp 백(白)지도, 베이스 맵
‡base·ment [béismənt] *n.* (구조물의) **최하부**; 기부(基部); 〖건축〗 **지계**(地階), 지하층, (반)지하실

> [유의어] **basement** 지하실 **cellar** 땅광이나 저장용 지하실 **shelter** 피난용 지하실

básement còmplex 〖지질〗 (퇴적암층 밑의) 기반
básement mèmbrane 〖생물〗 기저막《상피 조직 아래의 경계면에 있는 얇은 세포 외의 막상 구조》
básement tròop 〖야구〗 최하위 팀
báse métal 비금속(卑金屬); (용접·도금·합금의) 바탕 금속, 모재(母材)
base-mind·ed [-máindid] *a.* 마음이 천한, 비열한
base·ness [béisnis] *n.* Ⓤ 천함; 비열; (품질의) 조악; 서출(庶出)
Ba·sen·ji [bəséndʒi] *n.* [때로 **b~**] 바센지《짖지 않는 작은 개; 아프리카산(産)》
báse páir 〖유전〗 (이중 사슬 DNA, RNA 중의) 염기쌍
base-pair·ing [béispɛ̀əriŋ] *n.* 〖생물〗 염기 대합
báse páy (수당을 제외한) 기본 급료
báse pèriod (가격·세금·소득 등의 변동을 비교할 때의) 기준시[기]
base·plate [béisplèit] *n.* 〖기계〗 바닥판, 기초판; 〖치과〗 의치판; 의치 시험 제작용 기초판
báse príce 〖경제〗 기준[기본] 단가[가격]
báse ráte **1** (임금 구성상의) 기본 급여율; 기본요금 **2** 《영》 (은행) 대출의 기본 이자율
báse rùnner 〖야구〗 러너, 주자
báse rùnning 〖야구〗 주루
bas·es[1] [béisiz] *n.* BASE[1]의 복수
ba·ses[2] [béisiːz] *n.* BASIS의 복수
bas·es-load·ed [béisizlòudid] *a.* 〖야구〗 만루의: a ~ homer 만루 홈런
báse stàtion 〖통신〗 기지국(局)
báse stéaling 〖야구〗 도루(盜壘)
báse úmpire 〖야구〗 누심
báse únit 〖물리〗 기본 단위
bash [bǽʃ] *vt.* **1** 《구어》 세게 때리다, 강타하다 《*up*》; 〈머리 등을〉 부딪히다 《*against*》 **2** 맹렬히 비난하다 **~ *on*** [***ahead***] 《영·속어》 …을 완고히 계속하다 《*with*》
— *n.* 《구어》 세게 때림, 강타; 《속어》 떠들썩한 파티 ***have*** [***take***] ***a ~*** (***at***) 《영·속어》 …을 해보다
ba·shaw [bəʃɔ́ː] *n.* **1** = PASHA **2** 《구어》 벼슬아치, 고관; 세도 부리는 관리
ba·shert [bǽʃəːrt] [Yid.] *a.* (**more ~**; **most ~**) 운명지어진, 천생연분의(preordained) — *n.* 운명(fate), 천생연분인 사람
***bash·ful** [bǽʃfəl] *a.* 〈사람이〉 **수줍어하는**, 부끄럼 타는(shy); 〈태도가〉 수줍은, 부끄러운 듯한 **~·ly** *ad.* **~·ness** *n.*
bash·i-ba·zouk [bæ̀ʃibəzúːk] *n.* (오스만 제국 시대의) 터키 비정규 기마병《약탈·잔인함으로 유명》
bash·ing [bǽʃiŋ] *n.* 《구어》 강타; 심한 패배[비난]: take a ~ 완전히 패배하다, 혹평을 받다
-bashing [bæ̀ʃiŋ] 《연결형》「공격, 학대」의 뜻: Japan-*bashing* 일본 때리기
basi- [béisi] 《연결형》「기초, 기부, 기저」의 뜻
‡ba·sic [béisik] *a.* **1** **기초의**, 근본적인; 《구어》 초보적인: ~ principles 근본 원리 **2** 〖화학〗 염기[알칼리]성의: ~ colors 염기성 색소 **3** 〖지질〗 염기성의
— *n.* **1** [보통 *pl.*] 기본, 기초, 근본 원리; 기본적인 것; 필수품: the ~ of education 교육의 기본 원리 **2** 〖미군〗 초년병 ***go*** [***get***] ***back to ~s*** 기본[원점, 초심]으로 돌아가다 《영·속어》 …을 해보다
BA·SIC, Ba·sic [béisik] [*B*eginners' *A*ll-purpose *S*ymbolic *I*nstruction *C*ode] *n.* Ⓤ 〖컴퓨터〗 베이식《대화형 프로그램의 하나》
básic áirman 〖공군〗 신병
***ba·si·cal·ly** [béisikəli] *ad.* **근본적으로**, 원래
básic assémbly lànguage 〖컴퓨터〗 기본 어셈블리 언어《略 BAL》
básic cróp[**commódity**] (정치·경제적으로 중요한) 기본 작물, 기본 농산물
básic dréss 〖복식〗 기본 드레스《액세서리를 바꾸거나 하여 다양하게 입을 수 있는 드레스》
básic dýe 〖화학〗 염기성 염료
Básic Énglish 기본 영어《영국인 C.K. Ogden이 1930년에 발표한, 850어를 기본으로 하는 간이 영어》
básic índustry 기간 산업
ba·sic·i·ty [beisísəti] *n.* Ⓤ 〖화학〗 염기(성)도
básic óxygen pròcess 〖야금〗 염기성 산소 (제강)법
básic páy 기본급
básic prócess 〖야금〗 염기성 (제강)법
básic ràte **1** = BASE RATE **2** 〖보험〗 기본 요율
básic sálary = BASE PAY
básic sált 〖화학〗 염기성 염
básic scíence 기초 과학
básic slág 〖야금〗 염기성 슬래그《비료용》
básic sýmbol 〖컴퓨터〗 기본 기호《하나의 프로그램 언어로 허용되는 문자의 집합》
básic tráining 〖미군〗 (초년병의) 기초[초보] 훈련

---

bashful *a.* shy, reserved, diffident, retiring, modest, coy, hesitant, shrinking, timid
basic *a.* fundamental, elementary, primary, key, central, essential, vital, necessary, underlying

ba·sid·i·o·my·cete [bəsìdioumáisi:t, -maisí:t] *n.* 〖식물〗 담자균(擔子菌)
ba·sid·i·o·spore [bəsídiouspɔ̀:r] *n.* 〖식물〗 담자포자 **ba·sìd·i·o·spór·ous** *a.*
ba·sid·i·um [bəsídiəm] *n.* (*pl.* **-sid·i·a**) 〖식물〗 담자기(擔子器) 세포 **ba·síd·i·al** *a.*
ba·si·fi·ca·tion [bèisəfikéiʃən] *n.* Ⓤ 〖화학〗 염기성화 (작용)
ba·si·fy [béisəfài] *vt.* (**-fied**) 〖화학〗 염기성화하다
bas·il [bǽzəl, bǽs-, béizəl, béis-] *n.* **1** 〖식물〗 나륵풀 《약용·향미료》 **2** (무두질한) 양가죽 《제본용》
Bas·il [bǽzəl, bǽs-, béizəl, béis-] *n.* 남자 이름
bas·i·lar [bǽsələr], **-lary** [-lèri | -ləri] *a.* 기초의; 〖해부〗 두개기부(頭蓋基部)의
básilar mémbrane 〖해부〗 기저막(基底膜) 《내이 달팽이관의 코르티 기관을 받치고 있는 섬유성 막》
ba·si·lect [béizəlèkt, bǽzə-] *n.* (한 사회의) 가장 격식이 낮은 사투리, 하층 비어
ba·sil·ic [bəsílik, -zí-] *a.* **1** 왕의, 왕다운(royal); 중요한 **2** 〖해부〗 귀요정맥의, 척측 피정맥(尺側皮靜脈)의
ba·sil·i·ca [bəsílikə, -zí-] *n.* 〖고대로마〗 공회당 《법정·집회 장소로 사용》; 초기 그리스도교 교회당; 〖가톨릭〗 (전례상의 특권이 부여된) (대)성당 **-can** *a.*
ba·sil·i·con [bəsílikən, -zí-] *n.* 바실리콘 연고 《송진을 이용한 것》(=∼ **óintment**)
basílic véin 〖해부〗 귀요정맥, 척측 피정맥
bas·i·lisk [bǽsəlìsk, -zə] *n.* **1** 바실리스크 《아프리카 사막에 살며 그 입김·시선으로 사람을 죽인다는 전설의 도마뱀 비슷한 괴물》 **2** 〖동물〗 등지느러미도마뱀
básilisk glánce 흉악한 눈초리, 재앙을 가져오는 것[사람]
‡**ba·sin** [béisn] [L 「물을 넣는 그릇」의 뜻에서] *n.* **1** 대야, 수반(水盤)(bowl), 세면기 **2** 한 대야의 분량 **3** 웅덩이, 괸 물(pond); 풀; 항구의 깊숙한 곳; 육지에 에워싸인 항구, 내만 **4** (선박의) 독(dock) **5** 분지; (하천의) 유역: the Thames ∼ 템스 강 유역 **6** 〖지질〗 퇴적 분지; 〖해부〗 골반 ***collecting*** [***setting***] **∼** 집수[침전]지(池) ***tidal* ∼** 조수 독(dock) ***yacht* ∼** 요트 정박소 **∼·al** *a.* **bá·sined** *a.* **∼·lìke** *a.*
bas·i·net [bǽsənit] *n.* (중세의) 철모, 철투구
ba·sin·ful [béisnfùl] *n.* 한 대야 가득(한 분량)
bás·ing mòde [béisiŋ-] 〖군사〗 배치 방식
básing pòint **1** 〖상업〗 기지점 《출하·운송 등의 기점》 **2** (운임 계산의) 기점
ba·sip·e·tal [beisípətl] *a.* 〖식물〗 구조[기관]의 기부(基部)를 향하여 자라는 **∼·ly** *ad.*
‡**ba·sis** [béisis] [L 「토대」의 뜻에서] *n.* (*pl.* **-ses** [-si:z]) **1** 기초, 근거, 논거; 원리, 원칙, …제(⇨ base[1] 유의어): ∼ rate 〖보험〗 기본 요율 / on a five-day week ∼ 주 5일제로 / work on a part-time[full-time] ∼ 파트타임[풀타임]으로 일하다 **2** (조제·식품 등의) 주성분: the ∼ of bread 빵의 주성분 **3** 〖군사〗 기지, 근거지 ***on a national* ∼** 전국적으로 보면 ***on an equal* ∼** 대등하게 ***on a regular* ∼** 정기적으로 ***on the* ∼ *of*** …을 기초로 하여 ***on the war* ∼** 전시 체제로 ▷ básic *a.*
básis pòint 〖금융〗 (이율을 나타낼 때의) 1/100퍼센트
básis wèight 〖제지〗 근량, 연량(連量)
∗**bask** [bǽsk | bɑ́:sk] *vi.* **1** (햇볕·불 등을) 쬐다 《*in*》: (∼+전+명) ∼ *in* the sun 햇볕을 쬐다 **2** (은혜 등을) 입다 《*in*》: (∼+전+명) He ∼*ed in* royal favor. 그는 임금의 총애를 받았다.
‡**bas·ket** [bǽskit | bɑ́:s-] *n.* **1** 바구니, 광주리: a ∼ full of vegetables 야채가 가득 담긴 바구니 / a picnic ∼ 피크닉 바구니
관련 clothes[laundry] basket(빨래 바구니), shopping basket(장바구니), wastebasket (미), wastepaper basket (영)(휴지통), workbasket(반짇고리)
2 바구니 하나분(의 양) (basketful) 《*of*》: pick a ∼ *of* apples 한 바구니의 사과를 따다 **3** 바구니 모양의 것; 조롱(弔籠), (기구·삭도의) 곤돌라 **4 a** 한 묶음; 그룹, 무리, 집합 **b** 〖경제〗 (특히 교섭·회의에서의) 일련의 쟁점; 일괄 계약(package); =BASKET CLAUSE **5** 〖농구〗 바스켓; 득점, 골(goal) **6** 〖스키〗 (스키용 지팡이의) 링 **7** 《속어》 (달라붙는 바지에 두드러져 보이는) 남성 성기
∼ of clips 유쾌한 일 ***be left in the* ∼** 팔리지 않고 남다, 살 사람이 없다 ***have*** [***put***] ***all*** one***'s eggs in one* ∼** ⇨ egg[1]. ***shoot a* ∼** (구어) 득점하다 ***the pick of the* ∼** 골라서 뽑은 것, 정선품 **∼·lìke** *a.*
‡**bas·ket·ball** [bǽskitbɔ̀:l | bɑ́:s-] *n.* Ⓤ **농구**, 바스켓볼; Ⓒ 농구공
básket càse 양쪽 팔다리가 절단된 사람; 무능력자, 폐인
básket chàir 버들가지로 엮어 만든 의자
básket clàuse 바스켓 조항 《계약·협정·성명 등의 포괄적 조항》
básket dìnner =BASKET LUNCH
bas·ke·teer [bæ̀skətíər | bɑ̀:s-] *n.* 농구 선수
∗**bas·ket·ful** [bǽskitfùl | bɑ́:s-] *n.* **1** 한 바구니 가득, 한 바구니(의 분량) 《*of*》 **2** [a ∼] 꽤 많은 양 《*of*》: *a* ∼ *of* shock 엄청난 충격
básket hìlt 바구니 모양의 날밑이 달린 칼자루
básket lùnch 바구니(에 담은) 도시락
Básket Màker 〖고고학〗 바스켓 메이커 문화 《1~7세기 미국 남서부 인디언의 문화》; 그 문화의 인디언
básket mèeting (미) 각자가 바구니에 음식을 담아 모이는 종교 집회
básket ósier 〖식물〗 고리버들
bas·ket·ry [bǽskitri | bɑ́:s-] *n.* Ⓤ 바구니 세공법; [집합적] 바구니 세공품
básket stìtch 바구니 결는 식의 자수
básket wèave 바구니 결는 식의 직조법
bas·ket·work [bǽskitwə̀:rk | bɑ́:s-] *n.* Ⓤ 바구니 세공(품); 바구니 세공법[업]
bas·ket·worm [-wə̀:rm] *n.* 〖곤충〗 도롱이벌레
básk·ing shàrk [bǽskiŋ- | bɑ́:s-] 〖어류〗 돌묵상어
bas·ma·ti [bæzmɑ́:ti:] *n.* 바스마티 쌀 《길쭉하고 향기로운 쌀; 인도·파키스탄산(産)》(=∼ **rìce**)
bas mitzvah [bɑ́:s-mítsvə] =BAT MITZVAH
bas·net [bǽsnit, -net] *n.* =BASINET
ba·son [béisn] *n.* =BASIN
ba·so·phil [béisəfil], **-phile** [-fàil, -fil] *n.* 〖생물〗 호염기성 세포 《특히 백혈구》
ba·so·phil·ic [bèisəfílik] *a.*
Basque [bǽsk | bǽsk, bɑ́:sk] *n.* **1** Ⓒ 바스크 사람 《스페인 Pyrenees 산맥 지방에 사는》; Ⓤ 바스크 말 **2** [**b∼**] Ⓒ (여자용) 조끼 **—** *a.* 바스크 사람[말]의
Básque Próvinces[**Cóuntry**] [the ∼] **1** 바스크 지방 《Biscay 만에 임한 스페인 북부 지방》 **2** 스페인 북부 및 프랑스 남서부의 바스크인 거주지
bas-re·lief [bɑ̀:rilí:f, bǽs-, ⌐−⌐] [F] *n.* ⓊⒸ 〖미술〗 얕은 돋을새김; 그 작품
∗**bass**[1] [béis] [L 「낮은」의 뜻에서] *n.* 〖음악〗 **1** Ⓤ 베이스, 바스, 저음 **2** Ⓒ 남성 저음역; 저음 가수; 저음 악기 《특히 double bass》
관련 다음과 같은 순서로 높아짐: bass, baritone, tenor, alto(여성 contralto), treble(여성 soprano)
— *a.* Ⓐ 〖음악〗 **1** 저음의, 베이스의 **2** (다성 음악의) 최저음부의 **3** =DOUBLE BASS
bass[2] [bǽs] *n.* (*pl.* **∼, ∼·es**) 〖어류〗 배스 《농어류》
bass[3] *n.* **1** =BASSWOOD; =BAST **2** [*pl.*] 인피(靭皮)로 만든 제품
Bass [bǽs] *n.* Ⓤ 배스 맥주 《Bass's beer의 단축형; 영국의 맥주 회사명》; Ⓒ 그 맥주 한 병
báss clèf [béis-] 〖음악〗 낮은음자리표(F clef)
báss drúm [béis-] 〖음악〗 베이스 드럼, 큰 북 《오케스트라용》
bas·set[1] [bǽsit] 〖지질〗 *n.* (광맥·암층(岩層)의) 노두(露頭) **—** *vi.* 〈암층이〉 노출되다
basset[2] *n.* 바셋 《카드놀이의 일종으로 18세기에 유럽에서 유행한 도박》

basset[3] *n.* 〖동물〗 = BASSET HOUND

basset hound

básset hòrn 〖음악〗 바셋 호른 《클라리넷류의 옛 목관 악기》
básset hòund 〖동물〗 바셋 하운드 《다리가 짧은 사냥개》
báss fíddle [béis-] 〖음악〗 = CONTRABASS
báss guitár [béis-] 〖음악〗 베이스 기타
báss hórn [béis-] 〖음악〗 베이스 호른; = TUBA

bassinet 1

bas·si·net [bæ̀sənét, ⌐—⌐] *n.* **1** 한쪽에 덮개가 달린 요람[유모차] **2** 《속어》 철모
bass·ist [béisist] *n.* **1** 콘트라베이스 주자, 베이스 기타 주자 **2** 저음 가수, 베이스 가수
bas·so [bǽsou, bɑ́:s-] [It.] *n.* (*pl.* **~s, -si** [-si:]) 저음 (가수); 저음부(低音部) 《略 b.》
bas·soon [bæsú:n, bə-|bə-] *n.* 〖음악〗 바순 《저음 목관 악기》 **~·ist** *n.* 바순 연주자
bas·so pro·fun·do [bǽsou-proufʌ́ndou] [It.] (*pl.* **bas·so pro·fun·dos, bas·si pro·fun·di** [bǽsi-proufʌ́ndi]) 최저음 (가수) 《남성》
bas·so-re·lie·vo, -ri·lie·vo [bǽsourilí:vou] [It.] *n.* (*pl.* **~s**) = BAS-RELIEF
báss respónse [béis-] 〖전자〗 (스피커 또는 음향 증폭기의) 저음역(低音域) 리스폰스, 저음 응답
báss stàff [béis-] 〖음악〗 낮은음자리표
báss víol [béis-] 〖음악〗 《미》 **1** = VIOLA DA GAMBA **2** = CONTRABASS
bass·wood [bǽswùd] *n.* Ⓤ 〖식물〗 참피나무; 참피나무 목재
bast [bǽst] *n.* Ⓤ 〖식물〗 **1** (참피나무 등의) 인피부(靭皮部) **2** 인피 섬유(= ~ **fiber**)
*__bas·tard__ [bǽstərd|bɑ́:s-, bǽs-] *n.* **1** 사생아, 서자 ★ bastard는 경멸의 뜻이 있으므로, love[illegitimate] child를 쓰는 것이 좋음. **2** 《속어》 새끼, 녀석, 개자식 《친한 사이에는 친근감을 나타내기도 함》: The poor ~ broke his leg. 그 불쌍한 녀석은 다리가 부러졌다. **3** 가짜; 질이 나쁜 물건 **4** (동물의) 잡종
— *a.* Ⓐ 서출(庶出)의; 잡종의; 거짓의, 가짜의; 이상한; 유사한; 의사(擬似)의(sham): a ~ son 서자(庶子) / ~ charity 위선 / a ~ size of paper 규격 외의 종이 **~·ly** *a.* ▷ bástardize *v.*
bástard file 굵은 줄
bas·tard·i·za·tion [bæ̀stərdizéiʃən|bæ̀stədai-, bɑ̀:s-] *n.* Ⓤ **1** 서자[서출]임의 인정 **2** 조악화(粗惡化); **3** 《호주》 신입생[신병] 괴롭히기, 텃세 부리기
bas·tard·ize [bǽstərdàiz|bǽs-, bɑ́:s-] *vt.* **1** 서출임을 인정하다 **2** 질[가치]을 떨어뜨리다 **3** 《호주》 신입생[신병]을 맞이하여 놀려 주다, 괴롭히다, 텃세 부리다 **—** *vi.* 질이 떨어지다
bástard slíp 《영》 (나무의) 흡지(吸枝)
bástard títle = HALF TITLE
bástard wìng 〖조류〗 작은 날개(alula)
bas·tar·dy [bǽstərdi|bɑ́:s-, bǽs-] *n.* Ⓤ 서출
bástardy órder 〖영국법〗 서자[비적출자(非嫡出子)] 부양 명령
baste[1] [béist] *vt., vi.* 가봉(假縫)하다 **bás·ter** *n.*
baste[2] *vt.* 호되게 때리다[치다]; 야단치다
baste[3] *vt.* (고기를 구울 때) 버터[육즙]를 치다
bas·til(l)e [bæstí:l] *n.* **1** [the B~] (파리의) 바스티유 감옥 《프랑스 혁명 때 파괴됨》 **2** (특히 죄수를 잔인하게 다루는) 감옥 **3** (성 등의) 방어탑
Bastílle Dày [종종 the ~] 프랑스 혁명 기념일 《7월 14일》

bas·ti·na·do [bæ̀stənéidou, -nɑ́:-], **-nade** [-néid, -nɑ́:d] [SP.] *n.* (*pl.* **~es**; **~s**) 《고어》 발바닥을 때리는 벌; 곤장; 장형(杖刑), 태형
— *vt.* 발바닥을 때리는 벌에 처하다, 매질하다
bast·ing[1] [béistiŋ] *n.* **1** Ⓤ 가봉, 시침질 **2** [*pl.*] 시침질 솔기[실]
basting[2] *n.* Ⓤ 심하게 때림; 호통침
basting[3] *n.* Ⓤ (고기를 구우면서) 육즙·버터 등을 축축하게 침; 그 육즙이나 버터
básting brùsh (고기류에) 양념 등을 바르는 솔
bas·tion [bǽstʃən, -tiən|-tiən] *n.* **1** (성(城)의) 능보(稜堡); 요새 **2** 성채, 보루(堡壘) **~ed** *a.*
‡**bat**[1] [bǽt] *n.* **1** (야구·크리켓의) 배트, 타봉; 타구, 타번(打番); 곤봉: step up to the ~ 타석에 들어서다 **2** (배드민턴의) 라켓 **3** (기수의) 채찍 **4** 타자(batsman) **5** 《속어》 강타 **6** (한쪽을 자른) 벽돌 조각; (진흙) 덩어리; [보통 *pl.*] 이불 속솜(batt) **7** 《미·속어》 흥청거림, 법석댐: on a ~ 술 마시고 법석대며
at ~ 타석에 서서 ***carry*** one***'s ~*** 〖크리켓〗 1회 끝까지 아웃이 되지 않고 남다; 끝까지 버티다 ***come to ~*** 타자가 되다; (일·시련에) 직면하다 ***cross ~s with*** …와 시합하다 ***go to ~*** 〖야구〗 타석에 서다; 《속어》 구류 판결을 받다 ***off*** one***'s own ~*** 자기의 노력으로; 제 힘으로 (***right***) ***off the ~*** 즉시 ***take out*** one***'s ~*** 〖크리켓〗 2번 이후 타자가 아웃되지 않고 남다
— *v.* (**~·ted**; **~·ting**) *vt.* **배트로 치다**; 쳐서 〈주자를〉 나아가게 하다; 〈얼마의〉 타율을 얻다: ~ .330 3할 3푼을 치다 《.330은 three hundred thirty 또는 three thirty라고 읽음》
— *vi.* 치다; 타자로 서다; 연달아 치다
~ around[***back and forth***] 《속어》 어슬렁거리고 다니다; 논의하다 ***~ a runner home*** 공을 쳐서 주자를 홈에 들어오게 하다 ***~ in*** 〖야구〗 공을 쳐서 득점하다, 주자를 보내다 ***~ out*** 《미·속어》 〈이야기·기사 등을〉 (타자기로) 빨리 쓰다; 급조하다 ***~ the breeze*** 이런저런 얘기를 하다 ***go to ~ for*** …을 적극 원조하다
‡**bat**[2] [bǽt] *n.* **1** 〖동물〗 **박쥐** **2** 박쥐 폭탄 《투하되면 탄두의 레이더로 목표에 자동 유도되는 폭탄》 **3** 《속어》 창녀 (***as***) ***blind as a ~*** 소경이나 다름없는, 눈이 먼 ***be***[***go***] ***~s*** 머리가 돌다 ***have ~s in the*** [one***'s***] ***belfry*** 머리가 돌다, 실성하다 ***like a ~ out of hell*** 《속어》 초스피드로; 저돌적으로
bat[3] *n.* ⒸⓊ 《영·속어》 (빠른) 걸음, 스피드, 속력 (***at***) ***full ~*** 《영·속어》 전속력으로 ***go full ~*** 전속력으로 가다 ***go off at a rare ~*** 잰 걸음으로 가다
bat[4] *vt.* (**~·ted**; **~·ting**) 《미·방언》 〈눈을〉 깜박이다(wink) ***not ~ an eye***[***eyelash, eyelid***] 한숨도 자지 않다; 눈 하나 꿈쩍 안 하다, 놀라지 않다
bat[5] *n.* Ⓤ [the ~] 《인도》 외국어 ★ 주로 다음 성구로. ***sling the ~*** 외국어로 말하다
bat., batt. battalion; battery; battle **B.A.T.** Bachelor of Arts in Teaching
Ba·tak [bətɑ́:k, bɑ:-] *n.* (*pl.* **~s, ~**) **1** Ⓒ 바타크족(의 한 사람) 《(1) 수마트라 섬에 사는 종족 (2) 필리핀의 동북부 고지에 사는 종족》 **2** Ⓤ 바타크 어(語)
Ba·ta·vi·a [bətéiviə] *n.* 바타비아 《(1) Jakarta의 옛 이름 (2) 라인 강 하구에 있던 옛 지역 (3) 네덜란드의 옛 이름》 **-vi·an** *a.*
bat-blind [bǽtblàind] *a.* 까막눈인, 어리석은
bát bòy 〖야구〗 배트 보이 《배트 등을 관리하는》
batch [bǽtʃ] *n.* **1** 한 솥, 한 차례 굽는 양 《빵·질그릇 등의》; 1회분; 한 묶음 《*of*》 **2** 《구어》 일군(一群), 일단(一團) 《*of*》 **3** 〖컴퓨터〗 일괄(一括) 《컴퓨터로 일괄 처리되는 잡(job)의 묶음; cf. REMOTE BATCH》
— *vt.* 1회분으로 정리[처리]하다
bátch file 〖컴퓨터〗 일괄 파일, 묶음 (기록)철 《일괄 처리 내용을 기술한 텍스트 파일》
batch·mate [bǽtʃmèit] *n.* 《인도》 동기생, 동창생
bátch nùmber 〖컴퓨터〗 배치 번호 《batch file 등에 매기는 일련번호》
batch-proc·ess [bǽtʃprɑ̀ses|-pròu-] *vt.* 〖컴퓨

터》 일괄 처리하다

bátch pròcessing 〖컴퓨터〗 (자료의) 일괄 처리

bátch prodùction 〖경영〗 배치[간헐] 생산 《연속 생산과 대비하여》

bátch sỳstem 〖컴퓨터〗 일괄 처리 시스템

batch·y [bǽtʃi] *a.* (**batch·i·er**; **-i·est**) 《속어》 미치광이 같은, 정신이 돈(crazy)

bate[1] [béit] *vt.* 덜다; 줄이다, 약화하다; 할인하다 — *vi.* 《폐어·방언》 감소되다, 줄다 ***with ~d breath*** 숨을 죽이고

bate[2] *n.* 《영·속어》 격노, 화 ***in a ~*** 화내어

bate[3] *n.* Ⓤ (무두질용의) 알칼리액 — *vt.* 〈보피·가죽 등을〉 알칼리액에 담가 부드럽게 하다

bát éar (개의) 박쥐처럼 크고 곧은 귀

bat-eared [bǽtìərd] *a.* 박쥐 같은 귀를 가진

ba·teau [bætóu] [F] *n.* (*pl.* **~x** [-z]) (캐나다 지방의) 바닥이 평평한 강배

batéau brídge 배다리, 주교(舟橋)

batéau nèck[nèckline] 〖복식〗 = BOAT NECK

bat·fish [bǽtfìʃ] *n.* (*pl.* **~, ~·es**) 〖어류〗 날개 모양의 돌기가 있는 물고기 《날치 등》

bat·fowl [-fàul] *vi.* (횃불 등을 켜들고) 보금자리를 습격하여 새를 잡다

***bath** [bǽθ, bɑ́:θ | bɑ́:θ] *n.* (*pl.* **~s** [bǽðz, bɑ́:ðz, bǽθs, bɑ́:θs | bɑ́:ðz]) **1** 목욕, 멱, (일광)욕 **2** Ⓤ 목욕물 **3** 《영》 욕조, 목욕통; 《미》 욕실; [종종 *pl.*] (공중)목욕탕, (옥내) 풀장, 탕치장(湯治場); [*pl.*] 온천; 땀[피]투성이가 된 상태 **4** Ⓤ 용액; Ⓒ 용액기(器), 전해조(電解槽); 〖사진〗 현상액 **5** 〖전자·야금〗 (모래·물·기름 등을 모체로 하는) 온도 조절[가열용] 장치

a ~ of blood 피투성이; 대살육 ***a private ~*** 전용 목욕실 ***a public ~*** 공중목욕탕 ***a succession ~*** 냉온탕 교대 목욕 ***have[take] a ~*** 목욕하다 ***sun ~*** 일광욕 ***take the ~s*** 목욕 치료를 하다

— *vt.* 《영》 〈어린이·환자를〉 목욕시키다

— *vi.* 《영》 목욕하다 ▷ báthe *v.*

Bath [bǽθ, bɑ́:θ | bɑ́:θ] *n.* **1** 바스 《영국 Somersetshire의 온천 도시》 **2** 《영》 바스 훈위[훈장] (= **the Órder of the ~**) ***Go to ~!*** 썩 나가[꺼져]!

Báth bríck 바스 숫돌 《금속 연마용》

Báth bùn 바스 과자 《둥근 빵과자의 일종》

Báth chàir 《영》 (포장을 친) 바퀴가 달린 의자; 《일반적으로》 휠체어

bathe** [béið] *vt.* **1** 목욕시키다; 〈파도 등이〉 〈기슭을〉 씻다: 《~+목+전+명》 ~ oneself *in* water 멱 감다, 물로 몸을 씻다 **2** 담그다, 적시다 《*in*》: 《~+목+전+명》 ~ one's feet *in* water 발을 물에 담그다 **3** 〈환부를〉 씻다, 적시다: 《~+목+전+명》 ~ the eyes *with* warm water 따뜻한 물로 눈을 씻다 **4** 〈열·빛 등이〉 뒤덮다, 감싸다(⇨ bathed) ***~ one's hands in blood 손을 피로 물들이다 《살인하다》

— *vi.* **1** 목욕하다; 일광욕을 하다: 《~+전+명》 They *~d in* the fresh sunbeam. 그들은 아침 햇살을 온몸에 받았다. **2** 헤엄치다 **3** 뒤덮이다; 둘러싸이다

— *n.* 《영》 해수욕, 수영, 멱(swim, dip)

have[take] a ~ 멱 감다, 해수욕을 하다

bathe·a·ble [béiðəbl] *a.* 멱 감을[목욕할] 수 있는

bathed [béiðd] *a.* **1** 《문어》 빛이 내리쬐는 《*in*》: The field was ~ *in* moonlight. 들판은 온통 달빛에 젖어 있었다. **2** (땀·눈물 등으로) 흠뻑 젖은 《*in*》: ~ *in* perspiration 땀에 흠뻑 젖은

bath·er [béiðər] *n.* **1** 수영[목욕]하는 사람 **2** [*pl.*] 《호주·구어》 수영복

ba·thet·ic [bəθétik] *a.* 진부한; 〖수사학〗 돈강법(bathos)의

bath·house [bǽθhàus | bɑ́:θ-] *n.* (*pl.* **-hous·es** [-hàuziz]) 목욕탕, 목욕장; (해수욕장의) 탈의장

Bath·i·nette [bæ̀θənét, bɑ̀:- | bɑ̀:-] *n.* 바시넷 《유아용의 휴대식 욕조; 상표명》

***bath·ing** [béiðiŋ] *n.* Ⓤ 수영, 미역; 목욕: a ~ place 해수욕장, 수영장

— *a.* 수영[해수욕]용의

báthing bèach 해수욕장

báthing bèauty[bèlle] 수영복 차림의 미인

báthing càp 수영 모자

báthing còstume[drèss] 수영복 《여성용》

báthing hòuse = BATHHOUSE

báthing machìne (옛날의) 이동 탈의차(脫衣車) 《해수욕장의》

báthing sùit = BATHING COSTUME

báthing trùnks 《영》 (남자용) 수영 팬츠

bath·less [bǽθlis, bɑ́:- | bɑ́:-] *a.* 목욕하지 않은; 욕실이 없는

báth màt 욕실용 매트

bath mit(z)·vah [bɑ:θ-mítsvə, bɑ́:s- | bɑ́:s-] = BAT MITZVAH

batho- [bǽθou, -θə] 《연결형》 「…깊이, 심해…; 아래(방향)의」의 뜻: *batho*meter, *batho*phobia

báth oil = BATH SALTS

bath·o·lith [bǽθəliθ], **-lite** [-làit] *n.* 〖지질〗 저반(底盤) 《화성암이 불규칙하게 형성된 큰 덩어리》

bath·o·lith·ic [bæθəlíθik], **-lit·ic** [-lítik] *a.*

Báth Óliver 비스킷의 일종

ba·thom·e·ter [bəθɑ́mətər | -θɔ́-] *n.* = BATHYMETER

bat·horse [bǽthɔ̀:rs] *n.* 전쟁터에서 짐을 나르는 말

ba·thos [béiθɑs, -θɔ:s, -θous | -θɔs] *n.* Ⓤ **1** 〖수사학〗 점강법(漸降法) 《점차로 끌어올린 장중한 어조를 갑자기 익살스럽게 떨어뜨리기》 **2** 우스꽝스런 용두사미; 평범, 진부함 **3** 짐짓 꾸민[지나친] 감상(感傷)

bath·robe [bǽθròub, bɑ́:θ-] *n.* 《미》 목욕옷 《목욕 전후에 입음》; 《미》 실내복, 가운 《주로 남성용》

***bath·room** [bǽθrù(:)m, bɑ́:θ-] *n.* 욕실; 《미》 [the ~] (주택의) 화장실: May I use your ~? 화장실 써도 될까요?

NOTE 광고 등에서는, 욕조·샤워·변기·세면대의 4가지를 갖춘 것을 full bathroom, 욕조가 없는 것을 3/4 bathroom, 변기와 세면대 2가지만 있는 것은 1/2 bathroom이라고 함.

báthroom tìssue = TOILET PAPER

báth sàlts 목욕물에 타는 분말[결정] 용제

Bath·she·ba [bæθʃí:bə, bǽθʃə-] *n.* **1** 여자 이름 **2** 〖성서〗 밧세바 《전 남편이 죽은 뒤 다윗 왕에게 재가하여 솔로몬을 낳음》

báth shèet 특대 사이즈의 목욕 타월

báth spònge 목욕용 스펀지[해면]

Báth stòne 바스석(石) 《건축용 석회석》

báth tòwel 목욕 수건

bath·tub [bǽθtʌ̀b, bɑ́:θ- | bɑ́:θ-] *n.* 목욕통, 욕조; 《미·속어》 (오토바이의) 사이드카

báthtub gín 《미·속어》 (금주법 시대의) 밀조한 진

bath·wa·ter [-wɔ̀:tər] *n.* Ⓤ 목욕물

bathy- [bǽθi, -θə] 《연결형》 「깊은, 깊이, 심해(深海), 체내」의 뜻

bath·y·al [bǽθiəl] *a.* 심해의

ba·thym·e·ter [bəθímətər] *n.* 측심기(測深器)

ba·thym·e·try [bəθímətri] *n.* Ⓤ 수심 측량술, 측심학(測深學) **-tric** *a.* 심해 측심학의; 등심선의

bathy·pe·lag·ic [bæ̀θipəlǽdʒik] *a.* 〖생태〗 점심해(漸深海)의: ~ zone 점심 해수층

bath·y·scaphe [bǽθəskèif, -skæ̀f], **-scaph** [-skæ̀f] [F] *n.* 바티스카프 《심해용 잠수정의 일종》

bath·y·sphere [bǽθəsfìər] *n.* 구형 잠수기(球形潛水器) 《깊은 바다의 생물 조사용》

bath·y·ther·mo·graph [bæ̀θiθə́:rməgræ̀f, -grɑ̀:f] *n.* 심해 자기(自記) 온도계

ba·tik [bətí:k, bǽtik] *n.* Ⓤ 납염법(蠟染法), 납결(蠟纈)(법); 납결포(布); 납결[납염] 무늬

thesaurus **bathe** *v.* **1** 목욕하다 have[take] a bath, wash, shower **2** 적시다, 씻다 clean, cleanse, soak, immerse, wet, moisten, rinse

bat·ing [béitiŋ] *prep.* 《고어》 …을 제외하고, 이외에
ba·tiste [bətíːst, bæ-] *n.* Ⓤ 얇은 평직의 삼베[무명]
bat·man [bǽtmən] *n.* (*pl.* **-men** [-mən]) 〖군사〗 (짐 싣는 말의) 마부; 《영》 (장교의) 당번병
Bat·man [bǽtmən] *n.* 배트맨 《Bob Kane(1916-98)의 만화에 등장하는 초인》
bat mitzvah [bɑːt-mítsvə] [Heb.] *n.* [종종 **B-M-**] 〖유대교〗 (12~13세의) 소녀의 성인식 《이로써 유대 사회의 구성원으로 정식으로 인정받음》; 성인식을 받은 소녀 **—***a.* 〈소녀가〉 성인식을 받은: a ~ girl 성인식을 받은 소녀
bát mòney 《영》 (장교의) 전지(戰地)[전투] 수당
*__ba·ton__ [bətɑ́n, bæ-, bǽtn | bǽtn, -tɔn] *n.* **1** 〖음악〗 지휘봉 **2** (군악 대장·배턴 걸의) 배턴 **3** 배턴 《릴레이용》 **4** 관장(官杖) 《관직·권능을 나타냄》, 사령봉 **5** 《영》 경찰봉 **6** 배턴 무늬 《문장(紋章)의 평행 사선 또는 좌경선; 영국에서는 후자는 서자(庶子)의 표시》
báton chárge (기동대 따위의) 곤봉[경찰봉] 공격
baton-charge [-tʃɑ̀ːrdʒ] *vt., vi.* 《영》 경찰봉으로 공격하다
batón gùn (폭동 진압용) 고무탄총
Bat·on Rouge [bǽtn-rúːʒ] 배턴루지 《미국 Louisiana 주의 주도》
batón ròund (baton gun용) 고무 총탄
batón sínister (문장(紋章)에서) 서자(庶子)의 표지
batón twìrler 악대 지휘자, 배턴 걸(cf. DRUM MAJORETTE)
bat-pay [bǽtpèi] *n.* = BAT MONEY
Ba·tra·chi·a [bətréikiə] *n. pl.* 〖동물〗 양서류 (amphibia), (특히 꼬리 없는) 개구리류
ba·trá·chi·an *n., a.* 양서류(의)
ba·trach·o·tox·in [bətrækətɑ́ksin, bætrəkou- | -tɔ́k-] *n.* 〖약학〗 바트라코톡신 《신경 중독 독액(毒液); 남미산(産) 개구리의 피부 분비물에서 추출》
bats [bǽts] *a.* 《영·속어》 정신 이상의, 미친
*__bats·man__ [bǽtsmən] *n.* (*pl.* **-men** [-mən]) = BATTER[1]
batt [bǽt] *n.* Ⓤ (이불 등의) 속솜(bat)
batt. battalion; battery
bat·ta [bǽtə] *n.* 《인도》 (군인의) 전시 수당
*__bat·tal·ion__ [bətǽljən] [It. 「전투」의 뜻에서] *n.* 〖군사〗 대대 《2개 중대 이상으로 편성됨; ⇨ army 관련》; 대부대; [종종 *pl.*] 대집단, 대군: a ~ of ants 개미의 대군
bat·teau [bætóu] [F] *n.* (*pl.* **~x** [-z]) = BATEAU
bat·tel [bǽtl] *n.* [*pl.*] (Oxford 대학의) 기숙사 제(諸)비용, 식비
batte·ment [bǽtmənt] [F] *n.* 〖발레〗 바트망 《제 5 포지션에서 한쪽 발을 앞[뒤, 옆]으로 들었다가 내리는 동작》
bat·ten[1] [bǽtn] *vi.* (맛있는 것을) 잔뜩 먹다 《*on*》; 살찌다; (남의 돈으로) 호강하다, 잘살다
—*vt.* 〈맛있는 것을〉 먹이다; 살찌게 하다
batten[2] *n.* 좁은 널; 작은 각목(角木); 〖항해〗 누름대
—*vt.* 좁은 널을 붙이다; 누름대를 대다
~ down (***the hatches***) 〖항해〗 승강구 입구를 누름대로 밀폐하다 《폭풍우·화재 등이 일어났을 때》; 난국 등에 대비하다
batten[3] *n.* (견직기의) 바디
Bat·ten·berg, -burg [bǽtnbə̀ːrg] *n.* 바텐버그 《핑크와 황색의 길다란 속을 아몬드와 설탕으로 감싼 스펀지케이크》
‡**bat·ter**[1] [bǽtər] *n.* 〖야구·크리켓〗 타자, 배터(batsman): the ~'s box 타자석
‡**bat·ter**[2] [bǽtər] *vt.* **1** 난타[연타]하다, 강타하다 《~+목+전+명》 ~ a person *about* the head …의 머리를 난타하다 **2** 쳐[때려] 부수다: 《~+목+부》 He ~*ed* the door *down.* 그는 그 문을 때려 부수었다. **3** 〈모자 등을〉 쳐서 쭈그러뜨리다 《*in*》 **4** 난폭하게 다루어 상하게 하다; 〈활자를〉 써서 뭉그러뜨리다; 마멸시키다 **5** 포격하다: 《~+목+부》 They ~*ed down* the castle with cannon. 그들은 대포로 그 성을 포격했다. **6** 혹평하다, 윽박지르다 **7** 《미·속어》 구걸하다
—*vi.* 세게 두드리다: 《~+전+명》 ~ *at* the door 문을 쾅쾅 노크하다 ~ ***about*** a person …을 때려눕히다, …에게 폭행하다
—*n.* Ⓤ 〖인쇄〗 (활자의) 마멸, 마손, 망가짐; 그것으로 인한 인쇄물의 일그러짐
batter[3] *n.* 〖요리〗 반죽 《우유·달걀·밀가루 등의》
—*vt.* 〈재료를〉 반죽을 입히다
batter[4] *vi.* 〖건축〗 〈벽 등의 면이〉 위쪽으로 감에 따라 뒤쪽으로 기울다 《완만한 세로 비탈을 이룸》
—*n.* (탑·벽 등의) 완만한 경사(도)
bat·ter·cake [bǽtərkèik] *n.* 《미남부》 = PANCAKE 1
bat·tered [bǽtərd] *a.* 박살난, 뭉거진; 오래 써서 낡은; (생활에) 지쳐서 초라해진
báttered báby 부모[어른]에게서 학대받은 유아
báttered chíld[**báby**] **sỳndrome** 〖의학〗 피학대아 증후군 《어른이 가한 상해·징계로 인한 것》
báttered wífe 매 맞는 아내
bát·ter·ing [bǽtəriŋ] *n.* Ⓤ 타격, 두들겨 패기, 통렬한 비난: take a ~ 타격을 받다
báttering ràm **1** 〖역사〗 성문[성벽] 파괴용 대형 망치 **2** (문 등을 부수기 위한) 소방관[경찰관]용 무거운 금속 망치 **3** 강제적 설득 수단

battering ram 1
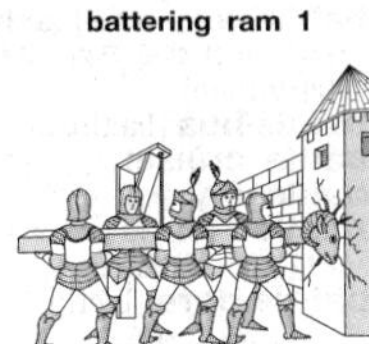

báttering tràin 공성(攻城) 포열
Bat·ter·sea [bǽtərsi] *n.* 배터시 《런던 남서부의 자치구의 하나》
*__bat·ter·y__ [bǽtəri] *n.* (*pl.* **-ter·ies**)

> 치기, 때림 《cf. BAT[1], BEAT》 → 포열, 포대 **3**
> → (한 조가 되어 힘을 내는 데서)
> ┌ 전지 **1**
> └ (야구의) 배터리 **5**

1 Ⓒ 〖전기〗 배터리, 전지 **2** Ⓒ **a** 한 벌의 기구[장치]: a cooking ~ 요리 도구 한 벌 **b** (사람·물건의) 다수, 수많음: a ~ of questions 일련의 질문들 **3** Ⓒ 〖군사〗 포병 중대; 포열; 포대; (군함의) 비포(備砲) **4** Ⓤ 때림; 〖법〗 구타(cf. ASSAULT) **5** Ⓒ 〖야구〗 배터리 《투수와 포수》 **6** 타출(打出) 세공품 《주로 주방용품》 **7** 〖심리〗 배터리 《지능·적성·능력 등의 종합 테스트》 **8** 〖음악〗 (오케스트라의) 타악기군(群) **9** Ⓒ 《영》 〖축산〗 일련의 사육 장치, 배터리식 닭장
change one***'s ~*** 공격의 방향을 바꾸다; 수단을 바꾸다 ***in ~*** 〈대포가〉 발사 준비가 되어 ***recharge*** one***'s batteries*** = ***get*** one***'s batteries recharged*** (원기 회복을 위해) 휴식하다, 충전하다 ***turn*** a person***'s ~ against*** himself 상대편의 논법을 역이용하다
báttery fàrm 《영》 (좁고 꽉 찬 우리가 늘어선) 양계장(cf. FACTORY FARM)
Báttery (**Párk**) [the ~] 배터리 공원 《미국 뉴욕 시의 Manhattan섬 남단의 공원》
bat·tik [bətíːk, bǽtik] *n.* = BATIK
*__bat·ting__ [bǽtiŋ] *n.* Ⓤ **1** 〖야구·크리켓〗 타격, 배팅; 〖야구〗 타구, 공격 **2** 탄 솜 《이불 등에 넣는》
bátting àverage 〖야구〗 타율; 《미·구어》 성공률
bátting càge 〖야구〗 배팅 케이지 《이동식 백네트》
bátting crèase 〖크리켓〗 = POPPING CREASE
bátting èye 〖야구〗 (타자의) 선구안(選球眼)

---

batter[2] *v.* hit, strike, beat, bash, assault, thrash, lash, pound, wallop, abuse; damage, injure, hurt, harm, bruise, wound

bátting hèlmet 〔야구〕 타자용 헬멧
bátting òrder 〔야구·크리켓〕 타순
‡**bat·tle** [bǽtl] [L 「때림, 침」의 뜻에서] *n.* **1 전투,** 싸움, 교전, 국지전 《특정 지역에서의 조직적이며 장기간에 걸친》(⇨ war 유의어): an air[a naval] ~ 공중[해]전 **2** 《일반적으로》 전쟁; 투쟁 《*against, for*》: the ~ of life 생존 투쟁 **3** [the ~] 승리; 성공: *The* ~ is not always to the strong. 승리는 반드시 강자의 것이라고는 할 수 없다. ***accept*** ~ 응전하다 ***a close***[***decisive***] ~ 접전[결전] ***a general's***[***soldier's***] ~ 전략[무력]전 ***do*** ~ 싸움을 시작하다 ***fall***[***be killed***] ***in*** ~ 전사하다 ***fight a*** ~ 한바탕 싸우다 ***fight*** one***'s ~s over again*** 옛날의 전공(戰功)[경력담]을 얘기하다 ***gain***[***have, win***] ***the*** ~ 싸움에 이기다 ***give***[***offer***] ~ 공격하다 ***give***[***lose***] ***the*** ~ 패전하다 ***half the*** ~ 절반의 승리; 가장 중요한[어려운] 부분, 큰 고비 ***join*** ~ 응전[교전]하다 ***the line of*** ~ 전선(battle line) ***the order of*** ~ 전투 서열 ***trial by*** ~ 결투로 시비를 가리는 옛날의 재판
— *vi.* **1 싸우다** 《*against, with*》: (~+전+명) ~ *against* the invaders *for* independence 독립을 위하여 침략자와 싸우다 **2** 투쟁[고투, 분투]하다 《*for*》: (~+전+명) ~ *for* freedom 자유를 위하여 싸우다
— *vt.* (미) …와 싸우다 ~ ***it out*** (구어) 최후까지 싸우다 ~ one***'s way*** (구어) 싸우며 전진하다, 노력해 나아가다
báttle arrày 전투 대형, 진용
bat·tle-ax | **-axe** [bǽtlæ̀ks] *n.* **1** 전부(戰斧) 《도끼처럼 생긴 옛날 무기》 **2** (구어) (중년의) 잔소리 많은 여자(virago)
bat·tle·bus [bǽtlbʌ̀s] *n.* 선거 운동[유세]용 버스
báttle crùiser 순양 전함
báttle crỳ 함성, 승리의 고함소리; 슬로건, 표어
bat·tled [bǽtld] *a.* 흉벽(胸壁)이 있는; 총안(銃眼)이 있는(embattled)
bat·tle·dore [bǽtldɔ̀ːr] *n.* 배틀도어 《배드민턴의 전신(前身)》; 배틀도어 채; 빨래 방망이 ***play ~ and shuttlecock*** 배틀도어(놀이)를 하다
— *vt., vi.* 서로 던지다
báttle drèss (**úniform**) 전투복
báttle fatìgue 〔정신의학〕 =COMBAT FATIGUE
báttle fatìgues 〔군사〕 =COMBAT FATIGUES
⁎**bat·tle·field** [bǽtlfìːld] *n.* **1 싸움터,** 전장 **2** 투쟁의 장, 논쟁점
bat·tle·front [-frʌ̀nt] *n.* (최)전선; 제일선, 전투 지구
bat·tle·ground [-gràund] *n.* =BATTLEFIELD
báttle gròup 〔미군〕 전투군(群) 《5개 중대로 구성됨》
bat·tle-hard·ened [-hɑ̀ːrdnd] *a.* 〈군인이〉 전투로 단련된
Báttle Hỳmn of the Repúblic [the ~] (미) 공화국 찬가 《남북 전쟁 때 북군의 애국가》
báttle jàcket 전투복 상의(와 비슷한 재킷)
báttle lìne 전선(戰線)
⁎**bat·tle·ment** [bǽtlmənt] *n.* [보통 *pl.*] **총안(銃眼)이 있는 흉벽**(cf. PARAPET)
~·ed [-id] *a.*

battlement

Báttle of Brítain [the ~] 브리튼 전투 《1940년 London 상공에서 벌어진 영국과 독일의 전투》
báttle pìece 전쟁화(畫), 전쟁 기사[시, 음악]
bat·tle·plane [bǽtlplèin] *n.* 〔항공〕 전투기
bat·tler [bǽtlər] *n.* (호주·구어) 악전고투하는 사람, 저소득자; (구어) 매춘부
bat·tle-ready [bǽtlrèdi] *a.* 전투 태세를 갖춘
báttle róyal 대혼전; 큰 싸움, 사투; 격렬한 논쟁
bat·tle-scarred [-skɑ̀ːrd] *a.* 전상(戰傷)을 입은; 〈전함 등이〉 역전(歷戰)의 흔적이 보이는; 낡고 헌
⁎**bat·tle·ship** [bǽtlʃìp] *n.* **전함;** [*pl.*] (속어) 큰 구두
bat·tle·ship-gray [-gréi] *a.* 희미한 회색의
bat·tle·some [bǽtlsəm] *a.* 싸움[논쟁]을 좋아하는
báttle stàr 〔미군〕 종군 기념 청동 성장(星章); 종군 기념 은 성장 《청동 성장 5개에 상당》
báttle stàtion 〔군사〕 전투 부서, 전투 배치; 〔공군〕 즉시 대기
báttle wàgon (미·구어) 전함(battleship); (미·속어) 범인 호송차
bat·tle·wor·thy [-wə̀ːrði] *a.* 전투 가능한, 전투 태세를 갖춘
battn. battalion
bat·tue [bætjúː] [F] *n.* 몰이 사냥; 대량 학살
bat·ty [bǽti] *a.* (**-ti·er**; **-ti·est**) **1** 박쥐의, 박쥐 같은 **2** (미·속어) 머리가 돈 **bát·ti·ness** *n.*
bat·wing [bǽtwìŋ] *a.* **1** 박쥐 날개 모양의 **2** (의복이) 박쥐 날개 모양을 한
bátwing sléeve (박쥐 날개처럼) 진동은 넓고 부리는 좁은 소매
bat·wom·an [-wùmən] *n.* (*pl.* **-wom·en** [-wìmin]) (영) BATMAN의 여성형
bau·ble [bɔ́ːbl] *n.* 값싼 물건(trinket); 〔역사〕 (어릿광대가 사용하는) 지팡이
baud [bɔ́ːd] *n.* (*pl.* **~, ~s**) 〔컴퓨터〕 보드 《데이터 처리 속도의 단위》
Bau·de·laire [bòudlɛ́ər] *n.* 보들레르 **Charles-Pierre ~** (1821-67) 《프랑스의 시인》
Bau·dót còde [bɔːdóu-] [프랑스의 발명가 이름에서] 〔컴퓨터〕 보도 코드 《5 또는 6비트로 된 같은 길이의 코드로 한 문자를 나타냄》
bau·drons [bɔ́ːdrənz] *n.* [무관사; 단수 취급] (스코) (작은) 고양이(cat); 들토끼
Bau·haus [báuhaus] [G] *n.* 바우하우스 《W. Gropius가 1919년 독일 Weimar에 세운 건축·조형 학교》
baulk [bɔ́ːk] *v., n.* =BALK
Bau·mé [bouméi, ⌐–|–⌐] [프랑스의 화학자 이름에서] *a.* 〔물리〕 보메 비중계의
Baumé scàle 보메 비중계
baux·ite [bɔ́ːksait, bóuzait | bɔ́ːksait] *n.* Ⓤ 〔광물〕 보크사이트 《알루미늄 원광》
Bav. Bavaria(n)
Ba·var·ia [bəvɛ́əriə] *n.* 바이에른, 바바리아 《독일 남부의 주; 독일어명 Bayern》
Ba·var·i·an [bəvɛ́əriən] *a.* 바이에른(산(産))의; 바이에른 사람[사투리]의 — *n.* Ⓒ 바이에른 사람; Ⓤ 바이에른 사투리
bav·in [bǽvin] *n.* (영) 섶나뭇단
baw·bee [bɔːbíː, ⌐–|–⌐] *n.* (스코) 반(半) 페니
bawd [bɔ́ːd] *n.* (문어) 뚜쟁이, 포주; 매춘부
bawd·ry [bɔ́ːdri] *n.* (*pl.* **-ries**) ⓊⒸ 외설, 음담
bawd·y [bɔ́ːdi] *a.* (**bawd·i·er**; **-i·est**) 음탕한, 외설한(obscene): a ~ joke 야한 농담 — *n.* 외설, 음담패설 **báwd·i·ly** *ad.* **báwd·i·ness** *n.*
báwdy hòuse 매음굴(bordello)
⁎**bawl** [bɔ́ːl] *vi.* **소리치다,** (구어) 훌닦아 세우다; 엉엉 울다: (~+부) "Go away!" *~ed out* Mr. Brown. 「나가!」라고 브라운씨는 소리쳤다. // (~+전+명) ~ *at* a person …을 닦아세우다
— *vt.* **고함치다,** 외치다, 울부짖다; 소리쳐 팔다; (미·속어) 호되게 꾸짖다 《*out*》: (~+목+부) She *~ed* him *out* for his mistake. 그녀는 그의 잘못에 대하여 호통쳤다. ~ ***and squall*** 마구 떠들어 대다
— *n.* 외침, 아우성, 울음
‡**bay**[1] [béi] *n.* **1** (작은) 만(灣), 후미, 내포 《보통 gulf보다 작음》: the *B~* of Wonsan = Wonsan *B~* 원산만 **2** 3면이 산으로 둘러싸인 평지 **3** (삼림 속에) 만의 형태로 들어서 있는 초원 ▷ embáy *v.*

thesaurus **battle** *n.* **1 전투** war, armed conflict, fight, clash, collision, encounter, campaign, warfare, combat (opp. *truce, peace*) **2 대결** contest,

bay[2] *n.* **1** 〖건축〗 기둥과 기둥 사이의 한 구획; = BAY WINDOW; 〖항공〗 (비행기 동체 내부의) 격실(隔室); 방죽; 교각(橋脚) 사이; 〖선박〗 중갑판 앞부분의 구획 《병실용》: a sick ~ (군함의) 병실 **2** (헛간의) 건초 두는 곳: a horse ~ 마구간 **3** 〖철도〗 측선용 플랫폼

*__bay__[3] [béi] *n.* Ⓤ **1 궁지,** 몰린 상태 **2** (사냥개가 짐승 등을 몰 때 여러 마리가 같이) **짖는 소리;** 크게 짖는 소리 ***be*** [***stand***] ***at ~*** 궁지에 빠지다 ***bring*** [***drive***] ***to ~*** 궁지에 몰아넣다 ***hold*** [***have***] ***at ~*** 〈사냥감을〉 몰아넣고 놓치지 않다 ***keep*** [***hold***] ***at ~*** 〈적·재난 등을〉 다가오지 못하게 하다 ***turn*** [***come***] ***to ~*** 몰리다 못해 반항하다
— *vi.* 〈사냥개 등이〉 짖다, 짖어 대다(⇨ bark[1] 유의어): 《~+전+명》 Dogs sometimes ~ *at* the moon. 개는 때때로 달을 보고 짖는다.
— *vt.* 짖으며 둘러싸다[가리키다]; 몰아넣다
~ (at) the moon 무익한 짓을 하다

bay[4] *n.* 월계수; [*pl.*] 월계관, 명성(fame)

bay[5] *a.* 적갈색[밤색]의
— *n.* **1** Ⓤ 적갈색 **2** Ⓒ 구렁말

ba·ya·dere [báiədìər, -dɛ̀ər] [F] *n.* **1** Ⓤ (선명한) 가로줄무늬 직물 **2** Ⓒ (힌두교의) 무희

Bay·ard[1] [béiərd] *n.* **1** (중세 기사 이야기에 나오는) 마력을 가진 말 **2** 《익살》 (보통의) 말

Ba·yard[2] [béiərd] *n.* **1** 베야르 《중세 기사의 귀감으로 일컬어진 프랑스 인》 **2** 용맹하고 믿음직한 신사 **3** 남자 이름

bay·ber·ry [béibèri, -bəri | -bəri] *n.* (*pl.* **-ries**) 월계수 열매; 속나무 무리의 나무 《북미산(產)》; 베이베리나무 《서인도 제도산(產)》

Báy Cíty 《미·속어》 샌프란시스코

Bay·ern [báiərn] *n.* 바이에른, 바바리아 《독일 남부의 주》

Bayes·i·an [béiziən, -ʒən] [영국의 수학자 T. Bayes에서] *a.* 〖통계〗 베이스(의 정리)의

Báyes' théorem [béiz-, béiziz-] 〖통계〗 베이스의 정리(定理) 《조건부 확률에 관한 정리》

báy láurel 월계수(bay tree)

báy lèaf 월계수의 말린 잎 《향미료》

bay-line [béilàin] *n.* 〖철도〗 대피선, 측선(側線)

Báy of Pígs [the ~] 피그스 만 《쿠바 남서부 카리브 해의 만》

báy òil 베이유(油) 《월계수(bay leaf)에서 채취; 향수·베이럼(bay rum) 제조용》

*__bay·o·net__ [béiənit, -nèt, bèiənét | béiənit] [무기가 처음 제작된 프랑스 도시 이름(Bayonne)에서] *n.* **1 총검 2** 〖전기〗 꽂는[플러그] 장치 **3** [the ~] 무력; [*pl.*] 보병(cf. SABER): 500 *~s* 보병 500명의 병력 ***at the point of the ~*** 총검을 들이대고, 무력으로 ***by the ~*** 무력으로 ***Fix*** [***Unfix***] ***~s!*** 《명령》 꽂아[빼어] 칼!
— *v.* (**~·(t)ed**; **~·(t)ing**) *vt.* 총검으로 찌르다[죽이다], 무력으로 강요하다: 《~+목+전+명》 ~ people *into* submission 사람들을 무력으로 복종시키다
— *vi.* 총검을 사용하다

báyonet sòcket 〖전기〗 꽂는 소켓

bay·ou [báiu:, -ou | -ju:] *n.* 《미남부》 (강·호수 등의) 후미, 작은 만 《늪처럼 생긴 곳》

báyou blúe 《미·속어》 값싼 위스키, 밀조주

Báyou Státe [the ~] 미국 Mississippi 주의 속칭

báy rúm 베이럼 《향료》

báy sàlt 천일염(天日塩)

Báy Stàte [the ~] 미국 Massachusetts 주의 속칭

Báy Stréet 베이스트리트 《캐나다 최대의 증권 거래소가 있는 Toronto 시의 금융 중심지》; 캐나다 금융계

báy trèe = BAY LAUREL

---

competition, tournament, conflict, struggle
bawl *v.* cry, sob, weep, wail, blubber, yell, shout, scream, howl, roar, bellow

---

báy wíndow 〖건축〗 퇴창, 내민창(cf. ORIEL); 《익살》 올챙이배

bay·wood [béiwùd] *n.* (멕시코 만산(產)의) 마호가니의 일종 《가구용》

*__ba·zaar, -zar__ [bəzá:r] [Pers. 「시장」의 뜻에서] *n.* **시장;** (중동의) 상점가, 백화점; 특매장; **바자,** 자선시(市): a Christmas ~ 크리스마스 특매장

ba·zaa·ri [bəzá:ri:] *n.* 이란인 상인[상점주]

ba·zil·lion [bəzíljən] *n.* 《미·속어》 (billion 이상의) 방대한 수(zillion)

ba·zoo [bəzú:] *n.* (*pl.* **~s**) 《미·속어》 (지껄이기 위한) 입; 코; 허풍; 야유

ba·zoo·ka [bəzú:kə] *n.* **1** 〖군사〗 바주카포 《휴대용 대전차 로켓포》 **2** 〖음악〗 바주카 《트롬본 비슷한 악기》

ba·zoo·ka·man [bəzú:kəmæ̀n] *n.* (*pl.* **-men** [-mèn]) 바주카 포병

ba·zoom [bəzú:m] *n.* [*pl.*] 《미·속어》 젖통이, 유방

BB [bí:bí:] *n.* BB탄 《지름 0.175인치의 공기총탄》 (= ∠ **shòt**; cf. BB GUN)

BB 〖야구〗 base(s) on balls; double black (연필의 2B) **bb.** books **b.b.** ball bearing; 〖야구〗 base(s) on balls **B.B.** baseboard; bail bond; Blue Book; Bureau of the Budget **B.B.A.** Bachelor of Business Administration

B-ball [bí:bɔ́:l] *n.* 《미·속어》 농구(공)

B̀ bàttery 〖전자〗 B전지 《진공관의 플레이트 회로에 쓰는 고압 전지》

BBB bed, breakfast and bath; Better Business Bureau; treble black (연필의 3B)

BBC [bí:bì:sí:] [*B*ritish *B*roadcasting *C*orporation] *n.* **1** [the ~] 영국 방송 협회 **2** BBC 방송

B̀BC Ènglish BBC 영어 《BBC 아나운서가 쓰는 표준 영어》

B̀BC Wòrld Sérvice [the ~] (영국의) BBC 국제 방송 《BBC가 다른 나라 언어로 뉴스나 프로그램을 송출함》

BBFC British Board of Film Classification **BBFN** bye-bye for now 《인터넷 채팅이나 E메일의 작별 인사》

B̀B gùn 《미》 BB총 《공기총의 일종; 구경 0.18인치》

bbl. barrel **bbls.** barrels

b.board [bí:bɔ́:rd] *n.* 〖컴퓨터〗 게시판 《BBS 등에서 쓰이는》

B-bop [bí:bɑ̀p | -bɔ̀p] *n.* 《미·속어》 = BEBOP

B-boy, b- [bí:bɔ̀i] *n.* 《구어》 비보이 《힙합[랩] 음악을 매우 좋아하거나 그 일을 하는 젊은이》

BBQ barbecue; Brooklyn, Bronx, and Queens 《New York의 Manhattan에 인접한 3구》 **BBS** bulletin board system 〖컴퓨터〗 전자 게시판 시스템

*__B.C., BC__ [bí:sí:] [*b*efore *C*hrist] **기원전**(cf. A.D.) ★ 숫자 뒤에 오며 보통 small capital로 씀.

BC Bachelor of Chemistry[Commerce]; bass clarinet; battery commander; British Columbia **B/C** bills for collection **bcc** blind carbon copy 〖컴퓨터〗 수신인에게 알리지 않고 제3자에 송달되는 전자 우편 메시지 **BCD** bad conduct discharge 〖미군〗 불명예 제대; binary-coded decimal (representation) 〖컴퓨터〗 2진화(進化) 10진법 (표기법) **BCE** Bachelor of Chemical Engineering; Bachelor of Civil Engineering; before the Common Era

B̀ cèll [*b*one-marrow-derived *cell*] 〖의학〗 B세포, B임파구

BCG [bí:sì:dʒí:] [*B*acillus *C*almette-*G*uérin(프랑스 세균학자 이름)] *n.* 〖의학〗 BCG 백신(= ∠ **váccine**)

BCh Bachelor of Chemistry **BChE** Bachelor of Chemical Engineering

BCL Bachelor of Canon[Civil] Law **bcn** beacon **BCNU** be seeing you 그럼, 안녕 《인터넷 채팅이나 친구끼리의 편지 말미의 인사말》 **BCom** Bachelor of Commerce **BCS** Bachelor of

Commercial[Chemical] Science; British Computer Society
BCS thèory [bíːsìːés-] [발견자명 *B*ardeen, *C*ooper, *S*chrieffer에서] 〖물리〗 BCS 이론 《초전도에 관한 이론》
bd board; bond; bound; bundle **BD** Bachelor of Divinity; bank discount; bills discounted
b/d barrels per day **B/D** bank draft; bills discounted; brought down 〖부기〗 차기 이월(移越)
Bde Brigade
bdel·li·um [déliəm, -ljəm] *n.* **1** 〖성서〗 베델리엄 《수지(樹脂)·보석 등으로 추정됨; 창세기 2: 12》 **2** 방향(芳香) 수지(를 내는 나무)
bd. ft. board foot[feet] **BDG** binding 제본
bdl. bundle **Bdr** Bombardier; Brigadier
bdrm. bedroom **BDS** Bachelor of Dental Surgery; bomb disposal squad 불발탄 처리반
bds. (bound in) boards 보드지(紙) 제본의; bundles **BDST** British double summer time
‡be ⇨ be (p. 210)
be- [bi, bə] *pref.* **1** [강조적으로 타동사에 붙여] 전면적으로, 완전히, 아주, 지나치게: *be*drench, *be*spatter **2** [자동사에 붙여 타동사를 만듦]: *be*moan, *be*speak **3** [형용사·명사에 붙여 타동사를 만듦] …으로 만들다, …이라고 부르다, …으로 대우하다: *be*fool, *be*foul, *be*friend **4** [명사에 붙여 타동사를 만듦] …으로 둘러싸다, 덮다: *be*cloud **5** [명사에 붙여 어미 '-ed'를 더하여 형용사를 만듦] …이 있는, …으로 장식한, 전면에 …이 있는: *be*wigg*ed*, *be*jewel*ed*
Be 〖화학〗 beryllium **Bé, Be** 〖물리〗 Baumé
b.e., BE, B/E bill of entry; bill of exchange
B.E. Bachelor of Education; Bachelor of Engineering; Bank of England; Board of Education; (Order of the) British Empire
Bea [bíː] *n.* Beatrice의 애칭
BEA British East Africa; British Electricity Authority; British European Airways
‡beach [bíːtʃ] *n.* **1** (모래·자갈이 있는) 물가, 바닷가, 해변, 호반, 호숫가(⇨ shore 유의어) **2** [집합적] (해변의) 모래, 자갈 **3** 해수욕장, (호숫가 등의) 수영장 ***on the* ~** 영락(零落)하여; 〈선원이〉 실직하여; 육상 근무로
—*vt.* 〈배를〉 물에 밀어올리다[끌어올리다]
—*vi.* 〈배가〉 물에 얹히다
▷ béachy *a.*
béach bàll 비치볼 **1** 해변·풀 등에서 갖고 노는 큰 고무공 **2** 우주 비행사의 긴급 탈출용 캡슐
beach·boy [bíːtʃbɔ̀i] *n.* 비치보이 《해변의 남자 감시인·지도원》
Béach Bòys [the ~] 비치 보이스 《1961년에 결성된 미국의 록 그룹》
béach bùggy 모래밭용 자동차(dune buggy)
béach bùnny (미·속어) 비치버니(surf bunny) 《서핑하는 남자와 어울리는 여자》
beach-burn·er [-bə̀ːrnər] *n.* (구어) 제트 스키(jet ski)
beach·comb·er [-kòumər] *n.* **1** (해변에 밀려오는) 큰 파도, 놀 **2** 해변에서 (난파선 등의) 물건을 줍는 사람; 백인 부두 부랑자 《특히 남태평양 제도의》
béach fàce (해변의) 파도가 덮치는 부분
béach flèa 〖곤충〗 갯벼룩(sand hopper)
beach·front [-frʌ̀nt] *n.* 해변, 해안 지대
—*a.* 해변에 위치한, 해변에 이웃한
beach·go·er [-gòuər] *n.* 해수욕하는 사람
béach gràss 해변의 모래땅에 자라는 볏과(科)의 잡초
beach·head [-hèd] *n.* 〖군사〗 교두보(cf. BRIDGEHEAD); (발전의) 발판, 거점, 출발점
beach·ie [bíːtʃi] *n.* (호주·구어) 바닷가 낚시꾼; 해변의 젊은 부랑자
Beach-la-Mar [bìːtʃləmɑ́ːr] *n.* (영) =BÊCHE-DE-MER 2
beach·mas·ter [bíːtʃmæ̀stər | -mɑ̀ːs-] *n.* 〖군사〗 상륙 지휘관; 〖동물〗 세력권을 가진 수컷 물개
beach·scape [-skèip] *n.* 해변 풍경
beach·side [-sàid] *a.* 바닷가의, 해안을 낀
béach umbrèlla (미) 비치 파라솔, 해변용 큰 양산
béach vólleyball 비치 발리볼
béach wàgon (미) =STATION WAGON
beach·wear [-wɛ̀ər] *n.* Ⓤ 비치웨어, 해변복
beach·y [bíːtʃi] *a.* (**beach·i·er**; **-i·est**) 모래[자갈]로 뒤덮인
∗bea·con [bíːkən] [OE 「신호」의 뜻에서] *n.* **1** 봉홧불, 봉화(→ fire) **2** 신호소, 등대(lighthouse); 수로[항공, 교통] 표지; 무선 표지(=radio ~); =BELISHA BEACON: an aerial ~ 항공 표지 **3** 지침(指針), 경고 **4** (영) (봉화를 올리던) 고지; …봉(峰), …산 **5** (비유) 지침이 되는 사람[것]: a ~ in the night 정신적으로 방황하고 있을 때 인도해 주는 사람
—*vt.* 표지로 인도하다; …에 표지를 설치하다; 비추다
—*vi.* (표지처럼) 빛나다; 지침[경고]이 되다
béacon fire 신홋불, 봉화
Béacon Hill 비컨힐 《미국 Boston의 고풍스러운 부유층 거주 지역》
béacon lìght 표지등, 신호빛 《등대의 빛 등》
béacon schòol (영) 지표 학교 《영국에서 높은 수준과 모범 사례로 공인된 일종의 시범 학교》
∗bead [bíːd] [OE 「기도」의 뜻에서] *n.* **1** 구슬, 유리알, 비즈, 염주[묵주]알; [*pl.*] 염주, 묵주, 로사리오(rosary), 목걸이 **2** (물·이슬·땀·피 등의) 방울; (청량음료 등의) 거품 **3** (총의) 가늠쇠, 겨냥(aim) **4** 고무 타이어의 보강 부분 **5** 〖건축〗 구슬선(astragal) ***draw*** [***get***] ***a ~ on*** [***upon***] (구어) …을 겨누다, 겨냥하다 ***pray without*** one***'s ~s*** 계산 착오를 하다, 기대에 어긋나다 ***tell*** [***count, say, bid***] one***'s ~s*** (묵주를 굴리면서) 기도하다
—*vt.* 구슬로 장식하다, …에 구슬을 달다[꿰다], 구슬 모양으로 하다
—*vi.* 구슬(모양)이 되다 ▷ béady *a.*
béad and réel 〖건축〗 구슬 장식 《쇠시리의 일종; 한 개의 타원형과 두 개의 주판알 모양이 교대로 이어진 모양의 장식》
béad cúrtain 주렴(珠簾)
bead·ed [bíːdid] *a.* 〈거품·땀 등이〉 구슬이 된, 구슬 같은; 구슬로 장식한: His forehead is ~ with perspiration. 그의 이마에 땀이 송골송골 맺혀있다.
bead·house [bíːdhàus] *n.* (*pl.* **-hous·es** [-hàuziz]) 구빈원; 양로원
bead·ing [bíːdiŋ] *n.* Ⓤ 구슬 세공[장식]; 〖건축〗 구슬선(장식)
bea·dle [bíːdl] *n.* (영) 교구(敎區) 직원; 대학 총장의 직권 표지를 받드는 속관(屬官)
~·dom, ~·hood *n.* Ⓤ 하급 관리 근성
bead·roll [bíːdròul] *n.* 〖가톨릭〗 명복(을 받는 자의) 명부, 《일반적으로》 명부, 목록; 묵주, 로사리오(rosary)
beads·man [bíːdzmən] *n.* (*pl.* **-men** [-mən]) (특히 돈을 받고) 남을 위해 기도해 주는 사람; 구빈원(beadhouse) 수용자
beads·wom·an [-wùmən] *n.* (*pl.* **-wom·en** [-wìmin]) BEADSMAN의 여성형
bead·work [bíːdwə̀ːrk] *n.* Ⓤ 구슬 세공[장식]; 〖건축〗 구슬 세공
bead·y [bíːdi] *a.* (**bead·i·er**; **-i·est**) 구슬 같은; 구슬로 장식한; 〈술 등이〉 거품이 이는: ~ eyes (흥미·욕심으로) 말똥말똥 빛나는 작은 눈
bead·y-eyed [-àid] *a.* 작고 반짝이는 눈을 가진[한, 의]; 의심스러운 눈초리의
bea·gle [bíːgl] *n.* 비글 《토끼 사냥에 쓰이는 작고 다리가 짧은 사냥개》; 스파이, 탐정; 집달관

thesaurus **beach** *n.* seaside, coast, seashore, water's edge, coastline, sands
beacon *n.* bonfire, flare, beam, signal

bea·gling [bí:gliŋ] *n.* Ⓤ 비글을 쓰는 토끼 사냥

‡beak[1] [bí:k] *n.* **1** (맹금의 갈고리 같은) 부리 《보통 새의 뾰족하거나 납작한 것은 bill》 **2** 부리같이 생긴 물건; 《구어》 코, 매부리코; 피리의 혀; 〖항해〗 (전함의) 뱃머리, 함수(艦首)《적함을 부수기 위한 배 앞부분의 돌출부》; (그릇의) 귀때, (주전자의) 주둥이; 〖건축〗 (홈통의 부리 모양의) 돌출부 ***dip the ~*** 《속어》 건배하다 ▷ béaky *a.*

beak[2] *n.* 《영·속어》 치안 판사; 교장, 교사

beaked [bí:kt, bí:kid] *a.* 부리가 있는, 부리 모양의; 돌출한

beak·er [bí:kər] *n.* 굽 달린 큰 컵; 그 컵 한 잔 분량; 비커 《화학 실험용》

beak·y [bí:ki] *a.* (**beak·i·er**; **-i·est**) 부리 모양의; 부리가 있는

bé-àll and énd-àll 요체(要諦); 가장 중요한 것

‡beam [bí:m] *n.*, *v.*

> 들보 **1**→(들보처럼 곧은 데서)
> ┌→(천칭의) 저울대 **3**
> └→광선 **4 a**→빛, 빛남 **4 b**→빛나다 ⑧

— *n.* **1** 들보, 도리 **2** (배의) 갑판보, 빔; 선폭(船幅); 《구어》 (사람의) 엉덩이폭 **3** 저울(대); (쟁기(plow)의) 자루; (베틀의) 도투마리; (사슴뿔의) 줄기 **4 a** 광선(ray), 빛살; 광속(光束)(bundle of rays) **b** [a ~ of로] (…의) 빛, (얼굴의) 빛남; 환한 얼굴: *a ~ of* hope 희망의 빛 / with *a ~ of* welcome 환영하는 환한 얼굴로 **5** (확성기·마이크 등의) 유효 가청(可聽) 범위 **6** 〖항공〗 신호 전파, 방향 지시 전파(=radio ~) **7** (비유) (얼굴·행위 등의) 빛남, 밝음
abaft [***before***] ***the ~*** 바로 옆에서 뒤로[앞으로] ***a ~ in one's*** (***own***) ***eye***(***s***) 제 눈 속에 있는 들보 《스스로 깨닫지 못하는 자신의 큰 결점; 마태복음 7 : 3》 ***broad in the ~*** 《구어》 (허리가 굵고) 엉덩이가 큰 ***fly*** [***ride***] ***the ~*** 〖항공〗 지시 전파에 유도되어 비행하다 ***get*** [***go***] ***on the ~*** 《속어》 마이크의 소리가 가장 똑똑히 들리는 쪽에 서다; 《속어》 방송되다 ***kick*** [***strike***] ***the ~*** 압도되다, 지다 ***off the ~*** 〈비행기가〉 방향 지시 전파에서 벗어나; 《구어》 잘못된, 어림이 빗나간, 실수한 ***on the ~*** 〈비행기가〉 방향 지시 전파에 따라; 《속어》 궤도에 올라, 바르게 ***on the port*** [***larboard***] ***~*** 〖항해〗 좌현 바로 옆 앞에 ***on the starboard ~*** 〖항해〗 우현 바로 옆 앞에 ***steam*** a person***'s ~*** 《미·속어》 〈사람을〉 화나게 하다, 발끈하게 하다

— *vt.* **1** 〈빛을〉 발하다, 비추다 **2** 〖라디오〗 〈전파를〉 향하게 하다(direct); 〈뉴스 등을〉 방송하다; 레이더로 탐지하다: (~+목+전+명) ~ programs *at*[*to*] Korea 한국을 향해 방송하다

— *vi.* **1** 빛나다; 빛을 발하다: The sun *~ed* through the clouds. 태양이 구름 사이로 빛났다. **2** 기쁨으로 빛나다, 밝게 미소짓다: (~+전+명) He *~ed with* joy. 그는 희색이 만면했다.
~ upon [***at***] a person …을 보고 싱글싱글 웃다
▷ béamish, béamy *a.*

béam antènna 〖통신〗 지향성 안테나

béam còmpass 빔 컴퍼스 《큰 원을 그리는 제도(製圖) 기구》

beamed [bí:md] *a.* **1** 들보가 있는 **2** 빛나는 **3** 〖라디오〗 방송되는[된]

beam-ends [bí:mèndz] *n. pl.* 〖항해〗 (배의) 가로들보의 끝 ***on her*** [***one's***] ***~*** 〈배가〉 거의 전복되려고; 《구어》 〈사람이〉 진퇴양난이 되어

béam èngine (초기의) 증기 기관

beam·er[1] [bí:mər] *n.* (방적에서) 날실 감개

beamer[2] *n.* 《미·속어》 IBM 컴퓨터 사용자[정통자]

---

beam *n.* **1** 들보 board, timber, plank, joist, rafter, girder, supporter, lath **2** 빛 ray, shaft, flash, gleam, glow, glimmer, glint

beamer[3] *n.* 《미·속어》 =BEEMER

Beam·er *n.* =BEEMER

béam hòuse (피혁 공장의) 빔 하우스 《무두질의 준비 공정 작업장》

***beam·ing** [bí:miŋ] *a.* 빛나는; 기쁨에 넘친, 희색이 만면한, 밝은 **~·ly** *ad.*

beam·ish [bí:miʃ] *a.* =BEAMING

beam·less [bí:mlis] *a.* **1** 들보가 없는 **2** 빛을 내지 않는, 빛나지 않는

béam lìghts 빔 라이트 《극장이나 강당 등의 천장에 설치된 스포트라이트》

béam-pow·er tùbe [bí:mpàuər-] 〖전자〗 빔 (전력)관

béam rìder 전자 유도 미사일

béam séa 옆파도 《뱃전에 직각으로 부딪치는 파도》

béam sỳstem 〖통신〗 빔식 《일정한 방향으로 강한 전파를 방사하는 안테나 방식》

béam wèapon 빔 무기, 광선 무기

beam·width [bí:mwìdθ] *n.* 〖통신〗 신호[레이더] 전파의 방사(放射) 각도의 폭

béam wìnd 〖항해·항공〗 옆바람

beam·y [bí:mi] *a.* (**beam·i·er**; **-i·est**) 〈배가〉 폭이 넓은; 광선을 방사하는, 빛나는; 환한, 즐거운; 〖동물〗 〈수사슴이〉 가지뿔이 있는

‡bean [bí:n] *n.* **1** 콩(cf. PEA); 잠두; 강낭콩: soy(a) *~s* 대두, 콩 / French[kidney] *~s* 강낭콩 / small *~s* 팥 / Every ~ has its black. 《속담》 사람에겐 누구나 결점이 있다. **2** (콩 같은) 열매: coffee *~s* 커피 열매 **3** 《미·속어》 머리 **4** [*pl.*; 보통 부정문으로] 《영·속어》 적은 돈 **5** [*pl.*; 보통 부정문으로] 《미·속어》 조금, 소량; 하찮은 것: He does*n't* know *~s* about it. 그는 그것에 관해서 전혀 아는 게 없다. ***a hill of ~s*** [주로 부정문에서] 《구어》 극히 소량; 하찮은 것 ***full of ~s*** 《구어》 〈말·사람이〉 원기 왕성하여 ***get ~s*** 《구어》 꾸지람 듣다; 얻어맞다 ***give*** a person ***~s*** 《구어》 …을 꾸짖다, 벌주다 ***have too much ~s*** 원기가 넘치다 ***know ~s*** 정통하다 ***know how many ~s make five*** 지혜가 있다, 빈틈없다 ***not care a ~*** [《미》 ***~s***] 조금도 상관하지 않다 ***not have a ~*** 《영·구어》 한 푼도 없다, 빈털터리다 ***not worth a ~*** 한 푼어치 가치도 없는 ***old ~*** 《영·속어》 야 이 사람아! ***spill the ~s*** 《구어》 비밀을 털어놓다, 자백하다

— *vt.* 《속어》 (야구공 등으로) …의 머리를 치다

bean·bag [bí:nbæ̀g] *n.* (헝겊 주머니에 콩·팥 등을 넣은) 공기 《장난감》

bean·ball [-bɔ̀:l] *n.* 〖야구〗 빈볼 《타자의 머리를 향한 투구》

béan càke 콩깻묵

béan còunter 《구어》 숫자 계산밖에 모르는 사람 《회계사·통계원·재무 분석가 등》

bean-count·ing [-kàuntiŋ] *a.* (정부·기업의) 통계에 의존하는, 통계적인, 경리상의

béan cùrd[**chèese**] 두부(tofu)

bean-eat·er [bí:ní:tər] *n.* 《미·속어》 **1** Boston 사람(cf. BEANTOWNER) **2** (가난한) 멕시코 인

bean·er·y [bí:nəri] *n.* (*pl.* **-er·ies**) 《미·구어》 싸구려 음식점; 《미·속어》 유치장

bean·feast [bí:nfì:st] *n.* 《영》 (1년에 한 번) 고용인에게 베푸는 잔치; 《속어》 즐거운 잔치

bean-fed [-fèd] *a.* 《구어》 혈기 왕성한

bean·head [-hèd] *n.* 《속어》 바보, 멍텅구리

bean·ie [bí:ni] *n.* 비니 (모자) 《작고 챙이 없는 모자》 (cf. SKULLCAP)

bean·o[1] [bí:nou] *n.* (*pl.* **~s**) =BINGO

beano[2] *n.* (*pl.* **~s**) 《속어》 =BEANFEAST

bean·pod [bí:npɑ̀d | -pɔ̀d] *n.* 콩 꼬투리

bean·pole [-pòul] *n.* 콩덩굴의 받침대; 《구어》 키다리

béan pòt (콩 스튜 등에 쓰는) 뚜껑 있는 두꺼운 냄비

bean·shoot·er [-ʃù:tər] *n.* =PEASHOOTER 1

be

1 변칙 동사의 하나로서 어형 변화에 특징이 있다. 특히 일반 동사 외에 조동사 용법과 be+부정사 용법에 유의하여야 한다.
2 의문문을 만들 때는 주어와 도치를 하며 조동사 do를 쓰지 않는다: He is good. *Is* he good?
3 부정형을 만드는 데도 do를 쓰지 않는다: That is nice. That *is not*[*isn't*] nice. 단, 명령형에서는 보통 do를 쓰며 do를 쓰지 않는 것은 옛 형태이다: *Don't be* hasty. 서두르지 마라. / =《고어》 *Be not* hasty.
4 강조할 때도 do를 쓰지 않고 be 동사를 세게 발음한다: She *is*[íz] pretty, indeed. 그 여자는 정말 아름답다.《이 경우의 *is*는 실제의 인쇄에도 보통 이탤릭체를 쓰며 필기할 때는 밑줄을 친다. 단, 긍정 명령형을 강조할 때는 *do*를 쓴다: *Do be* kind to him. 부디 그에게 친절하게 하시오.》

‡be [bi, bíː] [변화형의 am, is, are; was, were는 다른 어원에서]《USAGE (1) be는 어형 변화를 한다《다음 표 참조》(2) be형은 (a) 조동사 뒤, (b) 부정사, (c) 명령법·기원법, (d) 가정법에 사용되는데(⇨ 동사 **B** 항 또는 각 항목 참조), 동사 be의 공통 용법은 다음 **A**를 참조할 것》

— *vi.* **A 1** [연결 동사로서]: **a** (…)이다: 《~+보》 Cigarette smoking *is* dangerous to your health. 흡연은 건강에 위험하다. / She'*s* a good doctor. 그녀는 훌륭한 의사이다. / They *were* frightened. 그들은 놀랐다. / The boys *are* very quiet today. 소년들은 오늘 매우 조용하다. / I *am* in good condition. 나는 건강하다. / That *is* what I wanted to say. 그건 내가 말하고 싶었던 것이다. / I *am* proud of you. 나는 네가 자랑스럽다. **b** (…하는 것)이다: 《~+*to* do》 His duty *was to* bring criminals to justice. 그의 직무는 죄인을 법에 따라 처벌하는 것이었다. **c** (…하는 것)이다: 《~+*-ing*》 His only fault *is* sleep*ing* late in the morning. 그의 유일한 단점은 아침에 늦잠을 자는 것이다. **d** (…이라는 것)이다: 《~+*that* 절》 The fact *is that* a happy person makes better worker. 사실은 행복한 사람이 훌륭한 일꾼이 된다는 것이다. / Our hope *is that* at this time all parties will cooperate. 우리의 바람은 이 시점에서 모든 당사자들이 협력하는 것이다. **e** (…하느냐는 것)이다: 《~+*wh.* 절》 The question *is what* caused the accident. 문제는 무엇 때문에 그 사고가 일어났나 하는 것이다. // 《~+*wh. to* do》 The problem *is* not *when to* go but *how to* go there. 문제는 언제 갈 것인가가 아니라 어떻게 그곳에 갈 것인가이다.

USAGE be에 악센트를 두면 문장 진술의 진실성이 강조된다: It *is*[íz] wrong. 그것은 분명히 틀렸다.

f 〈나이가〉 …이다: How old *are* you? — I'*m* ten (years old). 몇 살이니? — 열 살입니다. ★ I'm ten years.는 틀림 / The bridge *is* 200 years old. 그 다리는 200년이 되었다. **g** 〈높이·깊이·길이·넓이·무게·거리가〉 …이다: How tall *are* you? =What'*s* your height? — I'*m* 1.75 meters. 키가 얼마냐? — 175센티미터이다. / How deep *is* the pool? = What'*s* the depth of the pool? — It'*s* two meters deep. 수영장의 깊이는 얼마냐? — 2미터이다. / What'*s* your weight? — I'*m* 60 kilos. 체중이 얼마냐? — 60킬로이다. / How far *is* it to London? — It'*s* 20 kilometers. 런던까지 거리가 얼마냐? — 20킬로미터이다. **h** 〈날짜·시간·온도·기후가〉 …이다: What date *is* it? — It'*s* 1 April. 오늘이 며칠이냐? — 4월 1일이다. / What *was* the weather like? — It *was* very cold. 날씨가 어땠냐? — 매우 추웠다. / What time *is* it? — It'*s* 3 P.M. 몇 시인가? — 오후 3시이다.

2 a [장소·때를 나타내는 부사(구)와 함께] (어디에) 있다; (언제) 있다, …이다: She *is* in London. 그녀는 런던에 있다. / When *is* your birthday? — It *is* on the 5th of May. 네 생일은 언제냐? — 5월 5일이야. **b** (…하기 위하여) 있다, (…하기 위한 것)이다: 《~+*to* do》 This medal *is to* honor the winner. 이 메달은 우승자를 표창하기 위한 것이다. / This *is to* certify that ... 이는 …임을 증명하기 위한 것이다, 이에 …임을 증명함《증명서의 상투 문구》

3 a [미래형 대신으로] (…으로) 되다《부사절에서는 미래형을 쓰지 않으므로; ⇨ B 1 a》: Come back before it *is* dark. 어둡기 전에 돌아오너라. / I won't go if it *is* rainy tomorrow. 내일 비가 오면 가지 않겠다. **b** 〈사람이〉 (시간이) 걸리다(⇨ B 1 b): What a (long) time they *are*! 그들은 굉장히 시간이 걸리는구나!

4 a [there is[are] ...로] 〈…이〉 있다(⇨ there B 1): There'*s* very little we can do now. 지금 우리가 할 수 있는 일이라곤 거의 없다. **b** 《문어》 존재[생존, 실존]하다(exist): God *is.* 하느님은 계시느니라. / I think, therefore I *am.* 나는 생각한다, 고로 나는 존재한다. ★ 「유무(有無)」를 나타낼 때에는 보통 'there is[are] ...'를 쓴다: Once upon a time there *was* a knight. 옛날에 한 기사가 있었다. **c** 일어나다(⇨ B 1 c): The final meeting *was* last week. 마지막 모임이 지난 주에 있었다.

직 설 법		
인칭	현재(단축형)	과거
I	am(I'm)	was[wasn't]
we	are(we're)[aren't]	were[weren't]
you	are(you're)[aren't]	were[weren't]
(고어) thou thou	art	wast, wert
he	is(he's)[isn't]	was[wasn't]
she	is(she's)[isn't]	was[wasn't]
it	is(it's)[isn't]	was[wasn't]
they	are(they're)[aren't]	were[weren't]
과거분사	been	
현재분사	being	

가 정 법		
인칭	현재	과거
I / we / you	be	were
(고어) thou	be	wert
he / she / it / they	be	were

— B 1 [조동사와 함께]: **a** [미래를 나타내어] (…으로) 되다(⇨ A 3a): ((~+图)) He will *be* a teacher. 그는 교사가 될 것이다. / It will *be* dark before long. 머지않아 어두워질 것이다. **b** [미래를 나타내어] 〈사람이〉 〈시간이〉 **걸리다, 걸릴 것이다**(⇨ A 3b): Will you *be* long? 시간이 오래 걸리겠느냐? **c** [미래를 나타내어] **일어나다,** 행해지다(⇨ A 4c): When will the wedding *be*? 결혼식은 언제 거행됩니까? **d** [미래형 이외의 조동사와 함께] (…)**이다**: That *may be* true. 그건 사실일지도 모르겠다. **e** [can, could와 함께] **존재하다**: *Can* such things *be*? 이런 일이 있을 수 있겠는가?
2 [부정사의 경우]: **a** (…)**이다**: ((~+图)) Let it *be* so! 그럴지어다! **b** 그대로의 상태에 있다: Let him [it] *be*. 그[그것]를 (그대로) 내버려 두어라. **c** ((문어)) 존재[생존, 잔존]하다(⇨ A 4b): *To be*, or not *to be*; that is the question. 사느냐 죽느냐, 그것이 문제로다. ((Shakespeare의 *Hamlet*에서))
3 [명령법·기원법에서] (…)**이어라**: ((~+图)) *Be* kind to old people. 노인에게 친절히 하여라. / So *be* it! =*Be* it so! 그러려면 그러려무나; 그럴지어다. / Do *be* quiet! 조용히 해 주시오! ((강조하기 위한 do의 용법)) / Don't *be* silly! 바보 같은 짓[소리] 작작 해!
4 [가정법에서]: **a** [조건절·양보절 등에서] ((문어)): If it *be* fine ... 날씨가 좋다면… ((현재는 보통 직설법을 사용함; ⇨ A 3 a)) / *Be* it ever so humble, there's no place like home. 아무리 초라해도 자기 집 같은 곳은 없다. / *Be* that as it may, ... 그것이야 어쨌든… / *Be* the matter what it may, ... 그 문제야 어떻든… **b** [요구·주장·제안 등을 나타내는 동사 뒤의 *that* 절 안에서]: I demanded *that* he (should) *be* present. 그가 출석하도록 요구했다. ★ ((구어))에서는 should를 쓰지 않는 경우가 많음. / Resolved(=It has been resolved) *that* our salary *be* raised. 봉급이 인상되어야 함을 결의함.
— *auxil. v.* **1** [be+타동사[수동이 가능한 동사구 중의 자동사의 과거분사]로 수동을 만들어] …**되다** ((동작)), …**되어 있다** ((상태)): This magazine *is published* twice a month. 이 잡지는 한 달에 두 번 발행된다. / Grammar *be hanged*! 문법 같은 건 뒈져라! / He *is known* as a musician. 그는 음악가로 알려져 있다.
2 [be+*-ing*로 진행형을 만들어]: **a** …**하고 있다,** …하는 중이다: She *was* sing*ing* then. 그녀는 그때 노래를 부르고 있었다. **b** [always, constantly, all day 등과 함께; 종종 비난의 뜻이 함축됨] **끊임없이** …**하다,** 늘 …만 하고 있다: He *is always* smok*ing*. 그는 끊임없이 담배를 피워 댄다. **c** [가까운 미래를 나타내어] …**하려고 하다,** …할 참이다: He *is* com*ing* to see us this evening. 그는 오늘 저녁에 우리를 만나러 온다. / I must *be* go*ing*. 이제 가야겠습니다. / ⇨ be GOING to do **d** [be 동사가 진행형이 되어] …**하고 있다**[**있는 중이다**] ★ 원래 be는 정적(靜的) 상태를 나타내므로 진행형으로 쓰이지는 않으나, 예외적으로 일시적인 행위임을 강조할 경우에는 사용됨: "Be serious!" — "I *am being* serious." 좀 진지해라! — 저는 지금 진지한데요. / You *are being* too kind to him, aren't you? 너는 그 사람에게 너무 친절한 거 아니니?
USAGE 「be being+형용사」의 형태로 쓰이는 주요 형용사: brave, careful, careless, clever, clumsy, courageous, cruel, foolish, generous, good, honest[dishonest], kind[unkind], mean, nasty, polite[impolite], reasonable, rude, selfish [unselfish], sensible, silly, stupid, sweet, weak, wicked, wise
e [be+about to do로] **막** …**하려고 하다**: We *are about to* open a new branch in your area. 귀하의 지역에 새로운 지점을 개설하려 합니다.
3 [be+*to* do로]: **a** [예정을 나타내어] …**하기로 되어 있다,** …할 예정이다: We *are to* have lunch at the airport. 우리는 공항에서 점심을 먹을 예정이다. / He *was to* have left that night. 그는 그날 밤에 떠나기로 되어 있었다(그러나 떠나지 않았다). ★ 완료 부정사를 취하면 실현되지 않은 예정을 나타냄; 문어적 표현. **b** [의무·명령을 나타내어] …**할 의무가 있다,** …해야 하다: I *am to* inform you that ... …임을 알려드리는 바입니다. / You *are to* report to Mr. Jones. 존스 씨께 보고해야 한다. ((부정문에서는 금지를 나타냄)) **c** [가능을 나타내어] …**할 수 있다** ((보통 see, find 등의 수동 부정사가 따름)): No one *was to be seen* in the street. 거리에 사람이라고는 보이지 않았다. **d** [운명을 나타내어] …**할 운명이다** ((보통 과거형으로 씀)): He *was* never *to* come back to his country again. 그는 두 번 다시 조국에 돌아오지 못할 운명이었다.
4 [were+*to* do로 실현성이 희박한 가정을 나타내어] 만일 …한다면 ((should보다 불확실함을 나타내는 의미가 강함)): If I *were to* die[*Were* I *to* die] tomorrow, what would my children do? 내가 내일이라도 죽는다면 내 자식들은 어떻게 할까?
5 [be+자동사의 과거분사로 완료형을 만들어] …하였다, …해 있다 ((USAGE 운동이나 변화를 나타내는 자동사 come, go, arrive, rise, set, fall, grow 등의 경우; 지금은 완료형이 'have+과거분사'로 통일되어 'be+과거분사'는 동작의 결과로서의 상태를 나타내는데, 예문과 같은 go의 경우를 제외하고는 ((고어·시어))임)): Winter *is gone*. 겨울은 지나갔다. ((cf. He *has gone* out. 그는 (막) 외출했다.)) / *Be gone*! 가!, 꺼져!
Be it so! = ***So be it!*** ⇨ B 3
be it that …이라 할지라도; …하다면
be that as it may; ***be the matter what it may*** ⇨ B 4 a
Don't be long. 시간을 끌지 마라, 꾸물대지 마라; 오래 기다리게 하지 마라.
Let it be. ⇨ B 2 b

béan spròuts 콩나물, 숙주나물
bean·stalk [-stɔ̀ːk] *n.* 콩줄기
Béan Tòwn [the ~] 미국 Massachusetts 주 Boston의 별칭
Bean·town·er [bíːntàunər] *n.* Boston 시민, Boston 사람
béan trèe 콩깍지 비슷한 열매를 맺는 각종 나무; (오스트레일리아산(産)의) 콩과(科)의 나무 ((가구용))
bean·y[1] [bíːni] *a.* (**bean·i·er**; **-i·est**) ((속어)) 혈기 왕성한, 활발한; 기분이 좋은; 정신이 이상한
beany[2] *n.* =BEANIE
‡**bear**[1] [bέər] *n.* (*pl.* **~s,** [집합적] **~**) **1** 〖동물〗 **곰**; 곰 비슷한 동물 ((koala 등)): a black ~ 흑곰 ((북미산(産))) / a brown ~ 불곰 / a polar[white] ~ 북극곰, 흰곰 / a grizzly ~ 회색곰 ((북미산(産))) **2 a** 난폭한 사람; ((미·속어)) 추녀: a regular ~ 우락부락한 놈 **b** (어떤 일에) 강한 사람: a ~ at mathematics 수학을 잘하는 사람 / a ~ for punishment 신고(辛苦)를 잘 견디는 사람 **3** 〖증권〗 (하락 시세를 예기한) 매도측(賣渡側), 약세측(opp. *bull*) **4** [the B~] 〖천문〗 곰자리: *the* Great[Little] *B*~ 큰[작은]곰자리 **5** [the B~] ((구어)) 러시아 **6** ((속어)) 마약이 든 캡슐 (**as**) ***cross as a*** ~ = ***like a ~ with a sore head*** ((구어)) 몹시 성미가 까다로운; 몹시 기분이 언짢은 ***be loaded for a*** ~ ((미·속어)) 싸울 준비가 되어 있다 ***play the ~ with*** ((속어)) …을 망치다 ***sell the skin before*** one ***has killed the*** ~ 너구리 굴 보고 피물(皮物) 돈 내어 쓰다
— *a.* Ⓐ 〖증권〗 하락 시세의
— *vt., vi.* 〖증권〗 (하락 시세를 예기하고) 팔다 ((대량 방매하다))
▷ béarish *a.*

‡bear² [bέər] *v.* (**bore** [bɔ́:r], 《고어》 **bare** [bέər]; **borne, born** [bɔ́:rn])

나르다 8	→몸에 지니다 12→마음에 품다 9 →(무게를) 지탱하다 1→견디다 7 →(가져오다)→낳다 2 a

— *vt.* **1** 〈무게를〉 **지탱하다**, 〈비용을〉 부담하다, 〈의무·책임을〉 **지다**: ~ the expenses 그 비용을 부담하다 / ~ the responsibility for …에 대한 책임을 지다 // (~+목+부) The board is too thin to ~ (*up*) the weight. 그 판자는 너무 얇아 무게를 지탱하지 못한다 **2 a** 〈아이를〉 **낳다**, 출산하다 ★ 수동태로 「태어났다」의 뜻을 나타낼 때 뒤에 by …가 이어질 경우에는 borne을 쓰고, 그 이외의 경우에는 과거분사로서 형용사적으로 born을 씀; 따라서 후자의 능동태는 없음: She *bore* three children. 그녀는 세 아이를 낳았다. 《She had three children.이 일반적》 / Cain was *borne* by Eve. 카인은 하와가 낳은 아들이다. // (~+목+목) She has *borne* him five children. 그녀는 그와의 사이에서 아이 다섯을 낳았다. **b** 〈열매를〉 **맺다**, 〈꽃을〉 피우다; 〈이자를〉 **낳다**: ~ fruit 열매를 맺다 / This tree ~*s* fine apples. 이 나무에는 좋은 사과가 열린다. **3** 〈검사·시험 등에〉 …하기에 적합하다, 견디다, …할 수 있다, …할 만하다; …할 필요가 있다: ~ the test 검사에 합격하다 // (~+*-ing*) This cloth will ~ wash*ing*. 이 천은 빨아도 괜찮다. / His language does not ~ repeat*ing*. 그의 말은 되풀이할 가치가 없다. **4** 밀다(push); 몰다(drive) **5** 〈몸을〉 (어떤 자세로) 유지하다; [~ one*self* 로] 처신하다, 행동하다 **6** 〈비난·벌 등을〉 받다, 당하다: ~ the blame for …에 대해 비난받다 **7** [보통 can, could와 함께 부정문 또는 의문문에서] 〈고통·불행 등을〉 **견디다**, 참다 (⇨ endure 유의어): (~+*to* do) I *cannot* ~ *to* see it. 차마 그것을 눈 뜨고 볼 수 없다. // (~+*-ing*) I *can't* ~ be*ing* laughed at. 비웃음을 당하는 것은 참을 수 없다. // (~+목+*to* do) She *cannot* ~ me *to* be away. 그녀는 내가 떠나 있는 것을 견디지 못한다. **8** **나르다**, 가지고[데리고] 가다 《carry가 일반적》: (~+목+전+명) A voice was *borne upon* the wind. 목소리가 바람에 실려 왔다. // (~+목+부) The torrent ~*s along* silt and gravel. 격류가 흙과 자갈을 나른다. **9** 〈원한·악의를〉 **품다**: (~+목+목) I ~ you no grudge. 너에게 아무런 원한도 없다. // (~+목+전+명) ~ a grudge *against* a person …에게 원한을 품다 / ~ a person's advice *in* mind …의 충고를 명심하다 **10** 전하다, 퍼뜨리다; 제공하다, 주다 **11** 〈원조·증언 등을〉 부여하다, 제공하다 《*to, against*》: ~ witness[false witness] 증언[위증]하다 **12** 〈무기·표정·흔적 등을〉 **몸에 지니다**, 차다; 〈관계·칭호 등을〉 **가지다**; 〈날짜·서명의〉 기재가 있다 **13** 나타내다, 보이다

— *vi.* **1** (어떤 방향으로) 향하다, 나아가다, 기울다 《*to*》: The road ~*s to* the south. 길은 남쪽으로 나 있다. **2** (어떤 방향에) 위치하다: The lighthouse ~s due north. 그 등대는 정북(正北)에 위치해 있다. **3** 열매를 맺다; 아이를 낳다 **4** 내리누르다; (지탱하는 것에) **기대다** 《*on, against*》: (~+전+명) The whole building ~*s on* three columns. 건물 전체가 기둥 세 개에 받쳐 있다. **5** 무게를 지탱하다, 견디어 내다: The ice ~*s*. 이 얼음판은 밟아도 깨지지 않는다. **6** 관계[영향]가 있다 《*on*》

~ and forbear 꾹 참다 ***~ a part*** 협력하다 《*in*》 ***~ a rein upon a horse*** 고삐로 말을 몰다 ***~ away*** (*vt.*) 가지고[빼앗아] 가 버리다, 쟁취하다: ~ *away* the prize = ~ *away* the BELL¹; (*vi.*) 《항해》 (바람 부는 쪽으로) 진로를 바꾸다, 출항하다 ***~ back*** 물러서다, 물리치다 ***~ date*** 날짜가 적혀 있다 ***~ down*** 〈반대를〉 압도[제압]하다; 〈적을〉 격파하다; 〈배가〉 서로 다가가다 ***~ down on*[*upon*]** 〈적을〉 급습하다, …을 밀고 나아가다; …을 억누르다, 압박하다; 역설하다 ***~ hard*[*heavy, heavily*]** 압박을 가하다 《*on*》 ***~ in hand*** 억제하다(control); 주장하다, 약속하다 ***~ in with*** …의 방향으로 항행하다 ***~ off*** (*vt.*) 견디다; 차지하다, 탈취하다, 떼다; (*vi.*) 《항해》 (육지·딴 배로부터) 멀어져 가다 ***~ on*[*upon*]** …을 압박하다; …으로 향하다; 효과가 있다; 관계[영향]가 있다 ***~ out*** (*vt.*) 지탱하다; 지원하다, 확증하다, …의 증거가 되다; (*vi.*) 〈빛깔이〉 나타나다 ~ some[no] ***relation to*** …에 관계를 가지다[가지지 않다] ***~ up*** 지탱하다; 버티어 나가다, 굴하지 않다; 《항해》 진로를 바람 불어 가는 쪽으로 돌리다 ***~ up for*[*to*]** 《항해》 …의 방향으로 (배의) 진로를 바꾸다 ***~ with*** 〈사람을〉 참아 주다 ***be borne away by*** anger (노여움)에 사로잡히다 ***be borne in upon*[*on*]** 《특히 영·문어》 …에게 확신[지각]되다 ***bring … to ~ on*** 《문어》 〈주의·노력 따위를〉 …에 쏟다, 집중하다, 〈압력 따위를〉 가하다, 〈영향력을〉 행사하다 ***grin and ~ it*** 〈불쾌한 일을〉 고소(苦笑)하고 참아 버리다

***bear·a·ble** [bέərəbl] *a.* **견딜 수 있는**, 〈추위·더위 등이〉 견딜 만한 **bèar·a·bíl·i·ty** *n.* **-bly** *ad.*

bear·bait·ing [bέərbèitiŋ] *n.* Ⓤ 곰 골리기 《쇠사슬로 묶인 곰에게 개를 덤비게 하는 옛놀이》

bear·ber·ry [-bèri, -bəri | -bəri] *n.* (*pl.* **-ries**) 《식물》 월귤나무

béar càge[càve] *n.* 《속어》 경찰서

bear·cat [-kæ̀t] *n.* 《동물》 작은 팬더(lesser panda); 《동물》 빈투롱(binturong) 《아시아산(産)의 사향고양이》; 《미·구어》 강한[용맹한] 사람; 중기(重機)

‡beard [bíərd] *n.* **1** **턱수염**: wear[grow] a ~ 턱수염을 기르고 있다[기르다]

> 유의어 **beard** 「턱수염」의 뜻인데, 단순히 「수염」이라고 할 경우에도 쓰인다. **mustache** 콧수염 **whiskers** 구레나룻 《귀밑에서 턱까지 이어진 수염》 **sideburns** (짧은) 구레나룻 **goatee** 염소수염

2 (염소 등의) 수염; (굴·조개의) 아가미; (새의) 수염 모양의 깃털 **3** 《식물》 까락, 까끄라기 **4** (화살·낚싯바늘 등의) 미늘 **5** 《인쇄》 (활자의) 경사면 《활자의 자면과 어깨 사이》 **6** 《미·속어》 수염을 기른 사람 《특히 학생·지식인 등》, 유행에 민감한 사람, 최신 소식에 정통한 사람 ***in spite of*** a person***'s ~*** …의 의사[뜻]에 반하여 ***laugh in*** one***'s ~*** 비웃다 ***speak in*** one***'s ~*** 중얼대다 ***to*** a person***'s ~*** …의 앞에서 거리낌 없이, 맞대 놓고

— *vt.* …의 수염을 잡아당기다[뽑다]; 공공연히 반항하다(defy); …에 수염을 달다 ***~ the lion*[*a man*] *in his den*** 벅찬 상대에게 대담하게 덤비다 《논쟁에서》

beard·ed [bíərdid] *a.* 수염[까락]이 있는; (화살·낚싯바늘 따위에) 미늘이 있는 **~·ness** *n.*

béarded cóllie 《동물》 영국산(産) 목양견

beard·ie [bíərdi] *n.* 《구어》 (턱)수염을 기른 사람, 털보

beard·less [bíərdlis] *a.* 수염[까락, 미늘]이 없는

Béard·more Glácier [bíərdmɔ:r-] 비어드모어 빙하 《남극 대륙에 있는 세계 최대의 빙하》

bear·er** [bέərər] *n.* **1** **운반인**, 짐꾼 **2** 가마꾼; 상여꾼; (인도의) 하인 **3** (수표·어음의) 지참인, (편지의) 심부름꾼 **4** 열매 맺는 초목 **5** 지위[관직]를 가진 사람 ***payable to ~ 지참인불(拂)

béarer bònd 무기명 채권

béarer chèck 지참인 지급 수표

béarer còmpany 《군사》 위생 간호 부대

béarer secùrities 지참인불[무기명] 증권

thesaurus **bear²** *v.* **1 지탱하다** carry, sustain, support, hold up, shoulder **2 낳다** give birth to, breed, bring forth, beget **3 견디다** tolerate, support, undergo, endure, put up with, go through
bearable *a.* endurable, tolerable, supportable, sufferable, sustainable, passable

béar gàrden 곰 사육장; 곰 곯리기를 구경시키던 곳; 몹시 떠들썩한 장소

béar gràss 〖식물〗 실유카 《용설란과(科)의 다년초》

béar hùg 힘찬 포옹; 〖레슬링〗 베어 허그; 《미·구어》 매력적인 가격으로의 기업 인수[매수] 제의

∗**bear·ing**[béəriŋ] *n.* **1** UC 태도, 몸가짐(⇨ manner 유의어); 행동, 거동: a man of lofty ~ 태도가 당당한 사람 **2** U (아이를) 낳음, 출산; 결실 (기간); UC 수확(물) **3** U 인내 **4** UC (남에 대한) **관계**, 관련(relation) 《*on, upon*》; (문맥 중에서의 말 등의) 의미; 취지 **5** 〖기계〗 **a** (건조물의) 지지 부분; 지주(支柱) **b** 상부 구조를 떠받치는 것[지지하는 구조] **6** [종종 *pl.*] 〖기계〗 축받이, 베어링 **7** 방향, 방위; (자기의) 위치[입장]의 인식; 정세의 파악 **8** [보통 *pl.*] (방패 위의) 문장(紋章) 《도형·심볼 등》
beyond[***past***] ***all ~*** 참을 수 없는 ***bring*** a person ***to his***[***her***] ***~s*** …에게 제 분수를 알게 하다; 반성시키다 ***consider***[***take***] it ***in all*** its ***~s*** 모든 방면에서 고찰하다 ***get*** one***'s ~s*** 《미·구어》 환경에 익숙해지다; 향방을 알다 ***have no ~ on*** (the question) (그 문제)와는 아무 관계도 없다 ***lose***[***be out of***] one***'s ~s*** 방향[처지]을 모르게 되다, 어찌할 바를 모르다 ***take the***[one***'s***] ***~s*** 자기의 위치를 확인하다; 형세를 파악하다

-bearing 《연결형》 [명사에 붙여] …을 함유한: oxygen-*bearing* water 산소를 함유한 물

béaring rèin 제지 고삐(checkrein) 《말이 고개를 숙이지 못하게 하는》

bear·ish [béəriʃ] *a.* 곰 같은; 난폭한(rough); 〖증권〗 약세의, 내림 시세의(opp. *bullish*)
~·ly *ad.* **~·ness** *n.*

béar lèader (곡마단의) 곰 부리는 사람; (부잣집 아들·귀공자의) 가정교사

béar màrket 〖증권〗 약세 시장

Bé·ar·naise [bɛərnéiz, bèiər-] [프랑스 남서부의 지방명에서] *n.* 베어네이즈 소스 《드레싱의 일종》(=~ **sàuce**)

bear·skin [béərskin] *n.* **1** UC 곰 털가죽 **2** C 검은 모피 모자 《주로 근위병이 씀》 **3** U 굵은 모직물 《외투용》

béar squèeze 〖증권〗 주가의 상승세[강세] 《기관투자가 등이 주식을 매입하리라는 관측으로 인해 생기는》

Béar Stàte [the ~] 미국 Arkansas 주의 속칭

béar tràp 《미·속어》 속도 위반 단속용 레이더 장치

∗∗∗**beast**[bí:st] *n.* **1 a** 《문어》 **짐승,** 《특히》 큰 네발짐승 ★ 이 뜻으로는 animal이 일반적: a wild ~ 야수 **b** [집합적] 짐승 《인간에 대하여》, 축생(畜生); [the B~] 〖성서〗 그리스도의 적, 적그리스도(Antichrist) **c** [the ~] 수성(獸性) 《육욕, 야만성, 잔인성 등》 **2** [집합적] 가축, 마소; 《영》 육우(肉牛) **3** 《구어》 짐승 같은 사람; 《영·구어》 불쾌한 사람[것]; 《속어》 못생긴 여자; 《학생속어》 엄한 선생, 잔소리꾼
a ~ of burden[***draft***] 짐 나르는 짐승 《마소·낙타 등》 ***a ~ of prey*** 맹수, 육식 동물 《사자·호랑이 등》 ***a ~ of the chase*** 사냥 짐승 《사슴·여우 등》 ***a*** (***perfect***) ***~ of a day*** 날씨가 아주 고약한 날 ***Don't be a ~.*** 심술 부리지 마라. 《무엇을 부탁할 때 쓰는 말》 ***make a ~ of*** one***self*** 야수성을 발휘하다 ***the ~ in man*** 인간의 야수성
▷ béastly *a., ad.*

béast èpic 동물 우화시(詩)

béast fàble 동물 우화

beast·ie [bí:sti] *n.* **1** 《주로 문어》 《귀여운》 작은 동물 **2** 《익살》 곤충(bug) **3** 《미·속어》 **a** 싫은[불쾌한] 놈; 추녀 **b** 굉장한 일[녀석] **4** 《캐나다·속어》 건설 작업 **—*a.*** **1** 싫은, 조잡한, 저속한 **2** 인상적인, 강대한

beas·tings [bí:stiŋz] *n. pl.* [단수 취급] (암소의 산후의) 초유(初乳)

beast·li·ness [bí:stlinis] *n.* U 짐승 같은 짓, 불결, 부정(不淨), 추악; 음탕; 구역질 나는 것 《음식 등》

∗**beast·ly**[bí:stli] *a.* (**-li·er**; **-li·est**) **1** 짐승 같은, 더러운, 추잡한; 잔인한: ~ pleasures 수욕(獸慾) **2** 징글징글하게 싫은, 비위가 상하는 **3** 《영·구어》 지긋지긋한, 지독한, 심한: a ~ headache 심한 두통 / ~ hours 엉뚱한 시각 《꼭두새벽 등》
—*ad.* 《영·구어》 몹시, 지독히: ~ drunk 몹시 취하여
▷ beast, béastliness *n.*

∗∗∗**beat**[bí:t] *v.* (~; **beat·en** [bí:tn], ~) *vt.* **1** (연거푸) **치다,** 두드리다(⇨ strike 유의어); (벌로서) 때리다, 매질[채찍질]하다; 〈새가〉 〈날개를〉 치다: ~ a drum 북을 치다 / ~ the wings 날개치다, 푸드덕거리다 // (~+목+전+명) ~ a person *on* the head …의 머리를 치다 / The boy was *beaten for* lying. 그 소년은 거짓말했기 때문에 얻어맞았다. **2** 때려 부수다, 빻다, 후려치다 《*against*》; 부딪치다; 때려서 (어떤 상태)가 되게 하다; 〈달걀 등을〉 세게 휘젓다: (~+목+전+명) ~ rocks *to* pieces 바위를 산산조각 내다 / ~ one's head *against* the wall 머리를 벽에 부딪치다 / ~ flour and eggs *to* paste 밀가루와 달걀을 섞어 반죽하다 / ~ a snake *to* death 뱀을 때려 죽이다 // (~+목+보) ~ a person black and blue …을 때려 온통 멍들게 하다 // (~+목+부) ~ (*up*) three eggs 세 개의 달걀을 휘저어 섞다 **3** 〈상대·적을〉 **패배시키다,** 이기다 《*at, in*》; 《구어》 손들게 하다, 쩔쩔매게 하다; 《미·구어》 속이다, 사취하다: That ~*s* everything I have heard. 이렇게 괴상한 일은 금시초문이다. / That ~*s* me. 거기에는 못 당하겠다. / If you can't ~ them['em], join them ['em]!. 《속담》 다스리지 못하면 따라라! // (~+목+전+명) You can't ~ me *at* tennis. 테니스에서 너는 나를 이길수 없다. / He ~ the child *out of* a dollar. 그는 어린 애를 속여 1달러를 가로챘다. **4** 〈금속을〉 두들겨 펴다: (~+목+전+명) ~ iron *into* thin plates 쇠를 두들겨 얇은 판으로 펴다 // (~+목+보) ~ gold flat 금을 두들겨 납작하게 하다 // (~+목+부) ~ *out* gold 금을 두드려 펴다 **5** 때려 박다; 주입시키다, 버릇을 단단히 들이다: (~+목+전+명) ~ a stake *into* the ground 말뚝을 땅에 때려 박다 / ~ a fact *into* a person's head 사실을 …의 머리에 주입시키다 **6** (박자를 맞춰) 〈손뼉 등을〉 치다, 〈박자를〉 맞추다: A clock ~*s* seconds. 시계는 재깍재깍 일초일초 간다. **7** 〈수풀 등을〉 헤쳐 뒤지다 《*for*》: (~+목+전+명) The men ~ the woods *for*[in search of] the lost child. 사람들은 길 잃은 아이를 찾으려고 숲을 헤치고 다녔다. // (~+목+***to*** do) He ~ the town *to* raise money. 그는 돈을 마련하려고 온 시내를 돌아다녔다. **8** 《미·속어》 〈죄 등을〉 면하다; 공짜로 타다[입장하다] **9** 〖방적〗 〈직물에〉 베틀질을 하다 **10** 〈길을〉 밟아서 다지다(tread), 밟아 〈길을〉 내다: (~+목+전+명) ~ a path *through* the snow 눈을 밟아 길을 트다 **11** 앞질러 …하다: (~+목+전+명) Another man ~ me *to* the seat. 다른 사람이 나보다 먼저 그 좌석을 잡아 버렸다.
—*vi.* **1** 퉁퉁 **두드리다** 《*at, on*》; 〈비·바람·파도 등이〉 치다, 부딪치다 《*on*》: (~+전+명) ~ *at* the door 문을 두드리다 / rain ~*ing on* the roof 지붕에 퍼붓는 비 **2** 〈심장이〉 뛰다, 고동치다(throb) **3** 〈북 등이〉 둥둥 울리다 **4** 《속어》 이기다 **5** (사냥감을 찾아) 덤불을 뒤지다 **6** 〈계란 등이〉 거품이 일다, 섞이다 **7** 〖항해〗 바람을 거슬러 나가다, 지그재그로 나아가다: (~+전+명) The ship ~ *against* the wind[*along* the coast]. 배는 바람을 거슬러[연안을 따라] 나아갔다. **8** 〈날개가〉 파닥거리다 **9** 〖물리〗 맥놀이가 생기다
~ about 이리저리 찾다 《*for*》 ***~ about***[《미》 ***around***] ***the bush*** (덤불 주위를 툭툭 쳐서) 짐승을

---

beastly *a.* **1** 짐승 같은, 추잡한 brutal, nasty, foul, unpleasant, vile **2** 심한 awful, terrible, horrible
beat *v.* **1** 치다, 때리다 bang, hit, pound, strike, batter, punch, knock, slap, thrash **2** 이기다 defeat, conquer, overpower, overcome, vanquish, subdue **3** 고동치다 throb, pound, pulse

몰아내다; 슬며시 염탐하다, 에둘러 말하다 ~ ***all*** [***anything, everything***] (미·속어) 단연 뛰어나다 ~ a person (***all***) ***hollow*** [***all to sticks***] (미·속어) 완전히 지우다, 완패시키다 ~ ***around*** (미·속어) 어슬렁거리고 다니다 ~ ***away*** 연거푸 치다; 쫓아 버리다; 〖광산〗 (굳은 땅을) 파내다 ~ ***back*** 격퇴하다 ~ ***down*** 때려 넘어뜨리다[눕히다], 압도하다(suppress); (구어) 〈값을〉 깎다 ~ ***goose*** [***the booby***] 겨드랑이 밑에 손을 넣어 녹이다 ~ ***in*** 때려 넣다; 쳐부수다 ~ ***it*** (미·속어) 급히 물러가다, 도망치다; 달려가다(rush); (명령) 꺼져라 ~ ***off*** 격퇴하다 ~ ***out*** 〈금속을〉 두들겨 펴다; 부연하다, 〈진상을〉 규명하다; 〈사람을〉 기진맥진하게 하다; 타이프를 치다; 〖야구〗 번트하여 1루에 나아가다; 〈불을〉 두들겨 끄다 ~ a person ***out of*** …으로 하여금 …을 단념시키다; …에게서 …을 속여 빼앗다 ~ a thing ***out of*** a person***'s head*** 잘못을 깨우치게 하다 ~ a person***'s quarters*** …을 방문하다 ~ one***'s way*** 곤란을 헤치고 나아가다; (미) 무임승차하다 ~ ***the air*** [***wind***] ⇨ air. ~ ***the bounds*** 행정 구역의 경계를 조사하다 ~ ***the woods*** 숲에서 사냥감을 몰이하다 ~ ***time to*** …에 박자를 맞추다 ~ a person ***to it*** (미) 선수쓰다, 앞지르다 ~ a person ***to the punch*** ⇨ punch² *n.* ~ ***up*** 기습하다; 놀라게 하다; (북을 쳐서) 모으다, 소집하다; 〈달걀 등을〉 세게 휘젓다; (미) 때리다; (경매 등에서) 값을 치올리다; 〖항해〗 바람을 안고 〈배를〉 부리다; 찾아 다니다 ~ ***up and down*** 여기저기 쫓아다니다 ~ ***up for*** …을 모집하다, …을 찾아다니다 ***Can you ~ it*** [***that***]***?*** [***!***] (속어) 그런 일[말]을 본[들은] 적이 있어? 《놀람의 표현》 (***It***) ***~s me.*** (구어) 전혀 모르겠다, 금시초문이다; "What's her occupation?" — "*Beats me.* I never asked her." 그녀는 직업이 뭐지? — 몰라. 물어보지 않았어. ***to ~ the band*** [***hell, the devil***] (속어) 맹렬한 기세로

— *n.* **1** (연달아) 때림; (북·시계를) 치는 소리; (심장의) 고동; (새의) 날개 침: the ~ of drums 북치는 소리/a pulse of 80 ~s a minute 1분에 80번 뛰는 맥박 **2** (경찰관·파수꾼 등의) 순찰[담당] 구역 **3** 〖음악〗 박자, 장단; (재즈 등의) 비트, 강렬한 리듬, 지휘봉의 한 번 휘두름; 〖운율〗 강음: music with a slow ~ 느린 박자의 음악 **4** 〖물리〗 (진동의) 맥놀이 **5** (미) 〖신문〗 (특종으로 다른 신문을) 앞지름(scoop) **6** (미·속어) 은혜를 모르는 식객 **7** (미·구어) = BEATNIK **8** 단연 우수한 사람[물건]

be in [***out of, off***] one***'s ~*** (구어) 자기 분야다[분야가 아니다] ***get a ~ on*** (미·방언) …보다 우위에 서다, …을 앞지르다 ***in*** [***out of***] ~ 시계의 추가 규칙적으로[불규칙하게] 움직이고 ***off*** (***the***) ~ 템포가 고르지 않게, 불규칙하게 ***on the*** [one***'s***] ~ 담당 구역을 순회 중인

— *a.* **1** Ⓟ (구어) 녹초가 된 **2** [종종 **B-**] 비트 족의 **3** Ⓟ 놀란 **~·a·ble** *a.*

be·a·ta [beiɑ́:tə] *n.* (*pl.* **-tae** [-tei], **~s**) 〖가톨릭〗 복자(福者) 《여성의》(cf. BEATUS)

beat·box [bítbɑ̀ks | -bɔ̀ks] 〖음악〗 **1** 비트 박스 《드럼이나 퍼커션의 소리를 내는 전자 악기》 **2** (랩 뮤직에서) 비트를 넣는 사람

:beat·en [bí:tn] *v.* BEAT의 과거분사

— *a.* Ⓐ **1** 두들겨 맞은, 두들겨 편: ~ work 망치질하여 만든 세공/~ silver 은박 **2** 밟아 다진 **3** 진, 패배한: a ~ man who lost his job 직장을 잃은 패배한 남자 **4** 지쳐 빠진 **5** 되게 휘저은 〈크림 등〉

~ down to the ankles (속어) 완전히[몹시] 지친

béaten tráck [**páth**] [the ~] 밟아 다져진 길; 보통의 방법, 상도(常道) ***follow*** [***keep to***] ***the ~*** 정상 궤도를 따르다[벗어나지 않다] ***off the ~*** 상도를 벗어난, 익숙하지 않은; 〈장소 등이〉 사람이 잘 안 가는

beat·en-up [bí:tnʌ́p] *a.* = BEAT-UP

beat·er [bí:tər] *n.* **1** 때리는 사람; (사냥의) 몰이꾼 **2** 두들기는[휘젓는] 기구

béat fréquency 〖통신〗 진동 주파수

Béat Generátion [the ~; 종종 **b- g-**] 비트족 (cf. BEATNIK); 비트 세대

be·a·tif·ic [bì:ətífik] *a.* 지복(至福)을 주는, 축복 받은; 행복에 빛나는, 기쁨에 넘친 **-i·cal·ly** *ad.* 기쁜 듯이

be·at·i·fi·ca·tion [bi:ætəfikéiʃən, biæ̀t-] *n.* Ⓤ|Ⓒ 지복을 받음; 〖가톨릭〗 시복(식)

beatífic vísion 〖신학〗 지복직관(至福直觀) 《천사나 성인이 천국에서 하느님을 직접 봄》; 하느님의 영광[나라]의 시현

be·at·i·fy [bi:ǽtəfài, biǽ-] *vt.* (**-fied**) 행복하게 하나, 〖가톨릭〗 시복(諡福)하다 《죽은 사람을 천복 받은 사람의 축에 끼게 함》

∗beat·ing [bí:tiŋ] *n.* **1** Ⓒ 때림; 채찍질(하여 벌줌): He was given a severe ~. 그는 심하게 두들겨 맞았다. **2** Ⓒ 패배, 큰 타격 **3** Ⓤ 맥박, 고동: the ~ of my heart 내 심장의 고동 **4** Ⓤ (금속 등을) 두들겨 폄; 〖항해〗 바람을 비껴 받으며 항행함; 물장구질 **5** Ⓤ (날개를) 퍼덕거림 ***get a good ~*** 호되게 매를 맞다 ***give*** a person ***a good ~*** 호되게 때리다 ***take a ~*** 지다 ***take some*** [***a lot of***] ***~*** …을 넘기가 어렵다, 〈사람이〉 이기기가 어렵다; 〈물건이〉 질기다

béating rèed 〖음악〗 클라리넷·파이프 오르간에 사용하는 리드

be·at·i·tude [bi:ǽtitjù:d, biǽ- | -tjù:d] *n.* **1** Ⓤ 더할 나위 없는 행복, 지복(至福)(supreme happiness) **2** [the B~s] 〖성서〗 (그리스도가 산상 수훈에서 가르친) 여덟 가지 참행복, 팔복, 진복팔단(眞福八端)

Bea·tles [bí:tlz] *n.* [the ~] 비틀스 《영국의 4인조 록 그룹(1962-70)》

béat mùsic 비트 음악, 리듬이 강렬한 음악

beat·nik [bí:tnik] *n.* 비트족(Beat Generation)의 사람

beat·out [bí:tàut] *n.* 〖야구〗 내야 안타

beat-out [bí:táut] *a.* (구어) 녹초가 된

béat pàd (미·속어) 대마초를 파는[피우는] 장소

Be·a·trice [bí:ətris | bíə-] *n.* **1** 여자 이름 **2** 베아트리체 《Dante가 사랑하여 이상화한 여성》

beat-up [bí:tʌ́p] *a.* Ⓐ (구어) 오래 써서 낡은, 닳은; 지쳐 빠진

be·a·tus [beiɑ́:təs] *n.* (*pl.* **-ti** [-ti:]) 〖가톨릭〗 복자(福者) 《남성의》(cf. BEATA)

beau [bóu] [F 「아름다운」의 뜻의 남성형에서; cf. BELLE] *n.* (*pl.* **~s, ~x** [-z]) 멋쟁이 (남자); 여자 상대[호위]를 하는 사나이(lady's escort); 애인, 미남

— *a.* 아름다운(pretty), 좋은

— *vt.* 〈여자의〉 비위를 맞추다, 호위하다, 동행하다

Beau Brum·mel [bóu-brʌ́məl] 멋쟁이 남자

beau·coup [boukú:] [F] *ad.* 매우, 크게

Béau·fort scále [bóufərt-] [고안자인 영국인 이름에서] [the ~] 〖기상〗 보퍼트 풍력 계급(⇨ wind scale)

beau geste [bou-ʒést] [F = beautiful gesture] (*pl.* **beaux gestes** [~]) 미행(美行), 아량

béau idéal [F = ideal beauty] **1** (*pl.* **beaus ideal, beaux ideal**) 〖문예〗 이상[미]의 극치, 이상미 **2** (*pl.* **~s**) 최고의 이상

Beau·jo·lais [bòuʒəléi | bóuʒəlèi] *n.* (*pl.* **~es** [-z]) 보졸레 (와인) 《프랑스 Beaujolais 지방산(産)》

~ ***Nouveau*** 보졸레 누보 《그해의 첫 보졸레 와인; 11월 제3 목요일에 발매》

beau monde [bóu-mɑ́nd | -mɔ́nd] [F = beautiful world] 상류 사회, 사교계

Beaune [bóun] *n.* 본(와인) 《프랑스 동부 Beane산(産)》

beaut [bjú:t] [*beauty*] *a., n.* (미·속어·반어) 매우 아름다운 (것); 굉장히 훌륭한 (것); 미인

beau·te·ous [bjú:tiəs, -tjəs] *a.* (시어) = BEAUTIFUL **~·ly** *ad.* **~·ness** *n.*

beau·ti·cian [bju:tíʃən] *n.* (미) 미용사; 미용실 경영자

beau·ti·fi·ca·tion [bjùːtəfikéiʃən] *n.* Ⓤ 미화(美化)
beau·ti·fi·er [bjúːtəfàiər] *n.* 미화하는 것; 화장품
⁑**beau·ti·ful** [bjúːtəfəl] *a.* **1** 아름다운, 예쁜, 고운: a ~ flower[woman] 아름다운 꽃[여인]

> 유의어 **beautiful** 「아름다운」을 뜻하는 가장 일반적인 말이다. **handsome** 보통 얼굴이 잘생긴 남성에 대해 쓰며, 여성에 대해 쓸 경우에는 「훌륭한 몸매에 늠름한」의 뜻이다. **lovely** 애정을 유발하는 듯한 「사랑스러운」 **pretty** 보기에 「귀여운」 **good-looking** 남·녀에게 다같이 쓰이며 handsome, pretty와 거의 같은 뜻이다.

2 훌륭한; 《구어》 빼어나게 돋보이는, 멋진; 〈날씨 등이〉 활짝 갠, 화창한: a ~ violin solo 훌륭한 바이올린 독주 **3** 《구어》 사교계의; 세련된, 고상한 **4** [the ~; 명사적] 미(美), 아름다움; [복수 취급] 미인
—*int.* 《구어》 굉장하다!, 훌륭하다! **~·ness** *n.*
▷ béautify *v.*; béauty *n.*
béautiful létters 《미》 [단수 취급] 순(純)문학(belles-lettres)
⁎**beau·ti·ful·ly** [bjúːtəfəlli] *ad.* **1** 아름답게: be ~ dressed 아름답게 차려입다 **2** 훌륭히, 솜씨있게 **3** 《구어》 참으로, 매우
béautiful péople [종종 **B- P-**] 《구어》 (유행의 첨단을 달리는) 상류 인사들; 국제 사교계의 사람들 《略 BP》
*__beau·ti·fy__ [bjúːtəfài] *v.* (**-fied**) *vt.* 아름답게 하다, 미화하다; 장식하다: ~ oneself 아름답게 차려 입다
—*vi.* 아름다워지다
beau·til·i·ty [bjuːtíləti] [*beau*ty+u*tility*] *n.* 미와 실용성(의 겸비), 기능미
⁑**beau·ty** [bjúːti] *n.* (*pl.* **-ties**) **1** Ⓤ 아름다움, 미; 미모: manly[womanly] ~ 남성[여성]미 / ~ art 미용술 / *B~* is (only) but skin-deep. 《속담》 미모도 따지고 보면 가죽 한 꺼풀. 《얼굴이 예쁘다고 마음도 예쁘다는 법은 없다.》 / *B~* is in the eye of the beholder. 《속담》 제 눈에 안경. **2** [a ~] 훌륭한 것; 미인, 가인; 《종종 반어》 아름다운 것: That car is *a* real ~. 저 차는 정말 굉장하다. / She's *a* regular ~, isn't she? 《반어》 어, 이만저만 미인이 아닌데? **3** [the ~; 집합적] 미인들: *the* wit and ~ of the town 장안의 재사 가인들 **4** [the ~] 미점, 장점, 아름다운 특징, 매력(charm): That's *the* ~ of it. 그것이 좋은[취할] 점이다. ▷ béautiful, béauteous *a.*; béautify *v.*
Béauty and the Béast **1** 미녀와 야수 《전래 동화의 하나》 **2** 《구어·익살》 미녀와 추남의 한 쌍
béauty cóntest 미인 선발 대회; 《구어》 인기 투표
béauty màrk = BEAUTY SPOT 2
béauty pàrlor[shòp, salòn] 미용실, 미장원
béauty quàrk 《물리》 = BOTTOM QUARK
béauty quèen 미인 대회에서 뽑힌 여왕
béauty schòol 《미》 미용 학교
béauty slèep 자정 전의 단잠, 초저녁잠
béauty spòt **1** 명승지, 절경 **2** 애교점 《뺨 등에 붙이는 검은 천 조각》; 사마귀 점(mole)
béauty trèatment 미용술, 미안술
Beau·voir [bouvwɑ́ːr] *n.* 보부아르 **Simone de ~** (1908-86) 《프랑스의 소설가·평론가》
beaux [bóuz] *n.* BEAU의 복수
beaux arts [bouz-ɑ́ːr] [F = fine arts] *pl.* 미술
beaux yeux [bouz-jə́ː] [F = beautiful eyes] *pl.* 아름다운 눈; 미모 ***for the ~ of*** …을 기쁘게 해주기 위하여
⁑**bea·ver¹** [bíːvər] *n.* (*pl.* **~s, ~**) **1** Ⓒ 《동물》 비버, 해리(海狸) **2** Ⓤ 해리의 모피; Ⓤ 《직물》 두꺼운 모직물; Ⓒ 실크해트 **3** = TOP HAT **4** Ⓒ 《미·구어》 부지런한[근면한] 사람, 일꾼(= eager ~) **5** Ⓒ 《속어》 턱수염(을 기른 사람); Ⓒ 《미·비어》 여성의 성기, 음모; 포르노 영화[사진] ***work like a ~*** 부지런히 일하다
—*vi.* 《영》 열심히[부지런히] 일하다 《*away*》

beaver² *n.* (투구의) 턱받이, 볼받이
bea·ver·board [bíːvərbɔ̀ːrd] *n.* [종종 **B~**] 비버 보드 《목재 섬유로 만든 가벼운 건축 자재; 상표명》
béaver clòth (비버 털가죽 모양의) 두꺼운 모직물[무명]
Béaver Stàte [the ~] 미국 Oregon 주의 속칭
be·bop [bíːbɑ̀p | -bɔ̀p] [의성어] *n.* Ⓤ 비밥 《재즈 음악의 일종》 **~·per** *n.* 비밥 가수[연주자]
be·bug·ging [bəbʌ́giŋ] *n.* 《컴퓨터》 비버깅 《프로그래머의 디버깅(debugging) 능력을 측정하기 위해 프로그램에 일부러 잘못된 것을 삽입하기》
bec. because
BEC Business English Certificate 비즈니스 영어 자격증; Bureau of Employees' Compensation
be·calm [bikɑ́ːm] *vt.* 바람이 자서 〈범선을〉 멈추게 하다; 진정시키다(calm)
be·calmed [bikɑ́ːmd] *a.* 〈범선이〉 바람이 불지 않아 움직일 수 없는: The ship *was ~ed* for ten days. 배는 10일간 꼼짝 못했다.
⁑**be·came** [bikéim] *v.* BECOME의 과거
⁂**be·cause** ⇨ because (p. 216)
bec·ca·fi·co [bèkəfíːkou] [It.] *n.* (*pl.* **~(e)s**) 《조류》 꾀꼬리 비슷한 새 《이탈리아에서는 식용》
bé·cha·mel [béiʃəmèl] *n.* 베샤멜 소스(= ∠ **sàuce**) 《희고 진한 소스》
be·chance [bitʃǽns, -tʃɑ́ːns | -tʃɑ́ːns] *vi.* 《고어》 발생하다, 생기다(happen) **—*vt.*** …에게 일어나다
be·charm [bitʃɑ́ːrm] *vt.* 매혹하다(charm)
bêche-de-mer [bèʃdəmέər, bèiʃ-] [F] *n.* (*pl.* **~, bêch·es-** [~]) **1** 《동물》 해삼 **2** [보통 **Bêche-de-Mer**] Ⓤ 뉴기니 주변 여러 섬에서 쓰는 혼합 영어
beck¹ [bék] *n.* 끄덕임(nod); 손짓; 《스코》 절(bow) ★ 보통 다음 성구로. ***be at** a person**'s ~ (and call)*** 늘 …이 시키는 대로 하다 ***have** a person **at** one**'s ~ (and call)*** …을 마음대로 부리다
beck² *n.* 《북잉글》 시내(brook), 계류(溪流)
beck·et [békit] *n.* 《항해》 다림줄, 밧줄
Beck·ett [békit] *n.* 베케트 **Samuel ~** (1906-89) 《아일랜드의 소설가·극작가; 노벨 문학상(1969)》
*__beck·on__ [békən] [OE 「신호하다」의 뜻에서] *vt.* **1** 손짓[고갯짓, 몸짓]으로 부르다, 신호하다 《*to*》: 《~+목+***to*** do》 He *~ed* me *to* come nearer. 그는 나에게 더 가까이 오라고 손짓했다. // 《~+목+부》 He *~ed* us *in*. 그는 우리를 불러들였다. **2** 유인[유혹]하다
—*vi.* 손짓해 부르다; 신호하다 《*to*》: ~ *to* a person to come nearer …에게 더 가까이 오라고 손짓하다
—*n.* (신호로서의) 끄덕임, 손짓; (동의를 나타내는) 끄덕임
Beck·y [béki] *n.* 여자 이름 《Rebecca의 애칭》
be·clasp [biklǽsp, -klɑ́ːsp | -klɑ́ːsp] *vt.* (주위에서) 꼭 죄다; 감싸 쥐다
be·cloud [bikláud] *vt.* 흐리게 하다; 〈눈·마음 등을〉 어둡게 하다; 혼란시키다
⁂**be·come** [bikʌ́m] *v.* (**-came** [-kéim]; **-come**)
—*vi.* …이[가] 되다: 《~+보》 ~ a merchant 상인이 되다 // 《~+***done***》 ~ tired 지치다 / How did you ~ acquainted with him? 그와는 어떻게 알게 되었느냐? ***~ of*** [의문사 what(ever)를 주어로] …이 어찌되는가: *What* has ~ *of* (=happened to) him? 무슨 일이 그에게 일어났을까?, 그는 어떻게 되었을까?; 《구어》 그는 어디 갔을까?
USAGE (1) 보어로는 명사·형용사·과거분사가 오는데 구(句)는 쓰지 않는다 (2) 미래를 나타내는 「…이 되다」는 보통 become을 쓰지 않고 be를 쓴다: He will *be* a doctor. 그는 의사가 될 것이다. / He wants[intends] to *be* a doctor. 그는 의사가 되고 싶어한다. (3) become 다음에는 부정사를 쓰지 않는다
—*vt.* …에 어울리다, 알맞다, 적당하다: 《~+목+부》 Her white dress *~s* her very well. 흰 드레스가 그녀에게 썩 잘 어울린다. / It ill *~s* you to complain. 불평을 하다니 너답지 않다.

because

ME의 「(…한) 이유로 (by cause (that))」이라는 어원에서 유래한 말로 if, though, as와 더불어 「원인·이유」를 나타내는 종위접속사의 하나이다. 그러나 because는 이들과 달리 주절 뒤에 오는 일이 많아 종위접속사이면서도 등위접속사 for와 자리가 같아서 얼핏 보면 for와 같은 구문을 쓰는 경우가 많다. as, for, since, now that 등과의 용법의 차이를 살펴보면 다음과 같다.

1 because는 가장 강한 뜻의 원인·이유를 직접적으로 나타낸다: I couldn't feel anger against him *because* I like him too much. 나는 그를 너무 좋아해서 그에게 화를 낼 수가 없었다.

2 as는 원인·이유를 부수적·우연적으로 나타내는 말로 구어체에 쓴다: *As* it was getting dark, we had to go home. 점점 어두워졌으므로 우리는 집으로 가야만 했다.

3 for는 이유·설명을 곁들일 때 쓰여 because와 비슷하나 구어체에는 잘 쓰지 않는다.

4 since는 상대가 알 만한 뻔한 원인·이유를 나타낸다: I didn't know that she had been married, *since* she seldom talked about herself. 그녀가 자기 자신에 대해 얘기하는 경우가 드물어 그녀가 결혼했었다는 것을 나는 알지 못했다.

5 now that은 「…인 이상, (이제) …이니까」의 뜻으로 가벼운 원인을 나타낸다: *Now that* we have eaten, let's go. 이제 먹었으니까 출발하자.

‡**be·cause** [bikɔ́:z, -kʌ́z | -kɔ́z, -kəz] *conj.* **1** [Why로 시작되는 의문문의 대답의 첫머리에 써서] 왜냐하면: "Why were you absent from class again?" — "*B~* I was sick in bed." 왜 수업을 또 빼먹었니? — 앓아 누워 있었기 때문입니다.
2 a [앞에 콤마가 있는 경우, 보통 앞에서부터 번역하여] (왜냐하면) …때문에: I could not go to the concert, ~ I had to take care of the baby. 나는 음악회에 갈 수가 없었다, (왜냐하면) 아기를 돌봐야 했기 때문이다. **b** [앞에 콤마가 없는 경우, 보통 뒤에서부터 번역하여] …때문에, …이니까: We didn't stay outside long ~ it was too cold. =*B~* it was too cold, we didn't stay outside long. 너무나 추웠기 때문에 우리는 밖에 오래 머물지 못했다. / Just ~ I don't complain, you must not suppose that I'm satisfied. 내가 불평하지 않는다고 해서 내가 만족하고 있다고 생각하지 말았으면 한다. ★ because 앞에 partly, chiefly, only, merely, simply, just 등과 같은 '정도'를 나타내는 부사가 놓이기도 함.
3 [부정문의 주절과 함께 써서] …하다고 해서 (…않다) 《이 의미의 경우 콤마는 사용하지 않음》: You should *not* look down upon them simply ~ they are poor. 가난하다는 것만으로 그들을 멸시해서는 안 된다. / We do *not* write ~ we want to; we write ~ we must. 우리는 글을 쓰고 싶어서 쓰는 것은 아니고 쓰지 않으면 안 되기 때문에 쓴다.
4 [명사절을 이끌어] …하다는 것 《that을 쓰는 편이 일반적임》: The reason (why) I can't go is ~ I'm busy. 내가 못 가는 까닭은 바쁘기 때문이다.
all the more ~ … …하기 때문에 더욱[오히려]
~ of … [전치사로 써서] …때문에(owing to): I didn't go out ~ *of* the bad weather. 날씨가 나빴기 때문에 외출하지 않았다. 《I didn't go out ~ the weather was bad.로 고쳐 쓸 수 있음》
none the less ~ … …임에도 불구하고 (역시): I like him *none the less* ~ he is too simple. 그는 지나치게 단순하지만 그래도 나는 좋아한다.

*__be·com·ing__ [bikʌ́miŋ] *a.* 어울리는, 알맞은, 적당한 (suitable): (~+전+명) The necklace is very ~ *to* her. 그 목걸이는 그녀에게 썩 잘 어울린다.
— *n.* Ⓤ 〖철학·심리〗 생성(生成), 발달 과정
~·**ly** *ad.* ~·**ness** *n.*

bec·que·rel [bèkərél] *n.* 〖물리〗 베크렐 《방사능의 SI 단위; 기호 Bq.》

Becquerél ràys [프랑스의 물리학자 이름에서] 〖물리〗 베크렐선 《α, β, γ의 3방사선》

‡**bed** [béd] [L 「굴을 파다」의 뜻에서] *n.* **1** ⒸⓊ 침대, 침상, 잠자리 《bedstead와 mattress, bedclothes를 포함; ★ 열차·선박의 침대는 따로 berth라고 함》: be in ~ 자고 있다.
관련 bunk bed(어린이용 2단 침대), camp bed(접을 수 있는 야전 침대), double bed(더블 베드), folding bed(접는 침대), single bed(싱글 베드), sofa bed(소파 베드), twin bed(트윈 베드)
2 Ⓤ **a** 취침 (시간): go to ~ 취침하다, 자다 / get out of ~ 기상하다 **b** 숙박; 부부 관계; (구어) 성교; 휴식 (장소) **3** Ⓒ (가축의) 잠자리, 깃(litter) **4** Ⓒ 모판, 화단; (굴 등의) 양식장 **5** Ⓒ 하상(河床), 하천 바닥, 호수 바닥 **6** Ⓒ 토대; 포상(砲床); 지층, 층(stratum); (철도의) 노반(路盤), 도상(道床); (벽돌·타일의) 밑면 **7** Ⓒ (병원의) 환자 수용 인원, 병상 **8** (벽돌·슬레이트·타일 등을 깐) 마루; (벽돌·돌 등을 깔 때 흘려두는) 모르타르층 **9** 〖인쇄〗 조판을 두는 평평한 대; 〖조선〗 조선대(造船臺) **10** (트럭 등의) 화물칸, 차체 **11** 〖동물〗 발톱[손톱] 뿌리의 살 **12** 〖스포츠〗 (볼링의) 레인 바닥; (당구대의) 대상(臺床) **13** 《비유》 무덤(grave): a narrow ~ =a ~ of dust 무덤
be brought to ~ (***of a child***) 아이를 낳다, 해산하다 ***be confined to*** one***'s ~*** =keep one's BED. ***~ and board*** 《영》 (1) 식사 딸린 숙박, 숙식 (《미》 room and board) (2) 결혼 생활, 부부 관계: separate from ~ *and board* 부부가 별거하다 ***~ and breakfast*** 아침 식사 제공 숙박[민박] 《略 B and[&] B》 ***~ of down***[***flowers, roses***] 안락한[편안한] 처지[생활] ***~ of honor*** 전몰장병의 무덤 ***~ of thorns***[***nails***] 가시방석, 견디기 힘든 처지 ***before ~*** 자기 전에 ***die in*** one***'s ~*** 제명대로 (살고 잠자리에서) 죽다(cf. die in a DITCH) ***early to ~ and early to rise*** ⇨ early. ***get out of ~*** ⇨ *n.* 2 a. ***get out of ~ on the wrong side*** = ***get up on the wrong side of the ~*** (구어) 아침부터 기운이 사납다, 꿈자리가 나쁘다 ***go to ~*** (1) ⇨ *n.* 2 a. (2) (이성과) 자다, 성교하다 《*with*》 (3) 〈기사가〉 인쇄에 돌려지다 ***in ~*** (***with***) (구어) (…와) 성적인 관계를 가져, 잠을 자; …와 (바람직하지 않을 정도로) 친한[밀접한] 관계에 ***keep*** one***'s ~*** 병으로 누워 있다 ***leave*** one***'s ~*** 병이 다 낫다 ***lie in***[***on***] ***~*** 잠자리에 눕다 ***lie in***[***on***] ***the ~*** one ***has made*** 자기가 한 일은 자기가 책임져야 한다, 자업자득이다 ***make the***[one***'s***] ***~*** (1) (자고 나서) 잠자리를 정돈하다, 이불을 개다; 잠자리를 깔다 (2) 자기가 한 일의 결과를 책임지다: As you *make your* ~, so you must lie in[upon] it. = You've *made your* ~ and you must lie on it. =One must lie in[on] *the* ~ one has *made*. 《속담》 자업자득이다, 자기가 뿌린 씨는 자기가 거둬야 한다. ***make up a ~*** (손님용으로) 침상을 준비하다 《*for*》 ***put to ~*** 〈어린아이를〉 잠재우다 ***sit up in ~*** 잠자리에서 몸을 일으켜 앉다 ***take to*** one***'s ~*** 앓아 눕다 ***wet the***[one***'s***] ***~***

〈아이 등이〉 (잠결에) 오줌을 싸다
— *v.* (**~·ded**; **~·ding**) *vt.* **1** 잠자리를 제공하다, 숙박시키다 《*down*》; 재우다; 《구어》 〈이성과〉 자다 **2** 〈소·말 등에게〉 짚을 깔아 주다 《*down*》: (~+목+부) He *~ded down* his horse with straw. 그는 말에게 짚으로 잠자리를 깔아 주었다. **3** 〖원예〗 꽃밭[묘상]에 심다 《*out, in*》 **4** 〈돌·벽돌 등을〉 눕혀 놓다, 쌓아 올리다: (~+목+전+명) ~ bricks *in* mortar 벽돌을 모르타르로 쌓아 올리다 **5** 묻다, 박다: (~+목+전+명) A bullet is *~ded in* the flesh. 탄환이 살 속에 박혀 있다.
— *vi.* **1** 자다 《*down*》, 숙박하다 《*in*》: (~+부) be accustomed to ~ *early* 일찍 자는 것이 버릇이 되다 **2** 〖지질〗 지층을 형성하다 **3** (…위에) 놓이다[자리잡다], 앉다; 안정되다 《*on*》 **4** 《구어》 (이성과) 함께 자다 《*down*》; 동거하다 《*with*》 **~ *down*** 《미》 〈가축에〉 잠자리를 깔아 주다; (야외의) 임시 처소에서 자다; 《구어》 〈이성과〉 같이 자다 **~ *out*** 〖원예〗 (1) ⇨ *vt.* 3. (2) 〈묘목 등을〉 실내에서 집 밖으로 이식하다
▷ abéd *ad.*; embéd *v.*

BEd Bachelor of Education

be·dab·ble [bidǽbl] *vt.* 〈물 등을〉 튀기다, 끼얹다, 튀겨서 더럽히다 《*with*》

be·dash [bidǽʃ] *vt.* …에 온통 뿌리다[치다] 《*with*》; 〈비가〉 세차게 때리다; 산산이 부수다

be·daub [bidɔ́:b] *vt.* 더덕더덕 칠하다 《*with*》; 야하게 꾸며대다

be·daze [bidéiz] *vt.* = BEDAZZLE **be·dázed** *a.*

be·daz·zle [bidǽzl] *vt.* 눈부시게 하다, 현혹하다, 매혹하다; 당혹하게 하다: They were *~d* by her charm. 그들은 그녀의 매력에 매혹되었다. **be·dáz·zled** *a.* **~·ment** *n.*

béd blòcker 《영》 병상을 차지한 장기 환자

béd bòard 베드 보드 《침대 스프링과 매트리스 사이의 딱딱한 판》

bed·bug [bédbʌ̀g] *n.* 〖곤충〗 빈대

bed·cham·ber [-tʃèimbər] *n.* 《문어》 = BEDROOM

béd chèck 〖미군〗 (병영 등의) 취침 점호

bed·clothes [-klòuðz] *n. pl.* 침구, 금침, 이부자리 《시트·담요·베개 등; 잠옷과 매트리스는 제외됨》

bed·cloth·ing [-klòuðiŋ] *n.* Ⓤ 〖집합적〗 침구

bed·cov·er [-kʌ̀vər] *n.* 침대 커버

bed·cur·tain [-kə̀:rtn] *n.* 침대 커튼

bed·da·ble [bédəbl] *a.* 성적 매력이 있는; 《속어》 (아무 남자와) 쉽게 동침하는

bed·ded [bédid] *a.* 〖지질〗 층상(層狀)의

bed·der [bédər] *n.* **1** = BEDMAKER **2** 〖원예〗 꽃밭에 심는 화초(bedding plant)

bed·die-wed·die [bédiwédi] *n.* 《미·구어》 침대

bed·ding [bédiŋ] *n.* Ⓤ **1** = BEDCLOTHES **2** (가축의) 깃, 잠자리 짚 **3** 〖건축〗 토대 **4** 〖지질〗 성층(成層)(stratification) **—** *a.* 화단용의

bédding plàne 〖지질〗 (퇴적암 내부의) 층리면(層理面), 성층면

bédding plànt 〖원예〗 화단용 화초

bed·dy-bye [bédibài] *n.* 《유아어》 침대; 취침 시간; 자장: Come, ~! 자, 코할 시간이야!

be·deck [bidék] *vt.* 장식하다, 꾸미다 《*with*》

bed·e·guar, -gar [bédigɑ̀:r] *n.* 〖식물〗 (오배자벌레 등에 의해 생기는) 장미의 충영(蟲癭)

be·del, be·dell [bí:dəl | bidél] *n.* (영국의 대학에서) 총장의 권표(權標)를 받드는 속관(屬官)(beadle)

bedes·man [bí:dzmən] *n.* (*pl.* **-men** [-mən]) = BEADSMAN

be·dev·il [bidévəl] *vt.* (**~ed**; **~·ing** | **~led**; **~·ling**) **1** [보통 수동태로] …에게 귀신이 붙게 하다 **2** 〈마음 등을〉 혹하게 하다, 미치게 하다 **~·ment** *n.*

be·dew [bidjú: | -djú:] *vt.* (이슬[눈물]로) 적시다 《*with*》: eyes *~ed with* tears 눈물에 젖은 눈

bed·fast [bédfæ̀st | -fɑ̀:st] *a.* 몸져누운

bed·fel·low [bédfèlou] *n.* 잠자리를 같이하는 사람, 아내; 동료, 친구(associate); 《속어》 불륜의 상대: an awkward ~ 사귀기 힘든 사람 / a strange ~ 속마음을 모르는 동료

Bed·ford [bédfərd] *n.* **1** 남자 이름 **2** 잉글랜드 Bedfordshire 주의 주도

Bédford córd 코르덴 비슷한 톡톡한 천

Bed·ford·shire [bédfərdʃìər, -ʃər] *n.* 베드퍼드셔 《영국 잉글랜드의 주; 주도 Bedford》 ***go to*** **~** 《유아어》 잠자다

bed·gown [bédgàun] *n.* 잠옷 《여성용》

bed·head [bédhèd] *n.* 《영》 베드헤드, 침대머리판

bed·house [-hàus] *n.* (*pl.* **-hous·es** [-hàuziz]) 《미·속어》 매춘굴, 러브호텔

be·dight [bidáit] *vt.* (**~, ~·ed**) 《고어·시어》 꾸미다, 차려입다 **—** *a.* 꾸민, 장식된

be·dim [bidím] *vt.* (**~med**; **~·ming**) 흐리게 하다

bed-in [bédìn] *n.* (부부 등의) 잠자리에서 드러누워 하는 항의

be·di·zen [bidáizn, -dízn] *vt.* 야하게 치장하다

béd jàcket (여성이 잠옷 위에 입는) 침실복

bed·key [bédkì:] *n.* 침대 조절용 렌치(wrench)

bed·lam [bédləm] *n.* 대소동; 소란한 곳; [종종 **B~**] 《고어》 정신 병원 《London의 St. Mary of Bethlehem 정신 병원의 속칭》

bed·lam·ite [bédləmàit] *n.* 미친 사람

bed·lamp [bédlæ̀mp] *n.* (머리맡의) 침실용 램프

béd lìnen 홑이불과 베갯잇

bed·liner [bédlàinər] *n.* 《미》 베드라이너 《픽업트럭 뒷부분의 덮개[포장]》

Béd·ling·ton (térrier) [bédliŋtən(-)] 베들링턴 테리어 《영국산(産) 개》

béd lòad 〖지질〗 소류사(掃流砂), 하상 유사(河床流砂)

Béd·loe's Ísland [bédlouz-] 베들로 섬 《Liberty Island의 구칭》

bed·mak·er [bédmèikər] *n.* **1** 잠자리를 준비하는 사람; 《영》 침실 담당 사환 《호텔이나 Oxford, Cambridge 대학의》 **2** 침대 제조인

bed·mak·ing [bédmèikiŋ] *n.* 침대 정돈, 잠자리 준비

bed·mate [-mèit] *n.* 동침하는 사람; 아내, 남편

béd mòlding 〖건축〗 장식 쇠시리받이

bed·ou·in, bed·u·in [béduin] *n.* (*pl.* **~, ~s**) [종종 **B~**] 베두인 《사막에서 유목 생활을 하는 아랍인》; 유목민, 방랑자 **—** *a.* 베두인의; 유랑(민)의

bed·pad [bédpæ̀d] *n.* 베드패드 《침대용 요》

bed·pan [bédpæ̀n] *n.* 탕파(湯婆); (환자용) 요강, 변기

béd pìece 목재 더미 밑에 까는 침목

bed·plate [-plèit] *n.* 〖기계〗 대판(臺板)

bed·post [-pòust] *n.* 침대 기둥 ***in the twinkling of a*** **~** 곧, 즉시, 순식간에

bed·quilt [bédkwìlt] *n.* (침대용) 누비 이불

be·drag·gle [bidrǽgl] *vt.* 〈옷 등을〉 질질 끌어 더럽히다; 흠뻑 젖게 하다

be·drag·gled [bidrǽgld] *a.* (비 등으로) 흠뻑 젖은; (질질 끌려서) 더럽혀진

bed·rail [bédrèil] *n.* 침대의 가로널

be·drench [bidréntʃ] *vt.* 흠뻑 젖게 하다

béd rèst (침대에서의) 장기 요양

bed·rid·den [bédrìdn], **bed·rid** [-rìd] *a.* 몸져누운, 자리보전하는; 《비유》 노후한, 낡은

bed·rock [-rɑ̀k | -rɔ̀k] *n.* Ⓤ **1** 〖지질〗 기반암(基盤岩) 《최하층의 바위》 **2** 근저(foundation), 근본, 기초적인 사실, 근본 원리 ***be at*** **~** 〈재고량 등이〉 바닥이 나다 ***come*** [***get***] ***down to the*** **~** 진상을 밝히다; 빈털터리가 되다
— *a.* Ⓐ **1** 최저의, 근저의, 바닥의: the ~ price 최저 가격 **2** 근본적인(basic): ~ facts 근본적인 사실

bed·roll [-ròul] *n.* 휴대용 침구, 침낭

‡bed·room [bédrù:m] *n.* 침실
NOTE 영국과 미국의 단독 주택의 침실은 일반적으로 2

층에 있고, 그 옆에 bathroom이 있음. 부부의 침실은 master[main] bedroom이라 하고, 어린이 침실은 단순히 bedroom이라 함.
— *a.* **1** 침실용의; 베드신의, 정사의, 성적인: a ~ scene 베드 신 **2** (미) 통근자가 사는, 베드타운의: a ~ town[community, suburb] 베드타운 (통근자가 거주하는 대도시 주변 지역)

bédroom slìpper 침실용 실내화

Beds Bedfordshire

bed·set·tee [bédsetíː] *n.* (영) = SOFA BED

bed·sheet [-ʃìːt] *n.* 시트, 홑이불

*__bed·side__ [bédsàid] *n.* **침대 곁**, (병자의) 머리맡: be at[by] a person's ~ …의 머리맡에서 시중들다 — *a.* Ⓐ **1** 〈시계·전화 등이〉 침대 곁의[에 있는]; 〈책 등이〉 침대에서 읽기에 알맞은; 〈이야기 등이〉 딱딱하지 않은 **2** (환자의) 머리맡의; 임상의

bédside mánner (의사의) 환자 다루는 솜씨: have a good ~ 〈의사가〉 환자를 잘 다루다; (비유) 사람을 다루는 수완이 능란하다

bédside táble (영) 침대 옆 작은 탁자((미) night-stand, night table)

bed-sit [-sìt] *vi.* (영·구어) bed-sitting room에 살다 — *n.* = BED-SITTING ROOM

bed-sit·ter [bédsìtər] *n.* (영·구어) 침실 겸 살림방, 원룸 아파트((미) studio apartment) (가구·식기 등도 비치되어 있는 경우가 많음)

béd-sítting ròom [bédsítiŋ-] *n.* = BED-SITTER

bed·socks [-sɑ̀ks | -sɔ̀ks] *n. pl.* 잠자리에서 신는 양말

bed·so·ni·a [bedsóuniə] *n.* (*pl.* **-ni·ae** [-niài], **~s**) [세균] 베드소니아 (관절염·트라코마 등의 원인이 되는 바이러스)

bed·sore [bédsɔ̀ːr] *n.* [병리] 욕창(褥瘡)

bed·space [-spèis] *n.* (병원·호텔의) 침대 수

bed·spread [-sprèd] *n.* 침대 덮개 (장식용)

bed·spring [-spriŋ] *n.* 침대 스프링

bed·stead [-stèd, -stid] *n.* 침대의 뼈대[틀]

béd stòne 맷돌의 아래측에 고정되어 있는 돌

bed·straw [-strɔ̀ː] *n.* Ⓤ 침대의 속짚; [식물] 갈퀴덩굴속(屬)의 풀

béd tàble 침대 곁에 두는 작은 탁자

béd tèa 손님이 아침에 깨자마자 제공되는 차

bed·tick [-tìk] *n.* 잇 (베갯잇, 욧잇 등)

*__bed·time__ [bédtàim] *n.* Ⓤ **취침 시간**, 잘 시간: It's past your ~. 잠잘 시간이 지났다.

bédtime stòry (어린이에게 들려주는) 잠잘 때의 동화; 재미있지만 믿기 어려운 이야기[설명]

bed·ward(s) [bédwərd(z)] *ad.* 침대 쪽으로; 잠잘 무렵에

bed·warm·er [-wɔ̀ːrmər] *n.* = WARMING PAN 1

bed-wet·ting [-wètiŋ] *n.* Ⓤ 야뇨증, 요에 오줌싸기 **bèd wètter** *n.*

bed·wor·thy [-wɔ̀ːrði] *a.* (영·속어) 성적 매력이 있는(beddable)

‡**bee**[1] [bíː] *n.* Ⓒ **1** [곤충] 꿀벌(honeybee)(cf. APIARY); (일반적으로) 벌: the queen[worker] ~ 여왕[일]벌 관련 wasp 말벌, hornet 호박벌 (영국에서는 가장 큰 벌) **2** 부지런한 사람, 일꾼 **3** (미) (일·오락 등을 위한) 모임: a spelling ~ 철자 경기 / a husking ~ 옥수수 껍질 벗기기 모임 ***(as) busy as a ~*** 몹시 바쁜 ***have a ~ in*** one***'s bonnet***[***head***] (구어) 무엇을 골똘히 생각하다; 약간 머리가 돌다 ***put the ~ on*** …에게 돈[기부금]을 조르다 **~·like** *a.*

bee[2] *n.* [항해] 비 (블록), 지삭환(支索環)

bee[3] *n.* (알파벳의) B, b자

BEE Bachelor of Electrical Engineering

Beeb [bíːb] *n.* [the ~] (영·구어) BBC 방송

bée bàlm [식물] 멜리사, 향수박하

bee·bee [bíːbìː] *n.* 공기총, BB총(= ~ **gùn**)

bée bèetle [곤충] 벌집에 꾀는 딱정벌레 (유럽산(産))

bée bìrd [조류] 딱새류

bee·bread [bíːbrèd] *n.* Ⓤ 꿀벌의 식량 (꽃가루와 꿀로 만든 것으로 꿀벌이 새끼 벌에게 주는 먹이)

*__beech__ [bíːtʃ] *n.* Ⓒ [식물] 너도밤나무; Ⓤ 그 목재 **béech·en** [-ən] *a.*

béech màrten [동물] 흰가슴담비(stone marten)

béech màst 너도밤나무 열매 (특히, 땅에 떨어진 것; 돼지 사료)

beech·nut [bíːtʃnʌ̀t] *n.* 너도밤나무 열매 (식용)

beech·wood [-wùd] *n.* 너도밤나무 목재

bée cùlture 양봉(養蜂)

bée dànce 꿀벌의 춤 (밀원(蜜源)이 있는 곳을 알리기 위해 춤추듯 나는 것)

bee-eat·er [bíːìːtər] *n.* = BEE BIRD

‡**beef** [bíːf] [L 「소」의 뜻에서] *n.* **1** Ⓤ 쇠고기; 고기 (⇨ cow[1] 관련): roast ~ 불고기 / corned ~ 소금 절임 쇠고기 / horse ~ 말고기

NOTE 쇠고기의 등급은 prime(최상급), choice(상급), good(중급), standard(보통)의 순.

2 Ⓒ (*pl.* **beeves** [bíːvz], (미) **~s**) 육우(肉牛), 식용우; (도살하여 내장을 뺀 육우의) 몸뚱이 **3** Ⓤ (구어) 근육; 힘; 근력; 살거리, 체중: ~ to the heels 너무 살쪄 **4** Ⓒ (*pl.* **~s**) (속어) 불평: a ~ session 불평 토로회 ***Put some ~ into it!*** (속어) 힘내라! ***Where's the ~?*** (미·구어) (약속한) 알맹이는 대체 어디 있는가?; 요점이 정확히 뭡니까?
— *vi.* (속어) 불평하다 (*about*): They are always *~ing about* something. 그들은 항상 어떤 일에 불평을 해댄다. **~ *up*** (구어) 강화[증강]하다; 도살하다: ~ *up* security 안전성을 강화하다.
▷ béefy *a.*

beef·a·lo [bíːfəlòu] [*beef*+buff*alo*] 「소」의 뜻에서] *n.* (*pl.* **~(e)s**) [동물] 비팔로 (들소와 축우의 잡종; 육우)(cattalo)

béef bour·gui·gnón [-bùərgiːnjɔ́ːŋ] = BOEUF BOURGUIGNON

beef·burg·er [-bə̀ːrgər] *n.* 쇠고기 햄버거

beef·cake [-kèik] *n.* Ⓤ (속어) (근육이 잘 발달한) 남성 누드 (사진)(cf. CHEESECAKE 2)

beef·cak·e·ry [-kèikəri] *n.* (미·속어) [집합적] beefcake 사진(술)

béef càttle [집합적; 복수 취급] 육우(肉牛), 식용우, 고기소(cf. DAIRY CATTLE)

béef cùrtain (속어) 유방, 젖통

beef·eat·er [-ìːtər] *n.* **1** 쇠고기를 먹는 사람; 영양이 좋은 사람 **2** [종종 **B~**] 영국왕의 호위병; 런던탑의 수위; (미·속어) 영국인

beefed-up [bíːftʌ́p] *a.* (구어) 증강[강화, 보강]된

béef éxtract 쇠고기 엑스[진액]

beef·ish[1] [bíːfiʃ] *a.* 〈사람이〉 억센, 늠름한; 〈영국인이〉 쇠고기를 먹는

bee·fish[2] [bíːfiʃ] [*beef*+*fish*] *n.* 저민 쇠고기와 다진 어육을 섞은 것 (햄버거용 등)

beef·less [bíːflis] *a.* 쇠고기가 안 들어간; 쇠고기를 먹지 않는

bée flỳ [곤충] 등에의 일종 (꿀벌 비슷함)

béef squàd (미·속어) (고용된) 폭력단

Béef Státe [the ~] 미국 Nebraska 주의 속칭

‡**beef·steak** [bíːfstèik] *n.* ⓊⒸ 두껍게 썬 쇠고기점, 비프스테이크

NOTE 가장 맛있다고 치는 부위는 sirloin, porterhouse, T-bone, fil(l)et mignon 등. 굽는 정도에는 rare, medium rare, medium, medium well-done, well-done의 다섯 가지.

béefsteak múshroom 간장버섯 (식용)

béefsteak tomáto 토마토의 일종 (크고 붉은색의 과육이 많은 품종)

béef téa (환자용의) 진한 쇠고기 수프

béef tomáto (영) = BEEFSTEAK TOMATO

béef trùst (미·속어) 거인만 모인 합창단[야구팀, 축구팀]

beef-up [-ʌ̀p] *n.* 증강, 보강

béef Wéllington 〖요리〗 비프 웰링턴 《쇠고기 등심살에 푸아그라의 퍼티를 발라 파이 옷으로 싸서 구워낸 요리》

beef-wit·ted [-wìtid] *a.* 어리석은, 우둔한

beef·wood [bíːfwùd] *n.* 〖식물〗 (오스트레일리아산(産)의) 목마황속(屬)의 나무; 그 재목 《가구용》

beef·y [bíːfi] *a.* (**beef·i·er**; **-i·est**) 살찐; 근육이 발달한(muscular); 견고한; 둔한, 굼뜬 **béef·i·ness** *n.*

bée gùm 《미남부》 **1** 〖식물〗 꿀벌이 벌집을 짓는 공동이 있는 고무나무 **2** 꿀벌집

*****bee·hive** [bíːhàiv] *n.* **1** (꿀벌의) **벌집, 벌통 2** 사람들이 붐비는 장소 **3** 벌집 같은[반구(半球) 모양의] 것 **4** 벌집형 화덕 (= **~ òven**)

béehive hòuse 〖고고학〗 (유럽의 선사 시대의) 벌집 모양의 가옥 《주로 석조》

Béehive Státe [the ~] 미국 Utah 주의 속칭

bee·house [-hàus] *n.* (*pl.* **-hous·es** [-hàuziz]) 양봉장(apiary)

bee·keep·er [-kìːpər] *n.* 양봉가

bee·keep·ing [-kìːpiŋ] *n.* Ⓤ 양봉(apiculture)

bee·like [bíːlàik] *a.* 벌 같은; 부지런한

bee·line [-làin] 〔꿀벌이 집에 돌아올 때 일직선으로 난다고 여긴 데서〕 *n.* 직선; 최단 코스

in a* ~** 일직선으로 ***take*[*make, strike*] *a* ~ *for 《구어》 …에 일직선으로 가다, 직행하다

— *vi.* 《미·구어》 일직선으로 나가다

bee-lin·er [-láinər] *n.* 자동 추진식 디젤 철도 차량; 〖야구〗 땅에 닿을락말락한 라이너

Be·el·ze·bub [biélzəbʌ̀b, bíːl- | biél-] *n.* 〖성서〗 바알세불; 악마, 마왕, 사탄(the Devil)

bée màrtin 〖조류〗 = KINGBIRD

bee·mas·ter [bíːmæ̀stər | -mɑ̀ːs-] *n.* 양봉가

Beem·er [bíːmər] *n.* 《미·속어》 BMW 차

*****been** [bin, bín | bin, bíːn] *v.* BE의 과거분사 ★ have[has, having]+been의 연결로 완료형을 만듦. **1 a** [have[has]+been] **지금까지 줄곧 …이다** 《계속》: He *has* ~ a teacher since 1970. 그는 1970년 이래로 교편을 잡고 있다. / Where *have* you ~ all this while? 지금까지 줄곧 어디에 있었느냐? / I *have* ~ upstairs. 2층에 있었다. **b** [had+been] **그때까지 …이었다** 《과거의 어느 시점까지의 계속》: I *had* ~ in business until last year. 작년까지 장사를 하고 있었다. **c** [have[has]+been+-ing] I *have* ~ liv*ing* in Seoul since 1960. 1960년 이래 서울에 살고 있다. **2** [have[has]+been] **지금까지 …한 적이 있다** 《경험》: *Has* she ever ~ at[in, to] California? 그녀는 캘리포니아에 간 적이 있습니까? / I *have* often ~ in Busan. 부산에는 전에 자주 가 본 일이 있다. **3** [having+been] **a** [분사 구문]: *Having* ~ a teacher myself, I know how difficult it is to teach. 나도 선생이었기 때문에 가르치는 것이 얼마나 어려운가를 알고 있다. **b** [동명사]: I regret (my) *having* ~ so careless. 내가 그렇게 부주의했던 것을 후회한다.

have* ~** 방문했다: *Has* the postman ~ yet? 우체부가 벌써 왔느냐? ***have* ~ *and done 《구어》 [항의·놀람을 나타내어] 잘도 …했군: He *has* ~ *and moved* my papers. 그 녀석이 나의 서류를 뒤졌구나. ***have* ~ *to*** the station (역)에 갔다 왔다

been·to [bíntə | bíːn-] *n.* 《구어》 (아시아·아프리카에서) 영국에서 생활한[교육받은] 적이 있는 사람

beep[1] [bíːp] 〔의성어〕 *n.* 삑 하는 소리[신호, 경적, 시보]; (인공위성의) 발신음

— *vi., vt.* 삑 하고 경적을 울리다, 삑 소리가 나다

beep[2] [*b*aby+j*eep*] *n.* 《미》 소형 지프

beep·er [bíːpər] *n.* 신호 발(수)신 장치, 무선 호출기, 삐삐(pager)

béeper bòx (긴급) 무선 호출 장치 《긴급 호출이 있을 때 beep 소리가 남》

Beeper·kid [bíːpərkid] *n.* 《미》 비퍼키드 《아이를 잃어버리지 않기 위한 무선 송신기; 상표명》

bée plànt 밀원(蜜源)[양봉] 식물(honey plant)

*****beer** [bíər] 〔OE 「음료」의 뜻에서〕 *n.* **1** Ⓤ [종류를 말할 때에는 Ⓒ 취급] **맥주**; Ⓒ 맥주 한 잔[병]: black ~ 흑맥주 《porter, stout 등》 / Munich ~ (독일) 뮌헨 맥주 / ⇨ SMALL BEER / fond of ~ 맥주를 좋아하는 / order a ~ 맥주를 한 잔[병] 주문하다 / Life is not all ~ and skittles. 《속담》 인생은 즐거운 일만 있는 것이 아니다. **2** Ⓤ 발포성 음료: ginger ~ 생강을 가미한 발포성 음료

NOTE (1) [종류] lager, ale, porter, stout(차례로 도수가 강해짐), 《영》 bitter 쓴 맥주, light beer 순한 맥주, double[bock, buck] beer 독한 맥주, draft [《영》 draught] beer 생맥주, bottled[canned] beer 병[캔]맥주. (2) [유명 제품] 미국의 Budweiser, Coors, Schlitz, 영국의 Guinness, 독일의 Beck's, 네덜란드의 Heineken.

***be in* ~** 맥주에 취해 있다 ***on the* ~** 술을 계속 마셔

beer·age [bíəridʒ] *n.* [the ~] 《속어》 (귀족이 된) 양조업자; 맥주업계; 《경멸》 영국 귀족 (계급)

béer bàrrel 맥주 통

béer bèlly 《구어》 올챙이배, 배불뚝이

béer bùst 《미·속어》 맥주 파티

béer cèllar (지하의) 맥주 저장실; (지하의) 비어홀

Béer Cíty = BEERTOWN

béer èngine 《영》 = BEER PUMP

béer gàrden 비어가든, 노천 맥주집

béer gùt 《구어》 = BEER BELLY

béer hàll 비어 홀, 맥주 홀

beer·house [bíərhàus] *n.* (*pl.* **-hous·es** [-hàuziz]) 《영》 비어 홀, 맥주집

béer jòint 《미·구어》 맥주집

béer màt 비어 매트 《맥주잔 받침》

béer mòney 《영》 팁, 행하; (남편의) 비밀 용돈

béer o'clòck 《구어》 맥주 마실 시간

beer·pull [-pùl] *n.* beer pump(의 레버)

béer pùmp 비어 펌프 《지하실 술통에서 매장까지 술을 끌어올리는 기계》

Beer·she·ba [biərʃíːbə, bíərʃə-] *n.* 베르셰바 《Israel 남단의 도시》 ***from Dan to* ~** ⇨ Dan[1]

beer·shop [bíərʃɑ̀p | -ʃɔ̀p] *n.* 《영》 (가게 안에서는 마시지 못하는) 맥주 판매점

Beer·town [bíərtàun] *n.* 《미·속어》 맥주의 도시 《미국 Wisconsin 주 Milwaukee 시의 별칭》

beer-up [-ʌ̀p] *n.* 《호주·속어》 술잔치

beer·y [bíəri] *a.* (**beer·i·er**; **-i·est**) 맥주의[같은], 맥주에 취한; 맥주 냄새가 나는 **béer·i·ness** *n.*

bée's knées [the ~; 단수 취급] 《구어》 최상급의 [월등한] 것[일]; 최적임자

beest·ings [bíːstiŋz] *n. pl.* = BEASTINGS

bees·wax [bíːzwæ̀ks] *n.* Ⓤ, *vt.* 밀랍(을 바르다)

bees·wing [-wìŋ] *n.* (오래된 포도주의 표면에 생기는) 얇은 더껑이; 오래된 포도주

****beet** [bíːt] *n.* 〖식물〗 **사탕무, 비트, 첨채(甜菜)**; = BEETROOT: red ~ 근대 《샐러드용》 / white[sugar] ~ 사탕무 (***as***) ***red as a* ~** 《미·구어》 (부끄러워서) 얼굴이 새빨개진

****Bee·tho·ven** [béitouvən] *n.* **베토벤 Ludwig van** ~ (1770-1827) 《독일의 작곡가》 **Bee·tho·ve·nian** *a.*

*****bee·tle**[1] [bíːtl] *n.* **1** 〖곤충〗 **갑충, 딱정벌레**(⇨ insect 유의어); 《구어》 갑충 비슷한 벌레 《바퀴벌레 등》: a black ~ 바퀴(벌레) **2** [**B~**] 《속어》 비틀《Volkswagen사의 소형차 중의 하나》 **3** 근시인 사람 **4** 《미·속어》 최첨단을 걷는 여성 **5** 《미·속어》 경주마

— *vi.* **1** 《구어》 〈눈알 따위가〉 빠르게 움직이다 **2** 《영·속어》 급히 가다[떠나다], 달아나다 《*away, off*》

beetle[2] *n.* 큰 망치, 메, 공이, 방망이

— *vt.* (큰 망치·메로) 치다; 〈천을〉 다듬이질하다 **bee·tler** *n.*

beetle[3] *a.* 〈눈썹·벼랑 등이〉 돌출한; 숱이 많은; 상을 찌푸린, 뚱한: ~ brows 굵은 눈썹; 찌푸린 눈살[얼굴] — *vi.* 〈눈썹·벼랑 등이〉 돌출하다

béet lèafhopper 〖곤충〗 (미국 서부산(産)의) 번개매미의 일종 《사탕무 등에 병원체를 옮김》
bee·tle·brain [bí:tlbrèin] *n.* =BEETLEHEAD
bee·tle-browed [-bràud] *a.* 눈썹이 검고 짙은; 상을 찌푸린, 뚱한(sullen)
bee·tle-crush·er [-krʌ̀ʃər] *n.* 큰 발[구두]
bee·tle·head [-hèd] *n.* 얼간이, 멍청이
bee·tle·head·ed [-hèdid] *a.* 미련한, 멍청한
bee·tling [bí:tliŋ] *a.* Ⓐ 〈눈썹·벼랑 등이〉 돌출한
beet·rad·ish [bí:trædiʃ] *n.* =RED BEET
bée trèe 야생 꿀벌이 집을 짓는 속이 빈 나무; 《특히》 참피나무(basswood)
beet·root [-rù:t] *n.* (영) 근대 뿌리 《샐러드용》
béet sùgar 첨채당(甜菜糖) 《사탕무로 만든 설탕》 (cf. SUGAR BEET)
beeves [bí:vz] *n.* BEEF의 복수
bee·zer [bí:zər] *n.* (속어) 코; 사람, 녀석
bef. before **BEF** British Expeditionary Force(s)
*__be·fall__ [bifɔ́:l] *v.* (**-fell** [-fél]; **-fall·en** [-fɔ́:lən]) (문어) *vt.* 〈좋지 않은 일이〉 …에게 일어나다, 생기다, 들이닥치다: A misfortune *befell* him. 불행이 그에게 들이닥쳤다.
— *vi.* 〈좋지 않은 일이〉 일어나다, 생기다 《*to*》

> 유의어 **befall** 「나쁜 일이 일어나다」를 뜻하는 문어 **happen** 좋은 일·나쁜 일을 가리지 않고 쓰는 일반적인 말

*__be·fit__ [bifít] *vt.* (**~·ted**; **~·ting**) [종종 it을 주어로] 적합하다, 알맞다, 어울리다: *It* ill ~*s* him to do .... …하는 것은 그답지 않다[그에게 어울리지 않는다]. ***as ~s*[*~ted*]** …에 어울리게, …에 걸맞게
▷ fít *a.*
be·fit·ting [bifítiŋ] *a.* 적당한; 어울리는, 알맞은 (proper) 《*to*》 **~·ly** *ad.*
be·flag [biflǽg] *vt.* (많은) 기(旗)로 장식하다[뒤덮다]
be·flow·er [bifláuər] *vt.* 꽃으로 뒤덮다, …에 꽃을 흩뿌리다
be·fog [bifɑ́g, -fɔ́:g | -fɔ́g] *vt.* (**~ged**; **~·ging**) 짙은 안개로 뒤덮다; 〈정신을〉 몽롱하게[어리벙벙하게] 하다(bewilder), 모호하게 하다(obscure)
be·fool [bifú:l] *vt.* 우롱하다; 속이다
‡**be·fore** ⇨ before (p. 221)
‡**be·fore·hand** [bifɔ́:rhæ̀nd, bə-] *ad.*, *a.* Ⓟ 미리(부터의), 벌써(부터의); 사전에[의]; 앞질러, 지레짐작이 지나친: I knew his intention ~. 나는 그의 의도를 미리 알고 있었다. / You are rather ~ in your suspicions. 너는 지레짐작이 좀 지나치다. ***be ~ with*** …에 미리 대비하다; …의 선수를 치다, …을 앞지르다 **~·ed·ness** *n.*
be·fore-men·tioned [-mènʃənd] *a.* 앞서 말한, 전술한, 전기(前記)의
be·fore-tax [-tæ̀ks] *a.* 세금을 포함한(cf. AFTER-TAX), 세전의(pretax)
be·fore·time [-tàim] *ad.* (고어) 이전에는, 옛날에
be·foul [bifául] *vt.* 더럽히다; 헐뜯다
be·friend [bifrénd] *vt.* …의 편을 들다, 돕다; …의 친구가 되다 **~·er** *n.* ▷ fríend *n.*
be·fud·dle [bifʌ́dl] *vt.* 정신을 잃게 하다 《*with*》; 어리둥절하게 하다 《*with*》 **~·ment** *n.*
be·fud·dled [bifʌ́dld] *a.* 정신을 못 차리는, 혼란스러운: He was ~ *by* drink. 그는 술로 곤드레만드레 되었다.
be·furred [bifɔ́:rd] *a.* 모피 장식을 단
‡**beg** [bég] *v.* (**~ged**; **~·ging**) *vt.* **1** 〈돈·옷·밥·은혜 등을〉 구걸하다, 빌다: ~ food 음식을 구걸하다 / ~ forgiveness 용서를 빌다 // (~+목+전+명) ~ money *from* people passing by 지나가는 사람들에게 돈을 구걸하다 / ~ money *of* charitable people 자선가에게 금전을 빌다 **2** 부탁하다, 간청하다: (~+목+전+명) I ~ you *for* pardon. 용서해 주십시오. // (~+목+*to* do) I ~ you *to* sit down. 앉으시기 바랍니다. // (~+*to* do) I ~ *to* inform you that ... …임을 알려드리고자 합니다 《상용문》/ I ~ *to* be excused. 미안하지만 할 생각이 없습니다. // (~+*that* 절) I ~ *that* you will tell the truth. 부디 진실을 말씀해 주십시오. **3** 〈문제·요점을〉 회피하다, 답하지 않다
— *vi.* **1** 구걸하다, 빌다 《*for*》: ~ from door to door 가가호호 구걸하고 다니다 // (~+전+명) ~ *for* food[money] 음식[돈]을 구걸하다 **2** 부탁하다, 간청하다 《*of*》: (~+전+명) I ~ *of* you not to say it again. 제발 두 번 다시 그 말을 하지 말아 주시오. **3** 〈개가〉 앞발을 들고 서서 재롱부리다: *B~!* 뒷발로 서! 《개를 보고》 ***~ for one's bread*** 걸식하다 ***~ leave to*** do = ***~ to*** do …하는 데 허가를 청하다, 실례를 무릅쓰고 …하다 ***~ off*** 〈의무·약속을〉 핑계를 대서 거절하다 ***~ the question*** 〖논리〗 논점을 옳은 것으로 가정해 놓고 논하다; 논점을 교묘히 회피하다 ***go ~ging*** 구걸하고 다니다, 〈물건이〉 살 사람이 없다, 안 팔리다 ***I ~ your pardon.*** ⇨ pardon
▷ béggar *n.*
be·gad [bigǽd] [by God] *int.* 저런, 천만에, 아차, 빌어먹을
‡**be·gan** [bigǽn] *v.* BEGIN의 과거
be·gat [bigǽt] *v.* (고어) BEGET의 과거
be·gats [bigǽts] *n. pl.* (미·속어) (구약 성서 중의) 가계도; 자식, 자손
be·gem [bidʒém] *vt.* 보석으로 뒤덮다
*__be·get__ [bigét] *vt.* (**-got** [-gɑ́t | -gɔ́t], (고어) **-gat** [gǽt]; **-got·ten** [-gɑ́tn | -gɔ́tn], **-got**; **~·ting**) **1** 〈아버지가〉 〈자식을〉 보다, 낳다, 얻다 《어머니의 경우에는 bear²를 씀》 **2** 생기게 하다, 초래하다: Money ~*s* money. 돈이 돈을 낳는다. / Hunger ~*s* crime. 굶주림이 범죄를 낳는다. **~·ter** *n.*
‡**beg·gar** [bégər] *n.* **1** 거지, 걸인, 비렁뱅이; 기부금을 모으는 사람 / B~s must not [can't] be choosers. (속담) 빌어먹는 놈이 콩밥을 마다할까. **2** 가난뱅이, 가난한 사람 **3** [수식어를 동반하여] (구어·경멸·익살) 놈, 녀석(fellow): a saucy ~ 건방진 놈, 까부는 녀석 / nice little ~*s* 귀여운 놈들 **4** (영·구어) (…에 특히) 열심인[능숙한] 사람 《*for*, *to*》 ***a ~ for work*** (구어) 일에 미친 사람 ***a good ~*** 얻어내는 재주가 좋은 사람 ***die a ~*** 객사하다 ***Poor ~!*** 가엾어라! ***You little ~!*** 이놈 봐라!
— *vt.* **1** 〈사람을〉 가난하게 만들다, 빈곤하게 하다 **2** 〈표현·비교를〉 빈약하게 하다, 무력화하다, 불가능하게 하다 ***~ belief*** 믿을 수 없다 ***~ oneself*** 알거지가 되다, 가난해지다 ***I'll be ~ed if ...*** (속어) 맹세코 …하는 일은 없다, 결코 …않을 것이다
▷ bég *v.*; béggarly *a.*
beg·gar·dom [bégərdəm] *n.* Ⓤ **1** [집합적] 거지 패거리[사회](beggary) **2** 거지 생활
beg·gar·ly [bégərli] *a.* Ⓐ **1** 거지 같은, 빈털터리의 **2** 빈약한, 조금의 **3** 비루한 **-li·ness** *n.*
beg·gar-my-neigh·bor [bégərmainéibər | -mi-] *n.* Ⓤ 〖카드〗 상대편의 패를 전부 빼앗을 때까지 둘이서 하는 놀이 — *a.* 남의 손실로 이익을 얻는, 자기중심적인; 보호주의적인 〈정책〉
beg·gar('s)-lice [bégər(z)làis] *n. pl.* 〖식물〗 [단수·복수 취급] 옷에 달라붙는 열매를 맺는 식물 《사상자, 도둑놈의갈고리 등》; [복수 취급] 그 식물의 열매
beg·gar('s)-ticks [-tìks] *n. pl.* 〖식물〗 **1** 서양도깨비바늘 《국화과(科)》 **2** =BEGGAR('S)-LICE

thesaurus **befall** *v.* happen, occur, take place, chance, arise, ensue, follow, result, fall
before *ad.* **1** 전에 previously, earlier, in the past, formerly, hitherto **2** 앞에 in front, ahead, in advance, in the lead — *prep.* **1** ... 앞에 in front of, ahead of, in advance of (opp. *after*, *behind*) **2** ... 보다 전에 prior to, previous to, earlier than

before

의미·내용상 after와 대조를 이루는 부사·전치사·접속사로서 중요한 기능어의 하나이다. ago는 부사로서 시간 영역에만, front는 명사로서 공간 영역에만 국한해서 쓰이는 데 대하여, before는 세 가지 품사의 기능을 다하면서 시간·공간 등 구체적 영역과 순위·대비 등 추상적 영역에까지 폭 넓게 쓰인다.

‡be·fore [bifɔ́ːr, bə-] *ad.*, *prep.*, *conj.*

OE 「전(beforan)」의 뜻에서
① [때를 나타내어] (…의) 전에 뷔 **1** 전 **2** 접 **1**
② [위치를 나타내어] (…의) 앞에 뷔 **2** 전 **1**
③ [순서를 나타내어] (…보다) 먼저 전 **3**

— *ad.* **1** [때를 나타내어] **a** 전에, 이전에, 일찍이, 이미: the night ~ 그 전날 밤에 / two days ~ (그때부터) 2일 전에 / I've seen that film ~. 나는 전에 그 영화를 본 적이 있다. / He's done it ~. 그는 이전에 그것을 해 본 적이 있다. / It had been fine the day ~. 그 전날은 날씨가 좋았다. / Haven't we met somewhere ~? 어디선가 전에 만난 적이 없습니까? 《USAGE (1) before는 과거의 어느 시점에서 보아서 「전에; 이전에」의 뜻이며, ago는 현재에서 보아서 「전에; 이전에」의 뜻; 따라서 화법의 경우에는 주의를 요함(⇨ ago) (2) before가 단독으로 쓰이는 경우에는 동사는 현재완료·과거완료·과거 중에서 아무거나 쓸 수 있지만, the day before, two days before 등과 같은 부사구의 경우에는 동사는 과거완료를 씀》 **b** (정한 때보다) 전에, 일찍: I'll be there a few days ~. 2, 3일 전에 그곳에 가 있겠습니다. / Begin at noon, *not* ~. 정오에 시작해라, 그전까지는 안 돼.
2 [위치를 나타내어] 앞에, 앞쪽[전방]에; 앞면에 《보통 after 또는 behind와 짝지어 씀》: ~ and behind 앞뒤에 / look ~ and after 앞뒤를 보다 / She has lost two teeth ~. 그녀는 앞니가 두 개 빠졌다.
***long* ~** 오래 전에
— *prep.* **1** [위치·장소 등을 나타내어] **a** …(의) 앞에; …의 면전[눈앞]에 《behind의 반대어; 보통 「호출되어 남의 앞에」의 경우에 쓰며, 건물에는 in front of를 씀》: problems ~ the meeting 회의에 상정된 문제들 / He stood ~ the President. 그는 대통령 앞에 섰다. / The parade passed ~ our office. 행렬은 우리 사무실 앞을 지나갔다. **b** …의 앞길[앞날]에, …을 기다려: The golden age is ~ us. 우리 앞날에는 황금 시대가 오고 있다. / The Christmas holidays were ~ the children. 크리스마스 휴가가 아이들을 기다리고 있었다. **c** 〈기세·세력 등〉에 밀려, …의 힘으로: bow ~ authority 권력 앞에 굴복하다
2 [때를 나타내어] **a** …보다 전에[먼저, 일찍]: the day ~ yesterday 그저께 《★ 명사구로도 쓰이고 부사구로도 쓰이는데, 부사적 용법의 경우 《미》에서는 종종 the를 생략함》/ the year ~ last 재작년 / ~ the appointed time 약속한 시간 전에 / leave ~ daylight 동트기 전에 떠나다 / Call me ~ six o'clock. 6시 전에 전화해 줘. / All the games finish ~ evening. 모든 경기는 저녁 전에 끝난다. / Knock at[on] the door ~ enter*ing* the room. 방에 들어오기 전에 문을 노크하시오. **b** 《미》 (…분) 전(to): It's five minutes ~ eight. 8시 5분 전이다.
3 [순서·계급·우선·선택 등을 나타내어] **a** …보다 먼저, …에 앞서: Put honor ~ wealth. 재물보다 명예를 중시해라. / England was ~ all nations in the industry. 영국은 그 산업에서 모든 나라보다 앞서 있었다. **b** [would와 함께 써서] …보다는 차라리: I *would* die ~ surrendering. 항복하느니 차라리 죽겠다.
~ *all*[*everything*] 우선 첫째로, 무엇보다도
~ *Christ* 서력기원전 《略 B.C.》
~ *dark* 어두워지기 전에
~ *long* 머지않아, 오래지 않아, 이윽고
~ *now* 지금까지도, 이제껏; 더 일찍
put the cart* ~ *the horse ⇨ cart
(*the*) *night* ~ *last* 그저께 밤(에)
— *conj.* **1** …보다 전에, …(하기)에 앞서서, …하기 전에: I had not waited long ~ he came. 얼마 기다리지 않아 그가 왔다. / Look well ~ you cross the road. 길을 건너기 전에 잘 살펴보아라. / You must sow ~ you can reap. (속담) 씨를 뿌려야 거둔다. / It will be long ~ we meet again. 한참 지나야 다시 만나게 되겠군요. 《before가 이끄는 절이 의미상으로는 미래에 관한 내용이라 할지라도 술어 동사는 현재형을 씀》/ Read the manual ~ you operate the machine. 설명서를 읽고 나서 기계를 조작하시오.
2 [would[will]와 함께 써서] (…하느니) 차라리(cf. *prep.* 3 b): I *will* die ~ I give in. 굴복하느니 차라리 죽겠다., 죽어도 항복하지 않겠다.
~ *I forget,* …잊기 전에 말하겠는데…
~ one *knows* 모르는 사이에, 어느새
~ one *knows where* one *is* ⇨ know
~ *you can say knife* ⇨ knife

beg·gar·y [bégəri] *n.* (*pl.* **-gar·ies**) UC **1** 거지 신세, 극빈 **2** [집합적] 거지 (사회) **3** 거지가 사는[자주 가는] 곳 **4** 빌어먹기; 천함, 비루함; 거지꼴

beg·gar-your-neigh·bor [bégərjuərnéibər] *n.*, *a.* = BEGGAR-MY-NEIGHBOR

beg·ging [bégiŋ] *n.* U 구걸, 거지 생활 ***go* (*a*) ~** 구걸하며 다니다; 〈물건이〉 사려는 사람이 없다
— *a.* 구걸하는: a ~ letter 구걸 편지, 기부금을 부탁하는 편지 **~·ly** *ad.*

bégging bòwl **1** 탁발승의 보시기 **2** 원조[구원]의 호소, 동냥

beg *v.* **1** 구걸하다 ask for money, solicit money, seek charity **2** 간청하다 ask for, request, seek, crave, solicit, entreat, plead for, beseech

beget *v.* **1** 〈자식을〉 낳다 father, generate, engender **2** 초래하다 cause, create, produce, effect

begin *v.* start, commence, set about, embark on, initiate, happen, occur, arise, emerge

‡be·gin [bigín] *v.* (**-gan** [-gǽn]; **-gun** [-gʌ́n]; **~·ning**) *vt.* **1** 시작[착수]하다(start); …하기 시작하다; 차츰 …하다: He *began* his career as an apprentice. 그는 견습공으로 인생의 첫발을 내디뎠다. / Well *begun* is half done. (속담) 시작이 반이다. // (~+*to* do) It *began to* snow. 눈이 오기 시작했다. // I ~[am ~*ning*] *to* understand. 차츰 이해가 간다. // (~+*-ing*) When did you ~ learn*ing* French? 프랑스 말을 언제 배우기 시작했느냐?
USAGE (1) begin to do는 동작의 개시점에, begin doing은 개시된 동작의 계속에 중점이 있다. 그러나 실제로는 거의 차이 없이 쓰인다. 한편 사물이 주어이고 진행형(beginning)인 경우는 to do를 선호한다. (2) 지각·인식·이해의 동사(feel, know, realize, see, think, understand) 뒤에는 보통 to do를 쓴다.
2 일으키다, 창설[개설]하다(found): ~ a dynasty 왕조를 세우다 **3** 《미·구어》 [부정어와 함께] 전혀 …(할 것 같지) 않다: (~+*to* do) This hat does*n't* ~ *to* fit you. 이 모자는 네게 전혀 맞지 않는다.

—*vi.* **1** 시작되다; 시작하다; 착수하다 《*at, by, on, with*》: 《~+전+명》 ~ *at* 8 o'clock 8시에 시작하다 / ~ *at* page seven[the beginning] 7페이지[처음]부터 시작하다 / ~ *at* the wrong end 처음부터 틀리다 **2** 출발하다, 활동을 시작하다 **3** 일어나다(arise); 생겨나다(originate): When did life on this earth ~? 지구상의 생물은 언제 발생했느냐?
~ by (do*ing* ...) (…하는 것)부터 시작하다 ***~ life*** 태어나다; 첫걸음을 내디디다, 사회[세상]에 나오다 ***~ on*** [***upon***] …에 착수하다 ***B~ with No. 1.*** 먼저 자기부터 시작해라. ***~ the world*** 실사회로 나가다 ***to ~ with*** 우선 첫째로, 맨 먼저
▷ begínning *n.*

Be·gin [béigin] *n.* 베긴 **Menachem ~** (1913-92) 《이스라엘의 정치가·수상(1977-83); 노벨 평화상(1978)》

‡**be·gin·ner** [bigínər] *n.* **1** 초학자, 초심자(novice); 미경험자, 미숙자: a book for ~*s* 입문서 **2** 창시자, 개시자, 개조(開祖) 《*of*》

begínner's lúck [the ~] (내기·사냥 등에서) 초심자에게 따른다는 재수

‡**be·gin·ning** [bigíniŋ] *n.* **1** 처음, 최초, 시작, 발단, 개시(start): at the ~ of May[the term] 5월[학기] 초에 **2** [종종 *pl.*; 단수 취급] 초기, 어린 시절 **3** 시초; 기원(origin, source): Buddhism had its ~*s* in India. 불교는 인도에서 기원했다. / Everything has a ~. (속담) 만사가 다 시작이 있는 법이다. **4** 막 시작한 일, 미완성의 것
at the (***very***) ***~*** 처음에, 맨 먼저 ***from ~ to end*** 처음부터 끝까지; 시종 ***from the ~*** 애초부터 ***in the ~*** 시초에, 태초에, 우선 처음에는 ***make a ~*** 개시하다 《*for*》; 착수하다 ***rise from humble*** [***modest***] ***~s*** 비천한 신분으로부터 입신하다 ***since the ~ of things*** 천지 개벽 이래 ***the ~ of the end*** (나쁜) 결과의 첫 조짐
—*a.* Ⓐ **1** 초기의 **2** 최초의, 도입의 **3** 〈과학·서적 등이〉 초보[기초]의, 입문의 **4** 〈사람이〉 초심의, 신입의

begínning rhỳme 【운율】 행두운(行頭韻) 《각 행의 첫머리 압운》

be·gird [bigə́ːrd] *vt.* (**-girt** [-gə́ːrt], **~·ed**) [보통 과거분사로] (문어) 띠로 둘러감다; 둘러싸다 《*with*》

be·gone [bigɔ́ːn, -gɑ́n | -gɔ́n] *vi.* [명령형으로] (시어·문어) 썩 물러가라(go away)

be·go·nia [bigóunjə, -niə] *n.* **1** 【식물】 베고니아 **2** (미·속어) (여성의) 유방

be·gor·ra(**h**) [bigɔ́ːrə, -gɑ́rə | -gɔ́rə] [by God의 변형] *int.* (아일) 어렵쇼, 이런; 맹세코, 반드시

***be·got** [bigɑ́t | -gɔ́t] *v.* BEGET의 과거·과거분사; (미) BEGET의 과거분사

***be·got·ten** [bigɑ́tn | -gɔ́tn] *v.* BEGET의 과거분사

be·grime [bigráim] *vt.* **1** [보통 수동형으로] (연기·그을음으로) 더럽히다 《*with*》 **2** 〈명예 등을〉 손상시키다

be·grudge [bigrʌ́dʒ] *vt.* **1** 시기하다, 시새우다: 《~+목+목》 ~ him his good fortune 그의 행운을 시새우다 **2** 〈…에게〉 〈…을〉 주기를 꺼리다, 내놓기 아까워하다; 〈…하기를〉 꺼리다: 《~+목+목》 She is so stingy that she ~*s* her dog a bone. 그녀는 기르는 개에게 뼈다귀 주는 것을 아까워할 만큼 노랭이이다. // 《~+***-ing***》 We don't ~ your go*ing* to Italy. 너의 이탈리아행을 반대하지는 않는다. // 《~+***to*** do》 They ~*d to* help me. 그들은 나를 돕기를 꺼렸다. **3** 마지못해 인정하다

be·grudg·ing·ly [bigrʌ́dʒiŋli] *ad.* 마지못해, 아까운 듯이, 인색하게

***be·guile** [bigáil] *vt.* **1** 속이다, 기만하다(cheat); 현혹시키다, 매혹하다; 속여서 …하게 하다 《*into*》: 《~+목+전+명》 He ~*d* them *into* accepting it. 그는 그들을 속여서 그것을 받아들이게 했다. **2** 속여 빼앗다 《*of, out of*》: 《~+목+전+명》 ~ a person (*out*) *of* his[her] money …의 돈을 사취하다 **3** 〈어린이 등을〉 기쁘게 하다, 위로하다: 《~+목+전+명》 She ~*d* her child *with* tales. 그녀는 이야기로 아이를 즐겁게 했다. **4** 〈지루함·슬픔 등을〉 잊게 하다, 달래다; 〈시간을〉 (즐겁게) 보내다 《*with*》: They ~*d* their long journey *with* talk. 그들은 이야기로 긴 여행의 지루함을 달랬다.
—*vi.* (책략·익숙한 솜씨로) 속이다

be·guile·ment [bigáilmənt] *n.* **1** Ⓤ 기만, 속임 **2** 기분 전환 거리, 심심풀이가 되는 것

be·guil·er [bigáilər] *n.* 속이는 사람; 심심풀이

be·guil·ing [bigáiliŋ] *a.* 속이는; 심심풀이가 되는

be·guine [bigíːn] *n.* 비긴 《서인도 제도의 볼레로조(調)의 춤》; 그 곡

Be·guine [béginː, béigiːn, bəgíːn] *n.* 【가톨릭】 베긴회 수녀 《12세기 벨기에 리에주(Liège)에서 창설》

be·gum [bíːgəm, béi-] *n.* (인도) (이슬람교도의) 왕비, 귀부인

‡**be·gun** [bigʌ́n] *v.* BEGIN의 과거분사

‡**be·half** [bihǽf, -hɑ́ːf | -hɑ́ːf] *n.* Ⓤ 이익; 원조, 자기편; 지지 ★ 다음 성구로.
in ~ of... = ***in*** a person***'s ~*** …을 위하여; 대신하여: They collected money *in ~ of* the homeless. 그들은 노숙자들을 위해 모금했다. ***in this*** [***that***] ***~*** 이것[그것]에 관하여, 이[그] 점에서 ***on ~ of...*** = ***on*** a person***'s ~*** …을 대신하여, 대표하여; …을 위하여

‡**be·have** [bihéiv] *vi.* **1** [양태의 부사(구)와 함께] 행동하다: He doesn't know how to ~. 그는 예의범절을 모른다. // 《~+부》 ~ *well*[*badly*] 예절 바르게[바르지 않게] 행동하다 / He ~*d arrogantly* to [toward] his teacher. 그는 선생님께 대하여 불손하게 행동했다. **2** 예절 바르게 행동하다: The little ones didn't ~. 어린이들은 예절이 바르지 않았다. **3** 〈기계가〉 움직이다, 가동하다; 〈약·물건 등이〉 작용하다, 반응을 나타내다: 《~+전+명》 The matter ~*d in* a strange way when heated. 가열되었을 때 그 물질은 이상한 반응을 나타냈다. // 《~+부》 The airplane ~*d well.* 비행기의 상태는 양호했다.
—*vt.* [~ one*self* 로] **1** [양태의 부사(구)와 함께] 행동[처신]하다: He ~*d himself* like a gentleman. 그는 신사답게 처신했다. **2** 〈어린이가〉 예절 바르게 행동하다: *B~ yourself!* 얌전하게 굴어요! **3** 〈기계 등이〉 제대로 작동하다: The car ~*d itself.* 그 차는 잘 달렸다. ▷ behávior *n.*

be·haved [bihéivd] *a.* [보통 복합어를 이루어] …한 태도의, 행동거지가 …한: well-~ 행동거지가 얌전한

‡**be·hav·ior** | **-iour** [bihéivjər] *n.* Ⓤ **1** 행동, 거동, 행실, 품행, 태도(⇨ conduct 유의어): harsh ~ towards one's inferiors 아랫사람에게 엄한 태도 **2** ⓊⒸ 【심리】 행동; 습성 **3** [종종 *pl.*] 행동 양식 (behavior pattern) **4** ⓊⒸ (기계 등의) 가동, 움직임; 작용, 반응
be of good ~ 【법】 〈복역자가〉 착한 일을 하다 ***be on*** one***'s good*** [***best***] ***~*** 근신[행실을 고치는] 중이다 ***during good ~*** 충실히 근무하는 동안은, 불성실한 행동이 없는 한 ***put*** a person ***on his*** [***her***] ***good*** [***best***] ***~*** (…에게) 행실을 바르게 가지라고 충고하다, 근신을 명하다
~·ìsm *n.* Ⓤ 【심리】 행동주의 《객관적으로 관찰할 수 있는 인간이나 동물의 행동만을 연구 대상으로 함》
~·ist *n., a.* 행동주의자(의); 행동주의 심리학자(의)
▷ beháve *v.*; behávioral *a.*

be·hav·ior·al [bihéivjərəl] *a.* Ⓐ 행동의, 행동에 관한 **~·ly** *ad.*

behávioral económics 행동 경제학

be·hav·ior·al·ism [bihéivjərəlizm] *n.* Ⓤ (behavioral science에 입각한) (인간) 행동 연구의 방법, 행태주의 **~·ist** *n., a.*

thesaurus **beginner** *n.* novice, trainee, learner, apprentice, student, pupil, (raw) recruit, initiate, tyro (opp. *expert, veteran*)
behavior *n.* **1** 행동 conduct, way of acting, comportment, deportment, manners **2** 작용 function-

behávioral scíence 행동 과학 《인간 행동의 일반 원리를 탐구하는 사회 과학》
be·hav·ior·is·tic [bihèivjərístik] *a.* 행동주의적인
behávior modificàtion 〖심리〗 행동 수정[변용] 《이상한 행동의 수정을 꾀하는 심리 요법의 일종》
behávior pàttern 〖사회〗 행동 양식
behávior thèrapy 〖정신의학〗 행동 요법 《새 행동 양식의 훈련에 의한 정신 요법》
be·hav·iour [bihéivjər] *n.* 《영》 =BEHAVIOR
be·head [bihéd] *vt.* 〈사람을〉 목 베다, 참수형에 처하다 **~·al** *n.* **~·er** *n.*
⁑ **be·held** [bihéld] *vt.* BEHOLD의 과거·과거분사
be·he·moth [bihí:məθ, bí:əməθ | bihí:mɔθ] *n.* **1** Ⓤ [종종 **B~**] 〖성서〗 거대한 짐승 《하마로 추측됨; cf. 욥기 40: 15-24》 **2** Ⓒ 거인, 거대한[강력한] 것
be·hest [bihést] *n.* [보통 *sing.*] 《문어》 **1** 명령, 지령 **2** 간청, 간원
⁑ **be·hind** [biháind, bə-] *ad.*, *prep.*, *a.*, *n.*

기본적으로는 「뒤에」의 뜻에서	
① [장소] …의 뒤에	부 **1** 전 **1**
② [때] (…보다 뒤)늦어	부 **4** 전 **2**
③ (비유적으로) …의 배후에	부 **5** 전 **1**
④ (진보·순서가) …보다 뒤떨어져	부 **3** 전 **3**

—*ad.* **1** [장소·위치] 뒤에, 후방에 **2** [경과] 과거에, 지나서 **3** 〈일·발달 등이〉 뒤져서 **4** [때·시간] 늦어 **5** 《비유》 뒤에; 배후에, 숨겨져, (보이지 않는) 이면에서: There is more ~. 이면에 뭔가 더 있다.
be ~ in [***with***] one's work (일이) 처져 있다 ***come*** (***up***) ***from ~*** 추월하여 1등이 되다; 역전승하다 ***fall*** [***drop, lag***] ***~*** 남에게 뒤지다 ***leave*** (a thing, a person) ***~*** (…을) 뒤에 남기다, 남겨 두고 오다, (잊고) 놓고 가다 ***look ~*** 뒤돌아보다; 회고하다
—*prep.* **1** [장소] …의 뒤에; …의 배후[후방]에; …의 이면에 (숨어서): a garden ~ a house 집의 뒤뜰 **2** [때] …에 뒤늦어 **3** …보다 뒤떨어져, …보다 뒤지고[지고] **4** …을 편들어; …을 지지하여 **5** …의 과거에
be ~ a person (1) (…을) 지지하다, 원조하다 (2) (…에게) 뒤지다 (3) (…의) 지나간[과거의] 일이다 ***be ~ time*** 지각하다 ***~*** one***'s back*** 없는 데서, 이면에서 ***~ schedule*** 정각[예정]보다 늦게 ***~ the eight ball*** 《미·구어》 매우 불리한 입장에 ***~ the scenes*** ⇨ scene. ***~ the times*** 시대에 뒤떨어져 ***go ~*** a thing …의 이면[진상]을 살피다: I *went* ~ his words. 나는 그의 말의 숨은[참] 뜻을 찾았다. ***put*** a thing ***~*** one 〈사물을〉 물리치다, 받아들이지 않다
—*a.* [명사 뒤에서] 뒤의, 뒤쪽의: pass the paper to the man ~ 종이를 뒷사람에게 돌리다
—*n.* **1** (윗옷 등의) 뒤, 등 **2** 《구어》 궁둥이(buttocks) ▷ behíndhand *ad.*, *a.*
be·hind·hand [biháindhæ̀nd] *ad.*, *a.* Ⓟ **1** 뒤떨어져 (있는) 《*in*》 **2** 〈일·방세 등이〉 밀려 (있는) 《*in*, *with*》 **3** 빚을 진; (지불이) 연체된 **4** 태만으로 ***be ~ in*** one***'s circumstances*** 살림 형편이 어렵다
be·hind-the-scenes [biháindðəsí:nz] *a.* **1** 비밀의, 은밀한: a ~ conference 비밀 회의 **2** 막후의, 배후의: a ~ negotiation 막후 협상 **3** 무대 뒤의
⁑ **be·hold** [bihóuld] 《문어·고어》 *vt.* (**-held** [-héld]) 보다, 바라보다, 주시하다(look at) 《진행형 없음》: *B~* how beautiful the sunset looks! 낙조가 얼마나 아름다운지 봐라!
—*int.* [주의를 촉구하여] 보라
Lo and ~! 보라, 저런, 이게 어찌된 영문인가!

ing, operation, reaction, performance
behind *prep.* **1** (공간적으로) 뒤에 at the back of, at the rear of, beyond, on the other side of **2** (시간적으로) 늦게 later than, after **3** (상태가) 뒤진 less advanced than, slower than, inferior than

be·hold·en [bihóuldən] *a.* Ⓟ 《문어》 은혜를 입은, 신세진 《*to*》: I am ~ *to* you for your kindness. 신세 많이 졌습니다, 친절하게 해 주셔서 감사합니다.
be·hold·er [bihóuldər] *n.* 보는 사람, 구경꾼(spectator)
be·hoof [bihú:f] *n.* (*pl.* **-hooves** [-hú:vz]) 《문어》 이익 ★ 다음 성구로 ***in*** [***for, to, on***] a person***'s ~*** = ***in*** [***for, to, on***] (***the***) ***~ of*** a person …을 위하여
be·hoove | **-hove** [bihú:v | bihóuv] *vt.* 《문어》 [it를 주어로] **1** 〈사람에게〉 (…하는 것이) 의무이다, 마땅하다: *It ~s* public officials to[= Public officials must] do their duty. 공무원은 마땅히 그 직분을 다하여야 한다. **2** …할 보람이 있다
—*vi.* 《고어》 필요[당연]하다
Beh·ring [bέəriŋ] *n.* 베링 **Emil von ~** (1854-1917) 《독일의 세균학자; 노벨 생리·의학상 수상(1901)》
beige [béiʒ] [F] *n.* Ⓤ **1** 낙타색, 베이지 색 **2** (염색이나 표백하지 않고) 원모(原毛)로 짠 모직물
—*a.* **1** 베이지 색의 **2** 《미·학생속어》 재미없는
* **Bei·jing** [béidʒíŋ] *n.* 베이징, 북경(北京)(Peking) 《중국의 수도》
Béijing ópera (중국의) 경극(京劇)
be-in [bí:ìn] *n.* 《속어》 (공원 등에서의) 히피족의 모임
⁑ **be·ing** [bí:iŋ] *v.* **1** [BE의 현재분사] **a** [am, are, is, was, were+being+과거분사] …되고 있는 중(이다, 이었다) 《수동의 진행형》: The house *is ~ built.* 집은 건축 중이다. **b** [분사구문] …이기 때문에: *B~* busy, I stayed at home. 바빴기 때문에 집에 있었다. **2** [BE의 동명사] …는 것, …임, 됨, 당함: *B~* with you makes me happy. 너와 함께 있는 것은 즐겁다. / I hate ~ treated like a child. 어린이 취급을 받는 것은 싫다.
—*a.* 존재하는, 현재의 ★ 다음 성구로.
for the time ~ 당분간, 우선은
—*n.* **1** Ⓤ 존재, 실존, 실재 **2** Ⓤ 생존, 생명, 인생 **3** Ⓤ 본질, 본성, 천성 **4** Ⓒ (유형·무형의) 것, 존재물; 생물(living thing); 인간(human being): alien *~s* 외계 생명체 **5** [**B~**] 신(神): the Supreme *B~* 하느님(God) **6** Ⓤ 〖철학〗 존재 ***call*** [***bring***] a thing ***into ~*** 생기게 하다, 낳다, 성립시키다 ***come into ~*** (태어)나다, 생기다 ***in ~*** 현존하는, 생존하고 있는
—*conj.* [종종 ~ as[how] ..., ~ that ...] 《방언》 …이기 때문에(because)
be·ing-for-it·self [bí:iŋfəritsélf] *n.* 〖철학〗 (헤겔 철학의) 향자존성(向自存性)
Bei·rut [beirú:t, ⌐—] *n.* 베이루트 《레바논(Lebanon) 공화국의 수도》
Be·ja [béidʒə] *n.* (*pl.* **~**, **~s**) **1** [the ~(s)] 베자족 《나일 강과 홍해 사이에서 사는 유목 민족》; 베자 족의 사람 **2** Ⓤ 베자 말
be·jab·bers [bidʒǽbərz] *int.* 이런, 어머나; 제기랄, 맙소사 《놀람·두려움·기쁨·노여움 등》; 반드시, 꼭
—*n. pl.* 《구어》 악마 ★ 다음 성구로.
beat [***hit, kick, knock***] ***the ~ out of*** 《고어》 …을 두들겨 패다, 때려눕히다 ***scare the ~ out of*** …을 깜짝 놀래 주다
be·jan [bí:dʒən] [F 「부리가 노란 병아리」의 뜻에서] *n.* (스코틀랜드의 대학의) 1학년생
be·jau·na [bidʒɔ́:nə] *n.* BEJAN의 여성형
be·jeaned [bidʒí:nd] *a.* 청바지를 입은
bej·el [bédʒəl] *n.* 〖병리〗 베젤 《남아프리카나 동남아시아의 어린이에 발병하는 비(非)성병성 전염 매독》
be·je·sus [bidʒí:zəs] *int.*, *n.* =BEJABBERS
be·jew·el [bidʒú:əl] *vt.* (**~ed**; **~·ing** | **~led**; **~·ling**) 보석으로 장식하다: the sky *~ed with* stars 별들이 보석처럼 박혀 반짝이는 하늘
bel [bél] *n.* 〖전기·물리〗 벨 《전압·전류나 소리의 강도 단위; 10 decibels; 기호 b》
Bel [bél] *n.* 여자 이름 《Arabel, Arabella, Isabel, Isabella의 애칭》

Bel. Belgian; Belgic; Belgium
be·la·bor | -bour [biléibər] *vt.* **1** 장황하게 논하다 **2** (말로) 공격하다 **3** (드물게) 세게 치다, 때리다; (고어) 애쓰다
Bel·a·fon·te [bèləfɑ́nti, -tei | -fɔ́n-] *n.* 벨러폰테 **Harry ~** (1927-) 《미국의 가수·배우》
Bel·ar·us [bélærus] *n.* 벨로루시 《폴란드에 인접한 독립 국가 연합의 하나; 수도 Minsk》
Be·la·rus·sian [bèlərʌ́ʃən] *a.* 벨로루시의; 벨로루시 사람[방언]의 **—** *n.* Ⓒ 벨로루시 사람; Ⓤ (러시아어의) 벨로루시 방언
∗**be·lat·ed** [biléitid] *a.* **1** (평소 시산·오기 등에) 늦은, 뒤늦은: ~ efforts 때늦은 노력 / ~ birthday greetings 때늦은 생일 축하 인사 **2** 구식의, 시대에 뒤떨어진 **~·ly** *ad.* **~·ness** *n.*
Be·lau [bəláu] *n.* 벨라우 (공화국) 《서태평양의 섬들의 나라; 수도 Koror; 구칭 Palau Islands》
be·laud [bilɔ́:d] *vt.* (문어) (비꼬는 뜻으로) 격찬하다
be·lay [biléi] *vt.* **1** 〖항해〗 〈밧줄을〉 밧줄걸이 등에 S[8]자 꼴로 감아 매다 **2** 〖등산〗 〈등반자를〉 자일로 고정시키다 **3** [주로 명령문] 〈동작을〉 중지하다(stop); 〈명령 등을〉 취소하다 **—** *vi.* **1** 밧줄을 꼭 죄다 **2** [명령문] 중지하다: *B*~ (there)! 그만, 중지!
— *n.* 〖등산〗 자일의 확보; 자일을 안정시키는 곳 《돌출한 바위, 바위에 박힌 하켄 등》
be·láy·ing pin [biléiiŋ-] 〖항해〗 밧줄걸이 《밧줄을 S자 꼴로 감아 매는 길이 30cm 가량의 막대》
bel can·to [bèl-kǽntou, -kɑ́:n-] [It. =fine song] 〖음악〗 벨칸토 《소리의 아름다움을 중시하는 (이탈리아) 오페라의 창법》
∗**belch** [béltʃ] *vi.* **1** 트림을 하다 **2** 〈화산·대포 등이〉 불꽃·연기 등을 내뿜다 《*out*》 **3** 〈가스·연기·물 등이〉 분출하다, 세차게 내뿜다 《*out, up*》: The chimney ~*ed out* smoke. 그 굴뚝은 연기를 내 뿜었다. **4** (미·속어) 〈악담 등이〉 터져 나오다; 밀고하다
— *vt.* **1** 〈화산·대포 등이〉 〈불꽃·연기 등을〉 내뿜다, 분출하다 《*out, forth*》 **2** 〈트림을〉 하다 **3** 〈폭언·저주하는 말 등을〉 내뱉다 《*forth*》
— *n.* **1** 트림 (소리) **2** 분출하는 불길, 분화; 폭(발)음 **3** 분출물 **4** (속어) 불평 **5** (미·속어) 맥주
~·er[1] *n.* (미·속어) 맥주를 마시는[좋아하는] 사람
bel·cher[2] [béltʃər] *n.* **1** 청색 바탕에 흰 물방울무늬가 있는 목도리 **2** 얼룩덜룩하게 염색한 스카프
bel·dam(e) [béldəm, -dæm] *n.* 노파, 할멈; 마귀할멈; (폐어) 할머니
be·lea·guer [bilí:gər] *vt.* **1** 포위(공격)하다; 둘러싸다 **2** 달라붙다; 괴롭히다 **~·ment** *n.*
be·lea·guered [bilí:gərd] *a.* (문어) **1** (적에게) 포위된 **2** 사면초가에 몰린
bel·em·nite [béləmnàit] *n.* 〖고생물〗 전석(箭石) 《쥐라기·백악기의 오징어류(類)의 화석》
bèl·em·nít·ic [-nítik] *a.*
bel es·prit [bel-esprí:] [F] (*pl.* ***beaux esprits*** [bòuz-esprí:]) 재사(才士); 재기(才氣), 재치
Bel·fast [bélfæst, -fɑ:st, -´ | bélfɑ:st, -´] *n.* 벨파스트 《북아일랜드의 수도; 항구 도시》
bel·fried [bélfrid] *a.* 종루가 있는
bel·fry [bélfri] *n.* (*pl.* **-fries**) **1** 종루, 종탑(bell tower) **2** (종루 안의) 종실(鐘室) **3** 종을 매다는 나무틀, 종가(鐘架) **4** (속어) 머리; 정신 (능력) **5** 〖역사〗 (옛날의) 공성용(攻城用) 이동식 탑 ***have bats in*** one***'s*** **~** (속어) 머리가 이상해져 있다
Belg. Belgian; Belgic; Belgium
bel·ga [bélgə] *n.* 벨가 《2차 대전 전의 벨기에의 화폐 단위; 5벨기에프랑》
Bel·gae [béldʒai, -dʒi:] *n. pl.* 벨가에 족 《벨기에 사람들의 조상으로 알려져 있으며, 기원전 1세기경 프랑스 북부·벨기에 지방에 살았음》
∗**Bel·gian** [béldʒən] *a.* **1** 벨기에의; 벨기에 사람의 **2** 플랑드르(Flandre) 말의
— *n.* **1** 벨기에 사람 **2** 벨기에 원산의 크고 튼튼한 짐마차 말 ▷ Bélgium *n.*
Bélgian éndive = ENDIVE 2
Bélgian háre 〖동물〗 벨기에토끼 《큰 사육 토끼》
Bélgian Ma·li·nóis [-mælənwɑ́:] 벨지앙 말리누아 《벨기에 원산의 목양·경찰견》
Bélgian shéepdog 벨기에산(産) 목양견
Bélgian Ter·vú·ren [-tɛərvjúərən, -tər-] 벨지앙 테르뷔랑 《벨기에 원산 목양·작업견》
Bel·gic [béldʒik] *a.* **1** 벨기에 (사람)의 **2** 벨가에 족(Belgae)의
∗**Bel·gium** [béldʒəm] *n.* 벨기에 《유럽 북서부의 왕국; 수도 Brussels》 ▷ Bélgian, Bélgic *a.*
Belgo- [bélgou] 《연결형》 「벨기에」의 뜻
Bel·grade [bélgreid, -grɑ:d, -græd, -´ | belgréid] *n.* 베오그라드 《유고슬라비아의 수도》
Bel·gra·vi·a [belgréiviə] *n.* **1** 벨그레이비어 《런던의 Hyde Park 남쪽에 있는 고급 주택 지구》 **2** (영) 신흥 상류 사회 **-vi·an** *a.* Belgravia의; 상류 사회의
Be·li·al [bí:liəl, -ljəl] *n.* **1** 〖성서〗 악마, 사탄 **2** 사악, 타락 **3** 타락한 천사의 하나 《Milton작 *Paradise Lost*에서》 ***a man*** [***son***] ***of*** **~** 〖성서〗 타락한 사람
be·lie [bilái] *vt.* (**-lied**; **-ly·ing**) **1** …의 그릇됨을 드러내다; 〈…와〉 모순되다: His acts ~ his words. 그는 언행이 일치하지 않는다. **2** 〈실상을〉 속여 나타내다[전하다] **3** 〈약속·기대 등을〉 어기다, 저버리다: Summer ~*s* its name. 여름이라지만 명색뿐이다.
be·lí·er *n.* ▷ líe[1] *n., v.*
‡**be·lief** [bilí:f] *n.* **1** Ⓤ 믿음, 확신, 신념, 소신: My ~ is that ... 내 생각에는 … **2** Ⓤ 신뢰, 신용 《*in*》 **3** ⓊⒸ 신앙 《*in*》, 종교; [*pl.*] (종교·정치상의) 신조, 교의; [the B~] 사도신경(the Apostles' Creed) ***beyond*** **~** 믿기 어려운 ***in the ~ that*** …이라고 믿고, …이라고 생각하여 ***light of ~*** 쉽사리 믿는 ***past all ~*** 도저히 믿기 어려운 ***to the best of*** one***'s ~*** …이 믿는 한에서는, 진정 …이 믿기로는 ▷ belíeve *v.*
∗**be·liev·a·ble** [bilí:vəbl] *a.* 믿을 수 있는, 신용할 수 있는 **-bly** *ad.* **be·lìev·a·bíl·i·ty** *n.*
‡**be·lieve** [bilí:v, bə-] *vt.* **1** 믿다: (~+***that*** 절) Columbus ~*d that* the earth is round. 콜럼버스는 지구가 둥글다고 믿었다. **2** (…이라고) 생각하다, 여기다(suppose, think) 《★ 진행형 없음》: (~+***that*** 절) (~+(***to be***) 보) I ~*d* (*that*) he was honest. = I ~*d* him (*to be*) honest. 그가 정직하다고 생각했다. // She has, I ~, no children. 그녀는 틀림없이 아이가 없을 것이다.
— *vi.* **1** (사람을) 믿다, 신뢰[신용, 신임]하다; …의 존재[가치]를 믿다; 신앙하다; …을 좋다고 생각하다: (~+전+명) ~ *in* a person …의 인격[역량]을 믿다 / ~ *in* God 신을 신앙하다, 신의 존재를 믿다 / ~ *in* ghosts 유령의 존재를 믿다 / I ~ *in* this method of teaching. 이 교수법을 좋다고 생각한다. **2** 생각하다(think): How can you ~ so badly of them? 도대체 왜 그들을 그처럼 나쁘게 생각하느냐?
~ it or not (구어) 믿지 않겠지만, 믿거나 말거나 ***B~ me.*** [삽입적] (구어) 정말로; 정말이야. **~** one***'s ears*** [***eyes***] [부정문에서] (구어) 들은[본] 것을 그대로 정말이라고 믿다 ***I ~ not.*** 그렇지 않다고 생각한다. ***I ~ so.*** 그렇다고 생각한다. ***make ~*** …로 보이게 [믿게] 하다, …인 체하다 ***You'd*** [***You***] ***better ~*** (***it***). (미·구어) 믿어도 돼, 틀림없다니까.
▷ belíef *n.*
∗**be·liev·er** [bilí:vər] *n.* 믿는 사람, 신자; 신봉자 《*in*》: a ~ *in* plain living 간소한 생활의 신봉자

thesaurus **belated** *a.* late, overdue, delayed, tardy, unpunctual, behindhand, behind time
belief *n.* **1** 믿음, 소신 opinion, feeling, impression, view, judgment, thinking, notion **2** 신뢰 faith, credence, trust, reliance **3** 신조 doctrine, creed, dogma, ideology, principles

be·liev·ing [bilíːviŋ] *n.* Ⓤ 믿음, 신앙: Seeing is ~. 《속담》 백문이 불여일견.
— *a.* Ⓐ 믿음[신앙심]을 가진
~·ly *ad.* 확신하는 태도로, 신뢰해서
be·like [biláik] *ad.* 《고어》 아마, 추측컨대
Be·lin·da [bəlíndə] *n.* 여자 이름 《애칭 Linda》
Be·lí·sha béacon [bəlíːʃə-] [영국의 교통부 장관(1931-37)의 이름에서] 벨리샤 교통 표지 《꼭대기에 노란 구슬을 단 말뚝으로 보행자의 횡단 장소를 나타냄》
be·lit·tle [bilítl] *vt.* **1** 과소평가[경시]하다, 얕보다, 흠잡다 **2** 작게 보이게 하다 ~ one**self** 자기를 낮추다
~·ment *n.*
Be·lize [bəlíːz] *n.* **1** 벨리즈 《중미 카리브 해에 면한 나라; 수도 Belmopan; 구칭 British Honduras》 **2** 1의 옛 수도, 항구 도시 **3** 벨리즈 강
***bell**[1] [bél] *n.* **1** 종, 벨; 방울, 초인종: toll a ~ 종을 울리다 **2** 종소리: electric ~*s* 전령(電鈴) **3** 종 모양의 것, (관·관악기·청진기 등의) 나팔형의 입; (사슴의) 주머니뿔 **4** 〔건축〕 (콜린트·콤포지트 식의) 기둥 윗부분의 잎장식의 밑부분 **5** [보통 *pl.*] 〔항해〕 시종(時鐘) 《1점에서 8점까지 30분마다 1점을 더하여 치는 당직의 종》 **6** 〔동물〕 (해파리의) 갓 **7** 〔야금〕 벨 **8** [*pl.*] 《구어》 =BELL-BOTTOMS **9** 〔음악〕 튜브 벨 《오케스트라에서 종소리를 내는 타악기》 **10** [*pl.*] (탭댄스에서) (발을 바닥에서 떼어내는) 뒷굽 소리 **11** 〔권투〕 공 **12** 〔육상〕 (최종 랩을 알려주는) 벨
a chime*[*peal*] *of ~s (교회의) 차임벨 소리 ***answer the ~*** 초인종 소리를 듣고 (손님을) 맞으러 가다 ***(as) clear as a ~*** (1) 〈소리·물·술 등이〉 맑은 (2) 〈사물이〉 명백한 ***bear*[*carry*] *away the ~*** 상품[승리]을 얻다 ***bear the ~*** 수위[첫째]를 차지하다 ***~, book, and candle*** 〔가톨릭〕 파문(破門)의 식 [선고] ***give*** a person ***a ~*** 《영·구어》 …에게 전화하다 ***marriage ~s*** 교회의 결혼식의 종 ***ring*[*hit*] *a ~*** 《구어》 생각나게 하다 ***ring the ~*** 《구어》 (1) 바라는 것을 주다 (2) 생각대로 되어가다, 잘 되어가다, 히트하다 《*with*》 ***ring the ~s backward*** (화재 등으로) 경보를 내다 ***saved by the ~*** 《구어》 운 좋게 곤란을 면하여 《권투 선수가 공이 울려 knockout을 면한다고 해서》 ***sound as a ~*** 매우 건강한; 〈기계 등이〉 상태가 매우 좋은 ***There's the ~.*** 벨이 울리고 있다. 《손님이 오셨다》 ***with ~s on*** 《미·구어》 기꺼이; 열심히
— *vt.* **1** 종 모양으로 부풀게[벌어지게] 하다 《*out*》 **2** …에 방울을 달다, …에 종 모양 유리를 씌우다 **3** 〈사람을〉 종을 울려서 부르다; …에 종소리를 내다
— *vi.* **1** 종 모양이 되다, 종 모양으로 벌어지다 **2** 종을 울리다; 종 같은 소리를 내다
***~ a bull*[*buzzard, cow, goose*]** 《미남동부·남부》 가장 간단한 일을 하다
bell[2] *n.* (발정기의) 수사슴 우는 소리; 추적 중인 사냥개의 짖는 소리 **—** *vi.* **1** 〈(발정기의) 수사슴이〉 울다 **2** 〈추적 중인 사냥개가〉 짖다
Bell [bél] *n.* 벨 **Alexander Graham ~** (1847-1922) 《전화를 발명한 미국 사람》
Bel·la [bélə] *n.* 여자 이름 《Isabella의 애칭》
bel·la·don·na [bèlədɑ́nə | -dɔ́nə] *n.* Ⓤ **1** 〔식물〕 벨라도나 《가짓과(科)의 유독 식물》 **2** 〔약학〕 벨라도나제(劑) **3** =BELLADONNA LILY
belladónna líly =AMARYLLIS 1
bel·la fi·gu·ra [bélɑ-figúːrɑː] [It.] 좋은 인상, 훌륭한 모습[풍채]
Bel·la·trix [bəléitriks] *n.* 〔천문〕 벨라트릭스 《오리온자리의 γ성》

---

believable *a.* credible, plausible, likely, creditable, probable, possible, acceptable, imaginable (opp. *unbelievable, incredible*)
belligerent *a.* **1** 호전적인 aggressive, militant, quarrelsome, combative (opp. *friendly, peaceful*) **2** 교전 중인 at war, battling, contending

bell·bird [bélbə̀ːrd] *n.* 〔조류〕 방울새 《종소리 비슷하게 우는 새의 총칭; 특히 중·남미산(産)》
bell-bot·tom [bélbɑ̀təm | -bɔ̀t-] *a.* 〈바지가〉 나팔식의, 바짓가랑이가 넓은
bell-bot·toms [-bɑ́təmz | -bɔ́t-] *n. pl.* [단수 취급] 나팔바지, 판탈롱(《구어》 bells): a pair of ~ 판탈롱 한 벌
bell·boy [-bɔ̀i] *n.* =BELLHOP
béll brònze 〔야금〕 =BELL METAL
béll bùoy 〔항해〕 타종 부낭(打鍾浮囊) 《물이 얕은 곳을 알림》
béll bùtton 초인종 단추; 벨 모양의 양복 단추
béll càptain 《미》 (호텔 등의) 급사장
béll cháracter 〔컴퓨터〕 벨 문자 《경보를 울리는 제어 문자》
béll còt[**còte**] 작은 종탑
béll còw (무리의 앞장을 서는) 방울을 단 소; 《미·속어》 선도자
béll cùrve 종형 곡선, 정규 곡선(normal curve)
***belle** [bél] [F =beautiful의 뜻의 여성형에서] *n.* **1** 미인, 가인(佳人)(cf. BEAU) **2** [the ~] (어떤 장소에서) 가장 아름다운 여성[소녀]: *the* ~ of society 사교계의 꽃
Belle [bél] *n.* 여자 이름 《Isabella의 애칭》
belle amie [bel-æmíː] [F] (미모의) 여자 친구
Bel·leek [bəlíːk] *n.* 벨릭 (도자기)(=**~ wàre**)
belle époque [bel-eipɔ́ːk | -pɔ́k] [F] 아름다운 시대 《19세기 말부터 20세기 초까지 서유럽, 특히 프랑스가 예술·문화적인 번영을 누렸던 시기》
belle laide [bél-léid] [F] 미인은 아니지만 매력 있는 여자(jolie laide)
belles-let·tres [bèl-létrə] [F =fine letters] *n.* 미문(美文), 미문학, 순문학(polite literature)
bel·let·rist [bèllétrist] *n.* 순문학 (연구)가
bel·let·ris·tic [bèlətrístik] *a.* 순문학적인
bell·flow·er [bélflàuər] *n.* 〔식물〕 초롱꽃속(屬): an autumn ~ 용담 / a Chinese[Japanese] ~ 도라지
béll fòunder 주종사(鑄鐘師)
béll fòunding 주종술[법]
béll fòundry 주종소(所)
béll fròg 방울 소리같이 우는 각종 청개구리
béll gàble (교회당의) 뾰족 종탑
béll glàss =BELL JAR
bell·hop [-hɑ̀p | -hɔ̀p] *n.* 《미·구어》 (호텔·클럽의) 보이, 사환 **—** *vi.* 사환으로 일하다
bel·li·cose [bélikòus] *a.* 호전적인, 싸우기 좋아하는(warlike) **~·ly** *ad.* **~·ness** *n.*
bel·li·cos·i·ty [bèlikɑ́səti | -kɔ́s-] *n.* Ⓤ 호전성
bel·lied [bélid] *a.* **1** [보통 복합어를 이루어] 배[복부]가 …한: empty-~ 배가 허기진 **2** 팽창한, 부푼
bel·lig·er·ence [bəlídʒərəns] *n.* Ⓤ **1** 호전성, 투쟁성 **2** 교전, 전쟁 (행위)
bel·lig·er·en·cy [bəlídʒərənsi] *n.* Ⓤ **1** 교전 상태 **2** =BELLIGERENCE
***bel·lig·er·ent** [bəlídʒərənt] *a.* **1** **호전적인**; 적의가 있는, 도발적인 **2** Ⓐ **교전 중인**, 전쟁의; 교전국의: the ~ powers 교전국
— *n.* **1** 교전국[자] **2** 전투원 **~·ly** *ad.*
▷ bellígerence, bellígerency *n.*
béll jàr 종 모양의 유리 그릇(bell glass) 《장식품의 덮개나 화학 실험용 가스 용기로 쓰임》
béll làp (자전거·트랙 경기의) 마지막 한 바퀴 《선두 주자에게 종으로 알림》
bell-like [béllàik] *a.* 종 모양의; 종소리를 닮은
bell·man [bélmən, -mæ̀n] *n.* (*pl.* **-men** [-mən]) **1** =BELLHOP **2** 종 치는 사람 **3** 동네에 포고(布告)하는 사람(town crier), 야경꾼 **4** 잠수부의 조수
béll mètal 〔야금〕 종청동(鐘靑銅) 《구리와 주석의 합금》
bell-mouthed [-màuðd, -màuθt] *a.* 〈그릇 등이〉 종 모양의 아가리를 가진

Bel·lo·na [bəlóunə] *n.* **1** 〖로마신화〗 벨로나 《전쟁의 여신; cf. MARS》 **2** (벨로나같이) 키가 큰 미인

∗**bel·low** [bélou] *vi.* **1** 〈소가〉 큰 소리로 울다 **2** 노호(怒號)하다, 고함지르다: 《~+전+명》 He *~ed at* his servant. 그는 하인에게 호통쳤다. **3** 〈대포·천둥 등이〉 크게 울리다; 〈바람이〉 윙윙 불다
—*vt.* 큰 소리로 말하다, 고함지르다, 으르렁거리다: 《~+목+부》 ~ *out*[*forth*] blasphemies 악담을 퍼붓다 ~ ***off*** 야단쳐서 쫓아버리다[침묵시키다]
—*n.* 소 우는 소리; 울부짖는 소리; 고함소리; 노호하는 소리; (대포 따위의) 울리는 소리 **~·er** *n.*

Bel·low [bélou] *n.* 벨로 **Saul** ~ (1915-2005) 《미국의 소설가; 노벨 문학상(1976)》

∗**bel·lows** [bélouz, -ləz | -louz] [OE 「바람을 불어넣는 자루」의 뜻에서] *n. pl.* [단수·복수 취급] **1** 풀무 《손풀무는 보통 a pair of ~, 골풀무는 (the) ~》 **2** (사진기 등의) 주름상자; (오르간의) 송풍기, 바람통 **3** 《속어》 폐, 허파 ***blow the*** ~ 불을 지피다; 〈화 등을〉 부채질하다 ***have ~ to mend*** 〈말·권투 선수가〉 숨이 차서 헐떡이다

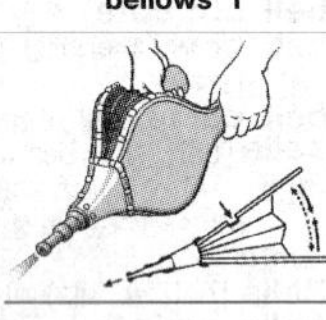
bellows 1

béllows fish 〖어류〗 = SNIPEFISH

béll pèpper = GREEN PEPPER

bell·pull [bélpùl] *n.* 종[벨]을 당기는 줄, 설렁줄

béll pùsh 벨[초인종]의 누름단추

béll rìnger **1** 종을 치는 사람 **2** 《미·속어》 (호별 방문) 외판원, 세일즈맨 **3** 대성공하는 일[것]

béll rìnging 타종법; 종 악기 연주법

bells [bélz] *n. pl.* 《구어》 = BELL-BOTTOMS

béllls and whístles 《구어》 부속물; 〖컴퓨터〗 부가 프로그램; 주변 장치

bell-shaped [bélʃèipt] *a.* 종[벨] 모양의

béll-shàped cùrve = BELL CURVE

Béll's pálsy [스코틀랜드의 생리학자 이름에서] 〖병리〗 안면 신경 마비

béll tènt 종 모양[원추형]의 텐트

béll tòwer 종루, 종탑

bell·weth·er [bélwèðər] *n.* **1** 방울을 단 길잡이 숫양 **2** (산업계의) 선두 주자[물건] **3** (음모 등의) 주모자; 선도자

béllwether índustry 경기 주도형 산업

bell·wort [bélwə̀ːrt, -wɔ̀ːrt | -wə̀ːt] *n.* 〖식물〗 초롱꽃(bellflower), 《미》 은방울꽃 무리

∗**bel·ly** [béli] [OE 「자루」의 뜻에서] *n.* (*pl.* **-lies**) **1** 배, 복부: an empty ~ 공복 ★ 구어 표현으로는 보통 stomach을 쓰며, 전문어는 abdomen임.: The ~ has no ears. 《속담》 배가 고프면 바른 말도 들리지 않는다, 수염이 석 자라도 먹어야 양반. **2** 위(stomach) **3** 식욕(appetite), 대식; 탐욕(greed) **4** 《고어》 자궁 **5** 《호주》 (양의) 복부털 **6** (사물의) 내부 **7** (바이올린·통·병 등의) 불룩한 부분, 중배 **8** 〖해부〗 근복(筋腹) **9** (뒤와 구별하여) 앞면; 하부 **10** (활자의) 앞면(front) **11** 〖양궁〗 (활의) 불룩한 부분 《현을 면한 안쪽》
go [***turn***] ~ ***up*** (1) 〈물고기가〉 죽다 (2) 실패하다; 도산하다 ***have fire in*** one'***s*** ~ 영감을 받고 있다 ***lie on the*** ~ 엎드려 자다
—*v.* (**-lied**) *vt.* **1** 부풀게 하다(swell) 《*out*》 **2** 《호주·뉴질》 〈양의〉 복부 털을 뽑다
—*vi.* **1** 〈돛 등이〉 부풀다 《*out*》 **2** 포복하여 기어가다 ~ ***in*** 〈비행기가〉 동체 착륙하다 ~ ***up*** 《미·구어》 끝장나다, 망하다, 도산하다 ~ ***up to*** 《미·구어》 (1) 아주 가까이 접근하다; …으로 곧장 가다 (2) …의 비위를 맞추다, 발림말로 …에게 아첨하려 하다
~·ing *a.* **~·like** *a.*

bel·ly·ache [bélièik] *n.* UC **1** 《구어》 복통 **2** 《속어》 불평, 우는 소리 —*vi.* 《속어》 투덜거리다, 불평하다 《*about*》 **-ach·er** *n.*

bel·ly·band [-bæ̀nd] *n.* **1** (마구(馬具)의) 뱃대끈 **2** (책의) 띠

bel·ly·board [béliḃɔ̀ːrd] *n.* 벨리보드 《엎드려 타는 소형 서프 보드》

bélly bùtton 《구어》 배꼽(navel)

bélly dànce 벨리 댄스, 배꼽춤 《배와 허리를 꿈틀거리며 추는 춤》 **bélly dàncer, bélly dàncing** *n.*

bélly flòp 《구어》 **1** 배로 수면을 치며 뛰어들기 **2** (썰매 등에서) 엎드린 자세로의 활강 **3** 〖항공〗 동체 착륙

bel·ly-flop [béliflɑ̀p | -flɔ̀p] *vi.* (**~·ped, ~·ping**) 《구어》 **1** 배로 수면을 치며 뛰어늘다 **2** (썰매 등에서) 엎드린 자세로 활강하다 **3** 〖항공〗 동체 착륙하다

bel·ly·ful [béliful] *n.* 배 가득함, 만복; 《속어》 충분함 《*of*》: a ~ *of* advice 싫증날 만큼 많은 충고 ***have had a ~ of*** 《구어》 (충고·불평·사람 등을) 진저리 나도록 듣다[경험하다, 대하다]

bel·ly-god [béligɑ̀d | -gɔ̀d] *n.* 《고어》 대식가(glutton)

bel·ly-gun [-gʌ̀n] *n.* 《미·속어》 소형 권총

bel·ly·hold [-hòuld] *n.* (비행기의) 객실 아래의 화물실

bel·ly-land [-læ̀nd] *vi., vt.* 〖항공〗 (고장으로) 동체 착륙하다[시키다] **bélly lànding** *n.*

bélly làugh[**làff**] **1** 포복절도, 폭소(거리) **2** (연극 등에서) 폭소를 터뜨리게 하는 장면

bélly ròll **1** (중배가 부른) 땅 고르는 롤러 **2** 〖육상〗 벨리롤 《높이뛰기에서 배를 아래로 하여 바를 넘기》

bélly tànk 〖항공〗 동체에 붙은 보조 연료 탱크

bel·ly-up [-ʌ́p] *a.* 죽은(dead); 결딴난, 파산한(bankrupt)

bel·ly-wash [-wɔ̀ːʃ | -wɔ̀ʃ] *n.* 《미·속어》 음료 《맥주·커피·소다수 등》

Bél·mont Stákes [bélmɑnt- | -mɔnt-] [the ~] 벨몬트 스테이크스 《미국 3대 경마의 하나》

Bel·mo·pan [bèlmoupǽn] *n.* 벨모판 《중앙 아메리카 북부의 독립국 벨리즈(Belize)의 수도》

⁑**be·long** [bilɔ́ːŋ, -lɑ́ŋ | -lɔ́ŋ] *vi.* **1** (…에) 속하다, (…의) 소유물이다 《*to*》: 《~+전+명》 The blue coat *~s to* her. 푸른 코트는 그녀의 것이다. **2** (…의) 일부를 이루다: 《~+전+명》 The spoon *~s to* that set. 그 스푼은 저 세트의 일부이다. **3** (…에) 소속하다: 《~+전+명》 He *~s to* the Boy Scouts. 그는 보이 스카우트이다. **4** 알맞은 장소를 차지하다: 《~+전+명》 This book *~s on* the top shelf. 이 책은 맨 윗단에 꽂을 책이다. **5** …출신이다: 《~+전+명》 He *~s to* Seoul. 그는 서울 사람이다. **6** 사교성이 있다, 주위 사람과 어울리다; 〈둘 이상의 것[사람]이〉 같은 부류이다; (성미·생각 등에서) 꼭 맞다: We all ~. 우리는 모두 마음이 맞는다. **7** 《미남부》 …하게 되어 있다 《*to* do》
USAGE (1) belong은 진행형·명령형이 없다 (2) belong to의 수동형은 없다
~ ***here*** 이곳 사람이다; 이곳[항목]에 속하다 ~ ***in*** 《미·속어》 …의 부류에 들다; …에 살다 ~ ***together*** 〈사물이〉 세트로 되어 있다; 〈사람이〉 연인 사이다 ~ ***under*** …의 항목[부류]에 들다 ~ ***with*** 《미》 …의 부류에 들다; …에 관계가 있다; 어울리다, 조화되다

be·long·er [bilɔ́ːŋər] *n.* 안정된 중산 계급의 일원

∗**be·long·ing** [bilɔ́ːŋiŋ, -lɑ́ŋ- | -lɔ́ŋ-] *n.* **1** [*pl.*] 소유물, 재산; 소지품 **2** 부속물; 성질, 속성 **3** [*pl.*] 《구어》 가족, 친척 **4** U 친밀한 관계: a sense of ~ 소속 의식, 일체감

be·long·ing·ness [-nis] *n.* (단체에의) 귀속, 친밀(감), 소속성

thesaurus **bellow** *v.* roar, shout, bawl, yell, shriek, howl, scream, cry out, screech, call, whoop, ululate
belongings *n.* (personal) possessions[effects], goods, accouterments, property

Be·lo·rus·sia [bèlərʌ́ʃə] *n.* 벨로루시 《독립 국가 연합의 한 공화국》
Be·lo·rus·sian [bèlərʌ́ʃən] *a.* 벨로루시의, 벨로루시 사람[말]의 **—***n.* **1** Ⓒ 벨로루시 사람 **2** Ⓤ 벨로루시 말 《슬라브 말의 한 방언》
‡be·lov·ed [bilʌ́vid, -lʌ́vd] *a.* Ⓐ **가장 사랑하는,** 귀여운, 소중한; 애용하는: one's ~ homeland 사랑하는 조국
—*n.* **1** [보통 one's ~] 가장 사랑하는 사람: *my* ~ 당신, 여보, 자기 《애인·부부간의 호칭》 **2** [신자 상호간의 호칭] 친애하는 여러분
‡be·low [bilóu] *prep., ad., a., n.*

① [위치가] (…보다) 아래에[로]	전 **1** 부 **1, 3**
② [나이·지위 등이] (…보다) 아래에	전 **2** 부 **4**

—*prep.* (opp. *above*; cf. UNDER) **1 a** [장소] **…보다 아래[밑]에:** ~ one's eyes 눈 아래에 / ~ the table 테이블 밑에 **b** [방향] **…의 하류에;** …의 아래쪽에: ~ the bridge 다리 아래쪽에

> 유의어 **below** 「…에서 떨어져 그것보다 아래쪽에」 **under** 「…의 바로 밑에; …으로 덮여 있는」 **beneath** 대체로 under와 같은 뜻으로 문어적인 말

2 [나이·수량] **…보다 아래에,** …미만의, …이하의; …보다 못하여: a man ~ thirty 30세 미만의 남자 / ~ the average 평균 이하의[로] **3 …할 만한 가치가[도] 없는,** …에 어울리지 않게: ~ contempt 경멸할 가치도 없는 **4** 〚연극〛 …의 무대 전면에
—*ad.* **1 아래로[에, 에서]**(opp. *above*): look ~ 아래를 보다 **2** 《문어》 지상에, 하계(下界)에; 지하에, 지옥에; 수면 밑에; 아래층에; 아래 선실에: the place ~ 지옥 / Is it above or ~? 위냐 아래냐? **3** 《페이지의》 하부에, 《기사·논문 등에서》 이하에, 후에; 하류에: See ~. 하기(下記) 참조. **4** 《나이·수량·지위 등이》 아래에, 하위에, 하급의: in the court ~ 하급 법원에서 **5** 영하 …: 20 ~ 영하 20도 **6** 〚연극〛 무대 전면에 **7** 〚동물〛 하측에, 복부 측에
B~ there! 떨어진다! 《물건을 떨어뜨릴 때 등의 주의》 ***~ the waist*** 〚미식축구〛 빌로우 더 웨이스트로(의) 《킥오프시 리시브측이 상대의 허리 밑으로 블로킹하는 반칙을 말함; 명사로는 blocking blow the waist라고 함》 ***down ~*** 저 아래쪽에; 지하[무덤, 지옥]에; 물 밑에; 〚항해〛 선창(船艙)에 ***from ~*** 아래로부터 ***go ~*** 〚항해〛 《당번을 마치고》 선실로 내려가다; 비번이 되다 ***here ~*** 이 세상에서(opp. *in heaven*)
—*a.* 《책 페이지의》 하단의, 하기(下記)의; 후술(後述)의
—*n.* 하단 기사[글]
be·low·decks [-dèks] *ad.* 〚항해〛 선실로, 배 안에
be·low·ground [-gràund] *a.* **1** 지하의[에 있는] **2** 매장된, 저승으로 간
be·low·stairs [-stέərz] *ad., a.* 아래층에[의]
be·low-the-fold [-ðəfòuld] *a.* 웹 페이지에서 화면 스크롤을 내려야만 볼 수 있는(cf. ABOVE-THE-FOLD)
be·low-the-line [bilóuðəláin] *a.* **1** 특별 손익[이익 처분] 항목의 **2** 〈재무 처리가〉 자본 관련의 **3** 〈시제품 배포 등이〉 광고 회사 수수료를 포함하지 않는
Bel·shaz·zar [belʃǽzər] *n.* 〚성서〛 벨사살 《고대 바빌로니아 제국의 마지막 왕; 다니엘 5》
‡belt [bélt] 〚L 「띠」의 뜻에서〛 *n.* **1 혁대, 허리띠,** 띠, 벨트; 《백작 또는 기사의》 예대(禮帶), 챔피언 벨트; 좌석 벨트, 안전벨트(=seat ~); 《태권도·유도의》 띠: a leather[sword] ~ 혁[검]대 / fasten[loosen] one's ~ 허리띠를 (졸라)매다[늦추다] **2** 《일반적으로》 띠 모양의 물건; 줄무늬 **3** 《분포》 **지대:** the Cotton *B~* 목화 산출 지대 / a green ~ 《도시 주변의》 녹지대 **4** 〚기계〛 **벨트,** 피대 **5** 〚군사〛 보탄대(保彈帶) **6** 《군함의》 장갑대(帶) **7** 환상 도로, 환상선 **8** 〚자동차〛 《타이어 보강을 위한》 벨트(⇨ belted-bias tire) **9** 《속어》 구타: give a ~ 때리다 **10** 해협(strait), 수로 **11** 《영·속어》 《자동차의》 질주 ***at full ~*** 《속어》 전속력으로 ***~ and braces*** 혁대와 멜빵; 이중의 안전 대책 ***hit*** [***strike***] ***below the ~*** 〚권투〛 허리 아래를 치다 《반칙 행위》; 비겁한 짓을 하다 ***hold the ~*** (***for***) 《권투 등에서》 선수권[타이틀]을 보유[방어]하다 ***pull*** [***take***] one***'s ~ in*** (***a notch***) = tighten one's BELT. ***take a ~ at …*** (1) …에 감정을 폭발시키다 (2) 《속어》 …을 단숨에 마시다 ***the marine*** [***three-mile***] ***~*** 《해상 3해리까지의》 영해 ***tighten*** [***pull in***] one***'s ~*** 허리띠를 졸라매고 배고픔을 참다; 내핍 생활을 하다 ***under*** one***'s ~*** 《구어》 (1) 〈음식 등을〉 배에 채우고 (2) 〈자랑거리가 될 만한 것을〉 소유[경험]하여
—*vt.* **1** …에 띠를 매다; 벨트를 걸다 **2** …에 《폭이 넓은》 줄무늬를 넣다; 나무껍질을 고리 모양으로 벗기다; 둘러싸다, 에워싸다 《*with*》 **3** 띠로 붙들어 매다, 허리에 차다: (~+목+부) The knight *~ed* his sword *on.* 기사는 허리에 칼을 차고 있었다. **4** 《혁대로》 치다 **5** 《속어》 호되게 때리다; 《미·속어》 〚야구〛 〈안타·홈런을〉 배트로 멀리 날리다 **6** 《구어》 힘차게[큰 소리로] 노래하다 《*out*》: (~+목+부) ~ (*out*) a song 노래를 큰 소리로 부르다 **7** 《속어》 〈술 등을〉 단숨에 들이켜다, 게걸스럽게 마시다 《*down*》
—*vi.* 《영·속어》 질주하다
~ around 《특히 고속의 차로》 잽싸게 여행하며 돌다, 돌아다니다 ***~ it*** (1) [명령문] 당장 꺼져라 (2) 고속으로 질주하다 ***~ out*** 《미·속어》 때려눕히다; 힘차게 노래하다 ***~ up*** 《영·속어》 조용히 하다, 얌전해지다; 《영·구어》 좌석 벨트를 매다(《미》 buckle up) **~·less** *a.*
Bel·tane [béltein, -tin] *n.* 벨테인 축제 《고대 켈트족의 May Day 축제》
bélt bàg 벨트 백 《허리에 차는 주머니》
bélt convéyor 벨트 컨베이어(conveyor belt)
bélt còurse 〚건축〛 《기둥·벽 위쪽의》 띠 모양의 장식[조각](stringcourse)
bélt drìve 〚공학〛 《동력의》 벨트 구동(驅動)
belt·ed [béltid] *a.* 벨트를 단, 띠[예대]를 두른; 장갑(裝甲)한; 줄무늬가 있는; 《미·속어》 《술·마약에》 취한
bélt·ed-bi·as tíre [béltidbàiəs-] 벨티드 바이어스 타이어 《코드나 금속 벨트로 보강한 타이어》
belt·er [béltər] *n.* **1** 《북잉글》 뛰어난 것[사람] **2** 《영·속어》 유행가를 목청껏 부르는 사람
bélt hìghway 《미》 《도시 주변의》 환상(環狀) 도로
belt·ing [béltiŋ] *n.* **1** Ⓤ 벨트 재료 **2** Ⓤ [집합적] 벨트류; 〚기계〛 벨트 《장치》 **3** Ⓒ 《혁대 등으로》 때리기
bélt lìne 《미》 《도시 주변의 교통 기관의》 환상선, 순환선
belt·line [béltlàin] *n.* 허리통(waistline); 일관 작업
bélt sàw = BAND SAW
belt·tight·en [-tàitn] *vi.* 긴축 정책을 펴다
bélt tìghtening 내핍 (생활), 절약, 긴축 (정책)
belt·way [-wèi] *n.* 《미》 = BELT HIGHWAY
be·lu·ga [bəlú:gə] *n.* (*pl.* **~s,** ~) **1** 〚동물〛 흰돌고래(white whale) **2** 〚어류〛 흰철갑상어
bel·ve·dere [bélvidìər, ⌐-⌐] 〚It.〛 *n.* **1** 《고층 건물의》 전망대; 망루; 《정원 등의 높은 곳에 설치한》 정자 **2** 엽궐련의 일종 **3** [**B~**] Vatican 궁전의 미술관
be·ly·ing [biláiiŋ] *v.* BELIE의 현재분사
BEM Bachelor of Engineering of Mine; British Empire Medal 《1941년 제정》; Bug-Eyed Monster 《과학 소설에 나오는 공상적인 괴물》
be·ma [bí:mə] *n.* (*pl.* **~·ta** [-tə], **~s**) **1** 《고대 그리스·로마의》 연단(platform) **2** 〚그리스정교〛 성단소(聖壇所)(chancel) 《성직자·성가대석이 있음》
be·maul [bimɔ́:l] *vt.* …을 세게 치다[때리다]
be·mazed [biméizd] *a.* 《고어》 당황한, 혼란스러운

---

beloved *a.* dear, dearest, darling, adored, precious, cherished, sweet, treasured, much loved
below *prep.* **1** …보다 아래에 further down than, lower than, under, underneath **2** …보다 하위의 inferior to, subordinate to, lower than

Bem·ba [bémbə] *n.* (*pl.* **~s,** ~) **1** 벰바 족(族) 《Zambia 북동부 Zaire와 Malawi의 인접 지역의 아프리카인》 **2** (벰바 족의) 반투(Bantu) 말
Bem·berg [bémbəːrg] *n.* 벰베르크 《인조견; 상표명》
be·mean [bimíːn] *vt.* = DEMEAN[1]
be·med·aled [bimédld] *a.* 훈장[메달]을 단[받은]
be·me·gride [bémәgràid, bíːmə-] *n.* 〖약학〗 베메그리드 《바르비투르산염 중독자용 흥분제》
be·mire [bimáiər] *vt.* **1** 흙투성이로 만들다 **2** [보통 수동형으로] 진창에 빠지게 하다
be·moan [bimóun] *vt., vi.* **1** 슬퍼하다, 탄식하다 **2** 유감[불만]으로 생각하다
be·mock [bimák | -mɔ́k] *vt.* 비웃다
be·muse [bimjúːz] *vt.* 멍하게 만들다, 어리벙벙하게 하다; 생각에 잠기게 하다 **~·ment** *n.*
be·mused [bimjúːzd] *a.* 멍한, 어리벙벙한
be·mús·ed·ly [-zidli] *ad.*
ben[1] [bén] *n.* 《스코》 (두 칸 집의) 안방 《입구의 방은 but》, 《특히》 거실 겸 침실 **—** *ad., a., prep.* (집의) 내부에[의] ***be but and ~ with*** …와 사이좋게 지내다 ***far ~*** (1) 가장 안쪽에, 가장 안쪽 방에 (2) 《비유》 (사람과) 매우 친하게 《*with*》
ben[2] *n.* 〖식물〗 고추냉이나무; (그것의) 종자
ben[3] *n.* 《스코》 [종종 **B~**] 산봉우리, 산꼭대기 ★ 주로 *Ben* Nevis처럼 산 이름과 함께 쓰임.
Ben [bén] *n.* 남자 이름 《Benjamin의 애칭》
Ben·a·dryl [bénədril] *n.* 베나드릴 《항(抗)히스타민제의 일종; 상표명》
Be·nar·es [bənɑ́ːrəs, -nɑ́ːriːz] *n.* 베나레스 《인도 동부에 있는 힌두교의 성지(聖地); Varanasi의 구칭》
‡**bench** [béntʃ] *n.* **1** 벤치, 긴 의자: a park ~ 공원의 벤치 **2** [the ~; 종종 the B~] 판사석; 법정(law court) **3** [집합적] 재판관; 재판관직: ~ and bar 재판관과 변호사 **4** 《영》 (의회의) 의석 **5** 〖스포츠〗 벤치, 선수석; [집합적] 보결 선수; 노 젓는 사람이 앉는 자리(thwart) **6** = BENCH PRESS **7** (직공·장인의) 작업[세공]대 **8** (개 품평회의) 진열대; 개 품평회 **9** 《미》 (호수·바다·강 연안의 길고 좁은) 단구(段丘)(terrace) **10** 〖광산〗 (노천굴 등의) 계단 **11** = BERM(E) 2 **12** (온실의) 묘상 **13** 《뉴질》 산허리의 평지
be [***sit***] ***on the ~*** (1) 재판관석에 앉아 있다, 심리 중이다 (2) = warm the BENCH. ***be raised*** [***elevated***] ***to the ~*** 판사[《영》 주교]로 승진하다 ***the King's*** [***Queen's***] ***B~*** 《영》 고등 법원 ***the ministerial ~es*** 《영》 국무 위원석 ***warm the ~*** 《미》 〖스포츠〗 보결 선수로 있다
— *vt.* **1** …에 벤치를 놓다 **2** 착석시키다; 판사[명예직 《등》]의 자리에 앉히다 **3** 〈개를〉 품평회에 선보이다 **4** 〈식물을〉 온실 안의 묘상에 심다 **5** 〈탄층(炭層)을〉 밑으로부터 파다 **6** 〈선수를〉 보결로 돌리다
— *vi.* 〈토양이〉 (자연의 작용으로) 단구를 형성하다
bénch chèck = BENCH TEST
bénch dòg (품평회에 나온) 출품견(出品犬)
bench·er [béntʃər] *n.* **1** 《영》 법학원(the Inns of Court)의 평의원; 하원 의원 **2** 벤치에 앉는 사람; (보트의) 노 젓는 사람 **3** 밤낮 바[술집]에 틀어박힌 사람
bénch jòckey 《미·속어》 (주로 야구에서) 벤치에서 상대 팀 선수를 야유하는 선수
bénch làthe 〖기계〗 탁상 선반
bench-made [béntʃméid] *a.* 〈목공품·가죽 제품 등이〉 수제(手製)의, 맞춤의
bénch màn 작업대에서 일하는 사람, 《특히》 라디오·텔레비전의 수리공; 구두 수선공
bench·mark [-mɑ̀ːrk] *n.* **1** 〖측량〗 수준점, 수준기표(基標) (略 BM) **2** (판단의) 기준, 표준; 표준 가격 **3** 〖컴퓨터〗 벤치 마크 《컴퓨터의 성능을 비교·평가하기 위해 쓰이는 기준 프로그램》 **—** *a.* 표준의[이 되는]
— *vt.* **1** 〈컴퓨터 시스템 등을〉 벤치마크로 테스트하다 **2** 〖경영〗 벤치마킹하다
bench·mark·ing [-mɑ̀ːrkiŋ] *n.* **1** 〖컴퓨터〗 벤치마킹, 벤치마크 시험 **2** 〖경영〗 벤치마킹 《우량 기업의 장점을 도입해 기준으로 삼는 경영 기법》
bénch pòlisher 〖야구〗 만년 대기 선수
bénch prèss **1** 벤치 프레스 《의자에 반듯하게 누워서 역기를 들어올리는 운동》 **2** 벤치 프레스 경기
bénch-prèss *vt., vi.* 벤치 프레스를 하다
bench·rest [béntʃrèst] *n.* (사격 연습용) 소총 받침대
bénch scìentist (연구실·실험실의) 과학 연구원
bénch sèat (자동차의) 벤치 시트 《좌우로 갈라져 있지 않은 긴 좌석》
bénch shòw 《미》 개[고양이] 품평회
bénch tèst (엔진 등 기계의) 제조 공장 내에서의 검사 **bénch-tèst** *vt., vi.*
bench·warm·er [-wɔ̀ːrmər] *n.* 《미》 〖스포츠〗 보결 선수
bénch wàrrant 판사[법원]의 영장
bench·work [-wə̀ːrk] *n.* (기계 작업과 대비하여) 작업대에서 하는 작업, 좌업(坐業)
‡**bend**[1] [bénd] [OE 「묶다」의 뜻에서] *v.* (**bent** [bént]) *vt.* **1** 구부리다; 〈무릎을〉 꿇다(stoop); 〈고개를〉 숙이다; 〈눈살을〉 찌푸리다: (~+목+부) ~ a wire *up*[*down*] 철사를 구부려 올리다[내리다] // (~+목+전+명) ~ a piece of wire *into* a ring 철사를 구부려 고리로 만들다

> 유의어 **bend** 판지·판자·철판·팔 등 딱딱한 것을 힘을 가하여 둥글게 또는 모나게 구부리다: *bend* one's elbow 한 팔을 굽히다 **fold** 종이·천과 같은 부드러운 것을 접다: He *folded* the check and put it in his wallet. 그는 수표를 접어 지갑에 넣었다. **curve** 곡선 모양으로 둥글게 구부리다: *curve* a ball 커브 공을 던지다 **twist** 비틀어 구부리다: *twist* a wire 철사를 비틀다

2 《문어》 〈눈길·발길을〉 돌리다; 〈마음·노력을〉 기울이다, 쏟다 《*to, toward*(*s*), *upon*》(⇨ bent[1] *a.* 4): (~+목+전+명) We *bent* our steps *to*[*towards*] the inn. 우리들은 여인숙으로 발길을 돌렸다. / Every eye was *bent on* him. 모든 사람의 시선이 그에게 쏠렸다. **3** 〈의지를〉 굽히다, 굴복시키다: (~+목+전+명) ~ a person *to* one's will …을 자기 뜻에 따르게 하다 **4** 《구어》 〈규칙 등을〉 편리하도록 바꾸다, 왜곡하다; 《속어》 악용하다: ~ the truth[the facts] …진실[사실]을 왜곡하다 **5** 〈활을〉 당기다 **6** 《영》 〈사람을〉 타락시키다 **7** 〖항해〗 〈돛을〉 잡아매다: (~+목+전+명) ~ the sail *to* a yard 활대에 돛을 동여매다 **8** 《속어》 악용하다, 부정하게 이용하다; 훔치다; 〈시합 등을〉 미리 짜고 지다 **9** 《고어》 긴장시키다 《*up*》 **10** 《미·속어》 (재즈에서) 〈음표에〉 이음줄을 긋다
— *vi.* **1** 구부러지다, 휘다 《*to*》: The branch *bent.* 가지가 휘었다. / Better ~ than break. 《속담》 부러지기보다는 휘는 것이 낫다, 지는 것이 이기는 것이다. **2** 몸[허리]을 구부리다 《*down, over*》: (~+부) *B~ down.* I'll jump over you. 몸을 굽혀라. 내가 뛰어넘을 테니. // (~+전+명) Mother cried, *~ing over* her baby. 어머니는 아기를 굽어보며 울었다. **3** 방향이 바뀌다, (…쪽으로) 향하다 《*to*》: (~+전+명) The road ~s *to* the left. 길은 왼쪽으로 구부러져 있다. **4** 굴복하다(submit), 따르다 《*to, before*》: ~ *to* fate 운명에 굴하다[을 따르다] **5** 힘을 쏟다[기울이다] 《*to*》: (~+전+명) We *bent to* our work. 우리는 일에 정력을 쏟았다.
be bent with age 나이를 먹어 허리가 굽다 ***~ an ear*** 귀를 기울여 듣다 《*toward*(*s*)》 ***~ back*** 몸을 젖히다 ***~ over*** (1) 몸을 …위로 굽히다 (2) (벌을 받기 위하여) 몸을 앞으로 숙이다 ***B~ over!*** 《미·학생속

thesaurus **bend**[1] *v.* **1** 구부리다 crook, curve, flex, twist, contort **2** (몸을) 구부리다 stoop, crouch, lean over[down], bow, hunch

어) 쓸데없는 참견이다! **~ [lean, fall] over backward [backwards]** 전과는 전혀 다르게 …하다; 최선을 다해 …하려고 하다 ⦅*to*⦆ **~ one's brows** 이맛살을 찌푸리다 **~ a person's ear** 지루하도록 오래 붙들고 이야기하다, 오랫동안 이야기를 걸다 **~ one's [the] elbow** ⇨ elbow. **~ oneself** 열중하다 ⦅*to*⦆ **~ one's mind [effort] to [on]** …에 전념하다 **~ the neck** 굴복하다 **~ to the oars** 열심히 노를 젓다 **catch a person ~ing** ⦅구어⦆ 허를 찌르다, 불시에 공격하다

— *n.* **1** (길의) 커브, 굽음, 굴곡(부); 굽이 **2** 몸을 굽힘, 인사 **3** 〖육상〗 트랙 코너[커브] **4** 〖항해〗 밧줄의 매듭 **5** [the ~s] ⦅구어⦆ 〖병리〗 = CAISSON DISEASE; 항공색전증(塞栓症) **6** 〖기계〗 벤드 ⦅만곡된 관상(管狀)의 관이음새⦆

above* one's ~** ⦅미⦆ 힘에 겨운 ***Get a ~ on you! ⦅속어⦆ 우물쭈물하지 마라, 정신 차려라! ***go on the ~ [a]*** ⦅구어⦆ 흥청망청 마시며 떠들다 ***on the ~*** ⦅구어⦆ 부정 수단으로; 마시며 떠들며 ***round [around] the ~*** ⦅구어·익살⦆ 미친; ⦅미·속어⦆ 일의 고비를 넘긴; 늙은, 오래된; 술에 취한, (마약에) 도취한
▷ bent[1] *a.*, *n.*

bend[2] *n.* **1** (문장(紋章)의) 병행 사선, 사대(斜帶) ⦅방패 모양의 왼쪽 윗부분에서 오른쪽 밑부분으로 그은 폭 넓은 띠; cf. BEND SINISTER⦆ (= ~ dexter) **2** 〖제혁〗 벤드 ⦅둔부 배근(配筋)에서 좌우로 자른 한쪽⦆: ~ leather 벤드 가죽 ⦅양질의 두꺼운 피혁으로 구두 밑창 등에 사용⦆

bend[2] 1

bend·a·ble [béndəbl] *a.* 구부릴 수 있는; 융통성이 있는, 적응성이 풍부한(flexible)

ben·day [béndéi] 〖인쇄〗 *a.* [종종 **B~**] 벤데이법의 **— *vt.*** 벤데이법으로 제판하다

Bén Dáy [Bénday, bénday] prócess 〖인쇄〗 벤데이 (제판)법 ⦅젤라틴 막 등을 사용하여 인쇄판에 음영·농담 등을 나타냄⦆

bénd déxter = BEND[2] 1

bend·ed [béndid] *a.* [다음 성구로] ***on ~ knee(s)*** ⦅문어⦆ 무릎을 꿇고, 애원하여 ***with ~ bow*** 활을 힘껏 당겨서

bend·er [béndər] *n.* **1** 구부리는 사람[도구], 펜치 **2** ⦅미·속어⦆ 술 마시며 흥청[법석]거림: go on a ~ 술 먹고 흥청거리다 **3** 〖야구〗 커브 **4** ⦅영·속어⦆ 옛 6펜스 은화; 트레일러 트럭; 동성애자; 임시 피난 장소 **5** ⦅미·속어⦆ 다리(leg), 무릎 **6** ⦅영·방언⦆ 근사한 물건, 일품 **7** ⦅미·속어⦆ 도난차

bénd·ing mòment [béndiŋ-] 〖물리〗 휨 모멘트

bénd sínister (문장(紋章)의) 벤드 시니스터 ⦅bend와 반대되는 사대(斜帶); 서자(庶子)의 표시⦆

bend·wise [béndwàiz], **-ways** [-wèiz] *a.* (문장(紋章)에서) 우상부 ⦅마주보아 좌상부⦆에서 좌하부 ⦅마주보아 우하부⦆를 향해 비스듬히 표시한

bend sinister

bend·y[1] [béndi] *a.* (**bend·i·er**; **-i·est**) 마음대로 구부릴 수 있는, 유연한

bendy[2] *a.* 〈문장(紋章)의 방패 모양이〉 왼쪽 윗부분에서 비스듬히 네 개 이상의 짝수로 똑같이 나뉘어져, 두 가지 색으로 교대로 채색된

béndy bùs ⦅영·구어⦆ 굴절 버스

bene [béni] *n.* = BENNE

bene- [bénə] ⦅연결형⦆ 「선(善)·양(良)」의 뜻 (opp. *male-*)

⁂**be·neath** [biníːθ, -níːð | -níːθ] *prep.* ★ below, under의 옛 말씨로 2 이외는 ⦅문어⦆ **1** [위치·장소] …의 바로 밑에 (⇨ below 유의어): ~ a window 창문 밑에 / ~ one's feet 발 밑에(서) **2** (경사면 등의) 밑쪽에, …의 기슭에 **3** [신분·지위·도덕적 가치] …보다 낮은, …보다 이하의: be ~ the average 평균보다 떨어지다 **4** (무게·지배·압박 등의) 아래에서: Jerusalem ~ Roman rule 로마 지배하의 예루살렘 **5** …할 가치가 없는, …답지 않은, …의 품위를 떨어뜨리는: be ~ notice[contempt] 주목[경멸]할 가치도 없다 ***be ~ a person [a person's dignity]*** ⦅미·구어⦆ …의 위신에 관계되다 ***marry ~ one*** 신분이 낮은 사람과 결혼하다, 강혼(降婚)하다

— *ad.* ⦅문어⦆ (바로) 밑에[으로], 하위에, 하급에; 지하에: from ~ 밑에서(부터)

Ben·e·dic·i·te [bènədísəti | -dái-] *n.* **1** [the ~] 〖그리스도교〗 만물의 송가 **2** [**b~**] 축복의 기도, (식사 전의) 기도 **— *int.*** **1** [**b~**] 그대에게 행복이 있으라 (Bless you!) **2** 이거 놀랍군, 큰일났다, 이런 ⦅놀람·항의·반대 등을 나타냄⦆

Ben·e·dick [bénədik] *n.* **1** (독신주의를 버리고) 결혼한 사나이 ⦅Shakespeare의 *Much Ado About Nothing* 중에서⦆ **2** [**b~**] = BENEDICT

ben·e·dict [bénədikt] *n.* **1** (특히 독신으로 오래 있었던) 신혼의 남성 **2** 기혼 남성

Ben·e·dict [bénədikt] *n.* **1** 남자 이름 **2** 베네딕트 **Saint ~** (480-547?) ⦅베네딕트회를 창설한 이탈리아의 수도사⦆; 베네딕트 수도회(원)

Ben·e·dic·tine [bènədíktin, -tiːn | -tin] *n.* **1** 〖가톨릭〗 베네딕트회의 수도사[회원] (Black Monk) **2** [-tiːn] 베네딕틴 ⦅프랑스산(産) 달콤한 리큐어⦆ **— *a.*** 베네딕트회의

Benedíctine Rúle 베네딕트회의 규칙 ⦅침묵과 근로를 중히 여김⦆

ben·e·dic·tion [bènədíkʃən] *n.* **1** ⓒⓤ 축복(blessing); (예배 후의) 축복 기도, (식전·식후의) 감사 기도 **2** (성당·제의 등의) 성별(聖別)식 **3** [**B~**] 〖가톨릭〗 (성체) 강복식 **4** 천복, 은총

ben·e·dic·tive [bènədíktiv] *a.* 〖문법〗 〈동사가〉 소원의, 소망의

ben·e·dic·to·ry [bènədíktəri] *a.* 축복의

Bénedict's solùtion [미국의 생화학자 이름에서] 베네딕트 (용)액[시약] ⦅오줌 속의 당 검출에 씀⦆

Ben·e·dic·tus [bènədíktəs] *n.* 〖교회〗 **1** 베네딕투스 ⦅Benedictus qui venit로 시작되는 짧은 라틴 말 찬미가⦆ **2** 사가랴[즈가리야]의 노래 ⦅누가복음 1:68⦆

ben·e·fac·tion [bénəfæ̀kʃən, ㅅㅡㅅㅡ] *n.* **1** ⓒⓤ 자비, 은혜, 선행, 자선 **2** 보시물; 기부금

ben·e·fac·tive [bènəfǽktiv] *n.*, *a.* 〖언어〗 수익자격(受益者格)(의) ⦅보기: He opened the door *for his son.*에서 for his son⦆

***ben·e·fac·tor** [bénəfæ̀ktər, ㅅㅡㅅㅡ] *n.* 은혜를 베푸는 사람, 은인, 보호자; (학교·병원 등의) 후원자, 기부자 **-tress** [-tris] *n.* BENEFACTOR의 여성형

be·nef·ic [binéfik] *a.* 은혜를 베푸는 인정 많은 (beneficent); 좋은 영향을 주는

ben·e·fice [bénəfis] *n.* 〖가톨릭·영국국교〗 **1** 성직록(聖職祿)을 받는 성직 **2** 성직록 ⦅vicar 또는 rector의 수입⦆ **3** (중세 초기의) 봉토(封土)
— *vt.* …에게 성직록을 주다

ben·e·ficed [bénəfist] *a.* 성직록을 지급받는

be·nef·i·cence [bənéfəsəns] *n.* **1** ⓤ 선행, 은혜, 자선 **2** 자선 행위, 자선품; 보시물(gift)

***be·nef·i·cent** [bənéfəsənt] *a.* 자선심이 많은, 선행을 행하는, 인정 많은; 유익한, 도움이 되는 ⦅*to*⦆

> 유의어 **beneficent** 남에게 물건 등을 줌으로써 실제로 남에게 친절한 일을 하는 **benevolent** 남에게 좋은 일을 해주고 싶다고 바라거나, 또는 친절한

~·ly *ad.* ▷ benéficence *n.*

***ben·e·fi·cial** [bènəfíʃəl] *a.* **1** 유익한, 이로운 ⦅*to*⦆: a ~ result 유익한 결과 **2** 〖법〗 수익권(受益權)이 있는 **~·ly** *ad.* **~·ness** *n.*

benefactor *n.* helper, patron, backer, sponsor, supporter, promoter, contributor, subsidizer, subscriber, donor, philanthropist, sympathizer

ben·e·fi·ci·ar·y [bènəfíʃièri, -ʃəri | -ʃəri] *n.* (*pl.* **-aries**) **1** 수익자(受益者); 〖법〗 신탁 수익자; (연금·보험금·유산 등의) 수혜인 **2** 〖가톨릭〗 성직록을 받는 사제 **3** (봉건 시대의) 봉신(封臣) **—** *a.* 성직록을 받는

ben·e·fi·ci·ate [bènəfíʃièit] *vt.* 〖야금〗 〈원료·광석 등을〉 선별하다, 선광하다

ben·e·fi·ci·a·tion [bènəfìʃiéiʃən] *n.* 선광 (처리)

‡**ben·e·fit** [bénəfit] [L 「좋은 일을 하다」의 뜻에서] *n.* **1** CU 이익; 〖상업〗 이득: (a) public ~ 공익

> 유의어 **benefit** 개인 또는 집단의 행복[복지]으로 이어지는 이익 **profit** 물질적 또는 금전상의 이익 **advantage** 남보다 유리한 입장·지위에 있음으로써 생기는 이익

2 C 자선 공연; 구제: a ~ concert 자선 콘서트/a ~ performance 자선 공연 **3** UC 《영》 (사회 보장 제도 등에 의한) 급부, 수당 《금전·현물·서비스》 **4** C [보통 *pl.*] (회사에서 직원에게 제공하는) 복리 후생 급부; 보험금 **5** 《구어》 좋은 일, 수지맞는 일; 《반어》 처참한 꼴 **6** U 《영》 (세금의) 면제(relief) **7** (교회의) 결혼 승인(=~ of clergy)

be of ~ to …에 이롭다 ***for the ~ of*** =***for*** one***'s ~*** …을 위하여; 《반어》 …을 골려 주려고 ***give*** a person ***the ~ of the doubt*** (증거가 불충분한 경우에) …의 말을 믿어 주다, …에게 유리하게 해석하다

— *vt.* …의 이익이 되다; …에게 이롭다

— *vi.* 이익을 얻다, 득을 보다 《*by, from*》: ~ *by* the medicine 약에서 효험을 보다/~ *from* the new method 새로운 방법으로 이익을 얻다

~·er *n.* 수익자 ▷ benefícial *a.*

bénefit of clérgy **1** 교회의 의식[승인]; 정식 결혼 (절차) **2** 〖역사〗 성직자의 특권 《법정 대신 교회에서 재판을 받음》

bénefit of ínventory 〖법〗 한정 승인 제도 《피상속인의 채무를 상속 재산의 일정 범위에 한정시킴》

bénefit prìnciple 수익자 부담의 원칙

bénefit socìety[**associàtion**] 《미》 공제 조합 (《영》 friendly society)

Ben·e·lux [bénəlʌks] [*Be*lgium, the *Ne*therlands, *Lux*emburg] *n.* 베네룩스 《벨기에·네덜란드·룩셈부르크의 3국》

*****be·nev·o·lence** [bənévələns] *n.* U **1** 자비심, 박애 **2** 자선, 선행 **3** 〖영국사〗 공납금, 덕세(德稅) 《강제 헌금》 ▷ benévolent *a.*

*****be·nev·o·lent** [bənévələnt] [L 「호의」의 뜻에서] *a.* **1** 〈사람·행위 등이〉 자비로운, 인자한, 인정 많은(⇨ beneficent 유의어): a ~ donor 자비로운 기증자 **2** A 〈조직 등이〉 자선을 위한, 박애의 **3** 호의적인, 선의의: ~ neutrality 호의적 중립 **~·ly** *ad.* **~·ness** *n.* ▷ benévolence *n.*

benévolent fùnd 공제 기금

benévolent socìety 공제회

Beng Bengal; Bengali **BEng** Bachelor of Engineering

Ben·gal [beŋgɔ́:l, -gɑ́:l, beŋ-, béŋgəl | beŋgɔ́:l, ben-] *n.* 벵골 《원래 인도 북동부의 한 주(州)였으나, 현재 일부는 Bangladesh 영토로 됨; 略 Beng.》

Ben·ga·lese [bèŋgəlí:z, -lí:s, bèŋ-] *a.* 벵골의; 벵골 사람의; 벵골 말의 **—** *n.* (*pl.* ~) C 벵골 사람; U 벵골 말

Béngal fíre =BENGAL LIGHT

Ben·ga·li, Ben·ga·lee [beŋgɔ́:li, -gɑ́:-, beŋ- | -gɔ́:-] *a.* 벵골의; 벵골 사람의; 벵골 말의

— *n.* (*pl.* **~, ~s**) C 벵골 사람; 방글라데시 사람; U (근대) 벵골 말

ben·ga·line [béŋgəlì:n, ⌐–⌐] *n.* 벵갈린 《견사·레이온 등과 양모 또는 무명과의 교직》

Béngal líght 벵골 불꽃 《선명한 청백색의 지속성 불꽃; 해난 신호, 무대 조명용》

Béngal mónkey =RHESUS MONKEY

Béngal strípes (견사와 면사로 된) 벵골식 줄무늬 직물

Béngal tíger 〖동물〗 벵골호랑이

Ben·gha·zi [beŋgɑ́:zi, beŋ-] *n.* 벵가지 《리비아 북부의 항구 도시》

Ben-Gu·rion [beŋgúəriən] *n.* 벤구리온 **1 David** ~ (1886-1973) 《이스라엘의 정치가·수상(1949-53, 1955-63)》 **2** Tel Aviv 국제 공항

Ben-Hur [bénhə́:r] *n.* 벤허 《Lew Wallace의 역사 소설(1880); 그 주인공; 이를 원작으로 한 미국 영화》

be·night·ed [bináitid] *a.* **1** 무지몽매한, 미개한, 문화가 뒤떨어진 **2** 어둠이 깃든, 〈나그네 등이〉 갈 길이 저문 **~·ly** *ad.* **~·ness** *n.*

be·nign [bináin] *a.* **1** 인자한, 친절한, 상냥한: a ~ smile 상냥한 미소 **2** 〈운명·전조 등이〉 길한, 상서로운 **3** 〈기후 등이〉 양호한, 온화한 **4** 〖병리〗 양성(良性)의 (opp. *malignant*): a ~ tumor 양성 종양

~·ly *ad.* **~·ness** *n.*

be·nig·nan·cy [binígnənsi] *n.* U **1** 인자, 온정 **2** (기후 등의) 온화(mildness) **3** 〖병리〗 양성

be·nig·nant [binígnənt] *a.* **1** 인자한, 상냥한, 온화한, 유순한 **2** 유익한 **3** 〖병리〗 양성의(opp. *malignant*) **~·ly** *ad.*

be·nig·ni·ty [binígnəti] *n.* (*pl.* **-ties**) U **1** 인자, 상냥스러움; 은혜, 자비 **2** (기후 등의) 온화

benígn negléct (외교·경제 관계에서의) 점잖은 무시

Be·nin [bənín, -ní:n, bénin | benín] *n.* 베냉 《아프리카 서부의 공화국; 1975년 Dahomey를 개칭; 수도 Porto Novo》

Bén·i·off zòne [béniɔ̀:f-, -ɑ̀f- | -ɔ̀f-] [미국의 지진학자 이름에서] 〖지질〗 베니오프대(帶), 진원면(震源面)

ben·i·son [bénəzn, -sn] *n.* 《고어》 축복(의 기도)

ben·ja·min [béndʒəmin, -mən] =BENZOIN 2

Ben·ja·min [béndʒəmin, -mən] *n.* **1** 남자 이름 《애칭 Ben, Benny》 **2** 〖성서〗 베냐민 《Jacob이 사랑했던 막내아들》 **3** 〖성서〗 베냐민 족 《고대 이스라엘 12 부족의 한 족》 **4** 막내둥이, 귀염둥이 **5** 《미·속어》 외투, 오버 **6** 《속어》 100달러짜리 지폐 등

Bénjamin's méss[**pórtion**] 〖성서〗 큰 몫

Ben·jy, -jie [béndʒi] *n.* 남자 이름 《Benjamin의 애칭》

ben·ne, ben·ny, bene [béni] *n.* 〖식물〗 참깨 (sesame)

ben·net [bénit] *n.* 〖식물〗 **1** 《미》 뱀무(=herb ~) **2** 《영》 데이지

Ben·net [bénit] *n.* 남자 이름

Ben·nett [bénit] *n.* **1** 남자 이름 **2** 베닛 (**Enoch**) **Arnold** ~ (1867-1931) 《영국의 소설가》

Ben Nev·is [ben-névis] 벤네비스 산 《스코틀랜드 중서부의 산; 브리튼 섬의 최고봉; 1,343 m》

ben·ny[1] [béni] *n.* (*pl.* **-nies**) 《속어》 중추 신경 자극제, 《특히》 벤제드린(Benzedrine)

benny[2] *n.* (*pl.* **-nies**) 《미·속어》 **1** 남자 외투 **2** 챙이 넓은 밀짚 모자

benny[3] *n.* =BENNE

Ben·ny, Ben·nie [béni] *n.* 남자 이름 《Benjamin의 애칭》

bén òil 벤유(油) 《고추냉이나무 기름; 향수·화장품·요리·윤활유용》

ben·o·myl [bénəmìl] *n.* 〖화학〗 베노밀 《농약》

*****bent**[1] [bént] *v.* BEND의 과거·과거분사

— *a.* **1** 굽은, 구부러진: a ~ pin 구부러진 핀 **2** (어떤 특정한 방향으로) 향한, 가는 도중인 **3** (…하려고) 결심한 《*on, upon*》: be ~ *on* do*ing* …하기를 결심

thesaurus **benefit** *n.* **1** 이득 advantage, good, gain, profit, help, aid, assistance, interest **2** 혜택 blessing, boon, usefulness, perks

benevolent *a.* **1** 자비로운 kind, friendly, amiable, benign, generous, thoughtful, considerate,

하고 있다 **4** 마음이 쏠린, 열심인, 열중한 《*on, upon*》 : be ~ *on* one's work 일에 빠져 있다 **5** 《영·속어》 정직하지 못한; 도벽이 있는; 도둑맞은; 변태의; 동성애의; 미친 **6** 《미·속어》 화가 난; 《마약·술에》 취한 **7** 돈이 거의 없는 ***~ out of shape*** (1) 《마약·술에》 취한 (2) 《미·속어》 몹시 화가 난

—*n.* **1** 좋아함, 기호(inclination); 성미, 성향, 소질, 재능 **2** 인내력, 내구력 **3** 《속어》 동성애자 **4** 〖토목〗 교각 **5** 《고어》 만곡(부)

follow one***'s ~*** 제 성미대로 하다 ***have a ~ for*** study 《학문》을 좋아하다 ***to the top of*** one***'s ~*** 마음껏, 힘껏, 하고 싶은 대로

bent[2] *n.* ⓊⒸ **1** =BENT GRASS **2** bent grass의 마른 줄기 **3** 《스코》 사초(莎草)(sedge)

bént èight 《미·속어》 V형 8기통(의 차)

bént gràss 〖식물〗 겨이삭띠 《볏과(科)》

Ben·tham [bénθəm, -təm] *n.* 벤담 **Jeremy ~** (1748-1832) 《영국의 철학자》

~·ìsm *n.* (벤담이 주창한) 공리설 《최대 다수의 최대 행복설》 **~·ite** [-àit] *n.* 공리주의자

ben·thic [bénθik], **ben·thon·ic** [benθánik | -θɔ́-] *a.* 물 밑바닥(에서)의, 해저(에서)의, 저생성(底生性)의: ~ animals 저생 동물

ben·thon [bénθɑn | -θɔn] *n.* 저생 생물 《바다·호수·강 등의 물 밑바닥에서 생활하는 생물》

ben·thos [bénθɑs | -θɔs] *n.* 해저, 호저(湖底); 〖집합적〗 저생 생물

ben·tho·scope [bénθəskòup] *n.* 해저 조사용 강구(鋼球)

ben·ton·ite [béntənàit] *n.* Ⓤ 〖광물〗 벤토나이트 《화산재의 풍화로 된 점토의 일종》

ben tro·va·to [bèn-trouvá:tou] [It. =well found] *a.* 〈이야기 등이〉 잘 지어 낸, 그럴듯한

bent·wood [béntwùd] *a.* 굽은 나무로 만든

— *n.* 굽은 나무(로 만든 가구)

be·numb [binʌ́m] *vt.* **1** 무감각하게 하다, 얼게 하다 《*by, with*》 **2** 〈마음 등을〉 마비시키다(paralyze), 멍하게 하다 **~·ing·ly** *ad.*

be·numbed [binʌ́md] *a.* 감각을 잃은

Benz [bénz, bénts] *n.* 벤츠 **1 Karl Friedrich ~** (1844-1929) 《독일의 기술자·자동차 발명자; Benz사의 설립자》 **2** Mercedes-Benz 자동차의 통칭》

benz- [benz], **benzo-** [bénzou, -zə] 《연결형》 〖화학〗 「벤젠(환(環))의」의 뜻 《모음 앞에서는 benz-》

ben·zal [bénzæl] 〖화학〗 *a.* 벤잘기(基)의[를 함유한]

— *n.* 벤잘기(=~ **gròup**)

benz·al·de·hyde [benzǽldəhàid] *n.* 〖화학〗 벤즈알데히드 《무색 또는 약간 황색인 수용성·휘발성 기름》

Ben·ze·drine [bénzədrì:n, -drin] *n.* 〖약학〗 벤제드린 《암페타민(amphetamine)의 상표명; 각성제》

ben·zene [bénzi:n, —⌐] *n.* Ⓤ 〖화학〗 벤젠 《콜타르에서 채취하는 무색 액체》

bénzene rìng[nùcleus] 〖화학〗 벤젠 고리[핵], 벤졸 고리[핵]

Bén·zi Bòx [bénzi-] 벤지 복스 《도난 방지를 위해 뗐다 붙였다 할 수 있는 카 오디오 시스템; 상표명》

ben·zi·dine [bénzədì:n, -din] *n.* 〖화학〗 벤지딘 《니트로벤젠에서 유도된 염기성 화합물》

ben·zim·id·az·ole [bènzimidǽzoul, bènzəmídəzoul] *n.* 〖화학〗 **1** 벤지미다졸 《무색의 결정성(結晶性) 화합물》 **2** 벤지미다졸 유도체

ben·zine [bénzi:n, —⌐] *n.* Ⓤ 〖화학〗 벤진

ben·zo·ate [bénzouèit, -ət] *n.* 〖화학〗 벤조산염, 안식향산염(安息香酸鹽)

bénzoate of sóda 〖화학〗 =SODIUM BENZOATE

warmhearted (opp. *malevolent, unsympathetic*) **2** 자선의 charitable, nonprofit

benign *a.* kind, friendly, amiable, gentle

bequeath *v.* leave, will, endow on, bestow on, consign, entrust, grant, transfer

ben·zo·caine [bénzoukèin] *n.* 〖약학〗 벤조카인 《결정성 분말; 국부 마취제》

ben·zo·di·az·e·pine [bènzoudàiǽzəpì:n, -déizə-] *n.* 〖약학〗 벤조디아제핀 《정신 안정제용 화합물》

ben·zo·fu·ran [bènzoufjúərӕn] *n.* 〖화학〗 = COUMARONE

ben·zo·ic [benzóuik] *a.* 〖화학〗 안식향[벤조]의

benzóic ácid 벤조산, 안식향산

benzóic áldehyde 〖화학〗 =BENZALDEHYDE

ben·zo·in [bénzouin, -zɔin, —⌐— | bénzouin] *n.* **1** 〖화학〗 안식향(安息香), 벤조인 수지 《방향성 수지; 약제·식품 방부용》 **2** 〖식물〗 =SPICEBUSH **3** 〖화학〗 벤조인 《분석용 시약》

ben·zol [bénzɔ:l, -zɑl | -zɔl], **-zole** [-zòul] *n.* Ⓤ 〖화학〗 **1** 벤졸, 벤젠 **2** (다른 방향족 화합물과 섞인) 벤졸 공업용 조제품

ben·zo·line [bénzəlì:n] *n.* =BENZINE

ben·zo·phe·none [bènzoufinóun, -fí:noun] *n.* 〖화학〗 벤조페논 《향이 나는 무색 결정성·비수용성의 케톤(ketone); diphenyl ketone라고도 함》

ben·zo·py·rene [bènzoupáirì:n] *n.* 〖화학〗 벤조피렌 《콜타르에 함유된 발암 물질》

bén·zo·yl peróxide [bénzouil-] 〖화학〗 과산화벤조일 《주로 밀가루·유지·초의 표백제 등으로 이용》

ben·zyl [bénzil, -zi:l | -zil] *n.* Ⓤ 〖화학〗 벤질(기)(=~ **gròup**) **—** *a.* 벤질기를 포함한

ben·zýl·ic *a.*

bénzyl álcohol 〖화학〗 벤질 알코올

Be·o·wulf [béiəwùlf] *n.* 베어울프 《8세기 초의 고대 영어로 된 서사시; 그 주인공》

be·paint [bipéint] *vt.* 《고어》 …에 칠하다, 색칠하다

be·plas·ter [biplǽstər, -plá:s- | -plá:s-] *vt.* …에 회반죽을 바르다; …에 두껍게[온통] 바르다 《*with*》

be·pow·der [bipáudər] *vt.* …에 가루를 뿌리다; 분을 진하게 바르다 《*with*》

be·praise [bipréiz] *vt.* 극구 칭찬하다

***be·queath** [bikwí:ð, -kwí:θ] [OE 「진술하다」의 뜻에서] *vt.* **1** 〖법〗 〈동산을〉 유언으로 증여하다 《*to*》: (~+목+전+명) (~+목+목) She *~ed* no small sum of money *to* him. = She *~ed* him no small sum of money. 그녀는 그에게 적잖은 돈을 유산으로 남겼다. **2** 〈작품·문명 등을〉 후세에 남기다, 전하다 《*to*》: (~+목+전+명) One age *~s* its civilization *to* the next. 한 시대는 다음 시대에 그 문명을 전한다. **~·al, ~·ment** *n.* =BEQUEST

be·quest [bikwést] *n.* **1** Ⓤ 유증(遺贈) **2** Ⓒ 유산(legacy); 유품, 유물

be·rate [biréit] *vt.* 《미》 몹시 꾸짖다

Ber·ber [bə́:rbər] *n., a.* 베르베르 사람(의) 《북아프리카 산지의 한 종족》; 베르베르 말(의)

ber·ber·ine [bə́:rbərì:n] *n.* 〖약학〗 베르베린 《백색 또는 황색의 수용성·결정성 알칼로이드; 화상 치료제·항균제·건위제로 이용》

ber·ber·ry [bə́:rbèri | -bəri] *n.* (*pl.* **-ries**) = BARBERRY

ber·ceuse [bɛərsə́:z] [F] *n.* (*pl.* **~s** [-sə́:z(əz)]) **1** 〖음악〗 자장가 **2** 벨쇠즈 《요람의 흔들림을 닮은 리듬을 지닌 기악[성악]곡》

be·reave [birí:v] *vt.* (**~d, -reft** [-réft]) **1** [과거분사는 보통 **bereaved**] 〈사고 등이〉 〈가족·근친을〉 앗아가다 《*of*》: (~+목+전+명) be *~d*[*bereft*] *of* a son 자식을 잃다 / She was *~d of* her parents by a traffic accident. 그녀는 교통사고로 양친을 여의었다. ★ 보통 사람과 사별했을 때에는 bereaved, 그 밖의 것을 잃었을 때에는 bereft를 사용하는데, 이 구별은 엄밀히 지켜지지 않고 있다. **2** 〈희망·기쁨·이성 등을〉 앗아가다, 잃게 하다(deprive) 《*of*》: (~+목+전+명) His death *~d* her *of* all her hope. 그의 죽음은 그녀의 모든 희망을 앗아갔다. / She was *bereft of* hearing. 그녀는 청력을 잃었다. ***be utterly bereft*** (삶의) 희망을 완전히 잃고 있다 **be·réav·er** *n.*

*__be·reaved__ [birí:vd] *a.* **1** Ⓐ (가족·근친의) 죽음[상]을 당한: the ~ family 유족 / the ~ husband 상처한 남편 **2** [the ~; 명사적] 유족, 사별한 사람(들)
be·reave·ment [birí:vmənt] *n.* ⓊⒸ (가족·근친을) 여읨, 사별: We sympathize with you in your ~. 삼가 조의를 표합니다.
*__be·reft__ [biréft] *v.* BEREAVE의 과거·과거분사
—*a.* 빼앗긴, 잃은: (~+*of*+명) She is ~ *of* all happiness. 그녀는 모든 행복을 빼앗겼다.
Ber·e·ni·ce [bèrənáisi] *n.* 베레니케 (고대 이집트의 왕비; 그 머리털은 성좌가 되었음)
Ber·e·ní·ce's Háir [bèrənaisi(:)s-] [the ~] 〔천문〕 머리털자리(Coma Berenices)
be·ret [bəréi, bérei | bérei, béri] [F] *n.* 베레모; 〔영국군〕 (베레모 형태의) 군모
berg[1] [bə́:rg] *n.* 빙산(iceberg)
berg[2] *n.* (남아공) 산(mountain)
ber·ga·mot [bə́:rgəmɑ̀t, -mət | -mɔ̀t] *n.* **1** Ⓒ 〔식물〕 베르가모트 (남유럽산(産) 감귤류) **2** Ⓤ 베르가모트 향유 **3** Ⓒ 〔식물〕 둥근 서양배의 일종
ber·gère [bərʒɛ́ər] [F] *n.* (*pl.* ~**s** [-z]) 베르제르 (팔걸이와 시트 사이에 천을 댄 안락의자)
Bér·ger rhỳthm [bə́:rgər-] [독일의 정신의학자 이름에서] 〔생리〕 (뇌파의) 베르거 리듬, 알파 리듬(alpha rhythm)
Berg·man [bə́:rgmən] *n.* **1** 베리만 **Ingmar** ~ (1918-2007) (스웨덴의 영화 감독·각본가) **2** 버그만 **Ingrid** ~ (1915-82) (스웨덴 출신의 여배우)
berg·schrund [bɛ́ərkʃrùnt] [G] *n.* 〔지질〕 베르크슈룬트 (빙하 상단의 깊게 갈라진 틈)
Berg·son [bə́:rgsn, bɛ́ərg-] *n.* 베르그송 **Henri-Louis** ~ (1859-1941) (프랑스의 철학자)
Berg·so·ni·an [bə:rgsóuniən, bɛərg-] *a.* 베르그송 (철학)의 —*n.* 베르그송 철학도
Berg·son·ism [bə́:rgsənìzm, bɛ́ərg-] *n.* 베르그송 철학
berg·y [bə́:rgi] *a.* 빙산이 많은
be·rhyme, be·rime [biráim] *vt.* 시로 읊다; 시가(詩歌)로 풍자하다
be·rib·boned [biríbənd] *a.* 리본으로 장식한; 훈장을 단
ber·i·ber·i [bèribéri] [Sinhalese = weakness] *n.* Ⓤ 〔병리〕 각기(脚氣)
Bér·ing Séa [bíəriŋ-, bɛ́ər-] [발견자인 덴마크의 항해가 이름에서] [the ~] 베링 해 (Aleutian 열도의 북쪽, 북태평양의 일부)
Béring (Stándard) Tíme 베링 표준시 (Greenwich Mean Time보다 11시간 늦음)
Béring Stráit [the ~] 베링 해협 (알래스카 반도와 시베리아 동단 사이)
Be·rith [bəríθ] *n.* [종종 **b~**] = BRITH
berk [bə́:rk] *n.* (영·속어) 얼간이, 멍청이
Berke·le·ian, -ley·an [bə́:rkli:ən, bə:rklí:- | bɑ:klí:-] *a.* 버클리 (철학)의 —*n.* 버클리 철학도; (특히 물질의 실재를 부인하는) 유심론자
~·**ism** *n.* 버클리 철학
Berke·ley[1] [bə́:rkli] *n.* 버클리 (미국 California 주의 도시)
Berke·ley[2] [bɑ́:rkli, bə́:rk- | bɑ́:k-] *n.* 버클리 **George** ~ (1685-1753) (아일랜드의 철학자·성직자)
ber·ke·li·um [bərkí:liəm, bə́:rkli-] *n.* Ⓤ 〔화학〕 버클륨 (방사성 원소; 기호 Bk, 번호 97)
Berk·shire [bɑ́:rkʃiər, -ʃər | -ʃə, -ʃiə] *n.* **1** 버크셔 주 (잉글랜드 남부의 옛 주; 略 Berks) **2** 버크셔 원산의 검은 돼지
‡**Ber·lin** [bərlín] *n.* **1** 베를린 (독일의 수도) **2** [**b~**] 2인승 4륜 마차의 일종 **3** [때로 **b~**] Ⓤ 고급 뜨개질용 털실(= ~ **wóol**)
Ber·lin·er [bə:rlínər] *n.* 베를린 사람
Berlín Wáll [the ~] (구 동·서독 사이의) 베를린 장벽 (1989년에 붕괴됨)
Berlín wòol [종종 **b- w-**] 베를린 울 (편물용·자수용의 소모사)
Ber·li·oz [bɛ́ərliòuz] *n.* 베를리오즈 (**Louis**) **Hector** ~ (1803-69) (프랑스의 작곡가)
berm, berme [bə́:rm] *n.* **1** 〔축성〕 벼랑길 (성벽과 해자(垓字) 사이의 좁은 평지) **2** (운하 등의 가장자리의) 좁다란 통로; (미) 포장이 안 된 갓길
Ber·mu·da [bərmjú:də] *n.* **1** 버뮤다 (대서양 서부의 군도로 된 영국 식민지); [the ~s] 버뮤다 제도 **2** [*pl.*] = BERMUDA SHORTS
-**dan,** -**di·an** *a., n.* 버뮤다(의), 버뮤다(사람)의
Bermúda bàg 버뮤다 백 (달걀꼴의 핸드백)
Bermúda gràss 〔식물〕 버뮤다 그래스 (잔디·목초용 풀의 일종)
Bermúda hígh 〔기상〕 버뮤다 고기압 (버뮤다 제도 부근에 중심을 둔 아열대성 고기압)
Bermúda líly 〔식물〕 백합의 변종
Bermúda ónion 〔식물〕 미국산(産) 양파의 일종
Bermúda shórts (작업·약식 복장의) 버뮤다 반바지(walking shorts)
Bermúda Tríangle [the ~] 버뮤다 삼각 해역(Devil's Triangle) (플로리다 반도·버뮤다 제도·푸에르토리코를 잇는 삼각형 수역으로, 항공기·선박 사고와 실종이 잦음)
Bern, Berne [bə́:rn, bɛ́ərn] *n.* 베른 (스위스의 수도)
Ber·nard [bə́:rnərd] *n.* 남자 이름 (애칭 Bernie)
Ber·nard·ine [bə́:rnərdin, -dì:n] *a.* 성(聖) 베르나르도(St. Bernard)의; 시토 수도회의(Cistercian) —*n.* 시토 수도회 수사[수녀]
Bérn Convéntion [the ~] 베른 협정 (1887년 스위스의 Bern에서 체결된 국제 저작권 협정)
Ber·nese [bə́:rni:z, -ni:s, ⸗⸗ | ⸗⸗] *a.* 베른 (사람)의 —*n.* (*pl.* ~) 베른 사람
Bérnese móuntain dòg 베른 개 (털이 길고 힘이 센 스위스 종(種)의 큰 개)
Ber·nice [bə:rní:s, bə́:rnis | bə́:nis] *n.* 여자[남자] 이름 (승리를 가져오는 자라는 뜻)
Ber·nie [bə́:rni] *n.* 남자 이름 (Bernard의 애칭)
Ber·nóul·li effèct [bərnú:li-] [스위스의 물리학자 이름에서] 〔물리〕 베르누이 효과
Bernóulli's príncíple[láw] = BERNOULLI'S THEOREM 2
Bernóulli's théorem **1** 〔수학〕 대수(大數)의 법칙; 확률론의 정리(law of averages) **2** 〔물리〕 베루누이의 정리 (유체 운동에 관한 에너지 보존의 법칙)
Bernóulli trìals 〔수학〕 베르누이의 시행(試行) (확률이 2분의 1로 일정 불변하고 각각 독립된 시행의 되풀이)
Bern·stein [bə́:rnstain, -sti:n] *n.* 번스타인 **Leonard** ~ (1918-90) (미국의 작곡가·지휘자)
ber·ret·ta [bərétə] *n.* = BIRETTA
ber·ried [bérid] *a.* **1** 장과(漿果)를 맺는 **2** 장과 모양의 **3** 〈새우 등이〉 알을 밴
‡**ber·ry** [béri] *n.* (*pl.* -**ries**) **1** 베리 (딸기류의 열매) 관련 blackberry, blueberry, cranberry, dewberry, gooseberry, loganberry, raspberry, strawberry. **2** 〔식물〕 장과(漿果) (액과(液果)의 일종으로 멜론·토마토 등도 포함됨) **3** 말린 씨앗 **4** 야생 장미의 열매(hip) **5** (물고기·새우의) 알: a lobster in ~ 알을 밴 새우 **6** (미·속어) 달러; (영·속어) 파운드 **7** (속어) [보통 the *berries*] 최고의 것 **8** [*pl.*] (미·군대속어) 와인
(*as*) ***brown as a*** ~ 햇볕에 갈색으로 탄
—*vi.* (-**ried**) 장과가 열리다; 장과를 따다
~·**less** *a.* ~·**like** *a.*
ber·seem [bərsí:m] *n.* 〔식물〕 이집트 클로버(Egyptian clover) (미남부에서 가축의 사료로 재배)
ber·serk [bərsə́:rk, -zə́:rk] *a.* Ⓟ 광포한 ***go*** [***run***] ~ 신들린 듯이 광포해지다 —*n.* = BERSERKER
ber·serk·er [bərsə́:rkər] *n.* **1** 〔북유럽전설〕 용맹한 전사(戰士) **2** 폭한(暴漢)

Bert [bə́:rt] *n.* **1** 남자 이름 《Albert, Bertram, Gilbert, Herbert의 애칭》 **2** 여자 이름 《Bertha의 애칭》

***berth** [bə́:rθ] *n.* **1** (열차·배 등의) **침대,** 2단 침대 **2 a** 〖항해〗 정박[계류(繫留)] 위치[거리, 간격]; 정박소: a foul ~ (충돌의 위험성이 있는) 나쁜 위치 / a ship on the ~ 정박해 있는 배 **b** (고급 선원의) 지위, 계급; 고급 선원실 **3** (자동차·열차·비행기 등의) 수납여지; 정차[주차] 위치 **4** 《구어》 지위; 직업, 취직 자리 **5** 숙소(lodging)

give a person ***a wide ~*** = ***give a wide ~ to*** a person = ***keep a wide ~ of*** a person …을 피하다, 경원하다 ***take up a ~*** 정박 위치에 대다

— *vt.* 정박시키다; …에게 침대를 마련해 주다

— *vi.* 정박하다; 잠자리[숙소]를 정하다

ber·tha [bə́:rθə] *n.* 여성복의 장식 깃 《어깨까지 드리워진 흰 레이스의 넓은 깃》

Ber·tha [bə́:rθə] *n.* **1** 여자 이름 《애칭 Bertie》 **2** [**b~**] 《미·학생속어》 뚱뚱보

berth·age [bə́:rθidʒ] *n.* Ⓤⓒ **1** 정박 구역; 정박 설비 **2** 정박세

berth·ing [bə́:rθiŋ] *n.* Ⓤ **1** (배의) 정박; 계선(繫船) 위치 **2** 침대 설비 **3** 현장(舷牆)(bulwark)

Bert·ie [bə́:rti] *n.* **1** 여자 이름 《Bertha의 애칭》 **2** 남자 이름 《Herbert의 애칭; cf. BERT》

Bér·til·lon sỳstem [bə́:rtəlɑ̀n- | -lɔ̀n-] [프랑스의 범죄학자 이름에서] [the ~] 베르티용식 인체 식별법

Ber·tram [bə́:rtrəm] *n.* 남자 이름 《애칭 Bert》

Ber·trand [bə́:rtrənd] *n.* 남자 이름 《애칭 Bert》

Ber·ty [bə́:rti] *n.* = BERTIE

Berw. Berwick(shire)

Ber·wick(·shire) [bérik(ʃìər), -(ʃər)] *n.* 베릭 《스코틀랜드 남동부의 옛 주; 略 Berw.》

ber·yl [bérəl] *n.* **1** 〖광물〗 녹주석(綠柱石) 《에메랄드 등》 **2** 연한 청록색

ber·yl·ine [bérəlin, -làin] *a.* 녹주석의; 연한 청록색의

be·ryl·li·um [bəríliəm | be-] *n.* Ⓤ 〖화학〗 베릴륨 《금속 원소; 기호 Be, 번호 4》

be·screen [biskrí:n] *vt.* 덮어서 숨기다[보호하다]

be·seech** [bisí:tʃ] *vt.* (**-sought** [-sɔ́:t]) **1** 간청[탄원]하다 (*for*): 《~+목+전+명》 The girl *besought* the gentleman *for* mercy. 소녀는 신사에게 자비를 간청했다. // 《~+목+to*** do》 I ~ you *to* forgive him. 제발 그를 용서해 주시기 바랍니다. // 《~+목+***that*** 절》 She *besought* the king *that* the captive's life might be saved. 그녀는 포로의 목숨을 살려달라고 왕에게 탄원했다. **2** 청하다, 구하다(solicit): ~ an interview 면회를 청하다

— *vi.* 탄원하다 **~·er** *n.*

be·seech·ing [bisí:tʃiŋ] *a.* Ⓐ 간청[탄원]하는

be·seech·ing·ly [bisí:tʃiŋli] *ad.* 간청하듯이, 애원[읍소(泣訴)]하다시피

be·seem [bisí:m] *vt.* 《고어》 [it을 주어로 하여] 어울리다(befit): *It* ~*s* you to say such things. 그렇게 말한 것은 자네다운 일이다.

— *vi.* **1** 어울리다 **2** = SEEM **~·ing** *a.* **~·ing·ly** *ad.*

***be·set** [bisét] *vt.* (~; **~·ting**) **1** 《문어》 〈어려움·유혹 등이〉 따라[붙어]다니다, **괴롭히다** 《★ 보통 수동태로 쓰임》: 《~+목+전+명》 a man ~ *with*[*by*] entreaties 탄원 공세에 시달리는 사람 **2** 《문어》 **포위하다,** 에워싸다(surround); (사방에서) 습격하다; 〈도로 등을〉 막다, 봉쇄하다: 《~+목+전+명》 be ~ *by* enemies 적에게 포위당하다 **3** 장식하다, 꾸미다(stud) 《*with*》: 《~+목+전+명》 Her necklace was ~ *with* gems. 그녀의 목걸이에는 보석이 박혀 있었다. **4** 〖항해〗 〈얼음이〉 〈배를〉 가두다 **~·ment** *n.*

be·set·ting [bisétiŋ] *a.* Ⓐ 끊임없이 붙어 다니는[습격하는]: a ~ idea 머리에서 떠나지 않는 생각

be·shawled [biʃɔ́:ld] *a.* 숄을 두른

be·shrew [biʃrú:] *vt.* 《고어·익살》 저주하다

B~ me [***him, it***]***!*** 《고어·익살》 젠장, 빌어먹을!

‡**be·side** [bisáid] [OE 「…곁에」의 뜻에서] *prep.* **1** …의 **곁에(서)**(⇨ by[1]): He sat ~ me. 그는 내 곁에 앉아 있었다. **2** (가치가) …와 나란히, 동등히, 대등하게 **3** …에 비해서: He seemed small ~ her. 그는 그녀에 비해 작아 보였다. **4** …와 떨어져서(apart from) **5** = BESIDES *prep.* 1. ~ ***oneself*** 제정신을 잃고 《*with*》 ~ ***that*** 그 위에(besides) ~ ***the mark*** [***point***] 과녁을 빗나가서, 어림짐작이 틀려서 ~ ***the question*** 문제 외로 ▷ síde *n.*

‡**be·sides** [bisáidz] *prep.* **1** …외에[밖에](도): *B~* the mayor, many other notables were present. 시장 외에도 많은 명사들이 참석했다. **2** [부정·의문문으로] …말고는, …을 제외하고(except): *No* one knows it ~ me. 그것은 나말고는 아무도 모른다. / *Who* ~ her would say that? 그녀 이외에 누가 그런 말을 하겠는가?

— *ad.* **1** 그 위에, 게다가 (또) **2** 그 밖에는, 따로 ***and ~*** 게다가 (또)

***be·siege** [bisí:dʒ] *vt.* **1** 〈마을·요새를〉 **포위(공격)하다:** the ~*d* 농성군(籠城軍) **2** 〈군중이〉 …에 몰려들다, 쇄도하다(crowd) **3** (요구·질문 등으로) 괴롭히다 《★ 보통 수동태로 쓰임》: 《~+목+전+명》 ~ a person *with* requests …에게 여러 가지 부탁 공세를 하다 / be ~*d with* questions 질문 공세를 받다 **~·ment** *n.* Ⓤ 포위

be·sieg·er [bisí:dʒər] *n.* 포위자; [*pl.*] 포위군

be·slav·er [bislǽvər] *vt.* = BESLOBBER

be·slob·ber [bislɑ́bər | -slɔ́b-] *vt.* **1** 침투성이가 되게 하다 **2** …에게 침이 마르도록 아첨하다 **3** 자꾸 키스하다

be·smear [bismíər] *vt.* **1** (기름·풀 등을) …에 온통 칠하다, 더럽히다 《*with*》 **2** 〈명성 등을〉 더럽히다

be·smirch [bismə́:rtʃ] *vt.* **1** 《문어》 더럽히다(soil), 오손하다; 변색시키다 **2** 〈명예·인격을〉 손상시키다(stain) **~·er** *n.* **~·ment** *n.*

be·som [bí:zəm] *n.* **1** (잔가지를 묶친) 마당비, 대나무비; 〖컬링〗 얼음 위를 쓰는 비 **2** 〖식물〗 금작화 **3** 《스코》 왈가닥(jade) — *vt.* 마당비로 쓸다

bésom pòcket 테두리 장식이 된 안주머니

be·sot [bisɑ́t | -sɔ́t] *vt.* (**~·ted**; **~·ting**) **1** 곤드레만드레로 취하게 하다(intoxicate), 멍하게 만들다 **2** 〈사람·마음을〉 우둔하게 하다, 혼란하게 하다

be·sot·ted [bisɑ́tid | -sɔ́t-] *a.* **1** 술 취한(drunk) **2** Ⓟ (술·사랑 등에) 빠진, 반한, 열중한 《*with*》: He is ~ *with* love. 그는 사랑에 빠져 있다.

***be·sought** [bisɔ́:t] *v.* BESEECH의 과거·과거분사

be·spake [bispéik] *v.* 《고어》 BESPEAK의 과거

be·span·gle [bispǽŋgl] *vt.* 《문어》 …에 번쩍거리는 것을 흩뿌리다, 온통 박아 넣다, 번쩍거리게 하다 《*with*》 《★ 종종 수동태로 쓰임》: be ~*d with* stars 별이 총총빛나고 있다

be·spat·ter [bispǽtər] *vt.* **1** 〈옷에〉 (흙탕물 등을) 튀기다 《*with*》 **2** …에게 욕설을 퍼붓다, 중상하다

be·speak [bispí:k] *vt.* (**-spoke** [-spóuk]; **-spo·ken** [-spóukən], **-spoke**) **1** 미리 요청[부탁]하다 **2** 예약하다; 〈물건을〉 맞추다, 주문하다(order) **3** 《시어》 …에게 말을 걸다(address) **4** 〈행동 등이〉 〈어떤 일을〉 나타내다, …이라는 증거이다

be·spec·ta·cled [bispéktəkld] *a.* Ⓐ 안경을 쓴

be·spoke [bispóuk] *v.* BESPEAK의 과거·과거분사

— *a.* Ⓐ 《영》 **1** 맞춘, 주문품인(custom-made)(opp. *ready-made*) **2** 맞춤 전문의: a ~ bootmaker 맞춤구둣방 **3** 예약된; 약혼 중인

be·spo·ken [bispóukən] *v.* BESPEAK의 과거분사

be·spot [bispɑ́t | -spɔ́t] *vt.* (**~·ted**; **~·ting**) …에 반점을 찍다, 오점을 찍다

be·spread [bispréd] *vt.* (~; **~·ing**) …을 (…으로) 뒤덮다, 씌우다

be·sprent [bisprént] *a.* 《시어》 흩뿌려진 《*with*》

be·sprin·kle [bispríŋkl] *vt.* 〈물·분말·양념 등을〉 (흩)뿌리다, 살포하다(sprinkle)

Bess [bés] *n.* 여자 이름 ((Elizabeth의 애칭))

Bes·sa·ra·bi·a [bèsəréibiə] *n.* 베사라비아 ((몰도바(Moldova)와 우크라이나에 걸친 지역))

Bés·sel fùnction [bésəl-] [독일의 수학자 이름에서] 〖수학〗 베셀 함수

Bés·se·mer convérter [bésəmər-] [영국의 기술자 이름에서] 〖야금〗 베세머 전로(轉爐)

Béssemer pròcess 〖야금〗 베세머 (제강)법

Béssemer stéel 베세머강(鋼) ((Bessemer process로 제련한 강철))

Bes·sie, Bes·sy [bési] *n.* **1** 여자 이름 ((Elizabeth의 애칭)) **2** =BETSY 2

‡**best** [bést] *a.* (opp. *worst*) [GOOD의 최상급] **I a** 가장 좋은, 최고의, 최선의, 최상의: the ~ way 최선의 방법 / one's ~ days 전성시대 / the ~ families [people] (그 고장의) 유력자들 **b** 가장 잘하는[능한]: Tom is the ~ player in the class. 톰은 학급에서 가장 우수한 선수이다. **2** 더할 나위 없는, 최적의, 가장 효과적인 / the ~ person for the post 그 직책의 최적임자 USAGE (1) 「the[one's] best ...」가 서술 용법으로 쓰일 때는 흔히 the[one's]가 생략됨: The view is ~ about here. 경치는 이 근방이 최고다. (2) 원칙은 3자 이상의 비교에서 사용하나 구어에서는 둘인 경우에도 잘 쓰임.

3 최대의; 가장 많은: ⇨ the BEST part of. **4** 제일의, 주요한 **5** 비장의, 특별한 **6** ((반어)) 아주 지독한, 철저한: the ~ liar 아주 지독한 거짓말쟁이 **7** ((구어)) 가장 좋아하는, 마음에 드는(favorite): What's your ~ band? 어느 밴드를 제일 좋아하니?

~ before (date[end]) 유통 기한 ((식품 포장에 기재되는 말))(cf. EXPIRATION DATE): *B~ before end*: July 20, 2009. 유통 기한: 2009년 7월 20일까지. ***~ of all*** 무엇보다도 가장 좋은 ***put[set] one's ~ leg[foot] foremost[forward]*** 힘껏 일을 서두르다, 길을 급히 재촉하다; ((미·구어)) 될 수 있는 대로 좋은 면을 보이다 ***the ~ part of*** …의 대부분, 태반: They chatted for *the ~ part of* an hour. 그들은 거의 한 시간가량이나 수다를 떨었다.

— *ad.* [WELL¹의 최상급] **1** 제일[가장] 잘: the ~ abused book 제일 평이 나빴던 책 / I work ~ early in the morning. 이른 아침에 일이 제일 잘 된다. **2** [like, love 등의 동사와 함께] 가장, 최고로 **3** [동사의 과거분사와 복합어를 만들어] 최고로, 충분히 ***as ~ one can[may]*** 되도록 잘, 힘껏: Do it *as ~ you can.* 힘이 닿는 데까지 해라. ***~ of all*** 우선 무엇보다도, 첫째로 ***had[((미)) would] ~ do*** …하는 것이 상책이다: You *had ~* consent. 승낙하는 게 최선일 것이다.

— *n.* [the ~] **1** 제일 좋은 것[사람], 가장 좋은 점, 장점; 최상, 최선: *the* next[second] ~ 차선 / *the* ~ of the joke 그 농담의 묘미 **2** [종종 at one's ~] (감정·기분의) 최상의 상태, (능력·재능·영감의) 최고의 상태, (활동·상태의) 최고조, (분류한 중에) 최고[최량]의 것 **3** [one's ~, the ~] 최선(의 노력): It's the ~ we can do in the circumstances. 그것이 주어진 환경에서 우리가 할 수 있는 최선이다. **4** [one's ~] 나들이옷(Sunday best), 가장 좋은 옷: in one's (Sunday) ~ 나들이옷을 입고 **5** 안부, 호의 **6** (게임의 시합 수에서) 다승을 차지하는 것

(all) for the ~ ((특히 구어)) 결국은 좋은 방향으로, 결국엔 잘되어: I don't want him to go, but maybe it's *for the ~*. 나는 그가 떠나는 것을 원하지 않지만, 결국 모든 게 다 잘될 것이다. ***All the ~!*** 그럼 안녕, 행운이 있기를! ((건배·작별할 때의 말)) ***at its[one's] ~*** 가장 좋은 상태에; 한창때에; 전성기에 ***at (the) ~*** 잘해야, 기껏해야 ***at the very ~*** =[강의적] at (the) BEST. ***do one's ~*** 전력[최선]을 다하다 ***do one's level ~*** ((구어)) 전력[최선]을 다하다 ***(even) at the ~ of times*** 가장 순조로운 때라도 ***get the ~ of*** a person …을 이기다 ***get[have] the ~ of it*** 토론[경기]에 이기다[우월하다]; 흥정 등에서 수단을 써서 득을 보다, 거래에서 가장 잘하다 ((손해 등을 제일 적게 입다)) ***get the ~ out of*** a person …에게 최선[전력]을 다하게 하다 ***give*** a person[a thing] ***~*** ((영·구어)) 〈상대방의〉 승리를 인정하다, 〈일을〉 단념하다 ***give it ~*** ((구어)) 단념하다, 패배를 인정하다 ***Hope for the ~!*** 또 좋을 때가 있겠지, 비관하지 마라! ***look one's ~*** 가장 아름답게 보이다 ***make the ~ of*** 〈기회 등을〉 최대한으로[되도록 잘] 이용하다; 〈불리한 상황을〉 그럭저럭 견뎌 나가다[참아 나가다], …을 감수하다: *make the ~ of* a bad job[situation] 악조건하에서 최선을 다하다 ***make the ~ of one's way*** 길을 재촉하다, 서둘러 가다 ***the ~ of both worlds*** 두 개의 다른 것들의 각각의 장점 ***to the ~ of one's ability[power]*** 힘 닿는 데까지 ***to the ~ of one's belief[knowledge, recollection]*** 믿는[아는, 기억하는] 한에서는 ***with the ~*** 누구 못지않게

— *vt.* ((구어)) 능가하다; 앞지르다

best-ball [béstbɔ́:l] *a.* 〖골프〗 베스트 볼 ((팀을 짜서 각 홀의 베스트 스코어를 팀의 스코어로 하는 방식))

bést-báll fòursome 〖골프〗 네 사람이 두 사람씩 짝이 되어 좋은 쪽 점수를 그 조의 득점으로 정하는 방식

bést-báll màtch 〖골프〗 베스트볼 매치

bést bét 가장 안전하고 확실한 방책[수단]

bést bóy ((미)) (영화·TV의) 조명 담당 수석 보조; 남자 친구[애인]

bést búy 가장 잘 산 물건 ((싸고 좋은 물건))

best-case [-kèis] *a.* 최고 조건[상태]의, 최선의 결과를 얻는(opp. *worst-case*)

bést-case scenário ((구어)) (일어날 수 있는) 최고[최선]의 시나리오[사태]

be·stead¹ [bistéd] ((고어)) *vt.* (**~·ed**; **~·ed, ~**) …에 도움이 되다(avail); 돕다

be·stead², be·sted [bistéd] *a.* ((고어)) …한 처지에 있는

best-ef·forts [béstéfərts] *a.* 〖증권〗 최선의 노력을 한다는 조건의 〈매출 발행〉

bést fríend 가장 친한 친구

bést gírl ((구어)) 여자 친구, 연인(sweetheart)

bes·tial [béstʃəl, bí:s- | béstiəl] *a.* **1** 짐승의[같은], 수성(獸性)의, 수욕(獸慾)의 **2** 흉포한; 야만적인, 추잡한 — *n.* ((스코)) 가축, ((특히)) 소 **~·ly** *ad.*

bes·ti·al·i·ty [bèstʃiǽləti, bì:s- | bèsti-] *n.* Ⓤ **1** 수성; 수욕 **2** 잔인한 짓 **3** 〖법〗 수간(獸姦)

bes·tial·ize [béstʃəlàiz, bí:s- | béstiə-] *vt.* 짐승같이 되게 하다(brutalize)

bes·ti·ar·y [béstʃièri, bí:s- | béstiə-] *n.* (*pl.* **-ar·ies**) **1** (중세 유럽의) 동물 우화집 **2** (중세 성(城) 등에 있는 상징적인) 동물 조각[그림]

be·stir [bistə́:r] *vt.* (**~red**; **~·ring**) [~ one*self* 로] **1** 꾸물대지 않고 움직이다, 부지런히 일하다 **2** 기운을 내다, 분발하다

***best-known** [béstnóun] *a.* [WELL-KNOWN의 최상급] 가장 잘 알려진

bést mán (결혼식에서의) 신랑 들러리(⇨ GROOMSMAN; cf. BRIDESMAN, BRIDESMAID)

best-of-breed [béstəvbrí:d] *a.* 〈컴퓨터 시스템이〉 (다른 회사제의) 최상의 소프트웨어를 사용한

best-off [-ɔ́(:)f, -ɑ́f] *a.* WELL-OFF의 최상급

best-of-five [béstəvfáiv] *a.* (야구 등에서) 5판 (3승) 승부의

best-of-sev·en [béstəvsévən] *a.* (야구 등에서) 7판 (4승) 승부의

‡**be·stow** [bistóu] *vt.* **1** 주다, 수여하다, 증여하다 ((*on, upon*))(⇨ give 유의어): ((~+목+전+명)) ~ a gift *on*[*upon*] a person …에게 선물을 주다 **2** 〈시간·생각 등을〉 사용하다, 바치다 ((*on, upon*)) **3** ((고어)) (간수해) 두다 **4** ((고어)) 숙박시키다 **~·ment** *n.*

thesaurus **bestow** *v.* give, present, grant, donate, endow with, allot, assign, consign, apportion, contribute, bequeath, award

be·stow·al [bistóuəl] *n.* Ⓤ 증여, 수여; 처치; 저장
bést píece 《미·속어》 여자 친구; 마누라(wife)
bést práctice 업무 처리 모범 관행
bést príce 최저 가격
be·strad·dle [bistrǽdl] *vt.* = BESTRIDE
be·strew [bistrúː] *vt.* (**~ed**; **~ed, -strewn** [-strúːn]) 〈장소를〉 (…으로) 뒤덮다, 〈장소에〉 (…을) 흩뿌리다 《*with*》: ~ the path *with* flowers 길에 꽃을 흩뿌리다
be·stride [bistráid] *vt.* (**-strode** [-stróud], **-strid** [-stríd]; **-strid·den** [-strídn], **-strid**) **1** 〈말·의자 등에〉 걸터앉다, 걸터타다 **2** 〈도랑 등을〉 넘다 **3** 《비유》 버티고 서다; 위압하다, 지배하다, 주름잡다 **4** 〈무지개 등이〉 …에 걸리다
***best-sell·er** [béstsélər] *n.* 베스트셀러 《가장 잘 팔리는 책·음반 등》; 베스트셀러 작가 **~·dom** *n.* 베스트셀러 작가들; 베스트셀러 지위
***best-sell·ing** [-séliŋ] *a.* Ⓐ 〈책·레코드·작가 등이〉 베스트셀러의: a ~ novel 베스트셀러 소설
bést shót 《구어》 [one's ~] 최대로 노력하기, 최선[전력]을 다하기
be·suit·ed [bisúːtid] *a.* 정장을 차려입은
‡**bet** [bét] *v.* (**~, ~·ted**; **~·ting**) *vt.* **1** 〈돈 등을〉 걸다 《*on, upon, against*》: (~+목+전+명) He ~ two pounds *on* the horse. 그는 그 말에 2파운드를 걸었다. // (~+목+목) I ~ you a pound (that) he has forgotten it. 그가 그 일을 잊어버리고 있다는 것에 1파운드 걸겠다. **2** 〈사람과〉 (…에 대해) 내기를 걸다(wager) 《*on, upon*》 **3** 단언하다, 보증하다: (~+목+***that*** 절) I'll ~ (you) *that* he will come. 그 사람이 올 것을 나는 장담한다.
—*vi.* 내기를 하다, (…에) 돈을 걸다 《*on, upon, against, with*》: I never ~. 나는 내기를 절대 안 한다. // (~+전+명) He ~ *on* a favorite. 그는 인기 있는 말에 돈을 걸었다.
~ against the field 아무도 돈을 걸지 않는 말에 걸다 ***~ dollars to doughnuts*** 《구어》 절대 …이다 ***~ one's bottom dollar*** [***boots, shirt, life***] 《구어》 가진 것을 몽땅 걸다 《*on*》; 확신하다 《*that* 절》 ***~ the farm*** [***house, ranch***] 《구어》 되든 말든 해보다 ***~ the top*** (포커에서) 가진 돈의 전부를 걸다 ***I('ll) ~ (you).*** 《구어》 (1) 확실히, 틀림없이: *I ~ you* she won't come. 틀림없이 그녀는 오지 않을 것이다. (2) (상대방의 말에 공감하여) 정말 그렇겠다: "I was so angry." — "*I ~ you* were." 나는 정말 화났었어. — 그래. 정말 그랬겠다. (3) [반어적] 설마, 정말일 리가 있겠는가, 믿을 수 없는 일이야: "I'm going to give up smoking this time." — "Yeah, *I ~* !" 나, 이번에는 담배 끊을 거야. — 설마, 네가 그럴 리가 있나. ***I wouldn't*** [***Don't***] ***~ on ...*** 《구어》 …을 기대하지 않다, 있을 수 없다고 생각하다 ***You ~!*** 《구어》 정말이야, 틀림없어; 그렇다니까! ***You ~?*** 틀림없단 말이냐?(Are you sure?) ***You*** (***can***) ***~ your life*** [***your bottom dollar***]***!*** 《구어》 당연하지! 틀림없어! ***You want to ~.*** 내기할 거냐, 정말이냐?; [반어적] 터무니없다, 설마.
—*n.* **1** 내기, 걸기 《*on*》: an even ~ 승패의 전망이 반반인 내기 / a heavy[paltry] ~ 큰[작은] 내기 / place[put, lay, make] a ~ 내기를 하다 《*on*》 / win[lose] a ~ 내기에 이기다[지다] **2** 건 돈[물건] **3** 내기의 대상 **4** 《구어》 취해야 할 길[방책]: Your best ~ is to *do* ... …하는 것이 최선의 방책이다 **5** 《구어》 생각, 의견: My ~ is (that) ... 내 생각으로는 …이다, 반드시 …이다 **6** [보통 safe를 동반] 장래성, 가능성, 신빙성: It's a *safe* ~ that ... …라고 보면 틀림없다
accept a ~ 내기에 응하다 ***a good ~*** 유망한 사람[물건] ***all ~s are off*** 《미·구어》 계획이 무효가 되다, 모두 백지화되다[시키다] ***hedge one's ~s*** 《구어》 돈[자금]을 분산 투자하여 위험을 막다, 손해보지 않도록 양쪽에 걸다; 《비유》 (태도를 정하지 않고) 양다리를 걸치다 ***the*** [***one's***] ***best ~*** 가장 유망한 사람[물건]

> **bet** *v.* **1** 〈돈을〉 걸다 wager, gamble, stake, pledge, risk, venture, hazard, chance **2** 장담하다 be certain, be sure, state confidently, predict

BET Black Entertainment Television (흑인 대상의 유선 방송 채널) **bet.** between
be·ta [béitə, bíː-|bíː-] *n.* **1** 베타 《그리스 자모의 둘째 자(Β, β)》 **2** 베타 문자로 표현되는 자음 《[b]음에 해당》 **3** [**B~**] 《천문》 베타(β)성 **4** 《화학》 베타(β) **5** 제 2위의 것(cf. ALPHA) **6** [**B~**] = BETAMAX **7** 《주로 영》 베타급, (학업 성적의) 우(優): ~ plus 우의 상 《B^+》 / ~ minus 우의 하 《B^-》 **8** 《물리》 **a** = BETA PARTICLE **b** = BETA RAY **9** Ⓒ 《증권》 베타 계수 (= **~ coefficient, ~ line**)
be·ta-ad·ren·er·gic [béitəædrənə́ːrdʒik] *a.* 《생리》 베타 수용체(beta-receptor)의
béta blòcker 《약학》 베타 수용체 차단약
bé·ta-blòck·ing *a.*
be·ta-car·o·tene [-kǽrətiːn] *n.* 《생화학》 베타카로틴 《체내에서 비타민 A로 전환됨》
béta cèll 《해부》 베타 세포 《췌장의 랑게르한스섬 내의 세포로 인슐린을 분비함》
béta decày 《물리》 (원자핵의) 베타 붕괴
be·ta-en·dor·phin [-endɔ́ːrfin] *n.* 《생화학》 베타엔도르핀 《뇌하수체에서 방출되는 진통 펩티드의 하나》
béta fùnction 《수학》 베타 함수
béta glóbulin 《생화학》 베타글로불린 《혈장 중의 글로불린으로, 전기 이동에서 이동도가 중위인 것》
be·ta·ine [bíːtəìː(ː)n, bitéiì(ː)n] *n.* 《화학》 베타인
be·take [bitéik] *vt.* (**-took** [-túk]; **-tak·en** [-téikən]) [~ one*self* 로] **1** 《문어》 가다 《*to*》: ~ one*self to* one's heels 냅다 달아나다 **2** 《고어》 (수단·행동 등에) 호소하다, 의지하다; 전념하다 《*to*》
Be·ta·max [bíːtəmæks, béitə-] *n.* (비디오테이프의) 표준 포맷의 하나 《略 Beta; 상표명》
be·ta-ox·i·da·tion [-àksədéiʃən|-ɔ̀k-] *n.* 《생화학》 베타 산화 《지방산이 산화될 때의 한 과정》
béta pàrticle 《물리》 베타 입자(粒子)
béta rày 《물리》 베타선 《방사성 물질의》
be·ta-re·cep·tor [béitərisèptər] *n.* 《생화학》 베타 수용체
béta rhỳthm (뇌파의) 베타 리듬
béta sòftware 《컴퓨터》 베타 소프트웨어 《beta test 단계의 소프트웨어》
béta tèst *n.* **1** 《심리》 베타 검사, B식[비언어적] 지능 검사 **2** 《컴퓨터》 베타 테스트 《소프트웨어나 하드웨어의 성능을 제품 출하 전에 선택된 사용자에 의해 미리 테스트하기》 **—** *vt.* 〈제품을〉 beta test하다(cf. ALPHA TEST)
be·ta·tron [béitətràn, bíː-|bíːtətrɔ̀n] *n.* 《물리》 베타트론, 자기(磁氣) 유도 전자 가속기
béta vèrsion 《컴퓨터》 베타 버전 《소프트웨어 등의 출시 전 테스트를 위해 일반인에게 배포하는 판》
be·ta·ware [béitəwɛ̀ər, bíːtə-] *n.* = BETA SOFTWARE
béta wàve = BETA RHYTHM
bet·cha [bétʃə] [발음 철자] bet you
bête blanche [bèt-blɑ́ːŋʃ] [F = white beast] 조금 싫은 것, 초조의 원인
be·tel [bíːtəl] *n.* Ⓤ 《식물》 구장(蒟醬)(의 잎) 《인도산(産) 후추과(科)의 상록 관목》
Be·tel·geuse [bíːtldʒùːz, bétldʒə̀ːz|bìːtldʒə́ːz] *n.* 《천문》 베텔게우스 《오리온자리 중의 1등 별》
bétel nùt 빈랑나무의 열매
bétel pàlm 《식물》 빈랑나무 《열대 아시아산(産)》
bête noire [béit-nwɑ́ːr] [F = black beast] 징그러운 것[사람], 혐오의 대상
beth [béiθ, béis, béit] *n.* 베트 《히브리 어 알파벳의 둘째 자》
Beth [béθ] *n.* 여자 이름 《Elizabeth의 애칭》

Beth·a·ny [béθəni] *n.* 베다니 《Palestine의 마을; 예수가 나사로를 죽음에서 소생시킨 곳》

beth·el [béθəl] *n.* **1** 『성서』 베델, 거룩한 곳 《창세기 28: 19》 **2** (미) (선원들을 위한) 수상[해안] 예배당 **3** (영) 비국교도의 예배당 **4** [**B~**] 남자[여자] 이름

be·think [biθíŋk] *v.* (**-thought** [-θɔ́:t]) *vt.* [~ one*self* 로] (문어) **1** 잘 생각하다, 숙고하다 **2** 생각해내다 《*of, how, that*》: (~+목+전+명) I *bethought myself of* a promise. 나는 약속이 있음이 생각났다. // (~+목+**wh.** 절) (~+목+**that** 절) I *bethought myself how* foolish I had been. = I *bethought myself that* I had been foolish. 내 자신이 얼마나 어리석었던가 하는 생각이 났다. **3** 〈…하려고〉 마음먹다: (~+**to** do) He *bethought to* regain it. 그는 그것을 되찾기로 결심했다. **4** (고어) 유념하다; 기억해 두다 **—** *vi.* (고어) 생각하다, 숙고하다

Beth·le·hem [béθlihèm, -liəm] *n.* 베들레헴 《Palestine의 고대 도시; 그리스도 탄생지》

be·tide [bitáid] (문어) *vt.* 〈일이〉 …에게 일어나다, 생기다 **—** *vi.* 〈일이〉 일어나다 : whate'er (may) ~ 어떤 일이 일어나더라도 ***Woe*** **~** him! (그에게) 재앙이 있으라, (그런 짓을 한다면) (그 녀석) 좋지 않을걸!

be·times [bitáimz] *ad.* **1** (문어) 때마침, 늦기 전에, 일찍(early) **2** 때때로(occasionally) **3** (고어) 곧

bê·tise [betí:z] [F] *n.* (*pl.* **~s** [~]) **1** Ⓤ 우둔함, 어리석음 **2** 어리석은 짓[말] **3** 사소한[하찮은] 일

be·to·ken [bitóukən] *vt.* **1** 나타내다, 보이다(show) **2** …의 전조가 되다, …의 조짐이다(portend)

bet·o·ny [bétəni] *n.* (*pl.* **-nies**) 『식물』 두루미냉이 등 석잠풀속(屬)의 각종 식물

be·took [bitúk] *v.* BETAKE의 과거

‡**be·tray** [bitréi] *vt.* **1** 〈국가·동지 등을〉 (적에게) 팔다: (~+목+전+명) ~ one's country *to* the enemy 적에게 조국을 팔다 **2** 배반하다; 저버리다, 등지다: ~ one's wife[husband] 바람피우다 **3** 〈비밀을〉 누설하다, 밀고하다: (~+목+전+명) ~ a secret *to* a person …에게 비밀을 누설하다 **4 a** 〈무지·약점 등을〉 무심코 나타내다; 드러내다: Confusion *~ed* his guilt. 당황하였기 때문에 그의 죄가 탄로났다. **b** [~ one*self* 로] 무심코 본성[비밀]을 나타내다 **5** 속이다(deceive), 현혹하다 《*into*》: (~+목+전+명) I was *~ed into* folly. 속아서 바보짓을 했다. **6** (완곡) 〈여성을〉 유혹하고 나서 버리다
▷ betráyal *n.*

*__be·tray·al__ [bitréiəl] *n.* ⓊⒸ 배반, 배신; 밀고; 내통; 폭로, 탄로

be·tray·er [bitréiər] *n.* 매국노(traitor); 배신자; 배반자, 밀고[내통]자; 유혹자

be·troth [bitróuð, -trɔ́:θ | -tróuð, -tróuθ] *vt.* (문어) 약혼시키다 《*to*》: be [become] *~ed to* …와 약혼 중이다 // (~+목+전+명) ~ oneself *to* …와 약혼하다 / He *~ed* his daughter *to* Mr. Jones. 그는 딸을 존스 씨와 약혼시켰다.
~·ment *n.* = BETROTHAL

be·troth·al [bitróuðəl, -trɔ́:θəl | -tróuðəl, -tróuθəl] *n.* ⒸⓊ (문어) 약혼(식)(engagement)

be·trothed [bitróuðd, -trɔ́:θt | -tróuðd, -tróuθt] *a.* 약혼자의, 약혼한(engaged)
— *n.* **1** [one's ~] 약혼자 ★ 예스러운 말이며, 보통 남성에게는 fiancé, 여성에게는 fiancée를 씀. **2** [the ~; 복수 취급] 약혼자들 《두 사람》

Bet·sy, -sey, -si [bétsi] *n.* **1** 여자 이름 《Elizabeth의 애칭》 **2** [때로 **b~**] (미·속어) 총

bet·ta [bétə] *n.* (*pl.* **~s**) 투어(鬪魚)(fighting fish) 《버들붕엇과(科)의 민물고기; 동남 아시아산(産)》

‡**bet·ter**[1] [bétər] *a.* [GOOD, WELL의 비교급](opp. *worse*) **1** …보다 나은, (둘 가운데) 더 좋은: It might be ~ to go by subway. 지하철로 가는 편이 더 좋을 것이오. / *B~* early than late. (속담) 쇠뿔도 단김에 빼랬다. / *B~* late than never. (속담) 늦어도 안 하느니보다는 낫다. **2** 더 잘하는, 보다 능한: Which of the two is the ~ skater? 둘 중에 누가 스케이트를 더 잘 타니? **3** 《ill에 대하여》 나아져 가는, 차도가 있는: He is getting ~. 그는 (병세가) 좋아지고 있다. **4** [the ~ part로] 더욱 많은, 반수 이상의, 대부분의
all **~** (***now***) 괜찮아요, 아프지 않아요 《어린이가[한테] 쓰는 표현》 ***be*** [***feel***] **~** 기분이 전보다 낫다 ***be*** **~** ***than*** one***'s word*** 약속 이상의 것을 하다 ***be no*** **~** ***than*** one ***should*** [***ought to***] ***be*** (고어) 부도덕하다, 도덕 관념이 없다; (미·속어) 〈특히 여성이〉 점잖지 못하다, 행실이 좋지 못하다 ***be the*** **~** ***for*** it [you] (그것[너]) 때문에 더 유리하다, 도리어 낫다 ***Couldn't be*** **~** (기분이[상태가]) 최고다: "How's everything going these days?" — "*Couldn't be* ~." 요즘 어떻게 지내? — 모든 것이 좋아. ***Feel*** **~** ***soon!*** 빨리 회복되시기를 빕니다! 《환자에게 하는 말》 ***get*** **~** 병이 낫다 He ***has seen*** [***known***] **~** ***days.*** (그는) 한때는 잘산 적도 있다. He is ***no*** [***little***] **~** ***than*** a beggar. (그는) (거지나) 다름없다, 영락없는 (거지다). one***'s*** **~** ***feelings*** 사람의 본심, 양심 ***So much the ~!*** 그러면 더욱 좋다! ***That's*** (***much***) **~.** (구어) (1) 잘됐어, 괜찮아, 좋아 《승인, 칭찬》 (2) 그래, 자, 어서 《위로, 격려》 ***The*** **~** ***the day, the*** **~** ***the deed.*** 좋은 날이라면 하는 일도 더욱 좋을 터. 《안식일을 지키지 않음을 책망받을 때 하는 대꾸》
— *ad.* [WELL의 비교급] **1** 더 잘: She knows the town ~ than I do. 그녀는 나보다 그 도시를 더 잘 알고 있다. **2** 한층[더] 좋게, 보다 능숙히: sing ~ than anyone else 누구보다도 노래를 더 잘 부르다 **3** 더욱 많이, 보다 더(more): Which do you like ~, tea or coffee? 홍차와 커피 중 어느 쪽을 더 좋아하세요? **4** [접속사적으로] 차라리 《종종 강조를 위해 still, yet을 동반》 **5** [had better의 had를 생략하고] (구어) …하는 편이 더 낫다
be **~** ***off*** 한결 더 잘살다, 더욱 형편이 좋다 **~** ***and*** **~** 점점[더욱] 더 ***go one*** **~** (***than*** a person) (1) 한층 더 좋은 일을 하다 (2) (…보다) 더 뛰어나다, …을 이기다 ***had*** [***'d***] **~** do …하는 편[것]이 낫다[좋다]: You *had* ~ go[not go]. 너는 가는[가지 않는] 편이 좋다. / *Hadn't* I ~ ask? 묻는 편이 좋지 않을까? ★ (구어)에서는 이 had를 생략하는 경우가 많음. ***know*** **~** (***than to*** do) …하는 것이 좋지 않음을 알고 있다: I *know* ~ *than to* quarrel. 싸울 만큼 어리석지는 않다. / I *know* ~. 그런 일은 없다, 그 따위 수에 안 넘어가. / You ought to *know* ~. 너는 철이 없다, 나잇값을 해야지. ***know no*** **~** 그 정도의 머리밖에 없다 ***think*** **~** ***of*** 고쳐 생각하다, 마음을 돌리다; 달리 보다
— *n.* **1** 더 좋은[나은] 것; 반보다 많은 수[양]: the ~ of the two 둘 중에 더 나은 것 / a change for the ~ 호전, 개선 **2** [보통 one's ~s] (나이·재산·지위가) 윗사람, 뛰어난 사람, 선배: one's (elders and) ~*s* 손윗사람들, 선배들(superiors)
be all the **~** ***for*** …때문에 더 좋아진[향상된] ***for*** **~** (***or***) ***for worse*** = ***for*** **~** ***or worse*** 좋건 궂건, 어떠한 운명이 닥쳐올지라도, 길이길이 《결혼 선서문의 문구》 ***for the*** **~** 좋은 쪽으로 ***for want of a*** **~** 그 이상의 것이 없기 때문에 ***get*** [***gain, have***] ***the*** **~** ***of*** …에 이기다
— *vt.* **1** 개량[개선]하다(cf. IMPROVE) **2** 능가하다, …보다 우수하다 **3** [~ one*self* 로] 더 좋은 지위[급료]를 얻다, 출세하다, 유복해지다
— *vi.* 개량[개선]되다 ▷ bétterment *n.*

better[2] *n.* = BETTOR

thesaurus **betray** *v.* **1** 배반하다 be disloyal[unfaithful] to, treat treacherously (opp. *stand by*) **2** 저버리다 abandon, desert, forsake **3** 누설하다 reveal, disclose, divulge, uncover, expose (opp. *conceal*)
betroth *v.* engage, affiance, pledge, promise
between *prep.* in the middle of, amid,

Bétter Búsiness Bùreau 《미·캐나다》 거래 개선 협회《공정 거래를 위한 생산자 단체; 略 BBB》
bétter hálf [one's ~] **1** 아내; 남편 **2** 《미·속어》 여자 친구, 애인
bet·ter·ment [bétərmənt] *n.* **1** Ⓤ 개량, 개선(improvement); 진보; (지위의) 향상, 출세 **2** Ⓒ [보통 *pl.*] 〖법〗 (부동산의) 개량; (개량으로 인한 부동산의) 가격 인상
bet·ter·most [bétərmòust] *a.* 《구어》 최상의, 최고의; 대부분의, 태반의
bétter náture[sélf] 양심, 좋은 쪽의 성격[인격]
bet·ter-off [-ɔ́:f | -ɔ́f] *a.* (경제적으로) 부유한
bet·ter-to-do [-tədú:] *a.* [well-to-do의 비교급] (한층) 부유한
bet·ting [bétiŋ] *n.* Ⓤ 내기; 내기돈; 도박률(率)
bétting bòok 도박금 장부
bétting shòp 《영》 (정부 공인의) 민간 마권 경매장
bet·tor [bétər] *n.* 내기하는 사람
Bet·ty [béti] *n.* 여자 이름 《Elizabeth의 애칭》
Bétty Fórd Clínic [Ford 전대통령 부인의 이름에서] [the ~] 베티 포드 클리닉 《미국 California에 있는 마약·알코올 중독자 치료 시설》
betw. between
‡**be·tween** ⇨ between (p. 238)
be·tween·brain [bitwínbrèin] *n.* 〖해부〗 간뇌(間腦)(diencephalon)
betwéen dècks 〖선박〗 상갑판과 하갑판 사이의 장소, 중창(中艙)
be·tween·maid [-mèid] *n.* 《영》 부엌일과 허드렛일을 하는 하녀(tweeny)
be·tween·ness [bitwí:nnis] *n.* Ⓤ 중간(에 있음); 〖수학〗 (순서의) 사이
be·tween·times [-tàimz] *ad.* ＝BETWEENWHILES
be·tween·whiles [-hwàilz] *ad.* 《미》 (일·활동 등의) 짬짬이, 틈틈이, 이따금씩
be·twixt [bitwíkst] *prep.*, *ad.* 《고어·시어·방언》 ＝BETWEEN. **~ *and between*** 《속어》 이도 저도 아닌, 얼치기로
Beu·lah [bjú:lə] *n.* **1** 〖성서〗 뿔라 《「결혼한 부인」을 뜻하며, 이스라엘의 빛나는 미래를 상징함; 이사야 62: 4》 **2** (인생의 만년의) 안식의 땅 **3** 여자 이름
beurre blanc [bɔ́:r-blɑ́:ŋk] [F] 〖요리〗 뵈르 블랑 《어패류용 소스의 일종》
beurre ma·nié [bɔ́:r-mɑ:njéi] [F] 〖요리〗 뵈르 마니에 《밀가루와 버터를 반죽한 것; 소스를 진하게 하는 데 쓰임》
beurre noir [bɔ́:r-nwɑ́:r] [F] 〖요리〗 뵈르 누아르 《버터가 흑갈색으로 될 때까지 볶아서 식초·레몬 등으로 향기를 낸 소스》
Bev, BeV, bev [bév] [*b*illion *e*lectron *v*olts] *n.* 〖물리〗 10억 전자 볼트
bev·a·tron [bévətrɑ̀n | -trɔ̀n] *n.* 〖물리〗 베바트론 《양자 가속 장치의 일종》
bev·el [bévəl] *n.* **1** 빗각; 경사, 사면, 사선(斜線) **2** 각도자 **3** 〖인쇄〗 ＝BEARD 5 **4** ＝BEZEL 1
— *v.* (~ed; ~·ing | ~led; ~·ling) *vt.* …에 빗각을 만들다; 비스듬히 자르다 — *vi.* 기울다, 경사지다
— *a.* 빗각의, 기운, 비스듬한
bev·eled | -elled [bévəld] *a.* **1** 비스듬한, 빗각의, 경사진 **2** 〖컴퓨터〗 모서리를 깎아낸, 빗각을 가진 《3D 그래픽의 기법에서》
bével gèar 〖기계〗 베벨 기어 《삿갓 모양의 톱니바퀴》
bével jòint 〖건축〗 빗이음 《경사지게 자르거나 켜서 맞댄 이음》

among; connecting, linking, joining, uniting; separating, distinguishing, differentiating
beware *v.* be careful, be wary, be cautious, take heed, watch out, look out (opp. *ignore*)
bewilder *v.* confuse, puzzle, perplex, baffle
bewitch *v.* enchant, charm, beguile, captivate

bével protràctor 〖기계〗 회전자가 달린 분도기
bével síding 〖목공〗 미늘 판자벽 《집 외벽에 가로로 판자를 대는 방식》
bével squàre 〖목공〗 각도자(bevel)
bével whèel ＝BEVEL GEAR
*****bev·er·age** [bévəridʒ] [L 「마시다」의 뜻에서] *n.* 마실 것, 음료(drink): alcoholic[cooling] ~*s* 알코올[청량]음료
Bév·er·ly Hílls [bévərli-] 비벌리 힐스 《미국 Los Angeles 시의 Hollywood 서쪽에 있는 도시로 영화인의 주택이 많은 곳》
bév·vied úp [bévid-] *a.* Ⓟ 《영·구어》 술 취한(drunk)
bev·vy [bévi] *n.* 《영·속어》 **1** 음료, 술, 《특히》 맥주 **2** 술을 즐기는 하룻밤 — *vi.* 술을 마시다
bev·y [bévi] *n.* (*pl.* **bev·ies**) **1** (작은 새·동물 등의) 떼 《*of*》 **2** 《구어》 (여자들의) 무리 《*of*》
*****be·wail** [biwéil] *vt.*, *vi.* 비탄하다, 애통[통탄]하다 《*over*, *for*》 **~·ment** *n.*
‡**be·ware** [biwέər] [Be ware.(조심하라.)의 뜻에서] *vi.*, *vt.* 조심하다, 주의하다, 경계하다 《*of*》: (~+전+명) be warned to ~ *of* …에 주의하도록 경고받다 / *B*~ *of* pickpockets! 소매치기 조심! / You must ~ *of* strangers. 낯선 사람을 조심해야 한다. // (~+*wh.* 절) *B*~ *what* you say. 말조심하시오. // (~+*that* 절) *B*~ *that* you do not make him angry. 그를 화나게 하지 않도록 주의해라. / *B*~ *that* you do not fail. ＝*B*~ *lest* you should fail. 실패하지 않도록 주의해라. ★ 어미 변화가 없으며, 명령법과 부정사로 또는 조동사 뒤에만 씀.
be·whisk·ered [bi*h*wískərd | -wísk-] *a.* **1** 구레나룻을 기른 **2** 〈경구·표현 등이〉 케케묵은, 진부한
be·wigged [biwígd] *a.* **1** 가발을 쓴 **2** (고위의) 권위[위엄]을 지닌
‡**be·wil·der** [biwíldər] *vt.* **1** 당황하게 하다(perplex), 어리둥절하게 하다(confuse), 놀라 어쩔 줄 모르게 하다: (~+목+전+명) She was ~*ed by* their questions. 그녀는 그들의 질문 공세에 당황했다.

> 유의어 **be bewildered** 당황하다, 어리둥절하다 **be embarrassed** 부끄러움·불안한 기분으로 당황하다 **be puzzled** 이해하거나 대답하거나 할 수 없어 난처하다 **be baffled** 당황했기 때문에 적절한 행동을 취할 수 없다

2 《고어》 〈길을〉 잃게 하다 **-dered·ly** *ad.* **~·ment** *n.* Ⓤ 당황, 얼떨떨함
*****be·wil·der·ing** [biwíldəriŋ] *a.* 무척 당황케 하는, 갈피를 못 잡게 하는 **~·ly** *ad.* 당황하여
*****be·witch** [biwítʃ] *vt.* …에게 마법을 걸다; 호리다, 매혹시키다(charm) **~·ing** *a.* 호리는, 〈미소 등이〉 매혹적인 **~·ing·ly** *ad.* 매혹시키듯
▷ witch, bewítchery *n.*
be·witch·er·y [biwítʃəri] *n.* ⓊⒸ 마법을 거는 일; 매혹, 매력(bewitchment)
be·witch·ment [biwítʃmənt] *n.* 마력; 매혹, 매력; 매혹된 상태, 황홀경; 주문
be·wray [biréi] *vt.* 《고어》 〈비밀을〉 누설하다
bey [béi] *n.* (오스만 제국의) 지방 장관; (터키·이집트의) 고위 인사에 대한 경칭
bey·lic [béilik] *n.* bey의 관할 구역
‡**be·yond** [biɑ́nd, bijɑ́nd | bijɔ́nd, biɔ́nd] *prep.*, *ad.*, *n.*

① [장소를 나타내어] (…의) 저쪽[너머]에	전 **1** 부
② [정도를 나타내어] (…의) 범위를 넘어	전 **3**

— *prep.* **1** [장소] …의 저쪽[너머]에(서), …을 넘어서: ~ the bridge 다리 너머에 / ~ seas 해외에 **2** [시각] …을 지나서: ~ the usual hour 여느 때의 시각을 지나서 **3** [정도·한도] …의 범위를 넘어서; …이

between

OE의 'by two each'의 뜻에서 온 말이다. between은 보통은 두 사물[사람] 사이의 관계를 나타내는 경우에만 쓰이나, 세 사물[사람] 이상의 사이의 관계를 상호 개별적으로 나타낼 때에도 쓰인다.

‡**be·tween** [bitwíːn, bə-] *prep.*, *ad.*
— *prep.* **1** [장소·위치 등을 나타내어] 〈둘〉 **사이에**[**의**, **에서**] 《USAGE between은 보통 둘 사이에 쓰고, among은 셋 이상 사이에 씀; 따라서 둘을 뜻하는 복수형 또는 둘을 연결하는 and가 있는 목적어가 뒤따름》: the air service ~ London *and* New York 런던과 뉴욕 간 항공/~ the acts 막간마다/The ship sails ~ the two states. 그 배는 두 주 사이를 항해한다./We traveled ~ Seoul *and* Busan by railroad. 우리는 서울·부산 간을 철도편으로 여행했다. **2** [시간·기간 등을 나타내어] **…사이에**[**의**, **에서**]: ~ Monday *and* Friday 월요일과 금요일 사이에[의]/I'll meet you sometime ~ three *and* four o'clock. 3시에서 4시 사이의 어느 때고 만나 뵙겠습니다. ★ between three *to* four o'clock은 잘못. **3** [수량·정도·성질 등을 나타내어] **…의 중간에**[**의**], …의 양쪽 성질을 겸비한, …내지: a color ~ purple *and* violet 자주색과 보라색의 중간색/something ~ a chair *and* a sofa 의자도 되고 소파도 되는 것/The parcel weighs ~ eight *and* ten pounds. 그 소포는 8파운드에서 10파운드 사이의 무게가 나간다. **4** [구별·선택을 나타내어] **…사이**[**중**, **가운데**]**에서**, …중의 (어느) 하나를 《셋 이상의 경우에도 씀》: the difference ~ good *and* bad 선과 악(사이)의 차이/choose ~ life *and* death 생과 사 중의 어느 하나를 택하다 《between life *or* death는 잘못》/There is nothing[little] to choose ~ the two [three]. 양자[3자] 사이에는 차이가 전혀[거의] 없다. 《어슷비슷하다》 **5** [분배·공유·관계 등을 나타내어] **…사이에서**[**의**], (…끼리) 협력하여, 공동으로 ★ 3자 이상의 경우에도 그 사이에서의 양자 상호간의 관계를 나타낼 때에는 between을 씀: war ~ nations 국가간의 전쟁/a treaty ~ three powers 3국간의 조약/The three children saved fifty pounds ~ them. 그 세 아이들은 공동으로 50파운드를 저축했다./Let's split the profits ~ us. 그 이익을 우리끼리 나누자./The job was finished ~ the two. 그 일은 두 사람이 공동으로 완성했다./We'll keep this ~ ourselves. (= This will be a secret with you and me.) 이것은 우리끼리의 비밀이다. **6** [~ ... and ...으로 원인·이유를 나타내어] …이다 …이다 해서 《셋 이상의 경우에도 씀》: *B*~ astonishment *and* despair, she could not speak a word. 놀랍기도 하고 절망하기도 하여 그녀는 한 마디도 말을 못했다./My time is fully taken up ~ writing *and* lecturing. 저술이다 강의다 해서 나는 모든 시간을 빼앗기고 있다.

~ ourselves = ***~ you and me*** = ***~ you and me and the gatepost***[***bedpost***] 《구어》 우리끼리의 이야기이지만, 은밀하게 ★ between you and I도 있으나 me가 옳음. ⇨ *prep.* 5
come[***be, stand***] ***~*** ⇨ come¹
in ~ …의 중간에: There is a parking lot *in* ~ two buildings. 두 건물 사이에 주차장이 있다.
There is no love lost ~ them. ⇨ love
— [-ㄹ] *ad.* (양자) 사이에; 사이를 두고: I can see nothing ~. 그 사이에는 아무것도 보이는 것이 없다.
betwixt and ~ ⇨ betwixt
(***few and***) ***far ~*** 아주 드문, 극히 적은
go ~ ⇨ go
in ~ 중간에; 사이에 끼여[끼인]; 틈틈이, 짬짬이: He does gardening *in* ~. 그는 틈틈이 정원 가꾸기를 한다.

상으로; …보다 뛰어나서: ~ one's belief 믿을 수 없는/It's ~ me. 나로선 알 수 없는 일이다./He has gone far ~ me in learning. 학문에 있어서 그는 나보다 훨씬 뛰어나다. **4** [수량] …을 넘어서, …보다 이상으로: live ~ one's income 수입 이상의 생활을 하다 **5** [부정문·의문문에 쓰여] …이외는; …밖에는 (except): I know *nothing* ~ this. 이것 이외에는 아무 것도 모른다.
be ~ one's depth ⇨ depth. ***~ all praise*** 아무리 칭찬해도 이루 다할 수 없을 만큼 ***~ all question*** 문제될 것 없이, 물론 ***~ all things*** 무엇보다도 먼저 ***~ curbs*** 손을 쓸 수 없는, 억제할 수 없는 ***~ dispute*** 논의의 여지가 없는 ***~ doubt*** 물론 ***~ expression***[***words***] 형용할 수 없는 ***~ measure*** 굉장히 ***~ possibility*** 도저히 불가능하여 ***~ price*** ⇨ price. ***~ reason*** 이치에 맞지 않는 ***~ seas*** 해외에[로] ***~ oneself*** (1) 도를 지나쳐; (열중한 나머지) 자신을 잊고서 (2) 평소 이상의 힘을 내어 ***~ one's grasp*** ⇨ grasp. ***~ one's power*** 힘이 미치지 않는, 도저히 …할 수 없는 ***~ the grave***[***tomb***] 저승에 ***~ the mark*** 빗맞아서, 적중하지 않고 ***from ~ the sea*** 멀리 바다 저편으로부터
go ~ oneself 도가 지나치다, 제 분수를 넘다; 평시 이상의 힘을 내다, 여느 때보다 월등하다
— *ad.* (멀리) **저편에**; 그 이상으로; 그밖에(besides): the life ~ 저승
— *n.* 머나먼 저편; [the (great) ~] 저승, 내세; [종종 **B~**] 초경험적인 것
the back of ~ 머나먼 곳, 세상 끝
beyónd ríght 이원권(以遠權) 《민간 항공 협정을 맺은 상대국 도시에서 더 멀리 운항할 수 있는 권리》

Bey·routh [béiruːt, -ㄹ] *n.* = BEIRUT
be·zant [bézənt, bizǽnt] *n.* **1** 베잔트 금화[은화] 《비잔틴 제국에서 발행; 금화는 중세 유럽에서 널리 통용됨》 **2** (로마네스크 건축에서) 일렬의 구슬 모양 장식 **3** (문장(紋章)에서) 금빛의 작은 원
bez·el [bézəl] *n.* **1** (끌 등의) 날귀; (보석의) 사면(斜面) **2** (보석·시계 유리 끼우는) 홈 **3** (자동차의) 베즐
be·zique [bəzíːk] *n.* Ⓤ 베지크 《둘 또는 네 사람이 64장의 패를 가지고 하는 카드놀이》
be·zoar [bíːzɔːr] *n.* **1** 베조아르, 위석(胃石) 《소·양 등의 위나 장에 생기는 결석(結石)》 **2** 《폐어》 해독제 (antidote)
bf board foot; 〘인쇄〙 boldface **BF** Bachelor of Forestry; black female **B/F** brought forward 〘회계〙 앞면에서의 이월 **BFA** Bachelor of Fine Arts **BFBS** British and Foreign Bible Society **BFI** British Film Institute 영국 영화 협회
B́ film 〘영화〙 = B-MOVIE
B́ flát **1** 〘음악〙 내림 나음 **2** 《영·익살》 빈대
BFO beat-frequency oscillator 〘전자〙 맥놀이 주파수 발진기(發振器) **B4** 《전자 우편 등에서 사용》
BFT 〘의학〙 biofeedback training **bg** background; bag(s)
BG [*big grin*] *int.* 《컴퓨터속어》 하하 《전자 게시판에서 보통 〈BG〉라고 표기하여 〈웃음〉을 나타냄》
BG B-girl; Birmingham gauge; blood group; brigadier general **BGen** brigadier general
bGH 〘생화학·농업〙 bovine growth hormone
B-girl [bíːgə̀ːrl] [*bar girl*] *n.* 《미·속어》 바[술집]의 여급, 접대부

Bh 〚화학〛 bohrium **BH** base hospital; bill of health **BHA** butylated hydroxyanisole 〚화학〛 산화 방지제

Bha·ga·vad-Gi·ta [bʌ́gəvədgíːtɑː] [Skt. =song of the Blessed One] *n.* 〚힌두교〛 인도 2대 서사시의 하나인 Mahabharata의 일부

Bhag·wan [bʌgwɑ́ːn] *n.* 《인도》 **1** 하나님(God) **2** (힌두교의) 교사(guru); 신

Bhai [bái] *n.* 고위의 시크교도 이름 앞에 붙이는 경칭

bha·ji [bɑ́ːdʒi], **bha·jia** [-dʒiə] *n.* (*pl.* **bhajis, bhajia**) 바지, 바지야 《남아시아의 야채 튀김 요리》

bhak·ta [bʌ́ktə] *n.* 〚힌두교〛 bhakti의 실천자

bhak·ti [bʌ́kti] *n.* 〚힌두교〛 **1** 신애(信愛) 《신에 대한 헌신적 사랑》 **2** [**B~**] 박티 운동 《종교적 민중 운동》

B'ham. Birmingham

bhang [bǽŋ] *n.* Ⓤ **1** 〚식물〛 삼, 인도대마 **2** 대마초 《말린 것; 흡연용·약용》

bhan·gi [bʌ́ŋgi] *n.* 〚힌두교〛 방기 《불가촉 천민 계급의 사람》

bhan·gra [bǽŋgrə] *n.* 〚음악〛 뱅그라 《Punjab의 민속 음악과 팝 음악을 융합한 춤곡》

Bha·rat [bʌ́rʌt] *n.* 바라트 《India의 힌디(Hindi) 말 명칭》

Bha·ra·ta·na·tyam [bʌ̀rətənɑːtjəm] *n.* Ⓤ 바라트나트얌 《인도 남부의 전통 무용》

bha·van [bʌ́vən] *n.* 《인도》 공회당, 음악당

BHC benzene hexachloride 《살충제》 **bhd** beachhead; billhead; bulkhead

bhees·ty [bíːsti] *n.* 《인도의》 음료수 운반인

bhin·di [bíndi] *n.* 빈디 《인도 요리에 사용되는 오크라(okra)》

BHL Bachelor of Hebrew Letters[Literature]

BHN 〚야금〛 Brinell hardness number

bhong [bɔ́ːŋ, bɑ́ŋ | bɔ́ŋ] *n.* 《속어》 =BONG²

B horízon 〚지질〛 B층 《토양 층위(層位)의 하나; A층 바로 아래》

bhp bishop; brake horsepower **Bht** baht(s)

BHT butylated hydroxytoluene

Bhu·tan [buːtɑ́ːn] *n.* 부탄 《인도 북동부 히말라야 산맥 속의 작은 왕국; 수도 Thimbu》

Bhu·tan·ese [bùːtəníːz, -níːs] *a.* 부탄(사람, 말)의 —*n.* (*pl.* ~) **1** 부탄 사람 **2** Ⓤ 부탄 말

bi [bái] *a.*, *n.* (*pl.* **bis, bi's**) 《속어》 =BISEXUAL

Bi 〚화학〛 bismuth

bi-¹ [bai] *pref.* 「둘, 쌍, 복(複), 중(重)」의 뜻: *bi*plane, *bi*cycle, *bi*ped

bi-² 《연결형》 =BIO-

Bi·a·fra [biɑ́ːfrə] *n.* 비아프라 《Nigeria의 동부 지방; 1967년에 독립을 선언했으나 실패》 **Bi·á·fran** *a.*, *n.*

bi·a·ly [biɑ́ːli, bjɑ́ː-] *n.* (*pl.* **~s**) 비알리 《가운데가 우묵한 둥글납작한 빵》

bi-amp·ing [baiǽmpiŋ] *n.* (주파역(周波域)을 갈라) 두 개의 앰프를 사용하기

bi·an·gu·lar [baiǽŋgjulər] *a.* 2각(角)의

bi·an·nu·al [baiǽnjuəl] *a.* **1** 1년에 두 번의, 반년마다의 **2** 2년에 한 번의, 격년의(biennial) **~·ly** *ad.* 반년마다

*__bi·as__ [báiəs] [OF 「비스듬한」의 뜻에서] *n.* **1** 선입견 《*to, toward*》, 편견 《*for, against*》; (마음의) 경향, 성향(⇨ prejudice 유의어): a religious[political] ~ 종교적[정치적] 성향 / evaluate students without ~ 편견 없이 학생들을 평가한다. **2** 〚복식〛 (직물의 결에 대한) 사선(斜線), 바이어스 **3** 〚통계〛 치우침 **4** 〚볼링〛 (공의) 치우침, 사행(斜行) **5** 〚전기〛 바이어스, 편의(偏倚) ***cut on the ~*** 비스듬히 자르다 ***have*** [***be under***] ***a ~ toward***(***s***) …의 경향이 있다, …에 기울어져[치우쳐] 있다 ***without ~ and without favor*** 공평무사하게

—*a.* 엇갈린, 비스듬한; 〚전기〛 편의의

—*ad.* 비스듬히, 대각선을 따라

—*vt.* (**~ed**; **~·ing** | **~sed**; **~·sing**) 한쪽으로 치우치게 하다, 휘게 하다; …에게 편견을 품게 하다, 〈판단 등을〉 편벽되게 하다

bí·as-bèlt·ed tíre [báiəsbèltid-] =BELTED-BIAS TIRE

bías bìnding =BIAS TAPE

bias-cut [báiəskʌ̀t] *a.* 〚복식〛 (천이나 옷이) 바이어스[사선] 재단의

bi·ased | **bi·assed** [báiəst] *a.* 치우친, 편견을 지닌, 편향된(opp. *unbiased*): a ~ view 편견 / be ~ against[in favor of] a person …에게 편견[호감]을 가지고 있다

bí·as-plỳ tíre [báiəsplài-], **bías tìre** 바이어스 (플라이) 타이어 《접지면의 중심선에 비스듬한 섬유층으로 강화한 타이어》

bías tàpe 〚복식〛 바이어스 테이프 《폭 2cm로 비스듬히 오린 테이프 천; 스커트 단 등에 쓰임》

bi·ath·lete [baiǽθliːt] *n.* biathlon 선수

bi·ath·lon [baiǽθlɑn | -lɔn] *n.* Ⓤ 〚스포츠〛 바이애슬론 《스키의 장거리 레이스에 사격을 겸한 복합 경기》

bi·ax·i·al [baiǽksiəl] *a.* 〚물리〛 2축(軸)의; (결정(結晶)의) 2축성의, 쌍축의 **~·ly** *ad.*

bib [bíb] [L 「마시다」의 뜻에서] *n.* **1** 턱받이; (앞치마 등의) 가슴 부분; 〚펜싱〛 목 보호구 **2** =BIBCOCK **3** 〚어류〛 대구의 일종(pout) **4** (경기자의 가슴·등에 다는) 등번호 ***~s and bobs*** =BITS and pieces. ***put*** [***stick***] one***'s ~ in*** 《호주·구어》 간섭하다

Bib. Bible; Biblical

bíb and bráce 바지에 가슴받이와 멜빵이 달린 작업복(overalls)

bíb and túcker 《구어》 의상(clothes) ***in*** one***'s best ~*** 《구어》 나들이옷을 입고

bi·ba·sic [baibéisik] *a.* 〚화학〛 2염기성의

bibb [bíb] *n.* **1** 〚선박〛 비브 《돛대의 주기둥을 받치는 가로대》 **2** =BIBCOCK

bib·ber [bíbər] *n.* 술꾼, 모주꾼

Bíbb lèttuce 〚식물〛 비브 레티스 《양상추의 변종》

bib·cock [bíbkɑ̀k | -kɔ̀k], **bíbb còck** *n.* (아래로 굽은) 수도꼭지(cf. STOPCOCK)

bi·be·lot [bíblou] [F] *n.* (*pl.* **~s** [-z]) (장식용) 소형 골동품; (특별 장정의) 아주 작은 책

bi·bi·va·lent [bàibaivéilənt] *a.* 〚화학〛 쌍이가(雙二價)의 《2가의 양·음 이온으로 해리(解離)하는 전해질에 대하여 말함》

bibl., Bibl. biblical; bibliographical

*****Bi·ble** [báibl] [그리스가 파피루스를 수입한 페니키아의 항구 도시 이름에서] *n.* **1** [the ~] (그리스도교의) 성서, 성경 《the Old Testament 및 the New Testament; 유대교에서는 구약만을 가리킴; cf. SCRIPTURE 1》: kiss *the* ~ 성서에 키스하고 맹세하다 / swallow[eat] *the* ~ 《미·속어》 속이다, 위증하다 **2** [종종 **b~**] 《일반적으로》 성전(聖典) **3** [a ~] 성경 한 권[한 판(版)] **4** [**b~**] 권위 있는 서적; 필독서: a ~ in geometry 기하학의 바이블 **5** [**b~**] **a** (배의) 갑판 연마석(石) **b** 〚동물〛 =OMASUM ***live*** one***'s ~*** 성서의 가르침을 실행하다 ***on the ~*** 성서에 맹세하여, 굳게 ***swear*** (***to***) ***on a stack of ~*** 《미·속어》 굳게 맹세하다, 단언하다

Bi·ble-bash·er [báiblbæ̀ʃər], **-bang·er** [-bæ̀ŋər] *n.* 《속어》 =BIBLE-THUMPER

Bíble Bèlt [the ~] 성서 지대 《미국 남부·중서부의 근본주의(fundamentalism)의 신자가 많은 지방》

Bíble Chrístians [the ~] 성서주의파 《영국 감리교의 일파》

Bíble clàss (주일 학교 등의) 성경 연구회

Bíble clèrk (Oxford 대학 예배당의) 성서를 낭독하는 학생

Bíble òath (성경을 두고 하는) 엄숙한 맹세

Bíble pàper =INDIA PAPER

Bible-pound·er [-pàundər] *n.* 《속어》 =BIBLE-THUMPER

Bi·ble-pound·ing [-pàundiŋ] *a.* 《속어》 =

BIBLE-PUNCHING
Bible-punch·er [-pʌntʃər] *n.* (속어) =BIBLE-THUMPER
Bi·ble-punch·ing [-pʌntʃiŋ] *a.* (속어) =BIBLE-THUMPING
Bíble rèader ((영)) 성서 낭독자 ((고용되어 집집마다 순회함))
Bíble schòol 성서 (연구) 학교 ((성서[종교] 교육을 목적으로 하는 주일 학교 등))
Bíble Society [the ~] (성서 보급을 목적으로 하는) 성서 공회[협회]
Bi·ble-thump·er [-θʌmpər] *n.* (속어) 열광적인 복음 전도자
Bi·ble-thump·ing [-θʌmpiŋ] *a.* (속어) 열광적으로 전도하는 —*n.* 열광적으로 전도하는 행위
bib·li·cal [bíblikəl] *a.* [종종 **B~**] 성서의, 〈구절 등이〉 성서에서 나온, 성서와 관련된 **~·ly** *ad.*
BibHeb Biblical Hebrew
Bíblical Látin 성서 라틴 말 ((성서의 번역에 사용된 것으로 서구에서는 중세 초기에 통용됨))
bib·li·cism [bíbləsìzm] *n.* [종종 **B~**] 성서(엄수)주의
bib·li·cist [bíbləsist] *n.* [종종 **B~**] Ⓤ 성서 (엄수) 주의자; 성서학자 **bib·li·císt·ic** *a.*
biblio- [bíbliou, -liə] ((연결형)) 「서적; 성서」의 뜻
bib·li·o·film [bíbliəfìlm] *n.* 도서 복사 필름(cf. MICROFILM)
bibliog. bibliographer; bibliographic(al); bibliography
bib·li·o·graph [bíbliəgræ̀f, -grɑ̀:f | -grɑ̀:f, -græ̀f] *vt.* 〈책에〉 서지(書誌)를 달다; …의 서지를 작성하다
bib·li·og·ra·pher [bìbliɑ́grəfər | -ɔ́grə-] *n.* 서적 해제자(解題者), 서지학자; 도서 목록 편찬자
bib·li·o·graph·ic, -i·cal [bìbliəgrǽfik(əl)] *a.* 서지(학)의, 서적 해제의; 도서 목록의 **-i·cal·ly** *ad.*
bibliográphic séarch 〖컴퓨터〗 문헌 검색
bibliográphic térms 〖컴퓨터〗 문헌 사항
bibliográphic utílity 〖도서관〗 서지(書誌) 정보 제공 기관
bib·li·og·ra·phy [bìbliɑ́grəfi | -ɔ́grə-] *n.* (*pl.* **-phies**) **1** Ⓤ 서지학, 문헌학 **2** 관계 서적 목록; 저서 목록, 출판[참고 도서] 목록: a Tennyson ~ 테니슨의 저작 목록
bib·li·o·klept [bíbliəklèpt] *n.* 책 도둑
bib·li·o·klep·to·ma·ni·a [bìbliəklèptəméiniə] *n.* Ⓤ 도서벽(盜書癖)
bib·li·ol·a·ter [bìbliɑ́lətər | -ɔ́lə-] *n.* 서적 숭배자; ((특히)) 성서 숭배자, 성서 광신자
bib·li·ol·a·trous [bìbliɑ́lətrəs | -ɔ́lə-] *a.* 서적 숭배의; ((특히)) 성서 숭배의
bib·li·ol·a·try [bìbliɑ́lətri | -ɔ́lə-] *n.* Ⓤ 서적 숭배; ((특히)) 성서 숭배, 성서 광신
bib·li·ol·o·gy [bìbliɑ́lədʒi | -ɔ́lə-] *n.* (*pl.* **-gies**) ⓊⒸ 서적학; 서지학, 도서학; [**B~**] 성서학
bib·li·o·man·cy [bíblioumæ̀nsi] *n.* Ⓤ 서적점(占), 성서점 ((책[성서]를 펼쳐서 나오는 곳의 문구로 점을 침))
bib·li·o·ma·ni·a [bìblioumeíniə, -njə] *n.* Ⓤ 장서벽, 서적광 **bib·li·o·má·ni·ac** *n.*, *a.* 장서광(의) **-ma·ní·acal** [-mənáiəkəl] *a.*
bib·li·o·met·rics [bìbliəmétriks] *n.* Ⓤ 출판물의 통계적 분석 **bib·li·o·mét·ric** *a.*
bib·li·op·e·gy [bìbliɑ́pədʒi | -ɔ́pə-] *n.* Ⓤ 제본술 **-gist** *n.* 제본업자
bib·li·o·phage [bíbliəfèidʒ] *n.* 독서광, 책벌레
bib·li·o·phile [bíbliəfàil, -fìl] *n.* 애서가, 장서 도락가, 진서(珍書) 수집가
bib·li·oph·i·lism [bìbliɑ́fəlìzm | -ɔ́fə-] *n.* Ⓤ 장서벽[취미] **-list** *n.* =BIBLIOPHILE
bib·li·oph·i·lis·tic [bìbliɑfəlístik | -ɔf-] *a.* 애서가의, 서적 애호[수집]가의
bib·li·o·phobe [bíbliəfòub] *n.* 서적 혐오자[기피자]
bib·li·o·pole [bíbliəpòul] *n.* 서적상; ((특히)) 진서(珍書)·고서 서적상[서점] **bib·li·o·pól·ic** *a.*
bib·li·op·o·ly [bìbliɑ́pəli | -ɔ́pə-] *n.* Ⓤ 진서 매매 **-list** *n.* =BIBLIOPOLE
bib·li·o·the·ca [bìbliəθí:kə] *n.* (*pl.* **~s, -cae** [-ki:]) **1** 장서, (개인의) 문고(文庫) **2** 서점의 (재고) 목록 **-thé·cal** *a.* **-thé·car·y** *n.* 도서관원, 사서
bib·li·o·ther·a·peu·tic [bìbliəθèrəpjú:tik] *a.* 독서 요법의
bib·li·o·ther·a·py [bìbliəθérəpi] *n.* Ⓤ 〖정신의학〗 독서 요법 **-thér·a·pist** *n.*
bib·li·ot·ics [bìbliɑ́tiks | -ɔ́ti-] *n. pl.* [단수 취급] 필적 감정학 **-ót·ic** *a.* **bíb·li·o·tist** *n.*
Bib·list [bíblist, báib-] *n.* **1** 성서 지상주의자 **2** =BIBLICIST
bíb òveralls ((미)) 오버올 작업복
bib·u·lous [bíbjuləs] *a.* **1** 술을 좋아하는 **2** 물을 빨아들이는, 흡수성의 **~·ly** *ad.* **~·ness** *n.*
bi·cam·er·al [baikǽmərəl] *a.* **1** 〖정치〗 상하 양원제의(cf. UNICAMERAL): the ~ legislature 양원제 의회 **2** 〖생물〗 〈기관 등이〉 2실로 된 **~·ist** *n.* **~·ìsm** *n.*
bi·carb [baikɑ́:rb] *n.* Ⓤ (구어) =BICARBONATE 2
bi·car·bo·nate [baikɑ́:rbənət, -nèit] *n.* Ⓤ 〖화학〗 **1** 중탄산염: ~ of soda 중탄산소다 **2** 중탄산소다, 중조(重曹)
bice [báis] *n.* Ⓤ 남청색의 물감[안료]
bi·cen·te·nar·y [bàisenténəri, baiséntənèri | bàisentí:nəri] *a.*, *n.* =BICENTENNIAL
bi·cen·ten·ni·al [bàisenténiəl] *a.* 200년간 계속되는, 200년마다의 —*n.* 200년 기념제[일]
bi·cen·tric [baiséntrik] *a.* 〖생물〗 〈분류 단위가〉 이기원성(二起源性)의; (동식물의) 분포 중심지가 두 곳인
bi·ceph·a·lous [baiséfələs] *a.* 〖생물〗 쌍두(雙頭)의
bi·ceps [báiseps] *n.* (*pl.* **~, ~·es**) **1** 〖해부〗 이두근(二頭筋); 알통: ~ of the arm 이두박근(二頭膊筋) **2** Ⓤ (구어) (팔의) 근력
bíceps brá·chi·i [-bréikiài, -kiì:] 〖해부〗 상완이두근(上腕二頭筋)
bíceps fé·mo·ris [-fémərəs] 〖해부〗 대퇴이두근
bi·chlo·ride [baiklɔ́:raid, -rid | -raid] *n.* Ⓤ 〖화학〗 **1** 2염화물(dichloride) **2** 염화 제2수은, 승홍
bichlóride of mércury =MERCURIC CHLORIDE
bi·chon frise [bí:ʃɔ:ŋ-frizéi] [F] 비숑 프리제 ((흰 곱슬털의 소형 애완견))
bi·chro·mate [baikróumeit] *n.* Ⓤ 〖화학〗 중(重)크롬산염[칼륨]
bi·chrome [báikròum] *a.* 2색(色)의(bicolor)
bi·cip·i·tal [baisípitl] *a.* **1** 쌍두(雙頭)의 **2** 〖해부〗 이두근의 **3** 〖식물〗 한쪽 끝이 두 개로 나누어진
bick·er [bíkər] *vi.* **1** (사소한 일로) 말다툼하다(quarrel) **2** 졸졸거리다(babble); 후두두 떨어지다(patter) **3** 〈빛이〉 번쩍이다, 〈등불 등이〉 깜박이다(flicker) —*n.* **1** 말다툼 **2** 번쩍임, 깜박임 **3** 졸졸 (흐르는 소리); 후두두 (떨어지는 소리) **~·er** *n.*
bick·y [bíki] *n.* (*pl.* **-ies**) **1** 비스킷 **2** [*pl.*] (호주·속어) 돈: big *bickies* 거금
bi·coast·al [baikóustl] *a.* (미국의) 동서 양해안의[에 있는]
bi·col·or | -our [báikʌ̀lər] *a.*, *n.* 이색(二色)의(것), 두 가지 빛깔의 (것) **~·ed** *a.*
bi·com·mu·nal [bàikəmjú:nl, baikɑ́mjunl | baikɔ́mjunl] *a.* 두 집단으로 이루어진
bi·con·cave [baikɑ́nkeiv, ⌐⌐ | baikɔ́nkeiv, ⌐⌐] *a.* 양면이 오목한: a ~ lens 양면 오목 렌즈 **bì·con·cáv·i·ty** *n.*
bi·con·di·tion·al [bàikəndíʃənl] *a.* 〖논리〗 상호 조건적인

thesaurus **bid** *v.* **1** 명령하다 command, order, instruct, ask, demand, direct **2** 〈인사 등을〉 말하다

bi·cone [báikòun] *n.* 두 원뿔을 합친 모양(의 것)
bi·con·i·cal [baikánikəl | -kɔ́-] *a.*
bi·con·vex [baikánveks, ⌐⌐ | baikɔ́nveks, ⌐⌐] *a.* 양면이 볼록한(convexo-convex): a ~ lens 양면 볼록 렌즈 **bi·con·véx·i·ty** *n.*
bi·corn [báikɔːrn] *a.* = BICORNUATE
bi·corne [báikɔːrn] *n.* 2각모 《테의 양쪽이 위로 휜 모자; 뒤로 젖혀 쓰거나 한쪽을 비뚜름히 씀》
bi·cor·nu·ate [baikɔ́ːrnueit | -njuit], **bi·cor·nate** [baikɔ́ːrnit | -neit] *a.* 〖동물·식물〗 두 개의 뿔을 가진, 쌍각의; 초승달 비슷한
bi·cor·po·ral [baikɔ́ːrpərəl] *a.* 두 몸체를 가진, 양체(兩體)의
bi·cron [báikrɑn, bí- | báikrɔn] *n.* 〖물리〗 비크론 《1m의 10억분의 1》
bi·cul·tur·al [baikʌ́ltʃərəl] *a.* 두 문화 (병용)의; 두 문화 속에서 자란
bi·cul·tur·al·ism [baikʌ́ltʃərəlìzm] *n.* Ⓤ (동일 국가·지역 내의) 두 문화 공존
bi·cus·pid [baikʌ́spid] *a.* 〖해부〗 〈치아·심장 등이〉 두 첨두(尖頭)의; 〈심장이〉 이첨판(二尖瓣)인
— *n.* 쌍두치(雙頭齒), 앞어금니
bi·cus·pi·date [baikʌ́spədèit] *a.* = BICUSPID
bicúspid vàlve 〖해부〗 (심장의) 이첨판(二尖瓣)
‡**bi·cy·cle** [báisikl, -sìkl, -sàikl | -sikl] [bi(두 개의)+cycle(바퀴)에서] *n.* **1** **자전거**(cycle, 《구어》 bike) 《★ 일반적으로 cycle, bike를 선호함; 모터 달린 자전거(motorbike)도 포함됨》: go by ~ =go on a ~ 자전거로 가다 / ride (on)[get on, mount] a ~ 자전거를 타다 / get off[dismount (from)] a ~ 자전거에서 내리다 관련 monocycle(일륜차), motorcycle(오토바이), scooter(스쿠터), tandem(2인승 자전거), tricycle (세발자전거)
2 〖카드〗 바이시클 《로우볼(lowball)에서 최강의 수》
get on one***'s*** **~** 《미·속어》 (권투에서) 상대의 연타를 필사적으로 피하다
— *vi.* (**-cled**; **-cling**) 자전거를 타다, 자전거를 타고 가다 ★ 동사로서는 cycle 쪽이 일반적임.
-cler *n.* = BICYCLIST
bícycle chàin 자전거 체인
bícycle clìp (자전거 탈 때) 바지 자락을 고정시키는 집게
bícycle kìck 바이시클 킥 **1** 〖축구〗 오버 헤드 킥 **2** 누워 공중에서 자전거를 타듯이 두 다리를 움직이는 체조
bícycle làne 자전거 전용 도로(《미》 bike [《영》 cycle] lane)
bícycle mòtocross 자전거 모터크로스 《자전거의 크로스 컨트리 경주; 略 BMX》
bícycle pàth 자전거 전용 도로
bícycle pùmp 자전거 공기 주입기
bícycle ràce[**ràcing**] 자전거 경주
bícycle rìcksha 자전거가 끄는 인력거
bícycle shèd (학교 등의) 자전거 보관 창고
bi·cy·clic [baisáiklik, -sí-] *a.* **1** 두 원으로 된 **2** 〖식물〗 두 윤생체(輪生體)를 이룬; 〖화학〗 〈화합물이〉 두 고리식의 **3** 자전거의
bi·cy·clist [báisiklist, -sì, -sài- | -si-] *n.* 자전거 타는 사람
‡**bid** [bíd] *v.* (**bade** [bǽd, béid], 《고어》 **bad** [bǽd], **~**; **bid·den** [bídn], **~**; **~·ding**) *vt.* **1** 《문어》 **명령하다**, 분부를 내리다: (~+목+*do*) I *bade* him *go.* 그에게 가라고 명령했다. / Do as you are *bidden*[*bid*]. 시키는 대로 해라. **2** 《문어》 〈인사 등을〉 말하다: (~+목+목) ~ a person good-bye …에게 작별을 고하다 // (~+목+전+명) ~ farewell[welcome] *to* one's friends 친구들에게 작별[환영]의 인사를 하다 **3** [과거·과거분사는 **bid**] 〈값을〉 **매기다**, (경매에서) 〈값을〉 (올려) 부르다: (~+목+전+명) He ~ fifty dollars *for* the table. 그는 그 테이블에 50달러를 불렀다. **4** 〖카드〗 으뜸패로 선언하다: ~ one heart 원 하트를 선언하다 **5** 《미·구어》 〈사람을〉 (…에) 초대하다 《*to*》 **6** 《미·구어》 〈조직 등이〉 …에게 입회를 권유하다
— *vi.* **1** 값을 매기다, 입찰하다 《*for, on*》: (~+전+명) ~ *for*[*on*] (the construction of) the school 학교 건축 공사에 입찰하다 **2** (지지·권력 등을) 얻으려 노력하다 《*for*》
~ *against* a person …와 맞서서 입찰하다 **~ *and asked*** 시세에 따라 부르는 값의, 사려고 부르는 값과 팔려고 부르는 값의 **~ *defiance to* ...** ⇨ defiance. **~ *fair to*** succeed (성공할) 가망이 많다, (성공할) 것 같다 **~ *in*** (경매에서) 〈원소유자가〉 자기에게 낙찰되도록 하다 **~ *off*** 〖상업〗 (경매에서) (1) 〈소유주 이외의 사람이〉 …을 경락하다 (2) …을 처분하다 **~ *up*** (경매에서) 값을 올려 부르다
— *n.* **1** **입찰**, 입찰 가격, 입찰의 기회[차례]: call for ~*s for* …의 입찰을 실시하다 / place the highest ~ 가장 높은 입찰 가격을 부르다 **2** 〖카드〗 으뜸패·끗수의 선언; 선언하는 차례: a two-spade ~ 투스페이드의 선언 **3** 《미·구어》 초대, (입회 등의) 권유 **4** 시도, 노력 《*for, to* do》 **5** 〖증권〗 매수 호가(= ~ price)
in a ~ to do …하려고 하여, …할 목적으로 ***make a ~ for*** …에 입찰하다; 〈인기 등〉을 얻으려고 노력하다
bid 〖처방〗 *bis in die* 《L = twice a day》; 《미·경찰속어》 *b*rought *i*n *d*ead **BID** Bachelor of Industrial[Interior] Design
bid·da·ble [bídəbl] *a.* 유순한(obedient); 〖카드〗 끗수가 겨룰 만한; 〈물건을〉 낙찰할 수 있는
-bly *ad.* **bìd·da·bíl·i·ty** *n.*
***bid·den** [bídn] *v.* BID의 과거분사
bid·der [bídər] *n.* **1** (경매에서) 값을 붙이는 사람, 입찰자: the highest[best] ~ 최고 입찰자; 자기를 가장 높이 평가해 주는 사람 **2** 명령자; 초대자
bid·ding** [bídiŋ] *n.* Ⓤ **1** **입찰** (기간), 값을 부름 (bids): competitive ~ 경쟁 입찰 / The ~ was brisk. 입찰은 활발했다. **2** **명령**, 호출; 초대; 권유 **3** 〖카드〗 비드하기 ***at the ~ of …의 분부[뜻]대로 ***do***[***follow***] a person***'s ~*** …의 분부대로 하다
bídding pràyer 《영》 설교 전의 기도
bídding wàr 입찰 경쟁
bid·dy [bídi] *n.* (*pl.* **-dies**) **1** 암탉(hen); 병아리 **2** 《속어》 여자; 《특히》 말 많은 노파 **3** [종종 **B~**] 《구어》 여자 하인 **4** 《미·속어》 여자 아이, 딸(girl)
bide [báid] *v.* (**bid·ed, bode** [bóud]; **bid·ed,** 《고어》 **bid** [bíd]) *vt.* **1** = ABIDE **2** 〈호기를〉 기다리다: ~ one's time 시기[때]를 기다리다 **3** [보통 부정문에서] 《고어》 …에 견디다
— *vi.* 살다; 머무르다; 기다리다; (어떤 상태가) 계속되다 **~ *by*** 《고어》 (규칙·약속 등을) 지키다
bi·den·tate [baidénteit] *a.* **1** 〖생물〗 이[치아]가 둘 있는 **2** 〖화학〗 이좌배위자(二坐配位子)의
bi·det [biːdéi, bidét | bíːdei] [F 「조랑말」의 뜻에서] *n.* **1** 비데 《항문·국부 세척기》 **2** 승마용 조랑말
bi·di·a·lec·tal [bàidaiəléktl] *a., n.* 〖언어〗 두 방언을 사용하는 (사람)
bi·di·rec·tion·al [bàidirékʃənl, -dai-] *a.* 〈안테나 등이〉 양지향성(兩指向性)의; 〖전자·컴퓨터〗 양방향(성)의 **~·ly** *ad.*
bi·don·ville [biːdɔːnvíːl] [F] *n.* (도시 교외의) 날림 집[판잣집] 동네
bíd prìce 입찰 가격; 〖증권〗 사는 쪽의 호가(呼價)
bíd rìgging 담합(談合) 입찰
BIE Bachelor of Industrial Engineering
Bie·der·mei·er [bíːdərmàiər] [G] *a.* **1** 비더마이어 양식의 《19세기 중엽의 간소하고 실용적인 가구의 양식》 **2** 《경멸》 인습적인, 판에 박힌, 독창성이 없는
bield [bíːld] 《스코》 *n.* 피난소; 보호, 비호
— *vt.* 보호하다, 은닉하다
bi·en·na·le [biennáːlei] [It.] *n.* **1** 격년 행사 **2**

---

wish, greet, tell, call, say **3** 값을 매기다 offer, propose, submit, tender, proffer, put forward

[the B~] 비엔날레 《짝수 해에 로마에서 개최되는 현대 회화·조각의 전람회》
bi·en·ni·al [baiéniəl] *a.* **1** Ⓐ 2년에 한 번의, 2년마다의(cf. BIANNUAL) **2** 2년간 계속하는 **3** 〖식물〗 2년생의 **—***n.* **1** 2년마다 일어나는 일, 2년마다의 행사[시험, 전람회] **2** 〖식물〗 2년생 식물(cf. ANNUAL, PERENNIAL) **~·ly** *ad.*
bi·en·ni·um [baiéniəm] [L] *n.* (*pl.* **~s, -ni·a** [-niə]) 2년간
bien·ve·nue [bjæ̃ŋvənjú: | -njú:] [F] *a.* 환영받는 (welcome) **—***n.* 환영
bien vu [bjæŋ-vjú:] [F] *a.* 좋게 생각되는, 높이 평가되는
bier [bíər] *n.* 관대(棺臺), 관가(棺架); (고어) 운반 용구, 들것
bier·kel·ler [bíərkèlər] [G = beer cellar] *n.* (영) (독일식으로 장식한) 맥주홀
biest·ings [bí:stiŋz] *n. pl.* [단수 취급] = BEASTINGS
bi·face [báifèis] *n.* 〖고고학〗 양면 석기(石器)
bi·fa·cial [baiféiʃəl] *a.* **1** 두 면이 있는 **2** 〖고고학〗 〈부싯돌 등이〉 양면 가공인 **3** 〖식물〗 〈잎 등이〉 서로 다른 양면이 있는 **~·ly** *ad.*
bi·far·i·ous [baifέəriəs] *a.* **1** 이중의, 2열의 **2** 〖식물〗 2종렬(縱列)의
biff [bíf] (속어) *n.* 타격, 강타; 그 소리 《철썩, 팍, 쾅》 **—***vt.* 세게 치다, 강타하다
bif·fin [bífin] *n.* (검붉은 빛의) 요리용 사과 《영국 Norfolk산(産)》; (영) (케이크 등에 넣는) 구운 사과
bif·fy [bífi] *n.* (미·구어) 세면대; 화장실, 변소
bi·fid [báifid] *a.* 〖식물〗 2열(裂)의; 두 갈래 진
bi·fid·i·ty [baifídəti] *n.* **bi·fid·ly** [báifidli] *ad.*
bi·fi·lar [baifáilər] *a.* **1** 두 가닥의 실[선]의 **2** 〖전기〗 〈저항기 등이〉 두 가닥으로 감긴 **~·ly** *ad.*
bi·flag·el·late [baiflǽdʒəlèit, -lət] *a.* 〖동물〗 쌍편모의
bi·flex [báifleks] *a.* 두 군데에서 구부러진
bi·flo·rate [baiflɔ́:reit] *a.* 두 꽃을 가지는
bi·fo·cal [baifóukəl, ⌐⌐‒ | baifóukəl] *a.* **1** 〈렌즈가〉 (원시·근시) 이중 초점의: ~ glasses 이중 초점 안경 **2** 〈관점 등이〉 이면적인
—*n.* **1** 이중 초점 렌즈 **2** [*pl.*] 이중 초점 안경
bi·fold [báifòuld] *a.* 둘로 접게 된, 두 겹의
bi·fo·li·ate [baifóuliət, -lièit] *a.* 〖식물〗 쌍엽의
bi·fo·li·o·late [baifóuliəlèit, -lət] *a.* 〖식물〗 〈복엽이〉 두 소엽(leaflet)을 가진
bi·forked [báifɔ̀:rkt] *a.* 두 갈래 진
bi·form [báifɔ̀:rm] *a.* 두 모양[성질]을 가진
bi·for·mi·ty [baifɔ́:rməti] *n.*
Bif·rost [bí:vrɑst | -rɔst] *n.* 〖북유럽신화〗 하늘과 땅에 걸친 신들의 무지개 다리
bi·fu·el [baifjú:əl] *a.* 2중 연료의
bi·func·tion·al [baifʌ́ŋkʃənl] *a.* 두 기능[작용]의, 두 기능을 가진
bi·fur·cate [báifərkèit, baifə́:rkeit | báifəkèit] *vt., vi.* 두 갈래로 가르다[갈라지다] **—** [báifərkèit, -kət | baifə́:keit, -kət] *a.* 두 갈래 진 **~·ly** *ad.*
bi·fur·cat·ed [báifərkèitid] *a.* = BIFURCATE
bi·fur·ca·tion [bàifərkéiʃən] *n.* **1** Ⓤ 분기(分岐) **2** 분기점; (갈라진) 한 가지
‡**big** [bíg] *a.* (**~·ger**; **~·gest**) **1** 큰(opp. *little*); 대규모의: a ~ man (덩치) 큰 남자 / a ~ box 커다란 상자 / a ~ voice 큰 목소리 / a ~ fire 대화재 / a ~ increase in crime 범죄의 큰 증가

> 유의어 「큰」의 뜻을 나타내는 **big, large, great**는 거의 같은 뜻인데, **big** 쪽이 구어적이다. **large**는 수량에 쓰고, **great**는 「당당한, 훌륭한」의 감정이 내포된 말이다.

2 (구어) 〈사람이〉 **훌륭한**, 중요한: a ~ man in industry 산업계의 거물 **3** (구어) 〈일이〉 **중대한**, 중요한: a ~ decision 중대한 결정 / a ~ event 중대한 사건 / a ~ problem 중대한 문제 / a ~ announcement 중대 발표 **4** Ⓐ (구어) (정도가) 대단한, 현저한: a ~ eater 대식가 **5** 〈회사 등이〉 대기업인, 대규모인 **6** 〈아이가〉 **성장한**, 자란; 분별있는: You are a ~ boy. 너도 다 컸구나. **7** Ⓐ (구어) **연상의**: one's ~ brother 형(님) **8** Ⓟ (구어) 인기 있는, 유명한 **9** (구어) 관대한, 마음이 너그러운: have a ~ heart 마음이 너그럽다 **10** (구어) 〈사람이〉 거만한(arrogant); 〈말 등이〉 과장된: ~ words 호언장담 **11** 〈목소리가〉 큰 **12** 열광한, 몹시 좋아하는 **13** 〈의복이〉 낙낙한 **14** 〈와인이〉 감칠맛 있는, 알코올 도수가 높은 **15** Ⓟ (…으로) 가득 찬 《*with*》: be ~ *with* events 행사가 꽉 밀려 있나 **16** Ⓟ (문어) 임신한, 출산일이 가까운 《*with*》 ★ 지금은 pregnant를 씀. **17** [특히 최상급을 사용해] 악명 높은 **18** (구어) **a** 아주 힘센(strong) **b** 〈바람·지진·홍수 등이〉 심한, 강대한, 격심한
(***as***) ***~ as life*** (1) 실물 크기의 (2) 몸소 (3) 실제로, 틀림없이 ***~ as you please*** = as BIG as life. ***~ of*** 관대한 ***~ on*** (미·구어) 아주 좋아하는, 사족을 못 쓰는; 열심인 ***get*** [***grow***] ***too ~ for*** one***'s boots*** [***breeches, pants, shoes, trousers***] 뽐내다, 자만하다 ***in a ~ way*** (구어) 열광적으로, 거창하게 ***in the ~ time*** 요직에 있는, 일류의 ***What's the ~ idea?*** (구어) 어쩔 작정이냐?
—*ad.* **1** (구어) 잘난 체하여, 뽐내어: look ~ 잘난 체하다 / talk ~ 호언장담하다, 허풍 치다 / think ~ 큰 일을 생각하다 **2** (구어) 잔뜩, 많이 〈먹다〉 **3** (구어) 잘, 성공적으로: go over ~ 잘 되어가다
make it ~ (속어) (선택한 길에서) 성공하다
—*n.* **1** [the ~s] (구어) 〖야구〗 메이저 리그 **2** (구어) 중요 인물, 거물; 대기업: Mr. *B*~ 거물 **3** [**B~**] (학생속어) 형, 누나
—*vt.* (문어) 임신시키다
~ up (영·구어) 격려[고무]하다, 칭찬해 주다
~·ness *n.* 크기, 치수
bíg áir 공중 곡예 스노보딩(snowboarding)
big·a·lop·o·lis [bìgəlɑ́pəlis] *n.* 거대 도시 《보통 megalopolis 또는 megapolis라 함》
big·a·mist [bígəmist] *n.* 중혼자 **bìg·a·míst·ic** *a.*
big·a·mous [bígəməs] *a.* 중혼(重婚)(죄)의 **~·ly** *ad.*
big·a·my [bígəmi] *n.* Ⓤ 〖법〗 중혼(죄)
Bíg Ápple [the ~] **1** (미·속어) New York 시 **2** [**b- a-**] 대도시 **3** [**b- a-**] 빅 애플 (댄스) 《1930년대 후반에 유행한 지르박의 일종》
bi·ga·rade [bìgəréid] *n.* 광귤(sour orange) **—***a.* 〈소스가〉 광귤로 향을 넣은
big·a·roon [bìgərú:n] *n.* = BIGARREAU
big·ar·reau [bígəròu, ⌐‒⌐] *n.* 〖원예〗 비가로종[경육종(硬肉種)] 버찌; 그 나무
bíg ásk [보통 a ~] 〖스포츠〗 터무니없는[불가능한] 요구 《많은 점수를 따야 역전할 수 있는 상황》
big·ass [bígæ̀s] (미·비어) *a.* 엄청나게 큰; 거드름 피우는, 뽐내는
Bíg Bàd Wólf [the ~] (구어) 무섭고 위협적인 적
bíg banána (속어) = BIG BUG
bíg bánd 빅 밴드 《오케스트라 편성을 가진 재즈[댄스] 밴드》
bíg báng [또는 **B- B-**] **1** [the ~] 〖천문〗 (우주 폭발 기원론의) 대폭발 **2** 〖경제〗 (1986년 10월의) 런던 주식 시장 제도 대개혁
bíg báng thèory [the ~] 〖천문〗 우주 폭발 기원론, 빅뱅 우주론 《수소의 폭발로 우주가 생성되었다는 설; cf. STEADY STATE THEORY》

> **thesaurus** **big** *a.* **1** 큰 large, sizable, great, huge, enormous, immense, vast, massive, extensive, spacious **2** 훌륭한 important, influential, powerful, prominent, leading, outstanding, dis-

bíg béat (속어) 리듬이 강렬한 음악《록 음악 등》

Bíg Bén [공사 책임자인 Sir Benjamin Hall이 덩치가 커서 Big Ben이라고 불린 데서] 빅 벤《영국 국회 의사당 탑 위의 시계와 시계탑》

Big Ben

Bíg Bértha **1** (제1차 대전 때의) 독일군의 거대한 대포; 고성능 대포 **2** (미·속어) 뚱뚱한 여자 **3** [**b- B-**] 〘야구〙 4번 타자

Bíg Bírd 빅 버드《미국 TV 프로 Sesame Street에 나오는 크고 노란 새; 상표명》

Bíg Blúe [종종 **b- b-**] (미·속어) IBM의 별명《제품들이 청색의 기조로 되어 있음》

Bíg Bóard [the ~; 때로 **b- b-**] (미·구어) 뉴욕 증권 거래소 (the New York Stock Exchange)

big-boned [bígbóund] *a.* 뼈대가 굵은, 골격이 우람한

bíg bòx (미·속어) 대형 할인(소매)점

bíg-box stóre [-bɑ̀ks-|-bɔ̀ks-] = BIG BOX

bíg bóy **1** (구어) (특히 실업계의) 거물, 대기업 **2** (미·속어) (꾸지람할 때) 다 큰 남자(니까) **3** (미·속어) (사람을 부를 때) 여보, 형씨 **4** (미·속어) (햄버거 등의) 큰 것 **5** (미·속어) 음경

bíg bróther **1** 큰 형 **2** [때로 **B- B-**] 비행 소년의 남성 지도원 **3** [G. Orwell의 소설「1984」에서] [**B- B-**] 독재 정권의 수령, 독재자; 독재 국가[조직] **4** [보통 **B- B-**] (경찰 국가의) 관료, 행정 집행부 **5** (속어) 경관, 경찰차

Bíg Bróth·er·ism [-brʌ́ðərìzm] 대형(大兄)식의 권위주의; 전체주의적 독재, 독재 통제주의

bíg brówn èyes (미·속어) 젖꼭지, 유방

bíg búcks (속어) 많은 돈, 거액; (큰 돈을 움직이는 사람·조직의) 지배력, 위력

bíg búg (속어) 중요 인물, 거물, 높은 양반

bíg búsiness **1** 큰 거래 **2** (종종 경멸) 재벌, 대기업; 대규모 공공시설

Bíg C **1** (완곡) 암(cancer) **2** (미·속어) 코카인(cocaine)

bíg càge [the ~] (미·속어) (주나 연방의) 교도소, 소년원

bíg cát 대형 고양잇과(科) 동물《사자·호랑이·표범 등》

bíg chéese (속어) **1** = BIG BUG **2** (미) 얼빠진 사나이

Bíg Chíef (속어) = BIG BUG; = BIG DADDY

Bíg Chìll (미·구어) 죽을 뻔한 경험이나 위험한 상태

bíg D (미·속어) = LSD

Bíg D (미·속어) (Texas 주의) Dallas; (Michigan 주의) Detroit

bíg dáddy **1** (미·속어) (자기의) 아버지 **2** (속어) (회사·조직의) 창시자, 보스 **3** (속어) 연방 정부 **4** (주로 미남부) 할아버지, 조부

bíg dáy 중요한 날, 큰 행사가 있는 날; 결혼식 날

bíg déal **1** Ⓒ 큰 거래 **2** Ⓤ (미·속어·비꼼) 대단한 것, 큰 인물, 거물; 큰일 ***B- D-!*** (구어) 그것이 어쨌다는 거야, 별것 아니지 않아! ***It's no ~.*** 별일 아니야; 식은 죽 먹기다. ***make a ~ (out) of*** …으로 큰 소동을 벌이다; …을 과장하여 생각하다

Bíg Dípper **1** [the ~] (미) 〘천문〙 북두칠성(《영》 Charles's Wain) **2** [**b- d-**] 제트 코스터(roller coaster)

Bíg Dítch [the ~] (미·속어) 대서양; Erie 운하; Panama 운하

bíg dóg **1** 도둑을 지키는[망을 보는] 개 **2** (미·속어) 권세를 휘두르는 중요 인물, 권력자

tinguished, notable **3** 〈일이〉 중대한 important, significant, serious, momentous **4** 성장한 grown-up, adult, mature **5** 관대한 generous, kindly, benevolent, altruistic, humane

big·dome [bígdòum] *n.* (미·속어) 중요 인물, 거물, (기업의) 상사, 이사

bíg dòolie (미·속어) 거물, 요인; 《특히》 (스포츠 경기의) 우승자, 챔피언

bíg dòugh (미·속어) 큰돈, 거액

bíg drìnk [the ~; 때로 **B- D-**] (미·구어) 대서양, 태평양, 대양, 미시시피 강

Bíg Èasy [the ~] (미) New Orleans의 별칭

bi·gem·i·nal [baidʒéminl] *a.* 〘의학〙 쌍생의, 이란성의; 이중(二重)의; 이단맥(二段脈)의

bi·gem·i·ny [baidʒéməni] *n.* 〘의학〙 이단(二段) 현상, 이단맥(二段脈)

bíg enchiláda (미·속어) 중요 인물, 거물, 보스

bíg ènd 〘기계〙 대단(大端)《엔진 연접봉의 큰 쪽 끝》

bi·gen·er [báidʒiːnər, -dʒə-] *n.* 〘식물〙 두 속간(屬間) 잡종

bi·ge·ner·ic [bàidʒənérik] *a.* 〘식물〙 두 속(屬)에 관한, 두 속간의

big·eye [bígài] *n.* 〘어류〙 꽃도미《열대산(産)》

bíg fàt *a.* (미·속어) 노골적인, 뻔뻔한, 몰염치한

bíg fìsh[fròg] (미·속어) 거물, 중요 인물(cf. SMALL FRY); 권위자; 재능 있는 인물

Bíg Fíve [the ~] 5대국《1차 대전 후의 미국·영국·일본·이탈리아·프랑스; 2차 대전 후의 미국·영국·프랑스·소련·중국》

Big·foot [bígfùt] *n.* **1** [때로 **b~**] Sasquatch의 별칭 **2** [**b~**] (미·속어) (신문사의) 저명한 논설위원 **3** (미·구어) 중요 인물, 권력자 ***have a ~*** 힘[영향력]이 있다, 중요 인물이다

big·foot·ing [bígfùtiŋ] *n.* Ⓤ **1** 권위를 휘두르기, 권력 지배 **2** (휴대 전화의 신호 혼선에 의한) 무선국의 기능 마비 상태

bigg [bíg] *n.* Ⓤ (스코) 보리의 일종

bíg gáme **1** 큰 시합 **2** [집합적] 큰 사냥감《사자·코끼리 등》 **3** (위험이 따르는) 큰 목표

big·gie, -gy [bígi] *n.* **1** (미·속어) 거물; 크고 중요한 것[사람, 나라] **2** [the ~] (구어) 〘야구〙 = MAJOR LEAGUE

big·gin[1] [bígin] *n.* (고어) 비긴 **1** 주로 아이들이 쓰는, 머리에 꼭 맞는 모자 **2** (잘 때 쓰는) 푹신한 나이트캡(nightcap)

biggin[2] *n.* (고어) (보통 은제(銀製)의) 커피 포트《포트 속에 여과기가 있는》

big·gish [bígiʃ] *a.* 약간 큰, 큰 편인

bíg góvernment (미) 큰 정부《보통 중앙 집권화된 정부나, 거액의 재정 지출과 과중한 세금을 비판할 때 쓰는 말》

bíg gún (구어) 유력자, 중요 인물; 중요한 사물; 〘야구〙 팀의 강타자들 ***bring up [out] one's ~s*** ⇨ gun

bíg H, Bíg Hárry (미·속어) 헤로인(heroin)

bíg háir 빗질과 스프레이로 상한 긴 머리; (구어) (1980년대에 유행한) 부풀려 크게 올린 머리 모양

big·head [bíghéd, ⌐⌐] *n.* **1** Ⓤ (구어) 자만심; Ⓒ 자만하는 사람 **2** (미·속어) 숙취(로 인한 두통) **3** ⓊⒸ 〘수의학〙 (양의) 두부(頭部) 팽창증

big·head·ed [bìghédid] *a.* **1** 〘수의학〙 두부(頭部) 팽창증에 걸린 **2** (구어) 자만심이 강한

big-heart·ed [-hɑ́ːrtid] *a.* 관대한, 대범한, 친절한 **~·ly** *ad.* **~·ness** *n.*

bíg hítter 유력[중요] 인사, 거물

big·horn [-hɔ̀ːrn] *n.* (*pl.* **~, ~s**) 〘동물〙 큰뿔양《로키 산지에 야생하는 양》(= ~ **shèep**)

Bíghorn Móuntains [the ~] 빅혼 산계(山系)《Rocky 산맥 중 Wyoming 주 북부에 있는 산계》

bíg hòuse [the ~] (속어) (주·연방의) 교도소; (마을 등의) 가장 큰 집

bight [báit] *n.* **1** 해안[하천]의 만곡부 **2** 늘어진 밧줄의 중간 부분; 밧줄 고리 **3** (몸의) 우묵한 곳, 만곡부 **— *vt.*** 밧줄 (고리)로 죄다[묶다]; 〈밧줄을〉 고리 모양으로 만들다

bíg idéa **1** (속어) 어리석은 생각[계획] **2** 의도, 목적

bíg Jóhn (미·속어) 순경, 경관(policeman)
bíg júice (미·속어) 지독한 악당[사기꾼]
bíg lábor [집합적] 큰[대규모] 노동조합
bíg léague **1** 〖야구〗 =MAJOR LEAGUE **2** [the ~] (구어) 톱클래스, 일류
big-league [bíglí:g] *a.* (구어) 메이저 리그급의, 1류의, 톱클래스의, 정상급의, 프로의
bíg léaguer (미·속어) 메이저 리그의 선수, 1류 선수; (구어) 대기업의 사원
bíg líe [the ~] **1** 새빨간[터무니없는] 거짓말 **2** (정책 등의) 허위 선전, (정치가의) 거짓말, 거짓 공약
Bíg Lóok [종종 **b- l-**] 빅룩 《터크나 개더의 양을 많게 하여 큰 이미지를 표현한 패션》
big·ly [bígli] *ad.* 대규모로, 광범위하게, 포괄적으로
Bíg Mác **1** 빅맥 《미국 맥도날드 체인의 대형 햄버거; 상표명》 **2** [형용사로] (비유) 최대의, 가장 우수한 **3** 자치체 원조 공사(公社)(Municipal Assistance Corporation)
bíg máma [종종 **B- M-**] (구어) **1** 아내; (여자) 연인 **2** 여자 가장, 마나님 **3** (조직·단체 등의) 여성 지도자[창립자]
bíg mán (미·속어) 중요 인물; 리더격 남학생: ~ on campus 학내의 인기 있는 남학생 《略 B.M.O.C.》
bíg móney (구어) 거금; 고액 급여; 큰 이익
big·mouth [bígmàuθ] *n.* (*pl.* **~s** [-màuðz]) (속어) 수다쟁이, 입이 가벼운 사람, 허풍쟁이; 입 큰 물고기류 **—** *vt.* (미·구어) 〈비밀 등을〉 퍼뜨리다
big·mouthed [-màuðd, -màuθt] *a.* **1** 입이 큰 **2** 큰 소리로 지껄이는 **3** 큰소리치는, 자랑하는
Bíg Múddy (미·구어) **1** 미국 Mississippi 강의 별칭 **2** 베트남의 별칭 《주로 베트남전에 참전했던 미군들이 부르는 말》
bíg náme (구어) 명사, 유명인; 일류 연기자
big-name [-nèim] *a.* Ⓐ (구어) 일류의; 유명한, 저명한; 유명인의
bíg níckel (미·속어) (내기에 건 돈) 5,000달러
bíg nóise (구어) 명사, 거물; 우두머리; (속어) 최근의 중대 뉴스, 중대사
big·no·ni·a [bignóuniə] *n.* 〖식물〗 빅노니어속(屬)의 식물 《능소화나무류(類)》
bíg Ó [the ~] **1** (속어) 오르가슴(orgasm) **2** (미·속어) (흡연용) 아편(opium)
bíg òne (미·속어) **1** (내기에 건 돈) 1,000달러 **2** 대변(大便) **3** [the ~] 가장 소중한 것
big·ot [bígət] *n.* 편협[완고]한 사람; 고집쟁이, 고집통이 **~·ed** *a.* 고집불통의 **~·ed·ly** *ad.*
big·ot·ry [bígətri] *n.* (*pl.* **-ries**) Ⓤ 편협한 신앙; 완고함, 고집불통
bíg pícture [the ~] (구어) (복잡한 문제에 대한) 전체상, 대국관(大局觀)
Bíg Pónd [the ~] (미·구어) 대서양
bíg pòt (구어) 중요 인물, 거물
Bíg Scíence 거대 과학 《우주 개발 등 대규모의 과학 연구》
bíg scréen [the ~] 영화, 대형 스크린
bíg shòt (구어) **1** 중요 인물, 거물 **2** [형용사적으로] 권위적인, 위압적인
bíg síster **1** 누님 **2** [종종 **B- S-**] (비행 소녀·고아의) 여성 지도원 **3** (여학생 클럽의) 상급생
bíg smóke **1** [the ~] (속어) 대도시 **2** [the B-S-] (영·속어) =LONDON
bíg spénder (구어) 돈을 낭비하는[통이 큰] 사람
bíg stíck [the ~] **1** (정치적·군사적) 압력, 위압, 세력 과시 **2** (소방용) 긴 사닥다리
bíg stíff (속어) 어찌할 도리가 없는 놈, 골칫거리
bíg stínk (미·속어) 대형 스캔들; 대소동; 결사 반대
bíg tálk (구어) **1** 허풍, 호언장담 **2** 중요 회담
bíg tént (미) 〖정치〗 큰 텐트 방식 《정당이 폭넓은 정치적 견해를 허용하는 것》; 〖야구〗 =MAJOR LEAGUE
Bíg Thrée **1** [the ~] 3대국 《미국·구소련·중국 (애초에는 영국)》 **2** 미국 동부 3개 대학 《Harvard, Princeton, Yale》 **3** 미국 3대 자동차 회사 《General Motors, Ford, Chrysler》
big-tick·et [bígtíkit] *a.* Ⓐ (미·구어) 비싼 가격표가 붙은
bíg tíme **1** [the ~] (속어) 최고 수준, 1류 **2** (속어) 아주 유쾌한 때 **3** [the ~] (미·속어) 하루 2회 흥행만으로 수지맞는 연예 **4** 〖야구〗 메이저 리그의 시합 **5** [부사적으로] 본격적으로, 완전히
big-time [-táim] *a.* **1** (속어) 대(大)···; 일류의(cf. SMALL-TIME): a ~ actor[player] 일류 배우[선수]/a ~ star 대스타 **2** (미·속어) (암흑가에서) 흉악한, 중대 범죄의
bíg-tìme operátor (미·속어) 책략을 써서 큰일을 도모하는 사람; 학업이 뛰어난 학생; 바람둥이
big-tim·er [-táimər] *n.* (속어) 최고의 인물; 프로 도박사; =BIGWIG
bíg tóe 엄지발가락(great toe)
bíg tòp (구어) (서커스의) 큰 천막; [the ~] 서커스(업, 생활)
bíg trèe =GIANT SEQUOIA
bi·gua·nide [baigwɑ́:naid, -nəd] *n.* 〖약학〗 비구아니드 《당뇨병 치료용》
bíg whéel (속어) **1** =FERRIS WHEEL **2** =BIGWIG
bíg wíenie (속어) =TOP DOG
big·wig [-wìg] *n.* (구어) 중요 인물, 높은 사람, 거물
bi·hour·ly [baiáuərli] *a.* 두 시간마다의[일어나는]
bi·jec·tion [baidʒékʃən] *n.* 〖수학〗 (사상(寫像)의) 전단사(全單射)
bi·jou [bí:ʒu:, ―ˊ | ˊ―] [F] *n.* (*pl.* **~s, ~x** [-z]) **1** 보석, 주옥 **2** 작은 장식품; 작고 예쁜 것 **—** *a.* Ⓐ 작고 예쁘장한
bi·jou·te·rie [bi:ʒú:təri, bi-] [F] *n.* [집합적] **1** 보석류; 장식품 **2** =BON MOT
bi·ju·gate [báidʒugèit, baidʒú:geit, -gət], **-gous** [-gəs] *a.* 〖식물〗 잎이 두 쌍 있는
bike**[1] [báik] [bicycle의 단축형] *n.* **1** (구어) 자전거 **2** (구어) (소형) 오토바이(motorbike) ★ moped, motorbike, motorcycle의 순으로 엔진이 커짐. **3** (미·속어) 오토바이의 순찰 경관 **4** (영·속어) 매춘부, 논다니 ***On your ~! (영·구어) 저리 가!
— *vi.* 자전거[오토바이]를 타고 가다
— *vt.* 자전거[오토바이]로 나르다[갖다 주다]
bike[2] (스코) *n.* (야생의) 벌집; (사람의) 무리
— *vi.* (벌처럼) 무리 짓다, 모여들다
bíke làne (미) 자전거 전용 도로
bíke pàth =BICYCLE PATH
bik·er [báikər] *n.* (미) **1** =BICYCLIST **2** =MOTORCYCLIST **3** (구어) (오토바이) 폭주족의 일원
bike·way [báikwèi] *n.* =BICYCLE PATH
bik·ie [báiki] *n.* (호주·속어) =BIKER 3
bik·ing [báikiŋ] *n.* =CYCLING
Bi·ki·ni [bikí:ni] *n.* **1** 비키니 섬 《북태평양 Marshall 군도에 있는 환초; 미국의 원자 폭탄 실험장(1946-58)》 **2** [**b~**] (투피스의) 여자용 수영복, 비키니, (남자용) 비키니 팬츠(=~ **pánts**)
bi·ki·nied [bəkí:nid] *a.* 비키니를 입은
bikíni lìne 비키니 라인 《비키니 수영복을 입을 때 여성의 하복부 아랫부분》
bikíni wàx 비키니 왁스 《비키니 수영복의 노출선을 따라 제모하는 왁스》 **bikíni wàxing** 비키니 왁싱
bik·ky [bíki] *n.* (*pl.* **-ies**) =BICKY
bi·la·bi·al [bailéibiəl] 〖음성〗 *a.* 두 입술의
— *n.* 양순음(兩脣音) 《[p], [b], [m], [w] 등》
bi·la·bi·ate [bailéibiət, -bièit] *a.* 〖식물〗 두 입술 모양의
bi·lat·er·al [bailǽtərəl] *a.* Ⓐ **1** 쌍방의, 양당의 **2** 양쪽 (면)이 있는 **3** 〖생물〗 좌우 양측의 **4** 〖법〗 쌍무적(雙務的)인(opp. *unilateral*): a ~ contract 쌍무 계약 **5** 부모 양가계의 **6** (영) 〈교육 제도가〉 (일반 과정과 기술 과정의 두 과정으로 된 **—** *n.* **1** 두 사람[나라]간의 회의[토론] **2** (구어) (특히 국제 무역의) 양자간 협

정 ~·ly *ad.* ~·ness *n.*

bi·lat·er·al·ism [bailǽtərəlìzm] *n.* **1** 〖생물〗 좌우 대칭 **2** 〖법〗 쌍무 계약제[주의]

biláteral sýmmetry 〖생물〗 (신체의) 좌우 대칭

bi·lay·er [báilèiər] *n.* 〖생화학〗 이중층 《특히 세포막에 있어서 두 개의 분자층》

bil·ber·ry [bílbèri, -bəri | -bəri] *n.* (*pl.* **-ries**) 〖식물〗 월귤나무속(屬); 그 열매

bil·bo[1], **-boa** [bílbou] [Sp.] *n.* (*pl.* ~(**e**)**s**; ~**s**) (고어) 빌보 검(劍) 《스페인의 명검》

bilbo[2] *n.* (*pl.* ~**es**) [보통 *pl.*] 쇠차꼬

bil·by [bílbi] *n.* (*pl.* **-ies**) 〖동물〗 빌비 《오스트레일리아산(産)의 토끼 비슷한 작은 동물》

Bil·dungs·ro·man [bíldʊŋzroumɑ̀:n] [G] *n.* (*pl.* **-ma·ne** [-mɑ̀:nə], ~**s**) 교양 소설 《주인공의 정신적·정서적 성장을 다룬 것》

bile [báil] *n.* Ⓤ **1** 〖생리〗 담즙 **2** 역정, 분통, 노여움; stir[rouse] a person's ~ …의 분통이 터지게 하다 **3** (고어) 〖생리〗 담즙질 《화를 잘 내거나 우울함을 특징으로 함》 ***black*** **~** 우울

bíle àcid 〖생리〗 담즙산(cf. BILE SALT)

bíle dùct 〖해부〗 담관(膽管), 수담관

bíle sàlt 〖생리〗 담즙산염

bile·stone [báilstòun] *n.* ⓊⒸ 담석(gallstone)

bi·lev·el [bailévəl] *a.* 〈화물실이나 객실이〉 2단식의; 〈가옥이〉 반지하가 있는 2층의 **—** *n.* **1** 2층 구조로 된 탈것[건물] **2** (1층이 반지하로 된) 준(準)2층집

bilge [bíldʒ] *n.* **1** 배 밑바닥의 만곡된 부분 **2** Ⓤ 배 밑에 괸 더러운 물(=~ water) **3** (통의) 중배 **4** Ⓤ (구어) 시시한 이야기, 허튼소리(nonsense)
— *vt.*, *vi.* 〈배 밑바닥에〉 구멍을 내다, 구멍이 나다; 불룩하게 하다[되다]; 〈흰 페인트가〉 노란색으로 변색되다 **~ *out*** (미·속어) 퇴학시키다[하다]

bílge kèel 〖항해〗 만곡부의 용골 《배가 옆으로 흔들리는 것을 방지하기 위한 용골형 돌출재》

bilge-pump [bíldʒpʌ̀mp] *n.* 〖항해〗 배 밑에 괸 물을 퍼올리는 펌프

bilge water **1** 〖항해〗 배의 바닥에 괸 (더러운) 물 **2** (구어) 부질없는[시시한] 이야기, 허튼소리

bilg·y [bíldʒi] *a.* (**bilg·i·er**; **-i·est**) (배 밑바닥의) 물 썩은 내가 나는

bil·har·zi·a [bilhɑ́:rziə] [독일의 기생충 학자 T. Bilharz에서] *n.* **1** 〖동물〗 빌하르츠 주혈흡충(住血吸蟲) 《이집트에 많음》 **2** Ⓤ 〖병리〗 주혈흡충병 **-zi·al** *a.*

bil·har·zi·a·sis [bìlhɑ:rzáiəsis] *n.* Ⓤ 〖병리〗 = BILHARZIA 2

bil·i·ar·y [bílièri, -ljəri | -ljəri, -liəri] *a.* **1** 담즙(bile)의; 담즙을 나르는 **2** (고어) 담즙질의(bilious)

bíliary cálculus 〖의학〗 담석(bilestone)

bi·lin·e·ar [bailíniər] *a.* **1** 두 줄의 선의 **2** 〖수학〗 쌍일차(雙一次)의; 쌍일차 방정식의

bilínear fórm 〖수학〗 쌍일차(형)식

*__bi·lin·gual__ [bailíŋgwəl] *a.* 두 나라 말을 하는, 두 나라 말로 쓴: a ~ dictionary 2개 국어로 된 사전/a ~ person 2개 국어를 쓰는 사람
— *n.* 두 나라 말을 하는 사람(bilinguist) 관련 monolingual, trilingual, multilingual **~·ly** *ad.*

bilíngual educátion 두 언어 병용 교육 《영어가 서투른 소수 민족 학생에게 그 모국어로 교육을 하는 제도》

bi·lin·gual·ism [bailíŋgwəlìzm] *n.* Ⓤ **1** 2개 국어 상용(常用) **2** 2개 국어를 말하는 능력

bi·lin·guist [bailíŋgwist] *n.* 두 나라 말을 할 줄 아는 사람

bil·ious [bíljəs] *a.* **1** 〖생리·병리〗 담즙의, 담즙 분비 과다의 **2** 〈사람이〉 담즙질의; 화를 잘 내는 **3** (구어) 〈색채가〉 극도로 불쾌한, 싫은 **~·ly** *ad.* **~·ness** *n.*

bil·i·ru·bin [bílərù:bin, ⌐-⌐-] *n.* Ⓤ 〖생화학〗 빌리루빈 《담즙 속의 적황색 색소》

bi·lit·er·al [bailítərəl] *a.* 두 글자의; 두 알파벳으로 된

bi·lit·er·ate [bailítərət] *a.*, *n.* 두 언어로 쓰기·읽기가 가능한 (사람)

-bility [bíləti] *suf.* '-able', '-ible', '-uble'로 끝나는 형용사에서 명사를 만듦: capa*bility*, no*bility*, visi*bility*, solu*bility*

bil·i·ver·din [bìləvə́:rdin] *n.* Ⓤ 〖생화학〗 담록소

bilk [bílk] *vt.* **1** 〈채권자를〉 속이다 **2** 〈외상 값·빚 등을〉 떼어먹다 **3** 〈기대 등을〉 저버리다 **4** 〈추적자 등에서〉 벗어나다 **—** *n.* 속이기, 떼어먹음 **~·er** *n.*

⁂**bill**[1] [bíl] [L 「도장을 찍은 교서」의 뜻에서] *n.* **1** 계산서(account), 청구서 《★ 식당 등의 계산서는 (미)에서는 check》: a grocery ~ 식료품점의 계산서/collect a ~ 수금하다/keep down gas ~*s* 가스 요금을 절약하다/pay a ~ for $600 600달러의 계산서를 지불하다/split the ~ 나누어 지불하다/I got my monthly ~. 매달의 청구서가 왔다.; (미·속어) 월경이 시작됐다./He paid the hotel ~ when he checked out. 그는 체크아웃할 때, 호텔의 청구서를 지불했다./*B*~, please. = Could I have the ~? 계산서 주십시오. **2 a** (미) 지폐((영) note): two hundred dollars in twenty-dollar ~*s* 20달러 지폐로 200달러/change a ten-dollar ~ 10달러 지폐를 바꾸다/break a large ~ 고액 지폐를 소액 지폐로 헐다 **b** (미·속어) 100달러: a half ~ 50달러
NOTE [미국 지폐] 모두 크기가 같고, 뒷면이 녹색이라서 greenbacks라고 불림. $1(Jefferson), $5(Lincoln), $10(Hamilton), $20(Jackson), $50(Grant), $100(Franklin), $500(Mckinley), $1,000(Cleveland) [영국 지폐] £1, £10, £20, £50(모두 Elizabeth Ⅱ). 1파운드 지폐는 1985년에 폐지됨.
3 〖의회〗 법안, 의안 《★ 가결되면 bill이 act(법령)로 됨》: draw up a ~ 의안을 기초하다/introduce a ~ 법안을 의회에 제출하다/lay a ~ before Parliament 법안을 의회에 상정하다/adopt[amend] a ~ 의안을 채택[수정]하다/pass[approve] a ~ 법안을 가결하다/reject a ~ 법안을 부결하다 **4** 〖상업〗 증서, 증권; (영) 환어음: a ~ in sets = a set of ~*s* 복수 어음/a long[short](-dated) ~ 장기[단기] 어음/a ~ at sight[on demand] 일람[요구]불 (환)어음/a ~ discounted 할인 어음/a ~ for acceptance 인수 청구 어음/a ~ of credit 신용장; 지불 증권/a ~ of date 확정 일부 어음/a ~ of debt 약속 어음/a ~ of dishonor 부도 어음 **5 a** 전단, 벽보, 광고용 포스터: a concert ~ 음악회의 포스터[전단]/post up a ~ (광고용) 벽보를 붙이다/Post[Stick] No ~*s*. 《게시》 이곳에 벽보를 붙이지 마시오. **b** (연극 등의) 프로(그램)(playbill) **6** 목록, 표: a ~ of parcels 소하물 매도증; 매도품 목록 **7** 〖법〗 기소장, 조서: ignore the ~ 〈대법원이〉 불기소 판결을 하다/find a true ~ against a person 〈대법원이〉 …에 대해 정식 기소 결정을 하다 **8** (세관의) 신고서: a ~ of clearance 출항 신고서/a ~ of entry 통관 신고서; (배의) 입항 신고서
~ *of attainder* 〖법〗 (반역자에 대한) 사권(私權) 박탈법 **~ *of exchange*** 환어음 《略 B/E, BE》 **~ *of fare*** 차림표(menu); (구어) 예정표, 일람표 **~ *of goods*** 인도[출하] 상품(의 리스트); (미·속어) 가짜 (상품) **~ *of health*** (선원·선객 등의) 건강 증명서 《略 B.H.》(cf. CLEAN BILL; FOUL BILL) **~ *of indictment*** 〖미국법〗 정식 기소장안(案) **~ *of lading*** (영) 선하 증권 《略 B/L》; (미) 화물 인환증 ((영) consignment note): a clean[conditional] ~ of lading 무하자(無瑕疵)[하자부] 선하 증권 **~ *of particulars*** 〖법〗 (소송상의) 청구 명세서 **~ *of quantities*** (영) 건축 견적서 **~ *of sale*** 매도증 **~ *of sight*** 〖세관〗 임시 양륙 신고서 **~ *payable*** [***receivable***] 지불[수취] 어음 **~ *payable to bearer*** [***order***] 지참인[지정인] 지불 어음 ***draw a ~ on*** (a person) (…앞으로) 어음을 발행하다 ***fill the ~*** 요구를 만족시키다; 인기를 독차지하다 ***foot a*** [***the***] **~** (미·구어) 비용을 부담하다, 돈을 치르다 ***sell*** a person ***a ~ of goods*** (미·구어) 감언이설로 속여 승낙케 하다 ***take up a ~*** 어음을 인수[지불]하다 ***the ~ of rights*** 국민의 기본적 인권에 관한 선

언 **the B~ of Rights** 권리 장전 (1) 1689년에 제정된 영국의 법률); 《미》 권리 장전(章典) (2) 1791년 미국 헌법에 부가된 최초의 10개조의 수정(amendments)》 **top[head] the ~** 《구어》 프로[포스터] 최초[상단]에 이름이 나오다, 주연을 하다
—*vt.* **1** …에게 계산서[청구서]를 보내다: ~ a customer every other week 격주로 손님에게 청구서를 발송하다 / The store will ~ me for it. 가게에서 청구서가 올 것이다. **2** 계산서에 기입하다; 목록으로 만들다: ~ goods 상품 대금 청구서를 만들다 / ~ each month's purchases 매달 쇼핑 대금을 기입하다 **3** 〈프로그램·배우 등을〉 전단[벽보]으로 광고하다: (~+목+전+명) ~ the play *for* two weeks 연극을 2주간 벽보 광고하다 **4** 프로그램에 넣다[발표하다]

‡**bill**[2] [bíl] *n.* **1** 부리 《특히 길쭉하고 납작한 부리》(cf. BEAK[1]) **2** 부리 모양의 것 《(모자의) 챙, (사람의) 코, (길쭉한) 곶(串) 등》 ***dip the ~*** 《속어》 한잔하다, 마시다
—*vi.* 〈한 쌍의 비둘기가〉 부리를 서로 비벼 대다; 애무하다 ***~ and coo*** 〈남녀가〉 키스나 애무를 하며 사랑을 속삭이다

bill[3] *n.* **1** 미늘창 《중세의 무기》 **2** = BILLHOOK

Bill [bíl] *n.* **1** 남자 이름 《William의 애칭》 **2** [the ~] 《영·속어》 경관; 경찰

bil·la·ble [bíləbl] *a.* 기소될 만한; 기소할 수 있는

bil·la·bong [bíləbɔ̀:ŋ, -bɑ̀ŋ | -bɔ̀ŋ] *n.* 《호주》 **1** (강의) 분류(分流); 괸 물 **2** 우기에만 물이 차는 강바닥

bill·board [bílbɔ̀:rd] *n.* **1** 《미》 (보통 옥외의 커다란) 광고[게시]판 **2** 【라디오·TV】 프로그램 개시·종료 시의 배역·스태프·스폰서의 소개 **3** [B~] 빌보드 《미국의 음악 업계지(誌)》
—*vt.* 빌보드로 광고하다

bíll bòok 어음장; 《미》 = BILLFOLD

bíll bròker 어음[증권] 중매인

bill·bug [-bʌ̀g] *n.* 【곤충】 바구미

bíll collèctor 수금원

bíll dìscounter (환)어음 할인업자

billed [bíld] *a.* [보통 복합어를 이루어] (어떤) 부리를 가진: a broad-~ bird 부리가 넓은 새

bill·er [bílər] *n.* 청구서를 작성하는 사람[기계]

bil·let[1] [bílit] *n.* **1** 【군사】 (군인의) 숙사; (민가에 대한) 숙박 명령서 **2** 지정 장소, 목적지: Every bullet has its ~. 《속담》 총알에 맞고 안 맞고는 모두 제 팔자 소관이다. **3** 《속어》 지위, 자리, 일, 직업
—*vt.* 【군사】 〈군인 등의〉 숙사를 배정하다, 숙박시키다 《*on, in*》: (~+목+전+명) ~ the soldiers *on* the villagers 마을의 민가에 군인들의 숙사를 배정하다

billet[2] *n.* **1** 굵은 막대기, 장작개비, 짧은 통나무 **2** (마구(馬具)의) 가죽끈 **3** (콘크리트 위의 발판이 되는) 철판 **4** 【야금】 강편(鋼片)

bil·let-doux [bíleidú:, bíli-] [F = sweet note] *n.* (*pl.* ***bil·lets-doux*** [-z]) 《문어》 연애편지

bill·fish [bílfìʃ] *n.* 《미》 주둥이가 긴 물고기의 총칭 《꽁치·동갈치 등》

bill·fold [bílfòuld] *n.* 《미》 지갑(wallet)

bill·head [-hèd] *n.* 계산[청구]서의 서두(書頭) 《점포명·소재지명 등》; 그 용지

bill·hook [-hùk] *n.* (가지 치는 데 쓰는) 낫의 일종

bil·liard [bíljərd] *a.* Ⓐ 당구(용)의: a ~ cue 당구 큐 —*n.* 《미》 【당구】 = CANNON 4

bílliard bàll 당구공

bil·liard·ist [bíljərdist] *n.* 당구 치는 사람

bílliard màrker 당구의 계수원(計數員)

bílliard ròom[pàrlor, salòon] 당구장

*****bil·liards** [bíljərdz] *n. pl.* [단수 취급] **당구**: play (at) ~ 당구를 치다

bílliard tàble 당구대

bil·li-bi, bil·ly-bi [bílibì:] *n.* 빌리비 수프 《조개 수프에 백포도주와 크림을 섞은 것》

Bil·lie [bíli] *n.* 남자 이름(cf. BILL)

Bil·li·ken [bílikən] *n.* 빌리켄 《앉아서 미소짓는 복신(福神)의 상(像)》

bill·ing [bíliŋ] *n.* **1** Ⓤ (포스터·프로그램에서의 배우 등의) 서열 **2** (광고 대행사 등의) 광고 소요 경비 **3** Ⓤ 청구서 작성[발송] **4** Ⓤ (전단 등에 의한) 광고, 선전

bílling cỳcle 《미》 대금 청구[청구서 발송] 주기

bílling machìne 청구서 작성기

bil·lings·gate [bíliŋzgèit] 【런던의 어시장 이름에서】 *n.* Ⓤ 거친[상스러운] 말, 욕설, 악담

*****bil·lion** [bíljən] *n.* **1** 《미》 **10억** 《million의 천 배》; 《영》 1조(兆) 《million의 백만 배》 ★ 《영》에서도 지금은 종종 10억으로 씀. **2** [*pl.*] 막대한 수 《*of*》
—*a.* 《미》 10억의; 《영》 1조의

bil·lion·aire [bìljənέər, ←–→ | –←] [*billion*+*millionaire*] *n.* 억만장자

bil·lionth [bíljənθ] *a.* **1** 10억[1조] 번째의 **2** 10억[1조]분의 1의 —*n.* **1** 10억[1조] 번째 **2** 10억[1조]분의 1 ★ *a.*, *n.*에서 《영》에서도 지금은 종종 《미》 용법의 10억을 씀.

bíll of cósts 【영국법】 (변호사나 승소한 사람에게 지불해야 하는) 소송 비용 명세서

bil·lon [bílən] *n.* 화폐 주조용 은동(銀銅)[금동(金銅)]; 그것으로 만든 화폐

*****bil·low** [bílou] *n.* **1** 큰 물결, 놀(⇨ wave 유의어); 《시어》 파도; [the ~(s)] 바다 **2** 소용돌이치는 것: ~*s of* smoke 소용돌이치는 연기
—*vi.* **1** 크게 굽이치다, 놀치다; 소용돌이치다 **2** 〈돛 등이〉 부풀다 《*out*》
—*vt.* 소용돌이치게 하다
▷ billowy *a.*

bil·low·y [bíloui] *a.* (**-low·i·er**; **-i·est**) 놀치는, 크게 굽이치는, 물결이 높은, 소용돌이치는

bill·post·er [bílpòustər], **bill·stick·er** [-stìkər] *n.* 전단 붙이는 사람

bil·ly[1] [bíli] *n.* (*pl.* **-lies**) 《영·호주》 (캠프 등 야외 취사용의) 양철로 만든 주전자

billy[2] *n.* (*pl.* **-lies**) 《미·구어》 곤봉; 경찰봉

Bil·ly [bíli] *n.* 남자 이름 《William의 애칭》

bil·ly·boy [bílibɔ̀i] *n.* 《영·구어》 (하천·연안용의) 바닥이 평평한 짐배[돛단배]

bil·ly·can [-kæ̀n] *n.* = BILLY[1]

bílly clùb 곤봉; 《특히》 경찰봉

bil·ly·cock [-kɑ̀k | -kɔ̀k] *n.* 《영》 중산모자, 중절모자(derby hat)

bílly gòat 《구어》 숫염소(opp. *nanny goat*)

bil·ly-o(h) [-òu] *n.* 《영·속어》 [다음 성구로] ***like ~*** 몹시, 맹렬히(fiercely)

Bílly the Kíd 빌리 더 키드(1859-81) 《미국 서부의 무법자로 권총의 명수; 본명 William H. Bonney》

bi·lo·bate [bailóubeit] *a.* 【식물】 이열편(二裂片)의

bi·lo·ca·tion [bàiloukéiʃən] *n.* Ⓤ 동시에 두 지점에 존재하기

bil·tong [bíltɔ̀:ŋ, -tɑ̀ŋ | -tɔ̀ŋ] *n.* Ⓤ 《남아공》 육포(肉脯) 《소·사슴 고기를 말린 것》

bim [bím] *n.* 《미·속어》 여자; 행실이 나쁜 여자, 매춘부; 억센 사내; 경관(policeman)

bi·mane [báimein] *a.*, *n.* 이수류(二手類)의 (동물)

bim·a·nous [bímənəs, baiméi-] *a.* 【동물】 손이 둘 있는, 이수(二手)(류)의

bi·man·u·al [baimǽnjuəl] *a.* 두 손을 쓰는[하는] **~·ly** *ad.*

bim·bo [bímbou] *n.* (*pl.* **~(e)s**) 《속어》 **1** 얼간이, 바보 **2** (매력적이지만) 머리가 텅 빈 여자, 헤픈 여자

bi·men·sal [baiménsəl] *a.* 격월의(bimonthly)

bi·mes·ter [baiméstər, ←––] *n.* 2개월간

bi·mes·tri·al [baiméstriəl] *a.* 2개월마다의, 격월의; 2개월 계속의

thesaurus

billow *n.* wave, surge, swell, tide, rush, deluge, flood, breaker —*v.* puff up, fill out, balloon, roll, belly

bin *n.* container, receptacle, box, can

bind *v.* **1** 묶다 tie, tie up, fasten, secure, attach,

bi·met·al [baimétl] *n.* 바이메탈 《온도 조절 장치 등에 쓰임》 **—** *a.* ＝BIMETALLIC

bi·me·tal·lic [bàimətǽlik] *a.* **1** 두 가지 금속으로 된 **2** 〖경제〗 복본위제(複本位制)의(cf. MONOMETALLIC)

bi·met·al·lism [baimétəlìzm] *n.* Ⓤ 〖경제〗 (금은) 복본위제 **-list** *n.* 복본위제론자

bi·mil·le·nar·y [baimílənèri | -nəri], **bi·mil·len·ni·al** [bàimiléniəl] *n.*, *a.* 2천 년(간)(의); 2천 년 기념일[제](의)

bi·mil·len·ni·um [bàimiléniəm] *n.* (*pl.* **~s, -ni·a** [-niə]) **1** 2천 년 **2** 2천 년 기념

bi·mod·al [baimóudl] *a.* **1** 〖통계〗 모드(mode)를 둘 가진 **2** 두 가지 시스템[방법, 양식]이 있는

bi·mo·lec·u·lar [bàiməlékjulər] *a.* 〖화학〗 2분자의, 2분자로 된 **~·ly** *ad.*

*__bi·month·ly__ [baimʌ́nθli] *a.*, *ad.* **1** **두 달에 한 번의[으로]**, 격월의[로] **2** 월 2회의[로] 《1과 혼동하기 쉬우므로 보통 semimonthly를 씀》
— *n.* 격월 간행물

bi·mor·phe·mic [bàimɔːrfíːmik] *a.* 〖언어〗 두 형태소에 관한[로 이루어진]

bi·mo·tored [baimóutərd] *a.* 〈비행기가〉 쌍발식의

*__bin__ [bín] *n.* **1** 《영》 쓰레기통(《미》 trash can) **2** (뚜껑 달린) **큰 상자**; (석탄·곡물·빵 등의) 저장용 광; (지하실의) 포도주 저장소; 《영》 (홉(hop)을 따 넣는) 즈크 부대 **3** [the ~] 《속어》 정신 병원(＝loony ~)
— *vt.* (**~ned**; **~·ning**) bin에 넣다

bin- [bàin] *pref.* ＝BI-[1] 《모음 앞에서》

bi·nal [báinl] *a.* 2배[2중]의

bi·na·rism [báinərìzəm] *n.* 〖언어〗 ＝BINARITY

bi·nar·i·ty [bainǽrəti, -néə-] *n.* Ⓤ 〖언어〗 이항(二項) 대립 원리[주의]

bi·na·ry [báinəri, -ne- | -nə-] *a.* **1** 둘[쌍, 복]의(dual) **2** 〖화학〗 2성분의, 2원(元)의 **3** 〖수학·컴퓨터〗 2진(법)의 **4** 〖천문〗 연성(連星)의
— *n.* (*pl.* **-ries**) **1** 2원체, 쌍체 **2** 〖수학〗 2진수(~ number) **3** 〖천문〗 ＝BINARY STAR

bínary céll 〖컴퓨터〗 2치(値)소자(素子)[셀]

bínary chóp ＝BINARY SEARCH

bínary códe 〖컴퓨터〗 2진 부호[코드]

bí·na·ry-cod·ed décimal [-kòudid-] 〖컴퓨터〗 2진화 10진수 《10진수의 각 자리를 각기 4비트의 2진수로 나타낸 것; 略 BCD》

bínary cómpound 〖화학〗 2원[성분] 화합물

bínary dígit 〖컴퓨터〗 2진 숫자 《0과 1의 두 가지》

bínary físsion 〖생물〗 2분열 《무성 생식의 하나로 하나의 개체가 거의 같은 두 개의 새로운 개체로 분열하는 것》

bínary méasure 〖음악〗 2박자계 박자

bínary notátion[scále] 〖수학〗 2진(기수)법

bínary númber ＝BINARY *n.* 2

bínary operátion 〖수학〗 2항 연산(二項演算)

bínary séarch 〖컴퓨터〗 2분 검색(법)

bínary stár 〖천문〗 연성(連星) 《공통의 무게 중심 둘레를 공전함》

bínary sýnchronous communicátions 〖통신〗 2진 데이터 동기(同期) 통신 《2진 부호화 데이터를 동기 전송하기 위해 소정의 제어 문자 및 제어 문자 시퀀스를 사용하는 전송 방식; 略 BSC, BISYNC》

bínary sỳstem 〖천문〗 연성계(連星系); 〖물리·화학〗 이성분계(二成分系)

bi·nate [báineit] *a.* 〖식물〗 〈잎이〉 한 쌍[대생(對生), 쌍생(雙生)]의

bi·na·tion·al [bainǽʃənl] *a.* 이국(二國)의, 두 국적의

bin·au·ral [bainɔ́ːrəl, bin-] *a.* **1** 두 귀(용)의 **2** 〈레코드·라디오 등이〉 스테레오[입체 음향]의(stereophonic)(opp. *monaural*)

bín bàg 《영·구어》 대형 비닐 쓰레기봉투

:bind [báind] [OE 「묶다」의 뜻에서] *v.* (**bound** [báund]) *vt.* **1** **묶다**, 동이다(tie), 매다 《*with, in, to*》; 결박하다; 포박하다: (~+目+前+名) ~ one's hair *with* a ribbon 리본으로 머리를 묶다 / ~ a person *to* a pillar …을 기둥에 매다 // (~+目+副) ~ a person's legs *together* …의 두 다리를 묶다 **2** **둘러 감다**: (~+目+前+名) The ivy *bound* itself *about* a tree. 담쟁이 덩쿨이 나무에 휘감겨 있었다. **3** 〈상처를〉 붕대로 감다, 〈붕대 등을〉 **감다** 《*about, round, on*》: (~+目+副) ~ (*up*) one's wounds 상처를 붕대로 감다 // (~+目+前+名) ~ a bandage *about* the head 머리에 붕대를 감다 **4** 〈벼 등을〉 다발로 묶다 **5** (시멘트 등으로) 굳히다 《*with*》: (~+目+前+名) ~ gravel *with* cement 시멘트로 자갈을 굳히다 **6** 〈의무·우정 등이〉 〈사람을〉 결부[단결]시키다; …에게 의무를 지우다, (약속·의무 따위로) **속박하다**; …에게 도제 생활을 시키다(⇨ bound[1] 2): (~+目+前+名) *be bound by* a contact 계약으로 묶이다 / *be bound by* affection 사랑의 포로가 되다 / ~ a person *to* secrecy …으로 하여금 비밀을 지킬 것을 맹세시키다 **7** 〈계약·협정 등을〉 맺다, 체결하다 **8** 〈얼음·눈 등이〉 가두다, 꽁꽁 얼어붙게 하다 **9** 〖의학〗 〈음식물·약이〉 〈장에〉 변비를 일으키다 **10** 〖법〗 (판사의 판결에 따라) 강제하다: (~+目+*to* do) This action *bound* them *to* keep the peace. 이 결정은 그들에게 질서를 지키게 했다. // (~+目+副) He was *bound over* to the grand jury. 그는 증인으로 대법원에 출두할 것을 명령받았다. **11** 〖경제〗 〈세금 등을〉 (절대로 늘리지 못하게) 묶어 놓다 **12** 〈원고·책을〉 제본[장정]하다 《*in*》: (~+目+前+名) ~ a book *in* leather 책을 가죽으로 장정하다 **13** (보호·장식을 위해) 〈의복·모자 등에〉 가선을 두르다: (~+目+前+名) ~ a skirt *with* leather 스커트에 가죽으로 선을 두르다 **14** 《영·속어》 지루하게[지겹게] 하다
— *vi.* **1** 〈흙·모래·눈 등이〉 굳어지다 **2** 〈약속 등이〉 구속력이 있다 **3** 〈옷 등이〉 갑갑하다, 거북하다, 꽉 끼다 **4** 〈수레바퀴가〉 들러붙어 움직이지 않게 되다; (녹이 슬어) 움직이지 않게 되다 **5** [진행형으로] 제본되다 **6** 《속어》 불평하다
be bound apprentice to …의 도제(徒弟)로 들어가다 **~ *down*** [종종 수동형으로] 구속하다, 묶다 **~** a person ***hand and foot*** …의 손발을 묶다 **~** a person ***over*** [보통 수동형으로] (1) 〖영국법〗 …에게 근신하도록 명령하다 《*to*》 (2) 〖미국법〗 …에게 법정 출두 명령을 하다 **~** one***self*** 계약[보증]하다, 맹세하다; 속박되다, 구속되다 **~ *up*** 붕대로 매다; 동이다; 엮어 매다 ***I'll be bound.*** 꼭 그럴 거야, 틀림없어.
— *n.* **1** **a** 묶는[동이는] 것 《끈, 실, 밧줄 따위》 **b** 속박 **2** [보통 a bit of a ~로] 《속어》 곤란한[지겨운] 것[사람, 일], 곤경 **3** 〖음악〗 연결선, 이음줄 **4** 〖광산〗 (탄층(炭層) 사이의) 경화 점토 **5** 덩굴 ***in a ~*** 《미·구어》 딱하게 되어

rope, strap, truss, lash, fetter, chain, hitch, wrap (opp. *loosen, separate*) **2** 〈붕대 등을〉 감다 bandage, tape, dress, wrap, cover **3** 속박하다 constrain, restrain, restrict, hamper, yoke **4** 강제하다 compel, obligate, oblige, force, impel, require

*__bind·er__ [báindər] *n.* **1** **묶는**[동이는] **사람**, 《특히》 제본공(工) **2** 묶는 것, 《특히》 실, 끈; 붕대; 띠; 매어 철한 표지; 산후 복대(産後腹帶); 묶은 부분 **3** 제본 가게; 제본 기계 **4** 〖법〗 가(假)계약 **5** (짚단의) 단 묶는 기계, 바인더; (재봉틀 등의) 휘감치는 기구 **6** 〖목공〗 접합재(材) **7** 〖야금〗 땜질 약, 교결제(膠結劑) **8** 〖미술〗 전색제(展色劑) **9** 〖건축〗 결합재(材); 〖화학〗 결합제(劑); 〖요리〗 차지게 하는 것 《밀가루 등》 **10** 《영·속어》 지겨운 사람; 불평하는 사람 **11** [*pl.*] 《속어》 자동차 브레이크

bínder twìne (밀단 등을 동이는) 매끼

bind·er·y [báindəri] *n.* (*pl.* **-er·ies**) 제본소

bin·di [bíndi] *n.* 빈디 《인도 여성이 양미간에 붙이는 점[보석]; 원래는 유부녀임을 나타냈으나, 오늘날에는 장식으로 붙임》

*__bind·ing__ [báindiŋ] *a.* **1** 구속력이 있는, 의무적인 《*on*》 **2** 동여매는, 묶는; 접합하는, 결합하는 **3** 〈음식 등이〉 변비를 일으키는
— *n.* ⓊⒸ **1** 묶기 **2** 제본, 장정, 표지 **3** 묶는[동이는] 것; 붕대 **4** (옷 등의) 선 두르는 재료; (부츠를 스키에) 고정시키는 기구, 바인딩 **~·ly** *ad.* **~·ness** *n.*
bínding authórity 구속력
bínding ènergy 〖물리〗 결합 에너지
bínding pòst (배터리의) 결박 단자
bínding ràfter 〖건축〗 서까래 이음목(木)
bin·dle [bíndl] *n.* 《미·속어》 **1** (떠돌이의) 침구 꾸러미 **2** 모르핀·코카인 등의 한 봉지
bíndle stìff 《미·속어》 (침구 꾸러미를 갖고 다니는) 계절 노동자, 떠돌이 노동자; 방랑자, 걸인
bind·weed [báindwì:d] *n.* Ⓤ 〖식물〗 메꽃 (무리)
bine [báin] *n.* **1** (식물의) 덩굴; 《특히》 홉의 덩굴 **2** =WOODBINE 1
bin-end [bínènd] *n.* 《영》 (팔다 남아서 싸게 파는) 특가 포도주
Bi·nét-Sí·mon tèst [binéisáimən-, -simɔ́:ŋ-] [프랑스의 두 심리학자 이름에서] 〖심리〗 비네시몽식 지능 검사(법)
bing [bíŋ] *n.* 《미·속어》 독방
Bing [bíŋ] *n.* 체리의 일종(=∠ **chérry**) 《검붉은 또는 거무스름한 색을 가진 단맛이 나는 체리》
binge [bíndʒ] *n.* 《속어》 **1** 진탕 떠들기, 흥청망청하는 판, 주연(酒宴); 파티; 진탕 먹고 마심 **2** 과도한 열중 — *vi.* 진탕 먹고 마시다 《*on*》
bínge èating 엄청난 대식[폭음]
bínge-púrge sỳndrome [-pə̀:rdʒ-] [the ~] 〖병리〗 식욕 이상 항진증(bulimia)
bin·gle[1] [bíŋgl] *n.*, *vi.* 《야구속어》 안타(를 치다)
bingle[2] *n.*, *vt.* 치켜 깎은 단발(로 하다) 《*bob*와 *shingle*[1]의 중간》
bin·go [bíŋgou] *n.* Ⓤ **1** 빙고 《숫자를 적은 카드를 배열하는 복권식 놀이》 **2** (기대하지 않은) 대히트
— *int.* [뜻하지 않던 기쁨을 나타내어] 이겼다, 맞혔다, 신난다
bíngo càrd =READERS' SERVICE CARD
bíngo wìngs *pl.* 《영·속어》 축 늘어진 팔뚝 살
bín lìner 《영》 (쓰레기통 안에 대는) 비닐봉지
bin·man [bínmæn] *n.* (*pl.* **-men** [-men]) 《영·구어》 =DUSTMAN 1
bin·na·cle [bínəkl] *n.* 〖항해〗 나침함(函)
bin·o·cle [bínəkl | -nɔkl] *n.* 쌍안경(binocular)
bin·ocs [bənɑ́ks | -nɔ́ks] *n. pl.* 《구어》 쌍안경
bin·oc·u·lar [bənɑ́kjulər, bai- | -nɔ́-] *a.* 쌍안(용)의; 쌍안경(용)의 — *n.* [보통 *pl.*; 단수·복수 취급] 쌍안경; 쌍안 망원[현미]경
bin·òc·u·lár·i·ty [-lǽrəti] *n.* **~·ly** *ad.*
binócular vísion 〖안과〗 쌍안시(雙眼視)
bi·no·mi·al [bainóumiəl] *n.*, *a.* **1** 〖수학〗 이항식(의) **2** 〖생물〗 이명법(二名法)(의) **~·ly** *ad.*
binómial coefficient 〖수학〗 이항 계수
binómial distribútion 〖통계〗 이항 분포
binómial nómenclature 〖생물〗 이명법(二名法)
binómial séries 〖수학〗 이항 급수
binómial théorem 〖수학〗 이항 정리
bi·nom·i·nal [bainɑ́mənl, -nɔ́-] *n.*, *a.* =BINOMIAL 2
bi·nor·mal [bàinɔ́:rməl] *n.* 〖기하〗 종법선(縱法線)
bint [bínt] *n.* 《영·구어》 여자
bin·tu·rong [bíntuərɔ̀(:)ŋ] *n.* 〖동물〗 빈투룽 《아시아산(産)의 사향고양이》
bi·nu·cle·ar [bainjú:kliər | -njú:-], **-ate** [-ət] *a.* 〈세포 등이〉 핵을 두 개 가진, 이핵의
binúclear fàmily 이중[복합] 핵가족 《이혼한 부부가 각기 재혼하여 그대로 한 채의 집이나 이웃에 삶으로써 형성됨》
bi·o [báiou] [*bio*graphy] *n.* (*pl.* **~s**) 《구어》 **1** 생물학(biology) **2** (짧은) 전기; (예능인의) 경력; (연감·선전 기사 등에서의) 인물 소개, 약력
— *a.* =BIOLOGICAL
bio- [báiou, báiə] 《연결형》 「생(生)…, 생물 …, 생물학의」의 뜻 《모음 앞에서는 bi-》
bi·o·ac·cu·mu·late [bàiouəkjúmjuleit] *vi.* 〈유독 물질이〉 생체 내에 축적되다 **-lá·tion** *n.*
bi·o·acous·tics [-əkú:stiks] *n. pl.* [단수 취급] 생물 음향학 《생물이 내는 음향과 생물과의 관계, 특히 커뮤니케이션을 다룸》
bi·o·ac·tiv·i·ty [-æktívəti] *n.* ⓊⒸ (약품 등의) 대(對)생물 작용[활성] **bi·o·ác·tive** *a.*
bi·o·as·say [-əséi, -ǽsei] *n.* Ⓤ 〖생리〗 생물학적 정량(定量)
bi·o·as·tro·nau·tics [-æstrənɔ́:tiks] *n. pl.* [단수 취급] 우주 생리학
bi·o·as·tron·o·my [-əstrɑ́nəmi | -trɔ́-] *n.* Ⓤ 생물 천문학
bi·o·au·tog·ra·phy [-ɔ:tɑ́grəfi | -tɔ́-] *n.* 〖생화학〗 바이오오토그래피 《크로마토그래피 조작과 생물 검정을 조합한 검정》
bi·o·a·vail·a·bil·i·ty [-əvèiləbíləti] *n.* Ⓤ 〖약학〗 (약물의) 생물학적 이용 가능성 **bi·o·a·váil·a·ble** *a.*
bi·o·be·hav·ior·al [-bihéivjərəl] *a.* 생물 행동적인: ~ science 생물 행동 과학
bi·o·blast [báioublæ̀st, -blɑ̀:st] *n.* 〖생물〗 부정형(不定形) 원형질의 작은 집합, 원생체(原生體)
bio·break [báioubreik] *n.* (회의 도중에) 용변을 보기 위해 잠깐 쉬는 시간: I need to take a ~. 나는 화장실에 가야 한다.
bi·o·ce·nol·o·gy, -coe- [bàiousinɑ́lədʒi | -nɔ́-] *n.* Ⓤ 생물 군집(群集)(생태)학
bi·o·ce·no·sis, -coe- [bàiousinóusis] *n.* (*pl.* **-ses** [-si:z]) 〖생물〗 생물 군집
bi·o·ce·not·ic [bàiousinɑ́tik | -nɔ́-] *a.*
bi·o·cen·tric [-séntrik] *a.* 생명을 중심으로 하는
bi·o·cen·trism [-séntrizm] *n.* Ⓤ 생물 중심주의 《인간의 권리나 필요가 다른 생물의 그것에 우선하는 것은 아니라는 생각》 **bi·o·cén·trist** *n.*
bi·o·chem·ic, -i·cal [-kémik(əl)] *a.* 생화학의, 생화학적인 **-i·cal·ly** *ad.*
biochémical fúel cèll 〖전기〗 생화학 연료 전지, 생물화학 전지
biochémical óxygen demànd 생화학적 산소 요구량(biological oxygen demand) 《물의 오염도를 나타내는 수치; 略 BOD》
bi·o·chem·ist [-kémist] *n.* 생화학자
bi·o·chem·is·try [-kémistri] *n.* Ⓤ 생화학
bi·o·chip [-tʃìp] *n.* 바이오칩 《생체 주입용의 실리콘 집적 회로 소자》
bi·o·cid·al [-sáidl] *a.* 생명 파괴[살균]성의
bi·o·cide [báiəsàid] *n.* **1** 생명 파괴제, 살생물제 《DDT 등 생물에 유해한 화학 물질》 **2** 생명의 파괴
bi·o·clast [báiəklæ̀st] *n.* 〖지질〗 생물 쇄설물(碎屑物) 《퇴적암 중의 조개 껍질·뼈 등의 파편》
bi·o·clást·ic *a.*
bi·o·clean [báioukli:n] *a.* 유해 미생물이 없는
bíoclean ròom 무균실 《略 BCR》
bi·o·cli·mat·ic [bàiouklaimǽtik] *a.* 생물과 기후의
bi·o·cli·ma·tol·o·gy [bàiouklàimətɑ́lədʒi | -tɔ́-] *n.* Ⓤ 생물 기후[풍토]학
bi·o·coe·no·sis [bàiousinóusis] *n.* =BIOCENOSIS
bi·o·com·pat·i·bil·i·ty [-kəmpæ̀təbíləti] *n.* Ⓤ (인공 신체 기관 등의) 생체 적합성
bi·o·com·pát·i·ble *a.*
bi·o·com·put·er [-kəmpjú:tər] *n.* 〖컴퓨터·생물〗 바이오 컴퓨터 《인간의 뇌·신경에 필적하는 기능을 가진 제6세대 컴퓨터》
bi·o·con·tain·ment [-kəntéinmənt] *n.* Ⓤ (생명에 유해한 물질의) 생화학적 봉쇄
bi·o·con·trol [-kəntróul] *n.* =BIOLOGICAL CONTROL

bi·o·con·ver·sion [-kənvə́ːrʒən, -ʃən] *n.* UC 생물(학적) 변환《폐기물 등의 유용한 에너지로의 변환》
bi·o·cor·ro·sion [-kəróuʒən] *n.* (미생물에 의한) 생물 부식(腐蝕)
bi·o·crat [báiəkræ̀t] *n.* 생물 과학자[전문가]
bi·o·crit·i·cal [bàioukrítikəl] *a.* (작가 등의) 생활(과 작품)의 연구의
bi·o·cy·ber·net·ics [-sàibərnétiks] *n. pl.* [단수 취급] 바이오사이버네틱스《생물체에 cybernetics를 응용하는 연구》
bi·o·cy·cle [báiousàikl] *n.* 〖생태〗 생물 사이클《생물권(biosphere)을 육수(陸水)·해양·육지로 나눈 하위 구분》
bi·o·da·ta [báioudèitə] *n.* [단수·복수 취급] 《미》 경력, 이력(서)
bi·o·de·grad·a·ble [bàioudigréidəbl] *a.* 미생물에 의해 무해(無害) 물질로 분해되는, 생물 분해성이 있는 **bì·o·de·gràd·a·bíl·i·ty** *n.* U
bi·o·de·grade [-digréid] *vi.* (세균 작용으로) 생물 분해를 일으키다 **-deg·ra·da·tion** [-degrədéiʃən] *n.*
bi·o·de·te·ri·o·ra·tion [-ditìəriəréiʃən] *n.* 생물 열화(劣化)《세균 등에 의해 재료가 열화·변질되는 일》
bi·o·die·sel [báioudìːzl] *n.* 바이오디젤《식물유로 만드는 대용 디젤유》
bi·o·di·ver·si·ty [bàioudivə́ːrsəti, -dai-] *n.* U 생물의 다양성(biological diversity) **bì·o·di·vérse** *a.* 생물이 다양한 **-vér·sified** *a.* 생물을 다양화한
bi·o·dra·ma [báioudrɑ̀ːmə, -dræ̀mə | -drɑ̀ːmə] [*bio*graphical *drama*] *n.* 전기(傳記) 드라마
bi·o·dy·nam·ic, -i·cal [bàioudainǽmik(əl)] *a.* 생물[생체] 역학의
bi·o·dy·nam·ics [-dainǽmiks] *n. pl.* [단수 취급] 생물 역학, 생체 역학
bi·o·e·col·o·gy [-ikɑ́lədʒi | -kɔ́-] *n.* U 생물 생태학 **bi·o·e·co·lóg·i·cal** *a.*
bi·o·e·lec·tric, -tri·cal [-iléktrik(əl)] *a.* 생물 조직의 전기 에너지의[에 관한], 생체[생물] 전기의 **bì·o·e·lec·tríc·i·ty** *n.* U 생체[생물] 전기
bi·o·e·lec·tro·gen·e·sis [bàiouilektroudʒénəsis] *n.* 〖생물〗 생물 발전
bi·o·e·lec·tro·mag·net·ics [-ilèktroumægnétiks] *n. pl.* [단수 취급] 생체 전자기학(電磁氣學)《생체에 대한 전자기 현상을 대상으로 한 의학》
bi·o·e·lec·tron·ics [-ilèktrɑ́niks | -trɔ́-] *n. pl.* [단수 취급] 생체 전자공학
bi·o·en·er·get·ics [-ènərdʒétiks] *n. pl.* [단수 취급] 〖생화학〗 생물 에너지학 **-gét·ic** *a.*
bi·o·en·er·gy [-énərdʒi] *n.* 생물 에너지《생물 연료에서 얻을 수 있는 에너지》
bi·o·en·gi·neer [-èndʒəníər] *n.* 생물[생체] 공학 전문가 —*vt.* 생체[생물] 공학에 의해 만들다
bi·o·en·gi·neer·ing [-èndʒəníəriŋ] *n.* U 생물[생체] 공학
bi·o·en·vi·ron·men·tal [-envàiərənméntl] *a.* 생물 환경의《생물과 환경과의 상호 관계에 관한》
bi·o·e·quiv·a·lence [-ikwívələns] *n.* U 〖약학〗 생물학적 등가성 **bì·o·e·quív·a·lent** *a.*
bi·o·eth·ics [-éθiks] *n. pl.* [단수 취급] 생명 윤리(학)《생물학·의학의 발달에 따른 윤리 문제를 다룸》 **bi·o·éth·i·cal** *a.* **-eth·i·cist** *n.*
bi·o·feed·back [-fíːdbæ̀k] *n.* U 생체 자기(自己) 제어, 바이오피드백《뇌파나 혈압 등 생체의 신경적·생리적 상태를 오실로스코프 등으로 앎으로써 신체·정신 상태를 의식적으로 컨트롤하기》
biofeedback training 바이오피드백 훈련《略 BFT》
bi·o·fla·vo·noid [-fléivənɔ̀id] *n.* 〖생화학〗 바이오플라보노이드(vitamin P)《모세혈관의 투과성을 조절》
bi·o·foul·ing [báioufàuliŋ] *n.* U 생물 부착《물 속의 파이프 등에 박테리아·굴 따위가 부착하는 일》
bi·o·fu·el [báioufjù(ː)əl] *n.* 바이오 연료《바이오매스(biomass)로부터 연소나 발효 과정에 의해 생성되는 연료》
bi·og [báiəg] *n.* 《구어》 = BIOLOGY
biog. biographer; biographical; biography
bi·o·gas [báiougæ̀s] *n.* 생물 가스《생물 분해에 의해 발생하는 메탄과 이산화탄소의 혼합 기체》; 생물 가스 무기
bi·o·gen [báiədʒən, -dʒèn | -dʒən] *n.* 〖생화학〗 비오겐, 생원체(生原體)《가상의 단백질 분자》
bi·o·gen·e·sis [bàioudʒénəsis] *n.* U 〖생물〗 생물 발생(설) **bi·o·ge·nét·ic, -i·cal** [-dʒinétik(əl)] *a.* **-i·cal·ly** *ad.*
bi·o·ge·net·ics [-dʒənétiks] *n. pl.* [단수 취급] 유전자 공학(genetic engineering) **-i·cist** *n.*
bi·o·gen·ic [-dʒénik] *a.* 유기물에 의해 생긴, 생물 기원의; 생명 유지에 꼭 필요한
bi·og·e·nous [baiɑ́dʒənəs | -ɔ́dʒə-] *a.* 생물에 기원하는; 생명을 만드는
bi·o·ge·o·ce·nol·o·gy, -coe- [bàioudʒìːousinɑ́lədʒi | -nɔ́-] *n.* U 생태계 연구
bi·o·ge·o·ce·nose, -coe- [-dʒíːousi(ː)nòuz] *n.* = BIOGEOCENOSIS
bi·o·ge·o·ce·no·sis, -coe- [-dʒìːousinóusis] *n.* (*pl.* **-ses** [siːz]) 생태계
bi·o·ge·o·chem·is·try [-dʒìːoukéməstri] *n.* U 생물 지구화학 **-chém·i·cal** *a.*
bi·o·ge·og·ra·phy [-dʒiɑ́grəfi | -dʒiɔ́-] *n.* U 생물 지리학 **-pher** *n.* **bì·o·ge·o·gráph·ic, -i·cal** *a.*
bi·o·graph [báiougræ̀f | -grɑ̀ːf] *vt.* …의 전기(傳記)를 쓰다
bi·og·ra·phee [baiɑ̀grəfíː, bi- | baiɔ̀-] *n.* 전기의 주인공
***bi·og·ra·pher** [baiɑ́grəfər, bi- | baiɔ́-] *n.* 전기 작가
***bi·o·graph·ic, -i·cal** [bàiəgrǽfik(əl)] *a.* 전기(체)의: a ~ dictionary 인명 사전 / a ~ sketch 약전(略傳) **-i·cal·ly** *ad.* 전기식으로, 전기체로
⁑**bi·og·ra·phy** [baiɑ́grəfi, bi- | baiɔ́-] *n.* (*pl.* **-phies**) **1** 전기, 일대기 **2** U [집합적] 전기 문학 **3** (건조물 등의) 역사
bi·o·haz·ard [báiouhæ̀zərd] *n.* 생물학적 위험《사람과 그 환경에 대해 위험이 되는 생물학적 물질·상황》 **-ház·ard·ous** *a.*
bi·o·in·for·ma·ti·cian [-ìnfərmətíʃən] *n.* 〖컴퓨터〗 생물 정보학자
bi·o·in·for·mat·ics [-ìnfərmǽtiks] *n. pl.* [단수 취급] 〖컴퓨터〗 생물 정보학《database를 이용한 유전 코드[암호]의 해독·신약 개발 등》
bi·o·in·or·gan·ic [bàiouìnɔːrgǽnik] *a.* 〖생화학〗 생물 무기 화학의(opp. *bioorganic*)
bi·o·in·stru·men·ta·tion [-ìnstrəmentéiʃən] *n.* 생물 계측기《우주 비행사 등의 생리적 데이터를 기록·전송하는 장치》; 생물 계측기의 사용
biol. biologic(al); biologist; biology
***bi·o·log·ic, -i·cal** [bàiəlɑ́dʒik(əl) | -lɔ́-] *a.* **1** 생물학(상)의 **2** 응용 생물학에 의한 **3** 피가 연결된 **4** 〈합성 세제가〉 효소를 가진
—*n.* 〖약학〗 생물제제(製劑)《예방·진단·치료용의 백신·혈청 등》 **-i·cal·ly** *ad.* [종종 문장 전체를 수식하여] 생물학적으로 (말하면) ▷ bíology *n.*
biológical accumulátion = BIOACCUMULATION
biológical chémistry = BIOCHEMISTRY
biológical chíld (양자에 대해) 친자, 실자(實子)
biológical clóck 생물[체내] 시계
biológical contról 〖생태〗 생물학적 방제(防除)
biológical divérsity = BIODIVERSITY
biológical engineéring 생물 공학(bionics)
biológical hálf-life 생물학적 반감기(半減期)
biológically en·gi·néered *a.* = GENETICALLY MODIFIED
biológical magnificátion = BIOMAGNIFICATION

biológical móther 생모(生母), 실모(實母)
biológical óxygen demànd 〖생태〗 생물학적 산소 요구량 《略 BOD》
biológical párent (양부모에 대한) 생부모
biológical rhýthm 〖생리〗 =BIORHYTHM
biológical válue 생물가(價) 《음식에 들어 있는 단백질의 영양 효과를 나타내는 수치》
biológical wárfare 생물[세균]전
biológical wéapon 생물학 무기(cf. CHEMICAL WEAPON)
bi·ol·o·gism [baiɑ́lədʒìzm | baiɔ́-] *n.* Ⓤ (사회 상태의 분석에 있어서의) 생물학주의 **bi·òl·o·gís·tic** *a.*
bi·ol·o·gist [baiɑ́lədʒist | baiɔ́-] *n.* 생물학자
⁑**bi·ol·o·gy** [baiɑ́lədʒi | baiɔ́-] *n.* **1** Ⓤ 생물학; 생태학(ecology); Ⓒ 생물학 책: a ~ class 생물학 수업 시간 **2** Ⓤ [the ~] (한 지역 등의) 식물[동물]상(相); 생태 **3** (생물의 특유한) 생활 현상, 생활사
bi·o·lu·mi·nes·cence [bàioulù:mənésns] *n.* Ⓤ 생물 발광(發光) **bì·o·lu·mi·nés·cent** *a.*
bi·ol·y·sis [baiɑ́ləsis | baiɔ́-] *n.* Ⓤ 〖생물〗 생물 분해 《미생물에 의한 유기물의 분해》
bi·o·mag·ni·fi·ca·tion [bàioumæ̀gnəfikéiʃən] *n.* 생물 농축, 생물학적 확대 《생태계의 먹이 연쇄에서 유독 물질의 농도의 증대》
bi·o·mag·ni·fy [bàioumǽgnəfai] *vi.* 생물 농축이 되다
bi·o·mass [báioumæ̀s] *n.* Ⓤ **1** 〖생태〗 생물량 《어떤 지역 내의 단위 면적[체적]당 수치로 표시된 생물의 현존량》 **2** 바이오매스 《에너지원으로서 이용되는 생물 자원》
bi·o·ma·te·ri·al [bàioumətíəriəl] *n.* 〖의학〗 생체 적합 물질[재료] 《생체 조직에 닿는 부위의 보철에 사용되는》
bi·o·math·e·mat·ics [bàioumæ̀θəmǽtiks] *n. pl.* [단수 취급] 생물 수학 《생물 현상에의 수학 응용》 **bì·o·math·e·mát·i·cal** *a.* **-ma·tí·cian** *n.*
bi·ome [báioum] *n.* 〖생태〗 생물 군계(群系)(biotic formation)
bi·o·me·chan·ics [bàioumikǽniks] *n. pl.* [단수 취급] 생물[생체] 역학 **bì·o·me·chán·i·cal** *a.*
bi·o·med·i·cal [bàioumédikəl] *a.* 생물 의학의
biomédical engineéring =BIOENGINEERING
bi·o·med·i·cine [bàioumédəsin] *n.* Ⓤ 생물[생체] 의학 《생물 화학과 기능의 관계를 다루는 임상 의학》
bi·o·me·te·or·ol·o·gy [bàioumì:tiərɑ́lədʒi | -rɔ́lə-] *n.* Ⓤ 생물 기상학 **-or·o·lóg·i·cal** *a.*
bi·om·e·ter [baiɑ́mətər | baiɔ́-] *n.* **1** 생체 (탄산가스) 측정기 **2** 생물계(計); 그 지표가 되는 생물
bi·o·met·ric, -ri·cal [bàiəmétrik(əl)] *a.* 생물 측정(학)의; 수명 측정(법)의
bi·o·me·tri·cian [bàioumitríʃən], **-me·tri·cist** [-métrəsist] *n.* 생물 측정학자, 생체 통계학자
bi·o·met·rics [bàiəmétriks] *n. pl.* [단수 취급] 생물 측정[통계]학
bi·om·e·try [baiɑ́mətri | baiɔ́-] *n.* **1** =BIOMETRICS **2** (인간의) 수명 측정(법)
bi·o·mi·met·ic [bàioumimétik, -mai-] *a.* 〖생화학〗 생체 모방의 《생화학적 과정을 모방한 합성법의》
bi·o·mo·lec·u·lar [bàiouməlékjələr] *a.* (생물체 내의) 생체 분자의
bi·o·mol·e·cule [báioumɑ̀ləkju:l | -mɔ̀-] *n.* 생체 분자
bi·o·morph [báioumɔ̀:rf] *n.* 생물을 나타낸 장식 형태
bi·o·mor·phic [bàioumɔ́:rfik] *a.* 생물 형태의, 생물 형태와 유사한, 생물 형태를 연상시키는
bi·o·mor·phism [bàioumɔ́:rfizm] *n.* (미술에 있어서의) 생체 표현[묘사]
bi·on·ic [baiɑ́nik | baiɔ́-] *a.* **1** (SF에서) 신체 기능을 기계적으로 강화한; 《구어》 초인적인 힘을 가진 **2** 생체[생물] 공학의 **-i·cal·ly** *ad.*
bi·on·ics [baiɑ́niks | baiɔ́-] [*bio*logy+electron*ics*] *n. pl.* [단수 취급] 생체[생물] 공학, 바이오닉스 《생체 조직의 기능을 전자 공학적으로 응용하는 기술》
bi·o·nom·ics [bàiənɑ́miks | -nɔ́-] *n. pl.* [단수 취급] 생태학(ecology) **-nóm·ic, -i·cal** *a.* **-i·cal·ly** *ad.*
bi·on·o·my [baiɑ́nəmi | baiɔ́-] *n.* Ⓤ 생리학(physiology); 생태학(ecology)
bi·ont [báiɑnt | -ɔnt] *n.* 〖생물〗 생리적 개체
bi·o·or·gan·ic [bàiouɔ:rgǽnik] *a.* 생물 유기 화학의
bi·o·phar·ma·ceu·tics [bàioufɑ̀:rməsú:tiks] *n. pl.* [단수 취급] 〖약학〗 생물 약제학
bì·o·phar·ma·céu·ti·cal *a.*
bi·o·phil·i·a [bàioufíliə] *n.* 생명애(愛) **-phíl·ic** *a.*
bi·o·phore [báiəfɔ̀:r] *n.* 생명 유시의 가설적 입자
bi·o·phys·ics [bàioufíziks] *n. pl.* [단수 취급] 생물 물리학 **bì·o·phýs·i·cal** *a.* **-phýs·i·cist** *n.*
bi·o·pic [báioupìk] [*bio*graphical *pic*ture] *n.* 《구어》 전기(傳記) 영화
bi·o·plasm [báiouplæ̀zm] *n.* Ⓤ 〖생물〗 원생질
bi·o·plast [báiouplæ̀st] *n.* 〖생물〗 원생체
bi·o·plas·tic [bàiouplǽstik] *n.* 바이오플라스틱 《생체 접합 물질로 알맞은 플라스틱》
bi·o·pol·y·mer [bàioupɑ́ləmər | -pɔ́-] *n.* 〖생화학〗 생물 고분자 물질
bi·o·proc·ess [bàiouprɑ́ses | -próu-] *n.* 〖생물공학〗 (유전 공학 제품 따위의) 응용 생물학적 제법(製法) ― *vt.* 응용 생물학적 제법으로 처리하다[만들다]
bi·op·sy [báiɑpsi | -ɔp-] *n.* (*pl.* **-sies**) 〖의학〗 생체 검사(법) ― *vt.* …에 생체 검사를 실시하다
bi·o·psy·chic [bàiousáikik] *a.* 〖심리〗 생체 심리학적
bi·o·psy·chol·o·gy [bàiousaikɑ́lədʒi | -kɔ́-] *n.* Ⓤ 생물 심리학
bi·o·re·ac·tor [bàiouriǽktər] *n.* 생물 반응 장치 《미생물을 이용하여 발효·분해·합성·변환 등을 하는 장치》
bi·o·re·gion [bàiourí:dʒən] *n.* 〖생태〗 생태적 지역 **bì·o·ré·gion·al** *a.*
bi·o·re·me·di·a·tion [bàiourimì:diéiʃən] *n.* Ⓤ 〖화학〗 생물적 환경 정화 《미생물을 사용하여 오염 물질을 분해하고 환경을 살리는 기술》
bi·o·re·search [bàiourisə́:rtʃ] *n.* Ⓤ 생물학 연구
bi·o·rhe·ol·o·gy [bàiouri:ɑ́lədʒi | -ɔ́lə-] *n.* Ⓤ 생체 역학, 생체 유동학
bi·o·rhythm [báiourìðm] *n.* 〖생리〗 생체[생물] 리듬 《주기적인 생체 내의 현상》 **bi·o·rhýth·mic** *a.*
BIOS [báiɑs | -ɔs] [*b*asic *i*nput/*o*utput *s*ystem] *n.* 〖컴퓨터〗 기본 입출력 시스템
bi·o·safe·ty [bàiouséifti] *n.* 생물학적 (연구에 있어서의) 안전성
bi·o·sat·el·lite [bàiousǽtəlàit] *n.* (실험용 동식물을 실은) 생물 위성
bi·o·sci·ence [báiousàiəns] *n.* Ⓤ 생물 과학, 생명 과학; 생물학 **-sci·en·tíf·ic** *a.* **-scí·en·tist** *n.*
bi·o·scope [báiəskòup] *n.* (초기의) 영화 영사기; 《남아공》 영화(관)
bi·os·co·py [baiɑ́skəpi | -ɔ́s-] *n.* (*pl.* **-pies**) 〖의학〗 생활 반응 검사, 생사(生死) 감정
bio·se·cu·ri·ty [bàiousikjúərəti] *n.* Ⓤ 생물학적 차단 방역
bi·o·sen·sor [bàiousénsər] *n.* 바이오센서 《우주 비행사 등의 생리학적 데이터를 계측·전달하는 장치》
bi·o·shield [báiouʃì:ld] *n.* 바이오실드 《무균화 처리 후 발사까지의 우주선 차폐 장치》
-biosis [baióusis, bi-] 《연결형》 (*pl.* **-ses** [-si:z]) 「사는 방식, 생활양식」의 뜻
bi·o·so·cial [bàiousóuʃəl] *a.* 생물 사회적인; 생물과 사회와의 상호 작용의; 〖사회〗 인간 사회를 생물학적으로 파악하는 **~·ly** *ad.*
bi·o·sol·ids [bàiousɑ́lidz] *n. pl.* 바이오 고형물(固形物) 《하수 오물을 재활용 처리한 유기물; 특히 비료》
bi·o·spe·le·ol·o·gy [bàiouspì:liɑ́lədʒi | -ɔ́lə-] *n.* Ⓤ 동굴 생물학

bi·o·sphere [báiəsfìər] *n.* [the ~] 〖생태〗 생물권: outside *the* ~ of the earth 지구의 생물권 밖에
bi·o·stat·ics [bàioustǽtiks] *n. pl.* [단수 취급] 생물 정역학(靜力學)
bi·o·sta·tis·tics [bàioustətístiks] *n. pl.* [단수 취급] 생물 통계학
bi·o·stra·tig·ra·phy [bàioustrətígrəfi] *n.* Ⓤ 〖지질〗 생물 층서학(層序學)
bìo·strat·i·gráph·ic *a.*
bi·o·syn·the·sis [bàiousínθəsis] *n.* Ⓤ 〖생화학〗 생합성 《생체에 의한 합성적인 화학 변화》
-syn·thét·ic *a.* **-i·cal·ly** *ad.*
bi·o·sys·tem·at·ics [bàiousìstəmǽtiks] *n. pl.* [단수 취급] 〖생물〗 종(種)분류학 **-sýs·tem·a·tist** *n.*
bi·o·ta [baióutə] *n.* Ⓤ 〖생태〗 생물군, 생물상(相) 《fauna와 flora를 합친, 한 지역의 동식물》
bi·o·tech [báioutek] *n.* 《구어》 = BIOTECHNOLOGY
bi·o·tech·nol·o·gy [bàiouteknɑ́lədʒi | -nɔ́-] *n.* Ⓤ 생물[생명] 공학; 《미》 인간 공학
-tech·no·lóg·i·cal *a.* **-gist** *n.*
bi·o·te·lem·e·try [bàioutəlémitri] *n.* Ⓤ 동물 원격 측정법 《동물[사람]의 위치·행동·생리 상태 등의 원격 측정》 **-tel·e·mét·ric** *a.*
bi·o·ter·ror·ism [bàioutérərizm] *n.* Ⓤ 생물학 무기를 이용한 테러 행위
bi·o·ther·a·py [bàiouθérəpi] *n.* 〖의학〗 생물(학적) 요법[치료]
bi·ot·ic, -i·cal [baiɑ́tik(əl) | baiɔ́-] *a.* 생명의[에 관한]; 생물의; 생체의 활동에 기인하는
-biotic [baiɑ́tik | baiɔ́-] 《연결형》 「생명과 관계 있는, (특정한) 생활방식의」의 뜻
biótic formátion 〖생태〗 = BIOME
biótic poténtial 〖생물〗 생물 번영 능력
bi·o·tin [báiətin] *n.* Ⓤ 〖생화학〗 비오틴 《비타민 B 복합체》
bi·o·tite [báiətàit] *n.* Ⓤ 〖광물〗 흑(黑)운모
bi·o·tope [báiətòup] *n.* 〖생물〗 소(小)생활권
bi·o·tox·ic [bàioutɑ́ksik | -tɔ́k-] *a.* 생물독의, 생체 독소의
bi·o·tox·in [bàioutɑ́ksin | -tɔ́k-] *n.* 생물 독소
bi·o·trans·for·ma·tion [bàioutræ̀nsfərméiʃən] *n.* 〖생리〗 (화합물의) 생체 내 변화
bi·o·tron [báiətrɑ̀n | -trɔ̀n] *n.* 〖생물〗 바이오트론 《환경 조건을 인위적으로 제어하여, 그 속에서 생물을 기르는 장치》
bi·o·troph [báiətròuf] *n.* 기생 식물, 버섯
bi·o·type [báiətàip] *n.* 〖생물〗 생물형 《동일 유전자형을 가진 개체군; 그 유전자형》
bi·ov·u·lar [bàiɑ́vjulər, -óuv- | -óuv-] *a.* 〈쌍둥이가〉 이란성(二卵性)의; 이란성 쌍둥이에 특유한(cf. MONOVULAR)
bi·o·war·fare [bàiouwɔ́:rfɛ̀ər] *n.* 〖군사〗 생물 전쟁, 세균전
bi·o·weap·on [bàiouwépən] *n.* 생물[세균] 무기
bi·pa·ren·tal [bàipəréntl] *a.* 양친의[에 관한, 으로부터 얻은]
bip·a·rous [bípərəs] *a.* 〖동물〗 쌍둥이를 낳는; 〖식물〗 이생(二生)의, 축(軸)이 둘인
bi·par·ti·san, -zan [baipɑ́:rtəzn] *a.* 두 정당[당파]의[으로 이루어진]; 이대 정당 제휴의; 초당파적인: a ~ foreign policy 초당파적 외교 정책
~·ism *n.* **~·ship** *n.*
bi·par·tite [baipɑ́:rtait] *a.* Ⓐ **1** 양자가 나누어 가지는, 상호(간)의: a ~ agreement 상호 협정 **2** 〖식물〗 〈잎이〉 이심렬(二深裂)의 **3** 두 부분으로 된; 두 통으로 된 **~·ly** *ad.*
bi·par·ti·tion [bàipɑ:rtíʃən] *n.* Ⓤ **1** 두 통 (작성), 2부, 양자 **2** 〖식물〗 이심렬
bi·par·ty [báipɑ̀:rti] *a.* 두 당으로 된, 두 정당의
bi·ped [báiped] *a.* 〖동물〗 양족(兩足)[두 발]의
— *n.* 양족 동물 《인간·새 등》
bi·ped·al [báipèdl, -pi-] *a.* 양족 동물의; 양족을 가진 = BIPED **~·ly** *ad.*
bi·ped·al·ism [baipédəlìzm] *n.* Ⓤ 〖동물〗 (직립) 두 발 보행
bi·pe·dal·i·ty [bàipidǽliti] *n.* = BIPEDALISM
bi·pet·al·ous [baipétələs] *a.* 〖식물〗 꽃잎이 둘 있는
bi·pha·sic [baiféizik] *a.* 두 개의 상(相)을 갖는, 이상(二相)의; 〖식물〗 배우체 세대와 포자체 세대를 가진
bi·phe·nyl [baifénl, -fí:nl] *n.* 〖화학〗 비페닐 《2개의 페닐기로 된 무색의 결정 화합물》
bi·pin·nate [baipíneit] *a.* 〖식물〗 〈잎이〉 이회 우상(二回羽狀)의 **~·ly** *ad.*
bi·plane [báiplèin] *n.* 복엽 비행기(cf. MONOPLANE)
bi·pod [báipɑd | -pɔd] *n.* (자동 소총 등을 받치는) 2각대(脚臺)
bi·po·lar [baipóulər] *a.* **1** 두 극이 있는; 양 극단의 **2** (남·북) 양 극지의[에 있는] **3** 〖정신의학〗 조울(躁鬱)의 **4** 〖생물〗 〈신경 세포가〉 쌍극의 **5** 〖전기〗 2극식의
~·ìze *vt.* **bi·pò·lar·i·zá·tion** *n.*
bipólar disórder 〖정신의학〗 조울증, 조울병
bi·po·lar·i·ty [bàipoulǽrəti] *n.* Ⓤ 2극성; 〖생태〗 양극성
bi·pro·pel·lant [bàiprəpélənt] *n.* 〖우주과학〗 이원(二元) 추진제(劑)
bi·pyr·a·mid [baipírəmìd] *n.* 양추(兩錐) 《밑변을 공유하는 두 개의 뿔체를 가진 결정》
bi·quad·rat·ic [bàikwɑdrǽtik | -kwɔ-] 〖수학〗 *a.* 4차의 **—** *n.* 4차 방정식
bi·quar·ter·ly [baikwɔ́:rtərli] *a.* 3개월에 두 번의
bi·qui·na·ry [bàikwáinəri(:) | -kwi-] *n.* 이오진법 《2진법과 5진법의 병용》
bi·ra·cial [bairéiʃəl] *a.* 두 인종의[으로 이루어진]; 혼혈의 **~·ìsm** *n.*
bi·ra·di·al [bairéidiəl] *a.* 〖생물〗 두 방사(放射)의
bi·ra·mous [bairéiməs], **mose** [-mous] *a.* 〖생물〗 두 가닥 난
***birch** [bə́:rtʃ] *n.* **1** 〖식물〗 ⒸⓊ 박달나무, 자작나무 **2** Ⓤ 박달나무 재목: a white[silver] ~ 자작나무 **3** (아동을 벌하는) 박달나무 회초리(= ~ **ród**)
— *a.* 박달나무(가지[재목])의
— *vt.* (박달나무) 회초리로 때리다
▷ bírchen *a.*
birch·en [bə́:rtʃən] *a.* 박달나무의[로 만든]; (박달나무) 회초리의
Birch·er [bə́:rtʃər], **Birch·ist** [bə́:rtʃist], **Birch·ite** [bə́:rtʃait] *n.* 미국의 극우 정치 조직 John Birch Society의 회원[동조자], 극우 반공주의자
Birch·ism [bə́:rtʃìzm] *n.* Ⓤ (미국의) 버치주의, 초보수주의, 극우 반공주의
*****bird** [bə́:rd] *n.* **1** 새: a ~ in the nest 보금자리 속의 새 / a flock of ~*s* 한 떼의 새 / keep a ~ 새를 기르다 / A ~ in the hand is worth two in the bush. 《속담》 숲 속의 두 마리 새보다 수중의 새 한 마리가 실속이 있다, 남의 돈 천 냥보다 제 돈 한 냥. NOTE (1) 대망·사랑·자유 등의 상징; 창문을 두드리거나 집안으로 들어오는 새는 불행의 징조라고 함. (2) [나라새] 미국 bald eagle, 영국 robin, 오스트레일리아 lyrebird, 일본 pheasant
2 a 엽조(獵鳥) **b** 《구어》 = BOBWHITE **3** 〖스포츠〗 **a** = CLAY PIGEON 1 **b** = SHUTTLECOCK 1 **4 a** [보통 수식어와 함께] 《구어》 사람, 녀석, 놈: a queer ~ 괴상한 녀석, 괴짜 **b** 《미·반어》 매우 훌륭한 사람; 《미·속어》 열광자, …팬 **c** 《영·속어》 (매력적인) 젊은 여자, 아가씨 **5** 《구어》 비행기; 헬리콥터; 우주선; 인공위성; 유도탄, 로켓, 미사일 **6** [the ~] 《속어》 (관객·청중의) 비난[야유]의 소리 **7** [the ~] 《미》 가운뎃손가락을 세워 상대에게 보이는 짓 《Fuck you.라는 뜻의 상대를 경멸하는 표시》 **8** ⓊⒸ 《영·속어》 투옥 판결; 형기(刑期); 형무소
a ~ of* one*'s own brain 자기 자신의 생각 ***A lit-***

tle ~ told me. = ***I heard a little ~ sing so.*** (구어) 어떤 사람으로부터 들었다. ***~ of paradise*** 극락조 《뉴기니산(産)의 아름다운 새》 ***~ of passage*** 철새; (구어) 뜨내기, 방랑자 ***~ of peace*** 비둘기 ***~ of prey*** 맹금 ***~s of a feather*** 같은 종류의 사람들: *B~s of a feather* flock together. 유유상종. ***early ~*** (아침에) 일찍 일어나는 사람: The *early* ~ catches the worm. (속담) 새도 일찍 일어나야 벌레를 잡는다, 부지런해야 수가 난다. ***eat like a ~*** 아주 조금 먹다 ***get the ~*** (속어) 우우 하고 야유당하다; 해고되다 ***give*** a person ***the ~*** …을 야유하다; …을 해고하다 ***kill two ~s with one stone*** (구어) 일석이조의 효과를 올리다, 일거양득하다 ***like a ~*** 즐겁게, 명랑하게; 수월하게; 부지런히; 기세 좋게 〈일하다〉 ***old ~*** 노련한 사람, 조심성 있는 사람; 아저씨 ***rare ~*** 비상한 사람; 기지가 뛰어난 사람 ***rare ~ file*** 특수 정보 파일 (***strictly***) ***for the ~s*** (미·구어) 시시한, 하찮은, 한 푼어치 가치도 없는 ***The ~ has***[***is***] ***flown.*** 상대[봉, 죄수]가 달아나 버렸다[를 놓쳐 버렸다]. ***the ~ of freedom*** 자유의 새 《미국 국장(國章)인 독수리》 ***the ~ of ill omen*** 불길한 새; 항상 불길한 말을 하는 사람 ***the ~ of Jove***[***Juno***] 독수리[공작] ***the ~ of night***[***Minerva***] 부엉이 ***the ~ of Washington*** = AMERICAN EAGLE ***the ~ of wonder*** 불사조(phoenix) ***the ~s and*** (***the***) ***bees*** (구어) (어린아이에게 이야기하는) 성에 관한 초보적 지식, 성교육의 기초 지식

— *vi.* **1** 새를 잡다[쏘다] **2** 들새를 관찰하다

bird·band·ing [bə́ːrdbæ̀ndiŋ] *n.* Ⓤ 조류 표지법 《이동 상황의 조사를 위해 새의 다리에 밴드를 묶어 놓아 줌》

bird·bath [-bæ̀θ | -bɑ̀ːθ] *n.* (*pl.* **~s** [-ðz]) 수반(水盤) 《새들의 미역 감는 그릇》

bird·brain [-brèin] *n.* (구어) 바보, 멍청이; 차분하지 못한 사람 **~ed** *a.* 바보의, 멍청한(stupid)

bird·cage [-kèidʒ] *n.* 새장

bird·call [-kɔ̀ːl] *n.* 새가 짝을 부르는 소리; 새소리 흉내; 새를 부르는 피리

bird·catch·er [-kæ̀tʃər] *n.* 새 잡는 사람[덫]

bírd cólonel (미·속어) 대령 《독수리 견장에서》

bírd dòg **1** (미) 새 사냥개; (행방불명된 사람을) 수색하는 사람 **2** (구어) (신인을 찾는) 스카우트; 정보를 수집하는 사람 **3** 남의 데이트 상대를 가로채는 사람

bird-dog [-dɔ̀ːg | -dɔ̀g] (미·구어) *v.* (**~ged**; **~·ging**) *vi.* bird dog 노릇을 하다 — *vt.* 열심히 찾아내다; 끈질기게 뒤밟아 탐정하다; 자세히 조사하다

bird-dog·ging [-dɔ̀ːgiŋ | -dɔ̀g-] *n.* (미·구어) 쫓아다님, 줄곧 괴롭힘; 데이트 상대를 가로챔

bird·dom [bə́ːrddəm] *n.* (속어) 미녀의 세계

bird·er [bə́ːrdər] *n.* 들새를 기르는[관찰하는] 사람; (장사로) 새를 잡는 사람

bird-eyed [bə́ːrdáid] *a.* 새 눈 같은; 눈치가 빠른; 〈말이〉 잘 놀라는

bird-fan·ci·er [-fæ̀nsiər] *n.* 새장수; 애조가

bird·farm [-fɑ̀ːrm] *n.* (미·해군속어) 항공모함

bírd fèeder 새 먹이통

bírd flù 〖병리〗 조류 독감 《닭·오리 및 야생 조류 등에 감염되는 급성 바이러스성 질병; H_5N_1형 바이러스》

bird-foot [-fùt] *n.* (*pl.* **~s**) = BIRD'S-FOOT

bírd gràss 〖식물〗 북미 온대 지방의 볏과(科)의 풀

bird·house [-hàus] *n.* (*pl.* **-hous·es** [-hàuziz]) (집 모양의) 새장, 새집; 새 기르는 집

bird·ie** [bə́ːrdi] *n.* **1** (유아어) 새, 작은 새 **2** 〖골프〗 버디 《표준 타수(par)보다 1타 적은 홀인》(⇨ par[1] 관련) **3** = SHUTTLECOCK 1 **4** [*pl.*] (미·속어) 호리호리한 다리(bird legs) ***hear the ~s sing (속어) 녹아웃당하다, 기절하다 ***Watch the ~.*** 새를 보세요, 이쪽을 보세요. 《사진을 찍을 때 어린이에게 하는 말》

— *vt.* 〖골프〗 〈홀을〉 버디로 마치다

bird·ing [bə́ːrdiŋ] *n.* **1** Ⓤ 들새 관찰(birdwatching) **2** (영) 여성을 꼬시려는 짓

bírd lègs (미·속어) 호리호리한 다리

bird·like [bə́ːrdlàik] *a.* **1** 〈얼굴·목소리 등이〉 새 같은 **2** 〈몸집이〉 가냘픈, 날씬한 **3** 민첩한, 경쾌한

bird·lime [-làim] *n.* Ⓤ (새 잡는) 끈끈이; 올가미; 감언(이설); (영·속어) 형기(刑期)

— *vt.* 끈끈이로 잡다; …에 끈끈이를 바르다

bird·man [-mæ̀n, -mən] *n.* (*pl.* **-men** [-mèn, -mən]) **1** 조류 연구가; 새 박제사; 새 잡는 사람 **2** (구어) 조인(鳥人), 비행가(aviator)

bírd pèpper 〖식물〗 후추

bírd sánctuary 조류 보호구

bird·seed [-sìːd] *n.* ⓊⒸ **1** 새의 낟알 모이 《좁쌀 등》 **2** (미·속어) 푼돈; 허튼소리

bird's-eye [bə́ːrdzài] *a.* **1** 조감적인, 위에서 내려다본: a ~ photo 조감 사진 **2** 새눈무늬의 — *n.* **1** 〖식물〗 설앵초, 복수초 **2** (새눈 같은 반점이 있는) 살담배 **3** 새눈무늬; 새눈무늬의 직물

bírd's-eye víew **1** 조감도 《*of*》; [보통 *sing.*] (높은 데서 바라보는) 전경(全景) 《*of*》 **2** (구어) 개관, 대요(大要) 《*of*》

bird's-foot [-fùt] *n.* (*pl.* **~s**) 〖식물〗 콩과(科) 식물의 목초 《잎·꽃이 새의 다리 모양임》

bírd shòt 새 사냥용 산탄

bírd's nèst **1** 새 둥지; 제비집 《요리용》 **2** 야생 당근 **3** = CROW'S NEST

bird's-nest [-nèst] *vi.* (새끼나 알을 얻기 위해) 새 둥지를 뒤지다

bird's-nest·ing [-nèstiŋ] *n.* 새 둥지 뒤지기

bird·song [-sɔ̀ːŋ | -sɔ̀ŋ] *n.* Ⓤ (지저귀는) 새소리

bírd strìke 버드 스트라이크 《항공기와 새 떼의 충돌》

bírd tàble (정원 등에 설치한) 새 먹이통

bírd wàlk 들새 관찰회; 탐조(探鳥)

bird-watch [-wɑ̀tʃ | -wɔ̀tʃ] *vi.* 들새의 생태를 관찰하다, 탐조(探鳥)하다

bírd wàtcher = BIRDER

bírd wàtching 들새 관찰, 탐조

bird·wom·an [-wùmən] *n.* (*pl.* **-wom·en** [-wìmin]) (구어) 여류 비행가

bird·y [bə́ːrdi] *a.* (**bird·i·er**; **-i·est**) **1** 새 같은; 엽조가 많은; 〈사냥개가〉 새를 잘 찾는 **2** (미·속어) 괴상한, 기묘한

bi·re·frin·gence [bàirifríndʒəns] *n.* Ⓤ 〖광학〗 복(複)굴절 **bì·re·frín·gent** *a.*

bi·reme [báiriːm] *n.* (고대 그리스·로마의) 2단식 노의 갤리선

bi·ret·ta [bərétə] *n.* 〖가톨릭〗 비레타 《가톨릭 성직자가 쓰는 네모난 모자》

biretta

bi·ri·a·ni [bìriɑ́ːni] *n.* 비리아니 《쌀에 고기·생선·야채 등을 넣은 남아시아 요리의 하나》: chicken ~ 닭 비리아니

birk[1] [bə́ːrk] *n.* **1** (스코) = BIRCH **2** (미·속어) 바보, 멍청이

birk[2] *n.* = BERK

birl [bə́ːrl] (미) *vt.* 〈떠 있는 통나무를〉 발로 돌리다[굴리다]; 〈동전을〉 팽이처럼 빙빙 돌리다(spin) — *vi.* 빙빙 돌면서 나아가다; 통나무 굴리기를 하다 **~·er** *n.*

birle [bə́ːrl] *vt.* 〈술을〉 따르다; 〈사람에게〉 술을 권하다 — *vi.* 과음하다

birl·ing [bə́ːrliŋ] *n.* (벌목꾼들이 하는) 통나무 굴리기 시합 《오래 하는 쪽이 이김》

***Bir·ming·ham** [bə́ːrmiŋəm] *n.* **1** 버밍엄 《잉글랜드 중부에 있는 공업 도시; 略 Birm.》 **2** [bə́ːrmiŋhæ̀m] 미국 Alabama 주의 북부 도시 《철강업 중심지》

Bi·ro [báiəròu] [헝가리의 고안자의 이름에서] *n.* [종종 **b~**] (영) 바이로 《볼펜; 상표명》

thesaurus **birth** *n.* **1** 출산 childbirth, delivery, parturition, nativity **2** 태생 origin, descent, ances-

birr[1] [bə́ːr] *n.* Ⓤ 《주로 스코》 **1** 힘; 《특히》 바람의 힘 **2** 공격의 기세; 강타, 공격 **3** 윙 하는 회전음
— *vi.* 윙 하고 소리내다[소리내며 움직이다]

birr[2] [bə́ːr, bíər] *n.* (*pl.* **~, ~s**) 비르 《에티오피아의 화폐 단위; =100cents》

‡**birth** [bə́ːrθ] *n.* **1** ⓊⒸ **탄생, 출생**; 신생: the date of one's ~ 생년월일 **2** ⓊⒸ **출산**, 분만: She had two at a ~. 그녀는 쌍둥이를 낳았다. **3** Ⓤ **태생**, 혈통, 출신; 《좋은》 가문: a man of noble[mean] ~ 태생이 고귀한[비천한] 사람 / *B*~ is much, but breeding is more. 《속담》 가문보다는 훈육이 더 중요하다. **4** 천성 **5** Ⓤ 기원, 발생, 출현 《*of*》: the ~ *of* Protestantism 신교의 발생 ***at ~*** 태어났을 때에(는) ***by ~*** 태생은; 타고난: He is a musician *by* ~. 그는 타고난 음악가이다. ***give ~ to*** …을 낳다; …의 원인이 되다 ***in ~*** 태생은; 태어났을 때에 ***of ~*** 가문이 좋은: a man *of* ~ and breeding 가문도 좋고 교육도 잘 받은 사람 / a man *of* no ~ 보통 가문의 사람
— *vt.* **1** 《드물게》 〈아이를〉 낳다 **2** 〈임부의〉 해산을 돕다 **3** 《미》 시작하다, 일으키다; 탄생시키다, 창조하다
— *vi.* 《드물게》 아이를 낳다
▷ béar *v.*; bórn *a.*

bírth canàl 산도(産道) 《자궁, 음부, 질 등》

bírth certìficate 출생 증명서

bírth contròl 산아 제한, 임신 조절; 피임

bírth-control pìll 경구(經口) 피임약

birth·date [bə́ːrθdèit] *n.* 생년월일(cf. BIRTHDAY)

‡**birth·day** [bə́ːrθdèi] *n.* **생일**, 탄생일; 창립 기념일: "When is your ~?" — "It's (on) December 18." 생일이 언제지? — 12월 18일이야. / Happy ~ (to you)! 생일 축하합니다!
— *a.* Ⓐ 생일의, 탄생일의: a ~ party 생일 파티 / a ~ present 생일 선물

bírthday bòok 생일을 적는 수첩[공책]

bírthday càke 생일 축하 케이크

bírthday hònours 《영》 국왕[여왕] 탄신일에 행하는 서작(敍爵)·서훈(敍勳)

bírthday sùit **1** 《영》 국왕[여왕] 탄신일의 예복 **2** 나체 ***in** one's **~*** 《익살》 알몸으로

bírth dèfect 〖의학〗 선천적 결손증 《구개 파열·페닐케톤 요증 등》

birth·ing [bə́ːrθiŋ] *n.* Ⓤ 출산, 《특히》 자연 분만

bírthing chàir 분만(分娩) 의자

bírthing pòol 수중 분만용 대형 욕조

birth·mark [bə́ːrθmɑ̀ːrk] *n.* (날 때부터 몸에 있는) 점, 모반(母斑)(nevus)

> 유의어 **birthmark** 태어났을 때부터의 점, 모반 **bruise** 타박 등으로 인해 생긴 상처, 반점

bírth mòther (양어머니에 대해) 생모

bírth nàme (여성의 결혼 전의) 성(姓)

birth·night [-nàit] *n.* 탄생의 밤; 국왕 탄생 축하

bírth pàng [보통 *pl.*] **1** (출산의) 진통 **2** 《구어》 (큰 사회적 변화에 따르는) 혼란과 고통

bírth pàrent 친부모, 생부모

bírth pàrtner 출산 동반자 《출산 시 산모 곁에 있는 배우자 등》

bírth pill = BIRTH-CONTROL PILL

***birth·place** [bə́ːrθplèis] *n.* **출생지**, 고향; 발상지, 근원지 《*of*》

birth·rate [-rèit] *n.* 출생률

birth·right** [bə́ːrθràit] *n.* ⓊⒸ **1** 타고난 권리, 생득권 **2** 장자 상속권 ***sell** one's **~ for a pottage of lentils 〖성서〗 팥죽 한 그릇에 장자의 권리를 팔다, 일시적인 이익 때문에 영구적인 이익을 잃다

bírth sìgn 〖점성술〗 탄생궁(誕生宮) 《사람이 태어났을 때 태양이 통과하고 있는 12궁의 성좌》

---

try, lineage, family, blood **3** 기원, 출현 origin, beginnings, start, source, emergence, genesis

birth·stone [-stòun] *n.* 탄생석 《태어난 달을 상징하는 보석》
NOTE 1월 garnet, 2월 amethyst, 3월 bloodstone 또는 aquamarine, 4월 diamond, 5월 emerald, 6월 pearl 또는 alexandrite 또는 moonstone, 7월 ruby, 8월 sardonyx 또는 peridot, 9월 sapphire, 10월 opal 또는 tourmaline, 11월 topaz, 12월 turquoise 또는 zircon

birth·weight [-wèit] *n.* (유아의) 출생시 체중

birth·wort [bə́ːrθwə̀ːrt, -wɔ̀ːrt | -wə̀ːt] *n.* 〖식물〗 태생초 《순산에 효과가 있다고 하는 식물》

bi·ry·a·ni [bìriɑ́ːni] *n.* = BIRIANI

bis [bís] 〖F = twice, again〗 *ad.* 두 번, 2회; 〖음악〗 되풀이하여

BIS Bank for International Settlement 국제 결제 은행; British Information Services 영국 정보부

bis. bissextile

bis- [bis] *pref.* = BI-[1]

BISAM basic indexed sequential access method 〖컴퓨터〗 기본 색인 순차 액세스 방식

Bi·sa·yan [bisáiən] *n.* (*pl.* **~, ~s**) 비사야 족 《필리핀의 원주민》; Ⓤ 비사야 말 — *a.* 비사야 족[말]의

Bis·cay [bískei, -ki] *n.* **the Bay of ~** 비스케 만 《프랑스 서해안의 만》

bis·cot·to [biskɑ́tou | -kɔ́t-] 〖It.〗 *n.* (*pl.* **-cot·ti**) 비스코토 《이탈리아의 쿠키[크래커]》

‡**bis·cuit** [bískit] 〖F 「두 번 요리된」의 뜻에서〗 *n.* (*pl.* **~s, ~**) **1** 《영》 **비스킷**(《미》 cookie) **2** 《미》 과자 모양의 빵(《영》 scone) **3** Ⓤ 비스킷색, 담갈색 **4** Ⓤ 질그릇(bisque) **5 a** 레코드판 원료 덩이 《사운드 트랙이 프레스되기 전의》 **b** 《속어》 레코드 **6** 《미·속어》 화폐, 동전 **7** 《미·속어》 욕심 많은 비정한 여자 **8** 《미·속어》 **a** = METHADONE **b** = PEYOTE **9** 《속어》 얼굴, 머리 **10** 《영·군대속어》 갈색의 사각 매트리스 ***take the ~*** 《영·구어》 = take the CAKE.

bíscuit bàrrel 《영》 비스킷[과자] 통

bíscuit wàre = BISQUE[2]

B-ISDN Broadband-integrated Services Digital Network 〖컴퓨터〗 광대역(廣帶域) 종합 정보 통신망

bise [bíːz] *n.* (알프스에서 스위스·프랑스 남부·이탈리아로 부는) 차고 건조한 북풍[북동풍]

bi·sect [baisékt, ⌐–] *vt.* 양분하다, 이등분하다
— *vi.* 〈길 등이〉 두 갈래로 갈라지다 **bi·séc·tion** *n.* **bi·séc·tion·al** *a.* **-al·ly** *ad.*

bi·sec·tor [baiséktər, ⌐–– | –⌐–] *n.* 〖수학〗 이등분선

bi·sec·trix [baiséktriks] *n.* (*pl.* **bi·sec·tri·ces** [bàisektráisiːz]) **1** 〖결정〗 (광축각(光軸角)의) 2등분선, 광축각 등분선 **2** 〖수학〗 = BISECTOR

bi·se·ri·al [baisíəriəl] *a.* **1** 〖통계〗 이계열(二系列)의 **2** 〖생물〗 이배열(二配列)의, 이연(二連)의

bi·ser·rate [baiséreit, -rət] *a.* 〖식물〗 이중 톱니 모양의

bi·sex·u·al [baisékʃuəl] *a.* **1** 〖생물〗 양성(兩性)의; 양성 기관을 가진 **2** 〖심리〗 〈사람이〉 (남녀) 양성에 마음이 끌리는 — *n.* **1** 〖생물〗 양성 동물, 자웅 동체[동주] **2** 〖심리〗 양성애자
~·ly *ad.* **bi·sex·u·ál·i·ty** *n.*

bish [bíʃ] *n.* 《영·속어》 실수, 잘못

Bish·kek [bìʃkék] *n.* 비슈케크 《키르기스스탄의 수도》

‡**bish·op** [bíʃəp] 〖Gk 「감독」의 뜻에서〗 *n.* **1** [종종 **B~**] 〖가톨릭·그리스정교·영국국교〗 **주교**; 〖개신교〗 감독 **2** (정신적인) 감독자 **3** 〖체스〗 비숍 《주교 모자 모양의 말로서, 사선 방향으로 움직일 수 있음》 **4** Ⓤ 비숍 《레몬[오렌지]과 설탕을 가미한 따뜻한 포도주》 **5** 〖조류〗 금란조 (= ⌐ **bìrd**)

bish·op·ric [bíʃəprik] *n.* bishop의 직[교구](diocese); 〖모르몬교〗 감독회

bíshop slèeve 〖복식〗 비숍 슬리브 《아래쪽이 넓고, 손목 부분을 개더로 좬 소매》

bíshop's lèngth 58×94인치 크기 《캔버스 크기》

Bíshop's ríng 1 주교의 반지 《오른손 가운뎃손가락에 끼며, 교구와 결혼하고 있음을 뜻함》 2 〖기상〗 비숍 고리 《화산 폭발·원폭 실험으로 인해 생긴 공중의 미세한 먼지로 태양 주변에 나타나는 불그스름한 고리 모양》

bisk [bísk] *n.* = BISQUE[3]

Bis·la·ma [bislɑ́:mə, bísləmɑ̀:] *n.* 비슬라마 어(語) 《서남태평양 지역의 피진 영어; Vanuatu의 국어》

Bis·marck [bízmɑ:*r*k] *n.* 비스마르크 **Otto von** ~ (1815-98) 《독일의 정치가》

Bísmarck Archipélago [the ~] 비스마르크 제도 《태평양 중서부에 있는 파푸아 뉴기니령의 군도》

Bis·marck·ian [bizmɑ́:*r*kiən] *a.* 비스마르크의, 비스마르크처럼 강경한 **~·ìsm** *n.*

bis·mil·lah [bismílə] *int.* 신에 맹세코! 《이슬람교도의 서언》

bis·muth [bízməθ] *n.* Ⓤ 〖화학〗 비스무트, 창연(蒼鉛) 《금속 원소; 기호 Bi, 번호 83》 **~·al** *a.*

bis·mu·thic [bizmʌ́θik, -mjú:-] *a.* 〖화학〗 창연의

bis·muth·in·ite [bizmʌ́θənàit, bízməθə-] *n.* 휘창연(輝蒼鉛) 《기호 $Bi_{12}S_3$》

bi·son [báisn, -zn | -sn] *n.* (*pl.* **~s**, ~) 〖동물〗 바이손, 들소(cf. BUFALO)

bisque[1] [bísk] *n.* 비스크 《테니스·골프 등에서 약한 편에게 주어지는 1점; 1스트로크의 핸디캡 등》

bisque[2] *n.* Ⓤ 비스크 도자기 《설구이》; 붉은색이 도는 황색

bisque[3] *n.* Ⓤ 비스크 1 주로 새우나 게·닭고기·야채 등을 사용한 진한 크림 수프 2 호두 가루를 넣은 아이스크림

Bis·sau [bisáu] *n.* 비사우 《아프리카 Guinea-Bissau의 수도》

bis·sex·tile [baisékstil, -tail, bi- | bisékstail] *n.*, *a.* 윤년(의): the ~ day 윤일 《2월 29일》

bis·sex·tus [baisékstəs, bi- | bi-] *n.* 윤일 《2월 29일》

bi·sta·bil·i·ty [bàistəbíləti] *n.* 〖전자〗 (회로의) 쌍안정(雙安定)

bi·sta·ble [baistéibl] *a.* 〖전자〗 〈회로 등이〉 쌍안정의 《깜박이처럼 스위치로 두 가지 상태가 되는》

bi·state [báistèit] *a.* 《미》 두 주(州)의[에 걸친]

bi·stát·ic rádar [baistǽtik-] 바이스태틱 레이더 《송신기와 수신기 사이에 거리를 둔 레이더 시스템》

bis·ter | **-tre** [bístə*r*] *n.* Ⓤ 비스터 《진한 갈색 그림물감》; 진한 갈색 **bís·tered** *a.*

bis·tort [bístɔ:*r*t] *n.* 〖식물〗 범꼬리

bis·tou·ry [bístəri] *n.* 외과용 접는 메스

bis·tro [bístrou:] [F] *n.* (*pl.* **~s** [-z]) 작은 바[레스토랑, 나이트클럽] **~·ic** [bistróu:ik] *a.*

bi·sul·fate, -phate [baisʌ́lfeit] *n.* 〖화학〗 중황산염(重黃酸塩)

bi·sul·fide, -phide [baisʌ́lfaid, -fid | -faid] *n.* 〖화학〗 이황화물(二黃化物)

bi·sul·fite, -phite [baisʌ́lfait] *n.* 〖화학〗 중아황산염(重亞黃酸塩)

bi·swing [báiswìŋ] *a.*, *n.* (팔을 잘 움직일 수 있도록) 등의 양쪽에 주름을 잡은 (옷)

BISYNC [báisiŋk] [*bi*nary *syn*chronous *c*ommunications] *n.* 〖컴퓨터〗 바이싱크, 2진 데이터 동기(同期) 통신

bit[1] [bít] [bite (물다)에서] *n.* 1 〖기계〗 비트 《드릴용의 날》 2 재갈 3 구속(물) 4 대패의 날; 송곳의 끝, 끝날 5 (집게 등의) 맞물리는 부분; (열쇠 끝의) 돌출부 《자물쇠에 걸리는 부분》 6 파이프의 흡입구

chafe* [*champ*] *at a* [*the*] ~** 출발[전진, 개시]하고 싶어 안달하다[애태우다], 빨리 나아가려고 하다 ***draw* ~** 고삐를 당겨 말을 멈추다; 속력을 늦추다; 지나치지 않다, 삼가다 ***off the* ~** 고삐를 늦추고, 말을 천천히 가게 하고 ***on the* ~** 고삐를 당기고[재고], 말을 급히 몰고 ***take* [*have, get*] *the* ~ *between* [*in*] *its* [*one's*] *teeth 〈말이〉 사납게 날뛰다; 〈사람이〉 반항하여 어찌할 수 없게 되다, 제 마음대로 행동하다; 의연하게[단호하게] 사태에 대처하다 ***take the* ~ *into one's mouth*** 《미》 주제넘게 나서다 ***take the* ~*s*** 〈말이〉 재갈을 물다

— *vt.* (**~·ted**; **~·ting**) 1 〈말에〉 재갈을 물리다; 재갈에 익게 하다 2 〈욕망 등을〉 억제[구속]하다 3 〈열쇠에〉 돌출부를 만들다

‡bit[2] [bít] *n.*

> 원래는 「물어 뗀 것」 (cf. BITE)의 뜻 → 「(음식물의) 한 입(의 분량)」 1 → 「조금」 2 → (부사적으로) 「조금」

1 작은 조각, 도막, 한 조각, (음식의) 한 입(의 분량), 소량의 음식: a ~ of bread 빵 한 조각 / ~*s* of glass 유리 파편 2 조금, 약간 (*of*); 한 개; 잠시 (동안): a ~ *of* advice[news] 하나의 충고[뉴스] 3 a [2의 배수와 함께] 《미·구어》 12센트 반: two ~*s* 25센트(a quarter) b [수식어와 함께] 《영·구어》 잔돈 《이전의 3펜스, 6펜스 주화》: a sixpenny ~ 6펜스 은화 c 스페인 또는 멕시코의 은화 4 a [the, that 등과 함께] 《미·구어》 예(例)의[판에 박은] 방식[문구, 짓거리, 일, 사건]: *the* bribery ~ 예의 수뢰 사건 b 잘 일어날 수 있는 일[상황]; 문제의 사태 5 연기, 연주 6 《구어》 a (연극의) 한 장면 b (연극·영화의) 단역 c 대중 잡지의 머리기사; 《구어》 (풍경화의) 소품 7 《속어》 젊은 여자 8 《속어》 징역형; 형기 9 a 장소, 지점 b 마침 좋은 때

a* ~** [부사적으로] 《구어》 조금, 다소, 약간; 잠깐, 잠시: I am *a* ~ tired. 조금 피곤하다. / Wait *a* ~. 잠깐 기다려라. USAGE 형용사·부사의 비교급, too를 수식할 수 있음: *a* ~ later 좀 있다가 / *a* ~ too much 좀 너무 많은 / speak *a* ~ less 말을 좀 적게 하다 ***a* ~ *and a sup 소량의 음식 ***a* ~ *at a time*** = BIT by bit. ***a* ~ *of a* ...** 《구어》 조금; 작은: *a* ~ *of a* girl 소녀 / He is *a* ~ *of a* poet. 그는 시를 조금은 쓴다. ***a* ~ *of all right*** 《주로 영》 썩 좋은 것[사람]; 아름다운 여성 ***a* ~ *of blood*** 순혈종(의 말) ***a* ~ *on the side*** 《영·구어》 (1) 바람 피우기(의 상태): have *a* ~ *on the side* 바람을 피우다 (2) 본업 이외의 돈 ***a* ~ *much* [*thick*]** 《구어》 너무 심하여: That's *a* ~ *much.* 그건 너무 심하다[너무하다]. ***a good* ~** 《구어》 꽤 오랫동안; 훨씬 ***a little* ~** 조금 《a bit에 little이 붙은 말; 뜻은 a bit과 같음》 ***a nice* ~ (*of*)** 《구어》 꽤 많이[많은] ***a* (*nice*) ~ *of goods* [*stuff, fluff*]** 《영·속어》 (귀여운) 여자애 **~ *by* ~ = *by* ~*s*** 《구어》 조금씩; 점차로 **~*s and pieces* [*bobs*]** 《구어》 지스러기, 잡동사니 **~*s of*** 《구어》 빈약한, 보잘것없는, 초라한 ***do one's* ~** 제 의무[본분]를 다하다; 응분의 기부[봉사]를 하다 ***every* ~** 《구어》 어느 모로 보나; 전적으로: He's *every* ~ a gentleman. 그는 어느 모로 보나 신사다. ***every* ~ *as* ...** (***as* ...**) (…와) 아주 똑같이 …하여 ***give* a person *a* ~ *of one's mind*** 털어놓고[솔직히] 말해주다; 잔소리를 하다, 나무라다 ***not a* [*one little*] ~ (*of it*)** 《구어》 조금도 …하지 않다; 천만에 ***quite a* ~** 《미·구어》 꽤, 상당한 ***take a* ~ *of doing*** 《구어》 꽤 힘이 들다 ***the whole* ~** 《구어》 (이것저것) 모두 ***to* ~*s*** 산산이, 조각조각으로

***bit**[3] [bít] *v.* BITE의 과거·과거분사

bit[4] [*bi*nary digi*t*] *n.* 〖컴퓨터〗 비트 《정보 전달의 최소 단위; 2진법의 0과 1》

bi·tar·trate [baitɑ́:*r*treit] *n.* 〖화학〗 산성 주석산염

bitch [bítʃ] *n.* 1 암캐; (갯과(科) 동물의) 암컷: a ~ fox 암여우 2 《속어》 계집, 음탕[음험]한 계집; 심술궂은 여자, 까불거리는 여자 3 《속어》 아주 싫은[어려운] 일; 불유쾌한 것; 불평 ***a son of a* ~** 《비어》 개새끼, 개자식 《대단히 모욕적인 말; 略 SOB》

thesaurus **bit**[2] *n.* 1 작은 조각 piece, section, part, segment, chunk, portion, fragment 2 잠시 little while, short time, moment, minute, second
bitter *a.* 1 쓴 acid, pungent, acrid, sour, tart,

— *vi.* 《구어》 불평하다, 투덜거리다 《*about*》: Stop you ~*ing*! 불평 좀 그만해라.
— *vt.* 《속어》 〈남에게〉 짓궂게 굴다; 〈남이 한 것을〉 망쳐놓다 《*up*》; 속이다 **~·er** *n.* 《속어》 불평가

bitch·en [bítʃən] 《미·속어》 *a.* 멋진, 매력적인, 훌륭한 **—** *ad.* 대단히, 단연, 더 없이; [감탄사적] 멋지다!

bitch·er·y [bítʃəri] *n.* 《속어》 **1** 심술궂은[음탕한] 짓 **2** 심술, 악의; 보복, 복수

bítch gòddess 《속어》 세속적인[물질적인] 성공; 파멸이 뻔한 일시적 성공

bitch·ing [bítʃiŋ] *a.* 《속어》 굉장한, 아주 좋은

bitch·y [bítʃi] *a.* (**bitch·i·er**; **-i·est**) **1** 《구어》 〈특히 여자가〉 성질이 고약한, 심술궂은, 성마른 **2** 《속어》 육감적인, 성적 매력이 있는 **-i·ly** *ad.* **-i·ness** *n.*

bít dènsity 〖컴퓨터〗 비트 밀도 《보조 기억 장치의 단위 면적당 저장되는 비트의 수》

‡bite [báit] *v.* (**bit** [bít]; **bit·ten** [bítn], **bit**; **bit·ing**) *vt.* **1** 물다; 물어뜯다; 물어 끊다 《*off*》: (~+목+부) The tiger *bit off* a piece of meat. 호랑이가 고기를 한 조각 물어뜯었다. // (~+목+전+명) The dog *bit* me *in* the left leg. 개가 내 왼쪽 다리를 물었다.

> 유의어 **bite** 물다, 깨물다 **crunch** 으드득[아삭아삭] 깨물다 **gnaw** 앞니로 갉다 **chew** 어금니로 씹다

2 〈모기·벼룩 등이〉 물다, 쏘다(sting); 〈게가〉 물다 **3** 〈추위가〉 …에 스미다; 〈후추 등이〉 쏘다, 자극하다; 〈서리·산(酸) 등이〉 상하게 하다, 부식시키다: a cold wind that ~*s* the face 얼굴을 에는 듯한 찬 바람 **4** 〈물건을〉 꽉 잡다 **5** 《구어》 〈일 등이〉 〈사람을〉 화나게 하다; 괴롭히다, 신경질나게 하다 **6** 〈톱니바퀴가〉 …와 맞물다, 〈닻이〉 〈바닥에〉 걸리다 **7** 《미·속어》 모방하다, 흉내내다; [보통 수동형으로] 《속어》 속이다; 《호주·미·속어》 …에게서 돈 등을 빌다[달라 하다]
— *vi.* **1** 물다, 깨물다 《*at*》: (~+전+명) My dog never ~*s*, even *at* a stranger. 우리 개는 절대로 물지 않는다, 설령 낯선 사람이라도. **2** 〈톱니바퀴가〉 맞물리다 **3** 〈추위 등이〉 살을 에다; 자극하다 **4** 〈풍자 등이〉 사무치다, 감정을 상하다 **5** 〈물고기가〉 미끼를 물다; 속다 **6** 〈유혹 등에〉 걸려들다 《*at*》: (~+전+명) ~ *at* a proposal 제의에 덤벼들다 **7** [I'll ~로] 《미》 《수수께끼·질문 등에서》 모름을 자인하다: *I'll* ~, who is it? 모르겠는데, 대체 누구야? **8** 〈도구 등이〉 잘 들다 **9** 〈정책 등이〉 효과를 나타내다 《*into*》 **10** 〈산이〉 부식하다; 알알하다, 자극하다 **11** 《미·속어》 아이디어를 훔치다; 허가 없이 베끼다
be* (*much*) *bitten with*[*over, by*]** …에 걸려들다, 정신이 빠지다, 열중하다 ***~ at …에 덤벼들다, 마구 싸움을 걸다 ***~ back*** 《미》 〈하품을〉 참다; 〈입술을 깨물고〉 〈말·눈물 등을〉 참다, 억누르다 ***~ in*(*to*)** …에 먹어 들어가다; 썩어 들어가다 ***~ off*** 물어 떼다, 떼어먹다; 〈방송 프로를〉 방송 도중에 끊어 버리다 ***~ off more than* one *can chew*** 힘에 겨운 일을 계획하다 ***~ off* one*'s own head*** …을 해치려다가 도리어 제가 해를 입다 **~** a person***'s head off*** …에게 쌀쌀하게 인사[대답]하다 ***~ on*** 《구어》 …을 곰곰이[골똘히] 생각하다; …에 진지하게 착수하다 ***~ on granite*** 헛수고하다 ***~* (*on*) *the bullet*** 고통을 꾹 참다, 위험하거나 싫은 일을 참고 하다 ***~*** one***'s*[*the*] *lip*(*s*)** [***tongue***] 침묵하다; 입술을[혀를] 깨물다, 노여움을 꾹 참다, 하고 싶은 말을 꾹 참다 ***~*** one***'s nails*** (손톱을 물어뜯으며) 분개하다 ***~*** one***'s thumb at*** 도발적으로 멸시하다, 싸움을 걸다 ***~ the dust*[*ground*]** 쓰러지다; 패배하다; 죽다, 전사하다; 낙마하다; 실패하다; 굴욕[수모]을 당하다 ***~ the hand that feeds*** one 은혜를 원수로 갚다
— *n.* **1** 묾, 물기 **2** 물린 상처, 찔린 상처; 동상: a deep ~ 깊이 물린 상처 **3** 에는 듯한 아픔 **4** 한 입; 소량: a ~ of bread 한 입의 빵 **5** [a ~] 《구어》 음식, 간단한 식사 **6** 《물고기가》 미끼를 묾, 입질; 유혹에 넘어감 **7** UC 〖의학〗 《아래윗니의》 교합(咬合); U 〖기계〗 맞물림 **8** U [또는 a ~] 자극성, 신랄한 맛; 《음식의》 매운 맛, 얼얼한 맛 **9** 《줄 표면의》 마찰면 **10** U 《산의》 부식 (작용) **11** 《미·구어》 《급료 등에서》 떼어지는 금액 《세금 등》; 《미·속어》 비용, 지불액, 분담금 ***grab a ~ to eat*** 간단히 먹다 ***make*[*take*] *two ~s at*[*of*] *a cherry*** 한 번에 할 수 있는 일을 두 번으로 나눠 하다; 꾸물거리다 ***put the ~ on*** 《미·속어》 …에게서 돈을 빌려고[공갈하여 뺏으려고] 하다 ***take a ~ at*** …을 물려고 달려들다 ***take a ~ of*** …을 한 입 먹다 ***take a ~ out of*** 《구어》 …을 격감시키다

bite-by-bite [báitbaibáit] *a.* 야금야금[조금씩] 먹어 들어가는, 한 발짝 한 발짝씩 다가가는

bíte plàte 〖치과〗 교합상(咬合床) 《플라스틱과 와이어로 만든 치열 교정기》

bit·er [báitər] *n.* 무는 사람[것]; 물어뜯는 짐승; 미끼를 잘 무는 물고기; 《속어》 속이는 사람: Great barkers are no ~s. 《속담》 짖는 개는 물지 않는다. / The ~ (is) bit[bitten]. 《속담》 속이려던 놈이 도리어 속는다, 혹 떼러 갔다가 혹 붙여 온다.

bite-size(d) [báitsàiz(d)] *a.* **1** 한 입 거리[크기]의; 아주 작은 **2** 간단히 알 수 있는[해결되는]

bite·wing [-wìŋ] *n.* 〖치과〗 교익(咬翼) 《치과용 X선 필름의 받침》

Bi·thyn·i·a [biθíniə] *n.* 비티니아 《소아시아 북서부에 있었던 고대 왕국》 **-i·an** *a., n.*

bit·ing** [báitiŋ] *a.* **1** 물어뜯는, 무는 **2** 살을 에는 듯한 〈찬 바람〉; 알알한; 부식성의 **3** 날카로운(sharp), 통렬한, 신랄한; 《음식 등이》 자극성의: ~ remarks 신랄한 말 **4** [부사적으로] 살을 에듯: It's ~ cold. 살을 에듯이 춥다. ***have a ~ tongue 말씨가 몹시 매섭다, 신랄하다 **~·ly** *ad.* **~·ness** *n.*

bit·map [bítmæ̀p] *n.* 〖컴퓨터〗 비트맵 《디스플레이의 1도트(dot)가 정보의 최소 단위인 1비트에 대응지워지는 것》; 또는 그 화상 표현 방식

bit·map·ped [bítmæ̀pt] *a.* 〖컴퓨터〗 비트맵 방식의

BITNET [bítnèt] [*B*ecause *I*t's *T*ime *Net*work] *n.* 〖컴퓨터〗 비트넷 《미국 대학 간에 널리 쓰이는 광역 네트워크의 하나》

bi·ton·al [bàitóunəl] *a.* 〖음악〗 복조성(複調性)의, 두 가락을 함께 쓰는

bít pàrt 단역(bit)

bít plàyer 이류[단역] 배우, 엑스트라

bít ràte 〖컴퓨터〗 비트 전송률

bit-slice [bítslàis] *a.* 〖컴퓨터〗 《중앙 처리 장치(CPU)가》 비트 슬라이스의 《8비트·16비트 등 처리 단위가 다른 unit을 조합하여 구성된》

bít strèam 〖컴퓨터〗 비트 스트림 《비트 단위로 전송하는 데이터》

bitt [bít] *n., vt.* 〖항해〗 계주(繫柱)(에 매다)

***bit·ten** [bítn] *v.* BITE의 과거분사

‡bit·ter [bítər] [OE 「물다」의 뜻에서] *a.* (**~·er**; **~·est**) **1** 쓴(opp. *sweet*): a ~ taste 쓴 맛 **2** [보통 A] 쓰라린, 고통스러운, 비통한: a ~ experience 쓰라린 경험 **3** 〈바람·추위 등이〉 지독한, 모진, 격심한: a ~ chill 살을 에는 듯한 추위 **4** 〈싸움 등이〉 격렬한; 증오[적의]에 찬, 냉혹한 **5** 분개하는 **6** 〈말 등이〉 신랄한, 통렬한, 가혹한: ~ words 원한의 말, 원성 / ~ criticism 혹평 ***to the ~ end*** ⇨ bitter end[2]
— *ad.* =BITTERLY
— *n.* [the ~; 종종 *pl.*] **1** 씀, 쓴 맛; 쓰라림 **2** UC 《영》 쓴 맥주, 비터(=~ beer) **3** [*pl.*; 단수·복수 취급] 비터즈 《칵테일에 섞는 쓴 맛의 술》; 고미제(苦味劑)(=~ **tíncture**) ▷ embítter *v.*

bítter álmond =ALMOND 1

bítter ápple =COLOCYNTH

---

vinegary **2** 쓰라린 painful, distressful, heartbreaking, agonizing, unhappy, sad, tragic, grievous **3** 모진 freezing, harsh, piercing, fierce **4** 통렬한 hostile, antagonistic, vicious, malicious

bítter béer (영) 비터 맥주 《홉으로 씁쓸한 맛을 강하게 한 영국의 대표적 맥주》
bítter créss 〔식물〕 황새냉이 《겨잣과(科)》
bítter cúp 쓴 잔 《quassia의 나무로 만든 잔; 이것으로 마시면 음료에서 쓴 맛이 남》; 쓰디쓴 경험
bítter ènd[1] 〔항해〕 닻줄의 (배 안쪽의) 끝
bítter énd[2] 막다른 최후, 궁극; 막바지, 막판
to [***till, until***] ***the*** ~ 끝까지, 죽을 때까지
bit·ter-end·er [bítəréndər] *n.* (구어) 끝까지 굴하지[주장을 바꾸지] 않는 사람
bit·ter·ish [bítəriʃ] *a.* 씁쓸한, 씁쓰레한
bítter lémon 비터 레몬 《칵테일용 수스》
‡**bit·ter·ly** [bítərli] *ad.* 쓰게; 몹시, 지독하게; 통렬하게, 쓰라리게; 살을 에는 듯이: cry ~ 통곡하다 / speak ~ 씁쓸하게 말하다 / ~ cold 몹시 추운
bit·tern [bítərn] *n.* **1** Ⓤ 〔화학〕 간수, 고염(苦鹽), 고미제 **2** 〔조류〕 알락해오라기
bit·ter·ness [bítərnis] *n.* Ⓤ **1** 씀, 쓴 맛 **2** 신랄함; 쓰라림, 비통; 비꼼
bítter órange 〔식물〕 광귤
bítter píll 쓴 알약; 쓰라린 고통[경험]: *Bitter pills* may have blessed effects. (속담) 좋은 약은 입에 쓰다. ***a*** ~ (***to swallow***) 감수해야 하는 싫은 것[일]
bítter pít 〔식물〕 고두병(苦痘病) 《과실에 갈색 반점이 생김》
bítter prìnciple 〔화학〕 고미질(苦味質) 《식물체 안의 쓴 성분》
bítter rìval 숙원의 적[적수]
bit·ter·root [bítərrù:t] *n.* 〔식물〕 쇠비름과(科)의 화초
bítter rót 〔식물〕 탄저병(炭疽病)
bit·ter·sweet [bitərswí:t, ´-`] *a.* **1** 씁쓸하면서 달콤한; 괴로우면서도 즐거운 **2** Ⓐ (미) 〈초콜릿 등이〉 설탕을 거의 넣지 않은 ── [´-`] *n.* **1** Ⓤ 쓴 맛 섞인 단맛 **2** 〔식물〕 노박덩굴 무리
bit·ter·weed [bítərwì:d] *n.* 〔식물〕 쓴 맛이 나는 식물의 총칭
bit·ty [bíti] *a.* **1** (영·구어) 단편적인, 토막 난 **2** (미·구어) 조그만
bi·tu·men [baitjú:mən, bi-, bítʃu- | bítju-] *n.* Ⓤ **1** 〔광물〕 역청(瀝青); 아스팔트 **2** 암갈색
bi·tu·mi·nize [bitjú:mənàiz, bai- | bitjú:-] *vt.* 역청화하다; …에 역청을 섞다; 역청으로 처리하다
bi·tù·mi·ni·zá·tion *n.*
bi·tu·mi·nous [bitjú:mənəs, bai- | bitjú:-] *a.* 역청(질)의; 아스팔트의
bitúminous cóal 역청탄, 연탄(軟炭)
bit·wise [bítwàiz] *a., ad.* 〔컴퓨터〕 비트에 관한[관하여], 비트의[마다]
bit·zer [bítsər] *n.* (호주·뉴질·속어) **1** 이것저것 섞어 만든 것 **2** 잡종 개(mongrel)
bi·unique [bàiju:ní:k] *a.* 〔언어〕 2방향 유일성의 《음소 표시와 음성 표시가 1대 1의 대응 관계에 있는》 ~·**ness** *n.*
bi·va·lence, -len·cy [baivéiləns(i), bívə-] *n.* Ⓤ **1** 〔생물·화학〕 이가(二價) **2** 상동 염색체가 접착하여 쌍을 이룬 상태
bi·va·lent [baivéilənt, bívə-] *a.* 〔생물·화학〕 이가(二價)의
bi·valve [báivæ̀lv] *n., a.* 2패류(의), 쌍각(雙殼)류(의)
bi·valved [báivæ̀lvd], **bi·val·vu·lar** [bài-vǽlvjulər] *a.* 양판(兩瓣)의; 2패류의; 쌍각류의
bi·var·i·ate [baivɛ́əriət, -rièit] *a.* 〔통계〕 이변수[변량(變量)]의, 두 개의 변수[변량]를 갖는
biv·ou·ac [bívuæ̀k, bívwæ̀k] *n.* (군대의) 야영(지); (천막 없는) 노숙 ── *vi.* (**-acked**; **-ack·ing**) 야영[노숙]하다
bívouac shèet 간이 천막 《등산용》
biv·vy [bívi] *n.* (*pl.* **-vies**) (속어) 작은 텐트[피난처] ── *vi.* 야영하다
bi·week·ly [baiwí:kli] *a., ad.* **1** 격주의[로](fortnightly) ★ 간행물에는 대개 이 뜻으로 쓰임. **2** 한 주일에 2회의[씩](semiweekly) ★ 수송 예정표 등에는 대개 이 뜻으로 쓰임.
── *n.* (*pl.* **-lies**) 격주 간행물 《신문·잡지 등》
bi·wir·ing [báiwàiəriŋ] *n.* Ⓤ 〔전기〕 바이와이어링 《고음질을 위해 앰프와 스피커 사이의 연결을 이중으로 하는 것》
bi·year·ly [baijíərli] *ad., a.* **1** 2년에 한 번(의)(biennial(ly)) **2** 1년에 두 번(의)(biannual(ly))
biz [bíz] *n.* (구어) = BUSINESS
Good ~! (영) 잘한다, 멋지다!
bi·zarre [bizɑ́:r] *a.* 기괴한(grotesque); 이상야릇한 ~·**ly** *ad.* ~·**ness** *n.*
bi·zar·re·rie [bizɑ̀:rərí:] [F] *n.* 괴기(한 것)
Bi·zet [bi:zéi | ´-] *n.* 비제 **Georges** ~ (1838-75) 《프랑스의 작곡가》
bi·zon·al [baizóunl] *a.* 2국 공동 통치 지구의; [**B~**] (제2차 대전 후의 구 서독의) 미·영 양국 점령 지구의
bi·zone [báizòun] *n.* 2국 공동 통치 지구
bi(z)·zazz [bizǽz] *n.* (미·속어) = PI(Z)ZAZZ
biz·zies [bíziz] *n. pl.* (영·속어) 경찰
BJ Bachelor of Journalism **bk** balk; bank; black; block; book **Bk** 〔화학〕 berkelium **BK.** 〔야구〕 balk(s) **bkcy** 〔법〕 bankruptcy **bkg** banking; booking **bkgd** background **bklr.** black letter **bkpt** bankrupt **bks** barracks; books **bkt** basket(s); bracket **bkts.** baskets **bl.** bale(s); barrel(s); black; block; blue **BL** Bachelor of Laws; Bachelor of Letters[Literature]; British Legion **b.l., B/L** bill of lading
blab [blǽb] *v.* (**~bed**; **~·bing**) *vt.* 〈비밀을〉 주책없이 지껄여 대다 《*off*》 ── *vi.* 부질없는 수다를 떨다
── *n.* **1** 수다쟁이 **2** Ⓤ 수다
blab·ber [blǽbər] *vt., vi.* = BLAB
── *n.* 입이 가벼운 사람, 수다쟁이
blab·ber·mouth [blǽbərmàuθ] *n.* (구어) 수다쟁이, 비밀을 지껄여 대는 사람
‡**black** [blǽk] *a.* **1 a** 검은, 흑색의(opp. *white*): (as) ~ as coal[ebony] 새까만 NOTE 악마를 검게 나타내는 등, 검은 빛깔은 「불길함, 죽음, 패배, 위반」등 악을 상징함. **b** 〔카드〕 흑의 **c** 〈얼굴이〉 암자색의 **2** 암흑의, 아주 어두운 **3** 〈손·옷 등이〉 더러운, 때묻은 **4** 피부가 검은, 흑인의, 흑인종의: the ~ races 흑인종 **5** 검은 옷을 입은 **6** 비관적인, 암담한(gloomy): ~ despair 암담한 절망 **7** 불길한, 흉조의 **8 a** 〈문학 작품 등이〉 병적인, 불쾌한, 그로테스크한 **b** 악마에 관한, 악마에 관계된 **9** 속이 검은, 흉악한: ~ ingratitude 배은망덕 / He is not so[as] ~ as he is painted. 그는 소문난 만큼 나쁜 사람은 아니다. 《악마를 까맣게 표현하는 데서》 **10** 불명예스러운 **11** 〈지역 등이〉 불행을 입은 **12** 〈커피가〉 블랙의: take one's coffee ~ 커피를 블랙으로 마시다 **13** 〔회계〕 흑자의: a ~ balance sheet 흑자 대차 대조표 **14** 〈검사·깃발 등이〉 위험성을 나타내는 **15** 부정한; 비합법적인 **16** (의도적으로) 엉터리인 **17** (구어) 전적인, 순전한 **18** 〈일·제품 등이〉 보이콧 대상의 **19** 미완성의 **20** 〔군사〕 비밀의 ***~ and blue*** 검푸른 멍이 들 정도로 〈때리다〉 ***go*** ~ 눈앞이 캄캄해지다, 의식을 잃다
── *n.* **1 a** ⓊⒸ 검정, 흑색 **b** Ⓤ 검정 물감, 검정 잉크; 먹; 어둠, 암흑 **2** ⓊⒸ 검정 반점[얼룩]; 깜부기 **3** Ⓤ 검정옷; 상복 **4** [보통 *pl.*; 종종 **B~**] 흑인: *B~* Law 흑인에 관한 법률 USAGE Negro보다 덜 경멸적이지만, *blacks*라고 불리기보다 African-Americans 또는 people of color라고 불리기를 선호하는 흑인이 많음. **5** 〔체스〕 검은 말 **6** 흑마(黑馬) **7** 오점(汚點) **8** 암흑 **9** 〔인쇄〕 = BOLDFACE **10** (미·속어) 질 좋은 마리화나 **11** (영) 노동조합에 의한 보이콧 **12** (표적의) 검은 바퀴 《맞으면 3점》 **13** 무대 앞부분 ***be in the ~*** (미) 〈장사가〉 흑자이다((영) show a profit; cf. RED) ***into the ~*** 흑자를 향하여 ***prove that ~ is white*** = ***swear ~ is white*** = ***talk ~ into***

white 검은 것을 희다고 우겨대다, 뻔한 궤변을 부리다 **—***vt.* **1** 검게 하다, 더럽히다 **2** 〈검은 구두 등을〉 닦다; 〈난로 등을〉 검은 약으로 칠하여 광나게 닦다 **3** 〈명예를〉 손상시키다 **4** 《속어》 …에게 공갈치다(blackmail) **5** 《영》 〈노동조합이〉 〈일·상품 등을〉 보이콧하다 **—***vi.* 검어지다; 어두워지다 **~ *out*** (1) 〈기사(의 일부)를〉 먹칠을 해서 지워 버리다 (2) 〈등화관제 등으로〉 캄캄하게 하다[해지다] (3) 〖연극〗 〈무대를〉 캄캄하게 하다; 무대의 조명을 끄다 (4) 〈급강하 등으로〉 잠시 시각[의식, 기억]을 잃게 하다[잃다] (5) 〈라디오 송신을〉 방해하다, 〈전화·송신이〉 불통이 되다 (6) 〈전쟁 중에〉 〈뉴스 등의〉 보도 관제를 하다 (7) 〈텔레비전 방송을〉 중지하다 **~ a person's *eye*** 눈에 멍이 생길 정도로 …을 때리다 **~·ish** *a.*

bláck advánce 《미》 (유세를 따라다니며 하는) 선거 연설 방해

bláck África 블랙 아프리카 《아프리카 대륙에서 흑인이 많이 거주하는 지역, 또는 흑인이 정치적 주도권을 쥐고 있는 지역》

black·a·moor [blǽkəmùər] *n.* 《문어·경멸》 **1** 흑인, 《특히》 아프리카의 흑인(Negro) **2** 피부가 검은 사람

black-and-tan [blǽkəndtǽn] *a.* **1** 〈개가〉 검정 바탕에 갈색 얼룩인 **2** 《구어》 백인과 흑인이 출입하는 **3** [종종 **Black-and-Tan**] 《미》 (남부의) 백인과 흑인의 비례 대표제를 지지하는 **—***n.* **1** 백인·흑인이 출입하는 나이트클럽 **2** [종종 **Black-and-Tan**] 《미》 (남부의) 백인과 흑인의 비례 대표제를 주창한 공화당원 **3** 《미·속어》 흑백 혼혈인

Bláck and Tán 〖역사〗 1921년 아일랜드 반란 진압에 파견되었던 영국 정부군(의 일원)

bláck and whíte **1** 펜화(畫), 묵화; 흑백 그림[사진, 영화, 텔레비전] **2** (흑색의) 인쇄(물), 필사(筆寫)(물): in ~ 인쇄[필사]하여

black-and-white [blǽkəndhwáit] *a.* **1** 흑백의; 펜화의; 단색의: ~ television[photograph] 흑백 텔레비전[사진] **2** 흑백 얼룩의 **3** 흑백이 뚜렷한 〈논리 등〉 **—***n.* 《미·속어》 초콜릿 크림

bláck árt [the ~] 마법, 마술

black-a-vised [blǽkəvàist, -vàizd] *a.* 《고어·방언》 얼굴색이 거무스름한, 안색이 어두운

black-bag [blǽkbæ̀g] *a.* 암거래용의

bláck-bág jòb 《미·구어》 (연방 수사관 등의) 정보 입수를 위한 불법 침입

black·ball [-bɔ̀:l] *vt.* (검은 공을 던져서) …에게 반대 투표하다; 배척하다, 징계하다 **—***n.* 반대 투표; (반대 투표용의) 검은 공 **~·er** *n.* 반대 투표자

bláck báss 〖어류〗 농어류의 담수어 《미국산(産)》

bláck béar 〖동물〗 흑곰 《미국산(産)》

black·bee·tle [-bì:tl] *n.* 〖곤충〗 흑갈색의 바퀴벌레

bláck bèlt[1] **1** [the ~; 종종 **B- B-**] (미국 남부의) 흑인 지대 **2** [the ~] (미국 Alabama, Mississippi 두 주의) 옥토 지대

bláck bèlt[2] (태권도·유도의) 검은띠; 유단자

black·ber·ry** [blǽkbèri, -bəri | -bəri] *n.* (*pl.* **-ries**) 〖식물〗 검은딸기(의 열매) **—vi.* (**-ried**) 검은딸기를 따다

Black·Berry [blǽkbèri | -bəri] *n.* (*pl.* **-ries**) 블랙베리 《무선 이메일 기능이 있는 휴대용 장비; 상표명》

black·berry·ing [blǽkbèriŋ | -bəriŋ] *n.* Ⓤ 검은딸기(blackberry) 따기

bláck bíle **1** 《고어》 〖생리〗 흑담즙(黑膽汁) **2** 우울

***black·bird** [blǽkbə̀:rd] *n.* **1** 《영》 검은새 《지빠귀과(科)무리》 **2** 《미》 찌르레깃과(科)의 새 **3** 《미·속어》 흑인; 노예선에 유괴된 카나카(Kanaka) 사람 **4** [**B~**] 《미》 초음속 전략 정찰기 SR-71 A(의 별명)

blackbird 1

black·bird·ing [-bə̀:rdiŋ] *n.* Ⓤ 흑인 노예 유괴[매매]

‡**black·board** [blǽkbɔ̀:rd] *n.* 칠판, 흑판(《미》 chalkboard): erase the ~ 칠판을 지우다

bláckboard júngle 《미》 폭력 교실[학원]

black·body [-bɑ̀di | -bɔ̀di] *n.* 〖물리〗 흑체(黑體) 《모든 파장의 복사를 흡수하는 가상 물체》

bláckbody radiátion 〖물리〗 흑체(黑體) 복사

bláck bòok **1** = BLACKLIST **2** 《속어》 여자 친구의 주소록 ***be in*** **a person's *~s*** …의 미움을 받고 있다

bláck bóttom 블랙 바텀 《1920년대 미국에서 유행한 흑인 엉덩이 춤》

bláck bóx 블랙박스 **1** 비행 기록 장치(flight recorder) **2** (지하 핵폭발 탐지를 위한) 봉인 자동 지진계 **3** 《구어》 비밀, 극비 사항, 내용을 전혀 알 수 없는 부분

bláck bréad 흑빵 《호밀로 만듦》

bláck bún (새해에 먹는) 스코틀랜드 빵의 일종

bláck bútter = BEURRE NOIR

bláck cáb 《영》 블랙 택시 《영국 런던의 명물인 검은 택시》

bláck cámp 《미·속어》 (태반이 흑인인) 흑인 교도소

bláck cáp 《영》 검정 우단 모자 《전에 사형 선고를 내릴 때 판사가 쓰던》

black·cap [-kæ̀p] *n.* **1** 〖조류〗 검은머리꾀꼬리 무리 **2** 《미》 〖식물〗 검은딸기 무리

bláck cápitalism 흑인 자본주의 《미국 정부가 흑인에게 기업 경영을 권장하는 정책》

black-capped [-kǽpt] *a.* 〈새가〉 검은 머리의

bláck cáttle 검은소 《스코틀랜드 및 웨일스 종의 식용우》

Bláck Chámber 암흑실 《정부 첩보 기관》

black·coat [-kòut] *n.* **1** 《경멸》 목사 **2** 《미·속어》 장의사 **3** 《영》 월급쟁이(=~ **wórker**)

black·cock [-kɑ̀k | -kɔ̀k] *n.* 〖조류〗 수멧닭

Bláck Códe 〖미국사〗 흑인 단속법 《남북 전쟁 직후의 남부 여러 주에 있어서의》

bláck cóffee 블랙커피 《크림[우유, (때로는) 설탕]을 넣지 않은 커피》(café noir)

bláck cómedy 블랙 코미디 《빈정대는 유머가 담긴 희극》

bláck cónsciousness 《남아공》 (흑인 차별 정책과 싸워 가려고 하는) 흑인 의식, 흑인으로서의 (정치적) 자각

bláck cópper 〖야금〗 조동(粗銅)

Bláck Cóuntry [the ~] (잉글랜드 중부의 Birmingham을 중심으로 하는) 대공업 지대

bláck cráppie = CRAPPIE

bláck cúrrant 〖식물〗 **1** 까막까치밥나무 **2** (잼과 젤리에 사용되는) 블랙베리

Bláck Cúrrent [the ~] = BLACK STREAM

black·damp [-dæ̀mp] *n.* (탄갱 안의) 질식 가스

Bláck Déath [the ~] (14세기 아시아·유럽에 유행했던) 흑사병, 페스트

bláck díamond **1** 흑다이아몬드 **2** [*pl.*] 석탄

bláck dóg [the ~] 《구어》 우울증, 낙담: under the ~ 뚱하여, 뿌루퉁하여

bláck dráft 센나(senna)와 사리염(瀉利鹽)의 혼합물 《하제(下劑)》

bláck dwárf 〖천문〗 흑색 왜성(矮星)

bláck éarth 흑(색)토(chernozem)

bláck (económic) empówerment 《남아프리카 공화국의》 흑인 경제권 강화 제도

bláck ecónomy (정부 묵인의) 불법[부정] 고용(상태) 《세금·최저 임금·사회 보장이 무시된 고용》

black·en** [blǽkən] *vt.* **1** 검게 하다, 어둡게 하다 **2** …에게 누명을 씌우다, 나쁘게 말하다, 비방하다 **—vi.* 까맣게 되다, 어두워지다 **~·er** *n.*

Bláck Énglish (미국의) 흑인 영어

black·en·ing [blǽkəniŋ] *n.* = BLACKING

black·er [blǽkər] *n.* 검게 하는 사람; 비방하는 사람

black·et·eer [blækitíər] *n.* 암거래 상인

bláck éye **1** 검은 눈 **2** (얻어맞아 생긴) 눈언저리의 검은 멍 **3** [보통 a ~] 《구어》 수치, 불명예

black-eyed [blǽkàid] *a.* 눈이 까만; 눈언저리가 퍼런[멍이 든]

bláck-eyed péa = COWPEA

bláck-eyed Súsan 〖식물〗 노랑데이지 《꽃 가운데가 검은 국화의 일종; 미국 Maryland 주의 주화(州花)》

black·face [-fèis] *n.* **1** (얼굴이 검은) 면양 **2** 흑인으로 분장한 배우; Ⓤ 흑인의 분장 **3** Ⓤ 〖인쇄〗 굵은 활자(boldface)

black-faced [-fèist] *a.* **1** 얼굴이 검은; 침울한 표정을 한 **2** 굵은 활자의

black·fel·low [-fèlou] *n.* 오스트레일리아 원주민

black-fig·ure [-fìgjər] *a.* 〖미술〗 (고대 그리스의) 흑화(黑畫)식의 《항아리 장식 수법》

black·fish [-fìʃ] *n.* (*pl.* **~**, **~·es**) **1** 〖동물〗 지느러미고래 **2** 〖어류〗 검은 물고기

bláck flág **1** [the ~] 해적기 《검은 바탕에 흰 두개골과 교차하는 두 개의 뼈가 그려진 기》(Jolly Roger) **2** 흑기 《사형 집행이 끝난 신호로 쓰임》; 《일반적으로》 흑(색)기 **3** (자동차 경주의) 흑색기

black-flag [-flǽg] *vt.* (**~ged**; **~·ging**) (자동차 경기에서 흑색기를 흔들어) 〈운전자에게〉 바로 피트(pit)로 갈 것을 신호하다

bláck flỳ 〖곤충〗 **1** 흑색[암갈색]의 날벌레 **2** 진디등에

Black·foot [-fùt] *n.* (*pl.* **-feet** [-fìːt], **~**) 블랙풋 족 《북미 토인의 한 종족》; Ⓤ 그 언어

Bláck Fórest [the ~] 독일 남서부의 삼림 지대 《독일명 Schwarzwald》

Bláck Fòrest gáteau (체리와 크림을 얹은) 초콜릿 케이크의 일종

Bláck Fríar [검은 옷을 입는 데서] 〖가톨릭〗 도미니크회의 수(도)사

Bláck Fríday 불길한 금요일 《예수가 처형당한 요일》

bláck fróst 된서리 《식물의 잎·싹을 검게 함》

bláck gáme[gróuse] 〖조류〗 검은멧닭

bláck gáng (미·속어) 기관실 승무원, 화물선의 화부(火夫); 흑인 갱단

bláck ghétto 흑인 거주구, 흑인 빈민가

bláck góld (미·구어) 석유; 고무

black·guard [blǽgɑːrd, -gərd, blǽkgɑ̀ːrd | blǽgɑːd, -gəd] *n.* 불량배, 깡패, 악한
— *vt.* 악담하다, 욕지거리하다 — *vi.* 불량배처럼 행동하다 **~·ism** *n.* Ⓤ 망나니의 언행

black·guard·ly [blǽgɑːrdli, -gərd- | -gɑːd-, -gəd-] *a.*, *ad.* 불량배의[와 같이], 말버릇이 더러운[더럽게]

Bláck Hánd [the ~] **1** 흑수단(黑手團) 《(1) 20세기 초 New York에서 활약한 이탈리아 인의 비밀 범죄 결사 (2) 19세기 스페인의 무정부주의자 조직》 **2** [보통 **b- h-**] 비밀 폭력단 **Bláck·hànd·er** *n.* 흑수단원

Bláck Hàwk 블랙 호크 **1** 아메리카 인디언 Sauk 족의 추장(1767-1838) **2** 〖미군〗 군용 헬리콥터의 기종명

black·head [blǽkhèd] *n.* **1** 〖조류〗 머리가 검은 각종의 새; 《특히》 검은머리흰죽지 **2** 〖수의학〗 흑두병(黑頭病) **3** (꼭지가 검어진) 여드름

black·heart [-hɑ̀ːrt] *n.* 〖식물〗 (야채·감자 등의) 속썩음병; 〖원예〗 검은 버찌

black·heart·ed [-hɑ́ːrtid] *a.* 속이 검은, 음흉한; 사악한(evil), 악의의

Bláck Hílls [the ~] 블랙 힐즈 《미국 South Dakota 주와 Wyoming 주에 걸쳐 있는 산악군(群)》

bláck hóle **1** 〖천문〗 블랙홀 《중력이 붕괴된 결과로 생긴다고 추측되는 강력한 중력장(重力場)을 가진 천체》 **2** 옥사, 감금소, 《특히》 군 형무소, 영창

bláck húmor 블랙 유머 《풍자적·냉소적이고 섬뜩한 유머》

bláck íce 살얼음 《도로면과 구별하기 어려운》

bláck informátion (금융 기관이 보유하는) 요주의 인물 정보

black·ing [blǽkiŋ] *n.* Ⓤ **1** 검게 함[닦음] **2** 흑색 도료(塗料); 검정 구두약 ★ 지금은 shoe polish가 일반적임.

bláck ínk (미) 금전적 이익, 흑자(黑字)(opp. *red ink*); 대변(貸邊)

black·ish [blǽkiʃ] *a.* 거무스름한

bláck ívory **1** [집합적] 〖역사〗 아프리카의 흑인 노예 **2** 상아를 탄화하여 만든 흑색 안료(ivory black)

black·jack [blǽkdʒæ̀k] *n.* **1** (옛날의) 큰 잔 《검은 가죽으로 만든 큰 맥주잔》 **2** = BLACK FLAG 1 **3** (미·구어) (가죽으로 싼) 곤봉 **4** 〖식물〗 (검은 껍질의) 참나무 《북미산(産)》 **5** Ⓤ 〖광물〗 섬아연석(閃亞鉛石) **6** (미) 〖카드〗 = TWENTY-ONE
— *vt.* 곤봉으로 때리다; 협박하다

bláck jóurnalism 블랙 저널리즘 《개인이나 집단 조직의 약점을 이용하여, 이를 발표·보도하거나 위협하는 행위》

bláck knight **1** [the B- K-] 흑기사 **2** 적대적 기업 인수를 획책하는 개인·회사

bláck knót 〖식물〗 검은옹이병; 죽은 옹이

bláck·lànd [-læ̀nd] *n.* 흑토 《Texas 주 등의》; [*pl.*] 흑토 지대

bláck léad [-léd] 〖광물〗 석묵(石墨), 흑연

black·lead [-lèd] *vt.* …에 흑연을 칠하다; 흑연으로 닦다

black·leg [-lèg] *n.* **1** 사기꾼 **2** (영·구어) 파업 방해자(scab, strikebreaker) — *vt.*, *vi.* (**~ged**; **~·ging**) (영·구어) 파업 방해를 하다

bláck léopard 〖동물〗 흑표범

bláck létter 〖인쇄〗 흑체[고딕체] 활자

black-let·ter [-létər] *a.* **1** 흑체[고딕체] 활자[문자]의 **2** 불길한, 불행한

bláck-lètter dáy 재수 없는 날; 불길한 날; 비극의 날 (opp. *red-letter day*)

bláck líe 악의 있는 거짓말(opp. *white lie*)

bláck líght 비가시광선 《자외선과 적외선》

bláck·light tràp [blǽklàit-] 자외선으로 곤충을 잡는 기구

black·list [-lìst] *n.* 블랙리스트 《요주의 인물 일람표》 — *vt.* 블랙리스트에 올리다

bláck lúng 〖병리〗 탄진폐증(炭塵肺症)(= **∼ disèase**)

black·ly [blǽkli] *ad.* **1** 검게, 어둡게, 암흑으로 **2** 음울하게(gloomily) **3** 간악하게, 사악하게 **4** 화가 나서

bláck mágic = BLACK ART

***black·mail** [blǽkmèil] *n.* Ⓤ **1** 공갈, 갈취; 갈취한 돈 **2** (고어) (약탈 대신에 산적이 부과한) 공납물
— *vt.* 공갈하다, 갈취하다; 공갈 협박하여 …시키다 《*into*》: They *~ed* him *into* marrying her. 그들은 그에게 그녀와 결혼하라고 협박했다.
~·er *n.* 갈취자

bláck màn 흑인; [the B- M-] 악마

Bláck María (구어) 죄수 호송차; (미·속어) 영구차

bláck márk 흑점, 벌점(罰點)

bláck márket 암시장; 암거래

black-mar·ket [-mɑ́ːrkit] *vi.*, *vt.* 암시장에서 사다[팔다], 암거래하다

bláck marketéer[márketer] 암상인, 암거래인

black-mar·ke·teer [-mɑ̀ːrkitíər] *vi.* 암거래하다

bláck máss **1** 〖가톨릭〗 흑미사, 장례 미사 《사제가 검은 옷을 입는 망자를 위한 미사》 **2** [**B- M-**] 악마의 미사 《특히 19세기 말의 악마 숭배자가 미사를 조롱하여 행했다고 함》

bláck méasles 〖병리〗 출혈성 마진(痲疹)[홍역], 흑진(黑疹)

bláck móld = BREAD MOLD

Bláck Mónday **1** 〖증권〗 암흑의 월요일 《1987년 10월 19일 뉴욕 주식 시장의 대폭락이 있었던 날》 **2** (영·학생속어) (방학 뒤의) 수업이 시작되는 날

bláck móney (미·속어) 검은 돈 《부정 이득》

Bláck Mónk = BENEDICTINE

thesaurus **blacklist** *v.* debar, bar, ban, exclude, preclude, shut out, reject, repudiate, boycott, proscribe, blackball

Bláck Móuntains [the ~] 블랙 마운틴스《애팔래치아 산맥 최고의 산계(山系)》
Bláck Múslim 블랙 무슬림《흑인에 의한 흑인 지배를 주장하는 미국의 이슬람교도 운동원》
bláck nátionalism [종종 **B- N-**] 흑인 민족주의《미국 흑인에 의한 국가 건설 운동》
bláck nátionalist [종종 **B- N-**] 흑인 민족주의자
* **black·ness** [blǽknis] *n.* Ⓤ **1** 검음, 암흑 **2** 흉악; 음흉, 속이 검음 **3** 음울함 **4** =BLACK HUMOR
bláck níghtshade 〖식물〗 까마종이《가지속(屬)》
bláck óak 〖식물〗 큰떡갈나무《북미산(産)》
bláck-on-bláck [-ɑnblǽk | -ɔn-] *a.* 《미·속어》 흑인에 대한 흑인의 〈범행 따위〉
bláck óre 〖광물〗 흑광(黑鑛)《금·은·동·아연 등의 함유량이 매우 높은 광석》
black·out [blǽkàut] *n.* **1** 정전; 소등; 등화관제 **2** 〖연극〗 무대 암전(暗轉) **3** 일시적 시각[의식, 기억] 상실: He suffered a ~ from the blow on the head. 그는 머리에 타격을 받아 의식을 잃었다. **4** 보도 관제; (전시) 뉴스의 발표 금지; 텔레비전 방송 금 **5** (법률 등의 일시적) 기능 정지; (특가 등의) 실시 정지 기간
Bláck Pánther 흑표범단(원)《미국의 극좌익 흑인 과격파》
Bláck Páper 《영》 흑서(黑書)《백서에 대응해서, 현행 정책·제도를 비판한 문서; cf. GREEN PAPER》
bláck pépper 검은 후춧가루《덜 익은 것을 껍질째 빻은 것》(cf. WHITE PEPPER)
Bláck Plágue [the ~] =GREAT PLAGUE
black·plate [-plèit] *n.* 흑판(黑板)《부식 방지의 도금이나 마무리 칠을 하지 않은 철판》
bláck pòint (보리의) 흑수병, 깜부깃병
bláck·poll (**wárbler**) [blǽkpòul(-)] *n.* 〖조류〗 검은머리솔새《북미산(産)》
Bláck Pópe 검은 교황《예수회 총회장의 속칭》
bláck pówder 흑색 화약(gunpowder)
bláck pówer [종종 **B- P-**] 《미》 블랙 파워《흑인 지위 향상 운동》
Bláck Prínce [the ~] 흑태자《영국 Edward 3세의 아들 Edward(1330-76) 왕자》
bláck propagánda (적에게 흘리는) 허위 정보
bláck pùdding 《영》 검은 푸딩(blood sausage)《돼지의 피나 지방으로 만든 순대》
bláck ráce 흑인종
bláck rádio [종종 **B- R-**] 위장 모략 방송《적측의 후방 교란을 위한 라디오 방송》
bláck ráspberry 〖식물〗 검은나무딸기; 그 열매
Bláck Ród 《영》 흑장관(黑杖官)《내무부·상원에 속하는 궁내관; 검은색 지팡이를 지니는 데서》
bláck rót 〖식물〗 흑균병, 부패병
Bláck Rússian 블랙 러시안《보드카와 커피 리큐르를 섞은 칵테일의 일종》
bláck rúst 〖식물〗 (과일·야채의) 검은 녹병
Bláck Sásh [the ~] 《남아공》 반(反)인종 분리 여성 단체
Bláck Séa [the ~] 흑해《유럽 남동부와 아시아 사이의 내륙해》
Bláck Septémber 검은 9월단《아랍 게릴라의 하나인 Al Fatah의 폭력 별동대》
bláck shéep **1** (백색종 양에 생기는) 흑양(黑羊) **2** 악한, 망나니; (한 집안의) 말썽꾼
Black·shirt [-ʃə̀ːrt] *n.* 흑셔츠 당원《이탈리아의 국수(國粹) 당원; cf. FASCIST》
black·shoe [-ʃùː] *n.* 《미·속어》 항공모함의 승무원[수병]
⁑ **black·smith** [blǽksmìθ] [검은 쇠를 다루는 데서] *n.* **1** 대장장이; 제철공(蹄鐵工)(cf. WHITESMITH) **2** 대장간
black·snake [-snèik] *n.* **1** 〖동물〗 (북미의) 검정뱀, 흑사(黑蛇) **2** 《미》 큰 채찍《가죽으로 엮어 만든 끝이 가는》
blacks·ploi·ta·tion [blæ̀ksplɔitéiʃən] *n.* 《미》 = BLAXPLOITATION
bláck spòt **1** 《영》 (도로의) 위험 지역, 사고 다발 지점; 문제가 많은 지역[장소]: an unemployment ~ 실업률이 높은 지역 **2** [∠∠] 〖식물〗 흑반병(黑斑病)
bláck sprúce 〖식물〗 가문비나무 무리《북미산(産)》
black·strap [-stræ̀p] *n.* **1** (당밀과 럼주를 섞은) 음료 **2** 《속어》 (지중해 지방 원산의) 저질 포도주
bláckstrap molásses 《미》 당밀(糖蜜)《원료에서 설탕을 추출한 후의 잔액》
Bláck Stréam [the ~] 흑조(黑潮), 일본 해류
bláck stúdies 《미》 흑인 연구 (강좌)
bláck stúff 《미·속어》 아편(opium)
bláck swán **1** 〖조류〗 흑(黑)고니, 검은고니《오스트레일리아산(産)》 **2** 아주 진귀한 것
bláck tàr 《미·속어》 (농축한) 검은 헤로인
bláck téa 홍차(cf. GREEN TEA)
bláck théater 《미》 흑인극(劇)《흑인 사회를 주제로 흑인에 의해 감독·제작된 연극》
black·thorn [blǽkθɔ̀ːrn] *n.* 〖식물〗 인목(鱗木) 무리《유럽산(産)》; 산사나무《북미산(産)》
blácktho̲rn wínter 《영》 인목 꽃이 피는 겨울《북서풍이 부는 이른 봄의 추운 계절》
Bláck Thúrsday 《컴퓨터속어》 암흑의 목요일《Communications Decency Act가 통과된 1996년 2월 28일》
bláck tíe **1** 검정 나비넥타이 **2** (남자의) 예장[야회복]《tuxedo에 검은 나비넥타이; cf. WHITE TIE 2》
black-tie [-tái] *a.* 예장을 요하는: a ~ party 예장을 착용하는 파티
black·top [-tɑ̀p | -tɔ̀p] *n.* 《미》 **1** Ⓤ (포장에 쓰이는) 아스팔트(《영》 tarmac) **2** 아스팔트 도로
— *vt.* (**~ped**; **~·ping**) 〈도로를〉 아스팔트로 포장하다
bláck tràcker 《호주》 원주민 수색자《범인·미아의 추적에 경찰이 고용하는 원주민》
bláck vélvet **1** 스타우트 맥주와 샴페인의 칵테일 **2** 《호주·속어》 (성교 상대로서의) 원주민[흑인] 여자
bláck vómit 〖병리〗 (황열병(黃熱病) 환자 등의) 피가 섞인 거무칙칙한 구토물; 흑토병(黑吐病)《황열병 등》
bláck vúlture 〖조류〗 **1** 검은대머리수리 **2** 검은 콘도르
Bláck·wall hìtch [-wɔ̀ːl-] 블랙월 결삭(結索)《고리쇠에 로프를 걸고 잡아당기면 조여지는 매듭》
bláck wálnut 〖식물〗 검은호두나무《북미산(産)》; 그 열매《식용》; 그 재목《단단하고 암갈색》
bláck·wa·ter féver [-wɔ̀ːtər-] 〖병리〗 흑수열(黑水熱)《열대 지방의 열병; 오줌이 검어짐》
bláck whále 〖동물〗 =SPERM WHALE
bláck wídow 〖동물〗 흑거미《미국산(産) 독거미》
bláck wòrk 《구어》 음성적인 일《보통 부업으로 거래 기록이나 납세 신고를 하지 않고 하는》
black·work [-wə̀ːrk] *n.* Ⓤ 흰[옅은 색의] 천에 검정색 실로 수를 놓은 자수
black·y [blǽki] *n.* (*pl.* **black·ies**) 《구어》 검둥이; 검은 동물[새]
blad·der [blǽdər] *n.* **1** [the ~] 〖해부〗 방광; 낭(囊) **2** (해초 등의) 기포(氣胞); (물고기의) 부레 **3** 수포(水疱), 물집 **4** (공 안의 고무로 된) 바람 주머니; (장난감) 풍선 **5** 부푼 것; 허풍선이 **6** 《미·속어》 신문
~·like *a.*
blad·dered [blǽdərd] *a.* Ⓟ 《영·구어》 (몹시) 술에 취한
bládder wòrm 낭충(囊蟲)《촌충의 주머니에 싸인 유충(幼蟲)》
blad·der·wort [blǽdərwə̀ːrt, -wɔ̀ːrt | -wə̀ːt] *n.* 〖식물〗 통발
blad·der·y [blǽdəri] *a.* 방광 모양의; 기포가 있는; 부푼

---

blackmail *v.* extort, extract, bribe, force, threaten, coerce, compel, hold to ransom
blackout *n.* fainting, coma, passing-out

‡blade [bléid] [OE 「잎」의 뜻에서] *n.* **1** 칼날, 칼몸; (면도기·스케이트 등의) 날; [one's ~, the ~] (문어) 칼: a razor ~ 면도날

> 유의어 **blade** (칼)날 전부를 뜻한다 **edge** 칼끝

2 (벼과(科) 식물의 긴 칼 모양의) 잎, 잎사귀 (★ 보통의 잎은 leaf, 솔잎 등 침엽수의 잎은 needle): a single ~ of grass 풀잎 하나 **3** 노깃 (노의 밑동); (프로펠러 등의) 날개; 평평한 부분; 어깨뼈, 견갑골 **4** (드물게) 기세 있는[명랑한] 사내; 멋쟁이 **5** [the ~] 『음성』 혀끝
in the ~ (이삭이 나기 전의) 잎사귀 때에
—*vi.* 인라인 스케이트를 타다

blade·bone [bléidbòun] *n.* 『해부』 견갑골, 어깨뼈 (scapula)

blad·ed [bléidid] *a.* [보통 복합어를 이루어] (…의) 잎이 있는; (…의) 날이 있는: a two-~ knife 양날의 칼

blade·lette, -let [bléidlit] *n.* 『고고학』 세석인(細石刃) (박편(剝片) 석기의 하나)

blad·er [bléidər] *n.* (구어) Rollerblade를 타는 사람

blade·smith [bléidsmìθ] *n.* 칼 대장장이

blad·ing [bléidŋ] *n.* Ⓤ 블레이딩 (롤러블레이드를 신고 하는 스포츠)

blae·ber·ry [bléibèri, -bəri | -bəri] *n.* (*pl.* **-ries**) (영) =BILBERRY

blag [blǽg] (영·속어) *n.* 강도; 사기
— *vt.* (**~ged**; **~·ging**) 강탈하다; 속여서 빼앗다
bla·gger *n.*

blague [blɑ́:g] [F] *n.* 속임수, 엉터리, 허풍

blah [blɑ́:] (속어) *int.* 바보같이!, 시시해!
— *n.* **1** Ⓤ 바보 같은 일, 허튼소리 (흔히 반복하여 씀) **2** [the ~s] 지루함, 나른함; 불쾌감
— *a.* **1** 재미없는, 시시한 **2** 우울한, 기운 없는

blah-blah-blah [blɑ́:-] *ad.* …등등, 따위
— *n.* ⓊⒸ 허튼소리, 시시한 일

blain [bléin] *n.* 『수의학』 농포(膿疱), 수포; (말의) 설저(舌疽)

Blair [bléər] *n.* 블레어 **Tony** ~ (1953-) (영국의 정치가·총리(1997-2007)) **Blair·ism** *n.*

Bláir Hòuse [bléər-] 블레어 하우스 (백악관 근처의 미국 대통령의 영빈관(迎賓館))

Blair·ite [bléərait] *n., a.* (영) 블레어주의 신봉자(의)

Blake [bléik] *n.* 블레이크 **William** ~ (1757-1827) (영국의 시인·화가)

blam·a·ble [bléiməbl] *a.* 흠잡힐 만한, 비난받을 만한 **~·ness** *n.* **-bly** *ad.*

‡blame [bléim] [L 「불경스러운 말을 하다(blaspheme)」의 뜻에서] *vt.* **1** 나무라다, 비난하다 (*for*): (~+목+전+명) The teacher ~*d* him *for* neglect of duty[*for* neglecting his duty]. 의무를 태만히 한 탓으로 선생님은 그를 꾸짖었다.

> 유의어 **blame** 잘못·과실 등을 비난하고 책임을 묻다 **criticize** 좋지 않다고 하거나 결점을 찾아 비난하다 **condemn** 강하게 비난하다

2 〈죄과를〉 (…에게) 책임지우다, …의 탓으로 돌리다: (~+목+전+명) ~ something *upon* a person 책임을 …에게 지우다 / Don't ~ it *on* me. 내 탓으로 돌리지 마라. / He ~*d* me *for* the accident. 그는 사고의 책임이 내게 있다고 비난했다. **3** [명령법으로] (미·속어) 저주하다 (damn의 대용으로 가벼운 저주를 나타냄): *B*~ this rain! 이놈의 비, 지긋지긋해!
be to ~ 책임이 있다; …이 나쁘다 ***B~ it!*** (미·속어) 제기랄!, 빌어먹을! ***B~ me if*** I do[don't]. = (***I'm***) ~***d if*** I do[don't]. 만일 …하면[안 하면] 내가 사람이 아니다. ***Don't ~ me.*** 내 탓으로 돌리지 마라. ***have only*** one***self to*** ~ = ***have nobody to*** ~ ***but*** one***self*** 오로지 자기만이 나쁘다, 자기말고는 탓할 사람이 없다 ***I don't ~ you.*** (어쩔 수 없으니) 너를 나무라지는 않겠다, 무리가 아니야.
—*n.* Ⓤ **1** 비난, 책망(censure): incur ~ for …때문에 비난을 받다 **2** [보통 the ~] 책임: bear[take] the ~ for …의 책임을 지다 / lay [put, place] the ~ (for ...) …에게 (…의) 책임을 지우다 / share the ~ for …에 대해 공동 책임을 지다 **3** 죄, 과오
▷ bláméful *a.*

blame·a·ble [bléiməbl] *a.* =BLAMABLE

blamed [bléimd] (구어) *a.* [DAMNED의 완곡어] (미·속어) 지긋지긋한, 빌어먹을, 고약한 **—** *ad.* 몹시, 엄청나게

blame·ful [bléimfəl] *a.* 비난할 만한, 나무랄 만한 **~·ly** *ad.*

∗blame·less [bléimlis] *a.* 비난할 점이 없는, 죄[결점]가 없는, 결백한(innocent) **~·ly** *ad.* **~·ness** *n.*

blame·storm·ing [-stɔ̀:rmiŋ] [*blame*+brain*storming*] *n.* Ⓤ (익살) (발전적) 집단 책임 규명 (제품 하자가 어디 책임인지 결정하고 신속한 해결책을 모색하기)

blame·wor·thy [bléimwə̀:rði] *a.* 나무랄 만한, 비난할 만한 **-thi·ness** *n.*

blanc de blancs [blɑ́:ŋk-də-blɑ́:ŋk] [F] 백포도주 (발포성)

blanc fixe [blɑ́:ŋk-fí:ks, blǽŋk-fíks] [F] 침강 황산 바륨 (인쇄 잉크 등에 쓰이는 백색 안료)

∗blanch [blǽntʃ, blɑ́:ntʃ | blɑ́:ntʃ] [OF 「흰」의 뜻에서; blank와 같은 어원] *vt.* **1** 희게 하다, 바래다, 표백하다(bleach) **2** (과일·열매 등의 껍질을 벗기기 위해) 뜨거운 물에 잠깐 담그다, 데치다 **3** 『원예』 (햇빛을 가려) 〈식물을〉 희게 하다 **4** 〈공포·질병 등이〉 〈얼굴 등을〉 창백하게 하다
—*vi.* 희어지다; 창백해지다 (*with*)
~ ***over*** 겉을 꾸미다, 속이다

blanc·mange [bləmɑ́:ndʒ, -mɑ́:nʒ | -mɔ́nʒ, -mɔ́ndʒ] [F=white food] *n.* ⓊⒸ 젤리의 일종 (우유를 갈분·한천으로 개서 굳힌 디저트)

blan·co [blǽŋkou] 『영국육군』 *n.* Ⓤ 백색 도료 (벨트·군화 등의 가죽 제품용)
—*vt.* 〈가죽 제품에〉 백색 도료를 칠하다

∗bland [blǽnd] *a.* **1** 〈말이나 태도가〉 부드러운, 온화한, 차분한, 침착한; 상쾌한(pleasant) **2** 〈기후 등이〉 온화한(mild) **3** 〈음식물·약 등이〉 구미에 당기는, 담백한; 자극성이 적은, 독하지 않은 **4** 풍미 없는; 개성 없는 **5** 김빠진, 재미없는 **6** 무감동한, 냉담한
~·ly *ad.* **~·ness** *n.*

blan·dish [blǽndiʃ] *vt.* …에게 아첨하다, 아양 부리다; 감언으로 설득하다
~ a person ***into*** do***ing*** …에게 아양을 부려 …하게 하다 **~·er** *n.* 추종자, 아첨꾼

blan·dish·ment [blǽndiʃmənt] *n.* [보통 *pl.*] 추종, 감언(甘言), (사람을 호리는) 수단

‡blank [blǽŋk] [OF 「흰」의 뜻에서; ⇨ blanch] *a.* **1** 백지의, 공백의(⇨ empty 유의어); 『상업』 백지식의, 무기명의: a ~ sheet of paper 백지 한 장 / a ~ endorsement 무기명 이서 **2** 〈공간 등이〉 빈; 〈벽 등이〉 창이나 출입구가 없는: a ~ space 여백; 빈 터 **3** 있을 만한 것이 없는, 미완성의 **4** 〈생활 등이〉 공허한, 내용이 빈, 무미건조한; 허무한: ~ efforts 헛된 노력 **5** 멍한, 얼빠진, 표정이 없는: look ~ 멍하니[우두커니] 있다 **6** 순전한, 완전한: ~ terror 말할 수 없는 공포 **7** [명시하는 것을 피하여] 모(某)…, ○○: the ~ regiment ○○ 연대 ★ '___'로 쓰고 blank, blanky, blanked, blankety 또는 something 등으로 읽음. **8** 〈시(詩)가〉 운을 밟지 않는 **9** (속어) [저주하는 말 (damn, damned, bloody)의 대용; 임시로 동사로서도 씀]: a ~ idiot 바보, 천치 / *B*~ him[it (등)]! 제

> **thesaurus** **blame** *n.* **1** 책임, 과오 responsibility, guilt, liability, fault (opp. *innocence, absolution*) **2** 비난 criticism, incrimination, accusation, condemnation, reprimanding, reproach (opp. *praise*)
> **blank** *a.* **1** 빈 void, empty, unfilled, unmarked,

기랄!, 빌어먹을! **10** 《고어》 흰, 백색의, 창백한 **11** 《고어》 대답할 수 없는 ***go*** **~** (1) 머리속이 하얘지다, 일시적으로 상기[이해《등》] 할 수 없게 되다 (2) 〈영화 등이〉 갑자기 아무것도 안 보이게 되다.

—*n.* **1 a 공백, 공란, 여백**: Fill in[out] the ~*s.* (문제의) 공간을 메우시오. **b** (문서·답안 용지 등의) 빈 곳, 공간 **2** 백지; (책의) 빈 페이지; 《미》 기입식(式) 서식(용지); 백지 투표; 허탕; 꽝 《제비뽑기에서》 **3** [보통 *sing.*] (마음의) 공허; 공백 (시간), (의식·행동·성과 등이 없는) 무의미한 시간 **4** 공백 표시의 대시 ★ 대시 읽는 법: Mr. __ of __ place = Mr. *B*~ of *B*~ place 모처의 아무개씨 **5** (화폐·열쇠 등의) 미완성품 **6** (표적의) 중심부 **7** 목표, 대상(물) **8** = BLANK CARTRIDGE **9** 〖야구〗 0점의 이닝

draw a* ~** (1) 꽝을 뽑다 (2) (…에) 실패하다 《*in*》 (3) …가 이해되지 않다, 생각나지 않다 《*on*》 ***fire* ~*s 《미·속어》 〈남자가〉 성교해도 임신시킬 힘이 없다 ***in* ~** (수표 따위를) 공백으로, 백지식으로

—*vt.* **1** 희게 하다; 지우다, 무효로 하다 《*out*》 **2** 비우다 **3** 차단하다 《*off*》 **4** 《미》 〈상대에게〉 득점을 주지 않다, 영패(零敗)시키다 **5** 〖기계〗 형틀에서 판을 빼다 **6** 생략하다 **7** 《미·속어》 …에게 가짜 헤로인을 팔다 **8** 《영·속어》 무시하다 **9** 《고어》 당혹하게 하다

—*vi.* 차차 희미해지다 《*out*》; 〈기억·인상 등이〉 흐릿해지다 《*out*》; 멍하니 있다 《*out*》; 의식을 잃다 《*out*》

~·ness *n.* Ⓤ 공백, 단조

blánk bíll 〖상업〗 백지 어음; 수취인 기재가 없는 어음

blank·book [blǽŋkbùk] *n.* 《미》 백지[미기입] 장부[공책]; 백지 영수증[보고서]

blánk cártridge 공포(空砲)(opp. *ball cartridge*)

blánk chéck **1** 백지[무기명] 수표 **2** 마음대로 할 수 있는 권리, 자유 행동권; 백지 위임(carte blanche): give a person a ~ (to do) …에게 자유로이 …하게 하다

blánk endórsement 〖상업〗 백지식 배서(背書)

⁑blan·ket [blǽŋkit] [OF 「의복용의 흰 털 재료」의 뜻에서] *n.* **1 담요, 모포** **2** (말·개 등의) 덮개(covering) **3** 인디언의 외투 **4** [a ~ of …로] 전면을 덮는 것: *a ~ of* snow 온 누리를 덮은 눈 **5** 대량의 폭탄 **6** (슬픔·절망 등의) 어떠한 것도 생각할 수 없는 압도적인 양 **7** 《속어》 오버, 외투 **8** 단열재 **9** 〖인쇄〗 (오프셋 인쇄기의) (고무) 블랭킷 **10** 〖물리〗 블랭킷 《원자로의 노심 또는 그 주위를 둘러싼 핵연료 냉각용 물질의 층》 **11** 《미·속어》 팬케이크, 핫케이크 **12** 《미·속어》 담배를 싸는 종이 ***be born on the wrong side of the* ~** 사생아[서자]로 태어나다 ***toss*** a person ***in a* ~** (벌로서) 담요로 헹가래치다

—*a.* Ⓐ 총괄적인, 포괄적인, 전면적인, 전체에 통하는: a ~ bill[clause] 총괄적 의안[조항] / a ~ denial 전면적인 부정 / ~ authority 총괄적 권능 / ~ clearance 포괄적 입출항 허가제

—*vt.* **1** 담요로 덮다 **2** [보통 수동형으로] 온통 뒤덮다 《*with, in*》: The room was ~*ed with* dust. 그 방은 먼지투성이였다. **3** 〈사건 등을〉 쉬쉬 덮어 버리다 《*out*》; 〈전파 등을〉 방해하다 **4** 《고어》 (벌로서) 펼친 담요 위에 놓고 헹가래치다 **5** 〖항해〗 〈돛배가〉 〈다른 배를〉 가려 바람을 막다 **6** 〈법 등을〉 포괄적으로 적용하다 **7** 〈제도 등이〉 〈어느 지역 등에〉 전면적으로 파급되다

blánket agréement 일괄[총괄] 협약

blánket àrea (방송국 주변의 전파가 강하여) 다른 방송국의 수신이 방해되는 지역 《방송국의 주변 지대》

blánket bàth 침대에서 환자의 몸을 씻어 주는 것

blánket bòmbing = CARPET BOMBING

blánket chèst 〖가구〗 (궤 모양의) 이불장

blánket drìll 《미·군대속어》 취침, 수면

clean, vacant **2** 표정이 없는 expressionless, poker-faced, uninterested, emotionless, impassive

blast *n.* **1** 돌풍 gust, rush, draft, blow, gale, storm **2** 강하게 부는 소리 blare, trumpeting, clamor, boom, roar, clang, screech, honk, wail

blánket fínish 〖육상·경마〗 전(全) 경기자[경주마]의 근소한 차의 골인

blan·ket·ing [blǽŋkitiŋ] *n.* Ⓤ **1** 담요감 **2** 〖통신〗 전파 방해 《강력 전파로 수신이 불가능하게 하는 것》

blánket (insúrance) pólicy 〖보험〗 포괄 보험 계약[증권]

blánket ròll (식기·사물(私物)을 안에 싸서) 둘둘 만 담요[침낭]

blánket shèet (19세기 중엽의) 대형 신문지

blánket spràу (농약 등의) 전면 살포

blánket stìtch 블랭킷 스티치 《buttonhole stitch 보다 코가 넓은 기본적 시침 방법》

blánket vísa 일괄 사증(査證) 《세관이 선객 전원에게 일괄하여 주는 비자》

blank·e·ty [blǽŋkiti] *a., n.* 《속어》 = BLANK

blank·e·ty-blank [blǽŋkitiblǽŋk] 《속어》 *a.* = BLANK 9 —*n.* 바보, 멍청이; 망할 놈(wretch)

blánk fórm 기입 용지

blank·ly [blǽŋkli] *ad.* 멍하니, 우두커니; 딱 잘라서; 완전히

blánk tést 〖화학〗 블랭크 테스트, 공(空)시험, 대조(對照) 시험

blánk vérse 〖운율〗 (보통 5각(脚) 약강격(弱强格)의) 무운시(無韻詩)

blánk wáll (창문·입구가 없는) 온벽; 막다름; 장애: run into a ~ 막다른 벽에 부딪치다

blank·y [blǽŋki] *a.* 《구어》 공백이 많은; 《영·속어》 = BLANK 9

blan·quette [blɑːŋkét] [F] *n.* ⒸⓊ 〖요리〗 블랑켓 《화이트 소스로 조리한 송아지 고기 스튜》

blap [blǽp] *n.* 《미·속어》 치기, 일격, 쾅; 사소한 일 —*vi., vt.* 치다, 때리다

blare [blέər] *vi.* **1** 〈나팔·경적 등이〉 울려 퍼지다 《*out*》 **2** 〈텔레비전·라디오 등이〉 쾅쾅 울리다 《*out*》

—*vt.* **1** 〈경적 등이〉 크게[요란하게] 울리다; 큰 소리로 외치다 《*out*》 **2** 〈표제 등을〉 크게 다루다

—*n.* Ⓤ **1** 울려 퍼지는 소리; 외치는 소리, 고함 **2** 눈부신 광채 **3** 팡파르(fanfare)

blar·ney [blɑ́ːrni] *n.* Ⓤ 아양, 감언

—*vt., vi.* (…에게) 아양떨다; (…을) 감언으로 꾀다

Blárney stòne [the ~] 블라니 돌 《아일랜드 Cork 부근의 성 안에 있는 돌; 여기에 키스하면 아첨을 잘하게 된다고 함》 ***have kissed the* ~** 아첨을 잘하게 되다

bla·sé [blɑːzéi, ⌐—] [F 「싫증난, 물린」의 뜻에서] *a.* (…에) 무관심[무감각, 무감동]한 《*about*》; 환락[인생] 등에 지친

∗blas·pheme [blæsfíːm] [Gk 「욕하다」의 뜻에서] *vt., vi.* **1** (신이나 신성한 것에 대하여) **불경스러운 말을 지껄이다,** 모독하다 《*against*》 **2** (사람을) 욕하다; 중상모략하다 ▷ blásphemy *n.*

blas·phem·er [blæsfíːmər] *n.* 불경스러운 말을 하는 사람; 모독자, 욕설하는 사람

blas·phe·mous [blǽsfəməs] *a.* 〈사람이〉 불경스러운; 〈말·내용 등이〉 모독적인 **~·ly** *ad.* **~·ness** *n.*

∗blas·phe·my [blǽsfəmi] *n.* (*pl.* **-mies**) **1** Ⓤ **신에 대한 불경,** 신성 모독, 독신(瀆神) **2** 불경스러운[모독적인] 언동 《profanity나 swearing보다 심한 말》 ▷ blasphéme *v.*; blásphemous *a.*

⁑blast [blǽst, blɑ́ːst | blɑ́ːst] *n.* **1** (한 줄기의) **센 바람, 일진광풍(一陣狂風), 돌풍,** 질풍 **2** 강하게 부는 소리; 피리 소리; (자동차 등의) 경적 소리: blow a ~ on the siren 기적을 울리다 **3 a** 송풍, 통풍 **b** (로켓·제트 엔진의) 배기가스 **c** 압축 공기 **4 a 폭발, 폭파;** 폭풍(爆風); 발포; 발파(發破) **b** (폭파에 따라 생기는) 충격파, 폭풍 **c** (1회분의) 폭약 **5** (증오 등의) 폭발; 격렬한 비난[공격] **6** 〖야구〗 강타, 맹타; 홈런 **7** 《속어》 대실패; [감탄사적] 제기랄! **8 a** (식물의) 고사병 **b** (전염병으로 인한) 재해, 피해 **9** 《미·구어》 아주 즐거운 한때; 난잡한 파티: have a ~ 아주 즐거운 한때를 보내다 ***at a* ~** 한 번 불어, 단숨에 **(*at*) *full* ~** = **(*in*) *full* ~**

전력을 다하여; 전속력으로; 대활약 중이고 ***be in***[***out of***] **~** 〈송풍로(送風爐)가〉 가동하고[쉬고] 있다 ***give*** a person ***a ~*** 《구어》 …을 호되게 꾸짖다, 비난하다; …에게 전화를 걸다 ***put***[***lay***] ***the ~ on*** a person 《미·속어》 …을 호되게 비난하다, 후려갈기다
— *vt.* **1** 〈나팔 등을〉 불다; 〈큰 소리를〉 내다 《*out*》 **2** 《문어》 〈더위·추위 등이〉 시들게 하다, 마르게 하다 **3** 〈명예·희망 등을〉 **망쳐 버리다**, 헛되게 하다 **4** …에 대한 신용을 잃게 하다 **5 폭파**[**발파**]**하다**, 폭발시키다 **6** 〈터널·수로 등을〉 폭파해서 만들다 **7** [앞에 (May) God을 생략하여 저주의 글에서] 《완곡》 저주하다, 악담하다 **8** 《속어》 호되게 꾸짖다[비난하다]; 상대방(팀)을 대패시키다 **9** 〖야구〗 〈공을〉 강타[장타]하다, 〈홈런 등을〉 치다 **10** 〈로켓이〉 〈사람을〉 쏘아올리다 **11** 쏘다; 사살하다 《*down, off*》 **12** 〈총·미사일 등을〉 쏘다, 발사[발포] 하다 **13** 《속어》 〈마약을〉 하다; 〈마리화나를〉 피우다
— *vi.* **1** 큰 소리를 내다 **2** 폭파[발파]하다; (총 등으로) 쏘다 **3** 시들다 **4** 〖골프〗 공을 치다 **5** 《미·속어》 비난하다 **6** 《미·속어》 자동차의 스피드를 올리다 **7** 《미·속어》 마약을 하다 **~ *away*** 《구어》 심하게 꾸짖다, 호통치다; 심하게 비난하다; …에 총을 계속해서 쏘다 ***B~ it***[***him,*** etc.]***!*** 《속어》 망할 것, 제기랄, 뒈져라! **~ *off*** 〈로켓 등이〉 발사되다, 〈로켓 등을〉 발사하다; 〈폭풍(爆風) 등이〉 불어 날리다; 사살하다

blast- [blǽst], **blasto-** [blǽstou] 《연결형》 〖생물〗 「배(胚), 아(芽)」의 뜻 《모음 앞에서는 blast-》

-blast [blæ̀st] 《연결형》 〖생물〗 「배(胚), 아(芽)」의 뜻; 〖해부〗 「아세포(芽細胞), 아구(芽球)」의 뜻

blást cèll 〖생물〗 미분화 세포

blast-down [blǽstdàun | blɑ́:st-] *n.* (로켓의) 착륙(cf. BLASTOFF)

blast·ed [blǽstid, blɑ́:st- | blɑ́:st-] *a.* Ⓐ **1** 시든, 마른, 서리 맞은 **2** 폭파된; 뇌격(雷擊)을 받은; 〈희망 등이〉 꺾인; 《속어》 빈털터리인 **3** 《완곡》 저주받은 (cursed); 지독한 **4** 〈풍경화가〉 쓸쓸한, 황량한

blas·te·ma [blæstí:mə] *n.* (*pl.* **~s, ~·ta** [-tə]) 〖생물〗 아체(芽體), 아주(芽株)

blast·er [blǽstər, blɑ́:st- | blɑ́:st-] *n.* **1** 발파공 **2** 〖골프〗 블래스터 《벙커용의 타면이 넓은 클럽》 **3** (SF 소설에서) 우주총; 《미·속어》 총(gun); 총잡이

blast-freeze [blǽstfrì:z, blɑ́:st-] *vt.* (냉각 공기를 순환시켜) 급속 냉동하다

blást fùrnace 〖야금〗 용광로, 고로(高爐)

blast·ing [blǽstiŋ, blɑ́:st- | blɑ́:st-] *n.* Ⓤ 폭파, 발파; (서리 등이 초목을) 말림; (나팔 등의) 소리, 울림; 《속어》 호된 꾸지람, 야단

blásting pàrty 《미·속어》 = BLAST PARTY

blásting pòwder 발파[발포]용 화약

blasto- [blǽstou, -tə] 《연결형》 = BLAST-

blas·to·coel(**e**) [blǽstəsì:l] *n.* 〖생물〗 할강(割腔) 《난할 진행에 따라 생기는 포배의 강(腔)》

blas·to·cyst [blǽstəsist] *n.* 〖생물〗 배반포(胚盤胞); 낭포(囊胞)

blas·to·derm [blǽstədə̀:rm] *n.* 〖생물〗 배반엽(胚盤葉); 포배엽(胞胚葉)

blas·to·disc, -disk [blǽstədìsk] *n.* 〖생물〗 배반(胚盤)

blast·off [blǽstɔ̀:f | -ɔ̀f] *n.* (로켓의) 발사, 이륙(takeoff)

blas·to·gen·e·sis [blæ̀stədʒénəsis] *n.* 〖생물〗 **1** 출아(出芽) 증식 **2** 유전질 발생설 **3** 포배 형성

blas·to·mere [blǽstəmìər] *n.* 〖생물〗 할구(割球), 난할구(卵割球)

blas·to·my·cete [blæ̀stəmáisi:t, ∸–∸] *n.* 분아균(分芽菌)

blas·to·pore [blǽstəpɔ̀:r] *n.* 〖생물〗 원구(原口)

blas·to·sphere [blǽstəsfìər] *n.* = BLASTULA

blas·to·spore [blǽstəspɔ̀:r] *n.* 〖생물〗 출아 포자(出芽胞子)

blást pàrty 《미·속어》 (떠들썩한) 마리화나 파티

blást pìpe 송풍관; 배기관

blas·tu·la [blǽstʃələ] *n.* (*pl.* **~s, -lae** [-lì:]) 〖생물〗 포배(胞胚) **-lar** [-lər] *a.* **blàs·tu·lá·tion** *n.* 포배 형성

blást wàve 폭풍파

blat [blǽt] (**~·ted**; **~·ting**) *vi.* **1** 〈양·송아지가〉 울다 **2** 〈사람이〉 《구어》 떠들썩하게 지껄여대다
— *vt.* 《구어》 떠들썩하게 지껄이다
— *n.* 양[송아지]의[같은] 울음 소리; 떠들썩한 소리

bla·tan·cy [bléitənsi] *n.* Ⓤ **1** 떠들썩함 **2** 야함; 노골적임 **3** 뻔뻔스러움, 능청맞음

bla·tant [bléitənt] *a.* **1** 떠들썩한, 시끄러운 **2** 뻔뻔스러운 **3** 속이 들여다보이는, 노골적인; 야한, 난한 **~·ly** *ad.*

blath·er [blǽðər] *n.* Ⓤ 실없는 소리, 허튼소리; 소란, 소동 **—** *vi., vt.* 대중없이 지껄여대다, 재잘거리다 **~·er** *n.*

blath·er·skite [blǽðərskàit] *n.* Ⓤ 실없는 소리(를 지껄임); Ⓒ 수다쟁이, 허풍선이

blat·ter [blǽtər] *vi., vt.* 《구어》 재잘거리다, 마구 수다떨다 **—** *n.* 재잘거림

blax·ploi·ta·tion [blæ̀ksplɔitéiʃən] *n.* Ⓤ 《미》 흑인 착취; (영화·연극 등에서의) 흑인 활용, 흑인 수요 개발; 흑인의 상업적 이용

‡blaze¹ [bléiz] [OE 「횃불, 불」의 뜻에서] *n.* **1** [보통 *sing.*] (비교적 크고 맑은) **불꽃**, 화염(⇨ flicker¹ 유의어); 화재, 불 **2** [보통 *sing.*] **섬광**(glare): the ~ of noon 대낮의 강렬한 빛 **3** (강한) **광휘**(光輝) 《*of*》; 타는 듯한 색채; (명성의) 발양(發揚): (in) a ~ *of* glory 빛나는 영광 (중에)/the ~ *of* publicity 대대적인 선전 **4** [보통 *sing.*] (감정 등의) **격발**, 폭발 《*of*》 **5** (총의) 연발 **6** [*pl.*] 《속어》 지옥: Go to ~*s*! 지옥에나 떨어져라!, 뒈져 버려라! **7** [the ~s; 의문사의 강조] 도대체, 대관절(cf. DICKENS, DEVIL, HELL): What[Who] *the* ~*s* do you mean? 대관절 무슨[누구] 말이냐? ***in a ~*** 확확 타올라 ***in a ~ of anger***[***passion***] 노발대발하여 ***like ~s*** 《속어》 맹렬히 ***Old B~s*** 《고어》 악마(Satan)
— *vi.* **1** 타오르다 **2** 빛나다; 번쩍이다 **3** 발끈하다, 격노하다 **4** 《시어》 이채(異彩)를 띠다
— *vt.* **1** 타오르게 하다, 태우다 **2** 빛나게 하다 **3** 〈감정 등을〉 뚜렷이 나타내다 **~ *away***[***off***] (1) 연이어 발사하다 《*at*》 (2) 《구어》 〈일을〉 척척 하다 (3) 《구어》 빠른 어조로[흥분하여] 이야기하다; 열렬히 논의하다 《*about*》 (4) 〈탄약을〉 다 쏴 버리다 **~ *out***[***up***] 확 타오르다; 노발대발하다 《*at*》
▷ abláze *ad., a.*

blaze² *vt.* [보통 수동형으로] (큰 소리로) 포고(布告)하다, 〈뉴스 등을〉 공표하다, 퍼뜨리다 《*about, abroad*》

blaze³ *n.* (소·말의 얼굴에 있는) 흰 점; (나무껍질을 벗겨서 새긴) 흰 표적 《경계·길표지·벌채의 표시로서》
— *vt.* **1** 〈나무의〉 껍질에 흰 표적을 새기다 **2** 나무껍질에 흰 표적을 새겨 (길을) 가리키다 **~ *a***[***the***] ***trail***[***path, way***] (숲 속 등에서) 나무에 흰 표적을 새기다; 나중에 올 사람을 위하여 길을 내다

blaz·er¹ [bléizər] *n.* 선전하는 사람; 퍼뜨리는 사람, 선양(宣揚)하는 사람

blazer² *n.* **1** 블레이저 (코트) 《화려한 빛깔의 운동 선수용 상의》 **2** 보온(保溫) 접시 《음식이 식지 않게 하는》 **3** 《구어》 몹시 더운 날 **4** 《속어》 새빨간 거짓말

blaz·ing [bléiziŋ] *a.* Ⓐ **1** 타오르는, 타는 듯한; 빛나는; [부사적] 타듯이 **2** 《구어》 뻔한, 명백한; 강렬한, 심한, 지독한: a ~ lie 새빨간 거짓말/a ~ scent 강렬한 냄새 자취 《사냥에서》

blázing stár 〖식물〗 (북미산(産) 국화과(科)의) 화려한 두상화(頭狀花)를 맺는 각종 식물

thesaurus **blaze¹** *n.* **1** 화염 fire, conflagration, holocaust, flames **2** 섬광 beam, flash, flare, streak, glitter, glare, radiance
blemish *n.* **1** 흠 mark, spot, bruise, scar, blotch

bla·zon [bléizn] *n.* **1** 문장(紋章)(coat of arms); 문장 해설[도해] **2** (미덕 등의) 과시
— *vt.* **1** 〈방패에〉 문장을 그리다; 문장으로 꾸미다; 〈문장을〉 해설하다 **2** 빛을 더하다, 발양(發揚)하다; 과시하다 **3** 〈사건 등을〉 공표하다, 퍼뜨리다 《*forth, out, abroad*》 **4** 장식하다 **~·er** *n.*

bla·zon·ry [bléiznri] *n.* Ⓤ **1** 문장(紋章) (묘사법) **2** 장관, 미관

bld blond; blood; bold; boldface **bldg.** building **Bldg.E.** Building Engineer **bldr.** builder

∗**bleach** [blíːtʃ] *vt.* **1** (일광·화학 약품으로) 표백하다, 마전하다 《*out*》 **2** 〚사진〛 〈화상을〉 표백하다 **3** 《고어》 (공포 등으로) 창백하게 하다
— *vi.* 희게 되다; 〈안색이〉 창백하게 되다
— *n.* 표백제; 표백도(度); 표백

bleached [blíːtʃt] *a.* 표백한: ~ cotton 표백 무명

bleach·er [blíːtʃər] *n.* **1** 마전장이, 표백업자; 표백제 **2** [보통 *pl.*] 《야구속어》 지붕 없는 관람석; 외야석

bleach·er·ite [blíːtʃəràit] *n.* 《미》 외야석의 구경꾼

bleach·ery [blíːtʃəri] *n.* (*pl.* **-er·ies**) 표백 공장

bleach·ing [blíːtʃiŋ] *n.* Ⓤ 표백, 마전; 표백법
— *a.* 표백[마전]하는, 표백성의

bléaching pòwder 표백분

∗**bleak**[1] [blíːk] *a.* **1** 황량한, 처량한, 삭막한(dreary); 〈장소 등이〉 바람받이의, 바람이 휘몰아치는 **2** 〈날씨·바람 등이〉 차가운, 한랭한: a ~ wind 찬바람 **3** 〈생활 등이〉 궁색한, 처절한(harsh); 〈환경·전망 등이〉 쓸쓸한, 음침한, 어두운 **4** 《영·방언》 창백한
~·ly *ad.* **~·ness** *n.*

bleak[2] *n.* (*pl.* **~, ~s**) 〚어류〛 잉엇과(科)의 물고기

blear [blíər] *a.* 〈눈이〉 (눈물이나 염증으로) 흐린, 침침한, 헌; 《시어》 희미한(dim)
— *vt.* **1** 〈눈을〉 흐리게[침침하게] 하다, 헐게 하다 **2** 〈윤곽을〉 흐릿하게 하다; 〈거울을〉 흐리게 하다
— *vi.* 멍하니 바라보다

blear-eyed [blíəràid] *a.* **1** 눈이 흐린[헌] **2** 앞을 잘 못 보는

blear·y [blíəri] *a.* (**blear·i·er**; **-i·est**) **1** 〈눈이〉 (피로·졸림 등으로) 흐린 **2** 〈윤곽 등이〉 흐릿한
bléar·i·ly *ad.* **bléar·i·ness** *n.*

blear·y-eyed [blíəriàid] *a.* = BLEAR-EYED

∗**bleat** [blíːt] *vi.* **1** 〈염소 등이〉 매애 울다 **2** 재잘재잘 말하다; 우는소리를 하다, 푸념하다
— *vt.* 재잘재잘 지껄이다; 투덜거리다 《*out*》
— *n.* (염소 등의) 울음 소리 **~·er** *n.*

bleb [bléb] *n.* **1** (피부의 작은) 물집, 수포(水疱) **2** (물·유리 속의) 거품, 기포(氣泡)

‡**bleed** [blíːd] *v.* (**bled** [bléd]) *vi.* **1** 피가 나다, 출혈하다: (~+전+명) ~ *at* the nose 코피가 나다 **2** 〈나무가〉 수액을 내다 **3** 〈액체가〉 흘러나오다; 〈칠한 도료가〉 번지다, 〈염색한 색이〉 배어나오다; 〈색깔이〉 물들다 **4** (남을 위하여) 슬퍼하다, 애통해하다 《*for*》; 〈마음이〉 (…으로) 몹시 아프다 《*for, at*》: (~+전+명) My heart *~s for* the poor children. 그 불쌍한 어린이들을 생각하면 마음이 몹시 아프다. **5** (…을 위하여) 피를 흘리다, 죽다 《*for*》: (~+전+명) ~ *for* freedom[one's country] 자유[조국]를 위해 싸워 피를 흘리다 **6** (방송 신호를) 방해하다 **7** 〚인쇄〛 〈삽화 등이〉 (페이지에서) 삐져 나오다, 인쇄된 일부가 잘리다 《*on, off*》 **8** 돈을 착취당하다, 바가지쓰다 《*for*》
— *vt.* **1** 출혈시키다; 〚의학〛 방혈하다; 〈피·수액을〉 내다, 흐르게 하다 **2** 피눈물 나게 하다; …에게서 돈을 착취하다 **3** 〈액체·가스 등을〉 빼다 **4** 〈자동차 등의 브레이크 장치에서〉 공기를 빼다 **5** 〈사람에게〉 (돈 등을) 착취하다, 바가지씌우다 **6** 〚인쇄〛 〈페이지가〉 일부 잘리어 인쇄되게 하다 **~ *to death*** 출혈 과다로 죽다 **~ a person *white*** ⇨ white ***make* a person*'s heart* ~** 몹시 가슴 아프게 하다, 연민을 느끼게 하다
— *n.* 〚인쇄〛 일부 잘리게 앉히는 도판[페이지]

bleed·er [blíːdər] *n.* **1** 출혈성의 사람, 혈우병자 **2** 방혈의(放血醫) **3** 《미·구어》 돈을 착취하는 사람 **4** [한정사와 함께] 《영》 녀석, 놈; 싫은 놈: a little ~ 귀여운 녀석 / You poor ~! 이 불쌍한 놈아! **5** [*a ~ of a* …로 형용사적으로] 《영·속어》 심한, 지겨운: *a ~ of a* rainfall 지겨운 비 **6** 〚전기〛 블리더 저항기 **7** 《야구속어》 행운의 안타

bléeder's disèase 〚병리〛 혈우병(hemophilia)

bleed·ing [blíːdiŋ] *a.* Ⓐ **1** 출혈하는 **2** 피 나는 느낌의, 괴로운, 쓰라린 **3** 《영·속어》 엄청난, 끔찍한: a ~ fool 형편없는 바보 **—** *n.* Ⓤ **1** 출혈: internal ~ 내출혈 **2** 방혈(放血)

bléeding édge [the ~] (컴퓨터 기술 등의) 최첨단 《cutting edge보다 더 새롭고 고도의 단계》
bléed·ing-èdge *a.* 최첨단 (기술)의

bléeding héart **1** 〚식물〛 금낭화 **2** 《구어》 (사회문제 등에서) 약자를 과장되게 동정하는 사람

bleep [blíːp] *n.* **1** (무선 등의) 삐 하는 소리 **2** 무선 호출기, 삐삐(bleeper) **3** (라디오·텔레비전에서 방송 금지용 말을 제거하는) 삐 (하는 소리)(blip)
— *vi.* 〈호출기가〉 삐삐 울리다 **—** *vt.* **1** 〈의사 등을〉 호출기로 불러내다 **2** (라디오·텔레비전 방송에서) 〈욕 등을〉 삐 하는 소리로 지우다 《*out*》

bleep·er [blíːpər] *n.* (무선) 호출기, 삐삐

∗**blem·ish** [blémiʃ] *n.* **1** 흠, 결점(defect); 얼룩, 여드름 **2** (도덕상의) 오점: a ~ on her record 그녀의 경력상의 오점 ***without* ~** 완전한[히]
— *vt.* 〈명성·인격 등을〉 손상하다; 해치다, 흠집을 내다; 더럽히다

blench[1] [bléntʃ] *vi.* **1** 움찔하다, 뒷걸음치다 **2** 못 본 체하다, 외면하다; 피하다(avoid)

blench[2] *vi., vt.* 희게 되다[하다], 파랗게 질리다[질리게 하다]

‡**blend** [blénd] *v.* (**~·ed,** 《시어》 **blent** [blént]) *vt.* **1** 섞다, 혼합하다, 〈다른 것들을〉 고르게 섞다(⇨ mix 유의어): (~+목+전+명) *B~* mayonnaise *with* other ingredients. 마요네즈를 다른 재료와 섞어라. **2** (뒤섞어) 〈차·술·담배 등을〉 조제하다, 블렌드하다
— *vi.* **1** 섞이다, 혼합되다 《*with*》; 뒤섞이다, 〈색 등이〉 한데 융합하다 《*with, into*》 **2** 어울리다, 조화되다: (~+전+명) The new curtains do not ~ *with* the white wall. 새 커튼은 흰 벽과 어울리지 않는다. **~ *in*** (1) (…와) 조화되다[섞이다] 《*with*》: He *~ed in with* the crowd. 그는 군중과 섞였다. (2) 〈…을〉 (…와) 섞다; 조화시키다 《*with*》
— *n.* **1** 혼합; 혼색 **2** 혼합물; (2종 이상의 커피·담배 등의) 블렌드 **3** 혼방(混紡) **4** 〚언어〛 혼성어(⇨ blending 2) **5** 〚언어〛 자음군(子音群)

blende [blénd] *n.* Ⓤ 〚광물〛 섬아연석(閃亞鉛石)

blend·ed [bléndid] *a.* Ⓐ **1** 〈차·담배·술 등이〉 혼합된, 블렌드된 **2** 〈직물이〉 혼방의

blénded fábric 혼방 (직물)

blénded fámily 혼합 가족 《재혼 부부와 과거의 결혼에서 얻은 자녀로 구성되는 가족》

blénded léarning 블렌디드 러닝 《학습 효과를 극대화하기 위한 온·오프라인 통합 교육》

blénded whískey 블렌드 위스키

blend·er [bléndər] *n.* 혼합하는 것[사람]; 《미》 (부엌용) 믹서(《영》 liquidizer)

blend·ing [bléndiŋ] *n.* ⓊⒸ **1** 혼합, 융합, 조합(調合)(법) **2** 〚언어〛 혼성(混成)(contamination) 《breakfast와 lunch에서 *brunch*, motorists' hotel에서 *motel*과 같은 혼성어를 만들기》; 혼성어[구, 문]

blénding inhéritance 〚유전〛 융합 유전

Blen·heim [blénəm] *n.* **1** 〚식물〛 황금빛 사과의 품종 (= **~ Òrange**) **2** 〚동물〛 삽살개의 일종(= **~ spàniel**)

blen·ny [bléni] *n.* (*pl.* **-nies**) 〚어류〛 베도라치

blent [blént] *v.* 《시어》 BLEND의 과거·과거분사

---

2 결점 defect, flaw, stain, dishonor
blend *v.* **1** 섞다 mix, combine, mingle, unite, merger, compound **2** 조화되다 harmonize, go with, go well with, complement, fit, suit

ble·o·my·cin [blì:əmáisin] *n.* 〖약학〗 블레오마이신 《항생 물질; 폐암·피부암 치료용》

bleph·a·ri·tis [blèfəráitis] *n.* Ⓤ 〖병리〗 안검염(眼瞼炎), 다래끼

bleph·a·ro·plast [bléfərəplæ̀st] *n.* 〖생물〗 생모체(生毛體)

bleph·a·ro·plas·ty [bléfərəplæ̀sti] *n.* Ⓤ 〖외과〗 안검(眼瞼) 미용 성형(술)

bleph·a·ro·spasm [bléfərəspæ̀zm] *n.* Ⓤ 〖의학〗 안검(眼瞼) 경련

bles·bok [blésbɑ̀k | -bɔ̀k], **-buck** [-bʌ̀k] *n.* (*pl.* **~, ~s**) 〖동물〗 블레스복 《얼굴에 크고 흰 반점이 있는 남아프리카산(産) 영양》

‡**bless** [blés] [OE 「피로 정화하다」의 뜻에서] *vt.* (**~ed** [-t], **blest** [blést]) **1** 〈성직자가〉 (십자를 그어) 〈남을〉 축복하다, …을 위해 신의 은혜[가호]를 빌다: ~ one's child 자식의 행복을 빌다 **2** 〈신이〉 〈사람에게〉 은혜를 베풀다, 축복하다; (하늘의 은총으로서) 〈사람 등에게〉 (…을) 주다, 베풀다 《*with*》: (~+목+전+명) God *~ed* her *with* good children. 신은 그녀에게 착한 자식들을 주셨다. **3** 신성케 하다; 〈음식물·포도주 등을〉 정하게 하다, 정하게 하여 신에게 바치다 **4** 〈신을〉 찬미[찬양]하다 **5** 〈행복·행운 등을〉 감사하다 **6** 〈신이〉 (악·피해로부터) 수호하다: (~+목+전+명) *B~* me *from* all evils. 모든 악으로부터 지켜 주소서. **7** [if절과 함께; 반어적] 전혀 …하지 않다, 절대 …일 리 없다: (I'm) ~ed [blest] *if* I know! 그 따위 것을 내가 알게 뭐야!, 전혀 모른다

be ~ed 행운을 누리다; [반어적] 곤란하다: I *am ~ed*[*blest*] in my children. 나는 자식 복이 있다. / I *am ~ed*[cursed] *with* a bad memory. 나는 기억력이 나빠서 곤란하다. ~ one***self*** (십자를 그어) 스스로 축복하다; 신의 축복을 빌다 《God bless me! 라고 함》; 다행으로 여기다 ~ one***'s stars*** (좋은 별 아래 태어났다고) 행운을 감사하다 ***(God) ~ me!*** = ***(Lord) ~ my soul!*** = ***B~ my heart!*** = ***B~ your heart alive!*** = ***I'm ~ed!*** 이런, 아차, 아이구 깜짝이야, 원 저런! 《놀람·노여움·기쁨·곤혹 등의 소리》 ***(God) ~ you!*** 그대에게 신의 가호가 있기를 《상대방이 재채기했을 때 하는 말》; 대단히 감사합니다: 저런, 아 가엾어라! 《등》 ***have not a penny to ~*** one***self with*** 한 푼도 가지고 있지 않다 ***I ~ the day*** I met him. (그를 만난) 그날은 정말 얼마나 복된 날이었던가.

—*int.* 《영》 귀여워라, 예뻐라

▷ blíss *n.*

∗**bless·ed** [blésid] *a.* **1** 축성(祝聖)된, 신성한, 정하게 된: my father of ~ memory 돌아가신 아버님 / *B~* are the pure in heart. 〖성서〗 마음이 청결한 자는 복이 있나니. 《마태복음 5 : 8》 **2** 축복받은, 행복한: ~ ignorance 「모르는 것이 약」 **3** 〖가톨릭〗 복자(福者)의; [the ~; 명사적; 복수 취급] 복자 **4** Ⓐ 즐거운, 고마운 **5** [반어적] 저주받은, 벼락맞은 **6** Ⓐ [강조적] 마지막까지의: every ~ book 온갖 책

the Islands [***Isles***] ***of the B~*** ⇨ island

bléssed evént 《구어》 아기의 출생; 태어난 아이

bless·ed·ly [blésidli] *ad.* 다행히도(happily)

bless·ed·ness [blésidnis] *n.* Ⓤ 행운, 행복: (live in) single ~ 독신 생활(을 하다) 《Shakespeare 「한여름 밤의 꿈」에서》

Bléssed Sácrament [the ~] 〖영국국교·가톨릭〗 성찬식용의 축성(祝聖)된 빵, 성체(host); 성찬식

Bléssed Trínity [the ~] 성삼위(聖三位) (일체)

Bléssed Vírgin [the ~] 성모 마리아

‡**bless·ing** [blésiŋ] *n.* **1** (하느님의) 은총, 은혜 **2** 축복(의 말); (식전[식후]의) 기도 **3** Ⓤ 《구어》 찬성: with my father's ~ 아버지의 찬성을 얻어 **4** [반어적] 비난, 질책 ***a ~ in disguise*** 불행처럼 보이나 실은 행복이 되는 것 《괴롭지만 유익한 경험 등》 ***ask*** [***say***] ***a ~*** 식전[식후]의 기도를 올리다 ***count*** one***'s ~s*** (불행한 때에) 좋은 일들을 회상하다 ***give*** one***'s ~*** 정식으로 인정하다 《*to*》

∗**blest** [blést] *vt.* BLESS의 과거·과거분사

—*a.* 《시어》 = BLESSED

blet [blét] *n.* 농익은 과일의 부패

bleth·er [bléðər] *v., n.* = BLATHER

‡**blew** [blú:] *v.* BLOW의 과거

∗**blight** [bláit] *n.* **1** Ⓤ 〖식물〗 마름병, 동고병(胴枯病), 충해(蟲害); [a ~] 동고병[충해]을 일으키는 해충[세균]; (식물에 크게 해롭다고 생각되는) 안개가 자욱하고 흐릿한 대기 **2** Ⓒ (사기·희망 등을) 꺾는 것, 장애, 어두운 그림자 **3** Ⓤ (도시 환경의) 황폐(한 지역)

—*vt.* **1** 〈식물을〉 마르게 하다, 시들게 하다 **2** 파괴하다; 〈희망 등을〉 꺾다, 망치다(ruin)

—*vi.* 마르다; 꺾이다

blight·er [bláitər] *n.* **1** 해를 주는 것[사람] **2** 《영·속어》 지긋지긋한[지겨운] 놈; 지독한 놈, 악당; 녀석

blight·y [bláiti] *n.* 《영·군대속어》 **1** [종종 **B~**] 영국 본국 **2** (제1차 대전 때) 본국에 송환될 정도의 큰 부상; 귀국 휴가

bli·mey, -my [bláimi] [(God) blind me! 에서] *int.* 《영·속어》 아차, 아뿔싸, 제기랄

blimp [blímp] *n.* **1** 소형 연식 비행선 《현재는 광고용》 **2** [**B~**] 《영·구어》 = COLONEL BLIMP

blimp·ish [blímpiʃ] *a.* [때로 **B~**] 상대하기 벅찬; 완고한 **~·ly** *ad.* **~·ness** *n.*

blin [blín] *n.* (*pl.* **bli·ni, bli·ny** [blíni, blí:ni], **bli·nis** [blíniz, blí:niz]) 블린 《러시아의 팬케이크의 일종》

‡**blind** [bláind] *a.* **1** 눈먼, 장님인; (…이) 잘 안 보이는 《*in,* 《문어》 *of*》; 맹인(용)의(cf. DEAF, DUMB); [the ~; 명사적; 복수 취급] 눈먼 사람들, 맹인들: ~ *of* an eye = ~ *in*[*of*] one eye 한쪽 눈이 안 보이는, 애꾸인 / ~ *in* the right eye 오른쪽 눈이 보이지 않는 / *the* ~ leading *the* ~ 〖성서〗 장님을 인도하는 장님 《위험천만함의 비유》 / In the kingdom of *the* ~, the one-eyed is king. 《속담》 장님 나라에서는 애꾸눈이 왕이다, 「호랑이 없는 골에 토끼가 왕 노릇 한다.」 **2** 〈결점·미점·이해 등을〉 알아보는 눈이 없는, 안목이 없는 《*to*》: ~ *to* all arguments 논리가 전혀 통하지 않는 **3** 맹목적인, 무계획적인, 닥치는 대로의; 눈이 어두워진; 앞뒤를 분간 못하는: Love is ~. 《속담》 사랑은 맹목적이다. **4** 의식이 없는; 《속어》 정신없이 취한 **5** 알기 어려운; 신원 불명의; 익명의 **6** 눈에 보이지 않는, 숨은; 〈도로 등이〉 앞이 보이지 않는; 맹점이 되는; 막다른; 출구[창문]가 없는: a ~ hedge 출입구가 없는 울타리 / a ~ door 덧문 **7** 〈실험이〉 (실험자·피실험자에게) 가설이나 조건을 숨기고 실행하는 **8** 〖항공〗 계기만을 의지하는: ~ flight[flying] 계기 비행 / ~ landing 계기 착륙 **9** 〖제본〗 빈 틀 찍기의 **10** 〖요리〗 〈파이 껍질이〉 소 없이 구운 **11** 〖식물〗 꽃[열매]이 되지 않는: a ~ bud 꽃도 열매도 맺지 않는 눈

(as) ~ as a bat [***beetle, mole***] 전혀 눈이 보이지 않는, 장님이나 다름없는 ***~ to the world*** 곤드레만드레 취하여 ***go ~*** 장님이 되다 ***go ~ on it*** = go it BLIND(⇨ *ad.*) ***not a ~ bit of ...*** 《영·속어》 조금도 …않다 ***rob*** a person ***~*** 《구어》 대량으로 훔치다 ***turn a*** [one***'s***] ***~ eye to*** …을 못 본[모르는] 체하다

—*vt.* **1** 눈멀게 하다: He was *~ed* in a car crash. 그는 자동차 충돌 사고로 시력을 잃었다. **2** …의 눈을 (일시적으로) 보이지 않게 하다: The bright sun *~ed* me for a moment. 밝은 햇빛에 잠시 앞이 안 보였다. **3** (빛 등을) 덮어 가리다, 어둡게 하다: (~+목+전+명) ~ the room *with* heavy curtains 두꺼운 커튼으로 방을 가리다 **4** …의 분별[판단]력을 잃게 하다, …을 맹목적이 되게 하다; (…에 대해) 눈을 감다, 못 본 체하다 《*to*》: (~+목+전+명) Love *~s* us *to* all imperfections. 제 눈에 안경. **5** …의 광채를 잃게

thesaurus **blessed** *a.* **1** 신성한 consecrated, sanctified, hallowed, sacred, holy, divine, venerated **2** 즐거운 happy, joyful, blissful, glad

blind *a.* **1** 눈 먼 unsighted, sightless, visually

하다, 무색케 하다 **6** 〖제본〗 〈책 표지에〉 빈 틀을 찍다 **7** 〈새 포장도로에〉 모래·자갈을 깔아 틈새기를 메우다 **8** 페인트나 그림물감으로 지우다
~ a person ***with science*** [***technology***] (잘못된) 지식으로 …을 현혹하다
— *n.* **1** [종종 *pl.*] 블라인드, 차일((미) shade): draw[pull down] the ~(*s*) 창문의 블라인드를 닫다[내리다] **2** [보통 *sing.*] 눈을 속이는 것, 눈가림; 구실; 미끼 **3** (미) (사냥꾼의) 잠복처 **4** (영·속어) 과음 **5** (포커에서) 패를 보지 않고 하는 내기 **6** 〖군사〗 =BLINDAGE **7** (미) 〖철도〗 =BLIND BAGGAGE **8** 〖제본〗 빈틀찍기 **9** 〖자동차〗 지나친 냉방 방지용 덮개 **10** (미·속어) 수신인[주소] 불명의 우편물
— *ad.* **1** 맹목적으로; 무계획적으로 **2** (구어) 의식[정기]을 잃을 정도로, 눈이 보이지 않을 정도로, 몹시 **3** 완전히 **4** 무시계(無視界)로, 계기만으로 **5** 내용을 알리지 않고 **6** 〈연예인이〉 무대를 사전에 조사하지 않고
~ drunk 곤드레만드레 취하여 ***fly ~*** 계기[맹목] 비행을 하다 ***go it ~*** 앞뒤 헤아리지 않고 하다, 무턱대고 덤벼들다 ▷ blíndly *ad.*; blíndness *n.*

blind·age [bláindidʒ] *n.* 〖군사〗 (참호 안의) 방탄벽

blínd álley **1** 막다른 골목 **2** (일 등의) 침체 상태, 막다른 형세(deadlock) **3** 가망 없는 국면[직업, 연구 《등》]

blínd bággage (미) 〖철도〗 수하물[우편물] 차 《앞쪽으로 빠지는 문[통로]이 없음》(=**⌐ càr**)

blind-call [-kɔ̀:l] *n.* =COLD-CALL

blínd cóal 무연탄

blínd cópy (편지·서류 등의) 발송된 증거가 없는 복사본

blinders 2

blínd dáte (구어) (제3자의 소개에 의한) 안면이 없는 남녀의 데이트; 이런 데이트를 하는 남자[여자]

blínd-deaf lánguage [-dèf-] 촉독법(觸讀法)

blínd dòor 통풍 장치가 있는 문

blind·er [bláindər] *n.* **1** 눈을 속이는 사람[것] **2** [보통 *pl.*] (미) (말의) 곁눈가리개 ((영) blinkers) **3** [보통 *pl.*] 판단[이해]을 방해하는 것 **4** (영·속어) (크리켓·축구 등에서의) 절묘한 파인 플레이; 〖야구〗 완봉패 ***go*** [***be***] ***on a ~*** (영·속어) 술 마시고 떠들다, 흥청망청 술 마시다 ***play a ~*** 멋진 재주를 보이다[연기를 하다]

blind·fish [bláindfìʃ] *n.* (*pl.* **~, ~·es**) 〖어류〗 맹어(盲魚) 《눈이 퇴화된》

blind·fold [-fòuld] *vt.* …의 눈을 가리다; …의 눈을 속이다, 속이다 — *n.* 눈가리개; 눈속임수 — *a.*, *ad.* 눈을 가린[가리고]; 무작정한[하게], 경솔한[하게]

Blínd Fréd·die[**Fréddy**] [-frédi] (호주·구어) 눈먼 프레디 《가장 무능한 상상의 인물》: ~ could see that! 그 따위는 천치라도 알 수 있다!

blínd gód [the ~] 맹목의 신 《Cupid, Eros》

blínd gút 맹장(cecum)

blind·ing [bláindiŋ] *a.* 눈을 멀게[부시게] 하는, 현혹시키는 — *n.* Ⓤ 새 포장도로의 틈새를 메우는 작업[토사]; 〖토목〗 침상(沈床)(mattress) **~·ly** *ad.*

blínd létter 수취인 불명의 편지

∗**blind·ly** [bláindli] *ad.* **1** 맹목적으로, 무턱대고: follow the leader ~ 맹목적으로 지도자를 따르다. **2** 보지 않고; 볼 수 없게 되어 **3** 막다른 골목이 되어

blind·man [bláindmən] *n.* (*pl.* **-men** [-mən]) (영) =BLIND-READER

blínd·man's búff [-mæ̀nz-] 까막잡기: play at ~ 까막잡기를 하다

blíndman's hóliday (고어) 해거름, 황혼

⁑**blind·ness** [bláindnis] *n.* Ⓤ **1** 맹목 **2** 무분별(無分別), 맹목적임, 무지

blínd píg (미·속어) 주류 밀매소

blínd póol 위임 기업(委任企業) 동맹

blind-read·er [bláindrì:dər] *n.* (우체국의) 주소 판독 계원

blínd ròad 풀이 무성한[풀로 덮인] 길

blínd shéll 불발탄

blínd sìde **1** (애꾸눈이의) 못 보는 쪽; 보고 있지[주의하지] 않은 쪽 **2** 약점; 방비가 없는 곳 **3** [the ~] (럭비의) 블라인드 사이드

blind·side [-sàid] *vt.* **1** 상대의 무방비한 곳[약점]을 공격하다; 기습 공격을 감행하다 **2** [보통 수동형으로] (갑작스런 일 등이) …에게 쇼크를 주다, 곤혹스럽게 하다

blind·sight [-sàit] *n.* 맹시(盲視) 《광원이나 시각적 자극을 정확히 느끼는 맹인의 능력》

blínd spòt **1** 〖해부〗 (눈의 망막의) 맹점 **2** 당사자가 깨닫지 못하는 약점, 자기가 모르는 분야 **3** (텔레비전·라디오의) 난시청 지역 **4** (자동차 운전자의) 사각(死角)

blind-stamp [-stæ̀mp] *vt.* 〖제본〗 〈표지에〉 민누름하다

blínd stàmping 〖제본〗 (표지의) 민누름 《박(箔)을 사용하지 않고 오목하게 누르는 일》

blínd stìtch 공그르기

blind·stitch [-stìtʃ] *vt.*, *vi.* 공그르다

blind·sto·r(e)y [-stɔ̀:ri] *n.* 창문이 없는 층(層) 《교회당의 광선을 들어오게 하는 창 밑의 복도》

blínd tèst 블라인드 테스트 《예비 지식이나 선입관 없이 받는 테스트》

blínd tíger (미·속어) 무허가 주점, 주류 밀매소

blínd trúst 백지위임

blind·worm [-wə̀:rm] *n.* 〖동물〗 발없는도마뱀 《유럽산(産)》

bling(**-bling**) [blíŋ(bliŋ)] *n.* **1** 지나치게 장식한 비싼 보석이나 옷차림 **2** Ⓤ 과소비와 허세로 뭉친 행동 양식

bling·er [blíŋər] *n.* (미·속어) 극단적인 것[사례]

bli·ni [blíni, blí:ni], **bli·nis** [blíniz, blí:niz] *n.* BLIN의 복수형

∗**blink** [blíŋk] *vi.* **1** 눈을 깜박거리다, 깜작이다: (~+전+명) She *~ed at* the sudden light. 갑자기 비친 빛에 그녀는 눈을 깜박거렸다.

> 유의어 **blink** 눈부시거나 놀람으로 무의식적으로 눈을 깜박이다 **wink** 남에게 신호하기 위해 의식적으로 눈을 깜박이다: He *winked* at me knowingly. 그는 아는 체하며 내게 윙크했다.

2 눈을 가늘게 뜨고 보다; 힐끔 보다, 엿보다 **3** 놀라서 보다, 깜짝 놀라다 《*at*》 **4** 보고도 못 본 체하다, 간과하다 《*at*》: (~+전+명) ~ *at* responsibility 책임 있는 일을 모른 체하다 ★ 이 뜻으로는 wink (at)이 일반적임. **5** 〈등불·별 등이〉 명멸하다
— *vt.* **1** 〈눈을〉 깜작거리다: I *~ed* my eyes to wake up. 나는 잠에서 깨어나려고 눈을 깜박였다. **2** 〈이물질 등을〉 눈을 깜작거리며 털어 버리다 《*away*, *back*》 **3** 〈빛을〉 명멸시키다, 깜박이게 하다 **4** [종종 부정문에 써서] 못 본 체하다, 무시하다 **5** 마법을 걸다 ***~ the fact*** (구어) 사실[현실]을 외면하다
— *n.* **1** 깜박거림; 일순간: in the ~ of an eye 눈 깜짝할 사이에, 순식간에 **2** 힐끔 봄, 반짝임, 번쩍임 **3** 〖기상〗 **a** =ICEBLINK **b** =SNOWBLINK ***on the ~*** (속어) 〈사람·기계 등이〉 상태가 나빠서, 못 쓰게 되어

blink·ard [blíŋkərd] *n.* 눈깜작이; 얼간이, 바보

blink·er [blíŋkər] *n.* **1** 눈깜작이; 추파를 던지는 여자 **2** [보통 *pl.*] **a** (말의) 눈가리개 가죽((미) blinders) **b** 먼지 막는 안경(goggles) **3** (속어) 눈 **4** (미) 명멸 신호등; [보통 *pl.*] (자동차의) 점멸등, 방향 지시등, 깜빡이((영) winkers) ***be*** [***run***] ***in ~s*** 주위의 형세를 모르고 있다[행동하다]

---

impaired, visionless, unseeing **2** 맹목적인 unreasoned, uncritical, unthinking, mindless
blink *v.* **1** 깜박이다 flutter, flicker, wink, twinkle, glimmer **2** 힐끔 보다 peer, squint

blink·ered [blíŋkərd] *a.* **1** 〈말이〉 가리개로 눈을 가린 **2** (눈을 가린 말처럼) 시야가 좁은

blink·ing [blíŋkiŋ] *a.* **1** 깜박거리는; 명멸하는 **2** 《영·구어》 어처구니없는, 지독한(bloody)
— *ad.* 《영·구어》 지독하게, 굉장히

blin·tze [blíntsə], **blintz** [blínts] *n.* 블린츠 《치즈·잼 등을 채워서 구운 팬케이크》

bli·ny [blíni, blí:ni] *n.* BLIN의 복수형

blip [blíp] *n.* **1** 블립 《레이더 스크린에 나타나는 영상》 **2** 〖라디오·TV〗 (부적당한 말을 비디오 테이프 등에서 지운 자리의) 삑 소리 **3** 《미·속어》 5센트 백동전 **4** 기록, 메모 **5** (수입·소득 등의) 일시적 변동; 주식 시세의 일시적 하락 — *v.* (**~ped**; **~·ping**) *vi.* 삑 하는 소리를 내다; 불규칙하게 움직이다.; 〈경기 지표가〉 일시 변동하다 — *vt.* **1** 가볍게 치다[때리다] **2** 〈비디오테이프 등의 부적당한 말을〉 삑 소리로 지우다
~ off 《미·속어》 죽이다, 사살하다

blíp jòckey 《미·군대속어》 레이더[소너] 감시원

blip·vert [blípvə̀rt] *n.* 잠재의식을 이용한 TV 광고

⁑**bliss** [blís] *n.* Ⓤ **1** 더없는 기쁨, 지복(至福), 행복 **2** 〖신학〗 천상의 기쁨, 천복(天福) **3** 천국, 천국에 있음 **4** 《고어》 행복의 원인
— *vi.*, *vt.* [다음 성구로] *~ out* 《미·속어》 더없는 행복을 맛보다; 황홀해지다, 황홀케 하다
▷ bléss *v.*; blíssful *a.*

blissed [blíst] *a.* 《속어》 황홀한, 무아지경의; 《미·속어》 (술·마약에) 취한(= ~ **-óut**)

***bliss·ful** [blísfəl] *a.* 지복(至福)의, 더없이 행복한; 즐거운 **~·ly** *ad.* **~·ness** *n.*

blíssful ígnorance 행복한 무지, 모르면 약

bliss-out [blísàut] *n.* 지복, 황홀

B-list [bí:list] *a.* 〈배우·음악가 등이〉 2류의[에 속하는]

***blis·ter** [blístər] *n.* **1** 물집, 수포; (페인트를 칠한 뒤나 주철 표면에 생기는) 기포; (유리·수준기(水準器) 속의) 기포 **2** 〖의학〗 발포제(發疱劑) **3** 〖군사〗 (비행기의) 둥글고 투명한 튀어나온 자리[총좌] **4** 〖사진〗 (필름·인화지 막면의) 물집 **5** 〖식물〗 (병균으로) 가지에 혹이 생기는 병 **6 a** 《구어》 불쾌한[싫은] 놈 **b** 매춘부 **7** = RADOME
— *vt.* **1** 물집이 생기게 하다 **2** (비꼬는 말 등으로) 꼬집다; 따분하게 하다 **3** 채찍질하다; 엄하게 벌하다
— *vi.* 물집이 생기다 ▷ blístery *a.*

blíster bèetle[flỳ] 〖곤충〗 가뢰과(科)의 각종 딱정벌레 《말려서 가루로 내어 발포제(發疱劑)로 사용》

blíster còpper 〖야금〗 조동(粗銅)

blíster gàs 〖군사〗 미란(糜爛)[발포]성 가스

blis·ter·ing [blístəriŋ] *a.* **1** 물집이 생기게 하는 (듯한); 타는 듯한 **2** 〈비평이〉 신랄한, 통렬한; 격렬한 **3** 《속어》 비난하는, 창피를 주는 **~·ly** *ad.*

blíster pàck = BUBBLE PACK

blíster rùst 〖식물〗 (소나무의) 발진 녹병

blis·ter·y [blístəri] *a.* 물집이 있는, 물집투성이의

***blithe** [bláið, bláiθ | bláið] *a.* **1** 《시어》 명랑한, 쾌활한; 즐거운, 기쁜 **2** 태평스러운; 경솔한 **~·ly** *ad.*

blith·er [blíðər] *vi.* 허튼소리를 지껄이다

blith·er·ing [blíðəriŋ] *a.* Ⓐ 《속어》 **1** 허튼소리를 지껄이는 **2** 철저한; 형편없는, 경멸할

blithe·some [bláiðsəm, bláiθ- | bláið-] *a.* 《문어》 = BLITHE 1 **~·ly** *ad.*

BLitt, BLit [L = *Baccalaureus Litterarum*] Bachelor of Literature[Letters]

blitz [blíts] [G 「번개」의 뜻에서] *n.* **1** 전격적 공격; 맹공, 급습 **2** 《속어》 전격적 대 캠페인
— *a.* Ⓐ 전격적인: ~ tactics 전격 작전
— *vt.* 전격적으로 공격하다; 맹공하다

blitzed [blítst] *a.* 《미·속어》 술에 취한(drunk)

blitz·krieg [blítskrì:g] [G] *n.* 전격전; 대공습; 전격적 집중 공격[포격]

bliv·it [blívət] *n.* 《미·속어》 불필요한[귀찮은, 헷갈리기 쉬운] 것

bliz·zard [blízərd] *n.* **1** 심한 눈보라, 폭풍설(雪) **2** 돌발; 쇄도 《*of*》: a ~ *of* phone calls 전화의 쇄도

blízzard hèad 《미·속어》 (텔레비전 방송에서 조명을 낮추지 않으면 안 될 정도로) 눈부신 금발의 여배우

blk black; blank; block; bulk **BLL** Bachelor of Laws

bloat[1] [blóut] *vt.* 〈청어를〉 훈제하다

bloat[2] *vt.* **1** 부풀게 하다; 붓게 하다; 팽창시키다 《*with*》(⇨ bloated 1) **2** 자만심을 갖게하다 《*with*》(⇨ bloated 2) — *vi.* 부풀다; 자만심을 갖다
— *n.* **1** Ⓤ 〖수의학〗 (소·양 등의) 고창증(鼓脹症) **2** 《미·구어》 (인원·비용의) 공연한 팽창 **3** 부푸는[부풀게 하는] 사람[것] **4** 《미·속어》 술고래, 주정뱅이

bloat·ed [blóutid] *a.* **1** 부푼, 너무 살찐; 부은 《*with*, *from*》: a ~ face 부은 얼굴 / be ~ *with* [*from*] overeating 과식으로 비대해져 있다 **2** 오만한, 거만한 《*with*》: a ~ politician 거만한 정치가 / He is ~ *with* pride. 그는 오만해져 있다.

bloat·er [blóutər] *n.* **1** 훈제 청어[고등어](cf. KIPPER) **2** 〖어류〗 (북미 오대호산(産)의) 연어의 일종

bloat·ware [blóutwɛ̀ər] *n.* 〖컴퓨터〗 블로트웨어 《잘 사용하지 않는 기능이 많은 비대화된 소프트웨어》

blob [blάb | blɔ́b] *n.* **1** (잉크 등의) 얼룩; 물방울; 둥그스름한 작은 덩이 **2** 《영·속어》 (크리켓 타자의) 영점 **3** (물고기의) 물을 치는 소리 **4** 윤곽이 흐릿한 것
— *vt.* 얼룩지게 하다

***bloc** [blάk | blɔ́k] [F = block] *n.* **1** 블록, 권(圈), 세력권 《정치·경제상의 특수 이익을 위하여 제휴한 몇몇 국민·단체의 일단》: ~ economy 블록 경제 / the dollar ~ 달러 블록 **2** 《미》 (특수 문제에 관한 초당파적) 의원 연합

⁑**block** [blάk | blɔ́k] *n.*, *v.*, *a.*

덩어리 **1** ─┬→방해물 **4**→㊍ 방해하다 　　　　 └→건물의 덩어리→한 구획 **5**

— *n.* **1** (돌·나무·금속 등의) (큰) 덩어리, 토막 《*of*》; 각석(角石), 각재(角材); (건축용) 블록: a ~ of stone 석재(石材) **2** 《미》 (완구의) 블록(building block, 《영》 brick) **3** 받침나무, 받침 《도마·모탕·승마대·단두대·조선대·경매대·구두닦이의 발판 등》; 모자골; 〖인쇄〗, 인재(印材); 〖제본〗 판(版) **4 a** 장애물, 방해물; (수도관 등에) 막힌 것; (길 등을) 막는 것 《혼잡하여 꼼짝 못하는 자동차 등》 **b** 방해된 상태; 폐색 (상태) **c** 〖철도〗 폐색구(閉塞區) **5** 《미》 블록, 가구(街區) 《사방이 도로로 둘러싸인 도시의 한 구획》; 그 길이의 거리 《약 1/20 km》: It's two ~*s* away. 두 블록 떨어져 있다. **6 a** 〖스포츠〗 (상대편 행동의) 방해 **b** = STARTING BLOCK **c** 〖크리켓〗 타자가 배트를 놓고 있는[공을 막는] 장소 **7 a** (여러 가지 것의) 한 벌, 한 조, 한 묶음 **b** (우표 수집의) 블록 **c** (증권 등의) 거래 단위; 한 장씩 떼어 쓰는 용지철(綴) **8** 《영》 한 채의 큰 건축물 **9** 〖컴퓨터〗 블록 《플로 차트(flow chart)에서 사용되는 장치 또는 프로그램 안의 명령 따위를 나타내는 기호; 하나의 단위로 취급되는 연속된 언어 집단; 일정한 기능을 지니는 기억 장치의 구성 부분》 **10** 〖의학〗 (신경·심장 등의) 블록, 차단; 〖정신의학〗 두절 **11** 도르래, 활차 《하나 또는 그 이상의 도르래(pulley)를 나무[금속] 케이스에 넣은 것》 **12** (유리 제조시) 목재·금속성의 컵 모양 기구 **13** 〖지질〗 지괴(地塊) **14** 《영·속어》 (사람의) 머리; 바보, 아둔패기 ***cut ~s with a razor*** 아까운 짓을 하다, 가치를 모르는 짓을 하다, 천재를 썩히다 ***go*** [***come, be sent***] ***to the ~*** 참형(斬刑)당하다; 경매에 붙여지다 ***in the ~*** 일괄하여, 총괄적으로 ***knock*** a person***'s ~ off*** 《속어》 …의 머리를 후려갈기다; …을 호되게 처박다 ***lay*** [***put***] one***'s head*** [***neck***] ***on the ~*** 목숨을 걸다, 흥하든 망하든 해 보다, 위험을 감수하다 ***lose*** [***do***] one***'s ~*** 《호주·속어》 흥분하다, 성나다 ***off*** one***'s ~*** 《속어》 노발대발하여; 머리가 이상해져 ***on the ~*** 《미》 팔려고[경매에] 내놓은 ***put the ~s on*** …을 저지하다
— *vt.* **1** 〈길 등을〉 막다, 폐색[봉쇄]하다, 방해하다: (Road) *Blocked!* 《게시》 통행 금지! ∥ (~+㊔+㊙+

(명) The street is *~ed to* traffic. 거리는 통행이 금지되었다. **2** 〈모자·옷 등의〉 본을 뜨다(shape) **3** 〖연극〗 연출하다; 〈무대의〉 배치도를 그리다 **4** 〈진행·행동 등을〉 방해하다 **5** 〖의학〗 (마취로) 〈신경을〉 차단하다 **6** 〖스포츠〗 〈상대방을〉 방해[블록]하다; 〖크리켓〗 〈공을〉 (wicket 바로 앞에서) 배트로 막다; 〖미식축구〗 〈상대편에〉 몸을 부딪쳐 방해하다 **7** (목재·금속으로) 〈유리를〉 형성하다; 〈용해 유리에〉 생목을 투입하다 **8** 〖컴퓨터〗 블록하다; 〈인접 정보를〉 하나로 정리하다 **9** (영) 〖의회〗 〈의안의〉 통과를 방해하다 **10** 〖철도〗 〈열차를〉 폐색 방식으로 운행하다 **11** [주로 과거분사형으로] 〖경제〗 봉쇄하다: *~ed* currency 봉쇄 통화 **12** 〈표지를〉 돋아나게 찍다(emboss)

— *vi.* **1** 〖스포츠〗 상대방을 방해하다 **2** 〖연극〗 (극장·막·장 등을) 연출하다 **3** 〖정신의학〗 신경 쇠약에 걸리다 ***~ in*** 막다, 봉쇄하다, 폐색하다; (그림 등에서) 대충 윤곽을 잡다 ***~ off*** 〈도로 등을〉 막다, 차단하다 ***~ out*** 윤곽을 그리다, 대충 계획을 세우다; 지우다, 보이지 않게 하다 ***~ up*** 막다, 봉쇄하다; 방해하다

— *a.* **1** 총괄한, 포괄적인 **2** 덩어리(모양)의; 블록체의 **3** (상용문(商用文) 등에서) 각 행의 첫머리를 가지런하게 한: the ~ style[form] 블록 양식

block·ade** [blɑkéid | blɔ-, blə-] [*block*+barri*cade*] *n.* **1** 봉쇄, 폐색: break a ~ 봉쇄를 돌파하다 **2** (교통 등의) 방해 **3** 〖병리〗 생리적 신호의 차단 ***impose a ~ 봉쇄하다 ***lift*** [***raise***] ***a ~*** 봉쇄를 해제하다 ***run the ~*** (몰래) 봉쇄망을 뚫고 출입하다

— *vt.* 봉쇄하다; 차단하다; 방해하다

block·ád·er *n.* 봉쇄하는 사람[것]; 폐색선(船)

block·ade-run·ner [blɑkéidrʌ̀nər | blɔ-] *n.* 봉쇄 잠입자[선]; 밀항자[선]

block·age [blɑ́kidʒ | blɔ́-] *n.* **1** Ⓤ 봉쇄; 방해, 저해 **2** 방해물, (파이프 등에) 막혀 있는 것, 차단물

blóck and táckle **1** 도르래 장치 **2** (미·속어) 행동을 규제하는 것 (윗사람이나 아내 등)

blóck assocìation (미) 가구(街區) 주민 협의회

block·board [blɑ́kbɔ̀ːrd | blɔ́k-] *n.* 합판, 베니어판

blóck bòok 목판 인쇄본, 목판본

blóck bóoking 〖영화〗 (배급 회사와 영화관 사이의) 일괄 계약 **blóck-bóok** *vt., vi.*

block·bust [-bʌ̀st] *vt.* 〈백인 부동산 소유주에게〉 blockbusting을 하다

block·bust·er [-bʌ̀stər] *n.* **1** 초대형 폭탄 **2** (구어) 압도적[위협적]인 것, 유력자, 큰 영향[감명]을 주는 사람[사물]; 쇼크를 주는 것 **3** (신문 등의) 큰 광고; (영화의) 초(超)대작; 대히트작; 초(超)베스트셀러 **4** (미·구어) blockbusting을 하는 부동산 투기꾼

block·bust·ing [-bʌ̀stiŋ] *n.* Ⓤ (미·구어) 블록버스팅 (흑인·소수 민족 등을 전입시켜 백인 거주자에게 불안감을 주어 부동산을 싸게 팔게 하는 투기꾼의 수법)

blóck càpital [보통 *pl.*] 〖인쇄〗 블록체(block letter)의 대문자

blóck chàin 블록 체인 (자전거 체인 등)

blóck clùb (미) 반상회, 지역 야경대

blóck dìagram **1** 〖지질〗 (지형의) 입체 묘사 도표 **2** (라디오 수신기 등의) 회로 구성도 **3** 〖컴퓨터〗 블록선도(線圖)

blocked [blɑ́kt | blɔ́kt] *a.* **1** 막힌, 폐색된, 봉쇄된 **2** (속어) 마약에 취한

block·er [blɑ́kər | blɔ́k-] *n.* **1** 방해하는 사람[것] **2** 〖미식축구〗 블로커 (몸을 부딪쳐 상대를 방해하는 선수) **3** 〖생화학〗 차단제 **4** (영·속어) 중산모자

block·front [blɑ́kfrʌ̀nt | blɔ́k-] *n.* **1** [⌒⌒] (책상·장롱 등의) 중앙이 양끝보다 쑥 들어간 정면 **2** [⌒⌒] 가구(街區)[블록]의 정면

blóck grànt (미) (연방 정부에서 주에 지급하는) 정액 교부금[보조금](opp. *categorical grant*)

block·head [-hèd] *n.* (구어) 멍청이, 얼간이

blóck hèater 축열 히터[난방기]

block·house [-hàus] *n.* (*pl.* **-hous·es** [-hàuziz]) **1** 작은 요새(要塞); 토치카 **2** (옛날의) 통나무 방책 **3** (로켓 기지 등의) 철근 콘크리트 건물 (열·돌풍·방사능 등을 막음)

block·ing [blɑ́kiŋ | blɔ́-] *n.* **1** 〖목공〗 틈을 메우는 나뭇조각 **2** Ⓤ 〖심리〗 블로킹, 저지 현상 (바람직하지 않은 상념에 의한 연상 중단) **3** Ⓤ 〖연극〗 연기 지도, 연출 **4** 〖미식축구〗 블로킹하기

blócking fàctor 〖컴퓨터〗 블로킹 팩터, 블록화 계수(係數) (한 블록에 들어가는 레코드의 수)

block·ish [blɑ́kiʃ | blɔ́-] *a.* **1** 나무토막 같은 **2** 우둔[완고]한 **3** 다듬지 않은, 솜씨가 서투른, 무딘

blóck lèngth 〖컴퓨터〗 블록 길이 (블록 크기의 척도)

blóck lètter [보통 *pl.*] 〖인쇄〗 목판 글자, 블록체 (굵기가 일정하고 세리프 없는 글씨체; **T** 등)

blóck lìne 도르래용 로프[케이블]

blóck mòuntain 〖지질〗 지괴(地塊) 산지

blóck mòve 〖컴퓨터〗 블록 이동

blóck pàrty 가구(街區) 주민의 파티

blóck plàne (가로 켠 판자의) 단면을 미는 작은 대패

blóck prìnt 목판 인쇄에 의한 문자[무늬], 목판화

blóck prìnting 목판 인쇄(술); 판목 날염(법)

blóck prògramming 〖라디오·TV〗 블록 프로그래밍 (같은 종류의 프로를 같은 시간대(帶)로 묶기)

blóck relèase (영국·유럽의) 직무의 일부 면제 제도 (보다 높은 수준의 연구를 직원에게 맡기기 위한 조치)

blóck sèction 〖철도〗 폐색 구간 (한 시각 한 구간에 한 열차만 통행하게 함)

block·ship [blɑ́kʃìp | blɔ́k-] *n.* (항구 등을 막기 위해 침몰시키는) 폐색선

blóck sìgnal 〖철도〗 폐색 신호기

blóck sỳstem 〖철도〗 폐색 방식(cf. BLOCK SECTION)

blóck tràde 〖증권〗 블록[대량] 거래

blóck tỳpe 〖인쇄〗 블록체(block letter)

blóck vóte 블록 투표 (대의원에게 그가 대표하는 인원수에 비례하는 표수를 주는 투표 방법); 그 한 표

block·y [blɑ́ki | blɔ́ki] *a.* (**block·i·er**; **-i·est**) **1** 〈몸 등이〉 땅딸막한; 뭉툭한 **2** 덩어리로 된 **3** 〈사진 등이〉 농담(濃淡)이 고르지 않은

blóc vòte = BLOCK VOTE

blog [blɑ́ːg | blɔ́g] [*Web*+*log*] *n.* 〖컴퓨터〗 블로그 (자신의 관심사에 따라 자유롭게 글을 올릴 수 있는 웹 사이트)

— *vi.* (**~ged**; **~·ging**) blog에 기록 하다

blóg·ger *n.* blog를 만드는 네티즌 **blóg·ger** *n.* Ⓤ

blog·o·sphere [blɑ́ːgəsfìər | blɔ́g-] *n.* [보통 the ~] (구어) 블로그스피어 (인터넷상의 커뮤니티나 소셜 네트워크 역할을 하는 블로그들의 총칭)

blog·roll [blɑ́ːgròul | blɔ́g-] *n.* 〖인터넷〗 즐겨 찾는 블로그 목록

blóg strèaking 〖인터넷〗 블로그상에서 개인의 정보를 내보이는 행위

bloke [blóuk] *n.* (영·구어) 놈, 녀석(fellow)

bloke·ish, blok·ish [blóukiʃ] *a.* (영·구어) 〈사람·언동이〉 보통 남자의, 평범한 남자에게 (흔히) 볼 수 있는 **~·ness** *n.*

‡**blond(e)** [blɑ́nd | blɔ́nd] [L 「노란」의 뜻에서] *a.* 〈사람이〉 블론드의 (금발에 종종 피부가 희고, 눈이 파란[회색인]); 〈머리털이〉 금발의; 〈피부가〉 희고 혈색이 좋은(fair)(cf. BRUNET(TE), DARK 2) ★ blonde는 여성형; 현재는 남녀 모두 blond를 쓰는 경우가 많음.

— *n.* **1** 블론드[금발]의 사람 **2** = BLONDE LACE **3** 블론드색, 금색

blónde láce (프랑스제) 실크 레이스

blon·die [blɑ́ndi | blɔ́n-] *n.* **1** (구어) 금발[블론드]의 여자 **2** [**B~**] 블론디 (신문 만화의 여주인공; 남편은 Dagwood)

blond·ish [blɑ́ndiʃ | blɔ́n-] *a.* 블론드 빛을 띤

‡**blood** [blʌ́d] *n.* Ⓤ **1** 피, 혈액; 생혈(生血), 생명: a drop of ~ 피 한 방울/~ of type A A형의 혈액/the circulation of ~ 혈액의 순환/shed ~ 피를 흘리다 **2** (하등 동물의) 체액; 붉은 수액(樹液), (붉은) 과

즙; 《미·속어》 케첩 **3 혈기,** 격정; 기질: His ~ was up. 약이 바짝 올랐다. / ⇨ bad blood **4 혈통**; 혈연; 가문, 태생, 명문, 문벌; [the ~] 왕족; 〖축산〗 혈통: ⇨ half blood, full blood, blue blood / *B*~ is thicker than water. 《속담》 피는 물보다 진하다. / *B*~ will tell. 핏줄은 속일 수 없다. **5** 유혈; 살인(죄); 희생 **6** Ⓒ 위세 좋은[멋있는] 젊은이; 난봉꾼: a young ~ 위세 당당한 젊은이 **7** 《속어》 흑인 **8** 《영·속어》 (상선의) 손님 **9** 《영·속어》 스릴러 소설
~ and thunder 유혈과 폭력; 폭력극(cf. BLOOD-AND-THUNDER) ***~ on the carpet*** 몹시 불쾌한 상황, 구역질 날 지경 ***~, sweat, and tears*** 피와 땀과 눈물; 피나는 노력; 막대한 희생 ***curdle*** [***chill, freeze***] a person***'s*** [***the***] ***~*** 오싹 소름이 끼치게 하다, 등골이 오싹해지게 하다 ***draw ~*** 상처를 입히다, 고통을 주다 ***draw first ~*** 공격의 선봉이 되다 ***for the ~ of me*** 아무래도 ***fresh*** [***new***] ***~*** 새 가족; [집합적] 신진(新進)들 ***get*** [***have***] a person***'s ~ up*** …을 화나게 하다 ***give*** one***'s ~ for*** one***'s country*** 나라에 목숨을 바치다 ***have*** a person***'s ~ on*** one***'s head*** [***hands***] …의 죽음[불행]에 책임이 있다 ***in cold ~*** 냉혹하게, 냉정하게, 예사로(cf. COLD-BLOODED): commit murder *in cold* ~ 예사로 사람을 죽이다 ***in hot*** [***warm***] ***~*** 잔뜩 화를 내고, 발끈하여 ***let ~*** 방혈(放血)하다(cf. BLOODLETTING) ***like getting ~ from*** [***out of***] ***a stone*** (돌에서 피를 구하는 것처럼) 거의 불가능한 ***make*** a person***'s ~ boil*** [***run cold***] 격분시키다[소름끼치게 하다] ***man of ~*** 냉혹한 사람; 살인자 ***out for*** a person***'s ~*** 남을 해치울 작정으로 ***prince*** [***princess***] ***of the ~*** 왕자[공주] ***run*** [***be***] ***in*** one***'s ~*** 혈통을 이어받다: Politics *is in his* ~. 그의 정치적 기질은 유전이다. ***stir the*** [a person***'s***] ***~*** 흥분[발분]시키다 ***sweat ~*** 《구어》 피땀 흘리며 일하다; 몹시 걱정하다, 안달복달하다 ***taste ~*** 〈사냥개·들짐승 등이〉 피맛을 보다; 처음으로 (성공하여) 그 맛을 알다 ***the ~ and iron policy*** (비스마르크의) 철혈(鐵血) 정책 ***to the last drop of*** one***'s ~*** 숨이 남아 있는 한, 생명이 다하도록 (***with***) ***~ in*** one***'s eyes*** 살기가 등등하여, 혈안이 되어
— *vt.* **1** 〈사냥개에게〉 처음으로 피맛을 보게 하다; 〈군인을〉 유혈 행위에 익숙하게 하다; 〈사람에게〉 새로운 체험을 시키다 **2** 〈처음으로 여우 사냥을 하는 사람에게〉 피를 바르는 의식을 거행하다

blóod álcohol concentràtion 혈중 알코올 농도 《略 BAC》
blood-and-guts [blʌ́dən*d*gʌ́ts] *a.* 《구어》 끔찍한, 지독한 〈적개심〉; 피비린내 나는 〈이야기〉
blood-and-thun·der [blʌ́dən*d*θʌ́ndə*r*] *a.* Ⓐ 〈소설·영화 등이〉 폭력과 유혈의, 살벌한, 저속한
blóod bànk 혈액 은행; (혈액 은행의) 저장 혈액
blóod bàth **1** 피의 숙청, 대량 살인, 대량 학살(massacre) **2** 《구어》 대불황 기간 **3** (종업원의) 대량 해고
blóod bòosting = BLOOD DOPING
blóod bòx 《미·속어》 구급차(ambulance)
blóod-bráin bàrrier [-bréin-] 〖생리〗 혈액 뇌관문
blóod bróther 친형제; 혈맹자, 의형제
blóod cèll [**còrpuscle**] 혈구(血球): red[white] ~*s* 적[백]혈구
blóod clòt 혈병(血餠)(clot)
blóod còunt (적혈구와 백혈구의) 혈구 수 (측정)
blood·cur·dler [-kə̀ː*r*dlə*r*] *n.* 센세이셔널한[끔찍한] 이야기[기사, 책 《등》]
blood·cur·dling [-kə̀ː*r*dliŋ] *a.* Ⓐ 소름이 끼치는; 등골이 오싹해지는
blóod dònor 헌혈자, 급혈자
blóod dòping 〖의학〗 (운동 선수들의) 혈액 도핑
blóod drìve 헌혈 캠페인
blood·ed [blʌ́did] *a.* **1** [보통 복합어를 이루어] …혈(血)의; …기질의 **2** 《미》 순혈(純血)의 **3** 전투를 경험한 〈군대〉; 새로운 경험을 쌓은
blóod fèud (가문·종족 간의 반복되는) 유혈 복수, 피맺힌 원한
blóod gròup 혈액형(blood type)
blood·guilt [-gìlt] *n.* 유혈의 죄, 살인죄
blood·guilt·y [-gìlti] *a.* 사람을 죽인, 살인죄를 범한
blóod·guìlt·i·ness *n.*
blóod hèat (사람의) 혈온(血溫) 《평균 37℃》
blóod hòrse 순종의 말, 《특히》 서러브레드(thoroughbred)
blood·hound [-hàund] *n.* **1** 블러드하운드 《영국산(産) 경찰견》 **2** 《구어》 집요한 추적자, 탐정, 형사
blood·ied [blʌ́did] *a.* 피투성이의, 피가 흥건한: his bruised and ~ nose 멍들고 피투성이인 그의 코
blood·less [blʌ́dlis] *a.* **1** 핏기 없는, 빈혈의; 창백한(pale) **2** 피를 흘리지 않는, 무혈의; 유혈 참사가 없는 **3** 냉혈의, 무정한; 〈통계 등이〉 냉혹한 **4** 열정[원기, 혈기]이 없는 **~·ly** *ad.* **~·ness** *n.*
Blóodless Revolútion [the ~] 〖영국사〗 무혈혁명, 명예 혁명(⇨ English Revolution)
blood·let·ting [blʌ́dlètiŋ] *n.* Ⓤ **1** 〖외과〗 사혈(瀉血), 방혈(放血) **2** (전쟁·권투 등에서의) 유혈(bloodshed) **3** 《구어》 (예산·인원의) 삭감
blood·line [-làin] *n.* (주로 동물의) 혈통; 혈족
blood·lust [-lʌ̀st] *n.* ⓊⒸ 유혈에의 욕망
blood·mo·bile [-moubìːl, -məbìːl] *n.* 《미》 (이동) 채혈차; 혈액차
blóod mòney **1** 살인범을 고발한 사람에게 주는 보상금 **2** 근친이 살해됐을 때 받는 위자료 **3** 청부 살인 사례금 **4** 《공군속어》 적기 격추 상금 **5** 《미·속어》 피땀 흘려 번 돈
blóod òrange 과즙(果汁)이 붉은 오렌지
blóod pàcking = BLOOD DOPING
blóod plàsma 혈장(血漿)
blóod plàtelet 〖해부〗 혈소판(血小板)(thrombocyte)
blóod pòisoning 〖병리〗 패혈증(敗血症)
blóod prèssure 〖의학〗 혈압: high[low] ~ 고[저]혈압
blóod pùdding = BLOOD SAUSAGE
blóod pùrge 피의 숙청 《정당 또는 정부에 의한 불순 분자의 말살》
blóod ràin (공중의 먼지 등으로) 붉게 물든 비
blóod rèd 혈적색(血赤色), 진한 붉은색
blood·red [-réd] *a.* 피처럼 붉은; 피로 물들인
blóod relátion [**rélative**] 혈족, 육친
blóod revènge 혈족에 의한 복수
blood·root [-rùːt] *n.* 〖식물〗 혈근초(血根草) 《뿌리가 붉은 양귀비과(科)의 식물; 북미산(産)》
blóod róyal [the ~; 집합적] 왕족(royal family)
blóod sàusage 《미》 블러드 소시지(《영》 black pudding) 《돼지의 피를 섞어 만든 소시지》
blóod sèrum 〖생리〗 혈청(血清)
***blood·shed**(**·ding**) [blʌ́dʃèd(iŋ)] *n.* ⓊⒸ 유혈; 유혈의 참사, 살해, 학살: prevent ~ 유혈 사태를 막다 / revenge for ~ 유혈의 복수
blood·shot [-ʃɑ̀t | -ʃɔ̀t] *a.* 〈눈이〉 충혈된, 핏발이 선; 혈안이 된
blóod spòrt 피를 보는 스포츠 《수렵·투우 등》
blóod spòt (계란 속에 생기는) 핏덩어리
blood·stain [-stèin] *n.* 핏자국, 혈흔
blood·stained [-stèind] *a.* **1** 핏자국이 있는; 피투성이의, 피로 물들인 **2** 살인의, 살인죄[범]의
blood·stock [-stɑ̀k | -stɔ̀k] *n.* [집합적] 서러브레드(thoroughbred)의 경주마; 《일반적으로》 (동물의) 순혈종
blood·stone [-stòun] *n.* ⒸⓊ 〖광물〗 혈석(血石), 혈옥수(血玉髓) 《특히 heliotrope; cf. BIRTHSTONE》
blood·stream [-strìːm] *n.* Ⓤ [보통 the ~, one's ~] (인체 내의) 피의 흐름, 혈류(血流)

thesaurus **bloodshed** *n.* killing, slaughter, slaying, carnage, butchery, massacre, murder
bloodthirsty *a.* murderous, savage, vicious,

blood·suck·er [-sʌ̀kər] *n.* **1** 흡혈 동물 《거머리(leech) 따위》 **2** 흡혈귀, 남의 고혈을 빨아먹는 사람; 고리대금업자 **blóod·sùck·ing** *a.*
blóod sùgar 혈당; 혈당량[농도]; 혈당량 측정
blóod tèst 혈액 검사
blood-test [-tést] *vt.* …의 혈액 검사를 하다
blood·thirst·y [-θə̀ːrsti] *a.* **1** 피에 굶주린, 살벌한, 잔인한 **2** 〈구경꾼 등이〉 유혈 장면을 좋아하는; 〈영화 등이〉 살상 장면이 많은
blóod·thìrst·i·ly *ad.* **blóod·thìrst·i·ness** *n.*
blóod transfùsion 수혈(輸血)(법)
blóod tỳpe = BLOOD GROUP
blood-type [-tàip] *vt.* 〈개인의〉 혈액형을 결정하다
blóod tỳping (개인의) 혈액형 (결정), 혈액형 분류(법)
blóod vèngeance = BLOOD REVENGE
blóod vèssel 혈관 ***burst a ~*** (흥분 등으로) 혈관을 파열시키다; 《미·구어》 몹시 흥분하다[화내다]
blóod wàgon 《영·속어》 구급차(ambulance)
blood-warm [-wɔ̀ːrm] *a.* 혈온(血溫)의, 미지근한
blood·worm [-wə̀ːrm] *n.* (낚싯밥용의) 붉은지렁이; 붉은장구벌레
blood·wort [blʌ́dwə̀ːrt] *n.* 뿌리[잎]가 붉은 식물
‡**blood·y** [blʌ́di] *a.* (**blood·i·er**; **-i·est**) **1** 피로 더럽혀진, 피투성이의; 피의, 혈액의: ~ tissue 혈액 조직 / have a ~ nose 코피가 나다 **2** 유혈의, 피비린내 나는; 〈사람이〉 유혈을 좋아하는, 피에 굶주린, 잔혹한: ~ work 학살 **3** Ⓐ 《영·속어》 지독한, 엄청난, 지겨운 ★ 노골적인 표현을 꺼려 b—(d)y라고 쓰는 경우가 있음; cf. BLOOMING 4: a ~ liar 새빨간 거짓말쟁이 / a ~ fool 지독한 바보 / Hold your ~ tongue. 입 좀 닥쳐라. **4** 《구어》 〈사람이〉 다루기 어려운, 비협조적인; 완고한; 빙퉁그러진; 〈일이〉 부당한(unjust); 결점투성이의 **5** 붉은, 적색의 ***get a ~ nose*** 자존심에 손상을 입다 ***not a ~ one*** [부정을 강조하여] 《영·속어》 단 하나도 …없다[않다]
—*ad.* 《영·속어》 몹시, 지독하게(very): ~ cold 되게 추운 / All is ~ fine. 모두들 썩 잘 있다. ***Not ~ likely!*** 《영·속어》 [종종 노여움을 나타내어] 어림도 없어, 말도 안 돼, 그걸 누가 해!
—*vt.* (**blood·ied**) 〈코 등을〉 때려 피가 나게 하다, 피투성이가 되게 하다; 피로 더럽히다
blóod·i·ly *ad.* 피투성이가 되어; 참혹하게, 무참하게
blóod·i·ness *n.* Ⓤ 피투성이; 잔학함
▷ blóod *n.*; bléed *v.*
blóody fíngers 〖식물〗 디기탈리스(foxglove)
blóody flúx 《고어》 적리(赤痢)(dysentery)
Blóody Máry **1** 블러디 메리 《보드카와 토마토 주스를 섞어 만든 칵테일》 **2** = MARY 3
blood·y-mind·ed [blʌ́dimáindid] *a.* **1** 냉혹한, 살벌한, 잔인한 **2** 《영·구어》 심술궂은, 비뚤어진, 괴팍한 **~·ness** *n.*
blóody múrder 《미·속어》 **1** 완패, 괴멸 **2** 살인적인[고통스런] 일 **3** [다음 성구로] ***cry*** [***scream, yell***] ~ 노여움[공포]의 소리를 지르다
blóody shírt [the ~] 《미》 피로 물든 셔츠 《복수의 상징》; 적의를 돋우는 수단: wave *the* ~ (파벌간 등의) 적개심을 돋우다[부채질하다]
bloo·ey, bloo·ie [blúːi] *a.* 《미·속어》 고장 난 ***go ~*** 고장 나다, 못쓰게 되다
‡**bloom**[1] [blúːm] [ON 「꽃」의 뜻에서] *n.* **1** ⒸⓊ (특히 관상용 식물의) 꽃(⇨ flower 유의어) **2** Ⓤ 개화(기), 활짝 필 때; [the ~] 한창(때), (건강·아름다움·문명 등의) 전성기(prime) 《*of*》 **3** Ⓤ (뺨의) 앵두빛, 홍조; 건강색[미]; 신선미; 청순함 **4** Ⓤ (과실·잎 등의 표면에 생기는) 흰 가루, 과분(果粉) **5** Ⓤ 〖광물〗 화(華): cobalt ~ 코발트화(華) **6** Ⓤ (포도주의) 향기

ruthless, barbarous, brutal, bloody, warlike
bloom[1] *v.* **1** 꽃이 피다 flower, blossom, open out **2** 번영하다 flourish, thrive, success

in [***out of***] ***~*** 꽃이 피어[져]; 한창(때)이고[한창(때)를 지나] ***in full ~*** 활짝 피어 ***take the ~ off*** 《구어》 …의 아름다움[신선미]을 없애다; …을 케케묵은 것으로 만들다
—*vi.* **1** 꽃이 피다, 개화하다(⇨ blossom 유의어) **2** 번영하다; 한창(때)이다 **3** 〈여성이〉 (건강미로) 환히 빛나다 《*with*》 ~ ***into*** 꽃 핀 것처럼 …이 되다
—*vt.* **1** 개화시키다 **2** 번영시키다 **3** 빛내다 **4** 〈빛나는 것을〉 흐리게 하다; 〖광학〗 〈렌즈에〉 코팅을 하다
~·less *a.* ▷ ablóom *ad., a.*; blóomy *a.*
bloom[2] *n., vt.* 〖야금〗 괴철(塊鐵)(로 불리다)
bloom·a·ry [blúːməri] *n.* (*pl.* **-ries**) = BLOOMERY
bloomed [blúːmd] *a.* 《영》 〖사진·광학〗 〈렌즈가〉 코팅된(coated)
bloom·er[1] [blúːmər] *n.* [보통 수식어와 함께] **1** 꽃이 피는 식물 **2** (능력적·육체적으로) 성숙한 여자
bloomer[2] [blooming error에서] *n.* 《영·속어·익살》 큰 실수(《미·속어》 boner): pull a ~ 실수하다
bloo·mer[3] [blúːmər] [고안한 미국의 여권 신장주의자의 이름에서] *n.* **1** [*pl.*] 블루머 《여성·아동용 짧은 바지》: a pair[several pairs] of ~*s* 블루머 한[여러] 벌 **2** 《미》 골프 바지(cf. PLUS FOURS)
bloom·er·y [blúːməri] *n.* (*pl.* **-er·ies**) 괴철로(塊鐵爐), 괴철 공장
*__bloom·ing__ [blúːmiŋ] *a.* **1** 활짝 꽃 핀(in bloom), 만발한 **2** 꽃 같은, 꽃다운; 한창인 **3** 번성[융성]한 **4** Ⓐ [BLOODY의 대용어] 《영·속어》 지독한, 굉장한: a ~ fool 지독한 바보[멍텅구리]
—*ad.* 《영·속어》 지독하게, 터무니없이, 엄청나게; 실로, 전혀: a ~ fool 완전 바보
—*n.* 〖컴퓨터〗 화면 반점(smear); 〖광학〗 (렌즈의) 코팅, 반사 방지막 **~·ly** *ad.*
Bloom·ing·dale's [blúːmiŋdeilz] *n.* 블루밍데일 《미국 뉴욕 시의 백화점; 애칭 Bloomies》
blóoming mìll 분괴 압연기(分塊壓延機), 분괴 공장
Blóoms·bury Gròup [blúːmzbəri-] [the ~] 블룸즈버리 그룹 《런던의 블룸스버리에 살던 Virginia Woolf를 중심으로 모인, 예술 지상주의적 예술가의 집단》
bloom·y [blúːmi] *a.* (**bloom·i·er**; **-i·est**) **1** 꽃이 만발한 **2** 〈과실 등이〉 흰 가루가 생긴 **3** 청춘의, 젊음의 미와 활력이 넘치는
bloop [blúːp] *n.* **1** (삑삑 하는) 불쾌한 잡음; 잡음 방지용 마스크 《필름의 이은 자리에다 댐》 **2** 〖야구〗 = BLOOPER
—*vi.* **1** 삑삑 소리나다 **2** 《미·구어》 실수하다
—*vt.* …의 잡음을 없애다
bloop·er [blúːpər] *n.* 《미·구어》 **1** 근처에 있는 라디오에 잡음을 나게 하는 라디오 **2** 큰 실수: make[pull] a ~ 큰 실수를 저지르다 **3** 〖야구〗 역회전시킨 높은 공; 내야를 살짝 넘어가는 플라이(looper); 텍사스 히트
‡**blos·som** [blɑ́səm | blɔ́s-] *n.* **1 a** (특히 과수의) 꽃(⇨ flower 유의어): apple ~*s* 사과꽃 **b** Ⓤ [또는 a ~; 집합적] (한 나무 전체의) 꽃 **2 a** Ⓤ 개화 (상태), 꽃철; 청춘 **b** [the ~] (성장·발전의) 초기 《*of*》 **3** (꽃처럼) 아름다운[사랑스런, 유망한] 사람 **4** 전성기 **5** 〖광물〗 노두(露頭) ***come into ~*** 꽃 피기 시작하다 ***in ~*** 꽃이 피어 ***in full ~*** 만발하여, 절정에 이른: a cherry tree *in full* ~ 꽃이 만발한 벚나무 (***my***) ***little ~*** 귀여운 애, 애인
—*vi.* **1** 〈나무 등이〉 꽃 피다, 개화하다 《*out, forth*》

> 유의어 **blossom**은 보통 열매를 맺는 종자식물이나 과수에, **bloom**은 열매를 맺지 않는 식물에 쓰인다. 단, 미국에서는 이 두 낱말을 구별없이 쓰는 경우가 많다.

2 발전하다, 번영하다; 발달하여 (…이) 되다: (~+전+명) ~ (*out*) *into* a statesman 마침내 훌륭한 정치가가 되다 **3** 쾌활해지다, 활기 띠다 《*forth, out*》

blos·som·y [blɑ́səmi | blɔ́s-] *a.* 꽃이 만발한

‡**blot**[1] [blɑ́t | blɔ́t] *n.* **1** (잉크 등의) **얼룩**, 더러움, 때: an ink ~ 잉크 얼룩 / They wiped out the ~. 그들은 얼룩을 닦아냈다.

> [유의어] **blot** 잉크 등의 얼룩 **stain** 커피·주스·피 등에 의한 얼룩

2 (인격·명성의) 흠, 오점, 오명 ((*on*)): a ~ *on* one's character[record] 인격[경력]의 오점 **3** ((고어)) (문자의) 세끼 **4** ((미·방언)) 여드름 ***a ~ on the***[one***'s***] ***escutcheon*** ⇨ escutcheon. ***a ~ on the landscape*** 경관을 해치는 것, 옥에 티

—*v.* (**~·ted**; **~·ting**) *vt.* **1** 더럽히다, 〈명성 등에〉 오점을 남기다 **2** 〈경치·소리 등을〉 덮어 없애다 **3** 〈글자 따위를〉 뭉개어 지우다; 압지(壓紙)로 빨아들이다 **4** 〈쓸데없는 것을〉 써대다, 갈겨쓰다

—*vi.* 〈잉크가〉 번지다 **~ one's *copybook*** ((구어)) (경력에 흠이 갈 만한) 실수[실패]를 저지르다, 경솔한 짓을 하다 **~ *out*** (1) 〈문자·행(行)·글을〉 지우다 (2) 〈경치 등을〉 감춰 보이지 않게 하다 (3) 〈도시 등을〉 (완전히) 파괴하다 (4) 〈적 등을〉 몰살하다, 섬멸하다

blot[2] *n.* (backgammon에서) 잡히기 쉬운 말; ((고어)) (논쟁 등에서의) 약점

blotch [blɑ́tʃ | blɔ́tʃ] *n.* **1** (잉크 등의) 큰 얼룩; 반점 **2** (피부의) 검버섯; 부스럼, 종기(腫氣)

—*vt.* 더럽히다, 얼룩지게 하다

blotched [blɑ́tʃt | blɔ́tʃt] *a.* 얼룩진

blotch·y [blɑ́tʃi | blɔ́tʃi] *a.* (**blotch·i·er**; **-i·est**) 부스럼[얼룩]투성이의

blot·ter [blɑ́tər | blɔ́-] *n.* **1** 압지; (나무로 된) 압지대(臺) **2** ((미)) (거래) 예비 장부: a police ~ (경찰의) 사건 기록부

blot·tesque [blɑ̀tésk | blɔ̀-] *a.* 〖미술〗 〈예술 작품 등이〉 마구 그린, 조잡하게 만든

blót·ting pàd [blɑ́tiŋ- | blɔ́-] 압지철

‡**blótting pàper** 압지

blot·to [blɑ́tou | blɔ́-] *a.* Ⓟ ((영·속어)) 곤드레만드레 취한

***blouse** [bláus, bláuz | bláuz] *n.* **1** (여성·아동용) 블라우스 **2** (보통 군장(軍裝)의) 윗옷 **3** (헐렁한) 작업복((겉옷)) **4** 〖야구〗 유니폼 상의

blou·son [bláusɑn, blúːzɑn | blúːzɔn, bláu-] *n.* 여성용 재킷 —*a.* 블루종(스타일)의

blo·vi·ate [blóuvièit] *vi.* ((속어)) 장광설을 늘어놓다 **-ater, -ator** *n.* **-ation** *n.*

‡**blow**[1] [blóu] *v.* (**blew** [blúː]; **blown** [blóun]) *vi.* **1** [종종 it 또는 breeze에서 storm까지 여러 바람을 주어로 하여] 〈바람이〉 **불다**: (~+副) *It* is *~ing* hard. 바람이 세게 불고 있다. **2 바람에 날리다**, 흩날리다 **3 입김을 내뿜다**, 불다, 숨을 몰아 쉬다, 헐떡이다: (~+前+名) He *blew at* the candle. 그는 촛불을 후 불었다. **4** 〈관악기 등이〉 **소리내다**, 울리다; 휘파람을 불다(whistle): (~+前+名) The train *blew for* the crossing. 기차는 건널목 앞에서 경적을 울렸다. **5** ((미·구어)) 허풍떨다, 자랑하다(boast): (~+前+名) He *blew about* his family. 그는 가족 자랑을 하였다. **6** 폭발하다; 〈퓨즈가〉 끊어지다; 〈타이어 등이〉 펑크나다, 파열하다: (~+副) The engine *blew up*. 엔진이 폭발했다. / The fuse has *blown* (*out*). 퓨즈가 끊어졌다. **7** ((미·속어)) 갑자기 가 버리다[떠나다], 허둥지둥 달아나다 **8** ((미·속어)) 몹시 화내다 **9** ((속어)) 마리화나를 피우다 **10** ((속어·비어)) 펠라티오를 하다 **11** 〈선풍기 등이〉 바람을 내다 **12** 〈고래가〉 물을 내뿜다

—*vt.* **1** 〈바람이〉 **불다, 불어대다**; 불어서 날리다; 〈사람이〉 〈입김·담배 연기 등을〉 **내뿜다**; 〈먼지 등을〉 불어서 털다: (~+目+前+名) Don't ~ your breath *on* my face. 내 얼굴에 입김을 내뿜지 마. // (~+目+補) She let the breeze from an electric fan ~ her hair dry. 그녀는 머리를 선풍기의 바람에 말렸다. // (~+目+副) The wind *blew* my hat *off*. 바람에 모자가 날아갔다. **2** 〈소식을〉 전하다, 발표하다; 〈소문을〉 퍼뜨리다; ((미·속어)) 〈비밀을〉 누설하다; 배반하다: (~+目+副) They have *blown* all sorts of silly rumors *about*. 그들은 온갖 터무니없는 소문을 퍼뜨렸다. **3** 〈달걀에〉 구멍을 뚫어 알맹이를 불어내다; 〈코를〉 풀다; (입술에 댄 손가락 끝을 훅 불어) …에게 키스를 보내다: ~ one's nose 코를 풀다 **4** 불어넣어 부풀게 하다; 〈유리 등을〉 불어서 만들다 **5** 〈관악기를〉 **불다**; (재즈풍으로) 연주하다 **6 폭파하다** ((*up*)); 〈탄환 등을〉 쏘다, 관통하다: (~+目+副) ~ *up* a bridge with gunpowder 다리를 화약으로 폭파하다 **7** 〈타이어를〉 구멍나게 하다; 〈퓨즈를〉 끊어지게 하다 **8** 〖컴퓨터〗 〈PROM 등에〉 프로그램을 짜넣다 **9** [보통 수동형으로] 숨차게 하다; 〈말 등을〉 헐떡이게 하나 **10** (**blew**; **~ed**) [명령법 또는 수동형으로] ((속어)) 저주하다 **11** 〈좋은 기회를〉 놓치다; ((미·속어)) 실수[실패]하다 **12** ((속어)) 〈돈 등을〉 낭비하다(squander): (~+目+前+名) ~ a fortune *on* …에 재산을 낭비하다 **13** ((야구속어)) 〈강속구를〉 던지다 **14** ((미·속어)) 〈마약·대마초 등을〉 피우다 **15** ((미·속어)) …에서 몰래 급히 떠나다 **16** ((속어·비어)) …에게 펠라티오를 하다 **17** 〈파리가〉 …에 알을 깔기다

~ *about* 〈잎이〉 불려 흩날리다; 불어 헝클다 **~ *away*** 날려 버리다, 날리다; 휩쓸어 버리다; 사살하다; 가 버리다 **~ *down*** 불어 넘어[떨어]뜨리다; 〈보일러 속의 뜨거운 물을〉 배출하다 **~ *great guns* (*and small arms*)** 바람이 세차게 불어대다 **~ *high*, ~ *low*** ((미)) 바람이 불든 안 불든, 무슨 일이 일어나든 **~ *hot and cold*** (칭찬했다 비난했다 하여) 주책이 없다, 주견이 없다, 변덕스럽다 **~ *in*** (1) 〈용광로에〉 바람을 보내다 (2) 〈바람이〉 불어들다 (3) 〈석유 등을〉 내뿜기 시작하다 (4) ((미·속어)) 낭비하다 (5) ((구어)) 〈사람이〉 갑자기 나타나다 **~ *into*** …에 불시에 찾아오다 **~ *it*** ((구어)) 실수하다 ***B~ it!*** 제기랄! **~ *itself out*** 〈바람이〉 자다 **~ *off*** 불어 흩날리다, 불어 깨끗이 하다; 〈증기를〉 내뿜다; 불평을 늘어놓다; 마구 떠들어 대어 울분을 풀다; 〈유전이〉 뿜어나오다; ((속어)) 무시하다; ((속어)) 참석을 취소하다 **~ *off steam*** ((미·구어)) 화를 발산시키다 **~ *on*** …을 패배시키다; …의 평판을 나쁘게 하다, …의 험담을 하다; ((구어)) 〈심판이〉 (선수에게) 페널티를 선언하다 **~ one*'s cool*** ((속어)) (1) 침착성을 잃다(lose one's composure); 울적한 감정을 겉으로 나타내다 (2) (사람들 앞에서) 허둥대다; 흥분하다; 노하다 **~ one*'s cover*** ((속어)) 자신의 정체를 드러내다 **~ a person*'s mind*** ((속어)) 마약으로 …에게 환각을 일으키게 하다; …을 좋은 기분이 되게 하다; …을 당황케[놀라게] 하다 **~ one*'s own horn*** [***trumpet***] ((미·구어)) 자화자찬하다 **~ one*'s top*** [***lid, stack***] ((미·속어)) 노발대발하다; 미치다; (특히 권총으로) 자살하다; 기력을 잃다 **~ *out*** (1) 불어 끄다; 〈용광로에〉 송풍을 중지하다 (2) 〈등불이〉 꺼지다 (3) 숨차다 (4) 부풀(게 하)다 (5) 폭파하다; ((미·속어)) 없애 버리다(kill) **~ *over*** 〈폭풍이〉 지나가다, 바람이 자다, 가라앉다; 〈위기·풍문이〉 무사히 지나가다, 유야무야가 되다 **~ a person*'s brains out*** ⇨ brain. **~ one*'s brains out*** ⇨ brain. **~ *short*** 〈말이〉 헐떡이다 **~ *the coal*** [***fire***] 선동하다, (남의 노여움 등에) 부채질하다 ***B~ the expense!*** ⇨ expense. **~ *the whistle on*** ⇨ whistle. **~ *... to pieces*** …을 불어서 산산이 날려 버리다; 〈새 등을〉 쏘아서 박살내다 **~ *town*** ((미·속어)) (허겁지겁) 도시 등을 떠나다 **~ *up*** (*vt.*) (1) 불어 일으키다; 부풀리다; 폭파하다; 못 쓰게 하다 (2) ((구어)) 노하다; ((영·구어)) 꾸짖다, 호통치다 (3) ((구어)) 〈소문 등을〉 과장하여 말하다 (4) 〈사진·지도 등을〉 확대하다; (*vi.*) (1) 〈타이어·풍선 등이〉 부풀다 (2) 폭파[파열]하다, 돌발하다; 〈폭풍

thesaurus **blot**[1] *n.* **1 얼룩** spot, dot, blotch, smudge, mark, patch, smear, speck **2** (인격의) **오점** stain, blemish, flaw, taint, defect, fault, tarnishing, imperfection, disgrace

이〉 점점 세차게 불다, 〈나쁜 날씨가〉 엄습하다; 〈토론 등이〉 뒤끓다 (3) 《구어》 화내다 **~ *up in* one*'s face*** 크게 실패하여 망신을 톡톡히 당하다 **~ (*wide*) *open*** 《구어》 (*vi.*) 〈일이〉 알려지다, 폭로되다; (*vt.*) 〈비밀 등을〉 폭로하다, 널리 알리다 ***I'm*** [***I'll be***] ***~ed if*** it is so. 절대로 그렇지 않다, 정말 그렇다면 내 목을 걸겠다.

— *n.* **1** 한바탕 불기; [a ~] 《구어》 일진(一陣)의 바람; 강풍, 폭풍 **2 a** 코를 풀기 **b** 《고래의》 물뿜기 **c** 취주(吹奏), 부는 소리 **3** 《옥외에서의》 잠깐 휴식 **4** 《용광로에》 바람을 한 차례 보내는 시간[양] **5** 《증기 기관차의》 증기 새기 **6** 〖화학〗 《수성 가스 제조에서의》 송풍 공정(工程) **7** 《구어》 허풍, 장담; 《속어》 시끄러움 **8** 《미·속어》 코카인, 대마초; 코카인[대마초]을 피우는 일; 《영·속어》 담배 **9** 〖컴퓨터〗 (PROM 등에) 프로그램을 짜 넣기 ***have*** [***go for***] ***a ~*** 《구어》 바람 쐬러 가다 ▷ blówy *a.*

‡**blow²** [blóu] *n.* **1** 강타, 구타: exchange ~*s* 주먹을 주고받다: He died from a heavy ~ to the head. 그는 머리에 일격을 당하여 사망했다. **2** 《정신적인》 타격, 쇼크, 불행: suffer a heavy ~ 큰 타격을 입다 ***at ~s*** 서로 치고받고[격투]하여 ***at*** [***with***] ***one*** [***a*** (***single***)] **~** 한 대 쳐서; 일거에; 갑자기 **~ *below the belt*** 비열한 짓 **~ *upon ~*** 연타(하여) ***come*** [***fall***] ***to ~s*** 주먹질[싸움]을 시작하다 ***deal a ~*** between the eyes 《양미간에》 일격을 가하다 ***get a ~ in*** 《구어》 일격을 가하다; 《토론 등에서》 아픈 데를 찌르다 ***strike a ~ at*** a person = ***strike*** a person ***a ~*** …을 한 대 치다 ***strike a ~ for*** [***against***] …에 편들다[반항하다] ***without*** (***striking***) ***a ~*** 싸우지[힘들이지] 않고

blow³ 《문어》 *vi., vt.* (**blew** [blú:]; **blown** [blóun]) 꽃이 피다, 꽃 피우다

— *n.* Ⓒⓤ **1** 《만발한》 꽃, 개화(開花) **2** 멋있는 경치, 장관 **3** 절정 ***in*** (***full***) **~** 만발하여

blow·ball [blóubɔ̀:l] *n.* 〖식물〗 관모구(冠毛球) 《민들레 등의 솜털이 붙은 열매》

blow·by [-bài] *n.* 〖자동차〗 블로바이 《피스톤과 실린더 사이의 가스 누출》

blow-by-blow [-baiblóu] *a.* Ⓐ 《권투 시합 중계처럼》 하나하나 차례대로 보고하는, 매우 상세한

blow·down [-dàun] *n.* **1** 《바람으로》 넘어진 나무 **2** 《원자로 냉각 파이프의》 갑작스러운 파열

blow-dry [-drài] *vt.* 〈머리를〉 드라이어로 매만지다

— *n.* 드라이어로 머리를 매만지기

blów·drỳer *n.* 헤어 드라이어

blow·er [blóuər] *n.* **1** 부는 사람; 《유리그릇 등을》 불어 만드는 직공 **2** 송풍기[장치]; 《구어》 전성관(傳聲管); 《영·구어》 전화 **3** 〖어류〗 고래[복어] 무리 **4** 《미·구어》 떠버리, 허풍선이

blow·fish [blóufìʃ] *n.* (*pl.* **~, ~es**) 〖어류〗 팽창어 《몸을 부풀리는 물고기; 복어 등》

blow·fly [-flài] *n.* (*pl.* **-flies**) 〖곤충〗 검정파리

blow·gun [-gʌ̀n] *n.* 《불어서 화살을 쏘아 보내는 남미 인디언 등의》 취관(吹管); 분무기

blow·hard [-hɑ̀:rd] *n.* 《구어》 떠버리, 허풍선이

blow·hole [-hòul] *n.* **1** 《고래의》 물 뿜는 구멍 **2** 《지하실의》 통풍구, 바람 구멍 **3** 《고래·바다표범 등이 호흡하러 오는》 얼음에 난 구멍 **4** 《주물(鑄物)의》 기포

blow·ie [blóui] *n.* 《호주·속어》 = BLOWFLY

blow-in [-ìn] *n.* 《호주·구어》 《환영받지 못하는》 신참자; 타향 사람

blów-in càrd 《잡지에 끼워진》 구독 신청 엽서

blow·ing [blóuiŋ] *n.* **1** 《공기·증기의》 분출하는 소리 **2** 《플라스틱 등 속이 빈 제품의》 취입 성형(吹入成形)(blow molding) **3** 《미·속어》 재즈 연주

---

blow² *n.* **1** 강타 hit, knock, bang, punch, thump, smack, whack, thwack, stroke **2** 《정신적인》 타격 shock, upset, calamity, catastrophe, disaster, misfortune, disappointment

blów jòb 《속어·비어》 = FELLATIO

blow·lamp [blóulæ̀mp] *n.* = BLOWTORCH

blow·mo·bile [-moubì:l, -məbì:l] *n.* 《북극에서 쓰는》 스키 자동차 《프로펠러를 사용함》

‡**blown¹** [blóun] *v.* BLOW¹의 과거분사

— *a.* **1** 부푼 **2** 바람에 날아간 **3** 《상처로》 변형된; 〈음식물이〉 상한: dispose of ~ canned goods 상한 통조림 식품을 폐기하다 **4** 〈퓨즈가〉 끊긴 **5** 숨을 헐떡이는, 피로한 **6** 파리가 알을 슨 **7** 불어서 만든 **8** 《속어》 〖자동차〗 **a** 〈엔진이〉 과급(過給)된 **b** 〈실린더가〉 기계 고장으로 파괴된 **9** 과장된 **10** 《미·속어》 《술·마약 등에》 취한 《*up*》

blown² *v.* BLOW³의 과거분사

— *a.* Ⓐ 《문어》 〈꽃이〉 핀

blown-in-the-bot·tle [blóuninðəbɑ́tl | -bɔ́tl] *a.* = BLOWN-IN-THE-GLASS

blown-in-the-glass [-glǽs | -glɑ́:s] *a.* 진짜의, 진정한

blown-up [blóunʌ́p] *a.* 〈사진이〉 확대된; 과장된; 폭파된: a ~ estimate 과대 평가 / a ~ bridge 폭파된 교량

blow·off [blóuɔ̀:f | -ɔ̀f] *n.* **1** 분출 《장치》: a ~ pipe 분출 파이프 **2** 《속어》 허풍선이 **3** 끝, 종말(end) **4** 흥미를 끄는 것, 인기 있는 것

blow·out [-àut] *n.* **1** 파열; 펑크; 파열 구멍 **2** 〖전기〗 《퓨즈가》 녹아 끊어짐 **3** 《증기·유정 등의》 분출 **4** 《속어》 《흥청거리는》 큰 파티[잔치]

blow·pipe [-pàip] *n.* **1** 《유리 세공용의》 취관(吹管); 불어서 불을 일으키는 대통; 불어서 화살을 쏘는 통 **2** 《미·속어》 라이플총

blows·y [bláuzi] *a.* (**blows·i·er**; **-i·est**) = BLOWZY

blow·torch [blóutɔ̀:rtʃ] *n.* **1** 《배관공이 쓰는》 소형 발염(發炎) 장치 **2** 《미·속어》 제트 전투기; 제트 엔진

blow·tube [-tjù:b] *n.* **1** = BLOWPIPE **2** = BLOWGUN

blow·up [-ʌ̀p] *n.* **1** 파열, 폭발 **2** 《사진의》 확대; 확대 사진 **3** 《구어》 발끈 화냄 **4** 《미》 파산

blow-wave [-wèiv] *n.* 블로 웨이브 《머리를 드라이어로 말리면서 매만지는 방법》 — *vt.* 〈머리를〉 블로 웨이브법으로 매만지다

blow·y [blóui] *a.* (**blow·i·er**; **-i·est**) 《구어》 바람이 센(windy) **blów·i·ness** *n.*

blowzed [bláuzd] *a.* = BLOWZY

blowz·y [bláuzi] *a.* (**blowz·i·er**; **-i·est**) **1** 〈여자가〉 붉은 얼굴의; 품위 없는 **2** 단정치 못한, 지저분한 **3** 〈머리털이〉 더벅머리의, 헝클어진

~·ly *ad.* **~·ness** *n.*

BLS Bachelor of Liberal Studies; Bachelor of Library Science; Bureau of Labor Statistics 《미》 노동 통계국 **bls.** bales; barrels **BLT** bacon, lettuce and tomato sandwich

blub [blʌb] *vi.* (**~bed**; **~·bing**) 《영》 = BLUBBER²

blub·ber¹ [blʌ́bər] *n.* Ⓤ **1** 고래의 기름 **2** 《사람의》 여분의 지방

blubber² *n.* Ⓤ [또는 a ~] 엉엉 울기

— *vi.* 엉엉 울다 — *vt.* 울면서 말하다 《*out*》; 〈눈·얼굴을〉 울어서 붓게 하다 **~·er** *n.*

blubber³ *a.* 〈입술이〉 두툼한, 불거진

blub·ber·head [blʌ́bərhèd] *n.* 《속어》 바보, 멍청이

blub·ber·ing·ly [blʌ́bəriŋli] *ad.* 엉엉 울면서; 엉엉 울어 얼굴이 부어서

blub·ber·y [blʌ́bəri] *a.* **1** 비계가 많은; 뚱뚱한 **2** 눈물로 일그러진

blu·cher [blú:kər, -tʃər] *n.* 혀와 앞닫이가 한 가죽으로 된 단화; 반장화의 일종

bludge [blʌdʒ] 《호주·구어》 *n.* 간단한[쉬운, 편한] 일; 《일자리가 없어 놀고 있는》 시기, 때

— *vi., vt.* 〈일을〉 꾀부리다, 빈둥거리다 **blúdg·er** *n.*

blud·geon [blʌ́dʒən] *n.* 《앞끝을 무겁게 한》 몽둥이

— *vt.* **1** 몽둥이로 치다 **2** 괴롭히다, 들볶다, 으르다(threaten) **3** 〈어떤 행동을〉 강제로 시키다

~ a person ***into*** do*ing* …을 협박하여 …시키다

‡blue [blú:] *a.* **1** 푸른; 하늘색[청색]의; 남색의: He has blue eyes. 그의 눈은 푸른색이다. **2** 〈바람 등이〉 찬(cold, chill); (추위·공포 등으로) 새파래진, 창백한; (맞거나 하여) 검푸른, 푸르죽죽한: be ~ with [from] cold 추위로 얼굴빛이 새파랗다/His forehead is black and ~. 그의 이마는 시퍼렇게 멍이 들었다. **3** Ⓟ (구어) 우울한, 비관적인; 〈사태가〉 여의치 않은, 어두운: look ~ 우울해 보이다; 기분이 나빠 보이다; 〈형세가〉 좋지 않다/I'm[I feel] ~. 우울하다. **4** (도덕적으로) 엄격한, 딱딱한 **5** 불경한, 모독적인 **6** 음란한; 외설한: ~ jokes 야한 농담 **7** 대단한, 엄청난 **8** 《미·속어》 〈우유가〉 썩은 **9** 〈여자가〉 학식이 있는, 인텔리의 **10** 〖음악〗 블루스조(調)의 **11** [B~] 《미》 (남북 전쟁 때의) 북군의 **12** 《영》 보수당(Tory)의 **13** 푸른 옷을 입은; 〈모피가〉 청색의; 〈양피가〉 상질의 **14** 《미·속어》 취한 **15** 《영》 〈가문이〉 귀족의, 고귀한
~ in the face 노하여[지쳐서] 얼굴이 파랗게 질려 ***cry*** [***scream, shout***] ***~ murder*** ⇨ murder. ***like ~ murder*** ⇨ murder. till ***all's ~*** 철저하게, 끝까지: drink *till all's* ~ 녹초가 되도록 마시다 ***till*** one ***is ~ in the face*** (구어) 지겨울 정도로 ***turn ~*** (속어) 쓰러져 죽다 ***turn*** [***make***] ***the air ~*** 《미·구어》 (분위기를) 긴장케 하다; (악담하여) 흥이 깨지게 하다
—*n.* **1 a** ⒸⓊ 파랑, 청색, 하늘색, 남색; 파랑 물감, 남색 염료 《등》: dark ~ 짙은 남색 《Oxford 대학 및 그 선수의 빛깔 표시》/light ~ 담청색 《Cambridge 대학 및 그 선수의 빛깔 표시》/pale ~ 엷은 파랑 **b** (세탁용) 청분(靑粉) **c** 푸른 것 《천 따위》 **2 a** 푸른 옷을 입은 사람 **b** Ⓒ 《영》 (Oxford·Cambridge 대학의) 경기 출전 선수의 푸른색 표시; 경기 출전 선수: an Oxford ~ 옥스퍼드 대학의 선수 **c** 《미·속어》 경찰 **d** 《미》 병원의 부상병 **e** 《미》 (남북 전쟁 당시의) 북군의 병사[군복]; Yale 대학의 교색(校色): the ~ and the gray (남북 전쟁의) 북군과 남군 **f** [*pl.*] 《미·해군속어》 공중 기동 부대 **3** =BLUESTOCKING **4** =BLUE RIBBON 2 **5** 《미》 =BLUEBERRY **6** 〖카드〗 =BLUE CHIP 1 **7** =BLUEFISH **8** 〖인쇄〗 =BLUE LINE 1 **9** =BLUE CHEESE **10** (양궁에서) 표적의 푸른 원(에 명중한 화살) **11** [the ~] 푸른 하늘, 창공; 푸른 바다 **12** [the ~] 미지의 것 **13** 《영》 보수당원(a Tory) **14** (제2차 세계 대전의 북아프리카) 사막 **15** 《미·속어》 피부색이 짙은 흑인 **16** 《미·속어》 각성제 **17** 《호주·뉴질·속어》 **a** (교통 위반 등의) 소환장 **b** 싸움; 의논, 논쟁 **c** 대실패
be in [***have a fit of***] ***the ~s*** 기운이 없다, 풀이 죽어 있다 ***into the ~*** 머나먼 곳으로, 미지의 땅으로 ***out of the ~*** (구어) 뜻밖에, 돌연; 불쑥, 느닷없이 ***the men*** [***boys***] ***in ~*** 순경; 수병; (남북 전쟁 때의) 북군 병사 ***win*** [***get***] one***'s ~ for*** Cambridge (케임브리지)의 대표 선수로 뽑히다
—*vt.* 파랗게 하다, 푸른 빛을 띠게 하다; 《영·속어》 〈돈을〉 낭비하다
—*vi.* 파래지다, 푸르게 되다

blúe alért 청색 경보, 제2경계 경보 《yellow alert의 다음 단계; cf. RED ALERT》

blúe and whíte (구어) 경찰차

blúe bàby 〖의학〗 청색아(靑色兒) 《선천성 심장 기형, 폐 확장 부전(不全)의 유아》

blúe bág 《영》 (법정 변호사가 쓰는) 푸른 천으로 된 서류 가방

blue·bag [blú:bæ̀g] *n.* (흰 세탁물용의) 청분(靑粉)(의 작은 봉지)

blúe bálls (비어) 성욕으로 몹시 흥분한 상태; 성병, 임질(환자); 성병에 감염된 고환

Blue·beard [-bìərd] *n.* **1** 푸른 수염의 사나이 《프랑스 전설; 무정하고 잔인하여 차례로 아내를 여섯이나 죽임》 **2** [때로 **b~**] 냉혹하고 변태적인 남편

Blue·beat [-bì:t] *n.* Ⓤ 〖음악〗 =SKA

blue·bell [-bèl] *n.* 〖식물〗 블루벨 《종 모양의 남빛 꽃이 피는 풀; 금강초롱, 야생의 히아신스 등》 ***~ of Scotland*** =HAREBELL

***blue·ber·ry** [-bèri, -bəri | -bəri] *n.* (*pl.* **-ries**) 〖식물〗 월귤나무 《철쭉과(科)의 관목》; 그 열매

blue·bill [-bìl] *n.* 〖조류〗 검은머리흰죽지오리 《미국산(産)》(scaup duck)

blue·bird [-bə̀:rd] *n.* **1** 〖조류〗 블루버드 《북미산(産) 유리울새속(屬)의 날개가 푸른 새》 **2** (각종의) 푸른 날개의 새 **3** 《미·흑인속어》 순경 **4** 《미·속어》 (마약의) 아미탈 소다

Blúe Bírd **1** [the ~] 파랑새 《행복의 상징》 **2** 《미》 Camp Fire girls의 최연소 단원 《6-8세》

blúe bláck 짙은 남빛

blue-black [-blǽk] *a.* 짙은 남빛의

blúe blázes (완곡) 지옥

blúe blóod **1** 귀족의 혈통 **2 a** 귀족[명문] 출신의 사람 ★ 귀족 계급이 없는 미국에서는 대대로 부유한 명문 집안의 사람을 일컬음. **b** [the ~] 귀족 계급, 명문

blue-blood·ed [-blʌ́did] *a.* 귀족 출신의, 명문의

blue·bon·net [-bɑ̀nit | -bɔ̀-] *n.* **1** 청색 모자; 스코틀랜드 사람 **2** 〖식물〗 블루보닛 《청담색 꽃이 피며, 미국 Texas 주의 주화(州花)》

blúe bòok **1** [종종 **B- B-**] 청서(靑書) 《영국 의회 또는 정부의 보고서; cf. WHITE BOOK》 **2** 《미·구어》 신사록; 《미》 국가 공무원 명부 **3** 《미》 **a** (대학의 기술식 시험 답안용의) 청색 표지의 백지철 **b** 대학의 기술식 시험 **4** [**B- B-**] 《미》 자동차 도로 안내도 **5** [**B- B-**] 블루 북 《모델과 제조 연식에 따른 중고차 가격 편람; 상표명》

blue·bot·tle [-bɑ̀tl | -bɔ̀tl] *n.* **1** 〖식물〗 수레국화(cornflower) **2** 〖곤충〗 청파리(=~ **flỳ**)

blúe bóx 《미·속어》 블루 박스 《장거리 전화를 공짜로 걸기 위한 불법 소형 전자 장치》

blúe cát[**cátfish**] 〖어류〗 큰 메기(catfish)의 일종 《Mississippi 강에 사는》

blúe chànnel [the ~] (공항과 항구의) 유럽 연합 여행객 통과로

blúe chéer 《미·속어》 〖약학〗 LSD 《환각제》

blúe chèese 블루 치즈 《푸른곰팡이로 숙성시킨》

blúe chìp **1** 〖카드〗 (포커에서) 블루칩 《높은 점수용》 **2** 〖증권〗 일류주(株), 우량주 **3** (영업 성적 등이) 우수한 기업; 흑자 기업

blue-chip [-tʃìp] *a.* **1** 〖증권〗 〈주식·회사가〉 우량한 (cf. GILT-EDGED): a ~ stock[company] 우량주[회사] **2** (구어) (특정 분야에서) 일류의

blue-chip·per [-tʃìpər] *n.* 《미·속어》 일류의[우수한] 인재[조직], 일류 상품

blue·coat [-kòut] *n.* 《미·속어》 청색 제복의 사람 《미국의 순경; 옛 육·해 군인, 특히 미국 남북 전쟁 때의 북군 군인》

blúecoat bóy bluecoat school의 남학생

blue·coat·ed [-kòutid] *a.* 남색 제복을 입은

blúecoat gírl bluecoat school의 여학생

blúecoat schóol 《영》 **1** 자선 학교 **2** [**B- S-**] =CHRIST'S HOSPITAL

blue-col·lar [-kɑ́lər | -kɔ́-] [작업복용 청색 셔츠에서] *a.* Ⓐ 블루칼라의, 작업복의; (작업복을 입는) 육체 노동(자)의(cf. WHITE-COLLAR)

blúe-còllar wórker 육체 노동자(cf. WHITE-COLLAR WORKER)

blúe cráb (특히 미국 동해안산(産)의) 바다게 《식용》

blúe cráne 〖조류〗 두루미의 일종 《아프리카산(産)으로 남아프리카 공화국의 국조》

Blúe Cróss 《미》 블루 크로스 《특히 피고용자 및 그 가족을 대상으로 한 건강 보험 조합; cf. BLUE SHIELD》

blúe dárter 《미·야구속어》 낮게 깔리는 강한 직구

blúe dévil 《미·속어》 =BLUE HEAVEN

blúe dévils 우울(증)(the blues)

Blúe Énsign 〖영국해군〗 예비함기(旗)(cf. RED ENSIGN, WHITE ENSIGN)

blue-eyed [-àid] *a.* **1** 눈알이 푸른, 푸른 눈을 가진 **2** 《미·속어》 백인의 **3** 《미·속어》 순진한

blúe-eyed bóy 《영·구어》 (상사의) 귀염[총애]을 받는 사람(《미》 fair-haired boy)

blúe-eyed dévil 《흑인속어·경멸》 백인, 흰둥이

blúe fílm = BLUE MOVIE

blue·fish [-fìʃ] *n.* (*pl.* **~, ~·es**) 〖어류〗 **1** 게르치 무리의 식용어 《미국 대서양 연안산(產)》 **2** 《일반적으로》 푸른 빛깔의 물고기

blúe flàg 〖식물〗 붓꽃 《북미산(產)》

blúe flú (경찰관·소방관의) 꾀병 태업

blúe fóx 1 〖동물〗 청회색의 북극여우 **2** 1의 청회색 모피 **3** 청색으로 염색한 여우 모피

blúe fúnk 1 《영·속어》 겁, 심한 공포심 **2** 《미·속어》 (가벼운) 우울

blue·gill [-gìl] *n.* 〖어류〗 송어의 일종 《Mississippi 강 유역산의 식용어》

blúe góose 〖조류〗 청회색기러기 《북미산(產)》

blue·grass [-græ̀s, -grɑ̀ːs] *n.* Ⓤ **1** 〖식물〗 새포아풀속(屬)의 풀 《목초·건초용》 **2** 〖음악〗 블루그래스 《미국 남부의 백인 민속 음악에서 비롯된 컨트리 음악》

Blúegrass Règion[Còuntry] [the ~] 미국 Kentucky 주의 중부 지방

Blúegrass Stàte [the ~] 미국 Kentucky 주의 속칭

blue-green [-gríːn] *n.* Ⓤ 청록색

blúe-grèen álga 〖식물〗 남조류(藍藻類)의 식물

Blúe Guíde 블루 가이드 《1918년 창간된 영국의 여행 안내 총서》

blúe gùm 〖식물〗 유칼립투스(eucalyptus)의 일종

blue·head [-hèd] *n.* 〖어류〗 놀래깃과(科)의 열대어 《머리는 파랗고 몸은 녹색》

blúe héaven 《미·속어》 아모바르비탈제 《중추 신경계 억제제》

blúe hélmet 유엔 평화 유지군 《푸른 헬멧을 쓰고 있는 데서 유래》

Blúe Hèn Státe [the ~] 미국 Delaware 주(州)의 속칭

Blúe Hòuse [the ~] 청와대 《한국 대통령 관저》

blue·ing [blúːiŋ] *n.* = BLUING

blue·ish [blúːiʃ] *a.* = BLUISH

blue·jack [blúːdʒæ̀k] *n.* 〖식물〗 (미남부산(產)) 작은 떡갈나무의 일종

blue·jack·et [-dʒækit] *n.* 《구어》 (해병대와 구별하여) 수병(水兵)

blúe jày 〖조류〗 큰어치 《북미산(產)》

blúe jèans 청바지, 블루진

blúe jòhn 자형석(紫螢石) 《영국 Derbyshire의 특산》

blúe làw 《미·구어》 엄격한 법 《일요일에 일·오락을 금함》; (18세기 New England의 청교도적) 엄격한 법

Blúe Làw Státe [the ~] 미국 Connecticut 주의 속칭

blúe líght (신호용) 파란 불꽃

blúe lìne 1 〖인쇄〗 사진 제판 전의 청사진 **2** 〖아이스하키〗 블루 라인 《센터 라인과 평행으로 링크를 3등분하는 선》

blúe mán 《미·속어》 정복 경관

blúe métal (도로 포장용) bluestone의 쇄석(碎石)

blúe móld 1 (빵·치즈의) 푸른곰팡이 **2** 〖식물〗 푸른곰팡이병(病)

blúe Mónday 《구어》 (다시 일이 시작되는) 우울한 월요일

blúe móon 1 《구어》 매우 오랜 기간 **2** 《미·속어》 홍등가 ***once in a ~*** 아주 드물게, 좀처럼 …않는

Blúe Móuntains [the ~] 블루 산맥 《미국 Oregon 주와 Washington 주에 걸쳐 있는 산맥》

blúe móvie 포르노[핑크, 도색] 영화(blue film)

blue·ness [blúːnis] *n.* Ⓤ 푸른 상태, 푸름

Blúe Níle [the ~] 청(靑)나일 강 《Nile 강의 지류로 Khartoum에서 본류와 합침》

blue·nose [blúːnòuz] *n.* 《미·구어》 **1** (극단적으로) 청교도적인 사람, 도덕군자 **2** [**B~**] (캐나다의) Nova Scotia 주의 주민

blúe nòte 〖음악〗 블루 노트 《블루스에 특징적으로 나타나는 음; 반음 내린 3도 또는 7도》

blue-on-blue [blùːənblúː] *a.* Ⓐ 우군간 교전의, 오폭의

blúe páges (미국의) 관공서 전화번호란 (cf. YELLOW PAGES)

blúe péncil (원고를 수정·삭제하는) 푸른 연필; 수정, 삭제, 검열

blue-pen·cil [-pénsl] *vt.* (**~ed**; **~·ing** | **~led**; **~·ling**) 《구어》 **1** 〈편집자가〉 〈원고 등을〉 푸른 연필로 수정[삭제]하다 **2** 〈검열관이〉 〈원고 등을〉 삭제[수정]하다, 검열하다(censor)

Blúe Péter [the ~; 때로 **b- p-**] 〖항해〗 출범기(出帆旗) 《푸른 바탕에 흰색의 정사각형》

blúe píll 1 푸른[수은] 환약 《하제(下劑) 등》 **2** 《미·속어》 탄환, 총알(bullet)

blúe plàte 1 (음식을 한군데 담게 된) 배식판; 거기에 담은 요리 **2** 《미》 (싼 가격의) 정식(定食)(= ~ **spécial**)

blúe pòint 사지·귀·꼬리 등의 끝이 짙은 청회색의 샴고양이

blue·point [-pɔ̀int] *n.* (날로 먹는) 작은 굴(oyster)

blue·print [-prìnt] *n.* 청사진; (상세한) 계획
— *vt.* …의 청사진을 찍다; (면밀한) 계획을 세우다

blue·print·ing [-prìntiŋ] *n.* Ⓤ 청사진(법)

blúe rácer 〖동물〗 (미국산) 검푸른 뱀

blúe ríbbon 1 (가터 훈장의) 푸른 리본 **2** 최고의 명예[상] **3** (금주(禁酒) 회원의) 푸른 리본 기장 **4** 〖항해〗 (북대서양을 가장 빠른 평균 시속으로 횡단한 배의 돛대에 거는 기다란) 푸른 리본 **5** 명예의 표시

blue-rib·bon [-ríbən] *a.* 정선된, 품질이 우수한; 최고급의, 가장 뛰어난: the ~ event of the season 이번 시즌의 최고 행사

blúe-ribbon júry[pánel] 특별 배심원 《특히 학식자(學識者) 중에서 뽑음》

Blúe Rídge Móuntains [the ~] 블루리지 산맥 《미국 남동부, 애팔래치아 산맥의 일부》

blúe rínse 〖미용〗 백발을 엷은 청색으로 염색하는 컬러 린스; 그렇게 염색한 부유층의 노부인

Blúe Ròd 《영》 청장관(靑杖官) 《성미가엘·성조지 훈위(勳位)(Order of St. Michael and St. George)를 수여받은 궁내관》

blúe rúin 1 《미·속어》 완전한 파멸 **2** 《영·구어》 싸구려 진(gin)

blues [blúːz] *n. pl.* **1** [the ~; 때로 단수 취급] 《구어》 우울(한 기분), 우울증(melancholy) **2** [단수·복수 취급] (재즈 음악의) 블루스 《노래·곡·춤》: a ~ singer 블루스 가수 **3** 미국 해군[육군, 공군] 제복 **4** 《구어》 경찰(police) ***be in the ~ = have the ~*** 마음이 울적하다, 우울하다 ***sing the ~*** 《미·속어》 기운이 없다, 우울하다; 불평하다
— *a.* Ⓐ 블루스의: a ~ singer 블루스 가수

Blues [blúːz] *n.* [the ~] 《영》 근위(近衛) 기병 연대 《the Royal Horse Guards의 통칭》

blúe scréen 〖영화〗 블루 스크린 《푸른 배경으로 찍은 장면을 다른 장면에 겹치는 특수 효과》

blúe shárk 〖어류〗 청새리상어

Blúe Shíeld 《미》 블루 실드 《영리를 목적으로 하지 않는 의료 보험 조합의 호칭; cf. BLUE CROSS》

blue·shift [blúːʃìft] *n.* 〖천문〗 청색 이동 《스펙트럼선의 파장이 표준 파장보다 푸른 쪽으로 벗어나는 일》

blúe ský 1 푸른 하늘, 창공 **2** 《구어》 엉터리 증권 **3** 《미·속어》 억측, 추측, 탁상공론

blue-sky [-skái] *a.* Ⓐ **1** 창공의 **2** 《구어》 〈증권이〉 거의 무가치한; 재정적으로 불건전한 **3** 《미》 비현실적인, 구체성이 없는, 억측에 불과한

blúe-ský làw 《미·구어》 창공법(蒼空法) 《부정 증권 거래 금지법》

blues·man [blúːzmən, -mæ̀n] *n.* (*pl.* **-men** [-mən, -mèn]) 블루스 가수[연주자]

blúe spót 〖의학〗 청반(靑斑)(Mongolian spot)

blúes róck 〖음악〗 블루스 록 《블루스와 로큰롤을 혼합한 음악》

blúe státe (미) 대통령 선거에서 민주당 후보가 승리한 주(州)(cf. RED STATE)
blue·stock·ing [blú:stɑ̀kiŋ | -stɔ̀-] [18세기 런던에서 문예 애호가들이 청색 양말을 신은 데서] *n.* (경멸) 여류 문학자; 학식을 뽐내는 여자, 학자인 체하는 여자, 문학병에 걸린 여자
blue·stone [-stòun] *n.* Ⓤ **1** 황산구리 **2** 〖암석〗 청석(靑石) 《청회색 사암(砂岩); 건축용》
blúe stréak (구어) 번갯불(같이 빠른 것); 길게 이어지는 것: He traveled like a ~ through Korea. 그는 한국을 번개같이 여행했다. ***talk a ~*** (끊임없이) 빠르게 지껄이다
blues·y [blú:zi] *a.* (**blues·i·er**; **-i·est**) 블루스적인, 블루스조의
blu·et [blú:it] *n.* 〖식물〗 **1** 파란 꽃이 피는 각종 식물 《수레국화 등》 **2** [종종 ~s] 삼백초
blúe tít 〖조류〗 푸른박새 《아시아·유럽산(産)》
blue·tongue [blú:tʌ̀ŋ] *n.* 〖수의학〗 청설(靑舌)병 《양·소의 바이러스성 질병; 혀가 검푸르게 변함》
Bluetooth [blú:tù:θ] *n.* Ⓤ 〖통신〗 블루투스 《휴대전화나 PC 등 개인이 휴대하는 기기(機器) 사이에서 무선으로 데이터 통신을 가능케 하는 기능; 상표명》
blúe vélvet (미·속어) 블루벨벳 《항(抗)히스타민제와 진통제를 섞은 주사약》
blúe vítriol 〖화학〗 담반(膽礬), 황산구리
blúe wáter 대양, 공해(open sea)
blúe-wà·ter schóol [-wɔ̀:tər-] (미) (전략의) 해군 만능 주장파
blue·weed [blú:wì:d] *n.* 〖식물〗 (지치속(屬)의) 푸른 꽃이 피는 2년생 식물
blúe whále 〖동물〗 흰긴수염고래
blu·ey [blú:i] [원래 푸른 색 모포로 쌌다고 해서] *n.* (호주·구어) **1** 부랑자의 보따리(swag), 여행용 옷가방 **2** 빨간 머리털의 사람 **3** (푸른 색의) 소환장 **4** (푸른) 목축견 **—***a.* 푸르스름한(bluish)
*__bluff__[1] [blʌ́f] *a.* **1 a** 〈해안 등이〉 절벽의, 험한, 깎아지른 듯한 **b** 〈뱃머리가〉 넓고 뭉툭한, 둥그스름한 **2** 퉁명스러운, 무뚝뚝한; 솔직한
—*n.* (강·호수·바다에 면한 폭이 넓은) 절벽, 깎아지른 곳 **~·ly** *ad.* **~·ness** *n.*
bluff[2] *n.* **1** ⒸⓊ [또는 a ~] 허세, 엄포 **2** Ⓤ 속임수, 발뺌 **3** 허세 부리는 사람 **4** Ⓤ 〖카드〗 (포커에서 패가 센 것처럼) 허세 부리기, 엄포놓기 ***call the*** [a person***'s***] ~ (1) 〖카드〗 (포커에서 엄포 놓는 상대방과 같은 액수의 돈을 걸어) 패를 공개하게 하다 (2) (상대방의 짓을 엄포로 보고) 해볼 테면 해보라고 대들다[도전하다] ***make a ~ = play a game of ~*** (허세를 부리며) 으르다, 올러메다
—*vt.* **1** …에게 허세 부리다; 으르다; (허세 부려) 속이다, 얻다 **2** (허세 부리거나 올러서) …하게 하다: (~+목+전+***-ing***) He could ~ nobody *into* believ*ing* that he was rich. 허세를 부려도 아무도 그가 부자라고는 생각지 않았다. **3** 〖카드〗 (패가 센 것처럼 꾸며) 속이다 **—***vi.* 허세 부리다, 엄포 놓다
~ it out (구어) 잘 속여 궁지를 벗어나다 ***~ one's way*** 속여서 (…)하다: ~ *one's way* into a job 용케 속여 일자리를 얻다 / ~ *one's way* out of trouble 잘 속여 곤란에서 벗어나다 **~·er** *n.*
bluff·y [blʌ́fi] *a.* (**bluff·i·er**; **-i·est**) 벼랑의[이 있는]
blu·ing [blú:iŋ] *n.* Ⓤ **1** 청분(靑粉) 《흰 천 세탁용 표백제》 **2** 〖야금〗 청소법(靑燒法)
*__blu·ish__ [blú:iʃ] *a.* **푸르스름한**, 푸른빛을 띤
*__blun·der__ [blʌ́ndər] [ON 「눈을 감다」의 뜻에서] *n.* **큰 실수**, 대실책(⇨ error 유의어): commit[make] a ~ 중대한 실수를 하다
—*vi.* **1** (부주의·정신적 혼란 등으로) **큰 실수를 하다** 《*in*》 **2** 우물쭈물하다, 머뭇거리다; 머뭇머뭇 걷다 《*about, along*》; 걸려서 넘어질 뻔하다 《*against, into*》; (…에) 실수로[깜박하여] 들어가다 《*into, in*》; (…을) 우연히 발견하다 《*on, upon*》: (~+부) ~ *about* 어슬렁어슬렁 돌아다니다 // (~+전+명) ~ *against* each other 서로 부딪치며 휘청휘청 걸어가다 **3** 무심코 말하다
—*vt.* **1** 〈일 등을〉 그르치다; 〈기회 등을〉 잘못하여 놓치다[잃다] 《*away*》: (~+목+부) ~ *away* one's fortune 잘못하여 재산을 잃다 / ~ *away* one's chances 깜빡하여 좋은 기회를 놓치다 **2** 〈비밀 등을〉 무심코 입 밖에 내다 《*out*》: (~+목+부) ~ *out* a secret 얼떨결에 비밀을 누설하다
blun·der·buss [blʌ́ndərbʌ̀s] *n.* **1** 나팔총 《17-18세기의 총부리가 굵은 단총》 **2** 얼간이
blun·der·er [blʌ́ndərər] *n.* 큰 실수를 저지르는 사람; 얼간이: You ~! 이 얼간아!
blun·der·ing [blʌ́ndəriŋ] *a.* Ⓐ 실수하는, 어색한, 서투른 **~·ly** *ad.*
blunge [blʌ́ndʒ] *vt.* 〈도토(陶土) 등을〉 물과 섞어 반죽하다 **blúng·er** *n.* 반죽하는 사람[그릇]
‡**blunt** [blʌ́nt] *a.* **1** 무딘(opp. *sharp*)(⇨ dull 유의어): a ~ pencil 심이 뭉뚝해진 연필 / a ~ instrument 둔기(鈍器) // (~+***to*** do) This knife is too ~ *to* cut the carrots. 이 칼은 너무 무뎌서 당근을 썰 수가 없다. **2** 퉁명스러운, 무뚝뚝한; 있는 그대로의, 솔직한; 둔감한: a ~ reply 퉁명스러운 대답
—*n.* **1** 굵은 바늘, 돗바늘 **2** (미·속어) 굵은 대마초 담배 **3** (고어·속어) 현금
—*vt., vi.* 둔하게 하다[되다], 무디게 하다[되다]
~·ly *ad.* **~·ness** *n.*
*__blur__ [blə́:r] *v.* (**~red**; **~·ring**) *vt.* **1** 〈광경·의식·눈 등을〉 흐리게 하다: Fog ~*red* our view of the hills. 안개 때문에 언덕의 경치가 잘 보이지 않았다. **2** (잉크 따위로) 더럽히다, …에 얼룩이 지게 하다 **3** 〈명성·명예 등을〉 더럽히다 **4** 〈감수성·지각을〉 무감각하게 하다
—*vi.* (…으로) 흐릿해지다; 〈눈이〉 (…으로) 침침해지다 《*with*》 ~ ***out*** 지우다
—*n.* **1** 흐림, 침침함(dimness) **2** 더럼, 얼룩, 번진 자국 **3** [a ~] 흐려 보이는 것; (추억 등) 흐릿한 것 **4** (불분명한) 윙하는 소리(hum): a ~ of human voices 희미하게 들리는 사람 소리 ▷ blúrry *a.*
blu-ray [blú:rèi] *n.* 블루레이 《차세대 DVD 규격》
Blú-ràу Dìsc 블루레이 디스크 《고선명(HD) 비디오를 위한 대용량의 디지털 데이터를 저장하는 매체; 상표명; 略 BD, BD-ROM》
blurb [blə́:rb] *n.* (구어) **1** (신간 서적의) 짧고 과장된 광고 추천문, 호의적 단평 《책 커버에 인쇄하는》 **2** Ⓤ (추천) 광고; 과대 선전
—*vt.* 과대 선전[광고]하다 **—***vi.* 추천 광고를 내다
blurred [blə́:rd] *a.* 흐릿한; 〈사진이〉 핀트가 안 맞는
blur·red·ly [blə́:ridli] *ad.* 흐릿하게
blur·ry [blə́:ri] *a.* 더러워진; 흐릿한
blurt [blə́:rt] *vt.* 불쑥 말하다; 무심결에 누설하다 《*out*》 **—***n.* 불쑥 말을 꺼냄; 엉겁결에 말함
‡**blush** [blʌ́ʃ] [OE 「붉어지다」의 뜻에서] *vi.* **1** 얼굴을 붉히다, 〈얼굴이〉 빨개지다: (~+보) ~ scarlet (부끄러워) 홍당무가 되다 // (~+부) ~ *up* to the root of one's hair (부끄러워) 귀까지 빨개지다 **2** 부끄러워하다 《*at, for*》: (~+전+명) I ~*ed at* my ignorance. 내 자신의 무식함을 부끄럽게 생각했다. // (~+***to*** do) I ~ *to* own that ... 말하기 부끄럽습니다만… **3** 〈꽃봉오리 등이〉 발그레해지다, 장미색이 되다 **4** 〈페인트·래커 등이〉 선명하지 않은 색이 되다
—*vt.* **1** 붉히다 **2** 얼굴을 붉혀 …을 알리다[나타내다]
—*n.* **1** 얼굴을 붉힘; 홍조; 다홍색: with a ~ 얼굴을 붉히고 / A ~ of shame crept up his face. 그의 얼굴은 창피함으로 붉게 달아 올랐다. **2** Ⓤ (장미의) 발그레함 **3** (미) =BLUSHER **4** (니스·래커 등의 유백색) 얼룩 **5** 언뜻 봄, 일견(一見) ***at*** [***on***] (***the***) ***first ~*** (문어) 일견하여; 언뜻 보기에는 ***spare*** a person***'s ~es*** …에게 수치심을 주지 않다
blush·er [blʌ́ʃər] *n.* 얼굴을 붉히는 사람; 볼연지
blush·ful [blʌ́ʃfəl] *a.* 얼굴을 붉히는, 수줍어하는; 불그레한 **~·ly** *ad.* **~·ness** *n.*
blush·ing [blʌ́ʃiŋ] *a.* 얼굴이 빨개진, 부끄럼을 잘 타

는; 조심성 있는 **—** *n.* Ⓤ 얼굴을 붉힘, 부끄러워함 **~·ly** *ad.* 얼굴을 붉혀서, 부끄러운 듯이

blush·less [blʌ́ʃlis] *a.* 염치없는, 철면피한

blúsh wìne 블러시 와인 《옅은 핑크색 와인》

∗**blus·ter** [blʌ́stər] *vi.* **1** 〈바람·파도가〉 거세게[사납게] 몰아치다 **2** 〈사람이〉 허장성세하다, 고함 지르다
— *vt.* 고함치며 말하다, 고래고래 말하다 《*out*》; 〈남을〉 고함쳐[을러서] …하게 하다 《*into*》 **~ one*self* into anger** 발끈 화를 내다
— *n.* Ⓤ **1** (바람·파도의) 거세게 몰아침 **2** 고함침, 노호(怒號); 허세 ▷ blústerous *a.*

blus·ter·er [blʌ́stərər] *n.* 호통치는 사람, 난폭한 사람; 뽐내는[거드름 피우는] 사람

blus·ter·ing [blʌ́stəriŋ] *a.* 세차게 몰아치는; 호통치는, 뽐내는 **~·ly** *ad.*

blus·ter·ous [blʌ́stərəs], **-ter·y** [-təri] *a.* = BLUSTERING

Blu-tack [blú:tæk] *n.* Ⓤ 《영》 블루택 《벽지를 바르는 데 쓰는 파랑색 접착제; 상표명》

blvd, Blvd. boulevard; Boulevard **bm.** beam **b.m.** black mare; board measure; 《구어》 bowel movement **BM** Bachelor of Medicine; Bachelor of Music; basal metabolism; 〖측량〗 benchmark; bowel movement; Brigade Major; British Museum **B/M** 〖회계〗 bill of material **BMA** British Manufacturers' Association; British Medical Association **BME** Bachelor of Mechanical Engineering; Bachelor of Mining Engineering; Bachelor of Music Education

B̀ mèson 〖물리〗 B중간자

BMEWS [bí:mjú:z] [*B*allistic *M*issile *E*arly *W*arning *S*ystem] *n.* 〖미군〗 탄도 미사일 조기 경계망 (cf. DEW)

BMI Body Mass Index 체질량 지수 **B.M.J.** British Medical Journal **BMOC** big man on campus 인기 대학생(opp. *BWOC*)

B-mov·ie [bí:mù:vi] *n.* B급 영화 《싸구려 영화》

BMP 〖컴퓨터〗 bit map **BMR** 〖생리〗 basal metabolic rate **BMT** Bachelor of Medical Technology; basic military training; Brooklyn-Manhattan Transit 《뉴욕의 지하철 노선》 **BMus** Bachelor of Music **BMV** Blessed Mary the Virgin 동정녀 마리아

BMW [bí:èmdʌ́blju:] *n.* BMW차 《독일 BMW사제의 자동차·오토바이; 상표명》

BMX [bí:èméks] *n.* ⓊⒸ 자전거 모터크로스(용 자전거)(bicycle motocross)

bn battalion; beacon; billion **Bn** Baron; Battalion **BNA** *Basle Nomina Anatomica* 《L= Basle anatomical nomenclature》 바젤 해부학회 명명법; British North America

B'nai B'rith [bənéi-bríθ] [Heb.] 브네이 브리스 《유대인 문화 교육 촉진 협회》

BNC (Oxford 대학교의) Brasenose College **BNP** British National Party 《영국의 극우파 소수 정당》

bo¹, boh [bóu] *int.* 악 《어린애 등을 놀래 주는 소리》 ⇨ boo¹

bo² *n.* (*pl.* **~s**) 《미·속어》 여보게, 친구, 동생, 형님 《부르는 말》

bo³ *n.* (*pl.* **~es**) 《미·속어》 떠돌이, 부랑자(boho)

b/o brought over 〖회계〗 이월

b.o. back order 〖상업〗 미처리[후적(後積)] 주문; bad order 《철도속어》 파손된 차; blackout; box office; branch office; broker's order 〖해군〗 선박 중개인 지시서 **BO** Board of Ordnance; body odor; box office; branch office; buyer's option

bo·a [bóuə] *n.* (*pl.* **~s**) **1** = BOA CONSTRICTOR **2** 보아 《모피·깃털로 만든 여성용 긴 목도리》 **3** [the ~] 〖금융〗 (snake보다 변동 폭이 큰) 확대 공동 변동 환시세제

BOAC British Overseas Airways Corporation 영국 해외 항공 회사 《BA의 전신》

bóa constrìctor 〖동물〗 왕뱀, 보아구렁이 《먹이를 졸라 죽이는 큰 뱀; 열대 아메리카산(産)》

Bo·a·ner·ges [bòuənə́:rdʒi:z] *n. pl.* **1** 〖성서〗 보아너게 《우뢰의 아들; 예수가 제자 야고보(James) 및 요한(John)에게 붙인 이름; 마가복음 3:17》 **2** [단수 취급] 목소리가 큰[열변의] 연설가[설교자]

∗**boar** [bɔ́:r] *n.* (*pl.* **~s,** ~) **1** (거세하지 않은) 수퇘지(cf. HOG; ⇨ pig 관련) **2 a** 멧돼지(=wild ~) **b** Ⓤ 멧돼지 고기: a ~'s head 멧돼지 머리 《경사 때 하는 요리》 **3** (기니피그 등의) 수컷

‡**board** [bɔ́:rd] *n., v.*

판자 **1** → 칠판 **2**
판자 **1** → 탁자 → 식탁 **8** → 식사 **9**
판자 **1** → 탁자 → 회의용 탁자 → 위원회 **10**
판자 **1** → 뱃전 **11** → ㊊ (배에) 타다 **3**

— *n.* **1** ⒸⓊ **판자**: a ~ fence 널판장, 판자 울타리

유의어 **board** 전문적으로는 두께 2인치 반 이하이고 폭 6-12인치의 판자 **plank** 두께 2-6인치 이상의 두꺼운 판자 **sheet**는 얇은 판

2 [종종 복합어를 이루어] …판, …반, …대; [보통 the ~] **칠판**(blackboard); **게시판**; 장기판: a cutting [《영》 chopping] ~ 도마/an advertising ~ 광고판/a diving ~ 다이빙 보드/an ironing ~ 다리미판/I stuck the notice on the ~. 나는 통고문을 게시판에 붙였다.

관련 billboard 《미》 (게시판), bulletin board 《미》, notice board 《영》 (게시판), chalkboard 《미》 ((녹색) 칠판), chessboard(체스판), scoreboard(득점 게시판), sideboard(식기 선반), signboard(간판), surfboard(파도타기 널), switchboard(전화 교환대)

3 a =SURFBOARD **b** (스케이트보드의) 보드 **c** (농구의) 백보드 **4** 《미》 (주가 표시용의) (전광) 게시판 **5 a** [the ~s] 〖연극〗 무대 **b** 아이스링크를 둘러싼 목재 울타리 **6 a** ⒸⓊ 판지(板紙), 마분지(cardboard), 대지(臺紙); [*pl.*] 〖제본〗 판지 표지 **b** 《미·속어》 (쇼·시합의) 표, 티켓 **c** 《미》 〖철도〗 전직원 근무 배치 일람표 **7** 〖건축〗 판, 보드 **8** (식사가 마련된) 식탁 **9** Ⓤ **식사**; 식비 **10** 회의의 탁자; 회의; [종종 the B~; 집합적; 단수·복수 취급] **위원회**, 위원, 평의원, 평의회, 중역(회의); [종종 **B~**] (관청의) 부(部), 원(院), 국(局), 청(廳): the ~ of directors 이사회/an ~ member 위원 **11** ⒸⓊ 〖항해〗 뱃전; 선내 **12** 〖철도〗 고정 신호기; 신호 **13** 〖컴퓨터〗 **a** 보드판(card) **b** =PLUGBOARD **14** 〖전자〗 회로기판(circuit board) **15** (전기의) 배전반; (전신·전화의) 교환기 **16** 양말용 다리미 **17** 《호주》 **a** 양털을 깎는 곳[사람] **b** 털을 깎인 양 **18** (축살장의) 마루 **19** 〖카드〗 보드 **a** 손에 든 패 **b** 더미(dummy)의 풋말 **c** 승부, 득점

above* ~** 공명정대한[하게] ***across the* ~** 전면적으로, 일률적으로 **~ *and [***on***] **~** = **~ *by* ~** 〖항해〗 〈두 배가〉 서로 나란히 **~ *and lodging*** 식사가 딸린 하숙 **~ *of education*** 《미》 (주·군·시·읍의 공립 학교를 감독하는) 교육 위원회 《선거 또는 임명에 의함》 **~ *of elections*** 《미》 선거 관리 위원회 **~ *of estimate*** (뉴욕 시 등의) 예산 위원회 **~ *of health*** 《미》 (지방 자치체의) (공중) 위생국, 보건국 **~ *of trade*** (1) 《미》 상업[상공] 회의소; 상품 취급소 (2) [the B~ of T~] 《영》 상무부 ***come on*** ~ 귀선(歸船)[귀함(歸艦)]하다 ***fall*** [***run***] ***on* ~ *of*** …와 충돌하다; …을 공격하다 ***full* ~** 세 끼가 나오는 하숙 ***go by the* ~** 〈돛대 등이〉 부러져 배 밖으로 떨어지다; 〈계획이〉 아주 실패하다; 〈풍습 등이〉 쇠퇴하다, 무시되다 ***go on*** [***tread***] ***the ~s*** 무대를 밟다, 배우가 되다 ***on* ~** (1) 배 위에, 배[비행기, 차] 안에[의]: go *on* ~ 승선[승차]하다/have *on* ~ 싣고 있다/take *on* ~ 싣다, 승선시키다 (2) [전치사적] *On* ~ the ship were several

planes. 배에는 비행기 몇 대가 탑재되어 있었다. ***on even ~ with*** …와 뱃전을 나란히 하여; …와 동등한 조건으로 ***sweep the ~*** (이겨서) 탁상의 판돈을 쓸다; 대승하다, 전승(全勝)하다 ***take on ~*** (1) 〈책임 등을〉 떠맡다 (2) 〈문제·사상 등을〉 이해하다 ***the B~ of Inland Revenue*** 《영》 내국세 수입국(收入局) ***the B~ of Trade*** 《영》 상무성; 《미》 상업 회의소
— *vt.* **1** …에 판자를 치다, 널빤지로 에워싸다[둘러막다] 《*over, up*》: (~+목+부) ~ *up* a door 문에 판자를 치다 **2 a** …에게 식사를 제공하다: (~+목+전+명) How much will you ~ me *for*? 얼마면 식사를 제공해 주겠습니까? **b** 하숙시키다 **3** 〈배·기차·버스·비행기 등에〉 타다 **4** 《아이스하키》 보드 체크(board check)하다 **5** 〈애완동물 등을〉 맡아 기르다 《주인이 없는 동안》
— *vi.* **1** (…에) 하숙[기숙]하다, (…에서) 식사를 하다 《*at, with*》: (~+전+명) ~ *at* a hotel 호텔에서 식사하다 / She ~*s with* us. 그녀는 우리 집에 하숙하고 있다. **2** (배·기차·버스·비행기 등에) 타다 **3** 《아이스하키》 보드 체크(board check)하다
~ ***out*** 외식하다[시키다]; 〈가난한 집의 아이를〉 다른 집[기숙사]에 맡기다; (군대 등에서) 〈환자에게〉 외식을 허가하다 ~ ***up*** [***over***] 판자로 두르다[막다]
~·lìke *a.*

bóard and séarch 승선 수색

bóard chàirman 회장(chairman of the board)

bóard chèck 《아이스하키》 보드 체크 《상대를 링크의 보드에 부딪치게 하는 몸 부딪치기》

‡**board·er** [bɔ́:rdər] *n.* **1** (식사를 제공받는) 하숙인 **2** 기숙생(cf. DAY BOY) **3** (배 등의) 탑승객 **4** 맡긴 애완동물 **5** (적선에 옮겨 타는) 공격병

bóarder bàby 《미》 보더 베이비 《부모의 양육 능력[자격] 결여로 병원에 무기한으로 맡겨진 어린애》

bóard fòot 《미》 보드풋 《두께 1인치에 1피트 평방인 널빤지의 부피; 각재(角材)의 측정 단위; 略 bd. ft.》

bóard gàme 보드 게임 《체스처럼 판 위에서 말을 움직여 노는 게임》

*__board·ing__ [bɔ́:rdiŋ] *n.* Ⓤ **1** [집합적] 널빤지, 판자(boards) **2** 판장, 판자 울 **3** 승선, 승차, (비행기에의) 탑승 **4** (식사 딸린) 하숙, 기숙

bóarding brìdge (여객기의) 탑승교(橋)

bóarding càrd (여객기의) 탑승권

board·ing·house [-hàus] *n.* (*pl.* **-hous·es** [-hàuziz]) (식사를 제공하는) 하숙집, 기숙사

bóarding kènnel [보통 *pl.*] 《영》 애완견 보관소, 애완견 호텔 《휴가나 여행 때에 이용하는》

bóarding lìst (여객기·여객선의) 탑승객 명부

bóarding òfficer 선내 검열 사관[세관원]; 방문 사관 《입항한 군함을 의례적으로 방문하는 장교》

board·ing-out [-àut] *n.* 《영》 Ⓤ **1** 외식(하기) **2** (고아를 고아원에 수용하지 않고) 다른 집에 맡겨 양육하기: the ~ system 위탁 양육 제도

bóarding pàss (여객기의) 탑승권

bóarding ràmp (항공기의) 승강대, 이동 트랩

bóarding schòol 기숙 학교(cf. DAY SCHOOL)

bóarding shìp 임검선 《중립국 등의 선박에 금제품의 유무 등을 조사함》

bóarding stàble 《미》 임대 마구간 《말을 빌려 주는 곳》(livery stable)

bóarding vìsit (선박의) 임검, 현장 검사[검증]

board·man [bɔ́:rdmən, -mæ̀n] *n.* (*pl.* **-men** [-mən, mèn]) **1** 판(板)[반(盤)]을 사용하여 일하는 사람 《샌드위치맨, 조명용 배전반 담당원 등》 **2** 《미》 증권 거래소의 직원 **3** [-mæ̀n] 평의원(評議員), 위원, 이사 **~·shìp** *n.*

bóard méasure 보드 메저[계량법] 《board foot을 단위로 하는 목재의 부피 측정법; 略 bm》

bóard mèeting 이사회 (회의)

board·room [-rù:m] *n.* **1** (중역·이사회 등의) 회의실; [the ~] 이사회 **2** 《미》 (증권 거래소의) 객장

bóard rùle 보드 자 《판자의 용적 측정용》

board·sail·ing [-sèiliŋ] *n.* = WINDSURFING

bóard schòol 《영》 공립 초등학교 《1902년 폐지》

bóard wáges 1 (입주 고용인에게 제공하는) 보수의 일부로서의 식사와 방 **2** (통근 고용인에게 지급하는) 식사·숙박 수당

board·walk [-wɔ̀:k] *n.* 《미》 (바닷가 등의) 판자 산책로; 판자를 깐 길

board·y [bɔ́:rdi] *a.* 《구어》 단단한, 딱딱한(stiff)

boar·fish [bɔ́:rfiʃ] *n.* 주둥이가 튀어나온 물고기 《병치돔 등》

boar·hound [bɔ́:rhàund] *n.* 멧돼지 사냥용의 큰 개 《Great Dane 등》

boar·ish [bɔ́:riʃ] *a.* **1** 수퇘지[멧돼지] 같은 **2** 잔인한(cruel); 육욕적인(sensual)

boart [bɔ́:rt] *n.* = BORT(Z)

‡**boast**[1] [bóust] *vi.* 자랑하다, 자랑하며 말하다 《*of, about, that* ...》: (~+전+명) The village ~*s of* a fine castle. 그 마을에는 (그들이 자랑하는) 훌륭한 성이 있다. // (~+전+***-ing***) He ~*s of* be*ing* rich. 그는 부자라고 자랑한다.
— *vt.* **1** 자랑하다; 호언장담하다, 큰소리치다; [~ one*self* 로] 〈자기가〉 〈…이라고〉 자랑하다: (~+***that*** 절) He ~*s that* he can swim well. 그는 수영을 잘한다고 자랑하고 있다. // (~+목+(***to be***) 보) John ~*ed himself* (*to be*) an artist. 존은 예술가임을 자랑하였다. **2** 〈장소·사물이〉 (자랑거리로서) 가지다, 자랑으로 삼다; (익살) 가지다(have) ~ ***it*** 자랑하다 ***not much to ~ of*** 별로 자랑할 만한 것이 못 되는
— *n.* 자랑(거리); 자랑 이야기, 허풍 ***make a ~ of*** …을 자랑하다 **~·er** *n.* **~·less** *a.*
▷ bóastful *a.*

boast[2] *vt.* 《석공·조각》 〈돌 등을〉 (정이나 끌로) 대강 다듬다

boast·ful [bóustfəl] *a.* 자랑하는, 자랑하고 싶어하는; 허풍을 떠는 《*of*》; 과장된; 〈이야기 등이〉 자화자찬의 **~·ly** *ad.* **~·ness** *n.*

boast·ing [bóustiŋ] *n.* 자랑, 과시(誇示)
— *a.* 자랑하는 **~·ly** *ad.* 자랑스럽게

‡**boat** [bóut] *n.* **1** 보트, 기정(汽艇), 모터보트, 돛단배, 어선; (보통 작은) 기선, 배, 여객선, 정기선(⇨ ship 유의어): a fising ~ 고기잡이 배 / We crossed the stream by ~. 우리는 보트를 타고 개울을 건넜다.
관련 boat 보통 지붕 없는 작은 배. 우리가 말하는 「(노 젓는) 보트」는 rowboat 《미》, rowing boat 《영》임. 그 밖에 ferryboat(연락선), fishing boat(어선), lifeboat(구명정), motorboat(모터보트), sailboat 《미》, sailing boat 《영》 (범선), steamboat(증기선), tugboat(예인선) 등.
2 《미·구어》 ; 배 모양의 탈것; 자동차: a flying ~ 비행정 **3** 배 모양의 그릇(cf. GRAVY BOAT)
be (***all***) ***in the same ~*** 처지[운명, 위험]를 같이하다 ***burn*** one***'s ~s*** (***behind*** one) 배수의 진(陣)을 치다 ***by a ~'s length*** 배 한 척의 길이 차로 ***go by ~*** 배로 가다 ***have an oar in everyone's ~*** 아무의 일에나 참견하다[간섭하다] ***just off the ~*** 《미·구어》 막 이주해 와서 (순진해서 속기 쉬운) ***miss the ~*** = miss the BUS. ***push the ~ out*** 《영·구어》 (큰마음 먹고) 성대히 축하하다; 아끼지 않고 돈을 쓰며 즐기다 ***rock the ~*** 《구어》 (1) 〈불평 분자 등이〉 평온한 상태를 어지럽히다, 평지풍파를 일으키다 (2) (중대한 시기에) 풍파를 일으키다 ***take*** (***a***) ***~ for ...*** …행의 배를 타다 ***take to the ~s*** (1) (난파 때) 구명보트로 옮겨타다 (2) 착수한 일에서 갑자기 손을 떼다
— *vi.* (뱃놀이로) 보트를 타다, 보트를 젓다, 보트로 가다; 뱃놀이하다: (~+전+명) ~ *down*[*up*] a river 강을 보트로 내려[올라]가다 / ~ *on* a river 강에서 뱃놀이를 하다

thesaurus **boast**[1] *v.* **1** 자랑하다 brag, crow, exaggerate, overstate, swagger, blow one's own trumpet, congratulate oneself **2** (자랑으로) 가지고

—vt. 배에 태우다; 배로 나르다; 배 안에 두다[놓다]; 배로 건너다
~ it 배로 가다 ***B~ the oars!*** 《구령》 노(를) 거둬!

boat·a·ble [bóutəbl] *a.* 〈강 등이〉 거슬러 올라갈 수 있는, 항행할 수 있는; 배로 나를 수 있는

boat·age [bóutidʒ] *n.* Ⓤ 〖항해〗 **1** 뱃삯 **2** 작은 배의 운반력[적재량]

boat·bill [bóutbìl] *n.* 〖조류〗 넓은부리해오라기 《열대 아메리카산(産)》(=**bóat-bìlled héron**)

boat·build·er [-bìldər] *n.* 보트[배] 건조인

bóat dèck 〖항해〗 단정(短艇) 갑판, 보트 덱 《구명보트 설치 갑판》

bóat drìll 〖항해〗 구명보트 훈련

boat·el [boutél] [*boat*+*hotel*] *n.* **1** 보텔 《보트 소유자나 선객을 위한 물가의 호텔》 **2** 호텔 설비가 있는 배(botel)

boat·er [bóutər] *n.* **1** 보트[배] 타는 사람 **2** 《영》 밀짚모자 《뱃놀이용으로 쓴 데서》(=**~ hàt**)

boat·ful [bóutfəl] *n.* 한 보트[배] 가득한 수[양]

bóat hòok (보트를 잡아당기는) 갈고리 장대

boat·house [bóuthàus] *n.* (*pl.* **-hous·es** [-hàuziz]) 보트 창고, 정고(艇庫); (사교장으로서도 쓰는) 보트하우스

boat·ing [bóutiŋ] *n.* **1** Ⓤ 배젓기, 뱃놀이; 작은 배로 하는 운송업 **2** [형용사적으로] 보트 젓기의, 뱃놀이의: a ~ party 뱃놀이의 일행 ***go ~*** 뱃놀이 가다

boat·lift [bóutlìft] *n.* 긴급 해상 수송 《대소(大小) 선박에 의한 많은 인원·물자의》

boat·load [-lòud] *n.* **1** 한 배분의 화물[적재량] **2** 《구어》 많은 사람

***boat·man** [bóutmən] *n.* (*pl.* **-men** [-mən]) **1** 배 젓는 사람; 뱃사공 **2** 전세 보트 업자
~·shìp *n.* Ⓤ 배 젓는 방법, 조정술(漕艇術)

bóat nèck[**nèckline**] 〖복식〗 보트 넥[네크라인] 《옷깃의 앞뒤를 배 바닥 모양으로 도려낸 선[모양]》

bóat pèople [집합적; 복수 취급] 보트 피플 《작은 배로 탈출한 표류 난민》

***bóat ràce** **1** 보트 레이스 **2** [the B- R-] 《영》 Oxford와 Cambridge 대학교 대항 보트 레이스 《매년 Thames 강에서 부활절 전에 함》 **3** 《미·속어》 (경마에서) 미리 짜고 하는 레이스

boat-rock·ing [-rὰkiŋ] *a.* 현재 상태를 뒤흔드는, 질서를 어지럽히는

bóat shòe 보트 슈즈 《갑판 위에서 작업할 때 미끄러지지 않도록 고무창을 댄 신》

bóat spike 배못 《대형 못》

boat·swain [bóusn, bóutswèin] *n.* 〖항해〗 (상선의) 갑판장; 수부장 ★ bo's'n, bosun이라고도 함.

bóatswain's chàir (높은 곳에서 일하기 위하여 로프에 매단) 작업용 의자

bóat tràin (선박과의) 연락 열차, 임항(臨港) 열차

boat·yard [bóutjὰ:rd] *n.* 소형 선박 조선[수리]소 《보트·요트 등의 수리·보관·제조》

***bob**[1] [bάb | bɔ́b] *n.* **1** (위아래로) 재빠르게 움직이기; 가벼운 인사 **2** 《스코》 댄스
—*v.* (**~bed**; **~·bing**) *vt.* **1** (급하게) 위아래로 움직이다[흔들다]; 왈칵 잡아당기다, 살짝 밀다: 《~+목+부》 The horse *~bed* its head *up* and *down.* 말은 핵핵 머리를 상하로 움직였다. **2** 〈여성이〉 (무릎을 굽히며) 〈절을〉 하다, 급하게 움직여서 …을 나타내다: ~ a greeting 머리를 꾸벅하여 인사하다
—*vi.* **1** (급하게) 위아래로 움직이다[흔들리다] **2** 〈여성이〉 (무릎을 굽히며) 절하다, 꾸뻑 인사하다 (*at, to*): 《~+전+명》 ~ *at*[*to*] a person …에게 꾸뻑 인사하다 **3** 조금씩 상하로 움직이다: The ball *~bed* on the waves. 공은 파도 위에서 조금씩 떴다 잠겼다 했다. ***~ and weave*** = ***weave and ~*** (권투에서) 머리와 몸을 끊임없이 상하좌우로 움직이다; 출랑거리다 ***~ at***[***for***] 〈매달거나 물에 띄운 버찌 등을〉 입에 물려고 하다 《놀이에서》 ***~ up*** 발딱 일어나다; 불쑥 나타나다; 떠오르다, 부상하다 ***~ up again*** (***like a cork***) 벌떡 다시 일어서다 ▷ bóbbish *a.*

bob[2] [ME 「다발, 송이」의 뜻에서] *n.* **1** 단발(斷髮) (bobbed hair); 결발(結髮), 고수머리(curl) **2** = BOB WIG **3** (개·말의) 자른 꼬리 **4** (시절(詩節) 등의) 짧은 행 《후렴(refrain) 등》 **5** 낚시찌; 연 꼬리 **6** = BOBSLED; BOB SKATE **7** 《구어·영·방언》 송이, 다발, 묶음(bunch) **—***vt.* (**~bed**; **~·bing**) 〈머리를〉 짧게 자르다, 단발로 하다; 〈동물의 꼬리 등을〉 자르다
—*vi.* 뭉친 갯지네로 고기를 낚다

bob[3] *n.* **1** (가죽·펠트 등의) 회전 광택기 **2** 《고어》 경타(輕打) **—***vt.* (**~bed**; **~·bing**) 가볍게 치다

bob[4] *n.* (*pl.* **~**) 《영·구어》 (종전의) 실링(shilling) 《현재의 5펜스》

Bob [bάb | bɔ́b] *n.* 남자 이름 《Bobby, Bobbie라고도 함; Robert의 애칭》 (***and***) ***~'s*** [***b~'s***] ***your uncle!*** [종종 if, when 절과 함께] 《영·구어》 (…해도[하면]) 괜찮다; 만사 OK다!

bobbed [bάbd | bɔ́bd] *a.* 꼬리를 자른; 단발의[을 한]: ~ hair 단발(bob)

bob·ber[1] [bάbər | bɔ́-] *n.* **1** 홱[깐닥] 움직이는 사람[물건] **2** 낚시찌(float)

bobber[2] *n.* 봅슬레이(bobsleigh) 팀의 일원

bob·ber·y [bάbəri | bɔ́-] *n.* (*pl.* **-ber·ies**) **1** 《구어》 대소동, 야단법석 **2** 《구어》 그러모은 사냥개(=**~ pàck**) **—** *a.* 〈사냥개가〉 그러모아 와글와글 시끄러운; 《구어》 떠들썩한

Bob·bie [bάbi | bɔ́bi] *n.* **1** 남자 이름(cf. BOB) **2** 여자 이름 《Barbara, Roberta의 애칭》

bob·bin [bάbin | bɔ́-] *n.* **1** (통 모양의) 실패, 얼레, 보빈; 가느다란 끈; 손잡이 **2** 〖전기〗 (코일 감는) 통

bob·bi·net [bὰbənét | bɔ̀-] *n.* 기계로 짠 레이스의 일종

bob·bing [bάbiŋ | bɔ́-] *n.* Ⓤ **1** 보빙 《레이더의 반사파(波)가 불규칙적으로 수신되는 것》 **2** (차의) 펜더 축소 개조 **3** bobsled나 skibob을 타는 것

bóbbin làce 바늘 대신 보빈을 사용하여 짜는 수직(手織) 레이스 ★ pillow lace라고도 함.

bob·bish [bάbiʃ | bɔ́-] *a.* 《영·속어》 기분 좋은, 기운찬, 활발한(lively)

bob·ble [bάbl | bɔ́bl] *n.* **1** (깐닥깐닥) 위아래로 움직이기 **2** 〖야구〗 펌블 **3** 《미·구어》 실수, 실책 **4** 〖복식〗 (장식용의) 작은 털실 방울
—*vi.* **1** (깐닥깐닥) 위아래로 움직이다 **2** 《미·구어》 잘못[실수]하다 **—***vt.* 〖야구〗 공을 펌블(fumble)하다

bóbble hàt 작은 방울이 달린 꼭 끼는 털실 모자

bob·by [bάbi | bɔ́bi] [19세기에 런던의 경찰을 설립한 Robert Peel의 애칭에서] *n.* (*pl.* **-bies**) **1** 《영·구어》 순경 **2** = BOBBY CALF

Bob·by [bάbi | bɔ́bi] *n.* **1** 남자 이름(cf. BOB) **2** 여자 이름 《Barbara, Roberta의 애칭》

bóbby càlf 생후 바로 도살되는 송아지

bob·by-daz·zler [bάbidæ̀zlər | bɔ́-] *n.* 《영·방언》 번쩍번쩍 하는 것, 멋있는[굉장한] 것; 매력적인 아가씨

bóbby pìn 《미》 (단발머리를 고정시키는) 헤어핀 (《영》 hair grip)

bóbby sòcks[**sòx**] 《미》 (발목까지 오는 소녀용) 짧은 양말

bob·by-sox·er [bάbisὰksər | bɔ́bisɔ̀ksər] *n.* 《미·구어》 (특히 1940년대의, bobby socks를 신는) 10대 소녀 《영화배우나 가수를 동경하는》, 사춘기의 소녀

bob·cat [bάbkæ̀t | bɔ́b-] *n.* (*pl.* **~s, ~**) 〖동물〗 살쾡이 《북미산(産)》

bo·bèche [boubéʃ] *n.* (촛대의) 촛농 접시

bob·let [bάblit | bɔ́b-] *n.* 2인승 봅슬레이

bob·o·link [bάbəlìŋk | bɔ́-] *n.* 〖조류〗 쌀먹이새 《북미산(産) 연작(燕雀)류의 새》

있다 possess, have, own, pride oneself on
boat *n.* vessel, craft, yacht, sailboat, motorboat, speedboat, rowboat, canoe

bób skàte 봅스케이트 《날이 나란히 두 개 붙은 스케이트》

bobsled 1

bob·sled [bάbslèd | bɔ́b-] *n.* **1** 봅슬레이 《앞뒤에 두 쌍의 활주부(runner)와 조타 장치를 갖춘 2-4인승의 경기용 썰매》 **2** (옛날의 두 썰매를 이은) 연결 썰매; 그 한쪽
— *vi.* (~·**ded**; ~·**ding**) 봅슬레이를 타다 **~·der** *n.*

bob·sled·ding [bάbslèdiŋ | bɔ́b-], **-sleigh·ing** [-slèiiŋ] *n.* Ⓤ 봅슬레이 경기[조작법, 놀이]

bob·sleigh [bάbslèi | bɔ́b-] *n.*, *vi.* (주로 영) = BOBSLED

bob·stay [bάbstèi | bɔ́b-] *n.* 〚항해〛 제1사장(斜檣) 지삭(支索)

bob·sy-die [bάbzidài | bɔ́b-] *n.* (뉴질·구어) 큰소동, 대혼란

bob·tail [bάbtèil] *n.* **1** 꼬리 자른 말[개]; 자른[짧은] 꼬리 **2** (군대속어) 불명예 제대; [the ~] 사회의 쓰레기 **3** (미·속어) 트레일러가 없는 트럭
(***the***) ***ragtag*** [***tagrag***] ***and*** ~ [집합적] 사회의 쓰레기; 하층 계급
— *a.* **1** 꼬리를 자른; 끝을 잘라 버린 **2** 보통보다 짧은, 단축된; 불완전한 — *vt.* …의 꼬리를 짧게 자르다

bob·tailed [-tèild] *a.* 꼬리를 자른

bób vèal 송아지 고기

bob·weight [-wèit] *n.* 〚기계〛 평형[균형]추

bob·white [-*h*wáit] *n.* 〚조류〛 메추라기의 일종 《북미산(産)》

bób wig (뒤에 결발(結髮)이 있는) 머리털이 짧은 가발

bo·cage [boukάːʒ] *n.* Ⓤ **1** 〚미술〛 (도자기류의 장식에 쓰이는) 삼림[전원] 풍경화 **2** (프랑스 서부 등의) 들과 숲 등이 혼재하는 전원 풍경

Boc·cac·ci·o [boukάːtʃiòu, -tʃou, bə- | bɔkάː-tʃiòu] *n.* 보카치오 **Giovanni** ~ (1313-75) 《이탈리아의 작가》

boc·cie, -ci, -ce [bάtʃi | bɔ́-] [It. =balls] *n. pl.* [보통 단수 취급] 보치 《잔디에서 하는 이탈리아의 볼링의 일종》

Boche [bάʃ, bɔːʃ | bɔ́ʃ] *n.*, *a.* [때로 **b~**] (속어·경멸) 독일 사람(의), 독일 병사(의)

bóck (**béer**) [bάk- | bɔ́k-] (미) (독일산(産)의 독한) 흑맥주

bo·cor [boukɔ́ːr] *n.* (미) 부두교(voodoo)의 주술사, 주술 의사

bod [bάd | bɔ́d] *n.* **1** (속어) 몸(body) **2** (영·속어) 사람, 놈, 녀석

BOD biochemical[biological] oxygen demand 생화학적[생물학적] 산소 요구량

bo·da·cious [boudéiʃəs] *a.* **1** (미남부·중부) 틀림없는; 완전한; 명백한 **2** 굉장한, 훌륭한 **3** 뻔뻔스러운, 방자한 **~·ly** *ad.*

*__bode__[1] [bóud] *vt.* (문어) **1** …의 징조가 되다, 조짐이다: The crow's cry ~*s* rain. 까마귀가 우는 것은 비가 올 징조다. **2** (고어) 예언하다, 예보하다
— *vi.* [well, ill 등의 양태 부사와 함께] (…에게 있어서) (좋은[나쁜]) 징조이다 (《*for*》): The news ~*s well for* him. 그 소식은 그에게 있어 좋은 징조다.

bode[2] *v.* BIDE의 과거

bode·ful [bóudfəl] *a.* 징조가 되는; 불길한

bo·de·ga [boudéigə, -díː- | -díː-] [Sp.] *n.* (*pl.* **~s** [-z]) **1** (특히 스페인 어계 미국인 사이의) 식품 잡화점 **2** 포도주 파는 술집, 포도주 저장 창고

bode·ment [bóudmənt] *n.* 징조, 전조; 예언

BÓD fúnctions (자동적으로 작동하는) 신체 기능, 《특히》 배설 작용(natural function)

bodge [bάdʒ | bɔ́dʒ] *n.*, *vt.* = BOTCH[1]

bodg·er [bάdʒər | bɔ́-], **bodg·ie** [bάdʒi | bɔ́-] (호주·구어) *a.* **1** 하등(下等)의, 무가치한 **2** 가명의 — *n.* **1** 하찮은 사람 **2** 가명을 쓰고 있는 사람

bo·dhi·dhar·ma [bòudidάːrmə | -de-] *n.* 〚불교〛 달마 《?-?532; 중국 선종의 개조》

bo·dhi·satt·va, bod·dhi- [bòudisʌ́tvə, -sǽt-] [Skt.] *n.* 〚불교〛 보살(菩薩), 보리살타

bodice 1

bodh·rán [bɔ́ːraːn | báu-] *n.* (아일) 보드란 《염소 가죽으로 만든 아일랜드의 작은 북》

bod·ice [bάdis | bɔ́-] *n.* **1** 보디스 《블라우스·드레스 위에 입는 여성용 조끼》 **2** (여성복의) 몸통 부분 《어깨에서 웨이스트까지》 **3** (폐어) 코르셋

bódice rìpper (구어) (페이퍼백판의) 역사 로망 소설 《중세 시대를 배경으로 한 괴기·로맨스 소설》

bod·ied [bάdid | bɔ́-] *a.* [보통 복합어를 이루어] **1** 동체[육체]가 있는, 몸이 …한 **2** 실체가 있는; 〈음료 등이〉 감칠맛이 있는: ⇨ full-bodied 1

bodi·less [bάdilis | bɔ́-] *a.* 몸[동체]이 없는; 실체(實體)가 없는, 무형의

⁑**bodi·ly** [bάdəli | bɔ́di-] *a.* Ⓐ **1** 신체[육체]상의, 몸의; (정신과 대비해) 육체적인(opp. *mental*): ~ punishment 체형, 체벌 / ~ defects 육체적 결함 / ~ organs 신체의 기관 / ~ exercise 체조 / ~ fear 신체에 대한 위해의 염려 **2** 구체적인, 형체가 있는, 유형의
— *ad.* **1** 육체를 가지고; 유형[구체]적으로 **2** 모두, 온통, 송두리째, 전체로 **3** 몸소, 자기 자신이, 스스로

bod·ing [bóudiŋ] *n.* 징조(omen), 《특히》 흉조(凶兆) — *a.* 징조의, 징조가 되는; 불길한

bod·kin [bάdkin | bɔ́d-] *n.* 큰 바늘, 돗바늘, 뜨개질바늘; 긴 머리핀; 송곳바늘; (조판된 활자를 밀어올리거나 하는) 송곳

⁑**bod·y** [bάdi | bɔ́di] [OE 「통」의 뜻에서] *n.* (*pl.* **bod·ies**) **1** (사람·동물의) 몸, 신체, 육체(opp. *mind*, *soul*, *spirit*); 시체: a healthy ~ 건강한 몸 / the human ~ 인체 / an unidentified ~ 신원 불명의 시체 / build up one's ~ 몸을 만들다[단련하다] **2** (머리·사지를 제외한) 몸통(torso), 동체(opp. *head*, *limb*); (의류의) 몸통 부분, 동부(胴部); 나무의 줄기(trunk): a man's ~ and limbs 사람의 몸통과 사지 **3** (사물의) 주요부 **a** (차·배·비행기의) 본체, 동체, 보디 **b** (건물의) 본채 **c** 〚인쇄〛 (활자면을 받치는) 보디(shank) **d** (악기의) 공명부(共鳴部) **4** 〚기하〛 입체; 〚물리〛 물체, …체(體): a solid ~ 고체 / a heavenly ~ 천체 **5** (군대 등의) 주력, 본대(本隊) **6** [보통 a ~ of …로] **a** 덩어리, 모임: *a* ~ *of* water 수역(水域) 《바다·호수 등》 **b** 떼, 무리, 일단; 다수 **7** (구어) 사람; 《특히》 여성: a good sort of ~ 좋은 사람, 호인 **8** [집합적; 단수·복수 취급] 조직체; 단체; 법인: a public ~ 공공 단체 / a corporate ~ 법인 단체 / a sponsoring ~ 후원[개최] 단체 **9** [the ~] (단체 등의) 대부분: *the* ~ of the population 인구의 대부분 **10** Ⓤ [또는 a ~] **a** (물체의) 밀도, 농도: a wine of full ~ 감칠맛이 나는 포도주 **b** (작품·음색 등의) 실질, 알맹이; 생기, 활기; (연설문·문서 등의) 본문, (광고 카피의) 본체: a play with little ~ 내용이 없는 희곡 **c** (기름의) 점성(粘性) **11** Ⓤ (도자기의) 밑바탕 **12** (영) 보디수트 ((미) bodysuit)
~ ***and breeches*** (미·구어) 전적으로, 아주, 완전히
~ ***and soul*** 몸과 마음을 다하여, 전적으로, 완전히; (미·속어) 연인, 애인: own a person ~ *and soul* …을 완전히 지배하에 두다 / give ~ *and soul* to the work 일에 전심전력을 다하다 ***give*** ~ ***to*** …을 구체화하다, 구현하다 ***heirs of*** one***'s*** ~ 직계 상속자 ***Here***[***There***] ***in*** **~, *but not in spirit.*** 몸은 여기

thesaurus **body** *n.* **1** (인간의) 몸 frame, form, figure, shape, build, physique **2** 시체 dead body, corpse, cadaver, carcass, remains **3** 주요부

있어도 마음은 다른 곳에 있다. ***in a ~*** 한 덩어리가 되어: resign *in a* ~ 총사직하다 ***in ~*** 몸소, 친히 ***in ~ and mind*** 심신으로 ***keep ~ and soul together*** 겨우 살아 나가다 ***know where the bodies are buried*** 《미·속어》 (범죄·스캔들 등의) 비밀을 알고 있다 ***over** one**'s dead ~*** 《구어》 내 눈에 흙이 들어가기 전에는[누가 뭐라 해도, 절대로] (…시키지 않다) ***spiritual ~*** 〖종교〗 정령체(精靈體) ***the ~ of Christ*** 성찬의 빵, 성체(聖體); 교회
—*vt.* (**bod·ied**) 〈관념을〉 체현[구현]하다, 구체화하다(embody) ***~ forth*** …을 마음에 그리다; …을 구체적으로 나타내다; …을 상징하다, 표상하다 ***~ out*** 부연(敷衍)하다
—*a.* **1** 몸의, 육체적인(bodily): ~ temperature 체온/⇨ body odor **2** (논문·편지 등의) 본문의

bod·y·ar·mor [bɑ́diɑ̀ːrmər | bɔ́di-] *n.* 방탄복

bódy àrt 보디 아트 《인체 자체를 미술의 재료로 삼는 예술의 한 양식; 사진 등으로 기록》

bódy àrtist 보디 아티스트

bódy bàg (지퍼가 달린) 시체 운반용 부대

bódy blòw **1** 〖권투〗 보디 블로, 복부 타격 **2** 《비유》 대패배; 큰 타격[좌절]

bódy bòard 보디 보드 《배에 대고서 파도타기를 하는 판》

bódy brùsh 말의 몸을 손질하는 솔

bod·y·build [-bìld] *n.* (특징 있는) 체격, 체질

bod·y·build·er [-bìldər] *n.* **1** 차체(車體) 제작공 **2** 영양이 있는 음식물 **3** 보디빌딩을 하는 사람

bod·y·build·ing [-bìldiŋ] *n.* Ⓤ 보디빌딩

bódy bùrden (방사능 물질 등) 체내 축적 유해 물질

bódy càvity 〖해부·동물〗 체강(體腔)

bód·y chèck **1** 〖아이스하키〗 (상대편에게) 몸으로 부딪치기 **2** 〖레슬링〗 (상대방의 움직임을) 몸 전체로 막기

bod·y·check [-tʃèk] *vt., vi.* 〖아이스하키〗 몸으로 부딪치다, 보디체크하다

bódy clòck 〖생리〗 체내 시계(biological clock) 《몸 컨디션을 규칙 있게 유지하는 기능을 함》

bódy còlor **1** (보석 등의) 실체(實體)색 **2** (그림물감·페인트의) 농후 색소, 체질 안료

bódy còn *a.* (꽉 끼는 옷차림으로) 몸매를 드러내는

bódy còntact 신체[피부] 접촉(physical contact)

bódy còpy 〖광고〗 보디 카피 《광고의 주문(主文)》

bódy córporate 〖법〗 법인(corporation)

bódy còunt **1** (적의) 전사자 수, 사망자 수 **2** 《미·구어》 출석자 수; (시험의) 낙제자 수

bódy dòuble (영화·TV 등의 누드 신에 출연하는) 대역

bódy Ènglish 《미·구어》 **1** 〖스포츠〗 차거나 던진 공이 원하는 곳으로 가도록 그 방향으로 몸을 무의식적으로 비트는 경기자의 동작 **2** 몸짓, 제스처

bódy flùid 〖생리〗 체액

*__bod·y·guard__ [bɑ́digɑ̀ːrd | -bɔ́di] *n.* 보디가드, 경호원, 수행원; [집합적] 호위대; (경찰대 등의) 경호
—*vt., vi.* 보디가드를 맡다[붙이다], 호위하다[시키다]

bódy hèat 〖생리〗 체열, 동물열(animal heat)

bódy ìmage 〖심리〗 신체상(身體像), 자기 신체에 대해 가지는 심상(心像)

bódy lànguage 보디랭귀지 《상대방에게 의지나 감정을 전달하는 무의식적인 몸짓·표정·태도》

bod·y-line [-làin] *n.* 〖크리켓〗 (겁을 주기 위해) 타자에게 닿을 듯한 속구(=~ **bòwling**)

bódy máss índex 신체 용적 지수 《체중(킬로그램)을 신장(미터)의 제곱으로 나눈 비만도 지수; 22가 표준》

bódy mechànics 신체 역학 《(여성의) 신체 기능의 조정·내구력·균형 등을 향상시키는 조직적인 운동》

bódy mìke 《구어》 옷깃 따위에 다는 소형 마이크

---

main[principle] part, hub, core **4** 다수 majority, bulk, mass **5** 단체 group, party, band, association, company, confederation, corporation

bódy òdor 체취; 암내 《略 BO》

bódy pàck 《미·속어》 보디 팩 《마약을 체내에 숨겨 밀수하는 방법》

bódy pàint 보디 페인트 《몸에 칠하는 화장품[물감]》

bódy pàinting 〖미술〗 보디 페인팅 《나체에 그림을 그리는 미술의 일종》

bódy pìercing (귀 이외의) 혀·배꼽 등에 구멍 뚫기

bódy plàn **1** 〖생물〗 체제(體制) 《동물 몸의 기본 형식》 **2** 〖조선〗 정면 선도(線圖) 《정면에서 본 대선체(大船體) 각부의 횡단면》

bódy pólitic (*pl.* **bodies politic**) [the ~] 정치 통일체, 국가, 국민

bod·y-pop·ping [-pɑ́piŋ | -pɔ́-] *n.* Ⓤ 디스코 음악에 맞춰 로봇의 동작과 흡사하게 추는 춤

bódy prèss 〖레슬링〗 보디 프레스 《상대편을 타고 앉아 누르는 기술》

bódy protèctor 〖야구〗 (포수나 주심용의) 가슴받이, 프로텍터

bódy rùb 《미·속어》 전신 마사지

bódy scànner 〖의학〗 보디 스캐너 《단층 X선 투시 장치; 신체의 이상 부위 진단용》

bódy sèarch (공항 등에서의) 신체 검사

bod·y-search [-sə̀ːrtʃ] *vt.* (공항 등에서) …에게 신체 검사를 하다

bódy sèrvant 시종, 몸종

bódy shàke = SKIN SEARCH

bod·y·shell [-ʃèl] *n.* (자동차의) 차체 외각(外殼)

bódy shìrt **1** 몸에 꼭 맞는 셔츠[블라우스] **2** (여성용) 셔츠와 팬티가 붙은 내의

bódy shòp **1** 《미》 (자동차의) 차체 제조[수리] 공장 **2** 《미·속어》 직업소개소; 헬스클럽; 독신 남녀 전용 바(singles bar); 유곽, 매춘 중개업소; 《영》 (집회·데모 등에의) 인원 공급[동원] 회사

bódy slàm 〖레슬링〗 보디 슬램, 들어 메치기

bódy snàtcher **1** 〖역사〗 시체 도둑 《무덤을 파헤쳐 시체를 해부 학자에게 팔던》(resurrectionist) **2** 《미·속어》 유괴범 **3** 《속어》 들것으로 나르는 사람 **4** 《속어》 장의사 **5** (관리직의) 스카우트 알선 업자

bódy stòcking 보디 스타킹 《몸에 달라붙는, 스타킹식 내의》

bod·y·suit [-sùːt] *n.* 보디수트(《영》 body)

bod·y·surf [-sə̀ːrf] *vi.* 서프보드 없이 파도를 타다

bod·y·surf·ing [-sə̀ːrfiŋ] *n.* Ⓤ 서프보드 없이 파도를 타는 것

bódy swèrve (충돌을 피하려고) 몸을 획 틀기

bódy tèxt [보통 the ~] (표제나 주석을 제외한) 본문

bódy tràck 〖철도〗 조차용(操車用) 선로

bódy tỳpe 〖인쇄〗 본문 활자(cf. DISPLAY TYPE)

bódy wàll 〖해부〗 체벽

bódy wàrmer 《영》 보통 누벼서 만든 방한용 조끼의 일종

bod·y·wave [-wèiv] *n.* 보디 웨이브 《브레이크 댄싱에서 파도가 흐르는 듯이 추는 춤》

bod·y·wear [-wɛ̀ər] *n.* 보디웨어 《가볍고 신축성이 있는 천으로 만든, 몸에 꼭 맞는 의류》

bod·y·work [-wə̀ːrk] *n.* Ⓤ **1** 차체의 제작[수리] **2** 차체 (구조)

bódy wràp 〖미용〗 보디 랩 《미용 효과가 있는 성분을 몸에 바르고, 그 위를 온습포(溫濕布) 찜질을 하듯 감싸는 감량 미용술》

boehm·ite [béimait, bóu- | bə́ː-] *n.* 〖광물〗 뵘석(石) 《알루미늄 원광 보크사이트의 주요 성분의 하나》

Boe·ing [bóuiŋ] *n.* 보잉사(社) 《미국의 항공기 제조 회사》; 그 항공기

Boe·o·tia [bióuʃə] *n.* 보이오티아 《아테네 북서쪽에 있는 고대 그리스의 지방·도시 국가》

Boe·o·tian [bióuʃən] *a.* **1** 보이오티아(Boeotia) (사람)의 **2** 어리석은, 우둔한 —*n.* **1** 보이오티아 사람; Ⓤ (고대 그리스 어의) 보이오티아 방언 **2** 우둔한 사람; 문학·예술에 대해 무식한 사람

Boer [bɔ́ːr, búər] *n.* 보어 사람 《남아프리카의 네덜

란드 이주민의 자손; 지금은 보통 Afrikaner를 씀》
— *a.* Ⓐ 보어 사람의
Bóer Wár [the ~] 보어 전쟁《1899-1902》
boeuf bour·gui·gnon [bə́:f-bùərgi:njɔ́:ŋ] [F =beef of Burgundy] 뵈프 부르기뇽《쇠고기·양파·버섯 등을 적포도주로 조리한 음식》
B. of E. Bank of England; Board of Education
boff [báf | bɔ́f] 《미·속어》 *n.* **1** 《연극·영화 따위의》 대성공, 히트 **2** 폭소(를 일으키는 재치있는 말) **3** 주먹의 일격 **4** 성교 **5** 궁둥이
— *vt., vi.* **1** 폭소하다 **2** 주먹으로 치다 **3** 성교하다
bof·fin [báfin | bɔ́-] *n.* 《영 구어》 (특히 과학 기술·군사 산업 연구에 종사하는) 과학자, 전문 기술자
bof·fo [báfou | bɔ́-] 《미·속어》 *n.* (*pl.* **~(e)s**) **1** =BOFF **2** 1달러 **3** 1년(의 형기)
— *a.* 크게 히트[성공]한, 세상을 깜짝 놀라게 하는
bof·fo·la [bɑfóulə | bɔ-] *n.* 《속어》 =BOFF
B. of H. Board of Health; Band of Hope
Bó·fors gùn [bóufɔ:rz-, -fɔ:rs- | -fəz-] [스웨덴의 지명에서] (대공용) 40밀리 자동 소총
B. of T. Board of Trade 《영》 상무부
*__bog__[1] [bág, bɔ́:g | bɔ́g] *n.* **1** 소택지, 습지; 수렁 **2** (진보·개선 등을) 방해하는[지체시키는] 것 ***make a ~ of ...*** 《영·속어》 …을 엉망으로 만들다
— *vt., vi.* (**~ged**; **~·ging**) 수렁에 빠뜨리다[빠지다], 꼼짝못하게 하다[되다]; 난항하다[하게 하다]
be [***get***] ***~ged*** 수렁에 빠지다 **~ *down*** 수렁에 빠지다; 꼼짝못하다 **~ *in*** 《호주·구어》 기세 좋게 〈일을〉 시작하다; 먹기 시작하다 **~ *off*** 《영·속어》 나가다 **~ *up*** 《속어》 혼란시키다, 엉망으로 만들다 ▷ bóggy *a.*
bog[2] *n.* **1** [보통 *pl.*] 《영·속어》 (옥외) 변소, 화장실 (《미》 john) **2** 《호주·속어》 배변
— *vi.* 《영·속어》 배변하다
bo·gan [bóugən] *n.* 《캐나다》 흐름이 잔잔한 강의 지류, 강의 웅덩이[소]
bo·gart [bága:rt | bɔ́-] *vt.* 《속어》 …에게 난폭하게 굴다, 협박하여 자기 것으로 만들다; (나누어 피우지 않고) 〈대마초를〉 독점하다
bo·gey[1] [bóugi] 〖골프〗 *n.* **1** 보기《par보다 한 번 더 쳐서 홀에 넣기》(⇨ par[1] 관련) **2** 《영》 (평화적인 플레이어에게 요구되는) 기준 타수(打數) 《보통 par보다 많음》 — *vt.* 〈홀을〉 보기로 마치다
bogey[2] *n.* =BOGY
bo·gey·man [búgimæ̀n, bóugi-, bú:gi- | bóugi-] *n.* (*pl.* **-men** [-mèn]) **1** (어린이에게 겁주기 위해 들먹이는) 못된 아기를 데려간다는 귀신[요괴] **2** 무서운 것[사람]; 고민거리
bog·gle[1] [bágl | bɔ́gl] *vt.* **1** 깜짝 놀라게 하다, 압도하다, 주춤하게 하다 **2** 〈시험 등에〉 실패하다, 실수하다
— *vi.* **1** (무서워서·놀라서) 펄쩍 뛰다, 움찔하다 **2** (…에) 망설이다, 주춤하다 《*at, about*》 **3** 실수하다, 실패하다 ***The mind*** [***imagination***] ***~s.*** 《구어》 상상도 할 수[믿을 수] 없는 일이다.
— *n.* (놀라서) 펄쩍 뜀, 움찔함, 주춤거림; 실수
boggle[2] *n.* =BOGLE
bog·gling [bágliŋ | bɔ́-] *a.* 아연케 하는, 놀랄 만한
bog·gy [bági, bɔ́:gi | bɔ́gi] *a.* (**-gi·er**; **-gi·est**) 습지[늪, 수렁]의; 소택지[늪, 수렁]가 많은
bo·gie[1] [bóugi] *n.* **1** 〖자동차〗 보기 차 **2** 낮고 견고한 짐수레[트럭]; 광차(鑛車) **3** (6륜 트럭의) 구동 후륜 **4** 《영》 〖철도〗 보기 대차(臺車)
bogie[2] *n.* =BOGY
bóg ìron óre 〖광물〗 갈철석(褐鐵石)
bo·gle [bóugl, bágl | bɔ́gl] *n.* **1** 도깨비, 귀신, 요귀(妖鬼), 유령 **2** 《영》 허수아비
bóg mòss 〖식물〗 물이끼
Bog·ners [bágnərz | bɔ́g-] [스키용품 메이커 이름에서] *n. pl.* 《미》 스키 바지(ski pants)
BOGOF [bá:gɑ:f | bɔ́gɔf] [*b*uy *o*ne, *g*et *o*ne *f*ree] *n.* 《영·구어》 하나 사면 하나 무료
Bo·go·tá [bòugətá:, ˌ-ˊ] *n.* 보고타 《남미 콜롬비아 공화국의 수도》
bog-pock·et [bágpɑ̀kit | bɔ́gpɔ̀-] *n.* 《미·속어》 구두쇠, 절약가
bog-stand·ard [bágstæ̀ndərd | bɔ́g-] *a.* 《영·구어》 흔한, 평범한
bog·trot·ter [bágtrɑ̀tər | bɔ́gtrɔ̀-] *n.* 소택지 주민[방랑자]; 《경멸》 아일랜드 사람
bogue [bóug] *a.* 《미·속어》 **1** 마약이 떨어진, 마약을 필요로 하는 **2** 가짜의, 위조의(phony)
— *n.* 금단(禁斷) 증상
bo·gus [bóugəs] *a.* **1** 가짜의, 사이비(似而非)의 (phony): a ~ note 위조 지폐 / a ~ company 사이비[유령] 회사 **2** 《속어》 매력 없는; 믿을 수 없는
bog·wood [bágwùd | bɔ́g-] *n.* Ⓤ 이탄지(泥炭地)의 매목(埋木) 《장식용으로 씀》
bo·gy [bóugi] *n.* (*pl.* **-gies**) **1** 《미》 악귀, 악령; 무서운 사람[것]; =BOGEYMAN; (까닭 없는) 불안 **2** 《속어》 〖군사〗 국적 불명기(機)[비행 물체]; 적기 **3** 《영·속어》 코딱지(《미》 booger) **4** 《고어》 형사, 경관
boh [bóu] *int.* =BO[1]
Bo Hai [bóu-hái], **Po Hai**, [póu-hái] 발해(渤海)(만) 《별칭 Gulf of Zhili[Chihli]》
bo·hea [bouhí:] *n.* [종종 **B~**] 무이차(武夷茶) 《중국산(産)의 질이 낮은 홍차; 한때는 인기가 있었음》
Bo·he·mi·a [bouhí:miə] *n.* **1** 보헤미아 《체코 서부 지역; 본래 왕국》 **2** [종종 **b~**] 자유 분방한 사회[지구]
*__Bo·he·mi·an__ [bouhí:miən] *n.* **1** 보헤미아 사람; Ⓤ 보헤미아 말 **2** [종종 **b~**] 자유분방한 생활을 하는 사람 《특히 예술가》 **3** 집시
— *a.* **1** 보헤미아의; 보헤미아 사람[말]의 **2** [종종 **b~**] 방랑적인; 전통에 얽매이지 않는; 자유분방한, 호방한 **~·ism** *n.* Ⓤ 자유분방한 기질[생활, 주의]
bo·ho [bóuhou] 《구어》 *n.* 보헤미안, 괴짜, 기인
— *a.* 보헤미안적인(bohemian), 깔끔하지 못한
Bohr [bɔ́:r] *n.* 보어 **Niels H.D.** ~ (1885-1962) 《덴마크의 물리학자; 1922년 노벨상 수상》
Bóhr effèct 〖생리〗 보어 효과 《혈액 산소 해리 곡선에 나타나는 이산화탄소의 영향》
boh·ri·um [bɔ́:riəm] *n.* 〖화학〗 보륨 《인공 방사성 원소; 기호 Bh》
Bóhr màgneton 〖물리〗 보어 자자(磁子) 《자기 모멘트를 나타내는 단위》
Bóhr thèory 〖물리〗 보어 이론 《Bohr의 원자 구조론》
bo·hunk [bóuhʌ̀ŋk] *n.* 《미·속어》 **1** 중부[동부] 유럽 출신의 미숙한 이민 노동자 **2** 폭한(暴漢), 거친 사람; 손재주가 없는 사람, 얼간이
***__boil__[1] [bɔ́il] [L 「거품」의 뜻에서] *vi.* **1 a** 끓다, 비등하다 **b** 〈물 등이〉 분출하다 **2** 〈바다가〉 (뒤끓듯이) 파도치다, 물결이 일다 **3** 《구어》 〈피가〉 끓어오르다; 격분하다: (~+전+명) ~ *with* rage 격앙하다 **4** 〈음식이〉 삶아지다, 익다 **5** 〈군중 등이〉 돌진하다(rush)
— *vt.* **1** 끓이다, 비등시키다: ~ a kettle 주전자의 물을 끓이다 **2** 삶다, 〈밥을〉 짓다(⇨ cook 유의어): ~ rice 밥을 짓다 // (~+목+보) ~ an egg soft 달걀을 반숙으로 하다 **3** 〈설탕·소금 등을〉 졸여서 만들다 **4** 〈의복을〉 열탕 소독하다, 삶다 **~ *away*** (1) 끓어서 증발하다, 끓여서 증발시키다, 졸이다 (2) 〈용기(用器)가〉 (빌 때까지) 계속 비등하다 (3) 〈흥분 등이〉 가라앉다 **~ *down*** 졸이다, 졸다; 요약하다[되다] **~ *down to ...*** 결국[요컨대] …으로 되다 **~ *dry*** 〈액체가〉 끓어서 없어지다 **~ *forth*** 입에 거품을 내며 지껄이다 **~ *off*** 끓여[삶아] 제거하다 **~ *over*** 끓어 넘치다; 펄펄 뛰며 노하다, 노발대발하다; 〈사태가〉 위기에 이르다, 폭발하다 **~ *the pot*** = ***make the pot ~*** ⇨ pot. **~ *up*** 끓어오르다; 삶다; 끓여 소독하다; 〈수프 등을〉 끓이다, 데우다; 《구어》 〈분쟁 등이〉 일어나다, 일어나려고 하다 ***keep the pot ~ing*** ⇨ pot
— *n.* **1** 비등, 끓임, 삶음; 비등점 **2** (급류의) 소용돌이 거품이 이는 곳 ***be on*** [***at***] ***the ~*** 끓고 있다 ***bring*** [***come***] ***to the ~*** 끓게 하다[끓기 시작하다] ***give a ~*** 끓이다, 삶다 ***go*** [***take***] ***off the ~*** 열의가 식다,

홍미를 잃다; 세력이 약해지다
boil² *n.* 종기(腫氣), 부스럼(furuncle)
boil·a·ble [bɔ́iləbl] *a.* 〈식료품이〉 익힐 수 있는; (인스턴트 요리에서) 봉지째 끓여서 데울 수 있는
boiled [bɔ́ild] *a.* **1** 끓은, 삶은 **2** 《속어》 취한
bóiled dínner 《미》 고기와 야채의 잡탕 찜
bóiled dréssing 노른자위를 넣고 뜨겁게 데운 샐러드 드레싱
bóiled óil 〖화학〗 보일유 《아마인유(亞麻仁油) 등에 건조제를 첨가하고 가열하여 건조성을 높인 건성유》
bóiled shírt **1** 《구어》 (가슴 부분을 빳빳하게 풀먹인) 예장용 흰 와이셔츠 **2** 《속어》 딱딱한 사람[태도], 젠체하는[점잔 빼는] 태도 (*as*) ***stiff as a*** ~ 딱딱하게, 빳빳하게
bóiled swéet 《영》 눈깔사탕(hard candy)
***boil·er** [bɔ́ilər] *n.* **1** 보일러, 기관(汽罐) **2** (가정용) 급탕기(給湯器), 끓이는 그릇 《솥·냄비 등》 **3** 급탕 탱크 **4** 끓여 먹는 음식 《야채 등》 **5** 끓이는 사람
boil·er·mak·er [bɔ́ilərmèikər] *n.* **1** 보일러 제조자 **2** UC 《미·구어》 맥주를 탄 위스키
boil·er·plate [-plèit] **1** U 보일러판(板) 《압연 강판》 **2** U 《미》 (주간 신문 등이 사용하는 연판(鉛版)으로 된) 공통[배급] 기사; 진부하게 사용된 문장 **3** UC 《구어》 (워드 프로세서 작성의 통신문 등의) 반복 사용 어구 **4** UC (계약서·보증서 등의) 상투어, 공통 조항
bóiler ròom **1** 보일러실 **2** 《미·속어》 (전화로 영업하는) 무허가 증권 중매소(仲買所)(bucket shop)
bóiler scàle 관석(罐石), 더껑이 《보일러 속의 때》
bóiler shòp =BOILER ROOM 2
bóiler sùit 《영》 (위아래가 붙은) 작업복(overalls)
***boil·ing** [bɔ́iliŋ] *a.* A **1** 끓어오르는; 뒤끓는 듯한 **2** (바다가 뒤끓듯이) 사나운 **3** (정열 등이) 격렬한 **4** 푹푹 찌는 듯한, 몹시 더운
— *ad.* 격렬하게; 심하게; 매우, 대단히: ~ hot 찌는 듯이 더운, 굉장히 더운 / ~ mad 《구어》 노기충천한, 미친 듯이 흥분한
— *n.* **1** U 비등, 끓음, 삶음 **2** 1회분의 삶을 거리 ***the whole*** ~ 《속어》 전부, 전체
bóiling pòint **1** 비등점 **2** [the ~] 울화가 터질 때, 격노할 때; 흥분의 절정 **3** 결단을 내릴 때, 중대한 전기(轉機)
bóiling wáter reàctor 〖물리〗 비등수(沸騰水) 원자로 《略 BWR》
boil-off [bɔ́ilɔ̀:f, -ɑ̀f] *n.* 〖우주과학〗 연료의 증발 《로켓의 countdown 중의》
boil·o·ver [-òuvər] *n.* 《호주·속어》 (경마 등에서의) 예상 밖의 결과
boil-up [-ʌ̀p] *n.* 《호주》 차 끓이기
***bois·ter·ous** [bɔ́istərəs] *a.* **1** 〈사람·행위 등이〉 거친, 사나운, 난폭한; 명랑하고 떠들썩한: a ~ party 떠들썩하고 명랑한 파티 **2** 〈바람·파도 등이〉 거친, 사나운, 휘몰아치는 **~·ly** *ad.* **~·ness** *n.*
boîte [bwɑ́:t] [F] *n.* (*pl.* **~s** [-(**s**)]) 나이트클럽, 카바레
bok choy [bɑ́k-tʃɔ́i | bɔ́k-] 〖식물〗 청경채 《중국 배추의 한 종류》
boke [bóuk] *n.* 《미·속어》 코(nose)
Bok·mål [búkmɔ̀:l] *n.* 부크몰 《노르웨이의 2개 공용어 중의 하나》
bo·ko [bóukou] *n.* (*pl.* **~s**) 《영·속어》 **1** 코 **2** (사람의) 머리
Bol. Bolivia; Bolivian
bo·la(**s**) [bóulə(s)] *n.* (*pl.* **-las**(**·es**)) 볼라 《끝에 쇳덩어리가 달린 투척용 밧줄; 남미의 원주민이나 카우보이가 짐승 발에 던져 휘감기게 함》
bóla tìe =BOLO TIE
‡**bold** [bóuld] *a.* **1** 대담한(daring), 용감한, 과감한 (⇨ courageous 유의어): a ~ explorer[act] 대담한 탐험가[행위] **2** 《특히》 〈여성·여성의 태도가〉 뻔뻔스러운, 되바라진, 철면피한, 지나친: a ~ retort 건방진 말대꾸 **3** 〈행위 등이〉 용기와 담력을 요하는, 배짱이 있어야 하는; 도전적인: a ~ adventure[attack] 대담한 모험[공격] **4** 〈묘사·상상력 등이〉 힘 있는, 분방한 **5** 두드러진, 뚜렷한(striking); 〈선 등이〉 굵은: ~ lines 굵은 선 / in ~ relief 뚜렷하게 돋보이는 **6** 〈낭떠러지 등이〉 가파른, 험한(steep): a ~ cliff 단애 **7** 〖인쇄〗 =BOLD-FACED 2
(*as*) ~ ***as brass*** 아주 뻔뻔한 ***be*** [***make***] (***so***) ~ (***as***) ***to*** do 실례지만 …하다, 대담하게도[감히] …하다: I *make* ~[*make so* ~ *as*] *to* ask you. 실례지만 여쭤보겠습니다. 《윗사람에 대해서 씀》 ***make*** ~ ***with*** …을 제마음대로 쓰다 《make free with 쪽이 일반적》 ***put a*** ~ ***face on*** …을 시치미 떼고[대담하게] 강행[감행]하다, …에 대해 대담한[태연한] 체하다
bold·face [bóuldfèis] *n.* U 〖인쇄〗 볼드체 활자 (opp. *lightface*)
— *a.* 볼드체의, 볼드체 활자로 인쇄된
bold-faced [-fèist] *a.* **1** 뻔뻔한 **2** 〖인쇄〗 볼드체의
***bold·ly** [bóuldli] *ad.* 대담하게; 뻔뻔스럽게; 뚜렷이
bold·ness** [bóuldnis] *n.* U **1** 대담, 뱃심, 배짱: (~+to*** do) He had the ~ *to* approach the girl. 그는 대담하게도 그 소녀에게 접근했다. **2** 분방자재(奔放自在) **3** 두드러짐, 눈에 띔
bole¹ [bóul] *n.* 나무의 줄기(trunk)
bole² *n.* U 〖지질〗 교회 점토(膠灰粘土)
bo·lec·tion [boulékʃən] *n.* 〖건축·가구〗 볼록 몰딩, 볼록 쇠시리
bo·le·ro [bəléərou, bou- | bəléər-] *n.* (*pl.* **~s**) **1** 볼레로 《경쾌한 3/4박자의 스페인 무용》; 그 무용곡 **2** (블라우스 위에 입는) 짧은 상의, 볼레로
bo·le·tus [boulí:təs] *n.* (*pl.* **~·es, -ti** [-tai]) 〖식물〗 그물버섯
bo·lide [bóulaid, -lid] *n.* 〖천문〗 불덩이[폭발] 유성, 폭발 화구(火球)
bo·li·var [bɑ́ləvər, bəlí:vɑ:r | bɔ́livɑ̀:] *n.* (*pl.* ~(**e**)**s**) **1** 볼리바르 《베네수엘라의 화폐 단위; 기호 B; =100 centimos》 **2** 1볼리바르 은화
Bo·liv·i·a [bəlíviə, bou-] *n.* **1** 볼리비아 《남미 중서부의 공화국; 수도 La Paz, 헌법상은 Sucre》 **2** [**b~**] U 부드러운 모직 천 **-i·an** *a.*, *n.* 볼리비아의 (사람)
bo·li·vi·a·no [bəlìviɑ́:nou, bou-] *n.* (*pl.* **~s**) 볼리비아노 《볼리비아의 화폐 단위; 기호 B; =100 centavos》
boll [bóul] *n.* (목화·아마 등의) 둥근 꼬투리, 다래
bol·lard [bɑ́lərd | bɔ́-] *n.* **1** 〖항해〗 배 매는 기둥, 계선주(繫船柱), 볼라드 **2** 《영》 (도로 한가운데에 있는 안전 지대(traffic island)의) 보호 기둥
bol·lix [bɑ́liks | bɔ́-] *vt.* 《미·구어》 **1** 혼란시키다; 엉망으로 만들다 《*up*》 **2** 〈시험 등에〉 실패하다 《*up*》
— *n.* 혼란; 실패
bol·lock [bɑ́lək | bɔ́-] *vt.* 《영·속어》 엄하게 꾸짖다
bol·lock·ing [bɑ́ləkiŋ | bɔ́-] *n.* 《영·속어》 심한[엄한] 질책, 호된 꾸지람 ***give*** a person ***a*** ~ …를 크게 야단치다
bol·locks [bɑ́ləks | bɔ́-] *n. pl.* **1** 《영·비어》 고환, 불알 **2** [the ~] 《영·속어》 최고로 멋진 것 — *int.* 제기랄, 시시해 — *vt.* 엉망으로 만들다, 망쳐 놓다
bóll wéevil **1** 〖곤충〗 목화다래바구미 **2** 《미·정치속어》 (보수적인 공화당의 정책을 지지하는) 보수적인 민주당 의원; 《미·속어》 노동조합에 가입하지 않는 노동자
boll·worm [bóulwə̀:rm] *n.* 〖곤충〗 목화다래벌레
Bol·ly·wood [bɑ́:liwùd | bɔ́l-] [*B*ombay+*H*ol*lywood*] *n.* 《구어》 발리우드 《할리우드에 빗댄 인도의 영화 산업; 봄베이를 거점으로 함》
bo·lo [bóulou] *n.* (*pl.* **~s**) (필리핀의) machete와 유사한 대형 칼
bo·lo·gna [bəlóuni, -nə, -njə | -njə] [이탈리아 북부의 도시 이름에서] *n.* 볼로냐 (소시지) 《쇠고기·돼지고기로 만든 큰 소시지》(=**~ sàusage**)
Bo·lo·gnese [bòulənjí:z, -ní:s, -lənjí:z, -jí:s | bɔ̀u-] *n.* (*pl.* ~) 볼로냐 (태생의) 사람
— *a.* **1** 볼로냐의; 볼로냐 사람의 **2** 볼로냐 식의 **3**

〖미술〗 볼로냐파의 《16세기 말 카라치(Carracci)가 볼냐에서 발전시킨 화풍》(= ~ **sàusage**)
bo·lo·graph [bóuləgræ̀f | -grɑ̀:f] *n.* 〖물리〗 볼로미터에 의한 기록 **bò·lo·gráph·ic** *a.*
bo·lom·e·ter [boulɑ́mətər, bə- | -lɔ́-] *n.* 〖물리〗 볼로미터 《미량 복사 에너지 측정용 저항 온도계》
bo·lo·ney [bəlóuni] *n.* **1** = BALONEY **2** 《미》 볼로냐 소시지(bologna)
bólo[bóla] tìe 《미》 볼로 타이 《장식 금속 고리로 고정시키는 끈 타이》
Bol·she·vik [bóulʃəvìk, bɑ́l- | bɔ́l-] [Russ. 「보다 많은 수의」의 뜻에서] *n.* (*pl.* **~s**, **-vik·i** [-vìki, -vì:ki]) **1 a** [the Bolsheviki] 볼셰비키 《러시아 사회 민주 노동당의 다수파·과격파; cf. MENSHEVIK》 **b** 볼셰비키의 일원 **2** 공산당원 **3** [때로 **b~**] 과격주의자 — *a.* **1** 볼셰비키의 **2** [때로 **b~**] 과격파의
Bol·she·vism [bóulʃəvìzm, bɑ́l- | bɔ́l-] *n.* Ⓤ **1** 볼셰비키의 정책[사상] **2** [때로 **b~**] 과격주의
Bol·she·vist [bóulʃəvist, bɑ́l- | bɔ́l-] *n.* **1** 볼셰비키의 일원 **2** [때로 **b~**] 과격주의자 — *a.* 볼셰비키의
Bol·she·vis·tic [bòulʃəvístik, bɑ̀l- | bɔ̀l-] *a.* Bolshevist의; [종종 **b~**] 과격주의의
Bol·she·vize, b- [bóulʃəvàiz, bɑ́l- | bɔ́l-] *vt.* 볼셰비키화(化)하다, 적화(赤化)하다
— *vi.* 볼셰비키화(化)되다, 적화(赤化)되다
Bol·shie, -shy [bóulʃi, bɑ́l- | bɔ́l-] *n.* (*pl.* **-shies**) **1** 《영·속어》 과격주의자 **2** 좌익 — *a.* **1** 《영·속어》 과격파의, 체제에 반항하는 **2** 좌익의
Ból·shoi Ballét [bóulʃɔi-, bɑ́l- | bɔ́l-] 볼쇼이 발레단 《모스크바 국립 발레단》
bol·ster [bóulstər] *n.* **1** (pillow를 얹는) 덧베개 **2** 받침, 지지물 《서까래·받침대 등》
— *vt.* **1** 〈환자 등을〉 덧베개로 받쳐 주다 《*up*》 **2** 〈학설·운동 등을〉 지지하다; 보강하다 **3** 기운내게 하다, 튼튼하게 하다 **4** …에 채워넣다
⁑**bolt¹** [bóult] [OE 「화살」의 뜻에서] *n.* **1** 볼트, 나사못(cf. NUT) **2** 빗장, 걸쇠; 자물쇠청; (총의) 노리쇠 **3** 탈주, 도망 **4** 결석, (회합에서) 빠져 나감; 탈당; 《미》 자기 당의 정책[공천 후보자] 거부 **5** (피륙·벽지 등의) 한 통, 한 필, 한 묶음 **6** 큰 화살 **7** 번개, 번갯불, 전광(電光); 벼락(thunderbolt) **8** (물 등의) 분출(噴出): a ~ of water 물의 분출
do a ~ = make a ~ for it 《구어》 도망치다 (***like***) ***a ~ from***[***out of***] ***the blue***(***sky***) 청천벽력(과 같이) ***shoot*** one***'s*** (***last***) ~ 큰 화살을 쏘다; 최선을 다하다: *My ~ is shot.* 화살은 이미 시위를 떠났다, 이제는 어쩔 수 없다. / A fool's ~ *is* soon *shot.* 《속담》 어리석은 자는 금방 제 밑천을 드러낸다.
— *vt.* **1** 빗장을 질러 잠그다; 볼트로 죄다: ~ the door 문에 빗장을 지르다 // (~+목+부) The two parts are ~*ed together.* 그 두 부분은 볼트로 죄어 합쳐져 있다. **2** 《미》 …에서 탈퇴하다, 탈당하다 **3** 쏘다 **4** 불쑥[무심코] 말하다 **5** 〈음식을〉 씹지 않고 통째로[급히] 삼키다 **6** 〈직물·벽지를〉 (일정 길이로) 말다
— *vi.* **1** 뛰어나가다; 도망하다; 〈말이〉 날뛰며 달아나다: (~+부) They ~*ed out* with all their money. 그들은 있는 돈을 전부 갖고 도망쳤다. // (~+전+명) I saw a man ~ *out of* our garden. 한 남자가 우리 정원에서 뛰어나가는 것을 보았다. **2** 《미》 탈당하다 **3** 〈식물이〉 일찍 꽃[열매]을 피우다[맺다]
~ ***in***[***out***] 몰아넣다[내다] ~ ***up*** 〈문 등을〉 걸어 잠그다, 닫아 버리다; 마감하다
— *ad.* **1** [보통 ~ upright로 쓰여] 똑바로, 꼿꼿하게 **2** 갑자기, 뜻밖에; 단단히, 확실히(firmly)
bolt² *vt.* 체질하여 가르다; 세밀히 조사하다
bolt-ac·tion [bóultæ̀kʃən] *a.* 〈라이플 총이〉 수동 노리쇠를 장착한
bólt bòat (거친 바다를 견딜 수 있는) 외양(外洋) 보트
bolt·er¹ [bóultər] *n.* **1** 질주하는 말; 탈주자 **2** 《미》 탈당자
bolter² *n.* **1** 체(sieve) **2** 체질하는 사람[물건]
bolt·head [bóulthèd] *n.* **1** 볼트의 대가리 **2** 〖화학〗 (옛날에 사용한 달걀 모양의) 플라스크(matrass)
bolt-hole [-hòul] *n.* **1** (토끼 등이 숨는) 구멍 **2** 안전한 은신처, (현실로부터의) 도피처
bolt·ing [bóultiŋ] *n.* **1** 볼트(로) 조이기 **2** 음식물을 통째로 삼킴 **3** 도망
bolt-on [bóultɔ̀(:)n] *a.* **1** 〖기계〗 〈차의 부품 등이〉 볼트로 죄는 **2** 추가된: ~ charges 추가 요금
bolt·rope [-ròup] *n.* **1** 〖항해〗 볼트로프 《돛 주변의 보강 밧줄》 **2** 질 좋은[튼튼한] 밧줄
bo·lus [bóuləs] *n.* (*pl.* **~·es**) **1** 둥근 덩어리 **2** 큰 환약 《동물용》 **3** 《미·속어》 의사
bo·ma [bɔ́:mə] *n.* 《아프》 **1** 방벽(防壁) **2** (경찰·군대의) 초소 **3** 치안 판사 사무소
⁑**bomb** [bɑ́m | bɔ́m] *n.* **1** 폭탄; [the ~] (정치적 입장에서 본) 원자[수소] 폭탄, 핵무기: a time ~ 시한폭탄 / an incendiary ~ 소이탄 / an atomic ~ 원자폭탄 / a hydrogen ~ 수소 폭탄 / drop a ~ 폭탄을 투하하다 / plant a ~ in the bus 버스에 폭탄을 설치하다 **2** (무기로서 또는 군중을 해산시키기 위해 사용되는) 폭발물: a smoke ~ 연막탄 / a tear ~ 최루탄 **3** 〖지질〗 화산탄(火山彈) **4** (고압 가스를 넣은) 봄베; (살충제·도료 등의) 분무기, 스프레이 **5** 《속어》 〖미식축구〗 긴 포워드 패스 **6** 《미·구어》 (흥행 등의) 대실패 **7** [보통 *sing.*] 깜짝 놀라게 하는 일[사람], 돌발 사건; 《영》 대성공 **8** 《미·속어》 폭탄 발언[성명] **9** 납 용기(用器) 《방사성 물질의 저장·운반에 쓰이는》 **10** [보통 *sing.*] 《영·구어》 큰돈, 거금, 큰 재산
be the ~ 《미·속어》 굉장히 좋다 ***go down a ~*** 《구어》 크게 성공하다, 큰 인기를 얻다 ***go down like a ~*** 《구어》 커다란 충격[놀라움]이다; 실망[실패]으로 끝나다 ***go*** (***like***) ***a ~*** 《영·구어》 크게 성공하다; 크게 히트치다; 〈상품이〉 잘 팔리다, 호평을 받다; 〈차의〉 성능이 좋다, 속력이 잘 나다, 맹렬한 속도로 달리다; 〈사람이〉 일을 잘 진행하다 ***look like a ~ hit it*** 《구어》 〈방이〉 돼지우리 같다 ***put a ~ under*** a person 《구어》 …에게 빨리 해 주도록 재촉하다
— *vt.* **1** 폭격하다, …에 폭탄을 투하하다 **2** 폭파하다 **3** 〈상대 팀 따위를〉 완패시키다 **4** 〖컴퓨터〗 〈시스템을〉 고장내다
— *vi.* **1** 폭탄을 투하하다 **2** 〈폭탄이〉 폭발하다 **3** 《미·속어》 크게 실패하다 **4** 〖컴퓨터〗 〈프로그램이〉 완전히 기능을 멈추다 **5** 《구어》 질주하다
~ ***out*** 공습으로 (집·직장 등에서) 쫓아내다; 《미·속어》 크게 실패하다 ~ ***up*** (비행기에) 폭탄을 싣다
bómb alèrt 《영》 = BOMB SCARE
*__bom·bard__ [bɑmbɑ́:rd | bɔm-] *vt.* **1** 포격[폭격]하다 **2** (…에게 질문·탄원 등을) 퍼붓다 《*with*》: (~+목+전+명) ~ a person *with* questions 질문 공세를 퍼붓다 **3** 〖물리〗 〈원자 등에〉 충격을 가하다
— [ㅅ-] *n.* 사석포(射石砲) 《가장 오래된 대포》
~·er *n.* 폭탄 등을 던지는 사람; 폭격기
bom·bar·dier [bɑ̀mbərdíər | bɔ̀m-] *n.* **1** (폭격기의) 폭격수(手) **2** 《영》 포병 하사관
*__bom·bard·ment__ [bɑmbɑ́:rdmənt | bɔm-] *n.* ⓊⒸ **1** 포격, 폭격 **2** 〖물리〗 충격
bom·bar·don [bɑ́mbərdən, bɑmbɑ́:rdn | bɔ́mbədən, bɔmbɑ́:dn] *n.* 〖음악〗 **1** (tuba 비슷한) 저음 금관 악기 **2** (오르간의) 저음 음전(音栓)
bom·ba·sine [bɑ̀mbəzí:n, -sí:n | bɔ́mbəzì:n] *n.* = BOMBAZINE
bom·bast [bɑ́mbæst | bɔ́m-] *n.* Ⓤ 호언장담(tall talk), 허풍, 과장
bom·bas·tic, -ti·cal [bɑmbǽstik(əl) | bɔm-] *a.* 과장한, 허풍 떠는 **-ti·cal·ly** *ad.*
Bom·bay [bɑmbéi | bɔm-] *n.* 봄베이 《뭄바이(Mumbai)의 옛이름》

thesaurus **bolt¹** *v.* bar, lock, latch, fasten
bond¹ *n.* **1** 결속 tie, link, binding, connection, attachment, union **2** 속박 chains, fetters, shack-

Bómbay dúck 〖어류〗 물천구속(屬)의 작은 바닷물고기 《인도산 바닷물고기; 말려서 카레 요리에 씀》
Bómbay míx 〖요리〗 봄베이믹스 《렌즈콩·땅콩을 섞어 양념한 인도 음식》
bom·ba·zine, -sine [bàmbəzíːn, ∠-∠ | bɔ́mbəziːn, ∠-∠] *n.* Ⓤ 비단·무명·털실 등으로 짠 능직(綾織) 《주로 여자의 상복지(喪服地)》
bómb bày (비행기의) 폭탄 투하실(室)
bómb calorìmeter 〖공학〗 봄베 열량계 《연소열 측정용》
bómb dispòsal 불발탄 처리 《제거하여 폭발시킴》
bómb-dis·pos·al [-dispòuzəl] *a.* Ⓐ 불발탄 처리의: a ~ squad 불발탄 처리반
bombe [bámb | bɔ́mb] [F] *n.* (*pl.* **~s** [-z]) 봄브 《멜론 모양의 용기에 몇 가지 아이스크림을 담은 얼음과자》
bom·bé [bambéi | bɔm-] [F] *a.* 〈가구가〉 (앞·옆·아랫부분이) 바깥쪽으로 불룩한
bombed [bámd | bɔ́md] *a.* (미·속어) 술[마약]에 취한
bombed-out [bámdáut | bɔ́md-] *a.* **1** 폭격으로 완전히 파괴된, 공습으로 큰 피해를 입은: ~ people 공습으로 집 잃은 사람들 **2** 큰 타격[손해]을 입은 **3** (미·속어) 취한; 마약으로 멍하게 된
∗**bomb·er** [bámər | bɔ́m-] *n.* **1** 폭격기; 폭탄병, 폭탄 투하자; 폭파범 **2** (미·속어) 마리화나 담배
bómber jàcket 보머 재킷 《2차 대전 때 미폭격기 승무원이 입었던 가죽 재킷》
bómb fàctory (테러리스트의) 폭탄 제조 공장
bomb-hap·py [bámhæ̀pi | bɔ́m-] *a.* (구어) 포탄[전투] 노이로제의, 폭격으로 신경 쇠약에 걸린
bom·bi·nate [bámbənèit | bɔ́m-] *vi.* 〈모기·파리 등이〉 붕붕거리다, 윙윙 소리를 내다(buzz, drone)
bomb·ing [bámiŋ | bɔ́m-] *n.* ⓊⒸ 폭격, 폭탄 투하; 폭탄 투척; 폭파 (사건): a ~ plane 폭격기
bom·bi·ta [bɔːmbíːtɑː] [Sp. =little bomb] *n.* (미·속어) 암페타민의 정제(錠劑)[캡슐]
bomb·let [bámlit | bɔ́m-] *n.* 소형 폭탄
bomb·load [bámlòud | bɔ́mlə̀ud] *n.* 〖군사〗 (비행기 한 대의) 폭탄 적재량
bom·bo·ra [bɑ(ː)mbɔ́ːrə | bɔm-] *n.* (호주) 산호초 (의 위를 흐르는 위험한 조류)
bomb·proof [-prùːf] *a.* **1** 방탄의, 내폭(耐爆)의: a ~ shelter 방공호 **2** (구어) (위험·곤란에) 끄떡도 않는 **—***n.* 방공 구조물, 방공호
bómb ràck (군용기의) 폭탄 현수가(懸垂架)
bómb rùn 〖군사〗 폭격 항정(航程) 《전자 기기에 의해 목표를 확인하고 나서 폭탄 투하까지의 비행》
bómb scàre (폭탄을 장치했다는) 폭파 경고((영) bomb alert)
bomb·shell [-ʃèl] *n.* **1** 폭탄(bomb); 포탄(shell) **2** [보통 *sing.*] **a** (구어) 깜짝 놀라게 하는 일, 충격적인 소식[뉴스], 돌발 사건 **b** (속어) 굉장히 매력적인 미인 ***drop a ~*** (구어) 충격적인 언동을 하다, 폭탄선언을 하다 ***explode a ~*** 깜짝 놀랄 말을 하다, 깜짝 놀라게 하다 ***like a ~*** 돌발적으로; 기막히게
bómb shèlter 공습 대피소, 방공호
bomb·sight [-sàit] *n.* 〖항공〗 폭격 조준기
bomb·site [-sàit] *n.* (공습받은) 피폭지
bómb snìffer 취각성(臭覺性) 폭탄 탐지기
bómb squàd **1** 폭탄[불발탄] 처리반 **2** 〖미식축구〗 폭격 부대 《위험이 따르는 플레이에 동원되는 예비 팀》
bómb thrèat =BOMB SCARE
bom·by·cid [bámbəsid | bɔ́m-] *n.* 〖곤충〗 누에나방의 일종
bon [bɔ́(ː)n, bán, bɔ́(ː)ŋ] [F =good] *a.* 좋은
Bon [bɔ́(ː)n] *n.* Ⓤ (죽은 이들을 기리는) 8월에 열리는 일본의 불교식 축제
bo·na fide [bóunə-fáid, bánə-, bóunə-fáidi | bóunə-fáidi] [L =in good faith] *a.*, *ad.* 진실한[하게], 성실한[히], 선의의[를 가지고]
bo·na fi·des [bóunə-fáidiːz] [L =good faith] **1** 〖법〗 선의(善意), 성의 **2** (구어) (정당성·합법성을 증명하는) 공식 문서[기록, 서류]
bon ami [bɔ́n-amíː] [F] 친구; 연인, 애인
bo·nan·za [bənǽnzə, bou-] [Sp. =good luck] *n.* **1** (함유량이) 풍부한 광맥 **2** 대성공, 행운, 노다지, 운수 대통 **3** 큰돈, 거금; 보고(寶庫)
—*a.* Ⓐ 대성공의, 노다지의: a ~ year 대풍년 ***in ~*** 노다지를 캐어
bonánza fàrm 수확이 잘되는 대농장
Bonánza Stàte [the ~] 노다지 주 《미국 Montana 주의 속칭》
Bo·na·parte [bóunəpɑ̀ːrt] *n.* 보나파르트(⇨ NAPOLEON I)
Bo·na·part·ism [bóunəpɑ̀ːrtizm] *n.* Ⓤ 나폴레옹 지지; 나폴레옹식 독재 정치, 보나파르트주의
Bo·na·part·ist [bóunəpɑ̀ːrtist] *n.*, *a.* 나폴레옹 1세 지지자(의)
bon ap·pé·tit [bɔːn-ɑpeitíː] [F = a good appetite] *int.* 많이 드십시오
∗**bon·bon** [bánbàn | bɔ́nbɔ̀n] [F =good] *n.* 봉봉, 사탕과자
bon·bon·nière [bànbəníər | -njέər] [F =candy holder] *n.* (*pl.* **~s** [~]) **1** 과자 가게 **2** 봉봉 그릇
bonce [báns | bɔ́ns] *n.* (영·속어) **1** 머리(head) **2** 큰 공깃돌; 그것으로 하는 공기놀이
⁑**bond**[1] [bánd | bɔ́nd] *n.* **1** 묶는[매는, 잇는] 것 《새끼·끈·띠 등》; [보통 *pl.*] 속박, 구속; 굴레; [종종 *pl.*] 유대, 맺음, 인연; 결속, 결합력: the ~ between nations 국가간의 유대 **2** 약정, 계약, 맹약; 동맹, 연맹: enter into a ~ with …와 계약을 맺다 **3** Ⓤ 보증; 보증금, 보석금 **4** Ⓤ 〖세관〗 보세 창고 유치(留置): take goods out of ~ (관세를 물고) 화물을 보세 창고에서 내다 **5** (미) 병에 담기 전 보세창고에 4년 이상 넣어둔 위스키(bonded whiskey) **6** (차용) 증서; 공채(公債) 증서, 채권, 회사채: a public ~ 공채 / a treasury ~ (미국의) 재무성 발행의 장기 채권, 국채 / His word is as good as his ~. 그의 약속은 보증 수표나 같다, 그의 약속은 충분히 신용할 수 있다. **7** 접합제, 접착제, 본드; [a ~] 접착 (상태) **8** (돌·벽돌 등의) 이어 쌓기[쌓는 법] **9** 〖화학〗 화학 결합 **10** = BOND PAPER **11** (폐어) 보증인(bondsman)
be under ~ (1) 담보에 들어 있다 (2) 보석 중이다 ***call a ~*** 공채 상환을 통고하다 ***give ~*** (***to*** do) (미·속어) (…하겠다는) 보증을 하다 ***go*** a person***'s ~*** …의 보증인이 되다 ***in ~*** 보세 창고 유치의 ***in ~s*** 금고(禁錮)당하여 ***out of ~*** 보세 창고에서 (내어)
—*vt.* **1** 담보를 넣다, 저당잡히다; 〈차입금을〉 채권으로 대체하다; (…을 위해) 손해를 보증하다 **2** 접착시키다, 접합하다 **3** 〈돌·벽돌 등을〉 이어 쌓다, 잇다 **4** 〈수입품을〉 보세 창고에 맡기다
—*vi.* 접착[접합]하다; (친자·부부·자웅 등의) 인연을 맺다 **~·a·ble** *a.*
bond[2] (고어) *n.* 노예, 농노(農奴)
—*a.* 사로잡힌, 노예의
∗**bond·age** [bándidʒ | bɔ́nd-] *n.* Ⓤ **1** 농노의 신세, 천역(賤役) **2** (행동 자유의) 속박, 굴종 **3** 노예의 신분; (정욕 등의) 노예가 됨 ***in ~*** 감금되어, 노예가 되어
bond·ed [bándid | bɔ́n-] *a.* **1** 공채[채권]로 보증된; 담보가 붙은 **2** 보세 창고에 유치된; 보세품의: ~ goods 보세 화물
bónded débt 공채[사채] 발행 차입금
bónded fàctory[mìll] 보세 공장
bónded lábor 담보 노동 《빚을 현금이 아닌 노동으로 대신 갚는 노동 형태》
bónded wárehouse[stóre] 보세 창고
bónded whískey =BOND[1] 5

---

les, manacles **3** 계약 agreement, contract, transaction, bargain, deal, covenant
bondage *n.* slavery, captivity, servitude, serfdom

bond·er [bɑ́ndər | bɔ́n-] *n.* **1** 보세 화물의 소유주 **2** =BONDSTONE
bond·hold·er [bɑ́ndhòuldər | bɔ́nd-] *n.* 공채 증서[회사 채권] 소유자
bond·ing [bɑ́ndiŋ | bɔ́n-] *n.* **1** 〖인류〗 긴밀한 유대 《공동 생활로 인한 모자(母子)간 등의》 **2** (전쟁터에서의 전우처럼) 극도의 긴장 체험 후에 생기는 깊은 우정
bond·maid [bɑ́ndmèid | bɔ́nd-] *n.* 여자 노예
bond·man [-mən] *n.* (*pl.* **-men** [-mən, mèn]) 남자 노예; 농노(serf)
bónd pàper 본드지(紙), 증권 용지; 특별 고급 용지
bónd sèrvant 종, 노복, 노예
bónd sèrvice 종[농노]살이, 노예의 신분
bond·slave [-slèiv] *n.* 노예(bondman)
bonds·man [bɑ́ndzmən | bɔ́ndz-] *n.* (*pl.* **-men** [-mən, -mèn]) **1** 〖법〗 보증인 **2** =BONDMAN
bond·stone [bɑ́ndstòun | bɔ́nd-] *n.* 〖석공〗 받침돌, 이음돌
Bónd Strèet (런던의) 본드 가(街) 《일류 상점가》
bonds·wom·an [bɑ́ndzwùmən | bɔ́ndz-] *n.* (*pl.* **-wom·en** [-wìmin]) **1** 〖미국법〗 여성 보증인 **2** =BONDWOMAN
bond·wom·an [bɑ́ndwùmən | bɔ́nd-] *n.* (*pl.* **-wom·en** [-wìmin]) 여자 노예
‡**bone** [bóun] *n.* **1** 뼈; Ⓤ 골질(骨質) **2** Ⓤ 살이 조금 붙어 있는 뼈 《수프 등의 재료》 **3** 뼈·상아 등으로 만든 물건 **4** 뼈처럼 생긴 것 《상아·고래수염 등》 **5** [*pl.*] 골격; 신체: old *~s* 노구(老軀), 노골(老骨) **6** [*pl.*] 시체, 유골 **7** [보통 *pl.*] (이야기 등의) 골자, (문학 작품의) 뼈대 **8** 엷은 베이지 색, 상아색 **9** 뼈의 구실을 하는 것 《우산·코르셋 등의 뼈대》 **10** [*pl.*] (구어) 주사위 **11** 〖음악〗 (뼈·나무로 만든) 본스 《캐스터네츠(castanets)의 일종》; 본스 연주자(Mr. Bones) **12** (미·속어) 달러 **13** (미·속어) 공붓벌레
a ~ of contention 불화의 원인 ***bred in the ~*** 〈생각·성질이〉 타고난, 뿌리깊은 ***cast (in) a ~ between*** …사이에 불화를 일으키다 ***close to*** [***near***] ***the ~*** 몹시 인색한; 빈궁한; 〈이야기 등이〉 외설한, 아슬아슬한, 추잡한 ***dry as a ~*** =BONE-DRY. ***feel ... in one's ~s*** …을 직감하다; 〈…는 아닐까 하고〉 느끼다 ***have a ~ in one's leg*** [***throat***] 다리[목구멍]에 뼈가 돋치다 《가지[말하지] 못할 때의 핑계》 ***have a ~ to pick with*** a person (구어) …에게 불평[불만]을 말할 것이 있다, …에게 할 말이 있다 ***lay*** [***leave***] ***one's ~s*** 매장되다, 죽다 ***make no ~s of*** [***about, to*** do] …에 개의치 않다, …을 예사로 하다; …을 솔직히 인정하다, 숨기지 않다 ***make old ~s*** [부정문에서] 오래 살다 ***No ~s broken!*** 대단한 것 아냐, 괜찮아! ***skin and ~s*** 뼈와 가죽(만 남은 사람) ***spare ~s*** 수고를 아끼다 ***the ten ~s*** (고어) 열 손가락 ***throw a ~ to*** 〈파업자 등〉에게 변변찮은 임금 인상 등을 내걸어 달래려고 하다 ***to the bare ~s*** =to the BONE (2). ***to the ~*** (1) 뼛속까지, 뼈저리게: chilled[frozen] *to the ~* 추위가 뼛속까지 스며 (2) 최대한으로; 철저히: cut (down) *to the ~* 〈비용·정보 등을〉 최대한으로 깎다[줄이다] ***without more ~s*** 더 이상 구애받지[주저하지] 않고 ***with plenty of ~*** 골격이 좋은
— *vt.* **1** 〈닭·생선 등의〉 뼈를 발라내다 **2** 〈코르셋·우산 등에〉 뼈대를 넣다 **3** (속어) 훔치다(steal) **4** 〖농업〗 골분을 시비하다
— *vi.* **1** (구어) 열심히 하다; 열심히 공부하다 《*up*》: (~+副) ~ *up* on the subject 그 과목을 열심히 공부하다 **2** (비어) 성교하다 《*with*》
— *ad.* (구어) 철저히, 몹시: be ~ tired[hungry] 굉장히 피곤하다[배고프다] ▷ bóny *a.*
bóne àsh[**èarth**] 골회(骨灰)
bóne bèd 〖지질〗 골층 《뼈·비늘 등이 많은》
bóne blàck 골탄(骨炭) 《탈색제·안료》
bóne chína 본차이나 《골회(骨灰) 등을 넣어 만든 반투명의 흰 자기》
boned [bóund] *a.* **1** [보통 복합어를 이루어] 뼈가 …한: big-~ 뼈대가 굵은 **2** 뼈를 추려낸 〈생선 등〉 **3** 고래수염을 넣은 〈코르셋 등〉
bone-dry [bóundrái] *a.* (구어) 메마른, 〈샘이〉 물이 마른; 〈목이〉 바싹 마른; (미·속어) 절대 금주의
bóne dùst 골분(骨粉)(bone meal) 《비료·사료용》
bone-eat·er [-ì:tər] *n.* (미·속어) 개
bone·fac·to·ry [-fæ̀ktəri] *n.* (미·속어) 병원; 묘지
bone·head [-hèd] (미·속어) *n.* 바보, 얼간이
— *a.* Ⓐ 얼빠진, 얼간이의: a ~ play (야구 등의) 실책 **~·ed** [-id] *a.* **~·ed·ness** *n.*
bone·idle [-àidl], **bone·la·zy** [-léizi] *a.* 매우 게으른
bone·less [bóunlis] *a.* **1** 뼈가 없는; 뼈를 빼버린 **2** 〈문장 등이〉 힘이 없는
bóne màrrow 골수: to the ~ 골수에까지
bóne-màrrow trànsplant [-mæ̀rou-] 〖의학〗 골수 이식
bóne mèal 〖농업〗 골분(骨粉)(bone dust) 《비료·사료용》
bóne òil 골유(骨油)
bon·er[1] [bóunər] *n.* **1** (옷에) 고래뼈를 넣는 사람 **2** (고기의) 뼈를 발라내는 사람[것]
boner[2] *n.* (미·속어) **1** (학생의) 얼빠진 실수(blunder): pull a ~ 실수하다 **2** 페니스의 발기
bone·set [bóunsèt] *n.* 〖식물〗 등골나무의 일종(thoroughwort)
bone·set·ter [-sètər] *n.* (무면허의) 접골사(接骨師)
bone·set·ting [-sètiŋ] *n.* Ⓤ 접골(술)
bone·shak·er [-ʃèikər] *n.* (속어) **1** 구식 자전거 《고무 타이어가 없는》 **2** 털털이 자동차(rattletrap)
bóne spàvin 〖수의학〗 (말의) 비절내종(飛節內腫)
bone·tired [-táiərd] *a.* (미·속어) 지칠 대로 지친
bone-wea·ry [-wìəri] *a.* 완전히 지쳐 버린
bone·yard [-jɑ̀:rd] *n.* (속어) 폐차장; 묘지
∗**bon·fire** [bɑ́nfàiər | bɔ́n-] *n.* (축하의 큰) 횃불, (노천의) 화톳불, 모닥불 ***make a ~ of*** …을 불태워 버리다; 제거하다
Bónfire Nìght (영) =GUY FAWKES DAY
bong[1] [bɑ́ŋ, bɔ́:ŋ | bɔ́ŋ] *n.* (종 등의) 둥 하는 소리, 댕, 동, 궁 — *vi.* 둥[댕, 궁] 소리를 내다
bong[2] *n.* 마리화나용 물파이프
bon·go[1] [bɑ́ŋgou, bɔ́:ŋ- | bɔ́ŋ-] *n.* (*pl.* **~, ~s**) 봉고 영양(羚羊) 《아프리카산(産)》
bongo[2] *n.* (*pl.* **~(e)s**) 봉고 (=**∠ drùm**) 《라틴 음악에 쓰는 작은 드럼; 2개 1벌》
~·ist *n.*

bongo[1]

bon·goed [bɑ́ŋgoud, bɔ́:ŋ- | bɔ́ŋ-] *a.* (미·속어) 술 취한(drunk)
bon·ho·mie [bɑ̀nəmí:, ∠-∠ | bɔ́nəmì:] [F =good nature] *n.* Ⓤ 온후함; 쾌활
bon·ho·mous [bɑ́nəməs | bɔ́n-] *a.* 온후한; 쾌활한
bon·i·face [bɑ́nəfèis, -fis | bɔ́nifèis] *n.* [때로 B~] (호인이며 쾌활한) 여관[나이트클럽, 식당] 주인
bon·ing [bóuniŋ] *n.* **1** Ⓤ 뼈를 추려내기 **2** (코르셋 등에 넣는) 뼈대(bone)
Bó·nin Íslands [bóunin-] [the ~] 오가사와라 제도(諸島) 《1968년 일본에 반환됨》
bon·ism [bɑ́nizm | bɔ́n-] *n.* (현세를 최선은 아니나 선(善)으로 보는) 선세설(善世說) **-ist** *n., a.*
bo·ni·to [bəní:tou] *n.* (*pl.* **~s, ~**) 〖어류〗 가다랑어: a dried ~ 가다랑어 포

thesaurus **bonus** *n.* extra, plus, gain, benefit, perquisite, boon, dividend, premium; tip, gift, perk, reward, bounty, gratuity, commission

bon·jour [bɔːnʒúər] [F = good day] *int.* 안녕하세요(Good morning, hello)

bonk [báŋk | bɔ́ŋk] *int.* 통, 통《부드러운 것이 부딪치는 소리》 —*vt., vi.* 《구어》 (…와) 부딪치다[부딪다], 충돌하다[시키다], 〈머리를〉 때리다; 《속어》 …와 성행위하다 —*n.* 《영·속어》 성행위

bonk·bust·er [báŋkbʌ̀stər | bɔ́ŋk-] 《영·익살》 *n.* 성(性) 묘사가 많은 대중 소설[영화]
—*a.* 성 묘사가 많은

bon·kers [báŋkərz | bɔ́ŋ-] *a.* Ⓟ 《영·속어》 머리가 돌아, 정신이 이상하여; 열중하여

bon mot [bán-móu | bɔ́n-] [F = good word] 재치있는 농담[말], 명언(名言)

*__Bonn__ [bán | bɔ́n] *n.* 본《구서독의 수도》

bonne [bɔːn | bɔn] [F] *n.* (*pl.* **~s**) 아이 보는 여자, 하녀

bonne amie [bɔːn-æmíː | bɔn-] [F] 좋은 여자 친구; 애인《여성》

bonne bouche [bɔ́ːn-búːʃ | bɔ́n-] [F] 《마지막에 먹는》 한 조각의 진미(珍味); 훌륭한 대접[환대]

bonne femme [bɔːn-fém | bɔn-] [F] *a.* 가정 요리풍으로 조리한

bonne for·tune [bɔːn-fɔːrtjúːn | bɔn-fɔːtjúːn] [F] 여자에게서 받은 호의[선물] 《남자의 자랑거리》

bonnet *n.* 1

‡**bon·net** [bánit | bɔ́-] *n.* **1** 보닛《여자·아이들이 쓰는 모자; 끈으로 턱 밑에서 맴》 **2** 《스코》 (남자용) 테 없는 모자(Scotch cap) **3** (보닛풍의) 쓰는 것 **4** 후드, 커버, 방어용 장치 **5** 덮개, 뚜껑《굴뚝 위의, 또는 불티를 막기 위한 것 등》 **6** 《영》 (자동차의) 보닛(《미》 hood) **7** 〖항해〗 보닛《돛의 한 부분》 **8** 《영·속어》 (도박·경매 따위에서) 공모자, 한패, 일당 ***keep … under*** one's **~** …을 비밀로 하여 두다
—*vt.* **1** …의 모자를 눌러 씌우다 **2** 〈불 등을〉 덮어 끄다 **3** …에게 모자[덮개]를 씌우다

bon·net rouge [bɔːnei-rúːʒ] [F] 붉은 모자《1793년 프랑스 혁명파가 쓴》; 혁명당원, 과격주의자

***bon·ny, -nie** [báni | bɔ́ni] *a.* (**-ni·er**; **-ni·est**) **1** 《스코》 예쁘장한, 사랑스러운 **2** 《영》 토실토실한, 건강한, 유쾌한, 기분 좋은 **3** Ⓐ (자질이) 훌륭한 **-ni·ly** *ad.* **-ni·ness** *n.*

bon·sai [bansái, bóun-, ∠− | bɔ́nsai, bóun-] [Jap.] *n.* (*pl.* **~**) 분재(盆栽)

bon·sel·la [bansélə | bɔn-] *n.* 《남아공》 (우수 고객에게 주는) 작은 선물, 경품

bon·soir [bɔːnswáːr] [F = good evening] *int.* 안녕하세요《저녁 인사》

bon·spiel [bánspìːl | bɔ́n-] *n.* 《스코》 컬링(curling) 시합

bon ton [bán-tán | bɔ́n-tɔ́n] [F] **1** 기품 있음, 우미(優美); 점잖은 몸가짐; 교양 있음 **2** 상류 사회

***bo·nus** [bóunəs] [L = good] *n.* **1** 보너스, 상여금, 특별 수당; (주식의) 특별 배당금; 《영》 이익 배당금: I got a Christmas ~ this year. 올해 나는 크리스마스 보너스를 받았다. **2** 장려금, 보상 물자; 사례금, 할증금; 예기치 않았던 것[선물], 덤 **3** 《영·속어》 뇌물
no claims **~** (자동차 보험의) 무사고 할인

bónus dívidend 특별 배당금

bónus gòods 보상 물자

bónus ìssue 《영》 〖증권〗 무상 신주(新株)

bónus plàyer 〖야구〗 보너스 선수《고액의 연봉에 다 보너스를 받기로 계약하는 자유 계약 선수》

bónus sàle 경품부(付) 세일[판매]

(opp. *disadvantage*; *penalty*)
bony *a.* rawboned, gaunt, skeletal, angular, scrawny, skinny, thin, cadaverous

bónus stòck 〖증권〗 무상(無償) 주식, 특별 배당주

bónus sỳstem[plàn] 보너스 제도

bon vi·vant [bán-viːváːnt | bɔ́n-] [F = good liver] 미식가, 식도락가; 유쾌한 친구

bon vi·veur [bán-viːvə́ːr | bɔ́n-viːvə́ː] *n.* = BON VIVANT

bon voy·age [bán-vɔiáːʒ | bɔ́n-] [F = good journey] *int.* 즐거운 여행이 되시기를, 잘 다녀오십시오

***bon·y** [bóuni] *a.* (**bon·i·er**; **-i·est**) **1** Ⓐ 골질(骨質)의; 뼈 같은 **2** 〈생선이〉 뼈가 많은 **3** 뼈대가 굵은; 뼈만 앙상한; 여윈 **bón·i·ness** *n.*

bóny físh 경골어(硬骨魚)

bonze [bánz | bɔ́nz] [Jap.] *n.* (불교의) 중, 승려

bon·zer [bánzər | bɔ́n-] *a.* 《호주·속어》 참 좋은, 근사한 —*n.* 탁월한[유용한] 것

boo[1] [búː] *n.*, (*pl.* **~s**) *int.* 피《비난·경멸할 때의 소리》; 으악《남을 놀라게[위협] 할 때의 소리》; 우《연사·운동 선수 등을 야유할 때》 ***can*** [***will***] ***not say ~ to a goose*** 《구어》 몹시 겁이 많아 할 말도 못하다
—*vi., vt.* 피 하다, 야유하다, 놀라게 하다; 피[우] 하여 퇴장시키다 《*off*》

boo[2] *a.* 《미·속어》 근사한, 훌륭한(excellent)

boo[3] [búː, bóu] *n.* Ⓤ 《미·속어》 마리화나

boob[1] [búːb] *n.* **1** 《속어》 얼간이, 얼뜨기, 바보(fool) **2** 《영·속어》 실패, 실수
—*vi.* 《영·속어》 큰 실수를 저지르다

boob[2] *n.* 《속어》 = BOOBY[2]

boob·ker·chief [búːbkərtʃif] [*boob*s + hand*kerchief*] *n.* 《영·구어》 부브커치프《젖가슴을 가리고 등 뒤에서 매는[채우는] 삼각건으로 된 여성 윗옷의 일종》

boob·oi·sie [bùːbwɑːzíː] *n.* 《익살》 무교육자 계급; 교육 없는 대중으로 구성된 사회

boo-boo [búːbùː] *n.* (*pl.* **~s**) **1** 《미·속어》 실수, 실책 **2** 《미·유아어》 가벼운 찰과상 ***pull a ~*** 실수하다 ***What's the ~?*** 어디가 잘못됐단 말인가?

boob·speak [búːbspìːk] *n.* (광고 등의) 초현실적인 용어

bóob tùbe [the ~] 《미·속어》 바보상자, 텔레비전

boo·by[1] [búːbi] *n.* (*pl.* **-bies**) **1** 얼간이, 멍청이 **2** 꼴찌 **3** 〖조류〗 가마우지의 일종 **~·ish** *a.*

booby[2] *n.* (*pl.* **-bies**) 《속어》 (여자의) 유방

bóoby hàtch **1** 〖항해〗 갑판의 천창(天窓) **2** 《미·속어》 정신 병원; 유치장

bóoby prìze 꼴찌상(賞), 최하위상

bóoby tràp **1** 〖군사〗 부비 트랩, 위장 폭탄《주로 인명 살상용》 **2** 반쯤 열린 문 위에 물건을 얹어 놓았다가 열고 들어오는 사람 머리 위에 떨어지게 하는 장난 **3** (아주 위험한 숨겨진) 책략, 음모, 속임수

boo·by-trap [búːbitræ̀p] *vt.* (**~ped**; **~·ping**) …에 부비 트랩을 장치하다

boo·dle [búːdl] 《미·속어》 *n.* **1** [the ~] 단체, 패거리, 일당 **2** 뇌물, 매수금(買收金); (정치적) 부정 이득[헌금] **3** 큰돈; 가짜돈 **4** 훔친 물건, 약탈품 ***the whole*** (***kit and***) **~** 전부, 모두
—*vi.* 수회하다 **bóo·dler** *n.* 수회자(收賄者)

boof·head [búːfhèd] *n.* 《호주·구어》 바보, 멍청이

boo·ga·loo [bùːgəlúː] *n.* [the ~] 부갈루《2박자로 스텝에 어깨와 허리를 놀리는 춤》

boog·er [búgər] *n.* **1** [형용사와 함께] 《구어》 …한 놈, 일: a mean-looking ~ 심술궂은 얼굴을 한 녀석 **2** 《미·속어》 코딱지; 눈곱 **3** 유령, 도깨비, 요괴, 망령

boo·gey·man [bú(ː)gimæ̀n] *n.* (*pl.* **-men**) = BOGEYMAN

boo·gie[1] [búgi, búː-] *n.* 《미·속어·경멸》 흑인; 《비어》 매독; 《속어》 코딱지

boogie[2] *n.* = BOOGIE-WOOGIE
—*vi.* (특히 록 음악에 맞춰서) 격렬하게 춤추다; [종종 ~ (on) down] (…으로) 가다, 서두르다 《*to*》

bóogie bòard 《미·속어》 (소형) 서프보드(surfboard); 스케이트 보드(skateboard)

boo·gie-woo·gie [búgiwúgi, búːgiwùːgi] *n.*

UC 부기우기《템포가 빠른 재즈》

boo·hoo [bù:hú:] *vi.* 울고불고하다, 엉엉 울어대다 —*n.* (*pl.* **~s**) 울고불고함, 엉엉 울기[우는 소리]

book [búk] [OE 「너도밤나무(beech)」의 뜻에서; 이 나무 위에 룬 문자(runes)를 새긴 데서] *n.* **1 a** 책, 서적, 도서, 단행본; 저서, 저작; 저술 **b** 《구어》 잡지, 만화 잡지(comic book) **2** [the (Good) B~] 성경(the Bible) **3** (책의) 권(卷), 편(篇): *B*~ I 제1권[편]

> 유의어 **book**은 내용, **volume**은 외형을 말한다

4 (오페라의) 가사(libretto); (연극의) 대본(臺本)(script) **5 a** 장부; (우표·차표·성냥·수표 등의) 묶음철(綴): a ~ of stamps[tickets] 한 묶음의 우표[회수권] / a ~ of matches (떼어 쓰는) 종이 성냥

관련 [book의 여러 가지] address book(주소록), autograph book(사인첩), bank book(예금 통장), black book(블랙리스트; 여자 친구 주소록), checkbook(수표첩), cookbook(요리책), exercise book(연습장), guidebook(안내서), handbook(입문서), notebook(공책), phone book(전화번호부), pocket book(《미》 문고판 책, 《영》 수첩), school book(교과서), scorebook(득점 기록부), scrapbook(스크랩북), storybook(동화책), textbook(교과서), word book(단어장), workbook(학습장), yearbook(연감)

b [the ~] 《영》 전화번호부 **c** [*pl.*] 회계 장부; 명부 **6** 〖경마〗 도박금 대장(臺帳) **7** 〖카드〗 6장 맞추기 **8** [the ~] 《구어》 규칙, 기준, 규범; [*pl.*] 학과, 과목 (사용) 설명서 **9** (상대팀[선수]에 관한) 정보 메모 **10** (담뱃잎 등의) 한 묶음, 한 더미

a ~ of the hour 시기에 맞추어 낸 책 ***at*** one***'s ~s*** 공부하고 있는 중 ***bring*** [***call***] a person ***to ~*** (1) 해명을 요구하다, 책망하다 《*for, over*》 (2) 〈문제 등을〉 검토[조사]하다 ***by*** [***according to***] (***the***) ***~*** (1) 규칙대로 (2) 일정한 형식대로, 정식으로 ***close*** [***shut***] ***the ~s*** (1) (결산용으로) 장부를 마감하다; 결산하다 (2) 〈모집을〉 마감하다 《*on*》 ***come to ~*** 책임을 추궁당하다, 죄[과실]에 대한 보상을 하게 되다 ***cook the ~s*** 장부를 속이다 ***hit*** [***pound***] ***the*** [one***'s***] ***~s*** 맹렬히 공부하다 ***in*** [***according to***] one***'s ~*** …의 의견으로는 ***in*** a person***'s good*** [***bad, black***] ***~s*** …의 마음에 들어[미움을 받아] ***in the ~***(***s***) (1) 명부에 올라 (2) 《구어》 기록되어, 존재하여 ***keep ~s*** 치부하다, 기장하다 ***like a ~*** (1) 정확하게; 딱딱하게: know *like a ~* 잘 알고 있다 (2) 충분히, 모두: read a person *like a ~* …의 성격[심리]을 완전히 파악하다[꿰뚫어 보다] ***make*** [***keep***] (***a***) ***~*** (1) (경마에서) 물주가 되다, 판돈을 모으다 (2) …에 걸다 《*on*》; 《미》 …을 보증하다 《*on*》 ***not in the ~*** 금지되어 ***off the ~s*** 제명되어 ***one for the ~***(***s***) 《미·구어》 특기할 만한 연기[행위, 사건] ***on the ~s*** 기록되어, 명부에 올라, 등록되어 ***open the ~s for*** …의 신청을 받다 ***speak by the ~*** 확실한 전거(典據)를 들어[인용하여] 말하다 ***speak*** [***talk***] ***like a ~*** (1) 정확하게 말하다 (2) 제법 분별있는 말을 하다 ***suit*** [***fit***] one***'s ~*** [종종 부정문에서] …의 목적에 적합하다 ***take a leaf from*** [***out of***] one***'s ~*** …의 행동을 본받다 ***take kindly to*** one***'s ~s*** 학문을 좋아하다 ***take*** [***strike***] a person***'s name off the ~s*** 제명하다 ***throw the ~ at*** …을 투옥하다; 엄벌에 처하다 ***without*** (one***'s***) ***~*** (1) 전거(典據) 없이 (2) 암기하여 ***write the ~*** (…의) 선구자가 되다 《*of*》, 전문가가 되다

—*a.* **1** 책[서점]의 **2** 책에서 얻은; 책에 기초한[근거한] **3** 장부상의 **4** 엄격한, 형식을 차린

—*vt.* **1** 〈이름·주문 등을〉 기입[기장]하다; 〈예약자〉의 이름을 기입하다; …에게 표를 예매하다 **2** (주로 영) 〈좌석·객실·표 등을〉 예약하다(《미》 reserve) ★ 미국에서도 여행사에서는 book을 씀: (~+목+전+명) He ~*ed* a ticket *for* Paris. 그는 파리행 차표를 예매했다. / I'd like to ~ two seats *for* tonight's concert. 오늘 밤 음악회의 좌석 2개를 예약하고 싶습니다. **3** (…죄로) 경찰의 기록에 올리다 《*for*》: be *~ed for* speeding 속도위반으로 경찰 조서에 오르다 **4** …에게 약속시키다 **5** 계약하여 고용하다, 출연 계약을 하다 **6** 《영》 〈화물을〉 탁송(託送)하다

—*vi.* **1** 이름을 등록하다 **2** 좌석[방]을 예약하다 《*in*》; 예매표를 사다 ***be ~ed*** (***for it***) 《속어》 붙들려서 빠져나오지 못하다 ***be ~ed for a thing*** [***to*** do] …의 약속이 있다[…하기로 되어 있다] ***be ~ed up*** (1) 〈호텔·좌석이〉 예매가 매진되다 (2) 선약이 있다 《*for*》 (3) 《속어》 〈사람이〉 (예약 때문에) 틈이 없다, 바쁘다 ***~ in*** 《영》 (1) (호텔에) …의 숙박 예약을 해주다 (2) (호텔에) 예약하다 (3) (호텔 등에서) 체크인하다 (4) 출근하여 서명하다 ***~ it*** 《속어》 (1) 《美》 줄빨하다; 공부하다 (2) 보증하다; 확언하다 ***~ out*** (1) (호텔 등에서) 체크아웃하다 (2) 퇴사[퇴근]하다

book·a·ble [búkəbl] *a.* 〈좌석 등을〉 예약할 수 있는

bóok accòunt 장부상의 대차 계정

bóok àgent 서적 판매인

book·a·hol·ic [bùkəhɔ́(:)lik, -há-] *n.* 독서광(狂); 장서광(藏書狂)

bóok bàg (학생이 어깨에 매는) 책가방

book·bind·er [búkbàindər] *n.* **1** 제본업자, 제본소 직공 **2** (서류) 바인더

book·bind·er·y [-bàindəri] *n.* (*pl.* **-er·ies**) 제본소

book·bind·ing [-bàindiŋ] *n.* U 제본; 제본술[업]

bóok bùrning 분서(焚書), 금서; 사상 통제

bóok càrd (도서관의) 도서 대출 카드

book·case [búkkèis] *n.* 책장, 서가, 책꽂이

bóok clòth 제본·장정용 클로스

bóok clùb **1** 독서 클럽, 독서회; 서적 공동 구독회(購讀會) **2** 애서가(愛書家) 클럽(《영》 book society)

bóok còver 책 표지 ★ 책 커버는 book jacket

book·cross·ing [-krɔ̀:siŋ | -krɔ̀siŋ] *n.* U 북크로싱 《공공장소에 책을 남겨 놓아 다른 사람들도 그 책을 읽을 수 있도록 하는 일》 **-cross·er** *n.*

bóok dèaler 서적상(商)

bóok dèbt 장부상의 부채

bóok dròp (도서관) 도서 반환통 《길거리 등에 있음》

booked-out [búktáut] *a.* 표가 매진된, 예약이 다 된, 만원의

book·end [-ènd] *n.* [보통 *pl.*] 북엔드, 책버팀 《책이 쓰러지지 않게 양끝에 세우는 것》

bóok fàir 도서 전시회, 도서전(展)

bóok gròup = BOOK CLUB 1

book·hold·er [-hòuldər] *n.* **1** 독서대(臺), 서안(書案) **2** (연극의) 후견역, 프롬프터 《무대 뒤에서 대사를 읽어주는 사람》

bóok hùnter (사고자 하는) 책을 찾아다니는 사람

book·ie [búki] *n.* 《구어》 = BOOKMAKER 2

book·ing [búkiŋ] *n.* **1** U 장부 기입, 기장(記帳) **2** UC (좌석의) 예약; 출찰(出札); (배우의) 출연 계약

bóoking clèrk 출찰 계원; (호텔 등의) 예약 담당원; 여객·화물·하물의 정리[취급] 계원

bóoking òffice 《영》 매표소, 표 파는 곳(《미》 ticket office)

book·ish [búkiʃ] *a.* **1** 독서의, 문학적인(literary); 책[학문]에 열중하는; 딱딱한 **2** 서적을 통해 알고 있는, 탁상공론의 **3** 학자인 체하는, 현학적인(pedantic) **~·ness** *n.*

bóok jàcket 책 커버(⇨ jacket 4)

book·keep·er [búkkì:pər] *n.* 부기[장부] 계원

book·keep·ing [-kì:piŋ] *n.* U 부기 ***~ by single*** [***double***] ***entry*** 단식[복식] 부기

book·land [-lǽnd] *n.* U 특허 자유 보유지 《지대

thesaurus **book** *v.* reserve, make reservations for, engage, charter, arrange, program, maintain, schedule, line up

boom¹ *n.* **1** 울리는 소리 resounding, loud noise,

(地代)만 물면 됨》
book-learn·ed [-lə̀:rnid] *a.* 책으로만 배운, 실지 경험이 없는
bóok lèarning **1** 책으로만 배운 학문 **2** 학교 교육
∗**book·let** [búklit] *n.* (보통 종이 표지의) **작은 책자**, 팸플릿(pamphlet)
bóok lòre =BOOK LEARNING
book·louse [búklàus] *n.* (*pl.* **-lice** [-lais]) 〖곤충〗 책좀 《고서·표본 등의 해충》
book·lov·er [-lʌ̀vər] *n.* 애서가(愛書家)
bóok lùng 서폐(書肺) 《거미·전갈 등의 호흡 기관》
book·mak·er [-mèikər] *n.* **1** 저술가 《특히 돈만을 목적으로 하는》; 책을 만드는 사람 《제본·인쇄업자 등》 **2** 〖경마〗 (사설) 마권(馬券)업자(bookie)
book·mak·ing [-mèikiŋ] *n.* Ⓤ **1** 서적 제조(업) **2** 〖경마〗 (사설) 마권업
book·man [-mən] *n.* (*pl.* **-men** [-mən]) **1** 독서인; 문인, 학자 **2** (구어) 서적상, 출판업자
book·mark [-mɑ̀:rk] *n.* **1** 서표(書標); 장서표(藏書票)(bookplate), 갈피표 **2** 〖컴퓨터〗 북마크 《인터넷 사이트를 브라우저(browser)에 등록해 두는 기능》
— *vt.* 〈어떤 사이트를〉 북마크하다
bóok màtch (미) 종이 성냥, 성냥첩
book·mo·bile [-məbì:l, -mou-] *n.* (미) (자동차) 이동 도서관, 순회 도서관(traveling library)
bóok mùslin (제본용) 모슬린
bóok nòtice (신간) 서적 소개[비평]
bóok of accóunt 회계 장부
Bóok of Bóoks [the ~] 성경, 성서
Bóok of Chánges [the ~] 역경(易經)
Bóok of Cómmon Práyer [the ~] (영국 국교회의) 일반 기도서(Prayer Book) 《略 BCP》
bóok of hóurs 〖가톨릭〗 기도서
bóok of lífe [the ~] 〖성서〗 생명의 책 《영생(永生)을 얻을 사람의 이름을 적은 것》
Bóok of Mórmon [the ~] 모르몬 경전
Bóok of Ódes [the ~] 시경(詩經)
Bóok of the Déad [the ~] 사자(死者)의 서(書) 《고대 이집트 인이 사자의 내세의 명복을 빌어 부장(副葬)한 기도문·주문서 등》
bóok of wórds (연극 등의) 대본
bóok pàge (신문의) 서평란 (페이지)
book·plate [-plèit] *n.* 장서표(ex libris)
bóok pòst (영) 서적 우편 《특별히 싼 요금으로 우송하는》
book·rack [-ræ̀k] *n.* **1** 서가(書架), 책꽂이 **2** 서안(書案)
bóok ràte (미) 서적 우편[소포] 요금
book·rest [-rèst] *n.* 독서대(臺), 서안(bookstand)
bóok revìew (특히 신간 서적의) 서평; (신문·잡지 등의) 서평란
bóok revìewer 서평가
bóok revìewing (특히 신간) 서평
∗**book·sell·er** [búksèlər] *n.* **서적상**, 책장수
book·sell·ing [-sèliŋ] *n.* Ⓤ 서적 판매(업)
∗**book·shelf** [búkʃèlf] *n.* (*pl.* **-shelves** [-ʃèlvz]) 서가, 책꽂이
∗**book·shop** [búkʃɑ̀p | -ʃɔ̀p] *n.* (주로 영) **책방**, 서점 ((미) bookstore)
book·slide [-slàid] *n.* (영) 이동식 서가
book-smart [-smɑ̀:rt] *a.* (미) (실생활에서는 필요 없지만) 책에서 배운 지식이 많은
bóok socìety (영) =BOOK CLUB 2
book·stack [-stæ̀k] *n.* (도서관 등의) 서가
book·stall [-stɔ̀:l] *n.* **1** (노점의) 헌책방 **2** (영) (역 구내 등의) 신문·잡지 매점(newsstand)

book·stand [-stæ̀nd] *n.* **1** 서가, 서안 **2** 서적 진열대[매점]
‡**book·store** [búkstɔ̀:r] *n.* (미) **책방**, 서점((영) bookshop)
bóok stràp 북스트랩 《책을 십자로 묶는 납작한 끈》
bóokstrap acquisìtion (단계적) 자력 매수(自力買收) 《사들인 주식으로 융자 받고, 그 돈으로 다시 주식을 사들이는 식》
book·sy [búksi] *a.* (구어) 학자인 체하는, 거북스레 딱딱한
book·tell·er [búktèlər] *n.* (미) (녹음용으로 책을 읽는) 낭독자
bóok tòken (영) 도서 상품권 《전국 공통 도서권》
bóok tràde 출판업 《출판·인쇄·판매 포함》
bóok tràveler 〖출판〗 (서적) 판매 사원
book-trough [búktrɔ̀:f, -trɑ̀f | -trɔ̀f] *n.* V자형 서적 전시용 선반
bóok vàlue 〖회계〗 장부 가격 《略 bv》(opp. *market value*); 1주(株)당 순자산
book·word [-wə̀:rd] *n.* 독서로 배운 말
book·work [-wə̀:rk] *n.* Ⓤ 책[교과서]에 의한 연구[학습] 《실습·실험에 대하여》; 장부 정리; 서적의 인쇄
book·worm [-wə̀:rm] *n.* **1** 〖곤충〗 반대좀 《책에 생기는 벌레》 **2** 독서광(狂), 책벌레
Boole [bú:l] *n.* 불 **George ~** (1815-64) 《영국의 수학자·논리학자》
Bool·e·an [bú:liən] *a.* 〖논리·수학〗 불(Boole)의; 〖컴퓨터〗 연산자의
Bóolean álgebra 〖논리·수학〗 불 대수 《집합산을 추상화하여 얻어지는 대수계》
Bóolean óperator 〖컴퓨터〗 논리 연산자 《AND, OR 등》
‡**boom**[1] [bu:m] *n.* **1 쿵 하고 울리는 소리**; (대포·천둥·파도 등의) 울리는 소리: the ~ of a cannon 대포의 굉음 **2** (벌 등의) 윙윙거리는 소리 **3 벼락 경기**, (갑작스러운) 인기, 붐; 급격한 증가(cf. SLUMP): a war ~ 군수 경기 / create[stir] a ~ 붐을 일으키다
— *a.* Ⓐ (구어) 급등한, 벼락 경기의, 붐을 탄: ~ prices 급등한 물가
— *vi.* **1 쿵 하고 울리다**; 우르르 울리다; 붕 하고 울다 **2** 〈벌이〉 윙윙거리다 **3** 소리를 내며[대단한 기세로] 돌진하다 **4** (미·속어) **갑자기 경기가 좋아지다**, 인기가 좋아지다; 폭등하다
— *vt.* **1** 울리는[우렁찬] 소리로 알리다 《*out*》; 낭송하다: 《~+목+부》 ~ *out* the verses 시구를 큰 소리로 낭송하다 / The clock *~ed* (*out*) twelve. 시계가 12시를 쳤다. **2** 붐을 일으키다, 활기를 돋우다; (광고 등으로) …의 인기를 올리다, 맹렬히 선전하다, 〈후보자를〉 …에 추대하다 《*for*》: 《~+목+전+명》 The governor's friends are *~ing* him *for* senator. 지사의 친구들은 그를 상원 의원으로 밀고 있다.
boom[2] *n.* **1** 〖기계〗 (데릭 기중기의) 팔 《물건을 달아 올리는 부분》 **2** 〖항해〗 (돛을 펴는) 하활 **3** (항구의) 방재(防材) (구역) **4** 마이크로폰[텔레비전, 카메라]용 걸침대 ***lower*** [***drop***] ***the ~ on*** (구어) …을 호되게 비난하다[단속하다, 벌주다]
— *vt.* **1** 하활에 〈돛을〉 펴다: 《~+목+부》 ~ *out* a sail 돛을 펴다 **2** 〈항구·강·호수에〉 방재를 설치하다 **3** 기중기로 끌어올리다[운반하다]
boom-and-bust [bú:mənbʌ́st] *n.* (구어) 벼락 경기와 불경기의 교체, 일시적인 비정상적 호경기
bóom bàby [보통 *pl.*] (미) 베이비 붐 시기에 태어난 사람
bóom bòx (구어) 대형 휴대용 카세트 라디오
bóom càrpet 초음속 비행기의 충격파에 의한 굉음의 피해 지역
bóom còrridor 초음속 비행대(帶)[로(路)]
boom·er [bú:mər] *n.* **1** (미·구어) 경기를 부채질하는 사람 **2** (미·구어) 신흥지 등에 몰려드는 사람; 뜨내기 노동자; 부랑자; 플레이보이 **3** (호주산(産)) 큰 수캥거루 **4** (미·속어) =BABY BOOMER

explosion, bang, blast, blare, roar, thunder **2 붐, 급격한 증가** increase, upturn, advance, growth, progress, development, expansion, improvement, boost, success (opp. *decline*, *slump*)

boo·mer·ang [bú:mərӕ̀ŋ] [호주 원지어(原地語)에서] *n.* **1** 부메랑 《호주 원주민의 무기; 곡선을 그리고 던진 사람에게 되돌아옴》 **2** 《비유》 자업자득이 되는 것; 긁어 부스럼의 논쟁[공격 《등》]
— *vi.* **1** 던진 사람에게 되돌아오다 《*on*》 **2** 《비유》 자업자득이 되다, 긁어 부스럼이 되다

boo·mer·ang·er [bú:mərӕŋər] *n.* = BOOMERANG KID

bóomerang kìd[**chìld**] 《미·구어》 부메랑족(族) 《성장한 후에 부모 품으로 되돌아오는 젊은이》

Bóomer Státe [the ~] 미국 Oklahoma 주의 속칭

boom·ing [bú:miŋ] *a.* **1** 쾅 하고 우는[울리는] **2** 벼락 경기의; 〈도시 등이〉 급속히 발전하는 **3** 《미·속어》 굉장한, 멋진, 뛰어난

boom·let [bú:mlit] *n.* 《미》 소경기(小景氣), 소형 붐

boom·ster [bú:mstər] *n.* 《미·구어》 경기(景氣)를 부채질하는 사람(boomer)

boom·town [bú:mtàun] *n.* (호경기로 급격히 발전하는) 신흥 도시

boom·y [bú:mi] *a.* 경제적 붐의; 활황(活況)의; 〖음향〗 〈재생음이〉 저음을 잘 살린

boon**[1] [bú:n] *n.* **1** 혜택, 은혜, 이익 **2** 《고어》 부탁 ***ask a ~ of a person …에게 청탁하다 ***be***[***prove***] ***a great ~ to*** …에게 큰 혜택이 되다

boon[2] *a.* 재미있는, 유쾌한; 《고어》 친절한, 관대한: a ~ companion (남자끼리) 마음 맞는 친구

boon·dag·ger [bú:ndӕgər] *n.* 《속어》 거친 성품의 힘센 여자; 남자역의 여성 동성애자

boon·docks [-dɑ̀ks | -dɔ̀ks] *n. pl.* [보통 the ~] 《미·구어》 삼림 지대, 오지; 벽지

boon·dog·gle [-dɑ̀gl, -dɔ̀:gl | -dɔ̀gl] 《미·구어》 *n.* **1** (보이 스카우트가 목에 거는) 가죽으로 엮은 끈; 수(手)세공품 **2** (시간과 돈이 드는) 쓸데없는 일
— *vt.* 속이다, 속이려고 하다 — *vi.* 쓸데없는[무익한] 일을 하다

boong [bú:ŋ] *n.* 《호주·속어》 호주[뉴기니아]의 원주민, 흑인, 유색인

boon·ies [bú:niz] *n. pl.* [the ~] 《미·구어》 = BOONDOCKS

boor [búər] *n.* **1** 예의를 모르는[무례한, 천박한] 남자; 촌뜨기(rustic); 농사꾼; 소박한 사나이 **2** [**B~**] = BOER

boor·ish [búəriʃ] *a.* **1** 촌사람의 **2** 촌티 나는, 상스러운, 본데없는(rude) **~·ly** *ad.* **~·ness** *n.*

boost** [bú:st] 《구어》 *n.* **1** 밀어올림 **2** 후원, 격려; 경기 부양(浮揚) **3** (가격 등의) 상승, 등귀; (생산량 등의) 증대: a tax ~ 증세(增稅) **4** 《미·속어》 (가게에서) 슬쩍 훔치기 ***give a person ***a ~*** …을 뒤에서 밀어주다, 후원하다
— *vt.* **1** 밀어 올리다 **2** 후원하다, 밀어주다; …의 경기를 부양하다, 선전하다 《*up*》: ~ the budget of the mobile device division 휴대 기기 부서의 예산을 증액하다 **3** 〈가격을〉 인상하다; 〈생산량을〉 증가하다; 〈사기·기력 등을〉 돋우다: ~ prices 시세를 올리다 **4** 〖전기〗 …의 전압을 올리다 **5** 《미·속어》 (가게에서) 들치기하다, 슬쩍하다

boost·er [bú:stər] *n.* **1** 후원자 **2** 시세를 조작해 값을 올리려고 사들이는 사람 **3** 〖전기〗 승압기(昇壓機); 〖전자〗 증폭기(增幅器)(amplifier), 부스터 **4** 〖우주과학〗 부스터 《보조 추진 로켓》; 〖군사〗 보조 장약(裝藥) **5** 〖의학〗 (약의) 효능 촉진제; (면역제의) 두 번째 예방 주사(= **~ shòt**[**dòse, injèction**])

boost·er·ism [bú:stərìzm] *n.* 열렬한 지지, 격찬; 《미》 (도시·관광지의) 선전 광고

bóoster ròcket (발사 추진) 보조 로켓

bóoster sèat (의자 위에 올려 놓는 어린이용) 보조 의자

‡**boot**[1] [bú:t] *n.* **1** [보통 *pl.*] 《영》 부츠, 반장화(cf. SHOE); 《미》 장화: a pair of ~*s* 부츠 한 켤레 / laced ~*s* 편상화(編上靴) / high ~*s* 《영》 장화 / Over shoes, over ~*s.* 《속담》 이왕 할 바에는 철저히. **2** 〖역사〗 발을 죄는 형구(刑具) **3** (타이어의) 내측 보강재; (말의) 외상을 막기 위해 다리에 싸는 도구 **4** (마부석의) 보호용 덮개; 컨버터블(convertible)형 차의 덮개 수납부 (커버) **5** 《영》 (옛 역마차 앞·뒤의) 짐 넣는 곳; (자동차의) 트렁크(《미》 trunk) **6** (주차 위반 차량의) 바퀴에 채우는 금속제의 차바퀴 고정 도구 **7** 《미·구어》 (해군·해병대의) 신병(新兵) **8** (구둣발로) 차기(kick) **9** [the ~] 《속어》 해고(dismissal) **10** 《구어》 자극, 스릴 **11** 〖야구〗 실책, 펌블 **12** [*pl.*] 《영》 = BOOTS
bet one***'s ~s*** 《미》 ⇨ bet. ***~s and all*** 《호주·구어》 총력을 다하여, 전력투구로 ***~(s) and saddle(s)*** 〖군사〗 승마 준비의 나팔 ***die in*** one***'s ~s*** = ***die with*** one***'s ~s on*** ⇨ die[1]. ***get the ~*** 《속어》 해고[절교]당하다 ***give*** a person ***the ~*** 《속어》 해고[절교]하다 ***hang up*** one***'s ~s*** = ***hang*** one***'s ~s up*** 《구어》 일[활동]을 그만두다, 은퇴하다 ***have*** one***'s heart in*** one***'s ~s*** 겁을 내고 있다 ***in*** a person***'s ~*** (…와) 똑같은 입장에 ***lick the ~s of*** = ***lick*** a person***'s ~s*** ⇨ lick. ***like old ~s*** 《속어》 맹렬히, 철저히 ***pull on***[***off***] one***'s ~s*** 장화를 잡아당기면서 신다[벗다] ***put***[***stick***] ***the ~ in*** 《영·구어》 (1) 쓰러진 사람을 다시 차다 (2) 궁지에 몰린 사람을 더욱 괴롭히다 ***The ~ is on the other***[***wrong***] ***leg***[***foot***]. 《구어》 입장이 거꾸로 되었다; 책임은 딴 데 있다, 번지수가 다르다. ***wipe*** one***'s ~s on*** …을 몹시 모욕하다
— *vt.* **1** …에게 부츠[장화]를 신기다 **2** 《구어》 발길로 차다 《*out*, *about*》; 〖미식축구〗 킥하다(kick) **3** 《구어》 해고하다, 내쫓다 《*out of*》 **4** 〖야구〗 〈땅볼을〉 펌블하다 **5** 〖컴퓨터〗 〈컴퓨터를〉 기억 장치로 스타트하다; 〈컴퓨터에〉 프로그램을 깔다[올리다]; 〈프로그램·데이터를〉 보조[외부] 기억 장치에서 주기억 장치로 넣다
~ upstairs 《속어》 한직에 앉히다, 겉치레 승진으로 퇴직시키다

boot[2] [OE 「이익」의 뜻에서] 《고어·시어》 *n.* Ⓤ 이익(profit) ★ 다음 성구로. ***to ~*** 게다가, 덤으로
— *vi.*, *vt.* [보통 it을 주어로 하여] 이롭다, 도움이 되다 ***It ~s*** (me) ***not***[***nothing***]. (내게는) 아무 쓸모없다. ***What ~s it to weep?*** 운다고 무슨 소용이 있나?

boot·black [bú:tblӕ̀k] *n.* 《드물게》 (길거리의) 구두닦이(shoeblack)

bóot càmp 《미·구어》 신병 훈련소

bóot bòy **1** 《영·속어》 (짧은 머리에 부츠를 신은) 불량소년 **2** (옛날의) 구두닦이 소년

bóot cùt 〈바지·청바지가〉 (부츠를 신을 수 있게) 무릎 아래통이 좀 넓은

boot·ed [bú:tid] *a.* 부츠[장화]를 신은; 《속어》 해고당한; 〖조류〗 정강이뼈에 깃털이 난

boot·ee [bu:tí: | ∠-] *n.* [보통 *pl.*] **1** 부티 《발목 높이의 여자·어린이용 부츠》 **2** [bú:ti:, -∠] 털실로 짠 아이들 양말

boot·er [bú:tər] *n.* 《속어》 축구 선수

Bo·ö·tes [bouóuti:z] *n.* 〖천문〗 목동자리(the Herdsman) 《북쪽 하늘의 별자리; 주성은 Arcturus》

boot-faced [bú:tfèist] *a.* 엄한[무뚝뚝한] 표정의; 무표정한

‡**booth** [bú:θ | bú:ð] [ON 「거주하다」의 뜻에서] *n.* (*pl.* **~s** [bú:ðz]) **1** (시장 등의) 노점, 매점 **2** 가설 오두막 **3** (공중)전화 박스; 영사실: a public phone ~ 공중전화 박스 **4** 칸막이한 좌석; (어학 실습실·전시장의) 부스; (투표장의) 투표 용지 기입소(= polling ~); (레코드) 시청실

bóot hìll 《미서부》 개척지의 묘지, 주인 없는 무덤 《총싸움하다 죽은 사람들을 묻은》

boot·jack [bú:tdʒӕ̀k] *n.* V자형의 장화 벗는 기구

boot·lace [-lèis] *n.* [보통 *pl.*] **1** 장화용 구두끈 **2** 《영》 구두끈(shoelace)

thesaurus **boost** *v.* **1** 올리다 lift, raise, elevate, push **2** 증대하다 increase, expand, raise, add to, enlarge **3** 격려하다 encourage, improve, promote

bóotlace tíe 폭이 좁고 짧은 넥타이
boot·leg [-lèg] (속어) *v.* (**~ged**; **~·ging**) *vt.* 〈술 등을〉 밀매[밀수, 밀조]하다 —*vi.* 술을 밀수하다
—*n.* Ⓤ 밀수[밀매, 밀조]주; 불법으로 제작·판매된 것, 해적판 —*a.* Ⓐ 밀매[밀수, 밀조]된; 불법의
boot·leg·ger [-lègər] *n.* (특히 미국의 금주법 시대의) 주류 밀매[밀수, 밀조]자
boot·leg·ging [-lègiŋ] *n.* Ⓤ 주류 밀매[밀수, 밀조]
bóotleg tùrn 〖자동차〗 사이드 브레이크로 뒷바퀴를 고정시키고 급선회하기
boot·less [búːtlis] *a.* (문어) 무익한(useless) **~·ly** *ad.* **~·ness** *n.*
boot·lick [-lìk] *vi.*, *vt.* (구어) 아첨하다
—*n.* (미) = BOOTLICKER
boot·lick·er [-lìkər] *n.* 아첨꾼(toady)
boot·lips [-lìps] *n.* (미·속어) 흑인
boot·load·er [-lòudər] *n.* 〖컴퓨터〗 부트스트랩(bootstrap) 로더 《프로그램을 읽기 위한 프로그램을 넣는 장치》
boot·mak·er [-mèikər] *n.* 구두 만드는 사람, 제화공, 구두 직공
bóot pòlish (영) 구두약; 구두닦기((미) shoeshine)
boots [búːts] *n.* (*pl.* ~) [호칭으로도 쓰임] (영) (호텔의) 구두닦이 《짐을 나르기도 함》
boot·strap [búːtstræ̀p] *n.* **1** [보통 *pl.*] (편상화의) 손잡이 가죽 **2** (비유) 혼자 힘 **3** 〖컴퓨터〗 부트스트랩 《예비 명령에 의해 프로그램을 로드(load)하는 방법》 ***pull oneself up by one's (own) ~s*** = ***lift* [*raise*] *oneself by the* [*one's* (*own*)] *~s*** (구어) 자력으로 성공[향상]하다
—*a.* Ⓐ **1** 자기 스스로 하는, 독력(獨力)의 **2** 〖컴퓨터〗 부트스트랩 방식의
—*vt.* Ⓐ **1** [~ one*self* 로] 자신의 노력으로 …에 달하다 《*into*》; 혼자 힘으로 …에서 빠져나오다 《*out of*》 **2** 〖컴퓨터〗 부트스트랩으로 〈프로그램을〉 입력하다
boot·strap·per [-stræ̀pər] *n.* (속어) 입지전적인 사람, 자수성가한 사람
bóot tàg = BOOTSTRAP *n.* 1
bóot tràining (미·구어) (해군·해병대 등의) 신병 훈련 (기간)
bóot trèe (나무로 만든) 구두 골
*∗***boo·ty** [búːti] *n.* Ⓤ **1** (육상에서 거둔) **전리품, 노획물** 《★ 해상에서 거둔 전리품은 prize》: I made ~ of a good book. 좋은 책을 손에 넣었다. **2** 벌이, 이득 ***play*** ~ 짜고 상대방을 속이다
boo·ty·li·cious [bùːtilíʃəs] *a.* (미·구어) 성적 매력이 있는
booze [búːz] (구어) *vi.* 술을 많이 마시다 《*up*》
—*n.* **1** Ⓤ 술 **2** 술잔치 ***hit the*** ~ 술을 마시다 ***on the*** ~ 몹시 취하여
bóoze àrtist (미·속어) 술에 찌든 히피족
booze·hound [búːzhàund] *n.* (구어) 대주가
booz·er [búːzər] *n.* **1** (구어) 술꾼 **2** (영·속어) 술집(pub)
booz·er·oo [bùːzərúː] *n.* (뉴질·속어) 떠들썩한 술잔치; 싸구려 술집
booze-up [búːzʌ̀p] *n.* (영·속어) 주연(酒宴), 술잔치
booz·y [búːzi] *a.* (**booz·i·er**; **-i·est**) (구어) **1** 술 취한 **2** 술을 많이 마시는
bóoz·i·ly *ad.* **bóoz·i·ness** *n.*
bop[1] [bάp | bɔ́p] *n.* = BEBOP —*vi.* (**~ped**; **~·ping**) 비밥(bebop)에 맞추어 춤추다 ~ ***off*** (속어) 재빨리 떠나다
bop[2] (미·속어) *n.* 구타 —*vt.* (**~ped**; **~·ping**) 때리다, 구타하다
bo·peep [boupíːp] *n.* Ⓤ (영) 아웅[까꿍]놀이 ((미) peekaboo) 《숨어 있다가 나타나 아이를 놀래주는》; Ⓒ (영·속어) 잠 ***play*** ~ 아웅[까꿍]놀이를 하다; 〈정치가 등이〉 정체를 잡히지 않다
bop·per [bάpər | bɔ́p-] *n.* = TEENYBOPPER
bop·ster [bάpstər | bɔ́p-] *n.* (속어) 비밥(bebop) 광(狂), 비밥 팬
BOQ bachelor officers' quarters 독신 장교 숙사
bor. boron; borough
bo·ra [bɔ́ːrə] *n.* 〖기상〗 보라 《아드리아 해의 북쪽 또는 북동쪽에서 불어오는 차고 건조한 바람》
bo·rac·ic [bərǽsik] *a.* = BORIC
bo·ra·cite [bɔ́ːrəsàit] *n.* Ⓤ 〖광물〗 방붕석(方硼石)
bor·age [bɔ́ːridʒ, bάr- | bɔ́r-] *n.* 〖식물〗 지치의 일종 《유럽산(産) 밀원(蜜源) 식물; 향미료·샐러드용》
bo·rate [bɔ́ːreit, -rət] 〖화학〗 *n.* Ⓤ 붕산염
— [-reit] *vt.* 붕산염으로 처리하다
*∗***bo·rax**[1] [bɔ́ːræks, -rəks | -ræks] *n.* Ⓤ 〖화학〗 붕사(硼砂)
borax[2] *n.* (미·속어) 싸구려 (가구); 거짓말
bórax bèad 〖화학〗 붕사구(球)
Bo·ra·zon [bɔ́ːrəzὰn | -zɔ̀n] *n.* Ⓤ 보라존 《경도(硬度)가 높은 질화 붕소(窒化硼素)의 연마제; 상표명》
bor·bo·ryg·mus [bɔ̀ːrbərígməs] *n.* (*pl.* **-mi** [-mai]) 〖생리〗 (장(腸)의 가스 이동으로 나는) 복명(腹鳴), 꾸르륵 소리
Bor·deaux [bɔːrdóu] [포도주 생산지 이름에서] *n.* 보르도 《남프랑스의 포도주 산지의 중심지인 항구》; [종종 **b-**] Ⓤ 보르도 포도주(cf. CLARET)
bordéaux mìxture [종종 **B- m-**] 〖원예〗 보르도액(液) 《농약; 살균제》
Bor·de·laise [bɔ̀ːrdəléiz] *n.* 보르돌레즈 소스(= ∠ **sàuce**)
bor·del·lo [bɔːrdélou] *n.* (*pl.* **~s**) 매음굴
*⁑***bor·der** [bɔ́ːrdər] *n.* **1 가장자리,** 변두리, 가: the ~ of a lake 호숫가 **2 경계, 국경(선),** 국경 지방 (frontier)(⇨ boundary 유의어); (미) 변경(邊境); [the ~] (미) 멕시코와 미국과의 국경; [the B~(s)] (영) 잉글랜드와 스코틀랜드의 경계 (지대) **3** [종종 *pl.*] 영토, 영역; 국경 지대 **4** (의복·가구 등의) 가장자리 장식, 선(縇) 장식; (화단·정원 등의) 테두리 (꽃밭): a rug with a flowered ~ 꽃무늬 테두리를 두른 깔개 ***on the*** ~ ***of*** (1) …의 가[접경]에 (2) 이제 막 …하려고 하여
—*vt.* **1 접경하다,** 접하다, 면하다 **2** 단을 대다, 테를 두르다 《*with*》
—*vi.* **1 인접하다** 《*on, upon*》 **2** 근사(近似)하다, 가깝다, 마치 …같다 《*on, upon*》
bór·dered *a.* 단을 댄, 테를 두른
Bórder còllie 북잉글랜드산(産) 콜리종의 목양견
bor·de·reau [bɔ̀ːrdəróu] *n.* (*pl.* **~x** [-z]) (특히 문헌이 상세히 기록된) 비망록[각서]
bor·der·er [bɔ́ːrdərər] *n.* **1** 국경[변경]의 주민; (영) 잉글랜드와 스코틀랜드 경계 지방의 주민 **2** 테를 두르는 사람
bor·der·ing [bɔ́ːrdəriŋ] *n.* Ⓤ 경계선 설치; 단 대기, 테 두르기
bor·der·land [bɔ́ːrdərlæ̀nd] *n.* **1** 국경 (지대); 분쟁지 **2** [the ~] 소속이 불확실한 경계점; 어중간한 상태 《*between*》
*∗***bórder lìne 1** [보통 *sing.*] **국경선** 《*between*》 **2** [the ~] (두 개 사이의, 결정하기 어려운) **경계선** 《*between*》
*∗***bor·der·line** [bɔ́ːrdərlàin] *a.* Ⓐ **1 국경** (근처)의 **2** 경계선상의, 어느 편이라고 결정하기 어려운 **3** 표준에 미치지 않는, 기준에 달하지 않는 **4** 〈말 등이〉 아슬아슬한, 외설에 가까운: a ~ joke 아슬아슬한 농담
bórderline càse 이것도 저것도 아닌 경우; 〖심리〗 경계선 사례
bórderline personálity 〖정신의학〗 경계역(域) 인격 《기분·정서·행동 등 여러 면에서 불안정한 인격》
bórder prìnt 〖직물〗 보더 프린트 《천의 가장자리에 단과 평행되게 프린트한 무늬》

---

border *n.* **1** 가장자리 edge, verge, margin, brink, skirt **2** 경계 boundary, frontier —*v.* be adjacent to, adjoin, abut, neighbor, be next to

bórder sèrvice 국경 수비대 근무

Bórder Stàtes [the ~] **1** 〖미국사〗 노예 제도를 채용한 남부 여러 주 중에서 북부와의 타협에 기울어졌던 주들 《Delaware, Maryland, West Virginia, Kentucky, Missouri》 **2** 《미》 캐나다에 접경한 여러 주들 《Montana, North Dakota 등》

bórder tàx 국경세 《수입품에 부과》

Bórder térrier 영국산(産) 테리어의 일종

‡**bore**[1] [bɔ́:r] [OE 「구멍을 뚫다」의 뜻에서] *vt.* **1** 〈구멍·터널을〉 뚫다, 꿰뚫다, 도려내다: (~+목+전+명) ~ a hole *through*[*in, into*] the board 판자에 구멍을 뚫다 **2** 〖경마〗 〈말이〉 (머리를 내밀어) 〈다른 말을〉 제치고 나아가다 **~ one's way through** the crowd (인파 속)을 밀치고 나아가다

— *vi.* **1** 구멍을 내다; 시굴(試掘)하다: (~+전+명) ~ *for* oil 석유를 시굴하다 **2** 구멍이 나다 **3** 밀치고 나아가다 《*on, to*》; 〈말이〉 다른 말을 제치다

— *n.* **1** (총의) 구경(口徑), (구멍의) 내경(內徑) **2** (드릴 등으로 판) 구멍, 시굴공(試掘孔), 시추공 **3** 천공기

‡**bore**[2] [bɔ́:r] *vt.* 지루하게 하다, 따분하게 하다 《*with*》: (~+목+전+명) The game ~*d* me *to* death. 그 게임은 아주 지긋지긋했다.

— *n.* **1** 따분한[지루한] 것, 따분한[귀찮은, 하기 싫은] 일 **2** 따분한 사람, 지루하게 하는 사람

bore[3] *n.* 고조(高潮), 해일(海溢)

‡**bore**[4] [bɔ́:r] *v.* BEAR[2]의 과거

bo·re·al [bɔ́:riəl] *a.* **1** 북풍의 **2** 북녘의 **3** [보통 B~] 〖생태〗 〈동·식물이〉 아한대(亞寒帶)의

Bo·re·as [bɔ́:riəs] *n.* **1** 〖그리스신화〗 보레아스 《북풍의 신》 **2** Ⓤ 《시어》 북풍, 삭풍

‡**bored** [bɔ́:rd] *a.* 지루한, 따분한

bore·dom [bɔ́:rdəm] *n.* Ⓤ 지루함, 권태; Ⓒ 지루한 일

bore·hole [bɔ́:rhòul] *n.* (석유·수맥 탐사용) 시추공, 시굴공, 보링 구멍

bor·er [bɔ́:rər] *n.* **1** 구멍 뚫는 사람[기구], 송곳, 끌 **2** 〖곤충〗 천공충, 나무좀 **3** 〖패류〗 좀조개

bore·scope [bɔ́:rskoup] *n.* 〖광학〗 보스코프 《거울이나 프리즘을 써서 원통 내부를 검사하는 장치》

bore·some [bɔ́:rsəm] *a.* 지루한, 싫증 나는, 진절머리 나는

bo·ric [bɔ́:rik] *a.* 붕소의; 붕소를 함유한: ~ ointment 붕산 연고

bóric ácid 〖화학〗 붕산(硼酸)

bo·ride [bɔ́:raid] *n.* 〖화학〗 붕소화물(硼素化物)

bor·ing[1] [bɔ́:riŋ] *n.* **1 a** Ⓤ 천공(穿孔), 속을 우비어 파기; 천공 작업; 〖광산〗 보링 **b** (뚫은) 구멍 **2** [*pl.*] 송곳밥 **~ from within** (노동조합 등의) 내부 와해 공작

***bor·ing**[2] [bɔ́:riŋ] *a.* 지루한, 따분한: have a ~ time 지루한 시간을 보내다 / How ~! 아이고, 지루해! **~·ly** *ad.*

bóring bìt 송곳 끝

bóring machìne 천공기(穿孔機)

bóring tòol 〖기계〗 구멍 뚫는 바이트

bork [bɔ́:rk] *vt.* (**~·ed**) 〈후보자나 저명 인사를〉 (대중 매체를 통해) 체계적으로 공격하다

bor·lòt·tie béan [bɔ:rlɑ́ti- | bɔ:lɔ̀ti-] 콩의 일종 《익으면 껍질이 갈색으로 변함》

‡**born** [bɔ́:rn] *v.* BEAR[2]의 과거분사

be* ~** 태어나다: *be* ~ rich[a poet] 부자[시인]로 태어나다 ***be* ~ *again 다시 태어나다, 재생하다 ***be* ~ *before*[*ahead of*] one's *time*** 시대에 앞서 태어나다 ***be* ~ *of*** …에게서 태어나다 ***be not* ~ *yesterday*** 《구어》 풋내기가 아니다, 쉽사리 속지 않는다 ***There's one*[*a sucker*] *~ every minute.*** 《구어》 얼간이 같은 녀석도 참 많다.

— *a.* **1** Ⓐ 타고난, 천성의: a ~ artist = an artist ~ 타고난 예술가 **2** [보통 복합어를 이루어] …으로 태어난, 태생의 a Parisian **~ *and bred*** (파리) 본토박이, 순수한 (파리 시민) ***in all* one's *~ days*** [의문문·부정문에서] 《구어》 나서부터 지금까지, 평생

born-a·gain [bɔ́:rnəgèn | -əgèin] *a.* 《미》 새로 태어난, 거듭난, (강한 종교적 경험에 의해) 신앙을 새롭게 한; 개종[전향, 변경]한; 〈관심 등이〉 되살아난; 열렬히 캠페인을 벌이는; 제2의 기회를 잡은

‡**borne** [bɔ́:rn] *v.* BEAR[2]의 과거분사

USAGE (1) 「낳다」 이외의 뜻으로는 언제나 **borne**을 사용한다(⇨ airborne, seaborne, wind-borne): The ant was *borne* along helpless. 개미는 어쩔 수 없이 떠내려갔다. / I have *borne* with you till now. 나는 여태까지 너를 참아 왔다. (2) 「낳다」의 뜻으로는 **born**이 보통이나, 완료형의 경우와 by 앞에서는 borne을 사용한다: She *has* never *borne* children. 그녀는 아이를 낳아 본 적이 없다. / Of all the children *borne by* her one survives. 그녀가 낳은 아이들 가운데 단 하나가 살아 있다.

bor·né [bɔ:rnéi] [F] *a.* 마음[시야]이 좁은, 편협한

Bor·ne·an [bɔ́:rniən] *a.* 보르네오 (사람)의

— *n.* 보르네오 사람; Ⓤ 보르네오 말

Bor·ne·o [bɔ́:rniòu] *n.* 보르네오 섬 《Malay 제도에 있는, 세계에서 세번째로 큰 섬》

bor·ne·ol [bɔ́:rniɔ̀:l] *n.* Ⓤ 〖화학〗 보르네올, 용뇌

born·ite [bɔ́:rnait] *n.* Ⓤ 〖광물〗 반동석(斑銅石)

bo·ron [bɔ́:rɑn | -rɔn] *n.* Ⓤ 〖화학〗 붕소 《비금속 원소; 기호 B; 번호 5》

bo·ro·sil·i·cate [bɔ̀:rəsíləkeit | -kit] *n.* 〖화학〗 붕규산염

borosílicate glàss 붕규산(硼硅酸) 유리 《붕산과 규산을 주성분으로 하는 유리; 내열 유리 제품용》

bor·ough** [bə́:rou, bʌ́rou | bʌ́rə] [OE 「성채가 있는 곳[도시]」의 뜻에서] *n.* **1** 《영》 (국왕의 칙허(勅許)에 의하여 특권을 가진 옛) 자치 도시(= municipal ~); (국회의원 선거구로서의) 도시(= parliamentary ~); (Greater London의) 자치구 **2** 《미》 (몇몇 주에서의) 자치 시[구, 읍]; (New York의) 독립구 《Manhattan, the Bronx, Brooklyn, Queens, Staten Island[구칭 Richmond]의 5구》; (Alaska 주의) 군 《다른 주의 county에 상당》 **3** 〖역사〗 (중세의) 성읍(城邑), 도시 ***buy*[*own*] *a ~ 선거구를 매수[소유]하다 ***pocket*[*close*] *~*** 〖영국사〗 대의원 선출 실권이 한 사람 또는 한 가문에 있던 선거구

bórough cóuncil 《영》 자치구 의장

bórough Énglish 〖영국법〗 (1924년까지의) 말자(末子) 상속제

‡**bor·row** [bɑ́rou, bɔ́:r- | bɔ́r-] [OE 「빌려주다」의 뜻에서] *vt.* **1** 빌리다 《*from*, 《드물게》 *of*》: (~+목+전+명) I ~*ed* books *from* the library. 나는 도서관에서 책을 빌렸다.

> 유의어 **borrow** 갖고 다닐 수 있는 것을 돌려줄 것을 전제로 일시적으로 빌리다 **lend, loan** 일정 기간 무엇을 빌려주다; 《영》에서는 「돈을 내고 의류·보트 등을 빌다」는 **hire,** 차는 **rent**나 hire, 집은 rent이나, 《미》에서는 이들 경우에 모두 rent를 쓴다

2 〖수학〗 (뺄셈할 때 윗자리에서) 꾸어 오다 **3** 〈사상·풍습 등을〉 무단 차용하다, 도입하다 《*from*》 **4** 〖언어〗 〈말을〉 (다른 언어에서) 차입[차용]하다 《*from*》

— *vi.* **1** (…에서) 빌리다, 꾸다, 차용하다 《*from*》 **2** 〖골프〗 바람[언덕]을 참작하여 치다 **~ *trouble*** 쓸데없는 걱정을 하다

bor·rowed [bɑ́roud, bɔ́:r- | bɔ́r-] *a.* 빌린, 차용한; 다른 데서 따온: words ~ from French 프랑스 말에서 온 차용어 ***in ~ plumes*** 옷을 빌려 입고; 남의 신망을 빌려; 주워들은 지식으로

bórrowed líght 창에서 들어오는 광선; 반사광

bórrowed tíme 빌린 시간; 《비유》 덤으로 사는 삶: live on ~ 〈환자 등이〉 (생명이 연장되어) 여분의 인생을 살다

***bor·row·er** [bɑ́rouər, bɔ́:r- | bɔ́r-] *n.* 빌리는 사람, 꾸는 사람, 차용자

bor·row·ing [bɑ́rouiŋ, bɔ́:r- | bɔ́r-] *n.* **1** Ⓤ 차용

2 차용어; 빌린 것 《*of*》
borsch(t) [bɔ́:rʃ(t)] [Russ.] *n.* Ⓤ (당근즙을 넣은) 러시아식 수프의 일종
bórsch(t) bèlt [종종 **B- B-**] 《미·구어》 = BORSCH(T) CIRCUIT
bórsch(t) cìrcuit [종종 **B- C-**] 《미·구어》 미국 New York 주 Catskill 산맥에 있는 유대인 피서지 일대
bor·stal [bɔ́:rstl] *n.* [때로 **B~**] 《영》 (비행 소년들을 위한) 감화원, 소년원(= ~ **institùtion**)
Bórstal sỳstem [the ~] (영국의) 보스털식 비행 소년 재교육 제도
bort(z) [bɔ́:rt(s)] *n.* Ⓤ 저질의 다이아몬드; 다이아몬드 조각(boart) 《연마·절삭용》
bor·zoi [bɔ́:rzɔi] *n.* 보르조이 《러시아산의 이리 사냥개》

borzoi

bos·ber·aad [bɔ́sbərɑ:t, bɑ́:s-] *n.* 《남아공》 바스브라트 《재계나 정계의 지도자들이 시외에서 갖는 모임》
bos·cage, bosk·age [bɑ́skidʒ | bɔ́s-] *n.* 《문어》 수풀, 숲, 덤불
bosh[1] [bɑ́ʃ | bɔ́ʃ] *n.* Ⓤ 《구어》 허튼소리, 시시한 소리
—*int.* 《구어》 허튼소리 마라
—*vt.* 《학생속어》 놀리다, 조롱하다
bosh[2] *n.* 〖야금〗 용광로의 바닥과 샤프트 사이의 원추형 부분
bosk [bɑ́sk | bɔ́sk] *n.* 《문어》 작은 (관목) 수풀
bos·ket [bɑ́skit | bɔ́s-] *n.* 수풀, 총림(叢林)
bosk·y [bɑ́ski | bɔ́ski] *a.* (**bosk·i·er**; **-i·est**) 《문어》 숲이 우거진; 나무 그늘이 있는(shady)
bo·s'n, bo'·s'n [bóusn] *n.* = BOATSWAIN
Bos·ni·a [bɑ́zniə | bɔ́z-] *n.* 보스니아 《발칸 반도 서부의 옛 왕국; 보스니아 헤르체코비나의 일부》
Bósnia and Herzegovína [-hèrtsəgouví:nə] 보스니아 헤르체코비나 《유고슬라비아 연방의 한 공화국으로 1992년 독립함; 수도 Sarajevo》
Bos·ni·an [bɑ́zniən | bɔ́z-] *a.* 보스니아의
—*n.* 보스니아 사람; Ⓤ 보스니아 말
⁑**bos·om** [búzəm, bú:z-] *n.* **1** 《문어》 가슴(⇨ chest 유의어); (여자의) 유방 《★ breasts 쪽이 일반적임》 **2** 가슴속(의 생각), 내심; 친애의 정, 애정 **3** (의복의) 흉부, 품; 《미》 셔츠의 가슴 **4** [the ~] 《문어》 속, 내부 《*of*》: in *the* ~ *of* the earth 대지의 깊은 곳에 **5** [the ~] (바다·호수 등의) 한복판 《*of*》: on *the* ~ *of* the ocean 대양의 한복판에
in** one's* ~ 포옹하여 ***in the ~ of** one's **family 한 가족이 단란하게 ***keep in** one's* ~ 가슴속에 간직해 두다 ***of** one's* ~ 마음속으로 믿는, 가장 사랑하는: a friend *of my* ~ 나의 친한 벗 / the wife *of his* ~ 그의 애처(愛妻) ***speak** one's* ~ 흉금을 터놓고 이야기하다 ***take** a person **to** one's* ~ …을 아내로 삼다; …을 막역한 친구로 삼다
—*a.* Ⓐ 절친한, 사랑하는, 심복의: a ~ friend[pal] 절친한 친구
—*vt.* 가슴에 껴안다; 가슴에 감추다
bos·omed [búzəmd, bú:z-] *a.* **1** [보통 복합형으로] …의 가슴(모양)을 한: big-~ 큰 가슴을 한 **2** 가슴에 숨긴, 안에 감춘
bos·om·y [búzəmi, bú:z-] *a.* 《구어》 〈여자가〉 가슴이 풍만한
bo·son [bóusɑn | -sɔn] *n.* 〖물리〗 보손 《스핀이 정수(整數)인 소립자·복합 입자》
Bos·po·rus [bɑ́spərəs | bɔ́s-], **-pho-** [-fə-] *n.* [the ~] 보스포러스 해협 《흑해와 마르마라 해(the sea of Marmara)를 연결함》
bos·quet [bɑ́skit | bɔ́s-] *n.* = BOSKET
⁑**boss**[1] [bɔ́:s, bɑ́s | bɔ́s] [Du. 「두목, 우두머리」의 뜻에서] 《구어》 *n.* **1** 두목, 보스, 두령; 상사, 사장, 소장, 주임; 보스적인 존재, 실력자, 지배자: one's ~ at the office 직장 상사 **2** 《미》 (정계 등의) 영수, 거물
—*vt.* …의 보스[두목, 두령]가 되다; 지배하다, 감독하다, 지시하다; 쥐고 흔들다, 부려먹다 《*around*, *about*》: (~+목+부) His wife ~*es* him *around*. 그는 아내에게 꼼짝못한다.
—*vi.* 두목[보스]이 되다, 두목 행세를 하다
~ ***it*** 《구어》 마음대로 처리하다, 좌지우지하다 ~ ***the show*** 《구어》 휘두르다, 좌지우지하다
—*a.* **1** 보스의, 주임의 **2** 일류의; 뛰어난, 훌륭한
boss[2] [OF 「돌출한 것」의 뜻에서] *n.* **1** (장식적) 돌기; 사마귀 (모양의 징) **2** 〖건축〗 양각 (장식), 부조(浮彫) —*vt.* [보통 수동형으로] 돋을새김으로 장식하다
boss[3] *n.*, *vt.*, *vi.* 《영·속어》 잘못(하다), 잘못 짐작(하다), 오산(하다)
boss[4] [bɑ́s, bɔ́:s | bɔ́s] *n.* 《미》 암소, 송아지
boss[5] [bɑ́s | bɔ́s] *a.* 《스코》 속이 빈, 텅 빈
BOSS [bɔ́:s, bɑ́s | bɔ́s] [*B*ureau *o*f *S*tate *S*ecurity] *n.* (남아프리카 공화국의) 국가 비밀 정보국
bos·sa no·va [bɑ́:sə-nóuvə, bɔ́:sə- | bɔ́sə-] [Port. =new style] 〖음악〗 (삼바에 재즈를 가미한 브라질 기원의) 보사노바 음악[춤]
boss·dom [bɔ́:sdəm, bɑ́s- | bɔ́s-] *n.* Ⓤ 정계 보스로서의 지위; 정계 보스의 영향력 범위; 보스 정치
bossed [bɔ́:st, bɑ́st | bɔ́st] *a.* 양각 장식한, 돋을새김 (장식)이 붙은; 돌기물이 붙은
boss-eyed [bɔ́:sàid, bɑ́- | bɔ́-] *a.* 《영·속어》 애꾸눈의; 사팔뜨기의; 편파적인
boss·head [-hèd] *n.* 《속어》 우두머리(boss), 반장(foreman), 주임(head)
boss·ism [bɔ́:sizm, bɑ́s- | bɔ́s-] *n.* Ⓤ 《미》 보스 제도, 보스 정치
bóss kèy 〖컴퓨터〗 보스 키, 스크린 변환 키 《상사가 없는 동안 게임을 하거나 웹 페이지를 보기 위해 바꾸는》
boss·man·ship [bɔ́:smənʃip, bɑ́s- | bɔ́s-] *n.* Ⓤ 경영자 정신(corporate leadership)
boss·nap·ping [bɔ́:snæpiŋ, bɑ́s- | bɔ́s-] *n.* (해고나 임금 삭감에 반대하여) 경영진을 구금하는 것
boss-shot [-ʃɑ̀t | -ʃɔ̀t] *n.* 《영·속어》 서투른[실패한] 시도; (사격·골프 등에서의) 잘못 쏘기[치기]
boss·y[1] [bɔ́:si, bɑ́si | bɔ́si] *a.* (**boss·i·er**; **-i·est**) 《구어》 두목 행세하는, 으스대는 **bóss·i·ness** *n.*
bossy[2] *a.* (**boss·i·er**; **-i·est**) = BOSSED
bossy[3] *n.* (*pl.* **boss·ies**) 《미·구어》 송아지; 암소
boss·y·boots [bɔ́:sibù:ts, bɑ́si- | bɔ́si-] *n.* 《영·구어》 오만불손한 사람[녀석]
⁑**Bos·ton** [bɔ́:stən, bɑ́s- | bɔ́s-] *n.* **1** 보스턴 《미국 Massachusetts 주의 주도; 속칭 the Puritan City, the Bean Town》 **2** [보통 **b~**] 보스턴 왈츠 《사교댄스의 일종》
Bóston árm 〖의학〗 보스턴 의수(義手) 《보스턴에서 개발된, 신경 펄스를 감지하여 작동하는 의수》
Bóston bàg 보스턴백(overnight bag)
Bóston báked béans = BAKED BEANS
Bóston brówn brèad (옥수수가루와 호밀가루[밀가루]로 만든) 찐빵의 일종
Bóston búll = BOSTON TERRIER
Bóston créam píe 보스턴 크림 파이 《당의를 입히고, 크림을 넣은 스펀지케이크》
Bos·to·ni·an [bɔ:stóuniən, bɑs- | bɔs-] *a.*, *n.* 보스턴의 (시민)
Bóston ívy 〖식물〗 담쟁이덩굴 《포도과(科) 덩굴 식물》
Bóston Mássacre [the ~] 〖미국사〗 보스턴 학살 사건 《1770년 3월 5일에 일어난 보스턴 시 주둔 영국군과 보스턴 시민의 충돌 사건》
Bóston rócker 보스턴형 흔들의자
Bóston Téa Pàrty [the ~] 〖미국사〗 보스턴 차(茶) 사건 《1773년 발생》
Bóston térrier 보스턴 테리어 《영국종 bulldog과 terrier의 교배종》
bo·sun, bo'·sun [bóusn] *n.* = BOATSWAIN
Bos·well [bɑ́zwèl, -wəl | bɔ́z-] *n.* **1** 보즈웰

James ~ (1740-95) 《*Life of Samuel Johnson* 의 저자》 **2** 충실한 전기(傳記) 작가
Bos·well·i·an [bɑzwéliən | bɔz-] *a.* 보즈웰다운, 보즈웰류의, 보즈웰식의 **—** *n.* 보즈웰 연구[숭배]자
bot[1] [bɑ́t | bɔ́t] *n.* **1** 〖곤충〗 말파리(botfly)의 유충 **2** [the ~s; 때로 단수 취급] 〖수의학〗 보트증(症) 《말파리의 유충이 말의 위에 기생하여 생기는 병》 **3** 〖컴퓨터〗 봇 《인터넷 상의 정보 검색을 위해 다른 사이트의 페이지도 자동적으로 연달아 검색·수집하는 프로그램》
bot[2] 《호주·구어》 *vt., vi.* 등치다, 조르다, 강청(强請)하다 《*on*》 **—** *n.* 조르는[등치는] 사람 ***be on the ~ for*** …을 등치다, 조르다
bot. botanical; botanist; botany; bottle; bottom; bought
BOT [bí:outí:] [*b*alance *o*f *t*ime] *n.* 《미·속어》 남은 형기(刑期)
BOT Board of Trade 《미》 상업 회의소; 《영》 상무부 **botan.** botanical
*__bo·tan·ic, -i·cal__ [bətǽnik(əl)] *a.* **1** 식물의; 식물학(상)의 **2** 식물에서 채취한 **-i·cal·ly** *ad.*
botánical gárden 식물원
*__bot·a·nist__ [bɑ́tənist | bɔ́-] *n.* 식물학자
bot·a·nize [bɑ́tənàiz | bɔ́-] *vi.* 식물을 채집[연구]하다 **—** *vt.* 〈한 지역의〉 식물을 조사하다, 식물학적으로 답사하다
‡**bot·a·ny** [bɑ́təni | bɔ́-] *n.* (*pl.* **-nies**) Ⓤ **1** 식물학 **2** 《한 지방의》 식물 (전체); 식물의 생태 **3** Ⓒ 식물학 서적 **4** [때로 **B~**] = BOTANY WOOL ***geographical ~*** 식물 지리학
Bótany Báy 오스트레일리아 남동부 연안의 Sydney 부근의 만(灣) 《원래 영국의 죄수 식민지였음》
Bótany wóol 오스트레일리아산(産) 고급 메리노 양모
bo·tar·go [bətɑ́:rgou] *n.* (*pl.* ~(**e**)**s**) 다랑어·숭어 《등》의 알을 소금에 절여 말린 것
botch[1] [bɑ́tʃ | bɔ́tʃ] *n.* **1** 보기 흉하게 기운 것 **2** 서투른 일[솜씨] ***make a ~ of*** …을 망쳐 놓다 **—** *vt.* **1** 서투르게 깁다 **2** 망쳐 놓다 《*up*》
botch[2] *n.* 《방언》 부스럼, 종기
botch·er [bɑ́tʃər | bɔ́tʃ-] *n.* 서투른 직공
botch·er·y [bɑ́tʃəri | bɔ́tʃ-] *n.* Ⓤ 보기 흉한 기움새, 서투른 수선; 서투른 솜씨, 실수
botch-up [bɑ́tʃʌ̀p | bɔ́tʃ-] *n.* 《구어》 서툴게 고침, 형편없는 솜씨
botch·y [bɑ́tʃi | bɔ́tʃi] *a.* (**botch·i·er**; **-i·est**) 누덕누덕 기운; 보기 흉한; 솜씨가 서투른
bo·tel [boutél] *n.* = BOATEL
bot·fly [bɑ́tflài | bɔ́t-] *n.* (*pl.* **-flies**) 〖곤충〗 말파리
‡**both** ⇨ both (p. 293)
‡**both·er** [bɑ́ðər | bɔ́-] *vt.* **1** 괴롭히다(worry), 귀찮게 하다, 성가시게 하다; 귀찮게 조르다: (~+목+전+명) ~ a person *with* questions …에게 귀찮게 질문하여 괴롭히다 // (~+목+*to* do) He ~*s* me *to* lend him money. 그는 내게 돈을 꾸어 달라고 조른다.

> 유의어 **bother** 방해를 하거나 폐·걱정을 끼쳐 상대방의 마음을 어지럽히다 **annoy** 귀찮고 불유쾌한 일로 상대방을 초조하게 만들다 **worry** 불안·걱정·심려 등을 끼쳐 상대방을 괴롭히다

2 [정중한 표현] …에게 폐를 끼치다: I'm sorry to ~ you, but … 죄송합니다만 … **3** 《구어》 제기랄 《가벼운 짜증의 뜻으로》: *B~* the flies! 요놈의 파리! **—** *vi.* **1** 《몹시》 걱정하다, 근심[고민]하다: (~+전+명) Don't ~ *about* the expenses. 비용 걱정은 하지 마라. **2** [부정문에서] 일부러 …하다, …하도록 애쓰다: (~+*to* do) Don't ~ *to* fix a lunch for me. 나를 위해 일부러 점심 준비를 할 것 없다.
~ one's head [***one's brains, oneself***] 근심하다 《*about*》 ***B~ you!*** 귀찮다! ***cannot be ~ed*** (***to*** do) = ***not ~*** (***to*** do) 《구어》 …조차 하지 않다 ***Oh, ~ it!*** 아 귀찮다, 지긋지긋해!
— *n.* **1** Ⓤ 귀찮음 **2** 성가신 일; 소란, 옥신각신; 귀찮은 사람 **3** 노력, 수고 **4** Ⓤ 《영·속어》 조무래기 싸움 ***What's all this ~ about?*** 대체 무슨 소동이냐? **—** *int.* 《영·구어》 귀찮다
both·er·a·tion [bɑ̀ðəréiʃən | bɔ̀-] 《구어》 *n.* Ⓤ 성가심, 속상함(vexation) **—** *int.* 귀찮다, 제기랄: Oh, ~! 빌어먹을!
both·er·some [bɑ́ðərsəm | bɔ́-] *a.* 귀찮은, 성가신, 주체스러운
both-hand·ed [bóuθhǽndid] *a.* 양손을 쓰는; 양손잡이의
both-sid·ed [-sáidid] *a.* 양면이 있는, 양쪽에 듣는
both-way [-wèi] *a.* 왕복의; 〖컴퓨터〗 양[쌍]방향의
both·y, both·ie [bɑ́θi, bɔ́:θi | bɔ́θi] *n.* (*pl.* **-ies**) 《스코》 (특히 농부·노동자용의) 오두막 (합숙소)
bot·net [bɑ́:tnet | bɔ́t-] *n.* 봇넷 《악성코드 봇(bot)에 감염되어 해커가 마음대로 제어할 수 있는 좀비 PC들로 구성된 네트워크》
bot·o·née, bot·on·née [bɑ́tənèi, ∸-∸ | bɔ́tənèi] *a.* 《문장(紋章)에서》 〈십자의〉 각 끝이 3갈래 잎 모양의
Bo·tox [bóutɑks | -tɔks] *n.* 〖약학〗 보톡스 《얼굴의 잔주름 제거용 근육 이완 주사약; 상표명》 **—** *vt.* [보통 수동형으로] 〈얼굴에〉 보톡스 주사를 놓다: Getting ~*ed* is pretty simple. 보톡스 주사 맞기는 아주 간단하다.
bó trèe [bóu-] 〖식물〗 《인도의》 보리수
bot·ry·oi·dal [bɑ̀triɔ́idl | bɔ̀-], **-oid** [bɑ́triɔ̀id | bɔ́-] *a.* 포도송이 모양의
bots [bɑ́ts | bɔ́ts] *n. pl.* = BOT[1] 2
Bot·swa·na [bɑtswɑ́:nə | bɔt-] *n.* 보츠와나 《아프리카 남부의 독립국; 수도 Gaborone》
bott [bɑ́t | bɔ́t] *n.* = BOT
‡**bot·tle**[1] [bɑ́tl | bɔ́tl] *n.* **1** 병, 술병; (술·기름 등을 넣는) 가죽 주머니: a milk ~ 우유병 / a vacuum ~ 보온병 / an empty beer ~ 빈 맥주병 **2** 한 병의 분량 《*of*》: a ~ *of* wine 포도주 한 병 **3** [the ~] 술, 음주 **4** 젖병; [the ~] (젖병에 넣은) 분유, 우유: bring a child up on *the* ~ 어린애를 우유로 기르다 **5** 《영·속어》 용기, 기백(spirit), 결단력: have (got) a lot of ~ 용기 있다, 결단력이 있다
crack [***break***] ***a ~*** 축배를 들다 ***fight a ~*** 《미·속어》 병째로 술을 마시다 ***hit the ~*** 《미·속어》 (1) 술을 많이 마시다 (2) 곤드레만드레 취하다 ***like one's ~*** 술을 좋아하다 ***on the ~*** 《구어》 술에 빠져, 술을 잔뜩 마셔 ***over a*** [***the***] ***~*** 술을 마시면서 ***take to the ~*** 술을 즐기다, 술에 빠지다
— *vt.* **1** 병에 담다; 《영》 〈과일 등을〉 병조림으로 하다 **2** 《속어》 붙들다
B~ it! 《미》 입 닥쳐, 조용히! ***~ off*** (통에서) 병으로 옮겨 담다 ***~ up*** (1) 병을 밀봉(密封)하다 (2) 〈노여움 등을〉 억누르다, 감추다 (3) 〈적 등을〉 봉쇄하다
bottle[2] *n.* 《영·방언》 (건초·짚 등의) 단(bundle) ***look for a needle in a ~ of hay*** ⇨ needle
bot·tle·ache [bɑ́tlèik | bɔ́tl-] *n.* 《미·속어》 숙취; 알코올 중독자의 떨림이나 환각 증세
bóttle bàby 우유로 키우는 아기; 《미·속어》 알코올 중독자
bóttle bànk 《영》 (거리에 설치한) 빈 병 넣는 용기
bóttle blònd(**e**) 《미·속어》 머리를 금발로 염색한 사람
bot·tle·brush [bɑ́tlbrʌ̀ʃ | bɔ́tl-] *n.* **1** 병 닦는 솔 **2** 〖식물〗 쇠뜨기
bóttle càp (코르크가 달린) 병마개
bóttle clùb 회원들이 자기 술을 미리 구매하거나 예약했다가 폐점 시간 후에 모이는 회원제 클럽[술집]
bot·tled [bɑ́tld | bɔ́-] *a.* 병에 담은, 병에 든

thesaurus **bother** *v.* **1** 괴롭히다 disturb, trouble, pester, harass, annoy, upset, irritate, vex, inconvenience, provoke **2** 일부러 …하다 take the

both

「양쪽의 (것)」이라는 뜻의 형용사·대명사, 그리고 both ... and ... 의 형식으로 「양쪽 모두」라는 상관접속부사의 제1 요소로 쓰인다. 이 세 경우에 모두 「복수 개념」을 내포하고 있는 점에 유의해야 한다. 용법을 살펴보면:

1 가산 명사의 복수형에 붙는다.
2 지시형용사, 소유격의 인칭대명사 등이 있을 때는 그 앞에 놓는다. 정관사도 both 뒤에 놓이나 이 때 정관사는 생략되는 것이 보통이다.
3 not과 같이 쓰면 부분 부정이 된다.

‡both [bóuθ] *a., pron., ad.*
— *a.* **양자의,** 양쪽의, 쌍방의: on ~ sides of the street 길 양쪽에 / *B*~ (the) brothers are alive. 두 형제는 모두 살아 있다. 《both 뒤의 정관사는 보통 생략됨; cf. *pron.* 1, 2》/ I've lost ~ my gloves. 장갑을 양쪽 다 잃어버렸다. 《both는 지시형용사·소유격 대명사 등의 앞에 둠》/ I do*n't* want ~ books. 그 책을 양쪽 다 원하는 것은 아니다. 《하나만 필요하다》 《both의 부정은 부분 부정을 나타냄; ⇨ not 4》
~ *ways* 양쪽 점에서, 양쪽으로, 두 가지로: have it ~ *ways* (논의 등에서) 양다리 걸치다, 모순된 두 가지 일을 동시에 하다
— *pron.* **1** [복수 취급] **양자,** 양쪽, 쌍방: We are ~ well. 우리 두 사람 모두 건강하다. / I want to see ~ of you now. 지금 두 사람 모두 만나고 싶다. (cf. *pron.* 2, *a.*) / *B*~ of us knew it. 우리는 둘 다 그것을 알고 있었다. / I love ~ of them. 나는 두 사람을 다 사랑한다. (cf. *pron.* 2) 《the both of us[you]와 같이 both 앞에 the를 두는 것은 (미)의 비표준적 용법》/ Are your parents living? — No, *not* ~. 양친이 모두 살아 계십니까? — 아니오, 두 분 다 살아 계신 것은 아닙니다. 《한쪽만 살아 있다; ⇨ not 4》
2 [동격으로 써서] **양쪽[둘] 다** 《USAGE as well as, equal, equally, alike, together 등과 함께 쓰면 의미상으로 중복되기 때문에, 이럴 때에는 both를 쓰지 않음》: The brothers are ~ well. 그 형제는 둘 다 건강하다. (cf. *pron.* 1, *a.*) / I saw them ~. 두 사람을 다 만났다. (cf. *pron.* 1) / They ~ wanted to go abroad. 그들은 둘 다 외국에 가고 싶어했다.
— *ad.* [both ... and ...로 상관접속부사로서] …도 …도(양쪽 다); …뿐만 아니라 또: ~ by day *and* by night 낮이나 밤이나, 밤낮을 가리지 않고 / *B*~ brother *and* sister are dead. 오누이가 다 죽었다. 《주어로 쓰인 경우에는 복수 취급》/ That actress is ~ skillful *and* beautiful. 그 여배우는 연기도 잘하는 데다가 미인이다. / I can speak ~ English *and* French. 나는 영어와 불어를 다 말할 수 있다.

bóttled gás 휴대용 봄베(bomb)[실린더]에 담긴 압축 가스, 《특히》 부탄[프로판] 가스
bot·tle-fed [bɑ́tlfèd | bɔ́tl-] *a.* 우유로 자란, 인공 영양의(cf. BREAST-FED)
bot·tle-feed [-fìːd] *vt.* (**-fed** [-fèd]) 〈아이를〉 우유[인공 영양]로 기르다(cf. BREAST-FEED)
bot·tle·ful [bɑ́tlfùl | bɔ́tl-] *n.* (*pl.* **~s**) 한 병(의 분량) 《*of*》
bóttle glàss 병 유리 《암녹색의 조제품》
bóttle gòurd 〖식물〗 호리병박
bóttle gréen 암녹색(deep green)
bot·tle·hold·er [bɑ́tlhòuldər | bɔ́tl-] *n.* **1** 병 받침대 **2** (권투 선수의) 세컨드 **3** 후원자
bóttle ìmp 병 속에 갇힌 전설의 작은 도깨비; = CARTESIAN DIVER
bot·tle·man [-mæ̀n] *n.* (*pl.* **-men** [-mèn]) 《미·속어》 술꾼, 주정꾼
bot·tle·neck [-nèk] *n.* **1** 병목 **2** 좁은 통로[길]; 교통 체증[병목 현상](이 일어나는 곳) **3** (사물의) 진행[활동]이 방해된 상태; 애로 **4** Ⓤ 〖음악〗 보틀넥 주법 《손가락에 금속 튜브를 끼고 현을 뜯음》 **5** [형용사적으로] (병목처럼) 좁은, 잘록한 — *vt.* …의 진행을 방해하다; 가두다 — *vi.* 진행이 방해되다
bóttleneck inflàtion 〖경제〗 보틀넥 인플레이션 《일부 산업의 생산 요소 부족이 파급시키는 물가 상승》
bóttle nòse (속어) (빨간) 주먹코
bot·tle-nose [-nòuz] *n.* 〖동물〗 청백돌고래
bót·tle-nosed dólphin [-nòuzd-] = BOTTLENOSE
bóttle òpener 병따개
bóttle pàrty 각자 술병을 지참하는 파티
bot·tler [bɑ́tlər | bɔ́t-] *n.* **1** 병에 담는 사람[장치] **2** 탄산음료 제조업자 **3** (호주·구어) 멋진 사람[것]
bóttle shòp, bóttle stòre (호주) 주류(酒類) 판매점 《상점 내 음주는 금지》
bot·tle-wash·er [-wɑ́ʃər, -wɔ̀ːʃ- | -wɔ́ʃ-] *n.* **1** 병 씻는 사람[기구] **2** (구어) 허드렛일꾼
bot·tling [bɑ́tliŋ | bɔ́-] *n.* Ⓤ 병에 채워 넣기; 병에 든 음료, 《특히》 포도주
‡bot·tom [bɑ́təm | bɔ́-] *n.* **1** 밑(바닥), 기부(基部): the ~ of a bathtub 욕조 바닥 **2** 기초(basis); 근본, 근저(根底); 진상; 마음속 **3** (바다 등의) 바닥; [보통 *pl.*] 강변의 낮은 땅(bottomland): the ~ of the sea 해저 **4** 〖항해〗 선저(船底), 선복(船腹); 선박, 《특히》 화물선: foreign ~*s* 외국 선박 **5** (의자의) 앉을 자리; (구어) 궁둥이, 둔부(臀部); (양복 바지 등의) 궁둥이 부분 **6** [the ~] 산기슭; (계단의) 아래, (나무의) 밑동; (페이지의) 아래쪽; 아래[최하] 부분; 말석, 꼴찌 **7** [the ~] (영) (길·후미 등의) 안쪽; (거리의) 막다른 곳 **8** 저력(底力), 뚝심, 끈기, 인내력 **9** [*pl.*] (파자마의) 바지 **10** 〖야구〗 한 회(回)의 말(末)(opp. *top*¹): the ~ of the 9th inning 9회말 **11** [보통 *pl.*] 찌꺼기, 앙금(dregs, lees) **12** 최저속 기어(=~ gear)
at* (*the*) ~** (1) 본심은; 사실은 (2) 근본적으로(는) ***at the ~ of (1) …의 원인으로 (2) …의 흑막으로 (3) …의 기슭[각부(脚部)]에 (4) …의 밑에 ***B~s up!*** 《구어》 건배, 쭉 들이켜요! **~ *up*[*upward*]** 거꾸로 ***from the ~ of the*** [one's] ***heart*** 충심으로, 진심으로 ***get to the ~ of*** …의 진상을 규명하다; 해결하다 ***go to the ~*** (1) 가라앉다 (2) 탐구하다, 규명하다 ***hit*** [***touch***] **~** (1) 물밑에 닿다 (2) 좌초하다 (3) 《구어》 〈값 등이〉 최저가 되다 (4) 《구어》 최악의 사태에 빠지다 ***knock the ~ out of*** 《구어》 〈이론·증거·계획·자신 등을〉 송두리째 뒤엎다 ***reach the ~*** 〖상업〗 최저 가격이 되다 ***send to the ~*** 가라앉히다 ***sift ... to the ~*** …을 철저하게 조사하다 ***stand on*** one's ***own ~*** 독립[자영(自營)]하다 ***start at the ~ of the ladder*** 비천한 환경에서 입신출세하다 ***The ~ drops*** [***falls***] ***out of ....*** (1) 〈사물이〉 무너지다, 붕괴하다 (2) 〈값이〉 최저로 떨어지다 ***to the ~*** 밑바닥까지; 철저하게
— *a.* **1** 밑바닥의, 최하의, 최저의; 최후의: the ~

---

time, make the effort, trouble oneself
bottleneck *n.* constriction, narrowing, obstruction, congestion, block, jam, traffic jam

price 최저 가격 / the ~ rung (사회 계급 등의) 최하층 **2** 해저(부근)에 생식하는: ~ life in the ocean 해저 생물 **3** 근본적인
—*vt.* **1** …에 바닥을 대다; 〈의자에〉 앉을 자리를 대다 **2** …의 진상을 규명하다 **3** [보통 수동형으로] 〈이론 등을〉 (…을) 근거로 하다 (*on, upon*)
—*vi.* **1** (…에) 기초를 두다 (*on, upon*) **2** (바다 등의) 바닥에 닿다 ~ ***out*** (1) 해저에 닿다 (2) 〈가격 등이〉 최저 시세가 되다; 〈경제 등이〉 바닥을 벗어나다

bóttom bòards (보트의) 바닥 널

bóttom dòg = UNDERDOG

bóttom dòllar [one's ~] (구어) 최후의[남은] 돈 ***bet*** one'***s*** ~ ⇨ bet

bóttom dráwer (영) **1** (처녀가 결혼 준비물을 넣어 두는) 장롱 맨 아랫서랍((미) hope chest) **2** 혼수

bot·tom-end [-ènd] *n.* (미·속어) 보텀엔드 (엔진의 크랭크샤프트·메인베어링·연접봉의 굵은 끝부분)

bóttom fèeder **1** = BOTTOM FISH **2** 최하층민; (속어) 최하층민을 등쳐먹는 사람[기업], 자선을 빙자한 위선자, 사이비 자선가

bot·tom-feed·ing [-fì:diŋ] *n.* Ⓤ bottom feeder의 행동

bóttom fish 물 바닥에 사는 물고기 (넙치·메기 등)

bóttom fisher (회사·증권의) 최저가[바닥 시세]를 노리는[노려서 사는] 사람 **bóttom fishing** *n.* (주식 등의) 최저가를 노리기[노려서 사기]

bóttom géar (영) 최저속 기어((미) low gear)

bot·tom·ing [bátəmiŋ | bɔ́-] *n.* 지염(地染), 애벌 염색; 구둣바닥 마무리 작업; (도로 포장의) 노반용재 (모래·자갈 등)

bóttom làdy = BOTTOM WOMAN

bot·tom·land [-lǽnd] *n.* (미) 강변의 낮은 지대

***bot·tom·less** [bátəmlis | bɔ́-] *a.* **1** 밑바닥이 없는, 헤아릴 수 없는, 매우 깊은 **2** (의자의) 앉는 부분이 없는 **3** 근거[까닭, 이유]가 없는 **4** 누드의, 전라(全裸)의 **~·ly** *ad.*

bóttomless pít [the ~] 지옥; 맥 빠지게 하는 것, 귀찮은 것; (속어) 대식가

bóttom líne [the ~] (미) **1** (결산서의) 맨 밑줄; (계상된) 순익[손실], 경비 **2** 최종 결과, 결말, 총결산; 최종 결정, 결론 **3** 가장 중요한 사항, 핵심; 결정적 계기[전기, 순간]

bot·tom-line [-làin] *a.* **1** 손익 계산만을 문제 삼는 **2** 실리적인, 현실주의의; 최종적[결론적]인 **3** 빠듯한 **4** (익살) (여성의) 히프 선(線)의

bot·tom·most [bátəmmòust | bɔ́-] *a.* **1** 맨 아래[밑바닥]의; 최저의 **2** 가장 기본적인

bot·tom-of-the-line [-əvðəlàin] *a.* (구어) (동종 제품 중) 가장 값이 싼

bóttom quàrk 〖물리〗 보텀 쿼크 (쿼크의 하나; γ 입자의 구성 요소; 기호 b)

bóttom róund 소의 허벅다리의 바깥쪽 살

bot·tom·ry [bátəmri | bɔ́-] *n.* (*pl.* **-ries**) Ⓤ 〖항해〗 선박 저당 계약 (배를 저당하여 항해 비용을 얻는) —*vt.* (**-ried**) 〈선박의〉 저당 계약을 맺다

bóttom tìme 〖스쿠버다이빙〗 다이버가 잠수를 시작해서 올라오기 시작할 때까지의 잠수 시간

bot·tom-up [-ʌ́p] *a.* 일반인[하급자, 비전문가]의, 상향식의, 하급자에서 비롯된

bóttom-up prògramming 〖컴퓨터〗 상향식 프로그래밍 (기법) (하위 모듈에서 시작하여 점차 상위 모듈을 개발해 가는 프로그래밍 기법)

bóttom wòman (미·속어) (포주가) 가장 아끼는 [신뢰하는] 매춘부

bot·u·lin [bátʃulin | bɔ́-] *n.* Ⓤ 〖의학〗 보툴리누스 독소 (보툴리누스 중독을 일으키는 독소)

bot·u·li·num [bàtʃuláinəm | bɔ̀-], **-nus** [-nəs] *n.* 〖세균〗 보툴리누스균 (botulin을 만들어 냄)

botulínum tòxin 〖의학〗 = BOTULIN

bot·u·lism [bátʃulìzm | bɔ́-] *n.* Ⓤ 〖병리〗 보툴리누스 중독 (썩은 소시지 등의 독소로 인한 식중독)

bou·bou [bú:bù:] *n.* 부부 (아프리카의 소매 없는 긴 옷)

bou·chée [bu:ʃéi] [F = mouthful] *n.* 〖요리〗 부셰 (쇠고기·생선 등을 넣은 작은 파이)

bou·clé, -cle [bu:kléi] [F = buckled] *n.* Ⓤ 매듭실, 부클레 털실; 부클레 직물

bou·din [bú:dǽŋ] *n.* [F = sausage] **1** (돼지의 피가 섞인) 프랑스식 소시지(blood sausage)(= ~ **nòir**) **2** (피가 안 섞인) 프랑스식 소시지(white sausage) (= ~ **blànc**)

bou·doir [bú:dwɑ:r] [F] *n.* 여성의 내실, 규방

bouf·fant [bu:fɑ́:nt, ⌐–] [F] *a.* 〈소매·치마·머리 등이〉 불룩한 —*n.* 불룩한 머리 모양

bouffe [bú:f] [F] *n.* 희가극(喜歌劇)(= opera ~)

bou·gain·vil·le·a, -lae·a [bù:gənvíliə, -ljə, bòu-] *n.* 〖식물〗 부겐빌레아 (분꽃과(科)의 열대 관목)

‡**bough** [báu] [OE 「어깨; 팔」의 뜻에서] *n.* 큰 가지, (특히) 주지(主枝)(⇨ branch 유의어)

boughed [báud] *a.* 큰 가지가 있는[로 덮인]

bough·pot [báupɑ̀t | -pɔ̀t] *n.* 큰 꽃병; (영) 꽃다발

‡**bought** [bɔ́:t] *v.* BUY의 과거·과거분사

bóught déal 〖주식〗 일괄 매수 인수 (한 주식 중매인이 신주를 일괄 인수한 후 협정 가격에 분배하는 일)

bought·en [bɔ́:tn] *a.* (방언) 가게에서 산, 가게에서 파는(cf. HOMEMADE)

bou·gie [bú:ʒi, -dʒi:, bu:ʒí: | bú:dʒi:] [F] *n.* 〖의학〗 소식자(消息子), 존데; 좌약(坐藥); 양초

bouil·la·baisse [bù:ljəbéis, ⌐–⌐] [F = boils and settles] *n.* ⓊⒸ 부야베스 (생선·조개류에 향료를 넣어 찐 요리; 마르세유의 명물)

bouil·li [bu:jí:] [F] *n.* Ⓤ 삶은 고기, 찐 고기

bouil·lon [búljɑn, -jən | bú:jɔŋ] [F = strong broth] *n.* Ⓤ 부용 (쇠[닭]고기 등의 맑은 수프); 〖생화학〗 (세균 배양용) 고기 국물, 육즙

bóuillon cùbe 고형(固形) 부용 (녹여서 수프를 만듦)

Boul., boul. boulevard

boul·der [bóuldər] *n.* 큰 알돌, 호박돌, 몽우리돌; 〖지질〗 표석(漂石)

Bóulder Cányon [the ~] 볼더 협곡 (미국 Arizona 주와 Nevada 주 사이의 Colorado 강의 협곡; 이 상류에 Hoover Dam이 있음)

boul·der·ing [bóuldəriŋ] *n.* **1** 〖등산〗 볼더링 (큰 바위 오르기) **2** 알돌을 깐 포도(鋪道)

boule[1] [bú:l] *n.* **1** [종종 *pl.*] 론 볼링 비슷한 프랑스의 경기 **2** 1에서 사용되는 금속공 **3** 인조 보석 (인조 사파이어[루비]의 서양 배(pear) 모양의 원석(原石))

boule[2] *n.* = BOULLE

Bou·le [bú:li, bu:léi | bú:li] *n.* **1** (현대 그리스의) 입법 의회, 국회 **2** [종종 **b~**] (고대 그리스의 호머 시대의) 원로 회의; (솔론 시대의) 평의회

***bou·le·vard** [búləvɑ̀:rd, bú:- | bú:lvɑ:d] [F 「성채」의 뜻에서] *n.* **1** 넓은 가로수길(⇨ street 유의어) **2** [종종 **B~**] (미) 큰길, 대로 (略 Blvd.): Hollywood *B*~ 할리우드 대로

bou·le·var·dier [bùləvɑ:rdíər, bù:l- | bu:lvɑ́:-dièi] [F] *n.* (*pl.* **~s** [-z]) (파리의) 큰 거리를 서성거리는 건달

boulle, buhl [bú:l] *n.* Ⓤ 불[상감(象嵌)] 세공(의 가구)

boult [bóult] *vt.* = BOLT[2]

boul·ter [bóultər] *n.* 주낙

***bounce** [báuns] [OF 「쿵 치다」의 뜻에서] *vi.* **1** 〈공 등이〉 튀다, 뛰어오르다; 〈사람이〉 벌떡 일어나다, 펄쩍 뛰다 (*up*); 〈소리·빛이〉 반사하다 (*off*): (~+副) ~ *up* 펄쩍 뛰다 / The ball ~*d back* from the wall. 공이 벽에 맞고 되튀어 왔다. / A car is *bouncing along* the rough road. 차가 울퉁불퉁한 길을 상하로 흔들리며 달리고 있다. **2** 급히 움직이다; 뛰어다

thesaurus **boundary** *n.* **1** 경계 border, frontier, partition **2** 한계 bounds, limits, confines, extremities

니다 《*about*》: (~+전+명) ~ *out of*[*into*] the room 방에서 뛰어나오다[방으로 뛰어들어가다] **3** 《영·구어》 허풍 치다 **4** 《구어》 〈수표 등이〉 부도가 되어 되돌아오다; 〖컴퓨터〗 〈전자 우편 등이〉 (주소 착오 등으로) 반송되다

— *vt.* **1** 〈공 등을〉 **튀게 하다,** 바운드시키다: (~+목+부) ~ a boy *up* and *down* 소년을 들어올렸다 내렸다 하다 **2** 〈수표·어음 등을〉 부도 처리하다[지불 거절하다]; 〖컴퓨터〗 〈전자 우편 등을〉 (주소 착오 등으로) 반송하다, 발신자에게 되돌리다 **3** 《미·속어》 내쫓다, 해고하다; 내던지다: (~+목+전+명) He was *~d from* his job. 그는 해고당했다. **4** 《영·구어》 을러대어[부추기어] …하게 하다 《*into*》; 을러대어 …을 빼앗다 《*out of*》: (~+목+전+*-ing*) ~ a person *into*[*out of*] do*ing* …을 을러대어 …하게[하지 못하게] 하다 **5** 《영·구어》 크게 꾸짖다(scold) **6** 〈신호 등을〉 통신 위성으로 중계하다 ***~ back*** (1) (패배·병·타격 등에서) 금방 회복하다 《*from*》 (2) 〈경기·주가 등이〉 되살아나다 (3) 〈이메일이〉 반송되다 ***~ for ...*** …의 청구서를 지불하다; …을 한턱내다

— *n.* **1** 되튐, 튐, 바운드(bound); 튀어오름; Ⓤ 탄력(성) **2** Ⓤ 《구어》 활기, 활력; 《영》 허풍, 허세 **3** [the ~] 《미·속어》 해고, 추방 ***get the* (*grand*) *~*** 《미·속어》 해고당하다; 버림받다 ***on the ~*** 〈공 등이〉 튀어, 바운드하여; 허풍을 떨어, 허세를 부리어

— *ad.* 갑자기, 불쑥; 급히 뛰어

~·a·ble *a.* 《영》 으스대는; 싸우기 좋아하는

bounce·back [báunsbæ̀k] *n.* 반향

bounce·back·a·bil·i·ty [bàunsbæ̀kəbíləti] *n.* 《영·구어》 역전 능력 《경기에서 열세를 극복하고 승리를 이끌어낼 수 있는 능력》

bounced [báunst] *a.* 《속어》 해고된, 내쫓긴 《*out*》; 〈전자 우편 등이〉 반송된

bounc·er [báunsər] *n.* **1** 거대한 사람[것] **2** 튀는 사람[것] **3** 《영·구어》 허풍선이 **4** 《구어》 경비원 《극장 등의》 **5** 《영·속어》 건방진 놈 **6** 《속어》 부도 수표

bounc·ing [báunsiŋ] *a.* **1** 잘 튀는 **2** 〈갓난아이 등이〉 기운 좋은, 건강한 **3** 씩씩한, 활기 있는 **4** 거대한; 거액의 **5** 허풍 떠는 **~·ly** *ad.*

bóuncing pówder 《마약속어》 코카인(cocaine)

bounc·y [báunsi] *a.* (**bounc·i·er**; **-i·est**) **1** 생기[활기] 있는, 쾌활한 **2** 탄력 있는

‡**bound**[1] [báund] *v.* BIND의 과거·과거분사

— *a.* **1** 묶인: ~ hand and foot 손발이 묶여 **2** 의무가 있는 《*to* do》; 속박된 《*by*》: be (in duty) ~ *to* say so (반드시) 그렇게 말하지 않을 수 없다 **3** 〈책이〉 장정(裝幀)한; 표지를 단: a book ~ in cloth 클로스로 장정한 책 / a leather-~ book 가죽 장정의 책 **4** 꼭 …하게 되어 있는 《*to* do》; 《구어》 결심을 하여(determined): (~+*to* do) Our team is ~ *to* win. 우리 팀은 꼭 이긴다. **5** 〖병리〗 변비에 걸린(constipated) **6** [보통 복합어를 이루어] …에 갇힌: snow-~ 눈에 갇힌 **7** 〖문법〗 구속 형식의 **8** 〖화학〗 화합[결합]한 ***~ and determined*** 확고한 계획이 있는 ***~ up in*** [***with***] …에 열중하여; …와 밀접한 관계에 ***I'll be ~.*** 《구어》 내가 책임지겠다, 틀림없다.

‡**bound**[2] [báund] *vi.* **1** 〈공 등이〉 **튀어오르다, 되튀다,** 바운드하다 **2** 뛰다, 뛰어오르다; 뛰어가다, 기운차게 걷다; 〈파도가〉 넘실거리다; 〈가슴이〉 뛰다: (~+부) ~ *away* 뛰어가 버리다 / ~ *forward* 약진하다 // (~+전+명) He *~ed into* fame. 그는 일약 유명해졌다.

— *vt.* 〈공 등을〉 튀어오르게 하다

~ upon …에 덤벼들다

— *n.* **1** (공 등의) 튐, 되튐, 반동 **2** 뛰(어오르)기, 도약; 《시어》 약동 ***at a* (*single*) *~*** = ***with one ~*** 단번에 뛰어, 단숨에, 일약(一躍) ***by leaps and ~s*** ⇨ leap. ***on the ~*** 〈공이〉 튀는, 바운드에 맞춰

‡**bound**[3] [báund] [OF 「한계」의 뜻에서] *n.* **1** [보통 *pl.*] (안쪽에서 본) **경계(선)**(border) **2** [*pl.*] 경계 부근의 영토 **3** [*pl.*] 영역 내, 관내, 영내 **4** [*pl.*] **범위,** 한계: pass the *~s* of common sense 상식의 선을 넘다 ***go beyond*** [***outside***] ***the ~s of*** …의 범위를 넘다 ***It is within ~s to say that ...*** …라고 해도 과언은 아니다 ***keep within ~s*** 제한 내에 머무르다; 도를 넘지 않다 ***know no ~s*** 끝[한]이 없다 ***out of all ~s*** 터무니없는[없이], 지나친[치게] ***out of ~s*** (1) 〖구기〗 〈공·사람이〉 (정해진) 구역을 넘어 (2) 《영》 출입 금지(구역)의 《*to*》(《미》 off limits) (3) 무례한, 도를 넘어선 ***put*** [***set***] ***~s to*** …을 제한하다

— *vt.* **1** …의 경계를 짓다[나타내다] 《★ 보통 수동형으로》: (~+목+전+명) Germany is *~ed on* the south *by* France. 독일은 남쪽으로 프랑스와 접하고 있다. **2** 제한하다 《*by*》 **3** 《미》 …에 접해 있는 나라[주]의 이름을 들다[말하다]

— *vi.* 접경하다 《*on*》: (~+전+명) Germany *~s on* France. 독일은 프랑스와 접경하고 있다.

‡**bound**[4] [báund] [ON 「준비하다」의 뜻에서] *a.* **1** Ⓟ 〈배·열차·비행기 등이〉 …**행(行)의;** 〈사람이〉 …에 가는 길인, …로 가는 도중에: a train ~ *for* Paris 파리행 기차 **2** [보통 복합어를 이루어] …행의: north-~ 북행의 / outward-~ 외국행의 / homeward-~ 귀항(歸航) 중인 **3** 《고어》 준비가 된(ready)

‡**bound·a·ry** [báundəri] *n.* (*pl.* **-aries**) **1 경계(선);** 경계표: a ~ line 경계선

> 유의어 **boundary** 지도나 도면에 명기된 엄밀한 의미로서의 경계선. 조약이나 계약에 따라 결정되고 변경될 수 있는 것: The river forms the *boundary* between the two countries. 그 강이 두 나라의 국경을 이룬다. **border** 변경되기 어려운 지리적 조건. 즉 산이나 강이 국경이나 주(州) 경계를 이루고, 그 일대를 포함함: Argentina's northern *border* with Bolivia 아르헨티나의 볼리비아와의 북부 국경 지대

2 한계, 한도 **3** 〖크리켓〗 경계선 타(打)(에 의한 득점)

bóundary condítion 〖수학〗 경계 조건

bóundary làyer 〖물리〗 경계[한계]층 《유체 내 물체의 표면에 가까운 액체층》

bóundary vàlue pròblem 〖수학〗 경곗값 문제

bound·en [báundən] *a.* 의무적인, 필수의(required): one's ~ duty 의무, 본분

bound·er [báundər] *n.* **1** 《영·구어》 (도덕적으로) 천한 사람, 버릇없는 사람; 졸부가 된 사람(upstart) **2** 〖야구〗 바운드가 큰 땅볼(grounder)

bóund fórm 〖문법〗 구속(拘束) 형식 《work*er*의 -er, work*ed*의 -ed 등》

***bound·less** [báundlis] *a.* 무한한, 한이 없는, 끝없는: ~ enthusiasm 무한한 열정

~·ly *ad.* **~·ness** *n.*

boun·te·ous [báuntiəs] *a.* 《문어》 = BOUNTIFUL

~·ly *ad.* **~·ness** *n.* ▷ bóunty *n.*

boun·tied [báuntid] *a.* 장려금을 받은; 장려금이 나오는

boun·ti·ful [báuntifəl] *a.* **1** 〈사람이〉 아낌없이 주는, 관대한, 통이 큰 **2** 〈물건이〉 풍부한, 윤택한

~·ly *ad.* **~·ness** *n.*

boun·ty** [báunti] [L 「좋은 것」의 뜻에서] *n.* (*pl.* **-ties**) **1** Ⓤ 박애, 관대(generosity), 통이 큼 **2** 아낌없이 주어진 것, 하사품; 상여금; (정부의) 장려[보조]금(subsidy) 《*on, for*》 **3** (범인 체포·맹수 퇴치 등의) 현상금, 보상금, 상금 《*for*》 ***King's [***Queen's***] ***~*** 《영》 (세 쌍둥이를 낳은 어머니에게 주는) 하사금

bóunty hùnter 현상금[보상금] 사냥꾼; 《속어》 (수수료 등이 목적인) 판매원, 대리업자

bóunty jùmper 남북 전쟁 당시의 입대 보상금만 받고 도망친 지원병

***bou·quet** [boukéi, bu:- | bukéi] [F 「다발」의 뜻에서] *n.* **1** 부케, 꽃다발 **2** [CU] (술 등의) 향기, 방향;

---

boundless *a.* limitless, unbounded, endless, infinite, everlasting, interminable, immeasurable

(연기·문예 작품 등의) 품격, 기품 **3** 듣기 좋은 말, 아첨하는 말: throw *~s* at …을 칭찬하다, …에게 아첨하다

bou·quet gar·ni [boukéi-gɑ:rní:, bu:- | bukéi-] [F] (수프 등에 맛·향기를 가미하기 위해 넣는) 약초 다발 《무명에 싸서 사용》

bou·que·tière [bù:kətjɛ́ər] [F] *a.* 〖요리〗 야채를 곁들인

bou·qui·niste [bu:kiní:st] [F] *n.* (*pl.* **~s** [~]) 고(古)서적상, 헌책방

***bour·bon** [bə́:rbən] [미국 Kentucky 주의 산지명에서] *n.* Ⓤ 버번(위스키)(=**~ whiskey**) 《옥수수와 호밀로 만듦》; Ⓒ 한 잔의 버번(위스키)

Bour·bon [búərbən, bɔ́:r- | buə-] *n.* **1 a** [the ~s] (프랑스의) 부르봉 왕가 **b** 부르봉 왕가의 사람 **2** (미) (특히 남부 출신 민주당 내의) 완고한 보수주의자
~·ism *n.* Ⓤ 부르봉 왕가 지지; (미) 완고한 보수주의
~·ist *n.* 부르봉 왕가 지지자; (미) 완고한 보수주의자

bour·don [búərdn, bɔ́:r-] *n.* 〖음악〗 (파이프 오르간의) 최저 음역의 음전(音栓); bagpipe의 저음 음전의 하나; (편종(編鐘)의) 최저음의 종

bourg [búərg] [F] *n.* 고을, 성시(城市)

***bour·geois**[1] [buərʒwɑ́:, ←] [F 「도시의 주민」의 뜻에서] *n.* (*pl.* ~) **1** 중산 계급의 시민; 상공업자 《지주나 농가·봉급 생활자에 대하여》 **2** (자본주의 사회의) 지배 계급의 구성원, 부르주아, 유산자, 자본가(cf. PROLETARIAN)
— *a.* **1** 중산 계급의, 부르주아의 **2** 자본주의의; 부르주아 근성의, 속물의; (경멸) 물질 만능적인

bour·geois[2] [bərdʒɔ́is] *n.* Ⓤ 〖인쇄〗 버조이스 활자 《9포인트 활자》

bour·geoise [búərʒwɑ:z, ←] *n.*, *a.* BOURGEOIS[1]의 여성형

***bour·geoi·sie** [bùərʒwɑ:zí:] *n.* (*pl.* ~) [the ~] **1** 부르주아[중산] 계급 **2** 자본가[유산] 계급

bour·geoi·si·fy [buərʒwɑ́:zəfài] *vt.*, *vi.* (**-fied**) 부르주아화(化)하다 **bour·geòi·si·fi·cá·tion** *n.*

bour·geon [bə́:rdʒən] *n.*, *vi.*, *vt.* = BURGEON

Bourke [bɔ́:rk] [New South Wales에 있는 마을 이름에서] *n.* ★ 다음 성구로. ***back of ~*** (호주) 오지(奧地)(의)

bourn(e)[1] [bɔ́:rn] *n.* (고어) 시내, 개울

bourn(e)[2] *n.* **1** (고어·시어) 한계, 경계 **2** 목적지

bour·rée [buəréi | ←] [F] *n.* (*pl.* **~s**) 경쾌한 2박자의 춤; 그 노래

bourse [búərs] [F] *n.* [또는 **B~**] 증권 거래소 《유럽의 여러 도시, 특히 파리의》; 금융 시장

bouse [báus, báuz | báuz] *vt.*, *vi.* 〖항해〗 도르래로 끌어올리다[끌어당기다]

bou·stro·phe·don [bù:strəfí:dn, bàu-] *n.*, *a.*, *ad.* Ⓤ (고대의) 좌우 교대 서법(의[으로]) 《왼편에서 오른편으로 그 다음 줄은 오른편에서 왼편으로 쓰는 방식》

bous·y [bú:zi, báu-] *a.* (**bous·i·er**; **-i·est**) = BOOZY

***bout** [báut] *n.* **1** (권투 등의) 한판 승부 (*with*) **2** 일시적인 기간; (병의) 발병 기간; 발작: a long ~ of illness 오랜 병환 **3** 한바탕 …하는 동안, 한차례의 일: a ~ of work 한차례의 일 / a drinking ~ 주연(酒宴) **4** (벌초·수확 때) 밭의 끝에서 끝까지의 왕복
have a ~ with …와 한판 승부를 겨루다 ***in this*** [***that***] ***~*** 이[그] 때에

bou·tade [bu:tɑ́:d] *n.* (감정 등의) 폭발; 돌발적 행동

bou·tique [bu:tí:k] [F = small shop] *n.* 부티크 《여자용 고급 유행복이나 액세서리를 파는 가게》

bou·ti·quier [bù:ti:kjéi] [F] *n.* 부티크 소유자[경영자]

bou·ton·niere, -nière [bù:təníər | bù:tɔnjɛ́ər] [F] *n.* 단춧구멍에 꽂는 꽃

bouts-ri·més [bù:ri:méiz] [F] *n. pl.* 〖운율〗 화운(和韻) 《주어진 운에 맞추어서 만든 시》

Bou·vi·er des Flan·dres [bu:vjéi-dei-flɑ́n-dərz] [F] (벨기에산(産)의) 큰 목양견 《눈썹·턱수염이 있으며 거칠고 억센 털로 뒤덮여 있음》

bou·zou·ki, -sou- [buzú:ki] *n.* (*pl.* **-ki·a** [-kiə], **~s**) 〖음악〗 부주키 《만돌린 비슷한 그리스의 민속 현악기》

bo·va·rism [bóuvərìzm] *n.* Ⓤ 제 자랑, 자기의 과대평가

bovi- [bóuvə] 《연결형》 「소」의 뜻

bo·vid [bóuvid] *a.*, *n.* 솟과(科)의 (동물)

bo·vine [bóuvain] *a.* **1** 솟과(科)의; 소 같은 **2** 둔감한(dull) **—** *n.* 솟과(科)의 동물

bóvine éxtract (미·속어) 우유

bóvine grówth hòrmone 소 성장 호르몬(제)

bóvine spongíform èncephalopathy 〖수의학〗 광우병(mad cow disease) 《略 BSE》

bo·vin·i·ty [bouvínəti] *n.* Ⓤ 둔중(鈍重)함, 둔감함

Bov·ril [bɑ́(:)vrəl | bɔ̀v-] *n.* 보브릴 《소고기 엑스트랙트; 상표명》

bov·ver [bɑ́vər | bɔ́v-] *n.* (영·속어) (불량소년 그룹에 의한) 소란, 싸움, 난투

bóvver bòots (영·속어) 싸움용 부츠 《바닥에 징을 박고 앞끝에는 쇠를 댄》

bóvver bòy (영·속어) (특이한 복장의) 불량소년, 깡패(boot boy)

‡**bow**[1] [báu] [OF 「굽히다」의 뜻에서] *vi.* **1** (인사·복종·예배 등으로) 머리를 숙이다, 허리를 굽히다, 절하다, 〈남자가〉 모자를 벗고 인사하다 (*to, before*): (~+[부]) ~ *down* to the ground 머리를 조아려 절하다 // (~+[전]+[명]) The boy *~ed to* me. 그 소년은 나에게 절을 했다. **2** 굴종하다(yield), 굴복하다 (*to*): (~+[전]+[명]) ~ *to* authority 권위에 복종하다
— *vt.* **1** 〈머리·고개를〉 숙이다, 〈무릎·허리를〉 구부리다, 굽히다 (*to, before*) **2** 〈사의·동의를〉 절하여 표시하다: ~ one's thanks 절하며 감사를 표하다 **3** 인사하며 안내하다 (*into*), 인사하며 배웅하다 (*out of*): (~+[목]+[부]) ~ a person *in*[*out*] 인사하며 …을 맞아들이다[배웅하다] // (~+[목]+[전]+[명]) He *~ed* her *into*[*out of*] the room. 그는 인사를 하고 그녀를 방으로 안내했다[방에서 배웅했다]. **4** …의 몸·뜻 등을 굽히다 (*down*), 굴복시키다; …의 기력을 꺾다
be ~ed down with care (근심)으로 풀이 죽다 ***~ and scrape*** (1) 오른발을 뒤로 빼며 절하다 (2) 굽실거리다 ***~ down*** (1) 절하다 (*to*) (2) 굴복하다 (*to*) ***~ out*** (1) 공손히 배웅하다[물러나다] (2) 퇴장하다 (3) 사퇴[사임]하다 ***~ out of*** …을 사퇴[사임]하다 ***~ the knees to*** …에게 경의를 표하다, …을 숭배하다, …에게 굴복하다 ***~ the neck to*** …에 굴복하다
— *n.* 절, 경례; 몸을 굽힘 ***make a ~*** 절하다 (*to*) ***make one's ~*** (1) 사교계[무대]에 데뷔하다 (2) 〈정치가·배우 등이〉 퇴장[은퇴]하다 ***take a ~*** (극장 등에서) 갈채에 대하여 인사하다

‡**bow**[2] [báu] *n.* **1** [종종 *pl.*] 이물, 뱃머리(opp. *stern*); 기수(機首): a lean[bold, bluff] ~ 뾰족한[편편한] 이물 **2** = BOW OAR
a shot across the [a person***'s***] ***~s*** (구어) 경고 ***down by the ~***(***s***) 〖항해〗 이물을 아래로 하고, 뱃머리부터 가라앉으려고 ***~s on*** 곧장, 일직선으로 ***~s under*** (1) (이물에 파도를 받아) 돛대로 나아가지 않는 (2) 당황하여 ***on the ~*** 이물 쪽에 《정면에서 좌우 45도 이내에》
— *a.* 뱃머리의, 뱃머리에 있는

‡**bow**[3] [bóu] *n.* [OE 「구부러진 것」의 뜻에서] **1** 활 **2** 곡선, 커브 **3** (리본 등의) 나비매듭; 나비매듭 리본, 나비넥타이(=**~ tie**) **4** (바이올린 등의) 활(=fiddle ~); 활로 한 번 켜기 **5** 활 모양(의 것); (말 안장의) 앞테; 무지개(rainbow); 스프링 컴퍼스(=**~ compass**(**es**)); (안경)테 **6** 궁술가, 사수 **7** = BOW WINDOW
draw a ~ at a venture 어림짐작으로 말해보다; 마구잡이로 활을 쏘다, 되는대로 하다 ***draw*** [***bend***] ***the*** [***a***] ***long ~*** 허풍치다 ***have two strings to one's ~*** 만일의 경우에 대비가 되어 있다 ***string a ~*** 활에 시위를 걸다
— *a.* 구부러진, 활 모양의(bent)

—*vt.* **1** 활처럼 구부리다 **2** 〈악기를〉 활로 켜다
—*vi.* **1** 활처럼 구부러지다 **2** 현악기를 활로 켜다(cf. BOWING²)
bow-arm [bóuɑ̀ːrm] *n.* = BOW HAND
bow-back(ed) [bóubæ̀k(t)] *a.* 곱사등이의, 꼽추의
Bów béllś [bóu-bélz] 《영》 런던의 St. Mary-le-Bow 교회의 종 《이 종소리가 들리는 범위 내에서 태어난 사람을 런던 토박이라 했음》 ***within the sound of*** ~ 런던 구(舊)시내(the City)에(서)
bów chàser [báu-] 함수포(艦首砲)
bów còmpass(es) [bóu-] (제도용) 스프링 컴퍼스
bowd·ler·ism [bóudlərìzəm | báud-] *n.* ⓊⒸ (저작물의) 무단 삭제
bowd·ler·ize [bóudləràiz, báud- | báud-] [T. Bowdler란 사람이 Shakespeare의 작품에서 외설한 부분을 삭제한 데서] *vt.* 〈저작물의〉 불온[외설]한 부분을 삭제하다 —*vi.* (책에서) 불온한 부분을 삭제하다
bòw·dler·i·zá·tion *n.*
bów drìll [bóu-] 활비비 《송곳의 한 가지》
bowed¹ [báud] *a.* 굽은, 머리를 숙인
bowed² [bóud] *a.* 활을 가진; 활 모양의
‡bow·el [báuəl] [L 「소시지」의 뜻에서] *n.* **1** 창자(의 일부); [보통 *pl.*] 내장, 장 전체(intestines): the large[small] ~ 대장[소장] **2** [*pl.*] (대지(大地)의) 내부: the ~*s* of the earth 땅속 **3** [*pl.*] 《문어》 동정심, 인정(이 깃드는 곳) **4** [*pl.*] 변통(便通)
bind the ~s 설사를 멈추게 하다 ***~s of mercy*** [***compassion***] 동정, 연민 ***get one's ~s in an uproar*** 《미·구어》 지나치게 걱정[안달복달]하다 ***have loose ~s*** 설사하다 ***have no ~s*** 인정머리가 없다 ***loosen*** [***move, empty***] ***the ~s*** 배변하다 One***'s ~s are open.*** 변이 나오다.
—*vt.* (~ed; ~·ing | ~led; ~·ling) …의 창자를 꺼내다(disembowel) **~·less** *a.*
bówel mòvement[mòtion] **1** 변통(便通), 배변 《略 BM; 《구어》로 약어가 흔히 쓰임》 **2** 배설물, 똥 (feces)
***bow·er¹** [báuər] *n.* **1** 나무 그늘(의 휴식 장소); 정자 **2** 《문어》 (중세 성의) 여성의 내실(boudoir) **3** 《시어》 시골집, 은둔처(retreat)
—*vt.* 나뭇잎과 가지로 뒤덮다
bower² *n.* 〖항해〗 이물의 큰 닻(줄)
bower³ *n.* 〖카드〗 으뜸패 《euchre의 으뜸패인 잭 (jack)》 ***left*** ~ 으뜸패의 잭과 같은 색의 다른 잭 ***right*** ~ 으뜸패의 잭
bow·er⁴ [bóuər] *n.* 〖음악〗 현악기 연주자
bow·er⁵ [báuər] *n.* 허리를 굽히는 사람, 머리를 숙이는 사람; 굴복자
bow·er·bird [báuərbə̀ːrd] *n.* 〖조류〗 풍조과(科) 새의 일종 《오스트레일리아산(産)》
bow·er·y¹ [báuəri] *a.* 정자가 있는; 나무 그늘이 많은(shady), 나뭇잎이 우거진
bow·er·y² [báuəri | báuəri] *n.* (*pl.* **-er·ies**) **1** (식민지 시대 New York 부근의) 네덜란드 이민의 농장 **2** [the B~] 바워리 가(街) 《New York 시의 큰 거리; 싸구려 술집·여관이 모여 있음》 **3** 《미》 싸구려 술집·여관이 많은 곳
bow·fin [bóufìn] *n.* 〖어류〗 북미산 민물고기의 일종
bow·front [bóufrʌ̀nt] *a.* 〖가구〗 (수평 방향으로) 달아낸 〈찬장 등〉; 〖건축〗 활 모양으로 달아낸 〈창문〉
bów hànd [bóu-] **1** 활을 잡는 손 《왼손[팔]》 **2** 악기의 활을 잡는 손 《오른손[팔]》
bow·head [bóuhèd] *n.* 〖동물〗 북극고래(Greenland whale)
bow·hunt [bóuhʌ̀nt] *vi., vt.* 활로 사냥하다
bów·ie knìfe [bóui-, búːi- | bóui-] (원래 미국 개척 시대의) 칼집 달린 사냥칼
Bów·ie Stàte [the ~] 미국 Arkansas 주의 속칭
bow·ing¹ [báuiŋ] *a.* 인사를 하는, 절을 하는 ***have a ~ acquaintance with*** …와 만나면 눈인사나 할 사이이다
bow·ing² [bóuiŋ] *n.* Ⓤ 〖음악〗 (현악기의) 운궁법(運弓法), 보잉
bów ìnstrument [bóu-] 〖음악〗 활을 사용하는 현악기
bow·knot [bóunɑ̀t | -nɔ̀t] *n.* (넥타이 등의) 나비매듭
‡bowl¹ [bóul] *n.* **1 a** (basin보다 깊고 cup보다 큰) 사발; 공기, 주발, 볼: a finger[salad, punch] ~ 핑거[샐러드, 펀치] 볼 **b** 한 주발의 분량 《*of*》; 《미·속어》 수프 한 사발 **2** 《문어》 큰 (술)잔; [the ~] 술잔치; 술: over *the* ~ 술을 마시면서, 술자리에서 **3** (파이프의) 대통, (저울의) 접시, (숟가락의) 우묵한 곳; 반(盤); 수세식 변기; (사발처럼) 우묵한 땅: a toilet ~ 양변기 **4** 《미》 (우묵한) 야외 원형 경기장, 스타디움; 원형 극장[음악당] **5** 대학 미식축구 선발 경기(=~ game) **6** 〖인쇄〗 글자의 둥근 부분 《a, d, b 등》
‡bowl² [bóul] *n.* **1** (놀이에 쓰는) 나무공, (볼링의) 공 **2** [*pl.*; 단수 취급] **a** 론 볼링(lawn bowling) 《잔디에서 나무공을 굴리는 놀이》 **b** 구주희(九柱戱)(ninepins) **c** 스키틀(skittles) **d** 십주희(十柱戱)(tenpins) **3** (구기의) 투구(投球)
—*vi.* **1** 공굴리기[볼링]를 하다; 〖크리켓〗 투구하다 **2** 술술[거침없이] 나아가다 《*along*》
—*vt.* **1** 〈공을〉 굴리다; 볼링에서 〈…을〉 득점하다 **2** 〖크리켓〗 〈공을〉 던지다; 타자를 아웃시키다 ***~ a googly*** 《영·속어》 속이다 ***~ along*** 미끄러지듯 달리다 ***~ down*** (1) 〖크리켓〗 공으로 〈wicket를〉 넘어뜨리다 (2) 《영·속어》 〈사람을〉 때려눕히다 ***~ off*** 〖크리켓〗 〈wicket의 가로대를〉 쳐 떨어뜨리다 ***~ out*** 〖크리켓〗 타자를 아웃시키다; = BOWL down. ***~ over*** (1) (구주희(ninepins) 등에서) 〈핀을〉 넘어뜨리다 (2) 〈사람을〉 넘어뜨리다 (3) 《구어》 〈좋은[나쁜] 소식 등이〉 …을 깜짝 놀라게 하다
bowl·der [bóuldər] *n.* = BOULDER
bow·leg [bóulèg] *n.* [보통 *pl.*] 〖병리〗 내반슬(內反膝), 오각(O脚), 오다리
bow·legg·ed [bóulègid, -lègd] *a.* 내반슬의, 오각의
bowl·er¹ [bóulər] *n.* **1** 볼링하는 사람, 볼링 선수 **2** 〖크리켓〗 투수
·bowler² [Bowler라는 모자 가게 이름에서] *n.* 《영》 중산모자(= ~ **hát**)(《미》 derby hat)
bowl·er-hat [bóulərhǽt] *vt.* (~·ted; ~·ting) 《영·속어》 제대시키다
bowl·ful [bóulfùl] *n.* 한 사발[공기](의 분량) 《*of*》
bówl gàme 대학 미식축구 선발 경기 《시즌 후 연말 연시에 개최됨》 관련 [4대 볼] Rose Bowl(California 주), Cotton Bowl(Texas 주), Sugar Bowl(Louisiana 주), Orange Bowl(Florida 주)(cf. SUPER BOWL)
bow·line [bóulin, -làin] *n.* 〖항해〗 **1** 가로돛의 양 끝을 팽팽하게 당기는 밧줄 **2** 옭매듭(= ~ **knòt**)
bowl·ing** [bóuliŋ] *n.* Ⓤ **1** 공굴리기 《총칭》 **a** 볼링, 십주희(tenpins) 관련 [볼링 용어] alley(레인), bowl(s)(공), gutter(레인 양쪽 가의 홈), lane(레인), pin(표주(標柱)), spare(스페어 (득점)), split(스플릿), strike(스트라이크 (득점)) **b** 목구희(木球戱) **c** 구주희(九柱戱)(ninepins) **d** 스키틀(skittles) **2** 〖크리켓〗 투구(投球)(법) ***open the ~ 《영》 〈일 등을〉 시작하다
bówling àlley **1** 〖볼링〗 레인 **2** 볼링장
bówling bàll 볼링공
bówling crèase 〖크리켓〗 투수선(線)
bówling grèen lawn bowling장(場)
bowl·like [bóullàik] *a.* 사발[공기] 모양의
bow·man¹ [báumən] *n.* (*pl.* **-men** [-mən]) 이물[뱃머리]의 노 젓는 사람
bow·man² [bóumən] *n.* (*pl.* **-men** [-mən]) 궁수(弓手), 활잡이, 궁술가(archer)
Bów·man's cápsule [bóumənz-] [영국의 외과의사 이름에서] 〖해부〗 (신장의 사구체를 싸는) 보우만낭(囊)
bów òar [báu-] **1** (보트의) 앞노 **2** 앞노를 젓는 사람

bów pèn [bóu-] 가막부리[오구(烏口)] 달린 제도용 스프링 컴퍼스
bów sàw [bóu-] 활톱
bowse [báus, báuz | báuz] *vt. vi.* 〖항해〗 =BOUSE
bow·ser [báuzər] *n.* **1** (영) (항공기 등의) 급유차 **2** (호주) (주유소의) 급유 펌프 **3** (속어) 분뇨 탱크차
bów shòck [báu-] 〖천문〗 바우 쇼크 《태양풍과 행성 자장(磁場)의 상호 작용으로 일어나는 충격파》
bow·shot [bóuʃɑ̀t | -ʃɔ̀t] *n.* (문어) 화살이 미치는 거리, 활 쏘기에 알맞은 거리 《약 300미터》
bow·sprit [báusprìt, bóu- | bóu-] *n.* 〖항해〗 제1 사장(斜檣)《이물에서 앞으로 튀어나온 기움 돛대》

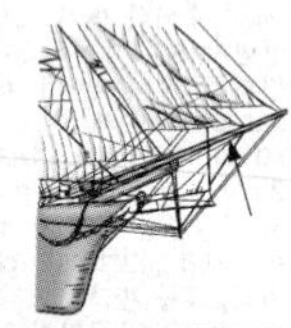
bowsprit

Bów Strèet [bóu-] 보 가(街) 《London의 중앙 경찰 재판소가 있는 거리》
bow·string [bóustrìŋ] *n.* 활시위; (현악기 등의) 줄; 가볍고 튼튼한 줄 **—** *vt.* (**~ed, -strung** [-strʌ̀ŋ]) 교수용 밧줄로 목졸라 죽이다
bówstring hèmp 〖식물〗 아프리카산(産) 백합과(科) 식물; 그 잎에서 채취한 질긴 섬유
bów tíe [bóu-] 보 타이, 나비넥타이
bów wàve [báu-] **1** 〖천문〗 =BOW SHOCK **2** 〖물리〗 충격파(shock wave) **3** 〖항해〗 (배의 전진으로 생기는) 선수파(船首波)
bów wèight [bóu-] (파운드 중량으로 나타낸) 활의 강도
bów wíndow [bóu-] **1** (활 모양으로 내민) 내닫이창 **2** (속어) 불룩배, 올챙이배 《임신부에게도 씀》
bow-win·dowed [bóuwíndoud] *a.* **1** (활 모양의) 내닫이창이 달린 **2** (속어) 불룩배의
*__bow·wow__ [báuwàu, ⌐⌐] [의성어] *int.* **1** 멍멍(⇨ dog 관련) **2** 우우 《야유하는 소리》
— *n.* **1** 개 짖는 소리 **2** (유아어) 멍멍이(dog) **3** [*pl.*] 몰락, 영락 **4** 거만한 태도 ***go to the ~s*** (속어) 망하다, 영락하다
— [⌐⌐] *vi.* 〈개가〉 짖다
— *a.* (속어) 고압적[위압적]인; (미·속어) 멋있는; 근사한; 굉장한
bow·yer [bóujər] *n.* **1** 활 만드는 사람, 조궁장; 활장수 **2** (시어) 궁수, 궁술가(archer)
‡**box**[1] [bɑ́ks | bɔ́ks] [「boxwood(회양목재)로 만든 그릇」의 뜻에서] *n.* **1** (보통 뚜껑 달린 직사각형의) **상자**: a cardboard[wooden] ~ 판지[나무] 상자 관련 [box의 여러 가지] lunch box(도시락), mailbox (미), letter box (영) (우편함), packing box(포장용 상자), strongbox(소형 금고) **2 한 상자(의 분량)** (boxful) **3** (영) 선물: a Christmas ~ 크리스마스 선물 **4** [the ~] 박스, 돈궤(=money ~; cf. STRONGBOX) **5** (극장 등의) 칸막이한 좌석, 특등석; (법정의) 배심석, 증인석; 마부석; (마구간·화물차의) 한 칸; 고해실(告解室); 〖야구〗 투수[타자]석, 박스: a family ~ 가족석 / the royal ~ (극장의) 로열 박스 **6** 경비 초소, 파수막; (철도의) 신호소; 파출소; (영) 사냥용 오두막집; 공중전화 박스 **7** (기계 등의) 상자 모양의 부분; 두껍닫이; 활자판의 한 칸; (구어) [the ~] 텔레비전 (수상기) **8** (수액(樹液)을 받기 위하여 줄기에 낸) 구멍 **9** (신문·잡지 등의) 박스 기사 **10** (미) (우편) 사서함 **11** (미·속어) 관, 널(coffin) **12** =BOX CAMERA **13** (구어) =ICEBOX **14** 대형 포터블 라디오 **15** (속어) 여자 성기, 질(vagina)
a ~ and needle 〖항해〗 나침반 ***a ~ of birds*** (호주·구어) 굉장한 사람[것], 훌륭한 사람[것] ***in a (tight) ~*** 어찌할 바를 몰라 ***in the same ~*** 같은 상태[처지]에 있어 ***in the wrong ~*** (1) 장소를 잘못 알고 (2) 난처한 입장에 처하여 ***out of*** one***'s ~*** (속어) 미친; (술·마약에) 취한 ***think outside the ~*** (미·구어) 새로운 사고를 하다
— *vt.* **1** 〈물건을〉 상자에 넣다 **2** (좁은 곳에) 〈사람을〉 가두다 《*in, up*》 **3** …에 상자를 부착하다, 상자를 설치하다 **4** 상자로 만들다, 상자 모양으로 하다 **5** 〖농업〗 (수액 채취를 위해) 〈나무에〉 흠집을 내다 **6** 〈진로 등을〉 방해하다 《*in, out, up*》 **7** (고찰을 위해) 하나로 정리하다 **8** 〈건축물을〉 (판자·울타리 등으로) 둘러싸다 《*up*》
~ about 자주 방향을 바꾸어 항해하다 ***~ in*** (1) 좁은 곳에 가두다 (2) 〈다른 주자의〉 진로를 막다 ***~ off*** (1) 칸막이하다 (2) 이물[뱃머리]을 돌리다 ***~ the compass*** (1) 〖항해〗 나침반의 방위를 차례로 읽어가다 (2) 〈의견·의론이〉 원점으로 되돌아오다 ***~ up*** (1) 상자에 넣다[포장하다] (2) 좁은 곳에 밀어 넣다
~·like *a.* ▷ bóxy *a.*
*__box__[2] [bɑ́ks | bɔ́ks] *n.* 〈따귀를〉 **손바닥[주먹]으로 침,** 따귀를 때림 《*on*》 ***give*** a person ***a ~ on the ears*** …의 따귀를 갈기다
— *vt.* 〈따귀를〉 손바닥[주먹]으로 때리다[치다] (beat); 〖스포츠〗 …와 권투하다
— *vi.* 주먹[손바닥]으로 때리다; (…와) 권투하다 《*with, against*》; 프로 권투 선수가 되다
~ clever (속어) 현명하게 행동하다, 머리를 쓰다 ***~ it out*** 승부가 날 때까지 서로 치고받다
box[3] *n.* 〖식물〗 CU 회양목; 회양목재
box[4] *vt.* 〖항해〗 =BOXHAUL
Bóx and Cóx [영국 극작가 J.M. Morton의 희극에서] 한 역을 번갈아 하는 (두 사람)
box·ball [bɑ́ksbɔ̀:l | bɔ́ks-] *n.* 지면에 코트를 그려서 핀볼처럼 공을 두 사람이 서로 치는 게임
bóx barràge 〖군사〗 대공(對空) 십자 포화
bóx bèam 〖건축〗 상자형 대들보(box girder)
bóx bèd (접을 수 있는) 상자 모양 침대
box·board [-bɔ̀:rd] *n.* 종이 상자용 판지, 보드지(紙)
bóx càlf 박스 가죽 《제화(製靴)용 송아지 가죽》
bóx cámera 상자형 사진기
bóx cànyon (미서부) 양쪽이 절벽인 깊은 협곡
box·car [-kɑ̀:r] *n.* (미) 유개(有蓋) 화차((영) box wagon)
bóx clòth 연갈색의 두터운 모직물 《box coat감》
bóx còat (마부의) 두터운 모직 외투
bóx dràin 상자 모양의 하수구(下水溝)
boxed [bɑ́kst | bɔ́kst] *a.* 상자에 담은; (미·속어) 술 취한; 교도소에 수감된; 죽은
bóx èlder 〖식물〗 네군도단풍나무 《북미 원산》
box·en [bɑ́ksn | bɔ́ksn] *a.* (고어) 회양목의
*__box·er__ [bɑ́ksər | bɔ́k-] *n.* **1** 복서, **권투 선수** ★ 직업 선수의 경우는 boxer 이외에 prize fighter, pugilist라고도 함. **2** 복서 《bulldog 비슷한, 꼬리 짧은 개》 **3** (속어) 실크해트(top hat)
Box·er [bɑ́ksər | bɔ́k-] *n.* 의화단원(義和團員), [the ~s] 의화단, 권비(拳匪) ***the B~ Rebellion*** [***rising***] 의화단 사건 《1900년》
Box·er·cise [bɑ́ksərsàiz | bɔ́k-] *n.* Ⓤ (영) 복서사이즈 《권투의 동작과 장비를 응용한 운동법; 상품명》
bóxer shòrts (남자용) 통이 넓은 팬티
box·fish [bɑ́ksfìʃ | bɔ́ks-] *n.* =TRUNKFISH
bóx fràme 상자 테; 〖건축〗 벽식(壁式) 구조
box·ful [bɑ́ksfùl | bɔ́ks-] *n.* 한 상자(의 분량) 《*of*》: a ~ *of* books 책 한 상자
bóx gìrder =BOX BEAM
box·haul [bɑ́kshɔ̀:l | bɔ́ks-] *vt.* 〖항해〗 이물을 바람 불어오는 쪽으로 하여 침로를 바꾸다
box·hold·er [-hòuldər] *n.* (극장·경마장 등의) 칸막이 좌석의 관람객; (우체국의) 사서함을 가진 사람
‡**box·ing**[1] [bɑ́ksiŋ | bɔ́ks-] *n.* Ⓤ **권투,** 복싱: a ~ match 권투 시합 NOTE [아마추어 선수의 체급] Light Flyweight(48 kg 이하), Flyweight(51 kg), Bantamweight(54 kg), Featherweight(57 kg), Light weight(60 kg), Light Welter weight (63.5 kg), Welterweight(67 kg), Light Middleweight (71 kg), Middleweight(75 kg), Light Heavyweight (81 kg), Heavyweight(81 kg 이상)

boxing² *n.* **1** Ⓤ 포장, 상자 꾸리기 (작업) **2** Ⓤ 상자 재료 **3** 창문틀, 두껍닫이
Bóxing Dày (영) 크리스마스 선물의 날 《12월 26일. 공휴일; 일요일일 때는 그 다음 날; 우편집배원·하인 등에게 선물(Christmas box)을 줌》
bóxing glòve 권투 글러브
bóxing wèights 권투 선수의 체급(별)
bóx ìron (석탄 따위를 넣고 쓰는) 상자 모양의 다리미
bóx júnction 《영》 (황색 줄무늬가 쳐진) 정차 금지의 교차점
box·keep·er [bάkskìːpər | bɔ́ks-] *n.* (극장의) 박스[좌석] 계원
bóx kìte 상자꼴 종이연 《기상 관측·실험에 쓰임》
bóx lúnch 《미》 (특히 주문 받아 만드는) 도시락
box·man [-mæ̀n, -mən] *n.* (*pl.* **-men** [-mən]) 《미·속어》 (전문) 금고털이; (블랙잭에서) 프로의 카드 딜러; 도박장 직원
bóx nùmber **1** (우편의) 사서함 번호 **2** (신문의) 광고 번호
bóx òffice **1** (극장의) 매표소 **2** Ⓤ 매표액(額), (흥행) 수익(receipts) **3** 《구어》 (연극 등의) 인기 (프로); 대만원, 대만원의 흥행, 대히트; 동원 관객 수
box-of·fice [-ɔ̀ːfis | -ɔ̀fis] *a.* 〈연극·영화 등이〉 인기를 끄는; (흥행적으로) 대박이 터지는: a ~ hit [success, riot] 흥행의 대성공[대히트] / ~ value 흥행 가치 / a ~ star[draw] 인기 스타
bóx plèat[plàit] (스커트 등의) 상자꼴 겹주름
box·room [-rùːm] *n.* 《영》 (상자·트렁크 등을 넣어 두는) 골방, 작은 방
bóx scéne 《영》 〖연극〗 =BOX SET
bóx scòre **1** 〖야구〗 박스 스코어 《선수의 수비·타격 등 성적을 약기한 것》 **2** 개요(概要)
bóx séat **1** (마차의) 마부석 **2** (극장·경기장 등의) 칸막이 좌석, 박스석 ***in the ~*** 《호주·구어》 가장 유리한 지위[입장, 조건]에서
bóx sét 〖연극〗 3면의 벽과 천정으로 이루어진 방의 세트(《영》 box scene)
bóx sócial 《미》 box lunch를 팔아 기금을 모으는 자선 단체·교회 주최의 파티 ★ box supper라고도 함.
bóx spànner 《영》 〖기계〗 =BOX WRENCH
bóx sprìng (침대의) 박스 스프링
bóx stàll 《미》 (외양간·마구간의) 칸막이(《영》 loose-box)
box·tree [-trìː] *n.* 〖식물〗 회양목
bóx tùrtle 〖동물〗 상자거북 《북미산(産)》
box-up [-ʌ̀p] *n.* 《호주》 여러 양떼의 뒤섞임; 혼란
bóx wàgon 《영》 =BOXCAR
box·wood [-wùd] *n.* 〖식물〗 회양목; Ⓤ 회양목재
box-work [-wə̀ːrk] *n.* 〖야구〗 =PITCHING
box-work·er [-wə̀ːrkər] *n.* 《미·속어》 전문 금고털이
bóx wrènch (움푹한 곳의 볼트 등을 죄는) 상자 렌치[스패너]
box·y [bάksi | bɔ́ksi] *a.* (**box·i·er**; **-i·est**) 상자 모양의, 네모진, 모난 **bóx·i·ness** *n.*
‡boy [bɔ́i] [ME 「남자 종자(從者)」의 뜻에서] *n.* **1** 소년, 사내[남자]아이 《17, 18세까지의》; (어른과 대비하여 미성년의) 젊은이, 청년: Boys will be ~*s.* 《속담》 사내아이들 장난은 어쩔 수가 없다. **2** [종종 one's ~] (나이에 관계없이) 아들(son): He has two ~*s* and one girl. 그는 아들 둘에 딸 하나가 있다. **3** (미숙·무경험의) 젊은이 **4** 남자 종업원, 사환, 보이 《★ 호텔에서는 보통 bellboy, 식당에서는 waiter라고 함》: a paper[delivery] ~ 신문팔이[배달] 소년 **5** [종종 one's ~] (남자) 애인 **6** 남학생, 사동(使童) **7** [the ~s] 한 집안의 아들들 **8** [*pl.*] (특히 전투 부대의) 병사들 **9** [주로 *pl.*] 《속어》 …들: the science ~*s* 과학자들 / the big business ~*s* 대기업가들 **10** 친구, 동료(fellow): a nice ~ 좋은 녀석 / quite a ~ 훌륭한 녀석 **11** [수식어와 함께] 《미·구어》 (어느 지방 태생의) 남자 **12** [*pl.*] **a** 소년용 의복 사이즈(8-20호) **b** 소년용 사이즈의 의복 **13** 《경멸》 놈, 녀석 **14** [the ~] 《고어·속어》 샴페인
my ~ 《호칭》 애야 《아들에게》; 여보게 《친구에게》 ***one of the ~s*** 《구어》 친구와 어울리기 좋아하는 남자 ***That's my ~!*** = ***That's the ~!*** 《구어》 잘했다, 훌륭하다! ***the ~ next door*** 상식적이며 누구에게나 호감을 사는 평범한 젊은이 ***the ~s in blue*** 《영·구어》 경찰관 《친숙함이 내포된 말투》 ***the ~s uptown*** 《미·속어》 정계의 높은 사람; (세력을 휘두르는) 악당 집단 ***yellow ~s*** 《속어》 금화(金貨)
— *int.* 《구어》 야, 이런, 참, 물론 《유쾌·놀라움 또는 실망·지루함을 나타내는 소리; Oh, ~! 라고도 함》
— *a.* 사내아이의, 소년의[같은]: a ~ student 남학생
boy-and-girl [bɔ́iəndgə́ːrl] *a.* 소년 소녀의, 어린 〈사랑 등〉
bo·yar(d) [boujάːr(d), bɔ́iər(d)] *n.* (옛 러시아) 귀족; (옛 루마니아) 특권 귀족
bóy bànd (노래와 춤으로 인기 있는) 젊은 남성 밴드
boy·chik, -chick [bɔ́itʃik] *n.* 《미·속어》 소년(boy); 사내아이(kid); 젊은 남자
***boy·cott** [bɔ́ikɑt | -kɔt, -kət] [공동 배척을 당한 아일랜드의 토지 관리인의 이름에서] *vt.* **1** 〈개인·회사·국가·상품 등을〉 **보이콧하다**, 불매(不買) 동맹을 맺다, 배척하다: ~ a commercial product 상품을 보이콧하다 **2** 〈회의 등에〉 참가를 거부하다
— *n.* ⒸⓊ 보이콧, 불매 동맹 **~·er** *n.*
boyf [bɔ́if] *n.* 《영·구어》 남자 친구, 애인(boyfriend)
‡boy·friend [bɔ́ifrènd] *n.* 보이 프렌드, **남자 친구**; (남자) 애인 《★ boyfriend라 하면 연애 상대로서의 남자 친구를 이르는데, girlfriend는 연애 상대로서의 여자 친구를 이를 뿐만 아니라 여자가 여자 친구를 이르기도 함》: Is he your new ~? 그는 네 새 남자 친구니?
‡boy·hood [bɔ́ihùd] *n.* Ⓤ **1** **소년기**, 소년 시절 **2** [집합적] 소년들, 소년 사회
boy-hus·band [bɔ́ihʌ̀zbənd] *n.* 나이 어린 남편
boy·ish [bɔ́iiʃ] *a.* **1** 소년의, 소년 시대의 **2** 소년 같은, 소년다운; 순진한, 천진난만한 **3** 〈여자 아이가〉 사내아이 같은 **~·ly** *ad.* **~·ness** *n.*
Bóyle's láw [bɔ́ils-] [영국의 물리학자 이름에서] 〖물리〗 보일의 법칙 《일정 온도에서 기체의 압력과 부피는 반비례함》
boy-meets-girl [bɔ́imìːtsgə́ːrl] *a.* 판에 박은 듯한 로맨스의, 정석대로의 〈이야기 등〉
boy·o [bɔ́iou] *n.* (*pl.* **~s**) **1** 《영·구어》 소년(boy), 사내아이(lad) **2** 《미·속어》 녀석, 친구
bóy ràcer 폭주(暴走) 소년[청년]
***bóy scòut** **1** **보이 스카우트 단원**, 소년 단원; [the B- S-s] 보이 스카우트 《영국에서는 1908년, 미국에서는 1910년 창설》(cf. GIRL GUIDE, GIRL SCOUT) **2** 11세-13세까지의 보이 스카우트(cf. CUB SCOUT)
boy·sen·ber·ry [bɔ́iznbèri, -sn- | -bəri] *n.* 《미》 〖식물〗 보이젠베리 《blackberry의 일종》
bóy's plày 쓸데없는 짓[농담], 시간 낭비; 어린애 장난(같이 쉬운 일)
boys-town [bɔ́iztàun] *n.* 《속어》 남성 동성애자의 동네, 남성 동성애자들이 모이는 곳
bóy tòy 《속어·경멸》 성적 매력이 있는 미소년 《나이 든 사람과 관계를 가지는》
bóy wónder 천재 소년, 신동
bo·zo [bóuzou] *n.* (*pl.* **~s**) 《미·속어》 놈, 녀석(fellow), 얼간이; 크고[힘세고] 촌스런[멋없는] 남자
Bp Bishop **BP** Bachelor of Pharmacy[Philosophy]; Black Panther 흑표범당(원); British Petroleum 영국 석유 회사; British Pharmacopoeia
b.p., bp below proof; bills payable; boiling point **B/P** 〖상업〗 bills payable; bill of parcels
B pàrticle 〖물리〗 B입자 《neutral current의 단위 입자가 되는 가설의 소립자》
BPD, b.p.d. barrels per day **BPe** Bachelor of Pedagogy **BPh** Bachelor of Philosophy **BPharm** Bachelor of Pharmacy **BPhil** *Baccalaureus Philosophiae* (L =Bachelor of Philosophy) **bpi** bits[bytes] per inch 〖컴퓨터〗 비트 / 인

치 ((자기(磁氣) 테이프 등의 정보 기억 밀도 단위))
B picture = B MOVIE
bpl. birthplace **BPO** British Post Office **BPOE** Benevolent and Protective Order of Elks 엘크스 자선 보호회
B pòwer supplỳ = B SUPPLY
bps bits[bytes] per second 〚컴퓨터〛 비트/초 ((회선 등의 정보 전달량[속도]의 단위)) **BPW** Board of Public Works; Business and Professional Women's Clubs **Bq** 〚물리〛 becquerel(s) **Br** 〚화학〛 bromine; 〚그리스도교〛 Brother **BR** 〚자동차 국적〛 Brazil; British Rail(ways) **br.** bearing; 〚군사〛 bombardier; branch; bridge; bronze; brother; brown **Br.** Britain; British **b.r.** bank rate; block release; breeder reactor **B/R, b.r.** Bill of Rights; bills receivable 수취 어음
bra [brɑ́ː] *n.* **1** (미·구어) 브래지어(brassiere) **2** (자동차의 앞 끝에 덮는 천[플라스틱]으로 만든) 덮개 ***burn*** one***'s*** ~ (여성 속박의 상징인) 브래지어를 태우다; (급진적) 여성 해방 운동에 참여하다 **~·less** *a.* 노브라의
braai [brái] (남아공) *n.* = BRAAIVLEIS
— *vt.*, *vi.* (**~s**; **~·(i)ng**; **~ed**) 바비큐하다
braai·vleis [bráiflèis] *n.* (남아공) 바비큐 파티
Bra·ban·çonne [bræbɑːnsɔ́ːn | -sɔ́n] [F] *n.* [La ~] 라브라방손 ((벨기에 국가(國歌)))
brá bùrner [시위로서 브래지어를 태운 일에서] (속어) 전투적인 여성 해방 운동가
***brace** [bréis] [Gk 「팔」의 뜻에서] *vt.* **1** 버팀대로 받치다, 떠받치다 ((*up*)); (…으로) 보강하다 ((*with*)) **2** 〈활의 시위 등을〉 (팽팽히) 죄다 ((*up*)); 〈발을〉 버티다 ((*up*)) **3** 〈신경 등을〉 긴장시키다 ((*up*)) **4** …에 대항하다 **5** 중괄호로 묶다 **6** 〚항해〛 〈돛의 활대를〉 아딧줄로 돌리다 ((*about*, *around*)) **7** (미·속어) …에게 돈을 달라고 하다 **8** 〚군사〛 차려 자세를 취하게 하다
— *vi.* 기운을 내다 ((*up*)); (공격 등에) 대비하다 ((*for*)) ~ one***self up*** 분발하다, 마음을 다잡다 ~ one***'s energies*** 기운내다, 분발하다
— *n.* **1** 버팀대, 지주(支柱) **2** 꺾쇠, 거멀못; (타래송곳의) 굽은 자루 **3** 중괄호 (({ })) **4** (영) (마차의 차체를 스프링에 매다는) 가죽띠; (북의 가죽을 죄는) 브레이스, 가죽끈; 〚항해〛 아딧줄 **5** [*pl.*] (영) 바지 멜빵 ((미) suspenders) **6** 홍분제 **7** (손목·팔 등을 싸는) 보호대; 〚의학〛 부목(副木); 〚치과〛 치열 교정기 **8** 〚군사〛 차려 자세 **9** 〚음악〛 브레이스 ((2개 이상의 오선을 연결하는 괄호)) **10** (*pl.* ~) (새·동물의) 한 쌍(pair) ((*of*)): a ~ *of* dogs 암수 한 쌍의 개 / three ~ *of* ducks 세 쌍의 오리

brace *n.* **2**

brace
bit

bráce and bít 굽은 손잡이가 달린 타래송곳의 일종
***brace·let** [bréislit] [OF 「작은 팔」의 뜻에서] *n.* **1** 팔찌 **2** [*pl.*] (완곡) 수갑(handcuffs) **3** (활 쏠 때의) 팔찌; (갑옷의) 팔 보호구 **~·ed** [-id] *a.* 팔찌를 낀
brácelet wàtch (여자용) 소형 손목시계
brac·er¹ [bréisər] *n.* **1** 받치는[긴장시키는] 것[사람]; 죄는 것, 죄는 끈, 밧줄, 띠 **2** (구어) 자극성 음료, 술(pick-me-up); 원기를 돋우는 것
bra·cer² [bréisər] *n.* (활쏘기할 때 끼는) 팔찌; (갑옷의) 팔 보호구
bra·ce·ro [brəsɛ́ərou] [Sp.] *n.* (*pl.* **~s**) (미국으로 일하러 오는) 멕시코 인 계절 농장 노동자
brach [brǽtʃ] *n.* (고어) 암 사냥개
bra·chi·al [bréikiəl | brǽ-] *a.* 팔의; 팔 모양의
bra·chi·ate [bréikiət, -kièit, brǽ-] *a.* 〚식물〛 십자 대생(十字對生)의; 〚동물〛 팔이 있는
— [bréikièit, brǽ-] *vi.* 〚동물〛 〈긴팔원숭이 등이〉 양손을 번갈아 매달리며 건너가다
bra·chi·a·tion [brèikiéiʃən, brǽ-] *n.* Ⓤ 〚동물〛 양손을 번갈아 매달리며 건너가기
bra·chi·o·ce·phál·ic ártery [brèikiousəfǽlik-, bræ̀-] 〚해부〛 완두(腕頭) 동맥; 무명(無名) 동맥
bra·chio·pod [bréikiəpɑ̀d, brǽ- | -pɔ̀d] *n.*, *a.* 〚동물〛 완족류(腕足類)(의) ((꽈리조개 등))
brach·i·o·saur [brèikiousɔ́ːr], **brach·i·o·sau·rus** [-sɔ́ːrəs] *n.* 〚고생물〛 브라키오사우루스 ((북미·동아프리카에서 서식했던 거대한 초식 공룡))
bra·chis·to·chrone [brəkístəkròun] *n.* 〚물리〛 최속(最速) 강하선
bra·chi·um [bréikiəm, brǽ-] *n.* (*pl.* **-chi·a** [-kiə]) 〚해부〛 상박(上膊); 〚동물〛 앞다리
brach·y·ce·phal·ic [brækisəfǽlik] *a.* 〚인류〛 단두(短頭)의
brach·y·ceph·a·ly [brækiséfəli] *n.* 〚인류〛 단두(短頭); 〚병리〛 단두증(症)
bra·chyl·o·gy [brəkílədʒi] *n.* (*pl.* **-gies**) ⓊⒸ 〚문법〛 요어(要語) 생략, 간결 표현[어구]
bra·chyp·ter·ous [brəkíptərəs] *a.* 〚동물〛 날개가 짧은
brac·ing [bréisiŋ] *a.* 긴장시키는; 기운을 돋우는, 상쾌한 — *n.* 〚건축〛 버팀대, 지주(支柱); 원기 돋움, 자극 **~·ly** *ad.* **~·ness** *n.*
brácing càble[wìre] 〚항공〛 버팀줄
bra·ci·o·la [brɑ̀ːtʃióulə, -tʃóu-], **-le** [-lei] [It.] *n.* 브라치올라 ((소스에 넣고 구운 송아지 고기[쇠고기]; 이탈리아 요리의 일종))
brack·en [brǽkən] *n.* 〚식물〛 양치식물의 일종 ((fern 의 큰 것; 황야에 자생함)), ((특히)) 고사리; 고사리숲
***brack·et** [brǽkit] *n.* **1** 〚건축〛 까치발; (벽 등에 내단 선반[전등]의) 받침대, 브래킷 **2** (까치발로 받쳐진) 내단 선반[가스관(管), 램프 받침] **3** [보통 *pl.*] **a** 각(角)괄호, 꺾쇠묶음 (([ ], 〔 〕))(square ~) **b** 둥근 괄호(= round ~) **c** 꺾음 괄호 ((〈 〉))(= angle ~) ★ 둥근 괄호는 보통 parentheses, 수학·음악에서는 중괄호 (({ }))도 brackets. **4** (동류(同類)로 구분되는) 그룹; (수입에 따른 납세자의) 계층: the high [low] income ~*s* 고[저]소득 계층

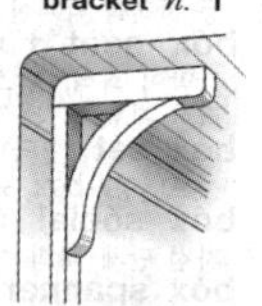
bracket *n.* **1**

— *vt.* **1** …에 까치발[선반 받침대 ((등))]을 달다 **2** 괄호로 묶다 **3** 일괄하여 다루다: (~+목+전+명) The pupils were ~*ed into* five groups. 학생들은 다섯 그룹으로 나뉘었다. **4** 고려의 대상에서 제외하다 ((*off*)) **~·ed** [-id] *a.* 괄호로 묶은; 일괄한
brácket clòck 소형 탁상시계
brácket crèep (구어) 〚경제〛 (납세자의) 세율 등급의 점진적 상승
brácket fòot (찬장 등의) 까치발식 다리
brack·et·ing [brǽkitiŋ] *n.* 〚집합적〛 〚건축〛 까치발, 브래킷
brácket sàw 〚목공〛 곡선용 톱
brack·ish [brǽkiʃ] *a.* **1** 소금기 있는: ~ water 기수(汽水), (반)염수(鹽水) **2** 맛없는; 불쾌한 **~·ness** *n.*
bract [brǽkt] *n.* 〚식물〛 포(苞), 포엽(苞葉)
brac·te·al [brǽktiəl] *a.* 〚식물〛 포(苞)의, 포엽의, 포엽 같은
brac·te·ate [brǽktiət, -tièit] *a.* 〚식물〛 포엽이 있는
brac·te·ole [brǽktiòul] *n.* 〚식물〛 소포(小苞), 소포엽(小苞葉)
bract·let [brǽktlit] *n.* 〚식물〛 = BRACTEOLE
bract-scale [brǽktskèil] *n.* 〚식물〛 포린(苞鱗)
brad [brǽd] *n.* 무두정(無頭釘) ((대가리가 없는 못)); 곡정(曲釘) ((대가리가 갈고리처럼 구부러진 못))
— *vt.* (**~·ded**; **~·ding**) …에 무두정[곡정]을 박다

thesaurus **brag** *v.* boast, crow, show off
brain *n.* **1** 지능 intellect, brainpower, mind, intel-

brad·awl [brǽdɔ̀:l] *n.* 작은 송곳
Brad·shaw [brǽdʃɔ:] 〔Bradshaw's Monthly Railway Guide의 약칭〕 *n.* 《영》 철도 여행 안내서 《철도 시각표를 수록; 1961년 폐간》
brady- [brǽdi-] 《연결형》「늦은; 둔한; 짧은」의 뜻
bra·dy·car·di·a [brӕ̀dikɑ́:rdiə] *n.* Ⓤ 〖의학〗 서맥(徐脈), 지맥(遲脈) 《보통 매분 60이하의 맥박》
brad·y·e·coi·a [brӕ̀diikɔ́iə] *n.* 〖의학〗 난청(難聽)
brad·y·ki·net·ic [brӕ̀dikinétik | -kai-] *a.* 동작이 완만한
bra·dy·ki·nin [brӕ̀dikínin, -kái-] *n.* Ⓤ 〖생화학〗 브래디키닌 《혈관 확장 작용을 함》
brad·y·pep·si·a [brӕ̀dipépsiə] *n.* 소화 불량
brad·y·seism [brǽdisàizm] *n.* 〖지구물리〗 완만 지동(地動) 《지각의 완만한 상승·하강》
brae [bréi, brí:] *n.* 《스코》 **1** 구릉; 산허리, 산 중턱; 언덕의 사면(斜面) **2** [*pl.*] 구릉 지대
Brae·burn [bréibə:rn] *n.* 브래번 《붉은 색과 녹색이 섞인 사과의 한 품종》
*__brag__ [brǽg] *v.* (**~ged**; **~·ging**) *vi.* 자랑하다, 뽐내다, 허풍 떨다 《*about, of*》: (~+전+명) He always *~s about* how rich father is. 그는 아버지가 얼마나 부자인지 항상 자랑하고 다닌다.
—*vt.* 자랑하다, 자랑하며 말하다: (+*that* 절) He *~ged that* he had won. 그는 자기가 승리했다고 자랑했다. ***be nothing to ~ about*** 《구어》 자랑할 것이 못 되다, 대단한 일이 아니다
—*n.* **1** Ⓤ 허풍, 자랑 **2** 자랑거리 **3** Ⓒ 자랑하는 사람, 허풍선이 **4** Ⓤ (포커 비슷한 옛날) 카드놀이의 일종 ***make ~ of*** …을 자랑하다
—*a.* 자랑할 만한, 훌륭한, 일류의
~·ging·ly *ad.* **~·less** *a.*
brag·ga·do·ci·o [brӕ̀gədóuʃiòu] *n.* (*pl.* **~s**) **1** 큰 허풍선이(boaster) **2** Ⓤ 큰 허풍
brag·gart [brǽgərt] *n.* 허풍선이 **—** *a.* 자랑하는, 허풍 떠는 **~·ism** *n.* Ⓤ 큰 자랑, 허풍, 호언
brag·ger [brǽgər] *n.* 허풍선이
brag-rags [brǽgrӕ̀gz] *n. pl.* 《미·속어》 종군 기장(記章)
Brah·ma[1] [brɑ́:mə] 〔Skt.〕 *n.* 〖힌두교〗 **1** 브라마, 범천(梵天) 《모든 중생의 아버지, 힌두교 최고의 신》 **2** 범(梵) 《우주의 근본 원리》
Brah·ma[2] [bréimə, brɑ́:- | brɑ́:-] *n.* [종종 **b~**] 브라마 닭 《인도 Brahmaputra 강 유역 원산》
Brahma[3] *n.* 인도 원산의 소 《수소·암소 및 거세된 소》
Brah·man[1] [brɑ́:mən] *n.* (*pl.* **~s**) **1** 브라만 《인도의 사성(四姓) 중 최고 계급인 승려 계급의 사람》 **2** = BRAHMA[1] 2
Brah·man[2] [bréimən | brɑ́:-] *n.* 브라만 《인도 소를 품종 개량한 미국 남부산(産)의 소》
Brah·ma·na [brɑ́:mənə] *n.* 〖힌두교〗 브라마나, 범서(梵書)
Brah·ma·ni [brɑ́:məni], **-nee** [-nì:] *n.* 브라만 계급의 여자
Brah·man·ic, -i·cal [brɑ:mǽnik(əl)] *n.* 브라만(교)의
Brah·man·ism [brɑ́:mənìzm] *n.* Ⓤ 브라만교(敎) **-ist** *n.* 브라만교도
Brah·ma·pu·tra [brɑ̀:məpú:trə] *n.* [the ~] 브라마푸트라 강 《Tibet 남서부에서 인도 북동부로 흐르는 강》
Brah·min [brɑ́:min] *n.* (*pl.* **~, ~s**) **1** = BRAHMAN 1 **2** 《미·경멸》 교양이 높은 사람, 인텔리 《특히 New England의 명문 출신》
Brah·min·ic, -i·cal [brɑ:mínik(əl)] *a.*
Brah·min·ism [brɑ́:mənìzm] *n.* **1** Ⓤ = BRAHMANISM **2** 《미·경멸》 인텔리적 정신[태도, 습관 《등》]
Brahms [brɑ́:mz] *n.* 브람스 **Johannes ~** (1833-97) 《독일의 작곡가》

ligence, wit, head **2** 지적인 사람 genius, intellect, thinker, scholar, mastermind, sage, pundit

*__braid__ [bréid] *n.* **1** Ⓒ 꼰[땋은] 끈, 노끈: a straw ~ 밀짚으로 꼰 끈 **2** Ⓤ 몰(lace): gold[silver] ~ 금[은]몰 **3** Ⓒ [종종 *pl.*] 《미》 땋은 머리(《영》 plait)
—*vt.* **1** 《미》 〈머리·끈 등을〉 짜다, 땋다; 땋아 늘어뜨리다 **2** 몰[리본]로 꾸미다
braid·ed [bréidid] *a.* 짠, 꼰; 몰로 장식한; (머리를) 땋은: a ~ wire 〖전기〗 편복선(編覆線)
braid·er [bréidər] *n.* 끈을 땋는[꼬는] 사람; 노끈 꼬는 기계; 합사 박는 기계
braid·ing [bréidiŋ] *n.* Ⓤ **1** [집합적] 짠[꼰] 끈, 합사 **2** 몰 자수(刺繡)
brail [bréil] *n.* [보통 *pl.*] 〖항해〗 돛을 죄는 줄
— *vt.* **1** 〖항해〗 〈돛을〉 죄다 **2** 가죽끈으로 묶다
Braille [bréil] *n.* **1** 브라유 **Louis ~** (1809-52) 《프랑스의 교육자; 맹인용 점자법을 고안함》 **2** [때로 **b~**] Ⓤ (브라유) 점자(법) 《6자식 점자법》
— *vt.* [때로 **b~**] (브라유) 점자로 쓰다[번역하다, 인쇄하다]
Bráille rèader 점자 판독기[장치]
Braille·writ·er [-ràitər] *n.* [때로 **b~**] (브라유식) 점자[타자]기
***__brain__ [bréin] *n.* **1** Ⓒ 〖해부〗 뇌, 뇌수: ~ cells 뇌세포 / He died of a ~ tumor. 그는 뇌종양으로 사망했다. **2** ⒸⓊ [보통 *pl.*] 두뇌, 지능, 지력(知力): have (good) *~s* 머리가 좋다 / use one's *~s* 머리를 쓰다, 지혜를 짜내다 / He hasn't much *~s.* 그는 머리가 좋지 못하다. **3** Ⓒ 《구어》 머리가 좋은 사람, 수재, 학자; 전자 두뇌 **4** Ⓒ [the ~s] 지적 지도자, 브레인, 최고 입안자(立案者) 《★ 한 사람인 경우도 이 말을 씀》: *the ~s* of the group 그룹의 지도자 **5** Ⓒ (미사일 등의) 두뇌부, (컴퓨터 등의) 중추부
beat a person***'s ~ out*** 《구어》 …의 머리를 심하게 때리다[때려 죽이다] ***beat*** [***cudgel, drag, rack***] one***'s ~*** 머리를 짜다, 궁리하다 《*for*》: "Studying physics is so hard."—"Yeah, it really *racks my ~.*" 물리학 공부는 정말 힘들어. —맞아, 머리를 싸매야 해. ***blow*** a person***'s ~ out*** 《구어》 머리를 쏘아 꿰뚫다 ***blow*** one***'s ~s out*** = ***blow out*** one***'s ~s*** 《미》 (머리를 쏘아) 자살하다; 《미·속어》 열심히 일하다 ***call in the best ~s*** 널리 인재를 모으다 ***get*** one***'s ~s fried*** 《미·속어》 (지나친 일광욕으로) 일사병에 걸리다; (마약으로) 도취 상태가 되다 ***have ... on the ~*** 《구어》 …에 열중하다, …이 머리에서 떠나지 않다 ***make*** a person***'s ~ reel*** 〈믿을 수 없는 이야기·사실 등이〉 …을 깜짝 놀라게 하다 ***on the ~*** 《구어》 마음속에 ***pick*** [***suck***] a person***'s ~s*** …의 지혜를 이용하다 ***read*** a person***'s ~*** …의 생각을 알아채다 ***turn*** a person***'s ~*** (1) …의 머리를 돌게 하다 (2) 교만하게[우쭐하게] 하다
—*vt.* **1** …의 머리통을 때려 부수다 **2** 《구어》 …의 머리를 때리다 ▷ bráiny *a.*
bráin bànk (학자들을 모아놓은) 두뇌 은행
bráin bòx 《구어》 전자 계산기, 컴퓨터
bráin càndy 《미·구어》 (TV프로·비디오 게임 등의) 가벼운 오락물
brain·case [bréinkèis] *n.* = BRAINPAN
bráin cèll 〖해부〗 뇌세포
brain·child [-tʃàild] *n.* (*pl.* **-chil·dren** [-tʃìldrən]) 《구어》 두뇌의 소산, (독자적인) 생각, 계획; 창작물, 발명품
bráin còral 〖동물〗 뇌산호(腦珊瑚), 뇌석(腦石)
bráin dàmage 〖병리〗 뇌 손상
brain-dam·aged [-dæ̀midʒd] *a.* **1** 뇌 손상을 입은 **2** 《속어》 결정적인 결함을 가진
brain-dead [-dèd] *a.* 뇌사의; 《속어》 얼간이의
bráin dèath 〖병리〗 뇌사(腦死)(cerebral death)
bráin dràin 《구어》 두뇌 유출, 인재의 국외 이주(cf. BRAIN GAIN)
brain-drain [-drèin] *vi., vt.* 《구어》 두뇌[인재] 유출하다[시키다]
bráin dràiner 《구어》 외국에 유출된 우수한 인재

brained [bréind] *a.* [보통 복합어를 이루어] …한 머리[지능]를 가진: small-~ dinosaurs[reptiles] 뇌가 작은 공룡들[파충류들]
brain·er·y [bréinəri] *n.* 《미·속어》 대학
brain-fade [-fèid] *n.* 《미·속어》 (머리가 멍해질 정도의) 지루함
bráin fàg 《구어》 (뇌)신경 쇠약, 정신 피로
bráin fèver 〖병리〗 뇌(척수)염
bráin fòod 두뇌 기능을 향상시키는 영양 식품
bráin frèeze 매우 차가운 음식을 섭취하였을 때 순간적으로 머리가 찔린듯이 아픈 증상
bráin gàin 《구어》 두뇌[인재] 유입
bráin hòrmone 〖생화학〗 뇌 호르몬
brain·i·ac [bréiniæ̀k] *a.*, *n.* 《구어·익살》 머리[전문 지식]는 비상하나 비현실적인 (사람)
brain·less [bréinlis] *a.* 머리가 나쁜, 어리석은 **~·ly** *ad.* **~·ness** *n.*
bráin lìfe (brain death와 대비하여 생명이 시작되는) 뇌생(腦生)
brain·pan [bréinpæ̀n] *n.* 두개(頭蓋); 《미》 머리
brain-pick·er [-pìkər] *n.* 《구어》 남의 지혜를 이용하는 사람, 두뇌 착취자
brain-pick·ing [-pìkiŋ] *n.* Ⓤ 《구어》 남에게서 정보나 아이디어를 얻어내는 행위
brain·pow·er [-pàuər] *n.* Ⓤ 지력(知力); [집합적] 두뇌 집단, 지식인들, 참모단
brain-sauce [-sɔ̀:s] *n.* Ⓤ 《익살》 지성
bráin scàn 〖의학〗 뇌주사(腦走査) 사진[그림] 《brain scanner로 찍는 X선도(圖)》
bráin scànner 〖의학〗 뇌주사 장치 《뇌종양 등을 진단하는 CAT scanner》
brain·sick [-sìk] *a.* 미친; 정신에 이상이 있는 **~·ly** *ad.* **~·ness** *n.*
bráin stèaler 《미》 (남의 문장 등의) 표절자
bráin stèm 〖해부〗 뇌간(腦幹)
brain·storm [-stɔ̀:rm] *n.* **1** (발작적) 정신 착란 **2** 《미·구어》 영감, 인스피레이션(《영》 brain wave) **3** = BRAINSTORMING **—** *vi.* 브레인스토밍하다 **—** *vt.* 〈문제를〉 브레인스토밍으로 토의하다
brain·storm·ing [-stɔ̀:rmiŋ] *n.* Ⓤ 《미》 브레인스토밍 《각자가 아이디어를 내놓아 최선책을 결정하는 창조 능력 개발법》
Bráins Trùst [때로 **b- t-**] 《영》 **1** = BRAIN TRUST **2** (라디오·텔레비전 방송의 청취자·시청자의 질문에 즉석에서 대답해 주는) 전문가의 집단[그룹]
bráin sùrgeon 뇌외과 의사
bráin sùrgery 뇌외과 (수술)
bráin tàblet 《미·속어》 담배
brain·teas·er [-tì:zər] *n.* 난문제(難問題), 난제(難題), 퍼즐(puzzle)
bráin tìckler 《미·속어》 알약으로 된 마약
bráin trùst 《미》 브레인 트러스트, 두뇌 위원회; 전문 위원회[고문단]
bráin trùster 《미》 brain trust의 일원
bráin tùmor 〖병리〗 뇌종양
bráin twìster = BRAINTEASER
brain·wash [-wɔ̀:ʃ, -wɑ̀ʃ | -wɔ̀ʃ] *vt.* 세뇌하다, 세뇌하여 (어떤 행동을) 하게 하다 《*into*》 **—** *n.* Ⓤ 세뇌
brain·wash·ing [-wɔ̀:ʃiŋ, -wɑ̀- | -wɔ̀-] [중국어 「洗腦(hsi mao)」에서] *n.* Ⓤ 세뇌, 강제적 사상 개조 공작; (선전에 의한) 설득
bráin wàve **1** [*pl.*] 〖의학〗 뇌파(腦波) **2** 《영·구어》 영감, 묘안(《미》 brainstorm)
brain·work [-wə̀:rk] *n.* 정신[두뇌] 노동
brain·work·er [-wə̀:rkər] *n.* 정신[두뇌] 노동자
brain·y [bréini] *a.* (**brain·i·er**; **-i·est**) 《구어》 머리가 좋은, 총명한 **bráin·i·ness** *n.*
braird [brɛ́ərd] 《영》 *n.* (곡식의) 새싹 **—** *vi.* 새싹이 트다[나다]
braise [bréiz] *vt.* 〈고기나 야채를〉 볶은 후 소량의 물로 밀폐 용기에서 천천히 삶다[익히다](⇨ cook 유의어)

⁑brake[1] [bréik] *n.* **1** [종종 *pl.*] 브레이크, 제동기, 제동 장치: apply[put on] the ~*s* 브레이크를 걸다 / step on the ~(*s*) 브레이크를 밟다 / The ~(*s*) didn't work. 브레이크가 듣지 않았다. **2** 제동[제어](하는 것), 억제 《*on*》: put a ~ *on* reform 개혁에 제동을 걸다 **3** = BRAKEMAN 2 ***ride the ~*** 《미·구어》 늘 브레이크 페달에 발을 얹어 놓고 있다 ***slam*** [***jam***] ***the ~s on*** 《구어》 급브레이크를 밟다
— *vt.* 〈차·기계 따위에〉 브레이크를 걸다[밟다]; …의 브레이크를 조작하다 : ~ a car 차에 브레이크를 걸다
— *vi.* **1** 〈사람이〉 브레이크를 걸다[밟다] **2** 〈차가〉 브레이크에 걸려 서다 **~·less** *a.*
brake[2] *n.* **1** Ⓒ 숲, 덤불 **2** Ⓤ 〖식물〗 큰 양치류 《총칭》; 《특히》 고사리
brake[3] *n.* **1** 대형 써레, 쇄토기(碎土機) **2** 빵가루 반죽기 **3** 아마를 으깨어 섬유를 분리해 내는 도구 **4** 프레스 브레이크 《얇은 판금을 구부리는 기계》(= **préss ~**) **5** 《폐어》 (옛날의) 고문대
brake[4] *v.* 《고어》 BREAK의 과거
brake·age [bréikidʒ] *n.* Ⓤ 제동 작용[능력]; [집합적] 제동 장치(brakes)
bráke bànd 〖기계〗 브레이크 띠
bráke blòck 〖기계〗 제동자(制動子)
bráke dìsc 〖기계〗 브레이크 디스크, 제동판(制動板)
bráke drùm 〖기계〗 브레이크 드럼, 제동통
bráke flùid (유압 브레이크의) 브레이크액(液)
bráke hórsepower 〖기계〗 브레이크 마력, 제동 마력 《略 bhp》
brake·light [bréiklàit] *n.* 브레이크 등(stoplight)
bráke lìning 〖기계〗 브레이크 라이닝
brake·man [-mən] *n.* (*pl.* **-men** [-mən]) **1** (열차의) 제동수(制動手) **2** (봅슬레이 팀의) 제동수 **3** 《미》 (대륙 횡단 철도의) 보조 차장
bráke pàd 브레이크 패드 《바퀴를 제동하기 위해 브레이크의 디스크를 누르는 자동차 부품》
bráke pàrachute 〖항공〗 브레이크 패러슈트 《감속용》
bráke pèdal 〖기계〗 브레이크 페달
bráke shòe (자동차 등의) 제동자(制動子)
brakes·man [bréiksmən] *n.* (*pl.* **-men** [-mən]) 《영》 = BRAKEMAN
bráke vàn 《영》 〖철도〗 완급차(緩急車), 제동차 《제동 장치가 있는 차량》
bráke whèel 브레이크 바퀴, 제동륜(輪)
brak·ie [bréiki] *n.* 《구어》 = BRAKEMAN
brák·ing dìstance [bréikiŋ-] 제동 거리
bráking skìd (자동차 등의) 브레이크를 갑자기 세게 밟았을 때 일어나는 미끄럼
brak·y [bréiki] *a.* (**brak·i·er**; **-i·est**) 덤불이 우거진
bra·less [brɑ́:lis] *a.* 브래지어를 착용하지 않은, 노브라의 **~·ness** *n.*
Br. Am. British America
bram·ble [brǽmbl] *n.* 〖식물〗 **1** 가시나무, 들장미 **2** 나무딸기속(屬)의 식물 《나무딸기·검은딸기 등》 **—** *vi.* 《영》 나무딸기를 따다
bram·bling [brǽmbliŋ] *n.* 〖조류〗 되새
bram·bly [brǽmbli] *a.* (**-bli·er**; **-bli·est**) 가시가 많은, 가시덤불의, 가시덤불 같은
Brám·ley('s) séedling [brǽmli(z)-] 〖원예〗 브램리 《요리용 대형 사과》
***bran** [brǽn] *n.* Ⓤ 밀기울, 겨; 왕겨
⁑branch [brǽntʃ, brɑ́:ntʃ | brɑ́:ntʃ] *n.*, *v.*

L 「동물의 다리」의 뜻에서
「가지」 **1** → (가지처럼 갈라진 것) → 지점, 지부 **5** / 부문, 분과 **6** / 지류, 지선 **4**

thesaurus **branch** *n.* **1** 가지 bough, limb, stem, twig **2** 지점 division, section, department

—*n.* **1** (나뭇)가지, 분지(分枝): a fallen tree ~ 떨어진 나뭇가지

> 유의어 **branch** 줄기(trunk)에서 나는 가지; 특히 구별하지 않는 경우는 bough, twig를 포함한 총칭 **bough** 큰 가지 **twig** 잔가지 **spray** 잎이나 꽃이 붙어 있는 잔가지

2 가지 모양의 물건 **3** 파생물, 분파 **4** (산의) 지맥; (철도·도로 등의) 지선; 지류; 작은 시내, 세류(細流) 《river와 creek의 중간》 **5** 분가(分家); 분관, 지점(=**~ òffice**); 지부, 지국, 출장소: an overseas ~ 해외 지점/a ~ manager 지점장 **6** 부문, 분과(分課), 분과(分科): a ~ of study 한 학과 **7** 〚컴퓨터〛 (프로그램의) 분기(分岐) **8** 〚언어〛 어파(語派)
root and ~ ⇨ root[1]
—*vi.* **1** 〈나무가〉 가지를 내다[뻗다] 《*forth, out*》 **2** 갈라지다, 분기(分岐)하다, 분화하다 《*off, away, out*》: (~+부) ~ *off* in all directions 사방으로 갈라지다 **3** (…에서) 파생하다 《*from*》; 〚컴퓨터〛 분기 명령을 실행하다
—*vt.* **1** …에 가지가 갈라지게 하다 **2** …에 꽃무늬를 수놓다 **~ *off*** (1) 갈라지다, 분기하다 (2) 옆으로 빗나가다, 옆길로 새다 **~ *out*** (1) 가지를 내다 (2) 분기하다, 사업을 확장하다, 새 분야에 진출하다 (3) 〈이야기 등이〉 지엽(枝葉)으로 흐르다
branched [brǽntʃt, brɑ́:ntʃt | brɑ́:ntʃt] *a.* 가지가 있는
bran·chi·a [brǽŋkiə] *n.* (*pl.* **-chi·ae** [-kiì:]) 〚동물〛 아가미(gill)
bran·chi·al [brǽŋkiəl] *a.* 아가미의; 아가미 같은
bránchial árch 〚동물〛 새궁(鰓弓) 《연골》
bránchial cléft 〚동물〛 새열(鰓裂), 아감구멍
bran·chi·ate [brǽŋkiət] *a.* 아가미가 달린; 아가미에 관한
branch·ing [brǽntʃiŋ, brɑ́:ntʃ- | brɑ́:ntʃ-] *n.* Ⓤ 분기(分岐), 분지(分枝) —*a.* 가지를 내뻗은, 분기한
bránching fràction 〚물리〛 분기율
bránch instrùction 〚컴퓨터〛 분기 명령
branchi(o)- [brǽŋki(ou)-] 《연결형》 「아가미」의 뜻
bránch·less bánk [-lis-] (영업점이 없는) 무점포 은행, 인터넷 은행
branch·let [brǽntʃlit, brɑ́:ntʃ- | brɑ́:ntʃ-] *n.* 말단의 작은 가지
bránch lìne 〚철도〛 분기선, 지선(opp. *main line*)
bránch pòint 〚전기·수학〛 분기점
bránch predìction 〚컴퓨터〛 분기(分岐) 예측
bránch wàter (미) **1** (시내·개울 등의) 물 **2** (위스키 등에 타는) 맹물(plain water)
branch·y [brǽntʃi, brɑ́:ntʃi | brɑ́:ntʃi] *a.* (**branchi·er**; **-i·est**) 가지가 많은, 가지가 우거진
‡**brand** [brǽnd] *n.*, *vt.*

> OE 「불꽃, 불」의 뜻에서
> 타다 남은 것→
> 소인(燒印) **2** —→상표 **1**→특정 상품
> └→낙인, 오명 **3**

—*n.* **1** 상표(trademark), 브랜드; 품질 《*of*》; (상표가 나타내는) 특정 제품, (특별한) 종류: ~ loyalty 상표 충성도/the best ~ *of* coffee 최고급 커피 **2** (상품·가축 등에 찍는) 소인 **3** (옛날 죄인에게 찍은) 소인; 낙인; 오명(汚名)(disgrace): the ~ of cain 〚성서〛 카인의 낙인, 살인자의 표시, 살인죄 **4** 불이 붙은 나무 막대, 타다 남은 나뭇조각 **5** (시어) 횃불; 검(劍)
a ~ from the burning[***fire***] 〚성서〛 위난(危難)에서 구원받은 사람; 개종자
—*vt.* **1** 〈죄인·가축에〉 소인을 찍다 **2** …에게 오명을 씌우다; …에게 낙인을 찍다: (~+목+***as*** 보) be ~*ed as* a traitor 반역자의 오명을 쓰다 **3** 〈좋지 않은 경험이〉 (사람·마음에) 흔적을 남기다, 강한 인상을 주다 《*on, in*》: (~+목+전+명) The scene is ~*ed on*[*in*] my memory. 그 광경은 나의 기억에 생생하게 새겨져 있다.
bran·dade [brɑ̃ŋdɑd] [F] *n.* 〚요리〛 브랑다드 《말린 대구·올리브유·향료 등을 넣고 죽처럼 끓인 것》
brand·ed [brǽndid] *a.* Ⓐ 소인(燒印)이 찍힌; (유명) 상표가 붙은
brand·er [brǽndər] *n.* 낙인 찍는 사람[기구]
bran·died [brǽndid] *a.* 브랜디에 담근, 브랜디로 맛을 낸
brand-im·age [brǽndìmidʒ] *n.* (소비자가 갖고 있는) 브랜드[상품] 이미지; 《비유》 (어떤 사람[사물]에 대한) 일반적인 이미지
brand·ing [brǽndiŋ] *n.* Ⓤ (한 회사의 여러 제품에) 같은 상표명을 붙이기
bránding ìron (낙인 찍는) 쇠도장, 낙철(烙鐵)
bránd ìron (난로 속의) 장작 받침쇠
*__bran·dish__ [brǽndiʃ] *vt.* 〈칼·창 등을〉 휘두르다, 머리 위로 쳐들다; 과시하다
—*n.* (무기 등을) 휘두름; 과시
bránd lèader 브랜드 리더; 인기 상품[품목]
brand·ling [brǽndliŋ] *n.* 〚동물〛 붉은줄지렁이; 연어 새끼(parr)
bránd nàme 상표명(trade name); 유명 상품(cf. NAME BRAND)
brand-name [brǽndnèim] *a.* (유명) 상표가 붙은; (구어) 유명한: a ~ author 유명 작가
bránd Nàzi 특별한 옷이나 상품의 고집
brand-new [brǽndnjú: | -njú:] *a.* 아주 새로운, 신품의; 갓 만들어진[들여온, 태어난]
bran·dreth, -drith [brǽndriθ] *n.* **1** 나무틀; (건초 등을 걸쳐 놓는) 삼각가(三脚架) **2** 우물 둘레의 울짱 **3** 삼발이
Bránd X́ 상표 X 《어떤 상품을 돋보이게 하는 역할을 하는 익명의 경합품(競合品)》
*__bran·dy__ [brǽndi] [Du. 「탄[증류한] 와인」의 뜻에서] *n.* (**-dies**) Ⓤ 브랜디 《과실주를 증류한 술》; Ⓒ 브랜디 한 잔: ~ and water 물 탄 브랜디
—*vt.* (**-died**) **1** 〈과일 등을〉 브랜디에 담그다 **2** 브랜디로 맛을 내다
bran·dy-and-so·da [brǽndiənsóudə] *n.* 소다를 탄 브랜디 《略 B. & S.》
bran·dy·ball [-bɔ̀:l] *n.* (영) 브랜디를 넣은 캔디
brándy bùtter (영) =HARD SAUCE
brándy snàp 브랜디를 넣은 생강 쿠키
branks [brǽŋks] *n. pl.* (철제) 재갈 《옛날 영국에서 말 많은 여자에게 이것을 씌웠음》
bran-new [brǽnnjú:] *a.* =BRAND-NEW
bran·ni·gan [brǽnigən] *n.* (속어) 야단법석; 하찮은 입씨름
bran·ny [brǽni] *a.* (**-ni·er**; **-ni·est**) 겨의, 밀기울의, 밀기울이 든
brán píe[**túb**] (영) 보물찾기 밀기울 통 《밀기울 아래에 선물을 감추어 두고 어린이들에게 찾게 하는 놀이》
brant [brǽnt] *n.* 〚조류〛 (*pl.* **~s,** ~) 흑기러기 《북미·북유럽산(産)》(=**~ gòose**)
brash[1] [brǽʃ] *a.* **1** (구어) 성급한, 경솔한, 무모한; 뻔뻔스러운, 건방진(saucy) **2** 정력적인, 몹시 기력이 좋은 **3** (미) 〈목재가〉 부러지기 쉬운, 무른 **4** 귀에 거슬리는 **~·ly** *ad.* **~·ness** *n.*
brash[2] *n.* **1** 속쓰림 **2** (스코) 소나기 **3** 발진 **4** (암석의) 파편; 유빙(流氷) 조각 **5** (쳐낸) 가지 부스러기
bra·sier [bréiʒər | -zjə] *n.* =BRAZIER[1, 2]
Bra·sil·ia [brəzíljə] *n.* 브라질리아 《1960년 이후 브라질의 수도; cf. RIO DE JANEIRO》
‡**brass** [brǽs, brɑ́:s | brɑ́:s] *n.* (*pl.* **~·es**) **1** Ⓤ 놋쇠, 황동(黃銅) **2** [보통 *pl.*] 놋그릇, 놋제품; 놋쇠 장식; (교회의 마루·벽에 박는) 사자(死者)의 놋쇠 기념패

brand *n.* **1** 상표 make, trademark, label **2** 소인 identifying mark, tag, marker, earmark

(牌) **3** Ⓤ 〖음악〗 금관 악기; [보통 the ~; 집합적] (악단의) 금관 악기 섹션 **4** Ⓤ 놋쇠빛 **5** 《영·속어》 돈 **6** Ⓤ [the ~] 《구어》 뻔뻔스러움(impudence) **7** Ⓤ [the ~; 집합적] 《구어》 고급 장교(=~ hat); 고급 관료; (재계 등의) 거물 **8** 〖기계〗 축받이쇠
(as) bold as ~ 아주 뻔뻔스러운 **have the ~ to do** 뻔뻔스럽게도 …하다 **not ... a ~ farthing** 《구어》 전혀[조금도] …않다
— *a.* **1** 놋쇠로 만든, 놋쇠빛의 **2** 금관 악기의
— *vt.* **1** 〖야금〗 …에 놋쇠를 입히다 **2** 《속어》 〈돈을〉 시급하다 《*up*》 ▷ brássy, brázen *a.*; bráze¹ *v.*

brass·age [brǽsidʒ, brɑ́:s- | brɑ́:s-] *n.* Ⓤ 화폐 주조료(料), 주화세(稅)

bras·sard [brǽsɑ́:rd, brə- | brǽsɑ:d], **bras·sart** [brǽsɑ́:rt, brə- | brǽsɑ:t] *n.* 완장(腕章); (갑옷의 팔 보호용) 팔찌

bráss bánd (금관 악기 중심의) 취주 악대, 브라스 밴드

brass·bound [brǽsbáund, brɑ́:s- | brɑ́:s-] *a.* **1** 놋쇠로 보강한[테를 장식한] **2** 인습적인, 완고한; 《구어》 〈사람·규칙 등이〉 융통성이 없는 **3** 뻔뻔스러운

brass-collar [-kʌ́lər] *a.* 《구어》 **1** 애초부터의, 본래부터의, 나면서부터의 **2** 정당에 절대적으로 충실한: a ~ Republican 공화당 신봉자

brassed off [brǽst-ɔ̀:f] *a.* 《영·속어》 짜증나는, 지겨운

bras·se·rie [bræ̀sərí:] [F] *n.* 맥주 등의 알코올류도 내놓는 레스토랑

bráss hát [원래 모자의 금테에서] 《속어》 **1** 고급 장교 **2** 고급 관료; (재계 등의) 거물

bras·si·ca [brǽsikə] *n.* 〖식물〗 유채속(油菜屬) 식물의 총칭 《양배추·겨자·순무 따위》

brass·ie [brǽsi, brɑ́:si | brɑ́:si] *n.* 〖골프〗 2번 우드(wood) 《끝에 놋쇠를 씌운 골프채》

bras·siere, -sière [brəzíər | brǽsiə, -ziə] [F =little camisole] *n.* 브래지어(bra)

bráss ìnstrument 금관 악기

bráss knúckles (격투할 때 손가락 관절에 끼우는) 쇳조각

brass-mon·key [brǽsmʌ́ŋki] *a.* Ⓐ 《영·속어》 매우 추운: ~ weather 몹시 심한 추위, 혹한

bráss néck 《영·구어》 철면피

bráss ràgs 《영》 (수병·선원의) 놋쇠 닦는 천
part ~ 《영·속어》 절교하다 《*with*》

bráss ríng 《미·속어》 큰 돈벌이[성공]의 기회

brass-rub·bing [-rʌ̀biŋ] *n.* 묘비명 따위의 탁본

bráss tácks 놋쇠 못; 《구어》 요점, 중대한 일
get [come] down to ~ 《구어》 현실[당면] 문제를 다루다, 문제의 핵심을 찌르다, 사실[요점]을 말하다

brass·ware [brǽswὲər, brɑ́:s- | brɑ́:s-] *n.* Ⓤ [집합적] 놋쇠 제품, 유기

bráss wìnd =BRASS INSTRUMENT

brass-wind [-wínd] *a.* 금관 악기의

brass·y [brǽsi, brɑ́:si | brɑ́:si] *a.* (**brass·i·er**; **-i·est**) **1** 놋쇠질(質)의; 놋쇠로 만든 **2** 놋쇠빛의 **3** 겉만 번지르르한, 싸구려의; 야하게 화려한 **4** 《구어》 뻔뻔스러운 **5** 귀에 거슬리는, 금속음의
— *n.* (*pl.* **brass·ies**) =BRASSIE
bráss·i·ly *ad.* **-i·ness** *n.*

*__brat__ [brǽt] *n.* 《경멸》 애새끼, 꼬마 녀석(child)
~·tish *a.* **~·ness** *n.*

brát pàck 《속어》 1980년대 중반의 자유분방하고 사회적으로 떠들썩한 사생활을 한 할리우드의 젊은 배우들

brat·tice [brǽtis] *n.* (광갱(鑛坑)의) 통풍 칸막이; (기계류를 둘러싸는) 판자 울타리
— *vt.* …에 칸막이를 만들다

brat·tic·ing [brǽtisiŋ], **-tish·ing** [-tiʃiŋ] *n.* Ⓤ 〖건축〗 투각(透刻), 섭새김; 〖광산〗 통풍용 칸막이

brat·tle [brǽtl] 《주로 스코》 *n.* 덜컹덜컹[둥둥, 쿵쿵]; 쿵쾅거림 — *vi.* 덜컹덜컹[둥둥, 쿵쿵] 울리다; 쿵쾅거리며 뛰다

brat·wurst [brǽtwə:rst | brɑ́:t-] [G] *n.* Ⓤ 브라트부르스트 《프라이용 돼지고기 소시지》

braun·ite [bráunait] *n.* Ⓤ 브라운광(鑛), 갈(褐)망간광(鑛)

Braun·schweig·er [bráunʃwàigər] *n.* [종종 **b~**] 브라운슈바이크 《훈제한 간(肝) 소시지》

Bráun tùbe [bráun-] 《드물게》 브라운관(管) (cathode-ray tube)

bra·va [brɑ́:vɑ, ─́] [It.] *n.*, *int.* =BRAVO¹ 《여성에 대해 사용》

bra·va·do [brəvɑ́:dou] [Sp. =brave] *n.* (*pl.* **~(e)s**) ⓊⒸ 허세, 허장성세 — *vi.* 허세 부리다

‡**brave** [bréiv] *a.* **1** 용감한, 용맹한, (…할) 용기가 있는, 두려워하지 않는(opp. *cowardly*; ⇨ courageous 유의어): a ~ act 용감한 행위 / It was very ~ of you to tell him the truth. 네가 그에게 진실을 말한 것은 매우 용감한 행동이었다. **2** 《문어》 화려한, 화사한(showy); 훌륭한(splendid)
a [the] ~ new world 훌륭한 신세계 《Shakespeare 작 *The Tempest*에서》; 《비꼼》 복지 사회 《A. Huxley의 책명에서》 **put on a ~ face** 자신 있는[만족한] 체하다
— *n.* **1** 용사 **2** (북미 인디언의) 전사(戰士)
— *vt.* **1** 〈위험·죽음에〉 용감히 맞서다; 도전하다 (challenge); 감히 …하다 **2** 《폐어》 화사하게[눈에 띄게] 하다
— *vi.* 《폐어》 자랑하다, 뽐내다(boast)
~ it out (반대·비난에) 꺾이지 않고 맞서다
~·ness *n.* ▷ brávery *n.*

‡**brave·ly** [bréivli] *ad.* 용감하게; 훌륭하게

‡**brav·er·y** [bréivəri] *n.* Ⓤ **1** 용감(opp. *cowardice*; cf. COURAGE) **2** 《문어》 화려함; 화려한 빛깔; 화려한 옷; 옷치장

bra·vis·si·mo [brɑvísəmòu] *int.* 브라비시모, 세계 제일이다 《연주가·가수·배우 등에 대한 최대의 칭찬》

bra·vo¹ [brɑ́:vou, ─́] [It. 「훌륭한」의 뜻에서; brave와 같은 어원] *n.* (*pl.* **~s, -vi** [-vi:]) 브라보 《갈채할 때의 외침》 — *int.* 잘한다, 좋아
— *vt.* 갈채하다 ★ 이탈리아 말에서는 **bravo**는 남자에 대하여, **brava**는 여자에게, **bravi**는 단체에 대하여 사용함.

bra·vo² [brɑ́:vou] *n.* (*pl.* **~(e)s, -vi** [-vi:]) 장사(壯士); 자객; 폭한(暴漢)

bra·vu·ra [brəvjúərə] [It. =bravery] *n.* (음악·연극에서) 대담하고 화려한 연주[연기, 연출]
— *a.* 화려한, 대담한, 발랄한

braw [brɔ́:, brɑ́:] *a.* 《스코》 옷차림이 화려한; 훌륭한 **~·ly** *ad.*

*__brawl__ [brɔ́:l] *n.* **1** (종종 거리에서 주고받는) 말다툼, 싸움(⇨ quarrel¹ 유의어) **2** 시끄러운 소리, 떠들썩함, 소란 **3** 《미·속어》 북적이는 큰 파티
— *vi.* **1** 말다툼하다(wrangle), 싸움하다 **2** 〈냇물이〉 요란하게 흐르다

brawl·er [brɔ́:lər] *n.* 말다툼[싸움]하는 사람

brawl·ing [brɔ́:liŋ] *a.* 시끄러운, 떠들썩한, 요란한 **~·ly** *ad.*

brawn [brɔ́:n] *n.* Ⓤ **1** 근육(muscle); 근력(筋力), 완력 **2** 《영》 헤드치즈(《미》 headcheese)
brain before ~ 힘보다는 머리

bráwn dràin 육체 노동자·운동 선수의 국외 유출 (cf. BRAIN DRAIN)

brawn·y [brɔ́:ni] *a.* (**brawn·i·er**; **-i·est**) 근골이 억센; 강건한 **bráwn·i·ness** *n.*

brax·y [brǽksi] *n.* 〖수의학〗 (양의) 탄저병

thesaurus **brave** *a.* courageous, fearless, gallant, heroic, bold, daring, audacious, resolute, intrepid, undaunted, valiant, lionhearted, valorous (opp. *cowardly, timid, fearful*)
brawl *n.* fight, wrangle, rumpus, clash, quarrel, argument, disagreement, uproar

bray[1] [bréi] *n.* **1** 나귀의 시끄러운 울음 소리 **2** 나팔 소리 **3** 시끄러운 소리; 떠들썩한 잡담[항의]
—*vi.* **1** 〈나귀 등이〉 울다 **2** 〈나팔 소리가〉 울리다 **3** 시끄러운 소리를 내다, 시끄럽게 고함치다 —*vt.* 고함 지르다 《*out*》
bray[2] *vt.* 갈아 바수다, (절구 등에) 빻다; 〖인쇄〗 〈잉크를〉 묽게 하다
bray·er [bréiər] *n.* **1** 나귀 소리를 내는 것, 나귀 **2** 절굿공이 **3** 〖인쇄〗 손으로 미는 롤러
Braz. Brazil(ian)
braze[1] [bréiz] *vt.* 놋쇠로 만들다, …에 놋쇠를 입히다; 놋쇠 빛깔로 하다
braze[2] *vt.* 납땜하다 —*n.* 납땜, 땜질
***bra·zen** [bréizn] *a.* **1** (문어) 놋쇠로 만든 **2** (놋쇠 같이) 단단한; 놋쇠빛의; 귀에 거슬리는, 요란한 **3** 뻔뻔스러운, 철면피의, 파렴치한
—*vt.* 〈사태·비난 등에〉 뻔뻔스럽게 맞서다
~ *it* [***the affair, the business, the matter***] ***out*** [***through***] 뻔뻔스럽게 대처하다[밀고 나가다] **~ one's *way out*** 배짱으로 곤란을 타개하다
~·ly *ad.* **~·ness** *n.* ▷ bráss *n.*; bráze[1] *v.*
brázen áge [the ~] 〖그리스신화〗 청동(靑銅)시대
bra·zen·face [bréiznfèis] *n.* 뻔뻔스러운 사람, 철면피
bra·zen-faced [-fèist] *a.* 철면피의, 뻔뻔스러운 (shameless) **-fac·ed·ly** [-fèisidli, -fèist-] *ad.*
bra·zier[1], **bra·sier**[1] [bréiʒər | -zjə] *n.* 놋갓장이
brazier[2], **brasier**[2] *n.* **1** (금속제의 석탄용) 화로 **2** (옥외에서 쓰는 간단한) 불고기 굽는 기구
bra·zier·y [bréiʒəri | -zjəri] *n.* (*pl.* **-zier·ies**) Ⓤ 놋쇠 세공; Ⓒ 놋쇠 세공장
bra·zil [brəzíl] *n.* **1** = BRAZILWOOD **2** = BRAZIL RED **3** = BRAZIL NUT
****Bra·zil** [brəzíl] *n.* **1** 브라질 《남미의 공화국; 공식명 the Federative Republic of ~; 수도 Brasilia》 **2** [*pl.*] 브라질 커피
***Bra·zil·ian** [brəzíljən] *a., n.* 브라질의 (사람)
Brazílian wáx 브라질리안 왁스 《여성이 비키니 등을 입기 위해 음부 부근의 털을 미는 것》
Brazíl nùt 브라질호두 《식용》
brazíl réd brazilwood에서 채취되는 적색 염료
bra·zil·wood [brəzílwùd] *n.* Ⓤ 〖식물〗 브라질 소방목(蘇方木) 《빨간 물감을 채취하는 나무》
Braz·za·ville [brǽzəvìl, brɑ́:zəvì:l] *n.* 브라자빌 《콩고 공화국의 수도》
BRB, brb 〖인터넷〗 be right back 《채팅 등에서 사용》 **BRCA** 〖생화학〗 breast cancer (gene)
BRCS British Red Cross Society **BRE** Bachelor of Religious Education
***breach** [brí:tʃ] *n.* **1** (법률·도덕·약속 등의) 위반, 불이행, 침해 《*of*》 **2** (성벽·제방 등의) 갈라진 틈, 트인 구멍(rent) **3** 절교, 불화 **4** 〖항해〗 부서지는 파도 (surge) **5** (고래가) 물 위로 뛰어오름
~ of close 〖법〗 불법 토지 침입(trespass) ***~ of confidence*** 비밀 누설, 배신 ***~ of contract*** 계약 위반 ***~ of duty*** 〖법〗 배임(背任), 직무 태만 ***~ of etiquette*** [***law***] 결례[위법] ***~ of faith*** 배신 ***~ of promise*** 약혼 불이행; 위약 ***~ of the peace*** 〖법〗 치안 방해 ***~ of trust*** 〖법〗 신탁(信託) 위반, 배임 ***fill the ~*** 위급할 때 구원해 주다, 대신하다, 대역을 맡다 ***heal the ~*** 화해시키다 ***stand in*** [***throw*** one***self into***] ***the ~*** 공격에 맞서다; 난국에 대처하다 ***step*** [***throw*** one***self***] ***into the ~*** = fill the BREACH
—*vt.* **1** 〈성벽·방어선 등을〉 돌파하다 **2** 〈법률·약속·협정 등을〉 위반하다, 어기다, 파기하다
—*vi.* 〈고래가〉 물 위로 뛰어오르다 ▷ break *v.*
****bread** [bréd] *n.* Ⓤ **1** 빵: a loaf[slice] of ~ 빵 한 덩어리[조각] 관련 loaf(식빵 등의 긴 덩어리 빵), roll (롤빵), bun(소형의 둥근 빵), toast(토스트), crust (빵껍질), crumb(빵 속) **2** (일상의) 주식물, 음식, 양식(staple food); 생계(livelihood): daily ~ 일용할 양식 / earn[gain] one's ~ 생활비를 벌다 **3** 〖교회〗 성찬용 빵 **4** (속어) 돈, 현금 **5** 고용주, 주인
beg one***'s ~*** 빌어먹다 ***~ and cheese*** (1) 치즈를 곁들인 빵 (2) 간단한 식사; 생계 ***~ and milk*** 밀크빵 《우유에 빵을 뜯어 넣은 소아식》 ***~ and salt*** 빵과 소금 《환대의 표시》 ***~ and scrape*** 버터를 살짝 바른 빵 ***~ and water*** 빵과 물만의 식사; 가장 간소한 식사 ***~ and wine*** 성찬(식) ***~ buttered on both sides*** 안락한 생활 ***break ~*** (1) (…와) 식사를 하다 《*with*》 (2) 성찬례를 받다 ***cast*** [***throw***] one***'s ~ upon the waters*** 음덕(陰德)을 쌓다, 적선하다 ***eat the ~ of affliction*** [***idleness***] 비참한[게으른] 생활을 하다 ***in good*** [***bad***] ***~*** 행복[불행]하게 살고 ***know on which side*** one***'s ~ is buttered*** 자기의 이해타산에 밝다 ***out of ~*** (속어) 실직하여 ***take the ~ out of*** a person***'s mouth*** (1) …의 생계의 길을 빼앗다 (2) …이 즐기려는 것을 빼앗다 ***the ~ of life*** 〖성서〗 생명의 양식 ***want*** one***'s ~ buttered on both sides*** (속어) 터무니없는 요구를 하다
—*vt.* …에 빵가루를 묻히다; …에게 빵을 주다
bréad and bútter 1 [단수 취급] 버터 바른 빵 **2** 생계(의 수단) ***quarrel with*** one***'s ~*** 밥줄을 잃기 쉬운 짓을 하다
bread-and-but·ter [brédnbʌ́tər] *a.* Ⓐ **1** 생계를 위한; 생활 수단인: a ~ job 생업 / a ~ education 직업 교육 **2** (생활 기반에 관련해) 기본적인, 중요시되는 **3** 평범한, 일상의 **4** 환대에 감사하는: a ~ letter (환대에 대한) 답례장 **5** (영) 한창 먹을[자랄] 나이의
bréad-and-butter púdding 브레드앤버터 푸딩 《버터 바른 빵에 말린 과일·계란·우유 등을 넣고 구운 디저트》
bréad and círcuses (정부 등이 대중의 불만 등을 돌리기 위해 제공하는) 음식과 오락; 임시방편
bread·bas·ket [brédbæ̀skit | -bɑ̀:s-] *n.* **1** 빵 바구니 **2** (속어) 밥통, 위(stomach) **3** [the ~] (미) 중요 농업 지대, 곡창 지대
Bréadbasket Státe [the ~] 미국 Iowa 주의 별칭
bread·bin [-bìn] *n.* (영) = BREADBOX
bread·board [-bɔ̀:rd] *n.* **1** 빵 반죽하는[자르는] 도마 **2** 〖전자〗 실험용 전기[전자] 회로반
—*vt.* …의 실험용 전기[전자] 회로반을 만들다
bread·board·ing [-bɔ̀:rdiŋ] *n.* Ⓤ 평평한 실험대 위의 회로 조립(回路組立)
bread·box [-bɑ̀ks | -bɔ̀ks] *n.* (미) (뚜껑 있는) 빵 상자
bread-corn [-kɔ̀:rn] *n.* 빵 만드는 각종 곡물
bréad crùmb 1 빵의 말랑한 부분(cf. CRUST) **2** [보통 *pl.*] 빵 부스러기, 빵가루
bread·ed [brédid] *a.* 빵가루를 입힌
bread·fruit [-frù:t] *n.* 〖식물〗 빵나무(= **~ trèe**) 《폴리네시아 원산》; 그 열매
bréad knìfe (톱날식의) 빵칼
bread·less [brédlis] *a.* 빵[식량]이 없는
bread·line [brédlàin] *n.* 식료품의 무료 배급을 받는 실업자·빈민들의 줄 ***on the ~*** 매우 가난한
bréad mòld 〖식물〗 빵곰팡이, 《특히》 검은곰팡이
bread·nut [-nʌ̀t] *n.* 〖식물〗 (서인도산(産)) 뽕나뭇과의 식물 《이 열매로 빵을 만듦》
bréad púdding 브레드푸딩 《빵조각으로 만든 푸딩》
bréad ròll 롤빵(roll)
bread·root [-rù:t] *n.* 북미산(産) 콩과(科)의 다년초; 그 뿌리 《녹말이 들어 있어서 식용으로 쓰임》

---

brazen *a.* bold, audacious, defiant, impudent, insolent, shameless (opp. *reserved, shy*)
breach *n.* **1** 위반 breaking, contravention, violation, transgression, neglect **2** 갈라진 틈 break, rupture, split, crack, fissure, fracture, opening, gap, hole, aperture, chasm

bréad sàuce 브레드 소스 《빵가루를 넣은 진한 소스》
bread·stick [-stìk] *n.* 가는 막대 모양의 딱딱한 빵
bread·stuff [-stʌ̀f] *n.* [보통 *pl.*] 빵의 원료 《밀가루 등》; (각종) 빵
‡**breadth** [brédθ, brétθ] *n.* **1** [UC] 폭, 너비(width): This table is one meter in ~. 이 테이블은 폭이 1미터이다. **2** (피륙 등의) 일정한 폭, 한 폭 **3** (토지·수면 등의) 퍼짐, 넓이 **4** [U] (식견·도량 등의) 넓음; 관용(generosity): ~ of mind 마음의 여유 **5** 〖미술〗 (그림의) 전체 효과, 웅대함 **6** 〖논리〗 외연(外延) ***by a hair's ~*** 아슬아슬하게 five feet ***in ~*** 폭이 (5피트) ***over the length and ~ of*** …의 전반에 걸쳐 ***the ~ extreme*** (선박의) 최대 폭원(幅圓) ***to a hair's ~*** 한 치도 안 틀리게, 꼭 들어맞게
~·less *a.* ▷ bróad *a.*; bróaden *v.*
breadth·ways [-wèiz], **-wise** [-wàiz] *ad.*, *a.* 옆(방향)에[의]
bréad trèe 〖식물〗 **1** = BREADFRUIT **2** = MANGO **3** = BAOBAB
bread·win·ner [brédwìnər] *n.* **1** 집안에서 밥벌이를 하는 사람 **2** 생업; 생계 수단[기술, 도구]
‡**break** [bréik] *v.*, *n.*

기본적으로는 「센 힘으로 분해하다」의 뜻.	
① 깨뜨리다, 꺾다; 파괴, 파손	타 **1** 명 **1**
② 억지로 열다	타 **4**
③ 어기다	타 **10**
④ 중단시키다; 중단	타 **7** 명 **2**

— *v.* (**broke** [bróuk], (고어) **brake** [bréik]; **bro·ken** [bróukən], (고어) **broke**) *vt.* **1** 깨(뜨리)다, 부수다, 부수고 열다, 부수고 들어가다[나오다]; 쪼개다, 찢다; 둘로 꺾다; 〈가지 등을〉 꺾다: ~ a window 유리창을 깨다 / ~ a house 집을 무너뜨리다; 가택에 침입하다 / ~ a twig 잔가지를 꺾다 // (~+목+전+명) ~ a cup *in* two[*in*[*into*] pieces] 잔을 두 조각으로[산산조각으로] 깨뜨리다 // (~+목+보) ~ the door *open* 문을 부수고 열다 **2** 〈뼈를〉 부러뜨리다, …의 뼈를 부러뜨리다; …의 관절을 삐게 하다, 탈구(脫臼)시키다; 〈살갗을〉 상처나게 하다, 까지게 하다: ~ a bone 골절하다 / ~ one's neck 목이 부러지다 **3** 〈기기 등을〉 **고장내다**, 부수다: The television is *broken* again. 텔레비전이 또 고장났다.
USAGE 기기가 큰 것에 대해서는 not working[functioning] 또는 out of order를 씀. 특히 공공시설에 대해서는 out of order를 선호함: The elevator is *not working*. 승강기가 고장이다. / The telephone system seems to be *out of order*. 전화망이 고장인 것 같다.
4 〈길을〉 **열다**, 트다; 억지로 열다; 〈땅을〉 (처음으로) 갈다(plow); 〈새 분야를〉 개척하다: ~ a way[path] 길을 트다 **5** 〈적을〉 쳐부수다, 흐트러뜨리다; 〈보조(步調) 등을〉 흐트러지게 하다: ~ a strike 파업 파괴 행위를 하다 **6** 〈평화·침묵·단조로움·기분 등을〉 **깨뜨리다**, 방해하다: ~ one's sleep 수면을 방해하다 / ~ silence 침묵을 깨다 **7** 〈계속되고 있는 것을〉 **중단**[**차단**]하다: ~ an electric current 전류를 끊다 / ~ one's journey 도중하차하다 **8** (물고기 등이) 〈수면 위로〉 뛰어오르다 **9** 〈갖추어진 것·한 벌로 된 것을〉 나누다, 쪼개다; 〈큰돈을〉 잔돈으로 바꾸다, 헐다: ~ a set 한 벌의 것을 나누다, 낱으로 팔다 / ~ a ten-dollar bill 10달러 지폐를 헐다 **10** 〈법률·규칙·약속·습관 등을〉 **어기다**, 위반하다: ~ one's promise[word] 약속을 어기다 **11** 〈기록을〉 **깨다**, 경신하다: ~ a record 기록을 경신하다 **12** 〈나쁜 버릇 등을〉 **그만두다**, 끊다; …의 나쁜 버릇을 고치다: (~+목+전+명) He *broke* his child *of* that bad habit. 그는 자기 아이의 그 나쁜 버릇을 고쳐 주었다. **13** 〈속박 등을〉 **박차고 나오다**, 탈출하다: ~ prison 탈옥하다 **14** 파멸시키다; 〈사람·은행을〉 파산시키다; 면직시키다 ★ 이 뜻의 과거분사는 BROKE. **15** 〈기력·자부심·건강 등을〉 꺾다, 해치다: ~ a person's heart 비탄에 빠뜨리다, 실연시키다 **16** 〖야구〗 〈투구(投球)를〉 커브시키다; 〖권투〗 〈서로 껴안고 있는 선수에게〉 브레이크를 명령하다 **17** 밝히다, 알리다; 누설하다, 귀띔하다: ~ bad news 나쁜 소식을 (요령 있게) 전하다 / ~ a secret 비밀을 누설하다 **18** 〈풍력(風力)·타격 등의 힘을〉 약화시키다 **19** 〈말 등을〉 길들이다: (~+목+부) ~ a child *in* 어린이를 훈육하다 // (~+목+전+명) ~ wild colts *to* the saddle 야생 망아지를 안장에 길들이다 **20** 〈천막을〉 해체하다, 접다 **21** 〈암호 등을〉 해독하다, 풀다(solve); 〈사건·문제를〉 해결하다: ~ a code 암호를 해독하다 **22** 〈장교를〉 강등하다, …에게서 임무[특전]를 박탈하다 **23** 〈활동·운동 등을〉 시작[착수]하다 **24** 〈기사를〉 딴 페이지에 계속하다
— *vi.* **1 부서지다, 깨지다,** 쪼개지다; **부러지다;** 〈끈·밧줄 등이〉 **끊어지다:** (~+전+명) The plate *broke into* pieces. 접시가 산산조각이 났다. // (~+부) Glass ~*s easily*. 유리는 깨지기 쉽다. **2 a** 〈TV 등이〉 **고장나다** **b** 〈파도가〉 부서지다: (~+전+명) Waves ~ *against* the rocks. 파도가 바위에 부딪쳐 부서진다. **3** 〈거품이〉 꺼지다, 〈종기가〉 터져서 가라앉다 **4** 〈신체·건강·기력이〉 쇠약해지다; 〈군대·전선(戰線) 등이〉 혼란에 빠지다, 패주(敗走)하다; 〈군중 등이〉 뿔뿔이 흩어지다: The enemy *broke* and fled. 적진이 붕괴되어 패주했다. **5** 중단되다; 휴식하다 **6** 〈안개·구름·어둠 등이〉 걷히다; 〈서리가〉 녹다; 〈날씨가〉 (갑자기) 변하다: Day ~*s*. 날이 샌다. **7** 싹트다, 움트다, 〈꽃봉오리가〉 벌어지다 **8** 〈물고기 등이〉 수면 위로 뛰어오르다 **9** 갑자기 …하다; 〈폭풍우·고함 등이〉 돌발하다, 일어나다, 나타나다; 〈목소리가〉 (갑자기) 변하다: The boy's voice has *broken*. 그 소년의 목소리가 갑자기 변했다. // (~+전+명) ~ *into* a gallop 〈말이〉 (느린 걸음에서) 구보로 달리다 **10** 관계를 끊다, 단교하다, 절교하다 《*with*》: (~+전+명) ~ *with* a friend 친구와 절교하다 **11** (대화·여가 등을) 방해하다 《*into*》: (~+전+명) ~ *into* the conversation 대화에 끼어들다 **12** 파산하다, 도산하다: The bank *broke*. 은행이 파산했다. **13** (미) 시세가 폭락하다; 돌진하다 《*for, to*》 **14** (속박 등에서) 탈출하다 《*from, out of*》 **15** (구어) 〈뉴스 등이〉 전해지다, 알려지다 **16** 〈공이〉 커브하다 **17** 〖권투〗 브레이크하다, 서로 떨어지다 **18** 〈열이〉 내리기 시작하다
~ away (1) 부숴 버리다; 〈습관 등을〉 갑자기 중단하다 (2) 도망하다; (주제·패거리 등에서) 이탈하다, 탈퇴하다 (3) (…에서) 급변하다 《*from*》; 〈날씨가〉 개다, 〈구름 등이〉 걷히다 ***~ back*** (1) 〈선수가〉 (수비진을 혼란시키기 위해) 돌연 자기편 쪽으로 방향을 바꾸다 (2) 〖크리켓〗 〈공이〉 타자의 바깥쪽에서 굽어 날아들다 ***~ down*** (1) 파괴하다 (2) 〈반대·적 등을〉 압도하다, 진압하다 (3) (…로) 분류[분석, 분해]하다 《*into*》 (4) …에 화학 변화를 일으키다 (5) 〈기계·엔진·차 등이〉 부서지다, 고장나다 (6) 〈반항·교섭·계획 등이〉 실패하다 (7) 〈질서·저항 등이〉 무너지다 (8) 〈사람이〉 울며 주저앉다; 건강을 해치다 ***~ even*** (장사·노름 등에서) 득실(得失)이 없게 되다, 비기다 ***~ forth*** 일시에 쏟아져 나오다 《*from*》; 돌발하다; 별안간 소리지르다; 지껄이기 시작하다 ***~ free*** 도망치다 《*from*》 ***~ ground*** (1) 〈건설 공사 등을〉 시작하다, 착공하다 (2) 〖항해〗 배가 닻을 올리고 출항하다 ***~ in*** (1) 〈구두·자동차 등을〉 길들이다 (2) 〈말 등을〉 길들이다 (3) 〈사람을〉 새로운 일에 길들이다, 익숙해지게 하다 《*to*》 (4) 〈도둑이〉 침입하다 (5) 말참견하다 ***~ in on*** [***upon***] (1) …을 습격하다; 훼방 놓다 (2) 말참견하다 ***~ into*** (1) 침입[난입]하다 (2) 방해하다 (3) 갑자기 …하기 시작하다: ~ *into* tears 와락 울기 시작하다 / ~ *into*

thesaurus **breadth** *n.* width, broadness, wideness, span, spread; extent, scope, range
break *v.* **1** 부수다 smash, shatter, crack, fracture, split, crash, demolish **2** 방해하다 interrupt, suspend, discontinue, disturb, interfere with **3** 위반

laughter 웃음을 터뜨리다 (4) 〈시간을〉 먹어 들어가다 (5) 〈큰 돈을〉 헐다, 헐어 쓰다 (6) 〈비상용 비축물 등에〉 손대다 ***B~ it down!*** (1) 《호주·속어》 그만둬, 침착해! (2) 설마, 그럴 리가! ***~ it up*** (1) 《미》 〈남녀가〉 헤어지다, 절교하다; (싸움·말다툼 등을) 그만두다; 해산하다 (2) 《미·속어》 (도박에서) 혼자서 쓸다 (3) (파티 등을) 개최하다 ***~ loose***[***free***] 탈출하다, 떨어져 달아나다 《*from*》 ***~ off*** (1) 꺾어버리다 (2) 〈나쁜 버릇 등을〉 끊다 (3) 〈이야기 등을〉 (갑자기) 중지하다; 〈관계를〉 끊다 (4) 꺾이다, 끊어지다, 찢어지다 (5) 갑자기 말[일]을 중지하다 (6) (…와) 절교하다 《*with*》 ***~ on the scene*** 갑자기 나타나다 ***~ open*** 강제로 열다, 부수어 열다: ~ a door *open* 문을 억지로 열다 ***~ out*** (1) 탈출하다 (2) 별안간 …하기 시작하다 《*into*》; 화를 내기 시작하다 《*with*》 (3) 〈전쟁·유행병·화재가〉 돌발하다 (4) 〈여드름 등이〉 나다 (5) 〈계양한 기를〉 펼치다 (6) 《구어》 (축하하여) 〈샴페인·포도주·엽궐련 등을〉 따다, 꺼내다 ***~ over*** (1) 〈파도가〉 부딪쳐 …의 위를 넘다 (2) 〈갈채 등이〉 …에게 쏟아지다 ***~ right***[***badly***] 〈일이〉 잘[잘못]되어 가다 ***~ short*** 뚝 부러지다; 중단하다 ***~ one's mind to*** …에게 속마음을 털어놓다 ***~ through*** (1) …을 돌파하다, …을 헤치고 나아가다 (2) 〈햇빛 등이〉 …사이에서 나타나다[새어들다] (3) (새로운 발견 등에 의해) 〈장애 등을〉 극복하다; 〈어려워하는 태도 등을〉 편하게 하다 (4) 〈법률 등을〉 위반하다 ***~ up*** (1) …을 분쇄하다 (2) …을 분해하다 《*into*》 (3) …을 분배하다 《*among*》 (4) …을 흩뜨리다, 해산하다 (5) 〈모임 등을〉 끝내다 (6) 《구어》 〈남녀의〉 사이를 갈라 놓다; 〈결혼·우정 등 을〉 끝내다, 〈부부가〉 이혼하다 "Why did you ~ *up* with Nicole?" — "We fell out of love." 왜 니콜이랑 헤어졌니? — 우리는 더 이상 사랑하지 않아. (7) 《구어》 …의 마음을 뒤흔들어 놓다 (8) 《미·구어》 …을 배꼽 빠게 하다 (9) 흩어지다; 해산하다, 끝나다 (10) 〈학교 등이〉 방학이 되다 (11) 〈날씨가〉 변하다, 나빠지다 (12) 쇠약해지다, 꺾이다 (13) 《미·구어》 배꼽 빠다 ***~ upon*** …에 갑자기 나타나다, …이 분명해지다 ***~ with*** (1) 〈친구·가족 등과〉 헤어지다, 절교하다 (2) 〈정당 등에서〉 탈퇴하다; 〈낡은 사고방식을〉 버리다

—*n.* **1 갈라진 틈**; 깨짐, 파괴, 파손; 골절(骨折); 분열; 〖정치〗 당의 분열(split) **2 중단**; 단절, 절교; 끊임; 단락; 〖전기〗 단선(斷線), (회로의) 차단(기) **3** ⓊⒸ (일·수업 등의) **잠깐의 휴식**, 휴식 시간; (짧은) 휴가: during the coffee ~ 커피 마시는 시간 동안에 **4** 탈출, 탈주; 《특히》 탈옥 **5** 꺾이는 점; 변경점, 분기점; 〖음악〗 (성역(聲域)의) 변환점 **6** (시세의) 폭락; (진로(進路)의) 갑작스러운 변경 **7** 《구어》 (사교상의) 실책, 실태(失態), 실수, 실언 **8** 《구어》 기회, 운; 《특히》 행운: an even ~ 《구어》 (승부 등의) 비김, 동점; 공평한 기회 / a lucky ~ 행운 / Give him a ~. 그 사람 한 번만 봐주어라. **9** 〖당구〗 초구(初球), 연속 득점; 〖야구〗 커브, 곡구(曲球); 〖권투〗 브레이크의 명령; 〖테니스〗 서비스 브레이크; 〖경마〗 스타트 **10** (돌연한) 변화; 새벽: at (the) ~ of day 새벽녘에(cf. DAYBREAK) **11** 어린 말의 훈련용 마차; 대형 4륜 마차의 일종 **12** = BREAK DANCING

Give me a ~! 《미·구어》 (1) 그만해, 이제 그만! (2) (한 번 더) 기회를 줘, 해 보게 해 줘! ***make a ~*** (1) 중단하다 (2) 〖당구〗 연속으로 …점을 얻다 (3) (사교상) 실수하다 (4) 돌진하다 ***make a ~ for it*** 《구어》 탈출을 기도하다, 도망치려고 하다 ***without a ~*** 끊임없이, 계속해서

~·less *a.*

break·a·ble [bréikəbl] *a.* 부술[깨뜨릴] 수 있는; 깨지기[부서지기] 쉬운, 무른 —*n.* [*pl.*] 깨지기 쉬운 것

하다 contravene, violate, infringe, breach, disobey **4** (기록을) 깨다 beat, surpass, exceed

breakdown *n.* **1** 고장 stopping, failure, malfunctioning, stoppage **2** 붕괴, 결렬 collapse, failure, foundering, falling through

break·age [bréikidʒ] *n.* **1** Ⓤ 파손 **2** [보통 *pl.*] 파손물; 파손 부분; 파손 예상액, 파손 배상액

break·a·way [bréikəwèi] *n.* **1** 분리, 절단 **2** 일탈(逸脫), 탈퇴 《*from*》 **3** 분리하는 사람[것], 도망가는 사람 **4** (해체가 간단한) 무대 장치, 세트 **5** 〖경기〗 출발 신호 전에 뛰어나감 **6** 〖럭비〗 공을 갖고 골로 돌진하기 **7** 《호주》 무리에서 이탈한 동물

—*a.* **1** 분리[이탈, 탈퇴]한 **2** 인습에 사로잡히지 않은, 반체제적인 **3** 〈극·영화의 무대 장치 등이〉 간단히 헐 수 있도록 만들어진

break·beat [bréikbì:t] *n.* Ⓤ 〖음악〗 빠른 비트의 댄스 뮤직

bréak·bone fèver [-boun-] 〖병리〗 뎅기열(dengue)

bréak cròp 〖농업〗 간작(間作) 작물

bréak dànce = BREAK DANCING

break-dance [-dǽns] *vi.* 브레이크 댄싱을 하다

bréak dàncing 브레이크 댄싱 《몸을 빙빙 돌리거나 뒤틀거나 하는 곡예 같은 춤》 **bréak dàncer** *n.*

∗**break·down** [bréikdàun] *n.* **1** Ⓒ (기계·열차 등의) **고장**, 파손 **2** ⒸⓊ 붕괴, 몰락(downfall), 와해 **3** ⒸⓊ (교섭 등의) 결렬; 좌절; (정신·육체 등의) 쇠약: a nervous ~ 신경 쇠약 **4** 《미》 흑인의 활발한 재즈 댄스 **5** Ⓒ [보통 *sing.*] (자료 등의) 분석; 분류(classification); 내역, 명세(明細)(서); (알기 쉽게 한) 설명 **6** 분업 **7** 〖전기〗 방전

bréakdown gáng 구난[구급] 작업대(隊)

bréakdown láne 《미》 = HARD SHOULDER

bréakdown tést 내구[내력, 파괴] 시험

bréakdown ván[**trúck**] 구조(작업)차, 레커차

bréakdown vòltage 〖전기〗 (절연) 파괴 전압; 〖반도체〗 항복(降伏) 전압

∗**break·er**[1] [bréikər] *n.* **1 파괴자**, 깨는 사람 **2** 파쇄기; 절단기; 쇄탄기(碎炭機) **3** 부서지는 파도(⇨ wave [유의어]), 파란(波瀾); 넘나드는 흰 파도 **4** (동물의) 조련사 **5** 《미·속어》 (라디오 방송의) 어떤 채널에 끼어들어 교신을 요청하는 사람 **6** 〖자동차〗 브레이커(= ~ **strìp**) **7** 〖섬유〗 = BRAKE[3] 3 **8** (개간용) 가래(= **práirie ~**) **9** 〖전기〗 회로 차단기(= circuit ~) **10** 브레이크 댄서

breaker[2] *n.* (구명보트 등에 싣는) 물통

break·even [bréikì:vən] *n.* Ⓤ 손익 평형

break-even [bréikí:vən] *a.* 수입액이 지출액과 맞먹는; 이익도 손해도 없는

bréak-éven chàrt 〖회계〗 손익 분기(점) 도표

bréak-éven pòint 손익 분기점

‡**break·fast** [brékfəst] [ME 「단식(fast[2])을 중단하다(break)」의 뜻에서] *n.* ⓊⒸ **아침 식사**, 조반: have a good ~ 충분한 아침 식사를 하다 / At what time do you have ~? 아침 식사는 몇 시에 하십니까?

NOTE 미국의 대표적인 아침 식사는 scrambled eggs, bacon, toast, coffee 및 orange juice. 또한 일반적인 것은 cereal이나 oatmeal, pancakes 또는 waffles. 시간에 쫓겨 출근·등교 길에서 coffee와 doughnut으로 때우는 일도 흔함. 영국에서는 oatmeal이나 cornflakes, bacon, ham, egg, toast에 butter나 marmalade 그리고 tea.

—*vi.* 아침밥을 먹다 《*on*》: (~+전+명) I *~ed on* bread and butter alone. 나는 아침밥으로 버터를 바른 빵만 먹었다.

—*vt.* …에게 아침밥을 차려내다 **~·er** *n.*

bréakfast cùp 모닝컵 《아침 식사용 큰 커피 잔》

bréakfast fòod 아침 식사용으로 가공한 곡류 식품 《cornflakes, oatmeal 등》

bréakfast nòok (부엌 한쪽 귀퉁이 등의) 간이 식사 코너

bréakfast ròom 거실(morning room)

bréakfast tèlevision[**TV**] 아침 식사 시간대의 텔레비전 프로

break·front [bréikfrʌ̀nt] *a.*, *n.* 가운데 부분이 불쑥 나온 (책장·찬장)

break-in [-ìn] *n.* **1** 침입; (도둑질하려는) 주거 침입 **2** 시연(試演), 시운전, 길들이기 운전

break·ing [bréikiŋ] *n.* Ⓤ **1** 파괴 **2** 〖전기〗 단선 **3** 〖음성〗 음의 분열 《단모음의 이중 모음화》 **4** 〖승마〗 조련

bréaking and éntering[**éntry**] 〖법〗 가택[주거] 침입(죄)(housebreaking); (경찰에 의한) 불법 침입

bréaking bàll 〖야구〗 변화구

bréaking pòint [the ~] **1** (재질(材質)의) 파괴점; (장력(張力) 등의) 극한, 한계점 **2** (체력·인내 등의) 한계점, 극한 (상황)

bréaking strèss 파괴 응력 《외력에 의한 파괴에 저항할 수 있는 최대 능력》

bréak lìne 〖인쇄〗 (패러그래프의) 다 차지 않은 마지막 행

break·neck [bréiknèk] *a.* (과속 등으로) 위험천만의; 아주 빠른; 몹시 가파른

break·off [-ɔ̀:f | -ɔ̀f] *n.* 갑작스러운 중단; 결렬

break·out [-àut] *n.* **1** (감옥·정신 병원에서의) 탈옥, 탈출 **2** 〖군사〗 포위 돌파 **3** (병 등의) 급속한 만연

break·o·ver [-òuvər] *n.* (신문 등에서) 기사가 다른 페이지까지 계속되는 부분

break·point [-pɔ̀int] *n.* **1** (어느 과정에서의) 중지점, 구분점 **2** 〖테니스〗 브레이크포인트 《상대편 서비스 게임을 이기는 점수》 **3** 〖컴퓨터〗 브레이크 포인트, 중단점 **4** = BREAKING POINT

break·through [-θrù:] *n.* **1** 〖군사〗 돌파 (작전) **2** (과학 등의) 큰 발전, 약진, (귀중한) 새 발견 《*in*》 **3** (난관의) 돌파(구), 타개(책), (난문제의) 해명

bréakthrough blèeding 〖의학〗 (피임약 등의 부작용으로 인한) 비생리기 자궁 출혈

break·time [-tàim] *n.* (일이나 기타 활동에서의) 휴식 시간

break·up [-ʌ̀p] *n.* **1** 분산 **2** 붕괴, 파괴; (부부 등의) 불화, 이별 **3** 해산, 산회(散會)(dispersal); (학기말의) 종업 **4** (이른 봄의 하천·항구의) 해빙(解氷) **5** (구어) 배꼽을 잡고 웃는 일

bréakup válue 기업의 분할 가치

break·wa·ter [-wɔ̀:tər] *n.* (항구 등의) 방파제

break·wind [-wìnd] *n.* (호주) 방풍림

bream[1] [brím, brí:m | brí:m] *n.* (*pl.* **~, ~s**) 〖어류〗 **1** 잉엇과의 민물고기 **2** 도밋과의 바닷물고기 **3** 검은송어과의 민물고기

bream[2] [brí:m] *vt.* (옛날 배에서) 〈배 밑을〉 태워서 청소하다

‡**breast** [brést] *n.* **1** 가슴(⇨ chest 유의어); (옷의) 가슴 부분; (송아지·닭 등의) 가슴살 **2** 가슴속; 심정 **3** 유방, 젖, 젖무덤: a child[baby] at the ~ 젖먹이 **4** 가슴 모양의 부분; (난간·들보 등의) 불룩한 부분; (그릇 등의) 측면: the mountain's ~ 산중턱

beat** one's* ~ (슬픔과 비탄을) 야단스럽게 나타내다 ***give a child ***the*** ~ = ***give the*** ~ ***to*** a child (아이)에게 젖을 먹이다 ***make a clean*** ~ ***of*** …을 죄다 털어놓다, 모든 것을 고백하다 ***past the*** ~ 젖을 떼고 ***take***[***suck***] ***the*** ~ 젖을 빨다 ***take to*** one's ~ 〈고아를〉 떠맡다, 돌보다

— *vt.* **1** (주자가) 〈결승점의 테이프에〉 가슴을 대다 **2** (배가) 〈물결을〉 헤치고 나아가다 **3** (문어) (곤란 등에) 대담하게 맞서다, 무릅쓰고 나아가다: (~+목+전+명) ~ oneself *to* danger 위험에 정면으로 맞서다 **4** 〈산·고갯길을〉 오르다 **5** …에게 젖을 주다

~ ***it out*** 끝까지 대항하다 ~ ***the yarn*** (미) (경주에서) 결승점에 들어오다

breast·band [bréstbæ̀nd] *n.* (말의) 가슴걸이

breast-beat·ing [-bì:tiŋ] *n.* Ⓤ 가슴을 치며 슬퍼[통곡]하기

breast·bone [-bòun] *n.* 〖해부〗 흉골, 가슴뼈(sternum)

bréast càncer 〖병리〗 유방암

breast-deep [-dí:p] *ad., a.* 가슴까지 (차는)

breast·ed [bréstid] *a.* [보통 복합어를 이루어] 가슴이 있는; 가슴 부분을 댄 《갑옷 등》: a single-[double-]~ coat 한[두] 줄 단추가 달린 코트

breast-fed [bréstfèd] *v.* BREAST-FEED의 과거·과거분사 — *a.* Ⓐ 모유로 키운: ~ babies 모유로 자란 아기들

breast-feed [-fì:d] *vt.* (**-fed** [-fèd]) 모유로 키우다(cf. BOTTLE-FEED)

bréast hàrness (목걸이 없이) 가슴걸이(breastband)로 매어 놓은 마구(馬具)

breast-high [-hái] *a., ad.* 가슴 높이의[로]

bréast ímplant 〖의학〗 (확대 수술 등에 의한) 인공 유방 확대술, 그 소재

breast-knot [-nɑ̀t | -nɔ̀t] *n.* 가슴 부분의 장식 옷고름

bréast-not-bót·tle pòlicy [-nɑtbɑ́tl- | -nɔtbɔ́tl-] (미) 모유(母乳) 양육 복귀 정책

breast·pin [-pìn] *n.* 넥타이핀; (미) 가슴에 다는 장식핀, 브로치(brooch)

breast·plate [-plèit] *n.* **1** (갑옷의) 가슴받이, 흉갑(胸甲) **2** 〖유대교〗 (제사장의) 흉패(胸牌) **3** (거북의) 복갑(腹甲) **4** = BREAST HARNESS

breastplate 1

bréast pòcket (상의의) 가슴 주머니

bréast pùmp 젖 빨아내는 기구, 착유기

breast·rail [-rèil] *n.* (뱃전·창가의) 손잡이, 난간

breast·stroke [-stròuk] *n.* Ⓤ [보통 the ~] 〖수영〗 평영, 개구리헤엄(cf. BACKSTROKE)

— *vi.* 평영으로 헤엄치다

bréast wàll (자연 제방의) 흉벽(胸壁), 요벽(腰壁)

bréast whèel 브레스트 휠 《회전축이 수평일 때 물이 들어오는 수차》

breast·work [-wə̀:rk] *n.* 〖군사〗 흉장(胸墻), 흉벽; 〖항해〗 = BREASTRAIL

‡**breath** [bréθ] [OE 「발산, 호흡」의 뜻에서] *n.* **1** Ⓤ **a** 숨, 호흡 《★ 영혼·정신·생명력의 상징》: bad ~ 입내, 구취(口臭) **b** 생명, 생명력, 활력 **c** 호흡 능력 **2** 한 숨, 한 번의 호흡; 한 번 호흡할 동안, 순간; Ⓤ 휴식 **3** [a ~] 산들거림; 기미, 조금: *a* ~ of air[wind] 산들바람 / There's not *a* ~ of suspicion. 추호도 의심할 여지가 없다. **4 a** (추울 때 보이는) 하얀 입김, (거울에 낀) 입김 **b** (공기 속의) 은은한 향기 **5** Ⓤ 〖음성〗 무성(음)(opp. *voice*)

above one's ~ 소리를 내어 ***a*** ~ ***of fresh air*** 시원한 산들바람; (비유) 기분을 쇄신해 주는 것; 신선한 바람; 청량제 ***at a*** ~ 단숨에 ***below*** one's ~ 작은 목소리로, 소곤소곤: say[talk] *below one's* ~ 소곤소곤 말하다, 속삭거리다 ***be short of*** ~ 숨이 차다 ***catch*** one's ~ 헐떡이다; 한숨 쉬다[돌리다]; 숨을 죽이다, 움찔하다 ***change*** ~ (미·속어) 한잔하다 ***draw*** one's ~ 숨쉬다, 살아 있다 ***draw*** one's ***first***[***last***] ~ 세상에 태어나다[숨을 거두다] ***fetch*** one's ~ 숨을 되쉬다 ***first draw*** ~ (문어) 이 세상에 태어나다 ***gather*** ~ 숨을 다시 쉬다 ***get*** one's ~ (***again***) 숨을 돌리다 ***give up***[***yield***] one's ~ 죽다 ***have no*** ~ ***left*** 숨이 차다, 헐떡이다 ***hold*** one's ~ (진찰·X선 사진을 위해) 숨을 멈추다; (흥분·공포 등으로) 숨을 죽이다 ***in one***[***a***] ~ 단숨에, 한꺼번에, 일제히; 동시에 ***in the next*** ~ 다음 순간에, 바로 이어서 ***in the same*** ~ 동시에; 한편으로, (상반되는 두

thesaurus **breakup** *n.* termination, cessation, end, collapse, failure, dissolution, disintegration

breakthrough *n.* advance, step forward, leap, discovery, development, progress, improvement

가지 내용이) 잇따라: They are not to be mentioned *in the same* ~. 그것들은 같이 논할 것이 아니다. ***keep***[***save***] one***'s ~ to cool*** one***'s porridge*** ⇨ porridge. ***knock the ~ out of*** a person (때리거나 하여) 숨이 막히게 하다, …을 깜짝 놀라게 하다 ***lose*** one***'s ~*** 숨이 차다 ***not a ~ of*** …이 전혀 없는 ***out***[***short***] ***of ~*** 숨을 헐떡이며 ***save***[***spare***] one***'s ~*** 쓸데없는 논쟁을 피하다, 잠자코 있다 one***'s last***[***dying***] ***~*** 임종 ***spend*** one***'s ~*** =waste one's BREATH. ***stop*** a person***'s ~*** 질식사시키다 ***take a deep***[***long***] ***~*** 한숨 돌리다, 심호흡하다 ***take*** a person***'s ~*** (***away***) …을 (숨이 멈추도록) 놀래 주다 ***the ~ of life***[***the nostrils***] 《문어》 생명(력); 활력; 꼭 필요한 것 ***to the last ~*** 죽을 때까지 ***under*** one***'s ~*** =below one's BREATH. ***waste*** one***'s ~*** 쓸데없이 지껄이다 ***with bated ~*** 숨을 죽이고, 걱정을 하며 ***with*** one***'s bad ~*** 심술궂게 ***with the***[one***'s***] ***last***[***dying***] ***~*** 임종 시에, 임종에 즈음하여

▷ bréathe *v.*; bréathy *a.*

breath·a·ble [bríːðəbl] *a.* 호흡할 수 있는, 호흡하기에 알맞은; 〈옷감 등이〉 통기성이 있는

brèath·a·bíl·i·ty *n.*

breath·a·lyze [bréθəlàiz] 《영》 *vt., vi.* breathalyzer로 (…의) 음주 여부를 검사하다

breath·a·ly·zer [bréθəlàizər] *n.* 《영》 음주 측정기 《상표명》(《미》 drunkometer)

bréath ànalyzer 음주 측정기(《미》 drunkometer)

***breathe** [bríːð] *vi.* **1 a** 숨쉬다, 호흡하다(respire): (~+副) ~ *in*[*out*] 숨을 들이쉬다[내쉬다] / ~ deeply 심호흡하다 **b** 살아 있다 **2** 한숨 쉬다, 한숨 돌리다, 휴식하다(rest) **3** 〈바람이〉 산들거리다; 〈향기가〉 풍기다 **4** 〈옷감·가죽이〉 통풍이 잘되다 **5** 〈와인이〉 (향을 풍부하게 내도록) 뚜껑을 딴 후 공기를 쏘이다 **6** 〈내연 기관이〉 공기를 흡입하다

— *vt.* **1** 들이쉬다, 호흡하다; 〈숨을〉 내쉬다 《*out*》; 〈한숨을〉 짓다; 〈향기 등을〉 풍기다: I ~*d* the smell of the flowers. 나는 꽃향기를 들이마셨다. **2** 〈생기 등을〉 불어넣다 《*into*》: (~+目+前+名) ~ new life *into* …에 새 생명을 불어넣다 **3** 속삭이다, 속삭이듯이 말하다[기도하다]; 〈말을〉 입 밖에 내다; 격렬한 어조로 말하다 **4** 〈태도 등이〉 〈기분 등을〉 나타내다 **5** 〈말(馬) 등을〉 숨을 돌리게 하다; 쉬게 하다 **6** 지치게 하다, 숨차게 하다 **7** 〖음성〗 무성음으로 발음하다

As I live and ~! 《구어》 이거 놀랍군!; [강한 결의를 나타내어] 절대로, 반드시, 꼭 ***as long as*** one ***~s*** 살아 있는 한 ***~ a word against*** …에게 한 마디 불평을 하다 ***~ down*** (***on***) a person***'s neck*** 바싹 추적하다[뒤따르다]; 철저히 감시하다 ***~ easily***[***easy, again, freely***] (긴장·걱정·위험 등이 사라져서) 마음을 놓다, 한숨 돌리다 ***~ hard*** 씨근거리다 ***~ in*** (1) 숨을 들이쉬다 (2) 들이쉬다 (3) 〈상대의 말에〉 열심히 귀를 기울이다 ***~ on***[***upon***] …에 입김을 뿜다, 흐려지게 하다; …을 더럽히다; …을 비난하다 ***~ out*** 숨을 내쉬다 ***~*** one***'s last*** (***breath***) 숨을 거두다, 죽다 ***not ~ a word***[***syllable***] 한 마디도 누설하지 않다, 비밀을 지키다 《*of, about*》

▷ bréath *n.*

breathed [bréθt, bríːðd] *a.* **1** 〖음성〗 무성음의 (voiceless) **2** [복합어를 이루어] …의 숨을 쉬고 있는: a long-~ speaker 숨이 긴 변사

breath·er [bríːðər] *n.* **1** 《구어》 잠깐의 휴식; 산책 **2** 숨쉬는 것, 생물; [종종 수식어와 함께] 숨쉬는 사람 **3** (기계류의 케이스·저장 탱크 등의) 환기관, 공기[통기] 구멍 **4** 격한 운동[일] **5** 《미》 헐떡이는 권투 선수 ***have***[***take***] ***a ~*** 잠깐 쉬다

---

breath *n.* inhalation, inspiration, exhalation, expiration, pant, gasp, breathing, respiration

breathtaking *a.* spectacular, impressive, magnificent, awesome, astounding, astonishing

bréath gròup 〖음성〗 기식군(氣息群) 《단숨에 발성하는 음군(音群)》; 기식의 단계

bréath·hold dìving [bréθhòuld-] (바다표범·돌고래 등의) 호흡 정지 잠수

breath·ing** [bríːðiŋ] *n.* **1** Ⓤ [종종 수식어와 함께] 호흡(법); 숨쉬기: deep ~ 심호흡 **2** [a ~] 숨 쉬는 동안, 잠시 동안; 휴식, 휴지 **3** 입 밖에 냄; 말 **4** (공기·향기 등의) 부동(浮動); 산들바람 **5** 〖음성〗 기식음의 발음 《고대 그리스 어에서 어두 모음에서의 [h]음 발음의 유무》; 기식음의 기호 **6** 소원, 열망 ***get a minute's ~ 한숨 돌리다, 잠깐 쉬다

— *a.* Ⓐ 숨 쉬는, 호흡의; 〈그림 등이〉 살아 있는 듯한 **~·ly** *ad.*

bréathing capàcity 폐활량

bréathing hòle (통 등의) 공기 구멍; (동물의) 숨구멍

bréathing plàce 휴식 장소, 휴양지; (시(詩)의) 중간 휴지(休止)

bréathing ròom[**spàce**] **1** =BREATHING SPELL **2** 숨 돌리는 곳, 휴식의 장

bréathing spèll[**tìme**] **1** 숨 돌리는 사이, 휴식 시간 **2** 발언할 기회; 행동의 자유; 생각할 여지

breath·less** [bréθlis] *a.* **1** 숨가쁜, 숨이 찬 **2** 숨을 죽인: with ~ anxiety 조마조마하여 / ~ listeners 숨을 죽이고 경청하는 사람들 **3** 숨도 못 쉴 정도의: a ~ speed 숨막힐 듯한 속력, 굉장한 속력 **4** 《시어》 죽은 **5** 바람 한 점 없는 ***hold a person ***~*** …을 마음 조이게 하다 **~·ly** *ad.* **~·ness** *n.*

***breath·tak·ing** [bréθtèikiŋ] *a.* **1** 아슬아슬한, 숨 막히는: a ~ stock car race 손에 땀을 쥐게 하는 자동차 경주 **2** 깜짝 놀라게 하는: his ~ ignorance 그의 놀랄만한 무지 / a ~ beauty 넋을 잃고 바라볼 만한 미인 **~·ly** *ad.*

bréath tèst 《영》 음주 측정

breath·y [bréθi] *a.* (**breath·i·er**; **-i·est**) 〈목소리가〉 숨이 새는; 〈노랫소리가〉 울림이 없는; 〖음성〗 호흡의, 호흡음[질]의 **bréath·i·ly** *ad.* **bréath·i·ness** *n.*

brec·ci·a [brétʃiə, bréʃ-] *n.* Ⓤ 〖지질〗 각력암(角礫岩)

brec·ci·ate [brétʃièit, bréʃ-] *vt.* 각력암화(角礫岩化)하다, …에 각력암을 형성하다 **brèc·ci·á·tion** *n.*

***bred** [bréd] *v.* BREED의 과거·과거분사

— *a.* [보통 복합어를 이루어] …하게 자란: ill-[well-]~ 본데없이[범절 있게] 자란

brede [bríːd] *n.* 《고어》 =BRAID

bred-in-the-bone [brédinðəbóun] *a.* 타고난, 떨쳐버릴 수 없는

breech [bríːtʃ] *n.* **1** 총의 개머리, 총미(銃尾), 포미(砲尾) **2** 도르래의 밑부분 **3** 볼기 **4** =BREECH PRESENTATION — *vt.* **1** 〈포·총에〉 포미[총미]를 달다 **2** [brítʃ] …에게 반바지(breeches)를 입히다

bréech bírth 〖의학〗 도산(倒産), 역산(逆産)

breech·block, breech-block [bríːtʃblɑ̀k | -blɔ̀k] *n.* (포의) 미전(尾栓), (총의) 노리쇠

breech·cloth [-klɔ̀ːθ, -klɑ̀θ], **-clout** [-klàut] *n.* (미개인 등이) 허리에 두르는 천(loincloth)

bréech delìvery =BREECH BIRTH

breeched [brí(ː)tʃt] *a.* **1** 포미(砲尾)[총미(銃尾)]가 달린 **2** [brítʃt] 반바지를 입은

breech·es** [brítʃiz] *n. pl.* (승마용) 반바지; 《구어》 바지 ***too big for one***'s ~*** 《미·구어》 분수를 모르는, 건방진 ***wear the ~*** 《구어》 (가정 내에서) 아내가 주도권을 잡다

bréeches bùoy 〖항해〗 바지 모양의 즈크제 구명 부대

breech·ing [brí(ː)tʃiŋ] *n.* **1** (말의) 엉덩이띠 **2** 포삭(砲索) 《포를 고정시키는 줄》

breech·less [bríːtʃlis] *a.* **1** 포미[총미]가 없는 **2** 반바지를 입지 않은

breech·load·er [bríːtʃlòudər] *n.* 후장총(後裝銃)[포]

breech·load·ing [-lòudiŋ] *a.* 〈총포가〉 후장식의

bréech presentátion 〖의학〗 (태아의) 둔위(臀位), 역위(逆位)

‡**breed** [brí:d] [OE「껴안다」의 뜻에서] *v.* (**bred** [bréd]) *vt.* **1** 〈동물이〉 〈새끼를〉 **낳다,** 〈새가〉 〈알을〉 까다 **2 사육하다,** 번식시키다; 〈새 품종을〉 만들어 내다, 〈품종을〉 개량하다, 교배시키다: (~+목+전+명) He ~*s* cattle *for* the market. 그는 시장에 내다 팔 소를 사육한다. **3** 〈불화 등을〉 일으키다, 야기시키다(cause), 조성하다: Dirt ~*s* disease. 불결은 병을 낳는다. **4 양육하다,** 기르다, 가르치다: (~+목+보) ~ a person a doctor …을 의사가 되도록 키우다 // (~+목+전+명) His father *bred* him *to* the law[*for* the church]. 그의 아버지는 그를 법률가[목사]가 되도록 키웠다. **5** (증식로에서) 〈핵분열성 물질을〉 증식하다

— *vi.* **1** 〈동물이〉 **새끼를 낳다;** 번식하다, 자라다 **2** 동물[식물]을 번식시키다 **3** (경멸) 〈사람이〉 아이를 (많이) 낳다: ~ like rabbits 아이를 많이 낳다 **4** 씨를 받다: (~+전+명) ~ *from* a mare of good stock 혈통이 좋은 암말에서 새끼를 받다

be bred to the law = ***be bred as*** a lawyer (법률가가) 되도록 키워지다 ***born and bred*** [***bred and born***] 순수한, 토박이인 ~ ***in and in*** [***out and out***] 동종[이종]번식을 하다; 늘 근친[근친 외] 결혼을 하다 ~ ***out*** 〈어떤 특성·성질을〉 품종 개량해서 제거하다 ~ ***true to type*** 〈잡종이〉 고정형이 되다 ~ ***up*** 키우다, 가르치다, 양성하다 ***what is bred in the bone*** 타고난 성미

— *n.* (동식물의) **품종;** 종속; 종류; 타입; 계통(lineage): a new ~ of cattle 소의 신품종 / a different ~ of man 별난 종류[타입]의 사람

*__breed·er__ [brí:dər] *n.* **1 종축**(種畜); 번식하는 동식물 **2** (가축) 사육자, 축산가; (식물) 재배자 **3** = BREEDER REACTOR **4** (비유) (사건·불만 등을) 만들어 내는 근본 원인 **5** (미·동성애자속어·경멸) 이성애자(異性愛者) (「새끼 치는 사람」이란 뜻)

bréeder reàctor[**pile**] 증식(형 원자)로

*__breed·ing__ [brí:diŋ] *n.* Ⓤ **1 번식,** 부화; 사육; 사양(飼養); 품종 개량, 육종(育種) **2** 양육, 훈육 **3** 가정교육, 교양; 예의범절 **4** 〖물리〗 증식 (작용) **5** 가계, 혈통 ~ ***in the line*** 동종 이계(同種異系)의 번식

bréeding gròund[**plàce**] (동물의) 사육장, 사육소, 번식지; (비유) (사상·상황 등을 육성하는) 적합한 장소[환경], 온상

bréeding pònd 양어장

bréeding sèason 번식기

bréed of cát (구어) 종류, (…한) 타입의 것

breeks [brí:ks, bríks] *n. pl.* (스코) 반바지(breeches); 바지

breen [brí:n] [*b*rown+g*reen*] *n., a.* 갈색을 띤 녹색(의)

‡**breeze**[1] [brí:z] [Port.「북동풍」의 뜻에서] *n.* **1 산들바람, 미풍,** 연풍(軟風)(⇨ wind[1] 관련): a fresh ~ 시원한 바람 / There was not much of a ~. 바람 한 점 없었다. **2** 〖기상〗 시속 4-28마일의 바람 (초속 1.6-13.8m) ★ breeze의 등급 (시속 마일): light ~ 남실바람 (4-7), gentle ~ 부드러운 산들바람 (8-12), moderate ~ 건들바람 (13-18), fresh ~ 흔들바람 (19-24), strong ~ 된바람 (25-31) **3** [a ~] (미·구어) 쉬운 일: It's *a* ~. 식은 죽 먹기다. **4** (영·구어) 풍파, 싸움, 소동 **5** (구어) 소문

burn the ~ (미·속어) 엄청난 속도로 달리다 ***get*** [***have, put***] ***the ~ up*** (속어) 깜짝 놀라다 ***in a ~*** (미·구어) 쉽게, 간단히, 거뜬히: pass the exam *in a* ~ 시험에 쉽게 합격하다 ***kick up a ~*** 소동을 일으키다 ***shoot*** [***bat, fan***] ***the ~*** (미·속어) 잡담하다, 쓸데없이 지껄이다; 호언장담하다 ***take*** [***hit, split***] ***the ~*** (속어) 떠나가다, 물러가다

— *vi.* **1** [it을 주어로 하여] 산들산들 불다: (~+전+명) *It ~d from* the south all day. 종일 남쪽에서 산들바람이 불어왔다. **2** (구어) (아무 일도 없었던 것처럼) 쓱 걸어가다[나아가다]: (~+전+명) ~ *into* a room 쓱 방으로 들어가다 **3** (구어) 수월하게 진행하다[해치우다] (*through*)

— *vt.* 〈필기 시험 등을〉 수월하게 해치우다

~ ***along*** (구어) 바람처럼 쓱 들르다 ~ ***home*** (미·속어) 잘하다 ~ ***in*** (구어) 쓱 들어오다; 남의 이야기에 참견하다; 쉽게 이기다 ~ ***up*** 바람이 거세어지다

~·**less** *a.* ▷ bréezy *a.*

breeze[2] *n.* Ⓤ 분탄(粉炭); 탄 재(cinders)

breeze[3] *n.* 〖곤충〗 등에(= ∠ **flỳ**)

bréeze blòck (영) 〖건축〗 = CINDER BLOCK

breeze·way [-wèi] *n.* (집과 차고를 연결하는) 지붕 있는 통로

*__breez·y__ [brí:zi] *a.* (**breez·i·er**; **-i·est**) 산들바람의[이 부는], 바람이 잘 통하는; 상쾌한, 쾌활한

bréez·i·ly *ad.* 산들바람이 불어; 기운차게 **-i·ness** *n.*

breg·ma [brégmə] *n.* (*pl.* **~·ta** [-tə]) 〖인류〗 시상(矢狀) 봉합과 관상(冠狀) 봉합의 접합점 (두개골 계측점의 하나)

breg·oil [brégɔ̀il] *n.* 브레고일 (유출 석유를 흡수시켜 회수하는 데 쓰는 제지 폐기물)

breh [bré] *n.* (영·속어) 소년

brei [brái] *n.* 〖생물〗 브라이 (등장액(等張液) 속에서 잘게 분리한 조직의 현탁액)

brek·ker [brékər] *n.* (영·속어) 아침 식사, 조반

brek·ky, brek·kie [bréki] *n.* (호주·속어) 조반

brems·strah·lung [brémʃtrɑ̀:ləŋ] [G] *n.* ⓊⒸ 〖물리〗 제동 복사(制動輻射)

Brén càrrier [brén-] (영) (Bren gun을 탑재한) 소형 장갑차

Brén gùn [*Br*no(체코의 제조 공장이 있는 시)+*En*field(그것을 조립한 영국의 마을)] (영) 경기관총

brent [brént] *n.* **1** = BRANT **2** [**B-**] = BRENT OIL

Brént òil 브렌트 유(油)

br'er, brer [brə́:r, brέər] *n.* = BROTHER (미국 남부의 흑인 사투리)

Bret. Breton

‡**breth·ren** [bréðrin] [BROTHER의 특수형] *n. pl.* **1** (남성의) **같은 교인들,** 같은 회원들; 동업자들 (딱딱한 구투의 말) ★ brothers를 사용할 때도 있음. **2** (고어) BROTHER의 복수형

Bret·on [brétn] *n.* **1** Ⓒ 브르타뉴 사람 **2** Ⓤ 브르타뉴 말 — *a.* 브르타뉴의, 브르타뉴 사람[말]의

Brétton Wóods Cònference 브레턴우즈 회의 (1944년 미국 New Hampshire 주의 Bretton Woods에서 개최된 국제 통화 금융 정책 회의; IMF와 IBRD를 설립)

brev. brevet(ted); brevier

breve [brí:v, brév | brí:v] *n.* **1** 〖음성〗 단음 기호 (단모음 위에 붙이는 발음 부호; ˘) **2** (영) 〖음악〗 2 온음표 **3** 〖법〗 영장(令狀) **4** 〖운율〗 약음 기호 (강세가 없는 음절 위에 붙이는 기호; ˘)

bre·vet [brəvét, brévit | brévit] 〖군사〗 *n.* ⓊⒸ 명예 진급 ***by ~*** 명예 진급으로

— *vt.* (~·(**t**)**ed**; ~·(**t**)**ing**) 명예 진급시키다

brevi- [brévi, -və] (연결형) 「짧은」의 뜻

bre·vi·ar·y [brí:vièri, bré- | brévjəri, brí:-, -viə-] *n.* (*pl.* **-·ar·ies**) 〖가톨릭〗 성무 일과서(聖務日課書)

bre·vier [brəvíər] *n.* Ⓤ 〖인쇄〗 브레비어 활자 (8포인트 활자)

brev·i·pen·nate [brèvəpéneit] *a.* 〖조류〗 날개가 짧은(brachypterous)

*__brev·i·ty__ [brévəti] *n.* Ⓤ (시간·기간의) **짧음;** 간결: *B*~ is the soul of wit. 간결은 재치의 정수이다, 말은 간결이 생명이다. (Shakespeare작 *Hamlet* 중에서) ▷ brief *a.*

thesaurus **breed** *v.* **1** (새끼를) 낳다 reproduce, give birth, bring forth **2** 사육(양육)하다 raise, rear, nurture, bring up, educate, train, develop **3** 일으키다

*__brew__ [brúː] *vt.* **1**〈맥주 등을〉 양조하다(cf. DISTILL); 〈음료를〉 혼합하여 만들다, 조합(調合)하다, 〈차를〉 끓이다: (~+목+전+명) Beer is *~ed from* malt. 맥주는 맥아(麥芽)로 양조된다. **2**〈음모를〉 꾸미다, 〈파란을〉 일으키다 (*up*)
—*vi.* **1** 양조하다; 〈차 등이〉 우러나다 **2** [진행형으로] 준비 중이다; 〈음모 등이〉 꾸며지다; 〈폭풍우 등이〉 일어나려고 하다: A storm *is ~ing.* 폭풍우가 올 듯하다. **~ *up*** (영·구어) 차를 끓이다; 〈탱크·자동차·비행기 등이〉 불길에 쌓이다 ***You must drink as you have ~ed.*** 자기가 뿌린 씨는 자기가 거두어야 한다; 자업자득.
—*n.* UC **1** 양조주[음료], (특히) 맥주; (1회의) 양조량 **2** 달인 차 (커피 등): the first ~ of tea 첫 번째 달인 차 **3** (주류의) 품질 **4** 양조법 ***shock a ~*** (미·속어) 맥주를 마시다 ***suck*** (***some***) **~** (미·속어) 맥주를 마시다
▷ bréwage, bréwery *n.*

brew·age [brúːidʒ] *n.* UC 양조주[음료], 맥주; 양조(법)

brew·er [brúːər] *n.* 양조자; 음모가: ~'s grains 맥주 찌꺼기 (돼지 사료)

bréwer's dróop (영·속어) 과음으로 인한 발기 부전[불능]

bréwer's yéast 맥주 (양조용) 효모

*__brew·er·y__ [brúːəri, brúəri] *n.* (*pl.* **-er·ies**) (맥주) 양조장 ▷ bréw *v.*

brew·house [brúːhàus] *n.* (*pl.* **-hous·es** [-hàuziz]) = BREWERY

brew·ing [brúːiŋ] *n.* U **1** 양조주, (특히) (맥주의) 양조, 양조업 **2** C (1회) 양조량 **3** (흉계 등의) 조짐 **4** 〖항해〗 폭풍우의 전조, 먹구름

brew·is [brúːis, brúːz | brúːis] *n.* (방언) 고깃국, 수프; 고깃국[뜨거운 우유]에 적신 빵

bréw pùb 자가제(自家制) 맥주를 파는 선술집

brew·ski [brúːski] *n.* (미·속어) 맥주

brew·ster [brúːstər] *n.* (고어) 양조자

Bréwster Sèssions (영) 주류 판매 면허증 발행을 위한 재판소 개정 기간(2월 1일-14일)

brew-up [brúːʌp] *n.* (영·구어) 차 끓이기; 차 마시는 휴식 시간

Brezh·nev [bréʒnef] *n.* 브레즈네프 **Leonid Ilyich ~** (1906-82) (구소련의 공산당 제1서기 (1964-82))

Brézhnev Dòctrine [the ~] 1968년 구소련의 체코슬로바키아 군사 개입 정당화안(案)

*__bri·ar__ [bráiər] *n.* = BRIER[1, 2]

Bri·ard [briɑ́ːr(d)] *n.* 브리아르 (프랑스산 양치기 개)

Bri·ar·e·us [braiέəriəs, -ǽər-] *n.* 〖그리스신화〗 손이 100개, 머리가 50개인 거인

‡**bribe** [bráib] [OF 「(거지에게 주던) 큰 빵 덩어리」의 뜻에서] *n.* **1** 뇌물: accept[take] a ~ 뇌물을 받다 / offer[give] a ~ 뇌물을 주다 **2** 남을 포섭하기 위한 수단, 유혹물, 미끼
—*vt., vi.* 매수하다, 뇌물로 유혹하다; 뇌물을 주다[쓰다]: (~+목+전+명) ~ a person *with* money …을 돈으로 매수하다 **~** a person ***into silence*** 뇌물로 …의 입을 막다 **~** one***self***[one***'s*** way] ***into***[***out***] ***...*** 뇌물을 써서 …에 들어가다[에서 나오다]
bríb·a·ble *a.* 뇌물로 매수할 수 있는

brib·ee [braibíː] *n.* 수회자, 뇌물 받는 사람

bribe·giv·er [bráibgìvər] *n.* 증회자, 뇌물 주는 사람(briber)

brib·er [bráibər] *n.* 증회자, 뇌물 주는 사람

*__brib·er·y__ [bráibəri] *n.* (*pl.* **-er·ies**) U 뇌물 수수(授受), 증회[수회] 행위: the crime of ~ 증회[수회]죄 / commit ~ 증회[수회]하다

---

cause, bring about, create, produce, generate
breezy *a.* windy, gusty, airy, blustery
bribe *n.* inducement, enticement, lure, carrot

---

bribe·tak·er [bráibtèikər] *n.* 수회자, 뇌물 받는 사람(bribee)

bric-a-brac [bríkəbræ̀k] [F = by hook or by crook] *n.* U [집합적] 골동품, 고물

‡**brick** [brík] *n.* **1** UC 벽돌 (한 개); U [집합적] 벽돌: a fire[dressed] ~ 내화[화장] 벽돌 **2** C 벽돌 모양의 덩어리: a ~ of ice cream 직사각형의 아이스크림 **3** C [보통의 *sing.*] (구어) 마음씨 좋은 사람, 믿음직한 남자, 호남, 쾌남 **4** C (영) (장난감의) 쌓기 놀이의 블록[토막나무]((미) block) **5** [the ~s; 단수 취급] (미·속어) 포장도로, 보도, 가로; (교도소) 밖의 세계
a ~ short of a load (영·구어) 저능한 사람 (***as***) ***dry***[***hard***] ***as a ~*** 바싹 마른[몹시 단단한] ***a ton of ~s*** 엄청난 힘으로, 맹렬히 ***bang***[***bash, knock, run***] one***'s head against a ~ wall*** (구어) 불가능한 일을 하려고 헛고생하다 ***~s and mortar*** (속어) (학교의) 노트와 책 ***drop a ~*** (속어) 실수[실언]하다 ***hatch a ~*** (미·속어) 격노하다, 잔뜩 화내다 ***have a ~ in*** one***'s hat*** (속어) 술 취해 있다 ***hit the ~s*** (미·속어) 〈실직자 등이〉 거리를 떠돌다; 동맹 파업을 하다 ***like a ~*** = ***like*** (***a load***[***ton, hundred, pile***] ***of***) ***~s*** (구어) 맹렬히, 기세 좋게 ***make ~s without straw*** 〖성서〗 필요한 재료[자금] 없이 일을 하다, 가혹한 조건하에서 일을 하다; 헛수고하다 ***press the ~s*** (미·속어) 거리를 어슬렁거리다; 〈경관이〉 담당 지구를 순회하다 ***run into against a ~ wall*** 난관에 부딪치다, 정지당하다 ***shit a ~***[***~s***] (비어) 몹시 조바심 내다, 화내다 ***swim like a ~*** 헤엄을 전혀 못 치다 ***throw ~s at*** …을 혹평하다
—*a.* A 벽돌의; 벽돌로 지은; 빨간 벽돌색의
—*vt.* …에 벽돌을 깔다[쌓다], 벽돌로 둘러싸다 (*in*), 벽돌로 막다 (*up*): (~+목+부) ~ *up* a window 창문을 벽돌로 막다

brick·bat [bríkbæ̀t] *n.* 벽돌 조각; 벽돌 부스러기; (구어) 모욕(insult), 비난

bríck chéese (미) 벽돌 모양의 미국산(産) 치즈

bríck dùst 벽돌 가루

brick·field [-fìːld] *n.* (영) 벽돌 공장

brick·field·er [-fìːldər] *n.* 〖기상〗 (오스트레일리아에서 부는) 뜨겁고 건조한 북풍

brick·ie [bríki] (영·구어) *n.* = BRICKLAYER

brick·kiln [-kìl(n)] *n.* 벽돌가마

brick·lay·er [-lèiər] *n.* 벽돌 (쌓는) 직공

brick·lay·ing [-lèiiŋ] *n.* U 벽돌쌓기

brick·le [bríkl] *a.* (방언) 약한, 깨어지기 쉬운

brick·mak·er [bríkmèikər] *n.* 벽돌 제조인

brick·mak·ing [-mèikiŋ] *n.* U 벽돌 제조

brick·ma·son [-mèisn] *n.* = BRICKLAYER

bríck nòg[**nògging**] 목골(木骨) 벽돌쌓기

bríck réd 붉은 벽돌색

brick-red [-réd] *a.* 붉은 벽돌색의

bríck téa 전차(磚茶)

bríck wáll 벽돌 담; 큰 장벽, 넘기 어려운 벽

brick·work [-wə̀ːrk] *n.* U 벽돌쌓기 (공사)

brick·y [bríki] *a.* (**brick·i·er**; **-i·est**) 벽돌의, 벽돌 같은, 벽돌로 만든

brick·yard [bríkjɑ̀ːrd] *n.* (미) 벽돌 공장

bri·co·lage [brì(ː)koulɑ́ːʒ] [F] *n.* 〖미술〗 브리콜라주 (도구를 닥치는 대로 써서 만든 것[만들기])

bri·cole [brikóul, bríkəl] *n.* **1** 〖당구〗 쿠션 먼저 치기 **2** 〖테니스〗 땅에 일단 떨어진 공 치기 **3** 간접 공격, 기습

bri·co·leur [brikɔlə́ːr] [F] *n.* bricolage를 하는 사람

BRICs [bríks] [*B*razil, *R*ussia, *I*ndia, *C*hina] *n.* 브릭스 (브라질·러시아·인도·중국의 신흥 경제 4국)

*__brid·al__ [bráidl] [OE 「결혼 잔치」의 뜻에서] *a.* A 신부의; 혼례의: a ~ couple 신랑 신부 / a ~ shower (미) 신부 친구들이 선물을 하는 축하연
—*n.* 결혼식, 혼례; (고어) 결혼 피로연
▷ bríde[1] *n.*

brídal wrèath 〖식물〗 조팝나무

bride[1] [bráid] *n.* **1** 신부, 새색시(opp. *bridegroom*) **2** ((속어)) 여성, ((특히)) 여자 친구; ((익살)) 처(妻) ***~ and groom*** 신랑 신부 ((어순에 주의)) ▷ brídal *a.*

bride[2] *n.* **1** (자수·수공 레이스에서 모양의 각 부분을) 연결하는 실 ((bar, leg, tie라고도 함)) **2** 보닛(bonnet)의 장식 턱끈

bride·cake [-kèik] *n.* = WEDDING CAKE

bride·groom [bráidgrù(:)m] [OE 「신부의 남자」의 뜻에서] *n.* 신랑(groom; cf. BRIDE)

bríde prìce 신부값 ((매매혼 사회에서 신부집에 제공하는 귀중품·식료품 등))

bríde's bàskel 은도금된 쇠대가 있고 손잡이가 달린 색유리의 장식 화분

brides·maid [bráidzmèid] *n.* 신부 들러리(cf. BEST MAN)

brides·man [-mən] *n.* (*pl.* **-men** [-mən]) ((폐어)) 신랑 들러리(cf. BEST MAN)

bride-to-be [bráidtəbí:] *n.* (*pl.* **brides-**) 신부가 될 사람

bride·well [bráidwèl, -wəl] *n.* ((영·고어)) 유치장, 교도소(lockup)

bridge[1] [brídʒ] *n.* **1** 다리, 교량: build[throw] a ~ across[over] a river 강에 다리를 놓다 **2** 교량 역할을 하는 것; 중매, 중개 **3** [보통 the ~] (배의) 브리지, 함교(艦橋), 선교(船橋) **4** 다리 모양의 것; 콧날; 안경의 코걸이; (현악기의) 줄받침 **5** 〖치과〗 치교(齒橋), 가공(架工) 의치 **6** 〖음악〗 경과부 ((악곡·악장의 각 부분을 연결)); = BRIDGE PASSAGE **7** 〖레슬링〗 브리지 **8** 〖라디오·TV〗 브리지 ((프로그램 사이의 음악·해설·대화 등)) **9** 〖전기〗 전교(電橋), 교락(橋絡) **10** 〖철도〗 신호교 **11** 〖당구〗 브리지, 레스트(rest) ((당구채 끝을 안정시키기 위해 손과 손가락으로 만드는 아치형)); 당구채 받침 ((채 끝의 레스트로 받치는 물건)), 큐 받침 ((긴 채)) **12** 〖연극〗 브리지 ((올리고 내릴 수 있는 현수교)) **13** 〖화학〗 (분자의) 교상 결합 **14** 브리지 ((댄서 등이 몸을 크게 뒤집어 손으로 바닥을 짚는 포즈))

a ~ of boats 주교(舟橋) ***a ~ of gold*** = ***a golden ~*** (패군이 쉽게 빠져나갈) 퇴각로; 난국 타개책 ***A lot of water has flowed under the ~*** (***since then***). (그때부터) 온갖 일이 일어났다. ***burn*** one***'s ~s*** (***behind*** one) = burn one's BOATS (behind one). ***Don't cross the ~ until you come to it.*** 미리 공연한 걱정을 하지 마라. ***the B~ of Sighs*** (1) Venice에서 죄인이 법정으로 끌려 갈 때 건너던 다리 (2) 영국 Cambridge의 Cam 강에 있는 다리

—*vt.* **1** 〈강에〉 다리를 놓다, 다리로 묶다[연결하다]; 다리를 놓아 〈길을〉 만들다 **2** 〈공간·틈을〉 메우다 **3** 〖전기〗 교락(橋絡)하다 ~ ***over*** difficulties (난관)을 돌파하다 ~ a person ***over*** …으로 하여금 난관을 극복하게 하다 ***~ a gap*** ⇨ gap *n.*

bridge[2] *n.* Ⓤ 브리지 ((카드놀이의 일종))

bridge·a·ble [brídʒəbl] *a.* 교량을 가설할 수 있는

bridge·board [brídʒbɔ̀:rd] *n.* 〖건축〗 층계의 발판을 걸치는 널판

bridge·build·er [-bìldər] *n.* 다리 놓는 사람, 교량 건설자; (양자간의) 조정역(役)

bridge-build·ing [-bìldiŋ] *n.* (두 단체·국가 사이의) 교량 역할

brídge cìrcuit 〖전기〗 브리지 회로

brídge fìnancing = BRIDGE LOAN

bridge·head [-hèd] *n.* 〖군사〗 교두보; 전진에의 발판(cf. BEACHHEAD)

brídge hòuse 〖항해〗 선교루(船橋樓)

brídge làmp 카드놀이 테이블용의 램프

brídge lòan 〖금융〗 브리지론, 연결 융자 ((장기 융자가 결정되기 전의 단기 융자))

brídge pàssage 〖음악〗 두 주제를 잇는 간주 악절(間奏樂節)

brídge ròll ((영)) 소형의 롤빵

Bridg·et [brídʒit] *n.* 여자 이름

brídge tàble = CARD TABLE

brídge tòwer 교탑(橋塔)

Bridge·town [brídʒtàun] *n.* 브리지타운 ((Barbados의 수도))

brídge tràin 〖군사〗 가교 종대(架橋縱隊)

bridge-tun·nel [-tʌ̀nl] *n.* 다리와 터널이 이어지는 도로

brídge wàrd 교량 감시인

bridge-ware [-wɛ̀ər] *n.* 〖컴퓨터〗 브리지웨어 ((두 시스템 사이에서 교량 역할을 하는 하드[소프트]웨어))

bridge·work [-wə̀:rk] *n.* Ⓤ **1** 교량 공사 **2** 〖치과〗 브리지 기공(技工)

bridg·ing [brídʒiŋ] *n.* ⓊⒸ **1** 〖건축〗 받침목[대](strut) **2** 〖컴퓨터〗 브리징 ((LAN 사이를 브리지로 연결하는 일)) **3** 〖전기〗 교락(橋絡)

brídging lòan = BRIDGE LOAN

bri·die [bráidi] *n.* ((스코)) 소고기와 양파를 넣어 구운 파이

bri·dle [bráidl] *n.* **1** 말 굴레 ((재갈·고삐의 총칭)) **2** 구속(물), 억류, 속박, 제어 **3** 〖기계〗 견제물 **4** 〖항해〗 배를 매어 놓는 체인[밧줄], 계류삭(繫留索)

bite on the ~ 안달복달하다 ***give*** a horse ***the ~*** = ***lay the ~ on*** a horse***'s neck*** 고삐를 늦추다; 자유롭게 활동시키다 a horse ***going well up to*** his ~ 길들어 잘 달리는 (말)

—*vt.* 〈말에〉 굴레를 씌우다; 고삐를 달다; 제어하다; 〈감정 따위를〉 억제하다

—*vi.* 〈특히 여자가〉 머리를 쳐들고 새치름한 태도를 보이다, (몸을 뒤로 젖히고) 얕잡아보다 ((*up*)); 화내어 새치름해지다 ((*at*)): (~+전+명) ~ *at* a person's insinuation …의 빗댐에 콧방귀 뀌다 // (~+부) She *~d up.* 그녀는 고개를 쳐들고 새치름해졌다.

brídle brìdge 말만 건널 수 있는 다리 ((수레는 갈 수 없는 좁은 다리))

brídle hànd (기수의) 고삐를 잡는 손, 왼손

brídle pàth[**ròad, tràil, wày**] 승마길 ((수레는 갈 수 없는 좁은 길))

brídle rèin 고삐

bri·dle·wise [bráidlwàiz] *a.* ((미)) (고삐에) 길든, 훈련된

bri·doon [braidú:n, bri- | bri-] *n.* 작은 재갈과 고삐

Brie [brí:] [프랑스의 원산지명에서] *n.* [종종 **b~**] 브리 치즈 ((희고 부드러운 치즈))(= **~ chéese**)

brief [brí:f] [L 「짧은」의 뜻에서] *a.* **1** 잠시의, 잠깐의, 단시간의; 단명한(⇨ short 유의어): a ~ life 짧은 생애 **2** 간결한, 짤막한, 간단한: a ~ note 짤막한 편지 **3** 무뚝뚝한: a ~ welcome 쌀쌀맞은 환영 **4** 조금의, 적은 ***to be ~*** 간단히 말해서, 요컨대

—*n.* (*pl.* **~s**) **1** 적요(摘要), 개요; 짧은 보고[발표]; (신문 등의) 짧은 기사 **2** 〖미국법〗 소송 사건 적요서(摘要書); 〖영국법〗 소송 사건 **3** [*pl.*] 브리프 ((짧은 팬츠)) **4** 〖공군〗 (출격 전에 조종사에게 내리는) 간결한 지시 **5** 〖가톨릭〗 교황의 약식 교서(cf. BULL[2])

have plenty of ~s 〈변호사가〉 사건의 의뢰가 많다, 인기가 있다 ***hold a ~ for*** …을 변호하다 ***in ~*** 요컨대, 간단히 말해서; 짤막하게, 간단히 ***make ~ of*** …을 재빨리 처리하다 ***stick to*** one***'s ~*** ((주로 영)) 지시받은 일만 하다 ***take a ~*** 〈변호사가〉 (소송) 사건을 맡다

—*vt.* **1** ((미)) 간단히 알리다, 말하다, 요약하다: (~+목+전+명) ~ a person *on* something 어떤 일을 …에게 간단히 말하다 **2** 〖공군〗 〈조종사에게〉 (출격 전에) 간결한 지시를 하다; 〈남에게〉 (…에 관해) 짤막하게 필요한 지시[정보]를 주다 ((*on*)) **3** 〖법률〗 〈소송 사건의〉 적요(摘要)를 작성하다; …에게 변호를 의뢰하다

~·er, ~·ness *n.* ▷ brévity *n.*

thesaurus **brief** *a.* **1** 잠깐의 short, fleeting, momentary, temporary **2** 간결한 concise, compact, to the point, condensed, compressed

bright *a.* **1** 빛나는 shining, brilliant, blazing, daz-

bríef bàg 《영》 서류 가방; 여행 가방

*__brief·case__ [brí:fkèis] *n.* **1** (가죽제의) **서류 가방** (⇨ bag[1] 유의어) **2** = GHETTO BLASTER

bríefcase cómputer (서류 가방에 들어가는) 소형 컴퓨터(notebook computer)

brief·ie [brí:fi] *n.* 《미·속어》 단편 영화(cf. FEATURE)

*__brief·ing__ [brí:fiŋ] *n.* UC (사전의) **상황 설명(회)**, 브리핑; 요약 보고, (조종사에게 내리는 출격 전의) 간결한 지령

brief·less [brí:flis] *a.* 〈변호사가〉 소송 의뢰인이 없는, 인기가 없는

‡**brief·ly** [brí:fli] *ad.* **간단히, 짧게**; 잠시 동안, 일시적으로; [문장 전체를 수식하여] 간단히 말해서 ***to put it*** ~ 간단히 말하면

*__bri·er__[1], __bri·ar__[1] [bráiər] *n.* **1** Ⓒ **찔레**, 들장미(의 가지): ~*s* and brambles 찔레의 덤불 **2** 찔레 숲 ▷ bríery *a.*

brier[2], **briar**[2] *n.* **1** 〖식물〗 브라이어 《남유럽산(産); 히스(heath)의 일종》 **2** 브라이어 파이프 《브라이어의 뿌리로 만든 파이프》

bri·er-hop·per [bráiərhὰpər | -hɔ̀pə] *n.* 《미·속어》 농민

bri·er·root, bri·ar- [-rù:t] *n.* 브라이어의 뿌리(로 만든 파이프)

bríer ròse 〖식물〗 유럽들장미

bri·er·wood, bri·ar- [-wùd] *n.* = BRIERROOT

bri·er·y, bri·ar·y [bráiəri] *a.* **1** 가시덤불의, 가시가 있는 **2** 《비유》 곤란한

brig[1] [bríg] *n.* **1** 쌍돛대의 범선 **2** 《미》 (군함 내의) 영창; 교도소

brig[2] *n., vt.* (**~ged**; **~·ging**) 《스코》 = BRIDGE[1]

Brig. Brigade; Brigadier

*__bri·gade__ [brigéid] *n.* **1** 〖군사〗 **여단** 《2개 연대 이상으로 편성됨; ⇨ army 관련》: a ~ major 《영》 여단 부관/a mixed ~ 혼성 여단 **2** (군대식 편성의) 단체, 대(隊), 조(組): a fire ~ 소방대

— *vt.* 여단[그룹]으로 편성하다

brig·a·dier [brìgədíər] *n.* **1** 〖영국군〗 준장 《해군의 commodore에 해당; 略 Brig.》 **2** 〖미군〗 = BRIGADIER GENERAL

brígadier géneral 〖미육군·공군·해병대〗 준장

brig·a·low [brígəlòu] *n.* 《호주》 〖식물〗 아카시아나무

brig·and [brígənd] *n.* 산적(bandit), 약탈자 **~·age** [-idʒ], **~·ism** [-ìzm] *n.* Ⓤ 산적질, 약탈(질)

brig·an·dine [brígəndì:n, -dàin] *n.* (중세의) 미늘[사슬] 갑옷의 일종

brig·and·ish [brígəndiʃ] *a.* 산적 같은

brig·an·tine [brígəntì:n, -tàin] *n.* 쌍돛대 범선

bri·ga·tis·ti [bri:gɑ:tí:sti] [It.] *n. pl.* (이탈리아의) 「붉은 여단(Red Brigades)」의 단원

Brig. Gen. Brigadier General

‡**bright** [bráit] *a., ad., n.*

	→(빛깔이) 「선명한」 **2**	
「빛나는」 **1**	→(표정이) 「밝은」 **4** →「영리한」 **3**	
	→(장래 등이) 빛나는 **5**	

— *a.* **1 a 빛나는**(shining); **밝은 b** 〈날씨가〉 화창한, 청명한, 쾌청한 **2** 〈색이〉 **선명한**, 산뜻한(opp. *dull*): ~ red 선홍색 **3 영리한**, 똑똑한(⇨ clever 유의어); [종종 반어적] 재치 있는; 〈생각이〉 좋은: a ~ child 영리한 아이/a ~ idea 명안 **4** 〈표정 등이〉 **밝은**, 환한; 명랑한, 쾌활한 **5** 〈장래 등이〉 **빛나는**, 밝은; 유망한: ~ prospects[hopes] 빛나는 전도[희망] **6** 〈액체 등이〉 투명한; 〈증거 등이〉 명백한 **7** 〈소리가〉 잘 통하는, 낭랑한 **8** 〖항해〗 경계를 소홀히 하지 않는, 빈틈없는: keep a ~ lookout 빈틈없이 경계하다

(***as***) ***~ as a button*** 재기 발랄한, 머리가 잘 도는 ***~ and clear*** 맑게 갠 ***~ and clever*** 똑똑한 ***~ in the eye*** 《구어》 취기가 있는 ***look on the ~ side of things*** 사물의 밝은 면을 보다, 사물을 낙관하다

— *ad.* 밝게(brightly): The sun *shines* ~. 해가 밝게 빛난다. ***~ and early*** 아침 일찍

— *n.* [*pl.*] **1** 《미》 (자동차의) 헤드라이트; = HIGH BEAM **2** 밝은 색

▷ bríghten *v.*; bríghtness *n.*

‡**bright·en** [bráitn] *vt.* **1 빛나게 하다, 빛내다, 밝게 하다**: Sunlight ~*ed* the room. 햇빛이 방을 밝게 했다. **2** 〈기분을〉 **밝게 하다, 명랑하게 하다**; 환하게 하다, 유망하게 하다 《*up*》: (~+目+副) His presence ~*ed up* the party. 그의 참석으로 파티가 즐거워졌다.

— *vi.* **1 밝아지다, 빛나다 2** 〈사람(의 얼굴)이〉 **밝아지다**, 명랑해지다, 행복해지다: (~+副) His face ~*ed* (*up*) at the news. 그 소식을 듣고 그의 표정이 밝아졌다. ▷ bright *a.*

bright-eyed [bráitáid] *a.* 눈이 맑은; 눈매가 시원한; 순진한; 원기왕성한, 기력이 넘치는

bríght-eyed-and-búsh·y-tailed [-búʃteild] *a.* 《구어》 발랄한, 기운찬

bright-faced [bráitféist] *a.* 영리하게 생긴

bright·ish [bráitiʃ] *a.* 조금 밝은

bríght líghts [the ~] 도회지의 환락가(의 휘황찬란함)

bríght·line spéctrum [bráitlàin-] 〖물리〗 휘선(輝線) 스펙트럼

‡**bright·ly** [bráitli] *ad.* **1 밝게, 빛나게**: shine ~ 밝게 빛나다 **2 환히, 명랑하게**: smile ~ 환히 웃다 **3** 선명하게

‡**bright·ness** [bráitnis] *n.* Ⓤ **1 빛남, 밝음**; 광휘; 휘도 **2** 선명함 **3** 현명, 총명 **4** 쾌활

Bright·on [bráitn] *n.* 브라이튼 《영국 해협에 면한 해변 행락 도시》

Bríght's disèase [bráits-] [영국의 의사 이름에서] 〖병리〗 브라이트 병 《현재의 신장염에 해당》

bríght spárk 《영·구어·비꼼》 영리한 사람, 발랄한 사람

bright·work [bráitwə̀:rk] *n.* (기계·배의) 닦아서 빛나는 쇠붙이 (부분)

bright yòung thíng 열정적이고 영리한 젊은이

brill [bríl] *n.* (*pl.* **~, ~s**) 〖어류〗 가자미, 넙치

*__bril·liance, -lian·cy__ [bríljəns(i)] *n.* Ⓤ **1 광휘**; 광명, 광택 **2** 탁월, 걸출; 뛰어난 재기(才氣) **3** 〖물리〗 휘도(luminance) ▷ brílliant *a.*

‡**bril·liant** [bríljənt] [F 「빛나다」의 뜻에서] *a.* **1 빛나는, 찬란한, 눈부신** 《bright보다 더 밝은》: ~ jewels 번쩍거리는 보석 **2 훌륭한**, 화려한, 멋진: a ~ performance 멋진 연주[연기] **3 재기가 뛰어난**: a ~ idea 기막힌 착상 **4** 〈색·음 등이〉 밝은, 선명한: a ~ yellow 선명한 노랑색

— *n.* **1** 브릴리언트 컷(의 다이아몬드·보석) **2** Ⓤ 〖인쇄〗 최소형 활자 《약 $3^1/_2$포인트》

▷ brílliance, brílliancy *n.*

brílliant cùt 브릴리언트 컷 《다이아몬드 등을 가장 효과적으로 빛나게 깎는 법》 **brílliant-cùt** *a.*

bril·lian·tine [bríljəntì:n] *n.* Ⓤ **1** 브릴리언틴 《윤내는 머릿기름》 **2** 광택이 나는 면모(綿毛) 직물

*__bril·liant·ly__ [bríljəntli] *ad.* **찬란히**, 번쩍번쩍하게, 찬연히; 뛰어나게, 훌륭히 ▷ brílliance *n.*

brílliant pébbles [종종 **B- P-**] 컴퓨터로 조종되는 열추적 미사일의 코드명 《미국 SDI 전략의 하나》

Bríll's disèase [brílz-] [미국의 의사 이름에서] 〖병리〗 브릴 병 《가벼운 발진티푸스》

‡**brim** [brím] *n.* (잔 등의) **가장자리**, 언저리; 테두리; (모자의) 챙: a hat with a broad ~ 챙이 넓은 모자 ***full to the ~*** 넘칠 만큼, 가득 찬

— *v.* (**~med**; **~·ming**) *vt.* 가득 붓다

---

zling, sparkling, flashing, glowing, illuminated, radiant **2 화창한** clear, sunny, fair **3 영리한** clever, intelligent, sharp, quick, smart, brainy

brim *n.* rim, lip, brink, edge

—*vi.* 넘치다, 넘치려고 하다
~ over with …으로 차 넘치다: ~ *over with* health and spirits 원기왕성하다
▷ brímfúl *a.*
brim·ful, -full [brímfúl] *a.* 넘치도록 가득한 ((*of*, *with*)): ~ *of* ideas 재기[아이디어]가 넘치는
~·ly *ad.* **~·ness** *n.*
brim·less [brímlis] *a.* 테두리[둘레]가 없는
brimmed [brímd] *a.* **1** 가득 찬(brimful) **2** [보통 복합어를 이루어] 테두리가 있는: a broad-~ hat 테가 넓은 모자
brim·mer [brímər] *n.* 가득 찬 잔[그릇, 컵]
brim·ming [brímiŋ] *a.* 넘쳐흐르는, 가득 차게 부은
~·ly *ad.*
brim·stone [brímstòun] *n.* **1** Ⓤ ((고어)) (유)황(sulfur) **2** 〖곤충〗 흰나빗과(科)의 나비, ((특히)) 멧노랑나비(= **~ bùtterfly**) **~ and treacle** 유황 당수(糖水) ((옛날의 소아용 해독제)) **fire and ~** 〖성서〗 불과 유황, 천벌
brim·ston·y [brímstòuni] *a.* 유황질[색]의, (유)황내가 나는; 악마적인, 지옥 같은
brind·ed [bríndid] *a.* ((고어)) =BRINDLED
brin·dle [bríndl] *n.* 얼룩, 얼룩무늬; 얼룩무늬의 동물 —*a.* =BRINDLED
brin·dled [bríndld] *a.* 〈소·고양이 등이〉 얼룩진, 얼룩무늬의
brine [bráin] *n.* Ⓤ **1** 소금물, 함수(salt water) **2** 〖화학〗 (식)염수 **3** [the ~] ((시어)) 바닷물, 바다; ((시어)) 눈물 **the foaming ~** 거친 바다
—*vt.* 소금물에 절이다 **brín·er** *n.*
Bri·néll hárdness [brinél-] [스웨덴의 기사(技師) 이름에서] 〖야금〗 브리넬 경도(硬度)
Brinéll (hárdness) nùmber 〖야금〗 브리넬 경도수(硬度數) ((Brinell test로 판정되는 경도; 略 Bhn))
Brinéll tèst 〖야금〗 브리넬 (경도) 시험
bríne pàn (염전의) 소금 가마, 제염 구덩이
bríne pìt 소금 구덩이, 염정(鹽井)
‡**bring** [bríŋ] *vt.* (**brought** [brɔ́:t])

① (이쪽으로) 「가져오다」, 「데려오다」	**1**
② 「초래하다」, 「이끌다」	**2, 3**

1 가져오다; 데려오다: (~+목+목) (~+목+전+명) *B*~ me the book. = *B*~ the book *to* me. 그 책을 가져다 주시오. // (~+목+전+명) *B*~ him *with* you to see me. 그 사람을 데리고 내게 와 주시오. // (~+목+부) Have you *brought back* your umbrella? 우산을 갖고 돌아왔습니까?

> 유의어 **bring** 가져[데려]오다 **fetch** 가서 가져오다 **take** 어떤 장소에서 다른 곳으로 가져[데려]가다

2 a 초래하다, 일으키다; 〈사물이〉 〈사람을〉 (어느 장소로) 오게 하다 ((주어를 부사적으로 해석하는 것이 편리함)): The heavy rain *brought* flooding. 큰 비로 인해 홍수가 났다. / What has *brought* you here? 무슨 일로 여기 왔느냐? // (~+목+전+명) be *brought into* the world 태어나다 **b** 〈상태 등에〉 이르게 하다, …시키다: (~+목+전+명) ~ a person *to* life …을 소생시키다(cf. come to LIFE) / ~ a person *to* terms …을 동의[승낙, 항복]하게 하다 **3** 〈사람을〉 (…으로) 이끌다; (설득하여) …할 마음이 나게 하다; [~ one*self* 로] …할 마음이 나다: (~+목+**to** do) I cannot ~ *myself to* do it. 아무래도 그것을 할 마음이 안 난다. **4** 〈사물이〉 떠올리게 하다, 불러일으키다: The letter *brought* (*back*) her memories of youth. 그 편지는 그녀에게 젊은 시절을 떠올리게 했다. **5** 〈물건이〉 〈수입·이익을〉 가져오다; 〈얼마에〉 팔리다, 〈얼마라고〉 호가하다: ~ a good price 좋은 값에 팔리다 // (~+목+목) This work *brought* me 1,000 dollars. 이 일을 해서 나는 1,000달러를 벌었다. **6** 〈소송 등을〉 제기하다, 일으키다 ((*against*)); 〈문제 등을〉 끄집어 내다; 〈증거·논거 등을〉 대다, 제시하다: (~+목+전+명) ~ an action[a charge] *against* a person …을 상대로 소송을 제기하다
~ about 야기하다, 초래하다; 〖항해〗 〈배의〉 방향을 돌리다 **~ along** …을 갖고 가다, 데려가다; 〈날씨 등이〉 〈작물의〉 생장을 촉진하다; 〈학생·선수를〉 향상시키다 **~ around** (1) 설득시켜 찬성하게 하다 (2) 정신[의식]을 차리게 하다, 회복시키다, 되살리다 (3) 〈사람·물건을〉 데리고[갖고] 오다 ((*to*)) (4) 〖항해〗 =BRING about **~ away** 〈물건·사상·인상을〉 가지고 돌아오다, 품고 귀가[귀국]하다 **~ back** 반품하다; 되돌리다; 가지고[데리고] 돌아오다, 건강을 회복시키다; 되부르다; 상기시키다 **~ down** 〈짐 등을〉 부리다, 내리다; 쏘아 떨어뜨리다, 쏘아 잡다; 〈사람을〉 파멸시키다, 〈정부를〉 타도하다; 〈물가를〉 떨어뜨리다, 끌어내리다; 〈값을〉 (얼마까지) 깎게 하다; 〈역사적 기록을〉 (후대까지) 이어가다 ((*to*)); 〈재앙·죄를〉 가져오다; 우울하게 하다 ((*on*)) **~ down the house** 만장을 떠들썩하게 하다, (집이 떠나가도록) 큰 갈채를 받다 **~ forth** 생기게 하다, 낳다; 〈싹을〉 내다, 〈열매를〉 맺다; 〈제안·증거 등을〉 제시하다, 내놓다 **~ forward** 〈의견을〉 제출하다; 〈증거를〉 제시하다; 〈날짜·시간을〉 앞당기다 ((*to*)); 〖부기〗 다음 페이지로 이월하다 **~** something **home to** a person 절실히 느끼게 하다[자각시키다]; 〈죄를〉 깊이 깨닫게 하다 **~ in** 들여오다; 〈이익·이자를〉 가져오다; 〈새로운 것을〉 받아들이다, 수입하다; 〈의제 등을〉 제출하다; 〈협력자 등의〉 참가를 의뢰하다; 〈배심원이〉 〈평결(評決)을〉 답신(答申)하다; 〖야구〗 생환시키다; 경찰에 연행하다 **~ into being** …을 만들어 내다, …을 낳다 **~ into line** 정렬시키다; 우로 나란히를 시키다; (…와) 일치[협력]시키다 ((*with*)) **~ into play** 활동시키다, 이용하다 **~ into the world** ⇨ 2 a. **~ off** 구출하다; 훌륭히 해내다, 성취하다 **~ on** 가져오다, 〈병 등이〉 나게 하다, 초래하다; 〈논쟁 등을〉 일으키다; 성장을 촉진시키다; 진보[향상]시키다 **~ out** 갖고[데리고] 나가다; 〈배우·가수·신제품을〉 세상에 내놓다, 판매 개시하다; 출판하다; 〈딸을〉 사교계에 내보내다; 상연하다; 〈빛깔·성질을〉 드러나게 하다; 〈의미를〉 분명히 하다; 〈재능을〉 발휘하다; 회항(回航)하다; 〈꽃을〉 피게 하다; 〈노동자에게〉 파업을 시키다 **~ over** (멀리서) 갖고[데리고] 오다; 〈사람을〉 전향시키다, 개종시키다; 넘겨 주다 ((*to*)); 〖항해〗 〈돛의〉 방향을 바꾸다 **~ round** =BRING around. **~ through** 〈곤란·시험·병 등을〉 이겨내게 하다, 〈병자를〉 구하다 **~ to** 정신[의식]을 차리게 하다; 〈배를〉 세우다; 〈배가〉 서다 **~ to an end** [**a stop**] ⇨ end *n.*, stop *n.* **~ ... to bear** 〈총·포화를〉 향하게 하다, 집중하다; 〈영향 등을〉 효과적으로 주다 ((*on*)) **~ together** 〈물건을〉 접합하다; 불러[긁어] 모으다; 〈남녀를〉 맺어 주다; 화해시키다 **~ to** one***self*** 제정신이 들게 하다; 본심으로 돌아오게 하다 **~ under** 진압[억제]하다; 〈어떤 부류에〉 넣다, 분류하다, …에 포함하다 **~ up** 키우다; 가르치다, 훈육하다; 〈논거 등을〉 내놓다; 〈문제 등을〉 꺼내다; ((영)) 토하다; 갑자기[딱] 멈추다; 〈배를〉 멈추다; (법정에) 출두시키다 **~ up against** [보통 수동형으로] …을 〈불리한 사태에〉 직면하게 하다; 〈불리한 증거 등을〉 …에게 내놓다
bríng-and-búy sàle [bríŋən*d*bái-] ((영)) 각자의 지참물을 서로 사고파는 자선 바자
bring·down [-dàun] *n.* ((구어)) 실망, 낙담, 환멸, 의기소침(하게 하는 것); 신랄한 비꼼
bring·ing-up [bríŋiŋʌ́p] *n.* Ⓤ 양육, 훈육
brin·ish [bráiniʃ] *a.* 소금물의; 짠
▷ bríne *n.*

thesaurus **bring** *v.* **1** 가져오다 carry, bear, take, fetch, convey, transport, deliver, guide **2** 초래하다 cause, create, produce, effect, result in, contribute to, engender, occasion
brink *n.* edge, verge, margin, rim, extremity,

brin·jal [bríndʒəl] *n.* 《인도》 가지(eggplant)
*__brink__ [bríŋk] *n.* (낭떠러지·벼랑의) 가장자리(⇨ rim[1] 유의어); 물가; [the ~] 직전(verge) ***on*** [***at***] ***the*** **~** ***of*** 금방 …할 것 같은, …하기 직전에 ***stand shivering on the*** **~** 결정적인 고비에서 망설이고 있다
brink·man [bríŋkmən], **brinks-** [bríŋks-] *n.* (*pl.* **-men** [-mən, -mèn]) 벼랑 끝 정책(brinkmanship)을 잘 밀고 나가는 사람
brink·man·ship [-ʃìp], **brinks-** *n.* Ⓤ 《구어》 (위험한 고비까지 밀고 나가는) 벼랑 끝 정책
brin·y [bráini] *a.* (**brin·i·er**; **-i·est**) 소금물의, 바닷물의; 짠(salty) **—** *n.* [the ~] 《구어》 바다
bri·o [brí:ou] [It. =vigor] *n.* Ⓤ 생기, 활기, 활발
bri·oche [brí:ouʃ, -ɑʃ | brí:ɔ́ʃ] [F] *n.* 브리오시 《빵의 일종》
bri·o·lette [brìəlét] [F] *n.* (*pl.* **~s**) 브리올레트 컷을 한 보석[다이아몬드]
bri·o·ny [bráiəni] *n.* (*pl.* **-nies**) = BRYONY
bri·quet(te) [brikét] *n.* 연탄; 조개탄
— *vt.* 〈분탄 등을〉 굳혀서 연탄으로 만들다
Bris [brís] *n.* [Heb.] =BRITH
bri·sance [brizɑ́:ns] [F] *n.* (폭약의) 파괴력
bri·sé [bri:zéi] [F] *n.* (*pl.* **~s** [-z]) 〖발레〗 브리제
brise-bise [brí:zbì:z] [F] *n.* (창의 아래쪽 반을 가리는) 반 커튼
‡**brisk** [brísk] *a.* **1** 〈사람·태도 등이〉 활발한, 활기찬, 기운찬(lively), 팔팔한, 민첩한; 〈장사 등이〉 번창하는 (opp. *dull*) **2** 〈공기·날씨 등이〉 상쾌한, 기분 좋은 **3** 〈말투 등이〉 무뚝뚝한, 쌀쌀맞은 **4** 〈음료가〉 거품이 잘 이는(sparkling)
— *vt., vi.* 활기를 띠게 하다[띠다], 활발하게 하다, 활발해지다 《*up*》 **~ *about*** 활발히 돌아다니다
~·ness *n.*
bris·ket [brískit] *n.* (소 등의) 가슴고기, 양지머리
‡**brisk·ly** [brískli] *ad.* 활발하게, 씩씩하게, 힘차게, 기분 좋게
bris·ling [brízliŋ, brís-] *n.* 〖어류〗 작은청어 《북유럽산(産)》
*__bris·tle__ [brísl] *n.* **1** (특히 돼지의) 센털, 강모(剛毛) **2** (솔 등의) 털; [*pl.*] (면도 후에 자란) 억센 털 ***set up*** one***'s*** [a person***'s***] **~*s*** 격분하다[하게 하다]
— *vi.* **1** 〈머리칼 등이〉 곤두서다 《*up*》; 〈동물이〉 털을 곤두세우다 《*up*》 **2** 빽빽하게 나다; 〈장소가〉 …으로 꽉 차다, 가득하다 《*with*》: (~+전+명) Our path *~s with* difficulties. 우리의 갈 길은 험난하다. **3** 성내다, 초조해하다
— *vt.* **1** 〈털 등을〉 곤두세우다 **2** 〈화·용기 등을〉 불러일으키다 《*up*》 **3** …에 센털을 심다
▷ brístly *a.*
bris·tled [brísld] *a.* 센털이 있는[많은]; 〈털이〉 곤두선; 화가 난
bris·tle·tail [brísltèil] *n.* 〖곤충〗 좀 《총칭》
bris·tling [brísliŋ] *n.* =BRISLING
bris·tly [brísli] *a.* (**-tli·er**; **-tli·est**) 털이 억센; 빽빽이 들어선; 〈털이〉 곤두선; 화낸
Bris·tol [brístl] *n.* 브리스틀 《영국 서부의 항구》
Brístol bòard 브리스틀 판지 《질이 좋은 두꺼운 종이; 명함·카드·도화지용》
Brístol Chánnel [the ~] 브리스틀 만[해협]
Brístol Créam[**Mílk**] 독한 셰리주(酒)
Brístol fàshion *a.* Ⓟ 잘 정돈된
bris·tols [brístlz] *n. pl.* 《영·비어》 (여성의) 젖, 유방, 가슴
brit [brít] *n.* 작은 청어리[청어] 《고래의 먹이》
Brit[1] [brít] [*Brit*ish] *n.* 《구어》 영국인

---

limit, border, boundary
brisk *a.* **1** 활기찬 quick, rapid, fast, swift, speedy, energetic, lively, vigorous, spry **2** 상쾌한 bracing, crisp, refreshing, exhilarating **3** 쌀쌀맞은 brusque, abrupt, sharp, curt, crisp

Brit[2] *n.* =BRITH
Brit. Britain; Britannia; British; Briton
‡**Brit·ain** [brítn] *n.* **1** 영국 (본토)(⇨ Great Britain, Greater Britain, North Britain) **2** =BRITANNIA 1
▷ Brítish *a.*
Bri·tan·ni·a [britǽniə, -njə | -njə] *n.* **1** 브리타니아 《Great Britain 섬의 로마 시대의 명칭; 특히 로마 식민지였던 섬의 남부 지역》 **2** =BRITISH EMPIRE **3** 《주로 문어》 =GREAT BRITAIN; 대브리튼섬과 아일랜드(the United Kingdom of Great Britain and Ireland) **4** =BRITANNIA METAL **5** 브리타니아상(像) 《Great Britain과 British Empire를 상징하는 투구를 쓰고, 방패와 삼지창을 든 여인상》
Británnia mètal 브리타니아 합금 《주석·안티몬·동의 합금》
Británnia sìlver 브리타니아 은 《순도 약 96%의 은》
Bri·tan·nic [britǽnik] *a.* 영국의(British)
His [***Her***] **~ *Majesty*** 영국 국왕[여왕] 폐하 《略 HBM》
Bri·tan·ni·ca [britǽnikə] *a.* 영국의 《*The Encyclopaedia Britannica* 「대영 백과사전」처럼 책의 이름 등에 쓰임》 **—** *n.* 영국에 관한 문헌
britch·es [brítʃiz] *n. pl.* 《구어》 =BREECHES
Brith [bríθ, brít] [Heb.] *n.* [종종 **b~**] 〖유대교〗 유대인이 생후 8일째의 남아에게 행하는 할례 의식(Berith)
Brit·i·cism [brítəsìzm] *n.* ⓊⒸ 영국 영어 특유의 말[어법](Britishism)(cf. AMERICANISM)
‡**Brit·ish** [brítiʃ] *a.* **1** 영국(Britain)의; 영국인의 **2** 《고대》 브리튼 족의
— *n.* **1** [the ~; 집합적] 영국인, 영국 국민[군인] 《★ 개인은 British person, Briton, 《미》 Britisher》 **2** Ⓤ 영국 영어 **3** Ⓤ 《고대》 브리튼 말
▷ Brítain, Bríton *n.*
Brítish Acádemy [the ~] 영국 학사원 《略 BA》
Brítish Áirways 영국 항공 《略 BA》
Brítish América =BRITISH NORTH AMERICA
Brítish Antárctic Térritory [the ~] 영국령 남극 지역 《남대서양 영국 식민지》
Brítish Associátion [the ~] 영국 학술 협회
Brítish Bróadcasting Corporàtion [the ~] 영국 방송 협회 《略 BBC》
Brítish Colúmbia 캐나다 서남부의 주 《略 BC》
Brítish Cómmonwealth (**of Nátions**) [the ~] 영국 연방 《1949년 이후 the Commonwealth of Nations로 개칭》
Brítish Cóuncil [the ~] 영국 문화 협회
Brítish disèase 영국병 《영국인들의 무기력·느린 동작·방임적인 태도 등을 일컫는 말》
Brítish dóllar 영국 달러 《전에 영국이 연방 내에서 통용시키려고 발행했던 각종 은화》
Brítish Éast África 영국령 동아프리카 《Kenya, Uganda, Tanzania 등 영국령이었던 지역의 구칭》
Brítish Émpire [the ~] 대영 제국 《영국 본국 및 그 식민지와 자치령의 속칭》
Brítish Énglish 영국 영어(cf. AMERICAN ENGLISH)
Brit·ish·er [brítiʃər] *n.* 《미》 영국인
Brítish Expedítionary Fórce [the ~] 영국 해외 파견군
Brítish Guiána 영국령 기아나 《Guyana의 구칭》
Brítish Hondúras 영국령 온두라스 《현 Belize》
Brítish Índia 영국령 인도 《영국령이었던 인도의 17주; 1947년 인도·파키스탄 독립으로 해소》
Brítish Índian Ócean Tèrritory [the ~] 영국령 인도양 식민지
Brítish Ísles [the ~] 영국 제도 《Great Britain, Ireland 및 주변의 섬들로 구성》
Brit·ish·ism [brítiʃìzm] *n.* **1** =BRITICISM **2** 영국인의 특색을 나타내는 풍속[습관, 특징, 성격]
Brítish Ísraelite 영국인이 이스라엘의 잃어버린 10 지파(lost tribes of Israel)의 자손이라고 믿는 사람

Brítish Légion [the ~] 영국 재향 군인회
Brítish Líbrary [the ~] 영국 국립 도서관 《미국의 the Library of Congress와 맞먹음》
Brítish Líons [the ~] 브리티시 라이온즈 《영국의 럭비 팀으로, 해외 경기 때 잉글랜드·아일랜드·스코틀랜드·웨일스 출신의 최우수 선수로 구성함》
Brítish Maláya 영국령 말라야 《말레이 반도와 그 주변 섬들로 이루어진 옛 영국령의 총칭》
Brítish Muséum [the ~] 대영 박물관
Brítish Nòrth América 영국령 북아메리카 《캐나다 및 Newfoundland의 구칭》
Brítish Nòrth Bórneo 영국령 북(北)보르네오 《Sabah의 옛이름》
Brítish Ópen [the ~] 〖골프〗 전영국 오픈 《세계 4대 토너먼트의 하나; 매년 7월에 열림》
Brítish òverseas térritory 《영》 영국 자치령 《영국이 관할하는 해외의 섬이나 제도》
Brítish Petróleum 브리티시 페트롤륨 《영국의 석유 회사; 略 BP》
Brítish Ráil 영국 국유 철도 《略 BR》
Brítish Somáliland 영국령 소말리랜드
Brítish Súmmer Tìme 영국 서머 타임 《略 BST》
Brítish Télecom [British Telecommunications의 약칭] 브리티시 텔레컴 《영국 최대의 전신 전화 회사; 略 BT》
Brítish thérmal ùnit 〖물리〗 영국 열량 단위 《1파운드의 물을 화씨 1도 올리는 데 필요한 열량; 略 BTU》
Brítish Vírgin Íslands [the ~] 영국령 버진 제도(諸島)
Brítish wárm 《영》 (군용의) 짧은 털외투
Brítish Wèst Índies [the ~] 영국령 서인도 제도
Brit. Mus. British Museum
***Brit·on** [brítn] *n.* **1** 《문어》 그레이트브리튼 사람(⇨ North Briton), 영국인; 《특히》 잉글랜드 사람 **2** [the ~s] (고대의) 브리튼 사람
Brit·pop [brítpɑ̀p | -pɔ̀p] *n.* Ⓤ 브릿팝 《1990년대에 유행한 영국의 팝 음악; 곡조와 가사가 외기 쉽고 춤추기에도 적합함》
brits·ka, britz- [brítskə] [Pol.] *n.* 4륜 포장 마차
Britt. Brit(t)anniarum 《L =of all the Britains》
Brit·ta·ny [brítəni] *n.* 브르타뉴 《프랑스 북서부의 반도; 프랑스명 Bretagne》
Bríttany spániel 브리타니 스패니얼 《프랑스 원산의 몸집이 큰 스패니얼 개》
***brit·tle** [brítl] *a.* **1** 부서지기 쉬운(fragile), 깨지기 쉬운: a ~ glass 깨지기 쉬운 유리잔 **2** 《비유》 상처입기 쉬운; 불안정한, 덧없는(frail): a ~ marriage 덧없는 결혼 생활 **3** 차가운, 냉담한, 인정이 없는 **4** 〈소리 등이〉 날카로운, 금속성의: a ~ tone of voice 날카로운 목소리 **5** 〈사람·성질이〉 다루기 힘든, 성마른
—*n.* 견과류를 섞은 납작한 과자
—*vi.* 쉽게 부서지다[깨지다]; 무르게 되다
~·ly *ad.* **~·ness** *n.*
brít·tle-bòne diséase [-bòun-] =OSTEOPOROSIS
Brit·ton·ic [britɑ́nik | -tɔ́-] *a., n.* =BRYTHONIC
Bríx scàle [bríks-] [독일의 발명가 이름에서] 브릭스 비중계 《녹은 설탕의 농도를 재는 비중계》
brl barrel
bro, Bro [bróu] *n.* (*pl.* **~s**) 《미·구어》 =BROTHER
***broach** [bróutʃ] [L 「버드렁니를 한」의 뜻에서] *n.* **1** 끝이 뾰족한 것[도구]; 〖기계〗 브로치 《구멍 넓히는 기계》 **2** (고기 굽는) 꼬챙이 **3** 큰 끌; 송곳; (촛대의) 초꽂이 못 **4** =BROOCH **5** (교회의) 첨탑
—*vt.* **1** 〈이야기를〉 끄집어 내다; 발의하다 **2** 〈구멍을〉 브로치로 넓히다 **3** 〈술통 등에〉 구멍을 뚫다
—*vi.* **1** 〈고래·잠수함 등이〉 수면으로 떠오르다, 부상(浮上)하다 **2** 〖항해〗 뱃전을 바람쪽으로 돌리다
broach·er [bróutʃər] *n.* 발의자, 제창자
bróach spìre 8각 첨탑

‡**broad** [brɔ́:d] *a., ad., n.*

「폭이 넓은」 **1** → (널찍한) → 「관대한」 **3** / → 「대강의」 **4**; → 「환한」 **5 a** → 「노골적인」 **5 b**

—*a.* **1 a** 폭이 넓은, 널따란(opp. *narrow*): ~ shoulders 떡 벌어진 어깨 **b** 폭이 (얼마)인: 5 feet ~ 폭이 5피트 ★ wide가 거리[폭]에 중점을 두는 데 대하여, broad는 표면의 넓이를 강조함; 벌어진 구멍 등의 크기를 말할 때는 wide를 씀. **2** 넓디넓은, 광대한: a ~ ocean 넓디넓은 바다 **3** 〈마음 등이〉 넓은, 포용력이 큰; 〈지식·경험이〉 넓은, 광범위한: a ~ mind 넓은 마음/a man of ~ experience 경험이 많은 사람 **4** Ⓐ 일반적인, 개괄적인, 대강의, 대략의, 대체적인: in a ~ sense 넓은 의미에서/a ~ outline 대체적인 윤곽/in a ~ way 대체로 말하면 **5 a** 〈빛이〉 가득한, 환한; 〈웃음이〉 만면의: a ~ smile 만면의 웃음 **b** 〈사투리가〉 강한, 노골적인: a ~ dialect 순사투리 **6** Ⓐ 명백한, 뻔한; 천한, 야비한, 음탕한(indecent): a ~ jest 천한 농담 **7** 〈예술 표현이〉 대담한, 자유분방한 **8** 〈배우나 연기 스타일이〉 과장된; 미묘함이 부족한; 부자연스러운 **9** 〖음성〗 (1음소에 대해 기본적인 1개의 기호를 사용하는) 간략 기호의; 개구음(開口音)의: ~ transcription 간략 발음 기호 ***as ~ as it's long*** 어차피 결국은 마찬가지로, 오십보백보로 ★「길이와 폭이 같은」의 뜻에서. **~ *in the beam*** 《구어》 〈사람이〉 엉덩이가 큰; 살찐 ***in ~ daylight*** 백주에, 대낮에; (대낮에) 공공연히
—*ad.* **1** 충분히, 완전히: ~ awake 완전히 잠이 깨어 **2** 순사투리로: speak ~ 순사투리로 말하다
—*n.* **1** (손·발·등 따위의) 넓은 부분, 손바닥 **2** [the B~s] 《영》 (Norfolk 또는 Suffolk의) 호소(湖沼) 지방 **3** 《미·속어·경멸》 계집애, 여자
▷ bréadth *n.*; bróaden *v.*; bróadly *ad.*
B-road [bíroud] *n.* 《영》 지방 도로, 국도(cf. A-ROAD)
bróad árrow **1** 굵은 화살촉 도장 《영국에서 관유물에 찍음; cf. ARROWHEAD 1》 **2** 굵은 화살촉이 달린 화살
broad·ax(e) [brɔ́:dæks] *n.* (벌목·전쟁용) 도끼
broad·band [-bæ̀nd] *n., a.* 〖통신〗 광대역(廣帶域)(의); 〖컴퓨터〗 광대역 회선(의)
broad·band·ing [-bæ̀ndiŋ] *n.* 〖경영〗 (생산성 향상을 위한 각 노동자의) 작업 분담 영역의 확대
bróadband ÌSDN [*broadband Integrated Service Digital Network*] 〖통신〗 광대역 종합 정보 통신망
broad-based [-bèist] *a.* =BROADLY-BASED
broad-beamed [-bì:md] *a.* 《완곡》 엉덩이가 큰[펑퍼짐한]
bróad bèan 〖식물〗 잠두(蠶豆)(《미》 fava bean)
broad·bill [-bìl] *n.* **1** 〖조류〗 부리가 넓은 새 《오리·넓적부리 등》 **2** 〖어류〗 황새치(swordfish)
broad-blown [-blòun] *a.* 만발한, 활짝 핀
broad·brim [-brìm] *n.* 테가 넓은 모자; [**B~**] 《미·구어》 퀘이커 교도(Quaker)
broad-brimmed [-brìmd] *a.* 테가 넓은
broad·brow [-bràu] *n.* 《영·구어》 취미나 관심이 광범위한 사람
bróad brúsh 폭이 넓은 솔; 대강대강 하는[말하는] 투
broad-brush [-brʌ̀ʃ] *a.* Ⓐ 대체적인, 대강의
‡**broad·cast** [brɔ́:dkæ̀st | -kɑ̀:st] [「널리 알려진」의 뜻에서] *v.* (**~, ~·ed**) *vt.* **1** (라디오·TV에서) 방송[방영]하다 《★ 라디오 방송과 구별하기 위해 일부러 「방영하다」의 뜻으로 telecast를 쓰기도 함》; 〈프로그램을〉 제공하다 **2** 〈씨 등을〉 뿌리다, 살포하다 **3** 〈소문 등을〉 퍼뜨리다 **4** 〈작전·비밀 등을〉 무심코 누설하다

thesaurus **broad** *a.* **1** 넓은 wide, large, extensive, vast, spacious, expansive, boundless (opp. *narrow*) **2** 포괄적인 comprehensive, inclusive,

— *vi.* 방송[방영]하다; 방송에 나오다; 스폰서가 되다
— *n.* **1** Ⓤ **방송, 방영**; 방송업계 《출판업계 등과 대비하여》; Ⓒ 방송 프로; 방송 시간 **2** 씨 뿌리기, 파종
관련 on-the-spot telecast(TV의 실황 방송), minute-to-minute[on-the-spot] broadcast(라디오의 실황 방송), commercial (message)(광고 방송, CM), rebroadcast(재방송, 중계방송), relay broadcast (중계방송)
NOTE [미국의 3대 방송망] ABC, CBS, NBC [영국의 2대 방송망] BBC, ITV
— *a.* Ⓐ **1** 방송의, 방송된[될] **2** 뿌린, 살포한
— *ad.* 흩뿌려, 널리: scatter[sow] ~ 〈씨 등을〉 흩뿌리다, 살포하다 **~·er** *n.* 방송인, 아나운서, 방송국[회사]; 방송 장치; 파종기, 살포기

*__broad·cast·ing__ [brɔ́:dkæ̀stiŋ | -kɑ̀:s-] *n.* Ⓤ (라디오·텔레비전의) **방송, 방영**: radio ~ 라디오 방송 / ~ frequency 방송 주파수 / a ~ station 방송국

bróadcast jóurnalism 방송 저널리즘

bróadcast mèdia 전파 매체

bróadcast sàtellite (중계용) 방송 위성 《略 BS》

Bróad Chúrch [the ~] 광교회파 《영국 국교회의 일파》

broad·cloth [-klɔ̀:θ | -klɔ̀θ] *n.* Ⓤ **1** 브로드 《면·레이온·명주 또는 그것들의 혼방으로 광택이 나는 폭이 넓은 셔츠나 드레스의 옷감》 **2** 평직물 또는 능직물의 울 또는 소모사(梳毛絲)의 양복지

*__broad·en__ [brɔ́:dn] *vt., vi.* **넓히다, 넓게 하다; 넓어지다, 벌어지다** 《*out*》: Travel *~s* the mind. 여행은 시야를 넓혀 준다. ▷ bróad *a.*; bréadth *n.*

broad-faced [brɔ́:dféist] *a.* 얼굴이 넓은

bróad gáuge 〖철도〗 광궤(廣軌)

broad-gauge(d) [-gèidʒ(d)] *a.* Ⓐ **1** 〖철도〗 광궤(廣軌)의 **2** 〈사람이〉 광범위한 능력[시야, 경험]을 가진; 도량이 넓은

bróad glàss 판유리

bróad hátchet 날이 넓은 손도끼

broad·ish [brɔ́:diʃ] *a.* 약간 넓은

bróad jùmp [the ~] 《미》 멀리뛰기(《영》 long jump): the running ~ 도움닫기 멀리뛰기

broad·leaf [brɔ́:dlì:f] *n.* (*pl.* **-leaves** [-lì:vz]) 잎이 넓은 담배 《엽궐련용》 — *a.* = BROAD-LEAVED

broad-leaved [-lí:vd], **-leafed** [-lí:ft] *a.* 잎이 넓은

broad·loom [-lù:m] *a.* Ⓐ 폭넓게 짠
— *n.* Ⓤ 광폭 융단

*__broad·ly__ [brɔ́:dli] *ad.* **1** 대체로, 대강(generally); [문장 전체를 수식하여] 대체로 말해서, 대강 말하자면 **2** 명백히, 확실히 **3** 노골적으로, 거리낌없이, 버릇없이; 천하게 **4** 사투리로 **5** 널리, 폭넓게, 광범위하게
~ ***speaking*** 대체로 말하면

broad·ly-based [-béist] *a.* 광범위한; 많은 종류의

*__broad-mind·ed__ [brɔ́:dmáindid] *a.* **마음이 넓은,** 관대한(liberal), 편견이 없는 **~·ly** *ad.* **~·ness** *n.*

bróad móney 넓은 뜻의 통화[화폐] 《현금 통화, 요구불 예금, 정기 예금, CD 등을 포함한 광의의 통화》

Broad·moor [-mùər] *n.* 브로드무어 병원 《영국 Berkshire에 있는 정신 병원》

broad·ness [brɔ́:dnis] *n.* Ⓤ **1** 넓음, 넓이 《이 뜻으로는 BREADTH가 보통》; 광대(함) **2** 노골(적임), 삼가지[사양하지] 않음; 품위 없음

bróad pénnant[péndant] 〖해군〗 준장기, 사령관기

broad·scale [brɔ́:dskèil] *a.* 광범위한

bróad séal [the ~] 영국 국새(國璽)

broad·sheet [brɔ́:dʃì:t] *n.* 한쪽만 인쇄한 대판지(大版紙); 한쪽 면만 인쇄한 인쇄물 《광고·포스터 등》

broad·side [-sàid] *n.* **1** 현측(舷側), 뱃전 **2** 〖해군〗 한쪽 현측에 있는 대포 전부(로부터의 일제 사격) **3** 일제히 욕을 퍼붓기, (신문의) 맹렬한 공격 **4** = BROADSHEET ~ ***on*** [***to***] …으로 뱃전을 돌리고
— *ad.* **1** 〈배·자동차 등이〉 (어떤 방향·물체에) 측면[현측]을 돌려서: The truck hit the train ~. 트럭은 열차의 측면에 충돌했다. **2** 함부로, 마구
— *vi.* 〈배가〉 측면[현측]의 방향으로 나아가다; 한쪽 현측의 일제 사격을 하다 — *vt.* 〈탈것·물건·사람 등의〉 측면에 부딪히다[충돌하다]; 말로 일제히 공격하다

bróad sìlk 광폭[폭이 넓은] 비단

broad-spec·trum [-spéktrəm] *a.* Ⓐ **1** 〖약학〗 약효 범위가 넓은 **2** 광범위하게 사용되는

broad·sword [-sɔ̀:rd] *n.* 날이 넓은 칼

broad·tail [-tèil] *n.* 〖동물〗 Ⓒ (아시아산(産)의) 꼬리가 굵은 양; Ⓤ 그 새끼 양의 모피

*__Broad·way__ [brɔ́:dwèi] *n.* **1 브로드웨이** 《뉴욕의 극장·오락가》 **2** 그 거리의 대형 극장가; 뉴욕 시의 상업 연극; 미국 연극계 **3** [**b~**] 넓은 대로, 메인 스트리트
— *a.* Ⓐ 브로드웨이용[상연]의

broad·wife [-wàif] *n.* (남편이 다른 주인에게 소유되어 있는) 여자 노예

broad·wise [-wàiz], **-ways** [-wèiz] *ad.* 가로로, 옆으로

Brob·ding·nag [brɑ́bdiŋnæ̀g | brɔ́b-], **-dig-** [-dig-] *n.* 거인국(巨人國) 《Swift작 *Gulliver's Travels*에서》

Brob·ding·nag·ian [brɑ̀bdiŋnǽgiən | brɔ̀b-] [때로 **b~**] *a.* 거대한(gigantic), 거인국의
— *n.* 거인, 거인국의 주민

bro·cade [broukéid] *n.* ⓊⒸ 수단(繡緞), 문직(紋織) 《무늬가 돋아 나오게 짠 옷감》
— *vt.* 문직으로 짜다 **bro·cád·ed** *a.* 문직의

Bró·ca's àrea [bróukəz-] [프랑스의 의사 이름에서] 〖해부〗 브로카령(領) 《대뇌(大腦)의 좌전 하부에 있으며 운동성 언어 중추가 있음》

broc·a·telle, -tel [brɑ̀kətél | brɔ̀-] *n.* 무늬가 도드라진 문직(紋織); 무늬가 장식적인 대리석

broc·co·li [brɑ́kəli | brɔ́-] [It. = sprouts] *n.* ⓊⒸ 브로콜리 《cauliflower의 일종》

bróccoli ràbe[ràab] [-rɑ̀:b] 브로콜리라브[순무] 《암록색의 잎과 꽃봉오리를 식용하는 야채》

bro·ché [brouʃéi] [F] *n., a.* 문직(의)

bro·chette [brouʃét] [F] *n.* (*pl.* **~s**) (요리용) 꼬치; 꼬치 요리

*__bro·chure__ [brouʃúər, -ʃɔ́:r | bróuʃə, -ʃuə] [F] *n.* (업무 안내 등의) 팸플릿, 가제본한 책, 소책자

brock [brɑ́k | brɔ́k] *n.* 〖동물〗 오소리(badger)

brock·age [brɑ́kidʒ | brɔ́k-] *n.* 잘못 주조된 주화

Bróck·en spécter [brɑ́kən- | brɔ́-] 브로켄의 요괴 《태양을 등지고 산꼭대기에 섰을 때 구름에 크게 비치는 자기의 그림자》

brock·et [brɑ́kit | brɔ́-] *n.* 〖동물〗 **1** 두 살 난 붉은 수사슴 **2** 작은 사슴의 일종 《남미산(産)》

bro·de·rie an·glaise [broudrí:-ɑ:ŋgléiz] [F] 영국 자수(의 직물) 《천의 eyelet에 흰 실로 수를 놓음》

bro·die [bróudi] *n.* 《미·속어》 **1** (다리에서의) 투신자살 **2** 대실패, 큰 실수

bro·er [brú:ər] *n.* 《남아공·속어》 **1** 형제(brother) **2** (남자) 친구 **3** 친구 《남자들끼리 서로 다정히 부르는 호칭》

bro·gan [bróugən] *n.* 질기고 투박한 단화

brogue[1] [bróug] *n.* 아일랜드 사투리; 지방 사투리

brogue[2] *n.* 생가죽 신, 투박한 신; (구멍을 뚫어 장식한) 일상용 단화; 골프화; (낚시용) 방수화

broi·der [brɔ́idər] *vt.* 《시어·고어》 = EMBROIDER

broi·der·y [brɔ́idəri] *n.* 《시어·고어》 = EMBROIDERY

*__broil__[1] [brɔ́il] [MF 「굽다」의 뜻에서] *vt.* **1** 〈고기를〉 굽다(grill); 《미》 〈고기를〉 석쇠 등으로 불에 쬐어 굽다 (⇨ cook 유의어) **2** 〈뙤약볕이〉 …에 내리쬐다
— *vi.* **1** 〈고기가〉 구워지다 **2** 타는 듯이 덥다 **3** 《미》

---

general, encyclopedic, universal, unlimited, wide-ranging **3** (마음이) 넓은 broad-minded, liberal, open-minded, tolerant, unbiased, fair

몹시 화내다
—*n.* **1** 굽기 **2** 불고기, 구운 고기 **3** 혹서(酷暑), 몹시 심한 더위
broil[2] *n.*, *vi.* 싸움(하다), 말다툼(하다), 소동(을 일으키다) **~·ing·ly** *ad.*
broil·er[1] [brɔ́ilər] *n.* **1** 굽는 사람[기구] **2** (미·구어) 불고기용 영계, 브로일러(= ~ **chìcken**) **3** (구어) 몹시 더운 날(scorcher)
broiler[2] *n.* 싸움꾼, 대소동을 일으키는 사람
bróiler hòuse 브로일러용 양계장
broil·ing [brɔ́iliŋ] *a.* 타는 듯이 뜨거운[더운], 혹서(酷暑)의; 구워지는: a ~ sun 타는 듯한 태양 / ~ hot 찌는 듯이 무더운
‡**broke** [bróuk] *v.* BREAK의 과거; (고어) BREAK의 과거분사
—*a.* Ⓟ (구어) 파산하여, 무일푼으로(cf. BREAK *vt.* 14) ***dead*** [***flat, stone, stony***] **~** 완전히 파산하여, 무일푼이 되어: "Can I borrow 10 dollars?" — "I'm *flat* ~." 10달러만 빌려 줄 수 있니? — 나도 완전 빈털터리야. ***go*** **~** 무일푼이 되다, 파산하다 ***go for*** **~** (속어) (투기·사업 등에) 온 정력[재산]을 바치다, 끝장 볼 때까지 하다 《*in*》 ***to the wide*** [***world***] **~** (영·구어) 무일푼의
‡**bro·ken** [bróukən] *v.* BREAK의 과거분사
—*a.* **1** 부서진, 깨진, 터진, 찢어진, 부러진, 꺾인, 삔, 다친, 상한, 더럽혀진: a ~ leg 부러진 다리 **2** 〈기계 등이〉 고장난, 망가진: get ~ 망가지다 **3 a** [보통 Ⓐ] 〈약속·맹세 등이〉 깨진, 어긴: a ~ agreement[promise] 깨진 협정[약속] **b** [보통 Ⓐ] 〈가정 등이〉 파탄 난, 붕괴된: a ~ marriage 파탄 난 결혼 **c** Ⓐ 파산한: ~ fortunes 파산 **4** [보통 Ⓐ] 단속(斷續)적인; 띄엄띄엄하는 〈말〉 《*in*》 **5** 울퉁불퉁한(uneven), 기복이 있는, 고르지 못한: the ~ surface of the moon 달 표면의 요철 / ~ water 출렁이는 물결 **6** 〈날씨가〉 불안정한, 불순한: ~ weather 불순한 날씨 **7** 〈길·움직임이〉 갑자기 구부러진, 지그재그의; 〈광선이〉 (프리즘 등으로) 굴절된: The fox ran in a ~ line. 여우는 방향을 갑자기 바꾸면서 도망갔다. **8** 우수리의: ~ money 우수리돈 / ~ numbers 끝수, 분수 **9** Ⓐ 낙담한, 시달리어 풀이 죽은, 쇠약한 **10** 〈말이〉 길든 **11** Ⓐ 문법에 맞지 않는, 엉망인, 엉터리인, 변칙적인 〈말〉: ~ English 엉터리 영어 **12** (구어) 격식이 떨어진, 격하된 **~·ly** *ad.* 띄엄띄엄, 더듬거리며 **~·ness** *n.*
bróken árm (미·속어) 먹다 남은[만] 것
brók·en-bát sìngle [bróukənbǽt-] 〖야구〗 배트가 부러지면서 친 안타
bróken chórd 〖음악〗 분산 화음
bróken cólor 〖미술〗 점묘 (화법)
bro·ken-down [-dáun] *a.* **1** 박살난, 괴멸한 **2** 건강을 해친; 쇠약한; 좌절된 **3** 〈말이〉 지쳐서 움직이지 못하는; 〈기계 등이〉 망가진
bróken héart 실의, 낙담; 실연
*__bro·ken·heart·ed__ [bróukənhɑ́ːrtid] *a.* 비탄에 잠긴, 단장(斷腸)의, 상심한, 실연한 **~·ly** *ad.*
bróken hóme 〖사회〗 결손 가정 《사망·별거·이혼 등으로 양친 또는 한쪽 부모가 없는 가정》
bróken líne 파선(破線) 《---》(cf. DOTTED LINE); 꺾인 선
bróken lót 〖증권〗 단주(端株)(odd lot)
bróken récord (미·속어) (고장난 음반처럼) 같은 말을 자꾸 되풀이하는 사람
bróken réed 〖성서〗 부러진 갈대; 믿을 수 없는 사람[것]
bróken socíety 붕괴된 사회
bróken wáter 거센 물결, 놀치는 파도
bróken wínd 〖수의학〗 (말의) 천식, 폐기종
bro·ken-wind·ed [-wíndid] *a.* 숨 가빠하는; 천식[폐기종]에 걸린 〈말〉
*__bro·ker__ [bróukər] [OE 「포도주 통에 구멍을 내는 사람」의 뜻에서] *n.* **1** 브로커, 중개인, 《특히》 주식 중개인; 거간꾼(middleman): a ~ house 증권 회사 **2** (영) 고물상; 전당포 **3** (영) (압류된 물건의) 평가(評價) 판매인 ***a street*** [***curbstone***] **~** (미) 장외(場外) 거래 중개인
—*vt.* 중개[알선]하다, 브로커로서 처리하다; (실력자·흑막으로서) 조정하다, 〈타협점을〉 모색하다
—*vi.* 브로커 노릇을 하다
bro·ker·age [bróukəridʒ] *n.* Ⓤ 중개(업), 거간; 중개 수수료, 구전(= ~ **commìssion**)
brok·er-deal·er [bróukərdìːlər] *n.* 〖금융〗 브로커 딜러 《유가 증권을 사고파는 증권 거래소 종사자》
bro·king [bróukiŋ] *n.* Ⓤ 중개업, 거간업
—*a.* 중개(업)의, 거간(업)의
brol·ly [brάli | brɔ́li] [umbrella의 단축형] *n.* (*pl.* **-lies**) (영·속어) 우산; 낙하산
brom- [broum], **bromo-** [bróumou] 《연결형》 「브롬, 취소(臭素)」의 뜻 《모음 앞에서는 brom-》
bro·mal [bróumæl | -məl] *n.* Ⓤ 〖화학〗 브로말 《진통제·수면제》
bro·mance [bróumæns] [*bro*ther+ro*mance*] *n.* 성적인 관계없이 친밀한 남자 친구 사이
bro·mate [bróumeit] 〖화학〗 *n.* 브롬산염(酸塩)
—*vt.* 브롬과 화합시키다
bro·me·lain [bróumələn, -lèin] *n.* 〖생화학〗 브로멜라인
bro·mic [bróumik] *a.* 〖화학〗 브롬을 함유한, 브롬성의: ~ acid 브롬산
bro·mide [bróumaid] *n.* **1** 〖화학〗 브롬화물, 《특히》 브롬화 칼리 《진정·최면제》 **2** 진부한 생각[말], 흔해빠진 일 **3** 〖사진〗 브로마이드 사진[감광지]
brómide pàper 〖사진〗 브로마이드(인화)지
bro·mid·ic [broumídik] *a.* (속어) 흔해 빠진, 평범한, 진부한
bro·mi·nate [bróumənèit] *vt.* 〖화학〗 브롬으로 처리하다, 브롬과 화합시키다
bro·mine [bróumiːn, -min] *n.* Ⓤ 〖화학〗 브롬, 취소(臭素) 《할로겐족 원소; 기호 Br, 번호 35》
bro·mism [bróumizm], **bro·min·ism** [bróumənìzm] *n.* Ⓤ 〖병리〗 브롬 중독
bro·mize [bróumaiz] *vt.* 〖화학〗 브롬[브롬화물]으로 처리하다
bro·mo [bróumou] *n.* (*pl.* **~s**) 〖약학〗 브로모 《두통약》
bromo- [bróumou] 《연결형》 = BROM-
bro·mo·crip·tine [bròuməkríptiːn] *n.* 〖약학〗 브로모크립틴 《프로락틴 분비 과잉 억제제》
bro·mo·u·ra·cil [bròumoujúərəsil] *n.* 〖생화학〗 브로모우라실 《피리미딘 유도체》
Brómp·ton còcktail[**mìxture**] [brάmptən- | brɔ́mp-] 〖약학〗 브롬프톤 혼합제 《암환자 진통제》
brom·thý·mol blúe [bròumθáimoul-] 〖화학〗 브롬티몰 블루 《알칼리성에서 청색, 산성에서 황색을 띠는 지시약》
bro·my·rite [bróumərὰit] *n.* Ⓤ 〖광물〗 취은석(石)
bronc, bronk, bronch [brάŋk | brɔ́ŋk] *n.* (구어) = BRONCO
bronch- [braŋk | brɔŋk], **broncho-** [brάŋkou, -kə | brɔ́ŋ-] 《연결형》 「기관지」의 뜻 《모음 앞에서는 bronch-》
bron·chi [brάŋki, -kai | brɔ́ŋkai] *n.* BRONCHUS의 복수
bron·chi·a [brάŋkiə | brɔ́ŋ-] *n.* BRONCHIUM의 복수
bron·chi·al [brάŋkiəl | brɔ́ŋ-] *a.* 기관지의 **~·ly** *ad.*
brónchial ásthma 〖병리〗 기관지 천식
brónchial catárrh 〖병리〗 기관지염(炎)
brónchial pneumónia = BRONCHOPNEUMONIA

thesaurus **broken** *a.* **1** 부서진 smashed, shattered, cracked, fractured, fragmented, crushed, destroyed, demolished **2** 고장난 damaged, faulty, defective, out of order **3** 어긴 violated, infringed, disobeyed, contravened **4** 중단된 interrupted, dis-

brónchial tùbe [보통 *pl.*] 〖해부〗 기관지(氣管支)
bron·chi·ec·ta·sis [brὰŋkiéktəsis | brɔ̀ŋ-] *n.* Ⓤ 〖병리〗 기관지 확장(증)
bron·chi·ole [brάŋkiòul | brɔ́ŋ-] *n.* 〖해부〗 세(細)기관지 **bròn·chi·ó·lar** *a.*
bron·chi·o·li·tis [brὰŋkiouláitis | brɔ̀ŋ-] *n.* Ⓤ 〖병리〗 세(細)기관지염
bron·chit·ic [brɑŋkítik | brɔŋ-] *a.* 기관지염의
bron·chi·tis [brɑŋkáitis | brɔŋ-] *n.* Ⓤ 〖병리〗 기관지염
bron·chi·um [brάŋkiəm] *n.* (*pl.* **-chi·a** [-kiə]) 〖해부〗 기관지 《bronchus의 갈라진 부분》
bron·cho [brάŋkou | brɔ́ŋ-] *n.* (*pl.* **~s**) = BRONCO
broncho- [brάŋkou, -kə | brɔ́ŋ-] 《연결형》 = BRONCH-
bron·cho·cele [brάŋkəsì:l | brɔ́ŋ-] *n.* Ⓤ 〖병리〗 기관지 비대(증); 갑상선종(腫)
bron·cho·di·la·tor [brὰŋkoudailéitər, -di-] *n.* 〖약학〗 기관지 확장제(劑)
bron·cho·gen·ic [brὰŋkoudʒénik | brɔ̀ŋ-] *a.* 기관지의[에 일어나는, 에 관한]
bron·cho·pneu·mo·nia [brὰŋkounju:móunjə, -niə | brɔ̀ŋkounju(:)-] *n.* Ⓤ 〖병리〗 기관지 폐렴
bron·cho·scope [brάŋkəskòup | brɔ́ŋ-] *n.*, *vt.* 기관지경(鏡)(으로 검사하다)
bron·cho·spasm [brάŋkəspæ̀zəm] *n.* 〖병리〗 기관지 경련
bron·chot·o·my [brɑŋkάtəmi | brɔŋkɔ́t-] *n.* (*pl.* **-mies**) 〖의학〗 기관지 절개술
bron·chus [brάŋkəs | brɔ́ŋ-] *n.* (*pl.* **-chi** [-kai]) 〖해부〗 기관지
bron·co [brάŋkou | brɔ́ŋ-] 〔Sp. 「거친」의 뜻에서〕 *n.* (*pl.* **~s**) 야생마 《북미 서부 평원산(産)》
bron·co·bust·er [brάŋkoubʌ̀stər | brɔ́ŋ-] *n.* 《미·구어》 야생마를 길들이는 카우보이(buster)
bronk [brάŋk | brɔ́ŋk] *n.* = BRONCO
Bron·të [brάnti | brɔ́nti] *n.* 브론테 **Charlotte ~** (1816-55), **Emily ~** (1818-48), **Anne ~** (1820-49) 《영국의 세 자매 소설가》
bron·to·saur [brάntəsɔ̀:r | brɔ́n-] *n.* = BRONTOSAURUS
bron·to·sau·rus [brὰntəsɔ́:rəs | brɔ̀n-] *n.* 〖고생물〗 브론토사우루스, 뇌룡(雷龍) 《공룡의 일종》
Bronx [brάŋks | brɔ́ŋks] *n.* **1** [the ~] 브롱크스 《New York 시 북부의 행정구(區)》 **2** 브롱크스 《칵테일의 일종》(= **~ còcktail**) **~·ite** *n.*
Brónx chéer 《미·속어》 (입술 사이로 혀를 넣어 내는) 야유; 노골적인 모욕[멸시, 조소, 혐오](의 표시)
‡bronze [brάnz | brɔ́nz] *n.* **1** Ⓤ 청동, 브론즈 《구리와 주석의 합금》 **2** Ⓤ 청동색 (물감) **3** 청동제 (미술)품
—*vt.* 청동빛으로 만들다, 표면이 청동빛이 나게 처리하다; 햇볕에 태우다
—*vi.* 청동빛으로 되다; 햇볕에 타다
—*a.* Ⓐ 청동제[색]의: a ~ statue 동상(銅像)
Brónze Àge [the ~] **1** 〖고고학〗 청동기 시대 **2** [때로 **b- a-**] 〖그리스·로마신화〗 청동(青銅) 시대 (brazen age) 《전설의 4시대 중의 세 번째 시대; 전쟁과 폭력이 특징; cf. GOLDEN AGE》
bronzed [brάnzd | brɔ́nzd] *a.* 햇볕에 탄
brónze médal 동메달 《경기 등의 3등상》
bronz·er [brάnzər | brɔ́n-] *n.* 피부를 햇볕에 그을린 것처럼 보이게 하는 화장품
bronze·smith [brάnzsmìθ | brɔ́nz-] *n.* 청동 세공사
Brónze Stár (Mèdal) 〖미군〗 청동 성장(星章) 《공중전 이외의 용감한 행위를 한 사람에게 수여함》
bronz·ing [brάnziŋ | brɔ́n-] *n.* Ⓤ (나뭇잎 등의) 갈색화, 퇴색, 변색; 〖염색〗 흐림; 청동 장식
bronz·ite [brάnzait | brɔ́n-] *n.* 〖광물〗 고동휘석
bronz·y [brάnzi | brɔ́nzi] *a.* (**bronz·i·er**; **-i·est**) 청동의[같은], 청동색의
***brooch** [bróutʃ, brú:tʃ | bróutʃ] 〔broach의 변형〕 *n.* 브로치(《미》 pin)
brood** [brú:d] *n.* **1** [집합적] 한배의 병아리, 한배의 새끼; 《구어·경멸》 (한집안의) 아이들 《집합체로 생각할 때는 단수, 구성 요소를 생각할 때는 복수 취급》 **2** 종족, 종류, 품종 《*of*》 ***in a ~ 골똘히 생각해서, 궁리해서 ***sit on ~*** 알을 품다; 심사숙고하다
—*vi.* **1** 알을 품다 **2** 〈구름·밤·어둠 등이〉 내리덮다, 고요히 뒤덮다 《*over*, *above*》: (~+전+명) Clouds *~ed over* the mountain. 구름이 산을 낮게 덮고 있었다. **3** 골똘히 생각하다 《*on*, *over*》; 수심에 잠기다, 걱정하다: (~+전+명) Don't ~ *over* such trifles. 그런 하찮은 일에 신경 쓰지 마라.
—*vt.* **1** 〈알을〉 품다 **2** 곰곰이 생각하다
—*a.* Ⓐ 새끼를 치기 위해 기르는, 알을 안기는: a ~ hen 씨암탉
bróod bìtch 교배용 암캐
brood·er [brú:dər] *n.* 인공 부화기; 생각에 잠기는 사람
bróod hèn 번식용 암탉
brood·ing [brú:diŋ] *a.* 생각에 잠긴, 음침한, 시무룩한 **~·ly** *ad.*
bróod màre 번식용 암말
bróod pàrasite (탁란(托卵)으로) 부화한[자란] 새끼새
bróod pàrasitism (뻐꾸기 등의) 탁란(托卵)
bróod pòuch 〖동물〗 (개구리·물고기의) 알주머니; (유대 동물의) 육아낭(marsupium)
brood·y [brú:di] *a.* (**brood·i·er**; **-i·est**) **1** 알을 품고 싶어하는; 새끼를 많이 낳는; 《구어》 〈여성이〉 아이를 많이 낳고 싶어하는 **2** 생각에 잠기는, 수심에 잠기는, 시무룩한 **bróod·i·ly** *ad.* **bróod·i·ness** *n.*
‡brook[1] [brúk] *n.* 시내, 개천(small stream)(⇨ river[1] 유의어) **~·less** *a.* **~·lìke** *a.*
brook[2] *vt.* 《문어》 [보통 부정 구문] 견디다; 〈일의 지연을〉 참다 **~·a·ble** *a.*
Brook·há·ven Nátional Láboratory [brukhéivən-] [the ~] 국립 브룩헤이븐 연구소 《미국 원자핵 물리학 연구소》
brook·ite [brúkait] *n.* 〖광물〗 브루카이트, 판(板)티탄석(石)
brook·let [brúklit] *n.* 실개천, 가는 물줄기
brook·lime [brúklàim] *n.* 〖식물〗 개불알꽃속(屬)의 식물
Brook·lyn [brúklin] *n.* 브루클린 《New York 시의 다섯 행정구(區)의 하나》
Bróoklyn Brídge [the ~] 브루클린 다리 《미국 New York City의 East River에 있는 현수교》
Brook·lyn·ite [brúklinàit] *n.* Brooklyn 주민
bróok tròut 〖어류〗 민물송어 《북미 동부산(産)》
‡broom [brú:m, brúm] *n.* **1** 비, 자루 브러시: A new ~ sweeps clean. 《속담》 신임자는 묵은 폐단을 일소하는 데 열심인 법이다. **2** 〖식물〗 양골담초
—*vt.* 비로 쓸다, 쓸어 내다; 〈콘크리트 표면을〉 브러시로 마무리하다
broom·ball [brú:mbɔ̀:l] *n.* 빗자루와 배구[축구]공을 쓰는 일종의 아이스하키 **~·er** *n.*
broom·corn [-kɔ̀:rn] *n.* 〖식물〗 수수
bróom cùpboard 《영》 **1** (청소 도구 등을 보관하는) 대형 벽장 **2** 《익살》 아주 좁은 방
bróom cỳpress 〖식물〗 댑싸리
broom·rape [-rèip] *n.* Ⓤ 〖식물〗 금작화 등의 뿌리에 기생하는 식물 《총칭》
broom·stick [-stìk] *n.* 빗자루 ***marry over* [*jump*] *the ~*** 간단히 결혼하다, 내연 관계를 맺다

---

turbed, disconnected, disrupted **5** 낙담한 crushed, ruined, discouraged, dispirited, defeated
brood *v.* **1** 알을 품다 sit on[hatch, incubate] eggs, cover young **2** 골똘히 생각하다 worry, agonize, think, ponder, meditate, muse, fret

broom·y [brú:mi] *a.* (**broom·i·er**; **-i·est**) **1** 비 같은 **2** 〖식물〗 양골담초의[가 많은]

bros., Bros. [brʌ́ðərz] brothers: Smith *B*~ & Co. 스미스 형제 상회

brose [bróuz] *n.* Ⓤ 《주로 스코》 오트밀에 더운 물[우유]을 탄 음식 **brós·y** *a.*

⁎**broth** [brɔ́:θ, brɑ́θ | brɔ́θ] *n.* ⓊⒸ (*pl.* **~s** [brɔ́:θs, brɔ́:ðz | brɔ́θs]) **1** 묽은 수프; (고기·생선·야채 등의) 육즙(肉汁), 수프 스톡(stock) **2** (세균) 배양액 ~ ***of a boy*** 씩씩한 젊은이 **bróth·y** *a.*

broth·el [brɑ́θəl, brɔ́:- | brɔ́-] *n.* 매음굴

brothel creepers [*pl.*] 《영·구어》 크레이프 고무(crepe rubber)로 밑창을 댄 남성용 구두 《보통 스웨이드 가죽제》

⁑**broth·er** [brʌ́ðər] *n.* (*pl.* **~s,** 5에서는 종종 **breth·ren** [bréðrən]) **1** (남)형제(opp. *sister*); 형(elder[big] brother), 동생(younger[little] brother), 오빠 NOTE 영·미에서는 특히 구별할 필요가 있을 경우가 아니고는 형과 동생을 구별하지 않고, 단지 one's brother이라고 한다. 그리고 「형」이라고 부르는 호칭은 형의 이름을 쓴다. **2** =HALF BROTHER **3** = STEPBROTHER **4** 동료, 형제 같은 사람; 동포 **5** (종교상의) 형제, 남자 신도, 같은 교회의 교인; 같은 조합원, 동업자, 같은 클럽 회원; (성직 없는) 수사(cf. BRETHREN); 《미·속어》 (흑인끼리 써서) 형, 동생 **6** [낯선 남자의 호칭으로] 여보게 ~ ***in arms*** 전우 ~ ***of the brush***[***quill***] (동료) 화가[저술가]

— *int.* 《미·속어》 [보통 Oh, ~!로 놀람·혐오·실망 등을 나타내어] 아이구 깜짝이야[지겨워, 맙소사]

— *vt.* 형제처럼 대하다 **~·less** *a.* **~·like** *a.*

broth·er·ger·man [brʌ́ðərdʒə́:rmən] *n.* (*pl.* **broth·ers-**) 같은 부모의 형제

⁎**broth·er·hood** [brʌ́ðərhùd] *n.* **1** Ⓤ 형제간; 형제의 우애[사랑]; 의형제간 **2** 조합, 협회; 《미》 철도 노동조합; [the ~; 집합적] 동업자: the legal ~ 법조단 **3** 인류동포주의, 형제애: international ~ 국제 친선 **4** (공동 생활을 하는) 성직자[수사]단

⁎**broth·er-in-law** [brʌ́ðərinlɔ̀:] *n.* (*pl.* **brothers-**) 자형, 매부, 처남, 시숙 《등》

Bróther Jónathan 《영·고어》 미국 정부; (전형적) 미국 사람 《현재는 UNCLE SAM이 일반적》

⁎**broth·er·ly** [brʌ́ðərli] *a.* 형제의, 형제로서의, 형제다운(fraternal): ~ affection 형제의 우애 **-li·ness** *n.* Ⓤ 형제애; 우애

bróther úterine 이부(異父)[씨 다른] 형제

brough·am [brú:əm, brú:m] [영국 정치가 Lord Brougham의 이름에서] *n.* 말 한 필이 끄는 4륜 마차; 브룸형 자동차

⁑**brought** [brɔ́:t] *v.* BRING의 과거·과거분사

brou·ha·ha [bru:hɑ:hɑ́:, ─ ´ ─ | ´ ─ ─] *n.* 《구어》 괜한 소음, 소동; 센세이셔널한 여론, 세상 공론

⁑**brow** [bráu] *n.* **1** [보통 *pl.*] 눈썹 《eyebrows가 일반적》: draw one's ~*s* together 눈썹을 찡그리다 **2** 이마(forehead) **3** 《시어》 얼굴, 표정 **4** 벼랑 끝; (험한 산의) 꼭대기 **5** 《구어》 지성 정도(cf. HIGHBROW, MIDDLEBROW, LOWBROW) ***knit***[***wrinkle***] ***the ~s*** 눈살을 찌푸리다, 얼굴을 찡그리다

brów àgue 편두통(migraine)

brów àntler 사슴뿔의 맨 밑가지

brow·beat [bráubì:t] *vt.* (~; **-beat·en** [-bì:tn]) 위협하다, 을러대다, 호통치다; 위압하여 …하게 하다 (*into*): (~+목+전+*-ing*) They ~ him *into* agreeing. 그를 위협해서 동의시켰다. **~·ing** *n.* Ⓤ 위협, 협박

-browed [bráud] 《연결형》 「눈썹이 …한」의 뜻

⁑**brown** [bráun] *a.* **1** 갈색의, 고동색의, 다갈색의 **2** 〈살갗이〉 가무스름한, 볕에 탄 ***do***[***bake***] ***...*** ~ 〈빵을〉 노르께하게 굽다 《★ 더 잘 구운 것은 dark, 살짝 구운 것은 medium brown》 ***do it up*** ~ 《미·속어》 철저히 하다, 완전히 해내다; 《속어》 감쪽같이 속이다

— *n.* **1** Ⓤ 갈색, 고동색; Ⓒ 갈색의 것; Ⓤ 갈색 옷[옷감]; Ⓤ 갈색 물감[염료]: light ~ 연한 고동색 **2** 갈색 피부를 한 히스패닉계[아프리카계]의 사람

— *vt., vi.* 갈색으로 만들다[되다]; 거무스름하게 만들다[되다] ~ ***out*** 《미》 등화 관제를 하다; 〈전등을〉 어둠침침하게 하다 **~·ness** *n.* Ⓤ 갈색임

Brown [bráun] *n.* 남자 이름

brówn ále 《영》 브라운 에일 《달고 검은빛의 병맥주》

brówn álga 〖식물〗 갈조; [*pl.*] 갈조류

brówn bág 《미·구어》 (백화점·편의점에서 물건을 넣어주는) 갈색 종이 봉투; 갈색 종이 봉투에 담은 점심[도시락]

brown-bag [bráunbæ̀g] *vt., vi.* (**~ged**; **~·ging**) 《미·구어》 (술 등을) 갈색 종이 봉투에 넣어 식당에 갖고 들어가다; (도시락을) 지참하다 **~·ger** *n.* 도시락 지참자; 말단 월급쟁이

brówn béar 〖동물〗 불곰

brówn bélt (유도 등의) 갈색 띠(의 사람)

brówn Bétty [또는 **b- b-**] (사과·설탕·빵가루 등으로 만든) 푸딩

Brówn Bòok 《영》 브라운북 《영국 에너지부(部) 발행의 연차 보고서》

brówn bréad 흑(黑)빵

brówn cóal 갈탄(褐炭)(lignite)

brówn dràin 미숙련 노동자[스포츠맨]의 해외 유출

brówn dwárf 〖천문〗 갈색 왜성(矮星)

brówn éarth 갈색 삼림토 《온난 습윤 지역의 활엽수림 밑에서 생성된 비옥한 토양》

brówned óff [bráund-] *a.* 《영·속어》 (…에) 진절머리가 나서, 불만인 (*at*); 화가 나서

brówn fát 〖생리〗 갈색 지방

brown·field [bráunfì:ld] *a.* 개발이 끝난, 상공업 지역의(cf. GREENFIELD)

brównfield sìte 재개발 공업[산업, 주택] 단지

brówn gòods 갈색을 주조로 한 전기 제품 《텔레비전·주전자 등》; 갈색 술 《위스키·브랜디 등》

brown-hat·ter [-hæ̀tər] *n.* 《영·비어》 호모[게이] 녀석

Brówn·i·an móvement[**mótion**] [bráuniən-] [the ~] [스코틀랜드의 식물학자 R. Brown에서] 〖물리〗 (유체 속 미립자의) 브라운 운동

brown·ie [bráuni] *n.* **1** 브라우니 《스코틀랜드 전설에서 밤에 나타나서 몰래 농가의 일을 도와준다는 작은 요정》 **2** 《미》 아몬드[땅콩]가 든 납작한 초콜릿 **3** [보통 **B~**] 《미》 소녀단(Girl Scouts)의 유년 단원 《약 7-9세》(=B~ Guide); 《영》 소녀단(Girl Guides)의 나이 적은 단원 《7.5-11세》

Brównie Guìde 《미》 =BROWNIE 3

Brównie pòint Brownie가 상으로서 얻는 점수; [때로 **b- p-**] 《미·구어》 (상사에 대한) 아첨으로 얻은 신용

brown·ing [bráuniŋ] *n.* Ⓤ (음식에 치는) 갈색 착색제; 〖식물〗 갈변(褐變)(증)

Brow·ning[1] [bráuniŋ] *n.* 브라우닝 **Robert ~** (1812-89) 《영국의 시인》

Browning[2] *n.* 브라우닝 자동 권총[소총, 기관총 《등》]

Brówning automátic (**rífle**) 브라우닝 자동 소총(Browning) 《공랭식·완전 자동식; 略 BAR》

brown·ish [bráuniʃ] *a.* 갈색을 띤

Brown·ism [bráunizm] *n.* 브라운주의 《영국의 청교도 Robert Browne이 제창한 주의》 **Brówn·ist** *n.*

brówn jób 《영·속어》 군인, 병사

brówn lúng (**disèase**) = BYSSINOSIS

brown·nose [bráunnòuz] *vi., vt.* 《미·속어》 (…에게) 아첨하다 — *n.* 아첨쟁이, 아부꾼(toady)

brown·out [-àut] *n.* Ⓤ (경제) 등화 관제(cf. BLACKOUT); 절전

brówn páper 갈색 포장지

brówn pówder 갈색 화약 《총포용》

Brówn Pówer 브라운 파워 《멕시코계 미국인의 정치 운동》

brówn rát 〖동물〗 시궁쥐

brówn récluse spìder 〖곤충〗 북미산(產) 독거미의 일종

brówn ríce 현미
brówn sàuce (미) 브라운 소스 《고기 요리에 쓰이는 기본 소스》
brówn séaweed = BROWN ALGA
Brown·shirt [bráunʃə:rt] *n.* [종종 **b~**] (독일의) 나치 돌격대(cf. BLACKSHIRT); 《일반적으로》 나치
brówn sóils 갈색토 《온대 건조지의 토양》
brown-state [bráunstèit] *a.* 〈리넨 등이〉 염색하지 않은, 물들지 않은
brown·stone [-stòun] *n.* (미) Ⓤ 갈색 사암(砂岩) 《건축 재료》; Ⓒ 그것을 앞면에 사용한 건물(= **~ frónt**) —*a.* 부유 계급의
brówn stúdy [a ~] 심사숙고, 몽상(reverie), 묵상: be in *a* ~ 골똘히 생각에 잠겨 있다, 심사숙고하다
brówn súgar 누런 설탕, 황설탕
Brówn Swíss 브라운 스위스젖소 《스위스 원산》
brown-tail [-tèil] *n.* 【곤충】 독나방의 일종(= **~ móth**)
brówn thrásher[thrúsh] 【조류】 명금(鳴禽)의 일종 《북미 동부산(産)》
brówn thúmb (미) 원예에 재능이 없음[없는 사람] (cf. GREEN THUMB)
brówn tróut 【어류】 브라운 트라우트 《유럽산(産) 목새송어속(屬)의 송어》
Brówn v. Bòard of Educátion 브라운 대 교육 위원회 판례 《1954년 미연방 대법원의 공립학교의 흑백 분리 부당 판결》
brówn wàre 갈색 도기(陶器)
brown·y [bráuni] *a.* (**brown·i·er**; **-i·est**) = BROWNISH
brow·ridge [bráurìdʒ] *n.* 눈 위의 뼈가 융기한 부분
brows·a·ble [bráuzəbl] *a.* 〈책이〉 아무거나 골라 읽을 수 있는; 〈상점이〉 이것저것 뒤져 볼 수 있는; 【컴퓨터】 검색[열람]할 수 있는
brows·a·bil·i·ty [bràuzəbíləti] *n.*
***browse** [bráuz] *vt.* **1** 〈연한 잎[새싹]을〉 먹다; 〈가축에게〉 풀을 뜯게 하다, 방목하다: 《~+목+부》 ~ leaves *away*[*off*] 나뭇잎을 뜯어먹다 **2** 〈책 등을〉 띄엄띄엄 읽다; 〈책장 등을〉 뒤지다 **3** 【컴퓨터】 〈웹 등의 정보를〉 열람[검색]하다
—*vi.* **1** 〈가축이〉 연한 잎[새싹]을 먹다 《*on*》 **2** (책 등을) 띄엄띄엄 읽다, 대강 훑어보다 《*among, through, in*》; (서점에서) 서서 읽다, (가게 등에서) 상품을 쓱 훑어보다 《*in, about, around*》: "May I help you?" —"I'm just *browsing*." 도와드릴까요? — 그냥 둘러보고 있어요. 《가게에서의 대화》
—*n.* **1** Ⓤ [집합적] 연한 잎, 새싹, 새잎, 어린 가지; 새싹을 뜯어먹기 **2** [a ~] (책 등을) 띄엄띄엄 읽기; (서점에서) 서서 읽기, (상품을) 쓱 훑어보기 **3** 【컴퓨터】 (정보 등의) 열람, 검색 ***be at*** **~** 연한 풀[잎]을 뜯어먹고 있다
brows·er [bráuzər] *n.* **1** 연한 잎[새싹]을 먹는 소[사슴] **2** 띄엄띄엄 읽는 사람 **3** 상품을 살 의향도 없이 만지작거리는 사람, 책을 서서 읽는 사람 **4** 【컴퓨터】 브라우저 《인터넷의 월드 와이드 웹(www) 검색[열람] 프로그램》
brr, brrr [brr] *int.* 부들부들 《추울 때》
brt. for. brought forward 이월(移越)
Bruce [brú:s] *n.* **1** 남자 이름 **2** 브루스 **Robert (the) ~** (1274-1329) 《스코틀랜드 왕(1306-29); 1314년 영국군을 격파하고, 스코틀랜드의 독립을 확보》
bru·cel·la [bru:sélə] *n.* (*pl.* **-lae** [-li:], **~s**) *n.* 【세균】 브루셀라균
bru·cel·lo·sis [brù:səlóusis] *n.* Ⓤ 【병리·수의학】 브루셀라증 《열병의 일종》
bru·cine [brú:si(:)n] *n.* Ⓤ 【화학】 브루신 《유독 알칼로이드》
Brü·cke [brúkə] [G] *n.* 【미술】 디 브뤼케 《1905년 창립된 독일 표현주의 화가 일파》
Bru·in [brú:in] [Du. 「갈색」의 뜻에서] *n.* 곰, 《특히》 불곰; 곰아저씨 《동화에 나오는 갈색 곰》

‡**bruise** [brú:z] *vt.* **1** …에게 타박상을 주다, 멍들게 하다; 〈과일 등에〉 상처[흠] 나게 하다, 상하게 하다 **2** 〈감정 등을〉 상하게 하다, 〈마음을〉 아프게 하다: My words ~*d* his feelings. 내 말에 그는 기분이 상했다. **3** 〈약·음식을〉 찧다, 빻다
—*vi.* **1** 멍이 들다 **2** 〈감정이〉 상하다, 상처가 생기다
—*n.* **1** 타박상, 멍(⇨ birthmark 유의어) **2** (식물·과일 등의) 흠 **3** (마음의) 상처
bruised [brú:zd] *a.* 멍든, 타박상[상처]을 입은; 《미·속어》 술 취한
bruis·er [brú:zər] *n.* (프로) 권투 선수; 난폭한 사람; 난폭한 승마자
bruis·ing [brú:ziŋ] *a.* 치열한
bruit [brú:t] *vt.* 〈소문을〉 퍼뜨리다 《*about, abroad*》 —*n.* **1** 【의학】 (청진기로 들리는) 잡음 **2** (고어) 소문
bru·mal [brú:məl] *a.* (고어) 겨울의[같은]; 황량한
brum·by [brʌ́mbi] *n.* (*pl.* **-bies**) (호주) 사나운 말, 야생마; 무법자, 난폭자
brume [brú:m] *n.* ⓊⒸ 안개(fog, mist)
brum·ma·gem [brʌ́mədʒəm] [Birmingham의 변형] *n.*, *a.* (구어) 가짜(의), 싸구려(의)
Brum·mie, -my [brʌ́mi] (영·구어) *n.* 버밍엄 사람 —*a.* 버밍엄의
bru·mous [brú:məs] *a.* 안개가 자욱한; 겨울의
brunch [brʌ́ntʃ] [*br*eakfast+l*unch*] *n.* (구어) 늦은 아침 식사, 조반 겸 점심 —*vi.* 늦은 아침밥을 먹다
brúnch còat (여성의) 짧은 실내복(housecoat)
Bru·nei [bru:nái, -nei | brú:nai, ⏑⏑] *n.* 브루나이 《보르네오 섬 북서부의 독립국; 수도 Bandar Seri Begawan》 **~·an** *a.*, *n.*
bru·net(te) [bru:nét] [F 「갈색의」의 뜻에서] *a.*, *n.* 브루넷의 (사람) 《백인종 가운데 거무스름한 피부·머리칼·눈을 가진》 ★ 원래 brunet은 남성형, brunette은 여성형이지만 (미)에서는 현재 구별없이 씀.
bru·ni·zem [brú:nəzèm] *n.* 비옥한 흑토(黑土)
Bru·no [brú:nou] *n.* 남자 이름
Bruns·wick [brʌ́nzwik] *n.* 브런즈윅 《독일 북부의 지방 이름》
Brúnswick bláck 검정 니스의 일종
Brúnswick líne [the ~] 영국의 Hanover 왕가
Brúnswick stéw 브런즈윅 스튜 《두 가지 고기와 야채를 넣은 스튜》
brunt** [brʌ́nt] *n.* [the ~] (공격 등의) 예봉(銳鋒) ***bear[***take***] ***the ~ of*** (공격에) 정면으로 맞서다
bru·schet·ta [bru:skétə] *n.* Ⓤ 브루스케타 《바게트에 야채·치즈 등을 얹은 것》
‡**brush**[1] [brʌ́ʃ] *n.* **1** 솔, 귀얄 **2 a** 화필(畫筆), 붓, 모필 **b** 【음악】 브러시 《드럼·심벌즈 등을 치는 솔 모양의 것》 **3** 여우 꼬리 《여우 사냥꾼이 기념으로 보존함》 **4** 【전기】 브러시, 브러시 방전(放電) **5** 솔 모양의 것; 곡물의 끝에 난 털; (모자의) 술 장식 **6** [a ~] 솔질: She gave her hair *a* ~. 그녀는 브러시로 머리를 솔질했다. **7** [보통 *pl.*] 스치기, 가벼운 접촉; Ⓒ 작은 충돌; 저촉: have a ~ with the law 법률에 저촉되다 **8** [the ~] (미·속어) 거절, 퇴짜: give a person *the* ~ 아무를 퇴짜놓다 **9** [the ~, one's ~] 화법(畫法), 화풍; [the ~] 화가들: *the* ~ of Turner 터너의 화풍 ***at a*** **~** 단번에 ***at the first*** **~** 첫 만남에서(는); 최초에는; 즉각 ***get the*** **~** (친구·동료 등으로부터) 거절당하다, 무시당하다; (연인에게) 차이다, 퇴짜맞다
—*vt.* **1** 솔질하다, 털다, 닦다; 털어 없애다 《*from*》: 《~+목+전+명》 *B*~ the dust *from* your shoes. 구두의 먼지를 털어라. // 《~+목+보》 ~ one's teeth clean 이를 깨끗이 닦다 **2** 〈페인트 등을〉 귀얄로 칠하다; 〈낙서 등을〉 페인트로 지우다 **3** 스치다, 스치고 지나가다 **4** (속어) (여자와) 성교하다
—*vi.* **1** 이를 닦다; 머리를 빗다 **2** 〈먼지 등이〉 (솔질로) 떨어지다 《*off*》 **3** 스치고 지나가다; 질주하여 지나가다 《*by, past, off, over*》
~ *against* …에 스치고 지나가다 **~ *aside***[***away***] 브러시[손]로 털어버리다; 〈문제 등을〉 무시하다 **~ *back***

머리를 뒤로 빗어 넘기다; 〖야구〗 몸에 스치는 속구를 던져 〈타자의〉 몸을 젖히게 하다 **~ by** [**through**] 서로 스치고 지나가다 **~ down** 〈옷의〉 먼지를 브러시로 털어버리다; 〈말에게〉 (운동 후) 솔질하여 땀과 먼지를 없애다 **~ off** 솔질하여 없애다; 《구어》 무시하다, 거절하다; 〈진흙 등이〉 털려 떨어지다 **~ over** 살짝[엷게] 칠하다; 솔질하다 **~ up** 몸단장하다; 〈공부를〉 다시 하다, 복습하다, 〈기술·지식을〉 더욱 연마하다: ~ *up* (*on*) one's English (잊혀져 가던) 영어를 다시 시작하다 ▷ brúshy *a.*

brush² *n.* **1** 덤불, 잡목림(雜木林) **2** 《미》 =BRUSHWOOD **3** [the ~] 《미》 미개척지(backwoods)

brush·back [brʌ́ʃbæ̀k] *n.* 〖야구〗 타자의 가슴께를 스칠 듯한 투구

brúsh bòrder 〖해부〗 브러시 보더 《표피 조직 표면으로부터 조밀하게 줄 지어 나 있는 미소(微小) 융모》

brúsh bùrn 스친 상처, 찰과상

brúsh cùt 《미》 머리를 짧게 깎기

brúsh dìscharge 〖전기〗 브러시 방전(放電)

brushed [brʌ́ʃt] *a.* 잔털이 있는; 잔털 끝손질의

brúsh fire (대규모의 산불과 구별해서) 관목[잡목] 지대의 화재; 소규모의 전투

brush·fire [brʌ́ʃfàiər] *a.* 〈전투가〉 소규모의, 국지적인: ~ wars 국지전

brúsh hòok =BUSH HOOK

brush·ing [brʌ́ʃiŋ] *a.* 휙 스쳐 가는; 민활한, 빠른: a ~ gallop 질주

— *n.* Ⓤ 솔질; 솔로 칠함; [*pl.*] 쓸어 모은 것

brush·land [brʌ́ʃlæ̀nd] *n.* 관목림 지역

brush·less [brʌ́ʃlis] *a.* 붓을 쓸 필요가 없는; 덤불이 없는, 저목을 베어낸 **~·ness** *n.*

brush-off [brʌ́ʃɔ̀ːf | -ɔ̀f] *n.* [the ~] 《구어》 (매정한) 거절; 해고 ***give*** [***get***] ***the*** **~** 딱 잘라 거절하다[당하다]; 해고하다[당하다]

brush-pen·cil [-pènsl] *n.* 화필, 그림붓

brush·stroke [-stròuk] *n.* 솔질, 붓놀림

***brush·up** [brʌ́ʃʌ̀p] *n.* **1** (전에 배운 것, 잊혀져 가는 것 등을) 다시 공부하기, 다듬기: give one's English a ~ 영어 공부를 다시 시작하다 **2** 닦음, (더러워진 곳·파손된 곳의) 수리, 손질; 화장 고치기, 몸치장: have a wash and ~ 세수하고 몸치장하다

brúsh whèel 〖기계〗 브러시 휠 《청소·연마용》

brush·wood [-wùd] *n.* Ⓤ 잘라 낸 곁가지; Ⓒ 관목숲[덤불]

brush·work [-wə̀ːrk] *n.* Ⓤ 그림; 화법; 화풍

brush·y [brʌ́ʃi] *a.* (**brush·i·er**; **-i·est**) 솔 같은; 덤불진, 무성한; 텁수룩한

brusque, brusk [brʌ́sk | brú(ː)sk] *a.* 퉁명스러운, 무뚝뚝한 **~·ly** *ad.* **~·ness** *n.*

brus·que·rie [brʌ́skəriː | brús-] *n.* Ⓤ 무뚝뚝함, 매정함

***Brus·sels** [brʌ́səlz] *n.* 브뤼셀 《벨기에의 수도; NATO, EU 본부가 있음》

Brússels cárpet 모직 양탄자의 일종

Brússels gríffon 브뤼셀그리폰 《벨기에 원산의 애완견의 일종》

Brússels láce 브뤼셀 레이스 《아플리케가 있는, 전에는 손으로 떴으나 지금은 기계로 짜는 레이스》

Brússels spróut 〖식물〗 양배추의 일종

brut [brúːt] *a.* 〈포도주가〉 단맛이 없는

‡**bru·tal** [brúːtl] *a.* **1 잔인한,** 야만적인, 야수적인; 난폭한; 무지막지한: ~ treatment 잔인한 처사 / a ~ dictator 잔인한 독재자 **2** 〈행동·말 등이〉 거친, 상스러운(crude): ~ language 거친 말 **3** 〈날씨·비평 등이〉 혹독한; 〈사실이〉 냉엄한, 가차없는: a ~ storm 지독한 폭풍우 / a ~ fact 엄연한 사실 **4** 《미·속어》 굉장한, 비상한 **~·ly** *ad.* ▷ brúte, brutálity *n.* brútalize *v.*

bru·tal·ism [brúːtəlìzm] *n.* **1** 야수성, 잔인성 **2** [종종 **B~**] 〖건축〗 브루탈리즘 《미적 요소라고 생각되지 않는 구조재·설비 등을 표면에 내세우는 경향, 1950년대 영국에서 발생한 근대 건축의 한 양식》

***bru·tal·i·ty** [bruːtǽləti] *n.* (*pl.* **-ties**) Ⓤ **잔인성,** 야만성, 무자비; Ⓒ 잔인한 행위, 만행

bru·tal·ize [brúːtəlàiz] *vt., vi.* 야수성을 띠게 하다[되다], 〈사람을〉 잔인[무정]하게 만들다; 잔인한 짓을 하다: War ~*s* many men. 전쟁은 많은 사람들을 잔인하게 만든다. **bru·tal·i·za·tion** [brùːtəlizéiʃən | -lai-] *n.* Ⓤ 야수[잔인]성을 띠게 함

‡**brute** [brúːt] 〖L 「둔중한」의 뜻에서〗 *n.* **1 짐승,** 동물: the ~*s* 짐승 《총칭》 **2 짐승 같은 사람;** 《구어》 지겨운[싫은] 놈: that ~ of a husband 저 짐승 같은 남편 **3** [the ~] 야수성(性), 《특히》 수욕(獸慾)

— *a.* **1** 이성이 없는, 맹목적인, 육욕의, 관능적인: ~ courage 만용 / ~ force 폭력 **2** 짐승의[같은]; 야만적인(savage), 난폭한, 잔인한 **3** 적나라한, 가감하지 않은 ▷ brútal, brútish *a.*; brútify, embrúte *v.*

brúte-fòrce techníque [-fɔ̀ːrs-] 〖컴퓨터〗 억지(抑止) 기법 《컴퓨터의 힘을 빌려 문제를 억지로 푸는》

bru·ti·fy [brúːtəfài] *vt., vi.* (**-fied**) =BRUTALIZE

brut·ish [brúːtiʃ] *a.* 짐승 같은; 야비한, 잔인한; 우둔한(stupid); 육욕적인

~·ly *ad.* **~·ness** *n.* Ⓤ 야수성

bru·tum ful·men [brúːtəm-fúlmən] 〖L〗 허세, 호언장담

Bru·tus [brúːtəs] *n.* 브루투스 **Marcus Junius ~** (85-42 B.C.) 《고대 로마의 정치가; Caesar 암살의 주모자》

brux [brʌ́ks] *vi.* 이를 갈다

brux·ism [brʌ́ksizm] *n.* 〖의학〗 (자면서) 이 갈기

Bry·an [bráiən] *n.* 남자 이름

Bryn·hild [brínhild] *n.* 〖북유럽신화〗 브린힐트 《Sigurd가 요술의 잠에서 깨게 한 Valkyrie》

bry(o)- [brái(ou), brái(ə)] 《연결형》 「이끼(moss), 우산이끼(liverwort)」의 뜻: *bryo*logy

bry·ol·o·gy [braiάlədʒi | -ɔ́l-] *n.* Ⓤ 선태학(蘚苔學) **brỳ·o·lóg·i·cal** *a.* **-gist** *n.*

bry·o·ny [bráiəni] *n.* (*pl.* **-nies**) 〖식물〗 브리오니아 《박과(科)의 덩굴풀》; [종종 *pl.*] 브리오니아의 뿌리

bry·o·phyte [bráiəfàit] *n.* 선태류(類)의 식물

bry·o·phyt·ic [bràiəfítik] *a.*

bry·o·zo·an [bràiəzóuən] *a., n.* 이끼벌레류의 (동물)

Bry·thon·ic [briθάnik | -θɔ́n-] *a.* 브리손 사람[말]의 — *n.* Ⓤ 브리손 말 《켈트 어의 일파로 Welsh, Cornish, Breton을 포함》

BS Bachelor of Surgery[《미》 Science]; British Standard(s) **b/s** bags; bales **B/S, BS, b/s, b.s.** 〖회계〗 balance sheet; 〖상업〗 bill of sale; 《비어》 bullshit **b.s.** back stage **BSA** Bachelor of Science in Agriculture; Boy Scouts of America **BSAE** Bachelor of Science in Aeronautical Engineering; Bachelor of Science in Agricultural Engineering; Bachelor of Science in Architectural Engineering **BSc** Bachelor of Science **BSCE** Bachelor of Science in Civil Engineering **BSCh** Bachelor of Science in Chemistry

B(-)school [bíːskùːl] 〖*b*usiness *school*〗 *n.* 《구어》 경영 대학원

B scòpe 〖전자〗 비 스코프 《방위각과 거리를 동시에 나타내는 음극선 스코프》

BSE Bachelor of Science in Education; bovine spongiform encephalopathy **BSEc** Bachelor of Science in Economics **BSEd** Bachelor of Science in Education **BSFS** Bachelor of Science in Foreign Service **BSGDG, b.s.g.d.g.** 〖상업〗 *breveté sans garantie du Gouvernement*

thesaurus **brutal** *a.* savage, cruel, bloodthirsty, vicious, ruthless, callous, heartless, merciless, pitiless, remorseless, uncivilized, inhumane, barbarous (opp. *gentle, humane*)

brute *n.* **1** 짐승 (wild) beast[animal], creature **2** 짐

《F = patented without government guarantee》
bsh. bushel(s) **BSI** British Standards Institution; business survey index 〖경제〗 기업 경기 실사 지수
B̌ sìde (레코드·카세트의) B면(의 곡)
bskt basket **BSL** Bachelor of Sacred Literature; Bachelor of Science in Languages[Law, Linguistics]; Botanical Society of London **BSLS** Bachelor of Science in Library Science **BSM** Battery Sergeant Major **bsmt** basement **BSO** blue stellar object **BSS** British Standards Size[Specification] **BST** bovine somatotropin; Bering Standard Time; British Standard Time; British Summer Time
B̌ supplỳ 〖전자〗 B전원 《진공관의 양극(陽極)에 양전압(陽電壓)을 보내는 전원》
bt baronet; beat; boat; bought **Bt** Baronet **BT** British Telecom(영국 최대의 전신 전화 회사); 《미·속어》 bacon (and) tomato 베이컨 토마토 샌드위치 《B and T라고도 함; cf. BLT》 **B.t.** Bacillus thuringiensis **BTA** the British Tourist Authority 영국 관광청 **BTEC** Business and Technology Education Council (영국의) 상업 및 기술 교육 협의회
B-test [bíːtèst] *n.* (breathalyzer에 의한) 음주 측정
bth bathroom **BTh** Bachelor of Theology **btl.** bottle **BTO** big-time operator; build to order 수주 생산 **btry, bty** battery **Btu, btu, BTU** British thermal unit(s) **BTW, btw** by the way 〖인터넷〗 그런데 **B2B** business to business 기업간 전자 상거래 **B2B2C** business to business to consumer B2B와 B2C를 결합한 전자 상거래 **B2C** business to consumer 기업 대 소비자간 전자 상거래 **bu., bu** bureau; buried (at); bushel(s) **BUA** British United Airways
bub[1] [bʌ́b] *n.* 《미·구어》 [주로 호칭으로] 소년, 젊은 친구; 형, 동생
bub[2] *n.* [보통 *pl.*] = BUBBY[1]
bu·bal, bu·ba·lis [bjúːbəl(is)] *n.* 〖동물〗 큰 영양(羚羊) 《북아프리카산(産); 멸종 위기에 있음》
bu·ba·line [bjúːbəlàin, -lin] *a.* bubal 같은
∗**bub·ble** [bʌ́bl] [의성어] *n.* **1** [종종 *pl.*] 거품, 기포(氣泡) 《★ bubble이 모인 것이 foam》 **2** 거품 이는 소리, 부글부글 끓음 **3** 꿈 같은 계획[야심], 환상, 망상; (특히 사기성 있는) 실속 없는 사업[경영]: lose everything in the real estate ~ 부동산 거품으로 모든 것을 잃다 **4** 돔(dome)형의 건물[방]; 〖항공〗 (조종석 위의 투명한) 둥근 덮개(=~ canopy) **5** (시류로부터의) 돌연한 작은 변화; 〖증권〗 이상 급등 기간 ***blow ~s*** 비눗방울을 불다 ***~ and squeak*** 《속어》 고기와 양배추를 섞은 프라이; 터무니없는 거짓말 ***burst*** a person***'s ~*** …의 희망을 깨다, …을 실망시키다 ***prick a ~*** 비눗방울을 터뜨리다; 거짓을 폭로하다; 환멸을 주다
— *vi.* **1** 거품이 일다 《*up*》; 부글부글 끓다; 〈샘이〉 보글보글 솟다, 거품을 내며 흐르다 **2** 발랄하게 이야기하다[움직이다], 활기를 띠다; 들끓다, 흥분하다; (아이디어 등으로) 넘치다
— *vt.* 거품이 일게 하다; 〈말을〉 발랄하게[신나게] 하다 **~ *over*** 거품이 일며 넘치다; (기뻐서·화가 나서) 흥분하다 **~ *with laughter*** 웃으며 떠들어대다
búbble bàth 목욕용 발포제; 거품 목욕(물)
búbble bràin 《속어》 바보, 멍청이
búbble cànopy 〖항공〗 조종석의 둥근 덮개
búbble càr 《영》 (투명 돔이 있는) 소형 자동차
búbble chàmber 〖물리〗 거품 상자 《방사선의 궤적(軌跡) 관측용 원자핵 실험 장치》

승 같은 사람 monster, savage, sadist, barbarian, devil, fiend, ogre
bubble *n.* **1** 거품 globule, glob, bead, blister, drop, droplet, air cavity **2** 망상 illusion, delusion, fantasy, chimera, dream

búbble cúshioning matèrial (손상 방지용) 기포 완충재(材) 《포장재(材)》
búbble dànce 풍선춤 《풍선을 사용해서 혼자 추는 누드 댄스; cf. FAN DANCE》
búbble ecónomy 거품 경제[경기]
búbble gùm 《미》 풍선껌; 《구어》 10대 취향의 록 음악(= **búbble-gum músic**)
bub·ble-gum [bʌ́blgʌ̀m] *a.* 《구어》 〈록 음악 등이〉 10대 취향의
bub·ble·gum·mer [-gʌ̀mər] *n.* 《구어》 (10대 전반 정도의) 아이; 10대 취향의 록 음악 연주자
bub·ble·head [-hèd] *n.* = AIRHEAD 1
bub·ble·head·ed [-hèdid] *a.* 어리석은
búb·ble-jet prìnter [-ʒèt-] 〖컴퓨터〗 버블젯 프린터 《열을 이용해서 잉크를 분사하는 잉크젯 프린터》
búbble mèmory 〖컴퓨터〗 버블 메모리 《자기(磁氣) 버블을 이용한 기억 매체》
búbble pàck (속의 물건이 보이는) 돔 모양의 플라스틱 포장(blister pack)
búbble pòint 〖물리·화학〗 포점(泡點)
bub·bler [bʌ́blər] *n.* 분수식 물 마시는 꼭지
bub·ble·top [bʌ́bltɑ̀p | -tɔ̀p] *n.* 자동차의 방탄용 플라스틱 덮개; 투명한 비닐우산
búbble umbrèlla 돔식 투명 우산
búbble wàter 《미·속어》 샴페인
búbble wràp 발포(發泡) 비닐 랩, 버블 랩 《부서지기 쉬운 것의 포장 등에 쓰는, 기포가 많은 비닐 시트》
bub·bly [bʌ́bli] *a.* (**-bli·er**; **-bli·est**) 거품이 많은; 거품이 이는; 《비유》 명랑한
— *n.* (*pl.* **-blies**) 《구어》 샴페인
bub·bly-jock [bʌ́blidʒɑ̀k | -dʒɔ̀k] *n.* 《스코》 칠면조의 수컷(turkey cock)
bub·by[1] [bʌ́bi] *n.* (*pl.* **-bies**) 《속어》 유방
bubby[2] *n.* 《미·구어》 = BUB[1]
bu·bo [bjúːbou | bjúː-] *n.* (*pl.* **~es**) 〖병리〗 서혜(鼠蹊) 임파선종
bu·bon·ic [bjuːbɑ́nik | -bɔ́n-] *a.* 서혜 임파선종의
bubónic plágue 〖병리〗 선(腺)페스트
bu·bon·o·cele [bjuːbɑ́nəsìːl | bjuːbɔ́-] *n.* 〖병리〗 서혜 헤르니아
bu·bu [búːbuː] *n.* = BOUBOU
buc·cal [bʌ́kəl] *a.* 볼의; 입의, 구강의: ~ cavity 구강(口腔) **~·ly** *ad.*
buc·ca·neer, -nier [bʌ̀kəníər] *n.* 해적 《특히 17-18세기 서인도 제도의 스페인령 연안을 휩쓴》(pirate); 악덕 정치[사업]가, 투기꾼
— *vi.* 해적질을 하다 **~·ish** *a.*
buc·ca·neer·ing [bʌ̀kəníəriŋ] *a.* (특히 사업에서) 모험을 즐기는
buc·ci·na·tor [bʌ́ksənèitər] *n.* 〖해부〗 협근(頰筋)
bu·cen·taur [bjuːséntɔːr] *n.* 〖그리스신화〗 반우반인(半牛半人)의 괴물
Bu·ceph·a·lus [bjuːséfələs] *n.* Alexander 대왕의 애마(愛馬); [**b~**] 《고어》 승용마
Bu·chan·an [bjuːkǽnən, bə- | bjuː-] *n.* 뷰캐넌 **James** ~ (1791-1868) 《미국 15대 대통령(1857-61)》
Bu·cha·rest [bjúːkərèst | ⌐-⌐] *n.* 부쿠레슈티 《루마니아의 수도》
Buch·man·ism [búkmənìzm, bʌ́k-] *n.* 〖개신교〗 1921년에 미국인 Frank Buchman이 영국 Oxford에서 일으킨 신교 운동(Oxford group movement); 종교 재무장 운동
∗**buck**[1] [bʌ́k] *n.* (*pl.* **~s,** ~) **1** 수사슴(stag); (순록·영양·토끼 등의) 수컷(opp. *doe*) **2** 《미·속어》 달러: ten ~*s* 10달러 **3** 사슴 가죽(buckskin) **4** [*pl.*] 사슴 가죽 제품[구두] **5** 사나이, 씩씩한 젊은이, 멋쟁이; 《경멸》 흑인[인디언] 남자 ***make a fast***[***quick***] ~ (때로 부정직하게) 벼락부자가 되다, 재빨리 한밑천 잡다 ***Old ~!*** 여보게!
— *a.* Ⓐ 수컷의; 《미·구어》 남자의: a ~ party 남자들만의 파티 《★ stag party가 일반적》

buck² *vi.* **1** (말이 갑자기 등을 구부리고) 껑충 뛰다 **2** 단호히 반대하다, 반항하다: (~+전+명) ~ *against* fate 운명에 거역하다 **3** 《미·구어》 (차가 덜커덕하고) 갑자기 움직이다 **—** *vt.* **1** 〈말이〉 〈탄 사람·짐을〉 껑충 뛰어 떨어뜨리다 《*off*》: (~+목+부) ~ a person *off* 말이 껑충 뛰어 사람을 떨어뜨리다 **2** 〈곤란·장해 등을〉 뚫고 가다, 돌파하다: The plane *~ed* a strong headwind. 비행기는 강한 맞바람을 뚫고 나아갔다. **3** 《미·속어》 머리[뿔]로 받다; 발길로 차다; 반항하다 **4** 〈도박을〉 하다, 내기를 하다 **5** 〖미식축구〗 공을 가지고 〈적진에〉 돌입하다 **6** 《미·속어》 나르다(carry) **~ *for*** …을 간절히 바라다; 〈승진·이익을〉 노리다 **~ *up*** 《구어》 (1) 기운을 내다 (2) 격려하다 (3) 《영》 [명령법으로] 정신 차려 (4) 멋부리다
— *n.* (말이) 갑자기 등을 구부리고 뛰어오름 ***give ... a ~ = have a ~ at ...*** 시험 삼아 해 보다

buck³ *n.* (톱질) 모탕(sawbuck) 《대개는 X자형》; (체조용의) 뜀틀; (나무·금속의) 문틀
— *vt.* 〈나무를〉 톱질하다

buck⁴ *n.* **1** (포커에서) 다음에 카드를 돌릴 사람 앞에 놓는 패 **2** [the ~] 《구어》 책임 ***pass the ~ to*** a person …에게 책임을 전가하다 ***The ~ stops here.*** 모든 책임은 여기에 있다. 《미국 Truman 대통령의 좌우명》
— *vt.* 《미·구어》 〈서류·문제 등을〉 돌리다, 떠맡기다 《*to*》

buck⁵ *ad.* 《미중부·남부》 아주, 완전히: ~ naked 알몸으로

buck⁶ *n.* 이야기; 제자랑
— *vi., vt.* 잡담하다; 뻐기다, 제자랑하다

Buck [bʌ́k] *n.* 펄 벅 **Pearl ~** (1892-1973) 《미국의 여류 소설가; 노벨 문학상 수상(1938)》

buck. buckram

buck-and-wing [bʌ́kən*d*wíŋ] *n.* 《미》 흑인 댄스와 아일랜드계의 클로그 댄스가 섞인 빠른 탭 댄스

buck·a·roo [bʌ̀kərúː, ⌐—⌐] *n.* (*pl.* **~s**) 《미국 서부의》 카우보이(cowboy), 목동

búck bàsket 빨래 광주리

búck bèan 〖식물〗 조름나물

buck·board [bʌ́kbɔ̀ːrd] *n.* 《미》 (차체가 판자로 된) 4륜 짐마차

búck càrt 2륜 짐마차

bucked [bʌ́kt] *a.* 《구어》 용기를 얻은, 기뻐하는

buck·een [bʌkíːn] *n.* 《아일》 부유층의 습관·복장을 흉내내는 가난한 청년

buck·er [bʌ́kər] *n.* **1** (탄 사람을 떨어뜨리는 버릇이 있는) 사나운 말 **2** 《미·속어》 카우보이

‡buck·et [bʌ́kit] *n.* **1** 버킷, 물통; 양동이; 두레박 **2** (펌프의) 피스톤; (준설기의) 버킷 **3** 한 버킷(의 양) (bucketful); [*pl.*] 《구어》 대량 《*of*》; [부사적으로] 대량으로: a ~ of water 물 한 양동이 / cry[weep] *~s* 눈물이 마르도록 울다 **4** 〖컴퓨터〗 버킷 《직접 접근 기억 장치(DASD)에서의 기억 단위》
a ~ of lard 《미·구어》 뚱뚱보 ***a ~ of warm spit*** 《미·속어》 아주 조금(도) ***a drop in the ~*** 바다의 물 한 방울, 창해일속(滄海一粟) ***by the ~*** 《구어》 대량으로 ***give the ~*** 《속어》 해고하다 《*to*》 ***kick the ~*** 《속어》 죽다 ***make the ~*** 《미·속어》 곤란한 처지가 되다
— *vt.* **1** 《미》 버킷으로 〈물을〉 긷다[나르다, 붓다] 《*up, out*》 **2** 《영·구어》 〈말·자동차를〉 난폭하게 몰다 **3** 엉터리 증권 중매소에서 거래하다
— *vi.* **1** 버킷을 사용하다 **2** 말[자동차]을 난폭하게 몰다; 보트를 급히 젓다 **3** 《영·구어》 〈비가〉 억수로 퍼붓다 《*down*》
~ *about* 《영》 〈배가〉 (폭풍으로) 격하게 흔들리다
~·er, ~·eer *n.* 불법 비밀 중매인

búcket brigàde (소화(消火)를 위한) 버킷 릴레이의 줄

búcket convèyor 〖기계〗 버킷 컨베이어

búcket èlevator (광산 등의) 승강식 운반기

buck·et·ful [bʌ́kitfùl] *n.* 버킷 하나 가득(의 양)

buck·et·head [-hèd] *n.* 《미·속어·경멸》 바보, 멍청이; 독일 병정

buck·et·loads [-lòudz] *n. pl.* 대량, 많음 《*of*》

búcket séat (자동차·비행기의) 1인용 접좌석

búcket shòp 《속어》 불법 비밀 중매(仲買)소

buck·eye [bʌ́kài] *n.* 《미》 =HORSE CHESTNUT; [**B~**] 미국 Ohio 주의 사람

Búckeye Stàte [the ~] 미국 Ohio 주의 속칭

búck fèver 《미·구어》 (사냥감이 가까이 왔을 때에) 사냥의 초심자가 느끼는 흥분

búck géneral 《미·속어》 (미육군의) 준장

buck·horn [-hɔ̀ːrn] *n.* 사슴뿔

buck·hound [-hàund] *n.* (사슴 사냥용) 작은 사냥개

Búck Hóuse [the ~] 《영·속어》 =BUCKINGHAM PALACE

Buck·ing·ham [bʌ́kiŋəm, -kiŋhæ̀m | -kiŋəm] *n.* =BUCKINGHAMSHIRE

Búckingham Pálace (London의) 버킹엄 궁전 《영국 왕궁》

Buck·ing·ham·shire [-ʃìər, -ʃər] *n.* 버킹엄셔 《잉글랜드 남부의 주; 주도 Aylesbury[éilzbəri]; 略 Bucks.》

buck·ish [bʌ́kiʃ] *a.* 멋부리는, 맵시 내는
~·ly *ad.* **~·ness** *n.*

buck·jump [bʌ́kdʒʌ̀mp] *n.* 말이 (탄 사람을 떨어뜨리려고) 등을 굽히고 껑충 뛰어 오름

buck·jump·er [-dʒʌ̀mpər] *n.* =BUCKER 1

búck knèe 〖수의학〗 (말 등의) 안쪽으로 구부러진 다리 **búck-knèed** *a.*

***buck·le** [bʌ́kl] [OF 「방패의 도드라진 부분」의 뜻에서] *n.* (혁대 등의) 버클 《보호·자기 방어의 상징》, (구두 등의) 장식 죔쇠; (톱 등의) 비틀림, 휨
— *vt.* **1** 버클로 죄다, …의 죔쇠를 채우다: ~ the belt 혁대를 채우다 **2** (열·압력을 가하여) 구부리다
— *vi.* **1** 죔쇠로 죄이다 **2** (열·압력으로) 구부러지다, 휘어지다; 부서지다, 무너지다 **3** 굴복[양보]하다; 응하다 《*to*》 **4** 격투하다, 드잡이하다(grapple)
~ (*down*) *to* …에 전력을 기울이다 **~ *on*** 〈무기·갑옷 등을〉 죔쇠로 몸에 달다 **~ one*self to*** …에 전력을 다하다 **~ *to*** 본격적으로 일에 착수하다 **~ *up*** 버클로 잠그다; (자동차에서) 안전 벨트를 매다

buck·led [bʌ́kld] *a.* 죔쇠가 달린

buck·ler [bʌ́klər] *n.* (왼손에 드는) 둥근 방패; 방어물[자](protector); (배의) 닻줄 구멍의 뚜껑
— *vt.* 방어하다(defend)

Búck·ley's chánce[hópe] [bʌ́kliz-] 《호주·구어》 절망, 전혀 희망이 없음

buck·ling [bʌ́kliŋ] *n.* 훈제 청어

buck·min·ster·ful·ler·ene [bʌ̀kminstərfùləríːn] *n.* 〖화학〗 벅민스터플러린 《탄소 원자 60개를 가진 공 모양의 분자로 된 물질》

búck nigger 《미·속어》 거구의 흑인 남자

buck·o [bʌ́kou] *n.* (*pl.* **~es**) 《영·속어》 뻐기는 사람; 《아일》 젊은이(lad)

búck pàsser 《미·구어》 (사사건건) 책임을 전가하는 사람

buck-pass·ing [bʌ́kpæ̀siŋ | -pɑ̀ːs-] *n.* Ⓤ 《미·구어》 책임 전가(cf. buck⁴)

búck prívate 《속어》 졸병, 이등병, 신병(新兵)

buck·ra [bʌ́krə] *n.* 《미남부》 백인; 주인

buck·ram [bʌ́krəm] *n.* Ⓤ 버크럼 《풀·아교 등으로 빳빳이 먹인 아마포》; (태도 등의) 딱딱함; 허세 ***men in ~ = ~ men*** 가공[공상]의 인물 《Shakespeare의 *Henry IV* 중에서》
— *vt.* 버크럼으로 견고하게 하다; 훌륭한[강한] 듯이 그럴싸하게 꾸미다
— *a.* **1** 버크럼의 **2** 딱딱하고 어색한; 허울만의

Bucks. Buckinghamshire

thesaurus **buckle** *n.* **1** 버클 clasp, clip, fastener **2** 뒤틀림 curve, warp, distortion, bulge

buck·saw [bʌ́ksɔ̀ː] *n.* (미) 틀톱

bucksaw

Búck's Fízz [bʌ́ks-] [런던의 Buck's Club에서] [종종 **b- f-**] 샴페인과 오렌지 주스의 혼합 음료

buck·shee [bʌ́kʃiː, ╲╱] *n.* **1** 선물, 정표; 조그마한 뇌물 **2** 특별 수당; 횡재 **—** *a., ad.* 무료의[로]; 특별한[히]

buck·shot [bʌ́kʃɑ̀t | -ʃɔ̀t] *n.* (*pl.* **~, ~s**) 사슴 사냥용 총알 《알이 굵은 산탄》

buck·skin [-skìn] *n.* **1** Ⓤ 녹비, 사슴 가죽 《무두질한 양의 황색 가죽을 말할 때도 있음》; Ⓒ 녹비 옷을 입은 사람; [*pl.*] 녹비 반바지; 녹비 구두 **2** [**B~**] (독립 전쟁 당시의) 미국 군인 **—** *a.* **1** 사슴 가죽(제)의: ~ gloves 녹비 장갑 **2** 녹비색의, 황색[회색]을 띤

búck slìp (구어) (물자 발송 때의) 간이 문서[메모], (연락용) 쪽지[문서]

buck·tail [-tèil] *n.* 〖낚시〗 사슴 꼬리 등의 털로 만든 제물낚시

buck·thorn [-θɔ̀ːrn] *n.* 〖식물〗 갈매나무

buck·tooth [-túːθ] *n.* (*pl.* **-teeth** [-tíːθ]) 뻐드렁니 **-toothed** [-túːθt] *a.*

buck·wag·on [-wæ̀gən] *n.* = BUCKBOARD

buck·wheat [-*h*wìːt] *n.* Ⓤ 〖식물〗 메밀; 메밀가루 (= **~ flòur**)

búckwheat bràid (미) (리본을 맨) 짧게 땋은 머리

búckwheat càke 메밀 팬케이크

buck·wheat·er [-*h*wìːtər] *n.* (미·속어) 초심자, 신출내기

buck·y·ball [bʌ́kibɔ̀ːl] *n.* 〖화학〗 버키볼 《풀러린(fullerene)을 구성하는 공 모양의 분자》; = BUCKMINSTERFULLERENE

bu·col·ic [bjuːkɑ́lik | -kɔ̀l-] [Gk 「목부」의 뜻에서] *a.* 목자(牧者)의; 목가적인(pastoral); 시골풍의, 전원 생활의; 농경의 **—** *n.* [보통 *pl.*] 목가, 전원시 **-i·cal·ly** *ad.*

bu·col·i·cal [bjuːkɑ́likəl | -kɔ́l-] *a.* = BUCOLIC

⁑ **bud¹** [bʌ́d] *n.* **1** 〖식물〗 눈 《비늘에 싸인 꽃눈·잎눈 등; 싹튼 것이 sprout》; 꽃봉오리; 싹; 발아(기): a flower ~ 꽃눈/a leaf ~ 잎눈 **2** 〖동물·해부〗 아체(芽體), 아상(芽狀) 돌기 **3** 어린이, 소녀; (사교계에 갓 나온) 처녀; 미숙한 것[사람] ***in*** **~** 눈터서, 봉오리져 ***in the* ~** 싹틀 때에, 초기에 ***nip in the* ~** 싹을 잘라버리다, 미연에 방지하다 ***put forth*** [***send out, shoot out***] **~s** 눈이 나다
— *vi., vt.* (**~·ded**; **~·ding**) **1** 봉오리[눈]를 맺다; 눈[봉오리]이 나게 하다; 발아하다[시키다] 《*out*》 **2** 자라기[발달하기] 시작하다 **3** 〖원예〗 눈접[아접(芽接)]하다 **~ *off from*** 눈이 나서 분리하다, 분리하여 새 조직을 만들다 **búd·der** *n.* **~·like** *a.*

bud² *n.* (구어) = BUDDY 1, 2

Bud [bʌ́d] *n.* = BUDWEISER

Bu·da·pest [b(j)úːdəpèst | ╲─╱] *n.* 부다페스트 《헝가리의 수도》

bud·ded [bʌ́did] *a.* 눈튼, 꽃봉오리를 맺은; 눈접한

* **Bud·dha** [búːdə, búdə | búdə] [Skt. 「깨달은 (자)」의 뜻에서] *n.* **1** [the ~] 불타(佛陀), 부처, 석존 《불교의 개조(開祖) 석가모니의 존칭; 다른 득도자(得道者)에게도 씀》 **2** Ⓒ 불상, 부처 그림

Bud·dha·hood [bú(ː)dəhùd | búdi-] *n.* Ⓤ 불교의 깨달음의 경지, 보리(菩提)

* **Bud·dhism** [búːdizm, búdi- | búdi-] *n.* Ⓤ 불교

* **Bud·dhist** [búːdist, búdi- | búdi-] *n.* 불교도 **—** *a.* 부처의; 불교(도)의: a ~ priest 불교의 스님/a ~ temple 절

Bud·dhis·tic, -ti·cal [buːdístik(əl) | budi-] *a.* 부처의; 불교(도)의 **-ti·cal·ly** *ad.*

Bud·dhol·o·gy [buːdɑ́lədʒi, bu- | budɔ́lə-] *n.* Ⓤ 불교 철학

bud·ding [bʌ́diŋ] *a.* Ⓐ 눈트기 시작한; 나타나기 시작한, 신진의: a ~ beauty 꽃봉오리, 꽃봉오리 같은 소녀/a ~ poet 알려지기 시작한 시인
— *n.* Ⓤ 발아(發芽), 눈틈, 싹틈; 눈접(법), 아접

bud·dle [bʌ́dl, búdl] *n., vt.* 〖광산〗 세광조(洗鑛槽)(에서 씻다)

bud·dle·i·a [bʌdlíːə, bʌ́dliə | bʌ́dliə] *n.* 〖식물〗 취어초속(屬)의 식물

bud·dy [bʌ́di] *n.* (*pl.* **-dies**) **1** (구어) 동료, 친구, 동지 **2** (미·구어) 여보게, 자네 《호칭》 **3** 에이즈 환자의 간호 보조원 《자원 봉사자》
— *vi.* 친해지다 《*up, with*》

bud·dy-bud·dy [bʌ́dibʌ́di] *a.* (미·구어) 아주 친한, 막역한; 공모해서 나쁜 일을 꾸미는; 친절한 **—** *n.* 친구; (미·속어) 적, 미운 녀석

búddy mòvie[**film**] (두) 남자 친구의 우정을 다룬 영화

búddy sèat (미·속어) (오토바이의) 사이드카; (미·속어) (오토바이의) 뒷자리; 권력이 있는 지위

búddy stòre (미·군대속어) (항공기의) 급유 시설; [*pl.*] (급유용으로 설계된) 비행기의 연료 탱크

búddy sỳstem (수영·캠프 등에서 사고를 막기 위해) 둘씩 짝짓는 방식, 2인조제

budge¹ [bʌ́dʒ] *vi., vt.* [보통 부정구문으로] 움직이기 시작하다; 태도·견해를 바꾸다; 양보하다 **búdg·er** *n.*

budge² *n.* ⓊⒸ 어린 양의 모피 《안감》 **—** *a.* budge로 만든[장식한]

bud·ger·i·gar [bʌ́dʒəriːgɑ̀ːr, -ri-], **bud·ger·ee·gah** [-gɑ̀ː] *n.* 〖조류〗 잉꼬 《오스트레일리아산(産)》

⁑ **bud·get** [bʌ́dʒit] [OF 「조그만 가죽 주머니」의 뜻에서] *n.* **1** 예산, 예산안[액]: a ~ bill 예산안/make a ~ 예산을 편성하다 **2** 예산 집행 계획[안] **3** (특정 용도를 위한) 경비, 운영비; 가계, 생활비 《*for*》 **4** (제한된) 비축, 공급 ***balance the* ~** 수지 균형을 맞추다 ***on a* ~** 예산을 세워 ***open*** [***introduce***] ***the* ~** 예산안을 의회에 제출하다
— *a.* Ⓐ (완곡) 싸게 잘 산, 품질에 비해 값이 싼
— *vt., vi.* 예산에 계상(計上)하다, 예산[자금 계획]을 세우다 《*for*》 **~·er** *n.*

búdget accòunt (영) (백화점 등의) 월부 계좌; (은행의) 자동 불입 계좌

bud·get·ar·y [bʌ́dʒitèri | -təri] *a.* 예산상의

búdgetary còntrol 예산 통제

búdget crùnch (미·구어) 예산 부족

búdget dèficit 재정 적자

bud·ge·teer [bʌ̀dʒitíər] *n.* 예산을 짜는 사람, 예산 위원

Búdget Mèssage (미국 대통령의) 예산 교서

búdget plàn (영) 분할불제, 할부제

búdget squèeze = BUDGET CRUNCH

búdget stòre (미) 백화점의 특매장

bud·gie [bʌ́dʒi] *n.* (구어) = BUDGERIGAR

bud·let [bʌ́dlit] *n.* 유아(幼芽), 꽃봉오리

búd scàle 〖식물〗 아린(芽鱗)

búd stìck 〖원예〗 눈가지

Bud·weis·er [bʌ́dwàizər] *n.* 버드와이저 《미국의 대표적 맥주(⇨ beer); 상표명; 略 Bud》

bud·wood [bʌ́dwùd] *n.* 〖원예〗 눈접용 접가지

bud·worm [bʌ́dwə̀ːrm] *n.* 눈을 갉아 먹는 곤충 애벌레

bue·nas no·ches [bwéinəs-nóutʃəs] [Sp. = good night] *int.* 안녕히 주무세요[가세요]

Bue·nos Ai·res [bwéinəs-áiriz, bóunəs-] 부에노스아이레스 《아르헨티나 수도》

bue·nos di·as [bwéinɔ(ː)s-díːɑːs] [Sp. = good morning[day]] *int.* 안녕하십니까

---

bud¹ *n.* shoot, sprout, floret, flowerlet
budget *v.* plan, allocate, ration, schedule

Búer·ger's disèase [bə́:rgərz-] [미국의 의사 이름에서] 〖병리〗 버거병 《폐색성 혈전 혈관염》
buf [bʌ́f] *n.* 《미·속어》 능름한 남자, 좋은 사내
∗**buff**¹ [bʌ́f] *n.* **1** Ⓤ (소·물소의 무두질한) **담황색 가죽**; Ⓒ 그 가죽으로 만든 군복[옷] **2** Ⓤ 담황색, 황갈색 **3** 버프 《렌즈를 닦는 부드러운 천》 **4** 《미》 …팬, …광 **5** [the ~] 《구어》 (사람의) 맨살 **(all) in the ~** 알몸으로, 벌거벗고 **strip to the ~** 벌거벗다
—*a.* 담황색의, 황갈색의; 무두질한 가죽으로 만든; 《속어》 육체적으로 매력적인, 강건한
—*vt.* 가죽으로 닦다; 〈가죽을〉 부드럽게 하다
buff² *vi.* 완충기(buffer¹) 역할을 하다
—*vt.* …의 힘을 약하게 하다
—*n.* 《방언》 타격, 손바닥으로 때리기
‡**buf·fa·lo** [bʌ́fəlòu] *n.* (*pl.* **~(e)s**; [집합적] **~**) **1** 물소; 들소(bison) **2** =BUFFALO ROBE **3** =BUFFALO FISH
—*vt.* 《미·구어》 위협하다; 난처[당황]하게 만들다; 어리둥절하게 하다
Búffalo Bíll 버펄로 빌 《1846-1917; 본명 W.F. Cody; 미국 서부 개척사의 전설적 인물》
búffalo chìps 《구어》 마른 버펄로 똥 《연료용》
buf·fa·lo·fish [bʌ́fəloufìʃ] *n.* (*pl.* **~, ~·es**) 〖어류〗 (북미산(産)의) 잉어 비슷한 민물고기
búffalo gràss 〖식물〗 볏과(科)의 목초의 일종 《미국 중부·서부 평원에 많음》
Búffalo Índian (미국 평원 지방의) 인디언
búffalo plàid 버펄로 플레이드 《빨강과 검정의 큰 체크무늬 모직물》
búffalo ròbe 《미》 (털이 붙은) 들소 가죽으로 만든 무릎 덮개
búffalo wìng 향료 소스와 함께 제공되는 기름에 튀긴 닭날개
buff·coat [bʌ́fkòut] *n.* 들소 가죽 코트
buff·er¹ [bʌ́fər] *n.* 완충기[장치](《미》 bumper); 완충물; (악영향·위험 등에 대해) 방패가 되는 사람[것]; 유보금, 유통증권, 소송 수속; 완충국(緩衝國); 〖화학〗 완충제; 〖컴퓨터〗 버퍼, 완충 기억 장치[영역]
—*vt.* 〈충격 등을〉 완화하다; …의 완충물이 되다; 〖컴퓨터〗 〈데이터를〉 완충 기억 장치로 옮기다, 버퍼링하다
buffer² *n.* 닦는 도구[사람]
buffer³ *n.* 《영·속어》 놈, 녀석; 어리석은 늙은이 (=old ~)
búffer mèmory 〖컴퓨터〗 완충 기억 장치
búffer règister 〖컴퓨터〗 버퍼 레지스터 《주기억 장치에 넣기 전에 1차적으로 데이터를 모아 전송하는 컴퓨터의 한 부분》
búffer solùtion 〖화학〗 완충액
búffer stàte 완충국(緩衝國)
búffer stòck 〖경제〗 완충 재고
búffer zòne 완충 지대
∗**buf·fet**¹ [bʌ́fit] [OF 「조금 때리다」의 뜻에서] *n.* 타격(blow); (풍파·운명 등에) 시달림, 학대; 〖항공〗 과속에 의한 비행기의 진동
—*vt.* **치다**; 때려눕히다; 〈바람·파도·운명 등이〉 〈사람을〉 괴롭히다, 농락하다 《*about*》; 〈사람이〉 〈바람·파도·운명 등과〉 싸우다: (~+목+전+명) He *~ed* his way *to* riches and fame. 그는 악전고투하여 부와 명성을 얻었다.
—*vi.* 고투하다 《*with*》; 싸우며 나아가다 《*along*》; 〈비행기가〉 진동하다 **~·er** *n.*
∗**buf·fet**² [bəféi, bu- | búfei] [F 「식탁」의 뜻에서] *n.* **1** 뷔페: ~ lunch 뷔페식 점심 식사 **2** (서랍 달린) 찬장(sideboard) **3** (점심 식사·가벼운 음료수 등을 두는) 카운터, 테이블 **4** 간이식당; (열차·역내의) 식당; 뷔페식 식당
buffét càr 《영》 (열차의) 식당차
buf·fet·ing [bʌ́fitiŋ] *n.* 난타; 〖항공〗 난기류에 의한 항공기의 큰 진동
búff·ing whèel [bʌ́fiŋ-] (가죽을 댄) 연마륜(研磨輪)
búff lèather (무두질한) 부드럽고 튼튼한 쇠가죽
buf·fle·head [bʌ́flhèd] *n.* 〖조류〗 쇠오리 《북미산(産)》; 《미·속어》 이상한 사람
buf·fo [bú:fou | bú-] [It.] *n.* (*pl.* **-fi** [-fi:], **~s**) (가극의) 어릿광대 **—***a.* 익살스러운, 희극적인
buf·foon [bəfú:n] *n.* 어릿광대, 익살꾼(clown) **play the ~** 익살 부리다
—*vt.* 얼버무리다 **—***vi.* 익살 부리다
buf·foon·er·y [bəfú:nəri] *n.* ⓊⒸ (저속한) 익살
búff whèel =BUFFING WHEEL
buff·y [bʌ́fi] *a.* (**buff·i·er**; **-i·est**) 들소 가죽 같은; 담황갈색의; 《미·속어》 술 취한
búffy còat 〖생화학〗 연막(軟膜) 《방치한 혈액 표면에 생기는 백혈구·혈소판의 얇은 막》
bu·fo·ten·ine [bjù:fəténi(:)n] *n.* 〖화학〗 뷰포테닌 《유독성 환각제》
bu·fo·tox·in [bjù:fətɑ́ksin | -tɔ́k-] *n.* 〖약학〗 뷰포톡신 《유럽산(産) 두꺼비의 피부에서 얻은 독소》
∗**bug**¹ [bʌ́g] *n.* **1** 《미》 (작은) **곤충**(insect), (무는) 벌레; 곤충을 닮은 무척추동물 《거미·개미·파리 등》; 《주로 영》 빈대(bedbug) **2** 《구어》 세균, 미생물, 병원균; [보통 *pl.*] 세균학, 생물학 **3** 《병균으로 인한 가벼운》 병 《배탈 등》 **4** 《구어》 (기계·시스템 등의) 결함(defect) **5** 〖컴퓨터〗 (프로그래밍 등의) 버그, 오류: get the *~s* out of a computer program 컴퓨터 프로그램에서 오류를 제거하다 **6** 높은 사람; 《구어》 (오래가지 않는) 열광, 열중; 열광자(enthusiast): a movie ~ 영화광 **7** 《속어》 도청기; 《미》 방범 벨 **8** 〖경마〗 (견습 기수에게 허용되는) 부담 중량 5파운드의 감량; 견습 기수 **9** 《구어·비유》 흥미, 유별난 취미: the travel ~ 여행 취미 **have ~s in the brain** 《미·속어》 색다르다, 유별나다 **put a ~ in** a person**'s ear** (…의 일을) 살짝 남에게 귀띔하다, 힌트를 주다 《*about*》
—*v.* (**~ged**; **~·ging**) *vt.* 〈식물에서〉 벌레를 없애다; …에 마이크를 숨겨 놓다, 도청하다; 《구어》 귀찮게 굴다, 괴롭히다 《*out*》; 《미》 〈눈을〉 불거지게 하다
—*vi.* 《미》 〈눈이〉 (놀라움 등으로) 불거지다, 크게 열리다, 〈사람이〉 놀라서 눈을 크게 뜨다 《*out*》
~ off [종종 명령법] 《미·속어》 가 버리다 **~ out** 《미·속어》 도망치다, 가 버리다; …에서 급히 손을 떼다
bug² *n.* 《폐어》 도깨비, 유령
bug·a·boo [bʌ́gəbù:] *n.* (*pl.* **~s**) 도깨비, 요괴; 근거 없는 걱정거리
bug·bear [bʌ́gbὲər] *n.* 도깨비; 근거 없는 걱정
búg bòy 《미·속어》 수습[신인] 기수(騎手)
bug-eyed [-àid] *a.* 《미·속어》 눈이 튀어나온; (놀라서) 눈이 휘둥그레진
bug·ger¹ [bʌ́gər, bú- | bʌ́-] *n.* **1** 《비어》 남색자(男色者)(sodomite) **2** 《속어》 녀석, 놈(chap); 《영·속어》 싫은[치사한] 녀석[일, 것] **3** 《구어》 대상물, 것 **play silly ~s** 《속어》 바보 같은 짓을 하다
—*vt.* 《비어》 …와 비역하다; 《영·속어》 속이다, 거짓으로 꾸미다 **~ about[around]** 《비어》 누를 끼치다; 바보 취급하다; 바보짓을 하다 **B~ it!** 《영·속어》 제기랄! **B~ me!** 《영·속어》 뭐야! 깜짝 놀랐다!; 제기랄! **~ off** 《비어》 꺼지다, 사라지다 **~ up** 《비어》 못 쓰게 만들다
bug·ger² [bʌ́gər] *n.* 도청 전문가, 도청기 장치자
búgger áll 《영·속어》 무(無), 제로(nothing)
bug·gered [bʌ́gərd, bú- | bʌ́-] *a.* 《비어》 기진맥진한
bug·ger·y [bʌ́gəri, bú- | bʌ́-] *n.* Ⓤ 비역, 남색
bug·ging [bʌ́giŋ] *n.* Ⓤ 도청
Búg·gins's túrn [bʌ́ginziz-] 《영·구어》 연공 서열제(에 의한 승진)

thesaurus **bug**¹ *n.* **1** 곤충 insect, beetle, fly, flea, mite **2** 세균 bacterium, germ, virus **3** 결함 fault, flaw, defect, imperfection **—***v.* **1** 도청하다 tap, wiretap, eavesdrop on, listen in on **2** 괴롭히

*__bug·gy__[1] [bʌ́gi] *n.* (*pl.* **-gies**) **1** (미) (말 한 필이 끄는) **4륜 경마차**; (영) 2륜 경마차 **2** 유모차 **3** (구어) 자동차; 고물차 **4** (탄광·건설 현장의) 운반차 **5** (모래 언덕·습지를 달리는) 레저용 소형차; 그 차를 타는 사람 **6** (미남부) (슈퍼마켓의) 쇼핑용 손수레

buggy[2] *a.* (**-gi·er**; **-gi·est**) **1** 벌레투성이의 **2** (미·속어) 정신이 돈, 실성한(crazy); Ⓟ …에 열중하는 **3** 〖컴퓨터〗 〈프로그램 등이〉 결함[버그]이 있는[많은]

búggy whìp (미·속어) 자동차에 장착된 긴 안테나

bug·house [bʌ́ghàus] *n.* (*pl.* **-hous·es** [-hàuziz]) (미·속어) 정신 병원 **—** *a.* 실성한, 터무니없는: a ~ fable 터무니없는 말[일]

bug·hunt·er [-hʌ̀ntər] *n.* (구어) 곤충학자[채집가]

bug·hunt·ing [-hʌ̀ntiŋ] *n.* Ⓤ 곤충 채집

Bug·i·nese [bʌ̀gəní:z, -ní:s] *n.* **1** 부기스 족(族)의 사람 (인도네시아 Sulawesi 섬 남부에 사는 이슬람교도) **2** 부기 어(語)

bug·juice [bʌ́gdʒù:s] *n.* (미·속어) **1** (저질의) 알코올 음료, 싸구려 위스키 **2** 합성 착색 음료[주스] **3** 간장

*__bu·gle__[1] [bjú:gl] [OF 「뿔」의 뜻에서] *n.* (군대의) **나팔**; 각적(角笛); 뷰글 (피스톤 장치가 있는 나팔)

> 유의어 **bugle**은 **trumpet**보다 작은 나팔로서 판(valve)이 없으며, 주로 군대에서 씀. **trumpet**에는 3개의 누름단추가 있어서 이것으로 음정을 조절함.

— *vi., vt.* 나팔을 불다; 나팔을 불어 집합시키다

bugle[2] *n.* 〖식물〗 자난초속(屬)의 식물

bugle[3] *n.* [보통 *pl.*] 유리[플라스틱]의 관옥(管玉)

búgle càll 집합 나팔 (소리)

bu·gled [bjú:gld] *a.* 관옥 장식이 달린, 관옥 같은

búgle hòrn (사냥꾼의) 각적(角笛)

bu·gler [bjú:glər] *n.* 나팔수

bu·glet [bjú:glit] *n.* 작은 나팔

bu·gle·weed [bjú:glwì:d] *n.* 〖식물〗 쉽싸리 (약용); = BUGLE[2]; (북미산(産)) 콩과(科)의 야생초

bu·gloss [bjú:glɑs, -glɔ:s | -glɔs] *n.* 〖식물〗 지칫과(科)의 약초(alkanet)

bug·ol·o·gy [bʌgɑ́lədʒi | -gɔ́-] *n.* Ⓤ (미·속어) 곤충학 **-gist** *n.*

bug·out [bʌ́gàut] *n.* **1** (군대속어) 전선 이탈(자), 적전(敵前) 도망(병) **2** (속어) 꾀부리는 사람

búg ràke (영·속어) 빗(comb)

bugs [bʌ́gz] *a.* (미·속어) 미친(crazy)

bug·shah [búgʃɑ:, bʌ́g-] *n.* = BUQSHA

búg tèst (미·속어) 심리 테스트, 정신 감정

buhl(·work) [bjú:l(wə̀:rk) | bú:l-] *n.* = BOULLE

buhr [bə́:r] *n.* **1** = BURR[1] **2** = BURR[4]

buhr·stone [bə́:rstòun] *n.* = BURSTONE

bu·i·bui [búibúi] *n.* 부이부이 (아프리카 동부 연안의 이슬람 여교도가 숄로 쓰는 검은 천)

Bu·ick [bjú:ik] *n.* 뷰익 (미국 GM사의 승용차; 상표명)

‡**build** [bíld] *v.* (**built** [bílt], (시어·고어) **~·ed**) *vt.* **1 짓다**, 세우다, 건축[건조, 건설]하다, 부설하다: (~+목+전+명) The house is *built of* wood. 그 집은 목조이다. // (~+목+목) My father has *built* me a house. 아버지는 내게 집을 지어 주셨다.

> 유의어 **build** 집·다리·배·나라 등 큰 것을 건축[건조, 건설]하다 **make** 작은 것을 만들다 **construct** 일정한 계획과 설계에 따라 조직적으로 조립하거나 건조하다는 뜻으로, build보다 딱딱한 말

2 〈기계 따위를〉 조립하다(construct); 〈새가〉 〈둥지를〉 틀다; 〈불을〉 피우다: (~+목+전+명) ~ a nest *of* dead leaves 마른 잎으로 둥지를 틀다 **3** 〈부·명성 등을〉 **쌓아 올리다**, 이룩하다, 형성하다, 확립하다; 〈나라 등을〉 세우다; 〈조직체를〉 (구성 요소로) 만들어 내다 (*out of*): (~+목+전+명) ~ a team *out of* individuals 사람을 모아 팀을 만들다 **4** 〈성격을〉 도야하다, 훈련하다, 가르치다 (*into*): (~+목+전+명) ~ boys *into* men 아이들을 가르쳐 훌륭한 어른이 되게 하다 **5** 〈이론·판단의〉 기초를 두다; 내세우다; 〈희망을〉 (…에) 걸다 (*on*): (~+목+전+명) ~ an argument *on* solid facts 확실한 사실에 의거해서 이론을 세우다 / ~ one's hopes *on* promises 약속을 믿고 희망을 걸다 **6** 〈가구 등을〉 붙박이로 하다; 〈재료로〉 (…을) 만들다 (*into*); [보통 수동형으로] 〈물건이〉 (장소에) 붙박이로 만들어져 있다: (~+목+전+명) Bookshelves *are built into* the wall. 책장은 벽에 붙박이로 만들어져 있다.

— *vi.* **1** 건축하다; 건축[건설]업에 종사하다 **2** 〈사람이〉 (…을) 바탕으로 하다, 이용하다; 기대하다, 의지하다 (*on*): (~+전+명) ~ *on* a person's promise 약속을 믿다 **3** 〈사물·일이〉 (서서히) (…하게) 높아지다, 고조되다 (*up, to, toward*); 서서히 (…하게) 되다, (…을) 형성하다 (*up, into*): (~+전+명) The drama ~*s* steadily *toward* a climax. 극은 절정을 향해 차츰 고조되어 간다.

be ~ing = ***be being built*** 〈집이〉 건축 중이다 ***be built up of*** …으로 되어 있다 ***~ a fire*** 불을 피우다 ***~ in*** 〈재목을〉 짜 맞추어 넣다, 〈가구 등을〉 붙박이로 만들다; 〈토지를〉 건물로 에워싸다 ***~ … into …*** …을 …에 붙박다; 〈재료를〉 써서 …을 만들다 ***~ on*** (1) 〈토지를〉 건물로 채우다; …을 토대로 하다; …을 의지하다 (2) 증축하다 ***~ out*** 증축하다 ***~ over*** 〈토지를〉 건물로 채우다 ***~ round*** 〈토지에〉 건물을 둘러 짓다 ***~ up*** (1) 건물로 둘러싸다 (2) 〈재물·명성·인격 등을〉 쌓아 올리다, 확립하다 (3) 〈건강 등을〉 증진시키다, 〈몸을〉 단련하다; 선전하다, 칭찬하다; 〈병력을〉 증강하다 (4) 늘다, 축적되다; 〈구름이〉 나타나다 (5) 〈교통이〉 막히기 시작하다; 〈압력·긴장 등이〉 강화되다 (6) 〈날씨가〉 (나쁘게) 변해 가다

— *n.* Ⓤ **1** 체격: of sturdy ~ 근골이 억센 **2** (배 등의) 만듦새, 구조, 얼개 **~·a·ble** *a.*

build-down [bílddàun] *n.* 〖군사〗 빌드다운 방식 (신형 무기[핵탄두] 배치와 동시에 그 수량을 상회하는 수의 구형 무기[핵탄두]를 폐기하는 방식)

*__build·er__ [bíldər] *n.* **1 건축(업)자**, 건조자; (새 국가 등의) 건설자: a master ~ 도편수 **2** [보통 복합어를 이루어] 증진[강화]제; (세제에 첨가되는) 세척 강화제: a health ~ 건강 증진제

build·er·ing [bíldəriŋ] *n.* 〖스포츠〗 (초고층) 빌딩을 오르는 경기

búild·ers' mèrchant [bíldərz-] (영) 건축 자재업자

build·er-up·per [bíldərʌ̀pər] *n.* (속어) 체력[의욕]을 향상[앙양]시키는 사람[것]

‡**build·ing** [bíldiŋ] *n.* **1** Ⓤ **건축**, 건조; 건축술: a ~ contractor 건축 도급업자 / a ~ berth[slip] 조선대 **2 건축물**, 빌딩, 가옥: a ~ area 건평 / a ~ site 건축용 대지(垈地)

búilding and lóan associàtion = SAVINGS AND LOAN ASSOCIATION

búilding blòck (장난감) 집짓기 나무토막; 기본 원칙

búilding còde 건축 (기준) 법규

búilding estàte 주택지, 택지

búilding lèase 건축 부지의 임대차 (기한)

búilding lìne (도로 등에 면한) 건축 제한선

búilding pàper (건물의 단열·방습·절연에 쓰는) 방수지(紙)

búilding pèrmit 건축 허가

búilding sìckness = SICK BUILDING SYNDROME

búilding socìety (영) 주택 조합, 건축 조합((미) savings and loan association)

búilding tràdes 건축업 (목수·벽돌공·연관공 등의 직업)

다 annoy, irritate, anger, irk, provoke, infuriate
build *v.* **1** 짓다 construct, erect, set up, assemble, make, manufacture, form (opp. *destroy, demolish*) **2** 기초를 두다 found, base, establish

***build·up** [bíldʌ̀p] *n.* **1** 증강, 강화; 증진; 축적; 발전, 성장 **2** (최종 목표를 달성하기 위한) 준비, 예비 공작; 선전

‡built [bílt] *v.* BUILD의 과거·과거분사
— *a.* **1** 튼튼한 구조의; 조립된 **2** [복합어를 이루어] …한 체격의: a well-~ man 체격이 좋은 사람 **3** (미·속어) 좋은 체격의; 〈여성이〉 가슴이 큰

built-in [bíltín] *a.* Ⓐ **1** 〈책장·선반 등이〉 붙박이의; (사람의 성질에) 본래 갖춰진, 타고난, 고유의: a ~ bookcase 붙박이 책장 **2** 〈기계 등이〉 내장된: a camera with a ~ computer 컴퓨터가 내장된 카메라
— *n.* Ⓤ 붙박이 비품

búilt-in fúnction 〖컴퓨터〗 내장 함수 《프로그래밍 언어의 라이브러리에 기본적으로 내장되어 있어 그대로 사용할 수 있는 함수》

built-up [bíltʌ́p] *a.* 짜 맞춘, 조립한; 계획적으로 만든; 건물이 빽빽이 들어찬: a ~ area 시가지

Bu·jum·bu·ra [bù:dʒəmbúərə, -dʒum-] *n.* 부줌부라 《Burundi의 수도》

bul. bulletin

‡bulb [bʌ́lb] [Gk 「양파」의 뜻에서] *n.* **1** (양파 등의) 구근(球根), 알뿌리, 비늘줄기; 구근 식물 **2** 공 모양의 물건[부분] **3** 전구; (온도계 등의) 수은구 **4** 〖해부〗 구(球); 연수(延髓) **5** 〖사진〗 벌브; 벌브 노출 《셔터 버튼을 누르고 있을 때만 셔터가 열리는 구조》
~ of the spinal cord 〖해부〗 연수 ***the ~ of a hair*** 〖해부〗 모구(毛球)
— *vi.* 구근이 되다; 둥글게 부풀다 ***~ up*** 〈양배추 등이〉 결구(結球)하다 **~ed** *a.* **~less** *a.*

bul·ba·ceous [bʌlbéiʃəs] *a.* 구근[구경(球莖)](모양)의; 〖식물〗 구근성의

bul·bar [bʌ́lbər, -bɑ:r] *a.* 〖식물〗 구근[인경(鱗莖)]의; 〖해부〗 연수의

bul·bel [bʌ́lbəl] *n.* 〖식물〗 (큰 구근에서 생기는) 작은 구근; 주아(珠芽)

bul·bif·er·ous [bʌlbífərəs] *a.* 구근[인경]이 생기는

bul·bi·form [bʌ́lbəfɔ̀:rm] *a.* 구근 모양의

bul·bil [bʌ́lbil] *n.* 〖식물〗 살눈(bulbel), 주아(珠芽)

bulb·let [bʌ́lblit] *n.* 〖식물〗 = BULBIL

bul·bous [bʌ́lbəs] *a.* Ⓐ 구근의, 구경(球莖)의; 구근에서 생기는; 구근 모양의(bulbaceous): a ~ plant 구근 식물 / a ~ nose 주먹코 **~·ly** *ad.*

bul·bul [búlbul] *n.* **1** 〖조류〗 불불 《페르시아의 시(詩)에 나오는 명금(鳴禽); nightingale이라고 함》 **2** 가수, 시인

Bulg. Bulgaria(n)

Bul·gar [bʌ́lgər, búlgɑ:r | bʌ́lgɑ:] *n., a.* = BULGARIAN

Bul·gar·i·a [bʌlgέəriə, bul- | bʌl-] *n.* 불가리아 《유럽 동부 Balkan 반도의 공화국; 수도 Sofia》

Bul·gar·i·an [bʌlgέəriən, bul- | bʌl-] *n.* 불가리아 사람(Bulgar); Ⓤ 불가리아 말
— *a.* 불가리아 (사람·말)의

***bulge** [bʌ́ldʒ] [L 「자루」의 뜻에서] *n.* **1** 불룩한 것[부분]; (통 등의) 중배; 〖항해〗 배의 바닥(bilge): the ~ keel (배의) 중배 **2** 일시적 증가, 부풀어오름, 팽창; 급등 《*in*》: a ~ *in* the birthrate 출생률의 급등 **3** [the ~] (속어) 유리, 우위, 우세(advantage)
get [***have***] ***the ~ on*** (미·속어) …보다 우세하다; …을 지우다, 이기다
— *vi.* 부풀다; 불룩하다, 가득 차 있다 《*with*》: (~+副) His muscles ~*d out.* 그의 근육은 불룩 솟아 있었다. // (~+前+名) The sack ~*s with* oranges. 자루는 오렌지로 불룩하다.
— *vt.* 부풀리다, 불룩하게 하다 《*with*》: (~+目+前+名) He ~*d* his pockets *with* apples. 그의 호주머니는 사과로 불룩하였다. ***be bulging at the seams*** 솔기가 터질[넘칠] 것 같이 가득하다
búlg·ing *a.* **búlg·ing·ly** *ad.*

bulg·er [bʌ́ldʒər] *n.* 〖골프〗 벌저 《철면(凸面) 나무 골프채》

bul·gur [bʌ́lgər, búl-] *n.* 밀을 반쯤 삶아서 말렸다가 빻은 것

bulg·y [bʌ́ldʒi] *a.* (**bulg·i·er**; **-i·est**) 부푼, 불룩한
búlg·i·ness *n.*

bu·lim·a·rex·i·a [bju:lìməréksiə] *n.* = BULIMIA

bu·lim·i·a [bju:límiə] *n.* Ⓤ 〖병리〗 이상 식욕 항진; 과식증, 폭식증

bulímia nervósa 〖병리〗 신경성 식욕 항진(증), 신경성 과식(증)

bu·lim·ic [bju:límik] 〖병리〗 *a.* 대식[폭식]하는
— *n.* 대식증 환자

‡bulk [bʌ́lk] [ON 「뱃짐」의 뜻에서] *n.* Ⓤ **1** 부피, 용적, 크기: It is of vast ~. 그것은 엄청 크다. **2** [the ~] 대부분, 태반 **3** 산적(散積) 화물, 적하(積荷)(cargo) **4** ⓊⒸ 거대한 것, 거체(巨體) **5** Ⓤ 식물 섬유, 장내(腸內) 불소화[섬유질] 식품 **6** = BULK MAIL
break ~ 짐을 부리기 시작하다 ***in ~*** 〈곡물 등을〉 포장하지 않고, 산적 화물로; 대량으로
— *a.* 대량의, 대량으로 판매되는; 적하의
— *vi.* 부피가 커지다 《*up*》; 덩어리가 되다 《*up*》
— *vt.* …의 부피가 커지게 하다; 일괄하다
~ ***large*** [***small***] 크게[작게] 보이다; 중요하게[중요하지 않게] 보이다

búlk bùy 대량 매입한 것

búlk bùying 대량 매입[구입]; (주식의) 집중 매입

búlk càrrier 벌크선(船) 《곡물·석탄 등의 화물을 포장하지 않고 그대로 운송하는》

búlk díscount 대량 구입시의 가격 할인

bulk·head [bʌ́lkhèd] *n.* (선박의 방을 막는) 칸막이, 칸막이 벽; 〖광산〗 (갱내의) 분벽(分壁); 지하실의 덮개문, (들어서 여는) 옥상 출입문

búlk máil 요금 별납 대량 우편

búlk mòdulus 〖물리〗 체적 탄성율

búlk prodùction 대량 생산

***bulk·y** [bʌ́lki] *a.* (**bulk·i·er**; **-i·est**) **1** (무게에 비해) 부피가 큰; 거대한, (너무 커서) 다루기 힘든: a ~ package (너무) 부피가 큰 꾸러미 **2** 〈천·실이〉 두꺼운, 굵은; 〈의복이〉 두꺼운 천과 실로 만든
búlk·i·ly *ad.* **búlk·i·ness** *n.*

‡bull[1] [búl] *n.* **1** (거세하지 않은) 황소(cf. BULLOCK) (⇨ cow[1] 관련) **2** (물소·코끼리·고래 등의) 수컷: a ~ whale = a whale ~ 수고래 **3** 황소 같은 사나이 **4** 〖증권〗 사는 쪽, 강세쪽(opp. *bear*[1] 3; ⇨ STAG) **5** [the B~] 〖천문〗 황소자리(Taurus) **6** = BULLDOG **7** (미·속어) 경관, 형사 **8** = BULL'S-EYE **9** (미·속어) 기관차
a ~ in a china shop 사정없이 횡포를 부리는 부랑배 ***like a ~ at a*** (***five-barred***) ***gate*** 맹렬히 ***take the ~ by the horns*** 용감하게 난국에 맞서다 ***the ~ of the woods*** (미·속어) 중요 인물
— *a.* Ⓐ **1** 수컷의; 황소의[같은] **2** 〖증권〗 사는 쪽의, 강세의(opp. *bear*[1]): a ~ market 강세 시장
— *vt.* **1** 밀고 나아가다, 강행하다: ~ one's way 반대를 무릅쓰고 나아가다 **2** 〖증권〗 (시세를 올리려고) 자꾸 사들이다 **3** (속어) 위협하다(bluff)
— *vi.* **1** 돌진하다, 맹진하다 **2** 〖증권〗 〈시세가〉 상승하다 **3** (미·속어) 암소가 발정하다

bull[2] [L 「교황인(印)」의 뜻에서] *n.* 〖가톨릭〗 (로마 교황의) 교서(cf. BRIEF)

bull[3] *n.* 우스꽝스러운 모순, 앞뒤가 맞지 않는 말(= Irish ~) ***shoot*** [***throw***] ***the ~*** (미·속어) 허튼소리를 지껄이다; 큰소리치다
— *vi.* (미·속어) 허풍을 떨다
— *vt.* (속어) 〈사람을〉 허풍으로 속이다

bull. bulletin

bul·la [búlə, bʌ́lə] *n.* (*pl.* **-lae** [-li:]) **1** 공문서용 인장(印章), 관인(官印), 《특히》 로마 교황인(印) **2** 〖병리〗 수포(水泡), 물집

thesaurus **bulk** *n.* size, volume, quantity, substance, weight, mass, largeness, magnitude
bulky *a.* large, big, substantial, huge, enormous,

bul·lace [búlis] *n.* 〖식물〗 서양 자두나무의 일종
bul·late [búleit, bʌ́-] *a.* 〖해부·동물·식물〗 수포(水疱) 모양의 돌기가 있는
bull·bait·ing [búlbèitiŋ] *n.* Ⓤ 소곯리기 《개를 부추겨 황소를 성나게 하는 영국의 옛 놀이》
búll bàr 〖자동차〗 불바 《충돌 때 파손 방지를 위해 지프차 등의 앞에 장치하는 굵은 금속봉》
bull·barred [búlbɑ̀:rd] *a.* 불바를 장치한 〈차〉
bull·bat [-bæ̀t] *n.* 〖조류〗 쏙독새(nighthawk)
búll bìtch 불독의 암컷
búll blòck 철사 감는 기계, 불블록
bull·boat [-bòut] *n.* (쇠)가죽배
bull·calf [-kæ̀f | -kɑ̀:f] *n.* 《영》 수송아지; 얼간이
bull·dag·ger [-dæ̀gər] *n.* 《미·비어》 남성역의 여성 동성애자
búll dànce 《미·속어》 남자끼리의 댄스 파티
∗bull·dog [búldɔ̀:g | -dɔ̀g] [bull[1]과 dog에서] *n.* **1** 불독 **2** 완강한[끈질긴] 사람 **3** (Oxford, Cambridge 대학의) 학생감의 조수 **4** 《속어》 총열이 짧고 구경이 큰 권총 **5** =BULLDOG CLIP
— *a.* 불독 같은, 용맹스럽고 끈덕진: the ~ breed 영국인 《속칭》
— *vt.* **1** …에게 (불독처럼) 덤벼들다, 공격하다 **2** 《미》 〈송아지·황소의〉 뿔을 누르고 목을 돌려서 쓰러뜨리다 **3** 《미·속어》 과대선전하다
búlldog ànt 《호주》 불독개미 《강력한 침을 가진 대형 개미》
búlldog bònd 〖경제〗 불독 채권 《외국 기업이 런던에서 발행하는 파운드 표시 채권》
búlldog clìp (스프링식의) 금속제 종이 집게
búlldog edition 《속어》 신문의 새벽판 《원격지용》
bull·doze [búldòuz] *vt.* 불도저로 〈땅을〉 고르다[파다, 나르다]; 억지로 통과시키다, 강행하다; 을러대다, 괴롭히다
∗bull·doz·er [búldòuzər] *n.* **불도저**; 불도저를 운전하는 사람; 《구어》 협박자
bull·dust [búldʌ̀st] *n.* 《호주》 가는 모래 먼지; 《속어》 허튼소리
bull·dyke [-dàik] *n.* 《미·비어》 =BULLDAGGER
‡bul·let [búlit] [F 「작은 공」의 뜻에서] *n.* **1** (소총·권총의) **총탄**, 탄환: a ~ hole 총알 자국 / a ~ wound in the shoulder 어깨에 입은 총상

> 유의어 **bullet** 소총·권총 등의 총탄 **shell** 대포로 쏘아 작렬하는 포탄 **shot** 산탄(散彈)

2 탄약통, 약포(藥包) **3** 작은 공; (낚싯줄의) 봉(plumb) **4** 〖인쇄〗 (주의를 끌기 위해 찍는) 굵은 점 **5** 《영·속어》 해고: get[give] the ~ 해고되다[하다]
bite (on) the ~ 고통을 꾹 참다, 언짢은 상황을 견디다 ***Every ~ has its billets.*** ⇨ billet[1]. ***stop a ~*** ⇨ stop. *v.* ***take a ~*** 총에 맞다
~·less *a.* **~·like** *a.*
búllet bàit 《미·속어》 총알받이, 초년병
bul·let·head [búlithèd] *n.* 둥근 머리(의 사람); 《구어》 바보, 고집쟁이 **~·ed** [-id] *a.* 머리가 둥근
‡bul·le·tin [búlətin] *n.* **1** 고시, 게시 **2** 보고, 공보; 회보; 사보; 정기 보고서; (중요 인물의) 병상 발표: an annual ~ 연보(年報) **3** 뉴스 속보, 임시 뉴스: weather ~*s* 일기 속보[정보]
— *vt.* 고시[게시]하다
búlletin bòard **1** 《미》 게시판(《영》 notice board) **2** 〖컴퓨터〗 전자 게시판
búlletin bòard sỳstem 〖컴퓨터〗 (전자) 게시판 체계
búllet lòan 〖금융〗 만기 전액 일괄 상환형 융자
búllet pòint (강조하기 위해 찍은) 큰 점

---

vast, immense, massive
bulletin *n.* report, statement, announcement, account, message, flash, communication

bul·let·proof [búlitprù:f] *a.* 방탄의; 《구어》 실수[비판의 여지]가 없는, 완전한: a ~ vest 방탄조끼 / a ~ budget 수정의 여지가 없는 예산
— *vt.* 방탄으로 하다
bul·let·stop·per [búlitstɑ̀pər | -stɔ̀-] *n.* 《미·군대속어》 해병대원
búllet tràin 탄환 열차 《초고속 열차》
búll fíddle 《미·구어》 =CONTRABASS
bull·fight [búlfàit] *n.* 투우
~·er *n.* 투우사 **~·ing** *n.* Ⓤ 투우
bull·finch [-fìntʃ] *n.* **1** 〖조류〗 멋쟁이새의 일종 **2** 높은 산울타리
bull·frog [-frɔ̀:g | -frɔ̀g] *n.* 〖동물〗 황소개구리 《미국산(産)》
búll gùn (총신(銃身)이 무거운) 표적 사격용 총
bull·head [-hèd] *n.* 《미》 머리가 큰 물고기 《메기 등》; 개구리의 일종; 고집쟁이
bull·head·ed [-hédid] *a.* 완고한, 고집 센; 우둔한 (stupid) **~·ly** *ad.* **~·ness** *n.*
bull·horn [-hɔ̀:rn] *n.* 휴대용 확성기, 핸드 마이크
— *vt.* 확성기로 말하다
búll hòrrors 《마약속어》 코카인 사용 후의 부작용
bul·lion [búljən] *n.* Ⓤ 금[은]괴, 금[은] 덩어리; 순금, 순은; 금실[은실]의 술; 거푸집에 부은 선철·동
~·ìsm *n.* Ⓤ 금은 통화주의, 경화(硬貨)주의 **~·ist** *n.* 금은 통화론자
búllion frìnge 금몰, 은몰
Búllion Státe [the ~] 금괴 주 《미국 Missouri 주의 속칭》
bull·ish [búliʃ] *a.* **1** 황소 같은; 완고한; 우둔한 **2** 〖증권〗 강세의, 오름세의(opp. *bearish*); 낙관적인
~·ly *ad.* **~·ness** *n.*
búll márket 〖증권〗 상승 시세, 강세 시장
bull·mas·tiff [búlmǽstif] *n.* 불마스티프 《bulldog과 mastiff의 교배종의 경비견》
Búll Móose **1** (Theodore Roosevelt가 인솔한) 혁신당(Progressive Party)의 당원, 혁신당 후원자 **2** [b- m-] (혁신당의 상징인) 수컷 큰사슴의 상
bull·neck [búlnèk] *n.* **1** 〖조류〗 목이 굵은 북미산(産) 들오리의 총칭 **2** 짧고 굵은 목 **3** 수소의 목껍질로 만든 가죽
bull·necked, bull-necked [-nèkt] *a.* 〈사람이〉 목이 굵은; 고집 센
bull·nose [-nòuz] *n.* 주먹코; (돼지의) 만성 비염; 〖건축〗 (벽돌·타일·벽의) 둥근 면
bull·ock [búlək] *n.* 어린 수소; 불깐[거세한] 소
búllock pùncher 《호주》 =BULL PUNCHER
bull·ock·y [búləki] 《호주》 *n.* 카우보이
— *a.* 불깐 소 같은; 카우보이의
bul·lous [bʌ́ləs] *a.* 〖병리〗 수포성의
búll pèn **1** 《미》 소의 우리 **2** 《구어》 유치장; 노동자 합숙소 **3** 〖야구〗 불펜 《구원 투수 연습장》
búll·pen áce [búlpèn-] 〖야구〗 워밍업하고 있는, 믿을 만한 구원 투수
búll pòint 《영·구어》 득점; 강점; 우세
búll pùncher 《호주》 카우보이
bull·pup [-pʌ̀p] *n.* 불독의 새끼[강아지]
búll ràck 《미·속어》 가축 운반 트럭
bull·ring [-rìŋ] *n.* 투우장
bull-roar·er [-rɔ̀:rər] *n.* (호주 원주민의) 의식용 악기의 일종; 《미·속어》 목소리 큰 연사
bull·rush [-rʌ̀ʃ] *n.* =BULRUSH
búll sèssion 《미·구어》 (보통 남학생들만의) 자유 토론 (시간)
bull's-eye [búlzài] *n.* **1** (과녁의) 중심, 정곡(正鵠); 적중, 명중 **2** 두꺼운 볼록 렌즈가 달린 각등(角燈) **3** (채광용의) 둥근 창 **4** 《영》 눈깔사탕 ***hit the [score a] ~*** 과녁의 중심을 맞히다; 정곡을 찌르다; 대성공을 거두다

bull's-eye 1

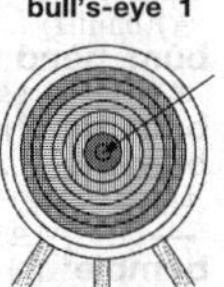

bull·shit, bull-shit [búlʃìt] *n.* Ⓤ 《비어》 엉터리, 허튼소리 **—** *vt., vi.* (**~·ting**) 《속어》 거짓말하다, 실없는 소리하다
— *int.* 거짓말!, 엉터리! **~·ter** *n.*
búll snàke 〖동물〗 불스네이크(gopher snake) 《미국 동부산(産)의 구렁이》
bull·ter·ri·er [-tériər] *n.* 〖동물〗 불테리어 《불독과 테리어의 교배종》
búll thìstle 〖식물〗 엉겅퀴속(屬)의 풀
búll tòngue (목화 재배용의) 무거운 쟁기
búll tròut 《영》 〖어류〗 바다송어(sea trout)
bull·whack [-*h*wæ̀k] *n., vi., vt.* 《미》 소채찍(으로 때리다) **~·er** *n.* 《미》 소몰이꾼
bull·whip [-*h*wìp] *n.* 생가죽 채찍
bull·work [-wə̀ːrk] *n.* 《구어》 힘든 육체 노동
∗**bul·ly**[1] [búli] *n.* (*pl.* **-lies**) **1** 약자를 괴롭히는 사람; 골목대장 **2** 뚜쟁이 ***play the ~*** 마구 뻐기다
— *v.* (**-lied**) *vt.* 곯리다, 겁주다: (~+목+전+명) ~ a person *into*[*out of*] doing …을 협박하여 …시키다[…하지 못하게 하다]
— *vi.* 마구 뻐기다
— *a.* 《구어》 멋진, 훌륭한
— *int.* 《구어》 멋지다, 훌륭하다, 잘한다: *B*~ for you! 잘한다!
bully[2] *n.* ＝BULLY BEEF
bully[3] *n.* 〖미식축구〗 스크럼(scrimmage); 〖하키〗 ＝BULLYOFF
búlly bèef 통조림한[소금에 절인] 쇠고기
bul·ly·boy [búlibɔ̀i] *n.* 폭력 조직의 하수인, 《특히》 정치 깡패
bul·ly·ing [búliiŋ] *n.* Ⓤ 약자를 괴롭히기: a victim of ~ 괴롭힘[왕따]의 희생자
bul·ly·off [-ɔ̀ːf | -ɔ̀f] *n.* 〖하키〗 경기 개시
búlly pùlpit 《미》 (목적 달성을 위한) 공직의 권위; (지위를 이용한) 자기 선전의 기회
bul·ly·rag [-ræ̀g] *vt., vi.* (**~ged**; **~·ging**) 《미·구어》 으르다, 곯리다(bully[1])
bul·rush [búlrʌ̀ʃ] *n.* 〖식물〗 큰고랭이속(屬)의 식물; 파피루스(papyrus)
∗**bul·wark** [búlwərk, -wɔːrk, bʌ́l- | búlwə(ː)k] *n.* 성채, 보루; [보통 *pl.*] (배의) 현장(舷墻); 방파제; 큰 의지가 되는 사람[것], 방벽
— *vt.* 보루로 견고히 하다; 옹호[방비]하다
bum[1] [bʌ́m] *n.* 《미·구어》 **1** 부랑자(tramp); 게으름뱅이, 룸펜, 건달 **2** 술고래; 방탕 **3** (스포츠 등에) 열중하는 사람, …광 **4** 무능한 사람, 《특히》 무능한 선수 **5** 《미·속어》 상대를 가리지 않는 여자 ***a ~ on the plush*** 게으름뱅이 부자 ***go on the ~*** 떠돌이 생활을 하다, 남에게 폐를 끼치다 ***on a ~*** 마시고 떠들어
— *a.* (**~·mer**; **~·mest**) 《속어》 하찮은; 화나게 하는, 불쾌한, 매우 싫은
— *v.* (**~med**; **~·ming**) 《미·구어》 *vt.* 울러 빼앗다, 졸라 빼앗다, 갚을 생각 없이 빌리다: (~+목+전+명) ~ money *from* a person …에게서 꾼 돈을 갚지 않다
— *vi.* 빈둥빈둥 지내다, 부랑하다; 술에 빠지다
~ along (차를 타고) 일정한 속도로 가다 ***~ around*** 《미·구어》 빈둥빈둥 돌아다니다
bum[2] *n.* 《비어》 엉덩이 ***put***[***get***] ***~s on seats*** 《영·익살》 (음악회 등에) 관객[청중]을 모으다
búm bàg 《영》 (돈·귀중품 등을 넣고 허리에 차는) 작은 주머니(《미》 fanny pack)
bum·bai·liff [bʌ̀mbéilif] *n.* 《영·경멸》 집달관(執達官)(bailiff)
búm bènd 《마약속어》 (보통 LSD 또는 다른 마약을 복용하였을 때의) 무서운[우울한] 체험
bum·ber·shoot [bʌ́mbərʃùːt] *n.* 《구어》 우산
bum·ble[1] [bʌ́mbl] [*bungle*+*stumble*] *vi.* 실패하다, 실수하다; 비틀거리다; 더듬거리며 말하다
— *vt.* 엉망으로 하다, 실수하다 **—** *n.* 큰 실수
bumble[2] [의성어] *vi.* 〈꿀벌 등이〉 윙윙거리다
bum·ble·bee [bʌ́mblbìː] *n.* 〖곤충〗 뒝벌

bum·ble·dom [bʌ́mbldəm] *n.* Ⓤ 벼슬아치 근성[사회] 《Dickens 작 *Oliver Twist*에서》
bum·ble·pup·py [bʌ́mblpʌ̀pi] *n.* Ⓤ **1** 〖카드〗 변칙(變則) 휘스트(whist) **2** 고무공을 기둥에 매달고 라켓으로 서로 치는 놀이
bum·bling [bʌ́mbliŋ] *a.* **1** 〈사람이〉 실수를 많이 하는; 〈연설자가〉 (더듬거리거나 해서) 시원치 않은 **2** 〈정책 등이〉 효과적이지 못한, 쓸모없는
bum·bo [bʌ́mbou] *n.* Ⓤ 럼주에 단맛·향기를 가미한 술
bum·boat [bʌ́mbòut] *n.* 〖항해〗 (정박 중인 배에) 식료품·잡화를 팔러 다니는 작은 배
bumf [bʌ́mf] *n.* Ⓤ 《영·속어》 **1** [집합적] 따분한 서류, 관청의 서류 **2** 휴지(toilet paper)
bum·fluff [bʌ́mflʌf] *n.* Ⓤ 《구어》 (막 나기 시작하는 청소년의) 솜털 수염
bu·mi·pu·tra [bùːmipúːtrə] *n.* (말레이시아에서, 중국인과 구별하여) 본토인, 말레이 인
bum·kin [bʌ́mkin] *n.* ＝BUMPKIN[2]
bum·ma·lo [bʌ́məlòu] *n.* (*pl.* **~s**) ＝BOMBAY DUCK
bummed [bʌ́md] *a.* Ⓟ 낙담[실망]한, 상심한
bum·mer[1] [bʌ́mər] *n.* 《미·속어》 게으름뱅이, 빈둥거리는 사람(loafer)
bummer[2] *n.* 《미·속어》 기대에 어긋난 경험; (마약 등의) 불쾌한 경험; 실망(시키는 것)
‡**bump** [bʌ́mp] [의성어] *vt.* **1** (쾅) 부딪치다, 충돌하다: (~+목+전+명) ~ one's head *against* the wall 벽에 머리를 쾅 부딪치다 **2** 부딪쳐서 〈물건을〉 움직이다[떨어뜨리다] 《*off*》: (~+목+전+명) The cat ~*ed* the vase *off* the shelf. 고양이가 선반에서 꽃병을 쿵 하고 떨어뜨렸다. **3** 《속어》 (자리를 대신 차지하여) 밀어내다(oust), (투표로써) 부결하다 **4** 〈값·임금 등을〉 올리다 **5** (포커에서) …보다 많이 걸다 **6** 《구어》 〈라디오·TV 프로그램을〉 다른 시간대로 옮기다
— *vi.* **1** 부딪치다, 마주치다; 추돌하다 《*against, into*》: (~+전+명) ~ *against* each other 서로 부딪치다 **2** 〈수레가〉 덜거덕거리며 지나가다 《*along*》 **3** 《미》 (허리를 앞으로 내밀며) 선정적으로 춤을 추다
~ into 《구어》 〈아는 사람을〉 (오랜만에) 우연히 만나다; …와 부딪치다 ***~ off*** 《미·속어》 폭력으로 제거하다, 죽이다 ***~ up*** 〈값을〉 올리다, 승진시키다 ***~ up against*** …와 우연히 만나다
— *n.* **1** 충돌; 쿵, 쾅 **2** 혹(swelling); (도로 등의) 융기: get a large ~ in one's head 머리에 큰 혹이 나다 **3** 〖항공〗 (비행기를 동요시키는) 악기류, 돌풍; 《미》 강등, 격하 **4** (스트립 쇼 등에서) 하복부를 쑥 내미는 동작 **5** 〖조정경기〗 추돌(追突)(에 의한 승리) **6** 〖골상〗 (두개골의) 융기; 두상(頭相); 감각, 직감
have a ~ of …에 능력[재능]이 있다: He *has no ~ of* music. 그는 음악에 재능이 없다. ***~s and grinds*** (쇼의 댄서 등이) 허리 부분을 쑥 내밀고 비트는[돌리는] 동작
▷ búmpy *a.*
∗**bump·er** [bʌ́mpər] *n.* **1** (열차·자동차 앞뒤의) 범퍼, 완충기(《영》 buffer[1]) **2** 쿵 하고 부딪치는[충돌하는] 사람[것] **3** (건배할 때의) 가득 채운 잔 **4** 《구어》 풍작; 성황, 만원; 《미·구어》 유달리 큰 것 **5** 〖크리켓〗 허리 위로 튀어오른 공
— *a.* 《구어》 대단히 큰; 풍작의: a ~ crop 풍작
búmper càr (유원지 등의) 부딪치기 놀이 하는 소형 전기 자동차
búmper stìcker[**strip**] 자동차 범퍼에 붙인 선전·광고 스티커
bump·er-to-bump·er [bʌ́mpərtəbʌ́mpər] *a., ad.* 〈자동차가〉 꼬리를 문[물고]; 〈교통이〉 정체된[되어]
bumph [bʌ́mf] *n.* ＝BUMF
búmp·ing pòst [bʌ́mpiŋ-] (철도의 궤도 종점의) 정지 기둥
búmping ràce 추돌(追突) 레이스 《앞 보트에 부딪치거나 앞지르면 이김》

bump·kin[1] [bʌ́mpkin] *n.* 시골뜨기; 버릇없는 사람 **~·ish** *a.* **~·ly** *ad.*
bumpkin[2] *n.* 〖항해〗 돛을 펴기 위해 선체에서 뻗어나온 막대
bump·man [bʌ́mpmən] *n.* (*pl.* **-men** [-mèn]) (프로의) 살인자; 《미·속어》 들치기 《사람》
bump·off [bʌ́mpɔ̀:f | -ɔ̀f] *n.* 《미·속어》 살인, 암살
bump·tious [bʌ́mpʃəs] *a.* 오만한, 거만한 **~·ly** *ad.* **~·ness** *n.*
bump·y [bʌ́mpi] *a.* (**bump·i·er**; **-est**) 〈길이〉 울퉁불퉁한; 〈차가〉 덜컥거리는; 〖항공〗 악기류가 있는; 〈음악·시 등이〉 박자가 고르지 않은
búmp·i·ly *ad.* **búmp·i·ness** *n.*
búm ráp 《미·속어》 무고한 죄, 누명; 부당한 비난[악평] **búm-ráp** *vt.* …에게 무고한 죄를 뒤집어씌우다
bum-rush [bʌ́mrʌ̀ʃ] *vt.* 《속어》 몰아내다, 쫓아내다
búm's rúsh [bʌ́mz-] [the ~] 《속어》 강제 퇴거, 강제로 몰아내기, 쫓아내기; 해고: give a person the ~ …을 강제적으로 퇴거시키다
búm stéer 《미·구어》 (의도적인) 오보(誤報); 잘못된 조언[지시]
bum·suck·ing [bʌ́msʌ̀kiŋ] *n.* Ⓤ 《영·비어》 아첨, 알랑거림
búm trìp = BUM BEND
*__bun__[1] [bʌ́n] *n.* **1 둥근 빵** 《건포도가 들어 있거나 햄버거용으로 쓰이는》 **2** (여성 뒷머리의 bun 모양의) 쪽: wear one's hair in a ~ 머리를 쪽 찌다 **3** [*pl.*] 《구어·익살》 엉덩이(buttocks) ***have a ~ in the oven*** 《익살》 〈여자가〉 임신하고 있다 《남성의 표현》 ***have a ~ on*** 《미·속어》 취해 있다 (***hot***) ***cross ~*** (Good Friday에 먹는 관습이 있는) 십자형을 찍은 단빵 ***take the ~*** 《속어》 1등을 하다
bun[2] *n.* 《방언》 다람쥐, 토끼; 다람쥐[토끼] 꼬리
BUN blood urea nitrogen 〖생화학〗 혈액 요소 질소
Bu·na [bjú:nə] *n.* 합성 고무의 일종 《상표명》
bunce [bʌ́ns] *n.* 《영·구어》 뜻밖의 벌이[횡재]
‡**bunch** [bʌ́ntʃ] *n.* **1** (포도 등의) **송이**; (꽃·열쇠 등의) 다발, 묶음(cluster)(⇨ bundle 유의어): a ~ of grapes[keys] 한 송이의 포도[한 묶음의 열쇠] **2** 《구어》 한패, 떼거리, 동아리; 《미》 마소의 떼 **3** 다량 **4** 혹, 융기 ***a whole ~*** = ***whole ~es*** 《미·구어》 크게, 굉장히 ***~ of fives*** 《영·속어》 주먹, 손 ***the best*** [***pick***] ***of the ~*** 《구어》 엄선한 것, 가장 뛰어난 것
— *vt.* **1** 다발로 묶다 **2** 〈가축을〉 한 떼로 모으다 **3** 〖야구〗 〈안타를〉 몰아치다
— *vi.* **1** 다발이 되다 **2** 한 떼가 되다, 모이다 《*up*》 **3** 주름잡히다 《*up*》 **4** 혹이 되다
▷ búnchy *a.*
bunch·ber·ry [bʌ́ntʃbèri, -bəri | -bəri] *n.* (*pl.* **-ries**) 〖식물〗 산딸나무속(屬)의 고산 식물 《선홍색 열매가 송이로 남》
bunch·flow·er [-flàuər] *n.* 〖식물〗 백합과(科)의 흰꽃이 이삭 모양으로 피는 다년초 《미국 동부산(産)》
bunch·grass [-græ̀s | -grɑ̀:s] *n.* 〖식물〗 볏과(科) 쇠풀속(屬)의 잎이 무더기로 나는 풀 《미국산(産)》
bunch·ing [bʌ́ntʃiŋ] *a.* 몹시 붐비는, 〈차 등이〉 연달은
búnch lìght (조명의) 광속(光束)
bunch·y [bʌ́ntʃi] *a.* (**bunch·i·er**; **-i·est**) 송이가 있는, 송이 모양의; 타래[다발]로 된; 혹 모양의
búnch·i·ness *n.* **búnch·i·ly** *ad.*
bun·co [bʌ́ŋkou] 《미·구어》 *n.* (*pl.* **~s**) ⓊⒸ 사기(swindle); 속임수의 내기 — *vt.* 사기치다, 속이다
búnco àrtist 《미·속어》 사기꾼, 야바위꾼
bun·combe [bʌ́ŋkəm] *n.* = BUNKUM
búnco stèerer 《미·구어》 사기꾼
bund [bʌ́nd] [Hind.] *n.* (동양의 항구의) 해안 길; 제방; 부두
Bund [búnd, bʌ́nd] [G] *n.* (*pl.* **~s, Bün·de** [býndə]) 동맹, 연합
bún·der bòat [bʌ́ndər-] (인도 등의) 항내(港內) [연안] 근무선(船)
Bun·des·rat [búndəsrɑ̀:t] [G] *n.* (독일의) 상원; (스위스·오스트리아의) 연방 의회
Bun·des·tag [búndəstɑ̀:g] [G] *n.* (독일의) 하원
‡**bun·dle** [bʌ́ndl] *n.* **1** 묶음, 다발 《*of*》; 꾸러미, 보따리 《*of*》: a ~ *of* clothes 한 보따리의 옷 / sell things in a ~ 다발로 팔다

> 유의어 **bundle** 운반·저장에 편리하도록 한 묶음 **bunch** 꽃·열매·열쇠 등의 묶음 **sheaf** 곡물·서류 등의 묶음: a *sheaf* of papers 한 묶음의 서류

2 (운반·발송 등을 위한) 포장, 소포(package) **3** 《구어》 덩어리, 무리, 일단(一團)(group) **4** 《속어》 거금 **5** 〖식물·해부〗 (섬유 조직·신경의) 관속(管束) **6** 〖컴퓨터〗 묶음, 번들 《하드웨어와 소프트웨어를 일괄하여 팖》 ***a ~ of nerves*** 몹시 신경질적인 사람 ***do*** [***go***] ***a ~ on*** 《속어》 …을 무척 좋아하다; …에 큰돈을 걸다
— *vt.* **1** 다발[꾸러미]로 하다; 〈짐을〉 꾸리다, 묶다, 싸다 《*up*》: 《~+목+부》 ~ *up* clothes 옷을 꾸리다 **2** 이것저것 마구 집어넣다 《*into*》 **3** 쫓아 버리다, 서둘러 쫓아내다 **4** 〈관련 상품·서비스 등을〉 일괄된 가격에 제공[공급]하다 **5** 〖컴퓨터〗 〈하드웨어와 소프트웨어를〉 일괄해서 팔다
— *vi.* **1** 급히 물러가다[떠나다, 나가다] 《*off, out, away, out of, into*》: 《~+전+명》 She ~*d out of* the kitchen. 그녀는 부엌에서 급히 나갔다. **2** (옷을 껴입어) 따뜻하게 하다 《*up*》 **~ *into*** a person …와 부딪치다 **~** a person ***off*** …을 (다른 곳으로) 몰아내다 《*to*》 **bún·dler** *n.*
búndle bùggy (고객이 소유한) 쇼핑 카트
búndle of jóy 《속어·익살》 갓난아이, 핏덩어리
bun·dling [bʌ́ndliŋ] *n.* **1** 약혼 중인 남녀가 옷을 입은 채 한 침대에서 자는 웨일스나 뉴잉글랜드의 옛 풍습 **2** 일괄 판매, 시스템 판매
bun·do·bust [bʌ́ndəbʌ̀st] *n.* ⓊⒸ 《인도》 (세목에 관한) 준비, 마련
Búndt càke [bʌ́nt-, búnt-] 도넛 모양의 케이크
bun-fight [bʌ́nfàit] *n.* 《영·속어·익살》 = TEA PARTY
bung[1] [bʌ́ŋ] *n.* (통 등의) 마개; 통 주둥이; 《속어》 거짓말 — *vt.* …에 마개를 하다, 막다 《*up*》; 《미》 때려눕히다, 혼내주다; 거칠게 다루다 《*up*》; 《영·속어》 던지다 ***~ed up*** 《구어》 〈눈이〉 부어 안 보이는; 〈코·파이프가〉 막힌 **~ *off*** = BUNK[3] off
bung[2] *a.* 《호주·속어》 죽어서; 파산하여; 깨져서; 무익하여 ***go ~*** 죽다; 파산하다; 실패하다
bun·ga·loid [bʌ́ŋgəlɔ̀id] *a.* 방갈로식의
*__bun·ga·low__ [bʌ́ŋgəlòu] [Hind. 「벵갈(Bengal)」의 뜻에서] *n.* **방갈로** 《베란다가 붙은 간단한 목조 단층집》 ★ 캠핑용 「방갈로」의 뜻은 없고, 그 뜻으로는 cabin 또는 hut이 쓰임.
bun·gee [bʌ́ndʒi:, bʌ́ŋgi] *n.* **1** 〖항공〗 번지 《항공기 조정 장치에 쓰이는 스프링》(=~ **spring**) **2** = BUNGEE CORD **3** = BUNGY
búngee còrd (충격 흡수 도구로 쓰이는) 신축성 있는 고무끈 《bungee jumping용 굵은 고무 밧줄 등》
bun·gee-jump [-dʒʌ̀mp] *vi.* 번지 점프를 하다
búngee jùmp(**ing**) 번지 점프
búngee jùmper *n.* 번지 점프하는 사람
bun·ger [bʌ́ŋər] *n.* 《호주·속어》 불꽃
bung·hole [bʌ́ŋhòul] *n.* 통의 따르는 구멍
bun·gle [bʌ́ŋgl] *vt., vi.* 서투르게 만들다, 망치다; 실수하다 — *n.* 서투른 솜씨; 실수, 망침: make a ~ of …을 망쳐버리다
bun·gler [bʌ́ŋglər] *n.* 실수하는 사람, 솜씨 없는 사람
bun·gle·some [bʌ́ŋglsəm] *a.* 서투른, 솜씨 없는
bun·gling [bʌ́ŋgliŋ] *a., n.* Ⓤ 서투른 (솜씨): a ~ carpenter 엉터리 목수 **~·ly** *ad.*
bun·gy [bʌ́ndʒi, bʌ́ŋgi] *n.* (*pl.* **-gies**) 《영·속어》 치즈; 지우개

bun·ion [bʌ́njən] *n.* 〚병리〛 건막류(腱膜瘤) 《엄지발가락 안쪽의 염증》

***bunk**[1] [bʌ́ŋk] [bunker의 단축형] *n.* **1** (배·기차의) 침대(berth); 《구어》 잠자리 **2** =BUNK BED **3** (소의) 여물통 **4** 허튼소리
— *vi.* 《구어》 침상에 눕다, 침대에서 자다; 아무렇게나 뒹굴어 자다 《*down*》
— *vt.* …에 침대를 마련하다 ~ ***up*** 《영·속어》 …와 성관계를 가지다

bunk[2] [bunkum의 단축형] 《속어》 *n.* Ⓤ 터무니없는 소리, 속임수(humbug)
— *vt.* 터무니없는 소리를 하다

bunk[3] 《영·속어》 *vt.* 결석[결근]하다, 게으름 피우다 《*off*》 — *vi.* 뺑소니치다
~ ***off*** = ~ ***it*** 도망가다
— *n.* 도망(flight): do a ~ 도망하다

bunk bed

búnk bèd 2단 침대(의 하나)

bun·ker [bʌ́ŋkər] *n.* **1** (고정되어 있는) 큰 궤, 석탄 궤, (배의) 석탄 창고

> 유의어 **bunker** 옥외에 두는 큰 석탄 궤 **coal scuttle, scuttle** 실내에 두는 석탄 궤

2 〚군사〛 엄폐호; 은신처; (로켓 발사·핵무기 실험 등의) 지하 관측실 연료 **3** 〚골프〛 벙커(sand trap) 《모래로 된 장애 구역》
— *a.* 막다른 곳까지[궁지에] 몰린
— *vt.* **1** 〈배에〉 연료를 싣다 **2** [보통 수동형으로] 〚골프〛 〈공을〉 벙커에 쳐 넣다; 궁지에 몰다: *be* badly ~*ed* (공을 벙커에 쳐 넣어) 애먹고 있다

búnker bùster 〚군사〛 벙커 버스터 《방공호나 엄폐호 따위를 뚫고 들어가 파괴하는 폭탄》

Bún·ker Híll [bʌ́ŋkər-] 벙커힐 《미국 Boston의 언덕; 독립 전쟁시의 싸움터》

búnker òil[fùel] 벙커유(油), 선박용 연료유

búnk fatìgue[hàbit] 《미·속어》 (침대에서의) 휴식[수면] 시간

búnk flỳing 《미·공군속어》 (자기의 비행에 대한) 이야기, (과장된) 비행담

bunk·house [bʌ́ŋkhàus] *n.* (*pl.* **-hous·es** [-hàuziz]) 《미》 광부의 오두막, 노동자 합숙소[숙사]

bunk·ie [bʌ́ŋki] *n.* 《속어》 =BUNKMATE

bunk·mate [bʌ́ŋkmèit] *n.* 〚군사〛 같은 내무반의 동료, bunkhouse의 옆 침대 사람

bun·ko [bʌ́ŋkou] *n.* (*pl.* **~s**), *vt.* =BUNCO

bun·kum [bʌ́ŋkəm] *n.* Ⓤ (선거민의) 인기를 끌기 위한 연설; 부질없는 이야기[일]

bunk-up [bʌ́ŋkʌ̀p] *n.* [보통 *sing.*] 《영·구어》 (오를 때의) 밀어올리기, 받쳐주기: give a person a ~ …을 뒤에서 밀어 올려 주다

bunn [bʌ́n] *n.* =BUN[1]

***bun·ny** [bʌ́ni] *n.* (*pl.* **-nies**) **1** 《유아어》 토끼(rabbit), 어린 토끼 **2** 매력적인 젊은 여자 **3** 버니걸(=~ gìrl) 《토끼 옷을 입은 호스티스》; [**B~**] Playboy Club의 버니걸 **4** 멍청이, 바보
quick like a ~ 《미·속어》 재빠르게
— *a.* 〚스키〛 초심자용의

Bun·ny [bʌ́ni] *n.* 남자 또는 여자 이름

búnny fùck 《미·비어》 *n.* 잠깐 동안의 성교
— *vi.* 급하게 성교하다

bun·ny-grub [-grʌ̀b] *n.* 《영·속어》 신선한 야채

búnny hòp **1** 토끼뜀뛰기 **2** 1950년대에 유행한 춤의 일종 《콩가와 비슷함》 **3** 버니홉 《사이클링 동작 중의 하나》

búnny hùg 버니 허그 《20세기 초기에 미국에서 유행한 춤의 하나》

búnny slòpe [the ~] (스키장의) 초보자용 슬로프

Bún·sen búrner [bʌ́nsn-] [독일의 화학자 이름에서] 분젠 가스 버너 《주로 화학 실험실용》

bunt[1] [bʌ́nt] *vt., vi.* **1** (머리 또는 뿔로) 받다, 밀다 **2** 〚야구〛 번트하다 — *n.* **1** (머리 또는 뿔 따위로) 받기, 밀기 **2** 〚야구〛 번트
~·er *n.*

bunt[2] *n.* **1** (그물의) 주머니 부분 **2** 〚항해〛 가로돛의 중앙부, 부푸는 부분

bunt[3] *n.* Ⓤ (밀의) 깜부깃병(균)

bun·tal [bʌ́ntəl] *n.* 번털 섬유 《모자용》

bun·ting[1] [bʌ́ntiŋ] *n.* Ⓤ (얇은) 깃발천; [집합적] (경축 등을 위한) 가느다란 기, 장식천; 선기(船旗)

bunting[2] *n.* 〚조류〛 멧새 무리

bunting[3] *n.* 《미》 (갓난아기의) 후드 달린 따뜻한 포대기

bunt·line [bʌ́ntlin, -làin] [BUNT[2]에서] *n.* 〚항해〛 가로돛 자락을 치켜 올리는 밧줄

bun·ya(-bun·ya) [bʌ́njə(bʌ́njə)] *n.* 〚식물〛 버냐버냐, 넓은잎남양삼나무 《오스트레일리아산(産) 상록수》

bun·yip [bʌ́njip] *n.* 〚호주전설〛 늪지에 살며 사람을 잡아먹는다는 야수; 《호주》 사기꾼(impostor)
— *a.* 가짜의, 사기의

‡**bu·oy** [búːi, bɔ́i | bɔ́i] *n.* 〚항해〛 부이, 부표(浮標); 구명부표(=life ~)
관련 [buoy의 여러 가지] anchor buoy(닻 부표), bell buoy(타종 부표), can buoy(원통형 부표), lighted buoy(등불 부표), mooring buoy(계선 부표), nun buoy(마름모꼴 부표), spar buoy(원주 부표)
— *vt.* **1** 띄우다, 띄워 두다 《*up*》 **2** 〚항해〛 …에 부이를 달다; 부표로 표시하다: (~+목+부) ~ *off* a channel 수로를 부표로 표시하다 **3** 받쳐주다, …의 기운을 북돋우다, 〈희망 등을〉 걸다 《*up*》: (~+목+부) Hope ~*ed* him *up*. 희망이 그를 힘나게 했다.
— *vi.* 뜨다, 떠오르다(float) 《*up*》

bu·oy·age [búːiidʒ, bɔ́i- | bɔ́i-] *n.* Ⓤ 부표 설치[표지]; [집합적] 부표(buoys); 계선(繫船) 부표 사용료

buoy·an·cy [bɔ́iənsi, búːjən-], **-ance** [-əns] *n.* Ⓤ **1** 부력; 부양성(性) **2** (타격 등을 받고 곧) 회복하는 힘; 쾌활함, 낙천적인 성질 **3** 시세가 오를 기미; (주가의) 상승 경향; 증가 추세

búoyancy àid (수상 스포츠를 할 때 입는) 소매 없는 재킷

búoyancy còmpensator 〚스쿠버다이빙〛 부력 보정기

***buoy·ant** [bɔ́iənt, búːjənt] *a.* **1** 부양성[부력]이 있는: a ~ mine 부유 수뢰(浮遊水雷) **2** 탄력이 있는; 경쾌한; 낙천적인 **3** 〈시세가〉 오를 기미의; 매기(買氣)가 있는 **~·ly** *ad.*

búoyant fórce 〚물리〛 부력(浮力)

Bup·py, Bup·pie [bʌ́pi] [*b*lack *u*rban *p*rofessional+yup*pie*] *n.* 《미》 흑인 yuppie

buq·sha [búkʃɑː, bʌ́k-] *n.* 예멘의 화폐 단위 《40 buqsha가 1 rial에 해당함》

bur[1] [bə́ːr] *n.* **1** (밤·우엉 등의) 가시 돋친 껍질, 밤송이, (그) 가시; 가시 돋친 식물 **2** 달라붙는 것; 성가신 사람 **3** 〚의학〛 외과·치과용의 작은 드릴; 〚기계〛 절삭 도구, 드릴 — *vt.* (**~red**; **~·ring**) …의 가시를 없애다

bur[2] *n., v.* (**~red**; **~·ring**) = BURR[2, 3]

bur. bureau **Bur.** Bureau; Burma; Burmese

bu·ran [buːrɑ́ːn] *n.* 〚기상〛 부란 《시베리아 등 초원 지방의 폭풍》

burb [bə́ːrb] *n.* [종종 *pl.*] 《속어》 교외(suburb)

Bur·ber·ry [bə́ːrbəri, -bèri | -bəri] *n.* Ⓤ 방수포(防水布); 바바리코트 《상표명》

bur·ble [bə́ːrbl] *vi.* 〈시내 등이〉 졸졸 흐르다; 보글보글 소리나다; 거품이 일다; 입에 거품을 내며 말하다: (~+전+명) ~ *with* mirth 킬킬 웃다 / ~ *with* rage 화를 펄펄 내다

thesaurus **burden**[1] **1** 짐 load, cargo, weight, freight **2** 임무, 책임 responsibility, charge, duty

— *n.* **1** 보글보글 소리; 킬킬댐 **2** 〖항공〗 실속(失速)
búr·bler *n.* **búr·bly** *ad.*
búrble pòint 〖항공〗 박탈점, 임계점
bur·bot [bə́ːrbət] *n.* (*pl.* **~, ~s**) 〖어류〗 모캐
burbs [bə́ːrbz] [*suburbs*의 단축형] *n. pl.* ((미·속어)) 도시 교외, 주택 지역, 베드타운
‡**bur·den**[1] [bə́ːrdn] [OE 「운반되는 것」의 뜻에서] *n.* **1** 무거운 짐, 짐(load); Ⓤ 짐나르기: a ship of ~ 화물선 / a ~ of dust 쌓인 먼지 **2** (의무·책임의) 짐, 부담; (마음의) 부담, 걱정, 괴로움: financial ~ 재정상의 부담 / be a ~ to[on] …의 부담이 되다 **3** Ⓤ (배의) 적재력: a ship of 300 tons ~ 적재량 300톤의 배 **4** (체내의) 유해 물질[기생충, 생장물]의 존재량: cancer ~ 암 존재량
bear the ~ and heat of the day 〖성서〗 종일 수고와 더위를 견디다 ***lay a ~ on*** …에게 부담을 주다 ***lift a ~ from*** …에게서 짐을 덜어주다 ***the ~ of proof*** 〖법〗 입증 책임
— *vt.* **1** [종종 수동형으로] …에게 **짐을 지우다,** 부담시키다: ((~+목+전+명)) ~ a person *with* heavy taxes …에게 중세를 과하다 / I *was ~ed with* debt. 나는 빚을 졌다. **2** 괴롭히다, 고민하게 하다
burden[2] *n.* **1** (노래의) 반복구(句), 후렴 ((refrain이 일반적)); 장단 맞추는 노래 **2** 요지, 취지 ***like the ~ of a song*** 되풀이하여
bur·dened [bə́ːrdnd] *a.* 〖항해〗 〈배가〉 피항(避航) 의무가 있는, 통행권을 가진 배에 양보해야만 하는
bur·den·some [bə́ːrdnsəm] *a.* (견딜 수 없이) 부담이 되는, 귀찮은, 성가신, 고된, 어려운
~·ly *ad.* **~·ness** *n.*
bur·dock [bə́ːrdɑk | -dɔk] *n.* 〖식물〗 우엉 ((영·미에서는 식용하지 않음))
*****bu·reau** [bjúərou] [F =desk] *n.* (*pl.* **~s, ~x** [-z]) **1** ((미)) (관청의) 국(局)(((영)) department): the *B*~ of the Mint (미국 재무부의) 조폐국 / the National *B*~ of Standards (미국 상무부의) 표준국 **2** ((미)) (거울 달린) 침실용 장롱 **3** ((미)) **사무소,** 접수처; 사무[편집]국: a travel ~ 여행 안내소 / an information ~ 안내소 **4** ((영)) (개폐식의) 서랍 달린 사무용 큰 책상
*****bu·reau·cra·cy** [bjuərɑ́krəsi | bjuərɔ́-] *n.* (*pl.* **-cies**) ⓊⒸ [집합적] **관료**; 관료 정치[주의, 제도]; 관료적인 번잡한 절차
*****bu·reau·crat** [bjúərəkræ̀t] *n.* **관료**; 관료적인 사람 [공무원]; 관료주의자
bu·reau·crat·ese [bjùərəkrætíːz] *n.* 관청 용어, 관료 어법
*****bu·reau·crat·ic** [bjùərəkrǽtik] *a.* **관료 정치의**; 관료적인; 절차가 번잡한 **-i·cal·ly** *ad.*
bu·reau·crat·ism [bjúərəkrætìzm] *n.* Ⓤ 관료주의[기질] **-ist** *n.*
bu·reau·cra·tize [bjuərɑ́krətàiz | bjuərɔ́-] *vt.* 관료 체제로 하다, 관료화하다
bu·rèau·cra·ti·zá·tion *n.*
bureau de change [bjuərou-də-ʃɑ́ndʒ | -ʃɑ́:ndʒ] [F] 환전소(換錢所)
bu·reaux [bjúərouz] *n.* BUREAU의 복수
bu·ret(te) [bjurét] *n.* 〖화학〗 뷰렛 ((정밀한 눈금이 있는 분석용 유리관))
burg [bə́ːrg] [OE 「성시(城市)」의 뜻에서] *n.* 〖역사〗 성시(城市); ((미·구어)) 시(市)(city), 읍(town)
bur·gage [bə́ːrgidʒ] *n.* Ⓤ 〖고대영국법〗 (화폐 지대를 물고 봉건 영주에게서 얻은) 도시 토지 보유권
bur·gee [bə́ːrdʒiː, ─╯] *n.* (요트 등의) 삼각기
bur·geon [bə́ːrdʒən] *vi.* 싹트다 ((*forth*)); 갑자기 출현[발전]하다 ((*into*)) — *vt.* 싹틔우다
— *n.* (초목의) 싹, 새싹(shoot) **~·ing** *a.* 〈인구 등이〉 급증하는; 급성장하는

3 걱정 trouble, worry, anxiety, stress
burglar *n.* housebreaker, thief, robber, crook

bur·ger [bə́ːrgər] *n.* ((미·구어)) =HAMBURGER
-burger [bə̀ːrgər] ((연결형)) 「둥근 빵에 고기·생선 등을 구워서 얹은 샌드위치」의 뜻: cheese*burger*
bur·ger·dom [bə́ːrgərdəm] *n.* Ⓤ 햄버거 업계
bur·gess [bə́ːrdʒis] *n.* ((영)) (자치 도시의) 시민, 공민; 〖역사〗 자치시[대학] 선출 대의원; 〖미국사〗 (독립 전쟁 전의 Virginia, Maryland 양주의) 하원 의원
burgh [bə́ːrə | bʌ́rə] *n.* ((스코)) 자치 도시 ((Edin*burgh* 등의 지명에 남아 있음)) **~·al** *a.*
-burgh [bə̀ːrə, bə̀ːrg | bərə, -bə̀ːg] ((연결형)) 「시·읍」의 뜻: Pitts*burgh*
bur·gher [bə́ːrgər] *n.* 공민, 시민 ((중산층))
‡**bur·glar** [bə́ːrglər] *n.* (주거 침입) **강도** ((본래 밤도둑을 두고 말했으나, 지금은 밤낮의 구별이 없음))(⇨ thief 유의어)
búrglar alàrm 도난 경보기
bur·glar·i·ous [bərglέəriəs] *a.* 주거 침입(죄)의, 강도(죄)의, 밤도둑(죄)의 **~·ly** *ad.*
bur·glar·ize [bə́ːrglərài z] *vt., vi.* ((구어)) 침입하여 강도질하다; (집 등을) 털다
bur·glar·proof [bə́ːrglərprùːf] *a.* 도난 방지의
bur·glar·y [bə́ːrgləri] *n.* (*pl.* **-glar·ies**) ⓊⒸ (절도·상해·강간 등을 목적으로 한) 주거 침입(죄), 밤도둑질, 강도
bur·gle [bə́ːrgl] [burglar에서의 역성(逆成)] *vi., vt.* ((구어)) (…에) 불법 침입하다; 강도질하다, 침입하여 강탈하다: ~ a safe 금고를 털다
bur·go·mas·ter [bə́ːrgəmæ̀stər, -mɑ̀ːs- | -mɑ̀ːs-] *n.* (네덜란드의) 시장(市長)
bur·go·net [bə́ːrgənèt, -nət | bə́ːgənèt] *n.* (16-17세기의) 가벼운 투구
bur·goo [bə́ːrguː, ─╯] *n.* Ⓤ ((항해속어)) 오트밀 (porridge); ((미·방언)) 걸쭉한 수프[스튜]
Bur·gun·di·an [bəːrgʌ́ndiən] *a.* Burgundy (주민)의 — *n.* Burgundy의 주민
Bur·gun·dy [bə́ːrgəndi] *n.* (*pl.* **-dies**) 부르고뉴 ((프랑스의 동남부 지방; 프랑스명 Bourgogne)); [종종 **b~**] ⓊⒸ 그 지방에서 나는 포도주
bur·hel [bʌ́rəl] *n.* 〖동물〗 히말라야들양(羊)
‡**bur·i·al** [bériəl] *n.* ⓊⒸ **매장,** 토장(土葬)(interment); Ⓒ 매장식 ((★ 영·미에서는 화장(cremation)도 많으나, 토장이 흔함; 때로 매장 자체가 장례를 겸함)): aerial ~ 풍장 / water ~ = ~ at sea 해장, 수장
búrial càse ((미)) 관(棺)
búrial gròund[plàce] (매)장지, 묘지
búrial mòund (특히 북미 인디언의 무덤의) 봉분
búrial sèrvice 매장식
Bú·ri·dan's áss [bjúərədənz-] [프랑스의 철학자 이름에서] 뷔리당의 당나귀 ((같은 거리에 같은 양, 같은 질의 건초를 놓아 두면 당나귀는 어느 쪽을 먼저 먹을까 망설이다가 굶어 죽는다는 궤변적 논리))
buri·er [bériər] *n.* 매장인
bu·rin [bjúərin, bə́ːr- | bjúər-] *n.* (금속 조각용) 조각칼, (대리석 조각용) 끌, 정; Ⓤ 조각 양식
burk [bə́ːrk] *n.* ((속어)) =BERK
bur·ka [búərkə | bə́ː-] *n.* 부르카 ((이슬람교도 여인의 눈만 내놓는 장옷))
burke [bə́ːrk] *vt.* 목졸라 죽이다(stifle); 〈의안 등을〉 묵살하다; 〈풍설 등을〉 없애다
Bur·ki·na Fa·so [bərkíːnə-fɑ́ːsou] 부르키나 파소 ((아프리카 서부의 공화국; Upper Volta를 1984년 개칭; 수도 Ouagadougou))
Búr·kitt('s) lymphóma[túmor] [bə́ːrkit(s)-] [영국의 의사 이름에서] 〖의학〗 버킷 임파종
burl[1] [bə́ːrl] *n.* (실·직물 등의) 마디; (나무의) 옹이
— *vt.* …의 마디를 제거하다
burl[2] *n.* ((호주·구어)) 시도, 해보기: give it a ~ 한 번 해보다
bur·la·de·ro [bə̀ːrlədέərou, bùər-] *n.* (*pl.* **~s**) 부를라데로 ((투우장의 벽과 평행으로 만든 투우사의 도피 칸막이))

bur·lap [bə́ːrlæp] *n.* **1** Ⓤ 올이 굵은 삼베《부대·포장용》 **2** [the ~] 《미·속어》 잠자리

*__bur·lesque__ [bərlésk] *n.* **1** **익살 연극**; 희화(戱畫), 웃기는 모방, 풍자적 희극 **2** Ⓤ 버라이어티 쇼《스트립 쇼가 위주》
— *a.* Ⓐ 해학적인, 광대의; 웃기는
— *vt.* 희화화하다, 익살스레 모방하다
— *vi.* 희화화하다, 우스꽝스럽게 그리다

bur·let·ta [bəːrlétə] *n.* 소(小)희가극

bur·ley[1] [bə́ːrli] *n.* (*pl.* **~s**) 미국산 잎담배의 일종

burley[2] *n.* = BURLESQUE 2

bur·li·ness [bə́ːrlinis] *n.* Ⓤ (몸집이) 억셈, 크고 튼튼함, 건장함; 퉁명스러움

Búr·ling·ton Hóuse [bə́ːrliŋtən-] 벌링턴 하우스《London의 Piccadilly에 있는 건물로서 Royal Academy, British Academy, British Association 등의 본부가 있음》

bur·ly[1] [bə́ːrli] *a.* (**-li·er**; **-li·est**) 〈몸이〉 억센, 건장한, 실한(stout); 퉁명스러운(bluff) **búr·li·ly** *ad.*

burly[2] *n.* (*pl.* **-lies**) 《미》 = BURLESQUE

Bur·ma [bə́ːrmə] *n.* 버마《동남아시아의 Myanmar의 구칭; 수도 Rangoon, 지금은 Yangon》

Bur·man [bə́ːrmən] *n.* (*pl.* **~s**) 버마 사람

Bur·mese [bərmíːz, -míːs] *a.* 버마의
— *n.* (*pl.* ~) **1** 버마 사람 **2** Ⓤ 버마 말

‡**burn**[1] [bə́ːrn] *v.* (**burnt** [-t], **burned** [-d]) ★ 과거·과거분사형은 《영》에서는 burnt, 《미》에서는 burned가 많으나, 《영》에서도 자동사로서나 비유적 뜻으로는 burned를 쓰는 경향이 있음; 형용사 용법으로는 다 같이 burnt.
— *vi.* **1** **불타다,** (불에) 타다; 햇볕에 타다[그을다]; 〈음식이〉 타다, 눋다; 〖화학〗 연소하다: (~+뷔) ~ *well*[*badly*] 잘 타다[타지 않다] // (~+보) ~ blue[red] 푸른[붉은] 빛을 내면서 타다 / ~ black 까맣게 타다 **2** 〈등불이〉 **빛나다;** 해가 (…에) 비치다 **3** **타는 듯이 느끼다** 《*with*》; 〈혀·입이〉 얼얼하다 《*with*》; 화끈거리다: (~+전+명) ~ *with* fever 열이 올라 화끈거리다 **4** 불끈하다, 성나다 《*with*》; 열중하다, 흥분하다 《*with*》; 〈문제 등이〉 열을 띠다; …하고 싶어하다, 열망하다: (~+전+명) ~ *with* anger 화가 불같이 나다 // (~+**to** do) ~ *to* win fame 명예욕에 불타다 **5** 단내[탄내]가 나다; 〖놀이〗 냄새가 나다, 가까워지다《술래잡기나 수수께끼에서 숨은 사람이나 답에 가까워져》 **6** 《미·속어》 전기의자로 사형되다 **7** 〈기사·사물이〉 (마음 등에) 새겨지다 《*in, into*》 **8** 〈산(酸) 등이〉 (금속 등을) 부식하다 《*into*》 **9** 〈로켓 엔진이〉 분사하다
— *vt.* **1** **태우다,** 불사르다, 때다; 눋게[타게] 하다; 〈가스 등에〉 점화하다, 불붙이다, 켜다; 굽다: (~+목+전+명) The building was *burnt* (down) *to* ashes[cinders]. 그 건물은 전소했다. **2** 〈해가〉 …에 쨍쨍 내리쬐다, 볕에 그을리게 하다; 〈태양열이〉 말려 죽이다 **3** 불에 데게 하다: ~ oneself 불에 데다 **4** 〖컴퓨터〗 〈PROM, EPROM에〉 프로그램을 써 넣다; 〈CD 등에〉 음악이나 정보 등을 새겨 넣다[기록하다], 〈CD 등을〉 굽다 《*with*》 **5** 빨갛게 달구다 《*away, off, out*》; 〈소인(燒印)·낙인을〉 달구어 찍다 《*into, in*》; 〈구멍을〉 달구어 뚫다 **6** 달구어 굳히다, 〈벽돌·석회·숯 등을〉 굽다: (~+목+전+명) ~ wood *into* charcoal 나무를 구워 숯을 만들다 **7** 화형에 처하다; 《미》 전기의자로 처형하다: (~+목+보) be *burnt* alive[at the stake] 화형에 처해지다 **8** 얼얼하게 하다 **9** 〈남을〉 속이다 **10** 《미·속어》 화나게 하다 **11** 〖물리〗 〈우라늄 등의〉 원자 에너지를 사용하다; 〈로켓 엔진을〉 분사시키다; 〖화학〗 연소시키다

~ (***a hole in***) one***'s pocket*** 〈돈이〉 몸에 붙지 않다 ~ ***away*** 〈태양이〉 〈눈을〉 녹여 없애다; 타버리다; 계속해서 타다; 불살라 버리다 ~ ***daylight*** ⇨ daylight. ~ ***down*** 전소(全燒)하다; 소진(燒盡)하다; 불기운이 죽다; 태워[불살라] 버리다 ~ ***in*** 〖사진〗 〈인화를〉 진하게 하다; (마음에) 아로새기다 ~ ***into*** 써어 들어가다; (마음에) 아로새겨지다 ~ ***low*** 불기운이 약해지다 ~ ***off*** 불살라 버리다; 태워서 〈얼룩 등을〉 없애 버리다; 〈안개 등이〉 햇볕으로 사라지다 ~ ***on*** 납과 납을 용접하다 ~ ***one*** 《미·속어》 (술통에서) 맥주를 글라스에 따르다 ~ ***one in***[***over***] 《야구속어》 속구를 던지다 ~ ***out*** 태워 버리다[없애다]; 다 타버리다; 불로 쫓아내다; 다 써버리다, 〈기력이〉 소진되다: be *burnt out* (of house and home) (집이) 몽땅 타버리다 ~ one***'s boats***[***bridges***] ***behind*** ⇨ boat. ~ one***self*** ⇨ *vt.* 3. ~ one***self out*** 정력을 소모하다 ~ one***'s fingers*** ⇨ finger. ~ one***'s lip*** 열을 올려 지껄이다 ~ one***'s money*** 돈을 다 써버리다 ~ ***the candle at both ends*** ⇨ candle. ~ ***the earth***[***wind***] 《미》 전속력으로 가다 ~ ***the Thames*** 세상을 놀라게 하다 ~ ***the water*** 햇불을 켜 들고 연어를 작살로 잡다 ~ ***to the ground*** 전소하다 ~ ***to*** (***the pan***) 눌어붙다 ~ ***together*** 용접하다 ~ ***up*** 활짝 타오르다; 태워[불살라] 버리다; 《속어》 약오르다[올리다]; 꾸짖다; 열광적으로 하다 ~ ***up the cinders*** 《미》 (경주에서) 힘껏 달리다 ~ ***up the road*** 차를 굉장한 속도로 몰다 ~ ***up the telephone*** 전화로 몹시 꾸짖다 ***have money to*** ~ 《구어》 돈이 주체 못할 만큼 많다 ***The ears*** ~***.*** 귀가 가렵다, 누가 내 말 하나 보다.
— *n.* **1** **화상;** 햇볕에 탐 **2** 구움, 달굼 **3** 탄 자리, 탄 벌판; 《미》 타 없어진 지대; 《미》 화전 **4** 《구어》 담배 **5** (로켓의) 분사; 소인(燒印) **6** 《속어》 사기, 협잡

burn[2] *n.* 《스코》 개울

burn·a·ble [bə́ːrnəbl] *a.* 태울[구울, 달굴] 수 있는

búrn àrtist 《미·속어》 가짜[싸구려] 마약 장수

búrn bàg 소각 폐기할 기밀 문서 자루

burn-bag [bə́ːrnbæ̀g] *vt.* 《미》 〈문서를〉 burn bag에 넣다

burned-out [bə́ːrndáut] *a.* 타버린, 못 쓰게 된, 식은: a ~ bulb 끊어진 전구 / ~ zeal 식어 버린 열의

*__burn·er__ [bə́ːrnər] *n.* **1** **연소기,** 버너; (오븐 등의) 열을 발하는 부분; (석유등·가스등의) 점화구: a gas ~ 가스 버너 **2** 태우는[굽는] 사람: a charcoal ~ 숯을 굽는 사람

bur·net [bərnét, bə́ːrnit | bə́ːnit] *n.* 〖식물〗 오이풀속(屬)

burn-in [bə́ːrnìn] *n.* 〖전자〗 통전(通電) 테스트

‡**burn·ing** [bə́ːrniŋ] *a.* (불)타는, (불)타고 있는; 뜨거운, 강렬한, 격심한; 중대한, 초미의; [부사적] 타는 듯이: a ~ question 화급(火急)을 요하는 중요 문제

búrning ghát (힌두교도의) 강변의 화장터

búrning glàss 화경(火鏡)《볼록 렌즈》

búrning móuntain 화산

búrning òut 《미·속어》 (마약 중독자가) 스스로 마약을 끊음

búrning pòint 〖물리〗 = FIRE POINT

bur·nish [bə́ːrniʃ] *vt., vi.* 닦다, 갈다(⇨ polish 유의어); 광[윤]내다, 광나다, 윤이 나다 《*well, badly,* etc.》 — *n.* Ⓤ Ⓒ 윤기, 광택

bur·nish·er [bə́ːrniʃər] *n.* 닦는[가는] 사람; 연마기

burn-off [bə́ːrnɔ̀ːf | -ɔ̀f] *n.* 화전(火田) 일구기

bur·noose, -nous [bərnúːs, bə́ːrnuːs | bəːnúːs] *n.* 두건 달린 겉옷《아라비아 사람이 입는 망토》

burn·out [bə́ːrnàut] *n.* **1** (로켓의) 연소 종료(점) **2** (전기 기기의 합선에 의한) 단선; 과열로 인한 파손 **3** 소모, 극도의 피로, (마음·체력의) 쇠진, (스트레스에 의한) 정신·신경의 쇠약[소모]; 기력이 쇠진된 사람 **4** 화마(火魔)

búrnout velòcity (로켓의) 연소 종료 속도

búrn ràte 신생 기업의 경비 지출 속도

Búrns [bə́ːrnz] *n.* 번스 **Robert** ~ (1759-96) 《스코틀랜드의 시인》

thesaurus **burn**[1] *v.* **1** 불타다 be on fire, be afire, be ablaze, blaze, flame, flare, flash, glow **2** 태우다 set on fire, set alight, ignite, kindle, incinerate, scorch, singe, sear, char

burn·sides [bə́:rnsàidz] *n. pl.* 《미·속어》 (턱수염 없이) 콧수염과 이어진 볼수염

burnsides

Búrns Níght [bə́:rnz-] 번스 나이트 《Robert Burns가 태어난 1월 25일》

burnt [bə:rnt] *v.* BURN의 과거·과거분사
—*a.* (불)탄, 눌은; 불에 덴; 〈안료가〉 태워서 만든: A ~ child dreads the fire. 《속담》 불에 덴 아이는 불을 무서워한다, 자라 보고 놀란 가슴 솥뚜껑 보고 놀란다.

búrnt álmond 눌은 설탕으로 굳힌 아몬드 (과자)

búrnt álum 〚화학〛 고백반(枯白礬)

búrnt líme 〚화학〛 생석회

búrnt ócher 구운 황토, 철단(鐵丹)

búrnt óffering 번제(燔祭)의 제물 《제단 위에서 구워 신에게 바치는 제물》; 《구어》 너무 태운 음식

burnt-out [bə́:rntàut] *a.* =BURNED-OUT

búrnt pláster 소(燒)석고

búrnt siénna 구운 시에나토(土) 《적갈색 안료용》

búrnt úmber 구운 엄버, 고동색 (안료)

burn·up [bə́:rnʌ̀p] *n.* **1** 원자로의 연료 소비(도) **2** 《영·속어》 오토바이의 폭주

burn·y [bə́:rni] *a.* 《구어》 불타(고 있)는

búr òak 북미 중부·동부산(產)의 오크

burp [bə́:rp] [의성어] *n.* 《구어》 트림(belch)
—*vi., vt.* 트림하다; (젖 먹이고 난 뒤에 아기에게) 트림을 시키다

búrp gùn 《미》 자동 권총, 소형 경기관총

***burr**[1] [bə́:r] *n.* **1** (동판 조각 등의) 깔쭉깔쭉한 부분; 거친 숫돌 **2** 〚의학〛 (치과·외과용의) 작은 드릴; 〚기계〛 절삭(切削) 도구, 드릴 **3** =BUR[1] 1
—*vt.* 깔쭉깔쭉하게 하다; 〈금속의〉 깔쭉깔쭉한 부분을 떼어내다

burr[2] *n.* 리벳 멈춤 금속판, 와셔(washer); (판금에서 뚫은) 둥근 금속판

burr[3] *n.* 부르릉[윙윙] 하는 소리; r의 후음(喉音), 목젖을 진동시켜 내는 r음 《uvular *r*; 기호는 [R]》
—*vt., vi.* 후음[목젖 진동음] [R]로 발음하다; 불명확하게 발음하다

burr[4] *n.* =BURSTONE

búrr drìll 〚치과〛 치아 천공기

burr·head [bə́:rhèd] *n.* 《미·속어》 흑인

bur·ri·to [bərí:tou] *n.* (*pl.* **~s**) 부리토 《고기·치즈 등을 tortilla로 싸서 구운 멕시코 요리》

bur·ro [bə́:rou, búər-, bʌ́r-|búr-] *n.* (*pl.* **~s**) 《미서부》 (하물 운반용) 작은 당나귀

***bur·row** [bə́:rou, bʌ́r-|bʌ́r-] *n.* (여우·토끼·두더지 등이 판) 굴; 피신처, 은신처(shelter)
—*vt., vi.* 〈굴을〉 파다; 굴에 살다[숨다]; 잠복하다; 깊이 파고들다[조사하다] **~ one's way** 굴을 파며 나아가다 **~·er** *n.* 굴 파는 동물

burr·stone [bə́:rstòun] *n.* =BURSTONE

bur·ry [bə́:ri] *a.* (**-ri·er**; **-ri·est**) (밤송이처럼) 가시 돋친 껍질이 있는; 따끔따끔 찌르는

bur·sa [bə́:rsə] *n.* (*pl.* **~s, -sae** [-si:]) 〚해부〛 활액낭(滑液囊); 〚동물〛 포낭(包囊)(sac)

búrsa of Fabrícius [덴마크의 곤충학자 이름에서] 〚조류〛 (새의 총배출강(腔)에 있는) 파브리키우스 소낭(小囊)

bur·sar [bə́:rsər, -sɑ:r|bə́:sə] *n.* (대학의) 회계원, 출납원(purser); 《스코》 (대학의) 장학생

bur·sar·i·al [bərsέəriəl] *a.* 회계과의, 재무 담당의; 장학금의

bur·sa·ry [bə́:rsəri] *n.* (*pl.* **-ries**) (대학의) 회계과; 《스코》 대학의 장학금

burse [bə́:rs] *n.* **1** (특정한 것을 넣는) 작은 주머니; 지갑 **2** 〚가톨릭〛 (성체포(聖體布)를 넣는) 성포낭(聖布囊) **3** = BURSARY

bur·sec·to·my [bə:rséktəmi] *n.* Ⓤ 〚의학〛 활액낭 절제(술)

bur·si·form [bə́:rsəfɔ̀:rm] *a.* 〚해부·동물〛 주머니 모양을 한

bur·si·tis [bərsáitis] *n.* Ⓤ 〚병리〛 활액낭염

***burst** [bə́:rst] *v.* (**burst**) *vi.* **1 a** 〈폭탄 등이〉 파열하다, 터지다; 폭발하다: (~+전+명) ~ *into* fragments 터져서 산산조각이 나다 **b** 〈제방 등이〉 터지다, 무너지다: This bank may ~ at any moment. 이 제방은 언제 무너질지 모른다. **2** 부풀어 터지다, 〈물집·밤알 등이〉 터지다; 〈꽃봉오리가〉 피어나다, 벌어지다; 〈문 등이〉 홱 열리다 《보통 ~ open》: (~+전+명) Trees ~ *into* bloom. 나무에 꽃이 활짝 피었다. **3** 갑자기 (들어)오다[나가다], 갑자기 나타나다, 갑자기 보이게[들리게] 되다: (~+전+명) ~ *through* the door 문으로 뛰어들다[뛰어나가다] / ~ *on*[*upon*] one's ears 갑자기 들리다 / The sea ~ *into* view. 바다가 갑자기 시야에 들어왔다. **4** 갑자기 …하다 《*into*》; (감정 등을) 갑작스럽게 표현하다: (~+전+명) ~ *into* tears[laughter] 울음[폭소]을 터뜨리다 / At last, he ~ *with* rage. 드디어 그는 분노가 터졌다. **5** [보통 진행형으로] 가득해지다, (가득 차서) 팽팽하다 《*with*》: (~+전+명) be ~*ing with* health[happiness] 건강[행복]으로 충만해 있다 // (~+**to** do) be ~*ing to* tell a secret 비밀을 털어놓고 싶어 좀이 쑤시다 **6** 〈폭풍우가〉 갑자기 일다: (~+전+명) A storm ~ *upon* us suddenly. 갑자기 폭풍우가 우리를 엄습했다. **7** 《속어》 〈회사·사업이〉 파산하다(cf. BUST[2])
—*vt.* **1** 터뜨리다, 파열[폭발]시키다; 터지게[무너지게] 하다; 홱 열다: (~+목+보) ~ the door *open* = ~ *open* the door 문을 쾅하고 열다 **2** 찢다; 무리하게 잡아당겨 떼다: ~ buttons with food 배가 불러 단추가 터지다 **3** 〚컴퓨터〛 〈연속된 용지를〉 떼어내다
~ a blood vessel 《미·구어》 몹시 흥분하다 ***~ at the seams*** 터질 듯하다, 너무 크다[혼잡하다] ***~ away*** 파열하다 ***~ forth*** 갑자기 나타나다; 튀어나오다; 돌발하다 ***~ in*** 〈문 등이〉 안으로 왈칵 열리다; 〈사람이〉 갑자기 들어오다 ***~ in on***[***upon***] 말을 가로채다; …에 난입하다 ***~ into*** 〈방 등에〉 난입하다; 갑자기 …하기 시작하다 ⇨ *vi.* 4. ***~ out*** 튀어나오다; 갑자기 나타나다; 돌발하다(⇨ outburst); 갑자기 소리지르다; 갑자기 …하기 시작하다: ~ *out* cry*ing*[laugh*ing*] 갑자기 울기[웃기] 시작하다 ***~ oneself*** (과로하여) 몸을 해치다 ***~ one's sides with laughing***[***laughter***] 배꼽 빠다, 포복절도하다 ***~ through*** 밀어 헤치다, 뚫고 나오다 ***~ up*** 파열하다, 폭발하다; 《속어》 파산[파멸]하다 ***~ upon***[***on***] …에 갑자기 나타나다[들려오다, 알게 되다] ***~ with*** …으로 터질 듯하다; 터질 듯이 꽉 차 있다
—*n.* **1** 파열, 폭발(explosion); 파열한[터진] 곳, 터진 구멍: a ~ in the embankment 제방의 터진 곳 **2** 돌발, (감정의) 격발: a ~ of applause 별안간 터지는 박수갈채 **3** 분발(spurt), (말의) 한바탕 달리기; (도락에) 한바탕 몰두하기 **4** 집중 사격, 연속 발사 **5** 갑자기 눈 앞에 전개되는 광경(sudden view) **6** 《구어》 술 마시며 법석대기(spree) ***at a***[***one***] ***~*** 단숨에, 분발하여 ***be***[***go***] ***on the ~*** 《구어》 술 마시며 법석대다

burst·er [bə́:rstər] *n.* 파열시키는 것; 작약(炸藥)

búrst·ing chàrge [bə́:rstiŋ-] 작약(burster)

bur·stone [bə́:rstòun] *n.* 규석(硅石) 《맷돌용》

burst·proof [bə́:rstprù:f] *a.* 〈문의 자물쇠 등이〉 강한 충격에 견디는

burst-up [-ʌ̀p] *n.* 《속어》 =BUST-UP

burst·y [bə́:rsti] *a.* (**burst·i·er**; **-i·est**) **1** 〚전자〛 (데이터를 전송할 때) 일순간에 몰리는 **2** 《구어》 이따금씩의, 간헐적인

---

burrow *n.* tunnel, hole, hollow, excavation, den

burst *v.* **1** 폭발하다 explode, blow up, detonate **2** 터지다, 터뜨리다 split, break open, tear apart, rupture, crack, fracture, fragment

bur·then [bə́ːrðən] *n., v.* 《고어》 =BURDEN[1, 2]
bur·ton[1] [bə́ːrtn] *n.* 〖항해〗 《돛 등을 올리는》 고패 장치
burton[2] *n.* [다음 성구로] ***go for a*** *~* [***B~***] 《영·속어》 〈비행사가〉 전사하다; 행방불명이 되다
Bu·run·di [burúndi] *n.* 부룬디 《중앙 아프리카의 공화국; 수도 Bujumbura》
bur·weed [bə́ːrwìːd] *n.* 〖식물〗 가시 돋친 열매를 맺는 풀 《우엉·도꼬마리 등》
‡**bur·y** [béri] *vt.* (**bur·ied**) **1** 묻다: (~+목+전+명) ~ one's hand *in* sand 손을 모래 속에 묻다 **2** 파묻다, 매장하다(inter; cf. CREMATE); 〈성직자가〉 매장식을 하다; 사별(死別)하다; (묻어버리듯이) 잊어버리다: ~ one's wife 상처(喪妻)하다 / agree to ~ the whole thing 모든 것을 잊어버리기로 동의하다 // (~+목+전+명) He was *buried in* Westminster Abbey. 그는 웨스트민스터 성당에 안장되었다.

> 유의어 **bury** 「매장하다」의 가장 일반적인 말. **inter, inhume**은 bury와 같은 뜻이지만 원래 「땅에 묻다」로, 격식을 차린 말들임. **entomb**도 격식 차린 말로, 「tomb(묘)」가 있음을 암시함.

3 〈손 등을〉 찔러 넣다, 〈나이프 등을〉 푹 찌르다 《*in, into*》: (~+목+전+명) ~ one's hands *in* one's pockets 양손을 주머니에 넣다 **4** (덮어서) 숨기다(conceal): (~+목+전+명) ~ one's face *in* one's hands 두 손으로 얼굴을 가리다 **5** [수동형 또는 ~ one*self*로] 몰두하다 《*in*》: (~+목+전+명) *be buried in* thought[grief] 생각[슬픔]에 잠기다 / ~ *oneself in* one's studies 연구에 몰두[골몰]하다 **6** [수동형 또는 ~ one*self*로] (초야(草野) 등에) 묻히다, 틀어박히다 《*in*》: *be buried in* oblivion 세상에서 잊혀져 가다 / ~ *oneself in* the country 시골에 파묻히다 **7** 잊어버리다, 망각하다; 끝내다, 단념하다 **8** 압승하다, 완패시키다 ***be buried alive*** 생매장되다; 세상에서 잊혀지다 ~ a person ***at sea*** …을 수장(水葬)하다 ~ one***'s head in the sand*** 현실을 회피[외면]하다 ▷ búrial *n.*
Bur·yat, -iat [buərjάːt, bùəriάːt] *a.* 부랴트 자치 공화국의; 부랴트 인의; 부랴트 말의
— *n.* (*pl.* ~, ~**s**) 부랴트 족(族) 《시베리아 동부의 몽고족》; Ⓤ 부랴트 말
bury·ing [bériiŋ] *n.* Ⓤ 매장(burial)
búrying bèetle 〖곤충〗 송장벌레(gravedigger)
búrying gròund[**plàce**] =BURIAL GROUND [PLACE]
‡**bus** [bʌs] [omni*bus*] *n.* (*pl.* ~·(**s**)**es**) **1** 버스(motorbus); 합승 자동차; 트롤리 버스; 합승 마차; 여객기(aerobus); 《구어》 《일반적으로》 탈것
관련 double-decker(2층 버스), limousine(공항 버스), microbus, minibus(소형 버스), school bus(통학 버스), shuttle bus(근거리 왕복 버스), sightseeing bus(관광버스), trollybus(트롤리 버스)
2 《미》 (식당의) 식기 운반용 왜건 **3** 〖전기〗 버스, 모선(母線) **4** 〖군사〗 미사일의 복수 탄두 부분; 〖우주과학〗 로켓·미사일의 모기(母機); 우주 버스 **5** 〖컴퓨터〗 버스 《여러 개의 장치나 레지스터 사이에서 데이터를 전송하는 통로》 ***miss the*** *~* 《속어》 버스를 놓치다; 좋은 기회를 놓치다, 실패하다
— *vi., vt.* (~(**s**)**ed**; ~(**s**)**ing**) **1** 《미·속어》 버스를 타다[타고 가다, 통학하다]; 《미·구어》 (식당 등에서) 급사의 조수를 하다, 그릇을 치우다 **2** (인종 차별을 없애기 위해 먼 학교로) 〈학생을〉 버스로 나르다
~ ***it*** 《구어》 버스로 가다
bus. bushel(s); business
bús bàr 〖전기·컴퓨터〗 모선(母線)(bus)
bus·boy [bʌ́sbɔ̀i] *n.* 《미》 (식당의) 웨이터의 조수 《식탁을 치우거나 접시를 닦는 남자; 여성은 busgirl; 남녀의 구별을 하지 않을 때는 waiter's helper[assistant]라고 함》
bus·by [bʌ́zbi] *n.* (*pl.* **-bies**) 운두가 높은 털모자 《영국의 기병·근위병의 정모》

bús condùctor 버스 차장 《여자도 포함》; 〖전기〗 모선(母線)
bus·girl [bʌ́sgə̀ːrl] *n.* 《미》 BUSBOY의 여성형
‡**bush**[1] [búʃ] *n.* **1** 관목(shrub), 떨기나무 《뿌리에서 여러 줄기가 뻗는 것은 shrub; ⇨ shrub[1] 유의어》; [종종 the ~] 관목 숲, 덤불; (덤불처럼) 우거진 것[털], 여우 꼬리 **2** [종종 the ~] (아프리카 등의) 총림지, 오지, 미개지 **3** 담쟁이 가지 《옛 술집 간판》: Good wine needs no ~. 《속담》 술이 좋으면 간판이 필요없다. **4** [*pl.*] 〖야구〗 =BUSH LEAGUE
A bird in the hand is worth two in the ~. ⇨ bird. ***beat about***[***around***] ***the ~*** ⇨ beat. ***beat the ~es*** 《미》 〈인재 등을〉 사방으로[두루] 찾다 《*for*》 ***go ~*** 《호주》 오지로 들어가다; 행방을 감추다; 사나워지다 ***take to the ~*** 숲 속으로 달아나다; 산적이 되다
— *vi.* 관목처럼 우거지다; 무성하다
— *vt.* 〈사냥터를〉 꺾은 나뭇가지로 둘러치다 《남이 사냥을 못하도록》; 《구어》 녹초가 되게하다
— *a.* =BUSH-LEAGUE
bush[2] *n., vt.* 〖기계〗 부시, 축받이통(을 끼우다)
Bush [búːʃ] *n.* 부시 **1 George** (**Herbert Walker**) ~ (1924-) 《제41대 미국 대통령 (1989-93)》 **2 George W.** ~ (1946-) 《제43대 미국 대통령(2001-08)》
bush. bushel(s)
búsh bàby 〖동물〗 갈라고원숭이(galago)
búsh bèan 〖식물〗 강낭콩의 왜성 변종
bush·beat·er [búʃbìːtər] *n.* (배우·운동 선수 등을) 발굴하는 사람
búsh bìtch 《미·학생비어》 못생긴 여자
bush·buck [-bʌ̀k] *n.* (*pl.* ~**s**, ~) 〖동물〗 부시벅 《남아프리카산(産) 대형 영양》
búsh càt =SERVAL
bush·craft [-kræ̀ft | -krὰːft] *n.* 《주로 호주》 미개지에서 살아가는 지혜
bushed [búʃt] *a.* Ⓟ 관목에 뒤덮인; 어찌할 바를 모르는; 《구어》 지쳐 버린(worn-out)
‡**bush·el**[1] [búʃəl] *n.* **1** 부셸 《용량의 단위; =4 pecks; 《미》 건량 단위; 약 35리터, 《영》 액량·건량 단위; 약 36리터; 略 bu.》, 1부셸들이 용기, 부셸되 **2** 많은 양, 다량 《*of*》: make ~*s of* money 많은 돈을 벌다 ***hide*** one***'s light***[***candle***] ***under a ~*** 〖성서〗 겸손하게 자기 재능[선행]을 감추다 ***measure*** a person***'s corn by*** one***'s own ~*** ⇨ corn[1]
bushel[2] *vt., vi.* (~**ed**; ~**ing** | ~**led**; ~**ling**) 《미》 〈옷을〉 고쳐 짓다, 수선하다 ~·**er** *n.* 의복 수선공
bush·el·bas·ket [búʃəlbæ̀skit | -bὰːs-] *n.* 부셸(용량의) 바구니
bush·el·ful [búʃəlfùl] *n.* 1부셸의 양; 다량, 많음
bush·er [búʃər] *n.* 《야구속어》 bush league의 선수; 초심자
bush·fight·er [búʃfàitər] *n.* 유격병
bush·fight·ing [-fàitiŋ] *n.* Ⓤ 게릴라전
bush·fire [-fàiər] *n.* 《호주》 잡목림 지대의 산불
bush·fowl [búʃfàul] *n.* ⒸⓊ (*pl.*~(**s**)) 《서아프》 〖조류〗 부시파울 《몸집이 큰 식용 조류》
búsh frùit 관목의 열매
bush·ham·mer [-hæ̀mər] *n.* 부시해머 《돌의 표면을 다듬는 해머》

thesaurus **bury** *v.* **1** 매장하다 inter, lay to rest, entomb, inhume, sepulcher (opp. *exhume, unearth*) **2** 숨기다 conceal, hide **3** 압승하다 overcome, win over, conquer
bushy *a.* thick, shaggy, fuzzy, unruly
business *n.* **1** 직업 occupation, profession, line,

búsh hàrrow 써레의 일종
búsh hàt 부시해트 《챙이 넓은 호주 군대의 군모》
bush-hog [-hɑ̀g | -hɔ̀g] *vi.* (**~ged, ~·ging**) 《미 남부·중부》 한 구역의 나무·숲을 없애버리다
búsh hòok 《미》 낫의 일종
bu·shi·do [búːʃiːdou] [Jap.] *n.* Ⓤ 부시도 《일본 사무라이의 무사도》
bush·ing [búʃiŋ] *n.* 〖전기〗 부싱, 투관(套管); 〖기계〗 부싱 《베어링의 일종》, 축받이통
búsh jàcket 부시 재킷 《safari jacket 비슷한 것》
bush·land [búʃlæ̀nd] *n.* 《캐나다》 《오지의》 숲지대
bush-law·yer [-lɔ̀ːjər, -lɔ̀iər] *n.* 《호주·구어》 법률을 잘 아는 체하는 사람
búsh lèague 《야구속어》 = MINOR LEAGUE
bush-league [búʃlìːg] *a.* **1** 《야구속어》 마이너리그의 **2** 열등한, 서툰; 미숙한, 이류[삼류]의, 흔한 **3** 《미·속어》 수지가 나쁜, 헛수고한, 손해의
búsh lèaguer 《미·속어》 minor league의 선수 (busher); 이류 선수[연예인]
bush·man [búʃmən] *n.* (*pl.* **-men** [-mən, -mèn]) **1** 총림지 주민 **2** [**B~**] 부시먼 《남아프리카 원주민》; Ⓤ 부시먼 말
bush·mas·ter [-mæ̀stər | -mɑ̀ːs-] *n.* 〖동물〗 《중·남미산(産)》 큰 독사의 일종
bush·meat[-mìːt] *n.* Ⓤ 《아프리카의》 야생 동물 고기
búsh paròle 《미·속어》 탈옥(자)
búsh pìg 〖동물〗 《아프리카 남부의》 멧돼지
búsh pìlot 《미》 캐나다 북부나 Alaska 총림 지대를 비행하는 비행사
bush·rang·er [-rèindʒər] *n.* 《호주》 총림 지대 주민; 총림 지대에 숨어 사는 탈옥수[산적] **-ràng·ing** *n.*
búsh ràt 《서아프리카의》 대형 설치류(類)의 일종
búsh shìrt 부시 셔츠 《bush jacket 비슷한 셔츠》
búsh sìckness 〖수의학〗 부시병(病) 《흙 속의 코발트 부족으로 인한 동물의 병》
búsh tèlegraph **1** 《북 등을 사용한》 정글 통신 방법 **2** 《주로호주》 구두 전달 방식; 정보(의 전파)
bush·veld [-vèlt, -fèlt] *n.* 총림(叢林) 지대; [때로 **B~**] 남아프리카의 저지대
bush·wa(h) [búʃwɑː, -wɔː] *n.* 《속어》 시시한 일, 난센스
bush·whack [búʃhwæ̀k | -wæ̀k] *vi.* 《미》 덤불을 베어 헤치다; 《덤불을 이용하여》 기습하다 **—** *vt.* 매복하여 공격하다 **~·er** *n.* 덤불을 베어 헤치는 사람; 게릴라병; 《호주·속어》 시골뜨기 **~·ing** *n.* Ⓤ 《미》 총림 지대의 여행; 게릴라 (작)전
*__bush·y__ [búʃi] *a.* (**bush·i·er**; **-i·est**) 관목이 우거진, 덤불이 많은; 덤불처럼 우거진; 〈털 등이〉 숱이 많은, 텁수룩한 **búsh·i·ly** *ad.* 관목 수풀같이; 〈머리가〉 텁수룩하게 **búsh·i·ness** *n.*
bush·y-tailed [-tèild] *a.* 〈동물이〉 털이 복슬복슬한 꼬리를 가진
*__bus·i·ly__ [bízəli] *ad.* 바쁘게; 부지런히; 귀찮게
‡**busi·ness** [bíznis] *n.*

「busy(바쁜)+ness(상태)」에서 「사람을 바쁘게 하는 것」 → 「일」 **5** —┬→「업무」 **1** → 「직업」 **1** → 「장사」 **3** └→「볼일」 **6** → 「사항」 **7**

1 Ⓤ 사무, 업무, 일, 집무, 영업; 직업, 가업(⇨ occupation 유의어): a doctor's ~ 의업(醫業) **2** Ⓤ 상업, 실업, 사업, 기업
관련 [업종] banking business(은행업), construction business(건설업), gardening business(원예업), hotel business(호텔업), manufacturing business(제조업), retail business(소매업)
3 장사, 거래 《*with*》; 매매, 경기: do ~ 장사를 하다 **4** 상점, 회사, 상사; 상호(商號): a ~ in New York 뉴욕에 있는 상점 **5** Ⓤ 《해야 할》 일, 직무, 본무: Everybody's ~ is nobody's ~. 《속담》 공동 책임은 무책임. **6** Ⓤ 용무, 볼일, 용건, 관심사; 의사 일정: What is your ~ here? = What ~ has brought you here? 무슨 일로 오셨습니까? **7** Ⓒ 사정, 사건 (affair); 일이 되어가는 형편; 《구어》 귀찮은 일, 《막연한》 것, 사항, 일(matter); [the ~] 《미·구어》 야단치기, 호통: an awkward ~ 성가신 사건 / a strange ~ 이상한 일 / What a ~ it is! 참 귀찮은 일이군! **8** [부정구문] 관계[간섭]하는 권리, 도리, 필요: have *no* ~ to interfere 간섭할 권리가 없다 **9** 《시간·노력을 요하는》 본격적 활동; 최대의 노력 **10** Ⓤ 〖연극〗 몸짓, 동작 **11** 《완곡》 《특히 애완동물의》 배변
at **~** 집무 중에[인] ***be connected in ~ with*** …와 거래가 있다 ***be in ~*** 실업[사업]에 종사하다 ***be no*** one***'s*** [***nobody's***] **~** 타인에게는 관계없는 ***B~ as usual.*** 평소대로 영업합니다. **~ *before pleasure*** 우선은 일, 그리고 즐거움 ***B~ is ~.*** 장사는 장사다. 《관용이나 감정은 필요 없다.》 ***close*** [***set up, open***] ***a*** **~** 폐업[개업]하다 ***come*** [***get***] ***to*** **~** 일을 시작하다, 용건에 들어가다 ***do ~ with*** 거래하다 ***do*** one***'s*** **~** 〈동물·아이가〉 배변하다, 방뇨하다 ***do good ~*** 번창하다 ***do*** a person***'s*** **~** = ***do the ~ for*** (a person) 《사람을》 해치우다, 죽이다 ***get down to ~*** 본격적으로 일에 착수하다 ***get the ~*** 《미·속어》 호되게 혼나다; 죽임을 당하다 ***give*** a person ***the ~*** 《미·속어》 호되게 혼내다; 죽이다 ***go about*** one***'s ~*** 자기 할 일을 하다 ***go into ~*** 실업계에 나서다 ***Good ~!*** 참 잘했어! ***go out of ~*** 폐업하다 ***go to ~*** 사무를 시작하다 ***have no ~ to*** do[do*ing*] …할 권리[자격, 필요]가 없다(⇨ 8) ***in the ~*** 《구어》 매춘을 해서 ***in the ~ of*** …에 종사해서; [부정문에 써서] …할 생각으로 ***know*** one***'s ~*** 전문가이다, 정통하다 ***like nobody's*** [***no one's***] **~** 《구어》 굉장하게, 맹렬하게 ***make a ~ of*** …을 업으로 삼다 ***make a great ~ of it*** 감당 못하다, 힘겨워하다 ***make it*** one***'s ~ to*** …하는 것을 맡다, 자진해서[꼭] …하다 ***make the best of a bad ~*** 불리한 상황을 잘 살리려고 노력하다 ***man of ~*** 실무가, 실업가(businessman) ***mean ~*** 《구어》 《농담이 아니고》 진정이다 ***mind*** one***'s own ~*** 자기의 직분을 지키다 《남의 일에 간섭하지 않다》 That's ***not*** [***none of***] your ~. = That's ***no ~ of*** yours. 《그것은 네》가 관여할 일이 아니다. ***on ~*** 볼일로, 상용으로: No admittance except *on* ~. 무용자(無用者) 출입 금지. ***out of ~*** 파산하여: go *out of* ~ because of outdated technology 기술 낙후로 폐업하다 ***place*** [***house***] ***of ~*** 영업소, 사무소 ***proceed to*** [***take up***] **~** 의사 일정에 들어가다 ***send*** a person ***about his*** [***her***] **~** 《야단쳐서》 …을 내쫓다; 해고하다 one***'s man of ~*** 대리인, 법률 고문 ***take care of ~*** 《속어》 일을 잘 처리하다; 《먼저》 사업을 토론하다 ***talk ~*** 진지한 이야기를 하다
— *a.* **1** 장사[직업, 일](상)의: ~ hours 집무[영업] 시간 **2** 상업이 행해지는[한창인], 상업에 적합한: ~ district 상업 지역 ▷ búsy *a.*

career, work, employment, job, vocation **2** 거래 trade, buying and selling, commerce, trafficking, bargaining, dealing, transactions, proceedings **3** 회사, 상점 firm, company, enterprise, organization, corporation, venture, store, shop **4** 사건 affair, matter, thing, case, issue

búsiness addrèss 영업소[사무실] 주소
búsiness administràtion 《미》 경영(학)
búsiness àgent 《영》 대리점; 《미》 《노동조합의》 교섭 위원
búsiness àircraft 업무용 항공기
búsiness càrd 업무용 명함
búsiness cènter = BUSINESS QUARTERS
búsiness clàss 《여객기의》 비즈니스 클래스 《first class와 economy class의 중간 등급》
búsiness còllege 《미》 실무 학교 《속기·타자·부기 등의 실무 훈련을 함》
búsiness correspòndence 상업 통신

búsiness cỳcle (미) 경기 순환((영) trade cycle)
búsiness dày 영업일, 평일
búsiness dìstrict 상업 지역
búsiness educàtion 직업[실무] 교육
búsiness ènd (구어) **1** (회사의) 영업 부서 **2** [the ~] (도구의 기능하는) 끝: *the* ~ of a tack 압정(押釘)의 끝
búsiness Ènglish 상업 영어
búsiness ènvelope 상업용 봉투
búsiness frìend (완곡) 고객
búsiness gàme 〖컴퓨터〗 비즈니스 게임 《몇 가지 경영 모델을 놓고 의사 결정 훈련을 행하게 하는 게임》
búsiness hòurs 집무[영업] 시간
búsiness lètter 상용(商用) 편지; 사무용 통신문
***busi·ness·like** [bíznislàik] *a.* **사무적인, 실제적인**(practical), 능률적인(efficient), 민첩한; 기계적인
búsiness lùnch 업무를 겸한 점심 (식사)
búsiness machìne 사무 기기 《계산기 등》
búsiness magazìne 경제 (전문) 잡지
***busi·ness·man** [bíznismæ̀n] *n.* (*pl.* **-men** [-mèn]) **실업가, 사업가** 《특히 기업의 경영자·관리자》; 상인; 사무가 ★ -man에 저항감이 있는 사람은, 이 말 대신에 businessperson, executive, business executive를 씀.
~'s risk 꽤 높은 위험 부담이 있는 투자
búsiness mànagement ＝BUSINESS ADMINISTRATION
búsiness òffice 사무소, 영업소
búsiness pàrk **1** 오피스 지구 《사무실 빌딩군(群)》 **2** ＝INDUSTRIAL PARK
busi·ness·peo·ple [-pì:pl] *n. pl.* 사업가들
busi·ness·per·son [-pə̀:rsn] *n.* (미) 사업가 《남녀 구별 없이 씀》
búsiness plàn 사업 계획
búsiness quàrters 상업 지구, 번화가
búsiness replỳ càrd (수신인 성명·주소가 인쇄된) 상용 반송 엽서
búsiness replỳ ènvelope 상용 반송 우편 봉투
búsiness replỳ màil 상용 반송 우편물
búsiness schòol ＝BUSINESS COLLEGE; (미) 경영 대학원
búsiness stùdies (경영 등의) 실무 연수
búsiness sùit (미) (직장에서 입는) 신사복((영) lounge suit)
busi·ness-to-busi·ness [-təbíznis] *a.* 기업과 기업간의 《略 B2B》
busi·ness·wom·an [-wùmən] *n.* (*pl.* **-wom·en** [-wìmin]) 여자 사업가
bus·ing [bʌ́siŋ] *n.* Ⓤ 버스 수송; (미) 강제 버스 통학 《백인과 흑인의 균형을 맞추기 위해 아동을 거주 지역 밖의 학교로 보냄》
busk[1] [bʌ́sk] *vi.* (영) (큰길이나 술집에서 노래·춤·요술 등의) 연기를 하다, 공연하다
busk[2] *n.* (코르셋 앞부분의) 가슴 부분을 버티는 살대
busk·er [bʌ́skər] *n.* (영) 거리의 악사[배우]
bus·kin [bʌ́skin] *n.* **1** Ⓒ [보통 *pl.*] (고대 그리스·로마의 비극 배우가 신던) 편상(編上) 반장화 **2** [the ~] 비극(tragedy) **3** (문어) 연기, 《특히》 비극의 연기 *put on the ~s* 비극을 쓰다[연기하다]

buskins 1

bus·kined [bʌ́skind] *a.* 편상 반장화를 신은; 비극의, 비극적인(tragic); 〈말투 등이〉 고상한
bús làne (영) 버스 전용 차로
bús lìne 버스 운행 노선; 버스 회사
bus·load [bʌ́slòud] *n.* 버스 한 대분(의 승객)
bus·man [-mən] *n.* (*pl.* **-men** [-mən, -mèn]) 버스 운전사
búsman's hóliday [버스 운전사가 휴일에 자기 차를 모는 데서] 평상시와 같은 일을 하며 보내는 휴가, 명색뿐인 휴일
bús pàss 버스 패스 《어린이·노인 등을 위한 버스 무료 승차권》
buss[1] [bʌ́s] *n., vt., vi.* (고어) 키스(하다)
buss[2] *n.* 쌍돛대 어선; 짐배, 화물선
buss·bar [bʌ́sbɑ̀:r] *n.* 〖전기〗 모선(母線)
bus·ses [bʌ́siz] *n.* BUS의 복수(buses)
bús shèlter (영) 지붕 있는 버스 정류소
bus·sing [bʌ́siŋ] *n.* ＝BUSING
bús stàtion 버스 종점, 버스 터미널
***bús stòp** 버스 정류장
‡bust[1] [bʌ́st] 〖L 「무덤」의 뜻에서; 흉상이 무덤 위에 세워진 데서〗 *n.* **1 흉상**(胸像), 반신상 **2 상반신**; (여성의) 버스트, 가슴; 가슴둘레: a full ~ 풍만한 가슴
bust[2] [burst의 변형] *v.* (**~·ed, ~**) *vi.* (구어) **1** 파열하다; 부서지다 《*up*》 **2** 깨지다, 분할되다, 나뉘다 **3** 파산하다 《*up*》: (~+副) The company ~ *up* last week. 그 회사는 지난 주에 파산했다. **4** (힘껏 노력하고 긴장한 나머지) 쓰러지다, 무너지다; (부서져서) 움직이지 않게 되다, 고장나다
— *vt.* **1** (구어) 파열[폭발]시키다(burst); 파멸[파산]시키다 **2** (구어) 〈장교·하사관 등을〉 졸병으로 강등하다 《*to*》: (~+目+前+名) be ~*ed to* private 졸병으로 강등되다 **3** (미) 〈야생마 등을〉 길들이다(tame) **4** (속어) (…의 용의로) 체포하다 《*for*》; 〈경찰이〉 〈범행 장소를〉 급습하다, 〈현장을〉 덮치다, 〈남의 집 등에〉 침입하다 **5** (구어) 때리다, 치다(punch, hit) **6** (구어) 부수다, 못 쓰게 하다; 〈다리 등을〉 부러뜨리다 **7** (미) 〈신탁 회사를〉 조그마한 회사로 나누다
~ a gut (미·속어) 힘껏 해보다 *~ along* (미·속어) 빨리 나아가다, 스피드를 내다 *~ a move* (미·속어) 돌아가다, 가다, 나가다; 행동을 시작하다; (춤추면서) 이상한 동작을 시작하다 *~ on ...* (속어) …의 몸을 공격하다; …을 격렬히 비난하다; 웃음거리로 만들다; 알리다 *~ out* (미) (1) 꽃이[잎이] 빨리 지다[떨어지다] (2) (속어) 탈옥하다 (3) ＝BURST out (4) 낙제[퇴학]하다; 〈사관생도를〉 낙제[퇴학]시키다 *~ one's nuts* (미·속어) 노력하다, 오르가슴에 다다르다 *~ up* (미·구어) 파산하다; 헤어지다, 이혼하다; 〈물건을〉 부수다
— *n.* **1** (구어) 실패, 파산; 패배자; (미·속어) 낙제[제적] 통지, 강등 명령 **2** (구어) 불황(不況); (속어) (경찰의) 습격, 체포 **3** 술 먹고 떠듦(spree) **4** 파열, 폭발; 강타 *have a* [*go on the*] *~* 흥청망청 떠들며 놀다 *on the ~* 술에 빠져
— *a.* 파산[파멸]한; 깨진, 망가진 *go ~* 파산하다
bus·tard [bʌ́stərd] *n.* 〖조류〗 능에
bust·ed [bʌ́stid] *a.* **1** 부서진, 〈팔 등이〉 부러진 **2** Ⓟ (미·속어) 체포된, 들킨
bust·er [bʌ́stər] *n.* **1** (미·구어) 파괴하는 사람[것] **2** (미·구어) 엄청난[거대한] 것 **3** (미·속어) 이봐, 아가 《호칭》 **4** 난장판, 법석(spree); 흥겨워 떠드는 사람(rioter) **5** (미) 조마사(調馬師)(broncobuster) **6** (호주) 쌀쌀한 남풍
bust·head [bʌ́sthèd] *n.* (미·속어) 값싼 술; 주정꾼
bus·tier [bu:stjéi] 〖F〗 *n.* 뷔스티에 《몸에 꼭 끼고 팔소매와 어깨끈이 없는 여성 윗옷 또는 브래지어》
‡bus·tle[1] [bʌ́sl] *vi.* **1 부산하게 움직이다,** 바쁘게 일하다 《*about*》; 법석떨다, (바쁘게) 서두르다 《*up*》 **2** 붐비다, 북적거리다 《*with*》
— *vt.* 법석[부산]떨게 하다; 재촉하다 《*off*》 *~ up* 야단법석하다, 서두르다
— *n.* Ⓤ [때로 a ~] 야단법석; 소란 *be in a ~* 떠들썩하다, 혼잡하다

thesaurus **businesslike** *a.* professional, efficient, organized, systematic, orderly, practical
bustle[1] *v.* hurry, rush, dash, hasten, scamper, scramble, flutter, fuss
busy *a.* **1** 바쁜 occupied, engaged, working, at

bustle[2] *n.* 허리받이 《스커트 뒷자락을 부풀게 하는》 **-tled** *a.* 허리받이를 댄

bustles[2]

bus·tler [bʌ́slər] *n.* 수선스러운 사람
bust·line [bʌ́stlàin] *n.* **1** 여성의 가슴 선(線) **2** (의복의) 가슴 부분, 흉부
bus·tling [bʌ́sliŋ] *a.* 부산스러운; 떠들썩한, 소란한, 붐비는 **~·ly** *ad.*
bús topòlogy 〔컴퓨터〕 버스 토폴로지 《한 줄의 전송 케이블에 복수의 node가 접속된 방식》
bust-out [bʌ́stàut] 《미·속어》 *n.* **1** (사기의 피해자가 돈을 건네는) 결정적 순간 **2** [*pl.*] (도박에서) 부정한 주사위 **—***vt., vi.* 사기 도박에서 톡 털다[털리다]
bust-up [-ʌ̀p] *n.* 《미·구어》 **1** 이혼, 이별, 파경 **2** 난잡한 파티 **3** 《미·속어》 싸움, 소요
bust·y [bʌ́sti] *a.* (**bust·i·er**; **-i·est**) 〈여자가〉 가슴이 불룩한[풍만한] **búst·i·ness** *n.*
bu·sul·fan [bju:sʌ́lfən] *n.* 〔약학〕 부설판 《골수성 백혈병의 항생제》
bus·way [bʌ́swèi] *n.* 버스 전용 도로[차선]
‡**bus·y** [bízi] *a.* (**bus·i·er**; **-i·est**) **1** 바쁜, 분주한, 틈이 없는: I'm so ~ I could die. 눈코 뜰 새 없이 바쁘다. **2** Ⓟ 부지런히 일하는 《*with, at, over*》 **3** 번화한: a ~ street 번화가 **4** 《미》 〈전화가〉 **통화 중인**: Line's ~. 통화 중입니다.(《영》 Number's engaged.) **5** Ⓟ 참견 잘하는(officious) 《*in*》: be ~ *in* other people's affairs 남의 일에 너무 나서다 **6** 〈모양이〉 난잡하게 어지러운, 요란한, 복잡한
(*as*) ~ *as a bee* ⇨ bee. ***be*** ~ **do*ing*** …하기에 바쁘다: He *is* ~ (at his desk) prepar*ing* for the exam. 그는 (책상에 앉아) 수험 준비에 바쁘다. ***get*** ~ 《미》 일에 착수하다
—*vt.* (**bus·ied**) 바쁘게 하다[일을 시키다], 몰두하다 ~ one***self*** [one***'s hands***] ***with***[***in, at, about***] = ~ one***self*** (***in***) do***ing*** …으로 바쁘다
—*n.* (*pl.* **bus·ies**) 《영·속어》 형사, 탐정
búsiness, búsyness *n.*; búsily *ad.*
búsy bée 부지런한 일꾼
bus·y·bod·y [bízibɑ̀di | -bɔ̀di] *n.* (*pl.* **-bod·ies**) 참견 잘하는 사람, 일 봐주기 좋아하는 사람
búsy ìdleness 하찮은 일로 바쁨
búsy Lízzie 《영》 〔식물〕 = IMPATIENS
bus·y·ness [bízinis] *n.* Ⓤ **1** 《드물게》 바쁨, 다망(多忙) **2** 무의미한 활동[행동] **3** 참견하기
búsy sìgnal[**tòne**] (전화선의) 통화 중 신호
bus·y·work [-wə̀:rk] *n.* Ⓤ 바쁘기만 하고 성과 없는 일
‡**but**[1] ⇨ but (p. 340)
but[2] [bʌt] *n.* 《스코》 (두 칸 집의) 부엌
live ~ and ben with a person …와 (복도를 사이에 두고) 맞은편 방에 살다
bu·ta·di·ene [bjù:tədáii:n, -daiːn] *n.* Ⓤ 〔화학〕 부타디엔 《탄화수소의 일종》
bu·tane [bjú:tein, ╌́] *n.* Ⓤ 〔화학〕 부탄 《탄화수소의 일종》
bu·ta·nol [bjú:tənɔ̀:l, -nɑ̀l | -nɔ̀l] *n.* Ⓤ 〔화학〕 = BUTYL ALCOHOL
but-boy [bʌ́tbɔ̀i] *n.* 《속어》 반대만 하는 녀석
butch [bútʃ] *a., n.* 《속어》 사내 같은 (여자); (동성애의) 남성역의 (여성); (남자의) 상고머리, (여자의) 단발(= ~ **hàircut**)

work, on duty (opp. *unoccupied, inactive*) **2** 부지런히 일하는 active, energetic, industrious, lively, tireless, restless (opp. *inactive, idle*)
butcher *v.* slaughter, slay, massacre, murder, kill, assassinate, exterminate

‡**butch·er** [bútʃər] 〔F 「수사슴을 죽이는 사람」의 뜻에서〕 *n.* **1 a** **푸주한**; 고깃간[정육점] 주인; 도살자: a ~ knife (푸주에서 쓰는) 큰칼 **b** 잔인한 살인자, 학살자, 많은 사람을 사형시키는 재판관, 많은 부하를 죽이는 장군, (피를 많이 흘리게 하는) 외과 의사 **2** 《미·구어》 (열차·관람석에서의) 판매원 ***the ~, the baker, the candlestick maker*** 가지각색의 직업인, 온갖 직업의 사람들
—*vt.* 도살하다; 학살하다(massacre); 사형에 처하다; 《비유》 망쳐 놓다; 혹평하다 ▷ bútcherly *a.*
butch·er-bird [bútʃərbə̀:rd] *n.* 〔조류〕 때까치 (shrike) 《잡은 먹이를 나무 가시 등에 꽂아 두는 습성이 있음》
bútcher blòck 《미》 부엌용 작업대
butch·er-block [-blɑ̀k | -blɔ̀k] *a.* 나무토막을 모아서 만든, 토막나무 세공의
bútcher lìnen **1** 두껍고 질긴 아마포 《앞치마·식탁보용》 **2** 레이온(과 면)으로 1과 비슷하게 짠 양복지
butch·er·ly [bútʃərli] *a.* 백정 같은; 잔인한(cruel); 서투른
butch·er's [bútʃərz] *n.* **1** 《주로 영》 푸줏간, 정육점 (《미》 meat market) **2** = BUTCHER'S HOOK
bútcher's bíll 정육점의 계산서; 전사자[조난 사망자] 명단
bútcher's blòck 두꺼운 목재 도마 《고기를 자르는 데 씀》
butcher's bròom 〔식물〕 참나릿과(科)의 일종
bútcher's hòok 《영·속어》 흘끗 봄
bútcher shòp 정육점; 《미·속어》 병원
bútcher('s) mèat (네발짐승의) 식용 고기
bútcher wàgon 《미·속어》 구급차
butch·er·y [bútʃəri] *n.* (*pl.* **-er·ies**) 도살장 (slaughterhouse); 도살업; 학살
bu·tene [bjú:ti:n] *n.* 〔화학〕 = BUTYLENE
bu·te·o [bjú:tiòu] *n.* (*pl.* **~s**) 〔조류〕 말똥가리
***but·ler** [bʌ́tlər] *n.* **집사**, 하인 우두머리 《술 창고·식기 등을 관리함》; 〔영국사〕 궁내성 주류(酒類) 관리자
bútler's pàntry 식기실 《부엌과 식당 중간에 있음》
***butt**[1] [bʌt] *n.* **1** **굵은 쪽 끝**, 밑동 《칼·창 등의》, (총의) 개머리(=~ end) **2** 남은 조각; 담배꽁초 **3** 얇게 저민 돼지 어깨살 **4** 《미·구어》 엉덩이 **5** 《미·속어》 궐련 **6** 배피(背皮) 《혁대·구두 등에 쓰임》
butt[2] *n.* **1** (조소·비평·노력 등의) 대상(object) **2** 표적(target) **3** 살받이 터 《과녁 주위에 살이 떨어지는 둑》 **4** [*pl.*] 사격장, 사적장
—*vi.* 끝이 (…에) 접하다 《*on, against*》; 인접하다 《*to*》 **—***vt.* …의 끝에 접하다
***butt**[3] [bʌt] *vt.* **1** 머리[뿔]로 받다[밀다]: (~+목+전+명) ~ a person *in* the stomach …의 배를 머리로 받다 **2** 부딪치다, 충돌하다
—*vi.* **1** 부딪치다, 충돌하다: (~+전+명) Going round the corner, I *~ed into* John. 모퉁이를 돌다가 존과 부딪쳤다. **2** 돌출하다 《*on, against*》
~ ***in*** 《구어》 간섭하다, 참견하다 《*on*》 ~ ***into*** 《구어》 말참견하다 ~ ***out*** 《미·구어》 말참견을 그만두다
—*n.* 박치기, 뜸베질
—*ad.* 머리로 떠받아서; 대단한 힘으로 ***run***[***come***] ~ ***against*** …와 정면으로 충돌하다 ***run ~ into*** 쏜살같이 뛰어들다
butt[4] *n.* 큰 술통(large cask); 《일반적으로》 통; 버트 《액량 단위; 영국은 108-140, 미국은 108갤런》
butte [bju:t] *n.* (평원에) 우뚝 솟은 고립된 산 《미서부와 캐나다에서》
bútt ènd 밑동; (총의) 개머리; 말뚝 머리; 남은 부분[조각]; (판자의) 이은 부분
‡**but·ter**[1] [bʌ́tər] 〔Gk 「소의 치즈」의 뜻에서〕 *n.* Ⓤ **1** 버터 **2** 버터 비슷한 것, 버터 모양의 물질(cf. MARGARINE): apple ~ 사과잼/peanut ~ 땅콩 버터 **3** 《구어》 아부, 아첨 ~ ***of zinc***[***tin***] 염화 아연[주석] ***lay on the ~*** 아첨을 하다 ***look as if ~ would not melt in*** one***'s mouth*** 얌전한 체하다, 시침을

but

and, or와 더불어 가장 기본적이고 중요한 등위접속사인 동시에 종위접속사, 전치사로서도 여러 가지 기능을 가진 말이다. 특히 대립하는 뜻·내용의 어·구·절을 연결하는 유일한 등위접속사이며, 부정어와 상관적으로 많이 쓰이고 성구로서의 활용도도 높다.

다음에 오는 말에 중점을 두는 except와 앞에 오는 말에 중점을 두는 but과의 뉘앙스의 차이에 유의해야 한다. 전치사로서는 주로 의문사 뒤에서 except와 같은 뜻으로 쓰인다.

‡but [bʌ́t; 《약하게》 bət] *conj.*, *ad.*, *prep.*, *pron.*, *n.*, *v.*

OE 「…의 밖에, …을 제외하고」의 뜻에서	
① 그러나	접 **A 1**
② …을 제외하고	전 **1 a** 접 **B 1**
③ 단지, 그저 …뿐	부 **1**

— *conj.* **A** (등위접속사) **1 a** [앞의 낱말·구·절과 반대 또는 대조되는 낱말·구·절을 이끌어] **그러나, 하지만,** 그런데, 그렇지만: a young ~ wise man 젊지만 현명한 남자 / He is poor ~ cheerful. 그는 가난하지만 명랑하다. / My brother went, ~ I did not. 나의 형은 갔지만 나는 가지 않았다. **b** [(it is) true, of course, indeed, may 등이 들어 있는 절 뒤에서 양보의 뜻을 나타내어] (과연) …**지만**: *Indeed* [*True*] he is young, ~ he is wise. 과연[사실] 그는 젊기는 하지만 현명하다. / You *may* not believe it, ~ that's true. 네가 믿지 않을지 모르지만 그것은 사실이다.

2 [앞의 부정어·구·문과 대응하여] …**이 아니고** 《★ not A but B로 「A가 아니고 B이다」의 뜻을 나타내는 표현; B가 앞에 올 때는 B and not A가 됨》: It is *not* red ~ black. 그것은 붉은색이 아니고 검은색이다. / He did*n't* go to school ~ stayed at home. 그는 학교에 가지 않고 집에 있었다. / *Not* that I loved Caesar less, ~ that I loved Rome more. 시저를 사랑함이 덜해서가 아니고 로마를 더욱 사랑했기 때문이다. 《Shakespeare작 *Julius Caesar* 에서》

3 [감동 표현 등 뒤에 별 뜻이 없는 연결어로서]: Heavens, ~ it rains! 이런, 비가 오잖아! / "Why didn't you go?" — "Oh[Ah], ~ I did." 왜 가지 않았지? — 아니야, 난 갔었어. / Excuse me, ~ will you show me the way to the museum? 죄송하지만 박물관으로 가는 길을 가르쳐 주시겠습니까?

4 [보통 문장의 첫머리에서] **a** [이의·불만을 나타내어] 하지만, 그렇지만: "I'll tip you 10 pence." — "*B*~ that's not enough." 팁으로 10펜스 주겠소. — 하지만 그건 충분하지 않습니다. **b** [놀람·뜻밖의 감정을 나타내어] 야, 어머나: "He has succeeded!" — "*B*~ that's great[amazing]!" 그가 성공했대! — 야, 굉장하구나!

— **B** (종속접속사) **1** …**외에(는),** …을 **제외하고(는)** (except) 《★ 전치사의 전용(轉用)으로서 용례 속의 he, she를 각각 him, her로 하면 but은 전치사가 됨; cf. *prep.* 1a》: All ~ he are present. 그를 제외하고는 모두 참석하였다. / Nobody ~ she knew it. 그녀 외에는 아무도 그것을 몰랐다. / There is no hope ~ through prayer. 기도 외에는 희망이 없다.

2 [부정문 뒤에서] **a** [종종 ~ that으로 부정의 주절 중의 so 또는 such와 상관적으로] …**못할 정도로** 《이 but (that) 용법은 문어적임; 일반적으로는 대신에 that ... not을 씀》: *No* man is *so* old ~ *that* he may learn. 나이가 너무 많아서 못 배운다는 법은 없다. 《= No man is too old to learn.》 / He is *not such* a fool ~ he can tell that. 그는 그것을 모를 정도로 바보는 아니다. 《= He is not such a fool *that* he can*not* tell that.》 **b** [종종 ~ that으로 부정의 주절에 대하여 조건절을 이끌어] …**않고는** (…않다)(if ... not, unless) 《★ (1) 앞에서부터 옮기면 「(…하면) 반드시 …(하다)」가 됨》 (2) but절 중의 동사는 직설법: It *never* rains ~ it pours. 《속담》 비가 오기만 하면 반드시 억수같이 내린다.; 화불단행(禍不單行), 엎친 데 덮친다. 《보통 나쁜 경우에 쓰지만, 좋은 경우에도 씀》 / *Scarcely* a day passed ~ I met her. 나는 그녀를 만나지 않는 날이 거의 없었다. 《Hardly a day passed *without* my meeting her. 쪽이 일반적임》

3 a [종종 ~ that으로 부정문 또는 의문문에 쓰인 doubt, deny, question, wonder 등의 뒤에서 명사절을 이끌어] 《문어》 …라는 것(that) 《지금은 that을 씀》: I do*n't doubt*[There is *no doubt*] ~ (*that*) you will achieve it. 당신이 그것을 해낼 것을 의심치 않는다. / There was *no question* ~ *that* heart failure had caused his death. 심장마비가 그의 죽음의 원인이었음은 의심의 여지가 없었다. 《★ but에 선행하는 동사[명사]는 언제나 부정적 의미를 갖는 것에 주의》 **b** [종종 ~ that[《구어》 what]으로 부정·수사의문에 쓰인 expect, fear, say, know, believe, be sure 등의 뒤에서 명사절을 이끌어] …않(는)다는 것(that ... not): *Never fear* ~ I'll go. 반드시 갈 것이니까 염려 마라. / *Who knows* ~ *that* he may be right? 어쩌면 그가 옳을지도 모른다. 《옳지 않다는 것을 누가 알 것인가?》

~ then ⇨ then

(*It is*) *not that* ..., *~ that* …해서가 아니라 …이기 때문이다: *Not that* I disliked the work, ~ *that* I have no time. 그 일이 싫어서가 아니라 시간이 없기 때문이다. (⇨ *conj.* A 2)

(*It is*) *ten to one ~* 아마 틀림없이, 십중팔구: *It is ten to one* ~ Peter will come. 피터는 아마 틀림없이 올 것이다.

***not ~ that*[*what*]** … 않는 것은 아니지만: I can't come, *not* ~ *that* I'd like to. 나는 올 수가 없다, 오기 싫은 것은 아니지만. 《지금은 I can't come, not that I wouldn't like to. 가 일반적임》

— *ad.* **1** (고어·문어) **단지,** 다만, 그저 …뿐(only, merely): He is ~ a child. 그는 그저 어린아이에 불과하다. / I have ~ just seen him. 방금 막 그를 만났다.

2 [bət] [can, could와 함께] …할 뿐; 어쨌든; 적어도: If I *could* ~ talk to you for five minutes! 적어도 5분간만이라도 너와 얘기할 수 있다면!

3 [강조어로서] 《미·속어》 정말로, 참으로; 단연: Oh, ~ of course. 아, 물론입니다. / Go, ~ fast! 빨리 빨리 가요!

all ~ 《구어》 거의(almost): She is *all* ~ nude. 그녀는 거의 알몸이나 다름없다.

~ good 《미·속어》 몹시, 아주, 완전히: We were defeated ~ *good*. 우리는 완패하였다.

~ now 방금, 지금 막, 최근에

~ too 유감스럽게도

— *prep.* **1 a** [no one, nobody, none, nothing, anything; all, every one; who 등의 의문사 등 뒤에서] …**외에[의],** …을 **제외하고[제외한]** (except)(cf. *conj.* B 1): *All* ~ him were drowned. 그 사람 외에는 모두 익사하였다. / *Nobody* has heard of it ~ me. 그 소문을 들은 것은 나 밖에 없다. / It is *nothing* (*else*) ~ a joke. 그것은 농담에 불과하다. / *Who* ~ she would do such a thing? 그녀 말고 누가 그런 짓을 하겠는가? **b** [the first [next, last]

~ one [two, three]의 형태로] 《영》 처음[다음, 끝]에서 두[세, 네] 번째의: *the last* house ~ *one* [*two*] 끝에서 두[세] 번째 집
2 [~ that으로] …않았던들[않았더라면](⇨ *conj.* B 2, 3)
all ~ ... …외는 모두: He could find out *all* ~ one of his books. 그는 한 권 말고는 책을 모두 찾았다.
~ for ... …이 없다면[아니라면] (if it were not for); …이 없었더라면[아니었더라면] (if it had not been for): *B~ for* your help, I could not do it[I could not have done it]. 당신의 도움이 없다면[없었더라면] 나는 그것을 할 수 없을[없었을] 것이다.
cannot ~ do ... ⇨ can[1]
cannot choose ~ do = ***have no (other) choice ~ to do ...*** …하지 않을 수 없다: I *had no choice ~ to* accept the offer. 나는 그 제의를 받아들이는 수밖에 딴 도리가 없었다.
do nothing ~ do …만 할 뿐이다: She *did nothing ~* complain. 그녀는 불평만 할 뿐이었다.
never ... ~ once 단[꼭] 한 번만
***the last* [*next*] *~ one* [*two*]** ⇨ *prep.* 1b
—*pron.* (관계대명사) [부정(否定)의 부정(不定)대명사 또는 no+명사를 선행사로 하는 관계대명사로서] 《고어》 …않는(것, 사람) (that ... not): There is *no one* ~ knows it. 그것을 모르는 사람은 아무도 없다.
—*n.* [보통 *pl.*] 이의, 조건: ifs and ~*s* 조건과 이의/No ~*s* about it. 《구어》 두말 말고 해 주게./Do as I tell you, no ~ about it. 군소리 말고 시키는 대로 해라.
—*vt.* …에 이의를 말하다, 「그러나」라고 말하다 ***B~ me no ~s.*** = ***Not so many ~s, please.*** 자꾸 「그러나, 그러나」라고 말하지 말게. 《*B*~은 임시 동사, ~*s*는 임시 명사로서의 용법》

떼다 ***melted ~*** 버터 소스의 일종 ***spread the ~ thick*** = lay on the BUTTER
—*vt.* 버터를 바르다; 버터로 맛을 내다; 《구어》 아첨하다 《*up*》 ***Fine words ~ no parsnips.*** ⇨ parsnip. ***have one's bread ~ed for life*** 평생 먹고살 만한 돈이 있다 **~·less** *a.*
▷ bútteryˡ *a.*
butter² *n.* 부딪치는 사람[것]; 머리로 떠받는 짐승
bút·ter-and-égg màn [bʌ́tərəndég-] 《미·속어》 (시골에서 온) 돈 잘 쓰는 사업가, 돈 많은 투자가; (흥행의) 후원자
but·ter-and-eggs [bʌ́tərəndégz] *n. pl.* [단수·복수 취급] 〖식물〗 해란초속(屬) 《짙고 엷은 노란 꽃이 핌》
but·ter·ball [bʌ́tərbɔ̀:l] *n.* **1** = BUFFLEHEAD **2** 《구어》 뚱뚱보 **3** (집기 쉽도록 만든) 작은 공 모양의 버터
bútter bèan 〖식물〗 제비콩; 리마콩
bútter bòat 배 모양의 (녹인) 버터 그릇
bútter bòy 《영·속어》 신참[풋내기] 택시 기사
but·ter·bur [-bə̀:r] *n.* 〖식물〗 머위
bútter chìp 개인용 버터 접시
bútter còoler (식탁용) 버터 냉장 용기
but·ter·cream [-krì:m] *n.* 버터크림 《버터와 설탕을 섞어서 휘저은 크림; 케이크용》
but·ter·cup [-kʌ̀p] *n.* 〖식물〗 미나리아재비
bútter dìsh (식탁용) 버터 접시
but·tered [bʌ́tərd] *a.* Ⓐ 버터를 바른
but·ter·fat [bʌ́tərfæ̀t] *n.* Ⓤ 유지방(乳脂肪) 《버터의 주성분》
but·ter·fin·gered [-fìŋgərd] *a.* 《구어》 물건을 잘 떨어뜨리는; 서투른; 공을 잘 놓치는
but·ter·fin·gers [-fìŋgərz] *n. pl.* [단수 취급] 《구어》 물건을 잘 떨어뜨리는 사람, 부주의한 사람; 공을 잘 놓치는 선수
but·ter·fish [-fìʃ] *n.* (*pl.* **~, ~·es**) 〖어류〗 버터피시 《비늘이 미끌미끌한 식용어》
⁑**but·ter·fly** [bʌ́tərflài] [마녀가 나비로 변하여 버터나 우유를 훔친다는 미신에서] *n.* (*pl.* **-flies**) **1** 〖곤충〗 나비 **2** 변덕쟁이; 바람둥이, 《특히》 경박한 여자 **3** [*pl.*] 《구어》 (긴장·흥분·걱정 등으로 인한) 불안한 마음, 가슴 설렘, 초조감 **4** [보통 the ~] 〖수영〗 버터플라이 (영법), 접영(=~ stroke)
break a ~ on a* [*the*] *wheel 모기 보고 칼 빼다
***have butterflies* (*in the* [*one's*] *stomach*)** 《구어》 (걱정으로) 마음이 두근거리다[조마조마하다]
—*vi.*, *vt.* (**-flied**) 나비처럼 날아다니다; 〈고기를〉 나비꼴로 갈라 펴다
—*a.* Ⓐ 나비꼴의; 〈생선·고기 등을〉 나비꼴로 갈라 편
bútterfly bàll 《야구·속어》 너클볼(knuckle ball)
bútterfly bòmb 〖군사〗 나비형 폭탄
bútterfly bùsh = BUDDLEIA
bútterfly chàir 쇠파이프로 된 골격에 천을 씌워 만든 의자
bútterfly dìagram 〖천문〗 버터플라이 다이어그램, 나비꼴 도형 《태양 흑점의 변화를 도시(圖示)한 것》
bútterfly effèct 나비 효과 《나비의 날개짓과 같은 작은 변화가 증폭되어 폭풍우와 같은 큰 영향을 미친다는 이론》
but·ter·fly·er [-flàiər] *n.* 〖수영〗 접영 선수
bútterfly fish 〖어류〗 = FLYING GURNARD
bútterfly kìss 《속어》 윙크를 보내고 눈썹을 깜박여 상대의 얼굴을 간질이는 것
bútterfly nèt 나비채, 포충망
bútterfly nùt 나비꼴 너트[나사](wing nut)
bútterfly stróke 〖수영〗 버터플라이 영법, 접영
bútterfly tàble 접는 옆판이 달린 타원형 테이블
bútterfly vàlve 〖기계〗 나비꼴 밸브
bútterfly wíndow (자동차의) 삼각창
but·ter·head [bʌ́tərhèd] *n.* 《미·속어》 흑인을 망신시키는 녀석; 멍청이, 얼간이
bútter ìcing = BUTTERCREAM
but·ter·ine [bʌ́tərì:n, -rin] *n.* Ⓤ 동물성 마가린
but·ter·ing [bʌ́təriŋ] *n.* Ⓤ (쌓기 전에) 벽돌 수직면에 모르타르를 칠하기; 《구어》 아첨하는 말
but·ter·is [bʌ́təris] *n.* 말굽 깎는 기구
bútter knìfe (버터 그릇에서 버터를 덜어 빵에 바르는) 버터나이프
but·ter·milk [bʌ́tərmìlk] *n.* Ⓤ 버터밀크 《버터를 빼고 난 우유; 우유를 발효시킨 식품》
bútter mùslin 《영》 올이 성긴 투박한 천(《미》 cheesecloth) 《원래 버터를 싸는 데 썼음》
but·ter·nut [-nʌ̀t] *n.* 〖식물〗 버터호두나무 《북미산(産)》; 버터호두 《열매》
bútternut squásh 버터호두호박 《병 모양으로 표면은 황색, 열매는 오렌지색으로 단맛이 남》
but·ter·paste [-pèist] *n.* 버터페이스트 《밀가루와 버터를 섞어 이긴 것; 소스를 진하게 하는 데 씀》
bútter prìnt 버터에 무늬를 찍는 목형(木型); 버터에 찍은 목형 무늬
bútter sàuce 버터 소스
but·ter·scotch [-skɑ̀tʃ | -skɔ̀tʃ] *n.* 버터를 넣은 캔디
bútter sprèader = BUTTER KNIFE
bútter trèe 〖식물〗 버터나무 《씨에서 버터 같은 기름이 남》
but·ter·weed [-wì:d] *n.* 〖식물〗 (북미산(産)) 노란 꽃이 피는 국화과의 초본, 《특히》 개쑥갓, 금방망이
but·ter·wort [-wə̀:rt] *n.* 〖식물〗 벌레잡이제비꽃; 벌레오랑캐
but·ter·y¹ [bʌ́təri] *a.* (**but·ter·i·er**; **-i·est**) 버터 같은; 버터를 함유한; 버터를 바른; 《구어》 아첨하는 (flattering)
buttery² *n.* (*pl.* **-ter·ies**) 식료품 저장실
búttery hátch (식료품 저장실에서 식당으로 음식을 내보내는) 작은 창
butt·head [bʌ́thèd] *n.* 《미·속어》 바보 같은 녀석

bútt hìnge (가장 흔한) 나비꼴 돌쩌귀
butt·in·sky, -ski [bʌtínski] *n.* (*pl.* **-skies**) 《미·속어》 말참견하는 사람
bútt jòint 〖건축〗 맞댐이음
butt·leg·ger [-lègər] *n.* (탈세된) 담배의 밀매자
butt·leg·ging [-lègiŋ] *n.* (탈세된) 담배 밀매
but·tock [bʌ́tək] *n.* **1** [보통 *pl.*] 엉덩이 **2** [보통 *pl.*] 〖항해〗 고물 **3** 〖레슬링〗 허리치기, 업어치기 **—** *vt.* 허리치기[업어치기]로 던지다
‡**but·ton** [bʌ́tn] [F 「누르다」의 뜻에서] *n.* **1** (옷의) 단추 **2** 단추 비슷한 것; (초인종 등의) 누름단추, (카메라의) 셔터, (회원 등의 둥근) 배지 **3** (아직 덜 자란) 버섯 **4** 〖동물〗 (방울뱀에 있는 꼬리 끝의 음향 기관과 같은) 단추 모양의 작은 부분 **5** 《권투속어》 턱 끝 **6** 〖야금〗 (시금(試金) 분석에서 용해 후 바닥에 남는) 금속 알갱이 **7** 〖펜싱〗 (칼의) 끝에 대는 작은 가죽 씌우개 **8** [*pl.*; 단수 취급] 《영·속어》 (금단추 제복을 입은 호텔·클럽 등의) 급사, 보이: a boy in ~*s* 금단추의 제복을 입은 보이 **9** 〖컴퓨터〗 버튼 《마우스로 클릭하는 화면의 가상적인 버튼》
have some* [*a few*] *~s missing 미친 것 같은, 제정신이 아닌; 성격이 별난 ***hold* [*take*]** a person ***by the ~*** …을 붙잡아 놓고 말동무로 삼다 ***not care a ~*** 조금도 상관없다, 어떻게도 생각지 않다 (*for*) ***not have all*** one***'s ~s*** 제정신이 아니다, 머리[지혜]가 모자라다 ***not worth a ~*** 아무 가치도 없는 ***on the ~*** 《미·구어》 정확하게, 시간대로 ***push* [*press*]** a person***'s ~*** 《구어》 …을 화나게 하다[도발하다] ***push* [*press, touch*] *the ~*** 단추를 누르다; (사건의) 계기를 만들다 ***push* [*hit*] *the panic ~*** 《구어》 허둥지둥하다; 비상 수단을 취하다
— *vt.* **1** 〈옷의〉 단추를 채우다 (*up*); 단추로 잠그다; …에 단추를 달다: (~+목+부) ~ (*up*) one's coat (to the chin) 옷 단추를 (턱까지 꼭) 채우다 **2** 〈입 등을〉 꼭 다물다 **3** 〖펜싱〗 가죽을 씌운 칼 끝으로 찌르다
— *vi.* 단추가 채워지다, 단추로 고정하다 (*up*): (~+부) This jacket ~*s* (*up*) easily. 이 재킷의 단추는 채우기 쉽다. ***~ down*** 《미·속어》 〈사실 등을〉 확인하다, 명백하게 하다; 《미·속어》 〈건물 등의〉 자물쇠를 꼭 잠그다, 정돈하다; 《미·속어》 〈일을〉 틀림없이 마무리하다 ***~ into* [*in*]** 단추를 채워 (호주머니 등에) 간수하다 ***B~ it!*** 《영·구어》 입 다물어! 조용히 해! ***~*** one***'s lip* [*mouth*]** 《미·구어》 [종종 명령형으로] 입다물게 하다 ***~ up*** 단추를 채워 잠그다; 〈입·지갑 등을〉 꼭 다물다, 꼭 잠그다; 《미·속어》 〈건물 등의〉 자물쇠를 꼭 잠그다, 〈물건을〉 안전하게 치우다; 《구어》 〈명령·임무 등을〉 잘 수행하다; 《구어》 〈협정·거래 등을〉 마무리하다
~·less *a.* ▷ búttony *a.*
but·ton·ball [bʌ́tnbɔ̀:l] *n.* = BUTTONWOOD
bútton cèll (손목시계 등의) 둥글납작한 소형 전지
but·ton-down [-dàun] *a.* Ⓐ 단추로 잠그는 〈셔츠〉; 《미》 틀에 박힌, 보수적인
but·toned-up [bʌ́tndʌ́p] *a.* 과묵한; 내성적인, 기분을 밖으로 표시하지 않는; 억압된; 〈일이〉 잘 된
*****but·ton·hole** [bʌ́tnhòul] *n.* 단춧구멍; 《영》 단춧구멍에 꽂는 장식꽃
— *vt.* …에 단춧구멍을 내다; 붙들고 긴 이야기를 하다 **-hòl·er** *n.* 단춧구멍을 내는 사람[뜨는 미싱]; 남을 붙들고 길게 이야기하는 사람
búttonhole stìtch (단춧구멍의) 사뜨기
but·ton·hook [-hùk] *n.* 단추걸이 《구두·장갑 등의》
bútton lìft 버튼 리프트 《케이블에 달린 막대로 사람을 산 위로 실어 나르는 리프트》(Poma)
bútton màn 《미·속어》 (범죄 조직 등의) 똘마니, 졸개
bútton mùshroom 양송이버섯
but·ton-on [bʌ́tnɔ̀:n | -ɔ̀n] *a.* 단추가 달린, 단추로 잠그는
bútton shòe 단추로 잠그는 단화
but·ton-through [-θrù:] *a.* 〈여성복 등이〉 위에서 아래까지 단추가 달린
bútton tòw (폴 하단에 둥근 좌석을 부착한) 1인용 스키 리프트
bútton trèe = BUTTONWOOD
but·ton·wood [-wùd] *n.* 〖식물〗 버튼나무; 아메리카플라타너스(plane tree) 《북미산(産)》
but·ton·y [bʌ́təni] *a.* 단추 같은; 단추가 많이 달린
bútt plàte (총의) 개머리판
but·tress [bʌ́tris] *n.* 〖건축〗 부벽(扶壁); 지지, 버팀; 지지자, 지지물 (*of*) **—** *vt.* 부벽으로 버티다; 지지하다, 보강하다 (*up*)
bútts and bóunds 〖법〗 (땅의) 경계선
bútt shàft (살촉 없는) 연습용 화살
butt·stock [bʌ́tstɑ̀k | -stɔ̀k] *n.* (총) 개머리
bútt wèld 맞대기 용접
butt-weld [bʌ́twèld] *vt.* 맞대기 용접하다
but·ty[1] [bʌ́ti] *n.* (*pl.* **-ties**) **1** 《영·방언》 동료 **2** 감독, 우두머리 **3** (탄광의) 채탄 청부인: a ~ gang 채탄 청부조(組)
butty[2] *n.* 《영》 샌드위치
bu·tut [butú:t] *n.* (*pl.* **~, ~s**) 부투트 《감비아의 화폐 단위; 1/100 dalasi》
bu·tyl [bjú:təl] *n.* 〖화학〗 부틸기(基); [**B~**] 부틸 합성고무 《상표명》
bútyl ácetate 〖화학〗 아세트산 부틸, 초산부틸
bútyl álcohol 〖화학〗 부틸알코올
bu·tyl·ate [bjú:təlèit] *vt.* 〈화합물에〉 하나 (이상)의 부틸기(基)를 도입하다 **bù·tyl·á·tion** *n.*
bú·tyl·at·ed hydroxyánisole [bjú:təlèitid-] 〖화학·약학〗 부틸 히드록시아니솔 《유지의 산화 방지제; 略 BHA》
bútylated hydroxytóluene 〖화학·약학〗 부틸히드록시톨루엔 《유지의 산화 방지제; 略 BHT》
bu·tyl·ene [bjú:təlì:n] *n.* 〖화학〗 부틸렌
bútyl nítrite 〖화학〗 부틸니트라이트 《방취제(防臭劑)의 주요 성분으로 휘발성 액체 제제》
bu·tyr·a·ceous [bjù:təréiʃəs] *a.* 버터성(性)의, 버터 비슷한, 버터가 들어 있는
bu·tyr·al·de·hyde [bjù:tərǽldəhàid] *n.* 〖화학〗 부틸알데히드 《주로 합성수지 용제, 가소제의 원료》
bu·ty·rate [bjú:tərèit] *n.* 〖화학〗 낙산염, 부티라트
bu·tyr·ic [bju:tírik] *a.* 〖화학〗 버터의, 버터에서 뽑은; 낙산의
butýric ácid 〖화학〗 낙산(酪酸), 부티르산
bu·tyr·in [bjú:tərin] *n.* 〖화학〗 부틸린 《버터 속의 글리세린과 낙산(酪酸)의 에스테르의 총칭; 무색, 액상》
bu·ty·ro·phe·none [bju:tìroufənóun] *n.* 〖약학〗 부티로페논 《정신분열증 치료용》
bux·om [bʌ́ksəm] *a.* 〈여자가〉 통통하고 귀여운, 가슴이 풍만한, 건강하고 쾌활한 **~·ly** *ad.* **~·ness** *n.*
‡**buy** [bái] *v.* (**bought** [bɔ́:t]) *vt.* **1 a** 사다, 구입하다(opp. *sell*): (~+목+목) (~+목+전+명) ~ him a book = ~ a book *for* him 그에게 책을 사 주다 // (~+목+전+명) ~ a thing *at* a shop[*for* cash, *on* credit] 물건을 가게에서[현금으로, 외상으로] 사다 / ~ a thing *from*[*of*] a person …에게서 물건을 사다 **b** 〈…에게〉 〈음식을〉 한턱 내다: (~+목+목) Please let me ~ you a drink. 내가 한 잔 사겠소. **2** (대가를 치르고) 얻다, 획득하다: (~+목+전+명) ~ favor *with* flattery 아첨으로 총애를 얻다 **3** 〈사람을〉 고용하다(hire); 계약하다 **4** 매수하다(bribe) **5** …의 값어치가 있다 **6** 〖종교〗 〈죄인을〉 속죄하다 **7** 《미·속어》 〈의견을〉 받아들이다, 곧이듣다, 믿다
— *vi.* 사다, 쇼핑하다; 사는 쪽이 되다
B~ American. 《미》 국산품 애용. 《표어》 ***~ back*** 되사다, 도로 사다 ***~ in*** 사들이다; (경매에서 사는 편의 부르는 값이 너무 싸서) 〈주인이〉 되사다 ***~ into*** (회사의) 주주가 되다; 돈을 내고 (회사의) 임원이 되다 ***~ it*** 《속어》 (수수께끼·질문을 풀지 못하여) 포기하다, 손떼다; 《영·속어》 살해되다; 〈조종사가〉 격추당하다: I'll

thesaurus **buy** *v.* purchase, pay for, procure,
buzz[1] *n.* **1** 윙윙거리는 소리 murmur, buzzing, hum,

~ *it.* 손들었어, 모르겠어. ~ a thing **new** 새로 사다 [장만하다] **~ off** 〈요구·반대 등을〉 돈으로 해결하다, 〈의무 따위를〉 돈으로 모면하다, …을 매수하다 **~ off on …** 《속어》 …에 동의하다 **~ out** 〈지위·재산 등을〉 돈을 주고 포기하게 하다, 손떼게 하다 **~ over** 매수하다 ~ one***self* out** 돈을 치르고 나가다 ~ one***'s way into*** 돈을 써서 …으로 들어가다 **~ *time*** 《구어》 (…해서) 시간을 벌다 《*by* do*ing*》 **~ up** 매점하다, 〈회사 등을〉 인수하다
— *n.* 《구어》 [보통 a ~] 사기, 구입(purchase), 불법 매입; 싸게 산 좋은 물건: It's *a* ~. 그건 잘 산 물건이다. / *a* bad ~ 잘못 산 물건 / *a* good ~ 싸게 잘 산 물건 **~·a·ble** *a.* 살 수 있는

buy·back [báibæ̀k] *n.* 되사기; 되사는 제도; 주식 환매(stock buyback) — *a.* 되사는

***buy·er** [báiər] *n.* (opp. *seller*) **사는 사람**, 사는 쪽, 소비자; 장물아비; 구매계원, 바이어: a *~s'* association 구매 조합

búy·er's inflàtion [báiərz-] 〖경제〗 수요 과잉 인플레이션

búyers' màrket 구매자 시장 《공급이 많아 구매자에게 유리》(opp. *sellers' market*)

búyer's òption 〖증권〗 매입 선택권

búyer's remórse 《미》 구매 후의 후회

búyers' strìke 불매(不買) 동맹[운동]

buy-in [báiìn] *n.* **1** 되삼 **2** (경매의 최저 가격 이하의) 낙찰; (주식의) 매입; (상품·물자의) 사들임, 매점

búy·ing pòwer [báiiŋ-] 구매력

buy-off [-ɔ̀:f | -ɔ̀f] *n.* 《구어》 전(全)권리의 매점(買占)

búy òrder 〖증권〗 매수(買受) 주문(opp. *sell order*)

buy·out [báiàut] *n.* 〖경제〗 회사 (주식)의 매점(買占) 《경영권 인수 후 기업 가치를 높여 재매각》

buy·up [báiʌ̀p] *n.* 《속어》 매수(買收), 매점(買占)

buz·ka·shi [bú:zkɑ́:ʃi] *n.* 부즈카시 《말을 타고 죽은 염소[송아지]를 빼앗는 아프카니스탄의 국기(國技)》

*****buzz**[1] [bʌ́z] [의성어] *n.* **1 윙윙거리는 소리**(humming); (기계의) 소음 **2** 와글와글(하는 소리); 소문; 쓸데없는 소리 **3** 버저 소리, 버저에 의한 호출; 《구어》 전화 걸기: give him a ~ 그에게 전화하다 **4** 《속어》 열중하는 것, 열광, 흥분 **5** 《속어》 얼큰히 취함
get a ~ out of … 《미·구어》 …을 재미있어하다 ***have*[*get*] *a ~ on*** 《미·속어》 (마약 등에) 취해 있다
— *vi.* **1** 〈벌·기계 등이〉 **윙윙거리다**, 윙윙거리며 날다 **2** 〈장소가〉 (…로) 웅성이다, 소란스럽다 《*with*》 **3** 와글와글 떠들다, 웅성대다; 〈소문이〉 퍼지다 **4 분주하게 돌아다니다** 《*about, around*》 **5** 《속어》 급히 가다, 떠나다 《*off, along*》 **6** 버저로 부르다[알리다] 《*for*》: (~+전+명+**to** do) ~ *for* one's secretary *to* come soon 비서를 즉시 오라고 버저로 부르다
~ in 도착하다, 찾아오다 **~ off** 《구어》 급히 떠나다, 가거라 《명령형》; 전화를 끊다
— *vt.* **1** 〈곤충이〉 〈날개 등을〉 윙윙거리다 **2** 떠들썩하게 지껄이다; 〈비밀을〉 말하다; 《미》 말을 걸다 **3 a** 〈…에게〉 버저로 알리다, 버저로 부르다 **b** 《구어》 〈…에게〉 전화를 걸다 **4** 〖항공〗 …의 위를 닿을 듯 말 듯 낮게 날다 **5** 휙 던지다 **6** 《영》 〈술병을〉 다 따라 마시다

buzz[2] *n.* 《속어》 (남성의) 스포츠 머리(crew cut)

buzz[3], **buz** [bʌ́z] *int.* 케케묵은 얘기다

buz·zard [bʌ́zərd] *n.* **1** 〖조류〗 말똥가리; (미국산(産)) 대머리수리 **2** 《속어》 얼간이; 비열한 놈 **3** 《미·방언》 윙윙거리는 벌레

búzz bòmb 〖군사〗 폭명탄(爆鳴彈)

búzz cùt 《속어》 = BUZZ[2]

buzzed-a·bout [bʌ́zdəbàut] *a.* 《미·구어》 〈영화·책 등이〉 소문난, 인구에 회자된

buzz·er [bʌ́zər] *n.* 버저; 윙윙거리는 벌레; 기적, 사이렌; 《영·속어》 전화; 《속어》 신호병; 《미·속어》 경관의 배지

drone, whir, whisper **2** 소문 rumor, gossip, talk, news, scandal, hearsay

búzz gròup (집단 토론 시 나누는) 소그룹

buzz·ing [bʌ́ziŋ] *a.* 윙윙거리는, 와글와글거리는 **~·ly** *ad.*

buzz·kill·er [bʌ́zkìlər] *n.* 다른 사람이 즐거워하는 것을 방해하는 사람[물건]

búzz sàw 《미》 둥근 톱(circular saw)

búzz sèssion 소(小)그룹의 비공식 회합

buzz·wig [bʌ́zwìg] *n.* 《영》 머리숱이 많은 큰 가발(을 쓴 사람); 신분이 높은 사람, 중요 인물(bigwig)

buzz·word [-wə̀:rd] *n.* **1** (사업가·정치가·학자 등이 쓰는) 전문 용어, 동업자끼리의 통용어 **2** = FUZZWORD

b.v. *bene vale* (L = farewell); book value **BV** Blessed Virgin

BVDs [bí:vì:dí:z] *n. pl.* 《미》 남성용 내의 《상표명》

BVM Blessed Virgin Mary **bvt** brevet(ted) **BW** bacteriological warfare; biological warfare; Board of Works **BW, b/w** black and white

bwa·na [bwɑ́:nə] *n.* 《동아프》 주인님, 나리 《부르는 말》(master, sir)

BWG Birmingham wire gauge **BWI** British West Indies **BWOC** big woman on campus 인기 여대생(opp. *BMOC*) **BWR** boiling water reactor 비등수형 원자로 **BWTA** British Women's Temperance Association **bx** box **BX** base exchange 〖미해군·공군〗 공군 기지의 매점

*****by**[1] ⇨ by (p. 344)

by[2] *n., a., int.* = BYE[1, 2]

b.y. billion years 〖지질〗 10억년

by- [bai] 《연결형》 **1** 「곁, 가까이의」 뜻: *by*stander **2** 「큰길을 벗어난」의 뜻: *by*path **3** 「부차적인」의 뜻: *by*name

by-and-by [báiənd*b*ái] *n.* [the ~] 미래, 장래

by-bid·der [báibìdər] *n.* 비싼 값을 불러서 경매품의 값을 올리기 위해 고용된 사람

by-bid·ding [-bìdiŋ] *n.* 경매인과 짜고 경매 가격을 올려 부르기

by-blow [-blòu] *n.* **1** 싸움꾼 옆에 있다 쓸데없이 얻어맞는 것, 군매 **2** 사생아(《영》 bye-blow)

by-by *n., ad., int.* = BYE-BYE[1, 2]

by·catch [-kæ̀tʃ] *n.* (어망에 함께 잡힌) 쓸데없는 잔챙이, 잡어

by-cor·ner [-kɔ̀:rnər] *n.* 외진[인적 드문] 곳

bye[1], **by** [bái] *n.* **1** (짝을 지어 하는 경기에서) 부전승(이 되는)편[사람] **2** 지엽[부수]적인 것(side issue) **3** 〖골프〗 시합이 끝나고 패자에게 남은 홀 **4** 〖크리켓〗 친 공이 타자(batsman)와 수비자(wicketkeeper)를 지나 넘어간 경우에 얻는 득점 ***by the ~*** 그건 그렇고, 그런데 ***draw a ~*** 부전승을 얻다
— *a.* **1** 부수적인; 부차적인, 부속적인 **2** 본 길에서 벗어난 **3** 비밀의; 간접적인

***bye**[2], **by** [good-*by*(*e*)] *int.* 《구어》 **안녕**: *B*~ now! 《미·구어》 그럼 안녕!

bye- [bái] 《연결형》 = BY- 3

bye-blow [báiblòu] *n.* 《영》 = BY-BLOW 2

***bye-bye**[1], **by-by** [báibài] [bye[2]의 반복] *int.* 《구어》 **안녕!**(goodbye!)
— *ad.* 밖으로: go ~ 《유아어》 밖에 나가다

bye-bye[2], **by-by** 《유아어》 *n.* 잠(sleep), 침대: go to ~(*s*) 자장하다 — *ad.* 침대에, 자러: go ~ 자러 가다, 잠자리에 들다

by-ef·fect [báiifèkt] *n.* 부수적[부차적]인 효과, 부작용

bye·law [báilɔ̀:] *n.* = BYLAW

by-elec·tion, bye- [báiilèkʃən] *n.* (영국 하원·미국 연방 의회·주 의회의) 보궐 선거(cf. GENERAL ELECTION)

Bye·lo·rus·sia [bjèlourʌ́ʃə] *n.* = BELORUSSIA

Bye·lo·rus·sian [bjèlourʌ́ʃən] *a., n.* = BELORUSSIAN

bye·low [báilòu] *ad., int.* (자장가에서) 조용히, 쉿!(Hush!)

by

by는 전치사에 더하여 부사로도 쓰이나, 「근접, 범위·정도, 수단·방법, 경로, 단위, 때」 등을 나타내는 전치사로서의 다양한 용법이 있다. 특히 수동형의 「행위자」를 나타내는 데에 쓰이기도 한다.
용법상 유의할 점들을 들어보면:
1 수동형의 by는 「동작주(動作主)」를 나타내고 생물에 쓰이는 일이 많으며, with는 「도구」를 나타내는 일이 많고 주로 무생물에 쓰인다. 그러나 때로는 by, with 구별 없이 쓰이기도 한다.
2 till, until은 「동작·상태의 계속」을 by는 「어느 시간까지 동작·상태의 한계점」을 나타낸다.
3 이밖에 ⇨ 3 USAGE; ⇨ 8 USAGE

‡by¹ [bái, bài, bə] *prep., ad.*

기본적으로는 「…에 의하여; …의 곁에」의 뜻
① [수단·행위자·기준 등을 나타내어] 전 **3, 6 a, 7**
② (…의) 옆에[을]; 지나서, 경유하여 전 **1, 2** 부 **1, 2 a**
③ [기한을 나타내어] …까지는 전 **5 a**
④ [정도를 나타내어] …만큼 전 **4 a**
⑤ …을 단위로 해서, …씩 전 **6 b**

— *prep.* **1** [장소·위치를 나타내어] …**옆에(서)**, 곁에[의], 가까이에; 수중에 (★ by보다 beside가 「옆, 곁」의 뜻을 명확하게 나타냄): Come and sit *by* me. 이리 와서 내 옆에 앉아라. / I haven't got it *by* me. 그것은 지금 나한테 없다.
2 [통과·경로를 나타내어] **a** …**의 옆을**, …**을 지나서**: He went *by* the church. 그는 교회를 지나쳐 갔다. **b** (길)로, …**을 통해서**, …을 끼고: walk *by* the river 강을 끼고 걷다 / He came *by* the highway. 그는 고속도로를 통해 왔다. / She entered the kitchen *by* the back door. 그녀는 뒷문을 통해서 부엌에 들어갔다. **c** …**을 경유하여**(via): travel *by* (way of) Italy 이탈리아를 경유하여 여행하다
3 [수단·방법·원인·매개를 나타내어] **a** [수송·전달의 수단을 나타내어] …**에 의하여**, …으로: *by* letter[wire] 편지[전보]로 / send *by* post 우송하다 / go[travel] *by* bus[boat, bicycle, plane, rail(road), train, *etc.*] 버스[배, 자전거, 비행기, 철도, 기차 (등)]로 가다[여행하다] / go *by* water[air] 수로[공로]로 가다 / *by* land[sea] 육로[해로]로 / go *by* the 9.00 p.m. train 오후 9시 기차로 가다 (USAGE (1) by 뒤의 교통·통신 기관 등을 나타내는 명사는 무관사이나 특정의 시간을 나타내는 경우에는 정관사가 붙음 (2) 소유격·부정관사가 붙는 경우에는 on 또는 in을 씀; *in* my car, *on* a bicycle) **b** [수단·매개를 나타내어] …**으로**: *by* hand[machine] 손[기계]으로 (만든) / sell *by* auction 경매하다 / learn *by* heart 암기하다 / pay *by* cash[credit card] 현금[신용 카드]으로 지불하다 **c** [do*ing*을 목적어로] (…함)**으로써**: Let's begin *by* review*ing* the last lesson. 요전 과의 복습부터 시작합시다. / We learn *by* listen*ing*. 귀로 들어서 알게[배우게] 된다. **d** [원인을 나타내어] …**때문에**, …으로: *by* reason of …의 이유로 / die *by* poison 독 때문에 죽다
4 a [정도·비율을 나타내어] …**만큼**; …정도까지; …하게; …씩: *by* degrees 조금씩, 점차 / miss *by* a minute 1분 늦다, 근소한 시간 차로 놓치다 / He is taller than she (is) *by* five centimeters. 그는 그녀보다 키가 5센티 크다. / little *by* little = bit *by* bit 조금씩 / day *by* day 나날이, 하루하루 / drop *by* drop 한방울 한방울 / one *by* one 하나[한 사람]씩 / step *by* step 한걸음 한걸음 / room *by* room 방마다, 한방 한방 / *by* twos and threes 삼삼오오 / Things are getting worse *by* the minute. (미) 사태는 시시각각으로 악화되고 있다. **b** [곱셈과 나눗셈·치수를 나타내어] …**으로**: multiply 8 *by* 2 = 8×2 / divide 8 *by* 2 = 8÷2 / a room (of) 12 ft. *by* 15 (ft.) (폭) 12피트에 (길이) 15피트의 방 / a 5-*by*-8 inch card (가로) 5인치에 (세로) 8인치의 카드 / ⇨ two-by-four
5 [때·기간을 나타내어] **a** [기한을 나타내어] …**까지는**: *by* the end of this month 이 달 말까지는 / finish *by* this time tomorrow 내일 이 시간까지는 완성하다 / *By* the time we reached home, it was quite dark. 우리가 집에 도착했을 때에는 아주 캄캄했었다. / I'll be done *by* five o'clock. 5시까지는 끝내겠다. **b** [때의 경과를 나타내어] …**동안에**(during) (by 뒤의 명사는 무관사): I work *by* day and study *by* night. 나는 낮에는 일하고 밤에는 공부한다. / He went home *by* daylight. 그는 환할[밝을] 때에 집에 돌아갔다.
6 a [척도·표준을 나타내어] …**에 의거하여**, …에 따라: judge a person *by* appearances 사람을 외모로 판단하다 / It's five o'clock *by* my watch. 내 시계로는 5시다. **b** [by the … 의 형태로 단위를 나타내어] …**을 단위로 하여**, …로: board *by the* month 월 얼마로 하숙하다 / sell *by the* yard[gallon] 1야드[갤런]당 얼마로 팔다 / pay a worker *by the* piece 한 건당 얼마로[일한 양에 따라] 노동자에게 품삯을 주다 / *by the* hundred = *by* (*the*) hundreds 수백씩이나 / He used to read *by the* hour. 그는 몇 시간이고 계속해서 독서하곤 했다.
7 [동작의 주체를 나타내어] …**에 의하여**, …에 의한 (수동을 나타내는 데 쓰임): The booklet was issued *by* the government. 이 소책자는 정부에 의해 발간되었다. / Those locomotives are driven *by* electricity. 그 기관차들은 전기로 움직인다. / be made[written] *by* Henry James 헨리 제임스에 의해 만들어지다[씌어지다] / a novel *by* O. Henry 오 헨리의[가 쓴] 소설 / shooting *by* a police officer 경찰에 의한 사격
8 [동작을 받는 신체·의복의 부분을 나타내어] (사람·물건의) …을 (USAGE catch, hold, lead 등 동사와 함께 쓰여, 목적어로는 「사람·물건」을 나타내고 by 이하의 말로 그 부분을 나타냄; by 뒤의 명사에는 정관사가 붙음): He held the boy *by the* collar. 그는 그 소년의 목덜미[멱살]를 잡았다. / He led the old man *by the* hand. 그는 그 노인의 손을 잡아 인도하였다.
9 [관계를 나타내어] …**에 관해서 말하자면**, …은 (by 뒤의 명사는 무관사): *by* birth[name, trade, religion] 태생[이름, 직업, 종교]은 / a Frenchman *by* birth 태생은 프랑스 인 / They are cousins *by* blood. 그들은 친사촌간이다. / He is Jones *by* name. 그는 이름이 존스이다. / I know him *by* name[sight]. (교제는 없지만) 그의 이름[얼굴]은 알고 있다. / It's O.K.[all right] *by* me. (미·구어) 나는 됐다[괜찮다]. / ⇨ by NATURE
10 〈이름·표시 등〉**으로**: He goes *by* the name of Neville. 그는 네빌이란 이름으로 통한다.
11 〈사람〉에 대하여(toward): do one's duty *by* one's parents 부모에게 효도하다 / Do (to others) as you would be done *by*. 남이 나에게 해 주었으면 하고 원하는 바를 남에게 해 주어라.
12 [맹세·기원을 나타내어] 〈신〉의 이름을 걸고, 〈신〉에게 맹세코: swear *by* God that … …을 신에게 맹세하다
13 a 〈부모로서의 남자[여자]〉에게서 태어난, 소생의:

He had a child *by* his first wife. 그는 전처 소생의 자식이 하나 있었다. **b** 〈말 등이〉 …을 아비로 가진: Justice *by* Rob Roy 로브 로이를 아비로 가진 저스티스
14 [방위를 나타내어] …쪽으로 조금 기운: North *by* East 북미(微)동 《N과 NNE의 중간》
by one***self*** ⇨ oneself.
by far ⇨ far *ad.*
by me 〖카드〗 (브리지·포커에서) 패스, 체크(check)
— [bái] *ad.* **1** [위치를 나타내어] **옆에,** 곁에, 부근에: close[hard, near] *by* 바로 옆에 / Nobody was *by* when the fire broke out. 불이 났을 때는 아무도 옆에 없었다.
2 a [보통 동작 동사와 함께] **옆을 지나**: pass *by* 옆을 지나다; 통과하다 / go *by* 지나가다 / Time goes *by.* 시간은 흐른다. / in days gone *by* 예전에는 **b** [보통 come, drop, stop 등과 함께] 《미·구어》 남의 집에[으로]: call[stop] *by* 지나다가 들르다
3 [보통 keep, lay, put 등과 함께] 옆에, 곁에; 따로, 비축하여: keep ... *by* …을 가지고 있다, …을 곁에 두다 / put[lay] ... *by* …을 따로 두다, 비축하다
by and by 이윽고, 머지않아: *By and by* you will understand. 머지않아 알게 될 것이다.
by and large (1) 전반적으로, 대체로: Taking things *by and large* 전반적으로 보아, 대체로 (2) 〖항해〗 〈돛단배가〉 바람을 받다가 안 받다가 하여

by-end [báiènd] *n.* 제2[부차적] 목적; 사심(私心), 이기적 동기
by-form [báifɔ̀:rm] *n.* (단어 등의) 부차적인 형식
by·go·ing [báigòuiŋ] *n.* Ⓤ 지나가기
∗**by·gone** [báigɔ̀:n | -gɔ̀n] *a.* Ⓐ 과거의, 지난: ~ days 지난날, 옛날
—*n.* [*pl.*] 과거(의 일): Let ~s be ~s. 《속담》 과거사는 흘려 보내자, 과거를 묻지 마세요.
by-job [báidʒɑ̀b | -dʒɔ̀b] *n.* 부업, 아르바이트
by-lane [báilèin] *n.* 샛길, 옆길
by·law, bye- [báilɔ̀:] *n.* 《영》 (지방 자치 단체 등의) 조례; 부칙, 세칙; (회사의) 내규; (법인의) 정관
by-line [báilàin] *n.* **1** 《미》 (신문·잡지의 표제 밑의) 필자명을 적는 줄 **2** (철도의) 병행선
— *vt.* 〈신문 등에〉 서명 기사를 쓰다
by·lin·er [báilàinər] *n.* 서명(署名) 기사를 쓰는 기자
by·name [báinèim] *n.* 부명(副名); 성; 별명(nickname)
BYO, b.y.o. bring your own 음식[음료]은 각자가 지참할 것 《파티의 초대장 등에 기재하는 말》
— *n.* 음식[음료] 지참 파티; 《호주》 손님이 술을 지참하는 것을 허용하는 식당[파티]
BYOB, b.y.o.b. bring your own booze[bottle] 술은 각자가 지참할 것 《파티의 초대장 등에 기재하는 말》 **byp.** bypass
∗**by·pass** [báipæ̀s | -pɑ̀:s] *n.* **1** (자동차용) **우회로**; 바이패스; 〖전기〗 측로(側路); (가스·수도의) 측관(側管), 보조관 **2** 〖의학〗 (다른 부위의 혈관이나 인공 혈관을 이식하는) 대체 혈관[동맥]: ~ surgery (심장 등의) 바이패스 수술
—*vt.* 우회하다; 우회로를 내다; 측로[측관]를 달다; 무시하다(ignore); 회피하다; 〈단계를〉 뛰어넘다; 〖의학〗 (바이패스를 형성하여) 〈병변부 등을〉 우회하여 혈액 (등)을 흐르게 하다.
býpass condènser[capàcitor] 〖전기〗 측로(側路) 축전기, 바이패스 콘덴서
by·past [báipæ̀st | -pɑ̀:st] *a.* 과거의, 옛날의, 지나간
by·path [báipæ̀θ | -pɑ̀:θ] *n.* (*pl.* **~s** [-pæ̀ðz, -pæ̀θs | -pɑ̀:ðz]) = BYWAY
by·play [báiplèi] *n.* 보조 연기; 부차적 사건
by-plot [báiplɑ̀t | -plɔ̀t] *n.* (소설·희곡의) 부차적인 줄거리[사건 전개]
∗**by-prod·uct** [báiprɑ̀dʌkt | -prɔ̀-] *n.* 부산물 《*of*》; (뜻밖의) 부차적 결과
byr billion years
byre [báiər] *n.* 《영·방언》 외양간(cowshed)
byr·law [bíərlɔ̀:] [ON] *n.* 《영》 지방 관례 법규
by·road [báiròud] *n.* 샛길, 옆길(byway)
By·ron [báiərən] *n.* 바이런 **George Gordon ~** (1788-1824) 《영국의 시인》 **~·ism** *n.*
By·ron·ic [baiərɑ́nik | -rɔ́-] *a.* 바이런식의 《비장하면서도 낭만적임》
by-speech [báispì:tʃ] *n.* 방백(傍白), 독백
bys·si·no·sis [bìsənóusis] *n.* (*pl.* **-ses** [-si:z]) ⓊⒸ 〖병리〗 비시노시스, 면폐증(綿肺症)
bys·sus [bísəs] *n.* (*pl.* **~·es, bys·si** [-sai]) **1** 〖동물〗 (연체동물의) 족사(足絲) **2** Ⓤ (고대 이집트의) 아마포
∗**by·stand·er** [báistæ̀ndər] *n.* **방관자,** 구경꾼(looker-on); 관계없는 사람, 국외자(局外者)
býstander effèct 〖심리〗 방관자 효과 《곁에 다른 사람이 있어야 성과가 오르는 현상》
∗**by·street** [báistrì:t] *n.* **뒷골목,** 뒷거리, 옆길
by-talk [báitɔ̀:k] *n.* Ⓤ 여담(餘談); 잡담, 수다
byte [báit] *n.* 〖컴퓨터〗 바이트 《정보 단위; 보통 8비트(bit)로 이루어짐; 略 B》
by-the-way [báiðəwéi] *a.* 곁들여서 하는, 덧붙여 말하는: in a ~ fashion 덧붙여 한마디하는 식으로
— *n.* 곁들여 하는 말, 부언(附言)
by-time [báitàim] *n.* Ⓤ 여가(spare time)
by·town·ite [baitáunait] *n.* 〖광물〗 아회장석(亞灰長石)
by·walk [báiwɔ̀:k] *n.* 사도(私道), 좁은 길, 옆길, 샛길
by·way [báiwèi] *n.* 옆길; 샛길; [the ~s] (연구 등의) 부차적 측면, 별로 알려지지 않은 분야 《*of*》
by·word [báiwə̀:rd] *n.* 속담(proverb); 웃음거리 《*of*》; (나쁜) 전형, 본보기 《*for*》; 상투적인 말; 별명
by-work [báiwə̀:rk] *n.* Ⓤ 부업, 아르바이트
by-your-leave [báijərlí:v] *n.* 허락을 청함: without so much as a ~ 「죄송합니다만」이라는 말도 없이
Byz. Byzantine
byz·ant [bízənt, bizǽnt] *n.* = BEZANT
∗**Byz·an·tine** [bízəntì:n, -tàin | bizǽntàin] *a.* **1** 비잔티움(Byzantium)의; 동로마 제국의; 〖건축·미술〗 비잔틴 양식의 **2** [때로 **b~**] (미로처럼) 복잡한, 뒤얽힌; 권모술수의, 음모의
—*n.* 비잔티움[동로마 제국] 사람; 비잔틴파의 건축가[화가] ▷ Byzántium, Byzántinism *n.*
Býzantine árchitecture 비잔틴식 건축 《5-6세기 경의 건축 양식》
Býzantine Chúrch [the ~] 동방 교회, 그리스 정교회(Orthodox Church)
Býzantine Émpire [the ~] 비잔틴 제국, 동로마 제국 《A.D. 476-1453》
Býzantine ríte [the ~] 〖그리스정교〗 비잔틴식 전례(典禮)(Greek rite)
Býzantine schóol [the ~] 〖미술〗 비잔틴파(派)
By·zan·tin·esque [bizæ̀ntinésk] *a.* 〖건축·미술〗 비잔틴식[풍]의
By·zan·tin·ism [bízənti:nìzm, -tài- | bizǽntinìzm] *n.* Ⓤ 비잔틴식[풍] **-ist** *n.* 비잔틴 문화 연구가
By·zan·tin·ize [bízəntinàiz | bizǽn-] *vt.* 〈건축 등을〉 비잔틴식으로 하다
By·zan·ti·um [bizǽnʃiəm, -tiəm | -tiəm, bai-] *n.* 비잔티움 《Constantinople의 옛 이름; 지금의 Istanbul》
Bz benzene
BZ [bì:zí:] [미육군의 코드명에서] *n.* 착란성(錯亂性) 독가스의 일종
BZZ [bz] *int.* 붕붕 《장난감·꿀벌 등의 소리》, 삐삐 《버저 소리》

C c

c, C [síː] *n.* (*pl.* **c's, cs, C's, Cs** [-z]) **1** 시 《영어 알파벳의 제3자》 **2** C자형(의 것); 셋째(의 것) **3** 〖음악〗 '다'음, '다'조(調); 〖수학〗 제3 기지수(旣知數) **4** 로마 숫자의 100 《L *centum*(=100)에서》: *C*Ⅵ =106 **5** (학업 성적의) C, 미 《A를 수(秀)로 치고》 **6** 〖컴퓨터〗 (16진수의) C 《10진법에서 12》

c see 《전자 메일 등의 약어》(cf. CUL)

c carat; cedi(s); centimeter(s); colon(s) **C** 〖전기〗 capacitance; 〖화학〗 carbon; Carrier 〖항공〗 수송기; 〖음악〗 contralto; 〖전기〗 coulomb

C [síː] *n.* 〖컴퓨터〗 C 《미국 Bell 연구소 개발의 시스템 기술(記述) 언어》

c. 〖광학〗 candle(s); carton; case; 〖야구〗 catcher; 〖크리켓〗 caught; cent(s); center; centigrade; century; chapter; child; *circa, circum* (L = about); city; cloudy; commander; cost; cubic; current **C.** Cape; Catholic; Celsius; Celtic; Centigrade **©** copyright **Ca** 〖화학〗 calcium **CA** (미) 〖우편〗 California; Central America; Coast Artillery; Court of Appeal; chartered accountant; 〖심리〗 chronological age **ca.** 〖전기〗 cathode; centiare; *circa* (L =about) **C/A** capital account 〖부기〗 자본금 계정; credit account 〖상업〗 외상 계정; current account 〖은행〗 당좌 예금[계정] **CAA** Civil Aeronautics Administration (미) 민간 항공 관리국; (영) Civil Aviation Authority

Caa·ba [kɑ́ːbə] *n.* =KAABA

‡**cab¹** [kǽb] [1은 *cab*riolet; 2는 *cab*in] *n.* **1** 택시(taxi); (옛날의) 승객용 마차(hansom): take a ~ 택시[마차]를 타다 **2** (기관차의) 기관사실; (트럭 등의) 운전대 **3** (공항의) 관제탑 **4** (엘리베이터의) 차체 ***first ~ off the rank*** (호주·구어) 가장 먼저 하는 사람, 호기를 먼저 붙잡는 사람
—*v.* (**~bed**; **~·bing**) *vi.* 택시[마차]를 타고 가다
—*vt.* [~ it으로] 택시로 가다: ~ *it* home 택시로 귀가하다

cab² *n.* 〖성서〗 갑 《고대 히브리 왕국의 건량(乾量) 단위; 약 2 quarts에 상당》

cab³ *n.* (영·속어) 자습서; (주로 영) 재생용 자투리 천 —*vt., vi.* (**~bed**; **~·bing**) (고어) 훔치다; (속어) 커닝하다

CAB Civil Aeronautics Board (미) 민간 항공 위원회; Citizens' Advice Bureau (영) 시민 상담소

Cab., cab. Cabinet

ca·bal [kəbǽl] *n.* 음모; 비밀 결사, 음모단; (미술·문학·연극 분야에서) 파벌, 동인 그룹; [the C~] 〖영국사〗 카발 정부, 대신(大臣)단 《지금의 내각의 선구를 이룸》
—*vi.* (**~led**; **~·ling**) 음모를 꾸미다(plot), 작당하다 (*against*)

cab·a·la, -ba·la [kǽbələ, kəbɑ́ː-] *n.* Ⓤ 히브리 신비 철학; Ⓒ 밀교(密敎)

ca·ba·let·ta [kæ̀bəlétə, kɑ̀ːbə-] *n.* **1** 단순한 형식의 노래 **2** 아리아의 빠르고 화려한 결말부

cab·a·lism [kǽbəlìzm] *n.* **1** [종종 **C~**] 히브리 신비 철학 교리[주의]; 히브리 신비 철학 교리에 근거한 사물의 해석 **2** 《일반적으로》 신비주의 **-list** *n.*

cab·a·lis·tic [kæ̀bəlístik] *a.* 히브리 신비 철학의; 비밀스러운[신비주의적] 신조[교리]의

ca·bal·le·ro [kæ̀bəljɛ́ərou] [Sp. =cavalier] *n.* (*pl.* **~s**) **1** (스페인의) 신사, 기사(knight) **2** (미남서부) 말 탄 사람; (여성) 숭배자, 동반자(cavalier)

ca·ba·llo [kəbáiou, kəbɑ́ːlou] [Sp.] *n.* (*pl.* **~s**) **1** 말(horse) **2** (미·속어) 헤로인

ca·ban·a [kəbǽnjə | -bɑ́ːnə] [Sp.] *n.* 오두막집; (미) (해변 등의) 탈의실

*****cab·a·ret*** [kæ̀bəréi, ⌐—⌐ | ⌐—⌐] [F] *n.* **1** 카바레 《쇼를 구경하면서 식사를 즐기는 곳; ★ (미)에서는 보통 nightclub이라 함》 **2** (나이트클럽이나 레스토랑의) 여흥, 플로어 쇼(=**~ shòw**)
—*vi.* 카바레에 가다

‡**cab·bage¹** [kǽbidʒ] [OF 「두부(頭部)」의 뜻에서] *n.* **1** Ⓤ 양배추, 캐비지 **USAGE** 셀 때는 a ~, two ~*s* 라고도 하고 a head of ~, two heads of ~라고도 함. cauliflower, lettuce 등 둥근 모양의 야채도 같음. **2** Ⓤ (식용의) 캐비지의 결구[잎] **3** Ⓤ (미·속어) 지폐 **4** (영·구어) 무기력[무관심]한 사람 ***my ~*** 여보 《호칭》
—*vi.* 〈식물이〉 (양배추처럼) 결구(結球)하다

cabbage² *n.* Ⓤ 자투리 천 《재단사가 슬쩍 떼어먹는 천》 —*vt., vi.* (슬쩍) 훔치다; (속어) 커닝하다

cábbage bùtterfly 〖곤충〗 배추흰나비

cab·bage·head [kǽbidʒhèd] *n.* (구어) 둥근 큰 머리; (구어) 바보(dolt)

cábbage lèaves (미·속어) 지폐(greenback)

cábbage pàlm[**trèe**] 〖식물〗 캐비지야자 《잎눈은 식용》

cábbage palmètto 〖식물〗 아메리카팔메토 《미국 남동부산(産)의 부채꼴 잎의 야자수; Florida, South Carolina주의 주목(州木)》

cábbage ròse 〖식물〗 서양장미

cab·bage·town [-tàun] *n.* (캐나다) 빈민가(slum)

cab·bage·worm [-wə̀ːrm] *n.* 〖곤충〗 배추벌레 《배추흰나비의 유충》

cab·ba·la [kǽbələ, kəbɑ́ː-] *n.* =CABALA

cab·ba·lis·tic [kæ̀bəlístik] *a.* =CABALISTIC

cab·by, cab·bie [kǽbi] *n.* (*pl.* **-bies**) (구어) =CABDRIVER

cab·driv·er [kǽbdràivər] *n.* (주로 미) 택시 운전사; (승객용) 마차의 마부

ca·ber [kéibər] *n.* (스코) (원목 던지기에 쓰는) 통나무: tossing the ~ 원목 던지기 《힘겨루기》

Ca·ber·net Sau·vi·gnon [kæ̀bərnéi-sòuvinjóuŋ] [F] **1** 카베르네 소비뇽 《프랑스 보르도 지방에서 재배되는 적포도주용 포도》 **2** 카베르네 소비뇽으로 만든 씁쌀한 적포도주

cab·ette [kæbét] *n.* (미) 여자 택시 운전사

‡**cab·in** [kǽbin] *n.* **1** (통나무) 오두막집(hut) **2** 〖항해〗 선실, 객실 《상선의 1·2등 객실》: a ~ deluxe 특등 선실 **3** 〖항공〗 (비행기의) 조종실, 객실; (우주선의) 선실 **4** (이동 주택차(trailer)의) 거실, (케이블카의) 객실 **5** =CABIN CLASS **6** (군함의) 함장실, 사관실 **7** (영) 〖철도〗 신호소
—*ad.* (배의) 특별 2등으로: travel ~ 특별 2등으로 배 여행을 하다
—*vi.* 오두막집[좁은 곳]에서 살다[틀어박히다]
—*vt.* 가두다, 감금하다; 〈오두막 등에서〉 살다

cabin 1

cáb·ined *a.*

thesaurus **cab¹** *n.* taxi, taxicab, hackney
cabaret *n.* nightclub, club, disco, discotheque

cábin attèndant (비행기·배의) 객실 담당원
cábin bòy 캐빈 보이《객실·선장실 등의 급사》
cábin clàss (여객선의) 특별 2등《first class와 tourist class와의 중간》
cab·in-class [kǽbinklæ̀s | -klɑ̀:s] *a.* Ⓐ 〈여객선 등이〉 특별 2등의 **—** *ad.* 특별 2등으로
cábin còurt (도로변의) 모텔(motel)
cábin crèw (항공기의) 객실 승무원
cábin crùiser (거실이 있는) 유람용 대형 모터보트
‡cab·i·net [kǽbənit] *n.*, *a.*

cabin과 어원이 같으며, 「작은 방」의 뜻
┌→(귀중품 보관소의 뜻에서)→「장식장」 **1**
└→(임금의 방→그 방에서의 상담역에서)→「내각」 **2**

— *n.* **1** 장식장, (귀중품을 넣는) 캐비닛, (미술품 등의) 진열장, (TV·전축 등의) 캐비닛; [집합적] 진열장에 모은 수집품(collection); 《미》 (박물관 등의) 작은 진열실 **2** [종종 the C~] 내각; [집합적] 《미》 (각 장관으로 구성된) 대통령 자문 위원회: a coalition ~ 연립 내각 / a single-party ~ 단독 내각 / the shadow ~ 《영》 재야 내각《차기 집권에 대비하여 야당이 조직하는 것》/ form a ~ 조각하다 / He joined the *C*~. 그는 입각했다. **3** 《영》 각의; 각의실; 회의실 **4** (개인용) 작은 방(closet) **5** 〖사진〗 캐비닛판(判) **6** 독일의 고급 백포도주 **7** 생물 표본 배양실 **8** (샤워용 등의) 작은 칸막이
— *a.* Ⓐ **1** [종종 **C~**] 내각의: a *C*~ meeting [council] 각의(閣議) / a *C*~ member[minister] 각료(閣僚) **2** 내밀의; 기밀의 **3** 사실(私室)용의(private); 소형의; 장식장의; 진열장용의, 가구 (제작)용의 **4** 〖제도〗 캐비닛 투영의《사(斜)투영법의 한 가지》
cábinet edìtion 〖제책〗 캐비닛판《미장 소형판; 4·6판》
cab·i·net·eer [kæ̀bənitíər] *n.* [때로 **C~**] 각료
cab·i·net·mak·er [kǽbənitmèikər] *n.* 고급 가구 제작자; 《특히》 조각(組閣) 중인 총리
cab·i·net·mak·ing [-mèikiŋ] *n.* Ⓤ **1** (고급) 가구 제작; 가구 제작업[기술] **2** 조각(組閣)
Cábinet Òffice [the ~] (영국의) 내각 사무처
cábinet phòtograph 캐비닛판의 사진
cábinet piàno 소형 업라이트 피아노
cábinet pìcture 소형 그림《폭 91cm 이하》
cábinet pùdding 캐비닛 푸딩《빵·스펀지케이크에 우유·달걀 등을 섞어 만든 푸딩》
cábinet reshúffle 개각(改閣)
cab·i·net·ry [kǽbənitri] *n.* **1** = CABINETWORK **2** = CABINETMAKING 1
cábinet wìne 독일산 고급 백포도주
cab·i·net·work [kǽbənitwə̀:rk] *n.* Ⓤ 고급 가구류; 고급 가구 제작 **~·er** *n.*
cábin féver 초조, 소외감; 밀실 공포증
cábin gìrl (호텔·모텔 등의) 여종업원
cábin pássenger 1·2등 선객
‡ca·ble [kéibl] *n.* **1** 굵은 밧줄, (철사의) 케이블, 강삭(鋼索), 와이어로프: Steel ~*s* support that bridge. 굵은 강철 케이블이 저 다리를 지탱하고 있다. **2** 케이블, 피복 전선, 해저 전선 **3** (전선에 의한) 해외 전보(cablegram): send a ~ 해외 전보를 치다 **4** = CABLE TELEVISION **5** 〖항해〗 닻줄; = CABLE'S LENGTH **6** = CABLE STITCH **7** 〖건축〗 밧줄 무늬의 장식 ***by*** **~** (해저) 전신으로 ***slip*** [***cut***] one***'s*** **~** 《속어》 〖항해〗 죽다
— *v.* (**ca·bled**; **ca·bling**) *vt.* **1** 〈통신을〉 해저 전신으로 보내다 **2** …에 해외 전보를 치다: (~+목+전+명) ~ one's condolence *to* a person …에게 조전을 치다 **3** 밧줄로 매다 **4** …에 밧줄 장식을 하다 **5** 〈도시·나라의 일부를〉 유선 텔레비전 망으로 연결하다
— *vi.* **1** (…에) 해외 전보를 치다 (*to*) **2** 밧줄 무늬 뜨기로 하다 **~ *up*** 〈집에〉 유선 텔레비전 선을 설치하다

---

cabinet *n.* cupboard, locker, chest, closet
cable *n.* rope, wire, cord, line, cordage

cáble addrèss 전신[해외 전보] 수신인 약호
cáble bùoy 케이블 부이[부표]《수중 케이블의 위치를 표시》
cáble càr 케이블카
ca·ble·cast [kéiblkæ̀st | -kɑ̀:st] *vt.*, *vi.* (~, **~·ed**) 유선 텔레비전 방송을 하다
— *n.* 유선 텔레비전 방송 **—** *a.* 유선 텔레비전 방송의 **~·er** *n.* 유선 텔레비전 방송사
ca·ble·gram [-grǽm] *n.* 해저 전신; 해외 전보
cáble hòme 유선 텔레비전 수신 가입 가정
ca·ble-laid [-lèid] *a.* 〈밧줄이〉 아홉 가닥으로 꼰 《세 개의 밧줄을 하나로 꼰 다음, 다시 세 개로 꼰》
cáble mèssage 해외 전보, 외신
cáble mòdem 〖컴퓨터〗 케이블 모뎀《케이블 TV(CATV)의 빈 대역(帶域)을 이용하여 고속 데이터 통신을 하는 모뎀》
cáble nétwork 유선 텔레비전 방송망
Cáble Nèws Nétwork 《미》 뉴스 전문 케이블 방송망《略 CNN》
ca·ble·pho·to [-fòutou] *n.* (*pl.* **~s**) (특히 신문사·경찰용의) 전송 사진
cáble ràilway 강삭[케이블] 철도
ca·ble-read·y [-rédi] *a.* 〖전자〗 〈텔레비전 등이〉 (유선 텔레비전용의) 케이블 접속 단자를 갖춘
cáble relèase 〖사진〗 케이블 릴리즈《손을 대지 않고 셔터를 작동시키는 끈》
ca·blese [kèibəlí:z, -lí:s] *n.* Ⓤ 전보 문체[용어]
cáble shìp 〖항해〗 해저 전선 부설선(船)
cáble's lèngth 〖항해〗 1련(鏈)《해상 거리를 나타내는 단위; 미해군에서는 720피트(약 219m), 영해군에서는 608피트(약 185m)》
cáble stìtch (편물의) 밧줄무늬 뜨개질
ca·ble-stitch [kéiblstìtʃ] *vi.*, *vt.* 밧줄무늬 뜨개질을 하다
ca·blet [kéiblit] *n.* (직경 25cm 이하의) 가는 케이블
cáble télevìsion[TV] 유선[케이블] 텔레비전《略 CATV》
cáble trànsfer (외국) 전신환 (송금)
ca·ble·vi·sion [kéiblvìʒən] *n.* = CABLE TELEVISION
ca·ble·way [-wèi] *n.* 공중 케이블[삭도(索道)]
ca·bling [kéibliŋ] *n.* 〖전기〗 전선망(網); 케이블
Cab-link [-lìŋk] *n.* 《미》 캡링크《인공위성을 이용한 택시 배차 시스템; 상표명》
cab·man [kǽbmən] *n.* (*pl.* **-men** [-mən, -mèn]) 택시 운전사; cab의 마부
cab·o·chon [kǽbəʃɑ̀n | -ʃɔ̀n] 〖F〗 *n.* (*pl.* **~s** [-z]) (잘라 내지 않고) 위를 둥글게 연마한 보석; 카보숑 컷; (18세기 가구에 이용한) 카보숑과 비슷한 장식 모티프 ***en*** **~** 카보숑 컷으로 (연마한)
— *ad.*, *a.* 카보숑식으로[의]
ca·boo·dle [kəbú:dl] *n.* 《구어》 무리, 떼
the whole kit and **~** ⇨ kit[1]
ca·boose [kəbú:s] *n.* **1** 《미》 (화물 열차 맨 뒤의) 승무원차(《영》 guard's van) **2** 《영》 상선 상갑판의 주방(galley)
Cab·ot [kǽbət] *n.* 캐벗 **John** ~ (1450-98?) 《북미 대륙을 발견한 이탈리아의 탐험가》
cab·o·tage [kǽbətidʒ, kæ̀bətɑ́:ʒ] *n.* Ⓤ 연안(沿岸) 항해; 연안 무역; 국내 운항[항공]권
ca·bo·tin [kɑ̀:bətǽŋ] 〖F〗 *n.* 2류 배우, 지방 순회극단의 배우
cáb rànk 《영》 = CABSTAND
ca·bret·ta [kəbrétə] *n.* (장갑·구두용의) 양가죽
ca·bril·la [kəbrílə] *n.* 〖어류〗 농어과(科) 능성어속(屬)의 식용어《동태평양 열대 지방산》
Ca·bri·ni [kəbrí:ni] *n.* 카브리니 **Saint Frances Xavier** ~ (1850-1917) 《이탈리아 태생의 미국 수녀 (통칭 **Mother Cabrini**); 예수 성심(聖心) 포교 수녀단(Missionary Sisters of the Sacred Heart of Jesus) 창립자》

cab·ri·ole [kǽbriòul] *n.* **1** (가구의) 굽은 다리 《Anne 여왕 시대 가구의 특색》(= ∠ **lèg**) **2** 〖발레〗 카브리올 《도약 중에 수평으로 올린 발을 다른 발로 치기》
cab·ri·o·let [kæ̀briəléi] [F] *n.* **1** 말 한 필이 끄는 2륜 유개(有蓋) 마차 **2** 접는 포장이 달린 쿠페(coupé)형 자동차

cabriolet 1

cab·stand [kǽbstæ̀nd] *n.* 택시 주[승]차장
ca·ca [kɑ́:kɑ̀:] *n.* 《유아어》 응가; 《속어》 (싸구려) 헤로인 **—*vi.*** 《유아어》 응가를 하다
ca'can·ny [kɑ:kǽni, kɔ:-] [Scot. 「천천히 몰다」의 뜻에서] *vi.* 《영》 태업(怠業)하다
—*n.* ⓊⒸ 《영》 태업
ca·ca·o [kəkɑ́:ou, -kéi-] [Sp. 「씨」의 뜻에서] *n.* (*pl.* **~s**) 카카오 열매(= ∠ **bèan**) 《열대 아메리카산; 코코아·초콜릿 원료》; 〖식물〗 카카오나무(= ∠ **trèe**)
cacáo bùtter = COCOA BUTTER
cac·cia·to·re [kɑ̀:tʃətɔ́:ri], **-ra** [-rə] [It.] *a.* 〖요리〗 카차토레의 《통닭 등을 토마토·향초(香草)·조미료 등으로 조리한 것》
ca·cha·ca, -ça [kəʃɑ́:sə] [Port.] *n.* 카샤사 《브라질산(産)의 럼주》
cach·a·lot [kǽʃəlɑ̀t, -lòu | -lɔ̀t] *n.* 〖동물〗 향유고래(sperm whale)
cache [kǽʃ] *n.* **1** 은닉처, 저장소, 저장 땅굴; (은닉처의) 저장물; 감춰 둔 귀중품 **2** 〖컴퓨터〗 = CACHE MEMORY ***make a* ~[~*s*] *of*** …을 저장[은닉]하다
—*vt.* (은닉처에) 〈…을〉 저장하다; 감추다(hide); 〈데이터를〉 캐시에 입력하다
cáche mèmory 〖컴퓨터〗 캐시 기억 장치 《주기억 장치에 격납되어 있는 데이터의 일부를 일시 보관하는 고속 기억 장치》
cache·pot [kǽʃpɑ̀t, -pòu | -pɔ̀t] *n.* 장식 화분
cache-sexe [kǽʃsèks] [F] *n.* (누드 댄서의) 음부 가리개
ca·chet [kæʃéi, ∠–] [F 「인장」의 뜻에서] *n.* **1** 봉인(封印)(seal) **2** (뚜렷한) 특징 **3** (명성·위신이 있는 사람에게서 얻은) 찬성의 표시, 찬의 **4** 위신, 높은 신분 **5** 〖약학〗 교갑(膠匣), 캡슐 **6** (우편물의) 봉투[편지]에 찍힌[인쇄된] 회사명·표어·의장; 기념 스탬프
ca·chex·i·a [kəkéksiə], **-chex·y** [-kéksi] *n.* Ⓤ 〖병리〗 악액질(惡液質) 《만성병으로 인한 건강 악화 상태》; (정신 등의) 불건전 상태
cach·in·nate [kǽkənèit] *vi.* 《문어》 껄껄 웃다, 너털웃음을 웃다
cach·in·na·tion [kæ̀kənéiʃən] *n.* ⓊⒸ 껄껄 웃음
ca·chou [kəʃú:, kǽʃu: | kǽʃu:] [F] *n.* **1** = CATECHU **2** 구중 향정(口中香錠) 《입냄새를 없애는 약》
ca·chu·cha [kətʃú:tʃə] [Sp.] *n.* 카추차 《스페인의 Andalusia지방의 볼레로 비슷한 춤; 그 춤곡》
ca·cique [kəsí:k] [Sp.] *n.* **1** (멕시코·서인도 제도의) 추장(酋長) **2** (스페인·라틴 아메리카의) 지방 정계의 보스 **3** (필리핀의) 유력한 지주, 대지주(大地主) **4** 꾀꼬리
cack [kǽk] *n.* 뒤축 없는 유아용 신발
cack-hand·ed [kæ̀khǽndid] *a.* 《구어》 **1** 왼손잡이의(left-handed) **2** 솜씨 없는, 서투른(clumsy)
∗**cack·le** [kǽkl] [의성어] *n.* **1** 꼬꼬댁, 꽥꽥 《암탉·거위 등의 울음소리》 **2** 쓸데없는 잡담, 수다 **3** 낄낄대는 웃음소리 **4** 《영·속어·고어》 (연극의) 대화
***cut the* ~** 《영·구어》 서론을 생략하고 바로 본론으로 들어가다; [명령형으로] 이야기를 멈추다, 입 다물다
—*vi.* **1** 〈암탉이〉 꼬꼬댁 울다 **2** (버릇없이) 낄낄 웃다 **3** 시끄럽게 지껄이다, 수다를 떨다
—*vt.* 〈생각·기분 따위를〉 지껄여 대다, 재잘재잘 지껄이다 《*out*》 **cáck·ler** *n.* 수다쟁이
cáckle bròad 《속어》 수다쟁이 여자
cáckle fàctory 《미·속어》 정신 병원

CACM Central American Common Market 중앙 아메리카 공동 시장
caco- [kǽkou, -kə] 《연결형》 「악(惡)·오(誤)」의 뜻
cac·o·de·mon [kæ̀kədí:mən] *n.* 악귀(惡鬼), 악마; 악인 **-de·mon·ic** [-dimɑ́nik | -mɔ́n-] *a.*
cac·o·dox·y [kǽkədɑ̀ksi | -dɔ̀k-] *n.* Ⓤ 잘못된 교리[설]
cac·o·dyl [kǽkədìl] 〖화학〗 *n.* Ⓤ 카코딜
—*a.* 카코딜기(基)를 함유한
cac·o·dyl·ic [kæ̀kədílik] *a.* 카코딜기(基)의
cacodýlic ácid 〖화학〗 카코딜산(酸)
cac·o·ep·y [kǽkouèpi, kəkóuəpi] *n.* Ⓤ 그릇된 발음(opp. *orthoepy*)
cac·o·ë·thes, -e- [kæ̀kouí:θi:z] *n.* Ⓤ 나쁜 버릇, 악습; …광(狂)(mania)
ca·cog·ra·pher [kəkɑ́grəfər | kækɔ́g-] *n.* 악필가(惡筆家); 글씨[철자]를 잘 틀리는 사람
ca·cog·ra·phy [kəkɑ́grəfi | kækɔ́g-] *n.* Ⓤ 악필(opp. *calligraphy*); 오자(誤字), 오기(誤記)(opp. *orthography*) **càc·o·gráph·ic, -gráph·i·cal** *a.*
ca·col·o·gy [kəkɑ́lədʒi, kə- | -kɔ́l-] *n.* Ⓤ 말의 오용; 잘못된 발음
cac·o·mis·tle [kǽkəmìsl] *n.* 캐코미슬 《멕시코 및 미국 남서부에 사는 육식 동물》; 캐코미슬의 모피
cac·o·phon·ic [kæ̀kəfɑ́nik | -fɔ́n-] *a.* = CACOPHONOUS **-i·cal·ly** *ad.*
ca·coph·o·nous [kəkɑ́fənəs | kækɔ́f-] *a.* 불협화음의, 귀에 거슬리는 **~·ly** *ad.*
ca·coph·o·ny [kəkɑ́fəni | kækɔ́f-] *n.* (*pl.* **-nies**) ⓊⒸ 귀에 거슬리는 소리, 불협화음; 잡음, 소음; 불쾌한 음조(opp. *euphony*)
cac·ta·ceous [kæktéiʃəs] *a.* 선인장과(科)의
∗**cac·tus** [kǽktəs] [Gk 「가시 있는 식물」의 뜻에서] *n.* (*pl.* **~·es, -ti** [-tai]) 〖식물〗 선인장
cáctus jùice 《미·구어》 = TEQUILA
ca·cu·mi·nal [kəkjú:mənl | kæ-] *a.* **1** 〖음성〗 반전음(反轉音)의 **2** 〖의학〗 첨단의, 정상(頂上)의
—*n.* 〖음성〗 반전음
cad [kǽd] *n.* 《영·속어》 (여자에게) 비열[치사]한 사람
CAD [kǽd] [*c*omputer-*a*ided *d*esign] *n.* 컴퓨터 원용(援用) 설계[디자인]
ca·das·tral [kədǽstrəl] *a.* 토지 대장의, 지적(地籍)(도)의: a ~ map[survey] 지적도[측량] **~·ly** *ad.*
ca·das·tre, -ter [kədǽstər] *n.* 토지 대장
ca·dav·er [kədǽvər] *n.* 송장, (특히 해부용) 시체(corpse) **~·ic** *a.*
ca·dav·er·ine [kədǽvərì:n] *n.* 〖생화학〗 카다베린 《무색·점성(粘性)·악취의 유독 액체》
ca·dav·er·ous [kədǽvərəs] *a.* 송장 같은; 새파랗게 질린; 빼빼 마른 **~·ly** *ad.* **~·ness** *n.*
CAD/CAM [kǽdkæ̀m] [*c*omputer-*a*ided *d*esign and *c*omputer-*a*ided *m*anufacturing] *n.* 컴퓨터 이용 설계·제조
CADD 〖컴퓨터〗 computer-aided design and drafting
cad·dice[1] [kǽdis] *n.* = CADDIS[1]
caddice[2] *n.* = CADDISWORM
cad·die, cad·dy [kǽdi] [Scot. 「심부름하는 소년」의 뜻에서] *n.* **1** 캐디 《골프장에서 클럽을 나르거나 공을 줍는 등의 일을 하는 사람》 **2** 잔심부름하는 사람 **3** = CADDIE CART **—*vi.*** 캐디로서 일하다(caddy)
cáddie bàg 골프 클럽백
cáddie càrt[càr] **1** (골프장에서 사용하는) 캐디용 2륜차 **2** (화물 운반용의) 소형 손수레
cad·dis[1], **-dice** [kǽdis] *n.* Ⓤ 캐디스 《일종의 소모사[레이스, 리본]》; 스코틀랜드에서 사용되는 서지(serge)와 비슷한 싼 값의 모직물
caddis[2] *n.* = CADDISWORM
cad·dis·fly [-flài] *n.* 〖곤충〗 날도래
cad·dish [kǽdiʃ] *a.* (여자에 대해) 야비한, 치사한(ungentlemanly) **~·ly** *ad.* **~·ness** *n.*

cad·dis·worm [kǽdiswə̀ːrm] *n.* 〘곤충〙 물여우 《날도래의 유충, 낚싯밥》

Cad·do [kǽdou] *n.* (*pl.* **~s,** [집합적] **~**) **1** 카도족(의 사람) 《미국 Arkansas, Louisiana, Texas주 동부에 살던 북미 인디언》 **2** Ⓤ 카도 어(語)

cad·dy[1] [kǽdi] *n.* (*pl.* **-dies**) **1** (평소에 사용하는 물건을 수납하기 위한) 상자, 용기 **2** (영) =TEA CADDY

caddy[2] *n.* (*pl.* **-dies**), *vi.* (**-died**) =CADDIE

cáddy spòon (영) (손잡이가 긴) 찻숟갈

cade [kéid] *a.* 〈동물의 새끼가〉 어미에게 버려져서 사람이 키운

-cade [kèid, kéid] 《연결형》 「행렬, 구경거리」의 뜻: motor*cade*, aqua*cade*

ca·delle [kədél] *n.* 〘곤충〙 느치

***ca·dence** [kéidns] *n.* ⓊⒸ **1** (시의) 운율, 리듬, 가락 **2** (일련의 소리·말의) 율동적인 흐름, (목소리의) 억양 **3** 하강조의 억양 《일반적으로 평서문의 끝에서》 **4** 〘음악〙 종지형[법]
— *vt.* 율동적으로 하다
— *vi.* 율동적으로 흐르다[움직이다]

cá·denced [-t] *a.* 율동적인 ▷ cádent *a.*

ca·den·cy [kéidnsi] *n.* (*pl.* **-cies**) **1** =CADENCE **2** 분가(分家)의 가계; 분가의 신분

ca·dent [kéidnt] *a.* **1** 리듬 있는, 율동적인 **2** (고어) 하강하는

ca·den·tial [keidénʃəl] *a.* 리듬의; 억양의; 〘음악〙 종지법의

ca·den·za [kədénzə] [It.] *n.* 〘음악〙 카덴차 《협주곡에서는 독주, 아리아에서는 독창 따위로 기교를 나타내는 장식(부)》

ca·det[1] [kədét] *n.* **1** (미) 육해공군 사관학교·경찰학교 생도[학생]; [보통 Gentleman C~] (영) 사관[간부] 후보생: a naval ~ 해군 사관학교 생도 **2** 젊은 단원, 견습생: a ~ teacher 교생 **3** (장남 이외의) 아들; 막내아들; 남동생: a ~ family[branch] 분가 **4** (속어) 뚜쟁이(pimp) **~·shìp** *n.* Ⓤ cadet의 신분[자격]

ca·det[2] [kædéi] [F] *n.* 아우 《성명 뒤에 붙여 형과 구별함; opp. *aîné*》

cadét còrps (영) (학생) 군사 교련단

Ca·dette [kədét] *n.* **1** (미) 12-14세의 걸스카우트 단원(=∠ **scòut**) **2** [**c~**] (호주) 여성 국가 공무원, 《특히》 문관 근무에 임명된 여성

cadge [kǽdʒ] *vt.* **1** (남의 관용·호의 따위를 이용해) 입수하다, 졸라서 얻다, 조르다 **2** 〈물건을〉 구걸하다, 구걸하여 얻다 — *vi.* (음식 따위를) 얻어먹다 (*for*); 빌어먹다 — *n.* (영·구어) 구걸

cadg·er [kǽdʒər] *n.* **1** (스코) 행상인; 도붓장수, 운송업자 **2** 유랑자 **3** (영) 남을 등쳐 먹는 사람, 식객

cadg·y [kǽdʒi] *a.* (스코) 쾌활한(cheerful); 바람난(wanton); 〈동물이〉 발정한 **cádg·i·ly** *ad.*

ca·di [kɑ́ːdi, kéi-] *n.* (*pl.* **~s**) =QADI

Cad·il·lac [kǽdəlæ̀k] *n.* **1** 캐딜락 《미국제 고급 자동차의 상표명》 **2** (미·속어) (1온스의) 헤로인 **3** (미·구어) 최고의 것 (*of*)

CADMAT [kǽdmæ̀t] [*c*omputer-*a*ided *d*esign, *m*anufacture *a*nd *t*est(ing)] *n.* 컴퓨터 원용 설계·제조·검사

Cad·me·an [kædmíːən] *a.* 〘그리스신화〙 Cadmus의[같은]

Cadméan víctory 카드모스의 승리 《희생이 큰 승리; cf. PYRRHIC VICTORY》

cad·mi·um [kǽdmiəm] *n.* Ⓤ 〘화학〙 카드뮴 《금속 원소; 기호 Cd, 번호 48》

cádmium cèll 〘전기〙 카드뮴 전지

cádmium órange 카드뮴 오렌지 《주황색 안료》

cádmium réd 카드뮴 레드 《선홍색·다갈색의 안료》

cádmium súlfide 〘화학〙 황화카드뮴(CdS) 《담황색 또는 오렌지색의 비수용성 분말》

cádmium yéllow 카드뮴 옐로 《황색 안료》

Cad·mus [kǽdməs] *n.* 〘그리스신화〙 카드모스 《페니키아 왕자; Thebes를 창건하고 알파벳을 그리스에 전함》

ca·dre [kǽdri, kɑ́ːdrei | kɑ́ːdə] [F] *n.* 〘군사〙 **1** 기간 인원 《신규 부대의 편성·훈련을 맡은 장교나 하사관》 **2** (종교 단체·정당 등의 조직의) 핵심 그룹, 간부회; (조직 확대의 핵심이 되는) 지도자 집단 **3** (특히 공산주의 국가의) 중핵; (당·정부·군의) 간부; 중견 요원 **4** 뼈대, 윤곽, 개요(framework)

ca·dre·man [kǽdrimən, -mæ̀n] *n.* (*pl.* **-men** [-mən, -mèn]) (군대의) 장교; (정당의) 간부

ca·du·ce·us [kədjúːsiəs, -ʃəs | -djúːsiəs] *n.* (*pl.* **-ce·i** [-siài]) 〘그리스·로마신화〙 신들의 사자(使者)인 Mercury[Hermes]의 지팡이 《두 마리의 뱀이 감긴 꼭대기에 두 날개가 있는 지팡이; 평화·의술의 상징; 미육군 의무대의 휘장》

caduceus

ca·du·ci·ty [kədjúːsəti | -djúː-] *n.* Ⓤ 노쇠; 덧없음

ca·du·cous [kədjúːkəs | -djúː-] *a.* **1** 〘식물〙 〈잎이〉 일찍 떨어지는, 쉽게 지는 **2** 〘동물〙 〈털이〉 빠지기 쉬운 **3** 덧없는 **4** 〘법〙 실효(失效)한(lapsed)

CAE (호주) College of Advanced Education; computer-aided engineering 컴퓨터 원용 엔지니어링

cae·cal [síːkəl] *a.* =CECAL

cae·cum [síːkəm] *n.* (*pl.* **-ca** [-kə]) =CECUM

Caer·phil·ly [kɑːrfíli] *n.* 케어필리 치즈 《영국 Wales산(産)의 흰색 치즈》

***Cae·sar** [síːzər] *n.* **1** 시저, 카이사르 **Gaius Julius** ~ (100-44 B.C.) 《로마의 장군·정치가》 **2** 로마 황제; 《일반적으로》 황제(cf. KAISER, CZAR); 전제 군주, 독재자 **3** (신과 대비하여) 현세의 지배자 **4** (영·구어) 〘의학〙 제왕 절개(로 낳은 아이)
appeal to [***unto***] ~ 최고 권위자에게 호소하다; 총선거에서 국민에게 호소하다 ***~'s wife*** 남의 의혹을 살 행위를 해서는 안 될 사람

Cae·sar·e·an, -i·an [sizέəriən] *a.* **1** 카이사르의; (로마) 황제의; 전제 군주적인 **2** 제왕 절개의[에 의한] — *n.* **1** [때로 **c~**] =CAESAREAN SECTION **2** 〘역사〙 카이사르당(黨)의 사람; 전제론자

Caesárean séction[**operátion**] [Julius Caesar가 이 방법으로 태어났다는 전설에서] 〘의학〙 제왕 절개 수술, 개복 분만법

Cae·sar·ism [síːzərìzm] *n.* Ⓤ 황제 정치주의; 제국주의(imperialism); 전제 군주제(autocracy) **-ist** *n.* 황제 정치주의자

Cáesar sálad 〘요리〙 시저 샐러드 《야채, 잘게 간 치즈, 크루통(crouton), 안초비(anchovy) 등이 들어감》

cae·si·um [síːziəm] *n.* 〘화학〙 =CESIUM

cae·su·ra [siʒúərə, -zjúə- | -zjúə-] *n.* (*pl.* **~s, -rae** [-riː]) 〘시학〙 행간의 휴지(pause); 〘음악〙 중간 휴지; 《일반적으로》 휴지, 중단 **-ral** *a.*

caf, CAF 〘상업〙 cost and freight; cost, assurance, and freight 운임·보험료 포함 가격

ca·fard [kɑːfɑ́ːr] [F] *n.* (특히 열대 지방에서 백인의) 극도의 우울, 우울증

***ca·fé, ca·fe** [kæféi, kə- | kǽfei] [F 「커피, 다방」의 뜻에서] *n.* (*pl.* **~s**) **1** 식당, 경식당

> 유의어 **café**는 기본적으로 커피와 소다수 등의 음료에 더하여 간단한 식사를 제공하는 일종의 restaurant이다. **coffee shop**은 커피·홍차 등의 음료에다 대개 디저트 음식을 판다. **coffee house**도 coffee shop과 비슷한데, 다른 점은 손님들이 차를 마시고 음식을 먹으면서 시나 음악을 감상한다. **cafeteria**는 뷔페식으로 배열된 음식을 손님이 골라서 그 끝에서 계산하게 된, 저렴한 식당이다. **diner**는 가정식의 음식을 제공하는 저렴한 식당으로서, 대개 이른 아침부터 밤늦게까지 영업한다.

2 (주로 영) 커피점, 다방(coffee house) 3 (미) 바, 나이트클럽 4 Ⓤ 커피 5 〖컴퓨터〗 카페 《network 상에서 채팅할 수 있는 곳; ⇨ cybercafé, internet café》

CAFE corporate average fuel economy 〖자동차〗 (미국의) 연료비 효율 기준 **CAFEA-ICC** Commission on Asian and Far Eastern Affairs of the International Chamber of Commerce 국제 상공회의소 아시아·극동 위원회

café au lait [kǽfei-ou-léi, kæféi-] [F =coffee with milk] 카페오레, 밀크 커피; 담갈색

café brû·lot [-bru:lóu] [F] 카페 브뤌로 《커피에 오렌지·레몬 껍질과 브랜디를 넣어 불을 붙인 뒤에 마심》

café car [-kɑ̀:r] 카페 카 《반은 식당, 반은 흡연실인 철도 차량》

café chan·tant [-ʃɑ:ntɑ́:ŋ] [F] 음악·노래를 들려주는 카페; =CABARET

café curtain [-kə̀:rtn] 창문 아래[위]쪽만 가리는 커튼

café fil·tre [-fí:ltrə] [F =filtered coffee] 여과[거른] 커피

café noir [-nwɑ́:r] [F =black coffee] 블랙커피

café society [-səsáiəti] [집합적] 고급 나이트클럽 등에 출입하는 상류 사회의 단골손님

‡**caf·e·te·ri·a** [kæ̀fətíəriə] [Sp. 「다방」의 뜻에서] *n.* (미) 카페테리아 《셀프서비스하는 간이식당》(⇨ café 유의어); (공장·회사·학교 등의) 구내식당

cafetéria plàn 〖경영〗 카페테리아 방식 《보다 나은 의료 보험, 퇴직 연금, 특별 휴가 등 몇 가지 복지 계획 중에서 종업원이 자유로이 선택할 수 있는 제도》

caf·e·tière [kæ̀fətíər] [F] *n.* (영) =FRENCH PRESS

caf·e·to·ri·um [kæ̀fətɔ́:riəm] *n.* 식당과 강당을 겸용할 수 있는 학교의 큰 홀

caff [kǽf] *n.* (영·속어) =CAFÉ

caf·fe·ic [kæfí:ik] *a.* 커피의, 카페인의

caf·fein·at·ed [kǽfənèitid] *a.* 카페인을 함유한

caf·feine, -fein [kæfí:n, ㅗ— | kǽfi:n] *n.* Ⓤ 〖화학〗 카페인

caf·feine-free [-frì:] *a.* 카페인 없는: ~ coffee 카페인 없는 커피

caf·fein·ism [kæfí:nizm, ㅗ—ㅡ | kǽfi:nìzm] *n.* 카페인 중독

caf·fè lat·te [kǽfei-lǽtei, -lɑ́:tei] [It. =coffee with milk] 카페라테, 밀크 커피

ca·fo·ne [kɑfɔ́:ne] [It.] *n.* (*pl.* **-ni** [-ni]) 거칠고 무례한 사람; 하층민, 몹쓸 사람(lowlife)

caf·tan [kǽftæn, —ㅗ | ㅗ—] *n.* 카프탄 《터키 사람 등이 입는 소매가 긴 옷》; 카프탄식 여성 드레스

caftan

‡**cage** [kéidʒ] [L 「우묵한 곳」의 뜻에서] *n.* 1 새장; 우리; 옥사(獄舍); (구어) 포로 수용소 2 새장 비슷한 것; (승강기의) 타는 곳; (은행의) 출납 창구; (미·속어) 고물 자동차; (기중기의) 운전실; (탄갱의 광주리 모양의) 승강대; (철근 등의) 골조 3 〖야구〗 (포수) 마스크; 배팅 케이지(=**bátting** ~) 4 〖농구〗 바스켓 5 〖하키〗 골 6 (얇은 천이나 레이스로 만든) 허리선 없는 겉옷[오버 드레스] 7 (대형의) 실내 연습장[경기장] 8 (영) (체크 마크 등을 써넣는) 서류상의 네모칸 9 포가(砲架), 포좌(砲座)

— *vt.* 1 새장[우리]에 넣다[가두다]: a ~*d* bird 새장에 갇힌 새 2 (구어) (농구·하키 등에서) 〈공·퍽(puck)을〉 슛하다 3 (미·속어) =CADGE ~ ***in*** [종종 수동형으로] 가두다, 감금하다; 자유를 속박하다 ~ ***up*** 투옥하다, 수감하다

~**·ful** *a.* ~**·lìke** *a.* ▷ encáge *v.*

cáge bìrd 새장에서 기르는 새

cage·ling [kéidʒliŋ] *n.* 새장의 새(caged bird)

cag·er [kéidʒər] *n.* 1 (미·구어) 농구 선수 《스포츠 기자가 쓰는 말》 2 〖채광〗 케이지에 광차를 실어 내리는 기계; 케이지 작업원

cag·ey, cag·y [kéidʒi] *a.* (**cag·i·er**; **-i·est**) (구어) 조심성 있는, 빈틈없는; Ⓟ 터놓으려 하지 않는, 태도를 분명히 하지 않는 《*about*》

cág·i·ly *ad.* **cág·ey·ness, cág·i·ness** *n.*

ca·goule [kəgú:l] *n.* 카굴 《등산용 후드 달린 가벼운 아노락(anorak)》

CAGS Certificate of Advanced Graduate Study

ca·hier [kæjéi, kɑ:-] [F] *n.* 의사록, 보고서; (제본용) 접지(摺紙), (가철한) 팸플릿; 공책; 페이퍼백

ca·hoot [kəhú:t] *n.* (구어) [다음 성구로] ***go ~s*** = ***go in ~ with*** = ***go in ~s*** (…와) 똑같이 나누다; 한패가 되다 ***in ~(s)*** (속어) (…와) 공모하여 《*with*》; (…을) 꾸민 《*over*》

CAI computer-assisted instruction 컴퓨터 원용 교육

cai·man [kéimən] *n.* (*pl.* **~s**) 〖동물〗 카이만 《중남미산(産) 큰 악어》

Cain [kéin] *n.* 〖성서〗 카인 《아우 Abel을 죽인 Adam의 장남》; 형제 살해범, 살인자 ***raise ~*** (구어) (큰) 소동을 일으키다; 화내어 날뛰다

cai·pi·ri·nha [kaipirínjɑ, -pərínjə] *n.* 카이피리냐 《럼·라임·설탕 등을 혼합한 브라질 칵테일》

ca·ïque, ca·ique [kɑ:í:k | kaií:k] *n.* (보스포러스 해협의) 노젓는 긴 배; (지중해의) 작은 범선

Cai·rene [káiəri:n] *n.*, *a.* Cairo 시민(의)

cairn [kɛ́ərn] *n.* 1 케른 《돌무더기 기념비, 석총(石塚), 이정표》 2 테리어개의 일종(=**~ térrier**)

— *vt.* 케른으로 나타내다 **~ed** *a.*

cairn·gorm [kɛ́ərngɔ̀:rm] [스코틀랜드의 산지명에서] *n.* 연수정(煙水晶)(=**C~ stòne**)

***Cai·ro** [káiərou] *n.* 카이로 《이집트의 수도》

cais·son [kéisn, -sɑn | kéisən, -sn, kəsú:n] *n.* 〖군사〗 탄약 상자, 탄약차; 〖토목〗 케이슨, 잠함(潛函) 《수중 공사용》; 부동(浮動) 수문 《도크용》 **~ed** *a.*

cáisson disèase 〖병리〗 케이슨병(病), 잠함병, 잠수병(aeroembolism)

Caith·ness [kéiθnes, —ㅗ] *n.* 케이스네스 《스코틀랜드 동북부의 옛 주; 지금은 Highland주의 일부》

caj·e·put [kǽdʒəpət, -pùt] *n.* 1 카유풋 나무 2 〖약학〗 카유풋유(油) 《방향유; 향료 또는 치통이나 각종 장(腸) 장애에 씀》

ca·jole [kədʒóul] [F 「아첨하다」의 뜻에서] *vt.* 부추기다; 구워삶다, 감언이설로 속이다 《★ coax보다 딱딱한 말》 ~ a person ***into*** [***out of***] do***ing*** …을 꾀어 …시키다[…을 그만두게 하다] ~ a person ***out of*** something = ~ something ***out of*** a person …을 속여 …을 빼앗다

~**·ment** *n.* ⓊⒸ **ca·jól·er** *n.* **ca·jól·ing·ly** *ad.*

ca·jol·er·y [kədʒóuləri] *n.* (*pl.* **-er·ies**) ⓊⒸ 감언이설, 아첨

Ca·jun, -jan [kéidʒən] [Acadian(=Nova Scotian)의 변형] *n.* 1 아카디아(Acadia) 출신 프랑스 인의 자손인 Louisiana 주의 주민; Ⓤ 그 방언 2 Alabama 주·Mississippi 주 남부의 백인과 인디언[흑인]의 혼혈아 — *a.* 1 (특히 Louisiana 주 남부의) Cajun 인(人)의, Cajun 문화의, Cajun 방언의 2 Cajun 음식(스타일)의 《매운 양념의 소스가 특징》

‡**cake** [kéik] [ON 「납작한 빵」의 뜻에서] *n.* 1 ⓊⒸ 케이크, 양과자; Ⓒ 케이크 한 개 USAGE 일정한 모양으로 만든 케이크 한 개는 Ⓒ이지만, 자른 조각은 Ⓤ이며, piece of ..., slice of ...로 센다.: birthday ~ 생일 케이크 2 (미) 얇고 납작한 빵(pancake), 핫케이크; (스코) 귀리로 만든 딱딱한 비스킷(oatcake): brown a ~ 과자를 갈색으로 굽다 3 (얇고 납작한) 단단한 덩어리, (고체물의) 한 개: a ~ of soap 비누 한 개 4 (생선 살을 갈아) 납작하게 굳힌 것; (콩·목화씨·

thesaurus **cage** *n.* birdcage, aviary, coop; enclosure, pen, corral, pound, lockup

아마인 등의 기름을 짠 후의) 딱딱한 찌꺼기 《가축 사료용》 **5** 단단한 침전물(crust) **6** 몫, 배당(pie) **7** 원그래프 **8** 《속어》 성적 매력이 있는 여자; 《비어》 여성의 성기 **9** [*pl.*] 《미·속어》 쉬운 일(= piece of ~) **10** 《미·속어》 호색한, 멋쟁이(ladies' man)
a piece of ~ 《구어》 쉬운[즐거운] 일 ***a slice*** [***cut, share***] ***of the ~*** 이익의 한몫 ***go*** [***sell***] ***like hot ~s*** ⇨ hot cake. ***have*** one'***s ~ and eat it*** (***too***) 독차지하다; 원하는 것을 모두 얻다: You cannot *have your ~ and eat it* (*too*). 《속담》 먹은 과자는 손에 남지 않는다, 양쪽 다 좋을 수는 없다. One'***s ~ is dough.*** 《구어》 계획은 실패다. ***take the ~*** 《구어》 상을 타다, 이기다; [종종 반어적] 뛰어나다 ***the Land of C~s*** 스코틀랜드의 별칭
— *vt.* 뭉치다, 굳히다; 두껍게 바르다[뒤덮다] 《*with*》
— *vi.* 들러붙다, 뭉쳐지다, 덩어리지다
▷ cáky *a.*
cáke èater 《미·속어》 (쾌락을 좇는) 유약한 남자, 플레이보이
cáke flòur 상질(上質) 밀가루 《케이크용》
cake-hole [-hòul] *n.* 《영·속어》 (사람의) 입
cáke ìnk 막대꼴로 굳힌 잉크, 먹
cáke màkeup 케이크[고형] 파운데이션
cákes and ále [kéiks-] 과자와 맥주; 인생의 향락, 물질적인 쾌락
cake-tin [kéiktìn] *n.* (케이크를 굽기 위한) 금속 틀
cake·walk [-wɔ̀:k] *n.* 스텝[걸음걸이] 경기 《미국 흑인들이 즐기는 놀이로 케이크를 상품으로 줌》; 일종의 스텝 댄스; 《구어》 간단한[쉬운] 일
— *vi.* 케이크워크로 걷다[춤추다] **~·er** *n.*
cák·ing còal [kéikiŋ-] 점결탄(粘結炭)
cak·y, cak·ey [kéiki] *a.* (**cak·i·er**; **-i·est**) 케이크 같은; 뭉쳐진
CAL China Airlines; computer-assisted learning 컴퓨터 이용 학습 **cal, cal.** calendar; caliber; calorie(s) **Cal.** California
Cal·a·bár bèan [kæ̀ləbá:*r*-, ⌐⌐⌐] 〖식물〗 칼라바르콩 《열대 아메리카산; 열매에 맹독이 있음》
cal·a·bash [kǽləbæ̀ʃ] *n.* 〖식물〗 호리병박; 그 열매(로 만든 제품) 《술잔·담뱃대·악기 등》
cal·a·boose [kǽləbù:s] *n.* 《미·속어》 교도소, 감옥(prison); 유치장(lockup)
cal·a·bre·se [kæ̀ləbréizi] *n.* 브로콜리(broccoli)
ca·la·di·um [kəléidiəm] *n.* 〖식물〗 칼라듐 《열대 아메리카산 관엽 식물의 일종》
Cal·ais [kǽlei, –⌐, kǽlis | kǽlei] *n.* 칼레 《도버(Dover) 해협에 면해 있는 프랑스의 항구 도시》
cal·a·man·co [kæ̀ləmǽŋkou] *n.* (*pl.* **~s**) Ⓤ 윤이 나는 모직물; Ⓒ 캘러맹코 옷
cal·a·man·der [kǽləmæ̀ndə*r*] *n.* 〖식물〗 (실론산) 흑단의 일종 《고급 가구재》
cal·a·ma·ri [kæ̀ləmá:ri] [It.] *n.* 〖요리〗 식용 오징어(squid)
cal·a·mar·y [kǽləmèri, -məri | -məri] *n.* (*pl.* **-mar·ies**) 〖동물〗 오징어
cal·a·mine [kǽləmàin, -min | -màin] *n.* Ⓤ **1** 〖약학〗 칼라민 《피부 소염제》 **2** 〖광물〗 이극광(異極鑛); 《영》 능아연광
cálamine lótion 칼라민 로션 《햇볕에 탄 피부 등에 바름》
cal·a·mite [kǽləmàit] *n.* 〖고생물〗 노목(蘆木) 《30미터에 달하는 고생대의 화석 식물》
ca·lam·i·tous [kəlǽmətəs] *a.* 재난을 가져오는; 불행한, 재난의(disastrous); 비참한
~·ly *ad.* **~·ness** *n.*
‡**ca·lam·i·ty** [kəlǽməti] *n.* (*pl.* **-ties**) ⒸⓊ **큰 재난**, 큰 불행(misfortune); 참사, 참화(misery)(⇨ disaster 유의어): the ~ of war 전화(戰禍)

calamity *n.* disaster, catastrophe, tragedy, misfortune, devastation, misadventure, woe

calámity hòwler 《미·속어》 불길한 예언만을 하는 사람; 비관론자
cal·a·mon·din [kǽləmʌ̀ndən] *n.* 〖식물〗 캘러먼딘 《필리핀산 귤나무속(屬)》; 그 열매
cal·a·mus [kǽləməs] *n.* (*pl.* **-mi** [-màì]) 〖식물〗 창포(sweet flag); 창포 뿌리줄기; 〖식물〗 (열대 아시아산) 등(籐); (새의) 깃촉(quill)
ca·lan·do [kɑ:lá:ndou] [It.] *a., ad.,* 〖음악〗 점점 약한[약하게]
ca·lash [kəlǽʃ] *n.* 2륜 포장마차 《2·4인용》; (마차의) 포장; (18세기에 유행한) 포장꼴 여성 모자
cal·a·thi·form [kǽləθəfɔ̀:*r*m, kəlǽθə-] *a.* 컵 모양의; 오목꼴의
calc- [kælk], **calci-** [kǽlsi, -sə] 《연결형》 「칼슘」의 뜻 《모음 앞에서는 calc-》
calc. calculate(d); calculating
cal·ca·ne·um [kælkéiniəm] *n.* (*pl.* **-ne·a** [-niə]) = CALCANEUS
cal·ca·ne·us [kælkéiniəs] *n.* (*pl.* **-ne·i** [-niài]) 〖해부〗 종골(踵骨) 《발꿈치뼈》; 〖동물〗 (척추동물의) 종골에 상당하는 뼈 **-ne·al** *a.*
cal·car [kǽlkɑ:*r*] *n.* (*pl.* **cal·car·i·a** [kælkέəriə]) 〖생물〗 며느리발톱; 그 모양의 돌기
cal·car·e·ous [kælkέəriəs] *a.* 석회석의, 석회질의; 칼슘(질)의 **~·ly** *ad.* **~·ness** *n.*
cal·ce·o·lar·i·a [kæ̀lsiəlέəriə] *n.* 〖식물〗 칼세올라리아 《현삼과(科)의 화초》
cal·ce·o·late [kǽlsiəlèit] *a.* 〖식물〗 (난초과 꽃의 꽃잎처럼) 슬리퍼 꼴의
cal·ces [kǽlsi:z] *n.* CALX의 복수
cal·cic [kǽlsik] *a.* 칼슘의[을 함유한]
cal·ci·cole [kǽlsikòul] *n.* 석회 식물 《석회질 토양에서 자라는 식물》 **cal·cíc·o·lous** *a.*
cal·cif·er·ol [kælsífərɔ̀:l, -rɑ̀l | -rɔ̀l] *n.* Ⓤ 〖생화학〗 칼시페롤 《비타민 D_2》
cal·cif·er·ous [kælsífərəs] *a.* 탄산칼슘을 함유한[생성하는]
cal·ci·fi·ca·tion [kæ̀lsəfikéiʃən] *n.* Ⓤ **1** 석회화(化) **2** 〖생리〗 석회성 물질의 침착 **3** (의견·태도·입장 등의) 강경해짐, 경화(硬化)
cal·ci·fuge [kǽlsəfjù:dʒ] *n.* 혐석회(嫌石灰) 식물(opp. *calcicole*) 《석회질 토양에서 자라지 못함》
cal·cíf·u·gous *a.*
cal·ci·fy [kǽlsəfài] *vt., vi.* (**-fied**) 석회성으로 만들다, 석회질이 되다, 석회화하다; 〈정치적인 의견·입장 따위를[가]〉 경화시키다[하다]
cal·ci·mine [kǽlsəmàin] *n.* Ⓤ 칼시민, 백색 도료 《수성(水性) 도료》 — *vt.* 〈벽 등에〉 칼시민을 칠하다
cal·ci·na·tion [kæ̀lsənéiʃən] *n.* Ⓤ **1** 〖화학〗 하소(煆燒), (석회) 소성(燒成) **2** 〖야금〗 배소법(焙燒法) **3** 하소로 생기는 물질 **4** 산화광
cal·cine [kǽlsain, -sin] *vt., vi.* 태워서[타서] 생석회가 되(게 하)다, 하소하다: *~d* alum 백반(白礬) / *~d* lime 생석회 **cál·cin·a·ble** *a.*
cal·cin·er [kælsáinə*r* | ⌐–⌐] *n.* 하소로(煆燒爐), 하소기(器)
cal·ci·no·sis [kæ̀lsənóusis] *n.* (*pl.* **-ses** [-si:z]) 〖병리〗 석회증(石灰症), 석회 침착증(症)
cal·cite [kǽlsait] *n.* Ⓤ 〖광물〗 방해석(方解石)
cal·ci·to·nin [kæ̀lsətóunin] *n.* Ⓤ 〖생화학〗 칼시토닌 《혈중의 칼슘 농도를 조절하는 호르몬》
cal·cit·ri·ol [kælsítriɔ̀:l, -ɑ̀l | -ɔ̀l] *n.* 칼시트리올 《콜레스테롤에서 얻어지는 스테로이드 호르몬 같은 물질; 골다공증 치료제로 쓰임》
*****cal·ci·um** [kǽlsiəm] *n.* Ⓤ 〖화학·생물〗 **칼슘** 《금속 원소; 기호 Ca, 번호 20》 ▷ cálcic *a.*
cálcium ársenate 〖화학〗 비산칼슘 《살충제》
cálcium blòcker 〖약학〗 칼슘 차단제
cálcium cárbide 〖화학〗 탄화칼슘
cálcium cárbonate 〖화학〗 탄산칼슘
cálcium chlóride 〖화학〗 염화칼슘

cálcium cyánamide 〖화학〗 칼슘 시안아미드 《비료·제초제의 합성에 사용》
cálcium flúoride 〖화학〗 플루오르화 칼슘
cálcium glúconate 〖화학〗 글루콘산 칼슘
cálcium hydróxide 〖화학〗 수산화칼슘, 소석회
cálcium hypochlórite 〖화학〗 차아염소산 칼슘
cálcium láctate 〖화학〗 젖산칼슘
cálcium lìght 칼슘광, 석회광(limelight)
cálcium óxide 〖화학〗 산화칼슘, 생석회
cálcium phósphate 〖화학〗 인산칼슘
cálcium própionate 〖화학〗 프로피온산 칼슘
cálcium sílicate 〖화학〗 규산칼슘
cálcium súlfate 〖화학〗 황산칼슘
calc-spar [kǽlkspɑ̀ːr] *n.* ＝CALCITE
calc-tu·fa [kǽlktjùːfə | -tjùː-], **-tuff** [-tʌ̀f] *n.* 〖지질〗 ＝TUFA
cal·cu·la·ble [kǽlkjuləbl] *a.* 계산[예측]할 수 있는; 신뢰할 수 있는 **-bly** *ad.* **càl·cu·la·bíl·i·ty** *n.*
‡**cal·cu·late** [kǽlkjulèit] [L 「(돌로) 세다」의 뜻에서] *vt.* **1** 계산하다 《*at*》, 산정하다, 추산하다(⇨ count[1] [유의어]): ～ the speed of light 빛의 속도를 계산하다 // (～+[목]+[전]+[명]) The population of the city is ～*d at* 150,000. 그 도시의 인구는 15만으로 추산되고 있다. **2** (상식·경험으로) **추정하다**, 평가[판단]하다(evaluate); 〈장래 일을〉 계산해 내다, 예측하다, 어림하다: ～ a solar[lunar] eclipse 일식[월식]일을 계산해 내다 **3** [보통 수동형으로] (…에) 적합하게 하다, 의도하다 《*for*》(⇨ calculated 3) **4** 《미·구어》 …이라고 생각하다(think), 상상하다(suppose): (～+***that*** [절]) I ～ (*that*) it's waste of time. 그것은 시간 낭비라고 생각한다. 《★ 흔히 that는 생략됨》 **5** 《미북부》 …할 작정이다(intend): (～+***to*** do) He ～*d to* do it. 그는 그렇게 할 속셈이었다.
— *vi.* **1** 계산하다; 어림잡다 **2** (…을) 믿다, 기대[예측]하다, 의지하다(rely) 《*on, upon, for*》: (～+[전]+[명]) I ～ *on* your aid. 자네의 도움을 기대하네.
▷ calculátion *n.*; cálculative *a.*
cal·cu·lat·ed [kǽlkjulèitid] *a.* **1** Ⓐ 계산된; 예측[추정]된 **2** Ⓐ 계획된, 고의의: a ～ crime 계획적인 범죄 **3** Ⓟ **a** …하게 되어, (…에) 알맞은, (…에) 적합한 《*for*》: This machine is not ～ *for* such purposes. 이 기계는 그런 목적에 쓰이도록 만들어진 것이 아니다. // (～+***to*** do) The remark was ～ *to* hurt her feelings. 그 말은 그녀의 감정을 해치려는 의도로 한 것이었다. **b** …할 것 같은(likely): (～+***to*** do) a circumstance ～ *to* excite strong suspicion 강한 의혹을 불러일으킬 만한 상황 **～·ly** *ad.*
cálculated rísk 예측된 위험, 위험률
cal·cu·lat·ing [kǽlkjulèitiŋ] *a.* **1** 계산하는, 계산용의 **2** 타산적인; 빈틈없는, 신중한; 냉담한, 이기적인
cálculating machìne 계산기
cálculating tàble 계산표 《로그표 등》
‡**cal·cu·la·tion** [kæ̀lkjuléiʃən] *n.* **1** Ⓤ **계산(함)**, 셈; Ⓒ 계산의 결과: make[do] a ～ 계산하다 [관련] addition(덧셈), subtraction(뺄셈), multiplication(곱셈), division(나눗셈) **2** [UC] 추정(推定), 추측, 예상 **3** Ⓤ 숙고; 신중한 계획 **4** Ⓤ 타산 **～·al** *a.*
▷ cálculate *v.*
cal·cu·la·tive [kǽlkjulèitiv, -lət-] *a.* **1** 계산적인, 계산상의 **2** 타산적인; 빈틈없는 **3** 계획적인
cal·cu·la·tor [kǽlkjulèitər] *n.* 계산자; 계산표[기]; 타산적인 사람
cal·cu·lous [kǽlkjuləs] *a.* 〖병리〗 결석(結石)의
cal·cu·lus [kǽlkjuləs] [L 「(계산용) 돌」의 뜻에서] *n.* (*pl.* **-li** [-lài], **～·es**) **1** 〖병리〗 결석(結石); 〖치과〗 치석 **2** Ⓤ 〖수학〗 계산법, 《특히》 미적분학: differential[integral] ～ 미분[적분]학 **3** 〖논리〗 계산 논법
～ of finite differences 〖수학〗 차분법 ***～ of variations*** 〖수학〗 변분법
Cal·cut·ta [kælkʌ́tə] *n.* 캘커타 《인도 북동부에 있는 인도 최대의 항구 도시》

cal·dar·i·um [kældέəriəm] [L] *n.* (*pl.* **-i·a** [-iə]) (고대 로마의) 온탕 욕실
cal·de·ra [kældέərə, kɔːl- | kæl-] *n.* 〖지질〗 칼데라 《화산 폭발 등으로 생긴 대규모 함몰지》
cal·dron [kɔ́ːldrən] *n.* 가마솥, 큰 냄비(cauldron)
Cald·well [kɔ́ːldwel, -wəl] *n.* 콜드웰 **Erskine ～** (1903-87) 《미국의 소설가》
ca·lèche [kəléʃ] [F] *n.* (*pl.* **～s**) 《캐나다》 2륜 마차 (calash)
Cal·e·do·ni·a [kæ̀lədóuniə] *n.* 《문어》 칼레도니아 《스코틀랜드의 고대 로마 이름》
Cal·e·do·ni·an [kæ̀lədóuniən] *a., n.* 고대 스코틀랜드의 (사람); 《익살》 (현대) 스코틀랜드 사람
cal·e·fa·cient [kæ̀ləféiʃənt] *n.* 발온(發溫) 물질 《후추 등》 — *a.* 덥게 하는, 발열의
cal·e·fac·tion [kæ̀ləfǽkʃən] *n.* Ⓤ 가열, 데움; 온열(溫熱) 상태 **càl·e·fác·tive** *a.*
cal·e·fac·to·ry [kæ̀ləfǽktəri] *a.* 난방[가열]용의; 열을 전도하는
— *n.* (*pl.* **-ries**) (수도원의) 난방된 방
‡**cal·en·dar** [kǽləndər] [L 「금전 출납부」의 뜻에서; 원래 calends(초하루)가 지불 마감 날이었던 데서] *n.* **1** 달력, 책력(almanac); 역법(曆法): the solar[lunar] ～ 양력[음력] / a daily pad ～ 일력(日曆) / a ～ for the coming year 내년 달력 / She marked the date on her ～. 그녀는 달력에 그 날짜를 표시했다. **2** 연중 행사표; (공문서의) 연차 목록, 일람표(list); 공판 예정표: a court ～ 법정 일정 **3** 《미》 (의회의) 의사 일정표: put a bill on the ～ 의안을 일정에 올리다 **4** 《영》 (대학의) 요람(《미》 catalog)
the Gregorian [***Julian***] ***～*** ⇨ Gregorian calendar, Julian calendar. ***on the ～*** 달력에 실려; 일정에 있어, 예정되어
— *a.* Ⓐ **1** (달력의 그림처럼) 통속적인 **2** 달력의
— *vt.* 〈행사 등을〉 달력[일정표]에 기입하다; 날짜와 내용에 따라 〈문서를〉 일람표[목록]로 만들다
cálendar àrt (달력에 실려 있는) 값싼 그림
cálendar clòck 달력 시계 《시각 외에 월·일·요일을 표시하는 시계》
cálendar dáy 역일(曆日) 《자정에서 다음 자정까지의 24시간》
cálendar mónth 역월(曆月) 《1월·2월 등》
cálendar wàtch 달력 시계 《시각 외에 월·일·요일을 표시하는 손목[회중]시계》
cálendar yéar 역년(曆年) 《1월 1일에서 12월 31일까지》(cf. FISCAL YEAR); 만 1년
cal·en·der[1] [kǽləndər] *n.* 캘린더 《종이·피륙에 윤내는 압착 롤러》 — *vt.* 캘린더에 걸다, (캘린더에 걸어) 윤내다
calender[2] *n.* (이슬람교의) 탁발승(의 일단)
ca·len·dric, -dri·cal [kəléndrik(əl)] *a.* 달력의, 달력에 관한
cal·ends [kǽləndz] *n. pl.* [때로 단수 취급] (고대 로마 달력의) 초하루, 삭일(朔日) ***on*** [***at, till***] ***the Greek ～*** 언제까지 있어도 결코 …않는 《고대 그리스 달력에는 calends가 없으므로》
ca·len·du·la [kəléndʒulə] *n.* 〖식물〗 금잔화 《국화과 식물》; 말린 금잔화 꽃 《외상 치료용》
cal·en·ture [kǽləntʃər, -tʃùər | -tjùə] *n.* Ⓤ **1** 〖병리〗 열대성 열병; 일사병, 열사병 **2** 열정, 열의
ca·les·cent [kəlésnt] *a.* 차차 더워[뜨거워]지는
ca·les·cence [-sns] *n.* Ⓤ 온도 증가, 발열
‡**calf**[1] [kǽf, kɑ́ːf | kɑ́ːf] *n.* (*pl.* **calves** [kǽvz, kɑ́ːvz | kɑ́ːvz]) **1** 송아지(⇨ cow[1] [관련]); (하마·물소·고래·사슴 등의) 새끼 **2** [UC] 송아지 가죽: bound in ～ ＝CALFBOUND **3** 《구어》 어리석은[서투른] 젊은이

thesaurus **calculate** *v.* **1** 계산하다 work out, compute, estimate, count up, figure out, evaluate, gauge **2** 판단하다 judge, reckon
call *v.* **1** 외치다 cry out, shout, exclaim, yell,

4 (빙산에서 떨어져 표류하는) 얼음 덩어리 ***in***[***with***] ~ 〈소 등이〉 새끼를 밴[배어]: a cow *in* [*with*] ~ 새끼를 밴 암소 ***kill***[***serve up***] ***the fatted*** ~ 〖성서〗 (…을 위해) 성대한 환대 준비를 하다 《*for*》《누가복음 15: 27》 ***shake a wicked***[***mean***] ~ 《속어》 춤을 잘 추다, 춤을 좋아하다 ***slip the***[***her***] ~ 〈소 따위가〉 유산하다

calf[2] *n.* (*pl.* **calves**) 장딴지, 종아리

calf·bound [kǽfbàund | kɑ́:f-] *a.* 〈책이〉 송아지 가죽 장정의

calf·doz·er [-dòuzər] *n.* 소형 불도저

cálf knèe [보통 *pl.*] = BUCK KNEE

cálf lòve = PUPPY LOVE

cálf's-foot jélly [kǽvzfùt-, kɑ́:vz-, kǽfs- | kɑ́:vz-] 송아지족(足) 젤리

calf·skin [kǽfskìn | kɑ́:f-] *n.* Ⓤ 송아지 가죽

Cal·ga·ry [kǽlgəri] *n.* 캘거리 《캐나다 Alberta주 남부의 도시; 1988년 동계 올림픽 개최지》

Cal·i·ban [kǽləbæ̀n] *n.* **1** 캘리밴 《Shakespeare 주 *The tempest*에서 Prospero를 섬기는 반인반수의 노예》 **2** 추악하고 무도한 남자

*__cal·i·ber__ | **-bre** [kǽləbər] *n.* **1** 〈총·포의〉 구경; (원통의) 직경: a pistol of small ~ 소구경의 권총 / a 50-~ machine gun 50구경의 기관총 **2** Ⓤ 도량, 재간(ability): a man of (an) excellent ~ 수완가 **3** 가치(의 정도), 우수성, 등급, 품질: books of this ~ 이 정도의 책

cal·i·bered [kǽləbərd] *a.* 〈총포가〉 구경 …의, …구경의

cal·i·brate [kǽləbrèit] *vt.* **1** 〈총포 등의〉 구경을 재다; 〈온도계·자·저울 등의〉 눈금을 정하다 **2** 《비유》 (…을 향하여) 조정하다, 목표를 (…에) 정해 공부하다 《*to*》 **3** …을 다른 것과 대응시키다

cal·i·bra·tion [kæ̀ləbréiʃən] *n.* Ⓤ 구경[눈금] 측정; [*pl.*] (자·저울 등의) 눈금

cal·i·bra·tor [kǽləbrèitər] *n.* 구경[눈금] 측정기

cal·i·ces [kǽləsì:z] *n.* CALIX의 복수

ca·li·che [kəlí:tʃi] *n.* Ⓤ 〖지질〗 염류 피각(鹽類皮殼) 《나트륨·칼슘 등을 함유한 표토(表土)》

cal·i·cle [kǽlikl] *n.* 〖생물〗 (산호 등의) 배상와(杯狀窩), 소배상(小杯狀) 기관(器官)

*__cal·i·co__ [kǽlikòu] [인도의 원산지명에서] *n.* (*pl.* ~(**e**)**s**) **1** ⓊⒸ 《영》 캘리코, 옥양목; 《미》 사라사(무늬를 날염한 면포) **2** 《폐어》 인도 사라사, 인도 면포 **3** 얼룩[반점]이 있는 동물 **4** 《미·속어》 아가씨, 여자
— *a.* **1** 《영》 캘리코의; 《미》 사라사의 **2** 《미》 〈말 등이〉 점박이의, 얼룩무늬의

cal·i·co·back [kǽlikoubæ̀k] *n.* 〖곤충〗 = HARLEQUIN BUG

cálico bàss = CRAPPIE

cálico bùsh = MOUNTAIN LAUREL

cálico càt 《미》 삼색얼룩고양이

cálico prìnting 사라사 날염

cal·i·duct [kǽlədʌ̀kt] *n.* (난방용) 덕트, (열풍·증기를 보내는) 송풍관

ca·lif [kéilif, kǽl-] *n.* = CALIPH

Calif. California

cal·if·ate [kǽləfèit, -fət] *n.* = CALIPHATE

‡**Cal·i·for·nia** [kæ̀ləfɔ́:rnjə, -niə] *n.* 캘리포니아 《미국 태평양 연안에 있는 주; 주도 Sacramento; 속칭 the Golden State; 略 Cal., Calif.》 ***the Gulf of*** ~ 캘리포니아 만

Càl·i·fór·nian *a., n.* 캘리포니아 주의 (사람)

Califórnia cóndor = CONDOR

Califórnia Cúrrent [the ~] 캘리포니아 해류

Califórnia láurel 〖식물〗 캘리포니아 월계수

---

scream, shriek, roar **2** 깨우다 awaken, waken, arouse, rouse **3** 전화하다 phone, telephone, give a ring **4** 소환하다 call together, convene, summon, order, assemble, convoke, announce

Califórnia póppy 〖식물〗 금영화 《캘리포니아 주화(州花)》

Califórnia súnshine 《미·속어》 = LSD[1]

Califórnia tílt 《미·속어》 앞쪽이 낮게 경사진 자동차(스타일)

Cal·i·for·ni·cate [kæ̀ləfɔ́:rnikèit], **-ni·ate** [-nièit] *vt.* (도시화에 따라) …의 경관을 망치다

Cal·i·for·ni·o [kæ̀ləfɔ́:rniòu] *n.* (*pl.* ~**s**) 캘리포니아의 최초의 스페인계 식민자(의 후손)

cal·i·for·nite [kæ̀ləfɔ́:rnait] *n.* Ⓤ 〖광물〗 캘리포니아석(石)

cal·i·for·ni·um [kæ̀ləfɔ́:rniəm] *n.* Ⓤ 〖화학〗 칼리포르늄 《방사성 원소; 기호 Cf, 번호 98》

ca·lig·i·nous [kəlídʒənəs] *a.* 《고어》 분명치 않은, 희미한; 어렴풋한, 어두운

cal·i·ol·o·gy [kæ̀liɑ́lədʒi | -ɔ́l-] *n.* Ⓤ 조소학(鳥巢學) 《새의 둥지에 관한 학문[연구]》

cal·i·pash [kǽləpæ̀ʃ, ⌐—⌐ | ⌐—⌐] *n.* Ⓤ 바다거북(turtle)의 등살 《수프용》

cal·i·pee [kǽləpì:, ⌐—⌐] *n.* Ⓤ 바다거북의 뱃살

cal·i·per [kǽləpər] *n.* **1** [보통 *pl.*] 캘리퍼스, 측경양각기(測徑兩脚器)(= ~ **còmpasses**) **2** 〖기계〗 노기스(= ~ **squàre**) **3** (종이·판자의) 두께 **4** [보통 *pl.*] (집게벌레(earwig)의) 집게 **5** 〖자동차〗 = DISC BRAKE **6** 〖의학〗 캘리퍼스 부목(副木) — *vt.* 캘리퍼스로 재다

calipers 1

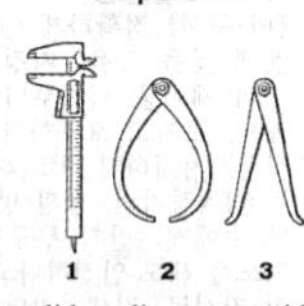

1 slide caliper **2** outside caliper **3** inside caliper

cáliper rùle 캘리퍼스 자

*__ca·liph__, **ca·lif** [kéilif, kǽlif] [Arab.「후계자」의 뜻에서] *n.* 칼리프 《Mohammed의 후손, 이슬람교 교주로서의 터키 국왕 Sultan의 칭호; 지금은 폐지》; 이슬람교 국가 지배자의 호칭

cá·liph·al, cá·lif·al [-ləfəl] *a.*

ca·liph·ate [kéiləfèit, -fət, kǽl-] *n.* ⓊⒸ 칼리프의 지위[직, 영토]

cal·is·then·ic [kæ̀ləsθénik] *a.* 미용 체조의

cal·is·then·ics [kæ̀ləsθéniks] *n. pl.* **1** [단수 취급] 미용 체조법 **2** [복수 취급] 미용 체조, 유연 체조

ca·lix [kéiliks, kǽl-] *n.* (*pl.* **cal·i·ces** [kǽləsì:z]) = CHALICE

calk[1] [kɔ́:k] *vt., vi., n.* = CAULK[1]

calk[2] *n.* 편자[구두창]에 박는 뾰족한 징 — *vt.* …에 뾰족한 징을 박다; 〈말이〉 말굽으로 상처 입히다

calk[3] *vt.* 〈글씨·그림 따위를〉 투명한 종이 밑에 대고 복사하다, 투사(透寫)하다; …의 윤곽을 베끼다

‡**call** [kɔ́:l] *v., n.*

기본적으로는「부르다」의 뜻.	
① 부르다, 외치다; 부르는 소리	타 **1** 자 **1** 명 **1**
② 불러내다; 소집	타 **6** 명 **3**
③ …을 …라고 부르다	타 **2**
④ 전화하다; 통화	타 **5** 자 **3** 명 **1**
⑤ 들르다; 방문	자 **2** 명 **2**

— *vt.* **1** (특히 큰 소리로) 부르다, 외치다; 불러내다, 초청하다; (무선 통신으로) 부르다: ~ the servant 하인을 부르다 / ~ the doctor 의사를 부르다 / ~ an actor 배우를 박수갈채로 무대에 다시 불러내다 // (~+목+전+명) (~+목+목) *C*~ a taxi *for* me. = *C*~ me a taxi. 택시를 불러 주시오. **2** 〈사람·동물 등을〉 (…라고) 이름 짓다, 부르다; (…라고) 칭하다: (~+목+보) ~ one's son John 아들을 존이라고 이름 짓다 / Chaucer is ~*ed* the Father of English poetry. 초서는 영시의 아버지라고 불린다. **3** 〈출석 등을〉 부르다: ~ a roll 출석을 부르다, 점호하다 **4** 〈잠자는 사람을〉 깨우다(awake); 〈주의를〉 (…에) 환기시키다; (마음에) …을 불러일으키다 《*to*》: *C*~ me at

7. 7시에 깨워 주시오. **5** 〈…에게〉 **전화하다**(ring up): I *~ed* you yesterday. 어제 너한테 전화했었다. ∥ (~+목+전+명) *C~* him *on* the telephone. 그에게 전화를 거시오. **6** (관청 등에) 불러내다, 소환하다 《*to, into*》; 〈회의 등을〉 소집하다: ~ a witness 증인을 불러내다 / The American ambassador was *~ed* home. 미국 대사는 본국으로 소환되었다. ∥ (~+목+전+명) ~ a meeting *for* May 10 5월 10일에 회의를 소집하다 / ~ men *to* arms 장정들을 군에 소집하다 **7** 〈사물·일을〉 (…라고) 생각하다, 가정하다, 평가하다(consider): (~+목+보) You may ~ him a scholar. 그는 학자라고 해도 무방하다. / I ~ that mean. 그것은 치사스럽다니까. **8** 〈정지 등을〉 명하다; 지령하다; (구어) …에게 (약속의) 이행[실행]을 요구하다, (이야기의) 증거를 요구하다 《*on*》: ~ a strike 파업을 지령하다 **9** 〈채권 등의〉 상환을 청구하다: ~ the payment of one's loan 대부금의 상환을 요구하다 **10** 〖스포츠〗 〈심판이〉 〈경기를〉 중지시키다; 〈심판이〉 〈투구 등을〉 (…라고) 판정을 내리다[선언하다]: ~ the game 경기를 중지시키다(cf. CALLED GAME) ∥ (~+목+보) The umpire *~ed* him out [safe]. 심판은 그에게 아웃[세이프]을 선언했다. **11** (미·구어) 정확하게 예상하다, 예언하다 **12** 〖당구〗 〈포켓에 넣을 공을〉 지정하다 **13** (컴퓨터 프로그램에서) …의 제어를 서브루틴에 전하다 **14** 〖카드〗 〈상대방의 패를〉 보자고 요구하다 **15** (스퀘어 댄스에서) 〈다음 동작을〉 지시하다 **16** 〈허위·허세를〉 폭로하다 **17** (호주·뉴질) 〈경기의〉 실황 방송을 하다 **18** 〖크리켓〗 〈심판이〉 〈투수에게〉 반칙 투구를 선언하다; 〈파트너에게〉 득점 시도를 해도 안전하다고 알리다 **19** 〖야구〗 〈경기를〉 (사인·지시로) 진행시키다

— *vi.* **1 a** (…에게) **큰 소리로 부르다, 소리치다** 《*to*》; 외치다(shout), 구원을 청하다, (구원을 청하여) 큰 소리를 지르다: (~+전+명) He *~ed to* me *for* help. 그는 도와달라고 내게 소리쳤다. ∥ (~+부) He *~ed down* from the top of the ladder. 그는 사닥다리 위에서 아래를 향해 소리쳤다. ∥ (~+전+명+**to** do) I *~ed to* him *to* stop. 나는 그에게 멈추라고 소리쳤다. **b** 〈새 등이〉 우짖다; 〈나팔이〉 울리다 **2** (…을) **방문하다,** (…에) 들르다 《*at, on*》; 〈배달인·검침원 등이〉 정기적으로 찾아오다; 〈기차·기선이〉 (…에) 정거[기항]하다 《*at*》: (~+**to** do) A woman *~ed to* read the gas meter. 어느 여인이 가스 계량기를 검침하러 왔다. ∥ (~+전+명) ~ *at* his house 그의 집에 들르다 / I *~ed on* my uncle last weekend. 지난 주말에 삼촌을 방문했다. / The ship *~s at* Boston. 그 배는 보스턴에 기항한다. **3 전화하다**: I'll ~ again later. 나중에 또 전화하겠습니다. **4** 〖카드〗 상대방의 패를 보자고 요구하다 **5** 〖연극〗 리허설 게시를 하다 **6** (스코) 달리다 **7** (스퀘어 댄스에서) 다음 동작을 지시하다 **8** 〖크리켓〗 타자가 자신의 파트너에게 콜하다 **9** (호주) (경마 경기의) 실황 방송을 하다 **10** (영) 〈고양이가〉 발정하다

~ *after* 〈사람을〉 쫓아가며 부르다; …의 이름을 따서 이름짓다: He was *~ed* Tom *after* his uncle. 그는 아저씨 이름을 따서 톰이라고 이름지어졌다. **~ *aside*** 꾸짖다, 주의를 주다 **~ *at*** 〈집 등에〉 들르다, 방문하다 **~ *away*** 〈생각을〉 날려버리다; 불러서 자리를 뜨게 하다 **~ *back*** 불러서 되돌아오게 하다; 상기시키다; 취소하다; (미) 나중에 다시 전화하다; 다시 방문하다; 〈앞서 한 말을〉 취소하다 **~ *by*** (구어) (…에) 지나는 길에 들르다 《*at*》 **~ *down*** 불러[끄집어] 내리다; 〈하늘의 은총·천벌을〉 내려 달라고 빌다; (미·속어) 꾸짖다; 헐뜯다, 혹평하다 **~ *for*** (1) …을 큰 소리로 부르다; 〈술 등을〉 청하다; 〈물건 따위를〉 가져오게 하다; (갈채하여) 〈배우 등을〉 불러내다 (2) …을 요구하다, …을 필요로 하다: "I got a promotion" — "This *~s for* a celebration." 나 승진했어. — 이거 축하 잔치를 벌여야겠네. (3) …을 가지러[데리러] 가다[오다]: (a parcel) to be left till *~ed for* 유치(留置) (소포) **~ *forth*** 야기시키다; 불러내다; 〈용기 등을〉 내다 **~ a person *forward*** = **~ *forward*** a person …을 앞으로 불러내다 **~ *in*** 불러들이다; 〈의사의〉 왕진을 부탁하다 《send for보다 정중한 표현》; 〈도움을〉 청하다; 〈통화(通貨)·빚돈 등을〉 회수하다; (회사 등에) 전화를 하다 **~ *in*[*into*] *question*[*doubt*]** 의심을 품다; 이의를 제기하다 **~ *in sick*** 전화로 병결(病缺)을 알리다 **~ *into being*[*existence*]** 창조하다; 성립시키다 **~ *into play*** 활동시키다 **~ *it a day*** ⇨ day. **~ *it square*** (속어) 결말을 짓다 **~ *it quits*** (미·구어) 끝내다 **~ a person *names*** …을 욕하다, 비난하다 **~ *off*** 물러가게 하다; 〈주의를〉 딴 곳으로 돌리다; 〈명부·숫자 등을〉 읽다; (속어) 〈스트라이크·시합의〉 중지를 선언하다; 〈약속 등을〉 취소하다; 손을 떼다 **~ *on*[*upon*]** (1) …을 방문하다 (2) …에게 (…을) 청하다, 요구하다, 부탁하다 《*for*》: ~ *on* a person *for* a speech[*to* speak something] …에게 연설을 부탁하다 (3) 〈하느님 등의 이름을〉 (…을 구하기 위해) 부르다 《*for*》 (4) 〈선생이〉 〈학생을〉 지명하다: get *~ed on* (수업에서) 지명받다 **~ *out*** 소리쳐 구하다 《*to* a person *for* ...》; 소집하다; 꾀어 내다; 〈상대에게〉 결투를 신청하다; (노동자를 소집하여) 파업을 지령하다 **~ *out for*** …을 전화로 주문하다 **~ *over* (*the names*)** 〈이름을〉 부르다, 점호하다 **~ *round*** (…의 집에) 들르다, 방문하다 《*at*》 **~** (a thing) one***'s own*** 제것이라고 하다, 마음대로 처분하다: I have nothing to ~ *my own.* 내 것이라곤 아무것도 없다. **~ one*'s shots*** (미·구어) 솔직히 말하다 **~ a person *to account*** …에게 책임을 묻다, 꾸짖다, 책망하다 **~ *to*** a person (주의를 끌기 위해) …을 부르다 **~ *to arms*** 전투 준비를 명령하다 **~ *together*** 소집하다, 불러모으다 **~ *to mind*[*memory, remembrance*]** 상기하다 **~ *...* *to order*** ⇨ order. **~ *to witness*** 증인으로 불러내다 **~ *up*** (1) (미·구어) 전화를 걸다((영·구어) ring up) (2) 통신을 보내다 (3) 〈의안을〉 상정하다 (4) 〈힘·용기 등을〉 불러일으키다; 〈정령 등을〉 불러내다 (5) (미) …에게 전화로 연락하다 (6) [보통 수동형으로] …을 (군대 등에) 소집하다, 동원하다 《*for*》 (7) 〖컴퓨터〗 〈정보를〉 호출하다 (8) 〈잠자는 사람을〉 깨우다 ***Don't ~ us, we'll ~ you.*** (구어) (취직·면접 시에 판에 박은 문구로) 채용하는 경우 이쪽에서 알려드리겠습니다. ***what*** one ***~s*** = ***what we*[*you, they*] ~** = ***what is ~ed*** 소위, 이른바

— *n.* **1 a 부르는 소리,** 외침(cry, shout); (새의) 우짖는 소리; 호각, (나팔·호각 등의) 소리; (기(旗)·등불 등의) 신호; (배우 등을 무대로) 다시 불러냄, 앙코르 **b** (전화·무선 등으로) **호출,** 통화, 걸려온 전화; (호텔 프런트에 몇 시에 깨워 달라는) 주문; 점호(roll call): a local ~ 시내 전화 / a long-distance ~ 장거리 전화 / make[place, put in] a ~ to New York 뉴욕에 전화를 걸다 / answer a phone ~ 전화를 받다 / leave a ~ for 7: 30 7시 반에 깨워 달라고 부탁하다 **2 짧은 방문,** (주문받는 이·집배원 등의) 들름; 기항(寄港), 기차의 정차 **3 초청**; 소집, 소환; 하느님의 부르심, 사명, 천직; 연습을 위한 배우의 소집; 리허설 시간의 게시 **4** [the ~] 유혹, 매력: *the* ~ of the sea [wild] 바다[야성]의 매력 **5** 요구, 수요; [보통 부정문으로] 필요, 이유, 의무 《*to* do, *for*》: have many *~s on* one's time[income] 시간[수입]을 빼앗기는 곳이 많다 / You have *no* ~ *to* interfere. 네가 참견할 필요는 없다. **6** 〖상업〗 (주식·사채(社債)의) 납입 청구 《*on*》; (거래소의) 입회; 〖금융〗 콜옵션(call option), 매입 특권; 〖카드〗 상대방의 패를 보이라고 요구하기 **7** (심판의) 판정; 〖테니스〗 (경기 중의) 스코어 **8** (구어) 생리적 요구(call of nature) **9** 〖음악〗 콜 《합창부에 선행하는 독창부》 **10** (미·속어) (노동자들 사이에서) 스튜(stew) **11** (미·속어) 결단, 결심, 예측

thesaurus **calling** *n.* occupation, vocation, career, work, employment, job, profession, business, trade, craft, line of work

12 《미·속어》 마약이 듣기 시작함
at ~ = on CALL. ***at*** a person***'s beck and ~*** ⇨ beck[1]. ***at*** a person***'s ~*** 부르는 소리에 응하여; 대기하여 ***~ of nature*** 대소변이 마려움 ***~ to the bar*** 변호사 자격 면허 ***close ~*** 위기일발 ***get the*** [one***'s***] ***~*** 《방언》 죽다, 죽음에 직면하다 ***give*** a person ***a ~*** …에게 전화 걸다 ***have first ~ on*** a person***'s time*** [***help***] …의 시간[원조]을 기대할 수 있다 ***have the ~*** 인기가 있다, 대단히 수요가 많다 ***house of ~*** 단골집, 배달처; 여인숙 ***make*** [***pay***] ***a ~ on*** …을 방문하다 ***money at*** [***on***] ***~*** = CALL MONEY. ***on ~*** 〖상업〗 청구하는 대로 (지급되는)(⇨ CALL MONEY); 언제든지 사용할 수 있는; 대기하고 있는 ***pay a ~*** 화장실에 가다(urinate) ***place of ~*** 기항지, 들르는 곳 ***put a ~ through*** 전화를 연결하다 ***receive a ~*** 전화를 받다 ***take a ~*** 관중의 갈채에 답례하다[응하다] ***within ~*** 부르면 들릴 만한 곳에; 대기하여: Please stay *within* ~. 가까운 곳에서 기다려 주시오.

CALL [kɔ́:l] [*c*omputer-*a*ssisted *l*anguage *l*earning] *n.* Ⓤ 컴퓨터 보조 언어 학습

cal·la [kǽlə] *n.* 〖식물〗 **1** 칼라 《아프리카 원산의 천남성(天南星)과의 원예 식물》(=∠ **lily**) **2** 칼라 《유럽·북아메리카의 한랭한 늪에 사는 식물》

call·a·ble [kɔ́:ləbl] *a.* 청구하는 대로 지급되는; 부를 수 있는; 〈채권 등이〉 만기 전[수시] 상환의

cáll alàrm 긴급 호출 장치 《독신의 장애자나 노인 등이 감시 센터에 비상 신호를 보내는 장치》

cal·la·loo [kæ̀ləlú:, ∠-∠] *n.* 《미남부》 〖요리〗 칼라루 《게살과 야채에 각종 조미료를 곁들인 진한 수프》

cal·lant [kɑ́:lənt] *n.* 《스코》 젊은이(lad, boy)

Cal·las [kǽləs] *n.* 칼라스 **Maria Meneghini ~** (1923-77) 《미국의 소프라노 오페라 가수》

call·back [kɔ́:lbæ̀k] *n.* **1** 돌아오면 전화해 달라는 부탁 **2** 일시 휴직 후의 직장 복귀; 정규 근무 시간 외의 근무 **3** 어떤 오디션 참가자를 다른 오디션에 다시 부르는 일 **4** 제품 회수(recall) **5** (상담(商談)·애프터서비스를 위한) 고객 재방문

cáll-back pày 〖노동〗 비상 초과 근무 수당

cáll bèll 초인종

cáll bìrd 후림새; 손님을 끄는 상품

call-board [-bɔ̀:rd] *n.* **1** (분장실의) 게시판 《리허설이나 배역 변경을 알리는》 **2** 《미》 열차 업무 고지판

cáll bòx 1 《미》 (경찰 연락·화재 신고용) 비상 전화 **2** 《영》 공중전화 박스(《미》 (tele)phone booth) **3** 《미》 우편 사서함

call·boy [-bɔ̀i] *n.* (배우에게 출연 순서를 알려주는) 호출 담당자; 호텔의 보이(bellboy); 《속어》 (철도 회사의) 연락 담당자; [종종 call boy로] (전화로 불러내는) 남창(男娼), 여장 남자

cáll cènter 《영》 콜 센터 《전화로 고객에게 응답하고 판매하는 창구》

cáll connèct sýstem 《영》 (외선·내선 전화와의) 전화 접속기

call-day [-dèi] *n.* 〖영국법〗 (Inns of Court에서) 법정 변호사 자격증이 수여되는 날

called [kɔ́:ld] *a.* Ⓟ (이름이) …라고 불리는

cálled gàme 〖야구〗 콜드 게임 《일몰·비 등으로 중지된 경기; 그때까지의 득점으로 결정》

cálled stríke 〖야구〗 (타자가 놓친) 스트라이크

⁑**call·er**[1] [kɔ́:lər] *n.* **1** 방문객, (찾아온) 손님(⇨ visitor 유의어) **2** 불러내는 사람, 소집자; 전화 거는 사람, 발신자: There's a ~ for you. 너한테 전화가 왔다. **3** (bingo 등에서) 숫자를 부르는 사람 **4** 《호주》 경마의 실황 방송자

cal·ler[2] [kǽlər, kɑ́:lər] *a.* 《스코》 신선한(fresh); 〈공기·바람·날씨가〉 선선한(cool)

callous *a.* **1** 굳은 hard, hardened, thickened, leathery **2** 냉담한 tough, harsh, cold, insensitive, unfeeling, cold-hearted, unsympathetic

cáller ÍD́ [**displày**] (전화의) 발신자 번호 확인 서비스 《전화 응답에 앞서 작은 화면에 발신자의 전화 번호가 나타나 상대편을 확인할 수 있는 서비스》

cáller scrèening 발신자 심사 선택 서비스 《바라지 않는 발신자의 전화를 사전에 차단하는 서비스》

cal·let [kǽlət] *n.* 《스코》 매춘부

cáll for vótes (인터넷에서) 투표를 위한 호출; 투표 요구 《유즈넷(USENET)에서 새로운 뉴스 그룹 설립의 가부를 묻는 경우에 행해짐; 略 CFV》

cáll fórwarding 자동 전송(轉送) 전화 서비스

cáll gìrl (전화로 불러내는) 매춘부, 콜걸

cáll hòuse 《미·속어》 콜걸(call girl)의 숙소; 콜걸을 알선하는 곳

calli- [kǽli, -lə] 《연결형》 「미(美)」의 뜻

cal·li·gram [kǽləgræ̀m] *n.* 캘리그램 《문자 장식의 도안, 디자인》

cal·li·graph [kǽləgræ̀f, -grɑ̀:f | -grɑ̀:f] *vt.* 달필로 쓰다

cal·lig·ra·pher [kəlígrəfər], **-phist** [-fist] *n.* 달필가, 서예가

cal·li·graph·ic, -i·cal [kæ̀ləgrǽfik(əl)] *a.* 서예의; 달필의 **-i·cal·ly** *ad.*

cal·lig·ra·phy [kəlígrəfi] [Gk 「아름다운 서법」의 뜻에서] *n.* Ⓤ 달필, 능필(opp. *cacography*); 서예, 서법(書法); 습자법

call-in [kɔ́:lìn] 《미》 *n.* (라디오·텔레비전의) 시청자 전화 참가 프로(《영》 phone-in); (생방송의) 전화 인터뷰 **—** *a.* 시청자 전화 참가[전화 인터뷰] 형식의

∗**call·ing** [kɔ́:liŋ] *n.* ⓊⒸ **1** 직업(profession), 천직: by ~ 직업은 **2** 부름, 외침; 점호, 소집: the ~ of a roll 점호 **3** 하느님의 부르심, 소명 **4** (직업·활동 등에 대한) 강한 충동, 욕구 《*for*, *to* do》 **5** (회의·국회 등의) 소집 **6** 발정한 암고양이의 울음소리
betray one***'s ~*** 본색을 드러내다 ***have a ~ for*** [***to*** do] …이 되고 싶다는 욕구를 가지다

cálling càrd 1 《미》 = VISITING CARD; 《영》 = PHONECARD **2** 《구어》 (뚜렷이 남기고 간) 흔적, 발자국

cáll-in pày 〖노동〗 **1** = REPORTING PAY **2** 초과 근무 수당

cal·li·o·pe [kəláiəpi] *n.* **1** [또는 kǽliòup] 증기 오르간 《증기로 소리를 냄》 **2** [**C~**] 〖그리스신화〗 칼리오페 《웅변·서사시의 여신》

cal·li·op·sis [kæ̀liɑ́psis | -ɔ́p-] *n.* = COREOPSIS

cal·li·pash [kǽləpæ̀ʃ, ∠-∠ | ∠-∠] *n.* = CALIPASH

cal·li·per [kǽləpər] *n., vt.* = CALIPER

cal·li·pyg·i·an [kæ̀ləpídʒiən], **-py·gous** [-páigəs] *a.* 예쁜 엉덩이를 가진

cal·lis·then·ic [kæ̀ləsθénik] *a.* = CALISTHENIC

cal·lis·then·ics [kæ̀ləsθéniks] *n. pl.* = CALISTHENICS

Cal·lis·to [kəlístou] *n.* **1** 〖그리스신화〗 칼리스토 《Zeus의 사랑을 받은 탓으로 Hera가 곰으로 만든 요정》 **2** 〖천문〗 목성의 제4 위성

cal·li·thump [kǽləθʌ̀mp] *n.* 《미중서부》 소란스러운 퍼레이드; 《미북동부》 = SHIVAREE
càl·li·thúmp·i·an *a., n.*

cáll lètters 《미》 〖통신〗 = CALL SIGN

cáll lòan 〖금융〗 콜론 《요구불 단기 대부금》

cáll màrk 〖도서관〗 = CALL NUMBER

cáll màrket 〖금융〗 콜[단자] 시장

cáll mòney 〖금융〗 콜머니 《요구불 단기 차입금》

call-night [kɔ́:lnàit] *n.* 《영》 call-day의 밤

cáll nùmber 〖도서관〗 도서 정리[청구] 번호

cáll òption 〖증권〗 주식 매입 선택권

cal·lose [kǽlous] *a.* 캘러스(callus)가 있는 《잎사귀 따위의 상처 부분이 나아 딱딱한 조직이 생긴》
— *n.* = CALLUS *n.* 2

cal·los·i·ty [kəlɑ́səti | kælɔ́s-] *n.* (*pl.* **-ties**) **1** (피부의) 경결(硬結); 못, 티눈 **2** Ⓤ 무감각; 냉담

∗**cal·lous** [kǽləs] *a.* **1** 〈피부가〉 굳은, 못박힌 **2** 무감각한; 냉담[무정]한; 예사인 《*to*》: be ~ *to* insults 모

욕을 당해도 태연하다
—*n.* 〚생리·식물〛 = CALLUS
—*vt., vi.* 굳히다, 굳다, 굳어지다; 무감각하게 하다[되다] **~·ly** *ad.* **~·ness** *n.*
call-out [kɔ́:làut] *n.* **1** 출장 명령; 직장 복귀 명령 **2** 〚컴퓨터〛 콜아웃 **3** 《고어》 결투 신청
call-o·ver [-òuvər] *n.* 점호(roll call); 《영》 《경마 등의》 건 돈의 리스트를 소리내어 읽기
cal·low [kǽlou] *a.* 〈새가〉 깃털이 아직 다 나지 않은(unfledged); 애송이인, 미숙한
—*n.* **1** 《변태를 마 끝낸》 부정(不整) 성충 **2** 《아일》 저습의 목초지 **~·ly** *ad.* **~·ness** *n.*
cáll ràte 〚금융〛 콜론(call loan)의 이율
cáll sènsing ùnit 〚컴퓨터〛 호출 검출[감지] 장치 《인터넷 사용자에게 전화 호출이 있음을 알리는 장치》
cáll sìgn[sìgnal] 〚통신〛 호출 부호
cáll slìp 《도서관의》 열람표, 열람 카드
call·time [kɔ́:ltaim] *n.* 《휴대 전화 사용자의》 통화 이용 시간: get 20 minutes free ~ a day 하루에 20분의 무료 이용 시간을 갖게 되다
cáll to quárters 〚군사〛 《군인을 막사로 소집하는》 집합 나팔 신호[소리]
call-up [kɔ́:lʌ̀p] *n.* **1** 《영》 징집, 소집(령)(《미》 draft); 소집 인원 **2** 등용하기; 초빙 **3** 《무선》 호출
cáll-up pápers 소집 영장
cal·lus [kǽləs] *n.* (*pl.* **~·es**) **1** 〚생리〛 피부 경결(硬結), 못 **2** 〚식물〛 유합(癒合) 조직 **3** 〚해부〛 가골(假骨) —*vi., vt.* 못이 박이(게 하)다
cal·lused | **cal·loused** [kǽləst] *a.* 《피부가》 거칠고 못이 박혀 굳어진
cáll wáiting 통화 중 대기 《통화 중에 다른 전화가 걸려오면 통화 중인 전화를 대기시키고 다른 전화와 통화 가능한 방식; cf. HOLD BUTTON》
‡**calm** [kɑ́:m] [L 「열, 낮의 더위」→「휴식」→「정지(靜止)」, 「고요」의 뜻이 되었음] *a.* **1** 〈바다·날씨 등이〉 고요한, 잔잔한, 조용한(opp. *stormy, windy*): a ~ sea 잔잔한 바다 **2** 〈마음·기분 등이〉 평온한, 차분한(peaceful): a ~ voice 차분한 목소리 / remain[keep] ~ 평정(平靜)을 유지하다 **3** Ⓟ 《영·구어》 우쭐해하는, 뱃심 좋은 **(as) ~ as a millpond** = **~ like a millpond** 〈바다 따위가〉 매우 고요[평온]한
—*vt., vi.* 가라앉히다; 〈아이를〉 달래다; 가라앉다 **~ down** 〈노여움·흥분을〉 가라앉히다; 〈바다·기분·정정(政情) 등이〉 가라앉다 **~ one*self*** 마음을 가라앉히다
—*n.* **1** 고요함, 잔잔함, 평온; 〚기상〛 무풍 상태, 고요: the ~ before the storm 폭풍우 전의 고요 / a dead[flat] ~ 죽은 듯이 고요함 / the region of ~*s* 《적도 부근의》 무풍 지대 **2** 《마음의》 평정(平靜), 침착, 차분함; 《사회의》 평온
calm·a·tive [kɑ́:mətiv, kǽlmə-] 〚의학〛 *a.* 진정시키는(sedative) —*n.* 진정제
‡**calm·ly** [kɑ́:mli] *ad.* 고요히; 침착하게, 태연하게
*__calm·ness__ [kɑ́:mnis] *n.* Ⓤ 고요, 평온, 냉정, 침착: with ~ 고요히, 침착하게(calmly)
cal·mod·u·lin [kælmɑ́dʒulin | -mɔ́dʒ-] *n.* 〚생화학〛 칼모듈린 《세포 내에 존재하는, 칼슘 결합성 단백질》
ca·ló [kəlóu] [Sp.] *n.* 칼로 《미국 남서부에서 멕시코계 청년들이 쓰는 속어나 영어가 섞인 스페인 어》
cal·o·mel [kǽləmèl, -məl] *n.* Ⓤ 〚화학〛 감홍(甘汞) 《염화 제1수은》
cal·o·re·cep·tor [kǽlourisèptər] *n.* 〚생리〛 열(熱)수용기
cal·o·res·cence [kæ̀lərésns] *n.* Ⓤ 〚물리〛 열발광(熱發光) **càl·o·rés·cent** *a.*
Cál·or Gàs [kǽlər-] 캘러 가스 《가정용 액화 부탄가스; 상표명》
calori- [kǽləri] 《연결형》 「열(heat)」의 뜻
ca·lor·ic [kəlɔ́:rik, -lɑ́r- | -lɔ́r-] *a.* 열의; 칼로리의; 열로 구동되는; 고칼로리의
—*n.* Ⓤ 열(熱); 《고어》 열소(熱素)
ca·lór·i·cal·ly *ad.*
cal·o·ric·i·ty [kæ̀lərísəti] *n.* Ⓤ 〚생리〛 온열력(溫熱力) 《열을 내어 체온을 유지하는 힘》
*__cal·o·rie__ [kǽləri] [L 「열」의 뜻에서] *n.* 〚물리·화학〛 칼로리 《열량의 단위; 특히 음식물의》 ***gram* [*small*] ~** 그램[소] 칼로리 (略 cal) ***kilogram* [*large, great*] ~** 킬로[대] 칼로리 (略 Cal)
cal·o·rie-con·trolled [-kəntròuld] *a.* 〈식이 요법이〉 칼로리를 조절[억제]한
ca·lor·i·fa·cient [kəlɔ̀:rəféiʃənt, -lɑ̀r-, kæ̀lər- | kəlɔ̀r-] *a.* 〈음식이〉 열을 발생하는
cal·o·rif·ic [kæ̀lərífik] *a.* Ⓐ 열을 발생하는; 열의, 열에 관한
calorífic válue[pówer] 발열량, 열량
ca·lor·i·fi·er [kəlɔ́:rəfàiər, -lɑ́r- | -lɔ́r-] *n.* 액체 가열기
cal·o·rim·e·ter [kæ̀lərímətər] *n.* 열량계
cal·o·rim·e·try [kæ̀lərímətri] *n.* Ⓤ 열량 측정(법)
càl·o·ri·mét·ric, -ri·cal *a.*
cal·o·rize [kǽləràiz] *vt.* 〚야금〛 〈금속의〉 표면에 고온 가열해서 알루미늄을 입히다
cal·o·ry [kǽləri] *n.* (*pl.* **-ries**) = CALORIE
ca·lotte [kəlɑ́t | -lɔ́t] *n.* 챙 없는 모자 《가톨릭 성직자들이 씀》
cal·o·type [kǽlətàip] *n.* 캘러타이프 《요오드화은을 감광제로 이용한 19세기의 사진술》; 캘러타이프 사진
cal·pac, -pack [kǽlpæk] *n.* 캘팩 《터키계 사람이 쓰는 양피로 만든 큰 삼각모》
calque [kǽlk] [F] *n.* 〚언어〛 차용 번역 (어구) (loan translation)
Cal·tech [kælték] [*Cal*ifornia Institute of *Tech*nology] *n.* 《미·구어》 캘리포니아 공과 대학
cal·trop, -trap [kǽltrəp], **-throp** [kǽlθrəp] *n.* **1** 〚식물〛 납가새 **2** 〚군사〛 마름쇠 《적의 기병의 전진을 방해하기 위해 땅 위에 뿌림》
cal·u·met [kǽljumèt] *n.* 《북미 인디언의》 긴 담뱃대 《평화의 상징》 ***smoke the ~ together*** 화친하다
ca·lum·ni·ate [kəlʌ́mnièit] *vt.* 비방하다, 중상하다(slander) **ca·lúm·ni·à·tor** *n.*
ca·lum·ni·a·tion [kəlʌ̀mniéiʃən] *n.* ⓊⒸ 중상
ca·lum·ni·a·to·ry [kəlʌ́mniətɔ̀:ri | -təri] *a.* = CALUMNIOUS
ca·lum·ni·ous [kəlʌ́mniəs] *a.* 중상의 **~·ly** *ad.*
cal·um·ny [kǽləmni] *n.* (*pl.* **-nies**) ⓊⒸ 비방, 중상(中傷)(slander) —*vt.* 중상[비방]하다
cal·u·tron [kǽljutrɑ̀n | -trɔ̀n] *n.* 〚물리〛 칼루트론 《전자(電磁) 방식에 의한 동위 원소 분리 장치》
Cal·va·dos [kæ̀lvədóus, -dɑ́s | -dɔ́s] *n.* [때로 c~] 칼바도스 《노르망디 지방산(産) 사과 브랜디》
cal·var·i·um [kælvέəriəm] *n.* (*pl.* **-var·i·a** [-vέəriə]) 〚해부〛 두개관(頭蓋冠)
Cal·va·ry [kǽlvəri] [L 「해골」의 뜻에서] *n.* (*pl.* **-ries**) **1** 〚성서〛 그리스도가 십자가에 못 박힌 곳 《Golgotha의 라틴 어명》 **2** [종종 **c~**] 그리스도의 수난상(像), 십자가상 **3** Ⓤ [**c~**] 고난, 시련
Cálvary cròss = CROSS OF CALVARY
calve [kǽv, kɑ́:v | kɑ́:v] [calf[1]에서] *vi., vt.* 〈소·사슴·고래 등이〉 새끼를 낳다; 〈빙산·빙하가〉 빙괴(氷塊)를 분리하다
*__calves__ [kǽvz, kɑ́:vz | kɑ́:vz] *n.* CALF[1]의 복수
Cal·vin [kǽlvin, -vən] *n.* **1** 칼뱅 **John ~** (1509-64) 《프랑스 태생의 스위스의 종교 개혁가》 **2** 남자 이름
Cal·vin·ism [kǽlvənìzm] *n.* Ⓤ 칼뱅주의
-ist *n.* 칼뱅파 사람 **Càl·vin·ís·tic, -ti·cal** *a.*
cal·vi·ti·es [kælvíʃiì:z] *n.* Ⓤ 〚병리〛 대머리
calx [kǽlks] *n.* (*pl.* **~·es, cal·ces** [kǽlsi:z]) 〚화학〛 금속회(灰)

thesaurus **calm** *a.* **1** 《사물이》 고요한 still, windless, mild, tranquil, quiet, peaceful, pacific, undisturbed, restful (opp. *rough, agitated, aroused*) **2** 잔잔한 smooth, motionless, placid,

cal·y·ces [kǽləsìːz, kéil-] *n.* CALYX의 복수
cal·y·cine [kǽləsin, -sàin | -sàin] *a.* 〖식물〗 꽃받침(꼴)의; 〖해부〗 잔[신배(腎杯)] 모양의
ca·ly·cle [kǽlikl] *n.* 〖식물〗 부악(副萼); = EPICALYX; 〖생물〗 = CALYCULUS
ca·lyc·u·late [kəlíkjulət, -lèit] *a.* 〖식물〗 부악(副萼)의, 부악 비슷한; 부악을 가진
ca·lyc·u·lus [kəlíkjuləs] *n.* (*pl.* **-li** [-lài]) 작은 컵 모양의 조직(calycle)
ca·lyp·so [kəlípsou] *n.* (*pl.* **~s**) **1** 칼립소 《Trinidad섬 원주민의 민요풍 재즈》; 그 춤 **2** 〖식물〗 풍선난초 **—** *vi.* 칼립소에 맞추어 노래하다[춤추다]
ca·lyp·so·ni·an [kəlìpsóuniən, kæ̀lip-] *a.*
Ca·lyp·so [kəlípsou] *n.* **1** 〖그리스신화〗 칼립소 《Odysseus를 Ogygia 섬에 머물게 한 요정》 **2** 〖천문〗 토성의 제14위성
ca·lyp·tra [kəlíptrə] *n.* 〖식물〗 (이끼의) 내피막; (꽃·열매의) 갓; 뿌리골무(root cap)
ca·lyx [kéiliks, kǽl-] *n.* (*pl.* **~·es, cal·y·ces** [kǽləsìːz, kéil-]) **1** 〖식물〗 꽃받침, 악(萼)(cf. SEPAL) **2** 〖해부〗 잔 모양의 기관, 《특히》 신배(腎杯)
cal·zo·ne [kælzóunei, -ni, -zóun] [It.] *n.* 〖요리〗 칼초네 《치즈·햄을 넣고 피자 반죽을 하여 튀긴 다음에 구운 파이》
cam [kǽm] *n.* **1** 〖기계〗 캠 《회전 운동을 왕복 운동으로 바꾸는 장치》 **2** 《속어》 〖자동차〗 = CAMSHAFT **3** 《미·속어》 캄보디아산 적갈색 마리화나(Cambodian red) **—** *vt.* 〈기계 따위에〉 캠을 달다
Cam Cambridge **CAM** computer-aided manufacturing 컴퓨터 이용 제조 (시스템)
ca·ma·ra·de·rie [kɑ̀ːmərɑ́ːdəri, -rǽdə-, kæ̀mə- | kæ̀mərɑ́ːdəri] [F] *n.* Ⓤ 우정, 우애(friendship), 동지애
cam·a·ril·la [kæ̀mərílə] [Sp.] *n.* (권력자의) 사설 고문단, 《특히》 음모단, 비밀 결사(cabal, clique)
cam·ass, cam·as [kǽməs] *n.* 〖식물〗 카마시아 《백합과(科)의 식물; 북미산》
Camb. Cambridge
cam·ber [kǽmbər] *n.* ⓊⒸ **1** (도로·갑판 등의) 위로 휨, 가운데가 불룩한 꼴 **2** 〖항공〗 캠버 《날개 단면 중심선이 위로 휜 것》 **3** 〖자동차〗 캠버 《정면에서 본 차바퀴의 경사각》 **4** 〖항해〗 작은 독(dock) **5** 《주로 영》 (도로 등의) 비탈 **—** *vt., vi.* 위로 휘게 하다[휘다]
cam·bi·sm [kǽmbizəm] *n.* 환(換)이론 [업무]
cam·bist [kǽmbist] *n.* **1** 환(換)관리 업무에 밝은 사람; 환 매매인 **2** 각국 통화·도량형 비교 책자 **~·ry** *n.*
cam·bi·um [kǽmbiəm] *n.* (*pl.* **~s, -bi·a** [-biə]) 〖식물〗 형성층, 부름켜 **cám·bi·al** *a.*
Cam·bo [kǽmbou] *n., a.* 《미·군대속어》 = CAMBODIAN
Cam·bo·di·a [kæmbóudiə] *n.* 캄보디아 《인도차이나 반도의 나라; 수도 Phnom Penh》
Cam·bo·di·an [kæmbóudiən] *a.* 캄보디아 (사람)의 **—** *n.* 캄보디아 사람; Ⓤ 크메르 말(Khmer)
cam·brel [kǽmbrəl] *n.* 《영》 (푸줏간의) 고기 걸어 놓는 막대(gambrel)
Cam·bri·a [kǽmbriə] *n.* 《시어》 웨일스(Wales)의 별칭
Cam·bri·an [kǽmbriən] *a.* 웨일스의; 〖지질〗 캄브리아기[계]의: the ~ period 캄브리아기
— *n.* 《시어》 웨일스 사람; 〖지질〗 캄브리아기[계]
cam·bric [kéimbrik] *n.* Ⓤ (고급의) 얇은 아마포; 아마포 비슷한 무명; Ⓒ 흰 삼베 손수건
cámbric téa 《미》 우유·설탕을 탄 홍차
*__Cam·bridge__ [kéimbridʒ] *n.* 케임브리지 **1** 영국 Cambridgeshire주(州)의 대학 도시; 케임브리지 대학 **2** 미국 Massachusetts주의 도시 《Harvard, MIT 대학의 소재지》 **3** 미국 Ohio 주 동부의 도시 **4** 캐나다 Ontario 주 남동부의 도시 ▷ Cantabrígian *a.*

waveless, unagitated **3** (사람이) 차분한 composed, cool, controlled, quiet, tranquil, relaxed, serene, unexcited (opp. *excited, frantic*)
calumny *n.* slander, defamation, libel

Cámbridge blúe 《영》 담청색(light blue)(cf. OXFORD BLUE)
Cámbridge Certíficate [the ~] 케임브리지 영어 검정 (시험)
Cam·bridge·shire [kéimbridʒʃìər, -ʃər] *n.* 케임브리지셔 《잉글랜드 동부의 주; 주도 Cambridge; 略 Cambs.》
Cámbridge Univérsity 케임브리지 대학 《영국의 대학; 12세기에 창립》
Cambs. Cambridgeshire
cam·cord·er [kǽmkɔ̀ːrdər] [*camera*+*recorder*] *n.* 캠코더, (휴대용) 카메라 일체형 VTR 《비디오 카메라와 비디오 테이프리코더가 일체가 된 것》
⁑**came**[1] [kéim] *v.* COME의 과거
came[2] *n.* (격자창 등의) 납으로 만든 틀
⁑**cam·el** [kǽməl] *n.* **1** 낙타: an Arabian[a Bactrian] ~ 단봉[쌍봉] 낙타 관련 hump(낙타의 혹), grunt(울음소리) **2** Ⓤ 낙타색 《담황갈색》 **3** 〖스케이트〗 카멜 회전(= ∠ **spìn**) **4** 〖항해〗 부함(浮函) **5** 믿기 어려운 일, 참을 수 없는 일 **6** 《미·속어》 = CAMELBACK 3. ***break the ~'s back*** 연이어 무거운 짐을 지워 마침내 못 견디게 하다 ***swallow a ~*** 믿을 수 없는[터무니없는] 일을 받아들이다[묵인하다]
— *vi., vt.* 틀에 박힌 식으로 행하다[취급하다]
~·lìke *a.*
cam·el·back [kǽməlbæ̀k] *n.* 《미》 **1** 낙타의 등: on ~ 낙타를 타고 **2** 일종의 재생 고무 **3** 중앙부에 기관실이 있는 증기기관차 **—** *a.* 낙타 등 모양을 한
— *ad.* 낙타를 타고
cámel bìrd 〖조류〗 타조(ostrich)
cam·el·eer [kæ̀məlíər] *n.* 낙타 몰이꾼; 낙타 기병
ca·mel·lia [kəmíːljə, -liə] [이 식물을 런던에 처음 갖고 간 G.J. Kamel의 라틴 어명 Camellus에서] *n.* 〖식물〗 동백나무; 동백꽃 《명이 짧은 아름다움을 상징》
ca·mel·o·pard [kəméləpɑ̀ːrd, kǽmələ-] *n.* **1** 《고어》 기린(giraffe) **2** [**C~**] 〖천문〗 기린자리
Cam·e·lot [kǽmələ̀t | -lɔ̀t] *n.* **1** 카멜롯 《Arthur 왕의 궁궐이 있었다는 전설의 고을》 **2** (행복이 넘치는) 목가적 장소[시대] **3** 매혹적인 시대[분위기]
cam·el·ry [kǽməlri] *n.* (*pl.* **-ries**) 낙타 부대[기병대]
cámel's hàir 낙타털 (모직물); (화필에 쓰이는) 다람쥐 꼬리털
cámel's-hair brùsh [kǽməlzhɛ̀ər-] 다람쥐 꼬리털의 화필(畵筆)
cámel's nòse 《미》 극히 작은 일부, 빙산의 일각
Cam·em·bert [kǽməmbɛ̀ər] [프랑스의 원산지명에서] *n.* Ⓤ 부드럽고 향이 짙은 프랑스제 치즈(= ∠ **chéese**)
cam·e·o [kǽmiòu] [It.] *n.* (*pl.* **~s**) **1** 카메오 《양각으로 아로새긴 보석·조가비 등》; 카메오 세공 **2** 간결하고 인상적인 [주옥 같은] 묘사[장면] **3** 〖영화·TV〗 유명 배우의 조연(적 출연)(= ∠ **ròle**[**pàrt**]) **4** 《미·속어》 카메오식 머리 손질
— *vt.* …에 카메오 세공을 하다
— *a.* Ⓐ 극소량의, 소규모의

cameo 1

cámeo glàss 카메오 유리 《카메오풍으로 디자인한 장식용 유리》
cámeo wàre 카메오 웨어 《고전을 주제로 카메오풍으로 만든 도자기》
⁑**cam·er·a** [kǽmərə] [L 「둥근 천장」의 뜻에서] *n.* (*pl.* **~s**) **1** 카메라, 사진기; 텔레비전 카메라 **2** = CAMERA OBSCURA **3** (*pl.* **-er·ae** [-ərìː]) 판사의 사실(私室) **4** (로마 교황청의) 회계원 ***in ~*** 〖법〗 판사의

사실에서; 비밀히 **on**[**off**] ~ 〖영화·TV〗 카메라 앞에서[에서 벗어나], 방송 중에[방송되지 않아서]
— *a.* 〖인쇄〗 =CAMERA-READY

cámera àngle 〖사진·영화〗 (피사체에 대한) 카메라의 각도

cam·er·a-con·scious [kǽmərəkɑ̀nʃəs | -kɔ̀n-] *a.* 《미》 카메라 앞에 익숙하지 않은, 카메라를 의식하는

cam·er·a-eye [-ái] *n.* 정확 공평한 관찰[보도] (능력)

cam·er·al [kǽmərəl] *a.* 판사[의원] 사실(私室)의; =CAMERALISTIC

cam·er·a·list [kǽmərəlist] *n.* 관방학파 경제학자 《17-18세기의 중상주의 경제학자·관료》
-lìsm *n.* Ⓤ 캐머럴리즘, 중상주의

cam·er·a·lis·tic [kæ̀mərəlístik] *a.* 국가 재정의; 캐머럴리즘의, 관방학의

cámera lú·ci·da [-lú:sidə] [L =light chamber] 카메라 루시다 《프리즘·거울·현미경 등을 이용한 실물 사생 장치》

*__cam·er·a·man__ [kǽmərəmæ̀n, -mən] *n.* (*pl.* **-men** [-mèn, -mən]) **1** (영화·텔레비전의) **카메라맨**, 촬영 기사 ★ 신문·잡지의 사진사는 photographer **2** 카메라 판매업자

cámera ob·scú·ra [-ɑbskjúərə | -ɔb-] [L= dark chamber] (사진기 등의) 주름상자; 암실

cámera òperator 카메라 기사(cameraperson)

cam·er·a·per·son [-pə̀:rsn] *n.* 카메라 맨 《특히 영화나 텔레비전 카메라를 조작하는 사람》

cam·er·a·plane [-plèin] *n.* 촬영용 비행기

cam·er·a-read·y [-rédi] *a.* 〖인쇄〗 〈본문이나 삽화가〉 촬영 준비가 다 된

cámera-ready cópy 〖인쇄〗 사진 촬영이 가능한 인쇄 원고

cámera rehéarsal 〖TV〗 촬영을 위한 마무리 연습, 시연(試演)

cam·er·a-shy [-ʃài] *a.* 사진 찍히기 싫어하는, 사진 혐오의

cámera tùbe 〖TV〗 촬상관(撮像管)

cam·er·a-wise [-wàiz] *a.* 《미》 카메라 앞에 익숙한

cam·er·a·wom·an [kǽmərəwùmən] *n.* (*pl.* **-wom·en** [-wìmin]) (영화·TV의) 여성 촬영 기사

cam·er·a·work [-wə̀:rk] *n.* 카메라 사용법, 촬영(술)

cam·er·ist [kǽmərist] *n.* 《구어》 사진가

cam·er·len·go [kæ̀mərléŋgou], **-lin-** [-líŋ-] [It.] *n.* (*pl.* **~s**) 〖가톨릭〗 로마 교황의 시종·재무관

Cam·e·roon [kæ̀mərú:n], **Came·roun** [kæmrú:n] *n.* 카메룬 《서아프리카 Nigeria 동쪽의 공화국 (1960년 독립); 수도 Yaoundé》 **Càm·e·róon·i·an** *a., n.* 카메룬의 (사람)

cám fòllower 〖기계〗 캠 공이

cam·i·ki·ni [kǽmikìni] [*cami*sole+bi*kini*] *n.* 캐미키니 《윗옷이 허리까지 내려오는 비키니의 일종》

cam·i·knick·ers [kǽmənìkərz] [*cami*sole+*knickers*] *n. pl.* 《영》 팬츠가 달린 슈미즈 같은 내복

Ca·mil·la [kəmílə] *n.* **1** 여자 이름 **2** 〖로마신화〗 카밀라 《Aeneas들과 싸운 여걸》

cam·i·on [kǽmiən] [F] *n.* 군용 트럭; (중량 운반용의) 짐마차, 짐차; 버스

ca·mise [kəmí:z, -mí:s] *n.* 헐렁한 셔츠; 겉옷; 화장옷(smock)

cam·i·sole [kǽməsòul] *n.* 캐미솔 **1** 소매 없는 여자 속옷; 여자용 화장옷(negligee jacket) **2** (옛날의) 남성용 상의[스웨터] **3** 정신병자 구속복

camisole 1

cámisole tòp 〖복식〗 캐미솔 톱 《가는 끈으로 어깨에 거는 드레스》

cam·let [kǽmlit] *n.* ⓊⒸ 낙타[염소]털의 천 《가벼운 고급 모직물의 일종》
— *vt.* (**-let·ted**; **-let·ting**) 〈직물·책의 절단면 따위를〉 색채 풍부한 대리석 무늬로 장식하다

cam·mies [kǽmiz] *n. pl.* 《미·군대속어》 위장[미채] (전투)복

cam·o [kǽmou] *n.* (*pl.* **~s**) 《구어》 =CAMOUFLAGE 3

ca·mo·gie [kəmóugi] *n.* 카모기 《아일랜드에서 여성이 하는 헐링(hurling) 경기》

cam·o·mile [kǽməmàil, -mì:l] *n.* 〖식물〗 카밀레 《꽃은 건위·홍분제》: ~ tea 카밀레차 《약용 차》

Ca·mor·ra [kəmɔ́:rə, -mɑ́rə | -mɔ́rə] [It.] *n.* 카모라 《1820년경 이탈리아에서 조직한 비밀 결사》, [**c~**] 비밀 단체[결사]

*__cam·ou·flage__ [kǽməflɑ̀:ʒ] [F 「위장하다」의 뜻에서] *n.* ⓊⒸ **1** 〖군사〗 **카무플라주**, 위장, 미채(迷彩) **2** 《일반적으로》 변장, 위장; 기만, 속임; 위장 수단 **3** 미채(전투)복(camo)
— *a.* 미채 (모양)의, 카무플라주의
— *vt.* 〈무기 등을〉 (…로) 위장하다 《*with*》; 〈감정 등을〉 (…로) 속이다, 눈가림하다 《*with*》: a ~*d* truck 위장한 트럭 // (~+목+전+명) ~ one's anger *with* a smile 웃음으로 노여움을 감추다
~·a·ble *a.* **-flàg·er** *n.* **càm·ou·flág·ic** *a.*

ca·mou·flet [kæ̀məfléi, ⌐—⌐] [F] *n.* 지하 폭발(로 생긴 구멍); 지하 폭발용 폭약

cam·ou·fleur [kæ̀məflə́:r] *n.* 〖군사〗 위장 공작병[전문가]

cAMP [kǽmp] *n.* 〖생화학〗 =CYCLIC AMP

⁑**camp**[1] [kǽmp] [L 「들판」의 뜻에서] *n.* ⒸⓊ **1** (산·바닷가의) **캠프장** **2** (군대·보이스카우트·여행자 등의) **야영지**; 임시 주둔지[숙소]; 막사 **3** [보통 집합적] **야영 천막**; 야영대, 출정군 **4** 캠프 (생활); 군대 생활, 병역; 천막 생활: ~ in summer 여름의 천막 생활 **5** 진영; (주의·종교 등의) 동지, 그룹; (진영의) 입장, 견해: change ~*s* 견해를 바꾸다 / be in different ~*s* (주의·이념상의) 입장을 달리하고 있다 **6** 《미》 지부, 분회 **7** (포로 등의) 수용소: a refugee ~ 난민 수용소 **8** 《미》 산장; 《호주》 가축의 집합장
be in the same [***the enemy's***] **~** 동지[적]이다 ***break*** [***strike***] (***a***) **~** 천막을 걷다, 야영지를 철수하다 ***go to*** **~** 캠프하러 가다; 《호주·구어》 자다; 입대하다 ***have a*** **~** 《호주·구어》 잠시 쉬다 ***make*** [***pitch***] (***a***) **~** 천막을 치다, 야영하다 ***take into*** **~** 속이다(take in); 제것으로 하다, 이기다
— *vi.* **1** 천막을 치다, 야영하다(cf. CAMPING): Let's ~ here. 여기서 야영하자. **2** 《구어》 (아파트·타인의 방 등에) 일시적으로 살다; (안전한 장소에) 몸을 의탁하다; 《호주》 〈가축이〉 (휴식하러) 모이다
— *vt.* 〈군대를〉 야영시키다, 캠프시키다; …에게 (임시) 거처를 제공하다, 임시로 살게 하다 **~ *on*** 〈통화중 회선에 걸려온 전화를〉 보류 접속하다 **~ *out*** 야영[캠프]하다; 《영·속어》 임시 거주하다 《*with*》

camp[2] [「세련되지 못한 사람」의 뜻에서] *n.* 《구어》 꾸미는[거짓] 태도[몸짓]; 그런 몸짓을 하는 사람; 남자 동성애자(의 과장된 교태) — *a.* 동성애의, 남자 동성애자의; 〈남자가〉 나긋나긋한; 뽐내는, 과장된, 진부한
— *vi., vt.* 연극조로[과장되게] 말과 행동을 하다 《*up*》
~ *it up* 《구어》 과장되게 행동[연기]하다

Cam·pa·gna [kæmpɑ́:njə, kəm- | kæm-] *n.* [the ~] 로마 주변의 평원; [**c~**] 《일반적으로》 평원

⁑**cam·paign** [kæmpéin] [L 「들판」의 뜻에서] *n.* **1** (사회적·정치적) **운동**, **캠페인** 《*for, against*》; 《미》 선거 운동, 유세: an advertising ~ (판매를 위한) 광고전 / an election ~ 선거 운동 / a ~ *for* funds 자금 조달 운동 / a ~ *against* alcohol 금주 운동 / a ~ chairman 선거 사무장 // (~+***to*** do) a ~ *to* combat crime 범죄 퇴치 운동 / conduct a ~

thesaurus **camouflage** *n.* disguise, mask, screen, cover, cloak, cover-up, concealment
campaign *n.* **1** (사회적·정치적) 운동 course of action,

to raise funds 모금 운동을 하다 **2** 〖군사〗 (일련의) 군사 행동, 전투, 회전(會轉), 작전; 종군, 출정 ***mount a ~*** 선거 운동을 하다 ***on ~*** 종군하여, 출정 중; 운동[유세]에 나서
— *vi.* 종군하다, 출정하다; (…의) 운동을 일으키다 《*against, for*》 ***go ~ing*** 종군하다; 유세하다
— *vt.* 〈말·보트·자동차 등을〉 경쟁에 출장시키다
campáign bàdge 종군 기장
campáign biògraphy 《미》 (대통령) 후보자 경력[약력]
campáign bùtton 선거 운동 기장(記章) 《후보자의 이름·사진·슬로건을 넣은 둥근 배지》
campáign chèst = CAMPAIGN FUND
campáign clùb 《미》 선거 후원회
campáign èmblem 《미》 선거 정당의 상징 《공화당의 코끼리, 민주당의 당나귀 등》
cam·paign·er [kæmpéinər] *n.* 종군자; 노병(veteran); (사회·정치의) 운동가: an old ~ 노병, 노련가
campáign fùnd (보통, 기부에 의한) 선거 자금
campáign mèdal 종군 기장[메달]
campáign rìbbon 종군 휘장[리본]
campáign spèaker 선거 유세원(遊說員)
campáign spèech 정견 발표; 선거 연설
campáign swíng 지방 유세 (여행)
campáign tràil 선거 유세 여행[코스]
cam·pan·i·form [kæmpǽnəfɔ̀ːrm] *a.* 종(鐘) 모양의

campanile

cam·pa·ni·le [kæ̀mpəníːli, -níːl] *n.* (*pl.* **~s, -li** [-liː]) (특히 교회로부터 독립해서 세운) 종탑(bell tower)
cam·pa·nol·o·gy [kæ̀mpənɑ́lədʒi | -nɔ́l-] *n.* Ⓤ 종학(鐘學); 명종술(鳴鐘術), 주종술(鑄鐘術) **-gist** *n.*
cam·pan·u·la [kæmpǽnjulə | kəm-] *n.* = BELLFLOWER
cam·pan·u·late [kæmpǽnjulət, -lèit | kəm-] *a.* 〈꽃부리 따위가〉 종(鐘) 모양의
cámp bèd 《영》 (접을 수 있는) 야외용[야전] 침대
cámp chàir 접의자
camp·craft [kǽmpkræ̀ft | -krɑ̀ːft] *n.* Ⓤ 캠프 기술[생활법]
Cámp Dávid 캠프 데이비드 《미국 Maryland 주에 있는 미국 대통령 전용 별장》
∗**camp·er** [kǽmpər] *n.* **1** 야영자, 캠핑하는 사람; 캠핑 참가자 **2** 《미·캐나다》 캠프용 자동차
— *vi.* (캠프용 자동차로) 여행하다, 캠핑하다
camp·er·ship [kǽmpərʃìp] [*camper*+scholar*ship*] *n.* 《미》 (소년·소녀에게 주는) 캠프 참가 보조금
cam·pe·si·no [kæ̀mpəsíːnou] [Sp.] *n.* (*pl.* **~s**) (라틴 아메리카의) 농부, 농장 노동자
cam·pes·tral [kæmpéstrəl] *a.* 들판[평원]의; 시골의(rural)
cámp fèver 야영지에 발생하는 열병, 《특히》 발진티푸스
Cámp Fìre [the ~] 《미》 소년 소녀의 건전한 인격 형성을 목적으로 조직된 단체
∗**camp·fire** [kǽmpfàiər] *n.* **1** 야영의 모닥불[화톳불], 캠프파이어; 모닥불 가에 둘러앉아 즐기는 모임 **2** 《미》 군인·보이스카우트 등의 재회의 모임[친목회]
cámpfire bòy 《속어》 아편 중독자
Cámp Fìre gìrl Camp Fire의 소녀 단원
cámp fòllower **1** 비전투 종군자 《상인·위안부 등》 **2** 추종자; 공명자(共鳴者), 동조자

operation, promotion, strategy, drive, push, movement **2 군사 행동** war, battle, expedition, offensive, attack, crusade

camp·ground [-gràund] *n.* 《미》 캠프 지정지, 야영지; 야영 전도 집회지
cam·phene [kǽmfiːn, ─́] *n.* Ⓤ 〖화학〗 캄펜, 용뇌유(龍腦油)
cam·phol [kǽmfəl, -fɔːl, -foul | -fɔl] *n.* Ⓤ 〖화학〗 용뇌(borneol)
∗**cam·phor** [kǽmfər] *n.* Ⓤ 〖화학·약학〗 장뇌(樟腦), 캠퍼 **cam·pho·ra·ceous** [kæ̀mfəréiʃəs] *a.*
cam·phor·ate [kǽmfərèit] *vt.* …에 장뇌를 넣다, 장뇌로 처리하다
cám·phor·at·ed óil [kǽmfərèitid-] 〖약학〗 장뇌화유(樟腦化油) 《피부 소염제》
cámphor bàll 알좀약(mothball)
cam·phor·ic [kæmfɔ́ːrik, -fɑ́r- | -fɔ́r-] *a.* 장뇌의, 장뇌가 든
cámphor ìce 장뇌 연고
cámphor òil 장뇌유, 캠퍼 기름
cámphor trèe 〖식물〗 녹나무 《수지가 장뇌의 원료》
cam·pim·e·ter [kæmpímətər] *n.* 〖안과〗 시야계(視野計) **cam·pi·met·ri·cal** [kæ̀mpəmétrikəl] *a.*
cam·pim·e·try [kæmpímətri] *n.* Ⓤ 〖안과〗 시야 측정(법)
camp·ing [kǽmpiŋ] *n.* Ⓤ 캠프[천막] 생활, 야영 ***go ~*** 캠핑 가다
cam·pi·on [kǽmpiən] *n.* 〖식물〗 석죽과(科)의 식물 《동자꽃·장구채 등》
cámp mèeting 《미》 (천막 안이나 야외에서 열리는) 전도 집회
cam·po [kǽmpou, kɑ́ːm-] *n.* (*pl.* **~s**) (남미의) 대초원
camp-on [kǽmpɑ̀n | -ɔ̀n] *n.* (전화의) 캠프온 《상대방이 통화 중인 경우에 통화가 끝나는 즉시 자동적으로 그 번호에 연결되는 기능》
camp·o·ree [kæ̀mpəríː] *n.* 《미》 (보이스카우트의) 지방 대회(cf. JAMBOREE)
cam·po san·to [kǽmpou-sǽntou, kɑ́ːmpou-sɑ́ːn-] [It. = holy field] 공동묘지
camp-out [kǽmpàut] *n.* 캠프 생활, 야영
cámp ròbber 〖조류〗 캐나다어치(Canada jay) 《캠프에서 음식물을 훔쳐 먹음》
cámp shìrt 캠프용(用) 셔츠 《V자 깃으로 보통 가슴에 주머니가 2개 달린 반소매 셔츠[블라우스]》
camp·site [-sàit] *n.* 야영지, 캠프장
camp·stool [-stùːl] *n.* (휴대용) 접의자

campstool

∗**cam·pus** [kǽmpəs] [L 「들판」의 뜻에서] *n.* 《미》 (대학 등의) 교정, 구내, 캠퍼스 《교정과 건물을 아울러 이름》; 학원; 《미》 대학; (대학의) 분교; (대기업의) 구내 《건물과 그 부속 땅》; 집중적으로 단장된 상공업 지역; (고대 로마의 집회·경기·군사 교련용) 광장: on (the) ~ 교정[구내]에서
— *a.* Ⓐ 학원에서의, 대학(구내)의: ~ activities 학생 활동 / ~ life 학원 생활
— *vt.* 〈학생을〉 (특히 야간에) 대학 구내[기숙사]로부터 외출 금지 처분하다
cámpus bùtcher 《속어》 여학생에게 친절한 남학생; 여학생을 잘 녹이는 남학생
cámpus Énglish 학생 속어 《「기숙사」를 dorm이라고 하는 따위》
cámpus políce[guàrd] 《미》 대학 경비원
cámpus quèen 《속어》 인기 있는 미녀 여대생
cámpus univèrsity 《영》 캠퍼스 유니버시티 《모든 건물이 한 캠퍼스 내에 있는 대학교》
camp·y [kǽmpi] *a.* (**camp·i·er**; **-i·est**) = CAMP²
cámp·i·ly *ad.* **cámp·i·ness** *n.*
cam·pyl·o·bac·ter [kæ̀mpiloubǽktər, kæm-

pílə-] *n.* 〔세균〕 캄필로박터《가축·사람에게 식중독을 일으키는 박테리아》
cam·shaft [kǽmʃæ̀ft | -ʃɑ̀ːft] *n.* 〔기계〕 캠축(軸)
Ca·mus [kæmjúː] *n.* 카뮈 **Albert ~** (1913-60) 《프랑스의 작가; 노벨 문학상 수상(1957)》
cám whèel 〔기계〕 캠바퀴
cam·wood [kǽmwùd] *n.* Ⓤ 〔식물〕 (서아프리카산) 콩과(科)의 단단한 나무 《붉은 물감을 채취》
‡can¹ ⇨ can (p. 361)
‡can² [kǽn] [OE 「컵」의 뜻에서] *n.* **1** (미) (통조림의) 깡통, 양철통((영) tin); 통조림 (*of*); 한 깡통 (분) **2** (손잡이·뚜껑이 있는) 금속제 용기, 통: a milk[coffee] ~ 우유[커피]통 / an oil ~ 기름통 / a sprinkling ~ 물뿌리개 / an ash[a garbage] ~ 쓰레기통 **3** 〔영화〕 필름통《영화 필름을 보관하는 금속제 또는 플라스틱 용기》 **4** [the ~] (미·속어) 변소; 욕실 **5** [보통 the ~] (속어) 교도소 **6** (미·캐나다·비어) 궁둥이; 여자 음부; [보통 *pl.*] 유방 **7** [*pl.*] (미·속어) 헤드폰 **8** (군대속어) 폭뢰(爆雷); (미·속어) 구축함(tin can) **9** (미·속어) (폭주족의) 개조 자동차, 핫 로드(hot rod) **10** (미·마약속어) 1온스의 마리화나
a ~ of worms = PANDORA'S BOX; (구어) 복잡하고 귀찮은 문제[상황]; 안절부절못하는 사람 ***a* (*tall*) *~ of corn*** (미·속어) 〔야구〕 높이 뜬 이지 플라이 ***carry* [*take*] *the ~*** (영·속어) 비난을 받다, (남의 일로) 책임을 지게 되다 ***get* [*have*] *a ~ on* = *get on a ~*** (미·속어) 술에 취하다 ***in the ~*** (구어) (1) 유치장에 갇혀 (2) 〈영화가〉 (공개할 수 있게) 준비되어 (3) (구어) 완료되어 ***pass the ~ to*** (영·속어) …에게 책임을 전가하다 ***tie a ~ to* [*on*]** a person (미·속어) …을 해고하다; …을 제외하다
—*vt.* (**~ned**; **~·ning**) **1** (미) 〈음식물 등을〉 통조림으로 만들다((영) tin) **2** (미·속어) 해고하다(fire); 퇴학시키다; (속어) 〈물건을〉 버리다; 중지하다: get *~ned* 해고되다 **3** (구어) 녹음하다; 〈골프 공을〉 홀에 넣다 **4** (영·속어) 〈사람을〉 술에 취하게 하다 **5** (미·속어) 유치장에 처넣다 **6** 〈핵연료 등을〉 (금속 용기로) 밀봉하다 ***C~ it!*** (속어) 시끄러워, 입 닥쳐!
can. canceled; cancellation; canon; canto; canton; cantoris **Can.** Canada; Canadian
Ca·naan [kéinən] *n.* **1** 〔성서〕 가나안 땅 《지금의 Palestine의 서부 지방》; 신이 유대인에게 약속한 땅 **2** 약속의 땅, 이상향, 낙원
Ca·naan·ite [kéinənàit] *n.* **1** (이스라엘 사람이 와서 살기 전의) 가나안 사람 **2** Ⓤ 가나안 어(語) **3** (구약성서의) 상인 **—***a.* 가나안 (사람·어(語))의
Canad. Canadian
‡Can·a·da [kǽnədə] [American Indian 「마을」의 뜻; 이를 지명으로 오해한 것] *n.* 캐나다 《북미 대륙 북부의 나라; 수도 Ottawa; 略 Can.》 ▷ Canádian *a.*
Cánada bálsam 캐나다발삼 《발삼전나무(balsam fir)에서 채취하는 수지; 현미경 검사 표본 접착제》
Cánada Dày 캐나다 데이 《캐나다 연방 성립을 기념하는 날; 7월 1일》
Cánada góose 〔조류〕 캐나다기러기
Cánada jáy 〔조류〕 캐나다어치
Cánada lýnx 〔동물〕 캐나다스라소니 《야생 고양이의 한 종류; 지금은 캐나다에서만 서식》
Cánada thístle (미·캐나다) 캐나다엉겅퀴
‡Ca·na·di·an [kənéidiən] *a.* 캐나다(사람)의
—*n.* 캐나다 사람 **~·ìsm** *n.* 캐나다 (제일)주의, 캐나다의 습관[문화]; 캐나다 영어(의 어법)
Canádian bácon (돼지의 허릿고기로 만든) 캐나다식 베이컨
Canádian Énglish 캐나다 영어
Canádian fóotball 캐나다 풋볼 《미식 축구와 비슷한 경기》
Canádian Frénch (Quebec 주의 프랑스계 캐나다 사람이 말하는) 캐나다 프랑스 어(語)
Canádian whísky 캐나디안 위스키(rye whiskey, malt whiskey) 《호밀 또는 호밀과 맥아로 양조》
ca·naille [kənéil] [F] *n.* **1** [the ~; 집합적] 하층민(riffraff), 우민(愚民)(rabble); 폭도(mob) **2** 무산계급의 사람
‡ca·nal [kənǽl] [L 「수관(水管)」의 뜻에서; 원래는 「갈대」의 뜻] *n.* **1** 운하, 인공 수로; (육지 깊숙이 들어온) 만(灣): the Suez *C~* 수에즈 운하 **2** 〔해부·식물〕 도관(導管)(duct) **3** 〔천문〕 (화성의) 운하 ***suck ~ water*** (미육군·속어) 곤란하게 되다
—*vt.* (**~ed**; **~·ing** | **~led**; **~·ling**) …에 운하를 만들다[파다] ▷ cánalize *v.*
ca·nal·age [kənǽlidʒ] *n.* Ⓤ 운하 개설[수송]; 운하 통행세
canál bòat (길쭉한) 운하용 보트[배]
ca·nal-built [-bìlt] *a.* 〈배가〉 운하 항행에 적합한
can·a·lic·u·lus [kæ̀nəlíkjuləs] *n.* (*pl.* **-li** [-lài]) 〔해부·동물〕 소관(小管), 세관(細管) **-lar** *a.*
ca·nal·i·za·tion [kənæ̀lizéiʃən, kæ̀nəl- | kæ̀nəlaiz-] *n.* Ⓤ **1** 운하 개설, 운하화(化) **2** 노선 부여, 수로 도입 **3** (수도·가스·전기 등의) 배관 계통; 배관, 공급 **4** 〔의학〕 무관배액(無管排液) **5** 〔생물〕 배(胚)의 발생이 특정한 방향으로 향하기 **6** 〔심리〕 (감정 등의) 배출구 부여
can·al·ize [kǽnəlàiz, kənǽlaiz | kǽnəlàiz] *vt.* 운하를 트다; 수로를 파다, 나갈 길을 열어주다; 어떤 방향으로 인도하다 (*into*) **—***vi.* 수로로 흘러들다; 새로운 도관(導管)을 만들다 ▷ canál *n.*
ca·nal·ler [kənǽlər] *n.* 운하선; 운하선 선원
canál rày 〔물리〕 양극선(positive ray)
Canál Zòne [the ~] 파나마 운하 지대 《略 CZ》
can·a·pé [kǽnəpi, -pèi | -pèi] [F] *n.* **1** 카나페 《얇은 빵에 캐비아·치즈 등을 바른 전채》 **2** (18세기 프랑스의) 소파
ca·nard [kənɑ́ːrd | kænɑ́ːd, ⌐⌐] [F 「오리」의 뜻에서] *n.* **1** 헛소문, 유언비어 **2** (요리용) 오리 **3** 〔항공〕 비행기의 날개 앞쪽이나 동체 앞부분에 단 작은 날개
—*vi.* 〈헛소문이〉 퍼지다, 떠돌다; (관악기 등으로) 오리 우는 소리를 내다
‡ca·nar·y [kənɛ́əri] [Sp. 「카나리아 제도산의 새」의 뜻에서] *n.* (*pl.* **-nar·ies**) **1** 카나리아(= ~ **bìrd**) **2** Ⓤ 카나리아 빛(= ~ yellow) **3** (속어) 밀고자 **4** (속어) 여자 가수; (속어) (젊은) 여자
—*a.* 카나리아 빛의, 밝은 황색의(= ~**-cólored**)
—*vi.* (미·속어) 〈여자 가수가〉 노래부르다
canáry crèeper 〔식물〕 카나리아덩굴 《한련(旱蓮)의 일종》
canáry gràss 〔식물〕 카나리아풀 《카나리아 제도산 갈풀 무리; 열매는 카나리아 모이》
Canáry Íslands [L 「개의 섬」의 뜻에서] [the ~] 카나리아 제도 《아프리카 북서 해안 가까이에 있음; 스페인령》
canáry sèed canary grass의 열매 《카나리아의 모이》
canáry yéllow 카나리아 빛 《선황색》
ca·nas·ta [kənǽstə] [Sp. 「바구니」의 뜻에서] *n.* Ⓤ 커내스터 《두 벌의 카드로 넷이 하는 놀이》
ca·nas·ter [kənǽstər] *n.* Ⓤ (남미산) 저질 살담배
Ca·nav·er·al [kənǽvərəl] *n.* = CAPE CANAVERAL
cán bànk (재활용을 위한) 빈 깡통 수집소
Can·ber·ra [kǽnberə, -bərə | -bərə] *n.* 캔버라 《오스트레일리아의 수도》
cán bùoy (항로 표지용) 원통형 무등(無燈) 부표(浮標)
canc. cancel; canceled; cancellation
can·can [kǽnkæ̀n] [F] *n.* 캉캉(춤) 《1830년경부터 파리에서 유행된 춤으로 발을 높이 쳐드는 것이 특징》
can·car·ri·er [kǽnkæ̀riər] *n.* (속어) 책임자
‡can·cel [kǽnsəl] [L 「격자(格子)꼴로 하다」→「격자꼴로 줄을 치다」의 뜻에서] *v.* (**~ed**; **~·ing** | **~led**;

thesaurus **can²** *n.* container, receptacle
canal *n.* **1** 운하 channel, watercourse, waterway, race **2** 도관 tube, duct, pipe, conduit

can

OE의 「(하는 방법을) 알다(know)」에서 온 말이다. 「능력·가능성」을 나타내는 이 조동사는 may 대신에 「허가·명령·권유」 등을 나타내는 말로도 널리 쓰인다.

can의 용법상의 특징:

1 조동사로서 부정사·현재분사·동명사·과거분사의 꼴이 없으므로, be able to를 대용한다.
2 3인칭 단수 현재형에 's'가 붙지 않는다.
3 can의 과거형으로서는 가정법으로 쓰이는 could보다는 직설법에서는 was[were] able to를 쓴다. 때로 managed to 또는 succeeded in ...ing 등으로 표현한다.
4 미래형에는 will[shall] be able to를 쓴다.
5 can으로 시작되는 물음에 대하여는 본동사 없이 can 또는 cannot, 《구어》 can't로만 대답하는 것이 원칙이다.
6 가정법과거형에는 could를 쓴다.
7 can을 see, hear, feel, smell, taste, understand, believe 등의 지각동사와 같이 쓴 경우에는 can의 뜻이 약해져서 전체로서의 뜻은 동사만 썼을 때와 거의 같아 「지각하고 있는 상태」를 나타낸다: I (*can*) see two birds over there. 저기 새 두 마리가 보인다.

***can**[1] [kən, kæn, kǽn] *auxil. v.* 《USAGE (1) 부정형은 **cannot,** 《미》에서 특히 강조할 때에는 **can not**, 《구어》에서는 **can't**를 씀; 의미를 강조할 때나 문장 끝에 본동사가 없을 때는 [kǽn]으로 강하게 발음하고, 이 외는 일반적으로 약형 [kən]으로 발음함. (2) 과거형은 **could**》

기본적으로는 「가능」을 나타낸다	
① …할 수 있다	**1 a**
② …해도 좋다	**2**
③ …이 있을 수 있다	**4 a**
④ [부정문에서] …일[할] 리가 없다	**4 b, c**
⑤ [의문문에서] 도대체 …일까	**4 d**

1 [능력] **a** …할 수 있다: Our team ~ easily beat your team. 우리 팀은 쉽게 너희 팀을 이길 수 있다. / I will do what I *can* [kǽn]. 내가 할 수 있는 일은 무엇이든 하겠다. 《can 다음에 do가 생략되었음》/ What ~ I do for you? 무슨 볼일이십니까?; 무엇을 드릴까요? 《점원이 손님에게 하는 말》/ *C*~ you speak English? 영어를 말할 줄 아십니까? 《상대의 능력을 묻는 말씨가 되므로, *Do* you speak English? 라고 하는 것이 보다 일반적임》 **b** …할 줄 알다: I ~ swim, but not very well. 수영할 줄 알지만 잘하지는 못한다. / *C*~ you play chess? 체스를 둘 줄 아느냐? **c** [지각동사 및 remember와 함께 쓰여] …하고 있다 《진행형과 같은 뜻이 됨》: I ~ *remember* it well. 그것을 잘 기억하고 있다. / *C*~ you *hear* that noise? 저 소리가 들리느냐?

2 [허가] …해도 좋다 《《구어》에서는 may보다 더 일반적임》: You ~ go. 자넨 가도 좋다; 너에게는 이제 볼일이 없다. (cf. 3 a) / *C*~ I speak to you a moment? 잠깐 말씀드릴 것이 있습니다만. ★ can은 회화체 문체에서, may는 딱딱한 문체에 주로 쓰인다. 부정형 cannot[can't]는 가벼운 금지를 나타내어 may not보다 자주 사용된다.

3 [가벼운 명령·권고] **a** [긍정문에서] …해라, …하는 것이 좋다; …해야 한다: You ~ go. 가도록 해라(cf. 2). **b** [부정문에서] …해서는 안 된다 《may not보다 일반적; 강한 금지를 나타내는 데는 must not이 쓰임》: You *can't* run here. 여기서 뛰면 안 된다.

4 [가능성·추측] **a** [긍정문에서] …이 있을 수 있다, …할 적이 있다: He ~ be very rude sometimes. 녀석은 때때로 몹시 무례할 때가 있다. / You ~ get a burn if you are not careful. 조심하지 않으면 화상을 입을 수 있다. ★ can은 논리적 가능성 「…것도 있을 수 있다」의 뜻을 나타내는 데 대해, may는 주위의 상황에서 판단하여 「…의 가능성이 (반쯤은) 있다」의 의미를 나타냄: The sales *can* go up again. 매출액은 다시 올라갈 수도 있다. / The sales *may* go up again. 매출액은 다시 올라갈지도 모른다. **b** [부정문에서] …일 리가 없다: It *cannot* be true. 정말일 리가 없다. **c** [cannot have+*p.p.*로] …했을 리가 없다: She *cannot have done* such a thing. 그녀가 그런 짓을 했을 리가 없다. **d** [의문문에서 추측을 나타내어] …할[일] 리가 있을까, (도)대체 …일까: *C*~ it be true? 대체 그것이 정말일까? / How ~ we be so cruel? 우리가 어떻게 그런 잔인한 짓을 할 수 있을까? / Who ~ he be? 도대체 그는 누구일까? / *C*~ he have killed her? 정말로 그는 그녀를 죽일 수가 있었을까? / What ~ [kǽn] he be doing? 그는 대체 무엇을 하고 있는 것일까? 《can에 강세를 주면 당혹감이나 초조감을 나타냄》

5 [*C*~ you ...?로 부탁을 나타내어] …해 주겠습니까 《Could you ...?라고 하는 것이 더 공손한 표현임》: *C*~ you give me a ride? 좀 태워주지 않겠습니까?

6 [호의·의도] …해 주다, (호의를 갖고) …하다: You ~ tell me if I'm wrong. 만일 내게 잘못이 있다면 말씀해 주시오. / *C*~ you hold? (전화에서) 기다려 주시겠습니까? / Leave me alone, *can't* you? 혼자 있게 해 줘요, 부탁이니까.

7 [비난·원망] 《구어》 …해도 좋으련만: She ~ spare me for a moment. 잠깐쯤이야 자유 시간을 줘도 좋으련만.

all one ~ 《구어》 될 수 있는 한 《부사적》: He will help you *all* he ~. 그는 전력으로 너를 도울 것이다.

as ... as* (...) ~ *be 더없이 …, 그지없이 …: I am *as* happy *as* (happy) ~ *be*. 더없이 행복하다.

~ but do 《문어》 다만[단지] (…할) 따름[뿐]이다: We ~ *but* wait. 우리는 다만 기다릴 뿐이다.

cannot but do = ***cannot help*** do***ing*** …하지 않고는 못 배기다, …할 수밖에 없다, …하지 않을 수 없다(cf. help *vt.* 4): I *could not but* laugh. = I *couldn't help* laugh*ing*. 웃지 않고는 배길 수가 없었다. ★ 위 두 형태 중에서는 후자가 더 구어적임; 《미·구어》에서는 이 두 가지 형태를 혼성한 *cannot help but* do도 흔히 쓰임; 《문어》에서는 *cannot* CHOOSE *but* do도 쓰인다.

cannot do*[*be*] *otherwise than ... …하지 않고는 못 배기다

cannot ... too ... ⇨ too

cannot very well do …할 수는 없다, …할 일이 못 되다

~ only do 《구어》 = CAN but do

How ~ you! 네가 감히 그럴 수가!; 참으로 지독한 녀석이군!

I ~ too. 《구어》 (아니) 할 수 있고말고. 《You can't. (너에게는 무리야.)에 대한 응답》

No ~ do. 《구어》 (나로서는) 불가능하다, 할 수 없다, 못한다.

what one ~ 될[할] 수 있는 한의 것 ⇨ 1 a

~·ling) *vt.* **1 a** 〈계약·주문 등을〉 **취소하다,** 무효로 하다(annul): ~ an order for the book 그 책의 주문을 취소하다 **b** 지우다, 삭제하다; 말소하다: ~ two lines 2행을 지우다 **c** 〈계획·예정 등을〉 **중지하다**: ~ a trip[game] 여행[경기]을 중지하다 **2** 〖수학〗 약분하다 **3** 〈우표 등에〉 소인(消印)을 찍다, 〈차표 등을〉 펀치로 찍다: a ~*ed* stamp 소인이 찍힌 우표 **4** 중화하다, 상쇄하다 《*out*》 **5** 〖인쇄〗 〈페이지·기사 등을〉 삭제하다 **6** (미) 〖음악〗 〈샤프·플랫으로 반음 변화한 음을〉 (제자리표를 넣어) 지우다

— *vi.* **1** 상쇄되다 《*out*》 **2** 〖수학〗 〈분자·분모 등이〉 (…로) 약분되다 《*by*》

— *n.* **1** 말소, 취소; (계약의) 해제 **2** 〖인쇄〗 삭제 (부분) **3** (미) 〖음악〗 제자리표(natural)

~·a·ble, ~·la·ble *a.* **cán·celed** *a.* 취소된; 소인이 있는 **~·(l)er** *n.* 지우는 사람[것], 소인기

cáncel báck órder 〖상업〗 미조달(未調達) 주문의 취소 《略 CBO》

can·cel·bot [kǽnsəlbɑ̀t | -bɔ̀t] [*cancel*+ro*bot*] *n.* 〖컴퓨터〗 캔슬보트 《인터넷상의 특정 file을 일괄 소거시키는 프로그램》

can·cel·late [kǽnsəlèit, -lət] *a.* **1** 〖해부〗 해면상(조직)의 **2** 망상 조직의(reticulate)

can·cel·(l)a·tion [kæ̀nsəléiʃən] *n.* ⓊⒸ 말소; 취소; 해제; 예약 취소; 〖수학〗 약분, 소거(消去); 소인

cancellátion làw 〖수학〗 소거 법칙

can·cel·lous [kǽnsələs] *a.* 〖해부〗 해면[갯솜] 모양의, 망상(網狀) 조직의

‡**can·cer** [kǽnsər] [L 「게」의 뜻에서; 암 조직을 게 다리에 비유한 것] *n.* **1** ⓊⒸ 암(癌), 암종, 악성 종양(carcinoma) 《★ 완곡하게 tumor, growth, Big C, long illness라고도 함》: get ~ 암에 걸리다 / die of ~ 암으로 죽다 / breast ~ = ~ of the breast 유방암 **2** (사회의 치명적인) 병폐, 해악 **3** [**C~**] 〖천문〗 게자리(the Crab) **4** [**C~**] 〖점성〗 **a** 거해궁(巨蟹宮)(cf. ZODIAC) **b** 게자리에 태어난 사람 **5** (미·속어) 차의 녹[부식] ***the tropic of C~*** 북회귀선, 하지선

— *vt.* (암처럼) 침해하다 **~ed** *a.* 암에 걸린 ▷ cáncerous *a.*

can·cer·ate [kǽnsərèit] *vi.* 암에 걸리다

can·cer·a·tion [kæ̀nsəréiʃən] *n.* Ⓤ 암화(癌化), 발암 (상태)

cáncer gène 〖생물〗 = ONCOGENE

can·cer·o·gen·ic [kæ̀nsərədʒénik] *a.* 발암성의

can·cer·ous [kǽnsərəs] *a.* 암의; 암에 걸린; 불치의; 독성의 **~·ly** *ad.*

can·cer·pho·bi·a [kæ̀nsərfóubiə] *n.* Ⓤ 암 공포증

cáncer stìck (구어·익살) 궐련(cigarette)

can·cri·form [kǽŋkrəfɔ̀ːrm] *a.* 게 모양의; 암 같은

can·crine [kǽŋkrin] *a.* 게 같은, 게 모양의

can·croid [kǽŋkrɔid] *a.* 게(crab) 비슷한; 〖병리〗 암종 모양의 — *n.* 〖병리〗 피부암; 〖동물〗 갑각류 《게 등》

c & b 〖크리켓〗 caught and bowled (by)

can·de·la [kændíːlə] [L 「양초(candle)」의 뜻에서] *n.* 〖광학〗 칸델라 《광도 단위; 略 cd》

can·de·la·brum [kæ̀ndəlɑ́ːbrəm, -léi-] *n.* (*pl.* **-bra** [-brə], **~s**) 가지가 달린 촛대

can·dent [kǽndənt] *a.* 백열(白熱)하는

can·des·cent [kændésnt] *a.* 백열의 **-cence** *n.*

C & F, c & f 〖상업〗 cost and freight 운임 포함 조건[가격]

*****can·did** [kǽndid] [L 「희게 빛나는」의 뜻에서] *a.* **1** 솔직한(frank), 숨김없는, 거리낌 없는(outspoken): a ~ friend 거리낌 없이 싫은 소리를 하는 친구 **2** Ⓐ 〈사진 등이〉 포즈를 취하지 않은, 자연스러운, 있는 그대로의 **3** 공평한(impartial): Give me a ~ hearing. 편견 없이 들어 주게. **4** (고어) 하얀 ***to be*** (***quite***[***perfectly***]) ***~*** (***with you***) 솔직히 말하면 《대개 문두에 씀》

— *n.* 포즈를 취하지 않은 사진, 스냅 사진

~·ly *ad.* 솔직히, 숨김없이; [문장을 수식하여] 솔직히 말해서 **~·ness** *n.* ▷ cándo(u)r *n.*

can·di·da [kǽndidə] *n.* 〖세균〗 칸디다균(菌) 《아구창의 병원균》

can·di·da·cy [kǽndidəsi] *n.* Ⓤ (미) 입후보; 입후보 자격[기간] 《*for*》

‡**can·di·date** [kǽndidèit, -dət] [L 「흰 옷을 입은 (남자)」의 뜻에서; 고대 로마에서 공직 후보자가 흰 옷을 입은 데서] *n.* **후보자** 《*for*》; 지원자 《*for*》; …이 될 듯한 사람; (학위 취득) 희망자: a presidential ~ = a ~ *for* president[the presidency] 대통령 후보자 / a ~ *for* admission to a school 입학 지원자 / a ~ *for* fame[wealth] 장차 유명해질[부자가 될] 사람 / a ~ *for* the PhD = a PhD ~ 박사 과정을 공부하는 학생 ***run ~ at*** …에 입후보하다

— [-dèit] *vi.* 교회 신임 목사 후보가 되다; 새 목사를 구하는 교회에서 설교를 하다 **~·shìp** *n.*

can·di·da·ture [kǽndidətʃər] *n.* (영) = CANDIDACY

cándid cámera (스냅용) 소형 카메라, 소형 몰래 카메라

can·di·di·a·sis [kæ̀ndədáiəsis] *n.* (*pl.* **-ses** [-sìːz]) 〖병리〗 칸디다증(症) 《칸디다(candida)로 인해 발생하는 각종 감염증》

cándid phótograph 스냅 사진

can·died [kǽndid] *a.* Ⓐ **1** 설탕에 절인[졸인] **2** (사탕 모양으로) 굳어진 **3** 말솜씨가 좋은, 달콤한(flattering) **4** (미·속어) 코카인 중독의

‡**can·dle** [kǽndl] [L 「빛나다」의 뜻에서] *n.* **1** 양초 《빛·축하의 상징》; 양초 모양의 것; 촉광(candlepower): light[put out] a ~ 촛불을 켜다[끄다] **2** 빛을 내는 것, 등불; 별 ***burn***[***light***] ***the ~ at both ends*** 〈정력·건강·금전 등을〉 심하게 낭비하다, 무리를 하다 ***cannot***[***be not fit to***] ***hold a ~ to*** …와는 비교도 안 되다 ***hide*** one***'s ~ under a bushel*** ⇨ bushel[1]. ***hold a ~ to*** …을 위해 빛을 밝히다; 조력(助力)하다; [보통 부정형으로] …과 비교할 수 있다, …과 같은 류이다 ***hold a ~ to the devil*** 나쁜 짓에 가담하다 The game is ***not worth the ~.*** (그 일은) 수지가 안 맞는다. ***sell by the ~***[***by inch of ~***] (경매에서) 촛동강이 다 타버리는 것을 신호로 하여 낙찰시키다 ***sulphur ~*** 훈증 유황초 《소독용》

— *vt.* 〈계란 등을〉 촛불에 비추어 살피다; (와인을 따를 때 침전물이 섞이지 않도록) 〈와인 병을〉 촛불에 비춰보다 **cán·dler** *n.*

can·dle·ber·ry [kǽndlbèri | -bəri] *n.* (*pl.* **-ries**) 〖식물〗 소귀나무(wax myrtle); 그 열매

cándle ènds 촛동강; (비유) 거의 쓸모없는 것

can·dle·fish [-fìʃ] *n.* (*pl.* **~, ~s**) 〖어류〗 **1** 바다빙엇과의 작은 식용어 **2** = SABLEFISH

can·dle-foot [-fùt] *n.* (*pl.* **-feet** [-fìːt]) = FOOT-CANDLE

can·dle·hold·er [-hòuldər] *n.* = CANDLESTICK

*****can·dle·light** [-làit] *n.* Ⓤ **촛불**; 등불 켤 무렵, 저녁 무렵, 어스름; 침침한 인공 조명

can·dle·light·er [-làitər] *n.* (교회의 의식에 쓰이는 긴 자루의) 촛불을 켜는 도구; (결혼식 등에서) 촛불을 켜는 사람

can·dle·lit [-lìt] *a.* 촛불을 켠; 촛불에 비추어진

Can·dle·mas [-məs, -mæ̀s] *n.* 〖가톨릭〗 성촉절(聖燭節) 《2월 2일, 성모 마리아의 순결을 기념하는 축제일; 촛불 행렬을 함》

can·dle·nut [-nʌ̀t] *n.* 〖식물〗 쿠쿠이나무; 그 열매

thesaurus **cancel** *v.* **1** 취소하다 declare void, annul, nullify, retract, negate, revoke, abolish (opp. *confirm*) **2** 지우다 delete, erase, eliminate, obliterate, eradicate, efface **3** 중지하다 call off, stop, discontinue, give up

candid *a.* **1** 솔직한 frank, sincere, open, straight-

can·dle·pin [-pìn] *n.* 《미》 **1** 양끝이 가늘어진 원통형의 볼링용 핀 **2** [*pl.*; 단수 취급] 캔들핀 《십주희(tenpins) 비슷한 볼링의 일종》
can·dle·pow·er [-pàuər] *n.* Ⓤ 촉광(燭光) 《광도 단위》: a lamp of 100 ~ 100 촉광의 전등
can·dle·snuff·er [-snʌ̀fər] *n.* [보통 *pl.*] 촛불끄개
can·dle·stand [-stæ̀nd] *n.* (높은) 큰 촛대
***can·dle·stick** [kǽndlstìk] *n.* **촛대** 《보통은 양초 하나를 세우는》
can·dle·wick [-wìk] *n.* **1** 초의 심지 **2** (보통, 목면의) 느슨하게 꼰 실(=∸ **yàrn**); 그 실로 술을 이룬 자수(刺繡) **—** *a.* Ⓐ 〈직물이〉 양초 심지처럼 작은 술을 이루게 만든
can·dle·wood [-wùd] *n.* (양초 대신에 태우는) 수지(樹脂)가 많은 식물
can-do [kǽndú:] *a.* 《구어》 열심인, 열의 있는; 유능한: a ~ attitude 의욕적인 태도 / a ~ executive 유능한 간부 **—** *n.* 열의, 행동력
can·dor** | **-dour** [kǽndər] *n.* Ⓤ **공평무사,** 허심탄회; 솔직, 정직; 《고어》 순백; 《폐어》 순수성, 순결 ***with ~ 공정하게 ▷ cándid *a.*
CANDU [kæ̀ndú:] [*Can*ada *D*euterium *U*ranium] *n.* 캐나다형(型) 중수로(重水爐)
C and[**&**] **W** country and western
‡**can·dy** [kǽndi] [Arab. 「설탕」의 뜻에서] *n.* (*pl.* **-dies**) ⓊⒸ **1** 《미》 **캔디,** 사탕 과자(《영》 sweets) 《taffies, caramels, chocolates 등》: a piece of ~ 캔디 1개 / be fond of ~ 사탕 과자를 좋아하다 / mixed *candies* 여러 가지로 섞어 담은 캔디 **2** 《영》 얼음사탕(《미》 rock ~); Ⓒ 얼음사탕 조각 **3** 《속어》 코카인; 마약
— *vt., vi.* (**-died**) 설탕 절임하다, 설탕을 바르다; 사탕 모양으로 굳히다[굳어지다]; 〈표현을〉 감미롭게 하다
— *a.* Ⓐ 《미·구어》 술에 취한
cándy àpple 《미》 캔디 애플 《막대기에 꽂은 사과에 캐러멜이나 시럽을 입힌 것》
cándy àss 《미·속어》 패기 없는 사람, 겁쟁이
cándy-àss(**ed**) *a.* 겁 많은, 소심한, 패기 없는
cándy bùtcher 《미》 (열차·경기장 안을 돌아다니는) 과자 장수
cándy flòss 1 《영》 솜사탕(《미》 cotton candy) **2** 겉보기만 그럴듯한 것
cándy màn 《미·속어》 마약 밀매인
cándy pùll 캔디 만드는 모임 《젊은 남녀의 사교 집회》
cándy stòre 《미》 과자점(《영》 sweetshop) 《청량음료·신문·담배 등도 팖》
cándy strìpe 무지(無地) 바탕에 밝은 한 색만의 줄무늬; 《미·군대속어》 지도상의 샛길, 2급 도로
can·dy-striped [kǽndistràipt] *a.* 〈옷·옷감 등이〉 홍백의 줄무늬가 있는
cándy strìper [희고 붉은 줄무늬 제복에서] 《미·구어》 (10대의) 자원 봉사 간호조무사
can·dy·tuft [kǽnditʌ̀ft] *n.* 〖식물〗 이베리스, 서양말냉이 《겨잣과(科)의 관상식물》
cándy wédding 캔디혼식(婚式) 《결혼 3주년》
‡**cane** [kéin] [Gk 「갈대」의 뜻에서] *n.* **1** (등(籐)으로 만든) **지팡이,** 《영》 가볍고 가는 지팡이; 《미》 막대기; 회초리 《학생 처벌용》, 《영·고어》 매(whip) **2** 줄기 《등·대나무·종려·사탕수수 등》; (용재(用材)로서의) 등 무리 **3** 나무딸기의 줄기 **4** =SUGARCANE **5** (봉랍·유리 등의) 막대, 유리봉[관] ***get*** [***give***] ***the*** ~ 《영》 (벌로) 회초리로 맞다[때리다]
— *vt.* **1** 매질하다; (…에게) 매질하여 가르치다 《*into*》: (~+목+전+명) ~ a lesson *into* a person …에게 매질하여 학과를 가르치다 **2** 〈바구니·의자 등을〉 등으로 만들다 **3** 《구어》 이기다, 지우다

forward, honest, direct, outspoken, blunt **2** (사진이) 자연스러운 unposed, spontaneous, impromptu, uncontrived, informal, unstudied
candidate *n.* applicant, contender, nominee
cane *n.* (walking) stick, staff, rod, pole **—** *v.* beat, strike, hit, thrash, lash

cane·brake [kéinbrèik] *n.* 《미》 등(籐)숲
cáne cháir 등의자
ca·nel·la [kənélə] *n.* 〖식물〗 백육계(白肉桂) 《서인도 제도산의 나무》
ca·neph·o·ra [kənéfərə] *n.* (*pl.* **-rae** [-rì:]) 제물 광주리를 머리에 인 처녀 《고대 그리스에서 제사 행렬에 참가》
can·er [kéinər] *n.* 등(籐) 세공사, 《특히》 등의자 장인
cáne ràt 〖동물〗 아프리카산 설치류의 동물
ca·nes·cent [kənésnt] *a.* 흰빛을 띤, 회백색의; 〈식물이〉 회백색 솜털로 덮인
cáne sùgar 사탕수수 설탕(cf. BEET SUGAR)
cane·ware [kéinwɛ̀ər] *n.* Ⓤ 연갈색[담황색] 석기
cane·work [kéinwə̀:rk] *n.* Ⓤ 등(籐) 세공(품)
CanF Canadian French
can·field [kǽnfì:ld] [미국의 고안자 이름에서] *n.* 도박 게임에서 혼자 하는 게임 방식
can·ful [kǽnfùl] *n.* 한 깡통(의 양): a ~ of water 한 통 가득한 물, 물 한 통
cangue [kǽŋ] *n.* 칼 《고대 중국의 형틀》
cán hòuse 《미·속어》 매춘굴
Ca·nic·u·la [kəníkjulə] *n.* 〖천문〗 천랑성(天狼星) (Sirius)
ca·nic·u·lar [kəníkjulər] *a.* 〖천문〗 천랑성의; 한여름의: ~ days 복날
can·id [kǽnid, kéin-] *n.* 〖동물〗 갯과(科)(Canidae)의 동물
ca·nine [kéinain] [L] *a.* 갯과(科)의, 개 같은; 〖동물·해부〗 송곳니의 **—** *n.* 송곳니; 갯과의 동물; 《익살》 개
ca·nin·i·ty [keinínəti] *n.*
cánine áppetite 왕성한 식욕
cánine distémper (개의) 급성 전염병
cánine dòg 《미》 경찰견(K-9 dog)
cánine mádness 〖병리〗 광견병
cánine tòoth 송곳니, 견치(犬齒)
can·ing [kéiniŋ] *n.* Ⓤ 매질; 《구어》 참패; (의자 따위에) 등(籐) 자리를 깔기, 등자리 세공
Ca·nis Ma·jor [kéinis-méidʒər] 〖천문〗 큰개자리 (the Great Dog)
Ca·nis Mi·nor [kéinis-máinər] 〖천문〗 작은개자리(the Little Dog)
can·is·ter [kǽnəstər] *n.* (차·커피·담배 등을 넣는) 깡통; 〖가톨릭〗 성합(聖盒) 《축성용 제병 그릇》; (대포의) 산탄(霰彈)(=∸ **shòt**); (방독면의 여과용) 흡수통; 상자형 전기 청소기
***can·ker** [kǽŋkər] *n.* **1** Ⓤ 〖병리〗 **구강 궤양**(口腔潰瘍); 〖수의학〗 마제염(馬蹄炎); 〖식물〗 (과수의) 암종(癌腫)병; 근류(根瘤)병 **2** 《비유》 해독; (마음을 좀먹는) 고민 **3** =CANKERWORM
— *vt.* **1** canker에 걸리게 하다; 부식시키다 **2** 해독을 끼치다, 서서히 파괴하다
— *vi.* canker에 걸리다; 부패하다
can·kered [kǽŋkərd] *a.* canker에 걸린; 근성이 부패[타락]한; 질이 나쁜, 성미 고약한
can·ker·ous [kǽŋkərəs] *a.* canker의[같은]; canker를 일으키는; 부패[부식]시키는
cánker ràsh 〖병리〗 성홍열
cánker sòre 〖병리〗 구내염(口內炎)
can·ker·worm [kǽŋkərwə̀:rm] *n.* 〖곤충〗 자벌레 《과수의 해충》
can·na [kǽnə] *n.* 〖식물〗 칸나
can·na·bin [kǽnəbin] *n.* Ⓤ 〖약학〗 칸나빈 《인도대마(cannabis)에서 채취하는 물질; 마취제》
can·na·bi·noid [kənǽbənɔ̀id, kǽnəbə-] *n.* 카나비노이드 《대마와 화학 성분의 총칭》
can·nab·i·nol [kənǽbənɔ̀:l | -nɔ̀l] *n.* 〖화학〗 카나비놀 《생리학적으로 비활성의 페놀》
can·na·bis [kǽnəbis] *n.* Ⓤ 〖식물〗 인도대마; 마리화나, 대마초

cánnabis rèsin 대마 수지《대마의 암꽃 끝에서 분비되는 점액》

*__canned__ [kǽnd] *vt.* CAN²의 과거·과거분사
— *a.* **1** (미) 통조림한((영) tinned) **2** (구어) 녹음된; (미·구어) 〈연설 등이〉 (공동·반복 이용하기 위해) 미리 준비된: ~ music 레코드[테이프] 음악 / ~ laughter (효과음으로서) 녹음된 웃음소리 / a ~ speech 준비된 연설 **3** 판에 박힌; 〈신문 기사 등이〉 동일 내용의 **4** Ⓟ (속어) 술에 취한 **5** (미·속어) 해고당한 **6** (속어) (영화에서) 촬영이 끝난 **7** (미·속어) 교도소에 수용[수감]된

cánned góods 통조림 제품; [보통 단수 취급] (미·속어) 처녀[동정]인 사람

cánned héat 휴대 연료《고체 알코올 따위》

cán·nel còal [kǽnl-] 촉탄(燭炭)《기름·가스를 많이 함유한 석탄》

can·nel·lí·ni bèan [kæ̀nəlíːni-] [It.] 카넬리니콩《이탈리아산 크림색 콩》

can·nel·lo·ni [kæ̀nəlóuni] [It.] *n.* 카넬로니《원통형 대형 파스타(pasta) 또는 그 요리》

can·ne·lure [kǽnəljuər] *n.* (총탄의) 탄피 홈; (저항을 줄이기 위한) 탄띠 홈; 총신의 원형 홈

can·ner [kǽnər] *n.* (미) 통조림 제조업자; (통조림용 이외에는 사용할 수 없을 정도로) 육질이 나쁜 동물[고기]; = PRESSURE COOKER

can·ner·y [kǽnəri] *n.* (*pl.* **-ner·ies**) (미) 통조림 공장; (미·속어) 교도소

Cannes [kǽn, kǽnz] *n.* 칸《프랑스 남동부의 휴양지; 해마다 국제 영화제가 열림》

*__can·ni·bal__ [kǽnəbəl] *n.* **1** 식인종(anthropophagite); 동족을 잡아먹는 동물 **2** (기계·차의) 부품을 해체하는 사람 **3** (미·비어) = SOIXANTE-NEUF; (미·비어) 펠라티오(fellatio)하는 사람
— *a.* **1** Ⓐ 식인의, 인육을 먹는, 식인 관습을 가진: a ~ tribe 식인종 **2** 〈동물이〉 동족을 잡아먹는
~·ly *ad.*

can·ni·bal·ism [kǽnəbəlìzm] *n.* Ⓤ **1** 사람 고기를 먹는 풍습; 동족끼리 서로 잡아먹음; 잔인, 만행 **2** (대기업에 의한) 중소기업의 흡수 합병 **3** 제품의 부품을 떼어 별도[전환] 이용함; 기업의 종업원[자산]을 빼돌려서[전환] 이용함 **càn·ni·bal·ís·tic** *a.* 사람을 잡아먹는; 동족을 잡아먹는; 야만적인

can·ni·bal·ize [kǽnəbəlàiz] *vt.* **1** 〈사람의〉 고기를 먹다; 〈동물이〉 〈동족을〉 서로 잡아먹다 **2** 〈헌[고장난] 자동차[기계] 등을〉 분해하다, 해체하다; 부품을 해체하여 이용 가능 부품을 사용하다 **3** 〈동종 기업의〉 직원[설비]을 빼내다 **4** 〈상품이〉 (시장에) 침투하다; …의 소멸[감소]을 일으키다; 〈동일 회사의 신제품 등이〉 〈기존 제품(의 매상)을〉 잠식하다
— *vi.* **1** 인육(人肉)을 먹다; 서로 잡아먹다 **2** 다른 기계의 부품을 떼내어 수리[조립]하다; 인재를 스카우트하다 **càn·ni·bal·i·zá·tion** *n.*

can·ni·kin, can·i- [kǽnikin] *n.* 작은 깡통, 컵; 목재의 작은 통

can·ning [kǽniŋ] *n.* Ⓤ 통조림 제조(업): the ~ industry 통조림 (제조) 공업

can·no·li [kənóuli] [It.] *n. pl.* 카놀리《귤·초콜릿과 달콤한 치즈 등을 파이 껍질로 싸서 튀긴 것》

‡**can·non** [kǽnən] [L 「갈대」의 뜻에서] *n.* (*pl.* **~s,** [집합적] **~**) **1** 대포《지금은 gun이 보통》; (특히) 비행기 탑재용 기관포 **2** 〚기계〛 이중축(軸) **3** 〚동물〛 = CANNON BONE **4** (영) 〚당구〛 캐논《친 공이 계속하여 두 개의 목표 공에 맞음; (미) carom》 **5** (미·속어) 권총; 소매치기 **6** (종을 매달게 종 위에 돌출한) 꼭지고리(canon)
— *vi.* 대포를 쏘다; (영) 〚당구〛 캐논을 치다; (…에) 세게 충돌하다《*against, into, with*》
— *vt.* 〈적진 등을〉 포격하다; (영) 〚당구〛 〈공을〉 캐논으로 하다; (미·속어) 훔치다

can·non·ade [kæ̀nənéid] *n.* 연속 포격; 포성; 연달은 비난[비평] — *vt.* 연속 (집중) 포격하다 — *vi.* 연속 (집중) 포격하다; (포성처럼) 울리다 ★ 지금은 보통 bombard(ment).

can·non·ball [kǽnənbɔ̀ːl] *n.* **1** 포탄《지금은 shell이 보통》 **2** (구어) 특급[탄환] 열차 **3** (다이빙 경기에서) 양 무릎을 껴안고 뛰어들기; 〚테니스〛 탄환 서브 **4** (미·속어) (교도소에서 죄수끼리 또는 죄수가 밖의 친구에게 전달하는) 메시지 — *a.* Ⓐ 탄환처럼[굉장히] 빠른; (다이빙 경기에서) 끌어안은 형태의
— *vi.* (탄환처럼) 빨리 움직이다

cánnon bít (말의) 둥근 재갈

cánnon bòne 〚동물〛 포골(砲骨), (말의) 정강이뼈

cánnon cràcker 대형 폭죽[불꽃]

can·non·eer [kæ̀nəníər] *n.* 포수(砲手), 포병(artilleryman)

cánnon fòdder [「대포의 밥」이란 뜻에서] [집합적] (구어) (전사할 위험이 많은) 병사(兵士)들

cánnon nèt 사출(射出) 포획망《총같이 쏘아 망을 펼쳐 사냥감을 잡는 그물》

can·non·proof [kǽnənprùːf] *a.* 방탄의

can·non·ry [kǽnənri] *n.* (*pl.* **-ries**) ⓊⒸ **1** 포격; 연속 포격 **2** = ARTILLERY 1

cánnon shòt 포탄; 발포, 포격; (포탄의) 착탄 거리

‡**can·not** [kǽnɑt, kænɑ́t, kənɑ́t, kǽnət | kǽnɔt, -nət] ⇨ can¹

can·nu·la [kǽnjulə] *n.* (*pl.* **~s, -lae** [-lìː]) 〚외과〛 캐뉼러《환부에 꽂아 액을 빼내거나 약을 넣는 데 쓰는 금속관》

can·nu·lar [kǽnjulər] *a.* 캐뉼러 모양의

can·nu·late [kǽnjulèit] *vt.* 〚외과〛 …에 캐뉼러를 꽂다 — [kǽnjulèit, -lət] *a.* = CANNULAR
càn·nu·lá·tion *n.*

can·ny [kǽni] *a.* (**-ni·er**; **-ni·est**) **1** 영리한; 신중한, 조심성 많은, 빈틈없는(shrewd) **2** 검소한, 알뜰한 **3** 좋은, 훌륭한; 운수 좋은 — *ad.* **1** 신중히, 기민(機敏)하게 **2** (스코) 주의 깊게 **3** (스코·방언) 꽤, 상당히
cán·ni·ly *ad.* **cán·ni·ness** *n.*

‡**ca·noe** [kənúː] *n.* 카누, 마상이, 통나무배; (미·속어) 여자 성기 ***in the same ~*** (뉴질) 같은 부족의 ***paddle*** one***'s own ~*** (구어) 자립 자활하다
— *vi., vt.* (**~d**; **~·ing**) 카누를 젓다, 카누로 가다[나르다] **~·ist** *n.* 카누 젓는 사람

can·o·la [kǽnələ] *n.* 〚식물〛 캐놀라《서양 유채의 한 가지로, 개량 품종》

*__can·on¹__ [kǽnən] [Gk 「재는 막대」의 뜻에서] *n.* **1** 〚가톨릭〛 교회법, 카논《그리스도교적 신앙 및 행위의 기준》; 법규집(集) **2** 규범, 기준(criterion); 일반적 규칙, 근본 원리 **3** 성서 정전(正典)《외전(外典)에 대하여》; 진짜 작품 (목록)《위작(僞作)과 대비하여》: the Books of the *C*~ = the CANONICAL books **4** 〚가톨릭〛 성인 명부(聖人名簿) **5** [**C~**] 〚가톨릭〛 미사 전문(典文) **6** 〚음악〛 카논, 전칙곡(典則曲) **7** Ⓤ 〚인쇄〛 카논 활자《48 포인트》 **8** 〚무용〛 카논《어떤 사람의 동작을 다른 사람이 따르려고 모방하는 방법》
▷ canónical *a.*; cánonize *v.*

canon² *n.* **1** (영) (대)성당 참사회원; 〚가톨릭〛 수사신부 **2** = CANNON 6

ca·ñon [kǽnjən] [Sp.] *n.* = CANYON

can·on·ess [kǽnənis] *n.* 수도 서원(誓願)을 하지 않고 일정한 규율 아래서 공동 생활을 하는 수녀; 여자 성당 참사회원

ca·non·ic [kənɑ́nik | -nɔ́n-] *a.* = CANONICAL

ca·non·i·cal [kənɑ́nikəl | -nɔ́n-] *a.* **1** 정전(正典)으로 인정받은: the ~ books (of the Bible) 정전(正典) **2** 교회법에 의거한 **3** 권위 있는, 규범적인 **4** 〚수학〛 〈방정식·좌표 따위가〉 기준의, 정규의 **5** 〚음악〛 카논(canon) 형식의 **6** 〚언어〛 〈언어의 형식·패턴이〉 (어떤 언어에) 특징적인, 일반적인, 기본적인
— *n.* [*pl.*] (정규의) 성직복
~·ly *ad.* 교회법에 의하여 ▷ cánon¹ *n.*

canónical fórm 〚언어〛 기준 형식《한 언어의 음운의 특징적 형태》; 〚수학〛 표준형《가장 단순한 행렬의 형》

canónical hóur [the ~] 〖가톨릭〗 정시과(定時課) 《하루 일곱 번의 기도 시간》; 〖영국국교〗 결혼식 거행 시간 《오전 8시-오후 6시》
can·on·ic·i·ty [kæ̀nənísəti] *n.* Ⓤ 교회법에 합치함; 정전(正典)의 자격
ca·non·ics [kənɑ́niks | -nɔ́n-] *n. pl.* [단수 취급] 경전(經典) 연구, 정전학(正典學)
can·on·ist [kǽnənist] *n.* 교회법 학자
can·on·is·tic, -ti·cal [kæ̀nənístik(əl)] *a.* 교회법(상)의
can·on·i·za·tion [kæ̀nənizéiʃən | -naiz-] *n.* Ⓤ 시성(諡聖)(식); 성전(聖典)[정전(正典)] 승인
can·on·ize [kǽnənàiz] *vt.* 시성(諡聖)하다, 성자의 반열에 올리다; 성전(聖典)[정전(正典)]으로 인정하다; 찬미[칭찬]하다; 신성시하다; (특히 종교적) 권위를 가지고 인정하다 ▷ cánon¹ *n.*
cánon láw 교회법, 종규(宗規)
cánon láwyer = CANONIST
can·on·ry [kǽnənri] *n.* (*pl.* **-ries**) Ⓤ 성당 참사회원의 직; [집합적] 성당 참사회원
cánons régular 〖가톨릭〗 수도 참사 회원
ca·noo·dle [kənú:dl] *vi., vt.* 《속어》 껴안다, 애무하다(fondle) **-dler** *n.*
cán òpener 《미》 깡통 따개(《영》 tin opener); 《미·속어》 금고털이 연장
ca·nó·pic jár[**úrn, váse**] [kənóupik-] [때로 **C- j-**] **1** 고대 이집트에서 미라의 내장을 담는 데 사용한 항아리 **2** 유골 단지
Ca·no·pus [kənóupəs] *n.* 〖천문〗 카노푸스 《용골자리(Carina)의 일등성》
*__can·o·py__ [kǽnəpi] [Gk 「모기장」의 뜻에서] *n.* (*pl.* **-pies**) **1** 천개(天蓋), 닫집(baldachin) **2** 〖건축〗 (천개 모양의) 차양, 차일(awning) **3** 천개처럼 덮은 것; 숲의 우거진 윗부분(=**crówn ~**); 하늘: under the ~ of smoke 연기에 뒤덮여 / the ~ of heaven(s) 창공 **4** 〖항공〗 (조종실 위쪽의 투명한) 덮개
under the ~ 《미》 도대체 《의문의 강조》
— *vt.* (**-pied**) 천개로 덮다, 닫집처럼 가리다

canopy 2

ca·no·rous [kənɔ́:rəs] *a.* 음조[음색]가 좋은(melodious), 울려 퍼지는 **~·ly** *ad.* **~·ness** *n.*
Ca·nos·sa [kənɑ́sə | -nɔ́sə] *n.* 카노사 《이탈리아 북부의 옛 성; 1077년 신성 로마 제국 황제 Henry 4세가 교황 Gregory 7세 앞에서 무릎을 꿇은 곳》
cans [kǽnz] *n. pl.* 《구어》 헤드폰
can-shak·er [kǽnʃèikər] *n.* 《미·구어》 자금 조달자
canst [kǽnst, kənst] *auxil. v.* 《고어》 CAN의 2인칭 단수 현재 《주어는 thou》
cant¹ [kǽnt] [L 「노래하다」의 뜻에서] *n.* Ⓤ **1** (점잔 빼는) 위선적인 말투; (정당 등의) 형식적인 표어; 일시적인 유행어: a ~ phrase 유행어 **2** (특정 집단의)변말, 은어(jargon): thieves' ~ 도둑의 은어 **3** (특히 거지의) 가련한 소리
— *vi.* **1** 점잔 빼는 말투를 쓰다 **2** (거지처럼) 처량한 말투로 이야기하다; 구걸하다 **3** 은어를 쓰다
— *vt.* 은어로 이야기하다
cant² [L 「모서리, 귀퉁이」의 뜻에서] *n.* **1** 돌각(突角) 《튀어나온 모서리》 **2** 급격한 움직임 **3** (결정체·제방(堤防) 등의) 경사면, 경사 **4** 〖철도〗 캔트 《커브에서 바깥쪽 레일을 높게 한 것》 **5** 갑자기 던지기 **6** 마구리한 목재(flitch) — *a.* Ⓐ 모서리를 자른; 경사진
— *vt.* **1** 모서리를 자르다, 비스듬히 잘라내다 《*off*》 **2** 기울이다; 뒤집다 《*over*》 **3** 던지다 — *vi.* **1** 기울다, 비스듬히 자리잡다 **2** 뒤집히다 《*over*》 **3** 〈배가〉 방향을 바꾸다
cant³ [kɑ́:nt] *a.* 《스코·북잉글·방언》 원기 왕성한(hearty); 쾌활한(merry)

‡**can't** [kǽnt, kɑ́:nt | kɑ́:nt] cannot의 단축형 ★ 구어에서는 mayn't 대신에 쓰임: *C~* I go now? 이제 가도 되죠? ⇨ can¹
cant. canton; cantonment **Cant.** Canterbury; Canticles; Cantonese
Can·tab [kǽntæb] *a.* 《구어》 = CANTABRIGIAN 《보통 학위 뒤에 쓰임》
can·ta·bi·le [kɑ:ntɑ́:bilèi, -li, kən- | kæntɑ́:bili] [It.] 〖음악〗 *a., ad.* 칸타빌레의[로], 노래하는 듯한[이] — *n.* 칸타빌레 (악장); Ⓤ 칸타빌레 형식
Can·ta·brig·i·an [kæ̀ntəbrídʒiən] [Cambridge의 라틴 어 형용사] *a., n.* Cambridge 시(의); Cambridge[Harvard] 대학의 (재학생[출신자, 관계자]) ▷ Cámbridge *n.*
can·ta·la [kæntɑ́:lə] *n.* 〖식물〗 칸탈라 《용설란속(屬)의 나무; 그 잎에서 얻는 섬유》
can·ta·loupe, -loup [kǽntəlòup | -lù:p] *n.* 〖식물〗 (남유럽산) 멜론의 일종
can·tan·ker·ous [kæntǽŋkərəs] *a.* 심술궂은; 잘 싸우는; 다루기 힘든 **~·ly** *ad.* **~·ness** *n.*
can·ta·ta [kəntɑ́:tə | kæn-] [It.] *n.* 〖음악〗 칸타타 《독창부·2중창부·합창부로 된 성악곡》; (일반적으로 17세기의) 성악곡 《기악곡의 소나타(sonata)와 대조하여》
can·ta·tri·ce [kæ̀ntətrí:tʃei, -trí:s] [It.] *n.* (*pl.* **~s** [-z], **-ci** [-tʃi]) 여자 가수, 《특히》 여자 오페라 가수
cánt dòg 《영》 = CANT HOOK
can·teen [kæntí:n] *n.* **1** (군대의) 반합, 수통(water bottle); 휴대 식기 **2** (군부대 안의) 매점 《미군에서는 보통 PX라 함》; (공장·학교·캠프장 등의) 구내식당, 매점: a dry[wet] ~ 식료품[주류]을 주로 파는 매점 **3** 《영》 식기[연장] 상자 《가정용》 **4** 무료 군인 접대소 **5** 오락 시설, 사교 클럽
cantéen cùlture 《영》 (경찰 조직에 볼 수 있는) 보수적이고 차별적인 행동[태도]
can·ter [kǽntər] *n.* 〖승마〗 보통 구보 《trot보다 빠르고 gallop보다 느림》: at a ~ 〈말이〉 보통 구보로
win at [***in***] ***a*** ~ 〈경마 말이〉 쉽게 이기다
— *vi., vt.* 보통 구보로 달리다; 〈말을〉 천천히 달리게 하다; 〈말이〉 보통 구보로 가다 《*along*》
*__Can·ter·bur·y__ [kǽntərbèri, -bəri | -bəri, -bèri] [OE 'Kent의 도시」의 뜻에서] *n.* **1** 캔터베리 《영국 Kent 주의 도시; 영국 국교회 총본산의 소재지; cf. YORK》 **2** [**c~**] 독서대(臺), 악보대; (18세기 후기의) 식사 쟁반
Cánterbury bèlls [단수·복수 취급] 〖식물〗 초롱꽃
Cánterbury tále[**stóry**] 지루한[지어낸] 이야기
Cánterbury Táles [The ~] 캔터베리 이야기 《14세기 Chaucer가 쓴 운문》
can·thar·i·des [kænθǽrədi:z] *n. pl.* (*sing.* **-thar·is** [-θǽris]) **1** [단수·복수 취급] 칸타리스 《발포제(發疱劑)·이뇨제》 **2** [단수 취급] 〖곤충〗 가뢰(Spanish fly)
can·tha·xan·thin(**e**) [kæ̀nθəzǽnθin] *n.* 〖화학〗 칸타크산틴 《식품 착색료로 쓰였으나 현재는 사용 금지》
cánt hòok 갈고리 장대(peavey) 《통나무 처리용》
can·thus [kǽnθəs] *n.* (*pl.* **-thi** [-θai]) 〖해부〗 안각(眼角), 눈의 양끝
can·ti·cle [kǽntikl] *n.* 성가, 찬송가 《특히 성서에 바탕을 둔 것들로 예배 중에 사용》; [the C~s] =CANTICLE OF CANTICLES
Cánticle of Cánticles 〖성서〗 아가(雅歌)(the Song of Solomon)

cant hook

can·ti·le·na [kæ̀ntəlí:nə] [It.] *n.* 〖음악〗 성악[기악]의 서정적 선율
can·ti·lev·er [kǽntəlì:vər] *n.* 〖건축〗 캔틸레버, 외팔보; 〖항공〗 외팔 날개
— *vi.* 외팔보처럼 튀어나오다; 외팔보로 받쳐지다
— *vt.* 외팔보처럼 만들다

cántilever brìdge 캔틸레버식 다리
can·til·late [kǽntəlèit] *vt.* 영창(詠唱)하다, 가락을 붙여 노래하다 **càn·til·lá·tion** *n.*
can·ti·na [kæntíːnə] [Sp.] *n.* (*pl.* **~s**) ((미남서부)) 술집(saloon), 바(bar); 안장머리(pommel)의 주머니
cant·ing [kǽntiŋ] *a.* 독실한 체하는, 위선적인
can·tle [kǽntl] *n.* ((영)) 안장 꼬리 ((안장 뒤쪽의 휘어 올라간 부분)); 잘라 낸 조각
∗**can·to** [kǽntou] [L 「노래」의 뜻에서] *n.* (*pl.* **~s**) (장시(長詩)의) 편(篇) ((소설의 chapter에 해당)); 〚음악〛 주선율; ((속어)) 〚스포츠〛 경기의 구분 ((야구의 inning, 권투의 round 등))
∗**can·ton** [kǽntən, -tɑn, kæntɑ́n | kǽntɔn, -ˊ] *n.* **1** (스위스 연방의) 주(州); (프랑스의) 군(郡) ((arrondissement의 작은 구분)) **2** (문장(紋章)의) 왼편 위쪽 구석의 작은 구획 **3** 〚건축〛 모퉁이 장식
— *vt.* **1** 분할하다; 주[군]로 나누다 ((*out*)) **2** [kæntɑ́n, -tóun | kəntúːn] 〈군대에〉 막사를 할당하다, 숙영시키다 **~·al** [kǽntənl] *a.*
Can·ton [kæ̀ntɑ́n, ˊ- | kæ̀ntɔ́n] *n.* 광둥(廣東) ((중국 동남부의 도시))
Cánton crépe 광둥 크레이프 ((실크의 일종))
Cánton enámel 광둥 칠보 ((중국의 고급 식기류))
Can·ton·ese [kæ̀ntəníːz, -níːs] *a.* 광둥(廣東)의; 광둥 말[사람]의 **—** *n.* (*pl.* ~) 광둥 사람; Ⓤ 광둥 말
Cánton flánnel 광둥 플란넬(cotton flannel)
can·ton·ment [kæntɑ́nmənt, -tóun- | -túːn-] *n.* [보통 *pl.*] 〚군사〛 숙영(지); (원래 인도 주재 영국 군대의) 병영
Can·to·pop [kǽntoupɑːp | -pɔp] *n.* Ⓤ 칸토팝 ((홍콩을 중심으로 시작된 광둥 어로 된 팝 뮤직))
can·tor [kǽntər, -tɔːr | -tɔː] *n.* (성가대의) 선창자(先唱者); 독창자, 주창자
can·to·ri·al [kæntɔ́ːriəl] *a.* 선창자의; 성가대석 쪽의, 북쪽의(opp. *decanal*)
can·to·ris [kæntɔ́ːris] [L] *a.* = CANTORIAL; 북쪽 합창대가 노래해야 할(cf. DECANI) **—** *n.* 북쪽 성가대
cant·rail [kǽntrèil] *n.* ((영)) (객차의) 지붕을 받치는 각재(角材)
can·trip [kɑ́ːntrip] *n.* ((스코)) 주문(呪文); 장난; ((주로 영)) (속이기 위한) 교묘한 겉치레
Cantuar. [kǽntʃuɑ̀ːr] [L] *Cantuariensis* = of Canterbury ((Archbishop of Canterbury의 서명에 쓰임))
can·tus [kǽntəs] [L] *n.* (*pl.* ~) 〚음악〛 노래, 선율; 성가조(調); = CANTUS FIRMUS
cántus fír·mus [-fɔ́ːrməs] [L = fixed song] 〚음악〛 정(定)선율; (교회의) 전통적 성악
cant·y [kǽnti, kɑ́ːn-] *a.* ((스코)) 명랑한, 활발한
Ca·nuck [kənʌ́k] *n., a.* ((미·속어)) 프랑스계 캐나다 사람(의), 캐나다 사람(의); 캐나다종의 말(馬)(의); 캐나다 프랑스 어(의)
ca·nu·la [kǽnjulə] *n.* = CANNULA
Ca·nute [kənjúːt | -njúːt] *n.* **1** 카누트 ~ **the Great** (995?-1035) ((잉글랜드 왕(1016-35), 덴마크 왕(1018-35), 노르웨이 왕(1028-35)을 겸함)) **2** (자신의 권력·위대함을) 호언하는 사람
‡**can·vas** [kǽnvəs] [L 「삼」의 뜻에서] *n.* Ⓤ **1** 범포(帆布), 즈크, 올이 굵은 삼베[무명]; [집합적] 텐트 **2** 캔버스, 화포; [the ~] (권투·레슬링 등의) 링의 캔버스 바닥: send an adversary to *the* ~ 상대를 캔버스에 눕히다 **3** Ⓒ 유화(oil painting) **4** (역사·이야기의) 배경, 무대 ((*of*)) **5** [the ~] 서커스; 순회 흥행장 **6** (레이스용 보트 등의) 방파 갑판
by a **~** 근소한 차로 〈이기다 등〉 ***kiss the*** **~** (얻어맞고) 쓰러지다, 녹다운되다 ***on*** **~** (권투에서) 다운되어; 거의 지게 되어 ***under*** **~** 〈군대가〉 야영 중에; 〈배가〉 돛을 달고(under sail)
— *a.* Ⓐ 캔버스[즈크]제의: ~ shoes 즈크화
— *vt.* 캔버스로 덮다[배접하다] **~·like** *a.*

cánvas bàck ((속어)) 뜨내기 (노동자); 도시에 갓 나온 젊은이; 즈크 자루를 멘 사람
can·vas·back [kǽnvəsbæ̀k] *n.* (*pl.* **~s,** [집합적] ~) 〚조류〛 댕기흰죽지 ((북미산 들오리))
∗**can·vass** [kǽnvəs] *vt.* **1** 〈투표·의견·기부 등을〉 〈어떤 지역·집단의 사람들에게〉 부탁하고 다니다, 간청하다, 의뢰하다, 권유하다; 〈선거구 등을〉 유세하다; ((미)) 〈개표를〉 점검하다: (~+목+전+명) ~ a district *for* votes 투표를 호소하러 선거구를 유세하다 / He ~*ed* the neighborhood from house to house *for* order. 그는 그 부근을 집집마다 주문 받으러 다녔다. **2** 상세히 조사하다, 정사(精査)하다: (~+목+전+명) ~ the ad columns *for* a house for rent 셋집을 얻으려고 광고란을 조사하다 **3** 〈문제 등을〉 검토[토의]하다: ~ a plan 안을 검토하다 **4** ((영)) 〈의견·계획을〉 제출하다, 내다 **5** ((영)) 〈소문을〉 퍼뜨리다
— *vi.* **1** 선거 운동을 하다; 주문을 받으러 다니다 ((*for*)): (~+전+명) ~ *for* a candidate 후보자를 위해 운동하다 / ~ *for* votes 선거 운동을 하다 / ~ *for* a newspaper 신문의 (구독) 주문을 받으러 다니다 **2** 의논[토론]하다 **3** ((미)) 개표를 점검하다
— *n.* **1** 호별 방문; 주문받음 **2** ((주로 미)) 선거 운동, 유세 **3** 조사; 면밀한 검사, 점검; 추구 **4** (선거 전의) 여론 조사
can·vass·er [kǽnvəsər] *n.* **1** 호별 방문자; 선거 운동원 **2** 주문받는 사람, 외판원 **3** ((미)) 선거 (결과)의 예상 조사를 하는 사람, 개표 참관인
can·vas-stretch·er [kǽnvəsstrètʃər] *n.* 캔버스 틀
can·y [kéini] *a.* (**can·i·er**; **-i·est**) 등(籐)의, 등이 많은, 등으로 만든
∗**can·yon** [kǽnjən] [Sp.] *n.* 깊은[큰] 협곡(⇨ valley 유의어); ⇨ Grand Canyon
can·yon·ing [kǽnjəniŋ] *n.* Ⓤ 협곡 타기 ((계곡의 급류로 뛰어들어 하류까지 고속도로 내려가는 스포츠))
can·zo·ne [kænzóuni] [It. 「노래」의 뜻에서] *n.* (*pl.* **~s, -ni** [-niː]) 칸초네 ((사랑·아름다움을 노래하는 서정적인 이탈리아 가곡)); 중세 이탈리아의 서정시
can·zo·net [kæ̀nzənét], **-net·ta** [-nétə] [It.] *n.* 칸초네타 ((소규모의 칸초네))
caou·tchouc [káutʃuk, kautʃúːk] *n.* Ⓤ 천연 고무, 생고무(rubber)
‡**cap**[1] [kǽp] [L 「머리」의 뜻에서] *n.* **1** (테 없는) 모자 (⇨ hat 유의어): a baseball ~ 야구 모자 / a nurse's ~ 간호사 모자 / a work ~ 작업모 / a school(boy's) ~ 학생모 / a peaked ~ 앞챙이 달린 모자 **2** 특수한 모자: a college[square] ~ 대학모[각모] / a steel ~ 철모(helmet) / a football ~ 벨벳으로 만든 제모 ((팀 가입의 표지)) **3** 뚜껑, 캡; 모자 모양의 것, 마개, (만년필 등의) 두겁; (신발의) 코(toecap); 무릎뼈(kneecap) **4** 정점, 최고(top): the ~ of fools 바보 중의 바보 **5** (임금·물가 등의) 최고 한도액, 상한(上限) **6** 뇌관; (탄환의) 피모(被帽) ((탄두 부분에 공기 저항을 적게 하거나 장갑판 관통시 탄두부의 파괴를 막기 위한 금속)); (장난감 총의) 종이 화약 **7** ((구어)) (닳은 타이어의 접촉면에 붙인) 덧고무층(tread) **8** 〚건축〛 기둥머리, 주두(柱頭) **9** (출산 시 신생아 머리에 부착된) 후산(後産)의 일부 **10** ((영·속어)) 피임용 페서리 **11** 〚목공〛 덧날 **12** 판(判) ((각종 용지의 크기)) **13** 〚수학〛 교집합 기호 ((∩)) **14** 〚항해〛 돛대 꼭대기의 이음목 **15** (버섯의) 갓 **16** 〚조류〛 (특징적인 색깔을 띤) 새의 머리 부분 **17** 〚치과〛 (치아의) 치관(齒冠); 인공 치관(crown), 금관 **18** 〚전기〛 (전자관의) 캡
a feather in one's **~** ⇨ feather. ***blow*** one's **~** = BLOW one's top. **~ *and bells*** 방울 달린 광대 모자(cf. FOOL'S CAP) **~ *and gown*** 가운과 사각모

thesaurus **capable** *a.* able, competent, adequate, efficient, talented, gifted, proficient
capacious *a.* roomy, spacious, large, ample, sizable, voluminous, substantial, vast, immense (opp. *cramped*, *narrow*)

《대학생·교수의 정장; cf. ACADEMIC COSTUME》 ***~ in hand*** 모자를 벗고, 황공해하며, 굽실거리며 ***~ of maintenance*** 관모(官帽) 《영국 왕 대관식 때 국왕 앞에서 받드는 모자》 ***fling***[***throw***] ***one's ~ over the windmill*** ⇨ windmill. ***get***[***win***] ***one's ~*** 대표 선수가 되다 ***If the ~ fits, wear it.*** 그 말이 타당하면 순순히 받아들여라. ***pop a ~*** 《속어》 총을 쏘다, 발포하다 ***pull ~s*** ⇨ pull. ***put on one's considering***[***thinking***] ***~*** 《구어》 숙고하다 ***send***[***pass, take***] ***round a***[***the***] ***~*** = ***send***[***pass, take***] ***the ~ round*** 모자를 돌려 기부금을 모으다 ***set one's ~ for***[《영》 ***at***] 《구어》 〈여자가〉 〈남자의〉 환심을 사려 하다 ***snap one's ~*** 《미·속어》 몹시 흥분[당황]하다 ***throw up one's ~*** = ***throw one's ~ in the air*** (기뻐서) 모자를 던져 올리다 ***Where is your ~?*** (아가야) 인사를 해야지?

— *v.* (**~ped**; **~·ping**) *vt.* **1** …에게 모자를 씌우다 **2** 《미》 〈간호학교 졸업생에게〉 (견습 기간이 끝났음의 표시로) 간호사 모자를 씌우다 **3** 《스코》 학위를 주다 **4 a** 〈기구에〉 뚜껑 등을 덮다, 붙이다 **b** 〈물건이〉 꼭대기[표면]를 덮다: mountains *~ped* with snow 눈이 덮인 산 **5** 완성하다, 마무리하다 **6** 《구어》 〈일화·인용구 등을〉 다투어 끄집어 내다 **7** …보다 낫다, 상수를 쓰다, 능가하다 **8** 《주로 영》 〖스포츠〗 〈선수에게〉 선수모를 주다, (국가·지방의) 대표 선수로 뽑다 《*for*》 **9** 〈임금·물가 등의〉 상한을 정하다 **10** 〖야구〗 쐐기 득점을 하다

— *vi.* **1** (…에게) (경의의 표시로) 모자를 벗다 《*to*》 **2** 자신이 소속하지 않은 수렵 클럽과 함께 사냥하다 **3** 《미·속어》 모욕적인 말을 하다

~ off 《속어》 …을 (성공리에) 끝마치다, 마무리짓다 ***~ on*** 《미·속어》 공격하다, 모욕하다, 평판을 나쁘게 하다 ***~ out*** 《미·속어》 자다 ***~ the climax*** 《미》 도를 지나치다 ***~ to*** ⇨ *vi.* 1; 〈계획 등에〉 찬성하다 ***~ verses*** 시구(詩句)의 끝자를 이어받아 짓다 ***That ~s it all!*** 최고다, 이 이상의 것은 없다! ***to ~***(***it***) ***all*** 게다가 또, 결국에 가서는, 필경에는

cap² *n.* **1** 대문자(capital letter) **2** [보통 *pl.*] 〖인쇄〗 대문자 케이스 — *vt.* (**~ped**; **~·ping**) 대문자로 쓰다[인쇄하다]

cap³ *n.* 《속어》 (헤로인 등의) 정제, 캡슐(capsule) — *vt., vi.* (**~ped**; **~·ping**) 《미·속어》 〈캡슐을〉 열다, 사용하다, 〈약을〉 사다 ***~ out*** 《미·속어》 마약으로 의식을 잃다

cap⁴ *n.* 《미·구어》 대장, 선장, 반장, 사장(captain)

CAP civil air patrol; Common Agricultural Policy (EU의) 농산물 정책; computer-aided production; computer-aided publishing **cap.** capacity; capital; capitalize(d); capital letter; capitulum; *caput* 《L = chapter》; capsule; foolscap

ca·pa [kɑ́:pə] *n.* 카파 《투우사의 붉은 망토》; 쿠바산(産) 고급 담배

ca·pa·bil·i·ty** [kèipəbíləti] *n.* (*pl.* **-ties**) Ⓤ **1** 능력, 재능, 수완 《*for, of*》: (~+to*** do) She has no ~ *to* deal with the matter. 그녀는 그 일을 처리할 능력이 없다. **2** (사물의) 특성, 적응성, 성능 《*for, in*》; (국가의) 전쟁 능력 **3** Ⓒ [보통 *pl.*] (뻗어날) 소질, (발달의) 가능성, 장래성: a man of great *capabilities* 장래가 유망한 사람 **4** 〖전기〗 가능 출력
▷ cápable *a.*

‡ca·pa·ble [kéipəbl] [L 「붙잡을 수 있는」의 뜻에서] *a.* **1** 유능한(⇨ able 유의어), 능력 있는 《*for*》: a ~ teacher 유능한 교사 **2** Ⓟ 〈사람이〉 (…의[할]) 능력이 있는, (…에 필요한) 실력[자격]이 있는 《*of*》; 〈사물·사정이〉 (…이) 가능한, …할 여지가 있는 《*of*》; 〈방·극장 등이〉 (…을) 수용할 수 있는 《*of*》: a room ~ *of* 50 people 50명을 수용할 수 있는 방 / a situation ~ *of* improvement 개선의 여지가 있는 상황 **3** Ⓟ (…을) 감히 할, (…하기를) 서슴지 않을 《*of*》: a man ~ *of* (do*ing*) anything 무슨 짓이든 능히 할 사람
~·ness *n.* **-bly** *ad.* 유능하게, 훌륭하게

***ca·pa·cious** [kəpéiʃəs] *a.* **1** 널찍한; 큼지막한; 용량이 큰 **2** 포용력 있는(receptive): a man of ~ mind 마음이 넓은 사람 **~·ly** *ad.* **~·ness** *n.*
▷ capácity *n.*

ca·pac·i·tance [kəpǽsətəns] *n.* Ⓤ 〖전기〗 전기 용량; Ⓒ 콘덴서(condenser); 전하(電荷)를 축적하는 성질 《기호 C》

ca·pac·i·tate [kəpǽsətèit] *vt.* **1** …에게 (…하는 것을) 가능케 하다(enable) 《*to* do》 **2** …에게 (…의) 능력[자격]을 주다 《*for*》 **ca·pàc·i·tá·tion** *n.*

ca·pac·i·tive [kəpǽsətiv] *a.* 〖전기〗 전기 용량의, 용량성(容量性)의 **~·ly** *ad.*

capácitive cóupling 〖전기〗 용량 결합

capácitive reáctance 〖전기〗 용량성 리액턴스

ca·pac·i·tor [kəpǽsətər] *n.* 축전지, 콘덴서(condenser)

‡ca·pac·i·ty [kəpǽsəti] *n.* (*pl.* **-ties**) Ⓤ **1** (최대) 수용력[량], (방·건물·탈것 등의) 정원(定員); 흡수력; 포용력: limited ~ of the auditorium 강당의 한정된 수용 능력 // (~+전+***-ing***) the ~ of a metal *for* retain*ing* heat 금속의 열 보유력 **2** 용적, 용량; 〖물리〗 열[전기] 용량 **3** 재능, 역량: a man of great ~ 대 수완가 // (~+***to*** do) the ~ *to* take account of all the important factors in a problem 문제의 요소를 모두 고려할 수 있는 여유 // (~+전+***-ing***) We have more ~ *for* know*ing* the past than *for* know*ing* the future. 우리는 미래를 아는 능력보다 과거를 아는 능력을 더 많이 갖고 있다. **4** Ⓒ 자격, 지위; 입장; Ⓤ 〖법〗 법적 자격: in the ~ of a friend 친구로서 / in my ~ as a critic 비평가로서의 내 입장에서 **5** (공장 등의) (최대) 생산 능력; (국가의) 전투 능력 **6** 이해력, 학습 능력 **7** (사람의) 먹을[마실] 수 있는 양 **8** 〖전기〗 전기 용량(capacitance); 최대 출력 **9** 〖컴퓨터〗 기억 용량(=storage ~); 레지스터(register)에 넣을 수 있는 최대의 범위
at ~ 전생산 능력을 올려서 ***be in ~*** 법률상의 능력을 갖추고 있다 ***~ to action*** 〖법〗 소송 능력 ***in a civil ~*** 한 시민으로서 ***to ~*** 최대한으로, 꽉 차게: be filled *to* ~ 꽉 차다, 만원이다 ***with a ~ of*** 용량 …의
— *a.* Ⓐ 《미》 최대한의; 꽉 찬, 만원의: a ~ crowd [audience] 만원 / a ~ house 만원인 극장
▷ capácious *a.*

cap-a-pie, cap-à-pie [kæ̀pəpí:] [F = from head to foot] *ad.* 온몸에, 전신에

ca·par·i·son [kəpǽrəsn] *n.* (말·무사 등의) 성장(盛裝); 호화로운 의상 — *vt.* 성장시키다

ca·par·i·soned [kəpǽrəsnd] *a.* (말을) 장식 천으로 씌운, 장식 마구를 한

cáp clòud (산봉우리를 덮는) 삿갓구름; = PILEUS 3

Cap·com [kǽpkɑ̀m | -kɔ̀m] [*cap*sule *com*municator] *n.* 우주선과의 교신 담당자

‡cape¹ [kéip] [L 「머리」의 뜻에서] *n.* **1** 곶, 갑(岬) (headland) **2** [the C~] **a** = CAPE OF GOOD HOPE **b** = CAPE COD
— *a.* [**C~**] 희망봉의; 남아프리카의
— *vi.* 〖항해〗 〈배가〉 양호한 조타성을 가지다

***cape²** [L 「후드 달린 망토」의 뜻에서] *n.* 어깨 망토, (여성복의) 케이프; (투우사의) 카파(capa); 갑우(岬羽), 목깃털 《수탉 등의 목에서 등까지 덮은 짧은 깃털》
— *vt.* 〈투우사 또는 그 조수가〉 카파를 펄럭여서 〈소를〉 돌진시키다

Cápe bóy 흑백 혼혈의 남아프리카인

Cápe bùffalo 〖동물〗 아프리카물소

Cápe Canáveral 케이프 커내버럴 《미국 Florida 주의 곶; 케네디 우주 센터가 있음》

---

capacity *n.* **1** 수용력 space, room, size, largeness, ampleness **2** 재능, 역량 ability, capability, aptitude, potential, power, competence, proficiency, cleverness, intelligence, accomplishment **3** 지위 position, post, job, function, role

Cápe Cód 케이프 코드 《미국 Massachusetts 주의 반도》; = CAPE COD COTTAGE
Cápe Còd cóttage (Cape Cod 지방의) 지붕의 물매가 싸고 굴뚝이 하나인 목조 단층집
Cápe Còd líghter (난로 따위의) 점화기
Cápe Còd túrkey 《미·속어》 대구(codfish)
Cápe Còlony 케이프 식민지 《the Cape Province의 구칭》
Cápe Cólored (남아프리카의) 유럽인과 아프리카인의 혼혈아
caped [kéipt] *a.* 케이프를 걸친[입은]
Cáped Crusáder (미국 만화의) 배트맨(Batman)
cápe dòctor 《남아공·구어》 (특히 여름의) 강한 남동풍
ca·peesh [kəpíːʃ] *int.* 《미·속어》 알았어!
Cápe Hórn 케이프 혼 《남미 최남단의 곶; the Horn이라고도 함》
Ča·pek [tʃɑ́ːpek] *n.* 차페크 **Karel ~** (1890-1938) 《체코의 극작가·소설가; robot라는 말을 만들어냄》
Cápe Kénnedy CAPE CANAVERAL의 옛 이름
cape·let [kéiplit] *n.* 작은 케이프[어깨 망토]
cap·e·lin [kǽpəlin] *n.* 〖어류〗 빙엇과(科)의 작은 물고기 《낚시 미끼》
Ca·pel·la [kəpélə] *n.* 〖천문〗 카펠라 《마차부자리(Auriga)의 α성》
cap·el·li·ni [kæpəlíːniː] [It.] *n.* 카펠리니 《아주 가늘고 긴 파스타》
Cápe of Gòod Hópe [the ~] **1** 희망봉 《남아프리카 공화국 최남단의 곶》 **2** 케이프 주(州)(Cape Province) 《남아프리카 공화국의 옛 주; 지금은 Eastern Cape, Northern Cape, Western Cape의 세 주로 갈라져 있음》
Cápe Pròvince [the ~] 케이프 주(州)(Cape of Good Hope)
***ca·per**[1] [kéipər] *vi.* 신나게 뛰놀다; 희롱거리다
— *n.* 신나게 뛰놀기; 《속어》 (술에 취해서 부리는) 광태(spree); 경박한[부주의한] 행동; 《미·속어》 강도, 범죄 계획[행위] ***cut a ~[~s]*** 신나게 뛰어다니다, 까불어대다, 광태를 부리다 **~·er** *n.*
caper[2] *n.* 〖식물〗 서양풍조목 《지중해 연안산》; [*pl.*] 그 꽃봉오리의 초절임 《조미료》
cap·er·cail·lie [kæ̀pərkéiljì], **-cail·zie** [-kéilji, -zi] *n.* 〖조류〗 큰뇌조(雷鳥)
Ca·per·na·um [kəpə́ːrneiəm, -niəm] *n.* 가버나움 《팔레스타인의 옛 도시》
cape·skin [kéipskìn] *n.* (남아프리카산) 양가죽; 양가죽 제품 《장갑·외투 등》 — *a.* 양가죽의[으로 만든]
Ca·pe·tian [kəpíːʃən] *a.*, *n.* (프랑스의) 카페(Capet) 왕조의 (사람[지지자])
Cápe Tòwn, Cape·town [kéiptàun] *n.* 케이프타운 《남아프리카 공화국 Western Cape 주의 주도, 입법부 소재지; cf. PRETORIA》
Càpe Vérde [-və́ːrd] 카보베르데 《아프리카 서쪽의 군도로 된 공화국; 수도 Praia》
cápe wòrk (투우사의) 케이프 다루는 솜씨
cap·ful [kǽpfùl] *n.* 모자에 가득(한 양); 산들바람: a ~ of wind 한바탕 이는 산들바람
cáp gùn = CAP PISTOL
ca·pi·as [kéipiəs, kǽp- | kéipiæs] *n.* (*pl.* **~·es**) 〖법〗 구속 영장
cap·il·la·ceous [kæ̀pəléiʃəs] *a.* 털 모양의, 털 같은; 모세관의
cap·il·lar·i·ty [kæ̀pəlǽrəti] *n.* Ⓤ 〖물리〗 모세관 현상; 모(세)관 인력; 털 모양, 모관상(毛管狀)
cap·il·lar·y [kǽpəlèri | kəpíləri] *a.* Ⓐ 털 모양의; 모세관 (현상)의: a ~ vessel 모세 혈관
— *n.* (*pl.* **-lar·ies**) = CAPILLARY TUBE
cápillary áction 〖물리〗 모세관 작용[현상]
cápillary attràction 〖물리〗 모세관 인력
cápillary tùbe 모세관
ca·pi·ta [kǽpətə] [L] *n.* CAPUT의 복수

‡**cap·i·tal**[1] [kǽpətl] *a.*, *n.*

> L 「머리의, 주요한」의 뜻에서
> →(머리에 관한) →(생사에 관한) 「사형의」 5
> →(문장 머리의) 「대문자의」 4
> →(앞장서는) →(「가장 중요한」 도시) → 「수도의」 2
> →(기본이 되는) 「자본의」 1

— *a.* **1** 자본의; 원래의(original), 기본의: a ~ fund 자본금 **2** Ⓐ 가장 중요한, 주요한, 으뜸가는(chief); 수도의: a ~ city[town] 수도 **3** 《구어》 최고급의(first-class), 썩 좋은, 훌륭한: *C~!* 최고야!, 멋지다! / a ~ idea 명안(名案) **4** 〈문자가〉 대문자의: a ~ letter 대문자 **5** 〈죄가〉 사형감인: a ~ crime (사형에 처할 만한) 중죄 **6** 〈잘못 등이〉 중대한, 치명적인(fatal): a ~ error 중대한 과오 ***with a ~ ...*** […부분에 강조할 단어의 첫 대문자를 두어] 진짜의; 본격적인: culture *with a* ~ C 참다운 문화
— *n.* **1 a** 수도, 주도(州都): Paris is the ~ of France. 파리는 프랑스의 수도이다. **b** (산업·문화 활동 등의) 중심지: the ~ of American finance 미국 금융의 중심지 **2** 대문자, 머리글자: in ~*s* 대문자로 **3** Ⓤ 자본, 자산; 자본금, 원금: pay 7% interest on ~ 원금에 대해 7퍼센트의 이자를 지급하다 **4** Ⓤ 힘[이익]의 원천; [종종 **C~**; 집합적] 자본가 (계급)
C~ and Labor 노사(勞使) ***circulating*** [***floating***] ***~*** 유동 자본 ***lose both ~ and interest*** 이자는 물론 본전마저 잃다 ***make ~*** (***out***) ***of*** …을 이용하다, …을 틈타다 ***speak in ~s*** 어조를 힘주어 말하다
capital[2] *n.* 〖건축〗 기둥 머리, 주두(柱頭)

capitals[2]

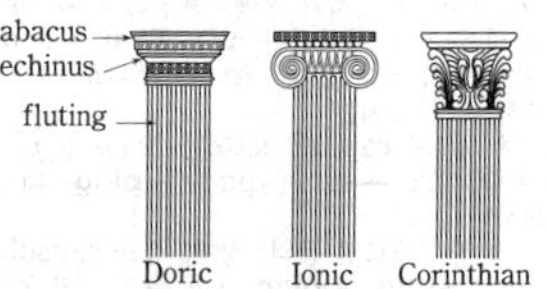

cápital accóunt 〖회계〗 자본금 계정
cápital ássets 〖회계〗 자본, 자산(fixed assets)
cápital expénditure 〖회계〗 자본 지출
cápital flíght 〖경제〗 (외국으로의) 자본 도피
cápital gáin 〖경제〗 자본 이익, 고정 자산 매각 소득
cápital góods 〖경제〗 자본재(cf. CONSUMER GOODS, PRODUCER GOODS)
cap·i·tal-in·ten·sive [kǽpətlinténsiv] *a.* 〖경제〗 자본 집약적인(cf. LABOR-INTENSIVE)
***cap·i·tal·ism** [kǽpətəlìzm] *n.* Ⓤ 자본주의 (체제): financial[finance] ~ 금융 자본주의 / industrial[commercial] ~ 산업[상업] 자본주의
***cap·i·tal·ist** [kǽpətəlist] *n.* 자본가, 자본주; 자본주의자; 《속어》 (큰) 부자, 자산가
— *a.* = CAPITALISTIC
cap·i·tal·is·tic [kæ̀pətəlístik] *a.* 자본가[주의]의 **-ti·cal·ly** *ad.*
cápitalist róad (중국의) 주자파(走資派)의 정책
cápitalist róader (중국의) 주자파
cap·i·tal·i·za·tion [kæ̀pətəlizéiʃən | -laiz-] *n.* **1** Ⓤ 대문자 사용 **2** Ⓤ 자본화; 《미》 투자; (수익·재산의) 자본 환원 **3** (회사의) 자본 총액
cap·i·tal·ize [kǽpətəlàiz] *vt.* **1** 대문자로 시작하다 **2** 자본화하다; 《미》 투자하다; 〈수입·재산 등을〉 자본으로 평가하다, 현시가로 계산하다; 〈회사의〉 수권 주식

thesaurus **capital**[1] *a.* **1** 주요한 principle, chief, main, major, prime, leading **2** 중대한 grave, vital, important, serious, crucial, fatal — *n.* **1**

자본[사채]의 발행액을 결정하다 **3** 〈사물을〉 이용하다: ~ one's opportunities 기회를 포착하다
— *vi.* (…을) 이용하다 《*on*》 **cáp·i·tal·ìz·er** *n.*
cápital létter 대문자(capital)(opp. *small letter*)
cápital lèvy 〖경제〗 자본 과세
cápital lóss 자본 손실 《투자 유가 증권·부동산 등 자산의 매각으로 생긴 손실》
cap·i·tal·ly [kǽpətəli] *ad.* **1** 《영》 멋지게, 훌륭하게 **2** 극형(極刑)으로
cápital márket 자본 시장, 장기 금융 시장
cápital púnishment 사형, 극형
cápital shìp 〖해군〗 주력함 《최대급 군함》
cápital stóck (회사가 발행한) 주식 총수; 주식 자본; 주식 회사의 발행된 주식의 장부 가액
cápital strúcture 자본 구성
cápital súm 〖보험〗 (지급 보험금의) 최고액
cápital súrplus 《미》 자본 잉여금
cápital térritory 수도권(首都圈)
cápital tránsfer tàx 《영》 증여[상속]세(《미》 gift tax)
cápital túrnover 자본 회전율
cap·i·tate [kǽpətèit] *a.* 〖식물〗 두상(頭狀) (꽃차례)의; 〖생물〗 〈말단이〉 머리 모양의
— *n.* 〖해부〗 = CAPITATE BONE
cápitate bòne 〖해부〗 유두골(有頭骨), 소(小)두골
cap·i·ta·tion [kæ̀pətéiʃən] *n.* **1** Ⓤ 사람 머릿수대로의 할당 **2** 인두세(poll tax)
capitátion grànt (사람 머릿수대로의) 보조금
***Cap·i·tol** [kǽpətl] *n.* **1** [the ~] 《미》 국회 의사당 《★ 영국의 것은 the House of Parliament》; [종종 **c**~] 주(州)의회 의사당(statehouse) **2** [the ~] Jupiter의 신전 《로마의 Capitoline 언덕 위에 있었음》; = CAPITOLINE HILL
Cápitol Híll 《미》 **1** 국회 의사당이 있는 곳 《워싱턴에 있음》 **2** 《구어》 미국 연방 의회(Congress)
Cap·i·to·line [kǽpətəlàin | kəpítə-] *a.* Capitoline 언덕의 — *n.* [the ~] = CAPITOLINE HILL
Cápitoline Híll [the ~] 카피톨리누스 언덕 《고대 로마 시대에 Jupiter 신전이 있던 곳》
ca·pit·u·lar [kəpítʃulər] *n.* **1** 성당[교회]의 참사 회원; 수도회 총회 대의원 **2** [*pl.*] 교회 법규
— *a.* **1** 〖식물〗 두상(頭狀) 꽃차례의(capitate) **2** (교회) 참사회의 **3** 〖해부〗 (뼈의) 소두(小頭)(capitulum)의
ca·pit·u·lar·y [kəpítʃulèri | -ləri] *a.* 〖가톨릭〗 참사회의 — *n.* (*pl.* **-lar·ies**) 참사 회원; [종종 *pl.*] (프랑크 왕국의 왕이 만든) 법령
ca·pit·u·late [kəpítʃulèit] *vi.* 〖군사〗 (조건부로) 항복하다; 저항을 그만두다 **ca·pít·u·là·tor** *n.*
ca·pit·u·la·tion [kəpìtʃuléiʃən] *n.* **1** Ⓤ 조건부 항복 **2** 항복 문서; [종종 *pl.*] 치외 법권 설정 조건[각서]; (정치적·이데올로기의) 강경 노선 포기 **3** (어떤 문제에 대한) 항목표(summary) **~·ìsm** *n.* 항복주의 《서방으로 넘어온 공산주의자의 자세》 **~·ist** *n.*
ca·pit·u·lum [kəpítʃuləm] *n.* (*pl.* **-la** [-lə]) **1** 〖식물〗 두상 꽃차례, 두상화(頭狀花); (버섯류의) 삿갓 **2** 〖해부〗 (뼈의) 소두(小頭)
Cap·let [kǽplit] [*cap*sule+tab*let*] *n.* 캐플릿 《캡슐 모양으로 된 정제(tablet); 상표명》
cap·lin [kǽplin] *n.* = CAPELIN
cap'n [kǽpn] *n.* 《속어》 = CAPTAIN
ca·po [kɑ́:pou, kǽpou] [It.] *n.* (*pl.* **~s**) (마피아 지부의) 두목, 지부장
ca·po·ei·ra [kɑ̀:pouéirə] *n.* 카포에이라 《아프리카 기원의 브라질 남성의 호신술과 무용의 혼합 예능》
cáp of líberty = LIBERTY CAP
ca·pon [kéipɑn, -pən | -pən] *n.* (거세한) 식용 수탉; 《미·속어》 남자 동성애자, 호모

수도 first city **2** 자본 money, finance, funds, cash, assets, investment, stock
caprice *n.* whim, vagary, fad, freak

Ca·pone [kəpóun] *n.* 카포네 **Al**(**phonse**) ~ (1899-1947) 《미국 마피아단 두목》
ca·pon·ize [kéipənàiz] *vt.* 〈수탉을〉 거세하다 (castrate) **cá·pon·iz·er** *n.*
cap·o·ral [kǽpərəl, kæ̀pərǽl | kæ̀pərɑ́:l] [F] *n.* Ⓤ 프랑스산 살담배
ca·po·re·gime [kɑ̀:pourəʒí:m, kæ̀pou-] [It.] *n.* 《미·속어》 (마피아의) 부두목, 부지부장 《capo의 다음》
ca·pot [kəpɑ́t, -póu | -pɔ́t] *vt.* (**~·ted**; **~·ting**) (piquet 놀이에서) 전승(全勝)하다 — *n.* (piquet 놀이에서의) 전승
ca·pote [kəpóut] *n.* 후드 달린 긴 외투; 끈 달린 보닛의 일종; (마차의) 접는 덮개
cap-pa·per [kǽppèipər] *n.* 엷은 다갈색 포장지; 편지지의 한 사이즈
cap·per [kǽpər] *n.* **1** 뚜껑을 덮는 사람[기계]; 모자 가게; 모자 쓴 사람 **2** 결말, 끝장 **3** 《미·속어》 (경매에서) 값을 올려 부르는 한패; 《속어》 (노름판의) 바람잡이 **4** 절정(climax) **5** 뇌관을 사용하는 장치
cáp pìstol (딱총약을 쓰는) 장난감 권총
cap·puc·ci·no [kæ̀putʃí:nou, kɑ̀:pu-] [It.] *n.* 카푸치노 《뜨거운 에스프레소 커피(espresso coffee)에 우유 거품을 탄 것》; 럼 또는 브랜디를 넣은 코코아
Ca·pri [kɑ́:pri, kæprí: | kæprí:] *n.* 카프리 섬 《이탈리아 나폴리 만의 명승지》
cap·ric [kǽprik] *a.* 염소의[같은]; 〖화학〗 카프르산(酸)의
cápric ácid 〖화학〗 카프르산(酸)
ca·pric·ci·o [kəprí:tʃiòu | -prítʃ-] [It.] *n.* (*pl.* **~s** [-z]) **1** 〖음악〗 카프리치오, 기상곡, 광상곡 **2** 장난(prank) **3** 변덕(caprice) **4** (문학·회화·건축 장식 등의) 변덕스러운 공상적 표현
ca·pric·ci·o·so [kəprì:tʃióusou | -prìtʃ-] [It.] *a.* 〖음악〗 카프리치오소, 기분을 들뜨게 하는, 환상적인
***ca·price** [kəprí:s] [L 「염소」의 뜻에서; 염소가 놀라서 갑자기 뛰기 시작하는 데서] *n.* **1** 변덕(whim); 제멋대로의 행동; 뜻밖의 급변; 공상적 작품 **2** 〖음악〗 = CAPRICCIO 1
***ca·pri·cious** [kəpríʃəs, -prí:ʃ- | -príʃ-] *a.* **1** 변덕스러운(fickle), 급변하는, 변하기 쉬운 **2** 《폐어》 기발한, 영리한 **~·ly** *ad.* **~·ness** *n.*
Cap·ri·corn [kǽprikɔ̀:rn] *n.* **1** 〖천문〗 염소자리(the Goat) **2** 〖점성〗 마갈궁(磨羯宮); 염소자리 태생인 사람 ***the tropic of*** ~ 남회귀선, 동지선
Cap·ri·cor·nus [kæ̀prikɔ́:rnəs] [L] *n.* = CAPRICORN
cap·ri·fi·ca·tion [kæ̀prəfikéiʃən] *n.* Ⓤ 〖원예〗 무화과의 가루받이 촉진법
cap·ri·fig [kǽprəfìg] *n.* 야생 무화과나무의 일종 《남유럽·소아시아산》
cap·rine [kǽprain, -rin | -rain] *a.* 염소의[같은]
cap·ri·ole [kǽpriòul] — *n.* 도약; 제자리 뛰기; 〖발레〗 깡충 뛰기 — *vi.* 도약하다; 〈말이〉 제자리에서 뛰어오르다; 〖발레〗 깡충 뛰다
Caprí pànts 발목께가 홀쭉한 여자용 캐주얼 바지
cap·ro·ate [kǽprouèit] *n.* 〖화학〗 카프론산염(酸), 카프론산 에스텔
cáp ròck 〖지질〗 모자암 《암염돔(salt dome)을 덮고 있는 경석고·석고·석회암의 덩어리; 석유·가스 층을 덮고 있는 불침투성 지층》
ca·pró·ic ácid [kəpróuik-] 〖화학〗 카프로산(酸) 《향미료에 쓰임》
cap·ro·lac·tam [kæ̀proulǽktæm] *n.* 〖화학〗 카프로락탐 《백색 수용성 화합물》
ca·prýl·ic ácid [kəprílik-, kæp-] 〖화학〗 카프릴산, 옥탄산(octanoic acid)
caps. capital letters; capsule
cap·sa·i·cin [kæpséiəsin] *n.* 〖화학〗 캅사이신 《고추(capsicum)의 성분》
cáp scrèw 누름 나사 《기계 부품의 고정에 이용》
Cáp Sép = CAPSULE SEPARATION

Cap·si·an [kǽpsiən] *n.*, *a.* 〖고고학〗 카프사 (문화)(의) 《아프리카 북서부의 중석기 시대의 문화》
cap·si·cum [kǽpsikəm] *n.* 〖식물〗 고추; 그 열매
cap·sid [kǽpsid] *n.* 〖미생물〗 캡시드 《바이러스의 핵산을 싸는 단백질 껍질》
cap·size [kǽpsaiz, ─ˊ | ─ˊ] *vt.*, *vi.* 뒤집다, 뒤집히다, 전복시키다[하다] **—** *n.* 전복
cáp slèeve (어깨와 팔 위쪽만 덮는) 짧은 소매
cap·so·mere [kǽpsəmìər] *n.* 〖생물〗 캡소미어 《capsid를 이루는 단백질》
cap·stan [kǽpstən, -stæn] *n.* **1** 캡스턴 《닻·무거운 짐 등을 감아올리는 장치》 **2** (테이프 리코더의) 캡스턴 《테이프를 일정 속도로 회전시키는 축》

capstan 1

cápstan bàr 캡스턴을 돌리는 긴 막대
cap·stone [kǽpstòun] *n.* 〖건축〗 (돌기둥·벽 등의) 관석(冠石), 갓돌; 절정, 정점
cap·su·lar [kǽpsələr, -sju- | -sju-] *a.* 캡슐(모양)의; 캡슐에 든
cap·su·late [kǽpsəlèit, -sju-, -lət | -sju-] *vt.* 캡슐에 넣다; 요약하다 **—** *a.* 꼬투리가 달린[에 들어 있는]; 캡슐에 든 **-lat·ed** [-lèitid] *a.*
*__cap·sule__ [kǽpsəl, -sjuːl | -sjuːl] 〔L 「작은 상자」의 뜻에서〕 *n.* **1 캡슐,** 교갑(膠匣) **2** 〖해부〗 피막(被膜); 〖식물〗 꼬투리, 삭(蒴) **3** 〖화학〗 접시 《증발용의 종지》 **4** (유리병의) 병마개 **5** (우주선의) 캡슐(=space ~); 〖항공〗 캡슐 《비상시 승무원이 계기와 함께 항공기나 로켓으로부터 분리 탈출할 수 있는 부분》 **6** 요약(digest) **7** 소량 ***in*** **~** 요약해서, 간추려서
— *a.* Ⓐ 소형의; 요약한; (패션 업계에서) 〈컬렉션이〉 소수의 중요한 작품만을 모은
— *vt.* 캡슐에 넣다; 요약하다; 소형화하다
cápsule commúnicator (우주선 승무원과의) 지상 연락원(Capcom)
cápsule separátion (우주선 발사 로켓에서의) 캡슐 분리
cap·sul·ize [kǽpsəlàiz, -sju- | -sju-] *vt.* =CAPSULE
capt. captain
‡**cap·tain** [kǽptən, -tin | -tin] 〔L 「우두머리」의 뜻에서〕 *n.* **1 장**(長), **우두머리**(chief); (육해군의) 지휘관, 명장, 지휘자, 지도자: the great *~s* of industry[antiquity] 대실업가[옛날의 명장]들 **2** 육군[공군] 대위; 해군 대령 **3 선장,** 함장, 정장(艇長); 기장 **4** (팀의) **주장,** 캡틴; 단장, (소방대의) 대장; 급사장; 《미》 (경찰의) 경감 **5** (실업계의) 거물 **6** 《미·속어》 째째하지 않은 남자 **7** 《주로 영》 학급 위원, 반장(monitor), 학생 회장 ***be the ~ of*** one***'s soul*** 《고어》 자신의 운명을 마음먹은 대로 할 수 있다
— *vt.* …의 선장[기장, 주장 《등》]이 되다, 통솔하다
~·cy [-si] *n.* ⓊⒸ captain의 지위[직, 임기]
~·shìp *n.* Ⓤ captain의 자격; 통솔력
cáptain géneral (육군의) 총사령관
cáptain's bíscuit 고급 건빵
cáptain's chàir Windsor chair형 의자
cáptain's màst (사병이 규칙·법령 등을 위반했을 때) 함장이 사정을 듣고 판결을 내리는 법정
CAPTAIN Sýstem [kǽptən-] 〔*C*haracter *a*nd *P*attern *T*elephone *A*ccess *I*nformation *N*etwork〕 캡틴 시스템 《가정의 유선 텔레비전에 정보를 제공하는 시스템; 상표명》
cap·tan [kǽptæn, -tən] 〔mer*captan*〕 *n.* 백색 분말 살균제 《야채·꽃 등에 사용》
cap·tion [kǽpʃən] *n.* **1** 《미》 (신문·페이지 등의) 표제, 제목; (삽화의) 설명문, 캡션; 〖영화〗 자막 **2** 〖법〗 (법률 문서의) 머리말 **—** *vt.* 〖영화〗 …에 자막을 넣다; 〈논설 등에〉 제목을 붙이다; 설명문을 달다 **~·less** *a.*
cap·tious [kǽpʃəs] *a.* 흠잡기 잘하는; 말꼬리를 잡고 늘어지는, 짓궂은 **~·ly** *ad.* **~·ness** *n.*
cap·ti·vate [kǽptəvèit] 〔L 「사로잡다」의 뜻에서〕 *vt.* **1** …의 마음을 사로잡다, 호리다, 매혹하다(charm) (⇨ attract 유의어) **2** 《폐어》 체포하다, 잡다; 정복하다 **cáp·ti·và·tive** *a.* **-và·tor** *n.*
cap·ti·vat·ing [kǽptəvèitiŋ] *a.* 매혹적인, 매력적인 **~·ly** *ad.*
cap·ti·va·tion [kæ̀ptəvéiʃən] *n.* Ⓤ 매혹, 매력; 매혹된 상태
‡**cap·tive** [kǽptiv] 〔L 「사로잡다」의 뜻에서〕 *a.* **1 포로의,** 사로잡힌 **2** (아름다움에) 매혹된, 사로잡힌; 마음을 빼앗긴 **3** Ⓟ 〈소기업이〉 모회사에 전속된
— *n.* **포로,** 사로잡힌 사람(opp. *captor*); (사랑 등에) 빠진 사람 《*of*, *to*》
take [***hold, lead***] a person **~** …을 포로로 잡다[잡아두다, 잡아가다]
cáptive áudience 싫지만 듣지 않을 수 없는 청중 《라디오·확성기를 장치한 버스의 승객 등》
cáptive ballóon 계류(繫留) 기구
cáptive bólt 가축총 《금속봉을 발사하여 가축을 도살하기 전에 기절시킴》
cáptive márket 전속 시장 《선택의 여지 없이 특정 상품을 사지 않을 수 없는 소비자층》
cáptive tèst[**fìring**] (미사일·로켓 엔진 등의) 지상 분사 시험
*__cap·tiv·i·ty__ [kæptívəti] *n.* (*pl.* **-ties**) **1** Ⓤ **포로** (의 신세[기간]) **2** [the C~] = BABYLONIAN CAPTIVITY **3** [집합적] 《폐어》 포로 ***in*** **~** 사로잡혀, 감금[속박]되어
cap·tor [kǽptər] *n.* 체포자(opp. *captive*); 획득자
cap·tress [kǽptris] *n.* CAPTOR의 여성형
‡**cap·ture** [kǽptʃər] 〔L 「사로잡다」의 뜻에서〕 *vt.* **1 붙잡다;** 포획하다; 생포하다(⇨ catch 유의어); 〈요새·진지를〉 점령하다; 〖물리〗 〈소립자를〉 포착하다: The police *~d* the burglar. 경찰은 강도를 체포했다. **2** 〈마음·관심을〉 사로잡다, 매료하다: an ad that *~d* our attention 우리의 주의를 끈 광고 **3** 〈상 등을〉 획득하다 **4** (사진 등으로) 기록하다 **5** 〖컴퓨터〗 〈데이터를〉 검색하여 포착하다 **6** 〖물리〗 〈원자핵이〉 〈입자를〉 획득[포획]하다
— *n.* **1** Ⓤ **포획,** 생포; 점령 **2** 포획물, 노획물; 상품, 상금 **3** Ⓤ 〖물리〗 (방사성) 포획 **4** 〖컴퓨터〗 (데이터의) 저장 **cáp·tur·er** *n.*
ca·puche [kəpúːʃ, -púːtʃ | -púːʃ] *n.* 두건(hood)
cap·u·chin [kǽpjutʃin, -ʃin] *n.* **1** 〖동물〗 흰목꼬리감기원숭이 **2** 후드 달린 여자용 망토 **3** [**C~**] 캐퓨친 수도회의 수사 《프란체스코회의 한 분파》
ca·put [kéipət, kǽp-] 〔L〕 *n.* (*pl.* **ca·pi·ta** [kǽpətə]) 〖해부〗 머리(head); 두상돌기
cáput mór·tu·um [-mɔ́ːrtʃuəm] 〔L〕 〖연금술〗 증류[승화] 찌꺼기
cap·y·ba·ra [kæ̀pəbɑ́ːrə] *n.* 〖동물〗 캐피바라 《남미산의 설치류 중 최대의 동물》
‡**car** [kɑ́ːr] 〔「네 바퀴 차」의 뜻에서〕 *n.* **1 차, 자동차** 《★ 현재는 motorcar, automobile보다 car를 쓰는 것이 일반적; 버스·트럭·택시는 car라고 하지 않음》: drive a ~ 차를 운전하다 **2** 《영》 특수 차량, …차; 《주로 미》 철도 차량, 객차, 화차 《★ 《영》에서는 객차에는 carriage, 공식적으로는 coach, 무개화차에는 wagon, 유개화차에는 van을 씀; cf. BUFFET CAR, RESTAURANT CAR》: a sleeping ~ 침대차 / an observation ~ 전망차 **3 시내 전차** 《streetcar 《미》, tramcar 《영》의 약어》 **4** (엘리베이터의) 타는 칸; (비행선·기구 등의) 곤돌라 **5** 《시어》 전차(戰車)(chariot) **6** 활어조(活魚槽) 《산 채로 물고기·굴·조개·게·새우 따위를 보존하기 위해 물에 띄워 놓는 구멍 뚫린 상자》
by **~** 자동차[전차]로 ***take a*** **~** 자동차[전차]를 타다
— *vt.* 차에 태우다, 차로 나르다; [~ it으로] 차로 가다
CAR Central African Republic; Civil Air Reg-

ulations 민간 항공 규칙 **car.** carat(s); carpentry
Car. Carlow
ca·ra·ba·o [kɑ̀:rəbɑ́:ou] *n.* (*pl.* **~s**) 물소(water buffalo) 《필리핀산》
car·a·bi·neer, -nier [kæ̀rəbəníər] *n.* 기총병(騎銃兵); [the C-s] 근위 스코틀랜드 용기병 연대
car·a·bi·ner [kæ̀rəbí:nər] [G] *n.* 카라비너 《등산할 때 사용하는 타원 또는 D자형의 강철 고리》
ca·ra·bi·nie·re [kæ̀rəbinjɛ́əri] [It.] *n.* (*pl.* **-ri** [-ri]) (이탈리아의) 경찰관
car·a·cal [kǽrəkæ̀l] *n.* 〚동물〛 스라소니의 일종; Ⓤ 그 털가죽
ca·ra·ca·ra [kɑ̀:rəkɑ́:rə, kæ̀rəkǽrə] *n.* 〚조류〛 카라카라 《매의 일종; 멕시코의 나라새》
Ca·ra·cas [kərɑ́:kəs | -rǽk-] *n.* 카라카스 《Venezuela의 수도》
car·a·cole [kǽrəkòul] *vi.*, *vt.* 〚승마〛 반(半)회전하다[시키다] **—***n.* (승마의) 반회전; 선회 동작; 〚건축〛 나선 계단
car·a·cul [kǽrəkəl] *n.* 카라쿨 《중앙아시아산(産)》 (karakul); Ⓤ 그 모피
ca·rafe [kərǽf, -rɑ́:f] *n.* 유리 물병 《식탁·침실·연단용》; 포도주병 《식탁용》
cár alàrm 자동차 도난 방지용 경보 장치
car·am·bo·la [kæ̀rəmbóulə] *n.* 동남아시아 원산의 괭이밥과(科)의 나무; 그 열매 《식용》(star fruit)
***car·a·mel** [kǽrəməl, -mèl | kǽrəmèl] *n.* **1** Ⓤ 캐러멜, 설탕엿 《음식물의 물감; 푸딩 등의 맛을 내는 재료》 **2** 캐러멜 (과자) **3** Ⓤ 캐러멜 색 《담갈색》
car·a·mel·ize [kǽrəməlàiz, kɑ́:rm- | kǽrə-] *vt.*, *vi.* 캐러멜로 만들다[되다]
ca·ran·gid [kərǽndʒid] *n.* 〚어류〛 전갱잇과(科)의 물고기 **—***a.* 전갱잇과(科)의
car·a·pace [kǽrəpèis] *n.* (거북 등의) 등딱지; (게·새우 등의) 갑각(甲殼) **-pàced** *a.*
***car·at** [kǽrət] *n.* 《영》 캐럿(《미》 karat) 《보석의 무게 단위; 200 mg》
****car·a·van** [kǽrəvæ̀n] *n.* **1** (사막의) 대상(隊商); (순례자 등의) 여행자단 **2** (서커스단·가구 등의) 대형 유개 운반차(van); (집시 등의) 포장마차; (이주민의) 마차 대열 **3** 《영》 (자동차로 끄는) 트레일러, 이동 주택 (《미》 trailer) **4** 탈것의 행렬
—*v.* (**~ned,** 《미》 **~ed**; **~·ning,** 《미》 **~·ing**) *vt.* caravan을 구성하여 나르다
—*vi.* caravan을 구성하여 여행하다; 〈폭주족이〉 차를 마구 몰다
car·a·van·eer [kæ̀rəvæníər, -və-] *n.* = CARAVANNER 1
car·a·van·ner, -van·er [kǽrəvæ̀nər] *n.* **1** (사막의) 대상(隊商)의 대장; 여행자단으로 여행하는 사람 **2** 《영》 이동 주택으로 여행하는[에 사는] 사람
car·a·van·ning [kǽrəvæ̀niŋ] *n.* Ⓤ 《영》 (자동차가 끄는) 이동 주택에서 휴가를 보내기
cáravan pàrk[sìte] 《영》 이동 주택 주차장
car·a·van·sa·ry [kæ̀rəvǽnsəri] *n.* (*pl.* **-ries**) (중앙에 넓은 뜰이 있는) 대상(隊商)의 숙사; 큰 여관
car·a·van·se·rai [kæ̀rəvǽnsərài, -rèi] *n.* (*pl.* **~s**) = CARAVANSARY
car·a·vel [kǽrəvèl] *n.* (16세기경 스페인 등에서 사용한) 작은 범선
car·a·way [kǽrəwèi] *n.* 〚식물〛 캐러웨이 《회향풀의 일종》; 캐러웨이 열매(= **∠ seeds**)
carb[1] [kɑ́:rb] *n.* 《구어》 = CARBURETOR
carb[2] 《속어》 *n.* = CARBOHYDRATE
—*vi.* (운동 전에 에너지 축적을 위해) 탄수화물을 다량 섭취하다 《*up*》
car·ba·chol [kɑ́:rbəkɔ̀:l, -kɑ̀l | -kɔ̀l] *n.* 〚화학〛 카르바콜 《안과 치료용》
car·ba·mate [kɑ́:rbəmèit, kɑ:rbǽmeit | kɑ́:bəmèit] *n.* 〚화학〛 카르밤산염(酸鹽)[에스테르]
car·bam·ic [kɑ:rbǽmik] *a.* 〚화학〛 카르밤산의
carbámic ácid 〚화학〛 카르밤산
car·ba·mide [kɑ́:rbəmàid] *n.* Ⓤ 〚화학〛 카르바미드, 요소(urea)
car·ban·i·on [kɑ:rbǽnàiən] *n.* 〚화학〛 카르바니온, 탄소 음이온
car·barn [kɑ́:rbɑ̀:rn] *n.* 《미》 전차[버스] 차고
car·ba·ryl [kɑ́:rbəril] *n.* 카르바릴 《무색·결정질의 분말 살충제》
car·ba·zole [kɑ́:rbəzòul] *n.* 카르바졸 《염료 원료》
car·be·cue [kɑ́:rbəkjù:] [*car*+bar*becue*] *n.* 폐차 처리기 《폐차를 불 위에서 압축하는 장치》
cár bèd 카베드 《차 좌석에 놓는 아기 침대》
car·bene [kɑ́:rbi:n] *n.* 〚화학〛 카르빈
car·ben·i·cil·lin [kɑ̀:rbenəsílin] *n.* Ⓤ 〚약학〛 카르베니실린 《요로 감염증 관련 세균에 씀》
car·bide [kɑ́:rbaid, -bid | -baid] *n.* Ⓤ 〚화학〛 **1** 카바이드, 탄화물 **2** Ⓤ 탄화칼슘(=calcium ~) **3** 매우 단단한 탄화물 합금 《특히 탄화 텅스텐》
car·bine [kɑ́:rbi:n, -bain] *n.* 〚미군〛 카빈총; (옛날의) 기병총(騎兵銃)
car·bi·neer [kɑ̀:rbəníər] *n.* = CARABINEER
car·bi·nol [kɑ́:rbənɔ̀:l, -nɑ̀l | -nɔ̀l] *n.* 〚화학〛 카르비놀 《메탄올에서 유도해 낸 알코올》
car·bo [kɑ́:rbou] *n.* (*pl.* **~s**) [보통 *pl.*] 탄수화물 (carbohydrate)
carbo- [kɑ́:rbou, -bə] 《연결형》 「탄소」의 뜻
car·bo·cý·clic cómpound [kɑ̀:rbəsáiklik-] 탄소환식(環式) 화합물
car·bo·hy·drase [kɑ̀:rbəháidreis, -dreiz] *n.* 〚생화학〛 탄수화물 (가수) 분해 효소
***car·bo·hy·drate** [kɑ̀:rbəháidreit] *n.* 〚화학〛 탄수화물, 함수(含水) 탄소; [보통 *pl.*] 탄수화물이 많은 식품
carbohýdrate lòading 전분 축적 식사 요법 《마라톤 같은 경기 전에 에너지원(源)인 글리코겐을 축적할 목적으로 탄수화물 중심의 식사를 하기》
car·bo·lat·ed [kɑ́:rbəlèitid] *a.* 석탄산을 함유한[으로 처리한]
car·bol·ic [kɑ:rbɑ́lik | -bɔ́l-] *a.* 〚화학〛 석탄산의, 콜타르성(性)의
carbólic ácid 〚화학〛 석탄산(phenol)
carbólic sóap 석탄산 비누 《약한 산성》
car·bo·lize [kɑ́:rbəlàiz] *vt.* 석탄산으로 처리하다; 석탄산을 가하다
car·bo-load·ing [kɑ́:rbəlòudiŋ] *n.* 《속어》 = CARBOHYDRATE LOADING
Car·bo·loy [kɑ́:rbəlɔ̀i] *n.* 카볼로이 《탄화텅스텐의 단단한 합금; 상표명》
cár bòmb 자동차 폭파 장치 《주로 테러에 사용됨》
cár bòmbing 자동차 폭파
****car·bon** [kɑ́:rbən] [L 「숯」의 뜻에서] *n.* **1** Ⓤ 〚화학〛 탄소 《기호 C, 번호 6》 **2** 〚전기〛 탄소봉(= **∠ ròd**) 《탄소를 주성분으로 하는 전지용 봉[판]》 **3** ⓊⒸ 카본지, 복사지; Ⓒ 카본지에 의한 사본(=~ copy) **4** 〚광물〛 = CARBONADO[1]
car·bo·na·ceous [kɑ̀:rbənéiʃəs] *a.* 탄소질의; 탄소를 포함한; 탄소와 비슷한
car·bo·nade [kɑ̀:rbənéid, -nɑ́:d] [F] *n.* 〚요리〛 카르보나드 《쇠고기와 양파를 맥주로 끓인 스튜》
car·bo·na·do[1] [kɑ̀:rbənéidou] *n.* (*pl.* **~(e)s**) 〚광물〛 흑(黑)금강석 《시추용》
carbonado[2] *n.* (*pl.* **~(e)s**) (가는 칼집을 낸) 불고기[생선] 구이 **—***vt.* 〈고기에〉 칼집을 내어 굽다
car·bo·na·ra [kɑ̀:rbənɑ́:rə] *a.* 카보나라 《파스타 요리의 일종으로 튀긴 베이컨과 양파, 파머산 치즈, 저은 달걀로 만든 소스가 곁들여짐》
cárbon àrc 〚전기〛 카본 아크; 아크등(燈)
Car·bo·na·ri [kɑ̀:rbənɑ́:ri] [It. =charcoal burners] *n. pl.* (*sing.* **-ro** [-rou]) 〚역사〛 카르보나리당(黨) 《이탈리아 급진 공화주의자의 결사》 **-rism** *n.* **-rist** *n.*
car·bon·ate [kɑ́:rbənèit, -nət] *n.* 〚화학〛 탄산염
~ *of lime*[*soda*] 탄산 석회[소다]

— [-nèit] *vt.* **1** 탄산염화(化)하다; 탄화하다; 탄산가스로 포화시키다 **2** 활발하게 하다, 유쾌하게 하다
car·bon·at·ed [kɑ́:rbənèitid] *a.* 탄산가스로 포화시킨: ~ drinks 탄산 음료/~ water 소다수
car·bon·a·tion [kɑ̀:rbənéiʃən] *n.* Ⓤ 〖화학〗 탄산염화 (작용); 탄산 (가스) 포화; 탄화
cárbon blàck 카본 블랙 《천연가스를 불완전 연소시켰을 때 생기는 검댕; 인쇄 잉크 원료》
cárbon cápture 탄소 포집 《이산화탄소를 대기 중에 방출하지 않고 모으는 기술》
cárbon chàin 〖화학〗 탄소 고리
cárbon cópy **1** (기본지에 의한) 복사본 《略 cc》 **2** (미·구어) 꼭 닮은 사람[것], 판박이 (*of*)
car·bon-cop·y [kɑ́:rbənkɑ̀pi | -kɔ̀pi] *a.* 꼭 같은 — *vt.* (카본지로) 복사하다, 사본을 뜨다
cárbon crèdit 탄소 배출권 《이산화탄소를 배출할 수 있는 권리》
cárbon cỳcle 〖생태〗 (생물권의) 탄소 순환; 〖물리〗 탄소 사이클
car·bon-date [-dèit] *vt.* (방사성 탄소로) 〈화석 등의〉 연대(年代)를 측정하다
cárbon dàting 방사성 탄소 연대 측정법
cárbon díamond = CARBONADO[1]
cárbon dióxide 〖화학〗 이산화탄소, 탄산가스(cf. CARBON MONOXIDE)
cárbon dióxide snòw 드라이아이스(dry ice)
cárbon disúlfide 〖화학〗 이황화탄소
cárbon emìssions *pl.* 탄소 배출
cárbon fiber 탄소 섬유
cárbon fóotprint 탄소 발자국 《온실 효과를 유발하는 이산화탄소의 배출량》
cárbon 14 [-fɔ:rtí:n] 〖화학〗 탄소 14 《탄소의 방사성 동위 원소; 기호 C^{14}》
***car·bon·ic** [kɑ:rbɑ́nik | -bɔ́n-] *a.* **1** 〖화학〗 탄소의, 탄산의, 이산화탄소의; 사가(四價)의 탄소를 함유한 **2** [**C~**] 〖지질〗 = CARBONIFEROUS 1
carbónic ácid 〖화학〗 탄산
carbónic ácid gàs 〖화학〗 탄산가스
carbónic an·hý·drase [-ænháidreis, -dreiz] 〖생화학〗 탄산 탈수 효소
Car·bon·if·er·ous [kɑ̀:rbənífərəs] 〖지질〗 *a.* **1** 석탄기(紀)의 **2** [**c~**] 탄소[석탄]를 산출[함유]하는 ***the ~ period*** [***strata, system***] 석탄기(紀)[층, 계] — *n.* [the ~] 석탄기[계(系)]
car·bon·i·za·tion [kɑ̀:rbənizéiʃən | -naiz-] *n.* Ⓤ 탄화; 석탄 건류(乾溜)
car·bon·ize [kɑ́:rbənàiz] *vt.* 〈유기물을〉 탄화하다; 숯으로 만들다; 〈종이(뒷면)에〉 탄소를 칠하다 — *vi.* 탄화되다 **cár·bon·ìz·er** *n.*
cárbon knòck (엔진의) 불완전 연소로 생기는 노킹 소리
car·bon·less [kɑ́:rbənlis] *a.* 탄소를 함유하지 않은; 카본지(紙)가 필요없는
cárbon mícrophone 탄소 마이크로폰
cárbon monóxide 〖화학〗 일산화탄소: ~ poisoning 일산화탄소 중독
car·bon·nade [kɑ̀:rbənɑ́:d] *n.* = CARBONADE
cárbon néutral *a.* 탄소 중립적인, 탄소 중립의 (cf. ZERO-CARBON): buildings designed to be ~ 카본 중립형으로 디자인된 건물들
cár·bon-ní·tro·gen cỳcle [-náitrədʒən-] 〖물리〗 탄소(질소) 사이클
cárbon-off·set·ting [-ɔ́:fsètiŋ | -ɔ́f-] *n.* 탄소 상쇄 (프로그램) 《이산화탄소 배출량을 상쇄하기 위한 환경 보호 활동》
car·bon·ous [kɑ́:rbənəs] *a.* 탄소의, 탄소를 함유하는, 탄소에서 유도한
cárbon pàper **1** 카본지 《복사용》 **2** 〖사진〗 = CARBON TISSUE
cárbon pìle 탄소 원자로
cárbon pròcess[**prìnting**] 〖사진〗 카본 인화법
cárbon sìnk 〖생태〗 카본 싱크, 이산화탄소 흡수계 《지구 온난화를 줄이는 데 도움이 되는 넓은 삼림 지대》
cárbon stàr 〖천문〗 탄소성(星)
cárbon stéel 〖야금〗 탄소강(鋼)
cárbon stórage 탄소 보존
cárbon tàx 탄소세(稅) 《온실 효과를 가져오는 이산화탄소 배출에 대한 세금》
cárbon tetrachlóride 〖화학〗 4염화탄소 《드라이클리닝 약품·소화제(消火劑)》
cárbon 13 [-θə:rtí:n] 〖화학〗 탄소 13 《탄소의 안정 동위 원소; 기호 C^{13}》
cárbon tìssue 〖사진〗 카본 인화지
cárbon trading 이산화탄소 배출권 거래
cárbon 12 [-twélv] 〖화학〗 탄소 12 《탄소의 동위 원소; 기호 C^{12}; 원자량의 기준으로 사용》
car·bon·yl [kɑ́:rbənìl] *n.* Ⓤ 〖화학〗 카르보닐기(基) (= ≁ **ràdical**[**gròup**]); 금속 카르보닐 — *a.* 카르보닐기를 함유한
cár-boot sàle [kɑ́:rbù:t-] (영) = GARAGE SALE
car·bo·rane [kɑ́:rbərèin] *n.* Ⓤ 〖화학〗 카르보란 《탄소·수소·붕소의 화합물》
car·borne [kɑ́:rbɔ̀:rn] *a.* 차로 온[운반된]; 차에 실린[비치된]
Car·bo·run·dum [kɑ̀:rbərʌ́ndəm] *n.* Ⓤ 카보런덤 《탄화 규소 연마제 등; 상표명》
car·box·yl [kɑ:rbɑ́ksil | -bɔ́k-] *n.* 〖화학〗 카르복시기(基)(= ≁ **ràdical**[**gròup**]) — *a.* 카르복시기를 함유한 **càr·box·ýl·ic** *a.*
car·box·yl·ase [kɑ:rbɑ́ksəlèis, -lèiz | -bɔ́k-] *n.* 〖생화학〗 카르복실라아제, 탈(脫)탄산 효소
car·box·yl·ate [kɑ:rbɑ́ksəlèit | -bɔ́k-] 〖화학〗 *vt.* 〈유기 화합물을〉 카르복실화(化)하다 — *n.* 카르복시산염(酸鹽)
car·box·y·meth·yl·cel·lu·lose [kɑ:rbɑ̀ksimèθəlséljulòus | -bɔ̀ks-] *n.* 〖화학〗 카르복시메틸셀룰로오스(cellulose gum) 《모든 식품의 안정제·식욕억제제로 사용》
car·box·y·pep·ti·dase [kɑ:rbɑ̀ksipéptədèis, -dèiz | -bɔ̀ks-] *n.* 〖생화학〗 카르복시펩티다아제 《소화 효소의 일종》
car·boy [kɑ́:rbɔi] *n.* 상자[채롱] 속에 든 대형 유리병 《부식성의 액체를 보관》
cár brà (미·속어) 자동차 앞에 씌우는 보호 커버
carbs [kɑ́:rbz] [*carbo*hydrate*s*] *n.* Ⓤ (구어) 탄수화물[녹말질] 식품: eat plenty of ~ 녹말질 식품을 많이 먹다
car·bun·cle [kɑ́:rbʌŋkl] *n.* **1** 〖병리〗 등창, 정(疔) **2** 〖광물〗 홍옥, 홍수정; (꼭대기를 둥글게 간) 석류석 (garnet) **3** 짙은 적갈색 **4** (영) (부근 경관과 어울리지 않는) 눈에 거슬리는 건물 — *a.* (석류석처럼) 짙은 적갈색의 **-cled** *a.*
car·bun·cu·lar [kɑ:rbʌ́ŋkjulər] *a.* 등창의; 등창에 걸린; 홍옥을 박은; 〈건물이〉 눈에 거슬리는
car·bu·ret [kɑ́:rbərèit, -bju-, -bjurèt | -bjurèt] *vt.* (**~·ed**; **~·ing** | **~·ted**; **~·ting**) 탄소와 화합시키다, 탄소 화합물을 섞다
car·bu·re·tion [kɑ̀:rbəréiʃən, -bjuréʃ- | -bjuréʃ-] *n.* Ⓤ 탄화, (내연 기관 등의) 기화(氣化)
car·bu·re·tor, -ret·er | **-ret·tor, -ret·ter** [kɑ́:rbərèitər, -bju- | -bjurèt-] *n.* **1** 〖기계〗 (내연기관의) 기화기(氣化器), 카뷰레터 **2** (미·속어) 대마 연기와 공기를 혼합시켜 흡입하는 데 쓰는 기구
car·bu·rize [kɑ́:rbəràiz, -bju- | -bju-] *vt.* **1** 〈금속을〉 탄소로 처리하다 **2** = CARBURET **-zá·tion** *n.*
car·ca·jou [kɑ́:rkədʒù:, -kəʒù:] *n.* 〖동물〗 (북미산) 오소리의 일종(wolverine)
car·ca·net [kɑ́:rkənèt, -nit] *n.* (고어) (보석·금으로 된) 목걸이, 머리띠
cár càrd (전차·버스 등의) 차내 광고물; 차내 광고용 두꺼운 종이
cár càrrier (수출용) 자동차 운반선

car·case [kɑ́ːrkəs] *n.*, *vt.* 《영》 =CARCASS
∗**car·cass** [kɑ́ːrkəs] *n.* **1** (짐승의) 시체; 《경멸》 (사람의) 시체, 송장; (살아 있는) 몸; (도살한 짐승의) 몸통 **2** 형해(形骸), 잔해(殘骸) 《*of*》: *~es of* old tires 헌 타이어의 잔해/The mining town is now a mere ~. 그 광산촌은 이제 폐허가 되었다. **3** (가옥·선박 등의) 뼈대 **4** 공기 타이어(pneumatic tire)의 안쪽면 《천을 발랐음》 **5** (국·수프용의) 닭뼈 ***park*** one***'s*** ~ 《속어》 앉다, 자신의 위치를 정하다 ***save*** one***'s*** ~ 죽음을 면하다, 신체의 안전을 꾀하다
— *vt.* 〈집·선박 등의〉 골격[뼈대]을 세우두다
cárcass mèat (통조림 고기가 아닌) 날고기
car·ce·ral [kɑ́ːrsərəl] *a.* 《시어·문어》 교도소의[에 관한], 감금을 목적으로 한
carcino- [kɑ́ːrsənou, -nə] 《연결형》 「종양, 암」의 뜻
car·ci·no·em·bry·ón·ic ántigen [kɑ̀ːrsənou-èmbriɑ́nik-|-ɔ́n-] 〖의학〗 암배(癌胚)[암태아] 항원 《암 환자의 혈액에서 볼 수 있는 당단백; 略 CEA》
car·cin·o·gen [kɑːrsínədʒən] *n.* 〖병리〗 발암(發癌)(성) 물질
car·ci·no·gen·e·sis [kɑ̀ːrsənoudʒénəsis] *n.* Ⓤ 〖병리〗 발암 (현상)
car·cin·o·gen·ic [kɑ̀ːrsənoudʒénik] *a.* 발암(성)의
-ci·no·ge·nic·i·ty [-dʒənísəti] *n.* Ⓤ 발암성
car·ci·noid [kɑ́ːrsənɔ̀id] *n.* 〖병리〗 암양종(癌樣腫) 《주로 장벽·폐에 발생하는 특수한 종양》
car·ci·no·ma [kɑ̀ːrsənóumə] *n.* (*pl.* **~s, ~·ta** [-tə]) 〖병리〗 암, 암종(癌腫)(cancer)
car·ci·no·ma·to·sis [kɑ̀ːrsənòumətóusis] *n.* Ⓤ 〖병리〗 암종증(症) 《암이 온 몸에 퍼진 상태》
car·ci·no·ma·tous [kɑ̀ːrsənóumətəs] *a.* 〖의학〗 암(성)의
car·ci·no·sar·co·ma [kɑ̀ːrsənousɑːrkóumə] *n.* (*pl.* **~s, ~·ta** [-tə]) 〖병리〗 암육종(癌肉腫)
cár còat 《미》 짧은 외투 《운전자용》
⁂**card**[1] [kɑ́ːrd] [L 「파피루스의 한 잎」의 뜻에서] *n.* **1 a** 카드, (신분증 등) 패, (사각형의) 판지, 플라스틱 카드; 〖컴퓨터〗 펀치 카드(=punch ~): a bank ~ 《미》 은행 신용 카드/a credit ~ 신용 카드/an ID[identity, identification] ~ 신분증/a membership ~ 회원증[권]/a press ~ 신문 기자증/an index ~ 색인 카드 **b** 명함 《정식으로는 《미》 calling card, 《영》 visiting card》: a business ~ 업무용 명함/exchange *~s* 명함을 교환하다 **c** 인사장, 초대장, 안내장: a Christmas ~ 크리스마스 카드/a birthday ~ 생일 축하 카드/a wedding ~ 결혼 청첩장/an invitation ~ 초대장 **d** 엽서(postcard) **e** 입장권 **2** (카드놀이의) 카드, 패; [*pl.*; 단수 취급] 카드놀이: a pack of *~s* 카드 한 벌/play *~s* 카드놀이를 하다 **3** 식단표, 메뉴 **4** 《구어》 (어떠한) 인물, 별난[우스꽝스러운] 사람: a knowing[queer] ~ 빈틈없는[괴상한] 놈 **5** (어떠한) 방책, 책략: play a doubtful[safe, sure] ~ 의심스러운[안전한, 확실한] 방책[계획]을 쓰다 **6** 〖컴퓨터〗 (확장) 카드(=expansion ~) **7** (스포츠·경마 등의) 진행 순서, 프로그램, 경기: ⇨ drawing card **8** 《미》 (신문에 내는 성명·해명 등의) 짧은 광고, 통지 **9** [the (correct) ~] 《구어》 옳은[마땅한] 것: That's *the* ~ for it. 바로 그것이다. **10** [*pl.*] 《영·구어》 (고용주가 보관하다가 퇴직 때 돌려주는) 피고용자의 서류; 《영》 (노동 조합 회의에서 대표자가 이용하는) 투표권 **11** 《속어》 1회분 마약
ask for one***'s ~s*** 《영·구어》 사의를 표명하다 ***be at ~s*** 카드놀이를 하고 있다 ***get*** one***'s ~s*** 《영·구어》 해고당하다 ***give*** a person his ***~s*** 《영·구어》 …을 해고하다 ***have a ~ up*** one***'s sleeve*** 비장의 방책이 있다 ***have*** (***all***) ***the ~s in*** one***'s hands*** 유리한 처지에 있다 ***hold all the ~s*** 완전히 지배하다 ***house of ~s*** 확실하지 않은 계획, 탁상공론 ***leave*** one***'s ~*** 명함을 두고 가다 《*on*》 《정식 방문 대신에》 ***make a ~*** (카드놀이에서 한 장의 패로) 1회분의 패(trick)를 따다 ***No ~s.*** (신문의 부고 광고에서) 이로써 개별 통지에 대신함. ***on***[***in***] ***the ~s*** 《구어》 아마도 (…인 것 같다) 《카드 점(占)에서 비롯된 말》 ***play*** one***'s best***[***trump, winning, strongest***] ***~*** 《구어》 비장의 방책을 쓰다 ***play***[***hold, keep***] one***'s ~s close to*** one***'s***[***the***] ***chest*** 《구어》 은밀히 행하다, 비밀로 하다 ***play*** one***'s ~s badly*** 일을 서툴게 처리하다 ***play*** one***'s ~s well***[***right***] 일을 잘 처리하다 ***play*** one***'s last ~*** 최후 수단을 쓰다 ***play*** one***'s***[***a***] ***wrong***[***winning***] ~ 서투른[이길] 수를 쓰다 ***play the***[***one's***]... ***~*** …의 전술을 쓰다 ***put***[***lay***] (***all***) one***'s ~s on the table*** 《구어》 계획을 공개하다 ***show*** one***'s ~s*** 자기 패를 내보이다, 비결을 내보이다 ***speak by the ~*** 확신을 가지고[명확하게] 말하다 ***stack the ~s*** ⇨ stack. ***throw***[***chuck, fling***] ***up***[***in***] one***'s ~s*** (1) 가진 패를 내던지다 (2) 계획을 포기하다, 패배를 인정하다
— *vt.* 카드에 기입하다; 카드를 도르다; …에 카드를 붙이다; 〖골프〗 〈득점을〉 스코어 카드에 적다; 《미·속어》 (술집 등에서 나이 확인을 위해) 신분증을 조사하다
— *a.* 판지로 만든; [종종 복합어를 이루어] 카드[트럼프]의[에 관한]
card[2] *n.* **1** (양털·삼 등을 빗는) 빗 **2** =CARDING MACHINE — *vt.* 빗다, 빗질하다; 소모(梳毛)하다
~ *out* 〖인쇄〗 행간을 넓히다
CARD Campaign against Racial Discrimination 《영》 인종 차별 철폐 운동 **Card.** Cardiganshire; Cardinal
card·a·hol·ic [kɑ̀ːrdəhɔ́ːlik, -hɑ́l-|-hɔ́l-] *n.* 신용 카드 중독자
car·da·mom [kɑ́ːrdəməm], **-mon** [-mən], **-mum** [-məm] *n.* 〖식물〗 (열대 아시아산) 생강과(科)의 식물; 그 열매 《약용·향료》
∗**card·board** [kɑ́ːrdbɔ̀ːrd] *n.* Ⓤ 판지, 마분지
— *a.* Ⓐ 판지의[같은]; 명색뿐인, 생동감이 없는, 비현실적인; 평범한
cárdboard cíty (대도시 노숙자의) 판지 집이 모인 지역
card-car·ry·ing [kɑ́ːrdkæ̀riiŋ] *a.* Ⓐ 당원[회원]증을 가진, 정식의; 《구어》 진짜의, 전형적인
cárd càse 명함통; (카드 목록의) 카드 케이스
cárd càtalog (도서관의) 카드식 목록
cárd clòthing (방적기용) 침포(針布)
card·er [kɑ́ːrdər] [card[2] *v.*에서] *n.* **1** 빗는 사람, 소모(梳毛)하는 사람; 소모기, 소면(梳綿)기 **2** (포커·브리지 등의) 트럼프 도박의 프로
cárd file (도서관 등의) 카드식 목록[색인]
cárd gàme 카드놀이
card·hold·er [kɑ́ːrdhòuldər] *n.* **1** (등록한) 정식 당원[조합원] **2** (도서관의) 대출 등록자 **3** 신용[현금] 카드 발행을 받은 사람 **4** (타자기의) 카드홀더
cardi- [kɑ́ːrdi], **cardio-** [kɑ́ːrdiou, -diə] 《연결형》 「심장」의 뜻 《모음 앞에서는 cardi-》
car·di·a [kɑ́ːrdiə] *n.* (*pl.* **~s, -di·ae** [-diìː]) 〖해부〗 분문(噴門) 《식도와 위(胃)를 잇는 개구부》
-cardia [kɑ́ːrdiə] 《연결형》 「심장의 위치[기능]」의 뜻 《비정상적인 경우에 씀》
car·di·ac [kɑ́ːrdiæ̀k] *a.* Ⓐ 〖의학〗 심장(병)의; (위의) 분문(噴門)의: ~ disease 심장병/~ transplantation 심장 이식/~ failure[incident] 심부전
— *n.* **1** 〖의학〗 강심제; 건위제 **2** 심장병 환자
cárdiac arrést[**fáilure**] 〖병리〗 심장 마비, 심박 정지
cárdiac cȳcle 심장 주기
cárdiac glýcoside 〖약학〗 강심 배당체 《식물에서 얻는 강심제》
cárdiac masságe 〖의학〗 심장 마사지
cárdiac mùscle 〖해부〗 심근(心筋)
cárdiac neuròsis 〖병리〗 심장 신경증
car·di·al·gi·a [kɑ̀ːrdiǽldʒiə, -dʒə] *n.* Ⓤ 〖병리〗 속쓰림(heartburn); 심장통
car·di·ant [kɑ́ːrdiənt] *n.* 강심제

car·di·ec·to·my [kɑ̀:rdiéktəmi] *n.* Ⓤ 〖외과〗 심장 절제술; (위의) 분문 절제술

Car·diff [kɑ́:rdif] *n.* 카디프 《영국 웨일스 남부의 항구; 웨일스의 수도》

car·di·gan [kɑ́:rdigən] [이를 애용한 영국의 백작이자 군인의 이름에서] *n.* 카디건 《앞이 트인 스웨터》

*__car·di·nal__ [kɑ́:rdənl] *a.* **1** Ⓐ **기본적인,** 아주 중요한, 주요한(main): a ~ principle 기본 원칙 / a matter of ~ importance 극히 중요한 일 **2 진홍색**의, 새빨간 **3** 〖점성〗 기본상(相)의 《백양·거해·천칭·마갈(磨羯)의 4궁(宮)에 관한》

— *n.* **1** [C~] 〖가톨릭〗 **추기경** 《로마 교황의 최고 고문; 진홍빛 의관(衣冠)을 착용함》 **2** 〖조류〗 홍관조(~ bìrd) **3** Ⓤ 진홍(색), 새빨간 빛 **4** (옛날에 널리 애용된) 여성용 외투 **5** = CARDINAL NUMBER

~·ly *ad.* ~·shìp *n.* = CARDINALATE

car·di·nal·ate [kɑ́:rdənəlèit] *n.* Ⓤ 〖가톨릭〗 [집합적] 추기경(cardinals); 추기경의 직

cárdinal bíshop 〖가톨릭〗 주교 추기경 《추기경의 제1위 계급》

cárdinal déacon 〖가톨릭〗 부제(副祭) 추기경

cárdinal flòwer 〖식물〗 진홍로벨리아

car·di·nal·i·ty [kɑ̀:rdənǽləti] *n.* (*pl.* **-ties**) 〖수학〗 = CARDINAL NUMBER 2

cárdinal númber[númeral] **1** 기수(基數), 계량수(cf. ORDINAL NUMBER) **2** 〖수학〗 농도, 원소수

cárdinal póints [the ~] 기본 방위 《북·남·동·서(NSEW)의 순서로 부름》

cárdinal síns [the ~] = DEADLY SINS

cárdinal tráit 〖심리〗 기본 특성 《탐욕·야심 따위》

cárdinal vírtues [the ~] 기본 덕목 《고대 철학에서는 justice, prudence, temperance, fortitude의 4덕목; cf. SEVEN CARDINAL VIRTUES》

cárdinal vówel [the ~] 〖음성〗 기본 모음

cárd ìndex 카드식 색인

card-in·dex [kɑ́:rdìndeks] *vt.* …의 카드식 색인을 만들다; 체계적으로 분류[분석]하다

card·ing [kɑ́:rdiŋ] *n.* **1** Ⓤ 소면(梳綿), 소모(梳毛) 《면화·양털을 잣기 전의 공정》 **2** = CARDING MACHINE

cárding machìne 소면기, 소모기

cárding wòol 섬유가 짧은 양모

car·di·o [kɑ́:rdiou] *n.* Ⓤ 《구어》 심장 강화 운동 《달리기 등》

cardio- [kɑ́:rdiou, -diə] 《연결형》 = CARDI-

car·di·o·ac·cel·er·a·tor [kɑ̀:rdiouəksélərèitər] 〖약학〗 *n.* 심장 기능 촉진제 — *a.* 심장 기능 촉진성의

car·di·o·ac·tive [kɑ̀:rdiouǽktiv] *a.* 〖약학〗 〈약 등이〉 심장 (기능)에 작용하는

car·di·o·dyn·i·a [kɑ̀rdioudíniə | kɑ̀r:diəudínjə] *n.* 〖병리〗 심장통(痛)

car·di·o·gen·ic [kɑ̀:rdiədʒénik] *a.* 〖병리〗 심장성의: ~ shock 심장성 쇼크

car·di·o·gram [kɑ́:rdiəgræ̀m] *n.* 〖의학〗 심박동 곡선

car·di·o·graph [kɑ́:rdiəgræ̀f | -grɑ̀:f] *n.* 〖의학〗 심박동 기록기 **càr·di·o·gráph·ic** *a.*

car·di·og·ra·phy [kɑ̀:rdiɑ́grəfi | -ɔ́g-] *n.* Ⓤ 〖의학〗 심박동 기록(법)

car·di·oid [kɑ́:rdiɔ̀id] 〖수학〗 *n.* 심장형 《방정식 *r* = *a*(1-cosA)로 나타나는 심장 모양의 곡선》

— *a.* 심장형의

car·di·ol·o·gy [kɑ̀:rdiɑ́lədʒi | -ɔ́l-] *n.* Ⓤ 〖의학〗 심장(병)학 **càr·di·ól·o·gist** *n.*

car·di·o·meg·a·ly [kɑ̀:rdiouméɡəli] *n.* 〖병리〗 심장 비대

car·di·om·e·ter [kɑ̀:rdiɑ́mətər | -ɔ́m-] *n.* 〖의학〗 심장 고동계, 심동계(心動計)

car·di·o·my·op·a·thy [kɑ̀:rdioumaiɑ́pəθi | -ɔ́p-] *n.* (*pl.* **-thies**) 〖병리〗 심근증(心筋症)

car·di·op·a·thy [kɑ̀:rdiɑ́pəθi | -ɔ́p-] *n.* (*pl.* **-thies**) 〖병리〗 심장 질환, 심장병

cárdio protèctive *a.* 심장을 보호하는, 심장에 좋은

car·di·o·pul·mo·nar·y [kɑ̀:rdioupʌ́lmənèri | -nəri] *a.* 〖의학〗 심장과 폐의, 심폐의

cardiopúlmonary resuscitátion (심박(心搏) 정지 후의) 심폐(心肺) 기능 소생[회복]법 《略 CPR》

car·di·o·res·pi·ra·to·ry [kɑ̀:rdiərésp ərətɔ̀:ri] *a.* 심폐의, 심장과 호흡기의

car·di·o·scope [kɑ́:rdiəskòup] *n.* 〖의학〗 심장경(鏡)

car·di·ot·o·my [kɑ̀:rdiɑ́təmi] *n.* Ⓤ 〖의학〗 심장 절개(술)

car·di·o·ton·ic [kɑ̀:rdioutɑ́nik | -tɔ́n-] 〖약학〗 *a.* 강심성의 — *n.* 강심제

car·di·o·vas·cu·lar [kɑ̀:rdiouvǽskjulər] *a.* 〖해부〗 심장 혈관의

car·di·o·ver·sion [kɑ̀:rdiouvə́:rʒən, -ʃən] *n.* Ⓤ 〖외과〗 (전기 쇼크에 의한) 심박(心拍) 정상화

car·di·tis [kɑ:rdáitis] *n.* Ⓤ 〖병리〗 심장염

-cardium [kɑ́:rdiəm] 《연결형》 「심장(heart)」의 뜻

car·doon [kɑ:rdú:n] *n.* 〖식물〗 카르둔 《아티초크(artichoke) 무리의 식물》

card·phone [kɑ́:rdfòun] *n.* 《영》 카드식 공중전화 《동전 대신에 카드(phonecard)로 하는 통화》

card·play·er [-plèiər] *n.* (특히 상습적으로) 카드놀이를 하는 사람

cárd plàying 카드놀이

cárd pùnch 〖컴퓨터〗 카드 천공기(key punch)

cárd rèader 〖컴퓨터〗 카드 판독기

card·room [-rù:m] *n.* 카드놀이 방; (미국의 일부 주나 도시에서) 카드 게임[포커]이 인가된 도박장

cárd shàrk 《미·속어》 **1** 카드놀이 명수 **2** = CARDSHARP(ER)

card·sharp(·er) [-ʃɑ̀:rp(ər)] *n.* 카드놀이 야바위꾼

cárd swìpe 카드 판독기 《신용 카드를 승인하거나 문을 열기 위해 카드를 넣는 전자 장치》

cárd tàble 카드놀이용 탁자

cárd trày 명함 받이

cárd vòte 《영》 대표자가 조합원 수만큼의 표수를 가진 일괄 투표

‡**care** [kɛ́ər] *n., v.*

> 근심·걱정거리 → (마음 씀) ─┬→ 조심
> └→ (마음쓰기) → 돌봄

— *n.* Ⓤ **1 걱정,** 근심, 불안; [종종 *pl.*] 걱정거리: worldly ~*s* 세상 걱정 / borrow ~ 쓸데없는 걱정을 하다 / drown (one's) ~(*s*) in drink 술로 시름을 달래다 / *C*~ killed the[a] cat. 《속담》 걱정은 몸에 해롭다.

> [유의어] **care** 책임·공포 등에 의한 걱정이나 근심: *Care* aged her. 마음고생이 그녀를 늙게 했다. **concern** 관심·애정을 갖고 있는 사람·사물에 대한 걱정: show *concern* a person in trouble 어려운 처지에 있는 사람에게 관심을 보이다 **anxiety** 장래의 불행·재난 등에 대한 걱정: be plagued by *anxiety* and self-doubt 불안과 자신(自信) 상실에 시달리다 **worry** 어떤 문제에 대한 걱정: cope with an endless list of *worries* 끝없이 이어지는 걱정거리를 처리하다

2 주의, 조심, 배려: meticulous ~ 세심한 주의 **3 돌봄,** 보살핌, 보호; 관리, 감독; 《영》 보육(childcare): be busy with the ~ of children 아이들을 돌보느라 바쁘다 // 《~+*to* do》 We took ~ *to* preserve trees where their presence was necessary. 우리는 필요한 곳에 서 있는 나무의 보호에 힘썼다. **4 보관,** (일시적으로) 맡아주는 일 **5** Ⓒ **관심사,** 책임, 볼일:

thesaurus **care** *n.* **1 걱정** worry, anxiety, trouble, unease, distress **2 주의** attention, caution,

the ~*s* of State 국사(國事) / domestic[family] ~*s* 가사(家事), 가정(家政) / one's greatest ~ 최대의 관심사 / That shall be my ~. 그건 내가 맡겠다. / My first ~ is ... 내가 먼저 해야 할 일은 ··· **~ of = in ~ of** 전교(轉交) 《우편물 따위를 다른 사람을 거쳐 받게 한다는 뜻; 편지 겉봉에 c/o로 줄여서 씀》: Mr. A c/o Mr. B B씨 전교 A씨 귀하 / Send me the letter ~ *of* my uncle. 우리 삼촌 전교로 내게 편지를 보내. **give ~ to** ···에 주의하다 **have a ~** = take CARE. **have the ~ of** = take CARE of (1) **in ~** 《영》 〈어린이·노인이〉 공적 기관에 보호된, 시설에 들어가 있는 **in (the) ~ of** ···의 보호하에, ···의 보살핌을 받고 **leave to the ~ of** ···에 맡기다 **place[put] a person under the ~ of** ···에게 ···을 돌보도록 부탁하다 **take ~** 조심하다; 처리하다 《*to* do, *that*》; (*int.*) 《미·구어》 (작별의) 인사 **take ~ of** (1) ···을 돌보다, 소중히 하다; ···에 주의하다 (2) 〈사물·일을〉 (책임지고) 떠안다 (3) ···에 대비하다; 처리하다; 《속어》 ···을 제거하다, 죽이다 **take ~ of itself** 자연히 처리[해결]되다 **take ~ of oneself** 몸조심하다(⇨ take CARE of (1)); 제 일은 제가 하다 **take ... into ~** (1) 보호하다, 간호하다 (2) 《영》 〈어린이·노인을〉 보호 시설에 넣다 **under the ~ of** = in (the) CARE of. **with ~** 애써서; 조심하여, 취급 주의 《짐을 다룰 때의 주의서》

—*vi.* [진행형 없음] **1** [보통 부정문·의문문·조건절에서] **걱정하다**, 근심하다, 염려하다, 마음을 쓰다, 유념하다, 관심을 가지다, 상관하다, 아랑곳하다 《*about*, *for*》: 《~+전+명》 He does*n't* ~ *about* dress. 그는 옷차림에 신경을 쓰지 않는다. // 《~+**wh.** 절》 I do*n't* ~ *if* you go or not. 네가 가든 말든 상관 않겠다. / I don't ~ *what* happens now. 이젠 무슨 일이 일어나도 상관없다. **2** [주로 부정문·의문문·조건절에서] (···을) **좋아하다**; (···을) **바라다**, 하고 싶어하다 《*for*》: Would you ~ to join me? 함께하지 않겠소? // 《~+전+명》 Does she really ~ *for* him? 그녀는 정말로 그를 좋아하는가? / Would you ~ *for* coffee? 커피를 드시겠습니까? **3** 돌보다, 보살피다, 병구완을 하다, 간호하다 《*for*》; 감독하다: 《~+전+명》 I'll ~ *for* his education. 그의 학자금을 내가 대겠다. / Nurses ~ *for* the sick. 간호사는 환자를 간호한다.

—*vt.* [진행형 없음] **1** [보통 부정문·의문문에서] **걱정하다**, 신경쓰다, 개의하다 **2** [주로 부정문·의문문·조건절에서] ···하고 싶다고 생각하다: 《~+**to** do》 I do*n't* ~ *to* see her. 나는 그녀를 만나고 싶지 않다. **~ about** ···에 마음을 쓰다, ···에 관심을 가지다(⇨ *vi.* 1) **~ for** 돌보다; [부정문·의문문에서] ···을 좋아하다, 바라다(⇨ *vi.* 2): "*C~ for* a drink?"–"No, I'm driving." 한 잔 하실래요?–아닙니다. 차를 가져왔거든요. He may die **for all[what] I ~.** (그가 죽든 말든) 내 알 바 아니다. **I couldn't ~ less.** 《구어》 전혀 관심이 없다. **I don't ~ a damn[bit, straw, button,** etc.**].** 《구어》 조금도 상관없다. **Who ~s?** 알 게 뭐야?

CARE [kέər] [*C*ooperative for *A*merican *R*elief *E*verywhere] *n.* 케어 《미국 원조 물자 발송 협회》

cáre assìstant (특수 병원의) 노인[중환자] 간병인

cáre càrd 《영》 (개인) 의료 카드

ca·reen [kəríːn] *vi.*, *vt.* 〖항해〗 〈배가〉 기울다; (배 밑을 수리하려고) 〈배를〉 기울이다; 〈자동차가〉 흔들리면서 질주하다 **—*n.*** 〖항해〗 경선(傾船); 경선 수리 **on the ~** 기울어져 **~·er** *n.*

ca·reen·age [kəríːnidʒ] *n.* **1** 경선(傾船); 경선 수리 **2** 경선장(場); 경선 수리항 **3** 경선 수리비

‡**ca·reer** [kəríər] [L 「차도」의 뜻에서] *n.* **1** (전문적인) **직업**: He sought a ~ as a lawyer. 그는 변호사를 평생의 직업으로 하려고 했다. **2 경력**, 이력, 생애: a ~ in law 법률가로서의 경력 / enter upon a political ~ 정계에 입문하다 / begin[start] one's ~ as a journalist 저널리스트로 인생의 첫발을 내딛다 **3** 출세, 성공: advance one's ~ 출세하다 **4** 진로; (특히 빠른) 진전, 진행, 경과 **5** [종종 full ~로] (전)속력, 질주 **in full[mad] ~** 전속력으로 **in mid ~** 중도에서 **make a[one's] ~** 출세하다

—*a.* Ⓐ 직업적인, 전문적인; 생애[통산]의: a ~ diplomat 직업 외교관

—*vi.* 질주하다 《*along*, *down*, *through*》

—*vt.* 〈차·말 등을〉 질주시키다; 재빨리 움직이게 하다 **~·ìsm** *n.* Ⓤ 출세 제일주의 **~·ist** *n.* 출세 제일주의자

caréer brèak 직무 휴직 《육아·교육 등을 위해 직장을 쉬는》

caréer gìrl[wòman] 《미》 전문 직업 여성 《자기 직업을 위해 결혼·가정을 원하지 않는》

ca·reer·man [kəríərmən] *n.* (*pl.* **-men** [-mən]) 직업인; 직업 외교관

caréers màster 《영》 학생 진로 지도 교사

***care·free** [kέərfrìː] *a.* **근심[걱정]이 없는**, 태평스러운; 무책임한: a ~ life 근심 걱정이 없는 생활 **be ~ with** ···에 무관심[무책임]하다 **~·ness** *n.*

‡**care·ful** [kέərfəl] *a.* **1** 〈사람이〉 **조심성 있는**, 조심스러운, 주의 깊은, 신중한: 《~+**to** do》 《~+**that** 절》 Be ~ not *to* drop[*C~ that* you don't drop] the vase. 꽃병을 떨어뜨리지 않도록 조심해라. // 《~+전+**-ing**》 I shall be ~ *in* decid*ing* what to do. 어떻게 해야 할 것인지 신중히 결정해야겠다. // 《~+**wh.** 절》 You must be ~ *how* you hold it. 그것을 잡는 법에 주의해야 한다. / Be ~ *when* you cross the street. 길을 건널 때 조심해라.

> 유의어 **careful** 주의하여 잘못·실수 등이 생기지 않도록 마음을 쓰는: a *careful* driver 조심성 있는 운전자 **cautious** 일어날 것 같은 위험 등에 대비하여 주의·경계하는: be *cautious* about investments 투자에 신중하다

2 Ⓐ 〈사람이〉 (일에) **꼼꼼한**, 철저한, 정성 들인: a ~ typist 정확한 타이피스트 / a ~ analysis 철저한 분석 **3** Ⓟ 소중히 하는, 신경을 쓰는, 유의하는 《*about*, *of*》: 《~+전+명》 Be ~ *of* your health. 건강에 유의하시오. **4** Ⓟ 《영·구어》 (돈에) 인색한(mean), 검소한 《*with*》 **5** 《고어》 걱정스러운

‡**care·ful·ly** [kέərfəli] *ad.* **주의하여**, 조심스럽게, 신중히; 정성 들여서; 검소하게: live ~ 검소하게 살다 / Listen to me ~. 내 말을 주의해서 들으시오.

***care·ful·ness** [kέərfəlnis] *n.* Ⓤ **조심(성)**, 신중, 용의주도

care·giv·er [kέərgìvər] *n.* (병자·불구자·아이들을) 돌보는 사람

cáre hòme 《영》 보호 시설, 양로원

cáre in the commúnity (영국의) 정신병자 자택 요양 간호 제도

cáre làbel (의복 등에 단) 취급(주의) 표시 라벨

care-lad·en [-lèidn] *a.* = CAREWORN

cár electrònics 자동차의 컴퓨터 조정 시스템 《안전 주행·운전 조작·연료 소모 등을 조절함》

‡**care·less** [kέərlis] *a.* **1 부주의한**, 조심성 없는; 〈일 따위가〉 부정확한, 불완전한: a ~ driver 부주의한 운전자 **2** 〈언동이〉 경솔한, 정신 차리지 않는, 되는 대로의: a ~ remark 경솔한 발언 / a ~ mistake 부주의로 인한 실수 // 《~+**of**+명+**to** do》 It was ~ *of* me *to* take the wrong bus. 엉뚱한 버스를 타다니 내가 정신 빠졌지. **3** (···에) **무관심한**, 무심한 《*of*》; 자연스러운, 있는 그대로의

***care·less·ly** [kέərlisli] *ad.* **부주의하게**, 경솔하게; 무관심하게, 무심코, 태평하게: do one's work ~ 일을 날림으로 하다

***care·less·ness** [kέərlisnis] *n.* Ⓤ **부주의**, 경솔; 무사태평, 무심함

heedfulness **3** 관심 concern, regard, interest, attention **4** 돌봄 charge, protection, custody, keeping

care·line [kɛ́ərlàin] *n.* 상담 전화 《제품에 대한 정보 등을 얻을 수 있는 전화 서비스》
cáre pàckage (가난한 사람에게 보내는) 생필품 꾸러미; (가족에게 보내는) 식품[일용품] 꾸러미
car·er [kɛ́ərər] *n.* 보호자, 간호인
*__ca·ress__ [kərés] [L 「친애하는」의 뜻에서] *n.* 애무 《키스·포옹·쓰다듬기 등》
— *vt.* **1** 애무하다, 껴안다, 어루만지다 《★ fondle보다 품위 있는 말》; 쓰다듬다 **2** 〈바람 등이〉 〈피부 등에〉 상쾌하게 닿다; 〈소리가〉 〈귀에〉 즐겁게 들리다 **3** …에게 친절히 대하다 **~·a·ble** *a.* **~·er** *n.*
ca·ress·ing [kərésiŋ] *a.* Ⓐ 애무하는, 귀여워하는; 달래는 듯한(soothing) **~·ly** *ad.*
ca·res·sive [kərésiv] *a.* 애무하는 듯한, 기분 좋은; 어리광 부리는; 맹목적으로 사랑하는 **~·ly** *ad.*
car·et [kǽrit] [L] *n.* (교정에 쓰는) 탈자(脫字) 기호, 삽입 기호 《∧》
care·tak·er [kɛ́ərtèikər] *n.* **1** 돌보는 사람, 관리인 **2** (직무의 일시적인) 대행인[자, 기관] **3** 《영》 (학교 등 공공 시설의) 관리인(《미》 janitor) **4** 간호인, 보호자
— *a.* Ⓐ 직무를 일시 대행하는, 잠정적인
cáretaker gòvernment 잠정[과도] 정부 《차기 내각의 성립 전까지 선거 관리》
cáretaker spèech 〖언어〗 어머니 말투 《말을 배우기 시작한 아이 수준에 맞춘 말투》
care·ware [kɛ́ərwɛ̀ər] *n.* Ⓤ 〖컴퓨터〗 케어웨어 《shareware의 일종이며, 기부 행위로서 대금을 받는 것》
cáre wòrker[assìstant] 《영》 케어 복지사 《병원·복지 시설에서 장애를 가진 사람들을 돌보는》
care·worn [-wɔ̀:rn] *a.* 근심 걱정에 시달린[여윈]
Cár·ey Strèet [kɛ́əri-] **1** 케리 가(街) 《런던의 파산 법원이 있었음》 **2** 《영》 《비유》 파산 (상태): end up on ~ 파산하다
car·fare [kɑ́:rfɛ̀ər] *n.* 《미》 (전차·버스·택시 등의) 승차 요금
car·fax [kɑ́:rfæ̀ks] *n.* 《영》 교차점, 십자로, 네거리
cár fèrry 카 페리 《열차·자동차를 건네는 연락선; 바다 건너로 자동차를 나르는 비행기》
car·float [-flòut] *n.* 차량[화차] 운반선
car·ful [kɑ́:rfùl] *n.* 자동차[차량] 한 대분(의…) 《*of*》
‡**car·go** [kɑ́:rgou] [Sp. 「짐을 싣다」의 뜻에서] *n.* (*pl.* **~(e)s**) ⒸⓊ 뱃짐, 화물, 선화, (비행기·열차 등의) 적화(積貨); 《미》 (트럭의) 짐; 《일반적으로》 짐, 무거운 짐: discharge the ~ 짐을 부리다
— *vt.* (**-goed**; **~·ing**) 〈짐을〉 싣다; 수송하다
cárgo bày (우주 왕복선의) 화물실
cárgo bòat[shìp] 《영》 화물선
cárgo cùlt [때로 **C- C-**] (Melanesia 특유의) 적화(積貨) 신앙[숭배] 《조상의 영혼이 배·비행기로 돌아와 백인에게서 해방시켜 준다는 신앙》
cárgo lìner 정기 화물선; 화물 수송기
cárgo pànts 카고 바지 《큰 주머니가 여러 개 달린 헐렁한 바지》
cárgo plàne 화물 수송기
cárgo pòcket 대형 호주머니 《용량이 매우 크며 보통 뚜껑이 달림》
car·hop [kɑ́:rhɑ̀p | -hɔ̀p] *n.* 《미·구어》 드라이브인(drive-in) 식당의 웨이터[웨이트리스] 《주문한 식사를 차까지 운반해 줌》
— *vi.* carhop으로서 일하다
Car·ib [kǽrib] *n.* (*pl.* **~s,** [집합적] **~**) 카리브 사람 《서인도 제도의 원주민》; Ⓤ 카리브 말
Car·ib·an [kǽribən, kərí:bən] *n.* 카리브 어족[사람] — *a.* 카리브 어족[사람]의
Car·ib·be·an [kæ̀rəbí:ən, kəríbiən] *a.* 카리브 사람[말]의; 카리브 해의 — *n.* 카리브 사람; [the ~] = CARIBBEAN SEA; [the ~; 집합적] 《구어》 카리브 해 제도(諸島)[제국]
Caribbéan Séa [the ~] 카리브 해
ca·ri·be [kərí:bi] [Sp.] *n.* 〖어류〗 = PIRANHA
Car·i·bees [kǽrəbì:z] *n. pl.* [the ~] LESSER ANTILLES의 속칭
car·i·bou [kǽrəbù:] *n.* (*pl.* **~s,** [집합적] **~**) 〖동물〗 삼림순록 《북미 삼림 속에 서식; cf. REINDEER》
*__car·i·ca·ture__ [kǽrikətʃər, -tʃùər | -tjùə] *n.* **1** 풍자 만화[문], 캐리커처 **2** 서투른 모방 **3** ⓊⒸ 만화화(化)(의 기법) ***make a ~ of*** …을 만화화하다
— *vt.* 만화식으로 그리다, 풍자하다
car·i·ca·tur·al [kæ̀rikətʃúərəl] *a.*
car·i·ca·tur·ist [kǽrikətʃùərist] *n.* 풍자만화가
Car·i·com, CARICOM [kǽrikɑ̀m, kɛ́ər- | -kɔ̀m] [*Cari*bbean *Com*munity] *n.* 카리브 공동체 《카리브 해 10개국으로 1973년에 발족》
car·ies [kɛ́əriz, -riì:z | -riì:z] [L] *n.* Ⓤ 〖병리〗 카리에스 《뼈가 썩어서 부서지는 병》; 충치: ~ of the teeth 충치
CARIFTA, Ca·rif·ta [kæríftə] [*Cari*bbean *F*ree *T*rade *A*ssociation] *n.* 카리브 자유 무역 연합 《Caricom의 전신》
car·il·lon [kǽrəlɑ̀n, -lən | kǽriljən, kəríljən] [F] *n.* 카리용, (한 벌의) 편종(編鐘); 종악(鐘樂)
— *vi.* 종악을 연주하다
car·il·lon·neur [kæ̀rələnə́:r | kərìljənə́:] [F] *n.* (*pl.* **~s** [-z]) 종악 연주가; 편종지기
Ca·ri·na [kərí:nə, -rái-] *n.* **1** 여자 이름 **2** [kəráinə] 〖천문〗 용골자리 《주성(主星)은 Canopus》
car·i·nate [kǽrənèit, -nət], **-nat·ed** [-nèitid] *a.* 〖동물·식물〗 용골(龍骨)이 있는; 용골형의
car·ing [kɛ́əriŋ] *a.* Ⓐ (노약자·지체 부자유자 등을) 돌보는: ~ professions 복지 관계의 직업
— *n.* **1** 상냥함, 친절함 **2** (노약자 등을) 돌보기, 간호 **~·ly** *ad.* 기꺼이
car·i·o·ca [kæ̀rióukə] *n.* 카리오카 《삼바 비슷한 춤》; 그 춤곡; [**C~**] Rio de Janeiro의 주민
car·i·ole [kǽriòul] *n.* 단두 소형 마차(cf. CARRYALL[1]); 지붕 있는 짐마차
car·i·o·stat·ic [kɛ̀əriəstǽtik] *a.* 〖의료〗 충치 발생을 억제하는
car·i·ous [kɛ́əriəs] *a.* 〖병리〗 카리에스에 걸린; 〈이가〉 부식한, 충치의 **~·ness** *n.*
car·jack·ing [kɑ́:rdʒæ̀kiŋ] *n.* Ⓤ (승차 중·운전 중의) 차의 강탈 **cár·jàck·er** *n.*
cark·ing [kɑ́:rkiŋ] *a.* 《고어》 괴롭히는, 귀찮은; 마음 졸이는, 애태우는
cár knòcker 철도 차량 검사[수리]원
carl, carle [kɑ́:rl] *n.* 《스코》 시골뜨기
Carl [kɑ́:rl] *n.* 남자 이름
Cárl Comédian 《미·속어》 어색한 농담꾼
Cár·ley flòat [kɑ́:rli-] [미국의 고안자 이름에서] 칼리식 구명 고무 보트
cár lìcense 자동차 등록 번호, 번호판
car·line, -lin [kɑ́:rlin, kɛ́ər-] *n.* 《스코》 노파; 마녀, 여자 마법사
car·ling [kɑ́:rliŋ] *n.* 〖조선〗 종량(縱梁)
Car·lisle [kɑ:rláil, ∠-|-∠] *n.* 칼라일 《잉글랜드의 중서부 Cumbria 주의 주도》
Car·list [kɑ́:rlist] *n.* **1** 카를로스 주의자 《Don Carlos의 스페인 왕위 계승권을 주장하는 사람》 **2** 프랑스의 샤를 10세 지지자 **Cár·lism** *n.*
car·load [kɑ́:rlòud] *n.* 화차[자동차] 한 대분(의 화물) 《*of*》; 《미》 (carload rate가 적용되는) 최저 중량
car·load·ings [kɑ́:rlòudiŋz] *n. pl.* 《미》 일정 기간 내의 화물량
cárload lòt 《미》 화차 전세 취급 표준량
cárload ràte 《미》 화차 전세 취급 운임률
Car·lo·vin·gi·an [kɑ̀:rləvíndʒiən] *a., n.* = CAROLINGIAN
Carls·berg [kɑ́:rlzbə:rg] *n.* 칼스버그 《덴마크산 맥주; 상표명》

thesaurus **caress** *n.* stroke, pat, embrace, cuddle, hug, touch, fondle, nuzzle

Cárl·ton Clúb [káːrltən-] 칼턴 클럽 《영국 보수당 본부》
Car·lyle [kɑːrláil] *n.* 칼라일 **Thomas ~** (1795-1881) 《영국의 평론가·사상가·역사가》
Carm. Carmarthenshire 《웨일스 남부의 주》
car·ma·gnole [kɑ̀ːrmənjóul] [F] *n.* 프랑스 혁명 참가자들의 복장; 당시 유행한 노래[거리의 춤]
car·mak·er [káːrmèikər] *n.* 자동차 제조업자
car·man [-mən] *n.* (*pl.* **-men** [-mən, -mèn]) 《미》 전차 승무원; 차량 정비사; 짐마차 마부; 배달부
Car·mel·ite [káːrməlàit] *a., n.* 〖가톨릭〗 카르멜회의 (수사[수녀]) 《흰옷을 입음》
Car·men [káːrmən] *n.* 여자 이름
car·min·a·tive [kɑːrmínətiv, káːrmənèit- | káːrminət-] *n.* 〖약학〗 구풍제(驅風劑) **—** *a.* 위장 내의 가스를 배출하는
car·mine [káːrmin, -main | -main] *n., a.* 카민(의), 양홍색(洋紅色)(의)
Cár·na·by Strèet [káːrnəbi-] 카너비 거리 《런던의 쇼핑가(街); 1960년대 젊은이의 패션 중심지》
car·nage [káːrnidʒ] *n.* **1** Ⓤ (전쟁 등에서의) 대량 살인[살육], 대학살: a scene of ~ 아수라장 **2** [집합적] 즐비한 시체
*__car·nal__ [káːrnl] *a.* Ⓐ **육체의**(fleshly); 육감적인(sensual); 육욕적인; 비정신[물질]적인; 인간적인; 현세적인, 속세의(worldly): ~ desire[lust] 육욕, 색정(色情) **~·ist** *n.* **~·ly** *ad.* **~·ness** *n.*
cárnal abúse 〖법〗 (미성년자에 대한) 강제 외설 행위; (특히 소녀에 대한) 강간
car·nal·ism [káːrnəlìzm] *n.* Ⓤ 육욕[현세]주의
car·nal·i·ty [kɑːrnǽləti] *n.* **1** Ⓤ 육욕; 음탕; 세속성; 《특히》 성교 **2** 현세욕, 속념 **3** 육(체)
car·nal·ize [káːrnəlàiz] *vt., vi.* 육욕[세속]적으로 하다[되다]
cárnal knówledge 〖법〗 성교, 육체 관계
car·nall·ite [káːrnəlàit] *n.* Ⓤ 〖광물〗 광로석(光鹵石) 《칼륨의 원료》
car·nap·per, -nap·er [káːrnæ̀pər] [*car*+kid*napper*] *n.* 자동차 도둑
car·nas·si·al [kɑːrnǽsiəl] 〖동물〗 *a.* 〈치아가〉 열육(裂肉)성의, 고기를 찢기에 알맞은 **—** *n.* 열육치
‡**car·na·tion** [kɑːrnéiʃən] *n.* **1** 〖식물〗 **카네이션**; 카네이션 꽃 **2** Ⓤ 담홍색, 분홍색(pink)
— *a.* Ⓐ 담홍색의
car·nau·ba [kɑːrnáubə, -nɔ́ː-] *n.* 〖식물〗 브라질납야자; 그 나무에서 채취되는 왁스 《광택용》(= **~ wàx**)
*__Car·ne·gie__ [káːrnəgi, kɑːrnéigi | kɑːnégi, -néigi] *n.* 카네기 **Andrew ~** (1835-1919) 《미국의 강철왕·자선가》: ~ Foundations 카네기 재단 / ~ Institution 카네기 인스티튜션 《카네기 학술 문화 연구 장려 기관》
Cárnegie Háll 카네기 홀 《New York 시에 있는 연주회장》
Cárnegie ùnit 《미》 카네기 학점 《대학 입학을 위해 중등 학교에서 필수로 이수해야 하는 기준 수업 단위》
car·nel·ian [kɑːrníːljən] *n.* Ⓤ 〖광물〗 홍옥수(紅玉髓)(cornelian) 《보석으로 이용》
car·net [kɑːrnéi] [F] *n.* (*pl.* **~s** [-z]) 카르네 《자동차가 유럽 각국의 국경을 통과할 때의 무관세 허가증》; (버스·지하철 등의) 회수권; 캠프장 사용 허가서; 〖항공〗 국제 항공 연맹(FAI)이 비행기의 승무원에게 발행하는 카드
car·ney[1] [káːrni] 《영·구어》 *vt.* = CAJOLE
— *a.* 치사한, 비겁한, 교묘한 **—** *n.* 감언, 아첨, 아부
carney[2] *n.* (*pl.* **~s**), *a.* = CARNY[2]
car·ni·fy [káːrnəfài] *vt., vi.* (**-fied**) 〖병리〗 육질화(肉質化)하다, 육질이 되다
car·ni·tine [káːrnətìːn] *n.* 〖생화학〗 카르니틴

cargo *n.* freight, load, haul, contents, goods, baggage; shipment, shipload, boatload

‡**car·ni·val** [káːrnəvəl] [L 「육식을 끊기」의 뜻에서] *n.* **1** 사육제(謝肉祭), 카니발 NOTE 가톨릭교국에서 사순절(Lent) 직전 3일간의 떠들썩한 축제. 사순절에는 육식을 금하기 때문에 그 전에 실컷 육식을 하고 신나게 놀아 보자는 행사. 마지막 날이 Mardi Gras. 리오(Rio de Janeiro)의 카니발이 유명함. **2** 흥청망청 놀기, 광란, 흥청거림; 축제, (스포츠) 대회, 제전(祭典): a winter ~ 겨울의 제전 / a water ~ 수상(水上) 대회 **3** 《미》 순회 흥행; 서커스; 이동 유원지(《영》 funfair)
Car·niv·o·ra [kɑːrnívərə] *n. pl.* 〖동물〗 육식류(肉食類); [**c~**] [집합적] 육식 동물
car·ni·vore [káːrnəvɔ̀ːr] *n.* **1** 〖동물〗 육식 동물 **2** 〖식물〗 식충(食蟲) 식물(cf. HERBIVORE)
car·niv·o·rous [kɑːrnívərəs] *a.* **1** 〈동물이〉 육식성의; 〈식물이〉 식충성의 **2** 육식 동물의; 식충 식물의 **~·ly** *ad.* **~·ness** *n.*
car·no·saur [káːrnəsɔːr] *n.* 카르노사우르스 《짧은 앞다리를 가진 거대 공룡》
car·nose [káːrnous] *a.* 육(肉)의, 육질의
car·no·tite [káːrnətàit] *n.* Ⓤ 〖광물〗 카르노타이트 《우라늄 원광》
car·ny[1] [káːrni] *vt., a., n.* 《영·구어》 = CARNEY[1]
carny[2] *n.* (*pl.* **-nies**) 《미·속어》 **1** 순회 오락장[쇼]에서 일하는 사람; 순회 흥행 배우 **2** = CARNIVAL 3
— *a.* 순회 쇼의, 서커스의
car·ob [kǽrəb] *n.* 〖식물〗 쥐엄나무 비슷한 콩과(科)의 나무 《지중해 연안산; 열매는 사료》
ca·roche [kəróutʃ, -róuʃ] *n.* (17세기의) 호화스러운 마차
‡**car·ol** [kǽrəl] [OF 「윤무(輪舞)」의 뜻에서] *n.* **1** 기쁨의 노래; (종교적) 축가, 캐럴: a Christmas ~ 크리스마스 캐럴 **2** (지저귀는) 새소리
— *vi., vt.* (**~ed**; **~·ing** | **~led**; **~·ling**) 기뻐[즐겁게] 노래하다; 〈새가〉 지저귀다; 축가를 부르다; 캐럴을 부르며 돌아다니다 **~·er, ~·ler** *n.*
Car·ol [kǽrəl] *n.* **1** 여자 이름 **2** 남자 이름
Car·o·le·an [kæ̀rəlíːən] *a.* = CAROLINE[1]
Car·o·li·na [kæ̀rəláinə] [영국왕 Charles(1 또는 2세)의 라틴 어명의 여성형에서] *n.* 캐롤라이나 《미국 대서양 연안의 두 주(州) North Carolina와 South Carolina》
Car·o·line[1] [kǽrəlàin, -lin | -làin] *a.* 영국왕 찰스 1·2세 (시대)의
Car·o·line[2] [kǽrəlin, -làin | -làin] *n.* 여자 이름 《애칭 Carrie》
Cároline Íslands [the ~] 캐롤라인 제도 《필리핀 동쪽의 서태평양 제도》
Car·o·lin·gi·an [kæ̀rəlíndʒiən] *a., n.* (프랑스의) 카롤링거 왕조의 (사람[지지자]), 카롤링거 왕조풍의 (서체)
Car·o·lin·i·an[1] [kæ̀rəlíniən] *a., n.* 미국 캐롤라이나(Carolina) 주의 (주민)
Carolinian[2] *a.* **1** = CAROLINE[1] **2** = CAROLINGIAN
cárol sìnging (자선 모금을 위한) 크리스마스 캐럴 합창 **cárol sìnger** *n.*
car·om [kǽrəm] *n.* **1** 《미》 〖당구〗 = CANNON 4 **2** (되돌아오는) 바운드; 바운드한 공
— *vi.* **1** 《미》 〈구슬이〉 캐논이 되다 **2** …에 부딪쳐 튀어 되돌아오다 《*off*》 **—** *vt.* 튀어 되돌아오게 하다
car·o·tene [kǽrətìːn] [L 「당근(carrot)」의 뜻에서] *n.* ⓊⒸ 〖생화학〗 카로틴 《당근 등에 들어 있는 적황색의 탄수화물》
ca·rot·e·noid, -rot·i- [kərɑ́tənɔ̀id | -rɔ́t-] *n., a.* 〖생화학〗 (색소의 일종인) 카로티노이드(의)
ca·rot·id [kərɑ́tid | -rɔ́t-] 〖해부〗 *n.* 경동맥(= **~ àrtery**) **—** *a.* 경동맥의 **~·al** *a.*
carótid bòdy 〖해부〗 경동맥(소)체, 경동맥(사)구, 목동맥체
carótid sìnus 〖해부〗 경동맥동(洞), 목동맥동
car·o·tin [kǽrətin] *n.* = CAROTENE
ca·rous·al [kəráuzəl] *n.* ⓊⒸ 《문어》 흥청거림, 큰 술잔치[연회]

ca·rouse [kəráuz] ((문어)) *vi., vt.* 술을 흠씬 마시다; 술을 마시며 흥청거리다 ~ ***it*** 흥청망청 마시다
—*n.* =CAROUSAL **ca·róus·er** *n.*

car·ou·sel [kæ̀rəsél, -zél, ∠-∠ | kæ̀ru:zél] *n.* **1** 회전목마 **2** (공항에서 하물을 나르는) 회전식 원형 컨베이어 **3** 〖역사〗 마상(馬上) 시합

carousel 2

carp[1] [kɑ́:rp] *vi.* 흠을 들추다, 트집 잡다, 몹시 꾸짖다 ((*at*)) —*n.* 불평, 투덜거림; 비난

***carp**[2] [kɑ́:rp] *n.* (*pl.* 〔집합적〕 **~, ~s**) 〖어류〗 잉어 ((★ 영·미에서는 탁한 물에 사는 물고기란 인상이 강하여 식용하지 않음)); 잉엇과(科)의 물고기

carp- [kɑ:rp], **carpo-** [kɑ́:rpou, -pə] ((연결형)) 「과실(果實)」의 뜻 ((모음 앞에서는 carp-))

car·pac·cio [kɑ́:rpɑ̀:tʃiou] *n.* (*pl.* **-ci·os**) 카르파초 ((쇠고기·참치 등 날고기나 날생선을 얇게 썰어서 소스를 친 요리))

car·pal [kɑ́:rpəl] 〖해부〗 *a.* 손목 관절의
—*n.* 손목뼈

car·pa·le [kɑ:rpéili] *n.* (*pl.* **-li·a** [-liə]) 손목뼈

cárpal túnnel sỳndrome 〖병리〗 손목 관절 (압박) 증후군 ((과한 운동으로 손목이나 손에 통증, 근력 저하를 일으키는 병))

cár pàrk ((영)) 주차장(((미)) parking lot)

Car·pa·thi·an [kɑ:rpéiθiən] *a.* 카르파티아 산맥의
—*n.* [the ~s] 카르파티아 산맥(=∠ **Móuntains**) ((유럽 중부))

car·pe di·em [kɑ́:rpi-dáiəm, kɑ́:rpei-dí:əm] 〔L = pluck the day〕 현재[오늘]를 즐기기; 현재를 즐겨라

car·pel [kɑ́:rpəl] *n.* 〖식물〗 심피(心皮), 암술잎

car·pel·lar·y [kɑ́:rpəlèri | -ləri] *a.*

car·pel·late [kɑ́:rpəlèit] *a.* 암술잎[심피]이 있는

‡**car·pen·ter** [kɑ́:rpəntər] 〔L 「마차 목수」의 뜻에서〕 *n.* 목수, 대목 ((((미))에서는 joiner도 포함됨)); 〖연극〗 무대 장치인; 아마추어 목수: a ~'s shop 목공소/the ~'s son 나사렛 목수의 아들 ((예수 그리스도))
—*vi.* 목수[목공] 일을 하다
—*vt.* 목수 일로 만들다; 〈줄거리·각본 등을〉 기계적[모방적]으로 만들다

cárpenter ànt 〖곤충〗 왕개미

cárpenter bèe 〖곤충〗 어리호박벌

cárpenter('s) scène 〖연극〗 (무대 장치를 바꾸기 위해 무대 앞쪽에서 하는) 막간극(幕間劇)

cárpenter's squàre[rùle] 목수용 곱자, 직각자

car·pen·try [kɑ́:rpəntri] *n.* Ⓤ 목수직; 목수 일; 목공 (세공); 목공품(木工品); (문학 작품의) 구성(법)

carp·er [kɑ́:rpər] *n.* 트집쟁이, 혹평가

‡**car·pet** [kɑ́:rpit] 〔OF 「거칠고 보풀이 인 천」의 뜻에서〕 *n.* **1** 카펫, 양탄자, 융단; 깔개(cf. RUG): a Persian ~ 페르시아 융단/lay[put down] a ~ 카펫을 깔다/beat a ~ 카펫을 털다 **2** Ⓤ 융단 천 **3** (융단을 깔아 놓은 듯이) 온통 뒤덮임: a ~ of flowers 꽃으로 온통 뒤덮임 **4** 〖항공〗 카펫 ((jamming radar를 위한 항공기 탑재 전자 장치 및 시스템)) **5** =CARPET BOMBING

a figure in the ~ 곧 분간할 수 없는 무늬 ***on the ~*** ((영·구어)) 심의[토의] 중인; ((구어)) 〈아랫사람이〉 꾸중을 듣고 ***pull the ~ (out) from under*** a person …에 대한 원조[지지]를 갑자기 중단하다 ***roll out the red ~*** 정중하게 맞다[준비하다] ***sweep[push, brush] ... under[underneath, beneath] the ~*** ((구어)) 〈거북한 일을〉 감추다, 비밀로 하다 ***walk the ~*** 〈하인이〉 야단맞다
—*vt.* **1** …에 양탄자를 깔다; [보통 수동형으로] (양탄자를 깐 듯이) 온통 뒤덮다 ((*with*)): ~ the stairs 계단에 양탄자를 깔다 // (~+목+전+명) a garden ~*ed with* flowers 꽃으로 뒤덮인 뜰 **2** ((영·구어)) 〈하인을〉 (불러) 꾸짖다

car·pet·bag [kɑ́:rpitbæ̀g] *n.* (옛날 헌 융단 천으로 만든) 여행용 손가방 —*a.* ((미)) carpetbagger의 [적인] —*vi.* (**~ged**; **~·ging**) ((미)) 홀가분히 여행하다; (한몫 보려고) 새 땅으로 옮기다; ((미·학생속어)) (교사 등에게) 잘 보이다, 좋은 인상을 주려고 하다

car·pet·bag·ger [kɑ́:rpitbæ̀gər] 〔전재산을 여행용 손가방에 넣고 다니는 데에서〕 *n.* **1** 〖미국사〗 남북전쟁 후 북부에서 남부로 한몫 보러 간) 뜨내기 정치인, 투기꾼 **2** 한몫 보려고 돌아다니는 떠돌이[외래자]; (의석을 차지하기 위해) 연고가 없는 선거구에서 출마한 입후보자, 철새 정치인 **-ger·y** *n.*

car·pet·beat·er [-bì:tər] *n.* 양탄자를 터는 사람[도구]

cárpet bèd 양탄자 무늬처럼 심은 꽃밭

cárpet bèdding 〖원예〗 양탄자 무늬로 꽃밭 만들기

cárpet bèetle 〖곤충〗 수시렁이

car·pet-bomb [-bɑ̀m | -bɔ̀m] *vt., vi.* 〖군사〗 융단 폭격하다

cárpet bòmbing 1 〖군사〗 융단 폭격 **2** ((영·구어)) 다이렉트 메일 방식

cárpet dànce 약식 무도(회)

car·pet·ing [kɑ́:rpitiŋ] *n.* Ⓤ 양탄자[융단] 재료; [집합적] 마루깔개감; (꽃·낙엽 등) 융단처럼 깔아 모은 것; ((영·구어)) 꾸짖기

cárpet knìght ((경멸)) 실전 경험이 없는 군인; 한량, 방탕아

cárpet ròd (계단의) 양탄자 누르개(stair rod)

cárpet slìpper (가정용) 모직 슬리퍼

cárpet snàke 〖동물〗 얼룩뱀 ((오스트레일리아산))

cárpet swèeper 양탄자 청소기

cárpet tìle 카펫 타일 ((카펫 재료로 만든 타일))

cárpet wálker ((마약속어)) 상습적 중독자

car·pet·weed [kɑ́:rpitwì:d] *n.* 〖식물〗 석류풀의 일종

cárpet yàrn 양탄자 짜는 실

car·phol·o·gy [kɑ:rfɑ́lədʒi | -fɔ́l-] *n.* Ⓤ 〖병리〗 촬공 모상(撮空模床)(floccillation)

car·phone [kɑ́:rfòun] *n.* 카폰 ((차 안에서 사용하는 무선 전화기))

car·pi [kɑ́:rpai] *n.* CARPUS의 복수

-carpic [kɑ́:rpik] ((연결형)) =-CARPOUS

carp·ing [kɑ́:rpiŋ] *a.* 트집 잡는, 잔소리 심한: a ~ tongue 독설 —*n.* Ⓤ 트집 잡기 **~·ly** *ad.*

carpo- [kɑ́:rpou, -pə] ((연결형)) =CARP-

car·po·log·i·cal [kɑ̀:rpəlɑ́dʒikəl | -lɔ́dʒ-] *a.* 과실학(果實學)의

car·pol·o·gy [kɑ:rpɑ́lədʒi | -pɔ́l-] *n.* Ⓤ 과실 (분류)학 **car·pól·o·gist** *n.* 과실학자

cár pòol ((미)) (자가용차의) 합승 이용[그룹] ((통근 등에서 교대로 자기 차에 태워주기))

car·pool [kɑ́:rpù:l] *vt.* 합승식으로 태워주다; 교대로 운전하며 가다 —*vi.* 합승 이용에 참가하다: ~ to work 차에 합승하여 출근하다 **~·er** *n.*

car·port [-pɔ̀:rt] *n.* (지붕만 있는) 간이 차고

-carpous [kɑ́:rpəs] ((연결형)) 「…한[…개의] 열매를 가진」의 뜻: apo*carpous*

car·pus [kɑ́:rpəs] *n.* (*pl.* **-pi** [-pai]) 〖해부〗 손목(wrist); [집합적] 손목뼈

car·rack [kǽrək] *n.* 〖역사〗 (14-16세기 스페인 등의) 무장 상선

cár ràdio 카 라디오 ((자동차에 설치한 라디오))

car·ra·geen, -gheen [kǽrəgì:n] *n.* **1** =IRISH MOSS **2** =CARRAGEENAN

car·ra·gee·nan, -nin [kæ̀rəgí:nən] *n.* Ⓤ 카라기닌 ((carrageen의 주성분))

thesaurus **carry** *v.* **1** 나르다 transport, convey, transfer, move, take, bring, fetch **2** 지탱하다 sup-

car·re·four [kǽrəfùər, ㄴ-ㄹ|ㄴ-ㄹ] [F] *n.* **1** 십자로, 교차로(crossroads) **2** 광장(square)
car·rel, -rell [kǽrəl] *n.* (도서관의) 개인용 열람석[실], (도서관 내의) 연구·독서를 위한 자리
‡**car·riage** [kǽridʒ] *n.* **1 탈것,** 차; 《특히》 4륜 마차 《자가용》; 《미》 유모차(=baby ~; 《영》 pram); 《영》 (철도) 객차, (객차) 차량(《미》 car) 《★ 「화차」는 《영》 wagon, 《미》 freight car》: a closed ~ 유개 마차/a ~ and pair[four] 쌍두[4두]의 사륜마차 **2** (기계의) 운반대(臺); (타이프라이터의) 캐리지 《용지를 감는 부분》; 포가(砲架) **3** Ⓤ 사람을 대하는 태도, 거동, 몸가짐 **4** Ⓤ 《영》 운반, 수송; [또는 《미》 kǽriidʒ] 운임: the expenses of ~ 운반비, 운임/the ~ of goods by sea[rail] 화물의 해상[철도] 수송/the ~ on a parcel 소화물 운임 **5** (사업 등의) 관리, 경영, 운영 **6** Ⓤ (동의(動議)의) 통과
car·riage·a·ble [kǽridʒəbl] *a.* 〈길이〉 마차가 다닐 수 있는; 운반할 수 있는
cárriage bòlt 《미》 캐리지 볼트 《주로 차량에 쓰이는 나사》
cárriage clòck (초기의) 여행용 휴대 시계
cárriage còmpany 《구어》 =CARRIAGE FOLK
cárriage dòg 마차 개(coach dog), 《특히》 달마티안(Dalmatian)
cárriage drìve 《영》 (대저택의 대문에서 현관에 이르는) 차도(車道); (공원 내의) 마찻길
cárriage fòlk 《구어》 자가용 마차를 가질 정도로 부유한 사람들
cárriage fórward 《영》 운임 수취인 지불(로) (《미》 collect[1])
cárriage frée 《영》 운임 무료로, 발신인 지급으로
cárriage hòrse 마차 말
cárriage hòuse 마차 차고
cárriage páid 《영》 운임 선불(로)(《미》 prepaid)
cárriage pòrch (현관의) 차 대는 곳
cárriage retùrn 〖컴퓨터〗 복귀 《略 CR》
cárriage tràde 부유층, 부자들(을 상대하는 장사); (식당·극장 등의) 상류[부유층] 고객
car·riage·way [kǽridʒwèi] *n.* 《영》 차도, 마찻길; 차선
cárriage wràpper (마차용) 무릎 덮개
cár·rick bènd [kǽrik-] 〖항해〗 캐릭 벤드 《밧줄 끝끼리 매는 매듭의 일종》
Car·rie [kǽri] *n.* 여자 이름 《Caroline의 애칭》
car·ried [kǽrid] *a.* 운반된; 《영·방언》 넋을 잃은, 황홀한, 제정신이 아닌
‡**car·ri·er** [kǽriər] *n.* **1 운반인**; 《미》 우편 집배원(=mail ~, 《영》 postman); 신문 배달원; 운송업자[회사]; 메신저, 사자(使者), 심부름꾼: a common ~ 〖법〗 운송업자 《철도·기선 회사를 포함》/a *~'s* note 화물 인환증, 짐표 **2** 운반기, 컨베이어, 운반 설비; (자전거 등의) 짐받이 **3** 〖의학〗 전염병 매개체, 보균자, (유전자의) 보유자: disease *~s* 병원(체) 보유자 **4** 항공모함(=aircraft ~); 수송기; 운반선; 운송차: a baby[light, regular] ~ 소형[경(輕), 정규] 항공모함 **5** 〖물리·화학〗 담체(擔體) **6** =CARRIER WAVE **7** 배수구, 하수로 **8** (농약의) 증량제; (약제의) 기제(基劑); (염료의 확산·흡수를 돕는) 촉진제
cárrier áir wìng 〖미해군〗 항공모함 비행단
cárrier bàg 《영》 =SHOPPING BAG
car·ri·er-based [kǽriərbèist] *a.* =CARRIER-BORNE
car·ri·er-borne [-bɔ̀ːrn] *a.* 항공모함 적재의: a ~ aircraft 함재기(艦載機)/a ~ bomber 함상 폭격기
cárrier càr 자동차 운반차[트럭]
cárrier-free ísotope [-frìː-] 〖화학〗 혼합물이 없는 방사성 원소
cárrier nàtion 해운국(海運國)

port, sustain, bear, shoulder **3 쟁취하다** win, capture, gain, secure **4 팔다** sell, stock, offer, retail

cárrier pìgeon 전서구(傳書鳩)
cárrier ròcket 운반용 로켓
cárrier tòne 〖컴퓨터〗 (모뎀의) 변조(變調) 신호음
cárrier wàve 〖통신〗 반송파(搬送波)
car·ri·ole [kǽriòul] *n.* =CARIOLE
car·ri·on [kǽriən] *n.* Ⓤ 썩은 고기, 죽은 짐승 고기; 부패; 싫은 것, 오물 **—*a.*** Ⓐ 썩은; 썩은 고기를 먹는; 부패한, 더러운
cárrion cròw 〖조류〗 (썩은 고기를 먹는 유럽산) 까마귀; 검은 콘도르 《미국 남부산》
Car·roll [kǽrəl] *n.* 캐롤 **Lewis ~** (1832-98) 《영국의 동화 작가·수학자》
car·ro·ma·ta [kæ̀rəmɑ́ːtə] *n.* 카로마타 《필리핀에서 말 한 필이 끄는 이륜 마차》
car·ron·ade [kæ̀rənéid] *n.* 〖역사〗 (구경이 크고 포신이 짧은) 함포의 일종
cár·ron òil [kǽrən-] 〖약학〗 캐런 기름 《아마인유(亞麻仁油)·석회수를 섞은 화상약》
***car·rot** [kǽrət] *n.* **1** 〖식물〗 **당근**; 그 뿌리 **2** 《구어》 상, 보수; 설득 수단, 미끼, 먹이 **3** [*pl.*; 단수 취급] 《속어》 붉은 머리털(의 사람); [**C~s**] 홍당무 《별명》
~ and stick 당근과 채찍, 회유와 위협
—*vt.* 〈모피를〉 (가공하기 전에) 질산은(銀) 처리를 하다
car·rot-and-stick [kǽrətəndstík] *a.* Ⓐ 당근과 채찍[회유와 위협]의: ~ diplomacy 회유와 위협의 외교
car·rot·top [-tɑ̀p|-tɔ̀p] *n.* 《미·속어》 빨강머리 《종종 애칭으로 쓰임》 **~ped** [-t] *a.*
car·rot·y [kǽrəti] *a.* 당근색의; 《속어》 〈털이〉 붉은; 붉은 머리칼의
car·rou·sel [kæ̀rəsél, -zél, ㄹ-ㄴ|kæ̀ruːzél] *n.* =CAROUSEL
‡**car·ry** [kǽri] *v., n.*

L 「차로 나르다」의 뜻; car와 같은 어원	
① 나르다	타 **1** 자 **1**
② 가게 하다	타 **1**
③ (소리 등을) 전하다; 전해지다	타 **1** 자 **2**
④ 지탱하다	타 **4**
⑤ 휴대하다	타 **2**

—*v.* (**-ried**) *vt.* **1 나르다,** 운반하다, 들고[갖고, 지고, 업고] 가다; 〈동기·시간 등이〉 〈사람을〉 가게 하다; 〈소식·소리 등을〉 **전하다,** 보도하다; 〈병을〉 옮기다: This elevator cannot ~ more than twelve persons. 이 엘리베이터에는 12명 이상은 탈 수 없다. // (~+목+전+명) ~ goods *to* a storehouse 화물을 창고로 나르다/~ a thing *on* one's back[shoulder] 물건을 등에 지고[어깨에 메고] 가다/~ a child *in* one's arms 아이를 안고 가다/Business *carried* him *to* New York. 사업차 그는 뉴욕에 가야만 했다./Ambition is apt to ~ a person *to* destruction. 야심은 자칫 사람을 파멸로 이끌기 쉽다./He *carried* the message *to* me. 그는 나에게 그 메시지를 전했다. // (~+목+부) *C~* this stool *back* to its place. 이 걸상을 제자리에 도로 갖다 놓아라. **2 휴대하다, 지니다,** 지니고 다니다, 소지하다: He always *carries* a camera. 그는 항상 카메라를 갖고 다닌다. // (~+목+전+명) He never *carries* much money *with* him. 그는 결코 큰돈을 지니고 다니지 않는다. **3** 〈기억을〉 가지다, 기억해 두다: (~+목+전+명) I was surprised to find him ~ all these names *in* his head. 나는 그가 이 이름들을 모두 기억하고 있는 것을 알고 놀랐다. **4** 〈무게를〉 **지탱하다,** 감당하다; 〈머리·몸 등을〉 (어떤 자세로) 유지하다: Those columns ~ the roof. 그 기둥들이 지붕을 떠받치고 있다. // (~+목+부) She *carried* her head *high.* 그녀는 머리를 높이 쳐들고 있었다. **5** [~ one*self* 로] **거동하다,** 처신하다: She *carries herself* gracefully[proudly]. 그녀는 거동이 우아하다[거만하다]. **6 쟁취하다;** 〖군사〗 〈요새 등을〉 공략하다, 탈취하다; 〈청중을〉 사로잡다, 감동시키다: ~ the enemy's position 적의 진지를 점령하다 / ~ the house 만장의 갈채를 받다 // (~+목+전+명) The actor *carries* his audience *with* him. 그 배우는 관중을 감동시킨다. **7** [보통 수동형으로] 〈주장을〉 관철하다, 〈동의(動議)·의안 등〉 통과시키다, 〈후보자를〉 당선시키다; 《미》 〈선거구 등의〉 과반수의 표를 얻다, 지지를 얻다: The decision *was carried* unanimously. 결의는 만장일치로 가결되었다. **8** 연장하다, 확장하다; 〈일·논의 등을〉 추진하다, 진행시키다: (~+목+전+명) ~ the war *into* the enemy's territory 전쟁을 적의 영토까지 확대하다 / They *carried* the highway *across* the mountain. 고속도로는 산을 가로질러 연장되었다. **9** 〈의무·권리 등을〉 수반하다, 〈책임 등을〉 지다; 견디어 내다; 〈관·철사·통 등이 가스·물·전기 등을〉 (…로) 보내다, 통하게 하다, 흘리다 《*to*》; 〈속성 등을〉 가지고 있다; 〈의미를〉 지니다; 〈이자를〉 낳다: ~ an important meaning 중요한 의미를 가지고 있다 / The loan *carries* 9% interest. 그 대출에는 9%의 이자가 붙는다. // (~+목+전+명) Freedom *carries* responsibility *with* it. 자유에는 책임이 따른다. **10** 《미》 〈신문·TV가〉 〈기사를〉 싣다, 보도하다; 〈물품을〉 가게에 놓다, 팔고 있다, 팔다: Newspapers ~ weather reports. 신문은 일기 예보를 싣고 있다. / The store *carries* a full line of canned goods. 그 가게엔 통조림이라면 무엇이나 다 있다. **11** 〈농장 등이〉 〈가축을〉 기르다; 〈토지가〉 〈작물을〉 산출하다: The ranch will ~ 1,000 cattle. 이 목장은 소 1,000 마리를 기를 수 있다. **12** 〖부기〗 기록[장부]으로 남겨두다; (다음 페이지에) 이월(移越)하다; 〖수학〗 〈수를〉 한 자리 올리다; 〈주식을〉 계속 보유하다 **13** 《구어》 〈사람을〉 재정적으로 돕다, 지원하다, 뒷바라지하다: My uncle *carried* me until I found a job. 삼촌은 내가 직장을 구할 때까지 돌봐 주셨다. **14** 〖항해〗 〈돛을〉 달다, 올리다; 〖군사〗 〈무기·깃발 등을〉 (규칙에 따라) 가지는 자세를 취하다, 게양하다 **15** 〈나이 등을〉 용케 숨기다; 〈술을〉 마셔도 흐트러지지 않다 **16** 〈열매를〉 달고 있다; 〈아이·새끼를〉 배고 있다 **17** 〖골프〗 〈벙커 등을〉 단번에 쳐 넘기다

— *vi.* **1** 〈물건을〉 나르다, 운반하다 **2** 〈소리·탄환 등이〉 이르다, 도달하다; 〈문학 작품 등의 의미가〉 이해되다, 잘 전달되다: (~+부) His voice *carries well.* 그의 목소리는 잘 들린다. / This rifle *carries* nearly a mile. 이 총의 사정거리는 약 1마일이다. // (~+전+명) Her voice did not ~ *to* the back of the room. 그녀의 목소리는 방 뒤에까지 미치지 않았다. **3** 〈법안 등이〉 통과되다 **4** 〈동물의 암컷이〉 새끼를 배고 있다 **5** 〈사냥개가〉 짐승 냄새를 놓치지 않고 추적하다 **6** 〈말이〉 머리를 (높이) 유지하다

(***as***) ***fast as*** one***'s legs*** ~ one 될 수 있는 대로 빨리 ***be carried away*** [***out of*** one***self***] 넋을 잃다, 무아지경이 되다 ~ ***about*** (***with*** one) 지니고 다니다 ~ ***all*** [***everything, the world***] ***before*** one 파죽지세로 진격하다; 압승하다, 대성공을 거두다 ~ a person ***along*** 〈연설 등이〉 …을 감동시키다; …을 돕다, 격려하다 ~ ***along*** (***with*** one) 실어 가다, 가지고 가다 ***C~ arms!*** 《구령》 어깨총! ~ ***away*** 채 가다, 가져가 버리다; 넋을 잃게 하다, 흥분시키다: I guess I got *carried away.* 내가 들떠 있었나 봐. ~ ***back*** 되나르다(⇨ *vt.* 1); …에게 (지난날의 일이) 생각나게 하다; 〈손실을〉 전기(前期)로 이월하다 ~ ***conviction*** 확신시키다; 설득력이 있다 ~ ***down*** 끌어[집어]내리다; 〖부기〗 =CARRY forward. ~ ***forward*** 〈사업 등을〉 진척시키다; 〖부기〗 〈금액을〉 (다음 페이지로) 이월하다 ~ ***into effect*** [***execution, practice***] 실행에 옮기다, 실시하다 ~ ***it*** = CARRY the day. ~ ***it off*** (***well***) 〈난처한[곤란한] 사태 등을〉 잘 헤쳐나가다 ~ ***off*** 유괴하다, 채가다; 〈상 등을〉 획득하다; 〈병이〉 〈목숨을〉 빼앗다 ~ a person ***off*** one***'s feet*** …을 넘어뜨리다; 열광시키다 ~ things (***off***) ***with a high hand*** (만사에) 고압적으로 굴다 ~ ***on*** 계속해서 하다; (꺾이지 않고) 속행하다; 〈사업 등을〉 경영하다; 《구어》 울고불고하다, 추태 부리다; 《구어》 〈남녀가〉 추잡한 관계를 맺다; (이성과) 시시덕거리다, 바람피우다 《*with*》 ~ ***out*** 수행하다, 실행하다, 집행하다 ~ ***over*** 〖부기〗 이월하다; (다음으로) 미루다, 연기하다; 〈습관 등이〉 (…까지) 미치다 《*to*》 ~ one***'s bat*** 〖크리켓〗 아웃이 아니다 ~ one***self*** 거동하다(⇨ *vt.* 5); …의 자세를 취하다 ~ one***'s point*** ⇨ point. ~ ***sword*** 「어깨에 칼」을 하다 ~ ***the ball*** ⇨ ball[1]. ~ ***the can*** ⇨ can[2]. ~ ***the day*** 승리를 거두다, 성공하다 ~ ***through*** 〈계획 등을〉 수행하다, 완수하다 《*with*》; 견디어[이겨] 내게 하다, 관철하게 하다: His courage will ~ him *through.* 그는 용기로 해내고 말 것이다. ~ ***... too far*** …의 도를 지나치다: You ~ the joke *too far.* 농담이 지나치다. ~ ***weight*** ⇨ weight. ~ ***... with*** one …을 휴대하다(⇨ *vt.* 2); 수반하다(⇨ *vt.* 9); 유의하다, 기억하고 있다; 〈청중을〉 감동시키다(⇨ *vt.* 6); ***to*** ~ [***be ~ing***] ***on with*** 현재로서는, 당장(은)

— *n.* (*pl.* **-ries**) **1** (총포의) 사정(射程); (골프·총탄 등의) 비거리(飛距離) **2** 《미·캐나다》 두 수로 사이의 육상 운반, 그 육로 **3** 운반, 수송; 운반차 **4** 〖군사〗 (행진할 때의) 기수(旗手)의 자세; 「어깨에 칼[총]」의 자세: at the ~ 「어깨에 칼[총]」을 하고 **5** 〖미식축구〗 공을 가지고 돌진하기 **6** 〖수학〗 한 자리 올리는 수

cár·ri·a·ble, ~·a·ble *a.*

car·ry·all[1] [kǽriɔ̀:l] [carriole에서; carry all(모든 것을 나르다)의 연상에서] *n.* **1** 한 필이 끄는 마차 **2** 《미》 양쪽에 마주 앉는 좌석이 있는 버스

carryall[2] *n.* 《미》 (여행용) 즈크제 대형 가방(《영》 holdall)

car·ry-a·long [-əlɔ̀:ŋ | -əlɔ̀ŋ] *a.* 휴대용의

car·ry-back [-bæ̀k] *n.* **1** 《미》 (소득세의) 환불(액) **2** 〖럭비〗 캐리백 《방어측이 자기편 쪽으로 공을 가지고 그라운딩하는 것》

cárry bàg 《미》 =SHOPPING BAG

car·ry·cot [-kɑ̀t | -kɔ̀t] *n.* 《영》 (아기용) 휴대 침대

cárry flàg 〖컴퓨터〗 올림 플래그 《연산 결과 올림이 일어났을 때 값 1이 주어지는 플래그》

car·ry·for·ward [-fɔ́:rwərd] *n.* 이월(carry-over); 《미》 (소득세의) 손실 이월

car·ry-in [-ìn] *a., n.* 가지고 가면 수리해 주는 (가전제품); (미중북부) 각자 음식을 지참하는 (파티)

car·ry·ing [kǽriiŋ] *n.* Ⓤ 적재, 운송, 운수

— *a.* Ⓐ 운송[적재]의; 〈목소리가〉 잘 들리는; 《미·속어》 마약을 가진, 총을 가진

cárrying capàcity **1** 적재량 **2** (케이블의) 송전력 **3** 〖생태〗 포화(飽和) 밀도, (환경) 수용력 《略 K》

cárrying chàrge **1** 월부의 할증금; 운송비 **2** 부동산의 계속 소유[사용]에 드는 비용; 유지비, 보관비 《세금·보험 등》; (상품 수송의) 제비용(諸費用)

car·ry·ing-on [kǽriiŋɑ́n | -ɔ́n] *n.* (*pl.* **car·ry·ings-**) 《구어》 시시덕거림; 떠들썩한[난잡한] 짓거리

cárrying tràde 운송업; (특히 국제간의) 해운업

cárry lìght 〖군사〗 추적용 탐조등

car·ry-on [kǽriɑ̀n | -ɔ̀n] *a.* Ⓐ 〈짐이〉 비행기 안에 가지고 들어갈 수 있는 — *n.* 기내 휴대 수하물; 《영·구어》 =CARRYING-ON; 《속어》 흥분 상태, 헛소동

car·ry-out [-àut] *n., a.* 《미·구어》 =TAKEOUT

car·ry·o·ver [-òuvər] *n.* **1** 〖부기〗 이월 **2** 〖상업〗 이월 거래, 이월품, 잔품

carse [kɑ́:rs, kɛ́rs] *n.* 《스코》 강가의 저지대

cár sèat **1** (자동차의 좌석에 설치하는) 아기용 의자 **2** 자동차 좌석용 쿠션

car·sick [kɑ́:rsìk] *a.* 《미》 차멀미하는: get ~ 차멀미하다 **~·ness** *n.* 차멀미

Cár·son Cíty [kɑ́:rsn-] 카슨 시티 《미국 Nevada 주의 주도》

thesaurus **cart** *n.* handcart, wheelbarrow, pushcart — *v.* **1** 나르다 transport, convey, haul, transfer, move **2** (짐을) 끌고 가다 lug, tote, carry

꞉cart [kɑ́ːrt] *n.* **1** (말·나귀·소가 끄는) 짐수레 《주로 이륜, 때로 사륜》 **2** (말 한 필이 끄는) 이륜 경마차 **3** 《미》 손수레, 소형 운반차 (《영》 trolley): a shopping ~ (슈퍼마켓 등의) 쇼핑용 손수레 / a golf ~ 골프 카트 ***in the ~*** 《영·속어》 곤경에 빠져, 이러지도 저러지도 못하게 되어 ***on the water ~*** 《영》 금주를 하고 ***put*** [***set***] ***the ~ before the horse*** 앞뒤가 뒤바뀌다, 본말(本末)을 전도하다

cart 1

— *vt.* **1** 짐수레로 나르다; 〈사람을〉 차로 나르다, 〈짐 등을〉 (애써) 나르다: 《~+목+전+목》 a bus to ~ the kids *to* and *from* school 아이들을 통학시켜 주는 버스 **2** 〈사람을〉 (강제로, 난폭하게) 끌고 가다, 연행해 가다: 《~+목+부》 ~ a criminal *off* [*away*] to jail 범인을 교도소에 처넣다 **3** 《구어》 〈주체스러운 것을〉 들고[갖고] 다니다 《*about, around*》 **4** 〖크리켓〗 강타(強打)하다

— *vi.* 짐수레로 나르다; 〖크리켓〗 강타하다

cart·age [kɑ́ːrtidʒ] *n.* Ⓤ 짐마차 운반[운임]

carte[1] [kɑ́ːrt] *n.* 〖펜싱〗 = QUARTE

carte[2] [F] *n.* **1** 식단표, 메뉴; 명함 **2** 《스코》 트럼프; [*pl.*] 카드놀이 **3** 《고어》 지도, 해도

carte blanche [-blǽntʃ, -blɑ́ːntʃ | -blɑ́ːntʃ] [F = blank sheet(백지)] (*pl.* **cartes blanches** [kɑ́ːrt(s)-]) **1** (서명만 하고 자유로이 기입할 수 있게 한) 백지위임장, 무조건의 허가; 백지[전권]위임: give ~ to …에게 자유재량을 주다 **2** 〖카드놀이〗 (피켓 등에서) 그림패가 없는, 손에 쥔 패

carte de vi·site [kɑ́ːrt-də-vizíːt] [F] (*pl.* **cartes de vi·site** [kɑ́ːrts-]) 명함판 사진; 명함 (대용의 사진)

carte du jour [kɑ́ːrt-də-ʒúər] [F] (*pl.* **cartes du jour** [kɑ́ːrts-]) = MENU 1; 오늘의 정식

car·tel [kɑːrtél] [G] *n.* **1** 〖경제〗 카르텔, 기업 연합 (cf. TRUST *n.* 8); 〖정치〗 당파 연합 **2** 포로 교환 조약서 **3** 결투장 **~·ism** *n.* 카르텔[기업 연합]의 형성, 카르텔화(化)

cár tèlephone 자동차 전화

car·tel·ist [kɑːrtélist] *n.* 카르텔의 일원; 카르텔론자 — *a.* 카르텔의; 카르텔화의

car·tel·ize [kɑːrtélaiz, kɑ́ːrtəlàiz] *vt., vi.* 카르텔화하다[되다] **càr·tel·i·zá·tion** *n.*

cart·er [kɑ́ːrtər] *n.* 짐마차꾼

Cart·er [kɑ́ːrtər] *n.* 카터 **James Earl ~, Jr.** (1924-) 《미국 제39대 대통령(1977-81)》

Car·te·sian [kɑːrtíːʒən | -zjən] *a.* 데카르트의 — *n.* 데카르트 학도[학파] **~·ìsm** *n.*

Cartésian coórdinates 〖수학〗 데카르트 좌표: ~ system 데카르트 좌표계

Cartésian díver[**dévil**] 데카르트의 자맥질 인형 《유리관 속 인형이 압력에 의해 부침하는 장치》

Cartésian dóubt 〖철학〗 데카르트적 회의 《절대 진리에 도달하기 위한 방법적 회의》

Cartésian pláne 〖수학〗 데카르트 평면

Cartésian próduct 〖수학〗 데카르트 곱 《집합 A와 B를 곱한 집합》

cart·ful [kɑ́ːrtfùl] *n.* 짐마차 1대분(의 양)

Car·thage [kɑ́ːrθidʒ] *n.* 카르타고 《아프리카 북부의 고대 도시 국가》 **Car·tha·gin·i·an** [kɑ̀ːrθədʒíniən] *a., n.* 카르타고의 (사람)

Carthagínian péace 카르타고식 화평 《패자에게 혹독한 화평 조약》

cárt hòrse 짐마차 말

carton *n.* box, package, container, case
cartoon *n.* comic strip, animated movie
cartridge *n.* case, container, cylinder, capsule

Car·thu·sian [kɑːrθúːʒən | -θjúːziən] *a., n.* 카르투지오 수도회의 (수도사); (런던의) Charterhouse School의 생도(의)

Car·ti·er [kɑ́ːrtièi] [F] *n.* 카르티에 《프랑스의 보석 상점; 또는 동 상점의 제품; 상표명》

car·ti·lage [kɑ́ːrtəlidʒ] *n.* ⓊⒸ 〖해부〗 연골; 연골 조직

cártilage bòne 연골성 경골

car·ti·lag·i·nous [kɑ̀ːrtəlǽdʒənəs] *a.* 〖해부〗 연골성의; 〖동물〗 골격이 연골로 된

cartiláginous fish 연골 어류

cart·load [kɑ́ːrtlòud] *n.* 짐(마)차 1대분의 짐, 한 바리; 대량 《*of*》 ***by the ~*** (짐차에 실을 만큼) 많이

car·to·gram [kɑ́ːrtəgræ̀m] *n.* 통계 지도 《지도에 의한 비교 통계도》

car·to·graph [kɑ́ːrtəgræ̀f, -grɑ̀ːf | -grɑ̀ːf] *n.* 지도; 《특히》 삽화가 있는 지도

car·tog·ra·pher [kɑːrtɑ́grəfər | -tɔ́g-] *n.* 지도 제작자

car·to·graph·ic, -i·cal [kɑ̀ːrtəgrǽfik(əl)] *a.* 지도 제작(상)의 **-i·cal·ly** *ad.*

car·tog·ra·phy [kɑːrtɑ́grəfi | -tɔ́g-] *n.* Ⓤ 지도 제작(법)

car·to·man·cy [kɑ́ːrtoumæ̀nsi] *n.* Ⓤ 카드점(占)

car·ton [kɑ́ːrtn] [F 「종이」의 뜻에서] *n.* 큰 상자; (운송용) 판지 상자, (용기에 든 우유·담배 등의) 큰 판지[플라스틱] 상자 《소형·중형의 상자는 《미》 package, 《영》 packet》; 한 상자의 용량; 한 상자분 《*of*》; 상자의 내용물; 과녁 복판의 흰 별 《bull's-eye 안의 흰 별》; 명중탄: a ~ *of* cigarettes 담배 한 보루 《10갑》 — *vt.* 상자에 넣다[수납하다] — *vi.* 두꺼운 종이로 상자를 만들다

car·ton·nage [kɑ̀ːrtənɑ́ːʒ | kɑ́ːrtənidʒ] *n.* 두꺼운 종이; 고대 이집트 미라의 관(棺)

⁎**car·toon** [kɑːrtúːn] *n.* (시사) 만화; 만화 영화; (신문의) 연재 만화(comic strip); (벽화 등의) 실물 크기의 밑그림; (컴퓨터가 그리는) 화상(畫像)의 프린트아웃 — *a.* Ⓐ 풍자만화적인 — *vt., vi.* 만화화하다; 만화를 그리다; 밑그림을 그리다 **~·ist** *n.* 만화가; 밑그림 화가

car·toon·ish [kɑːrtúːniʃ] *a.* 만화 같은, 희화적인 **~·ly** *ad.*

car·top [kɑ́ːrtɑ̀p | -tɔ̀p] *a.* Ⓐ 〈물건이〉 자동차 지붕 위에 실어 나를 수 있는

car-top [kɑ́ːrtɑ̀p | -tɔ̀p] *vt., vi.* (소형 보트·짐 등을) 자동차 지붕 위에 실어 나르다

car·toph·i·ly [kɑːrtɑ́fili | -tɔ́f-] *n.* (취미로서의) 담배 경품 카드 수집

car·top·per [kɑ́ːrtɑ̀pər | -tɔ̀p-] *n.* 자동차 지붕 위에 싣고 나를 수 있는 것[소형 보트]

car·touch(**e**) [kɑːrtúːʃ] *n.* **1** 〖건축〗 카르투시 《소용돌이 무늬 장식》 **2** 〖고고학〗 긴 타원형 윤곽 《고대 이집트의 국왕·신의 이름을 둘러싼 선》 **3** 폭죽의 탄약통

⁎**car·tridge** [kɑ́ːrtridʒ] *n.* **1** 탄약통; 약포(藥包); (폭파용) 화약통: a ball ~ 실포(實包), 실탄 / a blank ~ 공포, 공탄 / miniature ~ practice 협착(狹窄) 사격 **2** 〖사진〗 파트로네 《필름통》; (레코드 플레이어의) 카트리지; 《영》 (녹음·녹화 테이프의) 카트리지 (《미》 cassette); (만년필 등의) 카트리지 《바꿔 끼우기가 간편한 작은 용기》; 〖컴퓨터〗 카트리지 《집적 회로 따위와 같이 떼낼 수 있는 유닛》

cártridge bàg 탄약 주머니

cártridge bèlt 탄띠, 탄약대(帶)

cártridge bòx 탄약 상자

cártridge càse 탄피

cártridge chàmber (총의) 약실(藥室)

cártridge clìp 탄약통 (연결) 클립

cártridge pàper 약포지(藥包紙); 포장지; 도화지; 인쇄 용지

cártridge pèn 카트리지식 만년필

cárt ròad[**tràck**] = CARTWAY

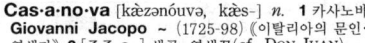

car·tu·lar·y [kɑ́:rtʃulèri | -ləri] *n.* (*pl.* **-lar·ies**) 특허장[권리 증서] 대장(臺帳)
cart·way [kɑ́:rtwèi] *n.* 짐마차 길; 울퉁불퉁한 길
*__cart·wheel__ [kɑ́:rthwì:l] *n.* (달구지 등의) 수레바퀴; 《미·속어》 대형 은화, 달러 은화; 《속어》 옆으로 재주넘기: turn ~*s* 옆으로 재주넘다
— *vi.* 바퀴처럼 움직이다; 옆으로 재주넘다 **~·er** *n.*
cárt whìp (마부의) 굵은 채찍
cart·wright [-ràit] *n.* 달구지 목수
car·un·cle [kǽrʌŋkl, kərʌ́ŋ- | kǽrəŋ-] *n.* 〖동물〗 볏, (뉴꺼풀 등의) 축 처진 살; 〖식물〗 씨혹, 종부(種阜) 《씨앗 배꼽의 삭은 돌기》
Ca·ru·so [kərú:sou] *n.* 카루소 **Enrico ~** (1873-1921) 《이탈리아의 테너 가수》
car·va·crol [kɑ́:rvəkrɔ̀:l, -kròul | -krɔ̀l] *n.* 〖화학〗 카르바크롤 《방부·살균제용의 액체 페놀》
‡**carve** [kɑ́:rv] *vt.* **1** (식탁에서) 〈고기를〉 **베다,** 저미다; 베어 나누다: ~ a roast turkey 통구이 칠면조를 베어 나누다 **2** 〈나무·돌 등을〉 (어떤 모양으로) **새기다** 《*into*》; 새겨서 〈상을〉 만들다 《*out of, in, on*》, 조각하다 《*on, in*》; 〈이름 등을〉 새겨 넣다: (~＋目＋前＋名) ~ marble *into* a statue 대리석으로 상을 만들다 / ~ a figure *out of* stone 돌을 조각하여 상을 만들다 / The boy ~*d* his name *on* the tree. 소년은 나무에 자기의 이름을 새겼다. **3** 〈운명·진로 등을〉 (애써) 개척하다; 〈지위·명성 등을〉 쌓아 올리다 《*out*》 **4** 〈강·바람 등이〉 (침식 작용으로) 〈지형을〉 깎아내다 《*into, from, out of*》 **5** 〈나라·영토를〉 (몇 개의 지역으로) 분할하다
— *vi.* 고기를 베어 나누다; 조각하다
~d in stone 《미·구어》 불변의, 변하는 일이 없는 ***~ for*** one***self*** 마음대로 하다[처신하다] ***~ out*** 잘라내다, 개척하다 ***~ out*** a career ***for*** one***self*** 자력으로 (출셋길)을 개척해 나아가다 ***~*** (***out***) one***'s*** [***a***] ***way*** 진로를 개척하다 ***~ up*** 〈고기를〉 잘라서 나누다; 〈유산·소유지 등을〉 분할하다; 《영》 〈돈·장물을〉 (서로) 나누다; 《영·속어》 (나이프 등으로) 찌르다; 《영·속어》 〈다른 차를〉 과속으로 추월하다
— *n.* 깎는 동작, 한 번 새기기
car·vel [kɑ́:rvəl] *n.* ＝CARAVEL
car·vel-built [kɑ́:rvəlbìlt] *a.* (뱃전의 판자를 포개지 않고) 판판하게 붙인(cf. CLINKER-BUILT)
*__carv·er__ [kɑ́:rvər] *n.* **1** 조각가 **2** (식탁에서) 고기를 써는 사람 《그 집 주인》; 고기 써는 나이프; [*pl.*] 고기 써는 큰 나이프와 큰 포크: a pair of ~*s* 고기 써는 큰 나이프와 큰 포크 한 벌 **3** 《영》 (식당의) 의자들 중 팔걸이가 있는 의자
carv·er·y [kɑ́:rvəri] *n.* 《영》 카베리 《손님의 요구에 따라 로스트 비프 등을 베어서 제공하는 레스토랑》
carve-up [kɑ́:rvʌ̀p] *n.* 《영·속어》 복잡하게 얽힌 사기, 음모; 싸움; (강탈품 따위의) 분배
*__carv·ing__ [kɑ́:rviŋ] *n.* Ⓤ **1** 조각; 조각술; Ⓒ 조각물 **2** 고기 베어내기[담기]
cárving fòrk (식탁용) 고기를 써는 데 쓰는 큰 포크
cárving knìfe (식탁용) 고기를 써는 데 쓰는 큰 나이프
cár wàsh 세차장; 세차
car·y·at·id [kæ̀riǽtid] *n.* (*pl.* **~s, -at·i·des** [-ǽtədì:z]) 〖건축〗 여인상(女人像) 기둥(cf. TELAMON) **-i·dal** *a.*

caryatid

cary(o)- [kǽri(ou), -ri(ə)] 《연결형》 ＝KARY(O)-
car·y·op·sis [kæ̀riɑ́psis | -ɔ́p-] *n.* (*pl.* **-ses** [-si:z], **-si·des** [-sədì:z]) 〖식물〗 영과(穎果), 곡과(穀果)
ca·sa·ba [kəsɑ́:bə] *n.* muskmelon의 일종
Cas·a·blan·ca [kæ̀səblǽŋkə] *n.* 카사블랑카 《모로코 북서 해안의 항구 도시》
cas·al [kéisəl] *a.* 〖문법〗 격(case)의
Cas·a·no·va [kæ̀zənóuvə, kæ̀s-] *n.* **1** 카사노바 **Giovanni Jacopo ~** (1725-98) 《이탈리아의 문인·엽색가》 **2** [종종 **c~**] 색골, 엽색꾼(cf. DON JUAN)
cas·bah [kǽzbə, -bɑ:, kɑ́:z-] *n.* [때로 **C~**] **1** (북아프리카의) 성채 **2** (북아프리카 도시의) 토착민 구역 《특히 술집이나 사창가가 있는 지역》
cas·ca·bel [kǽskəbèl] *n.* 손잡이 《전장총의 뒷부분에 있는 혹 모양의 돌기》; (구장포(口裝砲)의 포신 밑둥에 있는) 둥근 쇠
*__cas·cade__ [kæskéid] *n.* **1** 작은 폭포 《★ waterfall 보다 딱딱한 말》(cf. CATARACT); 여러 단으로 된 폭포 **2** 폭포 모양의 레이스 장식[머리]; 〖원예〗 (화초·나무 등의) 현애(懸崖) 가꾸기 **3** 배수 도랑; 〖화학〗 기체·액체가 단계적으로 흐르도록 늘어 세운 일련의 용기 **4** Ⓒ Ⓤ 〖전기〗 (유도 전동기의) 종속(縱續); (축전지의) 직렬 **5** (기업·조직의) 위로부터의 계단식 정보 전달 **6** 〖생화학〗 일련의 단계적인 반응
— *vi.* 폭포가 되어 떨어지다
— *vt.* (폭포처럼) 떨어뜨리다; 〖전기〗 종속으로 접속하다; 〈작업을〉 단계적으로 행하다
cascáde contról 〖컴퓨터〗 종속 제어
Cascáde Ránge [the ~] 캐스케이드 산맥 《미국 California 주 북부에서 캐나다의 British Columbia 주에 이르는》
cascáde shòwer 〖물리〗 방사선이 단계적으로 입자 수를 증대시켜 가는 현상
cas·car·a [kæskέərə | -kɑ́:rə] *n.* 〖식물〗 갈매나무의 일종 《California산(産)》
cascára sa·grá·da [-səgréidə, -grɑ́:-] cascara의 나무껍질(로 만드는 완하제)
cas·ca·ril·la [kæ̀skəríla] *n.* 〖식물〗 카스카릴라 《서인도 제도산(産) 등대초과(科)의 관목》; 그 나무껍질 《강장제》
‡**case**[1] [kéis] *n.*

> L 「일어난 일」의 뜻에서
> →(낱낱의) 「경우」 **1** → 「실정」 **2** → (구체적인) 「사례」 **3 b** → 「사건」 **3 a** → 「병상」 **6**

1 경우: in such ~*s* 그런 경우에 / in either ~ 어느 경우이건 **2** [the ~] **실정; 사실,** 진상: That is[is not] *the* ~. 사실은 그렇다[그렇지 않다]. / Such [This] being *the* ~, I can't go. 그런[이런] 사정으로 나는 갈 수 없다. **3 a** (경찰 등이 관여하는) **사건:** a criminal[civil] ~ 형사[민사] 사건 / a murder ~ 살인 사건 **b** 사례(example); (인생·도덕 등의) 문제: a common ~ 흔히 있는 예 / a ~ between them 양자간의 문제 / a ~ of life and death 생사가 걸린 문제 / a ~ in point 적절한 사례 **4** 상태, 상황, 입장, 처지; (사회 복지) 케이스; (구호의) 대상, 해당자: in sorry ~ 비참한 처지에 / in good[evil] ~ 좋은[나쁜] 형편에 처하여 / a relief[welfare] ~ 구호[복지] 대상자 **5** 〖법〗 판례; 소송 사건(suit); (소송할 수 있는) 문제, 주장, 논거; 변호 의뢰인: a leading ~ 주요 판례 / state[make out] one's ~ 자기의 주장을 진술[설명]하다 / That is our ~. 그것이 우리의 주장이다. / the ~ *for* conservatism 보수주의의 옹호론 **6** 〖의학〗 병상(病狀), 용태, 사례; 환자(patient): explain one's ~ 병세를 설명하다 / twenty new ~*s* of flu 유행성 감기의 새 환자 20명 **7** 〖문법〗 격(⇨ 문법 해설 (2)) **8** 《미·구어》 괴짜; 조숙한 아이 **9** 《미·구어》 (이성에) 반함, 연모(戀慕); 《영·속어》 정사, 밀통: have a ~ *on* a person …에게 반하다
as is often the ~ (***with***) (…에) 흔히 있는 일이지만 ***as the ~ may be*** 경우에 따라서, 사정 나름으로 ***as the ~ stands*** ⇨ stand *v.* ***be on a***

thesaurus **carve** *v.* **1** 베다 slice, cut up **2** 새기다 engrave, etch, cut in, incise, notch **3** 조각하다 sculpt, sculpture, cut, chisel, hew
case[1] *n.* **1** 경우 position, situation, circumstances,

person**'s ~** 《구어》 남을 계속 비난하다 ***be on the ~*** 《구어》 문제를 인식하고 해결하려 하다 ***~ by ~*** 한 건씩 (신중히), 개별적으로 ***cold ~*** 《영·속어》 허튼소리, 바보 같은 짓 ***drop a ~*** 소송을 취하하다 ***get off*** a person**'s ~** …을 괴롭히는[방해하는] 것을 그만두다 ***get*** [***be***] ***on*** a person**'s ~** 《구어》 〈남의 일에〉 간섭하다 ***If that*** [***such***] ***is the ~,*** 그런 이유[일]라면 ***in any ~*** 하여튼, 어쨌든 ***in ~*** 만일을 생각하여: wear a raincoat (just) *in* ~ 만일의 경우를 생각하여 비옷을 입다 ***in ~ of*** …의 경우에는(in the event of), …을 생각해서: *in* ~ *of* need 만일의 경우에는/*in* ~ *of* my not seeing you 만일 만나지 못할 경우에는 ***in ~*** (***that***) …의 경우를 생각하여, 만일 …라면(if) ***in nine ~s out of ten*** 십중팔구 ***in no ~*** 결코 …아니다: You should *in no* ~ forget it. 결코 그것을 잊어서는 안 된다. ***in that*** [***this***] ***~*** 그런[이런] 경우에는 ***in the ~ of*** …에 관해서는; …의 경우에는 ***just in ~*** = in CASE[1]; [접속사적으로] 《미》 …한 경우에 한해서(only if) ***lay the ~*** 진술하다 ***make out a*** [one**'s**] ***~ for*** [***against***] …의 옹호론[반대론]을 펴다 ***meet the ~*** 적합하다, 적절하다 ***on a ~ by ~ basis*** 개개의 사례에 따라, 개별적으로 ***put*** [***set***] ***~*** (***that***) …이라고 가정하다 ***That alters the ~.*** 그렇다면 이야기는 달라진다.

‡case² [kéis] [L 「상자」의 뜻에서] *n.* **1 상자,** 케이스, 용기, 통; (칼)집; 주머니; 겉포장; 테; 덮개: a jewel ~ 보석 상자/a dressing ~ 화장품 용기/a pillow ~ 베갯잇/a watch ~ 시계 케이스 **2** 한 상자(의 분량); 한 조(組), 한 벌: a ~ *of* wine 포도주 한 상자 《한 다스들이》 **3** 〈창·문 등의〉 틀: a window ~ 창틀 **4** 〖인쇄〗 활자 케이스: lower[upper] ~ 소[대]문자 활자 케이스 《略 l.c.[u.c.]》 **5** = CASE SHOT

—*vt.* **1** 케이스[상자, 칼집, 주머니]에 넣다; 〈벽 등을〉 싸다 《*with*》, 덮어씌우다 《*up, over*》: a wall ~*d with* marble 대리석을 붙인 벽 **2** 《미·속어》 (범행 목적으로) 〈집 등을〉 미리 살펴 두다 《*out, over*》 **3** 〈우편물 등을〉 구분하다, 분류함에 넣다

~ it around 《미·속어》 미리 조사하다; 새로운 일을 하다 ***~ out*** 《미·속어》 힘을 합치다 ***~ the deck*** 《속어》 〈도박사가〉 모든 카드의 움직임을 잘 봐서 기억해 두다 ***~ the joint*** 《미·속어》 〈도둑이〉 미리 조사하다

CASE [kéis] computer-aided software engineering 컴퓨터를 사용한 소프트웨어 공학

ca·se·ase [kéisièis] *n.* 〖생화학〗 카세인과 단백질을 분해하는 효소 《치즈 제조용》

ca·se·ate [kéisièit] *vi.* 〖병리〗 건락화(乾酪化)하다, 건락 변성(乾酪變性)하다

ca·se·a·tion [kèisiéiʃən] *n.* **1** 〖병리〗 건락화(乾酪化), 건락 변성(乾酪變性) **2** 〖생화학〗 카세인 변성 《젖의 응고 과정에서 카세인이 치즈로 변하는 것》

cáse bày 〖건축〗 천장[마루]보 상호간의 공간

case·book [kéisbùk] *n.* 판례집; 사례집 《법률·의학·경제 등의 분야에서 연구·참고 자료로 모은 구체적인 사례집》

cáse bòttle 《명》 (상자에 넣기 위한) 모난 병

case·bound [-bàund] *a.* 〖제본〗 판지 표지 장정의, 하드커버의

case-by-case [kéisbaikéis] *a.* 개별적인, 한 건 한 건의, 사항별의, 그때그때의

cased [kéist] *a.* (…로) 덮은[씌운] 《*in*》

cásed gláss 케이스 유리 《색깔이 다른 유리를 두 장 이상 겹쳐 만든 것》

cáse dòugh 《미·속어》 비상금

cáse ènding 〖문법〗 격어미 《소유격의 ~'s 등》

ca·se·fy [kéisəfài] *vt., vi.* (**-fied**) 치즈질(質)로 하다[되다]

occurrence, happening, occasion, conditions **2** 사례 example, instance, illustration, specimen **3** 소송 사건 suit, lawsuit, action, trial, proceedings

cash¹ *n.* ready money, coinage, notes, currency

cáse glàss = CASED GLASS

cáse gòods (찬장·옷장·장롱 등) 수납 가구; (깡통 등) 상자째 팔리는 상품

case·hard·en [kéishɑ̀:rdn] *vt.* **1** 〖야금〗 〈쇠를〉 담금질하다, 표면을 굳게 하다 **2** 철면피로 만들다, 신경을 무디게 하다 **~ed** *a.*

cáse hístory 사례사(史), 개인 기록; 병력(病歷)

ca·sein [kéisi:n, -siin | kéisiin] *n.* Ⓤ 카세인, 건락소(乾酪素); 《미》 카세인 아교; 카세인 그림물감

ca·sein·ate [kéisi:nèit, -siə-, keisí:neit] *n.* 〖화학〗 카세인염(塩)

cáse knìfe 칼집에 든 칼; (대형) 식탁용 나이프

cáse làw 판례법(cf. STATUTORY LAW)

case·load [kéislòud] *n.* 《미》 (판사·사회 복지 사업가 등의) 담당 건수

case·mate [-mèit] *n.* 포대(砲臺); 포곽(砲廓)

***case·ment** [kéismənt] *n.* **1** (경첩이 달린) **여닫이창**(= ~ **wíndow**) **2** 여닫이창의 창틀; 틀, 덮개, 싸개 **3** 《시어》 창문(window)

cásement clòth 커튼용 엷은 면포

cáse mèthod **1** 〖교육〗 사례 연구법 **2** 〖법〗 = CASE SYSTEM

cáse nòte 《미·속어》 1달러 (지폐)

ca·se·ous [kéisiəs] *a.* 치즈(질[타입])의

cáse récord = CASE HISTORY

ca·sern(e) [kəzə́:rn] *n.* (군대) 막사

case-sen·si·tive [kéissènsətiv] *a.* 〖컴퓨터〗 대문자와 소문자를 구별하는 방식의

cáse shòt 〖군사〗 (대포의) 산탄; 유산탄

cáse stàted 〖법〗 합의 사실 기재서(記載書)

cáse stùdy **1** 사례 연구 **2** = CASE HISTORY

cáse sỳstem 〖법〗 판례 중심의 교육(법)

***case·work** [kéiswə̀:rk] *n.* Ⓤ **케이스워크** 《정신적·육체적·사회적으로 문제가 있는 사람의 가정 내력·환경 등을 조사하여 정상 생활에 복귀시키려는 복지 사업》

case·work·er [-wə̀:rkər] *n.* 사회 복지 사업원

case·worm [-wə̀:rm] *n.* 〖곤충〗 몸 둘레에 껍질을 만드는 애벌레 《물여우 등》

‡cash¹ [kǽʃ] [L 「상자」의 뜻에서] *n.* Ⓤ **1 현금;** 돈 《지폐·경화의 통화》; 〖증권〗 현물: ~ in the bank 은행 예금/have ~ 현금을 갖고 있다/be out of ~ 현금이 다 떨어지다/be short of[on] ~ 현금이 부족하다/convert into ~ 현금으로 바꾸다 **2** (대금 지불 때의) 현찰, 수표, 즉시불, 맞돈: pay in ~ 현금으로 지불하다/buy[sell] a thing for ~ 현금으로 사다[팔다]/*C*~ or charge? 현금으로 하시겠습니까, 카드로 하시겠습니까? **3** 《구어》 부(富)

~ and carry = CASH-AND-CARRY ***~ down*** 맞돈으로, 즉시불로 ***~ in*** [《미》 ***on***] ***hand*** 수중에 있는 현금 ***~ on delivery*** 《영》 대금 상환(代金相換) 인도 (《미》 collect (on delivery)) 《略 C.O.D.》 ***~ on order*** 주문과 동시 결제 ***~ on the nail*** [***barrel-head***] 즉시불, 맞돈으로 ***~ up front*** = CASH down ***equal to ~*** 《구어》 확실한 가치가 있는; 훌륭한 업적이 있는 ***in*** (***the***) ***~*** 부유한, 형편이 좋은 ***keep the ~*** 금전 출납 업무를 보다

—*a.* Ⓐ 현금의, 맞돈의, 현금 거래의; 현금 결제의: a ~ price 현금 가격

—*vt.* 〈어음 등을〉 **현금으로 바꾸다,** 현금화하다; 환금해 주다 ***~ in*** 《영》 〈수표를〉 현금으로 바꾸다; (도박장에서) 〈칩(chip)을〉 현금으로 바꾸다; (도박하다가) 물러나다; 《미·속어》 (포커에서) 죽다; 《미》 청산하다, 사건의 결말을 짓다 ***~ in on*** 《미》 …으로 돈을 벌다; …을 이용하다: ~ *in on* one's experience 체험을 살리다 ***~ in*** one**'s** ***chips*** [(《영·구어》 ***checks***] 《미·속어》 죽다 ***~ up*** (가게에서) 〈그날의 매상을〉 계산하다; 《구어》 〈필요한 비용을〉 지불하다, 내다

cash² *n.* (*pl.* **~**) (중국·인도의) 소액 동전; (옛날의) 엽전 《구멍 뚫린 동전》

cash·a·ble [kǽʃəbl] *a.* 현금으로 바꿀 수 있는 **~·ness** *n.* **càsh·a·bíl·i·ty** *n.*

cásh accòunt 〖회계〗 현금 계정; 《영》 당좌 계정
cásh advánce (신용 카드를 이용한) 현금 선지급
cash-and-car·ry [kǽʃəndkǽri] *a.* Ⓐ 현금 지불·무배달 판매의, (상거래에서) 현물 매입·선물 매도를 동시에 하는 **—***n.* 현금 지불·무배달 판매주의
cásh àssets 현금 자산
cásh àudit 〖회계〗 현금[예금] 감사
cash·back [kǽʃbæ̀k] *n.* 캐시백 《(1) debit card로 물건을 살 때 일정 한도의 현금을 인출할 수 있는 서비스; (2) 대금의 일부를 고객에게 서비스로 돌려주기》
cásh bàlance 현금 잔고
cásh bàr 《미》 현금 바 《결혼 피로연 등에서 유료로 술을 파는 가설 바; cf. OPEN BAR》
cásh bàsis 〖회계〗 현금주의 《실제의 현금 수지를 기준으로 손익을 계산하는 방법》(cf. ACCRUAL BASIS)
cash·book [kǽʃbùk] *n.* 현금 출납부
cash·box [-bɑ̀ks | -bɔ̀ks] *n.* **1** 돈궤, 금고 **2** [*pl.*] 부(富)
cash·boy [-bɔ̀i] *n.* 현금 취급계의 남자 점원; (일반적으로 소매점의) 계산대 조수
cásh càrd 캐시[현금] 카드 《은행의 현금 자동 지급기를 이용할 때 사용하는 카드》
cásh càrrier (은행 등 점내의) 금전 수송 장치
cásh còw 《속어》 (기업의) 재원, 달러 박스, 흑자 부문
cásh crèdit 당좌 대부(貸付)
cásh cróp 환금(換金) 작물, 시장용 작물
cásh cústomer 현금 (내고 사는) 고객
cásh dèsk 《영》 (상점 등의) 계산대
cásh díscount 현금 할인(액)
cásh dispènser 현금 자동 지급기
cash·draw·er [-drɔ̀ːər] *n.* (cash register 등의) 주화·지폐 등을 종류별로 넣는 서랍
cashed [kǽʃt] *a.* 《미·속어》 돈을 다 써 버린; 녹초가 된, 지쳐 버린; 〈마리화나가〉 유효 성분이 없어진
cashed-up [-ʌ̀p] *a.* 《호주·구어》 부유한, 돈이 많은
cash·ew [kǽʃuː, kəʃúː] *n.* 〖식물〗 캐슈 《서인도 제도산 옻나뭇과(科)》; 그 열매 《식용》(=∠ **nùt**)
cáshew àpple 캐슈 애플 《cashew의 열매 꼭지》
cásh flòw 〖회계〗 캐시 플로 《감가 상각비를 가산한 순이익》; 현금 유출입, 현금 자금 ***have ~ problems*** 지불 능력이 없다, 돈이 딸리다
cash·girl [kǽʃgə̀ːrl] *n.* 현금 취급계의 여자 점원
cash-hun·gry [-hʌ́ŋgri] *a.* 현금이 없는, 현금을 탐내는[갖고 싶어하는]
⁎**cash·ier**[1] [kæʃíər] *n.* 출납원, 회계원; (미국 은행·신탁 회사의 현금 운용을 관리하는) 출납 국장, 지배인, 지점장
cashier[2] *vt.* 〈군인·관리 등을〉 면직시키다, 《특히》 징계 파면하다; 버리다, 배제하다
cashíer's chèck (은행이 자기 은행 앞으로 발행하는) 자기앞 수표
cash-in [kǽʃìn] *n.* (채권 등의) 상환
cash·less [kǽʃlis] *a.* 현금이 없는[불필요한]
cáshless socíety 현금이 불필요한 사회 《신용 카드 사용, 은행의 자동 납입 시스템 등에 의한 미래 사회》
cásh machíne =AUTOMATED TELLER MACHINE
cásh màrket 현금 시장
cash·mere [kǽʒmiər, kǽʃ- | kǽʃ-] *n.* **1** Ⓤ 캐시미어 천 《Kashmir 지방산》; 모조 캐시미어 《양모제》 **2** 캐시미어 숄[옷]
Cash·mere [kæʃmíər] *n.* =KASHMIR
cásh néxus [the ~] (인간관계에 있어) 금전에 의한 결합
cash·o·mat [kǽʃəmæ̀t] *n.* 《미》 현금 자동 지급기
cash-out [kǽʃàut] *n.* 현금 지불; 현금 매상; 현금 잔고
cásh pàyment 현금 지급
cash·point [kǽʃpɔ̀int] *n.* 《영》 =CASH DISPENSER
cásh prìce 현금 가격, 현금 정가
cásh ràtio (은행의 지급 준비금의 총예금에 대한) 현금 비율
cásh règister 금전 등록기
cásh sàle 현찰 판매; (증권의) 당일 결제 거래
cash-starved [kǽʃstɑ̀ːrvd] *a.* Ⓐ 자금 고갈의: ~ public services 자금 고갈 공공 서비스
cash-store [-stɔ̀ːr] *n.* 《미》 현금 판매 상점
cash-strapped [-strǽpt] *a.* 《구어》 자금이 딸리는
cásh (**surrénder**) **válue** 〖보험〗 해약 환불금
cásh tràde =CASH SALE
cas·i·mere, -mire [kǽsəmìər] *n.* =CASSIMERE
cas·ing [kéisiŋ] *n.* **1** 포장 《상자·자루·봉투 등》; (자동차 타이어의) 케이스, 외피; (소시지의) 껍질; 포장 재료 **2** 싸개, 덮개; 창틀; 문틀; 액자; (유정(油井) 등의) 쇠 파이프
cás·ing hèad gàs [kéisiŋhèd-] 유정(油井) 가스
cásing knìfe 도배용 칼
ca·si·no [kəsíːnou] [It. 「작은 집」의 뜻에서] *n.* (*pl.* **~s**) **1** 카지노 《댄스·음악 등의 오락이 있는 도박장》
NOTE 미국에서는 주에 따라 카지노가 합법인 곳도 있고 불법인 곳도 있다. 카지노가 허가된 유명한 도시로는 Nevada 주의 Las Vegas와 New Jersey 주의 Atlantic City가 있다. **2** Ⓤ 카드놀이의 일종
ca·si·ta [kəsíːtə] [Sp.] *n.* (*pl.* **~s**) 카시타 《미국 남서부에서 멕시코 인이 사는 오두막집》; (유원지 호텔에 부속된) 방갈로
⁎**cask** [kǽsk, kɑ́ːsk | kɑ́ːsk] *n.* **1** (포도주 등의) 큰 통(⇨ barrel 유의어); 한 통(의 분량) 《*of*》: ten *~s of* beer 맥주 10통 **2** 〖원자력〗 핵연료 수송고
—*vt.* 통에 넣다
⁎**cas·ket** [kǽskit, kɑ́ːs- | kɑ́ːs-] *n.* (보석·귀중품을 넣는) 작은 상자; 《미》 (고급스러운) 관(coffin); (지식·자원 등의) 보고 《*of*》
—*vt.* casket에 넣다
Cas·per [kǽspər] *n.* **1** 캐스퍼 《미국 Wyoming 주 중부의 도시》 **2** 남자 이름 **3** 《미·속어》 (흑인 사이에서) 피부색이 하얀 흑인
Cás·pi·an Séa [kǽspiən-] [the ~] 카스피 해(海)
casque [kǽsk] *n.* 〖역사〗 (면갑이 없는) 투구; 《시어》 투구형 모자; 〖동물〗 투구 모양의 (머리) 돌기
Cass [kǽs] *n.* 여자 이름 《Cassandra의 애칭》
cas·sa·ba [kəsɑ́ːbə] *n.* =CASABA
Cas·san·dra [kəsǽndrə] *n.* 〖그리스신화〗 카산드라 《Troy의 여자 예언자》; 불행한 일의[세상에서 받아들여지지 않는] 예언자
cas·sa·reep [kǽsərìːp] *n.* cassava 뿌리에서 얻는 조미료
cas·sa·ta [kəsɑ́ːtə] *n.* 과일·견과 아이스크림; 리코타 치즈·설탕에 절인 과일·초콜릿이 들어간 케이크
cas·sa·tion [kæséiʃən, kə-] *n.* ⓊⒸ 〖법〗 (하급심 판결의) 파기, 폐기
cas·sa·va [kəsɑ́ːvə] *n.* 〖식물〗 카사바 《열대 지방산》; Ⓤ 카사바 녹말 《tapioca의 원료》
Cás·se·grain télescope [kǽsəgrèin-] 〖천문〗 카세그레인식(式) 반사 망원경
cas·se·role [kǽsəròul] [F] *n.* **1** 캐서롤 《요리한 채 식탁에 놓는 유리·도기제의 냄비; 간접적으로 열을 가함》 **2** 그러한 냄비 요리 **3** 《화학 실험용》 자루 달린 냄비 ***en ~*** 캐서롤로 요리한
—*vt.* 캐서롤로 요리하다

casserole 1

⁎**cas·sette** [kəsét, kæ-] [F 「작은 상자」의 뜻에서] *n.* **1** (녹음[비디오]테이프 등의) 카세트 《녹음·녹화·재생용》; 카세트 플레이어[리코더] **2** 필름통, 파트로네 **3** (보석 등을 넣는) 작은 상자(casket)
—*vt.* 카세트에 녹음[녹화]하다
cassétte plàyer (녹음[비디오] 테이프용) 카세트 플레이어
cassétte recòrder 카세트 리코더
cassétte tàpe 카세트테이프

cassétte TV[**télevision**] 카세트 텔레비전 《카세트식 비디오테이프 전용 수상기》
cas·sia [kǽʃə, -siə | -siə] *n.* 〖식물〗 계수나무; Ⓤ 계피(桂皮), 육계(肉桂)(=∸ **bàrk**)
cás·sia-bark trèe [kǽʃəbɑ̀:rk-] 계수나무 《동아시아 원산; 껍질을 계피라 함》
cas·si·mere [kǽsəmìər] *n.* Ⓤ 캐시미어 《평직 또는 능직의 고급 모직 옷감》
cas·sin·gle [kæsíŋgl] *n.* (보통 pop 음악 등) 한두 곡 수록의 audiocassette 《상표명》
Cas·sí·ni divìsion [kəsí:ni-, kɑ:-] 〖천문〗 카시니 간극 《토성의 고리 중 A고리와 B고리 사이의 틈》
cas·si·no [kəsí:nou] *n.* =CASINO 2
Cas·si·o·pe·ia [kæ̀siəpí:ə] *n.* **1** 〖천문〗 카시오페이아자리 《略 Cas》 **2** 〖그리스신화〗 카시오페이아
Càs·si·o·pé·ian *a.*
Cassiopéia's Cháir [the ~] 〖천문〗 카시오페이아의 의자 《카시오페이아자리의 5개의 별들》
cas·sis [kəsí:s] *n.* **1** =CRÈME DE CASSIS **2** 〖식물〗 까막까치밥 나무(black currant); 블랙베리로 만든 브랜디
cas·sit·er·ite [kəsítəràit] *n.* Ⓤ 〖광물〗 석석(錫石) 《주석의 원광》
cas·sock [kǽsək] *n.* 일상 성직복; [the ~] 성직
cas·sou·let [kæ̀səléi] [F] *n.* 〖요리〗 돼지고기나 양고기 등과 흰 강낭콩을 넣은 스튜 《프랑스 요리》
cas·so·war·y [kǽsəwèri | -wɛ̀əri, -wəri] *n.* (*pl.* **-war·ies**) 〖조류〗 화식조(火食鳥) 《오스트레일리아·뉴기니산》
***cast** [kǽst, kɑ́:st | kɑ́:st] *v.* (**cast**) *vt.* **1** 던지다 (⇨ throw 유의어); 내던지다 《*from*》; 〈주사위를〉 던지다; 〈그물을〉 던지다, 치다; 〈낚싯줄을〉 던지다; 〈닻·측연을〉 던져 내리다; 〈표를〉 던지다: ~ a dice 주사위를 던지다 / ~ (an) anchor 닻을 내리다 / ~ a vote[ballot] 투표하다 // 《~+목+전+명》 ~ a stone *at* a person …에게 돌을 던지다 / *C*~ the net *into* the pond. 못에 투망을 던져라. **2** 〈눈·시선을〉 (…로) 던지다, 향하다 《*at*》; 〈빛·그림자·의혹 등을〉 (…에) 던지다 《*on*》; 〈마법 등을〉 (사람에게) 걸다, 저주하다; 〈마음·생각을〉 기울이다 《*over*》; 〈비난·모욕을〉 퍼붓다, 가하다; 〈명예·치욕·축복 등을〉 주다: 《~+목+전+명》 ~ a glance *at* …을 흘끗 보다 / ~ the blame *on* a person …에게 비난을 가하다 / ~ a shadow *on* the wall 벽에 그림자를 던지다 / ~ doubt *on* a person's reliability …의 신뢰성에 의혹을 던지다 / That will ~ a new light *on* the subject. 그것은 이 문제 해결에 새로운 서광을 비칠 것이다. // 《~+목+목》 He ~ her a glance. 그는 그녀를 흘끗 보았다. **3** 〈불필요한 것을〉 던져 버리다, 내던지다; 〈옷을〉 벗어던지다, 〈뱀이〉 〈허물을〉 벗다; 〈사슴·새가〉 〈뿔·깃털을〉 갈다; 〈말이〉 〈편자를〉 빠뜨리다; 〈나무가〉 〈잎·열매를〉 떨어뜨리다: A deer ~*s* its horn in autumn. 사슴은 가을에 뿔을 간다. / A horse ~ his shoe. 말이 편자를 빠뜨렸다. **4** 〈금속을〉 주조하다 《*into*》; 〈상(像)을〉 뜨다: 《~+목+전+명》 ~ metal *into* coins 금속으로 경화를 주조하다 / The statue is ~ *in* bronze. 그 상은 청동으로 만든 것이다. **5** 〈역을〉 배정하다; 〈극·영화 등의〉 역을 배정하다; 〈배우에게〉 어떤 역을 배정하다: 《~+목+전+명》 ~ an actor *for* a play 연극의 배우를 선정하다 / He was ~ *for* the part of Othello. 그는 오셀로 역을 맡았다. **6** (레슬링에서) 〈상대를〉 쓰러뜨리다; 〈짐승이〉 〈새끼를〉 조산하다 **7** 〈걱정·속박 등을〉 벗어 던지다, 제거하다, 배제하다, 포기하다; 해고하다(dismiss); 〈수험자 등을〉 불합격시키다; 패소시키다: be ~ in a suit 패소하다 **8** 〈수를〉 계산하다, 합계하다: ~ accounts 계산하다 // 《~+목+부》 ~ *up* a column of figures 한 난의 숫자를 합계하다 **9** 〖점성〗 〈십이궁도(十二宮圖)를〉 펼쳐 보다, 점치다; 〈제비를〉 뽑다: ~ a horoscope 천궁도로 운수를 점치다 / ~ lots 제비를 뽑다, 제비로 정하다 **10** 〈매듭을〉 만들다; 〈한 땀[코]을〉 뜨다; 〈물건을〉 구부리다, 비틀다: a beam ~ by age 오래되어 휜 대들보 **11** 〈땅을〉 파다; 파 올려서 〈둑 등을〉 만들다 《*up*》 **12** 〖항해〗 〈배의〉 선수(船首)를 돌리다 **13** 〈사냥개에게〉 …의 냄새를 쫓게 하다
—*vi.* **1** 물건을 던지다; 낚싯줄을 던지다; 투망을 던지다 **2** [양태 부사와 함께] 주조되다 **3** 계산하다, 합계하다 **4** 〈사냥개가〉 사냥감의 냄새를 찾아다니다 **5** 〈재목 등이〉 굽다, 휘다 **6** 배역을 정하다 **7** 《영·방언》 구토하다; 《영·방언》 열매를 맺다
be ~ away 표류하다 ***~ about*** [***around***] ***for*** (이리저리) 찾아다니다; 궁리하다 ***~ adrift*** 표류시키다 ***~ ashore*** 해안에 밀어올리다 ***~ aside*** 버리다, 벗어던지다, 제거하다 ***~ a spell on*** …에(게) 마술을 걸다, …을 호리다 ***~ away*** 없애다, 버리다; 제거하다; [보통 수동형으로] 〈배를〉 난파시키다 ***~ back*** 〈생각을〉 (과거로) 향하다, 회고하다 《*to*》 ***~ behind*** 버리고 가다; 추월하다 ***~ beyond the moon*** 멋대로 억측하다 ***~ by*** 팽개쳐 버리다, 배척하다 ***~ down*** 〈눈을〉 아래로 향하다, 내리깔다; [보통 수동형으로] 낙담시키다 ***~ forth*** 쫓아내다 ***~ loose*** 풀어놓다; 풀다 ***~ off*** 〈옷을〉 벗어던지다, 던져 버리다; 포기하다; 〖항해〗 〈밧줄을〉 풀다, 〈묶어 둔 배를〉 내다; 〈배가〉 밧줄이 풀리다; 〖편물〗 코를 매다(finish off); 〈원고를〉 조판 페이지로 어림하다 ***~ on*** 재빨리 입다; 〖편물〗 (시작하는) 코를 만들다 ***~ out*** 내쫓다, 추방하다 ***~ over*** [수동형으로] …을 (…으로) 덮다, 싸다 《*with*》 ***~*** one***self on*** [***upon***] …에 의지하다 ***~*** one***'s lot with*** …와 운명을 같이하다 ***~*** one***'s mind back to*** 《문어》 〈과거의 일을〉 회상하다, 기억해 내다 ***~*** one***'s net*** (***far and***) ***wide*** (원하는 것을 얻기 위해) 이리저리 손을 쓰다 ***~ up*** 〈흙을〉 쌓아올리다; 합계하다 《지금은 add up이 일반적》; =CAST ashore ***The die is ~.*** 주사위는 던져졌다; 벌인 춤이다.
—*n.* **1** 던지기; 던지는 거리; (그물·측연의) 투하; 낚싯줄을 던지기; 주사위를 던지기; 운수 점치기 **2** 던져진[버림받은, 벗어버린] 것; (뱀·벌레의) 허물 **3** 주형(鑄型), 거푸집; 주조물; 깁스(붕대): pour bronze into a ~ 거푸집에 청동을 붓다 / set a broken leg in a ~ 부러진 다리를 깁스로 고정하다 **4** [집합적] 캐스트, 배역: an all-star ~ 스타 총출연 **5** [보통 a ~] (얼굴 생김새·성질 등의) 특색, 기질: *a* ~ of countenance[mind] 얼굴 생김새[마음씨] **6** 색조, (…의) 기미 《*of*》; [a ~] …의 소량 《*of*》: a yellowish ~ 누르스름한 색 **7** 계산, 합산 **8** 비뚤어짐, 뒤틀림, 휨; [a ~] 가벼운 사시(斜視) **9** 예상, 추측
give a person ***a ~*** …을 도중에서 차에 태워 주다 ***make a ~*** 〈짐승의 냄새 자국을 놓친 사냥개가〉 찾아 헤매다 ***the last ~*** 마지막으로 운에 맡겨 해보기 ***within a stone's ~*** 돌을 던져 닿을 만한 거리에
—*a.* **1** 〈동물이〉 (자력으로 일어날 수 없는 상태에서) 누워 있는; 〈편자가〉 벗겨진 **2** 〈연극·영화 등이〉 배역이 결정된 **3** 성형된
Cas·ta·li·a [kæstéiliə] *n.* 〖그리스신화〗 카스탈리아 샘 《Parnassus산에 있는 샘; 시적인 영감의 원천으로 여김》
Cas·ta·li·an [kæstéiliən] *a.* **1** Castalia의 **2** 시적인(poetic)
cas·ta·net [kæ̀stənét] *n.* [보통 *pl.*] 캐스터네츠

castanets

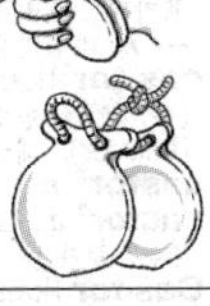

cast·a·way [kǽstəwèi | kɑ́:st-] *a., n.* 버림받은 (사람[아이]); 난파한 (사람); 불량한 (사람)(outcast)
***caste** [kǽst, kɑ́:st | kɑ́:st] *n.* **1** 카스트, 사성(四姓)(의 하나) 《인도의 세습 계급; 승려·귀족·평민·노예의 4계급이 있음》; Ⓤ 카스트 제도 **2** 배타적[특권] 계급; Ⓤ 폐쇄적 사회 제도 **3** Ⓤ 사회적 지위
lose ~ 사회적 지위를 잃다; 위신[신망, 체면]을 잃다
—*a.* Ⓐ 카스트의, 폐쇄적 사회 계급의

cas·tel·lan [kǽstələn, kæstélən] *n.* 성주(城主)
cas·tel·lat·ed [kǽstəlèitid] *a.* 〖건축〗 성(城) 모양으로 구축된; 성이 있는; 성 같은
cas·tel·la·tion [kæ̀stəléiʃən] *n.* Ⓤ 성 쌓기, 축성
cáste màrk (이마에 찍는) 카스트의 표지; (사람이 소속한 집단·계급이 갖는) 분명한 성질, 특이성
cast·er [kǽstər, kɑ́:st- | kɑ́:st-] *n.* **1** 던지는 사람; 계산자; 배역(配役)계 담당; 주조자, 주물공(鑄物工); 투표하는 사람 **2** (피아노·의자 등의) 나리 바퀴 **3** 양념병; 양념병대(臺)(cruet stand)
— *vi.* 〈다리 바퀴가〉 수평면을 자유롭게 회전하다

caster 2

cáster sùgar = CASTOR SUGAR
cas·ti·gate [kǽstəgèit] *vt.* **1** 징계하다, 벌주다 **2** 혹평하다 **3** 〈문장 등을〉 첨삭하다, 교정하다
-gà·tor *n.* **cás·ti·ga·tò·ry** *a.*
cas·ti·ga·tion [kæ̀stəgéiʃən] *n.* ⓊⒸ 견책, 징계; 혹평; (문장 등의) 첨삭, 수정
Cas·tile [kæstí:l] *n.* **1** 카스티야 《스페인 중부의 옛 왕국》 **2** = CASTILE SOAP
Castíle sóap [때로 **c- s-**] 카스티야 비누 《올리브유와 수산화나트륨이 주원료》
Cas·til·ian [kæstíljən] *n.* **1** Castile 사람 **2** Ⓤ Castile 말 《표준 스페인 어》 **—** *a.* Castile의
cast·ing [kǽstiŋ, kɑ́:st- | kɑ́:st-] *n.* Ⓤ **1** 던지기; 주조(鑄造); Ⓒ 주물(鑄物); 계산; 배치, 배열; 방기, 제거, 탈락 **2** 배역(配役) **3** 낚싯줄의 드리움 (방법); Ⓒ 뱀 허물, (지렁이의) 똥
cásting còuch (영화·텔레비전의) 배역을 주는 대가로 성행위를 요구하기
cásting dirèctor (영화·텔레비전의) 배역 담당 책임자
cásting nèt 투망(投網)
cásting vòte[vòice] 캐스팅 보트, 결정 투표 (decisive vote)
cást íron 주철(鑄鐵), 무쇠
cast-i·ron [kǽstáiərn] *a.* **1** 주철의 **2** 〈규칙 등이〉 엄한, 엄격한; 〈위 등이〉 강건한, 튼튼한(hardy); 〈증거 등이〉 요지부동의: a ~ stomach 튼튼한 위
‡**cas·tle** [kǽsl, kɑ́:sl | kɑ́:sl] [L 「작은 성채」의 뜻에서] *n.* **1** 성, 성곽; (중세 도시의) 요새의 핵심부, (수비대가 주둔하는 견고한) 요새; [the C~] 더블린 성 《그전 아일랜드 정청(政廳); 그 총독 관저》: An Englishman's house is his ~. 《속담》 영국인의 집은 그의 성이다. 《가정의 신성함을 뜻함》 **2** 큰 저택 (mansion) **3** 《일반적으로》 안전한 은신처 **4** 〖체스〗 성장(城將)(rook) ***build ~s [a ~] in the air [in Spain]*** 공중누각을 짓다; 공상에 잠기다
— *vt., vi.* **1** 성을 쌓다 **2** 〖체스〗 〈왕을〉 성장 말로 지키기 위해 움직이다; 성장 말로 왕을 지키다
cas·tle-build·er [kǽslbìldər | kɑ́:sl-] *n.* 공상가
cas·tled [kǽsld, kɑ́:sld | kɑ́:sld] *a.* = CASTELLATED
cást nèt = CASTING NET
cast·off [kǽstɔ̀:f | -ɔ̀f] *a.* Ⓐ 벗어버린, 버림받은; 폐기된; 해고된: ~ clothing 벗어 던진 옷, 헌옷
— *n.* 버림받은 물건[사람]; [보통 *pl.*] 입지 않는 헌옷
cas·tor[1] [kǽstər, kɑ́:s- | kɑ́:s-] *n.* **1** Ⓤ 비버향(香) 《약품·향수의 원료》 **2** 비버털 모자 **3** 〖동물〗 비버 (beaver), 해리(海狸)
castor[2] *n.* = CASTER 2
castor[3] *a.* 《호주·구어》 매우 멋진; (사람에게) 기쁨을 주는, 즐거운
Cas·tor [kǽstər, kɑ́:s- | kɑ́:s-] *n.* 〖천문〗 카스토르 《쌍둥이자리의 알파성》 ***~ and Pollux*** 〖그리스신화〗 Zeus와 Leda의 쌍둥이 아들 《뱃사람의 수호신》
cástor bèan 《미》 아주까리씨, 피마자
cas·tor·e·um [kæstɔ́:riəm] *n.* = CASTOR[1] 1
cástor óil 아주까리기름, 피마자유
cástor óil àrtist 《미·구어》 의사
cás·tor-óil plànt [kǽstərɔ́il- | kɑ́:s-] 아주까리
cástor sùgar [양념병에 담아서 치는 데서] 《영》 가루 백설탕, 정제당(精製糖)
cas·trate [kǽstreit | -ˊ] *vt.* 거세하다(geld), 난소를 제거하다; 골자를 빼버리다; 삭제 정정하다; …의 힘을 빼앗다, 약화시키다 **—** *n.* 거세[난소를 제거]당한 사람[동물] **cás·tra·tor** *n.*
cas·tra·tion [kæstréiʃən] *n.* ⓊⒸ 거세; 골자를 빼기; 삭제 정정
castrátion còmplex 〖정신의학〗 거세 콤플렉스
cas·tra·to [kæstrɑ́:tou, kə-] [It.] *n.* (*pl.* **-ti** [-ti]) 〖음악〗 카스트라토 《16~18세기의 어려서 거세한 남성 가수》
Cas·tro [kǽstrou] *n.* 카스트로 **Fidel ~** (1927-) 《쿠바의 혁명가·수상(1959-76)·대통령(1976-)》
Cas·tro·ism [kǽstrouìzm] *n.* 카스트로가 주장하는 (정치·사회·혁명의) 이론[정책] **Cás·tro·ist** *n.* **Cas·tro·ite** [kǽstrouàit] *n.*
cást stéel 〖야금〗 주강(鑄鋼)
‡**cas·u·al** [kǽʒuəl] [L 「일어난 일의」의 뜻에서] *a.* **1** 우연의(accidental), 우발적인, 뜻밖의, 뜻하지 않은: a ~ meeting 우연한 만남 **2** Ⓐ **무심결의**(careless), 되는대로의, 아무 대중도 없는(⇨ random 유의어); 《속어》 태평한: a ~ remark 무심코[되는대로] 한 말 **3** **무관심한**; 격식을 차리지 않는; 변덕스러운: a ~ air 무관심한 태도 / a very ~ sort of person 심한 변덕쟁이 **4** 〈의복 등이〉 **평상복의**, 약식의(informal), 캐주얼의: ~ wear 평상복 **5** Ⓐ 대강대강의, 표면상으로의; 〈우정·관계 등이〉 표면적인, 가벼운: take a ~ glance at …을 대강 훑어보다 **6** Ⓐ 그때그때의, 임시의, 부정기의; 《영》 임시 생활 보호를 받는; 빈민[부랑자]의: a ~ visitor 어쩌다가 찾아오는 사람 / ~ labor 임시적인 일, 자유 노동 / a ~ laborer (임시의) 자유 노동자
— *n.* **1** 임시[자유, 계절] 노동자; 부랑자; [*pl.*] 《영》 임시 구호를 받는 사람들(=the ˊ~ **pòor**); 임시 수업; 《미》 대기병(兵) **2** [보통 *pl.*] 평상복, 캐주얼 웨어(=ˊ~ **clóthes**); 캐주얼 슈즈(=ˊ~ **shóes**)
~·ness *n.*
cásual hòuse 《영》 자선 구빈원(救貧院)
cas·u·al·ism [kǽʒuəlìzm] *n.* 우연이 지배하는 상태; 〖철학〗 우연론; 임시 고용
cas·u·al·ize [kǽʒuəlàiz] *vt.* 〈상근자를〉 임시 고용으로 바꾸다 **càs·u·al·i·zá·tion** *n.*
***cas·u·al·ly** [kǽʒuəli] *ad.* **우연히**; 아무 생각 없이, 무심코, 훌쩍, 문득; 임시로; 약식으로
càsual séx 어쩌다 만난 사람과의 성행위
***cas·u·al·ty** [kǽʒuəlti] *n.* (*pl.* **-ties**) **1** [*pl.*] (사고로 인한) **사상자**; (전시의) 인적(人的) 손실; 사고병: heavy *casualties* 다수의 사상자 **2** 《일반적으로》 피해자, 희생자 **3** 참사, 불의의 재난, 사상(死傷)[상해] 사고
cásualty depàrtment 《영》 응급 처치실[병동]
cásualty insùrance 재해[상해] 보험 《생명 보험·화재 보험 등》
cásualty wàrd 《영》 = CASUALTY DEPARTMENT
cásual wàrd 《영·고어》 (구빈원의) 부랑자 임시 수용소; 《미》 응급 처치실[병동]
cásual wàter 〖골프〗 (비 때문에 코스에) 우연히 생긴 웅덩이
cas·u·ist [kǽʒuist | kǽzju-] *n.* **1** 궤변가(sophist) **2** 결의론자(決疑論者)
cas·u·is·tic, -ti·cal [kæ̀ʒuístik(əl) | kæ̀zju-] *a.*

thesaurus **casual** *a.* **1** 우연의 unintentional, unexpected, unanticipated, chance, accidental **2** 되는대로의 random, spontaneous, unthinking, offhand **3** 무관심한 indifferent, uncaring, uninter-

결의론적인; 너무 정밀한, 지적 속임수가 많은, 궤변적인 **-ti·cal·ly** *ad.*

cas·u·ist·ry [kǽʒuəstri | kǽzju-] *n.* (*pl.* **-ries**) ⓊⒸ **1** (도덕적 문제에 관한) 억지, 속임수, 궤변 **2** 〖철학〗 결의론(決疑論) 《양심의 문제나 행위의 선악을 경전 또는 도덕에 비추어서 규정지으려는 학설》

ca·sus bel·li [kéisəs-bélai, kɑ́:səs-béli:] [L = case of war] (*pl.* ~) 전쟁 원인, 개전(開戰) 이유; 논쟁의 직접적 원인

ca·sus foe·de·ris [kéisəs-fédəris, -fí:d-, kɑ́:səs-fɔ́id-] [L = case of the treaty] (*pl.* ~) 〖국제법〗 조약 해당 사유

‡**cat**[1] [kǽt] *n.* **1** 고양이; 〖동물〗 고양잇과(科)의 동물 《lion, tiger, lynx 등》: A ~ has nine lives. 《속담》 고양이는 목숨이 아홉 개 있다. 《쉽사리 죽지 않는다.》/ A ~ [Even a ~] may look at a king. 《속담》 고양이도 임금님을 뵐 수 있다. 《천한 사람에게도 응분의 권리가 있다.》/ Care killed the ~. 《속담》 걱정은 몸에 해롭다. / Curiosity killed the ~. 《속담》 호기심이 신세를 망친다. / When the ~'*s* away, the mice will play. 《속담》 호랑이 없는 골에 토끼가 왕 노릇 한다.

관련 수고양이 tomcat, 암고양이는 she-cat, 얼룩고양이는 tabby, 삼색(흑·백·갈색) 얼룩고양이는 tortoiseshell cat; 새끼 고양이는 kitten이며 애칭은 puss, 《유아어》로는 kitty, pussy; 울음소리 야옹은 mew 또는 meow, 교미기 등에 야옹거리는 것은 caterwaul, 기분 좋은 듯이 목을 가르랑거리는 것은 purr, 성나서 으르렁거리는 것은 spit

2 《구어》 심술궂은 여자, 뒤에서 험담하는 여자 **3** 《속어》 재즈광(狂), 재즈 연주가(hepcat); 《속어》 《일반적으로》 사람, 《특히》 사내, 녀석, 놈(guy) **4** 《영·구어》 = CAT BURGLAR **5** 《주로 영》 (자치기(tipcat)용) 양끝이 뾰족한 나무토막 **6** 〖항해〗 = CATHEAD; = CATBOAT **7** = CATFISH **8** 《주로 영》 = CAT-O'-NINE-TAILS **9** 육각가(六脚架)

bell the ~ 고양이 목에 방울을 달다, (모두를 위해) 자진해서 어려운 일을 떠맡다 ***buy a ~ in a*** [***the***] ***bag*** [***sack***] 《미》 잘 보지 않고 사다 ***enough to make a ~ laugh*** 《구어》 〈사물이〉 아주 야릇한, 우스꽝스러운 ***fight like Kilkenny ~s*** 쌍방이 죽을 때까지 싸우다 ***grin like a Cheshire ~*** ⇨ Cheshire. (***Has the***) ***~ got your tongue?*** 《구어》 왜 말이 없지? ***land like a ~*** 위험한 처지를 잘 극복하다; 운이 좋다 ***let the ~ out*** (***of the bag***) 《구어》 (무심코) 비밀을 누설하다(cf. The CAT is out of the bag.) ***like a ~ on a hot tin roof*** = 《영》 ***like a ~ on hot bricks*** 안절부절못하여, 불안해서 몸 둘 바를 모르고 ***like a ~ that's got the cream*** 《영》 = ***like the ~ that got*** [***ate, swallowed***] ***the canary*** 《미》 (자신이 한 일[획득한 것]에) 매우 기뻐하는, 뿌듯해하는 ***look like something the ~ dragged*** [***brought***] ***in*** 《영·구어》 몹시 지저분해 보이다 ***not have a ~ in hell's chance*** 《영·속어》 전혀 기회가 없다 ***play ~ and mouse with*** a person ⇨ CAT AND MOUSE. ***put*** [***set***] ***the ~ among the pigeons*** 《영·구어》 (비밀로 할 일을 누설하거나 해서) 파란[소란]을 일으키다 ***see*** [***watch***] ***which way the ~ jumps*** = ***wait for the ~ to jump*** 《구어》 기회를 엿보다, 형세를 관망하다 ***shoot the ~*** 《영·속어》 게우다, 토하다 ***Suffering ~s!*** 《영·속어》 (서투른 노래 등에 대해) 그만둬라!, 들어가라! ***That ~ won't jump.*** 그 제안은 잘 실행될 것 같지 않다. ***The ~ is out of the bag.*** 비밀이 샜다. ***turn the ~ in the pan*** 배신하다, 변절하다

— *v.* (**~·ted**; **~·ting**) *vt.* 〖항해〗 〈닻을〉 닻걸이(cathead)에 끌어올리다; 채찍으로 때리다

— *vi.* 《영·구어》 토하다; 《미·속어》 건들거리며 지내다; 《미·속어》 〈남자가〉 여자를 낚으러 다니다 《*around*》; (고양이처럼) 살금살금 걷다

▷ féline *a.*

cat[2] *n.* 《구어》 무한궤도 차(caterpillar); 쌍동선(catamaran)

cat- [kæt], **cata-** [kǽtə] *pref.* 「아래(opp. *ana-*), 반(反), 오(誤), 측(側), 전(全)」의 뜻 《모음 앞에서는 cat-》

cat. catalog(ue); catechism; catalyst; catamaran **CAT** city air terminal; Civil Air Transport 《타이완의》; clear-air turbulence; 《영》 College of Advanced Technology; 《영》 computer-aided[-assisted] teaching; computer-assisted typesetting; computerized axial tomography 〖의학〗 컴퓨터 X선 체축(體軸) 단층 촬영

cat·a·bol·ic [kæ̀təbɑ́lik | -bɔ́l-] *a.* 〖생물〗 이화(異化) (작용)의 **-i·cal·ly** *ad.*

ca·tab·o·lism [kətǽbəlìzm] *n.* Ⓤ 〖생물〗 이화[분해] 작용, 분해 대사(cf. ANABOLISM)

ca·tab·o·lite [kətǽbəlàit] *n.* 〖생물〗 이화 생성물

ca·tab·o·lize [kətǽbəlàiz] *vt., vi.* 〈영양물 등을〉 이화하다, 대사 작용으로 분해하다

cat·a·chre·sis [kæ̀təkrí:sis] *n.* (*pl.* **-ses** [-si:z]) **1** 말의 오용; 〖수사학〗 비유의 남용 **2** 〖언어〗 철자의 오용

cat·a·chres·tic, -ti·cal [kæ̀təkréstik(əl)] *a.* 〖수사학〗 용어[비유, 철자]가 잘못된 **-ti·cal·ly** *ad.*

cat·a·clasm [kǽtəklæ̀zm] *n.* 파열, 분열

cat·a·cli·nal [kæ̀təkláinəl] *a.* 〖지질〗 지층 경사 방향으로 하강하는(cf. ANACLINAL)

cat·a·clysm [kǽtəklìzm] *n.* 큰 홍수(deluge); 〖지질〗 지각(地殼)의 격변; 정치적[사회적] 대변동 **càt·a·clýs·mal** *a.*

cat·a·clys·mic [kæ̀təklízmik] *a.* 격변하는; 대변동의 성질을 가진 **-mi·cal·ly** *ad.*

cat·a·comb [kǽtəkòum | -kù:m, -kòum] *n.* **1** [보통 *pl.*] 지하 묘지 **2** [the C~s] (로마의) 카타콤 《초기 기독교도의 피난처가 된 지하 묘지》 **3** (복잡하게 만들어진) 지하 통로; (지하의) 와인 저장용 동굴

cat·a·di·op·tric [kæ̀tədaiɑ́ptrik | -ɔ́p-] *a.* 〖광학〗 반사 굴절의

ca·tad·ro·mous [kətǽdrəməs] *a.* 〖어류〗 〈민물고기가〉 산란을 위해 하류[바다]로 내려가는

cat·a·falque [kǽtəfɔ̀:k, -fɔ̀:lk, -fælk | -fælk] *n.* 관대(棺臺); 덮개 없는 영구차(open hearse)

Cat·a·lan [kǽtəlæ̀n, -lən] *a.* 카탈로니아(Catalonia)의; 카탈로니아 사람[말]의 — *n.* 카탈로니아 사람; Ⓤ 카탈로니아 말

cat·a·lase [kǽtəlèis, -lèiz] *n.* Ⓤ 〖생화학〗 카탈라아제 《과산화수소를 물과 산소로 분해하는 효소》

cat·a·lec·tic [kæ̀təléktik] *a., n.* 〖운율〗 각운(脚韻)이 1음절 적은 (행)

cat·a·lep·sy [kǽtəlèpsi], **cat·a·lep·sis** [kæ̀təlépsis] *n.* Ⓤ 〖병리·정신의학〗 강직증(强直症)

cat·a·lep·tic [kæ̀təléptik] *a., n.* 강직증의 (환자) **-ti·cal·ly** *ad.*

cat·a·lex·is [kæ̀təléksis] *n.* (*pl.* **-lex·es** [-léksi:z]) 〖운율〗 결절 시구(結節詩句)

Cat·a·lin [kǽtəlin] *n.* (합성 수지제) 보석 《상표명》

‡**cat·a·log** | **-logue** [kǽtəlɔ̀:g, -lɑ̀g | -lɔ̀g] [Gk 「리스트」의 뜻에서] *n.* **1** (물품·책 등의) 목록, 카탈로그; 일람표; (도서관의) 도서[장서] 목록: a library ~ 도서 목록 / a card ~ index 카드 색인 목록 / a mail order ~ 우편 주문 상품 카탈로그 **2** 《미》 대학 요람[편람](《영》 calendar): the summer course ~ 여름 학기 수강 편람 **3** 《일반적으로》 열기(列記)한 것, 리스트, 항목 일람; 카탈로그 기재 사항 《작품명, 곡명 등》 ***repertory*** [***union***] ~ (도서관의) 종합 도서 목록

---

ested, apathetic **4 평상복의** informal, relaxed, leisure **5 임시의** temporary, irregular, part-time

casualties *n.* dead, fatalities, losses, dead and wounded, wounded, injured, missing

— *vt., vi.* 목록을 작성하다; 목록에 싣다; 분류하다
— *a.* Ⓐ 카탈로그 (통신) 판매의
cát·a·lòg(u)·er *n.* 카탈로그 편집자
cat·a·logue rai·son·né [kǽtəlɔ̀:g-rèzənéi, -lɑ̀g- | -lɔ̀g-] [F] (*pl.* **cat·a·logues rai·son·nés** [-lɔ̀:gz-, -lɑ̀gz- | -lɔ̀gz-]) (책·그림의) 해제(解題)가 붙은 분류 목록
Cat·a·lo·ni·a [kæ̀təlóuniə, -njə] *n.* 카탈로니아 《스페인 북동부 지방》
ca·tal·pa [kətǽlpə] *n.* 〖식물〗 개오동나무
ca·tal·y·sis [kətǽləsis] *n.* (*pl.* **-ses** [-sì:z]) ⓊⒸ 〖화학〗 촉매 작용, 접촉 반응; 유인(誘因); (촉매적 요인에 의해 일어나는) 작용, 운동
cat·a·lyst [kǽtəlist] *n.* 〖화학〗 촉매; 자극, 촉진제; 촉매 역할을 하는 사람
cat·a·lyt·ic [kæ̀təlítik] *a.* 촉매 (작용)의
catalýtic convérter 촉매 변환 장치 《자동차 배기 가스의 유해 성분을 정화하는 장치》
catalýtic crácker (석유의) 접촉 분해기
catalýtic crácking 〖석유화학〗 접촉 분해
cat·a·lyze [kǽtəlàiz] *vt.* …에 촉매 작용을 미치다, 〈화학 반응을〉 촉진시키다
— *vi.* (촉매 작용을 받아서) (…로) 변하다 《*into*》
-lỳz·er *n.* = CATALYST
cat·a·ma·ran [kæ̀təmərǽn] *n.* **1** (선체가 둘인) 쌍동선 **2** 뗏목, 뗏목 배 **3** (구어) 바가지 긁는 여자, 심술궂은 여자 **4** (캐나다·방언) 나무 썰매

catamaran 1

cat·a·me·ni·a [kæ̀təmí:niə] *n. pl.* [단수·복수 취급] 〖생리〗 월경(menses) **-ni·al** *a.*
cat·a·mite [kǽtəmàit] *n.* 남색(男色)의 상대인 소년, 미동(美童)
cat·a·mount [kǽtəmàunt] *n.* 〖동물〗 고양잇과(科)의 야생 동물; 《특히》 퓨마(cougar), 스라소니
cat·a·moun·tain [kæ̀təmáuntn] *n.* 〖동물〗 고양잇과(科)의 야생 동물; 《특히》 살쾡이, 표범
cat-and-dog [kǽtəndɔ́:g | -dɔ́g] *a.* **1** Ⓐ 사이가 나쁜, 견원지간의: lead a ~ life 〈부부가〉 싸움만 하며 살아가다 **2** (속어) 〈담보·증권·주식 등이〉 내용이 의심스러운, 극히 투기적인
cát and móuse 고양이와 쥐 《어린이 놀이의 하나》; 고양이가 쥐를 놀리듯 하기; (영·속어) 집(house)
play ~ with a person …을 갖고 놀다, 잔인하게 놀리다, 곯리다; 감질나게 하다; 당장 공격[체포]하지 않고 형세를 엿보다
cat-and-mouse [kǽtənmáus] *a.* Ⓐ 끊임없이 습격의 기회를 노리고 있는
cat·a·pha·sia [kæ̀təféiʒə, -ʒiə | -ziə] *n.* 〖병리〗 응답 반복증 《똑같은 말을 계속 되풀이하는 언어 장애》
cat·a·phor [kǽtəfər, -fɔ:r] *n.* 〖문법〗 후방 조응사(後方照應詞) 《문맥에서 뒤에 나오는 명사를 가리키는 대명사》(cf. ANAPHOR)
ca·taph·o·ra [kətǽfərə] *n.* 〖문법〗 후방 대용 《후속 어구를 지시하는 어구의 사용》 **cat·a·phor·ic** [kæ̀təfɔ́:rik] *a.* **càt·a·phór·i·cal·ly** *ad.*
cat·a·pho·re·sis [kæ̀təfərí:sis] *n.* **1** 〖의학〗 전기 이동 **2** = ELECTROPHORESIS
-rét·ic *a.* **-rét·i·cal·ly** *ad.*
cat·a·plane [kǽtəplèin] *n.* 캐터펄트(catapult) 사출용 비행기
cat·a·plasm [kǽtəplæ̀zm] *n.* 〖의학〗 습포제(濕布劑), 습포, 찜질약(poultice)
cat·a·plex·y [kǽtəplèksi] *n.* Ⓤ 〖병리〗 탈력 발작(脫力發作) 《공포 등으로 갑자기 마비를 일으켜 움직일 수 없는 상태》

***cat·a·pult** [kǽtəpʌ̀lt, -pùlt | -pʌ̀lt] *n.* **1** 쇠뇌, 노포, 투석기; (영) 장난감 새총((미) slingshot) **2** 〖항공〗 캐터펄트, (항공모함의) 비행기 사출기; 글라이더 시주기(始走器)
— *vt.* …(으)로 쏘다; 발사하다; catapult로 발진시키다
— *vi.* catapult로 발진하다; 급히 날다[뛰어 오르다] **càt·a·púl·tic** *a.*

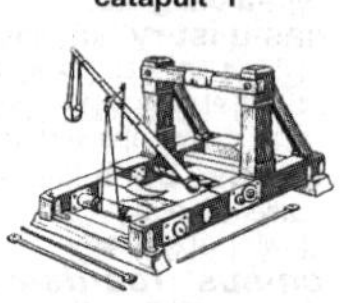
catapult 1

***cat·a·ract** [kǽtərækt] [Gk 「내려치다」의 뜻에서] *n.* **1** 큰 폭포(cf. CASCADE); 큰 비, 호우; 홍수(deluge); (강의) 급류, 분류(奔流) **2** 〖안과〗 백내장(白內障); (백내장의) 혼탁(混濁) 부분 **càt·a·rác·tal** *a.*
***ca·tarrh** [kətɑ́:r] *n.* Ⓤ **1** 〖병리〗 카타르 《점막의 염증》, 《특히》 코[목] 카타르 **2** 《흔히》 코감기, 콧물
ca·tarrh·al [kətɑ́:rəl] *a.* 카타르성의 **~·ly** *ad.*
cat·ar·rhine [kǽtəràin] *n., a.* 〖동물〗 협비류(狹鼻類) 원숭이(의)
ca·tas·ta·sis [kətǽstəsis] *n.* (*pl.* **-ses** [-sì:z]) 〖연극〗 대단원 직전의 최고조부
***ca·tas·tro·phe** [kətǽstrəfi, -fi:] [Gk 「뒤엎음」의 뜻에서] *n.* **1** 대참사; 큰 재앙(⇨ disaster 유의어) **2** (희곡의) 대단원; (특히 비극의) 파국 **3** (큰) 불행, 불운, 재난; 대실패; 파멸, 파국; (비극 등의) 대단원, 결말 **4** (구어) 속수무책인 사람 **5** 〖지질〗 (지각(地殼)의) 격변[대변동](cataclysm) **6** (수술 중이나 그 전후에 발생하는 원인 불명의) 죽음
catástrophe rìsk 〖보험〗 비상 재해 위험
catástrophe thèory 〖수학〗 파국[카타스트로피] 이론 《불연속 현상을 설명하기 위한 기하학 이론》
cat·a·stroph·ic, -i·cal [kæ̀təstrɑ́fik(əl) | -strɔ́f-] *a.* 대변동[큰 재앙]의; 파멸의, 비극적인; 대단원의 **-i·cal·ly** *ad.*
ca·tas·tro·phism [kətǽstrəfìzm] *n.* 〖지질〗 천변지이설(天變地異說), 격변설(激變說) **-phist** *n.*
ca·tas·tro·phiz·ing [kətǽstrəfàiziŋ] *a.* 실제 상황보다 더 열악한
cat·a·to·ni·a [kæ̀tətóuniə, -njə] *n.* Ⓤ 〖정신의학〗 긴장병 **-ton·ic** [-tɑ́nik | -tɔ́n-] *a.*
Ca·taw·ba [kətɔ́:bə] *n.* 카토바 포도; Ⓤ 카토바 백포도주 《북미 Catawba 강 부근산》
cat·bird [kǽtbə̀:rd] *n.* 〖조류〗 개똥지빠귀의 일종 《북미산; 고양이 울음 소리를 냄》
cátbird sèat (구어) 유리한 입장[조건], 권력이 있는 지위; 선망의 대상이 되는 입장
cát blòck 〖항해〗 닻을 감아 올리는 도르래
cat·boat [-bòut] *n.* 외대박이 작은 배
cat·bri·er [kǽtbràiər] *n.* 청미래덩굴, 밀나물 《밀나물속(屬)의 가시가 많이 나는 다년생 식물의 총칭》
cát bùrglar (영·구어) (천창(天窓)이나 2층의 창문으로 침입하는) 밤도둑
cat·call [kǽtkɔ̀:l] *n.* (집회·극장 등에서의) 고양이 울음 소리 같은 야유, 날카로운 휘파람
— *vi., vt.* 야유하다, 놀리다 **~·er** *n.*
‡catch [kǽtʃ] *v., n., a.*

L 「붙잡다」의 뜻에서
① 붙잡다; (내용을 파악하다) → 「이해하다」 ㊇ **1, 10**
② (현장을 잡다) → 「발견하다」 ㊇ **3**
③ (좋지 않은 것을 잡다) → 「걸리다」 ㊇ **5**
④ (탈것을 잡다) → 「잡아타다, 시간에 대다」 ㊇ **8**
⑤ (마음을 사로잡다) → 「끌다」 ㊇ **9**

thesaurus **catastrophe** *n.* disaster, calamity, tragedy, blow, adversity, trouble, trials

— *v.* (**caught** [kɔ́ːt]) *vt.* **1 붙들다,** (붙)잡다, 쥐다; 쫓아가서 잡다, 〈범인 따위를〉 붙잡다; 〈새·짐승·물고기 따위를〉 포획하다; 《비유》 〈사람을〉 함정에 빠뜨리다, 속이다: ~ a criminal 범인을 잡다 / ~ a runaway horse 도망친 말을 붙들다 // 《~+목+전+명》 He *caught* me *by* the hand. 그는 내 손을 잡았다. // 《~+목+보》 The fox was *caught* alive. 여우는 생포되었다.

> 유의어 **catch** 「사람·물건 등을 붙잡다」는 뜻의 가장 일반적인 말이다. **capture** 저항·곤란을 물리치고 붙잡다: *capture* a burglar 강도를 붙잡다 **nab** 《구어》 catch와 같은 뜻: *nab* a robber who is trying to escape 달아나려고 하는 도둑을 붙잡다 **trap** 덫[함정]을 이용하여 잡다: *trap* animals 동물을 덫으로 잡다

2 〈공 등을〉 **받다,** 잡다, 받아내다; 〈팀·투수의〉 포수를 맡아 하다; 공을 받아 〈타자를〉 아웃시키다 《*out*》; 〈빛을〉 받다: ~ a fast ball 속구를 받다 **3** (…하고 있는 것을) **발견하다,** 목격하다, 덮치다; 〈거짓말 등을〉 간파하다: 《~+목+전+명》 He was *caught in* the act of stealing. 그는 도둑질하는 현장을 들켰다. // 《~+목+**-ing**》 I *caught* him speak*ing* ill of me. 그가 나의 험담을 하고 있는 것을 목격했다. / He was *caught* red-handed *taking* money from the cash register. 그는 금전 등록기에서 돈을 훔치다가 현행범으로 잡혔다. **4** 〈옷을〉 **걸다,** 〈옷이〉 걸리다, 감기다, 감기게 하다; (두 물건 사이에) 끼다: 《~+목+전+명》 ~ a sleeve *on* a nail 소매가 못에 걸리다 / She *caught* her sweater *on* a nail. 그녀는 스웨터를 못에 걸었다. / He *caught* his finger *in* the door. 문짝 사이에 그의 손가락이 끼였다. / His car was *caught between* two trucks. 그의 차는 두 대의 트럭 사이에 끼였다. **5** 〈병에〉 **걸리다,** 감염되다; 〈물건이〉 타다, 〈불이〉 **붙다,** 옮겨 붙다; 〈버릇이〉 몸에 배다: ~ (a) cold 감기 들다 / Paper ~*es* fire easily. 종이는 불이 잘 붙는다. / The flames *caught* the roof. 불길이 지붕에 옮겨 붙었다. // 《~+목+전+명》 The nurse *caught* the disease *from* a patient. 간호사에게 환자의 병이 옮았다. **6** [보통 수동형으로] 〈폭풍우 등이〉 엄습하다; 급습하다 《*in, by*》: 《~+목+전+명》 We *were caught in* a shower. 우리는 소나기를 만났다. **7** 〈낙하물·타격 등이〉 …에 **맞다, 치다:** 《~+목+전+명》 A stone *caught* me *on* the nose. 돌이 나의 코에 맞았다. / The blow *caught* him *in* the stomach. 그 일격은 그의 복부를 쳤다. // 《~+목+목》 I *caught* him one on the jaw. 놈의 턱에 한 방 먹였다. **8** 〈기차 등을〉 (제시간에) **잡아타다,** 시간에 대다; 〈추적자가〉 따라잡다(opp. *miss, lose*): ~ the train[bus, plane] 기차[버스, 비행기] 시간에 대다, 기차[버스, 비행기]를 잡아타다 / I *caught* him before he could go two miles. 그가 2마일도 가기 전에 그를 따라잡았다. **9** …의 주의를 끌다, 〈마음·눈길 등을〉 끌다; 〈시선을〉 잡다, 받다: ~ the waiter's eye 웨이터의 시선을 잡다 / Beauty ~*es* the eye. 아름다운 것은 눈에 띈다. **10** 이해하다, **알아듣다;** 감지하다, 알아채다; 파악하다: ~ the smell of something burning 탄내를 맡다 / I could not ~ what he said. 그가 한 말을 이해할 수 없었다. **11** 〈휴식·수면 등을〉 잠깐 취하다, 〈동작 등을〉 재빨리 하다: ~ a nap 잠깐 졸다 / ~ a glimpse of a friend 친구를 언뜻 보다 **12** 〈벌 등을〉 받다; 〈사람을〉 속이다; 〈물건·일이〉 〈사람을〉 현혹시키다: ~ hell 혼나다 / No one has been *caught* by his sugary words. 그의 달콤한 말에 아무도 속지 않았다. **13** 〈연극·TV 프로 등을〉 보다: 《~+목+전+명》 ~ a game *on* TV 텔레비전에서 경기를 보다 **14** [보통 수동형으로] 《영·구어》 임신시키다

— *vi.* **1 붙들려고 하다,** 잡으려고 하다, 급히 붙들다 《*at*》; 선뜻 받아들이다 《*at*》: 《~+전+명》 ~ *at* a person's proposal …의 제안을 선뜻 받아들이다 **2** 〈자물쇠·빗장 등이〉 걸리다; 〈목소리가〉 메다: The lock finally *caught*. 자물쇠가 드디어 걸렸다. / The bolt doesn't ~. 빗장이 걸리지 않는다. / His voice *caught*. 그는 목이 메었다. // 《~+전+명》 The kite *caught in* a tree. 연이 나무에 걸렸다. / Her coat sleeve *caught on* a nail. 그녀의 코트 소매가 못에 걸렸다. **3** 〈불이〉 붙다, 〈물건이〉 불붙다, 발화하다; 〈엔진이〉 시동되다, 시동이 걸리다; 〈병이〉 전염[감염]되다: This firewood ~*es* easily. 이 장작은 불이 잘 붙는다. **4** 『야구』 포수 노릇을 하다 **5** 〈작물이〉 발아한 후에 뿌리박다; 〈음식이〉 눋다

be caught out 『야구』 뜬공이 잡혀 아웃되다 ***~ as ~ can*** [부사적으로] 한사코 달려들어, 기를 쓰고 ***~ at*** 〈물건을〉 붙잡으려고 하다; 〈의견 등을〉 환영하다 ***~ away*** …을 날치기하다 ***~ fire*** ⇨ fire. ***~ (a) hold of*** ⇨ hold[1] *n.* ***~ it*** 《구어》 꾸지람 듣다, 벌받다 ***C~ me (at it again)!*** 《구어》 (두 번 다시) 그런 짓은 절대로 안 해! ***~ off*** 《미》 잠들다 ***~ on*** 인기를 얻다, 유행하다; 뜻을 깨닫다, 알아듣다, 이해하다 《*to*》; 터득하다 ***~ out*** 『야구』 공을 받아 〈타자를〉 아웃시키다; 《영·구어》 〈남의〉 (부정·무지 등을) 발견하다, 〈남이〉 (…하고 있는 것을) 간파하다 《*in*》 ***~ one's breath*** ⇨ breath. ***~ one's death (of cold)*** 《구어》 독한 감기에 걸리다 ***~ oneself*** 하려다[말하려다] 자제하다 ***~ one's eye*** 눈에 띄다 ***~ sight of*** ⇨ sight. ***~ the Speaker's eye*** 『영의회』 발언을 허락받다 ***~ up*** 급히 집어들다[올리다]; 따라붙다; 〈남에게〉 (잘못·거짓말 등을) 지적하다 《*on*》; [보통 수동형으로] 〈…에〉 열중[몰두]하다 《*in*》; [보통 수동형으로] 〈사태 등에〉 말려들다; (일 등) 지연된 몫을 되찾다; 〈오랫만에 만난 사람과〉 〈소식·안부 등을〉 이야기하다; 〈유행·정보 등에〉 정통하다, 뒤지지 않다; 《미》 〈일 등을〉 마무리하다; 《영·구어》 〈질병·과오 등이〉 〈사람·삶 등을〉 망치다 《*on*》 ***~ up with*** (1) 〈사람·차·나라 등을〉 따라잡다 (2) 《미》 (행위 등이 예상대로) …에게 나쁜 결과를 가져오다 (3) …을 체포[처벌]하다 ***~ a person with his pants down*** ⇨ pants. ***~ a person without*** …에게 (필요로 하는) …이 없다 ***C~ you later.*** 《구어》 또 만나세, 안녕. 《헤어질 때》

— *n.* **1** 잡기; 『야구·크리켓』 **포구**(捕球); 캐치볼(놀이); 포수(catcher): a good[poor] ~ 능숙한[서투른] 포수 / play[have a] ~ 캐치볼을 하다 / miss a ~ 공을 놓치다 **2 잡은 것;** 어획량: get a good ~ 고기를 많이 잡다 **3** 《구어》 얻고 싶은 것[사람], 대어, 뜻밖에 구한 진귀한 것: a good ~ 좋은 결혼 상대자 **4** 《문》고리, 걸쇠, 잠금쇠, 손잡이: the ~ on a trunk 트렁크의 잠금쇠 **5** (숨·목소리의) 막힘, 멤, 끊김; (기계 장치의) 정지, 중단 **6** 《구어》 (사람을 걸리게 하는) 함정, 올가미, 책략: This question has a ~ in it. 이 문제에는 함정이 있다. **7** 술래잡기 **8** (노래 등의) 부분, 절 **9** 『음악』 윤창(輪唱); 단편(fragment): ~*es* of a song 노래의 군데군데 **10** 『농업』 발아 **11** [the ~] 《미·속어》 (계획·일 등의) 결함 ***by ~es*** 종종, 때때로 ***no ~ = not much of a ~*** 대단치 않은 것, 수지가 맞지 않는 것

— *a.* Ⓐ 〈질문 등이〉 함정이 있는; 주의[관심]를 끄는[환기시키는] **~·a·ble** *a.*

catch·all [kǽtʃɔ̀ːl] *n.* 잡동사니를 넣는 자루[그릇, 광], 잡낭; 포괄적인 것 **—** *a.* Ⓐ 온갖 것을 넣는; 다양한 대응이 가능한, 다목적용의; 광범위한

catch-as-catch-can [kǽtʃəzkǽtʃkǽn] *a.* Ⓐ, *ad.* 《구어》 수단을 가리지 않는[않고], 닥치는[되는] 대로(의), 계획성 없는[없이] **—** *n.* Ⓤ 자유형 레슬링; 《구어》 체면 차리고 있을 수 없는 때

cátch bàsin 수챗구멍의 찌꺼기 받이

cátch càr 《미·속어》 (경찰의) 속도 위반 차량 단속차

cátch cròp 『농업』 간작(間作) 작물

---

catch *v.* grab, grasp, snatch, seize, grip, clutch, clench, receive, acquire (opp. *drop*)

cátch cròpping 〖농업〗 간작(間作)
cátch dràin (산 중턱의) 물받이 도랑, 배수구
catch-'em-a·live-o [kǽtʃəməláivou] *n.* 《영·속어》 파리잡이 끈끈이 종이
⁑catch·er [kǽtʃər] *n.* 잡는 사람[물건]; 〖야구〗 포수, 캐처; (공중그네에서 거꾸로 매달려서 공중에 도약한 동료를) 잡아주는 사람; (고래잡이의) 캐처보트
cátcher rèsonator 〖전자〗 속도 변조관(klystron)
catch·fly [kǽtʃflài] *n.* (*pl.* **-flies**) 〖식물〗 끈끈이대나물
catch·ing [kǽtʃiŋ] *a.* 전염성의; 매력 있는; 유혹적인 **~·ly** *ad.* **~·ness** *n.*
catch·light [kǽtʃlàit] *n.* 매끄러운 표면[수면]에서 비치는 반사광
catch·line [-làin] *n.* (주의를 끄는) 선전 문구; 표제
catch·ment [kǽtʃmənt] *n.* Ⓤ 집수(集水); 저수지; Ⓒ 저수량; 《영》 한 학군의 수용 인원
cátchment àrea **1** =DRAINAGE BASIN **2** 《영》 (학교·병원·관청 등의) 담당[관할] 구역
catch-out [kǽtʃàut] *n.* 간파; 기대에 어긋남
catch·pen·ny [-pèni] *a.* Ⓐ 〈상품이〉 돈만 긁어내려는, 싸고 번지르르한 **—** *n.* (*pl.* **-nies**) 싸고 번지르르한 물건
cátch phràse 이목을 끄는 기발한 문구, (짧은) 유행어; 캐치프레이즈, 표어
cátch pìt 집수구(集水溝)
catch·pole, -poll [-pòul] *n.* 채무 불이행자를 체포하는 보안관 대리
cátch stìtch 열십자뜨기
cátch tìtle (도서 목록 등의) 약호[요약] 책명
Catch-22 [-twèntitú:] [미국의 작가 J. Heller의 작품 제목에서] [때로 **c~**] 《미·구어》 *n.* (*pl.* **~'s, ~s**) (모순된 규칙[상황]에) 꼭 묶인 상태; 딜레마, 곤경 **—** *a.* 궁지에 빠진, 옴짝달싹할 수 없는
catch-up [kǽtʃʌ̀p] *n.* 따라잡기 위한 노력; 뒤진 것을 만회하기, 격차 해소: After the slowdown there was a ~ in production. 태업 후에 생산 지연을 만회하려는 노력이 있었다. **—** *a.* 기사회생의, 만회[반전]를 꾀하려는: a ~ pay raise to offset inflation 인플레이션을 상쇄하기 위한 임금 인상
catch·up [kǽtʃəp, kétʃ-] *n.* 《미》 =KETCHUP
catch·weight [kǽtʃwèit] *a., n.* 〖스포츠〗 무제한 급의 (체중)
catch·word [-wə̀:rd] *n.* **1** 표어, 유행어(slogan); 선전 문구 **2** (사전 등의) 난외(欄外) 표제어 **3** 다음 배우가 이어받도록 넘겨주는 대사
catch·y [kǽtʃi] *a.* (**catch·i·er**; **-i·est**) 《구어》 **1** 사람의 마음을 끄는, 매력 있는; 인기를 얻기 쉬운; 〈곡조가〉 재미있어 외우기 쉬운: a ~ tune 외우기 쉬운 멜로디 **2** 〈질문 등이〉 함정이 있는, 틀리기 쉬운 **3** 단속적인, 변덕스러운 **cátch·i·ly** *ad.* **cátch·i·ness** *n.*
cát dàvit 〖항해〗 닻을 달아올리는 기둥
cát dòor[**flàp**] 고양이 출입구
cate [kéit] *n.* [주로 *pl.*] 《고어》 진미(珍味)
cat·e·che·sis [kæ̀təkí:sis] *n.* (*pl.* **-ses** [-si:z]) 〖그리스도교〗 교리 교수(教授)
cat·e·chet·i·cal, -chet·ic [kæ̀təkétik(əl)] *a.* **1** 문답식의 **2** 〖그리스도교〗 교리 문답의
cat·e·chet·ics [kæ̀təkétiks] *n.* 〖그리스도교〗 교리 교수학
cat·e·chin [kǽtətʃin, -kin] *n.* 〖화학〗 카테킨 《수용성·수렴성의 황색 화합물; 제혁·염색에 씀》
cat·e·chism [kǽtəkìzm] *n.* **1** 〖그리스도교〗 **a** Ⓤ 교리 문답, 성공회 문답 **b** Ⓒ 교리 문답서, 문답식 교과서 **2** Ⓤ 문답식 교수법 **3** (후보자의 정견(政見) 등에서) 잇달은 질문 ***put*** a person ***through a*** [his, her] **~** …에게 잇달아 질문하다 **càt·e·chís·mal** *a.*
cat·e·chist [kǽtəkist] *n.* 〖그리스도교〗 교리 문답 교사, 전도사
cat·e·chis·tic, -ti·cal [kæ̀təkístik(əl)] *a.* 〖그리스도교〗 전도사의; 교리 문답의 **-ti·cal·ly** *ad.*
cat·e·chize [kǽtəkàiz] *vt.* 문답식으로 가르치다; 시험하여 물어보다 **-chìz·er** *n.* **càt·e·chi·zá·tion** *n.*
cat·e·chol [kǽtəkɔ̀:l, -kɑ̀l | -tʃɔ̀l, -kɔ̀l] *n.* 〖화학〗 카테콜
cat·e·chol·a·mine [kæ̀təkɑ́ləmì:n, -kóul- | -kɔ́l-] *n.* 〖생화학〗 카테콜아민 《신경 세포에 작용하는 호르몬》 **cat·e·chol·a·min·er·gic** [kæ̀təkɑ̀ləminə́:rdʒik, -kòul- | -kɔ̀l-] *a.*
cat·e·chu [kǽtətʃù:, -kjù: | -tʃù:] *n.* 아선약(阿仙藥) 《설사를 멎게 하는 약》
cat·e·chu·men [kæ̀təkjú:mən | -men] *n.* 〖그리스도교〗 교리 문답 수강자, 구도자; 입문자, 초심자
cat·e·go·ri·al [kæ̀təgɔ́:riəl, -gɑ́r- | -gɔ́r-] *a.* 〖언어〗 범주 문법의[에 관한]
categórial grámmar 〖언어〗 범주(範疇) 문법
cat·e·gor·i·cal, -ic [kæ̀təgɔ́:rik(əl), -gɑ́r- | -gɔ́r-] *a.* **1** 무조건적인, 절대적인, 단정적인; 〖논리·윤리〗 단언적인(opp. *hypothetical*) **2** 범주(範疇)에 속하는, 분류별의 **~·ness** *n.*
categórical gránt (특별한 목적에 부여되는) 개별 보조금(opp. *block grant*)
categórical impérative 〖윤리〗 지상(至上) 명령 《양심의 절대 무조건적 도덕률》
cat·e·gor·i·cal·ly [kæ̀təgɔ́:rikəli, -gɑ́r- | -gɔ́r-] *ad.* 절대적으로, 단언적으로, 명확히
categóric cóntact 〖사회〗 부류적(部類的) 접촉 《소속 집단의 속성을 토대로 한 인간끼리의 접촉》
cat·e·go·rize [kǽtəgəràiz] *vt.* **1** (…의) 범주에 넣다, 분류하다 《*into*》 **2** 유별(類別)하다; 특징지우다, 특징을 기술하다 **càt·e·go·ri·zá·tion** *n.*
⁎cat·e·go·ry [kǽtəgɔ̀:ri | -gə-] [Gk 「비난, 주장」의 뜻에서] *n.* (*pl.* **-ries**) **1** 〖논리·언어〗 **범주**, 카테고리 **2** **부문**, 구분, 종류 《★ class보다 딱딱한 말》 **3** [*pl.*; 단수 취급] 카테고리스 《몇 개인가의 키워드를 가지고 하는 문자 놀이》 ▷ categórical *a.*; cátegorize *v.*
cátegory kìller 《미》 카테고리 킬러 《단일 품목 취급의 할인 판매 전문점》
cátegory mìstake 〖논리·철학〗 범주 오인(誤認)
ca·te·na [kətí:nə] *n.* (*pl.* **-nae** [-ni:]) **1** (사건·의논 등의) 연속, 연쇄 **2** 〖그리스도교〗 성서 주석집
ca·te·nac·ci·o [kɑ̀:tənɑ́:tʃiou] [It.] *n.* 〖축구〗 카테나치오, 빗장 수비 《백(back)에 4명의 스위퍼를 두는 수비형》
cat·e·na·ri·an [kæ̀tənέəriən] *a.* =CATENARY
cat·e·nar·y [kǽtənèri | kətí:nəri] *n., a.* 쇠사슬 모양(의); (전차의 가선(架線)을 매다는) 케이블, 현수삭(懸垂索)(의); 〖수학〗 현수선(懸垂線)(의)
cátenary brídge 조교(弔橋), 현수교
cat·e·nate [kǽtənèit] *vt.* 사슬로 잇다, 연결하다; 암기하다
cat·e·na·tion [kæ̀tənéiʃən] *n.* Ⓤ 연쇄(화)
cat·e·na·tive [kǽtənèitiv, -nət-] 〖문법〗 *a.* 〈동사가〉 연쇄된 **—** *n.* 연쇄 동사
cat·e·noid [kǽtənɔ̀id] *n.* 〖수학〗 현수면(懸垂面)
ca·ten·u·late [kəténjulət, -lèit] *a.* 사슬 모양의
⁎ca·ter¹ [kéitər] *vi.* 〈가게 등이〉 (연회 등의) **음식물을 조달[제공]하다** 《*for*》; 〈시설·TV 등이〉 (…의) 요구를 채우다; 비위를 맞추다; (…에게) 오락을 제공하다 《*for, to*》: (~+전+명) ~ *for* a feast 연회용 요리를 장만하다 / ~ *for* a person's enjoyment 즐겁게 해 주다 / The store ~*s to* the members of the union. 그 가게는 조합원 상대로 물건을 팔고 있다. **—** *vt.* 《미》 〈연회 등에〉 음식과 서비스를 제공하다 **~·ing·ly** *ad.*
cater² *n.* 〖카드〗 네 끗패; (주사위의) 네 끗
cat·er·an [kǽtərən] *n.* 《스코》 약탈자, 산적(山賊)
cat·er-cor·ner(**ed**) [kǽtərkɔ̀:rnər(d)] *a., ad.* 대각선상의[에]
ca·ter-cous·in [kéitərkʌ̀zn] *n.* 친한 친구
ca·ter·er[kéitərər] *n.* 요리 조달자, (호텔의) 연회석을 마련하는 사람; (여흥 등의) 제공자

ca·ter·ess [kéitəris] *n.* CATERER의 여성형
ca·ter·ing [kéitəriŋ] *n.* Ⓤ (연회·기내식 따위의) 요식 조달업; 출장 연회업; 그 음식
‡**cat·er·pil·lar** [kǽtərpìlər] [OF 「털 많은 고양이」의 뜻에서] *n.* **1 모충**(毛蟲), 쐐기벌레 《송충이 등 나비·나방의 유충》 **2** [**C~**] 무한궤도식 트랙터(=~ **tràctor**) 《상표명》; 캐터필러, 무한궤도 장치 **3** 남을 등쳐먹는 사람, 착취자
Cáterpillar tràck (탱크나 건축 장비의 바퀴에 부착하는) 금속 벨트, 쇠테 《상표명》
cáterpillar trèad 무한궤도 트레드 《전차·트랙터 등의 무한궤도가 지면에 닿는 면》
cat·er·waul [kǽtərwɔ̀:l] *vi.* 〈교미기의 고양이가〉 야옹야옹 울다(⇨ cat 관련); 큰소리로 떠들다; 서로 아옹거리다; 〈사람이〉 발정하다 **—** *n.* 야옹야옹 우는 소리; 아옹거림; 떠드는 소리
cat-eyed [kǽtàid] *a.* 밤눈이 밝은
cat·fall [-fɔ̀:l] *n.* 〖항해〗 양묘삭(揚錨索)
cat·fight [-fàit] *n.* 《미·속어》 아옹거림(cf. DOGFIGHT); 말싸움, (여성의) 격한 싸움
cat·fish [-fìʃ] *n.* (*pl.* [집합적] **~, ~·es**) 〖어류〗 메기
cat-foot [-fùt] *vi.* 《미》 살금살금 걸어가다
cat·gut [-gʌ̀t] *n.* 장선(腸線), 거트 《현악기·테니스 라켓의 줄 등에 씀》; 《익살》 바이올린; [집합적] 현악기; 《미서부》 (가죽) 로프
cath- [kæθ] *pref.* =CAT-
cath. cathedral **Cath.** Catherine; Cathedral; Catholic
Cath·ar [kǽθɑ:r] *n.* (*pl.* **Cath·a·ri** [kǽθəràì], **~s**) 〖종교〗 순결파 신자 《이단이라고 지목되는 그리스도교의 일파; 중세 유럽에서 시작》 **Cáth·a·rìsm** *n.* **Cáth·a·rist** *n.* **Càth·a·rís·tic** *a.*
ca·thar·sis [kəθɑ́:rsis] [Gk 「정화, 배설」의 뜻에서] *n.* (*pl.* **-ses** [-si:z]) **1** ⓊⒸ 〖의학〗 (하제에 의한) 배변(排便) **2** 〖철학·미학〗 카타르시스 《인위적 경험(특히 비극)에 의한 감정의 정화(淨化)》 **3** 〖정신의학〗 (정신 요법의) 카타르시스, 정화법; 정화
ca·thar·tic [kəθɑ́:rtik] *a.* **1** 배변의, 변이 통하는, 하제의 **2** 카타르시스의 **—** *n.* 하제(下劑)
cat·haul [kǽthɔ̀:l] *vt.* 《속어》 (집요하게) 심문하다, 힐난하다
Ca·thay [kæθéi] *n.* **1** 《고어·시어》 =CHINA **2** 캐세이 퍼시픽 항공(Cathay Pacific Airways)
cat·head [kǽthèd] *n.* 〖항해〗 (이물 양쪽의) 닻걸이
ca·thect [kəθékt, kæ-] *vt.* 〖정신분석〗 〈물건·사람·생각 등에 대해〉 특별한 감정[의의, 가치, 흥미]을 주다; 정신을 집중하다
ca·the·dra [kəθí:drə, kǽθə- | kəθí:-] *n.* (*pl.* **-drae** [-dri:]) **1** 주교좌 **2** 권좌; (대학 교수 등의) 지위, 강좌 **3** 고대 로마의 귀부인용 의자 ***ex ~*** 명령적으로, 권위로써
‡**ca·the·dral** [kəθí:drəl] [L 「주교좌가 있는 (성당)」의 뜻에서] *n.* **1** 〖가톨릭·영국국교〗 **대성당,** 주교좌 성당 《bishop의 자리가 있으며, 따라서 교구(diocese)의 중앙 성당》 **2** 큰 교회당
— *a.* Ⓐ **1** 주교좌를 가진; 대성당이 있는; 대성당 소속의: a ~ city 대성당이 있는 도시/a ~ choir 대성당 소속 성가대 **2** 〈발표 등이〉 권위가 있는
— *vt.* 〈양손을〉 (양 팔꿈치를 괴고) 삼각형으로 깍지끼다
cathédral céiling 1 대성당 천장 《천장의 골조가 겉으로 드러나 있는 천장》 **2** 아주 높은 천장
cathédral glàss 대성당 유리 《장식 무늬가 있는 반투명의 판유리》
ca·thep·sin [kəθépsin] *n.* 〖생화학〗 카텝신 《동물 조직에 있는 단백질 분해 효소의 총칭》
Cath·er·ine [kǽθərin] *n.* 여자 이름 《애칭 Cathy, Kate, Kitty》
Cátherine whèel 회전 불꽃; 쥐불놀이 ***turn ~s*** 옆으로 공중제비하다
cath·e·ter [kǽθətər] *n.* 〖의학〗 **1** 카테터 **2** 《특히》 도뇨관(導尿管)
cath·e·ter·ize [kǽθətəràiz] *vt.* …에 카테터를 꽂다 **càth·e·ter·i·zá·tion** *n.*
cath·e·tom·e·ter [kæ̀θətɑ́mətər | -tɔ́m-] *n.* 캐시토미터 《높이의 차이를 정밀하게 측정하는 광학 기계》
ca·thex·is [kəθéksis] *n.* (*pl.* **-thex·es** [-θéksi:z]) ⓊⒸ 〖정신분석〗 카텍시스 《심적 에너지가 어떤 대상에 집중함 또는 그 대상》 **ca·thec·tic** [kəθéktik] *a.*
cath·o·dal [kǽθədl] *a.* =CATHODIC **~·ly** *ad.*
cath·ode [kǽθoud] *n.* **1** 〖전자〗 캐소드, (전자관·전해조의) 음극(opp. *anode*) **2** (축전지 등의) 양극
cáthode rày 〖전자〗 음극선
cáth·ode-ray tùbe [kǽθoudrèi-] 음극선관, (텔레비전 등의) 브라운관 《略 CRT》
ca·thod·ic [kæθɑ́dik, -θóud- | -θɔ́d-] *a.* 음극의, 음극성(性)의; 음극 주변에서 일어나는 현상에 관한 **-i·cal·ly** *ad.*
cathódic protéction 〖전기〗 음극 방식(防蝕) 《전기 화학적으로 금속의 부식을 억제하는 방법》
cath·o·do·lu·mi·nes·cence [kæ̀θədoulù:mənésns] *n.* Ⓤ 〖물리〗 음극선 발광 **-cent** *a.*
cath·o·lic [kǽθəlik] *a.* **1** 〈이해·취미 등이〉 치우치지 않는; Ⓟ 마음이 넓은, 포용적인, 너그러운 《*in*》: ~ *in* one's tastes 취미가 다양한 **2** 보편적인, 일반적인; 만인이 관심을 가지는, 만인에 공통되는 **3** (동서 교회로 분열되기 전의) 전(全)그리스도교회의
‡**Cath·o·lic** [kǽθəlik] [Gk 「전체의, 보편적인」의 뜻에서] *a.* **1 a** (신교(Protestant) 교회에 대해) (로마) **가톨릭교회의,** 천주교의, 구교의; 영국 국교회 고교회(古敎會)파의(Anglo-Catholic) **b** (그리스의 Orthodox 교회와 대조하여) 서방 교회(Western Church)의 **—** *n.* (로마) 가톨릭교도, 천주교도, 구교도(Roman Catholic); 전(全)그리스도교도
▷ Cathólicism, catholícity *n.*; cathólicize *v.*
ca·thol·i·cal·ly [kəθɑ́likəli | -θɔ́l-] *ad.* 보편적으로, 널리; 가톨릭교적으로
Cátholic Apostólic Chúrch [the ~] 가톨릭 사도 교회
Cátholic Chúrch [the ~] **1** (로마) 가톨릭교회, 천주교회 **2** 전(全)그리스도교회
Cátholic Emancipátion Àct [the ~] 〖영국사〗 가톨릭(교도) 해방령 《1829년 신교도와 동일한 정치적 권리를 부여한 법률》
Cátholic Epístles [the ~] (신약 성서 중의) 공동서한 《James, Peter, Jude 및 John이 일반 신자에게 보낸 7교서》
***Ca·thol·i·cism** [kəθɑ́ləsìzm | -θɔ́l-] *n.* Ⓤ **1 가톨릭교,** 천주교(의 신봉); 가톨릭교 신앙[교리, 조직], 가톨릭주의 **2** [**c~**] 보편성, 포용성 ▷ Cátholic *a.*
cath·o·lic·i·ty [kæ̀θəlísəti] *n.* Ⓤ **1** 보편성, 포용성; 너그러움 **2** [**C~**] 가톨릭교 교리(Catholicism); 천주교 신앙
ca·thol·i·cize [kəθɑ́ləsàiz | -θɔ́l-] *vt., vi.* **1** 일반적으로 하다[되다] **2** [**C~**] 가톨릭교도로 만들다[가 되다] **ca·thòl·i·ci·zá·tion** *n.*
ca·thol·i·con [kəθɑ́ləkən | -θɔ́l-] *n.* 만병통치약
cat·house [kǽthàus] *n.* 《미·속어》 (떠돌이 노동자들을 위한) 여인숙, 간이 숙박소; 매음굴
Cath·y [kǽθi] *n.* 여자 이름 《Catherine의 애칭》
cát ìce (물이 빠진 자리에 남는) 살얼음
Cat·i·li·nar·i·an [kæ̀tələnέəriən] *a.* **1** 카탈리나(Cataline)의[와 같은] **2** 음모의 **—** *n.* **1** 카탈리나의 음모에 참가한 사람 **2** 카탈리나와 닮은[를 흉내내는] 사람; 음모자(conspirator)
Cat·i·line [kǽtəlàin] *n.* 카틸리나 **Lucius Sergius ~** (108?-62 B.C.) 《로마의 정치가로 공화 정부 전복의 음모를 꾸몄으나 실패함; 라틴 어명 Catilina》
cat·i·on [kǽtàiən, -àiɑn | -àiən] *n.* 〖화학〗 양(陽)이온; 양(陽)원자(군)(opp. *anion*)
cat·i·on·ic [kæ̀taiɑ́nik | -ɔ́n-] *a.*
catiónic detérgent 〖화학〗 양이온 세정제(洗淨劑), 양이온 계면 활성제

cat·kin [kǽtkin] *n.* 〚식물〛 (버드나무·밤나무 등의) 유제(葇荑) 꽃차례
cát làdder 〚건축〛 경사진 지붕에 설치하는 사닥다리
cát làp (영·속어) 묽은 음료 《홍차 등》
cat·lick [kǽtlìk] *n.* **1** (구어) 대강 씻기 **2** (미·속어) 가톨릭
cat·like [kǽtlàik] *a.* 고양이 같은; 날랜, 발소리 없이 다니는
cat·ling [kǽtliŋ] *n.* 새끼 고양이; 〚외과〛 절단도(刀); 장선(腸線)
cát lìtter 고양이 배설용 상자에 까는 점토
cát màn **1** (서커스단의) 맹수 조련사 **2** ＝CATSKINNER **3** ＝CAT BURGLAR
cat·mint [kǽtmìnt] *n.* (영) ＝CATNIP
cat·nap [kǽtnæ̀p] *n.* 선잠(doze) **—*vi.*** (**~ped**; **~·ping**) 선잠 자다
cat·nap·per[1] [kǽtnæ̀pər] *n.* (습관적으로) 선잠 자는 사람
catnapper[2], **-naper** *n.* 고양이를 훔치는 사람
cat·nip [kǽtnìp] *n.* **1** (미) 〚식물〛 개박하 《고양이가 좋아함》 **2** (속어) 조악한[가짜] 마리화나 **—*vt.*** (속어) 가짜 마리화나를 팔다
Ca·to [kéitou] *n.* 카토 **Marcus Porcius ~ 1** (234-149 B.C.) 《로마의 장군·정치가》 **2** (95-46 B.C.) 《그의 증손자; 정치가·철학자》
cat-o'-nine-tails [kæ̀tənáintèilz] [「아홉 꼬리의 고양이」의 뜻; 채찍 자국이 고양이가 할퀸 상처 비슷한 데서] *n.* (*pl.* ~) 9개의 끈을 단 채찍 《형벌용》
ca·top·tric, -tri·cal [kətɑ́ptrik(əl) | -tɔ́p-] *a.* 거울의, 반사의 **-tri·cal·ly** *ad.*
ca·top·trics [kətɑ́ptriks | -tɔ́p-] *n. pl.* [단수 취급] 반사 광학(cf. DIOPTRICS)
cát rìg 〚항해〛 catboat용 범장(帆裝)
cat-rigged [kǽtrìgd] *a.* catboat식으로 돛을 단
cáts and dógs (속어) **1** 투기적이고[위험하고] 값싼 유가 증권 **2** ＝ODDS AND ENDS ***rain ~*** (구어) 비가 억수같이 퍼붓다
CÁT scàn [kǽt-] [*c*omputerized *a*xial *t*omography] 〚의학〛 CAT scanner에 의한 검사; X선 체축(體軸) 단층 사진(CT scan)
CÁT scànner 〚의학〛 X선 체축 단층 촬영 장치, CT 스캐너(CT scanner)
CÁT scànning 〚의학〛 컴퓨터 X선 체축 단층 촬영 (법)(CT scanning)
cát's crádle 실뜨기 (놀이); 실뜨기의 복잡한 모양; 복잡(한 것)

cat's cradle

cát scràtch disèase [**fèver**] 〚병리〛 고양이 발톱병 《고양이와 지냄으로써 걸리는 바이러스 병》
cat's-ear [kǽtsìər] *n.* 〚식물〛 금혼초
cat's-eye [-ài] *n.* **1** 〚광물〛 묘안석(猫眼石); 금록석(金綠石) **2** (도로의) 야간 반사 장치; (자동차의) 후미 반사경
cat's-foot [-fùt] *n.* (*pl.* **-feet** [-fìːt]) 〚식물〛 덩굴광대수염, 적설초(ground ivy)
cát shàrk 〚어류〛 두톱상어
Cáts·kill Móuntains [kǽtskil-] [the ~] 미국 New York 주 동부의 산맥(the Catskills)
cat·skin·ner [kǽtskìnər] *n.* (미·속어) 트랙터 운전사
cat's-meat [kǽtsmìːt] *n.* Ⓤ (영) 고양이 먹이 고기 《말고기 등》(cf. DOG'S MEAT); 질 나쁜 고기
cát's meów [the ~] (미·속어) 아주 멋진 것[사람]
cát's pajámas[(영) **pyjámas**] [the ~] (고어·속어) ＝CAT'S MEOW
cat's-paw [kǽtspɔ̀ː] [원숭이가 고양이를 이용했다는 이솝 이야기에서] *n.* **1** 앞잡이, 끄나풀: make a ~ of a person …을 앞잡이로 쓰다 **2** 〚항해〛 미풍 《잔물결을 일으킬 정도》
cat's-tail [kǽtstèil] *n.* 〚식물〛 속새; 부들
cat·suit [kǽtsùːt | -sjùːt] *n.* 점프 슈트(jumpsuit) 《우주복처럼 위아래가 연결된 옷》
cat·sup [kǽtsəp, kétʃəp, kǽtʃ-] *n.* ＝KETCHUP
cát's whísker ＝CAT WHISKER; [the ~s] (속어) ＝CAT'S MEOW
cat·tail [kǽttèil] *n.* **1** 〚식물〛 부들; 부들개지 **2** (미·속어) 마리화나 담배
cat·ta·lo [kǽtəlòu] *n.* (*pl.* **~(e)s**) ＝BEEFALO
cat·te·ry [kǽtəri] *n.* 고양이 사육장
cat·tish [kǽtiʃ] *a.* 고양이 같은; 교활한(sly), 음흉한 **~·ly** *ad.* **~·ness** *n.*
***cat·tle** [kǽtl] [L 「재산」의 뜻에서] *n.* [집합적; 복수 취급] **1** 소, 축우(畜牛)(⇨ cow[1] 관련): ~ and sheep 소와 양 / fifty (head of) ~ 소 50마리 / a herd of ~ 한 무리의 소 / rear ~ 소를 키우다 **2** (고어) 가축(livestock) **3** (경멸) 짐승 같은 놈들
cáttle brèeding 목축(업)
cáttle càke (영) 가축용 고형(固形) 농후 사료
cáttle càll (속어) (지원자 등의) 집단 오디션
cáttle càr **1** 〚철도〛 가축 운반차 **2** (속어) (여객기 뒤쪽의) 이코노미 클래스, 보통석
cáttle dòg (호주·뉴질) 목축견
cáttle dròver 목동, 소몰이꾼
cáttle dùffing (호주) 가축 도둑질
cáttle ègret 〚조류〛 황로, 붉은백로
cáttle grùb (미) 쇠파리; 쇠파리의 유충
cáttle guàrd[(영) **grìd**] (미) (가축 탈출 방지용) 도랑
cat·tle-lead·er [kǽtllìːdər] *n.* 쇠코뚜레
cat·tle-lift·er [-lìftər] *n.* 소도둑
cat·tle-lift·ing [-lìftiŋ] *n.* Ⓤ 소도둑질
cat·tle·man [-mən, -mæ̀n] *n.* (*pl.* **-men** [-mən, -mèn]) (영) 목부, 소 치는 사람; (미) (육우 사육) 목장주
cáttle pèn 외양간; 가축 우리
cáttle pìece 소 그림
cáttle plàgue 〚수의학〛 우역(牛疫)(rinderpest)
cáttle pròd 소몰이 막대 《전류가 흐름》
cáttle rànch[**rànge**] (미) 소의 큰 방목장
cáttle rùn 목장; 소가 다니는 길
cáttle rùstler 소도둑; (미·속어) (흑인 암흑가에서) 슈퍼마켓의 고기 도둑
cat·tle·ship [kǽtlʃìp] *n.* (가축 운반용의) 대형선
cáttle shòw 소 품평회; (미·구어) (예비 선거에서 입후보한 대통령 후보의) 공개 집회
cáttle tìck 소진드기
cáttle trùck (영) 〚철도〛 가축차((미) stockcar); (비유) 혼잡하고 불쾌한 차
catt·ley·a [kǽtliə, kætlíːə, -léiə | kǽtliə] [영국의 식물 애호가 이름에서] *n.* 〚식물〛 카틀레야 《양란(洋蘭)의 일종》
cát tràin (캐나다) 캣 트레인 《캐터필러식 설상차(雪上車)가 끄는 일련의 썰매》
cat·ty[1] [kǽti] *a.* (**-ti·er**; **-ti·est**) ＝CATTISH; (미·구어) 심술 사납게 남의 말 하는; 집념이 강한: a ~ woman (헐뜯기 잘하는) 심술궂은 여자
—*n.* **1** (미동부) ＝CAT[1] 5 **2** (미·구어) 메기의 일종
cát·ti·ly *ad.* **cát·ti·ness** *n.*
catty[2] *n.* (*pl.* **-ties**) 캐티 《중국·동남 아시아의 중량 단위; 1 1/3파운드 상당》
cat·ty-cor·ner(ed) [kǽtikɔ̀ːrnər(d)] *a.*, *ad.* (미 중부·남부) ＝CATER-CORNER(ED)
CATV cable television 유선 텔레비전; community antenna television 공동 시청 안테나 텔레비전

thesaurus **cause** *n.* **1** 원인 origin, root, source, genesis, creator, mainspring **2** 이유 reason, grounds, justification, basis, motive, moti-

cat·walk [kǽtwɔ̀:k] *n.* (항공기 안이나 다리 한쪽에 마련된) 좁은 통로; (패션쇼의) 객석에 돌출한 좁다란 무대

cát whìsker 1 〖무선〗 위스커《광석에 접촉시키는 광석 검파기(檢波器)의 가늘고 단단한 철사》 2 〖전자〗 반도체 접촉용 선(whisker)

Cau·ca·sia [kɔ:kéiʒə, -ʃə | -zjə] *n.* 카프카스, 코카서스《흑해와 카스피 해 사이에 있는 구소련의 일부》

Cau·ca·sian [kɔ:kéiʒən, -ʃən | -kéizjən] *a.* 카프카스 지방[산맥]의; 카프카스 사람[언어]의, 백색 인종의 **—***n.* 카프카스 사람, 백인; Ⓤ 카프카스 언어

Cau·ca·soid [kɔ́:kəsɔ̀id] *a.*, *n.* 〖인류〗 코카서스 인종(의) 《백색 인종》

***Cau·ca·sus** [kɔ́:kəsəs] *n.* [the ~] **카프카스 산맥** 《Caucasia에 있는 산맥》; = CAUCASIA

Cáu·chy sèquence [kouʃí:-] [프랑스의 수학자 이름에서] 〖수학〗 = FUNDAMENTAL SEQUENCE

cau·cus [kɔ́:kəs] [인디언 말 「장로」의 뜻에서] *n.* **1** 《미》 (정당 등의) 간부 회의《정책 수립·후보 지명 등을 논의》 **2** 《영·경멸》 지방 정치 간부 회의 **—***vi.*, *vt.* 간부제로 하다; 《미》 간부 회의를 열다

cau·da [káudə, kɔ́:-] *n.* (*pl.* **-dae** [-di:]) 〖해부·동물〗 꼬리, 꼬리 모양의 부속 기관

cau·dad [kɔ́:dæd] *ad.* 〖해부·동물〗 꼬리 근처에

cau·dal [kɔ́:dl] *a.* 〖해부·동물〗 꼬리의; 꼬리 모양의 (taillike), 꼬리 비슷한; 꼬리 쪽의[에 있는]; (몸의) 미골부(尾骨部)의 **~·ly** *ad.*

cáudal anesthésia 〖의학〗 미골(尾骨) 마취(법)

cáudal fín 〖어류〗 꼬리지느러미(tail fin)

cau·date, -dat·ed [kɔ́:deit(id)] *a.* 꼬리가 있는; 꼬리 모양의 부속 기관을 가진

cáudate núcleus 〖해부〗 미상핵(尾狀核)

cau·dil·lis·mo [kɔ̀:di:ljí:zmou] [Sp.] *n.* caudillo의 지배 체제

cau·dil·lo [kɔ:dí:ljou, -dí:ou | -dí:lou] [Sp.] *n.* (*pl.* **~s** [-z]) (스페인·라틴 아메리카의) 군사 독재자

cau·dle [kɔ́:dl] *n.* 죽에 달걀·향신료를 넣은 따뜻한 자양 유동식《산모·환자용》

⁑**caught** [kɔ́:t] *v.* CATCH의 과거·과거분사

caul [kɔ́:l] *n.* 〖해부〗 대망막(大網膜)《태아가 종종 머리에 쓰고 나오는 양막의 일부》

caul·dron [kɔ́:ldrən] *n.* = CALDRON

cau·les·cent [kɔ:lésnt] *a.* 〖식물〗 땅위줄기가 있는

cau·li·cle [kɔ́:likl] *n.* 〖식물〗 (배(胚)의) 어린 줄기

cau·lic·o·lous [kɔ:líkələs] *a.* 〖식물〗 〈균류 따위가〉 다른 식물의 줄기에 자라는

cau·li·flo·rous [kɔ̀:liflɔ́:rəs] *a.* 〖식물〗 줄기에 꽃이 (직접) 피는

***cau·li·flow·er** [kɔ́:ləflàuər, kάlə- | kɔ́li-] [L 「양배추꽃」의 뜻에서] *n.* ⒸⓊ **콜리플라워, 꽃양배추**; 《스코》 맥주 거품

cáuliflower chéese 〖요리〗 콜리플라워 치즈《콜리플라워에 치즈 소스를 얹은 요리》

cáuliflower éar (권투 선수 등의) 찌그러진 귀

cau·line [kɔ́:lin, -lain] *a.* 〖식물〗 줄기의, 줄기에 나는

cau·lis [kɔ́:ləs] *n.* (*pl.* **-les** [-li:z]) 〖식물〗 (특히 초본 식물의) 줄기

caulk[1] [kɔ́:k] *vt.* **1** 〈선체의〉 틈에 뱃밥 등을 채우다[채워 물이 새지 않게 하다] **2** 〈창틀·파이프 등의〉 틈[균열]을 막다 **—***vi.* 《속어》 자다, (일을 멈추고) 쉬다 《*off*》 **—***n.* **1** 틈을 막는 물건[재료](caulking) **2** 《속어》 짧은 잠, 앉아서 잠 **~·er** *n.*

caulk[2] *n.*, *vt.* = CALK[2]

caulk·ing [kɔ́:kiŋ] *n.* Ⓤ 틈새 메우기, 코킹 누출[누수 방지]; 그 재료

caus. causative

vation **3** 주의, 대의 principle, ideal, belief, conviction, object, purpose **—***v.* bring about, create, produce, generate, effect, lead to, result in

caus·a·ble [kɔ́:zəbl] *a.* 야기될 수 있는

caus·al [kɔ́:zəl] *a.* **1** 원인의; 원인이 되는, 인과 관계의: a ~ relationship 인과 관계 **2** 〖논리·문법〗 원인을 나타내는: ~ conjunctions 원인을 나타내는 접속사 《because, as 등》 **3** 〖물리〗 인과율에 따르는, 인과적인 **~·ly** *ad.* 원인이 되어

cau·sal·gi·a [kɔ:zǽldʒiə, -dʒə] *n.* Ⓤ 〖병리〗 작열통(灼熱痛) **-gic** *a.*

cau·sal·i·ty [kɔ:zǽləti] *n.* (*pl.* **-ties**) ⓊⒸ 인과 (因果) 관계, 인과율; 원인 작용; 〖물리〗 (상대론에서) 거시적 인과율

cau·sa si·ne qua non [kɔ́:zə-sáini:-kwei-nάn | -nɔ́n] [L] 필수 조건[전제]

cau·sa·tion [kɔ:zéiʃən] *n.* Ⓤ 원인 (작용); 인과 관계 ***the law of ~*** 인과율 **~·al** *a.*

cau·sa·tion·ism [kɔ:zéiʃənìzm] *n.* 인과론[설] **-ist** *n.*

caus·a·tive [kɔ́:zətiv] *a.* 원인이 되는, 야기시키는; 〖문법〗 원인 표시의, 사역적인: ~ verbs 사역 동사 《cause, let, make 등》 ***be ~ of*** …의 원인이 되다 **—***n.* 〖문법〗 사역 동사(= ~ **vérb**) **~·ly** *ad.* 원인으로서, 사역적으로 **~·ness** *n.* Ⓤ 원인(성)

càus·a·tív·i·ty *n.*

⁑**cause** [kɔ́:z] *n.* **1** ⓊⒸ **원인**(opp. *effect*): ~ and effect 원인과 결과, 인과 《무관사》 // 《~+*that* 절》 You are the ~ *that* I cut my finger. 자네 때문에 나는 손가락을 베였네.

> 유의어 **cause** 어떤 결과·행동을 일으키는 직접적인 원인이 되는 것: a *cause* of accident 사고의 원인 **reason** 어떤 행동을 하거나 신념 등을 갖게 된 이유: She had a *reason* for laughing. 그녀는 웃을 만한 이유가 있었다.

2 ⓊⒸ **이유**(reason); 근거 《*for*》, 정당한[충분한] 이유: show ~ 정당한 이유를 대다 // 《~+*to* do》 I have no ~ *to* have a grudge against him. 저 사람에게 원한을 품을 까닭이 없다. **3 주의,** 주장; (…)운동 《*of*》; 대의, 목적: the temperance ~ 금주 운동 **4** 논의의 주제, 논점; 《비유》 결정을 요하는 사항, 논의 중인 문제 **5** ⓊⒸ 〖법〗 소송 (사건); (소송의) 사유, 이유 ***~ of action*** 〖법〗 소송 사유[원인] ***have ~ for*** joy [***to*** rejoice] (기뻐)하는 것이 당연하다 ***in a good ~*** 대의를 위해, 훌륭한 목적을 위해 ***in the ~ of*** justice (정의)를 위하여 〈싸우다 등〉 ***make common ~ with*** …와 (…에 대항하여) 제휴하다, 공동 전선을 펴다 《*against*》 ***plead*** one***'s ~*** 소송 이유를 진술하다 ***the First C~*** 조물주, 신 ***with*** [***without***] ***~*** 이유가 있어서[없이]

—*vt.* **1** …**의 원인이 되다;** 일으키다; 초래하다, 야기시키다: a cancer-*causing* factor 발암 요인 / Careless driving ~*s* accidents. 부주의한 운전이 사고의 원인이 된다. **2** …으로 하여금 (…)하게 하다: 《~+목+*to* do》 The rain ~*d* the river *to* overflow. 비 때문에 강이 범람했다. **3** (…에게) 〈걱정·근심 등을〉 끼치다 《*to*》 ***be ~d by*** …에 기인하다 ▷ cáusal, cáusative *a.*

'cause [kɔ́:z, kʌ́z | kɔ́:z] *conj.* 《구어》 = BECAUSE

cause-and-ef·fect [kɔ́:zən*d*ifékt] *a.* 인과 관계의

cause cé·lè·bre [kɔ́:z-səlébrə] [F = celebrated case] (*pl.* **causes cé·lè·bres**) 유명한 재판 사건; 큰 반향을 일으키는 나쁜 사건

cause·less [kɔ́:zlis] *a.* 원인[이유] 없는: ~ anger 이유 없는 분노 **~·ly** *ad.* **~·ness** *n.*

cáuse lìst 〖영국법〗 소송 사건 목록, 공판 일정표

caus·er [kɔ́:zər] *n.* 원인이 되는 사람[것]

cau·se·rie [kòuzərí: | kóuzəri, -rì:] [F] *n.* 수다, 잡담; (신문·잡지의) 수필, 《특히》 문예 한담

cause·way [kɔ́:zwèi] *n.* **1** (습지에 흙을 쌓아 올린) 둑길 **2** 포장 도로; 큰길, 간선 도로(highway) **—***vt.* …에 둑길을 만들다, 자갈 등을 깔다

cau·sey [kɔ́:zi] *n.* (*pl.* **~s**) 《방언》 =CAUSEWAY

caus·tic [kɔ́:stik] *a.* **1** Ⓐ 〖화학〗 부식성의, 소작성의, 가성(苛性)의 **2** 통렬한, 신랄한 **3** 〖광학〗 화선[화면]의 **—** *n.* ⓊⒸ **1** 〖화학〗 부식제(腐蝕劑), 소작제(燒灼劑): common[lunar] ~ 질산은 《막대 꼴》 **2** 〖광학〗 화면(火面)(=~ **súrface**); 화선(火線)(=~ **cúrve**)
-ti·cal·ly *ad.*

cáustic álkali 〖화학〗 가성 알칼리

caus·tic·i·ty [kɔ:stísəti] *n.* Ⓤ 부식성, 가성도(苛性度); (반박·보복 등의) 신랄함, 통렬

cáustic líme 생석회

cáustic pótash 〖화학〗 =POTASSIUM HYDROXIDE

cáustic sílver 〖화학〗 질산은(窒酸銀)

cáustic sóda 〖화학〗 =SODIUM HYDROXIDE

cau·ter·ant [kɔ́:tərənt] *n.* 부식성[소작성] 물질; 소작기(器) **—** *a.* 부식성의

cau·ter·i·za·tion [kɔ̀:tərizéiʃən | -rai-] *n.* Ⓤ 〖의학〗 소작(燒灼), 부식(腐蝕); 뜸질; 마비

cau·ter·ize [kɔ́:təràiz] *vt.* 〖의학〗 부식하다; 소작하다, 뜸을 뜨다; 〈양심 등을〉 마비시키다

cau·ter·y [kɔ́:təri] *n.* (*pl.* **-ter·ies**) Ⓤ 〖의학〗 소작(법); 뜸술; Ⓒ 소작제; 소작기 ***moxa ~*** 쑥뜸

⁑cau·tion [kɔ́:ʃən] 〔L 「주의, 경계」의 뜻에서〕 *n.* **1** Ⓤ **조심, 신중,** 경계: use[exercise] ~ 조심하다 **2** Ⓒ **훈계, 경고** 《warning보다 정도가 가벼움》, 주의: give ~ to a person …에게 주의를 주다 **3** [보통 a ~] 《구어》 경계를 요하는 사물[사람]; 희한한 사람[것] **4** Ⓒ 〖군사〗 (구령의) 예령(豫令) **5** Ⓤ 《스코》 담보, 보증(surety); Ⓒ 《미》 보증서[인]
for ~'s sake = ***by way of ~*** 다짐으로, 노파심에서, 만약을 위해서 ***throw*** [***cast***] ***~ to the wind***(***s***) 《문어》 큰맘 먹고 하다, 대담한 행동을 취하다; 앞뒤 가리지 않고 하다 ***with a ~*** 훈계를 하여[받고] ***with ~*** 조심하여, 신중히
— *vt.* **1** …**에게 경고하다,** 주의시키다(warn) 《*against*》: The policeman *~ed* the driver. 경관은 운전자에게 주의를 주었다. // (~+목+전+명) (~+목+***to*** do) He was *~ed against* being late. = He was *~ed* not *to* be late. 그는 지각하지 말라고 주의를 받았다. **2** 〖영국법〗 〈피의자에게〉 (진술 등이 재판에서 증거로 채용된 사실을) 통고하다
— *vi.* 경고하다, 충고하다; 훈계하다 《*against*》
~·er *n.* ▷ cáutious, cáutionary *a.*

cau·tion·ar·y [kɔ́:ʃənèri | -nəri] *a.* Ⓐ 경계의, 훈계의, 계고적인; 담보의, 보증의

cáution mòney 《영》 (대학에서 손해에 대비하여 학생에게 예치하게 하는) 보증금

⁑cau·tious [kɔ́:ʃəs] *a.* **1** 조심성 있는, 신중한, 조심하는(⇨ careful 유의어) **2** Ⓟ (…에) 주의하여; [보통 부정어와 함께] (하지 않도록) 주의하여: (~+***to*** do) He is ~ *not to* tell secrets. 그는 비밀을 말하지 않도록 조심한다. // (~+전+***-ing***) She is very ~ *of* giv*ing*[~ *not to* give] offense to others. 그녀는 남의 감정을 상하지 않도록 매우 조심한다.
~·ly *ad.* 조심스럽게 **~·ness** *n.* Ⓤ 조심성
▷ cáution *n.*

CAV 〖전자〗 constant angular velocity 《광학식 비디오 디스크의 트랙에 TV의 한 프레임분을 기록하는 방법》 **cav.** cavalier; cavalry

cav·a [kɑ́:və] 〔Sp.〕 *n.* ⓊⒸ 카바 《거품이 이는 스페인산 백포도주》

cav·al·cade [kæ̀vəlkéid, ⌐–⌐ | ⌐–⌐] *n.* 기마대; 자동차[기마, 마차] 행진; 화려한 행렬, 퍼레이드; 사건의 진전; 별의 운행 **—** *vi.* 행렬에 참가하다

***cav·a·lier** [kæ̀vəlíər, ⌐–⌐ | ⌐–⌐] 〔L 「기사」의 뜻에서〕 *n.* **1 기사도 정신의 소유자;** (여성에게) 예의 바른 사내; (댄스에서 여자의) 파트너; (여자의) 호위자(escort) **2** 《고어》 기사(knight) **3** [**C~**] 〖영국사〗 (17세기 Charles 1세 시대의) 왕당원(cf. ROUNDHEAD)
— *a.* Ⓐ **1** 기사다운[인 체하는] **2** 호탕한, 무관심한(careless) **3** 거만한(arrogant) **4** [**C~**] 왕당원의
— *vi.* 기사인 체하다, 호기부리다; 거만하게 행동하다
— *vt.* 〈여자를〉 호위해 가다, 에스코트하다
~·ism *n.* **~·ness** *n.* ▷ cavalíerly *ad., a.*

cav·a·lier·ly [kæ̀vəlíərli] *a.* =CAVALIER
— *ad.* 기사답게; 호탕하게; 거만하게

Cávalier póets [the ~] 왕당파 시인 《Charles 1세의 궁정을 중심으로 모인 한 무리의 영국 시인; Herrick, Carew, Lovelace, Suckling 등》

***cav·al·ry** [kǽvəlri] 〔L 「말(horse)」의 뜻에서〕 *n.* (*pl.* **-ries**) **1 기병대;** [집합적] 기병; 《미》 기갑 부대: heavy[light] ~ 중[경]기병 **2** [집합적] 승마자

cav·al·ry·man [kǽvəlrimən, -mæ̀n] *n.* (*pl.* **-men** [-mən, -mèn]) 기병

cávalry twíll 캐벌리 트윌 《이중 능직의 튼튼한 천; 바지 따위에 사용》

ca·vate [kéiveit] *a.* 동굴 같은; (돌을 빼낸 자국처럼) 휑하니 구멍이 난

cav·a·ti·na [kæ̀vətí:nə] 〔It.〕 *n.* (*pl.* **-ne** [-nei]) 〖음악〗 카바티나 《짧은 영창곡》; 짧은 서정적 기악곡

⁑cave[1] [kéiv] 〔L 「우묵한」의 뜻에서〕 *n.* **1 동굴,** 굴 《★ hollow보다 크고 cavern보다 작은 것》; 종유[석회]동: the ~ period 동굴 주거 시대 **2** 《특히 와인의》 지하 저장실 **3** 〖영국사〗 (정당의) 탈당(파) **4** 《미·속어》 창이 없는 작은 사무실
— *vt.* **1** 동굴로 만들다, …에 굴을 파다, …을 뚫다 **2** 〈벽·모자 등을〉 움푹 들어가게 하다; 〈지반을〉 함몰시키다 《*in*》: (~+목+부) He *~d* my hat *in.* 그는 나의 모자를 움푹 들어가게 했다.
— *vi.* **1** 꺼지다, 움푹 들어가다, 함몰하다 《*in*》: (~+부) After the long rain the road *~d in.* 장마 끝에 길이 함몰했다. **2** 《구어》 양보하다, (반항을 그만두고) 굴복하다, 항복하다(submit) 《*in*》: (~+부) Germany *~d in* due to lack of goods. 독일은 물자 부족 때문에 굴복했다. **3** 《구어》 〈회사가〉 파산하다 **4** 동굴 탐험을 하다

ca·ve[2] [kéivi] 〔L 「조심하라」의 뜻에서〕 《영·학생속어》 *n.* 경계, 조심, 감시 ***keep ~*** 《영·학생속어》 망보다
— *int.* (선생이 왔다) 조심해라(Look out!)

cáve àrt (석기 시대의) 동굴 벽화

ca·ve·at [kǽviɑ̀:t, kɑ́:v- | kǽviæ̀t, kéiv-] *n.* **1** 경고 **2** 〖법〗 소송 절차 보류 통고 《상대편이 그 소송을 알게 될 때까지》; 《미》 발명 특허권 보호 신청 ***enter*** [***file, put in***] ***a ~ against*** …에 대한 정지 신청을 내다 **-a·tor** [-èitər] *n.*

cáveat émp·tor [-émptɔ:r] 〔L =let the buyer beware〕 〖상업〗 매입자의 위험 부담

cáve bèar 동굴 곰 《구석기 시대의 동물》

ca·ve ca·nem [kéivi-kéinəm, kɑ́:vei-] 〔L = beware of the dog〕 개조심

cáve dwèller **1** =CAVEMAN 1 **2** 《구어》 (도시의) 아파트 거주자

cáve dwèlling 혈거[동굴] 생활

cave·fish [kéivfì∫] *n.* 동굴어(魚) 《지하수나 동굴에 사는 담수어의 총칭》

cave-in [kéivìn] *n.* **1** (광산의) 낙반; 함몰 (장소) **2** 굴복; 실패(failure) **3** 쇠약

cave·man [kéivmæ̀n, -mən] *n.* (*pl.* **-men** [-mèn]) **1** 동굴 거주자, 혈거인(cave dweller), 원시인 **2** 《구어》 (여성에게) 난폭한 사람; 《미·속어》 강한 주먹을 가진 권투 선수 **3** 동굴 탐험가

cav·en·dish [kǽvəndi∫] *n.* Ⓤ 씹는 담배 《향료를 넣어 압축한 담배》

cáve pàinting 동굴 벽화

cav·er [kéivər] *n.* 동굴 탐험가[연구가]

***cav·ern** [kǽvərn] *n.* **1** (큰) **동굴,** 땅굴 **2** 〖병리〗 (폐 등에 생기는) 공동(空洞) **3** (동굴처럼) 어두운 방
— *vt.* 동굴에 넣다; …에 굴을 파다 《*out*》

thesaurus **caution** *n.* care, carefulness, alertness, attention, wariness, heed, vigilance, watchfulness, discretion, prudence, mindfulness

▷ cávernous *a.*
cav·erned [kǽvərnd] *a.* 동굴이 된
cav·er·nic·o·lous [kæ̀vərníkələs] *a.* 〈동물이〉 동굴에 서식하는
cav·ern·ous [kǽvərnəs] *a.* **1** 〈건물이〉 동굴 같은; 동굴이 많은, 동굴의: a ~ chamber 휑뎅그렁한 큰 방 **2** 〈눈·볼 등이〉 움푹한; 깊은: ~ eyes 움푹 들어간 눈 **3** 〈소리가〉 동굴에서 나오는 듯한 **4** 〖동물·해부〗 〈조직이〉 해면(海綿)성의 **~·ly** *ad.*
cav·es·son [kǽvəsn] *n.* = NOSEBAND
cav·i·ar, -are [kǽviɑ̀:r] *n.* Ⓤ 캐비아 《철갑상어(sturgeon)의 알젓》; 진미 ***~ to the general*** 보통 사람은 그 가치를 모르는 일품(逸品), 돼지에 진주
cav·il [kǽvəl] *v.* (**~ed**; **~·ing** | **~led**; **~·ling**) *vi.* 덮어놓고 이의를 내세우다, 흠잡다, 트집 잡다 《*at, about*》: (~+전+명) He often *~s at* others' faults. 그는 곧잘 남의 흠을 잡는다. / I have not the smallest intention of *~ing about* it. 나는 그것을 트집 잡을 생각은 조금도 없다. **—** *vt.* 〈의제 등에〉 트집을 잡다, 쓸데없이 흠을 들춰내다
— *n.* U.C 트집 잡기; 억지 이론; 흠잡기
cav·il·er | **-il·ler** [kǽvələr] *n.* 트집쟁이
cav·ing [kéiviŋ] *n.* Ⓤ 동굴 탐험; 함몰
cav·i·tar·y [kǽvətèri | -təri] *a.* 〖해부·병리〗 공동(空洞)의, 공동을 형성하는
cav·i·ta·tion [kæ̀vətéiʃən] *n.* Ⓤ 〖기계〗 캐비테이션 《추진기 등의 뒤에 생기는 진공 현상》
***cav·i·ty** [kǽvəti] [cave[1]의 라틴 어 명사형에서] *n.* (*pl.* **-ties**) **1** 공동(空洞), 움푹한 곳 **2** 〖해부〗 (몸·기관·뼈 등의) 강(腔); 충치의 구멍: the mouth[oral] ~ 구강 / have two *cavities* 충치가 두 개 있다
cáv·i·tied *a.*
cávity rèsonator 〖전자〗 공동 공진기
cávity wàll 〖건축〗 중공벽(中空壁), 이중벽 《내부에 공기층이 있어 단열 효과가 있음》
ca·vort [kəvɔ́:rt] *vi.* 〈말이〉 뛰어다니다; 《구어》 〈사람이〉 신나게 뛰놀다; 까불며 떠들다
CAVU, cavu ceiling and visibility unlimited 〖항공〗 시계 양호(視界良好)
ca·vy [kéivi] *n.* (*pl.* **-vies**) 〖동물〗 기니피그
caw [kɔ́:] [의성어] *n.* 까악까악 《까마귀의 울음 소리》 **—** *vi.* 〈까마귀가〉 까악까악 울다
CAW 〖컴퓨터〗 channel address word
Cax·ton [kǽkstən] *n.* **1** 캑스턴 **William ~** (1422?-91) 《영국 최초의 인쇄업자·번역가》 **2** 캑스턴 판(版); Ⓤ 캑스턴 활자체
cay [kí:, kéi] *n.* 암초, 작은 섬
cay·enne [kaién, kei- | kei-] *n.* 〖식물〗 고추(red pepper); 그 열매; Ⓤ 고춧가루 (= **~ pépper**)
Cay·ley [kéili] *n.* 〖지질〗 케일리암 《달 표면 고지의 파인 곳에 채워진 각력암질(角礫岩質)》
cay·man [kéimən] *n.* (*pl.* **~s**) = CAIMAN
Cáy·man Íslands [kéimæ̀n-, -mən-] [the ~] 케이맨 제도 《서인도 제도 중 자메이카의 북서쪽에 있는 섬들; 영국 식민지》
Ca·yu·ga [keijú:gə, kai-] *n.* (*pl.* [집합적] **~, ~s**) 카유가 족(族) 《Iroquois 인디언의 한 종족》
cay·use [kaijú:s, káiu:s] *n.* 《미서부》 인디언 조랑말
cb 〖기상〗 centibar **Cb** 〖화학〗 columbium; 〖기상〗 cumulonimbus **CB** Cape Breton; cashbook; chemical and biological; citizens' band; 《영》 Companion of the Bath; confined to barracks 〖군사〗 외출 금지; 〖군사〗 construction battalion; continental breakfast; county borough **CBC** Canadian Broadcasting Corporation **CBD, cbd** 〖상업〗 cash before delivery; central business district **CBE** Commander of (the Order of) the British Empire
CB·er, CB'er [sí:bí:ər] *n.* 《미·구어》 시민 밴드 라디오(CB radio)의 소유자[사용자]
CBI computer-based instruction; Confederation of British Industry
C-bomb [sí:bɑ̀m | -bɔ̀m] *n.* = COBALT BOMB(cf. A-BOMB, H-BOMB)
CBR chemical, biological and radiological (warfare) 〖군사〗 화생방(전)
CB ràdio 시민 밴드 라디오[무선기]
CBS 《미》 Columbia Broadcasting System **CBT** computer-based testing[training]; Chicago Board of Trade **CBW** chemical and biological warfare[weapons] 생물 화학전[무기] **cc** centuries; chapters; copies; cubic centimeter(s) **cc, c.c.** carbon copy **CC** Circuit Court; County Council(lor); cricket club **CCA** Circuit Court of Appeals **CCC** 《미》 Civilian Conservation Corps; Commodity Credit Corporation
C.C.C.P. [éséséséər] *Soyuz Sovietskikh Sotsialisticheskikh Respublik* [Russ.] 구 소비에트 사회주의 공화국 연방 (cf. U.S.S.R.) **CCD** 〖전자〗 charge-coupled device; Conference of the Committee on Disarmament 군축 위원회; Confraternity of Christian Doctrine **CCF** Combined Cadet Force 《영》 연합 장교 양성대; Cooperative Commonwealth Federation (of Canada) **CCI** Chamber of Commerce and Industry (한국) 상공회의소; *Chambre de commerce internationale* 《F = International Chamber of Commerce》 국제 상업 회의소 **CCK** cholecystokinin
C-clamp [sí:klæ̀mp] *n.* C 바이스 《공작물을 끼워 나사로 죄어 고정시키는 기계》
C clèf 〖음악〗 다 음자리표 (cf. CLEF)
CCP Chinese Communist Party 중국 공산당; console commander processor; Code of Civil Procedure; Court of Common Pleas **CCRA** Canada Customs and Revenue Agency 캐나다 관세 및 국세청 **CCTV** closed-circuit television **CCU** 〖컴퓨터〗 communication control unit; coronary-care unit 〖의학〗 관(상) 질환 집중 치료 병동 **CCUS** Chamber of Commerce of the United States 미국 상업 회의소 **ccw** counterclockwise **cd** cash discount; cord(s); 〖전기〗 current density **Cd** 〖화학〗 cadmium
***CD** [sí:dí:] [*c*ompact *d*isc] *n.* (*pl.* **~s, ~'s**) 시디, 콤팩트 디스크
CD cash dispenser; certificate of deposit; Civil Defense 민방위
CD bùrner = CD WRITER
CDC Centers for Disease Control **CDD** Certificate of Disability for Discharge
CD4 [sí:dì:fɔ́:r] [*c*luster of *d*ifferentiation *4*] *n.* 헬퍼 T세포 등의 표면에 있는 항원 《에이즈 바이러스 항원의 수용체로서 기능함》
CD-I compact disc-interactive **CDMA** code division multiple access 〖통신〗 코드[부호] 분할 다중 접속 **CDP** certificate in data processing
CD plàyer 시디 플레이어
CD-R [sí:dì:ɑ́:r] [*c*ompact *d*isc-*r*ecordable] *n.* 〖컴퓨터〗 시디아르, 기록 가능 시디
CDR, Cdr. Commander **Cdre** Commodore
CD-ROM [sí:dì:rɑ́m | -rɔ́m] [*c*ompact *d*isc *r*ead-*o*nly *m*emory] *n.* 〖컴퓨터〗 시디롬 《많은 양의 디지털화한 데이터를 기억할 수 있는 콤팩트디스크》
CD-ROM chànger 〖컴퓨터〗 CD-ROM 체인저 《복수의 CD-ROM을 내장하고, 필요에 따라 로드(load)시켜 판독하는 장치》
CD ROM dísk drìve 〖컴퓨터〗 CD-ROM 디스크 구동 장치
CD-RW [sí:di:ɑ́:rdʌ̀blju:] [*c*ompact *d*isc-*rew*rit-

---

cavern *n.* (large) cave, grotto, hollow
cavity *n.* hole, hollow, crater, pit, aperture, gap, dent, orifice, atrium

able] *n.* 〖컴퓨터〗 시디아르더블유, 재기록 가능 시디
CD single (한두 곡의 팝 음악이 수록된) 콤팩트디스크 《직경 3인치》
CDT (미·캐나다) Central Daylight Time; Craft, Design and Technology (영) 공예, 디자인 및 응용 기술 《교과목의 하나》
CD-vid·e·o [síːdíːvídiou] *n.* CD 비디오 《영상(映像)이 있는 음악 콤팩트디스크》
CD writer CD에 데이터를 기록하는 데 사용하는 장치
Ce 〖화학〗 cerium **CE** Chemical Engineer; Chief Engineer; Church of England; Civil Engineer; 〖컴퓨터〗 customer engineer **CE, C.E.** Common Era; Council of Europe
-ce [s] *suf.* **1** [「…배(倍)의 뜻」]: on*ce*, twi*ce*, thri*ce* **2** [추상명사 어미]: diligen*ce*, intelligen*ce* ★ (미)에서는 -se라고 쓰는 것도 있음: defen*se*, offen*se*, preten*se*.
CEA carcinoembryonic antigen; Central Electricity Authority; (미) Council of Economic Advisers
ce·a·no·thus [sìːənóuθəs] *n.* 〖식물〗 갈매나무속(屬) 《북미산》
‡**cease** [síːs] [L 「우물거리다」의 뜻에서] (문어) *vi.* 그치다, 멎다, 끝나다(⇨ stop 유의어); 그만두다 《*from*》; (미남부) 〈바람이〉 잔잔해지다: The rain ~*d.* 비가 멎었다. / The publication of the magazine ~*d* with the May number. 그 잡지는 5월호로 폐간되었다. // (~+전+명) He has ~*d from* his wickedness. 그는 나쁜 짓을 그만두었다.
— *vt.* 중지하다, 끝내다, 그만두다: ~ work 일을 그만두다 // (~+*-ing*) It has ~*d* rain*ing*. 비가 멎었다. // (~+*to* do) He soon ~*d to* breathe. 그는 곧 숨을 거두었다. ***C~ fire!*** (구령) 사격 중지! ***~ to exist*** [***be***] 없어지다, 죽다; 멸망하다
— *n.* Ⓤ 중지 ★ 다음 성구로. ***without*** ~ 끊임없이 ▷ cessátion *n.*
céase and desíst òrder (미) (부당 경쟁·노동 행위 등에 대한 행정 기관의) 정지 명령
cease-fire [síːsfáiər] *n.* **1** 정전(停戰) (명령), 휴전 **2** 〖군사〗 「사격 중지」의 구령
***cease·less** [síːslis] *a.* 끊임없는, 부단한: a ~ rain of leaves 쉬지 않고 떨어지는 낙엽 **~·ly** *ad.* **~·ness** *n.*
ceas·ing [síːsiŋ] *n.* Ⓤ 중지, 중단 ***without*** ~ 끊임없이
Ceau·şes·cu [tʃauʃésku:] *n.* 차우세스쿠 **Nicolae** ~ (1918-89) 《루마니아 대통령(1974-89); 처형당함》
ce·cal [síːkəl] *a.* 〖해부〗 맹장 (모양)의 **~·ly** *ad.*
Ce·cil [sésəl, sísəl] *n.* 남자 이름
Ce·cile [sisíːl | sésil] *n.* 여자 이름
Ce·cil·ia [sisíːljə] *n.* **1 Saint** ~ 성(聖) 세실리아 《음악가의 수호 성인》 **2** 여자 이름
Cec·i·ly [sésəli] *n.* 여자 이름(cf. CECIL)
ce·ci·tis [siːsáitis] *n.* (미) 〖병리〗 맹장염
ce·ci·ty [síːsəti] *n.* (문어·비유) 눈멂
ce·cro·pi·a [sikróupiə] *n.* 〖곤충〗 멧누에나방 《북미 동부산》(= ≒ **mòth**)
Ce·crops [síːkrɑps | -krɔps] *n.* 〖그리스신화〗 케크로푸스 《Attica의 초대 왕》
ce·cum [síːkəm] *n.* (*pl.* **-ca** [-kə]) (미) 〖해부·동물〗 맹장
CED 〖전자〗 capacitance electric disc; Committee for Economic Development (미) 경제 개발 위원회
***ce·dar** [síːdər] *n.* **1** 〖식물〗 히말라야삼목 《★ 힌두교도가 신성시하는 나무》 **2** Ⓤ 삼나무 목재(cedarwood) — *a.* 삼나무로 만들어진 ▷ cédarn *a.*
ce·dar·bird [síːdərbə̀ːrd] *n.* 〖조류〗 (북미산) 여새
cédar chèst (미) (의류·모포 등을 방충하기 위해) 삼나무로 만든 장농
ce·darn [síːdərn] *a.* (고어) 삼나무의[로 만든]
cédar of Lébanon 〖식물〗 레바논삼목 《히말라야 삼목류의 교목; 가지가 수평으로 뻗침》
cédar wáxwing = CEDARBIRD
ce·dar·wood [síːdərwùd] *n.* = CEDAR 2
cede [síːd] *vt.* **1** 〈권리를〉 양도하다; 〈영토를〉 할양하다, 인도(引渡)하다; 양보하다: (~+목+전+명) ~ territory *to* …에 영토를 할양하다 **2** 〖보험〗 재보험에 들다 — *vi.* (…에) 양도하다 《*to*》 **céd·er** *n.*
ce·di [séidi] *n.* (*pl.* **~, ~s**) 세디 《가나의 화폐 단위; =100 pesewas; 기호 ¢》
ce·dil·la [sidílə] *n.* 세디유 《ç처럼 c자 아래에 붙여 [s]음을 나타내는 부호, 보기. façade [fəsɑ́ːd]》
Ced·ric [sédrik, síːd-] *n.* 남자 이름
cee [síː] *n.* C자; [**C~**] (속어) 코카인 《마약》
CEEB College Entrance Examination Board (미) 대학 입학시험 위원회
Cee·fax [síːfæks] *n.* (영) (BBC에 의해 운영되는) 문자 다중 방송(teletext) 시스템 《상표명》
cée sprìng = C SPRING 《마차에 이용》
CEGB Central Electricity Generating Board (영) 중앙 전력 공급소 《국영 전력 회사》
cei·ba [séibə] *n.* 〖식물〗 케이폭나무; 그 섬유
ceil [síːl] *vt.* 〈건물·방 등의 천장·벽을〉 (회반죽으로) 칠하다; 〈방에〉 천장을 만들다; 〖항해〗 〈배의〉 내부에 판자를 붙이다
cei·lidh [kéili] *n.* (스코·아일) 옛 이야기와 노래와 춤의 밤[파티]
‡**ceil·ing** [síːliŋ] [ME 「덮다」의 뜻에서] *n.* **1** 천장: a fly on the ~ 천장의 파리 **2** 천장 판자; (배의) 내부 판자 **3** (가격·임금·요금 등의) 최고 한도(opp. *floor*), 상한(上限) **4** 〖항공〗 (비행기의) 상승 한도, 가시(加視) 최고 한도; 〖기상〗 구름 높이, 운고(雲高), 운저(雲底) 고도 **5** (중세 교회의) 둥근 천장(vaulting) ***hit*** [***go through***] ***the*** ~ [***roof***] (미·구어) (1) 〈주가 따위가〉 폭등하다, 최고에 달하다 (2) 분통을 터뜨리다, 발끈하다 ***reach the*** ~ 한계점에 도달하다 ***set*** [***put***] ***a*** ~ ***on*** …의 최고 한계를 정하다
~ed *a.* 천장이 있는
céiling inspèctor (영·호주·속어) 성교 중인 여자, 《특히》 성교 중에 기운이 빠져 천장을 바라보는 여자
céiling lìght 삼각 측량으로 운저(雲底) 고도를 재는 탐조등
céiling prìce 최고 (한정) 가격
céiling ròse 〖건축〗 천장 몰딩의 일종 《전기선이 통과하는 장식용》
ceil·om·e·ter [siːlɑ́mətər | -lɔ́m-] *n.* 〖항공〗 운고계(雲高計)
cein·ture [sæntjúər, sǽntʃər | sæntjúə] *n.* 띠, 둘레
cel, cell [sél] *n.* 셀 《동화(動畫) 제작용의 투명한 셀룰로이드 시트》
cel·a·don [sélədɑ̀n, -dn | -dɔ̀n] *n.* Ⓤ 청자; 청자색, 회록색(灰綠色), 회청색 — *a.* Ⓐ 청자(색)의
cel·an·dine [séləndàin, -dìːn] *n.* 〖식물〗 애기똥풀; 미나리아재비의 일종
Cel·a·nese [sélənìːz, ∸∸́] *n.* 셀라니즈 《인조견(사)의 일종; 상표명》
-cele[1] [sìːl] 《연결형》 「…의 종양(tumor)」의 뜻: gastro*cele*, varico*cele*
-cele[2] 《연결형》 = -COELE
ce·leb [səléb] *n.* (구어) 명사, 유명인(celebrity)
Cel·e·bes [sélәbìːz, səlíːbiːz] *n.* 셀레베스 《인도네시아 공화국의 한 섬》
Célebes Séa [the ~] 셀레베스 해

thesaurus **cease** *v.* **1** 그치다 stop, halt, finish, let up, come to an end **2** 그만두다 stop, discontinue, desist, end, finish, quit, terminate, suspend
ceaseless *a.* endless, constant, continuous, incessant, eternal, perpetual, persistent
celebrate *v.* **1** 축하하다 commemorate, honor,

cel·e·brant [séləbrənt] *n.* **1** 성찬식 진행자, 미사 집행 사제 **2** 축전 등의 참가자, 축하자

‡**cel·e·brate** [séləbrèit] [L 「명예를 주다」의 뜻에서] *vt.* **1** (식을 올려) 〈특정의 날·사건을〉 **축하하다,** 경축하다; 〈의식·축전 등을〉 거행하다: ~ a person's birthday 생일을 축하하다 / ~ a marriage 결혼식을 거행하다 // (~+목+전+명) We *~d* Christmas *with* trees and presents. 우리는 나무를 장식하고 선물을 보내어 크리스마스를 축하했다. **2** 세상에 알리다, 공표하다 **3** 〈승리·용사·공훈 등을〉 찬양하다, 찬미하다 (extol): (~+목+전+명) The victory was *~d in* many poems. 그 승리는 많은 시로 찬양되었다.
— *vi.* **1** 기념일을 축하하다, 식을 올려 기념하다; 종교적 의식[미사, 성체 배령]을 행하다 **2** (구어) 축제 기분에 젖다, 즐겁게[신나게] 놀다
-bra·to·ry [-brətɔ̀:ri | -təri] *a.* ▷ celebrátion *n.*

‡**cel·e·brat·ed** [séləbrèitid] *a.* **유명한,** 저명한 (*for, as*) (★ famous보다 격식 차린 말): a ~ writer 저명한 작가 / The place is ~ *for* its hot springs. 그곳은 온천으로 유명하다. **~·ness** *n.*

‡**cel·e·bra·tion** [sèləbréiʃən] *n.* **1 a** Ⓤ 축하 **b** 축전, 의식; 축전[의식]의 거행, (미사·성찬식의) 집행: hold a ~ 축하연을 열다 **2** ⓊⒸ 찬양 ***in* ~ *of*** …을 축하하여 ▷ célebrate *v.*

cel·e·bra·tor, -brat·er [séləbrèitər] *n.* 축하자 (celebrant)

*****ce·leb·ri·ty** [səlébrəti] *n.* (*pl.* **-ties**) **1** 명사, (유명) 연예인; 유명인 **2** Ⓤ **명성 3** [형용사적] 유명한

ce·leb·u·tante [səlébjutɑ̀:nt] [*celeb*rity+deb*utante*] *n.* (유명 인사와의 교제를 통해) 사회의 주목을 받고자 하는 사람; 데뷔해서 일약 유명해진 여성[여배우]

ce·ler·i·ac [səlériæ̀k, -líər- | -lér-] *n.* 【식물】 뿌리를 쓰는 셀러리

ce·ler·i·ty [səlérəti] *n.* Ⓤ (문어) (행동의) 민첩함, 기민함

*****cel·er·y** [séləri] [Gk 「야생 파슬리」의 뜻에서] *n.* Ⓤ 【식물】 **셀러리** (날로 치즈와 함께 먹거나 수프에 넣음): a stick[stalk] of ~ 한 대[자루]의 셀러리

célery càbbage = CHINESE CABBAGE

célery sàlt 셀러리 솔트 (셀러리 씨앗을 갈아서 소금을 섞어 만든 조미료)

ce·les·ta [səléstə] *n.* 첼레스타 (종소리 같은 소리를 내는 피아노 비슷한 타악기)

ce·leste [səlést] *n.* Ⓤ 하늘빛; Ⓒ (오르간 등의) 첼레스트 음전(音栓)

*****ce·les·tial** [səléstʃəl] [L 「하늘의」의 뜻에서] *a.* **1** Ⓐ **하늘의;** 천체의(cf. TERRESTRIAL): a ~ map 천체도 **2** 천국의[같은], 거룩한(divine): a ~ being 천인 (하늘에 사는 사람), 천사 **3** 천측 항법(航法)의: a ~ fix 천체 관측에 의한 배의 위치 (측정) **4** [**C~**] (옛날의) 중국(인)의(Chinese) **5** 하늘빛의
— *n.* **1** 천인(天人), 천사 **2** [**C~**] (옛날의) 중국인 **3** 하늘빛 **~·ly** *ad.* **~·ness** *n.*

celéstial bódy 천체

Celéstial Cíty [the ~] 하늘의 도시, 새 예루살렘

Celéstial Émpire [the ~] (청조(清朝)까지 계속된) 중국 왕조

celéstial equátor [the ~] 【천문】 천구(天球)의 적도(赤道)

celéstial glóbe 천구의(天球儀)

celéstial guídance (로켓의) 천측(天測) 유도

celéstial híerarchy [the ~] 【그리스도교】 천군 구대(天軍九隊)(cf. HIERARCHY 3)

celéstial horízon [the ~] 【천문】 천구 지평선

mark, observe **2** 공표하다 proclaim, make known, herald, announce, publicize, broadcast **3** 찬양하다 praise, extol, laud, glorify, reverence

celebrity *n.* **1** 유명인 famous person, dignitary, big name, star, personage **2** 명성 fame, renown, notability, popularity, reputation

celéstial látitude [the ~] 【천문】 황위(黃緯)

celéstial lóngitude [the ~] 【천문】 황경(黃經)

celéstial márriage 영원한 결혼 (모르몬교의 결혼과 그 의식; 이생뿐만 아니라 저승에서도 결혼 상태가 이어진다고 여겨지고 있음)

celéstial mechánics [단수 취급] 천체 역학

celéstial navigátion 【항공·항해】 천문 항법

celéstial póle [the ~] 【천문】 천구의 극

celéstial sphére [the ~] 천구(天球)

cel·es·tite [séləstàit] *n.* 【광물】 천청석(天青石) (천연 황산스트론튬이 성분임)

Cel·ia [sí:ljə, -liə] *n.* 여자 이름

ce·li·ac [sí:liæ̀k] *a.* 【해부】 배의, 복강(腹腔)의
— *n.* 소아 지방변증 환자

céliac disèase 【병리】 소아 지방변증(脂肪便症) (설사와 영양 장애가 따름)

cel·i·ba·cy [séləbəsi] *n.* Ⓤ (특히 수도사의 종교적인) 독신 (생활); 독신주의; 금욕, 육체적 순결

cel·i·ba·tar·i·an [sèləbətέəriən] *n., a.* 독신주의자(의)

cel·i·bate [séləbət, -bèit | -bət] *n.* (특히 종교적 이유에 의한) 독신주의자; 독신자; 금욕주의자
— *a.* 독신 (생활)의; 금욕을 지키는

‡**cell** [sél] *n., v.*

L 「저장실」의 뜻에서
「작은 방」 **1** ─ 「감방」, 「독실」 **1** / (독립한 한 단위) ─ 「세포」 **3** / 「전지」 **4**

— *n.* **1** 작은 방, 수도원의 독방, (은자·수행자의) 암자; (교도소의) 감방, **독방**; (벌집의) 구멍: a condemned ~ 사형수 독방 **2** (대조직 중의) 기초 조직, (비밀 결사·정당의) 세포; 【군사】 반, 팀, 조: a communist ~ 공산당 세포 **3** 【생물】 **세포**; (동식물 조직 내의) 작은 공동(空洞) **4** 【전기】 **전지** (cell이 모인 것이 battery): a dry ~ 건전지 **5** 【식물】 꽃가루 주머니 **6** 【항공】 (기구의) 가스통 **7** 【통신】 (발신기에 연결된) 무선 전화의 통신 가능 범위 **8** (시어) 오두막집; 묘, 무덤 **9** 【컴퓨터】 비트 기억 소자 **10** (미) 휴대 전화(cellular phone)
— *vi.* 독방살이하다, 작은 방에 틀어박히다
~·like *a.* ▷ céllular, céllulous *a.*

cel·la [sélə] *n.* (*pl.* **-lae** [-li:]) 【건축】 신상(神像) 안치소 (고대 그리스·로마 신전의 안쪽)

‡**cel·lar** [sélər] *n.* **1 지하실,** 지하층(⇨ basement [유의어]) **2** (식량·포도주 따위의) 지하 저장실; = WINE CELLAR **3** (영) (도시 주택의) 석탄 저장소(=coal ~) **4** [the ~] (구어) (스포츠 등에서 순위의) 최하위
— *vt.* 지하실에 저장하다 **~·less** *a.*

cel·lar·age [sélərid͡ʒ] *n.* ⓊⒸ 지하실의 평수; 지하실 사용료; Ⓤ [집합적] 지하실

céllar dwèller (미·속어) 【스포츠】 (야구 따위의 리그에서) 최하위의 팀

cel·lar·er [sélərər] *n.* 포도주 창고 관리인; (수도원 등의) 식료품 보관인

cel·lar·et(te) [sèlərét] *n.* 술병 선반

cel·lar·man [sélərmən | -mən, -mæ̀n] *n.* (*pl.* **-men** [-mən, -mèn]) (호텔 등의) 지하 (저장)실 담당자; 포도주 상인; 술집

céllar sàsh 셀러 새시 (수평으로 2~3개의 칸막이를 한 비교적 작은 창틀)

céll biòlogy 세포 생물학

cell·block [-blɑ̀k | -blɔ̀k] *n.* (교도소의) 독방동(棟)

céll bòdy 【생물】 세포체

céll cỳcle 【생물】 세포 주기, (세포) 분열 주기

céll divìsion 【생물】 세포 분열

celled [séld] *a.* [보통 복합어를 이루어] …세포의[를 가진]: a single-~ animal 단세포 동물

céll fùsion 【생물】 세포 융합

céll lìne 【생물】 세포계(系) (초대 배양 세포에서 대를 이어 얻어진 세포(군)의 계통)

cel·list, 'cel·list [tʃélist] [violon*cellist*] *n.* 첼리스트, 첼로 연주가
céll lỳsis 〖생물〗 세포 용해
cell·mate [sélmèit] *n.* 감방 동료
céll-me·di·at·ed immúnity [sélmì:dieitid-] 세포 (매개)성 면역 《세포막에 부착하는 항체의 증가에 의한 면역》
céll mèmbrane 〖생물〗 **1** 세포막, 원형질막 **2** = CELL WALL
*__cel·lo, 'cel·lo__ [tʃélou] [violon*cello*] *n.* (*pl.* **~s**) 〖음악〗 **첼로**
cel·loi·din [səlɔ́idin] *n.* 〖광학〗 셀로이딘 《pyroxylin을 농축해서 고형(固形)으로 한 것; 현미경 절편(切片) 고정체》
cel·lo·phane [séləfèin] *n.* Ⓤ 셀로판
— *a.* 셀로판의; 셀로판제의[으로 싼]
céllophane nóodle 당면
cell·phone [sélfòun] *n.* 《미·구어》 = CELLULAR PHONE
céll plàte 세포판
céll sàp 〖생물〗 세포액
céll thèory 세포설
céll thèrapy 세포 (주입) 요법 《양(羊)의 태아의 세포를 주입하는 회춘법(回春法)》
cel·lu·lar [séljulər] *a.* **1** 세포의, 세포질[모양]의: ~ walls 세포벽 **2** 〈옷감 따위가〉 성기게 짠; 〈암석 등이〉 다공질(多孔質)의 **3** 〖통신〗 통화존(zone)식의, 셀(cell) 방식의 《육상 이동 통신의 새로운 방식》: ~ radio 셀 방식 무선 전화 **4** 독방 사용의 **~·ly** *ad.*
céllular engineéring 세포 공학 《피부 이식 등》
cel·lu·lar·i·ty [sèljulǽrəti] *n.* Ⓤ 세포질
cel·lu·la·rized [séljuləràizd] *a.* (많은) 작은 구획으로 갈라진, 소구획식의
céllular phóne[télephone] 《미》 (셀 방식의) 휴대 전화, 핸드폰(《주로 영》 mobile phone)
céllular respirátion 〖생물〗 세포 호흡
céllular thérapy = CELL THERAPY
cel·lu·lase [séljulèis, -lèiz] *n.* Ⓤ 〖생화학〗 셀룰라아제 《섬유소 분해 효소》
cel·lu·late [séljulət, -lèit] *a.* = CELLULAR
— [séljulèit] *vt.* 세포질로 하다, 작은 방으로 나누다
cel·lu·la·tion [sèljuléiʃən] *n.* Ⓤ 세포 조직
cel·lule [sélju:l] *n.* 〖생물〗 작은 세포
cel·lu·lite [séljulàit, -lì:t] *n.* 셀룰라이트 《여성의 둔부 등의 피하에 쌓인 지방 축적물》
cel·lu·li·tis [sèljuláitis] *n.* Ⓤ 〖병리〗 봉와직염(蜂窩織炎), 세포염
*__cel·lu·loid__ [séljulɔ̀id] *n.* Ⓤ **1 셀룰로이드** 《상표명》 **2** 《구어》 영화 필름 **3** 영화(의 세계) ***on*** **~** 영화로
— *a.* 《구어》 영화의; 셀룰로이드의; 《비유》 인공적인; 생명이 없는; 비현실적인
cel·lu·lo·lyt·ic [sèljuloulítik] *a.* 〖생화학〗 〈박테리아·효소가〉 셀룰로오스를 가수 분해할 수 있는
*__cel·lu·lose__ [séljulòus] *n.* Ⓤ 〖화학〗 **셀룰로오스**, 섬유소: ~ nitrate 질산 섬유소, 질화면 《폭약용》
céllulose ácetate 〖화학〗 초산 섬유소
céllulose nítrate = NITROCELLULOSE
cel·lu·lo·sic [sèljulóusik] 〖화학〗 *a.* 셀룰로오스의[를 함유하는, 에서 유도된] — *n.* 셀룰로오스 화합물
cel·lu·lous [séljuləs] *a.* 세포로 된, 세포성의
céll wáll 〖생물〗 세포벽
ce·lo·scope [sí:ləskòup] *n.* 〖의학〗 체강경(體腔鏡), 체강 검사기
Cel·o·tex [sélətèks] *n.* 셀로텍스 《건물의 절연 및 방음용 합성판; 상표명》
Cels. Celsius
Cel·si·us [sélsiəs, -ʃi- | -siəs] *n.* 셀시우스 **Anders ~** (1701-44) 《스웨덴의 천문학자》 — *a.* 섭씨의 (略 Cels., C)(cf. CENTIGRADE, FAHRENHEIT)
Célsius thermómeter 섭씨 온도계
celt [sélt] *n.* 〖고고학〗 (선사 시대의) 돌[금속]도끼

*__Celt__ [kélt, sélt], **Kelt** [kélt] *n.* **켈트 사람**; [the ~s] 켈트 족 《Aryan 인종의 일파; 지금은 Ireland, Wales 및 Scotland 고지 등에 삶》
Celt. Celtic
CELTA [séltə] [*C*ertificate in *E*nglish *L*anguage *T*eaching to *A*dults] *n.* Ⓤ (영국 케임브리지 대학에서 관장하는) 외국어로서의 영어 교사 자격증
*__Celt·ic__ [kéltik, sélt-], **Kelt·ic** [kélt-] *a.* **켈트 족의**; 켈트 말의: ~ literature 켈트 문학
— *n.* Ⓤ 켈트 말
Céltic cróss 켈트 십자가 《중심에 고리가 있음》
Céltic frínge [the ~] 켈트 외곽인(人)[지방] 《영국의 외곽을 이루는 Scots, Irish, Welsh 및 Cornish (주민들); 그 거주 지역》
Céltic hárp (스코틀랜드·아일랜드의) 하프의 일종
Celt·i·cism [kéltəsìzm, sél-] *n.* ⓊⒸ 켈트 말투; 켈트인 기질 **-cist** *n.*
Céltic twílight 켈트의 박명(薄明) 《아일랜드 민화의 신비스런 분위기; W.B. Yeats의 민화집 제목에서 유래》
Celto- [kéltou, -tə, sél-] 《연결형》 「켈트(족)의」의 뜻
cel·tuce [séltis] [*cel*ery+let*tuce*] *n.* Ⓤ 셀터스 《셀러리와 상추를 교배시켜 얻은 야채》
cem. cement; cemetery **CEMA** 《영》 Council for the Encouragement of Music and the Arts 《현재는 ACGB》
cem·ba·lo [tʃémbəlòu] *n.* (*pl.* **-li** [-lì:], **~s**) 〖음악〗 쳄발로(harpsichord); 덜시머(dulcimer)
cém·ba·list *n.*
‡**ce·ment** [simént] [L 「조석(粗石)」의 뜻에서] *n.* Ⓤ **1 시멘트**, 양회; 《구어》 콘크리트; 접합제 **2** 《비유》 결합시키는 것, (우정 따위의) 유대 **3** 〖해부〗 (치아의) 백악질(cementum) **4** 〖야금〗 (삼탄(滲炭)에 사용되는) 탄분 **5** 《미·스키속어》 젖어서 무거운 눈 ***in*** **~** 굳어져서; 완고하게, 강경하게
— *vt., vi.* 시멘트로 바르다[굳게 하다], 접합하다; 《비유》 〈우정 등을〉 굳히다; 〖야금〗 삼탄(滲炭)하다
~·a·ble *a.* **~·less** *a.* ▷ cementátion *n.*
ce·men·ta·tion [sì:mәntéiʃən, sèmən- | sì:men-] *n.* Ⓤ 시멘트 결합; 접합; 〖야금〗 삼탄(滲炭) 《쇠를 숯가루 속에서 가열하여 강철을 만들기》
cemént cìty 《미·구어》 (공동) 묘지(cemetery)
ce·ment·er [siméntər] *n.* 접합[결합, 교착(膠着)]하는 사람[것]
cemént hèad 《미·속어》 얼간이, 바보
ce·ment·ite [siméntait] *n.* 〖화학〗 시멘타이트, 탄화철
ce·men·ti·tious [sì:məntíʃəs, -men- | sì:men-] *a.* 시멘트질(質)의, 접합성이 있는
cemént mìxer **1** 콘크리트 믹서(concrete mixer); 《미·속어》 소음이 심한 차 **2** 《속어》 스트리퍼 등이 허리를 돌리는 동작; 스트리퍼; 매춘부
ce·men·tum [siméntəm] *n.* Ⓤ 〖치과〗 (치아의) 시멘트질, 백악질
cem·e·te·ri·al [sèmətíəriəl, -tέər- | -tíər-] *a.* 공동묘지의[에 관한]; 매장의[에 관한]
‡**cem·e·ter·y** [sémətèri | -tri] [Gk 「잠자는 곳」의 뜻에서] *n.* (*pl.* **-ter·ies**) (교회에 소속되지 않은) **공동묘지**(cf. CHURCHYARD, GRAVEYARD)
CEMF counter electromotive force 〖전기〗 역(逆)기전력 **CEMS** Church of England Men's Society **cen.** central; century
cen- [si:n, sen], **ceno-** [sí:nə, sé- | sí:nə] 《연결형》 「새로운」의 뜻 《모음 앞에서는 cen-》
cen·a·cle [sénəkl] *n.* **1** 만찬실; [**C~**] (그리스도와 사도들이) 최후의 만찬을 가진 방 **2** (작가 등의) 동인; 동인의 집회소 **3** 〖가톨릭〗 묵상의 집

thesaurus **cemetery** *n.* graveyard, burial ground, churchyard, burial place
censor *n.* examiner, inspector, expurgator

Cen. Am. Central America
-cene [sì:n] 《연결형》「새로운」의 뜻: Eo*cene*
ceno-[1] [sí:nə, sénə | sí:nə] 《연결형》「새로운, 최근의」의 뜻
ceno-[2] [sí:nou, -nə, sén- | sí:n-] 《연결형》「공통의」의 뜻
ce·no·bite [sí:nəbàit, sén- | sí:n-] *n.* 수도원에서 공동 생활하는 수도사(cf. ANCHORITE, HERMIT)
ce·no·bit·ic, -i·cal [sì:nəbítik(əl), sèn- | sì:n-] *a.* 수도사의
ce·no·bit·ism [sí:nəbàitizm, sén- | sí:n-] *n.* Ⓤ 수도원제(制), 수도사 생활
ce·no·gen·e·sis [sì:nədʒénəsis, sènə-] *n.* Ⓤ 〖생물〗 변형[신형] 발생(cf. PALINGENESIS)
-ge·net·ic [-dʒinétik] *a.* **-ge·nét·i·cal·ly** *ad.*
ce·no·spe·cies [sí:nəspì:ʃi(:)z, sénə-] *n.* 〖유전〗 집합종(集合種), 종합종
cen·o·sphere [sénəsfìər] *n.* 〖화학·공업〗 세노스피어《초고압에 견디며 가벼워서 심해 탐사·우주선에 이용됨》
cen·o·taph [sénətæ̀f, -tɑ̀:f | -tɑ̀:f, -tæ̀f] *n.* **1** 기념비(monument) **2** [the C~] (런던의 Whitehall에 있는) 제1차·2차 세계 대전 전사자 기념비
ce·no·te [sənóuti] *n.* 〖지질〗 세노테(doline) 《카르스트 지역에서 발견되는 구멍》
Ce·no·zo·ic [sì:nəzóuik, sèn- | sì:n-] 〖지질〗 *a.* 신생대의 **—** *n.* [the ~] 신생대(층)
Cenozóic èra [the ~] 〖지질〗 신생대
cense [séns] *vt.* …에 향을 피우다; 분향하다
cen·ser [sénsər] *n.* (줄 달린) 흔들 향로 **~·less** *a.*

censer

*****cen·sor** [sénsər] [L 「사정(査定)하다」의 뜻에서] *n.* **1** (출판물·서신 등의) **검열관**; 비평[비난]자 **2** 〖역사〗 (고대 로마의) 감찰관 **3** (Oxford 대학의) 학생감 **4** =CENSORSHIP 2
— *vt.* 검열하다, 검열하여 삭제하다 《*out*》
cen·so·ri·an [sensɔ́:riən] *a.*
cen·sor·a·ble [sénsərəbl] *a.* 검열에 걸릴 만한
cen·so·ri·al [sensɔ́:riəl] *a.* 검열(관)의; 검열관에 어울리는; 매우 비판적인
cen·so·ri·ous [sensɔ́:riəs] *a.* 검열관 같은, 비판적인 **~·ly** *ad.* **~·ness** *n.*
*****cen·sor·ship** [sénsərʃìp] *n.* Ⓤ **1 검열** (**제도**); 검열관의 직[직권, 임기]: pass ~ 검열을 통과하다 / put ~ on …을 검열하다 **2** 〖정신분석〗 (잠재의식의) 검열
cen·sor·ware [-wὲər] *n.* Ⓤ 〖컴퓨터〗 센서웨어, 검열 소프트웨어 《일부 웹사이트를 남이 볼 수 없게 막는 데 사용되는 소프트웨어》
cen·sur·a·ble [sénʃərəbl] *a.* 비난해야 할(blamable) **~·ness** *n.* **-bly** *ad.*
*****cen·sure** [sénʃər] [L 「판단」의 뜻에서] *n.* Ⓤ **비난**, 책망, 견책; (의원에 대한) 견책[비난] 결의; 《고어》 견해, 판단: a tacit ~ 말 없는 비난 / pass a vote of ~ against a person …에 대한 견책 결의를 가결하다
— *vt.* (…의 점에서) 비난하다, 책망하다; 〈비평가가〉 혹평하다, 견책하다 《*for*》: ~ careless work 부주의한 행위를 나무라다 // 《~+목+전+명》 His colleagues ~*d* him *for* the negligence of his duties. 그의 동료들은 그의 직무 태만을 비난했다.
— *vi.* 책망하다, 꾸짖다, 비판하다 **~·less** *a.*
cen·sur·er [sénʃərər] *n.* 비난하는 사람
*****cen·sus** [sénsəs] [L 「재산 평가[등록]」의 뜻에서] *n.* (*pl.* **~·es**) **1 인구 조사**, 국세(國勢) 조사: take a ~ (of the population) 인구[국세] 조사를 하다 **2** (고대 로마에서의) 시민 및 그 재산 조사 **3** 〖생물〗 개체수 조사 **4** 계산, 정산
— *vt.* …의 인구를 조사하다
cen·su·al [sénʃuəl] *a.*
cénsus tàker 인구[국세] 조사원
cénsus tràct 《미》 (대도시의) 인구 조사 표준 지역, 국세 조사 단위
⁑**cent** [sént] [L 「100」의 뜻에서] *n.* **1** Ⓤ (단위로서의) 백(百) **2 센트** 《미국·캐나다·오스트레일리아 등의 화폐 단위; 1달러의 1/100; 略 c., ct.; 기호 ₵; $와는 달리 숫자 뒤에 붙임》; 1센트 동화; =EURO CENT **3** 《미·속어》 달러 **4** 센 《인도네시아의 화폐 단위; =1/100 rupiah》 **5** 〖음악〗 센트 《음정의 계측 단위로 12평균율 음계의 반음의 100분의 1음정》 **6** [a ~; 보통 부정문에서] 《구어》 동전 한 닢(의 값어치), 푼돈
~ per ~ 10할, 100%; 10할 이자; 예외 없이 ***feel like two ~s*** 《미·구어》 창피한 느낌이 들다 ***not care a*** (***red***) ***~*** 조금도 개의치 않다 ***per ~*** 100에 대하여, 퍼센트 《%》 ***put in*** one***'s two ~s*** (***worth***) 《미·구어》 분명히 자기 의견을 말하다
cent- [sent] 《연결형》 =CENTI-
cent. centered; centigrade; centimeter; central; centum; century
cen·tal [séntl] *n.* 《주로 영》 =HUNDREDWEIGHT
cen·tare [séntɛər] *n.* =CENTIARE
cen·taur [séntɔ:r] *n.* **1** 〖그리스신화〗 켄타우루스 《반인반마(半人半馬)의 괴물》 **2** [the C~] 〖천문〗 =CENTAURUS **3** 마술(馬術)의 명수, 명기수(騎手) **4** [**C~**] 《미》 (로켓의) 센토 《재점화 가능형 액체 연료 엔진》 **5** 2종 생물이 함께 섞여 있는 이상한 모자이크 생물 **6** 이중인격자

centaur 1

Cen·tau·rus [sentɔ́:rəs] *n.* 〖천문〗 켄타우루스자리
cen·tau·ry [séntɔ:ri] *n.* (*pl.* **-ries**) 〖식물〗 수레국화속(屬)의 식물
cen·ta·vo [sentɑ́:vou] [Sp. =cent] *n.* (*pl.* **~s** [-z]) 센타보 《멕시코·필리핀·쿠바·브라질 등의 소액 화폐 단위; =1/100 peso》
cen·te·nar·i·an [sèntənɛ́əriən] *a.*, *n.* 100세 (이상)의 (사람)
cen·te·nar·y [senténəri, séntənèri | sentí:nəri] *a.* 100년(간)의, 100년마다의; 100년제의
— *n.* (*pl.* **-nar·ies**) 100년간; 100년제(祭); 1세기
★ (2)의 200년제에서 (10)의 1000년제까지 차례로 (2) bicentenary, (3) tercentenary, (4) quatercentenary, (5) quincentenary, (6) sexcentenary, (7) septingenary, (8) octocentenary = octingentenary, (9) nongenary, (10) millenary
*****cen·ten·ni·al** [senténiəl] *a.* Ⓐ **100년마다의**; 100년간의; 100년제의; 100년간 살아온, 만 100세(이상)의: a ~ anniversary 100(주)년 기념(의 해)
— *n.* 《미》 100주년, 100년 기념일; 100주년 기념제, 100년제 **~·ly** *ad.*
Centénnial Stàte [the ~] 미국 Colorado 주의 속칭
⁑**cen·ter** | **-tre** [séntər] [Gk 「원을 그리는 중심점」의 뜻에서] *n.* **1** [보통 the ~] (원·구·다각형의) **중심**; (회전의) 중심점(⇨ middle 유의어); 〖물리〗 중심: *the* ~ of a circle 원의 중심 **2** [the ~] (장소의) **중앙**, 한가운데: right in *the* ~ of …의 한가운데에 **3** [the ~] (흥미·관심·인기 등의) **초점**, 중심, 핵심; 중심인물 《*of*》: She is *the* ~ *of* the project. 그녀는 그 계획의 중심인물이다. **4** (사람이 모이는) **중심지**, 센터: a ~ of trade 교역의 중심지 **5** (사회사업 등의) 종합 시설; (취미 용품 등의) 전문점 **6** 〖군사〗 본대, 중앙 부대

censure *n.* criticism, condemnation, blame, denunciation, disapproval, reproval, reproach, rebuke, reprimand, scolding, chiding

7 (야구·축구 등의) 센터; 센터로 보내는 타구[공] **8** [the C~] 〖정치〗 중도파, 온건파(cf. the LEFT, the RIGHT) **9** 〖건축〗 홍예틀; 〖기계〗 센터; 〖생리〗 중추 《특정한 생리 작용을 지배하는 한 무리의 신경 세포》 **10** 〖수학〗 등차중항; 중심군(群) **11** (과일·캔디 등의) 응어리, 속 **12** (표적의) 중심권, 명중탄
—*vt.* **1** (…의) 중심[중앙]에 두다 《*in, on*》: 《~+목+전+명》 She *~ed* the clock *on* the mantelpiece. 그녀는 시계를 벽난로 선반의 중앙에 놓았다. **2** (…에) 중심을 두다, 집중시키다 《*on, upon*》: 《~+목+전+명》 He *~ed* his attention *on* the problem. 그는 그 문제에 주의를 집중시켰다 **3** …의 중심을 결정[표시]하다; 〈렌즈 등을〉 조정하다; 〈물건을〉 중심에 오도록 조정하다 **4** 〖미식축구·하키〗 〈공을〉 센터로 차다[날리다] **5** 〖TV〗 〈주연 배우 등을〉 화면의 중심에 오도록 조정하다 《*up, to*》
—*vi.* 중심(점)에 있다; 집중하다 《*on, upon, around, round*》 《격식을 차리지 않는 어법에서는 *about, in, at*도 씀》; 〖스포츠〗 공을 중심부로 패스하다: 《~+전+명》 The story *~s on*[*upon*] a robbery. 이야기는 강도 사건을 중심으로 전개된다. / His activities in London ~ *around* this spot. 런던에서의 그의 활동은 여기를 중심으로 행해진다.
—*a.* Ⓐ (최상급 **~·most**) 중심의, 중심에 있어서의; 중도파의 **~·a·ble** *a.* **~·less** *a.*

cénter báck (배구 등의) 센터백
cénter bìt 〖목공〗 돌리는 드릴
cen·ter·board [séntərbɔ̀:rd] *n.* 〖항해〗 (배 밑에 붙인) 하수용골(下垂龍骨)
cen·tered [séntərd] *a.* **1** 중심에 있는; 중심이 있는; 〖건축〗 심원이 있는 **2** (어떤 것을) 관심·활동의 주된 대상으로 한: consumer-~ 소비자 위주의 **3** 〖인쇄〗 중앙에 붙은 **4** 집중한 **~·ness** *n.*
céntered dót 〖인쇄〗 굵은 가운뎃점(bullet); 중점 (·)
cénter fíeld 〖야구〗 센터(의 수비 위치)
cénter fíelder 〖야구〗 센터 (필더), 중견수
cen·ter-fire [séntərfàiər] *a.* 〈탄약통이〉 기저부 중앙에 뇌관이 있는
cen·ter·fold [-fòuld] *n.* 잡지의 한가운데에 접어 넣는 페이지 《누드 사진 등》; 《미·속어》 섹시한 여자
cénter fórward (축구·하키 등의) 센터 포워드
cénter hálf(back) (축구·하키의) 센터 하프(백)
cen·ter·ing [séntəriŋ] *n.* **1** center하기 **2** 〖건축〗 홍예틀
cen·ter-left [-léft] 〖정치〗 *a.* =LEFT OF CENTER
cen·ter·line [séntərlàin] *n.* **1** 센터라인, 중심선 **2** 〖통신〗 중앙선 《2대의 무선 송신기를 연결하는 선의 수직 이등분선》
cen·ter·most [séntərmòust] *a.* 한가운데의
cénter of attráction 〖물리〗 인력의 중심; 《비유》 인기를 끄는 것[사람]
cénter of buóyancy 〖물리〗 부력의 중심, 부심(浮心)
cénter of cúrvature 〖수학〗 곡률(曲率) 중심
cènter of éxcellence (학문·교육 따위의) 최고 기관
cénter of floatátion 〖항해〗 부면심(浮面心)
cénter of grávity **1** 〖물리〗 중력[무게, 질량] 중심, 중심(重心) **2** 중심 인물, 중추적인 것[생각]
cénter of máss[inértia] 〖물리〗 질량 중심
cénter of préssure 〖물리·항공〗 압력의 중심
cénter of sýmmetry 〖결정〗 대칭 중심
cen·ter·piece [-pì:s] *n.* (테이블 등의) 중앙부 장식; 가장 중요한 작품[항목]; 중심물, 주목할 존재
cen·ter-piv·ot [-pìvət] *a.* 원형[회전식] 관수(灌水)의 《미국 서부 사막 지대의 관개 방식》
cénter pùnch 〖기계〗 센터 펀치 《공작물 등의 중심에 표시를 하는 도구》
cen·ter-right [-ráit] 〖정치〗 *a.* =RIGHT OF CENTER
cen·ter-sec·ond [-sèkənd] *n.* 시계의 중심축에 붙은 중앙 초침(이 있는 시계)
Cénters for Diséase Contròl [the ~] 질병 대책 센터 《미국 보건성 공중 위생국의 한 부》
cénter sprèad (잡지·신문의) 중앙의 마주보는 양면(의 기사[광고])
cénter stáge 연극 무대의 중앙; (주목을 끄는) 주요 위치, 주목의 대상: Education is taking ~ in the government's plans. 교육은 정부 정책의 주요 관심 대상이다.
cénter thrée-quárter 〖럭비〗 센터 스리쿼터 《스리쿼터 백라인의 중앙에 위치하는 선수》
cénter whèel (시계의) 시간을 가리키는 짧은 바늘
cen·tes·i·mal [sentésəməl] *a.* 백분법(百分法)의, 백진법의(cf. DECIMAL); 100분의 1의
—*n.* 100분의 1 **~·ly** *ad.*
cen·tes·i·mo [sentésəmòu] *n.* **1** (*pl.* **-mi** [-mi]) 첸테지모 《이탈리아의 화폐 단위; =$^{1}/_{100}$ lira》 **2** (*pl.* **~s** [-z]) 센테시모 《파나마·우루과이의 화폐 단위; =$^{1}/_{100}$ peso》
centi- [sénti, -tə, sɑ́:n- | sén-] 〖L 「100」의 뜻에서〗 《연결형》 「100; $^{1}/_{100}$」의 뜻 《모음 앞에서는 cent-》
cen·ti·are [séntiɛ̀ər] *n.* 센티아르 《1제곱 미터; 略 ca》
cen·ti·bar [séntəbɑ̀:r] *n.* 〖기상〗 센티바 ($^{1}/_{100}$바)
***cen·ti·grade** [séntəgrèid] *a.* 〈눈금이〉 백분도(百分度)의; 〈온도계가〉 섭씨의(Celsius) 《略 C, c., Cent., cent.》: a ~ thermometer 섭씨 온도계
—*n.* 백분도, 섭씨 온도
***cen·ti·gram** | **-gramme** [séntəgræ̀m] *n.* 센티그램 ($^{1}/_{100}$ gram; 略 cg)
cen·tile [séntail, -til] *n.* 백분위수(數)
***cen·ti·li·ter** | **-li·tre** [séntəlì:tər] *n.* 센티리터 ($^{1}/_{100}$ liter; 略 cl)
cen·til·lion [sentíljən] *n.* (*pl.* **~s,** [수사 뒤에서] ~) 《영》 백만의 백제곱; 《미》 천의 백제곱
—*a.* centillion에 달하는 수의
cen·time [sɑ́:nti:m] 〖F = cent〗 *n.* (*pl.* **~s** [-z]) 상팀 《프랑스의 화폐 단위; $^{1}/_{100}$ 프랑》
‡**cen·ti·me·ter** | **-me·tre** [séntəmì:tər] *n.* 센티미터 ($^{1}/_{100}$ meter; 略 cm)
cen·ti·me·ter-gram-sec·ond | **-me·tre-gramme-** [séntəmì:tərgræ̀msékənd] *a.* 〖물리〗 C.G.S.[센티미터·그램·초] 단위계의 《略 cgs》
cen·ti·mil·lion·aire [sèntəmiljənɛ́ər] *n.* 억만장자
cen·ti·mo [séntəmòu] *n.* (*pl.* **~s**) 센티모 《스페인·베네수엘라의 화폐 단위; 스페인은 $^{1}/_{100}$ peseta, 베네수엘라는 $^{1}/_{100}$ bolivar》
cen·ti·mor·gan [séntəmɔ̀:rgən] *n.* 〖유전〗 센티모건 《동일 염색체상의 유전자간(間) 거리의 단위》
cen·ti·pede [séntəpì:d] *n.* **1** 〖동물〗 지네 **2** 지네춤 《브레이크 댄스의 일종》 **cen·tip·e·dal** [sentípidl, sèntəpí:dl] *a.*
cen·ti·poise [séntəpɔ̀iz] *n.* 〖물리〗 센티푸아즈 《점도(粘度)의 단위; =$^{1}/_{100}$ 푸아즈; 略 cp》
cen·ti·sec·ond [séntəsèkənd] *n.* 100분의 1초
cen·ti·stere [séntəstìər] *n.* 센티스티어 《1세제곱미터의 $^{1}/_{100}$》
cent·ner [séntnər] *n.* 첸트너 《독일 등에서의 중량의 단위; 50kg》
cen·to [séntou] *n.* (*pl.* **~s, cen·to·nes** [sentóuni:z]) (명작 등에서) 추려 모아 만든 시문(詩文); 명곡의 여러 부분을 추려 모아 만든 곡
CENTO, Cento [séntou] Central Treaty Organization 중앙 조약 기구
centr- [sentr], **centri-** [séntri], **centro-** [séntrou] 《연결형》 「중심」의 뜻
cen·tra [séntrə] *n.* CENTRUM의 복수
‡**cen·tral** [séntrəl] *a.* **1** 중심의, 중앙의; 중심[중앙]에 있는, 중심부의: the ~ area of the city 그 도시

thesaurus **central** *a.* **1** 중심의 middle, mid, inner, interior (opp. *outer*) **2** 주요한 main, chief,

의 중심부 **2** 중심적인, 주요한: the ~ figure (그림·극 등의) 중심[주요] 인물 **3** 〈장소 등이〉 편리한 **4** 집중 방식의: ⇨ central heating **5** 〚음성〛 중설음(中舌音)의 **6** 〚해부〛 중추 신경의 **7** 〚정치〛 중도적인, 온건한: take a ~ position 중도적 입장을 취하다
— *n.* **1** 본부, 본사, 본점 **2** (미) 전화 교환국(exchange): get ~ 교환국을 불러내다 **3** (어떤 일의) 중심적인 장소: communications ~ 메시지 전달 장소

Céntral Áfrican Repúblic [the ~] 중앙아프리카 공화국 (수도 Bangui)

céntral alárm sỳstem 중앙 경보 장치 (비상시 자동적으로 경찰·경비 회사 등에 통보되는 장치)

Céntral América 중앙아메리카, 중미

Céntral Américan 중앙아메리카의 (사람)

céntral ángle 〚기하〛 중심각(角)

Céntral Ásia 중앙아시아 (현재는 구소련 영토)

céntral bánk 중앙 은행

céntral bódy 〚생물〛 중심체; 〚로켓〛 중심 천체 (위성·탐사선이 그 주위를 도는 천체)

céntral cásting (미) (영화 촬영소의) 배역부

céntral cíty (미) (대도시권의) 중심 도시, 핵도시

Céntral Commíttee [the ~] (특히 구소련 공산당의) 중앙 위원회

céntral contról stàtion 〚통신〛 중앙 제어국

céntral córe 중핵(中核)

Céntral Críminal Còurt [the ~] (런던의) 중앙 형사 법원(cf. OLD BAILEY)

céntral cýlinder (미) 중심주(中心柱)(stele)

céntral dáylight tìme 〚식물〛 하계 중부 표준시 (略 CDT)

céntral dógma 〚유전〛 센트럴 도그마 (유전 정보의 흐름을 나타내는 분자 생물학의 기본 원리)

Céntral Européan Tìme 중앙 유럽 표준시 (G.M.T.보다 한시간 빠름; 略 CET)

céntral góvernment 중앙 정부

céntral héating 집중[중앙]난방 (장치)

Cen·tra·lia [sentréiljə, -liə] *n.* 센트레일리아 **1** 오스트레일리아의 중부 오지 **2** 미국 일리노이 주 중남부의 도시

Céntral Intélligence Àgency [the ~] (미) 중앙 정보국 (略 CIA)

cen·tral·ism [séntrəlìzm] *n.* Ⓤ 중앙 집권제[주의] **-ist** *n.* 중앙 집권주의자 **cèn·tral·ís·tic** *a.*

cen·tral·i·ty [sentrǽləti] *n.* Ⓤ 중심임; 구심성; 중심적 역할[위치], 중요성; 집중성

cen·tral·i·za·tion [sèntrəlizéiʃən | -laiz-] *n.* Ⓤ 집중; 중앙 집권(화); 〚사회〛 기능의 집중화, (소수 사람에로의) 권력의 집중화

cen·tral·ize [séntrəlàiz] *vt.* 중심에 모으다; (…에) 집중시키다 (*in*); 〈관리 등을〉 중앙 집권화하다
— *vi.* 중심에 모이다; (…에) 집중되다 (*in*); 중앙 집권화되다 **-iz·er** *n.*

cén·tral·ized schòol [séntrəlàizd-] = CONSOLIDATED SCHOOL

céntral límit thèorem 〚통계〛 중심 극한 정리

céntral lòcking (자동차의) 중앙 개폐 방식, 센트럴 로킹 (운전석의 도어를 잠그면 다른 도어도 자동적으로 잠기는 장치[방식])

cen·tral·ly [séntrəli] *ad.* 중심(적)으로

cen·tral·ly-heat·ed [séntrəlihí:tid] *a.* 중앙 난방 (장치)의

céntral nérvous sỳstem [the ~] 〚해부〛 중추 신경계 (略 CNS, cns)

Céntral Párk 센트럴 파크 (뉴욕 시 중심부의 큰 공원)

Céntral Pówers [the ~] 동맹국 (제1차 세계 대전 중에 연합국에 대항해서 공동으로 싸웠던 독일, 오스트리아, 헝가리; 때로 터키, 불가리아를 포함)

céntral prócessing ùnit 〚컴퓨터〛 중앙 처리 장치 (略 CPU)

céntral prócessor 〚컴퓨터〛 = CENTRAL PROCESSING UNIT

céntral projéction 〚기하〛 중심 도법(圖法), 중심 투영[투상]법

céntral ráte 〚금융〛 중심 시세 (변동 시세제 이전의 각국 환의 미국 달러에 대한 공정 환율)

céntral resérve [**reservátion**] (영) = MEDIAN STRIP

Céntral Resérve Bànks (미) 연방 준비 은행

Céntral (Stándard) Tìme 중부 표준시 (미국·캐나다의 서경 90도의 표준시 시간대; G.M.T.보다 6시간 늦음; 略 C(S)T)

céntral téndency 〚통계〛 중심 경향

cen·tre [séntər] *n., a., v.* (영) = CENTER

centri- [séntri, -trə] (연결형) 「중심…」의 뜻

cen·tric, -tri·cal [séntrik(əl)] *a.* 중심의, 중추적인 **-tri·cal·ly** *ad.*

-centric [séntrik] (연결형) 「…의 중심을 가진; …을 중심으로 한, …에 집중한」의 뜻

cen·tric·i·ty [sentrísəti] *n.* Ⓤ 중심임

cen·trif·u·gal [sentrífjugəl, -fə- | sentrífju-] *a.* (opp. *centripetal*) **1** 원심성(遠心性)[력]의: ~ inflorescence 〚식물〛 유한 꽃차례 **2** 원심력을 이용하는; 〚생물〛 원심[유출, 도출]성의 **3** 중앙 집권화에서 분리되는, 지방 분권적인 — *n.* 원심 분리기[통] **~·ly** *ad.*

centrífugal fórce 원심력

centrífugal machíne 〚기계〛 원심 분리기, 원심력 응용 기계

centrífugal púmp 〚기계〛 원심[소용돌이] 펌프

centrífugal súgar 분밀당 (당과 밀을 분리한 설탕)

cen·tri·fuge [séntrəfjù:dʒ] *n.* 원심 (분리)기
— *vt.* 원심 (분리)기에 이용하다, 원심 (분리)기로 분리하다; …에 원심력을 작용시키다
cen·trìf·u·gá·tion *n.*

cen·tri·ole [séntriòul] *n.* 〚생물〛 중심 소체(中心小體), 중심립(中心粒), 중심자(中心子) (centrosome의 중심에 있는 소립(小粒))

cen·trip·e·tal [sentrípətl] *a.* (opp. *centrifugal*) **1** 구심성(求心性)의 **2** 구심력을 이용하는 **3** 중앙 집권적인 **~·ism** *n.* **~·ly** *ad.* 구심적으로, 구심력에 의해

centrípetal fórce 구심력

cen·trism [séntrizm] *n.* Ⓤ 중도주의, 중도 정치

cen·trist [séntrist] *n.* [종종 **C~**] 중도파, 중도 정당의 당원; 온건한 사람 — *a.* 중도파(의 정견)에 속하는; 중간파의, 온건한

centro- [séntrou, -trə] (연결형) = CENTR-

cen·tro·bar·ic [sèntrəbǽrik] *a.* **1** 중심의, 중심에 관한 **2** 중심이 있는

cen·troid [séntrɔid] *n.* 〚물리〛 중심(重心); 도심(圖心) **cen·trói·dal** *a.*

cen·tro·mere [séntrəmìər] *n.* 〚생물〛 동원체(動原體), 중심립(粒) **cèn·tro·mér·ic** *a.*

cen·tro·some [séntrəsòum] *n.* 〚생물〛 (세포의) 중심체 **cen·tro·som·ic** [sèntrəsɑ́mik | -sɔ́m-] *a.*

cen·tro·sphere [séntrəsfìər] *n.* 〚지질〛 지구의 중심부; 〚생물〛 (세포의) 중심질[권]

cen·tro·sym·met·ric, -ri·cal [sèntrousimétrik(əl)] *a.* 중심 대칭(성)의

cen·trum [séntrəm] *n.* (*pl.* **~s, -tra** [-trə]) 중심; (지진의) 진원지; 〚해부〛 추체(椎體), 중추

cents-off [séntsɔ́:f | -ɔ́f] *a.* 쿠폰 지참자에 대한 할인 방식의

cen·tum [séntəm] *n.* 백(hundred)

cen·tu·ple [séntəpl, -tju- | -tju-] *a.* 100배의(hundredfold) — *n.* 100배의 양 — *vt.* 100배하다

cen·tu·pli·cate [sentjú:plikèit | -tjú:-] *vt.* 100배하다; 100통[부] 찍다[인쇄하다]
— [-kət, -kèit] *a., n.* 100배의(수[양])(의); 100통(의) ***in*** **~** 100부 인쇄의[로]

cen·tu·ri·al [sentjúəriəl | -tjúər-] *a.* **1** 1세기의,

---

principle, foremost, fundamental, basic, key, essential, primary (opp. *subordinate, minor*)

100년의 **2** (고대 로마의) 백인대[조]의

cen·tu·ried [séntʃərid] *a.* **1** 《드물게》 수백년[수세기]이나 계속되는: ~ traditions 수세기나 계속되어 온 전통 **2** 아주 오랜

cen·tu·ri·on [sentjúəriən | -tjúər-] *n.* **1** (고대 로마 군대의) 백부장(百夫長) **2** [**C~**] 〖군사〗 센추리온 전차 《1945-67년까지 쓰인 영국군 주력 전차》

‡**cen·tu·ry** [séntʃəri] [L「100」의 뜻에서] *n.* (*pl.* **-ries**) **1** 1세기, 100년 ★ the 20th ~ 20세기 《1901년 1월 1일부터 2000년 12월 31일까지》: the later 19th ~ 19세기의 후기 / the second ~ B.C. 기원전 2세기 / in the 19th ~ 19세기에 **2** 100개; 《미·구어》 100달러 (지폐) **3** (고대 로마 군대의) 100인대 《원래 100명의 보병을 1대(隊)로 하고 60대로써 legion을 조직하였음》; 100인조 《투표권의 한 단위》 **4** 〖크리켓〗 100점 (100 runs) **5** 100의 한 조; 100의 모임: a ~ of poems 시 백선(百選) **6** [**C~**] 〖인쇄〗 센추리체(體) **7** 〖스포츠〗 100야드[미터] 경주
— *a.* = CENTENNIAL ▷ centúrial *a.*

céntury nòte 《미·속어》 100달러 지폐

céntury plànt 〖식물〗 용설란

CEO chief executive officer 최고 경영자

cep [sép] *n.* 산새버섯, 돌버섯

cephal- [séfəl], **cephalo-** [séfəlou, -lə] 《연결형》「머리」의 뜻 《모음 앞에서는 cephal-》

ceph·a·lad [séfəlæ̀d] *ad.* 〖동물·해부〗 머리쪽에, 머리쪽으로

ceph·a·lal·gia [sèfəlǽldʒə, -dʒiə] *n.* 〖의학〗 두통 (headache) **cèph·a·lál·gic** *a.*

ceph·a·late [séfələt, -lèit] *a.* 〖동물〗 머리가 있는; 머리 모양의 부분이 있는

ceph·a·lex·in [sèfəléksin] *n.* 〖약학〗 세팔렉신 《경구용 항균제》

ce·phal·ic [səfǽlik] *a.* Ⓐ 두개의, 두부(頭部)의

cephálic índex 〖해부〗 두개(頭蓋) 계수

ceph·a·lin [séfəlin] *n.* 〖생화학〗 세팔린 《세포막의 인지질(燐脂質) 중의 하나; 뇌 속에 많음》

ceph·a·li·za·tion [sèfəlizéiʃən | -laiz-] *n.* Ⓤ 〖동물〗 두화(頭化) 《진화 과정에서 신경 감각 기관이 전두(前頭)로 집중하는 현상》

ceph·a·lo·chor·date [sèfəloukɔ́:rdeit | -ləu-kɔ́:-] *a.* 두색류(頭索類)의 — *n.* 두색류 동물 《두색강(綱)의 척색(脊索)동물의 총칭; 물고기와 비슷하지만 척주(脊柱)가 없음》

ceph·a·lo·cide [séfələsàid] *n.* (군사 쿠데타 따위 때의) 지식인에 대한 집단 학살

ceph·a·lom·e·ter [sèfəlɑ́mətər | -lɔ́m-] *n.* 두부(頭部) 측정기

ceph·a·lom·e·try [sèfəlɑ́mətri | -lɔ́m-] *n.* Ⓤ 두부(頭部) 측정법

ceph·a·lo·pod [séfələpɑ̀d | -pɔ̀d] *n.* 〖동물〗 두족류(頭足類)의 동물 《오징어·낙지 등》 — *a.* 두족류의

ceph·a·lor·i·dine [sèfəlɔ́:rədì:n, -lɑ́r- | -lɔ́r-] *n.* 〖약학〗 세팔로리딘 《임질 치료 등에 쓰는 항생 물질》

ceph·a·lo·spo·rin [sèfəlouspɔ́:rin] *n.* 〖약학〗 세팔로스포린 《진균 세팔로스포륨에서 얻는 항생 물질》

ceph·a·lo·tho·rax [sèfəlouθɔ́:ræks] *n.* (*pl.* **~·es, -ra·ces** [-rəsì:z]) 〖동물〗 (갑각류·거미류 따위의) 두흉부(頭胸部)

ceph·a·lous [séfələs | séf-, kéf-] *a.* 머리가 있는

Cé·phe·id vàriable [sí:fiid-, séf- | sí:f-] 〖천문〗 케페우스형 변광성(變光星)

Ce·phe·us [sí:fiəs, -fju:s | -fju:s] *n.* **1** 〖천문〗 케페우스자리 **2** 〖그리스신화〗 케페우스(Kepheus)

cer- [siər], **cero-** [síərou, -rə] 《연결형》「밀랍」의 뜻 《모음 앞에서는 cer-》

ce·ra·ceous [səréiʃəs] *a.* 납(蠟) 같은, 납 모양의

ce·ram·al [sərǽməl] *n.* = CERMET

ce·ram·ic [sərǽmik] *a.* 질그릇의, 제도술(製陶術)의, 요업(窯業)의, 도예의: the ~ industry 요업 / ~ products[manufactures] 요업 제품; 도자기
— *n.* 도자기, 요업 제품; 제도술

cerámic engineéring 요업, 세라믹 공학

ce·ram·i·cist [sərǽməsist] *n.* = CERAMIST

ce·ram·ics [sərǽmiks] *n. pl.* [단수 취급] 도예, 제도술, 요업; [복수 취급] 도자기류

ce·ram·ist [sərǽmist, sérəm- | sérə-] *n.* 도예가; 요업가

ce·rar·gy·rite [sirɑ́:rdʒəràit] *n.* Ⓤ 〖광물〗 각은석(角銀石)(horn silver) 《은의 원광으로 아주 부드러움》

ce·ras·tes [sərǽsti:z] *n.* (*pl.* ~) 〖동물〗 뿔뱀 (horned viper) 《북부 아프리카산 독사》

ce·ras·ti·um [sərǽstiəm] *n.* 〖식물〗 점나도나물속(屬)

cerat- [sérət], **cerato-** [sérətou, -tə] 《연결형》「뿔, (눈의) 각막」의 뜻 《모음 앞에서는 cerat-》

ce·rate [síəreit | -rət, -reit] *n.* Ⓤ 〖약학〗 납고(蠟膏), 밀기름 — *a.* 〖조류〗 납막(蠟膜)이 있는(cerated)

ce·rat·ed [síəreitid] *a.* 납고[밀랍]를 입힌; 〖조류〗 납막이 있는

ce·rat·o·dus [sərǽtədəs, sèrətóudəs] *n.* 〖어류〗 세라토두스 《오스트레일리아산 폐어(肺魚)》

Cer·be·re·an [sərbíəriən] *a.* 케르베로스의[같은]; 엄하고 무서운

Cer·ber·us [sɔ́:rbərəs] *n.* **1** 〖그리스신화〗 케르베로스 《지옥을 지키는 개; 머리가 셋에 꼬리는 뱀 모양》 **2** 엄중한 문지기 ***give*** [***throw***] ***a sop to*** ~ ⇨ sop

cer·car·i·a [sərkέəriə] *n.* (*pl.* **-i·ae** [-riì:]) 〖동물〗 세르카리아, 미충(尾蟲); 흡충류(吸蟲類)

cer·cis [sɔ́:rsis] *n.* 〖식물〗 박태기나무

cere[1] [síər] *n.* (새 부리의) 납막(蠟膜)

cere[2] *vt.* 《고어》 〈시체를〉 납포(蠟布)로 싸다

‡**ce·re·al** [síəriəl] [풍년의 여신 Ceres의 형용사 형에서] *a.* 곡식의; 곡초의; 곡물로 만든: ~ crops 곡물 / a ~ diet 곡물식 / ~ plants 곡초류
— *n.* **1** [보통 *pl.*] 곡식, 곡류 **2** 곡초 **3** [종종 *pl.*] 곡물 식품, 시리얼 《아침 식사용 oatmeal, cornflake, rice[wheat] flakes, puffed rice[wheat] 등》

cer·e·bel·lum [sèrəbéləm] *n.* (*pl.* **~s, -la** [-lə]) 〖해부〗 소뇌, 작은골 **-bél·lar** *a.*

cerebr- [sərí:br | séribr] 《연결형》「뇌, 대뇌」의 뜻 《자음 앞에서는 cerebro-》

ce·re·bra [sərí:brə, sérə-] *n.* CEREBRUM의 복수형의 하나

ce·re·bral [sərí:brəl, sérə- | sérə-] *a.* 〖해부〗 대뇌의, 뇌의; 지적인, 지성에 호소하는; 사색적인; 〖언어〗 반전음(反轉音)의 — *n.* 〖언어〗 반전음 **~·ly** *ad.*

cerébral áccident 〖병리〗 뇌졸중

cerébral anémia 〖병리〗 뇌빈혈

cerébral córtex 〖해부〗 대뇌 피질

cerébral déath 〖병리〗 뇌사(brain death)

cerébral dóminance (대뇌) 반구 우위(성)

cerébral hémisphere 〖해부〗 대뇌 반구

cerébral hémorrhage 〖병리〗 뇌일혈

cerébral hyperémia 〖병리〗 뇌충혈

cerébral infárction 〖병리〗 뇌경색

cerébral pálsy 〖병리〗 뇌성 (소아)마비
cerébral-pálsied *a.*

cerébral thrombósis 〖병리〗 뇌혈전(증)

cerébral túmor 〖병리〗 뇌종양

cerébral váscular àccident 〖병리〗 = CEREBROVASCULAR ACCIDENT

cer·e·brate [sérəbrèit] *vi.* 뇌를 쓰다; 생각하다

cer·e·bra·tion [sèrəbréiʃən] *n.* Ⓤ 대뇌 작용[기능]; 사고(思考)

cer·e·bric [sərí:brik, -réb-, sérə-] *a.* 뇌의; (대)뇌에서 나온[발생한]

cer·e·bri·tis [sèrəbráitis] *n.* Ⓤ 〖병리〗 뇌염(腦炎)

cerebro- [sərí:brou, -brə, sérə-] 《연결형》「뇌,

thesaurus **ceremony** *n.* rite, service, formality, observance, function, custom, sacrament
certain *a.* **1** 확신하는 sure, positive, confident,

대뇌」의 뜻 《모음 앞에서는 cerebr-》

ce·re·broid [sərí:brɔ̀id, sérə-] *a.* 〖해부〗 대뇌와 비슷한, 뇌수(腦髓)[뇌질(腦質)] 모양의

ce·re·bro·side [sərí:brəsàid, sérə-] *n.* 〖생화학〗 세레브로시드 《신경 조직 내 각종 지질(脂質)》

ce·re·bro·spi·nal [sərì:brouspáinl, sèrə-] *a.* 〖해부〗 뇌척수(腦脊髓)의; 중추 신경계의

cerebrospínal flùid 〖생리〗 수액, 뇌척수액 《略 CSF》

cerebrospínal meningítis[féver] 〖병리〗 뇌척수막염

cerebrospínal nérvous sỳstem = CENTRAL NERVOUS SYSTEM

ce·re·bro·vas·cu·lar [sərì:brouvǽskjulər, sèrə-] *a.* 〖해부〗 뇌혈관의[에 관한]

cerebrovásculer áccident 〖병리〗 뇌혈관 장애[발작] 《略 CVA》

ce·re·brum [sərí:brəm, sérə-] [L] *n.* (*pl.* **~s, -bra** [-brə]) 〖해부〗 대뇌; 《익살》 뇌

cere·cloth [síərklɔ̀:θ, -klɑ̀θ | -klɔ̀θ] *n.* (*pl.* **~s** [-klɔ̀:ðz, -klɔ̀:θs | -klɔ̀θs]) Ⓤ Ⓒ 납포(蠟布) 《원래 시체를 쌌음》

cere·ment [síərmənt, sérə- | síə-] *n.* [보통 *pl.*] 수의(壽衣), 납포(cerecloth)

***cer·e·mo·ni·al** [sèrəmóuniəl] *a.* **1** 의식의, 의식적인; 정식의(formal): a ~ visit 공식 방문 **2** 의식에서 사용되는, 의식용의: ~ robes 예복
— *n.* 의식, 전례; Ⓤ 의식 절차; 〖가톨릭〗 전례서(典禮書) **~·ism** *n.* Ⓤ 의식[형식] 존중주의 **~·ist** *n.* **~·ly** *ad.* 의식적으로, 형식적으로

cer·e·mo·ni·ous [sèrəmóuniəs] *a.* **1** 형식적인, 엄숙한 **2** 예의 바른: ~ politeness 유난스럽게 공손함 **3** 의식의, 의식적인, 딱딱한 **~·ly** *ad.* **~·ness** *n.*

‡**cer·e·mo·ny** [sérəmòuni | -məni] [L 「로마 근교의 Caere 마을의 의식」의 뜻에서] *n.* (*pl.* **-nies**) **1** Ⓒ (종교적·국가적·사회적인 공식의 엄숙한) **의식**, 식전(式典), 식: a marriage[wedding, nuptial] ~ 결혼식 / a funeral ~ 장례식 / a religious ~ 종교 의식 / hold [have, perform] a ~ 식을 거행하다

> 유의어 **ceremony** 형식을 중시한 엄숙한 의식: a graduation *ceremony* 졸업식 **rite** 주로 종교적인 의식: the *rite* of baptism 세례식

2 Ⓤ (사교상의) 의례, 예의, 형식(formality) **3** 형식을 존중하는 방식, 허식 **4** 겸손한 태도, 예의 바른 행동 **5** 형식에 구애받음; 격식을 차림 ***stand on[upon]*** **~** 《구어》 격식을 차리다 ***with*** **~** 형식을 차려, 예의 바르게 ***without*** **~** 소탈하게, 허물없이
▷ ceremónial, ceremónious *a.*

Ce·ren·kov [tʃəréŋkɔ:f, -kɑf | -kɔf] *n.* 체렌코프 **Pavel A. ~** (1904-90) 《구소련의 물리학자; 노벨 물리학상 수상(1958)》

Cerénkov effèct [the ~] 〖물리〗 체렌코프 효과 《Cerenkov radiation을 발생시키는 일》

Cerénkov radiàtion 〖물리〗 체렌코프 방사(放射)

ce·re·ol·o·gy [sìəriɑ́lədʒi | -ɔ́l-] *n.* Ⓤ 크롭 서클(crop circle)의 연구[조사] **-gist** *n.*

Ce·res [síəri:z] *n.* **1** 〖로마신화〗 케레스 《풍작의 여신; 그리스 신화의 Demeter에 해당》 **2** 〖천문〗 케레스 《1801년 최초로 발견된 소행성》

cer·e·sin [sérəsin] *n.* 〖화학〗 세레신 《무정형의 밀랍 모양의 물질》

cer·e·sine [sérəsi:n, -sin] *n.* = CERESIN

ce·re·us [síəriəs] *n.* 〖식물〗 손가락선인장

ce·ri·a [síəriə] *n.* 〖화학〗 산화 세륨(cerium oxide)

ce·ric [síərik, sér-] *a.* 〖화학〗 (특히 4가의) 세륨을 함유한

ce·rise [sərí:s, -rí:z] [F 「버찌(cherry)」의 뜻에서] *n.* Ⓤ 버찌빛, 선홍색; 일종의 염기성 물감
— *a.* 선홍색의

ce·rite [síərait] *n.* 〖광물〗 세라이트 《세륨을 함유한 규산염 광물》

ce·ri·um [síəriəm] *n.* Ⓤ 〖화학〗 세륨 《희토류 원소; 기호 Ce, 번호 58》: ~ metals 세륨 금속

cer·met [sə́:rmet] *n.* Ⓤ 도성(陶性) 합금

CERN [sə́:rn] *Conseil européen pour la recherche nucléaire* 《F = European Council for Nuclear Research》 유럽 원자핵 공동 연구소

cer·nu·ous [sə́:rnjuəs | -nju-] *a.* 〖식물〗 〈꽃 따위가〉 아래로 드리우는, 수하(垂下)(성)의

ce·ro [síərou] *n.* (*pl.* [집합적] **~, ~s**) 고등엇과(科) 삼치속(屬)의 생선; 삼치

ce·roc [sərɑ́k | -rɔ́k] *n.* Ⓤ 서록 춤 《프랑스 기원의 salsa and jive 비슷한 활발한 춤》

ce·ro·plas·tic [sìərəplǽstik, sèrə-] *a.* 밀랍 모형의

ce·ro·plas·tics [sìərəplǽstiks, sèrə-] *n. pl.* [단수 취급] 납소술(蠟塑術); [때로 단수 취급] 납세공

ce·rous [síərəs] *a.* 〖화학〗 3가의 세륨의[을 포함한]

cert [sə́:rt] [*cert*ainty] *n.* 《영·구어》 확실한 일[결과]; 꼭 일어나는 일; 〖경마〗 필승마: a dead[an absolute] ~ 절대로 확실한 일 ***for a ~*** = for a CERTAINTY

cert. certain(ty); certificate; certified

‡**cer·tain** [sə́:rtn] *a., pron.*

> L 「확정된」의 뜻에서
> ┌「확실한」 **3**→(사람이) 「확신하는」 **1**
> └(어떤 일정한) ┌「어떤…」 **4**
> └(어느 한도의)→「어느 정도의」 **5**

— *a.* **1** Ⓟ **확실하다고 생각하는**, 확신하는(⇨ sure 유의어): feel ~ 확실하다고 생각하다 // 《~+전+*-ing*》 I am[feel] ~ *of* his succeed*ing*. 그의 성공은 확실하다고 생각한다. // 《~+***that*** 절》 She was ~ *that* the young man had gone mad. 그녀는 그 젊은이가 미친 것이 틀림없다고 생각했다. // 《~+***wh.*** 절·구》 He was not ~ *whether* he should obey her. 그는 그녀의 말에 따라야 할지 말지 망설이고 있었다. / I am not ~ *what* to do. 어떻게 해야 좋을지 모르겠다. **2** Ⓐ (어느) **일정한**(definite), 확정된: at a ~ place 일정한 장소에 **3** 〈일이〉 **확실한**; 필연적인; 〈지식·기술 등이〉 정확한; Ⓟ 반드시[꼭] …하는: His touch on the piano is very ~. 그의 피아노의 터치는 정확하다. // 《~+***to*** do》 They are ~ *to* need help. = It is ~ *that* they will need help. 그들에게는 원조가 꼭 필요하다. **4** Ⓐ (상세히 말하지 않고) **어떤**: a ~ person 어떤 사람 / a ~ Mr. Smith 스미스라고 하는 사람 《a Mr. Smith가 일반적》 / a lady of a ~ age 나이가 지긋한 여성 / a woman of a ~ description 수상쩍은 직업의 여자 《매춘부》 **5** Ⓐ 약간의, **어느 정도의**: to a ~ extent 어느 정도(까지) **6** 신뢰할 수 있는, 의지가 되는 ***be ~ of*** victory (승리)를 확신하다(⇨ *a.* 1) ***for ~*** [보통 know, say 뒤에 놓아] 확실히: I don't *know for* ~. 확실히는 모른다. ***in a ~ condition*** 임신하여 ***make ~*** (…을) 확인하다, 확보하다 《*of, that* ...》
— *pron.* [of+복수(대)명사와 함께; 복수 취급] (…중의) 몇 개[사람] 《some이 구어적》: *C~ of* them were honest enough to tell the truth. 그들 중의 몇 사람은 정직하게 진실을 말했다.
▷ cértainly *ad.*; cértainty, cértitude *n.*; ascertáin *v.*

‡**cer·tain·ly** [sə́:rtnli] *ad.* **1 확실히**; 틀림없이: She will ~ come. 그녀는 틀림없이 올 것이다. **2** [대답으로] **알았습니다**, 물론이죠, 그럼은요; 그렇고말고요 **3** [가벼운 강조로] 정말로, 확실히 USAGE 의문문·명령문에는 쓰지 않음. ***C~ not!*** 물론 그렇지 않습니다,

---

convinced, assured **2 확실한** unquestionable, definite, obvious, evident, plain, clear **3 어떤** particular, specific, individual, special, especial

안 됩니다, 절대 싫습니다!
cer·tain·ty** [sə́:rtnti] *n.* (*pl.* **-ties**) **1** Ⓤ (객관적) 확실성 **2** 확실한 것[일]; 필연적인 사물(⇨ probability 유의어) **3** Ⓤ 확신(conviction) (*of, that* ...) ***bet on a ~ (애초부터) 확실한 것을 알고 걸다 ***for*** [***to***] ***a*** ~ 확실히 ***with*** ~ 확신을 가지고; 확실히, 꼭 ▷ cértain *a.*
Cert. Ed. Certificate in Education (영) 수료 증서
cer·tes [sə́:rti:z, sə́:rts | -tiz] *ad.* (고어) = CERTAINLY
certif. certificate(d)
cer·ti·fi·a·ble [sə́:rtəfàiəbl, ⌐-⌐-] *a.* **1** 보증[증명]할 수 있는 **2** 정신 병원에 수용할 만한, (법적으로) 정신 이상으로 인정할 수 있는 **~·ness** *n.* **-bly** *ad.*
‡cer·tif·i·cate [sərtífikət] [OF 「확실히 하다」의 뜻에서] *n.* **1** 증명서, 증명; (학위 없는 과정의) 수료[이수] 증명서, 면허증: a ~ of birth[death] 출생[사망] 증명서 / a health ~ 건강 증명서 / a marriage ~ 혼인 증명서 / a medical ~ 진단서 / a teacher's ~ 교사 자격증 / a ~ of competency 적임 증서; (선원의) 해기(海技) 면허증 / a ~ of efficiency[good conduct] 적임[선행]증 / a ~ of merit 〔미군〕 유공증(有功證) **2** 증권, 주권: a gold[silver] ~ (미) 금[은]증권 (미국 정부가 발행한 지금(地金)의 금[은]의 보관증) **3** 〔법〕 인증(認證), 공증(公證) **4** (영) 정신 이상 증명서
— [-kèit] *vt.* **1** …에게 증명서를 주다; 증명서를 주어 허가하다(⇨ certificated) **2** …임을 증명서로 증명하다: (~+***that*** 절) I do hereby ~ *that* .... 이에 …임을 증명합니다. **-ca·tò·ry** *a.* 증명이 되는
cer·tif·i·cat·ed [sərtífikèitid] *a.* (영) 면허를 취득한, 유자격의: a ~ teacher 유자격 교사
certíficate of adméasurement 〔항해〕 국제 톤수(數) 증서
certíficate of depósit 〔금융〕 **1** 예금 증서 **2** 양도성 예금 증서 (은행이 정기 예금에 대해 발행하는 무기명 예금 증서; 略 CD)
certíficate of enróllment 선박 등록 증서
certíficate of incorporátion 〔법〕 법인 설립 인가증
certíficate of indébtedness 채무 증서, 차입 증명서
certíficate of órigin (수입품의) 원산지 증명서
certíficate of régistry 〔항해〕 선적 증명서
Certíficate of Sécondary Educátion [the ~] (영) 중등 교육 수료 시험 (합격증)
certíficate of stóck = STOCK CERTIFICATE
cer·ti·fi·ca·tion [sə̀:rtəfikéiʃən, sərtìfə-] *n.* Ⓤ **1** 증명, 검정(檢定), 보증 **2** Ⓒ 증명서 **3** 증명서 교부, 상장 수여 **4** (영) 정신 이상의 증명 **5** 〔법〕 인증, 증명서; 법률 문제 확인의 절차
cer·ti·fied [sə́:rtəfàid] *a.* **1** 보증[증명]된: a ~ pilot 면허증을 가진 조종사 **2** (미) 〈회계사 등이〉 공인의 **3** (영) 정신 이상자로 증명된; 정신 병원에 수용된
cértified chéck 지불 보증 수표
cértified máil (미) 배달 증명 우편((영) recorded delivery)
cértified mílk (미) 품질 보증 우유
cértified proféssional sécretary (미) 공인 비서 (전국 비서 협회(National Secretaries Association) 공인의 증명서를 소지하고 있는 비서; 略 CPS)
cértified públic accóuntant (미) 공인 회계사 (略 CPA)(cf. CHARTERED ACCOUNTANT)
cer·ti·fi·er [sə́:rtəfàiər] *n.* 증명자
cer·ti·fy** [sə́:rtəfài] [L 「확실히 하다」의 뜻에서] *v.* (**-fied**) *vt.* **1** (서명 날인한 문서로) 증명하다, 〈사실·임명(任名) 등을〉 인증(認證)하다; (미) 〈은행 등이〉 〈수표의〉 지급을 보증하다; 〈…의 질·가치 등을〉 보증하다: ~ a check 〈은행이〉 수표의 지급을 보증하다 // (~+that*** 절) I ~ *that* he is a diligent student. 그가 착실한 학생임을 보증합니다. / This is to ~ *that* …임을 이에 증명한다 // (~+목+(***as***) 보) His report was *certified* (*as*) correct. 그의 보고는 정확한 것임이 증명되었다. **2** …에게 증명서[면허장]를 교부[발행]하다 **3** 〈의사가〉 정신 이상자라고 증명하다 **4** (고어) …에게 (…을) 확신시키다, 보증하다(assure) (*of*): (~+목+전+명) That does not ~ us *of* the truth of any event in the future. 그것은 미래의 어떤 일도 진실하다는 보증이 되지 못한다.
— *vi.* (사실 등을) 보증[증명]하다 (*to*); (…의) 증인이 되다 (*for*): (~+전+명) ~ *to* a person's character …의 사람됨을 보증하다 ▷ certificátion *n.*
cer·ti·o·ra·ri [sə̀:rʃiəréərai, -ri | -tiɔ:réərai, -ʃiə-] [L] *n.* 〔법〕 [보통 a writ of ~] (상급 법원이 하급 법원에 지시하는) (사건 기록 서류) 이송(移送) 명령(서)
cer·ti·tude [sə́:rtətjù:d | -tjù:d] *n.* Ⓤ 확신; 확실(성) ★ certainty 쪽이 일반적.
ce·ru·le·an [sərú:liən] *n., a.* (문어) 하늘색(의) (azure), 짙은 청색의
cerúlean blúe 밝은 청색; 그 안료[그림물감]
ce·ru·men [sirú:mən | -men] *n.* Ⓤ 귀지(earwax)
ce·rú·mi·nous *a.*
ce·ruse [síəru:s, sirú:s] *n.* Ⓤ 연백(鉛白); 분(粉)
ce·rus·site [síərəsàit, sirʌ́sait | síərəsàit] *n.* Ⓤ 〔광물〕 백연광(白鉛鑛)
Cer·van·tes [sərvǽnti:z] *n.* 세르반테스 **Miguel de ~ (Saavedra)** (1547-1616) (스페인의 작가; 대표작 *Don Quixote*)
cer·van·tite [sərvǽntait] *n.* 〔광물〕 세르반타이트
cer·ve·lat [sə́:rvəlæ̀t, -lɑ̀:] *n.* 훈제 소시지의 일종
cervic- [sə́:rvək], **cervici-** [sə́:rvəsə], **cervico-** [sə́:rvəkou, -kə] (연결형) 「목, 경부」의 뜻 (모음 앞에서는 cervic-)
cer·vi·cal [sə́:rvikəl] *a.* 〔해부〕 경부(頸部)의, 목의; (특히) 자궁 경관(頸管)의
cérvical cáp (자궁 경부에 씌우는 플라스틱제의) 피임 기구
cérvical sméar 〔의학〕 자궁 경관 도말(頸管塗抹) (표본)
cer·vi·ci·tis [sə̀:rvəsáitis] *n.* 〔병리〕 자궁 경관염
cer·vine [sə́:rvain] *a.* 사슴의[같은]; 짙은 갈색의
cer·vix [sə́:rviks] *n.* (*pl.* **~·es, cer·vi·ces** [sərváisi:z, sə́:rvəsì:z]) 〔해부〕 **1** 목 (특히 후부) **2** 경부(頸部), (특히) 자궁 경관
Ce·sar·e·an, -i·an [sizέəriən] *n., a.* (미) = CAESAREAN
Ce·sar·e·vitch, -vich [sizέərəvìtʃ, -zɑ́:r- | -zɑ́:r-] *n.* [때로 **c~**] 러시아 황태자(cf. CZAREVITCH)
Ce·sar·e·witch [sizέərəwìtʃ, -zɑ́:r- | -zɑ́:r-] *n.* 〔경마〕 영국의 Newmarket에서 매년 가을에 열리는 경마 레이스
ce·si·um [sí:ziəm] *n.* Ⓤ 〔화학〕 세슘 (금속 원소; 기호 Cs, 번호 55)
césium clòck 세슘 시계 (원자 시계의 일종)
césium 137 [-wʌ́nhʌ́ndridθə̀:rtisévən] 〔화학〕 세슘 137 (세슘의 인공 방사성 원소; 기호 ^{137}Cs)
césium 133 [-wʌ́nhʌ́ndridθə̀:rtiθrí:] 〔화학〕 세슘 133 (세슘의 동위 원소; 기호 ^{133}Cs)
ces·pi·tose [séspitòus] *a.* 〔식물〕 〈이끼·잔디 등이〉 융단처럼 밀생하는
cess[1] [sés] *n.* (영) 조세; 과세; 유치권, 선취 특권
— *vt.* (영) 과세하다
cess[2] *n.* Ⓤ (아일·구어) 운(luck) ★ 다음 성구로. ***Bad ~ to ...!*** 제기랄!, 뒈져 버려라!
ces·sa·tion [seséiʃən] *n.* ⓊⒸ 중지, 중단; 휴지, 정지: a ~ of hostilities[arms] 휴전
ces·ser [sésər] *n.* 〔법〕 (임대차 기간·연금 등의) 종기(終期)의 도래, 종료, (권리의) 소멸
ces·sion [séʃən] *n.* **1** ⓊⒸ (영토의) 할양(割讓), (권리의) 양도, (재산 등의) 양여(讓與) **2** 할양된 영토

thesaurus **certificate** *n.* document, authorization, credentials, testimonial, warrant, license

ces·sion·ar·y [séʃənèri | -nəri] *n.* (*pl.* **-ar·ies**) 〖법〗 양수인(assignee)
Cess·na [sésnə] *n.* 세스너 《미국제 경비행기; 상표명》
Céssna repèllent 《미·속어》 〖항공〗 (여객기의) 착륙(신호)등
cess·pipe [séspàip] *n.* (구정물의) 배수관
cess·pit [séspìt] *n.* 오물[오수] 구덩이; 정화조
césspit clèaner trúck (진공 흡입식) 정화조 청소차
cess·pool [séspù:l] *n.* **1** (지하의) 오수 구덩이[저수지] **2** 불결한[타락한] 장소 《*of*》: a ~ *of* iniquity 죄악의 소굴
ces·ta [séstə] *n.* (*pl.* **~s**) (jai alai 경기에서 쓰는) 버들개지로 짠 라켓 《장갑처럼 낌》
c'est la guerre [se-lɑ-gér] [F = such is war] 전쟁이란 그런 것이다
c'est la vie [se-lɑ-ví:] [F = that is life] 그것이 인생이다
Ces·to·da [sestóudə | -tə́u-] *n.* 촌충류(類)
ces·tode [séstoud] 〖동물〗 *a.* 촌충류의
— *n.* 촌충류의 동물(tapeworm)
ces·toid [séstɔid] *n.*, *a.* 촌충 (같은)
ces·tus[1] [séstəs] *n.* (*pl.* **~·es**) 〖고대로마〗 (가죽 끈으로 만든) 권투 장갑
cestus[2] | **-tos** *n.* (*pl.* **-ti** [-tai]) **1** (여성, 특히 신부의) 띠(belt, girdle) **2** 〖그리스·로마신화〗 Aphrodite [Venus]의 띠 《애정을 불러일으키는 장식이 있었다고 함》
ce·su·ra [siʒúərə | -zjúə-] *n.* (*pl.* **~s, -rae** [-ri:]) = CAESURA **-ral** *a.*
CET Central European Time; Common External Tariff
CETA [sí:tə] [*C*omprehensive *E*mployment and *T*raining *A*ct] *n.* 《미》 직업 훈련 종합 계획
Ce·ta·cea [sitéiʃiə] *n. pl.* 〖동물〗 고래류 《whale, dolphin, porpoise 등》
ce·ta·cean [sitéiʃən] *a.*, *n.* 〖동물〗 고래류(Cetacea)의 (동물)
ce·ta·ceous [sitéiʃəs] *a.* = CETACEAN
ce·tane [sí:tein] *n.* Ⓤ 〖화학〗 세탄 《석유에 함유되어 있는 기름 모양의 탄화수소》
cétane nùmber[ràting] 〖화학〗 세탄가(價) 《중유 기관용 연료의 발화 성능을 나타낸 지수》
cete [sí:t] *n.* (오소리의) 무리, 집단
cet·er·ach [sétəræ̀k] *n.* 〖식물〗 = SCALE FERN
ce·te·ris pa·ri·bus [sétəris-pǽrəbəs] [L = other things being equal] *ad.* 다른 사정이 변함 없다면 《略 cet. par.》
CETI communication with extraterrestrial intelligence 외계의 지적 생물과의 교신
ce·tol·o·gy [si:tɑ́lədʒi | -tɔ́l-] *n.* 고래를 연구하는 학문 **-gist** *n.*
cet. par. *ceteris paribus*
ce·tri·mide [sí:trəmàid, sét-] *n.* 세트리미드 《소독제·세척제》
CETS Church of England Temperance Society
Ce·tus [sí:təs, séi- | sí:-] *n.* 〖천문〗 고래자리(the Whale)
cé·tyl álcohol [sí:tl-] 세틸 알코올 《피부 관련 약품·화장품에 쓰임》
ce·týl·ic ácid [sitílik-] = PALMITIC ACID
ce·vi·tám·ic ácid [sì:vaitǽmik-] 〖생화학〗 = ASCORBIC ACID
Cey·lon [silɑ́n, sei- | silɔ́n] *n.* **1** 실론 섬 《인도양에 있는 Sri Lanka 공화국을 이루는 섬》 **2** 실론 《Sri Lanka의 옛 이름》
Cey·lon·ese [sì:ləní:z, -ní:s, sèi- | sèlə-] *a.* 실론(섬, 사람)의 — *n.* (*pl.* ~) 실론(섬) 사람
Cé·zanne [sizǽn, sei-] *n.* 세잔 **Paul** ~ (1839-1906) 《프랑스의 후기 인상파 화가》
cf center field(er) **Cf** 〖화학〗 californium
cf. [kəmpέər, kənfə́:r, sí:éf] [L *con*f*er*(= compare)의 약어] 비교하라, …을 참조하라
CF Chaplain to the Forces; cost and freight; cystic fibrosis 〖병리〗 낭포성 섬유종 **c/f** carried forward 〖부기〗 (다음으로) 이월 **CFA** certified [chartered] financial analyst **CFC** chlorofluorocarbon 염화불화탄소, 프레온 가스(Freon gas)
CFC-free [sí:èfsì:frì:] *a.* 프레온 가스(CFC)를 쓰지 않은: a ~ refrigerator CFC를 쓰지 않은 냉장고
CFI, cfi cost, freight and insurance 《★ 보통 CIF》 **CFL** Canadian Football League 캐나다 축구 리그 **cfm** cubic feet per minute **CFO** chief financial officer (기업의) 자금 관리 이사 **cfs** cubic feet per second **CFS** chronic fatigue syndrome **CFTC** Commodity Futures Trading Commission 《미》 상품 선물 거래 위원회 **CFV** 〖컴퓨터〗 call for vote
CFW móuse [*c*ancer-*f*ree *w*hite *mouse*] 〖의학〗 암이 없는 흰 쥐 《의학 실험용 동물》
cg centigram(s) **CG** Commanding General; Computer Graphics **CG, c.g.** center of gravity **CGH** Cape of Good Hope 희망봉 **CGI** Common Gateway Interface; computer-generated imagery[images]; computer graphics interface **CGM** 《영》 Conspicuous Gallantry Medal **CGS, cgs** centimeter-gram-second 〖물리〗 시지에스 단위 **CGT** capital gains tax; *Confédération générale du travail* 프랑스 노동 총동맹 **ch, Ch** chain; champion; chaplain; chapter; 〖체스〗 check; chief; child; children; church **CH** clearinghouse; 《영》 Companion of Honour
cha [tʃɑ́:] *n.* 《영·속어》 차(tea)
chaat [tʃɑ́:t] *n.* Ⓤ (향신료를 넣은) 인도식 과일[야채] 샐러드
Cha·blis [ʃæblí:, ʃǽbli | ʃǽbli] *n.* Ⓤ 샤블리 백포도주 《프랑스 Chablis 원산》; 샤블리 포도주 비슷한 백포도주
cha·cha [tʃɑ́:tʃɑ:] *n.* [Ind.] (외)삼촌; 당숙
cha-cha(-cha) [tʃɑ́:tʃɑ̀:(tʃɑ́:)] *n.* 차차차 무도(곡) 《중·남미에서 시작된 빠른 리듬의 춤곡》
— *vi.* 차차차를 추다
cha-ching [tʃətʃíŋ] *int.* 《미·구어》 앗싸! 《뜻밖의 횡재를 만났을 때; cf. KACHING》
chac·ma [tʃǽkmə] *n.* 〖동물〗 차크마개코원숭이 《남아프리카산》
cha·conne [ʃækɔ́:n | ʃəkɔ́n] [F] *n.* (*pl.* **~s**) **1** 샤콘 《스페인에서 시작된 춤》 **2** 〖음악〗 샤콘 《기본 저음이 일정하게 반복되는 3박자의 변주곡》
cha·cun à son goût [ʃɑkən-ɑ-sɔ:ŋ-gú:] [F = each to one's own taste] 각각 기호가 있음; 십인십색(十人十色)
chad [tʃǽd] *n.* Ⓤ 〖컴퓨터〗 차드, 천공 부스러기 《종이 테이프나 천공 카드에 구멍을 낼 때 생기는 종이 부스러기》 **~·less** *a.* 차드 없는, 반천공(半穿孔)의
Chad [tʃǽd] *n.* **1 Lake** ~ 차드 호 《아프리카 중북부》 **2** 차드 《아프리카 중북부의 공화국; 공식명 the Republic of ~; 수도 N'Djamena》 **3** 남자 이름
~·i·an [-iən] *a.*, *n.*
Chad·ic [tʃǽdik] *n.* 차드 어파(語派) 《햄·셈 어족의 한 어파》 — *a.* 차드 어파의
cha·dor [tʃʌ́dər] *n.* 차도르 《인도·이란 여성이 베일이나 숄로 사용하는 검은 사각형 천》
chae·bol [tʃǽbəl] *n.* (한국의) 재벌
chae·ta [kí:tə] *n.* (*pl.* **-tae** [-ti:]) 〖동물〗 강모(剛毛), 센털
chae·tog·nath [kí:tɑgnæ̀θ, -təg- | -tɔg-] *n.* 모악(毛顎) 동물, 화살벌레 — *a.* 모악 동물의
chae·toph·o·rous [ki:tɑ́fərəs | -tɔ́f-] *a.* 〖동물〗 강모(剛毛)가 있는

---

certify *v.* testify to, attest, verify, confirm, endorse, validate, guarantee, ratify, warrant

chae·to·pod [kíːtəpɑ̀d | -pɔ̀d] *n.* 〖동물〗 모족류(毛足類)의 동물 《갯지네 따위》

*__chafe__ [tʃéif] [L 「뜨겁게 하다」의 뜻에서] *vt.* **1** 〈손 등을〉 비벼서 따뜻하게 하다: ~ one's cold hands 찬 손을 비벼서 따뜻하게 하다 **2** 〈칼라 등이〉 〈목 등을〉 쓸려서 벗겨지게 하다: This stiff collar ~*s* my neck. 이 빳빳한 옷깃에 목이 쓸려 아프다. **3** 약올리다, 화나게 하다 **4** 〈구두 등을〉 닳아 없애다[해지게 하다]
— *vi.* **1** 〈동물이〉 (울 등에) 몸을 비벼대다 《*against, on*》: (~+전+명) The horse ~*d against* his stall. 말이 마구간에 몸을 비벼 댔다. **2** 〈강물이〉 (바위 능에) 부딪히나 《*against*》 **3** 쓸려 벗겨지다, 까지다, 닳아 떨어지다: My skin ~*s* easily. 내 피부는 잘 벗겨진다. // (~+전+명) The rope ~*d against* the branch. 밧줄이 나뭇가지에 쓸려 끊어졌다. **4** 약오르다, 성내다, 안달나다 《*under, at, over*》: (~+전+명) ~ *at* an insult 모욕을 당하고 성내다 / He ~*d under* her teasing. 그녀가 놀리자 그는 약이 올랐다. **5** (…을) 애타게 기다리다 《*for*》
— *n.* **1** 찰상(擦傷)(의 아픔) **2** 약 오름, 안달, 초조: in a ~ 약이 올라, 안달나서

chaf·er [tʃéifər] *n.* 〖곤충〗 딱정벌레, 풍뎅이 《cockchafer 등》

*__chaff__[1] [tʃǽf, tʃɑ́ːf | tʃɑ́ːf] *n.* Ⓤ **1** 왕겨(husks of grain) **2** 여물 《마소의 사료》 **3** 〖식물〗 포(苞), 꽃턱잎 **4** 하찮은 것, 쓰레기(rubbish) **5** 〖군사〗 항공기·우주선이 공중에서 살포[방출]하는 금속 조각 《레이더 교란 또는 지상 추적국의 편의를 위한 것》 ***be caught with ~*** 쉽게 속아 넘어가다 ***offer ~ for grain*** 하찮은 것으로 …을 꾀려 하다 ***separate the wheat from the ~*** ⇨ wheat.
— *vt.* 〈짚 등을〉 썰다 **~·less** *a.* **~·lìke** *a.*

chaff[2] *n.* Ⓤ (악의 없는) 놀림, 야유(banter)
— *vt.* 놀리다, 희롱하다 — *vi.* 농담하다, 놀리다 《*about*》 **~·ing·ly** *ad.*

chaff·cut·ter [tʃǽfkʌ̀tər | tʃɑ́ːf-] *n.* 여물이나 짚을 써는 작두

chaf·fer[1] [tʃǽfər] *n.* Ⓤ 에누리, 흥정
— *vt.* **1** 값을 깎다, 에누리하다(haggle) 《*down*》 **2** 〈말을〉 주고받다, 교환하다 — *vi.* **1** 값을 깎다, 흥정하다 《*with, about, over*》 **2** 말을 주고받다, 잡담하다 ***~ away*** 헐값으로 팔아버리다 **~·er** *n.*

chaff·er[2] [tʃǽfər, tʃɑ́ːf- | tʃɑ́ːf-] *n.* 놀리는 사람

chaf·finch [tʃǽfintʃ] *n.* 〖조류〗 푸른머리되새 《유럽산》

chaff·y [tʃǽfi, tʃɑ́ːfi | tʃɑ́ːfi] *a.* (**chaff·i·er**; **-i·est**) **1** 왕겨투성이의, 왕겨 같은 **2** 하찮은, 시시한 **cháff·i·ness** *n.*

chafing dish

cháf·ing dìsh [tʃéifiŋ-] 풍로가 달린 식탁 냄비; 음식 보온용 기구

cháfing gèar 〖항해〗 마찰막이 《배의 밧줄 등의 마찰을 막기 위해 대는 헌 돛 조각·가죽 조각 등》

Cha·gall [ʃəgɑ́ːl] *n.* 샤갈 **Marc ~** (1887-1985) 《러시아 태생의 프랑스 화가》

Chá·gas' disèase [ʃɑ́ːgəs-] [브라질의 의사 이름에서] 〖병리〗 샤가스병(病) 《남아메리카의 수면병의 일종》

cha·grin [ʃəgrín | ʃǽgrin] [F 「슬픔」의 뜻에서] *n.* Ⓤ 억울함, 원통함, 분함 ***to*** one***'s ~*** 분[원통]하게도
— *vt.* [보통 수동형으로] 억울하게 하다, 분하게 하다 ***be***[***feel***] ***~ed at***[***by***] …을 분하게 여기다

chai [tʃái] *n.* Ⓤ 《인도·구어》 차(tea)

‡**chain** [tʃéin] *n.* **1** 쇠사슬: keep a dog on a ~ 개를 사슬에 묶어 놓다 **2** 일련(一連), 연쇄; (방송의) 네트워크: a ~ of mountains 산맥 **3** 목걸이, (관직의 표시로서 목에 거는) 고리줄; (자전거의) 체인; 도어 체인(door chain) **4** (연쇄 경영의 은행·극장·호텔 등의) 체인(점), 연쇄점 **5** [*pl.*] (사슬이 달린) 차꼬, 족쇄; 굴레; 속박; 구금(captivity): be in ~*s* 옥에 갇혀 있다; 노예가 되어 있다 **6** 〖측량〗 측쇄(測鎖) 《거리 측정기》; 1체인 《영·미에서는 66 ft.》 **7** 〖전기〗 회로 **8** 〖화학〗 (원자의) 연쇄 **9** 〖생물〗 (세균의) 연쇄; 연쇄상균 **10** 〖항해〗 닻사슬 **11** 〖컴퓨터〗 체인 《연속적인 계산 명령 또는 기억 영역》 **12** (브레이크 댄스에서) 손을 잡고 팔의 움직임을 전하는 춤 ***a link in the ~*** 토론·진행 단계 중 하나 ***pull the ~*** 《영》 변기의 물을 내리다 ***yank***[***pull***] one***'s ~*** 《미·구어》 놀리다, 조롱하다
— *vt.* **1** 〈동물 등을〉 사슬로 매다: (~+목+부) *C~ up* the dog. 개를 사슬로 매어 둬라. // (~+목+전+명) The dog was ~*ed to* the fence. 개는 쇠사슬로 울에 매여 있었다. **2** (…에) 묶다 《*down, to*》; 〈사람을〉 속박하다: (~+목+전+명) His work ~*ed* him *to* his desk. 그는 일 때문에 책상에 매여 있었다. **3** 〈문에〉 (안에서) 체인을 걸다 **4** 〖측량〗 〈토지를〉 측쇄로 재다 **5** = CHAIN-STITCH **6** 〖컴퓨터〗 〈관련 항목을〉 체인하다, 연쇄하다
— *vi.* **1** 연쇄하다, 쇠사슬 모양이 되다 **2** 사슬 모양으로 뜨다 ▷ encháin *v.*

chain·age [tʃéinidʒ] *n.* 측쇄(surveyor's chain) 또는 줄자로 측정한 길이

cháin ármor = CHAIN MAIL

cháin bèlt (자전거 등의) 톱니바퀴용 체인

cháin bràke 〖기계〗 체인 브레이크

cháin brèak 〖방송〗 체인 브레이크(station break) 《지국에서 끼워 넣는 짤막한 광고》

cháin brìdge 사슬 조교(弔橋)

cháin càble 〖항해〗 사슬 닻줄

cháin còupling 〖기계〗 사슬 연결기

chain-drink [tʃéindrìŋk] *vt.* 내리 계속 마시다 《chain-smoke를 본떠서》 **~·er** *n.*

cháin drìve (동력의) 체인 전동(傳動); 체인 전동을 이용한 장치

chaî·né [ʃenéi] [F] *n.* 〖발레〗 셰네, 회전 통과 《무대 한쪽에서 다른 쪽으로 회전하면서 이동하기》

Cháined Lády [tʃéind-] [the ~] 〖천문〗 안드로메다 자리(Andromeda)

cháin gàng 《미》 한 사슬에 매인 옥외 노동 죄수들

cháin gèar 〖기계〗 체인 톱니바퀴

cháin hàrrow 〖농업〗 사슬 써레 《트랙터가 끄는 막대 부분에 쇠사슬이 많이 달린 써레》

chain·ing [tʃéiniŋ] *n.* 〖컴퓨터〗 체이닝, 연쇄(적 처리)

chain·less [tʃéinlis] *a.* 쇠사슬[속박] 없는

chain·let [tʃéinlit] *n.* 작은 사슬

cháin lètter 연쇄 편지, 행운[불행]의 편지 《받은 사람이 다른 여러 사람에게 사본을 보냄》

cháin lìghtning 《미》 **1** 연쇄적인 지그재그 모양의 번갯불 **2** 싸구려 위스키

cháin-link fénce [tʃéinlìŋk-] 강철 철사를 다이아몬드 모양으로 짠 울타리

cháin lòcker 〖항해〗 체인 로커, 닻줄 보관고

cháin máil 사슬 갑옷

chain·man [tʃéinmən] *n.* (*pl.* **-men** [-mən, -mèn]) 《미》 〖측량〗 체인을 쥐는 사람, 측량 조수

cháin mèasure 체인 도량법 《야드·파운드 법에 의한 측량용 길이의 단위계(系)》(cf. CHAIN *n.* 6)

cháin mòlding 〖건축〗 사슬 모양의 쇠시리

cháin of béing 존재의 사슬 《모든 실재가 완전성의 순서에 따라 이어지는 계층》

cháin of commánd 지휘[명령] 계통

cháin pìpe 〖항해〗 체인 파이프 《갑판에서 체인 로커로 통하는 긴 파이프》

cháin plàte 〖항해〗 체인 플레이트 《돛대의 버팀줄을 뱃전에 고정시키는 데 쓰는 금속판》

cháin prìnter 〖컴퓨터〗 체인 프린터 《고속 인자기(印字機)의 일종》

cháin pùmp 〖기계〗 사슬 펌프 《사슬에 버킷을 달아 퍼올리는 장치》

chain-re·act [-riǽkt] *vi.* 〖물리·화학〗 연쇄 반응을 일으키다

cháin-re·act·ing pìle [-riǽktiŋ-] 〖물리〗 연쇄 반응로, 원자로

cháin reàction 1 〖물리·화학〗 연쇄 반응 2 (사건 등의) 연쇄 반응
cháin reàctor 〖물리〗 연쇄 반응 장치, 원자로
cháin rùle 〖수학〗 연쇄 법칙
cháin sàw 휴대용 동력(動力) 사슬톱
cháin shòt 사슬탄 《해전에서 돛대 등을 파괴하기 위해 쓴 쇠사슬로 이은 두 개의 대포알》
chain-smoke [-smòuk] *vi., vt.* (담배를) 잇달아 피우다 **-smòk·er** *n.* 줄담배 피우는 사람, 골초
cháin stìtch 사슬뜨기, 체인 스티치
chain-stitch [-stìtʃ] *vt.* 사슬뜨기[체인 스티치]로 하다
***cháin stòre** (미) **체인 스토어, 연쇄점**((영) multiple shop[store])
cháin wàle 〖항해〗 = CHANNEL²
chain·wheel [-*h*wìːl] *n.* 〖기계〗 (자전거 등의) 체인을 거는 톱니바퀴(sprocket)
chain·work [-wə̀ːrk] *n.* Ⓤ 사슬 세공; 사슬 무늬
‡**chair** [tʃέər] [Gk 「좌석」의 뜻에서] *n.* **1** (1인용) **의자**: an easy ~ 안락의자 / a folding ~ 접의자 / sit in[on] a ~ 의자에 앉다 / take a ~ 착석하다 **2** [보통 the ~] 강좌; 대학 교수의 직(professorship); 학과장, 주임 **3** [the ~] **의장**, 사회자 《★ 성차별 없는 중립어》; **의장석**[직]; 회장석[직]; (영) 시장의 직: *C*~! *C*~! 의장! 의장! 《회의장 정리의 요구》/ address *the* ~ 의장을 부르다 / appeal to *the* ~ 의장의 재결을 요구하다 **4** (책상에서 하는 사무나 집필 등의) 직업; (오케스트라 연주자의) 부서, 연주석 **5** 〖역사〗 의자 가마(=**sedán** ~) **6** [보통 the ~] (미·속어) 전기 (사형) 의자(=electric ~); 전기 의자에 의한 사형: send a person to the ~ …을 사형에 처하다 **7** (영) 〖철도〗 체어 《레일을 침목에 고정시키는 좌철(座鐵)》
appeal from the ~ 〈의원이〉 의장 재정(裁定)에 찬반의 투표를 요구하다 ***fall off*** one***'s*** ~ (구어) 깜짝 놀라다 ***in the*** ~ (1) 의장석에 대해서, 의장[회장]을 맡아서 (2) (속어) 환대의 주인이 되어서 ***leave the*** ~ 의장석을 떠나다; 폐회하다 ***on the edge of*** a person***'s*** ~ (영화·이야기 따위에) 매료되어 ***pass the*** ~ [보통 완료형으로] 임기를 끝내다 ***take the*** ~ 의사(議事)를 시작하다, 개회하다; 취임하다
— *vt.* **1** 의자에 앉히다 **2** 권위 있는 지위에 앉히다 **3** 의장직을 맡다 **4** (영) 〈우승자·당선자 등을〉 의자에 앉혀 메고[목말을 태우고] 다니다
— *vi.* 사회[의장]를 맡다 **~·less** *a.*
chair·bed [tʃέərbèd] *n.* 긴 의자 겸용 침대
chair·borne [-bɔ̀ːrn] *a.* (구어) 지상 근무의, 비전투[후방] 근무의; 탁상[연구실]의
chair·bound [-bàund] *a.* 휠체어 신세를 지고 있는, 걷지 못하는
cháir càr (미) 〖철도〗 **1** = PARLOR CAR **2** 뒤로 젖힐 수 있는 의자를 양쪽에 설비한 객차
chair·la·dy [-lèidi] *n.* (*pl.* **-dies**) = CHAIRWOMAN
chair·lift [-lìft] *n.* (스키·관광용의) 체어리프트(cf. SKI LIFT)
‡**chair·man** [tʃέərmən] *n.* (*pl.* **-men** [-mən, -mèn]) **1 a 의장** 《★ 호칭으로는 남자는 Mr. *C*~, 여자는 Madam *C*~; (미)에서는 chairperson을 쓰는 경향이 있음》 **b** 사회자; 회장; 위원장; 사장, 은행장 (cf. CHAIRWOMAN): the *C*~ of the Board (of Directors) (회사 등의) 회장 / the *C*~ of the Joint Chiefs of Staff (미) 합동 참모 본부 의장 **2** 환자용 의자를 미는 사람; (sedan chair의) 가마꾼 **3** (미) (학과의) 주임 교수, 학과장 **4** 책임자, 감독관(supervisor)
— *vt.* (**~ed, ~·ned**; **~·ing, ~·ning**) 〈회의 등을〉 사회하다; 〈위원회 등의〉 의장[위원장]직을 맡다; 〈회사 등의〉 회장[사장]직을 맡다
chair·man·ship [tʃέərmənʃìp] *n.* Ⓤ **1** chairman의 재능[소질] **2** chairman의 직[지위, 기간]
chair·one [tʃέərwʌ̀n] *n.* (미) = CHAIRPERSON
chair-o-plane [tʃέərouplèin] *n.* 공중 회전 그네 《유원지의 어린이용 오락 설비》
chair·per·son [tʃέərpə̀ːrsn] *n.* 의장, 사회자(cf. CHAIRMAN); (대학의) 학과장[주임] **~·shìp** *n.*
cháir ràil 〖건축〗 의자 등받이로 인한 벽 손상을 막기 위해 벽에 댄 판자
chair·warm·er [-wɔ̀ːrmər] *n.* (미·구어) **1** (호텔 로비 등에서) 의자를 오래 차지하는 사람 **2** 게으른 종업원; 게으름뱅이
chair·wom·an [-wùmən] *n.* (*pl.* **-wom·en** [-wìmin]) 여자 의장[회장, 위원장, 사회자]
chaise [ʃéiz] *n.* **1** 2륜 경마차; 4륜 유람 마차 **2** (철도 이전의) 역마차(post chaise) **3** = CHAISE LONGUE **4** 셰이즈 금화 《14세기에 발행된 프랑스의 금화》

chaise 1

chaise longue [ʃéiz-lɔ́ːŋ | -lɔ́ŋ] [F] *n.* (뒤로 젖혀지는) 긴 의자
chak·ra [tʃʌ́krə, tʃɑ́ːk-] *n.* 차크라 《요가 철학에서, 인체의 에너지가 모이는 7군데의 혈(穴)》
cha·la·za [kəléizə] *n.* (*pl.* **~s, -zae** [-ziː]) **1** 〖생물〗 (알의) 난대(卵帶), 알끈 **2** 〖식물〗 합점(合點) **-zal** *a.*
Chal·ce·don [kǽlsədɑ̀n | kǽlsidən] *n.* 칼케돈 《소아시아 북서부에 있던 고대 도시》 ***the Council of*** ~ 〖가톨릭〗 칼케돈 공의회 《451년》
Chal·ce·do·ni·an [kæ̀lsədóuniən] *a., n.*
chal·ced·o·ny [kælsédni, kǽlsədòuni | kælsédəni] *n.* (*pl.* **-nies**) 〖광물〗 옥수(玉髓)
chàl·ce·dón·ic *a.*
chal·cid [kǽlsid] *n.* 〖곤충〗 수중다리좀벌(=~ **flỳ** [**wàsp**])
chalco- [kǽlkou, -kə] *n.* 《연결형》 「구리, 동(銅)」의 뜻
chal·co·cite [kǽlkəsàit] *n.* Ⓤ 〖광물〗 휘동석(輝銅石)
chal·co·gen [kǽlkədʒən, -dʒèn] *n.* 〖화학〗 칼코겐, 산소족 원소
chal·co·gen·ide [kǽlkədʒənàid, kælkɑ́- | kǽlkə-] *n.* 〖화학〗 칼코겐의 이원(二元) 화합물
chal·cog·ra·phy [kælkɑ́grəfi | -kɔ́g-] *n.* Ⓤ 동판 조각(술) **chal·co·graph·ic, -i·cal** [kæ̀lkəgrǽfik(əl)] *a.* 동판술의 **-phist** *n.*
Chal·co·lith·ic [kæ̀lkəlíθik] *a.* 금석(金石) 병용 시대의 《석기 시대에서 청동기 시대로의 과도기》
chal·co·py·rite [kæ̀lkəpáirait | -páiərait] *n.* Ⓤ 〖광물〗 황동광(黃銅鑛)
Chal·da·ic [kældéiik] *a., n.* = CHALDEAN
Chal·de·a, -dae·a [kældíːə] *n.* 칼데아 《바빌로니아 남부 지방의 고대 왕국》
Chal·de·an [kældíːən] *a.* **1** 칼데아(사람)의 **2** 점성술의, 신비학의 — *n.* **1** 칼데아 사람; Ⓤ 칼데아 말 **2** 점성가(占星家), 예언가, 마법사
Chal·dee [kǽldiː | ─́] *a., n.* = CHALDEAN
chal·dron [tʃɔ́ːldrən] *n.* (영) 촐드론 《석탄 등의 양의 단위; 지금은 별로 사용되지 않음》
cha·let [ʃæléi, ─́─ | ─́─] [F] *n.* **1** 샬레 《스위스 산중의 양치기의 오두막집》; 스위스의 농가(풍의 집); 샬레식의 산장, 별장 **2** (캠프장 등의) 방갈로
chal·ice [tʃǽlis] *n.* **1** 〖그리스도교〗 성찬배(聖餐杯), 성배; (문어) 잔 **2** 〖식물〗 배상화(杯狀花)
chal·iced [tʃǽlist] *a.* **1** 잔[성배] 속에 들어 있는 **2** 〖식물〗 배상화(杯狀花)의
‡**chalk** [tʃɔ́ːk] [L 「석회」의 뜻에서] *n.* **1** Ⓤ 〖광물〗 백악(白堊) 《회백색의 연토질 석회암》, 호분(胡粉) **2** Ⓤ **분필, 초크, 색분필, 색초크** 《crayon 그림용》: colored ~(*s*) 색분필 / tailor's ~ 초크 《재단용》/ write in red ~ 붉은색 분필로 쓰다 USAGE 「분필 한 개」는 a piece[stick] of ~라고 함; 단 종류가 다른 분필을 이를 때는 복수형을 쓰기도 함. **3** (점수 등의) 분필로 쓴

기호; 《영》 (승부의) 득점(score); 외상 판매 기록 **4** 《미·속어》 분유(粉乳) **5** 〖지질〗 백악층 **6** 〖당구〗 (큐의 끝에 묻히는) 초크 **7** 《미·속어》 (흑인 사이에서) 백인 ***as different as ~ and cheese*** = ***like ~ and cheese*** 《영》 아주 다른, 딴판인 ***by a long ~*** = ***by*** (***long***) ***~s*** 《영·구어》 (1) 훨씬, 단연(by far) (2) [부정문에서] 전혀 …않다 ***come up to*** (***the***) ***~*** 《미·속어》 다시 시작하다; 표준에 달하다 ***make*** a person ***walk a ~ line*** 명령에 복종시키다 ***make ~ of one and cheese of another*** 한쪽만 편들다, 차별 대우하다 ***not know ~ from cheese*** 선악을 분별하지 못하다 ***walk*** one***'s ~s*** 《속어》 가 버리다; 달아나다 ***walk a***[***the***] ***~*** (***line***[***mark***]) 《미·구어》 (1) (취하지 않은 증거로) 똑바로 걷다 (2) 똑바로 행동하다; 남의 명령에 따르다, 순종하다

— *a.* Ⓐ **1** 백악질의 **2** 초크로 쓴[만든] **3** 《미·속어》 (경마에서) 인기 말의

— *vt.* **1** 초크로 쓰다[표를 하다] **2** …에 초크를 칠하다 **3** 초크[백악]로 처리하다, 〈흙 등에〉 초크[백악]를 섞다 **4** 〈얼굴을〉 창백하게 하다

— *vi.* 〈페인트가〉 바깥 공기를 쐬어 가루처럼 되다

~ it up 공표[공고]하다; …의 외상으로 적어두다 ***~ out*** (1) 초크로 윤곽을 그리다 (2) …을 계획하다; …의 대요(大要)를 말하다 ***~*** a person***'s hat*** 《미·속어》 (기차의) 무임 승차를 허가하다 ***~ up*** 《구어》 (1) …을 기록해 두다, 메모하다; 〈승리·득점·이익을〉 올리다, 얻다 (2) 〈술값 등을〉 …의 외상으로 적어두다 (3) …의 탓으로 하다 **~·like** *a.*

▷ chálky *a.*

chálk bèd 〖지질〗 백악층

chalk·board [tʃɔ́:kbɔ̀:*r*d] *n.* 《미》 (보통 초록색 또는 검정색의) 칠판(blackboard)

chalk·face [tʃɔ́:kfèis] *n.* 《영·구어》 (교육 현장으로서의) 교실: ~ experience 교직 경험

chalk·ie [tʃɔ́:ki] *n.* 《호주·속어》 (보통 대학 이하의) 학교 교사(schoolteacher)

chalk·pit [tʃɔ́:kpìt] *n.* (초크를 채취하는) 백악갱

chalk·stone [-stòun] *n.* Ⓤ 〖병리〗 통풍 결석(痛風結石) 《손가락의 관절 등에 발생》

chálk strìpe 초크 스트라이프 《짙은 색 바탕에 그려진 흰색의 가는 줄무늬》

chálk tàlk 《미》 칠판에 쓰면서 하는 강연[강의, 토론]

chalk·y [tʃɔ́:ki] *a.* (**chalk·i·er**; **-i·est**) **1** 백악질의; 백악이 많은 **2** 백악색의 **3** 초크의, 분필 가루 같은; 초크로 뒤덮인 **4** 반응[색채, 따뜻함]이 없는 **5** 〖사진〗 〈인화가〉 흐려진, (과다 노출로) 선명하지 못한 **6** 〈치즈가〉 하얗고 결이 고운 **chálk·i·ness** *n.*

chal·lah [kɑ́:lə] *n.* = HALLAH

⁑chal·lenge [tʃǽlindʒ] 〖L 「중상(中傷)」의 뜻에서〗 *n.* **1** 도전 (*to*); (결투·시합 등의) 신청; 도전장 (*to*): a ~ *to* violence 폭력에의 도전 / give[offer, issue, send] a ~ 도전하다 / accept[take up] a ~ 도전에 응하다 **2** 수하(誰何) 《보초의 'Halt! Who goes there?' 「정지! 누구냐?」》 **3 a** Ⓤ 의욕[노력, 감흥]이 솟게 함; 해 볼 만함 **b** 해 볼 만한 일[문제] **4** 설명[증거]의 요구; 항의, 힐난, 힐책; 《미》 (투표(자)의 유효성·자격 등에 대한) 이의 신청 **5** 〖법〗 (배심원에 대한) 기피 **6** 〖의학〗 공격 《생체에 항원·병원균 등을 투여하여 생리[면역] 활동을 일으키기》 ***meet***[***rise to***] ***the ~*** 난국[시련]에 잘 대처하다, 임기응변으로 처리하다

— *vt.* **1** 도전하다; 〈논쟁·시합 등을〉 걸다, 〈결투를〉 신청하다; …에게 대답을 요구하다: ~ criticism 비평할 테면 해보라고 하다 // 《~+목+전+명》 ~ a person *to* a game[duel] …에게 시합을 걸다[결투를 신청하다] // 《~+목+***to*** do》 I ~ you *to* race me. 어때, 나와 경주하지 않겠나? **2** …의 진실·정당성 등을 의심하다, …에 이의를 제기하다 **3** …에게 (설명·칭찬 등을) 당연히 요구하다; 〈사물이〉 〈주의력·노력 등을〉 촉구하다, 환기하다, 〈흥미·상상력 등을〉 자극하다: a matter which ~*s* attention 주목할 만한 일 **4** 〖군사〗 …에게 수하하다 **5** 《미》 〈투표(자)의〉 유효성[자격]에 이의를 제기하다 **6** 〖법〗 〈배심원·증거 등을〉 거부하다 **7** 〖의학〗 …에 면역성의 테스트를 하다

— *vi.* **1** 도전하다 **2** 〈사냥개가〉 냄새를 맡고 짖다 **3** 이의 신청을 하다 **~·a·ble** *a.*

chállenge cùp[**tròphy**] (경기의) 도전배

chal·lenged [tʃǽlindʒd] *a.* 《미·완곡》 = DISABLED

chállenge flàg (경기의) 도전기

chal·leng·er [tʃǽlindʒə*r*] *n.* **1** 도전자 **2** 〖군사〗 수하하는 사람 **3** 〖법〗 기피자, 거부자 **4** [**C~**] 《미》 챌린저(호) 《우주 왕복선 제2호》 **5** [**C~**] 영국제의 120 mm 포 장비의 전차 **6** 〖스키〗 어려운 코스[사면(斜面)]

Chállenger Déep 챌린저 해연(海淵) 《북태평양 마리아나 해구의 최심부》

chal·leng·ing [tʃǽlindʒiŋ] *a.* **1** 〈태도 등이〉 도전적인 **2** 능력을 시험하는 것 같은, 힘드는; 의욕[흥미]을 돋우는, 자극적인 **3** 〈표정·개성 등이〉 매력적인; 도발적인 **~·ly** *ad.*

chal·lis [ʃǽli | ʃǽlis], **chal·lie** [ʃǽli] *n.* Ⓤ 샬리천 《가벼운 여성용 옷감의 일종》

chal·one [kǽloun] *n.* 〖생리〗 칼론 《호르몬과는 반대로 생리 활동을 억지하는 내분비 물질》

cha·lyb·e·ate [kəlíbiət, -bièit] *a.* 〈광천(鑛泉)·약이〉 철분을 함유한 — *n.* 철제(鐵劑); 철천(鐵泉)

cham[1] [kǽm] *n.* khan[1]의 고어체

cham[2] [ʃǽm] *n.* 《미·속어》 샴페인(champagne)

cha·made [ʃəmɑ́:d] 〖F〗 *n.* 〖군사〗 담판[항복] 신청의 신호 《북 또는 나팔》; 퇴각 신호

cham·ae·phyte [kǽməfàit] *n.* 〖식물〗 지표(地表) 식물 《겨울눈의 위치가 지표에서 30cm 이내에 있는》

⁑cham·ber [tʃéimbə*r*] 〖L 「아치형 천장(이 있는 방)」의 뜻에서〗 *n.* **1** 《문어》 방, 사실(私室); 《시어·고어》 《특히》 침실 **2** (궁정·왕궁의) 공무 집행실; 알현실; (공관 등의) 응접실; [*pl.*] 〖법〗 판사실; 재판관 집무실; [*pl.*] 《영》 (특히 영국 법학원(Inns of Court) 내의) 변호사 사무실; [*pl.*] 《영》 독신자용 셋방, 전세 아파트 **3** [the ~] (입법·사법 기관의) 회의장; 의원(議院), 의회; 회의소, 회관(hall): *the* lower[upper] ~ (의회의) 하[상]원 **4** (총포의) 약실(藥室); (기계 속의) 실(室) **5** (생물체 내의) 소실(小室), 방, 공동(cavity) **6** 특정 목적의 개인[회사] 조직체 **7** 국고 출납 보관실 **8** (특수한 목적을 위해 설계된) 칸막이 공간; 처형실, 냉동실, 연소실 ***the C~ of Horrors*** 공포의 방 《범죄자의 상(像)·고문 도구 등을 진열한 지하실》

— *a.* **1** 실내악용으로 만들어진; 실내 음악의; 실내의 **2** 비밀의, 비밀이 행해지는

— *vt.* **1** 방에 가두다 **2** …에 방을 만들다 **3** 〈탄환을〉 장전하다, 약실에 재다

chámber cóncert 실내악 연주회

chámber cóuncil 비밀 회의

chámber cóunsel 《영》 **1** 법률 고문 《법정에 서지 않는 변호사》(《미》 office lawyer) **2** (변호사의) 조언, 감정(鑑定)

cham·bered [tʃéimbə*r*d] *a.* [보통 복합어를 이루어] …실(室)[약실]이 있는

chámbered náutilus = NAUTILUS 1

cham·ber·ing [tʃéimbəriŋ] *n.* 불륜, 간통; 성교

⁎cham·ber·lain [tʃéimbə*r*lin] 〖OF 「방에 따른 사람」의 뜻에서〗 *n.* **1** 의전관(儀典官), 시종(侍從): Lord *C~* (of the Household) 시종장 / Lord Great *C~* (of England) 시종 장관 《영국 각료의 하나》 **2** (귀족의) 집사, 가령(家令) **3** (시·읍·동의) 회계관, 징수원

Cham·ber·lain [tʃéimbə*r*lin] *n.* 체임벌린 **Arthur Neville ~** (1869-1940) 《영국의 보수당 정치가·수상》

cham·ber·maid [tʃéimbə*r*mèid] *n.* **1 a** 《영》 (호텔 등의) 객실 담당 여종업원(cf. HOUSEMAID) **b** 《미》 가정부 **2** 《폐어》 시녀(lady's maid)

chámber mùsic **1** 실내악 **2** 《미》 쌍방 변호사의 비공식 사전 협의

thesaurus **chance** *n.* **1** 기회 opportunity, occasion, turn, time **2** 가망 prospect, possibility,

chámber of cómmerce 상공 회의소
chámber of tráde 《영》 상공 회의소
chámber òpera 〖음악〗 실내 오페라
chámber òrchestra 〖음악〗 실내 관현악단
chámber òrgan 〖음악〗 소형 파이프 오르간
chámber pòt 침실용 변기
chámber pràctice 〖영국법〗 = OFFICE PRACTICE
chámber tòmb 〖고고학〗 돌방무덤, 석실분 《서유럽 신석기 시대 말기의 거석묘의 일종》
cham·bray [ʃǽmbrei] *n.* Ⓤ 샴브레이 직물 《여성복·셔츠용의 엷은 직물》
cha·me·le·on [kəmíːliən, -ljən] [Gk 「작은 사자」의 뜻에서] *n.* **1** 〖동물〗 카멜레온 **2** 지조 없는 사람, 변덕쟁이 **3** [the C~] 〖천문〗 카멜레온자리 **~·like** *a.*
cha·me·le·on·ic [kəmìːliánik | -ɔ́n-] *a.* 카멜레온 같은; 지조 없는, 변덕스러운
cham·fer [tʃǽmfər] *vt.* **1** 〈목재·석재의〉 모서리를 죽이다, 모서리를 깎아내다 《*off*》 **2** 《미》 둥근 홈을 파다
—*n.* 모서리를 깎은 면; 《미》 둥근 홈 **~·er** *n.*
cham·my [ʃǽmi] *n.* (*pl.* **-mies**) = CHAMOIS 2, 3, 4 **—*vt.*** (**-mied**) = CHAMOIS
cham·ois [ʃǽmi] [F] *n.* (*pl.* **~, -oix** [-z]) **1** 〖동물〗 샤무아 《남유럽·서남 아시아산의 영양(羚羊)》 **2** Ⓤ 섀미 가죽; (식기 등을 닦는) 섀미 가죽 행주 **3** 섀미클로스 《섀미 가죽 모양으로 만든 면포》 **4** 담황갈색
—*vt.* **1** 〈가죽을〉 섀미 가죽으로 완성하다 **2** 섀미 가죽으로 문지르다[닦다]
cham·o·mile [kǽməmàil, -mìːl | -màil] *n.* = CAMOMILE
Cha·mor·ro [tʃəmɔ́ːrou] *n.* (*pl.* **~s,** [집합적] **~**) **1** 차모르 족(族); 차모르 사람 **2** 차모르 어(語)
—*a.* 차모르 족[인]의; 차모르 어의
champ¹ [tʃǽmp] *vt.* **1** 〈말이〉 〈재갈을〉 신경질적으로 씹다 **2** 〈말이〉 〈여물을〉 우적우적 씹다; 〈사람이〉 〈딱딱한 것을〉 우두둑 씹다(chomp) **—*vi.*** **1** 〈말이〉 (재갈을) 신경질적으로 씹다; 〈말이〉 (여물을) 우적우적 씹어 먹다 《*at, on*》; 〈사람이〉 분해서 이를 갈다 《*with*》 **2** [보통 진행형으로] 《구어》 (…하고 싶어) 안달하다
~ (at) the bit (1) 〈말이〉 재갈을 씹다 (2) 〈사람이〉 (…하고 싶어) 안달하다
—*n.* 우적우적 씹기; 그 소리
champ² *n.* 《구어》 = CHAMPION
cham·pac, -pak [tʃǽmpæk, tʃʌ́mpʌk] *n.* 〖식물〗 금후박(金厚朴) 《목련과(科)의 나무; 남아시아산; 노란 꽃이 핌》
*__cham·pagne__ [ʃæmpéin] [프랑스의 원산지 이름에서] *n.* **1** Ⓤ [**C~**] **샴페인** **2** Ⓤ 샴페인 색 《황록색 또는 황갈색》 **3** 최고[사치]품
—*a.* **1** 샴페인(색)의 **2** 〈취미 등이〉 사치스러운
champágne cùp 샴페인 컵 《샴페인에 감미료와 향료를 넣어 얼음에 채운 음료》
champágne sòcialist 《경멸》 유복한 사회주의자, 부르주아 사회주의자
champágne trìck 《미·속어》 창녀의 돈 많은 손님
cham·paign [ʃæmpéin] *n.* 《문어》 평야, 평원(plain) **—*a.*** 평원의
cham·pers [ʃǽmpərz] *n. pl.* 《영·구어》 샴페인(champagne)
cham·per·tous [tʃǽmpərtəs] *a.* 〖법〗 소송을 원조하기로 약속한
cham·per·ty [tʃǽmpərti] *n.* 〖법〗 (이익 분배의 특약이 있는) 소송 원조[대리]
cham·pi·gnon [ʃæmpínjən | tʃæm-] [F] *n.* 샴피뇽 《유럽 원산의 송이과 식용 버섯》
‡**cham·pi·on** [tʃǽmpiən] [L 「경기자, 전사(戰士)」의 뜻에서] *n.* **1** (경기의) **선수권 보유자, 챔피언,** 우승자; (품평회의) 최우수품: a swimming ~ 수영 우승자 **2** (주의·주장 등을 위해 싸우는) **투사,** 옹호자(defender): a ~ of peace 평화 옹호자 **3** 《구어》 뛰어난 사람[물건]: a ~ at singing 노래를 잘 부르는 사람 **4** 《고어》 전사(戰士), 투사
—*a.* **1** 우승한: the ~ dog (품평회에서) 최우등상을 받은 개 / the ~ wrestler 우승 레슬링 선수 **2** 《구어》 일류의, 더할 나위 없는: a ~ idiot 대단한 바보
—*ad.* 《영·구어》 더없이, 훌륭하게, 뛰어나게
—*vt.* **1** …의 투사[옹호자]로서 활동하다 **2** 〈주의·권리 등을〉 옹호하다
chámpion bèlt 챔피언 벨트
Chámpion of Éngland [the ~] 《영》 국왕[여왕]을 호위하는 대관(大官)
‡**cham·pi·on·ship** [tʃǽmpiənʃìp] *n.* **1 선수권,** 우승, 패권, 우승자의 지위: the ~ flag[cup] 우승기[배] / the ~ series 선수권 쟁탈전 / try for the diving ~ 다이빙 선수권을 획득하려고 노력하다 / win [lose] the[a] ~ 선수권을 획득하다[잃다] **2** [보통 *pl.*; 단수 취급] **선수권 대회,** 결승전: the world table tennis ~*s* 세계 탁구 선수권 대회 **3** Ⓤ (사람·주의·주장·운동의) 옹호, 변호, 지지 《*of*》
Chámpionship Sèries 《미》 〖야구〗 리그별 승자 결정전 《World Series 출전 팀 결정을 위한 American League와 National League의 7전 4선승제의 플레이오프》
champ·le·vé [ʃɑ̀ːnləvéi] [F] *a.* 샹르베 칠보(七寶)의 《바탕에 새겨서 에나멜을 입힌》 **—*n.*** (*pl.* **~s** [-z]) 샹르베 칠보(cf. CLOISONNÉ)
Champs É·ly·sées [ʃɑːnz-eiliːzéi | -líːzei] [F = Elysian fields] 샹젤리제 《프랑스 Paris의 큰 거리 및 그 일대의 일류 상점가》
chan. channel **Chanc.** Chancellor; Chancery
***__chance__ [tʃǽns, tʃɑ́ːns | tʃɑ́ːns] *n., a., v.*

> 원래는 「우발적인 사건」의 뜻.
> 「우연」, 「운」 **3** → 「기회」, 「호기」 **1** → (그것이 생길) 「가망」 **2**

—*n.* **1 기회,** 호기, 계기(⇨ opportunity 유의어): the ~ of a lifetime 일생에 다시 없을 좋은 기회 // (~+***to*** do) It is a good ~ for you *to* meet him. 자네가 그를 만나기에는 마침 좋은 기회이다. // (~+전+***-ing***) The ~ *of* his go*ing* abroad is lost. 그가 해외로 갈 기회는 없어졌다. USAGE every [each] chance의 꼴로 접속사적으로 쓰이는 경우도 있음: He plays golf *every* ~ he gets. 그는 기회만 있으면 골프를 친다. **2** CU **가망**(prospect); 가능성, 승산; 예상, 전망; [*pl.*] **형세:** The ~*s* are *against* it. 형세가 불리하다. // (~+전+***-ing***) We have no ~ *of* gain*ing* the game. 우리가 경기에 이길 가망은 없다. // (~+***to*** do) Is there any ~ for her *to* recover? 그녀가 회복할 가망이 있습니까? // (~+***that*** 절) There is a ~ *that* the boy will make progress. 그 소년은 향상할 가망이 있다. **3** Ⓤ **우연;** 운, 운수(fate); Ⓒ 우연히 생긴 일: If ~ will have me king … 만일 내가 왕이 된다면 … **4** 위험(risk), 모험: run a ~ of failure 실패할 위험을 무릅쓰다 **5** 〖야구·크리켓〗 타자나 주자를 아웃시킬 기회 **6** 복권[추첨]의 추첨권 **7** 《미·구어》 상당한 수[양], (정해지지 않은) 수량 《*of*》: a smart ~ of apple 많은 사과
against all ~s 가망[승산]이 없어 보였는데도 ***as ~ would have it*** 우연히; 공교롭게도 ***be in with a ~ (of doing …)*** (…할) 가망이 있다 ***by any ~*** 만일, 혹시 《종종 사소한 부탁을 할 때에 씀》 ***by ~*** 우연히, 뜻밖에 ***by some ~*** 어쩌다가, 어떤 기회에 ***by the merest ~*** 참으로 우연한 기회에 ***C~ would be a fine thing!*** 《영·구어》 (행운이 찾아오면 좋으련만) 그럴 리는 없다! ***even ~*** 반반의 가망 ***fancy*** one***'s*** [a person***'s***] ***~s*** 《구어》 자신의 성공을 믿고 있다, 자신에게 승산이 있다고 보다 ***game of ~*** 운수에 맡기고 하는 승부(cf. GAME OF SKILL) ***give*** a person ***a ~*** [종종 명령문으로] 《구어》 …에게 시간[기회]

probability, likelihood, likeliness **3** 우연 accident, coincidence, serendipity, destiny, luck

을 주다, 조금 기다려 주다 ***give oneself half a*** ~ 《구어》 좀 더 분발하다 ***have an even*** ~ 승산은 반반이다 ***leave to*** ~ 운에 맡기다 ***No***[***Not a***] ~ 《구어》 (유감이지만) 그럴 가능성은 없다!, 천만에! ***on the*** ~ ***of***[***that***] …을 은근히 기대하고 ***stand a*** (***good*** [***fair***]) ~ (***of***) (…의) 가망이 (충분히) 있다 ***stand no*** ~ ***against*** …에 대하여 승산이 없다 ***take a*** ~[~***s***] 운에 맡기고 해보다, 위험을 무릅쓰다 ***take the*** [one***'s***] ~ (***of***) 운에 맡기고 해보다; 기회를 잡다 (***The***) ~***s are*** (***that***) ***...*** 《구어》 아마 …할[일] 것이다 ***the main*** ~ 절호의 기회; 사리(私利)[이익]를 도모할 기회: have an eye to[on] *the main* ~ 사리를 꾀하다 ***when you get a*** ~ 만약 기회가 있다면

— *a.* Ⓐ 우연한, 뜻밖의: a ~ hit 요행수 / a ~ customer 우연히 들른 손님

— *vi.* **1** [때로 it를 주어로 하여] 우연히 일어나다 (happen): (~+***that*** 절) *It ~d that* we rode in the same train. 우리는 우연히 같은 열차를 타게 되었다. **2** 어쩌다가[때마침] …하다: (~+***to*** do) I *~d to* look out the window. 나는 마침 창밖을 내다봤다. / There *~d to* be no one in the hut. 그 오두막엔 마침 아무도 없었다. **3** 우연히 만나다, 우연히 발견하다 《*on, upon*》 《★ 현재는 happen을 쓰는 것이 보통임》: (~+전+명) I *~d upon* this book. 우연히 이 책을 발견했다.

— *vt.* [종종 it를 목적어로 하여] 《구어》 운에 맡기고 해 보다(risk): I'll have to ~ *it,* whatever the outcome. 결과가 어찌 되든 해 보지 않을 수 없다. ***as it may*** ~ 그때의 형편[사정]에 따라 ~ ***one's arm***[***luck***] 《구어》 성공의 기회를 잡다; (실패를 각오하고) 해보다 ~ ***the consequence*** 성패를 운에 맡기다 ▷ bechánce *v.*; cháncy *a.*

chánce chìld 사생아

chance·ful [tʃǽnsfəl, tʃɑ́:ns- | tʃɑ́:ns-] *a.* 사건이 많은, 다사한; 《고어》 위험한; 우연의

chan·cel [tʃǽnsəl, tʃɑ́:n- | tʃɑ́:n-] *n.* 성단소(聖壇所) 《교회당의 성가대(choir)와 성직자의 자리; 대개 동쪽 끝》

chan·cel·ler·y [tʃǽnsələri, tʃɑ́:n- | tʃɑ́:n-] *n.* (*pl.* **-ler·ies**) **1** Ⓤ chancellor (법관·대신 등)의 지위 **2** chancellor의 관청[법정, 사무국] **3** 《미》 대사관[영사관]의 사무국; [집합적] 대사관[영사관]의 사무직원 (chancellory)

***chan·cel·lor** [tʃǽnsələr, tʃɑ́:n- | tʃɑ́:n-] [L 「(법정의) 정리(廷吏)」의 뜻에서] *n.* **1** [**C~**] 《영》 (재무) **장관, 대법관** 《칭호》 **2** 《영》 대사관 1등 서기관; 《고어》 (귀족·국왕의) 비서 **3** (독일 등의) 수상 **4** 《미》 (일부 대학 분교의) 총장, 학장 《전체의 총장은 president라고 함》; 《영》 대학 총장 《명예직으로서 사실상의 총장은 vice-chancellor임》 **5** 《미》 형평법(衡平法) 재판소장 **6** (로마 가톨릭교에서) 교황청 상서원장
Bishop's C~ 주교의 종교법 고문관 ***the C~ of the Duchy of Lancaster*** 《영》 랭커스터 공작령(公爵領) 대법관 ***the Lord*** (***High***) ***C~*** = ***the C~ of England*** (영국의) 대법관 《각료의 한 사람; 의회 개회 중에는 상원 의장》

Cháncellor of the Exchéquer [the ~] 《영》 재무 장관(《미》 Secretary of the Treasury)

chan·cel·lor·ship [tʃǽnsələrʃip, tʃɑ́:n- | tʃɑ́:n-] *n.* Ⓤ chancellor의 직[지위, 임기]

chan·cel·lor·y [tʃǽnsələri, tʃɑ́:n- | tʃɑ́:n-] *n.* (*pl.* **-lor·ies**) = CHANCELLERY

chance-med·ley [tʃǽnsmèdli, tʃɑ́:ns- | tʃɑ́:ns-] *n.* Ⓤ **1** 〚법〛 과실 살인; 정당방위 살인 **2** 우발적 행동

chance-met [-mèt] *a.* 우연히 만난

chánce mùsic 우연성의 음악 《작곡·연주에 우연성을 도입; John Cage가 선도함》

chanc·er [tʃǽnsər, tʃɑ́:n- | tʃɑ́:n-] *n.* 《영·속어》 주변머리 없는 녀석; 위험한 짓[노름]을 해보는 놈

chan·cer·y [tʃǽnsəri, tʃɑ́:n- | tʃɑ́:n-] *n.* (*pl.* **-cer·ies**) **1** [the C~] (원래 영국의) 대법관청 (재판소) 《지금은 고등법원의 일부》 **2** (미국 등의) 형평법(衡平法) 재판소 **3** (영국 대법원의) 공문서 보관소 **4** chancellor의 직; chancellor의 관할 구청 **5** 〚가톨릭〛 교황청 상서원 ***in*** ~ (1) 〚법〛 형평법 재판소에 소송 중인; 대법관의 지배하의 (2) 〚권투〛 머리가 상대의 겨드랑이에 끼여 (3) 꼼짝 못하게 되어

chan·cre [ʃǽŋkər] *n.* 〚병리〛 하감(下疳); 《속어》 성병 **chán·crous** *a.*

chan·croid [ʃǽŋkrɔid] *n.* 〚병리〛 연성 하감(soft chancre) **chan·croi·dal** [ʃæŋkrɔ́idl] *a.*

chanc·y [tʃǽnsi, tʃɑ́:n- | tʃɑ́:n-] *a.* (**chanc·i·er**; **-i·est**) 《구어》 **1** 〈결과·예상 등이〉 불확실한, 믿을 수 없는 **2** 위험한(risky) **3** 운에 맡긴, 우연의 **4** 《스코》 운이 좋은, 재수 있는 **chánc·i·ly** *ad.* **chánc·i·ness** *n.*

***chan·de·lier** [ʃæ̀ndəlíər] [F 「촛대」의 뜻에서] *n.* **샹들리에** 《천장에서 내리 드리운 호화로운 장식등》 **-líered** *a.*

chan·delle [ʃændél] *n., vi.* 〚항공〛 급상승 방향 전환(하다)

chan·dler [tʃǽndlər, tʃɑ́:n- | tʃɑ́:n-] *n.* **1** 《고어》 양초 제조 판매인 **2** 잡화상: a corn ~ 잡곡상 / a ship ~ 선박 잡화 상인; 선구상(船具商)

Chan·dler [tʃǽndlər, tʃɑ:n- | tʃɑ́:n-] *n.* 챈들러 **Raymond** ~ (1888-1959) 《미국의 탐정 소설가; Philip Marlowe 탐정이 주인공》

Chándler pèriod 〚천문〛 (지구의 축(軸)의) 진동(振動)기 《416-433일간 사이에서 변화를 일으킴》

Chándler wòbble 〚천문〛 챈들러 요동, 자유 요동 《자전축의 평균극 주위의 운동》

chan·dler·y [tʃǽndləri, tʃɑ́:n- | tʃɑ́:n-] *n.* (*pl.* **-dler·ies**) **1** 잡화(류) **2** 잡화상

chan·du [tʃǽndu:] *n.* 인도·중국산 아편 《chandoo 라고도 함》

Cha·nel [ʃənél] *n.* **1** 샤넬 **Gabrielle** ~ (1883-1971) 《프랑스의 패션 디자이너·향수 제조자》 **2** 샤넬 《향수 상표명》

⁑**change** [tʃéindʒ] *v., n.*

① 변화시키다; 변하다		타 **1** 자 **1**
② 교환하다	→ 갈아타다	타 **5** 자 **2**
	→ 환전하다	타 **3**
	→ 갈아입다	타 **2** 자 **3**

— *vt.* **1 바꾸다, 변화시키다, 변경하다, 고치다**: ~ one's character 성격을 고치다 / ~ one's habits 습관을 고치다 / Leaves ~ their color in the fall. 나뭇잎은 가을이 되면 빛깔이 변한다. // (~+목+전+명) The magician *~d* the scarf *into* a white rabbit. 마술사는 스카프를 흰 토끼로 변화시켰다.

> 유의어 **change** 일부분 또는 전체를 본질적으로 바꾸다 **vary** 같은 것에서의 이탈을 뜻하며 서서히 또는 단속적(斷續的)으로 변화시키다: *vary* one's daily routine 나날의 일과를 바꾸다 **alter** 부분적·외면적으로 변화를 가하다: slightly *alter* the original design 원래의 디자인을 약간 바꾸다 **modify** 수정을 위한 변경을 하다: *modify* the language of a report 보고서의 말을 수정하다 **transform** 외형과 동시에 종종 성격이나 기능도 다 바꾸다: *transform* matter into energy 물질을 에너지로 바꾸다

2 〈옷을〉 …으로 **갈아입다**; 〈침대의〉 시트를 갈다; 〈어린아이의〉 기저귀를 갈다: (~+목+전+명) ~ soiled clothes *for*[*into*] clean ones 더러운 옷을 깨끗한 옷으로 갈아입다 **3 환전하다; 잔돈으로 바꾸다** 《*for, into*》; 〈수표·어음을〉 현금으로 바꾸다: ~ a five-pound note 5파운드 지폐를 바꾸다 / ~ a money

thesaurus **change** *v.* **1** 변화시키다 alter, modify, transform, convert, vary, remodel **2** 교환하다

order 우편환을 현금으로 바꾸다 // 《~+목+전+명》 He *~d* the five dollar bill *to*[*for*] five one-dollar bills. 그는 5달러 지폐를 1달러 지폐 5장으로 바꿨다. // 《~+목+목》 Can you ~ me this $20 note? 이 20달러 지폐를 잔돈으로 바꿔 주시겠습니까? **4** 〈같은 종류의 것으로〉 **교환하다,** 변경하다 《*with*》: 《~+목+전+명》 They *~d* seats (*with* each other). 그들은 (서로) 자리를 바꾸었다. / I *~d* places *with* my brother. 나는 동생과 교대했다. **5** 〈장소·입장 등을〉 바꾸다; 〈탈것을〉 **갈아타다,** 바꿔 타다 《*for*》: ~ schools 전학하다 // 《~+목+전+명》 You must ~ trains *for* Gunsan at Iri. 이리에서 군산행으로 기차를 갈아타야 된다. ★ 위에서의 seat*s*, place*s*, school*s*, train*s* 등이 복수임에 주의할 것.

— *vi.* **1 변하다,** 바뀌다, 변화하다 《*to, into, from*》: Times ~. 세상은 변한다 // 《~+전+명》 The wind *~d from* south *to* north. 풍향이 남에서 북으로 바뀌었다. / A caterpillar *~s into*[*to*] a butterfly. 모충은 나비로 변한다. **2 갈아타다** 《*for*》: All ~! 모두 갈아타시오! // 《~+전+명》 We can ~ *to* an express. 우리는 급행으로 갈아탈 수 있다. / *C~* here *for* Edinburgh. 에든버러행은 여기서 갈아타십시오. **3 옷을 갈아입다** 《*into*》: 《~+전+명》 ~ *into* flannels 플란넬 바지로 갈아입다 **4** 〈목소리가〉 낮아지다; 변성하다 **5** (자동차의) 기어를 (…으로) 바꾸다(《미》 shift) 《*up, down*》 **6** (…와) 자리를 바꾸다 《*with*》

~ about (1) 방향 전환을 하다 (2) 변절하다; 〈지위·환경 등이〉 싹 변하다 ***~ … back into*** 원래의 …에 돌아가다[돌리다] ***~ down*** 〖자동차〗 기어를 저속으로 바꿔 넣다 ***~ for the better***[***worse***] 〈날씨·병세 등이〉 좋아지다[나빠지다] ***~ off*** 《미·구어》 (1) (일 등을) 교대로 하다 《*at*》 (2) (…와) 교대하다 《*with*》 ***~ over*** (1) 사람이 (…에서) (…으로) 바꾸다, 변경하다 《*from, to*》 (2) 〈기계 장치 등이〉 (자동적으로) (…에서) (…으로) 바뀌다 《*from, to*》 (3) 〈두 사람이〉 역할[입장, 위치]을 바꾸다 (4) 〖스포츠〗 〈선수·팀이〉 코트를 바꾸다 (5) 〈사람이〉 (계획·식사 등을) (…에서) (…으로) 바꾸다, 변경하다 《*from, to*》 ***~ places with*** [보통 부정문으로] …와 입장 [자리·장소를]을 바꾸다 ***~ round*** (1) 〈풍향이〉 바뀌다 (2) = CHANGE over (3), (4). (3) 〈항목 등의〉 순서를 바꾸다 ***~ oneself*** 《스코》 옷을 갈아입다 ***~ oneself into*** …으로 변장하다 ***~ one's mind*** 생각을 바꾸다 ***~ up*** (1) 《영》 (자동차의 기어를) 고속으로 바꾸다 (2) 〈투수가〉 체인지업 투구를 하다

— *n.* **1 변화,** 변천; **변경**: a ~ for the better [worse] 바람직한[바람직하지 않은] 변화 / a ~ in the weather 날씨의 변화 **2 바꿈,** 교체; 이동; **기분 전환**; 전지(轉地); **갈아탐,** 환승; (옷을) **갈아입기**; [the ~] 《구어》 (여성의) 갱년기: a ~ of clothes 옷을 갈아입음 / a ~ of trains 열차의 환승 / go away for a ~ of air[climate] 전지 요양을 떠나다 **3** Ⓤ **거스름돈,** 우수리; **잔돈**(= small ~); 바꾼 돈: Can you give me ~ for a £5 note? 5파운드 지폐를 바꾸어 줄 수 있습니까? **4** [종종 **C~**] Ⓤ 《영》 거래소: on *C~* 거래소에서 **5** [보통 *pl.*] 〖음악〗 한 벌의 종을 여러 가지로 순서를 바꾸어 올리는 법 **6** 〖수학〗 치환(置換); 순열(permutations)

a ~ of heart 변심(變心) ***a ~ of pace*** 《미》 (1) 기분 전환 (2) = CHANGE-UP 1 ***a piece***[***hunk***] ***of ~*** 《미·속어》 돈, 《특히》 많은 돈 ***for a ~*** (1) 변화를 위하여; 기분 전환으로 (2) 《영·속어》 〈옷 등을〉 갈아입으러 ***get no ~ out of*** a person (1) (싸움·논쟁에서) …을 당해내지 못하다 (2) 《영·속어》 …에게서 아무것도 알아내지 못하다; …에게서 아무 원조[조언]도 얻어내지 못하다 ***get short ~*** 《구어》 무시당하다, 주목받지 못하다 ***give*** a person (his) ***~*** …을 위하여 애쓰다; 《속어》 …에게 앙갚음하다 ***give*** a person ***short ~*** 《구어》 …을 무시하다, …에 주의를 기울이지 않다 ***go through ~s*** 《속어》 (1) 노력하다, 힘내다 (2) 성가신 일에 말려들다, 고생하다 ***go through the ~s*** 《미·구어》 (1) 세상의 변천을 경험하다 (2) 생활을 재건하다 ***put the ~ on***[***upon***] a person …을 속이다, 잘못 보게 하다 ***ring the ~s*** (1) 한 벌의 종을 여러 가지로 순서를 바꾸어 울리다 (2) 같은 말을 여러 가지로 바꾸어 말하다 《*on*》 ***take the***[one***'s***] ***~ out of*** …에게 앙갚음하다 ***undergo ~s*** 변천하다

▷ chángeful *a.*

exchange, interchange, substitute, switch, replace, trade **3 변하다** alter, be transformed, diversify

change·a·bil·i·ty [tʃèindʒəbíləti] *n.* Ⓤ 변하기 쉬운 성질, 가변성; 불안정 (상태)

⁑**change·a·ble** [tʃéindʒəbl] *a.* **1** 〈날씨·가격 등이〉 변하기 쉬운 **2** 〈계약 조항 등이〉 가변성의, 변경할 수 있는 **3** 〈성격 등이〉 변덕스러운 **4** 〈비단 등이〉 (광선·각도에 따라) 색이 변해 [여러 가지로] 보이는

~·ness *n.* **-bly** *ad.*

chánge àgent 사회 변혁의 주도자

changed [tʃéindʒd] *a.* Ⓐ (사람·상황이) 많이 바뀐

change-down [tʃéindʒdàun] *n.* (자동차 등의 기어를) 저속으로 바꾸기

change·ful [tʃéindʒfəl] *a.* 변화가 많은, 변하기 쉬운, 불안정한 **~·ly** *ad.* **~·ness** *n.*

chánge gèar 〖기계〗 (자동차 등의) 변속기[장치]

chánge hòuse **1** 《스코》 여인숙; 선술집 **2** (노동자의) 탈의실

chánge kèy 체인지 키 《한 자물쇠밖에 열 수 없는 열쇠》(opp. *master key*)

change·less [tʃéindʒlis] *a.* **1** 변함없는; 일정한 (constant) **2** 잔돈이 없는 **~·ly** *ad.* **~·ness** *n.*

change·ling [tʃéindʒliŋ] *n.* **1** 남몰래 바꿔치기한 어린애 《요정이 앗아간 예쁜 아이 대신에 두고 가는 못생긴 아이; cf. ELF CHILD》 **2** 변색 우표

— *a.* 원래 모습에서 상당히 변한

chánge machíne 잔돈 교환기

change·mak·er [tʃéindʒmèikər] *n.* 자동 (주화) 교환기; 환전하는 사람

chánge mànagement (사업·컴퓨터 시스템 등의) 변화[전환]에 대응하는 관리

chánge-of-dáy lìne [tʃéindʒəvdéi-] [the ~] 날짜 변경선

change-of-ends [tʃéindʒəvéndz] *n.* 〖테니스〗 체인지 코트, 코트 교체

chánge of lífe [the ~] 갱년기, 폐경기

chánge of páce **1** 늘 하던 방법을 바꿈 **2** 〖야구〗 = CHANGE-UP 1

chánge of vénue 〖법〗 관할 이전, 재판지 변경

chánge of vóice (사춘기의) 변성(變聲)

change·o·ver [tʃéindʒòuvər] *n.* **1** (장치·인원·생산 방법 등의) 전환, 변환; (정책 등의) 전환, 변경 **2** (내각 등의) 개각, 경질 **3** (형세의) 역전 **4** 〖테니스〗 코트를 교체하기 위한 휴식 시간

change·pock·et [tʃéindʒpὰkit | -pɔ̀k-] *n.* 잔돈 주머니

chánge pùrse 《미》 (특히 여성용의) 잔돈 지갑

chang·er [tʃéindʒər] *n.* **1** 변경[개변]하는 사람 **2** 교환하는 사람 **3** 의견[기분]이 자주 변하는 사람 **4** 레코드 체인저

chánge rìnging **1** (교회 등의) 전조(轉調) 명종(법) 《종을 여러 가지 음색, 특히 4분음계로 올리기》 **2** 화제[테마]상의 변화

change·room [tʃéindʒrù:m] *n.* 탈의실

change-up [tʃéindʒʌ̀p] *n.* **1** 〖야구〗 체인지업 《투수가 타자를 속이기 위해 빠른 공을 던지는 동작으로 느린 공을 던지는 것》(change of pace) **2** 《미·속어》 (눈에 띄는) 변화 **3** 고속 기어로 바꾸기

chánge whèel 〖기계〗 전환 톱니바퀴

Chàng·ing of the Guárd [tʃéindʒiŋ-] [the ~] (런던의 근위 기병 연대의) 위병 교대(식) 《Buckingham Palace에서 거행됨》

chánging ròom 《영》 (샤워실이 딸린) 탈의실 (locker room)

‡chan·nel[1] [tʃǽnl] [L「수도관」의 뜻에서] *n.* **1** 수로(水路); 가항(可航) 수로, 운하 **2** 해협《strait보다 큼》; 〖항해〗 항로: the (English) *C*~ 영국 해협 **3** 〖통신〗 채널; (할당된) 주파수대(帶): broadcast on *C*~ 7 채널 7로 방송하다 **4** (보도(報道)·무역 등의) 경로, 루트, 계통; 《미·속어》 마약(의 입수) 경로; [*pl.*; 단수 취급] (정식) 전달 루트; (왕복 등의) 경로: a reliable ~ 믿을 만한 소식통 / ~*s* of trade 무역 루트, 정상적 무역 경로 / through diplomatic[secret] ~*s* 외교[비밀] 루트를 통해 / get information through official ~*s* 공식 루트를 통해 정보를 얻다 **5** 〖컴퓨터〗 채널, 통신로 **6** (도로의) 도랑, 측구(側溝); 암거(暗渠); 수관(水管), 도관(導管) **7** (사상·행동 등의) 방향, 방침; (활동의) 분야 **8** 강바닥, 하상(河床); 유상(流床) **9** (문지방 등의) 홈, (기둥 등의) 장식 홈; 《일반적으로》 가느다란 홈(groove); 총검의 홈; 《미·속어》 (마약 주사 놓는) 정맥 **10** = CHANNEL IRON **11** 접근 수단 **12** (재즈·팝 음악에서) 브리지(bridge)
change the **~** 《속어》 화제를 바꾸다
—*vt.* (**~ed**; **~·ing** | **~led**; **~·ling**) **1** …에 수로를 열다[내다]; …에 홈을 파다: 《~+목+전+명》 The river ~*ed* its course *through* the valley. 그 강은 골짜기를 지나 흘러갔다. **2** 〈물 등을〉 수로[도관]로 나르다; 〈정보·관심·노력 등을〉 (어떤 방향으로) 돌리다, 전하다, 보내다 《*into*》: 《~+목+전+명》 He ~*ed* all his energy *into* fixing his bicycle. 그는 자전거 수리에 전력을 기울였다. **3** 〈강물 등의〉 흐름을 다른 데로 돌리다; 〈자금 등의 일부를〉 타용도로 돌리다 **4** 《속어》 〈마약을〉 정맥에 주사하다 **5** 〈영혼 등과〉 교신하다
—*vi.* 수로가 생기다[나다]

channel[2] *n.* 〖항해〗 현측 계류판(舷側繫留板) 《돛대의 버팀줄을 맴》

chánnel cátfish 〖어류〗 얼룩메기

chan·nel·er [tʃǽnlər] *n.* **1** 도랑을 파는 사람 **2** (광산·채석장 등에서) 도랑 굴착기를 조작하는 사람

chan·nel-hop [tʃǽnlhɑ̀p | -hɔ̀p] *vi.* 《영·구어》 = CHANNEL-SURF; (단기간에) 영국 해협을 오가며 여행하다 **~·per** *n.* **~·ping** *n.*

chan·nel·ing [tʃǽnəliŋ] *n.* **1** 〖물리〗 채널링 《가속된 입자나 이온이 원자로 등에서 매질(媒質)을 투과할 때 결정 격자 사이의 통과 능력》 **2** 〖건축·가구〗 홈조각 장식 **3** 채널링 《영계(靈界) 등과의 연락》

chánnel ìron[bàr] 홈쇠 《U자 모양의 쇠·못》

Chánnel Íslands [the ~] 해협 제도 《프랑스 북서부의 영국령(領)의 섬》

chan·nel·ize [tʃǽnəlàiz] *vt., vi.* = CHANNEL[1]
chàn·nel·i·zá·tion *n.*

chánnel lèase 채널 리스 《유선 TV의 빈 채널의 대여[차용]》

chan·nel(l)ed [tʃǽnəld] *a.* 홈이 있는

chan·nel-surf [tʃǽnlsə̀:rf] *vi.* 《미·구어》 (리모컨으로) 채널을 자주 바꾸다 **~·er** *n.* **~·ing** *n.*

Chánnel Túnnel 영불 해협 터널 《영국과 프랑스를 잇는 해저 터널》(cf. CHUNNEL 2)

chan·son [ʃǽnsən] [F「노래」의 뜻에서] *n.* (*pl.* **~s**) 샹송 노래, 가요곡

chan·son de geste [ʃɑ:nsɔ́:ŋ-də-ʒést] [F] (*pl.* ***chan·sons de geste***) (중세 프랑스 문학의) 무훈시(武勳詩)

chan·son·nier [ʃɑ̀:nsənjéi] [F] *n.* (*pl.* **~s**) 샹송 작가; (카바레에서 노래하는) 샹송 가수

***chant** [tʃǽnt, tʃɑ́:nt | tʃɑ́:nt] [L「노래하다」의 뜻에서] *n.* **1** 노래(song); 노래하기 **2** 성가; 영창(詠唱) **3** 영창조; 단조로운 말투[노래]; 찬트 **4** 규칙적으로 반복되는 문구[슬로건]
—*vt.* **1** 〈노래·성가를〉 부르다 **2** (시나 노래를 지어) 찬송하다; 〈찬사를〉 되풀이하다 **3** 단조로운 말투로 계속하다[되풀이하다] **4** 〈슬로건 등을〉 일제히 외치다
—*vi.* **1** 영창하다; 성가를 부르다 **2** 단조로운 어조로 [되풀이하여] 말하다 **3** 노래하다; 〈새가〉 지저귀다 **4** 일제히 외치다 **5** 〈사냥개가〉 짖다
~ *the praises of* a person …을 되풀이하여 칭찬하다 **~·a·ble** *a.* **~·ing·ly** *ad.*

chant·er [tʃǽntər, tʃɑ́:nt- | tʃɑ́:nt-] *n.* **1** 영창하는[읊는] 사람; 성가대의 선창자; 성가 대원 **2** (bagpipe의) 지관(指管)

chan·te·relle [ʃæ̀ntərél, tʃæ̀n- | tʃæ̀n-] [F] *n.* 〖식물〗 살구버섯

chan·teur [ʃæntə́:r] [F] *n.* (나이트클럽이나 카바레에서 노래하는) 남자 가수

chan·teuse [ʃæntú:s] [F] *n.* (나이트클럽이나 카바레에서 노래하는) 여자 가수

chant·ey [ʃǽnti, tʃǽnti | tʃɑ́:nti] [F「노래하다」의 뜻에서] *n.* (*pl.* **~s**) 뱃노래 《선원들이 일을 할 때 부름》

chan·ti·cleer [tʃǽntəklìər | ˌ-ˌ-ˊ] *n.* 《문어》 수탉 《rooster의 의인명(擬人名)》

chant·ress [tʃǽntris, tʃɑ́:nt | tʃɑ́:nt-] *n.* 《고어·시어》 가희(歌姬), 여성 가수

chan·try [tʃǽntri, tʃɑ́:n- | tʃɑ́:n-] *n.* (*pl.* **-tries**) **1** (명복을 빌어 달라고 바치는) 기부, 헌금 **2** (기부를 받아서 세운) 예배당 **3** (교회당에 부속된) 작은 예배당 **4** 기부로 살아가는 성직자

chant·y [ʃǽnti, tʃǽnti | tʃɑ́:nti] *n.* (*pl.* **chant·ies**) = CHANTEY

Cha·nu(k)·kah [hɑ́:nəkə, xɑ́:-] *n.* = HANUKKAH

***cha·os** [kéiɑs | -ɔs] [Gk「심연(深淵)」의 뜻에서] *n.* [UC] **1** (천지 창조 이전의) 혼돈(cf. COSMOS) **2** [때로 a ~] 무질서, 대혼란(⇨ confusion [유의어]) **3** 혼돈된 것, 엉망진창인 것, 혼잡한 집합 **4** [**C~**] 〖그리스신화〗 카오스 《혼돈의 신》 **5** 〖물리〗 카오스

cháos théory 〖물리〗 카오스 이론 《카오스의 배후에는 질서가 내재하며, 그 법칙에 따라 미래 상태가 결정된다고 보고 그 법칙성을 찾아내려는 연구》

***cha·ot·ic** [keiɑ́tik | -ɔ́t-] *a.* 혼돈된; 무질서한, 혼란한 **-i·cal·ly** *ad.*

chap[1] [tʃǽp] [ME「베다」의 뜻에서] *n.* **1** (살갗·입술 등의) 튼 데, 튼 자리, (갈라진) 금, 균열 **2** 《스코》 똑똑 두드리는 것, 노크
—*v.* (**~ped**; **~·ping**) *vt.* **1** 〈추위·서리가〉 〈살갗을〉 트게 하다 **2** 〈가뭄 등이〉 〈지면·목재 등에〉 금[균열]이 생기게 하다 **3** 《스코》 두드리다, 치다 **4** 《미·속어》 〈사람을〉 화나게 하다, 곤란하게 하다 **—***vi.* **1** 〈손·발·살갗 등이〉 트다, 거칠어지다 **2** 《스코》 치다; 똑똑 두드리다

‡chap[2] [tʃǽp] [*chap*man] *n.* **1** 《주로 영·구어》 놈, 녀석(fellow) **2** 《미·방언》 갓난아기, 어린애

chap[3] *n.* = CHOP[2]

chap. chapel; chaplain; chapter

chap·a·ra·jos, -re- [ʃæ̀pəréious] *n. pl.* 《미》 = CHAPS

chap·ar·ral [ʃæ̀pərǽl, tʃæ̀p-] *n.* 《미남서부》 **1** 떡갈나무 덤불 **2** 관목 수풀 지대

chaparrál bìrd[còck] 《미》 뻐꾸기의 일종

chaparrál pèa 〖식물〗 덤불콩 《콩과(科)의 가시 있는 관목》

cha·pa·ti, -pat·ti [tʃəpɑ́:ti, -pǽti] *n.* (*pl.* **~s**) 차파티 《철판에 굽는 동글납작한 인도의 밀가루빵》

chap·book [tʃǽpbùk] *n.* **1** 싸구려 책 《옛날 행상인(chapman)이 팔고 다닌 소설·속요(俗謠) 등의 소책자》 **2** (시 등의) 소책자

chape [tʃéip] *n.* **1** (칼집의) 끝에 씌운 쇠 **2** 혁대 버클의 물림쇠 **~·less** *a.*

cha·peau [ʃæpóu] [F] *n.* (*pl.* **~s** [-z], **~x** [-z]) 모자; 《특히》 군모 ***C~ bas*** [bɑ́:]**!** 탈모!

cha·peau bras [ʃæpóu-brɑ́:] [F] (18세기의) 접을 수 있는 삼각모

‡chap·el [tʃǽpəl] *n.* **1** (학교·병원·병영·교도소 등의) 예배당, 채플; (교회의) 부속 예배당 **2** (영국 비국교도의) 교회당; 《스코》 가톨릭교회: ~ folk 비국교도 **3**

thesaurus **channel**[1] *n.* **1** 수로 sea passage, waterway, watercourse **2** 해협 strait, neck, narrows **3** 도랑 gutter, furrow, conduit, ditch

Ⓤ (학교의 채플에서 하는) 예배: keep [miss] a ~ 예배에 참석[결석]하다 **4** (궁정 등의) 성가대, 악대 **5** 인쇄소; 인쇄공 조합 **6** 제사를 지내는 집[방]
— *a.* 《드물게》 (영국에서) 비국교도의

chápel gòer 《영》 비국교도(nonconformist)

chap·el·mas·ter [tʃǽpəlmæ̀stər, -mɑ̀ːs-| -mɑ̀ːs-] *n.* =CHOIRMASTER

chápel of éase 〖가톨릭〗 지성당(支聖堂), 사제 출장 성당; 《완곡》 장의사

chápel of rést 영안실

chápel róyal (*pl.* **chapels royal**) **1** 왕궁 부속 예배당 **2** [**C- R-**] (영국) 왕실 예배당

chap·el·ry [tʃǽpəlri] *n.* (*pl.* **-ries**) 예배당 관할구; 예배당 부속 건물

chap·er·on·age [ʃǽpəròunidʒ] *n.* Ⓤ 젊은 여성의 보호자로서 따라가기, 샤프롱 노릇

chap·er·on, -one [ʃǽpəròun] *n.* (사교계에 나가는 젊은 여성의) 여성 보호자, 샤프롱
—*vt.* (젊은 여성의) 보호자로서 동반하다(escort)
—*vi.* 샤프롱 노릇하다 **~·less** *a.*

chap·e·ro·nin [ʃæ̀pəróunən] *n.* 〖생화학〗 샤페로닌 《체내에서 다른 단백질 분자의 형성을 돕는 단백질》

chap·fall·en [tʃǽpfɔ̀ːlən] *a.* **1** 《영·구어》 풀죽은, 기가 꺾인, 낙담한 **2** 〈개 등이〉 아래턱을 축 늘어뜨린

chap·i·ter [tʃǽpətər] *n.* 〖건축〗 주두(柱頭), 기둥머리(capital)

chap·kan [tʃǽpkən] *n.* 인도와 파키스탄의 남성용 긴 코트

***chap·lain** [tʃǽplin] *n.* **1** 예배당 목사 《궁정·학교·병원 등의 예배당 소속》; 군목, 군종 신부; (교도소의) 교회사(敎誨師) **2** (모임 등에서) 종교 의식을 위해 임명된 사람 **~·cy, ~·shìp** *n.*

chap·let [tʃǽplit] *n.* **1** 화관(花冠) **2** 목걸이; 〖가톨릭〗 작은 묵주; 묵주 신공(神功) **3** 〖건축〗 묵주 모양의 쇠시리 **~·ed** [-id] *a.* 화관을 쓴

Chap·lin [tʃǽplin] *n.* 채플린 **Sir Charles Spencer** (***Charlie***) **~** (1889-1977) 《영국의 영화배우·제작자·감독》

chap·man [tʃǽpmən] *n.* (*pl.* **-men** [-mən, -mèn]) 《영》 행상인, 도붓장수; 《고어》 상인; 고객

chap·pal [tʃǽpəl] *n.* 채펄 《인도의 가죽 샌들》

chapped [tʃǽpt] *a.* 살갗이 튼, 피부가 갈라진

chap·pie, -py[1] [tʃǽpi] *n.* 《영·구어》 놈, 녀석 《CHAP[2]의 애칭》; 꼬마

chap·py[2] *a.* (**-pi·er**; **-pi·est**) = CHAPPED

chaps [tʃǽps, ʃǽps] *n. pl.* 《미》 카우보이의 가죽 바지 《보통의 바지 위에 덧입음》

Cháp Stìck 《미》 입술 크림 《입술 튼 데 바르는 약품; 상표명》

chap·tal·ize [ʃǽptəlàiz] *vt.* 〈발효중의 포도주에〉 설탕을 첨가하다, 가당하다

‡**chap·ter** [tʃǽptər] [L 「머리」의 뜻에서] *n.* **1** (책·논문의) 장(章) 《略 chap., ch., c.》: the first ~ = ~ one 제1장 **2** (인생·역사 등의) 중요한 한 구획, 한 장, 한 시기; 화제, 삽화; (일련의) 사건, 연속 《*of*》 **3** [집합적] 집회, 총회 **4** [집합적] **a** 〖그리스도교〗 (cathedral 또는 collegiate church의) (성당) 참사회(參事會) 《그 회원은 canons이고 dean이 감독함》 **b** (수도원·기사단 등의) 총회 **5** 《미》 (동창회·클럽·조합·협회의) 지부, 분회 **6** (시계의) 문자반의 숫자나 부호 **7** 《야구속어》 = INNING

a ~ of accidents 《영》 일련의 불행한 사건 ***~ and verse*** (1) 〖성서〗 장과 절 (2) 정확한 출처; 전거(典據) 《*for*》 (3) [부사적] 정확히, 상세히 ***read*** a person ***a ~*** …에게 설교를 하다, …을 단단히 타이르다 ***to*** [***till***] ***the end of the ~*** 끝까지; 영구히, 언제까지나
— *vt.* 〈책·논문 등을〉 장(章)으로 나누다[배분하다]

chaos *n.* disorder, confusion, upheaval, disruption
chaotic *a.* disorganized, disordered, uncontrolled, formless, confused, turbulent, jumbled

Chápter 11[**XI**] [-ilévən] 〖미국법〗 (연방) 파산법 제11장, 미국 회사 갱생법 《연방 파산법(Bankruptcy Code) 중의 한 절차를 규정한 부분》

chápter hòuse **1** 참사회[목사단] 회의장 **2** 《미》 (동창회·클럽 등의) 지부 회관

chápter rìng (시각을 표시하는 숫자·기호가 표시되어 있는) 시계 문자반의 윤상부(輪狀部)

Chápter 7[**VII**] [-sévən] 〖미국법〗 (연방) 파산법 제7장, 파산 조항

char[1] [tʃɑ́ːr] *v.* (**~red**; **~·ring**) *vt.* **1** 〈불이〉 〈나무 등을〉 숯으로 만들다, 까맣게 태우다 **2** 약간 굽다, 태우다 —*vi.* 숯이 되다, 까맣게 타다
—*n.* **1** Ⓤ 숯, 목탄(charcoal); 골탄(骨炭) 《제당(製糖)용》 **2** 까맣게 탄 것 **3** 〖화학〗 산소분이 풍부한 분체(粉體) 연료

char[2] [OE 「일시」의 뜻에서] *n.* **1** 《영》 잡역부(charwoman); (가정의) 허드렛일, 잡일(chore); [*pl.*] (여자의) 시간제 잡일 **2** 《영·구어》 = CHARWOMAN
—*vi.* (**~red**; **~·ring**) 〈여성이〉 (날품팔이로) 가정의 잡일을 하다 —*vt.* 〈집안일·잡일 따위를〉 하다; …을 수리하다, 고치다, 닦다

char[3] *n.* (*pl.* [집합적] **~, ~s**) 〖어류〗 곤들매기류

char[4] *n.* 《영·속어》 차(tea)

char·a·banc [ʃǽrəbæ̀ŋ] *n.* 《영》 대형 유람 버스 《지금은 coach라고 함》

‡**char·ac·ter** [kǽriktər, -rək-] *n., a., v.*

> Gk 「글자를 새기는 도구」의 뜻
> → 도장 ─┬ 「기호」 → 「문자」
> └ (구별되는) 「특성」 → (사람의) 「성격」
> 「인격」 → (인물) → 「등장인물」

— *n.* **1** ⓊⒸ (개인·국민의) **성격**, 성질, 기질: a national ~ 국민성 / the ~ of the Americans 미국인의 기질[특성]

> 유의어 **character** 특히 도덕적·윤리적 면에 있어서의 개인의 성질: have a weak *character* 성격이 약하다 **personality** 대인 관계에 있어서의 행동·사고·감정의 기초가 되는 신체적·정신적·감정적 특징: a somber *personality* 어두운 성격 **individuality** 타인과의 구별이 분명해서 두드러진 개인 특유의 성질: a person who lacks *individuality* 개성이 없는 사람 **temperament** 성격의 바탕을 이루는 주로 감정적인 성질: an artistic *temperament* 예술가 기질

2 ⓊⒸ (물건의) **특성**, 특질, 특색: the ~ of a district 어떤 지방의 특색 / a face without any ~ 특징이 없는 얼굴 **3** Ⓤ **인격**; 품성, 덕성; 고결, 정직: a man of (good) ~ 인격자 / build[form, mold] one's ~ 품성을 기르다 **4** [수식어와 함께] 《구어》 (…한) 사람, 인물; 《구어》 괴짜, 기인: a public ~ 유명인, 공인(公人) / a historical ~ 역사적 인물 **5** (소설 등의) **등장인물**, (연극의) 역(役); (만화의) 캐릭터: the leading ~ 주역 **6** 기호(mark), 부호(symbol); 암호: musical ~*s* 악보 (기호) **7** **문자**(letter); [집합적] (한 체계로서의) 문자, 알파벳; (인쇄체·필기체의) 자체(字體): Chinese ~*s* 한자 / write in large ~*s* 큰 글자로 쓰다 **8** Ⓤ [the ~, one's ~] 《문어》 지위, 신분, 자격(status): in *the* ~ of[as] an adviser 고문 자격으로 **9** 《영》 (사람·물건의) 특성·특질에 대한 보고[기술]; (전 고용주가 고용인에게 주는) 인물 증명서, 추천장 **10** 평판, 명성(reputation): get a bad[good] ~ 나쁜[좋은] 평판을 얻다 **11** 〖유전〗 형질 **12** 〖가톨릭〗 성사의 인호(印號) 《세례·견진(堅振) 등의 성사에서 개인이 받는 영적 감명》 **13** 〖문학〗 분석적 성격 묘사 **14** 〖컴퓨터〗 **a** 캐릭터, 문자 **b** 문자 세트
in ~ 성미에 맞아, 적격인, 어울려; 배역에 꼭 맞는; (…와) 조화되어, 같은 스타일로 《*with*》 ***out of ~*** 그 사람답지 않게, 적격이 아닌; 〈배역에〉 어울리지 않는

—*a.* 〖연극〗 **1** 〈역이〉 성격 배우를 필요로 하는 **2** 〈배우가〉 특이한 인물의 역을 연기할 수 있는
—*vt.* 《고어》 **1** 새기다 **2** 〈인물·성격을〉 묘사[기술]하다; …의 특성을 나타내다
▷ characterístic *a.*; cháracterize *v.*
cháracter àctor 〖연극·영화〗 성격 배우
cháracter àctress 〖연극·영화〗 성격 여배우
cháracter àrmor 〖심리〗 (내면의 약점을 감추기 위한) 성격 방호(防護)
cháracter assassinàtion 인신 공격, 중상, 비방
cháracter assássin 중상 모략자
char·ac·ter-based [kǽriktərbèist] *a.* 〖컴퓨터〗 문자 단위 표시 방식의
cháracter còde 〖컴퓨터〗 문자 식별 코드
cháracter dènsity 〖컴퓨터〗 문자 밀도 《단위 길이 또는 단위 면적당 기록되는 문자의 수》
cháracter disòrder 성격 이상, 성격 장애
cháracter displày (devìce) 〖컴퓨터〗 문자 표시 장치
char·ac·ter·ful [kǽriktərfəl] *a.* 특징[성격]이 잘 나타난; 특색이 있는; 성격이 강한 **~·ly** *ad.*
cháracter gènerator (텔레비전의) 문자 발생기
⁑**char·ac·ter·is·tic** [kæ̀riktərístik] *a.* **1 특질 있는, 독특한, 특징적인 2** …에 **특유한**; …의 특징을 나타내는, 전형적인 《*of*》
—*n.* **1 특질, 특색,** 특성 **2** 〖수학〗 (대수(對數)의) 지표
char·ac·ter·is·ti·cal·ly [kæ̀riktərístikəli] *ad.* 특질상; 특징[특색]으로서; 개성적으로
characterístic cúrve 〖물리·사진〗 특성 곡선
characterístic equátion 〖수학〗 특성 방정식
characterístic fúnction 〖수학〗 **1** 특성 함수; 고유 함수 **2** = CHARACTERISTIC POLYNOMIAL
characterístic polynómial 〖수학〗 특성 다항식, 고유 다항식
characterístic radiátion 〖물리〗 특성 방사선
characterístic róot 〖수학〗 고유치(値), 특성근(根)
characterístic véctor 〖수학〗 고유 벡터
characterístic velócity 〖우주과학〗 특성 속도
char·ac·ter·i·za·tion [kæ̀riktərizéiʃən | -raiz-] *n.* Ⓤ **1** 특징[특성]을 나타냄, 특징 부여 **2** (연극·소설의) 성격 묘사
*__char·ac·ter·ize__ | **-ise** [kǽriktəràiz] *vt.* **1** 〈사람·사물의〉 **특성을 기술하다,** 성격을 묘사하다; 〈사람·사물을〉 (…으로) 간주하다, 보다 《*as*》: 《~+목+***as*** 보》 It must be ~*d as* a success. 그것은 성공으로 간주하지 않으면 안 된다. **2** 〈사물이〉 …에 특성[성격]을 부여하다, 특징 지우다: His style is ~*d* by simplicity. 그의 문체는 간결한 것이 특징이다. **-ìz·er** *n.*
char·ac·ter·less [kǽriktərlis] *a.* **1** 특징[개성]이 없는, 평범한 **2** 인물 증명서[추천서]가 없는
char·ac·ter·o·log·i·cal [kæ̀riktərəlɑ́dʒikəl | -lɔ́dʒ-] *a.* 기질[특성]에 관한 (연구의) **~·ly** *ad.*
char·ac·ter·ol·o·gy [kæ̀riktərɑ́lədʒi | -rɔ́l-] *n.* Ⓤ 〖심리〗 성격학, 성격 연구; 성격 판단
cháracter pàrt 〖연극·영화〗 성격역(役)
cháracter pìece 〖음악〗 캐릭터 피스 《보통 피아노를 위한 짧고 단순한 기악 소품》
cháracter recognition 〖컴퓨터〗 문자 인식
cháracter skètch 1 〖문학〗 인물 촌평; 성격 묘사(의 소품) **2** 〖연극〗 특수 성격 연출
cháracter stùdy 성격 묘사 소설
cháracter tỳpe 〖심리〗 성격 유형; 〖컴퓨터〗 문자형
cháracter wìtness 〖법〗 성격 증인 《법정에서 원고 또는 피고의 성격·인품 등에 관하여 증언하는 사람》
char·ac·ter·y [kǽriktəri] *n.* 《고어》 (사상의 표현 수단으로서) 문자[기호]의 사용; [집합적] 문자, 기호
char·ac·to·nym [kǽriktənìm] *n.* 문학 작품의 등장인물의 성격이나 특징을 나타내는 명칭
cha·rade [ʃəréid | -rɑ́:d] *n.* **1** [*pl.*; 단수 취급] 제스처 게임; (제스처 게임의) 몸짓(으로 나타낸 말) **2** 빤히 들여다보이는 수작[속임수]

cha·ran·go [tʃərǽŋgou] *n.* (*pl.* **~s**) 차랑고 《남아메리카의 소형 기타》
cha·ras [tʃɑ́:rəs] *n.* 《속어》 해시시(hashish); 마리화나
char·broil [tʃɑ́:rbrɔ̀il] *vt.* 〈고기를〉 숯불에 굽다
*__char·coal__ [tʃɑ́:rkòul] [ME 「숯(coal)이 된 나무」의 뜻에서] *n.* **1** Ⓤ 숯, 목탄 **2** 목탄 연필; 목탄화(畫) (= **~ dràwing**) **3** = CHARCOAL GRAY
—*vt.* **1** 목탄으로 그리다 **2** 숯불구이로 하다
—*vi.* 숯불구이하다
chárcoal bìscuit (소화를 돕기 위해) 탄소를 섞은 비스킷
chárcoal bùrner 1 숯꾼 **2** 숯가마, 숯풍로 **3** [C B-s] = CARBONARI
chárcoal gráy 회흑색(灰黑色)
chárcoal ròt 〖식물병리〗 탄저병
char·cu·te·rie [ʃɑ:rkù:tərí:, ─ˊ─ˋ] *n.* (*pl.* **~s** [-z]) (프랑스에서) 돼지고기 집, (특히 돼지고기의) 조리 식료품점(delicatessen); 돼지고기 식품
chard [tʃɑ́:rd] *n.* 〖식물〗 근대(= Swiss ~)
char·don·nay [ʃɑ:rdənéi] [F] *n.* [종종 **C~**] **1** 샤르도네 《샴페인·백포도주용의 백포도 품종》; 그 나무 **2** 샤르도네로 만든 쌉쌀한 맛의 백포도주
chare [tʃɛ́ər] *n., v.* 《주로 영》 = CHAR²
⁑**charge** [tʃɑ́:rdʒ] *v., n.*

> L 「무거운 짐(을 지우다)」의 뜻에서
> → (금전상의) 부담(을 지우다) → 요금(을 청구하다) 타 **1** 자 **1** 명 **1**
> → (일에 있어서의) 부담(을 지우다) → 의무·책임(을 지우다) 타 **4** 명 **3**
> → (책임·죄를) 씌우다 → 비난(하다) 타 **3** 명 **2**

—*vt.* **1** 〈지불을〉 **부담시키다,** 〈대가·요금을〉 **청구하다,** 값을 매기다; 〈세금을〉 과하다: 《~+목+전+명》 ~ a dollar a dozen *for* eggs 달걀 값을 한 다스에 1 달러로 청구하다 / ~ a tax *on* an estate 토지에 세금을 매기다 **2** 〈상품 등을〉 **외상으로 사다**; …의 차변(借邊)에 기입하다, 앞으로 달아 놓다 《*to*》: 《~+목+전+명》 *C*~ these cigars *to* my account[*against* me]. 이 엽궐련 값을 내 앞으로 달아 놓으시오. **3** 비난하다, 고소[고발]하다, 책망하다(blame); 〈죄·과실 등을〉 (…탓으로) 돌리다: 《~+목+전+명》 ~ a person *with* a crime = ~ a crime *upon* a person …에게 죄를 씌우다 **4** [종종 수동형으로] 〈의무·책임 등을〉 **지우다,** 과하다; 위탁하다(entrust) 《*with*》: 《~+목+전+명》 *be* ~*d with* a task 과업을 부여받다 / a nurse ~*d with* the care of a child 아이를 맡은 유모 / Law ~*s* policemen *with* keeping law and order. 법률은 경찰관에게 법과 질서를 유지할 임무를 지우고 있다. / He ~*d* himself *with* the investigation. 그는 자진해서 수사를 맡았다. **5** 〈용기에〉 (…을) **채우다,** 가득 채우다, 충만하게 하다 《*with*》; 〈총포에〉 화약을 재다, 장전(裝塡)하다; 〈축전지에〉 충전하다 《*up*》: ~ a storage battery 축전지에 충전하다 // 《~+목+전+명》 ~ a furnace *with* ore 용광로에 광석을 넣다 / A gun is ~*d with* powder and shot. 총포에는 화약과 탄환을 장전한다. **6** 〈적을〉 **습격하다,** …에 **돌격하다**(attack) **7** …에게 권위를 가지고 지시하다; 명령하다; 〈재판관·주교 등이〉 설명하다: 《~+목+***to*** do》 I ~ you strictly not *to* commit such a crime again. 두 번 다시 이런 죄를 범하지 않도록 엄명한다. // A judge ~*s* a juryman. 재판관이 (사건의 문제점을) 배심원에게 설명한다. **8** 〈장소의 분위기에〉 (감동·긴장 등이) 넘치다; 〈목소리 등에〉 (감정을) 담다

thesaurus **characteristic** *a.* distinguishing, distinctive, particular, special, individual, specific, peculiar, representative —*n.* quality, attribute, feature, trait, property, peculiarity

《*with*》 **9** 〈무기를〉 겨누다: *C*~ bayonets! 착검! **10** 〖축구〗 (반칙으로) 저지하다 **11** 〖물리〗 〈(입자·물체, 계(系)의 음·양의) 전기량을〉 (…로) 바꾸다 《*with*》

— *vi.* **1** (…의) **대금[요금]을 청구하다**; 값을 부르다; 대변에 기입하다, 외상으로 달다: *C*~ now, pay later. 대금 후불로 하고 값을 부르시오. // (~+전+명) ~ high *for* the service 서비스의 대가를 톡톡히 청구하다 **2** (…로 향해) **돌격하다**, 돌진하다 《*at, into*》: (~+전+명) We ~*d at* the enemy. 우리는 적에게 돌격했다. **3** 〈충전지가〉 충전되다 **4** 〈재판관이〉 배심원에게 설명하다 **5** 〈개가〉 (명령에 의해) 앉다, 엎드리다 ***~ off*** (1) 손실로서 빼다[공제하다] (2) …의 일부로 보다 (3) (원인을) …에 돌리다 ***~ ... up*** = ***~ up ...*** 《구어》 (1) 〈청중·군중을〉 선동하다; 흥분시키다 (2) 〈마취·수면(제)에〉 걸리다, 취하다

— *n.* **1** [종종 *pl.*] **청구 금액**, 요금, 대금; 부채의 기입, 지불 계정의 기재, 외상(으로 달기)(⇨ price 유의어); [종종 *pl.*] (…의) 비용, 경비 《*for*》: at one's own ~(*s*) 자비로 / make a ~ (값·비용이) 얼마라고 말하다 **2** 비난; 고발, 고소; 문책; 죄명, 혐의: a false ~ 무고(誣告) / a ~ of murder 살인 혐의 / retract a ~ 고소를 취하하다 **3** Ⓤ **책임**, 의무, 임무; 보호, 관리, 담당 **4** 명령, 지령, 훈령, 유시 **5** ⓊⒸ 장전; 전하(電荷); 충전; (1발분의) 탄약; (용광로 1회분의 원광) 투입량: on ~ 충전하여 **6** 《미·속어》 스릴, 자극, 흥분, 즐거운 경험 **7** 〖축구〗 전진 저지; 〖군사〗 돌격, 돌진(onset), 진군 나팔[북] **8** 맡은 것 《유모의 어린이, 목사의 신도 등》 **9** 짐, 화물; 부담(burden), 과세금, 세금 《*on*》 **10** 문장(紋章)에 그려져 있는 도형 ***account***[***bill***] ***of ~s*** 제(諸)비용 계산서 ***at a ~ of*** …의 비용 부담으로 ***bring***[***press, prefer***] ***~s of*** theft ***against*** …을 (절도죄)로 고발하다 ***~s forward***[***paid***] 제비용 선불[지급필] ***face a ~ of*** …의 혐의를 받다 ***free of ~*** 무료로 ***get a ~ out of*** 《구어》 …에 스릴[환희, 만족]을 느끼다 ***give*** a person ***in ~*** 《영》 〈도둑 등을〉 경찰에 인도하다 ***give*** something ***in ~ to*** a person …을 …에게 맡기다 ***have ~ of*** …을 맡고 있다; …을 맡다, 담당하다 ***in ~*** (***of***) …을 맡고 있는, 담당의: the nurse *in ~ of* the patient 그 환자 담당의 간호사 / the teacher [doctor] *in ~* 담임 교사[주치의] ***in*** a person***'s ~*** …에게 맡겨져, …에게 관리[보호]되어 ***lay*** (something) ***to*** a person***'s ~*** (…을) …의 책임으로 돌리다 ***make a ~ against*** …을 비난[고소]하다 ***make a ~ for*** …의 견적을 내다, 대금을 청구하다 ***No ~ for admission.*** 입장 무료. ***on*** (***the***[***a***]) ***~ of*** = ***on ~s of*** …의 죄로, …의 혐의로 ***press ~s*** 고발[기소]하다 ***put ... on a ~*** …에게 책임이 있다고 나무라다 ***put*** something ***under*** a person***'s ~*** …을 …에게 맡기다 ***return to the ~*** 〈돌격·의논 등을〉 다시 시작하다 ***take ~*** 《구어》 제어할 수 없게 되다(get out of control); 주도권을 장악하다, 책임을 떠맡다 ***take***[***have***] ***~ of*** …을 맡다, 담당하다 ***take***[***have***] a person ***in ~*** …을 경찰에서 인수하다

char·gé [ʃɑːrʒéi | ʃɑ́ːʒei] [F] *n.* = CHARGÉ D'AFFAIRES

charge·a·ble [tʃɑ́ːrdʒəbl] *a.* **1** 〈비난·죄 등이〉 (…에게) 돌려져야 할 《*on*》; 〈사람이〉 (죄로) 고소되어야 할 《*with*》 **2** 〈부담·비용 등이〉 (…에게) 지워져야 할 《*on*》; 〈세금이〉 (…에) 부과되어야 할 《*on*》 **3** 〈사람이〉 (교구 등의) 보호를 받아야 할 《*to*》

chàrge·a·bíl·i·ty *n.* **-bly** *ad.*

chárge accòunt 《미·캐나다》 외상 거래 (계정) (《영》 credit account)

charge·a·hol·ic [tʃɑ̀ːrdʒəhɔ́ːlik] *n.* 신용 카드 중독자, 신용 카드 남용자

charge *v.* **1** 청구하다 ask for payment, ask, impose, levy **2** 고발[비난]하다 accuse, indict, impeach, impute, blame **3** 채우다 fill, load, pack **4** 공격하다 attack, assault, rush, storm

charge-a-plate [tʃɑ́ːrdʒəplèit] *n.* = CHARGE CARD

charge·back [tʃɑ́ːrdʒbæ̀k] *n.* **1** 〖금융〗 입금 취소 **2** 《미》 (신용 카드 발행 은행 따위의) 지불 거절

chárge càpping 《영》 최고 부과액 제한 《공공 서비스에 대한 지방 정부의 요금 부과에 대한》

chárge càrd (특정 점포에서 사용할 수 있는) 신용 카드

chárge conjugàtion 〖물리〗 하전 공액 변환(荷電共軛變換)

chárge-cou·pled devíce [-kʌ̀pld-] 〖전자〗 전하(電荷) 결합 소자(素子) 《略 CCD》

chárge cùstomer 외상 손님; 신용 거래처

charged [tʃɑ́ːrdʒd] *a.* **1** 〖물리〗 대전(帶電)한 **2** 〈연설 등이〉 격한, 열정적인; 〈분위기 등이〉 강렬한, 감동[정열]적인 **3** 〈의견·논쟁 등이〉 반론[격론]을 일으킬 만한 ***~ up*** 《미·속어》 (1) (마약으로) 기분 좋은; 마약의 양이 조금 도를 넘은 (2) 흥분한; 긴장하고 있는

char·gé d'af·faires [ʃɑːrʒéi-dəfɛ́ər | ʃɑ́ːʒei-dæfɛ́ə] [F = (one) charged with affairs] (*pl.* **char·gés d'affaires** [ʃɑːrʒéiz-]) **1** 대리 대사[공사] **2** 공사 대리 《대사[공사] 없는 국가에 둠》

chárge dènsity 〖물리〗 전하(電荷) 밀도

chárged párticle 〖물리〗 하전(荷電) 입자

charge·hand [tʃɑ́ːrdʒhæ̀nd] *n.* 《영》 = FOREMAN

chárge nùrse 《영》 (병원·병동의) 수간호사

charge-off [tʃɑ́ːrdʒɔ̀ːf | -ɔ̀f] *n.* (은행에 의한 불량 채권 따위의) 상각

chárge of quárters 《미》 (야간 또는 휴일의) 당번[당직] 하사관 《略 CQ》; 그 임무

chárge plàte = CHARGE CARD

charg·er[1] [tʃɑ́ːrdʒər] *n.* **1** 용광로에 광석을 넣는 사람 **2** (장교용) 군마(軍馬) **3** 돌격자 **4** 장전기, 장약기(裝藥器) **5** 충전기

charger[2] *n.* 크고 납작한 접시(platter)

chárges collèct 제(諸)비용 지불; 운임 착지불(着地拂) 《略 CC》

chárge shèet 《영》 (경찰의) 사건 기록부

charge·sheet [tʃɑ́ːrdʒʃìːt] *vt.* 《인도》 탄핵하다 《*for*》

char·grill [tʃɑ́ːrgril] [*char*coal+*grill*] *vt.* 〈고기·생선을〉 숯불로 굽다(charbroil)

char·i·ly [tʃɛ́ərəli] *ad.* **1** 조심스럽게, 경계하면서(cautiously) **2** 아까운 듯이

char·i·ness [tʃɛ́ərinis] *n.* Ⓤ 조심스러움; 아까워함

Chár·ing Cróss [tʃǽriŋ-] 채링 크로스 《London 시의 중앙, Strand가 서쪽 끝의 번화가》

***char·i·ot** [tʃǽriət] [OF 「수레」의 뜻에서] *n.* **1** (고대 그리스·로마의 전투·개선·경주용의) 2륜 **전차**(戰車) **2** (18세기의) 4륜 경마차 **3** 《시어》 훌륭한 수레, 꽃마차 **4** 짐마차 **5** 《미·속어·익살》 자동차

chariot 1

— *vt., vi.* 《시어》 전차를 몰다; 마차로 나르다

char·i·ot·eer [tʃæ̀riətíər] *vi.* 《문어》 2륜 전차를 몰다 — *vt.* 《문어》 **1** 〈2륜 차를〉 몰다 **2** 〈사람을〉 차로 나르다 — *n.* **1** 2륜 전차를 모는 전사 **2** [the C~] 〖천문〗 마차부자리

char·ism [kǽrizm] *n.* = CHARISMA

cha·ris·ma [kərízmə] *n.* (*pl.* **~·ta** [-tə]) **1** 〖신학〗 카리스마, (신이 특별히 부여하는) 재능, 권능 **2** Ⓤ (특정한 개인·지위가 갖는) 카리스마적 권위; (대중을 신복시키는) 카리스마적 매력[지도력]

char·is·mat·ic [kæ̀rizmǽtik] *a.* **1** 카리스마적인 **2** 〖신학〗 카리스마 파(派)의 — *n.* 카리스마 파의 신자 **-i·cal·ly** *ad.*

***char·i·ta·ble** [tʃǽrətəbl] *a.* **1** 자비로운; 자비심[자애심]이 많은 《*to*》 **2** 관대한, 관용적인(generous) **3** 자선의; 자선심이 많은 **~·ness** *n.* **-bly** *ad.*

‡char·i·ty [tʃǽrəti] [L 「사랑」의 뜻에서] *n.* (*pl.* **-ties**) **1** Ⓤ (성서에서 말하는) 사랑(Christian love, agape) **2** ⓊⒸ 자애, 자비(심); 동정(심); 동포애, 박애; 관용, 관대함: treat a person with ~ …을 관대하게 대하다 / *C*~ begins at home. (속담) 자애는 가정에서 시작된다, 남보다 먼저 가족을 사랑해라. **3** ⓊⒸ 자선 (행위), 보시(布施); (공공의) 구호; Ⓒ 구호물자, 구호금: a man of ~ 자선가 / ~ for the poor 빈자를 위한 자선 **4** [보통 *pl.*] 자선 사업 **5** 자선 기금; 자선 단체, 자선 시설, 보육원 **6** 자선적인 원조를 받는 사람 (*as*) ***cold as*** **~** 매우 냉담하여; 내기 싫어하여 ***in*** [***out of***] **~** (***with***) (…을) 가엾게 여겨서

chárity bazàar 자선 바자

chárity chìld 보육원의 아동

Chárity Commíssion (영) 자선 사업 감독 위원회

chárity gìrl (고어) 자선 학교의 여학생; (속어) 섹스 상대가 되어 주는 여자

chárity hòspital 자선 병원

chárity mòll (호주·속어) = CHARITY GIRL

chárity schòol (미) (옛날의) 자선 학교

chárity shòp (영) 자선 가게 《기부받은 물건을 팔아 자선 사업비를 만드는 가게》

chárity shòw 자선 흥행[쇼]

chárity stàmp 자선 우표(semipostal)

chárity tòss (농구속어) 자유투(free throw)

chárity wàlk 자선 크로스컨트리 경보(競步)

cha·ri·va·ri [ʃìvəríː, ʃívəriː | ʃɑːrivɑ́ːri] *n.*, *vt.* = SHIVAREE

char·kha, -ka [tʃɑ́ːrkə] *n.* (인도에서) 조면기(繰綿機), 물레

char·la·dy [tʃɑ́ːrlèidi] *n.* (*pl.* **-dies**) (영) = CHARWOMAN

char·la·tan [ʃɑ́ːrlətn] *n.* 허풍선이; (전문 지식이 있는 체하는) 협잡꾼(impostor); 《특히》 돌팔이 의사

char·la·tan·ic [ʃɑ̀ːrlətǽnik] *a.* 협잡의, 돌팔이의

char·la·tan·ism [ʃɑ́ːrlətənìzm] *n.* Ⓤ 허풍; 협잡; 속임수, 사기

char·la·tan·ry [ʃɑ́ːrlətənri] *n.* = CHARLATANISM

Char·le·magne [ʃɑ́ːrləmèin] *n.* 샤를마뉴 대제 (742-814) 《서로마 제국 황제(800-814)》

Charles [tʃɑ́ːrlz] *n.* 남자 이름 《애칭 Charley, Charlie》

Chárles's Wáin [tʃɑ́ːrlziz-wéin] [the ~] (영) 〖천문〗 **1** 북두칠성((미) the (Big) Dipper) **2** 큰곰자리

Charles·ton [tʃɑ́ːrlztən, tʃɑ́ːrls- | tʃɑ́ːls-] *n.* **1** 찰스턴 《미국 West Virginia 주의 주도》 **2** 찰스턴 《1920년대 미국에서 유행한 춤》

Char·ley, -lie [tʃɑ́ːrli] *n.* **1** 남자 이름 《Charles의 애칭》 **2** (영·속어) 바보 **3** (미·속어) 백인

Chárley Cóke (미·속어) 코카인 (중독자)

Chárley Góon (미·속어) 경찰(관)

chár·ley hòrse [tʃɑ́ːrli-] (미·구어) (운동 선수 등의 팔다리의) 근육 경직, 근육통, 쥐

Chárley Nòble (속어) (선박의) 조리실의 굴뚝, 엔진 배기통

char·lie [tʃɑ́ːrli] *n.* **1** 야경꾼 **2** 〖통신〗 C자를 나타내는 부호 **3** (속어) 코카인 **4** (속어) 베트콩 《Vietcong의 약자인 VC의 통신 코드; Victor Charlie에서》 **5** (Charles 1세와 같은) 짧고 뾰족한 턱수염 **6** [종종 복수형으로] (영·속어) 유방, 젖; 고환

char·lock [tʃɑ́ːrlək, -lɑk | -lɔk] *n.* 〖식물〗 들갓 《야생의 갓》

char·lotte [ʃɑ́ːrlət] [F] *n.* 샬로트 《찐 과일 등을 빵·스펀지케이크로 싼 푸딩》

Char·lotte [ʃɑ́ːrlət] *n.* 여자 이름 《애칭 Charley, Lotty, Lottie》

chárlotte rússe [-rúːs] [F = Russian charlotte] 러시아식 샬로트 《스펀지케이크 속에 크림이나 커스터드를 넣은 디저트》

‡charm [tʃɑ́ːrm] [L 「(마법의) 노래」의 뜻에서] *n.* **1** ⓊⒸ 매력(fascination); [*pl.*] (여자의) 아름다움, 요염: feminine ~*s* 여성미 **2** 마력(魔力)(spell), 마법 **3** (팔찌·시곗줄 등에 다는) 작은 장식물 **4** 주문(呪文); 부적, 호부(護符) 《*against*》: a ~ *against* bad luck 재난을 막아 주는 부적 / chant[recite] a ~ 주문을 외다 **5** [*pl.*] (미·속어) 돈(money) **6** 〖물리〗 참 《hadron을 구별하는 물리량의 일종》 **7** (미) (집이 가지고 있는) 매력적인 고풍스러운 멋

act [***work, go***] ***like a*** **~** (구어) 약[일, 계획 등]이 신통하게 잘 듣다[진행되다], 〈기계가〉 희한하게 잘 돌아가다 ***The third time's a*** **~.** (미) 세 번째 만의 행운. ***under the*** **~** 마법[마력]에 걸려

— *vt.* **1** (…으로) 매혹하다, …의 마음을 빼앗다, 황홀하게 하다 《*with, by*》(⇨ attract 유의어): His pleasant manner ~*ed* her. 그의 쾌활한 태도가 그녀를 매혹시켰다. / She was ~*ed* with the beautiful scene. 아름다운 광경에 그녀는 넋을 잃었다. // (~+목+전+명) She ~*ed* the guests *with* her smiles. 그녀의 미소는 손님들을 황홀하게 했다. **2** 매혹하여[마법을 걸어] …시키다; [종종 수동형으로] …에게 마력을 주다, …을 마력으로 (…에서) 지키다: (~+목+보) ~ a person asleep …을 마력으로 잠들게 하다 // (~+목+부) ~ *away* one's toothache 마력으로 치통을 낫게 하다 // (~+목+전+명) ~ a secret *out of* a person …을 황홀하게 하여 비밀을 캐내다 **3** 〈뱀을〉 길들여 부리다(tame) **4** (개인적 매력에 의해) 쟁취하다 **5** (속어) 〈이성에게〉 (달콤한 말로) 구애하다; 〈상사에게〉 아첨하다 《*up*》

— *vi.* **1** 매력을 가지다, 매력이 있다: Goodness often ~*s* more than mere beauty. 외모보다 마음씨. **2** 주문[마법]을 걸다 **3** 〈약 등이〉 신통하게 잘 듣다

chárm bràcelet 장식이 달린 팔찌

charmed [tʃɑ́ːrmd] *a.* **1** 매혹된; 마법에 걸린; 저주받은 **2** 마법[신통력]으로 보호된; 운이 좋은, 불사신의 **3** Ⓟ (구어) 기쁘게 생각하여(pleased): (~+***to*** do) I shall be ~ *to* see you tomorrow. 내일 뵙게 된다면 기쁘겠습니다. **4** 〖물리〗 참의 성질을 가진[나타내는] ***bear*** [***lead, have***] ***a*** **~** ***life*** 불사신이다, 운좋게 사고를 면하다

chármed círcle 배타적 집단, 특권 그룹

chármed párticle 〖물리〗 참 입자

chármed quárk 〖물리〗 참 쿼크 《charm이 0이 아닌 쿼크》

charm·er [tʃɑ́ːrmər] *n.* **1** 매혹하는 사람; 마법사 **2** (익살) 매력 있는 사람; 《특히》 요염한 여자 **3** 뱀을 부리는 사람

char·meuse [ʃɑːrmúːz, -múːs | -múːz] [F] *n.* Ⓤ 샤르무즈 《수자직(繻子織)의 일종》

‡charm·ing [tʃɑ́ːrmiŋ] *a.* **1** 〈사람 등이〉 매력 있는, 매력적인; 〈어린아이가〉 매우 귀여운

> 유의어 **charming** 남을 황홀하게 하여 홀딱 반하게 할 정도로 매력적인; 주로 여성이 쓰는 말: a *charming* person 매력적인 사람 **attractive** 사람의 마음을 끌 정도로 아름다운[인상이 좋은]: an *attractive* smile 매력적인 미소

2 〈사물이〉 매우 좋은, 매우 재미있는[즐거운]; 〈물건이〉 매력적인 **3** 마법을 거는, 마력을 이용한 **4** (미) 〈집이〉 고풍스런 **~·ly** *ad.* **~·ness** *n.*

charm·less [tʃɑ́(ː)rmlis] *a.* 매력 없는; 재미없는, 즐겁지 않은

chárm offénsive 매력 공세 《목표 달성을 위해 합리성·조력·미모 따위를 구사하기》

char·mo·ni·um [tʃɑːrmóuniəm] *n.* 〖물리〗 차모니움 《참 쿼크와 참 반(反)쿼크로 된 중간자의 총칭》

thesaurus **charity** *n.* **1** 자애 goodwill, compassion, humanity, kindliness, love, sympathy, benevolence, generosity **2** 자선 financial assistance, donations, contributions, handouts, financial relief, philanthropy
charming *a.* **1** 매력적인 enchanting, bewitching,

chárm schòol 참 스쿨 《여성에게 사교술·화술·미용·에티켓 등을 가르치는 학교》

char·nel [tʃɑ́ːrnl] *n.* =CHARNEL HOUSE **—** *a.* 납골당 같은; 죽음 같은; 어쩐지 기분 나쁜, 오싹한

chárnel hòuse 《문어》 납골당

Cha·ro·lais [ʃæ̀rəléi] *n.* 샤롤레 《프랑스 원산의 큰 흰 소; 주로 식육·교배용》

Char·on [kɛ́ərən | kɛ́ər-] *n.* **1** 〖그리스신화〗 카론 《삼도내(Styx)의 나루지기》 **2** 《익살》 나루지기 **3** 〖천문〗 카론 《1978년에 발견된 명왕성의 위성》

char·o·phyte [kǽrəfàit] *n.* 〖식물〗 차축조(車軸藻) 《민물 녹조류》

char·poy [tʃɑ́ːrpɔ̀i] *n.* (인도의) 간이 침대

char·qui [tʃɑ́ːrki] *n.* Ⓤ 육포(肉脯)

charr [tʃɑ́ːr] *n.* (*pl.* **~, ~s**) = CHAR[3]

charred [tʃɑ́ːrd] *a.* [보통 Ⓐ] 검게 타 버린: the ~ remains of a burnt-out car 타 버린 자동차의 숯처럼 까만 잔해

char·rette [ʃərét] [F] *n.* **1** (특히 건축 설계에서 마감을 앞둔) 최후의 집중적 검토 **2** 각 분야의 전문가의 도움으로 문제를 논하는 집단 토론회

char·ro [tʃɑ́ːrou] [Sp.] *n.* (*pl.* **~s**) 차로 《민속 의상 차림을 한 멕시코의 카우보이》

char·ry [tʃɑ́ːri] *a.* (**-ri·er**; **-ri·est**) 숯의, 숯 같은

‡**chart** [tʃɑ́ːrt] [Gk =leaf of paper] *n.* **1** 해도(海圖), 수로도(水路圖); (항공용) 차트(⇨ map 유의어) **2** 도표(圖表), 그래프, 표: a statistical ~ 통계표 / a historical ~ 역사 연표 / a weather[physical] ~ 기상[지세]도 / a bar ~ 막대그래프 **3** 〖의학〗 (환자용) 차트, 병력(病歷) **4** [the ~s] 《구어》 (판매량 기준의) 인기곡[가요] 순위표, 히트 차트: Their album is number three on *the* ~*s* this week. 그들의 앨범은 금주의 히트 차트에서 3위이다. **5** 《구어》 (재즈의) 편곡 **6** 〖경마〗 경주(마) 성적표

—*vt.* **1** 〈해역·수로 등을〉 해도에 기입하다; 〈자료를〉 도표로 만들다 **2** 《구어》 계획하다(plan) ***~ a course*** 진로를 계획하다[정하다] **~·a·ble** *a.*

chart·bust·er [tʃɑ́ːrtbʌ̀stər] *n.* 베스트셀러 음반

‡**char·ter** [tʃɑ́ːrtər] *n., a., vt.*

> 원래는 「작은 쪽지」의 뜻으로 약속한 일 등을 확인하기 위한 것
> ┌→ (권한을 주기 위한 것) 「특허장」 **1**
> └→ (당사자간의 약정)
>   ┌→ 「헌장」 **3**
>   └→ (배·비행기의 사용 계약) → 전세(편) **2**

—*n.* **1** (국왕·국가가 자치 도시·조합·식민단 등의 창설·특전 등을 보장·허가하는) **특허장**, 면허장; (법률에 의한) 법인 단체 설립 허가(서); 지부 설립 허가(서) **2** (배·버스·비행기 등의) **전세** (**계약**); 용선 계약(서); 전세편에 의한 여행 **3** [종종 **C~**] (목적·강령의) **헌장**(憲章), 선언서: the Great *C~* 〖영국사〗 대헌장(Magna Charta) / the People's *C~* 〖영국사〗 인민헌장 **4** (공인된) 특권; (의무·책임의) 면제 **5** 〖영국법〗 날인 증서, 양도 증서 ***the Atlantic C~*** 대서양 헌장 ***the C~ of the United Nations*** 국제 연합 헌장

—*a.* Ⓐ **1** 특허에 의한; 특권을 가진 **2** 〈비행기·선박 등이〉 전세 낸

—*vt.* **1** …에게 특허장을 주다; 〈회사 등을〉 특허장[설립 허가장]에 의해 설립하다; 특허하다, 면허하다 **2** 〈배를〉 용선 계약으로 빌리다; 〈비행기·차 등을〉 **전세 내다** **3** …에게 특권을 주다 **4** 《영》 〈사람을〉 자격이 있다고 공인[허가]하다 **~·a·ble** *a.* **~·less** *a.*

---

fascinating, attractive, captivating, beguiling, appealing, alluring (opp. *disgusting, repulsive*) **2** 재미있는 delightful, pleasant, agreeable

chart *n.* graph, table, map, diagram, plan

chase[1] *v.* pursue, run after, follow, hunt, hound, track, trail, tail, give chase to

char·ter·age [tʃɑ́ːrtəridʒ] *n.* 임대차 계약, 용선 계약; 용선료

chárter còlony 〖미국사〗 특허 식민지 《영국 왕이 개인·상사 등에 교부한 특허장으로 건설된 식민지》

char·tered [tʃɑ́ːrtərd] *a.* **1** 특허를 받은; 《영》 공인된: a ~ libertine 천하가 다 아는 난봉꾼 / ~ rights 특권 **2** 용선 계약을 한; 전세 낸: a ~ bus 전세 버스

chártered accóuntant 《영》 공인 회계사 《略 C.A.》(《미》 certified public accountant)

chártered bánk 《캐나다》 특허 은행

chártered cómpany 《영》 특허 회사 《국왕의 특허장에 의해 설립된 회사》

chártered survéyor 《영》 공인 건축사

char·ter·er [tʃɑ́ːrtərər] *n.* 용선 계약자, 용선주

chárter flíght 전세기(편), 전세 비행기

Char·ter·house [tʃɑ́ːrtərhàus] *n.* (*pl.* **-hous·es** [-hàuziz]) **1** 카르투지오회 수도원(Carthusian monastery) **2** 차터하우스 학교(=**∠ Schòol**) 《런던의 카르투지오회 수도원 자리에 세워졌다가 Surrey 주로 이전한 공립학교》

chárter mémber 《미》 (단체 등의) 창립 위원(《영》 founder member)

chárter pàrty 용선 계약(서) 《略 c/p》

chárter schòol 《미》 차터 스쿨 《공적 자금을 받아 교사·부모·지역 단체 등이 설립한 학교》

chárt hòuse[ròom] 〖항해〗 해도실(海圖室)

Chart·ism [tʃɑ́ːrtizm] *n.* Ⓤ 〖영국사〗 인민 헌장 운동(1837-48) **-ist** *n., a.*

chart·ist [tʃɑ́ːrtist] *n.* **1** 지도 작성자 **2** 증권 시장 분석 전문가

chart·less [tʃɑ́ːrtlis] *a.* 해도(海圖)에 표기되어 있지 않는; 알려지지 않은, 무명의

char·tog·ra·phy [kɑːrtɑ́grəfi | -tɔ́g-] *n.* = CARTOGRAPHY

Char·treuse [ʃɑːrtrúːz, -trúːs | -trúːz] *n.* **1** 카르투지오회 수도원 **2** Ⓤ 그 수도원에서 만든 고급 리큐어 **3** [**c~**] Ⓤ 연둣빛, 연한 황록색 **4** 〖요리〗 젤리로 싼 과일 **—** *a.* [**c~**] 연둣빛[연한 황록색]의

chart-top·ping [tʃɑ́ːrttɑ̀piŋ] *a.* Ⓐ 〈가수·노래가〉 인기 차트에서 1위인

char·tu·lar·y [kɑ́ːrtʃulèri | tʃɑ́ːtjuləri] *n.* (*pl.* **-lar·ies**) = CARTULARY; 공문서 기록 보관인

char·wom·an [tʃɑ́ːrwùmən] *n.* (*pl.* **-wom·en** [-wìmin]) 《영》 날품팔이 여자, 파출부, 잡역부(雜役婦); 《미》 (빌딩의) 청소부

char·y [tʃɛ́əri] *a.* (**char·i·er**; **-i·est**) **1** 조심스러운, 신중한 (*of*) **2** 나서지 않는, 음전한, 부끄러워하는, 내성적인 **3** 아까워하는(sparing) 《*of*》 **4** 성미가 까다로운, 가리는

Cha·ryb·dis [kəríbdis] *n.* **1** 카리브디스 《Sicily 섬 앞바다의 큰 소용돌이; 배를 삼킨다고 전해짐》 **2** 〖그리스신화〗 Gaea와 Poseidon의 딸 《상당한 대식가로, 바다의 소용돌이를 의인화함》 ***between Scylla and ~*** 진퇴양난으로

Chas. Charles

‡**chase**[1] [tʃéis] [L 「붙잡다」의 뜻에서] *vt.* **1** 뒤쫓다, 추적[추격]하다 《★ pursue보다 더 가깝고 맹렬히 뒤쫓다》; 《구어》 〈여자를〉 귀찮게 따라다니다 **2** 추구하다; 《구어》 〈사람이〉 찾다, 찾아내다 《*down, up*》; 《영》 조사하다 《*up*》 **3** 〈사람·동물을〉 (…에서) 쫓아내다, 쫓아버리다(drive) 《*away, off*》, 몰아내다 《*from, out of*》: (~+목+전+명) *C~* the cat *out of* the room. 고양이를 방에서 쫓아내라. / Joy *~d* all fear *from* her mind. 기쁨이 그녀의 마음에서 공포심을 말끔히 몰아냈다. // (~+목+부) ~ flies *off* 파리를 쫓아버리다 **4** 〈사냥감을〉 사냥하다; (사냥에서) 몰아내다, 쫓아내다 《*from, out of, to*》: ~ rabbits 토끼 사냥을 하다 // (~+목+전+명) ~ a fox *out of* its burrow 여우를 굴에서 몰아내다 **5** [~ one*self*로; 보통 명령법에서] 《구어》 달아나다, 떠나다: Go ~ *yourself*. 가라, 떠나라. **6** 〖야구〗 〈투수를〉 강판시키다

~ the dragon 《속어》 헤로인을 은박지에 싸서 열을 가해 냄새를 들이마시다
— *vi.* **1** 〈사람이〉 (…을) **뒤쫓다,** 추적하다, 추격하다 《*after*》: 《~+전+명》 The police *~d after* the murderer. 경찰은 살인범을 추적했다. **2** 《구어》 달리다, 뛰어다니다; 서두르다(hurry): 《~+전+명》 She *~d from* one shop *to* another. 그녀는 이 가게에서 저 가게로 부산하게 다녔다.
~ down (1) 추구하다 (2) 《구어》 〈독한 술의〉 뒤[사이]에 (물 등을) 마시다 《*with*》 (3) 《미·구어》 =CHASE¹ up.
~ up 《영·구어》 〈사람·물건을〉 빨리 찾아 내려 하다
— *n.* **1** UC **추적,** 추격; 추구: the ~ of[for] pleasure 쾌락의 추구 **2** 쫓기는 사람[짐승, 배]; 사냥감, 추구의 대상 **3** [the ~] (스포츠로서의) 사냥; 《영》 개인 소유의 사냥터 《chace라고도 씀; cf. FOREST, PARK》; 수렵권(權) **4** (영화의) 추적 장면 **5** 〖테니스〗 체이스 《공이 어느 지점에 떨어지도록 노려서 치는 법》
give ~ to …을 뒤쫓다, 추적[추격]하다 ***in*** (***full***) ***~*** 〈사냥개 따위가〉 급히 추격하여 ***in ~ of*** …을 뒤쫓아서 ***lead*** a person ***a merry ~*** 〈추적자를〉 따돌려 고생시키다 **~·a·ble** *a.*

chase² *vt.* 〈금속에〉 돋을새김하다, 〈무늬를〉 양각으로 넣다(engrave)

chase³ *n.* 홈(groove); 〖건축〗 (벽면의) 홈; 〖인쇄〗 체이스 《조판을 죄는 죔틀》; 앞쪽 포신(砲身)
— *vt.* …에 홈[나사골]을 내다

cháse càr 《미·속어》 =CATCH CAR

cháse gùn (군함의) 추격포(追擊砲)

cháse pòrt 〖해군〗 추격포를 위해 설치한 포문(砲門)

chas·er¹ [tʃéisər] *n.* **1** 쫓는 사람; 추격하는 사람; 《미》 여자 뒤를 따라다니는 사람 **2** 사냥꾼(hunter) **3** 〖공군〗 추격기; 〖해군〗 구잠정(驅潛艇); 추격포 **4** 《구어》 체이서 《독한 술 뒤 또는 사이에 마시는 물·맥주 등》; 《영》 (커피·담배 등 뒤에 마시는) 한 잔의 술 **5** 〖연극〗 **a** 마지막 막(幕) **b** (연예·영화가 끝나서) 관객이 나갈 때 연주되는 음악 **6** 《미·속어》 (교도소의) 교도관

chaser² *n.* 조금사(彫金師)

chaser³ *n.* 나사 골을 내는 공구

Chas·id·ism [xǽsidizm] *n.* U =HASIDISM

chas·ing [tʃéisiŋ] *n.* U 조금(彫金); 금속에 양각한 무늬; 나사 골을 내기

⁎**chasm** [kǽzm] [Gk 「아가리를 벌린 구렁」의 뜻에서] *n.* **1** (지면·바위 등의) **크게 갈라진 틈,** 깊고 넓은 틈; 깊은 수렁; (벽·돌담의) 금, 균열 **2** (연속한 것의) 단절, 공백, 탈락 《*in*》 **3** 빈 틈(gap); 결함 **4** (감정·의견의) 차이 《*between*》 **chásmed** [-d] *a.* **chás·mal** [-məl], **chás·mic** [-mik] *a.*

chas·mog·a·mous [kæzmɑ́gəməs | -mɔ́g-] *a.* 〖식물〗 〈꽃이〉 개화 수정(開花受精)의

chas·mog·a·my [kæzmɑ́gəmi | -mɔ́g-] *n.* U 〖식물〗 개화 수정

chasm·y [kǽzmi] *a.* (**chasm·i·er**; **-i·est**) 크게 갈라진 틈이 많은, 갈라진 틈 같은(chasmal, chasmic)

chas·sé [ʃæséi | ∠–] [F] *n.* U 샤세 《댄스·발레·스케이트 등에서 발을 끌듯 빨리 옮기는 스텝》
— *vi.* (**~d**) 샤세 스텝으로 추다

chasse·pot [ʃǽspou] *n.* (*pl.* **~s** [-z]) 샤스포 총

chas·seur [ʃæsə́ːr] [F] *n.* **1** (*pl.* **~s** [-z]) (프랑스 육군의) 추격병 《경장비의 보병·기병》 **2** 사냥꾼 **3** 제복을 입은 종자(從者); (유럽 호텔의) 웨이터

chas·sis [tʃǽsi, -sis, ʃǽsi | ʃǽsi] [F] *n.* (*pl.* ~ [-z]) **1** (자동차 등의) 차대(車臺); 포좌(砲座); (비행기의) 각부(脚部); 〖라디오·TV〗 섀시 《세트를 조립하는 대(臺)》 **2** 《미·속어》 (사람·동물의) 신체; (특히 매력적인 여성의) 몸매: a good[classy] ~ 멋진 몸매

⁎**chaste** [tʃéist] [L 「결점 없는, 순결한」의 뜻에서] *a.* **1** 〈여성이〉 **순결한,** 정숙한; 동정(童貞)의; (종교적으로) 독신을 맹세한 **2** 〈사상·언동이〉 순결한, 순수한(pure) **3** 〈취미·문체 등이〉 품위 있는(decent), 단순한; 간소한 **~·ly** *ad.* **~·ness** *n.*
▷ chástity *n.*

⁎**chas·ten** [tʃéisn] *vt.* **1 벌하여 바로잡다;** 단련시키다: a spirit *~ed* by adversity[suffering] 역경[고난]에 의해 단련된 정신 **2** 〈열정 등을〉 억제하다(subdue), 〈성질 등을〉 누그러지게 하다 **3** 〈사상·문체 등을〉 지나치지 않게 하다; 〈작품 등을〉 세련하다(refine) **4** 〈마음 등을〉 맑게 하다, 정화하다 **~·er** *n.* **~·ing·ly** *ad.*

chas·tened [tʃéisnd] *a.* 〈사람·태도 등이〉 (혼나서) 누그러진; 벌을 받은; 원만해진

⁎**chas·tise** [tʃæstáiz, ∠–|–∠] *vt.* **1** (매질 등으로) 벌하다, 혼내 주다(punish) **2** 몹시 비난하다 **3** 《고어》 〈사상·문체 등을〉 세련하다 **4** 《폐어》 정화하다, 순화하다 **-tís·er** *n.* ▷ chastísement *n.*

chas·tise·ment [tʃǽstizmənt, tʃæstáiz-] *n.* UC 응징, 혼내 줌, 징벌, 체벌

⁎**chas·ti·ty** [tʃǽstəti] *n.* U **1 순결;** 정숙; 성적 금욕 **2** (사상·감정의) 청순(淸純) **3** (문체·취미의) 간소
▷ cháste *a.*

chástity bèlt 정조대(貞操帶)

chas·u·ble [tʃǽzjubl, -zəbl, tʃǽs- | tʃǽzju-] *n.* 〖가톨릭〗 (미사의) 제의(祭衣) 《사제가 alb 위에 걸치는 소매 없는 옷》

chasuble

⁑**chat¹** [tʃǽt] *n.* **1 잡담,** 담소, 한담, 수다(gossip): have a ~ with …와 잡담하다 **2** U 잡담(하기); 〖컴퓨터〗 채팅(하기)
— *v.* (**~·ted**; **~·ting**) *vi.* 담소[잡담]하다, 수다 떨다; 〖컴퓨터〗 채팅하다: 《~+부》 We *~ted away* in the lobby. 우리는 로비에서 많은 잡담을 하였다. // 《~+전+명》 We were *~ting about* the accident. 우리는 그 사고에 관해서 잡담하고 있었다.
— *vt.* 《영·구어》 …에게 말을 걸다, 〈여자에게〉 말을 걸다, 〈여자를〉 설득하다 《*up*》 ▷ chátty *a.*

chat² *n.* 〖조류〗 지빠귀과(科)의 작은 새

⁎**châ·teau** [ʃætóu | ∠–] [F =castle] *n.* (*pl.* **~s, ~x** [-z]) **1** (프랑스의) **성**(castle); (프랑스의 귀족·대지주의) 큰 저택(mansion) **2** [**C~**] 샤토 《프랑스 보르도 지방의 포도원》

châ·teau·bri·and [ʃætòubriɑ́ːŋ] [F] *n.* (소스를 곁들인) 두꺼운 안심 스테이크

château wìne [ʃætóu-] 샤토 와인 《프랑스 보르도 부근의 우량 포도주》

chat·e·lain [ʃǽtəlèin] [F] *n.* (*pl.* **~s**) 성주(城主)

chat·e·laine [ʃǽtəlèin] [F] *n.* **1** 여자 성주; 성주 부인; 큰 저택의 여주인; 여주인(hostess) **2** (여자용) 허리띠 장식 쇠사슬 《원래 열쇠·시계 등을 달고 다님》

chat·line [tʃǽtlàin] *n.* [종종 **C~**] 《영》 채트라인 《영국의 전화 회사 British Telecom(BT)이 개발한 전화 서비스; 상표명》

cha·toy·ant [ʃətɔ́iənt] *a.* 색채[광택]가 변하는 《견직물·보석 등》 — *n.* 색채가 변하는 보석
-ance, -an·cy *n.*

chát ròom 〖컴퓨터〗 채팅 룸, 전자 담화실 《서로 대화를 나눌 수 있는 인터넷 상의 대화방》

chát shòw 《영》 =TALK SHOW

Chat·ta·noo·ga [tʃætənúːgə] *n.* 채터누가 《미국 Tennessee 주 Tennessee 강에 인접한 도시; 남북 전쟁의 격전지》

chat·tel [tʃǽtl] *n.* **1** [보통 *pl.*] 〖법〗 동산; [*pl.*] 가재(家財): goods and ~*s* 일체의 동산 **2** 노예

cháttel hòuse (바베이도스의) 이동식 목조 가옥

cháttel mòrtgage 《미》 동산 양도 저당

thesaurus **chasm** *n.* abyss, pit, crater, crevasse, hole, hollow, gap, crevice, rift
chastise *v.* scold, punish, discipline, spank, thrash, whip, lash, smack
cheap *a.* **1** 값싼 inexpensive, low-priced, econom-

cháttel réal 〖법〗 부동산적[물적] 동산 《임차권 등》
‡**chat·ter** [tʃǽtər] *vi.* **1 재잘거리다,** 수다스럽게 지껄이다: Stop *~ing* and finish your work. 그만 재잘거리고 일을 끝내라. // 《~+전+명》 Who *~s* to you will ~ of you. 《속담》 남의 소문을 네게 말하는 자는 네 소문도 말할 것이다. **2** 〈새가〉 지저귀다; 〈원숭이가〉 끽끽거리다; 〈시냇물이〉 졸졸 흐르다; 〈이 등이〉 딱딱 맞부딪치다, 〈기계 등이〉 달각달각 소리내다: 《~+전+명》 My teeth *~ed with*[*from*] the cold. 추위 때문에 이가 딱딱 맞부딪쳤다.
— *vt.* **1** 재잘거리다, 술술[줄줄] 말하다 **2** 〈이빨을〉 딱딱거리다; 딱딱 부딪치게 하다
— *n.* **1** 재잘거림, 수다 **2** 짹짹 지저귀는 소리; (시냇물의) 졸졸거림; (기계·이 등의) 딱딱[달각달각] 소리
~·ing·ly *ad.* **~·y** *a.*
chat·ter·box [tʃǽtərbɑ̀ks | -bɔ̀ks] *n.* 《구어》 수다쟁이; 《특히》 수다스러운 아이[여자]
chat·ter·er [tʃǽtərər] *n.* **1** 수다쟁이 **2** 잘 지저귀는 새; 《특히》 시끄럽게 우는 새
chát·ter·ing clásses [tʃǽtəriŋ-] [보통 the ~] 《영·경멸》 잡담을 좋아하는 계급 《시사 문제에 관해 자유로이 의견을 말하는 상류 계급의 지식인》
chátter màrk 1 〖기계〗 (진동으로 깎인 면에 생긴) 금이 간 무늬 **2** 〖지질〗 채터 마크 《빙하 침식에 의해 암석 표면에 생긴 틈》
chat·ting [tʃǽtiŋ] *n.* 〖컴퓨터〗 채팅 《키보드로 입력한 글을 화면으로 보면서 대화하기》
chat·ty [tʃǽti] *a.* (**-ti·er**; **-ti·est**) **1** 수다스러운, 지껄이기 좋아하는 **2** 〈이야기·편지 등이〉 터놓은, 기탄없는, 허물없는 **chát·ti·ly** *ad.* **chát·ti·ness** *n.*
chat-up [tʃǽtʌ̀p] *n.* 《구어》 (이성(異性)을) 설득하기, 설득하는 순간
Chau·cer [tʃɔ́:sər] *n.* 초서 **Geoffrey** ~ (1342?-1400) 《영국의 시인; *The Canterbury Tales*의 저자》
Chau·ce·ri·an [tʃɔ:síəriən] *a.* Chaucer(풍)의[에 관한] — *n.* **1** Chaucer 연구가[학자] **2** Chaucer의 시풍(詩風)(의 사람) **3** Chaucer 작품의 숭배자
chaud·froid [ʃóufrwɑ́:] [F] *n.* Ⓤ 젤리 또는 마요네즈 소스를 친 냉육(冷肉) 요리
chauf·fer [tʃɔ́:fər] *n.* (휴대용) 소형 풍로[난로]
***chauf·feur** [ʃóufər, ʃoufə́:r] [F] *n.* (자가용 차·회사차의) **운전사**(cf. DRIVER)
— *vi.* (자가용 차의) 운전사로 일하다
— *vt.* …의 (자가용 차) 운전사로 일하다; 〈사람을〉 자가용 차로 안내하다 《*around, about*》
chauf·feuse [ʃoufə́:z] [F] *n.* (*pl.* **~s** [~]) 여자 운전사
chaul·moo·gra [tʃɔ:lmú:grə] *n.* 〖식물〗 대풍수(大風樹) 《인도 지방산(産); 그 씨로 대풍자유를 만듦》
chaulmóogra òil 대풍자유(大風子油)
chaus·sure [ʃousjúr] [F] *n.* 신발(footwear)
Chau·tau·qua [ʃətɔ́:kwə] *n.* 《미》 하계 문화 교육 학교 《1874년에 시작된 오락과 교육을 겸한 문화 교육; 현재는 쇠퇴했음》
chau·vin·ism [ʃóuvənìzm] [Napoleon을 숭배한 군인 Nicholas Chauvin에서] *n.* Ⓤ **1** 쇼비니즘, 광신[맹목]적 애국주의(cf. JINGOISM) **2** (자기가 속하는 단체 등을 위한) 극단적 배타[우월]주의; 열려한 성(性)차별주의자: male ~ 남성 우월주의자
chau·vin·ist [ʃóuvinist] *n.* 광신적 애국주의자, 쇼비니스트
chau·vin·is·tic [ʃòuvinístik] *a.* 광신적 애국주의(자)의 **-ti·cal·ly** *ad.*
chav [tʃǽv] *n.* 《영·속어》 차브 《저급한 패션과 취향을 즐기는 일탈 청소년들, 또는 그 문화를 일컫는 말》

ical, reasonable, bargain, reduced, discounted **2** 싸구려의 poor-quality, trashy, shoddy, tawdry
cheat *v.* **1** 속이다 deceive, trick, swindle, defraud, gull, exploit, dupe **2** 교묘하게 피하다 avoid, elude, dodge, escape, shun

chav·ast·ic [tʃəvǽstik] *a.* = CHAVISH
chav·ette [tʃævét] *n.* *chav*의 여성형
chav·ish [tʃǽviʃ] *a.* 차브(chav)의
chaw [tʃɔ́:] *vt.* 《방언》 (질겅질겅) 씹다(chew)
~ up 《미》 (경쟁에서) 완패시키다
— *n.* 한 입(의 양) 《특히 씹는담배의》
chaw·ba·con [tʃɔ́:bèikən] *n.* 《영·경멸》 촌뜨기
cha·yo·te [tʃaióuti] *n.* (열대 아메리카산) 오잇과(科)의 덩굴 식물; 그 열매 《식용》
ChB *Chirurgiae Baccalaureus* 《L = Bachelor of Surgery》 **CHD** Coronary Heart Disease **ChE** Chemical Engineer; Chief Engineer
‡**cheap** [tʃí:p] [OE 「(좋은) 거래」의 뜻에서] *a.* **1 싼,** 값이 싼; 〈가게 등이〉 싸게 파는, 물건이 싼; 《영》 할인의(opp. *dear*): a ~ car[ticket] 싼 차[표] / a ~ trip(per) 《영》 (철도 등의) 할인 여행(자)

> 유의어 **cheap** 일반 가격보다 싼, 또는 공급이 넘쳐서 싼. 흔히 싼 만큼 질이 낮음을 뜻함: Beware of *cheap* imitations! 싸구려 모조품에 조심하시오! **inexpensive** 격식 있는 말로서 질이나 내용치고 값이 싼; 싸구려의 느낌은 없음: an *inexpensive* meal 비싸지 않고 괜찮은 식사 **low-priced** 객관적으로 가격이 낮음을 뜻함: ~ airline tickets 가격이 저렴한 항공권

2 〈돈이〉 저리(低利)의; (인플레이션으로) 〈통화가〉 구매력[가치]이 저하한 **3 a 싸구려의,** 시시한: ~ jewelry 싸구려 보석 **b** 치사한, 저속한 **4** 《미·구어》 인색한 **5** 노력[고생]하지 않고 얻은, 쉽게 입수한: win a ~ victory 낙승하다 **6** 부끄러워하는; 당황하는
(as) ~ as dirt = *dirt-~* 《구어》 매우 싼, 헐값의 *~ and nasty* 값 싸고 질이 나쁜 *~ at twice the price* 굉장히 싼 *feel ~* (1) 《구어》 풀이 죽다, 얼굴을 못 들다 (2) 《속어》 기분[몸]이 좋지 않다 *hold ~* 깔보다, 경시하다 *make oneself (too) ~* (지나치게) 자기를 낮추다, 값싸게 굴다
— *ad.* **1** 싸게: buy ~ 싸게 사다 **2** 저속하게: act ~ 천하게 굴다 *get off ~* (수리비 등이) 싸게 먹히다; (벌이) 가볍게 끝나다
— *n.* [다음 성구로] *on the ~* 《영·구어》 싸게(cheaply): She enjoys traveling *on the* ~. 그녀는 큰 돈 들이지 않고 여행하는 것을 좋아한다.
~·ish *a.* **~·ish·ly** *ad.* ▷ chéapen *v.*
chéap chìc 개성 있는 값싸고 멋진 옷차림
chéap dàte[**drùnk**] 《미·속어》 쉽게 취하는 사람
cheap·en [tʃí:pən] *vt.* **1** 싸게 하다, 값을 깎아 주다 **2** 깔보다, 경시하다 **3** 천하게 하다, 저속하게 하다, 평판이 나빠지게 하다 **~·er** *n.* 싸게 하는[깎아 주는] 사람
cheap·ie [tʃí:pi] 《구어》 *n.* 싸구려 물건, 조제품(粗製品), 값싼 영화; 인색함, 구두쇠 — *a.* 싸구려의; 인색한, 구두쇠의
cheap-jack [tʃí:pdʒæ̀k], **-john** [-dʒɑ̀n | -dʒɔ̀n] *n.* (싸구려) 행상인 — *a.* Ⓐ **1** 〈물건이〉 값싼, 품질이 떨어지는 **2** 〈사람이〉 싸구려 물건으로 돈을 버는
chéap làbor 저임금 노동
cheap·ly [tʃí:pli] *ad.* **1** 싸게, 저렴하게; 인색하게 **2** 천하게 **3** 쉽게
chéap móney 〖금융〗 저리(低利) 자금
cheap·ness [tʃí:pnis] *n.* Ⓤ 염가; 값쌈
cheap·o [tʃí:pou] *n., a.* 《속어》 = CHEAPIE
cheap·shit [tʃí:pʃit] *a.* 《속어》 싸구려의, 질이 나쁜
chéap shót 《미·캐나다》 비열[부당]한 플레이[언동]
chéap-shot ártist [tʃí:pʃɑ̀t- | -ʃɔ̀t-] 《미·캐나다》 비열한 언동을 하는 사람, 약자를 괴롭히는 사람
cheap·skate [-skèit] *n.* [종종 you ~로 호칭으로도 쓰임] 《구어》 구두쇠, 노랑이 — *vi.* 구두쇠[노랑이] 노릇을 하다
chéap trìck 비열[치사]한 속임수: He played a ~ on her. 그는 비열한 수법으로 그녀를 속였다.
‡**cheat** [tʃí:t] *vt.* **1 속이다;** 속여 빼앗다, 사취(詐取)하

다; 속여서 …시키다: ⦅~+목+전+명⦆ ~ a person (*out*) *of* a thing =~ a thing *out of* a person …을 속여 물건을 빼앗다

> 유의어 **cheat** 자기의 이익이나 목적을 달성하기 위하여 부정한 수단으로 상대방을 속이다: *cheat* a person out of 500 dollars 남을 속여서 500달러를 빼앗다 **deceive** 진실을 숨기거나 왜곡하거나 하여 상대방을 속이다: She tried to *deceive* me about the cost. 그녀는 그 비용에 대해서 나를 속이려 했다. **trick** 계략으로 속이다: *trick* a person into signing an agreement 남을 속여서 계약서에 서명하게 하다

2 ⦅문어⦆ 교묘하게 피하다, 용케 면하다[벗어나다]: ~ death 죽음을 용케 면하다 **3** ⦅고어⦆ 〈권태·슬픔 등을〉 이럭저럭 넘기다

—*vi.* **1** 협잡[부정(不正)한 짓]을 하다; 규칙[규정]을 어기다 ⦅*at, on, in*⦆: ⦅~+전+명⦆ ~ *in* an examination 시험에서 부정행위를 하다 **2** ⦅구어⦆ (배우자 몰래) 바람피우다 ⦅*on*⦆: ⦅~+전+명⦆ ~ *on* one's wife 아내를 속이고 바람을 피우다

—*n.* **1** 사기, 속임수, 협잡; (시험의) 부정행위, 커닝; 사기 카드놀이 **2** 교활한 녀석; 협잡꾼, 사기꾼 **3** 〖법〗 (속여서 남의 재산을 빼앗는) 사취 **4** 〖컴퓨터〗 치트 ⦅게임에 이기기 위해 컴퓨터에 주는 지시·명령⦆

~·a·ble *a.* **~·ing·ly** *ad.*

cheat·er [tʃíːtər] *n.* **1** 사기꾼, 협잡꾼 **2** [*pl.*] ⦅미·구어⦆ 안경, 색안경

chéat shèet ⦅미·속어⦆ 부정행위용 쪽지

Che·chen [tʃətʃén] *n.* **1** (*pl.* **~s**, [집합적] ~) 체첸 족 **2** Ⓤ 체첸 어(語)

Chech·nya [tʃetʃnjɑ́ː] *n.* 체첸 공화국 ⦅러시아 남서부 Caucasus에 있는 자치 공화국; 수도 Grozny⦆

*****check** [tʃék] *n., a., v., int.*

> Pers. 「왕」이 원래의 뜻→(체스에서) 장군 명 **9**→장군을 부르다 타 **5**; 저지 명 **1**→(일반적인) 규제→(규제하여 정확을 기하는 데서)→대조(하다) 명 **5**; 타 **2**→(대조 부호에서) 수표 명 **7**

—*n.* **1** 저지, (갑작스러운) 방해, (급)정지; 좌절; 〖사냥〗 (매·사냥개의) 사냥감 추적 중단: meet with a ~ 방해받다, 저지당하다 **2** (군대 등의) 견제, 방지, 억제 **3** 막는[멈추는] 물건[사람], 저지하는 도구 ⦅고삐·브레이크·마개 등⦆; 둑, 수문(水門) **4** 감독, 감시, 관리, 지배 **5 a** 점검, 대조; 검사, 관찰, 시험: make a ~ on a report 보고의 진위를 점검하다 **b** 대조[체크] 부호⦅기호: ∨⦆(=~ mark) **6** 부신(符信); 보관표, 체크; ⦅미⦆ (상점·식당 등의) (회계) 전표, 계산서(⦅영⦆ bill), 청구서; 영수증; ⦅미⦆ 점수패, 칩(counter) ⦅카드놀이 등의 득점 계산용⦆ **7** ⦅미⦆ 수표(⦅영⦆ cheque): a dishonored ~ 부도 수표 / write[cash] a ~ 수표를 끊다[현금화하다] / pay[buy] by[with a] ~ 수표로 지불하다[사다] **8** 바둑판[체크]무늬(의 천) **9** 〖체스〗 장군 **10** 〖럭비〗 체크 ⦅상대 선수의 움직임 저지⦆ **11** 〖언어〗 억제음 **12** (목재 등의) 갈라진 금(split)

a ~ to bearer 지참인불 수표 ***a ~ to order*** 지정인불 수표 ***hand*** [***pass, cash***] ***in*** one***'s ~s*** 노름판에서 산가지를 현금으로 바꾸다; ⦅구어⦆ 죽다 ***keep a ~ on*** (1) …의 당부[진위]를 확인해 두다; …을 감시하다 (2) …을 억제하다 ***keep*** [***hold***] ***in ~*** 막다, 저지하다, 제어하다

—*a.* Ⓐ **1** 저지[억제, 조정]에 도움이 되는 **2** 검사[대조]용의 **3** 체크무늬의

—*vt.* **1** 저지하다, 방해하다(hinder); 억누르다, 억제하다(restrain); 〈걸음 등을〉 갑자기 멈추다: ~ the spread of cholera 콜레라의 전염을 저지하다 / He couldn't ~ his anger. 그는 노여움을 억제할 수 없었다. // ⦅~+목+전+명⦆ He *~ed* me *in* my work. 그는 나의 일을 방해했다. **2** (확인하기 위해) 조사하다, 점검하다, 대조하다, 대조 표시 ⦅체크 부호(∨) 등⦆를 하다, 성능[안전성 등]을 검사하다; 〈답안을〉 채점하다: Please ~ these figures. 이 숫자들을 점검해 보시오. // ⦅~+목+전+명⦆ I *~ed* my answers *with* those in the textbook. 내 답을 교과서의 해답과 대조했다. // ⦅~+목+부⦆ Did you ~ them *off*? 그것들을 대조했습니까? **3** 꼬리표를 달다; ⦅미⦆ 〈물건을〉 물표를 받고 맡기다[부치다]; ⦅미⦆ 물표를 받고 물건을 내주다: ⦅~+목+전+명⦆ ~ trunks *to* Chicago 물표를 받고 시카고로 트렁크를 부치다 / *C~* your coat *at* the cloakroom. 코트는 외투류 보관소에 맡기시오. **4** 〈직물에〉 바둑판[체크]무늬를 놓다 **5** 〖체스〗 장군을 부르다 **6** 째다, 가르다 **7** ⦅구어⦆ 〈상사가〉 질책하다, 꾸짖다 **8** 〈속도·강도 등을〉 줄이다, 감소시키다

—*vi.* **1** (확인을 위해) 조사하다 ⦅*on, into, for*⦆; 확인하다 ⦅*with*⦆: ⦅~(+부)+전+명⦆ ~ (*up*) *on* a fact 사실을 확인하다 / ~ *into* the matter 문제(의 진위)를 조사하다 / I'll ~ *with* him to make sure. 틀림없도록 그에게 확인해 보겠다. **2** ⦅미⦆ (…와) 일치하다, 부합하다 ⦅*with*⦆ **3** 〖체스〗 장군을 부르다 **4** (장애를 만나) 갑자기 정지하다; 〈사냥개가〉 냄새 자취를 잃고 우뚝 서다 **5** ⦅미⦆ 수표를 떼다 **6** 〖카드〗 포커에서 앞사람과 같은 액수의 칩을 걸다 **7** 금이 가다

~ in (1) (호텔 등에서) 숙박 수속을 하다, 체크인하다, 투숙하다; (공항에서) 탑승 수속을 하다 ⦅*at*⦆ (2) ⦅구어⦆ (타임리코더 등으로 회사에) 출근했음을 알리다, 출근하다; 도착하다 ⦅*at*⦆ (3) 체크[수속]하여 〈책·하물 등을〉 받아들이다[맡기다, 반환하다] ***~ into*** 〈호텔 등에〉 기장하고 들다[투숙하다], 체크인하다; 조사하다 ***~ off*** (1) ⦅영⦆ 퇴근하다, 일을 끝내다; 퇴사하다 (2) 대조 표시를 하다 (3) 〈사물을〉 더 이상 고려하지 않다 (4) 〈조합비 등을〉 (급료에서) 공제하다 ***~ out*** (1) (호텔 등에서) 계산하고 나오다, 체크 아웃하다 ⦅*of, from*⦆ (2) ⦅구어⦆ 퇴근[퇴사]하다; 떠나다 (3) 일치하다, 부합하다 (4) ⦅속어⦆ 죽다 (5) (슈퍼마켓에서) 〈점원이〉 계산을 하다; 〈손님이〉 계산을 하다[하고 나오다] (6) ⦅미⦆ 성능[안전성]을 충분히 검사하다 (7) ⦅미⦆ (도서관에서) 〈책 등을〉 대출(貸出)하다 ***~ over*** (틀림이 없는지 자세히) 조사하다 ***~ up*** (1) 조사하다, 확인하다 (2) 검토하다, 대조하다 (3) …의 건강 진단을 하다

—*int.* [**C~**] **1** ⦅미·구어⦆ 옳지, 좋아, 알았어; (확인하여) 그렇소, 있소 **2** 〖체스〗 장군 **~·a·ble** *a.* **~·less** *a.*

check·back [tʃékbæ̀k] *n.* 마무리 점검, 검증

chéck bèam 〖항공〗 체크빔 ⦅조종자가 착륙 전에 위치를 확인하기 위하여 발사하는 전파⦆

chéck bìt 〖컴퓨터〗 체크비트 ⦅정보의 전달 또는 저장의 오류 유무를 알려주는 정보를 구성하는 비트⦆

check·book [-bùk] *n.* ⦅미⦆ 수표장(帳)

chéckbook jóurnalism 수표 저널리즘 ⦅독점 인터뷰 등에 큰 돈을 지불하고 기사를 만드는 저널리즘⦆

check·box [-bɑ̀ks | -bɔ̀ks] *n.* 〖컴퓨터〗 체크 박스 ⦅마우스로 클릭해서 선택하는 스크린 상의 작은 사각형⦆

chéck càrd (은행 발행의) 수표 카드

chéck crèw ⦅미·속어⦆ 흑백 혼성 작업반

chéck dìgit 〖컴퓨터〗 체크 디지트, 검사 숫자 ⦅국제 표준 도서 번호(ISBN) 말미에 추가하는 숫자⦆

checked [tʃékt] *a.* **1** 바둑판[체크]무늬의 **2** 〖음성〗 〈모음이〉 억지[억제]음의(opp. *free*)

***check·er**[1] [tʃékər] *n.* **1** 바둑판[체크]무늬 **2** ⦅미⦆ (체커의) 말 **3** [*pl.*; 단수 취급] ⦅미⦆ 체커, 서양 장기 (⦅영⦆ draughts) **4** =CHECKERWORK **5** [the ~] ⦅속어⦆ 어울리는 것, 가장 적절한 상태

—*vt.* 체크무늬로[얼룩얼룩하게] 하다; 변화를 주다

checker[2] *n.* **1** 검사자 **2** ⦅미⦆ (휴대품 등의) 일시 보관자; ⦅미⦆ (슈퍼마켓 등의) 현금 출납원

check·er·ber·ry [tʃékərbèri | -bəri] *n.* (*pl.* **-ries**) 〖식물〗 백옥나무속의 식물 ⦅북미산⦆; 그 열매

thesaurus **check** *v.* **1** 저지하다 stop, halt, brake, obstruct, block **2** 억누르다 restrain, suppress, repress, control **3** 조사하다 examine, inspect, look

check·er·board [-bɔ̀:rd] *n.* **1** (미) 서양 장기판((영) draughtboard) **2** (미·속어) 흑인과 백인 혼주(混住) 지역 **—***vt.* 바둑판 모양으로 늘어놓다
check·ered [tʃékərd] *a.* **1** 체크무늬의 **2** 가지각색의 **3** 변화가 많은
chéckered flág 체커드 플래그 (자동차 경주의 최종 단계를 알리는 바둑판무늬의 기)
check·er·man [tʃékərmən] *n.* (*pl.* **-men** [-mən, -mèn]) (미) =CHECKER[1] 2
check·er·wise [tʃékərwàiz] *ad.* 체크무늬 모양으로
check·er·work [tʃékərwə̀:rk] *n.* ⓤ 체크무늬 세공; 바둑판무늬 돌담 쌓기; (운명 등의) 흥망성쇠
check·hook [tʃékhùk] *n.* 제지 고삐(checkrein)의 멈춤쇠
check-in [tʃékìn] *n.* ⓤⓒ (호텔에서의) 투숙 절차, 체크인(opp. *check-out*); (공항에서의) 탑승 수속
chéck·ing accòunt [tʃékiŋ-] (미) 당좌 예금 계좌((영) current account)
chécking còpy (잡지사 등이 광고주에게 보내는) 게재 광고 확인용 증정본
chéck·less socíety [tʃéklis-] (신용 카드 사용 등으로) 현금이 필요 없는 사회(cashless society)
chéck lìne **1** =CHECKREIN **2** 〚항해〛 배의 진행을 제어하는 굵은 밧줄
check·list [tʃéklìst] *n.* **1** 대조표 **2** (도서관의) 체크리스트, 점검표 **3** 선거인 명부
—*vt., vi.* 〈항목을〉 대조표[체크 리스트]에 넣다
chéck màrk 체크[대조] 부호 ⇨ CHECK *n.* 5 b
check·mate [-mèit] *n.* **1** 〚체스〛 외통 장군 **2** (계획·사업 등의) 좌절, 실패 ***give ~*** (***to***) 〚체스〛 (상대에게) 장군을 부르다 ***play ~ with*** …을 궁지에 몰아넣다; …의 숨통을 끊다 ***say ~ to*** 〚체스〛 …에게 장군을 부르다; …을 이기다, 물리치다
—*int.* 〚체스〛 장군! (간단히 Mate! 라고도 함)
—*vt.* **1** 〚체스〛 외통 장군을 부르다[불러 이기다] **2** 좌절[실패]시키다; 저지하다
chéck nùt 〚기계〛 죔나사(lock nut)
check·off [-ɔ̀:f | -ɔ̀f] *n.* **1** (급료에서의) 노동조합비 공제 **2** 소득세 신고에서 소액의 돈을 정치 자금의 기탁 등 특정한 목적에의 기탁을 표시하는 제도
check-out [-àut] *n.* **1** 호텔의 계산 (시간), 체크아웃(opp. *check-in*); 방을 비울 시각(=∠ **tìme**) **2** (기계·비행기 등의) 점검, 검사 **3** (슈퍼마켓 등에서의) 물건값 계산; 계산대(=∠ **còunter**[**stànd**])
check-o·ver [-òuvər] *n.* 철저한 검사[조사]
check·point [-pɔ̀int] *n.* **1** 검문소 **2** (기록·조사·확인을 위한) 항목 **3** 〚항공〛 표지가 되는 지형 **4** (자동차 랠리 등에서의) 중간 기록 채점소 **5** 〚컴퓨터〛 체크포인트, 검사점
Chéckpoint Chárlie 체크 포인트 찰리 (1989년까지 동서 베를린 사이에 있었던 동독 입국 검문소)
chéck protèctor =CHECKWRITER
chéck ràil (영) =GUARDRAIL
check·rein [-rèin] *n.* (말이 머리를 숙이지 못하게 하는) 제지 고삐; (비유) 견제 수단
check·roll [-ròul] *n.* =CHECKLIST
check·room [-rù:m] *n.* (미) **1** (호텔·극장 등의) 휴대품[외투류] 보관소((영) cloakroom) **2** (역 등의) 수하물 일시 보관소((영) left-luggage office)
check·row [-ròu] 〚농업〛 *n.* 정조식(正條植)[바둑판] 이랑 **—***vt.* 〈농작물을〉 정조식하다
chécks and bálances 〚정치〛 (입법·사법·행정 삼권 간의) 견제와 균형
chéck strìng (운전사에게 하차를 알리는) 신호줄
check·sum [tʃéksʌ̀m] *n.* 〚컴퓨터〛 검사 합계
check·tak·er [-tèikər] *n.* (극장 등의) 집표원
chéck tràding 〚금융〛 은행 수표 할부 판매 방식

---

over, scrutinize, test, monitor, investigate, probe **4** 확인하다 confirm, make sure, verify, validate
cheer *n.* applause, ovation, acclaim, hurrah

check·up [-ʌ̀p] *n.* **1** 대조; (업무 능률·기계 상태 등의) 점검, 정밀 검사 **2** 건강 진단
chéck vàlve 〚기계〛 역행(逆行) 방지판(瓣)
check·weigh·er [-wèiər] *n.* =CHECKWEIGHMAN
check·weigh·man [-wèimən] *n.* (*pl.* **-men** [-mən]) (탄광의) 채탄량 검량인(檢量人)
check·writ·er [-ràitər] *n.* 수표 금액 인자기(印字機)
ched·dar [tʃédər] [잉글랜드 Somerset 주의 원산지명에서] *n.* [종종 **C~**] 체더 치즈(=∠ **chèese**)
chedd·ite [ʃédait, tʃéd-] *n.* 〚화학〛 체다이트 (강력 폭약의 일종)
chee·cha·ko [tʃi:tʃɑ́:kou] *n.* (*pl.* **~s**) [때로 **C~**] (구어) (알래스카에서) 신참자, 신출내기
chee-chee [tʃí:tʃi:] *n.* (경멸) 아시아·유럽 혼혈인 (이 쓰는 부정확한 영어)
⁂cheek [tʃí:k] [OE 「턱, 턱뼈」의 뜻에서] *n.* **1** 뺨, 볼: rosy *~s* 발그레한 볼 / She kissed him on the ~. 그녀는 그의 뺨에 키스했다. **2** [*pl.*] (기구(器具)의) 측면 **3** ⓤ (구어) 건방진 말[짓, 태도]; 뻔뻔스러움 (impudence): (~+*to* do) She had the ~ *to* ask me to lend her some more money. 뻔뻔스럽게도 그녀는 돈을 더 꾸어 달라고 했다. **4** [보통 *pl.*] (속어) 궁둥이 **5** 〚건축〛 측주(側柱); 양쪽 벽의 측면 **6** 〚기계〛 (도르래의) 치크 (도르래의 외각(外殼)의 양측면)
~ by jowl …와 꼭 붙어서; …와 친밀하여 (*with*) ***give*** a person ***~*** (구어) …에게 건방진 말을 하다 ***None of your ~!*** 건방진 소리 마라! ***stick***[***put***] one***'s tongue in*** one***'s ~*** ⇨ tongue. ***to*** one***'s own ~*** (영·구어) 독점하여, 제 전용으로 ***turn the other ~*** (부당한 처우를) 감수하다
—*vt.* **1** (영·구어) …에게 건방지게 말하다, 건방지게 굴다 **2** 조롱하다 ***~ it*** 뻔뻔스럽게 버티다 ***~ up*** 건방진 말을 하다 **~·less** *a.* ▷ chéeky *a.*
cheek·bone [tʃí:kbòun] *n.* 광대뼈
cheeked [tʃí:kt] *a.* [복합어를 이루어] …한 뺨을 가진: rosy-~ 뺨이 불그스레한
cheek·i·ly [tʃí:kili] *ad.* 건방지게, 뻔뻔스럽게
cheek·i·ness [tʃí:kinis] *n.* ⓤ 건방짐, 뻔뻔스러움
cheek·piece [tʃí:kpì:s] *n.* **1** 말의 재갈 양쪽에 있는 금속제의 막대기 **2** =CHEEK STRAP
chéek pòuch (다람쥐·원숭이 등의) 볼주머니
chéek stràp (말굴레의) 볼쪽 가죽끈
chéek tòoth 어금니
cheek·y [tʃí:ki] *a.* (**cheek·i·er**; **-i·est**) **1** (구어) 건방진, 뻔뻔스러운(impudent) **2** 볼이 축 처진
cheep [tʃí:p] *vi.* **1** 〈병아리 등이〉 삐악삐악 울다; 〈생쥐 등이〉 찍찍 울다 **2** [부정문에서] 작은 소리를 내다; 찍소리하다 **3** (미·방언) [보통 ~ it로] 비밀을 말하다 **—***vt.* 날카로운 목소리로 말하다
—*n.* **1** 삐악삐악[찍찍] 소리 **2** [a ~; 부정문에서] 작은 소리; 찍소리, 한 마디(의 말)
cheep·er [tʃí:pər] *n.* **1** (특히, 메추라기·뇌조(雷鳥) 등의) 새끼[어린] 새 **2** 갓난아이
⁂cheer [tʃíər] [Gk 「얼굴」의 뜻에서; 단 현재의 의미는 good cheer에서] *n.* **1** ⓒ 환호, 갈채, 만세; (미) 응원(의 구호), 성원 **2** ⓤ 격려; 쾌활: speak words of ~ 격려의 말을 하다 **3** ⓤ 기분; 원기: What ~? 안녕하십니까? (How are you?) **4** ⓤ 음식물, 성찬: enjoy[make] good ~ 맛 좋은 음식을 먹다 / The fewer, the better ~. (속담) 맛난 음식은 먹는 사람이 적을수록 좋다. **5** ⓤ (고어) 얼굴, 표정
Be of good ~! (문어) 기운을 내라!, 정신 차려라! ***chase ~s*** 〈정치가 등이〉 민중의 비위를 맞추다 ***give***[***raise***] ***a ~*** 갈채하다 ***give three ~s*** (***for …***) (…을 위하여) 만세 삼창하다 ('Hip, hip, hurrah!'를 삼창하다) ***make ~*** 흥겨워 떠들다 ***with good ~*** 쾌히, 기꺼이; 원기 왕성하게, 기분 좋게
—*int.* [cheers로] (영·구어) 건배, (건강을) 위하여; 고맙소; 그럼 안녕
—*vt.* **1** 갈채하다; 환영하여 소리치다; 응원하다, 성원하다(encourage): (~+목+전+명) ~ a team *to*

victory 팀을 성원하여 승리하게 하다 **2** …의 **기운을 북돋우다, 격려하다**; 기분 좋게 하다, 위로하다(comfort) 《*up*》: (~+목+부) One glance at her face ~*ed* him *up* again. 그녀의 얼굴을 한번 보자 그는 다시 기운이 났다.

— *vi.* **1 환성을 지르다,** 갈채하다 《*for, over*》 **2 기운이 나다** 《*up*》: (~+부) (~+전+명) ~ *up at* good news 희소식을 듣고 기운이 나다 **~ *up*** 격려하다; 기운이 나다; [명령문으로] 기운을 내라, 이겨라

cheer·er [tʃíərər] *n.* 갈채하는 사람, 응원자

‡**cheer·ful** [tʃíərfəl] *a.* **1 쾌활한,** 명랑한, 기운찬(⇨ happy 유의어); a ~ conversation 명랑한 대화 **2** 마음을 밝게 하는, 유쾌한, 즐거운; 〈방 등이〉 기분 좋은, 밝은: ~ news 낭보 / ~ surroundings 쾌적한 환경 **3** [반어적] 싫은, 지독한: That's a ~ remark. 그것은 지독한 말인데. **4** 쾌히[기꺼이] 하는, 마음으로부터의: a ~ giver 기꺼이 주는 사람 / ~ obedience 진심으로의 복종 **~·ness** *n.*

‡**cheer·ful·ly** [tʃíərfəli] *ad.* **기분 좋게,** 쾌활하게, 명랑하게, 기꺼이

***cheer·i·ly** [tʃíərili] *ad.* **기분 좋게,** 명랑하게

cheer·i·ness [tʃíərinis] *n.* Ⓤ 기분이 썩 좋음, 명랑함, 원기 왕성함

cheer·ing [tʃíəriŋ] *a.* **1** 격려가 되는, 기운을 돋우는 **2** 갈채하는 **~·ly** *ad.*

cheer·i·o [tʃíəriòu, ⌐–⌐|⌐–⌐, ⌐–⌐] 《영·구어》 *int.* **1** 안녕, 그럼 또 만나요 《헤어질 때의 인사》 **2** 축하합니다, 건배 — *n.* 《영·구어》 **1** 작별 인사말, 작별 **2** 건배의 말

cheer·lead [tʃíərlì:d] *v.* (**-led**) 《미》 *vt.* 응원하여 용기를 주다 — *vi.* 응원 단원으로 활약하다 **~·ing** *n.* Ⓤ 응원; (단체에 대한 무조건적인) 지지

***cheer·lead·er** [tʃíərlì:dər] *n.* **1** 《미》 **치어리더** 《관중의 응원을 유도하여 이끄는, 주로 여자로 된 응원 단원》 **2** 격려자, 용기를 돋우는 사람 《*for*》

cheer·less [tʃíərlis] *a.* 재미없는(joyless), 우울한(gloomy), 쓸쓸한, 지겨운, 불편한 〈날씨·장소·때〉 《★ 사람에게는 쓰지 않음》 **~·ly** *ad.*

cheer·ly [tʃíərli] *ad.* **1** [감탄사적] 『항해』 힘내자 **2** 명랑하게, 기운차게

***cheer·y** [tʃíəri] *a.* (**cheer·i·er**; **-i·est**) 기분 좋은; 명랑한(merry); 원기 있는(lively): He gave me a ~ smile. 그는 내게 활기찬 미소를 지었다.

‡**cheese**[1] [tʃí:z] *n.* **1** ⓊⒸ **치즈**: a piece[slice] of ~ 치즈 한 조각 **2** (모양·성분 등이) 치즈 비슷한 것 **3** 《미·속어》 매력적인 젊은 여자 **4** 구주희(九柱戲)의 공 **5 a** 《구어》 (유아가 토한) 우유 **b** 《미·속어》 구토물, 토한 것 **6** 『야금』 치즈 강괴(鋼塊) 《치즈 꼴로 된 강철편 [주괴]》 **7** 《속어》 거짓말, 허풍 **8** 《속어》 소심한 사람 **9** 돈, 금전 **10** 《속어》 『야구』 속구

bread and ~ 변변치 않은 음식; 호구지책(糊口之策) ***cut a ~*** 《속어》 방귀 뀌다 ***get* one*'s ~*** 《미·속어》 목적을 달성하다; 보상받다 ***hard ~*** 《영·구어》 불운 ***make ~s*** 〈여자가〉 무릎을 굽혀 인사하다; 빙 돌아 스커트를 불룩하게 하다 《여자 아이들의 유희》 ***Say ~!*** 「치즈」라고 하세요! 《사진 찍을 때 cheese라고 하면 웃는 얼굴이 되는 데서》

— *vi.* **1** 《구어》 〈유아가〉 우유를 토하다; 《미·속어》 토하다 **2** 《속어》 방귀를 뀌다; 사정하다

— *vt.* 〈강괴(鋼塊)를〉 치즈 강괴로 단조(鍛造)하다

— *a.* 《미·속어》 좀 낡아서 색다른 맛이 있는

cheese[2] *vt.* **1** 《구어》 = STOP **2** 《속어》 비굴하게 행동하다, 굽실거리다 ***C~ it!*** 《구어》 그만둬!; 조심해!; 튀어라!

cheese[3] *n.* 《속어》 **1** [the ~] 바로 그것, 안성맞춤의 것: That's *the* ~. 바로 그것이다. **2** 일등품 **3** 《미》 중요 인물, 보스(boss)

cheese·ball [tʃí:zbɔ̀:l] *n.* 자신만의 취향이나 스타일이 없는 사람

cheese·board [tʃí:zbɔ̀:rd] *n.* 치즈 접시; (식전·식후에 내놓는) 모둠 치즈

chéese bùn 《미·속어》 = CHEESE EATER

cheese·burg·er [-bə̀:rgər] *n.* ⒸⓊ 《미》 치즈버거 《치즈를 넣은 햄버거》

cheese·cake [-kèik] *n.* **1** ⒸⓊ 치즈케이크 **2** Ⓤ 《속어》 (잡지 등의) 섹시한 여성의 육체미 사진(cf. BEEFCAKE); 《속어》 (여자의) 성적 매력 **3** 『볼링』 높은 점수가 나오기 쉬운 레인

cheese·cloth [-klɔ̀:θ|-klɔ̀θ] [원래 치즈 만들 때 curd를 싸는 데 쓰여진 데서] *n.* Ⓤ 《미》 일종의 투박한 무명(《영》 butter muslin)

chéese cùtter **1** 치즈 커터 《철사를 당겨 치즈를 자르는 기구》 **2** 『항해』 치즈 커터 《centerboard의 일종》 **3** 네모난 차양의 모자 **4** 《속어》 구린 방귀 뀌는 사람

cheesed [tʃí:zd] *a.* Ⓟ 《영·속어》 화가 난; (…에) 진저리 나서, 싫증이 나서 《*off, with*》

chéese èater 《속어》 밀고자, (경찰의) 스파이; 변절자, 배반자

cheese-head [tʃí:zhèd] *n.* **1** (나사 등의) 몽톡한 대가리 **2** 《속어》 바보 — *a.* **1** 〈나사 등이〉 대가리가 몽톡한 **2** 어리석은, 모자라는

chéese mìte 치즈진드기 《치즈·건육(乾肉)에 생김》

cheese·mon·ger [-mʌ̀ŋgər] *n.* 치즈 장수 《버터·달걀도 팖》

cheese·par·ing [-pɛ̀əriŋ] *n.* **1** Ⓒ 치즈 부스러기; [*pl.*] 푼푼이 모은 돈; 하찮은 것 **2** Ⓤ 인색함, 쩨쩨함 — *a.* Ⓐ 인색한(stingy)

chéese plàte **1** 치즈 접시 **2** (윗옷의) 큰 단추

chéese scòop[tàster] (시식용의) 치즈 국자

chéese stèak 치즈 스테이크 《얇게 저민 스테이크에 녹인 치즈, 튀긴 양파를 얹은 샌드위치》

chéese stràw 치즈 스트로 《밀가루에 가루 치즈를 섞어 길쭉하게 구운 비스킷》

chéese tùb[vàt] 치즈 제조용의 큰 통

chees·y [tʃí:zi] *a.* (**chees·i·er**; **-i·est**) **1** 치즈질(質)의, 치즈와 같은; 치즈 맛이 나는 **2** 《미·속어》 저질의, 값싼 **3** 〈거리 등이〉 지저분한, 더러운 **4** 《미·속어》 거짓의, 위선적인 **chées·i·ly** *ad.* **chées·i·ness** *n.*

chee·tah [tʃí:tə] *n.* 『동물』 치타

chef [ʃéf] [F = chief] *n.* 요리사; (특히, 식당·호텔 등의) 주방장

chef de cui·sine [ʃéf-də-kwi:zí:n] [F] 주방장

chef-d'œu·vre [ʃeidə́:vrə] [F = chief (piece) of work] *n.* (*pl.* **chefs-d'œu·vre** [~]) 걸작

chéf's sálad 셰프 샐러드 《상추에 잘게 썬 닭고기·햄·치즈를 곁들여 주요리로 제공됨》

chei·lo·plas·ty [káiləplæ̀sti] *n.* Ⓤ 『외과』 입술 성형 수술

cheir(o)- [káir(ou)] 《연결형》 = CHIR(O)-

Che·ka [tʃéikɑ:] *n.* 비상 위원회 《구소련의 반혁명 운동 비밀 조사 기관; 후에 GPU로 개편됨》

Che·khov [tʃékɔ:f|-kɔf] *n.* 체호프 **Anton ~** (1860-1904) 《러시아의 극작가·단편 소설가》

Che·kiang [tʃékjǽŋ] *n.* = ZHEJIANG

che·la[1] [kí:lə] *n.* (*pl.* **-lae** [-li:]) 『동물』 (게·새우·전갈 등의) 집게(발)

che·la[2] [tʃéilɑ:|-lə] [Hind. = servant] *n.* 『힌두교』 (종문(宗門)의) 제자 **~·shìp** *n.*

che·late [kí:leit] *a.* **1** 『화학』 킬레이트 화합물의 **2** 『동물』 집게를 가진 — *n.* 『화학』 킬레이트 화합물 — *vi., vt.* 『화학』 킬레이트 화합물이 되다[을 만들다] **ché·lat·a·ble** *a.* **ché·la·tor** *n.*

ché·lat·ing àgent [kí:leitiŋ-] 『화학』 킬레이트 시약(試藥)

che·la·tion [ki:léiʃən] *n.* Ⓤ 『화학』 킬레이트화

che·lic·er·a [kəlísərə] *n.* (*pl.* **-lic·er·ae** [-lísəri:]) (거미·전갈 등의) 협각(鋏角) 《집게 모양 뿔》

che·líc·er·al *a.*

che·li·form [kí:ləfɔ̀:rm, kél-|kí:-] *a.* 집게 모양의, 집게와 비슷한

Chel·le·an [ʃéliən] *a., n.* = ABBEVILLIAN

che·lo·ni·an [kilóuniən] *a.* 거북류의

— *n.* 거북(tortoise, turtle)

Chel·sea [tʃélsi] *n.* 첼시 《London의 Kensington and Chelsea의 일부로 예술가와 작가들이 거주함》
— *a.* 《영·구어》 〈사람이〉 첼시풍의, 자유분방한

Chélsea bóot 첼시 부츠 《굽이 높고 발목 옆이 신축성 있는 재질로 된》

Chélsea bún 첼시 번 《건포도가 든 롤빵의 일종》

Chélsea tràctor 《영·속어》 *n.* 첼시 트랙터 《연료를 많이 소비하는 SUV차량; 부유층과 유명인사들이 사는 첼시 지역 사람들이 주로 탄다는 데서 유래》

chem- [kíːm, kém | kém], **chemo-** [kíːmou, -mə, kém- | kém-] 《연결형》 「화학」의 뜻 《모음 앞에서는 chem-》

chem. chemical; chemist; chemistry

chemi- [kíːmi, kémi, -mə | kémi] 《연결형》 chemo-의 다른 형태

chem·ic [kémik] *a.* **1** = CHEMICAL **2** 《고어》 연금술의(alchemic)

‡**chem·i·cal** [kémikəl] *a.* 화학의; 화학적인, 화학 작용의: ~ agents 화학 시약 / ~ analysis 화학 분석 / ~ combination 화합(化合) / a ~ reaction 화학 반응 / ~ textile 화학 섬유
— *n.* [보통 *pl.*] 화학 제품[약품, 물질]; 《속어》 마약, 약물 **~·ly** *ad.* 화학적으로; 화학 작용으로

chémical abùse 약물 남용, 마약·알코올·담배 등의 상용

chémical bálance 〔화학〕 (분석용) 화학 저울

chémical bónd 화학 결합

chémical depéndency 약물 의존

chémical enginéer 화학 공학 기술자

chémical enginéering 화학 공학[공업]

chémical equátion 화학 방정식

chémical fórmula 화학식

Chémical Máce 최루 가스(Mace) 《상표명》

chémical machíne 《미·속어》 근육 증강제로 알통을 만든 보디빌더

chémical óxygen demànd 화학적 산소 요구량 《강물의 오염도를 나타내는 지표; 略 COD》

chémical wárfare (독가스 등을 사용하는) 화학전 《略 CW》

chémical wéapon 화학 병기

chem·i·co·phys·i·cal [kèmikoufízikəl] *a.* 물리 화학의

chem·i·co·phys·ics [kèmikoufíziks] *n. pl.* [단수 취급] 물리 화학

che·mig·ra·phy [kəmígrəfi] *n.* Ⓤ 화학 식각법(蝕刻法) 《화학 약품으로 조각이나 에칭을 하는 기술》 **-pher** *n.* **chem·i·graph·ic** [kèmigrǽfik] *a.*

chem·i·lu·mi·nes·cence [kèmilùːmənésns] *n.* Ⓤ 화학 발광 **-lù·mi·nés·cent** *a.*

che·min de fer [ʃəmǽn-də-féər] [F] 〔카드〕 슈맹 드 페르 《바카라(baccarat)의 일종》

chem·i·os·mot·ic [kèmiɑzmɑ́tik | -ɔzmɔ́t-] *a.* 〔생화학〕 화학적 침투압의

***che·mise** [ʃəmíːz] [F] *n.* **1** 슈미즈 《원피스로 된 여성용 속옷》 **2** 슈미즈 드레스 《슈미즈 모양의 헐렁한 드레스》(= ∠ **drèss**)

chem·i·sette [ʃèməzét] [F] *n.* 슈미젯 《chemise 위에 입어 목과 가슴을 가리는 레이스 장식의 속옷》

chem·ism [kémizm] *n.* Ⓤ 화학 작용; 화학적 속성

chem·i·sorb [kéməsɔ̀ːrb, -zɔ̀ːrb] *vt.* 화학 흡착(吸着)하다

chem·i·sorp·tion [kèməsɔ́ːrpʃən, -zɔ́ːrp-] *n.* Ⓤ 〔화학〕 화학 흡착

‡**chem·ist** [kémist] [alchemist(연금술사)의 두음 소실(頭音消失)] *n.* **1** 화학자 **2** 《영》 약사, 약제사; 매약업자(《미》 druggist): a ~'s (shop) 《영》 약국(pharmacy, 《미》 drugstore)

‡**chem·is·try** [kéməstri] *n.* Ⓤ **1** 화학: applied ~ 응용 화학 / organic[inorganic] ~ 유기[무기] 화학 **2** 화학적 성질[작용] **3** (사물의) 불가사의한 작용 **4** (다른 사람과의) 공감대, 공통점 ▷ chémical *a.*

chem·i·type [kémitàip] *n.* 화학 제판(製版)

chemo- [kíːmou, -mə, kém- | kém-] 《연결형》 = CHEM-

che·mo·au·to·troph [kìːmouɔ́ːtətrɑ̀f | kèmouɔ́ːtətrɔ̀f] *n.* 화학 합성 독립 영양 생물

che·mo·im·mu·no·ther·a·py [kìːmouìmjunouθérəpi | kèm-] *n.* Ⓤ 〔의학〕 화학 면역 요법

che·mo·ki·ne·sis [kìːmoukiníːsis, -kai- | kèm-] *n.* Ⓤ 〔생물〕 화학 운동성 《화학 물질의 존재에 의한 생물의 활동력 증가》

che·mo·nas·ty [kíːmounæ̀sti] *n.* Ⓤ 〔식물〕 굴화성(屈化性)

che·mo·nu·cle·ol·y·sis [kèmounjuːkliɑ́ləsis] *n.* (*pl.* **-ses**[-siz]) 〔의학〕 화학적 수핵 분해(髓核分解) 《추간판(椎間板) 질환의 치료법》

che·mo·pro·phy·lax·is [kìːmouprὸufəlǽksis | kèm-] *n.* Ⓤ 〔의학〕 화학적 예방(법) 《질병 예방에 화학 약제를 사용함》 **-phy·lac·tic** [-fəlǽktik] *a.*

che·mo·re·cep·tion [kìːmourisépʃən | kèm-] *n.* Ⓤ 화학 수용 《화학적 자극으로 생기는 감각》 **-cép·tive** *a.*

che·mo·re·cep·tor [kìːmouriséptər | kèm-] *n.* 〔생리〕 화학 수용기(관) 《화학적 자극을 받는 감각기》

che·mo·re·flex [kìːmouríːfleks | kèm-] *n.* 〔생리〕 화학 반사

che·mo·sen·sing [kìːmousénsiŋ | kèm-] *n.* Ⓤ 〔생리〕 화학 탐지[감각] **-sén·sor** *n.* **-sén·so·ry** *a.*

che·mos·mo·sis [kìːmɑzmóusis, -mɑs-, kèm- | kèmɔz-] *n.* Ⓤ 화학 삼투 작용 **-mót·ic** *a.*

che·mo·sphere [kíːməsfìər | kém-] *n.* 〔기상〕 화학권 《광화학 반응이 일어나는 상부 성층권 이상의 대기권》

che·mo·ster·i·lant [kìːmoustérələnt | kèm-] *n.* 화학 불임제 《곤충 등의 생식 기능을 파괴함》

che·mo·ster·i·lize [kìːmoustérəlàiz | kèm-] *vt.* 〈곤충이나 그밖의 동물을〉 화학 불임제로 불임시키다 **chè·mo·stèr·i·li·zá·tion** *n.*

che·mo·sur·ger·y [kìːmousə́ːrdʒəri | kèm-] *n.* Ⓤ 〔외과〕 화학 외과(요법) **-gi·cal** *a.*

che·mo·syn·the·sis [kìːmousínθəsis | kèm-] *n.* Ⓤ 〔생물〕 화학 합성(cf. PHOTOSYNTHESIS) **chè·mo·syn·thét·ic** *a.*

che·mo·tax·is [kìːmoutǽksis, kèm- | kèm-] *n.* Ⓤ 〔생물〕 주화성(走化性) **-tác·tic** *a.*

che·mo·tax·on·o·my [kìːmoutæksɑ́nəmi | kèmoutæksɔ́n-] *n.* Ⓤ 〔생물〕 화학 분류(학) **-tàx·o·nóm·ic** *a.* **-mist** *n.*

che·mo·ther·a·peu·tic, -ti·cal [kìːmouθèrəpjúːtik(əl) | kèm-] *a.* 화학 요법의 **-ti·cal·ly** *ad.*

che·mo·ther·a·peu·tics [kìːmouθèrəpjúːtiks] *n. pl.* [단수 취급] = CHEMOTHERAPY

che·mo·ther·a·py [kìːmouθérəpi | kèm-] *n.* Ⓤ 〔의학〕 화학 요법 **-pist** *n.*

che·mo·troph [kíːmətrɑ̀f | kémətrɔ̀f] *n.* 〔생물〕 화학 합성 생물 《무기물 또는 유기물을 산화하는 것으로 에너지를 얻는 생물》 **chè·mo·tróph·ic** *a.*

che·mot·ro·pism [kimɑ́trəpìzm | -mɔ́t-] *n.* Ⓤ 〔생물〕 화학 굴성, 굴화성(屈化性)

chem·ur·gy [kémə:rdʒi, kəmə́ːr- | kéməː-] *n.* Ⓤ 《미》 농산(農産) 화학

Cheng·chow [tʃéŋtʃáu] *n.* = ZHENGZHOU

che·nille [ʃəníːl] *n.* 셔닐 실 《장식 자수용》

che·no·pod [kíːnəpɑ̀d, kén- | -pɔ̀d] *n.* 〔식물〕 명아주

cheong·sam [tʃɔ́ːŋsɑ̀ːm] [Chin.] *n.* 장삼(長衫) 《중국의 여성복; 스커트 옆이 트인 원피스》

‡**cheque** [tʃék] *n.* 《영》 수표(《미》 check)

cheque·book [tʃékbùk] *n.* 《영》 수표장(《미》 checkbook)

***cheq·uer** [tʃékər] *n., vt.* 《영》 = CHECKER[1]

Che·quers [tʃékərz] *n.* 《영》 수상의 지방 관저
cher [ʃɛər] *a.* 《속어》 매력적인; 유행에 정통한, 현대적 감각을 가진; 《남성에 대해》 친애하는 《프랑스어에서》
cher·chez la femme [ʃɛərʃéi-lɑ:-fém | -fǽm] [F] 여자를 찾아라 《사건 뒤에는 여자가 있다》
cher·eme [kéri:m] *n.* 〖언어〗 동소(動素), 수화소 《수화의 단어를 만드는 기본 단위》
cher·i·moy·a [tʃèrəmɔ́iə] *n.* 〖식물〗 체리모야 《열대 아메리카산(産) 아노나과의 관목》; 그 열매 《식용》
‡**cher·ish** [tʃériʃ] [F =cher(친애하는)] *vt.* **1** [진행형 없음] 〈어린아이를〉 **소중히 하다,** 귀여워하다, 소중히 기르다 **2** 〈소망·신앙·원한 등을〉 **품다;** 〈추억을〉 고이 간직하다 (*for, against*): ~ the religion in the heart 그 종교를 마음속으로 신봉하다 // (~+목+전+명) ~ a resentment *against* a person …에 대해 원한을 품다 **~·a·ble** *a.* **~·er** *n.*
Cher·no·byl [tʃə:rnóubəl] *n.* 체르노빌 《1986년 핵발전소가 사고를 일으킨 우크라이나의 도시》
cher·no·zem [tʃɔ́:rnəzèm, tʃɛ́ər-] *n.* Ⓤ 체르노젬 토(土) 《아습윤 기후의 스텝 지대에 발달한 비옥한 토양》
Cher·o·kee [tʃérəkì:, ⌐−⌐] *n.* (*pl.* **~s,** [집합적] ~) **1 a** [the ~(s)] 체로키 족 《Oklahoma 주에 많이 사는 북미 인디언》 **b** 체로키 족의 사람 **2** Ⓤ 체로키 말
che·root [ʃərú:t] *n.* 양 끝을 자른 엽궐련
‡**cher·ry** [tʃéri] *n.* (*pl.* **-ries**) **1** 체리, 버찌 **2** 〖식물〗 벚나무(=⌐ **trèe**) **3** Ⓤ 벚나무 재목(=⌐ **wòod**) **4** Ⓤ 버찌색, 선홍색 **5** 《미·속어·비어》 처녀막; 처녀성: lose one's ~ 처녀성을 잃다 **6** 《속어》 **a** 신품, 사용하지 않은 것 **b** 초심자; 《미·속어》 초범자
make [***take***] ***two bites at a ~*** 한 번에 될 일을 두 번에 하다; 꾸물대다; 하찮은 일로 애태우다
— *a.* **1** 버찌 빛깔의, 선홍색의: ~ lips 붉은 입술 **2** Ⓐ 벚나무 재목으로 만든 **3** 《속어》 처녀의 **4** 《속어》 **a** 〈물건이〉 새것인 **b** 경험이 없는 **5** 《미·속어》 근사한, 멋있는 **~·like** *a.*
‡**chérry blòssom** [보통 *pl.*] 벚꽃
cher·ry-bob [tʃéribɑ̀b | -bɔ̀b] *n.* 《영》 (꼭지 밑에) 두 개가 붙은 버찌
chérry bòmb 붉은색의 공 모양의 폭죽 《긴 도화선이 달렸고 폭발력이 강함》
chérry bóy 《미·속어》 숫총각, 동정 소년
chérry brándy 체리브랜디 《버찌를 브랜디에 담가서 만든 술》
chérry làurel 〖식물〗 (유럽 남동부산의) 장미과(科)의 상록 관목
cher·ry-pick [tʃéripìk] 《속어》 *vt.* 신중하게 고르다 **—** *vi.* (소매점에서) 특매품만을 골라서 사다
chérry pìcker **1** 《구어》 이동식 크레인 **2** 《속어》 처녀를 좋아하는 남자 **3** 자기 실속만 차리는 소비자
chérry píe **1** 체리 파이 **2** 〖식물〗 벚꽃 향기가 나는 식물 《헬리오트로프 등》 **3** 《속어》 쉬운 일, 누워서 떡 먹기 **4** 《미·속어》 쉽게 몸을 허락하는 여자
chérry réd 선홍색
cher·ry·stone [-stòun] *n.* **1** 버찌 씨 **2** (북미 대서양산) 대합의 일종
chérry tomáto 체리토마토 《토마토의 한 변종》
cher·so·nese [kɔ́:rsənì:z, -nì:s] *n.* 《시어》 반도 (peninsula)
chert [tʃɔ́:rt] *n.* ⓊⒸ 〖광물〗 처트, 규질암(珪質岩) **chért·y** *a.*
***cher·ub** [tʃérəb] [Gk] *n.* (*pl.* 3, 4에서는 **~s**; 1, 2에서는 **cher·u·bim** [tʃérəbim, -rju-]) **1** 〖성서〗 케루빔 《하느님을 섬기며 옥좌를 떠받치는 천사; 창세기 3: 24》 **2** 〖신학〗 지품(智品) 천사 《9품 천사 중의 제2위로 지식의 천사; cf. SERAPH》 **3** 〖미술〗 (날개가 달리고 귀여운) 아기 천사의 그림 **4** 토실토실한 귀여운 아기; 동안(童顔)인 사람; 귀엽고 천진한 사람 **~·like** *a.* ▷ cherúbic *a.*
che·ru·bic [tʃərú:bik] *a.* 천사의, 천사 같은; 순진한; 〈얼굴 등이〉 토실토실한 **-bi·cal·ly** *ad.*
cher·vil [tʃɔ́:rvil] *n.* 〖식물〗 파슬리의 일종 《샐러드용》

Ches. Cheshire
Chés·a·peake Báy [tʃésəpì:k-] 체사피크 만 《미국 Virginia 주와 Maryland 주 사이의 만》
Chésapeake Báy retríever 〖동물〗 미국종 레트리버 《사냥개》
che sa·rà sa·rà [ké-sɑ:rɑ́:-sɑ:rɑ́:] [It. =what will be, will be] 케세라세라 《될대로 돼라》
Chesh·ire [tʃéʃər] *n.* 체셔 《영국 서부의 주; 略 Ches.》; =CHESHIRE CHEESE ***grin like a ~ cat*** 공연히 히죽히죽 웃다 《*Alice's Adventures in Wonderland*에 등장하는 고양이에서》
Chéshire chéese 체셔 치즈 《크고 둥글넓적함》
ches·key [tʃéski] *n.* (*pl.* **~s**) [종종 **C~**] 《미·속어》 **1** 체코계(系) 사람 **2** Ⓤ 체코 말
‡**chess**[1] [tʃés] *n.* Ⓤ **체스,** 서양 장기 《판 위에서 각각 16개, 합계 32개의 말을 움직여 둘이서 둠》
chess[2] *n.* 《미》 〖식물〗 참새귀리속(屬)의 잡초
chess[3] *n.* (*pl.* **~, ~·es**) 배다리(pontoon bridge)에 건너지르는 널
chess·board [tʃésbɔ̀:rd] *n.* 체스판, 서양 장기판
ches·sel [tʃésəl] *n.* 치즈 제조용 틀
chess·man [tʃésmæ̀n, -mən] *n.* (*pl.* **-men** [-mèn, -mən]) (체스의) 말
‡**chest** [tʃést] [Gk 「상자」의 뜻에서] *n.* **1** 〖해부〗 가슴; 흉곽(thorax); 《구어》 흉중, 가슴속: ~ trouble [disease] 폐병 / a ~ cold 기침 감기 / raise[place, put] a hand to one's ~ (경의·충성을 나타내어) 가슴에 한 손을 대다[얹다] / beat one's ~ 가슴을 치며 통곡하다

> 유의어 **chest** 늑골과 흉골(胸骨)에 둘러싸인 부분으로서 심장과 폐가 있는 곳: *chest* respiration 흉식 호흡 **breast** 인체의 어깨[목]와 배 사이의 부분, 즉 chest의 앞부분. 때로 여성의 유방을 가리킨다: press a child to one's *breast* 아기를 꼭 껴안다 **bosom** 비유적으로 감정·애정이 깃드는 곳으로서의 가슴·마음의 뜻으로 쓰인다: speak one's *bosom* 마음속을 터놓다

2 **상자,** 궤, 장롱: a medicine ~ 약 상자 **3** (공공시설의) 금고; Ⓤ 자금: a military ~ 군자금 **4** (가스 등의) 밀폐 용기; (차 등의) 수송 상자, 포장 상자
a ~ of drawers (서랍이 여러 개 있는 침실용) 옷장, 정리장 《거울이 있는 것은 《미》 bureau, dresser》
get (a thing) ***off*** one***'s ~*** 《구어》 …을 털어놓아 마음의 부담을 덜다 ***play it*** [one***'s cards***] ***close to the ~*** 신중히[비밀로] 하다 ▷ chésty *a.*
chest·ed [tʃéstid] *a.* [보통 복합어를 이루어] …가슴의, 가슴이 …한: broad-~ 가슴통이 넓은
Ches·ter [tʃéstər] *n.* 체스터 **1** 영국 Cheshire 주의 주도 **2** 미국 Pennsylvania 주의 도시
Ches·ter·field [tʃéstərfì:ld] *n.* **1** 체스터필드 **4th Earl of ~** (1694-1773) 《영국의 정치가·문인》 **2** [**c~**] 침대 겸용 소파; 《캐나다·영》 소파; 자락이 긴 남자용 오버코트의 일종
Ches·ter·field·i·an [tʃèstərfí:ldiən] *a.* 체스터필드 백작(풍)의; 귀족다운, 우아한, 품위 있는, 고상한
Chéster White 체스터 화이트 《미국의 큰 흰돼지의 품종》
chést frèezer (문을 위아래로 여닫는) 대형 냉동고
chest·ful [tʃéstful] *n.* 큰 상자[통] 하나의 양
chést nòte 〖음악〗 =CHEST VOICE
‡**chest·nut** [tʃésnʌ̀t, -nət] *n.* **1** 밤 **2** 〖식물〗 밤나무(=⌐ **trèe**); 밤나무 비슷한 나무[열매] 《horse chestnut 따위》; Ⓤ 밤나무 목재 **3** Ⓤ 밤색; Ⓒ 밤색 털의 말, 구렁말(cf. BAY[5], SORREL[1]) **4** 《구어》 진부한 이야기[재담, 음악] **5** [*pl.*] 《속어》 젖통이; [*pl.*] 불알
drop a thing ***like a hot ~*** 황급히[갑자기, 아낌없이] 버리다 ***pull*** a person***'s ~s out of the fire*** …을 위해 불 속의 밤을 꺼내다; …의 앞잡이로 이용되다, …을 위해 위험을 무릅쓰다

— *a.* **1** 밤색의, 밤색 털의 **2** 밤의, 〈음식이〉 밤이 든
chéstnut blìght 밤나무 몸통이 마르는 병
chéstnut òak 떡갈밤나무 《북미산 떡갈나무의 일종》
chest·nut·ting [tʃésnʌtiŋ, -nət-] *n.* Ⓤ 밤 줍기
chest-on-chest [tʃéstɑntʃést | -ɔn-] *n.* (아래쪽이 위쪽보다 약간 큰) 이층장
chést protèctor 〖야구〗 (포수·주심의) 가슴받이, 프로텍터
chést règister 〖음악〗 흉성 성역(胸聲聲域)
chest-thump·ing [tʃéstθʌmpiŋ] *n.* 《구어》 호언장담, 허풍
chést vòice 〖음악〗 흉성(胸聲) 《저음역의 소리; cf. HEAD VOICE》
chest·y [tʃésti] *a.* (**chest·i·er**; **-i·est**) **1** 《영》 흉부 질환으로 인한; 흉부 질환의 (징후가 보이는) **2** 《구어》 가슴이 큰, 흉부가 잘 발달한; 《속어》 〈여자가〉 젖가슴이 큰 **3** 《미·속어》 거만한, 뽐내는
chést·i·ly *ad.* **chést·i·ness** *n.*
che·tah [tʃíːtə] *n.* = CHEETAH
Chet·nik [tʃetníːk, tʃétnik] *n.* 체트니크 《세르비아 민족 독립 운동 그룹의 일원; 2차 대전 중 나치군을 괴롭힌 유고의 게릴라 대원》
che·trum [tʃíːtrəm, tʃét-] *n.* 체트럼 《부탄의 화폐 단위; 100 chetrum = 1 ngultrum》
che·val-de-frise [ʃəvǽldəfríːz] [F = horse of Friesland] *n.* (*pl.* **che·vaux-** [ʃəvóu-]) [보통 *pl.*] **1** 〖군사〗 (기병의 침입을 막는) 방마책(防馬柵) **2** 〖건축〗 (담 위의) 철책
che·va·let [ʃèvəléi, ʃəvǽlei] [F] *n.* **1** (현악기의) 기러기발 **2** (조교(弔橋)의) 교대(橋臺)
che·vál glàss [ʃəvǽl-] 전신 거울, 체경(體鏡)

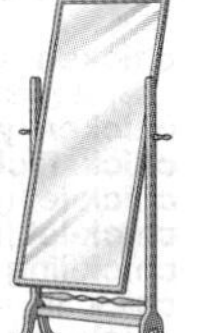
cheval glass

chev·a·lier [ʃèvəlíər] [F 「말(馬)의」 뜻에서] *n.* **1** 〖프랑스사〗 기사 (knight) **2** (프랑스의) 훈작사(勳爵士) **3** 의협적인 사람
Chev·i·ot [tʃéviət, tʃíːv-] *n.* Ⓤ 체비엇 양털로 짠 모직물 《영국 Cheviot Hills산》
Chéviot Hílls [the ~] 체비엇 힐스 《잉글랜드와 스코틀랜드 경계의 구릉 지대》
chè·vre [ʃévrə, ʃév], **chev·ret** [ʃəvréi] [F] *n.* 염소 젖으로 만든 치즈
Chev·ro·let [ʃèvrəléi, ∠-∠] *n.* 시보레 《미국제 자동차 이름; 상표명》

chevron 1

chev·ron [ʃévrən] *n.* **1** 갈매기표 수장(袖章) 《∧, ∨; 하사관·경관복의》 ★ 《영》 근무 연한을, 《미》 계급을 표시함. **2** (문장(紋章)의) 역 V자형 **3** [**C~**] 셰브론 《미국의 종합 석유회사》
chévron bòard 급커브를 나타내는 도로 표지
chev·ro·tain [ʃévrətèin, -tin] *n.* 〖동물〗 애기사슴, 쥐사슴(mouse deer) 《뿔이 없는 사슴 비슷한 작은 반추 동물》
chev·y [tʃévi] *v.* (**chev·ied**), *n.* = CHIV(V)Y
Chev·y [ʃévi] *n.* 《미·구어》 = CHEVROLET
***chew** [tʃúː] *vt.* **1** 〈음식물을〉 씹다, 깨물어 부수다(⇨ bite 유의어) **2** 〈제안·문제 등을〉 곰곰 생각하다, 심사숙고하다 《*over*》: (~+목+부) He spent the whole night *~ing* the matter *over.* 그는 그 문제를 밤새도록 곰곰이 생각했다. **3** 〈일을〉 충분히 의논하다 《*over*》 **4** 〈상처·구멍을〉 씹어서 만들다
— *vi.* **1** 씹다 《*at, on*》 **2** 《미·구어》 씹는담배를 씹다 **3** 심사숙고하다 《*over, on*》: (~+전+명) ~ *on* one's future 장래 일을 곰곰 생각하다
bite off more than one ***can*** **~** ⇨ bite. **~ *a lone drink*** [***summer, song***] 《미·속어》 혼자 쓸쓸히 술을 마시다[여름을 보내다, 노래를 부르다] **~** a person***'s ear off*** 《미·속어》 장황하게 (혼자) 지껄이다[잔소리하다] **~ *out*** 《미·구어》 (1) …을 호되게 꾸짖다 (2) …을 호되게 비난하다[헐뜯다] **~ *the cud*** 〈소 등이〉 새김질하다, 반추하다; 깊이 생각하다 **~ *the rag*** [***fat***] 《속어》 계속 투덜거리다, 불평하다; 끝없이 지껄이다 **~ *up*** (1) 〈음식 등을〉 짓씹다 (2) 파괴하다 (3) 《구어》 …을 호되게 꾸짖다
— *n.* **1** [a ~] 씹음, 저작(咀嚼); (특히, 씹는담배의) 한 입 **2** 씹는 과자 《캔디 등》
~ *and spit* 《속어》 어중이떠중이, 대중 ***have a ~ at*** 《구어》 …을 한 입 먹다[깨물다]
~·a·ble *a.* **~·er** *n.*
Che·wa [tʃéiwɑː] *n., a.* **1** 체와 족(族)(의) 《반투 어(語)를 쓰는 malawi의 한 종족》 **2** Ⓤ 체와 어(語)(의)
chewed [tʃúːd] *a.* Ⓟ [~ up으로] 《미·속어》 고민하는, 걱정하는, 난처한
chéw·ing gùm [tʃúːiŋ-] 추잉껌, 껌(gum)
chew·ings [tʃúːiŋz] *n. pl.* 《미·속어》 음식물
chew·ing-stick [tʃúːiŋstìk] *n.* (서아프리카의) 치아 세척용 나뭇가지
chéwing tobàcco 씹는담배
che·wink [tʃiwíŋk] *n.* 〖조류〗 되새의 일종 《북미산》
chew·y [tʃúːi] *a.* (**chew·i·er**; **-i·est**) 〈음식 등이〉 잘 씹히지 않는; 씹을 필요가 있는
Chey·enne [ʃaiǽn, -én, ∠-] *n.* (*pl.* **~s,** [집합적] ~) **1 a** [the ~(s)] 샤이엔 족 《아메리칸 인디언》 **b** 샤이엔 족의 사람 **2** Ⓤ 샤이엔 말
chez [ʃéi] [F] *prep.* **1** …의 집[가게]에서[으로] **2** (편지에서) …씨 댁 **3** …와 함께 **4** …사이에
CHF congestive heart failure **chg.** change; charge **chgd.** changed; charged
chi [kái] *n.* 카이 《그리스 자모의 제22자(Χ, χ)》
Chi. Chicago
chi·ack, chy·ack [tʃáiək] 《영·호주·구어》 *vt.* 놀리다, 조롱하다 — *n.* 놀림; 악의 없는 농담
Chiang Kai-shek [tʃǽŋ-kaiʃék, dʒjɑ́ːŋ-] 장제스(蔣介石)(1887-1975) 《중화 민국 총통(1950-75)》
Chi·an·ti [kiɑ́ːnti, -ǽn- | -ǽn-] *n.* Ⓤ 칸티 《이탈리아산 적포도주》
chi·a·ro·scu·ro [kiɑ̀ːrəskjúərou | -skúər-] [It.] *n.* (*pl.* **~s**) Ⓤ **1** 〖미술〗 명암의 배합; Ⓒ 명암을 배합한 그림 **2** 〖문학〗 명암 대조법 — *a.* 명암(법)의
-scú·rism *n.* **-scú·rist** *n.*
chi·as·ma [kaiǽzmə] *n.* (*pl.* **~s, ~·ta** [-tə]) 〖해부〗 교차, 《특히》 시신경의 교차; 〖생물〗 염색체 교차
chì·as·mát·ic *a.*
chi·as·ma·typ·y [kaiǽzmətàipi] *n.* 〖유전〗 키아즈마형(形) 《유전자 교차의 토대가 되는 염색체 교차 양식》
chi·as·mus [kaiǽzməs] *n.* (*pl.* **-mi** [-mai]) 〖수사학〗 교차 대구법(對句法) 《I cannot beg; to beg I am ashamed.처럼 대구를 거꾸로 놓아 교차시키는 것》 **chi·as·tic** [kaiǽstik] *a.*
chiaus [tʃáus, tʃáuʃ] *n.* **1** 차우스 《터키의 사절(使節)》 **2** (터키 군인의) 상사(sergeant)
Chib·cha [tʃíbtʃə] *n.* (*pl.* **~s,** [집합적] ~) **1** 치브차 족(의 사람) 《원래 Bogota 고원에 살았던 남미 원주민》 **2** Ⓤ 치브차 말
Chib·chan [tʃíbtʃən] *n.* 치브차 어족 《콜롬비아·에콰도르의 토착어》 — *a.* 치브차 어족의[에 관한]
chi·bouk, -bouque [tʃibúːk, -búk] *n.* (터키의) 긴 담뱃대
chic [ʃíːk, ʃík] [F 「숙련, 기술」의 뜻에서] *n.* **1** Ⓤ (독특한) 스타일; 멋, 고상(elegance), 세련 **2** 유행, 현대풍 — *a.* 〈복장 등이〉 우아한, 세련된, 맵시 있는 (stylish): a ~ hat 세련된 모자 **~·ly** *ad.* **~·ness** *n.*
chi·ca [tʃíːkə] [Sp.] *n.* 여자 아이
***Chi·ca·go** [ʃikɑ́ːgou, -kɔ́ː-] *n.* 시카고 《미시간 호숫가의 미국 제2의 도시》; 《미·속어》 파인애플 소다
Chi·ca·go·an [ʃikɑ́ːgouən, -kɔ́ː-] *n.* 시카고 시민

Chicágo Bóard of Tráde [the ~] 시카고 상품 거래소 (略 CBT)
Chicágo piáno (미·구어) 〖영화〗 = THOMPSON SUBMACHINE GUN
Chicágo píneapple (미·속어) 수류탄
Chicágo Schòol [the ~] **1** 〖건축〗 시카고파(派) (1880-1910년 활약했던 시카고의 건축가 그룹) **2** 〖경제〗 시카고 학파 (Chicago 대학을 중심으로 하는 자유주의 경제학파)
Chi·ca·na [tʃikɑ́:nə, -kǽnə] *n.* 치카나 (멕시코계 여자 미국인; 남자는 Chicano) **—** *a.* 치카나의
chi·cane [ʃikéin, tʃi] *n.* **1** = CHICANERY **2** 〖카드〗 (bridge에서) 으뜸패를 한 장도 못 가진 사람(에게 주어지는 점수) **3** 시케인 (자동차 경주 코스에 놓인 감속용 장애물) **—** *vi.* 궤변으로 둘러대다; 교활한 책략을 쓰다 **—** *vt.* 속여서 …하게 하다[…을 빼앗다] (*into, out of*) **chi·cán·er** *n.*
chi·can·er·y [ʃikéinəri, tʃi-] *n.* (*pl.* **-er·ies**) UC 발뺌, 속임수, 궤변; 핑계, 구실
Chi·ca·no [tʃikɑ́:nou, -kǽnou] *n.* (*pl.* **~s**) 치카노 (멕시코계 남자 미국인; 여자는 Chicana)
— *a.* 치카노의
Chich·es·ter [tʃítʃəstər] *n.* 치체스터 (잉글랜드 West Sussex 주의 주도)
Chi·che·wa [tʃitʃéiwɑ:] *n., a.* = CHEWA 2
chi·chi [ʃí:ʃi:] [F] *a.* **1** 〈복장 등이〉 야한, 현란한 **2** 멋진 **3** 기교를 부린, 짐짓 꾸민 듯한
— *n.* **1** U 멋진 것; 현란한 것 **2** 젠체하는 사람
‡**chick** [tʃík] [chicken의 생략형] *n.* **1** 병아리(⇨ cock[1] 관련); 새 새끼 **2** (애칭) 어린아이; [the ~s] (한 집안의) 아이들 **3** (속어) 젊은 아가씨, 소녀; 여자 친구 **4** (속어) 매춘부; (미·속어) 여자역의 동성애자 **5** (속어) 코카인, 헤로인
chick·a·bid·dy [tʃíkəbìdi] *n.* **1** (유아어) 삐악삐악 **2** (애칭) 아기(cf. CHICK) **3** (속어) 젊은 여자
chick·a·dee [tʃíkədì:] *n.* 〖조류〗 박새속의 총칭; (특히) 미국박새
chick·a·ree [tʃíkərì:] *n.* = RED SQUIRREL
Chick·a·saw [tʃíkəsɔ̀:] *n.* (*pl.* **~s,** [집합적] **~**) 치카소 족(의 사람) (Mississippi 주와 Alabama 주에 분포한 인디언의 한 종족); 치카소 말
chic·kee [tʃikí:, tʃíki] *n.* (북미 인디언, 세미놀 족의) 고상(高床)식 주거; 그와 비슷한 건물
‡**chick·en** [tʃíkən] [OF 「작은 수새」의 뜻에서] *n.* **1** 닭(fowl) **2** 새 새끼; 영계 (chick보다 큰 것; ⇨ cock[1] 관련) **3** U 닭고기 **4** [보통 no ~으로] (구어) 어린애; (특히) 계집애: She is *no* ~. 그녀는 이젠 어린애가 아니다. **5** (속어) 겁쟁이(coward) (주로 어린이들이 쓰는 말) **6** [a game of ~로] **a** 담력 시험 **b** (서로 상대를 굴복시키려고 하는) 도전적 정책[전략] **7** (속어) 소년의 동성애자, 미소년 **8** (군대속어) 자질구레한 규칙[규율]; 하찮은 것
a ~ and egg situation** [**problem**]* 닭이 먼저냐 달걀이 먼저냐의 경우, 둘 중 어느 것이 원인이고 결과인지 판단할 수 없는 상황 ***count** one**'s ~s** (**before they are hatched**)* 까기도 전에 병아리를 세어 보다, 독장수셈을 하다 ***go to bed with the ~s (미·구어) (밤에) 일찍 자다 ***play ~*** (미·구어) (1) 상대편이 손을 뗄까 봐 서로 협박하다 (2) (차를 고속으로 몰게 하는 등으로) 담력을 시험하다
— *a.* **1** A 닭고기의 **2** A 어린애의, 어린: a ~ lobster 어린 새우 **3** P (속어) 겁 많은; (군대속어) 하찮은 일에 귀찮게 구는
— *vi.* [다음 성구로] **~ *out*** (구어) (…에서) 꽁무니 빼다, 무서워서 손을 떼다 (*out*)
chick·en-and-egg [tʃíkənəndég] *a.* (구어) 〈문제 등이〉 닭이 먼저냐 달걀이 먼저냐의
chícken brèast 〖의학〗 새가슴(pigeon breast)
chick·en-breast·ed [-brèstid] *a.* 새가슴의
chícken chòlera 〖수의학〗 = FOWL CHOLERA
chícken còlonel (미·군대속어) 육군 대령
chícken còop 닭장; (미·속어) 트럭의 중량 측정 장소 (트럭 운전사 사이에서)
chícken fèed (속어) **1** 가금(家禽)의 모이 **2** 잔돈, 푼돈; 하찮은 것
chícken flù = BIRD FLU
chick·en-fry [-frài] *vt.* 〈고기·야채 따위를〉 튀김옷을 입혀 기름에 튀기다 **—** *n.* 튀김 요리
chícken hàwk 〖조류〗 말똥가리 무리; (미·속어) 소년을 찾아다니는 동성애자
chícken hèad (미·속어) 바보, 멍청이
chícken hèart (미·속어) 겁쟁이, 소심한 사람
chick·en-heart·ed [-hɑ́:rtid] *a.* 겁 많은, 소심한 (timid)
Chícken Lìttle 비관론자, 기우(杞憂)가 심한 사람 (영국의 전래 동화 *Chicken Licken*에 나오는 캐릭터에서 유래)
chícken lìver 겁쟁이, 무기력한 사람
chick·en-liv·ered [-lívərd] *a.* (구어) = CHICKEN-HEARTED
chícken mòney (속어) = CHICKEN FEED 2
chick·en·pox [-pɑ̀ks | -pɔ̀ks] *n.* 〖병리〗 수두(水痘), 작은마마
chícken rùn **1** (철망을 둘러친) 닭장 **2** (짐바브웨에서 흑인의 지배를 두려워한) 백인의 대량 국외 탈출
chícken sèxer 병아리 감별사
chick·en·shit [tʃíkənʃìt] *n.* **1** (속어·비어) 좀스럽고 하찮은 일 **2** 시시한 거짓말 **3** 겁쟁이, 소심한 사람 **4** 소량의 마약 **—** *a.* **1** 귀찮은[하찮은] 것에 사로잡힌; 시시한, 지루한 **2** 소심한; 좀스러운
chícken swìtch (속어) (우주선·항공기 따위의) 비상 탈출 스위치; 다급할 때 거는 전화; 위급할 때 도와줄 친구
chícken tràcks (미·속어) 알아보기 힘든 지저분한 글씨
chícken wìre (망의 눈이 육각형인) 철망 (닭장에 흔히 쓰인 데서)
chícken yàrd (미) 양계장((영) fowl-run)
chíck flìck (구어) 젊은 여성 취향의 영화
chick·ie [tʃíki] *n.* (속어) 젊은 여자; 여자 아이
chick·let [tʃíklit] *n.* (미·속어) 젊은 여자, 소녀
chick·ling [tʃíkliŋ] *n.* 햇병아리; 새 새끼
chíck lìt (구어) 20~30대 젊은 여성 대상의 대중 소설
chick·pea [tʃíkpì:] *n.* 〖식물〗 이집트콩, 병아리콩
chíckpea flòur 병아리콩으로 만든 밀가루
chick·vot [tʃíkvət] *n.* (미·속어) 여자 동성애자(lesbian)
chick·weed [tʃíkwì:d] *n.* 〖식물〗 별꽃
chic·le [tʃíkl] *n.* U 〖식물〗 치클 (중미산 적철과(赤鐵科) 식물에서 채취하는 껌의 원료)
chi·co [tʃí:kou] [Sp.] *n.* (*pl.* **-os**) (미·구어) 소년, 젊은이
Chi·com [tʃáikɑ̀m | -kɔ̀m] [*Chi*nese *com*munist] *n., a.* (경멸) 중국 공산당원(의), 중공의
chic·o·ry [tʃíkəri] *n.* (*pl.* **-ries**) UC 〖식물〗 (미) 치커리, 꽃상추((영) endive) (국화과; 잎은 샐러드용, 뿌리의 분말은 커피 대용품)
*__chide__ [tʃáid] *vt., vi.* (**chid** [tʃíd], (미) **chid·ed** [tʃáidid]; **chid·den** [tʃídn], **chid,** (미) **chid·ed**) (문어) **1** 꾸짖다(scold), …에게 잔소리하다; 꾸짖어 쫓아내다 **2** 〈바람·사냥개 등이〉 미친 듯이 날뛰다
‡**chief** [tʃí:f] [L = head] *n.* **1** (조직·집단의) 장(長), 우두머리, 지배자; 장관, 상관, 상사, 국[부, 과, 서, 소]장; (속어) 두목, 보스(boss): the ~ of a family 가장 / a branch ~ 지점장 **2** (종족의) 추장, 족장: an Indian ~ 인디언 추장 **3** (고어) (물건의) 주요부; U

thesaurus **chief** *n.* head, principal, leader, director, chairman, chairperson, chief executive, manager, superintendent, master, foreman **—** *a.* **1** 최고의 supreme, head, foremost, principal, highest, leading, superior, premier **2** 주요한 main,

문장(紋章) 바탕의 위쪽 1/3 부분
big [***great***] ***white*** ~ 《익살》 위대한 백인의 우두머리 ***C~ of the Imperial General Staff*** 《영》 참모 총장 ***in*** ~ (1) [명사의 뒤에 쓰여] 최고의, 장관의: a commander *in* ~ 총사령관 (2) 《고어·문어》 주로; 특히 ***the ~ of police*** 《미》 경찰 본부장 ***too many ~s and not enough Indians*** 《영·구어》 누구나 감독이 되려고 하여 일할 사람이 없다, 사공이 많으면 배가 산으로 간다
— *a.* Ⓐ **1** (계급·중요도에서) **최고의,** 제1위의(⇨ main[1] 유의어): a ~ officer 〔항해〕 1등 항해사 / the ~ engineer[nurse] 기관장[수간호사] **2** 주요한
— *ad.* 《고어》 주로(chiefly), 특히 ~(***est***) ***of all*** 무엇보다도, 특히 **~·less** *a.* **~·ship** *n.*

chief cónstable [the ~] 《영》 (자치체[지방] 경찰의) 본부장, 경찰서장

chief·dom [tʃíːfdəm] *n.* **1** UC chief의 직[지위] **2** chief의 관할 지역[종족]

Chíef Exécutive [the ~] 《미》 대통령; [the c- e-] 《미》 주지사

chíef exécutive òfficer (기업의) 최고 경영 책임자 《略 CEO》

chíef fináncial òfficer (기업의) 최고 재무 책임자, 자금 관리 이사 《略 CFO》

chíef informátion òfficer (기업의) 최고 정보 통신 책임자 《略 CIO》

chíef inspéctor 《영》 (경찰의) 경감

Chíef Júdge 〔미국법〕 수석 판사, 하급 법원장

chíef jústice [the ~] **1** 〔법〕 재판장; 법원장 **2** [**C- J-**] 《미》 연방 대법원장 《정식 명칭은 the Chief Justice of the United States》

***chief·ly** [tʃíːfli] *ad.* **1 주로**(mainly) **2** 대개, 거의
— *a.* 장(長)의, 우두머리의

chíef máster sérgeant 〔미공군〕 상급 조장

chíef máte 〔항해〕 1등 항해사 (chief officer, first officer)

Chíef of Nával Operàtions 〔미해군〕 해군 참모 총장 《略 CNO》

Chíef of Stáff [the ~] **1** 《미》 육군[공군] 참모 총장 **2** 《미》 [**c- of s-**] 참모장 **3** [**c- of s-**] 《일반적으로》 육군 참모 총장

chíef of státe [the ~] 국가 원수(元首)

chíef pétty òfficer 《미》 (해군·연안 경비대의) 상사; 《영》 (해군) 상사

Chíef Rábbi (영국 등의) 랍비장(長), 유대교 최고 지도자

chíef superinténdent 《영》 경무관

***chief·tain** [tʃíːftən, -tin] *n.* **1 지도자,** (산적 등의) 두목 **2** (스코틀랜드 Highland족의) 족장(族長); (인디언 부족 등의) 추장 **3** 《고어》 대장(隊長) **4** [**C~**] 〔군사〕 (1969-84년의 영국 육군의) 주력 전차

chief·tain·cy [tʃíːftənsi] *n.* (*pl.* **-cies**) UC **1** chieftain의 지위[역할] **2** chief의 지배 지역(chiefdom)

chief·tain·ess [tʃíːftənis] *n.* 여자 수령; 수령의 처

chief·tain·ship [tʃíːftənʃìp] *n.* = CHIEFTAINCY

chíef technícian 《영》 공군 2등 중사

chíef wárrant òfficer 〔미군〕 상급 준위

chiel(d) [tʃíːl(d)] *n.* 《스코》 젊은이; 남자

chiff·chaff [tʃíftʃæ̀f, -tʃɑ̀ːf] *n.* 〔조류〕 명금(鳴禽)의 일종 《솔새 무리》

chif·fon [ʃifɑ́n, ⌐― | ʃífɔn] [F] *n.* Ⓤ **1** 시폰, 견(絹) 모슬린 **2** [*pl.*] (드레스의) 장식 레이스
— *a.* **1** 〈여성복·스카프 따위가〉 시폰제의, 시폰 같은 **2** 〈파이·케이크 따위가〉 (휘저은 흰자위로) 부풋한

chif·fo·nade [ʃìfənéid, -nɑ́ːd] *n.* 쉬퍼나드 《야채 등을 잘게 썬 것; 고명용》

chif·fo(n)·nier [ʃìfəníər] *n.* (키가 큰) 서랍장 《위에 거울이 달려 있음》

chif·fo·robe [ʃífəròub] *n.* 시퍼로브 《정리장과 양복장이 하나로 되어 있는 것》

chig·ger [tʃígər] *n.* **1** 〔동물〕 털진드기 《유충은 척추동물에 기생하여 전염병을 매개함》 **2** = CHIGOE 1

chi·gnon [ʃíːnjɑn | -njɔn] [F] *n.* 뒷머리에 땋아 붙인 쪽, 시뇽

chig·oe [tʃígou] *n.* **1** 〔곤충〕 모래벼룩(sand flea) 《손살·발샅 등에 기생》 **2** = CHIGGER 1

Chi·hua·hua [tʃiwɑ́ːwɑː, -wə] *n.* 치와와 《멕시코 원산의 작은 개의 품종》

chi·kun·gun·ya [tʃìkəngʌ́njə] *n.* Ⓤ 치쿤구니야 《모기에 의해 감염되는 바이러스성 급성 열성 질환》

chil·blain [tʃílblèin] *n.* [보통 *pl.*] 〔병리〕 동상(凍傷) 《frostbite보다 가벼움》 **chíl·blàined** [-d] *a.*

‡child [tʃáild] [OE 「어린아이, 귀공자」의 뜻에서] *n.* (*pl.* **chil·dren** [tʃíldrən]) **1** 《일반적으로》 **아이, 어린이,** 아동 《보통 14세 이하》; 유아; 태아: The ~ is (the) father of[to] the man. 《속담》 아이는 어른의 아버지. **2** (부모와 대비하여) **자식,** 아이 《아들·딸》; 미성년자; 양자: an only ~ 외자식 / bring up one's ~ 자식을 기르다 **3** 어린애 같은 사람; 유치하고 경험 없는 사람: Don't be a ~! 어린애 같은 짓 하지 마라! **4** (먼 조상의) 자손(offspring) 《*of*》: the ~ *of* Abraham 아브라함의 자손, 유대인 **5** 제자(disciple); 추종자, 숭배자 《*of*》: a ~ *of* God 하느님의 아들, 선인, 신자 / a ~ *of* the Devil 악마의 아들, 악인 **6** (어떤 특수한 종족·계층·환경에) 태어난 사람, (어떤 특수한 성질에) 관련 있는 사람 《*of*》: a ~ *of* fortune[the age] 운명[시대]의 총아 / a ~ *of* nature 자연아, 천진한 사람 / a ~ *of* sin 죄의 아들, 사람 / a ~ *of* the Revolution 혁명아 **7** (두뇌·공상 등의) 소산, 산물 **8** 《고어》 = CHILDE
as a ~ 어릴 때 ***from a*** ~ 어릴 때부터 ***this*** ~ 《속어》 나(I, me) ***with*** ~ 임신하여 《★ pregnant의 완곡한 표현》: be *with* ~ by …의 아이를 배고 있다 / get a woman *with* ~ 여자를 임신시키다

chíld abùse 아동 학대 《육체적·성적인 폭력》

child-bat·ter·ing [tʃáildbæ̀təriŋ] *n.* Ⓤ (어른에 의한) 아동 학대 행위

child·bear·ing [-bɛ̀əriŋ] *n.* Ⓤ 분만, 해산
— *a.* Ⓐ 출산의; 출산 가능한

child·bed [-bèd] *n.* 산욕(産褥); 분만: die in ~ 분만 중에 죽다

chíldbed féver 〔병리〕 산욕열

chíld bénefit 《영》 (국가가 지급하는) 아동 수당

child·birth [-bə̀ːrθ] *n.* UC 분만, 해산

child·care [-kɛ̀ər] *n.* 육아(育兒), 보육; 《영》 아동 보호 《가정에서 보호하지 못하는 아동에 대한 지방 자치 단체의 일시적 보호》

child-care [-kɛ̀ər] *a.* 육아의, 보육의: ~ institutions 보육원

chíldcare lèave 육아(育兒) 휴가

chíld cústody 〔법〕 (특히 이혼·별거 시의) 자녀 양육권

childe [tʃáild] *n.* 《고어》 도련님, 귀공자

chíld endówment 《호주》 (국가가 지급하는) 아동 (양육) 수당

Chil·der·mas [tʃíldərməs] *n.* 《영·고어》 아기의 날 (Holy Innocents' Day) 《12월 28일, Herod 왕에게 살해된 Bethlehem의 아기들을 추도하는 날》

chíld guídance 〔교육〕 아동 지도 《환경 부적응 또는 지능이 뒤진 아이를 정신 의학의 힘을 빌어 치료함》

‡child·hood [tʃáildhùd] *n.* Ⓤ **1 어린 시절,** 유년 시대; 유년: in one's second ~ 늘그막에 **2** (사물 발달의) 초기 단계 **3** [집합적] 어린이들

child·ing [tʃáildiŋ] *a.* 《고어》 아이를 낳는; 임신한

‡child·ish [tʃáildiʃ] *a.* **1 어린이 같은 2** 〈어른이〉 **유치한,** 어린애 같은, 어른답지 못한: a ~ idea 유치한 생

---

primary, prime, key, vital, essential
chiefly *ad.* mainly, principally, primarily
childish *a.* **1** 어린이 같은 children's, childlike, youthful **2** 유치한 immature, infantile, juvenile, silly, foolish, irresponsible (opp. *mature, adult*)

각(⇨ childlike 유의어) **3** 노인성 치매에 걸린(senile) **~·ly** *ad.* **~·ness** *n.* ▷ child *n.*

chíld lábor 〖법〗 미성년 노동 《미국에서는 15세 이하》

child·less [tʃáildlis] *a.* 아이가 없는 **~·ness** *n.*

***child·like** [tʃáildlàik] *a.* 어린이다운, 어린애 같은 《좋은 뜻으로》, 순진한, 천진한: ~ innocence 어린애 같은 순진함

> 유의어 **childlike** 어른에게만 쓰여서 좋은 뜻이 된다. **childish** 어른에게는 나쁜 뜻이 된다: make *childish* errors 유치한 실수를 하다

Child·line [tʃáildlàin] *n.* 《영》 아동 상담 전화 (서비스)

child·ly [tʃáildli] *a.* 《시어》 어린애 같은(childlike)

child·mind·er [tʃáildmàindər] *n.* 《영》 **1** = BABY-SITTER **2** 보모

child·mind·ing [-màindiŋ] *n.* 《영》 (고용되어 남의) 아이를 돌보기(baby-sitting)

chíld molèster 어린이 성추행자

child-nap·ping [-næ̀piŋ] *n.* Ⓤ 이혼 수속이 끝나기 전에 한쪽 부모가 자식을 빼앗는 일

chíld pornógraphy 아동 포르노그라피(kidporn) 《어린이를 주제로 한 외설물》

chíld pródigy = INFANT PRODIGY

child·proof [-prù:f] *a.* 어린이가 열지[망가뜨리지] 못하는, 어린이에게 안전한 ― *vt.* 〈물건·장소 등을〉 어린아이에게 안전하게 하다

chíld psychíatry 아동 정신 의학

chíld psychólogy 아동 심리학

‡chil·dren [tʃíldrən] *n.* CHILD의 복수 **~ *of Israel*** 유대인, 히브리 사람

chil·dren·ese [tʃìldrəní:z, -ní:s] *n.* 《미》 유아어, 어린애말(baby talk)

Chíldren of Gód [the ~] 〖그리스도교〗 하나님의 자녀파(派) 《1968년 미국에서 창설된 Jesus Movement의 일파》

Chíldren's Dày 〖개신교〗 어린이날 《6월의 둘째 주 일요일》

child-re·sis·tant [tʃáildrizìstənt] *a.* 〈제품이〉 어린이에게 안전한(childproof)

chíld restràint (자동차의) 어린이 보호 장치 《벨트·카시트 따위》

chíld sèat (자동차의) 아기용 의자(car seat)

chíld's plày [관사없이] 《구어》 아주 쉬운 일; 하찮은 일: It's mere ~ to do such a thing. 그런 일은 식은 죽 먹기다.

chíld suppòrt 자녀 양육(비)

chíld wélfare 아동 복지

chíld wífe 어린 아내; 어린아이 같은 아내

chil·e [tʃíli] *n.* = CHILI

***Chil·e** [tʃíli] *n.* 칠레 《남미 서남부의 공화국; 수도 Santiago》

Chil·e·an [tʃíliən] *a.* 칠레 사람의; 칠레의
― *n.* 칠레 사람

Chíle pìne 〖식물〗 칠레소나무(monkey puzzle)

Chíle saltpéter[níter] 〖광물〗 칠레 초석(硝石), 질산나트륨($NaNO_3$)

chil·i, chil·e, chil·li [tʃíli] *n.* (*pl.* **~es**) Ⓤ,Ⓒ **1** 칠리고추 《열대 아메리카 원산》(= **∠ pèpper**); 그것으로 만든 향신료 **2** = CHILI CON CARNE

chil·i·ad [kíliæ̀d] *n.* 일천; 일천 년 《기간》

chil·i·arch [kíliɑ̀:rk] *n.* (고대 그리스·로마의) 천부장, 천인 대장 **chíl·i·àrch·y** *n.*

chil·i·asm [kíliæ̀zm] *n.* Ⓤ 〖신학〗 천년 왕국설 《예수가 재림하여 천 년간 이 세상을 통치한다는 설; cf. MILLENNIUM》 **-àst** *n.* 천년 왕국설 신봉자 **chìl·i·ás·tic** [-ǽstik] *a.*

chil·i-bowl [tʃílibòul] *n.* 《미·속어》 아래를 쳐올린 단발머리; 불결한 사람; 지저분한 녀석

chili con car·ne [-kɑn-kɑ́:rni | -kɔn-] [Sp.] 칠리고추를 넣은 고기와 강낭콩 스튜 《멕시코 요리》

chíli dòg 칠리 도그 《빵과 소시지 사이에 chili con carne를 끼워 넣은 핫도그》

chíli pòwder 칠리 파우더 《고춧가루》

chíli sàuce 칠리 소스 《칠리고추·양파 등이 든 토마토 소스》

‡chill [tʃíl] *n.* **1** [a ~] **냉기,** 쌀쌀함 《cold보다 덜한 추위》: the ~ of early dawn 이른 새벽의 냉기/*a* ~ in the air 쌀쌀한 기운 **2 한기,** 오한, 으스스함: give a person a ~ …을 오싹하게 하다 **3** [a ~] 냉담, 쌀쌀함; 파흥(破興), 불쾌 **4** (주물의) 냉경(冷硬) **5** 《미·속어》 (차게 한) 맥주
cast a ~ upon*[*over*]** …에 찬물을 끼얹다; 흥을 깨뜨리다 **~*s and fever 《미》 학질, 간헐열(間歇熱) ***have a ~*** 오싹해지다; 감기에 걸려 있다 ***put on the ~*** 《미·속어》 …에게 냉담하게 굴다 ***put the ~ on*** a person …에게 쌀쌀하게 대하다; …을 죽이다 ***send ~s*[*a ~*] *up*[*down, up and down*]** a person***'s spine*** …을 공포로 떨게 하다 ***take*[*catch*] *a ~*** 한기가 들다, 오한이 나다; 감기에 걸리다 ***take the ~ off*** 〈우유 등을〉 약간 데우다, 거냉(去冷)하다
― *a.* 《문어》 **1 냉랭한,** 차가운: a ~ breeze 살을 에는 듯한 찬바람 **2 냉담한,** 쌀쌀한 《★ chilly쪽이 일반적임》: a ~ reception 냉대 **3** 추위에 떠는; 오한이 나는 **4** [부사적으로] 《미·속어》 완전한[히]
― *vt.* **1** 춥게 하다; 오싹하게 하다: (~+목+전+명) be *~ed to* the bone[marrow] 추위가 뼛속까지 스며들다 // be *~ed* with fear 공포로 오싹해지다 **2** 〈음식물을〉 냉장하다 《★ freeze보다 덜함》; 〈포도주 등을〉 차게 해서 내다 **3** 〈열의를〉 꺾다; 〈흥을〉 깨다 **4** 〖야금〗 〈쇳물·강철 등을〉 급속히 식혀 굳히다, 냉경(冷硬)하다 **5** 《영·구어》 〈액체를〉 알맞게 데우다 **6** 《미·속어》 〈문제·불만을〉 해결하다 **7** 《미·속어》 〈사람을〉 죽이다; 때려 기절시키다; 화나게 하다
― *vi.* **1** 차지다; 으스스해지다, 오싹하다 **2** 쇳물이 냉경(冷硬)되다 **3** 열의가 식다, 냉담해지다 **4** 《속어》 쉬다; 빈둥거리며 시간을 보내다; (…와) 교제하다
~ *out* 《미·속어》 〈사람이〉 냉정해지다, 침착해지다; [명령형으로] 침착해!, 마음 편히 가져! **~ a person*'s blood*** …의 간담을 서늘하게 하다 ▷ chílly *a.*

chill·ax [tʃílæks] [*chill* out+re*lax*] *vi.* 《속어》 침착하고 진정하다

chíll càr 《미》 〖철도〗 냉장차

chilled [tʃíld] *a.* **1** = CHILLED-OUT **2** 냉각한; 냉장한: ~ meat[beef] 냉장한 고기[쇠고기](cf. FROZEN meat) **3** 〖야금〗 냉경(冷硬)한: ~ casting(s) 냉경 주물(鑄物)

chilled-out [tʃíldàut] *a.* 《구어》 느긋한, 태평한: a ~ atmosphere 느긋한 분위기

chill·er [tʃílər] *n.* **1** 《구어》 스릴을 느끼게[오싹하게] 하는 소설[영화], 스릴러물(物) **2** 냉각[냉장] 장치; 냉동계(係) **3** = CHILL MOLD **4** 《미·속어》 권총, 피스톨

chill·er-dill·er [-dílər] *n.* 《구어》 = CHILLER 1

chíll fàctor 〖기상〗 = WINDCHILL FACTOR

chil·li [tʃíli] *n.* (*pl.* **~es**) 《영》 = CHILI

chill·i·ness [tʃílinis] *n.* Ⓤ 냉기; 한기; 냉담

chill·ing [tʃíliŋ] *a.* 냉기가 스미는, 으슬으슬한; 냉담한, 쌀쌀한; 냉정한, 안정되어 있는 **~·ly** *ad.*

chilling éffect (엄격한 규칙이나 규제로 인한) 사기 저하, 의욕 상실

chíll mòld 〖야금〗 냉경(冷硬) 주형(鑄型)

chill·ness [tʃílnis] *n.* = CHILLINESS

Chil·lon [ʃəlɑ́n, ʃílən | ʃilɔ́n] *n.* 시용 《스위스 Geneva 호 부근의 고성(古城); 원래 정치범을 수용》

chill·out [tʃílàut] *n.* 《미·속어》 (연료의 부족으로 인한) 난방 정지 (기간)

chíll pìll 《미·속어》 진정제

chíll ròom **1** (술집·회사 등의) 오락실, 휴게실 《게임을 하거나 음악을 듣거나 TV를 보거나 하는》 **2** 〖컴

thesaurus **childlike** *a.* simple, naive, ingenuous, innocent, artless, trustful, credulous

퓨터》 오락 웹사이트[웹페이지]

chill·room [tʃílrù(:)m] *n.* 냉장실

chil·lum [tʃíləm] *n.* 수연통(水煙筒)의 대통; 《속어》 마리화나용 수연통

⁑ **chill·y** [tʃíli] *a.* (**chill·i·er**; **-i·est**) **1** 〈날·날씨 등이〉 차가운, 쌀쌀한, 으스스한 《★ cool보다 차고 cold만큼 춥지 않음》; 〈사람이〉 한기가 나는, 추위를 타는: a ~ wind 차가운 바람 / a ~ morning in November 쌀쌀한 11월의 아침 **2** 〈태도 등이〉 **냉담한**: a ~ reception 냉대 **3** 〈이야기 등이〉 오싹한 **4** 《미·속어》 냉정한, 이성적인 ***feel*** [***be***] **~** 오한이 나다
—*ad.* 냉랭하게, 냉담하게 **chíll·i·ly** *ad.* ▷ chíll *n.*

chilo- [káilou, -lə] 《연결형》 「입술」의 뜻

chi·lo·plas·ty [káiləplæ̀sti] *n.* Ⓤ 〖외과〗 입술 성형 수술(cheiloplasty)

Chíl·tern Húndreds [tʃíltərn-] [the ~] 잉글랜드 중남부의 구릉지대 Chiltern Hills를 포함하는 영국왕 직속지 ***accept*** [***apply for***] ***the*** **~** 《영》 하원 의원직을 사임하다

chi·mae·ra [kimíərə, kai-] *n.* = CHIMERA

chimb [tʃáim] *n.* = CHIME[2]

⁑ **chime[1]** [tʃáim] 〖L 「심벌(cymbal)」의 뜻에서〗 *n.* **1** Ⓒ **a** 차임 《교회 등의 조율된 한 벌의 종》 **b** [종종 *pl.*] 〖음악〗 차임, 관종(管鐘); [종종 *pl.*] 그 종소리, 종악(鐘樂) **2** Ⓒ (문·탁상시계 등의) 차임 (장치) **3** Ⓤ 선율(melody), 해조(諧調)(harmony) **4** Ⓤ 《문어》 조화, 일치
in* ~** (1) 〈소리가〉 조화되어 (2) 일치[협력]하여 ***keep* ~ *with …와 장단을 맞추다, …와 조화를 유지하다
—*vt.* **1** 〈한 벌의 종을〉 울리다 **2** 〈종 소리가〉 〈시각을〉 알리다; 종을 울려 〈사람을〉 부르다 《*to*》: The clock ~*d* five. 시계가 다섯 시를 쳤다. // (~+목+부) The bell ~*d* the children *home.* 종이 울려 아이들의 귀가를 재촉했다. // (~+목+전+명) ~ a person *to* rest 종을 울려 …을 쉬게 하다 **3** 노래하듯[단조롭게] 말하다[되풀이하다]
—*vi.* **1** 〈한 벌의 종·시계가〉 울리다 **2** 종악을 연주하다 **3** 조화하다, 일치하다(agree) 《*with, together*》: (~+전+명) ~ *with* one's mood 자기 기분과 조화되다 **4** 똑같은 억양으로[단조롭게] 말하다
~ *in* (1) (노래 등에) 가락을 맞추다, 참여하다 (2) 〈사물이〉 (…와) 조화되다 《*with*》 (3) (찬성의 뜻을 가지고) 대화에 끼어들다 (4) (…에) 동의하다 《*with*》

chime[1] 1 b

chime[2] *n.* (술통 따위의 아래위 마구리의) 돌출한 가장자리[테두리]

chim·er[1] [tʃáimər] *n.* 종을 울리는 사람

chim·er[2] [tʃímər, ʃím-] *n.* = CHIMERE

chi·me·ra [kimíərə, kai-] *n.* **1** 〖그리스신화〗 [**C~**] 키메라 《불을 뿜는 괴물》; 《일반적으로》 괴물 **2** 가공의 괴물; 근거 없는 환상; 망상(wild fancy) **3** 〖생물〗 키메라 《돌연변이·접목 등에 의해 두 가지 이상의 다른 조직을 가진 생물체》

Chimera 1

chi·mere [tʃimíər, ʃi-] *n.* 치미어 《영국 국교회의 bishop이 rochet 위에 입는 소매 없는 검은 제의(祭衣)》

chi·mer·i·cal, -mer·ic [kimérik(əl), -míər-, kai- | kaimér-, kimér-] *a.* 공상적인, 터무니없는; 비현실의, 기상천외의, 가공할 **~·ly** *ad.* **~·ness** *n.*

chi·me·rism [kimíərizm, kai-] *n.* Ⓤ 〖생물〗 키메라 현상

chilly *a.* cold, icy, biting, freezing, frigid, sharp, penetrating, cool, crisp, brisk, fresh

⁑ **chim·ney** [tʃímni] 〖L 「난로」의 뜻에서〗 *n.* (*pl.* **~s**) **1** (집·기관차 등의) **굴뚝** **2** (램프의) 등피 **3** 굴뚝 모양의 것; (화산의) 분화구; 〖등산〗 침니 《세로로 갈라진 바위 틈》 **4** 《영·방언》 난로 **5** 《미·흑인속어》 머리; 모자
—*vi.* 〖등산〗 침니를 오르다 **~·lìke** *a.*

chímney brèast 굴뚝이나 벽난로가 벽에서 방 안으로 내민 부분

chímney càp 굴뚝 갓

chímney còrner **1** 벽난로 구석 《따뜻하고 안락한 자리》 **2** 노변(爐邊)

chim·ney-jack [tʃímnidʒæ̀k] *n.* 회전식 굴뚝갓; 굴뚝 청소부

chímney nòok 《스코》 = CHIMNEY CORNER

chímney pìece = MANTELPIECE

chímney pòt 굴뚝 꼭대기의 통풍관

chím·ney-pot hát [tʃímnipɑ̀t- | -pɔ̀t-] 《영·구어》 운두가 높은 실크햇

chim·ney-shaft [-ʃæ̀ft | -ʃɑ̀:ft] *n.* = CHIMNEY STALK

chímney stàck 《영》 **1** 여러 개의 굴뚝을 한데 모아 붙인 굴뚝 《그 하나하나에 chimney pot가 붙음》 **2** (공장의) 큰 굴뚝

chímney stàlk 《영》 굴뚝의 옥상(屋上) 부분; (공장 등의) 높은 굴뚝

chímney swàllow **1** 《영》 (굴뚝에 집을 짓는) 제비 **2** 《미》 = CHIMNEY SWIFT

chímney swèep(er) 굴뚝 청소부

chímney swìft 〖조류〗 칼새 《북미산(産)》

chímney tòp 굴뚝 꼭대기

chimp [tʃímp] *n.* 《구어》 = CHIMPANZEE

⁎ **chim·pan·zee** [tʃìmpænzí:, tʃimpǽnzi | tʃìmpænzí:, -pən-] *n.* 〖동물〗 **침팬지** 《아프리카산(産)》

⁑ **chin** [tʃín] *n.* **1** 아래턱, 턱끝 《jaw의 앞 끝》 **2** 《미·속어》 지껄임, 잡담 **3** 《속어》 오만, 방자함
~ *in air* 턱을 내밀고 ***C~ up!*** 《구어》 기운을 내라! ***keep*** one***'s* ~ *up*** 《구어》 용기를 잃지 않다, 기운을 내다 ***lead with*** one***'s* ~** 《구어》 경솔한 행동을 하다 ***stick*** one***'s* ~ *out*** 《구어》 반항적인 태도를 취하다 ***take it on the* ~** 《구어》 (1) 호되게 당하다, 패배하다 (2) 역경·패배·고통 등을 견디어 내다, 용기 있게 참아 내다 ***up to the*** [one***'s***] **~** (턱까지) 깊이 빠져 ***wag*** one***'s* ~** 《속어》 잘 지껄이다
—*v.* (**~ned**; **~·ning**) *vt.* **1** [~ one*self* 로] 〈철봉에서〉 턱걸이하다 **2** 〈바이올린 등을〉 턱에 갖다 대다 **3** …에게 말을 걸다; …와 지껄이다
—*vi.* **1** 턱걸이하다 **2** 《미·속어》 지껄이다

Chin. China; Chinese

⁑ **chi·na[1]** [tʃáinə] [「중국(의 자기)」의 뜻에서] *n.* Ⓤ **1** 자기(porcelain) **2** [집합적] **도자기**, 사기그릇: a set of ~ 사기그릇 한 벌 **3** 《미·속어》 이빨 **4** 《미·재즈속어》 돈 **5** 《미·속어》 (가벼운 식사에서) 홍차 한 잔
—*a.* Ⓐ 도자기(제)의

chi·na[2] [káinə, kí:nə] *n.* = CINCHONA

chi·na[3] [tʃáinə] *n.* 《영·속어》 동료(mate)

⁑ **Chi·na** [tʃáinə] [「진(秦)」(기원전 3세기의 왕조 이름)에서] *n.* **중국**, 중화 인민 공화국 《아시아 동부의 한 공화국; 수도 Beijing》 ***from* ~ *to Peru*** 《문어》 세계 도처에 ***the Republic of* ~** 중화민국 《타이완 정부》
—*a.* 중국(산(産))의 ▷ Chinése *a., n.*

Chína àster 〖식물〗 과꽃

chí·na bàrk [káinə-, kí:-] 기나피(幾那皮)

chi·na·ber·ry [tʃáinəbèri | -bəri] *n.* (*pl.* **-ries**) 〖식물〗 전단(旃檀)(= ~ **trèe**); 멀구슬나무

chína blùe 차이나 블루, 밝은 녹청색

chína clày 고령토(高嶺土), 도토(陶土)(kaolin)

chína clòset 도자기 찬장

Chína dòll 《미·속어》 가냘픈 미인; 중국 여성

Chi·na·graph [tʃáinəgræ̀f | -grɑ̀:f] *n.* 차이나그래프 《도자기·유리 등에 쓸 수 있는 색연필; 상표명》

Chína gràss = RAMIE

Chína ínk = INDIA INK

Chi·na·man [tʃáinəmən] *n.* (*pl.* **-men** [-mən]) **1** 《보통 경멸》 중국인 **2** [**c~**] 도자기 상인 **3** 〖정치〗 후원자, 보호자 ***a ~'s chance*** 《미》 [보통 부정문에서] 있을까 말까 한 약간의 가능성
Chína róse 〖식물〗 월계화 《중국 원산》; 무궁화의 일종 《부용속(屬)의 꽃나무》
Chína Séa [the ~] 중국해(海)
Chína sỳndrome 중국 증후군(症候群) 《원자로의 노심 용융(爐心熔融)으로 인한 용융물이 땅 속에 침투하여 중국까지 도달한다는 상상의 대참사》
Chína téa 중국차(茶)
Chi·na·town [tʃáinətàun] *n.* (외국 도시에 있는) 중국인 동네, 차이나타운(cf. LIMEHOUSE)
Chína trèe 〖식물〗 멀구슬나무(chinaberry)
chi·na·ware [-wὲər] *n.* Ⓤ 도자기, 사기그릇
Chína wàtcher 중국 (문제) 전문가, 중국통(Pekingologist)
Chína Whíte 《미·속어》 헤로인
chin·bone [tʃínbòun] *n.* 〖해부·동물〗 아래턱(뼈)
chin·ca·pin [tʃíŋkəpìn] *n.* =CHINQUAPIN
chinch [tʃíntʃ] *n.* 《미》 〖곤충〗 **1** 빈대(bedbug) **2** =CHINCH BUG
chínch bùg 〖곤충〗 긴노린재의 일종 《밀의 해충》
chin·chil·la [tʃintʃílə] *n.* **1** 〖동물〗 친칠라 《남미산(産)》 **2** Ⓤ 친칠라 모피
chin-chin [tʃíntʃìn] *n.* **1** (중국식의) 정중한 인사(말) **2** 가벼운 대화, 한담(chitchat)
— *int.* 안녕하세요, 안녕히 가세요; 건배 **—** *vt., vi.* (**~ned**; **~·ning**) 정중히 인사하다; 한담하다
chin·cough [tʃínkɔ̀:f, -kɑ̀:f | -kɔ̀f] *n.* Ⓤ 〖병리〗 백일해(whooping cough)
chine[1] [tʃáin] *n.* 《영·방언》 좁고 깊은 골짜기
chine[2] *n.* **1** 등뼈 **2** (동물의) 등심 **3** 산등성이, 산마루 **—** *vt.* …의 등뼈를 따라 찢다; …의 등뼈를 가르다
chine[3] *n.* =CHIME[2]
Chi·nee [tʃainí:] *n.* **1** 《속어·경멸》 중국인(Chinaman) **2** 우대권, 초대권
‡**Chi·nese** [tʃainí:z, -ní:s | -ní:z] *a.* **중국**(**제, 산, 사람, 말**)**의**, 한자의 / a ~ compliment 중국식 인사
— *n.* (*pl.* ~) **1 중국 사람 2** Ⓤ **중국어**(Mandarin) 《표준 중국어》 **3** 중화요리
Chínese blóck 목탁
Chínese bóxes 작은 상자로부터 차례로 큰 상자에 꼭 끼게 들어갈 수 있게 한 상자 한 벌
Chínese cábbage 배추
Chínese cálendar (원래 중국에서 이용되던) 태음태양력
Chínese cháracter 한자
Chínese chéckers [단수·복수 취급] (2-6인이 하는) 다이아몬드 게임
Chínese cínnamon 계피(cassia bark)
Chínese cópy 완전한 모조; 결점까지 완벽하게 모방한 모조품, 해적판
Chínese Émpire [the ~] 중국 제국 《1912년 이전의 역대 왕조하의 중국》
Chínese fíre drìll 《구어》 대혼란, 야단법석
Chínese ínk =INDIA INK
Chínese lántern 1 (종이) 초롱 **2** 〖식물〗 꽈리
Chínese médicine 한의학
Chínese móney 《구어》 장난감돈, 가짜돈
Chínese púzzle 1 난해한 퍼즐 **2** 복잡하고 난해한 것; 난문(難問)
Chínese réd 1 주홍색 **2** 《미·속어》 헤로인
Chí·nese-rés·tau·rant sỳndrome [-réstərənt-] 중화요리 증후군 《중화요리에 첨가된 글루타민산 소다(MSG)에 의한 두통, 발한(發汗) 등의 증상》
Chinése Revolútion [the ~] **1** 신해(辛亥)혁명 《쑨원이 청조를 넘어뜨리고 1911년 중화민국을 건설; 중국 공산당에 의한 사회주의 혁명》 **2** 중국 혁명 《중국 공산당에 의한 국민당 정권 타도와 중화 인민공화국의 수립(1949년)》
Chínese thrée-point lànding 《미·속어》 (조종 미숙으로 인한) 항공기의 추락
Chínese Wáll 《구어》 **1** [the ~] 만리장성(the Great Wall of China) **2** (이해 등을 방해하는) 큰 장애(물) **3** 〖금융〗 정보의 장벽
Chínese whíspers 《영》 (떠도는 소문에 의한) 진위 여부가 불분명한 상황[일]
Chínese whíte 아연백(zinc white)
Chínese wóod òil 동유(桐油)(tung oil)
Ch'ing [tʃíŋ] *n.* 〖중국사〗 청(淸), 청조《1644-1912》
Ching·lish [tʃíŋgliʃ] *n.* Ⓤ 《속어》 중국식 영어
chink[1] [tʃíŋk] *n.* **1** 갈라진 틈, 금; (빛·바람 등이 새는) 좁은 틈 **2** 틈새에서 새는 빛 **3** (법률 등의) 빠져나갈 구멍 ***a*** [***the***] ***~ in a person's armor*** 《구어》 (방어·옹호 등에 있어서의) 약점; 결점
— *vt.* 《주로 미》 〈틈을〉 메우다 《*up*》
chink[2] *n.* **1** 잘랑잘랑, 댕그랑 《유리나 금속의 서로 닿는 소리》 **2** ⓊⒸ 《속어》 돈, 현찰(cash)
— *vt., vi.* 잘랑잘랑 소리내다[나다]
Chink [tʃíŋk] [때로 **c~**] 《속어·경멸》 *n.* 중국 사람
— *a.* 중국 (사람)의
chin·ka·pin [tʃíŋkəpìn] *n.* =CHINQUAPIN
chink·y [tʃíŋki] *a.* 금이 간, 틈새가 많은
chin·less [tʃínlis] *a.* **1** 턱이 들어간 **2** 용기[확고한 목적]가 없는, 우유부단한, 나약한
chínless wónder 《영·속어》 어리석은 사람 《특히 상류 계급의 남자》
chín mùsic 《미·속어》 잡담, 수다
-chinned [tʃind] 《연결형》 「턱이 …한」의 뜻: double-~ 이중턱의
chi·no [tʃí:nou] *n.* (*pl.* **~s**) 《미》 **1** 치노 《카키색의 튼튼한 면직물; 군복·작업복용》 **2** [보통 *pl.*] 치노 바지
Chino- [tʃáinou, -nə] 《연결형》 「중국」의 뜻(cf. SINO-): *Chino*-Korean 중한(中韓)의
chi·noi·se·rie [ʃi:nwɑ́:zəri, ʃi:nwɑ̀:zərí:] [F] *n.* [때로 **C~**] (17-18세기 유럽에서 유행한 복장·가구·건축 등에서의) 중국 취미(의 것)
Chi·nook [ʃinú(:)k, tʃi- | tʃi-] *n.* (*pl.* **~s,** [집합적] ~) **1 a** [the ~(s)] 치누크 족 《미국 서북부 컬럼비아강 유역에 사는 북미 인디언》 **b** 치누크 족의 사람 **2** Ⓤ 치누크 말 **3** [**c~**] 치누크 바람 《미국 서북부에서 겨울에서 봄에 걸쳐 부는 따뜻한 남서풍》 **4** [**c~**] =CHINOOK SALMON **5** 시누크 (헬리콥터)
Chi·nook·an [ʃinú(:)kən, tʃi- | tʃi-] *a.* 치누크 족[어족]의 **—** *n.* 치누크 어족
Chinóok Járgon 치누크 어와 영어·프랑스 어의 혼성어
chinóok sálmon 〖어류〗 (태평양 북부산(産)의) 큰 연어(king salmon)
chinóok wínd 〖기상〗 =CHINOOK 3
chin·qua·pin [tʃíŋkəpìn] *n.* 〖식물〗 (북미산(産)) 밤나무의 일종; 그 열매
chín rèst (바이올린의) 턱받침
chinse [tʃíns] *vt.* 〖해양〗 〈배의 널의 이음매를〉 뱃밥으로 메우다
chín stràp (모자의) 턱끈; (미용 성형용의) 턱끈; 고삐의 일부
chín tùrret (폭격기 등의) 기수(機首) 밑의 총좌(銃座)
chintz [tʃínts] *n.* Ⓤ 사라사 무명 《커튼·가구 커버용》
chintz·y [tʃíntsi] *a.* (**chintz·i·er**; **-i·est**) **1** chintz의[같은]; chintz로 장식한 **2** 《구어》 값싼, 야한, 투박한 **3** 인색한
chin-up [tʃínʌ̀p] *a.* 용감한, 불굴의 **—** *n.* 턱걸이
chin·wag [-wæ̀g] *n.* 《속어》 수다, 잡담
— *vi.* (**~ged**; **~·ging**) 《속어》 수다 떨다
chín whiskers 턱수염
‡**chip**[1] [tʃíp] *n.* **1 조각**, (나무)**토막, 나무쪽**, 지저깨비; 깎아낸 부스러기; (모자·바구니 등을 만드는) 대팻밥, 무늬목 **2** [보통 *pl.*] **a** (음식의) 작은 조각, 얇은 조각 **b** 《영》 잘게 썰어 튀긴 감자, 감자 튀김 (《미》 French fries) **c** 《미·호주》 =POTATO CHIP **3** (식기·

컵 등의) 이 빠진 자국, 흠 **4** (노름에서 쓰는 현금 대용의) 점수패, 칩(counter); [*pl.*] 《속어》 돈 **5** 〖전자〗 칩 《집적 회로를 붙이는 반도체 조각; microchip, silicon chip 등》 **6** 〖골프〗 =CHIP SHOT; 〖축구·럭비〗 위로의 짧은 킥 **7** 말라빠진 것; 무미건조한 것; 하찮은 것, 사소한 일: do not care a ~ for …을 조금도 개의치 않다 **8** 《미》 (연료로 쓰이는) 동물의 말린 똥 **9** 《영·구어》 배에 승무하는 목수 《고장에 대비하기 위해》 **10** [*pl.*] 《영·속어》 무릎

a ~ in porridge [***broth***] 무해무득한 것, 있으나 마나 한 것 ***a ~ of*** [***off***] ***the old block*** 《구어》 (기질 등이) 아버지를 꼭 닮은 아들 ***a ~ on*** one***'s*** [***the***] ***shoulder*** 《구어》 시비조, 적대적 성향 ***call in*** one***'s ~s*** 끝을 맺다 ***cash*** [***pass***] ***in*** one***'s ~s*** (1) (노름판에서) 칩을 현금으로 바꾸다 (2) 《미·속어》 죽다 ***have had*** one***'s ~s*** 《영·구어》 실패하다, 〈운 등이〉 다하다; 지다 ***in the ~s*** 《구어》 돈이 잔뜩 있는, 매우 부유한 ***let the ~s fall where they may*** 《구어》 결과야 어찌 되든 ***play*** one***'s last ~*** 비장의 수를 쓰다 ***the bug under the ~*** 《미·속어》 타의(他意), 저의(底意) ***when the ~s are down*** 《구어》 위급할 때에, 유사시에

— *v.* (**~ped**; **~·ping**) *vt.* **1** 잘게 썰다, 깎다, 자르다; 〈가장자리·모서리 등을〉 깎아내다, 도려내다 《*off, from*》: ~ bits of rock 바위의 일부를 떼어내다 **2** 〈감자를〉 얇게 썰어 튀기다 **3** 깎아서 …을 만들다 《*out of, into*》: (~+목+전+명) ~ a toy *out of* wood = ~ wood *into* a toy 나무를 깎아 장난감을 만들다 **4** 공헌하다, 헌금하다; 〖카드〗 칩을 내고 걸다 **5** 〖골프·미식축구〗 〈공을〉 chip shot으로 치다 **6** 《미·속어》 〈마약을〉 희석하다 **7** 《영·구어》 놀리다(banter)

— *vi.* **1** 〈돌·도자기 등이〉 깨지다, 이가 빠지다 **2** 〖골프·미식축구〗 chip shot을 치다 **3** 〖카드〗 chip을 내다 **4** 《미·속어》 잠시 취할 분량의 마약을 주다

~ at …을 치고 덤비다; …에게 독설을 퍼붓다 ***~ away*** (1) 〈나무·돌 등을〉 조금씩 깎아 내다 (2) …을 조금씩 무너뜨리다 ***~ in*** (1) 〈사업 등에〉 기부하다 (2) 〈의견 등을〉 제각기 제시하다 (3) (논쟁 등에) 말참견하다, 끼어들다 《*with*》 ***~ off*** (1) …을 갈아내다, 깎아 내다 (2) (도자기 등의) 이가 빠지다 ▷ chíppy[1] *a.*

chip[2] *vi.* (**~ped**; **~·ping**) 《미》 짹짹[찍찍] 울다 (chirp) — *n.* 짹짹[찍찍] 우는 소리

chip[3] *n.* 〖레슬링〗 안다리 후리기

chíp and PÍN[**pín**] 《영》 칩 앤드 핀 《고객이 카드의 비밀번호를 단말기에 직접 입력하여 결제하는 방식》

chíp bàsket 대팻밥[무늬목] 바구니

chip·board [tʃípbɔ̀:rd] *n.* Ⓤ 칩보드 《나무 부스러기를 압축하여 수지로 굳힌 합판》

chíp bònnet =CHIP HAT

chíp càrd 〖전자〗 칩카드 《반도체 칩을 실제로 넣은 카드; bank card나 credit card 등이 있음》

chíp hàt 대팻밥으로 짠 모자

chip·head [-hèd] *n.* 《미·속어》 컴퓨터광(狂)

chíp hèater 《호주·뉴질》 (나무 부스러기를 태워서 물을 끓이는) 가정용 온수기

chip·mak·er [-mèikər] *n.* 칩메이커, 반도체 (소자) 제조업자 **chíp·màk·ing** *n.*

chip·munk [-mʌŋk], **-muck** [-mʌk] *n.* 〖동물〗 줄다람쥐의 일종 《북미산(産)》

chip·o·la·ta [tʃìpəlɑ́:tə] [F] *n.* 치폴라타 《향료를 넣은 작은 소시지》

chip·page [tʃípidʒ] *n.* (도자기·그릇·찻잔 등의) 이가 빠짐

chípped béef [tʃípt-] 《미》 (종이처럼) 얇게 썬 훈제 쇠고기

Chip·pen·dale [tʃípəndèil] [영국의 가구 설계자 이름에서] *a., n.* 치펜데일식의 (가구) 《곡선이 많고 장식적인 디자인》

chip·per[1] [tʃípər] 《미·구어》 *a.* **1** 기운찬, 쾌활한 **2** 상쾌한, 산뜻한 **3** 강건한, 강인한 — *vt.* …의 기운을 돋우다 《*up*》 — *vi.* 기운을 내다 《*up*》

chipper[2] *vi.* 〈새가〉 짹짹 울다; 재잘재잘 지껄이다

chipper[3] *n.* chip[1]하는 사람[도구]

Chip·pe·wa [tʃípəwɑ̀:, -wə] *n.* (*pl.* **~s,** [집합적] **~**) 치페와 사람(Ojibwa) 《Superior 호수 지방에 사는 북미 최대의 원주민》

chip·pie [tʃípi] *n.* 《속어》 =CHIPPY[2] 1

chip·ping[1] [tʃípiŋ] *n.* [보통 *pl.*] (돌·나무 등의 깎아 낸) 조각, 단편, 지저깨비

chipping[2] *a.* 〈작은 새 등이〉 짹짹 우는

chipping[3] *n.* 《속어》 비상용자(非常用者)가 가끔 마약을 사용하는 일

chípping spàrrow 〖조류〗 참새의 일종 《북미산》

chip·py[1] [tʃípi] *a.* (**-pi·er**; **-pi·est**) **1** 《영》 안달난, 성마른 **2** 바싹 마른; 《속어》 무미건조한(dry) **3** 《속어》 (과음하여) 속이 쓰린, 숙취의

chippy[2] *n.* (*pl.* **-pies**) **1** 《속어》 바람기 있는 여자, 창녀 **2** =CHIPPING SPARROW

— *vi., vt.* (**-pied**) **1** 〈남자가〉 〈아내·애인을〉 배신하다 《*on*》 **2** 《미·속어》 마약을 때때로 사용하다

chip·py-chas·er [-tʃèisər] *n.* 《미·구어》 바람기 있는 여자만을 찾는 남자, 섹스밖에 모르는 남자

chip·py-house [-hàus] *n.* 《미·속어》 매춘굴

chíppy jòint 《속어》 매춘굴

chíp sèt 〖컴퓨터〗 칩세트 《한 덩어리가 되어 기능하는 일군의 칩》

chíp shòp 《영》 fish and chips를 파는 가게

chíp shòt 〖골프〗 칩샷 《공을 낮고 짧게 쳐 올리기》

chíp wàr 반도체 전쟁

chip·wich [tʃípwìtʃ] *n.* 《미》 칩위치 《튀긴 감자를 넣은 샌드위치 비슷한 가벼운 식사》

Chi·rac [ʃirɑ́k] *n.* 시라크 **Jacques** (**René**) ~ (1932-) 《프랑스의 정치가; 대통령(1995-2007)》

chir(**o**)**-** [káirə], **cheir**(**o**)**-** [káir(ou)] 《연결형》 「손」의 뜻

chirk [tʃɔ́:rk] 《미·구어》 *a.* 기운찬, 쾌활한

— *vt.* …의 기운을 돋우다 《*up*》 — *vi.* **1** 〈새·쥐가〉 날카로운 소리를 내다 **2** 기운이 나다 《*up*》

chirm [tʃɔ́:rm] *vi.* 〈새·벌레 등이〉 시끄럽게 지저귀다[울다] — *n.* 지저귐, 벌레 소리

chi·rog·no·my [kairɑ́gnəmi | -rɔ́g-] *n.* Ⓤ 손금 보기, 수상술(手相術)

chi·ro·graph [káirəgræ̀f, -grɑ̀:f | -grɑ̀:f, -græ̀f] *n.* 증서, 자필 증서; 〖가톨릭〗 교황의 자필 편지

chi·rog·ra·pher [kairɑ́grəfər | -rɔ́g-] *n.* 서예가

chi·rog·ra·phy [kairɑ́grəfi | -rɔ́g-] *n.* Ⓤ **1** 필법(筆法); 서체 **2** 서도(書道) **chì·ro·gráph·ic** *a.*

chi·rol·o·gy [kairɑ́lədʒi | -rɔ́l-] *n.* Ⓤ 수화법(手話法); 손의 연구

chi·ro·man·cer [káirəmæ̀nsər] *n.* 손금 보는 사람, 수상가(手相家)

chi·ro·man·cy [káirəmæ̀nsi] *n.* Ⓤ 손금 보기, 수상술(手相術)

Chi·ron [káirɑn | káiərən] *n.* 〖그리스신화〗 케이론 《가장 현명한 켄타우로스(centaur)로서 예언·의술·음악에 능했음》

chi·rop·o·dist [kirɑ́pədist, kai- | kirɔ́p-] *n.* 《영》 발 치료 의사(《미》 podiatrist)

chi·rop·o·dy [kirɑ́pədi, kai-, ʃə- | kirɔ́p-] *n.* Ⓤ 발(병)치료(《미》 podiatry) 《티눈의 치료, 발톱깎이 등》

chi·ro·prac·tic [kàirəprǽktik] *n.* (척추) 지압[교정] 요법

chi·ro·prac·tor [káirəpræ̀ktər] *n.* (척추) 지압(요법)사

chi·rop·ter [kairɑ́ptər | -rɔ́p-] *n.* 〖동물〗 익수류(翼手類) 《박쥐 등》

chi·rop·ter·an [kairɑ́ptərən | -rɔ́p-] *n., a.* 익수류의 (동물)

‡**chirp** [tʃɔ́:rp] *n.* 짹짹 《새·곤충 등의 울음소리》

— *vi.* **1** 짹짹 울다[지저귀다] **2** 새된 목소리로[즐거운 듯이] 말하다 **3** 《미·속어》 경찰 등에 정보를 알리다

— *vt.* 새된 목소리로 말하다 ▷ chírpy *a.*

chirp·y [tʃə́:rpi] *a.* (**chirp·i·er**; **-i·est**) **1** 짹짹 지저귀는 **2** 《구어》 쾌활한, 즐거운
chírp·i·ly *ad.* **chírp·i·ness** *n.*
chirr [tʃə́:r] *n.* 귀뚤귀뚤[찌르륵찌르륵] 《여치·귀뚜라미 등의 울음소리》 **—***vi.* 귀뚤귀뚤[찌르륵찌르륵] 울다
chir·ro [tʃírou] *n.* = CHURRO
chir·rup [tʃírəp, tʃə́:r- | tʃír-] *n.* 짹짹 《새 우는 소리》; 쯧쯧 《혀를 차는 소리》
—*vi.* **1** 〈새·벌레가〉 소리를 내다 **2** 〈사람이〉 새[벌레] 소리를 내다; (말 등을 어르기 위해) 쯧쯧하다 **3** 《속어》 (극장 등에서) 〈동원된 사람들이〉 갈채하다
—*vt.* **1** (작은 새의 울음소리 같은) 짧고 날카로운 소리를 내다 **2** 〈말 등을〉 쯧쯧하여 어르다 **3** 《속어》 〈동원된 사람들이〉 〈연예인에게〉 갈채하다 **~·per** *n.*
chir·rup·y [tʃírəpi | tʃír-] *a.* 짹짹 지저귀는; 쾌활한
chi·rur·geon [kairə́:rdʒən] *n.* 《고어》 외과 의사 (surgeon)
Chis·an·bop [tʃízənbɑ̀p | -bɔ̀p] [Kor.] *n.* 지산법(指算法) 《산술 초보를 가르치는 손가락 계산법; 한국인 배성진 씨가 발명; 상표명》
*__chis·el__ [tʃízəl] *n.* **1** 끌, 조각칼, (조각용) 정: a cold ~ (금속용) 정 **2** [the ~] 조각술 **3** [C~] 〖천문〗 조각자리 ***full*** **~** 《미·속어》 전속력으로
—*v.* (**~ed**; **~·ing** | **~led**; **~·ling**) *vt.* **1** 끌로 파다[새기다], 조각하다: (finely) *~ed* features 윤곽이 뚜렷한 용모 ∥ (~+목+전+명) ~ a statue *out of* [*from*] marble = ~ marble *into* a statue 대리석으로 상을 조각하다 **2** 《속어》 속이다, 사취하다, 사기치다(cheat): (~+목+전+명) ~ a person *out of* something …을 속여 …을 빼앗다; 《미·속어》 값을 생각 없이 빌리다 **3** 끌 모양의 쟁기로 경작하다[갈다]
—*vi.* **1** 끌을 쓰다, 조각하다 **2** 《속어》 부정행위를 하다: (~+전+명) ~ *for* good marks 좋은 점수를 따려고 부정 행위를 하다 **3** 《미·구어》 참견하다, 끼어들다 《*in, on*》 **~·like** *a.*
chis·eled | **-elled** [tʃízəld] *a.* 끌로 판; 윤곽이 분명한
chis·el·er | **-el·ler** [tʃízələr] *n.* **1** 조각가 **2** 《구어》 속이는 사람, 사기꾼 **3** 《아일·속어》 어린아이, 젊은이
Chi·şi·nău [kì:ʃənáu] *n.* 키시나우 (Moldova의 수도)
chi-square [káiskwὲər] *n.* 〖통계〗 카이 제곱
chí-square tèst 〖통계〗 카이 제곱 검정
chit[1] [tʃít] *n.* 《경멸》 아기, 유아, 《특히》 건방진 계집아이; 어린 짐승: a ~ of a girl 건방진 계집아이
chit[2] *n.* **1** (음식·상품의 소액의) 전표, 청구서 《손님이 서명하고 후불함》 **2** 인물 증명서 **3** 《영》 짧은 편지; 메모 **4** (게임의) 말
chit[3] *n.* 싹(sprout) **—***vi.* (**~·ted**; **~·ting**) 《영·방언》 싹을 내다, 싹이 트다
chit[4] *int.* 칫
chit·chat [tʃíttʃæ̀t] *n.* 잡담, 한담; 세상 공론
—*vi.* (**~·ted**; **~·ting**) 잡담[한담]하다
chi·tin [káitin] *n.* Ⓤ 키틴질(質), 각소(角素) 《곤충·게 등의 껍질을 형성하는 성분》 **~·ous** [-əs] *a.*
chít·lin cìrcuit [tʃítlin-] 흑인이 출연하는 극장[나이트클럽]
chit·lings [tʃítlinz, -liŋz], **-lins** [-linz] *n. pl.* = CHITTERLINGS
chi·ton [káitn, -tɑn | -tn, -tɔn] *n.* **1** 〖고대그리스〗 속옷의 일종 **2** 〖패류〗 딱지 조개류의 조개
chít sỳstem 전표 지불제(制)
chit·ter [tʃítər] *vi.* 《미》 지저귀다; 《영·방언》 (추워서) 떨다 **—***n.* 지저귐
chit·ter·lings [tʃítlinz, -liŋz] *n. pl.* [단수·복수 취급] (돼지·송아지 등의) (식용) 곱창
chit·ty [tʃíti] *n.* 《구어》 = CHIT[2]
chiv [tʃív] 《속어》 *n.* 칼, 단도 **—***vt.* 단도로 찌르다
chi·val·ric [ʃivǽlrik, ʃívəl- | ʃívəl-] *a.* 기사도 (시대)의; 기사적인(chivalrous)
chiv·al·rous [ʃívəlrəs] *a.* **1** 기사도적인; 용기 있고 예의 바른; 관대한, 의협적인 **2** 여성에게 정중한 **3** 기사도 시대[제도]의 **~·ly** *ad.* **~·ness** *n.*
*__chiv·al·ry__ [ʃívəlri] [F 「말(馬)」의 뜻에서] *n.* Ⓤ **1** 기사도 (정신) 《충의·용기·인애·예의를 신조로 하고 여성을 존중하며 약자를 도움》: the Age of *C*~ 기사도 시대 《유럽의 10-14세기》 **2** (중세의) 기사 제도 **3** [집합적; 복수 취급] 기사들(knights) **4** (*pl.* **-ries**) 기사도적 행위, 무협 ▷ chívalrous, chiválric *a.*
chive [tʃáiv] *n.* [종종 *pl.*] **1** 〖식물〗 골파 《조미료》 **2** 골파의 잎 《향신료》
chiv(·v)y [tʃívi] 《영》 *n.* (*pl.* **chiv·(v)ies**) 사냥, 추적; 몰이 때 지르는 함성(hunting cry)
—*vt., vi.* (**chiv·(v)ied**) **1** 《구어》 〈사람 등을〉 쫓아다니다 **2** 미구 몰아대다; 혹사하다; 귀찮게 괴롭히다 《*along, up*》; 귀찮게 다그쳐 …하게 하다 《*into*》
chizz, chiz [tʃíz] 《영·속어》 *n.* 속임수 **—***vt.* 속이다
Ch. J. Chief Justice
chla·myd·e·ous [kləmídiəs, -djəs] *a.* 〖식물〗 화피(花被)의, 꽃덮이의, 화피가 있는
chla·myd·i·a [kləmídiə] *n.* 〖병리〗 클라미디아 《성병의 일종》
chla·mys [kléimis, klǽm-] *n.* (*pl.* **~·es, chlam·y·des** [klǽmədì:z]) 〖고대그리스〗 망토의 일종
Chlo·e [klóui] *n.* **1** 클로에 《전원시에 나오는 양 치는 소녀의 이름》 **2** 여자 이름
chlor- [klɔ:r], **chloro-** [klɔ́:rou, -rə] 《연결형》 「염소(鹽素); 녹(綠)」의 뜻 《모음 앞에서는 chlor-》
chlo·ral [klɔ́:rəl] *n.* Ⓤ 〖화학〗 **1** 클로랄 **2** 포수(抱水) 클로랄 《마취제》(= ∠ **hýdrate**)
~·ism *n.* Ⓤ 클로랄 중독
chlo·ral·ize [klɔ́:rəlàiz] *vt.* 클로랄로 처리하다
chlo·ral·ose [klɔ́:rəlòus] *n.* 〖화학〗 클로랄로스 《동물 마취제》
chlo·ra·mine [klɔ́:rəmì:n] *n.* 〖화학〗 클로라민 《국소 소독제》
chlo·ram·phen·i·col [klɔ̀:ræmfénikɔ̀:l, -kɑ̀l | -kɔ̀l] *n.* Ⓤ 클로람페니콜 《항생 물질》
chlo·rate [klɔ́:reit, -rət] *n.* 〖화학〗 염소산염
chlor·dane [klɔ́:rdein], **-dan** [-dæn] *n.* 〖약학〗 클로르덴 《무취의 살충액》
chlo·rel·la [klərélə] *n.* 〖식물〗 클로렐라 《녹조(綠藻)의 일종》
chlo·ric [klɔ́:rik] *a.* 〖화학〗 (5가의) 염소의; 염소산의
chlóric ácid 〖화학〗 염소산
chlo·ride [klɔ́:raid, -rid | -raid] *n.* 〖화학〗 **1** Ⓤ 염화물 **2** 염화 화합물 **3** 염소계 표백제
chlóride of líme 클로르 석회, 표백분
chlóride pàper 〖사진〗 클로라이드 인화지
chlo·ri·dize [klɔ́:rədàiz] *vt.* 염화물[염소]로 처리하다; 〈광석의 금속을〉 염화물로 변화시키다
chlo·ri·nate [klɔ́:rənèit] *vt.* 〖화학〗 〈물이나 광물 등을〉 염소로 처리[소독]하다 **-nà·tor** *n.*
chló·ri·nat·ed hýdrocarbon [klɔ́:rənèitid-] 〖화학〗 염소화 탄화수소 《환경 오염 물질 중에서 가장 오래 남는 살충제; DDT 등》
chlórinated líme 〖화학〗 = BLEACHING POWDER
chlo·ri·na·tion [klɔ̀:rənéiʃən] *n.* Ⓤ 염소화; 염소 처리[소독](법)
chlo·rine [klɔ́:ri:n] *n.* Ⓤ 〖화학〗 염소 《기호 Cl, 번호 17》
chlórine dióxide 〖화학〗 2산화염소, 과산화염소
chlórine wàter 염소수 《표백액》
chlo·rin·i·ty [klɔ:rínəti] *n.* Ⓤ (해수의) 염소량(量)
chlo·rite[1] [klɔ́:rait] *n.* 〖화학〗 아(亞)염소산염
chlorite[2] *n.* Ⓤ 〖광물〗 녹니석(綠泥石)
chlor·mad·i·none [klɔ:rmǽdənòun] *n.* 〖약학〗 클로르마디논 《경구 피임약》(= ∠ **ácetate**)

thesaurus **chivalry** *n.* gallantry, gentlemanliness, courtesy, mannerliness, politeness
choice *n.* **1** 선택 choosing, selection, picking, option, preference, election, adoption **2** 대안 al-

chloro- [klɔ́:rou, -rə] ⦅연결형⦆ =CHLOR-
chlo·ro·a·ce·tic [klɔ̀:rouəsí:tik] *a.* 〖화학〗 클로로아세트산의
chloroacétic ácid 〖화학〗 클로로아세트산
chlo·ro·a·ce·to·phe·none [klɔ̀:rouəsì:toufənóun] *n.* 〖화학〗 클로로아세토페논 ⦅용액을 최루 가스로 이용⦆
chlo·ro·ben·zene [klɔ̀:rəbénzi:n] *n.* 〖화학〗 클로로벤젠 ⦅용제로 쓰이는 무색의 액체⦆
chlo·ro·bró·mide pàper [klɔ̀:roubróumaid-] 〖사진〗 클로로브로마이드지(紙) ⦅인화지의 일종⦆
chlo·ro·dyne [klɔ́:rədàin] *n.* Ⓤ 클로로다인 ⦅아편·클로로포름 등을 함유하는 마취 진통제⦆
chlo·ro·fluor·o·car·bon [klɔ̀:rouflùəroukɑ́:r-bən] *n.* 〖화학〗 클로로플루오로카본 ⦅탄소·수소·염소·불소로 된 각종 화합물; 스프레이의 분사제·냉각제로 사용; 略 CFC⦆
chlo·ro·fluor·o·meth·ane [klɔ̀:rouflùərouméθein | -mí:θ-] *n.* 〖화학〗 클로로플루오로메탄 ⦅스프레이의 분사제·냉매(冷媒); 略 CFM⦆
chlo·ro·form [klɔ́:rəfɔ̀:rm] *n.* 〖화학〗 Ⓤ 클로로포름 ⦅무색·휘발성의 액체; 마취약⦆: put under ~ 클로로포름 마취를 하다 **—** *vt.* 클로로포름으로 마취[살해, 처리]하다 **chlò·ro·fór·mic** *a.*
Chlo·ro·my·ce·tin [klɔ̀:roumaisí:tn] *n.* Ⓤ 클로로마이세틴 ⦅chloramphenicol의 상표명⦆
chlo·ro·phyl(l) [klɔ́:rəfil] *n.* Ⓤ 〖식물·생화학〗 엽록소 **chlo·ro·phyl·lous** [klɔ̀:rəfíləs] *a.*
chlo·ro·pic·rin [klɔ̀:rəpíkrin, -páik-] *n.* Ⓤ 〖화학〗 클로로피크린 ⦅살충 살균제; 독가스용⦆
chlo·ro·plast [klɔ́:rəplæ̀st] *n.* 〖식물〗 엽록체
chlo·ro·prene [klɔ́:rəprì:n] *n.* Ⓤ 클로로프렌 ⦅합성 고무의 원료⦆
chlo·ro·quine [klɔ́:rəkwin, -kwì:n] *n.* Ⓤ 〖약학〗 클로로퀸 ⦅말라리아의 특효약⦆
chlo·ro·sis [klɔ:róusis] *n.* Ⓤ 〖병리〗 위황병(萎黃病) ⦅철분 결핍에 의한 빈혈증⦆; 〖식물〗 (녹색 부분의) 백화(白化)(현상) **chlo·rót·ic** *a.*
chlo·ro·thi·a·zide [klɔ̀:rəθáiəzaid] *n.* 〖약학〗 클로로티아지드 ⦅이뇨제·혈압 강하제⦆
chlo·rous [klɔ́:rəs] *a.* 〖화학〗 아염소산의, 3가(價)의 염소를 함유한
chlórous ácid 〖화학〗 아염소산
chlor·pic·rin [klɔ:rpíkrin] *n.* =CHLOROPICRIN
chlor·prom·a·zine [klɔ:rprɑ́məzì:n | -prɔ́m-] *n.* 〖약학〗 클로르프로마진 ⦅정신 분열증의 진정제⦆
chlor·prop·a·mide [klɔ:rprɑ́pəmàid | -próup-] *n.* 〖약학〗 클로르프로파마이드 ⦅경구 혈당 강하제⦆
chlor·pyr·i·fos [klɔ:rpírəfɑ̀s | -fɔ̀s] *n.* 〖약학〗 클로르피리포스 ⦅농약⦆
chlor·tet·ra·cy·cline [klɔ:rtètrəsáiklin, -klì:n] *n.* 〖약학〗 클로르테트라사이클린 ⦅항생 물질⦆
chm. chairman; checkmate; choirmaster
Ch. M. *Chirurgiae Magister* ⦅L =Master of Surgery⦆ **chmn.** chairman
choc [tʃɑ́k | tʃɔ́k] [*choc*olate] *n.* **1** ⦅영·구어⦆ 초콜릿; ⦅미·구어⦆ 초콜릿 음료, 코코아 **2** ⦅호주·속어⦆ =CHOCO **3** ⦅미·속어⦆ 술, 맥주
choc. chocolate
choc·a·hol·ic [tʃɑ̀:kəhɑ́:lik, -hɔ́:l- | tʃɔ̀kəhɔ́l-] *n.* =CHOCOHOLIC
choc-bar [tʃɑ́kbɑ̀:r | tʃɔ́k-] *n.* ⦅영·구어⦆ 아이스 초코바
choc·cy [tʃɑ́:ki | tʃɔ́ki] *n.* ⓊⒸ ⦅영·구어⦆ 초콜릿; 초콜릿 과자[사탕]: a box of *choccies* 초콜릿 (과자) 한 상자

ternative, option, possibility, solution, answer **3** 선택의 범위 selection, range, variety, supply **—** *a.* best, superior, first-class, first-rate, excellent, special, rare, prime

choc-ice [-àis] *n.* ⦅영·구어⦆ 초코 아이스크림
chock [tʃɑ́k | tʃɔ́k] *n.*
1 (문·통·바퀴 등을 고정시키는) 굄목, 쐐기 **2** 〖항해〗 초크, 도삭기(導索器); (갑판 위의 보트를 얹는) 받침 나무
— *vt.* **1** 쐐기로 괴다 **2** 보트를 받침 나무에 얹다 **~ *up*** …으로 가득 채우다: ~ *up* a room with furniture 방 안을 가구로 가득 채우다
— *ad.* 가득히, 빽빽이, 잔뜩, 단단히

chock *n.* 2

chock·a·block [tʃɑ́kəblɑ́k | tʃɔ́kəblɔ́k] *a.* **1** 〖항해〗 〈복활차(複滑車)의 위아래 활차가〉 맞닿을 만큼 당겨져 **2** Ⓟ ⦅영⦆ (…으로) 꽉 차서, 빽빽하여 ⦅*with*⦆
— *ad.* 꽉 차서, 빽빽이
chock·er [tʃɑ́kər | tʃɔ́k-] *a.* ⦅영·속어⦆ 진절머리 나는, 지긋지긋한; ⦅호주·구어⦆ 가득한, 꽉 채운
chock-full [tʃɑ́kfúl, tʃʌ́k- | tʃɔ́k-] *a.* Ⓟ 꽉 들어찬, 빽빽이 찬 **—** *ad.* 꽉 차서, 가득히
choc·o [tʃɑ́kou | tʃɔ́k-] *n.* (*pl.* **~s**) ⦅호주·속어⦆ (제2차 대전 중의) 민병; 징집병
choc·o·hol·ic [tʃɔ̀:kəhɔ́:lik, -hɑ́l-, tʃɑ̀k- | tʃɔ̀kəhɔ́l-] *n.* 초콜릿 중독자
‡**choc·o·late** [tʃɔ́:kələt, tʃɑ́k- | tʃɔ́k-] *n.* **1** Ⓤ 초콜릿; Ⓤ 초콜릿 음료; Ⓒ 초콜릿 한 잔(cocoa) ⦅실제로는 cocoa인데 흔히 chocolate이라고 함⦆ **2** ⓊⒸ 초콜릿 과자 **3** Ⓤ 초콜릿 색 **4** ⦅미·속어⦆ 대마초 **5** ⦅미·속어·경멸⦆ 흑인
— *a.* Ⓐ **1** 초콜릿의, 초콜릿으로 만든 **2** 초콜릿 색의 **3** ⦅미·속어·경멸⦆ 흑인의 **chóc·o·lat·y** *a.*
choc·o·late-box [-bɑ̀ks | -bɔ̀ks] *a.* (초콜릿 상자의 그림처럼) 장식적이고 감상적인; 겉보기에 예쁜
chócolate chìps **1** (디저트 등에 넣는) 초콜릿 칩스 **2** ⦅미·속어⦆ 환각제(LSD)
Chócolate Cíty ⦅미·속어·경멸⦆ 흑인 거주 구역
chócolate mòusse (기름 유출로 생기는) 해상의 기름 거품
chócolate sóldier 실전에 참가하지 않는 군인; 비전투원
cho·co·la·tier [tʃɔ̀:kələtíər, tʃɑ̀k- | tʃɔ̀k-] *n.* 초콜릿 제조 판매업(자)
Choc·taw [tʃɑ́ktɔ: | tʃɔ́k-] *n.* (*pl.* [집합적] **~, ~s**) **1 a** [the ~(s)] 촉토 족 ⦅아메리카 인디언의 한 종족⦆ **b** 촉토 족의 사람 **2** Ⓤ 촉토 말; 못 알아들을 말 **3** [때로 **c~**] 촉토 ⦅피겨 스케이팅 스텝의 한 가지⦆
choff [tʃɑ́f | tʃɔ́f] *n.* ⦅속어⦆ 먹을 것, 음식물(food)
‡**choice** [tʃɔ́is] *n.* **1** ⓊⒸ 선택(하기); 선정 ⦅★ 꼼꼼한 선택을 뜻하는 selection보다 선택 범위가 좁은 편임⦆: make a ~ 선택하다 **2** Ⓤ 선택력, 선택의 여지, 선택권; Ⓒ 선택의 기회; 두 가지 중 한쪽, 대체 수단, 대안(alternative) **3** 선택된 것[사람]; [the ~] 특선품, 일품, 정수(精粹): Which[What] is your ~? 어느 것으로 하겠습니까? / *the* ~ of the tennis team 테니스 팀의 최우수 선수 **4** [보통 a ~ of …로] (선택의) 종류, 선택의 범위, 선택의 풍부함: *a* great ~ *of* roses 가지각색의 장미 / a poor ~ 종류가 적음 **5** Ⓤ 선택의 신중: with ~ 신중히 **6** Ⓤ ⦅미⦆ (쇠고기의) 상품, 상등육
at* (one's) ~** 마음대로 ***by*[*for*] ~** 고른다면, 어느 편인가 하면; 특히, 즐겨 ***from* ~** (자기가) 좋아서, 자진하여 ***have a*[*the,* one's] ~** 선택하다, 선택의 여지가 있다 ***have no* ~** (1) 선택의 여지가 없다, 그렇게 하지 않을 수 없다 (2) 가리지 않다, 아무 것이나 상관없다 ***have no* (*other*) ~ *but to do …하지 않을 수 없다 ***make*[*take*] one's ~** 마음에 드는 것을 택하다 ***of* ~** 정선한, 특상의 the girl ***of* one's ~** 자기가 고른 (여자) ***of* one's *own* ~** 자기가 좋아서 ***There is***

no ~ between the two. (양자 간에) 우열(優劣)이 없다. ***without*** ~ 가리지 않고, 무차별로
— *a.* (**choic·er**; **-est**) **1** 〈음식 따위가〉 특상의, 우량(품)의; 고급의; 《미》 〈쇠고기가〉 상등품의 **2** 〈말 따위가〉 골라낸, 정선한(well-chosen); [반어적] 〈말이〉 신랄한, 공격적인 **3** 《속어》 〈복장 따위가〉 최고의; 멋진 **4** 〈사람이〉 (음식·의류 등에) 까다로운 **5** 귀중히 여기는; 신경을 쓰는 **~·ly** *ad.* **~·ness** *n.*
▷ choose *v.*

‡choir [kwáiər] *n.* **1** [집합적] (교회의) 성가대 《★ 성가대원은 chorister》; (학교의) 합창단(chorus) **2** (교회의) 성가대석 **3** (중세의 천사론(天使論)에서) 천사 계급의 하나 **4** 노래하는 새떼 **5** =CHOIR ORGAN
— *vt., vi.* 《시어》 〈새·천사 등이〉 합창하다

choir·boy [kwáiərbɔ̀i] *n.* 소년 성가대원; 《미·속어》 규칙을 충실히 지키는 경찰관

choir·girl [-gə̀ːrl] *n.* 소녀 성가대원

chóir lòft 성가대석

choir·mas·ter [-mæ̀stər, -mɑ̀ːs-] *n.* 성가대[합창단] 지휘자

chóir òrgan (교회의) 합창 반주용 오르간

chóir schòol (대성당·대학에 부속된) 성가대 학교

chóir scrèen 성가대석(席)과 일반석 사이의 칸막이

‡choke [tʃóuk] *vt.* **1** 질식시키다; 〈연기·눈물 등이〉 숨 막히게 하다 《★ suffocate보다 덜 딱딱한 말》: A coin almost *~d* the baby. 동전을 삼켜 갓난아이가 거의 질식할 뻔했다. // (~+목+전+명) He was *~d with* smoke. 그는 연기로 숨이 막혔다. / He had been *~d to* death. 그는 질식해서 죽어 있었다. **2** 메우다(fill up), 막다(block up): Sand is *choking* the river. 모래로 하천이 막혀 가고 있다. // (~+목+전+명) The chimney was *~d with* soot. 굴뚝이 검댕으로 막혀 있었다. **3** 〈잡초 등이〉 〈다른 식물을〉 마르게 하다; 〈불을〉 끄다 《*up*》: (~+목+(부)) The plant was *~d* (*up*) *with* weeds. 그 식물은 잡초 때문에 말라 버렸다. **4** 〈감정·눈물을〉 억제하다; 〈성장·발전을〉 저해하다: (~+목+부) ~ *down* one's rage 분노를 꾹 참다 / ~ *back* one's passion 격정을 억누르다 **5** 〈엔진을〉 초크하다 《혼합기(氣)를 짙게 하기 위하여 카뷰레터의 공기 흡입을 막다》 **6** 〔스포츠〕 〈배트·라켓 등을〉 짧게 잡다 《*up*》 **7** 《영·구어》 …을 실망[낙담]시키다, 진저리 나게 하다(⇨ choked 2) **8** 〈총포 등의〉 조리개를 만들다 **9** 〔음악〕 〈심벌즈를〉 울린 후에 멈추다 **10** 《미·구어》 〈컴퓨터가〉 보내온 정보를 받아들이지 못하다
— *vi.* **1** 숨이 막히다, 질식하다; 숨통이 막히다 **2** (음식으로) 목이 메게 하다; (감정으로) 말을 못하게 되다: (~+전+명) ~ *over* one's food 음식을 먹다가 목이 메다 / ~ *with* rage 분노로 말문이 막히다 **3** 《속어》 죽다 **4** 〈식물이〉 마르다; (잡초 등에) 성장을 방해받다 **5** 〈파이프 등이〉 막히다
~ back 〈감정·눈물 등을〉 억누르다, 억제하다 ***~ down*** (1) 〈음식물을〉 간신히 삼키다 (2) 〈감정·눈물 등을〉 가까스로 억제하다 (3) 〈모욕 등을〉 꾹 참다 ***~ off*** (1) (목을 졸라) 〈비명을〉 지르지 못하게 하다 (2) 《구어》 (소리를 지르거나 하여) …을 침묵시키다 (3) 《구어》 〈계획 등을〉 포기하게 하다 (4) 《구어》 〈토론 등을〉 중지시키다 (5) 《구어》 …을 질책하다, 호통치다 ***~ up*** (1) 막히게 하다, 메우다 (2) 《구어》 〈어떤 일이〉 …의 말문을 막히게 하다 (3) ⇨ *vt.* 6 (4) (감정이 격하여) 말을 못하게 되다 (5) 《미·구어》 (긴장하여) 굳어지다, 얼다
— *n.* **1** 질식; 목멤 **2** (파이프 등의) 폐색부(閉塞部); 총강(銃腔)의 폐색부 조절 조리개(cf. CHOKEBORE) **3** 〔기계〕 초크 《엔진의 공기 흡입 조절 장치》; 〔전기〕 초크, 색류(塞流) 코일(=~ coil) **4** 〔유도〕 조르기 **5** [보통 *pl.*] 《주로 스코》 턱, 뺨, 목
— *a.* Ⓐ 〔스포츠〕 배트·라켓을 짧게 잡는
~·a·ble *a.* ▷ chóky[1] *a.*

choke·bore [tʃóukbɔ̀ːr] *n.* 폐색부; choke가 있는 총

choke·cher·ry [-tʃèri] *n.* (*pl.* **-ries**) 〔식물〕 산벚나무의 일종 《북미산》; 그 떫은 열매

chóke còil 〔전기〕 초크 코일, 색류(塞流) 코일

choked [tʃóukt] *a.* **1** 메인, 막힌; 숨 막히는 **2** Ⓟ 《영·구어》 진저리 난: be[feel] ~ 진저리 나다 **3** 《미·구어》 〈마약이〉 매우 희석된

choke·damp [tʃóukdæ̀mp] *n.* Ⓤ 질식성 가스 《탄갱 등에 괴는 탄산가스》

choke-full [tʃóukfúl] *a.* =CHOCK-FULL

chóke pòint (교통의) 애로(bottleneck), 요충, 관문(關門)

chok·er [tʃóukər] *n.* **1** 숨 막히게 하는 것[사람] **2** 《구어》 높은 칼라; 목에 꼭 맞는 목걸이 **3** 《미·구어》 (불 붙은) 담배

chok·ey[1] [tʃóuki] *a.* =CHOKY[1]

chokey[2] *n.* (*pl.* **~s**) =CHOKY[2]

chok·ing [tʃóukiŋ] *a.* Ⓐ **1** 숨 막히는 **2** (감동으로) 목메는 듯한 — *n.* Ⓤ 숨 막힘 **~·ly** *ad.*

chóking còil =CHOKE COIL

chok·y[1] [tʃóuki] *a.* (**chok·i·er**; **-i·est**) 숨 막히는, 목이 메는 듯한

choky[2] *n.* (*pl.* **chok·ies**) [the ~] 《인도·영·속어》 유치장, 교도소

chol- [kóul, kɑ́l | kɔ́l], **chole-** [kóulə | kɔ́li], **cholo-** [kóulou] 《연결형》 「담즙(bile)」의 뜻 《모음 앞에서는 chol-》

chol·a [tʃóulə] [Sp.] *n.* **1** 스페인·인디언 혈통의 라틴계 여성(cf. CHOLO) **2** 멕시코계 불량 청소년과 어울려 다니는 10대 소녀

cho·lan·gi·og·ra·phy [kəlæ̀ndʒiɑ́grəfi, kou- | -ɔ́g-] *n.* Ⓤ 〔의학〕 담관 조영[촬영](법)

cho·lan·gi·o·graph·ic [-dʒiəgrǽfik] *a.*

cho·le·cyst [kóuləsìst, kɑ́l- | kɔ́l-] *n.* 〔해부〕 담낭

cho·le·cys·tec·to·my [kòuləsistéktəmi, kɑ̀l- | kɔ̀l-] *n.* (*pl.* **-mies**) 〔외과〕 담낭 절제(술)

cho·le·cys·to·ki·nin [kòuləsistəkíːnin, kɑ̀l- | kɔ̀l-] *n.* 콜레키스토키닌 《십이지장의 점막에서 추출되는 소화 호르몬》

cho·le·cys·tos·to·my [kòuləsistɑ́stəmi, kɑ̀l- | kɔ̀lisistɔ́s-] *n.* ⓊⒸ (*pl.* **-mies**) 〔외과〕 (담석 제거를 위한) 담낭 조루술(造瘻術)

cho·le·li·thi·a·sis [kòuləliθáiəsis] *n.* Ⓤ 〔병리〕 담석증

chol·er [kɑ́lər | kɔ́l-] *n.* Ⓤ **1** 《시어》 성마름, 불뚱이(anger) **2** 〔고대의학〕 담즙(膽汁) 《네 가지 체액(體液) 중의 하나》

***chol·er·a** [kɑ́lərə | kɔ́l-] *n.* Ⓤ 〔병리〕 콜레라: Asiatic[epidemic, malignant] ~ 진성 콜레라

chólera bèlt (플란넬 또는 견직의) 콜레라 예방 복대(腹帶)

chol·e·ra·ic [kɑ̀ləréiik | kɔ̀l-] *a.* 콜레라성(性)의

chólera in·fán·tum [-infǽntəm] 〔병리〕 소아 콜레라

chólera mór·bus [-mɔ́ːrbəs] 〔병리〕 급성 위장염

chol·er·ic [kɑ́lərik, kəlér- | kɔ́lər-] *a.* 화를 잘 내는, 성마른(irascible); 담즙(膽汁)의 **-i·cal·ly** *ad.*

cho·le·sta·sis [kòuləstéisis] *n.* (*pl.* **-ses** [-siːz]) 〔병리〕 담즙 분비 중지

cho·les·ter·ic [kəléstərik, kòuləstér- | kəlés-tər-] *a.* 〔화학·물리〕 콜레스테롤의[에 관한]

cho·les·ter·ol [kəléstəròul, -rɔ̀ːl | -rɔ̀l], **cho·les·ter·in** [kəléstərin] *n.* Ⓤ 〔생화학〕 콜레스테롤, 콜레스테린 《동물의 지방·담즙·혈액 등에 있음》

cho·les·ter·ol·e·mi·a [kəlèstərəlíːmiə] *n.* 〔병리〕 콜레스테롤 혈증(血症)

cho·les·ter·ol-rich [-rítʃ] *a.* 콜레스테롤이 많은

cho·li·amb [kóuliæ̀mb] *n.* 〔운율〕 (장장격(長長格)으로 끝나는) 불규칙 단장격(短長格)

cho·li·am·bus [kòuliǽmbəs] *n.* (*pl.* **-bi** [-bai]) 〔운율〕 =CHOLIAMB

thesaurus **choke** *v.* strangulate, throttle, strangle, suffocate, smother, stifle, overpower
choose *v.* **1** 고르다 select, pick, pick out, hand-

chó·lic ácid [kóulik-, kɑ́l- | kóul-, kɔ́l-] 담즙산

cho·line [kóuli:n, kɑ́l- | kóul-, kɔ́l-] *n.* Ⓤ 〚생화학〛 콜린 《비타민 B 복합체의 하나》

cho·lin·es·ter·ase [kòulənéstərèis, -rèiz | kɔ̀l-] *n.* 〚생화학〛 콜린에스테라아제

cho·li·no·lyt·ic [kòulənəlítik] *a.* 〚생화학〛 항(抗)콜린성의 **—***n.* 항콜린성 약제[물질]

cho·li·no·mi·met·ic [kòulinoumimétik, -mai- | -mi-] *a.* 〚생화학〛 콜린 자극성의 **—***n.* 콜린 자극제

chol·la [tʃóuljɑ:, -jə] [Sp.] *n.* 〚식물〛 (가시 많은 나무 모양의) 선인장의 일종 《미국 남서부·멕시코산》

cho·lo [tʃóulou] *n.* (*pl.* **-los**) (미·속어) **1** (멕시코계 미국인 사이에서) 10대 불량배 **2** (경멸) 멕시코 사람(Mexican) **3** 스페인·인디언 혼혈의 라틴계 사람, 스페인계 메스티소

chomp [tʃɑ́mp | tʃɔ́mp] *vt., vi.* 깨물다; (어적어적) 씹다 **—***n.* 어적어적 씹기

Chom·sky [tʃɑ́mski | tʃɔ́m-] *n.* 촘스키 **Noam ~** (1928-) 《미국의 언어학자; 변형 생성 문법의 창시자》 **~·an, -ski·an** *a.*

chondr- [kɑ́ndr | kɔ́ndr], **chondri-** [kɑ́ndrə | kɔ́n-], **chondrio-** [kɑ́ndriou, -driə | kɔ́n-], **chondro-** [kɑ́ndrou, -drə | kɔ́n-] 《연결형》 「연골(軟骨)」의 뜻 《모음 앞에서는 chondr-》

chon·dri·fy [kɑ́ndrəfài | kɔ́n-] *v.* (**-fied**) *vt.* 연골화하다 **—***vi.* 연골화되다

chon·drin [kɑ́ndrin | kɔ́n-] *n.* Ⓤ 〚생화학〛 연골질(軟骨質), 연골소(素)

chon·dri·ome [kɑ́ndriòum | kɔ́ndriə̀um] *n.* 〚생물〛 콘드리옴 《세포 내 미토콘드리아의 총괄적 명칭》

chon·drite [kɑ́ndrait | kɔ́n-] *n.* Ⓤ 〚광물〛 구립(球粒)[구과(球顆)] 운석, 콘드라이트

chon·dro·cyte [kɑ́ndrəsàit | kɔ́n-] *n.* 〚해부〛 연골 세포

chon·droid [kɑ́ndrɔid | kɔ́n-] *a.* 연골 모양의

chon·dro·ma [kɑndróumə | kɔn-] *n.* (*pl.* **~s, ~·ta** [-tə]) 〚병리〛 (양성의) 연골종(腫)

chon·drule [kɑ́ndru:l | kɔ́n-] *n.* Ⓤ 〚광물〛 콘드률 《condrite에 함유된 구상체(球狀體)》

Chong·qing [tʃɔ́:ŋtʃíŋ] *n.* 충칭(重慶) 《중국 쓰촨(四川) 성 남동부의 도시》

choo-choo [tʃú:tʃù:] (미·유아어) *n.* 칙칙폭폭((영) puff-puff) **—***vi.* **1** 증기 기관차 같은 소리를 내다 **2** 기차 여행을 하다

chook [tʃú(:)k] *n.* (호주·구어) 병아리, 암탉; 여자

***choose** [tʃú:z] *v.* (**chose** [tʃóuz]; **cho·sen** [tʃóuzn]) *vt.* **1** 고르다, 선택하다: ~ a reference book 참고서를 고르다 // (~+목+전+명) *C~* a good subject *for* your essay. 논문으로 쓸 좋은 주제를 골라라. // (~+목+목) I *chose* him a present. = I *chose* a present *for* him. 그에게 선물을 골라 주었다.

> 유의어 **choose** 주어진 두 개 이상의 것 중에서 자기 판단에 의해 고르다: *Choose* the cake you like best. 가장 마음에 드는 케이크를 골라라. **select** 넓은 범위 중에서 생각하여 고르다: *select* a toy for a child 아이에게 장난감을 골라 주다 **elect** 형식을 갖춘 말로 선거와 같은 공적인 행위를 통해 선출하다: *elect* a chairperson 의장을 선출하다 **prefer** 다른 것보다 나은 것을 고르기 원하는 희망이나 기호를 강조해서 선호하다: *prefer* beef to chicken 닭고기보다 쇠고기를 선호하다

2 선출하다(elect): (~+목+보) We *chose* him chairman. 우리는 그를 의장으로 선출했다. // (~+목+전+명) (~+목+*as* 보) (~+목+*to be* 보) They *chose* him *for* their leader. = They *chose* him *as* their leader. = They *chose* him *to be* their leader. 그들은 그를 지도자로 선출했다. **3** 〈…하는 쪽을〉 택하다(prefer), 〈…하기로〉 **결정하다**(decide): (~+*to* do) We *chose to* have a villa there. 우리는 거기에 별장을 갖기로 결정했다. / She did not ~ *to* accept my present. 그녀는 나의 선물을 받으려고 하지 않았다. **4** (구어) 원하다, 바라다

—*vi.* **1** 선택하다 《*between*》: (~+전+명) She had to ~ *between* the two. 그녀는 그 둘 중 하나를 고르지 않으면 안 되었다. **2** 원하다, 바라다: as you ~ 당신의 소원대로 **3** 순번 등을 결정하다 **4** (고어) 마음에 들다 ***cannot ~ but*** do …하지 않을 수 없다 ***~ how*** (영·구어) 좋든 싫든 상관없이 ***~ off*** (미·속어) 싸움을 걸다 ***~ up*** (미·구어) (1) 선수를 뽑아 〈팀을〉 만들다 (2) (야구 시합 등을 하기 위해) 팀으로 갈리다 ***There is nothing***[***not much, little***] ***to ~ between*** …사이에 우열이 전혀[별로] 없다

▷ chóice *n.*

choos·er [tʃú:zər] *n.* 선택자; 선거인

choos·y [tʃú:zi] *a.* (**choos·i·er**; **-i·est**) (구어) 가리는, 까다로운, 괴팍스러운

***chop**[1] [tʃɑ́p | tʃɔ́p] [chap[1]의 변형] *v.* (**~ped**; **~·ping**) *vt.* **1** (도끼·식칼 등으로) **자르다,** 뻐개다, 패다, 찍다(⇨ cut 유의어); 〈고기·야채를〉 **잘게 썰다**: (~+목+전+명) ~ twigs *with* an ax 도끼로 가지를 자르다 // (~+목+부) ~ *up* a cabbage 양배추를 잘게 썰다 / They *~ped down* all the withered trees. 그들은 마른 나무들을 죄다 베어 버렸다. **2** 잘라서 〈길을〉 내다: (~+목+전+명) ~ a path *through* a forest 숲의 나무를 찍어 길을 내다 **3** 〈말을〉 띄엄띄엄 말하다 **4** (서아프리카·구어) 먹다(eat) **5** 〚자동차〛 (차 높이를 낮추기 위해) 프레임 기둥을 깎다 **6** 〚테니스·크리켓〛 〈공을〉 깎아 치다(cf. CHOP STROKE) **7** 〈사냥개가〉 〈여우를〉 죽이다 **8** 〈경비·예산 등을〉 크게 삭감하다 **9** 〈전류·빛 등을〉 단시간 차단하다 **10** (영·속어) 〈계획 등을〉 중지하다

—*vi.* **1** 찍다, 자르다, 베다: (~+전+명) ~ *at* a tree 나무를 찍다 **2** 〚권투〛 (클린치 중에) 위에서 짧은 일격을 가하다 **3** 〚테니스·크리켓〛 공을 깎아 치다 **4** 갑자기 날아가다[날아 오르다], 갑자기 오다[가다], 갑자기 덤비다 **5** (서아프리카·구어) 식사를 하다

~ at …을 쳐서 자르다; …에게 치고 덤비다 ***~ back*** 갑자기 되돌아서다 ***~ in*** 〈대화 등을〉 별안간 가로막다; 말참견하다 《*with*》 ***~ off***[***away***] 잘라내다 ***~ out***[***up***] 〈지층(地層)이〉 노출하다 ***~ up*** 잘게 썰다; 난도질하다 ***~ upon***[***on***] (속어) …을 우연히 만나다; …에게 덤벼들다

—*n.* **1** 절단(切斷), 찍어내기: take a ~ at something …을 내리쳐 자르다 **2** 〚권투〛 내리치는 짧은 일격 **3** 잘라낸 조각; (양고기·돼지고기의) 두껍게 자른 고깃점 《보통 갈비에 붙은 것》 **4** (서아프리카·구어) 음식물 **5** (동물의 사료용으로) 가루로 만든 곡식 낟알 **6** 불규칙한 잔 물결; 삼각파(三角波) **7** (고어) 깨짐, 균열, 금 **8** 〚테니스·크리켓〛 촙, 깎아치기 **9** (호주·뉴질) 나무 자르기 대회[경기] **10** (미·속어) 무례한 발언, 통렬한 의견 **11** [보통 the ~] (영·속어) 살해 **12** (속어) 개조한 오토바이 ***be for the ~*** (영·속어) 살해될 것 같다 ***get***[***be given***] ***the ~*** (영·속어) (1) 해고당하다 (2) 살해되다 (3) 〈계획 따위가〉 중지되다 ***give ... the ~*** (영·속어) (1) …을 해고하다 (2) …을 살해하다 (3) 〈제안 등을〉 파기하다

chop[2] *n.* **1** [보통 *pl.*] 턱(jaw) **2** [*pl.*] (속어) 입 **3** [때로 *pl.*] (항만·해협·협곡 등의) 입구: the *~s* of the Channel (대서양 쪽의) 영국 해협의 입구 **4** [*pl.*] (미·속어) 음악적 재능, 재능, 능력

beat one***'s ~s*** (속어) 쉬지 않고 지껄여 대다, 쓸데없이 떠들어 대다 ***lick***[***smack***] one***'s ~s*** (구어) 입맛을 다시다[다시며 기대하다]

chop[3] *v.* (**~ped**; **~·ping**) *vi.* **1** 〈풍향 등이〉 갑자기 바뀌다 《*about*》 **2** 〈마음 등이〉 갑자기 변하다, 흔들리다 **3** 물물 교환하다(barter); 의논하다 ***~ and***

---

pick, take, opt for, decide on (opp. *reject, decline*) **2** 원하다 prefer, like, wish, want, desire

chop[1] *v.* cut up, dice, fragment, crumble

change 《영·구어》 〈의견·직업 등을〉 자주 바꾸다
— *vt.* [다음 성구로] ~ ***logic*** 구실을 늘어놓다
— *n.* 급변 ***~s and changes*** 변전(變轉); 무정견(無定見), 조령모개(朝令暮改)

chop[4] *n.* **1** 《인도·중국》 관인(官印), 인감 **2** 출항[양륙] 허가증 **3** 《구어》 상표; 품질, 등급: the first[second] ~ 제1[제2]급(품) ***be not much ~*** 《호주·구어》 전혀 도움이 안 되다

chop-chop [tʃɑ́ptʃɑ́p | tʃɔ́ptʃɔ́p] *ad., int.* 《속어》 빨리빨리

chop·fall·en [-fɔ̀:lən] *a.* = CHAPFALLEN

chop·house[1] [-hàus] *n.* (*pl.* **-hous·es** [-hàuziz]) 《구어》 (고기 전문) 음식점(steak house)

chophouse[2] *n.* (옛) 중국의 세관

Cho·pin [ʃóupæn] *n.* 쇼팽 **Frédéric François ~** (1810-49) 《폴란드 태생의 프랑스의 피아니스트·작곡가》

cho·pine [tʃoupí:n, tʃɑ́pin | tʃɔpí:n] *n.* 초핀 《17세기경의 바닥창을 두껍게 댄 여자용 높은 구두; patten의 일종》

chop·log·ic [tʃɑ́plɑ̀dʒik | tʃɔ́plɔ̀-] *n., a.* 궤변(의), 억지 이론(의)

chóp màrk 각인(刻印) 《18-19세기의 극동 지역에서 특히 은행가나 상인들이 경화(硬貨)가 진짜임을 나타내기 위해 표시한 자국》

chopped [tʃɑ́pt | tʃɔ́pt] *a.* **1** 《미·속어》 〈자동차·오토바이 등이〉 개조한 **2** 잘게 썬, 다진

chópped líver **1** 양파·계란 따위를 넣고 다진 간 요리 **2** 《미·속어》 패배자; 약자 **3** 《미·속어》 쓸모없는 인간[물건] **4** 《영·속어》 질(vagina)

chop·per [tʃɑ́pər | tʃɔ́p-] *n.* **1** 자르는 사람[물건] **2** 《구어》 까뀌; 고기 써는 큰 식칼 **3** 《구어》 헬리콥터 **4** 《구어》 개조한 오토바이 **5** [*pl.*] 《속어》 이; 《특히》 의치 **6** 〖전자〗 초퍼 《직류나 광전류를 변조하는 장치》 **7** 〖야구〗 높이 바운드하는 타구(打球) **8** 《미·속어》 기관총 **9** 《미·속어》 개찰원, 표 받는 여자
— *vt., vi.* 《미·속어》 헬리콥터를 타고 가다, 헬리콥터로 나르다

chop·ping [tʃɑ́piŋ | tʃɔ́p-] *a.* **1** 자르는 (데 쓰는) **2** 삼각파(三角波)가 이는: ~ sea 역랑(逆浪) **3** 〈어린아이가〉 크고 튼튼한 — *n.* **1** 찍기, 자르기, 썰기 **2** 벌목(伐木)한 공지(空地) **3** 〖테니스〗 깎아치기

chópping blòck[**bòard**] 도마

chópping knìfe 잘게 써는 식칼

chop·py [tʃɑ́pi | tʃɔ́pi] *a.* (**-pi·er**; **-pi·est**) **1** 〈수면이〉 삼각파가 이는, 물결이 거친 **2** 〈바람이〉 (불규칙하게) 급히 바뀌는 **3** 〈문체 등이〉 고르지 못한, 일관성이 없는 **4** 〈시장 등이〉 변동이 심한 **5** 〈손이〉 손금이 생긴; (터서) 갈라진 **-pi·ly** *ad.* **-pi·ness** *n.*

chóp shòp 《미·구어》 촙숍 《훔친 자동차를 분해하여 그 부품을 비싼 값으로 파는 불법적인 장사》

chop·sock·y [tʃɑ́psɑ̀ki | tʃɔ́psɔ̀ki] *n.* 《미·속어》 (영화에 나오는) 쿵후, 가라테, 태권도

chop·stick [tʃɑ́pstìk | tʃɔ́p-] *n.* [보통 *pl.*] 젓가락

chóp stròke 〖테니스·크리켓〗 촙 스트로크 《공을 깎아치기》

chóp sú·ey[**sóo·y**] [-sú:i] [Chin.] 잡채 《미국식 중국 요리의 일종》

cho·ra·gus [kəréigəs, kɔ:- | kɔ:-] *n.* **1** 연극 합창대의 리더 **2** 《일반적으로》 연예의 지휘자

cho·ral [kɔ́:rəl] *a.* **1** Ⓐ 합창[성가]대(chorus)의; 합창곡의; 합창(용)의 **2** 〈낭독 등이〉 일제히 소리내는 ***the C~ Symphony*** 합창 교향곡 《Beethoven의 제9 교향곡》 — [kərǽl, kɔ́:rəl | kɔrɑ́:l] *n.* = CHORALE
~·ly *ad.* 합창으로

cho·rale [kərǽl, -rɑ́:l, kɔ́:rəl | kɔrɑ́:l] *n.* 〖음악〗 **1** (합창) 성가; (특히 독일 교회의) 합창곡 **2** 《미》 교회 음악을 전문으로 하는 합창단

chorále prélude 〖음악〗 코랄 전주곡

cho·ral·ist [kɔ́:rəlist] *n.* 성가[합창]대원; 합창곡 작곡자

chóral sérvice (교회의) 합창 예배

chóral socíety 합창단

chóral spéaking (시·산문의) 집단 낭독, 제창

*__chord__[1] [kɔ́:rd] [cord의 변형] *n.* **1** 심금, (특수한) 감정 **2** 〖수학〗 현(弦); 〖항공〗 익현(翼弦) **3** 《고어·시어》 (악기의) 현(string), 줄 **4** 〖해부〗 인대(靭帶), 건(腱)(cord): the vocal ~*s* 성대 ***strike***[***touch***] ***a ~*** (***with***) (…의) 공감을 얻다; 심금을 울리다
— *vt.* …에 현을 매다[달다]

chord[2] [accord의 두음 소실(頭音消失)] *n.* 〖음악〗 화현(和弦), 화음 — *vi.* 가락이 맞다; (반주로) 화음을 연주하다 — *vt.* …의 가락을 맞추다

chord·al[1] [kɔ́:rdl] *a.* 현(弦) 모양의

chordal[2] *a.* 〖음악〗 화음의

chor·date [kɔ́:rdeit] 〖동물〗 *a.* 척색(脊索)이 있는, 척색동물의 — *n.* 척색동물

chor·do·ma [kɔ:rdóumə] *n.* (*pl.* **~s**, **~·ta** [-tə]) 〖병리〗 척색종(脊索腫)

chor·do·phone [kɔ́:rdəfòun] *n.* 〖음악〗 현명(絃鳴) 악기 《harp, lute, lyre 따위》

chórd òrgan 코드 오르간 《오른손용의 작은 건반과 왼손용의 버튼을 눌러 화음을 내는 오르간》

chor·do·to·nal [kɔ̀:rdətóunl] *a.* 〈곤충의 특정 기관·부분이〉 현음(弦音)의

chórd sỳmbol 〖음악〗 코드 기호

chor·dy [tʃɔ́:rdi] *a.* 《영·속어》 도둑맞은, 훔친 물건의

*__chore__ [tʃɔ́:r] *n.* **1** 자질구레한 일, 허드렛일(odd job); [*pl.*] (가정의) 잡일, 가사(家事) 《세탁·청소 등》, (농장의) 가축 돌보기 **2** 하기 싫은[따분한] 일
— *vi.* (일상의) 잡일을 하다
— *vt.* 《영·속어》 훔치다

cho·re·a [kəríːə, kɔ:- | kɔríə, kɔ:-] *n.* Ⓤ 〖병리〗 무도병(舞蹈病)(St. Vitus's dance)

cho·re·ic [kəríːik | kɔ-] *a.* 무도병의

cho·re·i·form [kəríːəfɔ̀:rm] *a.* 〖병리〗 무도병의[과 비슷한]

chore·man [tʃɔ́:rmən, -mæ̀n] *n.* (*pl.* **-men** [-mən, -mèn]) (공장·벌목장 따위의) 잡역부

cho·re·o·graph [kɔ́:riəgræ̀f, -grɑ̀:f | kɔ́riə-] 〖무용〗 *vt.* 공연하기 위해 〈발레[춤]를〉 편성[구성]하다; 안무하다 — *vi.* 안무를 담당하다

cho·re·og·ra·pher [kɔ̀:riɑ́grəfər | kɔ̀riɔ́g-] *n.* 발레 편성가; 안무가

cho·re·og·ra·phy [kɔ̀:riɑ́grəfi | kɔ̀riɔ́g-] *n.* Ⓤ (발레의) 무도법(舞蹈法), 무용술, 안무; 무대 무용

cho·re·o·graph·ic [kɔ̀:riəgrǽfik | kɔ̀r-] *a.*

cho·re·ol·o·gy [kɔ̀:riɑ́lədʒi | kɔ̀riɔ́l-] *n.* Ⓤ 무용 표기법 연구 **-gist** *n.*

cho·ri·amb [kɔ́:riæ̀mb | kɔ́r-] *n.* 〖운율〗 강약약강격(强弱弱强格) 《⏑××⏑》, 장단단장격(長短短長格) 《—⏑⏑—》

cho·ri·am·bic [kɔ̀:riǽmbik | kɔ̀r-] *a.* 강약약강[장단단장]격의

cho·ri·am·bus [kɔ̀:riǽmbəs | kɔ̀r-] *n.* = CHORIAMB

cho·ric [kɔ́:rik, kɑ́r- | kɔ́r-] *a.* 〖그리스연극〗 합창곡풍의; 합창 가무식(歌舞式)의

cho·rine [kɔ́:ri:n | kɔ́:ri:n] *n.* 《미》 = CHORUS GIRL

cho·ri·oid [kɔ́:riɔ̀id] *a., n.* 〖해부〗 = CHOROID

cho·ri·on [kɔ́:riɑ̀n | -riən] *n.* 〖해부〗 융모막(絨毛膜); 〖동물〗 장막(漿膜) **chò·ri·ón·ic** *a.*

chorriónic gonadotrópin 〖생화학〗 융모막 성 생식선 자극 호르몬, 융모성(性) 고나도트로핀

chorriónic víllus 〖의학〗 융모막 융모

cho·rist [kɔ́:rist] *n.* 《고어》 합창[성가]대원

cho·ris·ter [kɔ́:ristər, kɑ́r- | kɔ́r-] *n.* **1** 성가대원; (특히 교회의) 소년 성가대원(choirboy) **2** 《미》 성가대 지휘자

cho·ri·zo [tʃəríːzou, -sou] [Sp.] *n.* (*pl.* **~s**) 초리조 《향신료로 맛을 낸 스페인의 소시지》

cho·ro·graph·ic, -i·cal [kɔ̀:rəgrǽfik(əl)] *a.* 지지(학)의 **-i·cal·ly** *ad.*

cho·rog·ra·phy [kərágrəfi, kɔː- | kɔːrɔ́g-] *n.* Ⓤ 〖지리〗 지방 지지(地誌), 지세도(地勢圖); 지형도 작성법 **-pher** *n.* 지방 지지학자

cho·roid [kɔ́ːrɔid] 〖해부〗 *a.* **1** (눈알의) 맥락막(脈絡膜)의 **2** 융모막 비슷한 **—** *n.* 맥락막

chóroid còat 〖안과〗 (안구의) 맥락막

cho·roi·de·re·mi·a [kɔ̀ːrɔidəríːmiə] *n.* 〖의학〗 맥락막 결여

cho·rol·o·gy [kərálədʒi | -rɔ́l-] *n.* Ⓤ (생물) 분포학 **chò·ro·lóg·ic** *a.* **-gist** *n.*

chor·tle [tʃɔ́ːrtl] [chuckle과 snort의 혼성] *vi.* (좋아) 깔깔 웃다; 아주 좋아하다(exult); 〈차 등이〉 소음을 내며 나아가다 **—** *vt.* 〈기쁨을〉 깔깔 웃으며 표현하다 **—** *n.* [a ~] 깔깔 웃음

‡**cho·rus** [kɔ́ːrəs] [Gk. 「코러스」(합창 가무단)의 뜻에서] *n.* (*pl.* **~·es**) **1** 〖음악〗 **합창**; 합창곡; (노래의) 합창부; 후렴(refrain): a mixed ~ 혼성 합창 **2** 일제히 내는 소리, 이구동성; (동물·벌레 등의) 일제히 우는 소리 **3** [집합적] 합창대[단], (뮤지컬 등의) 합창 무용단, 코러스 **4** (고대 그리스에서 종교 의식·연극의) 합창 가무단; (엘리자베스 여왕 시대의 연극에서) 코러스 《prologue와 epilogue 부분을 말로 하는 배우》 **5** 〖재즈〗 코러스 《전주에 계속되는 주요부》

in **~** (1) 합창으로: sing *in* ~ 합창하다 (2) 일제히: protest *in* ~ 일제히 항의하다

— *vt., vi.* 합창하다; 이구동성으로 말하다

chórus bòy (가극·레뷰 등의) 코러스 보이

chórus gìrl 코러스 걸(chorine) 《뮤지컬 등의 가수 겸 무용수; 현재는 show girl이 일반적임》

chórus lìne 코러스 라인 《주연급 배우만이 넘을 수 있는, 무대 전면의 백선》

chórus màster 합창 지휘자

‡**chose**[1] [tʃóuz] *v.* CHOOSE의 과거

chose[2] [ʃóuz] *n.* 〖법〗 물(物), 동산: ~ in action 무체(無體) 동산 / ~ in possession 유체(有體) 동산

chose ju·gée [ʃóuz-ʒuːʒéi] [F] (*pl.* **-s -s** [~]) 기정사실; 말해도 소용없는 지나간 일

‡**cho·sen** [tʃóuzn] *v.* CHOOSE의 과거분사

— *a.* **1** 선발된; 선택한, 좋아하는: one's ~ field 좋아하는 분야 **2** (특히 구원받기 위해서) 신에게 선택된

— *n.* [the ~] = ELECT

chósen ínstrument 개인[단체, 정부]이 그 이익을 위해 키우는 사람[업자]; 《특히》 정부 육성 항공회사

chósen péople [종종 **C- P-**] [the ~] 하느님의 선민 《유대인의 자칭》

chou [ʃúː] [F] *n.* (*pl.* **~x** [ʃúːz]) **1** (여자 모자 또는 드레스의) 장식 리본 **2** 슈(크림)(cream puff)

Chou En-lai [tʃóu-ènlái] = ZHOU ENLAI

chough [tʃʌ́f] *n.* 〖조류〗 붉은부리까마귀 《유럽·북아프리카산(産)》

chouse[1] [tʃáus] *vt.* (영·구어) 속이다, 사기하다, 사취하다 《*of, out of*》 **—** *n.* Ⓤ 사기; Ⓒ 사기꾼

chouse[2] *vt.* (미서부) 〈소떼를〉 거칠게 몰다

chóux pástry [ʃúː-] 슈크림 피(皮)

chow [tʃáu] [Chin.] *n.* **1** = CHOW CHOW **2** Ⓤ (속어) 음식(food); 식사 (시간): a ~ line (미·구어) (군대 등에서) 급식 받기 위해 선 줄 **—** *vi., vt.* (미·속어) 먹다 《*on*》; (한 끼의) 식사를 하다 《*down*》

chów chòw [종종 **C- C-**] 차우차우 《혀가 검고 털이 많은 중국산 개》

chow-chow [tʃáutʃàu] *n.* Ⓤ 중국 김치 《등자 껍질·새앙을 썰어서 담근 것》

chow·der [tʃáudər] *n.* (미) 차우더 《생선 혹은 조개에 우유·절인 돼지고기·양파 등을 섞어 끓인 수프》

— *vt.* 차우더로 만들다

chow·der·head [tʃáudərhèd] *n.* (미·속어) (10대 사이에서) 멍청이, 얼간이 **~·ed** *a.*

chow·hound [tʃáuhàund] *n.* (미·속어) 대식가(glutton)

chowk [tʃáuk] *n.* (인도) (도시 내에서 두 도로가 교차하는) 시장 거리

chòw méin [-méin] (미) 차우멘, 초면(炒麵) 《미국식 중국 요리》

CHP California Highway Patrol **CHQ** Corps Headquarters **Chr.** Christ; Christian; Christopher; 〖성서〗 Chronicles

chre·ma·tis·tic [krìːmətístik] *a.* 이재(理財)의, 화식(貨殖)의

chre·ma·tis·tics [krìːmətístiks] *n. pl.* [단수 취급] 이재학(理財學), 화식론(貨殖論)

chres·ard [kríːsərd, krés-] *n.* 〖생태〗 유효 수분량 《식물이 흡수할 수 있는 토양 중의 수분량》

chres·tom·a·thy [krestáməθi | -tɔ́m-] *n.* (*pl.* **-thies**) 명문집(名文集)

Chrim·bo [krímbou] *n.* Ⓤ (영·구어) 크리스마스

Chris [krís] *n.* **1** 남자 이름 《Christopher의 애칭》 **2** 여자 이름 《Christiana, Christine의 애칭》

chrism [krízm] *n.* **1** Ⓤ 성유(聖油)(consecrated oil) 《기독교의 의식에 사용함》 **2** 도유식(塗油式)

chris·mal [krízməl] *a.* 성유의; 도유식의

chris·ma·to·ry [krízmətɔ̀ːri | -təri] *n.* (*pl.* **-ries**) 성유 그릇; 도유 **—** *a.* 도유의

chris·om [krízəm] *n.* **1** = CHRISM **2** 유아의 세례용 흰 옷 **3** = CHRISOM CHILD

chrísom chìld **1** 유아 **2** 세례를 받고 생후 1개월 이내에 사망한 아이

Chris·sake [kráissèik] *int.* (구어) [for ~의 형태로] 제발 부탁인데

Chris·sie [krísi] *n.* **1** 여자 이름 《Christiana, Christina, Christine의 애칭》 **2** (호주·속어) = CHRISTMAS

‡**Christ** [kráist] *n.* **1** 예수 그리스도 **2** [the ~] (주로 신약에서) 구약에서 예언된 구세주(Messiah) **3** 그리스도의 상(像) **4** 그리스도를 닮은 사람; 완전하고 이상적인 인간 ***before*** **~** 기원전 《略 B.C.》 ***By*** **~!** 맹세해! 틀림없어! ***for*** **~'s *name*** 제발 ***in*** **~'s *name*** (구어) 도대체, 대관절 ***Thank*** **~!** (구어) 고마워!

— *int.* **1** (속어) 제기랄! 《놀라움·노여움 등을 나타내는 말》 **2** [yes, no 앞에서] 절대로: ~, no! 절대 안 돼! ▷ Chrístian *a.*

Chríst chìld [the ~] 아기 예수

christ·cross [krískrɔ̀ːs, -kràs | -krɔ̀s] *n.* (고어) **1** (hornbook 등의) 알파벳 앞에 표시한 십자형; 그 알파벳 **2** ×표 《문맹자가 서명 대신에 씀》

christ·cross-row [-róu] *n.* (고어) 알파벳(alphabet)

***chris·ten** [krísn] [OE 「기독교도(Christian)로 만들다」의 뜻에서] *vt.* **1** 세례[침례, 영세]하여 **기독교도로 만들다**(baptize) **2** 세례하여 명명(命名)하다: (~+목+보) He was *~ed* John. 그는 요한이라는 세례명을 받았다. **3** 〈배 등에〉 이름을 붙이다(name) **4** (구어) 〈새 차 등을〉 처음으로 사용하다 **~·er** *n.*

Chris·ten·dom [krísndəm] *n.* **1** [집합적] 전(全) 기독교도 **2** Ⓤ 기독교계(界), 기독교국(國) **3** 기독교

chris·ten·ing [krísəniŋ] *n.* **1** ⓊⒸ 세례(식), 명명(식) **2** (배의 진수시의) 명명식 **3** (새로운 것의) 명명, 봉납(奉納)

Christ·hood [kráisthùd] *n.* Ⓤ 그리스도[구세주]임; 그리스도의 성격[신성(神性)]

‡**Chris·tian** [krístʃən] *a.* **1 a** 그리스도의: the ~ religion 기독교 **b** 기독교의, 기독교도의; 그리스도교의; 기독교를 믿는 **2 a** 기독교도다운, 이웃을 사랑할 줄 아는 **b** (구어) 사람다운; 점잖은, 존경할 만한

— *n.* **1** 기독교도[신자] **2** (구어) 훌륭한 사람, 문명인; 사람 《동물에 대하여》(opp. *brute*): behave like a ~ 사람답게 행동하다 **3** 남자 이름 **~·like** *a.*

Chris·ti·an·a [kristiǽnə, -áːnə] *n.* 여자 이름 《애칭 Chris》

Chrístian Áid (개발 도상국에 대한 원조·구제 활동을 하는) 영국의 자선 단체

Chrístian búrial 교회장(葬)

Chrístian Di·ór [-diɔ́ːr] 크리스천 디오르 《여성복·

화장품 따위의 브랜드》
Chrístian Éra [the ~] 그리스도 기원, 서력 기원 (Common Era)
Chris·ti·an·i·a [krìstʃiǽniə, -ɑ́:n-, krìsti- | -tiɑ́:n-] *n.* **1** [때로 **c~**] 〖스키〗 크리스티아니아 회전 (=~ **túrn**) **2** 노르웨이의 수도 Oslo의 구칭
Chris·tian·ism [krístʃənìzm] *n.* Ⓤ 기독교주의, 기독교 교리
*__Chris·ti·an·i·ty__ [krìstʃiǽnəti | -ti-] *n.* (*pl.* **-ties**) **1** Ⓤ **기독교**, 그리스도교; 기독교적 신앙[정신, 성격]의 실천 **2** 기독교 교파 **3** =CHRISTENDOM 1
Chris·tian·i·za·tion [krìstʃənizéiʃən | -nai-] *n.* [종종 **c~**] Ⓤ 기독교화(化)
Chris·tian·ize [krístʃənàiz] *vt.* [종종 **c~**] 기독교화하다, 기독교 신자로 만들다
Chris·tian·ly [krístʃənli] *a., ad.* 기독교도다운[답게]
‡**Chrístian náme** 세례명(given name)(cf. SURNAME); (일반적으로 성(姓)에 대한) 이름
Chrístian Scíence 크리스천 사이언스 《미국의 Mary Baker Eddy가 조직(1866)한 신흥 종교; 신앙의 힘으로 병을 고치는 정신 요법을 특색으로 함; 공식명 the Church of Christ, Scientist》
Chrístian Scíence Mònitor [the ~] 크리스천 사이언스 모니터 《미국 Boston시에서 발간되는 조간 신문》
Chrístian Scíentist Christian Science의 신봉자
Chrístian Sócialism 기독교 사회주의
Chrístian Sócialist 기독교 사회주의자
Chrístian yéar 〖그리스도교〗 교회 역년(曆年) (church year)
chris·tie, chris·ty [krísti] *n.* [종종 **C~**] 〖스키〗 =CHRISTIANIA 1
Chris·tie [krísti] *n.* **1** 남자 이름 《Christian의 애칭》 **2** 여자 이름 《Christine의 애칭》 **3** 크리스티 **Dame Agatha ~** (1890-1976) 《영국의 추리 소설가; 탐정 Hercule Poirot이 등장함》
Chris·tie's [krístiz] *n.* 크리스티스 《런던의 미술품 경매 회사》
Chris·ti·na [kristí:nə] *n.* 여자 이름 《애칭 Chris》
Chris·tine [kristí:n, ⌐–] *n.* 여자 이름 《애칭 Chris》
Christ·less [kráistlis] *a.* 기독교 정신에 어긋나는; 비기독교도적인(unchristian)
Christ·like [kráistlàik] *a.* 〈마음·행동·성격이〉 그리스도 같은, 그리스도적인
Christ·ly [kráistli] *a.* 그리스도의[같은]
‡**Christ·mas** [krísməs] [OE 「그리스도(Christ)의 미사(mass)」의 뜻에서] *n.* **1 크리스마스**, 성탄절(=~ **Dày**) 《12월 25일; 略 Xmas》: a ~ book 크리스마스에 읽을 책 / on ~ 크리스마스(날)에 **2** =CHRISTMASTIDE: at ~ 크리스마스철에 **3** 크리스마스 선물 **4** 《영·방언》 크리스마스 장식용 나뭇가지
cancel a person**'s ~** 《미·속어》 〈사람을〉 죽이다
***green* ~** 눈이 내리지 않는 (따뜻한) 크리스마스
***white* ~** 눈이 내리는 크리스마스
— *int.* 《속어》 =CHRIST
Chrístmas bòx 《영》 크리스마스 선물[축하금] 《사환·우편 집배원 등에게 주는; cf. BOXING DAY》
Chrístmas càke 크리스마스 케이크
Chrístmas càrd **1** 크리스마스 카드 **2** 《미·속어》 속도 위반 딱지[표지]
Chrístmas càrol 크리스마스 캐럴[송가]
Chrístmas clùb 《미》 크리스마스 클럽 《크리스마스 쇼핑용 정기 적금 계좌》
Chrístmas cràcker 크리스마스 크래커 《크리스마스 파티용 폭죽》
Chrístmas dìnner (가족들의) 성탄 만찬
Chrístmas disèase 〖병리〗 크리스마스병(病) 《혈액 응고 인자의 결핍 때문에 혈액이 응고하지 않는 유전병》
Chrístmas Éve 크리스마스 이브, 크리스마스 전야[전일] 《12월 24일 밤 또는 24일》
Chrístmas fàctor 〖생화학〗 크리스마스 인자(因子) 《혈액 응고 인자의 하나》
Chrístmas flòwer =POINSETTIA
Chrístmas hólidays [the ~] 《영》 크리스마스 휴가; (학교의) 겨울 방학
Chrístmas prèsent[gìft] 크리스마스 선물
Chrístmas púdding 《영》 크리스마스 푸딩 《plum pudding을 씀》
Chrístmas ròse 〖식물〗 크리스마스 로즈 《크리스마스 무렵에 피는 미나리아재비속(屬)의 식물》
Chrístmas sèal (결핵 퇴치 기금을 위한) 크리스마스 실
Chrístmas stòcking 산타클로스의 선물을 받기 위해 걸어 두는 양말
Christ·mas·sy, -mas·y [krísməsi] *a.* 《구어》 크리스마스다운
Christ·mas·tide [krísməstàid], **-time** [-tàim] *n.* Ⓤ 크리스마스 계절(yuletide) 《12월 24일에서 1월 6일까지》
Chrístmas trèe **1** 크리스마스 트리 **2** 《속어》 (여러 가지 색의 램프를 켠) 제어판 **3** 《미·속어》 경찰차·구급차 등의 여러 색깔 장치 **4** 《미·속어》 (술 등의) 과음 **5** 《영·속어》 제멋대로 치장한 여자
Chrístmas vacátion [the ~] 《미》 =CHRISTMAS HOLIDAYS
Christo- [krístou, -tə, kráis-] 《연결형》 「그리스도(Christ)의」의 뜻
Chris·tol·o·gy [kristɑ́lədʒi | -tɔ́l-] *n.* (*pl.* **-gies**) 〖신학〗 **1** Ⓤ 그리스도론(論) 《그리스도의 성질·인격·행위를 다루는 신학의 한 부문》 **2** Ⓤ Ⓒ 그리스도 연구
Chris·to·log·i·cal [krìstəlɑ́dʒikəl | -lɔ́dʒ-] *a.* 그리스도론의 **-gist** *n.* 그리스도론 학자
Chris·toph·a·ny [kristɑ́fəni | -tɔ́f-] *n.* Ⓤ (부활 후의) 그리스도의 재현
Chris·to·pher [krístəfər] *n.* 남자 이름 《애칭 Chris, Kit》
Chríst's Hóspital 《영》 자선 기숙 학교 《Sussex 주 Horsham에 있는 공립학교의 하나》
Christ's-thorn [kráistsθɔ̀:rn] *n.* 〖식물〗 갯대추나무속(屬)의 일종 《예수의 가시 면류관은 이 나뭇가지로 만들어졌다고 함》
Chris·ty [krísti] *n.* (*pl.* **-ties**) [때로 **c~**] 〖스키〗 =CHRISTIANIA 1
Chrísty Mínstrels 크리스티 악단 《미국의 E.P. Christy(1815-62)가 조직한 MINSTREL SHOW 일행》
chrom- [kroum], **chromo-** [króumou, -mə] 《연결형》 「색; 〖화학〗 크롬; (무색체에 대하여) 유색 화합물」의 뜻 《모음 앞에서는 chrom-》
chro·ma [króumə] *n.* Ⓤ 〖광학〗 채도(彩度); 색도
chróma kèy 〖TV〗 크로마키 《컬러텔레비전 방송의 화면 합성 기술》
chro·maf·fin [króuməfin] *a.* 〖화학〗 크롬 친화성의
chro·mate [króumeit] *n.* 〖화학〗 크롬산염(酸鹽) [에스테르]
chro·mat·ic [kroumǽtik, krə-] *a.* **1** 색채의, 착색[채색]한: ~ printing 색채 인쇄 **2** 채도나 색상을 중시한 **3** 〖생물〗 염색성의 **4** 〖음악〗 반음계의
-i·cal·ly *ad.*
chromátic aberrátion 〖광학〗 색수차(色收差)
chromátic cólor 〖광학〗 유채색
chro·mat·i·cism [kroumǽtəsìzm, krə-] *n.* Ⓤ 〖음악〗 반음계주의(半音階主義); 반음계음의 사용
chro·ma·tic·i·ty [kròumətísəti] *n.* Ⓤ 〖광학〗 색도(色度)
chro·mat·ics [kroumǽtiks, krə-] *n. pl.* [단수 취급] 색채론, 색채학(chromatology)
chromátic scále 〖음악〗 반음계

thesaurus **chronic** *a.* **1 만성적인** persistent, long-lasting, long-standing, constant, continuous, incessant, lingering, unabating, deep-rooted

chromátic sémitone 〖음악〗 반음계적 반음
chromátic sígn 〖음악〗 반음 기호 《♯, ♭, ♮ 등》
chro·ma·tid [króumətid] *n.* 〖생물〗 염색분체
chro·ma·tin [króumətin] *n.* Ⓤ 〖생물〗 (세포핵 내의) 염색질, 크로마틴
chro·ma·tism [króumətìzm] *n.* Ⓤ **1** 〖의학〗 색채 환각(幻覺) **2** 〖광학〗 = CHROMATIC ABERRATION **3** 〖식물〗 (잎 등의 녹색 부분의) 변색
chro·ma·tist [króumətist] *n.* 색채학자
chro·ma·to·gram [kroumǽtəgræ̀m | -grɑ̀:m] *n.* 〖화학〗 크로마토그램, 색층렬(色層列)
chro·ma·to·graph [kroumǽtəgræ̀f | -grɑ̀:f] *n.* **1** 《고어》 착색판, 색채 인쇄기 **2** 색층(層) 분석 장치, 크로마토그래프 **—** *vt.* **1** 색채 인쇄하다 **2** 색층 분석하다
chro·ma·tog·ra·phy [kròumətɑ́grəfi | -tɔ́g-] *n.* Ⓤ 〖화학〗 색층(色層) 분석 **-pher** *n.* **chro·ma·to·graph·ic** [kroumæ̀təgrǽfik] *a.*
chro·ma·tol·o·gy [kròumətɑ́lədʒi | -tɔ́l-] *n.* Ⓤ = CHROMATICS; 색채에 관한 논문
chro·ma·tol·y·sis [kròumətɑ́ləsis | -tɔ́l-] *n.* 〖생물〗 염색질 융해
chro·mat·o·phore [krəmǽtəfɔ̀:r, króumət-] *n.* 〖동물〗 색소 세포; 〖식물〗 색소체, 유색체
chro·ma·top·sia [kròumətɑ́psiə | -tɔ́p-] *n.* 〖병리〗 착색시증(着色視症); 색채 시각 이상
chro·mat·o·scope [kroumǽtəskòup, krə-, króumət-] *n.* 크로마토스코프 《여러 색의 광선을 혼합색으로 만드는 장치》
chro·ma·trope [króumətròup] *n.* (환등의) 회전 채광판
chro·ma·type [króumətàip] *n.* ⓊⒸ 크롬지(紙) 사진(법), 컬러 사진
chrome [króum] *n.* Ⓤ **1** 〖화학〗 크롬(chromium) **2** 크롬 합금; 크롬 도금 **3** 크롬 염료 **4** = CHROME YELLOW **—** *vt.* **1** 크롬 염료로 염색하다 **2** (금속에) 크롬 도금을 하다 **3** 〈가죽을〉 크롬 처리하다
-chrome [kròum] 《연결형》 「(…)색의 (것); …색소(色素)」의 뜻
chróme gréen 크롬그린 《녹색 안료》
chróme léather 크롬 가죽 《제화용》
chrome·plate [króumplèit] *vt.* …에 크롬 도금을 하다
chróme réd 크롬레드 《적색 안료》
chróme stéel 〖야금〗 크롬강(鋼) 《스테인리스 스틸의 일종》
chróme yéllow **1** 크롬옐로, 황연(黃鉛) 《황색 안료(顔料)》 **2** 〖색채〗 크롬옐로 《황색》
chro·mic [króumik] *a.* 〖화학〗 3가(價)의 크롬을 함유하는, 크롬산(酸)의
chrómic ácid 크롬산
chro·mi·nance [króumənəns] *n.* 〖광학〗 색차(色差): a ~ signal 색신호(色信號)
chro·mite [króumait] *n.* **1** Ⓤ 〖광물〗 크롬철광 **2** 〖화학〗 아(亞)크롬산염
chro·mi·um [króumiəm] *n.* Ⓤ 〖화학〗 크롬(chrome) 《금속 원소; 기호 Cr, 번호 24》
chro·mi·um-plate [króumiəmplèit] *n.* 크롬 도금 **—** *vt.* …에 크롬 도금을 하다 **-plàt·ed** *a.*
chrómium stéel = CHROME STEEL
chro·mo [króumou] *n.* (*pl.* **~s**) **1** = CHROMOLITHOGRAPH **2** 《호주·속어》 창녀, 매춘부
chromo- [króumou, -mə] 《연결형》 = CHROM-
chro·mo·dy·nam·ics [kròumədainǽmiks] *n. pl.* [단수 취급] 〖물리〗 색역학(色力學) 《color force를 다루는 이론》 **chrò·mo·dy·nám·ic** *a.*
chro·mo·gen [króumədʒən, -dʒèn] *n.* 〖화학〗 색원체(色原體) 《물감의 바탕이 되는 물질》

(opp. *temporary, acute, mild*) **2** 상습적인 inveterate, confirmed, habitual, hardened
chronicle *n.* register, record, annals, calender

chro·mo·gen·ic [kròumədʒénik] *a.* **1** 색을 발하는 **2** 〖화학〗 색원체(色原體)의 **3** 〈박테리아가〉 특정 원소를 생산하는
chro·mo·graph [króuməgræ̀f | -grɑ̀:f] *n.* **1** = CHROMOLITHOGRAPH **2** 〖화학〗 정색(呈色) 시험
chro·mo·lith·o·graph [kròuməlíθəgræ̀f | -grɑ̀:f] *n.* 다색 석판 인쇄(한 그림)
— *vt.* 다색 석판으로 인쇄[복사]하다
chro·mo·li·thog·ra·pher [kròumouliθɑ́grəfər | -θɔ́g-] *n.* 다색 석판 인쇄자
chro·mo·lith·o·graph·ic [kròumoulìθəgrǽfik] *a.* 다색 석판(술)의
chro·mo·li·thog·ra·phy [kròumouliθɑ́grəfi | -θɔ́g-] *n.* Ⓤ 다색 석판술
chro·mo·mere [króuməmìər] *n.* 〖생물〗 염색소립 《이것이 연속하여 염색체를 구성함》
chro·mo·ne·ma [kròuməní:mə] *n.* (*pl.* **~·ta** [-tə]) 〖생물〗 염색사(絲), 나선사
chro·mo·phil [króuməfìl] *a.* 〈세포 조직 등이〉 쉽게 착색되는, 가염성(可染性)의, 호염색성(好染色性)의
— *n.* 가염성 세포[조직, 물질], 색소 친화체(親化體)
chro·mo·pho·to·graph [kròumoufóutəgræ̀f | -grɑ̀:f] *n.* 천연색 사진
chro·mo·pro·tein [kròumoupróuti:n] *n.* 〖생화학〗 색소 단백질
chro·mo·some [króuməsòum] *n.* 〖생물〗 염색체 (cf. CHROMATIN) **chrò·mo·sóm·al** *a.*
chrómosome màp 〖유전〗 염색체 지도
chrómosome nùmber 〖유전〗 염색체수
chrómosome translocàtion 〖유전〗 염색체 전좌(轉座)
chro·mo·sphere [króuməsfìər] *n.* 〖천문〗 채층(彩層) 《태양 광구면(光球面) 주위의 백열 가스층》
chro·mo·type [króumətàip] *n.* 착색판 인쇄; 천연색 사진
chro·mous [króuməs] *a.* 〖화학〗 2가(價)의 크롬을 함유한, 제1크롬의
chron. chronicle; chronograph; chronological(-ly); chronology; chronometry **Chron.** 〖성서〗 Chronicles
chron- [krɑn, kroun | krɔn], **chrono-** [krɑ́nou, -nə, króun- | krɔ́nə, króunou] 《연결형》 「때(time)」의 뜻 《모음 앞에서는 chron-》: *chrono*meter
∗**chron·ic** [krɑ́nik | krɔ́n-] [L 「연대순의, 영속적인」의 뜻에서] *a.* **1** 장기간에 걸친, 오래 계속하는, 만성적인 **2** 버릇이 된, 상습적인 **3** 〈병이〉 만성의(opp. *acute*), 고질의: a ~ disease 만성병 **4** 《영·구어》 싫은, 심한 ***something*** **~** 《영·속어》 매우, 심하게
— *n.* 만성병 환자, 지병을 지닌 사람
chron·i·cal [krɑ́nikəl | krɔ́n-] *a.* = CHRONIC
~·ly *ad.* 만성적으로, 질질 시간을 끌어
chrónic fatígue sỳndrome 〖병리〗 만성 피로 증후군 《略 CFS》
chro·nic·i·ty [krɑnísəti | krɔ-] *n.* (병 등의) 만성
∗**chron·i·cle** [krɑ́nikl | krɔ́n-] *n.* **1** 연대기(年代記), 편년사(編年史); 기록, 이야기: The Anglo-Saxon *C*~ 앵글로 색슨 연대기 / a ~ of the war 전기(戰記) **2** [the C~; 신문명에 써서] …신문: *the* News *C*~ 뉴스크로니클 《런던에서 발행되던 전국 조간지》 **3** [the C~s; 단수 취급] 〖성서〗 역대기(歷代記) 《구약 중의 상하 2권; 略 Chron.》
— *vt.* 연대기에 싣다, 연대순으로 기록하다, 기록에 올리다; 열거하다; 상술(詳述)하다
chrónicle plày[history] 사극(史劇)
chron·i·cler [krɑ́niklər | krɔ́n-] *n.* 연대기 작자[편자]; (사건의) 기록자
chrónic obstrúctive púlmonary disèase 〖병리〗 만성 폐쇄성 폐(肺)질환 《폐기종, 기관지염 등; 略 COPD》
chron·o·bi·ol·o·gy [krɑ̀noubaiɑ́lədʒi | krɔ̀noubaiɔ́l-] *n.* 시간 생물학 《생체 내에서 인지되는 주기적

현상을 다룸》 **-gist** *n.*

chron·o·gram [kránəgræ̀m | krɔ́n-] *n.* 연대 표시명(銘) 《글 가운데 큰 자로 쓴 로마자를 숫자로서 합하면 연대가 표시되도록 한 것》; 그것에 의한 기록 **chròn·o·gram·mát·ic** [-grəmǽtik] *a.*

chron·o·graph [kránəgræ̀f | krɔ́nəgrɑ̀:f] *n.* **1** 크로노그래프 《시간을 도형적으로 기록하는 장치》 **2** 스톱워치 **chròn·o·gráph·ic** *a.*

chronol. chronological; chronology

chro·nol·o·ger [krənɑ́lədʒər | -nɔ́l-] *n.* = CHRONOLOGIST

chron·o·log·i·cal [krɑ̀nəlɑ́dʒikəl | krɔ̀nəlɔ́dʒ-], **-ic** [-ik] *a.* **1** 연대순의: in ~ order 연대순으로 **2** 연대학의; 연대기의, 연표의: a ~ table 연표 **-i·cal·ly** *ad.* 연대순으로

chronológical áge 〚심리〛 역연령(曆年齡), 생활 연령 《略 C.A.》

chro·nol·o·gist [krənɑ́lədʒist | -nɔ́l-] *n.* 연대[연표]학자

chro·nol·o·gize [krənɑ́lədʒàiz | -nɔ́l-] *vt.* 연대순으로 배열하다, …의 연표를 만들다

chro·nol·o·gy [krənɑ́lədʒi | -nɔ́l-] *n.* (*pl.* **-gies**) **1** (사건의) 연대순 배열 **2** 연대기, 연표 **3** Ⓤ 연대학

chro·nom·e·ter [krənɑ́mətər | -nɔ́m-] *n.* **1** 크로노미터 《정밀한 경도(經度) 측정용 시계》 **2** = METRONOME **3** 《구어》 매우 정확한 (손목)시계

chron·o·met·ric, -ri·cal [krɑ̀nəmétrik(əl) | krɔ̀n-] *a.* 크로노미터의[로 측정한] **-ri·cal·ly** *ad.*

chro·nom·e·try [krənɑ́mətri | -nɔ́m-] *n.* Ⓤ 시간 측정(법), 시간 측정학

chro·non [króunɑn | -nɔn] *n.* 〚물리〛 크로논 《가설적인 시간적 양자로서 광자가 전자의 직경을 가로지르는 데 요하는 시간; 약 10^{-24}초》

chron·o·pher [kránəfər, króun- | krɔ́n-] *n.* 라디오 시보기(時報器)

chron·o·scope [kránəskòup | krɔ́n-] *n.* 크로노스코프 《광속(光速) 등을 재는 초(秒)시계》

chrys- [kris], **chryso-** [krísə, -sou] 《연결형》 〚화학·광물〛 「황색의, 금빛의, 금의」의 뜻 《모음 앞에서는 chrys-》

chrys·a·lid [krísəlid] 〚곤충〛 *a.* 번데기의 **—** *n.* = CHRYSALIS

chrys·a·lis [krísəlis] *n.* (*pl.* **~·es, chry·sal·i·des** [krisǽlədi:z]) **1** 〚곤충〛 (특히 나비의) 번데기 (cf. PUPA) **2** 준비 시대, 과도기

***chry·san·the·mum** [krisǽnθəməm] [Gk 「금빛의 꽃」의 뜻에서] *n.* 〚식물〛 국화; [**C~**] 국화속(屬)

chrys·a·ro·bin [krìsəróubin] *n.* 〚약학〛 크리사로빈 《피부병 외용약》

Chry·se·is [kraisí:əs] *n.* 〚그리스신화〛 크리세이스 《트로이 전쟁 때 그리스군에 잡힌 미인》

chrys·el·e·phan·tine [krìseləfǽntin, -tain | -tain] *a.* 금과 상아로 만든 《그리스 조각 등》

Chrys·ler [kráislər | kráizlə] *n.* 크라이슬러 《미국 Chrysler사제의 자동차; 상표명》

chrys·o·ber·yl [krísəbèrəl] *n.* Ⓤ 〚광물〛 크리소베릴, 금록석(金綠石) 《보석》

chrys·o·graph [krísəgræ̀f | -grɑ̀:f] *n.* 금니(金泥)로 쓴 사본 **—** *vt.* 금니로 쓰다

chrys·o·lite [krísəlàit] *n.* Ⓤ 〚광물〛 귀감람석(貴橄欖石)

chrys·o·prase [krísəprèiz] *n.* Ⓤ 〚광물〛 녹옥수(綠玉髓)

chrys·o·tile [krísətàil, -til] *n.* 〚광물〛 온석면(溫石綿), 크리소타일

chs. chapters

chtho·ni·an [θóuniən] *a.* = CHTHONIC

chthon·ic [θɑ́nik | θɔ́n-] *a.* 〚그리스신화〛 땅속[지하]에 사는; 지하의 신들의

Chuang-tzu [tʃwɑ́:ŋtsú:] *n.* **1** 장자(莊子) 《기원전 4세기경의 중국의 신비론자·철학자》 **2** 「장자」 《장자의 도교(道敎)에 관한 저작》

chub [tʃʌ́b] *n.* (*pl.* **~, ~s**) **1** 〚어류〛 처브 《유럽산 잉엇과(科) 황어속(屬)의 담수어》 **2** 《미·속어》 텍사스 주 사람

chub·by [tʃʌ́bi] *a.* (**-bi·er**; **-bi·est**) 토실토실 살찐; 〈얼굴이〉 통통한 **—** *n.* (*pl.* **-bies**) [*pl.*] 《미·속어》 잘생긴 가슴[유방] **chúb·bi·ly** *ad.* 토실토실 살찐 사람처럼 **chúb·biness** *n.*

chúb pàckage 원통식[로켓식] 포장 《소시지처럼 원통형의 양쪽 끝을 묶은 포장 형태》

***chuck**[1] [tʃʌ́k] *vt.* **1** 《구어》 내던지다(hurl): (~+목+부) ~ *away* rubbish 쓰레기를 내버리다 **2** 〈의안 등을〉 부결하다; 《구어》 〈일·계획 등을〉 중지하다, 포기하다(give up), (싫어져서) 그만두다, 난님하다 《*up*》: (~+목+부) ~ (*up*) one's job 사직하다 **3** 《구어》 (회의장·방 등에서) 끌어내다, 쫓아내다: (~+목+전+명) ~ a drunken man *out of* a pub 술집에서 주정뱅이를 끌어내다 **4** (턱 밑을 장난으로) 가볍게 찌르다[치다] 《*under*》 **5** 〈음식물을〉 뱉다, 토하다 **6** 〈지면의〉 장애물을 제거하다 **7** 〚크리켓〛 (규칙을 위반하여) (투수에게) 〈공을〉 던지다

— *vi.* 《미·속어》 토하다, 뱉다 《*up*》; 게걸스레 먹다

~ away 〈시간·돈을〉 낭비하다; 〈기회를〉 놓치다(lose) ***~ down*** 메어치다 ***~ it*** 《속어》 그만두다; [명령] (귀찮아) 그만둬 ***C~ it in!*** 《속어》 그만둬! 집어치워! ***~ off*** 〈물건을〉 내던지다; 〈사람에게서〉 달아나다; 〈나쁜 일에서〉 해방되다 ***~ out*** 내던지다; 〈폭한(暴漢)을〉 끌어내다; 《영》 〈의안·동의를〉 부결하다 ***~ over*** 돌연 관계를 끊다 ***~ oneself away on*** 《구어》 《(남이 보아서) 시시한 사람과》 결혼하다, 사귀다; …에 시간[돈, 수고]을 들이다 ***~ a person under the chin*** 《영》 …의 턱을 토닥거리다 ***~ up*** 《구어》 (싫증나서) 내던지다, 단념하다; 《속어》 토하다

— *n.* **1** (턱 밑을) 가볍게 찌르기[치기] **2** 《구어》 휙 던지기 **3** [the ~] 《영·속어》 〈남을〉 해고하기[버리기] ***get the ~*** 《영·속어》 해고당하다 ***give a person the ~*** 《영·속어》 (별안간에) 해고하다; (갑자기) 관계를 끊다

chuck[2] *n.* **1** 목정 《소의 목 둘레의 살》 **2** (선반(旋盤) 등의) 척, 손잡이 **3** (가방·의복 등의) 척, 지퍼(zipper) **4** 《미·구어》 음식물

— *vt.* 척에 끼우다, 척으로 고정시키다

chuck[3] *int., n.* **1** [보통 chuck, chuck!] 이랴! 낄낄! 《말을 몰 때 하는 소리》; 구! 구! 《닭을 부르는 소리》 **2** 귀여운 것 《아이·아내 등을 부르는 애칭어(愛稱語)》 **—** *vt.* 〈닭을〉 구구 하고 부르다, 이랴 하고 〈말을〉 몰다 **—** *vi.* 〈암탉이〉 구구 하고 울다

chuck-a-luck [tʃʌ́kəlʌ̀k], **chuck-luck** [tʃʌ́klʌ̀k] *n.* Ⓤ 《미》 주사위 3개로 하는 내기

chuck·er-out [tʃʌ́kəráut] *n.* (*pl.* **chuck·ers-out**) 《영》 경비원(《미》 bouncer) 《극장·술집 등에서 말썽꾼을 내모는》

chuck-far·thing [tʃʌ́kfɑ̀:rðiŋ] *n.* (일종의) 돈치기 ***play (at) ~ with*** …을 위험을 생각지 않고 해 보다

chuck-full [tʃʌ́kfúl] *a.* = CHOCK-FULL

chuck·hole [tʃʌ́khòul] *n.* (포장 도로상의) 구멍

***chuck·le** [tʃʌ́kl] *n.* **1** 킬킬 웃음, 싱그레 웃음 **2** (암탉이 병아리를 부르는) 꼬꼬 하는 소리

— *vi.* **1** 킬킬 웃다, 싱글싱글 웃다, 만족한 미소를 짓다 《*at, over, with*》; 만족해하다 《*at*》 (⇨ laugh 유의어) **2** 꼬꼬 울다(cluck)

chúck·ler *n.* **~·some** *a.* **chúck·ling·ly** *ad.*

chuck·le·head [tʃʌ́klhèd] *n.* 《구어》 바보, 멍청이 **~·ed** *a.* **~·ed·ness** *n.*

chúck wàgon 《미서부》 **1** 취사(炊事) 마차 《농장·목장용》 **2** 길가의 작은 식당

chud·dar, -der [tʃʌ́dər] *n.* = CHADOR

chud·dies [tʃʌ́diz] *n. pl.* 《영》 팬츠(underpants) ***Kiss my ~!*** 《영·속어》 엿 먹어라! 《화가 나서》

chuff[1] [tʃʌ́f] *n.* (*pl.* **~s**) **1** 시골뜨기, 버릇없는 사람 **2** 수전노, 구두쇠

chuff[2] *n.*, *vi.* =CHUG
chuff[3] *vt.* 《영·속어》 기운을 북돋우다, 격려하다, 기쁘게 하다 《*up*》
chuff[4] *n.* 《속어》 엉덩이; 음모(pubic hair)
chuffed[1] [tʃʌ́ft] *a.* 《영·구어》 즐거운
chuffed[2] *a.* 《영·구어》 불쾌한
chuf·fing [tʃʌ́fiŋ] *n.* 〖항공〗 소리떨림 연소(燃燒) 《로켓 연료의 불안정 연소의 일종》
chuff·y [tʃʌ́fi] *a.* (**chuff·i·er**; **-i·est**) **1** 《영·방언》 촌스러운, 천한, 야비한; 무뚝뚝한 **2** 《방언》 살이 쪄 둥글둥글한, 통통한(chubby)
chúff·i·ly *ad.* **chúff·i·ness** *n.*
chug [tʃʌ́g] *n.* (발동기·기관차 등의) 칙칙폭폭 하는 소리 **—***vi.* (**~ged**; **~·ging**) 《구어》 칙칙폭폭 소리를 내다[소리내며 나아가다] 《*along*》; 《미·속어》 〈잠수함이〉 물속에서 천천히 나아가다 **~·ger** *n.*
chug·a·lug, chug-a-lug [tʃʌ́gəlʌ̀g] [의성어] *vt.*, *vi.* (**~ged**; **~·ging**) 《미·속어》 단숨에 들이켜다, 꿀꺽꿀꺽 마시다 **—***ad.* 단숨에, 한 번에 꿀꺽하고
chug·ger [tʃʌ́gər] [*ch*arity+m*ugger*] *n.* 처거 《거리에서 행인들을 대상으로 한 자선 기금 모금자》
chuk·ka [tʃʌ́kə] *n.* **1** 《영》 =CHUKKER **2** 처커 부츠(=**~ bòot**) 《두 쌍의 끈구멍이 있고 복사뼈까지 덮이는 신》
chuk·ker, -kar [tʃʌ́kər] *n.* 〖폴로〗 1회 《한 시합은 8회》(cf. INNING)
***chum**[1] [tʃʌ́m] *n.* **1** 《구어》 **친구**, 동무, (학생의) 한 반[동창] 친구; 동료 **2** 《호주》 이민: a new[an old] ~ 신참[고참] 이민 **3** =ROOMMATE
—*vi.* (**~med**; **~·ming**) 《구어》 [보통 ~ up] 사이좋게 지내다, 친구가 되다 《*together*, *with*》; 한 방에 살다 《*on*》
—*vt.* **1** 《영》 (기숙사 등에서) 〈…을〉 (…와) 같은 방을 쓰게 하다 **2** 〈…을〉 따라서 가다 **~ *around with*** 《미·구어》 …와 친하게 사귀다 **~ *the fish*** 《미·속어》 토하다, 게우다 **~·shìp** *n.* ▷ chúmmy *a.*
chum[2] *n.* (낚시의) 밑밥 **—***vi.* (**~med**; **~·ming**) 밑밥을 뿌리고 낚시질하다
chum·ble [tʃʌ́mbl] *vt.*, *vi.* 갉다, 물다
chum·mage [tʃʌ́midʒ] *n.* **1** 《구어》 합숙, 동숙 (제도); 방세 《동숙자가 분담하는》 **2** 《영·속어》 텃세돈, 신고료 《감방에서 신입 죄수가 고참 죄수에게 바치는 돈》
chum·mer·y [tʃʌ́məri] *n.* (*pl.* **-mer·ies**) **1** 《인도》 합숙소 **2** 한 방에 사는 친구
chum·my [tʃʌ́mi] 《구어》 *a.* (**-mi·er**; **-mi·est**) 사이좋은, 친한; 붙임성 있는 《*with*》 **—***n.* (*pl.* **-mies**) 친구(chum) **chúm·mi·ly** *ad.* **chúm·mi·ness** *n.*
chump [tʃʌ́mp] *n.* **1** 《구어》 바보, 멍청이(blockhead); 《미·속어》 잘 속는 사람, 봉 **2** 짧고 뭉뚝한 나무토막 **3** (양다리 고기의) 굵직한 쪽(=**~ chòp**) **4** 《영·속어》 머리, 대가리 **5** 《미·속어》 (카니발·서커스의) 손님 ***make a ~ out of*** 《속어》 …에게 창피를 주다 ***off*** one**'*s ~*** 《영·속어》 머리가 좀 이상하여; 흥분하여
—*vt.* **1** 《영·속어》 속이다 **2** 《미·흑인속어》 깔보다, 업신여기다
chun·der [tʃʌ́ndər] 《호주·구어》 *n.*, *vi.*, *vt.* 구역질(을 하다)
Chung·king [tʃúŋkíŋ] *n.* =CHONGQING
chunk[1] [tʃʌ́ŋk] *n.* **1** 큰 덩어리 《치즈·빵·고깃덩이·나무 등의》 **2** 상당한 양[액수]: a ~ of money 상당한 금액 **3** 《미·구어》 땅딸막하고 야무진 사람[짐승] **4** 《미·속어》 섹스; 여자 **5** 《미·속어》 대마의 환각제 **6** 《캐나다》 피스톨 ***blow ~s*** 《속어》 게워내다, 토하다
—*vt.* **1** (몇 개의) 덩어리로 나누다 **2** …에서 덩어리를 제거하다 《*out*》 **—***vi.* 덩어리가 되다; 동강나다
chunk[2] *vt.* 《미·구어》 〈물건을〉 내던지다; 〈불에〉 장작을 지피다 《*up*》 **—***vi.* 〈기계 등이〉 덜커덩[탕, 딱, 쾅] 소리를 내다 **~ *up*** 장작을 넣다
chunk·ing [tʃʌ́ŋkiŋ] *n.* Ⓤ 〖언어〗 (문장을 의미 단위로) 끊어 사용하기, 유의적 단위 짓기
chunk·y [tʃʌ́ŋki] *a.* (**chunk·i·er**; **-i·est**) 《구어》 **1** 짤막하고 딱 바라진, 앙바틈한 **2** 〈잼 등이〉 덩어리가 든 **chúnk·i·ly** *ad.* **chúnk·i·ness** *n.*
chun·nel [tʃʌ́nl] [*ch*annel+t*unnel*] *n.* 《구어》 **1** (철도용) 해저 터널 **2** [**C~**] 《영》 영불(英佛) 해저 터널
chun·ter [tʃʌ́ntər] *vi.* 《영·구어》 투덜거리다, 불평하다 《*on*》
*****church** [tʃə́ːrtʃ] [Gk 「주의 (집)」의 뜻에서] *n.* **1** (기독교의) **교회**(당), 성당 《영국에서는 주로 국교회의 회당을 말함; cf. CHAPEL》 **2** ⓊⒸ (교회의) **예배**(service): be at[in] ~ 예배 중이다/after ~ 예배가 끝난 후에/between ~*es* 예배 시간과 예배 시간 사이에 **3** [**C~**] (교파의 의미에서) **교회**; 교회 조직; 교파 **4** [the C~; 집합적] (전)그리스도 교도 **5** Ⓤ (국가에 대하여) 교회; 교권(敎權) **6** [the ~] 성직(聖職) **7** [the ~; 집합적] (교회의) 회중(會衆)(congregation) **8** 신도의 조합, 교구(敎區) **9** 기독교 (신앙)
(***as***) ***poor as a ~ mouse*** 몹시 가난하여 ***go into*** [***enter***] ***the ~*** 성직자가 되다, 성직에 취임하다(take orders) ***go to*** [***attend***] ***~*** 교회에 가다, 예배보다 ***talk ~*** 종교(적인) 이야기를 하다 ***the Protestant C~*** 개신교교회 ***the C~ of Christ*** 전그리스도 교도 ***the C~ of Christ, Scientist*** Christian Science의 공식 명칭 ***the C~ of England*** = ***the Anglican*** [***English***] ***C~*** 영국 국교회, 성공회(聖公會) ***the C~ of Jesus Christ of Latter-day Saints*** 말일 성도 예수 그리스도 교회 《Mormon Church의 정식 명칭》 ***the C~ of Scotland*** 스코틀랜드 국교회 《장로파》 ***the established*** [***state***] ***~*** 국교 ***the Presbyterian C~*** 장로 교회 ***the visible*** [***invisible***] ***~*** ⇨ church visible[invisible]
—*a.* **1** Ⓐ 교회의: a ~ wedding 교회 결혼식 **2** Ⓟ 《영》 국교도의, 국교회에 속하는: Are you ~, or chapel? 당신은 국교회입니까, 비국교회입니까?
—*vt.* **1** (특별 예배를 위하여) 〈사람을〉 교회에 안내하다 **2** [보통 수동형으로] 〈부인을 산후의 감사 기도를 위해〉 교회에 데리고 가다[오다], 산후의 감사 예배를 올리다 **3** 〈사람을〉 교회 규칙으로 훈계하다
Chúrch Ármy 처치 아미 《1882년 창설된 영국 국교회의 구세군과 같은 전도 봉사 단체》
Chúrch Assémbly [the ~] 영국 국교회 총회
Chúrch Commíssioners 영국 국교회 재무 위원회
church·go·er [tʃə́ːrtʃgòuər] *n.* (규칙적으로) 교회에 나가는 사람, 꾸준한 예배 참석자
church·go·ing [-gòuiŋ] *n.*, *a.* (규칙적으로) 교회에 나감[나가는], 예배 참석(의)
***Church·ill** [tʃə́ːrtʃil] *n.* 처칠 **Sir Winston** (**Leonard Spencer**) **~** (1874-1965) 《영국의 정치가·저술가; 수상(1940-45, 1951-55)》
Church·ill·i·an [tʃəːrtʃíliən] *a.* 처칠(가)의[같은]
church·ing [tʃə́ːrtʃiŋ] *n.* Ⓤ 〖그리스도교〗 순산(順産) 감사식(感謝式)
chúrch invísible [the ~] 보이지 않는 교회, 재천(在天) 교회(opp. *church visible*)
church·ism [tʃə́ːrtʃizm] *n.* Ⓤ **1** 교회 의식의 고수(固守), 교회주의 **2** 《영》 국교회주의
chúrch kèy 《미·속어》 (끝이 삼각형으로 뾰족한) 맥주 깡통 따개(can opener)
church·less [tʃə́ːrtʃlis] *a.* **1** 교회가 없는 **2** 교회에 속하지 않는; 무종교의 **3** 교회의 승인이 없는
church·ly [tʃə́ːrtʃli] *a.* **1** 교회의[에 관한]; 종교상의 **2** 교회에 충실한; 교회에 어울리는
***church·man** [tʃə́ːrtʃmən] *n.* (*pl.* **-men** [-mən]) **1** 성직자, 신부, 목사(clergyman) **2** 교회 신자; 《영》 국교회 신자, 국교도(cf. DISSENTER 2)
~·ly *a.* **~·shìp** *n.* churchman의 태도[신념, 생활]
chúrch mílitant [the ~; 종종 **C- M-**] 전투[싸움]의 교회 《현세의 악과 싸우는 지상의 기독교도들》
chúrch mòde 〖음악〗 교회선법 《그레고리오 성가 및 1600년경까지 음악의 기초를 이룬 기법》
chúrch paráde 《영》 **1** (정상적인 군무(軍務)의 일

부로 행해지는) 예배 **2** 《구어》 (주일 예배를 마치고) 교회에서 나오는 교인들의 열(列)
chúrch ràte 《영》 (교구의) 교회 유지세(稅)
chúrch régister 《구어》 (세례·결혼·사망 등을 기록한) 교구 기록부(parish register)
chúrch schòol 교회 (부속) 학교; 일요 학교
chúrch sèrvice **1** 예배(식) **2** 영국 국교회 기도서
chúrch tèxt 〖인쇄〗 = BLACK LETTER
chúrch tìme 예배 시간
chúrch triúmphant [the ~; 종종 **C- T-**] 승리「개선」의 교회 《현세에서 악과 싸워서 승천한 천상의 기독교도들》
chúrch vísible [the ~] 보이는 교회, 현세의 교회 《참다운 교인과 거짓 신자가 혼재함; opp. *church invisible*》
church·ward [tʃə́:rtʃwərd] *ad.* 교회 쪽으로
— *a.* 교회 쪽으로의
church·ward·en [-wɔ̀:rdn] *n.* **1** (영국 국교회의) 교구 위원 **2** 《영》 기다란 사기 담뱃대
church·wards [tʃə́:rtʃwərdz] *ad.* = CHURCHWARD
church·wom·an [-wùmən] *n.* (*pl.* **-wom·en** [-wìmin]) **1** 교회 여신도 **2** 《영》 국교회의 여신도
church·y [tʃə́:rtʃi] *a.* (**church·i·er**; **-i·est**) 교회의 규율·신조를 엄격히 지키는, 교회만 중요시하는; 교회 만능주의의
church·yard** [tʃə́:rtʃjɑ̀:rd] *n.* (교회의) 뜰, 경내; (교회 부속의) 묘지(cf. CEMETERY): A green Christmas[Yule] makes a fat ~. 《속담》 크리스마스가 따뜻해서 눈이 오지 않는 해에는 질병이 유행하여 죽는 사람이 많다. ~ ***cough 《영·구어》 (숨이 넘어갈 듯한) 심한 기침
chu·ri·dars [tʃú:ridɑ̀:rz] *n. pl.* 추리다르 《인도 사람들이 입는 딱 붙는 바지》
churl [tʃə́:rl] *n.* **1** 거친[무뚝뚝한] 남자, 심술꾸러기; 시골뜨기 **2** 신분이 낮은 사람(opp. *gentleman*); 비천한 사람 **3** 인색한 사람 **4** 〖영국사〗 (중세의) 최하층의 자유민 ***put a ~ upon a gentleman*** 좋은 술을 마신 뒤에 나쁜 술을 마시다
churl·ish [tʃə́:rliʃ] *a.* **1** 야비한, 천한 **2** 농부의, 백성의 **3** 인색한, 구두쇠의; 심술궂은 **4** 〈토양 등이〉 경작하기 어려운 **~·ly** *ad.* **~·ness** *n.*
churn [tʃə́:rn] *n.* **1** 교유기(攪乳器), 버터 제조기: a ~ dasher 교유 장치 **2** 음료 교반기(攪拌器) **3** 《영》 (운반용의) 대형 우유통 **4** 교반 (상태); 격렬한 움직임, 격동 **5** (증권 등의) 과도[과열] 매매 회전
— *vt.* **1** (교유기로) 휘젓다, (통에 넣어 휘저어) 〈버터를〉 만들다; 〈물·흙 등을〉 거세게 휘젓다 (*up*) **2** 〈바람 등이 파도를〉 일게 하다, 거품나게 하다 **3** 괴롭히다, 고민하게 하다 **4** 《속어》 (계산서의 액수를 늘리기 위하여) 〈고객에게〉 불필요한 절차를 밟게 하다, 필요 이상의 서비스를 제공하여 바가지를 씌우다 **5** 〈고객의 증권을〉 과도하게 매매 회전시키다
— *vi.* **1** 교유기를 돌리다; 교유기로 버터를 만들다 **2** 〈파도 등이〉 거품지며 물가에 부딪치다 **3** 〈스크루 등이〉 거세게 돌다 **4** 〈군중 등이〉 우왕좌왕하다 **5** 〈증권업자가〉 과도하게 매매 회전을 하다 **6** (은행·전화국·인터넷 등 서비스 제공자의) 조건이 유리한 쪽으로 바꾸다[옮기다] ~ ***out*** 《구어》 〈영화·제품 등을〉 대량으로 잇따라 만들다, 대량 생산하다
~·a·ble *a.* **~·a·bíl·i·ty** *n.* **~·er** *n.*

churn *n.* 1

churn·ing [tʃə́:rniŋ] *n.* Ⓤ **1** 교유, 우유 젓기 **2** 1회 제조분의 버터
chúrn ràte 〖경영〗 고객 이탈률
chúrn stàff 교유 막대
churr [tʃə́:r] 〖의성어〗 *vi.* 〈쏙독새·귀뚜라미 따위가〉 찍찍[쪽쪽] 하고 울다 — *n.* 찍찍[쪽쪽] 우는 소리
chur·ri·gue·resque [tʃùərigərésk] *a.* 추리게라식(式)의 《17세기 말부터 18세기 초기에 걸쳐서 스페인 및 그 식민지에서 나타난 바로크식 건축》
chur·ro [tʃúrou] *n.* (*pl.* **~s**) 〖요리〗 추로 《스페인의 튀긴 디저트》
chut [tʃt, tʃʌ́t] 〖의성어〗 *int.* 체!, 쯧쯧! 《혀를 차는 소리; 초조함을 나타냄》
chute [ʃú:t] 〖F 「낙하」의 뜻에서〗 *n.* **1** 비탈진 수로, 낙숫물 도랑, 활강 사면로(斜面路)(cf. SHOOT[1]): a ~ conveyor 자동 활송(滑送) 운반 장치 / a letter ~ 레터슈트 《우편물 투하 장치》 **2** 급류, 여울, 폭포 **3** 《구어》 = PARACHUTE **4** 《미》 (경마의) 직선 코스의 연장 부분; (카레이스에서의) 직선 코스
go down the ~ 《비·구어》 = go down the TUBE(S) ***out of the ~*** 최초에, 처음에
— *vi.* 낙하산으로 강하하다
Chútes and Ládders 《미》 미끄럼틀과 사다리 놀이 《아동용 보드 게임의 일종》(cf. SNAKES AND LADDERS)
chute-the-chute(s) [ʃú:tðəʃù:t(s), ʃú:təʃù:t(s)] *n.* 《미》 **1** = ROLLER COASTER 1; = WATER CHUTE **2** 급커브 **3** 《비유》 급격한 변화
chute-troop·er [ʃú:ttrù:pər] *n.* 《구어》 낙하산 부대병(parachute-trooper)
chut·ist [ʃú:tist] *n.* 《구어》 = PARACHUTIST
chut·ney, -nee [tʃʌ́tni] *n.* 처트니 《카레 따위에 치는 달콤하고 시큼한 인도의 조미료》
chutz·pah, -pa [hútspə, xúts-] *n.* Ⓤ 《구어》 뻔뻔스러움, 철면피
chyle [káil] *n.* Ⓤ 〖생리〗 유미(乳糜) **chý·lous** *a.*
chyme [káim] *n.* Ⓤ 〖생리〗 유미즙(汁)
chy·mo·pa·pa·in [kàimoupəpéiin, -páiin] *n.* 〖생화학〗 키모파파인 《파파이아에 함유되어 있는 단백질 분해 효소》
chy·mo·tryp·sin [kàimoutrípsin] *n.* 〖생화학〗 키모트립신 《응유력(凝乳力)이 강한 효소》
chy·pre [ʃí:pər] 〖F〗 *n.* 시프레 《백단(sandalwood)에서 채취한 두발용 향유》
Ci 〖기상〗 cirrus; 〖물리〗 curie(s) **C.I., CI** cast iron; certificate of insurance; Channel Islands; Chief Inspector; Chief Instructor; Commonwealth Institute; Communist International; corporate identification 기업 인식; corporate identity; cost and insurance; counterintelligence; 《영》 (Imperial Order of the) Crown of India **Cia.** *Compañía* 《Sp. = Company》 **CIA, C.I.A.** 《미》 Central Intelligence Agency
cia·bat·ta [tʃəbǽtə, -bɑ́:tə] 〖It.〗 *n.* ⓊⒸ 길고 납작한 이탈리아 빵; 이 빵으로 만든 샌드위치
ciao [tʃáu] 〖It.〗 *int.* 《구어》 차우, 여, 안녕, 또 봐 《허물없는 사이의 인사》
ci·bo·ri·um [sibɔ́:riəm] *n.* (*pl.* **-ri·a** [-riə]) **1** 〖건축〗 제단의 닫집 **2** 〖가톨릭〗 성합 《성체를 담는 그릇》
Cic. Cicero **C.I.C.** Combat Information Center; Commander in Chief; Counterintelligence Corps
***ci·ca·da** [sikéidə, -kɑ́:- | -kɑ́:-] *n.* (*pl.* **~s, -dae** [-di:]) 〖곤충〗 매미(《미》 locust)
ci·ca·la [sikɑ́:lə] 〖It.〗 *n.* = CICADA
cic·a·trice [síkətris] *n.* (*pl.* **-tri·ces** [sìkətrái-si:z]) = CICATRIX
cic·a·tri·cial [sìkətríʃəl] *a.* 〖의학〗 반흔(瘢痕) 모양의; 〖식물〗 엽흔(葉痕)의
cic·a·tri·cle [síkətrìkl] *n.* **1** 〖동물〗 (노른자위의) 씨눈 **2** 〖식물〗 = CICATRIX 2
cic·a·trix [síkətrìks, sikéitriks] *n.* (*pl.* **cic·a·tri·ces** [sìkətráisi:z]) **1** 〖의학〗 반흔(瘢痕), 아문 상처 **2** 〖식물〗 엽흔(葉痕), 잎이 떨어진 자국
cic·a·tri·za·tion [sìkətrizéiʃən | -trai-] *n.* Ⓤ 〖의학〗 반흔 형성; (상처의) 아물기
cic·a·trize [síkətràiz] *vi., vt.* 상처 자국을 형성하다[시키다]; 새살이 나서 아물(게 하)다

cic·e·ly [sísəli] *n.* (*pl.* **-lies**) 〖식물〗 각종 미나릿과(科) 식물
Cic·e·ro [sísəròu] *n.* 키케로 **Marcus Tullius ~** (106-43 B.C.) 《고대 로마의 정치가·철학자·웅변가》
cic·e·ro·ne [sìsəróuni, tʃìtʃə-] [It. 「Cicero와 같은 웅변가」의 뜻에서] *n.* (*pl.* **~s, -ni** [-ni:]) (명승 고적 등의) 관광 안내원 **—** *vt.* 〈관광객을〉 안내하다
Cic·e·ro·ni·an [sìsəróuniən] *a.* 키케로식[류, 풍]의 장중하고 단아한; (키케로 같은) 웅변의 **—** *n.* 키케로 연구가; 키케로 숭배자; 키케로풍의 문장가
Cic·e·ron·i·cal·ly [sìsərɑ́nikəli | -rɔ́n-] *ad.*
cich·lid [síklid] *n.* 〖어류〗 시클리드, 태래어 《남미·아프리카·남아시아산(産) 열대 담수어; 관상용》
ci·cis·be·o [tʃì:tʃizbéiou | tʃìtʃ-] [It.] *n.* (*pl.* ***-be·i*** [-béii:, -bíi: | -béii:]) (18세기 이탈리아의) 남편 있는 여자의 공공연한 애인
CICS 〖컴퓨터〗 customer information control system 고객 정보 관리 시스템 **CICT** Commission of International Commodity Trade 유엔 국제 상품 무역 위원회
Cid [síd] [Sp. 「두목, 수령」의 뜻] *n.* 엘 시드 **The (El) ~** (1043?-99) 《11세기경 그리스도교의 옹호자로서 무어 사람(Moors)과 싸운 스페인의 영웅 Rodrigo Díaz에게 준 칭호; 그의 공훈을 노래한 서사시》
C.I.D. Committee for Imperial Defence; Criminal Investigation Department 《미》 검찰국; 《영》 (런던 경찰국의) 수사과; 〖군사〗 범죄 수사대
-cidal [sàidl] 《연결형》 「죽이는 (힘이 있는)」의 뜻: homi*cidal*
-cide [sàid] 《연결형》 「죽임; 살해(자)」의 뜻: patri*cide*, insecti*cide*, sui*cide*
***ci·der** [sáidər] [L 「독한 술」의 뜻에서] *n.* Ⓤ 《영》 사과술; 《미》 사과 주스 ★ 사과즙을 발효시키지 않은 것은 sweet ~ (주스), 발효시킨 것은 hard ~ (술); 우리가 말하는 「사이다」는 탄산수(soda pop)임.
all talk and no ~ 《미·구어》 말만 많고 결론이 나지 않는 일 **~·ish** *a.* **~·like** *a.*
cíder cùp 사이다 컵 《사과술·리큐어·소다수 등을 혼합하여 얼음으로 식힌 여름 음료》
ci·der·kin [sáidərkin] *n.* Ⓤ 약한 사과술
cíder prèss 사과 압착기 《cider 제조용》
cíder vínegar 사과즙 발효 식초
ci-de·vant [sì:dəvɑ́:ŋ] [F] *a.* 전의, 이전의(former): a ~ official 전직 관리 **—** *ad.* 이전에는
cie. *Compagnie* 《F = company》 **C.I.E.** Civil Information and Education 민간 정보 교육국; Companion (of the Order) of the Indian Empire
cié·na·ga [sjéinəgə, sjénə-] [Sp.] *n.* 《미남서부》 늪, 늪지대
CIF 〖컴퓨터〗 central information file **C.I.F., c.i.f.** [sí:àiéf, sif] cost, insurance, and freight 〖상업〗 운임 보험료 포함 가격
cig [síg], **cig·gie, -gy** [sígi] *n.* 《구어》 담배 (cigarette, cigar)
ci·ga·la [sigɑ́:lə] [It.] *n.* = CICADA
‡ci·gar [sigɑ́:r] [Sp.] *n.* 여송연, 시가, 엽궐련: a ~ case 시가 케이스 ***Give*** him ***a ~!*** 《구어》 (그가) 옳아! ***no ~*** 《구어》 (애석하게도) 실패로 끝나다
~·less *a.* **~·like** *a.*
‡cig·a·rette, -ret [sìgərét, ⌐—⌐ | ⌐—⌐] [cigar와 -ette(지소 어미)에서] *n.* **1** 궐련, (종이로 만) 담배 (tobacco) **2** [**C~**] 궐련형 보트 ***~ with no name*** 《미·속어》 마리화나 담배
cigarétte bùtt 담배꽁초
cigarétte càrd 담뱃갑 속에 들어 있는 그림 카드
cigarétte càse 궐련갑, 담배 케이스
cigarétte ènd = CIGARETTE BUTT
cigarétte gìrl (레스토랑·나이트클럽 등의) 담배 파는 소녀[아가씨]
cigarétte hòlder 궐련용 물부리[파이프] ★ 잘게 썬 담배를 피울 때 쓰는 것은 pipe라고 함.
Cigarétte hùll[bòat] 시가렛(형 보트); 먼 바다 레이스용 대형 모터보트 《배 안에 발동기를 단》
cigarétte lìghter (담배에 불 붙이는) 라이터
cigarétte pàper 궐련용 얇은 종이
cigár hòlder 엽궐련용 물부리[파이프]
cig·a·ril·lo [sìgərílou] *n.* (*pl.* **~s**) 소형 엽궐련 《가늘고 긺》
ci·gar-shaped [sigɑ́:rʃèipt] *a.* 시가 모양의
cigár stòre 담배 가게
ci·gár-store Índian [sigɑ́:rstɔ̀:r-] 아메리카 인디언의 목각상 《옛날 담배 가게의 간판》
cig·gy, cig·gie [sígi] *n.* (*pl.* **-gies**) 《속어》 = CIGARETTE
C.I.G.S. Chief of the Imperial General Staff 《영》 참모 총장 《현 Chief of General Staff》
ci·lan·tro [silɑ́:ntrou, -lǽn-] *n.* (멕시코 요리에서 쓰는) 고수(coriander)의 잎 《향신료》
cil·i·a [síliə] *n. pl.* (*sing.* **-i·um** [-iəm]) **1** 속눈썹(eyelashes) **2** (잎·날개 등의) 솜털, 세모(細毛); 〖생물〗 섬모(纖毛)
cil·i·ar·y [sílièri | -liəri] *a.* **1** 속눈썹의 **2** 솜털 모양의, 섬모 (모양)의; 모양체(毛樣體)의
cíliary bòdy 〖해부〗 모양체(毛樣體)
cíliary mùscle 〖해부〗 모양체근(毛樣體筋)
cíliary pròcess 〖해부〗 모양체(毛樣體) 돌기
cil·i·ate [síliət] *n.* 〖동물〗 섬모충
— *a.* 섬모충의; 섬모가 있는; 속눈썹이 있는
cil·i·at·ed [síliètid] *a.* 속눈썹[솜털]이 있는
cil·i·a·tion [sìliéiʃən] *n.* **1** Ⓤ 속눈썹[솜털]이 있음 **2** [집합적] 속눈썹; 솜털, 섬모
cil·ice [sílis] *n.* Ⓤ 마미단(馬尾緞)(haircloth); 마미단으로 만든 옷[셔츠]
Ci·li·cia [silíʃə] *n.* 실리시아 《소아시아 남동부의, Taurus 산맥과 지중해 사이의 고대 국가》
cil·i·o·late [síliələt, -lèit] *a.* 섬모가 있는
cil·i·um [síliəm] *n.* CILIA의 단수형
CIM computer input from microfilm 마이크로필름으로부터의 컴퓨터 입력; computer-integrated manufacturing 컴퓨터에 의한 통합 생산
cim·ba·lom, cym- [símbələm, tʃím-] *n.* 〖음악〗 침발롬 《헝가리의 타현(打絃) 악기》
ci·me·li·a [simí:liə] *n. pl.* (*sing.* **-li·um** [-liəm]) 보물; (보석을 박은 법의(法衣) 따위의) 교회 보물
ci·me·li·arch [simí:liɑ̀:rk] *n.* 교회의 보물 보관실
ci·met·i·dine [səmétidì:n] *n.* 〖약학〗 시메티딘 《십이지장 궤양 치료약·제산제》
ci·mex [sáimeks] *n.* (*pl.* **cim·i·ces** [síməsì:z]) 〖곤충〗 빈대(bedbug)
Cim·me·ri·an [simíəriən] *n.* 〖그리스신화〗 키메르족의 사람 《Homer의 시에서 세계의 서쪽 끝의 암흑 속에서 살았다는 민족》 **—** *a.* **1** 키메르 사람의 **2** 암흑의, 음산한: ~ darkness 칠흑, 암흑
C. in C., C-in-C Commander in Chief 최고 사령관
cinch [síntʃ] *n.* **1** 안장띠, (말의) 뱃대끈 **2** [a ~] 《구어》 꽉 쥐기 **3** [a ~] 《구어》 (아주) 확실한 일(sure thing); 유력한 후보; 쉬운 일, 식은 죽 먹기
— *vt.* **1** 〈안장띠를〉 죄다(tighten); 꽉 쥐다 **2** 《구어》 확실하게 하다 **3** 《구어》 궁지에 몰아넣다 **—** *vi.* 《미·캐나다》 안장띠를 매다 《*up*》 ***have*** [***get***] ***... ~ed*** 《미·구어》 …은 성공한 것이나 다름없다
cínch bèlt 폭이 넓은 여자용 벨트
cin·cho·na [siŋkóunə, sin- | siŋ-] *n.* **1** 〖식물〗 기나(幾那)나무 **2** Ⓤ 기나피(皮)(Peruvian bark) 《키니네를 채취함》 **3** 기나피 제제(製劑)
cin·chon·i·dine [siŋkɑ́nədì:n, -din, sin- | siŋkɔ́n-] *n.* Ⓤ 〖약학〗 신코니딘 《기나 알칼로이드의 일종; 주로 말라리아 치료용》
cin·cho·nine [síŋkənì:n, -nin, sín- | síŋ-] *n.* Ⓤ 〖약학〗 신코닌 《기나피에서 채취하는 기나 알칼로이드; 키니네 대용품》

cin·chon·ism [síŋkənìzm, sín- | síŋ-] *n.* Ⓤ 〖병리〗 기나 중독(증)
cin·cho·nize [síŋkənàiz, sín- | síŋ-] *vt.* 기나로 처리하다; 기나 중독을 일으키다
Cin·cin·nat·i [sìnsənǽti] *n.* 신시내티 《미국 Ohio 주의 도시》
Cin·cin·na·tus [sìnsənéitəs, -nǽt-] *n.* 킨키나투스(519?-439? B.C.) 《고대 로마의 정치가; 부름을 받아 한때 로마의 집정관이 됨》; 숨은 위인
CINCLANT [síŋklənt] [*C*ommander-*in*-Chief, At*lant*ic] *n.* (미) 대서양군 최고 사령관
CINCPAC [síŋkpæ̀k] [*C*ommander-*in*-Chief, *Pac*ific] *n.* (미) 태평양 지구 총사령관
CINCSAC [síŋksæ̀k] [*C*ommander-*in*-Chief, *S*trategic *A*ir *C*ommand] *n.* (미) 전략 공군 최고 사령관
cinc·ture [síŋktʃər] *n.* **1** 〖그리스도교〗 띠(girdle) 《alb 등의 제의(祭衣)를 허리께에서 죄는 띠》 **2** 울; 주변 지역 **3** 〖건축〗 (원기둥의) 띠장식
— *vt.* 띠를 두르다; 둘러싸다
*__cin·der__ [síndər] *n.* **1** Ⓤ (석탄 등의) 탄 재; 뜬숯 **2** (용광로에서 나오는) 쇠찌끼, 쇠똥(slag); [*pl.*] 재(ashes): burn to a ~ 까맣게 타다[태우다] **3** [*pl.*] 〖지질〗 (화산에서 분출한) 분석(噴石)(scoria) **4** = CINDER TRACK
— *vt.* **1** 〈도로 등에〉 재를 깔다 **2** 재로 만들다
— *vi.* 재를 깔다
cínder blòck (건축용) 콘크리트 블록 《concrete와 cinder를 섞어서 만듦》
cínder còncrete 석탄재 콘크리트
cínder còne 〖지질〗 분석구(噴石丘)
*__Cin·der·el·la__ [sìndərélə] [cinder와 -ella(여성 지소사)에서; 「재투성이의 소녀」의 뜻에서] *n.* **1** 신데렐라 《계모와 자매들에게 학대받다가 왕비가 되었다는 동화의 주인공》 **2** 의붓딸 취급을 받는 사람 **3** 숨은 미인[인재]; 일약 유명해진 사람
Cinderélla còmplex 신데렐라 콤플렉스 《여성이 남성에게 의존하려는 잠재적 욕망》
Cinderélla dànce [the ~] 밤 12시에 끝나는 소무도회
cínder pàth 석탄재를 깔아 다진 보도(步道)
cínder tràck 석탄재를 깔아 다진 경주용 트랙
cin·der·y [síndəri] *a.* 타다 남은 재 같은
cin·e [síni, sínei] *n.* 영화(motion picture); 영화관; = CINEMATOGRAPHY
cine- [síni, -nə] 《연결형》 「영화」의 뜻
cin·e·aste [síniæ̀st, sínei-], **-ast** [-æ̀st, -əst] [F] *n.* 영화인; 영화 제작 애호가
cin·e·cam·er·a [síníkæ̀mərə] *n.* (영) 영화 촬영기((미)) movie camera)
cin·e·film [sínifìlm] *n.* 영화 필름((미·캐나다) movie film)
‡**cin·e·ma** [sínəmə] *n.* **1** (영) 영화((미)) motion picture) **2** [the ~; 집합적] 영화((미)) movies) **3** [보통 the ~] 영화 제작법[기술]; 영화 산업; (예술로서의) 영화 **4** (영) 영화관((미)) movie theater) **5** 영화적 수법 ***go to the ~*** 영화 보러 가다
cínema cìrcuit 영화의 흥행 계통
cínema còmplex 시네마 콤플렉스 《여러 개의 홀을 가진 영화관》
cin·e·mac·tor [sínəmæ̀ktər] [*cinema*+*actor*] *n.* (미·속어) 영화배우
cin·e·mac·tress [sínəmæ̀ktris] [*cinema*+*actress*] *n.* (미·속어) 여자 영화배우
cin·e·ma·dap·ter [sìnəmədǽptər] [*cinema*+*adapter*] *n.* 영화 각색가
cínema fàn 영화 팬
cin·e·ma·go·er [sínəməgòuər] *n.* (영) 영화 팬((미)) moviegoer)
Cin·e·ma·Scope [sínəməskòup] *n.* 〖영화〗 시네마스코프(cf. WIDE-ANGLE) 《상표명》
cin·e·ma·theque [sìnəmətέk] *n.* 전위영화 전문의 소극장 《역사적으로 중요한 영화를 수집·보존》
cin·e·mat·ic [sìnəmǽtik] *a.* 영화의, 영화에 관한; 영화적인 **-i·cal·ly** *ad.*
cin·e·mat·ics [sìnəmǽtiks] *n. pl.* [단수·복수 취급] 영화 예술
cin·e·ma·tize [sínəmətàiz] *vt., vi.* 〈소설·희곡 등을〉 영화화하다
cin·e·mat·o·graph [sìnəmǽtəgræ̀f | -grɑ̀:f] [Gk 「움직임」과 「그림」에서] *n.* (영) **1** 영화 촬영기(motion-picture camera); 영사기(motion-picture projector); 영화관; 영화 **2** [the ~] 영화 제작 기술
— *vt., vi.* 영화로 만들다; 촬영하다
cin·e·ma·tog·ra·pher [sìnəmətɑ́grəfər | -tɔ́g-] *n.* 카메라맨, 영화 촬영 기사
cin·e·mat·o·graph·ic [sìnəmæ̀təgrǽfik] *a.* 영화의; 영사(映寫)의 **-i·cal·ly** *ad.*
cin·e·ma·tog·ra·phy [sìnəmətɑ́grəfi | -tɔ́g-] *n.* Ⓤ 영화 촬영법[술]
ci·né·ma vé·ri·té [sínəmə-vèritéi] [F] 시네마 베리테 《핸드 카메라나 가두(街頭) 녹음 등으로 현실을 있는 그대로 그려내는 수법[영화]》
cin·e·mi·crog·ra·phy [sìnəmaikrɑ́grəfi | -krɔ́g-] *n.* 현미경 영화 촬영법 《세균의 움직임을 연구하는 데 쓰임》
cin·e·phile [sínəfàil] *n.* (영) 영화 팬, 영화통 《영화에 대해 훤히 잘 아는 사람》
cin·e·plex [sínipleks] [*cine*ma+com*plex*] *n.* 시네플렉스, 복합 영화관
cin·e·pro·jec·tor [sìnəprədʒéktər] *n.* 영사기
cin·e·ram·a [sìnərǽmə, -rɑ́:mə | -rɑ́:mə] [*cine*ma+pano*rama*] *n.* 〖영화〗 시네라마 《대형 스크린에 3대의 영사기로 동시에 영사하여 파노라마 같은 효과를 줌; 상표명》(cf. WIDE-ANGLE)
cin·e·rar·i·a [sìnərέəriə] *n.* 〖식물〗 시네라리아 《국화과(科)의 관상 식물》
cin·e·rar·i·um [sìnərέəriəm] *n.* (*pl.* **-i·a** [-iə], **~s**) 납골당(納骨堂)
cin·e·rar·y [sínərèri | -rəri] *a.* 납골(納骨)(용)의: a ~ urn 유골 단지
cin·er·a·tor [sínərèitər] *n.* 화장로(爐)
ci·ne·re·ous [siníəriəs] *a.* **1** 재가[로] 된; 재 같은 **2** 잿빛의, 회색의
cin·er·in [sínərin] *n.* 〖화학〗 시네린 《살충국(殺蟲菊) 속에 있는 살충 성분》
cin·er·i·tious [sinəríʃəs] *a.* = CINEREOUS
Cin·ga·lese [sìŋgəlí:z, -lí:s] *a., n.* = SINHALESE
cin·gu·late [síŋgjulət, -lèit] *a.* 〈곤충 등이〉 색대(色帶)를 가진, 띠 모양의 것이 있는
cin·gu·lot·o·my [sìŋgjulɑ́təmi | -lɔ́t-] *n.* (*pl.* **-mies**) 〖의학〗 대상속(帶狀束) 절개 수술 《간질병 등에 대한 수술》
cin·gu·lum [síŋgjuləm] *n.* (*pl.* **-la** [-lə]) **1** 〖동물·해부〗 띠, 띠 모양의 것[색], 대상속(帶狀束) **2** 〖식물〗 (규조류(珪藻類)의) 각대(殼帶) **3** 〖치과〗 치대(齒帶)(basal ridge)
cin·na·bar [sínəbɑ̀:r] *n.* Ⓤ **1** 〖광물〗 진사(辰砂) 《수은의 원광》 **2** 주홍색(vermilion)
cin·nam·ic [sinǽmik, sínəm-] *a.* 육계(肉桂)의; 육계에서 채취한
cinnámic ácid 〖화학〗 계피산(酸), 신남산
*__cin·na·mon__ [sínəmən] *n.* **1** Ⓤ 육계피(肉桂皮), 계피 **2** 〖식물〗 계수(나무) **3** Ⓤ 육계색, 황갈색, 적갈색
— *a.* 육계색의
cínnamon bèar 〖동물〗 미국 검은곰 《북아메리카산》
cínnamon fèrn 〖식물〗 꿩고비

thesaurus **circle** *n.* **1** 원 ring, disk, loop, circumference, ball, globe, sphere, orb **2** 집단 group, set, company, crowd, fellowship, class **3** 범위 area of activity, field of interest, sphere,

cin·na·mon·ic [sìnəmánik | -mɔ́n-] *a.* =CINNAMIC

cínnamon stòne 〖광물〗 육계석(肉桂石)(essonite)

cínnamon tòast 시나몬 토스트 《설탕과 계피를 바른 빵》

cin·quain [siŋkéin, ⌐-] *n.* 〖운율〗 5행 스탠저(stanza), 5행련(聯); 5개[사람]로 된 집단

cinque, cinq [síŋk] *n.* (주사위·카드의) 다섯 끗 (cf. ACE)

cin·que·cen·to [tʃìŋkwitʃéntou] [It.] *n.* Ⓤ [종종 **C~**] (이탈리아 예술의) 16세기; 16세기의 이탈리아 예술

cinque·foil [síŋkfɔ̀il] *n.* **1** 〖식물〗 양지꽃속(屬) **2** 〖건축〗 오엽(五葉) 장식, 오판화(五瓣花) 장식

cinquefoil 2

Cínque Pórts [the ~] 〖영국사〗 5항(港) 《영국 남해안의 특별 항구; 원래는 5개 항; 후에 2개 항 추가》

CINS [sínz] [*Ch*ild[*Ch*ildren] *I*n *N*eed of *S*upervision] *n.* 《미》 보호 감독이 필요한 아동

Cin·za·no [tʃinzá:nou] *n.* 친자노 《이탈리아산 베르무트 술; 상표명》

CIO, C.I.O. chief information officer; chief investment officer; Congress of Industrial Organizations(cf. AFL-CIO)

ci·on [sáiən] *n.* 자손(scion)

CIP Cataloging in Publication

Ci·pan·go [sipǽŋgou] *n.* 《고어》 =JAPAN

CIPEC *Conseil Intergouvernemental des Pays Exportateurs de Cuivre* (F =Intergovernmental Council of Copper Exporting Countries)

***ci·pher** [sáifər] [Arab. 「영(零)」의 뜻에서] *n.* **1** (기호의) 영(零), 0(nought) **2** 아라비아 숫자, 자리수: a number of five ~*s* 다섯 자리 수 **3** ⓊⒸ 암호: in ~ 암호의[로]/a ~ code[telegram] 암호 통신법[전보] **4** (암호를 푸는) 열쇠 **5** (성명 등의) 머리글자를 짜맞춘 글자(monogram) **6** 〖음악〗 (풍금의) 자명(自鳴) 《고장으로 인한》
— *vi.* **1** 연산하다, 계산하다(calculate); 숫자를 사용하다 **2** 암호를 쓰다 **3** 〖음악〗 〈풍금이〉 저절로 울리다
— *vt.* **1 a** …을 계산하다 《*out*》 **b** …을 생각해 내다 《*out*》 **2** 〈통신 등을〉 암호로 하다[쓰다](opp. *decipher*) **~·a·ble** *a.* **~·er** *n.*

ci·pher·ing [sáifəriŋ] *n.* Ⓤ 계산, 연산

ci·pher-key [sáifərkì:] *n.* 암호 해독[작성]의 열쇠

ci·pher·text [-tèkst] *n.* (plaintext에 대하여) 암호문

ci·pho·ny [sáifəni] [*ci*pher+tele*phony*] *n.* 암호 전화법 《신호를 전기적으로 혼란시킴》

cip·o·lin [sípəlin] [It. =little onion] *n.* Ⓤ 운모 대리석 《이탈리아산(産)의 대리석; 흰빛과 초록빛 무늬가 있음》

CIQ customs, immigration and quarantine 세관·출입국 관리·검역 **cir(c).** *circa*; circle; circuit; circular; circulation; circumference; circus

cir·ca [sə́:rkə] [L =about] *prep.* [연대·날짜 앞에서] 약, …경(about) 《略 c., ca., cir(c).》

cir·ca·di·an [sə:rkéidiən, -kǽd- | sə:kǽdiən, sə̀:kədáiən] *a.* 〖생물〗 24시간 주기[간격]의, 일주기성(日周期性)의 **~·ly** *ad.*

circádian rhýthm 〖생물〗 24시간 주기 리듬

cir·ca·lu·na·di·an [sə̀:rkəlu:ná:diən] *a.* 태음일(太陰日)마다의, 24시간 50분 간격의

cir·can·ni·an [sə:rkǽniən], **-can·nu·al** [-kǽnjuəl] *a.* 〖생물〗 1년 주기의

Cir·cas·sia [sərkǽʃə, -ʃiə | sə:kǽsiə] *n.* 체르케스 《Caucasus 산맥 북쪽의 흑해 연안 지역》

Cir·cas·sian [sərkǽʃən, -ʃiən | sə:kǽsiən] *n.* 체르케스 사람; Ⓤ 체르케스 말 — *a.* 체르케스 사람[말, 지방]의

Cir·ce [sə́:rsi] *n.* **1** 〖그리스신화〗 키르케 《마술로 Odysseus의 부하들을 돼지로 둔갑시켰다는 마녀》 **2** 요부(형 미인)

Cir·ce·an [sərsí:ən] *a.* **1** 키르케의[와 같은] **2** 요부형의, 사람을 호리는

cir·ci·nate [sə́:rsənèit] *a.* **1** 고리사슬 모양의 **2** 〖식물〗 소용돌이 모양의 **3** 〖의학〗 〈손상이〉 고리 모양의 **~·ly** *ad.*

cir·ci·ter [sə́:rsətər, kíərkətɛ̀ər] *prep.* =CIRCA

****cir·cle** [sə́:rkl] [L 「고리」의 뜻에서] *n.* **1 원**; 원주(cf. SPHERE) **2** [종종 *pl.*] (동일한 이해·직업 등의) **집단**, 사회, 서클, …계(界): the upper ~*s* 상류 사회/business ~*s* 실업계 **3** (교우(交友)·활동·세력·사상 등의) **범위**: have a large ~ of friends 교제가 넓다 **4** 권(圈), 위도(緯度)(권); (행성의) 궤도(orbit) **5** 원형의 물건, 고리, 바퀴(ring); 원진(圓陣); 순환 도로, (철도의) 순환선; 원형 광장; 환상(環狀) 교차로, 로터리; 곡마장(circus ring); 반지; 왕관 **6** (극장의) 반원형의 좌석(cf. DRESS CIRCLE, UPPER CIRCLE) **7** 《시어》 주기(週期); 순환, 일주 《*of*》 **8** 전(全) 계통, 전체: the ~ of the sciences 학문의 전(全) 계통 **9** 〖논리〗 순환 논법; 악순환(=vicious ~) **10** 〖지질〗 위도(권(圈)) **11** 〖기상〗 햇무리, 달무리 **12** 〖고고학〗 환상 열석(環狀列石)
come full ~ 한 바퀴 돌다, 돌아서 제자리에 오다 ***go all round the*** ~ 〈이야기 등이〉 에두르다 ***go*** (***a***)***round in ~s*** 《구어》 같은 곳을 빙글빙글 돌다; 노력에 비해 진보하지 못하다, 제자리걸음을 하다, 허송세월하다 ***in a*** ~ 원형으로, 둥글게 앉아서; 순환 논법으로 ***make a*** ~ 〈물체가〉 원을 그리다 ***run ~s around*** a person …보다 훨씬 잘하다[잘함을 보여주다] ***run round in ~s*** 《구어》 같은 데를 빙빙 돌다, 하찮은 일에 초조해하다 ***square the*** ~ 원과 같은 면적의 정사각형을 만들려고 하다; 불가능한 일을 꾀하다 ***swing round the*** ~ 방향을 (갑자기) 바꾸다
— *vt.* **1 선회하다**, …의 둘레를 돌다, 일주하다, 회전하다; 피해서 지나가다, 우회하다: The earth ~*s* the sun. 지구는 태양의 둘레를 돈다. **2** 에워싸다, 둘러싸다: The enemy ~*d* the hill. 적이 그 언덕을 에워쌌다. **3** (주의를 끌기 위해 어구 등에) 동그라미를 두르다
— *vi.* **1** 〈비행기 등이〉 선회하다, 돌다, 회전하다 《*around, round, over*》 **2** 〈화면 영상이〉 크게[작게] 되면서 영상이 나오다[꺼지다]
~ ***around***[***round***] (1) ⇨ *vi.* 1 (2) 〈술잔 따위가〉 돌려지다 ~ ***back*** 크게 한 바퀴 돌아오다
cír·cler *n.* 원을 그리는 사람[것]
▷ círcular *a.*; círculate, encírcle *v.*

círcle gràph 원그래프(pie chart)

cir·clet [sə́:rklit] *n.* **1** 작은 원 **2** (여성 머리 장식에 쓰는 금·보석 등의) 장식 고리; 반지(ring)

cir·cling [sə́:rkliŋ] *n.* Ⓤ 〖승마〗 빙글빙글 돌기

círcling disèase 〖수의학〗 =LISTERIOSIS

Cir·clo·ra·ma [sə̀:rklərǽmə, -rá:mə | -rá:mə] *n.* 서클로라마 《영사기·스크린을 여러 개 사용하는 영사 방식의 하나; 상표명》

circs [sə́:rks] *n. pl.* 《영·구어》 =CIRCUMSTANCES

‡**cir·cuit** [sə́:rkit] [L 「빙 돌기」의 뜻에서] *n.* **1 순회**; 순회 여행: make[go] the ~ of …을 한 바퀴 돌다/The earth's ~ of the sun takes about 365 days. 지구가 태양 주위를 일주하는 데는 약 365일이 걸린다. **2 빙 둘러서 감**, 우회; 우회로[코스] **3** (원형 모양의) 주위; 범위; 둘러싸인 지역 **4** 《미·속어》 〖야구〗

---

domain, realm, range — *v.* **1** 선회하다 move around, rotate, revolve, circulate, wheel **2** 에워싸다 surround, encircle, enclose, ring, envelop, hedge in, hem in, gird, belt, circumscribe

베이스 일주, 홈런(=∼ drìve[clòut]) 5 (목사·세일즈맨·순회 재판 판사 등의) 정기적 순회; 정기적으로 순회하는 사람; 순회 재판 판사[목사]; 순회 재판구; (목사의) 순회 구역: go on ∼ 순회 재판을 하다 《판사가 붙지 않음》/ ride the ∼ 〈판사·목사가〉 말을 타고 순회하다 6 〖전기〗 회로, 회선: break[open] the ∼ 회로를 열다 / close[make] the ∼ 회로를 닫다 / a short ∼ 단락(短絡), 쇼트 7 (극장·영화관 등의) 흥행 계통, 체인: the Hilton ∼ 힐턴계(系) 8 파티, 회합: a cocktail ∼ 칵테일 파티 9 (야구·축구 등의) 연맹, 협회 (league) 10 (자동차 경주용의) 서킷, 주회로
— *vt., vi.* 일주(一周)하다, 순회하다
▷ circúitous *a.*

círcuit bòard 〖전자〗 1 회로기판 《전자 부품이나 프린트 회로를 부착하는 절연판》 2 회로판 또는 집적 회로를 탑재한 회로 구성 소자(素子)

círcuit brèaker 1 〖전기〗 회로 차단기, 브레이커 2 (고령·저소득층에 주는) 재산세 감면(법) 3 〖증권〗 서킷브레이커 《주가가 급등락하는 경우 주식 매매를 일시 정지하는 제도》

círcuit cóurt 순회 재판소 《略 C.C.》

círcuit cóurt of appéals 《미》 연방 순회 항소 법원 《1948년에 Court of Appeals로 개칭》

círcuit júdge 순회 재판 판사; 《영》 주(州) 법원의 순회 재판 판사

cir·cu·i·tous [sərkjúːətəs] *a.* 1 에움길의, 도는 길의 2 〈말 따위가〉 에두르는, 간접적인, 넌지시 말하는 **∼·ly** *ad.* **∼·ness** *n.*

círcuit rìder 1 《미》 (개척 시대 감리 교회의) 순회 목사 《말을 타고 다니며 설교하는》 2 관할 구역을 순회하는 공무원

cir·cuit·ry [sə́ːrkitri] *n.* Ⓤ (전자·전기의) 회로 (설계); 회로 소자(素子)

círcuit slùgger 《야구속어》 홈런 타자

círcuit tràining 순환식 훈련법, 서킷 트레이닝 《기초 체력을 키우기 위해 24종목의 운동을 순환 반복하는 훈련법》

cir·cu·i·ty [sərkjúːəti] *n.* (*pl.* **-ties**) ⓊⒸ 1 빙 돌아감[돌림] 2 간접적임, 우회적임

‡**cir·cu·lar** [sə́ːrkjulər] *a.* 1 **원의, 원형의,** 고리 모양의 2 **순환(성)의,** 빙빙 도는, 환상(環狀)의: a ∼ number 순환수 / a ∼ argument[reasoning] 순환 논법 / a ∼ stair 나선식 계단 / a ∼ railroad 순환 철도 3 순회의, 주유(周遊)의; 회람의: a ∼ ticket 《영》 순회[일주] 차표 / a ∼ letter 회람장 4 에두른, 우회적인; 간접적인 5 (사람의) 집단의, 서클의
— *n.* 회보, 회람장; (광고용의) 삐라 ***send out a* ∼** 회람장을 돌리다, 회람시키다 **∼·ly** *ad.* **∼·ness** *n.*
▷ círcle *n.*; círculate *v.*

círcular bréathing 〖음악〗 순환[원환(圓環)] 호흡 《색소폰 주자(奏者) 등이 코로 들이마신 흡기(吸氣)를 그대로 호기(呼氣)로서 악기에 불어넣어 음을 중단 없이 내게 하는 호흡법》

círcular díchroism 〖광학〗 원편광 이색성(圓偏光二色性); 원편광 이색성 분광(分光) 분석

círcular érror 1 〖시계〗 원호(圓弧) 오차 《진자가 큰 호를 그릴 때 생기는 오차》 2 〖군사〗 착탄(着彈) 오차, 원형 오차 《목표에서 낙하점까지의 거리》

círcular fíle 《미·속어》 (사무실의) 휴지통

círcular fúnction 〖수학〗 = TRIGONOMETRIC FUNCTION

cir·cu·lar·i·ty [sə̀ːrkjulǽrəti] *n.* Ⓤ 1 둥긂, 원형, 고리 모양, 환상(環狀) 2 (논지 등의) 순환성

cir·cu·lar·ize [sə́ːrkjuləràiz] *vt.* 1 회람을 돌리다, 앙케트를 보내다 2 〈편지·메모 등을〉 회람하다 3 원형으로 만들다 **-iz·er** *n.* **cìr·cu·lar·i·zá·tion** [-rizéiʃən | -rai-] *n.*

círcular méasure 〖수학〗 호도법(弧度法) 《라디안(radian)을 사용한 각도의 측정》

círcular nóte = LETTER OF CREDIT

círcular órbit 원(圓)궤도

círcular polarizátion 〖광학〗 원편광(圓偏光)

círcular sáw 둥근 톱(buzz saw)

círcular tóur[tríp] 《영》 일주 여행

círcular velócity 1 〖물리〗 원궤도 속도 2 〖경제〗 (화폐의) 유통 속도(velocity of money)

‡**cir·cu·late** [sə́ːrkjulèit] [L 「원을 만들다」의 뜻에서] *vi.* 1 〈피·공기 등이〉 **순환하다** 《*in, through, on*》: (∼+전+명) Hot water ∼*s through* these pipes. 뜨거운 물이 이들 파이프를 통해 순환한다. 2 a 원운동을 하다, 빙빙 돌다 《*around, round, about*》 b 〈술병이〉 차례로 돌다 《*around, round*》 3 여기저기 걸어다니다; (특히 회합 등에서) 부지런히 돌아다니다; 〈소문 등이〉 퍼지다, 유포되다: The rumor is *circulating* every day. 그 소문이 날로 퍼지고 있다. // (∼+전+명) The story ∼*d through* the town[*among* the people]. 그 이야기는 온 마을에[사람들 사이에] 퍼졌다. 4 〈신문·책 등이〉 유포되다, 배부되다, 판매되다; 〈통화 등이〉 유통하다 5 〖수학〗 〈숫자가〉 순환하다 6 〈도서관의 책·자료가〉 (이용자에게) 대출 가능하다
— *vt.* 1 **순환시키다;** 〈술 등을〉 **돌리다** 2 〈정보·소문 등을〉 퍼뜨리다 3 〈신문 등을〉 배부하다; 〈편지·도서를〉 회람시키다; 〈통화(通貨) 등을〉 유통시키다: ∼ a meeting agenda to the attendees 참가자들에게 회의 안건을 배포하다
-làt·a·ble *a.* ▷ círcular *a.*; circulátion, círcle *n.*

cir·cu·lat·ing [sə́ːrkjulèitiŋ] *a.* 순환하는, 순회하는

círculating cápital 유동 자본(opp. *fixed capital*)

círculating décimal 〖수학〗 순환 소수(repeating decimal)

círculating líbrary 1 (유료의 회원제) 대출 도서관(lending library) 2 순회 도서관, 회람 문고

círculating mèdium 통화(通貨) (수단)

‡**cir·cu·la·tion** [sə̀ːrkjuléiʃən] *n.* 1 Ⓤ **순환:** have a good[bad] ∼ (혈액의) 순환이 좋다[나쁘다] 2 Ⓤ **유통;** 유포, 전달 3 [*sing.*] **발행 부수,** 보급[판매] 부수; (도서의) 대출 부수: have a large[small, limited] ∼ 발행 부수가 많다[적다] 4 (장소에서 장소로) 이동, 통과 5 선전[광고]의 이용 인구; (TV·라디오의) 시청자 수, 시청률 6 Ⓤ [집합적] 통화, 유통 어음
***be back in* ∼** 〈사람이〉 활동을 다시 시작하다; 현역에 돌아오다 ***be in* ∼** 유포되고 있다, 유통되고 있다 ***be out of* ∼** 〈책·통화 등이〉 나와 있지 않다, 사용되지 않다; 〈사람이〉 활동하지 않다; (남과) 사귀지 않다 《*with*》 ***put in*(*to*) ∼** 유포[유통]시키다 ***withdraw from* ∼** …의 발행[유통]을 정지시키다

circulátion guarantèe 〖광고〗 부수 보증 《광고주에 대한》

cir·cu·la·tive [sə́ːrkjulèitiv, -lətiv] *a.* 순환성의, 유통성이 있는

cir·cu·la·tor [sə́ːrkjulèitər] *n.* 1 여기저기 여행하는 사람, 순회자 2 〈정보·병균 등을〉 퍼뜨리는 사람, 전달자; (화폐의) 유통자 3 〈나쁜 소문을〉 퍼뜨리는 사람 (scandalmonger) 4 순환 장치; 〖수학〗 순환 소수

cir·cu·la·to·ry [sə́ːrkjulətɔ̀ːri | sə̀ːkjulèitəri] *a.* (특히 혈액의) 순환상의

círculatory sỳstem 〖해부〗 순환계 《혈액이나 림프액이 흐르게 하는》

cir·cu·lus [sə́ːrkjuləs] *n.* (*pl.* **-li** [-lài]) 물고기 비늘의 나이테

circum- [sə́ːrkəm, sərkʌ́m] *pref.* 「주변에, 둘레에; 여러 곳으로」의 뜻

cir·cum·am·bi·ent [sə̀ːrkəmǽmbiənt] *a.* 둘러싼, 주위의; 우회하는 **-ence, -en·cy** *n.* **∼·ly** *ad.*

cir·cum·am·bu·late [sə̀ːrkəmǽmbjulèit] *vi., vt.* 걸어 돌아다니다, 순회하다; 둘러서[우회적으로, 완곡하게] 말하다[탐색하다] **-là·tor** *n.*

thesaurus **circulate** *v.* 1 순환하다 flow, move around, go around, rotate, revolve, whirl 2 퍼뜨리다 spread, disseminate, propagate, distribute,

cir·cum·am·bu·la·tion [sə̀ːrkəmæ̀mbjuléiʃən] *n.* Ⓤ **1** 걸어 돌아다님, 순행(巡行) **2** 둘러서 말하기

cir·cum·bend·i·bus [sə̀ːrkəmbéndəbəs] *n.* Ⓤ 《익살》 빙 둘러가는 길; 완곡한 말투

cir·cum·cen·ter [sə́ːrkəmsèntər] *n.* 〚기하〛 외심(外心) 《외접원의 중심》

cir·cum·cir·cle [sə́ːrkəmsə̀ːrkl] *n.* 〚기하〛 외접원

cir·cum·cise [sə́ːrkəmsàiz] *vt.* **1** (유대교·이슬람교의 종교적 의식으로서) 할례(割禮)를 베풀다 **2** 〚의학〛 〈남자의〉 포피를 잘라내다, 포경 수술을 하다; 〈여자의〉 음핵 포피를 잘라내다 **3** 번뇌를 없애고 마음을 깨끗이 하다 **-cìs·er** *n.*

cir·cum·ci·sion [sə̀ːrkəmsíʒən] *n.* Ⓤ **1** 할례 **2** 〚의학〛 포피 절제, 포경 수술 **3** 심신을 깨끗이 함 **4** [the C~] 그리스도 할례제 《1월 1일》 **5** [the ~] 〚성서〛 유대인(the Jews)

cir·cum·de·nu·da·tion [sə̀ːrkəmdìːnjudéiʃən] *n.* 〚지질〛 주변 침식

***cir·cum·fer·ence** [sərkʌ́mfərəns] [L 「주위를 나르다」의 뜻에서] *n.* ⓊⒸ **1** 원주(圓周); 주변, 주위 **2** 주변의 길이[거리] **3** 경계선; 영역, 범위(bounds) ▷ circumferéntial *a.*

cir·cum·fer·en·tial [sərkʌ̀mfərénʃəl] *a.* **1** 원주의, 주변의, 주변을 둘러싸는 **2** 완곡한 **—***n.* 도시의 주위를 도는 초고속 도로

cir·cum·flex [sə́ːrkəmflèks] *a.* **1** 〚음성〛 곡절 악센트가 붙은, 〈악센트가〉 곡절적인 **2** 구부러진(bent) **—***n.* = CIRCUMFLEX ACCENT **—***vt.* 〈모음을〉 굴절시키다; 곡절 악센트를 붙이다; …을 굽히다[구부리다]

círcumflex áccent 〚음성〛 곡절 악센트 (기호) 《ˆ, ˜, ˆ》

cir·cum·flight [sə́ːrkəmflàit] *n.* 천체 궤도 비행

cir·cum·flu·ent [sərkʌ́mfluənt], **-flu·ous** [-fluəs] *a.* 환류(環流)성의; 주위를 흐르는 **-flu·ence** *n.* 환류

cir·cum·fuse [sə̀ːrkəmfjúːz] *vt.* **1** 〈빛·액체·기체 등을〉 주위에 쏟다(pour) 《*round, about*》 **2** (빛·액체 등으로) 둘러싸다 《*with, in*》; 적시다(bathe) 《*with*》

cir·cum·fu·sion [sə̀ːrkəmfjúːʒən] *n.* ⓊⒸ 주위에 쏟아 부음; 뿌림, 살포

cir·cum·ga·lac·tic [sə̀ːrkəmgəlǽktik] *a.* 〚천문〛 성운(星雲) 주위의[를 도는]

cir·cum·glob·al [sə̀ːrkəmglóubəl] *a.* 〚천문〛 지구를 도는, 지구 주위의

cir·cum·gy·rate [sə̀ːrkəmdʒáiəreit] *vi.* 선회[회전]하다; 두루 돌아다니다

cir·cum·gy·ra·tion [sə̀ːrkəmdʒairéiʃən] *n.* ⓊⒸ **1** 회전; 공중제비 **2** 둘러댐, 임시 변통(shift)

cir·cum·in·ces·sion [sə̀ːrkəminséʃən] *n.* 〚신학〛 성삼위(聖三位) 상호 내재성

cir·cum·ja·cent [sə̀ːrkəmdʒéisnt] *a.* 주변의

cir·cum·lit·to·ral [sə̀ːrkəmlítərəl] *a.* 해안선의, 해안 주변의

cir·cum·lo·cu·tion [sə̀ːrkəmloukjúːʃən | -lə-] *n.* ⓊⒸ **1** 에둘러 말함, 완곡한 표현 **2** (필요 이상의) 수다, 말이 많음

cir·cum·loc·u·to·ry [sə̀ːrkəmlɑ́kjutɔ̀ːri | -lɔ́kjutəri] *a.* 빙 둘러 말하는; 완곡한

cir·cum·lu·nar [sə̀ːrkəmlúːnər] *a.* 달을 도는[에워싸는]: ~ flight 달 주위 비행

cir·cum·me·rid·i·an [sə̀ːrkəmmərídiən] *a.* 〚천문〛 〈천체가〉 자오선 근처의

cir·cum·nav·i·gate [sə̀ːrkəmnǽvəgèit] *vt.* 〈세계·섬 등을〉 주항(周航)하다; 우회하다 **-nàv·i·gá·tion** *n.* Ⓤ 주항

cir·cum·nav·i·ga·tor [sə̀ːrkəmnǽvəgèitər] *n.* 주항자, 세계 일주 여행자

transmit, make known, broadcast, publicize
circumstances *n.* situation, state of affairs, conditions, position, event, background

cir·cum·nu·tate [sə̀ːrkəmnjúːteit | -njúː-] *vi.* 〚식물〛 〈덩굴손이〉 회선(回旋)하다 **-nu·tá·tion** *n.*

cir·cum·oc·u·lar [sə̀ːrkəmɑ́kjulər | -ɔ́k-] *a.* 눈 주위의

cir·cum·plan·e·tar·y [sə̀ːrkəmplǽnətèri | -təri] *a.* 행성 근처의[를 도는]

cir·cum·po·lar [sə̀ːrkəmpóulər] *a.* **1** 〈해양 등이〉 주극(周極)의, 극지 부근에 있는 **2** 〚천문〛 〈천체가〉 북극[남극]의 주위를 도는: ~ stars 주극성(周極星)

cir·cum·ra·di·us [sə̀ːrkəmréidiəs] *n.* 〚기하〛 외접원의 반경

cir·cum·ro·tate [sə̀ːrkəmróuteit] *vi.* (바퀴처럼) 회전[윤전(輪轉)]하다 **-ro·tá·tion** *n.*

cir·cum·scribe [sə́ːrkəmskràib, ⌐-⌐] [L 「둘레에 원을 그리다」의 뜻에서] *vt.* **1** (영토 등의) 주위에 경계선을 긋다; 선으로 주위를 둘러싸다; 한계를 정하다 **2** 활동 등을 (…안에) 제한하다(limit) 《*within, in*》 **3** 〚기하〛 〈원 등을〉 외접시키다(opp. *inscribe*): a ~*d* circle 외접원 **4** 〈화폐·인장 등의〉 가장자리[테두리]에 명각(銘刻)하다
cìr·cum·scríb·a·ble *a.* **-scrìb·er** *n.*

cir·cum·scrip·tion [sə̀ːrkəmskrípʃən] *n.* Ⓤ **1** (주위를) 둘러쌈; 제한, 한정, 한계; 《고어》 (의미의) 한정, 정의(定義) **2** 둘러싸는 것; 한계선; 윤곽; 주변; 둘러싸인 범위, 구역 **3** Ⓒ (화폐·인장의) 둘레의 명각(銘刻) **4** 〚기하〛 외접(시킴) **-tive** *a.* **-tive·ly** *ad.*

cir·cum·so·lar [sə̀ːrkəmsóulər] *a.* 〚천문〛 태양 주변의, 태양을 도는

cir·cum·spect [sə́ːrkəmspèkt] *a.* **1** 〈사람이〉 조심성 있는, 신중한 **2** 〈행동이〉 충분히 고려한, 용의주도한 **~·ly** *ad.*

cir·cum·spec·tion [sə̀ːrkəmspékʃən] *n.* Ⓤ 세심한 주의, 신중; 용의주도(함); 경계

cir·cum·spec·tive [sə̀ːrkəmspéktiv] *a.* 주의 깊은, 신중한

*****cir·cum·stance** [sə́ːrkəmstæ̀ns, -stəns] [L 「주위에 서다」의 뜻에서] *n.* **1** [*pl.*] (어떤 사건·사람·행동 등과 관련된) **주위의 사정**, (부대) **상황, 환경** **2** Ⓤ 부수적인 일[사항]; 자질구레한 점, 지엽, 말절 **3** [*pl.*] (경제적·물질적인) 환경, 처지, 생활 상태 **4** (사정을 이루는) 사건(incident), 사태, 경과, 사실(fact): a lucky ~ 다행한 사실 / the whole ~*s* 자초지종 **5** Ⓤ 《문어》 (일의) 전후, 전말; (이야기·일 등의) 세부, 상세 **6** Ⓤ 의식[형식]에 구애됨, 요란스러움
a mere [***remote, poor***] **~** 《미》 하찮은 것 ***be master of*** one***'s* ~*s*** 자신의 처지를 극복하다 ***be not a* ~ *to*** 《미·구어》 …와는 비교가 안 되다 ***in difficult* ~*s*** 곤란에 처한 ***other* ~*s being equal*** 다른 사정은 같다고 하고 ***pomp and* ~** 당당한 위풍 ***the web of* ~** 운명의 실 ***under*** [***in***] ***no* ~*s*** 어떤 일이 있더라도 결코 …하지 않는 ***under normal* ~*s*** 보통[통상]은 ***under*** [***in***] ***the* ~*s*** 이러한 사정 때문에 ***with much*** [***great***] **~** 매우 자세히 ***without* ~** 형식을 찾지 않고, 소탈하게
—*vt.* **1** [보통 수동형으로] 어떤 상황에 두다 **2** …에게 상세한 정보를 주다
▷ circumstántial *a.*; circumstántiate *v.*

cir·cum·stanced [sə́ːrkəmstæ̀nst, -stənst] *a.* (어떤) 사정하에 (있는); (경제적으로 …한) 처지에 있는: be differently[awkwardly] ~ 다른[곤란한] 입장에 있다

cir·cum·stan·tial [sə̀ːrkəmstǽnʃəl] *a.* **1** 〈증거 등이〉 정황적인; (그때의) 형편[사정]에 따른 **2** 부수적인, 우연한 **3** 처지상의, 생활 상태의 **4** 상세한(detailed) **~·ly** *ad.*

circumstántial évidence 〚법〛 정황 증거(indirect evidence) 《간접적인 추정적 증거》

cir·cum·stan·ti·al·i·ty [sə̀ːrkəmstæ̀nʃiǽləti] *n.* (*pl.* **-ties**) ⓊⒸ **1** (설명 등의) 상세함 **2** 정황, 사정 **3** 〚정신의학〛 우원증(迂遠症), 우회증 《사고(思考) 장애의 일종》

cir·cum·stan·ti·ate [sə̀ːrkəmstǽnʃièit] *vt.* **1** 상세히 설명하다[말하다] **2** (정황 증거에 의하여) 실증하다 **-stàn·ti·á·tion** *n.*
cir·cum·stel·lar [sə̀ːrkəmstélər] *a.* 별 주위의, 별의 주위를 도는
cir·cum·ter·res·tri·al [sə̀ːrkəmtəréstriəl] *a.* 지구 주위의, 지구를 도는
cir·cum·val·late [sə̀ːrkəmvǽleit] *vt.* 성벽을 두르다 **—** *a.* 성벽을 두른, 성벽으로 둘러싸인
cir·cum·val·la·tion [sə̀ːrkəmvæléiʃən] *n.* Ⓤ 성벽 두르기; Ⓒ (둘러싼) 성벽
cir·cum·vent [sə̀ːrkəmvént, ⌐-⌐] [L 「빙 돌아서 오다」의 뜻에서] *vt.* **1** 일주하다, 돌다; 우회하나 **2** 〈곤란·문제점 등을〉 교묘하게 회피하다; 〈계략 등의〉 의표를 찌르다; 〈법규 등의〉 빠질 구멍을 생각해 내다; 〈남을〉 앞지르다: completely ~ income taxes 소득세 납부를 완벽하게 피하다 **3** 〈적 등을〉 (계략을 써서) 포위하다 **~·er, -vén·tor** *n.* **-vén·tive** *a.*
cir·cum·ven·tion [sə̀ːrkəmvénʃən] *n.* Ⓤ 계략으로 속임; 모함, 한 수 더 뜸; 우회
cir·cum·vo·lu·tion [sə̀ːrkəmvəlúːʃən] *n.* ⓊⒸ **1** 회전, 선회(旋回); 1회전, 일주 **2** 소용돌이, 나선 **3** 꼬불꼬불한 길; 완곡한 행동
cir·cum·volve [sə̀ːrkəmvɑ́lv | -vɔ́lv] *vi., vt.* 회전하다[시키다]
⁑**cir·cus** [sə́ːrkəs] [L 「고리」의 뜻에서] *n.* **1** 서커스, 곡예; 곡마단; 곡예장 **2** (층계로 된) 원형 흥행장; (고대 로마의) 야외의 원형 대경기장(arena) **3** 《영》 (몇 개의 거리가 모이는) 원형의 네거리, 원형 광장(cf. SQUARE): Oxford *C*~ (런던의) 옥스퍼드 광장 **4** 《구어》 쾌활하고 떠들썩한 것[사건, 사람]; 명랑한 한때; 법석댐, 구경거리 **5** 《구어》 (테니스·자동차 경주 등의) 팀, 선수단 **6** 《속어》 (남녀간의) 난교(亂交) 쇼[파티] **7** 크고 화려한 안경 **8** 《미·속어》 거짓으로 하는 기절 **9** 《영·속어》 내무부 비밀 검사국 **~·y** *a.*
círcus càtch 《야구속어》 절묘한 포구(捕球)
Círcus Máx·i·mus [-mǽksəməs] [the ~] (고대 로마의) 원형 대경기장
ci·ré [siréi] [F =waxed] *a.* 〖방직〗 광택을 낸, 시레 가공을 한 **—** *n.* 시레 《광택·방수 가공의 일종》
cirque [sə́ːrk] *n.* **1** 〖지질〗 권곡(圈谷), 원형의 협곡 **2** 《시어》 원(圓), 고리 **3** =CIRCUS 2
cir·rate [síreit] *a.* 〖식물〗 덩굴손이 있는; 〖동물〗 극모(棘毛)가 있는
cir·rho·sis [siróusis] *n.* (*pl.* **-rho·ses** [-siːz]) Ⓤ 〖병리〗 간경변 **cir·rhot·ic** [sirɑ́tik | -rɔ́t-] *a.*
cir·ri [sírai] *n.* CIRRUS의 복수
cir·ri·ped [sírəpèd], **-pede** [-pìːd] *n.* 만각류(蔓脚類)의 동물 《굴 등》 **—** *a.* 만각류의
cir·ro·cu·mu·lus [sìroukjúːmjuləs] *n.* (*pl.* **-li** [-lài], ~) 〖기상〗 권적운(卷積雲) 《略 Cc》
cir·rose [síːrous, siróus | sírous, ⌐⌐] *a.* =CIRRATE
cir·ro·stra·tus [sìroustréitəs, -strǽtəs] *n.* (*pl.* **-ti** [-tai], ~) 〖기상〗 권층운(卷層雲) 《略 Cs》
cir·rous [sírəs] *a.* **1** 〖기상〗 권운(卷雲) 모양의 **2** 〖동물·식물〗 =CIRRATE
cir·rus [sírəs] *n.* (*pl.* **-ri** [-rai]) **1** 〖식물〗 덩굴, 덩굴손(tendril) **2** 〖동물〗 촉모(觸毛) **3** 〖기상〗 권운
cir·soid [sə́ːrsɔid] *a.* 〖의학〗 정맥류(瘤) 모양의
CIS Center for Integrated Systems; Chemical Information System; Commonwealth of Independent States 독립 국가 연합; communication interface system; Congressional Information Service; Counterintelligence Service
cis- [sis] *pref.* 「…의 이쪽」의 뜻(opp. *trans-*, *ultra-*); 「…의 이후」의 뜻(since)
cis·al·pine [sisǽlpain, -pin] *a.* (로마에서 보아) 알프스 이쪽의, 알프스 남쪽의(opp. *transalpine*)
cis·at·lan·tic [sìsətlǽntik] *a.* 대서양 이쪽 편의 《입장에 따라 유럽쪽 또는 미국 쪽》
CISC [sísk] 〖컴퓨터〗 complex instruction set computer
cis·co [sískou] *n.* (*pl.* **~es, ~s**) 〖어류〗 청어 비슷한 물고기(whitefish) 《미국 5대호산(産)》
cis·lu·nar [sislúːnər] *a.* 〖천문〗 지구와 달(궤도) 사이의: ~ space 지구와 달 사이의 공간
cis·mon·tane [sismɑ́ntein | -mɔ́ntən] *a.* (알프스) 산맥 이쪽 편의; 산맥에 가까운 편의
cis·plat·in [sisplǽtn] *n.* 〖약학〗 시스플라틴 《백금을 함유한 고환·난소 종양 및 방광암 치료제》
cis·pon·tine [sispɑ́ntain | -pɔ́ntən] *a.* 다리 이쪽의; (특히 London에서) 템스 강 북쪽의
cis·sy [sísi] *n., a.* 《영·속어》 =SISSY
cist[1] [síst, kíst] *n.* 〖고고학〗 신사 시대의 서관(石棺)
cist[2] [síst] *n.* (고대 로마의) 제기(祭器) 상자
Cis·ter·cian [sistə́ːrʃən] *a.* 시토 수도회의 **—** *n.* 시토 수도회의 수도사 **~·ism** *n.*
Cistércian Órder [the ~] 시토 수도회 《1098년 프랑스에서 창설; cf. DOMINICAN ORDER》
⁎**cis·tern** [sístərn] *n.* **1** (옥상 등의) **물 탱크,** 수조; 물이 괸 곳 **2** (천연의) 저수지(cf. RESERVOIR) **3** 〖해부〗 (분비액의) 저장기(器)
cis·tron [sístran | -trən] *n.* 〖유전〗 시스트론 《유전자의 기능 단위》; 구조 유전자(structural gene) **cis·trón·ic** *a.*
cis·tus [sístəs] *n.* 〖식물〗 시스투스(rockrose) 《지중해 연안산 관목》
cit [sít] *n.* **1** 시민(citizen); 《속어》 일반인 **2** [*pl.*] 《속어》 (군복에 대하여) 평복, 민간복
cit. citation; cited; citizen; 〖화학〗 citrate
C.I.T. California Institute of Technology 캘리포니아 공과 대학; counselor in training
cit·a·ble, cite- [sáitəbl] *a.* 인용할 수 있는; 소환할 수 있는
⁎**cit·a·del** [sítədl, -dèl] *n.* **1** (시가를 내려다보며 지켜주는) 성(城); 요새 **2** (군함의) 포대 **3** 최후의 거점
ci·ta·tion [saitéiʃən] *n.* **1** (공을 세운 군인의 이름 등을) 공보(公報) 속에 특기하기 **2** (군인·부대 등에 수여하는) 감사장, 표창장 **3** Ⓤ 〖법〗 소환; Ⓒ 소환장 **4** Ⓤ (구절·판례·예증의) 인증(引證), 인용; Ⓒ 인용문 **5** (사실·예 등의) 열거, 언급 **~·al** *a.*
citátion fòrm 〖언어〗 인용형; 〖언어〗 (어형 변화의) 대표형 《영어의 원형 부정사 따위》
ci·ta·to·ry [sáitətɔ̀ːri | -təri] *a.* 소환의; 인용의
⁎**cite** [sáit] [L 「소집하다」의 뜻에서] *vt.* **1** 〈구절·판례 등을〉 인용[인증(引證)]하다(quote), 예증하다(mention); 열거하다 **2** (예증·확인을 위해 …에) 언급하다; 〈예를〉 들다 **3** 〖법〗 소환하다(summon); 소환장을 주고 석방하다 **4** 생각해 내다, 환기시키다 **5** 〖미군〗 〈공보(公報) 등에〉 특기하다; 표창장을 수여하다 **6** 〈투우사가〉 〈소를〉 흥분시키다 **7** 《미·방언》 보여주다(show) **—** *n.* =CITATION 4, 5
▷ citátion *n.*; cítable *a.*
cite-out [sáitàut] *n.* 소환장만으로 방면하는 일 《체포자가 많을 때, 즉시 석방되지만 후일에 출두해야 함》
CITES Convention on International Trade in Endangered Species of Wild Fauna and Flora 야생 동식물의 국제 거래에 관한 협약 《워싱턴 조약의 정식 명칭》
cith·a·ra [síθərə] *n.* 〖고대그리스〗 키타라 《하프 비슷한 악기》
cith·er(n) [síθər(n)] *n.* =CITTERN
cit·ied [sítid] *a.* 도시의, 도시가 있는; 도시화된
cit·i·fied [sítifàid] *a.* 도시(인)화한, 도회지풍의
cit·i·fy [sítifài] *vt.* (**-fied**) 《구어》 〈장소 등을〉 도시화하다; 〈사람을〉 도시풍으로 하다; 〈생활을〉 도회풍으로 하다 **cìt·i·fi·cá·tion** *n.*

thesaurus **citadel** *n.* fortress, fort, fortification, stronghold, castle, tower
cite *v.* quote, adduce, mention, name, enumer-

‡**cit·i·zen** [sítəzən, -sən] [AF 「도시(city)에 사는 사람」의 뜻에서] *n.* **1** (출생 또는 귀화로 시민권을 가진) 공민, 국민, 인민: an American ~ 미국 국민 **2a** 시민; 도시인 **b** 《미》 (군인·경관 등에 대하여) 민간인, 일반인(civilian) **3** 《문어》 주민 《*of*》 **4** (외국인에 대하여) 본국인, 본토 사람 **5** 《미·속어》 (자신보다) 단조롭고 보수적인 그룹에 속해 있는 사람; 융통성이 없는 딱딱한 사람 **6** 건실[성실]한 사람 ***a ~ of the world*** 세계인, 국제인(cosmopolitan) **~·hòod** *n.* **~·ly** *a.*

cítizen defénse 시민 방위 《핵전쟁 시의 민간 방위》

cit·i·zen·ess [sítəzənis] *n.* CITIZEN의 여성형

cit·i·zen-friend·ly [sítəzənfréndli] *a.* 〈공문서 등이〉 시민(생활)에 유의[편리]한

cítizen jóurnalism 시민 저널리즘 《보도 과정에 시민들이 적극적으로 참여하는 언론의 한 형태》

cit·i·zen·ry [sítəzənri, -sən-] *n.* (*pl.* **-ries**) ⓊⒸ [보통 the ~; 집합적] (일반) 시민(citizens)

cítizen's arrést 〖법〗 시민 체포 《중죄 현행범을 시민의 권한으로 체포하는 일》

cítizens(') bànd [종종 **C- B-**] 《미》 〖통신〗 시민 밴드 《개인용 무선 통신에 개방된 주파수대; 略 CB》

cítizens bánd ràdio 《미》 시민 밴드 라디오 《일반 시민에게 허용된 주파수대를 이용한 워키토키 등의 라디오》

Cítizen's Chárter [the ~] 《영》 시민 헌장 《1991년 Major 정권이 발표한, 시민이 정당한 권리로서 정부의 해당 부처로부터 받을 수 있는 서비스의 기준》

***cit·i·zen·ship** [sítəzənʃìp] *n.* Ⓤ **시민권**, 공민권; 시민[국민]의 자격[신분]

cítizenship pàpers 《미》 (시민권 획득을 증명하는) 시민권 증서

CITO Charter of International Trade Organization 국제 무역 헌장

cit·ral [sítrəl] *n.* 〖화학〗 시트랄 《레몬유 등에 함유된 액체상(狀)의 알데히드; 향료용》

cit·rate [sítreit, sáit-] *n.* 〖화학〗 구연산염(鹽) ***sodium ~*** 구연산나트륨

cit·re·ous [sítriəs] *a.* 레몬색의, 푸른기를 띤 황색의

cit·ric [sítrik] *a.* 〖화학〗 구연성(性)[산(酸)]의

cítric ácid 구연산

cítric ácid cỳcle 〖화학〗 구연산 회로(回路)

cit·ri·cul·ture [sítrikʌ̀ltʃər] *n.* 귤 재배

cit·rin [sítrin] *n.* Ⓤ 〖생화학〗 시트린, 비타민 P (bioflavonoid)

cit·rine [sítri:n, -rain | sítrin, -ri:n] *n.* Ⓤ **1** 레몬빛, 담황색 **2** 〖광물〗 황수정(黃水晶) **—** *a.* 레몬(빛)의

Ci·tro·ën [sítrouən, -èn] *n.* 시트로엔 《프랑스의 자동차 회사; 1974년 Peugeot 사에 합병됨》

cit·ron [sítrən] *n.* **1** 〖식물〗 시트론 《귤속(屬)의 식물》; 시트론의 열매 **2** (설탕 절임한) 시트론 껍질 **3** Ⓤ 시트론색, 담황색 **4** = CITRON MELON

cit·ron·el·la [sìtrənélə] *n.* **1** 시트로넬라 《향수비자나무의 일종; 볏과(科) 식물》 **2** 시트로넬라 기름(= **~ òil**) 《향수·비누·제충(除蟲)용》

cit·ron·el·lal [sìtrənélæl, -ləl] *n.* 〖화학〗 시트로넬랄 《향료용》

cítron mèlon 시트론 멜론 《수박의 일종》

cit·rous [sítrəs] *a.* = CITRUS

cit·rul·line [sítrəlì:n] *n.* 〖생화학〗 시트룰린 《염기성 아미노산의 하나; 요소 회로의 중간체》

cit·rus [sítrəs] *n.* (*pl.* **~·es, ~**) 〖식물〗 감귤류 식물의 총칭; 그 열매 《감귤》 **—** *a.* Ⓐ 감귤류의

cit·tern [sítərn] *n.* 시턴 《16-17세기의 기타 비슷한 현악기; 영국에서 유행》

‡**cit·y** [síti] [L 「시민 공동체」의 뜻에서] *n.* (*pl.* **cit·ies**) **1** (town보다 큰) **도시**, 도회: do the ~ 시내를 구경하다 **2** 시 **a** 《미》 시장 또는 시의회의 행정하에 있는 자치체 **b** 《영》 cathedral 또는 칙허장(勅許狀)이 있는 도시 **c** 《캐나다》 인구에 따른 최고의 지방 자치체 **3** [the ~; 집합적; 보통 단수 취급] 전(全)시민 **4** [the C~] 《영》 **a** (London의) 시티 《시장(Lord Mayor) 및 시의회가 지배하는 약 1평방 마일의 구 시내로 영국의 금융·상업의 중심지; cf. BOW BELLS》 **b** 재계, 금융계 **5** 《미·캐나다·속어》 (…한) 장소[사람, 상태]

one on the ~ 《미·속어》 물 한 잔의 주문 ***the C~ of Brotherly Love*** 미국 Pennsylvania주 Philadelphia 시의 별칭 ***the C~ of David*** = JERUSALEM; BETHLEHEM. ***the C~ of God*** 천국(天國)(Paradise); = NEW JERUSALEM. ***the C~ of Light*** 빛의 도시 《Paris의 별칭》 ***the C~ of Lilies*** 백합의 도시 《Florence의 별칭》 ***the ~ of refuge*** 〖성서〗 도피의 도시 《고대 유대의 과실 치사의 죄인 보호시(保護市)였던 Palestine의 6개 도시의 하나》 ***the C~ of (the) Seven Hills*** 일곱 언덕의 도시 《Rome, Constantinople의 별칭》 ***the ~ of the dead*** 묘지 ***the Eternal C~*** 영원의 도시 《Rome의 별칭》

Cíty and Gúilds Ínstitute [the ~] (영국의) 직업 교육 인증 협회

Cíty árticle 《영》 (신문의) 상업 경제 기사

cíty assèmbly 시의회

cíty bànk 시중 은행

cit·y·bil·ly [sítibili] *n.* (*pl.* **-lies**) 《미·속어》 도시에서 자란 컨트리 뮤직 연주자[가수]

cit·y-born [-bɔ̀:rn] *a.* 도시에서 태어난

cit·y-bred [-brèd] *a.* 도시에서 자란

cíty bùster 《구어》 대폭탄 《원자 폭탄·수소 폭탄 등》

cìty cénter 《영》 도심부(downtown)

cíty chícken 돼지[송아지] 고기를 꼬챙이에 끼어 밀가루를 묻혀 기름에 튀긴 요리(mock chicken)

cíty clérk 시의 사무직원

Cíty còde [the ~] 《영》 〖증권〗 시티 코드(City Code on Takeovers and Mergers) 《주식의 공개 매수(takeover bid)에 관해서 합병 위원회에 의해 정해진 규칙》

Cíty Cómpany London시 상업 조합 《옛날의 각종 상업 조합을 대표함》

cíty cóuncil 시의회

cíty cóuncilor 시의회 의원

cíty delívery 시내 우편 배달

cíty désk 《미》 (신문사의) 지방 기사 편집부, 지방부; 《영》 (신문사의) 경제부

cíty edítion (신문의) 지방판, 시내판

cíty éditor **1** 《미》 (신문사의) 지방 기사 편집장, 사회부장 **2** 《영》 [**C- e-**] (신문사의) 경제부장 《주로 시티(the City)의 뉴스를 다룸》

cíty fáther 시의 유력 인물 《시의회 의원, 구청장 등》

cit·y·fy [sítifài] *vt.* = CITIFY

cíty gàs 도시 가스

cíty gént 《영·구어》 런던 금융 지역의 사업가

cíty háll [종종 **C- H-**] **1** 《미》 시청사(《영》 town hall); 시 당국 **2** 《미·구어》 (시 당국의) 관료 (정치) ***fight ~*** 《미·구어》 관권을 상대로 무익한 싸움을 하다

cíty magazíne 시티 매거진(regional magazine, metropolitan magazine) 《특정 도시·주 등 한정된 지역의 독자에게 읽히는 잡지》

Cíty màn 《영》 (the City의) 실업가, 자본가

cíty mánager 《미》 (민선이 아닌 시의회에서 임명된) 시행정 담당관

cíty òrdinance 시조례(市條例)(bylaw)

cíty pàge 《영》 (신문의) 경제면

cíty plán[plánning] 도시 계획

cíty plánner 도시 계획가

cíty políce 시 경찰국

cíty ròom (신문사·라디오·텔레비전의) 지방 뉴스 편집실(의 직원)

cit·y·scape [sítiskèip] *n.* 도시 풍경[경관]; 도시의 풍경을 그린 풍경화

cíty slícker 《미·구어》 도회지 물이 든 사람; 말뿐이

---

ate, evidence, refer to, allude to, exemplify

citizen *n.* resident, inhabitant, dweller, denizen, townsman, townswoman, taxpayer

고 신뢰할 수 없는 사람

cit·y-state [-stèit] *n.* (고대 그리스 등의) 도시 국가

cit·y·ward [sítiwərd] *a., ad.* 도시(쪽)의[으로]

cit·y·wards [sítiwərdz] *ad.* =CITYWARD

cíty wàter 수도(水道) (용수)

cit·y·wide [sítiwàid] *a., ad.* 전 도시의[에]; 전 시민의[에]

Civ., civ. civil; civilian

civ·et [sívit] *n.* **1** 사향 《향료용으로 쓰임》 **2** 〖동물〗 사향고양이(=~ **càt**) **3** 사향고양이를 닮은 동물의 총칭 **4** 사향고양이의 모피 **~·lìke** *a.*

civ·ex [sívcks] *n.* 시벡스 《핵연료 재처리 시스템》

***civ·ic** [sívik] *a.* Ⓐ **1** 시민[공민]의; 공민으로서의, 공민으로서 어울리는: ~ duties 시민의 의무 / ~ virtues 공민 도덕 / ~ rights 공민권 **2** 시의, 도시의: ~ life 도시 생활 **cív·i·cal·ly** *ad.* 시민으로서, 공민답게

cívic cénter (도시의) 관청가, 도심

cívic crówn **1** 〖역사〗 시민의 영관(榮冠) 《고대 로마에서 시민의 생명을 구한 병사에게 준 떡갈나무 잎으로 만든 관(冠)》 **2** (건축 장식·문장(紋章)의) 떡갈나무 잎 관 모양의 장식

cívic hóliday 《캐나다》 시민의 날 《8월 첫째 월요일》

civ·i·cism [sívəsìzm] *n.* Ⓤ **1** 시정(市政) **2** 시민주의, 시정 존중, 공민 중심주의[정신]

civ·ic-mind·ed [sívikmáindid] *a.* 공민으로서의 의식을 가진, 공공심이 있는, 사회 복지에 열심인

civ·ics [síviks] *n. pl.* [단수 취급] **1** 국민 윤리과, 윤리 사회과 **2** 시정학(市政學), 시정 연구

civ·ies [síviz] *n. pl.* =CIVVY 2

‡**civ·il** [sívəl] [L 「시민(citizen)의」의 뜻에서] *a.* **1** 시민[공민](으로서)의: ~ life 시민 생활 / ~ society 시민 사회 / ~ unrest 시민 분규 **2** 문명(사회)의; 집단 활동을 하는 **3 a** (군인·공무원에 대하여) 일반 시민의; (성직자에 대하여) 속인의 **b** (군용이 아니라) 민간용의, 민간인의: a ~ airport[airlines] 민간 공항[민영 항공 회사] **4** (외정에 대하여) 내정의, 민정의; 국내[국가]의 **5** 사회 질서가 있는; 정치가 조직화된; 문명화된 **6** 예의 바른, 정중한(⇨ polite 유의어) **7** 매우 친절한, 호의적인 **8** 보통력(曆)의, 상용(常用)하는 **9** 〖법〗 민사의(cf. CRIMINAL, MILITARY): ~ proceedings 민사 소송 절차 ▷ civílity *n.*

cívil áction 〖법〗 민사 소송

Cívil Aeronáutics Bòard 《미》 민간 항공 위원회 《略 CAB, C.A.B.》

cívil affáirs (점령지 등에서의) 민정(民政); 국사(國事)

Cívil Áir Patròl 〖군사〗 민간 항공 초계 부대

cívil aviátion 민간 항공

Cívil Aviátion Authòrity 《영》 [the ~] 민간 항공국 《略 CAA》

cívil códe 민법전

cívil commótion 민요(民擾), 폭동, 소란

cívil dáy 역일(曆日)(calendar day)

cívil déath 〖법〗 시민권 상실, 법률상의 사망

cívil defénse (공습 기타 비상 사태에 대한) 민방위(조직[활동]): a ~ corps 민방위대

cívil disobédience 시민적 불복종 《납세 거부 등》

cívil divórce 민사[법률상] 이혼

cívil engineér 토목 기사 《略 C.E.》

cívil engineéring 토목 공학

***ci·vil·ian** [sivíljən] *n.* **1** (군인이나 경찰관, 성직자에 대하여) 일반 시민, 민간인, (무관에 대하여) 문관, 공무원; 군속, 비전투원(noncombatants) **2** 《구어》 (전문가에 대하여) 비전문가, 문외한 **3** 민법[로마법] 학자 **4** [*pl.*] (군복에 대하여) 사복, 평복

— *a.* Ⓐ **1** (군·성직과 관계없는) 일반인의, 민간(인)의, 비군사적인: a ~ airplane 민간기 / ~ casualties 민간인 사상자 **2** 문관의; (군인에 대하여) 군속의: ~ control 문관 통제[지배]

ci·vil·ian·ize [sivíljənàiz] *vt.* **1** 군사[군인] 색을 엷게 하다 **2** 군(軍) 관리로부터 민간 관리로 옮기다

ci·vìl·ian·i·zá·tion [-nizéiʃən | -nai-] *n.*

ci·vil·i·ty** [sivíləti] *n.* (*pl.* **-ties**) **1** Ⓤ 정중, 공손, 예의 바름: with ~ 정중하게 **2** [*pl.*] 예의 바른[정중한] 말[태도] **3** 문명(화), 문화; 교양 ***exchange civilities 정중하게 (계절의 인사 등) 인사를 나누다

civ·i·liz·a·ble [sívəlàizəbl] *a.* 문명화[교화]할 수 있는

‡**civ·i·li·za·tion** | **-sa-** [sìvəlizéiʃən | -laiz-] *n.* Ⓤ

> 도시화, 도시화된 상태 → 세련된 상태 → 진보·발달한 상태 → 문명

1 문명(⇨ culture 유의어): Chinese[Western] ~ 중국[서양] 문명 **2** [집합적] 문명국; 문명 국민: All ~ was horrified. 모든 문명 국민은 놀랐다. **3** 문명 세계[사회]; 문화 생활 **4** 개화(開化), 교화(opp. *barbarism*) **5** (취미·태도 등의) 문화적 세련, 높은 교양 **6** (벽지 등에 대해) 인구 밀집지, 도시 **7** (과학·공학 등에 의해 가능하게 된) 편리한 것, 문명의 이기(利器); 고도 문명 사회 **~·al** *a.*

***civ·i·lize** | **-lise** [sívəlàiz] *vt.* **1** 개화[교화, 문명화]하다(enlighten) **2** 〈사람 등을〉 세련되게 하다; 《익살》 〈사람을〉 예의 바르게 하다 **~ away** 교화하여 …을 없애다

— *vi.* **1** 사회 생활의 관습이 몸에 익다 **2** (사회적 기준에 따라서) 몸가짐을 하다 **-lìz·er** *n.*

‡**civ·i·lized** | **-lised** [sívəlàizd] *a.* **1** 교화된, 개명한, 문명화한: ~ life 문화 생활 **2** 예의 바른, 교양이 높은, 품위 있는 **3** 문명인[국]의 **4** 다루기[사용하기] 쉬운 **~·ness** *n.*

cívil láw [종종 **C- L-**] 〖법〗 **1** 민법, 민사법(cf. CRIMINAL LAW) **2** (국제법에 대하여) 국내법 **3** 로마법

cívil líberty [보통 *pl.*] 시민적 자유; 시민적 자유에 관한 기본적 인권

cívil líst [종종 **C- L-**; the ~] 《영》 **1** (의회가 정하는) 연간 왕실비(王室費) **2** 왕실의 지출 명세; 공무원 급여비

Cívil Lórd 《영》 해군 본부 문관 위원

civ·il·ly [sívəli] *ad.* **1** 예의 바르게, 정중하게(politely) **2** 민법상, 민사적으로 **3** 시민[공민]답게 **4** (종교적이 아니라) 속인적으로, 민간으로

cívil márriage 민법상 결혼, 신고 결혼 《종교상의 의식에 의하지 않는》

cívil párish 《영》 (교구와 구별하여) 지방 행정구

cívil pártnership 동성 간 결혼이 인정된 혼인 관계

cívil ríghter[**ríghtist**] 《미·구어》 민권 운동가, 시민권 옹호자

cívil ríghts [종종 **C- R-**] **1** 공민권, 민권 **2** 《미》 (공민으로서의 흑인·여성·소수 민족 등에게 주어져야 할) 평등권, 공민권

Cívil Ríghts Áct [the ~] 《미》 시민적 권리에 관한 법률, 공민권법 《인종·피부색·종교·출신국에 따른 차별을 철폐할 목적으로 제정된 연방법; 가장 종합적인 것이 1964년 제정된 것임》

cívil ríghts mòvement 《미》 민권 운동 《특히 1950-60년대의 흑인 차별 철폐 운동》

cívil sérpent 《속어》 공무원, 관리(civil servant)

cívil sérvant **1** (군 관계 이외의) 문관, 공무원 **2** (국제 연합 등의) 행정 사무관

cívil sérvice **1** (군 관계 이외의) 공무, 행정 사무 **2** [the ~; 집합적] 문관, 공무원 **3** (시험에 의한) 공무원 채용 제도: ~ examination[commission] 공무원 임용 고시[고시 위원]

civ·il-spo·ken [sívəlspóukən] *a.* 말씨가 공손한

cívil státe 《영》 (독신·결혼·이혼 등의) 혼인상의 입장[신분]

thesaurus **civic** *a.* municipal, public, community, local, civil, communal, urban, metropolitan

civil *a.* **1** 시민의 civic, municipal, public, community **2** 국내의 interior, internal, domestic, home **3** 예의 바른 polite, courteous, well-mannered

civilize *v.* enlighten, socialize, humanize, edify,

cívil súit 민사 소송
cívil ùnion 합법적 동성 결혼
*__cívil wár__ **1** 내란, 내전 **2** [the C- W-] **a** 〖미국사〗 남북 전쟁(1861-65) **b** 〖영국사〗 Charles 1세와 국회와의 싸움(1642-46, 1648-52) **c** 스페인 내전(1936-39)
cívil wróng 〖법〗 (민사상의) 권리 침해 《계약 위반 따위》
cívil yéar [the ~] 역년(曆年)(calendar year)
civ·ism [sívizm] *n.* Ⓤ **1** 공공심, 공민 정신 **2** 선량한 공민으로서의 자격
civ·vy [sívi] [civilian의 단축형] *n.* (*pl.* **-vies**) 《구어》 **1** 비전투원, 군속, 일반 시민 **2** [*pl.*] (군복에 대하여) 시민복, 평복
cívvy strèet [종종 **C- S-**] 《영·구어》 (군대에 가지 않은 사람의) 비전투원[평민] 생활
CJ, C.J. Chief Judge; Chief Justice; 《미·속어》 crystal joint **CJD** Creutzfeldt-Jakob disease **ck.** cask; check; cock **ckw.** clockwise **cl** centiliter(s) **Cl** 〖화학〗 chlorine **CL** carload **cl.** claim; class; classification; clause; clearance; clergyman; clerk; climb; close; closet; cloth **c.l.** carload; center law; civil law; common law **CLA** College Language Association
clab·ber [klǽbər] *n.* 쉬어서 굳은 우유 **—***vi.* 〈우유가〉 쉬어서 굳어지다(curdle) **—***vt.* 〈우유를〉 굳히다
clack [klǽk] [의성어] *n.* **1** [a ~] 딱딱[딸깍] 하는 소리 **2** 수다, 지껄여댐 **3** 〖기계〗 =CLACK VALVE **4** 《속어》 혀: Hold your ~! 조용히 해!
—*vi.* **1** 딱딱[딸깍]거리다 **2** 지껄여대다 **3** 〈암탉 등이〉 꼬꼬댁거리다 **—***vt.* 딱딱[딸깍] 소리나게 하다
clack·er [klǽkər] *n.* 달가닥[딱딱] 소리를 내는 것, 땡땡이, 논밭에서 새를 쫓는 장치
cláck vàlve 〖기계〗 역행 방지판(瓣)
*__clad__ [klǽd] *v.* 《고어·문어》 CLOTHE의 과거·과거분사
—*a.* [보통 복합어를 이루어] 입은(dressed); 덮인(covered): iron-~ vessels 장갑함(裝甲艦)
—*vt.* 〈금속에〉 다른 금속을 입히다[씌우다], 클래딩하다
clad·ding [klǽdiŋ] *n.* Ⓤ 〖금속〗 클래딩, 피복(법)
clade [kléid] *n.* 〖생물〗 클레이드, 분기군(分岐群), 계통 분기 《공통의 조상으로부터 진화된 생물 분류군》
clad·ism [klǽdizm] *n.* 〖생물〗 분기론적 분류법
cla·dis·tics [klədístiks] *n. pl.* [단수 취급] 〖생물〗 분기학(分岐學) 《계통 발생학적으로 분류함》
-tic *a.* **-ti·cal·ly** *ad.*
clad·o·gen·e·sis [klæ̀doudʒénəsis] *n.* 〖생물〗 분기(分岐) 진화 《하나의 계통이 둘 이상으로 분열되어 진화》
clad·o·gram [klǽdəgræ̀m] *n.* 〖생물〗 진화(進化)의 파생도, 분기도(分岐圖)
***__claim__ [kléim] [L 「부르짖다」의 뜻에서] *vt.* **1** 〈권리·유산 등을〉 (당연한 것으로서) 요구[청구]하다(⇨ demand [유의어]): ~ damages 손해 배상을 요구하다 / ~ obedience 복종하라고 말하다 **2** 〈권리·사실을〉 주장하다, 승인을 구하다: Both sides ~*ed* the victory. 양쪽 모두 승리를 주장했다. // (~+*to* do) (~+*that* 절) He ~*ed to* have reached the top of the mountain. =He ~*ed that* he had reached the top of the mountain. 그는 그 산의 정상까지 올라갔다고 주장했다. // (~+목+전+명) ~ relationship *with* a person …와 친척이라고 주장하다 **3** 〈사람·장소가〉 …을 자질[특성]로서 갖다; …을 가진 것을 자랑하다 **4** 〈사물이〉 〈사람의 주의 등을〉 끌다, 구하다(call for); 〈주의·존경 등의〉 가치가 있다(deserve): There's one other point which ~*s* our attention. 우리가 주목해야 할 점이 또 하나 있다. **5** 〈죽음·병 등이〉 〈목숨을〉 빼앗다
—*vi.* **1** 요구하다; 권리를 주장하다 **2** 의견을 말하다 **3** 토지를 점유하다 **4** 〖법〗 고소하다; 손해 배상을 요구하다 (*against*): (~+전+명) ~ *against* a person …에게 배상을 요구하다, …을 고소하다 **~ … back** =**~ back …** …의 반환을 요구하다 **~ a person's pound of flesh** 빚을 갚으라고 성화를 대다
—*n.* ⓒⓤ **1** (권리로서의) 요구, 청구(demand) (*for, on, to, against*): I have many ~*s on* my time. 여러 가지 일로 시간을 빼앗긴다. **2** (소유권·사실의) 주장, 단언: (~+*to* do) His ~ *to* be promoted to the post was quite legitimate. 그 자리로 진급시켜 달라는 그의 요구는 아주 정당한 것이었다. // (~+*that* 절) He put forward the ~ *that* he was the first inventor of the machine. 그는 최초로 그 기계를 발명했다고 주장했다. **3** (요구할) 권리, 자격(right, title) (*to, on*): He has no ~ *to* scholarship. 그는 학자라고 할 자격이 없다. **4** 청구물; (특히 광구(鑛區)의) 불하(拂下) 청구지 **5** (보험금 등의) 지불 청구(액) **6** (계약 위반 등에 대한) 보상[배상]의 청구(액), 클레임 **7** (상품 등의) 선전 문구, 품질 설명 **8** (…에 대한 다른) 의견; 사정 설명의 요구
jump a ~ 남의 광산[토지, 권리]을 횡령하다 ***lay* [*make*] *~ to*** …에 대한 권리[소유권]를 주장하다 ***put* [*send*] *in a ~ for*** …에 대한 요구를 제출하다 ***one's ~ to fame*** 《익살》 유명해진 유일한 이유 《claim과 fame은 운을 맞춤》 ***set up a ~ to*** …에 대한 권리를 제기하다 ***stake* (*out*) *a* [*one's*] *~*** 소유권을 주장하다 (*to, on*) **~·a·ble** *a.* 요구[주장]할 수 있는
cláim àgent 《미·속어》 (경마에서) 적중 마권을 분실했다고 주장하는 사람
*__claim·ant__ [kléimənt], **claim·er** [-ər] *n.* **1** 요구자, 주장자 **2** 〖법〗 (배상 등의) 원고 **3** 실업 수당 청구자
cláim chèck (옷·주차 등의) 번호표, 예치표, 보관증; (공항에서의) 수하물 인환증
cláim·ing ràce [kléimiŋ-] 〖경마〗 매각 경마 《출주(出走) 전에 정해진 가격으로 경마 후에 팔리는 경마》
claim-jump·er [kléimdʒʌ̀mpər] *n.* 《미》 선취 특권 횡령자 《특히 광구(鑛區)의》
claims·man [kléimzmən] *n.* (*pl.* **-men** [-mən]) 〖보험〗 지불액 사정원(査定員) 《특히 재해 보험의》
cláim tàg =CLAIM CHECK
clair·au·di·ence [klɛərɔ́:diəns] *n.* Ⓤ (보통 사람 귀에 들리지 않는 소리를 들을 수 있다는) 초인적인 청력, 투청(透聽), 투청력
clair·au·di·ent [klɛərɔ́:diənt] *a., n.* 초인적인 청력이 있는 (사람), 투청력이 있는 (사람) **~·ly** *ad.*
clair-ob·scure [klɛ́ərəbskjúər] *n.* =CHIAROSCURO
clair·voy·ance [klɛərvɔ́iəns] *n.* Ⓤ **1** 투시(透視), 투시력, 천리안 **2** 비상한 통찰력
clair·voy·ant [klɛərvɔ́iənt] [F =clearseeing] *a.* **1** 투시의, 천리안의 **2** 날카로운 통찰력이 있는
—*n.* (*fem.* **-ante**) 천리안을 가진 사람 **~·ly** *ad.*
*__clam__[1] [klǽm] [*clam*shell] *n.* **1** (*pl.* **~s,** [집합적] ~) 〖패류〗 대합조개 **2** 《구어》 말 없는 사람 **3** =CLAMSHELL 2-5 **4** 《미·속어》 1달러 (지폐) **5** 《미·방송속어》 (언어상의) 실수, 틀림 **6** 《속어》 음부 (***as***) ***happy as a ~*** (***at* [*in*] *high water* [*at high tide, in the mud*]**) 《미·구어》 매우 기뻐서[만족해서] ***shut up like a ~*** 《구어》 갑자기 입을 다물다
—*vi.* (**~med**; **~·ming**) **1** 대합조개를 잡다 **2** 《구어》 (상대방의 질문에 대해) 침묵을 지키다, 말문을 닫다; 묵비(默秘)하다 (*up*) ▷ clámmy *a.*
clam[2] *n.* (재즈의) 가락이 안 맞는 음
clam[3] *n.* 《드물게》 클램프(clamp), 바이스(vise)
cla·mant [kléimənt, klǽm- | kléim-] *a.* **1** 《문어》 소란한(noisy) **2** 긴급한 처치를 요하는, 절박한
clam·bake [klǽmbèik] *n.* 《미》 **1** (조개를 구워 먹는) 해안 피크닉[파티](의 먹을거리) **2** 많은 사람이 법석대는 파티; 정치 집회

---

cultivate, educate, instruct, improve, culture, refine, polish, sophisticate
claim *n.* **1** 요구 demand, request, petition, call **2** 주장, 단언 assertion, allegation, affirmation, declaration, profession **3** 권리 right, title, prerogative, privilege, heritage, inheritance

***clam·ber** [klǽmbər, klǽmər | klǽmb-] *vi.* (애쓰며) 기어 올라가다 (*over, about*)
—*vt.* (손발을 사용하여) 기어올라가다 (*up*); 기어 내려가다 (*down*)
—*n.* [a ~] 등반, 기어 올라가기 **~·er** *n.*

clám chówder 클램 차우더 (대합을 넣은 야채 수프)

clám dìggers (종아리 중간까지 내려오는) 긴 반바지

clam·my [klǽmi] *a.* (**-mi·er**; **-mi·est**) **1** 차고 끈적끈적한, 냉습한, 찐득한 **2** 〈땅이〉 습지의; 〈빵이〉 금방 구운 (것 같은) **3** 이상한; 기미가 좋지 않은
clám·mi·ly *ad.* **clám·mi·ness** *n.*

‡clam·or | clam·our [klǽmər] 〔L. 「외치다」의 뜻에서〕 *n.* **1** (군중 등의) 시끄러운 외침, 떠들썩함 **2** (불평·항의·요구 등의) 부르짖음, 아우성, 소란(uproar) (*against, for*) **3** (악기·폭포·폭풍 등의) 큰 소음
—*vi.* 외치다, 떠들어 대다, 시끄럽게 굴다; (…할 것을) 강력히 요구[반대]하다 (*for, against, to* do): (~+副) They *~ed out.* 그들은 큰 소리로 떠들어댔다. // (~+前+名) The workers *~ed for* higher wages. 노동자들은 소란하게 임금 인상을 요구했다. / They were *~ing against* the government's plans. 그들은 정부의 계획에 요란스럽게 반대하고 있었다. // (~+**to** do) The soldiers *~ed to* go home. 병사들은 귀환하자고 아우성쳤다.
—*vt.* 시끄럽게 요구하다, 떠들어 대다, 아우성쳐 …시키다: They *~ed* their demands. 그들은 요구 사항을 시끄럽게 떠들어 댔다. // (~+目+副) The speaker was *~ed down.* 연사는 야유를 받고 하단했다. // (~+**that** 節) They *~ed that* the accident was caused by carelessness. 그들은 사고가 부주의 때문에 일어났다고 떠들어 댔다.
~ a person *into*[*out of*] 떠들어대어 …시키다[못하게 하다]: The country *~ed* him *into* resign*ing*. 온 나라가 떠들어 대어 그를 사임케 했다. **~ *out*** 고래 고래 소리 지르다.
▷ clámorous *a.*

***clam·or·ous** [klǽmərəs] *a.* 떠들썩한, 시끄러운; 시끄럽게 요구하는, 불평을 말하는
~·ly *ad.* **~·ness** *n.*

***clamp**[1] [klǽmp] *n.* **1** 죄는 기구, 죔쇠, 거멀못, 꺾쇠; 〔목공〕 나비장 **2** [*pl.*] 집게(pincers); (외과용) 겸자(鉗子) **3** 〔항해〕 보받이판 **4** 〔항공〕 악천후
put the ~s on (속어) …을 강도질하다
—*vt.* (죔쇠 등으로) 죄다; (불법 주차한 차바퀴에) 죔쇠를 채워 움직이지 못하게 하다; (…에게) 강제로 시키다, 부담시키다 (*on, upon*) **~ *down*** (구어) 〈폭도 등을〉 압박[탄압]하다, 강력히 단속하다 (*on*)

clamp[2] *n.* (영) (짚·흙 등을 덮어 저장한) 감자 더미; (벽돌 등의) 더미(pile) —*vt.* 〈벽돌 등을〉 높이 쌓다 (*up*); 〈감자 등을〉 짚·흙 등을 덮어서 가리다

clamp[3] [의성어] *n., vi.* 육중한 발소리(를 내며 걷다)

clamp·down [klǽmpdàun] *n.* (구어) 단속(團束), 탄압(crackdown)

clamp·er [klǽmpər] *n.* **1** 꺾쇠, 거멀못; [*pl.*] 집게 **2** (신발의) 징 **3** 〔전기〕 클램프 회로

clámp scrèw 죄는 나사못, 클램프 스크루

clam·shell [klǽmʃèl] *n.* **1** 대합조개 껍질 **2** (흙·모래 등을 퍼올리는) 준설 버킷(=∠ **bùcket**) (준설기의 일부) **3** 〔항공〕 양쪽으로 열리는 문; 추진력 제어 장치 **4** 햄버거용 용기 **5** (자동차 위에 올리는) 대형 여행 가방 **6** (속어) 입(mouth)

clam·worm [klǽmwə̀ːrm] *n.* 〔동물〕 갯지렁이

***clan** [klǽn] [Gael. 「자손」의 뜻에서] *n.* **1** (스코틀랜드 고지인들의) 씨족(氏族)(tribe); 일족, 일문 **2** 벌족(閥族); 당파, 일당(一黨)(clique) **3** (생물의) 속, 종, 과 ▷ clánnish *a.*

clan·des·tine [klændéstin] *a.* 은밀한, 남몰래 하는, 비밀의 **~·ly** *ad.* 비밀리에, 남몰래 **~·ness** *n.*

***clang** [klǽŋ] [의성어] *vi., vt.* 〈무기·종 등이〉 뗑[뗑그렁, 철커덩] 하고 울리다[울리게 하다]
—*n.* [a ~] 그 소리

clang·er [klǽŋər] *n.* 땡 하는 소리를 내는 것[사람]; (구어) 큰 실패[실수] ***drop a ~*** (구어) 큰 실패[실수]를 하다

clan·gor | clan·gour [klǽŋər, klǽŋgər] *n.* [a ~] 뗑그렁뗑그렁, 뗑뗑, 짤랑짤랑 (금속성의 연속음)
—*vi.* 뗑그렁뗑그렁 울리다 **~·ous** *a.* **~·ous·ly** *ad.*

Ć lànguage 〔컴퓨터〕 시 언어 (1972년 미국 AT&T 사와 Bell 연구소의 D. Ritchie에 의해 개발된 프로그래밍 언어)

clank [klǽŋk] [의성어] *vi., vt.* 〈무거운 쇠사슬 등이〉 절거덕 소리나다[소리나게 하다]
—*n.* **1** [a ~] 절거덕 소리 **2** [the ~s] (속어) = DELIRIUM TREMENS **~·ing·ly** *ad.* **~·ing·ness** *n.*

clanked [klǽŋkt] *a.* (속어) 지친, 녹초가 된

clan·nish [klǽniʃ] *a.* **1** 씨족의 **2** 당파적인; 배타적인 **~·ly** *ad.* **~·ness** *n.*

clan·ship [klǽnʃip] *n.* Ⓤ **1** 씨족 제도 **2** 씨족 정신; 당파적 감정

clans·man [klǽnzmən] *n.* (*pl.* **-men** [-mən, -mèn]) 같은 씨족[문중]의 사람

clans·wom·an [klǽnzwùmən] *n.* (*pl.* **-wom·en** [-wìmin]) 씨족의 일원인 여성

‡clap[1] [klǽp] [의성어] *n.* **1** 파열음, 탕[꽝, 콰르릉] 하는 소리: a ~ of thunder 뇌성, 우렛소리 **2** [a ~] (손바닥으로 우정·칭찬 등을 나타내어 등 등을) 찰싹[툭] 치기 (*on*) **3** [a ~] (짝짝) 손뼉치기; 박수 (clapping이 일반적); 일격: give a person a ~ (영) …에게 박수를 쳐 주다 **4** (새 등의) 파닥거림
at a*[*one*] *~ 일격에 ***in a ~*** 갑자기
—*v.* (**~ped**; **~·ping**) *vt.* **1** 〈손뼉을〉 치다: ~ one's hands 박수 치다 **2** (우정·칭찬의 표시로 손바닥으로) 가볍게 치다[두드리다]; 〈날개를〉 파닥이다: A bird *~s* its wings. 새가 날개를 친다. // (~+目+前+名) ~ a person *on* the back …의 등을 두드리다 **3** …에게 박수를 보내다, 박수 갈채하다 **4** 쾅하고 놓다, 잽싸게[휙] 놓다: (~+目+副) He *~ped* the door *to.* 그는 문을 쾅 닫았다. // (~+目+前+名) ~ a hat *on* one's head 모자를 휙 쓰다 / He *~ped* a piece of candy *into* his mouth. 그는 사탕 하나를 잽싸게 입에 넣었다. **5** 서둘러서 준비하다, 급하게 만들다 **6** 〈압류 영장을〉 (…에게) 붙이다[집행하다]
—*vi.* **1** 박수[손뼉]를 치다 **2** 철썩[쾅] 소리내다; 〈문 등이〉 탕[쾅] 닫히다 (*to*) **3** 날개를 파닥이다; 수다를 떨다, 지껄이다 (*about*) **4** 재빨리 움직이다 **5** (영·방언) 쭈그리고 앉다, 털썩 주저앉다 (*down*)
~ *hold of* …을 (급히) 붙잡다 **~ a person *in prison*[*into gaol*]** …을 감옥에 처넣다 **~ *on*** 〈손 등을〉 얼른 놓다; 〈수갑을〉 찰카닥 채우다; 〈브레이크를〉 급히 밟다; 〈돛을〉 급히 올리다; 〈세금을〉 부과하다 **~ *out*** [수동형으로] …을 녹초가 되도록 피곤하게 하다 ***~ping for credit*** (미·속어) 음악 감상(의 과목) **~ *up*** 급히 결말짓다; 〈거래·화해 등을〉 재빨리 결정짓다; 〈상자 등을〉 급히 만들다; 서둘러 투옥하다

clap[2] *n.* [the ~] (속어) 임질(gonorrhea)
—*vt.* (**~ped**; **~·ping**) 임질을 옮기다

clap·board [klǽbərd, klǽpbɔ̀ːrd | klǽpbɔ̀ːd] *n.* **1** (미) 물막이 판자, 미늘판 **2** (영) 통 만드는 참나무 판자 —*vt.* (미) …에 물막이 판자를 대다

Clap·ham [klǽpəm] *n.* 클래펌 (London의 교외) [보통 다음 성구로] ***the man*[*woman*] *on the ~ omnibus*** (영) 보통 사람

clap·net [klǽpnèt] *n.* 덫 그물 (새·곤충 채집용)

clap·om·e·ter [klæpɑ́mətər | -ɔ́m-] *n.* (텔레비전의) 박수 측정기

thesaurus
clamber *v.* scramble, climb, ascend
clamor *n.* shouting, uproar, noise, commotion, yelling, blaring, outcry
clamp[1] *n.* vice, press, brace, clasp, fastener
clan *n.* family, tribe, house, line
clap[1] *v.* applaud, acclaim, cheer

clapped-out [klǽptáut] *a.* 《영·구어》 **1** 〈기계가〉 낡은, 덜거덕거리는 **2** 지친, 녹초가 된

clap·per [klǽpər] *n.* **1** 박수 치는 사람 **2** 종[방울]의 추(tongue) **3** (새 쫓는 데 쓰는) 설렁, 땡땡이; 딱따기 **4** 《속어》 혀; 수다쟁이 **5** [보통 *pl.*] = CLAPSTICK **6** [보통 *pl.*] 《영·속어》 스피드광
like the ~s 《영·속어》 굉장히 빨리; 아주 열심히

clap·per·board [klǽpərbɔ̀:rd] *n.* 《영》 = CLAPSTICK

clap·per·claw [klǽpərklɔ̀:] *vt.* 《영·방언》 때리고 할퀴다(claw); 욕하다; 꾸짖다(abuse)

clap·stick [klǽpstìk] *n.* [종종 *pl.*] 〖영화〗 (촬영 개시·종료를 알리는) 신호용 딱따기

cláp tràck (사운드 트랙에 넣기 전에) 미리 녹음한 박수 소리

clap·trap [klǽptræ̀p] *n.* **1** Ⓤ 인기를 끌려는 말[책략, 수단]; 허풍 **2** Ⓤ 시시한 짓, 부질없는 이야기 **3** 《속어》 임질에 걸린 여자 **—** *a.* Ⓐ 인기를 끌기 위한

claque [klǽk] [F 「박수하다」의 뜻에서] *n.* [집합적] **1** (극장에 고용된) 박수 갈채꾼 **2** 아첨 떠는 무리

cla·queur [klækə́:r], **claqu·er** [klǽkər] [F] *n.* claque의 한 사람

clar. 〖인쇄〗 clarendon type; clarinet **Clar.** Clarence

Clar·a [klέərə, klǽrə | klέərə] *n.* 여자 이름 《애칭 Clare》

clar·a·bel·la [klæ̀rəbélə] *n.* 〖음악〗 (풍금의) 클라라벨라 음전(音栓) 《flute 음색》

Clare [klέər] *n.* **1** 여자 이름 《Clara, Clarice, Clarissa의 애칭》 **2** 남자 이름 《Clarence의 애칭》

Clar·ence [klǽrəns] *n.* **1** 남자 이름 《애칭 Clare》 **2** [**c~**] 상자형 4인승 4륜 마차

Clàrence Hóuse 클래런스 하우스 《London의 Elizabeth 여왕 저택》

Clar·en·ceux [klǽrənsù:] *n.* 《영》 클래런수 문장관(紋章官)(cf. KING-OF-ARMS)

clar·en·don [klǽrəndən] *n.* Ⓤ 〖인쇄〗 클래런던체(體) 활자 《略 clar.》

Clárendon Préss [the ~] 클래런던 프레스 《Oxford 대학 출판국의 인쇄소 겸 학술 서적 출판부》

clar·et [klǽrit] *n.* Ⓤ **1** 클라레 《프랑스 보르도산(産) 적포도주》 **2** 짙은 자홍색(=~ **réd**) **3** 《속어》 피(blood) ***tap** a person**'s** ~* 《영·속어》 …을 때려서 코피가 나게 하다 **—** *a.* 자줏빛의

cláret cùp 클라레컵 《적포도주에 브랜디·탄산수·레몬·설탕을 섞어 차게 한 것》

Clar·i·bel [klέərəbèl, klǽr-] *n.* 여자 이름

Clar·ice [klǽris, klərí:s] *n.* 여자 이름

cla·rif·i·cant [klærífikənt] *n.* 〖화학〗 (액체의) 청정제(清淨劑)

clar·i·fi·ca·tion [klæ̀rəfikéiʃən] *n.* Ⓤ **1** (액체 등을) 깨끗하게 함, 맑게 함; 정화(淨化) **2** 설명, 해명

clar·i·fi·er [klǽrəfàiər] *n.* **1** 깨끗하고 맑게 하는 것, 정화기 **2** 청징제(清澄劑)

⁎**clar·i·fy** [klǽrəfài] *v.* (**-fied**) *vt.* **1** 〈의미 등을〉 뚜렷하게[명백하게] 하다; 명백하게 설명하다(explain): ~ one's position 입장을 분명히 하다 / Can you ~ your remarks? 분명히 설명해 주시겠어요? **2** 〈액체 등을〉 깨끗하게 하다, 맑게 하다, 정화하다 **3** (머리의) 작용을 맑게 하다
— *vi.* **1** 〈액체가〉 맑아지다, 투명해지다 **2** 〈의미 등이〉 뚜렷해지다, 분명해지다

⁎**clar·i·net** [klæ̀rənét] *n.* 클라리넷 《목관 악기》

clar·i·net·(t)ist [klæ̀rənétist] *n.* 클라리넷 취주자

clarify *v.* **1** 명백하게 하다 make clear, make plain, explain, elucidate, illuminate, make simple **2** 정화하다 purify, refine (opp. *muddy*)

clash *n.* **1** 부딪치는 소리 bang, clang, crash, clatter, clank, striking **2** 충돌 conflict, collision, confrontation, fighting, contending, feud

⁎**clar·i·on** [klǽriən] *n.* **1** 〖음악〗 클라리온 《명쾌한 음색을 가진 옛 나팔》; (파이프오르간의) 클라리온 음전(音栓) **2** 클라리온의 소리; 명쾌한 나팔 소리 **3** 〖문장〗 클라리온 문장(紋章)
— *a.* Ⓐ 《문어》 밝게 울려 퍼지는; 낭랑한
— *vi.* 클라리온을 불다
— *vt.* 큰 소리로 알리다

clárion càll **1** 낭랑한 부름 소리 **2** 날카로운 목소리로 하는 호소

Cla·ris·sa [klərísə] *n.* 여자 이름

⁎**clar·i·ty** [klǽrəti] *n.* Ⓤ **1** (사상·문체 등의) **명쾌함,** 명석함: have ~ of mind 머리가 명석하다 **2** (음색의) 깨끗하고 맑음; (액체의) 투명도

Clark [klɑ́:rk] *n.* 남자 이름

clark·i·a [klɑ́:rkiə] *n.* 〖식물〗 클라키어 《북아메리카 원산의 바늘꽃과(科)의 관상 식물》

clar·o [klɑ́:rou] [Sp.] *a.* 〈여송연이〉 빛깔이 엷고 맛이 순한 **—** *n.* (*pl.* ~(**e**)**s**) 빛깔이 엷고 맛이 순한 여송연

clar·sach [klɑ́:rsək, -sɑk] *n.* = CELTIC HARP

clart [klɑ́:rt] 《스코·북잉글》 *vt.* (끈적끈적한 것으로) …을 더럽히다 **—** *n.* [종종 *pl.*] (특히 구두에 묻은) 진흙 **clárt·y** *a.*

clar·y [klέəri] *n.* (*pl.* **clar·ies**) 〖식물〗 샐비어과(科)의 각종 식물 《관상용》

⁑**clash** [klǽʃ] [의성어] *n.* **1** [a ~] (종 등의) **땡땡 울리는 소리, 덜그렁덜그렁 부딪치는 소리** **2** (의견·이익 등의) **충돌**(collision), **불일치**(disagreement); (색의) **부조화, 분규** 《*of*》; 무력 충돌, 소규모 전투: border ~*es* 국경 분쟁 / the ~ *of* opinions 의견의 대립 / a personality ~ with the boss 상사와의 성격 차이 **3** (행사 등의) 겹침 《*between*》 **4** 소문거리(gossip), 험담 **5** 〖광고〗 (TV에) 비슷한 광고의 경합
— *vi.* **1** 땡땡[땡그렁] 소리나다; 덜그럭거리다: Their swords ~*ed.* 그들의 검이 쨍그렁 소리를 냈다. **2** 충돌하다, 부딪치다 《*into, upon, against*》: 《~+전+명》 The car ~*ed into*[*against*] the wall. 자동차가 벽에 부딪쳤다. **3** 〈의견·이해 등이〉 충돌하다, (규칙 등에) 저촉되다 《*with*》; 〈강연 등이〉 겹치다: Their interests ~. 그들의 이해는 상충한다. / On Monday the two meetings ~. 월요일에는 두 모임이 겹친다. // 《~+전+명》 This plan ~*es with* his interests. 이 계획은 그의 이익과 상충된다. **4** 《속어》 〈빛깔이〉 어울리지 않다: 《~+전+명》 The color of the wall ~*es with* that of the floor. 벽의 색은 마루의 색과 어울리지 않는다.
— *vt.* **1** 〈종 등을〉 땡땡[쨍그렁] 울리다; 〈칼 등을〉 부딪치다: 《~+목+전+명》 He ~*ed* the glass *against* the stone. 그는 유리잔을 돌에 던져 쨍그렁 깨 버렸다. **2** (부딪쳐서) 〈소리를〉 내다 **3** 《영·방언》 〈문을〉 쾅하고 닫다 **clásh·er** *n.*

⁑**clasp** [klǽsp, klɑ́:sp | klɑ́:sp] *n.* **1** 걸쇠, 죔쇠, 버클(buckle) **2** 쥠, 움켜쥠(grasp), 악수, 포옹(embrace): He took her hand in a firm ~. 그는 그녀의 손을 꽉 잡았다. **3** 〖군사〗 전투 기장(記章), 종군 기념 약장(略章) 《전투지명이 새겨진 금속 바(bar)》
— *vt.* **1** (걸쇠·죔쇠 등으로) 고정시키다, 죄다; 〈띠 등을〉 버클로 죄다 **2** 〈손 따위를〉 꼭 쥐다; 악수하다: ~ another's hand 상대방의 손을 꼭 쥐다 / ~ one's hands 양손의 손가락을 깍지 끼다 《애원·절망 등을 나타냄》 / ~ hands 굳게 악수하다; 제휴하다 // 《~+목+전+명》 He ~*ed* her *by* the hand. 그는 그녀의 손을 꼭 쥐었다. **3** 껴안다, 포옹하다: 《~+목+전+명》 He ~*ed* her *in* his arms. 그는 그녀를 꼭 껴안았다. **4** 〈덩굴 등이〉 …에 휘감기다 **5** 둘러싸다, 에워싸다(environ)
— *vi.* **1** 꽉 쥐다, 껴안다 **2** (걸쇠·죔쇠 등으로) 고정시키다, 죄다 ▷ enclásp *v.*

clasp·er [klǽspər, klɑ́:sp- | klɑ́:sp-] *n.* **1** 걸쇠 **2** 〖식물〗 덩굴손 **3** (곤충 수컷의) 미각(尾脚)

clásp knìfe 접는 칼(cf. SHEATH KNIFE)

‡class [klǽs, klɑ́:s | klɑ́:s] *n., a., v.*

L「(로마 시민의) 계급, 구분」의 뜻에서
→(사회 전반의) 계급, 계층 **4**→(최고의 계층) 상류 계급
→(학교의) 학급 **2**→수업, 학습 시간
→(물건 전반의) 등급, 부류 **1, 5**

— *n.* **1** (공통적 성질을 가진) **종류**(kind), 부류 **2** [CU] (학교의) **클래스, 학급,** 반(cf. FORM); (클래스의) **학습 시간, 수업**; (편물·요리 등의) 강습: in [after] ~ 수업 중[방과 후]에 / between ~*es* 수업 사이에 / be in ~ 수업 중이다 / go to ~ 수업하러 가다 / attend a history ~ = attend a ~ in history 역사 수업에 출석하다 / cut[skip] (a) ~ 수업을 빼먹다 / take ~*es* in cookery 요리 강습을 받다 / take a ~ of beginners 〈교사가〉 신입생 클래스를 담임하다 **3** [집합적] **클래스의 학생들**; 《미》 동기 졸업생[학급]; (군대의) 동기병(同期兵): the ~ of 1992 1992년 졸업반 / the 1992 ~ 1992년 (입영)병 **4** [보통 *pl.*] [CU] (사회적) 계급; 계급제[제도]: the upper [middle, lower, working] ~(*es*) 상류[중류, 하층, 노동] 계급 / the educated ~ 지식 계급 **5** (품질·정도에 의한) 등급: the first[second, third] ~ 1[2, 3]등 / travel second ~ 2등석[칸]으로 여행하다 **6** [U] 《구어》 우수, 탁월; (옷·행위 등의) 우아함, 품위, 고급: a ~ champion 우수 선수 / She has ~. 그녀는 품위가 있다. **7** 〖생물〗 (동식물 분류상의) 강(綱) 《phylum과 order와의 사이; cf. CLASSIFICATION》 **8** 《영》 〖대학〗 우등 시험의 합격 등급: take[get, obtain] a ~ 우등으로 졸업하다 **9** 〖문법〗 = FORM CLASS **10** 〖교회〗 = CLASSIS **11** 〖그리스도교〗 분회(分會) **12** 〖통계〗 계급 **13** 〖수학〗 집합(set)

be no ~ 《속어》 보잘것없다; 열등하다 ***Go to the head*[*top*] *of the ~!*** (비난을 넣어서) 참 대단하군! ***in a ~ by itself*[*oneself*]** = ***in a ~ of*[*on*] *its*[*one's*] *own*** = ***in a ~ apart*** 비길 데 없는, 뛰어난 ***in a ~ with*** …과 동등하게

— *a.* **1** Ⓐ 계급의, 계급적인 **2** 학급의, 반의 **3** 《구어》 우수한, 일류의; 품위 있는, 멋진: a ~ hotel 고급 호텔

— *vt.* **1 분류하다**(classify); 등급[품등]을 정하다(size up): ~ samples 표본을 분류하다 // (~+목+***as*** 보) be ~*ed as* …으로 분류되다 // (~+목+전+명) We ~ him *among* the best writers. 우리는 그를 일류 작가에 넣는다. **2** 〈학생을〉 조(組)로 나누다; 〈학생을〉 …의 반에 두다

— *vi.* (어느 class에) 속하다, 분류되다: (~+***as*** 보) those who ~ *as* believers 신자로 꼽히는 사람들

▷ clássify *v.*

class. classic(al); classification; classified

class·a·ble [klǽsəbl, klɑ́:s- | klɑ́:s-] *a.* 분류할 수 있는, 반을 편성할 수 있는

cláss áct 《구어》 일류의[걸출한] 것[사람]

cláss áction 〖법〗 (공동 피해자들의) 집단 소송(class suit)

cláss bàby 《미·속어》 **1** 학급의 최연소자 **2** 졸업 후 동급생 중에서 생긴 첫 아이

class·book [klǽsbùk | klɑ́:s-] *n.* **1** 《미》 채점부, 출석부 **2** 《미》 졸업 기념 앨범(yearbook) **3** 《영》 교과서

cláss clèavage 〖문법〗 유분열(類分裂) 《한 낱말을 둘 이상의 형식류(形式類)로 쓰는 것》

class-con·scious [-kɑ́nʃəs | -kɔ́n-] *a.* 계급 의식을 가진; 계급 투쟁을 강하게 의식한; 동족 의식을 가진; 귀속 의식의, 연대감을 가진

cláss cónsciousness [U] 계급[동족, 귀속] 의식

cláss dày 《미》 (졸업생의 졸업식 전) 졸업 기념 행사일

cláss dìnner 동급생 만찬회

cláss distínction 계급 의식; 계급 구분의 규준

class·er [klǽsər | klɑ́:s-] *n.* (담배 따위를) 분류하는 사람; 《호주》 양모 평가 선별자

class-feel·ing [-fì:liŋ] *n.* [U] 계급간의 적대 감정

class-fel·low [-fèlou] *n.* = CLASSMATE

‡clas·sic [klǽsik] [L「(최고) 클래스(class)의」의 뜻에서] *a.* Ⓐ **1** 〈예술품 등이〉 **일류의,** 최고 수준의; 표준적인; 단아한, 고상한 **2 a 고전의,** 그리스·로마 문예의: ~ myths 그리스·로마 신화 **b** 고대 그리스·로마의 예술 형식을 본받은; (낭만주의에 대하여 18세기의) 고전풍의, **고전적인**(classical) **3** 역사적[문화적] 연상이 풍부한, 유서 깊은: ~ ground (for ...) (…으로) 유서 깊은 땅 / ~ Oxford[Boston] 옛 문화의 도시 옥스퍼드[보스턴] **4** 〈학문 연구·연구 서적 등이〉 권위 있는, 정평이 있는; 전형적인, 모범적인 **5** 〈복장 등이〉 유행에 매이지 않는, (유행을 넘어서서) 전통적인 (스타일의)

— *n.* **1 일류 작가**[작품], 걸작; 대문호, 대예술가 **2** (고대 그리스·로마의) 고전 작가[학자]; 고전 작품 **3** [(the) ~s] (고대 그리스·로마의) **고전** (문학), 고전어; [*pl.*; 단수 취급] 고전학[연구] **4** (특정 분야의) 권위서, 명저; 대표적인 것, 모범이 되는 것 **5** 전통[고전]적인 (스타일의) 복장[차, 도구 등]; 유행을 초월한 (스타일의) 옷 **6** 전통적(으로 유명한) 행사 **7** 《미·구어》 클래식카 《1925-42년형의 자동차》

▷ clássical *a.*; clássicize *v.*

‡clas·si·cal [klǽsikəl] *a.* **1** [때로 C~] (고대 그리스·로마의) **고전 문학의,** 고전어의: the ~ languages 고전어 《라틴·그리스 말》 **2 a** 〖문예〗 **고전주의의,** 의고적(擬古的)인(cf. ROMANTIC 6); 고전 취미적인, 고전적인 **b** 〈음악이〉 클래식의 《18-19세기의 균형잡힌 형식의》 **c** 〈학문이〉 고전파의: ~ economics 정통[고전]파 경제학 《Adam Smith나 Ricardo 등의 학설》 **3** 인문적인, 일반 교양적인 **4** 〈방법 따위가〉 전통적인, 종래의 **5** 전형적인, 모범적인 **6** 〖교회〗 장로 감독회(classis)의 **7** 〖언어〗 문어의, 문어적인 **8** 〖발레〗 〈양식·동작의 우아함 등이〉 전통적인

— *n.* 클래식 음악

~·ìsm *n.* = CLASSICISM **~·ist** *n.* = CLASSICIST

▷ clássic *n., a.*; classicálity *n.*

clássical cóllege 《캐나다》 고전·교양 대학 《고전·일반 교양 과목을 중심으로 하는 중등학교·대학 수준의 학교》

clássical condítioning 〖심리〗 고전적 조건 부여 《무조건자극과 조건자극을 결합하여 조건자극만으로 반응을 유발할 수 있을 때까지 이를 반복 행하는 조건부여》

Clássical Gréek 고전 그리스어; 고대 그리스어

clas·si·cal·i·ty [klæ̀səkǽləti] *n.* [U] **1** 고전적 특질 《예풍(藝風)의 순미(純美)·고아(古雅)·단아 등》 **2** 고전적 교양

Clássical Látin 고전 라틴어

clas·si·cal·ly [klǽsikəli] *ad.* **1** 고전적으로, 의고적으로 **2** 관행에 따라서, 규범대로 **3** 고전 연구에 있어서[의해]

clássical mechánics 〖물리〗 고전역학(古典力學) 《뉴턴 운동 법칙에 따르는 역학의 일부분》

clássical músic 고전 음악, 클래식

clássical schóol 〖경제〗 고전학파 《Adam Smith, Ricardo, J. S. Mill 등의 경제학파》

clas·si·cism [klǽsəsìzm] *n.* [U] **1** [종종 C~] 〖문예〗 고전주의, 의고주의(cf. REALISM; ROMANTICISM) **2** (교육상의) 상고(尙古)주의 **3** 고대 그리스·로마의 예술·문학의 원칙[양식], 고전 정신 **4** 고전적 어법, 고전 관용 표현 **5** 고전의 학식[교양]; 고전학

clas·si·cist [klǽsəsist] *n.* **1** (문학·예술상의) 고전주의자 **2** 고전학자; 그리스·로마 연구 옹호자

clas·si·cize [klǽsəsàiz] *vt., vi.* 〈문체 등을〉 고전식으로 하다; 고전을 모방하다

clássic ráces [the ~] 〖경마〗 **1** 《영》 5대 경마 《Two Thousand Guineas, One Thousand

thesaurus **classic** *a.* **1** 최고 수준의 first-rate, excellent, brilliant, finest, outstanding, exemplary **2** 고전의 traditional, timeless, ageless, longlasting, enduring, abiding, undying **3** 전형적인

Guineas, Derby, Oaks 및 St. Leger》 **2** 《미》 3대 경마 《Kentucky Derby, Preakness Stakes, Belmont Stakes》
clássic róck 클래식 록(음악) 《1950-70년대초의 록음악》
cláss identificàtion 〖사회〗 계급 귀속 의식
clas·si·fi·a·ble [klǽsəfàiəbl] *a.* 〈사물이〉 분류할 수 있는
‡**clas·si·fi·ca·tion** [klæ̀səfikéiʃən] *n.* UC **1 a** 분류(법), 유별, 종별 **b** 〖생물〗 분류 ★ 생물학상의 분류 순서: kingdom(계(界))－〖동물〗 phylum, 〖식물〗 division(문(門))－class(강(綱))－order(목(目))－family(과(科))－genus(속(屬))－species(종(種))－variety(변종(變種) **2** 등급별, 등급 매김, 급수별 **3** 《미》 (공문서의) 기밀 종별(種別) 《restricted, confidential, secret, top secret 등》
classificátion schèdule (도서관의) 도서 분류 일람표
classificátion socìety 선급(船級) 협회 《상선의 등급을 매기는 민간 조직》
classificátion yàrd 《미》 철도 조차장(操車場)
clas·si·fi·ca·to·ry [kləsífikətɔ̀:ri, klǽsəfi- | klæ̀sifikéitəri] *a.* 분류(상)의
*__clas·si·fied__ [klǽsəfàid] *a.* Ⓐ **1 분류된**; 〈광고가〉 항목별의 **2** 〈군사 정보·문서 등이〉 기밀 취급의 **3** (이익·제약 등이 적용되는 그룹·범주에) 해당되는, 선별의 **4** 《영》 〈도로가〉 등급이 매겨진
— *n.* ＝CLASSIFIED AD[ADVERTISEMENT]
clássified ád[**advertísement**] (신문의) 안내 광고, 3행 광고 《구인·구직 등 항목별로 분류되어 있음; cf. WANT AD》
clássified ádvertising **1** [집합적] (신문의) 안내 광고(란)(classified ads) **2** 안내 광고의 알선(업) **3** (신문·잡지 등의) 안내 광고 담당 부서
clássified cìvil sérvice 《미》 공무원 직계 제도
clas·si·fi·er [klǽsəfàiər] *n.* **1** 분류자 **2** 〖화학〗 분립기(分粒器) **3** 〖언어〗 분류사(辭)
‡**clas·si·fy** [klǽsəfài] *vt.* (**-fied**) **1 분류**[**유별**]**하다,** 등급으로 나누다 **2** 〈군사 정보·문서 등을〉 기밀 등급에 따라서 나누다; 기밀 취급하다 ▷ classificátion *n.*
cláss inclùsion 〖논리〗 (유(類)개념에 의한 종(種) 개념의) 포섭
cláss ìnterval 〖통계〗 계급 간격, 계급 간의 폭
clas·sis [klǽsis] *n.* (*pl.* **-ses** [-si:z]) **1** (개혁파 교회의) 종교 법원, 장로 감독회[구] **2** 종교 법원에 의한 관할구
clas·sis-chas·sis [klǽsitʃǽsi, -ʃǽsi] *n.* 《미·구어》 매력적인 몸매의 여성
class·ism [klǽsizm, klɑ́:s- | klɑ́:s-] *n.* 계급적 편견, 계급 차별(주의) 《자기가 속한 계급이 최상이라고 생각하는 신념》
class·ist [klǽsist, klɑ́:s- | klɑ́:s-] *n., a.* 계급[계층] 차별주의(의), 계급적 편견(을 가진)
class·less [klǽslis, klɑ́:s- | klɑ́:s-] *a.* **1** 〈사회가〉 계급 차별이 없는 **2** 〈사람 등이〉 특정한 사회 계급에 속하지 않는 **~·ly** *ad.* **~·ness** *n.*
class-list [klǽslìst | klɑ́:s-] *n.* 《영》 〖대학〗 **1** 우등 시험 합격자 등급별 명부 **2** 학급 명부
cláss mágazine 전문 잡지
class·man [klǽsmæ̀n, -mən | klɑ́:s-] *n.* (*pl.* **-men** [-mèn, -mən]) 《영》 〖대학〗 우등 시험 합격자 (cf. PASSMAN)
cláss màrk **1** 〖통계〗 계급값 **2** ＝CLASS NUMBER
‡**class·mate** [klǽsmèit | klɑ́:s-] *n.* **동급생,** 동창생, 반 친구, 급우
cláss mèaning 〖문법〗 유(類)의 의미
cláss mèeting 학급회
cláss nòun[**nàme**] 〖문법〗 종속(種屬) 명사, 보통 명사(common noun)
cláss nùmber 도서 분류 번호
cláss rìng 《미》 졸업 기념 반지 《고교나 대학의 어느 클래스[졸업 연차] 표시가 있는》
‡**class·room** [klǽsrù:m | klɑ́:s-] *n.* **교실**; 《일반적으로》 지식·경험을 쌓는 장소
cláss strúggle **1** 계급 대립 **2** [the ~] 계급 투쟁
cláss sùit ＝CLASS ACTION
cláss wár [**wárfare**] [the ~] ＝CLASS STRUGGLE 2
cláss wòrd 〖문법〗 유어(類語)
class·work [klǽswə̀:rk] *n.* 〖교육〗 교실 학습
class·y [klǽsi, klɑ́:si | klɑ́:si] *a.* (**class·i·er**; **-i·est**) **1** 《미·구어》 고급인(superior); 멋진(stylish) **2** 신분이 높은 **cláss·i·ly** *ad.* **cláss·i·ness** *n.*
clas·sy-chas·sy [klǽsiʃǽsi] *n.* 《미·구어》 ＝CLASSIS-CHASSIS
clast [klǽst] *n.* 〖지질〗 쇄설암(碎屑岩)
clas·tic [klǽstik] *a.* **1** 〖생물〗 분해성의 **2** 〈해부 모형이〉 분해식의 **3** 〖지질〗 쇄설성(碎屑性)의: ~ rocks 쇄설암
clath·rate [klǽθreit] *a.* **1** 〖생물〗 격자(格子) 모양의 **2** 〖화학〗 포접(包接)의 — *n.* 〖화학〗 포접 화합물
‡**clat·ter** [klǽtər] [의성어] *n.* **1** [a ~] **달가닥달가닥**[덜거덕덜거덕, 찰가닥찰가닥] **하는 소리** **2** 떠들썩함; 떠들썩한 소리[말, 웃음]; 지껄임(chatter) **3** 《스코》 소문; 험담(gossip)
— *vi.* **1** 달가닥달가닥[덜거덕덜거덕, 찰가닥찰가닥] 울리다 **2** 소란스런 소리를 내며 움직이다[나아가다, 달려가다]: (~+副) ~ *about* 소란스런 소리를 내며 돌아다니다 **3** 〈여러 사람이〉 떠들썩하게 지껄이다 《*away*》 **4** 《스코》 소문거리를 말하다, 험담하다(gossip)
— *vt.* 달가닥달가닥[덜거덕덜거덕, 찰가닥찰가닥] 울리게 하다; 《스코·방언》 따귀를 때리다 **~ *along*** 덜거덕거리며 가다 **~ *down*** 덜컹하고 넘어지다[떨어지다]
~·er *n.* 덜거덕덜거덕 소리를 내는 것; 수다쟁이
~·ing·ly *ad.* 덜거덕거리며; 수다스럽게
clat·ter·y [klǽtəri] *a.* 덜거덕거리는, 시끄러운
Claude [klɔ́:d] *n.* 남자 이름
Clau·di·a [klɔ́:diə] *n.* 여자 이름
clau·di·cant [klɔ́:dəkənt] *a.* 《고어》 절름발이의
clau·di·ca·tion [klɔ̀:dəkéiʃən] *n.* Ⓤ 〖의학〗 파행(跛行), 절뚝거림
Clau·di·us [klɔ́:diəs] *n.* **1** 남자 이름 **2** 클라우디우스 1세(10 B.C.-A.D. 54) 《로마 황제(41-54)》
‡**clause** [klɔ́:z] [L 「닫다(close)」의 뜻에서] *n.* **1** 〖문법〗 절(節)(⇨ 문법 해설 (3)) **2** (조약·법률의) **조항,** 조목 **~ *by* ~** 한 조목 한 조목씩, 축조(逐條)적으로
cláus·al *a.* 조항의; 〖문법〗 절의
claus·tral [klɔ́:strəl] *a.* ＝CLOISTRAL
claus·tro·phobe [klɔ́:strəfòub] *n.* 〖정신의학〗 밀실 공포증 환자
claus·tro·pho·bi·a [klɔ̀:strəfóubiə] *n.* Ⓤ 〖정신의학〗 밀실 공포증(opp. *agoraphobia*)
claus·tro·pho·bic [klɔ̀:strəfóubik] *a.* 〖정신의학〗 밀실 공포증의
cla·vate, -vat·ed [kléiveit(id)] *a.* 〖식물〗 방망이[곤봉] 모양의(club-shaped) **clá·vate·ly** *ad.*
clave[1] [kléiv] *v.* 《고어》 CLEAVE[2]의 과거
cla·ve[2] [klɑ́:vei] *n.* [보통 *pl.*] 〖음악〗 클라베스 《룸바 반주 등에 쓰이는 타악기의 일종》
clav·e·cin [klǽvəsin] *n.* 〖음악〗 클라브생(harpsichord)
cla·ver [kléivər, klɑ́:-] 《스코》 *n.* [보통 *pl.*] 잡담, 객쩍은 소리 — *vi.* 잡담하다, 객쩍은 소리를 늘어놓다
clav·i·cem·ba·lo [klæ̀vitʃémbəlòu] [It.] *n.* (*pl.* **-li** [-lì:], **~s**) 〖음악〗 클라비쳄발로 《하프시코드의 일종》
clav·i·chord [klǽvikɔ̀:rd] *n.* 〖음악〗 클라비코드 《피아노의 전신》 **~·ist** *n.*

---

typical, standard, model, guiding, prototypical
classify *v.* categorize, group, arrange, sort, order, rank, rate, class, grade
clause *n.* paragraph, article, note, section

clav·i·cle [klǽvikl] *n.* 〖해부〗 쇄골(鎖骨)(collarbone) **cla·vic·u·lar** [kləvíkjulər] *a.* **cla·víc·u·làte** [-lèit] *a.*

cla·vier [kləvíər, klǽviər, kléiv- | klǽviə] *n.* **1** 〖음악〗 건반, 키 **2** 건반 악기 《피아노 등》; (연습용) 무음(無音) 건반 악기 **cla·víer·ist** *n.*

clav·i·form [klǽvəfɔ̀:rm] *a.* 곤봉 모양의

‡**claw** [klɔ́:] *n.* **1** (고양이·매 등의 날카롭고 굽은) 갈고리 발톱(⇨ nail 유의어); 고리 발톱이 있는 발 **2** (게·새우 등의) 집게발 **3** 발톱 모양의 것; (쇠망치 끝의) 못뽑이 **4** 《경멸》 사람의 손; 마수 **5** 《미·속어》 경찰 ***get*** [***have***] one***'s ~s into*** [***in***] …을 붙잡다; 공격하다 ***have*** one***'s ~s out*** 《미·속어》 싸움할 기세가 되어 있다 ***in*** [***within***] a person***'s ~*** …에게 붙잡혀, …의 수중[손아귀]에 들어가 ***pare*** [***clip, cut***] ***the ~s of*** …의 발톱을 깎다[잘라내다]; …을 무해[무력]하게 하다 ***put the ~ on*** 《미·속어》 …을 붙잡다, 구류하다; …에게 돈을 꾸어 달라고 하다

— *vt.* **1** 손톱[발톱]으로 할퀴다(scratch); 손톱[발톱]으로 움켜잡다 **2** 〈구멍을〉 후벼 파다 **3** [~ one's way] 〈길을〉 (양손으로) 헤치며 나아가다 **4** 〈사람을〉 (배신하여) 모욕[비난]하다 **5** 〈가려운 곳을〉 (가볍게) 긁다: *C~* me, and I'll ~ thee. 《속담》 만사는 상대편이 할 탓, 오는 말이 고와야 가는 말이 곱다. **6** 《미·속어》 체포하다(arrest); 〈돈 등을〉 긁어모으다

— *vi.* **1** (손·발톱 따위로) 할퀴다; 할퀴려고 하다 《*at*》 **2** (필사적으로) 더듬어 찾다 **3** 〈가려운 곳을〉 가볍게 긁다 **4** 〖항해〗 〈배가〉 바람 부는 쪽으로 향하다

~ back (서서히) 되찾다; 《영》 〈정부가〉 급부 지출 증가를 증세(增稅)로 보충하다 ***~ off*** 〖항해〗 〈배가〉 바람 부는 쪽으로 머리를 돌리다 ***~ one's way*** (1) ⇨ *vt.* 3 (2) 고난을 극복하고 출세하다 **~·lìke** *a.*

cláw-and-báll fòot [klɔ́:ən*d*bɔ́:l-] *n.* = BALL-AND-CLAW FOOT

claw·back [klɔ́:bæ̀k] *n.* 《영》 **1** 정부가 급부(給付) 지출 증가를 증세로 보충하기 **2** 결점, 약점(drawback) **3** 아첨, 아부

cláw bàr 게 발 모양의 지렛대

cláw clùtch 서로 맞무는 클러치

clawed [klɔ́:d] *a.* [보통 복합어를 이루어] (…의) 발톱을 가진: sharp-~ 날카로운 발톱이 있는

cláw hàmmer **1** 못뽑이, 장도리 **2** 《미·구어》 연미복(tailcoat)

cláw hàtchet 못뽑이가 있는 손도끼

cláw sétting 《영》 〖보석〗 반지 등에 보석을 갈고리 발톱으로 고정시키는 세공법(Tiffany setting)

‡**clay** [kléi] *n.* **1** Ⓤ 점토, 찰흙; 흙(earth) **2** Ⓤ (육체의 재료로 여겨졌던) 흙; (영혼에 대하여, 죽으면 흙이 되는) 육체; 《시어》 인체(cf. ASHES, BONES) **3** Ⓤ 자질, 천성; 인격, 인품: a man of common ~ 평범한 사람 **4** 사기[오지] 담뱃대: a yard of ~ 긴 사기[오지] 담뱃대 ***as ~ in the hands of the potter*** 〈사람·사물이〉 뜻[마음]대로 (되어) ***feet of ~*** (사람·사물이 가진) 인격상의[본질적인] 결점; 뜻밖의 결점[약점] ***moisten*** [***wet, soak***] one***'s ~*** 《익살》 한잔하다, 술을 마시다(drink)

— *vt.* 진흙을 바르다[섞다], 진흙으로 채우다

▷ cláyish *a.*

Clay [kléi] *n.* 남자 이름

clay·bank [kléibæ̀ŋk] 《미》 *n.* **1** Ⓤ 황갈색 **2** 《미》 황갈색의 말 — *a.* 황갈색의

clay-cold [-kòuld] *a.* 〈시체 등이〉 점토처럼 찬; 생명이 없는

cláy cóurt (흙으로 된 보통의 옥외) 테니스 코트

cláy èater 《미·속어》 《경멸》 남부의 농민[시골뜨기]

clay·ey [kléii] *a.* **1** 진흙의[이 많은], 진흙 같은 **2** 진흙을 바른[으로 더러워진] **3** 진흙으로 된

cláy íronstone 〖광물〗 이철광(泥鐵鑛)

clay·ish [kléiiʃ] *a.* **1** 점토질[상(狀)]의, 진흙 비슷한 **2** 진흙을 바른

cláy mìneral 점토 광물

clay·more [kléimɔ̀:r] *n.* **1** 쌍날의 큰 칼 《옛날 스코틀랜드 고지인이 사용하던》 **2** 큰 칼을 찬 사람 **3** = CLAYMORE MINE

cláymore mìne 〖군사〗 클레이모어 지뢰 《작은 금속 파편을 비산시키는 지뢰》

clay·pan [kléipæ̀n] *n.* **1** 〖지질〗 점토반(盤) **2** 《호주》 (비가 오면 물이 괴는) 얕은 점토질 웅덩이

cláy pígeon **1** 〖사격〗 클레이 피전 《공중에 던져 올리는, 진흙으로 만든 원반 과녁》 **2** 《미·속어》 남에게 이용되기 쉬운 약한 입장에 있는 사람 **3** 《미·속어》 손쉬운 작업 **4** 《영·속어》 보행자

cláy pìpe **1** 사기 파이프 **2** 〖건축〗 토관

cláy pìt 점토 채취장

cláy ròad 《뉴질》 포장되지 않은 시골길

cláy shòoting 클레이 사격

cláy slàte 점판암(粘板岩)

cláy stóne 〖지질〗 점토암

cld. canceled; cleared; cloud; colored; cooled

-cle [kl] *suf.* = -CULE

clead·ing [klí:diŋ] *n.* 〖기계〗 (실린더나 보일러의 절연용) 덮개, 외피; 의복, 의류

‡**clean** [klí:n] *a.* **1** 청결한, 깨끗한, 말끔한(opp. *dirty*): a ~ room 깨끗한 방 **2** 〈물·공기 등이〉 오염되지 않은; 〈상처 등이〉 곪아 있지 않은 **3** (정신적·도덕적으로) 순수[결백, 순결]한(pure, chaste); 거짓이 없는 **4** 섞지 않은, 순수한: ~ gold 순금 **5** 조촐함을 좋아하는, 몸차림이 말쑥한: be ~ in one's person 차림새가 깔끔하다 **6** Ⓐ 〈동물이〉 깨끗한 것을 좋아하는 **7** 〈냄새·맛 등이〉 상쾌한 **8** 〈교정쇄 등이〉 틀린[정정한] 데가 없는, 읽기 쉬운; 아무 것도 기입하지 않은: a ~ page 백지 페이지 / a ~ proof 고친 데 없는 교정쇄 / a ~ sheet of paper 백지 **9** 날씬한, 맵시 좋은, 균형 잡힌: ~ limbs 날씬한 팔다리 **10** 완벽한, 완전한(complete) **11** 〈경기(자) 등이〉 공정한, 정정당당한 **12** 당연한(proper): That's the ~ thing to do. 그것은 마땅히 해야 할 일이다. **13** 〈언행 따위가〉 음탕[외설]하지 않은 **14** 범죄와 관계없는, 결백한: a ~ record 범죄 경력이 없는 이력 **15** 《구어》 〈핵무기가〉 방사성 강하물이 없는[적은]: ~ H-bombs (방사능이 적은) 깨끗한 수소 폭탄 **16** 무균의, 청정한 **17** 〈배가〉 적하가 없는; 〈선창이〉 빈 **18** 《속어》 무일푼의; 무기[흉기]를 갖고 있지 않은; 마약을 상용하지 않는 **19** 〈보석 따위가〉 흠이 없는 **20** 결점[고장]이 없는; 병이 아닌 **21** 〈지역이〉 적[게릴라]이 없는 **22** 〈행동이〉 계획대로의, 순조로운 **23** 〖성서〗 (모세(Moses)의 율법에 비추어) 부정(不淨)하지 않은; 〈새·짐승 등이〉 먹을 수 있도록 허가된[적합한]: ~ fish 먹을 수 있는 물고기 《산란기가 아닌》 **24** 교묘한, 솜씨 좋은, 능숙한(skillful): a ~ hit 〖야구〗 클린 히트 **25** 〈중고차가〉 상태가 좋은 **26** 〖금융〗 〈통화 가치가〉 시장 조작에 영향을 받지 않는 **27** 〖라디오·TV〗 〈음성·영상이〉 명료한 **28** 《미·속어》 경찰이 없는 **29** 〖항공〗 보조 탱크가 붙어 있지 않은

come ~ 《구어》 사실을 말하다, 죄다 불다, 자백[실토]하다 ***have ~ hands*** = ***keep the hands ~*** 부정에 관계되지 않다 ***keep a ~ tongue*** 무례한[지저분한] 말을 하지 않다 ***keep*** one***'s nose ~*** 《구어》 성가신[귀찮은] 일에 말려들지 않게 하다 ***make a ~ breast of*** ⇨ breast. ***make a ~ sweep of*** ⇨ sweep. ***show a ~ pair of heels*** 줄행랑치다

— *ad.* **1** 바로, 정통으로(exactly); 멋지게(neatly); 정정당당하게 **2** 깨끗이(cleanly) **3** 전혀, 아주, 완전히(entirely): ~ mad[wrong] 아주 미쳐서[틀려서] ***~ full*** 〖항해〗 〈범선이〉 한껏[가득] 바람을 받은

— *vt.* **1** 〈장소·물건을〉 청결[깨끗]하게 하다, 청소하다, 손질하다; 세탁하다; 〈이를〉 닦다; 〈상처를〉 소독하다, 씻어 처치하다: ~ one's teeth 이를 닦다 / ~ a

thesaurus **clear** *a.* **1** 맑게 갠 sunny, bright, cloudless, unclouded, fair, fine **2** 투명한 transparent, translucent, limpid **3** 명백한 obvious, plain, apparent, sure, definite, manifest **4** 열린, 방해 없

field for sowing 씨를 뿌리기 위해 풀을 뽑다 **2** 〈…을〉 씻어 〈더러움 등을〉 없애다, 지우다 **3** 〈먹어서 접시를〉 비우다; 〈생선·닭 등에서〉 창자를 들어내다 **4** 《속어》 〈사람을〉 (도박·강도·투기로) 빈털터리로 만들다 **5** 주물의 가장자리를 갈다 **6** 〈우표·인지의〉 소인을 지워 새것으로 만들다 **7** 〖야구〗 〈베이스를〉 비우다
— *vi.* **1** 청소하다 **2** 깨끗해지다
~ ***down*** 〈벽·자동차 따위를〉 위에서 아래로 깨끗하게 청소하다; 〈말 등을〉 씻어 주다; 지워 버리다 ~ ***from*** [***off***] (물건에서) …을 털어 내다, 닦아 내다, 제거하다 ~ ***out*** (1) 깨끗하게 쓸어내다 (2) 〈장소에서〉 …을 쫓아내다 (3) 《미》 〈사람을〉 쫓아내다 (4) (가게 따위의) 재고품을 일소하다 (5) (장소에서) 죄다 훔쳐내다 (6) 《구어》 〈사람을〉 빈털터리로 만들다 (7) 《구어》 달아나다 ~ a person***'s clock*** 《미·속어》 〈사람을〉 심한 꼴을 보게 하다, 혼내주다 ~ one***'s plate*** 깨끗하게[완전히] 먹어치우다 ~ ***up*** (1) 깨끗이 청소하다, 치우다 (2) 〈부패 등을〉 정화하다; 〈적을〉 일소하다 (3) 《구어》 〈일 등을〉 해치우다, 완료하다 (4) 《미·구어》 〈큰돈 등을〉 벌다 (5) 몸을 깨끗이 하다 ~ ***up on*** 《미·구어》 (1) (거래 등에서) 벌다 (2) 〈사람을〉 때려눕히다, 해치우다
— *n.* **1** [a ~] 청결하게 함, 손질, 소제, 청소 **2** 〖역도〗 클린 《바벨을 어깨 높이까지 들어 올리기》 **3** 〖항공〗 클린 상태 《비행기의 바퀴를 완전히 집어 넣은 상태; 군용기가 아무것도 장착하지 않은 상태》 ***give it a ~*** 손질하다 **~·a·ble** *a.* **~·ness** *n.*
▷ cléanly[2] *a.*; cléanly[1] *ad.*

Cléan Áir Áct 《미》 대기 오염 방지법 《1970년 제정》
cléan and jérk 〖역도〗 용상 《마루로부터 어깨 높이까지 올리고 다시 머리 위로 들어 올리는 방식》
cléan bíll **1** 신규 전면 재검토 법안 **2** = CLEAN BILL OF HEALTH 3
cléan bíll of héalth **1** (선원 등의) 완전 건강 증명서 **2** (의사에 의한) 건강 증명서 **3** (특히 공공 기관이 발행하는) 인물[신원] 보증서
cléan bíll of láding 무고장(無故障) 선하 증권
cléan bómb 깨끗한 폭탄 《방사능이 적은》(cf. DIRTY bomb)
cléan bréak 갑작스러운 중단; 딱 그만둠
clean-bred [klíːnbréd] *a.* 순종(純種)의
cléan configurátion 〖항공〗 순항(巡航) 형태
clean-cut [-kʌ́t] *a.* **1** 말쑥한, 맵시 있는; 단정한: ~ features 윤곽이 뚜렷한 얼굴 생김새 **2** 〈의미가〉 명확한(definite)
cléan énergy 클린 에너지 《태양열이나 전기처럼 대기를 오염시키지 않는 에너지》
‡**clean·er** [klíːnər] *n.* **1** 깨끗하게 하는 사람; 청소하는 사람; 청소 작업원 **2** (전기) 청소기, 진공 청소기 **3** 세제(洗劑) **4** 세탁소 주인[직공] **5** [보통 the ~s, ~'s] 세탁소 《《미》에서는 cleaner라고만 함》
go to the ~s [***~'s***] 《속어》 (도박 등으로) 있는 돈을 몽땅 빼앗기다, 빈털터리가 되다 ***take*** a person ***to the ~s*** [***~'s***] 《구어》 (1) (남의) 돈[재산]을 몽땅 빼앗다, 빈털터리로 만들다 (2) 〈남을〉 깎아내리다, 헐뜯다
clean-fin·gered [klíːnfíŋgərd] *a.* 정직한, 청렴한
cléan fíngers 청렴결백, 매수당하지 않음
cléan flòat 〖경제〗 자유 변동 시세 제도
clean-hand·ed [klíːnhǽndid] *a.* 결백한
cléan hánds 정직; 결백, 무구(無垢), 무죄
‡**clean·ing** [klíːniŋ] *n.* Ⓤ **1** 청소; (의복 등의) 손질, 세탁: general ~ 대청소 **2** = DRY CLEANING **3 a** 《구어》 (투자 등의) 대손해: get a good ~ 큰 손해를 보다 **b** 《미·속어》 (특히 스포츠의) 대패, 완패: Our team took a ~ in that game. 우리 팀은 그 시합에서 완패했다. **4** 개벌(皆伐) 작업 《한 구역의 모든 나무를 베어 내는 일》

cléaning wòman[**làdy**] 여자 청소부
clean·ish [klíːniʃ] *a.* 말쑥한, 조촐한
clean·li·ly [klénlili] *ad.* 말끔히, 깨끗이
clean-limbed [klíːnlímd] *a.* 〈젊은이가〉 팔다리의 균형이 잘 잡힌(well-proportioned), 날씬한
*__clean·li·ness__ [klénlinis] *n.* Ⓤ **1 청결**; 깨끗함 **2** 깨끗함을 좋아함
clean-liv·ing [klíːnlíviŋ] *a.* (도덕적으로) 깨끗한 생활을 하는, 청렴한
*__clean·ly__[1] [klíːnli] *ad.* **1 솜씨 있게, 멋지게**: cut a cake ~ into three 케이크를 솜씨 있게 세 쪽으로 자르다 **2 깨끗이**, 청결하게; 청렴하게: live ~ 깨끗하게 살다
*__clean·ly__[2] [klénli] *a.* (**-li·er**; **-li·est**) **1 깔끔한, 청결한**, 깨끗한 것을 좋아하는 **2** 〈소지품 등이〉 깨끗이 정리 정돈되어 있는 **3** 〈언어가〉 품위 있는 **4** (도덕적·정신적으로) 깨끗한, 순결한 ★ 발음에 주의할 것.
clean·out [klíːnàut] *n.* **1** (바람직하지 않은 것의) 일소 **2** (보일러·굴뚝 등의) 청소 구멍 **3** 《미·속어》 〖의학〗 배변
cléan ròom (우주선·병원 등의) 청정실, 무균실
cleans·a·ble [klénzəbl] *a.* 깨끗이 할 수 있는, 세척할 수 있는
*__cleanse__ [klénz] [clean의 OE형에서] *vt.* 《문어》 **1** 〈상처 따위를〉 **청결하게 하다**(clean), 씻다; 세척하다 **2** 〈사람·마음에서 죄 등을〉 씻어 깨끗이 하다, 정화하다; 〈장소·조직 등에서 탐탁지 않은 것·사람 등을〉 제거하다; 숙청하다 《*of, from*》: (~+목+전+명) ~ the soul *from*[*of*] sin 마음의 죄를 씻다 **3** 〖성서〗 〈문둥이를〉 고치다(cure)
— *vi.* 깨끗해지다, 청결해지다
▷ cléan *a.*
cleans·er [klénzər] *n.* **1** 청정제; 세척제 **2** 세척 담당, 세탁인 **3** 세탁소
clean-shaved [klíːnʃéivd], **-shav·en** [-ʃéivən] *a.* 수염을 말끔히 깎은
cléan shéet 깨끗한 경력, 훌륭한 이력
cleans·ing [klénziŋ] *n.* Ⓤ **1** 깨끗이 함, 정화; 죄를 씻음 **2** [*pl.*] (가축의) 후산(後産) **3** 《미》 청소
cléansing crèam 클렌징 크림 《유지성(油脂性)의 세안용 크림》
cléansing depàrtment (시의) 청소국[과]
cléansing tìssue 화장지(tissue paper)
clean·skin [klíːnskìn] *n.* 《호주》 **1** 낙인이 안 찍힌 동물 **2** 《속어》 전과가 없는 사람
cléan sláte **1** 깨끗한 경력(clean sheet) **2** 백지
cléan swéep 〖정치〗 (선거에서 한 당의) 완승, 압승; (연속 시합·콘테스트 등에의) 전승; (부패 등을 일소하는) 전면적 개혁
clean·up [klíːnʌ̀p] *n.* **1 a** 대청소 **b** 재고 정리 **c** (얼굴이나 손을 씻어) 말쑥[깔끔]하게 하기 **2** (악덕·정계 등의) 일소, 정화, 숙정; (잔적 등의) 소탕 《*of*》 **3** 《미·속어》 (단기간의) 큰 벌이[이득] **4** 〖야구〗 (타순의) 4번; 4번 타자
cléanup spòt[**slòt**] 〖야구〗 《미·속어》 [the ~] 타순의 4번(의 지위)
cléan wéapon 깨끗한 무기 《방사능이 나지 않는 원자 무기; cf. CLEAN BOMB》
‡**clear** [klíər] *a., v., ad., n.*

L 「밝은」의 뜻에서	
① (감각적으로) 밝은; 맑게 갠	**1**
② (사물이 명료하고) 분명한	**3**
③ (생각이 명명백백하여) 명확한	**4**
④ 장애물이 없는	**5**

— *a.* **1 밝은**, 맑게 갠, 선명한; 〈달·별 등이〉 밝은; 〈불·빛 등이〉 타오르는, 빛나는: a ~ sky 맑게 갠 하늘 / a ~ fire 훨훨 타는 불 **2 맑은**, 투명한: ~ soup 맑은 수프 / ~ water 투명한 물 **3** 〈안색·피부색 등이〉 맑은, 환한; 〈소리가〉 맑은; 〈모양·윤곽·영상 등이〉 분명

≒ open, empty, free, unhindered, unlimited
— *v.* **1** 제거하다, 치우다 remove, take away, tidy up, empty, vacate, evacuate, rid **2** (혐의 등을) 풀다 absolve, acquit, discharge, vindicate, excuse

한, 뚜렷한; 〖음성〗 〈[l] 음이〉 맑은(opp. *dark*): a ~ outline 뚜렷한 윤곽/the ~ note of a bell 맑은 종소리 **4** 〈사실·의미·진술 등이〉 **명백한, 명확한**, 분명한 (⇨ evident 유의어); 〈두뇌·사고 등이〉 명석한, 명료한: a ~ statement 명확한 진술/have a ~ head 머리가 명석하다/It is ~ what he is driving at. 그가 무엇을 노리고 있는가는 명백하다. **5 열린** (open); 〈방해·지장 등이〉 **전혀 없는**, 〈도로 등이〉 차가 없는, 한산한; 〈신호가〉 방해가 없음을 나타내는, 안전한; (…에서) 떨어진; 흠 없는, 결점 없는; 죄 없는, 결백한: a ~ space 빈 터/~ from suspicion 혐의의 여지가 없는/roads ~ of traffic 사람 왕래가 없는 도로/~ of debt 빚이 없는/~ of worry 걱정이 없는 **6 순수한**(pure); 에누리 없는, 정미(正味)의(net), 완전한(entire): a ~ month 꼬박 한 달/hundred pounds ~ profit 100파운드의 순 이익 **7** (…에 대해서) (…라고) 확신한, 납득하는 **8** 〈표정이〉 온화한 **9** 〈배가〉 짐을 싣지 않은 **10** 〈목재 등이〉 옹이[가지 《등》]가 없는: ~ lumber[timber] 흠이 없는 재목 **11** 〈교정쇄 등이〉 정정[오기]이 없는; 완전 원고의 **12** (암호법에서) 암호화되어 있지 않은, 보통문의 **13** 발가벗은, 나체의 **14** (병에서) 회복한 **15** (섬유의) 표면에 보풀이 없고 매끄러운 **16** 〈알이〉 무정란의

all ~ 적의 그림자 없음, 「경보 해제」 ***as ~ as day*** 대낮처럼 밝은; 매우 명백한, 명약관화한 ***be ~ sailing*** 《미》 손쉽게 해치울 수 있는, 순조로운 ***get ~ of*** …을 멀리하다, 피하다 ***keep ~ of*** …을 피하고 있다, 가까이 가지 않다 ***make*** one***self ~*** 자기의 말을 이해시키다: Do I *make myself* ~? 내 말을 알겠습니까? ***see*** one***'s way ~*** 앞에 장애가 없다 ***The coast is ~.*** ⇨ coast

— *vt.* **1** 〈장애물을〉 **제거하다**, 처리하다 《*of*》; 〈장소를〉 깨끗하게 하다, 치우다; 〈삼림·토지를〉 개척하다, 개간하다; 〈악인 등을〉 쫓아내다: ~ the table 탁자 위의 물건을 치우다 // 《~+목+전+명》 ~ the pavement *of* snow 길의 눈을 치우다 **2 명백하게 하다**; 〈액체 등을〉 맑게[깨끗하게, 투명하게] 하다; 〈머리·눈 등을〉 맑게 하다: ~ the muddy water 흐린 물을 맑게 하다 **3** 〈접시의〉 요리를 다 먹어치우다 **4** 〈목의〉 가래를 없애다; 〈목소리를〉 또렷하게 하다 **5** 〈이마에서〉 긴장의 흔적을 지우다, 미간을 펴다 **6** 〈명예 등에〉 손상을 입지 않도록 하다; 〈의심·혐의 등을〉 풀다; [~ one*self* 로] 〈자기의〉 결백함을 입증하다: 《~+목+부》 ~ ambiguity *up* 미심쩍은[모호한] 점을 풀다[밝히다] // 《~+목+전+명》 ~ one's mind *of* doubts 의심을 풀다/~ *oneself from*[*of*] a charge 자기의 결백함을 입증하다 **7** (접촉하지 않고) 통과하다; (잘) 뛰어넘다 **8** 〈낚싯줄 등의〉 엉힌 것을 풀다; 〈문제를〉 해결하다; 〖군사〗 〈암호를〉 해독하다; 충돌을 피하다; 〈난관을〉 돌파하다; 〈법안이〉 〈의회 등을〉 통과하다: ~ an examination paper 시험 문제를 풀다/My car only just ~*ed* the truck. 내 차는 아슬아슬하게 트럭과의 충돌을 면했다. **9** 〈배가〉 〈항구 등을〉 떠나다; 〈배·뱃짐 등의〉 출항[입항, 통관] 절차를 밟다; 〈세관을〉 통과하다; 〖상업〗 관세를 지불하다, 출항 절차를 마치다; 〈빚 등을〉 청산하다; 〈어음을〉 교환 청산하다; 〈수표를〉 현금으로 바꾸다 **10** …의 순이익을 올리다: ~ $500 on the sale 장사로 500달러를 벌다 **11** 〈사람·선박 등에〉 출국[입국] 허가를 주다; (비행기에 이착륙 등의) 허가를 주다 **12** (계획·제안 등을 위원회 등에서) 승인[인정]받다 《*with*》; 〈…을〉 허가[인가]하다 **13** 〖상업〗 재고품을 처분하다; 일소하다 **14** 〖컴퓨터〗 〈자료·데이터를〉 지우다, 소거(消去)하다

— *vi.* **1** 〈날씨가〉 **개다**, 〈구름·안개가〉 걷히다; 〈얼굴·앞길 등이〉 밝아지다; 〈액체가〉 맑아지다: My brain has ~*ed*. 내 머리가 맑아졌다. // 《~+부》 The clouds have begun to ~ *away*. 구름이 걷히기 시작했다. **2** 〖상업〗 (어음 교환소에서) 교환 청산하다; 재고품을 처분하다; 통관 절차를 밟다[마치다]: ~ outward [inward] 출항[입항] 절차를 밟다 **3** 의혹[불안, 오해]이 없어지다 **4** 〈의안 따위가〉 (실시 전에) 심의를 거치다, 승인을 얻다 **5** 식사 후 뒤처리를 하다 **6** 가 버리다; 비키다; 〈상품이〉 다 팔리다: 《~+전+명》 ~ *out of* the way 방해가 안 되도록 비키다 **7** 〖컴퓨터〗 〈데이터·명령이〉 지워지다 **8** 〖구기〗 (축구 등에서) 자기 진영에서 공을 멀리 걷어 내다

~ away 제거하다, 치워 없애다; 〈식후에 식탁 위의 것을〉 치우다; 〈구름·안개가〉 걷히다; 일소하다 ***~ off*** 완성하다, 치우다; 청산하다; 쫓아 버리다; 〈비가〉 멎다, 〈구름이〉 걷히다; 물러가다; 작별하다 ***~ out*** 비우다, 빈털터리가 되게 하다; 〈장애물·불필요한 것을〉 제거하다, 버리다; 〈배가〉 (절차를 마쳐) 출항하다; (갑자기) 가 버리다 ***~ the air*** [***atmosphere***] 공기를 맑게 하다; 《구어》 암운[의혹, 적성]을 일소하다; 분위기를 밝게 하다 ***~ up*** 정돈하다; 결제하다; 치우다; 〈문제·의문 등을〉 풀다; 〈날씨가〉 (비·구름이 걷히고) 개다; 〈병 등을〉 고치다; 〈병이〉 낫다; 청소하다

— *ad.* **1 명료하게**, 또렷하게 **2** 떨어져서(apart) **3** 충분히, 완전히(completely); 《미》 쭉, 계속하여

get ~ away[***off***] 완전히 떨어지다, 달아나다 ***get ~ out*** 완전히 밖으로 나가다 ***hang ~*** 닿지 않도록 걸다 ***stand***[***steer***] ***~ of*** …에서 떨어져서 서다, …에 접근하지 않다

— *n.* **1** 빈 터, 빈 틈 **2** (암호문이 아닌) 보통문 **3** 옹이나 가지가 없는 재목 **4** 〖배드민턴〗 클리어 쇼트 《크게 호를 그리며 상대방 뒤, 엔드라인 안으로 떨어지는 플라이트》 **5** [*pl.*] (1급보다 조금 떨어지는) 갈색이 낀 밀가루 **6** (교통 신호의) 파란불 **7** [*pl.*] 〖미술〗 (회화에서) 밝은 부분 **8** 〖컴퓨터〗 지우기, 지움 ***in the ~*** 안목으로; 위험을 벗어나서; 혐의가 풀려서; (통신이 암호가 아니라) 보통문으로; 빚지지 않고; 자유로워(free); 순익으로; 책임이 없는 **~·a·ble** *a.* **~·er** *n.*

▷ clárity, cléarness, cléarance *n*; clárify *v.*

cléar-áir tùrbulence [klíərɛ́ər-] 〖기상〗 청천(晴天) 난기류 《略 CAT》

∗**clear·ance** [klíərəns] *n.* **1** Ⓤ **정리**; 제거; **정돈**; 배제 **2** 〖기계〗 여유, 틈 **3** 비밀 정보[문서]의 취급 허가 **4** =CLEARANCE SALE **5** Ⓤ 삼림 벌채 《개간을 위한》 **6** 어음 교환(액); 결제, 거래 관계의 완료 **7** 〖항해〗 통관 절차, 세관 통과; 출항 (인가); 출항[입항] 허가증 (=~ **pàpers**); (항공기의) 착륙[이륙] 허가; (기획 등에 대한 상사 등의) 허가 《*for*》 **8** 순이익(net profit) ***~ of time*** 〖라디오·TV〗 네트워크 가맹국이 네트워크 프로그램을 일정 시간에 방송할 수 있는가에 대한 조사 ***make a ~ of*** …을 깨끗이 처분하다, 일소하다

▷ cléar *a.*

cléarance òrder 건물 철거 명령

cléarance sàle 창고 정리 판매, 염가 처분 판매

clear-cut [klíərkʌ́t] *a.* **1** 윤곽이 뚜렷한, 선명한, 명쾌한: ~ pronunciation 또렷한 발음 **2** [ㅅㅅ] 개벌(皆伐)의 **—** [ㅅㅅ] *n.* 개벌지(地)

— [ㅅㅅ] *vt.* 〈삼림의 한 구역을〉 개벌하다

clear-eyed [klíəráid] *a.* **1** 눈이 맑은 **2** 명민한, 총명한; 현실적인

clear-fell [klíərfèl] *vt.* (숲·일정 지역의) 나무를 모두 벌채하다

clear·head·ed [klíərhédid] *a.* 두뇌가 명석한 **~·ly** *ad.* **~·ness** *n.*

∗**clear·ing** [klíəriŋ] *n.* **1** Ⓤ **청소**; 장애물 제거, 소해(掃海) **2** (삼림) 개척지; (삼림의) 개벌 **3** Ⓤ 〖금융〗 청산; 어음 교환; [*pl.*] 어음 교환액

cléaring bànk 《영》 어음 교환 조합 은행

cléaring hòspital 〖군사〗 =CLEARING STATION

clear·ing·house [klíəriŋhàus] *n.* **1** 어음 교환소 **2** 정보 센터, 물자 집배(集配) 센터

cléaring lìne 선박의 안전 운항 진로 한계선

cléaring lòan 〖금융〗 =DAY LOAN

cléaring màrk 〖항해〗 무장애 표시 《clearing line을 나타내는 육표(陸標) 또는 해도상의 표시》

thesaurus **clearly** *ad.* obviously, plainly, undoubtedly, decidedly, surely, certainly

cléaring stàtion 〖군사〗 치료 후송소

cléar líght 《속어》 = LSD[1] 《환각제》

‡**clear·ly** [klíərli] *ad.* **1** 뚜렷하게, 명료하게 **2** 명확히, 확실히 **3** 똑똑히; 밝게; 깨끗하게 **4** [문장 전체를 수식하여] 분명히, 의심할 여지 없이: *C*~, it is a mistake. =It is ~ a mistake. 그것은 분명히 실수이다. **5** [응답으로서] 물론, 아무렴(Yes, no doubt.) ***to put it*** ~ 분명히 말해서

***clear·ness** [klíərnis] *n.* Ⓤ **1** 밝기, 맑기, 투명, 명석; 명료도(度) **2** 방해물이 없음

clear·out [klíəràut] *n.* (불필요한 물품 등의) 처분, 일소; 청소, 정리

clear-sight·ed [klíərsáitid] *a.* 시력이 좋은; 총명한(sagacious) **~·ly** *ad.* **~·ness** *n.*

cléar sígnal 안전 신호

clear·skin [klíərskìn] *n.* 《호주》 =CLEANSKIN

clear·starch [-stɑ̀ːrtʃ] *vt., vi.* (옷 등에) 풀을 먹이다

clear·sto·ry [-stɔ̀ːri | -stəri] *n.* =CLERESTORY

clear-up [klíərʌ̀p] *n.* 《영》 (대)청소, 정화: a massive ~ operation 대규모 정화 작업

clear·way [-wèi] *n.* 《영》 주차[정차] 금지 도로; (긴급) 대피로; 〖항공〗 클리어웨이

cléar wídth 〖목공〗 안치수, 안목

clear·wing [-wìŋ] *n.* 〖곤충〗 유리날개나방 《해충》

cleat [klíːt] *n.* **1** 쐐기 모양의 고정구(固定具) 《목제 또는 금속제》 **2** 보강용 횡목(橫木) **3** (구두 밑창의) 미끄럼막이 **4** [*pl.*] 클리트 《밑창에 미끄럼막이 장치가 있는 신발》 **5** 〖항해〗 밧줄 걸이 **6** 〖전기〗 클리트 《전선 누르개》 **—*vt.*** 밧줄 걸이에 잡아 매다; …에 클리트를 달다[로 보강하다]

cleat *n.* **5**

cleav·a·ble [klíːvəbl] *a.* 쪼갤[절개할] 수 있는 **clèav·a·bíl·i·ty** *n.*

cleav·age [klíːvidʒ] *n.* ⓊⒸ **1** 쪼개짐, 열개(裂開), 분할 **2** (앞목 부분이 깊은 드레스에서 드러나 보이는) 유방 사이의 골짜기 **3** (정당 등의) 분열 《*between*》 **4** 〖광물〗 벽개(劈開); 벽개면 **5** 〖화학〗 분열; 〖생물〗 (수정란의) 난할(卵割)

***cleave**[1] [klíːv] *v.* (**clove** [klóuv], **cleft** [kléft], **~d**; **clo·ven** [klóuvən], **cleft, ~d**) *vt.* **1** (나뭇결·벽개면을 따라) 쪼개다; (쪼개어) 틈을 내다: (~+목+부) ~ it *asunder* 그것을 갈기갈기 찢다 / ~ it *open* 그것을 베어 가르다 // (~+목+전+명) ~ it *in* two 그것을 둘로 쪼개다 **2** 〈길을〉 헤치며 나아가다: (~+목+전+명) We *clove* a path *through* the jungle. 우리는 밀림 속을 헤치며 나아갔다. **3** 〈새가 바람을〉 헤치며 날아가다; 〈배·수영자가 물을〉 가르며 나아가다: ~ the water 물을 가르며 나아가다 **4** (단체를 의견·이해 관계의 대립으로) 분열시키다; 〈사람·장소를〉 (…으로부터) 격리하다 《*from*》
—*vi.* **1** (나뭇결을 따라) 쪼개지다 **2** 헤치고 나아가다
~ ***down*** 베어 쓰러뜨리다 ~ ***one's way*** (…을) 헤집고[헤치며] 나아가다 ▷ cléft *n.*

cleave[2] *vi.* (**~d, clove** [klóuv], 《고어》 **clave** [kléiv]; **~d**) **1** 《고어》 부착[점착]하다 《*to*》 **2** 《문어》 〈주의 등을〉 고수하다, …에 집착하다 《*to*》; 굳게 결합하다 《*together*》; (남에게) 충실히 대하다 《*to*》

cleav·er [klíːvər] *n.* **1** 고기 베는 큰 칼 **2** 쪼개는[가르는] 것[사람] **3** 〖고고학〗 클리버 **4** 〖지질〗 빙하나 설원에서 돌출한 암석

cleav·ers [klíːvərz] *n. pl.* [보통 단수 취급] 〖식물〗 갈퀴덩굴(goose grass)

cleek [klíːk] *n.* **1** 갈고랑이 **2** 급격한 병(의 발작) **3** 클리크 《철제 골프채의 1번, 때로는 목제 골프채의 4번》

clench *v.* **1** 악물다 close, shut, fasten, seal **2** 꽉 쥐다 grasp, grip, hold, clutch, seize

clef [kléf] *n.* 〖음악〗 (오선지상의) 음자리표: a C ~ 「다」음자리표 《가온음자리표》/ an F[a bass] ~ 「바」음자리표 《낮은음자리표》/ a G[treble] ~ 「사」음자리표 《높은음자리표》

***cleft** [kléft] *v.* CLEAVE[1]의 과거·과거분사
—*a.* 갈라진, 쪼개진 ***in a ~ stick*** 《영》 진퇴양난이 되어, 궁지에 빠져(in a fix)
—*n.* 갈라진 틈; 쪼개진 조각; (두 부분 사이의 V형의) 오목한 자리; 여성의 음부

cléft gràft 〖원예〗 할접법(割接法)

cléft líp 언청이(harelip)

cléft pálate (선천성의) 구개 파열(口蓋破裂)

cléft séntence 〖문법〗 분열문(分裂文) 《문장에서 특정한 어구를 강조하기 위해 사용하는 구문》

cleg(g) [klég] *n.* 《영》 〖곤충〗 등에 《총칭》

clei·do·ic [klaidóuik] *a.* 〖발생〗 〈동물 따위의 알이〉 단단한 껍질·막으로 싸여 있는

cleis·to·gam·ic [klàistəgǽmik], **cleis·tog·a·mous** [klaistɑ́gəməs | -tɔ́g-] *a.* 〖식물〗 폐화 수정(閉花受精)의, 폐쇄화(閉鎖花)의

cleis·tog·a·my [klaistɑ́gəmi | -tɔ́g-] *n.* Ⓤ 〖식물〗 폐화 수정(閉花受精)

clem [klém] *vt., vi.* (**~med**; **~·ming**) 《영·방언》 주림[갈증, 추위]으로 고생시키다[고생하다]

clem·a·tis [klémətis, klimǽtis | klémə-] *n.* 〖식물〗 클레마티스 《으아리속(屬)의 식물》

Cle·men·ceau [klèmənsóu] *n.* 클레망소 **Georges** ~ (1841-1929) 《프랑스의 정치가》

clem·en·cy [kléménsi] *n.* (*pl.* **-cies**) ⓊⒸ **1** (성격의) 온화, 온후; (특히 재판이나 처벌 때의) 관용, 인자; 온정적인 조치 **2** (기후의) 온화, 온난

Clem·ens [klémənz] *n.* 클레멘스 **Samuel Langhorne** ~ (1835-1910) 《미국의 작가 Mark Twain의 본명》

clem·ent [klémənt] *a.* **1** 〈성격이〉 온화한, 동정심이 있는; 〈재판(관)·처벌이〉 관용적인(gentle), 관대한 **2** 〈기후가〉 온화한(mild), 따뜻한 **~·ly** *ad.*

clem·en·tine [kléməntàin, -tìːn] *n.* 〖식물〗 클레멘타인 《tangerine과 sour orange의 잡종인 소형 오렌지》

Clem·en·tine [kléməntàin, -tìːn] *n.* **1** 여자 이름 **2** [*pl.*] 클레멘스 교령집(敎令集)

clem·o [klémou] *n.* (*pl.* **clem·os**) 《미·속어》 **1** 가석방; 감형 **2** 탈옥

clen·but·er·ol [klenbjúːtərɑːl | -rɔl] *n.* Ⓤ 〖의학〗 천식약의 이름 《운동선수의 복용은 불법임》

***clench** [kléntʃ] [OE 「단단히 붙잡다」의 뜻에서] *vt.* **1** 〈이를〉 악물다; 〈입을〉 꾹 다물다, 〈주먹을〉 꼭 쥐다, 〈손을〉 꽉 움키다: He ~*ed* his fists in frustration. 그는 좌절감에 주먹을 꽉 쥐었다. **2** 〈물건을〉 단단히[꽉] 쥐다, 움켜쥐다 **3** 〖항해〗 =CLINCH 3
—*vi.* 꾹 다물어지다, 단단히 움켜지다
~ ***one's teeth*** [***jaws***] 이를 악물다; 굳게 결심하다
—*n.* **1** 이를 악물기; (분해서) 치를 떨기, 이갈기 **2** 단단히 쥐기; 〖권투〗 맞붙잡기 **clénch·er** *n.*

clénch-físt·ed salúte [kléntʃfístid-] 주먹을 내미는 항의의 몸짓

Cle·o [klíːou] *n.* 여자 이름

***Cle·o·pa·tra** [klìːəpǽtrə, -pɑ́ːt-] *n.* 클레오파트라 (69-30 B.C.) 《이집트의 마지막 여왕; 51-30 B.C.》

Cleopátra's Néedle 클레오파트라의 바늘 《고대 이집트의 Heliopolis에 있었던 두 개의 obelisk의 이름》

Cleopátra's nóse 클레오파트라의 코 《중대한 영향을 미치는 사소한 일; 만일 클레오파트라의 코가 조금만 낮았다면 세계의 역사는 달라졌을 것이라는 파스칼의 경구에서 나온 말》

clepe [klíp] *vt.* (**ycleped, yclept,** 《고어》 **cleped, clept**) 《고어》 …라고 부르다

clep·sy·dra [klépsədrə] *n.* (*pl.* **~s, -drae** [-drìː]) 물시계(water clock)

clep·to·ma·ni·a [klèptəméiniə, -njə] *n.* =

KLEPTOMANIA **clep·to·ma·ni·ac** [klèptəméiniæ̀k] *n.* = KLEPTOMANIAC

clere·sto·ry [klíərstɔ̀:ri | -stəri, -stɔ̀:ri] *n.* **1** 〖건축〗 채광층(層) 《고딕 건축의 대성당에서 aisles의 지붕 위에 높은 창이 달려 있는 층》 **2** (공장 등의 측면 벽이나 철도 차량 지붕의) 통풍[채광]창(clearstory)

clerestory 2

***cler·gy** [klə́:rdʒi] *n.* [the ~; 집합적; 복수 취급] **성직자들** 《신부·목사·랍비 등; 영국에서는 보통 국교회의 목사》

‡**cler·gy·man** [klə́:rdʒimən] *n.* (*pl.* **-men** [-mən, -mèn]) **성직자** 《영국에서는 보통 영국 국교회의 주교(bishop) 이하의 성직자; 미국에선 널리 성직자 일반; cf. PRIEST, PARSON, PREACHER, MINISTER, ECCLESIASTIC》

~'s sore throat 〖병리〗 만성 후두염(喉頭炎)

cler·gy·per·son [klə́:rdʒpə̀:rsn] *n.* 성직자 《성별 회피어(語)》

cler·gy·wom·an [klə́:rdʒwùmən] *n.* (*pl.* **-wom·en** [-wìmin]) **1** 여자 성직자 **2** (고어·익살) (교회 내에서 영향력 있는) 목사 부인[딸]

cler·ic [klérik] *n.* **1** (문어) 성직자 《clergyman보다 적용 범위가 넓음; cf. CLERK》; 성직권 주장[지지] 정당 사람 **2** [*pl.*] 2분의 1 크기의 독서용 코걸이 안경
— *a.* = CLERICAL

***cler·i·cal** [klérikəl] *a.* **1** 서기의, 사무원의: a ~ error 잘못 쓴 것, 오기 / the ~ staff 사무 직원 / ~ work 서기의 일, 사무 **2** 성직자의, 목사의(opp. *lay*[3]) **3** 성직권을 주장하는
— *n.* **1** 성직자, 목사(cleric) **2** [*pl.*] 성직복, 법의 **3** 성직권 주장자 **4** 서기, 사무원 **~·ism** *n.* Ⓤ 성직권 주의; 성직자의 (정치적) 세력 **~·ist** *n.* 성직권 주장자 **~·ly** *ad.* 성직자[서기]답게[로서]

clérical cóllar 성직자용 칼라(Roman collar) 《성직복의 목 뒤에서 고정시키는 가늘고 딱딱한 흰 칼라》

cler·i·cal·ize [klérikəlàiz] *vt.* 성직자가 되게 하다; 성직권 주의의 영향을 미치다

cler·i·hew [klérəhjù:] [영국의 작가 이름에서] *n.* 〖운율〗 클레리휴 《인물을 풍자하는 익살스러운 내용의 사행 연구(四行聯句)의 일종》

cler·i·sy [klérəsi] *n.* [집합적] **1** 지식인, 학자 **2** 지식인 계급, 인텔리겐치아; 문인 사회

‡**clerk** [klə́:rk | klɑ́:k] *n.*, *vi.*

> L 「목사」의 뜻에서 (배워서 읽고 쓸 수 있는 사람) → 서기 → 사무원 → 점원

— *n.* **1** (관청의) **서기**, 사무관: the head ~ 서기장 **2** (은행·회사의) **사무원**, 행원, 사원: a bank ~ 은행원 **3** (미) **a** (소매점의) 판매원, 점원((영) (shop) assistant) **b** (호텔의) 프런트 안내계 **4** (영) 교회 서기 **5** (영) (마을의 기록을 담당하는) 서기관 **6** 병원 실습생 **7** (고어) 〖법〗 (영국 국교회의) 목사(clergyman) **8** (고어) 학자 ***~ in holy orders*** 영국 국교회의 목사 ***~ of the course*** (경주·경기 등의 심사 위원회) 사무국장 ***~ of* (*the*) *works*** (영) (청부 공사의) 현장 감독 ***the C~ of* (*the*) *Weather*** (익살) 날씨의 신 《날씨를 지배하는 힘을 의인화한 것》
— *vi.* (미) **1** 서기로[사무원으로] 근무하다 **2** 점원 노릇을 하다 **~·ish, ~·lìke** *a.*
▷ clérical *a.*

clerk·dom [klə́:rkdəm | klɑ́:k-] *n.* Ⓤ clerk의 직[지위]

clerk·ess [klɑ́:rkis] *n.* 여자 사무원

clerk·ly [klə́:rkli | klɑ́:k-] *a.* (**-li·er**; **-li·est**) **1** 서기[사무원]의; (미) 점원의 **2** 목사의, 목사다운(clerical) **3** (고어) 학자의[다운] — *ad.* 사무원[점원]답게

clerk·ship [klə́:rkʃìp | klɑ́:k-] *n.* Ⓤ **1** 서기[사무원, 점원]의 직[신분] **2** 목사의 직[신분]

Cleve·land [klí:vlənd] *n.* 클리블랜드 **1** 미국 Ohio 주 북동부의 Erie 호반에 있는 도시 **2** 1974년에 신설된 영국 북부의 주 《주도 Middlesbrough [mídlzbrə]》

‡**clev·er** [klévər] *a.* (**~·er**; **~·est**) **1** 영리한, 슬기로운, 똑똑한, 현명한: a ~ student 영리한 학생 / a ~ advice 현명한 충고

> 유의어 **clever** 「머리의 회전은 빠르지만 (종종) 깊이가 결여된」 것을 뜻하며, 「교활한」의 뜻을 수반할 때도 있다: a *clever* reply 영리한 대답 **wise**' 지식·경험이 풍부하여 사물을 바로 판단하고 대처할 능력이 있는: a *wise* judgment 현명한 판단 **bright** 아이 등이 머리가 좋은: the *brightest* boy in the class 반에서 가장 머리가 좋은 소년

2 손재주 있는, 솜씨 좋은, 숙련된, 잘하는 (*at*): a ~ horse 도약을 잘하는 말 / a ~ carpenter 솜씨 좋은 목수 **3** 독창적인, 창의적인; 교묘한: a ~ device 창의적인 고안 **4** (미·방언) 사람이 좋은(good-natured) **5** 번드르르한, 겉뿐인, 약삭빠른
not too ~ (호주·속어) 기분이 좋지 않은 ***too ~ by half*** (영·구어·경멸) 너무 영리한 체하는, 지나치게 똑똑한[똑똑하여 오히려 해로운]
▷ cléverly *ad.*; cléverness *n.*

cléver bòots[**clògs, sìdes, stìcks**] [단수 취급] (속어) 영리한 사람

clev·er-clev·er [klévərklévər] *a.* (구어) 약은 체하는, 머리가 좋은 체하는

cléver Díck[**díck**] (영·속어) 머리가 좋은 사람, 잘난 체하는 사람

clev·er·ish [klévəriʃ] *a.* 잔재주 있는; 손재주 있는

***clev·er·ly** [klévərli] *ad.* **1** 영리하게, 실수 없이 **2** 교묘하게, 솜씨 좋게 **3** (방언) 완전히

***clev·er·ness** [klévərnis] *n.* Ⓤ **1** 영리함, 빈틈 없음 **2** 교묘, 솜씨 좋음

clev·is [klévis] *n.* U자형 갈고리, U링크

clew [klú:] *n.* **1** 실꾸리; 〖그리스신화〗 (미궁의) 길잡이 실(clue) **2** 〖항해〗 배돛귀 《가로돛의 아래구석, 세로돛의 뒷구석》 **3** [*pl.*] (해먹을) 매다는 줄 **4** (고어) = CLUE ***from ~ to earing*** 〖항해〗 가로돛의 아래에서 위까지; 구석구석, 철저히 ***spread a large ~*** 〖항해〗 많은 돛을 달다; 장관을 연출하다 ***spread a small ~*** 〖항해〗 조금밖에 돛을 달지 않다; 눈에 띄지 않는 모습을 하고 있다
— *vt.* **1** 실뭇으로 만들다 (*up*) **2** 〖항해〗 돛귀를 당기다 ***~ down*** 돛의 아래구석을 당겨 내리다 《돛을 펼 때》 ***~ up*** 돛의 아래구석을 위로 끌어 올리다 《돛을 거둘 때》; 〈일을〉 걷어치우다, 끝마치다

CLI cost-of-living index 생계비 지수; computer-led instruction 컴퓨터 주도 학습

***cli·ché** [kli:ʃéi, kli- | klí:ʃei] [F] *n.* **1** (진부한) 판에 박은 문구, 진부한 표현[생각, 행동] **2** (영) 〖인쇄〗 스테레오판(版), 전기판

cli·chéd, -ché'd [kli:ʃéid, kli- | klí:ʃeid] [F] *a.* cliché가 많이 들어간, 낡은 투의

***click** [klík] [의성어] *n.* **1** 딸깍[찰칵] 하는 소리: the ~ of a latch 걸쇠가 딸깍 하는 소리 **2** 〖기계〗 제동자(制動子), 멈춤쇠(detent) **3** 〖언어〗 흡기음(吸氣音) 《혀 차는 소리 등》 **4** (음악의 박자를 강하게 하는) 지휘봉의 빠른 움직임 **5** (속어) (갑작스러운) 이해; (흥행의) 성공 **6** 도당, 소집단, 파벌(clique)
— *vi.* **1** 딸깍 소리가 나다[소리를 내다](tick) **2** (구어) 〈일이〉 (…에게) 잘되다, 성공하다 **3** (구어) 의기투합[상투]하다, 호흡이 맞다; (…와) 사랑하는 사이가 되다 (*with*) **4** (구어) 〈일이〉 (…에게) 갑자기 이해되

thesaurus **clever** *a.* **1** 영리한 intelligent, bright, talented, gifted, smart, capable **2** 손재주 있는 dexterous, skillful, adroit, nimble, deft
client *n.* customer, patron, regular, buyer, user

다, 직감적으로 파악되다 **5** 〘컴퓨터〙 마우스의 버튼을 누르다, 마우스의 버튼을 눌러 (아이템을 화면상에) 선택하다 **6** 《군대속어》 살해되다
—*vt.* **1** 〈…을〉 딸깍[찰깍] 소리나게 하다 **2** 〈물건을 서로 맞부딪쳐〉 딸깍[찰깍] 소리나게 하다 **3** 〘컴퓨터〙 마우스를 누르다
~ ***for ...*** 《영·구어》 …을 운좋게 손에 넣다 ~ ***off*** 기계적으로 기록하다[기록을 반복하다] **~·less** *a.*

click·a·ble [klíkəbl] *a.* 〘컴퓨터〙 클릭 가능한 《낱말이나 그림을 click하면, 자동적으로 다른 데이터로 옮겨 가는[링크되는]》

clíck bèetle 〘곤충〙 방아벌레

click·er [klíkər] *n.* **1** 딸깍[찰깍] 소리내는 것; 혀 차는 사람 **2** 《영·구어》 (상점의) 호객꾼(puller-in) **3** 《영》 식자(植字) 과장[조장]; (제화 공장의) 공장장 **4** 리모컨(remote control)

click·e·ty-clack [klíkətiklǽk] *n.* 짤깍짤깍[덜커덕덜커덕, 타닥타닥](하는 소리)

clíck ràte 〘컴퓨터〙 웹사이트 방문자 수

clicks-and-mor·tar [klíksənd*m*ɔ̀:rtər] *a.* Ⓐ 상점과 웹사이트를 경영하는 〈사업〉

clíck stòp 〘사진〙 클릭 스톱 《카메라 등에서 일정한 눈금마다 딱 하고 소리내며 멈추는 장치》

click·stream [klíkstrì:m] *n.* 〘컴퓨터〙 (방문하고자 하는) 웹사이트의 통로, 집합

***cli·ent** [kláiənt] 〖L 「추종자」의 뜻에서〗 *n.* **1** (변호사 등의) 의뢰인 **2** (상인의) 고객, 단골(⇨ CUSTOMER 유의어) **3** 클라이언트 《복지 사업가 등의 도움을 받는 사람》 **4** 〘역사〙 (로마 귀족의) 예속 평민; 부하(dependent) **5** = CLIENT STATE **6** 〘컴퓨터〙 클라이언트 《서버로부터 정보를 받는 네트워크상의 컴퓨터》
—*a.* **1** 단골의 **2** (경제적·군사적으로) 다른 나라에 의존하는 **~·less** *a.*

cli·ent·age [kláiəntidʒ] *n.* Ⓤ **1** 피보호자의 지위 **2** = CLIENTELE

cli·ent·al [klaiéntl, kláiəntl] *a.* 의뢰인[고객]의[에 관한]; 고객 관계의

clí·ent-cen·tered thérapy [kláiəntsèntərd-] 〘심리〙 환자 중심 요법 《환자 자신의 숨은 힘을 끌어내어 문제를 해결하는 무지도(無指導) 요법》

cli·en·tele [klàiəntél, klì:ɑ:n- | klì:ən-] *n.* [집합적] **1** 소송 의뢰인 **2** (호텔·극장·상점 등의) 고객, 단골손님; 환자 **3** 피보호자; 부하들

cli·en·tel·ism [klàiəntélizm, klì:ɑ:n- | klì:ən-], **cli·en·tism** [kláiəntìzm] *n.* 두목과 부하의 관계에 의존하는 사회

cli·en·ti·tis [klàiəntáitis] *n.* Ⓤ 의존국 과신(過信) 《의존하고 있는 선진국에 대한 과신》

cli·ent-serv·er [kláiəntsə́:rvər] *a.* 〘컴퓨터〙 클라이언트 서버 시스템의

clíent-sérver mòdel 〘컴퓨터〙 클라이언트 서버 방식 《LAN 상에서, 특정 기능을 제공하는 서버와 클라이언트가 연결되어 처리하는 계산 방식》

clíent-sérver sỳstem 〘컴퓨터〙 클라이언트 서버 시스템 《클라이언트 서버 방식(client-server model)에 기초한 컴퓨터 시스템; 略 CSS》

clíent stàte 종속국, 의존국

⁑**cliff** [klíf] *n.* **1** (특히 해안의) 낭떠러지, 벼랑, 절벽(precipice) **2** 〘골프〙 벙커의 사면(斜面) **~·like** *a.*

clíff dwèller **1** [종종 **C- D-**] 암굴 거주민 《Pueblo Indian의 선조로서 북미 남서부의 암굴에 살았던 한 종족》 **2** 《미·속어》 (도시의) 고층 아파트에 사는 사람, 고층 주택 거주자

clíff dwèlling (북미 인디언의) 암굴 주거

cliff-hang [klífhæ̀ŋ] *vi.* **1** 손에 땀을 쥐게 하는 상태로 끝나다; 불안정한 상태에 있다 **2** 연속 서스펜스 드라마를 쓰다[제작하다]

cliff-hang·er [-hæ̀ŋər] *n.* **1** 서스펜스가 연속되는 드라마[영화] **2** 마지막 순간까지 결과를 알 수 없는 경쟁[시합] **—***a.* = CLIFF-HANGING

cliff-hang·ing [-hæ̀ŋiŋ] *a.* 손에 땀을 쥐게 하는, 아슬아슬한, 서스펜스가 있는

Clif·ford [klífərd] *n.* 남자 이름 《애칭 Cliff》

cliffs·man [klífsmən] *n.* (*pl.* **-men** [-mən]) 절벽을 잘 오르는 사람

clíff swàllow 〘조류〙 삼색제비 《북아메리카산》

cliff·top [klíftɑ̀p | -tɔ̀p] *n.* 절벽 꼭대기

cliff·y [klífi] *a.* (**cliff·i·er**; **-i·est**) 벼랑진, 낭떠러지의; 험준한

cli·mac·ter·ic [klaimǽktərik, klàimæktérik-] *a.* **1** 〘생리〙 (45-60세의) 갱년기의, 월경 폐지기의 **2** 전환기에 있는, 위기의(critical) **3** 액년(厄年)의
—*n.* **1** 〘생리〙 갱년기; 폐경기 **2** 위험기, 위기, 전환기 **3** 액년 《7년마다, 또는 그 기수(奇數) 배(倍)의 해》: the grand ~ 대액년 《보통 63세》 **4** 〘식물〙 과실의 호흡치가 최대가 되는 기간

cli·mac·te·ri·um [klàimæktíəriəm] *n.* 〘생리〙 갱년기(의 생리적·정신적 변화)

cli·mac·tic, -ti·cal [klaimǽktik(əl)] *a.* 클라이맥스의, 절정의, 정점의, 피크의 **-ti·cal·ly** *ad.*
▷ clímax *n.*

⁑**cli·mate** [kláimit, -mət] 〖Gk 「지역」의 뜻에서〗 *n.* **1** ⓊⒸ 기후: a warm, dry ~ 온난건조한 기후

> 유의어 **climate** 한 지방의 연간 평균 기상 상태: a tropical *climate* 열대성 기후 **weather** 특정 시간·장소의 기상 상태: It was fine *weather* yesterday. 어제는 좋은 날씨였다.

2 (어떤 특정 기후를 가진) 토지, 지방: a wet ~ 습한 지방 **3** (어떤 지역·시대 등의) 풍조, 사조, 풍토; 분위기, 정세; (회사 등의) 기풍 ▷ climátic *a.*

clímate chànge (온실 효과로 인한) 기후 변동[변화] 《기상 이변·지구 온난화 등》

clímate contròl (에어컨·난방 장치의) 실내 온도 조절기

cli·mat·ic, -i·cal [klaimǽtik(əl)] *a.* 기후상의; 풍토적인 **-i·cal·ly** *ad.*

climátic zòne 〘기후〙 기후대(帶) 《위도에 평행한 가장 단순한 기후 구분》

cli·ma·tize [kláimətàiz] *vt.* **1** 새로운 환경에 순응시키다 **2** 〈자동차·건물 등을〉 기후 조건에 맞추다

cli·mat·o·graph [klaimǽtəgræ̀f | -grɑ̀:f] *n.* 기후 그래프 《식물의 생육 가능 범위를 나타내는 월별 주야간 온도표》

cli·ma·tol·o·gy [klàimətɑ́lədʒi | -tɔ́l-] *n.* Ⓤ 기후[풍토]학 **-to·log·ic, -to·log·i·cal** [-təlɑ́dʒik(əl) | -lɔ́dʒ-] *a.* **-to·lóg·i·cal·ly** *ad.* **-gist** *n.*

⁑**cli·max** [kláimæks] 〖L 「사닥다리」의 뜻에서〗 *n.* **1 a** (사건·극 등의) 최고조, 절정 (*of*, *to*); 최고점, 극점(極點) **b** (성적인) 엑스터시, 성적 쾌감의 절정, 오르가슴 **2** 〘수사학〙 클라이맥스, 점층법(漸層法)(opp. *anticlimax*) **3** (발전 과정에 있어서) 최고점, 극치 **4** 〘생태〙 극상(極相) 《식물 군락의 안정기》 ***cap the*** ~ 〈일이〉 도를 지나치다, 극단으로 흐르다, 의표를 찌르다
—*vt.*, *vi.* 클라이맥스에 달하(게 하)다
▷ climáctic *a.*

clímax commùnity 〘식물〙 극상(極相) 군락

⁑**climb** [kláim] *v.* (**~ed**, 《고어》 **clomb** [klóum]) *vi.* **1 a** 오르다, 등반하다; (특히 손발을 써서) 〈나무·사닥다리 등을〉 기어오르다: (~+전+명) ~ *up* a mountain[ladder] 산[사닥다리]을 기어오르다 // (~+부) Monkeys ~ *well.* 원숭이는 나무를 잘 탄다. **b** (손발을 써서) 〈자동차·비행기 등에〉 타다, …에서 내리다: (~+전+명) ~ *in*(*to*) a jeep 지프차에 타다 / ~ *out of* a car 차에서 내리다 **2** 〈태양·달·연기 등이〉 떠[솟아]오르다; 〈항공기 등이〉 고도를 올리다, 상승하

---

climax *n.* culmination, height, peak, pinnacle, high point, summit, top, highlight
climb *v.* **1** 오르다 ascend, mount, scale, clamber **2** (물가 등이) 오르다 rise, increase, soar, shoot up

다; 〈물가 등이〉 오르다, 등귀하다: Prices *~ed* sharply. 물가가 현저히 올랐다. **3** 〈도로 등이〉 오르막이 되다; 〈집들이〉 치받이에 위치해 있다 **4** 〈식물이〉 감기어 뻗어 오르다 **5** (노력하여) 승진하다, 지위가 오르다 《*to*》: 《~+젠+명》 ~ *from* poverty *to* wealth 가난에서 벗어나 부자가 되다 / ~ *to* power 출세하여 권력을 잡다

— *vt.* **1** 오르다, 기어오르다; 등반하다: ~ a tree 나무에 오르다 // 《~+목+부》 ~ a ladder *up* 사닥다리를 기어오르다

> 유의어 **climb** 특히 노력하여 높은 곳에 오르다: *climb* a mountain 등산하다 **ascend** climb과 달리 노력이나 곤란의 뜻이 내포되어 있지 않다: *ascend* stairs 계단을 오르다

2 〈식물이〉 〈벽 따위를〉 기어오르다 **3** 〈출세의 계단을〉 오르다, 승진하다 **4** 〈비행기를〉 날리다 **5** (태양·달·연기 등이 올라가다) 올라가다 **6** 〖군사〗 〈사람을〉 심하게 꾸짖다

~ *down* 기어 내려오다; (구어) 낮은 지위로 떨어지다; (정세가 불리함을 알고) 주장을 버리다, 양보하다 (give in) **~ *into ...*** (구어) 〈차 등에〉 (기는 것처럼) 타다 **~ *out of ...*** 〈차 등에서〉 내리다; 〈옷을〉 힘들여 벗다 ***Go ~ a tree!*** (미·구어) 꺼져 버려!

— *n.* [보통 *sing.*] **1 a** 오름, 기어오름 **b** 오르는 곳, 치받이, 오르막길 **2** (물가 등의) 상승; (항공기의) 상승 **3** 승진, 영달 《*to*》 **~·a·ble** *a.*

climb-down [kláimdàun] *n.* UC **1** 기어 내려옴 **2** (구어) (정세가 불리하다고 보고) (주장 등을) 버림, 양보; (성명(聲明) 등의) 철회

∗**climb·er** [kláimər] *n.* **1** 기어오르는 사람, 등산가 (mountaineer) **2** (구어) 출세주의자 **3** 기어오르는 식물 《담쟁이덩굴 등》 **4** 반금류(攀禽類) 《딱따구리 등》 **5** 등산용 스파이크(climbing iron) **6** 경마의 기수

clímb ìndicator 〖항공〗 승강계(昇降計)

climb·ing [kláimiŋ] *a.* 기어오르는; 등산용의; 상승하는 — *n.* UC 기어오름; 등산

clímbing férn 〖식물〗 실고사리의 일종

climb·ing·fish [kláimiŋfìʃ] *n.* (*pl.* **~**, **~·es**) 〖어류〗 반목어(攀木魚)

clímbing fràme (영) 정글짐((미) jungle gym)

clímbing ìron [보통 *pl.*] (나무·전봇대 따위를 오를 때 신는) 스파이크; (등산용의) 아이젠

clímbing pérch = CLIMBINGFISH

clímbing plánt = CLIMBER 3

clímbing ròpe 등산용 로프, 자일

clímbing róse 〖식물〗 덩굴장미

clímbing spéed 〖항공〗 상승 속도

clímbing wàll 클라이밍 월 《암벽 등반 연습용 벽》

climb·out [kláimàut] *n.* (비행기의) 이륙 중의 급상승

∗**clime** [kláim] *n.* (시어) **1** [종종 *pl.*] 지방, 나라 **2** 기후(climate), 풍토

clin- [klain], **clino-** [kláinou, -nə] 《연결형》 「사면(斜面), 경사, 각」의 뜻 《모음 앞에서는 clin-》

clin. clinical

∗**clinch** [klíntʃ] *vt.* **1** 〈박은 못 등의 끝을〉 꼬부리다; 죄다, 고정시키다 **2** 〈사건·토론 등의〉 결말을 짓다 **3** 〖항해〗 밧줄 끝을 꼬부려 동여 매다 **4** 〈입을〉 꽉 다물다 **5** 맞붙잡고 싸우다, 움켜 쥐고 싸우다; 〖권투〗 클린치하다; 포옹하다

— *vi.* **1** 〖권투〗 껴안다, 클린치하다 **2** (구어) 열렬히 포옹하다 **3** 〈앞을 구부린 못 등이〉 단단히 고정되다

— *n.* **1** 못 끝을 꼬부리기, (꼬부려) 죄기; 꼬부린 못 [나사] **2** [a ~] 〖권투〗 클린치; 맞붙어 싸우기, 드잡이 **3** [a ~] (구어) 열렬한 포옹 ***in a ~*** (구어) 껴안고

~·ing·ly *ad.*

clinch·er [klíntʃər] *n.* **1** (못 끝을) 꼬부리는 사람[연장], 볼트를 죄는 직공[기구]; 꺾쇠, 걸쇠(clamp) **2** (구어) 결정적인 논변(論辯)[요인, 행위 《등》], 결정타: That's a ~. 그것이면 반박할 여지가 없다. **3** 〖자동차〗 클린처 타이어(= ∠ tìre)

clinch·er-built [klíntʃərbìlt] *a.* 〖조선〗 = CLINKER-BUILT

clin·da·my·cin [klìndəmáisin] *n.* 〖약학〗 클린다마이신 《항생제》

cline [kláin] *n.* **1** 〖생물〗 클라인, (지역적) 연속 변이(變異) **2** 〖언어〗 클라인, 연속 변이 **3** 연속체(continuum) **clín·al** *a.* **clín·al·ly** *ad.*

‡**cling** [klíŋ] *vi.* (**clung** [klʌ́ŋ]) **1** 달라붙다, 달라붙어 안 떨어지다(stick) 《*to*》; 〈옷이〉 (몸에) 착 달라붙다 **2** 〈사람·짐승 등이〉 (손·발로) 매달리다 《*to*》; 껴안다; 〈담쟁이 등이〉 (벽에) 달라붙다 《*to*》; (사물과) 접근을 유지하다; (해안 등을) 따라서 나아가다 《*to*》 **3** 집착하다, 애착을 가지고 떨어지지 않다 《*to*》 **4** 〈냄새·습관·편견 등이〉 (…에) 배어들다 《*to*》 **5** 응집하다(cohere)

~ *together* 〈물건이〉 서로 들러붙다; 단결하다

— *n.* 점착, 밀착; 집착, 애착 **~·er** *n.*

▷ clíngy *a.*

cling·film [klíŋfìlm] *n.* (영) 클링필름(plastic wrap) 《식품 포장용 랩》

cling·ing [klíŋiŋ] *a.* **1** 〈옷 등이〉 몸에 착 붙는, (착 붙어) 몸의 윤곽이 드러나는 **2** 밀착성의, 끈덕진 **3** 남에게 의존하는 **~·ly** *ad.* **~·ness** *n.*

clínging víne (구어) 남자에게 지나치게 의존하는 여자

clíng péach 씨가 잘 분리되지 않는 복숭아

cling·stone [klíŋstòun] *n.* 점핵(粘核) 《과육이 씨에 달라붙어 잘 안 떨어지는 과실; 복숭아 등; cf. FREESTONE》 — *a.* 〈과실이〉 점핵성인

cling·y [klíŋi] *a.* (**cling·i·er**; **-i·est**) *a.* 점착성의, 들러붙어서 떨어지지 않는

∗**clin·ic** [klínik] [Gk 「침대」의 뜻에서] *n.* **1 a** (병원·의과 대학 부속의) 진료소; 개인[전문] 병원, 클리닉: a ~ for the homeless 노숙자를 위한 진료소 **b** [보통 수식어와 함께] (병원 내의) 과(科) **c** [집합적] 클리닉의 의사들 **2 a** 상담소 **b** (어떤 특정 목적으로 설립된) 교정소(矯正所): a speech ~ 언어 교정소 **3** (의학의) 임상 강의[실습] **4** (미) (의학 이외의) 실지 강좌, 세미나, 단기 실습 **5** (속어) 〖스포츠〗 기량이 너무 차이가 나서 모범 연기처럼 되어 버린 일방적인 시합

— *a.* = CLINICAL

∗**clin·i·cal** [klínikəl] *a.* **1** 임상의: ~ lectures [teaching] 임상 강의 **2** 병상의, 병실용의: a ~ diary 병상 일지 **3** 〈판단·묘사 등이〉 극도로 객관적인, 분석적인, 냉정한 **4** 〖그리스도교〗 병상[임종]의 **5** 간소한, 시선을 끌지 않는, 시시한

~·ly *ad.* 임상적으로 **~·ness** *n.*

clínical déath 〖의학〗 임상사(臨床死) 《기기에 의존하지 않고 임상적 관찰로 판단한 죽음》

clínical ecólogist 임상 생태학자

clínical ecólogy 임상 생태학

clínical pathólogy 임상 병리학

clínical pharmacólogy 임상 약학

clínical psychólogist 임상 심리학자

clínical psychólogy 임상 심리학

clínical thermómeter 체온계, 검온기(檢溫器)

clínical tríal 〖의학〗 임상 실험

cli·ni·cian [kliníʃən] *n.* 임상의(醫)(학자)

clin·i·co·path·o·log·ic, -i·cal [klìnikoupæ̀θəlɑ́dʒik(əl) | -lɔ́dʒ-] *a.* 임상 병리적인, 임상 병리학의

clink[1] [klíŋk] [의성어] *n.* **1** [a ~] 땡그랑 소리 《얇은 금속 조각·유리 등의》 **2** 〖야금〗 균일하지 않은 팽창·수축으로 강괴(鋼塊) 내부에 생기는 작은 갈라진 틈 **3** (영) (노면을 부수기 위한) 끝이 뾰족한 강철봉 **4** (새 따위의) 날카로운 울음소리 **5** (드물게) 운(韻); 동음[유의어]의 반복 **6** (속어) 돈(coin) **7** [*pl.*] (미·속어) 얼음조각 — *vi.*, *vt.* **1** 땡땡[땡그랑] 울리다[소리나게 하다]: ~ glasses 잔을 맞대다 《축배로서》 **2** (드물게) 〈시·문장 등에서〉 동음[유의어]이[을] 반복되다[반복시키다] **~ *off*** (영·방언) 급히 가 버리다

clink² [런던에 있던 교도소 이름에서] *n.* [the ~] 《속어》 교도소(prison), 유치장(lockup) ***in*** ~ 수감되어
clink·er¹ [klíŋkər] *n.* **1** 클링커, 용재(鎔滓) 덩어리 《용광로 속에 생기는》 **2** (네덜란드식으로 구운) 단단한 벽돌, 투화(透化) 벽돌 **3** 단조(鍛造) 스케일 《단조시 철 표면에 생기는 산화물 피막》 **—*vi.*** 클링커로 되다
clinker² *n.* **1** 땡그랑 하고 소리나는 것; [*pl.*] 《속어》 수갑 **2** 《미·속어》 비스킷(biscuit) **3** 《속어》 실수, 잘못 **4 a** 《미·속어》 (음악에서) 가락이 맞지 않는 음 **b** 실패작 **5** 《영·속어》 [종종 a regular ~] 1등품, 일품(逸品); 멋들어진 사람[것] **6** 《미·속어》 교도소 **7** 《미·속어》 장거리 전화의 잡음 **8** (구두의) 징
clink·er-built [klíŋkərbìlt] *a.* 〖조선〗 (뱃전의 널을) 덧붙여 댄
clink·e·ty-clank [klíŋkitiklǽŋk] *n.* (연속적으로 나는 리드미컬한) 짤랑거리는 소리
clink·ing [klíŋkiŋ] *a.* **1** 땡그랑 울리는 **2** 《영·속어》 멋들어진 **—*ad.*** 《영·속어》 매우, 상당히(very)
clink·stone [klíŋkstòun] *n.* 〖광물〗 향석(響石)
clino- [kláinou, -nə] 《연결형》 =CLIN-
cli·nom·e·ter [klainɑ́mətər, kli- | -nɔ́m-] *n.* 〖측량〗 클리노미터, 경사계(傾斜計)
cli·no·met·ric, -ri·cal [klàinəmétrik(əl)] *a.* 경사계의, 경사각의, 경사계로 잰; 〈결정체가〉 결정축 사이에 경사가 있는
clin·quant [klíŋkənt] *a.* 번쩍번쩍 빛나는, 겉만 번지르르한 **—*n.*** 가짜 금박; 번지르르한 싸구려 물건; (문학·예술상의) 허식
clint [klínt] *n.* 돌출한 바위
Clin·ton [klíntən] *n.* 클린턴 **1 Bill**[**William Jefferson**] ~ (1946-) 《미국의 정치가; 제42대 대통령 (1993-2001)》 **2 Hillary Rodham ~** (1947-) 《미국의 상원의원; 1의 부인》
clin·to·ni·a [klintóuniə] *n.* 백합과(科) 나도옥잠화속(屬)
Cli·o [klí:ou | klái-] *n.* **1** 〖그리스신화〗 클레이오 《사시(史詩)·역사의 여신; the Muses의 한 사람》 **2** (*pl.* **~s**) 《미》 클리오상(賞) 《뛰어난 TV 광고에 대해 매년 수여되는 상》 **3** 여자 이름
cli·o·met·rics [klì:oumétriks, klàiə- | klàiə-] *n. pl.* [단수 취급] 계량 경제사(史) **clì·o·mét·ric** *a.* **cli·o·me·tri·cian** [-mətríʃən] *n.*
***clip¹** [klíp] *v.* (**~ped**; **~ped, clipt** [klípt]; **~·ping**) *vt.* **1** 〈털·잔가지 등을〉 (가위 등으로) **자르다, 깎다** 《*off, away, from, out of*》; 〈산울타리·정원수 등을〉 깎아 다듬다(trim); 〈머리카락을〉 자르다; (양의) 털을 깎다(shear) **2** (화폐·차표의) 가장자리를 깎아[잘라] 내다; (표에) 구멍을 내다 **3** 어미의 음을 발음하지 않다; 〈어구 일부를〉 생략하다 **4** 《구어》 재빠르게 움직이다; 후려갈기다, 한 방 먹이다 **5** 《미》 〈신문·잡지의 기사·사진 따위를〉 오려내다 《*away, off, from, out of*》 **6** 〈권력 등을〉 제한하다; 〈기간 등을〉 단축하다; 〈경비 등을〉 삭감하다 《*off*》 **7** 《속어》 (터무니없는 값을 불러 …에게서) 돈을 빼앗다, 바가지 씌우다 **8** 〈차 따위가〉 〈도로 가장자리를〉 스치다 **9** 《미·속어》 체포하다; 죽이다; 《영》 (권총 따위로) 쏘다 **10** 〖라디오·TV〗 〈일정 레벨 이상[이하]의 전기 신호를〉 커트하다
—*vi.* **1** 잘라내다, 따다 **2** 《미》 (신문·잡지 등에서) 오려내다 **3** 《구어》 재빠르게 움직이다; 빨리 날다, 질주하다 **~ one*'s g's*** g음을 발음하지 않다 《[ŋ]을 [n]으로 발음하다》 **~ a person*'s wings*** 무력하게 만들다
—*n.* **1** (머리털·양털 등을) 깎음 **2** (한 번 또는 한 철에 깎은) 양털의 분량 **3** [a ~] 《구어》 속도; 빠른 걸음 **4** 《구어》 재빠른 동작; 강타 **5** [a ~] 《미·구어》 한 번 **6** 깎는 도구 **7** 《미·속어》 도둑; 사기꾼; (TV의) 단발의[짧은] 뉴스 **8** =CLIPPED FORM
at a ~ 한 번에; 줄곧, 잇따라: a week *at a* ~ 1주일 동안 줄곧
***clip²** [klíp] [OE 「꽉 껴안다」의 뜻에서] *v.* (**~ped**; **~·ping**) *vt.* **1** (꽉) 쥐다 **2** 둘러싸다 **3** 〖미식축구〗 〈볼을 가지고 있지 않은 선수를〉 뒤에서 몸을 부딪쳐 방해하다 **4** 〈물건을〉 클립으로 고정시키다 《*together*》 **5** 《고어·방언》 껴안다
—*vi.* 〈장신구 등이〉 클립으로 고정되다 《*on, to*》
—*n.* **1 a** (서류 등을 끼우는 금속제 등의) **클립,** 종이[서류] 집게[끼우개] **b** (머리털을 고정시키는) 클립 **c** (만년필 등의) 끼움쇠, 클립 **2** (스프링이 있는 클립 고정식) 장신구 《이어링·브로치 등》 **3** (기관총 등의) 탄창, 클립 **4** 〖미식축구〗 클리핑 《반칙》 **5** 《고어·방언》 포옹
clíp àrt **1** 오려 붙이기 예술 《책 등의 삽화를 오려 공예품을 만듦》 **2** (오려 붙이는 데 쓰는) 그림집; 〖컴퓨터〗 사진·그림집
clip-art·ist [klípɑ̀:rtist] *n.* 《미·속어》 프로급 사기꾼[도둑]
clip·board [klípbɔ̀:rd] *n.* **1** 클립보드 《종이 집게가 달린 필기판》 **2** 〖컴퓨터〗 클립보드 《복사한 데이터 등을 일시적으로 저장하는 기억 영역》
clip-clop [-klɑ̀p | -klɔ̀p] [의성어] *n.* [a ~] 따가닥따가닥 《말발굽 소리》; 그 비슷한 리드미컬한 소리 **—*vi.*** (**~ped**; **~·ping**) 따가닥따가닥 소리를 내며 달리다[걷다]
clip-fed [-fèd] *a.* 〈총 따위가〉 자동 장전식의
clíp jòint 《미·속어》 바가지를 씌우는 엉터리 술집[나이트클럽, 상점 《등》]; 〖석공〗 클립 이음새
clip-on [-ɑ̀n | -ɔ̀n] *a.* Ⓐ (장신구 등이 스프링식) 클립으로 고정되는; (브로치 등) 핀이 달린 **—*n.*** **1** 클립 고정식의 물건 **2** [*pl.*] 안경에 붙이는 선글라스
clipped [klípt] *a.* **1** 짧게 깎은[자른] **2** 발음을 생략한
clípped fórm[**wórd**] 단축어(shortening) 《보기: fan<fanatic; bus<omnibus》
clip·per [klípər] *n.* **1** 깎는 사람 **2** [보통 *pl.*] 가위, 깎는 기구; 이발 기구, 손톱깎이 **3** 준마; 〖항해〗 쾌속선, 쾌주 범선(快走帆船)(=**~ shìp**); 〖항공〗 장거리 쾌속 비행정; 대형 여객기 **4** 《속어》 멋들어진 것, 일품(逸品) **5** 빨리 움직이는[질주하는] 사람[것] **6** 《미·속어》 소매치기 **—*vt.*** 《미·구어》 〈물건을〉 (쾌속 범선·대형 여객기로) 보내다 **—*vi.*** 〈사람이〉 (쾌속 범선 따위로) 여행하다
clip·per-built [klípərbìlt] *a.* 〖항해〗 〈배가〉 쾌속 범선식으로 만들어진
clípper chìp 《미》 〖컴퓨터〗 클리퍼 칩 《미국 정부가 제창하는 통신용 암호화 표준 규격을 위한 LSI 칩》
clip·pe·ty-clop [klípitiklɑ́p | -klɔ́p] [의성어] *n.* 따가닥따가닥 《말발굽 소리》
clip·pie [klípi] *n.* 《영·구어》 (버스의) 안내양
***clip·ping** [klípiŋ] *n.* ⓊⒸ **1 가위질,** 깎음 **2** 잘라낸 것; 깎아낸 풀[털]; 《미》 (신문·잡지 등의) 오려낸 기사 (《영》 cutting); 잡보란 **3** =CLIPPED FORM **4** 〖컴퓨터〗 오려냄, 오려내기 **5** 《미·속어》 〖스포츠〗 클리핑 《뒤에서부터 행하는 반칙 블로킹》
—*a.* Ⓐ **1** 깎는, 베는, (가위로) 자르는 **2** 《구어》 빠른(swift) **3** 《속어》 굉장한, 멋들어진 **~·ly** *ad.*
clípping bùreau[**àgency**] 《미》 클리핑 통신사 《신문·잡지의 발췌 기사를 주문에 따라 제공하는; 《영》 press cutting agency》
clip·sheet [klípʃì:t] *n.* 한 면만 인쇄한 신문 《보존·복사용》; 〖광고〗 한 페이지의 광고 자료
clique [klí:k, klík | klí:k] *n.* (배타적인) 도당(徒黨), 파벌(⇨ faction¹ 유의어): a military ~ 군벌 **—*vi.*** 《구어》 도당을 이루다 **clí·quey, clí·quy** *a.*
cli·quish [klí:kiʃ] *a.* 도당의, 파벌적인; 배타적인(cliquey) **~·ly** *ad.* **~·ness** *n.* Ⓤ 당파심, 파벌 근성
cli·quism [klí:kizm] *n.* Ⓤ 파벌 근성, 배타주의
C-list [sí:list] *a.* 〈배우·탤런트 등이〉 3류의[에 속하는]
clit [klít] *n.* 《비어》 음핵(陰核)(clitoris)
C.Lit., C.Litt. 《영》 Companion(s) of Literature
clit·ic [klítik] 〖언어〗 *a.* 〈단어가〉 접어적(接語的)인 **—*n.*** 접어(接語)
clit·i·cize [klítəsàiz] *vi.* 〖언어〗 접어화하다 **clìt·i·ci·zá·tion** *n.*
clit·o·ri·dec·to·my [klìtəridéktəmi] *n.* 음핵(陰核) 절제(술) 《이슬람 사회 일부에서 행해짐》

clit·o·ris [klítəris, kláitə-] *n.* 〖해부〗 음핵, 클리토리스 **-ral, cli·tór·ic** *a.*
clit·ter-clat·ter [klítərklǽtər] [의성어] *ad.* 덜거덜거, 덜커덕덜커덕, 달그락달그락
cliv·ers [klívərz] *n.* (*pl.* ~) [보통 단수 취급] = CLEAVERS
clk. clerk; clock **Cllr.** 《영》 Councillor **clo.** clothing
clo·a·ca [kloueíkə] [L] *n.* (*pl.* **-cae** [-si: | -ki:]) **1** 〖동물〗 배설강(排泄腔) **2** (특히 옛날의) 하수도[구](sewer) **3** 야외 변소(privy) **-cal** *a.*
‡ **cloak** [klóuk] [L 「종(鐘)」의 뜻에서; 모양이 비슷하다 해서] *n.* **1** (낙낙한) 소매 없는 외투, 망토 **2** 가리는 것, 덮개(covering); 가면, 구실(pretext) **3** [*pl.*] = CLOAKROOM 4 ***under a ~ of*** snow (눈)에 덮여 ***under the ~ of*** charity (자선)의 구실 아래 ***under the ~ of*** darkness (야음)을 타고
—*vt.* **1** 외투를 입히다; [~ one*self* 로] 망토를 입다 **2** 〈…을〉 뒤덮다 **3** 〈…을〉 덮어 감추다, 가리다, 은폐하다 《*with*》
cloak-and-dag·ger [klóukəndǽgər] *a.* Ⓐ 음모(극)의; 스파이 활동의, 스파이물(物)의
cloak-and-suit·er [-ənsú:tər | -sjú:t-] *n.* 《구어》 양복 제조[판매]업자
cloak-and-sword [-ənsɔ́:rd] *a.* (칼싸움이 등장하는) 시대극의
∗ **cloak·room** [klóukrù(:)m] *n.* **1** (호텔·극장 등의) 외투류(類)[휴대품] 보관소(《미》 checkroom) **2** 《미》 의원 휴게실(《영》 lobby) **3** 《영》 (역의) 수하물 임시 보관소(《미》 baggage room) **4** 《영》 변소(toilet)
clob·ber[1] [klábər | klɔ́b-] *vt.* 《속어》 **1** 사정없이 (여러 차례) 치다; 때려눕히다 **2** 〈상대방을〉 압도적으로 지게 하다; (진지 등에) 큰 타격을 주다; 〈남을〉 호되게 꾸짖다; 혹평하다 **clób·bered** *a.* 《속어》 술에 취한
clobber[2] 《영·속어》 *n.* [집합적; 복수 취급] 소지품; 의복(clothes) —*vt.* 옷을 입히다, 차려입게 하다
clo·chard [klóuʃərd, klouʃá:r] [F] *n.* 방랑자
cloche [klóuʃ, klɔ́:ʃ | klɔʃ] [F 「종(鐘)」의 뜻에서] *n.* **1** (원예용) 종 모양의 유리 덮개 **2** 종 모양의 여성 모자(= ∠ **hàt**) **3** 식품의 따뜻함이나 신선도를 유지하기 위해 접시에 씌우는 덮개
‡ **clock**[1] [klák | klɔ́k] [L 「종(鐘)」의 뜻에서; 종소리로 시간을 알렸음] *n.* **1** 시계 《괘종시계·탁상시계 등 휴대용이 아닌 것; cf. WATCH》 **2 a** = TIME CLOCK **b** 《구어》 = STOPWATCH **c** 《구어》 = SPEEDOMETER **3** 《영·속어》 사람의 얼굴 **4** [the C~] 〖천문〗 시계자리(Horologium) **5** (카드로 치는) 시계점(占)
according to [***by***] ***the ~*** 시간대로, 시계처럼 정확히 ***against the ~*** 일정한 시간까지에 일을 마칠 수 있도록; 될 수 있는 대로 빨리 (***a***)***round the ~*** 24[12]시간 계속으로; 끊임없이, 주야로, 쉬지 않고 ***beat the ~*** 기한 전에 일을 마치다 ***enough to stop a ~*** 《구어》 〈얼굴이〉 엄청나게 보기 흉한 ***hold the ~ on*** 스톱워치로 시간을 재다 ***keep*** [***have***] ***one's eyes on the ~*** = watch the CLOCK ***kill the ~*** = run out [down] the CLOCK ***like a ~*** 아주 정확히, 규칙적으로 ***punch the ~*** (주로 카드 등에) 출퇴근 시간을 기록하다 ***put*** [***turn***] ***back the ~*** = ***put*** (***the hands of***) ***the ~ back*** (1) (서머타임 등이 끝나서) 시곗바늘을 되돌리다 (2) 과거로 되돌아가다 (3) 진보를 방해하다, 오래된 관습을 고수하다, 역행하다 ***put*** [《미》 ***turn***] ***the ~ on*** [***forward,*** 《미》 ***ahead***] 시곗바늘을 빨리 가게 하다; 미래를 들여다보게 하다 ***race the ~*** 시간을 다투다, 촌각을 아끼다 ***run out*** [***down***] ***the ~*** (축구·농구 등에서 자기편의 우세를 유지하기 위하여) 시간을 끌다[벌다], 남은 시간을 다 쓰다 ***sleep the ~*** (***a***)***round*** 12[24]시간을 계속 자다 ***stop the ~*** 기한을 연장하다 ***watch the ~*** 《구어》 시계[퇴근 시간]에만 정신을 쓰다, 계속 시간을 보다 ***when one's ~ strikes*** 임종시에
—*vt.* **1** 시계[스톱워치]로 시간을 재다[기록하다] 《*up*》 **2** (경기에서) 기록을 내다 **3** 《영·속어》 〈남을〉 때리다, 치다 **4** 《속어》 (사람의) 주의를 끌다; 바라보다
—*vi.* 타임리코더로 취업 시간을 기록하다
~ a car 《미·속어》 중고차의 주행 거리 계기를 뒤로 돌려 차의 연수를 젊어지게 하다 ***~ in*** [***on***] (타임리코더로) 출근 시간을 기록하다; 출근하다; 스톱워치로 시간을 재다 ~ a person ***one*** 《영·속어》 〈남을〉 때려 주다, 갈기다 ***~ out*** [***off***] (타임리코더로) 퇴근 시간을 기록하다; 퇴근하다 ***~ up*** 《구어》 (1) 〈어떤 기록을〉 내다 (2) 〈어떤 속도·거리 등에〉 달하다, 이르다 (3) 〈스포츠 등에서 기록 등을〉 쌓다, 보유하다
▷ clócklike *a.*
clock[2] *n.* (*pl.* **~s,** 〖상업〗 **clox** [kláks | klɔ́ks]) 양말목의 자수 장식 —*vt.* 자수 장식을 하다
clocked [klákt | klɔ́kt] *a.* 자수로 꾸며진
clóck cỳcle 〖컴퓨터〗 = CLOCK FREQUENCY
clock·er [klákər | klɔ́k-] *n.* (경주마의 시주(試走)로) 기록을 하는 사람, 기록계; (경기의) 계시원
clock·face [klákfèis | klɔ́k-] *n.* 시계 문자판
clóck frèquency 〖컴퓨터〗 클록 주파수
clóck generátor 〖컴퓨터〗 시계 발생기 《중앙 연산 처리 장치》
clóck gòlf 클록 골프 《코스를 시계 문자판 모양으로 둥글게 12등분한》
clock-hour [-àuər] *n.* 60분 단위의 수업 시간
clock·ing [klákiŋ | klɔ́k-] *n.* 클로킹 《주행 거리계를 거꾸로 돌려서 차량의 주행 거리를 적게 보이는 불법 행위》
clock·like [klákla̋ik | klɔ́k-] *a.* 시계 같은, 정확한
clock·mak·er [klákmèikər | klɔ́k-] *n.* 시계 제조[수리]공 **clóck·màk·ing** *n.*
clock·pulse [-pʌ̀ls] *n.* 〖전자〗 각시(刻時) 펄스
clóck rádio 타이머[시계]가 있는 라디오
clóck ràte[**spèed**] 〖컴퓨터〗 클록 속도 《클록 주파수로 CPU 등의 동작 속도를 결정함》
clóck tòwer 시계탑
clóck wàtch 자명식 (회중)시계
clóck wàtcher 《구어》 (끝나는 시간에만 정신이 팔린) 게으른 직장인[학생]
clóck wàtching 퇴근 시간만 기다리기
clock·wise [klákwàiz | klɔ́k-] *ad., a.* 오른쪽[시계 방향]으로 돌아[도는](opp. *counterclockwise*)
clock·work [klákwə̀:rk | klɔ́k-] *n.* Ⓤ 시계[태엽] 장치 ***like ~*** 규칙적으로, 정확히; 자동적으로
clóckwork órange 과학에 의해서 개성을 상실하고 로봇화한 인간
∗ **clod** [klád | klɔ́d] *n.* **1 a** (흙 등의) 덩어리(lump) **b** [a ~] 한 덩이의 흙덩어리 **c** 하찮은 것 **d** Ⓤ [the ~] 흙(soil, earth) **2** 《속어》 아둔패기, 바보(blockhead) **3** 존엄·가치가 떨어지는 것; (영혼에 대해서) 육체 **4** 소의 어깨살 **5** [*pl.*] 《영·속어》 동화(銅貨) 1페니
—*v.* (**~·ded**; **~·ding**) *vt.* (…에) 흙덩이를 던지다
—*vi.* 흙덩이가 되다 ▷ clóddish, clóddy *a.*
clod·dish [kládiʃ | klɔ́d-] *a.* **1** 흙덩어리 같은 **2** 통명스러운, 둔팍한 **~·ly** *ad.* **~·ness** *n.*
clod·dy [kládi | klɔ́di] *a.* **1** 흙덩어리 같은, 흙덩어리가 많은 **2** 천한 **3** 〈특히 개가〉 땅딸막한 몸집인
clod·hop·per [kládhàpər | klɔ́dhɔ̀p-] *n.* 《구어》 **1** 시골뜨기; 미련한 사람, 굼벵이 **2** [보통 *pl.*] (농부의 신발 같은) 투박하고 무거운 신발 **3** 《미·속어》 고물 자동차[버스, 열차, 비행기]
clod·hop·ping [-hàpiŋ | -hɔ̀p-] *a.* 통명스러운, 본데없는
clod·pate [-pèit], **-pole, -poll** [-pòul] *n.* 얼간이, 멍청이, 바보
clo·fi·brate [kloufáibreit, -fíb-] *n.* 〖약학〗 클로피브레이트 《콜레스테롤 수치를 낮추는 데 이용》
clog [klág, klɔ́:g | klɔ́g] *v.* (**~ged**; **~·ging**) *vt.*

thesaurus **close**[1] *v.* **1** 닫다 shut, slam, fasten, secure, lock, bolt, bar, latch **2** 끝내다 end, con-

1 〈기름·먼지 등이 기계의〉 움직임을 방해하다[나쁘게 하다]; 〈파이프 등을〉 막히게 하다 《*up, with*》; 〈자동차 등이〉 (정체하여) 〈길을〉 막다, 막히게 하다, 움직일 수 없게 하다 **2** 〈근심·걱정·불안 등이〉 마음·기분을 무겁게 하다, 괴롭히다 《*with*》 **3** 〈사람에게〉 나막신을 신게 하다; (나무를 베어) 나막신을 만들다; 밑바닥에 나무를 대다 **4** 《구어》 〖축구〗 (상대에게) 반칙을 하다
— *vi.* **1** 〈파이프 등이〉 막히다; 〈기계 등이〉 (기름·먼지 등으로) 움직임이 나빠지다, 운전이 잘 되지 않다 《*with*》 **2** 〈기름 따위가〉 들러붙다; 〈액체가〉 응고하다 **3** 나막신 춤을 추다 **4** 나막신을 신고 걷다; (나막신을 신은 것처럼) 무거운 듯한 발걸음으로 걷다
— *n.* **1** (짐승 다리를 얽어매는) 무거운 통나무; 방해물; (먼지 등으로 인한 기계의) 고장 **2 a** [보통 *pl.*] 나막신 **b** = CLOG DANCE **3** 《영·방언》 통나무
▷ clóggy *a.*

clóg àlmanac 막대 달력 《목재의 네 귀퉁이에 칼자국을 내어 날짜를 표시했던 원시적인 달력》

clóg dànce 나막신 춤 《나막신으로 박자를 맞추는》

clog·ger [klágər, klɔ́:g- | klɔ́g-] *n.* **1** 나막신 만드는 사람; 나막신 가게 **2** 《구어》 〖축구〗 심한 반칙 태클을 하는 사람

clog·gy [klági, klɔ́:gi | klɔ́gi] *a.* (**-gi·er**; **-gi·est**) **1** 방해가 되는; 막히기 쉬운 **2** 찐득찐득 달라붙는(sticky) **3** 덩어리투성이의, 울퉁불퉁한

cloi·son·né [klɔ̀izənéi | klwɑ:zɔ́nei] [F 「구획된」의 뜻에서] *n.*, *a.* 칠보(七寶)(의): ~ work[ware] 칠보 세공[구이]

***clois·ter** [klɔ́istər] [L 「폐쇄된 장소」의 뜻에서] *n.* **1** [보통 *pl.*] 〖건축〗 (수도원·대학 등의 안뜰 둘레의) 회랑(回廊), 복도 **2 수도원**, 수녀원; [the ~] 수도원 생활, 은둔 생활 [관련] cloister: 수사나 수녀가 수도하기 위한 「수도원·수녀원」을 뜻하는 일반적인 말. convent: 원래 cloister와 동의어였는데 지금은 「수녀원」의 뜻으로 쓰이며, 그전에는 nunnery라고도 하였다. monastery: 수사가 들어가는 「수도원」
3 조용하고 외진 곳 **4** (도로를 따른) 아케이드 거리
— *vt.* **1** 수도원에 가두다 **2** [~ one*self* 로] 틀어박히다(⇨ cloistered 1) **3** 〈어떤 장소를〉 회랑으로 둘러싸다 **4** 수도원으로 개조하다 ▷ clóistral *a.*

clois·tered [klɔ́istərd] *a.* Ⓐ **1** 수도원에 틀어박혀 있는; 세상을 등진 **2** 회랑이 있는

clóister gàrth 회랑으로 둘러싸인 안뜰

clois·tral [klɔ́istrəl] *a.* **1** 수도원의[에 사는] (monastic) **2** 속세를 떠난; 고독한, 은둔한

clomb [klóum] *v.* 《고어》 CLIMB의 과거·과거분사

clom·i·phene [klámәfi:n, klóu- | klɔ́-, klóu-] *n.* Ⓤ 〖약학〗 클로미펜 《배란(排卵) 촉진제》

clomp [klámp | klɔ́mp] *vi.*, *n.* = CLUMP[2]

clone [klóun] *n.* **1 a** [집합적] 〖생물〗 클론, 영양계, 분지계(分支系) 《단일 개체에서 무성 생식으로 번식한, 유전적으로 똑같은 개체군 또는 세포군》 **b** 복제 생물[세포, 인간] **2 a** (복사한 것처럼) 똑같은 사람[것], 카피(인간) 《*of*》 **b** (아무 생각 없이) 기계적으로 행동하는 사람 **3** 〖컴퓨터〗 (값비싼 컴퓨터의 모양과 기능을 복사한) 모조 컴퓨터
— *vt.* 〈단일 개체 등에서〉 클론을 만들다; 〈남의 휴대 전화 번호를〉 복제하다 — *vi.* 〖생물〗 클론화되다
clón·al *a.* **clón·al·ly** *ad.* 클론에 의하여

clone·some [klóunsʌ̀m] *a.* 《미·속어》 남을 흉내내는, 독창성이 없는, 기계적인(robotlike)

clong [klɔ́:ŋ, kláŋ | klɔ́ŋ] *n.* 《미·속어》 어조(語調)만이 강할 뿐 무의미한 연설이 주는 충격

clon·ic [klánik, klóu- | klɔ́-] *a.* 〖병리〗 간헐적 경련성의(opp. *tonic*) **clo·níc·i·ty** *n.*

clon·i·dine [klánidi:n, klóun- | klɔ́n-] *n.* 〖약학〗 클로니딘 《혈압 강하제, 편두통(예방)약》

clon·ing [klóuniŋ] *n.* 〖생물〗 클로닝 《미수정란의 핵을 체세포의 핵으로 바꿔 놓아 유전적으로 똑같은 생물을 얻는 기술》

clóning DNA 〖생물〗 **1** DNA의 복제(複製) **2** 클론화한 DNA

clon·ish [klóuniʃ] *a.* 《미·속어》 남의 흉내를 내는[내기 좋아하는], 독창성이 없는, 흔해 빠진

clonk [kláŋk, klɔ́:ŋk | klɔ́ŋk] [의성어] *n.*, *vi.*, *vt.* 통통[펑] 소리(를 내다); 《구어》 쾅 치기[치다]

clo·nus [klóunəs] *n.* Ⓤ 〖병리〗 (근육의) 간헐성 경련

cloop [klú:p] [의성어] *n.*, *vi.* 펑(소리가 나다) 《코르크 마개 등이 빠지는 소리》

cloot [klú:t] *n.* 《스코》 **1** (돼지·양 따위의) 갈라진 발굽 **2** [종종 **C~s**] 악마, 사탄

cloot·ie [klú:ti] *n.* 《스코》 **1** = CLOOT 1 **2** [**C~**] = CLOOT 2

clop [kláp | klɔ́p] [의성어] *n.* [a ~] (말발굽의) 타가닥 소리 — *vi.* (**~ped**; **~·ping**) 타가닥타가닥 걷다[소리를 내다]

clop-clop [klápklàp | klɔ́pklɔ̀p] [의성어] *n.* 타가닥타가닥 《말발굽 소리》(⇨ horse [관련])
— *vi.* [↘↘] 타가닥타가닥 소리를 내다[내며 움직이다]

clo·que, clo·qué [kloukéi] [F] *n.* 클로케 《무늬 등이 도드라진 직물》 — *a.* 〈천이〉 돋을무늬가 있는

***close**[1] [klóuz] *vt.* **1** 〈문·창문 등을〉 닫다; 〈입을〉 다물다; 〈눈을〉 감다; 〈가게·관청·항구 등을〉 닫다, 휴업하다; (장소에의) **통행[입장]을 정지[차단]하다**; 〈지역 등을〉 폐쇄하다: ~ a door 문을 닫다 / ~ one's eyes 눈을 감다; 죽다 // 《~+[목]+[전]+[명]》 ~ a street *to* traffic 도로의 통행을 금하다 / ~ the gate (*up*)*on* a visitor 대문을 닫아 방문자를 들이지 않다 // 《~+[목]+[부]》 ~ *down* an air base 공군 기지를 폐쇄하다 **2** 〈일·이야기 등을〉 **끝내다**, 완료하다; 끝마치다, 마감하다: ~ a speech 연설을 끝내다 / ~ one's career [life] 생애를 마치다 **3** 〈마음을〉 닫다 《*to*》; …에 귀를 기울이지 않다 **4** 〖전기〗 〈회로·전류를〉 접속하다; 〈전등을〉 끄다(turn off) **5** 〖항해〗 (다른 선박이나 해안에) 접근하다 **6** 〖군사〗 대열의 사이를 좁히다 **7** 〈빈틈·상처·구멍 따위를〉 (…으로) 막다, 봉하다; 메우다 《*with*》: ~ a gap 갈라진 틈을 메우다 **8** 〈상담(商談)·계약 등을〉 맺다, 체결하다; 〈예금 계좌를〉 마감하다: ~ a contract 계약을 체결하다 **9** 〖금속〗 〈관 따위의〉 안쪽 지름을 줄이다 **10** 《고어》 〈사람·새 따위를〉 가두다, 둘러싸다 《*in*》 **11** 〖언어〗 〈구·문장을〉 (접속사 등을 넣어) 완성시키다 **12** 〖컴퓨터〗 (파일에) 〈데이터를〉 기록하고 종료 처리하다
— *vi.* **1** 〈문이〉 **닫히다**; 〈꽃이〉 시들다; 〈상처가〉 아물다: The window will not ~. 창문이 좀처럼 닫히지 않는다. // 《~+[전]+[명]》 The door *~d behind* him with a bang. 그가 나오자 문이 쾅 닫혔다. **2** 〈상점·극장 등이〉 문을 닫다, 폐점[폐관]하다; 폐쇄되다, 휴업하다 《*down*》 **3** 끝나다, 완료되다; 폐회하다 **4** 접근하다; 집합하다; 〖군사〗 〈대열이〉 밀집하다; 《미》 〈밤·어둠·안개 따위가〉 둘러싸다 《*down, in, on, upon*》: 《~+[부]》 These five lines ~ *together* in a center. 이들 다섯 개의 선은 중심에서 만난다. **5** (주위에) 모이다 《*about, round, around*》; 〈팔 등이〉 …을 죄다 《*round, around*》 **6** 《영》 (사람과) 의견이 일치하다, 계약을 맺다 《*with*》 **7** 〈연극이〉 막을 내리다 **8** 〈강이〉 (결빙으로 인해) 항해가 불가능하게 되다 **9** 〖경마〗 (결승선 앞에서) 앞선 말을 따라잡다 **10** 〖증권〗 거래 가격이 …으로 끝나다
~ ***about*** 둘러싸다, 포위하다 ~ ***a discussion*** 〈의장이〉 토의 종결을 선언하다 ~ ***an account*** (*with* a tradesman) (상인과) 신용 거래를 그만두다 ~ ***down*** 폐쇄하다[되다]; 〈방송·방영을〉 마치다, 종료하다; 《미》 〈어둠·안개 등이〉 (…에) 깔리다 《*on*》 ~ ***in*** 포위하다; 《구령》 집합!; 〈적·밤·어둠 등이〉 가까워지다, 다가오다 《*on, upon*》; 〈해가〉 짧아지다 ~ ***off*** 끝내다, 마감하다; 고립시키다; 흐름을 막다 ~ ***on*** …을 단단히 쥐다 ~ ***out*** 《미》 팔아 버리다, 헐값에 팔다; 〈사업을〉 아주 폐쇄해 버리다 ~ ***over*** 묻다, 덮어 씌우다; 가두

---

clude, finish, terminate, wind up, adjourn, discontinue **3** 봉하다 plug, seal, clog, choke

다; 〈남을〉 사방에서 덮치다 ~ ***ranks*** 열[오(伍)] 사이를 좁히다; 〈정당 등이〉 진영을 공고히 하다 ~ ***round*** 포위하다 ~ one***'s mind to***[***against***] 마음의 문을 닫다, 귀를 기울이지 않다 ~ one***'s purse to*** …에게 돈을 선뜻 내놓지 않다 ~ ***the books*** 결산하다; 〈모집 등을〉 마감하다 ~ ***the door*** 문호를 폐쇄하다 《*on*》 ~ ***up*** (1) 〈집·창문 등을〉 (완전히) 닫다, 막다, 폐쇄하다; 〈음식점 등이〉 (임시) 휴업하다 (2) 〈간격을〉 좁히다, 좁아지다; 접근하다, 모이다; 〈사람이〉 육박하다 (3) 〈상처가〉 아물다 ~ ***upon*** (***the world***) 죽다 ~ ***with*** (1) 〈제의·조건 등에〉 응하다 (2) …와 협정하다, …와 흥정하다 (3) 《군어》 …와 격투하다, 접전하다
—*n.* **1 끝**, 종결(end); (우편의) 마감; (편지의) 결구 (=complimentary ~) **2** 닫음, 폐쇄 **3** 〖음악〗 마침표; 겹세로줄 (‖) **4** 〖증권〗 종가(終價) **5** 《고어》 결합(union) **6** 《폐어》 격투; 접근전 ***come***[***bring***] ***to a ~*** 끝나다[끝내다] ***draw to a ~*** 종말에 가까워지다
▷ clósure *n.*

‡close² [klóus] *a.*, *ad.*, *n.*

> 동사 close¹과 같은 어원으로 기본적으로는 「닫혀 있는」의 뜻
> 닫힌 **10** → (간격이 닫혀 있어) 가까운, 밀집한 **1, 2**
> → (비유적으로) → 친한 **1** / → 면밀한 **3**
> → (마음이 닫혀서) 터놓지 않는 **5**

—*a.* **1 a** 〈시간·공간 등이〉 **가까운** 《*to*》: ~ *to* the church 교회 바로 가까이에 있는/~ range 근거리 **b** 친한(intimate); 〈친족 관계가〉 가까운; 〈상태·정도가〉 아주 흡사한, 유사한: a ~ friend 친한 친구/a ~ resemblance 혹사(酷似), 흡사 **2 a 빽빽한**, 밀집한(⇨ dense 유의어): ~ print 잔 글자로 빽빽이 짠 인쇄/~ texture 올이 밴 천 **b** 몸에 꼭 맞는 **c** 〈머리털·잔디 등이〉 짧게 깎은 **3 정밀한**(accurate), 면밀한, 용의주도한(careful); 철저한(thorough); (원전에[내용이]) 충실한: a ~ copy 정서, 정밀한 사본/a ~ investigation 정밀한 검사[조사]/~ attention 세심한 주의 **4** 〈장소 등이〉 좁은, **갑갑한**; 〈날씨가〉 무더운(sultry), 답답한(heavy); 〈공기가〉 무거운; 〈방 등이〉 바람이 잘 통하지 않는(stuffy) **5** 입이 무거운; 말이 적은(reticent), 터놓지 않는(reserved) **6** 숨겨진; 비공개의; **갇힌**, 감금된; 감시가 심한, 엄중한: a ~ prisoner 엄중한 감시를 받는 죄수 **7** 〈회원·특권 등이〉 한정된; 배타적인, 폐쇄적인, 옹색한; 입수하기 어려운, 〈돈이〉 잘 돌지 않는(scarce): Money is ~. 돈이 잘 돌지 않는다. **8** 《영》 〈수렵기가〉 금지 중인, 금렵 중인(《미》 closed) **9** 《구어》 인색한(stingy) 《*with*》 **10 닫힌**(shut), 잠긴, 밀폐된, 폐쇄된 **11** 〖음성〗 〈모음이〉 폐쇄된 《혀의 위치가 높은》(opp. *open*) **12** 〈구두점이〉 어구 뒤에 오는; 〈서식이〉 구두점을 생략하지 않은 **13** 〈경쟁 등이〉 호각의, 접전의; 〈세력이〉 백중한: a ~ contest 접전/a ~ election 《미》 세력이 백중한 선거전 **14** 《속어》 만족할 만한, 훌륭한 ~ ***but no cigar*** 《미·속어》 아슬아슬한, 아주 가까운 ~ ***by*** 바로 곁에 ~ ***to*** 접하여, 바로 곁에; 거의[약] … ~ ***to home*** 《구어》 〈비평·충고 등이〉 정곡을 찔러, 아주 절실하게, 사무치게 ***keep a ~ eye***[***watch***] ***on*** …을 주의 깊게 감시하다 ***keep in ~ to*** a person …곁을 떠나지 않다; …을 따르다, …에게 정들다 ***too ~ for comfort*** 절박하여 (걱정이다)
—*ad.* **1** (시간적·공간적으로 …와) **접하여, 바로 곁에**, 바싹 다가와; 좁게 죄어, **밀접하여**; 닮은 꼴로, 비슷하게: sit[stand] ~ 바싹 다가앉다[다가서다] **2** 빈틈없이, 꽉 차서; 밀착하여, 꼭; 짧게: shut one's eyes ~ 눈을 꼭 감다 **3** 면밀히, 물끄러미: listen ~ 귀를 잔뜩 기울이다 **4** 《고어》 조심스럽게, 은밀히
~ ***at hand*** 바로 가까이에; 절박하여 ~ ***on***[***upon***] 《구어》 〈시간·수량이〉 거의…, 약… ~ ***to the wind*** 〖항해〗 바람 불어오는 쪽으로 거슬러 ~ ***up***[***to***] 매우 가까이에서 ***come ~ to*** 하마터면 …할 뻔하다: He'd *come ~ to* death. 하마터면 그는 죽을 뻔했다. ***keep***[***lie***] ~ 숨어 있다 ***live ~*** 검소하게 살다 ***press*** a person ~ …을 엄히[호되게] 추궁하다 ***run*** a person ~ …을 바싹 뒤쫓다 ***up ~*** =CLOSE up[to]
—*n.* **1** 《영》 (개인 소유의) 둘러막은 땅(enclosure); 구내, 경내(境內)(precinct); (학교의) 운동장, 교정(校庭) **2** 《스코》 (한길에서 뒷골목으로 통하는) 골목길
▷ enclóse *v.*; clósely *ad.*; clóseness *n.*

close-at-hand [klóusəthǽnd] *a.* (시간적·공간적으로) 가까운, 절박한

clóse bórough [klóus-] =POCKET BOROUGH

clóse bòx [klóus-] 〖컴퓨터〗 클로스 박스 《윈도를 닫는 기능을 가진 단추; 때로는 최대화·최소화 등의 기능도 선택할 수 있음》

close-by [klóusbái] *a.* Ⓐ 가까운(nearby); 인접한(adjacent); 근처의(neighboring)

clóse cáll [klóus-] 《구어》 위기일발, 구사일생(close shave) ***have a ~*** 아슬아슬하게 살아나다, 구사일생하다

clóse commúnion [klóus-] 〖교회〗 폐쇄 성찬식 《같은 교파[교회]의 신자만이 참례하는 성찬식》

clóse cómpany [klóus-] 《영》 =CLOSE CORPORATION

clóse corporátion [klóus-] =CLOSED CORPORATION

close-cropped [klóuskrɑ́pt | -krɔ́pt] *a.* =CLOSE-CUT

close·cross [klóuskrɔ̀:s | -krɔ̀s] 〖생물〗 *n.* **1** 근친 교접 **2** 근친 교접에 의한 자손 **—*vt.*** 근친 교접시키다

close-cut [klóuskʌ́t] *a.* (머리털·잔디 등을) 짧게 깎은

***closed** [klóuzd] *a.* (opp. *open*) **1** 닫은, 폐쇄한 **2** 〈업무가〉 완료[종료]된; 교통이 차단된 **3** 폐쇄적인, 배타적인; 비공개의 **4** 《미》 〈수렵기가〉 금지 중인, 금렵 중인(《영》 close) **5** 자급(자족)의: a ~ economy 자급자족 경제 **6** 〈형·형식 등이〉 일정한, 한정된; 〈냉난방이〉 순환식의; 〈전기의 회로가〉 순환식의 **7** 〈차가〉 지붕이 있는, 상자 모양의 **8** 〖음성〗 자음으로 끝나는; 〖언어〗 〈문법상의 구조가〉 막힌 **9** 〖경마〗 스타트와 골이 동일 지점인 **10** 《게시》 휴업의, 마감된 **11** 〈동물군이〉 단일 혈통에서 생긴 **12** 〖병리〗 〈병 따위가〉 비개방성의; 〈골절 따위가〉 외상이 없는 **13** 〈와인이〉 향이 부족한
C~ today. 《게시》 금일 휴업. ***with***[***behind***] ***~ doors*** 문을 닫고; 방청을 금지하여, 비공개로

clósed accòunt 차액이 없는 대차 계정

clósed-an·gle glaucóma [-ǽŋgl-] 〖병리〗 협각 녹내증(狹角綠內症)(angle-closure glaucoma)

clósed bóok 《구어》 **1** 까닭을 알 수 없는 일, 분명하지 않은 일 《*to*》; 이해하기 어려운 사람 **2** 끝난[결정된, 확정된] 일

clósed cáption 〖TV〗 귀가 불편한 사람을 위한 자막

closed-cap·tioned [klóuzdkǽpʃənd] *a.* (텔레비전 프로가) 디코더(decoder) 사용시만 자막이 나타나는

closed-cell [-sél] *a.* 독립 기포(氣泡)의, 밀폐 기포의 《소재는 플라스틱 등》

clósed cháin 〖화학〗 닫힌 고리(ring); 〖기계〗 구속 연쇄(拘束連鎖) 《링크 상호간이 항상 일정한 운동을 하는 기구》

clósed círcuit **1** 〖전기〗 폐회로(閉回路) **2** 〖TV〗 유선 텔레비전 (방식) 《특정 수상기에만 송신되는》

clósed-cir·cuit télevision [klóuzdsə́:rkit-] 폐회로[유선] 텔레비전 (略 CCTV)

clósed commúnity 〖생태〗 밀생(密生)[폐쇄] 군락 《식물이 서로 근접하여 빽빽하게 자라고 있는 군락》

clósed cómpany 《영》 =CLOSED CORPORATION

clósed corporátion 《미》 비공개[폐쇄] 회사 《주식이 일반 투자가들에게 공개되어 있지 않은 회사》

thesaurus **close²** *a.* **1** 가까운 near, adjacent, adjoining, neighboring, abutting (opp. *far, distant, remote*) **2** 유사한 similar, like, alike, compa-

clósed cóuplet 폐쇄 연구(聯句) 《한 무리의 시행(詩行)에서 연속된 이행(二行)마다 의미와 운이 완결되어 다음 행에 걸치지 않는 이행 연구(二行聯句)》
closed-door [-dɔ́:r] *a.* Ⓐ 비공개[비밀]의: a ~ session 비밀 회의
clósed écosystem 〖생태〗 폐쇄 생태계
closed-end [-énd] *a.* 〖상업〗 〈투자 신탁이〉 자본액 고정인, 폐쇄식인; 〈담보가〉 대부 금액을 고정시킨
clósed-end bónd fùnd 폐쇄형 채권 펀드
clósed-end invéstment còmpany 폐쇄형 투자 신탁 회사
clósed frácture 〖의학〗 = SIMPLE FRACTURE
clósed lóop 폐회로
closed-loop [-lú:p] *a.* 〖공학〗 피드백 기구로 자동 조정되는; 제조 공정에서 나온 폐기물을 처리해서 재활용하는 시스템의
closed-mind·ed [-máindid] *a.* 옹졸한, 소견이 좁은, 완고한
closed·out [klóuzdàut] *n.* 폐점, 점포 정리: a ~ sale 점포 정리 세일
close·down [klóuzdàun] *n.* **1** 작업[조업] 정지; 《미》 공장 폐쇄 **2** 《영》 방송[방영] 종료
clósed plán 〖건축〗 폐쇄형 평면 《사무용 공간이 벽으로 칸막이 된 평면; cf. OPEN PLAN》
clósed pórt 불개항(不開港)
clósed prímary 《미》 제한 예비 선거 《당원 유자격자만이 투표하는 후보자 선거; cf. OPEN PRIMARY》
clósed rúle 《미》 〖의회〗 폐쇄 룰 《상정된 법안은 채택의 여부를 결정할 뿐이고 수정은 가할 수 없다는 규칙》
clósed schólarship 자격자 한정 장학금
clósed séa [the ~] 〖국제법〗 영해(領海)(cf. OPEN SEA)
clósed séason 《미》 금렵기(禁獵期)(《영》 close season, close time)
clósed sét 〖수학〗 폐집합(閉集合)
clósed shélf 폐가식(閉架式) 서가
clósed-shélf *a.*
clósed shóp 클로즈드 숍 《노동조합원만을 고용하는 사업장; cf. OPEN SHOP》
closed-stack [klóuzdstǽk] *a.* 〈도서관이〉 폐가식(閉架式)의(cf. OPEN-STACK)
clósed sýllable 〖음성〗 폐(閉)음절 《자음으로 끝나는 것》
clósed sýstem 〖물리〗 폐쇄계(閉鎖系) 《외부와의 물질이나 에너지의 출입을 허용하지 않는 경계에 의해 떨어져 있는 영역》
clósed únion (신규 가입 조건이 엄격하게 제한된) 폐쇄 노동조합
clósed úniverse 〖천문〗 닫힌 우주 《우주의 체적은 유한하여 우주의 팽창은 점차로 정지하게 되며, 결국 수축을 향해 big bang 상태로 되돌아간다는 가설》
clóse encóunter [klóus-] **1** (비행 중에 다른 천체·물체에의) 근접 **2** (낯선 사람끼리) 가까이 만남
close·fist·ed [klóusfístid] *a.* 《속어》 구두쇠의, 인색한
close-fit·ting [klóusfítiŋ] *a.* 〈의복이〉 몸에 꼭 맞는(cf. LOOSE-FITTING)
close-grained [klóusgréind] *a.* 나뭇결이 고운; 〈수목이〉 연륜이 확실하지 않은; 《비유》 짜임새가 섬세한, 면밀한
clóse hármony [klóus-] 〖음악〗 밀집 화성(和聲)
close-hauled [klóushɔ́:ld] *a.*, *ad.* 〖항해〗 〈범선이〉 (돛을) 활짝 편[펴고]
close-in [klóusìn] *a.* 가까운 거리의, 인접한
close-knit [klóusnít] *a.* **1** 〈특히 인간관계가〉 긴밀한, 굳게 맺어진; (정치·경제적으로) 밀접하게 조직된 **2** 〈이론 등이〉 논리적으로 빈틈이 없는

rable **3 친한** intimate, dear, bosom, inseparable, loving, attached **4 빽빽한** dense, condensed, compact, crowded, packed, solid, tight, congested

close-lipped [klóuslípt] *a.* = CLOSEMOUTHED
clóse-lóok sàtellite [klóuslúk-] 〖군사〗 정밀 정찰 위성, 스파이 위성
⁑**close·ly** [klóusli] *ad.* **1 접근하여**, 바싹 **2 꽉**, 단단히, 빽빽이, 꼭, 딱: Her skirt fits ~. 그녀의 치마는 몸에 꼭 맞는다. **3 엄중히**, 엄밀히; **면밀히**: a ~-guarded secret 극비 사항 / translate a poem ~ 시를 (원문에) 충실하게 번역하다 **4 밀접하게**, 친밀하게 **5** 열심히, 주의하여 **6** 검소하게; 인색하게
close·mouthed [klóusmáuðd, -máuθt] *a.* 말이 없는, 속을 터놓지 않는
close·ness [klóusnis] *n.* Ⓤ **1** 근사(近似); 접근, 친밀(intimacy) **2** (피륙 등의) 올이 고움, 올의 배기 **3** 정확, 엄밀 **4** 밀폐; 숨막힘, 답답함 **5** 인색
clóse órder [klóus-] 〖군사〗 밀집 대형(cf. EXTENDED ORDER)
clóse-òr·der dríll [klóusɔ̀:rdər-] 〖군사〗 (집총으로 하는) 소대 교련, 밀집 부대 교련
close·out [klóuzàut] *n.* (폐점 등을 위한) 재고 정리(품); 투매품
close-out [klóuzàut] *n.* 《속어》 완료, 성취
close-packed [klóuspǽkt] *a.* 밀집한, 빽빽한
close-pitched [klóuspítʃt] *a.* 〈싸움이〉 호각(互角)의, 막상막하의: a ~ battle 접전
clóse posítion [klóus-] 〖음악〗 밀집 위치
clóse prínting [klóus-] 잔 글자로 빽빽한 인쇄
clóse punctuátion [klóus-] 엄밀 구두법
clóse quárters [klóus-] **1** 비좁은[답답한] 장소 **2** 접근전, 백병전; 《비유》 (이론 따위의) 격투
at **~** (1) 백병전이 되어 (2) 접근하여, 달라붙어 ***come to*** **~** 접전[백병전]이 되다
clóse quóte [klóuz-] [때로 *pl.*] **1** 인용문[구]의 끝에 붙이는 인용부 《' 또는 "》 **2** 괄호 닫기 《구두 전달에서 인용의 끝을 나타내는 표현》
***clos·er** [klóuzər] *n.* **1 닫는 것[사람]**; 폐색기 **2** 《야구속어》 최종회 **3** (종료를 알리는 신호가 되는) 행위[곡(曲)] **4** (의복·구두 따위를) 꿰맞추는 사람 **5** 거래를 체결하는 사람
close-range [klóusréindʒ] *a.* Ⓐ 근거리의, 근접한: The ~ shot was blocked by the goalkeeper. 근거리 슛을 골키퍼가 막아 냈다.
close-run [klóusrʌ́n] *a.* Ⓐ (경쟁·선거에서) 근소한 차로 이긴
clóse séason [klóus-] 《영》 사냥 금지 기간, 금렵기(《미》 closed season)
close-set [klóussét] *a.* 근접해서 늘어선, 다닥다닥 붙은, 밀집한; 튼튼하게 살찐
clóse sháve [klóus-] = CLOSE CALL
clóse shòt [klóus-] 〖영화〗 접사(接寫), 클로즈업 (opp. *long shot*)
clóse stìtch [klóus-] = BUTTONHOLE STITCH
close·stool [klóuzstù:l, klóus-] *n.* 실내 변기
⁑**clos·et** [klázit | klɔ́z-] *n.* **1** 《미·캐나다》 **벽장**, 광, 찬장(cupboard) **2** 사실(私室), 작은 방 《응접·공부 등을 위한》 **3** 《고어》 변기, (수세식) 변소(= water ~) ★ 「변소」의 뜻과의 오해를 피하기 위하여 1, 2의 용법은 지금은 드묾. **4** [the ~] 《비유》 비밀 상태, 숨겨진 상태 ***come out of the*** **~** 《속어》 (숨기고 있던 것을을) 공표하다; 호모인 것을 공공연히 인정하다 ***of the*** **~** 실제적 지식이나 경험이 없는, 공리공론의
— *a.* Ⓐ **1** 비밀의, 은밀한 **2** 비실제적인, 탁상공론식인: a ~ strategist 탁상 전술가
— *vt.* **1** [~ one*self* 로] (방 등에) 들어박히다; [보통 수동형으로] 들어박혀 있다 《*together*, *with*》: 《~+목+전+명》 ~ *oneself in* the attic 고미다락방에 들어박히다 / *be* ~*ed in* one's study 서재에 들어박혀 외출하지 않다 **2** [보통 수동형으로] (사업이나 정치 관계로) 〈남을〉 밀담케 하다: 《~+목+부》 They *were* ~*ed together*. 그들은 밀담했다. // 《~+목+전+명》 He *was* ~*ed with* the ambassador. 그는 대사와 밀담했다. **~·ful** *n.*

clóset dràma[plày] 서재극(書齋劇), 레제드라마 《무대 상연보다는 읽을거리로 쓴 극》
clos·et·ed [klázitid | klɔ́z-] *a.* 은밀히 행하는; 비밀의
clóse thíng [klóus-] =CLOSE CALL
clóset homosèxual 동성애자임을 숨기는 사람
clóse tíme [klóus-] 《영》 =CLOSE SEASON
clóset lìberal 《미·속어》 자유주의를 감추고 있는 자유주의자
clóset politícian 비실제적인 정치가
clóset quèen 《속어·경멸》 《동성애 사실을 숨기는[부인하는]》 동성애가 《남자》
clóset stáll 대변기가 설치된 화장실
close-up [klóusʌ̀p] *n.* **1** 〚영화〛 대사(大寫), 클로즈업; 근접 사진 **2** 상세한 관찰[검사, 묘사]; 《일의》 진상 **3** 확성기를 통한 증폭된 음성 **4** 《미·속어》 전기(傳記)
— *a.* 클로즈업의; 근거리에서의; 상세[정밀]한
close-wov·en [klóuswóuvən] *a.* 촘촘하게 짠
***clos·ing** [klóuziŋ] *n.* Ⓤⓒ **1** 폐쇄, 밀폐 **2** 종결, 마감 **3** 〚회계〛 결산; 〚증권〛 종장 시세; 《매매 계약 등의》 최종 청산 회합; 《채무 증권과 바꾸어》 조달된 자금을 건네받는 일
— *a.* Ⓐ **1** 마지막의; 폐회의: a ~ address 폐회사 **2** 〚회계〛 결산의; 〚증권〛 마감하는, 종장의: the ~ account 결산
clósing còsts 〚법〛 부동산 매매 수수료
clósing dàte **1** 마감일(deadline) **2** 결산일; 〚금융〛 증권 인수업자의 납입 기일(=**clósing dày**)
clósing èrror 〚측량〛 =ERROR OF CLOSURE
clósing òrder 《영》 《지방 자치 단체 당국이 내리는 몰수 재산에 관한》 폐쇄 명령
clósing price 〚증권〛 종장 시세, 종가(終價)
clósing time 폐점[종업] 시간
clos·trid·i·um [klastrídiəm | klɔs-] *n.* (*pl.* **-i·a** [-iə]) 〚세균〛 클로스트리듐속(屬)의 세균
clo·sure [klóuʒər] *n.* Ⓤⓒ **1** 폐쇄; 마감 **2** 폐점, 휴업 **3** 종지, 종결 **4** [보통 *sing.*] 《영》 〚의회〛 토론 종결(《미》 cloture) **5** 〚음성〛 폐쇄(음) **6** 〚건축〛 경계, 칸막이 **7** 〚심리〛 일부가 빠진 그림에서도 전체 모습을 보는 경향; 심리적 확실감 **8** 《폐어》 울타리 **9** 〚지질〛 클로저 《배사면의 정상부터 등고선 밑부분까지의 비교 높이》
— *vi., vt.* 《영》 〚의회〛 《토론을》 종결에 붙이다
clot [klát | klɔ́t] *n.* **1** 《피 등의》 엉긴 덩어리: a ~ of blood 핏덩어리, 응혈(凝血) **2** 《사람의》 일단, 소집단 **3** 《영·구어》 바보, 얼간이
— *v.* (**~·ted**; **~·ting**) *vt.* **1** 〈피·우유 등을〉 응고시키다, 굳어지게 하다 **2** 〈땀 등이〉 〈머리털 등을〉 뭉치게[엉히게] 하다 **3** 〈물건이〉 굳어져 〈…을〉 움직이기 어렵게 만들다; 정상적인 상태[동작]를 방해하다
— *vi.* 응고하다, 굳어지다
‡**cloth** [klɔ́:θ, kláθ | klɔ́θ] [OE 「천, 피륙」의 뜻에서] *n.* (*pl.* **~s** [klɔ́:ðz, kláðz | klɔ́ðz]) Ⓤ 《종류를 나타낼 때는 Ⓒ》 **1** 천, 피륙, 옷감 **2** Ⓒ 헝겊; 《특히》 식탁보(tablecloth); 행주; 걸레(duster) **3** 모직물, 나사 **4** 《책의》 클로스, 헝겊 표지 **5** 〚항해〛 범포; [집합적] 돛 **6** 검은 성직복; [the ~] 성직(聖職); [집합적] 성직자들(the clergy) **7** 《주로 미》 〚연극〛 《배경의》 현수막
~ of gold*[*silver*]** 금[은]실을 명주나 양털과 섞어 짠 천 ***~ of state 옥좌(玉座) 닫집을 꾸미는 아름다운 피륙 ***cut* one's *coat according to* one's ~** ⇨ coat. ***invented out of* (*the*) *whole* ~** 〈이야기 등이〉 처음부터 끝까지 꾸며낸 ***lay the* ~** 식탁을 차리다 ***remove*[*draw*] *the* ~** 식탁을 치우다 ***respect* a person's ~** =***pay the respect due to the* ~** 성직자의 신분에 대하여 경의를 표하다
— *a.* **1** 천의; 천으로 된 **2** =CLOTHBOUND
cloth·back [-bæ̀k] *n.* 〚제본〛 클로스 장정본
cloth-bind·ing [-bàindiŋ] *n.* 〚제본〛 《책의》 클로스 표지(제본), 클로스 장정(본)
cloth·bound [-bàund] *a.* 〈책이〉 클로스 장정의
clóth càp 《영》 《노동자가 쓰는》 천으로 만든 납작한 모자; 《영·구어》 [the ~] 노동자 계급
clóth-càpped *a.*
cloth-cap [-kæ̀p] *a.* 《영》 노동자 계급의[에 속하는]
‡**clothe** [klóuð] *vt.* (**~d** [-ðd], 《고어·문어》 **clad** [klǽd]) **1** …에게 옷을 입히다(dress); [~ one*self* 로] 《몸에》 의복을 걸치다(⇨ clothed): ~ one*self* 옷을 입다 // (~+목+전+명) She ~ her children *in* the latest fashions. 그녀는 아이들에게 최신 유행의 옷을 입힌다. **2** 의복을 지급하다; 〈가족 등을〉 부양하다: ~ one's family 가족에게 옷을 사주다 **3** 덮다, 싸다, 입히다 《*in*, *with*》; 《언어로》 표현하다 《*in*》: Leaves ~ trees. 잎이 나무를 덮는다. // (~+목+전+명) ~ one's thoughts *in* suitable language 자기의 사상을 적절한 언어로 표현하다 / Spring ~*s* the land *with* green leaves. 봄은 대지를 신록으로 뒤덮는다. **4** 〈권력·영광 등을〉 부여하다 《*with*》: (~+목+전+명) be ~*d with* full powers 전권을 부여받다
▷ clóthes, clóthing *n.*
cloth-eared [klɔ́:θìərd, kláθ- | klɔ́θ-] *a.* 《구어》 **1** 귀가 어두운, 난청의 **2** 둔감한
clóth èars 《구어》 잘 안 들리는 귀, 난청; 음치: have ~ 건성으로 듣다
clothed [klóuðd] *a.* [보통 Ⓟ] 《…식의》 옷을 입은(dressed): a man ~ in black 검은 색 옷을 입은 남자 / He was ~ *in* radiant vestment. 그는 화려한 의복을 입고 있었다.
‡**clothes** [klóuz, klóuðz] [cloth 《천, 피륙》의 복수형에서] *n. pl.* **1** 옷, 의복(garments): a suit of ~ 옷 한 벌 / put on[take off] one's ~ 옷을 입다[벗다] / change ~ 옷을 갈아입다 / She has many ~. 그녀는 옷이 많다. / Fine ~ make the man. 《속담》 옷이 날개. **2** 침구(bedclothes) **3** 세탁물 ***in long* ~** 《고어》 아직 젖먹이로; 유치하게
clóthes bàg 세탁물 주머니, 빨래 자루
clóthes bàsket 세탁물 광주리[바구니]
clothes·brush [-brʌ̀ʃ] *n.* 옷솔
clóthes hànger =COAT HANGER
clothes·horse [-hɔ̀:rs] *n.* **1** 《속어》 옷 자랑하는 사람, 최신 패션만 좇는 사람 **2** 《실내용》 빨래 걸이

clotheshorse 2

clothes·line [-làin] *n.* **1** 빨랫줄 **2** 《야구속어》 라이너; 〚미식축구〛 클로즈라인 《수비측 선수가 팔을 뻗어 볼을 가진 상대 선수의 목을 쳐서 넘어뜨리는 반칙 행위》 **3** 《미·속어》 개인적인 문제 ***able to sleep on*[*upon*] *a* ~** 《영·속어》 어떤 장소에서도 잘 수 있는; 어떤 불편한 생활도 걱정하지 않는
— *vt.* 〚미식축구〛 〈상대 선수를〉 쳐서 넘어지도록 태클하다
clothes·man [-mæ̀n] *n.* (*pl.* **-men** [-mèn]) 헌옷 장수
clóthes mòth 〚곤충〛 옷좀나방
clothes-peg [-pèg] *n.* 《영》 =CLOTHESPIN
clothes·pin [-pìn] *n.* 《미》 빨래집게
clothes·pole [-pòul] *n.* 빨랫줄 기둥 《clothesline을 치기 위한 것》
clothes·press [-près] *n.* 옷장, 양복장(wardrobe); 의상 룸
clóthes pròp 《영》 =CLOTHESPOLE
clóthes trèe 《미》 《가지가 있는》 기둥 꼴의 모자[외투] 걸이
cloth·ier [klóuðjər, -ðiər] *n.* **1** 남성복 소매상; 의복[의류]상, 피륙 판매업자 **2** 모직물업자; 《미》 직물 마무리공 **3** 《고어》 직물 축융공(fuller)
‡**cloth·ing** [klóuðiŋ] *n.* Ⓤ **1** [집합적] 의류: an

thesaurus **clothe** *v.* dress, attire, apparel, outfit, robe, garb, array, drape
cloudy *a.* **1** 흐린 overcast, hazy, dark, gray,

article of ~ 의류 1점 / food, ~, and shelter 의식주 **2** 덮개(covering) **3** 〖항해〗 돛

clóthing wòol 방모사용 양모(羊毛); 의류용 양모

clóth mèasure 옷감 재는 자

Clo·tho [klóuθou] *n.* 〖그리스신화〗 클로토 《생명의 실을 잣는 운명의 여신》

clóth yàrd (옷감 잴 때의) 야드 《3피트》

clot·ted [klɑ́tid | klɔ́t-] *a.* **1** 응고한, 엉긴 **2** 《영》 순전한, 전적인: ~ nonsense 터무니없는 말

clótted créam (지방분이 많은) 고체 크림

clót·ting fàctor [klɑ́tiŋ- | klɔ́t-] 〖생화학〗 응고 인자(凝固因子)

clot·tish [klɑ́tiʃ | klɔ́t-] *a.* 《영·구어》 바보[얼간이] 같은

clot·ty [klɑ́ti | klɔ́ti] *a.* 덩어리가 많은; 응고성의

clo·ture [klóutʃər] 《미》 〖의회〗 *n.* [UC] 토론 종결 (《영》 closure) **—***vt., vi.* 〈토론을〉 종결에 붙이다

clou [klú:] *n.* **1** 인기물, 흥미의 중심 **2** 중심 사상

*** **cloud** [kláud] [OE 「바위 덩어리」의 뜻에서; 모양이 같다 해서] *n.* **1** [CU] 구름: a bank of ~*s* 구름 봉우리 / covered with ~(*s*) 구름에 덮여 / Every ~ has a silver lining. 《속담》 먹구름도 뒤쪽은 은빛으로 빛난다, 괴로움이 있는 반면에 즐거움도 있다. **2** (사방에 낀) 먼지[연기 《등》]; 《구어》 담배 연기 **3** (투명체·거울 등의 표면에 낀) 흐림, 티(blemish); (얼굴·이마에 어린) 근심의 빛; (의혹·불만·비애 등의) 기색, 암영(暗影); (덮어씌워) 어둡게 하는 것, 어둠 **4** 수많은 사람; (새·파리·메뚜기 등의) 떼 **5** 부드러운 스카프 《여성용》 **6** 《경찰속어》 소매치기 한 패 **7** 《미·방언》 흑인(의 무리) ***blow a ~*** 《구어》 담배를 피우다 ***drop from the ~s*** 의외의 곳에서[갑자기] 나타나다 ***in the ~s*** (1) 하늘 높이 (2) 《구어》 〈사람이〉 멍하여, 공상에 잠기어 (3) 〈계획 등이〉 실제적이지 못한, 현실과 동떨어진 ***kick up the ~s*** 《속어》 교수형에 처해지다 ***on a ~*** 《구어》 매우 기뻐서, 기운차게; 《속어》 마약에 취하여 ***on ~ nine*** 《미·속어》 아주 행복한 ***under a ~*** 《구어》 의혹[비난]을 받고; 풀 죽어, 서글퍼서 ***under ~ of night*** 야음을 타고
—*vt.* **1** 〈하늘·산꼭대기 등을〉 구름으로 덮다; 〈액체를〉 흐리게 하다; 어둡게 하다 《*up*》 **2** 〈명성·평판 등을〉 더럽히다; 〈사람에게〉 혐의를 걸다 **3** 〈불안·걱정거리 등이〉 〈얼굴·마음 등을〉 흐리게 하다, 어둡게 하다; 수심의 빛[암영]을 띠게 하다 **4** 〈문제 등을〉 애매하게 만들다; 〈시력·판단력 등을〉 흐리게 하다, 둔화시키다 **5** 구름무늬[검은 반점]로 아로새기다
—*vi.* **1** 〈하늘·창문 등이〉 흐리다, 흐려지다 **2** 〈얼굴이〉 (고통·근심으로) 흐리다, 흐려지다 **3** 〈돛 따위가〉 구름 모양으로 부풀다; 큰 파도가 일다 ***~ over*** 〈하늘이〉 온통 흐려지다 ▷ clóudy *a.*; enclóud *v.*

cloud·bank [kláudbæ̀ŋk] *n.* (낮게 드리운) 짙은 뭉게구름

cloud·ber·ry [-bèri] *n.* (*pl.* **-ries**) 〖식물〗 호로딸기 《야생의 나무딸기》

cloud-built [-bílt] *a.* 구름 같은, 공상적인

cloud·burst [-bə̀:rst] *n.* (갑자기) 퍼붓는 비, 폭우

clóud bùrster 《미·속어》 **1** 〖야구〗 높은 플라이 **2** 고층 건물 **3** 고속 신형 비행기

clóud càp 〖기상〗 =CAP CLOUD

cloud-capped [-kæ̀pt] *a.* 〈산이〉 구름으로 뒤덮인, 구름 속에 솟은

cloud-cas·tle [-kæ̀sl | -kɑ̀:sl] *n.* 공상, 몽상

clóud chàmber 〖물리〗 안개 상자 《고속 원자나 원자적 미립자가 지나간 자취를 보는 장치》

clóud compúting 〖컴퓨터·인터넷〗 클라우드 컴퓨팅 《프로그램이나 데이터를 웹 서버에 저장해 두고 온라인에서 실시간으로 활용하는 기술》

clóud còver 운량(雲量)

cloud-cuck·oo-land [-kú:ku:læ̀nd] *n.* [종종 Cloud-Cuckoo-Land] [U] 공상의 나라, 이상향 《Aristophanes 작품 속의 고을 이름》

clóud drìft **1** 뜬구름, 떠다니는 구름 **2** 《미》 (비행기에 의한) 분말 살충제 살포

cloud·ed [kláudid] *a.* **1** 구름에 덮인, 흐린 **2** 〈머리 등이〉 멍한, 혼란한 **3** 〈생각·의미 등이〉 흐릿한, 애매한; 〈기분이〉 침울한 **4** 구름[얼룩]무늬가 있는, 구름 모양의: ~ leopard 대만표범 《동남아시아산(産)》

clóud fòrest 운무림(雲霧林) 《습기가 많은 열대 지방의 삼림》

cloud-hop·ping [kláudhɑ̀piŋ | -hɔ̀p-] *n.* 〖항공〗 (비행기 모습을 감추기 위한) 운층(雲層) 비행

cloud·i·ness [kláudinis] *n.* [U] **1** 흐린 날씨; 〖기상〗 운량(雲量) **2** 구름무늬 **3** 음침함 **4** (광택의) 흐림; 몽롱함 **5** 우울, 침울

cloud·ing [kláudiŋ] *n.* [U] **1** (광택면의) 흐림 **2** 구름 모양의 무늬

cloud·land [kláudlæ̀nd] *n.* [UC] **1** 구름 나라, 하늘(sky) **2** 꿈나라(dreamland), 공상의 세계

cloud·less [kláudlis] *a.* 구름[암영] 없는, 맑게 갠 **~·ly** *ad.* 구름 한 점도 없이 **~·ness** *n.*

cloud·let [kláudlit] *n.* 구름 조각

clóud níne [Dante의 *The Divine Comedy*에서] 《구어》 행복의 절정 ***on ~*** 《구어》 더할 나위 없이 행복한; 들떠서; 《미·속어》 마약에 취하여(on a cloud)

clóud phỳsics [단수 취급] 구름 물리학

clóud ràck 조각 구름의 떼

clóud rìng (적도상의) 운대(雲帶)

cloud·scape [kláudskèip] *n.* 구름 경치 (그림), 운경(雲景)(화)

clóud sèeding (인공 강우용) 구름 씨 뿌리기

clóud sèven =CLOUD NINE

cloud-topped [kláudtɑ̀pt | -tɔ̀pt] *a.* 정상이 구름으로 덮인

*** **cloud·y** [kláudi] *a.* (**cloud·i·er**; **-i·est**) **1** 흐린; 구름이 많은: It is ~. 날씨가 흐리다. **2** 구름의, 구름 같은; 구름무늬의, 흐린 데가 있는 **3** 몽롱한, 흐릿한 **4** 〈의미가〉 흐릿한, 애매한 **5** 〈액체가〉 흐린 《*with*》 **6** 〈마음이〉 언짢은, 기분이 좋지 못한 **7** 혐의[치욕] 따위를 받은, 평판이 안 좋은 **8** 〈색 따위가〉 얼룩이 있는
clóud·i·ly *ad.* 흐려서; 어렴풋이

clough [klʌ́f] *n.* 《방언》 계곡, 골짜기(ravine)

clout [kláut] *n.* **1** 《구어》 (주먹·손바닥으로) 때림 **2** (특히 정치적인) 권력, 영향력 **3** 〖야구〗 강타 **4** 〖궁술〗 과녁, 명중 **5** 압정, 징 **6** 《고어·방언》 (기워 대는) 천 조각, 헝겊 조각; [보통 *pl.*] (아기) 기저귀
—*vt.* 《구어》 **1** (주먹·손바닥으로) 때리다(hit), 치다 **2** 〖야구〗 〈공을〉 강타하다 **3** 《미·속어》 훔치다; 슬쩍 훔쳐 가지다 **4** 《고어》 붕대를 하다; 조각을 대어 깁다; 〈구두 밑창 따위에〉 징을 박다 **~·er** *n.*

clóut nàil 구두 징

clove[1] [klóuv] *n.* **1** 〖식물〗 정향(丁香)나무 **2** 정향 《꽃봉오리를 말린 향료》

clove[2] *n.* 〖식물〗 (백합·마늘 등의) 소인경(小鱗莖), 소구근(小球根)

clove[3] *v.* CLEAVE[1]의 과거

clóve gíllyflower =CLOVE PINK

clóve hìtch 〖항해〗 (밧줄의) 감아 매기

clo·ven [klóuvən] *v.* CLEAVE[1]의 과거분사
— *a.* 〈짐승의 발굽이〉 갈라진

clóven hóof[**fóot**] (소·사슴 등의) 분지제(分趾蹄), 우제(偶蹄) ***show the ~*** 악마의 본성을 드러내다

clo·ven-hoofed [klóuvənhú:ft], **-foot·ed** [-fútid] *a.* 〖동물〗 발굽이 갈라진; 악마와 같은

clóve òil 정향유(丁香油) 《양주·향미료의 원료》

clóve pìnk 〖식물〗 카네이션(carnation)

* **clo·ver** [klóuvər] *n.* [UC] 〖식물〗 클로버, 토끼풀 ***be*** [***live***] ***in*** (***the***) ***~*** 호화롭게[안락하게] 살다 ***like pigs in ~*** 《속어》 최고로 행복한

clóver kìcker 《미·속어》 백성, 농민; 시골 소년

---

somber, heavy, gloomy, dim (opp. *bright*) **2** (의미가) 흐릿한 vague, blurred, indistinct, hazy, indefinite, obscure, confused (opp. *clear*)

clo·ver·leaf [klóuvərlì:f] *n.* (*pl.* **~s, -leaves** [-lì:vz]) (네 잎 클로버형의) 입체 교차로
— *a.* 네 잎 클로버형[모양]의

*__clown__ [kláun] *n.* **1** 어릿광대; 익살꾼(jester) **2** 시골뜨기(rustic); 버릇없는 사람 **3** 《고어》 백성
— *vi.* 익살 부리다; 어릿광대짓을 하다; 《미·권투속어》 현상(懸賞) 시합을 날조하다; 넉아웃된 척하다
— *vt.* [보통 ~ it로] 어릿광대로 연기하다
*~ **around**[**about**]* 익살 부리다, 광대처럼 행동하다
~·er·y *n.* ⓊⒸ 익살, 어릿광대짓 ▷ clównish *a.*

clown·ish [kláuniʃ] *a.* **1** 촌사람 같은(boorish); 버릇없는 **2** 익살꾼 같은, 우스운 **~·ly** *ad.* **~·ness** *n.*

clówn wàgon 《미·속어》 화물 열차의 승무원용 차량

clówn whìte 〖연극〗 (어릿광대나 무언극의 광대가 하는) 흰 얼굴 화장

clox [klάks | klɔ́ks] *n.* 〖상업〗 CLOCK²의 복수

clox·a·cil·lin [klὰksəsílin | klɔ̀ks-] *n.* 〖약학〗 클록사실린 《합성 페니실린의 일종》

cloy [klɔ́i] *vt.* 잔뜩 먹이다, 물리도록 먹이다, 물리게 하다(satiate) 《*with*》 — *vi.* 〈먹을 것이〉 싫증나다; 〈사람이〉 (과식하여) 물리다

cloy·ing [klɔ́iiŋ] *a.* 싫증나게 하는; (너무 먹어서) 물린 **~·ly** *ad.* **~·ness** *n.*

cloze [klóuz] *a.* (시험 문제 등의) 빈칸 메우기 식의
— *n.* = CLOZE PROCEDURE

clóze procèdure[**tèst**] 빈칸 메우기 (독해력) 테스트

CLR computer language recorder **clr.** clear(ance) **C.L.U.** Chartered Life Underwriter (of insurance) 공인 생명 보험사; Civil Liberties Union 인권 옹호 연맹

‡**club** [klʌ́b] *n., v., a.*

> 혹이 달린 막대 **1** ─┬→ (골프 등의) 타구봉 **1**
> └→ (모양에서) 카드놀이의 클럽 **3**
> 「혹」의 뜻에서 「뭉치다, 단결하다」→「모임」 **2**「클럽실[회관]」의 뜻이 되었음.

— *n.* **1** 곤봉(cf. CUDGEL); 클럽, 타구봉 《골프·하키 등의》 **2** 클럽; 클럽실, 클럽 회관; = NIGHTCLUB **3** (카드놀이의) 클럽; [*pl.*] 클럽의 짝 **4 a** (회원이 각종 특권을 누리는) 회원제 조직; (상호 보험의) 공제회, 구매[판매] 조합 **b** (무역·방위 따위를 위한) 국가 연합체 [공동체] **c** 핵클럽 《핵물질 생산국의 모임》 **5** = CLUB SANDWICH **6** 〖식물〗 곤봉형의 구조[기관] ***C~ of Rome*** 로마 클럽 《실업가·경제학자·과학자의 국제적인 연구·제언 그룹》 ***in the*** (***pudding***) ***~*** 《영·속어》 《특히》 〈미혼 여성이〉 임신하여: put[get] a woman *in the* (*pudding*) ~ 여자를 임신시키다 ***Join***[***Welcome to***] ***the ~!*** 《구어》 (남의 실패 등을 위로하여) 이쪽도 마찬가지다! ***on the ~*** 《영·속어》 (병으로 인한 휴직으로) 공제 조합에서 지급을 받아 ***the best ~ in London*** 《영·익살》 하원
— *v.* (**~bed**; **~·bing**) *vt.* **1** 곤봉으로 때리다[혼내주다]; 〈총 등을〉 곤봉 대신으로 쓰다; 〈머리 따위를〉 곤봉형으로 땋다: ~ a rifle 총을 거꾸로 쥐다 // (~+목+전+명) ~ a person *to* death …을 때려 죽이다 **2** 〈돈·생각 등을〉 협력하여 모으다; 〈지출 등을〉 분담하다: ~ expenses 지출을 분담하다 **3** 〈사람을〉 모아서 클럽을 만들다; 합동[결합]시키다: (~+목+부) ~ persons *together* 사람들을 모으다 **4** 〖야구〗 치다
— *vi.* **1** 클럽을 조직하다; (공동 목적에) 협력하다 (unite) 《*together, with*》: (~+부) ~ *together* 서로 협력하다 // (~+전+명) Tom *~bed with* his sister for the present. 톰은 누이와 돈을 모아 그 선물을 사기로 했다. **2** 클럽(활동)에 참가하다 **3** 모여서 하나가 되다, 덩어리가 되다 **4** 〖항해〗 (보통 감속을 위해) 닻을 쓰면서 뱃머리를 돌리다 ***~ together*** (공동 목적을 위해) 협력하다, 돈을 갹출하다
— *a.* **1** 곤봉의 **2** 〈메뉴가〉 정식(定食)의 **~·bish** *a.*

club·ba·ble, club·a·ble [klʌ́bəbl] *a.* 《구어》 클럽 회원에 적합한; 사교적인 **clùb·(b)a·bíl·i·ty** *n.*

clúb bàg (휴대용) 가방 《양쪽에 손잡이가 있고 지퍼로 여닫음》

clubbed [klʌ́bd] *a.* 곤봉 모양의; 〈과실·뿌리 따위가〉 특히 두꺼운[팽창한]

club·ber [klʌ́bər] *n.* **1** 결속[단결]하는 사람[것] **2** 클럽 회원 **3** 곤봉을 사용하는 사람 **4** 정기적으로 나이트클럽에 가는 사람

club·bing [klʌ́biŋ] *n.* Ⓤ **1** (정기적으로) 나이트클럽에 가서 즐기기: They go ~ most weekends. 그들은 거의 매 주말을 나이트클럽에 가서 논다. **2** 〖의학〗 곤봉지(棍棒指) 《손가락·발가락이 둥그렇게 굵어지는 현상》

club·by [klʌ́bi] *a.* (**-bi·er**; **-bi·est**) 《미·구어》 **1** 〈분위기 따위가〉 클럽풍의; 사교적인 **2** (입회) 자격이 까다로운, 배타적인 **3** 도당(徒黨)을 조직하기 쉬운, 당파적이 되기 쉬운

clúb càr (기차의) 특별 객차, 사교차

clúb chàir 키가 낮고 묵직한 안락의자

clúb clàss = BUSINESS CLASS

club·dom [klʌ́bdəm] *n.* Ⓤ **1** 클럽계(界), 클럽 생활 **2** [집합적] 클럽

clúb flòor[**lèvel**] 《미》 (호텔의) 귀빈용 플로어, 호화 객실 플로어 《보통 호텔의 최상층》

clúb fòot (18세기 가구의) 굽은 다리

club·foot [klʌ́bfùt] *n.* (*pl.* **-feet** [-fì:t]) 내반족(內反足) **~·ed** *a.*

clúb fùngus 〖식물〗 싸리버섯과의 버섯 《대부분 식용》

club·hand [-hæ̀nd] *n.* (선천적으로) 구부러진 손

club·haul [-hɔ̀:l] *vt.* 〖항해〗 닻을 내려 바람 불어가는 쪽으로 배를 돌리다 《위급할 때의 조치》

club·house [-hàus] *n.* (*pl.* **-hous·es** [-hàuziz]) **1** 클럽 회관 **2** (거주자·회사원 등을 위한) 오락·사교 건물 **3** 《미》 (운동 선수용의) 탈의실(locker room)

clúbhouse làwyer 《속어》 스포츠 클럽 등에서 아는 체 떠벌리는 사람

club·land [-læ̀nd] *n.* Ⓤ 《영·속어》 클럽 지구 《나이트클럽이 많은 London의 St. James's Palace 주위》

clúb làw 폭력(violence); 폭력주의

club·man [-mən, -mæ̀n] *n.* (*pl.* **-men** [-mən, -mèn]) 클럽 회원; 《미》 사교가

club·mo·bile [-məbì:l] *n.* 《미》 이동 클럽차

clúb mòss 〖식물〗 석송(石松)

club·room [-rù:m] *n.* 클럽실(室), 클럽의 집회실

club·root [-rù:t] *n.* 〖식물〗 뿌리혹병 《양배추·무 따위의》

clúb sándwich 《미》 클럽 샌드위치 《세 겹의 토스트에 고기·야채를 끼워 넣은 것》

clúb sóda = SODA WATER

clúb sòfa 키가 낮고 묵직한 안락 소파

clúb stèak 소의 갈비 스테이크

club·wom·an [-wùmən] *n.* (*pl.* **-wom·en** [-wìmin]) 클럽의 여자 회원; 여성 사교가

*__cluck__ [klʌ́k] *n.* **1** (암탉의) 꼬꼬 우는 소리(⇨ cock¹ 관련); 둥지에 틀어박힌 닭 **2** 《미·속어》 얼간이 **3** 위조 화폐 **4** 《흑인속어·경멸》 색이 두드러지게 검은 흑인
~ and grunt 《미·속어》 햄에그
— *vi.* 〈암탉이〉 꼬꼬 울다; (불만·놀람·흥미·관심 등을 나타내며) 혀를 차다
— *vt.* 〈혀를〉 차다; 〈흥미·관심 등을〉 나타내다

cluck·y [klʌ́ki] *a.* 〈닭이〉 알을 품은; 《호주·속어》 임신한; 멍청한

*__clue__ [klú:] *n.* **1** (수수께끼를 푸는) 실마리; (조사·연구 등의) 단서; 퍼즐의 열쇠; (사색의) 실마리 **2** (이야기의) 줄거리; (미궁에의) 길잡이, 안내(cf. CLEW)
do not have a ~ = ***have no ~*** 《영·구어》 (1) 전혀 이해하지 못하다 (2) 능력[수완]이 없다

thesaurus **cluster** *n.* **1** 송이 bunch, clump, collection, knot **2** 무리 gathering, group, band, com-

—*vt.* **1** …에게 (해결의) 실마리를 주다 **2** 《구어》 …에게 정보를 주다 ***be*** (***all***) ***~d up*** 《구어》 (…에 대해서) 잘 알고 있다 《*about, on*》 ~ a person ***in***[***up***] 《속어》 〈남에게〉 (…에 관한) (유익한) 정보를 주다 《*on, about*》 ***C~ in!*** 《미·속어》 주의해!

clue·less [klúːlis] *a.* 단서[실마리]가 없는, 오리무중의; 《구어》 무지한, 우둔한; 혼란한

clúm·ber (**spániel**) [klʌ́mbər-] 다리가 짧은 스패니얼종 사냥개

*__clump__[1] [klʌ́mp] *n.* **1** 수풀, 나무숲; (관목의) 덤불(thicket) **2 a** (사람·사물의) 집단; (흙)덩어리(lump) **b** 세균 덩어리 **3** (구두의) 두꺼운 이중창(= ~ **sòle**) **4** 《구어》 강타, 구타 ***in ~s*** 굳어서

—*vi.* 군생(群生)하다; 〈세균 등이〉 응집하다

—*vt.* **1** 떼를 짓게 하다; 〈세균 등을〉 응집시키다 **2** 〈구두에〉 밑창을 대다 **3** 《속어》 강타하다

▷ clúmpy *a.*

clump[2] *n.* 무거운 발걸음 소리

—*vi.* 쿵쿵 밟다, 터벅터벅 걷다

clump·ish [klʌ́mpiʃ] *a.* = CLUMPY

clump·y [klʌ́mpi] *a.* (**clump·i·er**; **-i·est**) **1** 덩어리의[가 많은], 덩어리 모양의 **2** 꼴사나운; 〈발소리 등이〉 터벅터벅 소리가 나는 **3** 〈나무가〉 우거진

*__clum·sy__ [klʌ́mzi] [「추위로 손발이 곱다」의 뜻에서] *a.* (**-si·er**; **-si·est**) **1** 꼴사나운, 어색한 **2** 모양 없는; 〈변명·표현 등이〉 서투른, 재치 없는 **3** 다루기 힘든, 쓰기 불편한 **-si·ly** *ad.* **-si·ness** *n.*

clunch [klʌ́ntʃ] *n.* Ⓤ 경화 점토(硬化粘土); 경질 백악(白堊)

‡**clung** [klʌ́ŋ] *v.* CLING의 과거·과거분사

clunk [klʌ́ŋk] [의성어] *n.* **1** (중금속이 부딪쳐서) 꽝하고 나는 소리 **2** 《구어》 바보, 멍청이 **3** = CLONK **4** 《구어》 = CLUNKER 1 **5** 《스코》 병마개 뽑는 소리 **6** 《속어》 시체 **7** 《구어》 강타 —*vi., vt.* 꽝 소리나다; 꽝 치다; = CLONK

clunk·er [klʌ́ŋkər] *n.* 《미·구어》 **1** 낡은 기계[자동차] **2** 쓸모없는 것 **3** 서투른 골퍼 《등》

clunk·head [klʌ́ŋkhèd] *n.* 《속어》 바보, 얼간이

clunk·y [klʌ́ŋki] *a.* (**clunk·i·er**; **-i·est**) 《구어》 꽤 무거운, 거추장스럽게 투박한 〈신 《등》〉; 〈말이〉 어조가 나쁜

‡**clus·ter** [klʌ́stər] *n.* **1** (포도·버찌·등꽃 등의) 송이(bunch) **2** (같은 종류의 물건 또는 사람의) 떼, 무리, 집단; (사건의) 연속 발생; 〖천문〗 성단(星團) **3** 《미》 〖군사〗 (같은 훈장을 여러 번 탔음을 표시하는) 금속 배지 **4** 〖음성〗 자음(子音) 결합 **5** 〖컴퓨터〗 클러스터 《데이터 통신에서 단말 제어 장치와 그에 접속된 복수 단말의 총칭》 **6** 〖군사〗 **a** = CLUSTER BOMB **b** 클러스터 《지뢰의 매설 단위》 ***in a ~*** 송이가 되어; 떼를 지어

—*vi.* **1** 송이를 이루다, 주렁주렁 달리다; 군생(群生)하다 **2** 밀집하다 ~ ***round*** 주위에 떼를 지어 모이다

—*vt.* **1** 송이 지게 하다 **2** 떼를 짓게 하다

clús·ter·y *a.*

clúster anàlysis 〖통계〗 집락(集落) 분석, 클러스터 분석

clúster bòmb 〖군사〗 집속(集束) 폭탄 《폭발시 금속 파편이 광범위하게 비산됨》

clus·ter-bomb [klʌ́stərbɑ̀m | -bɔ̀m] *vt.* 집속[산탄형(散彈型)] 폭탄으로 공격하다

clúster còllege 《미》 종합 대학 내의 독립된 (교양) 학부

clus·tered [klʌ́stərd] *a.* **1** 무리를 이룬, 군생(群生)한 **2** 〖건축〗 다발 기둥의

clústered cólumn 〖건축〗 다발 기둥, 족주(簇柱)

clúster hèadache 〖병리〗 군발성(群發性) 두통

clúster hòme 《영》 집단 주택

clúster pìne 〖식물〗 클러스터 소나무 《지중해산》

clúster sùicide 연쇄적으로 생긴 자살(의 하나)

pany, assemblage, body —*v.* aggregate, bunch, bundle, collect, gather, cumulate

‡**clutch**[1] [klʌ́tʃ] *n.* **1** (꽉) 붙잡음; [보통 *pl.*] 움켜쥠; 마수(魔手), 수중(手中) **2** 〖기계〗 클러치, 연축기(連軸機), (기중기의) 갈고랑이, (보트의) 노를 거는 쇠고리 **3** 《미·구어》 위기; 핀치(pinch); (시합에 있어서) 최대의 국면 **4** 《미·속어》 인색[불쾌]한 사람

fall into [***get out of***] ***the ~es of*** …의 수중에 빠지다[벗어나다] ***put in*** one***'s ~*** 《속어》 잠자코 있다

—*vt.* **1** 꽉잡다; 붙들다, 부여잡다: ~ power 권력을 쥐다 // (~+목+전+명) ~ one's child *to* one's breast 아이를 품에 꼭 껴안다 **2** 《속어》 〈마음을〉 사로잡다 **3** 《미·속어》 〈담배를〉 피우다

—*vi.* **1** 꼭 잡다, 잡으려 들다(snatch) 《*at*》: (~+전+명) A drowning man will ~ *at* a straw. 《속담》 물에 빠진 사람은 지푸라기라도 잡는다. **2** 자동차의 클러치를 조작하다 **3** 《미·속어》 (두려움·놀람 등으로) 섬뜩해하다, 몹시 긴장하다 《*up, on*》 ~ ***up*** 《미·속어》 신경이 곤두서다, 오싹해 하다

—*a.* 《미·속어》 중대한 장면에서 도움이 되는; (스포츠에서) 위기[찬스]에 강한

clutch[2] *n.* **1** 한 번에 품는 알 《보통 13개》; 한 배에 깐 병아리 **2** 일단(一團), 일군(一群)

—*vt.* 〈알을〉 까다(hatch)

clútch bàg[**pùrse**] 《미》 여성용 소형 핸드백, 지갑

clutched [klʌ́tʃt] *a.* 《미·속어》 긴장한, 초조한, 신경질적인

clútch hìtter 〖야구〗 찬스에 강한 타자

clutch·y [klʌ́tʃi] *a.* 《미·속어》 **1** 긴장[초조, 불안]하기 쉬운 **2** 신경을 건드리는 **3** 어려운, 위험한

clut·ter [klʌ́tər] *n.* 어지럽게 흩어져 있는 것; 난잡; 혼란; 소음; 〖항공〗 클러터 《레이더 스크린상의 목표 물체 이외의 간섭 에코》 —*vi.* 떠들다; 허둥지둥 달리다; 빠른 말투로 불명확하게 떠들다 —*vt.* **1** 〈장소를〉 어지르다 《*up*》 **2** 〈마음을〉 혼란스럽게 하다 《*up*》

clut·tered [klʌ́tərd] *a.* (…로) 어질러져 있는, 뒤죽박죽의 《*up*; *with*》: a ~ room 뒤죽박죽이 된 방

clut·ter·fly [klʌ́tərflài] *n.* 아무데나 쓰레기·휴지 등을 버리는 사람

CLV 〖전자〗 constant linear velocity

Clw·yd [klúːid] *n.* 클루이드 《웨일스 북동부의 주》

Clyde [kláid] *n.* Scotland 남서부의 만(灣)

Clydes·dale [kláidzdèil] [Scotland의 원산지 명에서] *n.* **1** 힘센 짐마차용 말 **2** 《미·속어》 매력적인 남자

Clýdesdale térrier 스카이테리어(Skye terrier)종(種)의 작은 개

clyp·e·ate [klípiət, -pièit] *a.* **1** 둥근 방패 모양의 **2** 〖곤충〗 두순(頭楯)이 있는

clyp·e·us [klípiəs] *n.* (*pl.* **clyp·e·i** [klípiài, -piìː]) 〖곤충〗 두순(頭楯)

clys·ter [klístər] *n.* 《고어》 〖의학〗 관장(약)

—*vt.* …에 관장하다

Cly·tem·nes·tra [klàitəmnéstrə] *n.* 〖그리스신화〗 클리템네스트라 《Agamemnon의 부정한 아내》

cm, cm. centimeter(s) **Cm** 〖기상〗 cumulonimbus mammatus; 〖화학〗 curium **CM** command module (우주선의) 사령선; commercial message (라디오·TV의) 광고 방송; Common Market **c/m** call of more (주식 자본에서) 추가 주문권 **c.m.** common meter; corresponding member **C.M.** Congregation of the Mission; Court-Martial **CMA** 《미》 Chemical Manufacturers Association; Committee on Military Affairs **C.M.A.** certificate of management accounting 공인 관리 회계 **CMC** certified management consultant; Commandant of the Marine Corps 해병대 사령관 **Cmd** 《영》 Command Paper **cmd.** command **cmdg.** commanding **Cmdr.** Commander **Cmdre.** Commodore **C.M.G.** 《영》 Companion (of the Order) of St. Michael & St. George **CMI** 《영》 Central Monetary Institutions; computer managed instruction **cml.** commercial **Cmnd.** 《영》 Command Paper

c'mon [kəmʌ́n | -mɔ́n] (미·구어) come on의 단축형 **CMOS** 〖전자〗 complementary metal-oxide semiconductor **CMP** (영) Commissioner of the Metropolitan Police; (미) Controlled Materials Plan **C.M.S.** Church Missionary Society **CMSgt** 〖미공군〗 chief master sergeant **CMV** cytomegalovirus **Cn** 〖기상〗 cumulonimbus **C.N., C/N** circular note; credit note **CNAA** Council for National Academic Awards **CNC** computer numerical control 컴퓨터 수치 제어 **C.N.D.** (영) Campaign for Nuclear Disarmament **CNG** compressed natural gas

cni·da [náidə] *n.* (*pl.* **-dae** [-diː]) 〖동물〗 = NEMATOCYST

cni·dar·i·an [naidɛ́əriən] *n.* 자포동물(刺胞動物) 《히드라·말미잘·산호충 따위와 같은 자포를 가진 무척추동물》 **—** *a.* 자포동물문(門)의[에 속하는]

cnido- [náidou, -də] 《연결형》 「자포(cnida)」의 뜻

cni·do·blast [náidəblæ̀st] *n.* 〖동물〗 자세포(刺細胞)

cni·do·cil [náidəsìl] *n.* 〖동물〗 자침(刺針), 자세포 돌기

CNM (미) certified nurse midwife 공인 간호·조산사 **CNN** (미) Cable News Network 《뉴스 전문 케이블 방송망; 1980년 개국》 **CNO** Chief of Naval Operations 해군 참모 총장

Cnos·sus [nɑ́səs | nɔ́s-] *n.* = KNOSSOS

C-note [síːnòut] *n.* (미·속어) 100달러 지폐

cnr, cnr. corner **CNR** Canadian National Railway **CNS, cns** central nervous system 중추 신경 계통

Cnut [kənjúːt | -njúːt] *n.* = CANUTE

Co 〖화학〗 cobalt **Co., co.** county; 〖상업〗 [kou, kʌ́mpəni] Company 회사 **c.o., c/o** care of …전교(轉交); carried over **C/O** cash order; certificate of origin **C.O.** cash order; Commanding Officer; conscientious objector

co- [kóu, kòu] *pref.* **1** 「공동; 공통; 상호; 동등」의 뜻: (1) [명사에 붙여] *co*religionist, *co*partner (2) [형용사·부사에 붙여] *co*operative, *co*eternal (3) [동사에 붙여] *co*operate, *co*adjust **2** 〖수학〗 「여(餘), 보(補)」의 뜻: *co*sine ★ (1) 다음과 같은 세 가지 철자가 있음: cooperate, coöperate, co-operate (2) 두 악센트로 발음할 때도 있음: có-éd.

co·ac·er·vate [kouǽsərvət, -vèit, kòuəsə́ːrvət] 〖화학〗 *n.* 코아세르베이트 **—** [kouǽsərvət, -vèit] *a.* 코아세르베이트의 **—** [kouǽsərvèit, kòuəsə́ːrveit] *vt., vi.* 코아세르베이트로 하다[되다]

co·ac·er·va·tion [kouæ̀sərvéiʃən] *n.* 〖화학〗 코아세르베이션 《친수성(親水性) 콜로이드가 액적(液滴)을 형성하는 현상》

‡coach [kóutʃ] [이 마차가 처음으로 사용된 헝가리의 지명에서] *n.* **1** (의식용의) 공식 마차(state carriage); 4륜 대형 마차; (철도 이전의) 역마차 **2** (영) (철도의) 객차; 세단형의 유개(有蓋) 자동차; (대형의) 버스; (영) 장거리 버스; (미) (열차·비행기의) 2등, 보통 등급 (= **~ clàss**) **3** 〖경기〗 코치, 지도원; 〖야구〗 주루(走壘) 코치 **4** 가정교사 **5** 〖항해〗 함미실(艦尾室) **6** (호주) (야생의 소·말을 유인하기 위한) 길들여진 소[말] ***slow* ~** 활동[이해]이 느린 사람

coach *n.* 1

— *vt.* **1** 지도하다; 코치하다; 〈수험생 등을〉 가르치다 **2** 마차로 나르다

— *vi.* **1** 코치 노릇을 하다 **2** 코치를 받다; 수험 준비를 하다 **3** 마차로 여행하다 **4** (길들여진 소 따위로) 야생의 소[말]를 유인하다

— *ad.* (항공기의) 이코노미 클래스로, 보통석으로

coach-and-four [kóutʃəndfɔ́ːr] *n.* 4두 마차 ***drive a* ~ [*coach-and-six*] *horses through* ...** (영) (1) (법망을) 당당히 뚫고 나가다 (2) (약점·결점 등을 지적해서) 〈계획 등을〉 좌절시키다

cóach bòx (마차의) 마부석

coach·build·er [-bìldər] *n.* (영) 자동차 차체 제작공

coach·build·ing [-bìldiŋ] *n.* (영) 자동차 차체 제작

coach-built [-bìlt] *a.* (영) (자동차 차체가) 목제(木製)인; 주문 제작한

cóach dòg 마차견(馬車犬); = DALMATIAN 2

coach·ee [koutʃíː] *n.* (구어) = COACHMAN

coach·er [kóutʃər] *n.* **1** (운동 경기, 특히 야구의) 코치; 《일반적으로》 지도자 **2** = COACH HORSE **3** (호주) = COACH 6

cóach fèllow **1** (같은 마차를 끄는) 말들 **2** 동료

coach·ful [kóutʃfùl] *n.* 마차 한 짐(의 양)

cóach hòrn (역마차의) 나팔

cóach hòrse 역마차 끄는 말

cóach hòuse 마차 차고

coach·ing [kóutʃiŋ] *n.* Ⓤ **1** (스포츠의) 훈련 과정, 코치 **2** (특히 영) 개인 보충 수업

cóaching ìnn (옛날에 역마차 길을 따라 생긴) 여인숙, 숙소

coach·load [kóutʃlòud] *n.* 버스 여행 승객들[단체]

***coach·man** [kóutʃmən] *n.* (*pl.* **-men** [-mən, -mèn]) **1** 마부, 마차꾼 **2** (송어 잡이용) 제물낚시

cóach òffice 역마차 매표소

cóach pàrk (영) 장거리[관광] 버스용 주차장

cóach's bòx [kóutʃiz-] 〖야구〗 코치석(席)

cóach stàtion (장거리) 버스 정류소

coach·wood [-wùd] *n.* 케라토페탈룸속(屬)의 나무 《오스트레일리아산(産); 가구 용재》

coach·work [-wə̀ːrk] *n.* Ⓤ 자동차 차체 설계[제작, 디자인]

cóach yàrd 객차 조차장(操車場)

co·act [kouǽkt] *vt., vi.* 함께 일하다, 협력하다 《*with*》 **co·ác·tor** *n.*

co·ac·tion [kouǽkʃən] *n.* Ⓤ **1** 강제(force, compulsion) **2** 공동 작업, 협력 **3** 〖생태〗 생물 상호 작용

co·ac·tive [kouǽktiv] *a.* **1** 강제하는, 강제적인 **2** 공동 작업의

co·ad·ap·ta·tion [kòuædəptéiʃən] *n.* 상호 적응, 상호 진화 **~·al** *a.* **~·al·ly** *ad.*

co·a·dapt·ed [kòuədǽptid] *a.* (자연 선택에 의해) 상호 적응한

co·ad·ja·cent [kòuədʒéisnt] *a.* 인접한, 근접한; 《특히》 사상적으로 근접한

co·ad·just [kòuədʒʌ́st] *vi.* 서로 조절하다 **~·ment** *n.* ⓊⒸ 상호 조절

co·ad·ju·tant [kouǽdʒutənt] *a.* 서로 돕는, 보조의 **—** *n.* 조수(assistant); 협력자

co·ad·ju·tor [kouǽdʒutər, kòuədʒúːtər | kouǽdʒu-] *n.* **1** 조수, 보좌인 **2** 〖가톨릭〗 보좌 주교

co·ad·ju·tress [kouǽdʒutris] *n.* 여자 조수

co·ad·ju·trix [kouǽdʒutrìks] *n.* (*pl.* **-tri·ces** [kouæ̀dʒutráisiːz]) 《드물게》 = COADJUTRESS

co·ad·u·nate [kouǽdʒunət, -nèit] *a.* **1** 결합한 **2** 〖동물·식물〗 합착(合着)[결합]한, 착생(着生)한 **co·àd·u·ná·tion** *n.*

co·ad·ven·ture [kòuədvéntʃər] *vi.* 함께 모험하다 **—** *n.* Ⓤ 공동 모험 **-tur·er** *n.*

co·a·gen·cy [kouéidʒənsi] *n.* Ⓤ 협력, 공동 작업

co·a·gent [kouéidʒənt] *n.* **1** 협력자, 협동자, 조력자 **2** 공동 작용의 힘

co·ag·u·la·ble [kouǽgjuləbl] *a.* 응고시킬 수 있

thesaurus **coalition** *n.* union, alliance, affiliation, league, association, federation, amalgamation, merger, conjunction, combination

는, 응고성의 **co·àg·u·la·bíl·i·ty** *n.*
co·ag·u·lant [kouǽgjulənt] *n.* 응고제; 응혈[지혈]제
co·ag·u·lase [kouǽgjulèis, -lèiz] *n.* 〖생화학〗 응고[응결] 효소
co·ag·u·late [kouǽgjulèit] *vt., vi.* 〈용액을[이]〉 응고시키다[하다]; 굳히다, 굳어지다
— *a.* [-lət, -lèit] 《폐어》 응고한, 굳어진
co·ag·u·la·tion [kouæ̀gjuléiʃən] *n.* Ⓤ 응고 (작용); 응고물
coagulátion fàctor 〖생화학〗 응고 인자(clotting factor)
co·ag·u·la·tor [kouǽgjulèitər] *n.* =COAGULANT
co·ag·u·lum [kouǽgjuləm] *n.* (*pl.* **-la** [-lə], **~s**) 〖생리〗 응괴(凝塊), 응고물
co·ai·ta [kuaitɑ́:] *n.* 〖동물〗 거미원숭이 《라틴 아메리카산(産)》
‡**coal** [kóul] *n.* Ⓤ **1 a** 석탄: brown ~ 갈탄/hard ~ 무연탄/soft ~ 역청탄/small ~ 분탄 **b** [*pl.*] 《영》 (연료용으로 부순) 작은 석탄 덩이: a ton of ~*s* 쇄탄(碎炭) 1톤/put ~*s* in the stove 스토브에 석탄을 넣다 **c** Ⓒ 특종탄(炭): a good stove ~ 난로용으로 적당한 석탄 **2** 빨갛게 타고 있는 장작 **3** 숯(charcoal): cook food on live ~*s* 피운 숯불에 음식을 요리하다 **4** [보통 *pl.*] 《미·속어》 흑인 집단
a cold ~ to blow at 가망성이 없는 일 ***blow hot ~s*** 대단히 화나다 ***blow*** [***stir***] ***the ~s*** 화를 돋우다 ***call*** [***haul, take, rake***] a person ***over the ~s for*** a thing (어떤 일에 대해) …을 엄하게 꾸짖다 ***carry*** [***bear***] ***~s*** 천한 일을 하다; 굴욕을 감수하다 ***carry*** [***take***] ***~s to Newcastle*** 헛수고하다 《Newcastle은 석탄의 산지》 ***deal in ~*** 《미·흑인속어》 〈흑인이 아닌 사람이〉 흑인과 교제하다; 피부색이 짙은 흑인과 사귀다 ***heap*** [***cast, gather***] ***~s of fire on*** a person***'s head*** 〖성서〗 악을 선으로 갚아 상대를 뉘우치게 하다 《로마서 12: 20》 ***pour on the ~*** 《미·속어》 (자동차·비행기의) 속력을 올리다
— *vt.* **1** 태워서 숯으로 만들다 **2** 〈배 등에〉 석탄을 보급하다[싣다]
— *vi.* 〈배 등이〉 석탄을 싣다 **~·less** *a.*
▷ cóaly *a.*
cóal bàll 탄구(炭球)
coal·bear·ing [kóulbὲəriŋ] *a.* 석탄을 산출하는
cóal bèd 탄층(炭層)(coal seam)
coal·bin [-bìn] *n.* 석탄통
coal-black [-blǽk] *a.* 새까만
coal·box [-bɑ̀ks | -bɔ̀ks] *n.* **1** 석탄 통, 숯 그릇 **2** 《군대속어》 (제1차 대전 때의) 독일군의 흑연 폭탄
cóal brèaker 쇄탄기(碎炭機); 쇄탄소(所)
cóal bùnker (배의) 저탄고
cóal càr 《미》 (철도의) 석탄차; (탄광의) 석탄 운반차
cóal cèllar (주택의) 지하 석탄고
cóal cùtter 콜 커터, 절탄기(切炭機)
cóal dùst 석탄 가루, 분탄
coal·er [kóulər] *n.* **1** 석탄 운반선; 석탄차(車); 석탄 수송 철도 **2** 《영》 (배에) 석탄을 싣는 인부; 석탄상(石炭商) **3** 《미·속어》 석탄 수송 철도주(鐵道株)
co·a·lesce [kòuəlés] *vi.* **1** 유착(癒着)하다; 합체(合體)하다(unite) 《*in, into*》 **2** 합동[연합]하다(combine) **—** *vt.* 합체[합병, 연립, 합동]시키다
co·a·les·cence [kòuəlésns] *n.* Ⓤ **1** 합체, 유착; 〖심리〗 융합 **2** 합병, 합동, 연합, 제휴
co·a·les·cent [kòuəlésnt] *a.* **1** 합체[합동]한; 유착한 **2** 연합한, 제휴한
coal·face [kóulfèis] *n.* **1** 채탄 막장; 노출된 석탄층의 표면 **2** (일 등의) 제일선(第一線)
cóal fàctor 《영》 석탄 중개 상인[도매 상인]
cóal field 탄전(炭田)

---

coarse *a.* **1** 거친 rough, scratchy, shaggy, rugged, craggy, unrefined **2** (행동 등이) 거친 rude, ill-mannered, uncivil, rough, boorish

coal-fired [-fàiərd] *a.* 석탄으로 가열된; 석탄으로 움직이는; 화력(火力)에 의한: ~ plants 화력 발전소
coal·fish [-fìʃ] *n.* (*pl.* **~, ~·es**) 〖어류〗 검정대구
cóal flàp 《영》 (지하 석탄고의) 뚜껑
cóal gàs 석탄 가스
cóal hèaver 석탄 운반부
cóal hòd 《미북동부》 =COAL SCUTTLE
cóal hòle 《영》 **1** (지하 석탄고의) 석탄 투입구 **2** 지하 석탄고 **3** 《미·속어》 감옥, 영창, 독방
cóal hòuse 석탄 저장소[창고]
coal·i·fi·ca·tion [kòuləfikéiʃən] *n.* 석탄화(작용)
coal·ing [kóuliŋ] *n.* 석탄 싣기[공급], 급탄: ~ capacity (배의) 석탄 적재량
cóaling stàtion 석탄 공급소[항구]
Coal·ite [kóulait] *n.* 반해탄(半骸炭) 《저온 건류 코크스; 상표명》
＊**co·a·li·tion** [kòuəlíʃən] *n.* ⓊⒸ **1** 연합, 합동(union) **2** (정치상의) 제휴, 연립: the ~ cabinet [ministry] 연립 내각 **~·al** [-ʃnəl] *a.* **~·er** *n.*
coalítion fòrces 다국적군, 연합군
co·a·li·tion·ism [kòuəlíʃənìzm] *n.* (특히 정치상의) 연합[연립, 제휴]주의[정책] **-ist** *n.*
coal·man [kóulmən] *n.* (*pl.* **-men** [-mən, -mèn]) 석탄 상인[배달인]
cóal màster =COAL OWNER
cóal mèasures 〖지질〗 협탄층(夾炭層)
cóal mèrchant 석탄 소매업자
cóal mìne 탄광, 탄갱; 《미·속어》 새까만 흑인
cóal mìner 탄갱부, 채탄부
cóal mìner's lúng 《구어》 탄폐증
cóal mìning 채탄, 탄광업
coal·mouse [kóulmàus] *n.* (*pl.* **-mice** [-màis]) 〖조류〗 =COAL TIT
cóal òil 《미》 석유(petroleum); 《특히》 등유(kerosene; 《영》 paraffin oil)
cóal òwner 탄광주
cóal pàsser 〖항해〗 석탄 운반부; 화부(火夫)
cóal pìt **1** 탄갱(coal mine) **2** 《미》 숯가마
cóal plàte =COAL FLAP
coal·sack [kóulsæ̀k] *n.* **1** [**C~**] 〖천문〗 은하의 흑점 **2** 석탄 포대
cóal scùttle (실내용) 석탄통(⇨ bunker 유의어)
cóal sèam 탄층(coal bed)
cóal tàr 콜타르 **cóal-tàr** *a.*
cóal tìt 〖조류〗 진박새 무리
coal-whip·per [-*h*wìpər] *n.* 《영》 (배의) 석탄 부리는 기계[인부]
coal·y [kóuli] *a.* (**coal·i·er**; **-i·est**) 석탄의[같은]; 석탄이 많은; (석탄처럼) 까만
coam·ing [kóumiŋ] *n.* [보통 *pl.*] 〖항해〗 (갑판 승강구 등의) 테두리 널빤지 《물이 들어오는 것을 막음》
co·an·chor [kouǽŋkər] 《미》 〖방송〗 *n.* 공동 뉴스 캐스터 **—** *vt., vi.* 공동 뉴스 캐스터를 하다
Co·án·da effèct [kouǽndə-] [the ~] 〖역학〗 코안다 효과 《유체(流體)가 만곡면(彎曲面)을 흐를 때 표면에 흡착하는 경향》
co·apt [kouǽpt] *vt.* 〈뼈·상처 따위를〉 접합시키다
co·ap·ta·tion [kouæ̀ptéiʃən] *n.* 접착, 접합; 접골
co·arc·tate [kouɑ́:rkteit, -tət] *a.* **1** 〈번데기가〉 껍데기에 싸여 있는 **2** 〖곤충〗 〈흉부[복부]가〉 잘록한; 압축된 **3** 〈혈관 따위가〉 협착한
co·arc·ta·tion [kòuɑ:rktéiʃən] *n.* **1** 〖병리〗 **a** (혈관 내강의) 협착 **b** 대동맥 협착증(coarctation of aorta) **2** 〖곤충〗 껍데기에 싸여 있는 상태
‡**coarse** [kɔ́:rs] *a.* (**coars·er**; **-est**) **1** 조잡한, 조악(粗惡)한, 열등한: ~ fare 조식(粗食) **2** 결이 거친 〈천 등〉; 〈알·가루 등이〉 굵은, 조제(粗製)의(opp. *fine*); 〈소리가〉 귀에 거슬리는: ~ tea 질이 낮은 엽차 **3** 〈정신·태도 등이〉 거친, 세련되지 않은 **4** 야비한, 천한(vulgar); 〈말이〉 상스러운, 추잡한 **5** 〈분류·구분·조정이〉 정확[정밀]하지 않은; 〈금속이〉 정련되지 않은 **6**

나사간의 간격이 넓은 **7** 《방언》 〈날씨가〉 거칠어진
~·ly *ad.* **~·ness** *n.* ▷ cóarsen *v.*

cóarse físh 《영》 잡어 《연어·송어 외의 담수어》

cóarse físhing 《영》 담수어 낚시

coarse-grained [kɔ́:rsgréind] *a.* **1** 결이 거친, 조잡한 **2** 야한, 천한 **~·ness** *n.*

coars·en [kɔ́:rsn] *vt.* 조잡하게 만들다, 거칠게 만들다; 천하게 하다 —*vi.* 조잡해지다, 천해지다; 〈피부 등이〉 거칠어지다

co·ar·tic·u·la·tion [kòuɑ:rtìkjuléiʃən] *n.* 〖언어〗 동시 조음(調音); 부차[이차] 조음(secondary articulation)

COAS crewmen optical alignment sight 〖우주과학〗 (우주선의) 광학 관측용 기기

‡**coast** [kóust] [L 「늑골; 곁」의 뜻에서] *n.* **1** 연안, 해안; 해안 지대(⇨ shore[1] 유의어): the west ~ of the United States 미국 서부 해안 / We walked along the ~. 우리는 해안을 따라 걸었다. **2** [the C~] 《미》 태평양 연안 지방 **3** Ⓤ 《미·캐나다》 (자전거의) 타력(惰力) 주행; (썰매의) 활강; Ⓤ 활강 사면(斜面) **4** 《미·속어》 (마약·재즈 등에 의한) 도취 **5** [보통 *pl.*] 《폐어》 국경 (지대)(border)

Clear the ~! 《구어》 비켜라!, 길을 열어라! ***from ~ to ~*** (1) 태평양 연안에서 대서양 연안까지 (2) 전국 방방곡곡에, 전국에 걸쳐 ***keep the ~ clear*** 방해물을 일소시켜두다 ***on the ~*** 《미》 가까이, 곁에 ***The ~ is clear.*** (상륙에 있어) 방해자가 없다; 기회는 좋다! 《밀무역선 용어》

—*vi.* **1** 썰매로 미끄러져 내려가다; 자전거의 페달을 밟지 않고 내려가다; 〈자동차·로켓이〉 타성으로 달리다 **2** 힘들이지 않고 해치우다[얻다]; 명성[과거의 실적]에 구실을 붙여 쉽사리 성공하다 **3** 연안 항행[무역]하다 **4** 《고어》 (해안을 따라) 육로로 가다 **5** 《미·속어》 (마약·재즈 따위로) 황홀하게 되다 **6** 《폐어》 길을 돌아서 가다

—*vt.* **1** 타력[타성]으로 진행시키다[나아가게 하다] **2** 해안을 따라서 나아가다 **3** 《폐어》 〈사람과〉 나란히 걸어가다 ~ ***home*** 《속어》 낙승하다, 쉽게 달성하다

*__coast·al__ [kóustəl] *a.* 근해[연안]의: ~ defense 연안 방비 **~·ly** *ad.*

cóastal pláin 해안 평야, 연안 평지

cóast artìllery 연안 포대; 연안 포병대

cóast defènse shíp 해안 경비함

coast·eer·ing [kòustí:riŋ | -tíər-] *n.* Ⓤ 코스티어링 《해변 지형을 등반·수영·절벽에서 뛰어내리기 등으로 통과하는 스포츠》

coast·er [kóustər] *n.* **1** 연안 무역선; 연안 지역에 사는 사람 **2** 활강 썰매; 활강하는 사람 **3** (유원지의) 활주 궤도, 코스터 **4** 바퀴 달린 쟁반(tray); (접시 등의) 밑받침

cóaster bràke (자전거용) 역전(逆轉) 브레이크 《페달을 거꾸로 밟아 멈추게 하는 제동기》

Cóast Guàrd **1** [the ~] 《미》 연안 경비대 **2** [**c-g-**] 연안 경비대 《밀무역의 적발, 해난 구조 등을 맡음》

cóast-guard cùtter [-gɑ̀:rd-] 《미》 연안 경비정

coast·guards·man [kóustgɑ̀:rdzmən] *n.* (*pl.* **-men** [-mən, -mèn]) 연안 경비대원

coast·ing [kóustiŋ] *a.* 연안 항행의; 타성으로 나아가는 —*n.* Ⓤ **1** 연안 항행[무역] **2** ⓊⒸ 해안선의 지형, 해안선도(圖) **3** 《미·캐나다》 언덕 미끄럼 타기; 활주용 경사

cóasting flìght 〖우주과학〗 타성 비행

cóasting lìne 연안 항로

cóasting tràde 연안 무역

coast·land [kóustlæ̀nd] *n.* Ⓤ 연안 지대

*__coast·line__ [kóustlàin] *n.* 해안선

coast-lin·er [-làinər] *n.* 연안 정기선

cóast pìlot **1** 수로지(水路誌) 《연안 상태·항만 시설 따위를 기술한 정부 간행 안내서》 **2** 연안 수로 안내인, 도선사(導船士)

Cóast Ràngés [the ~] 코스트 산맥 《멕시코 Lower California에서 Alaska 동남부에 이름》

coast-to-coast [kóustəkóust] *a.* 《미·구어》 **1** 전국적인 **2** 미대륙 횡단의

coast·wait·er [kóustwèitər] *n.* 《영》 연안 수송품을 처리하는 세관 직원

coast·ward [kóustwərd] *a.*, *ad.* 해안쪽의[으로]

coast·wards [kóustwərdz] *ad.* = COASTWARD

coast·ways [kóustwèiz] *a. ad.* 《고어》 = COASTWISE

coast·wise [kóustwàiz] *a.* 연안의: ~ trade 연안 무역 —*ad.* 해안을 따라

‡**coat** [kóut] *n.* **1** (방한·외출용의) 코트 **2** (양복의) 상의(上衣) (cf. OVERCOAT, GREATCOAT); (여성·어린이의) 긴 웃옷; 여성 외투 **3** (짐승의) 외피 《털가죽 또는 털》 **4** 가죽(skin, rind), 껍질(husk); 층(層)(layer) 《먼지 따위의》 **5** (은 등을) 씌운 것, 덧칠, (페인트 등의) 칠, 도장(塗裝) **6** 〖해부〗 막(膜), 외막

coat of arms

~ and skirt 여성 외출복 ***~ of arms*** [***coat-of-arms***] 문장(紋章)이 든 덧옷 《옛날 기사(騎士)들이 갑옷 위에 입은》; 문장(紋章) 《방패 꼴의》 ***~ of mail*** 쇠미늘 갑옷 ***cut*** one***'s ~ according to*** one***'s cloth*** 《영》 분수에 맞는 생활을 하다 ***dust*** a person***'s ~*** (***for*** him[her]) …을 두들겨 주다 ***on the ~*** 《호주·속어》 (1) 〈승부가〉 사기인 (2) 꺼리는, 싫어하는 ***pull*** a person***'s ~*** 《미·흑인속어》 〈…에게〉 (비밀 따위를) 흘리다 ***red ~*** 구식의 영국 군복 ***take off*** one***'s ~*** 웃통을 벗다 《싸울 준비》; 본격적으로 달려들다 《*to*》 ***trail*** [***drag***] one***'s ~*** 싸움[말다툼]을 걸다 ***turn*** [***change***] one***'s ~*** 변절하다; 개종하다 ***wear the king's*** [***queen's***] ***~*** 《영》 병역에 복무하다

coat of mail

—*vt.* **1** 웃옷으로 덮다[을 입히다] **2** 〈페인트 등을〉 칠하다; 〈주석 등을〉 입히다; 〈먼지 등이〉 뒤덮다: 《~+목+전+명》 ~ the wall *with* paint 벽에 페인트를 칠하다 / be ~*ed with* dust 먼지로 덮여 있다 / It is ~*ed with* gold. 그것에는 금이 입혀져 있다.

cóat ármor 문장(紋章), 가문(家紋)

cóat càrd 《고어》 (카드의) 그림패(court card) 《킹·퀸·잭》

cóat chèck 《미》 = CLOAKROOM

coat·dress [kóutdrès] *n.* 〖복식〗 앞이 아래까지 트여 있는 외투 모양의 드레스

coat·ed [kóutid] *a.* **1** 상의를 입은 **2** 〈종이 등이〉 광을 낸[번쩍이는]; 〈천 등이〉 방수 가공한; 겉에 바른[입힌] **3** 〈혀가〉 터서 하얗게 이끼가 낀: ~ tongue 설태(舌苔)가 낀 혀 **4** 〈요리가〉 …을 곁들인

cóated páper 아트지 《광택지》

coati

coat·ee [koutí: | ⌐–, –⌐] *n.* (몸에 꼭 맞는) 짧은 웃옷 《여성복·소아복》

cóat gène 〖생화학〗 피막 유전자

cóat hànger 옷걸이

co·a·ti [kouɑ́:ti] *n.* 〖동물〗 긴코너구리 《라틴 아메리카산》

*__coat·ing__ [kóutiŋ] *n.* ⓊⒸ **1** 칠하기, 겉칠하기; 덮음, 입힘; 입힌 것; (요리·과자 등의) 겉에 입히는 것; 도료(塗料) **2** (상의용의) 옷감 **3** 〖광학〗 (렌즈의 반사 방지를 위한) 코팅 **4** [a ~] 《영·경찰속어》 질책

cóat pròtein 〖생화학〗 피막 단백질

coat·rack [kóutræ̀k] *n.* 코트 걸이, 모자 걸이

coat·room [-rù:m] *n.* 외투류[휴대품] 예치실

cóat stànd (고리가 달린) 기둥 모양의 옷걸이

coat·tail [-tèil] *n.* **1** [보통 *pl.*] 웃옷의 뒷자락 《특히 야회복·모닝코트 등의》 **2** 《미》 (선거에서) 약한 동료 후보자를 함께 당선시키는 강한 후보자의 힘 ***on** a person**'s ~s*** …의 (정치력) 덕분에, …에 편승하여 ***on the ~s of*** …의 뒤를 좇아서, …덕분으로 ***ride*** [***hang, climb***] ***on to*** a person***'s ~s*** …의 소매에 매달리다, …에 편승하다 ***trail*** [***drag***] one***'s ~s*** 싸움을 걸다
— *vi.* 《미·속어》 〖음악〗 같은 템포를 유지하다
— *a.* **1** (유명인의) 은혜를 입은, 편승한 **2** (약한 후보자도 함께 당선시킬 수 있는) 강한 후보자의 힘의

coat-trail·ing [-trèiliŋ] 《영》 *n.* 싸움을 걸기, 도발(적 행동) — *a.* 도발적인

cóat trèe = CLOTHES TREE

co·au·thor [kouɔ́:θər, ⌐⌐–] *n.* 공저자(共著者), 공동 집필자 — *vt.* 공동 집필하다

***coax**[1] [kóuks] *vt.* **1** 구슬러 …시키다: 《~+목+*to* do》 《~+목+전+명》 She *~ed* the child *to* take[*into* taking] his medicine. 그녀는 아이를 달래어 약을 먹였다. // I *~ed* her *into* good temper. 나는 그녀를 구슬려 기분이 좋아지게 했다. **2** 감언으로 얻어[우려]내다: 《~+목+전+명》 ~ a thing *out of* a person 감언이설로 꾀어 …에게서 물건을 빼앗다 **3** 〈물건을〉 잘 다루어 뜻대로 되게 하다: 《~+목+*to* do》 ~ a fire *to* burn 불을 살살 피우다
— *vi.* 구슬리다, 달래다, 속이다 ~ ***away*** [***out***] 부추기다, 유혹하다
— *n.* 감언, 비위 맞춤

co·ax[2] [kouǽks, ⌐–] *n.* = COAXIAL CABLE

coax·er [kóuksər] *n.* 말주변이 좋은 사람

co·ax·i·al [kouǽksiəl], **co·ax·al** [kouǽksəl] *a.* 〖수학〗 같은 축(軸)의, 같은 축을 가진; 〖전기〗 동축 케이블의

coáxial cáble 〖전기〗 동축(同軸) 케이블 《고주파 전송용》

coax·ing [kóuksiŋ] *n.* Ⓤ 감언이설, 구슬리고 달램
— *a.* 알랑대는 **~·ly** *ad.*

cob[1] [kɑ́b | kɔ́b] *n.* **1** 옥수수속(corncob) **2** 다리가 짧고 튼튼한 승마용 말; 《미》 다리를 높이 쳐드는 말 **3** 백조의 수컷(opp. *pen*[4]) **4** 개암나무 열매(cobnut) **5** 둥근 빵; (석탄·돌 등의) 둥근 덩어리 **6** 페소 화폐 ***get*** [***have***] ***a ~ on*** 《영·속어》 화나다 ***off*** [***on***] ***the ~*** 《미·속어》 흔해 빠져 싫증난; 감상적인

cob[2] *vt.* (**~bed**; **~·bing**) **1** 볼기를 두들기다 **2** 부스러뜨리다

cob[3] *n.* 《영》 (여물을 섞은) 벽토

co·bal·a·min [koubǽləmin], **-mine** [-mì:n] [*cobal*t+vit*amin*] *n.* 비타민 B_{12}

***co·balt** [kóubɔ:lt] *n.* Ⓤ **1** 〖화학〗 **코발트** 《금속 원소; 기호 Co》 **2** 코발트 그림물감 **3** 코발트색, 암청색(暗靑色) ▷ cobáltic *a.*

cóbalt blúe 코발트 청색 《안료》; 암청색

cóbalt bòmb 코발트 폭탄

cóbalt gréen 코발트 녹색 《안료》

co·bal·tic [koubɔ́:ltik] *a.* 〖화학〗 (특히 3가(價)의) 코발트의, (3가의) 코발트를 함유한

co·bal·tite [koubɔ́:ltait, ⌐–⌐], **-tine** [kóubɔ:l-tì:n, -tin] *n.* Ⓤ 휘(輝)코발트광(鑛)

co·bal·tous [koubɔ́:ltəs] *a.* 제1코발트의, 2가(價) 코발트를 포함한

cóbalt 60 [-síksti] 〖화학〗 코발트 60 《코발트의 방사성 동위 원소; 기호 ^{60}Co, Co^{60}, 암 치료용》

cóbalt víolet déep 진보라색; 자색 안료

cóbalt víolet líght 밝은 보라색 (안료)

cob·ber [kɑ́bər | kɔ́b-] *n.* 《호주·속어》 친구, 한패, 동료 — *vi.* [다음 성구로] ~ ***up with*** a person …와 친구가 되다

cob·ble[1] [kɑ́bl | kɔ́bl] *vt.* 《영》 **1** 〈구두 따위를〉 수선하다 **2** 조잡하게 기워 맞추다 《*up, together*》

cobble[2] *n.* **1** 자갈, 율석(栗石) **2** [*pl.*] (자갈만한) 석탄 **3** [*pl.*] 자갈을 깐 길 **4** 〖금속공예〗 코블 《굽음이나 꼬임에 따른 불량품》; 《속어》 솜씨가 나쁜 제품, 불량품 — *vt.* 〈도로에〉 자갈을 깔다

cob·bled [kɑ́bld | kɔ́b-] *a.* (도로가) 자갈로 깔린

cob·bler [kɑ́blər | kɔ́b-] *n.* **1** 구두 수선공 《지금은 shoemaker가 보통임》: The ~'s wife goes the worst shod. 《속담》 구두 수선공의 아내는 떨어진 신발을 신게 마련이다, 대장장이의 집에 식칼이 논다. **2** 《주로 미》 속이 깊은 쟁반으로 구운 과일 파이의 일종 **3** 칵테일의 일종 《포도주에 레몬·설탕 등과 얼음 조각을 넣은 음료; 흔히 셰리를 쓰는 데서 sherry ~라고도 함》 **4** (염색이나 마무리가 안 좋은) 직물의 불합격품 **5** 《고어》 서투른 장인(匠人) **6** 《미·속어》 (지폐·여권 따위의) 위조자(forger) **7** 《호주·뉴질·속어》 마지막으로 털을 깎인 양 **8** [*pl.*] 《영·속어》 고환(balls) **9** [*pl.*] 《영·비어》 허튼소리

cób·bler's wáx [kɑ́blərz- | kɔ́b-] 실 왁스 《구두 수선용》

cob·ble·stone [kɑ́blstòun | kɔ́bl-] *n.* (철도·도로용) 자갈, 조약돌 **-stòned** *a.*

cób còal 둥근 덩어리 석탄

Cob·den [kɑ́bdən | kɔ́b-] *n.* 코브던 **Richard ~** (1804-65) 《영국의 경제학자·정치가; 자유 무역 주창자》

Cob·den·ism [kɑ́bdənìzm | kɔ́b-] *n.* Ⓤ 코브던주의 《Cobden이 제창한 자유 무역·평화주의·불간섭주의》

Cob·den·ite [kɑ́bdənàit | kɔ́b-] *n.*, *a.* 코브던주의자(의)

co·bel·lig·er·ent [kòubəlídʒərənt] *n.* 공동 전쟁 참가국 — *a.* 협동하여 싸우는

co·bi·a [kóubiə] *n.* 날쌔기 《대형 해수어》

co·ble [kóubl] *n.* 《북잉글·스코》 바닥이 평평한 어선

cob·loaf [kɑ́blòuf | kɔ́b-] *n.* (위에 혹이 달린) 둥근 빵(bun)

cob·nut [kɑ́bnʌ̀t | kɔ́b-] *n.* 개암나무(의 열매)

COBOL, Co·bol [kóubɔ:l | -bɔl] [*co*mmon *b*usiness-*o*riented *l*anguage] *n.* 〖컴퓨터〗 코볼 《사무용 공통 프로그램 언어》

***co·bra** [kóubrə] *n.* 〖동물〗 **코브라** 《인도·아프리카산(産) 독사》

co·brand·ing [kòubrǽndiŋ] *n.* Ⓤ (두 회사의) 상표 병용하기

COBUILD [kóubild] *n.* 코빌드 **1** Collins Birmingham University International Language Database **2** 1에 기초를 둔 영어 사전

co·burg [kóubə:rg] *n.* Ⓤ 안감·복지용의 능직물; [때로 **C~**] 윗부분에 십자형의 칼자국을 넣어 구운 빵

cob·web** [kɑ́bwèb | kɔ́b-] *n.* **1** 거미집[줄] **2** 얇은 옷 《얇은 천으로 된 숄·레이스 등》 **3** 낡아 빠진 것 《법률 등》 **4** 얽힘; (머리의) 혼란 **5** 함정, 덫, 음모 ***blow [***clear***] ***away the ~s from*** one***'s brain*** (산책 등을 하여) 기분을 일신하다 ***have a ~ in the throat*** 《속어》 목이 마르다 ***have ~s*** 《미·속어》 장기간 섹스하지 않고 있다 ***take the ~s out of*** one***'s eyes*** (눈을 비벼) 졸음을 쫓다
— *vt.* (**-webbed**; **-web·bing**) **1** 〈거미가〉 거미집을 치다 **2** 혼란하게 하다 ▷ cóbwebby *a.*

cob·webbed [kɑ́bwèbd | kɔ́b-] *a.* **1** 거미줄을 친 **2** 《미·구어》 머리가 돈, 어리벙벙해진 **3** 케케묵은

cob·web·by [-wèbi] *a.* **1** 거미줄투성이의 **2** 가볍고 얇은 **3** 우울한; 먼지를 뒤집어 쓴, 케케묵은

COC 〖미공군〗 Combat Operations Center

co·ca [kóukə] *n.* 코카나무 《남아메리카 원산의 관목》; Ⓤ 코카 잎 《말려서 코카인을 채취함》; 《미·속어》 코카인

Co·ca-Co·la [kòukəkóulə] *n.* 《미》 코카콜라 《청량음료의 일종; 상표명》

Co·ca-col·o·nize [kòukəkɑ́lənàiz, -kóulə- | -kóulə-] *vt.* 〈…의 문화·생활 양식을〉 미국화하다, …에 미국의 문화[생활 양식]를 침투시키다 **-còl·o·ni·zá·tion** *n.*

co·cain(e) [koukéin, ⌐–| koukéin, kə-] *n.* Ⓤ 〔화학〕 코카인 《coca의 잎에서 뽑아낸 마취제》
co·cain·ism [koukéinizm, kóukənìzm | kou-kéinizm, kə-] *n.* Ⓤ 〔병리〕 코카인 중독(증) **-ist** *n.*
co·cain·i·za·tion [koukèinizéiʃən | -nai-] *n.* Ⓤ 코카인 마비[마취]
co·cain·ize [koukéinaiz, kóukənàiz | koukéi-naiz, kə-] *vt.* 코카인으로 마비시키다
coc·cid [káksid | kɔ́k-] *n.* 개각충과(介殼蟲科)의 곤충
coc·cid·i·oi·do·my·co·sis [kaksìdiɔ̀idoumai-kóusis | kɔk-] *n.* 〔병리〕 콕시디오이데스 진균증(症)
coc·cid·i·o·sis [kaksìdióusis | kɔk-] *n.* 〔수의학〕 콕시디아증(症) 《포자충에 의한 전염병》
coc·cid·i·um [kaksídiəm | kɔk-] *n.* (*pl.* **-cid·i·a** [-sídiə]) 콕시듐 《척추동물 소화 기관의 기생충》
coc·coid [kákɔid | kɔ́k-] *a.* 구균을 닮은, 구형의 —*n.* 구형의 세포[유기체]
coc·cus [kákəs | kɔ́k-] *n.* (*pl.* **-ci** [-sai, -si | -sai]) **1** 〔세균〕 구균(球菌) **2** 〔식물〕 소건과(小乾果) **3** 〔곤충〕 연지벌레의 일종 **4** =COCHINEAL 1
-coccus [kákəs | kɔ́k-] 《연결형》 「…구균(球菌)」의 뜻: micro*coccus*, strepto*coccus*
coc·cyg·e·al [kaksídʒiəl | kɔk-] *a.* 〔해부〕 미저골(尾骶骨)의
coc·cyx [káksiks | kɔ́k-] *n.* (*pl.* **-cy·ges** [kaksáidʒi:z, káksidʒì:z | kɔksáidʒi:z]) 〔해부〕 미저골; 〔조류〕 미단골(尾端骨)
co·chair [koutʃέər] *vt., vi.* (위원회·토론회 등의) 공동 의장을 맡다 —*n.* 공동 의장
co·chair·man [koutʃέərmən] *n.* (*pl.* **-men** [-mən]) 공동 의장; 부의장: a ~ country 공동 의장국
co·chair·per·son [koutʃέərpə̀:rsn] *n.* 공동 의장 《비(非)성차별 용어》
co·chan·nel [koutʃǽnl] *a.* 〔방송〕 동일 채널의, 다중(多重) 주파수대의
co·chin [kóutʃin, kátʃ- | kóutʃ-] *n.* 코친 《닭의 일종》
Co·chin-Chi·na [kóutʃintʃáinə] *n.* **1** 코친 차이나 《Viet Nam 최남부 지방》 **2** [**cochin-china**] =COCHIN
coch·i·neal [kàtʃəní:l, kòutʃ- | kɔ̀tʃiní:l, ⌐–⌐] *n.* **1** ⓊⒸ 코치닐 염료 《연지벌레를 건조시켜서 만듦》 **2** 코치닐 색 **3** =COCHINEAL INSECT
cóchineal ìnsect 연지벌레
coch·le·a [kákliə, kóuk- | kɔ́k-] *n.* (*pl.* **-le·ae** [-liì:, -liài], **~s**) 〔해부〕 (내이(內耳)의) 달팽이관 **cóch·le·ar** [-liər] *a.*
cóchlear ímplant 인공 귀(artificial ear), 달팽이관 이식
coch·le·ate [kákliət, -lièit | kɔ́k-], **-at·ed** [-lièitid] *a.* 달팽이 껍질 같은
‡**cock**[1] [kák | kɔ́k] *n.* **1** (영) 수탉((미) rooster): As the old ~ crows, the young ~ learns. (속담) 부모가 하는 일은 아이들이 흉내낸다. / Every ~ crows on its own dunghill. (속담) 집안에서만 큰소리친다.
관련 cock 수탉 hen 암탉 chicken, chick 병아리 chicken 닭고기 crow, cock-a-doodle-doo 수탉의 울음소리 cluck 암탉의 울음소리
2 (새의) 수컷(cf. COCK ROBIN, PEACOCK) **3** 〔조류〕 멧도요(woodcock) **4** (술통·가스·수도의) 마개, 꼭지(stopcock), 콕; (총의) 공이치기, 격철(擊鐵) **5** (속어·비어) 음경; 남성과의 육체 관계 **6** 풍향기 **7** 두목, 대장, 보스 **8** (주로 영·구어) 동료, 친구(pal, chum); (영·속어) (대중 바에서) 바가지 씌우기 쉬운 남자 **9** (영·속어) 실없는 짓 **10** (모자챙이) 위로 휨; (코끝이) 위로 젖혀짐; (눈을) 치켜떠 봄 **11** (저울의) 바늘 **12** (드물게) (curling 놀이의) 표적, 목표(tee) **13** (고어) 닭이 울 때, 새벽녘, 조조(早朝)(cockcrow)
all to ~ (속어) 실수하여; 혼란하여 ***at* [*on*] *full* [*half*] *~*** 공이치기를 완전히[반만] 젖혀서; 충분히[반쯤] 준비하여 ***~ of the north*** 되새 《멧새 비슷한 참샛과(科)의 작은 새》 ***~ of the walk* [*dunghill*]** (구어) 위세 당당한 두목; 우두머리 ***~ of the woods*** 〔조류〕 도가머리딱다구리 ***go off at half ~*** ⇨ half cock. ***live like a fighting ~*** 잘 먹고 호사스럽게 살다 ***Old ~!*** 어이 자네!, 대장! 《호칭》 ***That ~ won't fight.*** (속어) 그런 수[계획]는 글렀다[통하지 않는다]. ***the ~ of the school*** 최상급의 수석 학생(head boy); (한 학교의) 대장
—*vt.* **1** 〈총의〉 공이치기를 당기다; 〈주먹 따위를〉 뒤로 끌다 **2** 〈모자 챙을〉 위로 젖히다; 〈모자를〉 비뚜름하게 쓰다; 〈팔다리·관절 따위를〉 굽히다; 〈발 따위를〉 (책상 위에) 올리다 《*up, on*》 **3** 곧추세우다(prick) **4** (영·속어) 〈계획 등을〉 망치다, 혼란하게 하다 《*up*》
—*vi.* **1** (총의) 공이치기를 잡아당기다 **2** 〈개 꼬리 등이〉 쫑긋[곧추] 서다 《*up*》 **3** 뻐기며 걷다(strut)
~ one***'s eye at*** …에게 눈짓을 하다, 알았다는 듯이 힐끗 보다 ***~ snooks* [*a snook*]** 비웃다, 멸시하다 《*at*》 ***~*** one***'s nose*** 코끝을 위로 쳐들다 《멸시하는 표정》 ***~ up*** 곧추세우다; 위로 쳐들다; 〈개의 꼬리가〉 곧추 서다; 〈사람이〉 배를 내밀고 몸을 젖히다 《뻐기는 태도》 ***~* (*up*) *the* [**one***'s*] *ears*** 귀를 쫑긋 세우다
—*a.* **1** 수컷의(male)(opp. *hen*) **2** 최고[최강]의, 멋있는 ▷ cóckish, cócky[1] *a.*
cock[2] *n., vt.* 건초[볏짚]더미(를 쌓다)
cock·ade [kakéid | kɔk-] *n.* 꽃 모양의 모장(帽章) 《영국 왕실의 종복이 모자에 다는》 **cock·ád·ed** *a.*
cock-a-doo·dle-doo [kákədù:dldú: | kɔ́k-] *n.* **1** 꼬끼오 《수탉의 울음소리》(⇨ cock[1] 관련) **2** (소아어) 꼬꼬, 수탉(cock) —*vi.* 〈닭이〉 울다(crow)
cock-a-hoop [kàkəhú:p, ⌐–⌐ | kɔ̀kəhú:p] *a., ad.* 의기양양한[하게]; 비스듬한[하게]; (몸) 상태가 나쁜[나쁘게]
Cock·aigne [kakéin | kɔk-] *n.* **1** 환락경(歡樂境), 무릉도원 **2** (익살) 런던 《Cockney에 빗댄 말》
cock-a-leek·ie [kàkəlí:ki | kɔ̀k-] *n.* Ⓤ (스코) 부추(leeks)가 든 닭고기 수프
cock·a·lo·rum [kàkəlɔ́:rəm | kɔ̀k-] *n.* **1** (구어) 건방진 (작은) 사내 **2** 허풍, 호언 ***high ~*** (영) 등짚고 넘기 《놀이》
cock·a·ma·mie, -ma·my [kákəmèimi | kɔ́k-] *a., n.* ⓊⒸ (미·속어) 터무니없는 (일)
cóck-and-búll stòry [kákənbúl- | kɔ́k-] [cock와 bull이 서로 뽐내는 옛날 민화에서] 터무니없는[황당무계한] 이야기
cock-and-hen [kákənhén | kɔ́k-] *a.* (속어) 남녀 혼합의 《클럽 등》
cock·a·poo [kákəpù: | kɔ́k-] *n.* (*pl.* **~s**) cocker spaniel과 miniature poodle의 교배종
cock·a·tiel, -teel [kàkətí:l | kɔ̀k-] *n.* 〔조류〕 코카틸 앵무새 《오스트레일리아 원산》
cock·a·too [kákətù:, ⌐–⌐ | kɔ̀kətú:] *n.* (*pl.* **~s**) **1** 〔조류〕 앵무새의 일종 **2** 소농(小農); (호주) (도둑질·도박 따위의) 망보는 사람
cock·a·trice [kákətris | kɔ́kətràis] *n.* **1** 계사(鷄蛇) 《전설의 괴물》 **2** 〔성서〕 독사 **3** 사악한 사람 **4** (폐어) 매춘부
Cock·ayne [kakéin | kɔk-] *n.* =COCKAIGNE
cóck bèad 〔목공〕 (볼록) 구슬선
cock·bird [kákbə̀:rd | kɔ́k-] *n.* 수탉
cock·boat [-bòut] *n.* (큰 배에 달린) 작은 배
cock·cha·fer [-tʃèifər] *n.* 풍뎅이의 일종
cock·crow(·ing) [-kròu(iŋ)] *n.* Ⓤ 새벽
cocked [kákt | kɔ́kt] *a.* 〈모자챙이〉 위로 젖혀진, 위로 향하게 한
cócked hát 삼각모 《18세기 남성 정장용의 챙이 뒤로 젖혀진 모자; 지금은 예장용》 ***knock* [*beat*] *into a ~*** (구어) 볼품없이[초라하게] 만들어 놓다; 완전히 때려눕히다
cock·er[1] [kákər | kɔ́k-] *n.* **1** =COCKER SPANIEL **2** 투계사, 투계 사육사
cocker[2] *vt.* 〈아이를〉 너무 응석을 받아 주다, 〈병자를〉 극진히 돌보다 《*up*》 —*n.* (영·구어) 동료, 친구

Cock·er [kákər | kɔ́k-] *n.* 코커 **Edward ~** (1631-75) 《영국의 수학자》 ***according to ~*** 《영》 정확하게(는); 엄밀히 말하면
cock·er·el [kákərəl | kɔ́k-] *n.* **1** 수평아리 **2** 싸우기 좋아하는 젊은이
cócker spániel 코커 스패니얼 《사냥·애완용 개》
cock·eye [kákài | kɔ́k-] *n.* 사팔뜨기, 사시(斜視); 《미·야구속어》 좌완 투수(southpaw)
cock·eyed [-àid] *a.* **1** 사팔뜨기의(squinting) **2** 《속어》 비뚤어진, 기울어진(slanted) **3** 《속어》 어리석은; 술에 취한 **4** 《미·구어》 인사불성의; 제정신이 아닌, 미친 **—** *ad.* **1** 기울어, 굽어 **2** 매우, 극히
~·ly *ad.* **~·ness** *n.*
cóckeye(d) bób 《호주·속어》 갑작스러운 폭풍우
cock·fight [kákfàit | kɔ́k-] *n.* 닭싸움 (시합)
cock·fight·ing [-fàitiŋ] *n.* Ⓤ 닭싸움 ***This beats ~.*** 이렇게 재미있는 일은 없다, 참 재미있다.
cock·horse [-hɔ̀:rs] *n.* (아이들의) 목마(rocking horse), (장난감) 말(hobbyhorse) ***on (a) ~*** 목마를 타고; (사람의 무릎 등에) 걸터앉아; 의기양양하여
— *ad.* 말 타듯 걸터앉아
cock·ish [kákiʃ | kɔ́k-] *a.* 《구어》 수탉 같은; 잘난 체하는, 건방진
cock·le[1] [kákl | kɔ́kl] *n.* **1** 〖패류〗 새조개 무리 **2** = COCKLESHELL 1 ***the ~s of*** one***'s*** [***the***] ***heart*** 본심 ***warm*** [***delight***] ***the ~s of*** a person***'s heart*** 〈남을〉 기쁘게 하다
cockle[2] *n.* 주름살; 부풂 《종이 등의》
— *vi., vt.* 구기다; 주름살 지(게 하)다; 파도가 일다
cockle[3] *n.* 〖식물〗 선옹초 《잡초》
cockle[4] *n.* 스토브, 난로
cock·le·boat [káklbòut | kɔ́kl-] *n.* (바닥이 얕은) 작은 배(cockboat)
cock·le·bur [káklbə̀:r | kɔ́kl-] *n.* 〖식물〗 우엉; 도꼬마리
cock·le·shell [kákl∫èl | kɔ́kl-] *n.* **1** (새조개의) 조가비 **2** 바닥이 얕은 작은 배 **3** 순찰사가 몸에 부착한 기장(記章)
cóckle stàirs 나선 (모양의) 계단
cock·loft [káklɔ̀:ft | kɔ́klɔ̀ft] *n.* (작은) 지붕밑 방, 고미다락방(garret)
***cock·ney** [kákni | kɔ́k-] *n.* **1** [종종 **C~**] 런던 토박이(cf. Bow BELLS) 《특히 East End 지구(地區)의》 **2** [종종 **C~**] Ⓤ 런던 영어[사투리] **3** 《폐어》 응석받이; 까다롭고 거드름 빼는 사람, 나긋나긋한 놈
— *a.* 《보통 경멸》 런던 토박이(풍)의
cock·ney·dom [káknidəm | kɔ́k-] *n.* Ⓤ **1** 런던 토박이의 거주 지역; [집합적] 런던 토박이들(cockneys) **2** 런던 토박이 기질
cock·ney·ese [kàkniíːz, -íːs | kɔ̀kniíːz] *n.* Ⓤ 런던 말씨[사투리]
cock·ney·fy [káknifài | kɔ́k-] *vt., vi.* (**-fied**) 런던 토박이식으로 하다[되다]
cock·ney·ish [kákniiʃ | kɔ́k-] *a.* 런던 토박이식의
cock·ney·ism [káknii̇̀zm | kɔ́k-] *n.* ⓊⒸ 런던 말씨 《'plate'를 [pláit], 'house'를 [ǽus]로 발음하는 등》
Cóckney Schòol (19세기) 런던 토박이 작가들
cock-of-the-rock [kákəvðərák | kɔ́kəvðərɔ́k] *n.* (*pl.* **cocks-**) 〖조류〗 바위새 《선명한 적황색의 새; 남아메리카 북부산(産)》
***cock·pit** [kákpìt | kɔ́k-] *n.* **1** 〖항공〗 (비행기·우주선 등의) 조종석[실] **2** 투계장; 투기장(鬪技場) **3** 전쟁터 **4** (구식 군함의) 최하 갑판 후부의 사관실 《전시에는 부상병을 수용》
cóckpit vóice recòrder 〖항공〗 조종실 음성 기록 장치 《略 CVR》
cock·roach [kákròutʃ | kɔ́k-] *n.* 〖곤충〗 바퀴(벌레)
cóck róbin 울새의 수컷
cocks·comb [kákskòum | kɔ́ks-] *n.* **1** (새의) 볏 **2** (원래 어릿광대가 쓰던) 모자 **3** 〖식물〗 맨드라미
cock·shot [kák∫àt | kɔ́k∫ɔ̀t] *n.* = COCKSHY
cock·shut [-∫ʌ̀t] *n.* Ⓤ 《영·방언》 일몰, 저녁때
cock·shy [-∫ài] *n.* (*pl.* **-shies**) 표적 맞추기 《공·막대기 따위를 표적에 던지는 놀이》; 그 표적; 한 번 던지기
cocks·man [kóksmæ̀n | kɔ́ks-] *n.* (*pl.* **-men** [-mèn]) 《미·비어》 여자를 잘 후리는 남자, 난봉꾼; 섹스에 강한 남자
cóck spárrow **1** 참새의 수컷 **2** 《구어》 건방진 작은 남자
cock·spur [kákspə̀:r | kɔ́k-] *n.* **1** 〖식물〗 산사나무 **2** (3개의 분출구가 있는) 가스등 버너 **3** 며느리발톱 《닭 등의》
cock·suck·er [-sʌ̀kər] *n.* 《비어·속어》 **1** 남자 성기를 빠는 사람[남자]; 여자역의 남성 동성애자 **2** 남자답지 않은 놈; 아첨꾼
cock-suck·ing [-sʌ̀kiŋ] *a.* 《비어·속어》 비열한; 역겨운; 저속한 《종종 강조어로 쓰임》
cock·sure [-∫úər] [「수도꼭지(cock)처럼 튼튼한」의 뜻에서] *a.* **1** Ⓟ 《경멸》 확신하는 《*of, about*》 **2** 독단적인; 자부심이 강한 **3** 절대 확실한, 반드시 …하는 (certain) 《*to* do》 **~·ly** *ad.* **~·ness** *n.*
cock·swain [káksən, -swèin | kɔ́k-] *n.* 《고어》 = COXSWAIN
cock·sy [káksi | kɔ́k-] *a.* (**-si·er**; **-si·est**) = COXY
***cock·tail** [káktèil | kɔ́k-] [잡종말(cock)의 꼬리를 잘라서 짧게 한 데에서 「잡종」→「혼합」] *n.* **1** 칵테일; 《미》 (차게 한) 과일즙 《식전에 냄》 **2** 굴·대합 등에 소스를 친 전채(前菜) 요리 **3** 〖약학〗 여러 종류의 약제를 섞은 액체 **4** (종류가 잡다한 것의) 혼합물 **5** 《미·속어》 마리화나가 든 담배
— *vi.* 칵테일을 마시다; 칵테일 파티에 참석하다
— *vt.* 〈사람에게〉 칵테일을 대접하다
— *a.* **1** 칵테일 드레스의 **2** 칵테일용의, 전채의
cócktail bèlt 교외의 고급 주택 지대
cócktail drèss 칵테일 드레스 《여성의 약식 야회복》
cock-tailed [káktèild | kɔ́k-] *a.* 꼬리를 자른; 꼬리[궁둥이]를 추켜 올린
cócktail glàss 칵테일 잔 《다리가 달린》
cócktail hòur 칵테일 아워 《dinner 직전, 또는 오후 4-6시 경》
cócktail lòunge (호텔·공항 등의) 바, 휴게실
cócktail pàrty 칵테일 파티
cócktail sàuce 칵테일 소스 《어패류 칵테일·전채 따위에 치는 소스》
cócktail stìck 칵테일 스틱 《칵테일의 버찌·올리브 등을 찍는 꼬챙이》
cócktail tàble = COFFEE TABLE
cock·teas·er [káktì:zər | kɔ́k-] *n.* 《비어》 남자를 유혹하면서 마지막에 성교를 거부하는 여자
cóck·tèase *vt., vi.*
cock·up [kákʌ̀p | kɔ́k-] *n.* **1** (물건의 앞이나 끝의) 말림 **2** 앞의 차양이 위로 휜 모자 **3** 〖인쇄〗 어깨글자 《X^2의 ^{2} 등》 **4** 《속어》 실수 연발, 혼란 (상태)
cock·y[1] [káki | kɔ́ki] *a.* (**cock·i·er**; **-i·est**) 《구어》 잘난 체하는; 건방진; 《미·속어》 굉장한
— *n.* 《영·속어》 (말을 걸 때) 어이 대장
cóck·i·ly *ad.* **cóck·i·ness** *n.*
cocky[2] *n.* **1** 《호주·구어》 소농(小農) **2** 〖조류〗 = COCKATIEL
cock·y·ól·ly bird [kàkiáli- | kɔ̀kiɔ́li-] 《소아어》 짹짹, 새
co·co [kóukou] *n.* (*pl.* **~s**) **1** = COCONUT PALM **2** = COCONUT 1 **3** 《속어》 (사람의) 머리 **4** 《속어》 = COCOA **—** *a.* 코코넛 껍질의 섬유로 만든
***co·coa**[1] [kóukou] *n.* Ⓤ **1** 코코아 《cacao 열매의 가루》; 코코아 음료 **2** 코코아 색, 다갈색
— *a.* 코코아(색)의
— *v.* [다음 성구로] ***I should ~*** [***coco***]***.*** 《속어》 〖음운〗 그대로이다, 정말이다; [단순한 맞장구로서] 그러네; [반어적] 당치도 않다.
cocoa[2] *n.* = COCO 1, 2

cócoa bèan 카카오 씨 《cacao의 열매; 코코아·초콜릿의 원료》
cócoa bùtter 카카오 기름
cócoa nìb 카카오 씨의 떡잎
COCOM [kóukɑ̀m | kɔ́kɔ̀m] [*Coo*rdinating *Com*mittee (for Export Control to Communist Areas)] *n.* 코콤《대(對) 공산권 수출 통제 위원회》
co·con·scious [koukɑ́nʃəs | -kɔ́n-] *n., a.* 〖심리〗 공재(共在)의식(적인) **~·ness** *n.*
co-con·spir·a·tor [kòukənspírətər] *n.* 공모자
*__co·co·nut, co·coa-__ [kóukənʌ̀t, -nət | -nʌ̀t] *n.* **1** 코코넛 《코코야자 나무의 열매》 **2** = COCONUT PALM **3** 《미·속어》 (인간의) 머리(head); 《미·속어》 1달러; [종종 *pl.*] 코카인; [*pl.*] 유방; 《속어·경멸》 백인 흉내를 내는 흑인 ***That accounts for the milk in the ~.*** 《속어》 이제야 알겠다.
cóconut bùtter 코코넛 버터 《비누·양초 제조용》
cóconut ìce 코코넛 과자 《핑크색·흰색》
cóconut màtting 야자 돗자리 《열매 껍질의 섬유로 만든》
cóconut mìlk 야자 과즙
cóconut òil (비누·양초 제조용) 야자유
cóconut pàlm[trèe] 코코야자 나무
cóconut shỳ 《주로 영》 코코넛 떨어뜨리기 《코코넛을 표적 또는 상품으로 함》
co·coon [kəkúːn] *n.* **1** (누에) 고치 **2** (거미 등의) 난낭(卵囊) **3** 〖군사〗 방수 피복 《수송 중인 무기를 보호하기 위한》 **—*vi.*** 고치를 만들다 **—*vt.*** 고치로 싸다; …을 (고치처럼) 휩싸다; 둘러싸서 호위하다; 〈물건을〉 장래를 위해 모으다 **~·like** *a.*
co·coon·er·y [kəkúːnəri] *n.* (*pl.* **-er·ies**) 양잠소
co·coon·ing [kəkúːniŋ] *n.* 집에 틀어박힌 생활, 가정 위주의 생활 (양식)
cóco pàlm = COCONUT PALM
co·cotte[1] [koukɑ́t, kə- | kɔkɔ́t, kə-] [F = hen] *n.* 《고어》 (파리의) 매춘부; 매음
cocotte[2] *n.* (도자기로 만든) 소형 내열(耐熱) 냄비
co·co·yam [kóukoujæ̀m] *n.* = TARO
Coc·teau [kɑktóu | kɔk-] *n.* 콕토 **Jean ~** (1889-1963) 《프랑스의 시인·작가·화가》
co·cur·ric·u·lar [kòukəríkjulər] *a.* 〖교육〗 정규 과목과 병행한(cf. EXTRACURRICULAR)
Co·cy·tus [kousáitəs] *n.* 〖그리스신화〗 코키투스 《「탄식의 강」의 뜻으로 Acheron 강의 지류》
cod[1] [kɑ́d | kɔ́d] *n.* (*pl.* [집합적] **~, ~s**) 〖어류〗 대구(codfish) **~·der** *n.* 대구잡이 어선[어부]
cod[2] *n.* **1** 《폐어》 주머니 **2** 《비어》 고환(testicle) **3** 《영·방언》 (콩 따위의) 깍지
cod[3] *v.* (**~·ded**; **~·ding**) 《영·속어》 *vi.* 못된 장난을 치다 **—*vt.*** 〈남을〉 속이다(hoax); 서툴게 흉내내다 **—*n.*** (남을) 속이기
COD chemical oxygen demand 화학적 산소 요구량 **cod.** codex **c.o.d., C.O.D.** cash[《미》 collect] on delivery: send (a thing) ~ 대금 상환으로 부치다 **C.O.D.** Concise Oxford Dictionary
co·da [kóudə] [It. 「꼬리」의 뜻에서] *n.* 〖음악〗 코다, 종결부; 〖발레〗 남녀 둘이 추는 마지막 부분; 〖운율〗 미련(尾連)
cod·bank [kɑ́dbæ̀ŋk | kɔ́d-] *n.* (바다 밑의) 대구들이 많이 모이는 퇴(堆)
cod·dle [kɑ́dl | kɔ́dl] *vt.* **1** 버릇없이[귀하게] 기르다 《*up*》 **2** 〈달걀 등을〉 약한 불로 삶다 **—*n.*** 《구어》 나약한 사람(milksop) **cód·dler** *n.*
‡**code** [kóud] [L 「서자판(書字板)」의 뜻에서] *n.* **1** 신호법; 암호, 약호(略號) **2** (어떤 계급·동업자 등의) 규약, 관례; (사회의) 규범 **3** 법전 **4** 〖컴퓨터〗 코드, 부호 **5** 〖생물〗 (생물의 특징을 결정하는) 유전 암호(= genetic ~) **6** 〖의학〗 병원 내의 구급 치료반에 대한 지령 **7** 〖언어〗 기호 체계; (사회 언어학에 있어서) 말하는 방식 **8** 《미·속어》 심장 발작 환자 ***civil*[*criminal*] *~*** 민법[형법] ***~ of Hammurabi*** 함무라비 법전 ***~ of honor*** 신사도; 결투의 예법 ***International C~*** 만국 선박 부호; 만국 공통 전신 부호 ***penal ~*** 형법전 ***telegraphic ~*** 전신 부호 ***the Morse ~*** 모스식 전신 부호 **—*vt.*** **1** 법전으로 성문화하다 **2** 〈전문을〉 암호[약호]로 하다; 〖컴퓨터〗 〈프로그램을〉 코드화하다 **—*vi.*** **1** (…의) 유전 암호를 지정하다 《*for*》 **2** 《미·속어》 심장 발작을 일으키다 **cód·a·ble** *a.* **~·less** *a.*
códe bòok 전신 약호장, 암호첩
code·break·er [kóudbrèikər] *n.* 암호 해독자
code·break·ing [-brèikiŋ] *n.* 암호 해독
Co·dec [kóudèk] [*co*der-*dec*order] *n.* 〖전자〗 코덱, 부호기(符號器)
co·de·cide [kòudisáid] *vt.* 공동으로 결정하다
co·dec·li·na·tion [kòudeklənéiʃən] *n.* 〖천문〗 극거리(極距離) 《적위(赤緯)의 여각(餘角)》
cod·ed [kóudid] *a.* **1** Ⓐ 〈정보 등이〉 암호[부호]화된 **2** 〈표현이〉 간접적인, 우회적인: ~ criticism of the government 정부에 대한 간접적인 비판
códe dàting 날짜 표시제 《식품에 대한》
co-dee [kóudiː] *n.* 《영·속어》 친구
co·de·fend·ant [kòudiféndənt] *n.* 〖법〗 공동 피고인(joint defendant)
códe flàg 〖항해〗 신호기(旗)
códe gròup 부호군(符號群)
co·deine [kóudiːn] *n.* Ⓤ 〖약학〗 코데인 《진통·수면제》
códe nàme 코드명(名)
code-name [-nèim] *vt.* …에 코드명을 붙이다
Code Na·po·lé·on [kɔ́d-nəpóuliən, -ljən] [F] 나폴레옹 법전 《1804-7년에 공포된 프랑스 민법전》
códe nùmber 코드 번호
códe of práctice (*pl.* **codes of practice**) 행동 규약, 실행 지침
co·de·pend·ent [kòudipéndənt] *a.* 〖심리〗 (한쪽이 도박·술 등에 정신적·육체적으로 중독되었을 때 다른 쪽은 맨 먼저 심리적으로 불건전하게 되는) 종속적 관계가 되는[에 관한] **—*n.*** 그 관계의 사람
co·de·pend·en·cy [kòudipéndənsi], **-ence** [-əns] *n.* Ⓤ 상호 의존 (관계)
cod·er [kóudər] *n.* **1** 암호를 만드는 사람[기계] **2** 〖전자〗 평상 신호를 특정의 전신 암호로 바꾸는 장치 **3** 《구어》 〖컴퓨터〗 컴퓨터 프로그래머
còde réd 코드 레드 《매우 심각한 위기 상황에 대한 경고》
CODESA [koudésə] [*Co*nvention for a *De*mocratic *S*outh *A*frica] *n.* 코데사 《민주 남아프리카 공화국 회의》
code-shar·ing [kóudʃɛ̀əriŋ] *n.* (항공사 간의) 항공기 코드[편명] 공유
code-switch·ing [kóudswìtʃiŋ] *n.* 〖언어〗 언어 체계의 전이
co·de·ter·mi·na·tion [kòuditəːrminéiʃən] *n.* 《미》 **1** (정부와 의회의) 공동 (정책) 결정 **2** 노동자의 경영 참여
códe wòrd **1** = CODE NAME **2** 표면적으로는 온당하지만 공격적 의미[의도]를 숨긴 말이나 완곡적 표현 **3** 〖유전〗 = CODON
co·dex [kóudeks] *n.* (*pl.* **-di·ces** [-dəsìːz]) **1** 코덱스 《두루마리·납판 이후에 발달한 것으로 책자 모양으로 철해져 있음; 서적의 원형》 **2** (성경·고전의) 사본(寫本) **3** 《고어》 법전, 법령집 **4** 〖약학〗 공정 의약품집
cod·fish [kɑ́dfìʃ | kɔ́d-] *n.* (*pl.* **~, ~·es**) 〖어류〗 대구
códfish aristócracy 《미·속어》 벼락부자들
codg·er [kɑ́dʒər | kɔ́dʒ-] *n.* 《구어》 괴팍한 사람, 괴짜 《특히 노인》; 영감탱이
cod·i·cil [kɑ́dəsəl | kɔ́d-] *n.* **1** 〖법〗 유언 보충서(補充書) **2** 《일반적으로》 추가, 부록
cod·i·cil·la·ry [kɑ̀dəsíləri | kɔ̀d-] *a.* 유언서에 추

thesaurus **code** *n.* **1** 암호 cipher, secret writing **2** 관례 rules, laws, regulation

가한

co·di·col·o·gy [kòudəkάlədʒi | -kɔ́l-] *n.* (특히 고전·성서 등의) 사본 연구, 사본학 **-co·log·i·cal** [-kəlάdʒikəl | -lɔ́dʒ-] *a.*

cod·i·fi·ca·tion [kὰdəfikéiʃən, kòud- | kɔ̀d-, kòud-] *n.* Ⓤ 체계화, 집대성; 법전 편찬; 성문화(成文化), 법전화

cod·i·fy [kάdəfài, kóud- | kɔ́d-, kóud-] *vt.* (**-fied**) 법전으로 편찬하다, 성문화하다; 체계적으로 정리하다; 분류하다 **còd·i·fi·a·bíl·i·ty** *n.* **-fi·er** *n.*

cod·ing [kóudiŋ] *n.* Ⓤ 부호화; 〖컴퓨터〗 코딩 《정보를 계산 조작에 편리한 부호로 바꾸기》

co·dis·cov·er·er [kòudiskʌ́vərər] *n.* 공동 발견자

cod·ling[1] [kάdliŋ | kɔ́d-], **-lin** [-lin] *n.* **1** 《영》 요리용 사과 **2** 덜 익은 사과 **3** = CODLING MOTH

codling[2] *n.* (*pl.* **~s,** ~) 〖어류〗 새끼 대구

códling mòth 코들링나방 《유충은 사과·배의 해충》

cód-liv·er òil [kάdlìvər- | kɔ́d-] 간유(肝油)

co·do·main [kòudouméin] *n.* 〖수학〗 공역(共域), 공변역(共變域)

co·dom·i·nant [koudάmənənt | -dɔ́m-] *a.* **1** (생물 군집(群集) 중에서) 공동 우점(共同優占)의 **2** 〖유전〗 (헤테로 표현도(度)에서) 공우성(共優性)의[에 관한]

co·don [kóudan | -dɔn] *n.* 〖유전〗 코돈 《유전 정보의 최소 단위》

cod·piece [kάdpì:s | kɔ́d-] *n.* **1** (15-16세기의) 남자 바지 앞의 샅주머니, 고간(股間) 주머니 **2** 《폐어》 음경

co-driv·er [koudráivər] *n.* 교대 운전자

cods·wal·lop [kάdzwὰləp | kɔ́dzwɔ̀ləp] *n.* Ⓤ 《영·속어》 난센스

cód wàr 대구 분쟁 《대구 자원 보호를 둘러싼 아이슬란드와 영국 간의 분쟁》

co·ed, co-ed [kóuéd, ´ˋ | ˋ´, ´ˋ] [*coed*ucational (student)] 《구어》 *n.* **1** 《미》 (남녀 공학 대학의) 여학생 **2** 남녀 공학 학교 **—** *a.* 남녀 공학의; 《미》 (남녀 공학의) 여학생의; 양성(兩性)을 위한, 양성용의

cóed crèw 《미·속어》 (해군) 남녀 혼합 승무원

cóed dórm 《미》 (대학의) 남녀 공용 기숙사

co·ed·it [kouédit] *vt.* 공동 편집하다

co-e·di·tion [kòuidíʃən] *n.* 동시 출판(책) 《책을 동시에 다른 언어·나라·출판사에서 발행》

co·ed·i·tor [kouédətər] *n.* 공편자(共編者)

co·ed·u·cate [kouédʒukèit] *vt., vi.* 남녀 공학 교육을 실시하다[받다]

∗**co·ed·u·ca·tion** [kòuedʒukéiʃən] *n.* Ⓤ 남녀 공학 **~·al** [-ʃnəl] *a.* **~·al·ly** *ad.* ▷ coéducate *v.*

coef(f). coefficient

co·ef·fi·cient [kòuifíʃənt] *a.* 공동 작용의(cooperating) **—** *n.* 공동 작인(作因); 〖수학〗 계수(係數); 〖물리〗 계수, 율; 정도(degree): a differential ~ 미분 계수 / a ~ of expansion 팽창 계수 / a ~ of friction 마찰률

coel- [si:l], **coelo-** [sí:lou] 《연결형》 「강(腔)」의 뜻 《모음 앞에서는 coel-》

coe·la·canth [sí:ləkæ̀nθ] *n.* 〖어류〗 실러캔스 《현존하는 중생대의 강극어(腔棘魚)의 일종》 **-can·thine** [sì:ləkǽnθain, -θin] *a.*

-coele [sì:l] 《연결형》 「체강(體腔)」의 뜻

coe·len·ter·ate [siléntərèit, -rət] *n., a.* 강장동물(의)

coe·len·ter·on [siléntərὰn | -rɔ̀n] *n.* (*pl.* **-ter·a** [-tərə]) 〖동물〗 강장

coe·li·ac [sí:liæ̀k] *a.* 〖해부〗 = CELIAC

cóeliac diséase 〖병리〗 = CELIAC DISEASE

coe·lom [sí:ləm], **-lome** [-loum] *n.* (*pl.* **~s, coe·lo·ma·ta** [silóumətə]) 〖동물〗 체강(體腔) **coe·lom·ic** [silάmik, -lóum- | -lɔ́m-, -lóum-] *a.*

coe·lo·mate [sí:ləmèit, silóumət | si:lóumit] *a.* 체강(體腔)을 가진 **—** *n.* 체강 동물, 유강(有腔) 동물

coe·lo·stat [sí:ləstæ̀t] *n.* 〖천문〗 실로스태트 《천체의 빛을 일정 방향으로 보내는 장치》

coel·ur·o·saur [síljuərəsɔ̀:r] *n.* 코엘루로사우르 《앞다리가 길고 몸집이 작은 공룡; 조류의 시조로 추측》

co·emp·tion [kouémpʃən] *n.* (가격 조작을 목적으로 한) 매점(買占)

coen- [si:n, sen], **coeno-** [sí:nou, -nə] 《연결형》 「공통의; 일반의」의 뜻 《모음 앞에서는 coen-》

coe·nes·the·sia, ce- [sì:nəsθí:ʒə, -ʒiə], **-the·sis** [-θí:sis] *n.* Ⓤ 〖심리〗 체감(體感)

coe·no·bite [sí:nəbàit, sénə- | sí:nə-] *n.* = CENOBITE

coe·no·cyte [sí:nəsàit, sénə- | sí:nə-] *n.* 〖생물〗 다핵(多核) 세포, 다핵체 **còe·no·cýt·ic** *a.*

co·en·zy·mat·ic [kouènzaimǽtik, -zi-] *a.* 보효소에 관한, 보효소적인 **-i·cal·ly** *ad.*

co·en·zyme [kouénzaim] *n.* 〖화학〗 보효소(補酵素), 조(助)효소

co·e·qual [kouí:kwəl] *a.* 동등한, 동격(同格)의 《*with*》 **—** *n.* 동등한 사람[것] **~·ly** *ad.* **~·ness** *n.*

co·e·qual·i·ty [kòuikwάləti | -kwɔ́l-] *n.* Ⓤ 동등, 동격

∗**co·erce** [kouə́:rs] [L 「가두어 넣다」의 뜻에서] *vt.* 《문어》 **1** 강제하다, 위압하다, 강요하다(force): ~ obedience 복종을 강요하다 // (~+목+전+명) ~ a person *into* submission[silence] …을 억지로 복종[침묵]케 하다 / They ~*d* him *into* drinking. 그들은 그에게 강제로 술을 먹였다. **2** 〈사람을〉 (공포·불안을 이용해서) 지배하다, (마음대로) 억압하다 **co·érc·er** *n.*

co·er·ci·ble [kouə́:rsəbl] *a.* 강제[강압, 위압]할 수 있는

co·er·ci·met·er [kòuə:rsímitər] *n.* 보자력계(保磁力計), 항자력계(抗磁力計)

co·er·cion [kouə́:rʃən] *n.* Ⓤ 강제; 강압 (정치); (정부·경찰 따위의) 권력, 강권; 압정, 탄압 정치 **~·ist** *n.* 강압 정치론자

co·er·cive [kouə́:rsiv] *a.* 강제적인, 강압적인, 고압적인 **~·ly** *ad.* **~·ness** *n.*

coércive fórce 〖자기〗 항자력(抗磁力)

co·er·civ·i·ty [kòuə:rsívəti] *n.* 보자력(保磁力)

coes·ite [kóusait] *n.* 〖광물〗 코사이트 《고온·고압에서 합성되는 고밀도의 동질 이상(同質異像)》

co·es·sen·tial [kòuisénʃəl] *a.* 본질이 같은, 동체(同體)의 《*with*》 **~·ly** *ad.* **cò·es·sen·ti·ál·i·ty** *n.*

co·e·ta·ne·ous [kòuitéiniəs] *a.* 《문어》 같은 시대[기간]의 **~·ly** *ad.* **co·e·ta·ne·i·ty** [kòuitəní:əti] *n.*

co·e·ter·nal [kòuitə́:rnl] *a.* 영원히 공존하는 **~·ly** *ad.*

co·e·ter·ni·ty [kòuitə́:rnəti] *n.* Ⓤ (다른 영원 존재물과의) 영원한 공존

co·e·val [kouí:vəl] *a.* 같은 시대[연대(年代)]의; 같은 기간의 《*with*》 **—** *n.* 같은 시대[연대]의 사람[것] **~·ly** *ad.* **co·e·val·i·ty** [kòuivǽləti] *n.*

co·ev·o·lu·tion [kòuevəlú:ʃən | -i:və-] *n.* 〖생물〗 공진화(共進化) **~·ar·y** [-èri] *a.*

co·e·volve [kòuivάlv | -vɔ́lv] *vi.* 〖생물〗 〈복수의 생물체가〉 공진화하다

COEX Convention and Exhibition 코엑스, 종합전시장

co·ex·ec·u·tor [kòuigzékjutər] *n.* (*fem.* **-trix** [-triks]) 〖법〗 (유언) 공동 집행인

co·ex·ist [kòuigzíst] *vi.* **1** (동일 장소에) 동시에 존재하다; …와 공존하다 《*with*》 **2** 〈대립하는 두 나라가〉 평화 공존하다 《*with*》

∗**co·ex·ist·ence** [kòuigzístəns] *n.* Ⓤ (국가간의) 공존 (정책), 공재(共在): peaceful ~ 평화 공존 (정책)

co·ex·ist·ent [kòuigzístənt] *a.* 공존하는 《*with*》

co·ex·tend [kòuiksténd] *vi., vt.* 같은 넓이[길이]로 퍼지다[퍼지게 하다] **-ten·sion** [-ténʃən] *n.* (공간·시간적으로) 같은 범위[연장]

---

coerce *v.* compel, force, pressure, drive, impel, constrain, oblige, pressurize

co·ex·ten·sive [kòuiksténsiv] *a.* 동일한 시간[공간]에 걸치는 ⦅*with*⦆; 〖논리〗 동연(同延)의 **~·ly** *ad.*
co·ex·tru·sion [kòuikstrú:ʒən] *n.* 〖공학〗 공유 압출 성형(壓出成形)
co·fac·tor [kóufæktər] *n.* **1** 〖생화학〗 공동 인자, 보조 요인 **2** 〖수학〗 공통 인자; 여(餘)인자[인수]
C. of C. Chamber of Commerce **C. of E.** Church of England
co·fea·ture [kóufi:tʃər] *n.* (주된 영화에 곁들이는) 동시 상영물
‡cof·fee [kɔ́:fi, kɑ́fi | kɔ́fi] *n.* Ⓤ **1 a** 커피(cf. CAFÉ): a cup of ~ 커피 한 잔 / strong[weak] ~ 진한[연한] 커피 / black ~ (우유 또는 크림을 넣지 않은) 블랙커피 / white ~ 우유 또는 크림을 넣은 커피 / decaffeinated ~ 카페인이 없는 커피 / make[brew] ~ 커피를 끓이다 **b** Ⓒ 커피 한 잔: They ordered two ~*s.* 그들은 커피를 두 잔 주문했다. **2** 커피가 딸린 가벼운 식사; 식후의 커피 **3** [집합적] 커피 열매, 커피콩: green ~ 볶지 않은 커피콩 **4** = COFFEE TREE **5** 커피색, 짙은 갈색 **6** (미·속어) 환각제(LSD) ***~ and cake(s)*** (1) = COFFEE-AND 1 (2) (미·속어) 싼 급료 ***~ and cocoa*** (영·속어) 그렇게 말하다(say so)
— *a.* 커피색의
cof·fee-and [kɔ:fiǽnd | kɔ́fi-] *n.* (미) **1** (구어) 커피와 도넛 ⦅가장 싼 식사⦆ **2** (속어) 최저 생활 필수품
cóf·fee-and-cáke jòb [-ənkéik-] (미·속어) 보수가 적은 하찮은 일
cóffee bàg (1회 분의) 커피 봉지
cóffee bàr (영) 차도 제공하는 간이식당
cóffee bèan 커피콩
cóffee bèrry 커피 열매 ⦅한 개 속에 bean이 둘 있음⦆; (속어) 커피 콩(coffee bean)
cóffee brèak (미) 차 마시는 시간, 휴식 시간 ⦅오전·오후 중간의 15분 가량의 가벼운 휴식⦆; (미·라디오 속어) 격의 없는 모임; 매춘부와 만나는 일
cof·fee·cake [-kèik] *n.* 커피케이크 ⦅커피에 곁들여 먹는 과자·케이크⦆
cof·fee-col·ored [-kʌ̀lərd] *a.* 커피색의, 암갈색의; 갈색의
cóffee còoler (미·속어) 편한 일을 바라는 사람; 게으름뱅이
cóffee cùp 커피 잔
cóffee èssence 커피 에센스
cóffee grìnder 1 커피 빻는 기구 **2** (속어) 〖항해〗 (경주용 요트에서) 동삭을 감아 올리기 위한 수동식 소형 윈치 **3** (미·속어) 매춘부 **4** (미·속어) (영화관의) 영사 기사 **5** (미·군대속어) (제 2차 대전 중의) 비행기 엔진; 프로펠러기(機)
cóffee gròunds 커피 찌꺼기
cof·fee·hol·ic [kɔ̀:fihɔ́:lik | kɔ̀fihɔ́l-] *n.* 커피 중독자
cóffee hòur (특히 정례적인) 딱딱하지 않은 다과회; = COFFEE BREAK
cof·fee·house [kɔ́:fihàus | kɔ́fi-] *n.* (*pl.* **-houses** [-hàuziz]) 다방, 커피점 ⦅영국에서 17-18세기에 문인·정객의 사교장⦆ — *vi.* (구어) 먹다, 떠들다, 가벼운 대화를 즐기다
cóffee klàt(s)ch 커피를 마시면서 잡담하는 모임, 다화회(茶話會)
cof·fee-klat(s)ch [-klætʃ] *vi.* 다화회(茶話會)를 열다[에 가다]
cóffee lìghtener (유제품이 아닌) 커피 크림 대용품(coffee whitener)
cóffee machìne 커피 자판기
cóffee màker 커피 끓이는 기구; 커피점; 커피 끓이는 사람
cóffee mìll 커피 열매를 빻는 기구
cóffee mórning 아침 커피 파티 ⦅종종 모금을 위한⦆
cóffee nìbs 대충[굵게] 간 커피 원두
cóffee pèrcolator (여과식) 커피 끓이개
cóffee plànt = COFFEE TREE
cof·fee·pot [-pɑ̀t] *n.* **1** 커피포트, 커피 끓이는 그릇 **2** (미·속어) (특히 심야 영업의) 간이식당 **3** (미·철도속어) 소형 증기 기관차
cóffee ròom 다방
cóffee sèrvice[sèt] 커피 세트
cóffee shòp 1 (미) 커피숍 ⦅호텔 등의⦆ **2** (영) 커피 열매를 파는 가게
cóffee spòon 커피 스푼
cóffee stàll[stànd] 커피를 파는 노점; 옥외 다방
cóffee tàble 커피용 작은 탁자
cóf·fee-ta·ble bòok [-tèibl-] 커피 테이블에 놓아 두고 보는 호화판 책
cof·fee-ta·bler [-tèiblər] *n.* = COFFEE-TABLE BOOK
cóffee tàvern 간이식당 ⦅원래 술을 팔지 않음⦆
cóffee trèe 〖식물〗 커피 나무
cóffee whìtener = COFFEE LIGHTENER
cof·fer [kɔ́:fər, kɑ́f- | kɔ́f-] *n.* **1** 귀중품 상자, 돈궤 **2** [*pl.*] 금고; 재원 **3** 〖건축〗 (소란(小欄) 반자 등의) 소란 — *vt.* **1** 상자[궤짝]에 넣다, 금고에 넣다 **2** 〖건축〗 소란으로 장식하다 **3** 〈흐름 등을〉 막다; 방수하다
cof·fer·dam [kɔ́:fərdæ̀m | kɔ́f-] *n.* **1** 임시 물막이 **2** 〖토목〗 (수중 공사용) 잠함(潛函)(caisson)
cof·fer·ing [kɔ́:fəriŋ, kɑ́f- | kɔ́f-] *n.* 〖건축〗 소란(小欄) 반자
‡cof·fin [kɔ́:fin, kɑ́f- | kɔ́f-] [Gk 「바구니」의 뜻에서] *n.* **1** 관(棺), 널 **2** = COFFIN BONE **3** 〖인쇄〗 **a** 판상 ⦅평압식 인쇄기의 인쇄판을 얹는 대⦆ **b** (옛 목판 인쇄기의) 판의 나무틀 **4** 위험하다고 생각되는 탈것 ⦅낡은 배·비행기·차 등⦆ **5** (미·군대속어) 탱크 **6** (미·속어) 금고 ***a nail in*** one***'s ~*** 수명을 줄이는 것 ⦅근심·술 등⦆ ***drive a nail into*** one***'s ~*** 〈무절제·고민 등이〉 수명을 줄이다 ***in*** one***'s ~*** 죽어, 매장되어
— *vt.* 관에 넣다, 납관(納棺)하다
cóffin bòne 말굽뼈
cóffin còrner 〖미식축구〗 골라인과 사이드 라인이 맞닿는 코너
cóffin jòint (말 등의) 발굽 관절
cóffin nàil[tàck] 1 (속어) = CIGARETTE **2** 담배를 몹시 피우는 사람 **3** ⦅일반적으로⦆ 수명을 단축시키는 것 ⦅음주 등⦆
cóffin plàte 관 뚜껑에 붙이는 명찰
cof·fle [kɔ́:fl, kɑ́fl | kɔ́fl] *n.* 한 사슬에 묶인 한 무리의 짐승[노예]
cof·fret [kɔ́:frit, kɑ́f- | kɔ́f-] *n.* 귀중품을 보관하는 상자, 보석함
co·fig·u·ra·tive [koufígjurətiv] *a.* 각 세대(世代)가 독자적인 가치관을 가지는
co·found·er [koufáundər] *n.* 공동 창설[창립]자
C. of S. Chief of Staff
co·func·tion [kóufʌ̀ŋkʃən] *n.* 〖수학〗 여(餘)함수 ⦅주어진 각의 여각 함수⦆
co·fund [koufʌ́nd] *vt.* 〈사업에〉 공동 출자하다
cog[1] [kɑ́g, kɔ́:g | kɔ́g] *n.* **1** (톱니바퀴의) 이 **2** 〖목공〗 장부 **3** 큰 조직 안에서 일하는 사람 ***a ~ in a wheel*** 큰 조직 속의 하찮은 일원 ***give it some ~*** (속어) (오토바이의) 속도를 올리다 ***slip a ~*** 실수하다
— *v.* (**~ged**; **~·ging**) *vt.* 장부로 잇다; 〖야금〗 〈주괴(ingot)를〉 분괴하다 — *vi.* 〈전기 모터가〉 미끄러지듯 움직이지 않다
cog[2] *n.* 사기, 속임수 — *vi.*, *vt.* (**~ged**; **~·ging**) (주사위 놀이에서) 부정한 수단을 쓰다; (폐어) 속이다
cog[3] *n.* (중세의) 외돛 상선
cog. cognate **c.o.g.** center of gravity
Co·gas [kóugæ̀s] [*co*al-*o*il-*gas*] *n.* 석탄·석유에서 채취하는 가스
co·gen·cy [kóudʒənsi] *n.* ⓊⒸ (이유·추론의) 타당성, 설득력

thesaurus **cognate** *a.* akin, kindred, related, allied, consanguine; allied, affiliated, associated

co·gen·er·ate [koudʒénərèit] *vt.* 폐열 발전하다
co·gen·er·a·tion [kòudʒenəréiʃən] *n.* 열병합(熱併合) 발전, 폐열 발전: a ~ plant 열병합 발전소
co·gent [kóudʒənt] *a.* 사람을 납득시키는, 설복시키는, 힘 있는; 적절한; 강제력이 있는 **~·ly** *ad.*
cogged[1] [kágd | kɔ́gd] *a.* 톱니바퀴가 달린
cogged[2] *a.* (주사위에) 부정한 장치를 한; 부정한
cog·i·ta·ble [kádʒətəbl | kɔ́dʒ-] *a.* 생각할 수 있는, 숙고(熟考)할 만한 대상이 되는
cog·i·tate [kádʒətèit | kɔ́dʒ-] *vi., vt.* 생각하다, 숙고하다; 고안[계획]하다 **-tà·tor** *n.*
cog·i·ta·tion [kàdʒitéiʃən | kɔ̀dʒ-] *n.* **1** Ⓤ 사고(력); 숙고 **2** 고안, 생각
cog·i·ta·tive [kádʒətèitiv, -tət- | kɔ́dʒitət-, -tèit-] *a.* 사고력이 있는; 숙고하는; 생각에 잠기는 **~·ly** *ad.* **~·ness** *n.*
co·gi·to, er·go sum [kádʒitòu-ɔ́:rgou-sʌ́m | kɔ́dʒ-] [L =I think, therefore I am] 나는 생각한다, 고로 나는 존재한다 《Descartes의 근본 철학을 나타내는 말》
co·gnac [kóunjæk, kán- | kɔ́n-] [프랑스의 생산지 이름에서] *n.* Ⓤ [종종 **C~**] 코냑 《프랑스 원산의 브랜디》
*__cog·nate__ [kágneit | kɔ́g-] [L 「혈연 관계가 있는」의 뜻에서] *a.* **1 조상이 같은**, 같은 혈족의(kindred); 《특히》 여계친(女系親)의(cf. AGNATE) **2** 같은 기원(起源)의; 같은 종류의, 같은 성질의 **3** 〖언어〗 같은 어족[어원]의: ~ languages 동계 언어 **4** 〖문법〗 동족의
—*n.* **1** 혈족, 친족(relative); 외척(in-law) **2** 기원이 같은 것, 동종의 것; 유사한 물건 **3** 〖언어〗 동족의 언어; 같은 어원의 말 **~·ly** *ad.*
▷ cognátion *n.*
cógnate óbject 〖문법〗 동족 목적어 《*die* the *death*, *live* a happy *life*에 있어서의 death, life》
cog·nat·ic [kagnǽtik | kɔg-] *a.* =COGNATE
cog·na·tion [kagnéiʃən | kɔg-] *n.* Ⓤ **1** 동족, 친족; 여계친(女系親) **2** 〖언어〗 동계(同系)
cog·ni·tion [kagníʃən | kɔg-] *n.* Ⓤ **1** 〖심리·철학〗 인식, 인식력; 〖법〗 (공식의) 인지 **2** 지식
cog·ni·tion·al [kagníʃənl | kɔg-] *a.* 인식(상)의
cog·ni·tive [kágnətiv | kɔ́g-] *a.* 인식의, 인식력 있는; (지각·기억·판단·추리 등의) 지적·정신적 작용의[에 관한]: ~ power 인식력 **~·ly** *ad.*
cógnitive devélopment 인지 발달
cógnitive díssonance 〖심리〗 인지적(認知的) 불협화
cógnitive méaning 〖언어〗 지적(知的) 의미 《외계 사물에 대한 감정이 내포되지 않은 의미》
cógnitive psychólogy 인지 심리학
cógnitive scíence 인지 과학 《정신적 작업의 질과 그것을 가능케 하는 뇌의 기능을 연구》
cógnitive thérapy 인지 요법
cog·ni·tiv·ism [kágnətivìzm | kɔ́g-] *n.* 〖철학〗 인지주의
cog·ni·za·ble [kágnəzəbl, kagnái- | kɔ́g-, kɔ́n-] *a.* **1** 인식할 수 있는 **2** 〈범죄 등이〉 재판권 내에 있는, 심리될 수 있는 **~·ness** *n.* **-bly** *ad.*
cog·ni·zance [kágnəzəns, kán- | kɔ́gn-, kɔ́n-] *n.* Ⓤ **1** 인식, (사실의) 인지 **2** 인식 범위 **3** 〖법〗 심리(審理); 재판권(jurisdiction); 감독, 통할(control) **4** 기장(記章), 문장(紋章) ***be* [*fall, lie*] *within* [*beyond, out of*]** one***'s ~*** 인식[심리]의 범위 안[밖]에 있다 ***have ~ of*** …을 알고 있다(know) ***take ~ of*** …을 인지하다
cog·ni·zant [kágnəzənt, kán- | kɔ́gn-, kɔ́n-] *a.* Ⓟ 인식하고 있는, 알고 있는 《*of*》; 재판 관할권이 있는: ~ *of* various government regulations 여러 정부 규정을 잘 알고 있는

coherent *a.* logical, rational, reasoned, lucid, consistent, systematic, orderly, organized

cog·nize [kágnaiz | kɔgnáiz, ╱—] *vt.* 〖철학〗 인식하다
cog·no·men [kagnóumən | kɔgnóumen] *n.* (*pl.* **~s, -nom·i·na** [-námənə | -nɔ́m-]) **1** 성(surname) **2** 이름, 명칭, 별명 **3** 〖고대로마〗 셋째 이름, 가명(家名)(family name) 《Gaius Julius Caesar의 *Caesar*》
cog·nom·i·nal [kagnámənl, -nóum- | kɔgnɔ́m-, -nóum-] *a.* 성(姓)의; 명칭상의; 동명의
co·gno·scen·ti [kànjəʃénti, kàgnə- | kɔ̀njə-, kɔ̀gnə-] [It.] *n. pl.* (*sing.* **-te** [-ti]) [집합적] **1** (미술·문학 따위에) 통달한 사람; 감정가(connoisseur) **2** 동성애 친구
cog·nos·ci·ble [kagnásəbl | kɔgnɔ́s-] *a.* 인식할 수 있는
cog·nos·ci·tive [kagnásətiv | kɔgnɔ́s-] *a.* 인식 능력이 있는: ~ powers 인식력 **~·ly** *ad.*
cog·no·vit [kagnóuvit | kɔg-] [L] *n.* 〖법〗 피고 승인서 《피고가 원고의 요구를 정당하다고 승인하는 것》
COGO coordinate geometry 〖컴퓨터〗 토목 공학용의 프로그래밍 언어
cog·rail [kágrèil | kɔ́g-] *n.* (아프트식 철도의) 톱니 레일(cogged rail)
cóg ràilway 《주로 미》 톱니 궤도 철도, 아프트식 철도(rack railway)
cog·wheel [-*h*wì:l] *n.* 맞물리는 톱니바퀴
co·hab [kóuhæ̀b, ─╱] *n.* 《구어》 (미혼의) 동거자, 동거녀[남]
co·hab·it [kouhǽbit] *vi.* **1** 〈미혼 남녀가〉 동거하다 《*with*》 **2** 공동 생활하다 **3** 〈다른 종의 동물들이〉 공동 서식하다
co·hab·it·ant [kouhǽbətənt] *n.* 동거인
co·hab·i·tate [kouhǽbətèit] *vi.* =COHABIT
co·hab·i·ta·tion [kouhæ̀bətéiʃən, ╲──╱─] *n.* Ⓤ **1** 동거, 부부살이 **2** 공동 생활 **3** (이종 동물 등의) 공동 서식 **4** (정치에서) 반대당과의 협력 《특히 한쪽이 대통령이고 다른 쪽이 수상인 경우》
co·hab·it·ee [kouhæ̀bətí:] *n.* 동거인
co·heir [kouɛ́ər] *n.* 〖법〗 공동 상속인
~·ship *n.* Ⓤ 공동 상속 자격
co·heir·ess [kouɛ́əris] *n.* 〖법〗 여자 공동 상속인
co·here [kouhíər] [L 「함께 들러붙다」의 뜻에서] *vi.* **1** 밀착하다; 〈분자가〉 응집[결합]하다; (주의 등으로) 결합하다 **2** 〈논리 등이〉 조리가 서다, 시종 일관하다 **3** 〖식물〗 합착[연착]을 나타내다
co·her·ence, -en·cy [kouhíərəns(i), -hér- | -híər-] *n.* Ⓤ **1** 결합의 긴밀성, 결합력 **2** (문체·논리 등의) 통일, 일관성 **3** 〖물리·광학〗 (파(波)의) 간섭성
*__co·her·ent__ [kouhíərənt, -hér- | -híər-] *a.* **1** 〈문체·논리 등이〉 **시종일관한**, 조리가 서는; 분명히 말할 수 있는: a ~ plan 일관된 계획 **2** 응집성의, 밀착하는 《*with, to*》 **3** 〖물리〗 〈전자파가〉 간섭성의 **4** 〖식물〗 합착의 **5** 〖수학〗 연접의 **~·ly** *ad.*
co·her·er [kouhíərər, -hér- | -híər-] *n.* **1** 〖통신〗 코히러 《무선 전신용 검파기(檢波器)》 **2** 밀착하는 사람[것]
*__co·he·sion__ [kouhí:ʒən] *n.* Ⓤ **1 점착; 결합**(력) **2** 〖물리〗 (분자의) 응집력 **3** 결합, 합착(合着) **4** 단결 **5** 〖언어〗 결속성 (작용) **~·less** *a.*
*__co·he·sive__ [kouhí:siv] *a.* **1 점착력이 있는, 결합력 있는**, 밀착하는 **2** 〖물리〗 응집성의
~·ly *ad.* **~·ness** *n.*
co·ho·bate [kóuhoubèit] *vt.* 〖약학〗 재증류하다
co·hort [kóuhɔ:*r*t] *n.* **1** 일대(一隊), 일단(一團) 《*of*》 **2** 《주로 영》 한패, 동료 **3** 〖고대로마〗 보병대 《legion을 10등분한 한 부대로 300명 내지 600명》 **4** 《문어》 군대(army) **5** 공범자; 지원[지지]자 **6 a** 코호트 《동일한 통계 인자를 가진 집단; 동일 연령 집단, 동일 수업 집단 등》 **b** 코호트 《생물의 분류 단위 중의 하나; 식물의 목(目), 동물의 아목(亞目) 등》
co-host [kouhóust, ╱╲] 〖라디오·TV〗 *vt., vi.* (프로그램을) 공동 사회를 보다 **—** [╱╲] *n.* 공동 사회자

COI (영) Central Office of Information
coif [kɔ́if] *n.* **1** (수녀들의) 두건 **2** (영국의 옛 상급 법정 변호사의) 흰 직모(職帽) **3** =COIFFURE
coif·feur [kwɑːfə́ːr] [F] *n.* (남자) 이발사(hairdresser)
coif·feuse [kwɑːfə́ːz] [F] *n.* (여자) 이발사 《coiffeur의 여성형》
coif·fure [kwɑːfjúər] [F] *n.* **1** 조발형(調髮型), 머리형 **2** 쓰개 《모자류의 총칭》; 《폐어》 (여자용) 머리 장식 **—** *vt.* 〈여성의〉 머리를 정리하다; (머리 장식으로) 장식하다 **coif·fúred** *a.*
coign(e) [kɔ́in] *n.* (벽 등의) 돌출한 부분[모퉁이]; 구석돌 ***~ of vantage*** (관찰이나 행동에) 유리한 위치[상태, 지위]
***coil**[1] [kɔ́il] [L 「모으다」의 뜻에서] *vt.* 똘똘 감다, 사리다: ~ a rope 밧줄을 똘똘 감다 // (~+목+부) The snake *~ed* itself *up* in the cave. 뱀이 동굴 속에서 사리고 있었다. // (~+목+전+명) He *~ed* a wire *around* a stick. 그는 막대기에 철사를 똘똘 감았다. **—** *vi.* 사리를 틀다, 감기다, 고리를 이루다; 〈강 따위가〉 구불구불 휘다: (~+전+명) The snake *~ed around*[*round*] its victim. 뱀은 먹이를 휘감았다.
— *n.* **1** 고리, 사리 **2** (새끼·철사 등의) 한 사리; 〖전기〗 코일 **3** (고리 모양으로) 말린 머리털 **4** 〖의학〗 피임 링 **5** 모기향(=**mosquíto ~**)
coil[2] *n.* 《고어·시어》 격동, 혼란; 번거로움, 수고(trouble) ***this mortal ~*** 속세의 번뇌: shuffle off *this mortal* ~ 이 세상 번뇌를 벗다, 죽다 《Shakespeare 작 *Hamlet*에서》
cóil sprìng 코일 용수철
‡**coin** [kɔ́in] [OF 「주형(鑄型)」의 뜻에서] *n.* **1** (지폐에 대해서) 경화(硬貨), 주화(鑄貨): a copper[silver, gold] ~ 동[은, 금]화 **2** [집합적] 경화, 동전; 돈, 금전: Much ~, much care. 《속담》 돈이 많으면 걱정도 많다. ***pay a person* (*back*) *in his*[*her*] *own*[*the same*] *~*** 《구어》 …에게 대갚음하다 ***the other side of the ~*** (사물의) 다른 일면 ***toss*[*flip*] *a ~*** 동전을 던져 올려서 결정하다
— *vt.* **1** 〈화폐를〉 주조하다(mint) **2** 〈신어 등을〉 만들어 내다: a *~ed* word 신조어(新造語) **3** 〈두뇌를〉 이용해 돈을 벌다; 〈사상 등을〉 바꾸다 《*into*》 **4** 〖금속공예〗 (금속 조각에) 압인 가공을 하다
— *vi.* **1** 화폐를 주조하다 **2** 《영》 가짜돈을 만들다
~ money*[*it*] (*in*)** 《영·구어》 [보통 진행형으로] 돈을 마구 벌다 ***~ one's brains 머리를 써서 돈을 벌다 ***to ~ a phrase*** 말하자면, 시쳇말로 하자면 《상투어를 쓸 때》
— *a.* **1** 경화의 **2** 경화를 넣으면 작동하는
▷ cóinage *n.*
COIN [kɔ́in] *n., a.* =COUNTERINSURGENCY
***coin·age** [kɔ́inidʒ] *n.* Ⓤ **1** 경화 주조 **2** [집합적] 주조 화폐; 한 나라[시대]의 경화 **3** 화폐 주조권; 화폐 제도 **4** (어휘·낱말 등의) 신조(新造); 안출; Ⓒ 신조어, 신어(coined word); 발명품; 위조 물건
***the ~ of fancy*[*one's brain*]** 공상[두뇌]의 산물
▷ cóin *v., n.*
cóin bòx **1** (공중전화·자동 판매기 등의) 동전통 **2** 《영》 공중전화
cóin chànger 동전 교환기
***co·in·cide** [kòuinsáid] [L 「함께 일어나다」의 뜻에서] *vi.* **1** 〈두 가지 일이〉 동시에 일어나다, 동시에 같은 공간을 차지하다; 〈둘 이상의 일이〉 부합[일치]하다 《*with*》: Our birthdays ~. 우리들의 생일은 같은 날이다. // (~+전+명) His free time does not ~ *with* mine. 그와 나의 여가 시간은 일치하지 않는다. **2** 〈행동·취미 등이〉 일치하다 《*with*》; 의견[견해]을 같이하다 《*in*》: (~+전+명) His occupation *~s with* his specialty. 그의 직업은 전공과 일치한다./ The committeemen did not ~ *in* opinion. 위원들의 의견이 일치하지 않았다.
▷ coíncidence *n.*; coíncident, coincidéntal *a.*

***co·in·ci·dence** [kouínsidəns] *n.* Ⓤ **1** (우연의) 일치, 부합: a strange ~ 우연치고는 이상한 **2** 〈일이〉 동시에 일어남, 동시 발생 **3** Ⓒ 동시에[우연히 같이] 일어난 사건 **4** 〖물리〗 합치법, 동시 계수법
▷ coincíde *v.*; coíncident, coincidéntal *a.*
coíncidence cìrcuit[còunter, gàte] 〖전기〗 일치 회로
***co·in·ci·dent** [kouínsidənt] *a.* 《문어》 **1** (…와) 일치하는, 부합하는 《*with*》; (의견이) 일치하여 《*with*》 **2** 동시에 일어나는
— *n.* 동시에 일어나는 것[사건]
~·ly *ad.* ▷ coincíde *v.*; coíncidence *n.*
co·in·ci·den·tal [kouìnsidéntl] *a.* **1** 일치[부합]하는 **2** 동시에 일어나는 **~·ly** *ad.*
coíncident índicator 《미》 〖경제〗 (경기 동향 지표의) 일치 지표, 동시 지표 《경제 상태를 즉시 반영》
coin·er [kɔ́inər] *n.* **1** 화폐 주조자 **2** 《영》 《특히》 위조 경화를 만드는 사람(《미》 counterfeiter) **3** (신어의) 고안자
co·in·her·it·ance [kòuinhérətəns] *n.* Ⓤ 공동 상속
co·in·her·i·tor [kòuinhérətər] *n.* 공동 상속자
cóin làundry 경화 투입식 자동 세탁기(가 있는 세탁소)(《미》 Laundromat, launderette)
cóin lòck 동전을 넣어야 열 수 있는 자물쇠
cóin machìne =SLOT MACHINE
cóin of the réalm 법정 화폐(legal tender)
coin-op [kɔ́inɑ̀p | -ɔ̀p] [*coin-op*erated] *n.* 《구어》 **1** =COIN LAUNDRY **2** 자동 판매기 **—** *a.* =COIN-OPERATED
coin-op·er·at·ed [kɔ́inɑ̀pəreitid | -ɔ̀p-] *a.* 동전 투입식의, 자동 판매의 **—** *n.* =COIN LAUNDRY
cóin sìlver 동전 주조용 은(銀)
co·in·stan·ta·ne·ous [kòuinstəntéiniəs] *a.* 동시의, 동시에 일어나는(simultaneous) **~·ly** *ad.*
co·in·sur·ance [kòuinʃúərəns] *n.* Ⓤ 공동 보험
co·in·sure [kòuinʃúər] *vt., vi.* 공동 보험에 들다
Co·in·tel·pro [kòuintélprou] [*co*unter *intel*ligence *pro*gram] *n.* (미국 FBI의) 대(對) 파괴자 정보 활동
co·in·ven·tor [kòuinvéntər] *n.* 공동 발명자
cóin vídeotex términal 경화 투입식 비디오텍스 단말 《자동 정보 판매기》
coir [kɔ́iər] *n.* 야자 껍질의 섬유
cois·trel [kɔ́istrəl] *n.* 《고어》 **1** 기사의 말을 돌보는 종 **2** 악당
coit[1] [kɔ́it] *n.* 《호주·속어》 엉덩이
co·it[2] [kóuət] *n., vt., vi.* (여자와) 성교(를 하다)
co·i·tal [kóuitl] *a.* 성교의, 교미(交尾)의 **~·ly** *ad.*
co·i·tus [kóuitəs], **co·i·tion** [kouíʃən] *n.* Ⓤ 성교(性交)(sexual intercourse)
cóitus in·ter·rúp·tus [-ìntərʌ́ptəs] 〖의학〗 중절 성교 《피임을 위한 질외 사정》
cóitus re·ser·vá·tus [-rèzərvéitəs, -vɑ́ːt-] 〖의학〗 보류(保留) 성교 《사정을 참아 오래 지속하는》
co·jo·nes [kəhóuneis, -niːz] [Sp.] *n. pl.* **1** 고환, 불알 **2** 용기(勇氣)
coke[1] [kóuk] *n.* Ⓤ [종종 *pl.*] 〖화학〗 코크스
Go and eat ~ 《속어》 저리 가!
— *vt., vi.* 〈석탄을[이]〉 코크스로 만들다[가 되다]
coke[2] *n.* 《속어》 =COCAINE **—** *vt.* 마약[《특히》 코카인]으로 마비시키다, 코카인을 흡입시키다 《*up, out*》 ***be ~d up*** 《미·속어》 마약에 취하다; 술에 취하다
Coke [kóuk] *n.* 《미·구어》 =COCA-COLA
coke·a·hol·ic [kòukəhɔ́ːlik, -hɑ́l- | -hɔ́l-] *n.* 《미·속어》 코카인 중독자
cóke-bot·tle glàsses [-bɑ̀tl- | bɔ̀tl-] 《속어》 (코카콜라 병의 밑처럼) 렌즈가 두꺼운 안경

thesaurus **coil**[1] *v.* wind, spiral, loop, curl, twist, twine, snake, wreathe, entwine
coincidence *n.* accidence, chance, luck, fortuity

coke·head [kóukhèd] *n.* 《미·속어》 **1** 코카인 중독자 **2** 바보, 멍청이

cóke òven 코크스 제조 가마

co·ker·nut [kóukərnʌ̀t] *n.* 《주로 영》 =COCONUT

cok·er·y [kóukəri] *n.* =COKE OVEN

cok·ie, cok·ey [kóuki] *n.* 《속어》 코카인 중독자; 풋내기 **—***a.* 코카인 중독의; 풋내기의; 긴장이 풀린

cók·ing còal [kóukiŋ-] 점결탄(粘結炭)

col [kɑ́l | kɔ́l] [L 「목」의 뜻에서] *n.* (산과 산 사이의) 안부(鞍部); 〖기상〗 기압골

COL computer-oriented language; cost of living

col. collected; collector; college; colonial; colony; colored; column; counsel **Col.** Colombia; Colonel; Colorado(cf. COLO.); Colossians

col-[1] [kəl, kɑl | kəl, kɔl] *pref.* =COM-

col-[2] [koul, kɑl | kəl, kɔl], **colo-** [kóulou, -lə, kɑ́l- | kóu-, kɔ́l-] 《연결형》 「대장(大腸); 결장(結腸); 대장균」의 뜻 《모음 앞에서는 col-》

co·la[1] [kóulə] *n.* **1** 〖식물〗 콜라 《벽오동과(科)의 상록 교목; 서부 아프리카산》 **2** 콜라 《1의 추출액을 원료로 한 암흑색의 탄산 음료》 **3** 《미·속어》 =COCAINE

cola[2] *n.* COLON[2]의 복수

COLA [kóulə] [*c*ost *o*f *l*iving *a*djustment] *n.* 《미》 〖경제〗 생계비 조정 《생계비 지수의 상승도에 따라 임금을 인상하는 일》

co·la·hol·ic [kòuləhɔ́:lik, -hɑ́l- | -hɔ́l-] *n.* 《미·속어》 콜라 중독자

col·an·der [kʌ́ləndər, kɑ́l- | kʌ́l-, kɔ́l-] *n.* (부엌용) 물 거르는 장치, 여과기 **—***vt.* 여과하다

cóla nùt 콜라 열매(kola nut) 《강장제》

co·lat·i·tude [koulǽtətjù:d, -tjù:d] *n.* Ⓤ 여위도(餘緯度) 《어느 위도와 90°와의 차이》

Cól·by (**chéese**) [kóulbi-] 콜비 치즈

col·can·non [kəlkǽnən] *n.* Ⓤ 《아일》 양배추와 감자를 삶아 으깬 요리

col·chi·cine [kɑ́ltʃəsì:n, -sin, kɑ́lkə- | kɔ́l-] *n.* Ⓤ 콜히친 《일종의 식물 호르몬제》

col·chi·cum [kɑ́ltʃikəm, kɑ́lki- | kɔ́l-] *n.* 〖식물〗 콜키쿰 《백합과(科)의 다년생 식물로, 씨에서 콜히친을 채취함》; 콜히친 제제(製劑)

Col·chis [kɑ́lkis | kɔ́l-] *n.* 콜키스 《흑해에 면한 고대 국가》; 〖그리스신화〗 황금 양털의 나라

col·co·thar [kɑ́lkəθər | kɔ́l-] *n.* Ⓤ 〖화학〗 철단(鐵丹) 《황화철을 가열해서 만드는 적색 안료》

cold [kóuld] *a.* **1** 추운, 찬, 차가운; 차게 한, 식은(채 먹는): a ~ wind 찬 바람 / a ~ fit 오한, 한기 / a ~ bath 냉수욕 / feel ~ 춥게 느끼다, 한기가 들다 **2 a** 냉담한 《*in*》; 쌀쌀한(unfriendly); 무정한: a ~ heart 냉정한 마음, 무정 / ~ in manner 태도가 냉담한 **b** 냉철한(calm), 신중한 **3 a** 무관심한; 흥을 깨는; 마음 내키지 않는: ~ news 언짢은 소식 **b** Ⓟ (구어) (알아맞히기 놀이에서) 어림이 빗나간, 좀처럼 맞지 않는 **4** 〈맛이〉 약한; 〖사냥〗 〈짐승이 남긴 냄새가〉 희미한(faint): a ~ scent 희미한 냄새 **5** 〖미술〗 한색(寒色)의 《청색·회색 등》: a picture ~ in tone 색조가 차가운 그림 **6** 〈뉴스 따위가〉 (시간이 지나) 신선미를 잃은 **7** 〈땅이〉 열을 흡수하기 어려운 **8** 불감증의 **9** Ⓟ 《구어》 (구타 등으로) 기절하여; 죽은 **10** 〈분노 따위가〉 격한 **11** 〖금속가공〗 냉간(冷間)(가공)의, 재결정 온도 이하의 **12** 《속어》 범죄와 무관한, 혐의 없는, 결백한 **13** 《속어》 〈연구소·화학 공장 등이〉 방사능을 취급하지 않는 **14** 《미·속어》 〈금액 등이〉 에누리 없는 **15** 〖생태〗 저온성의 **16** 《구어》 완전히 습득한; 능숙한 **17** 〖인쇄〗 콜드(cold type)의 **18** 《미·속어》 (게임에서) 운이 안 따르는; 어려운, 불필요한 **19** 《미·속어》 멋있는, 최고의 **20** 《미·속어》 인기 없는; 팔리지 않는

(***as***) ***~ as a fish*** 매우 냉정한 (***as***) ***~ as charity*** 냉담한, 차가운 ***blow hot and ~*** 이랬다 저랬다 하다 ***give the ~ shoulder to*** a person ⇨ cold shoulder. ***have*** [***get***] a person ***~*** …을 마음대로 주무르다 ***have*** [***get***] ***~ feet*** ⇨ foot. ***have*** a thing (***down***) ***~*** …을 완벽하게 알다 ***in ~ blood*** ⇨ blood. ***knock*** [***lay***] (***out***) a person ***~*** 《구어》 때려서 기절시키다 ***leave*** a person ***~*** …에게 아무 흥미[인상]도 주지 않다 ***make*** a person***'s blood run ~*** 소름 끼치게 하다 ***throw*** [***pour***] ***~ water on*** ⇨ cold water.

—*n.* **1** Ⓤ 추위, 냉기; 빙점 이하의 추위(frost): die from ~ 얼어 죽다 / feel the ~ 추위가 뼈에 스미다 **2** ⓊⒸ [때때로 a ~] 감기, 고뿔: *a* head ~ = *a* ~ in the head[nose] 코감기 / *a* ~ in[on] the chest [lungs] 기침 감기 **3** 고립; 무시 **4** 《영·속어》 냉동육 ***catch*** (***a***) ***~*** = ***take ~*** 감기 들다, 감기 걸리다 ***come out of ~*** 추운 곳에서 안으로 들어오다; 그만두다, 손을 떼다 (five) ***degree of ~*** 영하 (5)도 ***~ without*** 《속어》 냉수만 탄 위스키[브랜디] ***have a*** (***bad***) ***~*** (악성) 감기에 걸려 있다 ***out ~*** 의식이 없는(unconscious) (***out***) ***in the ~*** (1) 한데에 버려진 상태로 (2) 무시당해, 따돌림당해: He was left *out in the ~*. 그는 따돌림[냉대]을 받았다.

—*ad.* **1** 《미·구어》 완전히, 모두 **2** 《구어》 갑자기, 예고 없이 **3** 〖금속가공〗 냉간 가공하여, 재결정 온도 이하에서 **4** 《미·속어》 현행범으로

▷ cóldly *ad.*; cóldness *n.*

cóld·bar sùit [kóuldbɑ̀:r-] 〖군사〗 방한·방수를 겸한 플라스틱제 전투복

cóld blást (용광로에 불어 넣는) 냉풍, 찬바람

cóld blóod 《미·속어》 맥주

cold-blood·ed [kóuldblʌ́did] *a.* **1** 〖동물〗 냉혈의 (opp. *warm-blooded*) **2** 《구어》 추위에 민감한 **3** 냉담한, 피도 눈물도 없는(cruel) **4** 〈말 등이〉 잡종의 **~·ly** *ad.* **~·ness** *n.*

cóld bóot 〖컴퓨터〗 콜드 부트 《컴퓨터의 전원을 넣어서 개시하는 시동 프로세스》

cold-call [-kɔ̀:l] *vt.* 〈물건을 팔기 위해 고객을〉 임의로 방문[전화]하다

—*n.* [종종 **cold call**로] (물건을 팔기 위한) 임의적 고객 방문; (생명 보험·투자 신탁 등에서의) 권유 전화

cold-call·ing [kóuldkɔ̀:liŋ] *n.* Ⓤ (불특정 고객에 대한) 무작위 전화 영업

cóld cáse 《미·속어》 (범죄 수사의) 미해결 사건, 오리무중의 사건; 매우 나쁜 상황, 궁지

cóld cásh 현금

cóld chàin 저온(低溫)[냉동] 유통 체계 《생선·야채 등을 냉동·저온 상태로 공급함》

cóld chìsel (금속용) 정

cold-cock [-kɑ̀k | -kɔ̀k] *vt.* 《미·속어》 (주먹이나 몽둥이로) 실신할 정도로 때리다

cóld cóffee 《미·속어》 =COLD BLOOD

cóld cólor 〖미술〗 한색(寒色) 《청색, 회색 등》

cóld cómfort 달갑지 않은 위로

cóld cóunsel 달갑지 않은 조언

cóld crèam 콜드크림 《화장 크림의 일종》

cóld cùts 얇게 저며 익힌 냉육(冷肉) 《샌드위치용》

cóld dárk mátter 〖우주과학〗 찬 암흑 물질 《우주에 존재한다고 여겨지는, 에너지가 적은 거대한 입자로 구성된 물질; 略 CDM》

cóld déck **1** (카드놀이에서 바꿔치기하기 위한) 부정 카드의 한 벌 **2** 벌채소(伐採所)에 남겨둔 통나무

cold-deck [-dèk] *vt.* 속이다, 사기하다(cheat) **—***a.* 부정한

cóld dràwing 〖야금〗 상온(常溫)[냉간(冷間)]에서 잡아늘이기

cold-drawn [-drɔ̀:n] *a.* **1** 〖야금〗 상온(常溫)에서 잡아늘인 **2** 평온에서 추출(抽出)한

cóld dúck [때로 C- D-] 콜드 덕 **1** 버건디와 샴페인을 같은 비율로 탄 술 **2** 백포도주·샴페인·레몬 주스·설탕을 섞은 음료수》

---

cold *a.* **1** 추운 chilly, cool, freezing, bitter, frigid, wintry, frosty **2** 냉담한 unresponsive, unfeeling, unemotional, passionless, indifferent

cold-eyed [kóuldáid] *a.* 냉담한, 냉정한
cóld féet 《구어》 겁, 공포; 달아나려는 자세 ***have* [*get*] ~** 겁을 내다
cóld físh 《구어》 냉담한 사람
cóld fràme 〖원예〗 냉상(冷床) 《난방 장치가 없는 프레임》
cóld frònt 〖기상〗 한랭 전선(cf. WARM FRONT)
cóld fúsion (통상의 실내 온도와 같은 비교적 낮은 온도나 압력에서 발생된다고 가정되는) 저온 핵융합 방식
cold-ham·mer [-hǽmər] *vt.* 〈금속을〉 상온(常溫)에서 단련하다
cold-heart·ed [-hɑ́:rtid] *a.* 냉담한; 무정한, 쌀쌀맞은(unkind) **~·ly** *ad.* **~·ness** *n.*
cold·ie [kóuldi] *n.* 《호주·구어》 차가운 병[깡통]맥주
cold·ish [kóuldiʃ] *a.* 좀 추운; 꽤 찬
cóld líght 냉광, 무열광(無熱光) 《인광·반딧불 등》
cold-liv·ered [kóuldlívərd] *a.* 냉담한, 무정한
‡**cold·ly** [kóuldli] *ad.* 춥게, 싸늘하게; 냉정하게, 쌀쌀하게; 냉담하게
cóld méat **1** 냉육 **2** 하급 요리 **3** 《속어》 시체
cóld móoner 월면 운석설(隕石說) 주장자 《달의 분화구(crater)는 운석의 충돌로 인해 생겼다고 믿는》
cóld móulding 상온(常溫) 주조
***cold·ness** [kóuldnis] *n.* Ⓤ 추위, 차가움; 냉정; 냉담
cóld òne 《구어》 차게 한 맥주 한 잔
cóld pàck 냉찜질; (통조림의) 저온 처리법; 《미·속어》 녹아웃 (펀치)
cold-pack [kóuldpæ̀k] *vt.* …에 냉찜질을 하다; 〈과일·주스 등을〉 저온 처리법으로 통조림하다
cóld pàtch 콜드 패치 《자동차 타이어 튜브 수리용 고무 조각》
cold-patch [-pæ̀tʃ] *vt.* 〈자동차 튜브를〉 콜드 패치로 수리하다
cóld píg 《영·구어》 (잠을 깨우기 위해) 끼얹는 냉수
cóld póle 〖기상〗 한극(寒極) 《남북 양반구에서 연평균 온도가 최저인 곳》
cold-proof [-prù:f] *a.* 내한(耐寒)의, 방한의
cold-roll [-ròul] *vt.* 〈금속을〉 냉간 압연하다
cóld rólling 냉간 압연(冷間壓延)
cóld ròom 냉장실
cóld rúbber 저온 고무 《낮은 온도에서 만든 강한 합성 고무》
cóld sàw 〖기계〗 상온 톱 《상온에서 강판을 절단하는 톱》
cold-short [-ʃɔ́:rt] *a.* 〖야금〗 추위에 약한 〈금속 등〉 **~·ness** *n.*
cóld shòt 《미·속어》 헐뜯기, 깎아내리기, 모욕
cóld shóulder [냉대받는 나그네에게는 식은 양의 어깨고기를 내놓은 데서] 《구어》 무시, 냉대 ***give* [*show, turn*] *the* ~ *to*** a person …에게 쌀쌀[냉담]하게 대하다
cold-shoul·der [-ʃóuldər] *vt.* 《구어》 냉대하다
cóld shútdown (원자로의) 냉각 운전 정지
cold·slaw [kóuldslɔ̀:] *n.* = COLESLAW
cóld snàp[spèll] 갑자기 엄습하는 한파
cóld sòre 〖병리〗 (감기·고열로 인한) 입가의 발진
cóld spèll 한동안의 추위, 추운 기간
cóld spòt 〖생리〗 냉점 《피부의 냉각점》
cóld stárt 〖컴퓨터〗 콜드 스타트, 완전 시작 《일반 컴퓨터의 초기의 프로그램 로드》
cóld stéel 《문어》 날붙이 《칼·총검 등》
cóld stórage **1** (먹을 것 등의) 냉장(실); 동결 상태 **2** 《미·속어》 묘, 묘지 ***put in* ~** 무기 연기하다
cóld stóre 냉동 창고
cold-store [kóuldstɔ́:r, ⌐⌐] *vt.* 〈식료품·모피 따위를〉 냉장시켜 두다
cóld swéat 식은 땀
cóld táble 찬[식은] 요리(를 차려 놓은 테이블)
cóld túrkey **1** 《미·속어》 솔직한 이야기, 노골적인 이야기; 새침데기 **2** (마약 환자에게) 갑자기 마약 사용을 중지시킴 **3** 냉담한 사람 **4** 《미·속어》 (경매에서) 경쟁을 그만두고 미리 정해 놓은 값으로 파는 일 **5** 《미·속어》 팁을 주지 않는 손님
— *ad.* 《미·속어》 돌연; 준비 없이 ***go* ~** (담배·마약·술 등) 나쁜 습관을 갑자기 완전히 끊다
cold-tur·key [-tɔ́:rki] *vi., vt.* 《미·속어》 〈흡연이나 마약 등을〉 즉각 끊다 — *a.* 돌연한
cóld týpe 〖인쇄〗 콜드 타이프 《사진 식자처럼 활자 주조를 하지 않는 식자》
cóld wár 냉전 (상태)(opp. *hot*[*shooting*] *war*); [the C- W-] (제2차 세계 대전 후) 미·구소련 간의 냉전
cóld wárrior 냉전주의자; 냉전(시대)의 정치가
cóld wàter 《구어》 (희망·계획 등에) 찬물을 끼얹기 ***throw* [*pour*] ~ *on*** (열중하고 있는 계획 등에) 트집을 잡다, …에 찬물을 끼얹다
cold-wa·ter [-wɔ̀:tər] *a.* **1** (아파트에) 온수 설비가 없는, 냉수를 쓰는 **2** 금주(禁酒) 집단의
cóld-water flát 《미북동부》 (온수 설비가 안 된) 아파트
cóld wàve **1** 〖기상〗 한파(opp. *heat wave*) **2** 콜드 파마
cold-weld [kóuldwéld] *vt.* (우주 공간에서) 〈두 금속을〉 냉간 용접하다
cóld wórk (금속의) 상온(常溫) 가공
cold-work [-wɔ̀:rk] *vt.* 〈금속을〉 상온[냉간] 가공하다
cole [kóul] *n.* 〖식물〗 서양평지(rape)
co·lec·to·my [kəléktəmi] *n.* (*pl.* **-mies**) ⓊⒸ 〖외과〗 결장(結腸) 절제(술)
cole·man·ite [kóulmənàit] *n.* 〖광물〗 회붕광(灰硼鑛)
Co·le·op·ter·a [kòuliɑ́ptərə, kɑ̀li- | kɔ̀liɔ́p-] *n. pl.* 〖곤충〗 딱정벌레목(目), 초시류
co·le·op·ter·an [kòuliɑ́ptərən, kɑ̀li- | kɔ̀liɔ́p-] 〖곤충〗 *a.* 딱정벌레목(目)의 — *n.* 딱정벌레
co·le·op·ter·ist [kòuliɑ́ptərist, kɑ̀li- | kɔ̀liɔ́p-] *n.* 딱정벌레 연구가
co·le·op·te·ron [kòuliɑ́ptərɑ̀n, kɑ̀l- | kɔ̀liɔ́ptərɔ̀n] *n.* (*pl.* **-te·ra** [-tərə]) 〖동물〗 초시류(의 딱정벌레) **-te·rous** *a.* **-te·rist** *n.* 딱정벌레 학자
co·le·op·ter·ous [kòuliɑ́ptərəs, kɑ̀l- | kɔ̀liɔ́p-] *a.* 〖곤충〗 딱정벌레 무리의, 초시류의
co·le·op·tile [kòuliɑ́ptil, kɑ̀li- | kɔ̀liɔ́p-] *n.* 〖식물〗 자연초, 초엽
co·le·o·rhi·za [kòuliəráizə, kɑ̀l- | kɔ̀l-] *n.* (*pl.* **-zae** [-zi:]) 〖식물〗 근초(根梢), 유근초
Cole·ridge [kóulridʒ] *n.* 콜리지 **Samuel Taylor** ~ (1772-1834) 《영국의 시인·비평가》 **Cole·ridg·ean, Cole·ridg·i·an** *a.*
cole·seed [kóulsì:d] *n.* ⓊⒸ 〖식물〗 평지의 씨
cole·slaw [kóulslɔ̀:] *n.* 《미》 다진 양배추 샐러드
co·le·us [kóuliəs] *n.* (*pl.* **~·es**) 〖식물〗 콜레우스속(屬) 《꿀풀과(科)의 관엽 식물》
cole·wort [kóulwə̀:rt, -wɔ̀:rt | -wə̀:t] *n.* = COLE
co·ley [kóuli] *n.* 《영》 〖어류〗 = COALFISH
co·li [kóulài] *n., a.* 장[결장]에 존재하는 세균(의), 《특히》 대장균속(屬)의 세균(의)
col·ic [kɑ́lik | kɔ́l-] *n.* **1** [종종 the ~] 〖병리〗 산통(疝痛), 배앓이 **2** 유아가 다양한 불쾌감으로 인해 빈번하게 우는 증상 — *a.* 결장(結腸)의
col·i·cin [kɑ́ləsin | kɔ́l-] *n.* 〖약학〗 콜리신 《대장균의 균주에서 만들어 내는 항균성 물질》
col·ick·y [kɑ́liki | kɔ́l-] *a.* 〖병리〗 **1** 산통의; 산통을 일으키는 **2** 산통으로 괴로워하는
col·i·form [kɑ́ləfɔ̀:rm, kóul- | kɔ́l-] *a.* 대장균의 [비슷한] — *n.* = COLIFORM BACILLUS
cóliform bacíllus[bactérium] 〖세균〗 장내(腸內) 박테리아, 대장균
Col·in [kɑ́lin, kóul- | kɔ́l-] *n.* 남자 이름

thesaurus **collaborate** *v.* cooperate, work together, join, join forces, unite, combine
collapse *v.* **1** 무너지다 fall in, cave in, give way, come apart, crumple **2** 결렬되다 break down, fail,

co·li·phage [kάləfèidʒ] *n.* 대장균 분해 바이러스
col·i·se·um [kὰləsí:əm | kɔ̀lisíəm] *n.* **1** 대연기장(大演技場), 대경기장 **2** [**C~**] =COLOSSEUM
co·lis·tin [kəlístin] *n.* 〖약학〗 콜리스틴《항균제》
co·li·tis [kəláitis, kou- | kɔ-, kə-] *n.* Ⓤ 〖병리〗 대장염(大腸炎)
coll. collateral; colleague; collect; collection; collective; collector; college; collegiate; colloquial **collab.** collaboration; collaborator
∗**col·lab·o·rate** [kəlǽbərèit] [L 「함께 일하다」의 뜻에서] *vi.* **1** 공동으로 일하다, 합작하다, 공동 연구하다 (*with*); 협력[협동]하다: (~+전+명) ~ *on* a work with a person …와 공동으로 일하다 **2** (점령군·적국에) 협력하다: (~+전+명) ~ *with* an enemy 적에 협력하다
∗**col·lab·o·ra·tion** [kəlæ̀bəréiʃən] *n.* **1** Ⓤ **a** 협동; 합작, 공동 연구; 협조, 원조 **b** 이적 행위 **2** (공동 연구 등의) 성과, 공동 제작품, 공저(共著) ***in ~ with*** …와 협력하여
col·lab·o·ra·tion·ism [kəlæ̀bəréiʃənìzm] *n.* (적·점령군 등에 대한) 부역, 협력 **-ist** *n.*
col·lab·o·ra·tive [kəlǽbərèitiv, -rət-] *a.* 협력[협조]적인, 합작하는; 공동 제작[연구]의 **~·ly** *ad.*
col·lab·o·ra·tor [kəlǽbərèitər] *n.* 공편자(共編者), 합작자; 협력자; 이적 행위자
col·lage [kəlά:ʒ, kou- | kə-, kɔ-] [F 「아교 붙임」의 뜻에서] *n.* 〖미술〗 **1** Ⓤ 콜라주 (기법)《사진·철사·신문·광고 조각 등을 맞추어 선과 색을 배합한 추상적 구성법》 **2** 콜라주 작품
— *vt.* …의 콜라주를 제작하다 **col·lág·ist** *n.*
col·la·gen [kάlədʒən | kɔ́l-] *n.* Ⓤ 〖생화학〗 교원질(膠原質), 콜라겐: ~ disease 교원병(膠原病)
col·la·gen·ase [kάlədʒənèis | kɔ́l-] *n.* 〖생화학〗 교원질(膠原質) 분해 효소
col·la·gen·o·lyt·ic [kὰlədʒənəlítik | kɔ̀l-] *a.* 〖생화학〗 교원 용해의, 교원 분해성의
col·lap·sar [kəlǽpsɑ:r] *n.* 〖천문〗 =BLACK HOLE 1
‡**col·lapse** [kəlǽps] [L 「함께 넘어지다」의 뜻에서] *vi.* **1** 〈건물 등이〉 무너지다 **2** 〈계획·희망 등이〉 좌절되다; 〈회담·교섭 등이〉 결렬되다: My plan *~d.* 나의 계획은 좌절되었다. **3** 쇠약해지다; 폭락하다 **4** 〈책상·의자 등이〉 접어지다 **5** 〈사람이〉 쓰러지다, 맥없이 주저앉다; 〖의학〗 극도로 쇠약해지다; 〈폐 등이〉 (산소 부족으로) 허탈(虛脫)하다 **6** 〖크리켓〗 연속으로 패하다
— *vt.* **1** 무너뜨리다, 붕괴시키다; 〈계획·희망·운동 따위를〉 좌절시키다 **2** 〈기구를〉 접다: ~ a chair[telescope] 의자[망원경]를 접다 **3** 〖의학〗 〈폐 등을〉 허탈케 하다 **4** 〈전언·글 따위를〉 짧게 정리하다, 축약하다(compress) **5** 〈규칙 따위를〉 하나로 정리하다
— *n.* Ⓤ 무너짐, 와해(瓦解); (내각·은행 등의) 붕괴; (희망·계획 등의) 좌절(failure); (건강 등의) 쇠약; 〖의학〗 허탈; 의기소침
col·laps·i·ble, -a·ble [kəlǽpsəbl] *a.* 접을 수 있는 〈배·기구·침대 등〉 — *n.* 접을 수 있는 것
‡**col·lar** [kάlər | kɔ́l-] [L 「목」의 뜻에서] *n.* **1** 칼라, 깃: a stand-up[turndown] ~ 세운[접은] 칼라 **2** (목에 거는) 훈장; (장식용) 목걸이(necklace): a ~ of pearls 진주 목걸이 **3** (개 등의) 목걸이; 말의 어깨에 맨 줄 **4** (동물의 목 둘레의) 변색부; 〖식물〗 경령(頸領)《뿌리와 줄기의 경계부》 **5** 〖기계〗 고리(ring); 〖건축〗 =COLLAR BEAM **6** 속박; (미·속어) 체포 **7** 롤 말이로 만든 돼지고기[생선] (요리) **8** 〖럭비〗 태클(tackle) **9** 〖지리〗 퇴적암층
against the ~ 곤란을 무릅쓰고 ***build a ~*** (미·속어) (체포하기 위해) 증거 확보를 하다 ***feel*** a person***'s collar*** (영·속어) 〈경관이〉 …을 체포하다 ***fill*** one***'s ~*** (구어) 본분을 다하다, 직무를 훌륭하게 수행하다 ***hot under the ~*** (속어) 화를 내어, 흥분하여 ***in***[***out of***] ***~*** (구어) 취직[실직]하여 ***in the ~*** 〈활동이〉 억제되어, 속박되어 ***make a ~*** (속어) 체포하다 ***put the ~ on ...*** 〈피하고 싶어하는 사람을〉 붙들다 ***seize***[***take***] a person ***by the ~*** …의 목덜미를 잡다 ***slip the ~*** 곤란을 면하다 ***the ~ of SS*** [***S's, Esses***] SS자꼴의 수장(首章)《영국 궁내관(宮內官)·런던 시장·고등 법원장 등의 관복의 일부》 ***wear***[***take***] a person***'s ~*** …의 명령에 복종하다 ***work up to the ~*** 열심히 일하다
— *vt.* **1** 깃[목걸이]을 달다 **2** (구어) …의 목덜미를 잡다, 체포하다; (난폭하게) 붙잡다: The policeman *~ed* the thief. 경찰관이 그 도둑을 잡았다. **3** 〖럭비〗 태클하다 **4** (속어) 자기 마음대로 하다, 좌우하다, 독점하다 **5** 〈고기를〉 롤로 말다 **6** (미·속어) 완전히 이해하다 **7** (속어) 훔치다(steal)
— *vi.* 〖금속공학〗 〈재료가〉 압연기 롤에 휘감기다 ***~ a nod*** (속어) 졸다
cóllar bèam 〖건축〗 작은 연결보
col·lar·bone [kάlərbòun | kɔ́l-] *n.* 〖해부〗 쇄골
cóllar bùtton (미) 칼라 단추((영) collar stud)
col·lard [kάlərd | kɔ́l-] *n.* [보통 *pl.*] 콜라드《kale의 일종; 식용》
col·lared [kάlərd | kɔ́l-] *a.* **1** 칼라[목걸이]를 단 **2** 롤 말이로 만 〈고기 등〉
col·lar·et(te) [kὰlərét | kɔ̀l-] *n.* (영) 여성복의 칼라; 병목에 붙이는 선전 종이
cóllar hàrness (마차를 끄는) 말의 목에 매는 줄
col·lar·less [kάlərlis | kɔ́l-] *a.* 칼라[옷깃]가 없는
cóllar stùd (영) =COLLAR BUTTON
cóllar wòrk (비탈에서 말이) 치끌기; 몹시 힘든 일
collat. collateral(ly)
col·late [kəléit, kóuleit | kəléit, kɔl-] *vt.* **1** 대조(對照)하다, 맞추어 보다 (*with*): *~d* telegram 조회 전보 **2** 〖제본〗 페이지 순서를 맞추다 **3** 〖그리스도교〗 성직에 임명하다 **4** 함께 합치다(put together) **5** 〖로마법〗 〈생전 증여 재산분을〉 균분 상속에 도입하다
∗**col·lat·er·al** [kəlǽtərəl | kɔl-] *a.* **1** 서로 나란한, 평행한(parallel) **2** 부수적인, 보조적인, 2차적인; 〖법〗 직계가 아닌, 방계의(cf. LINEAL) **3** 〖상업〗 담보로 내 놓은: a ~ security 근저당/a ~ loan 담보 대출금 **4** 〖식물〗 병생[병립]하는
— *n.* **1** 방계(傍系) 친족, 척속(戚屬) **2** 부대 사실[사정]: ~ circumstance 부수 사정 **3** 〖상업〗 근저당, 담보 물건 **4** 〖해부〗 **a** 부수[부속]하는 부분 **b** (혈관·신경 등의) 옆 가지 **c** =COLLATERAL CIRCULATION
col·làt·er·ál·i·ty *n.* **~·ly** *ad.*
colláteral circulátion 부행 순환
colláteral dámage 〖군사〗 부수적 피해《군사 행동으로 인한 민간인의 인적·물적 피해》
col·lat·er·al·ize [kəlǽtərəlàiz | kɔl-] *vt.* 〈대출금을〉 담보 물건으로 보증하다; 〈유가 증권 등을〉 담보 물건으로 쓰다
colláteral lóan 〖금융〗 증권[부동산] 담보 융자
col·lát·ing márk [kəléitiŋ-] 〖제본〗 접지 순서표
collàting séquence 〖컴퓨터〗 병합(併合) 순서《일련의 데이터 항목의 순서를 정하기 위해 쓰는 임의의 논리적 순서》
col·la·tion [kəléiʃən, koul- | kɔl-, kəl-] *n.* ⓊⒸ **1** 대조 (조사); (책의) 페이지 순서 조사; 〖법〗 (권리의) 조사(調査) **2** 〖그리스도교〗 성직 임명 **3** Ⓒ (문어) 간식; 〖가톨릭〗 가벼운 식사《단식일에 허용되는》
col·la·tive [kəléitiv, koul- | kɔl-, kəl-] *a.* **1** 〖그리스도교〗 성직 임명권을 가진 **2** 대조하는
col·la·tor [kəléitər, koul- | kɔl-] *n.* **1** 대조자, 교정자 **2** (제본에서의) 페이지 수 맞추는 사람[기계] **3** 〖컴퓨터〗 (천공 카드의) 병합기(併合機)
∗**col·league** [kάli:g | kɔ́l-] [L 「함께 선택된 사람」의 뜻에서] *n.* (주로 관직·교수·공무 등 직업상의) 동료 **~·shìp** *n.* Ⓤ 동료 관계

---

come to nothing **3** 쓰러지다 faint, pass out, lose consciousness, swoon, kneel over
colleague *n.* associate, partner, coworker, teammate, fellow worker, collaborator

⁑col·lect[1] [kəlékt] *vt.* **1** 모으다, 수집하다

> 유의어 **collect** 어떤 목적으로 선정하여 모으다: *collect* stamps 우표를 수집하다 **gather** 흩어져 있는 것을 한 장소로 모으다: *gather* shells 조가비를 주워 모으다

2 〈세금·집세 등을〉 **징수하다**; 〈기부금을〉 모집하다; 《미》 〈뇌물을〉 정기적으로 받다; 《주로 영》 손에 넣다: ~ taxes 세금을 징수하다 / ~ contributions for a school 학교를 위한 기부금을 모으다 **3** 〈생각을〉 집중하다, 가다듬다; 〈용기를〉 불러일으키다; [~ one*self* 로] 마음을 가다듬다, 정신을 차리다: ~ one's courage 용기를 불러일으키다 **4** 《구어》 〈수하물 등을〉 가지러 가다, 가져오다; 〈사람을〉 데리러 가다, 데려오다 **5** 〖승마〗 〈달리고 있는 말에게〉 수축 자세를 취하게 하다 **6** 《고어》 (…에서) 〈…이라고〉 추측하다 《*from*; *that*》 **7** 《호주·뉴질·구어》 …과 충돌하다(collide) **8** 〈빛·에너지 따위를〉 흡수하다
— *vi.* **1** 모이다 **2** 〈눈·먼지 등이〉 쌓이다 **3** 기부금을 모집하다 《*for*》; 수금하다 《*for*》 ***~ eyes*** (자신의 언동에) 남의 주의를 끌다 ***~ one's thought*** 생각을 정리하다
— *a., ad.* 《미》 수취인[수신자] 지불의[로](《영》 carriage forward): call a person ~ …에게 수신자 지불로 전화를 걸다
— *n.* 《호주·구어》 내기에서 딴 돈
▷ colléction *n.*; colléctive *a.*

col·lect[2] [kɑ́lekt | kɔ́l-] *n.* 《가톨릭의》 본기도, 《영국 국교회에서》 특도(特禱) 《짧은 기도문》

col·lec·ta·ne·a [kɑ̀lektéiniə | kɔ̀l-] *n. pl.* 발췌, 선집(選集); 잡록(雜錄)

colléct cáll [kəlékt-] 수신인 요금 지불 통화

col·lect·ed [kəléktid] *a.* **1** 모은, 수집한: ~ papers 논문집 **2** 침착한 **3** 〈진행 중인 말이〉 자세를 수축시킨 **~·ly** *ad.* **~·ness** *n.*

col·lect·i·ble, -a·ble [kəléktəbl] *a.* 모을 수 있는; 징수할 수 있는 **—** *n.* [보통 *pl.*] 수집할 가치가 있는 것, 수집 대상물

⁑col·lec·tion [kəlékʃən] *n.* **1** Ⓤ **a** **수집**, 채집: make a ~ of books 책을 수집하다 **b** (우편물의 우체통으로부터의) 회수 **2** **a** **수집물**, 소장품 **b** (복식의) 콜렉션, 신작품 (발표회) **3** ⓊⒸ **수금**; 징세(徵稅) **4** Ⓤ 기부금 모집; Ⓒ 헌금, 기부금 **5** (물·먼지·종이 등의) 퇴적: a ~ of garbage 쓰레기 더미 **6** [*pl.*] 《영》 (대학의) 학기 시험 **7** (말의) 수축 자세 **8** (사고(思考) 등의) 집중; 안정 **9** 《영·구어》 (차로) 송영(送迎)(하는 일) **10** 《폐어》 추측 ***make a ~ for*** the fund (자금)을 위하여 기부금을 모집하다 ***take up a ~*** in church (교회에서) 모금하다 **~·al** *a.*
▷ colléct *v.*; colléctive *a.*

colléction àgency 미수금 처리 대행 회사

colléction bòx (특히 교회의) 헌금함; = MAILBOX 2

***col·lec·tive** [kəléktiv] *a.* **1** **집합적인**, 집합성(性)의 **2** **집단적인**; 공동의(common): ~ note (각국의 대표자가 서명한) 공동 각서(覺書) / ~ ownership 공동 소유권 **3** 〖문법〗 집합적인
— *n.* **1** 집단; 공동체 **2** 〖문법〗 = COLLECTIVE NOUN **3** 집단 농장 **4** 〖정치〗 집산주의 사회[단체]
~·ly *ad.* 집합적으로, 총괄하여; 〖문법〗 집합 명사적으로
▷ colléct, colléctivize *v.*; colléction, collectívity *n.*

colléctive agréement 〖노동〗 (노사간의) 단체 협약; 단체 협약 세부 목차

colléctive bárgaining 〖노동〗 단체 교섭

colléctive behávior 〖사회〗 집단 행동

colléctive fárm (구소련의) 집단 농장, 콜호스(kolkhoz)

colléctive frúit 〖식물〗 집합과(集合果) 《오디·파인애플 등》

colléctive góods 공유 재산 《도로·공공건물 따위》

colléctive léadership 집단 지도 체제 《특히 공산권 국가에서》

colléctive màrk 단체 마크 《단체의 상표·서비스 마크 등》

colléctive nóun 〖문법〗 집합 명사

colléctive secúrity (국제간의) 집단 안전 보장

colléctive uncónscious 〖심리〗 집단 무의식 《Jung 학설의》

col·lec·tiv·ism [kəléktəvìzm] *n.* Ⓤ 집산(集産)주의 **-ist** *n.* 집산주의자

col·lec·tiv·is·tic [kəlèktəvístik] *a.* 집산주의의, 집산주의적인 **-ti·cal·ly** *ad.*

col·lec·tiv·i·ty [kɑ̀lektívəti | kɔ̀-] *n.* (*pl.* **-ties**) **1** 집합성; 집단성; 공동성 **2** 집합체, 집단 **3** [집합적] 민중, 인민; 전 국민 **4** 집산주의

col·lec·ti·vize [kəléktəvàiz] *vt.* 〈국민·산업 등을〉 집산주의화하다; 〈토지를〉 집단 농장화하다; 공영화하다 **col·lèc·ti·vi·zá·tion** *n.*

col·lec·to·ma·ni·a [kəlèktəméiniə] *n.* 수집벽, 수집광

colléct on delívery 《미》 대금 상환 인도(《영》 cash on delivery) 《略 C.O.D.》

***col·lec·tor** [kəléktər] *n.* **1** **수집가**; 채집자 **2** **수금원**; 세리(稅吏); (관세의) 징수관; (정거장의) 집찰원; 《인도》 징세관(徵稅官) 겸 지방 장관 **3** 수집기[장치]; 〖전기〗 집전기(集電器); 〖전자〗 집전극

col·lec·tor·ate [kəléktərət] *n.* 《인도》 징세관의 직[관할구]

colléctor elèctrode 〖전자〗 컬렉터 전극, 집전극(集電極)

col·lec·tor·ship [kəléktərʃìp] *n.* ⓊⒸ 수금원[징세관]의 직분; 징세권

colléctor's ìtem 수집가의 흥미를 끄는 물건, 일품(《영》 collector's piece)

col·leen [kɑ́liːn, ─ˊ | kɔ́-, ─ˊ] *n.* 《아일》 아가씨, 소녀, 처녀

⁑col·lege [kɑ́lidʒ | kɔ́-] [L 「동료(colleague)의 단체」의 뜻에서] *n.* **1** 《주로 미》 《일반적으로》 **대학**, 칼리지: a ~ student 대학생 / be at[in] ~ 대학 재학 중이다 / enter (a) ~ 대학에 입학하다 **2** 《영》 (Oxford, Cambridge 등의 대학교의 자치 조직이며 전통적 특색을 가진) **칼리지** **3** (종합 대학(university)의) 학부; (university의 한 기관으로서의) 연구소; 단과 대학 **4** 《영·캐나다》 사립 중등 학교(public school): Eton *C*~ 이튼 학교 **5** 특수 전문 학교: a ~ of theology 신학교 / the Royal Naval *C*~ 《영》 해군 사관학교 **6** (대학의) 교사(校舍) **7** 협회, 단체; 선거 위원단: the electoral ~ 《미》 대통령[부통령] 선거인단 **8** 무리, 떼: a ~ of bees 벌떼 **9** college의 교수진[학생, 사무 직원] **10** 《영·속어》 교도소(prison) **11** (노인·고아·병자 등의) 수용 시설
go to ~ 대학에 들어가다 ***the C~ of Heralds* [*Arms*]** = ***the Heralds' C~*** 《영》 문장원(紋章院) ***the C~ of Justice*** 스코틀랜드 고등 법원
▷ collégiate, collégial *a.*

Cóllege Bóards 《미》 대학 입학 자격 시험 《상표명》

col·lege-bred [kɑ́lidʒbréd | kɔ́-] *a.* 대학 교육을 받은, 대학 출신의

cóllege càp 대학 제모, 각모(角帽)

cóllege fàir 대학 진학 설명회 《매년 9-11월에 미국 각지의 진학 희망 고교생을 위한》

cóllege lívíng 《영》 대학이 임명권을 가진 성직(聖職)

cóllege lòan 《미》 대학 학비 대부금

Cóllege of Cárdinals 〖가톨릭〗 [the ~] 추기경회(會), 추기경단(Sacred College)

cóllege of educátion 사범 대학

> **thesaurus** **collect**[1] *v.* **1** 모으다 gather, accumulate, assemble, amass, pile up, store, save, hoard, heap up, aggregate (opp. *disperse*) **2** (기부금을) 모으다 gather, solicit, secure, raise,

col·lege-pre·par·a·to·ry [-pripǽrətɔ̀:ri | -təri] *a.* 대학 입시 준비의 〈과정·학교〉

cóllege pùdding ⦅영⦆ (한 사람 앞에 한 개의) 작은 건포도 푸딩

col·leg·er [kálidʒər | kɔ́-] *n.* **1** ⦅영⦆ Eton College의 장학생 **2** ⦅미⦆ 대학생 **3** ⦅속어⦆ (대학의) 각모(角帽)(mortarboard)

cóllege trý ⦅구어⦆ [보통 the old ~로] (모교나 팀을 위한) 열성적인 노력, 타협 없는 한결같은 노력; 최대의 노력: Let's give it ~. 최선을 다해 보자.

col·le·gial [kəlí:dʒəl, -dʒiəl | -dʒiəl] *a.* = COLLEGIATE **~·ly** *ad.*

col·le·gi·al·i·ty [kəlì:dʒiǽləti, -giǽ-] *n.* 동료간의 협조·협력 관계; 〖가톨릭〗 주교끼리의 권한의 평등

col·le·gian [kəlí:dʒən, -dʒiən] *n.* college의 학생[졸업생]; 단체 따위의 일원; ⦅영·속어⦆ 교도소 수용자

col·le·giate [kəlí:dʒət, -dʒiət] *a.* **1** college(의 학생)의; 대학 정도의; 대학생다운; 대학생용(用)의 **2** ⦅영⦆ college 조직의; 동료가 평등하게 권한을 가지는 **3** 단체 조직의 **~·ly** *ad.*

collégiate chúrch **1** ⦅영⦆ (dean이 관리하는) 대성당 **2** ⦅스코·미⦆ 협동(協同) 교회 **3** 대학 부속 예배당

collégiate ínstitute ⦅캐나다⦆ (주(州) 정부의 감독 아래 보통 과목을 가르치는) 고등학교

col·le·gi·um [kəlí:dʒiəm] *n.* (*pl.* **-gi·a** [-dʒiə], **~s**) **1** (각자가 평등한 권리를 가진) 회, 법인 **2** 〖그리스도교〗 신학교 **3** (구소련의) 협의회

collégium mú·si·cum [-mjú:zikəm] 주로 오래되거나 잘 알려져 있지 않은 음악을 연구하고 연주하는 보통 아마추어 음악가 그룹

col·lem·bo·lan [kəlémbələn] *a.* 톡토기목(目) 곤충의 **—** *n.* 뛰는[튀는] 벌레(springtail) **-bo·lous** *a.*

col·len·chy·ma [kəléŋkəmə] *n.* 〖식물〗 후각(厚角) 조직 **col·len·chym·a·tous** [kɑ̀lənkímətəs | kɔ̀-] *a.*

col·let [kálit | kɔ́l-] *n.* **1** 물건을 둘러싼 원, 띠 모양의 물건; 보석 받침, 거미발 **2** 〖기계〗 콜릿 **—** *vt.* 〈보석을〉 보석 받침에 끼우다

*__col·lide__ [kəláid] [L 「함께 부딪치다」의 뜻에서] *vi.* **1** 충돌하다, 부딪치다 ⦅*against, with*⦆: Two motorcars *~d.* 두 대의 자동차가 충돌했다. // ⦅~+전+명⦆ The car *~d with* the truck. = The car and the truck *~d.* 승용차와 트럭이 충돌했다. **2** 〈의지·목적 등이〉 일치하지 않다, 상충하다 ⦅*with*⦆ **—** *vt.* 충돌시키다 ▷ collísion *n.*

col·lid·er [kəláidər] *n.* 〖물리〗 입자 가속기(particle accelerator)

col·lie [káli | kɔ́li] *n.* 콜리 ⦅스코틀랜드 원산의 양 지키는 개⦆

collie

col·lier [káljər | kɔ́l-] *n.* **1** (탄갱의) 갱부(coal miner) **2** 석탄선(coal ship); 석탄선 선원 **3** ⦅폐어⦆ 석탄 운송업자; 석탄 장수 **4** 탄을 태우는 사람

col·lier·y [káljəri | kɔ́l-] *n.* (*pl.* **-lier·ies**) ⦅영⦆ (건물·설비를 포함한) 탄갱(coal mine)

col·li·gate [káligèit | kɔ́-] *vt.* **1** 결합시키다 **2** 〖논리〗 종합[총괄]하다 **—** *vi.* 집합의 일원이 되다

col·li·ga·tion [kɑ̀ləgéiʃən | kɔ̀-] *n.* Ⓤ 총괄, 종합

col·li·ga·tive [káləgèitiv | kəlígə-] *a.* 〖물리·화학〗 속일성(束一性)의

col·li·mate [káləmèit | kɔ́-] *vt.* **1** 〖광학〗 시준(視準)[조준]하다 **2** 〈렌즈·광선을〉 평행하게 하다, 같은 방향으로 하다 **còl·li·má·tion** *n.*

obtain, acquire **3** 모이다 gather, assemble, congregate, converge, cluster, flock together, rally

collide *v.* **1** 충돌하다 crash, smash, bump, bang **2** 상충하다 conflict, clash, differ, disagree

col·li·ma·tor [káləmèitər | kɔ́-] *n.* 〖광학〗 시준기; 분광기(spectroscope); 〖천문〗 (망원경의) 시준의(儀)

col·lin·e·ar [kəlíniər, kou- | kɔ-] *a.* 〖수학〗 동일 선상의, 공선(共線)적인 **~·ly** *ad.*

col·lins[1] [kálinz | kɔ́-] [Jane Austen 작 *Pride and Prejudice* 중의 등장인물 이름에서] *n.* ⦅영·구어⦆ 환대에 대한 인사장

collins[2] [고안자인 Tom Collins의 이름에서] *n.* [종종 **C~**] 진을 탄 음료 ⦅칵테일의 일종⦆

*__col·li·sion__ [kəlíʒən] *n.* ⓊⒸ **1** 충돌(clash), 격돌: a head-on ~ 정면 충돌 **2** (이해·의견·목적 등의) 상충, 대립; (당 등의) 알력(軋轢) ***come into*** [***be in***] **~** (***with***) (…와) 충돌[대립]하다[해 있다] **~·al** *a.* **~·al·ly** *ad.* ▷ collíde *v.*

collísion còurse 충돌 침로[노선]; ⦅비유⦆ (의견 등의) 충돌이 예상되는 상황: be on a ~ 극한 충돌이 일어날 상황에 놓여 있다

collísion màt 〖항해〗 방수(防水) 거적 ⦅충돌 등으로 생긴 구멍을 막는⦆; ⦅미·속어⦆ 와플; 팬케이크

col·lo·cate [káləkèit | kɔ́-] [L 「한 곳에 놓다」의 뜻에서] *vt.* **1** 나란히 놓다; 배열하다 **2** 배치하다; 〖문법〗 〈말을〉 연결시키다 **—** *vi.* 〖문법〗 (다른 말과) 연어를 이루다 **—** *n.* 〖언어〗 연어 구성어

col·lo·ca·tion [kɑ̀ləkéiʃən | kɔ̀-] *n.* ⓊⒸ **1** 나란히 놓음, 병치, 배열 **2** 〖문법〗 낱말의 배치; 연어(連語), 연어 관계[법] **~·al** *a.*

col·loc·u·tor [kəlákjutər, káləkjù:- | kəlɔ́kju-] *n.* 이야기 상대자, 대담자

col·lo·di·on [kəlóudiən], **-di·um** [-diəm] *n.* Ⓤ 〖화학〗 콜로디온

col·lo·di·on·ize [kəlóudiənàiz] *vt.* …에 콜로디온을 바르다, 콜로디온으로 처리하다

col·logue [kəlóug] *vi.* 밀담(密談)하다; 공모하다

col·loid [kálɔid | kɔ́l-] *n.* 〖화학〗 콜로이드, 교질(膠質) **—** *a.* = COLLOIDAL

col·loi·dal [kəlɔ́idl] *a.* 콜로이드 같은, 교질의

col·lop [káləp | kɔ́-] *n.* **1** 얇은 고기 조각; 얇은 조각(small slice) **2** ⦅고어⦆ (살찐 사람 또는 동물의) 피부의 주름살

colloq. colloquial(ism); colloquially

*__col·lo·qui·al__ [kəlóukwiəl] *a.* 구어(체)의, 담화체의, 일상 회화의, 격식을 차리지 않은(informal)(opp. *literary*) ★ 교육을 받은 사람이 평소에 쓰는 말; 무교육자의 말과는 다름. **~·ism** *n.* ⓊⒸ 구어[담화]체; 회화체; 구어(적) 표현 **~·ly** *ad.*

col·lo·quist [káləkwist | kɔ́-] *n.* 대화[담화]자

col·lo·qui·um [kəlóukwiəm] *n.* (*pl.* **~s, -qui·a** [-kwiə]) (대학의) 세미나(conference); ⦅일반적으로⦆ 토론회

col·lo·quize [káləkwàiz | kɔ́-] *vi.* 대화하다

col·lo·quy [káləkwi | kɔ́-] [L 「담화, 회담」의 뜻에서] *n.* (*pl.* **-quies**) ⓊⒸ (정식의) 담화, 회화(conversation); (미국 의회의) 자유 토의; 대화 형식의 문학 작품

col·lo·type [kálətàip | kɔ́-] *n.* **1** Ⓤ 콜로타이프; 콜로타이프판 ⦅사진 제판의 일종⦆ **2** 콜로타이프 인쇄물 **—** *vt.* 콜로타이프로 인쇄하다

col·lude [kəlú:d] *vi.* 결탁하다, 공모[담합]하다

col·lu·nar·i·um [kɑ̀ljunέəriəm | kɔ̀-] *n.* (*pl.* **-i·a** [-iə]) 〖의학〗 세비제(洗鼻劑)(nose drops)

col·lu·sion [kəlú:ʒən] *n.* ⓊⒸ **1** 공모, 결탁 **2** 〖법〗 통모(通謀): the parties in ~ 통모한 소송 당사자 ***act in ~ to*** (do) 공모하여 …하려고 하다 ***in ~ with*** …와 한패거리가 되어

col·lu·sive [kəlú:siv] *a.* 공모의, (미리) 결탁한 **~·ly** *ad.* **~·ness** *n.*

col·lu·vi·um [kəlú:viəm] *n.* (*pl.* **-vi·a** [-viə], **~s**) 〖지질〗 붕적층(崩積層), 붕적토

col·ly [káli | kɔ́li] *n.* = COLLIE

col·lyr·i·um [kəlíriəm] *n.* (*pl.* **-i·a** [-iə], **~s**) 〖의학〗 세안약(洗眼藥)(eyewash)

col·ly·wob·bles [kɑ́liwɑ̀blz | kɔ́liwɔ̀blz] *n. pl.* [the ~; 단수·복수 취급] 《구어》 **1** 복통, 설사 **2** 공포감, 정신적 불안

colo- [kóulou, -lə | kóu-, kɔ́-] 《연결형》 =COL-[2]

Colo. Colorado 《공식 약어; cf. COL.》

col·o·bus [kɑ́ləbəs | kɔ́-] *n.* 〖동물〗 콜로부스속(屬) 원숭이 《꼬리가 발달한 아프리카 원숭이》

co·lo·cate [koulóukeit] *vt.* (시설을 공용하도록) 〈둘 이상의 부대를〉 같은 장소에 배치하다

col·o·cynth [kɑ́ləsìnθ | kɔ́-] *n.* **1** 〖식물〗 콜로신스 《박과(科)의 식물》 **2** Ⓤ 그 열매로 만든 하제(下劑)

co·log·a·rithm [koulɔ́:gəriðm, -riθm, -lɑ́- | -lɔ́-] *n.* 〖수학〗 여대수(餘對數) 《어떤 수의 역수의 로그; 분수의 로그를 표현하는 데 사용》

Co·logne [kəlóun] [L 「식민지(colony)」의 뜻에서] *n.* **1** 쾰른 《독일의 라인 강변에 있는 도시》 **2** [때로 **c~**] Ⓤ 오드콜로뉴(=**~ wàter**) 《화장수》

Co·lom·bi·a [kəlʌ́mbiə | -lɔ́m-] *n.* 콜롬비아 《남미 북서부에 있는 공화국; 수도 Bogotá》

Co·lom·bi·an [kəlʌ́mbiən | -lɔ́m-] *a.* 콜롬비아의; 콜롬비아 사람의 **—***n.* 콜롬비아 사람

Colómbian góld 《속어》 (남아메리카산(産)의 강한) 마리화나

Co·lom·bo [kəlʌ́mbou] *n.* **1** 콜롬보 《Sri Lanka의 수도·항구 도시》 **2** 콜롬보 분지 《달의 표면 제4분원에 있는 직경 50마일 정도의 분지》

Colómbo Plán [the ~] 콜롬보 계획 《영국 연방의 동남아 개발 계획》

‡**co·lon**[1] [kóulən] [Gk. 「지체(肢體), 부분」의 뜻에서] *n.* (구두점의) **콜론** 《:》

USAGE (1) 대구(對句) 사이 또는 설명구·인용구 앞 등에 쓰인다 (2) 시(간)·분·초를 나타내는 숫자 사이에 쓰인다: 10 : 35 : 40 10시 35분 40초 (3) 성서의 장·절 사이에 쓰인다: *Matt.* 5 : 6 마태복음 5장 6절 (4) 대비를 나타내는 숫자 사이에 쓰인다: 4 : 3 4대3 ★ four to three라고 읽음.

colon[2] *n.* (*pl.* **~s, co·la** [-lə]) 〖해부〗 결장(結腸)

co·lon[3] [koulóun] *n.* (*pl.* **~s, -lo·nes** [-lóuneis]) 콜론 《코스타리카 및 엘살바도르의 화폐 단위; =100 centimos (코스타리카), =100 centavos (엘살바도르); 기호 C》

co·lon[4] [kóulɑn, kəlɑ́n | kɔlɔ́n, kə-] [F] *n.* (특히 알제리의) 식민지의 농부, 농장주

cólon bacillus [kóulən-] 〖세균〗 대장균

‡**colo·nel** [kə́:rnl] [It. 「대열(column)」의 뜻에서] *n.* 《미》 (육군·공군·해병대) **대령**; 《영》 (육군) 대령, 연대장; 《미》 (주경찰의) 경시감; 《미남부》 단장, 각하 《단순한 경칭》

Cólonel Blímp [만화의 주인공 이름에서] 《경멸》 예스러운 사고방식의 사람; 반동주의자

cólonel commándant 〖영국군〗 여단장

colo·nel·cy [kə́:rnlsi] *n.* Ⓤ colonel의 직(위)

colo·nel-in-chief [kə́:rnlintʃí:f] *n.* (*pl.* **colonels-, ~s**) 《영》 명예 연대장

colo·nel·ship [kə́:rnlʃip] *n.* =COLONELCY

co·lo·ni·a [kəlóuniə] *n.* (미국 남서부의) 멕시코인[멕시코계 미국인] 거주지(구)

‡**co·lo·ni·al** [kəlóuniəl] *a.* **1** **식민(지)의**; 식민지 풍의: a ~ policy 식민지 정책 / the ~ period[era] 식민지 시대 **2** [종종 **C~**] 《미》 **a** 식민지 시대의 **b** 〈건축 등이〉 식민지 시대풍의: ~ architecture 식민지 시대풍의 건축 **3** 〖생태〗 군체(群體)의

—*n.* 식민지 주민; 식민지 시대풍의 건물; 식민지용으로 만들어진 것 《우표·경화 따위》

~·ly *ad.* **~·ness** *n.* ▷ cólony *n.*

colónial ánimal 군체 동물

colónial góose 《호주·뉴질》 양고기 통구이

co·lo·ni·al·ism [kəlóuniəlìzm] *n.* Ⓤ **1** 식민지주의, 식민 정책 **2** 식민지풍[기질] **-ist** *n.*

co·lo·ni·al·ize [kəlóuniəlàiz] *vt.* 식민지화하다

Colónial Óffice [the ~] 《영》 식민성(省)

co·lon·ic [koulɑ́nik, kə- | -lɔ́-] *a.* 결장(結腸)의 **—***n.* 결장 세척

‡**col·o·nist** [kɑ́lənist | kɔ́-] *n.* **1** 해외 이주민, 식민지 이주자; 《특히》 식민지 개척자 **2** 식민지 주민 **3** 외래 동식물 **4** 《미》 선거 투표를 위한 일시적인 이주자

col·o·ni·tis [kòulənáitis] *n.* Ⓤ 〖병리〗 결장염(結腸炎)

col·o·ni·za·tion [kɑ̀lənizéiʃən | kɔ̀lənai-] *n.* Ⓤ **1** 식민지화[건설] **2** 《미》 (선거를 위한) 일시적 이주 **3** 〖생태〗 (동식물의) 군체(colony) 형성 **~·ist** *n.*

col·o·nize [kɑ́lənàiz | kɔ́-] *vt.* **1** 식민지로서 개척하다 **2** 이주시키다; 《미》 (선거구에) 유권자를 일시 이주시키다 **3** 〈식물을〉 이식(移植)하다 **4** (…에) 〈파괴 공작원을〉 보내다 《*with*》 **5** 〈정신 박약자·성격 이상자 등을〉 격리시키다 **—***vi.* 식민지를 만들다; 개척자가 되다

col·o·niz·er [kɑ́lənàizər | kɔ́-] *n.* **1** 식민지 개척자 **2** 《미》 이주해 온 유권자 **3** 〖동물〗 이주종(種)

col·on·nade [kɑ̀lənéid | kɔ̀-] *n.* **1** 〖건축〗 열주(列柱), 주랑(柱廊) **2** 가로수 **-nád·ed** *a.*

co·lon·o·scope [koulɑ́nəskòup, kə- | -lɔ́-] *n.* 〖의학〗 결장경(鏡)

co·lon·os·co·py [kòulənɑ́skəpi | -nɔ́s-] *n.* 결장경 검사(법)

co·lo·nus [kəlóunəs] *n.* (*pl.* **-ni** [-nai, -ni]) (로마 제국 후기 또는 초기 봉건 시대의) 콜로누스, 소작인, 농노(serf)

‡**col·o·ny** [kɑ́ləni | kɔ́-] [L 「농지(農地)」의 뜻에서] *n.* (*pl.* **-nies**) **1** **식민지**; [the Colonies] (미합중국을 형성한) 동부 13주의 영국 식민지; 〖그리스사〗 식민도시; 〖로마사〗 정복 식민지 **2** [집합적] 식민(단), 이민(단): send out a ~ to Australia 호주에 이민을 보내다 **3** 거류지; …인 거리: the Korean ~ in Los Angeles L.A.의 한국인촌 / the Italian ~ in Soho (런던의) 소호 지구의 이탈리아인 거리 **4** (예술가 등 특정 집단의) 공동체, …촌; 그 주민: a ~ of artists 예술인 마을 **5** (특정한 병에 걸린 환자의) 격리 지구: a leper ~ 나환자 요양소 **6** (새·개미·꿀벌 등의) 집단, 군생; 〖생태〗 콜로니, 군체(群體) **7** 〖지질〗 (다른 계통 안에 있는) 화석군(化石群) **8** [*pl.*] 실업자 구제 기관 《일자리를 주고 교육을 베푸는》

▷ colónial *a.*; cólonize *v.*

col·o·phon [kɑ́ləfɑ̀n, -fən | kɔ́ləfɔ̀n, -fən] *n.* **1** (고서(古書)의) 책끝의 장식(tailpiece); 판권 페이지 **2** (책의 등이나 표지의) 출판사 마크 ***from title page to ~*** (책의) 첫 장에서 끝까지, 한 권을 고스란히

co·lo·pho·ny [kɑ́ləfòuni, kəlɑ́fə- | kɔlɔ́fə-] *n.* Ⓤ 〖화학〗 수지(樹脂), 로진(rosin)

col·o·quin·ti·da [kɑ̀ləkwíntidə | kɔ̀-] *n.* =COLOCYNTH 2

‡**col·or** | **col·our** [kʌ́lər] *n.* **1** ⓊⒸ **빛깔, 색**, 색채; 색조; (광선·그림·묵화 등의) 명암: fundamental[primary] ~*s* 원색 / secondary ~*s* 등화색(等和色), 중간색 / pale[dark, light] ~*s* 엷은[어두운, 밝은] 색 / His hair is reddish in ~ 그의 머리는 붉은 색이다.

> 유의어 **color** 빛깔을 나타내는 가장 일반적인 말이다: the *color* of flower 꽃의 빛깔 **shade** 빛깔의 농담·명암의 정도에 대해 쓰인다: all *shades* of green 모든 색조의 녹색 **tint** 엷고 밝은 색조를 나타낸다: glorious *tints* of red and gold 적색과 황금색의 찬란한 빛깔

2 Ⓤ (그림 등의) **착색**, 채색(coloring); [*pl.*] 그림물감(cf. WATERCOLOR, OIL COLOR) **3** ⓊⒸ **안색**, 혈색(complexion); 홍조 **4** Ⓤ (유색 인종의) 빛깔; 《특히》 흑색; [집합적] 유색 인종; 《특히》 흑인: a person of

thesaurus **colony** *n.* **1** 식민지 settlement, territory, province, dominion, protectorate, dependency, possession, satellite state **2** 거류지 com-

~ 유색인, 흑인 **5** Ⓤ 외관, 겉치레, 가장; 구실: some ~ of truth 약간의 진실성 / see a thing in its true ~*s* 일의 진상을 보다 **6** Ⓤ **a** 개성, 특색; (작품의) 멋, 표현의 변화: local ~ 지방[향토]색 **b** 〘음악〙 음색 **7** [*pl.*] (휘장의) 색 리본, 색깔 옷: dressed in ~*s* 색깔이 있는 제복(制服)을 입고 있는 **8 a** [보통 *pl.*] 군기, 연대기, 군함기, 선박기; 국기: the King's ~ 영국 국기 / salute the ~*s* 군기[국기 등]에 경례하다 **b** [the ~s] 군대 **9** [*pl.*] 국기·군기에 대한 경례, 국기 게양[강하]식 **10** Ⓤ 《미·구어》 흥미와 상상을 자극하기 위하여 곁들인 프로 《특히 라디오 프로에서》 **11** [보통 *pl.*] 입장; 본성, 본심 **12** 〘법〙 표면상의 권리[근거] **13** 《미》 귀금속의 미량[미립] **14** 〘인쇄〙 인쇄 잉크의 사용색 수; 인쇄물의 색조 **15** 〘카드〙 같은 색(적 또는 흑)의 전체 카드

a horse of another ~ 전혀 다른 사항 ***call to the ~s*** 징병되다, 군대로 소집하다 ***change ~*** 안색이 변하다; (공포 등으로) 파랗게 질리다 ***come off with flying ~s*** 훌륭히 해치우다 ***gain*** [***gather***] ~ 혈색이 좋아지다 ***gentleman*** [***lady***] ***of ~*** 《익살》 흑인 ***get*** [***win***] one***'s ~s*** 운동 선수가 되다 ***give a false ~ to*** 〈진술·행위 등을〉 그럴듯하게 꾸며 보이다 ***give*** [***lend***] ***~ to*** 〈말을〉 정말인 양 꾸며대다 ***have no ~*** [***a good ~***] 안색이 안 좋다[혈색이 좋다] ***have the ~ of*** …인 듯이 보이다 ***in ~s*** 채색이 된 ***in*** one***'s true ~s*** 본성을 나타내어 ***join the ~s*** 입대하다 ***lay on the ~s too thickly*** 과장해서 말하다 ***lose ~s*** 파랗게 질리다 ***lower*** one***'s ~s*** 자기 요구[주장, 지위]를 포기하다; 항복하다 ***make ~s*** 〘항해〙 함기[군대]를 게양하다 ***nail*** one***'s ~s to the mast*** 주의[결심]를 굽히지 않다 ***off ~*** (1) 색이 바랜 (2) 안색이 안 좋은; 기운 없는 ***paint in glowing*** [***bright***] ***~s*** …을 격찬하다; 강렬한[밝은] 색으로 그리다 ***paint***[***describe***] ***... in dark ~s*** 나쁘게 말하다[쓰다] ***paint ... in*** one***'s true ~s*** 있는 그대로 그리다 ***put false ~s upon*** …을 실제와 다르게 보이다, 일부러 곡해하다 ***raise ~*** 물들여 색을 내다 ***sail under false ~s*** (1) 〈배가〉 가짜 국기를 달고 [국적을 속이고] 달리다 (2) 위선적 행위를 하다 ***see the ~ of*** a person***'s money*** 《구어》 …이 지불할 능력이 있음을 확인하다[알다], …으로부터 지불을 받다 ***serve*** (***with***) ***the ~s*** 현역에 복무하다 ***show*** [***display***] one***'s*** (***true***) ***~s*** 태도를 분명히 하다, 기치를 선명히 하다; 본색을 드러내다 ***stick*** [***stand***] ***to*** one***'s ~*** 자기의 주의[입장]를 고수하다 ***strike*** one***'s ~s*** 항복하다, 싸움을 포기하다 ***take*** one***'s ~ from*** …을 흉내내다 ***under ~ of*** …을 구실로 ***under ~s*** 〈말이〉 공식 경주에 (나가다) ***with flying ~s*** = ***with ~s flying*** 대성공을 거두고, 훌륭하게 ***with the ~s*** 군에 입대하여, 현역에 복무하여

— *a.* **1** 빛깔[컬러]의: a ~ TV 컬러 TV **2** 인종에 관한: the ~ problem 인종 문제

— *vt.* **1** 채색하다(paint), 색칠하다; 물들이다(dye); 〈얼굴·볼 등을〉 붉어지게 하다 **2** 윤색하다; 분식(粉飾)하다; 그럴듯하게 하다; 영향을 미치다: an account ~*ed* by prejudice 편견이 가미된 기사 **3** …을 특징짓다, 특색을 이루다

— *vi.* **1** 〈잎·과실이〉 물들다 **2** 〈사람이〉 얼굴을 붉히다(redden) 《*up*》 ***~ in*** …에 색칠을 하다 ***C~ me surprised*** [***amazed***]***!*** 《미·구어》 깜짝 놀랐는걸!

cól·or·er *n.* **cól·or·ìsm** *n.*

▷ cólorful, cólory *a.*

col·or·a·ble [kʌ́lərəbl] *a.* **1** 착색할 수 있는 **2** 겉치레의; 그럴듯한; 가짜의 **~·ness** *n.* **-bly** *ad.*

Col·o·rad·an [kɑ̀lərǽdn, -rɑ́:dn | kɔ̀lərɑ́:dn] *a., n.* 미국 Colorado 주의 (사람)

col·o·rad·o [kɑ̀lərǽdou, -rɑ́:dn | kɔ̀lərɑ́:dn] *a.* 〈여송연이〉 빛깔과 맛이 중간 정도의

— *n.* (*pl.* **~es**) 콜로라도 시가

Col·o·rad·o [kɑ̀lərǽdou, -rɑ́:dn | kɔ̀lərɑ́:dn] [Sp. 「붉은 색의 강」의 뜻에서] *n.* 콜로라도 《미국 서부의 주; 略 Colo., Col.》; [the ~] 콜로라도 강(江) 《대협곡 Grand Canyon으로 유명》

Colorádo (**potáto**) **bèetle** 콜로라도 감자잎벌레 《감자 해충의 일종》

Colorádo Sprìngs 콜로라도 스프링스 《미국 Colorado 주의 도시·온천 휴양지; 미국 공군 사관학교 소재지》

col·or·ant [kʌ́lərənt] *n.* 착색제, 염료, 안료, 색소

col·or·a·tion [kʌ̀ləréiʃən] *n.* Ⓤ **1** 착색법; 착색, 배색, 채색 **2** (생물의) 천연색: protective ~ 보호색 **3** (사람·국가 등의) 특색, 성격; 음조(音調)(tone)

col·or·a·tu·ra [kʌ̀lərət*j*úərə, kɑ̀-, kòu- | kɔ̀-] [It. 「채색(彩色)」의 뜻에서] *n.* 〘음악〙 **1** 콜로라투라 《성악의 화려한 기교적인 장식》; 그 곡 **2** 콜로라투라 가수 《소프라노》 — *a.* 콜로라투라의 (특징을 지닌); 콜로라투라 가수의

col·or·a·ture [kʌ́lərətʃùər | kɔ́-] *n.* = COLORATURA

cólor bàr = COLOR LINE

col·or·bear·er [kʌ́lərbɛ̀ərər] *n.* (군대의) 기수

col·or-blind [-blàind] *a.* **1** 색맹의 **2** 《미》 인종 차별을 하지 않는 **3** 〘사진〙 〈사진 감광 유제가〉 청색·자색·자외 광선만을 감광하는 **4** 《미·속어》 자신과 타인의 돈이 구별 불가능한; 도벽이 있는

cólor blìndness 색맹

cólor bòx 그림물감통(paint box)

col·or·breed [kʌ́lərbrì:d] *vt.* 〈품종을〉 특정한 색을 내도록 개량하다

col·or·cast [kʌ́lərkæ̀st | -kɑ̀:st] [*color*+broad*cast*] *n.* 컬러 텔레비전 방송 — *vt., vi.* (**~, ~·ed**) 컬러 텔레비전 방송을 하다

col·or·cast·er [kʌ́lərkæ̀stər | -kɑ̀:s-] *n.* 경기 상황을 생생하게 묘사하는 아나운서

cólor cìrcle 컬러 서클 《색상을 원주상에 스펙트럼의 차례로 늘어놓은 것》

cólor còde 색 코드 《전선 등을 식별하는 데에 쓰이는 색 분류 체계》

col·or-code [-kòud] *vt.* 〈전선·수도 등을〉 (알기 쉽게) 색칠하여 구분하다

cólor condìtioning 색채 조절 《사람에게 좋은 인상을 주도록 색채를 씀》

cólor còntrast 〘심리〙 색상 대비 《어떤 색이 다른 색에 둘러싸여 있을 때 그 색감이 달라지는 일》

col·or-co·or·di·nat·ed [-kouɔ́:rdənèitid] *a.* 색을 섞은, 배색한

co·lo·rec·tal [kòulərέktl] *a.* 〘해부〙 결장[직장]의: ~ cancer 결장[직장]암

*****col·ored** [kʌ́lərd] *a.* **1** 착색한, 채색되어 있는 **2** 문장을 꾸민, 과장한, 겉치레의 **3** [종종 **C~**] 〈인종이〉 유색 인종(과 혼혈)의; 《미》 흑인의 ★ black쪽이 잘 쓰임 **4** [보통 복합어를 이루어] …색의: cream-~ 크림색의 **5** 〈생각 등이〉 비뚤어진, 편향된 **6** 〘식물〙 단풍이 든

— *n.* (*pl.* **~s, ~**) [종종 **C~**] **1** 유색인; 《특히》 흑인 **2** [the ~] 흑인종

cólored stóne (다이아몬드 이외의) 천연 보석

col·or·fast [kʌ́lərfæ̀st | -fɑ̀:st] *a.* 〈직물이〉 바래지 않는 **~·ness** *n.*

col·or·field [-fì:ld] *a.* (추상화에서) 색채면이 강조된

cólor fìlm 천연색[컬러] 필름[영화]

cólor fìlter 〘사진〙 컬러 필터, 여광판

cólor fòrce 〘물리〙 색력(色力) 《quark를 결합시키는 강력한 힘》

‡**col·or·ful** [kʌ́lərfəl] *a.* **1** 색채가 풍부한, 다채로운: ~ folk costumes 다채로운 민족 의상 **2** 화려한; 생기 있는(vivid) **~·ly** *ad.* **~·ness** *n.*

▷ cólor *n.*

---

munity, section, ghetto, district, quarter

color *n.* **1** 색 hue, shade, tint, tone, tinge **2** 홍조 pinkness, rosiness, redness, blush, flush

col·or·gen·ic [kʌ̀lərdʒénik] *a.* (컬러 텔레비전[사진] 등에서) 빛깔이 잘 나타나는(cf. PHOTOGENIC)
cólor guàrd ((미)) 군기(軍旗) 위병; 기수
col·or·if·ic [kʌ̀lərífik] *a.* **1** 색채의 **2** 빛깔을 내는; 빛깔이 풍부한 **3** 〈문체 등이〉 화려한
col·or·im·e·ter [kʌ̀lərímətər] *n.* 색채계(色彩計); 〖물리〗 비색계(比色計) **-e·try** *n.*
∗**col·or·ing** [kʌ́ləriŋ] *n.* Ⓤ **1** 착색(법), 채색(법) (coloration) **2** 착색제, 그림물감; 안료: food ~ 식품 착색제 **3** (얼굴·살 등의) 색, 혈색: healthy ~ 건강색 **4** (작품 따위의) 정취 **5** 겉치레
cóloring bòok 칠하기 그림책
col·or·ist [kʌ́lərist] *n.* **1** 채색을 특히 잘하는 화가 **2** 채색자; (머리) 염색하는 미용사 **3** 화려한 문체의 작가; 음색의 장식법이 절묘한 연주가[작곡가]
col·or·is·tic [kʌ̀lərístik] *a.* 색채화적인, 색채 효과를 잘 내는 **-ti·cal·ly** *ad.*
col·or·i·za·tion [kʌ̀lərizéiʃən | -rai-] *n.* 전자 채색 ((옛날의 흑백 영화를 컬러로 재생시키는 기술))
col·or·ize [kʌ́ləràiz] *vt.* 〈특히 컴퓨터에 의해 흑백 영화를〉 컬러화(化)하다
col·or-key [kʌ́lərkì:] *vt.* = COLOR-CODE
∗**col·or·less** [kʌ́lərlis] *a.* **1** 무색의; 〈색이〉 흐릿한 **2** 〈날씨가〉 흐린; 〈얼굴 등이〉 핏기가 없는 **3** 특색이 없는; 재미없는: He is a ~ speaker. 그는 재미없게 말한다. **4** 〈사람이〉 분명하지 않은, 종잡을 수 없는; 어느 편에도 치우치지 않는, 중립의(neutral) **~·ly** *ad.* **~·ness** *n.*
cólor lìne (사회·경제·정치적) 유색 인종 차별 장벽 (color bar) ***draw the ~*** 피부색에 따라 차별을 하다
cólor màn ((미)) = COLORCASTER
col·or·man [kʌ́lərmən, -mæ̀n] *n.* (*pl.* **-men** [-mən, -mèn]) ((영)) 그림물감 파는 사람; 페인트상
cólor màtching 〖염색·조명〗 배색, 색 맞추기
cólor mìxture 〖염색·조명〗 혼색
cólor mùsic 색채악(樂) ((색·형·명암의 배합 변화로 스크린 등에 음악적 느낌을 그려냄))
cólor pàinting 형태보다 색이 강조되는 추상화법
cólor pàrty 〖영국군〗 = COLOR GUARD
cólor phàse 〖동물〗 **1** 유전으로 인한 체색(體色) 변화 **2** 체색 변화한 동물
cólor phóto 천연색[컬러] 사진
cólor photógraphy 천연색[컬러] 사진술
cólor prèjudice 유색 인종[흑인]에 대한 편견
cólor prìnt 원색 판화; 천연색[컬러] 인화
cólor prìnter 〖컴퓨터〗 컬러 프린터
cólor prìnting 원색 인쇄; 컬러 인화
cólor schème (실내 장식·복식 등의) 색채의 배합 (설계)
cólor scrèen 〖사진·광학〗 = COLOR FILTER
cólor separàtion 〖인쇄〗 색분해
cólor sèrgeant (대대·연대의) 군기 호위 하사관
cólor sìgnal 〖전자〗 (텔레비전의) 색신호
col·or·slide [kʌ́lərslàid] *n.* (사진의) 컬러 슬라이드
cólor súpplement (신문 등의) 컬러판 부록
cólor télevision 컬러 텔레비전
cólor tèmperature 〖광학〗 색온도
cólor wàsh 수성 페인트
col·or·way [kʌ́lərwèi] *n.* = COLOR SCHEME
cólor whèel 색상환(色相環)
col·or·y [kʌ́ləri] *a.* 〖상업〗 (커피·홉 등의) 빛깔이 고운; ((구어)) 다채로운
Co·los·sae [kəlɑ́si: | -lɔ́-] *n.* 골로새 ((소아시아의 Phrygia 왕국 남서부의 옛 도시; 초기 그리스도 교회의 거점))
∗**co·los·sal** [kəlɑ́səl | -lɔ́-] *a.* **1** 거대한(gigantic); 〈수량 등이〉 엄청난, 어마어마한 **2** ((구어)) 훌륭한, 놀랄 만한 **~·ly** *ad.* ▷ colóssus *n.*
Col·os·se·um [kɑ̀ləsí:əm | kɔ̀-] *n.* [the ~] 콜로세움 ((로마의 원형 경기장))
Co·los·sian [kəlɑ́ʃən | -lɔ́-] *a.* 골로새(Colossae)의, 골로새 사람의 — *n.* **1** 골로새 사람 **2** 골로새의 그리스도 교회 회원; [the ~s; 단수 취급] 〖성서〗 골로새서(書)
co·los·sus [kəlɑ́səs | -lɔ́-] *n.* (*pl.* **-si** [-sai], **~·es**) **1** 거상(巨像); [**C~**] 아폴로 신(神)의 거상 ((세계 7대 불가사의의 하나로 Rhodes 항구에 있었음)) **2** 거인, 거대한 것; 큰 인물, 위인 ▷ colóssal *a.*
co·los·to·my [kəlɑ́stəmi | -lɔ́s-] *n.* (*pl.* **-mies**) 〖외과〗 인공 항문 형성(술), 결장 절개술
co·los·trum [kəlɑ́strəm | -lɔ́s-] *n.* Ⓤ 초유(初乳)
co·lot·o·my [kəlɑ́təmi | -lɔ́-] *n.* (*pl.* **-mies**) 〖외과〗 결장 절개(結腸切開)
‡**col·our** [kʌ́lər] *n., a., vt., vi.* ((영)) = COLOR
-colous [kələs] ((연결형)) 「…에 살고 있는, …에 나 있는」의 뜻: areni*colous*
col·pi·tis [kɑlpáitis | kɔl-] *n.* 〖병리〗 질염(膣炎) (vaginitis)
col·por·tage [kɑ́lpɔ̀:rtidʒ | kɔ́l-] *n.* 서적 행상; ((특히)) 종교 서적 행상[무료 배포]
col·por·teur [kɑ́lpɔ̀:rtər | kɔ́l-] *n.* (종교) 서적 행상인
col·po·scope [kɑ́lpəskòup | kɔ́l-] *n.* 〖의학〗 질경(膣鏡), 질 확대경 **còl·po·scóp·ic** *a.*
col·pos·co·py [kɑlpɑ́skəpi | kɔlpɔ́s-] *n.* (*pl.* **-pies**) 질경 검사
Col. Sergt. color sergeant
‡**colt** [kóult] *n.* **1** 망아지 ((보통 4-5세까지))(⇨ horse 관련) **2** 장난꾸러기; 미숙한 젊은이 **3** 〖경기〗 초심자 (tyro), 미숙한 자, 풋내기 ((특히 프로 크리켓 선수들 중에서)) **4** 〖항해〗 밧줄로 만든 매듭진 채찍 ((형벌용)) ***~'s tail*** 조각 구름 ▷ cóltish *a.*
Colt [kóult] [미국의 발명자 이름에서] *n.* 콜트식 자동 권총(= **∠ revólver**)
col·ter [kóultər] *n.* (보습(plow) 바로 앞에 달린) 풀 베는 날
colt·ish [kóultiʃ] *a.* **1** 망아지 같은 **2** 익살맞은, 장난꾸러기의; 다루기 어려운 **~·ly** *ad.* **~·ness** *n.*
colts·foot [kóultsfùt] *n.* (*pl.* **~s**) 〖식물〗 머위, 관동(款冬)
col·u·brine [kɑ́ljubràin, -brin | kɔ́lju-] *a.* 〖동물〗 뱀의; 뱀 같은
col·um·bar·i·um [kɑ̀ləmbέəriəm | kɔ̀-] *n.* (*pl.* **-i·a** [-iə]) **1** 비둘기장(dovecote) **2** 〖고대로마〗 (카타콤(Catacomb)의) 지하 유골 안치소 **3** 긴 각목 재료를 찔러 넣기 위한 벽의 구멍
col·um·bar·y [kɑ́ləmbèri | kɔ́ləmbəri] *n.* (*pl.* **-bar·ies**) 비둘기장(dovecote)
∗**Co·lum·bi·a** [kəlʌ́mbiə] [미 대륙을 발견한 Columbus의 이름에서] *n.* **1** 컬럼비아 ((미국 South Carolina 주의 주도)) **2** 컬럼비아 대학교(= **∠ Univèrsity**) ((New York시 소재)) **3** ((시어)) 미국 **4** [the ~] 〖우주과학〗 컬럼비아호 ((1981년 4월 12일 미국에서 발사된 제1호 우주 왕복선(space shuttle)))
Co·lum·bi·an [kəlʌ́mbiən] *a.* **1** ((시어)) 아메리카 대륙의; 미국의 **2** 콜럼버스(Columbus)의 — *n.* **1** 아메리카인, ((특히)) 미국인 **2** 〖인쇄〗 컬럼비안 ((16 포인트 크기의 활자)) **3** ((속어)) = COLOMBIAN GOLD
col·um·bine [kɑ́ləmbàin | kɔ́-] *a.* 비둘기의[같은] — *n.* 〖식물〗 참매발톱꽃
Col·um·bine [kɑ́ləmbàin | kɔ́-] *n.* (이탈리아 가면극에 등장하는) 여자 어릿광대 ((Harlequin의 상대역))
co·lum·bite [kəlʌ́mbait] *n.* Ⓤ 〖광물〗 컬럼바이트 ((columbium의 주요 원광))
co·lum·bi·um [kəlʌ́mbiəm] *n.* Ⓤ 〖화학〗 컬럼븀 ((기호 Cb; niobium의 옛 이름))

thesaurus **colossal** *a.* huge, gigantic, immense, enormous, massive, vast, mammoth, prodigious (opp. *tiny, microscopic*)
column *n.* **1** 기둥 pillar, support, upright, post, shaft, pilaster **2** (신문의) 난 article, piece, item

‡Co·lum·bus [kəlʌ́mbəs] *n.* 콜럼버스 **Christopher ~** (1446?-1506) 《이탈리아의 항해가; 아메리카 대륙 발견(1492)》 ▷ Colúmbian *a.*

Colúmbus Dày 《미》 콜럼버스 기념일 《아메리카 대륙 발견 기념일; 10월 12일》

col·u·mel·la [kɑ̀ljumélə | kɔ̀l-] *n.* (*pl.* **-lae** [-liː]) **1** 작은 기둥 **2** 〖동물〗 나사조개의 축주(軸柱); 〖식물〗 자주(子柱), 과축(果軸) **còl·u·mél·lar** *a.*

‡col·umn [kɑ́ləm | kɔ́-] *n.*

> L 「기둥」의 뜻에서
> → 원주 **1**
> → 기둥 모양의 것 **2** → 종렬 **3**
> → (세로로 긴) 난(欄), 단(段) **4**

1 〖건축〗 기둥, 원주: a ~ of the Doric[Corinthian] style 도리아[코린트]식 원주 **2** 원주[기둥] 모양의 물건; (연기 등의) 기둥: a ~ of water 물기둥 / a ~ of smoke 한 줄기의 연기 **3** 〖군사〗 종대; (함대의) 종렬, 종진: in ~ of fours[sections, platoons, companies] 4열[분대, 소대, 중대] 종대로 **4 a** 〖인쇄〗 종행(縱行), 단(段) **b** (신문 등의) 난(欄); (신문의) 특정 기고란 《시평·문예란 등》: advertisement ~*s* 광고란 / in our[these] ~*s* 본란에서, 본지상(本紙上)에서 **c** 세로행, 세로로 된 일람표; 〖컴퓨터〗 세로(칸): add a ~ of figures 세로 배열의 숫자를 더하다 **5** 《미》 〖정치〗 (당파·후보자의) 후원회 **6** 〖식물〗 꽃술대 ***~ of the nose*** 콧대, 콧날 ***~ of mercury*** 수은주 ***dodge the ~*** 《구어》 의무를 게을리하다

cól·umned *a.* ▷ colúmnar *a.*

co·lum·nar [kəlʌ́mnər] *a.* **1** 원주(형)의; 원주가 특징인 **2** (신문같이) 종란(縱欄)식으로 인쇄한

co·lum·ni·a·tion [kəlʌ̀mniéiʃən] *n.* ⓤⓒ **1** 〖건축〗 원주식 구조; [집합적] 원주 **2** (페이지의) 단 구획(段區劃)

cólumn ínch 〖인쇄〗 1인치 칼럼난(欄)

col·um·nist [kɑ́ləmnist | kɔ́-] *n.* (신문 등의) 특별 기고가(cf. COLUMN 4) **còl·um·nís·tic** *a.*

co·lure [kəlúər, kou- | kəljúə, kóuljuə] *n.* 〖천문〗 분지경선(分至經線), 사계선(四季線) ***the equinoctial ~*** 이분경선(二分經線) ***the solstitial ~*** 이지경선(二至經線)

col·za [kɑ́lzə, kóul- | kɔ́l-] *n.* 〖식물〗 평지(의 씨) (rape(seed))

cólza òil 〖화학〗 =RAPE OIL

COM [kɑm | kɔm] 〖컴퓨터〗 computer output microfilm 컴퓨터 출력 마이크로필름 **com.** comedy; comic; comma; command(er); commerce; commercial; commission(er); committee; common(ly); communication; communist; community **Com.** Command(er); Commission(er); Commodore; Commonwealth; Communist

com- [kəm, kɑm | kəm, kɔm] *pref.* 「함께; 전혀」의 뜻(b, p, m 앞) 《l 앞에서는 *col-*; r 앞에서는 *cor-*; 모음, h, gn 앞에서는 *co-*; 그 밖의 경우는 *con-*》

.com 〖인터넷〗 =DOT-COM

co·ma¹ [kóumə] *n.* (*pl.* **-mae** [-miː]) **1** 〖천문〗 코마 《혜성 주위의 성운(星雲) 모양의 물질》; 〖광학〗 코마 《렌즈 수차(收差)의 하나》 **2** 〖식물〗 씨의 솜털

coma² *n.* 〖병리〗 혼수 (상태): fall[lapse, go] into a ~ 혼수 상태에 빠지다

Cóma Ber·e·ní·ces [-bèrənáisiːz] 〖천문〗 머리털자리(the Berenice's Hair)

co·make [kóumèik] *vt.* 연서(連署)하다(cosign)

---

coma² *n.* unconsciousness, insensibility, blackout
combat *n.* fight, battle, conflict, clash, skirmish, encounter, engagement, struggle, war
combative *a.* aggressive, bellicose, warlike, quarrelsome, belligerent, contentious, truculent

co·mak·er [kouméikər, ⌐⌐─ | ─⌐─] *n.* 연서인, (특히 약속 어음의) 연대 보증인

co·man·age [koumǽnidʒ] *vt., vi.* 공동 경영하다 **-ag·er** *n.*

co·man·age·ment [koumǽnidʒmənt] *n.* =WORKER PARTICIPATION

Co·man·che [kəmǽntʃi, kou-] *n.* (*pl.* **~, ~s**) **1** (북아메리카 인디언의) 코만치 족(族) **2** ⓤ 코만치 어(語) **—** *a.* 코만치 족(族)의

co·mate¹ [kouméit] *n.* 친구, 동료

co·mate² [kóumeit] *a.* **1** 〖식물〗 씨에 난 솜털(coma)이 있는, 갓털이 있는 **2** 털 모양의(hairy)

co·mat·ic [koumǽtik] *a.* 〖광학〗 코마(coma)의; 〈영상·화상이〉 코마 때문에 흐려진

com·a·tose [kɑ́mətòus, kóumə- | kóumə-] *a.* **1** 〖병리〗 혼수성의, 혼수 상태의 **2** 기운 없이 졸리는, 몹시 졸리는 **3** 《속어》 술에 취한 **~·ly** *ad.*

cóma vígil 〖의학〗 각성 혼수; 개안성(開眼性) 혼수

‡comb¹ [kóum] *n.* **1** 빗; 소면기(梳綿機); 빗 모양의 물건 **2** (닭의) 볏; (물마루 등의) 볏 모양으로 된 것 **3** 벌집 ***cut the ~ of*** …의 거만한 기를 꺾다 ***go through[over] ... with a fine ~*** 자세히 조사하다

— *vt.* **1** 빗질하다, 빗으로 빗다 **2** 〈장소 등을〉 철저히 수색하다: (~+목+전+명) I ~*ed* the house *for* the missing wrist watch. 없어진 손목시계를 찾느라고 온 집안을 샅샅이 뒤졌다. **3** (빗(모양의 것)으로) 빗질하여 제거하다; 《비유》 〈먼지 등을〉 제거하다 《*out*》 **4** 〈파도가〉 침식하다

— *vi.* 〈파도가〉 물마루를 일으키며 굽이치다

~ off 〈머리의 먼지 등을〉 빗어 내다, 〈머리의〉 엉킨 데를 빗어 풀다 ***~ out*** 〈탈모(脫毛)를〉 빗질해 내다; 〈불순물을〉 제거하다; 〈불필요한 인원을〉 정리하다; 분리하다; (면제된 사람들 가운데서) 〈신병(新兵)을〉 긁어 모으다; 면밀히 수색하다[조사하다] ***~ through*** (1) 〈머리를〉 꼼꼼하게 빗다 (2) 세밀히 조사하다

cómbed *a.* **~·like** *a.*

comb² [kúːm, kóum] *n.* =COMBE

comb. combination; combined; combining; combustion

***com·bat** [kəmbǽt, kɑ́mbæt | kɔ́mbæt] [L 「서로 때리다」의 뜻에서] *v.* (**~·ed**; **~·ing** | **~·ted**; **~·ting**) *vi.* 싸우다, 투쟁하다 《*with, against*》; 분투하다 《*for*》: (~+전+명) ~ *with*[*against*] a person *for* a thing 어떤 일 때문에 …와 싸우다 / ~ *for* freedom 자유를 얻기 위해 싸우다

— *vt.* …와 싸우다; 제거하기 위해 노력하다: ~ a disease[an enemy] 질병[적]과 싸우다

— [kɑ́mbæt, kʌ́m- | kɔ́mbæt, kʌ́m-] *n.* **1** 전투(fight); 투쟁; 격투; 논쟁: a ~ plane 전투기 / a single ~ 일 대 일의 격투, 결투 / soldiers killed in ~ 전투에서 사망한 병사들 **2** [*pl.*] 호주머니가 여러 개 달린 헐렁한 바지 **~·er, ~·ter** *n.*

▷ combátant *n., a.*; combátive *a.*

***com·bat·ant** [kəmbǽtənt, kɑ́mbə-, kʌ́m- | kɔ́mbə-, kʌ́m-] *n.* **1** 전투원(opp. *noncombatant*); 전투 부대; 교전국 **2** 투사, 격투자

— *a.* 전투를 하는, 싸우는(fighting); 호전적[전투적]인; 〖문장〗 〈두 마리의 짐승이〉 싸우고 있는 것처럼 뒷다리로 서서 마주 보고 있는 모습의

▷ cómbat *n., v.*

cómbat bòot 《미》 전투용 반장화, 군화

cómbat càr 〖미군〗 전차(戰車), 군용 차량

cómbat fatìgue 〖정신의학〗 전쟁 신경증(battle fatigue)

cómbat fatìgues 〖군사〗 전투복(battle fatigues)

com·bat·ive [kəmbǽtiv, kɑ́mbə- | kɔ́mbə-, kʌ́m-] *a.* 투쟁적인, 싸우기 좋아하는 **~·ly** *ad.* **~·ness** *n.*

cómbat jàcket =BATTLE JACKET

cómbat neuròsis 〖정신의학〗 =SHELL SHOCK

cómbat ràtion (야전용) 휴대 식량

com·bat-read·y [kəmbǽtrédi | kɔ́mbæt-] *a.* 전투 준비가 된, 임전 태세가 된
cómbat tèam 〖미군〗 (육·해·공의) 연합 전투 부대
cómbat ùnit 〖군사〗 전투 단위[부대]
cómbat zòne **1** 〖군사〗 작전 지대 **2** (속어) (도시의 범죄가 많은) 환락가
combe [kú:m, kóum] *n.* 《영》 (깊은) 산골짜기, (해안으로 뻗은) 골짜기
comb·er [kóumər] *n.* **1** 〈양모·솜 등을〉 빗는 사람; 빗는 기계[도구] **2** 부서지는 파도(breaker)
com·bi [kɑ́mbi | kɔ́m-] *n.* 《영·구어》 **1** = COMBINATION **2** 승객 화물 겸용 비행기
com·bies [kɑ́mbiz | kɔ́m-] *n. pl.* 《영·구어》 = COMBINATION 3
com·bin·a·ble [kəmbáinəbl] *a.* 결합 가능한; 병합[합동] 가능한; 〖화학〗 화합 가능한
com·bi·nate [kɑ́mbənèit | kɔ́m-] *vt.* **1** = COMBINE **2** 〈자물쇠의〉 숫자[문자]를 맞추다
com·bi·na·tion** [kɑ̀mbənéiʃən | kɔ̀m-] *n.* UC **1** 결합, 짝맞춤, 배합, 단결, 연합; 도당; 공동 동작 **2** 결합된 것, 짜맞추어진 것 **3** 결사, 단체, 조합 **4** (결정(結晶)의) 집형(集形); 〖화학〗 화합(물); [*pl.*] 〖수학〗 조합(cf. PERMUTATION); 〖컴퓨터〗 조합, 짜맞춤 **5** = COMBINATION LOCK **6** 사이드카가 달린 모터사이클 **7** (두 가지 이상의 용도를 가진) 겸용 기구 **8** [*pl.*] 《영》 콤비네이션 《아래 위가 달린 속옷; 속바지(drawers)가 달린 슈미즈》 **9** 〖생물〗 (학명의) 이명식(二名式) 분류명 ***in ~ with …와 공동[협력]하여: *in ~ with* other preventive measures 다른 예방 조치들과 함께 ***make a strong ~*** 좋은 짝이 되다
~·al *a.* ▷ combíne *v.*; cómbinative *a.*
combinátion càr 《미》 〖철도〗 혼합차 《1·2등, 2·3등 또는 객차와 화차의》
combinátion dòor (방충 창문처럼) 떼고 붙일 수 있는 옥외문
combinátion drùg 〖약학〗 복합약 《두 가지 이상의 항생 물질 등의 혼합약》
combinátion làst 뒤꿈치나 등 부분을 표준 치수보다 좁게 한 구둣골
combinátion lòck 글자[숫자] 맞추기 자물쇠, 다이얼 자물쇠
combinátion ròom 《영》 = COMMON ROOM
combinátion sàle 끼워 팔기(cf. TIE-IN)
combinátion shòt (당구에서 최소한 한 개의 목적구(球)가) 다른 공을 포켓에 넣게 치기
combinátion squàre (목수용) 자 《갖가지 자를 한데 묶은》
combinátion thèrapy 〖의학〗 (한 가지 병에 두 가지 이상의 약을 쓰는) 병용 요법
com·bi·na·tive [kɑ́mbənèitiv, kəmbáinə- | kɔ́mbinə-, -nèi-] *a.* **1** 결합하는, 결합력이 있는, 결합성의; 결합에 관한; 결합에 의한 **2** 〖언어〗 (음 변화가) 연음 변화에 의한(cf. ISOLATIVE)
com·bi·na·to·ri·al [kəmbàinətɔ́:riəl, kɑ̀mbə- | kɔ̀mbi-] *a.* **1** 결합의 **2** 〖수학〗 조합의 **~·ly** *ad.*
combinatórial análysis 〖수학〗 조합론
combinatórial topólogy 〖수학〗 조합적 위상(位相) 기하학
com·bi·na·tor·ics [kəmbàinətɔ́:riks, kɑ̀mbə- | kəmbài-, kɔ̀mbə-] *n. pl.* [단수 취급] 〖수학〗 조합론
com·bin·a·to·ry [kəmbáinətɔ̀:ri | kɔ́mbinətəri] *a.* **1** = COMBINATIVE **2** = COMBINATORIAL
‡**com·bine** [kəmbáin] 〔L 「두 개를 합치다」의 뜻에서〕 *vt.* **1** 결합시키다; 〈사람·힘·회사 등을〉 합병[합동]시키다, 연합시키다: ~ two companies 두 회사를 합병하다 / Let's ~ our efforts. 함께 노력하자. // (~+목+전+명) ~ work *with* interest 일과 흥미를 결합시키다 / ~ factions *into* a party 여러 당파를 한 당으로 합하다 **2** 겸하다, 겸비하다, 아울러 가지다: He is some kind of Satan and saint *~d.* 그는 악마와 성자를 겸한 듯한 사람이다. // (~+목+전+명) work *~d with* pleasure 오락을 겸한 일 / a film which *~s* education *with* recreation 교육과 오락을 겸한 영화 **3** 〖화학〗 화합시키다: be *~d* in[into] 화합[결합]하여 …이 되다 **4** 《미》 [kɑ́mbain | kɔ́m-] 콤바인[복식 수확기]으로 거두어들이다
— *vi.* **1** 결합하다; (…에 대항하여) 연합하다; 합병하다: Everything *~d* to make me do that. 여러 가지 일이 겹쳐서 나는 그렇게 하지 않을 수 없었다. **2** 〖화학〗 화합하다: (~+전+명) The acid *~s with* the alkali. 산은 알칼리와 화합한다. **3** [kɑ́mbain | kɔ́m-] 콤바인을 사용해 수확하다
— [kɑ́mbain, kəmbáin | kɔ́m-] *n.* **1** 《미·구어》 기업 합동(syndicate); (정치상의) 연합 **2** 콤바인, 복식 수확기 《수확·탈곡 기능을 겸비한 농기구》 **3** 〖미술〗 콤바인 《유채와 오브제 혹은 콜라주 등 이질적인 기법을 조합한 작품》 **com·bín·er** *n.*
▷ combinátion *n.*; cómbinative *a.*
com·bined [kəmbáind] *a.* Ⓐ **1** 결합된, 합동의, 연합의: ~ efforts 협력 / ~ squadron[《미》 fleet] 연합 함대 **2** 〖화학〗 화합한 **~·ly** *ad.* **~·ness** *n.*
combíned árms 〖군사〗 제병(諸兵) 연합 부대 《기갑·보병·포병·공병·항공 부대 등을 통합한 작전 부대》
combíned operátions[éxercises] 〖군사〗 연합 작전
combíne hàrvester 콤바인(combine)
comb·ing [kóumiŋ] *n.* UC **1** 빗질 **2** [*pl.*] (빗질하여) 빠진 털
cómbing machìne 소모기(梳毛機)
cómbing wòol 소모용(梳毛用) 양털
com·bín·ing fòrm [kəmbáiniŋ-] 〖문법〗 연결형 《복합어를 만드는 요소》
combíning wèight 〖화학〗 화합량(化合量), (화학) 당량(當量)(equivalent)
cómb jèlly 빗해파리(ctenophore)
com·bo [kɑ́mbou | kɔ́m-] *n.* (*pl.* **~s**) **1** (구어) 캄보 《소규모의 재즈 악단》 **2** (구어) 결합된 것; 결사, 단체 **3** (구어) 모둠 요리 **4** 《호주·속어》 캄보 《원주민 여성과 같이 생활하는 백인 남자》
cómbo stòre (구어) (drugstore와 supermarket의) 복합 점포
comb-out [kóumàut] *n.* **1** (인원의) 일제 정리; (신병 등의) 일제 징집 **2** 철저 수색[검거]
comb-o·ver [kóumòuvər] *vi., vt.* (대머리를 감추기 위해) 머리를 올려 빗다
com·bust [kəmbʌ́st] *a.* 〖천문〗 〈행성이〉 태양에 접근하여 빛이 엷어진
com·bus·ti·bil·i·ty [kəmbʌ̀stəbíləti] *n.* Ⓤ 연소성, 가연성(可燃性)
com·bus·ti·ble [kəmbʌ́stəbl] *a.* **1** 타기 쉬운, 가연성의 **2** 흥분하기 쉬운 — *n.* [보통 *pl.*] 가연물(可燃物) **-bly** *ad.*
***com·bus·tion** [kəmbʌ́stʃən] *n.* Ⓤ **1** 연소; (유기체의) 산화; 자연 연소: complete ~ 완전 연소 / spontaneous ~ 자연 발화 **2** 격동, 소요
▷ combústive *a.*
combústion chàmber 〖기계〗 (엔진의) 연소실
combústion èngine 연소 기관
combústion fùrnace 연소로(爐)
combústion tùbe 연소관 《철강 분석용》
com·bus·tive [kəmbʌ́stiv] *a.* 연소(성)의
com·bus·tor [kəmbʌ́stər] *n.* 〖항공〗 연소실[기]
comb·y [kóumi] *a.* (**comb·i·er**; **-i·est**) 벌집 모양(조직)의
comd. command
COMDEX [kɑ́mdèks | kɔ́m-] 〔*Com*puter *D*ealers *Ex*position〕 *n.* 〖컴퓨터〗 컴덱스 《컴퓨터와 그 관련 업체를 대상으로 하는 전시회》

thesaurus **combine** *v.* **1** 결합시키다 join, put together, unite, pool, merge, integrate, unify, marry **2** 결합하다 join forces, get together, unite,

comdg. commanding **Comdr., comdr.** Commander **Comdt.** Commandant

⁂ **come**[1] [kʌ́m] *v.* (**came** [kéim] ; **come**)

> 기본적으로 「말하는 사람쪽으로 다가오다」의 뜻 (opp. *go*).
> ① (말하는 사람쪽으로) 오다 **1, 3, 5**
> ② (상대방쪽으로) 가다 **1**
> ③ (목적지에) 도착하다; 이르다 **2, 9**
> ④ 일어나다 **4**
> ⑤ [부정사와 함께] …하기에 이르다; (어떤 상태가) 되다 **10, 11**

—*vi.* **1** (말하는 사람쪽으로) 오다; (상대방이 있는 곳 또는 어떤 목적지로) 가다; (말하는 사람·상대방이 가는 쪽으로) 동행하다, 함께 오다[가다]: Yes, I'm *coming.* 예, 지금 갑니다. ∥ (~+부) *C~ here*[*this way*], please. 이리[이쪽으로] 오십시오. / *C~ in.* 들어오시오. ∥ (~+전+명) May I ~ *to* your house next Sunday? 오는 일요일에 댁에 가도 괜찮습니까? ∥ (~+***to*** do) She *came to* see me. 그녀는 나를 만나러 왔다. / Will you ~ *to* have dinner with us? 우리와 함께 식사하러 오시겠습니까? ∥ (~+***-ing***) He *came* runn*ing.* 그는 달려왔다. **2** 도착[도달]하다(arrive), 오다: He hasn't ~ yet. 그는 아직 오지 않았다. **3** [시간·공간의 순서] 오다, 나오다: First ~, first[best] served. (속담) 빠른 사람이 제일이다, 선착자 우선. ∥ (~+전+명) *After* Anne *~s* George I. 앤 여왕 다음은 조지 1세다. / Revelations *~s at* the end of the Bible. 계시록은 성경 맨 뒤에 나온다. **4** 〈일이〉 일어나다; 〈해(害) 등이〉 (사람에게) 닥치다; 〈일·행사 따위가〉 (소정의 시기에) 행해지다, 찾아오다 (*in*): I am ready for whatever *~s.* 무슨 일이 일어나든 준비는 돼 있다. / How did it ~ that you quarreled? 어떻게 해서 네가 말다툼을 하게 되었는가? ∥ (~+전+명) Everything *~s to* him who waits. (속담) 기다리는 자에게는 반드시 때가 온다. **5** (자연 현상으로) 나타나다, 나오다; 〈때·계절 등이〉 돌아오다, 도래하다: (The) time will ~ when ... 불원간 …할 때가 올 것이다 / There's a good time *coming.* 이제 좋은 때가 올 것이다. **6** [현재시제로] …의 출신[자손]이다, 태생이다 (*from, of*); …에서 옮아 오다, …의 것이 되다; 〈언어·습관 등이〉 …에서 오다: (~+전+명) ~ *of* a good family 명문 출신이다 / This *~s of* disobedience. 이것은 불복종의 결과이다. / Does he ~ *from* Seoul? 그는 서울 출신입니까? **7** 〈감정 등이〉 솟다, 생기다; 〈생각·답 등이〉 문득 떠오르다; 〈사물이〉 생기다, 성립하다; 〈아기가〉 태어나다; 〈곡물의 알갱이가〉 발아하다(germinate); 성장[발달]하다 **8** 〈상품 따위가〉 손에 들어오다, 구할[살] 수 있다, 팔고 있다, 제공되고 있다: Light ~, light go. (속담) 쉽게 생긴 것은 쉽게 없어진다. ∥ (~+전+명) This raincoat *~s in* all sizes. 이 비옷은 모든 사이즈가 있습니다. **9 a** (어떤 상태로) 되다, 변하다, 이르다: (~+전+명) ~ *into* use 쓰이게 되다 / ~ *into* conflict 충돌하다, 싸움이 되다 / ~ *into* force 〈법률이〉 효력을 발생하다 / ~ *into* action[play] 활동[작용]이 시작되다 **b** 〈금액 등이〉 …에 달하다(amount); …에 귀착하다 (*to*): (~+전+명) Your bill *~s to* £5. 셈이 5파운드가 됩니다. / What he says *~s to* this. 그가 말하는 것은 결국 이렇다. **10** (상태·결과에) 이르다; [to부정사와 함께] …하기에 이르다, …하게 되다: (~+***to*** do) now I ~ *to* think of it 이제 생각해 보니 / How did you ~ *to* hear of it? 어떻게 그것을 듣게 되었는가? **11** …이 되다, …해지다(turn out, become): (~+보) ~ cheap[expensive] 싸게[비싸게] 먹히다 / ~ natural 자연스럽다, 당연하다 / ~ true 〈일이〉 기대했던 대로 되다; 〈예언이〉 들어맞다 / Things will ~ right. 만사가 잘될 것이다. / The string *came* undone[untied]. 실이 풀어졌다. **12** [감탄사처럼 사용하여 권유·재촉·힐문 등을 나타냄] 자, 글쎄, 이봐: *C~*, tell me what it's all about. 글쎄, 어떻게 된 셈인가 말해 봐. / *C~*, ~, you should not speak like that! 아니, 이봐, 그런 말버릇을 해선 못써! **13** [가정법 현재형을 접속사처럼 써서] …이 오면, …이 되면: a year ago ~ Christmas 이번 크리스마스로 꼭 1년 전 / He will be fifty ~ May[if May ~(*s*)]. 그는 이번 5월에 만 50세가 된다. **14** [과거분사로] 왔다: A Daniel ~ to judgment! 다니엘과 같은 명재판관이 오셨다! **15** [to ~으로] 미래의, 앞으로 올: the world *to* ~ 내세 / in time(s) *to* ~ 장래에 (있어서) **16** (음악을 듣거나 하여) 매우 흥분하다 **17** (미·속어) 〈운동 선수·말 따위가〉 (급격히) 힘을 내다 **18** (미·속어) 성공할 것 같다 **19** (폐어) 기분을 부드럽게 하다

—*vt.* **1** (영·구어) …을 하다, 행하다(do, act): ~ the bully over a person …을 괴롭히다 / ~ a joke on a person …을 놀리다 **2** [보통 the+명사[형용사]를 동반하여] (영·구어) …의 역을 하다, …인 체하다: ~ *the* moralist 군자인 체하다 **3** (영·구어) (어느 나이에) 가까워지다: a child *coming* seven years old 7살이 다 되어가는 아이 **4** (구어) (카드에서) 단판 승하다 **5** (영·호주·속어) (…을) 내놓다

as ... as they ~ 매우, 더할 나위 없이: As a friend he's *as* good *as they* ~. 친구로서 그는 더할 나위 없이 좋은 녀석이다. ***~ about*** 일어나다, 발생하다(happen); 〈바람이〉 방향을 바꾸다 ***~ abroad*** (고어) 사람 앞에 나가다; 널리 알려지다 ***~ across*** (1) …을 (뜻밖에) 만나다, 발견하다 (2) 〈요구하는 것을〉 주다 (*with*); 〈빚을〉 갚다; 〈의무를〉 다하다; 뇌물을 주다 (3) 전달되다, 이해되다; (…라는) 인상을 주다 (*as*); 자백하다 (4) (비어) 〈여자가〉 몸을 허락하다 ***~ across*** one***'s mind*** 머리에 떠오르다 ***~ after*** …을 찾다(seek); …에 계속되다(follow); …의 뒤를 잇다(succeed) ***~ again*** 다시 오다, 되돌아오다; 한 번 더 해보다; [명령형] (구어) 다시 한 번 말해 주시오, 뭐라고 말씀하셨나요(What do you say?) ***~ alive*** ⇨ alive. ***~ along*** 오다, 〈길을〉 지나가다; [명령형] 따라와라; 자 빨리 빨리(Make haste!); 동의[찬성]하다 (*with*); (미·구어) 잘[성공]하다; 숙달하다; 지내다 ***~ and*** see me 찾아오게 ★ (구어)에서는 come, go, run, send, try 등의 동사 뒤에서는 come see me의 형태가 보통으로 쓰임. ***~ and get it*** (미·구어) 자, 와서 먹어라, 식사 준비가 되었어요 ***~ and go*** 오락가락하다, 보일락 말락 하다; 변천하다; 잠깐 들르다: Money will ~ *and go.* 돈은 돌고 도는 것. ***~ and go upon*** …로서 자유로이 행동하다, …에 기대어 가다[건너다] ***~ apart*** 흩어지다, 부서지다; 무너지다; 분해되다 ***~ apart at the seams*** (구어) 〈사람·계획 등이〉 못쓰게 되다 ***~ around*** (1) (미) = COME round (2) (뒤늦게) 월경을 하다 ***~ around*** [***round***] ***to*** (구어) (뒤처져서 드디어) 손이 미치다, 시작하다 ***~ at*** …에 이르다, …에 도달하다(arrive at); …을 알게 되다; …으로 향하여 오다, 공격하다(attack); (미·구어) …을 뜻하다; (호주·속어) …하는데 동의하다; (호주·속어) [종종 부정문] 견디다: ~ *at* a true knowledge of …의 진상을 알게 되다 / Just let me ~ *at* you! 내가 좀 상대해 줄까, 자 내가 상대해 주지! ***~ away*** 떨어지다; (주로 영) 〈식물이〉 피다 ***~ away with*** 〈어떤 감정·인상을〉 가지고 떠나다 ***~ back*** 돌아오다; 회복하다, 복귀하다; 기억에 다시 떠오르다; 말대꾸하다, 보복하다(retort) ***~ before*** (1) …앞에 오다[나타나다] (2) …에 앞서다, …보다 중요하다, …보다 상위에 있다 (3) 의제로서 제출되다, 심의되다 ***~ between*** …의 사이에 끼다; 이간질하다 ***~ by*** …을 손에 넣다(obtain); (우연히) 〈상처 따위를〉 입다; 통과하다; (미·속어) 지나는 길에 들르다

---

team up, cooperate, associate, ally, amalgamate

combustion *n.* burning, firing, fire, kindling, ignition, flaming

(call at): How did she ever ~ *by* so much money? 그녀는 어떻게 그렇게 큰돈을 가지게 되었니? ~ ***clean*** 사실을 말하다; 실토[자백]하다 ~ ***close*** [***near***] ***to*** do*ing* 거의 …하게 되다; 하마터면 …할 뻔하다 ~ ***down*** (1) 내리다, 내려오다; (침실에서) 일어나 내려오다; 〈비가〉 내리다; 〈물건이〉 떨어지다; 〈나무가〉 잘리어 넘어지다; 〈집이〉 무너지다; 〈값이〉 내리다 《*in*》; 〈특히 Oxford, Cambridge 대학을〉 졸업하다 (2) 전해 내려오다, 전해지다 《*from, to*》 (3) 《영·구어》 돈을 내다 《*with*》 (4) 《미·속어》 〈일이〉 생기다 (5) 《속어》 마약(의 효과)이 끊기다 ~ ***down on***[***upon***] (1) …에 돌연히 덤벼들다 (2) 《구어》 …을 엄하게 야단치다; 몹시 비난[비판]하다; 벌하다 ~ ***down to*** …에 귀착되다; [when it ~s down to …로] 《구어》 …라고 말하면 ~ ***down to earth*** 《구어》 (꿈과 같은 상태에서) 현실로 돌아오다 ~ ***down with*** (전염)병에 걸리다; 《영·구어》 〈돈을〉 내다, 지불하다 《*to*》 ~ ***first*** 우선하다 ~ ***for*** (1) …의 목적으로 오다; 〈물건을〉 가지러 오다, 〈사람을〉 마중 나오다 (2) 덮치려고 하다 ~ ***forth*** (1) 《문어·익살》 〈제안 등이〉 나오다, 나타나다 (2) 《고어》 〈사람이〉 나타나다 ~ ***forward*** 앞으로 나서다; (여러 사람의 희망에 응하여) 나서다 ~ ***from behind*** 역전하다 ~ ***good*** 《구어》 잘 진행되다 ~ ***home*** 집에 돌아오다 ~ ***home to*** a person …의 가슴에 사무치다, 절실히 느껴지다 ~ ***in*** (1) 집[방]에 들어가다; 입장하다; 도착하다; [명령형] 들어와; 〖무선통신〗 〈신호가〉 오다 (2) 입상하다: ~ *in* third 3등하다 (3) 〖크리켓〗 타자가 되다 (4) (선거에서) 당선하다; 취임하다; 요직에 앉다; 〈당파가〉 정권을 잡다 (5) 〈돈이〉 수입으로 들어오다 (6) …의 계절이 되다; 열매가 익다; 유행하게 되다 (7) 처지가 …이 되다: Where do I ~ *in?* 내 체면은 어떻게 되는 거냐?; 내 소득은 무엇이냐? (8) (농담의) 재미는 …에 있다; 간섭하다; [보어를 동반하여] (…라는 것을) 알다, 이해하다; 《미·속어》 〈암소가〉 새끼를 낳다 ~ ***in for*** 〈비난 등을〉 받다 ~ ***in handy***[***useful***] (언젠가는) 쓸데가 있다 ~ ***in on*** (1) 〈사업 등에〉 참가하다 (2) (들어와서) 방해하다 ~ ***into*** …에 들어가다; …에 가입[찬성]하다; 〈재산을〉 물려받다 ~ ***into*** one***'s head*** 머리에 떠오르다 ~ ***into sight*** 보이기 시작하다 ~ ***into*** one***'s own*** 자기 역량을 충분히 발휘하다; 당연한 성공[명성]을 얻다 ~ ***in with*** (사업으로) …에 참가하다, 가담하다 ~ ***it*** 《영·속어》 뻔뻔스럽게 [실례되게] 행동하다; [종종 can't, couldn't와 함께 쓰여] 《구어》 목적을 이루다; 《속어》 (공범자의) 비밀을 누설하다 ~ ***it*** (***a bit***) ***over***[***with***] …을 이기다, 앞지르다, 속이다; 잘난 체하다 ~ ***it a bit*** (***too***) ***strong*** 《영·구어》 도를 지나치다; 과장하다 ~ ***natural to*** 《미·구어》 쉽다, 쉽게 익숙해지다 ~ ***near*** (***to***) …에 가까이 가다; …에 맞먹다 ~ ***near*** do*ing* 거의 …할 뻔하다 ~ ***of*** ⇨ *vi.* 6 ~ ***of age*** 성년이 되다 ~ ***off*** (1) 〈사람이〉 가 버리다; 〈단추 등이〉 떨어지다; 〈머리카락·이 등이〉 빠지다, 〈페인트 등이〉 벗겨지다 (2) 〈꾀했던 일이〉 실행되다, 실현되다; 〈예언이〉 들어맞다; 〈사업이〉 성취되다, 성공하다(succeed): ~ *off* well[badly] 잘[잘못] 되어가다 / ~ *off* a victor[victorious] 승리자가 되다 (3) (연극 등의) 상연을 중지하다; 《속어》 사정(射精)하다; 〈술·마약 등을〉 끊다 ~ ***off it*** [명령문] 《구어》 거짓말[속이 들여다보이는 말]은 그만두어라, 쓸데없는 말은 그만두어라 ~ ***on*** (1) 〈겨울·밤 등이〉 닥쳐오다, 다가오다; 몰려오다; 〈비가〉 내리기 시작하다; 〈바람·폭풍·발작 등이〉 일다; 〈병·고통 등이〉 더해지다 (2) 〈문제가〉 토의되다, 상정되다; 〈사건이〉 제기되다; 〈배우가〉 등장하다 (3) [형용사 또는 as 구를 수반하여] 《구어》 (…라는) 인상을 주다 (4) 성적 관심을 보이다 《*to, with*》; 〈일이〉 순조롭게 진행되다, 번창하다; 발전하다; 발육하다: The crops are *coming on* nicely. 곡식이 잘 익어가고 있다. / He is *coming on.* 그는 퍽 솜씨가 늘었다; 꽤 세상 물정을 알게 되었다. (5) [명령형] 자 가자, 자 덤벼라(I defy you), 제발(please) 《도전·독촉·간청의 말투》; 자!, 빨리빨리(hurry up) (6) = COME upon. ~ ***on in*** 《미·구어》 [명령문] 자 들어오시오 ~ ***out*** (1) 나오다; 발간[출판]되다; 〈새 유행이〉 나타나다 (2) (무대·사교계에) 처음으로 나서다 (3) 입장을 분명히 밝히다 《*in favor of, for, against*》; 파업하다; 〈본성·비밀 등이〉 드러나다; (수학의) 답이 나오다, 풀리다 (4) 〈계산·결과가〉 (…이) 되다 《*of*》; (…의 성적으로) 급제하다 (5) 〈얼룩·못·이·박힌 것 등이〉 빠지다; 공매(公賣)에 부쳐지다; 〈꽃이〉 피다; 〈도로 등이〉 하나가 되다 (6) 《속어》 동성애자임을 공표하다 ~ ***out against*** …에 반대하다[를 표명하다] ~ ***out for*** 지지하다[를 표명하다] ~ ***out in*** 《구어》 〈사람·얼굴·팔 등이〉 (두드러기 뾰루지 등으로) 덮이다; 〈사람이〉 땀을 흘리다 ~ (***out***) ***into the open*** 《미·구어》 진의(眞意)를 표명하다 ~ ***out of*** …에서 나오다: Nothing will ~ *out of* all this talk. 이렇게 이야기만 해봐야 아무 것도 나오지 않을 것이다. ~ ***out on the right***[***wrong***] ***side*** 〈장사꾼이〉 손해를 보지 않다[보다] ~ ***out on the side of*** …의 편을 들다, …을 지지하다 ~ ***out with*** 《구어》 …을 보이다; 〈비밀을〉 누설하다; …을 발표하다; …을 공매에 붙이다 ~ ***over*** (1) 멀리서 오다; (말하는 사람 쪽으로) 오다; (지나가는 길에) 들르다: *C~ over* here a moment. 이리로 잠깐 와 보시오. (2) (적 편에서) 이쪽 편이 되다, 변절하다 (3) …을 덮치다 (4) 〈라디오·텔레비전이〉 분명히 들리다 (5) 이해되다; (…라는) 인상을 주다 《*as*》 (6) [~ over (all)] 《구어》 (…한 기분·상태로) 되다 (become): I *came over* sleepy[dizzy, chilly]. 졸음이 왔다[현기증이 났다, 오한이 났다]. ~ ***past*** 통과하다(come by) ~ ***round*** 닥쳐[돌아]오다; 훌쩍 나타나다[방문하다]; 원기를 회복하다, 〈기절했던 사람이〉 소생하다; 기분을 풀다; 〈바람 등이〉 방향이 바뀌다; 의견을 바꾸다; …의 환심을 사다, …을 농락하다 ~ ***through*** 끝까지 해내다 《*with*》; 성공하다; 지불하다; 〈전화가〉 연결되다; 《구어》 개종하다, 전향하다; 〈전차가〉 도착하다; 〈성격·능력 따위가〉 (얼굴·말·행동 등에) 나타나다 ~ ***to*** (1) [kʌ́mtúː] 의식을 회복하다, 정신이 들다 (2) 〈배가〉 닻을 내리다, 정박하다 (3) 합계 …이 되다, 결국 …이 되다 (4) 〈말 등이〉 갑자기 마음에 떠오르다 (5) (어떤 의식·태도로) …을 시작하다 《*with*》 ~ ***to an end*** 끝나다 ~ ***to a sticky end*** ⇨ end. ~ ***to blows*** 주먹다짐을 하게 되다, 격투하다 ~ ***together*** (1) 회합하다; 단결하다; 만나다 (2) 《구어》 함께 오르가슴에 달하다 (3) 화해하다 (4) 동시에 발생하다 ~ ***to grief*** 슬픈 변을 당하다, 실패하다 ~ ***to hand*** 〈편지가〉 손에 들어오다; 《영》 가용하다, 입수되다(become available) ~ ***to harm*** 몸을 다치다, 봉변을 당하다 ~ ***to heel*** 굴복하다 ~ ***to life*** 소생하다 ~ ***to much***[***little, nothing***] 대단한 것이 되다[거의 아무 일도 되지 않다, 아무 일도 되지 않다] ~ ***to no good*** 신통치 않다, 아무런 도움이 되지 않다 ~ ***to pass*** 발생하다, 일어나다(happen) ~ ***to*** one***self***[one***'s senses***] 의식을 되찾다, 정신을 차리다; 자제심을 되찾다, 본심으로 돌아가다 ~ ***to stay*** 영구화하다; 〈외래의 습관 등이〉 토착화하다 ~ ***to terms*** 타협이 이루어지다 ~ ***to that*** = ***if it ~s to that*** 그것 말인데, 실은 ~ ***to the book*** 《구어》 (배심원이 되기 전에) 선서하다 ~ ***to the scratch*** 단호한 조치를 취하다 ~ ***to think of it*** 《구어》 생각해 보면[보자니] Has it ~ ***to this?*** 이 꼴이 되고 말았나? ~ ***under*** …의 부류[항목]에 들다; …에 편입[지배]되다; …에 해당하다; 〈영향·지배 등을〉 받다 ~ ***up*** 오르다; 〈해·달이〉 떠오르다; (성큼성큼) 걸어오다, 다가오다; 상경(上京)하다; 〈일이〉 일어나다, 생기다; 《영》 대학에 입학하다; 〈종자·풀 등이〉 싹트다; 〈폭풍 등이〉 일다; 유행하기 시작하다; 논의에 오르다 ~ ***up against*** 〈곤란·반대에〉 부딪치다, 직면하다; 〈사람이〉

thesaurus **comeback** *n.* **1** 회복 return, recovery, revival, resurgence, rally, rebound **2** 말대꾸 reply, retort, response, answer

〈남과〉 의견이 충돌하다 **~ *up for*** (토론·심의·투표 등에) 회부되다 **~ *upon*** …을 우연히 만나다; 문득 …을 생각해 내다; …을 갑자기 습격하다; …에게 부탁하러 가다, 요구하다; 〈일을〉 …이 맡게 되다; …의 신세를 지다 **~ *up smiling*** (복싱 등에서) 지지 않고 맞서다, 굴복하지 않다 **~ *up to*** …에 도달하다(reach); 〈기대대로〉 되다; 〈표준·견본에〉 맞다; …와 맞먹다 **~ *up with*** …에 따라잡다; …에 복수하다; 《구어》 …을 안출하다, 제안하다 **~ *what may*[*will*]** 어떤 일이 일어나더라도 **~ *with*** …에 부수되다, …에 으레 따르다 ***Coming from*** a person …으로부터 그런 말을 들으면 ***get*[*take*] *what's coming to one*** 《구어》 당연한 보수를 받다, 마땅한 벌을 받다 ***have ... coming*** (***to*** one) 《구어》 …가 있는 것이 당연하다, …해도 마땅하다 ***How ~?*** 《구어》 어째서 (그런가)?(Why?) ***How ~s it*** that ***...?*** 어째서 …하게 되었는가? ***in the days*[*weeks, months, years*] *to ~*** 장래에 ***Let'em all ~!*** (한꺼번에) 덤빌 테면 덤벼 봐! ***not know whether*[*if*]** one ***is coming or going*** 어떻게 된 건지 전혀 모르다 ***now*[*when*]** one ***~s to think of it*** 다시 생각해 보니, 그러고 보니 ***things to ~*** 장래에 일어날 수 있는 일, 미래 ***to ~*** 앞으로의, 미래의 ***when it ~s to ...*** …라면, …에 대해서[관해서]라면 ***where*** a person ***is coming from*** 《미·속어》 〈사람이〉 무엇을 생각하고 있는 것인가, 어떤 작정인가; 의도

come², cum [kʌ́m] 《비어》 *n.* =ORGASM; 정액(semen), (여성의) 애액(愛液)
—*vi.* 오르가슴에 달하다, 사정하다

come-and-go [kʌ́mənd*g*óu] *n.* 왔다갔다함, 왕래; 변천 **—*a.*** 대강의; 불안정한, 변동하는

come-at-a·ble [kʌmǽtəbl] *a.* 《구어》 **1** 가까이하기 쉬운, 사귀기 쉬운 **2** 입수하기 쉬운

come·back [kʌ́mbæ̀k] *n.* **1** 《구어》 (건강·지위·인기 등의) 회복, 복귀, 재기, 컴백: make[stage] a ~ 복귀하다, 다시 인기를 얻다, 다시 회복하다 **2** 재치 있는 말대꾸[응답](retort) **3** 《구어》 불평거리; 〈상품을〉 반품하는 손님; 반품; 보상 **4** 《영·속어》 (사람의) 매력; 활력 **5** 《호주》 (식육·원모(原毛)) 양용(兩用)의 양; 그 털

come·back·er [kʌ́mbæ̀kər] *n.* 〖야구〗 투수 앞 땅볼

cómeback wín 역전승

come-by-chance [kʌ́mbaitʃǽns | -tʃɑ́:ns] *n.* 《영·구어》 사생아

COMECON, Com·e·con [kámikàn | kɔ́mikɔ̀n] [*Co*uncil for *M*utual *Econ*omic Assistance] *n.* 코메콘, 공산권 경제 상호 원조 협의회 《1949년 설립, 1991년 해체》

∗**co·me·di·an** [kəmí:diən] *n.* **1 희극 배우**, 코미디언 **2** 《고어》 희극 작가 **3** 익살꾼

co·me·dic [kəmí:dik, -mé-] *a.* 희극(풍)의

co·mé·die de mœurs [kɔ̀:meidí:-də-mɔ́:rs] [F =comedy of manners] 풍속 희극

Co·mé·die-Fran·çaise [kɔ̀:meidí:frɑ:nséz] *n.* [the ~] (파리의) 국립 극장 《1680년 창립》

co·mé·die lar·mo·yante [kɔ̀:meidí:-lɑ̀:rmɔ́-iənt] [F] 감상적인 희극

co·me·di·enne [kəmì:dién, -mèi-] [F] *n.* 여자 희극 배우

co·mé·die noire [kɔ̀:meidí:-nwɑ́:r] [F] =BLACK COMEDY

co·me·di·et·ta [kəmì:diétə, -mèi-] [It.] *n.* 소(小)희극 《보통 1막 짜리》

com·e·dist [kámədist | kɔ́-] *n.* 희극 작가

com·e·do [kámədòu | kɔ́-] *n.* (*pl.* **~s, ~·nes** [kɑ̀mədóuni:z | kɔ̀-]) 여드름(blackhead)

come·down [kʌ́mdàun] *n.* 《미》 몰락, 영락; (지위·명예의) 실추; 《구어》 기대에 어긋남, 실망; 《속어》 마약에서 깨어난 상태

‡**com·e·dy** [kámədi | kɔ́-] [Gk 「연회」와 「노래 부르는 사람」의 뜻에서] *n.* (*pl.* **-dies**) **1** UC **희극** (opp. *tragedy*): (as) good as a ~ 희극처럼 재미있는/a light ~ 가벼운 희극/a musical ~ 희가극 **2** C 희극적인 장면[사건]: There is plenty of ~ in life. 인생에는 희극적인 일이 많다. **3** U 희극적 요소 **4** 인생극 《희비(喜悲) 양면에서 인생의 진상을 그린 작품》: Dante's *Divine C~* 단테의 「신곡(神曲)」
cut the ~ 《속어》 농담[허튼수작]을 그만두다

co·me·di·al [kəmí:diəl] *a.* ▷ cómic, cómical *a.*

cómedy dràma 희극적 요소를 가미한 드라마, 코미디 드라마

cómedy of húmors 기질(氣質) 희극 《네 가지 체액(體液)에 의해 유형화된 기질을 갖는 인물이 엮어내는 엘리자베스 시대의 희극》

cómedy of mánners 풍속 희극 《17세기 말의 영국 사회의 풍속·인습 등을 풍자한 희극》

com·e·dy·wright [-ràit] *n.* 희극 작가

come-from-be·hind [kʌ́mfrəmbiháind] *a.* 역전(逆戰)의: a ~ win 역전승

come-hith·er [kʌ̀mhíðər, kəmíðər] 《구어》 *n.* 사람을 끄는 것, 유혹(하는 것) **—*a.*** A 유혹적인, 매혹적인: a ~ look 요염한 눈길

come-in [kʌ́mìn] *n.* 《미·속어》 (서커스에서) 표를 사려고 서 있는 사람의 줄; (개장(開場)한 뒤) 공연할 때까지 기다리는 시간

come-late·ly [kʌ̀mléitli] *a.* 새로 들어온, 신참의

come·li·ness [kʌ́mlinis] *n.* U **1** (용모의) 예쁨; 단정함 **2** 적합

∗**come·ly** [kʌ́mli] *a.* (**-li·er**; **-li·est**) **1** 《문어》 《특히》 〈여자가〉 **얼굴이 예쁜**, 미모의 **2** 《고어》 알맞은, 적당한, 어울리는

come-off [kʌ́mɔ̀:f, -ɑ̀f | -ɔ̀f] *n.* 《미·구어》 **1** 결론, 결말 **2** 발뺌, 변명

come-on [-ɑ̀n | -ɔ̀n] *n.* 《미·속어》 **1** 유혹하는 눈매[태도]; 유혹하는 것; 싸구려 상품; 경품(prize) **2** 사기꾼 앞잡이; 만들어 낸 이야기 **3** 사기에 걸려드는 사람 ***give*** a person ***the ~*** 《속어》 〈특히 여성이〉 (다른 사람에게) 성적으로 도발적인 태도를 보이다

come-out·er [kʌ̀máutər] *n.* 《미》 (종교 단체 등의) 이탈자; 급진적 개혁주의자

∗**com·er** [kʌ́mər] *n.* **1 올 사람, 온 사람**: the first ~ 선착자(先着者)/all *~s* 오는 사람 모두 《모든 희망자·응모자·참가자 등》 **2** 《미·구어》 유망한 사람[것]; 성장주(株)

co·mes [kóumi:z | kóu-] *n.* (*pl.* **com·i·tes** [-ti:z]) *n.* **1** 〖천문〗 =COMPANION¹ 7 **2** 〖해부〗 다른 혈관[신경]을 수반하는 혈관

co·mes·ti·ble [kəméstəbl] 《문어》 *a.* 먹을 수 있는(edible) **—*n.*** [보통 *pl.*] 식료품

‡**com·et** [kámit | kɔ́-] [Gk 「긴 머리털의 (별)」의 뜻에서] *n.* 〖천문〗 **혜성**; 《비유》 돌연히 두각을 나타내고 바로 사라져 버리는 사람 **com·et·ar·y** [kámitèri | kɔ́mitəri] *a.* **co·mét·ic, co·mét·i·cal** *a.*

co·meth·er [kouméðər] 《영·방언》 *n.* 유혹, 매혹; 매혹적인 말투[언동] ***put the*** [one***'s***] ***~ on*** a person …을 설득하다; 〈여성을〉 유혹하다
—*a.* 매혹적인

cómet sèeker[finder] 혜성 관측 망원경 《배율은 낮으나 시야가 넓음》

come·up·pance [kʌ̀mʌ́pəns] *n.* [때로 *pl.*] 《미·구어》 당연한 벌[응보](deserts)

COMEX [kóumeks] [*Com*modity *Ex*change of New York] *n.* 뉴욕 상품 거래소

CÓM file 〖컴퓨터〗 컴파일(command file) 《MS-DOS상에서 실행되는 명령 파일》

com·fit [kʌ́mfit, kʌ́m- | kʌ́m-, kɔ́m-] *n.* 《드물게》 (동그란) 사탕 과자, 봉봉; [*pl.*] 과자

---

comedy *n.* humor, fun, wit, hilarity
comely *a.* handsome, beautiful, pretty, pleasing
come-on *n.* inducement, lure, enticement

‡**com·fort** [kʌ́mfərt] [L「강화하다, 힘을 돋우다」의 뜻에서] *vt.* **1** 위안하다, 위로하다(console)

> 유의어 **comfort** 괴로움·슬픔·고민 등을 완화하여 힘을 내게 하다: *comfort* a person for his loss 남의 손실을 위안하다 **console** 낙담하거나 슬퍼하고 있는 사람을 위로하여 힘을 내게 하다: *console* a person on the death of his parent 친상(親喪)을 당한 사람을 위로하다 **solace** 낙담·슬픔 등 외에 무료함과 고독감을 없애주다: He *solaced* himself with music. 그는 음악으로 마음을 달랬다.

2 〈몸·사람을〉 편하게 하다
—*n.* **1** Ⓤ 위로, 위안: words of ~ 위로의 말 **2** [a ~] 위로가 되는 사람[것]; 위문품; (침대의) 이불; [*pl.*] 생활을 즐겁게 해주는 것[설비]: She is *a* great ~ to her parents. 그녀는 부모님에게 큰 위로가 된다. / The hotel has every modern ~. 그 호텔에는 현대적이고 쾌적한 온갖 설비가 있다. **3** Ⓤ 낙(樂), 마음 편안함; 안락: live in ~ 안락하게 살다 **4** 《폐어》 원조, 조력(助力) ***cold ~*** 반갑지 않은 위로 ***give ~ to*** …을 위안하다 ***take*** [***find***] ***~ in*** …을 낙으로 삼다 ▷ cómfortable *a.*

‡**com·fort·a·ble** [kʌ́mftəbl, -fərtə-] *a.* **1** 기분 좋은, 편안한 **2** 〈의자 등이〉 안락한; 〈옷 등이〉 편한 **3** 〈사람이〉 편안함을 주는, 사귀기 쉬운: a ~ person to be with 같이 있으면 마음 편한 사람 **4** (…에) 만족하는 《*about*》 **5** 《구어》 〈수입이〉 충분한: a ~ income [salary] 넉넉한 수입[봉급] **6** 《미·속어》 술에 취한
in ~ circumstances 편안한 환경에
—*n.* 털목도리; 《미북부》 (오리털 등을 넣은) 두꺼운 이불(comforter) **~·ness** *n.*
▷ cómfortably *ad.*

∗**com·fort·a·bly** [kʌ́mftəbli, -fərt-] *ad.* 기분 좋게, 편안하게; 안락하게; 부족함이 없이; 쉽게: win ~ 낙승하다 ***be ~ off*** 꽤 잘살고 있다

com·fort·er [kʌ́mfərtər] *n.* **1** 위안을 주는 사람[것], 위안자; 〖성서〗 [the C~] 성령(the Holy Ghost[Spirit]) **2** 《영》 고무 젖꼭지 **3** 털목도리; 《미》 (오리털 등을 넣은) 두꺼운 이불

cómfort fòod 그리운 옛맛 《어머니의 맛깔스러운 음식 맛 따위》; 강장(强壯) 음식

cómfort gìrl = COMFORT WOMAN

com·fort·ing [kʌ́mfərtiŋ] *a.* 기분을 돋우는, 격려하는; 위안이 되는 **~·ly** *ad.*

com·fort·less [kʌ́mfərtlis] *a.* 위안이 없는, 부자유스러운; 낙이 없는, 쓸쓸한 **~·ly** *ad.* **~·ness** *n.*

cómfort stàtion[**ròom**] 《미》 (공원·동물원 등의) 공중변소(rest room); 술집, 술자리

cómfort stòp 《미》 (버스 여행의) 휴식을 위한 정차

cómfort wòman (종군) 위안부(慰安婦)

cómfort zòne 쾌감대 《대부분의 사람이 쾌적하게 느끼는 기온·습도·풍속의 범위》

com·frey [kʌ́mfri] *n.* 〖식물〗 나래지치 《옛날에는 약용》

com·fy [kʌ́mfi] *a.* (**-fi·er**; **-fi·est**) 《구어》 = COMFORTABLE

∗**com·ic** [kɑ́mik | kɔ́-] *a.* **1** 희극의[에 관한](opp. *tragic*); 희극을 하는[만드는]; 희극적인, 우스꽝스러운: a ~ actor[actress] 희극 배우 / a ~ writer 희극 작가 **2** Ⓐ 《미》 만화의
—*n.* **1** 《미》 희극 배우 **2** 만화책[잡지]; 희극 영화; [the ~s] (신문의) 만화란(欄) **3** [the ~] (문학·미술·극·인생 등의) 희극적 요소[성질] **4** [*pl.*] 《미·군대속어》 지형도 《지도를 만화로 비유한 말》
▷ cómedy *n.*; cómical *a.*

∗**com·i·cal** [kɑ́mikəl | kɔ́-] *a.* 우스꽝스러운, 웃기는, 익살스러운; 《구어》 이상한, 기묘한; 《폐어》 희극의; 희극적인 **~·ly** *ad.* **~·ness** *n.*
▷ cómic *a., n.*; comicálity *n.*

com·i·cal·i·ty [kɑ̀mikǽləti | kɔ̀-] *n.* (*pl.* **-ties**) Ⓤ 우스움; Ⓒ 익살스러운 사람[것]

cómic (**bòok**) 《미》 만화책, 만화 잡지

cómic ópera 희가극 (작품)

com·ic-op·er·a [kɑ́mikɑ́pərə | kɔ́mikɔ́p-] *a.* 진지하게 받아들여서는 안 되는

cómic relíef (비극적인 장면에 삽입하는) 희극적인 기분 전환; 《일반적으로》 긴장 상태를 푸는 숨돌림

cómic strip (신문·잡지의) 연재 만화 《1회 4컷》 (《영》 strip cartoon)

Com. in Chf. Commander in Chief

Com·in·form [kɑ́minfɔ̀ːrm | kɔ́m] [*Comm*unist *Inform*ation Bureau] *n.* [the ~] 코민포름, 공산당 정보국(1947-56) 《국제 공산주의의 선전 기관》

‡**com·ing** [kʌ́miŋ] *a.* Ⓐ **1** 오는, 다음의(next), 다가오는: this ~ Saturday 다가오는[이번] 토요일 **2** 《구어》 신진(新進)의, 전도유망한, 신흥의: a ~ man 전도유망한 사람 / a ~ profession 유망한 직업
—*n.* **1** ⓊⒸ 도착, 도래(到來)(arrival) **2** [the (Second) C~] 그리스도의 재림
~ ***in*** (1) 도착; 개시 (2) [보통 ~s in으로] 수입, 세입 ~ ***of age*** 《주로 영》 성인 연령 《18세 이상》 ***~s and goings*** 《구어》 사건; 활동; 왕래 ***C~ soon*** (영화의) 개봉 박두, 근일 개봉

co·min·gle [kəmíŋgl] *vt., vi.* 혼합하다(commingle)

com·ing-out [kʌ́miŋáut] *n.* (*pl.* **com·ings-out**) (상류 계급 여성의) 사교계 정식 데뷔, 데뷔 축하 파티; 《구어》 동성애자임을 공식적으로 밝히는 일

com·int, COMINT [kɑ́mìnt | kɔ́m-] [*com*munications *int*elligence] *n.* 〖군사〗 통신 도청에 의한 정보 수집 (활동)

Com·in·tern [kɑ́mintə̀ːrn, ⌐–| kɔ́m-] [*Com*munist *Intern*ational] *n.* [the ~] 코민테른, 국제 공산당(the Third International)

COMISCO, Co·mis·co [kəmískou] [*Com*mittee of the *I*nternational *S*ocialist *Co*nference] *n.* 국제 사회주의자 회의

com·i·tad·ji [kòumətɑ́ːdʒi] *n.* = KOMITADJI

co·mi·ti·a [kəmíʃiə] *n.* (*pl.* ~) 〖고대로마〗 민회(民會), 의회 **-tial** *a.*

com·i·ty [kɑ́məti | kɔ́-] *n.* (*pl.* **-ties**) ⓊⒸ 《문어》 예의(courtesy); 예양(禮讓) ***the ~ of nations*** 국제 예양; 국제 친교국

com·ix [kɑ́miks | kɔ́-] *n. pl.* 만화(책), 《특히》 반체제적 만화

coml. commercial **comm.** commander; commerce; commission; committee; commonwealth

‡**com·ma** [kɑ́mə | kɔ́mə] [Gk 「단편」의 뜻에서] *n.* **1** 콤마 《,》 **2** 〖음악〗 콤마, 소음정(小音程)
inverted ~s = QUOTATION MARKS

cómma bacíllus 콤마 모양의 세균 《콜레라의 병원균》

com·ma-coun·ter [kɑ́məkàuntər | kɔ́mə-] *n.* 《미·속어》 사소한 일에 까다로운 사람(hairsplitter); 《특히》 까다로운 교정[편집]자

cómma fàult 〖문법〗 콤마의 오용(comma splice)

‡**com·mand** [kəmǽnd, -mɑ́ːnd | -mɑ́ːnd] *v., n.*

> 명령하다 → 지배하다 → (우위에 서다) → 유리한 위치를 차지하다 → 내려다보다

—*vt.* **1** 명령하다, 명하다, …에게 호령하다(order); (권위를 갖고) 요구하다, 강요하다(demand): He *~ed* silence. 그는 조용히 하라고 명령했다. // 《~+***to*** do》

thesaurus **comfortable** *a.* **1** 편안한 cozy, at ease, relaxed, serene, tranquil, contented **2** 풍족한 adequate, affluent, well-off, luxurious
comic *a.* funny, humorous, amusing, entertaining, joking, comical, witty (opp. *serious, grave*)
command *v.* **1** 명령하다 order, direct, charge,

(~+*that* 절) I ~*ed* him *to* do it. =I ~*ed* (*that*) he (should) do it. 그에게 그것을 하라고 명령했다. ★ 이런 문장의 that 절에 should를 안 쓰는 것이 미국 용법. **2** 지휘하다, 통솔하다(lead): The captain ~*s* his ship. 선장은 배를 지휘한다. **3** 〈감정 등을〉 지배하다, 억누르다; 마음대로 하다: ~ oneself[one's temper] 자제하다 / I cannot ~ the sum. 그만한 돈은 내 마음대로 할 수 없다. **4** 〈동정·존경 등을〉 모으다, 일으키다 **5** 〈사물이〉 …을 강요하다, …의 값어치가 있다(deserve); 〈팔 물건이 좋은 값으로〉 팔리다; 〈사람이〉 …을 획득하다: A computer engineer ~*s* a good salary nowadays. 요즘 컴퓨터 기술자는 높은 봉급을 받는다. **6** 〈요충지 등을〉 차지하고 있다(dominate); 내려다보다, 〈경치를〉 내다보다(overlook): a house ~*ing* a fine view 전망이 좋은 집

— *vi.* **1** 명령하다, 지휘하다: God ~*s* and man obeys. 신은 명하고 사람은 그에 따른다. / Who ~*s* here? 이곳 지휘관이 누구야? **2** 〈경치가〉 내려다보이다 ***born to ~*** 윗사람이 될 자질을 타고난 ***~ attention*** 남의 주의를 끌게 하다 ***Yours to ~*** 《고어》 여불비례(餘不備禮), 삼가 말씀드립니다 《편지의 맺음말; '명령을 받아야 할 귀하의 머슴(인 저)'의 뜻》

— *n.* **1** 명령(order), 분부: (~+*to* do) (~+*that* 절) The king issued a ~ for the slave *to* be[a ~ *that* the slave (should) be] set free. 왕은 노예를 석방하라는 어명을 내렸다. **2** Ⓤ 지휘; 지휘권 **3** Ⓤ 지배력; 제어력; 전문적 기술[지식]; (돈을) 마음대로 쓰기; (언어의) 구사 능력(mastery); (감정 등의) 억제력 **4** Ⓤ (요새지를) 내려다보는 위치[고지](의 점유); 조망, 전망 **5** 【군사】 장악지, 지배지, 관할하에 있는 병력[함선, 지구]; 사령부: the Supreme *C*~ 최고 사령부 / the United Nations *C*~ 유엔군 사령부 **6** 【컴퓨터】 명령, 지시; 【우주과학】 (우주선 등을 작동·제어하는) 지령

at* a person*'s ~ (1) …의 명령에 의하여, 지시에 따라서 (2) 《문어》 …의 뜻대로 움직이는; 마음대로 쓸 수 있는(available) ***at the word of ~*** 명령 일하, 호령에 따라 ***chain of ~*** 명령 계통 ***get a ~*** 지휘관으로 임명되다 ***get ~ of the air*[*sea*]** 제공[제해]권을 장악하다 ***have a ~ of*** = ***have at* one*'s ~*** …을 마음대로 쓸 수 있다 ***have a good*[*great*] *~ of*** …을 자유자재로 구사하다 ***in ~ of*** …을 지휘하고 ***on*[*upon*] *~*** 명령을 받고 ***take* (*the*) *~ of*** 〈군대를〉 지휘하다 ***under* (*the*) *~ of*** …의 지휘하에 ***word of ~*** (교련·훈련 등에서의) 호령

— *a.* Ⓐ **1** 지휘(자)의, 지령(관)의 **2** 왕명에 따른; 위급한 사정에 따른 **~·a·ble** *a.*

▷ commándment *n.*

com·man·dant [kɑ̀məndǽnt, -dɑ́:nt | kɔ̀məndǽnt, -dɑ́:nt] *n.* (도시·요새 등의) (방위) 사령관, 지휘관; 《미》 (해병대의) 사령관 **~·shìp** *n.*

commánd càr 《미》 사령관 전용차

com·mand-driv·en [kəmǽnddrìvən, -mɑ́:nd- | -mɑ́:nd-] *a.* 【컴퓨터】 커맨드 방식의 《사용자가 명령을 내리지 않으면 안 되는 방식의》

commánd ecònomy 중앙 통제 경제 《중국·쿠바와 같이 정부의 결정·기획에 의존하는》

com·man·deer [kɑ̀məndíər | kɔ̀-] *vt.* **1** 【군사】 〈장정을〉 (군무에) 징집하다; 〈사유물을〉 (군용·공용에) 징발하다 **2** 《구어》 〈남의 물건을〉 제멋대로 쓰다

— *vi.* 인원[물자]을 징용[징발]하다

*__com·mand·er__ [kəmǽndər, -mɑ́:n- | -mɑ́:n-] *n.* **1** 지휘자, 사령관; 【육군】 지휘관; 【해군】 (군함의) 부함장; 해군 중령: a lieutenant ~ 해군 소령 **2** 상급 훈작사(勳爵士)(cf. KNIGHT) **3** 경찰서장; 《영》 (런던 경시청의) 경시장 **4** (말뚝 박는 데 쓰는) 큰 나무망치(hammer) ***the C~ of the Faithful*** 대교주 《이슬람교국 군주(caliph)의 칭호》

commánder in chíef (*pl.* **commánders in chíef**) [때로 **C- in C-**] (전군의) 최고 사령관; 【육군·해군】 총사령관 《略 C-in-C, Com. in Chf.》

com·mand·er·ship [kəmǽndərʃìp, -mɑ́:n- | -mɑ́:n-] *n.* Ⓤ commander의 직[지위]

com·mand·er·y [kəmǽndəri, -mɑ́:n- | -mɑ́:n-] *n.* (*pl.* **-er·ies**) ⓊⒸ **1** 중세 기사단의 영지 **2** (비밀 결사의) 지부 **3** = COMMANDERSHIP

commánd guídance 【전자】 (유도탄 따위의) 지령 유도(誘導)

*__com·mand·ing__ [kəmǽndiŋ, -mɑ́:n- | -mɑ́:n-] *a.* **1** Ⓐ 지휘하는 **2** 〈태도·풍채 따위가〉 당당한, 위엄 있는 **3** Ⓐ 전망이 좋은; 유리한 장소를 차지한 **~·ly** *ad.* **~·ness** *n.*

commánding ófficer 【육군】 부대 지휘관, 부대장 《소위에서 대령까지》; 【해군】 함장

commánd kèy 【컴퓨터】 명령 키

commánd lànguage 【컴퓨터】 명령 언어

commánd lìne 【컴퓨터】 명령 행

*__com·mand·ment__ [kəmǽndmənt, -mɑ́:nd- | -mɑ́:nd-] *n.* **1** 【성서】 [때로 **C~**] 계명, 계율; 모세의 십계명 중 하나 **2** 명령, 지령 **3** 명령권, 지휘권 ***the Ten C~s*** 【성서】 모세의 십계명

commánd mòdule 【우주과학】 (우주선의) 사령선(船) 《略 CM》

commánd nìght 《영》 국왕 어전(御前) 연극[연주] (command performance)의 밤

com·man·do [kəmǽndou, -mɑ́:n- | -mɑ́:n-] *n.* (*pl.* **~s, ~es**) **1** 의용군 《특히 남아프리카 보어 사람(Boers)의》 **2** 《영》 (제2차 대전 때의) 특공대(원), 코만도 **3** 《미·속어》 (특히 섹스가) 난폭한 사람

go ~ 《미·속어》 속옷을 입지 않다

commánd pàper 《영》 **1** 칙령서(勅令書) 《의회에 보내는; 略 Cmd》 **2** 영국 정부 간행물

commánd perfórmance 《영》 어전(御前) 상연[연주]

commánd pòst 【미군】 전투 사령부[지휘소] 《略 C.P.》; 본부

commánd sérgeant májor 【미육군·공군】 부대 주임 상사

cómma splìce 【문법】 = COMMA FAULT

com·meas·ure [kəméʒər] *vt.* …와 동일한 넓이[크기, 양]를 가지다 **com·méas·ur·a·ble** *a.* 같은 넓이[크기, 양]를 가진

comme ci, comme ça [kɔ́:m-sí:-kɔ́:m-sɑ́:] [F] 그저 그런; 좋지도 나쁘지도 않은

com·me·dia dell'ar·te [kəméidiə-delɑ́:rti] [It.] (16세기 이탈리아의) 즉흥 가면 희극

comme il faut [kʌ̀m-i:l-fóu] [F =as it should be] *a., ad.* 예절[격식]에 맞는[맞게], 우아한[하여]

com·mem·o·ra·ble [kəmémərəbl] *a.* 기념[기억]할 만한

*__com·mem·o·rate__ [kəmémərèit] [L 「상기하다」의 뜻에서] *vt.* **1** (축사·의식으로) 기념하다, 기념식을 거행하다, 축하하다 **2** 찬사를 말하다; 받들다 **3** 〈기념비·날짜 등이〉 기념이 되다 ▷ commemorátion *n.*; commémorative, commémoratory *a.*

*__com·mem·o·ra·tion__ [kəmèməréiʃən] *n.* **1** Ⓤ 기념, 축하 **2** 기념식, 축전; (성인(聖人)의) 축일 **3** 기념이 되는 것, 기념물 **4** [**C~**] Oxford 대학 창립 기념제 ***in ~ of*** …을 기념하여, …의 기념으로

▷ commémorate *v.*; commémorative *a.*

com·mem·o·ra·tive [kəmémərèitiv, -rə- | -rə-] *a.* 기념이 되는, 기념의, 기념적인: ~ coins 기념 주화 — *n.* 기념품; 기념 우표[화폐] **~·ly** *ad.*

commémorative íssue 기념호 《잡지 따위》; 기념 발행물 《우표·주화 따위》

---

instruct, bid, enjoin, summon, require **2** 지배하다 have charge of, control, govern, direct, preside over, head, lead, manage, supervise
commanding *a.* controlling, directing, superior
commemorate *v.* celebrate, remember, honor, pay homage to, memorialize

com·mem·o·ra·tor [kəmémərèitər] *n.* 축하자
com·mem·o·ra·to·ry [kəmémərətɔ̀ːri | -təri] *a.* = COMMEMORATIVE

‡**com·mence** [kəméns] [L「함께 시작하다」의 뜻에서] *vt.* 《문어》 개시하다, 시작하다, 착수하다; 《고어》 개업하다, …라는 직업에 오르다 ★ begin의 격식 차린 말로서 의식·재판·작전 등의 개시에 쓴다: ~ the study of law 법학 공부를 시작하다 / ~ hostilities 개전(開戰)하다
— *vi.* **1** 시작되다(begin) 《*with*》: (~+전+명) The special course ~*s in* (the) fall. 특별 강좌는 가을부터 시작된다. / We will ~ *with* this work. 우리는 이 일부터 시작합니다. **2** 《영·드물게》 (M.A. 등의) 학위를 받다: (~+전+명) ~ *in* the Bachelor of Arts 문학사 학위를 받다 ★ *vt., vi.* 1의 뜻으로는 begin을 대신 쓰는 것이 보통. **com·ménc·er** *n.*
▷ comméncement *n.*

*__com·mence·ment__ [kəménsmənt] *n.* **1** UC 개시(beginning), 시작; 최초: the ~ of the church service 예배의 시작 **2** 《미》 (학교·대학교의) 졸업식[일]; 학위 수여식[일] ***in the ~*** 처음에, 최초에

*__com·mend__ [kəménd] [L「위탁하다」의 뜻에서] *vt.* **1** 기리다, 칭찬하다(praise) 《*for*》; 추천하다, 권하다(recommend) 《*to*》: be highly ~*ed* 격찬받다 // (~+목+전+명) ~ a person *for* his good work …의 선행을 칭찬하다 / I will ~ a man *to* your notice. 한 사람을 당신에게 소개하렵니다. **2** 《문어》 맡기다; 위탁하다(entrust) 《*to*》: (~+목+전+명) He ~*ed* his daughter *to* his sister's care. 그는 딸을 누이에게 맡겼다. **3** 〖역사〗 (가신(家臣)이 되기 위해) 〈자신·토지를〉 영주의 보호하에 두다
C~ me to ... (1) 《고어》 …에게 안부 전해 주시오 (2) 《구어》 [반어적] (…으로는) …이 제일이다[그만이다] **~ one*self* [it*self*] *to*** …에 좋은 인상을 주다, …의 마음을 끌다(attract) **~ one*'s soul to God*** 신에게 영혼을 내맡기다, 안심하고 죽다 **~·er** *n.*
▷ commendátion *n.*; comméndatory *a.*

com·mend·a·ble [kəméndəbl] *a.* 칭찬할 만한, 훌륭한, 기특한(praiseworthy) **~·ness** *n.* **-bly** *ad.*

com·men·dam [kəméndæm] *n.* U 〖그리스도교〗 **1** (성직의 공백으로 인한) 성직급(給)의 일시적 보유 **2** 일시적 성직급, 위탁 사령(寺領)

*__com·men·da·tion__ [kɑ̀məndéiʃən | kɔ̀men-] *n.* **1** U 《미》 칭찬(praise); 추천: a letter of ~ 추천장 **2** 상, 상장 **3** U 위탁, 위임 **4** 〖역사〗 가신이 되기 위해 자기 자신 또는 토지를 영주의 보호하에 둠 **5** [*pl.*] 《고어》 (서신 또는 사람을 중간에 두고 하는) 인사, 잘 부탁한다는 말 ▷ comménd *v.*; comméndatory *a.*

com·men·da·to·ry [kəméndətɔ̀ːri | -təri] *a.* 《문어》 칭찬하는; 추천의; 일시적 성직급(commendam)을 받고 있는

com·men·sal [kəménsəl] *n.* **1** 식사를 같이하는 친구들 **2** 〖생물〗 공생 동물[식물] — *a.* **1** 식사를 같이하는 **2** 〖생물〗 공생적인 **~·ly** *ad.*

com·men·sal·ism [kəménsəlìzm] *n.* U 〖생물〗 공서(共棲), 공생

com·men·sal·i·ty [kɑ̀mensǽləti | kɔ̀-] *n.* U **1** 식사를 같이 함; 친교 **2** 〖생물〗 = COMMENSALISM

com·men·su·ra·ble [kəménsərəbl, -ʃər- | -ʃər-] *a.* **1** 〖수학〗 같은 수로 나누어지는; 같은 단위로 잴 수 있는 《*with*》 **2** 균형이 잡힌 《*with, to*》
~·ness *n.* **-bly** *ad.* **com·mèn·su·ra·bíl·i·ty** *n.*

com·men·su·rate [kəménsərət, -ʃə- | -ʃə-] *a.* **1** 같은 정도[크기, 범위, 기간]의 《*with*》 **2** 액수[크기, 정도]가 알맞은, 적당한, 균형이 잡힌 《*to, with*》 **3** 공통된 단위를 가진, 같은 단위로 잴 수 있는; 약분할 수 있는 ***be ~ with*** …과 잘 맞는다, 적합하다
~·ly *ad.* **~·ness** *n.* **com·mèn·su·rá·tion** *n.*

‡**com·ment** [kɑ́ment | kɔ́m-] [L「고안(考案)」의 뜻에서] *n.* UC **1** (시사 문제 등의) 논평(remark), 의견, 비평, 비판(criticism) 《*on, about*》: No ~. 할 말이 없다. / make a ~ 논평하다

> 유의어 **comment** 어떤 문제·서적·인물·상태에 대한 설명·해설·비평: *comments* on a novel 소설에 관한 논평 **remark** 의견·판단 등을 간단히 말하거나 적은 것: a *remark* about clothes 옷에 관한 한 마디 **observation** 관찰·경험에 의거해 충분히 생각한 의견·판단: the warden's *observations* on prison reform 교도소 개혁에 관한 소장의 소견

2 (책·논설 등에 대한) 주해, 주석; 해설, 설명 **3** U (세간의) 소문, 풍문, 세평 **4** 〖언어〗 평언(評言)
— *vi.* 비평[논평]하다; 주석[해설]하다 《*on, upon, about*》: (~+전+명) ~ favorably *on* his latest work 그의 최근작을 호평하다 / ~ *on* the original 원전에 주석을 달다
— *vt.* 의견으로서 진술하다; 논평하다
~·a·ble *a.* **~·er** *n.* ▷ cómmentary *n.*

com·men·tar·i·at [kɑ́məntǽriət | kɔ́-] *n.* 전문가, 숙달자, 분석가, 해설자

*__com·men·tar·y__ [kɑ́məntèri | kɔ́məntəri] *n.* (*pl.* **-tar·ies**) **1** (일련의) 논평, 비평, 주석, 설명 《*on*》 **2** 논평집, 주석서 **3** 〖라디오·TV〗 (시사 문제·스포츠 등의) 해설, 실황 방송: ⇨ running commentary **4** [보통 *pl.*] (개인적 경험의) 기록, 회고록: Caesar's *Commentaries on the Gallic War* 시저의「갈리아 전기」 **5** 예증[설명]하는 것

com·men·tar·i·al [kɑ̀məntέəriəl | kɔ̀-] *a.*

com·men·tate [kɑ́məntèit | kɔ́-] *vi.* **1** 해설자로서 일하다, 해설자가 되다 **2** 해설[논평]하다
— *vt.* …을 해설[논평]하다; 주석을 달다 **-tà·tive** *a.*

com·men·ta·tion [kɑ̀məntéiʃən | kɔ̀-] *n.* U 해설, 논평

*__com·men·ta·tor__ [kɑ́məntèitər | kɔ́-] *n.* **1** 논평자, 주석자 **2** 〖라디오·TV〗 시사 해설자; 실황 방송원

‡**com·merce** [kɑ́mərs | kɔ́-] [L「상품을 함께 교환하기」의 뜻에서] *n.* U **1** 상업(business); 통상, 교역(trade) **2** (사회적) 교제, 교섭; 의견 교환 《*with*》 **3** 《고어》 성교 **4** 영적(靈的)[지적] 교섭(communion) **5** [**C~**] 《미·구어》 상무부(the Department of Commerce); 상업 회의소
— *vi.* 《고어》 교제하다 《*with*》
▷ commércial *a.*

‡**com·mer·cial** [kəmə́ːrʃəl] *a.* **1** 상업상의; 통상[교역]의: a ~ artist 상업 미술가 / a ~ school 상업 학교 / a ~ transaction 상거래 **2** Ⓐ 영리적인, 영리 본위의; 이익이 되는, 돈벌이가 되는: a ~ success 영리 면에서의 성공 / find oil in ~ quantities 채산성이 맞는 양의 석유를 발견하다 **3** 공업용의, 업무[기업]용의: ~ soda 공업용 소다 **4** 광고 방송의; 〈방송국이〉 민간의: a ~ program 상업 프로그램 **5** 《미》 〈쇠고기가〉 보통의, 중간질의 **6** 《미》 대량 생산의 **7** 〈호텔이〉 세일즈맨용의 **8** 《재즈속어》 〈음악이〉 대중적[풍속적]인
— *n.* 광고[상업] 방송; = COMMERCIAL TRAVELER; 중간 품질의 고기
▷ cómmerce *n.*; commércialize *v.*

commércial àgency 상업 흥신소
commércial árt 상업 미술
commércial attaché (대[공]사관의) 상무관
commércial bánk 시중[보통] 은행, 상업 은행
commércial bíll 상업 어음
commércial brèak 〖라디오·TV〗 광고 방송을 위한 프로 중단 시간

thesaurus **commence** *v.* begin, start, initiate
commendation *n.* praise, credit, applause, high opinion, acclaim, approval, approbation
comment *n.* **1** 논평 remark, opinion, observation, view, statement, criticism **2** 주해 note, annotation, footnote, marginalia, gloss, explanation,

commércial bróadcasting 상업[민간] 방송
commércial còde 커머셜 코드 《전보용 약자 코드; 알파벳 3-5자의 조합》
commércial còllege 상과 대학, 상업 전문 학교
commércial crédit 상업 신용 《은행이 기업에 제공하는 신용 대출》
com·mer·cial·ese [kəmə̀ːrʃəlíːz] *n., a.* 상업 통신문 용어(의)
commércial fértilizer 인공[화학] 비료
Commércial Ínternet Exchánge 〖컴퓨터〗 상업용 인터넷 교환망 《略 CIX》
com·mer·cial·ism [kəmə́ːrʃəlìzm] *n.* Ⓤ **1** 상업주의, 영리주의 **2** 상관습(商慣習); 상용어(商用語)
com·mer·cial·ist [kəmə́ːrʃəlist] *n.* 상업가, 영리주의자 **com·mèr·cial·ís·tic** *a.*
com·mer·ci·al·i·ty [kəmə̀ːrʃiǽləti] *n.* 영리성, 영리[흥행]적 가치
com·mer·cial·i·za·tion [kəmə̀ːrʃəlizéiʃən | -lai-] *n.* Ⓤ 상업[영리, 기업]화
com·mer·cial·ize [kəmə́ːrʃəlàiz] *vt.* 상업[영리]화하다; 상품화하다; …에 상업을 발달시키다; (이익 추구를 위해) 통속화시키다
commércial láw 상법; 상거래법
com·mer·cial·ly [kəmə́ːrʃəli] *ad.* 상업적으로, 영리적으로 (보아); 통상상
commércial mèssage 광고 방송, 시엠(CM)
commércial pàper 〖금융〗 신종 기업 어음 《고정 이율의 기업 어음과는 달리 기업과 투자자 사이에 금리를 자율 결정하는 어음; 略 CP》
commércial pílot 상업용 항공기 조종사
commércial rádio 민방(民放) 라디오; 스폰서 제공의 라디오 프로
commércial tráveler 《영》 (지방 담당) 판매원 (《미》 traveling salesman)
commércial tréaty 통상(通商) 조약
commércial TV́ 민방(民放) TV; 스폰서 제공의 TV 프로
commércial véhicle 상용차(商用車)
com·mer·ci·o·gen·ic [kəmə̀ːrsioudʒénik] *a.* 상업성 위주의, 상품적 매력이 있는
com·mère [kámɛər] [F] *n.* 《영》 (연예·쇼 프로 따위의) 여성 사회자
com·mie[1], **-my**[1] [kámi | kɔ́mi] *n.* (*pl.* **-mies**) 공깃돌
commie[2], **-my**[2] *n.* (*pl.* **-mies**) [종종 **C~**] 《구어·경멸》 공산당원, 빨갱이(communist)
com·mi·nate [kámənèit | kɔ́-] *vt., vi* 위협하다; 저주하다
com·mi·na·tion [kàmənéiʃən | kɔ̀-] *n.* ⒸⓊ 위협; 신벌(神罰)의 선언; 저주의 말 **com·min·a·to·ry** [kəmínətɔ̀ːri, kámə- | kɔ́minətəri] *a.*
com·min·gle [kəmíŋgl | kɔ-] *vt.* 《문어》 혼합하다 (mingle, mix) 《*with*》; 〈자금·자산을〉 합치다
— *vi.* 뒤섞이다 **-gler** *a.*
com·mi·nute [kámənjùːt | kɔ́minjùːt] *vt.* 곱게 빻다(pulverize), 가루로 만들다; 〈토지를〉 세분하다
— *a.* 잘게 빻아진, 분쇄한; 세분한
còm·mi·nú·tion *n.*
cóm·mi·nu·ted frácture [kámənjùːtid- | kɔ́mənjùː-] 〖의학〗 분쇄 골절(粉碎骨折)
com·mi·nu·tor [kámənjùːtər | kɔ́minjùː-] *n.* 분쇄기 《폐기물 처리를 위해 고체를 분쇄하는 기계》
com·mis [kɔːmíː | kɔ́mis] *n.* (*pl.* **~**) 주방장(chef) 보조

---

interpretation, elucidation, exposition
commission *n.* **1** 위임 authority, sanction, warrant, license **2** 임무 task, employment, work, duty, charge, mission, responsibility **3** 위원회 committee, board, council **4** 수수료 percentage, brokerage, fee, share, compensation

com·mis·er·a·ble [kəmízərəbl] *a.* 가엾은, 불쌍한(pitiable)
com·mis·er·ate [kəmízərèit] *vt.* 가엾게 여기다, 동정하다, 불쌍하게 생각하다: ~ another's misfortune 타인의 불운을 딱하게 여기다 // 《~+목+전+명》 ~ a person *for* his poverty …의 가난을 동정하다
— *vi.* 불쌍히 여기다, 동정하다; 조의를 표하다 《*with, on, over*》: 《~+전+명》 ~ *with* her *on* the loss of her son 그녀의 아들 죽음에 애도를 표하다
com·mís·er·à·tor *n.*
com·mis·er·a·tion [kəmìzəréiʃən] *n.* **1** ⓊⒸ 연민, 동정(compassion) 《*for, upon*》 **2** [*pl.*] 동정[애도]의 말
com·mis·er·a·tive [kəmízərèitiv] *a.* 동정심 있는, 인정 많은 **~·ly** *ad.*
com·mis·saire [kàmisɛ́ər | kɔ̀-] *n.* (자전거 경기에서 반칙을 감시하기 위해) 차를 타고 따라가는 심판원
com·mis·sar [kámәsɑ̀ːr | kɔ̀misɑ́ː] *n.* **1** (구소련의) 공산당 통제[정치] 위원 **2** (구소련) 인민 위원 《다른 나라의 장관에 해당》
com·mis·sar·i·al [kàməsɛ́əriəl | kɔ̀-] *a.* **1** 대리자의 **2** 〖영국국교〗 감독[주교] 대리의 **3** 병참(兵站) 장교의 **4** (유럽의) 경찰 본부
com·mis·sar·i·at [kàməsɛ́əriət | kɔ̀-] *n.* **1** [집합적] 〖군사〗 병참부(원), 식량 경리부(원) **2** Ⓤ 식량 보급(food supply) **3** [집합적] (구소련의) 인민 위원회 《1917-46까지의 제도로 다른 나라의 「부(部)」에 해당; 지금은 영어로 ministry라 함》
com·mis·sar·y [káməsèri | kɔ́misəri] *n.* (*pl.* **-sar·ies**) **1** 《미》 (광산·재목 벌채소의) 물자 배급소, 판매부, 매점; (촬영소 등의) 구내 식당; 〖군사〗 병참부(장교) **2** 《드물게》 대리인(deputy); = COMMISSAR **3** 〖영국국교〗 주교 대리 **4** (프랑스의) 경찰국장 **5** 식량
cómmissary géneral 수석 대표[대리]; 〖군사〗 병참감
⁑com·mis·sion [kəmíʃən] *n.* **1** Ⓤ (직권·임무의) 위임, 위탁 《*to*》; 위임장: ~ of powers[authority] to a person …에의 권한의 위임 **2** Ⓤ (위임된) 임무, 직권; 명령, 지령; Ⓒ 주문, 의뢰 사항 **3** 위원회; [집합적] 위원회의 위원들; 《미》 (입법·행정권을 가진) 시 위원회: a ~ of inquiry 조사 위원회 / the Atomic Energy *C*~ 원자력 위원회 **4** Ⓤ 〖상업〗 (상거래의) 위탁, 업무 대리, 대리(권); 거간(agency) **5** ⓊⒸ 수수료, 구전, 커미션: get a ~ of 10 percent on …에 10퍼센트의 수수료를 받다 **6** ⓊⒸ (죄를) 범함, 수행, 범행 《*of*》(cf. COMMIT) **7** Ⓒ 〖군사〗 (장교의) 임관 사령; Ⓤ 장교의 지위[계급]
get [***resign***] ***a*** [one's] **~** 장교로 임관되다[퇴역하다] ***go beyond*** one's **~** 월권 행위를 하다 ***have*** [***sell***] ***goods on*** **~** 상품을 위탁 판매하다 ***in*** [***into***] **~** (1) 위임을 받은 (2) 현역의〈장교〉, 취역 중인〈군함〉 (3) 사용할 수 있는〈무기·기계 등〉: put *in*[*into*] ~ 취역시키다 ***on*** **~** 위탁을 받고 ***out of*** **~** 〈군함·장교 등이〉 퇴역의, 예비의; 〈기계 등이〉 사용 불능의; 〈사람이〉 일하지 못하는 ***the*** **~** ***of the peace*** 《영》 [집합적] 치안 판사
— *vt.* **1** 위임하다, …에게 권한을 주다(authorize); …에게 위임장을 주다; 〈장교로〉 임관하다(appoint); 〈일 등을〉 의뢰하다, 주문하다: 《~+목+***to*** do》 She *~ed* the artist *to* paint a picture of her. 그녀는 화가에게 초상화를 그려 달라고 부탁했다. **2** 〈군함을〉 취역시키다
— *vi.* **1** 〈기계가〉 작동하다 **2** 〈군함이〉 취역하다
▷ commít *v.*
commíssion àgent 거간꾼, 중매인; 사설 마권 장수(bookmaker)
com·mis·sion·aire [kəmìʃənɛ́ər] *n.* 《영》 **1** (호텔·백화점·극장 등의) 제복 입은 수위, 안내인 **2** Corps of Commissionaires(퇴역 군인이 조직하는 London의 용무원(用務員) 조합)의 회원 **3** 중매인; 외국 시장 구매 대리업자

commíssion bròker (거래소의) 중매인

commíssion dày 〖영국법〗 순회 재판 개정일

com·mis·sioned [kəmíʃənd] *a.* 임명된, 임관된; 권한이 있는: a ~ ship 취역함

commíssioned ófficer 〖군사〗 사관, 장교(cf. NONCOMMISSIONED OFFICER)

‡com·mis·sion·er [kəmíʃənər] *n.* (정부가 임명한) 위원, 이사(理事); (식민지의) 판무관; (세무 등의) 감독관; (관청의) 장관, 청장, 국장; 《미》 지방 행정관; (프로 야구 등의) 커미셔너 《프로 스포츠의 품위·질서 유지를 위한 권한이 위임된 최고 책임자》 ***~ for oaths*** 《영》 신시 관리관 ***C~ of Education*** 《미》 (각 주의) 교육국장 ***the Chief C~ of the Metropolitan Police*** 《영》 (런던의) 경찰국장 ***the C~ of Customs*** 《미》 관세청장 **~·shìp** *n.*

commíssion hòuse 주식 중매 회사, 위탁 매매업자

commíssion mèrchant 위탁 판매인, 중매인 (commission agent)

commíssion plàn 《미》 〖정치〗 위원회제 《시의 입법·행정 전반을 위원회가 처리하는》

commíssion sàle 위탁 판매

Commíssions on Cìvil Ríghts [the ~] (미국의) 민권 위원회 《평등권 수호를 위한 정부 기관》

com·mis·su·ral [kəmíʃərəl, kɑ̀məʃúərəl | kəmísjuər-, kɔ̀misjúər-] *a.* 접합한, 접합면의

com·mis·sure [kɑ́məʃùər | kɔ́misjùə] *n.* 이음매, 접합선[면]; 〖해부〗 (신경의) 교련(交連), 횡연합(橫連合); 〖식물〗 (심피의) 접합면

‡com·mit [kəmít] 〖L 「끼워 맞추다, 맡기다」의 뜻에서〗 *vt.* (**~·ted**; **~·ting**) **1** 〈죄·과실 등을〉 범하다, 저지르다: ~ an error 잘못을 저지르다 / ~ a crime 죄를 짓다 **2** 위탁하다, 맡기다; 수용하다, 수감하다, 인도하다(entrust) 《*to*》; 〈의안 등을〉 위원회에 회부하다: (~+목+전+명) ~ one's soul *to* God 영혼을 신에게 맡기다, 죽다 / ~ the bill *to* the committee 의안을 위원회에 회부하다 / The boy was *~ted to* the care of his uncle. 그 소년은 아저씨의 보호를 받도록 맡겨졌다. **3** 〈처리·기록·기억·망각 등에〉 맡기다, 넘기다 《*to*》: (~+목+전+명) ~ one's idea *to* paper 생각을 종이에 적어 두다 **4** [~ one*self* 로] 떠맡다, 몸을 맡기다, 언질을 주다 《*to*》; 약속하다 《*to* do》; 꼼짝 못할 처지가 되다, 관련되다 《*in*》; 헌신하다, 전념하다 《*to*》(⇨ committed 1); (관련된 문제 등에) 자기의 입장[태도]을 밝히다 《*on*》 (⇨ committed 2): Do not ~ your*self*. 언질을 주지 마라. // (~+목+전+명) He *~ted* him*self to* working for the poor people. 그는 가난한 사람들을 위해 일하기로 했다. // (~+목+*to* do) She has *~ted* her*self to* take the job. 그녀는 취직하기로 약속하고 말았다. **5** 〈돈·시간을〉 (…에) 충당하다 《*to*》 **6** 〈군대를〉 투입하다 《*to*》
— *vi.* 책임지다, 약속하다 《*to*》
C~ no nuisance. (게시) 소변 금지. ***~ oneself to*** 〈일 등을〉 떠맡다(⇨ *vt.* 4) ***~ suicide*** 자살하다 ***~ to memory*** 암기하다, 기억하다 ***~ to prison*** 투옥하다 ***~ to the earth*** [***dust***] 묻다, 매장하다 ***~ to the fire*** [***flames***] 태워버리다; 화장하다 ***~ to the waves*** 수장하다
▷ commíssion, commítment *n.*

com·mit·ment** [kəmítmənt] *n.* **1** Ⓤⓒ 언질[공약]을 주기; 언질, 공약, 약속; 의무, 책임: (~+*to* do) I have a ~ to him *to* repay all of the debt. 빚을 다 갚기로 그에게 약속해 두었다. **2** (…에 대한) 연루, 개입; 헌신, 전념, 몸을 바침 《*to*》; (작가 등의) 현실 참여: make a ~ *to* …에 헌신하다 **3** Ⓤ 위탁, 위임; Ⓒ 위원회 회부 **4** Ⓤⓒ (교도소·정신 병원 등에의) 인도; 투옥, 구류, 수감 《*to*》 〖법〗 수감 영장(mittimus) **5** Ⓤⓒ (죄의) 수행, 범행 **6** 〖증권〗 매매 계약 ***honor [***meet***] ***one's ~(s)*** 약속한 일을 하다, 의무를 다하다

com·mit·ta·ble [kəmítəbl] *a.* 재판에 부쳐야 할; 공판에 회부해야 할; 위탁할 수 있는

com·mit·tal [kəmítl] *n.* **1** = COMMITMENT 3, 4 **2** [형용사적으로] 매장

com·mit·ted [kəmítid] *a.* **1** 전념하는, 헌신적인; 명확한 태도[주의]를 가진 《*to*》: a ~ Christian 헌신적인 기독교인 / He was ~ *to* the cause of world peace. 그는 세계 평화를 위해 전념했다. **2** Ⓟ 언질을 주어, 약속하여; 꼼짝 못할 입장이 되어: She became ~ in the matter. 그녀는 그 문제에 얽매여 버렸다.

‡com·mit·tee [kəmíti] [「권한을 위임받은 사람」의 뜻에서] *n.* **1** 위원회; [집합적] 위원(전원): The ~ were divided on the question. 그 문제에 관해서 위원회의 의견은 갈라졌다. **2** [kəmíti | kɔ̀mitíː] 〖법〗 수탁자(受託者), 관재인(管財人); (정신병자 등의) 후견인 ***in ~*** 위원회에 출석하여; 위원회에 회부되어 ***joint ~*** (양원) 합동 위원회 ***standing ~*** 상설[상임] 위원회 ***the C~ of Rules*** 〖미하원〗 운영 위원회, 법규 위원회 ***the ~ of the whole*** 〖영의회〗 전원(全院) 위원회 ***the C~ of*** [《미》 ***on***] ***Ways and Means*** 〖의회〗 세입[재정] 위원회

Commíttee Ènglish (틀에 박힌) 공문서 영어

com·mit·tee·man [kəmítimən, -mæ̀n] *n.* (*pl.* **-men** [-mən, -mèn]) **1** 위원회의 한 사람, 위원 **2** (지구(地區)의) 정치 지도자

com·mit·tee·per·son [kəmítipə̀ːrsn] *n.* **1** (위원회의) 의원 **2** (지구당의) 위원장, 지부장

commíttee ròom 위원회 회의실

commíttee stàge 〖영국의회〗 (국회의) 위원회 심의 《법안 심의의 과정》

com·mit·tee·wom·an [kəmítiwùmən] *n.* (*pl.* **-women** [-wìmin]) **1** 여자 위원 **2** (지구(地區)의) 여성 정치 지도자

com·mix [kəmíks | kɔ-] *vt., vi.* 《드물게》 섞다, 섞이다

com·mix·ture [kəmíkstʃər | kɔ-] *n.* Ⓤⓒ 혼합(물); (빵과 포도주의) 혼합 《그리스도를 상징》

com·mo¹ [kɑ́mou | kɔ́m-] *n.* (*pl.* **~s**) 《호주·구어》 공산주의자

commo² [*commo*dity] *n.* (*pl.* **~s**) 《미·속어》 복역수가 교도소의 매점에서 사는 담배나 캔디

commo³ *n.* (*pl.* **~s**) 《미·속어》 소동(commotion); 《미·군대속어》 통신

Commo. Commodore

cóm mòde 《해커속어》 커뮤니케이션 모드, 컴 모드 《복수의 이용자가 동시에 1대의 컴퓨터를 사용할 때, 자기의 단말기가 다른 단말기와 접속된 상태》

com·mode [kəmóud] *n.* (서랍 달린) 옷장; 세면대; 실내 변기; 부인용 머리 장식의 일종

com·mod·i·fy [kəmɑ́dəfài | -mɔ́-] *vt.* 〈예술품 등을〉 상품화하다, (상품으로서) 매매하다 **com·mod·i·fi·ca·tion** [kəmɑ̀dəfikéiʃən | -mɔ̀-] *n.*

com·mo·di·ous [kəmóudiəs] *a.* 《문어》 〈집·방 등이〉 넓은, 널찍한(spacious); 편리한 **~·ly** *ad.* **~·ness** *n.*

com·mod·i·ty** [kəmɑ́dəti | -mɔ́-] 〖F 「생활의 편의, 쾌적함」의 뜻에서〗 *n.* (*pl.* **-ties**) [종종 *pl.*] **1** 상품, 일용품, 필수품; (농업·광업의) 제1차 상품, 미가공품: agricultural *commodities* 농산물 / prices of *commodities* 물가 **2** 유용한[쓸모 있는] 것 ***staple commodities 중요[필수]상품

commódity agrèement (식량·원료에 대한 국제간의) 상품 협정

commódity exchànge 상품 거래소

Commódity Fútures Tráding Commíssion 《미》 상품 선물(先物) 거래 위원회 《略 CFTC》

thesaurus **commit** *v.* **1** (죄를) 범하다 perform, carry out, execute, enact, perpetrate, effect, do **2** 약속하다 pledge, promise, engage, dedicate
commitment *n.* **1** 의무 undertaking, obligation, responsibility, duty, liability, task, engagement **2** 약속 pledge, promise, vow, covenant **3** 임무

commódity mòney (미) 〖경제〗 상품 화폐
commódity tàx 물품세
＊**com·mo·dore** [kɑ́mədɔ̀ːr | kɔ́-] *n.* 〖미해군〗 준장 (cf. BRIGADIER GENERAL); 〖영국공군〗 준장; 《경칭》 제독 《고참 선장·요트 클럽 회장》; (준장 지휘 함대의) 기함: *C*~ Perry 페리 제독
Com·mo·dore-in-Chief [kɑ́mədɔ̀ːrintʃíːf | kɔ́-] *n.* 공군 최고 사령관
com·mon [kɑ́mən | kɔ́-] *a., n.*

L 「공유하는」의 뜻에서 → 공공의 **2** → 공동의, 공통의 **1** → 보통의, 평범한 **3** → 야비한 **4**

—*a.* (**~·er, more ~**; **~·est, most ~**) **1** 공통의, 공동의, 공유의; 단결한, 일치된: a ~ language 공통의 언어/~ interests 공통의 이익/~ property 공유 재산/be ~ to …에 공통이다/our ~ friend ⇨ MUTUAL friend **2** 사회 일반의(general), 공중의, 공공의(public): a ~ belief 일반화되어 있는 신앙/a ~ highroad 《영》 공로(公路) **3** 보통의, 범상한, 흔한, 평범한, 통속적인; 서민의(ordinary): ~ honesty 보통 수준의 정직/the ~ people 서민/~ knowledge 주지의 사실, (지식으로서의) 상식/a ~ saying 속담 **4** 저속한, 야비한, 천한, 품위 없는: ~ manners 버릇없는 태도/a ~ person 품위 없는 사람 《「보통 사람」은 an ordinary person이라고 함》 **5** 〖수학〗 공통의, 공약의 **6** 〖문법〗 통성의, 통격의 **7** 〖해부〗 종합[공통]의 **8** 〖음악〗 공통 박자의 **9** 보통주(株)의
(*as*) **~ *as an old shoe*** 《구어》 점잔 빼지 않는, 순수한 (*as*) **~ *as muck*** [*dirt*] 《구어》 〈여성 등이〉 전혀 품위가 없는, 교양이 없는 ***by ~ consent*** ⇨ consent. ***make ~ cause with*** ⇨ cause.
—*n.* **1** [때로 *pl.*] (마을 등의) 공유지, 공용지, (공유하는) 목초지, 황무지, 공원 《울타리 없는 황무지 등》 **2** Ⓤ (목초지 등의) 공유권(=right of ~) **3** [때로 **C~**] 미사 통상문 **4** [*pl.*] =COMMONS **5** =COMMON STOCK **6** 《속어》 상식(common sense)
above [***beyond***] ***the ~*** = ***out of*** (***the***) **~** 비범한; 진귀한 ***have ... in ~*** …와 공동으로 …을 가지고 있다, …한 점에서 같다 《*with*》 ***in ~*** 공동으로, 공통으로; 보통의[으로] ***in ~ with*** …와 공통으로, …와 같게 ***out of*** (***the***) **~** 비상한[하게]; 비범한[하게]
▷ cómmonage *n.*
com·mon·a·ble [kɑ́mənəbl | kɔ́-] *a.* **1** 〈토지가〉 공유의, 공동 사용의 **2** 〈가축이〉 공유지에 방목되는
com·mon·age [kɑ́mənidʒ | kɔ́-] *n.* Ⓤ **1** (목초지 등의) 공동 사용; 공동 사용[방목]권 **2** Ⓒ 공용지 **3** [the ~; 집합적] 평민
Cómmon Agricúltural Pólicy (EC의) 공통 농업 정책 《略 CAP》
com·mon·al·i·ty [kɑ̀mənǽləti | kɔ̀-] *n.* (*pl.* **-ties**) Ⓤ **1** =COMMONALTY 1 **2** 공통성 **3** 보통, 평범
com·mon·al·ty [kɑ́mənəlti | kɔ́-] *n.* (*pl.* **-ties**) **1** [the ~; 집합적] 일반 대중; 서민, 평민 **2** [종종 the ~] 법인; 단체, 공동체
cóm·mon-ar·e·a chàrge [kɑ́mənὲəriə- | kɔ́-] (미) (아파트 등의) 관리비, 공익비
cómmon cárrier 〖미국법〗 일반 운수업자 《철도·항공 회사 등》; 공중 통신업자, 전화 회사
Cómmon Cáuse (미) 코먼 코즈 《1970년 결성된 시민 단체; 국민의 요구에 따른 행정 개혁을 목적으로 조직됨》
cómmon chórd 〖음악〗 보통 화음
cómmon cóld (보통의) 감기

dedication, devotion, allegiance
common *a.* **1** 공공의 communal, collective, community, public **2** 사회 일반의 general, widespread, universal, popular, accepted, prevalent, prevailing **3** 보통의 ordinary, average, normal, typical, unexceptional (opp. *special*)

cómmon córe (영국 학교의) 필수 과목
cómmon cóst 〖회계〗 공통 경비
cómmon cóuncil 시의회(市議會)
cómmon críer =TOWN CRIER
cómmon denóminator 〖수학〗 공통 분모; (집단에 있어서) 공통점
cómmon dífference 〖수학〗 (등차수열[급수]의) 공차(公差)
cómmon disáster 〖보험〗 동시 재해 《피보험자와 보험금 수취인이 동시에 사망한 경우》
cómmon divísor 〖수학〗 공약수(common factor): the greatest ~ 최대 공약수 《略 G.C.D., g.c.d.》
com·mon·er [kɑ́mənər | kɔ́-] *n.* **1** 평민, 서민, 대중 **2** 《영》 평민, 서민; 하원 의원 **3** (Oxford 대학의) 자비생(自費生), 보통 학생 《fellow, scholar 또는 exhibitioner가 아닌 학생》 **4** 공유권[입회권] 소유자
First C~ 의장(議長) ***the great C~*** 위대한 하원 의원 《처음에는 the elder William Pitt 또는 W.E. Gladstone의 별명》
Cómmon Éra [the ~] =CHRISTIAN ERA
cómmon fáctor =COMMON DIVISOR
cómmon fráction 〖수학〗 상분수(常分數)
com·mon·gar·den [kɑ́məngɑ́ːrdn | kɔ́-] *a.* =COMMON-OR-GARDEN
cómmon gás (미·속어) 레귤러[무연] 휘발유
cómmon gáteway ínterface 〖통신〗 공통 게이트웨이 인터페이스 《웹서버와 외부 프로그램 사이에서 정보를 주고받는 표준적인 방법; 略 CGI》
cómmon génder 〖문법〗 통성 《남녀 양성에 통하는 'parent' 등》: "Child" is (a noun) of ~. 'child'는 통성(명사)이다.
cómmon góod 공익; 《스코》 공유 재산
cómmon gróund (사회 관계·논쟁·상호 이해 등의) 공통 기반, 공통점: be on ~ 견해가 일치하다/*C~ g~*! 《영》 찬성!
com·mon·hold [kɑ́mənhòuld | kɔ́-] *n.* 《영》 (공동 주택의) 공동 소유제
cómmon infórmer (범죄의) 직업적 밀고자
cómmon júry 〖법〗 (일반인으로 된) 보통 배심
com·mon·land [-lǽnd] *n.* 〖법〗 공유지, 공용지
cómmon láw 〖법〗 관습법, 불문율(cf. STATUTORY LAW); 형평법(equity)
com·mon-law [kɑ́mənlɔ̀ː | kɔ́-] *a.* Ⓐ 관습법의, 관습법상의, 민사상의
cómmon-law húsband (법적 혼인 관계가 아닌) 내연의 남편
cómmon-law márriage 관습법 혼인, 내연 관계
cómmon-law wífe 내연의 처
cómmon lódging 《영》 간이 숙박소
cómmon lógarithm 〖수학〗 상용(常用) 로그(cf. NATURAL LOGARITHM)
com·mon·ly [kɑ́mənli | kɔ́-] *ad.* **1** 일반적으로(widely), 보통(usually), 대개; 통속적으로 **2** 천하게, 품위 없이
cómmon márket 공동 시장; [the C- M-] 유럽 공동 시장, 유럽경제공동체(EEC)
Cómmon Marketéer EEC 가입 찬성자
cómmon méasure **1** 《주로 영》 =COMMON DIVISOR **2** 〖음악〗 =COMMON TIME **3** 〖운율〗 =COMMON METER
cómmon méter 〖운율〗 보통률
cómmon múltiple 〖수학〗 공배수 《略 C.M.》: the least[lowest] ~ 최소 공배수 《略 L.C.M.》
cómmon náme =COMMON NOUN
com·mon·ness [kɑ́mənnis | kɔ́-] *n.* Ⓤ 공통; 보통, 평범; 통속
cómmon nóun 〖문법〗 보통 명사
cómmon núisance =PUBLIC NUISANCE
com·mon-or-gar·den [kɑ́mənərgɑ́ːrdn | kɔ́-] *a.* Ⓐ 《영·구어》 보통의, 흔한, 일상적인

com·mon-or-gar·den-va·ri·e·ty [-vəráiəti] *a.* Ⓐ 《미·구어》 = COMMON-OR-GARDEN

‡**com·mon·place** [kámənplèis | kɔ́-] [L 「공유의 장소, 공통의 문구」를 번역한 것] *n.* **1** 평범한 일[것], 흔한 일[것], 다반사 **2** 진부한 말, 상투어 **3** 《고어》 (비망록에 적은) 중요한 어구[문장]
— *a.* **1** 평범한(ordinary), 흔한, 보통의, 하찮것없는: a ~ fellow 평범한 놈 **2** 진부한, 흔해 빠진: a ~ remark 진부한 말[의견] **~·ly** *ad.* **~·ness** *n.*

cómmonplace bòok 비망록

cómmon pléas [the C- P-] 민사 법원(=court of ~); 〖영국법〗 민사 소송

cómmon práyer 〖성공회〗 기도문 《전례문》
the Book of C- P- (성공회의) 기도서

cómmon próperty 1 (한 사회의) 공유 재산 **2** 주지의 사실

cómmon rát 〖동물〗 = BROWN RAT

cómmon rátio 〖수학〗 공비(公比)(geometric ratio)

cómmon ròom 《영》 (학교 등의) 교원 휴게실; (대학의) 특별 연구원 사교실; 학생 휴게실

com·mons [kámənz | kɔ́-] *n. pl.* **1** 《고어》 평민, 서민; [**C~**] 서민 계급 **2** [**C~**] 《영·캐나다》 하원; [집합적] 하원 의원들 **3** [단수·복수 취급] (대학 등의) 식사, 음식; 공동 식탁, (대학 등의) 식당 ***put on short ~*** 음식을 충분히 주지 않다, 감식(減食)시키다
the House of C~ 《영·캐나다》 하원

cómmon sált = SALT 1

cómmon schòol 《미》 공립 초등학교

cómmon séal 사인(社印), (법인의) 공인(公印)

cómmon secúrity 공통의 안전 보장

‡**cómmon sénse** 상식, 양식(良識) 《인생 경험에서 얻은 사려 분별》; 일반인 공통의 감각[의견]

com·mon-sense [kámənséns | kɔ́-] *a.* Ⓐ 상식적인, 양식을 가진; 상식으로 알 수 있는, 명백한

com·mon-sen·si·ble [kámənsénsəbl | kɔ́-] *a.* = COMMON-SENSE

com·mon·sen·si·cal [kámənsénsikəl | kɔ́-] *a.* 상식적인, 양식 있는 **~·ly** *ad.*

cómmon sháres 《영》 = COMMON STOCK

cómmon sítus pìcketing 《미》 전(全) 건설 현장 피켓 《건설 현장의 한 업자와만 벌이는 싸움인데도 현장 전체에 치는 피켓》

cómmon stóck 《미》 보통주(株)(cf. PREFERRED STOCK)

cómmon tíme 〖음악〗 보통의 박자 《특히 4분의 4 박자》

cómmon tópaz = CITRINE 2

cómmon tòuch [the ~] 대중의 인기를 얻는 자질[재능], 붙임성, 서민성, 대중 감화력

cómmon trúst fùnd 공동 투자 신탁 자금

com·mon·weal [kámənwì:l | kɔ́-] *n.* Ⓤ [the ~] 공공의 복지; Ⓒ 《고어》 공화국

*****com·mon·wealth** [kámənwèlθ | kɔ́-] [「공공의 복지」의 뜻에서] *n.* **1 a** Ⓒ 국가, 《특히》 공화국(republic), 민주 국가(democracy) **b** Ⓤ [집합적] 국민 **c** [the C~] = the COMMONWEALTH of England **2 a** (공통의 이해와 목적으로 결합된) 연방(federation of states) **b** [the C~] = the COMMONWEALTH (of Nations) **c** [the C~] = the COMMONWEALTH of Australia **3 a** 《미》 주(州) 《공식적으로는 Massachusetts, Pennsylvania, Virginia, Kentucky에 대해서 State 대신에 쓰이는 공칭어》 **b** [the C~] 자치주(自治州) 《미국의 Puerto Rico와 the Northern Mariana Islands의 공식명》 **4** (공통의 이해관계를 가진) 단체, 사회: the ~ of writers [artists] 문학계[미술계]
the C~ of Australia 오스트레일리아 연방 《영연방 자치령의 하나로 Tasmania를 포함》 ***the C~ of England*** 〖영국사〗 잉글랜드 공화국 《1649-60》 ***the C~ of Independent States*** 독립 국가 연합 《소련 해체(1991년) 후에 발족한 공화국 연합체; 略 CIS》 ***the C~ of Nations*** 영(英)연방 《영국(Great Britain)을 위시하여 캐나다·오스트레일리아 등으로 이루어진 연합체; 구칭 the British Commonwealth (of Nations)》

Cómmonwealth Dày [the ~] 영연방 기념일 《5월 24일; Queen Victoria의 탄생일, 이전에는 Empire Day라고 하였음》

Cómmonwealth Gámes [the ~] 영연방 경기 대회 《영연방 국가들이 4년마다 개최함》

Cómmonwealth préference (영연방 제국에서의 수입품에 대한) 특혜 관세 제도

cómmon yèar 평년(cf. LEAP YEAR)

com·mo·ran·cy [kámərənsi | kɔ́m-] *n.* (*pl.* **-cies**) 〖영국법〗 거주; 《미》 임시 주소

com·mo·rant [kámərənt | kɔ́m-] *a.* (보통 임시적으로) 거주하고 있는

*****com·mo·tion** [kəmóuʃən] *n.* ⓊⒸ 동요(agitation); 소요, 소동(riot); (정치·사회적) 폭동
be in ~ 동요하고 있다 ***create*** [***cause***] ***a ~*** 소요를 일으키다 **~·al** *a.* ▷ commóve *v.*

com·move [kəmú:v] *vt.* 동요[흥분]시키다, 선동하다(agitate)

comms [kámz | kɔ́mz] *n. pl.* 《구어》 = COMMUNICATIONS

com·mu·nal [kəmjú:nəl, kámju- | kɔ́mju-] *a.* **1** 공동 사회(간)의, 자치 단체의, 시·읍·면·리의 **2** 공동의, 공유의, 공용의: ~ life[property] 공동 생활[재산] **3** [**C~**] 파리 코뮌(Commune)의 **~·ly** *ad.*

com·mu·nal·ism [kəmjú:nəlìzm, kámju- | kɔ́mju-] *n.* Ⓤ 지방 자치주의; 자기 민족 중심주의; 공동체주의 **-ist** *n.*

com·mu·nal·is·tic [kəmjù:nəlístik, kàmju- | kɔ̀mju-] *a.* 지방자치주의적인

com·mu·nal·i·ty [kàmjunǽləti | kɔ̀m-] *n.* Ⓤ 공동체의 상태[특징]; 공동체적인 일치[조화]; 연대감, 단결심

com·mu·nal·ize [kəmjú:nəlàiz, kámju- | kɔ́mju-] *vt.* 〈토지 등을〉 지방 자치 단체의 소유로 하다; 공유화하다 **com·mù·na·li·zá·tion** *n.*

commúnal márriage 군혼(群婚), 집단혼(group marriage)

Com·mu·nard [kámjunà:rd | kɔ́m-] *n.* 〖프랑스사〗 (1871년의) 파리 코뮌 지지자; [**c~**] commune[2]의 거주인

*****com·mune**[1] [kəmjú:n] *vi.* **1** 친하게 사귀다[이야기하다] 《*with, together*》: (~+전+명) ~ *with* nature 자연을 벗삼다 // (~+부) friends *communing together* 다정하게 이야기를 나누는 친구들 **2** 《미》 성찬[성체]을 받다 ***~ with oneself*** [***one's own heart***] 조용히 생각하며 반성하다
— [kámju:n | kɔ́m-] *n.* 《문어》 Ⓤ 간담; 친교; 교감
com·mún·er *n.* ▷ commúnion *n.*

com·mune[2] [kámju:n | kɔ́m-] *n.* **1 a** 코뮌 《중세 유럽 제국의 최소 행정구》 **b** 지방 자치체; [집합적] 지방 자치체의 주민 **2** (중국 등 공산권의) 인민 공사; (히피 등의) 공동 생활체 **3** [the C~ (of Paris)] 파리 코뮌, 파리 혁명 정부 《(1) (1792-95) (2) (1871년 3월-5월)》 **4** = PEOPLE'S COMMUNE

com·mu·ni·ca·ble [kəmjú:nikəbl] *a.* 전달할 수 있는; 전염성의; 《고어》 말하기 좋아하는 《*with*》
com·mù·ni·ca·bíl·i·ty *n.* **~·ness** *n.* **-bly** *ad.*

com·mu·ni·cant [kəmjú:nikənt] *a.* …에 통하는; 나누어 갖는 《*with*》 — *n.* **1** 성찬을 받는 사람, 성체 배령자, 교회원 **2** 전달[통지]자

thesaurus **commotion** *n.* disturbance, uproar, tumult, riot, disorder, confusion, disruption
communicate *v.* **1** 전하다 transmit, pass on, transfer, convey, spread, make known, announce, report, proclaim **2** 연락하다 be in touch[contact]

Com·mu·ni·care [kəmjúːnikɛ̀ər] *n.* 《영》 폭넓은 사회복지 시설을 갖춘 공공(公共) 서비스 센터

‡**com·mu·ni·cate** [kəmjúːnəkèit] [L 「남과 나누어 가지다」의 뜻에서] *vt.* **1** 〈정보·뉴스 등을〉 **전달하다**(impart) 《*to*》; 〈동력·열 등을〉 전하다(transmit) 《*to*》: 《~+목+전+명》 ~ opinions[ideas, wishes] *to* others 의견[사상, 희망]을 남에게 전하다 / A stove *~s* heat *to* a room. 난로는 방을 따뜻하게 한다. **2** 〈병을〉 전염[감염]시키다 **3** 〈…에게〉 성찬[성체]을 주다 **4** 《고어》 나누다(share)
—*vi.* **1 의사를 소통하다,** 서로 이해하다; **통신하다,** 연락하다 《*with*》: 《~+전+명》 They ~ *with* each other by mail. 그들은 서로 편지로 연락하고 있다. **2** 〈길·방 등이〉 통해[이어져] 있다 《*with*》: 《~+전+명》 The bedroom *~s with* the bathroom. 침실은 욕실로 통해 있다. **3** 성찬[성체]을 받다 **4** 〈병이〉 옮겨지다 《*to*》
▷ communicátion *n.*; commúnicative *a.*; commúnicatory *a.*

com·mu·ni·ca·tee [kəmjùːnikətíː] *n.* 피전달자

‡**com·mu·ni·ca·tion** [kəmjùːnəkéiʃən] *n.* **1** Ⓤ 전달, 보도(함); (열 등을) 전함, 전도; (병의) 전염: mass ~ 대중 전달, 매스컴 **2** Ⓤ **통신**(correspondence), (전달되는) 정보, 교신; 편지 교환; 정보[의사] 교환; 친교, 상호 이해; ⓊⒸ 편지, 전갈(message): receive a ~ 편지를 받다 **3** ⓊⒸ **교통(기관),** 교통 수단; 연락: ~ by rail 철도에 의한 연락 **4** [*pl.*] 보도 기관 《라디오·텔레비전·신문·전화 등》 **5** [*pl.*] 〖군사〗 (기지와 일선과의) 연락 (기관); 수송 기관, 수송로 **6** [*pl.*; 단수 취급] 통신학, 전달학
a means of ~ 통신[교통] 기관 ***in ~ with*** …와 연락[통신]하여 **~·al** *a.*
▷ commúnicate *v.*; commúnicative *a.*

communicátion còrd 《영》 (열차 내의) 비상[긴급 연락] 신호줄

communicátion engineering 통신 공학

communicátion ìnterface 연결 전자 회로

communicátion lìnes 〖군사〗 병참선

communicátions còde wòrd 통신 용어

Communicátions Dècency Áct 《미》 통신 품위법 《인터넷상의 외설물 배포를 금지한 법률로 1996년 발효; 略 CDA》

communicátions gàp (세대·계급·당파간의) 의사 소통의 단절, 상호 이해의 결여

communicátions pròtocol 〖컴퓨터〗 통신 규약, 통신 프로토콜 《데이터 통신에서 컴퓨터와 컴퓨터를 접속하여 에러 없이 정보를 교환하기 위해 제정된 규칙》

communicátions sàtellite 통신 위성(COMSAT)

communicátions zòne 〖군사〗 병참 관구[지대], 후방 연락 지대

communicátion thèory 〖컴퓨터〗 통신 이론; = INFORMATION THEORY

com·mu·ni·ca·tive [kəmjúːnəkèitiv, -kə- | -kə-] *a.* 말하기 좋아하는, 수다스러운; 통신의, 전달의 **~·ly** *ad.* **~·ness** *n.*

commúnicative appròach[lánguage tèaching] [the ~] 의사소통적 접근법 《외국어 교육에 있어서 의사소통 능력을 중시하는》

commúnicative cómpetence 〖언어〗 전달[의사소통] 능력

com·mu·ni·ca·tor [kəmjúːnəkèitər] *n.* 전달자, 통보자; 발신기; (열차 내의) 통보기(器); 매스컴 업계의 사람

com·mu·ni·ca·to·ry [kəmjúːnikətɔ̀ːri | -təri] *a.* 통신[전달]의[하는]

---

communion *n.* empathy, sympathy, accord
community *n.* **1 지역 사회 (사람들)** locality, district, neighborhood; residence, inhabitants, population **2 집단** group, section, body, company, ghetto **3 일반 사회** society, public, general public

---

com·mu·ni·col·o·gy [kəmjùːnəkɑ́lədʒi | -kɔ́-] *n.* Ⓤ 커뮤니케이션학 **-gist** *n.*

*__com·mun·ion__ [kəmjúːnjən] [L 「함께 나누어 가지다」의 뜻에서] *n.* **1** Ⓤ **친교,** (영적) **교섭,** 교감: the ~ of heart with heart 이심전심 **2** 종교 단체, 종파; (같은 신앙·종파의) 교우(敎友)들 **3** Ⓤ [**C~,** 때로 Holy C~] = COMMUNION SERVICE; 영성체; 영성체에 사용되는 포도주: receive[partake of] *C~* 성찬을 받다, 영성체하다 **4** 공유; 공유 상태: the ~ of land 토지의 공유
go to C~ 성찬식에 참석하다 ***hold ~ with*** …와 영적 교섭을 가지다; 〈자연 등을〉 마음의 벗으로 삼다 ***hold ~ with*** one***self*** 깊이 성찰하다 《도덕·종교상의 문제에 관하여》 ***in ~ with*** 같은 종파에 속하고
~·ist *n.* 성찬을 받는 사람 ▷ commúne[1] *v.*

commúnion cùp 성찬 잔

commúnion of sáints [the ~] 성도의 교제; 〖가톨릭〗 모든 성인의 통공(通功)

commúnion plàte 〖가톨릭〗 성반(聖盤) 《영성체하는 사람의 턱 밑에 대는 접시》

commúnion ràil 〖가톨릭〗 영성체 대(臺) 《제단 앞의 난간》

Commúnion sèrvice 〖가톨릭〗 성찬식

Commúnion Súnday 성찬 일요일 《개신교의 정기적 성찬식이 있는》

commúnion tàble 성찬대

com·mu·ni·qué [kəmjùːnikéi, ⌐⌐⌐⌐ | ⌐⌐⌐⌐] [F] *n.* 코뮈니케, (외교상의) 공식 발표, 성명(서): issue a ~ about[on] …에 대하여 성명을 발표하다

‡**com·mu·nism** [kɑ́mjunìzm | kɔ́m-] *n.* Ⓤ **1 공산주의 2** [종종 C~] 공산주의 체제; [**C~**] 《미》 (공산당의) 공산주의 이론

‡**com·mu·nist** [kɑ́mjunist | kɔ́m-] *n.* **공산주의자**; [**C~**] 공산당원; 좌경 혁명주의자
—*a.* 공산주의(자)의; [**C~**] 공산당의

Cómmunist Chína 《구어》 중공 《중화 인민공화국의 속칭》

com·mu·nis·tic [kɑ̀mjunístik | kɔ̀m-] *a.* 공산주의적인 **-ti·cal·ly** *ad.*

Cómmunist Internátional [the ~] 공산당[제3] 인터내셔널 《공산당의 국제적 동맹(1919-43); 略 COMINTERN》

Cómmunist Manifésto [the ~] 공산당 선언 《1848년 Marx와 Engels가 발표》

Cómmunist Párty [the ~] 공산당

com·mu·ni·tar·i·an [kəmjùːnətɛ́əriən] *a., n.* 공산 사회[단체]의 (일원); 공산사회주의자(의)
~·ìsm *n.* 공산사회주의

‡**com·mu·ni·ty** [kəmjúːnəti] [L 「친한 사이임」의 뜻에서] *n.* (*pl.* **-ties**) **1** (이해·종교·국적·문화 등을 공유하는) **공동 사회,** 공동체; 지역 사회; (큰 사회 가운데서 공통의 특징을 가진) 집단, 사회, …계(界): the Jewish[foreign] ~ 유대인[거류 외국인] 사회 **2** [the ~] **일반 사회,** 공중(the public): the welfare of the ~ 사회 복지 **3** (동물의) 군집, (식물의) 군락 **4** Ⓤ (재산 등의) 공유, 공용; (사상·이해 등의) 공통성, 일치: ~ of goods[property] 재산 공유 / ~ of interests 이해의 일치 **5** (수도사 등의) 집단 **6** 친우, 친교

commúnity anténna télevision 공동 시청 안테나 텔레비전 《略 CATV》

commúnity associàtion 지역 자치회

commúnity càre 지역적 보호 《노령자에 대한 복지 제도의 하나》

commúnity cènter 《미·캐나다》 시민 문화 회관

commúnity chàrge 《영》 인두세

commúnity chést[fùnd] 《미·캐나다》 (사회 사업을 위한) 공동 모금

commúnity chúrch 《미·캐나다》 (여러 종파 합동의) 지역 교회

commúnity cóllege 《미·캐나다》 (지방 자치 단체에 의한) 지역 전문 대학(village college)

commúnity cóuncil 《스코·웨일스》 지역 평의회 《지역 사회의 이익을 위한 일반인의 자문 기관》
commúnity héalth cènter (지역) 보건소
commúnity hòme 《영》 고아원, 소년원(《미》 reformatory)(cf. APPROVED SCHOOL)
commúnity lánguage lèarning 공동체[집단] 언어 학습
commúnity mèdicine 지역 의료 《가정 의사로서의 활동을 통한 일반 진료》
commúnity physícian (지방 당국이 임명하는) 지역 의료 담당 의사
commúnity polìcing 지역 경비 《범죄를 줄이기 위해 주민을 잘 알고 지역과 관련이 깊은 성관으로 하여금 그 지역의 경비를 담당케 하는 제도》
commúnity pólitics (정치적 전술로서) 지역 중시의 정치 활동
commúnity próperty 〖미국법〗 부부 공동 재산
commúnity relàtions 충돌 가능성이 있는 집단; (흑인·백인 간의) 인종 관계
commúnity schóol 《영》 지역 사회 학교
commúnity sérvice (교도소의 수감 대신으로 하는) 지역 봉사 (활동)
commúnity sínging (출석자 전원이 노래하는) 단체 합창
commúnity spírit 공동체 의식[정신]
com·mu·ni·za·tion [kɑ̀mjunizéiʃən | kɔ̀mjunai-] *n.* Ⓤ 공유화, 공산제
com·mu·nize [kɑ́mjunàiz | kɔ́m-] *vt.* 〈토지·재산 등을〉 공유하다, 국유화하다; …을 공산주의자로 만들다
com·mut·a·bil·i·ty [kəmjù:təbíləti] *n.* Ⓤ 전환[교환]할 수 있음
com·mut·a·ble [kəmjú:təbl] *a.* 전환[교환]할 수 있는; 〖법〗 〈형 등이〉 감형할 수 있는; 통근 가능한 (범위내의) **~·ness** *n.*
com·mu·tate [kɑ́mjutèit | kɔ́m-] *vt.* 〖전기〗 〈전류의〉 방향을 바꾸다; 〈전류를〉 정류(整流)하다
com·mu·ta·tion [kɑ̀mjutéiʃən | kɔ̀m-] *n.* **1** Ⓤ 교환, 전환 **2** ⓊⒸ 지불 방법의 변경 **3** ⓊⒸ 〖법〗 감형; (채무 등의) 감면 **4** Ⓤ 〖전기〗 정류 **5** Ⓤ 《미》 정기[회수]권 통근
commutátion tìcket 《미》 정기[회수] 승차권(= **commúter's tìcket,** 《영》 season ticket)
com·mu·ta·tive [kəmjú:tətiv, kɑ́mjutèi- | kəmjú:tə-, kɔ́mjutèi-] *a.* 교환적인; 상호적인 (mutual); 〖수학〗 가환(可換)의
~·ly *ad.* **com·mù·ta·tí·vi·ty** *n.*
commútative cóntract 〖법〗 쌍무 계약, 등가(等價) 교환 계약
commútative làw 〖논리〗 교환 법칙
com·mu·ta·tor [kɑ́mjutèitər | kɔ́m-] *n.* 〖전기〗 정류[전환]기, 정류자(整流子): a ~ motor 정류자 전동기
com·mute [kəmjú:t] [L 「완전히 바꾸다」의 뜻에서] *vt.* **1** 갈다, 교환하다 **2** 〈지불 방법 등을〉 바꾸다, 대체하다 《*into, for*》; 〖전기〗 〈전류의〉 방향을 바꾸다 **3** 〖법〗 감형하다 《*to, into*》
— *vi.* **1** 대용되다, 대리하다 《*for*》; 돈으로 대신 물다 《*for, into*》 **2** 《미》 (정기[회수]권으로) 통근[통학]하다 《*between, from ... to*》; (통근·통학에) 열차[버스]를 타다 **3** 1회 지불로 하다
— *n.* 통근, 통학; 통근 거리
com·mut·er [kəmjú:tər] *n.* **1** 《미》 정기[회수]권 통근자, 교외 통근자 **2** 〖전기〗 = COMMUTATOR
— *a.* Ⓐ 통근(자)의, 통근(자)을 위한; (근거리) 통근 항공(노선)의
commúter àirplane = AIR TAXI
commúter bèlt 교외 통근권(圈)
commúter cóuple (직장으로 인해) 별거하는 부부, 주말 부부
com·mut·er·land [kəmjú:tərlæ̀nd], **-dom** [-dəm] *n.* Ⓤ 교외 통근자의 주택 지역
commúter márriage 별거 결혼 《직장 관계 등으로 별거하는 부부가 주말에 만나는》
commúter tàx 통근지 소득세 《통근처의 시(市)가 부과하는》
com·mut·er·ville [kəmjú:tərvìl] *n.* Ⓤ 통근자 주택지
com·my[1] [kɑ́mi | kɔ́mi] *n.* (*pl.* **-mies**) = COMMIE[1]
commy[2] *n.* (*pl.* **-mies**) = COMMIE[2]
Cóm·o·ro Íslands [kɑ́mərὸu- | kɔ́m-] [the ~] 코모로 제도 《인도양 서부의 제도》
Com·o·ros [kɑ́mərὸuz | kɔ́-] *n.* [the ~] 코모로 《인도양 서부의 Comoro 제도로 이루어진 공화국; 수도 Moroni》 **Com·o·ran** [kɑ́mərən | kɔ́-] *n., a.*
co·mose [kóumous] *a.* 〈씨앗이〉 털 보양의(hairy); 털이 있는(comate)
comp[1] [kɑmp | kɔmp] 《구어》 *vi.* 식자공으로서 일하다 **—** *vt.* 〈활자를〉 식자하다
— *n.* 식자공(compositor); 식자(composition)
comp[2] 《구어》 *vi.* 〖재즈〗 (리듬을 강조하기 위하여) 불규칙적인 간격의 화음으로 반주하다
— *n.* 반주(accompaniment); 반주자
comp[3] *vi., vt.* 《미·구어》 = COMPENSATE
comp[4] *n.* 《구어》 = COMPETITION
comp[5] [*comp*limentary] *n.* 《구어》 (호텔·흥행 등의) 무료 초대객[권]
comp[6] [*comp*rehensive] *n.* 《구어》 [보통 *pl.*] (전공 과목 등의) 종합 시험
comp[7] *n.* 《구어》 일시 지불
comp. companion; comparative; compare; compensation; compilation; compiled; compiler; complement; complete; composition; compositor; compound; comprehensive
***com·pact**[1] [kəmpǽkt] [L 「꽉 죄어진」의 뜻에서] *a.* **1** 조밀한(close), 치밀한, 촘촘한, 올이 밴(fine-grained) **2** 빽빽한, 밀집한; 〈체격이〉 탄탄한(well-knit) **3** 〈자동차 등이〉 작고 경제적인: a ~ camera 소형 카메라 **4** 〈문체 등이〉 간결한(concise): write ~ sentences 간결한 문장을 쓰다 **5** 〈집 등이〉 아담한 **6** 〖수학〗 〈집합·공간 등이〉 완전 연속인
— *vt.* 꽉[빽빽이] 채우다; 압축하다; 간결히 하다; 〖야금〗 〈금속 가루를〉 거푸집에 넣어 압축하다
— *vi.* 꽉 채워지다
— [kɑ́mpækt | kɔ́m-] *n.* **1** 콤팩트 《휴대용 분갑》 **2** 《미》 소형 자동차(= **~ càr**) **3** 〖야금〗 금속 가루를 거푸집에 넣어 압축해서 굳힌 것
~·i·ble *a.* **~·ly** *ad.* **~·ness** *n.*
***com·pact**[2] [kɑ́mpækt | kɔ́m-] *n.* ⓊⒸ 계약, 맹약, 협정, 협약, 동의: a three-nation ~ 삼국 협정
— *vi.* 계약[맹약]을 맺다 《*with*》
cómpact cámera 콤팩트 카메라 《36mm 카메라》
cómpact cassétte tàpe (가장 일반적인) 카세트 테이프
cómpact dísc 콤팩트 디스크 《광학식 디지털 오디오 디스크; 略 CD》
cómpact dísc plàyer 콤팩트 디스크 플레이어 (CD player) 《하이파이 음향 장치》
com·pact·ed [kəmpǽktid] *a.* 꽉 찬; 굳게 결속된, 탄탄한
com·pac·tion [kəmpǽkʃən, kɑm- | kəm-] *n.* Ⓤ 꽉 채움[참]; 간결화; 〖지질〗 압밀(壓密)(작용)
com·pac·tor, -pact·er [kəmpǽktər] *n.* 〈길 등을〉 다지는 기계[사람]; 쓰레기 분쇄 압축기 《부엌용》
cómpact vìdeo dìsc (음성·영상 재생의) 콤팩트 레이저 디스크 《略 CVD》

thesaurus **compact**[1] *a.* **1** 빽빽한 dense, packed, compressed, solid, firm, condensed **2** 간결한 concise, brief, to the point, condensed
companion[1] *n.* **1** 동료 partner, friend, comrade, colleague, associate, ally, crony **2** 짝 fellow,

com·pa·dre [kəmpɑ́:drei] *n.* 《미남서부》 친구, 단짝(buddy)

com·pa·ges [kəmpéidʒi:z] *n.* (*pl.* ~) (복잡한 부분이 모여 생긴) 구조, 뼈대; 단단한 구조

com·pand·er, -pan·dor [kəmpǽndər] *n.* 〚전자〛 압신기(壓伸器)

com·pand·ing [kəmpǽndiŋ] *n.* Ⓤ 〚전자〛 송신 신호의 압축에 의한 수신 신호의 신장

‡**com·pan·ion**[1] [kəmpǽnjən] [L 「빵[식사]을 같이 함」의 뜻에서] *n.* **1** 동료, 반려(comrade, associate); 친구, 벗, 동무: bad ~*s* 나쁜 친구들/a ~ in arms[crime] 전우[공범자]/a ~ in[of] one's misfortune 불행을 같이 하는 친구 **2** 말동무, 단짝 친구; (우연한) 길동무, 동반자, 패: a ~ for life 일생의 벗[반려자]/a travel ~ 여행의 길동무 **3** 이야기 상대 《고용된 여자》 **4** 짝 《쌍의 한쪽》: a ~ volume 자매편 **5** [**C~**] 최하위 훈작사(勳爵士)(cf. KNIGHT) **6 a** (책 이름으로서) 안내서(guide), 길잡이, 지침서, …의 벗: Teacher's ~ 교사용 지침서 《*to*》 **b** Ⓤ …용 도구 한 벌: travelers'[traveling] ~ 여행자 휴대용품 세트 **7** 〚천문〛 반성(伴星), 동반성(=~ star)

C~ of Honour 《영》 명예 훈작 《略 C.H.》 ***C~ of the Bath*** 바스 훈작사 《略 C.B.》

—*vt.* 동반하다, 수반하다(accompany)

—*vi.* 《문어》 사귀다, 동행하다 《*with*》

~·less *a.* ▷ compánionate *a.*

companion[2] *n.* 〚항해〛 **1** (갑판의) 천창(天窓) **2** 갑판 승강구의 덮개문(=~ hatch) **3** =COMPANIONWAY

com·pan·ion·a·ble [kəmpǽnjənəbl] *a.* 동무로 사귈 만한, 상대하여 재미있는(sociable)

com·pàn·ion·a·bíl·i·ty *n.* **~·ness** *n.* **-bly** *ad.*

com·pan·ion·ate [kəmpǽnjənət] *a.* **1** 친구의; 우애적인 **2** 〈옷이〉 서로 잘 어울리는 《*with*》

compánionate márriage 《미》 우애 결혼 《피임·이혼 자유의 시험적인 결혼》

compánion cèll 〚식물〛 반(伴)세포

compánion hàtch[hèad] 〚항해〛 =COMPANION[2] 2

compánion hàtchway 〚항해〛 갑판 승강구

compánion làdder 〚항해〛 =COMPANIONWAY

compánion pìece (문학 작품 등의) 자매편, (동일 작곡가의) 자매곡

compánion sèt 난로용 기구 세트 《난롯가에 세워 두는 부삽·쇠꼬챙이 등》; (쌍으로 된) 촛대

***com·pan·ion·ship** [kəmpǽnjənʃip] *n.* Ⓤ **1** 동무로서 사귀기, 교우, 교제; [집합적] 친구들: enjoy the ~ of a person …와 가까이 지내다 **2** 〚인쇄〛 식자공 동료 **3** [**C~**] 최하위 훈작사(Companion)의 위계

compánion stàr 〚천문〛 =COMPANION[1] 7

com·pan·ion·way [kəmpǽnjənwèi] *n.* 〚항해〛 갑판 승강구 계단 《갑판에서 선실로의》; 승강구(companion)

‡**com·pa·ny** [kʌ́mpəni] *n., a., v.*

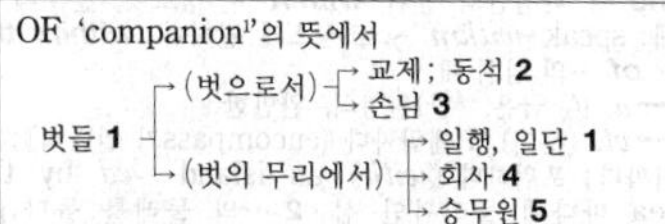

—*n.* (*pl.* **-nies**) **1** Ⓤ [집합적] 동료, 친구들, 벗; 일행, 일단, 극단(劇團); 동석자(들): a ~ of players 배우의 일단/A man is known by the ~ he keeps. 《속담》 친구를 보면 그 사람을 알 수 있다./Two's ~, three's none[a crowd]. 《속담》 둘이면 좋은 친구가 되나 셋이면 사이가 갈라진다./*C~* in distress makes distress less. 《속담》 슬픔도 같이 나누면 덜한 법. **2** Ⓤ 교제, 사귐(association); 동반, 동석; 같이 있음: Will you favor me with your ~ at dinner? 같이 식사를 할 수 있겠습니까? **3** Ⓤ [집합적] (찾아오는) 손님, 방문객: We are having ~ for the weekend. 주말에 손님이 온다. **4** 회사, 상사, 상회; (회사명에 이름이 없는) 사원들(partner(s)) 《회사명으로서의 略 Co.》: a joint-stock ~ 《미》 합자회사, 《영》 주식 회사/a stock ~ 《미》 주식 회사/a life insurance ~ 생명 보험 회사/a limited (liability) ~ 《영》 유한 책임 회사/a publishing ~ 출판사/Smith & *Co.* [kòu, kʌ́mpəni] 스미스 상회 《대표 사원 Smith와 딴 사원의 회사라는 뜻》

> 유의어 **company** 규모·내용에 관계 없이 회사를 나타내는 일반적인 말. **firm** 2인 이상의 합자로서 경영되고 있는 상사·회사 **corporation** 법인으로서 인정받고 있는 주식 (유한) 회사로서 《미》에서 쓰인다. **band** 특히 악단을 가리키는 경우가 많다. **party** 정당을 의미하거나 보통 일시적으로 모인 것을 말한다. **troop** 보통 군대에서 기병대나 한 부대 등의 의미로 쓰인다.

5 〚육군〛 보병[공병] 중대; [보통 a ship's ~로서; 집합적] 〚항해〛 승무원 전원 **6** 소방대 **7** [the C~] 《미·구어》 =CIA **8** (중세의) 동업 조합, 길드(trade guild)

be good [***bad, poor***] ~ 사귀면 재미있는[재미없는] 사람이다 ***bear*** [***keep***] a person ~ …의 상대[동반자]가 되다; …와 동행하다 ***err*** [***sin***] ***in good*** ~ 〈사람이〉 훌륭한 사람도 …와 같이 잘못을 저지르다, 〈사람이〉 실패[실수]하는 것도 당연하다 ***fall into*** ~ ***with*** …와 친구[길동무]가 되다 ***for*** ~ (적적한 때의) 벗으로, 교제상: weep *for* ~ 덩달아 울다 ***get into bad*** ~ =***keep bad*** ~ 나쁜 친구들과 어울리다 ***get*** [***receive***] one***'s*** ~ 중대장[대위]이 되다 ***give*** a person one***'s*** ~ …와 상대를 해주다 ***have*** ~ = receive COMPANY. ***in*** ~ 사람들 가운데서, 남 앞에서 ***in*** ~ ***with*** …와 함께 ***in good*** ~ 좋은 사람들과 사귀어 ***keep*** a person ~ …와 동행하다, 함께 가다 ***keep*** ~ ***with*** a person (적적하지 않도록) …와 같이 있다[가다]; 〈이성과〉 나다니다, 데이트하다 《좀 예스러운 표현》 ***keep good*** [***bad***] ~ 좋은[나쁜] 친구와 사귀다 ***part*** ~ ***with*** [***from***] …와 헤어지다; …와 인연을 끊다, 이별하다 ***present*** ~ ***excepted*** = ***excepting present*** ~ 여기 계신 여러분들은 제외하고 《비난·경멸이 섞인 말을 할 때》 ***receive*** ~ 손님을 맞다, 방문을 받다

—*a.* Ⓐ 교제상의; 회사의; 회사 소유의

—*v.* (**-nied**) 《고어》 *vi.* 사귀다 《*with*》

—*vt.* 따르다, 동행하다

còmpany cár (회사에서 제공하는) 업무용 차

cómpany dòctor 〚경영〛 기업 컨설턴트

cómpany gràde 〚군사〛 위관급(尉官級) 장교 《소위·중위·대위의 총칭; cf. FIELD GRADE》

cómpany màn (노조에서 보아) 회사편인 종업원; 스파이 종업원

cómpany mànners 《구어》 남 앞에서만 차리는 예의범절

cómpany ófficer 〚군사〛 위관(尉官)

cómpany sècretary 《영》 (회사의) 경리와 법률 문제를 다루는 총무 부장

cómpany sérgeant májor 《영국군》 중대 선임 상사

cómpany stóre 회사 매점[구매부]

cómpany tòwn (고용·주택 등을) 한 기업에 의존하는 도시

cómpany ùnion 《미·캐나다》 (노동조합에 가입하지 않은) 한 회사 내의 조합, 어용 조합; 단독[기업별] 조합

---

mate, twin, match, counterpart **3** 지침서 guide, handbook, manual, reference book

company *n.* **1** 교우 companionship, friendship, fellowship **2** 손님 guest, visitor, caller **3** 회사 business, firm, corporation, establishment

compar. comparative; comparison

***com·pa·ra·ble** [kάmpərəbl | kɔ́m-] *a.* **1** Ⓟ …와 비교되는 《*with*》; …에 필적하는, …에 비길 만한 《*to*》: shops ~ *to* those on Fifth Avenue (뉴욕) 5번가의 가게들에 비해서 손색이 없는 가게들 **2** 유사한, 비슷한, (거의) 동등한

còm·pa·ra·bíl·i·ty *n.* **~·ness** *n.*

cómparable wórth 남녀 동일 임금 원칙

com·pa·ra·bly [kάmpərəbli | kɔ́m-] *ad.* 비교할 수 있을 만큼; 동등하게

com·par·a·tist [kəmpǽrətist] *n.* 비교 언어학[문학]자

***com·par·a·tive** [kəmpǽrətiv] *a.* **1** 비교의, 비교에 의한: a ~ method 비교 연구법 **2** 다른 것과 비교한 경우의, 상대적인, 상당한: with ~ ease 비교적 쉽게 / a man of ~ wealth 상당한 재산가 **3** 〖문법〗 비교급의: the ~ degree 비교급

— *n.* [the ~] 비교급 **~·ness** *n.* ▷ compáre *v.*

compárative advántage 비교 우위(優位)

compárative ádvertising 비교 광고 《타사 제품과 비교하여 우수함을 선전하는 방법》

compárative góvernment 비교 정치학

compárative linguístics 비교 언어학

compárative líterature 비교 문학

***com·par·a·tive·ly** [kəmpǽrətivli] *ad.* **1** 비교적(으로); 비교해 보면: ~ speaking 비교해서 말하면 **2** 상당히, 꽤

compárative psychólogy 비교 심리학

compárative relígion 비교 종교학

compárative státement 비교 재무표, 비교 수지 명세서

com·par·a·tiv·ist [kəmpǽrətivist] *n.* = COMPARATIST

com·par·a·tor [kəmpǽrətər, kάmpərèitər | kəmpǽrətə] *n.* 〖기계〗 (정밀) 비교 측정기; 〖전기〗 비교기; 〖컴퓨터〗 비교기, 콤퍼레이터

‡**com·pare** [kəmpέər] [L 「대등하게 하다」의 뜻에서] *vt.* **1** (둘을) 비교하다, 견주다 《*with, to*》 《★ 상세한 비교 검토에는 *with*를 흔히 씀》: ~ two pieces of furniture 가구 2점을 비교하다 // 《~+목+전+명》 ~ a professor *with* another 어떤 교수를 다른 교수와 비교하다

> 유의어 **compare** 유사점·차이점을 보여주고 상대적 가치를 알기 위해 양자를 비교하다: *compare* Shakespeare with Schiller 셰익스피어를 실러와 비교하다 **contrast** 양자의 차이를 명확히 하기 위해 대비·대조하다: *contrast* farm life with city life 농장 생활과 도시 생활을 대비하다 **collate** 문서 등의 세부 사항을 비판적으로 대조하다: *collate* the novel with the French original 소설을 불어 원문과 대조하다

2 비유하다(liken), …에 비기다 《*to*》: 《~+목+전+명》 Shakespeare ~*d* the world *to* a stage. 셰익스피어는 세상을 무대에 비유하였다. / Life is often ~*d to* a voyage. 인생은 흔히 항해에 비유된다. **3** 〖문법〗 〈형용사·부사의〉 비교 변화를 나타내다 《비교급·최상급》

— *vi.* **1** [보통 부정·의문문에서] 견주다, 필적하다, 맞먹다 《*with*》 **2** [favorably, poorly와 함께] (…와) 비교하여 …하다 《*with*》: ~ *poorly*[*favorably*] *with* his work 그의 작품보다 형편없다[뛰어나다] **3** 겨루다, 경쟁하다 (***as***) **~*d with***[***to***] …와 비교해서 **~ *notes*** 정보[의견]를 교환하다; 서로의 감상을 말하다 ***not to be ~d with*** …와 비교가 안 되는 (만큼 못한)

— *n.* Ⓤ 《문어》 비교, 비길 것 ★ 다음 성구로. ***beyond***[***past, without***] **~** 비할 바 없는[없이]

▷ compárison *n.*; cómparable, compárative *a.*

‡**com·par·i·son** [kəmpǽrəsn] *n.* ⓊⒸ **1 a** 비교, 대조 《*with, to, between*》: The Appalachians are a poor ~ *to* the Rockies. 애팔래치아 산맥은 로키 산맥과 비교도 안 된다. **b** [보통 부정문에서] 유사; 필적(하는 것): There's *no* ~ between them. (너무 차이가 나서) 그들은 비교가 안 된다, 하늘과 땅 차이이다. **2** 비유, 비김; 〖수사학〗 비유(적 표현)(cf. SIMILE, METAPHOR) 《*to*》: the ~ of the heart *to* a pump 심장을 펌프에 비유함 **3** 〖문법〗 (형용사·부사의) 비교(변화)(⇨ 문법 해설 (4))

bear[***stand***] **~ *with*** …에 필적하다 ***beyond***[***without, out of all***] **~** 유례 없는[없이] ***by***[***in***] **~** 비교해 보면 ***challenge ~ with*** …와 우열을 겨루다 ***in ~ with***[***to***] …와 비교해 볼 때(compared with) ***make***[***draw***] ***a ~ between*** A and B (A와 B를) 비교하다

▷ compáre *v.*

com·par·i·son-shop [kəmpǽrəsnʃὰp | -ʃɔ̀p] *vi., vt.* (상점을 방문하여 경쟁 상품의) 가격·품질을 비교하다

compárison shòpper 경쟁 상품 비교 조사원, 스파이 손님

compárison tèst 〖수학〗 비교 판정법

com·part [kəmpάːrt] *vt.* 구획하다, 칸막이하다; 설계하다

***com·part·ment** [kəmpάːrtmənt] *n.* **1** 구획, 칸막이, 구분 **2** (유럽 열차의) 칸막이한 객실 《두 줄의 좌석이 마주보고 복도와의 사이에 문이 있음》; 《미》 (객차 내의 화장실이 딸린) 개인용 침실: a smoking ~ (열차의) 흡연실 / a first-class[second-class] ~ (배·열차 따위의) 1등[2등]실 **3** = GLOVE COMPARTMENT **4** 따로따로 구분된 기능

— *vt.* = COMPARTMENTALIZE

com·part·men·tal [kəmpɑːrtméntl, kὰm- | kɔ̀m-] *a.* 구분된, 구획이 있는

com·part·men·tal·ize [kəmpɑːrtméntəlàiz, kὰm- | kɔ̀m-] *vt.* 구획[구분]하다 《*into*》

-mèn·tal·i·zá·tion [-lizéiʃən | -lai-] *n.*

com·part·men·ta·tion [kəmpὰːrtməntéiʃən] *n.* 〖항해〗 선체(船體)의 구획화; 구획화

compártment plàte[**dìsh, trày**] 구획된 접시

‡**com·pass** [kΛ́mpəs] [L 「(걸음나비로) 재다」의 뜻에서] *n.* **1** 나침반, 나침의; 자석: a mariner's ~ 선박용 나침의 **2** [보통 *pl.*] (제도용) 컴퍼스, 양각기: a pair of ~*es* 컴퍼스 한 개 / spread the legs of a ~ 컴퍼스의 다리를 벌리다 **3** ⓊⒸ [보통 *sing.*] 한계(extent, range), 범위 《*of*》; 〖음악〗 음역(range): a voice of great ~ 음역이 넓은 목소리 **4** 에움길(roundabout course): a ~ of seven days' journey 7일간의 순행(巡行)길 **5** 〖천문〗 나침반자리

beyond one***'s* ~ = *beyond the ~ of*** one***'s powers*** 힘이 미치지 않는 ***box the ~*** ⇨ box[1] *vt.* ***fetch***[***go***] ***a ~*** 한바퀴 돌다, 멀리 돌아가다 ***in a small ~*** 작은 범위로; 아담하게, 간결하게 ***keep within ~*** 도를 지나치지 않게 하다 ***the points of the ~*** 나침반의 방위 ***within ~*** 정도껏, 분수에 맞게: speak *within* ~ 조심스레 말하다 ***within the ~ of*** …의 범위 내에

— *a.* Ⓐ 굽은, (반)원형의, 완만한

— *vt.* 《문어》 **1** 에워싸다 《encompass가 일반적》; 둘러싸다; 포위하다 《*with*》: an island ~*ed* by the sea 바다에 둘러싸인 섬 **2** …의 둘레를 돌다(go round) **3** 〈목적을〉 달성하다, 성취하다; 획득하다(obtain): ~ one's purpose 목적을 달성하다 **4** 궁리하다, 계획하다(plot) **5** 이해하다(comprehend)

~·a·ble *a.*

thesaurus **compare** *v.* **1** 비교하다 contrast, collate, differentiate, weigh the differences between **2** 비유하다 liken, equate, analogize

compassionate *a.* merciful, tender, gentle, softhearted, sympathetic, lenient, understanding

compatible *a.* consistent, reconcilable, conso-

cómpass càrd 〖항해〗 나침반의 지침면

cómpass còurse 〖항해〗 나침(항)로 《나침반에서 가리키는 침로》

cómpass hèading 〖항공〗 나침반의 북을 기준으로 한 비행 방향 측정

＊com·pas·sion [kəmpǽʃən] 〖L「함께 괴로워하다」의 뜻에서〗 *n.* Ⓤ **측은히 여김,** (깊은) **동정,** 동정심, 연민(의 정) 《*for, on*》(⇨ pity 유의어)(cf. SYMPATHY): ~ for the sick 병자에 대한 동정심 ***have*** [***take***] **~ *for*** [***on***] a person …을 측은히 여기다 ***out of*** **~** 동정심에서 **~·less** *a.*
▷ compássionate *a., v.*

＊com·pas·sion·ate [kəmpǽʃənət] *a.* **1** 인정 많은, 동정심 있는, 동정적인(sympathetic): a caring, ~ man 상냥하고 인정 있는 사람 **2** 《영》 (불행한 경우를 당한 자에게) 특별 배려에 의한: ~ leave 특별 휴가 **3** 《폐어》 = PITIABLE
— [-èit] *vt.* 측은히 여기다, 동정하다(pity)
~·ly *ad.* **~·ness** *n.* ▷ compássion *n.*

compássionate allòwance 《영》 (개인의 사정을 고려한 규정 외의) 특별 수당

compássion fatìgue 동정심의 감퇴

cómpass plàne 둥근 대패

cómpass plànt 〖식물〗 잎이 남북으로 나는 식물

cómpass ròse 〖항해〗 나침도 《해도상의 원형 방위도》; 방사선[방위]도

cómpass sàw 줄톱 《둥글게 자르는 데 씀》

cómpass tìmber 굽은 재목, 곡재(曲材)

cómpass wìndow 반원형의 퇴창

com·pa·ter·ni·ty [kàmpətə́ːrniti | kɔ̀m-] *n.* (아이의) 대부모(代父母)끼리의 관계, 대부모와 친부모와의 관계

com·pa·thy [kámpəθi | kɔ́m-] *n.* 공감, 동감

com·pat·i·bil·i·ty [kəmpæ̀təbíləti] *n.* Ⓤ **1** 양립[공존, 조화]의 가능성 **2** 〖TV·라디오〗 양립성; 〖컴퓨터〗 (데이터의) 호환성 **3** 〖화학〗 융화성; 〖식물〗 화합성, 친화성; 〖의학〗 (혈액이나 조직의) 적합성

＊com·pat·i·ble [kəmpǽtəbl] 〖L「동정하는」의 뜻에서〗 *a.* **1** Ⓟ **양립할 수 있는,** 모순이 없는 《*with*》; 〈둘이〉 화목하게[의좋게] 지낼 수 있는, 뜻이 맞는 《*with*》: ~ theories 양립되는 이론/the most ~ married couple 가장 의좋은 부부 **2** 〖TV〗 〈컬러 방송이〉 (흑백 수상기에 흑백으로 수상할 수 있는) 겸용식의; 〖컴퓨터〗 호환성(互換性)이 있는 **3** 〖화학〗 융화성의 **4** 〖식물〗 친화성의; 〖의학〗 (혈액·조직이) 거부 반응을 일으키지 않는 **~·ness** *n.*

compátible compúter 호환성 컴퓨터

com·pat·i·bly [kəmpǽtəbli] *ad.* 모순 없이, 양립할 수 있게, 적합하게

com·pa·tri·ot [kəmpéitriət | -pǽ-] *n.* 동포; 동료
— *a.* 같은 나라의, 동포의 **~·ism** *n.*

com·pa·tri·ot·ic [kəmpèitriátik | -pæ̀triɔ́-] *a.* 동포의; 조국의; 고향의

compd. compound

com·peer [kəmpíər, kámpiər | kɔ́mpiə, ─́] *n.* 《문어》 (지위·신분이) 동등한 사람, 동배; 동무, 동료(comrade) — *vt.* …에 필적하다

‡com·pel [kəmpél] 〖L「세게 누르다」의 뜻에서〗 *v.* (**~led**; **~·ling**) *vt.* **1** 억지로[무리하게] …**시키다,** 강요하다(force), 억지로 행동하게 하다: (~+목+*to* do) ~ a person *to* confess …을 무리하게 자백시키다/Hunger ~*led* him *to* surrender. 그는 허기져서 항복하지 않을 수 없었다./The rain ~*led* us *to* stay indoors. 우리는 비 때문에 집에 눌러 있지 않을 수 없었다.// (~+목+전+명) ~ a person *to* submission …을 복종시키다

> 유의어 **compel** 권위라든가 저항하기 어려운 힘으로 어떤 일을 무리하게 시키다: Public opinion *compelled* him to resign. 여론 때문에 그는 사임하지 않을 수 없었다. **force** compel보다 뜻이 강하며 남의 의지에 반해, 또는 저항을 배제하고 어떤 일을 무리하게 시키다: Circumstances *forced* him to lie. 상황이 그로 하여금 거짓말을 하게 만들었다. **impel** 강한 욕망·동기·감정 등이 어떤 행동으로 몰고 가다: A guilty conscience *impelled* him to confess. 그는 죄책감에 눌려 자백했다. **oblige** 부득이 남에게 어떤 일을 시키다: He felt *obliged* to go. 그는 부득이 가야 되겠다고 느꼈다.

2 〈복종·존경·침묵 등을〉 강요하다: ~ obedience [applause] 복종[칭찬]하지 않을 수 없게 하다/Her singing ~*led* our attention. 그녀의 노래에 우리는 관심이 끌렸다. ***be ~led to*** do 할 수 없이 …하다
— *vi.* **1** 폭력[실력]을 행사하다 **2** 거역하지 못하게 하는 영향력을 갖다 **~·ler** *n.*
▷ compúlsion *n.*, compéllable *a.*

com·pel·la·ble [kəmpéləbl] *a.* 강제할 수 있는

com·pel·la·tion [kàmpəléiʃən | kɔ̀m-] *n.* Ⓤ 말 걸기; Ⓒ 호칭, 명칭, 경칭(appellation)

＊com·pel·ling [kəmpéliŋ] *a.* **1** 강제적인, 억지의; 흥미를 돋우는; 어쩔 수 없는(irresistible): a ~ need 억지 요구/a ~ smile 저도 모르게 따라 웃게 하는 미소 **2** 흥미를 돋우는, 흥미진진한: a ~ story 흥미진진한 이야기 **3** 칭찬[존경, 주목]하지 않을 수 없는 **~·ly** *ad.*

com·pend [kámpend | kɔ́m-] *n.* = COMPENDIUM

com·pen·di·ous [kəmpéndiəs] *a.* **1** 〈책 등이〉 간명한, 간결한, 개론적인 **2** 《구어》 분량이 많은[큰] **~·ly** *ad.* **~·ness** *n.*

com·pen·di·um [kəmpéndiəm] *n.* (*pl.* **~s, -di·a** [-diə]) **1** 대요, 요약, 개론 **2** 《영》 명세서, 일람표 **3** 《고어》 절약, 검소

com·pen·sa·ble [kəmpénsəbl] *a.* 〈상해 등이〉 보상의 대상이 되는

com·pèn·sa·bíl·i·ty *n.*

＊com·pen·sate [kámpənsèit | kɔ́mpən-, -pen-] 〖L「함께 계량하다, 균형을 잡다」의 뜻에서〗 *vt.* **1 보상하다,** 배상하다 《*for*》: (~+목+전+명) ~ a person *for* loss …에게 손실을 배상하다 **2** 〖기계〗 보정(補整)하다 **3** 〈결점 등을〉 보완하다, 상쇄하다, 대신 메우다 《*with, by*》; 《미》 보수[급료]를 치르다 《*for*》: (~+목+전+명) The company ~*d* her *for* extra work. 회사는 그녀의 초과 근무에 대해 보수를 지불했다. **4** (금 함유량을 조정하여) 〈화폐의〉 구매력을 안정시키다 **5** 〖심리〗 보상하다
— *vi.* 〈행동·사정 등이〉 보충하다, 보상을 하다, 메우다(make amends) 《*for*》: (~+전+명) Industry sometimes ~*s for* lack of ability. 근면은 능력의 부족을 보충해 줄 때가 있다.
▷ compensátion *n.*; cómpensative, compénsatory *a.*; cómpensàtingly *ad.*

cóm·pen·sat·ed semicondúctor [kámpənsèitid- | kɔ́m-] 〖물리〗 보상형 반도체

cóm·pen·sat·ing bàlance [kámpənsèitiŋ- | kɔ́m-] **1** (시계 등의 속도 조절용) 보정 톱니바퀴 **2** 〖금융〗 보상 예금 《은행이 융자처에 요구하는 최저 필요 예금 잔고》

‡com·pen·sa·tion [kàmpənséiʃən | kɔ̀mpən-, -pen-] *n.* **1** Ⓤ **배상,** 보상(recompense); 보충 《*for*》; ⓊⒸ 보상[배상]금; 《미》 **보수,** 봉급(salary): in ~ for …의 보상[보수]으로서/unemployment ~ 실업 수당 **2** 〖기계〗 보정(補整) **3** 〖심리·생리〗 대상(代償) (작용) **~·al** *a.*

compensátion bàlance = COMPENSATING BALANCE 1

---

nant, congruous, suited, in harmony, accordant
compel *v.* force, drive, pressure, constrain, impel, oblige, urge, necessitate, coerce
compelling *a.* fascinating, enthralling
compensation *n.* recompense, repayment, reimbursement, requital, indemnity, damages

compensátion pèndulum 〖시계〗 보정 진자(振子) 《기온 변화에도 주기가 변하지 않는 진자》

com·pen·sa·tive [kάmpənsèitiv, kəmpénsə- | kəmpénsə-, kɔ́mpensèi-] *a.* = COMPENSATORY

com·pen·sa·tor [kάmpənsèitər | kɔ́m-] *n.* **1** 〖기계〗 보정기[판]; 〖전기〗 보상기 **2** 〖법〗 배상[보상]자

com·pen·sa·to·ry [kəmpénsətɔ̀:ri | kɔ̀mpənséitəri] *a.* 보상[배상]의; 보수[보충]의; 보정적인: ~ payment 배상[보상]금

compénsatory dámages 〖법〗 보상적 손해 배상

compénsatory léngthening 〖언어〗 대상(代償) 연장 《인접 사음의 소멸로 모음이 장음화되는 현상》

com·per [kάmpər | kɔ́m-] *n.* 현상 퀴즈[콘테스트] 단골 응모자

com·père, com·pere [kάmpɛər | kɔ́m-] [F= godfather] *n.* 《영》 (방송 연예의) 사회자(emcee)
— *vt., vi.* (텔레비전·쇼 등의) 사회를 보다

‡**com·pete** [kəmpí:t] [L 「함께 추구하다」의 뜻에서] *vi.* **1** 경쟁하다, 겨루다, 경합하다, 맞서다 《*with, for*》; (경기에) 참가하다 《*in*》: (~+전+명) ~ *with* others *for* a prize 상을 타려고 남과 겨루다 / An injury prevented John from *competing in* the final race. 부상 때문에 존은 결승전에 출전하지 못했다. **2** [보통 부정문] 필적하다, 비견하다 《*with*》: (~+전+명) *No* painting can ~ *with* this one. 이것에 필적할 만한 그림은 없다.
com·pét·er *n.* **com·pét·ing** *a.*
▷ competítion *n.*; compétitive *a.*

∗**com·pe·tence, -ten·cy** [kάmpətəns(i) | kɔ́m-] *n.* **1** Ⓤ 능력; 적성 《*for*》; 〖법〗 권능, 권한; (증인 등의) 적격: (~+***to*** do) There is no doubt of his ~ *for* the work[*to* do the work]. 그가 그 일을 해낼 능력이 있다는 것은 확실하다. **2** [a ~] 《문어》 상당한 자산, 충분한 수입 **3** Ⓤ 〖언어〗 언어 능력(cf. PERFORMANCE) **4** 〖면역〗 면역 적격성; 〖생화학〗 반응 가능성 ***acquire*** [***amass***] ***a*** ~ 상당한 자산을 모으다 ***exceed*** one***'s*** ~ 권한을 넘다, 월권 행위를 하다 ***have a modest*** ~ 자산을 꽤 가지고 있다 ***have*** ~ ***over*** …을 관할하다
▷ cómpetent *a.*

∗**com·pe·tent** [kάmpətənt | kɔ́m-] [L 「함께 추구하는, 자격이 있는」의 뜻에서] *a.* **1** 유능한, 능력[자격]이 있는(⇨ able 유의어); (충분히) 소임을 감당할 수 있는 《*for*》: Jane is ~ *for* teaching. 제인은 가르칠 자격이 있다. // (~+***to*** do) He is ~ *to* do the task. 그는 그 일을 해낼 능력이 있다. **2** 요구를 충족시키는, 충분한: a ~ salary 필요를 충족시킬 만한 봉급 **3** 〖법〗 (법정(法定)) 자격이 있는 《재판관·법정 증인 등》; 〈재판관·법정이〉 심리[관할]권을 가진, 정당한 권한을 가진; 〈행위가〉 합법적인, 허용되는 《*to*》: the ~ authorities 소관 관청 / the ~ minister 주무 장관 **4** 〖생물〗 (항원에 대해) 항체 반응 능력이 있는: ~ cells 항체 반응을 일으키는 세포 **~·ly** *ad.*
▷ cómpetence *n.*

‡**com·pe·ti·tion** [kὰmpətíʃən | kɔ̀m-] *n.* **1** Ⓤ 경쟁 《*with, for, between*》: keen ~ 치열한 경쟁 **2** 경기, 시합, 경쟁 시험: a swimming ~ 수영 경기(회) **3** Ⓤ [집합적] 경쟁자, 경쟁 상대: face tough ~ 어려운 상대들과 맞닥뜨리다
in ~ ***with*** others ***for*** …을 차지하려고 (남)과 경쟁하여 ***put*** a person ***in*** [***into***] ~ ***with*** …을 …와 경쟁시키다
▷ compéte *v.*; compétitive *a.*

∗**com·pet·i·tive** [kəmpétətiv] *a.* **1** 경쟁의, 경쟁적인, 경쟁에 의한, 〈제품·가격이〉 경쟁할 수 있는: a ~ examination 경쟁 시험 / ~ games 경기 종목 / a ~ price 경쟁 가격 / ~ spirit 경쟁심 **2** 〖생화학〗 길항적(拮抗的)인: ~ inhibition of an enzyme 효소 반응의 길항적 저해 **~·ly** *ad.* **~·ness** *n.*

compétitive coexístence 〖정치〗 경쟁적 공존

compétitive exclúsion 〖생태〗 경쟁적 배제

∗**com·pet·i·tor** [kəmpétətər] *n.* (*fem.* **-tress** [-tris]) 경쟁자, 경쟁 상대: ~ analysis 경쟁 기업의 정보 분석 **~·ship** *n.*

com·pet·i·to·ry [kəmpétətɔ̀:ri | -təri] *a.* = COMPETITIVE

com·pi·la·tion [kὰmpəléiʃən | kɔ̀m-] *n.* Ⓤ 편집 《*of*》; Ⓒ 편집물: the ~ *of* a dictionary 사전의 편찬 ***do*** [***make***] ***a*** ~ 편집하다

com·pil·a·to·ry [kəmpáilətɔ̀:ri | -təri] *a.* 편집의, 편집상의

∗**com·pile** [kəmpáil] [L 「약탈하다」의 뜻에서] *vt.* **1** 〈책을〉 편집하다(make up); 〈자료 등을〉 수집하다: ~ a guidebook 안내서를 만들다 // (~+목+전+명) ~ materials *into* a magazine 자료를 수집하여 잡지를 만들다 **2** 〈기록을〉 올리다; 《영》 〖크리켓〗 득점하다(score) **3** 〖컴퓨터〗 〈프로그램을〉 다른 부호[기계어]로 번역하다
▷ compilátion *n.*; compílatory *a.*

com·pil·er [kəmpáilər] *n.* **1** 편집자, 편찬자 **2** 〖컴퓨터〗 컴파일러 《고급 언어 프로그램을 기계어로 번역하는 프로그램》

compíler lànguage 〖컴퓨터〗 컴파일러 언어 《ALGOL, COBOL, FORTRAN 등》

com·píl·ing routìne [kəmpáiliŋ-] 〖컴퓨터〗 = COMPILER 2

comp·ing [kάmpiŋ | kɔ́m-] *n.* 《구어》 (취미로서의) 현상 퀴즈 응모

com·pla·cen·cy [kəmpléisənsi], **-cence** [-səns] *n.* (*pl.* **-cies**) Ⓤ [보통 부정적 의미로] 자기 만족; Ⓒ 만족을 주는 것; 《고어》 정중, 친절(한 행위)

com·pla·cent [kəmpléisnt] *a.* [보통 부정적 의미로] 마음에 흡족한(self-satisfied), 자기 만족의; 무관심한, 개의치 않는 **~·ly** *ad.*

‡**com·plain** [kəmpléin] [L 「가슴을 치다[치며 슬퍼하다]」의 뜻에서] *vi.* **1** 불평하다, 투덜거리다, 불만을 털어놓다, 푸념하다, 한탄하다 《*of, about*》: be always ~*ing* 항상 불평하다 // (~+전+명) ~ *of* little supply 공급이 적다고 투덜거리다 / ~ *about* high prices 물가고를 한탄하다 / We have nothing to ~ *of*. 우리는 아무런 불만이 없다. // (~+***that*** 절) He is always ~*ing that* he cannot find time to do what he wants to (do). 그는 항상 하고 싶은 일을 할 여가가 없다고 불평하고 있다. **2** 호소하다; (경찰에) 고발하다 《*to, of, about*》: (~+전+명) ~ *to* the police *of*[*about*] …에 관해 경찰에 고발하다 // (~+***that*** 절) She ~*ed to* me *that* he had been rude to her. 그녀는 그가 자기를 모욕했다고 내게 호소했다. **3** (병고·고통을) 호소하다 《*of*》: (~+전+명) ~ *of* a headache[stomachache, toothache] 두통[복통, 치통]을 호소하다 **4** 《시어》 구슬픈 소리를 내다, 신음하다
— *vt.* 불평하다, 불만을 말하다
~·er *n.* ▷ compláint *n.*

com·plain·ant [kəmpléinənt] *n.* 〖법〗 원고, 고소인(plaintiff); 《고어》 불평하는 사람

com·plain·ing·ly [kəmpléiniŋli] *ad.* 불평하며, 투덜거리며, 불만스레

‡**com·plaint** [kəmpléint] *n.* **1** ⓊⒸ 불평, 불만, 푸념, 투덜거림; Ⓒ 불평거리: the ~ of the people against the government 정부에 대한 국민의 불평 **2** 〖법〗 (민사의) 고소; 《미》 (민사 소송에서) 원고의 첫 진술 **3** 병: a chronic[female] ~ 만성[부인]병 / have[suffer from] a heart ~ 심장병을 앓다
be full of ~s about one***'s*** food (음식)에 대하여

thesaurus **competition** *n.* **1** 경쟁 rivalry, struggle, contest, contention, strife, vying **2** 시합 contest, match, game, tournament, event, quiz
complain *v.* grumble, grouse, gripe, moan, grouch, whine, lament, find fault, criticize
complete *v.* finish, end, conclude, finalize,

불평이 많다 (***I have***) ***no ~s.*** 별다른 불만은 없다. ***make*** [***lodge, file, lay***] ***a ~ against*** …을 고소하다 ▷ compláin *v.*

compláint depàrtment (백화점 따위의) 고객 불만[고충] 처리부, 고객 상담실

com·plaint·ive [kəmpléintiv] *a.* 자주 불평을 토로하는

com·plai·sance [kəmpléisns, -zns, kámpləzæ̀ns | kəmpléizns] *n.* Ⓤ 《문어》 정중, 공손(politeness); 상냥함, 고분고분함

com·plai·sant [kəmpléisnt, -znt, kámpləzæ̀nt | kəmpléiznt] *a.* 《문어》 공손한, 정중한; 순종적인, 고분고분한 **~·ly** *ad.*

com·pla·nate [kámplənèit | kɔ́m-] *a.* 동일 평면에 놓인; 편평해진(flattened)

com·pla·na·tion [kàmplənéiʃən | kɔ̀m-] *n.* **1** Ⓤ 평면화 **2** 〚수학〛 곡면 구적법(求積法)

com·pleat [kəmplí:t] *a.* (모든 면에) 숙달한, 완전[완벽]한; 《고어》 =COMPLETE: *The C~ Angler* 「조어(釣魚) 대전」 《Izaak Walton의 수필》

com·plect [kəmplékt] *vt.* 《고어》 함께 엮다, 섞어 짜다(interweave, intertwine)

com·plect·ed[1] [kəmpléktid] *a.* 《구어》 섞어 짠; 복잡한

complected[2] *a.* 《미방언·구어》 [보통 복합어를 이루어] 안색이 …한: dark-~ 안색이 검은

‡**com·ple·ment** [kámpləmənt | kɔ́m-] [L 「완전(complete)하게 하는 것」의 뜻에서] *n.* **1 보완하는 것,** 보충하는 것, 보완물 《*to*》(cf. SUPPLEMENT); 보충량: A good wine is a ~ *to* a good meal. 좋은 술은 훌륭한 식사를 더욱 빛나게 해 준다. **2** 〚문법〛 보어(⇨ 문법 해설 (5)) **3** 〚수학〛 여수(餘數), 여각(餘角), 여호(餘弧), 여집합; 〚음악〛 보충 음정; 〚면역〛 보체(補體) **4** (보완하는 데 필요한) 전수(全數), 전량; 〚항해〛 승무원 정원; (직원의) 정수(定數): Now the ship has her full ~ of men. 이제 전 승무원이 승선했다. **5** (상호 보완하는 두 부분의) 한쪽

— [-mènt] *vt.* 보완하다, 보충하다, …의 보완이 되다 **~·er** *n.*

▷ compléte *v.*; compleméntal, compleméntary *a.*

com·ple·men·tal [kàmpləméntl | kɔ̀m-] *a.* =COMPLEMENTARY **~·ly** *ad.*

com·ple·men·tar·i·ty [kàmpləmentǽrəti | kɔ̀m-] *n.* 상보적 상태; 〚물리〛 상보성(相補性)

complementárity prìnciple 〚물리〛 상보성 원리

***com·ple·men·ta·ry** [kàmpləméntəri | kɔ̀m-] *a.* **1** 보완적인; 서로 보완하는 **2** 〚수학〛 보…의, 여(餘)…의 **3** 〚유전〛 〈DNA가〉 상보성(相補性)의

— *n.* (*pl.* **-ries**) **1** =COMPLEMENTARY COLOR **2** 보충[보완]하는 것; 상보적 관계에 있는 것

-ri·ly *ad.* **-ri·ness** *n.*

compleméntary ángle 〚수학〛 여각

compleméntary cèll 〚식물〛 보족(補足) 세포

compleméntary cólor 보색(補色)

compleméntary distribútion 〚언어〛 상보(相補) 분포

compleméntary DNÁ 〚생화학〛 상보적(相補的) DNA 《略 cDNA》

compleméntary gène 〚유전〛 보족(補足) 유전자

compleméntary médicine =ALTERNATIVE MEDICINE

com·ple·men·ta·tion [kàmpləmentéiʃən | kɔ̀mplimen-] *n.* **1** 〚언어〛 =COMPLEMENTARY DISTRIBUTION **2** 〚유전〛 상보성(相補性); 〚동물〛 (동일종 또는 근연종(近緣種)의 두 개체 사이의) 합식(合植) **3** 〚문법〛 보문화(補文化) **4** 상호 관세 인하 협력

cómplement clàuse[**sèntence**] 〚언어〛 종속절

cómplement fixàtion 〚면역〛 보체(補體) 결합

com·ple·men·tiz·er [kámpləməntàizər | kɔ́m-] *n.* 〚문법〛 보문소(補文素)

‡**com·plete** [kəmplí:t] [L 「완전히 채우다」의 뜻에서] *vt.* **1 완료하다,** 끝마치다(⇨ finish 유의어): ~ the whole course 전 과정을 마치다, 졸업하다 **2** 완성하다, 완전한 것이 되게 하다; 〈수·양을〉 채우다; 갖추다: I need two more words to ~ this puzzle. 이 퍼즐을 완성하는 데 두 단어가 필요하다. **3** 〚야구〛 〈경기를〉 완투(完投)하다; 〚미식축구〛 〈포워드 패스를〉 성공시키다 **4** 〈계약을〉 이행하다 ***to ~ one's misery*** 가뜩이나 불행한 데다가, 설상가상으로

— *a.* (**more ~, -plet·er; most ~, -plet·est**) **1 전부의**(entire); 완벽한; 완비한: the ~ works of Shakespeare 셰익스피어 전집 / a house ~ with (a) garage and (a) pool 차고와 수영장을 완비한 집 **2** Ⓐ **완전한**(perfect), 전적인: a ~ failure[victory] 완패[완승] USAGE complete는 의미상 비교 변화를 하기 어려운 형용사지만, 특히 「완전함」의 정도를 강조하기 위해 비교 변화를 쓰는 경우가 있다. **3 완결한,** 완성된(finished): My work is ~. 내 일은 완성되어 있다. **4** 아주 숙달한: a ~ artist 아주 숙달된 예술가 **5** 〚문법〛 완전한: a ~ verb 완전 동사 / a ~ intransitive[transitive] verb 완전 자동사[타동사] **6** 〚식물〛 〈꽃이〉 전부분을 갖춘: a ~ flower 갖춘꽃

~·ness *n.* **com·plét·er** *n.*

▷ complétion *n.*; complétive *a.*

compléte blóod cóunt 완전 혈구 측정

compléte fértilizer 완전 배합 사료

compléte frácture 완전 골절

compléte gáme 〚야구〛 완투 경기 《한 투수가 1회부터 9회까지 혼자 투구하기》

‡**com·plete·ly** [kəmplí:tli] *ad.* **완전히,** 완벽하게; 순전히, 철저히: ~ forget 완전히 잊다 ***not ~*** [부분 부정] 완전히 …하는 것은 아니다: He is*n't* ~ satisfied. 그는 완전히 만족한 것은 아니다.

compléter sèt 보조 식기 세트 《작은 접시, 조미료 그릇 따위》

com·ple·tion** [kəmplí:ʃən] *n.* Ⓤ **1 완성,** 완료; 수료, 졸업; 만료, 만기; 성취, 달성, 도달(점): be near ~ 완성에 가깝다 **2** 〚미식축구〛 포워드 패스의 성공 ***bring to ~ 완성시키다

▷ compléte *v.*

com·ple·tist [kəmplí:tist] *n.*, *a.* 완전주의자(의)

com·ple·tive [kəmplí:tiv] *a.* 완성적인; 〚문법〛 완료를 나타내는

cómp létter (기증본에 삽입된) 증정 인사장

‡**com·plex** [kəmpléks, kámpleks | kɔ́mpleks] [L 「함께 접다」의 뜻에서] *a.* **1 복잡한,** 착잡한, 얽히고 설킨: a ~ problem 복잡한 문제

> 유의어 **complex** 여러 가지 부분·요소로 이루어져서 그 이해에 상당한 연구나 지식을 필요로 하는 복잡함을 말한다: a *complex* mechanism 복잡한 메커니즘 **complicated** 대단히 복잡하여 이해·해결·설명이 곤란함을 말한다: a *complicated* problem 복잡한 문제

2 복합의, 합성의: a ~ system 복합 시스템 **3** 〈단어가〉 합성의 《접사 등의 결합으로 만들어진 낱말; childish<child+ish》; 〈문장이〉 복합의, 복문의: ⇨ complex sentence **4** 〚수학〛 복소수의

— [∠-] *n.* **1** 합성물; 〚화학〛 복합체; (건물 등의) 집합체; 공장 단지: a leisure ~ 종합 위락 시설 / a hospital ~ 종합 병원 / a petrochemical ~ 석유 화학 단지 **2** 〚정신분석〛 콤플렉스, 복합; 《구어》 (어떤 것에 대한) 고정관념, 과도한 혐오[공포] 《*about*》: ⇨ inferiority complex, superiority complex, Elec-

---

accomplish, achieve, fulfill, execute, settle, discharge (opp. *begin, start, commence*)

complex *a.* **1** 복잡한 complicated, difficult, intricate, knotty, perplexing, puzzling (opp. *simple, easy*) **2** 복합의 composite, compound, multiple, manifold, heterogeneous

tra Complex, Oedipus Complex **3** 〖수학〗 복소수
— *v.* [kəmpléks, kámpleks | kəmpléks] *vt.* **1** 복잡하게 하다 **2** 〖화학〗 착물(錯物)을 만들다, …와 복합체를 형성하다
— *vi.* 〖화학〗 복합체를 형성하다
còm·plex·á·tion *n.* **~·ly** *ad.* **~·ness** *n.*
▷ compléxity *n.*

cómplex fráction 〖수학〗 복분수

com·plex·i·fy [kəmpléksəfài] *vt.* 복잡하게 하다, 뒤얽히게 하다 **—** *vi.* 복잡해지다, 뒤섞여 엉키다

*__com·plex·ion__ [kəmplékʃən] [L 「체액의 배합」의 뜻에서] *n.* **1** 안색, 혈색, 얼굴빛; 얼굴 피부: have a good ~ 화색이 돌다 **2** [보통 *sing.*] (사태의) 외관, 형편, 양상(aspect): give a fair ~ 겉으로 아름답게 보이게 하다 / It puts another ~ on the incident. 그것으로 사건의 양상이 또 달라진다. **3** 관점, 견지; 태도 **4** 체질, 성격 ***assume*** [***take***] ***a serious ~*** 심각한 양상을 띠다 ***put a new*** [***different***] ***~ on*** …의 형세를 바꾸다 **~·al** *a.*

com·plex·ioned [kəmplékʃənd] *a.* [보통 복합어를 이루어] 안색이 …한: fair-[dark-]~ 얼굴빛이 흰[검은]

com·plex·ion·less [kəmplékʃənlis] *a.* 안색이 나쁜, 핏기 없는

*__com·plex·i·ty__ [kəmpléksəti] *n.* (*pl.* **-ties**) Ⓤ 복잡성; Ⓒ 복잡한 것

cómplex número 〖수학〗 복소수

cómplex pláne 〖수학〗 가우스 평면, 복소(수) 평면

cómplex séntence 〖문법〗 복문 《종속절을 가진 문》(cf. COMPOUND SENTENCE)

cómplex váriable 〖수학〗 복소 변수

com·pli·a·ble [kəmpláiəbl] *a.* 고분고분한, 순종하는 **~·ness** *n.* **-bly** *ad.*

*__com·pli·ance, -an·cy__ [kəmpláiəns(i)] *n.* Ⓤ **1** (요구·명령 등에 대한) 응낙, 응함; 추종, 순종; 남의 소원을 잘 들어주기, 친절 **2** 〖물리〗 컴플라이언스 《힘을 받았을 때 물건의 탄력성·유연성》 ***in ~ with*** …에 따라, …에 순응하여
▷ complíant *a.*; comply *v.*

compliance òfficer 〖금융·증권〗 특별 감사 책임자 《보통 변호사를 지명함》

com·pli·ant [kəmpláiənt] *a.* 유순한, 시키는 대로 하는, 고분고분한 **~·ly** *ad.*

com·pli·ca·cy [kámplikəsi | kɔ́m-] *n.* (*pl.* **-cies**) Ⓤ 복잡함; Ⓒ 복잡한 것 《complexity가 보다 일반적》

*__com·pli·cate__ [kámpləkèit | kɔ́m-] [L 「함께 접다」의 뜻에서] *vt.* **1** 복잡하게 하다, 뒤얽히게 만들다 《*with*》; 이해하기 어렵게 하다: ~ matters 사태를 복잡하게 만들다 **2** [보통 수동형으로] 〈병을〉 악화시키다
— *vi.* 〈일이〉 복잡하게 되다
— [kámplikət | kɔ́m-] *a.* 〈곤충의 날개·식물의 잎 등이〉 접힌; 복잡한, 뒤얽힌
▷ cómplicacy, complicátion *n.*

‡__com·pli·cat·ed__ [kámpləkèitid | kɔ́m-] *a.* 복잡한; 뒤얽힌; 풀기[이해하기] 어려운(⇨ complex 유의어): a ~ machine 복잡한 기계 / a ~ question 난문 **~·ly** *ad.* **~·ness** *n.*

*__com·pli·ca·tion__ [kàmpləkéiʃən | kɔ̀m-] *n.* **1** ŪC 복잡(화); (사건의) 분규(tangle) **2** [흔히 *pl.*] 귀찮은 문제, 분규의 원인: A further ~ arose. 또 곤란한 문제가 생겼다. **3** 〖의학〗 여병(餘病), 병발증, 합병증; 〖심리〗 혼화(混化)

com·plice [kámplis | kɔ́m-] *n.* 《고어》 공범자

com·plic·it [kəmplísət] *a.* 공모한, 연좌한, 공범인

com·plic·i·tous [kəmplísətəs] *a.* = COMPLICIT

com·plic·i·ty [kəmplísəti] *n.* (*pl.* **-ties**) ŪC 공모, 공범, 연루, 연좌 《*in*》: ~ *in* a crime 공범 관계

com·pli·er [kəmpláiər] *n.* 순응[응낙]자

‡__com·pli·ment__ [kámpləmənt | kɔ́m-] [L 「(예의를) 깍듯이 차리기」의 뜻에서] *n.* **1** 찬사, 칭찬의 말; (사교적인) 칭찬, 듣기 좋은 말: a heartfelt ~ 마음에서 우러난 찬사

> 유의어 **compliment** 사교적인 찬사 **flattery** 지나칠 정도로 알랑거리는 아첨

2 (언행에 의한) 경의; 경의의 표시, 영광된 일: Your presence is a great ~. 참석하여 주셔서 무한한 영광입니다. **3** [*pl.*] 의례적인 인사(말), 치하, 축하 인사; 안부: the ~*s* of the season (크리스마스·설날의) 계절 인사 **4** 《고어·방언》 선물
a doubtful [***left-handed***] ***~*** 빈정대는 칭찬 ***do*** a person ***the ~ of*** do***ing*** …에게 경의를 표하여 …하다 ***Give*** [***Extend, Send***] ***my ~s to*** your father. (아버님께) 안부를 전해 주시오. ***make*** [***pay***] ***a ~ to*** …에게 듣기 좋은 말을 하다, …을 칭찬하다 ***make*** [***pay, present***] one***'s ~s to*** a person …에게 인사를 하다 ***return the*** [***a***] ***~*** 답례하다; (칭찬을 받고서) 답례로 칭찬하다 ***With the ~s of*** Mr. A = ***With*** Mr. A***'s ~s*** (A) 근정 《증정하는 책 등에 쓰는 말》
— *v.* [-mènt] *vt.* **1** …에게 경의를 표하다, 칭찬하다(praise) 《*on*》; 인사말하다, 축하하다, 치하하다, 듣기 좋은 말을 하다 《*on*》: 《~+목+전+명》 ~ a person *into* compliance …에게 듣기 좋은 말을 하여 승낙시키다 / ~ a person *on* his[her] success …의 성공을 축하하다 **2** 〈…에게〉 (…을) 증정하다 《*with*》: 《~+목+전+명》 ~ a person *with* a wreath …에게 화환을 증정하다
— *vi.* 인사하다, 안부를 전하다
~·a·ble *a.* **~·er** *n.*
▷ compliméntary *a.*

*__com·pli·men·ta·ry__ [kàmpləméntəri | kɔ̀m-] *a.* **1** 칭찬하는 〈연설 등〉; 인사[듣기 좋은 말] 잘 하는, 경의를 표하는: a ~ address 축사 **2** Ⓐ 무료의(free), 우대의, 초대의: a ~ ticket 우대권, 초대권
-ri·ly *ad.* ▷ cómpliment *v.*

compliméntary clóse[**clósing**] (편지의) 결구(結句) 《Sincerely yours 등》

cómpliments slìp 컴플리먼트 슬립 《저자가 저서를 증정할 때 붙이는 긴 종이쪽지》

com·pline [kámplin, -plain | kɔ́m-] *n.* [종종 *pl.*] 〖가톨릭〗 저녁 기도 (시간), 종과(終課), 종도(終禱)(cf. MATINS)

com·plot [kámplàt | kɔ́mplɔ̀t] 《고어》 *n.* 공모
— [kəmplát | -plɔ́t] *vt., vi.* (**~·ted**; **~·ting**) 공모하다 **~·ment** *n.*

‡__com·ply__ [kəmplái] [L 「완전하게 하다」의 뜻에서] *vi.* (**-plied**) (명령·요구·규칙에) 응하다, 따르다, 좇다 《*with*》: 《~+전+명》 ~ *with* a person's request …의 요구에 응하다 / ~ *with* the rules 규칙에 따르다
▷ complíance *n.*; complíant *a.*

com·po[1] [kámpou | kɔ́m-] [composition의 단축형] *n.* (*pl.* **~s**) ŪC 혼합물, 《특히》 회반죽, 모르타르; 《미·속어》 (접착제나 못질로 만든) 값싼 예식용 구두 **—** *a.* 혼합의

compo[2] *n.* 《호주·구어》 산업 재해 보상(compensation)

compo[3] *n.* [흔히 *pl.*] 《미·학생속어》 (학위 취득에 필요한) 종합 필기 시험(comprehensive)

*__com·po·nent__ [kəmpóunənt, kam- | kəm-] *a.* Ⓐ 구성하는, 성분의: ~ parts 구성 요소, 성분
— *n.* **1** (기계·스테레오 등의) 구성 요소, 성분 《*of*》: stereo ~*s* 스테레오 컴포넌트 **2** 〖물리〗 분력(分力); (벡터의) 성분

com·po·nen·tial [kàmpənénʃəl | kɔ̀m-] *a.*

thesaurus **complimentary** *a.* congratulatory, admiring, appreciative, approving, flattering
comply *v.* obey, observe, abide by, adhere to, conform to, consent to, accord with, agree with

componéntial análysis 〖언어〗 성분 분석 《관련된 언어 단위, 특히 의미의 분석 방법》
com·po·nent·ize [kəmpóunəntàiz] *vt.* 〈컴퓨터·소프트웨어 등을〉 구성 부품으로 나누다
com·po·nen·try [kəmpóunəntri] *n.* [집합적] (기계·자동차 따위의) 구성 부분, 부품
cómpo rátions 〖영국군〗 (비상용) 휴대 식량
com·port [kəmpɔ́ːrt] (문어) *vt.* [~ one*self* 로] 처신하다, 거동하다(behave): ~ one*self* with dignity 위엄 있게 행동하다 **—** *vi.* 어울리다, 적합하다 《*with*》 **—** *n.* 태도, 처신
com·port·ment [kəmpɔ́ːrtmənt] *n.* Ⓤ (문어) 처신, 태도, 행동
‡**com·pose** [kəmpóuz] *v.*

(따로따로 된 것을) 조립하다 **1** ┐→(하나로 잘
(하나의 통일체로) 만들다 **2** ┘
구성하다)→┌(마음을) 가라앉히다 **4**
　　　　　└(분쟁을) 조정하다 **5**

— *vt.* **1 조립하다,** 구성하다, 〈…의〉 기초를 이루다; 조직하다(⇨ composed 2): Facts alone do not ~ a book. 사실만으로 책이 되는 것은 아니다. **2 a** 〈시·글을〉 **만들다,** 짓다, 작문하다; **작곡하다**: ~ a poem 시를 짓다 / ~ a piano concerto 피아노 협주곡을 작곡하다 **b** 〖미술〗 구도(構圖)하다 **3** 〖인쇄〗 〈활자를〉 짜다, 식자하다, 조판하다: ~ an article 논설을 활자로 짜다 **4** 〈안색을〉 부드럽게 하다; [~ one*self* 로] 〈마음을〉 가라앉히다; 〈마음을〉 가다듬다: ~ one's emotions 감정을 가라앉히다 // (~+목+**to** do) He ~*d himself to* read the book. 그는 마음을 가다듬고 독서하기 시작했다. // (~+목+전+명) ~ one's thoughts *for* the action 행동을 위해 생각을 가다듬다 **5** 〈싸움 등을〉 조정하다, 수습하다: ~ a dispute 분쟁을 조정하다
— *vi.* 작곡하다; 시를 짓다
▷ composítion, compósure *n.*; compósite *a.*
***com·posed** [kəmpóuzd] *a.* **1 침착한**(calm), 차분한 **2** Ⓟ …으로 구성되어 《*of*》: The troop was ~ entirely *of* American soldiers. 그 부대는 완전히 미국 병사들로 구성되어 있었다.
com·pós·ed·ness [-zidnis] *n.*
com·pos·ed·ly [kəmpóuzidli] *ad.* 침착하게, 태연히, 평온하게
compósed salad (미) 재료를 (섞지 않고) 따로따로 가지런히 담은 샐러드
***com·pos·er** [kəmpóuzər] *n.* **1 작곡가**; (소설·시 등의) 작자, 작가 **2** 구도자(構圖者), 작성자 **3** 조정자
com·pos·ing [kəmpóuziŋ] *a.* 진정시키는: ~ medicine 진정제
— *n.* 작곡; 조립; 〖인쇄〗 식자(植字)
compósing fràme[stànd] 〖인쇄〗 식자대(臺)
compósing machìne 〖인쇄〗 자동 식자기
compósing ròom 〖인쇄〗 식자실
compósing stìck 〖인쇄〗 식자용 스틱
***com·pos·ite** [kəmpɑ́zit | kɔ́mpəzit] *a.* **1 혼성의,** 합성의: a ~ carriage 혼합 객차 《한 차량을 각 등급으로 칸막이한》 **2** [**C~**] 〖건축〗 혼합식의: the *C*~ order 혼합 양식 《고대 로마 건축에서 이오니아식과 코린트식과의 절충》 **3** 〖식물〗 국화과의 **4** 〖조선〗 철골 목조의 **5** (로켓·미사일이) 다단식의 **6** 〖수학〗 합성수[함수]의; 〖통계〗 복합의 〈가설〉
— *n.* **1** 합성물, 복합물; 혼합 객차; 〖공업〗 복합 재료; 〖수학〗 합성 함수 **2** 〖식물〗 국화과 식물
— [kəmpɑ́zit | kɔ́mpəzàit] *vt.* 합성하다
~·ly *ad.* **~·ness** *n.* ▷ compóse *v.*

---

compose *v.* **1** 구성하다 make up, form, constitute, comprise **2** 작문[작곡]하다 write, create, concoct, invent, contrive, produce, compile, devise
compound[1] *a.* composite, complex, blended

compósite fàmily 〖사회〗 복합 가족
compósite fúnction 〖수학〗 합성 함수
compósite númber 〖수학〗 합성수
compósite phótograph 합성 사진
compósite schòol (캐나다) (보통과·상업과·공업과를 포함하는) 종합 중등 학교
‡**com·po·si·tion** [kὰmpəzíʃən | kɔ̀m-] *n.* **1 a** Ⓤ **구성,** 조립, 합성, 혼성: the ~ of forces[waves] 〖물리〗 힘[파동]의 합성 **b** ⓊⒸ 〖인쇄〗 식자, 조판 **2 a** 구성물; 합성물, 혼합물; 모조품 《흔히 생략해서 compo라 함》; (합성) 성분: ~ billiard balls 모조 상아 당구공 **b** 한 편의 작문, 문장; 악곡: a ~ for violin 바이올린을 위한 악곡 **3 a** ⓊⒸ 배합, 배치(arrangement); 〖미술〗 구도 **b** Ⓤ **작문**(법), 작시(법); 문체; 〖음악〗 **작곡**(법): a ~ book (미) 작문 연습장 **4** Ⓤ (물질의) **구조,** 조성 《*of*》: the ~ *of* the atom 원자의 구조 **5** Ⓤ 기질, 성질, 자질 **6** 〖법〗 조정, 타협, 화해 《*with*》; 화해금: come to (a) ~ *with* a person …와 화해[타협]하다 / make a ~ *with* one's creditors 채권자들과 화해하다 **7** Ⓤ 〖문법〗 (단어의) 복합(법), 합성 ***What is its ~?*** 그것은 무엇으로 되어 있나? **~·al** *a.* **~·al·ly** *ad.*
▷ compóse *v.*; compósite, compósitive *a.*
com·pos·i·tive [kəmpɑ́zətiv | -pɔ́-] *a.* 복합적인, 합성의(synthetic) **~·ly** *ad.*
com·pos·i·tor [kəmpɑ́zitər | -pɔ́-] *n.* 〖인쇄〗 식자공(typesetter)
com·pos men·tis [kɑ́mpəs-méntis | kɔ́m-] [L 「자기 마음을 지배하여」의 뜻에서] *a.* Ⓟ 제정신의, 심신이 건전한(opp. *non compos mentis*)
com·pos·si·ble [kɑmpɑ́səbl, kəm- | kɔmpɔ́s-] *a.* 양립[공존]할 수 있는 《*with*》, 모순되지 않은; 동시에 발생할 수 있는
com·post [kɑ́mpoust | kɔ́mpɔst] *n.* 혼합물; 벽토 《석회와 점토의 혼합》; Ⓤ 혼합[인조] 비료; 퇴비(=~ **hèap**) **—** *vt.* …에 퇴비를 주다; …으로 퇴비를 만들다 **—** *vi.* 퇴비가 되다
com·post·er [kɑ́mpoustər] *n.* 퇴비를 담아두는 상자[통]
***com·po·sure** [kəmpóuʒər] *n.* Ⓤ **침착,** 평정, 냉정, 태연자약
keep [***lose, forfeit***] one***'s*** ~ 평정을 유지하다[잃다] ***recover*** [***regain***] one***'s*** ~ 평정을 되찾다 ***with*** ~ 침착하게 ▷ compóse *v.*
com·po·ta·tion [kὰmpətéiʃən | kɔ̀m-] *n.* Ⓤ 술잔치, 주연
com·po·ta·tor [kɑ́mpətèitər | kɔ́m-] *n.* 술친구
com·pote [kɑ́mpout | kɔ́mpɔt, -pout] [F] *n.* **1** 설탕에 절인[끓인] 과일 **2** (과자나 과일을 담는) 굽 달린 접시
com·po·tier [kὰmpətíər | kɔ̀m-] *n.* =COMPOTE 2
‡**com·pound**[1] [kɑ́mpaund | kɔ́m-] [L 「함께 두다」의 뜻에서] *a.* **1 합성의,** 혼성의, 복합의(opp. *simple*); 복잡한, 복식의 **2** 〖화학〗 화합한; 집합의 **3** 〖문법〗 〈문장이〉 중문(重文)의; 〈낱말이〉 복합의: a ~ noun 복합 명사 / ⇨ compound sentence
— *n.* **1 혼합물,** 합성물; 〖화학〗 화합물 **2** 〖문법〗 복합어(=~ **wòrd**) 《goldfish, typewriter 등》
— [kəmpáund, kɑ́mpaund | kəmpáund] *vt.* **1** 〈요소·성분 등을〉 **혼합하다, 합성하다;** 〈약 등을〉 조제하다(mix); 섞어서 만들다: ~ a medicine 약을 조제하다 // (~+목+전+명) This cake has been ~*ed of* the best ingredients. 이 케이크는 가장 좋은 재료를 혼합해서 만든 것이다. **2** 〈분쟁 등을〉 화해시키다, 사화(私和)하게 하다; 〈계산을〉 끝내다; 〈부채를〉 일부만 치르다 **3** [흔히 수동형으로] 〈좋지 않은 일을〉 더욱 심하게 하다, 악화시키다, 〈번거로운 일을〉 더욱 번거롭게 하다 **4** 〈이자를〉 복리로 하다
— *vi.* **1** 타협하다, 화해[사화]하다: (~+전+명) ~ *with* one's creditors 채권자들과 타협하다 **2** 합성[복합]물이 되다, 혼합하다

~ the felony[crime] (고소를 하지 않는 등) 중죄[범죄]와 사화하다 **~·er** *n.* 혼합자, 조제자; 사화자
com·pound² [kάmpaund | kɔ́m-] *n.* (저택·공장의) 울안, 구내; 수용소; 복합 주거; 주택군
com·pound·a·ble [kəmpáundəbl] *a.* 혼합할 수 있는, 화해[타협]할 수 있는
cómpound ánimal 군체(群體) 동물 (산호·태충류(苔蟲類) 따위)
cóm·pound-cóm·plex séntence [kάmpaundkάmpleks- | kɔ́mpaundkɔ́m-] 〔문법〕 중복문(重複文) (종속절을 하나 이상 가진 중문)
cómpound éngine 〔기계〕 복식 기관; 2단 팽창 기관
cómpound éye 〔곤충〕 복안(複眼), 겹눈
cómpound fáult 〔지질〕 복습곡(複褶曲)
cómpound flówer 〔식물〕 두상화(頭狀花), 겹꽃 (국화과 식물 등의)
cómpound fráction 〔수학〕 = COMPLEX FRACTION
cómpound fráctụre 〔외과〕 개방[복합, 복잡] 골절
cómpound frúit 〔식물〕 겹열매, 복과(複果)
cómpound hóuseholder (영) 지방세는 주인이 물기로 하고 세든 사람
cómpound ínterest 〔금융〕 복리(複利)
cómpound ínterval 〔음악〕 복합 음정
cómpound léaf 〔식물〕 겹잎, 복엽(複葉)
cómpound léns 〔광학〕 복합 렌즈
cómpound mágnet 복합 자석
cómpound méter 〔음악〕 복합 박자 기호
cómpound mícroscope 복합 현미경
cómpound númber 〔수학〕 제등수(諸等數) (둘 이상의 단위로 표시되는 수)
cómpound pérsonal prónoun 〔문법〕 복합 인칭 대명사 (인칭 대명사 뒤에 -self가 붙은 것)
cómpound rélative 〔문법〕 복합 관계사
cómpound séntence 〔문법〕 중문(cf. COMPLEX SENTENCE) (절을 and, but 등 등위 접속사로 이은 문장)
cómpound tíme 〔음악〕 복합 박자
com·pound-wound [-wáund] *a.* 〔전기〕 복합으로 감은
com·pra·dor(e) [kὰmprədɔ́:r | kɔ̀m-] *n.* 매판(買辦) (중국에 있는 외국 상사·영사관에 고용되어 거래의 중개를 한 중국인); 외국 상사·영사관의 관리
Com·preg [kάmpreg | kɔ́m-] *n.* UC (합성 수지로 붙인) 고압 합판 (상표명)
com·preg·nate [kəmprégneit] *vt.* (합성 수지로) 접착시키다
***com·pre·hend** [kὰmprihénd | kɔ̀m-] [L 「함께 붙잡다」의 뜻에서] *vt.* **1** 이해하다, 파악[인식]하다(⇨ understand 유의어): They did not ~ the significance of his remark. 그들은 그의 말의 중요성을 이해하지 못했다. **2** 포함하다, 함축[의미]하다: Science *~s* many disciplines. 과학에는 여러 분야가 있다. ▷ comprehénsion *n.*; comprehénsible, comprehénsive *a.*, *n.*
com·pre·hend·ing·ly [kὰmprihéndiŋli | kɔ̀m-] *ad.* 이해하여, 알면서, 아는 체하며(knowingly)
com·pre·hen·si·bil·i·ty [kὰmprihènsəbíləti | kɔ̀m-] *n.* U 이해할 수 있음; 포함성
com·pre·hen·si·ble [kὰmprihénsəbl | kɔ̀m-] *a.* 이해할 수 있는, 알기 쉬운; (고어) 포함되는 **~·ness** *n.* **-bly** *ad.*
com·pre·hen·sion** [kὰmprihénʃən | kɔ̀m-] *n.* U **1** 이해; 이해력; 포용력[성]: listening ~ 청취 이해력 **2** 포함, 함축; 〔논리〕 내포; 포용주의[정책] **3** 포괄성 ***be above [***be beyond, pass***] one***'s*** ~ 이해할 수 없다 ▷ comprehénd *v.*
***com·pre·hen·sive** [kὰmprihénsiv | kɔ̀m-] *a.* **1** 이해력이 있는, 이해가 빠른: the ~ faculty 이해력 **2** 포괄적인, 넓은, 종합적인: a ~ mind 넓은 마음/a ~ term 뜻이 넓은 말 **3** 〔논리〕 내포적인
— *n.* **1** (영) = COMPREHENSIVE SCHOOL **2** [종종 **~s**] (미) (대학의) 종합 시험(= **~ examinàtion**) **~·ly** *ad.* **~·ness** *n.*
▷ comprehénd *v.*; comprehénsion *n.*
comprehénsive insúrance 〔보험〕 종합 책임 보험
comprehénsive schòol (영) 종합 중등 학교 (여러 가지 과정을 둠); (캐나다) = COMPOSITE SCHOOL
com·pre·hen·siv·ist [kὰmprihénsivist | kɔ̀m-] *n.* (영) (전문 교육에 치우치지 않는) 종합 교육[일반 교양] 제창자; 통합[포괄]주의자
com·pre·hen·siv·i·za·tion [kὰmprihènsivizéiʃən | kɔ̀mprihènsivai-] *n.* (영) (중등학교의) 종합화 (능력 차이가 있는 학생들이 같이 교육을 받을 수 있도록 종합적 커리큘럼을 편성한 교육 시스템)
***com·press** [kəmprés] [L 「함께 누르다」의 뜻에서] *vt.* **1** 압축[압착]하다; 〔컴퓨터〕 〈파일을〉 압축하다: ~ one's lips 입술을 굳게 다물다/The program *~es* computer files. 그 프로그램은 컴퓨터 파일을 압축시킨다. **2** 〈사상·언어 등을〉 요약하다, 집약하다 (*into*)
— *vi.* 압축되다
— [kάmpres | kɔ́m-] *n.* 〔의학〕 (지혈을 위한) 압박 붕대; 습포; (원면) 압축기
▷ compréssion *n.*; compréssive *a.*
***com·pressed** [kəmprést] *a.* 압축[압착]된; 간결한; 〔식물〕 편평한; 굳게 다문: ~ gas 압축 가스/~ lips 굳게 다문 입술 **~·ly** *ad.*
compréssed áir 압축 공기
com·préssed-air íllness [-ɛ̀ər-] 잠함병(潛函病)(caisson disease, decompression illness)
compréssed spéech 압축 언어 (발언된 말을 보다 빠른 템포로 재생한 것)
com·press·i·bil·i·ty [kəmprèsəbíləti] *n.* (*pl.* **-ties**) U 압축성; C 〔물리〕 압축률
com·press·i·ble [kəmprésəbl] *a.* 압축[압착]할 수 있는, 압축성의
***com·pres·sion** [kəmpréʃən] *n.* U **1** 압축, 압착(된 것) **2** (사상·언어 등의) 요약, 압축 **3** 응압(應壓) (시험) (잠수함에 들어가기 전의) **4** 〔의학〕 압박(증) **~·al** [-ʃənl] *a.*
compréssional wàve 〔물리〕 = COMPRESSION WAVE
compréssion ignítion 〔기계〕 압축 점화[착화]
compréssion ràtio 〔기계〕 (엔진의) 압축비
compréssion wàve 〔물리〕 압축파
com·pres·sive [kəmprésiv] *a.* 압축력이 있는, 압축의 **~·ly** *ad.*
compréssive stréngth 〔물리〕 내압(耐壓)[압축] 강도
***com·pres·sor** [kəmprésər] *n.* **1** 압축기, 압착기, 압축 펌프, 컴프레서: an air ~ 공기 압축기 **2** 〔외과〕 (혈관 등의) 압박기
com·pri·mar·i·o [kὰmprəmɛ́əriòu, -má:r- | kɔ̀m-] *n.* (*pl.* **~s**) (오페라의) 준(準)주역 가수[댄서]
com·pris·al [kəmpráizəl] *n.* **1** 포함, 함유 **2** 개략, 대요(summary)
com·prise** [kəmpráiz] [L 「함께 쥐다」의 뜻에서] *vt.* **1** 포함하다; 의미하다; 〈전체가 부분으로〉 이루어지다, 구성되다(consist of): The U.S. *~s* 50 states. 미합중국은 50개 주로 구성되어 있다. **2** 〈부분이 모여 전체를〉 이루다 (*of*): (~+전+명) The committee is *~d of* eight members. 위원회는 8명으로 구성되어 있다. ***be ~d in …에 포함되다, …으로 모두 표현되다

thesaurus **comprehend** *v.* understand, grasp, take in, assimilate, perceive, discern, apprehend, fathom (opp. *misunderstand, exclude*)
compress *v.* pack down, press down, squeeze together, squash, crush, condense, compact,

*com·pro·mise** [kámprəmàiz | kɔ́m-] [L「함께 약속하다, 의견이 일치하다」의 뜻에서] *n.* **1** ⓊⒸ 타협, 화해, 양보: reach[come to] a ~ 타협에 이르다 **2** 절충안; 절충[중간]물 《*between*》 **3** Ⓤ (명예·평판 등을) 위태롭게 함, 위험에 드러내 놓음
make a ~ with …와 타협하다
— *vt.* **1** 〈분쟁 등을〉 타협으로 해결짓다, 타협시키다; 화해시키다: (~+목+전+명) ~ a dispute *with* a person …와 타협하여 분쟁을 해결하다 **2** 〈명성 등을〉 더럽히다, 손상하다: ~ one's reputation 평판을 나쁘게 하다 ~ one***self*** 자기의 체면을 손상시키다, 신용을 떨어뜨리다
— *vi.* 타협하다, 화해하다 《*with*》; 굴욕적으로 양보하다: (~+전+명) ~ *with* a person *over* something …와 어떤 문제를 타협하다 **-mìs·er** *n.*

com·pro·mised [kámprəmàizd | kɔ́m-] *a.* 〖병리〗 면역 반응 따위가 제대로 발휘되지 못하는

com·pro·mis·ing [kámprəmàiziŋ | kɔ́m-] *a.* 명예[체면]를 손상시키는; 의심을 받음직한

com·pro·vin·cial [kàmprəvínʃəl | kɔ̀m-] *a.* 같은 지방의; 같은 관구[대주교구]의

compt. compartment; comptroller

compte ren·du [kɔ:nt-rɑ:ndjú:] [F] (조사 등의) 보고(서); 〖상업〗 지불 청구서; 논평; 진술(서)

Comp·tom·e·ter [kɑmptámətər | -tɔ́-] *n.* 고속도 계산기 《상표명》

Cómp·ton effèct [kámptən- | kɔ́m-] 〖물리〗 콤프턴 효과 《광자와 전자의 탄성 산란(散亂)》

comp·trol·ler [kəntróulər] [controller의 변형] *n.* (회계·은행의) 감사관 **~·shìp** *n.*

Comptróller Géneral (of the Uníted States) [the ~] 미국 회계 감사원장

Comptróller of the Cúrrency [the ~] 미국 통화 감사원장

compu- [kámpju | kɔ́m-] 《연결형》「컴퓨터」의 뜻: *compu*word 컴퓨터 언어

com·pu·fess [kámpju:fès | kɔ́m-] [*compu*ter+con*fess*] *n.* (가정에서 컴퓨터를 사용하여 행해지는) 가톨릭의 고해(告解)

*com·pul·sion** [kəmpʌ́lʃən] *n.* Ⓤ **1** 강제 **2** 〖심리〗 강박(현상); 억제하기 어려운 욕망, (…하고 싶은) 충동
by ~ 강제적으로 ***on*** [***upon, under***] **~** 강요되어, 강제로 ▷ compél *v.*; compúlsive, compúlsory *a.*

*com·pul·sive** [kəmpʌ́lsiv] *a.* **1** 강제적인, 강요하는; 〖심리〗 강박 관념에 사로잡힌: a ~ eater (무엇인가) 먹지 않고는 못 배기는 사람 **2** 〈책 등이〉 사람의 마음을 강하게 끄는, 대단히 재미있는
— *n.* 강제력; 〖심리〗 강박 신경증의 사람 **~·ly** *ad.* 강제적으로, 마지못해 **~·ness** *n.* **com·pul·siv·i·ty** [kəmpʌlsívəti, kàm- | kɔ̀m-] *n.*

com·pul·so·ri·ly [kəmpʌ́lsərəli] *ad.* 강제적으로, 무리하게

*com·pul·so·ry** [kəmpʌ́lsəri] *a.* 강제적인, 강제하는; 의무적인; 필수의: ~ education 의무 교육 / ~ (military) service 강제 병역, 징병 / a ~ subject 《영》 필수 과목(《미》 required subject; cf. OPTIONAL subject) / ~ execution 강제 집행
— *n.* (*pl.* **-ries**) (체조 등의) 규정 종목[연기]
-ri·ness *n.* ▷ compél *v.*; compúlsion *n.*

compúlsory púrchase (토지 등의) 강제 수매

com·punc·tion [kəmpʌ́ŋkʃən] [L「완전히 찌르다」의 뜻에서] *n.* Ⓤ [종종 부정문에서] 양심의 가책, 회한(悔恨); 주저, 망설임 ***without*** (***the slightest***) **~** (매우) 천연덕스럽게, 뻔뻔스럽게, (조금도) 미안해하지 않고

---

cram (opp. *expand*, *spread*)
compromise *n.* understanding, deal, middle course, balance, trade-off, set of terms
compulsory *a.* obligatory, mandatory, required, forced, necessary (opp. *optional*, *elective*)

---

com·punc·tious [kəmpʌ́ŋkʃəs] *a.* 양심에 가책되는, 후회하는 《*for*》
~·ly *ad.* 후회하여

com·pur·ga·tion [kàmpərgéiʃən | kɔ̀mpə:-] *n.* ⓊⒸ 《영·고어》 〖법〗 (친구 등의) 면책 선서

com·pur·ga·tor [kámpərgèitər | kɔ́mpə:-] *n.* 〖법〗 면책 선서자

Com·pu·Serve [kámpjusə̀:rv | kɔ́m-] *n.* 컴퓨서브 《미국의 컴퓨터 네트워크 회사 및 동사(同社) 제공의 온라인 정보 검색 서비스; 정식명은 Compuserve Information Service》

com·put·a·ble [kəmpjú:təbl] *a.* 계산[산정]할 수 있는 **com·pùt·a·bíl·i·ty** *n.* **-bly** *ad.*

*com·pu·ta·tion** [kàmpjutéiʃən | kɔ̀m-] *n.* **1** Ⓤ [종종 *pl.*; 단수 취급] 계산, 계량; 평가 **2** 계산 결과, 산정 수치(算定數値) **3** 컴퓨터의 사용[조작]
~·al [-ʃənl] *a.* 계산을 요구하는 **~·al·ly** *ad.*

computátional linguístics 〖언어〗 컴퓨터 언어학

com·pu·ta·tive [kámpjutèitiv | kɔ́m-] *a.* 계산[셈]하기 좋아하는 **~·ly** *ad.*

*com·pute** [kəmpjú:t] *vt.* 계산[산정]하다(⇨ count[1] 유의어); 평가하다, 어림하다 《*at*》; (…이라고) 추정하다 《*that* ...》; 컴퓨터로 계산하다: ~ the distance *at* 10 miles 거리를 10 마일로 추정하다
— *vi.* 계산하다; 컴퓨터를 사용하다
— *n.* Ⓤ 계산, 산출
▷ computátion *n.*; compútative *a.*

com·pút·ed tomógraphy [kəmpjú:tid-] 《미》 〖의학〗 = COMPUTERIZED AXIAL TOMOGRAPHY 《略 CT》

*com·put·er** [kəmpjú:tər] *n.* 컴퓨터; 전자 계산기; 계산하는 사람: a digital ~ 계수형 계산기 / an electronic ~ 전자 계산기 / a ~ center 컴퓨터 센터 / by ~ 컴퓨터로 **~·less** *a.* **~·lìke** *a.*

compúter abúse 〖컴퓨터〗 컴퓨터 (시스템의) 부정 이용

com·put·e·ra·cy [kəmpjú:tərəsi] [*comput*er liter*acy*] *n.* Ⓤ 컴퓨터 조작 능력

com·pút·er-aid·ed desígn [kəmpjú:tərèidid-] 컴퓨터 이용 설계 《略 CAD》

compúter-aided instrúction 컴퓨터 이용 교육 《略 CAI》

compúter-aided manufácturing 컴퓨터 이용 생산[제작] 《略 CAM》

compúter-aided públishing = DESKTOP PUBLISHING 《略 CAP》

com·put·er·ate [kəmpjú:tərət] *a.* 컴퓨터에 정통한, 컴퓨터를 아는

com·pút·er-based léarning [-bèist-] 컴퓨터를 학습의 도구로 이용하기 《略 CBL》

compúter bréak-in 컴퓨터에 의한 불법 침해

compúter cónferencing 컴퓨터 회의

compúter críme 컴퓨터 범죄

compúter críminal 컴퓨터 범죄자

compúter cùlture 컴퓨터 문화

compúter dàting 컴퓨터에 의한 교제[결혼] 중매

com·put·er·dom [kəmpjú:tərdəm] *n.* 컴퓨터 세계; 컴퓨터 일에 직접 관계하는 사람들

com·put·er-en·hanced [-inhǽnst] *a.* 〈천체 사진 등이〉 컴퓨터 처리로 화질이 향상된

com·put·er·ese [kəmpjù:tərí:z, -rí:s | -rí:z] *n.* Ⓤ **1** 컴퓨터 전문 용어 **2** = COMPUTER LANGUAGE

compúter fràud = COMPUTER CRIME

com·put·er-friend·ly [-fréndli] *a.* 컴퓨터(이론)에 밝은, 컴퓨터 조작을 잘하는(computerate)

compúter gàme 컴퓨터 게임

compúter gráphics [단수 취급] 컴퓨터 그래픽스 《컴퓨터에 의한 도형 처리》

com·put·er·hol·ic [kəmpjù:tərhɔ́:lik, -hálik | -hɔ́lik] *n.* 《구어》 = COMPUTERNIK

compúter illíteracy 컴퓨터를 사용할 줄 모름, 컴맹(盲)

com·put·er-il·lit·er·ate [-ilítərət] *a.* 컴퓨터를 사용할 줄 모르는, 컴맹의

com·put·er·ist [kəmpjú:tərist] *n.* 컴퓨터 사용을 직업으로 하는 사람(computerman); 컴퓨터광(狂)

com·put·er·ite [kəmpjú:tərit] *n.* = COMPUTERNIK

com·put·er·i·za·tion [kəmpjù:tərizéiʃən | -rai-] *n.* Ⓤ 컴퓨터화

com·put·er·ize [kəmpjú:təràiz] *vt.* 〈분류·계산·정보를〉 컴퓨터화하다, 전산화하다; 컴퓨터로 처리하다 — *vi.* 컴퓨터를 도입[사용]하다 **com·pút·er·iz·a·ble** *a.*

com·pút·er·ized áxial tomógraphy [kəmpjú:təràizd-] 컴퓨터 (X선 체축) 단층 촬영 (略 CAT)

compúter jùnkie 《미·속어》 컴퓨터광(狂)

compúter lànguage 컴퓨터 언어

compúter làw 컴퓨터 범죄·저작권에 관한 법

compúter líteracy 컴퓨터 사용 능력, 컴퓨터 언어의 식자력(識字力)

com·put·er-lit·er·ate [kəmpjú:tərlítərət] *a.* 컴퓨터를 쓸 수 있는, 컴퓨터 사용 능력이 있는

com·put·er·man [kəmpjú:tərmæ̀n] *n.* (*pl.* **-men** [-mèn]) = COMPUTERIST

compúter mòdeling 컴퓨터 모델링 《기술적인 문제를 해결하는 데 도움을 받기 위해 컴퓨터의 이미지를 이용하는 것》

compúter mònitoring 〖경영〗 컴퓨터 모니터링 《컴퓨터로 공장이나 사무소의 작업 능률을 계측하는 관리 기술》

compúter nèrd 《미·속어》 컴퓨터광(狂)

com·put·er·nik [kəmpjú:tərnìk] *n.* 《경멸》 컴퓨터를 즐겨 사용하는[에 관심을 가진] 사람

com·put·er·phobe [kəmpjú:tərfòub] *n.* 컴퓨터 혐오(자), 컴퓨터 공포증(이 있는 사람)

com·put·er·pho·bi·a [kəmpjù:tərfóubiə] *n.* Ⓤ 컴퓨터 공포증 **-bic** *a.*

com·put·er·phone [kəmpjú:tərfòun] *n.* 〖통신·컴퓨터〗 컴퓨터 폰 《컴퓨터와 전화를 합친 새로운 통신 시스템》

compúter revolútion 컴퓨터 혁명 《컴퓨터의 발전에 의한 정보 혁명을 중심으로 한 사회 혁명》

com·put·er·scam [kəmpjú:tərskæ̀m] *n.* 컴퓨터를 이용한 사기 (행위)

compúter scíence 컴퓨터 과학

compúter scíentist 컴퓨터 과학자

compúter scrèen 컴퓨터 스크린 《컴퓨터로의 출력을 나타내는 장치의 화면》

compúter secùrity 컴퓨터 보안 《컴퓨터 virus나 hacking에 대한 대책》

com·put·er·speak [kəmpjú:tərspì:k] *n.* 컴퓨터어(語), 컴퓨터 언어

compúter tỳpesetting 〖인쇄〗 컴퓨터 식자[사식] (略 CTS)

compúter vìrus 컴퓨터 바이러스 《주로 네트워크를 통해서 침입하는 악성 프로그램; 종종 시스템이나 네트워크를 정지시키거나 손상을 입힘》

compúter vìsion 컴퓨터 비전 **1** 비디오 카메라로 포착한 정보를 컴퓨터로 처리하는 일 《로봇에 의한 항행 또는 원격 조작 등에 이용》 **2** 시각 정보를 감촉 신호로 변환하여 맹인 등에게 도움을 주려는 시스템

com·put·er·y [kəmpjú:təri] *n.* Ⓤ **1** 컴퓨터 시설; [집합적] 컴퓨터 **2** 컴퓨터의 사용[제조, 조작]

com·put·ing [kəmpjú:tiŋ] *n.* 컴퓨터 사용; 계산, 연산: ~ power 연산력

com·pu·tis·ti·cal [kɑ̀mpju:tístikəl | kɔ̀m-] [*compu*ter+sta*tistical*] *a.* 컴퓨터 집계의; 컴퓨터로 통계 처리한

com·pu·to·pi·a [kɑ̀mpju:tóupiə | kɔ̀m-] [*com*-*pu*ter+u*topia*] *n.* 컴퓨터 보급으로 인간이 노동에서 해방되리라는 미래의 이상 사회

com·pu·to·po·lis [kɑ̀mpju:tɑ́pəlis | kɔ̀mpju:tɔ́-] *n.* 컴퓨터 도시 《고도의 정보 기능을 갖춘 미래 도시》

com·pu·tron [kɑ́mpjutrɑ̀n | kɔ́mpjutrɔ̀n] *n.* 가공의 컴퓨터 구성 입자; 컴퓨터 처리 능력의 단위

Comr. Commissioner

‡com·rade [kɑ́mræd, -rid | kɔ́mreid, -rid] [Sp. 「같은 방의 친구」의 뜻에서] *n.* **1** 동료, 동지, 전우 **2** [공산국 등에서 호칭으로도 써서] 동무, 동지, 조합원; [보통 the ~s] 공산당원 **~ *in arms*** 전우

com·rade·ly [kɑ́mrædli, -rid- | kɔ́mreid-, -rid-] *a.* 동료[동지]의; 동료다운 **-li·ness** *n.*

com·rade·ry [kɑ́mrædri, -rid- | kɔ́mreid-, -rid] *n.* = CAMARADERIE

com·rade·ship [kɑ́mrædʃip, -rid- | kɔ́mreid] *n.* Ⓤ 동료 관계, 동지로서의 사귐, 우애, 우의: a sense of ~ 동료 의식

coms [kɑ́mz | kɔ́mz] *n. pl.* 《영·구어》 = COMBINATION 3

COMSAT, Com·sat [kɑ́msæ̀t | kɔ́m-] [*Com*munications *Sat*ellite Corporation] *n.* (미국의) 통신 위성 회사; [**c~**] 콤샛, 통신 위성

Com·stock·er·y [kʌ́mstɑ̀kəri, kɑ́m- | kɔ́mstɔkəri] [미국의 개혁가 A. Comstock에서] *n.* Ⓤⓒ 《미》 풍속을 문란케 하는 문예 미술에 대한 엄격한 단속[검열]; 고상한 체하는 태도 **Còm·stóck·i·an** *a.*

com·symp [kɑ́msìmp | kɔ́m-] [*com*munist *symp*athizer] *n.* 《미·구어》 **1** [때로 **C~**] 공산당 동조자 **2** 여행의 동행자, 길동무

comte [kɔ́:nt] [F] *n.* 백작(count)

Comte [kɔ́:nt] *n.* 콩트 **Auguste ~** (1798-1857) 《프랑스의 철학자·사회학자》

Com·ti·an, -te·an [kɑ́mtiən, kɔ́:n- | kɔ́:n-] *a.* 콩트 철학파의 — *n.* 콩트 철학 신봉자

Comt·ism [kɑ́mtizm, kɔ́:n- | kɔ́:n-] *n.* Ⓤ (콩트(Comte)의) 실증 철학(positivism) **-ist** *n., a.*

Co·mus [kóuməs] *n.* 〖그리스·로마신화〗 코머스 (Komus) 《음주·향연을 주관하는 젊은 신》

con¹ [kɑ́n | kɔ́n] [L *contra*] *a., ad.* 반대하여: argue a matter pro and ~ 찬부 양론으로 문제를 논하다 — *n.* 반대 투표, 반대론(자)
— *pref.* 반대하여 ***the pros and ~s*** ⇨ pro

con² *vt.* (**~ned**; **~·ning**) 《고어》 [종종 ~ over] 숙독[정독]하다; 암기하다

con³ *vt., vi.* (**~ned**; **~·ning**) 〖항해〗 조타(操舵)[침로]를 지휘하다(cf. CONNING TOWER)
— *n.* 조타 지휘; 조타 지휘자의 위치

con⁴ [*con*fidence] 《미·구어》 *vt.* (**~ned**; **~·ning**) **1** 속이다 **2** 속여서 …하게 하다; 속여서 빼앗다: He ~*ned* me out of my allowance. 그는 나를 속여서 내 용돈을 빼앗았다.
— *n.* Ⓒ 신용 사기; 횡령 — *a.* 신용 사기의

con⁵ [It.] *prep.* 〖음악〗 …을 가지고, …으로써(with)

con⁶ [(ex-)*con*vict] *n.* 《미·속어》 죄수, 전과자; 유죄 판결

con⁷ *vt.* 《영·방언》 〈사람·물건을〉 치다, 때리다; 〈못을〉 박다

con⁸ [*con*sumption] *n.* 《속어》 폐병

Con Conservative

CON [kɑ́n | kɔ́n] *n.* 〖컴퓨터〗 콘 《DOS에서 콘솔을 나타내는 논리적 장치명》

con- [kən, kɑn | kən, kɔn] *pref.* = COM-

con. concerto; conclusion; contra 《L = against》; conversation **Con.** Conformist; consul

con·a·cre [kɑ́neikər | kɔ́n-] 《아일》 *n.* (경작이 끝난) 소작자의 한 경작 기간의 전대(轉貸)
— *vt.* 〈소작지를〉 한 경작 기간만 대여하다

thesaurus **comrade** *n.* companion, friend, colleague, partner, associate, coworker, mate
conceal *v.* hide, cover, screen, obscure, disguise, mask, keep secret, dissemble (opp. *reveal, expose*)

CONAD [kάnæd | kɔ́n-] [*Con*tinental *A*ir *D*efense Command] *n.* 미국 본토 방공군 《육·해·공군의 통합군; 1975년 폐지》

Co·na·kry, Ko·na·kri [kάnəkri | kɔ́-] *n.* 코나크리 《Guinea의 수도》

con a·mo·re [kan-əmɔ́:ri, -mɔ́:rei, koun- | kɔn-] [It.] *ad.* 애정을 가지고; 정성껏, 열심히; 〖음악〗 부드럽게

con a·ni·ma [kan-ǽnəmὰ:, koun-ά:ni- | kɔnǽ-ni-, -ά:ni-] [It.] *ad.* 〖음악〗 씩씩하게, 활발하게

cón àrtist [màn] 《구어》 사기꾼; 《속어》 놀고 먹는 사람; 《달변인》 거짓말쟁이

co·na·tion [kounéiʃən] *n.* [UC] 〖심리〗 의욕, 능동(能動) 《목적을 가진 활동의 총칭》

con·a·tive [kάnətiv, kóu- | kɔ́-, kóu-] *a.* **1** 〖심리〗 의욕적인, 능동의 **2** 〖문법〗 능동적인: a ~ verb 능동 동사

co·na·tus [kounéitəs] *n.* (*pl.* ~) **1** 노력 **2** 《인간의 노력을 촉구하는》 의욕, 능동 **3** 《스피노자 철학에서》 자존성(自存性)

con bri·o [kan-brí:ou, koun- | kɔn-] [It.] *ad.* 〖음악〗 힘차게, 활발하게

conc. concentrate(d); concentration; concerning; concrete

con·cat·e·nate [kankǽtənèit | kɔn-] *vt.* 사슬같이 잇다; 연쇄시키다; 〈사건 등을〉 결부[연결]시키다, 연관시키다 **—** *a.* 연쇄된, 이어진, 연결된

con·cat·e·na·tion [kankæ̀tənéiʃən | kɔn-] *n.* 《문어》 [UC] 연쇄; 《사건 등의》 연결, 연속, 연관 《*of*》

*__con·cave__ [kankéiv, ⌐– | kɔnkéiv] *a.* **오목한**, 요면(凹面)의(opp. *convex*): a ~ lens 오목 렌즈 / a ~ mirror 오목 거울
— [kάnkeiv | kɔ́n-] *n.* 오목면, 요면 ***the spherical*** **~** 《시어》 하늘, 창공
— [kankéiv, ⌐– | kɔnkéiv] *vt.* 오목하게 하다
~·ly *ad.* **~·ness** *n.* ▷ concávity *n.*

con·cav·i·ty [kankǽvəti | kɔn-] *n.* (*pl.* **-ties**) 오목함, 오목한 상태; 요면; 오목한 곳, 함몰 부분

con·ca·vo-con·cave [kankéivoukankéiv | kɔnkéivoukɔn-] *a.* 양면이 다 오목한(biconcave)

con·ca·vo-con·vex [kankéivoukanvéks | kɔnkéivoukɔn-] *a.* 한 면은 오목하고 다른 면은 볼록한, 요철(凹凸)의(convexo-concave)

⁑**con·ceal** [kənsí:l] [L 「함께 숨기다」의 뜻에서] *vt.* 숨기다, 감추다; 비밀로 하다, 내색하지 않다(⇨ hide[1] [유의어]): He *~ed* the fugitive. 그는 도망자를 숨겨 주었다. ∥ (~+목+전+명) Do not ~ your intentions *from* me. 너의 의도를 내게 숨기지 마라.
~ one***self*** 숨다 **~·a·ble** *a.* **~·ing·ly** *ad.*
▷ concéalment *n.*

con·ceal·er [kənsí:lər] *n.* **1** 컨실러 《피부 결점을 감추어 주는 화장품》 **2** 숨기는 사람[것]

*__con·ceal·ment__ [kənsí:lmənt] *n.* [U] 은폐, 은닉; 잠복; [C] 은신처 ***in*** **~** 숨은, 숨어서

*__con·cede__ [kənsí:d] [L 「함께 가다, 용인하다」의 뜻에서] *vt.* **1** 《마지못해》 **인정하다**, 용인하다, 시인하다; 승인하다(admit): ~ an election defeat 선거의 패배를 인정하다 ∥ (~+***that*** 절) We must ~ *that* this is true. 우리는 이것이 사실임을 인정해야 한다. **2** 〈권리·특권 등을〉 **부여하다**(grant) 《*to*》: (~+목+전+명) The privilege has been *~d to* him. 그 특권이 그에게 주어졌다. **3** 《경기·토론 등에서》 〈득점·논점 등을〉 허용하다, 양보하다: (~+목+전+명) He *~d* the point *to* us in the debate. 그는 토론에서 우리에게 그 점을 양보했다. ∥ (~+목+목) ~ a person the palm of victory …에게 승리를 양보하다 / ~ two points to one's opponents 상대방에게 2점을 허용하다
—*vi.* 양보하다; 용인하다; 《미》 《선거 등에서》 패배를 인정하다: (~+전+명) ~ *to* a person …에게 양보하다 / ~ *to* a person's opinion …의 견해를 용인하다 **con·céd·er** *n.*
▷ concéssion *n.*; concéssive *a.*

con·ced·ed·ly [kənsí:didli] *ad.* 명백하게, 분명히

⁑**con·ceit** [kənsí:t] *n.* **1** [U] 자만, 자부심(opp. *humility*); [C] 독단, 사견 **2** 〖문학〗 《시문 등의》 기발한 착상, 기상(奇想); 기발한 표현[비유] ***be full of*** **~** 자부심이 강하다 ***be out of*** **~** ***with*** …에 싫증이 나다, …에 진저리가 나다 wise ***in*** one***'s own*** **~** 제딴에는 《영리하다고》 생각하고
—*vt.* **1** [~ one*self* 로] 우쭐대다 **2** 《고어》 상상하다(imagine), 생각하다 **3** 《고어》 …이 마음에 들다
—*vi.* 생각하다 ▷ concéive *v.*

⁑**con·ceit·ed** [kənsí:tid] *a.* **자부심이 강한**; 우쭐한, 뽐내는; 《방언》 변덕스러운 **~·ly** *ad.* **~·ness** *n.*

con·ceiv·a·ble [kənsí:vəbl] *a.* **1** 생각할 수 있는, 상상할 수 있는 **2** [최상급의 형용사 또는 every 뒤에서] 상상할 수 있는 한의: *the best* ~ 그 이상의 것은 생각할 수 없는 / by *every* ~ means 모든 수단으로
-bly *ad.* 생각할 수 있는 바로는, 상상컨대
con·cèiv·a·bíl·i·ty *n.* **~·ness** *n.*

⁑**con·ceive** [kənsí:v] [L 「함께 가지다」의 뜻에서] *vt.* **1 상상하다**(imagine); 〈…라고〉 **생각하다**(think); 〈생각·의견·원한 등을〉 **품다**(entertain); 〈계획 등을〉 생각해 내다, 착상하다(devise): a badly *~d* scheme 졸렬한 계획 / ~ a dislike 혐오감을 품다 ∥ (~+***that*** 절) I *~d that* something must be wrong with him. 나는 그가 무엇인가 잘못된 게 틀림없다고 생각했다. ∥ (~+목+***to be*** 보) I ~ it *to be* true. 그것이 사실이라고 생각한다. **2** 이해하다: I ~ you. 네 말뜻을 알겠다. **3** [보통 수동형으로] 말로 표현하다 **4** [보통 수동형으로] 《특정한 방법으로》 시작하다, 일으키다; 창설하다: *be ~d* in plain terms 쉬운 말로 표현되어 있다 **5** 〈아이를〉 배다, 임신하다
—*vi.* **1** [보통 부정문] 상상하다, 생각하다; 이해하다 《*of*》: (~+전+명) I can*not* ~ *of* your doing such a silly thing. 당신이 그렇게 어리석은 짓을 하리라고는 생각할 수 없다. **2** 임신하다
con·céiv·er *n.* ▷ concéit, concéption *n.*

con·cel·e·brant [kənséləbrənt, kan- | kɔn-, kən-] *n.* 《미사·성찬식의》 공동 집전 사제

con·cel·e·brate [kənséləbrèit, kan- | kɔn-, kən-] *vt., vi.* 〈미사를〉 공동 집전하다
con·cèl·e·brá·tion *n.* 《미사의》 공동 집전

con·cent [kənsént] *n.* [UC] 《고어》 《소리·음성의》 조화(concord); 일치, 협조

con·cen·ter [kanséntər, kən- | kɔn-] *vi., vt.* 한 점에 모이다[모으다], 집중하다[시키다]

⁑**con·cen·trate** [kάnsəntrèit | kɔ́n-] [L 「함께 중심(center)에 모으다」의 뜻에서] *vt.* **1 집중하다**(focus), 한 점에 모으다; 〈물건 등을〉 모으다 《*on, upon*》: (~+목+전+명) ~ rays *to*[*into*] a focus 광선을 초점에 집중하다 / ~ one's energies[efforts] *on*[*upon*] …에 모든 정력[노력]을 집중하다 / He is unable to ~ his thoughts *upon* his academic work. 그는 학업에 전념할 수가 없다. **2** 〈액체를〉 응축[농축]하다(condense): ~ fruit juice 과즙을 농축하다 **3** 〈광석을〉 선광하다
—*vi.* **1** 〈인구 등이〉 **집중하다**, 한 점에 모이다 《*at, in*》: (~+전+명) Population tends to ~ *in* large cities. 인구는 대도시에 집중하는 경향이 있다. **2** 〈사람이〉 (…에) **전력을 기울이다**, 전념하다, 골몰하다 《*on, upon*》: (~+전+명) ~ *upon* a problem 어떤 문제에 전념하다 **3** 응축[농축]되다
—*n.* 응축[농축]액, 농축 음료; 농축 사료; 〖야금〗 정광(精鑛): orange juice ~ 농축 오렌지 주스
▷ concentrátion *n.*; cóncentrative *a.*

---

concentrate *v.* **1** 집중하다 focus, center, converge, centralize, consolidate (opp. *diffuse, disperse, dissipate*) **2** 모으다 collect, gather, congregate, accumulate, amass, cluster, rally

con·cen·trat·ed [kánsəntrèitid | kɔ́n-] *a.* 집중된; 응집[응축, 농축]된; 밀집된: ~ fire 집중 포화/~ juice 농축 주스/~ food 농축 식품 **~·ly** *ad.*

∗**con·cen·tra·tion** [kànsəntréiʃən | kɔ̀n-] *n.* UC 1 집결, 집중 (*of*): ~ *of* armaments 군사력의 집결/~ *of* population 인구 집중 2 U (정신의) 집중, 전심전력, 집중력, 전념 (*on, upon*); 집중 연구 3 U 〖화학〗 농축; [*sing.*] (용액의) 농도; 〖광산〗 선광; 농화(濃化) 4 집합물, 집단 ▷ cóncentrate *v.*; cóncentrative *a.*

concentrátion càmp 정치범[포로] 수용소

con·cen·tra·tive [kánsəntrèitiv | kɔ́n-] *a.* 집중적인, 집중성의; 전심전력하는, 골몰하는

con·cen·tra·tor [kánsəntrèitər | kɔ́n-] *n.* 집중시키는 물건[장치]; (탄약통 안 또는 총구의) 발화 집중 장치; 〖통신〗 집신기(集信機); (액체의) 농축기; 선광기

con·cen·tre [kɑnséntər, kən- | kɔn-] *vt., vi.* (영) = CONCENTER

con·cen·tric, -tri·cal [kənséntrik(əl) | kɔn-] *a.* 1 〖수학〗 중심이 같은(opp. *eccentric*): ~ circles 동심원(同心圓) 2 집중적인: ~ fire 〖군사〗 집중 포화 **-tri·cal·ly** *ad.*

con·cen·tric·i·ty [kànsəntrísəti | kɔ̀n-] *n.* U 중심이 같음; 집중(성)

∗**con·cept** [kánsept | kɔ́n-] *n.* 1 〖철학〗 개념: the ~ (of) "horse" 「말」이란 개념 2 구상, 발상 3 〖광고〗 (상품·판매의) 기본적 테마, 콘셉트
— *vt.* (구어) 개념을 전개하다, 생각해 내다

cóncept àlbum 〖음악〗 콘셉트 앨범 (같은 주제의 음악들을 모은 것)

cóncept càr 콘셉트 카 (소비자의 반응을 살펴보기 위한 미래형 시제차(試製車))

‡**con·cep·tion** [kənsépʃən] *n.* 1 개념, 생각(concept) (*of*); U 개념 작용[형성](cf. PERCEPTION) 2 고안된 것, 발명 3 구상, 착상, 창안; 고안(plan): a grand ~ 웅대한 구상 4 U 임신, 수태; 태아 5 기원, 발단 ***have no ~ of*** …을 전혀 알지 못하다 ▷ concéive *v.*

con·cep·tion·al [kənsépʃənl] *a.* 개념의, 개념상의

concéption contròl 수태(受胎) 조절, 산아 제한 ★ birth control이 일반적임.

con·cep·tive [kənséptiv] *a.* 1 개념 작용의, 개념적인; 생각하는 힘이 있는 2 (드물게) 잉태할 수 있는

con·cep·tu·al [kənséptʃuəl] *a.* 개념의; 구상의; 개념 미술의 **~·ism** *n.* U 〖철학〗 개념론 **~·ist** *n.* 개념론자 **~·ly** *ad.*

concéptual árt 개념 예술(concept art) (제작의 개념과 과정 그 자체를 예술 작품으로 보는)

concéptual ártist 개념 예술가

concéptual fúrniture 건축가에 의해 디자인된 가구

con·cep·tu·al·ize [kənséptʃuəlàiz] *vt.* 개념화하다; 개념적으로 해석하다 — *vi.* 개념으로 생각하다 **con·cèp·tu·al·i·zá·tion** *n.* **-iz·er** *n.*

con·cep·tus [kənséptəs] *n.* (*pl.* **~·es, -ti** [-tai]) 수태 산물, 배(胚), (포유류의) 태아

cóncept vìdeo 음악과 그 이미지의 영상을 조합한 비디오

‡**con·cern** [kənsə́ːrn] [L 「함께 체질하다」의 뜻에서] *vt.* 1 …에 관계하다(relate to), 관계가 있다; …의 이해에 관계가 있다, …에 중요하다: This ~*s* all of us. 이것은 우리 모두에게 관계가 있다. 2 [~ one*self*로] 관계하다, 관여하다(⇨ concerned 2), 종사하다 (*in, with*): I don't ~ *myself with* politics. 나는 정치에 관여하지 않는다. 3 걱정시키다; [~ one*self*로] 걱정[염려]하다 (*about, for, over, with*)(⇨ concerned 1)
as ~s him (문어) [전치사적으로] (그)에 대해서는 ***as*** [***so***] ***far as ... be ~ed*** [보통 문두에 써서] …에게 관한 한 ***To whom it may ~*** 관계 당사자 앞, 관계 제위 (증명서 등에서)
— *n.* 1 관계 (*with*); 이해관계(interest) (*in*) 2 U 관심, 배려; 걱정, 근심 (*about, for, over*)(⇨ care 유의어): a matter of ~ 관심사 // (~+*to* do) Everyone has a self-centered ~ *to* preserve himself. 누구든지 자기 보존을 위한 자기 중심적인 관심이 있다. 3 [종종 *pl.*] 관심사, 관여할 일: It is no ~ of mine. 그건 내 알 바가 아니다./Mind your own ~*s*. 네 걱정이나 해라. 4 [보통 of ~] 중요성 (*to*): a matter *of* some[utmost] ~ 다소[극히] 중요한 사건 5 영업, 사업; 회사, 상사(firm); 재단; 재벌, 콘체른: a paying ~ 수지가 맞는 장사/a going ~ 영업 중인[이익을 내는] 회사; 착착 진전 중인 사업 6 (구어) (막연한) 것, 일, 사람; 장치: a selfish ~ 이기적인 놈/worldly ~*s* 세속사/The war smashed the whole ~. 전쟁으로 만사가 다 틀려버렸다.
feel [***show***] ***~ about*** [***over***] …을 걱정하다 ***have a ~ in*** …에 이해 관계가 있다, …의 공동 출자자다 ***have no ~ in*** …에 아무 관심도 없다 ***have no ~ with*** …에 아무런 관계도 없다 ***of ~ to*** …에 중요한 ***with*** [***without***] ***~*** 걱정하여[없이] ▷ concérnment *n.*

∗**con·cerned** [kənsə́ːrnd] *a.* 1 걱정스러운, 염려하는, 근심하는 (*about, over, for*): with a ~ air 걱정스러운 태도로/He is very (much) ~ *about* the future of the country[*over* her health]. 그는 나라의 장래[그녀의 건강]를 매우 걱정하고 있다./I am ~ *about* his health. 그의 건강이 걱정이 된다. 2 관계하는, 관계가 있는; (범죄에) 관련된; 관심을 가진 (*in, with*): the authorities[parties] ~ 관계 당국[이해 당사자]/arrest all ~ 관련자 모두를 체포하다
be ~ about [***for, over***] …에 관심을 가지다, …을 걱정하다 ***be ~ in*** …에 관계가 있다, 관여하고 있다: He *is* ~ *in* the company. 그는 그 회사에 관여하고 있다. ***be ~ to*** do …하기를 바라다 ***be ~ with*** …에 관계가 있다, …에 관심이 있다: I *am* not ~ *with* it. 내 알 바 아니다. ***so*** [***as***] ***far as*** he is ~ [보통 문두에 써서] (그)에 관한 한 ***where ... be ~*** …에 관한한, …에 관해서는 **~·ly** *ad.* 걱정하여

‡**con·cern·ing** [kənsə́ːrniŋ] *prep.* …에 관하여(about): We made inquiries ~ his past. 우리는 그의 과거에 관해서 조사를 했다.

con·cern·ment [kənsə́ːrnmənt] *n.* U (문어) 1 중대, 중요성(importance): a matter of ~ 중대한 일 2 걱정, 근심, 우려(anxiety) (*about, for*) 3 (고어) 관계, 관여 (*to*) 4 C 관계하고 있는 일, 업무; 관심사

‡**con·cert** [kánsə:rt, -sərt | kɔ́nsət] [It. 「일치하다, 조화하다」의 뜻에서] *n.* 1 음악회, 연주회, 콘서트: a rock ~ 록 콘서트 2 U 합주; 협조, 협약, 제휴(concord) 3 U 〖음악〗 협화음; 협주곡 ***by ~*** 합의하여 ***in ~*** (1) (…와) 협력하여 (*with*); 일제히, 동시에 (2) 〈가수·음악 그룹이〉 라이브 공연으로 ***in ~ with*** …와 제휴하여, 협력하여, 일치하여
— *a.* 1 음악회용의: a ~ hall 연주회장 2 콘서트에서 연주되는[하는]
— [kənsə́:rt] *vt., vi.* 협조하다, 협정하다; 계획하다 ▷ cóncertize *v.*

con·cer·tan·te [kɑ̀nsərtɑ́:nti | kɔ̀ntʃətǽnti] *a.* 〖음악〗 협주곡 형식의; 독주의
— *n.* (*pl.* **-ti** [-ti:]) 협주 교향곡, 콘체르탄테

con·cer·ta·tion [kɑ̀nsərtéiʃən | kɔ̀n-] *n.* 〖프랑스 정치〗 (당파간의) 협조, 공동 보조[행위]

cóncert bànd 콘서트 밴드 (관악기와 타악기를 연주하는 합주단)

con·cert·ed [kənsə́:rtid] *a.* 1 협정된, 합의된; 협동의: take ~ action 일치된 행동을 하다 2 〖음악〗 합창[합주]용으로 편곡된 **~·ly** *ad.* **~·ness** *n.*

con·cert·go·er [kánsərtgòuər | kɔ́nsət-] *n.* 음악회에 자주 가는 사람 **-gò·ing** *n., a.*

cóncert gránd (**piáno**) (연주회용) 대형 그랜드 피아노

cóncert hàll 콘서트 홀, 음악당

con·cer·ti [kəntʃέərti] *n.* **1** CONCERTO의 복수 **2** 《미·속어》 (마피아의) 심문회

con·cer·ti·na [kɑ̀nsərtíːnə | kɔ̀n-] *n.* **1** 〖음악〗 콘서티나 《아코디언 모양의 6각형의 손풍금》 **2** = CONCERTINA WIRE **—** *vi.* 《영·구어》 〈차가〉 충돌하여 찌부러지다 **—** *vt.* 찌부러뜨리다

concertina 1

concertína wìre (담·벽 등에 둥글게 말아 얹은 콘서티나 모양의) 가시 철조망

con·cer·ti·no [kɑ̀ntʃərtíːnou | kɔ̀n-] *n.* (*pl.* **~s, -ni** [-niː]) 〖음악〗 소협주곡; (합주 협주곡의) 독주 악기군(群); 합창 연주곡의 1절

con·cert·ize [kɑ́nsərtàiz | kɔ́n-] *vi.* 연주 여행을 하다; 연주회를 열다

con·cert·mas·ter [kɑ́nsərtmæ̀stər | kɔ́nsət-mɑ̀ːs-], **-meis·ter** [-màistər] *n.* 〖음악〗 콘서트마스터 《지휘자 다음가는 사람, 수석 바이올리니스트》

con·cer·to [kəntʃέərtou | -tʃέə-, -tʃɔ́ː-] [It.] *n.* (*pl.* **-ti** [-tiː], **~s**) 〖음악〗 콘체르토, 협주곡

concérto grós·so [-gróusou] 〖음악〗 합주 협주곡

cóncert òverture 〖음악〗 연주회용 서곡

cóncert pàrty **1** 《영》 (피서지의) 연예쇼 **2** 《구어》 〖증권〗 작전 세력; 비밀 기업 사냥꾼 연합

cóncert perfórmance 〖음악〗 (오페라 등의) 연주회 형식 공연 《배경·의상·연기 등을 생략한 공연》

cóncert pìtch **1** 〖음악〗 연주회용 표준음 **2** 《구어》 건강 상태[활기, 긴장]이 높아진 상태 ***at* ~** 몹시 긴장하여; (…에) 만반의 준비가 되어 《*for*》

*__con·ces·sion__ [kənséʃən] *n.* **1** UC 양보, 양여(讓與) 《*to*》; 용인: mutual *~s* 상호 양보 **2** 양여된 것; (정부에서 받는) 면허, 특허; 이권, 특권: an oil ~ 석유 채굴권 **3** 거류지, 조차지(租借地), 조계(租界) **4** 《미》 (매점 등의) 토지 사용권; 구내 매점: ~ stand 구내 매장[매점] ***make a ~ to*** …에 양보하다 **~·al** *a.* **~·er** *n.* = CONCESSIONAIRE ▷ concéde *v.*

con·ces·sion·aire [kənsèʃənέər] [F] *n.* (권리의) 양수인(讓受人); (정부로부터의) 특허권 소유자; (극장·공원 등의) 영업권 소유자, (매점 등의) 토지 사용권 소유자

con·ces·sion·ar·y [kənséʃənèri | -ʃənəri] *a.* 양보의 **—** *n.* (*pl.* **-ar·ies**) = CONCESSIONAIRE

con·ces·sive [kənsésiv] *a.* 《문어》 양보의, 양보적인; 〖문법〗 양보를 나타내는: a ~ conjunction [clause] 양보 접속사[절] 《although, even if 등(으로 시작되는 절)》 **~·ly** *ad.*

conch [kɑ́ŋk, kɑ́ntʃ | kɔ́ŋk, kɔ́ntʃ] *n.* (*pl.* **~s** [-s], **con·ches** [kɑ́ntʃiz | kɔ́n-]) **1** 소라류; 《시어》 조가비(shell) **2** 〖그리스신화〗 바다의 신 Triton의 소라; (뱃길 안내인 등의) 소라 **3** [종종 **C~**] 《해양속어》 Bahama 제도의 원주민 **4** 〖건축〗 (예배당의) 반원형 지붕 **5** 〖해부〗 = CONCHA **6** 《미·학생속어》 양심적으로 공부하는 사람, 학교 공부만 열심인 사람

con·cha [kɑ́ŋkə | kɔ́ŋ-] *n.* (*pl.* **-chae** [-kiː]) 〖해부〗 외이(外耳), 귓바퀴, 이각(耳殼) **cón·chal** *a.*

con·chie, con·chy [kɑ́ntʃi] *n.* (*pl.* **-chies**) 《영·속어》 = CONSCIENTIOUS OBJECTOR

con·chif·er·ous [kaŋkífərəs | kɔŋ-] *a.* 〖동물〗 조가비가 있는; 〖지질〗 조가비를 함유한

con·chi·tis [kaŋkáitis | kɔŋ-] *n.* U 〖의학〗 외이염(外耳炎)

con·choid [kɑ́ŋkɔid | kɔ́ŋ-] *n.* 〖수학〗 나사선, 콘코이드

con·choi·dal [kaŋkɔ́idl | kɔŋ-] *a.* 〖지질·광물〗 패각상(貝殼狀)의, 조가비 모양의 **~·ly** *ad.*

con·chol·o·gy [kaŋkɑ́lədʒi | kɔŋkɔ́-] *n.* U 패류학(貝類學) **-gist** *n.* 패류학자

con·cierge [kɑ̀nsiέərʒ | kɔ̀n-] [F] *n.* (*pl.* **~s** [-iz]) **1** 수위(doorkeeper) **2** (아파트 등의) 관리인 (《미》 superintendent) 《보통 여성》 **3** (호텔의) 안내인

con·cil·i·a·ble [kənsíliəbl] *a.* 달랠[회유할] 수 있는; 조정[화해]할 수 있는

con·cil·i·ar [kənsíliər] *a.* 심의 기관(council)의, 〈문서·명령이〉 심의 기관에서 나온 **~·ly** *ad.*

con·cil·i·ate [kənsílièit] [L 「통합하다」의 뜻에서] *vt.* **1** 달래다; 회유하다; 조정하다(reconcile) **2** (남의) 존경[호의]을 얻다 **3** (남의) 환심을 사다; 제편으로 끌어들이다(win over) **—** *vi.* 화해하다, 조정하다

con·cil·i·a·tion [kənsìliéiʃən] *n.* U **1** 달램, 위로; 회유 **2** (노동 쟁의 등의) 조정, 화해: the *C~* Act 《영》 노동 쟁의 조정법 **3** 우호 상태, 협력 관계 ***the Court of C~*** 조정 재판소

con·cil·i·a·tive [kənsílièitiv, -ət-] *a.* = CONCILIATORY

con·cil·i·a·tor [kənsílièitər] *n.* 조정자; 회유자

con·cil·i·a·to·ry [kənsíliətɔ̀ːri | -təri] *a.* 달래는 (듯한); 회유적인

con·cin·nate [kɑ́nsənèit | kɔ́n-] *vt.* 〈요소·부분 등을〉 교묘하게 조화[융합]시키다

con·cin·ni·ty [kənsínəti] *n.* (*pl.* **-ties**) UC 조화; (문체의) 우아함

con·cin·nous [kənsínəs] *a.* 〈문체가〉 우아한; 조화를 이룬 **~·ly** *ad.*

‡**con·cise** [kənsáis] [L 「자르다」의 뜻에서] *a.* (**more ~, -cis·er; most ~, -cis·est**) 간결한, 간명한: a ~ statement 간명한 진술 **~·ly** *ad.* **~·ness** *n.* ▷ concísion *n.*

con·ci·sion [kənsíʒən] *n.* U 간결, 간명(conciseness); 《고어》 절단, 절제 ***with* ~** 간결하게

con·clave [kɑ́nkleiv, kɑ́ŋ- | kɔ́ŋ-, kɔ́n-] *n.* **1** 〖가톨릭〗 추기경(cardinals)의 교황 선거 회의(실) **2** 비밀 회의, 실력자 회의 ***in* ~** 비밀 회의 중: sit *in* ~ 비밀 회의하다

con·clav·ist [kɑ́nkleivist, kɑ́ŋ- | kɔ́ŋ-, kɔ́n-] *n.* 〖가톨릭〗 교황 선거 회의에 출석하는 추기경의 수행원

‡**con·clude** [kənklúːd] [L 「가두다, 완전히 끝내다」의 뜻에서] *vt.* **1** 끝내다, 결말짓다, 끝맺다, 완결하다 《*by, with*》(⇨ finish[1] 유의어): ~ an argument 논쟁을 마치다 // (~+목+전+명) ~ a speech *by* saying that ...[*with* the remarks that ...] …이라고 말하고[…이라는 말로] 연설을 끝맺다 / The meeting was *~d with* the college song. 교가를 부르고 폐회했다. **2** 〈조약 등을〉 체결하다, 맺다(settle): ~ a treaty of friendship 우호 조약을 체결하다 **3** 결론짓다(⇨ infer 유의어); 추단[단정]하다 《*from*》: (~+목+전+명) We might ~ it *from* the premises. 이 전제에서 그러한 결론을 내릴 수 있을 것이다. // (~+***that*** 절) (~+목+***to*** do) From what you say, I ~ *that* the resistance was useless[I ~ the resistance *to* have been useless]. 당신의 말로 미루어 보아 나는 저항이 무익했던 것으로 단정합니다. **4** 《미》 (최종적으로) 결정[결의, 결심]하다(resolve): (~+***to*** do) They've *~d to* sell their farm. 그들은 농장을 팔기로 결정했다.
— *vi.* **1** (…으로써) 말을 맺다(end) 《*with*》: (~+전+명) ~ *by* saying that ...[*with* a few remarks] …이라고 말하고[몇 마디 의견을 개진하고] 이야기를 끝맺다 **2** 〈글·말·모임 등이〉 끝나다 《*with*》: The letter *~d* as follows. 편지는 다음과 같이 끝맺고 있었다. (***Now***) ***to* ~** 결론적으로 말하자면 ***To be ~d.*** 다음 회[호]에 완결. **con·clúd·er** *n.* ▷ conclúsion *n.*; conclúsive *a.*

con·clud·ing [kənklúːdiŋ] *a.* 종결의, 최후의, 끝맺는: a ~ remark 끝맺는 말

‡**con·clu·sion** [kənklúːʒən] *n.* **1** U 결말, 종결 《*of*》; C 끝(맺음); 종국 **2** 결론, 단정, 추단; 결정, 판정; 〖논리〗 (3단 논법의) 결론, 귀결 **3** UC (조약의) 체결, 타결 《*of*》: ~ *of* a treaty 조약의 체결 **4** 〖법〗

금반언(禁反言)(estoppel); (변호사의) 최종 변론 ***at the ~ of*** …을 끝맺음에 있어 ***bring*** (a thing) ***to a ~*** 끝맺다 ***come to a ~*** 결론에 이르다 ***come to the ~ that ...*** …이라고 판단하다 ***draw ~s*** 단안을 내리다, 추단하다 ***in ~*** 끝으로, 결론으로서 ***jump*** [***leap***] ***to ~s*** [***the ~***] 속단하다 ***try ~s with*** 《고어》 …와 결전을 시도하다, 우열을 가리다
▷ conclúde *v.*; conclúsive *a.*

∗**con·clu·sive** [kənklúːsiv] *a.* **결정적인**, 단호한; 종국의: a ~ answer 최종적인 회답 / ~ evidence [proof] 확증 **~·ly** *ad.* **~·ness** *n.*
▷ conclúde *v.*; conclúsion *n*

con·clu·so·ry [kənklúːsəri] *a.* 추단적(推斷的)인; 결정적인(conclusive)

con·coct [kankákt, kən- | kənkɔ́kt, kɔŋ-] *vt.* **1** 〈수프·음료 등을〉 섞어서 만들다 **2** 〈각본·이야기 등을〉 엮어내다, 날조하다; 〈음모 등을〉 꾸미다(devise)
~·er, con·cóc·tor *n.*

con·coc·tion [kankákʃən, kən- | kənkɔ́k-, kəŋ-] *n.* **1** Ⓤ 혼성, 조합(調合); Ⓒ 조제물, 수프, 혼합 음료; 조제약 **2** 구성; 책모; 꾸며낸 이야기

con·coc·tive [kənkáktiv | -kɔ́k-] *a.* 조합한; 꾸며낸, 음모의

con·col·or·ous [kankʌ́lərəs, kən- | kɔn-, kən-] *a.* 단색의; 같은 색의 《*with*》

con·com·i·tance, -tan·cy [kankámətəns(i), kən- | kənkɔ́m-] *n.* Ⓤ 《문어》 **1** 수반(隨伴), 부수; 병존, 공존 **2** 〖가톨릭〗 병존(설) 《성체, 특히 빵 속에 그리스도의 피와 살이 병존한다는 신앙》 **3** = CONCOMITANT

con·com·i·tant [kankámətənt, kən- | kənkɔ́-] *a.* 《문어》 수반하는, 부수된, 동시에 일어나는(concurrent) 《*with*》 **—** *n.* [보통 *pl.*] 부대 상황, 부수물; 공존성 《*of*, *with*》 **~·ly** *ad.*

‡**con·cord** [kánkɔːrd, káŋ- | kɔ́ŋ-, kɔ́n-] [L 「같은 마음」의 뜻에서] *n.* Ⓤ **1** (의견·이해 등의) **일치** (agreement); (사물·인간 사이의) 조화, 화합(harmony)(opp. *discord*) **2** (국제·민족간의) 협정, 협약; 《특히》 우호 협정 **3** Ⓤ 〖음악〗 협화음(opp. *discord*) **4** Ⓤ 〖문법〗 (성·수·인칭 등의) 일치, 호응 《many a book은 단수, many books는 복수로 받는 등》
in ~ with …와 조화[일치, 화합]하여
— *vt.* (용어 색인을 만들기 위해) 〈말을〉 배열하다
▷ concórdant *a.*

Con·cord [káŋkərd | kɔ́ŋ-] *n.* 콩코드 **1** 미국 New Hampshire 주의 주도 **2** 미국 Massachusetts 주 동부의 도시 《옛 전쟁터》 **3** 〖원예〗 콩코드 포도(= ∠ **grápe**) 《알이 굵고 검푸른》; 콩코드 포도주

∗**con·cord·ance** [kankɔ́ːrdns, kən- | kən-] *n.* **1** Ⓤ 《문어》 일치, 조화, 화합 **2** (작가·성서의) 용어 색인 《*to*, *of*》 ***in ~ with*** …에 일치하여[따라서]

con·cord·ant [kankɔ́ːrdnt, kən- | kən-] *a.* 《문어》 조화된, 화합하는, 일치하는(harmonious) 《*with*》; 협화음의 **~·ly** *ad.*

con·cor·dat [kankɔ́ːrdæt | kɔn-] *n.* **1** 협정, 협약 **2** 〖그리스도교〗 (로마 교황과 국왕·정부간의) 협약, 정교(政敎) 조약

Con·corde [kánkɔːrd, káŋ-, −∠ | kɔnkɔ́ːd] [F = concord] *n.* 콩코드 《영국과 프랑스가 공동 개발한 초음속 여객기; 1976년 취항》

Con·cor·di·a [kankɔ́ːrdiə | kɔn-] *n.* **1** 〖로마신화〗 조화와 평화의 여신 **2** 여자 이름

con·cours [kaŋkúər | kɔŋ-] [F] *n.* 콩쿠르, 경연 (competition)

concours d'é·lé·gance [-dèligáːns, -gǽns] [F] 자동차 전시회[품평회]

con·course [kánkɔːrs, káŋ- | kɔ́ŋ-, kɔ́n-] *n.* **1** (인마(人馬)·물질·분자·하천 등의) 집합, 합류 《*of*》; 군집 **2** 《미》 (공원 등의) 중앙 광장; (역·공항 등의) 중앙 홀 **3** 《미》 경마장; 경기장 **4** (공원 내의) 차도, 산책로 **5** 넓은 (가로수가) 있는 길

con·cres·cence [kankrésns | kən-] *n.* Ⓤ 〖생물〗 합생(合生), 합착, 유착(癒着) **-cent** *a.*

‡**con·crete** [kánkriːt, −∠ | kɔ́ŋkriːt] [L 「함께 자라다」의 뜻에서] *a.* (**more ~**; **most ~**) **1 구체적인**, 구상적인, 유형(有形)의(opp. *abstract*): a ~ example 구체적인 예 **2** 현실의, 실제의; 명확한 **3** 굳어진, 응결한, 고체의(solid; cf. LIQUID) **4** 콘크리트로 만든: a ~ pavement 콘크리트 포장도로
— *n.* **1** Ⓤ **콘크리트 2** Ⓤ 콘크리트 포장면 **3** [the ~] 구체(성), 구상성; 구체 명사, 구상적 관념 **4** 결합체, 응결물 ***in ~*** 의견을 변경하지 않는 《*on*》 ***in the ~*** 구체적인, 구체적으로 ***set*** [***cast***] ***in ~*** …을 최종적으로 굳히다
— *vt.* **1** 콘크리트를 바르다[로 굳히다]; 콘크리트를 쓰다 **2** [kənkríːt] …을 응결시키다, 굳히다(solidify) **3** …을 실제적으로 하다, 구체[실체]화하다
— *vi.* 굳어지다, 응결하다 **~·ly** *ad.* **~·ness** *n.*
▷ concrétion *n.*; concrétionary, concrétive *a.*; cóncretize *v.*

cóncrete blóck 〖건축〗 콘크리트[시멘트] 블록

cóncrete júngle 콘크리트 정글 《인간이 소외된 도시》

cóncrete mìxer 콘크리트 믹서(cement mixer)

cóncrete músic 〖음악〗 구체 음악 《자연계의 음을 녹음·합성하여 만드는 음악》

cóncrete náme[**térm**] 〖논리〗 구체 명사(名辭)

cóncrete nóun 〖문법〗 구상 명사(cf. ABSTRACT NOUN)

cóncrete númber 〖수학〗 명수(名數) 《*two* boys 등; 단순한 two, five는 abstract number (불명수)》

cóncrete póet 시각 시인, 회화 시인

cóncrete póetry 시각시(視覺詩), 구상시(具象詩) 《시를 그림 모양으로 배열하는 전위시》

cóncrete univérsal (헤겔 철학에서) 구체적 보편성 《참된 보편은 구체적이라는 생각》

con·cre·tion [kankríːʃən, kən- | kən-] *n.* Ⓤ **1** 응결; Ⓒ 응결물 **2** 〖병리〗 결석(結石) **3** 구체화[성] **4** 〖지질〗 응괴(凝塊)

con·cre·tion·ar·y [kankríːʃənèri, kən- | kənkríːʃənəri] *a.* 응고하여 된; 〖지질〗 결핵성(結核性)의

con·cret·ism [kankríːtizm, kaŋ-, ∠−∠ | kɔ́nkriːtìzm] *n.* concrete poetry의 이론[실천] **-ist** *n.*

con·cre·tive [kankríːtiv | kən-] *a.* 응결성의, 응결력이 있는 **~·ly** *ad.*

con·cre·tize [kánkrətàiz, káŋ- | kɔ́ŋkriːtàiz, kɔ́n-] *vt.*, *vi.* 응결[구체화]시키다[하다]

con·cu·bi·nage [kankjúːbənidʒ, kaŋ- | kɔn-] *n.* Ⓤ 축첩(蓄妾)(의 풍습); 내연 관계, 동서; 첩의 신분; 정신적 굴종

con·cu·bi·nar·y [kankjúːbənèri, kaŋ- | kɔnkjúːbinəri] *a.* 첩[소실]의, 소실 태생의; 내연 관계의 [에 있는] **—** *n.* (*pl.* **-nar·ies**) 내연의 처

con·cu·bine [káŋkjubàin, kán- | kɔ́ŋ-, kɔ́n-] *n.* 첩 《mistress가 일반적》; 내연의 처; (제2부인 이하의) 처 《일부 다처제에서》

con·cu·pis·cence [kankjúːpəsəns, kaŋ- | kən-] *n.* Ⓤ 《문어》 색욕, 욕정, 정욕; 탐욕; 〖성서〗 현세욕

con·cu·pis·cent [kankjúːpəsənt, kaŋ- | kən-] *a.* 《문어》 **1** 색욕이 왕성한, 호색의(lustful) **2** 탐욕한

con·cu·pis·ci·ble [kankjúːpəsəbl, kaŋ- | kən-] *a.* **1** 욕정에 굶주린 **2** 《고어》 열망에 가득한

∗**con·cur** [kənkə́ːr] [L 「함께 뛰다」의 뜻에서] *vi.* (**~red**; **~·ring**) 《문어》 **1** 〈둘 이상의 의견이〉 **일치하다**, 동의하다(agree) 《*with*》: Our opinions *~red* on that point. 그 점에서는 우리 의견은 일치했다. // (~+전+명) I ~ *with* him *in* the opinion. 나는

thesaurus **concord** *n.* agreement, harmony, accord, unity (opp. *disagreement, discord*)
concrete *a.* specific, actual, real, factual, definite, genuine, substantial, material, tangible,

그와는 의견이 일치한다. **2** 함께[동시에] 작용하다; 협력하다(cooperate): 《~+*to* do》 Careful planning and good luck *~red to* give them the victory. 세심한 계획과 행운이 서로 어울려 그들은 승리를 거두었다. **3** 동시에 일어나다(coincide), 일시에 발생하다 《*with*》: 《~+전+명》 His graduation *~red with* his birthday. 그의 졸업식은 생일과 한날이 되었다.
▷ concúrrence *n.*; concúrrent *a.*

con·cur·rence, -ren·cy [kənkə́:rəns(i), -kʌ́r-|-kʌ́r-] *n.* Ⓤ **1** (원인 등의) 동시 작용; 협력 **2** 의견의 일치, 동의: ~ in opinion 의견의 일치 **3** 동시 발생 (coincidence): ~ of events 사건의 동시 발생 **4** 〖수학〗 (선·면의) 집합(점) **5** 〖컴퓨터〗 병행성(竝行性) 《2개 이상의 동작 또는 사상(事象)이 동일 시간대에 일어나는 일》 **6** 〖법〗 (권리의) 경합, 병존 **7** 《고어》 경쟁; 대항 ***in ~ with*** …와 공동으로; …와 동시에

con·cur·rent [kənkə́:rənt, -kʌ́r-|-kʌ́r-] *a.* **1** 동시 발생의, 수반하는 《*with*》: ~ insurance 동시 보험 **2** 공동으로 작용하는, 협력의 **3** 겸직[겸무]의 **4** 일치하는, 의견이 같은 《*with*》 **5** 〈선·군중 등이〉 동일점으로 모이는 **6** 〖법〗 같은 권리의[권한이 있는]
— *n.* **1** 병발 사정; 동시에 작용하는 원인 **2** 《고어》 경쟁 상대 **3** 〖수학〗 공점(共點)
~·ly *ad.* (…와) 동시에, 함께, 겸임하여 《*with*》

concúrrent operàtion 〖컴퓨터〗 (둘 이상의 명령어에 대한) 병행 연산, 동시 병행 조작

concúrrent prócessing 〖컴퓨터〗 동시[병행] 처리 《복수의 처리를 동시에 행하는 형태》

concúrrent resolútion 〖미의회〗 (상하 양원에서 채택된) 동일 결의 《법적 효력은 없고 대통령의 서명도 필요 없음; cf. JOINT RESOLUTION》

con·cúr·ring opínion [kənkə́:riŋ-] 〖법〗 보충[동의] 의견

con·cuss [kənkʌ́s] *vt.* 《비유》 격동시키다; [보통 수동형으로] (뇌)진탕을 일으키게 하다; 《고어》 협박하다

con·cus·sion [kənkʌ́ʃən] *n.* ⓊⒸ **1** 진동, 격동 (shock); (충돌·타격 등에 의한) 충격: a ~ fuse 촉발신관(觸發信管) **2** 〖병리〗 (뇌)진탕(震盪): a ~ of the brain 뇌진탕 **3** 《스코》 협박

concússion grenàde 진탕(震盪)[충격] 수류탄 《충격으로 기절시키는》

con·cus·sive [kənkʌ́siv] *a.* 진탕성의

con·cy·clic [kɑnsáiklik|kɔn-] *a.* 〖기하〗 동일 원주상(圓周上)의

cond. condenser; condition(al); conductivity; conductor

:con·demn [kəndém] [L 「완전히 파멸시키다 (damn)」의 뜻에서] *vt.* **1** (강하게) **비난하다,** 힐난하다, 나무라다, 책망하다 《*for*》(⇨ blame 유의어): ~ a person's fault[conduct] …의 과실[행위]을 비난하다 // 《~+목+전+명》 ~ a person *for* his error [idleness] …의 잘못[게으름]을 책망하다 // 《~+목+***as*** 보》 ~ war *as* evil 전쟁을 악이라고 비난하다 **2 유죄 판결을 내리다;** …에게 (…의) 형을 선고하다 (sentence) 《*to*》: He was *~ed.* 그는 유죄 판결을 받았다. // 《~+목+전+명》 ~ a person *to* imprisonment …에게 금고형을 선고하다 // 《~+목+***to*** do》 ~ a person *to* be hanged …에게 교수형을 선고하다 **3** 〈표정·말이 사람을〉 유죄로 보이게 하다: His looks ~ him. 그의 죄상이 얼굴에 드러나 있다. **4** [종종 수동형으로] 운명지우다 《*to*》: 《~+목+전+명》 *be ~ed to* a life of suffering 고난의 생활을 하도록 운명지워지다 // 《~+목+***to*** do》 He *was ~ed to* be killed in the war. 그는 전쟁에서 죽을 운명이었다. **5** 〈물품을〉 (불량품으로) 결정하다, 폐기 처분을 하다; 〈선박·선하·밀매품 등의〉 몰수를 선고하다; 〖미국법〗 〈사유지 등을〉 (공적으로) 접수하다, 수용을 선언하다: The city *~ed* the property. 시 당국은 그 재산을 수용했다. ***be ~ed to*** death (사형 선고)를 받다
▷ condemnátion *n.*; condémnatory *a.*

con·dem·na·ble [kəndémnəbl] *a.* 비난할 만한, 책망할 만한

***con·dem·na·tion** [kɑ̀ndemnéiʃən, -dəm-|kɔ̀n-] *n.* ⓊⒸ **1** 비난, 규탄 **2** Ⓤ 유죄 판결[선고] **3** [보통 *sing.*] 유죄 선고[비난]의 근거[이유] **4** 불량품 선고; 〖미국법〗 (재산 등의) 수용, 접수
▷ condémn *v.*; condémnatory *a.*

con·dem·na·to·ry [kəndémnətɔ̀:ri|-təri] *a.* 비난의; 처벌의, 유죄 선고의

con·demned [kəndémd] *a.* **1** 비난받은; 유죄 선고를 받은; 사형수의: a ~ sermon 사형수에게 행하는 설교 **2** 《미》 〈재산 등이〉 수용[접수]된; 불량품으로 판정된 **3** 《속어》 저주받은, 구제할 길 없는

condémned céll 사형수 감방

con·demn·er [kəndémər], **-dem·nor** [-démər, -demnɔ́:r] *n.* **1** (죄의) 선고자 **2** 비난자

con·den·sa·bil·i·ty, -si·bil- [kəndènsəbíləti] *n.* Ⓤ 응축[압축]성; 요약성

con·den·sa·ble, -si·ble [kəndénsəbl] *a.* 응축[압축]할 수 있는; 요약할 수 있는

con·den·sate [kəndénseit, kɑ́ndənsèit|kəndénseit] *n.* 응축액, 응축물; 축합물

***con·den·sa·tion** [kɑ̀ndenséiʃən, -dən-|kɔ̀n-] *n.* Ⓤ **1 응축, 압축;** 〖물리〗 응결, 냉축; 〖화학〗 축합(縮合), 액화 **2** 응축 상태; Ⓒ 응결[액화]한 것; (수증기의) 물방울 **3** (사상·표현의) 간결화, 요약; Ⓒ 요약한 것
~·al *a.*

condensátion nùcleus 〖기상〗 응결핵

condensátion tràil = CONTRAIL

:con·dense [kəndéns] [L 「아주 짙게(dense) 하다」의 뜻에서] *vt.* **1 응축하다,** 응결하다, 압축하다, 농축하다 《*to, into*》; 〈기체를〉 액화[고체화]하다: ~ milk 우유를 농축하다 // 《~+목+전+명》 ~ a gas *to* a liquid 기체를 액체로 응축하다 **2** 〈사상·표현 등을〉 요약하다, 간략하게 하다 《*from, into*》: 《~+목+전+명》 ~ a paragraph *into* a single sentence 하나의 단락을 한 문장으로 요약하다 **3** 〈광선을〉 집중시키다, 모으다 **4** 〈전기의〉 강도를 더하다
— *vi.* **1** 응축하다, 압축되다, 응결하다 **2** 〈렌즈가〉 집광(集光)하다; 〈기체가〉 (렌즈를 통하여) 액화하다 《*into*》 **3** 요약하다
▷ condensátion *n.*

***con·densed** [kəndénst] *a.* **1** 응축[응결]한; 요약한, 간결한 **2** 〖인쇄〗 〈활자가〉 폭이 좁은(cf. EXPANDED): ~ type 가늘고 긴 활자

condénsed mílk 가당연유(加糖煉乳) 《설탕을 가미한 농축 우유; cf. EVAPORATED MILK》

***con·dens·er** [kəndénsər] *n.* **1 농축 장치,** 응축기, 액화[고체화] 장치 **2** 〖전기〗 콘덴서, 축전기 《capacitor의 구칭》 **3** 〖광학〗 집광 장치, 집광 렌즈 **4** (문장 등의) 요약자

con·den·ser·y [kəndénsəri] *n.* (*pl.* **-ser·ies**) 가당연유 제조소

con·de·scend** [kɑ̀ndəsénd|kɔ̀n-] [L 「완전히 내리다」의 뜻에서] *vi.* **1 자기를 낮추다,** 겸손하게 굴다, 굽히다 《*to*》; (아랫사람과) 대등한 처지가 되다: 《~+전+명》 He *~ed to* their intellectual level in order to be understood. 그는 그들이 이해하기 좋도록 그들의 지적 수준에 맞추었다. // 《~+to*** do》 The king *~ed to* address a few words to us. 왕은 황공하게도 우리에게 몇 마디 해 주셨다. **2** 창피를 무릅쓰고 (…)하다(lower oneself), 지조를 버리고 (…)하다 《*to*》: 《~+전+명》 He *~ed to* trickery. 그는 사기를 칠 정도로 타락했다. // 《~+***to*** do》 ~ *to* accept bribes 지조를 버리고 뇌물을 받다 **3** (우월감을 가지고) 베푸는 듯이 대하다, 내려다보는 태도를 취하다, 젠체하다 《*to*》: 《~+전+명》 He always *~s to* his

---

unimaginary (opp. *abstract, unreal*)
condemn *v.* censure, denounce, disapprove of, criticize, reproach, blame, reprehend, upbraid, reprove, reprobate (opp. *praise*)

colleagues. 그는 언제나 동료들에게 내려다보는 태도를 취한다. **~·er** *n.*
▷ condescénsion, condescéndence *n.*

con·de·scend·ence [kàndəséndəns | kɔ̀n-] *n.* = CONDESCENSION

con·de·scend·ing [kàndəséndiŋ | kɔ̀n-] *a.* **1** 겸손한, 저자세의 **2** (아랫사람에게) 짐짓 겸손한 체하는; 생색내는 듯한 **~·ly** *ad.*

con·de·scen·sion [kàndəsénʃən | kɔ̀n-] *n.* Ⓤ **1** 겸손, 겸양 **2** 생색내는 듯한 태도

con·dign [kəndáin] *a.* (문어) 〈처벌 등이〉 적당한, 타당한, 정연한 **~·ly** *ad.*

con·di·ment [kándəmənt | kɔ́n-] *n.* ⒸⓊ [종종 *pl.*] (문어) 조미료, 양념(seasoning) 《후추·소금·겨자 등》 **còn·di·mén·tal** *a.*

con·dis·ci·ple [kàndisáipl | kɔ̀n-] *n.* 같은 선생의 제자, 학우

‡con·di·tion [kəndíʃən] *n.*, *v.*

> 원래는 「동의」의 뜻 → 「(동의의) 조건」 **5** → (외적인 조건에서) 「상황」 **3** → 「상태」 **1**

—*n.* **1** Ⓤ (사람·물건·재정 등의) **상태** 《*of*》; **건강 상태, 컨디션** 《*to* do》(⇨ state 유의어): the ~ *of* weightlessness 무중력 상태 / She is in no ~ *to* walk alone. 그녀는 혼자 걸을 수 있는 상태가 아니다. **2** (사회적) 신분(rank), 지위(position), 처지(station): people of every ~ 모든 계층의 사람들 / live according to one's ~ 분수에 맞게 생활하다 **3** [보통 *pl.*] (주위의) **상황, 사정,** 형편(circumstances): under[in] the existing ~*s* 지금 형편으로는 **4** 〖병리〗 (몸의) 이상, 병, 질환: have a heart ~ 심장병이 있다 **5 조건,** 선행 조건, 제약(restriction): make it a ~ that …을 조건으로 삼다 / the necessary and sufficient ~ 〖수학〗 필요충분조건 / the ~*s* of peace 〖법〗 강화(講和) 조건 **6** (미) (가입학·가진급 학생의) 재시험 (과목), 추가 논문: work off ~*s* 재시험을 마치다 **7** [*pl.*] 지불 조건 **8** 〖문법〗 조건절[문]

be in good [***bad, poor***] ~ 〈음식물이〉 보존 상태가 좋다[나쁘다]; 〈사람이〉 건강하다[건강하지 않다]; 〈기계가〉 파손되지 않고 있다[파손되어 있다] ***change* one's ~** 새 생활로 들어가다; (고어) 결혼하다 ***in a certain*** [***a delicate, an interesting***] **~** (완곡) 임신하여 ***in*** [***out of***] **~** 건강하여[건강하지 못하여]; 〈물건·기계 등이〉 좋은[좋지 못한] 상태에 ***in*** [***under***] ***favorable*** [***difficult***] **~*s*** 좋은[어려운] 상황에 ***in mint* ~** (구어) 〈화폐·인쇄물이〉 새것인, 아주 새로운 ***make*** [***impose***] **~*s on*** …에 조건을 붙이다 ***meet the* ~*s*** 조건에 맞다 ***on*** [***under***] ***no* ~** = ***not on any* ~** 어떤 일이 있어도 …않는 ***on*** (***one***) **~** = ***on* ~*s*** 조건부로 ***on*** [***upon***] (***the***) **~** (***that***) …이라는 조건으로; 만약 …이라면(if) ***on this*** [***that, what***] **~** 이[그, 어떤] 조건으로

—*vt.* **1** (…이라는) 조건을 붙이다: (~+***that*** 절) ~ *that* they (should) marry 그들이 결혼하는 것을 조건으로 하다 // (~+***to*** do) ~ a person *to* obey …이 복종하는 것을 조건으로 하다 **2** 〈사물이〉 …의 요건[조건]을 이루다, …의 생존에 절대 필요하다; 〈사정 등이〉 결정[좌우]하다: Ability and effort ~ success. 능력과 노력이 성공의 조건이다. // (~+목+***to*** do) Fear ~*ed* the boy *to* behave in such a way. 공포 때문에 소년은 그런 식으로 행동하게 되었다. **3** 〈사람·동물의〉 몸의 상태를 조절하다, 길들이다, 훈련시키다; 〈방 등을〉 온도 조절하다: (~+목+전+명) soldiers ~*ed to* jungle warfare 밀림전에 대비하여 훈련받은 군인들 / ~ a horse *for* a race 경주를 위해 말을 훈련시키다 **4** [종종 수동형 또는 ~ one*self* 로] 자기 컨디션을 조정하다 《*to, against*》: (~+목+전+명) ~ *oneself against* the cold 추위에 대비해서 컨디션을 조정하다 **5** (미) 재시험 조건부로 진급시키다, 가진급[가입학]을 허가하다 《*in*》: (~+목+전+명) He was ~*ed in* mathematics. 그는 수학의 재시험을 치른다는 조건으로 진급되었다. **6** 〖심리〗 …에게 조건 반사를 일으키게 하다 《*to, to* do》: (~+목+전+명) ~ a dog *to* the ringing of a bell 벨 소리로 개가 조건 반사를 일으키게 하다
▷ condítional *a.*

∗con·di·tion·al [kəndíʃənl] *a.* **1 조건부의,** 잠정적인, 가정적인: a ~ contract 조건부 계약, 가계약 **2** Ⓟ …을 조건으로 한, …여하에 달린, …나름인 《*on, upon*》: Success is ~ *on* his efforts. 성공은 그의 노력 여하에 달렸다. **3** 〖문법〗 조건을 나타내는: a ~ clause 조건절 《보통 if, unless, provided 등으로 시작됨》 / the ~ mood 조건법 **4** 〖논리〗 〈명제가〉 가정적인; 〈삼단 논법이〉 조건 명제를 포함한 **5** 〖수학〗 〈부등식이〉 조건부의
—*n.* 〖문법〗 조건법; 조건문[절], 가정 어구; 〖논리〗 조건 명제 **~·ly** *ad.*

conditional díscharge 〖법〗 조건부 석방

con·di·tion·al·i·ty [kəndìʃənǽləti] *n.* Ⓤ 조건부, 조건 제한; (IMF 등의) 융자 조건

condítional probabílity 〖통계〗 조건부 확률

condítional sále 조건부 판매

con·di·tioned [kəndíʃənd] *a.* **1** 조건부의; (미) 가입학[가진급]의 **2** [보통 복합어를 이루어] (어떤) 상태[경우]에 있는: well[ill]-~ 좋은[좋지 못한] 상태에 있는 **3** 조절된; 공기 조절된 **4** 조건 반사적인 **5** (목적에) 적합한 **6** 〈몸이〉 (운동으로) 단련된

condítioned réflex[**respónse**] 〖심리·생리〗 조건 반사

condítioned stímulus 〖심리〗 조건 자극

con·di·tion·er [kəndíʃənər] *n.* **1** 조절하는 사람[물건]; 공기 조절[냉난방] 장치(air conditioner) **2** (스포츠의) 트레이너; (동물의) 조교사(師) **3** (유용성을 더하기 위한) 첨가물, 약제: a hair ~ 정발제 / a fabric ~ 섬유 유연제 **4** (섬유·직물의) 검사관

con·di·tion·ing [kəndíʃəniŋ] *n.* Ⓤ **1** (공기의) 조절(=air ~) **2** (심신의) 조절; (동물 등의) 컨디션 조절, 조교(調教) **3** (상품의) 검사 **4** 〖심리〗 조건 붙이기

condítion pòwder (동물의) 컨디션 조절약

condítion précedent 〖법〗 정지(停止) 조건

con·do [kándou | kɔ́n-] *n.* (*pl.* **~s**) (미·캐나다·구어) = CONDOMINIUM 2
— *vt.* 〈건물을〉 condominium으로 개조하다

con·do·la·to·ry [kəndóulətɔ̀ːri | -təri] *a.* 문상(問喪)의, 조위(弔慰)의, 애도의: a ~ address 조사(弔詞)

con·dole [kəndóul] [L 「함께 슬퍼하다」의 뜻에서] *vi.* 문상하다, 조위를 표하다, 조문하다; 위안하다, 동정하다 《*with*; *on, over*》
con·dól·er *n.* **~·ment** *n.*

con·do·lence [kəndóuləns] *n.* Ⓤ 조상(弔喪), 애도; [종종 *pl.*] 조사(弔詞), 애도의 말: a letter of ~ 문상 편지 / Please accept my sincere ~*s.* 진심으로 애도의 뜻을 표하는 바입니다. ***present*** [***express***] **one's ~*s to*** …에게 조의를 표하다

con·do·lent [kəndóulənt] *a.* 조위[문상]의, 애도하는, 애도를 표하는

con·dom [kʌ́ndəm, kʌ́n- | kɔ́n-] *n.* 콘돔 《남성용 피임 기구》

con·dom·i·nate [kandámənət | kəndɔ́-] *a.* 공동 지배[통치]의

con·do·min·i·um [kàndəmíniəm | kɔ̀n-] *n.* (*pl.* **~s**) **1** 공동 주권(joint sovereignty); 〖국제법〗 공동 통치국[지] **2** (미·캐나다) 콘도, 분양 아파트 《건물 전체 또는 그 한 호(戶)》

thesaurus **condition** *n.* **1** 상태 state, state of existence, situation, circumstance **2** 조건 qualification, requirement, necessity, essential, demand, prerequisite, stipulation
condolence *n.* commiseration, sympathy, com-

con·do·na·tion [kὰndounéiʃən | kɔ̀n-] *n.* Ⓤ 용서 《특히 간통에 대한》, 묵과
con·done [kəndóun] *vt.* 묵과하다, 용서하다(overlook); 〈간통을〉 용서하다; 속죄하다
con·dón·a·ble *a.* **con·dón·er** *n.*
con·dor [kάndər, -dɔːr | kɔ́ndɔː] *n.* 〖조류〗 콘도르 《남미산(産) 큰 독수리의 일종》
con·dot·tie·re [kɔ̀ːndətjέərei, -ri] [It.] *n.* (*pl.* **-ri** [-riː]) (14-15세기 이탈리아의) 용병(傭兵) 대장; 외인 부대(장), 책략가
con·duce [kəndjúːs | -djúːs] *vi.* (좋은 결과로) 이끌다; 공헌하다, 이바지하다 《*to, toward*》: (~+전+명) Rest ~*s to* health. 휴식은 건강에 좋다.
con·dúc·er *n.* **con·dúc·i·ble** *a.*
con·du·cive [kəndjúːsiv | -djúː-] *a.* (…에게) 도움이 되는, 이바지하는 《*to*》 **~·ness** *n.*
‡**con·duct** [kάndʌkt | kɔ́n-] *n.*

원래는 「이끌기」→지도 **2**→(일을 처리해 나가기) 운영 **3**→(처신하기) 행위, 품행 **1**

— *n.* Ⓤ **1** 《문어》 행위, 행실, 품행, 행동

유의어 **conduct** 도덕적으로 본 사람의 행위: Her *conduct* at school is good. 그녀는 학교에서 품행이 단정하다. **act** 짧은 시간의 한 번만의 행동: a kind *act* 친절한 행위 **deed** 특히 훌륭한 행위라는 뜻이 내포된다: a good *deed* 착한 행위, 선행 **behavior** 사람의 행실·행동: children's *behavior* 어린이들의 행동

2 지도, 안내, 지휘; 호송: under the ~ of …의 안내[지도]로 **3** 경영, 운영, 관리; 실시, 수행: the ~ of a business 사업의 운영 **4** (무대·극 등의) 처리법; (줄거리의) 각색, 윤색
— *v.* [kəndʌ́kt] *vt.* **1** [~ one*self* 로] 행동하다; 처신하다(behave): (~+목+부) ~ *oneself well* 훌륭하게 처신하다 **2** 지휘하다(direct): ~ an orchestra 오케스트라를 지휘하다 **3** 이끌다, 안내하다; 호송하다(escort)(⇨ lead[1] 유의어): (~+목+전+명) ~ a person *to*[*into*] a seat …을 자리로 안내하다 // (~+목+부) ~ a person *out* …을 밖으로 안내하다 **4** 〈업무 등을〉 수행하다, 처리하다, 경영[관리]하다(manage): ~ a survey[an investigation] 조사하다 **5** 〖물리〗 〈열·전기·소리 등을〉 전도하다(transmit): a ~*ing* wire 도선(導線)
— *vi.* **1** 안내하다, 이끌다; 〈길이 …로〉 통하다 《*to*》 **2** 전해지다, 전도되다 **3** (특히 악단의) 지휘자 역할을 하다 **~ *away*** 〈경찰관 등이〉 연행하다
▷ condúction *n.*; condúctive *a.*
con·duct·ance [kəndʌ́ktəns] *n.* Ⓤ 〖전기〗 컨덕턴스 《저항의 역수》; 전도력, 전도성(傳導性)
con·dúct·ed tóur [kəndʌ́ktid-] 안내인이 딸린 여행
con·duct·i·bil·i·ty [kəndʌ̀ktəbíləti] *n.* Ⓤ 전도성
con·duct·i·ble [kəndʌ́ktəbl] *a.* 전도성의
con·duc·tion [kəndʌ́kʃən] *n.* Ⓤ (물을 관 등으로) 끌어들임, 유도 (작용); 〖물리〗 열[전기] 전도; 〖생리〗 (신경 조직에 의한 음파·전자·열 따위의) 전도
condúction bànd 〖물리〗 전도대(帶)
condúction cùrrent 〖전기〗 전도 전류
con·duc·tive [kəndʌ́ktiv] *a.* 전도(성)의, 전도력 있는: ~ power 전도력 **~·ly** *ad.*
condúctive educátion 전도 교육 《헝가리에서 시작된 운동과 교육을 통한 뇌성마비 환자의 치료법》

passion, feeling, pity, solace, comfort
conduct *v.* **1** 행동하다 behave, act, comport, deport **2** 지휘하다 direct, run, be in charge, manage, administer, organize, handle, control **3** 안내하다 show, guide, lead, escort, accompany

con·duc·tiv·i·ty [kὰndʌktívəti | kɔ̀n-] *n.* (*pl.* **-ties**) Ⓤ 〖물리〗 전도성, 전도력(율, 도); 〖전기〗 도전율
cónduct mòney 증인 소환비(費); (신병에게 지불하는) 소집 여비(旅費)
con·duc·to·met·ric [kəndʌ̀ktəmétrik] *a.* 〖화학〗 전도율[도] 적정(滴定)의; 전도성 측정의
‡**con·duc·tor** [kəndʌ́ktər] *n.* **1** 안내자, 가이드; 지도자 **2** (버스·전차의) 차장; 《미》 기차의 차장(《영》 guard) **3** 〖음악〗 지휘자 **4** 관리인, 경영자(manager) **5** 수로 도관 **6** 〖물리〗 전도체, 도체; 도선; 피뢰침(lightning rod): a good[bad] ~ 양[불량]도체
còn·duc·tó·ri·al *a.* **~·ship** *n.* Ⓤ conductor의 직
condúctor láureate 명예 지휘자
condúctor ràil 도체(導體) 레일 《전차에 전류를 보내는 제3레일》
con·duc·tress [kəndʌ́ktris] *n.* CONDUCTOR의 여성형
cónduct shèet 《영국군》 (사병·하사관의) 행동 기록표
con·duit [kάndwit, -djuːit | kɔ́ndit, -djuit] *n.* **1** 도관(導管) **2** 수도, 도랑, 암거(暗渠)(blind ditch) **3** 〖전기〗 전선관(管), 선거(線渠): ~ system (전차의) 지하 선거식; (전기 배선의) 연관식(鉛管式)
con·du·pli·cate [kandjúːplikət | kɔndjúː-] *a.* 〈싹 안의 꽃잎·잎이〉 두 겹의
con·dyle [kάndail, -dl | kɔ́ndil, -dail] *n.* 〖해부〗 관절구(丘) 《뼈끝의 둥근돌기》
Cón·dy's flúid [kάndiz- | kɔ́n-] [영국의 내과 의사 이름에서] 콘디 (소독)액
*****cone** [kóun] *n.* **1** 〖기하〗 원뿔, 원뿔형(의 것): a tower with a ~-shaped roof 원뿔 모양 지붕의 탑 **2** (아이스크림의) 콘; 첨봉(尖峰); 〖지질〗 화산 원뿔(=volcanic ~) **3** 〖식물〗 방울 열매, 구과(毬果), 솔방울(=pine ~) **4** 〖해부〗 원뿔체, 추상체 《눈의 망막 중심부에 있는 감광 세포》 **5** (도로 공사시의) 원뿔형 표지 **6** 〖패류〗 청자고둥과(科)
— *vt.* 원뿔꼴로 만들다; (원뿔형으로) 비스듬히 자르다; 〈적기를〉 조명탄[서치라이트]으로 비추다
— *vi.* 구과를 맺다; 원뿔형을 이루다
~ ***off*** 《영》 〈도로를〉 (원뿔형 표지로) 폐쇄하다
▷ cónoid *a.*
Cón Éd 《미·구어》 Consolidated Edison사(社) 《뉴욕시에 전력·가스를 공급하는 공익 회사》
Con·el·rad [kάnlræ̀d | kɔ́n-] [*con*trol of *el*ectromagnetic *rad*iation] *n.* 〖미군〗 코널래드 방식 《무전 차단이나 주파수 변경으로 적기의 침입을 막는 방공 전파 관제 방식》
cone·nose [kóunnòuz] *n.* (미국 남부 및 서부산) 침노린잿과(科)의 흡혈 곤충
cóne shèll 〖패류〗 청자고둥, 나사조개
con es·pres·si·o·ne [kάn-isprèsióuni | kɔ́n-] [It.] *ad.* 〖음악〗 표정을 담아서
Con·es·to·ga [kὰnəstóugə | kɔ̀n-] *n.* 《미》 큰 포장마차(=∠ **wágon**) 《서부 이주자가 썼던》
co·ney [kóuni, kʌ́ni | kóu-] *n.* (*pl.* **~s**) = CONY
Có·ney Ísland [kóuni-] 코니아일랜드 《New York 항구의 Long Island에 있는 유원지》
conf. *confer* 《L =compare》; conference; confidential
con·fab [kάnfæb | kɔ́n-] 《구어》 *n.* = CONFABULATION — [kənfǽb, kάnfæb | kɔ́nfæb, –∠] *vi.* (**~bed**; **~·bing**) = CONFABULATE
con·fab·u·late [kənfǽbjulèit] *vi.* **1** (사이좋게) 담소하다, 잡담하다(chat) 《*with*》 **2** 〖정신의학〗 〈정신병자가〉 얘기를 만들어내다 **-là·tor** *n.* 담소하는 사람 **-la·to·ry** [-lətɔ̀ːri | -təri] *a.*
con·fab·u·la·tion [kənfæ̀bjuléiʃən] *n.* ⓊⒸ 간담, 담소, (허물없는) 잡담; 〖정신의학〗 작화(作話)(증)
con·fect [kάnfekt | kɔ́n-] *n.* 설탕 절임, 사탕 과자 — [kənfékt] *vt.* 조제하다, 만들다; 설탕 절임으로 하다, 사탕 과자로 만들다

con·fec·tion [kənfékʃən] [L 「마무리하기」의 뜻에서] *n.* **1** 과자, 사탕 과자 《candy, bonbon 등》; 설탕 절임(preserve) **2** 〖약학〗 당제(糖劑) **3** (특히 정교하게 유행에 따른) 여성 기성복 **4** Ⓤ (드물게) (잼 등의) 제조, 조합(調合) **5** (구어) 경박한 연극[소설, 예술 작품]
— *vt.* (고어) 과자[당제 등]으로 조제하다(prepare)

con·fec·tion·ar·y [kənfékʃənèri | -ʃənəri] *a.* 사탕 과자의; 과자 제조[판매]의 **—** *n.* (*pl.* **-ar·ies**) (고어) = CONFECTIONER; = CONFECTIONERY 3

con·fec·tion·er [kənfékʃənər] *n.* 과자 제조[판매]인; 제과점

conféctioners' cústard (케이크나 디저트에 넣는) 커스터드 크림의 일종

conféctioners' súgar 정제 설탕

con·fec·tion·er·y [kənfékʃənèri | -ʃənəri] *n.* (*pl.* **-er·ies**) **1** Ⓤ [집합적] 과자류 《pastry, cake, jelly 등의 총칭》 **2** Ⓤ 과자 제조[판매](업) **3** 제과점; 과자 제조[판매]소(⇨ bakery 유의어)

confed. confederacy; confederate; confederation

*__con·fed·er·a·cy__ [kənfédərəsi] *n.* (*pl.* **-cies**) **1** 연합(league), (일시적인) 동맹 **2** 동맹국; 연합체 연방 **3** ⓊⒸ 〖법〗 공모 **4** 도당 **5** [the C~] = CONFEDERATE STATES (OF AMERICA)
▷ conféderate *a.*, *v.*

con·fed·er·al [kənfédərəl] *a.* 다국간의

*__con·fed·er·ate__ [kənfédərət] *a.* **1** 동맹한, 연합한 (allied); 공모한, 결탁한 **2** [**C~**] 〖미국사〗 남부 동맹의(cf. FEDERAL 2)
— *n.* **1** 동류, 공모자, 연루자, 한패 《*in*》 **2** 동맹국, 연합국(ally); 제휴자 **3** [**C~**] 〖미국사〗 남부 동맹 지지자, 남부파 사람, 남부의 군인
— *v.* [-dərèit] *vt.* 동맹[공모, 연합]시키다 《*with*》
— *vi.* 동맹[공모, 연합]하다 **~** one***self with*** …와 동맹[연합]하다 ▷ confederátion, conféderacy *n.*

Conféderate Memórial Dày [the ~] (미) (남북 전쟁 때의) 남군 전몰자 추도일 《남부에서는 공휴일》

Conféderate Státes (**of América**) [the ~] 〖미국사〗 남부 연방(the Confederacy) 《남북 전쟁 때에 남부 동맹의 11개 주; cf. the FEDERAL States; 略 CSA》

*__con·fed·er·a·tion__ [kənfèdəréiʃən] *n.* **1** Ⓤ 연합, 동맹 **2** 연방, 연합국 **3** [the C~] 〖미국사〗 아메리카 식민지 동맹 《1781-89년; 연합규약 (the Articles of Confederation)에 따라 조직된 식민지 13개 주의 연합체》 **4** (고어) 공모 **5** [**C~**] 캐나다 연방
▷ conféderate *a.*, *v.*; conféderative *a.*

con·fed·er·a·tive [kənfédərèitiv, -rə-] *a.* 동맹[연합, 연방]의; 동맹국[연합국]의

*__con·fer__ [kənfə́:r] [L 「함께 가져오다」의 뜻에서] *v.* (**~red**; **~·ring**) *vt.* **1** 수여하다, 주다(grant) 《*on*, *upon*》: (~+목+전+명) ~ a title[an honor, a medal, a privilege] *upon* a person …에게 칭호[영예, 메달, 특권]를 주다 **2** [명령형으로] 참조하라 《略 cf.》; (폐어) 비교하라(compare)
— *vi.* 협의[의논, 상담]하다(consult) 《*with*; *on*, *about*》: (~+전+명) ~ *with* one's advisors *about* a matter 어떤 문제에 관해 고문들과 협의하다 **~·ra·ble** *a.*
▷ conférment, cónference *n.*

con·fer·ee [kɑ̀nfərí: | kɔ̀n-] *n.* **1** (미) 회의 출석자; 평의원(評議員); 의논 상대자 **2** (칭호·메달 등을) 받는 사람(opp. *conferrer*)

‡**con·fer·ence** [kɑ́nfərəns | kɔ́n-] *n.* **1** Ⓤ 협의, 상의(相議) **2** 회의, 협의회(⇨ meeting 유의어): a ~ on disarmament 군축 회의 / a news ~ 기자 회견 / a summit ~ 수뇌[정상] 회담 **3** 해운 동맹; (미) 경기 연맹 **4** 〖교회〗 연차 총회 **5** 어느 기관에 속하는 전원 **6** (학위 등의) 수여 ***be in***[***hold a***] **~** 회의를 하고 있다[열다] 《*with*》 ***have a ~ with*** …와 협의하다 ***the Imperial C~*** 대영 제국 회의 《영 본국과 각 자치령의 수상 연락 회의》 ▷ confér *v.*

cónference càll (동시에 여럿이 하는) 전화 회의

cónference cènter 큰 회의장[강당]을 갖춘 근대적 건물[도시]

Cónference on Secúrity and Cooperátion in Eúrope 유럽 안전 보장 협력 회의 《略 CSCE》

con·fer·enc·ing [kɑ́nfərənsiŋ | kɔ́n-] *n.* **1** (일련의) 회의의 개최 **2** 《특히》 전자 기기를 사용한 회의(cf. VIDEOCONFERENCING)

con·fer·en·tial [kɑ̀nfərénʃəl | kɔ̀n-] *a.* 회의의

con·fer·ment [kənfə́:rmənt] *n.* Ⓤ (학위 등의) 수여, 서훈(敍勳)

con·fer·ral [kənfə́:rəl] *n.* (미) = CONFERMENT

con·fer·ree [kɑ̀nfərí: | kɔ̀n-] *n.* = CONFEREE

con·fer·rer [kənfə́:rər] *n.* 수여자

‡**con·fess** [kənfés] [L 「죄다 시인하다」의 뜻에서] *vt.* **1** 자백하다, 고백하다, 실토하다: ~ one's crime 죄를 자백하다 // (~+목+전+명) He *~ed* his failure *to* his parents. 그는 실패를 부모에게 털어놓았다. // (~(+전+명)+(*that*) 절) He *~ed* (*to* me) *that* he had broken the vase. 그는 꽃병을 깼음을 (나에게) 고백했다. // (~+목+(*to be*) 보) I must ~ my statement (*to be*) rather misleading. 나는 내 성명이 다소간 사람들을 오도하는 것임을 자백하지 않을 수 없다. **2** 인정하다, 자인하다(acknowledge): (~+*that* 절) I must ~ *that* I was surprised to hear it. 실은 그것을 듣고 놀랐다. **3** 신앙을 고백[공언]하다, 〈신앙·충성을〉 표명하다 **4** 〖가톨릭〗 〈죄를〉 (신부에게) 고해하다; 〈신부가〉 고해를 듣다 **5** 〈사정·사실이〉 …인 것을 입증하다
— *vi.* **1** 고백하다, 자백하다; 인정[자인]하다 **2** 〖가톨릭〗 〈신자가〉 (사제에게) 고해하다 《*to*》; 〈신부가〉 고해를 듣다: (~+전+명) The woman *~ed to* the priest. 그 여자는 신부에게 고해했다.
be ~ed of a crime 고해하여 죄를 용서받다 **~** one***self to God*** 자기의 죄를 신에게 고백하다 **~ *to*** 〈죄·과실 등을〉 자백하다, 시인하다; …이다[했다]라고 말하다: He *~ed to* a bad memory. 그는 기억력이 나쁜 것을 자인했다. / I ~ *to* having heard about him. 그의 소문을 들었음을 시인한다. ***to ~ the truth*** 사실을 말하자면 **~·a·ble** *a.*

con·fess·ant [kənfésnt] *n.* 고백자; 고해 신부

con·fessed [kənfést] *a.* (정말이라고) 인정받은, 정평 있는, 명백한; 자인한 ***stand ~ as*** …이라는 것[죄상]이 명백하다

con·fess·ed·ly [kənfésidli] *ad.* 자인하는 바와 같이, 자백에 의하면; 명백히, 의심할 여지 없이

con·fess·er [kənfésər] *n.* = CONFESSOR

‡**con·fes·sion** [kənféʃən] *n.* **1** Ⓤ 자백, 고백, 자인: ~ of guilt 죄의 고백 **2** ⓊⒸ 신앙 고백(= *~ of fáith*); Ⓤ 〖가톨릭〗 고해 **3** 〖법〗 고백서, 구술서 **4** (동일한 신앙을 가진) 종파 **5** 순교자의 묘(에 만들어진 제단) ***~ and avoidance*** 〖법〗 승인 및 이의(異議) 《고소 사실을 일단 승인하고 동시에 그것을 무효로 하기 위해서 다른 사실을 주장하는 항변》 ***go to ~*** 〈신부에게〉 고해하러 가다 ***hear ~*** 〈신부가〉 고해를 듣다 ***make*** (***a***) **~** 자백[참회]하다 ***particular***[***sacramental, auricular***] **~** (***of sins***) 〖가톨릭〗 (신부에게 하는) 비밀 고백 ***public ~*** 공중 앞에서 하는 고백

con·fes·sion·al [kənféʃənl] *a.* 고백의; 신앙 고백의; 특정 종파의 **—** *n.* 고해소[실]; [the ~] 고해 (제도); 참회 기도서 **~·ism** *n.* Ⓤ 신조(信條)주의

con·fes·sion·ar·y [kənféʃənèri | -ʃənəri] *a.* = CONFESSIONAL

thesaurus **confess** *v.* admit, acknowledge, disclose, reveal, divulge, expose, make known, own up to (opp. *conceal*, *deny*)
confidence *n.* **1** 신임 trust, reliance, faith, belief, credence **2** 자신감 self-assurance, self-reliance, self-possession, firmness, boldness

con·fes·sor [kənfésər] *n.* **1** 고백자, 자백자 **2** [종종 **C~**] 증거자 《박해에 굴하지 않고 신앙을 지킨 신자》 **3** [the C~] = EDWARD THE CONFESSOR **4** 〖가톨릭〗 고해 신부

con·fet·ti [kənféti] [It.] *n. pl.* (*sing.* **-to** [-tou]) **1** [단수 취급] 색종이 조각 《축제일 등에 뿌리는》 **2** 사탕 과자

con·fi·dant [kάnfidæ̀nt, -dὰ:nt, ⌐-⌐ | kɔ́nfidæ̀nt, ⌐-⌐] *n.* (비밀, 특히 연애 문제 등을 이야기할 수 있는) 절친한[믿을 만한] 친구

con·fi·dante [kὰnfidǽnt, -dά:nt, ⌐-⌐ | kɔ́nfidæ̀nt, ⌐-⌐] *n.* **1** CONFIDANT의 여성형 **2** 일종의 긴 의자

‡con·fide [kənfáid] [L 「완전히 신뢰하다」의 뜻에서] *vi.* **1** 신임하다, 신뢰하다 《*in*》: (~+전+명) It is rare to find a friend *in* whom you can always ~. 언제나 신뢰할 수 있는 친구는 여간해서는 만날 수가 없다. **2** 비밀을 털어놓다 《*in*》

— *vt.* **1** 〈비밀을〉 (남에게) 털어놓다 《*to*》: (~+목+전+명) ~ information[a secret, one's trouble] *to* a person …에게 정보[비밀, 고충]를 털어놓다 **2** (…에) 신탁하다, 맡기다 《*to*》: (~+목+전+명) I will ~ my whole property *to* his care. 나의 전 재산을 그의 관리에 맡기겠다. **con·fíd·er** *n.*

▷ cónfidence *n.*; cónfident, confidéntial *a.*

‡con·fi·dence [kάnfədəns | kɔ́n-] *n.* Ⓤ **1** 신임, 신용, 신뢰 《*in, to*》: pass a vote of (no) ~ (불)신임 투표를 가결하다 // (~+*that* 절) He betrayed my ~ *that* he would do it well. 그라면 그것을 잘할 것이라는 내 신뢰를 그는 배반했다. **2** 자신(self-reliance), 확신 《*in*》: be full of ~ 자신만만하다 **3** 확실함, 확실성 《*of*》 **4** (비밀을) 털어놓음 **5** 비밀, 속내(secret) **6** 뻔뻔스러움, 거리낌이 없음; [the ~] 대담함, 배짱: (~+*to* do) He had *the* ~ *to* deny it. 대담하게도 그는 그것을 부인했다.

enjoy [***have***] a person***'s ~*** …의 신임을 받고 있다 ***give*** one***'s ~ to*** = ***put*** [***have, show, place***] ***~ in*** …을 신뢰하다 ***in ~*** 비밀로: *in* strict ~ 극비로 ***in*** one***'s ~*** 터놓고, 까놓고 ***in the ~ of*** = ***in*** a person***'s ~*** …의 신임을 받아, …의 기밀에 참여하여 ***make a ~*** [***~s***] ***to*** …에게 터놓고 이야기하다 ***take*** [***admit***] a person ***into*** one***'s ~*** …에게 비밀로 이야기하다 ***with ~*** 자신[확신]을 갖고

▷ confíde *v.*; confidéntial, cónfident *a.*

cónfidence gàme 《미》 (호인임을 이용하는) 신용 사기(《구어》 con game)

cónfidence ìnterval 〖컴퓨터〗 신뢰 구간

cónfidence lìmit 〖컴퓨터〗 신뢰 한계

cónfidence lìmits 〖통계〗 신뢰성 한계

cónfidence màn 신용 사기꾼(《구어》 con man)

cónfidence trìck 《영》 = CONFIDENCE GAME

cónfidence trìckster 《영·문어》 신용 사기꾼

‡con·fi·dent [kάnfədənt | kɔ́n-] *a.* **1** Ⓟ 확신하고 (있는) 《*of, that* ...》: I am ~ *of* success. 성공을 확신하다. **2** 자신만만한 《*in*》(opp. *diffident*); 대담한 **3** 자부심이 강한, 독단적인

— *n.* 막역한 벗, 친구(confidant) 《*of*》

***con·fi·den·tial** [kὰnfədénʃəl | kɔ̀n-] *a.* **1** 기밀의; 내밀한(secret): *C~* 친전(親展) 《편지 겉봉에 쓰는 말》/ Strictly ~ 극비 《편지 겉봉에 쓰는 말》/ a ~ letter 친서 / a ~ price list 내시(內示) 가격표 / ~ inquiry 비밀 조사 / ~ papers 기밀 서류 **2** 심복의, 신임이 두터운, 신뢰할 수 있는(trustworthy): a ~ secretary 심복 비서 **3** Ⓟ 속내를 터놓는 《*with*》; 친숙한: become ~ *with* strangers 낯선 사람과 친밀한[속내를 터놓는] 사이가 되다 **~·ly** *ad.* **~·ness** *n.*

confidéntial communicátion 〖법〗 (법정에서 증언을 강요받지 않는) 비밀 정보(privileged communication)

con·fi·den·ti·al·i·ty [kὰnfədenʃiǽləti | kɔ̀n-] *n.* Ⓤ 기밀성, 비밀성: the ~ clause 보안 규정

***con·fi·dent·ly** [kάnfədəntli | kɔ́n-] *ad.* 확신을 갖고, 자신 있게, 대담하게

con·fid·ing [kənfáidiŋ] *a.* (쉽게) 신뢰하는, 곧잘 믿는; 개인적인 사정이라도 말하는 **~·ly** *ad.*

con·fig·u·rate [kənfígjurèit] *vt.* …의 모양[형태]을 만들다

con·fig·u·ra·tion [kənfìgjuréiʃən] *n.* **1** (부분·요소의) 상대적 배치[배열]; (지표 등의) 형상, 지형, 윤곽(contour); 외형(外形) **2** 〖천문〗 성위(星位) **3** 〖화학〗 (분자의) 구성, 배열 **4** 〖컴퓨터〗 (기계) 구성, (시스템의) 환경 설정 **~·al** [-ʃnəl] *a.* **~·ìsm** *n.* Ⓤ 〖심리〗 형태 심리학 **con·fíg·u·ra·tive** [-rətiv] *a.*

con·fig·ure [kənfígjər | -gə] *vt.* **1** (어떤 틀에 맞추어) 형성하다 《*to*》; (어떤 형태로) 배열하다 **2** 〖컴퓨터〗 〈프로그램·시스템 등을〉 설정하다, …의 환경을 설정하다

con·fin·a·ble [kənfáinəbl] *a.* 한정된, 제한할 수 있는; 감금할 수 있는

‡con·fine [kənfáin] [L 「완전히 한정하다」의 뜻에서] *vt.* **1** 한정하다, 제한하다 《*within, to*》: (~+목+전+명) Would you ~ your remarks *to* the fact? 발언은 사실에만 한정해 주십시오. **2** 가두다(shut up), 감금하다(imprison) 《*to, within, in*》

be ~d to …에 틀어박혀[갇혀] 있다: *be ~d to* bed 앓아 누워 있다 **~** one***self to*** …에 틀어박히다; 〈논점 등을〉 …에만 국한하다

— [kάnfain | kɔ́n-] *n.* **1** [보통 *pl.*] 경계, 국경 (지대); [종종 *pl.*] 범위, 영역; 한계 《*of*》: the ~*s* of human knowledge 인지(人智)의 한계 **2** 《고어》 감금(장소) ***on the ~s of*** …의 경계에; …할 지경에 (이르러): *on the ~s of* bankruptcy 파산 일보 직전에 ***within*** [***beyond***] ***the ~s of*** …의 범위 안[밖]에, …의 내부[외부]에 **con·fín·er** *n.* ▷ confínement *n.*

con·fined [kənfáind] *a.* **1** 갇힌; 〈군인이〉 외출이 금지된 **2** Ⓟ 〈여자가〉 해산 자리에 누워: expect to be ~ on Monday 월요일에 해산할 예정이다

con·fin·ee [kənfainí:] *n.* 피감금자, 유폐자

***con·fine·ment** [kənfáinmənt] *n.* **1** Ⓤ 감금, 유폐(幽閉): under ~ 감금당하여 **2** Ⓤ 제한, 한정 **3** ⓊⒸ 틀어박힘; [때로 a ~] 해산 자리에 누움; 출산, 분만: *a* difficult ~ 난산 **4** 〖군사〗 (재판 대기로) 영창 감금

‡con·firm [kənfə́:rm] [L 「완전히 확실한(firm) 것으로 하다」의 뜻에서] *vt.* **1** 〈결심 등을〉 굳게 하다(fortify); 〈습관·의지·신앙 등을〉 굳게 하다 《*in*》: His advice ~*ed* my decision to go abroad. 그의 조언으로 나는 해외로 갈 결심을 굳혔다. // (~+목+전+명) He was ~*ed in* his decision. 그는 더욱 결심을 굳게 했다. **2** 〈진술·증거·소문 등을〉 확인하다(make firm), 확증하다: I ~*ed* our reservations at the hotel. 호텔 예약을 확인했다. // (~+*wh.* 절) The letter from her ~*ed what* you had told us before. 그녀의 편지로 당신이 전에 말해 준 사실이 확증되었다. **3** 〖법〗 (재가·비준 등으로) 승인[확인]하다(ratify); 추인(追認)하다 《*to*》: ~ an agreement[a treaty] 협정[조약]을 승인하다 // (~+목+전+명) ~ a possession[title] *to* a person …에게 어떤 물건[칭호]을 수여할 것을 승인하다 **4** 〖가톨릭〗 〈…에게〉 견진 성사를 베풀다 **~·a·ble** *a.*

▷ confirmátion *n.*; confírmative, confírmatory *a.*

con·fir·mand [kὰnfərmǽnd, ⌐-⌐ | kɔ̀nfəmǽnd] *n.* 〖가톨릭〗 견진 성사(堅振聖事) 지원자

***con·fir·ma·tion** [kὰnfərméiʃən | kɔ̀n-] *n.* **1** Ⓤ 확정, 확증; 견고하게 함, 확립 **2** 확증(의 사례), 증거, 증언 **3** Ⓤ 확인, (정식의) 시인, 비준(批准): ~ of sale

---

confine *v.* **1** 한정하다 restrict, limit **2** 가두다 enclose, shut, cage, keep, lock up, cage, imprison (opp. *release, free*)

confirm *v.* **1** 확인[확증]하다 verify, prove, corroborate, validate, authenticate **2** 승인하다 ratify, endorse, approve, sanction, authorize, warrant

[purchase] 판매[구입] 약속의 승인 **4** ⓊⒸ 〖가톨릭〗 견진 성사; 신앙 고백식 **5** 〖유대교〗 성인 의식 ***in ~ of*** …의 확인[증거]으로서 ***lack ~*** 확인된 것이 아니다 ▷ confírm *v.*

con·fir·ma·tive [kənfə́ːrmətiv], **-to·ry** [-tɔ̀ːri | -təri] *a.* 확인의, 확증적인

*__con·firmed__ [kənfə́ːrmd] *a.* Ⓐ **1** 확인[확립]된; 비준된(ratified) **2** 굳어버린, 상습적인(habitual), 완고한: a ~ drunkard 술고래/a ~ bachelor 언제까지나 독신으로 있는 남자/get ~ in …이 상습화되다 **3** 〈병이〉 만성의(chronic): a ~ disease 만성병/a ~ invalid 고질 환자 **4** 〈결심·결의가〉 확고한 **5** 〖가톨릭〗 견진 성사를 받은 **con·fírm·ed·ly** [-midli] *ad.* **con·fírm·ed·ness** [-midnis, -fə́ːrmd-] *n.*

con·fir·mee [kɑ̀nfərmíː | kɔ̀n-] *n.* 〖법〗 추인받는 사람; 〖가톨릭〗 견진 성사를 받는 사람

con·fis·ca·ble [kənfískəbl, kɑ́nfəs- | kənfís-] *a.* 몰수[압수]할 수 있는

*__con·fis·cate__ [kɑ́nfəskèit, kənfískeit | kɔ́nfiskèit] *vt.* 몰수[압수]하다; 징발하다
— *a.* 몰수[압수]된 **-càt·a·ble** *a.*
▷ confiscátion *n.*; confíscatory *a.*

con·fis·ca·tion [kɑ̀nfiskéiʃən | kɔ̀n-] *n.* ⓊⒸ 몰수, 압수; 〖법〗 사유 재산 몰수

con·fis·ca·tor [kɑ́nfiskèitər | kɔ́n-] *n.* 몰수[압수]자

con·fis·ca·to·ry [kənfískətɔ̀ːri | -təri] *a.* 몰수[압수]의; 〈세금 등을〉 심하게 징수하는; 몰수와 마찬가지의

Con·fit·e·or [kənfítiɔ̀ːr | kɔn-] *n.* 〖가톨릭〗 고백의 기도

con·fi·ture [kɑ́nfətʃùər | kɔ́n-] *n.* Ⓤ 설탕 절임, 잼

con·fla·grant [kənfléigrənt] *a.* 불타는

con·fla·grate [kɑ́nfləgrèit | kɔ́n-] *vi.* (불)타다
— *vt.* (불)태우다

*__con·fla·gra·tion__ [kɑ̀nfləgréiʃən | kɔ̀n-] [L 「완전히 불타다」의 뜻에서] *n.* 큰 화재(great fire)

con·flate [kənfléit] *vt.* 융합하다, 혼합하다; 〈이본(異本)을〉 합성하다

con·fla·tion [kənfléiʃən] *n.* ⓊⒸ 융합(물); 이본 합성《몇 가지 이본을 하나로 정리하기》

‡**con·flict** [kɑ́nflikt | kɔ́n-] [L 「서로 치다」의 뜻에서] *n.* ⒸⓊ **1 a** 투쟁(struggle), 전투(fight), 분쟁: a ~ of arms 무력 충돌, 교전 **b** (주의상의) 다툼, 논쟁, 언쟁, 쟁의; 알력 **2** (사상·이해 등의) 충돌, 상충, 대립, 마찰, 불일치: a ~ of opinion(s) 의견의 대립 **3** 〖심리〗 갈등; 〖문학〗 극적 대립[긴장] **4** 〖컴퓨터〗 콘플릭트《같은 메모리 영역에 복수의 프로그램이 액세스하여 충돌하기》 ***come into ~*** (***with***) (…와) 싸우다; 충돌[상충]하다 ***in ~*** (***with***) (…와) 싸우고; (…와) 충돌[상충]하여
— [kənflíkt] *vi.* **1** 〈사상·감정 등이〉 (…와) 충돌하다, 상충[상반]되다, 모순되다 《*with*》: (~+전+명) Our interests ~ *with* theirs. 우리의 이해는 그들의 이해와 상충된다. **2** (…와) 다투다, 싸우다 《*with*》
~·ful, con·flíc·tive, con·flíc·tu·al *a.*
▷ conflíction *n.*

con·flict·ed [kənflíktid] *a.* (구어) 〈감정 등이〉 상충된, 갈등이 있는, 모순된

con·flict·ing [kənflíktiŋ] *a.* 서로 싸우는, 모순되는, 상충[상반]되는 **~·ly** *ad.*

con·flic·tion [kənflíkʃən] *n.* ⓊⒸ 싸움, 충돌

cónflict of ínterest 이해의 상충; (공무원 등의) 공익과 사리의 상충

cónflict of láws **1** 법률의 저촉[충돌] **2** 국제 사법(私法)

con·flu·ence [kɑ́nfluəns | kɔ́n-] *n.* **1** [보통 the ~] (강 등의) 합류(점)(junction) 《*of*》; 합류한 하천 **2** 인파, 집합; 군중

con·flu·ent [kɑ́nfluənt | kɔ́n-] *a.* **1** 합류하는, 합치는 **2** 〖병리〗 융합성의, 융합성 발진의
— *n.* 지류(tributary stream); 합류하는 하천

con·flux [kɑ́nflʌks | kɔ́n-] *n.* = CONFLUENCE

con·fo·cal [kɑnfóukəl | kɔn-] *a.* 〖수학〗 초점을 공유하는, 공(共)초점의

*__con·form__ [kənfɔ́ːrm] [L 「함께 형성하다」의 뜻에서] *vt.* **1** 〈행위·습관 등을〉 (모범·범례에) 따르게 하다; 〈행위를〉 (법률·풍속 등에) 맞게 하다 《*to*》 **2** [종종 ~ one*self* 로] (규칙·관습 등에) 따르다, 순응하다 《*to*》 **3** 〈모양·성질을〉 같아지게 하다, 일치시키다 《*to*》
— *vi.* **1** 〈물체가〉 (틀에) 따르다, 합치하다(be adapted) 《*to*》; 〈모양·성질이〉 같아지다, 동형으로 되다 《*to, with*》 **2** 〈사람이〉 (규칙·습속 등에) 따르다 《*to*》: (~+전+명) ~ *to*[*with*] the laws[customs] 법률[습관]에 따르다 **3** (영) 국교회의 관례를 준봉하다 **4** 〖지질〗 〈지층이〉 정합(整合)하다 **~·er** *n.*
▷ confórmance, confórmity, conformátion *n.*

con·form·a·ble [kənfɔ́ːrməbl] *a.* **1** Ⓟ (…에) 준거하는(according) 《*to*》; 적합한, 상응하는(corresponding) 《*to*》; 비슷한 《*to*》 **2** Ⓟ 순종하여(submissive) 《*to*》 **3** 〖지질〗 정합(整合)의 **4** 〖수학〗 〈2개의 행렬이〉 정합한 **con·fòrm·a·bíl·i·ty** *n.* **-bly** *ad.* 일치하여; 양순하게

con·for·mal [kənfɔ́ːrməl] *a.* 〖수학〗 등각(等角)의; 〖지리〗 〈도법이〉 정각(正角)의

confórmal projéction (지도 제작의) 정각 도법

con·form·ance [kənfɔ́ːrməns] *n.* Ⓤ 일치, 적합, 순응(conformity) 《*to, with*》

con·for·ma·tion [kɑ̀nfɔːrméiʃən | kɔ̀n-] *n.* **1** (문어) 형태, 형상; 조직, 구조 **2** Ⓤ 맞춤, 적합, 일치 《*to*》 **3** 〖화학〗 (분자의) 배좌(配座); 〖지질〗 정합(整合) **4** (각 부분의) 균형 잡힌 배치[배열] **~·al** [-ʃənl] *a.*

conformátional análysis 〖화학〗 배좌 해석

con·form·ist [kənfɔ́ːrmist] *n.* **1** 《경멸》 준수자, 순응자(opp. *dissenter*) 《*to*》 **2** [종종 **C~**] 영국 국교도(opp. *Nonconformist*) — *a.* 순응주의의, 체제 순응적인 **-ism** *n.*

*__con·form·i·ty__ [kənfɔ́ːrməti] *n.* **1** Ⓤ [때로 a ~] 상사(相似), 유사, 부합 《*to, with*》; 적합, 일치 《*to, with*》 **2** (관습·법 등의) 준거, 준봉 《*with, to*》; [종종 **C~**] 영국 국교의 준봉 **3** 〖지질〗 정합 ***in ~ with***[***to***] …에 따라, …을 준수하여 ▷ confórm *v.*

‡**con·found** [kɑnfáund, kən- | kən-] [L 「함께 붓다, 혼란시키다」의 뜻에서] *vt.* **1** (…와) 혼동하다(confuse) 《*with*》: ~ right and wrong 옳고 그름을 혼동하다 // (~+목+전+명) ~ means *with* end 수단을 목적과 혼동하다 **2** 〈사람을〉 당황케[난처하게] 하다, 혼란에 빠뜨리다(perplex)(⇨ confounded 1): The shock ~*ed* her. 충격으로 그녀는 어리둥절해했다. **3** (고어) 〈적·계획·희망 등을〉 꺾다, 좌절시키다(baffle) **4** 반박하다 **5** (구어) 저주하다(damn) 《가벼운 악담》 (***God***) ***~! = C~ it***[***you***]! 빌어먹을!, 망할 자식! **~·er** *n.* **~·ing·ly** *ad.*

*__con·found·ed__ [kɑnfáundid, kən- | kən-] *a.* **1** Ⓟ 당황한 《*at, by*》: be ~ *at*[*by*] the sight of …의 광경을 보고 당황하다 **2** Ⓐ (구어) 괘씸한, 엄청난, 터무니없는, 지독한 《★ damned의 완곡한 말》
— *ad.* (구어) = CONFOUNDEDLY

con·found·ed·ly [kɑnfáundidli, kən- | kən-] *ad.* (구어) 지독[끔찍]히(extremely)

con·fra·ter·ni·ty [kɑ̀nfrətə́ːrnəti | kɔ̀n-] *n.* (종교·자선 등의) 봉사 단체, 신자회(信者會); (일반적으로 남성 회원의) 단체, 협회

Con·fra·vi·sion [kɑ́nfrəvìʒən] *n.* (영) (먼 도시간의) 회의용 텔레비전

con·frere, -frère [kɑ́nfrɛər | kɔ́n-] [F] *n.* 회원, 조합원; 동업자, 동료(colleague)

‡**con·front** [kənfrʌ́nt] [L 「함께 이마를 맞댐」의 뜻

thesaurus **conflict** *n.* **1** 투쟁, 전투 battle, fight, war, clash, engagement, encounter, combat, collision, struggle **2** 불일치, 충돌 disagreement, dissension, discord, strife, hostility, contention

에서; ⇨ front] *vt.* **1** 직면하다, 맞서다(face): His house ~*s* mine. 그의 집은 우리 집과 마주 서 있다. **2** (…와) 대면[대결]시키다 《*with*》, …의 눈앞에 (증거 등을) 들이대다 《*with*》: 《~+목+전+명》 ~ a person *with* evidence of his crime …에게 범죄의 증거를 들이대다 **3** 〈곤란 등이〉 …에게 들이닥치다, 〈사람이 곤란 등에〉 직면하다 **4** 대비[비교]하다 《*with*》: 《~+목+전+명》 ~ an account *with* another 한 계산서를 다른 계산서와 비교해 보다 ***be ~ed by*** [***with***] 〈어려움 등에〉 직면하다
~·al *n.* **~·er** *n.* ▷ confrontátion *n.*

∗**con·fron·ta·tion** [kɑ̀nfrəntéiʃən, -frʌn- | kɔ̀n-frʌn-] *n.* ⓊⒸ **1** 대면, 직면, 대립 《*with*》; (법정 등에서의) 대결; (비교·검토를 위한) 대조; 교전, 전투: avoid ~ 대결을 피하다 / military ~ 군사 대립 **2** 【심리】 대면 집단을 통한 집단 치료
~·ist *n.*, *a.* 대결주의자; 대결주의의

con·fron·ta·tion·al [kɑ̀nfrəntéiʃənl], **con·fron·ta·tive** [kɑ́nfrəntèitiv, kənfrʌ́ntə- | kɔ̀n-frʌ́ntə-] *a.* 대치되는, 대립의, 모순되는

confrontátion stàte 인접 적대국

Con·fu·cian [kənfjú:ʃən] *a.* 공자의; 유교의, 유학자의 **—** *n.* 유생, 유학자 **~·ìsm** *n.* Ⓤ 유교 **~·ist** *n.*, *a.*

Con·fu·cius [kənfjú:ʃəs] [Kong Fuzi(孔夫子)의 라틴 어명에서] *n.* 공자(551?-479 B.C.) 《유교의 창시자》 ***~, he say ...*** (영·구어) 공자 왈

con fuo·co [kɑn-fwɔ́:kou | kɔn-] [It.] 【음악】 *ad.*, *a.* 정열적으로[인] 《연주의 지시말》

con·fus·a·ble [kənfjú:zəbl] *a.* (비슷해서) 혼동하기 쉬운 **—** *n.* 헷갈리기 쉬운 말

⁑**con·fuse** [kənfjú:z] [L 「함께 붓다」의 뜻에서] *vt.* **1** 혼동하다, 헷갈리게 하다, 잘못 구별하다: 《~+목+전+명》 ~ liberty *with* license 자유를 방종과 혼동하다 **2** 어리둥절하게 하다(perplex), 당황하게 하다(⇨ confused) **3** [보통 수동형으로] 〈순서·질서 등을〉 혼란시키다, 어지럽히다 **4** 몰락[파멸]시키다
— *vi.* 구별[식별]하지 못하다, 혼동하다
▷ confúsion *n.*

∗**con·fused** [kənfjú:zd] *a.* 혼란스러운, 헷갈리는; 당황한, 어리둥절한 《*at*, *by*》; 혼잡한; 구별[식별]할 수 없는 ***be*** [***become, get***] **~** (***by***) 어리둥절해지다, 어찌할 바를 모르다: I *was* ~ *by* her sudden anger. 그녀가 갑자기 화를 내는 바람에 어리둥절했다.
-fúsed·ness [-zidnis] *n.* **-fús·ed·ly** [-zidli] *ad.*

∗**con·fus·ing** [kənfjú:ziŋ] *a.* 혼란시키는, 당황케 하는; (복잡하여) 헷갈리는 **~·ly** *ad.* **~·ness** *n.*

⁑**con·fu·sion** [kənfjú:ʒən] *n.* Ⓤ **1** [때로 a ~] 혼동 《*with*》; 혼란; 뒤죽박죽; 애매모호

> 유의어 **confusion** 물건이 뒤섞여 있기 때문에 개개의 구별이 되지 않는 혼란 상태: a *confusion* of voices 말소리가 뒤섞인 혼란 **disorder** 물건의 순서·배열이 흐트러져 있는 것: The room was in *disorder*. 방은 어질러져 있었다. **chaos** 손댈 수 없을 정도의 극도의 혼란 상태: The troops are in a state of *chaos*. 군대는 대혼란 상태에 빠져 있다.

2 [때로 a ~] 혼미, 당황(perplexity) **3** 【정신의학】 정신 착란, 의식 장애 **4** (고어) 패배, 붕괴, 파괴
be in [***throw into***] **~** 당황하다[하게 하다] ***C~!*** 제기랄!, 야단났군! **~ *worse confounded*** 혼란(에) 또 혼란 (Milton작 *Paradise Lost*에서) ***covered with*** [***in***] **~** 당황하여, 어리벙벙하여 **~·al** [-ʒənl] *a.*
▷ confúse *v.*

con·fu·ta·tion [kɑ̀nfjutéiʃən | kɔ̀n-] *n.* Ⓤ 논파, 논박; 반증 **con·fut·a·tive** [kənfjú:tətiv] *a.*

con·fute [kənfjú:t] *vt.* 논박[논파]하다; 꺽소리 못하게 하다; 무효화하다
con·fút·a·ble *a.* **con·fút·er** *n.*

Cong [kɑ́ŋ | kɔ́ŋ] *n.* (구어) = VIETCONG

cong. congius 《L = gallon》 **Cong.** Congregation(al); Congregationist; Congress; Congressional

con·ga [kɑ́ŋgə | kɔ́ŋ-] *n.* **1** 콩가 《아프리카의 춤에서 발달한 쿠바 춤》; 그 곡; 그 반주에 쓰는 북(= **~ drùm**) **2** 《미·속어》 (중앙 아프리카산) 마리화나
— *vi.* 콩가를 추다

cón gàme (구어) = CONFIDENCE GAME; 유혹; 불법[비도덕]적인 것; 수월한 돈벌이; 안일한 생활

con·gé [kɑ́nʒei | kɔ́n-] [F] *n.* **1** 해직(解職), 면직(dismissal) **2** 작별 (인사) **3** 출발[퇴거] 허가
get* one's ~** 해직당하다 ***give* a person *his [***her***] **~** …을 해직하다 ***take* one's ~** 작별을 고하다

con·geal [kəndʒí:l] *vt.*, *vi.* **1** 얼리다, 얼다(freeze); 응결[응고]시키다[하다]: His very blood was ~*ed*. 그는 (무서워서) 전신의 피가 얼어붙는 듯했다. **2** 〈주의·원리 등을〉 고정화[경직]시키다
~·ment *n.* 동결(물), 응결(물)

con·gee [kɑ́ndʒi: | kɔ́n-] *n.* = CONGÉ

con·ge·la·tion [kɑ̀ndʒəléiʃən | kɔ̀n-] *n.* **1** Ⓤ 동결, 응고 **2** 응고물, 동결물, 응결물 **3** Ⓤ 【병리】 동상 (frostbite)

con·ge·ner [kɑ́ndʒənər | kɔ́n-] *n.* **1** 같은 성질[종류]의 것 《*of*》 **2** 착향료 **—** *a.* = CONGENERIC

con·ge·ner·ic [kɑ̀ndʒənérik | kɔ̀n-] *a.* 같은 종류의; 【생물】 같은 속(屬)의 《*to*, *with*》; 관련된
— *n.* = CONGENER 2; 관련 서비스[회사]

con·gen·er·ous [kəndʒénərəs] *a.* **1** = CONGENERIC **2** 【해부】 협동 작용의

∗**con·gen·ial** [kəndʒí:njəl] *a.* **1** 같은 성질의, 같은 정신의, 취미가 같은, 마음이 맞는 《*with*, *to*》: a friend ~ *to* me 나와 마음이 맞는 친구 / in ~ society 의기상투하는 동료들에 섞여서 **2** 〈직업·환경 등이〉 (건강·취미 등에) 알맞은, 성미에 맞는 《*to*》: a climate ~ *to* one's health 건강에 적합한 기후 **3** 기분 좋은, 즐거운; 친절한 **~·ly** *ad.* 성미에 맞게
▷ congeniálity *n.*

con·ge·ni·al·i·ty [kəndʒì:niǽləti] *n.* Ⓤⓒ **1** (성질·취미 등의) 일치, 합치, 친화성 《*in*, *between*》 **2** 적합[적응]성 《*to*, *with*》

con·gen·i·tal [kəndʒénətl] *a.* **1** 〈병·결함 등이〉 타고난, 선천적인 《*with*》: ~ deformity 선천적 기형 **2** (구어) 〈성격·습성이〉 타고난, 천성의 **~·ly** *ad.*

con·ger [kɑ́ŋgər | kɔ́ŋ-] *n.* 【어류】 붕장어(= **~ èel**)

con·ge·ries [kɑnʒíəri:z, kɑ́ndʒərì:z | kɔndʒíəri:z] *n. pl.* [단수·복수 취급] 한 덩어리; 퇴적, 더미; 집단, 집적(mass)

∗**con·gest** [kəndʒést] *vt.* **1** 혼잡하게 하다, 정체시키다(overcrowd) **2** 【병리】 충혈[울혈]시키다 **3** (…으로) 충만시키다 **4** 축적하다, 모으다; …로 가득 차다
— *vi.* 혼잡해지다; 【병리】 충혈[울혈]하다
▷ congéstion *n.*; congéstive *a.*

∗**con·gest·ed** [kəndʒéstid] *a.* **1** 〈사람·교통 등이〉 혼잡한, 정체된: a ~ area[district] 인구 과잉[과밀] 지역 / The traffic was very ~. 교통이 몹시 정체되어 있었다. **2** 【병리】 충혈[울혈]한

∗**con·ges·tion** [kəndʒéstʃən] *n.* Ⓤ **1 a** (인구의) 밀집, 과잉; 과밀; (화물 등의) 폭주; (거리·교통의) 혼잡, 정체: the ~ of cities 도시의 과밀화 / traffic ~ 교통 혼잡[정체] **b** 과도한 부담, 과로: mental ~ 정신적 과로 **2** 【병리】 충혈, 울혈: ~ of the brain 뇌충혈

congéstion chàrge (영) 혼잡 통행료

congéstion chàrging (영) (도심의) 정체 부담금 부과, 도시 진입료 부과

con·ges·tive [kəndʒéstiv] *a.* 충혈성의

congéstive héart fàilure 【병리】 울혈성 심부전

---

confuse *v.* bewilder, perplex, baffle, puzzle, confound, mystify (opp. *enlighten, clarify*)

congested *a.* crowded, packed, jammed, blocked, obstructed, overflowing, teeming

con·glo·bate [kanglóubeit, kaŋ- | kɔ́ŋgloubèit] *vt., vi.* 공 모양으로 모으다[모이다], 공 모양으로 하다[되다] **—** *a.* 공 모양의, 둥근 **~·ly** *ad.*

con·glo·ba·tion [kàngloubéiʃən | kɔ̀n-] *n.* Ⓤ 구형; Ⓒ 구형체(球形體)

con·globe [kanglóub, kaŋ- | kɔn-] *vt., vi.* = CONGLOBATE

con·glob·u·late [kənglóubjulèit] *vi.* 공 모양으로 모이다

con·glom·er·a·cy [kənglámərəsi | -glɔ́m-] *n.* Ⓤ (거대) 복합 기업의 형성

con·glom·er·ate [kənglámərət, kəŋ- | -glɔ́-] *a.* **1** 둥글게 뭉친, 덩어리가 된, 밀집한 **2** 〖지질〗 역암질(礫岩質)의; 집괴성(集塊性)의: ~ clay 역암토 **3** 복합적인; 복합 기업(체)의 **—** *n.* **1** 둥글게 덩이진 것, 집단, 집성체 **2** 〖지질〗 역암(pudding stone) **3** 〖경제〗 (거대) 복합 기업

— [-rèit] *vt., vi.* **1** 둥글게 덩이지게 하다[덩이지다], 응집하다 **2** 〈회사·기업이〉 합병하다

con·glòm·er·át·ic *a.* **-a·tor** [-èitər] *n.* = CONGLOMERATEUR

conglómerate integràtion 〖경영〗 (기업의) 다각적 통합

con·glom·er·a·teur [kənglàmərətə́:r, kəŋ- | -glɔ̀-], **-teer** [-tíər] *n.* (거대) 복합 기업 경영자

con·glom·er·a·tion [kənglàməréiʃən, kəŋ- | -glɔ̀-] *n.* Ⓤ 괴상 집적(塊狀集積); Ⓒ 응괴(凝塊), 집괴(集塊) **con·glóm·er·a·tive** [-rətiv] *a.*

con·glom·er·a·tize [kənglámərətàiz, kəŋ- | -glɔ́-] *vt., vi.* 응집체화하다; 복합 기업이 되다

con·glu·ti·nant [kənglú:tənənt] *a.* 교착[유착]하는; 〖의학〗 상처의 유착을 촉진하는

con·glu·ti·nate [kənglú:tənèit] *vi., vt.* 교착(膠着)하다; 유착[유합(癒合)]시키다[하다]
— *a.* 유착한, 유합한; 교착한

con·glu·ti·na·tion [kənglù:tənéiʃən] *n.* Ⓤ 교착; 〖의학〗 유착

con·go [káŋgou | kɔ́ŋ-] *n.* = CONGOU

Con·go [káŋgou | kɔ́ŋ-] *n.* **1** [종종 the ~] 콩고 (공화국) 《Republic of the ~; 수도 Brazzaville [brǽzəvìl]》 **2** [종종 the ~] 콩고 민주 공화국 《Democratic Republic of the ~; Zaire의 옛 명칭》 **3** [the ~] 콩고 강 《중부 아프리카의》

Cóngo còlor[dỳe] 〖화학〗 콩고 염료 《벤지딘에서 얻어지는 아조(azo) 염료의 총칭》

Con·go·lese [kàŋgəlí:z, -lí:s | kɔ̀ŋgəlí:z] *a.* 콩고 (사람, 말)의 **—** *n.* (*pl.* ~) 콩고 사람; Ⓤ 콩고 말

Cóngo réd 〖화학〗 콩고레드 《Congo color의 하나》

cóngo snàke[èel] 〖동물〗 도롱뇽의 일종

con·gou [káŋgu: | kɔ́ŋ-] *n.* Ⓤ 공푸차(工夫茶) 《중국산 홍차의 일종》

con·grats [kəngrǽts, kəŋ-], **con·grat·ters** [kəngrǽtərz] [*congrat*ulations] *int.* 《구어》 축하합니다!

con·grat·u·lant [kəngrǽtʃulənt, kəŋ-] *a.* 축하의, 경하의 **—** *n.* 축하하는 사람

‡**con·grat·u·late** [kəngrǽtʃulèit, kəŋ-] [L 「함께 기쁨을 축원하다」의 뜻에서] *vt.* **1** 축하하다, 경축하다, …에게 축하의 말을 하다 《*on, upon*》: I ~ you. 축하합니다. // 《~+목+전+명》 I ~ you *on*[*upon*] your engagement[success]. 약혼[성공]을 축하합니다. **2** 《고어》 〈어떤 일에〉 만족[축하의 뜻]을 표시하다 **3** 《폐어》 인사하다 **~ one*self* on**[*upon, that*] …을 기뻐하다 ▷ congratulátion *n.*; congrátulant, congrátulatory *a.*

‡**con·grat·u·la·tion** [kəngræ̀tʃuléiʃən, kəŋ-] *n.* Ⓤ 축하, 경하 《*on, upon*》; [종종 *pl.*] 축사(祝辭) ***C~s!*** 축하합니다! 《신년·크리스마스·생일에는 쓰지 않음》 ***offer*** one***'s ~s*** 축하 인사를 하다 《*on, upon*》 ▷ congrátulate *v.*; congrátulant, congrátulatory *a.*

con·grat·u·la·tor [kəngrǽtʃulèitər, kəŋ-] *n.* 축하하는 사람, 하객(賀客), 축하객

con·grat·u·la·to·ry [kəngrǽtʃulətɔ̀:ri, kəŋ- | -təri] *a.* 《문어》 축하의: a ~ address 축사 / send a ~ telegram 축전을 치다

con·gre·gant [káŋgrigənt | kɔ́ŋ-] *n.* (집회 등에) 모이는 사람; (특히 유대 교회의) 회중(會衆)의 한 사람

⁎**con·gre·gate** [káŋgrigèit | kɔ́ŋ-] [L 「함께 모이다」의 뜻에서] *vi., vt.* 모이다, 군집하다; 모으다, 소집하다, 집합하다
— [-gət, -gèit] *a.* 모인; 집단적인
▷ congregátion *n.*; cóngregative *a.*

⁎**con·gre·ga·tion** [kàŋgrigéiʃən | kɔ̀ŋ-] *n.* **1** 모임, 회합(assembly) **2** [집합적] 〖종교〗 회중(會衆); 집회 **3** [보통 **C~**] 《영》 (Oxford 대학 등의) 교직원회 **4** [the ~] 〖성서〗 이스라엘 사람들 《전체》, 유대 민족 《the C~ of the Lord라고도 함》; 〖가톨릭〗 성성(聖省) 《교황청의 상임 위원회》; (교회의) 신도단 **5** 《미》 (New England에서의) 교구
▷ cóngregate *v.*; congregátional, cóngregative *a.*

con·gre·ga·tion·al [kàŋgrigéiʃənl | kɔ̀ŋ-] *a.* 회중의; 집합의, 집회의; [보통 **C~**] 조합 교회제의 ***the C~ Church***[***Chapel***] 조합 교회 《각 교회의 독립 자치를 주장하는》 **~·ism** *n.* Ⓤ 조합 교회제[주의] **~·ist** *n.* 조합 교회 신자

con·gre·ga·tive [káŋgrigèitiv | kɔ́ŋ-] *a.* 모이는 경향이 있는, 집합적인; 집단 상대의[에 호소하는]

‡**con·gress** [káŋgris | kɔ́ŋgres] [L 「함께 모이다」의 뜻에서] *n.* **1** [**C~**; 보통 무관사] (미국의) 국회, 연방 의회 《상원(the Senate)과 하원(the House of Representatives)으로 구성》; (연방 의회의) 회기(session) **2** (남미·중미 공화국의) 국회, 의회 **3** (대표자·사절·위원 등의 정식) 대회, 평의원회, 대의원회, 학술 대회: the International PEN *C~* 국제 펜클럽 대회 **4** 집합, 회합 **5** 친교, 교제, 교섭 **6** 성교 **7** 〖동물〗 집단 번식 ***in C~*** 국회 개회 중
— [kəngrés, kəŋ-] *vi.* 모이다, 회합하다

cóngress bòot[gàiter] [종종 **C~**] 《미》 [보통 *pl.*] 발목까지 오는 부츠

⁎**con·gres·sion·al** [kəngréʃənl, kəŋ-] *a.* 회의의; 집회의; [보통 **C~**] 《미》 국회의, 연방 의회의 ***the C~ Medal*** (***of Honor***) 《미》 = MEDAL of Honor **~·ly** *ad.*

Congréssional dístrict 《미》 하원 의원 선거구

Congréssional Récord 《미》 연방 의회 의사록

con·gress·ist [káŋgrisist | kɔ́ŋgres-] *n.* 국회의원; 의회(파) 지지자(congressionalist)

⁎**con·gress·man** [káŋgrismən | kɔ́ŋgres-] *n.* (*pl.* **-men** [-mən, -mèn]) [종종 **C~**] 《미》 국회의원, 《특히》 하원 의원 《★ 성 차별을 피하기 위해 member of Congress, Congressperson, Representative라고도 함; 상원 의원은 senator》

con·gress·man-at-large [káŋgrismənət-lá:rdʒ | kɔ́ŋgres-] *n.* (*pl.* **con·gress·men-** [-mən-]) 《미》 (Congressional district 출신과 대조하여) 전주(全州) 1구 선출의 하원 의원

Cóngress of Indústrial Organizátions [the ~] 《미》 산업별 노동조합 회의

Cóngress Párty [the ~] (인도 독립 후의) 국민회의파(cf. INDIAN NATIONAL CONGRESS)

con·gress·per·son [káŋgrispə̀:rsn | kɔ́ŋ-] *n.* (*pl.* **-peo·ple** [-pì:pl]) [종종 **C~**] 국회[하원]의원 《congressman 혹은 congresswoman》

con·gress·wom·an [-wùmən] *n.* (*pl.* **-wom·en** [-wìmin]) [종종 **C~**] 《미》 여자 국회[하원]의원

con·gru·ence, -en·cy [káŋgruəns(i), kəngrú:- | kɔ́ŋgru-] *n.* **1** 일치, 합치, 조화; 적합(성) **2** 〖수학〗 합동

con·gru·ent [káŋgruənt, kəngrú:- | kɔ́ŋgru-] *a.* **1** 《문어》 = CONGRUOUS **2** Ⓟ 합동하는《*with*》 **3** 〖수학〗 〈정수가〉 합동의 **~·ly** *ad.*

con·gru·i·ty [kəngrúːəti] *n.* (*pl.* **-ties**) Ⓤ Ⓒ 적합(성), 조화, 일치(점) 《*with*》; 〖수학〗 합동(성); 〖철학〗 신에게서 부여받은 덕

con·gru·ous [káŋgruəs | kɔ́ŋ-] 〖L 「서로 만나는」의 뜻에서〗 *a.* 일치하는, 조화하는 《*to, with*》; 적당한, 적절한; 〖수학〗 합동의 **~·ly** *ad.* **~·ness** *n.*

con·ic [kánik | kɔ́-] *a.* 원뿔의; 원뿔꼴의
— *n.* = CONIC SECTION
co·nic·i·ty [kanísəti | kə-] *n.*

con·i·cal [kánikəl | kɔ́-] *a.* = CONIC **~·ly** *ad.*

con·i·coid [kánikɔ̀id, kóun- | kɔ́n-] *n.* 〖기하〗 2차 곡면(曲面), 《특히》 쌍곡면

cónic projéction 〖지리〗 원뿔 도법

cónic séction 〖기하〗 **1** 원뿔 곡선 **2** [*pl.*; 단수 취급] 원뿔 곡선론

co·nid·i·um [kounídiəm, kə-] *n.* (*pl.* **-i·a** [-iə]) 〖식물〗 (균류의) 분생자(分生子)

co·ni·fer [kóunəfər, ká- | kóu-, kɔ́-] *n.* 〖식물〗 구과(毬果) 식물, 침엽수

co·nif·er·ous [kouníførəs, kə-] *a.* 〖식물〗 침엽수의, 구과 식물의: a ~ tree 침엽수

co·ni·form [kóunəfɔ̀ːrm] *a.* 원뿔꼴의

co·ni·ine [kóuniiːn, -niin] *n.* 〖화학〗 코닌 《맹독성 알칼로이드》

conj. conjugation; conjunction; conjunctive

con·jec·tur·a·ble [kəndʒéktʃərəbl] *a.* 추측할 수 있는

con·jec·tur·al [kəndʒéktʃərəl] *a.* 추측의; 억측하기 좋아하는; 확정적이지 않은 **~·ly** *ad.*

∗**con·jec·ture** [kəndʒéktʃər] 〖L 「함께 던지다」의 뜻에서〗 *n.* Ⓤ Ⓒ **1** 어림짐작, 추측, 억측(guesswork): hazard a ~ 어림짐작하다 **2** 《폐어》 (사진·암호 등의 추측에 의한) 해독, 판독
— *vt.* 추측[억측]하다; (추측으로) 판독하다: 《~+*that* 절》 We ~*d that* our team would win the victory. 우리 팀이 승리하리라고 추측했다.
— *vi.* 추측하다, 어림대고 말하다
▷ conjécturable, conjéctural *a.*

cón jòb 《구어》 사기; 신용 사기

con·join [kəndʒɔ́in] *vt., vi.* 결합[연합]하다(combine); 〖문법〗 등위 접속하다 **~ed** [-d] *a.*

conjóined twíns 접착 쌍둥이 《★ Siamese twins가 차별적이라서 그 대신에 쓰는 말》

con·joint [kəndʒɔ́int] *a.* 결합한, 연합[합동]한 (united); 공동[연대]의 — *n.* [*pl.*] (특히 재산의 공유자로서의) 부부 **~·ly** *ad.* 결합하여, 공동으로

con·ju·gal [kándʒugəl | kɔ́n-] *a.* Ⓐ 부부(간)의, 혼인(상)의: ~ affection[love] 부부애 **~·ly** *ad.*

con·ju·gal·i·ty [kàndʒugǽləti | kɔ̀n-] *n.* Ⓤ 혼인(상태), 부부 관계[생활]

cónjugal ríghts 〖법〗 부부 동거[성교]권

con·ju·gant [kándʒugənt | kɔ́n-] *n.* 〖생물〗 접합(개)체

con·ju·gate [kándʒugèit | kɔ́n-] 〖L 「함께 멍에를 메우다」의 뜻에서〗 *vt.* **1** 〖문법〗 〈동사를〉 활용[변화]시키다(inflect) **2** 결합시키다, 《특히》 결혼시키다
— *vi.* **1** 〖문법〗 〈동사가〉 활용[변화]하다 **2** 결합하다, 《특히》 결혼하다 **3** 〖생물〗 접합[교미]하다
— [kándʒugət, -gèit | kɔ́n-] *a.* **1** (짝으로) 결합한 (united) **2** 〖생물〗 접합의; 〖식물〗 〈잎이〉 한 쌍을 이루는 **3** 〖문법〗 어원이 같은, 동근(同根)의 《보기: peace, peaceful, pacific》 **4** 〖화학〗 = CONJUGATED **5** 〖수학〗 켤레의: a ~ angle[arc] 켤레각[호]/a ~ axis [point] 켤레축[켤렛점] — [kándʒugət, -gèit | kɔ́n-] *n.* **1** 〖문법〗 어원이 같은 말 **2** 〖수학〗 켤레; = CONJUGATE COMPLEX NUMBER
~·ly *ad.* **~·ness** *n.* ▷ conjugátion *n.*

cónjugate cómplex númbers 〖수학〗 켤레 복소수

con·ju·gat·ed [kándʒugèitid | kɔ́n-] *a.* 〖화학〗 두 화합물의 결합으로 된, 복합의

cónjugated prótein 〖생화학〗 복합 단백질

‡**con·ju·ga·tion** [kàndʒugéiʃən | kɔ̀n-] *n.* Ⓤ Ⓒ **1** 〖문법〗 **동사 변화**(⇨ 문법 해설 (6)), (동사의) **활용**, 어형 변화; 활용형 《★ 명사·대명사·형용사의 변화는 declension》 **2** 결합, 연결; 〖생물〗 접합 《생식 세포의》
regular[***irregular***] **~** 〖문법〗 규칙[불규칙] 변화
***strong* ~** 〖문법〗 강변화 《모음 변화에 의한 것》; 불규칙 활용 ***weak* ~** 〖문법〗 약변화; 규칙 활용
~·al *a.* **~·al·ly** *ad.* ▷ cónjugate *v.*

con·junct [kəndʒʌ́ŋkt, kándʒʌŋkt | kəndʒʌ́ŋkt, kɔ́ndʒʌŋkt] *a.* **1** 결합[연결]한, 공동의, 긴밀한 **2** 결합에 의해 만들어진 **3** 〖문법〗 접속형의 《I'll의 'll 등》
— *n.* [kándʒʌŋkt | kɔ́n-] **1** 〖논리〗 연어(連語)의 각 명제 **2** 〖문법〗 접속사

‡**con·junc·tion** [kəndʒʌ́ŋkʃən] 〖L 「함께 잇다」의 뜻에서〗 *n.* **1** Ⓤ Ⓒ **결합, 연결, 접속**; 합동; 관련 **2** 〖문법〗 **접속사**(⇨ 문법 해설 (3)): coordinate ~*s* 등위 접속사 《동격의 어구를 잇는 and, but 등》/subordinate[subordinating] ~*s* 종위[종속] 접속사 《종속절을 주절에 잇는 if, though 등》 **3** 〖천문〗 (두 행성 등의) 합(合); (달의) 삭(朔) **4** (사건의) 동시 발생 **5** 〖논리〗 연어 명제 ***in* ~ *with*** …와 함께; …에 관련하여
▷ conjúnct, conjúnctive, conjúnctional *a.*

con·junc·tion·al [kəndʒʌ́ŋkʃənl] *a.* 접속적인, 접속사의 **~·ly** *ad.*

con·junc·ti·va [kàndʒʌŋktáivə | kɔ̀n-] *n.* (*pl.* **~s, -vae** [-viː]) 〖해부〗 (눈의) 결막 **-val** [-vəl] *a.*

∗**con·junc·tive** [kəndʒʌ́ŋktiv] *a.* **1** 결합하는, 접합[연결]적인 **2** 〖문법〗 접속적인; 가정법의
— *n.* 〖문법〗 접속어; 접속사 **~·ly** *ad.*
▷ conjúnction *n.*

conjúnctive ádverb 〖문법〗 접속 부사 《however, nevertheless, still, then 등》

con·junc·ti·vi·tis [kəndʒʌ̀ŋktəváitis] *n.* Ⓤ 〖안과〗 결막염

con·junc·ture [kəndʒʌ́ŋktʃər] *n.* 국면, 사태, 경우; (위급한) 때, 위기(crisis); 《일반적으로》 결합, 접합 ***at***[***in***] ***this* ~** 이 (위급한) 때에, 이 중대한 때에

con·ju·ra·tion [kàndʒuréiʃən | kɔ̀n-] *n.* Ⓤ Ⓒ **1** 주문, 주술, 마법 **2** 요술 **3** 《고어》 기원, 탄원

con·jur·a·tor [kándʒurèitər | kɔ́n-] *n.* **1** 주술사, 마술사 **2** 〖법〗 공모자, 음모자

∗**con·jure** [kándʒər, kʌ́n- | kʌ́n-] 〖L 「함께 맹세하다」의 뜻에서〗 *vt.* **1** 요술[마술]로 …하다 **2** 요술[마술]을 부리다, 〈사람에게〉 마법을 걸다 **3** 마음 속에 그려내다, 생각해 내다(recall) 《*up, out*》: 《~+목+부》 His imagination ~*d up* a scene of horror. 그의 상상력이 무서운 광경을 그려냈다. **4** [kəndʒúər] 《문어》 기원[탄원]하다, 간청하다(implore): 《~+목+*to* do》 He ~*d* them not *to* betray their country. 그는 그들에게 조국을 배반하지 말도록 간청했다.
— *vi.* **1** (voodoo의) 마법[요술]을 쓰다; 악마[영(靈)]를 불러내다 **2** [kəndʒúər] 공모[음모]하다
a name to* ~ *with 주문에 쓰는 이름; 유력한[영향력 있는] 이름 **~ *away*** 마술로 쫓아 버리다 **~ *out*** 마술[요술]로 …을 내놓다: ~ a rabbit *out* of a hat 요술로 모자에서 토끼를 내놓다 **~ *up*** 주문을 외워[마술을 써서] 〈죽은 이의 영혼·귀신 등을〉 나타나게 하다[불러내다]; 상상으로 나타나게 하다; 눈 깜짝할 사이에 …을 만들다 ▷ conjurátion *n.*

con·jur·er, -ju·ror [kándʒərər, kʌ́n- | kʌ́n-] *n.* **1** 마법사(magician); 요술쟁이, 마술사(juggler); 《구어》 아주 영리한 사람 **2** [kəndʒúərər] 《문어》 간청[애원]하는 사람

con·jur·ing [kándʒəriŋ | kʌ́n-] *n.* Ⓤ, *a.* 요술(의), 마술(의)

con·jur·y [kándʒəri | kʌ́n-] *n.* Ⓤ 주술, 마법; 요술

conk[1] [káŋk, kɔ́ːŋk | kɔ́ŋk] 《속어》 *n.* 코; 머리; (머리[코]에 대한) 일격 ***off* one's ~** 《영》 정신이 이상한, 미친 — *vt.* …의 머리를 치다 **~ a person *one*** …의 머리에 한 방 먹이다

conk[2] *vi.* (구어) 〈기계가〉 망가지다, 멈추다 (*out*); 기절하다; 죽다 (*out*); (미) 잠들다 (*out*)
~ ***off*** 일손을 놓다, 농땡이 부리다; 잠들다

conk[3] *n.* (미·속어) 콩크 (고수머리를 알칼리 용액 따위로 펴기; 또는 그렇게 편 헤어스타일)
— *vt.* 〈고수머리를〉 (약품으로) 펴다

conked-out [kάŋktàut | kɔ́ŋkt-] *a.* (속어) 못 쓰게 된, 아주 망가진; (미) 잠든

conk·er [kάŋkər, kɔ́:ŋ- | kɔ́ŋ-] *n.* 마로니에 열매; 마로니에 놀이 (아이들이 실에 꿴 상수리 열매를 서로 쳐서 깨는 놀이)

conk·out [kάŋkàut | kɔ́ŋk-] *n.* (미·속어) (엔진 등의) 고장(breakdown)

conk·y [kάŋki, kɔ́:ŋ- | kɔ́ŋ-] (영·속어) *a.* (**conk·i·er**; **-i·est**) 코가 큰 — *n.* 큰 코, 코가 큰 사람; [**C~**] 코주부 (별명)

cón màn (구어) **1** 사기꾼(confidence man) **2** 안일한 생활을 하는 사람

con-man·ner·ism [kὰnmǽnərìzm | kɔ̀n-] *n.* 사기꾼 같은 짓[태도]

con·man·ship [kάnmənʃìp | kɔ́n-] *n.* Ⓤ 사기꾼의 솜씨

con mo·to [kɑn-móutou | kɔn-] [It.] *ad.* 【음악】 활기차게, 활발하게(animately)

conn [kάn | kɔ́n] *vt.* (미) = CON[3]

Conn. Connecticut

con·nate [kάneit | kɔ́-] *a.* **1** 타고난, 선천적인 **2** 동시 발생의; 【식물】 합생(合生)의 **3** 같은 성질의 **4** 【해부】 견고하게 결합한(fused) **5** 【지질】 동생(同生)의

con·nat·u·ral [kənǽtʃərəl] *a.* 타고난, 고유의 (*to*); 같은 성질의 **~·ly** *ad.* **con·nàt·u·rál·i·ty** *n.*

‡**con·nect** [kənékt] [L 「함께 묶다」의 뜻에서] *vt.* **1** 연결하다, 잇다, 결합하다, 접속하다 (*to, with*)(⇨ unite[1] 유의어): a word which *~s* words, clauses, and sentences 단어·절·문장을 잇는 낱말 // (~+목+전+명) *C~* this wire *to*[*with*] that. 이 철사를 저 철사에[와] 연결해라. **2** 〈사람·장소를〉 **전화로 연결하다**: You are *~ed.* (전화에서) 연결되었습니다. // (~+목+전+명) Please ~ me *with* Mr. Kim. 미스터 김을 대주세요. **3** [~ one*self* 로] **관련[관계]시키다**; 연고 관계를 가지게 하다 (*with*)(⇨ connected 2): (~+목+전+명) ~ *oneself with* a group of like-minded persons 뜻을 같이하는 사람들과 관계를 가지다 **4** (…와) **관련지어[결부시켜] 생각하다**, 연상하다 (*with*): (~+목+전+명) We ~ orange blossoms *with* weddings. 우리는 오렌지꽃을 보면 결혼식을 연상한다. **5** 〈전기 기구를〉 (전원 등에) **연결하다**: (~+목(+부)+전+명) *C~* the computer (*up*) *to* the electricity supply first. 우선 컴퓨터를 전원에 연결하시오. **6** 〈토론 등의〉 논리를 시종일관되게 하다, 앞뒤가 맞게 하다
— *vi.* **1** 연속하다, 이어지다 (*with*) **2** 〈기차·비행기 등이〉 연결되다, 접속[연락]되다 (*with*): (~+전+명) The train *~s with* another at Daejeon. 이 열차는 대전에서 딴 열차와 연결된다. **3** 〈문맥·생각 등이〉 연결[연관]되다, 맥이 통하다 (*with*): (~+전+명) This paragraph doesn't ~ *with* the others. 이 절은 다른 절과 연결되지 않는다. **4** 관계[관련]하다 (*with*) **5** (구어) 【스포츠】 득점이 되도록 치다; (패스 등에) 성공하다 (*for*) **6** (사람과) 연고가 있다; 마음이 통하다 **7** (속어) 〈마약 상용자가〉 마약을 직접 거래하다
~ ***on*** 【야구】 (…에서) 안타를 치다 (*from*) ~ ***up*** 〈가스·전기 등을〉 (본관·본선 등에) 접속하다 (*to*)
— *a.* 접속의 **~·a·ble, ~·i·ble** *a.*

con·nect·ed [kənéktid] *a.* **1** 연속된, 일관된: a ~ account 앞뒤가 맞는 설명 **2** 관계[연락]가 있는; (…와) 연고가 있는 (*with*): be ~ *with* an affair 어떤 사건과 관계가 있다 / I am distantly ~ *with* the family. 그 가족과 나는 먼 친척이 된다. **3** 결합[접속]된 **4** 【수학】 연결된 ***be well*** ~ 좋은 연고[연줄]가 있다 **~·ly** *ad.* 관련하여

con·nect·ed·ness [kənéktidnis] *n.* Ⓤ (사회에서의) 소속 관계[의식], 유대감; (의사와 환자 사이 등의) 결합 관계 (*between, with*)

con·nect·er [kənéktər] *n.* = CONNECTOR

***Con·nect·i·cut** [kənétikət] [Am.-Ind. 「긴 강의 고장」의 뜻에서] *n.* 코네티컷 (미국 북동부(New England)에 있는 주; 속칭 the Constitution State, the Nutmeg State; 略 Ct., Conn.; 【우편】 CT)

Connécticut Cómpromise [the ~] 【미국사】 코네티컷 타협안

con·néct·ing ròd [kənéktiŋ-] 【기계】 (내연 기관의) 연접봉, 주연봉(主連棒)

‡**con·nec·tion** | **con·nex·ion** [kənékʃən] *n.* **1** ⓊⒸ **연결, 결합**; (기계 등의) 연접, 연결 부분; (전화의) 접속: You are *in* ~. (미) 연결됐습니다.((영) You are through.) **2** ⓊⒸ (…사이의) **관계, 관련** (*with, between*) (relation보다 구체적 관계가 밀접함): There's a ~ *between* smoking and cancer. 흡연과 암 사이에는 인과 관계가 있다. **3** [보통 *pl.*] **연고**, 연줄; 친척 (관계); 친밀, 사귐: of good ~ 좋은 연고를 가진 **4** ⓊⒸ (배·기차 등의) **연락, 접속**; 갈아탐; 접속편 (열차·배·비행기 등) **5** 단체, 종파, 교파 **6** 단골, 거래처 **7** Ⓤ 정교(情交)(sexual union) (*with*): criminal ~ 간통, 밀통 **8** 연상; (말이나 글의) 전후 관계, 문맥, 맥락; 일관성, 관련성 **9** (속어) 마약상; 마약 유통 루트; (금제품 등의) 공급원, 밀매 루트 **10** [*pl.*] (영·뉴질) 경주마의 소유자
establish a ~ 거래 관계를 맺다 (*with*) ***form a*** ~ 관계가 생기다; 인척간이 되다; 〈남녀가〉 정을 통하다 ***form useful ~s*** 유력한 벗을 만들다 ***have a***[***no***] ~ ***with*** …와 관계가 있다[없다] ***have ~ with*** …와 정교를 맺다 ***in ~ with*** …와 관련하여; …와 함께; 〈교통 기관이〉 …와 연락[접속]해서 ***in this***[***that***] ~ = ***in ~ with this***[***that***] 이[그] 점에 대하여; 덧붙여 말하건대 ***make***[***miss***] ~ 연락하다[하지 못하다] ***make ~s*** 〈열차가〉 (…에서) 접속[연락]하다 (*at*) ***miss the*** ~ 접속 열차[연락선]를 놓치다 ***run in ~ with*** …와 연락하여 발착하다 **~·al** [-ʃənl] *a.*

con·nec·tive [kənéktiv] *a.* 접속적인, 결합[연접]성의 — *n.* **1** 연결물, 연접물 **2** 【문법】 연결어 (접속사·관계사 등) **3** 【논리】 연결 기호, 결합자(子) **4** 【해부·동물】 신경 연계 **~·ly** *ad.* 연결하여, 접속적으로

connéctive tìssue 【해부】 결합 조직

con·nec·tiv·i·ty [kὰnektívəti | kɔ̀-] *n.* Ⓤ 【컴퓨터】 커넥티비티, 접속 가능성 (다른 기종과의 접속 용이성)

con·nec·tor [kənéktər] *n.* 연결하는 것[사람]; 【철도】 연결기(coupling); 【전기】 커넥터

‡**con·nex·ion** [kənékʃən] *n.* (영) = CONNECTION

Con·nie [kάni | kɔ́ni] *n.* 여자 이름 (Constance의 애칭)

cón·ning tòwer [kάniŋ- | kɔ́-] **1** (군함의) 사령탑 **2** (잠수함의) 전망탑

conning tower 2

con·nip·tion [kənípʃən] *n.* [종종 *pl.*] (미·속어) 히스테리의 발작, 분통(= ~ **fit**)

con·niv·ance, -ence [kənáivəns] *n.* Ⓤ 묵과, 못 본 체하기 (*at, in*); (범죄 행위의) 묵인; (배우자의 부정 행위에 대한) 방관 ***in ~ with*** …와 공모하여 ***with the ~ of*** …의 묵인하에

thesaurus **connection** *n.* **1** 연결, 결합 attachment, coupling, joint, fastening **2** 관계 link, relationship, relation, association, bond, tie-in **3** 연고 contact, friend, acquaintance, ally, associate
conquer *v.* **1** 정복하다 beat, overpower, vanquish,

con·nive [kənáiv] [L 「눈을 감다」의 뜻에서] *vi.* **1** 못 본 체하다, 묵인하다, 묵과하다(wink) 《*at*》; 묵계[공모]하다 《*with*》 **2** 〈꽃잎이〉 한 점으로 집중하다 **con·nív·er** *n.*

con·niv·er·y [kənáivəri] *n.* Ⓤ 묵인, 묵과

con·niv·ing [kənáiviŋ] *a.* 《경멸》 공모의, 묵계의

con·nois·seur [kànəsə́:r, -súər | kɔ̀nisə́:] *n.* **1** (미술품 등의) 감정가, 감식가 **2** (어떤 방면의) 권위자, …통, 전문가(expert) 《*of, in*》 **~·shìp** *n.* Ⓤ 감식안(鑑識眼); 감정업(業)

con·no·ta·tion [kànətéiʃən | kɔ̀-] *n.* ⓊⒸ **1** 언외(言外)의 의미, 함축 **2** 〖논리〗 내포(opp. *denotation*)

con·no·ta·tive [kánətèitiv | kɔ́-] *a.* 함축성 있는, (…의 뜻을) 암시하는 《*of*》; 〖논리〗 내포적인: a ~ sense 함축된 뜻 **~·ly** *ad.*

con·note [kənóut] *vt.* **1** 〈딴 뜻을〉 암시하다 《home(가정)은 comfort(안락)를 암시하는 등》 **2** 〖논리〗 내포하다(opp. *denote*) **3** 《구어》 의미하다(mean); (조건·결과로서) 동반하다 **—** *vi.* (형용사처럼) 다른 말과의 관련에 있어서만 의미를 갖다

con·nu·bi·al [kənjú:biəl | -njú:-] *a.* Ⓐ 《문어》 결혼(생활)의; 부부의 **~·ly** *ad.* 혼인상으로; 부부로서

con·nu·bi·al·i·ty [kənjù:biǽləti | -njù:-] *n.* (*pl.* **-ties**) 혼인, 결혼 생활; 부부 관계

co·noid [kóunɔid] *a.* 원뿔꼴의 **—** *n.* 원뿔 곡선체, 첨원체(尖圓體)

co·noi·dal [kounɔ́idl] *a.* = CONOID

‡**con·quer** [káŋkər | kɔ́ŋ-] [L 「열심히 추구하다」의 뜻에서] *vt.* **1** (무력으로) 〈나라·영토를〉 정복하다, 〈적을〉 공략하다, 이기다(⇨ defeat 유의어) **2** 〈곤란 등을〉 극복하다, 〈격정을〉 억누르다, 〈습관을〉 타파하다: He *~ed* his fear of heights. 그는 고소 공포증을 극복했다. **3** 《문어》 〈명성 등을〉 획득하다 **4** 〈사랑하는 사람을〉 자기 것으로 하다 **—** *vi.* 정복하다; 승리를 얻다 ***stoop to*** **~** 창피를 무릅쓰고[굴복을 참고] 목적을 달성하다 ▷ cónquest *n.*

‡**con·quer·or** [káŋkərər | kɔ́ŋ-] *n.* **1** 정복자, (최종적인) 전승(戰勝)자 《한 전투의 승리자는 victor》 **2** [the C~] 〖영국사〗 정복왕 윌리엄 1세 《Normandy 공, 1066년 영국을 정복》 **3** 《폐어》 결승전 ***play the*** **~** 〈동점자가〉 결승전을 하다

‡**con·quest** [kánkwest, káŋ- | kɔ́ŋ-] *n.* **1** Ⓤ 정복, 승리; 극복; (노력에 의한) 획득 《*of*》(⇨ victory 유의어) **2** [the C~] = NORMAN CONQUEST **3** 정복하여 얻은 것, 점령지, 피정복국[지] **4** Ⓤ 애정의 획득; Ⓒ 차지한 여자[남자] ***make*** [***win***] ***a*** **~** ***of*** …을 정복하다; 〈이성의〉 사랑을 얻다 ▷ cónquer *v.*

con·qui·an [káŋkiən | kɔ́ŋ-] *n.* Ⓤ 〖카드〗 (40장의 패로 둘이서 하는) RUMMY[1]의 일종

con·quis·ta·dor [kankwístədɔ̀:r, kaŋ- | kɔn-] [Sp.] *n.* (*pl.* **~s**) 정복자, 《특히》 신대륙 정복자 《16세기 멕시코·페루를 정복한 스페인 사람》

Con·rad [kánræd | kɔ́n-] *n.* 콘래드 **Joseph ~** (1857-1924) 《폴란드 태생 영국 해양 소설가》

Con·rail [kánrèil | kɔ́n-] [*Con*solidated *Rail* Corporation] *n.* 콘레일 《미국 동부·중서부 통합 화물 철도 회사》

cón ròd 《영·구어》 = CONNECTING ROD

cons. consecrated; consolidated; consonant; constable; constitution; construction; consul; consulting **Cons.** Conservative; Consul

con·san·guine [kansǽŋgwin | kɔn-] *a.* = CONSANGUINEOUS

---

subdue, seize, occupy (opp. *surrender*, *yield*) **2** 극복하다 overcome, surmount, master

conscious *a.* **1** 의식하고 있는 awake, aware, responsive, alert (opp. *unconscious*, *unaware*) **2** 의식적인 deliberate, calculated, on purpose

---

con·san·guin·e·ous [kànsæŋgwíniəs | kɔ̀n-] *a.* 《문어》 같은 혈족의, 동족의 **~·ly** *ad.*

con·san·guin·i·ty [kànsæŋgwínəti | kɔ̀n-] *n.* Ⓤ 혈족, 친족 (관계), 동족; 밀접한 관계

‡**con·science** [kánʃəns | kɔ́n-] [L 「함께 알다, 의식하다」의 뜻에서] *n.* **1** ⓊⒸ 양심, 도의심, 선악의 판단력: a man of ~ 양심적인 사람 / have no ~ 양심이라고는 없다 **2** 양심적임(conscientiousness) **3** 《폐어》 의식, 자각 ***a bad*** [***guilty***] **~** 떳떳하지 못한 마음 ***a good*** [***clear***] **~** 떳떳한 마음 ***a matter*** [***case***] ***of*** **~** 양심의 문제 ***by*** [***in, on, o'***] ***my*** **~** 정말로 ***for*** **~**(***'***) ***sake*** 양심에 거리낌이 없도록; 제발 ***have*** something ***on*** one***'s*** **~** 어떤 일이 마음에 거리끼다[양심에 걸리다] ***have the*** **~** ***to*** do [반어적] 뻔뻔스럽게도 …하다, 거리낌 없이 …하다 ***in*** (***all***) **~** 《구어》 정말로, 확실히(surely); 공정하게, 도리상, 양심에 거리껴서 〈할 수가 없다 등〉 ***My*** **~*!*** 《고어》 당치도 않다! ***on*** [***upon***] one***'s*** **~** 양심에 맹세하여, 반드시 ***the liberty*** [***freedom***] ***of*** **~** 신교(信敎)의 자유 ***with a good*** **~** 양심에 거리낌 없이 ***with an easy*** **~** 안심하고 ▷ consciéntious *a.*

cónscience clàuse 〖미국법〗 양심 조항 《신앙의 자유 등을 인정하는 것》

cónscience invèstment 양심적 투자

con·science·less [kánʃənslis | kɔ́n-] *a.* 비양심적인, 파렴치한

cónscience mòney (보통 익명으로 탈세자 등이 내는) 속죄 헌금

con·science-smit·ten [kánʃənssmìtn | kɔ́n-] *a.* = CONSCIENCE-STRICKEN

con·science-strick·en [-strìkən] *a.* 양심의 가책을 받는, 양심에 거리끼는

***con·sci·en·tious** [kànʃiénʃəs, kànsi- | kɔ̀nʃi-] *a.* 양심적인, 성실한, 진지한(⇨ honest 유의어); 세심한, 면밀한, 공들이는: a ~ worker 공들여 일하는 사람 **~·ly** *ad.* 양심적으로, 공들여 **~·ness** *n.* ▷ cónscience *n.*

consciéntious objéction 양심적 병역 거부

consciéntious objéctor 양심적 병역 거부자 《略 CO》

con·sci·en·ti·za·tion [kànʃièntizéiʃən | kɔ̀nʃièn-tai-] *n.* Ⓤ (라틴 아메리카의 무산자 등의) 의식화 운동

con·scien·tize [ká:nʃəntaiz | kɔ́n-] *vt.* 《남아공》 (주요 사회적·정치적 문제를) 주지하다, 잘 인지하다

con·scion·a·ble [kánʃənəbl | kɔ́n-] *a.* 《고어》 양심적인; 정당한, 공정한 **-bly** *ad.*

‡**con·scious** [kánʃəs | kɔ́n-] [L 「함께 알고 있는」의 뜻에서; conscience와 같은 어원] *a.* **1** Ⓟ 의식[자각]하고 있는, 깨닫고 있는 《*of*》 《★ 감각적으로 「의식하고 있는」은 aware》: ~ *of* one's own fault 자신의 잘못을 자각하다 **2** Ⓟ 지각[정신, 의식]이 있는: become ~ 제정신이 들다 **3** 의식적인, 의도적인, 고의의(opp. *unconscious*): a ~ smile (겸연쩍은) 억지 웃음 / with ~ superiority 우월감을 갖고 **4** 자의식이 강한, 남을 의식하는(self-conscious) **5** 사고력이 있는, 의지가 있는, 이성적인 **6** [보통 복합어를 이루어] …을 강하게 의식하는: class-~ 계급 의식이 강한 ***be*** [***become***] **~** ***of*** …을 의식하다, …을 알아채다 **—** *n.* [the ~] 〖정신분석〗 의식 ▷ cónsciously *ad.*; cónsciousness *n.*

***con·scious·ly** [kánʃəsli | kɔ́n-] *ad.* 의식[자각]하여, 의식적으로

‡**con·scious·ness** [kánʃəsnis | kɔ́n-] *n.* **1** Ⓤ (지각 반응이 있는) 의식; (내적 인식으로서의) 의식, 자각 《*of*》: class[race] ~ 계급[민족] 의식 / ~ *of* wrongdoing 잘못을 자각함 **2** Ⓤ 〖심리·철학〗 의식 《자아에 대해 도덕적인 통제를 하는 부분》 **~ *of kind*** 〖사회〗 동류 의식 ***lose*** [***regain, recover***] **~** 의식을 잃다[회복하다] ***raise*** one***'s*** **~** 정치적[사회적] 의식을 높이다 ***stream of*** **~** 〖심리·문학〗 의식의 흐름

con·scious·ness-ex·pand·ing [-ikspæ̀ndiŋ] *a.* 의식을 확대하는(mind-expanding), 환각을 일으키는: ~ drugs 환각제, LSD

con·scious·ness-rais·ing [-rèiziŋ] *n.* **1** 자기 발견(법); 의식 향상(법) 《사회적 차별 문제 등에 대한》 **2** [형용사적으로] 의식 고양을 도모하는 **-ràis·er** *n.*

con·scribe [kənskráib] *vt.* **1** 병적에 등록하다, 징집하다(conscript) **2** 〈한계 등을〉 제한하다

con·script [kánskript | kɔ́n-] *a.* Ⓐ 징집[징병]된 **—** *n.* 징집병, 신병(draft)
— [kənskrípt] *vt.* 징병[징집]하다; 〈자금·노동력 등을〉 징발[징용]하다

con·script·ee [kənskriptíː, kɑ̀n- | kən-, kɔn-] *n.* 《미·구어》 징집병; 신병(conscript)

cónscript fáthers 《문어》 (고대 로마의) 원로원 의원(senators); 《일반적으로》 입법부 의원

con·scrip·tion [kənskrípʃən] *n.* Ⓤ 징병(제도), 모병(draft); (전시의) 강제 징집[징발, 징수]: ~ age 징병 적령 ***the ~ of wealth*** 병역 면제세
~·al [-ʃənl] *a.* **~·ist** *n.* 징병주의자, 징병 제도 옹호자

con·scrip·tive [kənskríptiv] *a.* 징병의: the ~ system 징병 제도

*__con·se·crate__ [kánsəkrèit | kɔ́n-] *vt.* **1 신성하게 하다,** 정화하다(hallow); 〖가톨릭〗 (미사에서) 〈빵·포도주를〉 성변화(聖變化)시키다, 성별(聖別)하다; 축성(祝聖)하다 **2** 〈생애 등을〉 (어떤 목적·용도에) 바치다(devote) 《*to*》: (~+목+전+명) He ~*d* his life *to* church. 그는 교회를 위해 일생을 바쳤다. **3** 〈교회·장소 등을〉 봉헌하다 《dedicate 쪽이 일반적임》 《*to*》: (~+목+전+명) ~ a church *to* divine service 헌당(獻堂)하다 **4** 성직[주교]에 임명하다 **5** [종종 수동형으로] 숭배하다
cón·se·cràt·ed·ness *n.* **cón·se·crà·tive** *a.*
▷ consecrátion *n.*; cónsecratory *a.*

*__con·se·cra·tion__ [kɑ̀nsəkréiʃən | kɔ̀n-] *n.* ⓊⒸ **1 신성화,** 정화; [the ~; 종종 C~] 〖가톨릭〗 성변화(聖變化), 성별(聖別), 축성(祝聖) **2** 헌신(devotion): the ~ of one's life to study 생애를 학문에 바치기 **3** (교회의) 헌당(식), 봉헌(식); 성직[주교] 서품(식)
▷ cónsecrate *v.*

con·se·cra·tor [kánsəkrèitər | kɔ́n-] *n.* 봉헌자; 성직 수임자, 주교 축성자

con·se·cra·to·ry [kánsəkrətɔ̀ːri | kɔ̀nsikréitəri] *a.* 축성[성별]의; 봉헌의

con·se·cu·tion [kɑ̀nsikjúːʃən | kɔ̀n-] *n.* ⓊⒸ **1** 연속, 앞뒤의 관련 **2** 논리의 연관, 일관성 **3** 〖문법〗 (어법·시제의) 일치 **4** 〖음악〗 선율과 화음 진행의 주기적인 높이 변화

*__con·sec·u·tive__ [kənsékjutiv] *a.* **1 연속적인,** 계속되는; 일관된(⇨ successive 유의어): ~ numbers 연속[일련] 번호 / for three ~ years 3년간 계속하여 **2** 〖문법〗 결과를 나타내는: a ~ clause 결과를 나타내는 부사절 《보기: He is so ill *that he can't come.*》 **3** 〖음악〗 〈음정이〉 병행(竝行)의
~·ly *ad.* 연속하여 **~·ness** *n.* Ⓤ 연속(성), 일관성
▷ consecútion *n.*

consécutive íntervals 〖음악〗 병행[연속] 음정

con·se·nes·cence [kɑ̀nsənésəns | kɔ̀n-] *n.* 노쇠, 전신 쇠약

con·sen·su·al [kənsénʃuəl] *a.* 〖법〗 합의(상)의, 합의에 의한; 〖생리〗 교감성(交感性)의 **~·ly** *ad.*

*__con·sen·sus__ [kənsénsəs] *n.* **1** (의견 따위의) **일치,** 합의, 일치된 의견, 여론: the national ~ 국민적 합의 / reach (a) ~ on …에 합의를 보다 **2** 〖생리〗 교감(交感) **3** 〖신학〗 일치 신조(一致信條)

consénsus sèquence 〖생화학〗 공통 배열

‡**con·sent** [kənsént] [L 「함께 느끼다, 조화되다」의 뜻에서] *vi.* **1** (…에) **동의하다,** 승낙하다, 찬성하다 (opp. *dissent*) 《*to*》: a ~*ing* party 찬성자 // (~+전+명) ~ *to* a suggestion 제안에 동의하다 // (~+to do) He ~*ed to* make a speech. 그는 연설할 것을 승낙했다. // (~+***that*** 절) He ~*ed that* I should start at once. 그는 내가 곧 출발하는 데에 동의했다.

> 유의어 **consent** 제안·요청에 자발적으로 동의하다: *consent* to their daughter's going there 딸이 그곳에 가는 것을 동의하다 **assent** 제안·의견을 이지적으로 판단해서 동의하다: Voters *assented* to the proposal. 투표자들은 그 제안에 찬성했다. **agree** 대화·설득에 의해 의견의 차이를 해결하여 합의에 이르다: finally *agree* to come along 마침내 동행하기로 동의하다

2 《폐어》 기분[의견 등]이 일치하다, 합의하다
— *n.* Ⓤ **동의,** 승낙; (의견·감정의) 일치; 찬성, 허가; 조화: without the ~ of both parties 쌍방의 동의 없이는 / Silence gives[means] ~. 《속담》 침묵은 승낙의 표시. ***by common***[***general***] ~ = ***with one*** ~ 이의 없이, 만장일치로 ***give***[***refuse***] one***'s*** ~ 승낙하다[거부하다] ***the age of*** ~ 〖법〗 승낙 연령 《결혼·성교에 대한 (여자의) 승낙이 법적으로 유효시되는 연령》 ***with the ~ of*** …의 승낙[동의]을 얻어
~·er *n.* **~·ing·ly** *ad.*
▷ conséns us, consentanéity, conséntience *n.*; consentáneous, conséntient *a.*

con·sen·ta·ne·i·ty [kənsèntəníːəti] *n.* Ⓤ 일치성, 합치; 만장일치

con·sen·ta·ne·ous [kɑ̀nsentéiniəs | kɔ̀n-] *a.* 일치한, 합치된 《*to, with*》; 만장일치의 **~·ly** *ad.*

consént decrèe 〖법〗 (두 적대 당사자들 사이에 합의된) 화해가 이서된 법원 명령[판결]

con·sen·tience [kənsénʃəns] *n.* Ⓤ 의견 일치, 동의; 일치감, 동감

con·sen·tient [kənsénʃənt] *a.* **1** 일치한; 찬동의, 동의하는 《*to*》 **2** 만장일치의 **3** 일치감을 가진 **4** 〈행동 등이〉 공동의 **~·ly** *ad.*

con·sént·ing adúlt [kənséntiŋ-] 《영》 (동성애 행위에) 동의하는 성인 《법적으로 남색이 허용되는 21세 이상의 남자》; 《완곡》 호모

consént jùdgment 〖법〗 화해 판결, 재판상의 화해

‡**con·se·quence** [kánsəkwèns, -kwəns | kɔ́nsikwəns] *n.* **1 결과,** 귀결(outcome), 결말(⇨ result 유의어); 영향(력): have grave ~*s* 중대한 결과를 야기하다 **2** Ⓤ (영향의) **중요성,** 중대성; (사람의) 사회적 중요성(⇨ importance 유의어): a person of ~ 중요 인물 **3** 〖논리〗 귀결; 결론(conclusion) **4** Ⓤ 잘난 체함, 자존(self-importance); 위엄(dignity)
as a ~ (***of***) = ***in*** ~ (***of***) 《문어》 …의 결과로서, …때문에 ***give*** ~ ***to*** …에 중요성[비중]을 부여하다 ***of*** (***great***) ~ (매우) 중대한 ***of little***[***no***] ~ 거의[전혀] 문제가 되지 않는 ***pay the ~s of*** …에 대해 대가를 치르다 ***take***[***answer for***] ***the ~s*** (자기 행위의) 결과를 감수하다[에 책임을 지다] ***with the ~ that ...*** 《문어》 …이라는 결과가 뒤따라, 그 결과로 …하게 되다 ▷ cónsequent, consequéntial *a.*

*__con·se·quent__ [kánsəkwènt, -kwənt | kɔ́nsikwənt] [L 「함께 뒤따르는」의 뜻에서] *a.* **1 결과의,** 결과로서 생기는 《*on, upon, to*》: a fall in price ~ *to* a rise in production 생산 증가로 인한 가격의 하락 **2** 논리상 필연의, 당연한; 〈추론 따위가〉 일관된 **3** 〖지질〗 〈강이〉 반드시 흘러내려가는
— *n.* **1** 당연한[자연스러운] 결과 **2** 〖논리〗 후건(後件)(opp. *antecedent*); 결론, 귀결 **3** 〖수학〗 후항(後項), 후율(後率) ▷ cónsequence *n.*; cónsequently *ad.*; consequéntial *a.*

> **thesaurus** **conservative** *a.* right-wing, reactionary; conventional, traditional, orthodox, cautious, moderate, prudent, stable, unchanging
> **consider** *v.* **1** 숙고하다 think about, examine, study, mull over, ponder, contemplate **2** 간주하다

con·se·quen·tial [kɑ̀nsəkwénʃəl | kɔ̀n-] *a.* **1** 결과로서 일어나는(resultant); 당연한, 필연적인 **2** 젠체하는, 뽐내는(self-important) **3** 중대한
-quen·ti·al·i·ty [-kwènʃiǽləti] *n.* **~·ly** *ad.*
consequéntial dámages 〖법〗 간접[결과] 손해
con·se·quen·tial·ism [kɑ̀nsikwénʃəlìzm | kɔ̀n-] *n.* 〖철학〗 결과주의《행위의 선악은 그 결과에 의해서 판단해야 한다는 이론》
consequéntial lóss insùrance 〖보험〗 간접 손해 보험
‡**con·se·quent·ly** [kɑ́nsəkwèntli, -kwənt- | kɔ́nsikwənt-] *ad.* **그 결과(로서),** 따라서; 논리적으로
con·serv·an·cy [kənsə́ːrvənsi] *n.* (*pl.* **-cies**) Ⓤ (삼림·하천 등의) 자연 보존, 관리, 감독; Ⓒ 《영》 (하천·항만의) 관리 위원회[사무소]; 자연 환경 보호 단체
*__con·ser·va·tion__ [kɑ̀nsərvéiʃən | kɔ̀n-] *n.* Ⓤ **1** (자원 등의) **보존,** 유지(opp. *dissipation*); (자연 환경의) **보호,** 관리; 자연 보호 지역: wildlife ~ 야생 생물의 보호 **2** (에너지 등의) 절약 **3** 〖물리〗 보존
~ of charge 〖물리〗 전하(電荷) 보존(의 법칙) ***~ of energy*** [***force***] 〖물리〗 에너지의 보존 ***~ of mass*** [***matter***] 〖물리〗 질량 보존(의 법칙) ***~ of momentum*** 〖물리〗 운동량 보존 **~·al** [-ʃənl] *a.* **~·ist** *n., a.* 자원 보호론자(의) ▷ consérve *v.*; consérvative *a.*
conservátion àrea 《영》 (자연·사적 등의) 보전 지구, 보호 관리 지구
conservátion làw 〖물리·화학〗 보존 법칙
*__con·serv·a·tism__ [kənsə́ːrvətìzm] *n.* Ⓤ **1** 보수주의, 보수적인 경향 **2** [종종 **C~**] 영국 보수당의 주의(cf. TORYISM) **3** 안전 제일주의
‡**con·serv·a·tive** [kənsə́ːrvətiv] *a.* **1** (정치적으로) **보수적인**(opp. *progressive*): ~ policy 보수 정책 / Her parents are very ~. 그녀의 부모님은 매우 보수적이다. **2** [**C~**] 〖정치〗 영국 보수당의(cf. LIBERAL 2, LABOR 2) **3** 〈사람·생각 등이〉 보수적인, 전통적인, 조심스러운, 신중한: (~+전+***-ing***) She is ~ *in* spend*ing* money. 그녀는 돈을 쓰는 데 신중하다. **4** 〈평가·짐작 등이〉 줄잡은: plan by a ~ estimate 줄잡아 추산해서 계획을 세우다 **5** 〈옷차림이〉 수수한: a ~ suit 수수한 옷 **6** 〈약이〉 보존성의
— *n.* **1** 보수적인 사람, 낡은 것을 고수하는 사람 **2** [**C~**] (영국의) 보수당원 **3** 《드물게》 보존물; 방부제 **~·ly** *ad.* 보수적으로; 줄잡아 **~·ness** *n.* Ⓤ 보존성; 보수성 ▷ consérve *v.*; conservátion *n.*
Consérvative Júdaism 보수파 유대교
Consérvative Pàrty [the ~] 《영》 보수당(cf. LABOUR PARTY)
consérvative súrgery 〖외과〗 보존 외과 《절제를 삼가는》
con·serv·a·tize [kənsə́ːrvətàiz] *vi., vt.* 보수적이 되다[으로 하다]
con·ser·va·toire [kənsə̀ːrvətwɑ́ːr, ─́─̀─ | ─́─ ─̀] [F] *n.* (*pl.* **~s**) 음악[미술, 예술] 학교
con·ser·va·tor [kənsə́ːrvətər, kɑ́nsərvèitər | kənsə́ːvətə] (*fem.* **-trix** [-triks]) *n.* **1** [《영》 kɔ́nsəvèitə] 보존자, 보호자 **2** (박물관 등의) 관리자; 《영》 (하천 등의) 관리 위원(guardian); 《미》 (미성년자·백치·정신 이상자 등의) 보호자, 후견인; 재산 관리인 ***the ~ of the peace*** 치안 위원, 보안관 ***the ~s of a river*** 하천 관리 위원[관리국원]
con·ser·va·to·ri·um [kənsə̀ːrvətɔ́ːriəm] *n.* 《호주》 = CONSERVATOIRE
con·serv·a·to·ry [kənsə́ːrvətɔ̀ːri | -təri] *n.* (*pl.* **-ries**) **1** (보통 가옥에 붙어 있는) 온실(greenhouse) **2** 음악[미술, 예술] 학교 — *a.* 보존성이 있는

think, believe, regard as **3** 고려하다 take into consideration, take into account, respect
considerably *ad.* much, a great deal, significantly, substantially, markedly
considerate *a.* attentive, concerned, kind

*__con·serve__ [kənsə́ːrv] [L 「함께 보존하다」의 뜻에서] *vt.* **1 보존하다,** 유지하다, 보호하다; 〈자원·에너지 등을〉 절약하다: ~ one's energy 정력을 유지하다 / ~ water 물을 아껴 쓰다 **2** 설탕 절임으로 하다
— [kɑ́nsəːrv, kənsə́ːrv | kənsə́ːv, kɔ́nsəːv] *n.* [보통 *pl.*] 설탕 절임; 잼(jam); 〖의학〗 당제(糖劑)
con·sérv·a·ble *a.* **con·sérv·er** *n.*
▷ conservátion *n.*; consérvative *a.*
con·shy, -shie [kɑ́nʃi | kɔ́n-] *n.* = CONCHIE
‡**con·sid·er** [kənsídər] [L 「별을 잘 관찰하다」의 뜻에서; 어떤 일을 결정할 때 별점을 친 데서] *vt.* **1 잘 생각하다,** 숙고하다(⇨ regard 유의어); 고찰하다(examine); …할 것을 생각하다: ~ a matter in all aspects 문제를 모든 면에서 고찰하다 // (~+***that*** 절) We ~ *that* he ought to help us. 우리는 그가 우리를 도와줘야 한다고 생각한다. // (~+***wh.*** 절) You must ~ *whether* it will be worthwhile. 그것이 그만한 가치가 있는지를 잘 생각해야 한다. // (~+***wh. to*** do) You must carefully ~ *what to* do. 무엇을 해야 할지 신중히 생각해야 한다. // (~+***-ing***) I am ~*ing* writ*ing* to my uncle. 아저씨에게 편지를 쓸까 하고 생각하고 있다. **2** …**이라고 생각하다**; [목적 보어와 함께] …으로 보다, 간주하다, 여기다: (~+목+***as*** 보) He ~*ed* "Hamlet" *as* an example of a Shakespearian tragedy. 그는 「햄릿」을 셰익스피어 비극의 한 전형으로 생각했다. // (~+목+(***to be***) 보) (~+***that*** 절) I ~ him (*to be*) a fool[very clever]. = I ~ *that* he is a fool[very clever]. 그를 바보라고[매우 영리하다고] 생각한다. **3 고려하다,** 고려에 넣다, 참작하다: ~ the feelings of others 남의 감정을 고려하다 **4** 〈사람을〉 중히 여기다, 존경하다; [보통 수동형으로] 〈사람이〉 존경받다 《★ 흔히 부사 well, greatly와 함께 쓰임》 **5** (구입·채용 등의 목적에서) 고려하다; (…에) 적당한지 생각하다 《*for*》 **6** …에 주의를 기울이다, 관심을 갖다
— *vi.* 고려[숙고]하다(reflect); 주시하다
all things ~ed 만사를 고려하여, 아무리 생각해도, 결국 ***~ as*** …으로서 논하다[생각하다] ***put on one's ~ing cap*** ⇨ cap.
▷ consíderate *a.*; considerátion *n.*
‡**con·sid·er·a·ble** [kənsídərəbl] *a.* **1 a** (수량이) **상당한,** 적지 않은, 꽤 많은(opp. *inconsiderable*): ~ expense 상당한 비용 **b** 《미·구어》 많은, 다수[다량]의: a ~ sum of money 상당한 액수의 돈 ★ 물질 명사를 직접 수식하여 ~ money라고도 함. **2** 중요한(important), 고려해야 할, 무시 못할: become a ~ personage 저명 인사가 되다
— *n.* 《미·구어》 다량: A ~ *of* a trade was carried on. 다량의 거래가 행하여졌다. ***by ~*** 《미·구어》 대량으로, 많이, 크게
— *ad.* 꽤, 상당히(considerably) **~·ness** *n.*
‡**con·sid·er·a·bly** [kənsídərəbli] *ad.* **상당히,** 꽤, 적지 않게: It's ~ warmer this morning. 오늘 아침은 꽤 덥다. 《★ 동사 수식 외에는 비교급을 수식함》
*__con·sid·er·ate__ [kənsídərət] *a.* **1** 이해심[동정심]이 있는, 마음씨 좋은(thoughtful) 《*of*》: (~+***of***+명) He is ~ *of* old people. 그는 노인들에게 동정심이 많다. // (~+***to*** do) (~+***of***+명+***to*** do) You are very ~ *to* advise me. = It is very ~ *of* you *to* advise me. 내게 충고해 주어서 참으로 고맙소. **2** 《고어》 사려 깊은, 신중한 **~·ly** *ad.* **~·ness** *n.*
▷ consíder *v.*; considerátion *n.*
‡**con·sid·er·a·tion** [kənsìdəréiʃən] *n.* **1** Ⓤ 고려, 숙고; 고찰, 연구: give one's careful ~ 충분히 고려하다 **2 고려할 사항[문제]**; 이유(motive): That's a ~. 그것은 고려할 일[문제]이다. / Money is no ~. 돈은 문제가 아니다. **3** [보통 a ~] 보수, 팁 **4** 〖법〗 (계약상의) 약인(約因), 대가(對價) **5** Ⓤ 참작, 이해, 배려, 고려 《*for*》: show no ~ *for* …에 대한 배려가 없다 **6** Ⓤ 경의, 존중; 《고어》 중요성: people of ~ 중요한 [상당한 지위의] 사람들 / It is no ~. 그것은 중요하지

않다. **7** 〖법〗 (재판 기관에 의한 사건의) 심리 **8** (고려해서 얻은) 의견, 생각(thought)
for a ~ 보수를 받고[받으면] ***have no ~ for***[***of***] …에 대한 배려가 없다, …을 고려하지 않다 ***in ~ of*** …의 보수로서(in return for); …을 고려하여 ***leave out of ~*** 도외시하다 ***on***[***under***] ***no ~*** 결코 …않는(in no case) ***out of ~ for*** …을 참작하여, …을 보아서 ***take ... into ~*** …을 고려[참작]하다 ***the first ~*** 첫째 요건, 가장 중요한 사항 ***under ~*** 고려[생각] 중에[의] ▷ consíder *v.*

con·sid·ered [kənsídərd] *a.* Ⓐ **1** 깊이 생각한 (후의): a ~ opinion[response] 숙고한 후의 의견[대답] **2** [부사를 앞에 두어] 존경받는, 중히 여겨지는: a *highly* ~ scholar 크게 존경받는 학자

‡con·sid·er·ing [kənsídəriŋ] *prep.* …을 고려하면, …을 생각하면(in view of); …에 비해서: He looks young ~ his age. 그는 나이에 비해서 젊어 보인다.
— *conj.* …을 생각하면, …이므로(seeing that ...)
— *ad.* (구어) [문미에서] 비교적, 그런대로: It went off well, ~. 비교적 일이 잘 되었다. / That is not so bad, ~. 그런대로 그다지 나쁘지 않다. ★ 원래 전치사로 뒤에 오는 'the circumstances'를 생략한 것.

con·si·glie·re [kɔ̀:nsiljére] [It.] *n.* (*pl.* **-ri** [-ri]) (마피아 두목의) 상담역, 법률 고문

con·sign** [kənsáin] [L 「봉인(sign)을 하다」의 뜻에서] *vt.* **1** (문어) 건네주다(deliver), 인도하다, 회부하다: (~+목+전+명) ~ the body *to* the flames 시체를 화장하다 / ~ a letter *to* the post 편지를 우편으로 부치다 **2** (남의 관리·보호에) 위탁하다, 위임하다, 맡기다 ((*to*)): (~+목+전+명) ~ one's soul *to* God 영혼을 신에게 맡기다 ((죽다)) **3** 〖상업〗 〈상품 따위를〉 (가게 등에) 위탁하다 ((*to*)); (위탁 판매하기 위하여) 발송하다, 탁송하다(send) ((*to*)): (~+목+전+명) ~ goods *to* an agent 상품의 판매를 대리인에 위탁하다 **4** 〈금전을〉 위탁하다, 예금하다(deposit) ((*in*)): (~+목+전+명) ~ money *in* a bank 은행에 예금하다 **5** 따로 두다(set apart), 할당하다(assign) ((*to*)): (~+목+전+명) He ~*ed* this room *to* his private use. 그는 이 방을 자기의 개인 전용으로 했다. **6** …에 (상품의 발송을 위해) 주소를 쓰다 **7** (폐어) (도장을 찍어) 승인[확인]하다 ***~ ... to oblivion …을 잊어버리다, 망각하다 ***~ ... to prison*** …을 교도소에 넣다
— *vi.* (폐어) **1** 동의하다, 찬성하다 **2** 복종하다, 굴하다 **~·a·ble** *a.* 위탁할 수 있는
▷ consignátion, consígnment *n.*

con·sig·na·tion [kànsignéiʃən | kɔ̀nsai-] *n.* Ⓤ (상품의) 위탁, 탁송; 교부 ***to the ~ of*** …앞으로, …을 인수인으로 하여

con·sign·ee [kànsainí:, -si-, kənsai- | kɔ̀nsai-] *n.* (판매) 수탁인; 하물 인수자(cf. CONSIGNOR)

con·sign·er [kənsáinər] *n.* = CONSIGNOR

con·sign·ment [kənsáinmənt] *n.* 〖상업〗 **1** Ⓤ 위탁 (판매), 탁송 **2** 위탁 화물, 적송품(積送品); 위탁 판매품 ***on ~*** 위탁으로, 위탁 판매로
— *a.* 위탁[탁송]받은

consígnment nòte 탁송 화물 운송장, ((특히)) 항공 화물 운송장(air waybill)

consígnment sàle 위탁 판매

consígnment shèet 화물 상환증

consígnment stòre ((미)) 위탁 중고품 상점 ((개인이 맡긴 중고 물품을 수수료를 받고 판매함))

con·sign·or [kənsáinər, kànsainɔ́:r | kənsáinə, kɔ̀nsainɔ́:] *n.* (판매품의) 위탁자; 하주(shipper)

‡con·sist [kənsíst] [L 「함께 서다, 양립하다」의 뜻에서] *vi.* [진행형 없음] **1** (부분·요소로) 되어[이루어져] 있다(be made up) ((*of*)): (~+전+명) Water ~*s of* hydrogen and oxygen. 물은 수소와 산소로 되어 있다. **2** (…에) 있다(lie), (…에) 존재하다 ((*in*)): (~+전+명) Happiness ~*s in* contentment. 행복은 만족에 있다. **3** (…와) 양립[일치]하다 ((*with, together*)): The information ~s with his accounts. 그 정보는 그의 설명과 일치한다. **4** (고어) 〈사물이〉 공존하다
▷ consístency, consístence *n.*; consístent *a.*

***con·sist·en·cy** [kənsístənsi], **-ence** [-təns] *n.* (*pl.* **-cies**) Ⓤ **1** (주의·방침·형식 등에 대한) 일관성, 언행일치, 모순이 없음 ((*of, with*)) **2** 견실성 **3** (액체의) 농도, 밀도; (물질의) 경도 **4** 밀착 **5** 〖수학·논리〗 무모순성, 정합(整合)성 ▷ consíst *v.*; consístent *a.*

***con·sist·ent** [kənsístənt] *a.* **1** 〈의견·사상 등이〉 일관된, 모순이 없는(compatible) ((*with*)) **2** 〈사람이〉 언행이 일치된, 견실한, 지조 있는, 시종일관된 ((*in*)): be ~ *in* one's follies 하는 짓이 시종 어리석다 **3** (고어) 고정된, 견고한(firm) **4** 〖수학·논리〗 모순이 없는 **~·ly** *ad.* ▷ consíst *v.*; consístency, consístence *n.*

con·sis·to·ri·al [kànsistɔ́:riəl | kɔ̀n-] *a.* 추기경 회의의, 감독 법원의, 장로회의

con·sis·to·ry [kənsístəri] *n.* (*pl.* **-ries**) **1** 교회 [종교] 회의, 종교 법정; 종교 회의장 **2** (천주교의) 추기경 회의; (영국 국교회의) 감독 법원(= **C~ Cóurt**); (장로 교회의) 장로회

con·so·ci·ate [kənsóuʃièit, -si-] *vt., vi.* 연합시키다[하다] ((*with*)) — [-ʃiət] *a.* 연합[제휴]한
— [-ʃiət, -ʃièit, -si-] *n.* 연합원, 조합원

con·so·ci·a·tion [kənsòusiéiʃən, -ʃi-] *n.* **1** Ⓤ 연합, 결합; 동맹; Ⓒ 〖그리스도교〗 (조합 교회의) 협의회 **2** 〖생태〗 극상 군락(極相群落)(climax community) **~·al** *a.* **~·al·ism** *n.* 정치 연합

consol. consolidated

con·sol·a·ble [kənsóuləbl] *a.* 위안이 되는, 마음이 진정되는

***con·so·la·tion** [kànsəléiʃən | kɔ̀n-] *n.* **1** Ⓤ 위로, 위안 ((★ comfort보다 딱딱한 말)) **2** [보통 a ~] Ⓒ 위안이 되는 것[사람] **3** 〖스포츠〗 패자 부활전
— *a.* 패자 부활의: a ~ race (경주의) 패자 부활전
▷ consóle *v.*; consólatory *a.*

consolátion fìnal 3위 결정전, (그 아래의) 순위 결정권

consolátion màtch 패자 부활전

consolátion mòney 위자료

consolátion prìze 감투상, 애석상

consolátion stàkes (경마의) 패자 부활전

con·sol·a·to·ry [kənsálətɔ̀:ri | -sɔ́lətəri] *a.* 위로가 되는, 위문의

‡con·sole¹ [kənsóul] [L 「함께 위로하다」의 뜻에서] *vt.* 위로하다(soothe), 위문하다(⇨ comfort 유의어): ~ one's grief 슬픔을 달래다 // (~+목+전+**-ing**) (~+목+전+명) ~ oneself *by* do*ing*[*with* something] …하여[…으로] 스스로를 달래다 / That ~*d* me *for* the loss. 그것이 손실에 대한 위안이 되었다.
con·sól·er *n.* **con·sól·ing·ly** *ad.*
▷ consolátion *n.*; consólable, consólatory *a.*

con·sole² [kánsoul | kɔ́n-] *n.* **1** 〖건축〗 콘솔, 소용돌이꼴 초엽[까치발] **2** (파이프 오르간의) 연주대 ((건반과 페달을 포함함)) **3** (텔레비전·전축 등의) 콘솔형 캐비닛; (컴퓨터 등의) 조작 탁자[대]; (비행기 등의) 관제용 계기반(盤); 〖전기〗 제어 장치; (자동차의) 콘솔 ((운전석과 조수석의 사이의)) **4** = CONSOLE TABLE

cónsole mìrror [kánsoul- | kɔ́n-] 까치발로 벽에 받쳐 단 거울

cónsole tàble [kánsoul- | kɔ́n-] 까치발로 벽에 받쳐 단 테이블, 콘솔형 테이블

con·so·lette [kànsəlét | kɔ̀n-] *n.* (라디오·텔레비전·플레이어 등을 넣는) 소형 캐비닛

***con·sol·i·date** [kənsálədèit | -sɔ́-] [L 「견고하게(solid)하다」의 뜻에서] *vt.* **1** 〈토지·회사 따위를〉 합병 정리하다, 통합하다: ~ one's estates 재산을 통합하다 // (~+목+전+명) ~ two companies *into* one 두 회사를 합병하여 하나로 하다 **2** 〈권력·지위 등을〉 강화하다, 굳건하게 하다, 공고히 하다

thesaurus **consistent** *a.* steady, dependable, uniform, unchanging, constant (opp. *inconsistent*)

— *vi.* 〈회사 등이〉 합병하다; 굳어지다, 튼튼해지다
▷ consolidátion *n.*

con·sol·i·dat·ed [kənsάlədèitid | -sɔ́-] *a.* **1** 합병 정리된, 통합된: a ~ ticket office 《미》 (철도 회사의) 연합 매표소 **2** 강화된 **3** 〔회계〕 모회사와 자회사의 재무 내용을 합체한: a ~ balance sheet 연결[결합] 대차 대조표

consólidated annúities = CONSOLS

Consólidated Fúnd [the ~] 《영》 정리 공채 기금《각종 공채 기금을 병합 정리한 것》

consólidated schòol 《미》 통합 학교(centralized school) 《이웃한 학군이 공동으로 세운 것》

***con·sol·i·da·tion** [kənsὰlədéiʃən | -sɔ̀-] *n.* Ⓤ **1** 합동, 합병; 통합, (부채 등의) 정리: ~ funds 정리 기금 **2** 강화; 단단히 함 **3** 합동[통합]체 **4** 〔법〕 신설 합병 **5** 〔병리〕 폐(肺)조직의 경화 **6** 〔심리〕 고정, 고집
▷ consólidate *v.*

con·sol·i·da·tor [kənsάlədèitər | -sɔ́-] *n.* 공고히 하는 사람[것]; 통합 정리자

con·sol·i·da·to·ry [kənsάlədətɔ̀:ri | -sɔ́lidətəri] *a.* 통합하는; 합병하는; 굳게 하는

con·sols [kάnsɑlz, kənsάlz | kɔ́nsɔlz, kənsɔ́lz] [*consol*idated annuitie*s*] *n. pl.* 《영》 콘솔[정리] 공채(bank annuities) 《1751년 각종 공채를 정리하여 연금 형태로 한 것》

con·sol·ute [kάnsəlù:t | kɔ́n-] *a.* 〔화학〕 공용성(共溶性)의

con·som·mé [kὰnsəméi, ⌐--⌐ | kənsɔ́mei] [F] *n.* Ⓤ 콩소메, 맑은 수프(cf. POTAGE)

con·so·nance, -nan·cy [kάnsənəns(i) | kɔ́n-] *n.* Ⓤ **1** (문어) 일치, 조화 《*with*》 **2** ⓊⒸ 〔음악〕 협화음(opp. *dissonance*) **3** 〔물리〕 공명(resonance) ***in ~ with*** …와 조화[일치, 공명]하여

***con·so·nant** [kάnsənənt | kɔ́n-] [L 「함께 소리내다」의 뜻에서] *n.* 〔음성〕 **자음**(opp. *vowel*); 자음자
— *a.* Ⓟ (문어) (…와) 일치[조화]하는 《*with, to*》; 〔음악〕 협화음의(opp. *dissonant*); Ⓐ 〔음성〕 자음의; 〔물리〕 공명하는 **~·ly** *ad.*
▷ cónsonance *n.*; consonántal *a.*

con·so·nan·tal [kὰnsənǽntl | kɔ̀n-] *a.* 자음의; 자음의 특징을 가진 **~·ly** *ad.*

con·so·nant·ism [kάnsənəntìzm | kɔ́n-] *n.* 〔언어〕 자음 체계; 자음의 성질·분포

cónsonant shìft 〔언어〕 자음 추이 《언어가 발전하는 단계의 어느 시기에 일어나는 음의 규칙적 추이》

cónsonant sỳstem 〔언어〕 자음 체계(cf. VOWEL SYSTEM)

con sor·di·no [kɑn-sɔ:rdí:nou | kɔn-] [It.] *ad.* 〔음악〕 약음기(mute)를 사용하여; (비유) 조용히

con·sort [kάnsɔ:rt | kɔ́n-] *n.* **1** (특히 왕·여왕의) 배우자(spouse): a prince ~ (여왕의) 부군(夫君) / a queen ~ 왕비 **2** 동행선(船), 요함(僚艦), 요정(僚艇) **3** 〔음악〕 합주단; 같은 계통 악기의 편성 **4** 일치, 조화; 연합, 제휴 ***in ~*** (***with***) (…와) 함께(together)
— [kənsɔ́:rt] *vi.* **1** (…와) 일치하다, 조화하다(agree) 《*with*》: 《~+전+명》 Pride does not ~ *with* poverty. 긍지는 가난과는 걸맞지 않는다[양립하지 않는다]. **2** (종종 경멸) (나쁜 사람과) 교제하다, 사귀다(associate) 《*with*》: 《~+전+명》 Do not ~ *with* thieves. 도둑과 사귀지 마라. — *vt.* 사귀게 하다

con·sor·ti·um [kənsɔ́:rʃiəm, -tiəm | -tiəm] *n.* (*pl.* **-ti·a** [-ʃiə, -tiə | -tiə], **~s**) **1** 협회, 조합, 공동체; (저개발국을 원조하는) 채권국 회의, (국제) 차관단, 컨소시엄 **2** 〔법〕 배우자권(權) **3** 〔생물〕 공동체

con·spe·cif·ic [kὰnspisífik | kɔ̀n-] 〔생물〕 *a.* 같은 종류의 — *n.* 동종(同種)

con·spec·tus [kənspéktəs] *n.* (*pl.* **~·es**) 개관; 개요, 적요

consolidate *v.* combine, unite, merge, join, amalgamate, affiliate, fuse, federate

con·spic·u·ous** [kənspíkjuəs] [L 「완전히 보이는」의 뜻에서] *a.* **1** (특히) **눈에 띄는**, 잘 보이는, 뚜렷한: a ~ star 특히 눈에 띄는 별 **2** (남의) 이목을 끄는, 이채를 띤; 저명한(eminent), 두드러진, 현저한 **3** 〈취미·센스가〉 화려한 ***be ~ by its [*one's*] ***absence*** 그것[그 사람]이 없음으로 해서 한층 더 눈에 뜨이다 ***cut a ~ figure*** 이채를 띠다 ***make oneself*** (***too***) ~ 유별나게 행동하다, 남의 눈에 띄게 멋부리다 **con·spi·cu·i·ty** [kὰnspikjú:əti | kɔ̀n-] *n.* **~·ly** *ad.* 눈에 띄게, 두드러지게 **~·ness** *n.* Ⓤ 두드러짐, 눈에 띔

conspícuous consúmption 〔경제〕 과시적 소비 《재산·지위를 과시하기 위한》

con·spir·a·cy** [kənspírəsi] *n.* (*pl.* **-cies**) ⓊⒸ **1** 음모, 공모, 모의(plot) 《*against*》; 음모단 **2** 〔법〕 불법 공모, 공동 모의; 결탁 **3** (결과를 초래한 원인의) 동시 발생 ***in ~ 공모[작당]하여 ***take part in ~*** 한패에 가담하다 ▷ conspíre *v.*

conspíracy of sílence (불리한 일에 대해) 침묵하자는 모의[약조]

conspíracy thèory 음모설 《역사적 사건 등을 음모 측면에서 해석하는 것》

con·spi·ra·tion [kὰnspəréiʃən | kɔ̀n-] *n.* Ⓤ 협력; 모의 **~·al** *a.*

***con·spir·a·tor** [kənspírətər] *n.* (*fem.* **-tress** [-tris]) 공모자, 음모자(plotter)

con·spir·a·to·ri·al [kənspìrətɔ́:riəl] *a.* 공모의, 음모의 **~·ly** *ad.*

con·spire** [kənspáiər] [L 「함께 호흡하다, 생각이 일치하다」의 뜻에서] *vi.* **1 공모하다**, 음모를 꾸미다 《*against*》; (…와) 기맥을 통하다 《*with*》: 《~+전+명》 ~ *against* the state 국가에 대한 반란을 꾀하다 // 《~+*to* do》 They ~*d to* drive him out of the country. 그들은 그를 국외로 추방하려고 공모했다. **2** 협력하다; 동시에 발생하다, 상호 작용하여 …하다: 《~+*to* do》 All things ~*d to* make him prosperous. 모든 일이 잘 맞아떨어져 그는 성공했다. ***~ with …와 공모하다
— *vt.* 〈나쁜 일을〉 꾸미다, 음모하다
con·spír·er *n.* **con·spír·ing·ly** *ad.*
▷ conspíracy *n.*

con spir·i·to [kɑn-spíritòu, koun- | kɔn-] [It.] *ad.* 〔음악〕 활기 있게, 활발하게(vigorously)

const. constable; constant; constitution(al); construction **Const.** Constantine; Constantinople

con·sta·ble** [kάnstəbl | kʌ́n-, kɔ́n-] [L 「마구간(stable)의 백작(count)」의 뜻에서] *n.* **1** 《영》 **경찰관** (=police ~)(《미》 police officer): the chief ~ 《영》 (시·주 등의) 경찰 국장(《미》 chief of police) / a special ~ 특별 경찰관 《비상시 같은 경우에 치안 판사가 임명함》 **2** (성(城)의) 관리 장관 **3** (중세 군주국의) 군(軍)의 총사령관; (왕실의) 대신, 장관 ***outrun [***overrun***] ***the ~*** 경찰의 손을 빠져나가다; 빚을 지다 ***pay the ~*** 셈을 치르다, 빚을 갚다 ***the C~ of France*** 프랑스 원수(元帥) ***the*** (***Lord High***) ***C~ of England*** (영국 중세의) 보안 무관장(保安武官長); (현재의) 시종(侍從) 무관장 《특별한 의식이 있을 때에 임시로 임명됨》

con·stab·u·lar [kənstǽbjulər] *a.* = CONSTABULARY

con·stab·u·lar·y [kənstǽbjulèri | -ləri] 《영》 *a.* 경찰관의; 경찰(대)의: the ~ force 경찰력
— *n.* (*pl.* **-lar·ies**) 경찰대; 경찰 관할구

Con·stance [kάnstəns | kɔ́n-] *n.* **1** 콘스턴스 《여자 이름; 애칭 Connie》 **2 Lake ~** 콘스턴스 호 《스위스·오스트리아·독일 국경에 있는 호수》

con·stan·cy** [kάnstənsi | kɔ́n-] *n.* Ⓤ **1 불변(성)**, 항구성 **2** 지조가 굳음; 절조, 절개, 수절 **3** 〔심리〕 항상성(恒常性) **4** 〔생태〕 항존도(恒存度) ***for a ~ 영구적으로 ▷ cónstant *a.*

‡con·stant [kάnstənt | kɔ́n-] 〔L 「함께 서는」의 뜻에서〕 *a.* **1 불변의,** 일정한(opp. *variable*): at ~ temperature[speed] 일정한 온도[속도]로 / a ~ wind 항풍(恒風) **2 끊임없이 계속하는,** 지속적인, 부단한: be in ~ pain 통증이 계속되다 **3** (문어) 충실한, 절개가 굳은(faithful), 견실한 《*in*》; Ⓟ 끝까지 지키는(true) 《*to*》: He is ~ *in* his love for her. 그녀에 대한 그의 사랑은 한결같다.
— *n.* 일정불변의 것; 〖수학·물리〗 상수, 불변수[량]; 율; 〖논리〗 정항(定項); 〖교육〗 (중등 교육 과정의) 필수 기초 과목 ▷ cónstantly *ad.*; cónstancy *n.*

con·stant·an [kάnstəntæ̀n | kɔ́n-] *n.* Ⓤ 콘스탄탄 《구리와 니켈의 합금; 전기의 저항선》

cónstant compànion 신실한 벗; (미·속어) 애인 《신문 용어》

cónstant dóllar 고정[불변] 달러 《인플레이션 부분을 제거한 실질 달러 가치; 기호 C$》

Con·stan·tia [kanstǽnʃə, -ʃiə | kɔn-] *n.* Ⓤ 콘스탄샤 포도주 《Cape Town 부근산(産)》; 여자 이름

Con·stan·tine [kάnstəntìːn, -tàin | kɔ́nstəntàin] *n.* **1** 남자 이름 **2 ~ the Great** 콘스탄티누스 대제 (288?-337)

Con·stan·ti·no·ple [kɑ̀nstæntənóupl | kɔ̀n-] *n.* 콘스탄티노플 《터키의 Istanbul의 구칭; 동로마 제국의 수도》

cón·stant-lév·el ballóon [kάnstəntlévəl- | kɔ́n-] 정(定)고도 기구(氣球)

‡con·stant·ly [kάnstəntli | kɔ́n-] *ad.* **끊임없이,** 항상, 노상(continually); 자주, 빈번히(frequently): That girl is on the phone ~. 저 여자는 노상 전화에 매달려 있다.

con·sta·ta·tion [kɑ̀nstətéiʃən | kɔ̀n-] *n.* Ⓤ 확인, 입증; 주장(assertion)

con·sta·tive [kənstéitiv] *a.* 〖문법〗 아오리스트(aorist) 용법의; 〖논리〗 진술적인, 사실 확인의; 참 또는 거짓일 수 있는 — *n.* 〖논리〗 확인적인 발언; 사실 확인문(文)

con·stel·late [kάnstəlèit | kɔ́n-] *vt., vi.* 〖천문〗 성좌를 형성하다; 떼를 짓다(cluster)

***con·stel·la·tion** [kɑ̀nstəléiʃən | kɔ̀n-] 〔L 「성군(星群)」의 뜻에서〕 *n.* **1** 〖천문〗 **별자리,** 성좌; 〖점성〗 성위(星位), 성운(星運) **2** 화려한 신사 숙녀의 무리(galaxy); 화려한 것의 무리 《*of*》 **3** 형(型); 배치, 배열 **4** (유사물의) 모임, 무리 ▷ cónstellate *v.*

con·ster·nate [kάnstərnèit | kɔ́n-] *vt.* [보통 수동형으로] 깜짝 놀라게 하다, 간담을 서늘하게 하다(dismay): *be* ~*d* 깜짝 놀라다

con·ster·na·tion** [kɑ̀nstərnéiʃən | kɔ̀n-] *n.* Ⓤ **깜짝 놀람,** 대경실색(dismay)(opp. *composure*) ***in [***with***] ~ 깜짝 놀라서 ***throw into*** ~ 깜짝 놀라게 하다

con·sti·pate [kάnstəpèit | kɔ́n-] *vt.* **1** [보통 수동형으로] 변비에 걸리게 하다: *be* ~*d* 변비에 걸리다 **2** 움직임을 방해하다

con·sti·pa·tion [kɑ̀nstəpéiʃən | kɔ̀n-] *n.* Ⓤ **1** 변비 **2** 침체, 둔화, 정체

con·stit·u·en·cy** [kənstítʃuənsi | -tju-] *n.* (*pl.* **-cies**) **1** [집합적] **선거권자,** 유권자, 선거구민(voters) **2** 선거구 **3** [집합적] 후원자, 지지자; 단골, 고객(clients), 구매자 ***establish a ~ 기반을 쌓다 ***nurse*** one***'s*** ~ (영) 〈국회의원이〉 선거구의 기반을 보강하다(《미》 mend one's fences)

***con·stit·u·ent** [kənstítʃuənt | -tju-] 〔constitute와 같은 어원〕 *a.* **1** Ⓐ **구성하는,** 만들어 내는, 성분[요소]이 되는 **2** 대의원 선출의; 선거[지명]권을 가진; 헌법 제정[개정]권을 가진: a ~ body 선거 모체 《유권자 단체》/ ~ power 헌법 제정[개정]권
— *n.* **1 선거권자,** 선거인(voter), 선거구민 **2** 성분, (구성) 요소; 조성[구성]물 **3** 대리 지정인, (대리인에 대한) 본인(principal) **4** 〖언어〗 구성 요소 ***immediate*** [***ultimate***] ~ 〖언어〗 직접[종극] 구성 요소
▷ constitútion, constítuency *n.*; cónstitute *v.*

Constítuent Assémbly [the ~] 〖프랑스사〗 제헌 국민 의회(1789-91)

constítuent strúcture 〖언어〗 = PHRASE STRUCTURE

‡con·sti·tute [kάnstətjùːt | kɔ́nstitjùːt] 〔L 「함께 조립하다」의 뜻에서〕 *vt.* (문어) **1 구성하다,** 구성 요소가 되다, 〈상태를〉 만들어 내다; [보통 수동형으로] …한 성질[체질]이다: Not telling the whole truth ~*s* lying. 모든 사실을 말하지 않는 것은 거짓말을 하는 것이다. // (~+목+부) She *is* delicately ~*d*. 그녀는 체격이 가냘프다. **2** 제정하다, 설립[설치]하다 **3** 임명하다(appoint), 선정하다(elect): (~+목+보) ~ a person chairman …을 의장으로 선출하다 / be ~*d* representative of …의 대표자로 선정되다 **4** 〈위협 등을〉 (…에게) 주다 《*to*》 ~ one***self*** (a leader) 스스로 (지도자)가 되다, (지도자)로 자처해서 나서다 ***the*** ~***d authorities*** 현직원; 관계 당국
▷ constitútion *n.*; constítuent, cónstitutive *a.*

‡con·sti·tu·tion [kɑ̀nstətjúːʃən | kɔ̀nstitjúː-] *n.*

> 구성된 것
> →(일반적으로) 「구성」 **1**
> →(구체적으로) →(인간의) 「체질, 체격」 **2**
> →(법체계로서의) 「헌법」 **3**

1 Ⓤ **구성,** 구조, 조직(composition); 골자, 본질 **2** ⓊⒸ **체질, 체격;** 기질, 성질, 성격: have a good [strong, poor, weak] ~ 체질이 건강[튼튼, 빈약, 허약]하다 **3 a 헌법;** 정관; 규약: establish a ~ 헌법을 제정하다 / a written ~ 성문 헌법 / an unwritten ~ 불문 헌법 **b** [the C~] 미국 헌법 **4** 정체(政體), 국체(國體); 〖역사〗 율령(律令) **5** Ⓤ 제정; 설립, 설치 **6** (기존의) 제도, 관행 ***by*** ~ 타고난 체질상; 본질적으로 ***have a cold*** ~ 냉한 체질이다 ***monarchical*** [***republican***] ~ 군주[공화] 정체 ***suit*** [***agree with***] one***'s*** ~ 체질[성격]에 맞다 ***undermine*** one***'s*** ~ 신체를 해치다, 몸을 버리다
▷ cónstitute *v.*; constitútional *a.*

***con·sti·tu·tion·al** [kɑ̀nstətjúːʃənl | kɔ̀nstitjúː-] *a.* **1 헌법(상)의;** 입헌적인; 합법의: a ~ assembly 헌법 제정 의회 / a ~ government 입헌 정치[정체] / a ~ crisis 헌정(憲政)의 위기 / a ~ law 헌법에 준거한 법률 **2** 체질상의, 체격의; 타고난: a ~ disease 체질성 질환 / a ~ infirmity[weakness] 타고난 허약 (체질) **3** 구조[조직]상의 **4** 보건(상)의, 건강을 위한, 건강에 좋은 《산책 등》
— *n.* 건강을 위한 운동, 산책; (미·속어) 하루 중 처음 먹는 술[마약]
~·ìsm *n.* Ⓤ 입헌 정치; 헌법 옹호 **~·ist** *n.* 헌법론자; 헌법학자; 입헌주의자
▷ constitútion, constitutionálity *n.*; constitútionalize *v.*; constitútionally *ad.*

Constitútional Convéntion [the ~] 〖미국사〗 헌법 제정 회의 《1787년 5월 Philadelphia에서 개최》

constitútional còurt 헌법 재판소

constitútional fórmula 〖화학〗 구조식(structural formula)

con·sti·tu·tion·al·i·ty [kɑ̀nstətjùːʃənǽləti | kɔ̀nstitjùː-] *n.* Ⓤ 입헌성; 합헌[합법]성

con·sti·tu·tion·al·ize [kɑ̀nstətjúːʃənəlàiz | kɔ̀nstitjúː-] *vt.* 입헌제로 하다; 합법화하다

con·sti·tu·tion·al·ly [kɑ̀nstətjúːʃənəli | kɔ̀nstitjúː-] *ad.* **1** 입헌적으로, 헌법상 **2** 나면서부터, 체질적으로 **3** 구조상으로

constitútional mónarchy 입헌 군주 정체, 입헌 군주국(limited monarchy)

constitútional psychólogy 체질 심리학

thesaurus **constrain** *v.* **1** 강요하다 force, compel, drive, impel, oblige, press, urge **2** 억제하다 restrict, hold back, hinder, limit, restrain

Constitútion Stàte [the ~] 미국 Connecticut 주의 속칭
con·sti·tu·tive [kɑ́nstətjù:tiv | kɔ́nstitjù:-] *a.* **1** 구성적인, 구조의; 구성 성분인; 요소의 **2** 제정[설정]적인, 제정[설정]권이 있는 **3** 〖물리·화학〗 구조성의 **4** 〖철학〗 (칸트 철학에서) 구조적인 **~·ly** *ad.*
con·sti·tu·tor, -tut·er [kɑ́nstətjù:tər | kɔ́nstitjù:-] *n.* 구성[조직]자
constr. construction; construed
‡**con·strain** [kənstréin] *vt.* **1** 억지로 …시키다, 강요하다(compel): ~ obedience 복종을 강요하다 // (~+목+*to* do) He ~*ed* her *to* go. 그는 그녀를 억지로 가게 했다. **2** [보통 수동형으로] 억누르다, 억제하다, 압박하다(repress); 감금하다: (~+목+전+명) He *was* ~*ed in* the prison. 그는 교도소에 수감되었다. **3** 괴롭게 하다 **4** 무리하게[필연적으로] 발생시키다 ***be ~ed to*** do 부득이[어쩔 수 없이] …하다 **~ one*self*** 자제하다 ***feel ~ed*** 하는 수 없다고 여기다; 거북하게 느끼다 ▷ constráint *n.*
con·strained [kənstréind] *a.* 강제적인; 압박당한, 무리[부자연]한; 거북살스러운; 갑갑한: a ~ manner 부자연스러운 태도 / a ~ voice[smile] 억지로 내는 소리[억지 미소] / ~ motion 〖물리〗 속박 운동
con·strain·ed·ly [kənstréinidli] *ad.* 억지로, 하는 수 없이; 부자연스레; 난처하여
con·stráin·ing fórce [kənstréiniŋ-] 〖물리〗 속박력
*__con·straint__ [kənstréint] *n.* Ⓤ **1** 강제, 압박; 속박 **2** 거북[조심]스러움, 어색함 **3** (감정·욕망의) 억제 **4** 〖언어〗 제약, 제한 ***by ~*** 무리하게, 억지로 ***feel*** [***show***] **~** 거북하게 느끼다 ***under*** [***in***] **~** 압박을 받아, 억지로, 하는 수 없이 ▷ constráin *v.*
con·strict [kənstríkt] *vt.* 죄다; 압축하다; 수축시키다; 〈활동 등을〉 억제[제한]하다 **—** *vi.* 수축하다[되다]
con·stric·tion [kənstríkʃən] *n.* **1** Ⓤ 긴축, 압축, 수축; 바싹 죄어지는 듯한 느낌, 속박감; Ⓒ 죄는[죄어지는] 것 **2** 〖생리·병리〗 협색(증)
con·stric·tive [kənstríktiv] *a.* 바싹 죄는, 긴축적인, 괄약적(括約的)인, 수렴성의
— *n.* 〖음성〗 마찰음(fricative)
con·stric·tor [kənstríktər] *n.* **1** 압축시키는 것 **2** 〖해부〗 괄약[수축]근; (혈관의) 압박기 **3** 먹이를 졸라 죽이는 큰 뱀(=boa ~)
con·stringe [kənstríndʒ] *vt.* 수축시키다; 수렴시키다; 긴축하다
con·strin·gen·cy [kənstríndʒənsi] *n.* Ⓤ 수축, 수렴(성) **-gent** [-dʒənt] *a.* 긴축하는; 수렴성의
con·stru·a·ble [kənstrú:əbl] *a.* 해석[분석]할 수 있는
‡**con·struct** [kənstrʌ́kt] [L 「함께 세우다」의 뜻에서] *vt.* **1** 건설[건조]하다, 세우다, (부품 등을) 조립하다(⇨ build 유의어; opp. *destroy*): ~ a bridge 다리를 놓다 / ~ a house 집을 짓다 **2** 〖기하〗 〈도형을〉 작도하다, 그리다(draw) **3** 〈문장·논문 등을〉 구성하다
— [kɑ́nstrʌkt | kɔ́n-] *n.* **1** 건조[구조]물; 구성체 **2** 〖심리〗 복합 심상[개념] **3** 〖언어〗 구성체 **4** 〖논리〗 구성 개념 **5** 구성주의 작품 **con·strúct·i·ble** *a.*
con·struct·ed [kənstrʌ́ktid] *a.* 《미·속어》 〈여자가〉 몸매가 좋은
‡**con·struc·tion** [kənstrʌ́kʃən] *n.* **1** Ⓤ 건조, 건설, 건축, 축조(opp. *destruction*); 건설 공사[작업]; 건설[건축]업: ~ laborers 건설 공사의 인부 / ~ work 건설 공사 **2** Ⓒ 건물, 건조물; 조립식 무대 장치 **3** Ⓤ 구조; 건축 양식, 구조법(structure): steel ~ 철골 구조 **4** Ⓤ 〖기하〗 작도 **5** Ⓒ (어구·문장·법률·행위 등의) 해석 (★ 이 말의 동사는 construe) **6** Ⓒ 〖문법〗 (문장·어구의) 구조; 구문; (문장·이론 등의) 작성, 구성 **7** Ⓤ 〖미술〗 3차원의 예술 작품, 입체 구성

---

construct *v.* build, erect, set up, raise
constructive *a.* useful, helpful, productive, practical, positive, valuable, virtual

bear a ~ 어떤 해석을 할 수 있다 ***put a false ~ on*** 〈남의 언행을〉 일부러 곡해하다 ***put a good*** [***bad***] ***~ upon*** …을 선의[악의]로 해석하다 ***under*** [***in course of***] **~** 건설 중(인), 공사 중(인)
▷ constrúct *v.*; constrúctive *a.*
con·struc·tion·al [kənstrʌ́kʃənl] *a.* 건설상의; 구성적인, 구조상의; 해석상의 **~·ly** *ad.*
con·struc·tion·ist [kənstrʌ́kʃənist] *n.* **1** 《미》 (법률) 해석자 **2** 구성파 화가 **-ism** *n.* 〖미술〗 구성주의
constrúction lòan 〖금융〗 (부동산 프로젝트에 대한) 건설 (단기) 융자
constrúction pàper (크레용·잉크용의) 색도화지, 미술 공작용 색종이
constrúction sìte 공사 현장
*__con·struc·tive__ [kənstrʌ́ktiv] *a.* **1** 건설적인(opp. *destructive*): ~ criticism 건설적[적극적] 비판 **2** 구조적인, 구성적인 **3** 〖법〗 해석에 의한; 추정적인: ~ crime 추정 범죄 **4** 〖기하〗 작도의 **5** 〖미술〗 구성주의의 **~·ly** *ad.* **~·ness** *n.*
constrúctive dismíssal 〖영국법〗 의제(擬制) 해고 (겉보기에는 자발적 퇴직이지만 실상은 부당 해고의 일종으로 간주되는 퇴직)
con·struc·tiv·ism [kənstrʌ́ktivìzm] *n.* Ⓤ 〖미술〗 구성주의 **-ist** *n.*
con·struc·tor [kənstrʌ́ktər] *n.* **1** 건설자, 건조자; 건설 회사 **2** 조선 기사(造船技師)
*__con·strue__ [kənstrú:] [L 「만들어 내다」의 뜻에서] *vt.* **1** 해석하다, …의 뜻으로 파악하다, 번역하다(interpret) **2** 추론하다 **3** 〖문법〗 〈어·구를〉 문법적으로 설명[분석]하다, 글의 구성 요소를 분석하다; (…와) 문법적으로 결합하다 (*with*): (~+목+전+명) The verb 'rely' is usually ~*d with* the preposition 'on' or 'upon'. 동사 'rely'는 보통 전치사 'on' 또는 'upon'과 함께 쓰인다.
— *vi.* 구문을 분석하다; (문법적으로) 분석할 수 있다; 해석할 수 있다(cf. CONSTRUCTION 5)
— [kɑ́nstru: | kənstrú:] *n.* 〖문법〗 **1** Ⓤ 구문 분석, 분석 연습 **2** 직역, 축어역 ▷ constrúction *n.*
con·sub·stan·tial [kɑ̀nsəbstǽnʃəl | kɔ̀n-] *a.* 동질의, …와 동체의 (*with*) **~·ism** *n.* Ⓤ 〖신학〗 성체 공존설; 삼위 일체설 **~·ist** *n.* **~·ly** *ad.*
con·sub·stan·ti·al·i·ty [kɑ̀nsəbstæ̀nʃiǽləti | kɔ̀n-] *n.* Ⓤ 동체[동질]임; 삼위 일체
con·sub·stan·ti·ate [kɑ̀nsəbstǽnʃièit | kɔ̀n-] *vt.* 동체[동질]로 하다 **—** *vi.* **1** 동체가 되다 **2** 성체 공존설을 믿다
con·sub·stan·ti·a·tion [kɑ̀nsəbstæ̀nʃiéiʃən | kɔ̀n-] *n.* Ⓤ 〖신학〗 (성체) 공존설[공재설]
con·sue·tude [kɑ́nswitjù:d | kɔ́nswitjù:d] *n.* Ⓤ 관습(custom); 관례(usage); 불문율
con·sue·tu·di·nar·y [kɑ̀nswitjú:dənèri | kɔ̀nswitjú:dinəri] *a.* 관습의, 관례상의(customary): the ~ law 관습법, 불문율 **—** *n.* **1** Ⓤ 관습법, 불문율 **2** Ⓒ 관례서, (수도원 등의) 식례집(式例集)
*__con·sul__ [kɑ́nsəl | kɔ́n-] *n.* **1** 영사 **2** 〖로마사〗 집정관(執政官) (정원 2명); 〖프랑스사〗 집정 (1799-1804의 최고 행정관) ***acting*** [***honorary***] **~** 대리[명예] 영사 ▷ cónsular *a.*
con·su·lage [kɑ́nsəlidʒ | kɔ́nsju-] *n.* Ⓤ 〖상업〗 영사 증명 수수료
*__con·su·lar__ [kɑ́nsələr | kɔ́nsju-] *a.* **1** 영사(관)의: a ~ assistant 영사보(補) / a ~ attaché[clerk] 영사관 직원[서기] **2** 〖로마사〗 집정관의
— *n.* 〖로마사〗 집정관과 동격인 사람 (전 집정관 등)
cónsular àgent 영사 대리
cónsular ínvoice 영사 (증명) 송장(送狀)
con·su·late [kɑ́nsələt | kɔ́nsju-] *n.* **1** 영사관 **2** =CONSULSHIP **3** [the C~] 〖프랑스사〗 집정 정부 시대(1799-1804) **4** [종종 C~] (고대 로마의) 집정 정치
cónsulate géneral (*pl.* **consulates general**) 총영사관; 총영사의 직[권한]

cónsul géneral (*pl.* **consuls general**) 총영사
con·sul·ship [kánsəlʃìp | kɔ́n-] *n.* Ⓤ 영사의 직[임기]
‡**con·sult** [kənsʌ́lt] [L 「잘 생각하다」의 뜻에서] *vt.* **1** 〈전문가에게〉 **의견을 묻다,** 상담[상의]하다 《*on, about*》; 〈의사에게〉 보이다, **진찰받다**: ~ a lawyer 변호사에게 상담하다 **2** 〈참고서·사전 등을〉 **참고하다,** 찾다; 〈시계 등을〉 보다: ~ a watch (시간을 알려고) 시계를 보다 **3** 고려하다, 염두에 두다, 짐작하다 ★ 현재는 consider 쪽이 일반적임. **~ *a mirror*** (안색을 살피려고) 거울을 보다 **~ *one's own interests* [*convenience*]** 자기의 이해[편의]를 고려하다 **~ *one's pillow*** 자면서 찬찬히 생각하다 **~ *a person's pleasure*** …의 형편[의향]이 어떤가 묻다 **~ *one's pocketbook*** 주머니 사정을 고려하다
— *vi.* **1** 상의[의논]하다 《*with*》: 《~+전+명》 ~ *with* a person *about*[*on*] a matter 어떤 일에 대해 남과 상의하다 USAGE 「전문가와 상담하다, 의견을 듣다」의 뜻일 경우, 《영》에서는 타동사를 쓰고, 《미》에서는 자·타동사를 모두 쓰지만 자동사 쪽이 일반적이다. **2** (회사 등의) 컨설턴트 직을 맡다 《*for*》
— *n.* 상담, 협의(회); 비밀 회의 **~·a·ble** *a.*
▷ consultátion *n.*; consúltative, consúltatory *a.*
con·sul·tan·cy [kənsʌ́ltənsi] *n.* 컨설턴트업; 상담
⁎**con·sul·tant** [kənsʌ́ltənt] *n.* **1 컨설턴트, 상담역,** 고문 **2** 《영》 (병원의) 부장, 과장 《각 과의 최고 전문의; 그 밑에 registrar(임상 연수의), houseman(인턴)이 있음》 **3** 상의자(consulter) **4** 사립 탐정
⁎**con·sul·ta·tion** [kὰnsəltéiʃən | kɔ̀n-] *n.* **1** Ⓤ **상담, 상의**; 자문; 진찰[감정]을 받음 《*with*》: a ~ room 진찰실 / ~ about one's personal affairs 신상 상담 / charge $5 for a single ~ 1회 진료[감정]에 5달러를 청구하다 / Doctors have ~*s with* their patients. 의사들은 환자와 상담을 한다. **2** Ⓒ (전문가의) 회의; 협의회, 심의회 **3** Ⓤ (서적 등의) 참고, 참조 《*of*》 ▷ consúlt *v.*; consúltative, consúltatory *a.*
con·sul·ta·tive [kənsʌ́ltətiv, kánsəltèi- | kənsʌ́ltə-], **-ta·to·ry** [-tɔ̀:ri | -təri] *a.* 상의[평의, 협의]의; 자문의: a ~ body[committee] 자문 기관[위원회]
con·sult·er [kənsʌ́ltər] *n.* (남에게) 상의하는[의견을 묻는] 사람, 협의자
con·sult·ing [kənsʌ́ltiŋ] *a.* Ⓐ 상담역의, 자문의, 고문(자격)의; 진찰 전문의; 진찰을 위한: a ~ lawyer 고문 변호사 / a ~ physician 고문 의사 《동료·환자의 상담에 응하는》 / a ~ room 진찰실; 협의실 / ~ hours 진찰 시간 — *n.* 자문, 조언; 진찰
consúlting firm 컨설턴트 회사
con·sul·tive [kənsʌ́ltiv] *a.* = CONSULTATIVE
con·sul·tor [kənsʌ́ltər] *n.* 상담자, 충고자; 〖가톨릭〗 《특히》 로마 성청(聖廳) 고문
con·sum·a·ble [kənsú:məbl | -sjú:-] *a.* 소비[소모]할 수 있는, 고갈되기 쉬운: a ~ ledger 소모품 원장[원부] — *n.* [보통 *pl.*] 소모품, 소비재
‡**con·sume** [kənsú:m | -sjú:m] [L 「완전히 가지다」의 뜻에서] *vt.* **1 소비하다, 다 써 버리다**(use up); 소모하다; 〈시간·돈 등을〉 낭비하다(waste): My car ~*s* much gas. 내 차는 휘발유를 많이 먹는다. **2** 〈비탄·병 등이〉 소멸시키다, 〈화염이〉 태워 버리다(destroy) **3** 먹다, 마시다, 먹어[마셔] 버리다: ~ a bottle of whiskey 위스키 한 병을 다 마셔 버리다 **4** [보통 수동형으로] 〈질투·증오 등이〉 …의 마음을 빼앗다, 열중시키다, 사로잡다 《*by, with*》 ***be ~d by fire*** 몽땅 불타 버리다 ***be ~d with envy* [*jealousy, ambition, a desire to conquer*]** 시기[질투, 야심, 정복욕]에 불타다 **~ *away*** 낭비하다; 쇠하다
— *vi.* **1** 소비되다, 다하다, 소멸하다; 타 버리다, 소실하다 **2** 바싹 여위다, 초췌해지다 《*with*》 **3** 《미·학생속어》 술을 마시다 ▷ consúmption *n.*; consúmptive *a.*
con·sum·ed·ly [kənsú:midli | -sjú:-] *ad.* 극도로, 몹시(excessively)

‡**con·sum·er** [kənsú:mər | -sjú:mə] *n.* **소비자** (opp. *producer*): an association of ~*s* = 《미》 a ~*s'* union 소비자 조합 / ~(*s'*) price 소비자 가격
consúmer cónfidence (경제 전망에 대한) 소비자의 신뢰, 소비 의욕
consúmer crédit (은행·소매점 등에서 주는) 월부 구매자에 대한 신용
consúmer dúrables 내구 소비재
consúmer gòods[ìtems] 〖경제〗 소비재(cf. CAPITAL GOODS, PRODUCER GOODS)
con·sum·er·ism [kənsú:mərìzm | -sjú:-] *n.* Ⓤ 소비자 중심주의, 소비자 (보호) 운동
-ist *n.*, *a.* 소비자 (보호) 운동가(의)
con·sum·er·i·za·tion [kənsù:mərizéiʃən | -sjù:-mərai-] *n.* 〖경제〗 소비(확대)화 (정책)
consúmer orientàtion 〖마케팅〗 소비자 지향
consúmer príce ìndex 〖경제〗 소비자 물가 지수 (略 CPI)
consúmer resèarch 소비자 (수요) 조사
consúmer resìstance 소비자 저항, 구매 거부 (《미》 sales resistance)
consúmers' goods = CONSUMER GOODS
consúmer socíety 소비 사회
consúmer strìke (소비자의) 상품 불매 운동
consúmer tèrrorism 소비자 테러 《식품 등에 독극물을 넣거나 넣겠다고 협박하는 범죄 행위》
consúmer tèrrorist *n.*
con·sum·ing [kənsú:miŋ | -sjú:-] *a.* **1** 소비하는: the ~ public 일반 소비자 **2** 통절한; 〈느낌·관심 등이〉 절실한: a ~ need to be successful 꼭 성공해야 할 필요
⁎**con·sum·mate** [kánsəmèit | kɔ́n-] *vt.* **1 완성[완료]하다**; 극점에 달하게 하다; (서약·서명으로) 완전하게 하다 **2** (신방에 들어) 〈결혼을〉 완성시키다
— [kənsʌ́mət, kánsə- | kənsʌ́-] *a.* **1** 완성된, 완전한(perfect) **2** Ⓐ 유능한 **3** 〈나쁜 일이〉 극단의, 극도의, 엄청난 **~·ly** *ad.*
▷ consummátion *n.*; cónsummative *a.*
con·sum·ma·tion [kὰnsəméiʃən | kɔ̀n-] *n.* Ⓤ **1** 완성, 완료; 성취, 달성; 정점, 극치; 종말, 죽음 **2** 〖법〗 (초야를 치름에 따른 결혼의) 완성
con·sum·ma·tive [kánsəmèitiv | kɔ́n-] *a.* 완성하는, 끝손질의; 완전한
con·sum·ma·tor [kánsəmèitər | kɔ́n-] *n.* 완성자, 실행자; (한 분야의) 명수
con·sum·ma·to·ry [kənsʌ́mətɔ̀:ri | -təri] *a.* **1** 완전한; 완성하는 **2** 〖심리〗 완료 행동의
consúmmatory behávior 〖동물〗 완료 행동 《자극이나 분명한 동인[충동]의 만족에 반사하여 생기는 형태[행동 양식]》
‡**con·sump·tion** [kənsʌ́mpʃən] *n.* Ⓤ **1 소비**(opp. *production*); 소비량[액]; 〖경제〗 (재화·서비스의) 소비: The speech was meant for foreign ~. 그 연설은 외국인에게 들려주기 위한 것이었다. **2** (체력 등의) **소모**(waste), 소진 **3** (고어) 폐결핵(tuberculosis)
▷ consúme *v.*; consúmptive *a.*
consúmption crédit = CONSUMER CREDIT
consúmption gòods = CONSUMER GOODS
consúmption tàx[dùty] 소비세
con·sump·tive [kənsʌ́mptiv] *a.* **1** 소비의, 소모성의; 파괴적인; 낭비적인 **2** (고어) 폐병의, 폐병질[성]의; 폐결핵에 걸린 — *n.* (고어) 폐결핵 환자
~·ly *ad.* **~·ness** *n.*
cont. containing; content(s); continental; continue(d); continuum; contra; contract; control
Cont. Continental
‡**con·tact** [kántækt | kɔ́n-] [L 「함께 닿다」의 뜻에서] *n.* Ⓤ **1 접촉,** 맞닿음(touching) 《*with*》: body ~

thesaurus **consumer** *n.* user, buyer, purchaser, customer, shopper, client, patron

신체 접촉 **2** [종종 *pl.*] 《미》 교제, 친교(associations); 연락(을 취함); 《구어》 연고, 연줄(connection): get in ~ with …와 접촉[연락]하다 / keep in ~ with …와 접촉[연락]을 유지하다 / lose ~ with …와 접촉[연락]이 끊기다 **3** 〖전기〗 접점, 접촉, 혼선; 〖수학〗 상접(相接), 접촉 **4** Ⓒ 〖의학〗 보균 용의자, 접촉(자) **5** 〖심리〗 접촉(감); 〖군사〗 접전; 〖항공〗 (육안에 의한) 지상 관찰; 〖통신〗 교신(자) **6** Ⓒ (상업적 목적으로) 교섭하고 있는 사람; 《미·구어》 중개 역할을 하는 사람; 《미·속어》 마약상 **7** [보통 *pl.*] 《구어》 = CONTACT LENS **8** 〖지질〗 접촉면, 경계면

be in[***out of***] ***~ with*** …와 접촉하고 있다[있지 않다]; …와 가까이하고 있다[있지 않다] ***break***[***make***] ***~*** 전류를 끊다[통하다]; (…와) 교제를 끊다[시작하다] 《*with*》 ***bring*** (one thing) ***into ~ with*** (another) (다른 것)과 접촉시키다 ***come in***[***into***] ***~ with*** …와 접촉하다; 만나다(come across) ***point of ~*** 〖수학〗 접점 ***the path of ~*** 〖수학〗 접점의 궤적(軌跡)

— *a.* Ⓐ 접촉의[에 의한]; 〈토지 따위가〉 접하고 있는; 〖항공〗 접촉[시계(視界)] 비행의; 교제의

— *ad.* 〖항공〗 접촉[시계] 비행으로

fly ~ 접촉[시계] 비행을 하다

— *v.* [kɑ́ntækt, kəntǽkt | kɔ́ntækt] *vt.* **1** 접촉시키다; 〖통신〗 교신하다 **2** 《구어》 연락을 취하다, 연줄을 달다 **3** 교제하다

— *vi.* (서로) 접촉하다; 〖통신〗 교신하다 《*with*》

con·tact·a·ble [kəntǽktəbl] *a.* 연락 가능한

cóntact àgent 〖화학〗 촉매제(catalyzer)

con·tac·tant [kəntǽktənt] *n.* 〖의학〗 알레르기 유발 물질 《피부나 점막을 통한》

cóntact appròach 〖항공〗 시계(視界) (비행) 진입

cóntact brèaker (전류의) 차단기

cóntact catàlysis 〖화학〗 접촉[촉매] 작용

cóntact cemènt (합판 등에 쓰는) 합성 접착제

cóntact clàuse 〖문법〗 접촉절 《관계대명사 없이 명사에 연결된 관계사절: the man *I saw yesterday*》

cóntact dermatítis 〖병리〗 접촉 피부염

con·tact·ee [kɑ̀ntæktíː | kɔ̀n-] *n.* (공상 과학 소설에서) 피(被)접촉자 《우주인과의》

cóntact electrícity 접촉 전기

cóntact flỳing[**flìght**] 〖항공〗 접촉 비행, 시계(視界) 비행(opp. *instrument flying*)

cóntact hìgh 《미·속어》 감염[간접] 도취 《마약 도취자와 접하거나 연기 냄새로 취하기》

cóntact inhibìtion 〖생물〗 접촉 저지 《배양 세포가 서로 접촉하여 기능이 정지되는 현상》

***cóntact lèns** [종종 *pl.*] 콘택트렌즈: a pair of ~*es* 콘택트렌즈 한 쌍

cóntact màker 〖전기〗 (전류의) 접촉기

cóntact màn (거래 등의) 중개자, 정보 제공자; (관공서 등에 대한) 섭외자; (스파이 등의) 연락원

cóntact metamórphism 〖지질〗 접촉 변성 작용

cóntact mìne 촉발 수뢰[기뢰, 지뢰]

contáct nùmber 연락처 전화번호 《특히 긴급용》

con·tac·tor [kɑ́ntæktər, kəntǽk- | kɔ́ntæk-] *n.* 〖전기〗 접촉기

cóntact pàper **1** 〖사진〗 밀착(인화)지 **2** 뒷면에 점착력이 있는 종이

cóntact potèntial 〖전기〗 접촉 전위차(電位差)

cóntact prìnt 〖사진〗 밀착 인화

cóntact pròcess 〖화학〗 (황산 제조의) 접촉법, 촉매법

cóntact shèet 〖사진〗 밀착 인화지

cóntact spòrt 접촉 스포츠 《복싱 등과 같이 신체의 접촉이 일어나는 경기》

contáct tràcing (성병 감염 등의) 접촉자 추적 조사

cóntact vìsit (교도소의) 접촉[자유] 면회 《수감자와 방문자의 악수·포옹 등이 허용됨》

---

contact *n.* touch, communication, correspondence, connection, association, meeting

---

con·ta·gion [kəntéidʒən] *n.* **1** Ⓤ 접촉 전염[감염](cf. INFECTION): Cholera spreads by ~. 콜레라는 접촉 전염으로 퍼진다. **2** Ⓤ (접촉) 전염병: a ~ ward 전염 병동 **3** ⓊⒸ 《비유》 (사상·태도 등의) 전염, 감화, 영향력; 악영향, 나쁜 감화, 폐풍 《*of*》 **4** 병원체, 병균 **5** 〖생태〗 집중 분포군 **6** 《고어》 독(poison)

***con·ta·gious** [kəntéidʒəs] *a.* **1** (접촉) 전염성의; 전염 독이 있는: a ~ disease 전염병

> 유의어 의학적으로는 구별되어 **contagious**는 접촉에 의한 것. **infectious**는 공기·물 등의 매개에 의한 것인데 일반적으로 혼용되고 있다. 비유적으로는 contagious 쪽이 「빨리 전염하는」의 뜻이 있다.

2 Ⓟ 옮기 쉬운(catching); 보균자의 **3** 〖생태〗 집단을 형성한 **~·ly** *ad.* 전염적으로 **~·ness** *n.*

con·ta·gium [kəntéidʒəm, -dʒiəm | -dʒiəm] *n.* (*pl.* **-gia** [-dʒə, -dʒiə | -dʒiə]) 〖병리〗 전염[감염] 병원체

‡**con·tain** [kəntéin] [L 「함께 보유하다」의 뜻에서] *vt.* **1** 〈용기·장소가〉 담고 있다, 포함하다, 품다, 담을 수 있다; 함유하다: Each pack ~*s* twenty cigarettes. 각 갑에는 20개의 담배가 들어 있다.

> 유의어 **contain** 보통 포함되어 있는 것 전체를 가리킨다: The bottle *contains* two ounces of liquid. 그 병은 2온스의 액체가 들어간다. **include** 어떤 것이 전체의 일부로서 포함되어 있다. ★ 진행형은 쓰지 않는다: The price *includes* postage. 그 가격에는 우송료도 포함되어 있다.

2 (얼마가) 들어가다(hold); …와 같다: A pound ~*s* 16 ounces. 1파운드는 16온스다. **3** 〈감정 등을〉 억누르다, 참다: hardly ~ one's enthusiasm 열정을 억누를 수 없다 **4** 〖기하〗 〈변이 각을〉 끼다, 〈도형을〉 에워싸다; 〖수학〗 〈어떤 수로〉 나누어지다, 〈어떤 수를〉 인수로 가지다: 10 ~*s* 5 and 2. 10은 5와 2로 나누어진다. **5** 〖군사〗 견제하다; 〈적국에〉 봉쇄 정책을 쓰다; 저지하다 ~ one***self*** 참다, 자제하다 **~·a·ble** *a.*

▷ cóntent¹, contáinment *n.*

con·tained [kəntéind] *a.* 억제[자제]하는, 조심스러운; 침착한, 냉정한

‡**con·tain·er** [kəntéinər] *n.* 그릇, 용기; (화물 수송용) 컨테이너

con·tain·er·board [kəntéinərbɔ̀ːrd] *n.* 용기용 판지, 골판지

contáiner càr 컨테이너 (전용) 화차[트럭]

con·tain·er-grown [-gròun] *a.* 〈식물이〉 화분에 심은[기른]

con·tain·er·i·za·tion [kəntèinərizéiʃən | -rai-] *n.* Ⓤ (선박 화물의) 컨테이너 수송

con·tain·er·ize [kəntéinəràiz] *vt.* 〈화물을〉 컨테이너에 싣다, 컨테이너로 수송하다; 〈선박·항만 시설 등을〉 컨테이너 수송 방식으로 하다

con·tain·er·ized [kəntéinəràizd] *a.* 컨테이너에 담긴: ~ cargo 컨테이너 화물

contáiner lòrry 《영》 = CONTAINER CAR

con·tain·er·port [kəntéinərpɔ̀ːrt] *n.* 컨테이너항(港) 《컨테이너 적하 설비가 되어 있는 항구》

con·tain·er·ship [-ʃìp] *n.* 컨테이너선(船)

con·tain·er·ship·ping [-ʃìpiŋ] *n.* Ⓤ 컨테이너 수송(업)

contáiner sỳstem 컨테이너 수송 방식

con·tain·ment [kəntéinmənt] *n.* Ⓤ **1** 견제, 억제; 봉쇄 (정책): a ~ policy 봉쇄 정책 **2** 〖원자력〗 노심의 안전 격납 **3** 〖물리〗 플라즈마 봉쇄

contáinment bòom (유출 석유의 확산을 막는) 봉쇄 방재(防材), 오일 펜스(oil fence)

con·tam·i·nant [kəntǽmənənt] *n.* 오염균[물질]

***con·tam·i·nate** [kəntǽmənèit] *vt.* **1** (폐기물·병원균 등으로) 오염시키다, 더럽히다(defile); 방사능으

로 오염시키다: (~+목+전+명) ~ a river *with* sewage 하수로 강을 오염시키다 **2** 〈성격 등을〉 악에 물들게 하다(taint), 타락시키다 **3** 〖언어〗 〈문장·단어를〉 혼성(混成)하다

con·tam·i·na·tion [kəntæ̀mənéiʃən] *n.* **1** Ⓤ 오염(pollution), 오탁; 더러움; Ⓒ 오탁물; 《비유》 타락 **2** Ⓤ 〖군사〗 독가스[방사능]에 의한 오염: radioactive ~ 방사능 오염 **3** Ⓤ (원문·기록·이야기 등의) 혼합 **4** 〖언어〗 혼성(blending); Ⓒ 혼성어 **5** 〖지질〗 (마그마의) 혼성 (작용), 동화 작용(assimilation)

con·tam·i·na·tive [kəntǽmənèitiv, -nə-] *a.* 오염시키는, 오탁성의

con·tam·i·na·tor [kəntǽmənèitər] *n.* 오염시키는 것[사람]

con·tan·go [kəntǽŋgou] *n.* (*pl.* **~(e)s**) 《영》 〖증권〗 (런던 증권 거래소에서의) 증권 결제 유예금(cf. BACKWARDATION) **—***vt.* 연장[유예]시키다

contángo dày 《영》 증권 결제일

contd continued

conte [kɔ́:nt] [F] *n.* 〖문학〗 콩트, 단편 (소설); (중세의) 설화

con·temn [kəntém] *vt.* 《문어》 경멸[모멸]하다 (despise) **con·tém·ner, -tém·nor** [-*nər*] *n.*

contemp. contemporary

con·tem·pla·ble [kəntémpləbl] *a.* 생각할 수 있는, 꾀할 수 있는

‡con·tem·plate [kántəmplèit, -tem- | kɔ́n-] [L 「관찰의 장소(temple의 원뜻), 가만히(보다)」의 뜻에서] *vt.* **1** 심사숙고하다, 곰곰 생각하다(consider); 묵상하다 **2** 응시하다, 정관(靜觀)하다, 관찰하다 **3** 예기[예상]하다; 몽상하다 **4** 계획[기도]하다, 〈…하려고〉 생각하다(intend): ~ a tour around the world 세계 일주 여행을 계획하다 // (~+***-ing***) ~ resign*ing* at once 즉시 사임하려고 생각하다

—*vi.* 심사숙고하다, 묵상하다(meditate); 명상하다 ▷ contemplátion *n.*; contémplative *a.*

‡con·tem·pla·tion [kὰntəmpléiʃən, -tem- | kɔ̀n-] *n.* Ⓤ **1** 묵상; 숙고, 명상(meditation) **2** 응시, 정관, 관조 **3** 예기, 예상; 기도, 계획

be in* [*under*] ~** 계획 중이다 ***be lost in* ~** 묵상에 잠겨 있다 ***have something ***in* [*under*] ~** …을 계획하고 있다 ***in* ~ *of*** …을 예기[고려]하여

con·tem·pla·tive [kəntémplətiv, kántəmplèi- | kəntémplə-, kɔ́ntəmplèi-] *a.* 정관적[관조적]인; 명상적인, 묵상에 잠겨 있는: a ~ life (은거자 등의) 명상적 생활 ***be* ~ *of*** …을 응시[숙고]하다

—*n.* 묵상에 잠기는 사람, 명상적인 사람 《특히 수도사·수녀》 **~·ly** *ad.*

con·tem·pla·tor [kántəmplèitər, -tem- | kɔ́n-] *n.* 숙고[묵상]자, 깊이 생각하는 사람

con·tem·po [kəntémpou] [*contemporary*] *a.* 《구어》 최신식의; 현대의, 새로운

con·tem·po·ra·ne·i·ty [kəntèmpəraní:əti] *n.* Ⓤ 같은 시대[시기]임

con·tem·po·ra·ne·ous [kəntèmpəréiniəs] *a.* 《문어》 동시 존재[발생]의, 동시성의; (…와) 동시대의 《*with*》 **~·ly** *ad.* **~·ness** *n.*

‡con·tem·po·rar·y [kəntémpərèri | -rəri] [L 「같은(con-) 시대의(temporary)」의 뜻에서] *a.* **1** 같은 시대의 《*with*》, 그 당시의: ~ writers 동시대의 작가들 / ~ accounts 당시의 기록 **2** 현대의, 당대의(modern) 《보통은 예술이나 추상적인 것에 관해서 씀》: ~ literature[writers] 현대 문학[작가들] / ~ opinion 시론(時論) **3** 동시의, 동시에 발생한(simultaneous) **4** (거의) 같은 나이의

—*n.* (*pl.* **-rar·ies**) **1** 같은 시대의 사람; 현대인 **2** 동기생; 동년배의 사람 **3** 같은 시대의 신문[잡지 등]

our contemporaries 우리와 같은 시대의 사람들, 현대인들 ***our* ~** 〖신문〗 동업지

con·tem·po·rar·i·ly [-tèmpərérəli] *ad.*

▷ contemporanéity *n.*; contémporize *v.*

con·tem·po·rize [kəntémpəràiz] *vt.* (…와) 동시대[동시기]에 두다[의 것으로 간주하다] 《*with*》; 현대화하다 **—***vi.* 시기[시대]를 같이하다

‡con·tempt [kəntémpt] *n.* Ⓤ **1** [종종 a ~] 경멸(disdain), 멸시, 업신여김, 모욕, 모멸(⇨ scorn 유의어) **2** 치욕, 창피, 수치(disgrace) **3** 〖법〗 모욕죄

beneath* ~** 경멸할 가치조차 없는 ***bring* [*fall*] *into* ~** 창피를 주다[당하다] ***bring upon one***self the* ~ *of*** …의 멸시를 초래하다 **~ *of Congress*** 《미》 국회 모욕(죄) **~ *of court*** 법정 모욕(죄) ***have* [*feel*] *a* ~ *for*** …을 경멸하다 ***hold* [*have*] *in* ~** 업신여기다, 〈물건을〉 천히 여기다 ***in* ~ *of*** …을 경멸하여 ***show* ~** 경멸하다 ▷ contémptuous *a.*

∗con·tempt·i·ble [kəntémptəbl] *a.* 경멸할 만한, 멸시할, 치사한, 비열한, 한심한

con·tèmpt·i·bíl·i·ty *n.* **~·ness** *n.* **-bly** *ad.*

∗con·temp·tu·ous [kəntémptʃuəs] *a.* **1** 남을 얕잡아보는, 경멸적인; 오만한; Ⓟ (…을) 경멸하여 《*of*》: (~+***of***+명) He was ~ *of* colored people. 그는 유색 인종을 멸시했다. **2** (위험을) 무시하는, 무릅쓰는, 아랑곳하지 않는 《*of*》 **~·ly** *ad.* **~·ness** *n.* Ⓤ 오만무례 ▷ contémpt *n.*

‡con·tend [kənténd] [L 「함께 뻗다, 함께 겨루다」의 뜻에서] *vi.* **1** (곤란·불운 따위와) 싸우다 《*with, against*》; (상(賞) 등을 목표로) 다투다, 경쟁하다 《*with*》: (~+전+명) ~ *with* difficulties 곤란과 싸우다 / ~ *against* one's fate 운명과 싸우다 / ~ *for* freedom 자유를 위해 싸우다 / ~ *with* a person *for* a prize …와 상을 다투다 **2** (…와) 논쟁하다 《*with, against*》: (~+전+명) ~ *with* a person *about* a matter 어떤 일로 …와 논쟁하다 ***have much to* ~ *with*** 많은 곤란[문제]이 있다

—*vt.* (강력히) 주장하다(maintain): (~+***that*** 절) Columbus ~*ed that* the earth is round. 콜럼버스는 지구가 둥글다고 주장했다.

~·er *n.* **~·ing·ly** *ad.*

▷ conténtion *n.*; conténtious *a.*

‡con·tent¹ [kántent | kɔ́n-] *n.* ★ 단수형은 대개 추상적인 의미나 성분의 양을 표시하고, 복수형은 대개 구체적인 것을 가리킴. **1** [보통 *pl.*] (그릇·상자 등의) 내용물, 안에 든 것: the ~*s* of the safe 금고의 내용물 **2** [보통 *pl.*] (서적·문서 등의) 내용, 기사; 목차, 항목: a table of ~*s* 차례, 목차, 목록 **3** (작품·논문 등의) 취지, 요지, 진의; (형식에 대하여) 내용(opp. *form*); 〖철학〗 개념의 내용; (의식·경험의) 내용; 〖심리〗 반응 내용; 〖논리〗 내포 개념을 규정하는 속성 개념 **4** 함유량, 산출량 **5** (어떤 용기의) 용량; 〖기하〗 용적, 면적: solid[cubical] ~(*s*) 용적, 체적(volume) **6** 〖언어〗 (의미) 내용(opp. *expression*) **7** [*pl.*] 〖컴퓨터〗 (인터넷 상의) 정보, 콘텐츠; (PC 통신으로 제공되는) 데이터, 소프트웨어

▷ contáin *v.*

‡con·tent² [kəntént] [L 「모두 포함된」의 뜻에서] *a.* Ⓟ **1** (그런 대로) 만족하여 《*with*》 (「아주 만족하여」는 satisfied; Ⓐ의 경우는 contented를 사용함); (…하는 것만으로) 만족하여, 안심하여: live[die] ~ 만족하고 살다[죽다] // (~+***to*** do) She is ~ *to* stay here all the year. 그녀는 1년 내내 여기에 머무는 데 만족하고 있다. // (~+전+***-ing***) Today a man can't be ~ *with* just earn*ing* a living. 오늘날 사람들은 생계비를 버는 것만으로는 만족하지 않는다. **2** 《영》 찬성하여 ★ 상원에서는 yes, no 대신에 ~, not ~라고 말함; 하원에서는 aye, no라고 함.

—*n.* Ⓤ 《문어》 만족(감)(opp. *discontent*); [*pl.*] 《영》 (상원에서) 찬성 투표(자)(opp. *noncontent*)

in* ~** 만족하여 ***to one***'s heart's* ~** 마음껏, 실컷

—*vt.* **1** …에게 만족을 주다, 만족시키다(⇨ satisfy

thesaurus **contemplate** *v.* meditate over, think about, ponder, consider, reflect over

contemporary *a.* **1** 동시대의 coexisting, syn-

유의어) **2** [~ oneself로] (…에) 만족하다, 감수하다 《*with*》(⇨ contented) ▷ conténtment *n.*

cón·tent-ad·dress·a·ble mémory [-ədrès-əbl-] 〖컴퓨터〗 연상 기억 장치

cóntent anàlysis [kántent- | kɔ́n-] 〖심리〗 내용 분석

*__con·tent·ed__ [kənténtid] *a.* (…에) 만족한 《★ contentd보다 구어적임》(opp. *discontented*), 달갑게 …하는 《*with, to* do》: a ~ look[smile] 만족스러운 표정[미소] / He is ~ *with* his present life. 그는 현재 생활에 만족하고 있다. **~·ly** *ad.* **~·ness** *n.*

con·tent-free [-friː-] *a.* 〈정보가〉 알맹이가 없는

*__con·ten·tion__ [kənténʃən] *n.* **1** UC 말다툼, 논쟁, 논전 **2** 논쟁점, 주장 **3** U 다툼, 싸움, 분쟁 **4** 경쟁 **5** 〖컴퓨터〗 경합(競合), 경쟁 《복수의 단말이 공유하는 회로에서 동시에 송신할 때 생기는 상태》 ***a bone of*** ~ 분쟁[불화]의 원인 ▷ contén d *v.*; conténtious *a.*

con·ten·tious [kənténʃəs] *a.* **1** 다투기 좋아하는, 논쟁하기 좋아하는(quarrelsome) **2** 〈문제 등이〉 이론(異論)이 분분한, 말썽이 있는 **3** 〖법〗 계쟁(係爭)의: a ~ case 계쟁[쟁송] 사건 **~·ly** *ad.* **~·ness** *n.*

con·ten·tive [kənténtiv] *n.* 〖언어〗 내용어(content word)

*__con·tent·ment__ [kənténtmənt] *n.* U 만족, 흡족함, 안도감; 《고어》 만족시키는 것: live in peace and ~ 평화롭고 만족스럽게 살다 ▷ contént[2] *a.*, *v.*

cóntent provìder [kántent- | kɔ́n-] 〖컴퓨터〗 (인터넷 상에서 텍스트·화상·음성 등으로 된) 정보[내용] 제공자[기업]

cóntent sìte 〖컴퓨터〗 정보[내용]가 많은 웹사이트

cóntent sùbject 〖교육〗 내용 과목 《실용 과목과 대조하여 철학·역사 등 그 자체를 목적으로 하는 교과; cf. TOOL SUBJECT》

cóntent wòrd 〖문법〗 내용어 《실질적 의미 내용을 가진 낱말》(cf. FUNCTION WORD)

con·ter·mi·nal [kəntə́ːrmənəl | kɔn-, kən-] *a.* = CONTERMINOUS

con·ter·mi·nous [kəntə́ːrmənəs | kɔn-, kən-] *a.* **1** 공통 경계의; (…와) 경계를 서로 접하는, 인접한 《*to, with*》 **2** 동일 연장(延長)의 〈공간·시간·의미 등〉 **~·ly** *ad.* **~·ness** *n.*

con·tes·sa [kəntésə] [It.] *n.* 백작 부인; 여백작

⁑**con·test** [kántest | kɔ́n-] [L 「함께 증언하다」의 뜻에서] *n.* **1** 경쟁, 겨루기, 경기, 경연, 콘테스트; 다툼, 항쟁, 싸움(struggle): a speech ~ 변론 대회 / a beauty ~ 미인 대회 / a bloody ~ *for* power 피비린내 나는 권력 투쟁 **2** 논쟁, 논전(dispute)

— [kəntést] *vt.* **1** 논쟁하다, 다투다(dispute): ~ a suit 소송 싸움을 하다 **2** 〈승리·상·의석 등을 얻고자〉 다투다, 겨루다 《*with, against*》: (~+목+전+명) ~ a victory *with* a person …을 상대로 승리를 겨루다 **3** 〈선거·결과 등에〉 이의를 제기하다

— *vi.* (…와) 논쟁하다; 경쟁하다(contend) 《*with, against*》 **~·er** *n.* ▷ contestátion *n.*

con·test·a·ble [kəntéstəbl] *a.* 다툴 수 있는, 논쟁할 수 있는 **~·ness** *n.* **-bly** *ad.*

con·test·ant [kəntéstənt] *n.* 경기자; 논쟁자, 경쟁자, 경쟁 상대; (선거 결과·유언 등의) 이의 신청자

con·tes·ta·tion [kàntestéiʃən | kɔ̀n-] *n.* U 논쟁, 쟁론, 쟁송(爭訟); 쟁점, 주장 ***in*** ~ 계쟁 중의

con·tést·ed elèction [kəntéstid-] 《영》 경쟁 선거; 《미》 (낙선자가) 이의를 제기한 선거

con·test·ee [kàntestíː | kɔ̀n-] *n.* 경쟁자, 경기자

*__con·text__ [kántekst | kɔ́n-] [L 「함께 짜넣다, 짜맞추다」의 뜻에서] *n.* **1** CU 문맥, (문장의) 전후 관계; (어떤 일의) 정황, 배경, 환경 **2** 〖균류〗 버섯의 육질 (부분) ~ ***of situation*** 〖언어〗 장면적 문맥 《언어가 사용되는 장면을 중시》 ***in this*** ~ 이러한 관계[정황]에 있어서(는) ***out of*** ~ 문맥을 벗어나, 전후 관계없이 **~·less** *a.* ▷ contéxtual *a.*

chronous **2** 현대의 present, current, latest, recent
contest *n.* **1** 경쟁 competition, match, game, tournament **2** 싸움 battle, fight, combat

con·tex·tu·al [kəntékstʃuəl] *a.* (문장의) 전후 관계의, 문맥상의 **~·ly** *ad.*

con·tex·tu·al·ism [kəntékstʃuəlìzm] *n.* U 〖철학〗 콘텍스트 이론 《언명(言名)·개념은 문맥을 떠나서는 의미를 이루지 못한다는 이론》 **-ist** *n.*, *a.*

con·tex·tu·al·ize [kəntékstʃuəlàiz] *vt.* …의 상황[문맥]을 설명하다, 맥락화하다 **-tèx·tu·al·i·zá·tion** *n.*

con·tex·ture [kəntékstʃər] *n.* UC 조직, 구조; 얽어 짠 것; 문장의 구성; 직물(fabric)

contg containing

con·ti·gu·i·ty [kàntəgjúːəti | kɔ̀n-] *n.* (*pl.* **-ties**) UC 접근, 접촉, 인접(proximity); 연속, 연속된 넓이; 〖심리〗 (시간·공간상의) 접근, 관념 연상 ***in*** ~ ***with*** …와 근접해서

con·tig·u·ous [kəntígjuəs] *a.* 접촉하는, 인접하는(adjacent) 《*to*》; 〈사건 등이〉 끊임없는, 연속된(continuous) 《*to, with*》 **~·ly** *ad.* **~·ness** *n.*

contin. continued

con·ti·nence, -nen·cy [kántənəns(i) | kɔ́nti-] *n.* U 《문어》 자제, 극기; (성욕의) 절제, 금욕; 배설 억제 능력

⁑**con·ti·nent**[1] [kántənənt | kɔ́nti-] [L 「연속된(continuous) 토지」의 뜻에서] *n.* **1** 대륙; 육지; (섬·반도에 대하여) 본토 **2** [the C~] (영국에서 본) 유럽 대륙; 《미》 북미 대륙: on *the C*~ 유럽 대륙에서는 ***the Dark C~*** 암흑 대륙 《아프리카》 ***the New C~*** 신대륙 《남북 아메리카》 ***the Old C~*** 구대륙 《유럽·아시아·아프리카》 ▷ continéntal *a.*

continent[2] *a.* 《문어》 **1** 자제심 있는, 극기의 **2** 성욕을 절제하는, 금욕의 **3** P 배설 자제력이 있는 **~·ly** *ad.* 자제하여

⁑**con·ti·nen·tal** [kàntənéntl | kɔ̀nti-] *a.* **1** 대륙의, 대륙성[풍]의: a ~ climate 대륙성 기후 **2** [보통 **C~**] 유럽 대륙(풍)의 **3** [**C~**] 〖미국사〗 (독립 전쟁 당시의) 미국 식민지의 **4** 북미(대륙)의

— *n.* **1** 대륙 사람; [보통 **C~**] 유럽 대륙 사람 **2** 〖미국사〗 (독립 전쟁 당시의) 미국 대륙의 군대 **3** 《미·속어》 미국 지폐 《폭락했던》 ***not care*** [***worth***] ***a*** ~ 《미·속어》 조금도 개의치 않는[한푼의 가치도 없는] **~·ìsm** *n.* U 대륙주의, 대륙인 기질 **~·ist** *n.* 유럽 대륙주의[도취]자 **~·ly** *ad.* ▷ cóntinent[1] *n.*; continéntalize *v.*

continéntal bréakfast (빵과 커피[홍차] 정도의) 가벼운 아침 식사 《略 CB》(cf. ENGLISH BREAKFAST)

continéntal clímate 대륙성 기후

continéntal códe 대륙 부호, 국제 모스 부호(international Morse code)

Continéntal Cóngress [the ~] 〖미국사〗 대륙 회의 《미국 독립 혁명 당시 미국 13개 식민지의 대표자 회의》

continéntal divíde [the ~] 대륙 분수령[계]; [the C- D-] 《미》 로키 산맥 분수계

continéntal dríft 〖지질〗 대륙 이동(설)

continéntal ísland 대륙도, 대륙에 딸린 섬(opp. *oceanic island*)

con·ti·nen·tal·ize [kàntənéntəlàiz | kɔ̀nti-] *vt.* 대륙식으로 하다, 대륙적 규모로 하다; [때로 **C~**] 유럽 문화의 영향을 주다 **-nèn·tal·i·zá·tion** *n.* U 대륙화

continéntal pláte 〖지질〗 대륙 플레이트

continéntal quílt 《영》 깃털 이불(duvet)

continéntal séating [종종 **C- s-**] (극장에서) 중앙 통로를 두지 않고 좌석 사이를 넓게 잡는 배치 방식

continéntal shélf 〖지리〗 대륙붕

continéntal slópe 〖지리〗 대륙 사면(斜面)

Continéntal Súnday [the ~] (유럽) 대륙식 일요일 《예배·휴식보다 위락으로 보내는》

Continéntal Sỳstem [the ~] 〖역사〗 대륙 봉쇄 《1806년 Napoleon이 영국에 대해 사용한 정책》

contiénental térrace 대륙 단구(段丘)
con·tin·gence [kəntíndʒəns] *n.* **1** 접촉(contact) **2** = CONTINGENCY
con·tin·gen·cy [kəntíndʒənsi] *n.* (*pl.* **-cies**) **1** Ⓤ 우연성(chance) **2** 우발 사건, 뜻밖의 사고(accident); (우발 사건에 따른) 부수 사고: a future ~ 장차 일어날지도 모르는 일 **3** 임시 비용 **4** 계약의 부대 조항
in the supposed ~ 만일 그런 일이 생기는 경우에
not ... by any possible ~ 설마 …않겠지
contíngency fèe (미) = CONTINGENT FEE
contíngency fùnd 우발 위험 준비금
contíngency plàn 긴급 사태 대책(emergency plan)
contíngency resèrve 우발 손실[위험] 준비금
contíngency tàble 〖통계〗 분할표
con·tin·gent [kəntíndʒənt] *a.* **1** (…에) 부수하는(incidental) (*to*); (…)나름으로의, (…을) 조건으로 하는(conditional) (*on, upon*): a fee[remuneration] ~ *on* success 성공 사례금[보수] **2** 〖법〗 불확정의: ~ remainder 불확정 잔여권 **3** 혹 있을지도 모르는(possible) **4** 우발적인, 우연의, 뜻밖의(accidental); 임시의, 일시적인 **5** 〖논리〗 〈명제가〉 경험적인
— *n.* **1** 분담(액) **2** 분견대[함대]; 파견단, 대표단 **3** 우연히 발생한 사항, 뜻밖의 일; 부수 사건
~·ly *ad.* 우연히; 의존적으로
contíngent beneficiary 〖보험〗 우발(偶發) 수익자, 차순위 보험금 수취인
contíngent fée (변호사 등의) 성공 사례금
contíngent jòb 임시직
contíngent liabílity 〖법〗 불확정 책임 (장래의 사건 발생에 따라 확정되는 책임)
contíngent wòrker 임시 고용 노동자
con·tin·u·a [kəntínjuə] *n.* CONTINUUM의 복수
con·tin·u·a·ble [kəntínjuəbl] *a.* 계속할 수 있는, 계속되는
‡**con·tin·u·al** [kəntínjuəl] *a.* **1** 계속적인, 잇따른 (★ 이 뜻으로는 continuous가 일반적): ~ fear 지속되는 두려움 **2** 자주 일어나는, 빈번한, 되풀이 되는: ~ complaining 빈번한 불평
▷ contínue *v.*; contínually *ad.*; contínuance *n.*
‡**con·tin·u·al·ly** [kəntínjuəli] *ad.* **1** 계속해서, 계속적으로, 끊임없이, 줄곧 **2** [진행형으로] 되풀이해서 (repeatedly), 빈번히: He's ~ complain*ing*. 그는 노상 불평이다.
***con·tin·u·ance** [kəntínjuəns] *n.* ⓊⒸ **1** 계속, 연속; 계속 기간; 영속

> 유의어 **continuance** continue의 자동사적 의미 「계속되다」의 명사형 **continuation** continue의 타동사적 의미 「계속하다」의 명사형 **continuity** continue의 명사형이 아니라 continuous의 명사형, 「연속성, 계속 상태」

2 존속, 지속; 체류 (*in*) **3** (이야기·소설 등의) 계속, 속편(sequel) **4** 〖미국법〗 (소송 절차의) 연기, (재판의) 속행 **5** (폐어) 영속[불변](성) ***of long*** [***short, some***] ~ 오래[잠시, 상당히] 지속되는[된]
▷ contínue *v.*; contínual *a.*
con·tin·u·ant [kəntínjuənt] *a.* 〖음성〗 계속음의 (자음에 대하여 말함)
— *n.* 〖음성〗 계속음 (연장할 수 있는 자음 [f, v, s, r] 등); 〖철학〗 계속체(體), 자기 동일성의 유지
***con·tin·u·a·tion** [kəntìnjuéiʃən] *n.* **1** Ⓤ 계속됨, 연속; 존속, 지속(⇨ continuance 유의어) **2** (중단 후) 계속, 재개; (이야기 등의) 계속, 속편(sequel): *C*~ follows. 이하 다음 호에 계속.(To be continued.) **3** Ⓤ 연장(prolongation) (*of*); 증축 **4** (영) 〖상업〗 (결산의) 이연(移延); 이월 거래(contango)
▷ contínue *v.*; contínuative *a.*
continuátion clàss (야간의) 보충 학습반
continuátion dày (영) = CONTANGO DAY
continuátion schòol (근로 청소년을 위한) 보습(補習) 학교; (캐나다의 벽지에 있는) 소규모 중학교
con·tin·u·a·tive [kəntínjuèitiv, -njuə-|-nju-] *a.* 연속적인, 계속적인; 연달은; 〖문법〗 계속 용법의 (opp. *restrictive*); 〈생각이〉 연관되어 있는
— *n.* 연속하는 것; 〖문법〗 계속사 (관계대명사·접속사·전치사 등) **~·ly** *ad.* **~·ness** *n.*
con·tin·u·a·tor [kəntínjuèitər] *n.* 계속하는 사람[것]; 인계받은 사람, 계승[후계]자
‡**con·tin·ue** [kəntínju:] [L 「함께 보유하다, 병렬시키다」의 뜻에서] *vt.* **1** 계속하다, 지속하다(opp. *stop*): They ~*d* their journey. 그들은 여행을 계속했다. // (~+***to*** do) Prices will ~ *to* creep higher. 물가는 계속해서 오를 것이다. // (~+***-ing***) He ~*d* work*ing* for a long time. 그는 오랫동안 일을 계속했다. **2** (중단했다가 다시) 계속하다 (resume 쪽이 일반적), 계속하여 진술하다, 말을 잇다: (~+목+전+명) *Continued on*[*from*] page 20. 20페이지로[에서] 계속. **3** 계속[존속]시키다: (~+목+전+명) ~ a boy *at* school 소년을 계속 학교에 다니게 하다 **4** 연장하다 (prolong) **5** 〖법〗 연기하다; 〖상업〗 이월하다, 이연(移延)하다 ***To be ~d.*** 이하 다음 호에 계속.
— *vi.* **1** 계속되다, 계속하고 있다(go on): His speech ~*d* an hour. 그의 연설은 한 시간 동안 계속되었다. // (~+전+명) ~ *on* one's course (기존) 방침대로 계속하다 **2** 존속하다, 계속하다(last); 머무르다 (*at, in*): (~+전+명) ~ *in* the faith of one's fathers 조상의 신앙을 지키다 / ~ *at* one's post 유임하다 / ~ *in* power[office] 권좌[직무]에 계속 머무르다 **3** [보어와 함께] 계속 …이다: (~+보) if you ~ obstinate 네가 계속 고집을 부린다면 **4** (공간적으로) 이어져 있다, 연장되어 있다
con·tín·ued *a.* **con·tín·u·er** *n.* 계속자; 연속물
▷ contínuance, continuátion, contínuum, continúity *n.*; contínual, contínuous *a.*
contínued bónd 상환 연기 공채[회사채]
contínued fráction 〖수학〗 연(連)분수
contínued propórtion 〖수학〗 연비례
con·tin·u·ing [kəntínju:iŋ] *a.* 연속적인, 계속적인; 갱신할 필요가 없는, 영구적인 **~·ly** *ad.*
contínuing[**contínued**] **educátion** 평생 교육 (최신 지식·기능을 가르치는 성인 과정)
***con·ti·nu·i·ty** [kàntənjú:əti|kɔ̀ntinjú:-] *n.* (*pl.* **-ties**) **1** Ⓤ 연속(성, 상태)(⇨ continuance 유의어); 계속; 연달음; (논리적인) 밀접한 연속 관계 **2** 〖영화·방송〗 촬영[방송] 대본, 콘티; (프로 사이에 넣는 방송자의) 연락 말[음악] **3** 연속체, 관련된 전체 **4** 〖수학〗 (함수 등의) 연속 **5** 연속 영사(映寫)
▷ contínue *v.*; contínuous *a.*
continúity clèrk = CONTINUITY MAN
continúity equàtion 〖물리〗 연속 방정식
continúity gìrl 〖영화〗 여성 촬영 기록 담당원
continúity màn 〖영화〗 남성 촬영 기록 담당원
continúity prògram 〖상업〗 계속 주문 (고객의 중지 요청이 없는 한 계속 보내줌)
con·tin·u·o [kəntínjuòu] [It.] *n.* (*pl.* **~s**) 〖음악〗 콘티누오, 통주 저음(通奏低音)(figured bass) (화성은 변하지만 저음은 일정한 것)
‡**con·tin·u·ous** [kəntínjuəs] *a.* **1** 끊임없는, 연속적인, 그칠 줄 모르는 〈비·소리 등〉: a ~ stream of telephone calls 계속되는 전화 소리 **2** 〖식물〗 마디가 없는 **3** 〖수학〗 〈함수가〉 연속의: a ~ group 연속군(群) **4** 〖문법〗 진행형의 ***be ~ with*** …와 연관되어 있다 **~·ness** *n.* ▷ contínue *v.*; continúity *n.*
contínuous asséssment 〖교육〗 연속[계속] 평가 (학생의 공부를 교과 과정의 단계마다 평가함)

> **thesaurus** **continue** *v.* **1** 계속하다 go on, carry on, keep on, maintain, sustain, retain (opp. *stop, discontinue*) **2** (다시) 계속하다 resume, renew **3** 계속되다 go on, carry on, last, remain, persist

continuous bráke (기차의) 관통(貫通) 브레이크
continuous creátion thèory 〖천문〗 = STEADY STATE THEORY
continuous cúrrent 〖전기〗 직류
continuous cútter[míner] 〖채광〗 연속 채탄기
con·tin·u·ous-form [-fɔ̀:rm] *a.* 〖컴퓨터〗 〈프린터 용지가〉 연속 용지인
continuous fórms[páper] 〖컴퓨터〗 연속 용지
continuous fúnction 〖수학·통계〗 연속 함수
continuous índustry 일관 생산업 《원료에서 제품까지 한 곳에서 이루어지는》
***con·tin·u·ous·ly** [kəntínjuəsli] *ad.* 계속해서, 연속적으로, 끊임없이
continuous spéctrum 〖물리〗 연속 스펙트럼
continuous státionery (컴퓨터용) 연속 인쇄 용지
continuous ténse [the ~] 〖문법〗 진행 시제 (progressive tense)
continuous wáve 〖통신〗 지속파 《略 CW》
con·tin·u·um [kəntínjuəm] *n.* (*pl.* **-tin·u·a** [-tínjuə]) **1** 연속(체): a space-time ~ 시공(時空) 연속체, 4차원 **2** 〖수학〗 연속체 **3** 〖생태〗 군집 연속
con·to [kántou | kɔ́n-] [Port.] *n.* (*pl.* **~s** [-z]) 콘토 《화폐 단위, 브라질의 1,000 cruzeiros, 포르투갈의 1,000 escudos》
con·toid [kántɔid | kɔ́n-] 〖음성〗 *n.* 자음 같은 음 (cf. VOCOID) **—** *a.* 자음 같은
con·tor·ni·ate [kəntɔ́:rniət, -nièit] *a., n.* 가장자리에 깊은 홈이 있는 〈메달·동전〉
con·tort [kəntɔ́:rt] *vt.* **1** 잡아 비틀다, 찡그리다: a face *~ed* with pain 고통으로 일그러진 얼굴 **2** 〈말뜻·글뜻 등을〉 곡해하다 《*out of*》 **—** *vi.* 〈얼굴 등이〉 일그러지다; 일그러져 (…이) 되다 《*into*》
con·tort·ed [kəntɔ́:rtid] *a.* 왜곡된; 일그러진
con·tor·tion [kəntɔ́:rʃən] *n.* ⓊⒸ **1** 비틀기, 비꼼; 찌푸림, 찡그림, 일그러짐; (바위 등의) 기괴한 모양: make *~s* of the face 얼굴을 찡그리다 **2** (의미 등의) 왜곡, 곡해
con·tor·tion·ist [kəntɔ́:rʃənist] *n.* (몸을 마음대로 구부리는) 곡예사 **con·tòr·tion·ís·tic** *a.*
con·tor·tive [kəntɔ́:rtiv] *a.* 비틀어지게 하는; 비틀어지기 쉬운; 비틀어진 **~·ly** *ad.*
***con·tour** [kántuər | kɔ́n-] [L 「함께 돌다, 빙 둘러싸다」의 뜻에서] *n.* **1** 윤곽(outline), 외형, 외곽 **2** 윤곽선; 〖지리〗 등고선, 등심선(等深線)(=~ line) **3** [보통 *pl.*] 《미》 개략; 형세 **4** 〖도안〗 (두 색 사이의) 구분선 **5** 〖미술〗 윤곽의 미; [종종 *pl.*] (여자) 몸의 곡선 **6** 〖음악〗 음조 곡선 **7** (지도를 보며) 하이킹하기
— *a.* Ⓐ **1** 윤곽[등고]을 나타내는 **2** 〖농업〗 등고선을 따라 파종[경작]하는 **3** (의자 등을) 체형에 맞게 만든
— *vt.* **1** …의 윤곽[외형]을 그리다[나타내다, 이루다]; …의 등고선을 긋다 **2** 산허리에 〈길을〉 내다 **3** 〈경사지를〉 등고선을 따라 경작하다 **4** 〈산의〉 기복을 따르다
cóntour chàsing 〖항공〗 (지형의 고저에 따라 나는) 등고선 저공 비행
con·toured [kántuərd | kɔ́n-] *a.* **1** 윤곽이 있는: It is smoothly ~ to look like a racing car. 그것은 경주용 차처럼 윤곽이 부드럽다. **2** 등고선이 있는
cóntour fàrming 〖농업〗 등고선 농경
cóntour fèather 〖조류〗 큰 깃털 《날개·꼬리 등 새의 몸매를 이루는 억센 깃털》
cóntour ìnterval 〖지리〗 등고(선) 간격
cóntour lìne 〖지리〗 등고선, 등심선; 〖수학〗 투영법에 의한 외곽선
cóntour màp 〖지리〗 등고선 지도
cóntour plòwing 〖농업〗 등고선식 경작
cóntour shèet 매트리스를 싸는 시트

---

contour *n.* outline, silhouette, profile
contract *n.* agreement, compact, covenant, settlement, arrangement, transaction, bargain, deal, treaty, commitment, bond

cóntour tòne 〖언어〗 곡선 음조 《음의 높이의 변화를 곡선적으로 나타내는 것; 중국의 4성 등》
contr. contract(ed); contraction; contralto; contrary; contrasted; control(ler)
con·tra[1] [kántrə | kɔ́n-] *prep.* …에 (반)대하여 (against), …과 대조해서 **~ *credit*[*debit*]** 대변[차변]에 대하여
— *ad.* 반대로 ***pro and ~*** 찬부 양면에서
— *n.* **1** [보통 *pl.*] 반대 의견[투표] **2** 〖부기〗 반대측 ***pros and ~s*** 찬부 양론[투표]
contra[2] *n.* (*pl.* **~s**) [종종 **C~**] 니카라과 반정부 세력
contra-[1] [kántrə | kɔ́n-] *pref.* 「역(逆), 반(反), 항(抗)…(against, contrary); 〖음악〗 대(對)…(opposite to)」의 뜻
contra-[2] *pref.* 〖음악〗 1옥타브 낮게 조음한
con·tra·band [kántrəbæ̀nd | kɔ́n-] *a.* (수출입) 금지[금제]의: ~ goods (수출입) 금지품/a ~ trader 밀수업자 **—** *n.* **1** ⓊⒸ 밀매매품, 밀수품; (전시(戰時)) 금(禁)제품; 불법 거래, 밀수 **2** 〖미국사〗 (남북 전쟁 당시에 북군 편으로 도망친) 흑인 노예 ***absolute*** [***conditional***] **~** 절대[조건부] 금제품 **~ *of war*** 전시 금제품 《교전 상대국에 중립국이 보내는 화물; 교전국이 몰수권을 가짐》
~·ist *n.* 밀수업자, (금제품) 밀매자(smuggler)
con·tra·bass [kántrəbèis | kɔ̀ntrəbéis] *n.* 〖음악〗 콘트라베이스(double bass) 《가장 큰 현악기》; 《일반적으로》 최저음 악기
~·ist *n.* 콘트라베이스 연주자

contrabass

con·tra·bas·soon [kɑ̀ntrəbəsú:n | kɔ̀n-] *n.* 〖음악〗 콘트라바순(double bassoon)
con·tra·cept [kɑ̀ntrəsépt | kɔ̀n-] *vt.* 수태시키지 않다, 피임시키다
con·tra·cep·tion [kɑ̀ntrəsépʃən | kɔ̀n-] [*contra*+*conception*(임신)] *n.* Ⓤ 피임(법); 산아 제한
con·tra·cep·tive [kɑ̀ntrəséptiv | kɔ̀n-] *a.* 피임(용)의 **—** *n.* 피임약[용구]
con·tra·clock·wise [kɑ̀ntrəklákwaiz | kɔ̀ntrəklɔ́k-] *a., ad.* =COUNTERCLOCKWISE
*****con·tract** [kántrækt | kɔ́n-] [L 「함께 서로 끌다」의 뜻에서] *n.* **1** 계약, 약정; 《미·구어》 청부: a verbal[oral] ~ 구두 계약, 언약/a written[sales] ~ 서면[매매] 계약/a temporary[formal] 가[정식] 계약 **2** 《속어》 살인 청부; 계약서; 계약법; (정치상) 뇌물 수수(bribe) **3** 약혼 **4** 〖카드〗 =CONTRACT BRIDGE
by ~ 청부로 ***make*** [***enter into***] ***a ~ with*** …와 계약을 맺다 ***put … out to ~*** …을 청부하다, 하청주다 ***social ~*** ⇨ social contract. ***under ~*** (…와) 계약하여, 계약하에 《*with*》
— *a.* (계약에 의해) 일을 청부맡은
~ *cut* 《속어》 협정 파기 **~ *year*** 〖광고〗 계약 기간
— *v.* [kəntrǽkt] *vt.* **1** [kántrækt | kɔ́n-] 계약하다, 청부[도급]맡다(⇨ contracted 3): (~+목+전+명) ~ a work *to* the construction company 그 토건 회사에 공사를 도급 주다 **2** (…와) 약혼시키다 《*to, with*》(⇨ contracted 3); 〈친교 등을〉 맺다 《*to, with*》: *be* ~ *to* …와 약혼이 되어 있다 **3** 〈버릇이〉 들다; 〈감기·병에〉 걸리다; 〈빚을〉 지다 **4** 〈근육을〉 수축시키다, 긴축하다; 〈상을〉 찌푸리다: ~ one's eyebrows[forehead] 눈살[이맛살]을 찌푸리다 **5** 좁히다; 단축하다; 〈어·구·문장을〉 단축[축약]하다
— *vi.* **1** 줄어들다, 수축하다(opp. *expand*) **2** [kántrækt | kɔ́n-] 청부 계약을 하다 《*with, for*》 **3** 약혼하다
as ~ed 계약대로 **~ (*a*) *friendship*** [***a marriage***] ***with*** …와 친교[혼인]를 맺다 **~ *in*** [***out***] (정식으로) 참가[불참] 계약을 하다 **~ *out*** 청부하다, 도급을 주다 **~ one*self in*** 참가 계약을 하다 《*to, on*》 **~ one*self***

out of (...) 〈계약·협약 등을〉 파기하다; (…에서) 탈퇴하다; 계약에 의하여 (…을) 면하다
▷ contráction *n.*; contráctile, contráctive *a.*
cóntract brídge 〖카드〗 콘트랙트 브리지 《auction bridge의 변형》
cóntract càrrier 계약[전속] 수송업자
con·tract·ed [kəntrǽktid] *a.* **1** Ⓐ 수축한; 찌푸린; 단축한, 축약한 **2** 옹졸한, 인색한(mean) **3** [kάntræktid | kəntrǽk-] 계약한; 약혼한 《*to, with*》: be ~ *to* …와 약혼한 상태이다 **~·ly** *ad.* **~·ness** *n.*
cóntract hìre 《영》 계약 임대, 리스(lease)
con·tract·i·ble [kəntrǽktəbl] *a.* 줄어드는, 줄일 수 있는; 수축성의 **con·tràct·i·bíl·i·ty** *n.* **-bly** *ad.*
con·tract·ile [kəntrǽktil, -tail | -tail] *a.* 수축성의[이 있는]; 수축하는: ~ muscles 수축근
con·trac·til·i·ty [kὰntræktíləti | kɔ̀n-] *n.* Ⓤ 수축성, 신축성
con·tract·ing [kəntrǽktiŋ] *a.* **1** 수축성이 있는 **2** [kάntræk- | kɔ́n-] 계약의: ~ parties 계약 당사자; 동맹 체결국 **3** 약혼의
*__con·trac·tion__ [kəntrǽkʃən] *n.* Ⓤ **1** 수축, 단축; 〖의학〗 (근육의) 위축, (출산시 자궁 근육의) 수축 **2** (통화·자금 등의) 축소, 제한 **3** 〖수학〗 축약(縮約); 생략산(算) **4** Ⓒ 〖문법〗 단축 《do not를 don't로 하는 것 등》; 단축형, 단축어 《He'll, I'm 등》(cf. ABBREVIATION) **5** 〈빚을〉 짐; 〈병에〉 걸림; 〈버릇이〉 듦; 〈교제를〉 맺음 《*of*》 **6** (경제·생산 활동의) 저하, 감퇴, 불황 **~·al** [-ʃənl] *a.* ▷ contráct *v.*; contráctive *a.*
con·trac·tive [kəntrǽktiv] *a.* 수축성의, 수축력이 있는 **~·ly** *ad.* **~·ness** *n.*
cóntract lábor 계약 노동(자)
cóntract màrriage (일정 기간의) 계약 결혼
cóntract nòte 계약 보고서; 매매 계약서
*__con·trac·tor__ [kάntræktər | kəntrǽk-] *n.* **1** 계약자; (건축 등의) 청부인, 도급자, 토건업자 **2** 수축하는 것; 〖생리〗 수축근(cf. RETRACTOR)
con·trac·tu·al [kəntrǽktʃuəl] *a.* 계약상의, 계약에 보증된 **~·ly** *ad.* 계약상(으로)
con·trac·ture [kəntrǽktʃər] *n.* 〖병리〗 구축(拘縮), 경축(痙縮) 《근육 등 수축의 고정 상태》 **-tured** *a.*
con·tra·cy·cli·cal [kὰntrəsáiklikəl | kɔ̀n-] *a.* 〖경제〗 경기(景氣) 조정(형)의 〈정책〉(countercyclical)
con·tra·cy·cli·cal·i·ty [kὰntrəsàiklikǽləti | kɔ̀n-] *n.* Ⓤ 〖경제〗 경기 조정
con·tra·dance [kάntrədæ̀ns, -dὰ:ns | kɔ́ntrədὰ:ns] *n.* = CONTREDANSE
*__con·tra·dict__ [kὰntrədíkt | kɔ̀n-] 〚L 「반대하여 말하다」의 뜻에서〛 *vt.* **1** 부정[부인]하다(⇨ deny 유의어); 반박하다, 반대하다 **2** 〈사실·진술이〉 모순되다 **—*vi.*** 반대하다, 부인하다, 반박하다; 모순되다
~ one***self*** 모순된 말을 하다, 자가당착에 빠지다
~·a·ble *a.* **~·er, -díc·tor** *n.* ▷ contradíction *n.*; contradíctory, contradíctious, contradíctive *a.*
*__con·tra·dic·tion__ [kὰntrədíkʃən | kɔ̀n-] *n.* Ⓤ **1** 부정, 부인; 반박, 반대 **2** 모순, 자가당착, 상반; 모순된 말[행위, 사실] ***a ~ in terms*** 〖논리〗 모순 논리(율) ***in ~ to*** …와 정반대로 ▷ contradíct *v.*
con·tra·dic·tious [kὰntrədíkʃəs | kɔ̀n-] *a.* 반박하기[논쟁하기] 좋아하는 《★ contradictory 쪽이 일반적》; 《고어》 자기 모순의 **~·ly** *ad.* **~·ness** *n.*
con·tra·dic·tive [kὰntrədíktiv | kɔ̀n-] *a.* = CONTRADICTORY
*__con·tra·dic·to·ry__ [kὰntrədíktəri | kɔ̀n-] *a.* **1** 모순된, 양립하지 않는, 자가당착의 《*to*》: be ~ *to* each other 서로 모순되다 **2** 반박[반항]적인
—*n.* (*pl.* **-ries**) **1** 반박론, 부정적 주장; 〖논리〗 모순 대당(對當)(의 관계); 자기 모순 **2** 정반대의 사물, 반대론 **-ri·ly** *ad.* **-ri·ness** *n.*
con·tra·dis·tinc·tion [kὰntrədistíŋkʃən | kɔ̀n-] *n.* Ⓤ 대조 구별, 대비(對比) ***in ~ to*** [***from, with***] …와 대비하여
con·tra·dis·tinc·tive [kὰntrədistíŋktiv | kɔ̀n-] *a.* 대조적으로 다른, 대비적인 **~·ly** *ad.*
con·tra·dis·tin·guish [kὰntrədistíŋgwiʃ | kɔ̀n-] *vt.* (…와) 대조[비교]하여 구별하다, 대비하다 《*from*》
con·tra·fac·tive [kάntrəfǽtiv | kɔ́n-] *a.* 〖문법〗 〈동사가〉 비사실성의(cf. FACTIVE, NONFACTIVE)
con·tra·flow [kάntrəflòu | kɔ́n-] *n.* 《영》 (도로 보수 등으로 인한) 대향 차선 통행; 역류
con·trail [kάntreil | kɔ́n-] [*con*densation+*trail*] *n.* (비행기 등의) 비행운(雲)(vapor trail)
con·tra·in·di·cate [kὰntrəíndikèit | kɔ̀n-] *vt.* 〖의학〗 〈증후가〉 〈약·요법에〉 금기(禁忌)를 나타내다
con·tra·in·di·ca·tion [kὰntrəìndikéiʃən | kɔ̀n-] *n.* Ⓤ 〖의학〗 금기
con·tra·lat·er·al [kὰntrəlǽtərəl | kɔ̀n-] *a.* (몸의) 반대쪽에 일어나는, 반대쪽의 유사한 부분과 연동하는, 대측성(對側性)의
con·tral·to [kəntrǽltou] [It.] 〖음악〗 *n.* (*pl.* **~s, -ti** [-ti:]) 콘트랄토 《tenor와 soprano의 중간, 여성(女聲) 최저음》(⇨ bass[1] 관련); 콘트랄토 가수[악기]
—*a.* 콘트랄토 (음역)의
con·tra·oc·tave [kὰntrəάktiv | kɔ̀ntrəɔ́k-] *n.* 〖음악〗 콘트라옥타브, 아래 1점(음표), 1점음 옥타브
con·tra·pose [kάntrəpòuz | kɔ́n-] *vt.* 대치(對置)시키다; 〖논리〗 〈명제를〉 대우(對偶)시키다
con·tra·po·si·tion [kὰntrəpəzíʃən | kɔ̀n-] *n.* ⓊⒸ 대치(對置), 대립; 〖논리〗 대우(對偶), 환질 환위(換質換位)(법) ***in ~ to*** [***with***] …에 대치하여
con·tra·pos·i·tive [-pάzətiv | -pɔ́z-] *a.*
con·tra·prop [kάntrəprὰp | kɔ́ntrəprɔ̀p] *n.* 〖항공〗 동축(同軸) 프로펠러
con·trap·tion [kəntrǽpʃən] *n.* 《구어》 신안(新案), 새 고안물; 《경멸》 기묘한 장치
con·tra·pun·tal [kὰntrəpʌ́ntl | kɔ̀n-] *a.* 〖음악〗 대위법(對位法)의[에 의한] **~·ly** *ad.*
con·tra·pun·tist [kὰntrəpʌ́ntist | kɔ̀n-], **-tal·ist** [-təlist] *n.* 대위법에 능한 작곡가
con·trar·i·an [kəntrέəriən] *n.* **1** 반대 의견을 가진 사람 **2** 〖증권〗 (통념과 반대되는 투자를 하는) 역(逆)투자가 **—*a.*** **1** 반대 의견의 **2** 〖증권〗 역투자의
con·tra·ri·e·ty [kὰntrəráiəti | kɔ̀n-] *n.* (*pl.* **-ties**) ⓊⒸ 반대; 불일치; 상반하는 점[사실]; 모순점; 〖논리〗 반대
con·trar·i·ly [kάntrerəli | kɔ́n-] *ad.* **1** [문장을 수식하여] 이에 반하여 **2** [kəntrέərə-] 《구어》 외고집으로, 심술궂게
con·trar·i·ness [kάntrerinis | kɔ́n-] *n.* Ⓤ **1** 반대, 모순 **2** [kəntrέəri-] 《구어》 외고집, 옹고집
con·trar·i·ous [kəntrέəriəs] *a.* 《미·방언》 외고집의(perverse); 《고어》 반대의 **~·ly** *ad.* **~·ness** *n.*
con·trar·i·wise [kάntreriwàiz | kɔ́ntrəri-] *ad.* **1** 반대로, 거꾸로 **2** 이에 반하여(on the contrary) **3** [kəntrέəri-] 《구어》 외고집으로, 심술궂게
‡**con·trar·y** [kάntreri | kɔ́ntrəri] 〚L 「반대의」의 뜻에서〛 *a.* **1** 반대의(⇨ opposite 유의어); Ⓟ …에 반하는, 반대되는, (…와) 상반되는 《*to*》: a ~ current 역류 / ~ *to* fact 사실과 반대로 **2** 적합하지 않은, 불리한: ~ weather 악천후 **3** [또는 kəntrέəri] 《구어》 심술궂은, 외고집의 **4** 〖식물〗 직각의
—*n.* (*pl.* **-trar·ies**) **1** [the ~] 정반대, 역(逆): Quite *the* ~. 완전히 정반대다. / He is neither tall nor *the* ~. 그는 키가 크지도 않고 그 반대도 아니다. **2** [*pl.*] 상반하는 사물 **3** 〖논리〗 반대 명제[명사(名辭)] ***by contraries*** 정반대로; 예상과는 반대로 ***on the***

thesaurus **contradiction** *n.* **1** 부정 denial, disputing, countering, refuting **2** 모순 variance, disagreement, conflict, clash, inconsistency
contrary *a.* opposing, contradictory, clashing, conflicting, contrasting, incompatible
contrast *n.* difference, dissimilarity, distinction,

~ 이에 반하여, 그러하기는커녕 ***to the ~*** 그와 반대로[의], 그렇지 않다는; …임에도 불구하고
— *ad.* 반대로, 거꾸로, 반하여 《*to*》
act ~ to …에 거역하다 ***~ to** one**'s expectation*** 예기한 바에 반하여, 뜻밖에도
— *vt.* 《방언》 …에 반대하다, 반박하다
▷ contraríety, cóntrariness *n.*; cóntrarily, cóntrariwise *ad.*

cóntrary mótion 〖음악〗 역진행 《한 성부(聲部)가 올라갈 때 다른 성부가 내려가는》

con·tra·sea·son·al [kὰntrəsí:znəl | kɔ̀n-] *a.* 시기[계절]에 벗어난

‡con·trast [kάntræst | kɔ́ntrɑ:st] 〔L 「반대하여 서다」의 뜻에서〕 *n.* **1** 대조, 대비 《*to, with*》; 〖미술·수사학〗 대조법 **2** (현저한) 차이; 대조적인 것; 정반대의 물건[사람] 《*between, with, to*》: What a ~ *between* them! 두 사람은 정반대로구나! **3** 화면의 명암 대비 **4** 〖언어·심리〗 대비, 대립
be a ~ to …와는 뚜렷이 다르다 ***by ~ (with)*** (…와) 대조[대비]하여 ***form*** [***present***] ***a striking*** [***strange, singular***] ***~ to*** …와 현저한[묘한, 기이한] 대조를 이루다 ***in ~ with*** [***to***] …와 대조를 이루어; …와는 현저히 다르게
— [kəntrǽst, kάntræst | kəntrά:st] *vt.* **1** 대조하다, 대비하다 《*with*》(⇨ compare 유의어): (~+목+전+명) ~ A *with* B A와 B를 대조시키다 **2** …와 좋은 대조를 이루다; …와 대조하여 (눈에) 뚜렷이 보이게 하다 《*with*》
— *vi.* **1** (…와) 대조를 이루다, 대비하여 차이를 뚜렷이 나타내다: (~+전+명) The snowcapped peak *~ed with* the blue sky. 눈 덮인 산봉우리가 푸른 하늘과 뚜렷이 대조를 이루고 있었다. **2** 〖언어〗 대비[대립]되다 USAGE compare는 서로 다른 것과 서로 같은 것의 어느 쪽에도 쓸 수 있으나 contrast는 서로 다른 경우에만 씀. ***as ~ed with*** …와 대조하여 보면
~·a·ble *a.* ▷ cóntrasty *a.*, contrástive *a.*

con·trast·ing [kəntrǽstiŋ | -trά:s-] *a.* Ⓐ 대조적인, 현저하게 다른: bright, ~ colors 밝고 대조적인 색깔

con·tras·tive [kəntrǽstiv | -trά:s-] *a.* 대비[대조]적인 《*to*》; 〖언어〗 대비 연구하는, 대조하는: ~ linguistics 대조 언어학 **~·ly** *ad.*

cóntrast mèdium 〖의학〗 조영제(造影劑) 《X선 검사에서 조직의 모습을 뚜렷이 하기 위해 주입하는 바륨 등의 방사선을 통과시키지 않는 물질》

con·trast·y [kάntræsti, kəntrǽsti | kəntrά:ti] *a.* 〖사진〗 명암이 심한[강한](opp. *soft*)

con·tra·sug·gest·i·ble [kὰntrəsədʒéstəbl | kɔ̀n-] *a.* 〖심리〗 암시에 역반응을 나타내는

con·trate [kάntreit | kɔ́n-] *a.* 〖시계〗 가로톱니의

cóntrate whéel = CROWN WHEEL

con·tra·val·la·tion [kὰntrəvæléiʃən | kɔ̀n-] *n.* 〖축성〗 대루(對壘) 《포위군이 적의 요새의 둘레에 쌓는 참호·포루(砲壘)》

con·tra·vene [kὰntrəví:n | kɔ̀n-] *vt.* **1** 〈법률 따위를〉 위반[저촉]하다, 범하다(go against) **2** 〈의론 등에〉 반대하다(oppose) **3** 〈주의 등과〉 모순되다(conflict with) — *vi.* 위반 행위를 하다 **-vén·er** *n.*

con·tra·ven·tion [kὰntrəvénʃən | kɔ̀n-] *n.* ⓊⒸ **1** 위반, 위배; 위반 행위; 〖법〗 경범죄 **2** 반대, 반박
in ~ of …을 위반하여

con·tre·coup [kάntrəkù: | kɔ́n-] 〔F〕 *n.* 〖의학〗 반충(反衝)[반사] 손상 《특히 뇌 등에서 충격받은 반대쪽에 생기는》

con·tre·danse [kάntrədæ̀ns, -dὰ:ns | kɔ́ntrədὰ:ns] 〔F〕 *n.* (*pl.* **-dans·es** [-dæ̀nsiz | -dὰ:ns-]) 콩트르당스, 대무(對舞)(곡)

con·tre·temps [kάntrətὰ:ŋ | kɔ́n-] 〔F〕 *n.* (*pl.* ~ [-z]) **1** 공교롭게 일어난 사건, 뜻밖의 사고 **2** 〖음악〗 = SYNCOPATION **3** 싸움, 의견 충돌

contrib. contribution; contributor

‡con·trib·ute [kəntríbju:t] 〔L 「함께 주다[바치다]」의 뜻에서〕 *vt.* **1** 〈돈·물건을〉 기부[기증]하다 《*for, to, toward*》: (~+목+전+명) ~ money *to* relieving the poor 빈민 구제를 위해 돈을 기부하다 **2** 〈원고를〉 기고하다 《*to*》: (~+목+전+명) ~ articles *to* journals 잡지에 기고하다 **3** 기여[공헌]하다, 이바지하다, 〈조언 등을〉 주다 《*to, for*》
— *vi.* **1** 기부를 하다 《*to*》: (~+전+명) ~ *to* the community chest 공동 기금에 기부하다 **2** 기여[공헌]하다; (…의) 한 도움[원인]이 되다 《*to, toward*》 **3** (신문·잡지 등에) 기고하다 《*to*》 **-ut·a·ble** *a.*
▷ contribútion *n.*; contríbutive, contríbutory *a.*

‡con·tri·bu·tion [kὰntrəbjú:ʃən | kɔ̀n-] *n.* ⓊⒸ **1** 기부, 기증; 공헌, 기여 《*to, toward*》 **2** 기부금, 기증물; 〖법〗 (손해) 분담액; 〖군사〗 (점령지 주민에게 부과하는) 군세(軍稅); (사회 보험의) 보험료 **3** 기고, 투고 《*to*》; 기고문[기사] ***lay ... under ~*** …에게 군세를 부과하다 ***make a ~ to*** [***toward***] …에 기부[공헌]하다 ▷ contríbute *v.*

con·trib·u·tive [kəntríbjutiv] *a.* 공헌하는; (…에) 기여하는 《*to*》 **~·ly** *ad.* **~·ness** *n.*

***con·trib·u·tor** [kəntríbjutər] *n.* **1** 기부자, 공헌자 **2** 기고가, 투고가

con·trib·u·to·ry [kəntríbjutɔ̀:ri | -təri] *a.* **1** 기여하는; Ⓟ (…에) 공헌하는, 도움이 되는 《*to*》 **2** 기부의; 출자하는; 분담하는 **3** 〈연금·보험이〉 분담제의
— *n.* (*pl.* **-ries**) 출자 의무(자), 분담자; 〖미국법〗 무한 책임 사원, 청산 출자 사원

contríbutory négligence 〖법〗 기여[조성(助成)] 과실

con·trite [kəntráit, kάntrait | kɔ́ntrait] *a.* 죄를 깊이 뉘우치는; 회개의 **~·ly** *ad.* **~·ness** *n.*

con·tri·tion [kəntríʃən] *n.* Ⓤ (죄를) 뉘우침, 회오; 〖신학〗 회개

con·triv·a·ble [kəntráivəbl] *a.* 고안할 수 있는

***con·triv·ance** [kəntráivəns] *n.* **1** 고안품, 발명품; 장치 **2** 계획, 모략, 계략(artifice) **3** Ⓤ 연구, 고안; 연구[고안]의 재간(ingenuity) ▷ contríve *v.*

‡con·trive [kəntráiv] 〔L 「발견해 내다」의 뜻에서〕 *vt.* **1** 고안하다, 궁리하다(devise); 발명하다(invent) **2** 꾸미다, 〈나쁜 일을〉 획책하다: (~+***to*** do) ~ her death = ~ *to* kill her 그녀의 살해를 꾀하다 **3** 그럭저럭 …해내다, 용케 …하다(manage): ~ an escape 용케 도망치다 // (~+***to*** do) I will ~ *to* come back home by ten o'clock. 나는 10시까지 어떻게든 집으로 돌아오겠다. **4** [반어적으로] 일부러 〈불리한 일을〉 저지르다, 초래하다: (~+***to*** do) ~ *to* get himself disliked[into hot water] 일부러 미움을 받을[곤경에 처할] 짓을 하다
— *vi.* **1** 고안하다; 획책하다 **2** 꾸려 나가다(get along) 《*well*》 ***cut and ~*** 〈살림 등을〉 용케[잘] 꾸려 나가다 ▷ contrívance *n.*

con·trived [kəntráivd] *a.* 인위적인, 부자연스러운, 꾸며낸

con·triv·er [kəntráivər] *n.* **1** 고안자; 계략자 **2** (가사 등을) 잘 꾸려 나가는 사람

‡con·trol [kəntróul] 〔OF 「등록부에 싣다」의 뜻에서〕 *n.* **1** Ⓤ 지배, 단속, 관리, 감독(권): light ~ 등화 관제 / traffic ~ 교통 정리 **2** Ⓤ 억제, 제어; 〖야구〗 (투수의) 제구(制球)력, 컨트롤: birth ~ 산아 제한 **3** [보통 *pl.*] 법적[공적] 규제, 통제[관제] 수단; (기계의) 조종[제어] 장치 **4** 〖생물〗 (실험의) 대조 표준; 대조구(區) **5** 〖심령〗 영매(靈媒)를 지배하는 지배령(支配靈) **6** (자동차 경주 등에서 간단한 수리를 위한) 경주 중단 구역

---

distinguishment, differentiation (opp. *alikeness*)
contribute *v.* give, donate, hand out, present, grant, endow, bestow, confer, provide, supply
control *v.* **1** 지배하다 head, manage, direct, conduct, command, rule, govern **2** 억제하다 restrain, hold back, restrict, limit, regulate, constrain

7 Ⓤ 〖우주과학〗 제어 8 관리자, 검사자 9 (병·화재의) 만연 방지 10 〖컴퓨터〗 컨트롤 《제어 비트의 하나》 ***be beyond*** [***out of***] ~ 억제하기 힘들다, 힘에 겹다 ***be in ~ of*** …을 관리하고 있다 ***be under the ~ of*** …의 관리[지배]하에 있다 ***bring*** [***get***] ***under ~*** 억제하다; 〈화재를〉 진압하다 ***Everything is under ~.*** 만사가 순조롭다. ***fall under the ~ of*** …의 지배를 받게 되다 ***get*** [***go***] ***out of ~*** 제어할 수 없게 되다 ***have ~ of*** [***over***] …을 관리[제어]하고 있다 ***keep under ~*** 억누르고 있다, 억제하다 ***lose ~ of*** …을 제어할 수 없게 되다 ***under ~*** 통제[제어]되는, 지배되는 ***without ~*** 제멋대로

— *vt.* (**~led**; **~·ling**) **1** 지배하다, 관제하다, 감독하다; 관리하다, 통제하다, 제어하다: ~ prices 물가를 통제하다 **2** 〈감정 등을〉 억제하다, 억누르다: ~ one's anger 화를 억제하다 **3** 〈실험 결과를〉 대조하다, 조사하여 밝히다(verify) **4** 〈화재·질병의〉 만연을 막다, 저지하다 **5** 〈불필요한 동물을〉 죽이다; 〈특정 동물을〉 절멸시키다 ~ one***self*** 자제하다

▷ contrólment *n.*

contról accòunt 통제[총괄] 계정

contról bàll 〖컴퓨터〗 = TRACK BALL

contról bènch (미) (교도소 내의) 징벌 위원회

contról bòard 제어반(制御盤)

contról bòoth 〖방송〗 조정실

contról chàrt 〖통계〗 관리도 《특히 제품 품질 관리용》

contról clòck 기준 시계(master clock)

contról còlumn 〖항공〗 조종대, 조종륜(輪)

contról commànds 〖컴퓨터〗 제어 명령어

contról expèriment 대조 실험

contról frèak (구어) 주변 일에 일일이 간섭하는 사람; 지배광(狂)

contról grìd 〖전자〗 (전자관의) 제어 그리드[격자]

contról gròup **1** 〖전자〗 제어 집단 **2** 〖항공〗 조종 장치 **3** 〖약학〗 대조군(對照群) 《동일 실험에서 실험 요건을 가하지 않은 그룹》

contról kèy 〖컴퓨터〗 컨트롤[제어] 키

con·trol·la·ble [kəntróuləbl] *a.* 제제[관리, 지배, 조종]할 수 있는 **con·tròl·la·bíl·i·ty** *n.* **-bly** *ad.*

con·trolled [kəntróuld] *a.* 억제된; 관리[통제, 지배]된: ~ society 통제 사회

contrólled circulátion (잡지·신문의) 무료 배부 부수 《증정·광고·권유용》

contrólled disbúrsement (미) 수표 발행 조작에 의한 고의적인 지연 지불 《수취인에게서 멀리 떨어진 은행 앞으로 수표를 발행하는 등》

contrólled ecónomy 통제 경제

con·trolled-re·lease [-rilí:s] *a.* 〈의약품·살충제 등이〉 일정 시간을 두고 서서히 효과를 내는

contrólled súbstance 규제 약물 《소지 및 사용이 규제되는 약물》

con·trol·ler** [kəntróulər] *n.* **1** (회계 등의) 감사관, 감사역; (회사의) 경리부장 ★ 관명(官名)으로는 COMPTROLLER. **2** 관리인, 지배자 **3** (항공) 관제관 **4** 〖기계〗 (전동기 등의) 제어[조종] 장치; 〖컴퓨터〗 제어기[장치](control unit) ***the C~ General of the US (미) 회계 감사원장 ***the C~*** [***Comptroller***] ***of the Navy*** 〖영국해군〗 해군 통제관

~·ship *n.* Ⓤ controller의 직[지위]

contról lèver = CONTROL STICK

con·tról·ling ínterest [kəntróuliŋ-] 기업 지배권 《회사 경영을 장악하는 데 충분한 주식 보유 등》

con·trol·ment [kəntróulmənt] *n.* Ⓤ (고어) 단속, 감독; 지배, 관리, 관제; 제어

contról pànel **1** = CONTROL BOARD **2** 〖컴퓨터〗 제어반(盤), 조작반

contról ròd 〖물리〗 (원자로의) 제어봉(棒)

contról ròom **1** 관제실; (원자력 시설 등의) 제어실 **2** (방송국 등의) 조정실

contról stìck 〖항공〗 조종간

contról stòrage 〖컴퓨터〗 제어 기억 장치

contról sùrface 〖항공〗 조종익면(翼面) 《방향타(rudder), 플랩(flap), 보조익(aileron) 등》

contról tòwer (공항의) 관제탑

contról ùnit 〖컴퓨터〗 제어 장치

contról wòrd 〖컴퓨터〗 제어어 《데이터를 처리하는 방법을 지시하는 명령어》

***con·tro·ver·sial** [kɑ̀ntrəvə́:rʃəl | kɔ̀n-] *a.* **1** 논쟁의, 논의의 여지가 있는; 쟁점(爭點)이 되는, 물의를 일으키는 **2** 논쟁을 좋아하는 **~·ism** *n.* **~·ist** *n.* **~·ly** *ad.*

con·tro·ver·sy** [kɑ́ntrəvə̀:rsi | kɔ́n-, kəntrɔ́və-] *n.* (*pl.* **-sies**) Ⓤ Ⓒ **1** 논쟁, 논의; (신문·잡지상의) 논전(⇨ argument 유의어): the ~ over the sale of arms to Iran 이란에 무기를 판매하는 것에 대한 논쟁 **2** 말다툼, 언쟁 **3** 〖법〗 민사상의 분쟁 ***be in ~ with …와 논쟁 중이다 ***beyond*** [***without***] ~ 논쟁의 여지가 없는[없이] ***have*** [***enter into, engage in***] ***a ~ with*** …와 논쟁하다 ***hold*** [***carry on***] ***a ~ with*** [***against***] …와 의논하다

▷ controvérsial *a.*; cóntrovert *v.*

con·tro·vert [kɑ́ntrəvə̀:rt, ⌐–⌐ | kɔ́ntrəvə̀:t, ⌐–⌐] [L 「반대로 돌다」의 뜻에서] *vt.* **1** 논의하다, 논쟁하다 **2** 논박하다, 부정하다 — *vi.* 논쟁하다 **~·er** *n.*

con·tro·vert·i·ble [kɑ̀ntrəvə́:rtəbl | kɔ̀n-] *a.* 논쟁의 여지가 있는, 논쟁할 만한 **-bly** *ad.*

con·tu·ma·cious [kɑ̀ntjuméiʃəs | kɔ̀ntju-] *a.* (법정 소환에) 불응하는; 반항적인, 오만한 **~·ly** *ad.*

con·tu·ma·cy [kɑ́ntjuməsi | kɔ́ntju-] *n.* (*pl.* **-cies**) Ⓤ Ⓒ 완고한 불복종; 〖법〗 관명(官命) 항거, 법정 모욕, 명령 불복종 《소환 불응 따위》

con·tu·me·li·ous [kɑ̀ntjumí:liəs | kɔ̀ntju-] *a.* 오만불손한 **~·ly** *ad.* **~·ness** *n.*

con·tu·me·ly [kəntjú:məli, kən- | kɑ́n-, kɑ́n-] *n.* (*pl.* **-lies**) Ⓤ Ⓒ (언어·태도의) 오만불손; 모욕; 모욕받음, 굴욕

con·tuse [kəntjú:z | -tjú:z] *vt.* …에게 타박상을 입히다; 멍들게 하다(bruise) **con·tú·sive** *a.*

con·tu·sion [kəntjú:ʒən | -tjú:-] *n.* Ⓤ Ⓒ 〖의학〗 타박상; 멍듦

co·nun·drum [kənʌ́ndrəm] *n.* **1** 수수께끼(riddle), 재치 문답 **2** 수수께끼 같은 문제[사람, 사물]

con·ur·ba·tion [kɑ̀nərbéiʃən | kɔ̀n-] *n.* (문어) 집합 도시, 도시 광역화, 광역 도시권 《몇 개의 도시가 팽창하여 형성된 하나의 거대한 도시권》

co·nus [kóunəs] [L] *n.* **1** [**C~**] 〖패류〗 청자고둥과 **2** (*pl.* **co·ni** [kóunai, -ni]) = CONUS ARTERIOSUS

CONUS [kɑ́nəs | kɔ́n-] [*Co*ntinental *U*nited *S*tates] *n.* 〖군사〗 미국 본토

cónus ar·te·ri·ó·sus [-ɑ:rtiərióusəs] (*pl.* **coni ar·te·ri·o·si** [-ɑ:rtiərióusai]) 동맥원추, 심장구 《판새류·철갑상어류·양서류에 있는 심장 활동 보조 기관》

conv. convention(al); convertible; convocation

con·va·lesce [kɑ̀nvəlés | kɔ̀n-] [L 「강해지다」의 뜻에서] *vi.* (병을 앓은 후 서서히) 건강을 회복하다, 차도가 있다(get better)

con·va·les·cence [kɑ̀nvəlésns | kɔ̀n-] *n.* Ⓤ (병의) 차도; 회복기, 예후

con·va·les·cent [kɑ̀nvəlésnt | kɔ̀n-] *a.* 회복기 (환자)의(recovering), 차도가 있는: a ~ hospital [ward, home] 회복기 환자 요양소 — *n.* 회복기의 환자 **~·ly** *ad.*

con·vect [kənvékt] *vi.* 〈유체(流體)가〉 대류로 열을 보내다 — *vt.* 〈열·유체를〉 대류로 순환시키다

con·vec·tion [kənvékʃən] *n.* Ⓤ **1** 전달, 운반 **2** 〖물리〗 (열·공기의) 대류(對流), 환류(還流) **3** 〖기상〗 대기의 대류, 《특히》 상승 기류 **~·al** *a.* 대류의

thesaurus **controversy** *n.* dispute, debate, disagreement, dissension, contention, wrangle, quarreling, polemic (opp. *accord*, *harmony*)

convenient *a.* suitable, appropriate, fit, favorable, advantageous, timely, serviceable

convéction cùrrent 〖물리〗 대류; 〖전기〗 대류 전류
convéction òven 대류식(對流式) 오븐 《fan으로 열을 주입》
con·vec·tive [kənvéktiv] *a.* 대류[환류]적인; 전달성의 **~·ly** *ad.*
con·vec·tor [kənvéktər] *n.* 대류식 난방기[방열기]
con·ve·nance [kɑ́nvənɑ̀:ns | kɔ́n-] [F] *n.* (*pl.* **-nanc·es** [-nɑ̀:nsiz]) **1** [보통 *pl.*] (세상의 일반적) 관습; 예의 **2** 편의, 적합; 관용
con·vene [kənví:n] [L 「함께 오다」의 뜻에서] *vt.* 〈모임·회의를〉 소집하다; (법정 등에) 소환하다 **—** *vi.* 회합하다; 개최되다; 〈물건이〉 (한 곳에) 집중하다
con·ven·er, -ve·nor [kənví:nər] *n.* (영) (위원회 등의) 소집자, 주최자; (위원회 등의) 위원장, 의장
‡**con·ven·ience** [kənví:njəns] *n.* **1** Ⓤ **편의,** 편리; (편리한) 사정, 편익: a marriage of ~ 정략 결혼 **2** 편리한 때, 형편 좋을 때 **3** [보통 a ~] **편리한 것,** (문명의) 이기(利器); [*pl.*] 편리한 설비; 의식주의 편리: The house supplied with every modern ~ 그 집은 현대적인 설비를 모두 갖추고 있었다. **4** (영) 공중 화장실(= public ~) **5** 안락
as a matter of ~ 편의상; 형편에 따라 ***at*** one***'s*** (***own***) **~** 편리한 때에 ***at your earliest ~*** 형편이 닿는 대로 빨리 ***await*** a person***'s ~*** …의 형편 좋을 때를 기다리다 ***consult*** one***'s own ~*** 자신의 편의를 도모하다 ***for ~(')*** ***sake*** 편의상 ***make a ~ of*** …을 마음대로 이용하다 ***public ~*** 공중의 편의; (영) 공중 화장실 ***suit*** a person***'s ~*** …에게 형편이 좋다
— *a.* 손에 넣기 쉬운, 접근하기 쉬운
▷ convénient *a.*
convénience fòod 인스턴트 식품
convénience gòods 일용 잡화 식품
convénience màrket 일용 잡화 식료품 시장
convénience òutlet 〖전기〗 실내 콘센트
convénience stòre (장시간 영업하는) 편의점
con·ven·ien·cy [kənví:njənsi] *n.* (*pl.* **-cies**) 《고어》 = CONVENIENCE
‡**con·ven·ient** [kənví:njənt] [L 「함께 오는, 꼭 맞는」의 뜻에서] *a.* **1 편리한;** 사용하기 좋은: a ~ appliance 편리한 기구 **2** Ⓟ **형편이 좋은** 《*to, for*》: if it is ~ *to*[*for*] you 지장이 없으시다면 ★ (미)에서는 for가 일반적임. **3** Ⓟ 〈장소가〉 …에 가까운, 가까워서 편리한 《*to, for*》: My house is ~ *to* the station. 내 집은 역에 가깝다.
make it ~ to do 형편을 보아 …하다
▷ convénience *n.*; convéniently *ad.*
***con·ven·ient·ly** [kənví:njəntli] *ad.* **1 편리하게,** 알맞게 **2** [문장 전체를 수식하여] 편리하게도, 형편이 좋게도, 안성맞춤으로
***con·vent** [kɑ́nvent, -vənt | kɔ́nvənt] [L 「모임」의 뜻에서] *n.* **1** 수도회, 《특히》 **수녀회**(cf. MONASTERY) **2** 수도원, 《특히》 **수녀원**(nunnery)(cf. CLOISTER): go into a ~ 수녀원에 들어가다, 수녀가 되다
▷ convéntual
con·ven·ti·cle [kənvéntikl] *n.* **1** 〖영국사〗 (비국교도 또는 스코틀랜드 장로파의) 비밀 집회[예배] **2** 비밀 집회소 **-ti·cler** *n.* **còn·ven·tíc·u·lar** *a.*
‡**con·ven·tion** [kənvénʃən] *n.*

> 원래는 「집합, 모임」의 뜻. 「집회, 대회」 **1** →(거기서 하는 사항에서) 「협정, 약조」 **4** →(사회 전체의 약정에서) 「관습」 **5**

1 (정치·종교·교육·노조 등의) **집회,** 대회, 대표자 회의, 연차[정기] 총회; [집합적] 대회 참가자, 대표자: an annual ~ 연차 총회 **2** (미) (후보자 지명 등을 위한) 전국 대회, 전당 대회 **3** 〖영국사〗 컨벤션 《1660년과 1688년에 국왕의 소집 없이 열린 영국의 의회》 **4 협정,** 약조(agreement); 〖외교〗 협약, 국제 협정, 가조약: a postal ~ 우편 협정 **5** (사회의) **관습,** 풍습; 인습(cf. TRADITION): social ~ 사회적 관습 **6** (예술상의) 관례, 약속 사항; 〖카드〗 규정
▷ convéne *v.*; convéntional *a.*
***con·ven·tion·al** [kənvénʃənl] *a.* **1 전통[인습]적인** (cf. TRADITIONAL): a ~ wedding 전통 혼례 **2 틀에 박힌,** 형식적인, 판에 박힌; 진부한; [the ~; 명사적] 인습적인 것: ~ morality 인습적 도덕 / ~ phrases 상투어 **3** 약정의, 협정(상)의: the ~ tariff 협정 세율[요금] **4** 핵(무기)를 사용하지 않는; 재래식 무기의; 원자력을 사용하지 않는: ~ forces (핵무기가 없는) 재래식 병력 / ~ warfare 재래식 전쟁 **5** 〖예술〗 양식화된; 독창성이 없는 **6** 회의의; 집회의
— *n.* **1** 〖카드〗 규정 **2** (구어) 재래식의 것
▷ convéntion, conventionálity *n.*; convéntionalize *v.*; convéntionary *a.*
con·ven·tion·al·ism [kənvénʃənəlìzm] *n.* **1** Ⓤ 인습 존중, 관례 존중주의 **2** [때로 *pl.*] 풍습, 관례; 판에 박힌 것, 판박이 문구 **3** 〖철학〗 약속[편의, 규약]주의 **-ist** *n.* 인습주의자, 관례 존중자, 평범한 사람
con·ven·tion·al·i·ty [kənvènʃənǽləti] *n.* (*pl.* **-ties**) **1** Ⓤ 인습적임; 인습[관례, 전통] 존중 **2** [종종 the -ties] 인습, 관례
con·ven·tion·al·ize [kənvénʃənəlàiz] *vt.* **1** 관례에 따르게 하다, 인습적으로 하다 **2** 〖예술〗 양식화하다 **—** *vi.* 인습을[관례를] 따르다
con·vèn·tion·al·i·zá·tion *n.*
con·ven·tion·al·ly [kənvénʃənəli] *ad.* 인습적으로, 진부하게, 판에 박은 듯이
convéntional óven 재래식 오븐 《전자 오븐과 구별하여》
convéntional wéapon 재래식 병기
convéntional wísdom 일반 통념, 속된 지혜
con·ven·tion·ar·y [kənvénʃənèri | -ʃənəri] *a.* (차지(借地)가) 명문화된 협정에 의한, 협정상의 **—** *n.* (*pl.* **-ar·ies**) 협정 차지(인(人))
convéntion cènter 컨벤션 센터 《회의·전시 장소나 숙박 시설이 집중된 지역 또는 종합 빌딩》
con·ven·tion·eer [kənvènʃəníər] *n.* (미) 대회 출석[참가]자 **—** *vi.* 대회에 출석[참가]하다
convéntion hàll (호텔 등의) 회의장
convéntion hotèl 컨벤션 호텔 《회의나 연차 대회 등의 개최장으로 쓰이는 호텔》
convéntion tòur 관광을 겸한 회의 참석 여행
con·ven·tu·al [kənvéntʃuəl] *a.* **1** 수도원의, 《특히》 수녀원의 **2** [**C~**] 컨벤추얼회(會)의 **—** *n.* **1** 수사, 수녀 **2** [**C~**] 컨벤추얼회(會)의 수사[수녀] **~·ly** *ad.*
con·verge** [kənvə́:rdʒ] *vi.* **1** 한 점[선]에 모이다 (opp. *diverge*): (~+전+명) The mountains ~ *into* a single ridge. 산들은 모여서 하나의 산등성이를 이룬다. **2** 모이다, 집중하다: (~+to*** do) We find much evidence *converging to* support the hypothesis. 그 가설을 뒷받침해 주는 많은 증거가 있다. **3** 〈의견 등이〉 한데 모아지다 **4** 〖물리·수학〗 수렴하다 **—** *vt.* 한 점에 모으다; 집중시키다
con·ver·gence, -gen·cy [kənvə́:rdʒəns(i)] *n.* (*pl.* **-genc·es**; **-cies**) **1** Ⓤ 한 점으로 집합함; 집중성(opp. *divergence*) **2** Ⓒ 집합점 **3** 〖수학〗 수렴; 〖생물〗 수렴 현상, 근사 현상; 집합, 집폭(集輻)
con·ver·gent [kənvə́:rdʒənt] *a.* **1** 점차 집합하는, 한 점에 모이는 **2** 포위 집중적인 **3** 〖물리·수학·심리〗 수렴(성)의; 〖생물〗 수렴의 **~·ly** *ad.*
convérgent evolútion 수렴(收斂) 진화, 상근(相近) 진화 《계통이 다른 생물이 외견상 서로 닮아 가는 현상》
convérgent thínking 〖심리〗 집중적 사고
con·ver·ger [kənvə́:rdʒər] *n.* **1** converge하는 사람[것] **2** 〖심리〗 집중적 사고형의 사람

---

conventional *a.* **1** 전통적인 customary, accepted, expected, usual, standard, regular, normal, ordinary, traditional, orthodox, prevailing, prevalent, conservative **2** 진부한 common, commonplace, stereotyped, routine, unoriginal

con·vérg·ing léns [kənvə́ːrdʒiŋ-] 〖광학〗 수렴(收斂) 렌즈
con·vers·a·ble [kənvə́ːrsəbl] *a.* **1** 말 붙이기 쉬운; 이야기하기 좋아하는, 이야기가 재미있는 **2** 담화[사교]에 알맞은 **~·ness** *n.* **-bly** *ad.*
con·ver·sance, -san·cy [kənvə́ːrsəns(i)] *n.* Ⓤ **1** 숙지, 정통 **2** 친밀, 친교 《*with*》
con·ver·sant [kənvə́ːrsənt, kɑ́nvər-] *a.* Ⓟ **1** (…에) 밝은, 정통한 《*with, in, about*》 **2** (…와) 친교가 있는 《*with*》 **~·ly** *ad.*
‡**con·ver·sa·tion** [kɑ̀nvərséiʃən | kɔ̀n-] *n.* Ⓤ **1** 회화; Ⓒ 담화, 대화, 좌담(familiar talk): be in ~ with …와 담화 중이다 **2** (정부·정당 등 대표자의) 비공식 회담 **3** 〖법〗 간통(= criminal ~) **4** 《고어》 친교; 사교, 교제 **5** = CONVERSATIONAL MODE
enter [***fall, get***] ***into ~ with*** …와 이야기를 시작하다 ***have*** [***hold***] ***a ~ with*** …와 이야기하다 ***make ~*** (예의상) 세상 이야기를 하다, 잡담하다 ***turn a ~ to*** …에 대해 이야기를 시작하다 ▷ convérse *v.*
*__con·ver·sa·tion·al__ [kɑ̀nvərséiʃənl | kɔ̀n-] *a.* **1** 회화(체)의, 좌담식의 **2** 말을 잘하는, 이야기하기 좋아하는, 스스럼없는 **3** 〖컴퓨터〗 대화형의 **~·ly** *ad.*
con·ver·sa·tion·al·ist [kɑ̀nvərséiʃənəlist | kɔ̀n-] *n.* 이야기하기 좋아하는 사람, 좌담가
conversátional móde 〖컴퓨터〗 대화 방식 《단말 장치를 통하여 컴퓨터와 정보를 교환하면서 정보 처리를 하는 방식》
con·ver·sa·tion·ist [kɑ̀nvərséiʃənist | kɔ̀n-] *n.* = CONVERSATIONALIST
conversátion pìece **1** 〖미술〗 풍속화, 단란도(團欒圖) 《18세기 영국에서 유행한 가족의 군상화(群像畫) 등》 **2** 화젯거리가 되는 것 《진귀한 물건 등》 **3** 〖연극〗 (회화의 묘미를 살린) 대화극
conversátion stòpper 대화가 끊길 만한 발언; 놀라운 일
con·ver·sa·zi·o·ne [kɑ̀nvərsɑ̀ːtsióuni] [It.] *n.* (*pl.* **~s, -ni** [-niː]) (학술·문예상의) 좌담회, 간담회
‡**con·verse**[1] [kənvə́ːrs] [L 「함께 사귀다」의 뜻에서] *vi.* **1** (…와) (…에 대해) 이야기하다, 담화하다, 담화를 나누다(talk) 《*with*; *on, about*》: (~+전+명) ~ *with* a person *on*[*about*] a subject …와 어떤 문제에 대해 이야기하다 **2** 〖컴퓨터〗 (기기(機器)와) 대화하다 **3** 《고어》 (친하게) 사귀다 《*with*》
— [kɑ́nvəːrs | kɔ́n-] *n.* Ⓤ **1** 《미·영·고어》 담화, 환담 **2** 《고어·문어》 (영적인) 교제 **con·vérs·er** *n.*
▷ conversátion *n.*; convérsant *a.*
*__con·verse__[2] [kənvə́ːrs, kɑ́nvəːrs | kɔ́nvəːs] [L 「방향을 바꾸다」의 뜻에서] *a.* 〈의견·순서·관계·행동 등이〉 거꾸로의, 정반대의
— [kɑ́nvəːrs | kɔ́n-] *n.* **1** [the ~] 반대, 역(逆); 거꾸로 말하기 **2** 〖논리〗 전환 명제 **3** 〖수학〗 역(명제)
*__con·verse·ly__ [kənvə́ːrsli, kɑ́nvəːrs- | kɔ́nvəːs-] *ad.* 거꾸로, 반대로; 거꾸로 말하면
con·ver·si·ble [kənvə́ːrsəbl] *a.* 거꾸로[전환]할 수 있는
*__con·ver·sion__ [kənvə́ːrʒən, -ʃən | -ʃən] *n.* Ⓤ **1 a** 전환, 전화(轉化), 변환(changing) 《*into, to*》: the ~ of goods *into* money 상품의 현금화[환금] **b** (…로의) 개조, 개장(改裝) 《*into, to*》: a loft ~ 다락방 개조 **2** (당파·주의 등의) (…로의) 전향, 개종, 변절; (종교적인) 회심, 귀의 《*of, from*; *to*》: the ~ *of* a communist *to* liberalism 공산주의자에서 자유주의로의 전향 **3** 〖논리〗 환위(換位)(법) **4** 〖금융〗 (부채의) 차환(借換), 바꿔침, (지폐의) 태환(兌換); (외국 통화의) 환산, 환전 **5** 〖회계〗 이자를 원금에 가산하기 **6** 〖법〗 (재산의) 전환; (동산의) 횡령 **7** 〖물리〗 전환 《핵연료 물질이 다른 핵 연료 물질로 변화하기》; 〖수학〗 전환(법); 〖문법〗 전환 **8** 〖심리〗 전환 **9** 〖컴퓨터〗 변환, 이행(移行) 《어떤 데이터 처리 방식을 다른 방식으로 바꾸는 일》 **10** 〖인쇄〗 어떤 인쇄 방식용 재료를 다른 방식의 것에 전환 응용하는 것 **11** 〖럭비·미식축구〗 (트라이·터치다운 후의) 골킥(에 의한 득점)
~·al, ~·ar·y *a.* ▷ convért *v.*
convérsion àgent 〖금융〗 전환 대리 기관[인]
convérsion disòrder 〖정신의학〗 전환 장애, 전환 히스테리
convérsion fàctor (문의·자료 청구에서 실제 상품 구매인으로의) 전환율
convérsion hèater 《영》 전열기(electric heater)
convérsion prìce 〖금융〗 전환 가격
convérsion ràtio 〖물리〗 전환 비율, 전환 계수 《핵분열시 하나의 원자에서 생기는 원자의 수》
convérsion reàction = CONVERSION DISORDER
convérsion tàble (도량형 등의) 환산표
convérsion vàn (뒷부분을) 거주용으로 개조한 밴
‡**con·vert** [kənvə́ːrt] [L 「완전히 회전하다」의 뜻에서] *vt.* **1 a** 변하게 하다, 전환하다 《*into*》: (~+목+전+명) ~ cotton *into* cloth 면사를 천으로 만들다 **b** 개장[개조]하다 《*into*》: ~ the basement *into* the spare bedroom 지하실을 여분의 침실로 개조하다 **2** 〖화학〗 변환시키다: (~+목+전+명) ~ sugar *into* alcohol 설탕을 알코올로 변환시키다 **3** 개종시키다, 개심[회심, 전향]시키다, 귀의시키다 《특히 그리스도교에》: (~+목+전+명) ~ a person *to* Christianity …을 그리스도교로 개종시키다 **4** 〖법〗 변경하다 《*into*》; 〈동산을〉 횡령하다 《*to*》 **5** 〖논리〗 환위하다; 〖수학〗 전환하다 **6** 〖금융〗 차환하다 《*into*》; 〈지폐·은행권을〉 태환하다; 〈외국 통화를〉 환산하다 《*into*》; 〖회계〗 〈이자를〉 원금에 가산하다: (~+목+전+명) ~ banknotes *into* gold 은행권을 금과 태환하다 **7** 〖컴퓨터〗 (다른 코드로) 변환하다; 다른 매체로 옮기다 **8** 〖럭비·미식축구〗 (트라이·터치다운 후) 추가 득점을 하다
be [***get***] ***~ed*** 회개하다, 회심하다
— *vi.* **1** 변화하다; 개조되다; 바꾸다 《*from*》 **2** 개종하다, 전향하다 **3** 〖럭비·미식축구〗 추가 득점이 되다
— [kɑ́nvəːrt | kɔ́n-] *n.* 개심[전향]자; 개종[회심]자, (새) 귀의자 ***make a ~ of*** a person …을 개종시키다 ▷ convérsion *n.*
con·vert·a·plane [kənvə́ːrtəplèin] *n.* = CONVERTIPLANE
con·vert·ed [kənvə́ːrtid] *a.* **1** 전환[변환]된 **2** 개장[개조]한: a ~ cruiser 개장 순양함 **3** 개종[전향]한
preach to the ~ 부처에게 설법하다
con·vert·er [kənvə́ːrtər] *n.* **1** 개종[전향]시키는 사람 **2** 〖야금〗 전로(轉爐) **3** = CONVERTER REACTOR **4** 〖전기〗 변환로; (황산 제조의) 전화기(轉化器) **5** 〖라디오·TV〗 주파수 변환기 **6** 〖TV〗 채널 변환기, 컨버터 **7** 〖컴퓨터〗 변환기 《데이터 형식을 변환하는 장치》 **8** 직물 가공업자 **9** 〖사진〗 변환 렌즈(= ~ lèns)
convérter reáctor (연료) 전환로(轉換爐) 《원자로의 일종》
con·vert·i·bil·i·ty [kənvə̀ːrtəbíləti] *n.* Ⓤ **1** 전환[변환, 개조]할 수 있음 **2** 개종[전향] 가능성 **3** 〖금융〗 태환성
*__con·vert·i·ble__ [kənvə́ːrtəbl] *a.* **1** 바꿀 수 있는, 개조[개장]할 수 있는 《*into, to*》: heat ~ *into* electricity 전력으로 변환된 열 **2** 〈말이〉 바꾸어 말할 수 있는, 뜻이 같은; 〖논리〗 환위(換位)할 수 있는 **3** 〖금융〗 차환할 수 있는; 태환성의; 환산할 수 있는 **4** 개종[전향]시킬 수 있는 **5** 〈자동차 등이〉 지붕을 접을 수 있는
— *n.* 전환할 수 있는 사물; 지붕을 접을 수 있게 된 자동차; (펼치면 침대로 사용할 수 있는) 소파 침대
~·ness *n.* **-bly** *ad.*
convértible bónd 〖증권〗 전환 사채(社債) 《일정 기간 뒤에 주식으로 전환할 수 있는 채권; 略 CB》
convértible húsbandry 〖농업〗 곡초식(穀草式), 윤작(輪作)
convértible insùrance 전환 가능 보험

thesaurus **conversation** *n.* talk, discussion, chat, dialogue, discourse, communication, intercourse, colloquy, conference, gossip

convértible nòte 태환 지폐
con·vert·i·plane [kənvə́ːrtəplèin] *n.* (수직 이착륙이 가능한) 전환식 비행기
con·vert·ite [kánvərtàit | kɔ́n-] *n.* 《고어》 **1** 개종자 **2** 갱생한 매춘부
***con·vex** [kanvéks, kən- | kɔnvéks, ∠-] *a.* **볼록한**, 철면(凸面)의(opp. *concave*): a ~ lens[mirror] 볼록 렌즈[거울]
— [kánveks | kɔ́n-] *n.* **1** 볼록 렌즈 **2** 〖스키〗 볼록하게 부푼 경사면
— [kánveks, kənvéks | kɔnvéks, ∠-] *vt.* 볼록하게 하다, 가운데를 높게 하다 **~·ly** *ad.* **~·ness** *n.*
con·vex·i·ty [kənvéksəti] *n.* (*pl.* **-ties**) **1** Ⓤ 볼록함[한 모양] **2** 볼록면(체)
con·vex·o-con·cave [kənvéksoukankéiv | -kɔnkéiv] *a.* 한 면은 볼록하고 다른 면은 오목한, 요철(凹凸)의; 볼록 오목 렌즈의
con·vex·o-con·vex [-kanvéks | -kɔnvéks] *a.* 양면이 볼록한, 양철(兩凸)의
con·vex·o-plane [-pléin] *a.* 평철(平凸)의, 뒷면은 판판하고 앞면은 볼록한
‡**con·vey** [kənvéi] 〚L 「함께 길을 가다」의 뜻에서〛 *vt.* **1** 〈물건·승객 등을〉 **나르다**, 운반하다(transport): (~+목+전+명) ~ drugs *to* a prison inmate 재소자에게 마약을 나르다 **2** 〈소식·통신·용건을〉 **전달하다**(transmit), 알리다(communicate); 〈소리·열 등을〉 전하다; 〈전염병을〉 옮기다: ~ the meaning exactly 정확하게 뜻을 전달하다 // (~+목+전+명) ~ the expression of grief *to* a person …에게 애도의 뜻을 전하다 **3** 〈말·기술(記述)·몸짓 등이〉 뜻하다, 시사하다 《*that* ...; *to*》 **4** 〖법〗 〈재산을〉 양도하다(transfer) 《*to*》: (~+목+전+명) ~ one's property *to* a person …에게 재산을 양도하다 **~·a·ble** *a.*
***con·vey·ance** [kənvéiəns] *n.* **1** Ⓤ 운반, 수송: ~ by land[water] 육상[해상] 운송 **2** Ⓤ (소리·냄새·의미 등의) **전달** **3** 수송 기관, 탈것 **4** Ⓤ 〖법〗 (부동산·재산(권)의) 양도, 교부; Ⓒ (부동산) 양도 증서, 교부서 ▷ convéy *v.*
con·vey·anc·er [kənvéiənsər] *n.* **1** 운반자; 전달자 **2** 〖법〗 부동산 양도 취급인; 재산 양도 전문 변호사
con·vey·anc·ing [kənvéiənsiŋ] *n.* Ⓤ 〖법〗 양도 증서 작성(업); 부동산 양도 수속
con·vey·or, -er [kənvéiər] *n.* **1** 운반인; 전달자, 전달하는 것 **2** [주로 conveyor] 운반 장치, 컨베이어; =CONVEYOR BELT: the ~ system 컨베이어 장치, 흐름 작업 **3** [주로 conveyor] 〖법〗 양도인
convéyor bèlt 〖기계〗 컨베이어 벨트
con·vey·or·ize [kənvéiəràiz] *vt.* …에 컨베이어를 설치하다 **con·vèy·or·i·zá·tion** *n.*
con·vict** [kənvíkt] *vt.* **1** …에게 **유죄를 입증[선고]하다** 《*of*》: (~+목+전+명) ~ a person *of* forgery …에게 위조죄의 판결을 내리다 **2** 〈양심 등이〉 죄를 깨닫게 하다 《*of*》: (~+목+전+명) be *~ed of* sin 죄를 깨닫다 ***a ~ed prisoner 기결수
— [kánvikt | kɔ́n-] *n.* 죄인, 죄수, 기결수
— *a.* 《고어》 유죄로 결정된
▷ convíction *n.*; convíctive *a.*
cónvict còlony 유형수(流刑囚) 식민지
‡**con·vic·tion** [kənvíkʃən] *n.* **1** ⓊⒸ 〖법〗 **유죄의 판결** 《*for*》: a previous ~ *for* shoplifting 가게 좀도둑질의 전과 / a summary ~ 즉결 재판 **2** Ⓤ 설득(력) **3** ⓊⒸ (사실에 입각한) **확신**(firm belief), 신념 《★ 사실에 입각하지 않는 「확신」은 confidence》: (~+***that*** 절) act in[under] the ~ *that* time is money 시간이 돈이라는 신념으로 행동하다 **4** Ⓤ 〖신학〗 죄의 자각, 회오(悔悟) ***be open to*** ~ 설득[이치]에 순응하다 ***carry*** ~ 설득력이 있다 ***under*** ~(***s***) 죄를 자각하여, 양심의 가책을 받아 ***with*** ~ 확신을 갖고 **~·al** *a.* ▷ convíct, convínce *v.*; convíctive *a.*
con·vic·tive [kənvíktiv] *a.* 설득력 있는; 잘못을 자각하게 하는 **~·ly** *ad.*
‡**con·vince** [kənvíns] 〚L 「완전히 정복하다」의 뜻에서〛 *vt.* **1 확신시키다**, 납득시키다, 수긍하게 하다(⇨ convinced): (~+목+전+명) (~+목+***that*** 절) She *~d* me *of* her honesty[*that* she was honest]. 그녀는 자기가 정직하다는 것을 내게 납득시켰다. **2** 〈남에게 …하도록〉 설득하다(persuade): (~+***to*** do) I *~d* her *to* cut her hair short. 그녀를 설득해 머리를 짧게 깎도록 했다. ~ one***self of*** …을 확신하다 **con·vínc·er** *n.* ▷ convíction *n.*
con·vinced [kənvínst] *a.* 확신을 가진, 신념 있는 ***be ~ of***[***that ...***] …을[이라고] 확신하다
con·vin·ci·ble [kənvínsəbl] *a.* 설득할 수 있는; 이치에 따르는 **con·vìnc·i·bíl·i·ty** *n.*
***con·vinc·ing** [kənvínsiŋ] *a.* **설득력 있는**, 납득 가게 하는, 납득이 가는 〈증거 등〉: a ~ demonstration 설득력 있는 설명 **~·ly** *ad.* **~·ness** *n.*
con·vive [kánvaiv | kɔ́n-] 〚F〛 *n.* (*pl.* **~s** [-z]) 연회[회식] 친구
con·viv·i·al [kənvíviəl] *a.* **1** 연회의 **2** 연회를 좋아하는; 쾌활한(jovial) **3** 우호적인, 즐거운: a ~ atmosphere 우호적인 분위기
~·ist *n.* 연회를 좋아하는 사람 **~·ly** *ad.*
con·viv·i·al·i·ty [kənvìviǽləti] *n.* (*pl.* **-ties**) **1** Ⓤ 주흥, 연회 기분, 유쾌함, 기분 좋음 **2** 주연, 연회
con·vo·ca·tion [kànvəkéiʃən | kɔ̀n-] *n.* **1** Ⓤ (회의·의회의) 소집; Ⓒ 집회 **2** [때로 **C~**] 《영》 (영국 국교회의) 대주교구 회의; 《미》 (감독 교회의) 주교구 회의 **3** [때로 **C~**] 《영》 (대학의) 평의회; 《인도》 학위 수여식; 《호주》 대학의 동창생 **~·al** [-ʃənl] *a.* **~·al·ly** *ad.*
con·vo·ca·tor [kánvəkèitər | kɔ́n-] *n.* **1** (회의의) 소집자 **2** 회의 참가자
con·voke [kənvóuk] *vt.* 《문어》 불러 모으다; 〈회의·의회를〉 소집하다(opp. *dissolve*)
con·vo·lute [kánvəlùːt | kɔ́n-] *a.* **1** 〖식물·패류〗 한쪽으로 감긴, 소용돌이꼴의, 회선상(回旋狀)의 **2** 둘둘 말린 — *vt., vi.* 감아 넣다, 둘둘 말다[감다]; 뒤얽히다
— *n.* 〖식물·패류〗 포선체(包旋體)
con·vo·lut·ed [kánvəlùːtid | kɔ́n-] *a.* **1** 〖동물〗 회선상의(spiral) **2** 뒤얽힌, 복잡한 **~·ly** *ad.*
cónvoluted túbule 〖해부〗 곡세뇨관(曲細尿管)
con·vo·lu·tion [kànvəlúːʃən | kɔ̀n-] *n.* **1** [보통 *pl.*] 회선; 포선, 둘둘 말림 **2** (논의 등의) 얽힘, 분규 **3** 〖해부〗 뇌회(腦回)(gyrus) 《대뇌 표면의 주름》
con·volve [kənválv | -vɔ́lv] *vt., vi.* 감다; 감기다; 휘감다; 둘둘 말다[감다]; 빙빙 돌다 **~·ment** *n.*
con·vol·vu·lus [kənválvjuləs | -vɔ́l-] *n.* (*pl.* **~·es, -li** [-lài]) 〖식물〗 메꽃(무리)
***con·voy** [kánvɔi, kənvɔ́i | kɔ́nvɔi] *vt.* 〈군함 등이〉 〈상선·객선 등을〉 **호송하다, 호위하다**(escort)
— *n.* **1** Ⓤ 호송, 호위 **2 호위대[선, 함]**; 피호송자[선] ***under***[***in***] ~ 호위되어[하여]
con·vul·sant [kənvʌ́lsənt] *a.* 경련을 일으키는, 경련성의 — *n.* 경련 유인제
con·vulse [kənvʌ́ls] 〚L 「잡아찢다」의 뜻에서〛 *vt.* **1** 진동시키다; 〈국가 등에〉 대소동을 일으키다: The government was *~d* by the bribery scandal. 뇌물 사건으로 정부는 크게 동요했다. **2** [보통 수동형으로] 〈웃음·고통 등이〉 경련시키다, 몸부림치게 하다 《*with*》: *be ~d with* laughter 포복절도하다
***con·vul·sion** [kənvʌ́lʃən] *n.* **1** [종종 *pl.*] 〖의학〗 **경련**, 경기 **2** [종종 *pl.*] 웃음의 발작, 포복절도 **3** (자연계의) **격동**, 변동; (사회·정계 등의) 이변, 동란: a ~ of nature 천재지변 《지진, 분화 등》
fall into a fit of ~s 경련을 일으키다; 포복절도하다 ***throw into ~s*** 경련을 일으키게 하다; 자지러지게 웃기다; 〈민심을〉 동요시키다
▷ convúlse *v.*; convúlsive, convúlsionary *a.*

---

convert *v.* **1** 전환하다 change, transform **2** 개조하다 alter, adapt, modify, reshape, remodel, rebuild
convincing *a.* persuasive, plausible, cogent

con·vul·sion·ar·y [kənvʌ́lʃənèri | -ʃənəri] *a.* 진동[격동]성의; 경련적인 **—** *n.* (*pl.* **-ar·ies**) 경련성의 사람; (종교적 도취로) 경련을 일으키는 사람

con·vul·sive [kənvʌ́lsiv] *a.* **1** 경련성의, 발작적인 **2** 경련을 일으킨 듯한: with a ~ effort 사력을 다해 **~·ly** *ad.* **~·ness** *n.*

co·ny [kóuni, kʌ́ni | kóu-] *n.* (*pl.* **-nies**) 토끼의 모피; 토끼(coney)

∗**coo**[1] [kú:] [의성어] *vi.* **1** 〈비둘기가〉 구구 울다 **2** 〈젖먹이가〉 구구 소리내며 좋아하다 **3** 〈연인끼리〉 정답게 소곤거리다
— *vt.* 〈말을〉 정답게 속삭이다
bill and ~ 〈남녀가〉 서로 애무하며 사랑을 속삭이다
— *n.* (*pl.* **~s**) 구구 《비둘기 우는 소리》 **~·er** *n.*

coo[2] [의성어] *int.* 《영·속어》 거참, 허 《놀람·의문을 나타냄》

co-oc·cur [kòuəkə́:r] *vi.* (**~red, ~·ring**) 동시에 [함께] 일어나다

cooch [kú:tʃ] [hootchy-kootchy의 단축형] *n.* **1** 여성이 선정적으로 추는 동양풍의 무용 **2** 《미·속어》 **a** 여성의 음부 **b** 성적 대상인 여자 **c** 성교

coo·ee, -ey [kú:i:] [의성어] *n., int.* 어이! 《오스트레일리아 원주민의 고함 소리》 ***within*** (***a***) ~ 《영·호주·구어》 부르면 들리는 거리에, (…에) 매우 가까이에(서) 《*of*》 **—** *vi.* 어이 하고 고함치다

‡**cook** [kúk] *n.* **1** 요리사 《남녀》: a good[bad] ~ 요리 솜씨가 좋은[없는] 사람 / a head ~ 주방장 / Too many ~s spoil the broth. 《속담》 사공이 많으면 배가 산으로 오른다. **2** 《미·구어》 리더, 지도자 **3** 〖체스〗 예상할 수 없었던 문제의 다른 해결법
— *vt.* **1** 요리[조리]하다, 음식을 만들다; (…에게) …을 요리해 주다 《*for*》

> 유의어 **cook** 열을 사용하여 요리하는 것으로서 그 요리법에 의해 다음과 같은 구별이 있다: **bake** 빵·과자 등을 오븐에 굽다 **roast** 고기를 오븐에 굽다 **grill** 고기를 석쇠 등을 이용, 불에 쬐어 굽는 것인데 《미》에서는 **broil**이라고 하는 경우가 많다 **fry** 기름에 튀기거나 볶다 **deepfry** 기름을 듬뿍 넣어 튀기다 **panfry, sauté** 프라이팬 등으로 소량의 기름에 볶다[튀기다] **boil** 뜨거운 물에 삶다 **simmer** 끓기 직전의 온도로 흐물흐물하게 삶다 **stew** 약한 불로 천천히 익히다 **braise** 기름에 튀긴 후 뚜껑 달린 용기에 푹 끓이다 **steam** 증기로 찌다

2 〈이야기 등을〉 지어내다, 꾸미다, 조작하다(concoct) 《*up*》; 〈장부 등을〉 조작하다, 속이다(falsify): (~+목+부) ~ *up* a story[report] 이야기[보고]를 날조하다 **3** 《속어》 못 쓰게 만들다; [보통 수동형으로] 《영·속어》 지치게 하다 **4** 《구어》 (더위에) 녹초가 되게 하다 **5** 《구어》 …에 방사선을 쬐다 **6** 《미·속어》 〈사람을〉 전기의자로 처형하다; 〈마약에〉 물을 넣어 가열해서 녹이다 **7** 《미·구어》 〈커피를〉 끓이다
— *vi.* **1** 요리하다, 식사를 준비하다: (~+부) ~ *out* 야외에서 요리해 먹다 **2** 〈음식물이〉 요리되다, 삶아지다, 구워지다: (~+부) This meat ~*s* quite *well.* 이 고기는 아주 잘 구워진다. **3** 요리사로서 일하다 **4** 《구어》 일어나다(occur) **5** 〈사람이〉 (더위로) 나른해지다 **6** 《미·속어》 흥분하다, 열연하다; 눈부시게 활동하다 **7** 《속어》 〈생각·계획 등이〉 짜내어지다 **8** 《미·속어》 마음을 졸이다, 걱정하다
~ a mark 《영·속어》 금품을 빼앗은 상대를 달래다 ***~ … away*** = ***~ away …*** 삶아서 …을 없애다 ~ a person***'s goose*** ⇨ goose. ***~ the books*** 장부를 속이다[조작하다] ***~ up*** 재빨리 요리하다; 《미·구어》 꾸미다, 조작하다 ***~ with gas***[***electricity***] 《미·구어》 잘 작동하다; 매우 잘하다 ***What's ~ing?*** 《구어》 무슨 일이 있느냐?, 별일 없느냐?; (앞으로) 어떻게 할 것이냐? ▷ cóokery *n.*

Cook [kúk] *n.* 쿡 **Captain James ~** (1728-79) 《영국의 항해가》

cook·a·ble [kúkəbl] *a.* 요리할 수 있는
— *n.* 요리해 먹을 수 있는 것(cf. EATABLE)

cook·book [kúkbùk] *n.* **1** 《미》 요리책(《영》 cookery book) **2** 자세한 설명서[해설서]; 비행 계획서 **3** 《미·속어》 화학 실험 안내서

cóok chéese 가열(加熱) 치즈

cook-chill [-tʃìl] *a.* Ⓐ, *n.* 《영》 조리 후 냉동시켰다가 데워 먹는 (방식[요리])

cook·ee [kúki] *n.* 《미·구어》 요리사 조수

cook·er [kúkər] *n.* **1** 요리 도구 《솥·냄비 등》 **2** 《구어》 요리용 과일[사과](cf. EATER) **3** (식품 가공에서) 삶는[찌는] 직공 **4** 《미·속어》 헤로인 제조 공장 **5** (이야기를) 꾸며 내는 사람

∗**cook·er·y** [kúkəri] *n.* (*pl.* **-er·ies**) **1** Ⓤ 《영》 요리법; 요리업 **2** 《미》 조리실, 취사장

cóokery bòok 《영》 요리책(《미》 cookbook)

cóokery schòol 요리 학교[학원] 《cooking school보다 일반적임》

cook-gen·er·al [-dʒénərəl] *n.* (*pl.* **cooks-**) 《영》 요리 및 가사 일반을 맡는 하인

cook·house [kúkhàus] *n.* (*pl.* **-hous·es** [-hàuziz]) 조리실; (배의) 취사실(galley); (캠프·군대의) 야외 취사장

‡**cook·ie, cook·y** [kúki] [Du. 「과자(cake)」의 뜻에서] *n.* **1** 《미》 (보통 가정에서 만든) 쿠키, 비스킷, 작고 납작한 과자(《영》 biscuit, small sweet cake); 《스코》 과자빵(bun) **2** [보통 수식어와 함께] 《미·속어》 사람, 놈(person): a tough ~ 거친 놈[녀석] **3** 〖컴퓨터〗 쿠키 《인터넷 접속시 PC의 하드 드라이브에 저장되는 사용자의 개인 신상 파일》 **4** 《미·속어》 매력적인 여자, 귀여운 소녀 **5** 《미·속어》 여성 성기; 여성적인 호모 남자 **6** 아편을 쓰는 사람 **7** 《영·공군속어》 폭탄 **8** [*pl.*] 《속어》 위(胃) 속에 있는 것
drop one***'s ~s*** 《미·속어》 열중[몰두]하다 ***That's how***[***the way***] ***the ~ crumbles.*** 《구어》 이게 인간 세상이라는 거다. ***toss***[***blow, lose, snap, shoot, throw***] one***'s ~s*** 《미·속어》 토하다

cóokie bùster 〖컴퓨터〗 쿠키 구축[제거] 프로그램

cóokie cùtter 쿠키의 절편판

cook·ie-cut·ter [kú:kikʌ̀tər] *a.* **1** 같은 모양의, 생김새가 비슷한 **2** 진부한, 개성이 없는, 판에 박은

cóokie jàr **1** 쿠키[과자] 단지[통] **2** (돈을 넣어 두는) 통 ***with*** one***'s hand in the ~*** 《구어》 현장에서 붙들려, 현행범으로

cóokie pùsher 《미·속어》 **1** 나약하고 소심한 청년; 아첨꾼 **2** 쓸모없는 공무원, (특히 국무성의) 격식 위주의 관리, 전통을 고수하는 외교관

cóokie shèet 쿠키 시트 《쿠키를 굽는 철판[알루미늄판]》

cook-in [kúkìn] *n.* **1** 가정 요리 **2** 요리 교실[프로그램]

‡**cook·ing** [kúkiŋ] *n.* Ⓤ 요리(법), 요리하기
— *a.* Ⓐ **1** 요리(용)의: a ~ school 요리 학원 《★ 지금은 cookery school이 일반적》 **2** 요리하기 좋은 **3** 《속어》 〈청중이〉 잘 반응하는

cóoking àpple 《영》 요리용 사과

cóoking gàs 《미》 = CALOR GAS

cóoking tòp (4개의 버너가 있는) 캐비닛형 레인지

cook·off [kúkɔ̀:f | -ɔ̀f] *n.* 요리 경연 대회

cook·out [kúkàut] 《미·캐나다》 *n.* 야외 요리(파티)
— *a.* 야외 요리(파티)의

cook·room [kúkrù(:)m] *n.* 취사장, 부엌(kitchen); (배의) 취사실(cookhouse)

cook·shop [kúkʃɑ̀p | -ʃɔ̀p] *n.* 작은 음식점, 식당(eating house); 《영》 주방용품점

Cóok's tóur [kúks-] [영국의 여행사 Cook & Sons에서] 주마간산(走馬看山)식 단체 관광 여행

thesaurus **cool** *a.* **1** 시원한, 찬 fresh, refreshing, coldish, windy, chilly (opp. *warm, heated*) **2** 침착한 calm, composed, self-controlled, quiet,

cook·stove [kúkstòuv] *n.* (미) 요리용 레인지
cook·top [kúktɑ̀p | -tɔ̀p] *n.* =COOKING TOP
cook-up [kúkʌ̀p] *n.* **1** 꾸며 낸[조작한] 것 **2** (카리브 해 지방의) 고기·새우·쌀·야채 등으로 만든 요리
cook·ware [-wɛ̀ər] *n.* Ⓤ 취사 도구, 조리 기구
cook·y[1] [kúki] *n.* (*pl.* **cook·ies**) =COOKIE 1
cooky[2], **cook·ie** [kúki] *n.* (미·속어) (목장·캠프·선상 등의) 요리사(조수); (여자) 요리사
‡**cool** [kú:l] *a.* **1 a** 시원한, 서늘한, 선선한, 〈색이〉 한색(寒色)의(opp. *warm*), (보기에) 시원스러운: a ~ dress 시원스러운 옷 **b** 〈요리가〉 식은, 찬; 〈체온이〉 평열의 **2 a** 〈사람·태도가〉 냉정한, 차분한, 침착한, 태연한: a ~ head 냉정한 두뇌(의 소유자) **b** 냉담한, 열의 없는; 뻔뻔스러운: a ~ customer 뻔뻔스러운 놈/a ~ response from the public 대중으로부터의 냉담한 반응 **3** Ⓐ (구어) 에누리 없는: a ~ thousand (dollars) 에누리 없는 1,000달러 **4** 〈사냥감의 냄새가〉 희미한, 약한(cf. COLD; HOT) **5** (속어) 멋진, 근사한: a ~ guy 근사한 녀석 **6** 〔재즈〕 이지적 감흥을 주는 **7** 독자의 상상에 맡기는, 소극적 표현의 **8** 〔물리〕 방사능에 오염되지 않은 **9** Ⓟ (퀴즈·보물찾기 등에서 정답·목표에서) 좀 먼[떨어진] (*as*) ~ ***as a cucumber*** 아주 침착한 ***~, calm, and collected*** (구어) 매우 침착하게, 냉정하여 ***be ~ with*** (구어) …에 찬성이다, 좋다 ***get ~*** 식다; 서늘해지다; 시원해지다 ***give*** a person ***a ~ reception*** …을 냉대하다 ***have*** (***a***) ***~ cheek*** 아주 뻔뻔스럽다 ***in ~ blood*** = in cold BLOOD. ***keep ~*** = ***keep a ~ head*** 냉정을 유지하다 ***nice and ~*** 기분 좋게 선선한[차가운](nicely cool) ***remain ~*** 덤벙대지 않다, 침착하다 ***That's ~.*** (속어) 아주 좋다, 괜찮다, 멋지군.
— *ad.* (구어) 냉정히(coolly) ***play it ~*** (구어) 냉정히 행동하다, 아무렇지도 않은 체하다
— *n.* Ⓤ **1** [the ~] 냉기, 서늘한 기운; 서늘한 때[곳] **2** [one's ~] (속어) 냉정, 침착 ***keep*** one***'s ~*** 침착하다 ***lose*** [***blow***] one***'s ~*** 흥분하다
— *vt.* **1** 차게 하다; 서늘하게 하다 **2** 〈열정·분노 등을〉 가라앉히다, 진정시키다 **3** 기세를 꺾다, 그만두게 하다 **4** (미·속어) 죽이다, 없애다; 연기하다
— *vi.* **1** 식다, 차가워지다; 서늘해지다 **2** 〈열정·화 등이〉 식다, 가라앉다 **3** (미·속어) 유유자적하다
~ down [***off***] 〈열정·분노 등이〉 식다, 가라앉다 ***~ it*** [보통 명령문으로] (미·속어) 냉정해지다, 침착해지다; 속도를 줄이다 ***~ out*** (1) 달래다 (2) (미·속어) (상대방의) 의도를 살피다 (3) (경주 후) 말을 진정시키다 (4) (미·속어) 죽이다 (5) (미·속어) 성교하다 ***~ one's heels*** 오래 기다리다 ***Keep your breath to ~ your porridge.*** 쓸데없는 말참견은 하지 마라.
▷ cóolly *ad.*; cóolness *n.*
coo·la·bah [kú:ləbɑ̀:] *n.* 〔식물〕 쿨라바 《오스트레일리아산(産)의 유칼립속(屬)의 고무나무》
cool·ant [kú:lənt] *n.* 냉각제 《엔진 등 내부의 열·마찰열을 감소하기 위한》; 윤활제
cóol bàg[**bòx**] 쿨러(cooler) 《피크닉 등의 음식을 위한 냉장 용기》
cóol cát (미·속어) 재즈(jazz)팬, 재즈통; (느낌이) 좋은 녀석, 능력이 있는 녀석
cool·down [kú:ldàun] *n.* **1** (극저온) 냉각 **2** 쿨다운 《심한 운동 후 정리 운동으로 맥박·호흡 등을 서서히 정상으로 되돌리기》
cóol drìnk (남아공) =SOFT DRINK
‡**cool·er** [kú:lər] *n.* **1** 냉각기 《특히 음료수를 차갑게 하는 데 쓰이는 냉각 용기》; (미) 냉장고 **2** 청량음료 **3** [the ~] (속어) 교도소, 유치장(lockup); 독거 감방, 독방(cell); (군대속어) 영창 **4** 공기 조정 장치, 냉방 장치 **5** (경주 후 말을 안정시키기 위해 어깨에 걸치는) 가벼운 모포 **6** (미·속어) 매력 없는 여자 **7** (영·속어) (병원의) 시체 안치실
cool-head·ed [kú:lhédid] *a.* 냉정[침착]한 **~·ly** *ad.* **~·ness** *n.*
cool·hunt·er [kú:lhʌ̀ntər] *n.* (특히 미·구어) 쿨헌터 《최신 경향·유행·아이디어를 조사하여 회사에 제공하는 사람》
coo·li·bah [kú:ləbɑ̀:] *n.* 〔식물〕 =COOLABAH
coo·lie, -ly [kú:li] [Hind.] *n.* (*pl.* **-lies**) **1** 쿨리 《옛 인도와 중국의 하급 노동자》 **2** (아시아 출신의) 저임금 미숙련 노동자
cóolie hàt 쿨리가 쓰는 삿갓 모양의 밀짚모자
cóolie jàcket[**còat**] 쿨리 재킷[코트] 《허리를 가릴 정도의 짧은 박스형 코트; 쿨리의 웃옷과 비슷한 데서》
cool·ing [kú:liŋ] *n.* Ⓤ, *a.* 냉각(의): ~ drinks 청량음료/a ~ room 냉각실
cóoling òff 할부 판매 계약 취소 보증 제도
cool·ing-off [kú:liŋɔ́:f | -ɔ́f] *a.* (쟁의·분쟁 등에서) 냉각시키기 위한
cóoling-óff pèriod (쟁의 등에서의) 냉각 기간; 계약 철회 기간 《소비자 보호를 위한》
cóoling tìme 냉각 기간 《대립 감정을 식히기 위한》
cóoling tòwer (냉방용수의) 냉각탑; 냉수탑
cool·ish [kú:liʃ] *a.* 조금 찬, 찬 기운이 있는
cóol jázz 쿨 재즈 《모던 재즈의 한 연주 형식; 지적으로 세련됨》
cool·ly [kú:lli, kú:li] *ad.* 서늘하게; 냉담하게; 냉정하게, 침착하게, 뻔뻔스럽게
Cool·Max [kú:lmæ̀ks] *n.* 쿨맥스 《흡수 발산력이 높은 폴리에스터를 원료로 해서 만들어진 기능성 소재로, 스포츠 의류 등에 사용됨; 상표명》
cool·ness [kú:lnis] *n.* Ⓤ **1** 시원함, 차가움 **2** 냉정, 침착 **3** 냉담, 무뚝뚝함 **4** 뻔뻔스러움
coomb, coombe [kú:m] *n.* =COMBE
Cóombs tést [kú:mz-] [영국의 면역학자 이름에서] 〔의학〕 쿰스 시험 《적혈구 표면의 단백을 검출함》
coon [kú:n] *n.* **1** (미·구어) =RACCOON **2** (미·구어) 촌놈; 바보; 사내 **3** (경멸) 검둥이(Negro) ***a gone ~*** 절망적인 궁지에 빠진 사람 ***go the whole ~*** (미) 철저히 하다((영) go the WHOLE HOG) ***hunt*** [***skin***] ***the same old ~*** 늘 같은 일만 하고 있다
— *vi., vt.* (미) 납죽 엎드려서 원통 나무 다리를 건너다; 슬쩍 훔치다
coon·can [kú:nkæ̀n] *n.* Ⓤ 쿤캔 《40매의 카드로 두 사람이 하는 카드 게임》
cóon càt =ANGORA CAT; CACOMISTLE
cóon chèese 쿤 치즈 《모나고 짙은 색의 부드러운 체다 치즈》
coon·hound [-hàund] *n.* 아메리카너구리 사냥용 개
cóon's àge (미·구어) 아주 긴 세월(a long time) (cf. DONKEY'S YEARS)
coon·skin [kú:nskìn] *n.* ⓊⒸ **1** 아메리카너구리의 털가죽 **2** 그것으로 만든 모자[외투] — *a.* 아메리카너구리 모피로 만든

coonskin 2

coon·tie [kú:nti] *n.* **1** 〔식물〕 플로리다 자미아 《미국 Florida 주, 열대 아메리카산(産) 소철》 **2** 그 전분
coop [kú:p, kúp | kú:p] *n.* **1** 닭장, 우리(cage, pen); (영) 가리 《물고기를 잡는 기구》 **2** 비좁고 갑갑한 곳; (속어) 교도소(jail) **3** (익살) 협동조합(co-op), (특히) 대학 협동조합 서점 ***fly the ~*** (1) (속어) 탈옥하다 (2) (미·속어) 도망치다 ***in the ~*** (미·속어) (근무 시간 중에) 잠만 자는, 게으름 피우는
— *vt.* **1** 우리에 넣다; [보통 수동형으로] 비좁은 곳에 가두다, …을 가두다 (*in, up*): I *was ~ed up* in the house all day. 하루 종일 집에 갇혀 있었다. **2** (미·속어) (투표하러 못 가게) 가두어 놓다

---

serene, unperturbed, unruffled, relaxed **3** 냉담한 unfriendly, unwelcoming, indifferent **4** 멋진 sophisticated, stylish, elegant, urbane

—*vi.* **1** 《미·속어》 〈경찰이〉 순찰차 안에서 잠자다 **2** 틀어박혀 나오지 않다, 잠입하다 **3** 실패하다, 실수하다

coop., co-op. cooperative

co-op [kóuɑ̀p, ⌐⌐ | -ɔ̀p] [*coop*erative] *n.* **1** 《구어》 소비[협동] 조합 (매점) **2** (조합 조직의) 공동 주택 ***on the ~*** 소비 조합 방식으로

—*vt.* 《미·구어》 〈아파트 등을〉 협동조합 관리로 하다

—*ad.* [다음 성구로] ***go ~*** 협동조합 방식으로 하다

coop·er [kú:pər, kú- | kú:pə] *n.* **1** 통장이, 통 제조업자 **2** 《영》 술장수 《술맛도 보고 병에 담기도 하는》 **3** Ⓤ 《영》 (porter와 stout를 반반씩 섞은) 혼합 흑맥주 ***dry*** [***wet***] **~** 건물용(乾物用)[액체용] 통 만드는 사람 ***white ~*** (보통의) 통장이

—*vi.* 통장이 노릇을 하다 —*vt.* **1** 〈통 등을〉 수선하다, 만들다 **2** 〈포도주 등을〉 통에 넣다 **3** 《속어》 해치우다 **4** 보기 흉하지 않게 하다, 모양 좋게 하다 **~ *up*** [***out***] 《구어》 모양을 내다, 성장하다

Coo·per [kú:pər, kú- | kú:-] *n.* 쿠퍼 **James Fenimore ~** (1789-1851) 《미국의 소설가》

coop·er·age [kú:pəridʒ, kú- | kú:-] *n.* **1** Ⓤ 통장이 일; 통장이의 품삯 **2** 통장이의 제품[일터]

co·op·é·rant [kouɑ́pərənt | -ɔ́p-] 〖F〗 *n.* (프랑스의) 개발도상국 원조 계획의 해외 협력 대원

‡**co·op·er·ate, co-op-** [kouɑ́pərèit | -ɔ́pə-] 〖L 「함께 일하다」에서〗 *vi.* **1** 협력하다, 협동하다 《*with*; *in*, *for*》: (~+전+명) ~ *with* a person *for* …을 위해 …와 협력하다 / ~ *with* friends *in* doing the work 그 일을 하는 데 친구와 협력하다 **2** 〈사정 등이〉 서로 돕다(contribute): (~+***to*** do) All these things ~*d to* make this work a success. 이들 사정이 함께 작용하여 이 사업은 성공을 거두었다.

▷ cooperátion *n.*; coóperative *a.*

‡**co·op·er·a·tion, co-op-** [kouɑ̀pəréiʃən | -ɔ̀pə-] *n.* **1** Ⓤ 협력, 협동 **2** Ⓤ 협조성; 원조 **3** Ⓤ 〖경제〗 (생산·판매 등의) 협동 작업 **4** 〖경제〗 협동조합: consumers' [consumptive] ~ 소비조합 / producers' [productive] ~ 생산 조합 **5** Ⓤ 〖생태〗 협동 (작용) ***in ~ with*** …와 협력[협동]하여 **~·ist** *n.*

▷ coóperate *v.*

*****co·op·er·a·tive, co-op-** [kouɑ́pərətiv, -ɑ́pərèit- | -ɔ́pərə-] *a.* **1** 협력적인, 협동의, 협조적인: ~ savings 공동 저금 **2** 조합의, 소비조합의

—*n.* **1** 협동조합(의 매점·농장) **2** 《미》 조합식 (공동) 주택 《거주자가 건물을 공유·관리 운영함》(=**~ apártment**) **~·ly** *ad.* **~·ness** *n.*

▷ coóperate *v.*; cooperátion *n.*

coóperative socíety 협동조합 《소비자·생산자 등의》

coóperative stóre 협동조합의 매점; 농업 협동조합 소매점

co·op·er·a·tor [kouɑ́pərèitər | -ɔ́pə-] *n.* **1** 협력자 **2** 협동[소비]조합원

coop·e·ry [kú:pəri, kúp- | kú:p-] *n.* (*pl.* **-ries**) = COOPERAGE

co-opt [kouɑ́pt | -ɔ́pt] *vt.* **1** 〈위원회 등에서 새 회원을〉 선임[선출]하다 **2** 〈반대자·분파 등을〉 조직에 흡수하다 **3** 〈남의 것을〉 마음대로 사용하다, 선취(先取)하다 **co-óp·tive, co-óp·ta·tive** *a.*

co-op·ta·tion [kòuɑptéiʃən | -ɔp-] *n.* Ⓤ 새 회원의 선출[선거]

*****co·or·di·nate** [kouɔ́:rdənət, -nèit] *a.* **1** 동등한, 동격의, 대등한 《*with*》: an officer ~ in rank *with* me 나와 같은 계급의 장교 **2** 〖문법〗 대등의, 등위(等位)의(opp. *subordinate*) **3** 〖수학〗 좌표의 **4** 〖화학〗 배위(配位)의 **5** 《미》 〈대학이〉 남녀 공학이나 반은 각각인

—*n.* **1** 동격자, 대등한 것 **2** 〖문법〗 동등[등위] 어구 **3** [*pl.*] 위도와 경도(에서 본 위치); 〖수학〗 좌표 **4** [*pl.*] 코디네이트 《색깔·소재·디자인의 조화 효과를 노린 의복·가구》

—*v.* [kouɔ́:rdənèit] *vt.* **1** 대등하게 하다 **2** 통합하다; 조정하다(adjust), 조화시키다

—*vi.* **1** 대등하게 되다 **2** (각 부분이) 조화하여 움직이다[기능하다] **3** 〖화학〗 배위 결합하다

▷ coordinátion *n.*; coórdinative *a.*

coórdinate bònd 〖화학〗 배위 결합(配位結合) 《한 원자에서만 제공되는 두 개의 원자가 전자(原子價電子)의 공유에 의해 생기는》

coórdinate cláuse 〖문법〗 등위절

coórdinate conjúnction = COORDINATING CONJUNCTION

co·or·di·nat·ed [kouɔ́:rdənèitid] *a.* 〈근육이〉 공동 작용할 수 있는

coórdinated univérsal tìme 〖천문〗 = UNIVERSAL TIME COORDINATED

co·ór·di·nat·ing conjúnction [kouɔ́:rdənèitiŋ-] 〖문법〗 등위 접속사 《and, but, or, for 등》

*****co·or·di·na·tion** [kouɔ̀:rdənéiʃən] *n.* Ⓤ **1** 동등(하게 함); 〖문법〗 대등 관계 **2** 정합(整合), (작용·기능의) 조정, (근육 운동의) 공동 작용; 〖화학〗 배위(配位)

▷ coórdinate *a.*, *v.*

coordinátion còmpound[**còmplex**] 〖화학〗 배위(配位) 화합물

co·or·di·na·tive [kouɔ́:rdənèitiv, -nə- | -nə-] *a.* **1** 동등한, 대등한, 동격의 **2** 조정된 **3** 〖문법〗 등위의 **4** 〖언어〗 등위 구조를 이루는

*****co·or·di·na·tor** [kouɔ́:rdənèitər] *n.* **1** 동격으로 하는 것[사람] **2** 조정자; (의견 등을) 종합하는 사람, 진행자, 코디네이터 **3** 〖문법〗 등위 접속사

coot [kú:t] *n.* **1** 〖조류〗 물닭 《유럽산》; 검둥오리 《북미산》 **2** [종종 (silly) old ~로] 《구어》 얼간이, 멍청이 《특히 노인을 지칭》 (***as***) ***bald as a ~*** 이마가 홀랑 벗겨져서 (***as***) ***stupid as a ~*** 정말 멍텅구리인

coot·er [kú:tər] *n.* 〖동물〗 (미국 남부 및 멕시코 북부산(産)) 늪거북

coot·ie [kú:ti] *n.* **1** 《미·속어》 이(louse); 《미·구어》 세균 **2** 《미·속어》 순진한 사람

co-own·er [kouóunər] *n.* 〖법〗 공동 소유자

cop[1] [kɑ́p | kɔ́p] 〖L 「잡다」(capture)의 뜻에서〗 *v.* (**~ped**; **~·ping**) *vt.* 《속어》 **1** 〈범인을〉 잡다, 포박하다 **2** 훔치다 **3** [~ it로] 야단맞다, 벌을 받다 **4** 〈마약을〉 손에 넣다, 사다 **5** 이해[파악]하다 **6** 《영·속어》 〈뇌물을〉 받다 **7** 《미·속어》 〈유객꾼이〉 〈여자를〉 매춘에 끌어들이다 —*vi.* 《속어》 이기다

~ a buzz 《미·속어》 (술·마약을 복용한 효과로) 짜릿한 쾌감을 느끼다, 핑 느낌이 오다 ***~ an attitude*** 《미·속어》 잘난 체하다, 거드름 피우다 ***~ a plea*** 《속어》 (중죄를 피하려고 가벼운) 죄를 자백하다 ***~ out*** 《속어》 (일·약속 등에서) 손을 떼다; 책임을 회피하다, 발뺌하다 《*of*, *on*》

—*n.* [보통 a fair ~로] 《영·속어》 체포, 붙잡힘: It's *a fair* ~. 마침내 붙잡혔다. ***~ and heel*** 《미·속어》 (1) 탈주, 도망 (2) 위기일발 ***no*** [***not much***] ***~*** 《영·속어》 (1) 〈일이〉 쉽지 않은 (2) 가치[쓸모]가 별로 없는

cop[2] [copper[2]] *n.* 《구어》 경찰관, 순경(policeman) ***~s and robbers*** 경찰관과 도둑 《어린이 놀이》 ***on the ~s*** 《미·속어》 경찰관이 되어

cop[3] *n.* **1** (방추(紡錘)에 원뿔형으로 감은) 실톳 **2** 《영·방언》 (언덕 등의) 꼭대기

cop. copper; copyright(ed) **Cop.** Coptic

co·pa·cet·ic [kòupəsétik, -sí:-] *a.* 《미·속어》 훌륭한, 만족스러운

co·pai·ba [koupéibə | -pái-], **-va** [-və] *n.* Ⓤ 코파이바발삼(=**~ bàlsam**[**rèsin**]) 《남미산(産) 식물에서 뽑은 약용 나무진》

co·pal [kóupəl, -pæl] *n.* Ⓤ 코펄 《천연 수지; 니스의 원료》

co·palm [kóupɑ:m] *n.* **1** 〖식물〗 풍향수(楓香樹) 《북미산(産)》 **2** Ⓤ 풍향수의 수지

thesaurus **cooperate** *v.* **1** 협력하다 work together, join forces, unite, combine, collaborate, coordinate **2** 서로 돕다 assist, help, aid, contribute

co·par·ce·nar·y [koupɑ́ːrsənèri | -nəri] *n.* Ⓤ 〖법〗 상속 재산 공유; 《일반적으로》 공동 소유

co·par·ce·ner [koupɑ́ːrsənər] *n.* 〖법〗 (토지) 공동 상속인

co·par·ent [kóupὲərənt, -pæ̀r-, ─́─] *n.* (이혼 후에도 공동으로 자녀의 양육을 분담하는) 부모
— [─́─] *vt., vi.* (이혼 후에도 공동으로 아이를) 양육하다

co·part·ner [koupɑ́ːrtnər] *n.* **1** 협동자, 파트너 **2** 조합원 **3** 공범[공모]자 **~·ship** *n.* Ⓤ 협동; 조합제

co·pa·set·ic [kòupəsétik, -síː-] *a.* = COPACETIC

co·pay·ment [koupéimənt] *n.* 《미》 (피고용자의 의료 보험·생명 보험·연금 등에서) 고용인의 부담

COPD chronic obstructive pulmonary disease 〖병리〗 만성 폐쇄성 폐질환

‡cope[1] [kóup] [OF 「치다, 때리다」의 뜻에서] *vi.* **1** 대항하다, 맞서다 《*with*》: 《~+전+명》 try to ~ *with* a crowd 군중을 제압하려고 하다 **2** 잘 처리하다[대처하다], 극복하다 《*with*》: 《~+전+명》 ~ *with* difficulties 곤란을 극복하다 / ~ *with* a task 일을 처리하다 **3** 《구어》 (이럭저럭) 해나가다 **4** 《고어》 관계하다, 우연히 만나다
— *vt.* 《영·구어》 대항하다; 대처하다; 《폐어》 …와 접촉하다, 충돌하다

cope[2] *n.* **1** 〖그리스도교〗 (성직자의) 코프 《망토 모양의 긴 외투》 **2** 《시어》 장막, 덮개(cover): a ~ of night[heaven] 밤의 장막[푸른 하늘] **3** 종의 거푸집 맨 윗부분; 〖건축〗 (담의) 갓돌(coping)
— *vt.* **1** 코프를 입히다 **2** 갓돌을 얹다: walls ~*d* with broken bottles 꼭대기에 병 조각을 박은 담
— *vi.* 덮이다; (담의 갓돌처럼) 내밀다 《*over*》

cope[3] *vt.* **1** 〖건축〗 〈돌출부·가장자리를 깎아 커브를〉 만들다 **2** (매사냥에서) 〈매의 부리·발톱을〉 잘라내다

co·peck [kóupek] *n.* = KOPECK

Co·pen·ha·gen [kòupənhéigən, -hɑ́ː- | kòupənhéigən] *n.* 코펜하겐 《덴마크의 수도》

copenhágen blúe 회청색(灰靑色)

co·pe·pod [kóupəpɑ̀d | -pɔ̀d] *a., n.* 〖동물〗 요각류(橈脚類)의 (동물) 《검물벼룩 등의 수생(水生) 동물》

cop·er [kóupər] *n.* 《영》 말장수, 마도위

Co·per·ni·can [koupə́ːrnikən] *a.* **1** 〖천문〗 코페르니쿠스(설)의: the ~ theory 지동설 **2** 획기적인, 극히 중대한: a ~ revolution in modern art 현대 예술의 획기적인 변혁

Copérnican sýstem [the ~] 코페르니쿠스설, 코페르니쿠스의 지동설

Co·per·ni·cus [koupə́ːrnikəs, kə-] *n.* 코페르니쿠스 **Nicholaus ~** (1473-1543) 《폴란드의 천문학자; 지동설의 제창자》 ▷ Copérnican *a.*

co·pe·set·ic [kòupəsétik, -síː-] *a.* = COPACETIC

Cópe's rùle [kóups-] [미국의 고대 생물학자 이름에서] 〖생물〗 코프의 법칙 《비(非) 특수형의 법칙, 체대화(體大化)의 법칙 등 정향(定向) 진화에 입각한 법칙》

cope·stone [kóupstòun] *n.* **1** 〖건축〗 갓돌, 지지름돌 **2** 절정, 극치, 최후의 마무리

cop·ier [kɑ́piər | kɔ́-] *n.* **1** 모방자 **2** 필생(筆生)(copyist) **3** 복사기; 복사하는 사람

co·pi·lot [kóupàilət] *n.* 〖항공〗 부조종사; 《미》 (트럭의) 운전 조수

cop·ing [kóupiŋ] *n.* Ⓤ 〖건축〗 **1** (돌담 등의) 갓돌, 지지름돌 **2** (벽돌담 등의) 갓돌 공사; 꼭대기층

cóping sàw 실톱

cóping stòne = COPESTONE

***co·pi·ous** [kóupiəs] *a.* **1** 〈공급량·사용량 등이〉 풍부한, 막대한: ~ profits 막대한 이익 **2** 내용이 풍부한; 〈작가 등이〉 어휘가 풍부한, 다작의, 자세히 서술하는: ~ notes 자세한 주석 **~·ly** *ad.* **~·ness** *n.*

---

cope[1] *v.* manage, succeed, survive, carry on
copious *a.* abundant, plentiful, ample, profuse, rich, generous, full (opp. *scarce*)

cop·kill·er [kɑ́pkìlər | kɔ́p-] *n.* 《속어》 방탄 조끼를 관통하는 총탄

co·pla·nar [koupléinər] *a.* 〖수학〗 동일 평면상의, 공면(共面)의 〈점·선 등〉 **cò·pla·nár·i·ty** *n.*

co·pol·y·mer [koupɑ́ləmər | -pɔ́-] *n.* 〖화학〗 공중합체(共重合體), 혼성 중합체 **co·po·lym·er·i·za·tion** [kòupəlìmərizéiʃən] *n.* Ⓤ 공[혼성] 중합

cop-out [kɑ́pàut | kɔ́p-] *n.* 《구어》 **1** (책임 회피의) 구실, 핑계 **2** (일·약속 등에서) 손을 떼기[떼는 사람] **3** 변절[전향](자) **4** (비겁한) 도피, 타협 **5** 체포; 자백 **6** 포기

‡cop·per[1] [kɑ́pər | kɔ́-] [L 「키프로스의(Cyprian) 금속」의 뜻에서] *n.* **1** Ⓤ 구리, 동: red ~ 적동광 **2** 동전 《penny 등》; [*pl.*] 《속어》 잔돈 **3 a** 《영》 취사[세탁]용 보일러 《지금은 보통 쇠로 만든 것》 **b** [*pl.*] 배의 물 끓이는 솥 **4** 동판 **5** [*pl.*] 동산주(銅山株) **6** Ⓤ 구릿빛, 동색, 적갈색 **7** 〖곤충〗 주홍부전나비속의 나비
clear one***'s ~s*** 《영·속어》 가래를 뱉다 ***cool*** one***'s ~s*** 술을 깨기 위해 물을 마시다 ***have hot ~s*** (과음하여) 목이 몹시 마르다
— *a.* **1** 구리의, 구리로 만든 **2** 구릿빛의, 적갈색의
— *vt.* **1** …에 구리를 입히다; 〈뱃바닥에〉 동판을 대다 **2** 〈야채를〉 황산구리로 물들이다 **3** 《구어》 지키다 **4** 체포하다 **5** 《미·속어》 (카드놀이에서) …의 반대에 돈을 걸다 **~ *a tip*** 시키는 일을 반대로 하다; (직감의) 반대로 돈을 걸다 **~·ish** *a.* 구리 비슷한, 동질(銅質)의, 구리색의 ▷ cóppery *a.*

copper[2] 《속어》 *n.* **1** 경찰관, 순경(cop) **2** 밀고자 **3** 형기(刑期)의 감형
— *vt.* **1** 체포하다 **2** (경찰에) 밀고하다 — *vi.* **1** 경찰관으로 일하다 **2** (경찰에) 밀고하다

Cópper Àge [the ~] 동기(銅器) 시대

cop·per·as [kɑ́pərəs | kɔ́-] *n.* Ⓤ 〖화학〗 녹반(綠礬)(green vitriol)

cópper béech 〖식물〗 너도밤나무의 일종

Cópper Bèlt [the ~] (중앙아프리카의) 구리 산출 지대 《잠비아와 자이르의 국경 지대》

cop·per-bot·tomed [kɑ́pərbɑ́təmd | kɔ́pərbɔ́-] *a.* **1** 밑바닥에 동판을 댄 〈배〉 **2** 《구어》 진짜의, 믿을 수 있는 **3** 〈사업 등이〉 (재정적으로) 건전한

cop·per-col·ored [-kʌ́lərd] *a.* 구릿빛의

cop·per·head [kɑpərhèd | kɔ́-] *n.* **1** 〖동물〗 미국 살무사 《북미산(産)》 **2** [**C~**] 〖미국사〗 (남북 전쟁 당시의) 남부에 동정한 북부 사람

cópper Índian 북미 인디언(Red Indian)

cópper nítrate 〖화학〗 질산구리

cop·per·nose [-nòuz] *n.* (모주꾼의) 딸기코

cop·per·plate [-plèit] *n.* **1** 동판 **2** Ⓤ 동판 조각; 동판 인쇄 **3** Ⓤ (동판 인쇄처럼) 깨끗한 초서체
— *a.* 《영》 동판의, 동판 인쇄의[같은]; 초서체풍의, (글자가) 깨끗한: ~ printing 동판 인쇄

cópper pyrítes 〖광물〗 황동석(chalcopyrite)

cop·per·skin [-skìn] *n.* 아메리칸 인디언

cop·per·smith [-smìθ] *n.* **1** 구리 세공인; 구리 그릇 제조인 **2** 〖조류〗 붉은가슴 오색조

cópper súlfate 〖화학〗 황산구리

cop·per·ware [-wὲər] *n.* Ⓤ 구리 제품

cop·per·y [kɑ́pəri | kɔ́-] *a.* **1** 동을 함유한 **2** 구리 같은 **3** 구릿빛의, 적갈색의

cop·pice [kɑ́pis | kɔ́-] *n.* (주로 영) 작은 관목 숲, 잡목 숲 — *vt., vi* 《영》 벌채하다

cop·pice·wood [kɑ́piswùd | kɔ́-] *n.* = COPSEWOOD

cop·ra [kɑ́prə, kóup- | kɔ́p-] *n.* Ⓤ 코프라 《야자 열매의 속을 말린 것; 야자유의 원료》

co·pres·i·dent [kóuprèzədənt] *n.* 공동 사장

co·proc·es·sor [kòuprɑ́sesər | -próu-] *n.* 〖컴퓨터〗 코프로세서, 보조 처리기 《주(主)프로세서의 기능을 보완하는 부가 기능을 가진 프로세서》

co·pro·duce [kòuprədjúːs | -djúːs] *vt.* 공동 생산하다 **-pro·dúc·er** *n.* **-pro·dúc·tion** *n.*

co·prod·uct [kóuprɑ̀dəkt | -prɔ̀d-] *n.* 부산물(by-product)

cop·ro·lag·ni·a [kɑ̀prəlǽgniə | kɔ̀-] *n.* Ⓤ 〚정신의학〛 애분(愛糞)(증) 《성적 도착의 일종》

cop·ro·la·li·a [kɑ̀prəléiliə | kɔ̀-] *n.* Ⓤ 〚정신의학〛 강박적 외설증 《욕설이나 음담을 내뱉는》

cop·ro·lite [kɑ́prəlàit | kɔ́-] *n.* Ⓤ **1** 〚지질〛 분석(糞石) 《동물 똥의 화석》 **2** 《미·속어》 기분 나쁜 녀석 **còp·ro·lít·ic** *a.*

cop·rol·o·gy [kəprɑ́lədʒi | kɔprɔ́-] *n.* Ⓤ **1** 분석학(糞石學)(scatology) **2** (문학에서의) 외설 취미, 포르노(pornography) **còp·ro·lóg·i·cal** *a.*

cop·roph·a·gous [kəprɑ́fəgəs | kɔprɔ́-] *a.* 〈곤충·새·동물이〉 똥을 먹고 사는

cop·roph·a·gy [kəprɑ́fədʒi | kɔprɔ́-] *n.* Ⓤ 식분(食糞)(성), 분식증

cop·ro·phil·i·a [kɑ̀prəfíliə | kɔ̀-] *n.* Ⓤ 〚정신의학〛 기분증(嗜糞症), 호분증(好糞症) **còp·ro·phíl·ic** *a.*

cop·roph·i·lous [kəprɑ́fələs | -rɔ́-] *a.* 〈버섯·곤충이〉 똥에서 자라는

cop·ro·pho·bi·a [kɑ̀prəfóubiə | kɔ̀-] *n.* Ⓤ 〚정신의학〛 이상 분변(異常糞便) 공포증, 공분증(恐糞症)

co-pros·per·i·ty [kòuprɑspérəti | -prɔs-] *n.* Ⓤ 공영(共榮), 상호 번영

copse [kɑps | kɔps] *n.* 《주로 영》 =COPPICE

copse·wood [kɑ́pswùd | kɔ́ps-] *n.* (잡목 숲 밑의) 잔나무(underwood)

cóp shóp 《미·속어》 경찰서

cops·y [kɑ́psi | kɔ́psi] *a.* 덤불 숲이 많은

Copt [kɑpt | kɔpt] *n.* **1** 콥트 사람 《이집트 원주민》 **2** 콥트 교도 《이집트의 그리스도교도》

Copt. Coptic

cop·ter [kɑ́ptər | kɔ́p-] *n.* 《구어》 =HELICOPTER

Cop·tic [kɑ́ptik | kɔ́p-] *a.* **1** 콥트 사람[말]의 **2** 콥트 교회의 ― *n.* Ⓤ 콥트 말

Cóptic Chúrch [the ~] 콥트 교회 《그리스도 단성설(單性說)을 주창하여 로마 가톨릭교회에서 이탈한 이집트 교회》

co·pub·lish [koupʌ́bliʃ] *vt.* 공동 출판하다 **~·er** *n.*

cop·u·la [kɑ́pjulə | kɔ́-] *n.* (*pl.* **~s, -lae** [-lìː]) **1** 〚논리·문법〛 연결사, 계사(繫辭) 《subject와 predicate를 잇는 be 동사 등》 **2** 〚해부〛 접합부 **3** 〚로마법〛 성교 **-lar** *a.*

cop·u·late [kɑ́pjulèit | kɔ́-] *vi.* **1** (…와) 성교하다 《*with*》 **2** 〈동물이〉 교접[교미]하다; 흘레하다 ― [-lət] *a.* 연결한, 결합한 **cóp·u·la·tò·ry** *a.*

cop·u·la·tion [kɑ̀pjuléiʃən | kɔ̀-] *n.* Ⓤ **1** 성교; 교미, 흘레 **2** 연결, 결합; 〚문법·논리〛 연계

cop·u·la·tive [kɑ́pjulèitiv, -lə- | kɔ́pjulə-] *a.* **1** 〚문법〛 연계의, 연결하는: a ~ conjunction 연계 접속사 《and 등》/ a ~ verb 연계 동사 《be 등》 **2** 성교의, 교미의 ― *n.* 〚문법〛 계사; 연계 접속사 **~·ly** *ad.*

cop·u·lin [kɑ́pjələn | kɔ́p-] *n.* 〚생화학〛 코퓰린 《암원숭이가 내는 성(性) 유인 물질》

****cop·y** [kɑ́pi | kɔ́pi] [L 「풍부, 다량」의 뜻에서] *n.* (*pl.* **cop·ies**) **1 a** 사본; 베끼기, 복사(한 것): a fair [clean] ~ 정서 / a foul[rough] ~ 초고 **b** (복사기에 의한) 복사, 카피: make a ~ of the check for one's records 기록용으로 그 수표를 복사하다 **2** 모사, 모방 **3** (습자의) 본; 연습 과제(의 시와 글) **4** (같은 책·잡지의) 부, 권; (판화의) 장: a ~ of The Times 더 타임스지 한 부 **5** ⒸⓊ (인쇄용) 원고(manuscript), 초고; 신문 기삿거리, 제재(題材) **6** Ⓤ 광고문(안), 카피 **7** 〚영국법〛 등본, 초본(opp. *script*) **8** 〚영화〛 복사 인화 **9** 〚인쇄〛 (복제하기 위한) 예술 작품

a ~ of verses 짧은 시구 《작문 연습 과제》 ***hold one's ~*** 교정원의 조수 노릇을 하다 ***keep a ~ of*** …의 사본을 떠두다 ***make*** [***take***] ***a ~*** 복사하다 ***make good ~*** 좋은 신문 기삿거리가 되다 ***write from a ~*** 본을 보고 쓰다

― *v.* (**cop·ied**) *vt.* **1** 베끼다, 표절하다, 복사하다; 모사하다(⇨ imitate 유의어) **2** 모방하다 **3** 〚컴퓨터〛 카피[복사]하다

― *vi.* **1** 베끼다, 복사하다: (~+전+명) ~ *into* a notebook 공책에 베끼다 **2** 모방하다, 본받다 《*from, after, out of*》: (~+전+명) ~ *after* a good precedent 좋은 선례에 따르다 **3** 《영》 (남의 답안을) 베끼다(crib) ~ ***down*** 써 두다, 기록하다 ~ a person ***in*** (다른 사람에게 보낼 e-mail message 따위를) …에게 복사해서 보내다 ~ ***out*** 고스란히 베끼다

cop·y·book [kɑ́pibùk | kɔ́-] *n.* **1** 습자 교본, 습자책 **2** (편지·문서의) 사본, 복사부 ― *a.* 평범한; 진부한; 아주 알맞은, 정확한: ~ maxims 진부한 격언

cop·y·boy [-bɔ̀i] *n.* (신문사·출판사 등의) 원고 심부름하는 아이; 잡일꾼

cop·y·cat [-kæ̀t] *n.* 《경멸》 **1** (맹목적) 모방자(imitator) **2** (학교에서 남의 것을) 그대로 베끼는 아이 ― *a.* 모방의: a ~ murder 모방 살인 ― *v.* (**~·ted**; **~·ting**) *vt.* 모방하다, 흉내내다 ― *vi.* 무턱대고 흉내내다

cópy dèsk 《미》 (신문사의) 편집자용 책상

cop·y·ed·it [-èdit] *vt.* 〈원고를〉 정리[교열]하다

cop·y·ed·i·tor [-èditər] *n.* (신문사·출판사 등의) 원고 정리[교열] 편집자; (신문의) 교열 부장

cop·y·girl [-gəːrl] *n.* (신문사의) 여자 심부름꾼

cop·y·graph [-græ̀f | -grɑ̀ːf] *n.* =HECTOGRAPH

cop·y·hold [-hòuld] *n.* Ⓤ 〚영국법〛 등본 소유권 (에 의해서 갖고 있는 부동산)(cf. FREEHOLD) ***in ~*** 등본 소유권에 의하여

cop·y·hold·er [-hòuldər] *n.* **1** 〚영국법〛 등본 소유권자 **2** 교정 조수 **3** (타자기의) 원고 누르개; (식자공의) 원고대(臺)

cop·y·ing [kɑ́piiŋ | kɔ́-] *n.* Ⓤ, *a.* 카피(용의), 복사(용의), 등사(용의)

cópying ink 필기용[복사용] 잉크

cópying machìne 복사기(copy machine)

cópying pàper 복사지, 카피지(紙)

cópying prèss (압착식) 복사기

cop·y·ist [kɑ́piist | kɔ́-] *n.* **1** 복사 담당자, 필생, 필경자 **2** 모방자(imitator)

cop·y·left [kɑ́pilèft | kɔ́-] [copy*right*의 뒷말을 바꾼 것] *n.* Ⓤ 〚컴퓨터〛 카피레프트 《무료 배포되는 소프트웨어에 적용되는 일종의 저작권; source code를 유통시켜서 이익을 얻어서는 안 된다는 따위》

cópy machìne 복사기(copier)

cópy pàper 원고[복사] 용지

cópy protèction 〚컴퓨터〛 (소프트웨어) 복사 방지

cop·y·read [kɑ́pirìːd | kɔ́-] *vt.* (**-read** [-rèd]) 《미》 〈원고를〉 교정[교열]하다

cop·y·read·er [kɑ́pirìːdər | kɔ́-] *n.* 《미》 (신문·잡지사의) 원고 교정[교열]원, 편집원; 부편집장

cop·y·right** [kɑ́piràit | kɔ́-] *n.* ⓊⒸ **저작권**, 판권 《기호 ©》: hold[own] the ~ *on* a book 서적의 판권을 갖고 있다 ***C~ reserved. 판권 소유.

― *a.* 저작권[판권]이 있는, 판권으로 보호된

― *vt.* 〈작품 등을〉 저작권으로 보호하다; …의 판권을 얻다 **~·a·ble** *a.* **~·er** *n.*

cópyright líbrary 《영》 납본[판권] 도서관 《영국에서 출판되는 모든 책을 1부씩 기증받을 권리가 있는 도서관; British Library 등 6개 도서관이 있음》

cópyright láw 저작권법

cópyright pàge (책의) 판권면

cópy tàg 〚언어〛 반복 부가 의문문 《긍정·부정이 선행 문장과 일치하는 부가 의문문》

cop·y·tast·er [kɑ́pitèistər | kɔ́-] *n.* (신문사·출판사의) 원고 감정원[심사원]

cópy tỳpist (문서 등의) 카피를 만드는 타이피스트

***cop·y·writ·er** [kɑ́piràitər | kɔ́-] *n.* 원고 쓰는 사람, 《특히》 광고 문안 작성자

thesaurus **copy** *v.* **1** 복사하다 duplicate, photocopy, transcribe **2** 모사하다 reproduce, replicate,

cop·y·writ·ing [-ràitiŋ] *n.* Ⓤ 광고 문안 작성

coq au vin [kɑ́k-ou-vǽŋ | kɔ́k-] [F =cock with wine] 코코뱅 《양념 적포도주 소스로 삶은 닭고기 스튜》

co·que·li·cot [kóuklikòu] *n.* 〖식물〗 개양귀비

co·quet [koukét | kɔ-, kou-] [F 「수탉(cock) 같은 짓을 하다」의 뜻에서] *vi.* (**~·ted**; **~·ting**) **1** 〈여자가〉 교태를 부리다, 아양을 떨다, 꼬리치다, (남자와) 희롱하다(flirt) 《*with*》 **2** 가지고 놀다, 농락하다; 심심풀이로 손대다(trifle) 《*with*》: 《~+전+명》 ~ *with* a knife 칼을 갖고 놀다/~ *with* an affair 사건에 부질없이 손대다 **—** *a.* =COQUETTISH
— *n.* **1** 바람둥이 여자 **2** 《폐어》 바람둥이 남자

co·quet·ry [kóukitri, koukét- | kɔ́kit-] *n.* (*pl.* **-ries**) ⓊⒸ **1** (여자의) 교태; 추파를 던지기, 아양 (떨기) **2** 《비유》 (주의·의견 등에 대한) 농락

co·quette [koukét | kɔ-, kou-] *n.* 요염한 여자, 바람둥이 여자(flirt) **—** *vi.* =COQUET

co·quet·tish [koukétiʃ | kɔ-, kou-] *a.* 요염한, 교태를 부리는 **~·ly** *ad.* **~·ness** *n.*

co·qui [koukí] *n.* 〖동물〗 코퀴 《푸에르토리코산(産) 야행성 개구리》

co·quíl·la nùt [kɑkí:ljə- | kɔ-] 코킬라 너트 《브라질산(産) 야자의 일종》

co·quille [koukí:l | kɔ-] [F =shell] *n.* (*pl.* **~s** [-z]) **1** 〖요리〗 코키유, 조개구이 요리 《조가비 (모양의 그릇)에 담아 내놓음》 **2** 꼬치구이용으로 목탄을 넣은 풍로 **3** 식용 달팽이의 껍질

co·qui·na [koukí:nə] *n.* Ⓤ 패각암(貝殼岩) 《조가비와 산호 등이 주성분인 석회 퇴적물》

co·qui·to [koukí:tou] *n.* (*pl.* **~s**) 〖식물〗 칠레종려나무 《남미 칠레산(産)》

cor [kɔ́:r] [God의 전와(轉訛)] *int.* 《영·속어》 악, 이런 《놀람·감탄·초조의 발성; 하층 계급이 사용》

cor- [kər, kɔ(:)r, kɑr | kər, kɔr] *pref.* =COM- 《r- 앞에서 쓰임》: *cor*rect, *cor*relation

cor. corner; cornet; coroner; correct(ed); corpus; correction; correlative; correspondence; correspondent; corresponding(ly) **Cor.** Corinthians; Coriolanus; Corsica

cor·a·cle [kɔ́:rəkl, kɑ́r- | kɔ́r-] *n.* 《영》 (버들가지로 바구니처럼 만들어 가죽을 친) 작은 배 《아일랜드나 웨일스 지방의 강이나 호수에서 쓰임》

cor·a·coid [kɔ́:rəkɔ̀id, kɑ́r- | kɔ́r-] 〖해부·동물〗 *n.* 오탁골(烏啄骨); 오훼(烏喙) 돌기(=~ **prócess**)
— *a.* 오탁골의, 오훼 돌기의

*__cor·al__ [kɔ́:rəl, kɑ́r- | kɔ́r-] *n.* **1** Ⓤ 산호 **2** 〖동물〗 산호충 **3** 산호 세공품, (산호로 만든) 장난감 젖꼭지 **4** Ⓤ 새우 알 《찌면 산홋빛이 됨》 **5** Ⓤ 산홋빛
— *a.* **1** 산호의; 산호로 만든 **2** 산홋빛의 **~·like** *a.*

cor·al·bells [kɔ́:rəlbèlz | kɔ́r-] *n.* (*pl.* ~) 〖식물〗 단지산호 《북미 서남부산(産) 범의귓과(科)의 다년초; 산홋빛 초롱꽃 모양의 작은 꽃이 핌》

córal ísland 산호섬

cor·al·line [kɔ́:rəlin, -làin, kɑ́r- | kɔ́rəlàin] *a.* 산호질의; 산호 모양의; 산홋빛의: ~ ware 산호 자기 《17-18세기 이탈리아산(産) 도자기》
— *n.* **1** 〖식물〗 산호말(藻) **2** 〖동물〗 산호 모양의 동물 《이끼벌레·히드로충 따위》

cor·al·lite [kɔ́:rəlàit, kɑ́r- | kɔ́r-] *n.* Ⓤ **1** 산호석(石), 화석 산호 **2** 산호충의 골격 **3** 홍(紅) 산홋빛[산호질]의 대리석

cor·al·loid [kɔ́:rəlɔ̀id, kɑ́r- | kɔ́r-] *a.* 산호 모양의

córal pínk 산호 핑크색 《황색이 도는 핑크색》

córal rèef 산호초(礁)

Córal Séa [the ~] 산호해 《오스트레일리아 북동부의 바다》

córal snàke 〖동물〗 산호뱀 《열대 아메리카산(産)의 작은 독사》

córal trèe 〖식물〗 에리스리나 《인도산(産) 콩과(科) 식물; 붉은 꽃이 피는 관상목》

co·ram [kɔ́:ræm] [L] *prep.* 「…의 면전에서(in the presence of)」의 뜻

co·ram ju·di·ce [kɔ́:ræm-dʒú:disì:] [L] *ad.* 〖법〗 재판관 앞에서

coram po·pu·lo [-pɑ́pjulou] [L] *ad.* 대중 앞에서, 공공연하게

cor an·glais [kɔ̀:r-ɑ:ŋgléi] [F 「영국의 호른」의 뜻에서] 《영》 〖음악〗 잉글리시 호른(《미》 English horn) 《목관 악기의 일종》

cor·ban [kɔ́:rbən | -bæn] *n.* 〖성서〗 봉납물(奉納物)

cor·beil [kɔ́:rbəl] *n.* 〖건축〗 (조각한) 꽃바구니 장식

cor·beille [kɔ́:rbəl] [F] *n.* (*pl.* **~s** [-z]) =CORBEIL

cor·bel [kɔ́:rbəl] 〖건축〗 *n.* **1** 무게를 받치는 벽의 돌출부 **2** (벽에 달아 붙인) 받침대, 까치발, 초엽
— *vt.* (**~ed**; **~·ing** | **~led**; **~·ling**) **1** 받침 장치를 하다 **2** 받침대로 받치다 ~ ***out*** [***off***] 받침 장치로 내밀다; (받침 나무로) 내 받치다

córbel àrch 코벨 아치, 까치발 아치

cor·bel·ing [kɔ́:rbəliŋ] *n.* 〖건축〗 **1** 내물림 구조 **2** 내물림을 붙임

córbel tàble 〖건축〗 받침대로 받친 돌출면

cor·bie [kɔ́:rbi] *n.* 《스코》 까마귀(raven)

córbie gáble 기와 지붕에 붙인 합각머리에 'ʌ' 모양으로 붙인 널빤지

córbie méssenger 〖성서〗 너무 늦게 돌아와 소용이 없거나 아주 돌아오지 않는 사자(使者)

cor·bie·step [kɔ́:rbistèp] *n.* 〖건축〗 (집의) 박공단(膊栱段) 《박공 양쪽에 붙임》

cor·bi·na [kɔ:rbí:nə] *n.* 〖어류〗 동갈민어과(科)의 물고기 《북미 태평양 연안산(産)》

‡**cord** [kɔ́:rd] [Gk 「장선(腸線)」의 뜻에서] *n.* **1 a** ⓊⒸ 끈, 새끼, 가는 밧줄, 노끈 《string보다 굵고, rope보다 가는 것》 **b** ⒸⓊ 〖전기〗 코드 **2** 〖해부〗 삭상(索狀) 조직, 인대(靭帶), 건(腱)(chord): the spinal ~ 척추/the vocal ~*s* 성대/the umbilical ~ 탯줄 **3** 골지게 짠 직물의 이랑; Ⓤ 골지게 짠 천, 코르덴(corduroy); [*pl.*] 《구어》 코르덴 바지 **4** 코드 《장작의 평수 단위; 보통 128 입방 피트》 **5** [종종 *pl.*] 《비유》 굴레, 구속 《*of*》 **6** 교수형용 밧줄 **7** 〖언어〗 기호 체계 ***the silver*** ~ 탯줄 《생명》
— *vt.* **1** 밧줄[끈]로 묶다 **2** 〈장작을〉 평수 단위로 쌓아 올리다 **3** 〈근육 등을〉 도드라져 나오게 하다
~·er *n.* **~·like** *a.*

cord·age [kɔ́:rdidʒ] *n.* Ⓤ **1** [집합적] 밧줄(ropes), 《특히》 배의 밧줄; (배의) 삭구(索具) **2** (재목을 재는) 코드 수

cor·date [kɔ́:rdeit] *a.* 〖식물〗 〈잎 등이〉 심장꼴의(heart-shaped)

córd blòod 제대혈 《태반과 탯줄에 있는 혈액》

cord-cord·less [kɔ́:rdkɔ́:rdlis] *a.* 〈전기 기구가〉 유·무선 겸용의: a ~ shaver 충전 겸용 전기 면도기

cord·ed [kɔ́:rdid] *a.* **1** 끈으로 묶은[동인] **2** 골지게 짠 **3** 〈근육 등이〉 힘줄이 불거진 **4** 〈장작을〉 코드 단위로 쌓아 올린

Cor·del·ia [kɔ:rdí:ljə] *n.* **1** 여자 이름 **2** 코델리아 《Shakespeare작 *King Lear*에 나오는 왕의 막내딸》

Cor·de·lier [kɔ̀:rdəlíər] *n.* 프란체스코회의 수도자 《납루한 옷에 밧줄 띠를 두름》

cor·delle [kɔ:rdél | kɔ́:dəl] *n.* (미국·캐나다에서 쓰이는) 배 끄는 밧줄 **—** *vt.* 〈배를〉 밧줄로 끌어당기다

‡**cor·dial** [kɔ́:rdʒəl | -diəl] [L 「마음의」의 뜻에서] *a.* **1** 마음에서 우러난(hearty), 진심의, 성심성의의(sincere): a ~ welcome 따뜻한 환영 **2** 원기를 돋우는; 강심성(强心性)의: a ~ food 강장식 **3** 거짓 없는: ~ dislike for …에 대해 아주 싫어함
— *n.* **1** 코디얼주(酒), 리큐어(liquor); 과일 주스에 물·설탕을 탄 음료 **2** 강장제, 강심제 **~·ness** *n.*

forge, counterfeit **3** 모방하다 imitate, follow, mimic, emulate, echo, mirror, simulate

cor·dial·i·ty [kɔ̀ːrdʒǽləti, kɔ̀ːrdʒiǽ- | -diǽ-] *n.* (*pl.* **-ties**) **1** Ⓤ 진심, 충정; 따뜻한 우정 **2** [*pl.*] 진심 어린 언동

*__cor·dial·ly__ [kɔ́ːrdʒəli | -diəli] *ad.* **1** 진심으로, 정성껏(heartily): You are ~ invited to the retirement party. 은퇴 기념 파티에 당신을 진심으로 초대합니다. **2** 성의를 다해서(sincerely) ***C~ yours*** = ***Yours ~*** 경구(敬具)《친구 간의 편지에서의 맺음말》

cor·di·er·ite [kɔ́ːrdiəràit] *n.* Ⓤ 〔광물〕 근청석

cor·di·form [kɔ́ːrdəfɔ̀ːrm] *a.* 심장 모양의(heart-shaped)

cor·dil·le·ra [kɔ̀ːrdəljɛ́ərə, kɔːrdílərə | kɔ̀ːdil-jɛ́ərə] [Sp.] *n.* (대륙을 종단하는) 대산맥, 산계(山系)《남미·북미 서부를 종주하는 산맥, 특히 안데스 산맥》

cord·ing [kɔ́ːrdiŋ] *n.* Ⓤ **1** 밧줄, 로프류 **2** 골지게 짜기[짠 천]

cor·dis [kɔ́ːrdis] *a.* 심장의《처방전에서》

cord·ite [kɔ́ːrdait] *n.* Ⓤ 코르다이트《끈 모양의 무연(無煙) 화약》

cord·less [kɔ́ːrdlis] *a.* **1** 줄[끈]이 없는 **2** 코드를 쓰지 않는; 전지식(電池式)의: a ~ phone 무선 전화기

cor·do·ba [kɔ́ːrdəbə, -və] *n.* (*pl.* **~s** [-z]) **1** 코르도바《니카라과의 화폐 단위; 기호 C$; =100 centavos》 **2** 1코르도바 지폐

cor·don [kɔ́ːrdn] *n.* **1 a** 〔군사〕 초병선(哨兵線); 비상[경계]선: a ~ of police = a police ~ (경찰의) 비상 경계선 / post[draw (up), throw] a ~ 비상선을 치다 **b** 방역선, (전염병 발생지의) 교통 차단선: a sanitary ~ 방역선 **2** (어깨에서 겨드랑 밑으로 걸치는) 장식 리본, 수장(綬章): the blue ~ 청수장(cf. CORDON BLEU) / the grand ~ 대수장 **3** (프란체스코회 수도자의) 밧줄띠 **4** 〔원예〕 외대 가꾸기 **5** 〔건축〕 = STRINGCOURSE

— *vt.* **1** 수장으로 장식하다 **2** 비상선을 치다, 교통을 차단하다, 〈장소를〉 비상[초병]선으로 둘러싸다《*off*》

cor·don bleu [kɔ́ːrdn-blúː] [F = blue cordon] *n.* (*pl.* **-s -s** [~]) **1** 청수장(青綬章)《부르봉 왕조의 최고 훈장》 **2** 일류인, 대가, 명인, 《특히》 일류 요리사

— *a.* 일류 요리사의 (요리의); 일류의

cor·don·net [kɔ̀ːrdənét, -néi] [F] *n.* 장식끈

cor·don sa·ni·taire [kɔːrdɔ́ːn-sæ̀nətɛ́ər] [F] (*pl.* **-s -s** [~]) **1** 방역선(cordon) **2** (정치·군사적) 완충 지대 국가(군)

cor·dot·o·my [kɔːrdɑ́təmi | -dɔ́-] *n.* (*pl.* **-mies**) 〔의학〕 척추 신경로 절단술

cor·do·van [kɔ́ːrdəvən] *a.* **1** [**C~**] (스페인의 주(州)와 도시) 코르도바의 **2** 코도반 가죽의

— *n.* **1** Ⓤ 코도반 가죽 **2** [**C~**] 코르도바 사람

cor·du·roy [kɔ́ːrdərɔ̀i, ∽-∠] *n.* **1** Ⓤ 코르덴 **2** [*pl.*] 코르덴 양복[바지] **3** = CORDUROY ROAD

— *a.* **1** 코르덴의 **2** 〈길·다리가〉 통나무를 놓아 만든

córduroy ròad (미) (늪지 등의) 통나무 길

cord·wain [kɔ́ːrdwein] *n.* (고어) = CORDOVAN

cord·wain·er [kɔ́ːrdweinər] *n.* (고어) **1** 구둣방(shoemaker) **2** 코드반 제혁 직공

cord·wood [kɔ́ːrdwùd] *n.* Ⓤ **1** 장작 다발 **2** 길이 4피트의 목재; 코드 단위로 파는 장작

*__core__ [kɔ́ːr] [L 「속, 심」의 뜻에서] *n.* **1** (배·사과 등의) 응어리, 과심(果心)《★ 복숭아 등의 딱딱한 「씨」는 stone》; (나무의) 고갱이; (종기·부스럼 등의) 근; (새끼의) 가운데 가닥 **2** [the ~] (사물의) **핵심**, 골자(gist); 속마음 **3** (전선 등의) 심; (주물의) 모형(母型) **4** 〔컴퓨터〕 자기(磁氣) 코어, 자심(磁心)(=magnetic ~); 자심 기억 장치(=~ memory[storage]) **5** 〔지질〕 (지구의) 중심핵 **6** 〔고고학〕 석핵(石核); 〔건축〕 문 등의 베니어의 뒤판 **7** 〔물리〕 원자로에서 핵분열이 일어나는 부분 **8** 〔언어〕 (음절의) 주요부 ***at the ~*** 마음속에서, 근저(根底)에서는 ***rotten at the ~*** 철저히 썩은[악한] ***to the ~*** 철두철미; 속속들이

— *a.* 핵이 되는, 핵심의, 중심적인: ~ business [product] 핵심 사업[제품]

— *vt.* 과심[응어리]을 도려내다《*out*》; 중심부에서 잘라내다[뽑아내다]

CORE [kɔ́ːr] [Congress *of* Racial Equality] *n.* (미) 인종 평등 회의

Co·re·a [kəríːə, -ríə] *n.* (고어) = KOREA

Co·re·an [kəríːən, -ríən] *a.*, *n.* (고어) = KOREAN

co·re·cip·i·ent [kòurisípiənt] *n.* 공동 수상자

córe cíty **1** 대도시의 중심부, 핵도시 **2** 구(舊)시가

córe currìculum 〔교육〕 코어 커리큘럼, 핵심 교육 과정《핵심이 되는 과목을 중심으로 다른 과목을 종합 편성한 교과 과정》

córe dùmp 〔컴퓨터〕 코어 덤프《코어 기억 장치의 내용을 외부 기억 장치로 복사하기》; (미·컴퓨터속어) 주(主)기억을 모두 비우다; (미·컴퓨터속어) 생각한 바를 모두 털어놓다

co·ref·er·ence [kouréfərəns] *n.* 〔언어〕 (두 단어나 구의) 동일 지시어(指示語), 동일 지시성(指示性)《예: *She* taught *herself*.》

co·re·late [kɔ́ːrəlèit, kɑ́r- | kɔ́r-] *vt.* (영) = CORRELATE

co·re·la·tion [kɔ̀ːrəléiʃən, kɑ̀r- | kɔ̀r-] *n.* (영) = CORRELATION

core·less [kɔ́ːrlis] *a.* 심이 없는; 속이 빈, 공허한

co·re·li·gion·ist [kòurilídʒənist] *n.* 같은 (종교의) 신자

córe mèmory[stòrage] 〔컴퓨터〕 코어[자심(磁心)] 기억 장치

co·re·op·sis [kɔ̀ːriɑ́psis | -ɔ́p-] *n.* (*pl.* **~**) 〔식물〕 큰금계국

co·re·pres·sor [kòuriprésər] *n.* 〔유전〕 억제 보체(抑制補體)

cor·er [kɔ́ːrər] *n.* **1** (사과 등의) 응어리를 뽑는 기구 **2** (지질의) 표본 채취기

co·res·i·dence [kourézədəns] *n.* (영) (대학의) 남녀 공동 기숙사((미) coed dorm)

co·re·spon·dent [kòurispɑ́ndənt | -spɔ́n-] *n.* 〔법〕 (특히 간통으로 인한 이혼 소송의) 공동 피고인

corespóndent shóes (영·익살) 2색 신사화

córe tìme 코어 타임, 핵시간《자유 근무 시간(flextime)에서 반드시 근무해야 하는 시간대》

córe tùbe (지질 조사용) 코어 튜브, 시료 채취관

corf [kɔ́ːrf] *n.* (*pl.* **corves** [kɔ́ːrvz]) (영) **1** 석탄 운반용 바구니 **2** 활어조(活魚槽)

cor·gi [kɔ́ːrgi] *n.* 코기견(犬)《웨일스산의 작은 개》

co·ri·a [kɔ́ːriə] *n.* CORIUM의 복수

co·ri·a·ceous [kɔ̀ːriéiʃəs, kɑ̀r- | kɔ̀r-] *a.* 가죽 같은(leathery); 피질(皮質)의; 가죽으로 만든

co·ri·an·der [kɔ́ːriæ̀ndər | kɔ̀riǽn-] *n.* 〔식물〕 고수풀《미나릿과》

Co·rine [kɔːríːn, kɑ- | kɔ-] *n.* (미·속어) 코카인

Cor·inth [kɔ́ːrinθ, kɑ́r- | kɔ́r-] *n.* 코린트《고대 그리스의 상업·예술의 중심지》
▷ Corínthian *a.*, *n.*

*__Co·rin·thi·an__ [kərínθiən] *a.* **1** (고대 그리스의) 코린트의 **2** 〈문체가〉 화려한 **3** 〔건축〕 코린트식의 **4** (고어) (코린트 시민같이) 사치스러운, 방탕한 **5** 코린트식 도기화(陶器畫)의 ***the ~ order*** 〔건축〕 코린트 양식

— *n.* **1** 코린트 사람 **2** (고어) 난봉꾼 **3** [the ~s; 단수 취급] 〔성서〕 고린도서(書)(Epistles to the ~s)《전후 2권; 略 Cor.》 **4** 요트나 승마를 도락으로 하는 부자 **5** 코린트 승마술

Cor·i·o·la·nus [kɔ̀ːriəléinəs, kɑ̀r-] *n.* **1** 코리올라누스 ***Caius***[***Gnaeus***] ***Marcius ~*** 《기원전 5세기 후반에 활약한 로마의 전설적 장군》 **2** 코리올레이너스《Shakespeare의 비극(1608?)》

Co·ri·ó·lis effèct [kɔ̀ːrióulis-] [프랑스의 토목 기사 이름에서] 코리올리의 효과《Coriolis force의 결과에 의한 비행 물체의 편향》

thesaurus **core** *n.* center, heart, nucleus, nub, kernel, crux, essence, substance

Coriólis fòrce 〖물리〗 코리올리의 힘 《지구의 자전으로 비행 중의 물체에 작용되는 편향(偏向)의 힘》
co·ri·par·i·an [kòuripέəriən | -rai-] *n.* 〖법〗 하안(河岸) 공동 소유권자[국(國)]
co·ri·um [kɔ́:riəm] *n.* (*pl.* **-ri·a** [-riə]) **1** 〖해부〗 진피(眞皮)(derma) **2** 〖곤충〗 (반시초(半翅鞘)의) 혁질부(革質部)
‡**cork** [kɔ́:rk] *n.* **1** Ⓤ **코르크** 《코르크나무의 껍질》 **2** 〖식물〗 코르크질[층] **3 a** 코르크 제품 **b** 《특히》 코르크 마개; (코르크로 만든) 낚시찌(float)
blow** one**'s** ~* (미·속어) 울화통을 터뜨리다 ***burnt ~ 태운 코르크 《눈썹을 그리거나 배우의 분장에 씀》 ***like a*** ~ 활발하게, 곧 원기를 회복하여
— *a.* **1** 코르크로 만든 **2** 〖식물〗 코르크 피층(皮層)의
— *vt.* **1** 〈병에〉 코르크 마개를 하다 《*up*》 **2** 〈얼굴·눈썹에〉 태운 코르크를 칠하다 **3** 〈감정 등을〉 억제하다 **4** 〖식물〗 코르크 조직화하다
— *vi.* 〖식물〗 코르크화(化)되다
~ ***up*** (코르크로) 막다; 감정을 억제하다
▷ córky *a.*
cork·age [kɔ́:rkidʒ] *n.* **1** Ⓤ 코르크 마개를 끼움[뺌] **2** (손님이 가져온 술에 대하여 호텔 등에서) 병마개를 따주고 받는 봉사료
cork·board [kɔ́:rkbɔ̀:rd] *n.* **1** Ⓤ 코르크 판 **2** 코르크로 만든 게시판
corked [kɔ́:rkt] *a.* **1 a** 코르크 마개를 한 **b** 〈포도주가〉 코르크 마개 냄새 나는; (코르크 마개 때문에) 맛이 덜한 **2** Ⓟ (영·속어) 술 취하여 **3** 태운 코르크로 화장한
cork·er [kɔ́:rkər] *n.* **1** (코르크) 마개를 하는 사람[기계] **2** (구어) **a** 결정적 의론[일격] **b** 엄청난 거짓말 **c** 굉장한 사람[것] ***play the*** ~ 눈꼴 사나운 짓을 하다
cork·ing [kɔ́:rkiŋ] *a., ad.* (영·속어) 굉장한[하게], 아주 멋들어진[지게]
córk jácket 〖항해〗 코르크 재킷 《구명조끼》
córk òak 〖식물〗 코르크나무
cork·screw [kɔ́:rkskrù:] *n.* **1** 코르크 마개뽑이 **2** (속어) 〖권투〗 주먹을 비틀어 넣듯이 때리는 펀치
— *a.* 나사 모양의: a ~ staircase 나선 층층대
— *vt.* **1** 빙빙 돌리다; 나사 모양으로 꾸부리다 **2** (고어) 〈비밀 등을〉 어떻게 해서든 캐물어 알아내다
— *vi.* 나사 모양으로[누비고] 나아가다[움직이다]

corkscrew *n.* 1

cork-tipped [-tìpt] *a.* (영) 〈궐련이〉 코르크 모양의 필터가 붙은
córk trèe 〖식물〗 **1** = CORK OAK **2** 황벽나무
cork·wood [kɔ́:rkwùd] *n.* Ⓤ 〖식물〗 코르크질의 나무[재목] 《발사(balsa) 등》
cork·y [kɔ́:rki] *a.* (**cork·i·er**; **-i·est**) **1** 코르크의; 코르크 같은 **2** 〈포도주가〉 코르크 냄새 나는 **3** (구어) 쾌활한, 들뜬 **4** (미·속어) 술에 취한
córk·i·ness *n.*
corm [kɔ́:rm] *n.* 〖식물〗 알줄기, 구경(球莖)
cor·mel [kɔ́:rməl, kɔ:rmél | kɔ́:məl] *n.* 〖식물〗 애기 알줄기
cor·mo·rant [kɔ́:rmərənt] *n.* **1** 〖조류〗 가마우지(shag) **2** 욕심쟁이; 대식가 — *a.* 대식의; 욕심 많은
‡**corn¹** [kɔ́:rn] [OE 「낟알」의 뜻에서] *n.* **1** Ⓤ [집합적] **곡물**, 곡식 《영국에서는 밀·옥수수 등의 총칭; cf. GRAIN》: Up ~, down horn. (속담) 곡식 값이 오르면 쇠고기 값이 내린다. **2** Ⓤ (영) 밀(wheat); (미·캐나다·호주) **옥수수**((영) maize; = Indian ~); (그 지방의) 주요 곡물; (스코·아일) 귀리(oats) **3** Ⓤ 곡초 《밀·옥수수 등의》 **4 낟알**, 알갱이 **5** (미·구어) = CORN WHISKEY **6** Ⓤ (구어) **a** 진부[평범]한 것 **b** 감상적인 음악 **7** (미) [넓은 의미로] 스위트콘 **8** (미) 곡물상 **9** 〖스키〗 = CORN SNOW **10** (영·속어) 돈
acknowledge[***admit, confess***] ***the*** ~ 제 잘못을 인정하다 ~ ***in Egypt*** 〖성서〗 풍부함, 풍요, (식량 등의) 무진장 《창세기 43: 2》 ~ ***on the web*** (삶거나 구운) 겉껍질과 속대가 달린 옥수수 ***earn*** one**'s** ~ (구어) 생활비를 벌다 ***eat*** one**'s** ~ ***in the blade*** 수입을 예상하고 사치[낭비]를 하다 ***measure*** a person**'s** ~ ***by*** one**'s** ***own bushel*** 자기를 기준하여 남을 판단하다
— *vt.* **1** 작은 알갱이로 만들다(granulate) **2** 〈고기·물고기 따위를〉 소금에 절여 보존하다; 소금에 절이다 **3** 〈토지에〉 곡물을 심다 **4** 〈가축에게〉 곡물을 주다
— *vi.* (곡물·콩류의 이삭·꼬투리에) 열매가 열리다
▷ córny¹ *a.*
corn² [L 「뿔」의 뜻에서] *n.* 〖병리〗 (발가락의) 티눈, 못
tread[***trample***] ***on*** a person**'s** ~***s*** …의 아픈 데를 찌르다[찌르는 듯한 말을 하다]
-corn [kɔ:rn] 《연결형》 「뿔; 뿔이 있는」의 뜻: uni*corn*, longi*corn*
Corn. Cornish; Cornwall
corn·ball [kɔ́:rnbɔ̀:l] (구어) *n.* **1** 감상적이고 진부한 사람[음악가 등] **2** 시골뜨기; 촌스러운 것 **3** 당밀[캐러멜]을 묻힌 팝콘 **4** 관객의 눈물을 자아내는 영화[연극]
— *a.* 낡은, 진부한; 촌스러운; 소박한; 감상적인
córn béef (미) = CORNED BEEF
Córn Bèlt [the ~] (미국 중서부의) 옥수수 지대 《Iowa, Illinois, Indiana 등의 여러 주》
córn bòrer 〖곤충〗 조명충나방 《옥수수의 해충》
corn·brash [-bræ̀ʃ] *n.* 〖지질〗 콘브래시층 《잉글랜드 남부의 곡물 생산에 알맞은 석회질 사암(砂岩) 층》
córn brèad (미) 옥수수 빵(Indian bread)
córn càke (미) 옥수수 과자
córn chàndler (영) 잡곡상
córn chìp (미) 콘칩 《옥수수로 만든 식품》
córn cìrcle = CROP CIRCLE
corn·cob [-kɑ̀b | -kɔ̀b] *n.* (미) **1** 옥수수자루; (껍질이 붙은) 옥수수 열매 **2** 옥수수 파이프(= ~ **pípe**)
córn còckle 〖식물〗 선옹초
córn còlor 옥수수색, 담황색
corn-col·ored [-kʌ̀lərd] *a.* 담황색의
corn·crack·er [-krǽkər] *n.* (미·경멸) 가난한 남부 백인
córn cràke 〖조류〗 흰눈썹뜸부기
corn·crib [-krìb] *n.* (미) 옥수수 창고
córn dànce (미) 옥수수 춤 《옥수수 파종·수확 때에 추는 북미 인디언의 춤》
córn dòdger (미) 딱딱하게 구운 옥수수빵; 옥수수 가루로 만든 푸딩
córn dòg (미) 콘도그 《꼬챙이에 낀 소시지를 옥수수 빵으로 싼 핫도그》
córn dòlly 콘 돌리 《짚으로 짜 만든 장식 인형》
cor·ne·a [kɔ́:rniə] *n.* 〖해부〗 (눈의) 각막(角膜): ~ transplantation 각막 이식 **cór·ne·al** *a.*
córn èarworm 〖곤충〗 큰담배밤나방의 유충 《옥수수 등의 해충》
*****corned** [kɔ́:rnd] *a.* **1** 소금에 절인, 소금으로 간을 한 **2** (영·속어) 술 취한 **3** 작은 알갱이로 만든
córned béef 콘비프 《쇠고기 소금절이》
Cor·neille [kɔ:rnéi] *n.* 코르네유 **Pierre** ~ (1606-84) 《프랑스의 극작가·시인》
cor·nel [kɔ́:rnl] *n.* 〖식물〗 산딸나무속(屬)의 식물
cor·nel·ian [kɔ:rní:ljən] *n.* = CARNELIAN
cor·ne·ous [kɔ́:rniəs] *a.* 각질(角質)의(horny)
‡**cor·ner** [kɔ́:rnər] *n.* **1 모퉁이**, 모(angle), 길모퉁이: at[on] a street ~ 거리의 모퉁이에(서) **2 구석**, 귀퉁이; 우묵한 곳: the ~ of a room 방구석 **3** (가구 등의) 모서리의 쇠붙이 **4** 구석진 곳; 외딴곳, 변두리; 비밀 장소 **5** [종종 *pl.*] 지방, 지역(region): all the (four) ~*s* of the earth 세계의 구석구석 **6** [종종 a ~] 궁지, 꼼짝 못하는 상황 **7** 〖상업〗 매점(買占)

---

corner *n.* **1** 모퉁이 angle, bend, curve, crook, turn **2** 구석 nook, cranny, recess

8 〖축구〗 =CORNER KICK **9** 〖금융〗 (가격 조작을 위한 주식이나 상품의) 매점; 독점 **10** 〖측량〗 경계선의 교점 **11** [*pl.*] (인품의) 모남, 특징, 특성 **12** (논쟁 등에서 적대하는 각각의) 진영, 측; 〖카드〗 (4명이 두 조로 나뉘어서 하는 게임에서, 각각의) 조 **13** 〖무용〗 (스퀘어 댄스에서) 왼쪽에 있는 사람

cut ~s = ***cut*** (***off***) ***the***[***a***] ~ (1) 지름길로 가다 (2) 〈돈·노력·시간 등을〉 절약하다 (3) 안이한 방법을 취하다 ***done in a ~*** 비밀리에 행해진 ***drive*** a person ***into a ~*** …을 궁지에 몰아넣다 ***establish***[***make***] ***a ~ in*** …을 매점하다 ***hold*** one***'s ~ up*** 자기 역할[책무]을 다하다 ***in a tight ~*** 궁지에 빠져 (***just***) (***a***)***round the ~*** (1) 모퉁이를 돈 곳에 (2) 임박하여 ***keep a ~*** 일각[한 귀퉁이]을 차지하다 ***leave no ~ unsearched*** 샅샅이 뒤지다 ***on the ~*** 《구어》 일자리를 잃어, 실업하여 ***put***[***stand***] ***... in the ~*** (벌로서) …을 방구석에 세워 두다 ***see out of the ~ of*** one***'s eyes*** 곁눈질로 보다 ***turn the ~*** (1) 〖경마〗 최후의 모퉁이를 돌다 (2) 〈병·불경기 등이〉 고비를 넘기다 ***within***[***beyond***] ***the four ~s of*** …의 허용하는 범위 내에서[범위를 초월하여]

— *a.* Ⓐ **1** 길모퉁이의[에 있는] **2** 구석에 두는, 구석용의 **3** 〖미식축구〗 코너백의; 〖스포츠〗 코너(에서)의

— *vt.* **1** 모(서리)를 내다: (~+목+전+명) ~ walls *with* stone 벽의 모서리를 돌로 하다 **2** …을 구석으로 몰다; 궁지에 빠뜨리다 **3** 〖상업〗 매점[사재기]하다: ~ wheat 밀을 매점하다 **4** 〈…에게〉 따지고 들다, 붙잡다

— *vi.* **1** 모(퉁이)를 이루다; 모퉁이에 있다 《*on*》 **2** 〖상업〗 매점[독점]하다 《*in*》: (~+전+명) ~ *in* stocks 재고품을 매점하다 **3** 〈차·운전자가〉 모퉁이를 돌다, 코너링을 하다

cor·ner·back [kɔ́ːrnərbæ̀k] *n.* 〖미식축구〗 코너백 《수비팀의 바깥쪽 하프백; 공격팀의 sweep나 wide receiver에 대비》

cor·ner-boy [kɔ́ːrnərbɔ̀i] *n.* 《영》 거리의 부랑아

cor·nered [kɔ́ːrnərd] *a.* **1** 구석에 몰린, 진퇴양난의 **2** [보통 복합어를 이루어] …한 모서리의; …한 경쟁자가 있는; …한 입장인: sharp-~ 뾰족한 모서리의 / a three-~ debate 3명의 토론자가 참가한 토론회

cor·ner·er [kɔ́ːrnərər] *n.* 〖상업〗 매점자

cór·ner·ing skid [kɔ́ːrnəriŋ-] (자동차 등의) 방향 전환할 때의 미끄러짐

córner kìck 〖축구〗 코너킥

cor·ner·man [kɔ́ːrnərmæ̀n, -mən] *n.* (*pl.* **-men** [-mèn, -mən]) **1** 〖상업〗 매점(買占)자 **2** 《영》 거리의 불량배 **3** 《영》 (minstrel show에서) 양 끝에 선 익살 광대(end man) **4** 〖미식축구〗 =CORNERBACK; 〖농구〗 전위, 포워드; 〖권투〗 세컨드

córner reflèctor 코너 반사경 《광선을 입사 광선과 역(逆)방향으로 되돌리는 반사경; 행성 간의 거리 측정에 사용》

córner shòp 모퉁이 가게; 《영·구어》 작은 상점

cor·ner·stone [kɔ́ːrnərstòun] *n.* **1** 〖건축〗 모퉁잇돌, 주춧돌(quoin); 초석: lay the ~ of …의 정초식(定礎式)을 올리다 **2** 기초, 기본, 토대 《*of*》: the ~ *of* the state 국가의 기초 **3** 긴요한 것, 필요 불가결한 것[사람]

cor·ner·wise [kɔ́ːrnərwàiz], **-ways** [-wèiz] *ad.* **1** 어긋나게, 비스듬히 **2** 각을 이루도록

cor·net [kɔːrnét] *n.* **1** 〖음악〗 코넷 《금관 악기》 **2** 코넷 연주자 **3** (풍금의) 코넷 음전(音栓) **4** 원뿔꼴의 종이 봉지; 《영》 =ICECREAM CONE **5** 흰 모자 《자선단의 수녀가 쓰는》 **6** (해군의) 신호기 **7** 〖영국사〗 기병대 기수(旗手)(cf. ENSIGN)

cor·net-à-pis·tons [kɔːrnétəpístənz] [F] *n.* (*pl.* **cor·nets-** [-néts-]) 〖음악〗 =CORNET 1

cor·net·(t)ist [kɔːrnétist | kɔ́ːni-] *n.* 코넷 연주자

cor·net·to [kɔ̀ːrnétou] *n.* (*pl.* **-net·ti** [-néti]) 〖음악〗 코르네토 《르네상스 시대에 주로 사용했던 관악기로, 상아나 나무로 만듦》

córn exchànge 《영》 곡물 거래소

córn fàctor 《영》 곡물 중개인(《미》 grain broker)

corn·fed [kɔ́ːrnfèd] *a.* **1** 옥수수[곡물]로 기른 **2** 《구어》 퉁퉁한, 살찐; 《속어》 촌티 나는, 투박한

⁎**corn·field** [kɔ́ːrnfìːld] *n.* **1** 《미》 옥수수밭 **2** 《영》 보리[밀]밭, 곡물밭

corn·flag [-flæ̀g] *n.* 〖식물〗 노랑붓꽃 《유럽산(産)》

corn·flakes [-flèiks] *n. pl.* 콘플레이크 《옥수수를 빻아서 납작하게 구운 아침 식사용 가공 식품》

córn flòur **1** 《영》 =CORNSTARCH **2** 《미》 옥수수 가루; 《영》 곡분

corn·flow·er [-flàuər] *n.* **1** 〖식물〗 수레국화(bluebottle); 선옹초(corncockle) **2** 밝은 보랏빛 (=**~ blue**)

corn·husk [-hʌ̀sk] *n.* 《미》 옥수수 껍질

corn·husk·er [-hʌ̀skər] *n.* 《미》 **1** 옥수수 껍질을 벗기는 기계[사람] **2** [**C~**] Nebraska주 사람 《속칭》

Córnhusker Stàte [the ~] 미국 Nebraska주의 속칭

corn·husk·ing [-hʌ̀skiŋ] *n.* 《미》 **1** Ⓤ 옥수수 껍질 벗기기 **2** 옥수수 껍질 벗기기 축제(husking bee)

cor·nice [kɔ́ːrnis] *n.* **1** 〖건축〗 코니스, 처마 돌림띠 《entablature의 맨 윗부분의 돌출부》; 벽돌림띠 **2** 벼랑 끝에 차양처럼 얼어붙은 눈더미 **3** (커튼의 설치 부분을 감추는) 커튼 칸막이

— *vt.* …에 배내기 장식을 하다 **cór·niced** [-t] *a.*

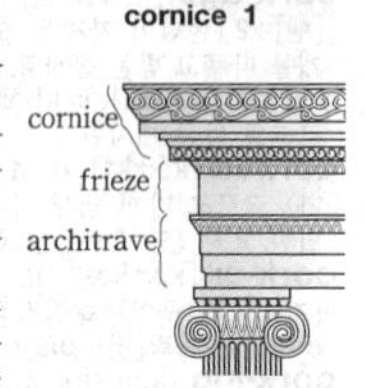
cornice 1

cor·niche [kɔ́ːrniʃ, kɔːrníːʃ | kɔ́ːniʃ] *n.* (전망이 좋은) 절벽 가의 도로(=**~ ròad**)

cor·ni·chon [kɔ̀ːrniʃóun] [F] *n.* **1** 식초에 절인 작은 오이 **2** [**C~**] 식탁용 흑포도의 일종; 그 나무

cor·nic·u·late [kɔːrníkjulət, -lèit] *a.* 작은 뿔 모양의; (작은) 뿔이 있는

cor·ni·fi·ca·tion [kɔ̀ːrnəfikéiʃən] *n.* Ⓤ 〖생물〗 각질화(化)

Cor·nish [kɔ́ːrniʃ] *a.* **1** 영국 Cornwall 지방(산(産))의 **2** Cornwall 사람[말]의

— *n.* Ⓤ Cornwall 말 《켈트 어; 지금은 사어(死語)》

Córnish créam 영국 Cornwall 지방 특산의 고체 크림(clotted cream)

Cor·nish·man [kɔ́ːrniʃmən] *n.* (*pl.* **-men** [-mən, -mèn]) Cornwall 사람

Córnish pásty **1** (양념한 야채와 고기를 넣은) Cornwall 지방의 파이 **2** 《영·구어》 크고 볼품없는 남성용 구두

córn jùice 《구어》 =CORN WHISKEY

Córn Làw [the ~] 〖영국사〗 곡물 조령 《곡물 수입에 중세를 과한 법률; 1846년 폐지》

córn lìquor =CORN WHISKEY

corn·loft [-lɔ̀ːft | -lɔ̀ft] *n.* 곡물 창고

corn·meal [-mìːl] *n.* **1** 《영》 밀[보리] 가루; 《미》 옥수수 가루 **2** 《스코》 =OATMEAL

córn mìll 《영》 (밀의) 제분기(flour mill); 《미》 옥수수 분쇄기

córn mùffin 콘 머핀 《옥수수가루로 만든 빵》

córn òil 옥수수 기름(《영》 maize oil) 《식용, 경화유(油) 원료, 도료》

cor·no·pe·an [kɔ̀ːrnəpíːən, kɔːrnóupiən | kəːnóupjən, kɔː-, -piən] [It.] *n.* 〖음악〗 풍금의 코넷 음전; 《영》 코넷(cornet)

córn pìcker 《미》 옥수수 수확기(機)

córn pòne 《미남부·중부》 옥수수 빵; 《미·속어》 남부인(人)

corn-pone [kɔ́ːrnpòun] *a.* 《보통 경멸》 〈언어·태도가〉 남부식[풍]의, 촌티 나는

córn pòpper 팝콘 제조기

córn pòppy 〖식물〗 개양귀비

corn·po·ri·um [-póuriəm] *n.* 팝콘 전문 연쇄점
córn rènt (영) 밀로 바치는 소작료
corn·row [kɔ́:rnròu] *n.* (미) **1** [보통 *pl.*] 콘로 《머리털을 딴 딴하게 여러 가닥으로 땋아 머리에 붙인 흑인 머리형》 **2** 옥수수 밭이랑 **—***vt.* 〈머리를〉 콘로형으로 하다

cornrows 1

córn sàlad 콘샐러드
córn shòck (미) 옥수수 노적가리
córn shùck (미) 옥수수 껍질
córn sìlk (미) 옥수수수염
córn snàke 〖동물〗 (미국 남동부산(産)의) 구렁이
córn snòw (미) 〖스키〗 싸라기눈
corn·stalk [-stɔ̀:k] *n.* **1** (영) 보릿짚; (미) 옥수숫대 **2** (영·구어) 키다리 《호주 태생 백인의 별명》
corn·starch [-stɑ̀:rtʃ] *n.* Ⓤ (미) 콘스타치(《영》 corn flour) 《옥수수 녹말》
córn sùgar (미) 옥수수당(糖)(dextrose)
córn sỳrup 옥수수 시럽
cor·nu [kɔ́:rnju: | -nju:] *n.* (*pl.* **-nu·a** [-njuə | -njuə]) 〖해부〗 뿔(horn); 뿔모양 돌기 **~·al** *a.*
cor·nu·co·pi·a [kɔ̀:rnjukóupiə | -nju-] *n.* **1 a** [the ~] 〖그리스신화〗 풍요의 뿔(horn of plenty) 《어린 Zeus 신에게 젖을 먹였다고 전해지는 염소의 뿔》 **b** 그런 모양의 장식 《뿔 속에 꽃·과일·곡식을 가득 담은 꼴로 표현되는 풍요의 상징》 **2** Ⓤ 풍부(plenty) **3** 원뿔꼴 종이 봉지 **-pi·an** *a.*
cor·nut·ed [kɔ:rnjú:tid | -njú:t-] *a.* **1** 뿔이 있는, 뿔 모양의(horned) **2** (고어) 〈남편이〉 오쟁이 진
cor·nu·to [kɔ:rnjú:tou | -njú:-] *n.* (*pl.* **~s**) 오쟁이 진 남편
Corn·wall [kɔ́:rnwɔ:l | -wəl] *n.* 콘월 《영국 남서부의 주; 정식명 Cornwall and Isles of Scilly; 주도 Truro》
córn whìskey (미) 옥수수 위스키
corn·y[1] [kɔ́:rni] *a.* (**corn·i·er**; **-i·est**) **1** 곡류의, 곡식이 풍부한 **2** (구어) 〈익살·영화 등이〉 케케묵은, 진부한; 촌스러운; 감상적인, 멜로드라마적인
córn·i·ly *ad.* **córn·i·ness** *n.*
corny[2] *a.* (**corn·i·er**; **-i·est**) 티눈의; 티눈이 생긴
coroll, corol corollary
co·rol·la [kərɑ́lə | -rɔ́lə] *n.* 〖식물〗 화관, 꽃부리
cor·ol·la·ceous [kɔ̀:rəléiʃəs, kɑ̀r- | kɔ̀r-] *a.* 화관(모양)의
cor·ol·lar·y [kɔ́:rəlèri, kɑ́r- | kərɔ́ləri] *n.* (*pl.* **-lar·ies**) **1** 〖수학〗 계(系) **2** (문어) 추론; 자연적인[당연한] 결론; (필연적) 결과 **—***a.* 결과로 생긴
co·rol·late, -lat·ed [kərɑ́leit(id), kɔ́:rəlèit- | kɔ́rələt-] *a.* 〖식물〗 화관[꽃부리]이 있는
∗**co·ro·na** [kəróunə] [L 「관(冠)」의 뜻에서] *n.* (*pl.* **~s, -nae** [-ni:]) **1** 〖천문〗 코로나, 광관(光冠) **2** 〖기상〗 (해·달) 무리, 광환(光環) **3** (교회 천장에 달아맨) 원형 촛대 **4** 〖건축〗 처마 장식의 중층부(部); 〖해부〗 관(冠)(crown) 《치관(齒冠)·체관(體冠) 등》; 〖식물〗 부관(副冠), 덧꽃부리; 〖전기〗 =CORONA DISCHARGE **5** [**C~**] 코로나 《끝이 가는 엽궐련; 상표명》
▷ córonal, córonary *a.*, *n.*
Co·ró·na Aus·trá·lis [kəróunə-ɔ:stréilis] 〖천문〗 남쪽 왕관자리
Coróna Bo·re·ál·is [-bɔ̀:riǽlis] 〖천문〗 북쪽 왕관자리
cor·o·nach [kɔ́:rənək, -nəx, kɑ́r- | kɔ́r-] *n.* (스코·아일) 조가(弔歌), 만가
coróna dìscharge 〖전기〗 코로나 방전 《도체(導體) 표면이나 두 도체 사이의 방전》
co·ro·na·graph [kəróunəgræ̀f | -grɑ̀:f] *n.* 〖천문〗 광관의(光冠儀) 《일식 때 이외의 코로나 관측용》
cor·o·nal [kɔ́:rənl, kɑ́r- | kɔ́r-] *n.* **1** 왕관; 보관(寶冠) **2** 화관, 화환; 영관(榮冠)
—*a.* [kəróunl] **1** 〖해부〗 두정(頭頂)의; 〖식물〗 부관의 **2** 〖천문〗 코로나의 **3** 왕관의; 화관의 **4** 〖음성〗 〈언어음이〉 설단(舌端)에서 발음된
córonal hóle 〖천문〗 코로나의 구멍 《태양 코로나의 어둡게 보이는 저밀도 영역》
córonal súture 〖해부〗 (두골의) 관상 봉합
cor·o·nar·y [kɔ́:rənèri, kɑ́r- | kɔ́rənəri] *a.* 〖해부〗 **1** 관상(冠狀)(동맥)의 **2** 심장의 **3** 관 모양의, 관의
—*n.* (*pl.* **-nar·ies**) 〖병리〗 심장 발작(heart attack), 《특히》 관상 동맥 혈전(증)
córonary ártery 〖해부〗 (심장의) 관상 동맥
córonary býpass 〖의학〗 관상 동맥 바이패스 수술
cór·o·nar·y-cáre ùnit [-kɛ̀ər-] 관상 동맥 질환 집중 치료 병동(略 CCU)
córonary insuffíciency 〖병리〗 관부전(증)
córonary occlúsion 〖병리〗 =CORONARY THROMBOSIS
córonary sínus 〖해부〗 관상 정맥동(洞)
córonary thrombósis 〖병리〗 관상 동맥 혈전(증)
córonary véin 〖해부〗 관상 정맥
∗**cor·o·na·tion** [kɔ̀:rənéiʃən, kɑ̀r- | kɔ̀r-] *n* **1** 대관[즉위]식; Ⓤ 대관: the ~ oath 대관식 선서 **2** [the C~] (영) 국왕 대관식
coronàtion chícken 살구·향신료·크림으로 만든 소스를 친 차가운 닭요리
co·ro·na·vi·rus [kəròunəváiərəs] *n.* 〖의학〗 코로나바이러스 《호흡기 감염 바이러스》
∗**cor·o·ner** [kɔ́:rənər, kɑ́r- | kɔ́r-] *n.* **1** (변사자 등의) 검시관(medical examiner): ~'s inquest 검시 / ~'s jury 검시 배심원 《12인으로 구성》 **2** 매장물(treasure trove) 조사관 **3** (옛 영국의) 왕실 사유 재산 관리자 **4** (영화의) 제작 재무 담당자
~·shìp *n.* Ⓤ coroner의 직[임기]
∗**cor·o·net** [kɔ̀:rənét, kɑ̀r- | kɔ́rənit] *n.* **1** (왕자·귀족 등의) 보관(寶冠), 소관(小冠) **2** (여성의) 작은 관 모양의 머리 장식품 **3** (말의) 제관(蹄冠)
cor·o·net·(t)ed [kɔ́:rənitid, -nèt- | kɔ́rənit-] *a.* 보관을 쓴; 귀족의
co·ro·no·graph [kəróunəgræ̀f | -grɑ̀:f] *n.* 〖천문〗 =CORONAGRAPH
co·ro·tate [kouróuteit] *vi.* 동시 회전하다
co·ro·ta·tion [kòuroutéiʃən] *n.* Ⓤ 동시 회전
co·ro·zo [kəróusou | -zou] *n.* (*pl.* **~s** [-z]) 〖식물〗 상아야자(ivory palm) 《남미산(產)》; 상아야자 열매(=~ **nùt**) 《인조 상아의 재료》
corp, Corp corporal; corporation
cor·po·ra [kɔ́:rpərə] *n.* CORPUS의 복수
∗**cor·po·ral**[1] [kɔ́:rpərəl] [L 「육체의」의 뜻에서] *a.* (문어) **1** 신체[육체]의: ~ pleasure 육체적 쾌락 **2** 개인적인: ~ possession 사유 **3** (고어·드물게) =CORPOREAL 1 b **~·ly** *ad.* ▷ corporálity *n.*
corporal[2] [L 「머리」의 뜻에서] *n.* 〖군사〗 상등병 ***the Little C~*** 꼬마 상병 《나폴레옹 1세의 별명》 ***ship's ~*** 〖영국해군〗 위병 하사관 **~·cy** *n.* **~·shìp** *n.*
corporal[3] *n.* 〖가톨릭〗 성체포(聖體布); (프로테스탄트의) 성찬포(布)
cor·po·ral·i·ty [kɔ̀:rpərǽləti] *n.* (*pl.* **-ties**) Ⓤ 유형(有形)[유체(有體)]성; 육체; [*pl.*] 육체적 욕망
córporal óath 〖법〗 성물(聖物)[성서 《등》]에 손을 대고 하는 선서
córporal púnishment 〖법〗 체형(體形) 《주로 태형》; (학교 등에서의) 체벌
córporal's guárd **1** 〖군사〗 하사가 인솔하는 소(小)분대 **2** 소수의 신봉자[추종자]들 **3** 작은 그룹[집회]
∗**cor·po·rate** [kɔ́:rpərət] [L 「인격이 주어진」의 뜻에서] *a.* **1** 법인(조직)의: in one's ~ capacity 법인 자격으로 / ~ right(s) 법인권 / ~ name 법인 명의, 회사명 / ~ property 법인 재산 **2** 단체의; 집합적인, 공동의: ~ responsibility 공동 책임 **3** [종종 명사 뒤에서] 통합된 ***body*** ~ = ~ ***body*** 법인체
—*n.* 법인 발행 채권 **~·ly** *ad.* ▷ corporátion *n.*

córporate ádvertising 〖광고〗 기업 광고
córporate cúlture 사풍(社風), 기업 문화
córporate éspionage ＝INDUSTRIAL ESPIONAGE
córporate idéntity 〖경영〗 기업 이미지 통합 전략 《회사 전체의 이미지 부각 전략; 略 CI》
córporate ímage 기업[회사] 이미지
córporate ládder 기업체의 계층적 서열
córporate párk ＝OFFICE PARK
córporate ráider 《미》 〖경영〗 기업 매수인
córporate státe **1** (거대한 비인간적인) 법인형 국가 **2** ＝CORPORATIVE STATE
córporate tówn (법인 단체인) 자치 도시
cor·po·rate·ware [kɔ́:rpərətwὲər] *n.* Ⓤ (대기업의) 회사원 정장 《신사복 한 벌에 넥타이를 맨 차림》
⁑**cor·po·ra·tion** [kɔ̀:rpəréiʃən] *n.* **1** 〖법〗 **법인**, 사단 법인(＝～ aggregate) **2 a** 지방 공공 단체, 지방 자치체 **b** [종종 **C～**] 《영》 도시 자치체; 시의회(council): the *C*～ of the City of London 런던시 자치체 **3** 《미》 **유한[주식]회사**(《영》 limited liability company) 《略 Corp.》(⇨ company 유의어): a trading ～ 무역 회사/multinational ～*s* 다국적 회사들 **4** 《일반적으로》 조합, (자치) 단체 **5** 《구어》 올챙이배(potbelly) **～·al** *a.*
▷ córporate, córporative *a.*
corporátion ággregate 〖법〗 사단 법인(corporation)
corporátion còck 분기전(分岐栓) 《본관에서 각 가정으로 보내는 수도[가스]의 조절 콕》
corporátion làw 《미》 회사법(《영》 company law)
corporátion làwyer 《미》 회사의 고문 변호사
corporátion sòle 〖법〗 단독 법인 《king, pope 등》
corporátion stòck 《영》 자치체 공채, 《특히》 시(市) 공채
corporátion stòp ＝CORPORATION COCK
corporátion tàx 법인세
cor·po·rat·ism [kɔ́:rpərətìzm] *n.* Ⓤ (도시·국가 등의) 협동조합주의[제도, 방식] **-ist** *a.*
cor·po·ra·tive [kɔ́:rpərèitiv, -pərə- | kɔ́:pərə-] *a.* **1** 법인[단체]의 **2** 협동조합주의[제도, 방식]의
córporative státe 협동조합주의 국가 《자본·노동의 협동조합이 전 산업 경제 부문에 조직되어 국가의 통제를 받는》
cor·po·ra·tize [kɔ́:rpərətàiz] *vt.* 대기업체로 발전시키다; 법인 단체의 관할하에 들어오게 하다
cor·po·ra·tor [kɔ́:rpərèitər] *n.* 법인[단체]의 일원, 주주; 시정(市政) 기관의 한 구성원
cor·po·re·al [kɔ:rpɔ́:riəl] [L 「육체의」의 뜻에서] *a.* **1 a** 신체상의, 육체적인(bodily) **b** 물질적인, 형이하(形而下)의(cf. SPIRITUAL) **2** 〖법〗 유형(有形)의, 유체의: ～ hereditament 유형 상속 부동산/～ property[movables] 유형 재산[동산]
～·ly *ad.* **～·ness** *n.*
cor·po·re·al·i·ty [kɔ:rpɔ̀:riǽləti] *n.* **1** Ⓤ 물질성, 유형성, 유체(有體) **2** 《익살》 육체, 몸
cor·po·re·i·ty [kɔ̀:rpərí:əti] *n.* Ⓤ 형체가 있음, 형체적 존재; 물질성; Ⓒ 《구어》 신체
cor·po·sant [kɔ́:rpəzæ̀nt] *n.* ＝ST. ELMO'S FIRE
⁑**corps** [kɔ́:r] [F] *n.* (*pl.* ～ [-z]) **1** 〖군사〗 **군단**, 병단 《2개 사단(이상)으로 편성됨; ⇨ army 관련》(＝army ～); 특수 병과, …대[부]: Marine *C*～ 해병대 **2** (같은 일·활동을 하는) **단체**, 단(團); 〖야구〗 …진(陣): the press[diplomatic] ～ 기자[외교]단/pitching ～ 〖야구〗 투수진 **3** (독일 대학의) 학우회
córps àrea 〖미군〗 군단 작전 지역, 군단 관구
corps de bal·let [kɔ́:r-də-bæléi] [F] 군무(群舞)를 추는 사람들
corps d'é·lite [kɔ́:r-deilí:t] [F] 정예 부대; 엘리트 집단
corps di·plo·ma·tique [kɔ̀:r-dìpləmætí:k] [F] [the ～] ＝DIPLOMATIC CORPS

⁎**corpse** [kɔ́:rps] [L 「육체」의 뜻에서] *n.* **1** (특히 사람의) **시체**, 송장(body) **2** 《비유》 효력[생명, 활기]을 잃은 것, 버려진 것 **3** 《미·속어》 **a** 술[맥주]의 빈 병 **b** 담배 꽁초 **4** 《속어》 연극 중에 다른 배우를 고의로 웃기거나 실수하게 하는 역할
— *vt.* **1** 《영·속어》 죽이다 **2** 《속어》 (대사나 신호를 잊어버려) 〈공연자를〉 당황하게 하다
— *vi.* 《속어》 배우가 대사·연기를 틀리다
córpse càndle 도깨비불 《죽음의 전조》; 시체[관] 곁에 켜 놓는 촛불
corps·man [kɔ́:rmən] *n.* (*pl.* **-men** [-mən, -mèn]) 〖미군〗 위생병; (평화 부대 등의) 군단[부대, 단체 《등》]의 일원
cor·pu·lence, -len·cy [kɔ́:rpjuləns(i)] *n.* Ⓤ 비만, 비대(fatness)
cor·pu·lent [kɔ́:rpjulənt] *a.* (병적으로) 뚱뚱한, 비만한(fat) **～·ly** *ad.*
⁎**cor·pus** [kɔ́:rpəs] [L 「육체」의 뜻에서] *n.* (*pl.* **-po·ra** [-pərə], [집합적] **～·es**) **1** 〖해부〗 **신체**; 《익살》 시체 **2** (문서·법전 등의) 집성(集成), 전집 **3** (이자·수입 등에 대한) 원금(principal), 기본금, 자금 **4** (자료 등의) 전부, 총체; 〖언어〗 언어 자료; 전자 코퍼스 《컴퓨터로 읽을 수 있는 텍스트·예문 등의 집합체》
córpus cal·ló·sum [-kəlóusəm] [L] (*pl.* **córpora cal·ló·sa** [-kəlóusə]) 〖해부〗 뇌량(腦梁)
córpus cav·er·nó·sum [-kæ̀vənóusəm] [L] (*pl.* **córpora cav·er·nó·sa** [-sə]) 〖해부〗 (음핵·음경의) 해면체
Cor·pus Chris·ti [kɔ́:rpəs-krísti] [L] 〖가톨릭〗 성체 축일 《Trinity Sunday의 다음 목요일》
cor·pus·cle [kɔ́:rpəsl, -pʌsl | -pʌsl] *n.* **1** 〖해부〗 소체(小體) **2** 〖생물〗 유리 세포, 《특히》 혈구 **3** 〖물리〗 미립자, 《특히》 전자(electron)
cor·pus·cu·lar [kɔ:rpʌ́skjulər] *a.* 미립자의
corpúscular thèory 〖물리〗 입자설
cor·pus·cule [kɔ:rpʌ́skju:l] *n.* ＝CORPUSCLE
córpus de·líc·ti [-dilíktai] [L ＝body of the crime] 〖법〗 범죄의 구성 사실, 죄체(罪體) 《범죄의 실질적 사실》; 피살 시체; 범죄의 증거
córpus jú·ris [-dʒúəris] [L] (국가·주의) 법전
Córpus Júris Ci·ví·lis [-siváilis] [L] 로마법 대전
córpus lú·te·um [-lú:tiəm] [L] (*pl.* **córpora lú·te·a** [lú:tiə]) 〖해부·동물〗 (난소의) 황체(黃體); 〖약학〗 황체 엑스
córpus spon·gi·ó·sum [-spʌ̀ndʒióusəm] [L] 〖해부〗 해면체
córpus ví·le [-váili] [L] (*pl.* **córpora víl·i·a** [-váiliə]) 실험용 사체; 실험용 이외에는 무가치한 것[사람]
corr correct(ed); correction; correlative; correspond(ence); correspondent; corresponding; corrupt(ion)
cor·rade [kəréid] 〖지질〗 *vt.* 〈강물이 바위 등을〉 닳게 하다 — *vi.* 닳다, 마멸 침식되다, 무너지다
cor·ral [kərǽl | -rɑ́:l] [Sp.] *n.* **1** 《미》 가축 우리(pen); (코끼리 등을 사로잡기 위한) 덫울타리 **2** (야영할 때) 마차를 둘러친 원진(圓陣)(laager)
— *vt.* (**～led**; **～·ling**) **1** 〈가축을〉 우리에 넣다; 가두다 **2** 〈마차를〉 원진으로 치다 **3** 《미·구어》 잡다, 손에 넣다
cor·ra·sion [kəréiʒən] *n.* Ⓤ 〖지질〗 마멸 침식, 마식(磨蝕) 《토사·자갈 섞인 강물에 의한 침식 작용》
-sive *a.*
⁑**cor·rect** [kərékt] [L 「똑바르게 하다」의 뜻에서] *a.* (**more ～, ～·er**; **most ～, ～·est**) **1** (사실과 일치하여) 옳은, 틀림없는(opp. *incorrect*), 정확한: a ～

thesaurus **correct** *a.* **1** 정확한 accurate, right, true, actual, exact, precise, faultless (opp. *incorrect, wrong*) **2** 적당한 proper, suitable, fit, appropriate, apt, seemly, approved, accepted

judgment[view] 올바른 판단[견해] / My calculations are ~. 내 계산은 정확하다.

> 유의어 **correct** 규준에 맞아 틀림없는, 또는 일반적으로 인정된 관습에 맞는: a *correct* answer 정답 / *correct* behavior 예의 바른 행동 **accurate** 주의·노력을 한 결과로서 정확한: an *accurate* account of the events 사건의 정확한 설명 **exact** 사실·진리·규준에 완전히 합치된: an *exact* quotation 정확한 인용 **precise** 세세한 점에 이르기까지 정확한: a *precise* translation 정확한 번역

2 의당한, 온당[적당]한; 예의 바른, 품행이 방정한 ***the ~ thing*** 《구어》 합당한 일

— *vt.* **1** 〈잘못을〉 **정정하다**, 고치다, 바로잡다; …의 잘못을 지적하다; 첨삭하다; 교정(校正)하다: ~ errors 틀린 데를 고치다 **2** 교정(矯正)하다; 타이르다, 징계하다: 《~+목+전+명》 ~ a child *with* the rod 아이를 매로 벌주다 / ~ a child *for* disobedience 말 안 듣는다고 아이를 타이르다 **3** 중화하다(neutralize); 〈병을〉 고치다(cure) **4** 〖수학·물리·광학〗 〈계산·관측·기계 등을〉 수정[보정(補正)]하다

— *vi.* **1** 고치다, 정정하다 **2** 〖증권〗 〈주가가〉 (시세의 급등 또는 급락 후에 일시적으로) 반전하다, 회복되다 ***stand ~ed*** 정정을 승인하다, 잘못을 인정하다

~·a·ble *a.* ▷ corréction *n.*; corréctly *ad.*

corréct cárd [the ~] **1** (경기 등의) 프로그램 **2** 예의범절

cor·réct·ing flùid [kəréktiŋ-] = CORRECTION FLUID

*__cor·rec·tion__ [kərékʃən] *n.* ⓊⒸ **1 정정**, 수정, 보정; 첨삭; 교정(校正) **2** [보통 *pl.*] 교정(矯正); 징계, 벌 **3** 〖수학·물리·광학〗 보정, 수정 **4** 〖증권〗 (주가 급등·급락 후의 일시적인) 반발, 조정 ***under ~*** 틀린 데가 있으면 고쳐 주기로 하고

▷ corréct *vt.*; corréctive, corréctional *a.*

cor·rec·tion·al [kərékʃənl] *a.* **1** 정정의, 수정의 **2** 교정(矯正)[갱생]의, 징계의: a ~ institution for juveniles 소년원

corréctional[corréction] facílity 《미》 교정(矯正) 시설; 교도소(prison)

corréctional[corréction] òfficer 《미》 교도관

corréction flùid 《주로 영》 (오자) 수정액(《미》 white-out)

cor·rect·i·tude [kəréktətjù:d | -tjù:d] *n.* Ⓤ 《문어》 (품행) 방정(方正)

cor·rec·tive [kəréktiv] *a.* 교정(矯正)하는; 조정(調整)하는 — *n.* 교정물[책(策)]; 조정약[책]; 구제 수단(remedy); 《폐어》 (급등·급락을 조정하는) 주식 거래소 **~·ly** *ad.* **~·ness** *n.*

corréctive máintenance 〖컴퓨터〗 고장 수리

corréctive tráining 〖영국법〗 교정 교육 처분 《죄인에게 직업 교육과 일반 교육을 받게 함》

*__cor·rect·ly__ [kəréktli] *ad.* 바르게, 정확하게; [문장을 수식하여] 정확히 말하면: spell words ~ 단어들을 정확히 철자하다

cor·rect·ness [kəréktnis] *n.* Ⓤ 정확함; (행동의) 단정, 방정

cor·rec·tor [kəréktər] *n.* **1** 정정[첨삭]자 **2** 교정자, 징치자(懲治者); 비평가, 검열자[관] **3** 중화제

correl correlative(ly)

*__cor·re·late__ [kɔ́:rəlèit, kɑ́r- | kɔ́r-] *vt.* **1 서로 관련시키다** 《*with*》: ~ the two 그 둘을 관련시키다 // 《~+목+전+명》 Try to ~ your knowledge of history *with* that of geography. 당신의 역사 지식을 지리 지식과 서로 관련시키도록 노력하시오.

correspond *v.* **1** 일치하다 agree, accord, match, fit together, concur, coincide, correlate (opp. *differ, vary*) **2** 교신하다 communicate, exchange letters, write, keep in touch[contact]

2 〖지질〗 〈지층을〉 대비하다

— *vi.* 서로 관련하다 《*to, with*》: Chemistry and physics ~. 화학과 물리는 서로 관련이 있다. // 《~+전+명》 A ~*s to*[*with*] B. A와 B는 서로 관련이 있다.

— [kɔ́:rələt | kɔ́rəlèit] *n.* 상호 관계가 있는 사람[물건], 상관물

— *a.* **1** 《드물게》 서로 관련 있는 **2** 〖지질〗 같은 층위(層位) 관계에 있는

*__cor·re·la·tion__ [kɔ̀:rəléiʃən, kɑ̀r- | kɔ̀r-] *n.* ⓊⒸ **1** 상호 관련, 상관 (관계) 《*between*》 **2** 《문어》 상관시킴 《*with*》 **3** 〖생리〗 상호 작용, 상호 의존 **4** 〖지질〗 (연대·구조의) 대비 **~·al** *a.*

correlátion coefficient 〖통계〗 상관 계수

cor·rel·a·tive [kərélətiv | kɔ-] *a.* **1** 상관적인, 상호 관계가 있는 《*with, to*》 **2** 〖문법〗 상관 관계의: ~ terms 〖논리·문법〗 상관 명사 《「아버지」와 「아들」 등》 / ~ words 〖문법〗 상관어(구) 《the former와 the latter 등》 **3** 유사한 — *n.* **1** 상관물[사람] **2** 〖문법〗 상관어 **~·ly** *ad.* **~·ness** *n.*

corrélative conjúnction 〖문법〗 상관 접속사 《either ... or 등》(⇨ 문법 해설 (7))

cor·rel·a·tiv·i·ty [kərèlətívəti] *n.* Ⓤ 상관성, 상관 관계; 유사

‡**cor·re·spond** [kɔ̀:rəspɑ́nd, kɑ̀r- | kɔ̀rəspɔ́nd] 〖L 「함께(com-) 응하다(respond)」의 뜻에서〗 *vi.* **1 일치하다**, 부합하다, 조화하다 《*with, to*》: His words and actions do not ~. 그의 말과 행동은 일치하지 않는다. // 《~+전+명》 Her white hat and shoes ~ *with* her white dress. 그녀의 흰 모자와 구두는 흰 옷과 조화를 이루고 있다. **2** (…에) **상당**[해당, 대응]**하다** 《*to*》: 《~+전+명》 The broad lines on the map ~ *to* roads. 지도상의 굵은 선은 도로에 해당한다. **3 교신**[**서신 왕래**]**하다** 《*with*》: 《~+전+명》 She is ~*ing with* an American schoolboy. 그녀는 한 미국 남학생과 편지를 주고받고 있다.

▷ correspóndence *n.*; correspóndent *a.*

‡**cor·re·spond·ence** [kɔ̀:rəspɑ́ndəns, kɑ̀r- | kɔ̀rəspɔ́n-] *n.* Ⓤ **1 일치**; 조화 《*with, to, between*》: (a) ~ *between* the two 양자간의 일치 / the ~ of one's words *with*[*to*] one's actions 언행일치 **2 상응**, 대응, 해당, 유사(analogy) 《*to*》 **3** (편지로 하는) **통신**, 서신 왕래(exchange of letters); 왕복 문서, 편지(letters); (특파원이 보내온) 뉴스, 기사: commercial ~ 상업 통신(문), 상용문(商用文) ***be in ~ with*** …와 편지 왕래를 하다: …와 거래 관계가 있다 ***enter into ~ with*** …와 통신을 시작하다 ***have a great deal of ~*** 빈번히 편지를 주고받다 ***keep up ~*** 편지 왕래를 계속하다 (***let***) ***drop*** one***'s ~ with*** …와의 통신 연락을 끊다

▷ correspónd *v.*

correspóndence clèrk (회사 등의) 통신 담당

correspóndence cὸllege 통신(제) 대학

correspóndence cὸlumn (신문의) 독자 통신란, 투고란

correspóndence cὸurse 통신 교육 (과정)

correspóndence prìnciple 〖물리〗 대응 원리

correspóndence schὸol 통신 교육 학교

correspóndence thèory 〖철학〗 (진리의) 대응설

cor·re·spond·en·cy [kɔ̀:rəspɑ́ndənsi, kɑ̀r- | kɔ̀rəspɔ́n-] *n.* (*pl.* **-cies**) = CORRESPONDENCE 1

‡**cor·re·spond·ent** [kɔ̀:rəspɑ́ndənt, kɑ̀r- | kɔ̀rəspɔ́n-] *n.* **1** (편지로 하는) **통신인**: a good[bad, negligent] ~ 편지를 자주[잘 안] 쓰는 사람 **2** (신문·방송 등의) **특파원**, 통신원; (신문 독자란의) 투고자, 기고가: a foreign ~ 해외 통신원 / a special[war] ~ 특파원[종군 기자] **3** 〖상업〗 (특히 원거리의) 거래처[점] **4** 일치[상응, 대응]하는 것

— *a.* 대응하는, 일치하는(corresponding) 《*with, to*》 **~·ly** *ad.*

correspóndent accóunt 《미》 대리 계좌 《작은 은행이 대리 은행(correspondent bank)에 개설한 계좌》

correspóndent bànk 《미》 대리 은행 《소규모 은행의 업무를 대리하는 큰 은행》

‡**cor·re·spond·ing** [kɔ̀:rəspɑ́ndiŋ, kɑ̀r- | kɔ̀rəspɔ́nd-] *a.* **1** 상응하는, 일치하는, 대응하는, 유사한(similar) 《*to*》: in the ~ month last year 지난해 같은 달에 **2** 통신(관계)의: a ~ clerk[secretary] (회사 등의) 통신 담당자 / a ~ member (of the society) (협회의) 통신 회원, 객원 **3** 관련해서 생기는, 동반하는 **~·ly** *ad.*

correspónding ángles 〖기하〗 동위각

cor·re·spon·sive [kɔ̀:rəspɑ́nsiv, kɑ̀r- | kɔ̀rəspɔ́n-] *a.* **1** 노력[자극]에 반응하는 **2** (고어) 상응하는, 일치하는

cor·ri·da [kɔ:rí:də] [Sp.] *n.* (*pl.* **~s** [-z]) 투우

‡**cor·ri·dor** [kɔ́:ridər, -dɔ:r, kɑ́r- | kɔ́ridɔ:, -də] [It. 「길게 뻗어 있는 것」의 뜻에서] *n.* **1** 복도, 회랑(回廊) **2** 〖지리〗 회랑 지대 **3** 인구 밀집 지대, 주요 수송 경로 **4** 〖항공〗 공중 회랑(空中回廊); 〖우주과학〗 우주선 발사시나 대기권 재돌입시의 비행 코스 **5** (배선·배관용) 지하구(地下溝)

córridors of pówer 권력의 회랑 《정치 권력의 중심으로 여겨지는 정계·관계 고관 등의 상부 계층》

córridor tràin (영) 통랑(通廊) 열차 《한쪽에 통로가 있고 옆에 칸막이방(compartment)이 있음》

cor·rie [kɔ́:ri, kɑ́ri | kɔ́ri] *n.* (스코) 산 중턱의 동굴

Cor·rie·dale [kɔ́:ridèil, kɑ́r- | kɔ́r-] *n.* 코리데일종(種) 《뉴질랜드 원산의 양(羊); 질이 좋은 양모와 맛좋은 고기로 유명》

cor·ri·gen·dum [kɔ̀:rədʒéndəm, kɑ̀r- | kɔ̀r-] *n.* (*pl.* **-da** [-də]) **1** 정정해야 할 잘못, 오식(誤植) **2** [*pl.*] [단수 취급] 정오표

cor·ri·gent [kɔ́:ridʒənt, kɑ́r- | kɔ́r-] *n.* 〖약학〗 교정약(矯正藥) 《약의 맛·빛깔·냄새를 고침》

cor·ri·gi·ble [kɔ́:ridʒəbl, kɑ́r- | kɔ́r-] *a.* 교정할 수 있는, 교정하기 쉬운; 〈사람이〉 솔직히 잘못을 인정하는; 〈이론·문장 등이〉 개정[수정]할 여지가 있는 **còr·ri·gi·bíl·i·ty** *n.* **~·ness** *n.* **-bly** *ad.*

cor·ri·val [kəráivəl] *n.*, *a.* 경쟁 상대(의) **~·ry** *n.*

cor·rob·o·rant [kərɑ́bərənt | -rɔ́bə-] *a.* 확증적인; 보강하는; 〈약 따위가〉 강장성(强壯性)의
— *n.* 강장제; 확증[강화]하는 것

cor·rob·o·rate [kərɑ́bərèit | -rɔ́bə-] *vt.*, *vi.* 〈소신·진술 등을〉 확실하게 하다, 보강하다, 확증하다: *corroborating* evidence 보강 증거

cor·rob·o·ra·tion [kərɑ̀bəréiʃən | -rɔ̀bə-] *n.* Ⓤ **1** 확실하게 함; 확증; 〖법〗 보강 증거 **2** 확증적인 사실[진술 《등》] ***in ~ of*** …을 확증하기 위하여

cor·rob·o·ra·tive [kərɑ́bərèitiv, -rətiv- | -rɔ́bərətiv-, -rèitiv-] *a.* 확증적인, 뒷받침하는 **~·ly** *ad.*

cor·rob·o·ra·tor [kərɑ́bərèitər | -rɔ́bə-] *n.* 확증자[물, 사실]

cor·rob·o·ra·to·ry [kərɑ́bərətɔ̀ri | -rɔ́bə-] *a.* = CORROBORATIVE

cor·rob·o·ree [kərɑ́bəri | -rɔ́-] *n.* (호주) **1** 오스트레일리아 원주민의 코로보리 춤[노래] 《잔치 또는 전투 전날 밤의》 **2** (구어) 법석 떨기, 잔치 소동

cor·rode [kəróud] *vt.* **1** 부식하다, 침식하다(cf. ERODE) **2** 좀먹다; …의 마음을 좀먹다 **—** *vi.* **1** 부식하다, 부패하다 **2** 〈사람·마음 등이〉 좀먹다, 서서히 나빠지다 ▷ corrósion *n.*

*∗***cor·ro·sion** [kəróuʒən] *n.* Ⓤ **1 a** 부식 (작용); 용식(溶蝕) **b** 부식으로 생긴 것 《녹 따위》 **2** 〈근심이〉 마음을 좀먹기 **~·al** [-ʒənl] *a.* ▷ corróde *v.*

cor·ro·sive [kəróusiv] *a.* **1** 부식성의 **2** (정신적으로) 좀먹는 **3** 〈풍자·비판 등이〉 신랄한, 통렬한
— *n.* 부식시키는 것; 부식제 《산(酸) 등》
~·ly *ad.* **~·ness** *n.*

corrósive súblimate 〖화학〗 승홍(昇汞), 염화 제 2 수은

cor·ru·gate [kɔ́:rəgèit, kɑ́r- | kɔ́r-] *vt.* **1** 물결 모양으로 주름 잡다 **2** 주름지게[골지게] 하다
— *vi.* **1** 물결 모양이 되다 **2** 주름 잡히다
— [-gət] *a.* (고어) = CORRUGATED

cor·ru·gat·ed [kɔ́:rəgèitid, kɑ́r- | kɔ́r-] *a.* 물결 모양의, 주름 잡힌, 골진

córrugated íron 골함석

córrugated páper 골판지

cor·ru·ga·tion [kɔ̀:rəgéiʃən, kɑ̀r- | kɔ̀r-] *n.* **1** Ⓤ 물결 모양으로 만들기 **2** (철판 등의) 물결 주름; 주름(wrinkle)

cor·ru·ga·tor [kɔ́:rəgèitər] *n.* **1** 〖해부〗 추미근(皺眉筋) **2** 주름을 잡는 것; 골판 제조기

‡**cor·rupt** [kərʌ́pt] [L 「완전히 부서진」의 뜻에서] *a.* **1 a** 타락한, 퇴폐한, 부도덕한, 사악한 **b** 부정한, 부패한, 뇌물이 통하는, 오직(汚職)의: a ~ judge 수뢰 판사 / ~ practices (선거 따위에서의) 매수[부정] 행위 **2** 〈언어가〉 순수성을 잃은, 와전(訛轉)된; 〈텍스트 등이〉 틀린 곳이 많은, 믿을 수 없는; 〖컴퓨터〗 〈프로그램·데이터가〉 오류가 있는: a ~ manuscript (오자 등으로) 원형이 손상된 사본 **3** 〈공기·물 등이〉 오염된; 〈물질이〉 썩은, 부패한: ~ flesh 부패된 고기
— *vt.* **1 a** 〈사람·품성 등을〉 타락시키다, 부패시키다: ~ public morals 풍기를 문란케 하다 **b** (뇌물로) 매수하다 **2** 〈언어를〉 와전(訛轉)시키다; 〈원문을〉 개악하다, 변조하다; 〖컴퓨터〗 〈프로그램·데이터 등에〉 오류를 일으키다: The virus *~ed* the entire database. 바이러스가 전체 데이터베이스에 오류를 일으켰다. **3** 부패시키다; 오염시키다 **4** 〖법〗 〈혈통을〉 더럽히다
— *vi.* 부패하다; 타락하다 **~·er, cor·rúp·tor** *n.*
▷ corrúption *n.*; corrúptive *a.*

cor·rupt·i·bil·i·ty [kərʌ̀ptəbíləti] *n.* Ⓤ 타락성; 부패성; 매수 가능성

cor·rupt·i·ble [kərʌ́ptəbl] *a.* **1** 타락하기 쉬운, 부패하기 쉬운; 뇌물이 통하는 **2** 〈말·언어가〉 사투리 발음이 되기 쉬운 **-bly** *ad.*

*∗***cor·rup·tion** [kərʌ́pʃən] *n.* Ⓤ **1 a** 타락, 퇴폐, 폐풍 **b** 부정 행위, 부패, 매수, 독직 **2 a** (언어의) 순수성 상실, 와전(訛轉) **b** (원문의) 개악, 변조 **3** (물질의) 부패; 악영향을 주는 것 ***~ of blood*** 〖법〗 (범죄에 의한) 혈통 오손 ▷ corrúpt *v.*; corrúptive *a.*

cor·rup·tion·ist [kərʌ́pʃənist] *n.* 뇌물을 주는[받는] 사람, 《특히》 부패한 관리[정치가]

cor·rup·tive [kərʌ́ptiv] *a.* 타락시키는, 부패성의 ***be ~ of*** …을 타락시키다 **~·ly** *ad.*

cor·rupt·ly [kərʌ́ptli] *ad.* 타락하여; 전와하여

corrúpt práctices àct (미) 부패 행위 방지법, 부정 선거 방지법 《선거 비용 등을 규제》

cor·sage [kɔ:rsɑ́:ʒ] *n.* **1** (여성복의) 상반신부, 보디스 **2** (여성복의 가슴·어깨에 다는) 꽃장식, 코르사주

cor·sair [kɔ́:rsɛər] *n.* **1** (옛날 Barbary Coast에 출몰한) 해적; (그들이 사용한) 배 **2** (쾌속) 해적선

corse [kɔ́:rs] *n.* (시어·고어) = CORPSE

cor·se·let [kɔ̀:rsəlét] *n.* **1** 코르셋과 브래지어를 합친 여성용 속옷(all-in-one) **2** [kɔ́:rslit] 갑옷의 동부(胴部); 〖곤충·어류〗 흉갑(胸甲)

cor·se·lette [kɔ̀:rsəlét] *n.* = CORSELET 1

*∗***cor·set** [kɔ́:rsit] *n.* **1** [때로 *pl.*] 코르셋 **2** [종종 *pl.*] (영·구어) 〖금융〗 코르셋 금융 긴축 **3** 코르셋과 비슷한 겉옷 **4** (미·속어) 방탄 조끼
— *vt.* **1** 코르셋을 입다[착용하다] **2** (비유) 긴축하다, 엄하게 규제[통제]하다

córset còver 코르셋 커버 《코르셋 위에 입는 속옷》

cor·se·tier [kɔ̀:rsətíər | kɔ̀:setiέə] *n.* CORSETIERE의 남성형

cor·se·tiere [kɔ̀:rsətíər | kɔ̀:setiέə] [F] *n.* (*pl.* **~s** [-z]) 코르셋 제조[판매]자

Cor·si·ca [kɔ́:rsikə] *n.* 코르시카 《지중해의 프랑스령 섬; 나폴레옹의 출생지; 중심 도시 Ajaccio》

Cor·si·can [kɔ́:rsikən] *a.* 코르시카 섬(사람)의; 코

thesaurus **corrupt** *a.* **1** 부정한 dishonest, crooked, fraudulent, dishonorable, untrustworthy (opp. *hon-*

르시카 방언의 **—** *n.* 코르시카 섬 사람; [the (great) ~] 나폴레옹 1세《속칭》; Ⓤ 코르시카 사투리

cors·let [kɔ́:rslit] *n.* =CORSELET 2

cor·tege, -tège [kɔ:rtéʒ, -téiʒ | -téiʒ] 〖F〗 *n.* **1** 행렬;《특히》의식의 행렬: a funeral ~ 장례 행렬 **2** [집합적] 수행원, 시종

Cor·tes [kɔ́:rtiz | -tes] 〖Sp.〗 *n. pl.* [the ~] (스페인·포르투갈의) 국회, 의회

cor·tex [kɔ́:rteks] *n.* (*pl.* **-ti·ces** [-təsì:z], **~·es**) **1** 〖식물〗 피층(皮層) **2** 〖해부〗 피질(皮質), 외피; 대뇌 피질(=cerebral ~)

cor·ti·cal [kɔ́:rtikəl] *a.* 〖해부〗 피층의; 피질의, 외피의; 〖생리〗 대뇌 피질성의 **~·ly** *ad.*

córtical bráille (대뇌) 피질 점자법

cor·ti·cate [kɔ́:rtikət, -kèit], **-cat·ed** [-kèitid] *a.* 피층이 있는, 외피가 있는; 수피(樹皮)로 덮인

cortico- [kɔ̀:rtikou, -kə] 《연결형》「피질, 외피, 표피층」의 뜻

cor·ti·co·pón·tine cèll [kɔ̀:rtikoupάnti:n- | -pɔ́n-] 〖의학〗 피질교(皮質橋) 세포《대뇌 피질에 있으며 시각 자극을 뇌교(腦橋)에 보냄》

cor·ti·co·ste·roid [kɔ̀:rtikoustérɔid, -stíər-] *n.* 〖생화학〗 코르티코스테로이드《부신(副腎) 피질 호르몬 및 그와 유사한 화학 물질의 총칭》

cor·ti·cos·ter·one [kɔ̀:rtikάstəròun | -kɔ́s-] *n.* 〖생화학〗 부신 피질에서 분비되는 스테로이드 호르몬

cor·ti·co·tro·pin [kɔ̀:rtikoutróupin | -trɔ́-], **-phin** [-fin] *n.* 〖생화학〗 부신 피질 자극 호르몬

corticotrópin reléasing fàctor 〖생화학〗 부신 피질 자극 호르몬 방출 인자《略 CRF》

cor·ti·le [kɔ:rtí:lei] 〖It.〗 *n.* (*pl.* **-li** [-li:]) 〖건축〗 안마당, 안뜰

cor·tin [kɔ́:rtn | -tin] *n.* Ⓤ 〖생화학〗 코르틴《부신(副腎) 피질의 유효 성분과 부신 전체의 혼합물》

cor·ti·na [kɔ:rtáinə, -tí:nə] *n.* (*pl.* **-ti·nae** [-táini:, -tí:nai]) 〖균류〗 거미집막《버섯갓 가장자리의 그물 모양의 막》

cor·ti·sol [kɔ́:rtəsɔ̀:l, -sòul | -sɔ̀l] *n.* 〖생화학〗 코티솔《부신 피질에서 생기는 스테로이드 호르몬의 일종》

cor·ti·sone [kɔ́:rtəzòun, -sòun] *n.* Ⓤ 〖생화학〗 코티존《부신 피질 호르몬의 일종; 관절염 등의 치료제》

Cort·land [kɔ́:rtlənd] *n.* 코트런드 (나무)《사과의 한 품종》

co·run·dum [kərʌ́ndəm] *n.* Ⓤ 〖광물〗 강옥(鋼玉)

co·rus·cant [kərʌ́skənt, kɔ́:rəs-, kά- | kərʌ́s-] *a.* 번쩍이는, 반짝반짝 빛나는

cor·us·cate [kɔ́:rəskèit, kάr- | kɔ́r-] *vi.* (문어) **1** 번쩍이다(glitter), 반짝반짝 빛나다(sparkle) **2** 〈재치·지성 등이〉 번득이다

cor·us·ca·tion [kɔ̀:rəskéiʃən, kὰr- | kɔ̀r-] *n.* Ⓤ (문어) **1** 번쩍임; 광휘 **2** (재치 등의) 번득임

cor·vée [kɔ:rvéi | ⌐—] 〖F〗 *n.* Ⓤ (봉건 시대의) 부역, 강제 노역; (도로 공사 등의) 근로 봉사, 무급 노동; 귀찮은 일

corves [kɔ́:rvz] *n.* CORF의 복수

cor·vette, -vet [kɔ:rvét] *n.* 〖항해〗 **1** (옛) 코르벳함(艦)《고대의 평갑판·일단(一段) 포장(砲裝)의 목조 범장(帆裝) 전함》 **2** 코르벳함《대공·대잠수함 장비를 갖춘 수송선단 호송용 소형 쾌속함》

cor·vi·na [kɔ:rví:nə] *n.* 〖어류〗 =CORBINA

cor·vine [kɔ́:rvain, -vin | -vain] *a.* 까마귀의[같은](crowlike)

Cor·vus [kɔ́:rvəs] *n.* 〖천문〗 까마귀자리; 〖조류〗 까마귀속(屬)

Cor·y·bant [kɔ́:rəbæ̀nt, kάr- | kɔ́r-] *n.* (*pl.* **~s, -ban·tes** [kɔ̀:rəbǽnti:z, kὰr- | kɔ̀r-]) **1** 〖그리스신화〗 여신 Cybele의 시종 **2** 코리반트《Cybele의 사제(司祭)》 **3** [c~] 술 마시고 떠드는 사람

---

est, ethical) **2** 타락한 immoral, wicked, evil, sinful, degenerate, depraved (opp. *morale, pure*)

Cor·y·ban·tic [kɔ̀:rəbǽntik, kὰr- | kɔ̀r-] *a.* **1** 코리반트의 **2** [c~] 코리반트 같은; 법석 떠는; 열광의

Cor·y·don [kɔ́:rədn, kάr- | kɔ́ri-] *n.* (전원시에 나오는 대표적인) 목동; 시골 젊은이

cor·ymb [kɔ́:rimb, kάr- | kɔ́r-] *n.* 〖식물〗 산방(繖房) 꽃차례 **co·rym·bose** [kərímbous] *a.*

cor·y·ne·bac·te·ri·um [kɔ̀:rənibæktíəriəm, kərìnə- | kɔ̀rini-] *n.* (*pl.* **-ri·a** [-riə]) 〖세균〗 코리네박테리아《디프테리아균 등》

cor·y·phae·us [kɔ̀:rəfí:əs, kὰr- | kɔ̀r-] *n.* (*pl.* **-phae·i** [-fí:ai]) **1** (고대 그리스극에서) 합창대 수석 가수 **2** (고어·문어)《일반적으로》지도자, 리더(leader)

co·ry·phée [kɔ̀:rəféi, kὰr- | kɔ̀r-] 〖F〗 *n.* (*pl.* **~s** [-z]) 〖발레〗 소군무(小群舞)의 주역 댄서

co·ry·za [kəráizə] *n.* Ⓤ **1** 〖병리〗 코카타르, 코감기 **2** 〖수의학〗 코리자《조류, 특히 집짐승의 전염병》

cos[1] [kɔ́:s | kɔ́z, kɔ́s] *n.* 〖수학〗 코사인, 여현(餘弦)

cos[2] [kάs, kɔ́:s | kɔ́s] *n.* 〖식물〗 양상추의 일종(=~ lettuce)

cos[3], **'cos** [kάz | kɔ́z] *ad., conj.* (구어) =BECAUSE

cos companies; counties **COS, cos** cash on shipment 〖상업〗 선적불, 적하[현금]불

Co·sa Nos·tra [kóuzə-nóustrə] (미) 코자노스트라《미국 마피아(Mafia)식 비밀 범죄 조직》

co·saque [kouzά:k, -zǽk] *n.* =CRACKER 3

COSATU [kóusɑtu:] [*C*ongress *o*f *S*outh *A*frican *T*rade *U*nions] *n.* 코사투《남아프리카 공화국 노동조합 회의》

cose [kóus] *vi.* 편안히 앉다, 편히 쉬다(cf. COZE)

co·sec [kóusì:k] *n.* 〖수학〗 cosecant

co·se·cant [kousí:kənt, -kænt | -kənt] *n.* 〖수학〗 코시컨트, 여할(餘割)《略 cosec, csc》

co·seis·mal [kousáizməl, -sáis- | -sáiz-], **-mic** [-mik] 〖지진〗 *a.* 등진파선상(等震波線上)의 **—** *n.* 등진선(等震線)

co·set [kóuset] *n.* 〖수학〗 잉여류(剩餘類)

co·sey [kóuzi] *a.* (**-si·er**; **-si·est**), *ad., v., n.* =COZY

cosh[1] [kάʃ | kɔ́ʃ] (영·구어) *n.* (경찰관·폭력단의) 곤봉, 경찰봉; 호신용 쇠파이프; 회초리(cane); 곤봉을 사용하는 사람 ***under the ~*** (영·구어) 압박을 받는 **—** *vt.* 곤봉으로 치다

cosh[2] *n.* 〖수학〗 쌍곡(선) 코사인

cosh·er [kάʃər | kɔ́ʃ-] *vt.* 호사시키다, 귀여워하다; 응석받아 기르다 (*up*) **—** *vi.* **1** 대접받다 **2** (남의 집에서) 기식하다, 묵다 **3** 다정하게 말하다

co·sie [kóuzi] *a.* (**-si·er**; **-si·est**) =COZY

co·sign [kóusàin, ⌐⌐] *vi., vt.* 공동 서명하다, 연서(連署)하다

co·sig·na·to·ry [kousígnətɔ̀:ri | -təri] *a.* 연서(連署)의: the ~ Powers 연서국 **—** *n.* (*pl.* **-ries**) 연서인, 연판자; 연서국(國)

co·sign·er [kóusàinər, ⌐⌐—] *n.* 연서인; 어음의 공동 서명인

co·sine [kóusain] *n.* 〖수학〗 코사인《略 cos》

co-sleep·ing [kouslí:piŋ] *n.* 아기나 어린아이들이 부모와 한 침대에서 함께 자는 일

cós léttuce (영) 〖식물〗 양상추의 일종(cos[2])((미) romaine)

cosm- [kɑzm | kɔzm], **cosmo-** [kάzmou | kɔ́z-] 《연결형》「세계, 우주」의 뜻《모음 앞에서는 cosm-》

cos·me·ceu·ti·cal [kὰzməsjú:tikəl | kɔ̀z-] [*cos*metic+pharma*ceutical*] *n.* [종종 *pl.*] 약용 화장품

***cos·met·ic** [kɑzmétik | kɔz-] 〖Gk 「질서 있는, 가지런한」의 뜻에서〗 *a.* **1** 화장용의, 미용의 **2** 겉꾸리는, 겉모양만 그럴듯한; 표면적인; 〖의학〗 성형의 **—** *n.* **1** [보통 *pl.*] 화장품 **2** [*pl.*] 흠 감추기 **3** [때로 *pl.*] (고어) 얼굴 성형술 **cos·mét·i·cal·ly** *ad.*

cos·me·ti·cian [kὰzmətíʃən | kɔ̀z-] *n.* 화장품 제조[판매]인; 미용사; 미용 전문가

cos·met·i·cize [kazmétəsàiz | kɔz-], **cos·me·tize** [kázmətàiz | kɔ́z-] *vt.* 외관적으로 아름답게 하다, 화장하다
cosmétic psychólogy 미용 심리학
cosmétic súrgery 미용 성형 외과[수술](plastic surgery)
cos·me·tol·o·gy [kàzmətálədʒi | kɔ̀zmətɔ́-] *n.* Ⓤ 미용술; 화장품학, 미용업 **-gist** *n.* 미용사
*__cos·mic, -mi·cal__ [kázmik(əl) | kɔ́z-] *a.* **1** 우주의 **2** 광대무변한, 무한의 **3** 포괄적인, 보편적인 **4** 《드물게》 질서 있는(opp. *chaotic*) **5** 〖철학〗 우주(진화)론의 **6** 《미·속어》 굉장히 멋진; 난해한; 중대한; 극비의 **-mi·cal·ly** *ad.* 우주적으로; 조화 있게
cósmic dúst 〖천문〗 우주진
cósmic fóg[clóuds] 〖천문〗 성운
cósmic jét 〖천문〗 우주 제트 《우주 공간의 가스 분출 현상》
cósmic nóise 〖물리〗 우주 잡음(galactic noise)
cósmic philósophy 〖철학〗 ＝COSMISM
cósmic radiátion 〖물리〗 ＝COSMIC RAY
cósmic ráy [보통 *pl.*] 〖물리〗 우주선(線)
cósmic spéed 〖로켓〗 우주 속도 《지구의 궤도 진입 및 중력권 탈출 등에 필요한 속도》
cos·mism [kázmizm | kɔ́z-] *n.* Ⓤ 〖철학〗 우주(진화)론 **cós·mist** *n.*
cosmo- [kázmou, -mə | kɔ́z-] 《연결형》 ＝COSM-
cos·mo·chem·is·try [kàzməkémistri | kɔ̀z-] *n.* 우주 화학 《우주 내의 화학 원소의 발생과 분포를 다루는 과학》 **-chém·i·cal** *a.* **-chém·ist** *n.*
cos·mo·drome [kázmədròum | kɔ́z-] *n.* (러시아의) 우주선 발사 기지
cos·mo·gen·e·sis [kàzmədʒénəsis | kɔ̀z-] *n.* 우주의 생성[기원] **-ge·net·ic** [-dʒənétik] *a.*
cos·mo·gen·ic [kàzmədʒénik | kɔ̀z-] *a.* 우주선(線)(cosmic ray)의 작용으로 생긴
cos·mog·e·ny [kazmádʒəni | kɔzmɔ́dʒ-] *n.* (*pl.* **-nies**) ＝COSMOGONY
cos·mog·o·ny [kazmágəni | kɔzmɔ́-] *n.* (*pl.* **-nies**) ⓊⒸ **1** 우주의 발생[창조] **2** 〖천문〗 우주 기원[진화]론 **còs·mo·gón·ic, -i·cal** *a.* **-nist** *n.*
cos·mog·ra·pher [kazmágrəfər | kɔzmɔ́-] *n.* 우주지(誌) 학자
cos·mo·graph·ic, -i·cal [kàzməgrǽfik(əl) | kɔ̀z-] *a.* 우주지의 **-i·cal·ly** *ad.*
cos·mog·ra·phy [kazmágrəfi | kɔzmɔ́-] *n.* (*pl.* **-phies**) ⓊⒸ **1** 우주지(誌), 우주 형상지(形狀誌), 우주 구조론 **2** 우주 지리학 **-phist** *n.*
cos·mo·log·i·cal [kàzməládʒikəl | kɔ̀zmələ́-] *a.* 우주론의, 우주 철학의 **~·ly** *ad.*
cosmológical cónstant 〖천문〗 (아인슈타인 방정식의) 우주 상수(常數)
cosmológical prìnciple 〖천문〗 우주 원리
cos·mol·o·gist [kazmálədʒist | kɔzmɔ́lə-] *n.* 우주론자
cos·mol·o·gy [kazmálədʒi | kɔzmɔ́lə-] *n.* Ⓤ 〖철학·천문〗 우주론
cos·mo·naut [kázmənɔ̀:t | kɔ́z-] *n.* (러시아의) 우주 비행사(《미》 astronaut)
cos·mo·nau·tic, -ti·cal [kàzmənɔ́:tik(əl) | kɔ̀z-] *a.* 우주 비행사의; 우주 비행학[술]의 **-ti·cal·ly** *ad.*
cos·mo·nau·tics [kàzmənɔ́:tiks | kɔ̀z-] *n. pl.* [단수 취급] 우주 비행학[술](astronautics)
cos·mo·nette [kàzmənét | kɔ̀z-] *n.* (러시아의) 여자 우주 비행사
cos·mo·plas·tic [kàzməplǽstik | kɔ̀z-] *a.* 우주[세계] 형성의
cos·mop·o·lis [kazmápəlis | kɔzmɔ́-] *n.* 국제 도시(cosmopolitan city)
*__cos·mo·pol·i·tan__ [kàzməpálətn | kɔ̀zməpɔ́-] *a.* **1** 세계주의의, 사해동포주의의: a ~ outlook 세계주의적인 견해[시야] **2** 세계 각지의 사람들로 구성된, 전세계적인, 국제적인 《★ international 쪽이 일반적》 **3** 〖동물·식물〗 전 세계에 분포한 **4** 시야가 넓은, 국제인의
— *n.* 세계주의자, 세계인, 국제인
~·ize [-àiz] *vt.*, *vi.* 세계주의화하다 **~·ly** *ad.*
cos·mo·pol·i·tan·ism [kàzməpálətənìzm | kɔ̀zməpɔ́-] *n.* Ⓤ 세계주의, 사해 동포주의; [**C~**] 세계 시민주의
cos·mop·o·lite [kazmápəlàit | kɔzmɔ́-] *n.* **1** ＝COSMOPOLITAN **2** 〖생태〗 범존종(汎存種)
— *a.* ＝COSMOPOLITAN
cos·mo·po·lit·i·cal [kàzməpəlítikəl | kɔ̀z-] *a.* 세계 정책적인, 전 세계의 이해와 관계있는 **~·ly** *ad.*
cos·mo·pol·i·tics [kàzməpálətiks | kɔ̀zməpɔ́-] *n. pl.* [단수·복수 취급] 세계 정책[정치]
cos·mop·o·lit·ism [kazmápəlàitizm | kɔzmɔ́-] *n.* ＝COSMOPOLITANISM
cos·mo·ra·ma [kàzmərǽmə, -rá:- | kɔ̀zmərá:-] *n.* 세계 풍속 요지경(cf. DIORAMA, PANORAMA, CINERAMA)
*__cos·mos__ [kázməs, -mous | kɔ́zmɔs] [Gk 「질서, 우주」의 뜻에서] *n.* (*pl.* **~, ~·es**) Ⓤ **1** [the ~] (질서와 조화를 이룬 체계로서의) 우주(universe) **2** (관념·경험 등의) 완전 체계; 질서, 조화(opp. *chaos*) **3** Ⓒ 〖식물〗 코스모스 **4** [**C~**] 코스모스 《구소련이 쏘아 올린 일련의 위성》 ▷ cósmic *a.*
cos·mo·sphere [kázməsfìər | kɔ́z-] *n.* (지구를 중심으로 한) 우주 입체 모형
cos·mo·tron [kázmətrɑ̀n | kɔ́zmətrɔ̀n] *n.* 〖물리〗 코스모트론 《원자핵 구조의 소립자 연구용 양자 가속 장치》
COSPAR [káspɑ:r | kóus-] Committee on Space Research (국제) 우주 공간 연구 위원회
cos·play [kásplei] [*cos*tume+*play*] *n.* Ⓤ 코스플레이 《만화 주인공이 입은 의상을 흉내내 입는 것》
co·spon·sor [kouspánsər | -spɔ́n-] *n.* 공동 스폰서 — *vt.* …의 공동 스폰서가 되다 **~·shìp** *n.*
Cos·sack [kásæk, -sək | kɔ́sæk] *n.* **1** 코사크[카자흐스탄] 사람 **2** 코사크 기병; 경찰 기동대원 《특히 제정 러시아 때 데모·노동 쟁의 등에 출동하는》 **3** [*pl.*] 코사크 바지 《상점 용어》
Cóssack hát 코사크 모자 《춤이 높고 챙없는 방한모》
cos·set [kásit | kɔ́s-] *n.* 손수 기르는 새끼 양; 애완 동물 — *vt.* 귀여워하다(pet); 응석받이로 기르다
cos·sie [kázi | kɔ́zi] *n.* 《호주·구어》 수영복
⁑**cost** [kɔ́:st, kást | kɔ́st] *n.* ⓊⒸ **1** (제작·공사 등의) 비용, (생산) 원가, 경비(⇨ price 유의어): the prime ~ 매입 원가 / ~ control 비용 관리, 원가 관리 / cut ~*s* 비용을 절감하다 **2** (상품·서비스에 대한) 대가, 값, 가격 **3** [보통 the ~] (인명·시간·노력 등의) 희생, 손실, 고통 **4** [*pl.*] 〖법〗 소송 비용
at a* [*the*] ~ *of …의 비용으로 ***at a heavy ~*** 큰 손해를 보고 ***at all ~s*** ＝ ***at any ~*** 어떤 희생을 치르더라도; 기어코 ***at ~*** 원가로, 구입 가격으로 ***at great ~ of life*** 많은 인명을 희생하여 ***at*** a person***'s ~*** …의 비용으로; …에게 손해[폐]를 끼치고 ***at the ~ of*** …을 희생하여 ***count the ~*** 비용을 견적하다; 앞일을 여러 모로 내다보다 ***free of ~*** 무료로, 거저 ***to*** one***'s ~*** (1) 자신의 부담으로, 피해[손해]를 입고 (2) 쓰라린 경험으로: I know it *to my* ~. 나는 쓰라린 경험으로 그것을 알고 있다.
— *v.* (**cost, ~·ed**) *vt.* **1** 〈비용·대가가 얼마〉 들다; 〈…에게 얼마를〉 들게[치르게] 하다: How much does it ~? 그것은 얼마냐? ∥ (~+목+목) It ~ me 10,000 won. 만 원 들었다. **2** 〈시간·노력 등을〉 요하다 《★ 구체적인 시간을 「요하다」는 take》, 〈귀중한 것을〉 희생하게 하다, 잃게 하다; 〈어떤 고통을〉 주다: (~+목+목) It ~ me lots of labor. 그것 때문에 난 많은 힘이 들었다. / The work ~ him his health [life]. 그 일 때문에 그는 건강[목숨]을 잃었다. **3** 〖회

thesaurus **cost** *n.* **1** 비용 charge, price, value, amount, rate, expense, worth, payment **2** 희생, 손

계] 〈물건·사업 등의〉 원가[비용]를 견적하다 **4** 《구어》 [보통 will ~] …에게 많은 비용이 들다, …에게 매우 비싸다: Tickets are available, but they'*ll* ~ you! 표가 남아 있지만 매우 비쌀 거예요!
— *vi.* **1** 비용이 들다, 비싸게 치이다 **2** 노력이 들다; 손실을 입다 **3** (제품의) 원가를 산정[견적]하다
~ an arm and a leg 많은 돈이 들다 ~ a person ***dear(ly)*** …에게 비싸게 치이다; …을 혼나게 하다 ~ ***what it may*** 《문어》 비용이 얼마 들더라도; 어떤 일이 있더라도(at any cost) ▷ cóstly *a.*

cos·ta [kástə, kɔ́:s- | kɔ́s-] *n.* (*pl.* **-tae** [-ti:]) 〖해부〗 늑골(rib); 〖식물〗 잎의 주맥(主脈); 융기선

cost-ac·count [kɔ́:stəkàunt | kɔ́st-] *vt.* **1** 〈…의〉 원가[비용]를 견적[계산]하다 **2** 비교 평가하다

cóst accòuntant 원가 계산 담당자(cost clerk)

cóst accòunting 〖회계〗 원가 계산

cos·tal [kástl, kɔ́:s- | kɔ́s-] *a.* 〖해부〗 늑골의[이 있는]; 〖식물〗 주맥(主脈)의 **~·ly** *ad.*

cos·tal·gia [kastǽldʒə | kɔs-] *n.* Ⓤ 늑골통

cóst and fréight 〖상업〗 운임 포함 가격 《略 C&F, CF, C.A.F》

co·star [kóustà:r] *n.* (주역의) 공연자, 조연자(助演者) — [╌╌] *vi., vt.* (**~red**; **~·ring**) (주역을) 경연하다[시키다]; 조연으로 출연하다

cos·tard [kástərd, kɔ́:s- | kʌ́s-, kɔ́s-] *n.* 영국종의 큰 사과

Cós·ta Rí·ca [kástə-rí:kə, kɔ́:s- | kɔ́s-] 코스타리카 《중미의 공화국; 수도 San José》

Cós·ta Rí·can [kástə-rí:kən, kɔ́:s- | kɔ́s-] *a., n.* 코스타리카의 (사람)

cos·tate [kástət, kɔ́:steit | kɔ́s-] *a.* 〖해부〗 늑골이 있는; 〖식물〗 주맥(主脈)이 있는

cost-ben·e·fit [kɔ́:stbénəfit | kɔ́st-] *a.* 〖경제〗 비용과 편익의, 비용 대 편익비의

cóst-bénefit anàlysis 〖경제〗 비용 편익 분석

cóst bòok 《영》 (광산의) 회계 장부; 원가 장부

cóst cènter 〖경영〗 원가 중심점[부문]

cóst clèrk 〖회계〗 원가 계산 담당자

cost-cut [-kʌ̀t] *vt.* (**~**; **~·ting**) …의 경비[코스트]를 삭감하다

cos·tean, -teen [kastí:n | kɔs-] *vi.* 《영》 광맥을 찾아 암상(岩床)까지 파 내려가다

cos·tec·to·my [kastéktəmi | kɔs-] *n.* Ⓤ 〖외과〗 늑골 절제(술)

cost-ef·fec·tive [kɔ́:stiféktiv | kɔ́st-] *a.* 비용 효율[효과]이 높은 **~·ly** *ad.* **~·ness** *n.* Ⓤ 비용 효과

cost-ef·fi·cient [-ifíʃənt] *a.* = COST-EFFECTIVE

cos·ter [kástər | kɔ́s-] *n.* 《영》 = COSTERMONGER

cos·ter·mon·ger [kástərmʌ̀ŋgər | kɔ́s-] 《영》 *n.* (과일·생선의) 행상인(《미》 huckster)
— *vi.* 행상하다

cost·free [kɔ́:stfrí: | kɔ́st-] *a., ad.* 무료의[로]

cóst inflátion 〖경제〗 = COST-PUSH INFLATION

cost·ing [kɔ́:stiŋ | kɔ́st-] *n.* Ⓤ 《영》 원가 계산
— *a.* (미·속어) 〈값이〉 비싼

cóst, insúrance and fréight 〖상업〗 운임 보험료 포함 가격 《略 CIF》

cos·tive [kástiv, kɔ́:s- | kɔ́s-] *a.* 변비의; 째째한; 동작이 둔한, 우유부단한 **~·ly** *ad.* **~·ness** *n.*

cóst kèeper = COST ACCOUNTANT

cóst lèdger 원가 원장(元帳)

*__cost·ly__ [kɔ́:stli, kást- | kɔ́st-] *a.* (**-li·er**; **-li·est**) **1** 값비싼, 비용이 많이 드는(⇨ expensive 유의어): ~ jewels 값비싼 보석 **2** 희생[손실]이 큰 〈실수·전쟁 등〉: a ~ error 손실이 큰 잘못 **3** 낭비하는, 호사스러운 **cóst·li·ness** *n.* Ⓤ 고가 ▷ cóst *n., v.*

cost·mar·y [ká:stmɛ̀əri, kɔ́:st- | kɔ́st-] *n.* (*pl.* **-mar·ies**) 〖식물〗 쑥국화

실 sacrifice, expense, loss, penalty, harm, hurt
costume *n.* attire, apparel, garb, dress, outfit

cóst of líving [the ~] 생계비(living costs)

cost-of-liv·ing [kɔ́:stəvlíviŋ | kɔ́st-] *a.* 생계비의: ~ allowance 물가 수당, 생계비 수당

cóst-of-líving adjùstment 생계비 지수의 상승에 따른 임금 인상 《略 COLA》

cóst-of-líving bònus (소비자 물가 지수에 의한) 생계비 수당

cóst-of-líving ìndex 생계비 지수, 소비자 물가 지수(consumer price index)

cos·tot·o·my [kastátəmi | kɔstɔ́-] *n.* Ⓤ 〖외과〗 늑골 절제(술)

cóst òverrun (정부 계약 등의) 비용[경비] 초과

cóst perfórmance ràtio 〖경제〗 비용 대(對) 성능비(比)

cóst per thóusand 〖광고〗 경비 효율 지표 《광고 도달 시청자 또는 독자 1,000명당에 소요되는 경비; 略 CPM, cpm》

cost-plus [kɔ́:stplʌ́s | kɔ́st-] *n., a.* 원가(이윤) 가산 방식(의)

cóst-plus cóntract 원가 가산 계약

cóst-plus prícing 〖경제〗 원가 가산 가격 결정 《총비용에 이익을 더하는 가격 설정 방법》

cóst prìce 〖경제〗 비용 가격; 《일반적으로》 원가

cost-push [-pùʃ] *a.* 코스트 푸시 인플레이션의
— *n.* 〖경제〗 = COST-PUSH INFLATION

cóst-push inflátion 〖경제〗 코스트 (푸시) 인플레이션 《임금 수준과 이에 수반되는 생산비 상승으로 인한 인플레이션; cf. DEMAND-PULL INFLATION》

cos·trel [kástrəl, kɔ́:s- | kɔ́s-] *n.* 허리에 매다는 단지[술병]

cost·share [kɔ́:stʃɛ̀ər | kɔ́st-] *vt.* …의 비용을 분담하다

cóst shèet 〖회계〗 원가 계산표

*__cos·tume__ [kástju:m | kɔ́stju:m] [It. 「습관, 의복」의 뜻에서] *n.* **1** Ⓤ **a** (특히 여성의) **복장**, 옷차림; (국민·계급·시대·지방 등에 특유한) 복장, (민속) 의상, 풍속 《머리 모양·장식 등을 포함》: a ~ designer 의상 디자이너 / traditional[national] ~(*s*) 전통[민족] 의상 / the ~ of the Victorian era 빅토리아 시대의 복장 **b** 〖연극〗 시대 의상(cf. COSTUME PIECE) **2** [보통 복합어로] (여성)복, 《영》 수영복(= swimming ~): a summer ~ 하복 / a street ~ 외출복
— *a.* **1** (특정한) 복장을 입은 **2** (특정한) 의상에 어울리는[사용하는]: ~ accessories 의상용 장신구 **3** 시대극의
— *vt.* [-╌ | ╌-] …에게 의상을 입히다; (연극의) 의상을 조달하다[준비하다]

cóstume báll 가장무도회(fancy dress ball)

cos·tumed [kástju:md | kɔ́stju:md] *a.* Ⓐ 복장을 한[입은]

cóstume jèwelry [집합적] (값싼) 모조 보석류

cóstume pàrty 《미》 가장 파티 《색다른 분장과 의상으로 꾸미고 참여하는》

cóstume pìece[plày, dràma] 시대극 《시대 의상을 입고 하는》

cos·tum·er [kástju:mər, -╌╌ | kɔstjú:mə],
cos·tum·i·er [kastjú:miər | kɔstjú:miə] *n.* **1** 의상업자 《연극·영화·무용 등의 의상을 제조·판매·대여함》 **2** 《미》 모자[외투] 걸이

cóst ùnit 〖회계〗 원가 (계산) 단위

co·su·per·vi·sion [kòusu:pərvíʒən] *n.* = WORKER PARTICIPATION

co·sure·ty [kouʃúərti] *n.* (*pl.* **-ties**) (채무의) 공동 보증인 **~·shìp** *n.*

co-sur·veil·lance [kòusərvéiləns] *n.* = WORKER PARTICIPATION

co·sy [kóuzi] *a.* (**-si·er**; **-si·est**), *ad., n.* (*pl.* **-sies**), *v.* (**-sied**; **~·ing**) 《영》 = COZY

*__cot__[1] [kát | kɔ́t] *n.* **1** 《미》 **접침대**, 간이[야영용] 침대(《영》 camp bed) **2** 《미》 병원 침대 **3** 《영》 소아용 침대(《미》 crib) **4** 〖항해〗 해먹 《달아맨 침대》

cot[2] *n.* **1** (양·비둘기 등의) 집, 우리(cote); 《문어》 시

골집, 오두막집(cottage) **2** 씌우개; (손가락에 끼우는) 색(sack) **—***vt.* (**~·ted**; **~·ting**) 〈양을〉 우리에 넣다

cot 〖수학〗 cotangent

co·tan·gent [koutǽndʒənt], **co·tan** [kóutæ̀n] *n.* 〖수학〗 코탄젠트, 여접(餘接) (略 cot)

cót càse 걸을 수 없는[누워 지내는] 환자; (호주·익살) 곤드레만드레 취한 사람

cót dèath (영) 유아(乳兒) 돌연사((미) crib death; 정식명 sudden infant death syndrome)

cote [kóut] *n.* (가축의) 집(cot); (특히) 양의 우리(sheepcote)

Côte d'A·zur [kóut-dəzúər] [F] [the ~] 코트다쥐르 (프랑스 남동부, 지중해 연안의 휴양지)

Côte d'I·voire [kòut-divwɑ́:r] [F] 코트디부아르 (서아프리카의 공화국; 구칭 Ivory Coast; 수도 Yamoussoukro)

cote·har·die [kòuthɑ́:rdi | -hɑ́:-] *n.* 코트아르디 (중세의 몸에 꼭 끼는 소매가 긴 겉옷)

co·tem·po·ra·ne·ous [koutèmpəréiniəs] *a.* = CONTEMPORANEOUS

co·ten·an·cy [kouténənsi] *n.* Ⓤ 〖법〗 부동산 공동 보유(권), 공동 차지[차가](권)

co·ten·ant [kouténənt] *n.* 부동산 공동 보유자, 공동 차지[차가]인

co·te·rie [kóutəri] *n.* **1** (공통의 목적·흥미를 갖는) 친구, 한패, 동아리 **2** (문예 등의) 동인(同人), 그룹

co·ter·mi·nous [koutə́:rmənəs], **-mi·nal** [-mənl] *a.* = CONTERMINOUS

coth·a·more [kóutəmɔ̀:r] *n.* (주로 외투용으로 쓰이는) 프리즈(frieze) 천

co·thur·nus [kouθə́:rnəs] *n.* (*pl.* **-ni** [-nai]) **1** (고대 그리스의 비극 배우가 신은) 반장화(buskin) **2** [the ~] 비장조(悲壯調), 비극조, 비극

cot·ics [kátiks | kɔ́-] *n. pl.* (미·속어) 마약(narcotics)

co·tid·al [koutáidəl] *a.* 〖기상〗 등조(等潮)의: a ~ line 등조시선(同潮時線)

co·til·lion, -lon [kətíljən] *n.* **1** 코티용 (활발한 프랑스 춤); 그 곡 **2** (미) 상대를 줄곧 바꾸는, 스텝이 복잡한 댄스 **3** (미) (아가씨를 소개하는) 정식 무도회

co·tin·ga [koutíŋgə | kə-] *n.* 〖조류〗 (열대 아메리카산) 장식새

co·trans·duc·tion [kòutrænsdʌ́kʃən] *n.* 〖유전〗 동시 형질(形質) 도입

Cots·wold [kátswould, -wəld | kɔ́ts-] *n.* 코츠월드 (몸집이 크고 털이 긴 영국산(産) 양)

cot·ta [kátə | kɔ́tə] *n.* 〖그리스도교〗 **1** 중백의(中白衣) **2** (성가대 대원이 입는 소매가 짧은) 흰 옷

‡cot·tage [kátidʒ | kɔ́t-] *n.* **1 시골집, 작은 집,** 오두막집; (교외의) 작은 주택[별장]; (미) (피서지 등의) 작은 별장, 산장 **2** (호주) 단층집 **3** = COTTAGE PIANO **4** (영·속어) 공중 화장실 ***love in a ~*** 가난하지만 즐거운 결혼 생활 **cót·tag·ey** *a.*

cóttage chèese (미) 희고 부드러운 치즈 (탈지유로 만듦)

cóttage cùrtains 상하 한 벌로 된 커튼

cóttage fármer 소작농

cóttage fries (미북부) = HOME FRIES

cóttage hòspital (영) 시골의 작은 병원

cóttage ìndustry 가내 공업; 영세 기업; (비유) 누구라도 간단히 할 수 있는 일

cóttage kèy pèople 〖컴퓨터〗 재택 근무자

cóttage lòaf (영) (크고 작은 두 개를) 포개 구운 빵

cóttage piàno (19세기의) 작은 수형(竪型) 피아노

cóttage pìe 시골 파이(shepherd's pie) (다진 고기를 짓이긴 감자로 싸서 구운 일종의 고기 만두)

cóttage púdding 담백한 맛의 카스텔라에 달콤한 과일 소스를 친 푸딩

cot·tag·er [kátidʒər | kɔ́-] *n.* **1** 시골집에 사는 사람 **2** (영) 소농; 농장 노동자(farm laborer) **3** (미) (피서지의) 별장 주인; 별장에 사는 사람

cóttage túlip 〖식물〗 (5월에 피는 꽃대가 긴) 만생(晩生) 튤립

cóttage wíndow 위 창틀이 아래 창틀보다 작은 내리닫이창

cot·ta·ging [kátidʒiŋ | kɔ́-] *n.* Ⓤ (영·속어) 남자 동성애자가 공중 화장실에서 성 파트너를 찾는 행위

cot·ter¹, -tar [kátər | kɔ́-] *n.* **1** (스코) (농장 오두막에 사는) 날품팔이 농부, 소작인 **2** = COTTIER 2

cotter² *n.* **1** 〖기계〗 코터, 가로 쐐기, 쐐기 마개 **2** 〖건축〗 비녀장(key) **3** = COTTER PIN
—*vt.* 〖기계〗 …을 코터로 잠그다

cótter pìn 〖기계〗 코터 핀 (쐐기 고정 못)

cot·ti·er [kátiər | kɔ́-] *n.* **1** (영) 소농, 소작인 **2** (아일) 입찰 소작인 **3** = COTTER¹ 1

‡cot·ton [kátn | kɔ́tn] [Arab.] *n.* Ⓤ **1** 〖식물〗 목화(=~ plant) **2 솜,** 면화: raw ~ 원면, 면화 / seed ~ = ~ in the seed 씨를 빼지 않은 목화 **3 무명실,** 면사, (특히) 코튼사(=sewing ~): a needle and ~ 무명실을 꿴 바늘 **4 무명,** 면포, 면직물 **5** (식물의) 솜털 **6** (미) 탈지면
be sitting on high ~ (미남부) 기뻐 날뛰다 ***in tall***[***high***] ***~*** (미·속어) 크게 성공하여, 굉장한 행운으로 ***shit in high ~*** (미·속어) 호화롭게 살다
—*a.* Ⓐ 면의, 면사의; 무명의, 면포의: ~ goods 면제품 / the ~ industry 면직업
—*vi.* (구어) **1** (…이) 좋아지다, 친해지다 (*to*): (~+전+명) I don't ~ *to* him at all. 나는 그가 아무래도 좋아지지 않는다. **2** 〈제안 등에〉 호감을 가지다, 찬성하다 (*with*) **~ *on to*** (구어) …을 이해[파악]하다; …이 좋아지다; (구어) …을 이용하다 **~ *up*** 친분을 맺다, 친한 사이가 되다 (*to*) ▷ cóttony *a.*

cótton bátting (미) 정제솜, 이불솜; 탈지면((영) cotton wool)

Cótton Bèlt [the ~] (미국 남부의) 면화 산출 지대

cot·ton·boll [-bɔ̀:l] *n.* 목화다래

Cótton Bówl [the ~] 코튼볼 (Texas 주 Dallas에 있는 미식축구 경기장; 거기서 열리는 대학팀의 미식축구 시합)

cótton bùd 면봉(綿棒)

cótton càke 목화씨 깻묵

cótton cándy (미) 솜사탕((영) candy floss)

cótton cúrtain (미·속어) = MASON-DIXON LINE

cótton flánnel 면플란넬

cótton frèak (미·속어) 마약 중독자

cótton gìn 조면기(繰綿機)

cótton gràss 〖식물〗 황새풀

cótton mìll 방적 공장, 면직 공장

cótton móuth (미·속어) (공포·숙취 등으로 인한) 구갈(口渴), 목마름

cot·ton·mouth [-màuθ] *n.* 〖동물〗 (북미 남부산) 늪살모사(water moccasin)

cot·to·noc·ra·cy [kàtənákrəsi | kɔ̀tənɔ́-] *n.* (*pl.* **-cies**) **1** 면업(綿業) 왕국; [집합적] 면업자 **2** (미) (남북 전쟁 전의 남부의) 목화 재배자

Cot·to·nop·o·lis [kàtənápəlis | kɔ̀tənɔ́-] *n.* 방적의 도시 (영국 Manchester의 속칭)

cótton pìcker **1** 목화 따는 사람 **2** 채면기 **3** (미·속어) 도움이 되지 않는 녀석, 얼빠진 녀석

cot·ton·pick·in', -ing [-pìkiŋ] *a.* (속어) **1** 시시한, 변변찮은 **2** 지겨운, 괘씸한(damned)

cótton plànt 〖식물〗 목화

cótton pòwder 분말 면화약(綿火藥)

cótton prèss 〖기계〗 조면 압착기 (공장)

cótton ràt 〖동물〗 코튼랫 (미국 남부·중미 원산의 쥐; 실험용으로 쓰임)

cot·ton·seed [-sì:d] *n.* (*pl.* **~s,** [집합적] **~**) 목화씨, 면실(綿實)

cóttonseed càke = COTTON CAKE

cóttonseed mèal 면실박(粕) (사료·비료)

cóttonseed òil 면실유

cótton spìnner (면사) 방적공; 방적업자

cótton spìnning 면사 방적(업)
cótton stàiner 〖곤충〗 붉은별노린재속(屬)의 곤충 《목화의 해충》
Cótton Stàte [the~] 미국 Alabama 주의 속칭
cot·ton·tail [-tèil] *n.* 솜꼬리토끼 《북미산》
cótton thrèad 면사
cótton trèe 〖식물〗 판야나무 《인도·말레이시아산》
cótton wàste 솜 지스러기 《기계류 청소용》
cot·ton·weed [-wì:d] *n.* 〖식물〗 풀솜나무
cot·ton·wood [-wùd] *n.* 〖식물〗 미루나무 《북미산 포플러의 일종》
cótton wóol **1** (미) 생면(生綿), 원면 **2** (영) 정제솜, 이불솜(batting) **3** (영) 탈지면 **4** 흰구름, 구름 ***be*** [***live***] ***in*** ~ 안일하게 살다, 호화롭게 살다 ***keep*** [***wrap*** (***up***)] ***...*** ***in*** ~ (구어) 〈아이 등을〉 과보호하다, 애지중지하다
cot·ton·y [kɑ́təni | kɔ́t-] *a.* **1** 솜 같은; 부풀부풀한, 보드라운 **2** 솜털이 있는 **3** 〈천이〉 무명 같은, 투박한
cótton yárn 방적사, 면직사
Cót·trell pròcess [kɑ́trəl- | kɔ́t-] [미국의 화학자 이름에서] 코트렐 집진법 《정전기를 이용한 먼지 제거 방식》
cot·y·le [kɑ́təli | kɔ́t-] *n.* (*pl.* **cot·y·lae** [-lì:, -lài]) 〖동물〗 배상와(杯狀窩); 비구(髀臼)
cot·y·le·don [kɑ̀təlí:dn | kɔ̀t-] *n.* 〖식물〗 자엽(子葉), 떡잎; 〖해부〗 태반(분)엽 **~·àr·y** *a.*
cot·y·le·don·ous [kɑ̀təlí:dənəs | kɔ̀t-] *a.* 〖식물〗 자엽이 있는; 떡잎 모양의
co·tyl·i·form [kətíləfɔ̀:rm] *a.* 배상(杯狀)의, 밑부분에 관이 있는
cot·y·loid [kɑ́təlɔ̀id | kɔ́t-] *a.* 〖해부〗 구상(臼狀)의; 비구(髀臼)의
co·ty·lo·saur [kɑ́tələsɔ̀:r | kɔ́t-] *n.* 〖고생물〗 배룡류(杯龍類)
Cou·ber·tin [ku:bertǽŋ] *n.* 쿠베르탱 **Pierre, Baron de** ~ (1863-1937) 《프랑스의 교육가; 근대 올림픽 경기의 창시자》
‡**couch** [káutʃ] *n.* **1 a** 긴 의자, 소파 《기댈 수 있는 등받이와 팔걸이가 있는》 **b** (정신 분석에서 쓰는) 베개 달린 침상: on the ~ 정신 분석 치료를 받는 **2** (문어·시어) 침상, 잠자리: retire to one's ~ 잠자리로 물러가다, 잠자리에 들다 **3** 《일반적으로》 휴식처 《풀밭 등》; (야생 동물의) 은신처, 굴(lair) **4** 엿기름을 띄우는 곳 **5** 〖회화〗 애벌칠, 초벌칠
— *vt.* **1** (문어·시어) **a** [보통 수동형으로] 〈몸을〉 누이다(lay): *be ~ed* upon the ground 땅에 누워 있다 **b** 〈동물이〉 잠복하다, 몸을 웅크리다 **2** (문어) 〈대답·의견 등을〉 말로 표현하다: (~+목+전+명) a refusal *~ed in* polite terms 공손한 말로 표현된 거절 **3** 〈창(槍) 등을〉 하단(下段)으로[비스듬히] 꼬느다 **4** 〈엿기름을〉 띄우다 **5** (백내장을 고치기 위해) 유리체 전위(轉位)를 시술하다 **6** …에 카우칭으로 수를 놓다
— *vi.* (시어·문어) **1** 〈주로 짐승이〉 (은신처에) 눕다, 쉬다; (뛰어들려고) 웅크리다 《*down*》; 숨다 **2** 〈마른 잎 등이〉 쌓이다
couch·ant [káutʃənt] *a.* [명사 뒤에서] (문장(紋章)에서) 〈짐승이〉 머리를 들고 웅크린 자세의
cóuch càse (미·속어) 정신 장애자
cóuch dòctor (구어) 정신과 의사(psychiatrist)
cou·chette [ku:ʃét] [F] *n.* (유럽의) 침대차의 칸막이방; 그 침대
cóuch gràss 〖식물〗 개밀(quack grass)
cóuch hòpping (익살) (소파에서 자면서) 남의 집을 전전하기
couch·ing [káutʃiŋ] *n.* Ⓤ **1** 웅크림 **2** 유리체 전이(轉移) **3** ⓊⒸ 카우칭 《실이나 코드를 천 위에 놓고 작은 스티치로 고정시키는 자수법》; 그 자수품
cóuch potàto (미·구어) (텔레비전을 보면서) 소파에 앉아 여가를 보내는 사람; 게으르고 비활동적인 사람
cou·dé [ku:déi] [F] *a.* 〖광학·천문〗 〈망원경이〉 쿠데식의 — *n.* =COUDÉ TELESCOPE
coudé telescope [∠–] 쿠데식 망원경
cou·gar [kú:gər] *n.* (*pl.* **~s,** [집합적] **~**) 〖동물〗 쿠거, 아메리카 라이온(mountain lion, puma, panther)

‡**cough** [kɔ́:f, kɑ́f | kɔ́f] [의성어] *vi.* **1** 기침하다, 기침 소리를 내다, 헛기침하다 **2** 〈내연 기관이〉 불연소음을 내다 **3** (영·속어) 죄를 자백하다
— *vt.* **1** 기침하여 …을 내뱉다 《*up, out*》: (~+목+부) ~ *up* phlegm 기침해서 가래를 내뱉다 **2** 기침하여 …이 되게 하다: (~+목+보) ~ oneself hoarse 기침을 하여 목이 쉬다 **3** (속어) **a** 마지못해 털어놓다 **b** 마지못해 건네다[치르다] **~ *down*** 〈청중이 연사를〉 기침 소리를 내어 방해하다 **~ *out*** 기침하며 말하다 **~ *one's head off*** 몹시 콜록거리다 **~ *up*** 몹시 기침하다; (미·속어) 터놓고 말하다; (마지못해) 내주다[지불하다]
— *n.* **1** 기침, 헛기침: give a slight ~ 가벼운 기침을 하다 / have a bad ~ 심한 기침을 하다 / have [get] a fit of *~ing* 발작적으로 기침을 하다
USAGE 「기침하는 동작·소리」의 뜻으로는 cough보다 coughing이 일반적. **2** 기침병: whooping ~ 백일해 **3** 기침 소리; (내연 기관의) 불연소음 **4** (죄의) 자백; (영·속어) 신용할 수 있는 증거 **~·er** *n.*
cóugh dròp **1** 진해정(鎭咳錠) ((영) cough sweet) **2** (영·속어) 지겨운[싫은] 녀석[것]
cough·ing [kɔ́:fiŋ, kɑ́f- | kɔ́f-] *n.* Ⓤ 기침: Another fit of ~ seized him. 또 한 번의 기침 발작이 그를 덮쳤다.
cóugh mìxture 기침약
cóugh swèet (영) =COUGH DROP 1
cóugh sỳrup 진해(鎭咳) 시럽, 기침약
‡**could** ⇨ could (p. 566)
‡**could·n't** [kúdnt] could not의 단축형
*__couldst__ [kədst, kúdst] *auxil. v.* (고어·시어) can의 2인칭 단수 과거형 《주어가 thou일 때》: thou ~ = you could
cou·lee [kú:li] [F] *n.* **1** (미) (서부 지역의 간헐) 하류(河流), 말라 버린 강바닥, 협곡; 저지대(低地帶) **2** 〖지질〗 용암류(熔岩流)
cou·leur de rose [ku:lɔ́:r-də-róuz] [F] *n.* 장밋빛 — *a., ad.* 장밋빛의[으로]; 낙관적인[으로]
cou·lis [kúli:] [F] *n.* 쿨리 《음식의 가장자리를 장식하는 소스로 사용되는 야채·과일로 만든 퓨레》
cou·lisse [ku:lí:s] *n.* **1** (수문(水門)을 올렸다 내렸다 하는) 홈 있는 기둥 **2** 〖연극〗 (무대의) 옆 배경; [*pl.*] 무대의 좌우 배경; [the ~s] 무대 뒤
cou·loir [ku:lwɑ́:r | ∠–] [F] *n.* (알프스 등의) 산중턱의 협곡; 통로
cou·lomb [kú:lɑm | -lɔm] *n.* **1** [**C~**] 쿨롱 **Charles Augustin de** ~ (1736-1806) 《프랑스의 물리학자》 **2** 〖전기〗 쿨롬 《전기량의 실용 단위; 略 C》
cou·lom·bic [ku:lɑ́mbik, -lɑ́mik | -lɔ́m-] *a.*
Cóulomb fòrce 〖전기〗 쿨롱 힘
cou·lomb·me·ter [kú:lɑmmì:tər | -lɔ-] *n.* = COULOMETER
Cóulomb's láw 〖전기〗 쿨롱의 법칙
cou·lom·e·ter [ku:lɑ́mətər, kə- | -lɔ́-] *n.* 〖전기〗 전량계(電量計)(voltameter)
cou·lom·e·try [ku:lɑ́mətri, kə- | -lɔ́-] *n.* Ⓤ 〖화학〗 전량(電量) 분석
còu·lo·mét·ric *a.* **còu·lo·mét·ri·cal·ly** *ad.*
coul·ter [kóultər] *n.* (영) =COLTER
cou·ma·rin [kú:mərin] *n.* 〖화학〗 쿠머린 《방향성 물질》
cou·ma·rone [kú:məròun] *n.* 〖화학〗 쿠마론 《naphtha에서 얻어지는 액체》
cóumarone rèsin 〖화학〗 쿠마론 수지

could

can의 과거형인 could는 현대 영어에는 직설법 과거로 쓰는 것보다는 가정법에 쓰는 경우가 많다.

1 과거의 때를 가리키는 것이 문맥상 밝혀지지 않은 경우에 could는 가정법 과거형의 뜻이 되는 것이 보통이므로, 직설법의 뜻으로는 could 대신에 was[were] able to나 managed to 혹은 succeeded in ...ing를 쓰는 일이 많다.(⇨ A1 USAGE)

2 could는 과거의 어떤 시기에 습관적으로 「…할 수가 있었다」고 할 때에는 쓰이지만, 종종 한 번만 「할 수 있었다」 할 때는 쓰지 않는다. 따라서 John *was able to* win the game.(존은 그 경기에 이길 수가 있었다)고는 할 수 있으나, John could win the game.이라고는 할 수 없다.(⇨ A1★)

3 허가·부탁의 의문문에서 can보다 정중한 표현으로 쓰인다: *Could* I go home? 집에 가도 되겠습니까?(⇨ B3c)

‡could [kəd, kúd] 〔OE의 can[1]의 과거형에서; -l-은 would, should로부터의 유추(類推)에 의해 삽입된 것〕 *auxil. v.* CAN[1]의 과거형 《★ 부정형 **could not**; 단축형 **couldn't** [kúdnt]》

① 할 수 있었다	**A 1**
② (현재의 사실과 반대의 일로) …할 수 있다(면), …할 수 있을 것이다	**B 1a, 2a, 3a**
③ (과거의 사실과 반대의 일로) …할 수 있었다(면), …할 수 있었을 것이다	**B 1b, 2b, 3b**

— A (직설법에서 쓰여) **1** [능력·가능·경향·허가 등을 나타내는 can의 과거형으로 쓰여] …**할 수가 있었다** (USAGE 부정문과 feel, hear 등의 지각동사와 함께 쓰이는 경우나 습관적 의미를 나타내는 경우는 제외하면, 긍정문의 could는 B3의 용법과의 혼동을 피하기 위하여 was[were] able to, managed to, succeeded in *...ing*를 씀》: I listened closely but ~ not hear a[any] sound. 귀를 기울였지만 아무런 소리도 들리지 않았다. / She ~ be very unpleasant at times. 그녀는 때때로 매우 퉁명해질 때가 있었다. / When I lived by the station I ~ (always) reach the office on time. 역 가까이에 살고 있을 때는 (언제나) 시간에 맞춰 회사에 도착할 수가 있었다. ★ 습관적이 아닌 특정한 경우에는 could를 쓰지 않고 I *was able to* reach the office on time *this morning*. 등과 같은 식으로 말함. **2 a** [과거형인 주절의 시제와 일치되기 위해 종속절 중의 can이 과거형으로 쓰여] …**할 수 있다**, …하여도 좋다: He thought he ~ swim across the river. 그는 헤엄쳐서 그 강을 건널 수 있을 것이라고 생각했다. **b** [간접화법에서 can이 과거형으로 쓰여] …할 수 있다, …하여도 좋다: He said (that) he ~ swim. 수영할 수 있다고 그는 말했다.(cf. He said, "I can swim.") / He asked me if he ~ go home. 그는 집에 돌아가도 좋으냐고 내게 물었다.(cf. He said to me, "Can I go home?")

— B (가정법에서 쓰여) **1 a** [현재의 사실에 반대되는 조건절, 또는 소망을 나타내는 명사절에 쓰여] …**할 수 있다(면)**: I would do it if I ~. 내가 할 수 있다면 할 텐데(실제로 할 수가 없다). / How I wish I ~ go with you! 참말로 너와 함께 가고 싶은데(갈 수가 없다)! **b** [~ have+*p.p.*로; 과거의 사실에 반대되는 조건절, 또는 소망을 나타내는 명사절에 쓰여] …**할 수 있었다(면)**: I would have made a note if only I ~ *have found* a pencil. 연필을 발견할 수 있었더라면 쪽지를 써 놓았을 텐데(실제로 발견하지 못했다). / I wish I ~ *have been* there. 그곳에 가 보고 싶었는데(실제로 가지 못했다). **2 a** [현재의 사실에 반대되는 가정의 귀결절에 쓰여] …**할 수 있을 텐데**: I ~ do it if I wanted (to) [would]. 하려고 마음먹으면 할 수 있을 텐데 (실제는 하지 않는다). **b** [~ have+*p.p.*로; 과거의 사실에 반대되는 가정의 귀결절에 쓰여] …**할 수 있었을 텐데**: I ~ *have done* it if I had wanted[wished] to. 하려고 마음먹었으면 할 수 있었을 텐데 (실제는 안 했다). **3 a** [조건절의 내용을 언외(言外)에 함축한 주절만의 문장에서; 완곡적으로] …**할 수 있을 텐데**, …하고 싶을 정도이다; …하는 것이나 마찬가지다[같다]: I *couldn't* sew it. 나로서는 도저히 꿰맬 수 있을 것 같지 않다. 《★ even if I tried를 보충해서 생각할 것》 / That ~ be true. 그것이 어쩌면 정말일지도 모른다. / The report *couldn't* be true. 그 보고는 정말일 리가 없다. / I ~ be drinking water. (술 등이 싱거워서) 마치 물을 마시고 있는 것 같다. **b** [~ have+*p.p.*로; 조건절의 내용을 언외에 함축한 주절만의 문장에서; 완곡적으로] …**할 수 있었을 텐데**, …하고 싶을 정도였다; …하는 것이나 마찬가지였다[같았다]: You ~ *have told* me! 말해 주었더라면 좋았을 텐데 (왜 말해 주지 않았는가)! / I ~ *have danced* for joy. 기뻐서 덩실덩실 춤을 추고 싶었다. / He ~ *have been* speaking to a large audience. 그는 많은 청중에게 이야기하고 있는 것 같았다. **c** [허가·부탁을 나타내는 의문문에서] …**하여 주시겠습니까**, …하여도 괜찮겠습니까 《★ can보다 더 공손한 표현》: *C~* you come and see me tomorrow? 내일 만나러 와 주시겠습니까? / *C~* I borrow your pen? 펜 좀 빌려도 되겠습니까? / *Couldn't* we get together next week? 다음 주 우리 만나면 어떻겠습니까?

~ *be* 《구어》 그럴지도 (모른다), 아마 (그럴 거야) 《★ it could be so의 생략에서》: "Do you have to work late today?" — "*C~ be.*" 오늘 늦게까지 일해야 하나? — 아마 그럴 거예요. / "Are we lost?" — "*C~ be.*" 길을 잃은 것일까? — 그럴지도 몰라.
~ do with 《구어》 …을 원하다, 필요로 하다
~ (very) well …어쩌면 …인지도 모른다: She ~ *well* be a doctor. 어쩌면 그녀는 의사인지도 몰라.
How ~ you (do ...)? 《구어》 감히 …하다니.
I couldn't. 이제 그만 됐습니다[충분합니다]. 《음식을 권유받고서 정중히 사양하는 말》
Who ~ have thought? 《구어》 [놀람을 나타내어] (그런 것은) 누구도 생각해 낼 수 없었을 것이다.

‡coun·cil [káunsəl] 〔L 「집회」의 뜻에서〕 *n.* **1** 회의, 협의, 평의; **평의회**, 협의회, 자문회(cf. COUNSEL) **2** 지방 의회 《시·읍 의회 등》: a county ~ 《영》 주의회 / a municipal[city] ~ 시의회 **3** 종교 회의; (대학 등의) 평의원회 **4** [the C~] 《영》 추밀원(樞密院)(Privy Council) **5** (영국 식민지 또는 속령에서) 총독 보좌 기관 **6** 〖성서〗 70인 회의, 중의회
Cabinet C~ 각의 ***~ of war*** 참모 회의; 행동 방침의 토의 ***family ~*** 친족 회의 ***general ~*** 〖그리스도교〗 교무 총회 《diocese에 관한》 ***in ~*** 회의 중에 ***the C~ of Economic Advisors*** 《미》 (대통령의) 경제 자문 위원회 《1946년 창설; 略 CEA》 ***the C~ of Europe*** 유럽 회의 《1949년 설립; 21개국 가맹》 ***the C~ of Ministers*** (구소련의) 각료 회의 《내각에 해당》 ***the C~ of State*** (프랑스의) 최고 행정 법원 ***the King[Queen, Crown] in C~*** 《영》 추밀원에 자문하여 행동하는 국왕 ***the Orders in C~*** (영국 본국의) 칙령(勅令)

—*a.* Ⓐ **1** 회의용의 **2** (지방 자치체의) 의회에 의해 결정된, 공영(公營)의

cóuncil bòard **1** 회의용 테이블; 의석 **2** (개최 중인) 회의

cóuncil chàmber 회의실

cóuncil estàte ((영)) 공영(公營) 주택 단지

cóuncil flàt ((주로 영)) 공영 아파트

cóuncil hòuse 의사당, 회의장; ((스코)) =TOWN HALL; ((영)) 공영 주택; ((미)) 원주민의 회의소

coun·cil·man [káunsəlmən] *n.* (*pl.* **-men** [-mən, -mèn]) **1** ((미)) 시[읍, 면] 의회 의원(((영)) councillor) **2** (런던의) 시의회 의원

coun·cil·man·ic [kàunsəlmǽnik] *a.*

cóun·cil-mán·ag·er plàn [-mǽnidʒər-] ((미)) 시의회 제도

*__coun·ci·lor__ | __coun·cil·lor__ [káunsələr] *n.* **1** 고문관, 평의원 **2** (시의회 등의) 의원 **3** (대사관의) 참사관 ***county ~*** ((영)) 주의회 의원 ***Privy C~*** (영국의) 추밀 고문관 ((略 P.C.))

~·shìp *n.* Ⓤ councilor의 직[지위]

coun·cil·per·son [-pə̀ːrsn] *n.* 시[지방]의회 의원

cóuncil schòol ((영)) 공립 학교(((미)) public school) ((지금은 county school))

cóuncil tàble =COUNCIL BOARD

cóuncil tàx ((영)) 지방 의회세

coun·cil·wom·an [-wùmən] *n.* (*pl.* **-wom·en** [-wìmin]) 여성 시의회[지방 의회] 의원

‡**coun·sel** [káunsəl] [L 「상담하다」의 뜻에서] *n.* **1** Ⓤ 상담, 의논, 협의, 평의(consultation) **2** ⓒⓤ 조언, 권고, 충고(advice) **3** Ⓤ (행동의) 결심; 의도(intention), 계획(plan) **4** [단수·복수 취급] 법률 고문, 고문 변호사; 법정 변호사: The judge asked ~ for the defense. 판사는 변호사에게 변호를 요청했다. 관련 solicitor(사무 변호사), client(의뢰인) **5** 〖신학〗 권고 **6** (고어) 비밀스런 의도[목적]; 비밀

adopt a ~ of despair 자포자기한 태도를 취하다 ***~ of perfection*** (1) [the ~] 〖신학〗 (천국에 가기를 바라는 사람에 대하여) 완전한 덕행(德行)의 권고 (2) 실현될 수 없는 이상[생각] ***Deliberate in ~, prompt in action.*** 계획은 신중하게 하되 실행은 신속하게 해라, 숙려단행(熟慮斷行). ***give ~*** 조언하다, 지혜를 빌려 주다 ***keep one's (own) ~*** 자기 생각을 남에게 털어놓지 않다 ***King's[Queen's] C~*** ((영)) 왕실 고문 변호사 ((略 K.C., Q.C., 성명 뒤에 붙임; 보통의 barrister보다 지위가 높음)) ***take[hold] ~*** 상의하다, 협의하다 ((*together, with*)) ***take ~ with[of] one's pillow*** 하룻밤 자면서 생각하다 ***take the ~'s opinion*** 변호사와 상의하다 ***the ~ for the Crown*** ((영)) 검사

—*v.* (**~ed**; **~·ing** | **~led**; **~·ling**) *vt.* **1** 충고[조언]하다(advise): ~ prudence 신중한 태도를 취하라고 충고하다 // (~+목+***to*** do) He *~ed* me *to* quit smoking. 그는 나에게 담배를 끊으라고 충고했다. **2** 권고하다(recommend): ~ submission 항복을 권하다

—*vi.* 조언하다; 상의하다

~·a·ble, ((영)) **~·la·ble** *a.*

coun·sel·ing | **-sel·ling** [káunsəliŋ] *n.* Ⓤ 카운슬링, 상담, 조언

‡**coun·se·lor** | **-sel·lor** [káunsələr] *n.* **1 a** 상담역, 고문, 의논 상대자(adviser) **b** ((미)) 카운슬러 ((연구·취직·신상 문제에 대해 개인적으로 지도하는 교사 등)) **c** ((미)) (캠프 생활의) 지도원 **2** ((미)) 법정 변호사 (⇨ lawyer 유의어) **3** (대[공]사관의) 참사관

Counsellor of State ((영)) (국왕 부재 기간 중의) 임시 섭정 **~·shìp** *n.*

coun·se·lor-at-law [káunsələrətlɔ́ː] *n.* (*pl.* **coun·se·lors-**) ((미·아일)) 변호사

‡**count**[1] [káunt] [L 「함께 계산하다」의 뜻에서] *vt.* **1** (총수를 알기 위해) 세다, 계산하다; 산출하다: ~ the money 돈을 세다 / Don't ~ your chickens before they are hatched. ((속담)) 떡 줄 사람은 생각지도 않는데 김칫국부터 마신다.

> 유의어 **count** 총수를 알기 위해 하나하나 세다: *count* the apples in a box 상자 안의 사과를 세다 **calculate** 복잡한 계산을 하다: *calculate* the distances in astronomy 천문학에서 거리를 계산하다 **reckon** 비교적 단순한 계산을 하다: *reckon* the days before elections 선거까지 남은 날을 세다 **compute** 주어진 숫자나 식을 사용하여 정확한 계산 결과를 내다: *compute* one's income tax 소득세를 계산하다

2 셈에 넣다, 포함시키다 ((*in, among*)): (~+목+부) *C~* me *in* for the party. 파티에 나 좀 끼워 줘. **3** …의 탓으로 하다, …으로 돌리다 **4** 〈…을 …이라고〉 생각하다, 간주하다(regard): (~+목+보) I ~ it folly to do so. 그렇게 하는 것은 어리석은 짓이라고 생각한다. / I ~ myself happy. 나는 내가 행복하다고 생각한다. // (~+목+***as*** 보) Everyone *~ed* the boy *as*[*for*] lost. 모두들 그 소년이 실종된 것으로 생각했다. // (~+목+전+명) You must not ~ his inexperience *against* him. 그가 경험 부족이라 해서 얕봐서는 안 된다. // (~+***that*** 절) I ~ (*that*) he will come. (미·방언) 그 사람이 올 것이라고 생각한다.

—*vi.* **1** (물건의 수를) 세다, 계산하다; (…부터 …까지) 세다 ((*up; to*)): I'll ~ (*up*) *to* a hundred. 나는 백까지 셀 것이다. **2** 셈[계산]에 넣다 **3** (셈에 넣을) 가치가 있다, 중요하다; (…의) 가치[값어치]가 있다 ((*for*)); (…안에) 포함되다 ((*among*)): Every vote [minute] *~s.* 1표[1분]라 할지라도 중요하다. // (~+전+명) This book *~s among* her best works. 이 책은 그녀의 가장 훌륭한 작품 중의 하나이다. **4** (…으로) 셈되다, …으로 간주되다: (~+보) The bull's eye *~s* 5. 한복판에 맞으면 5점으로 친다. // (~+***as*** 보) The book *~s as* a masterpiece. 그 책은 걸작으로 간주된다. **5** (…의) 수[양]에 달하다, (…가) 되다 ((*up; to*)); (통계에서) (…의) 수가 되다: (~+부) My savings in the bank now ~ *up to* $10,000. 나의 은행 예금은 지금 1만 달러에 달한다. **6** 〖음악〗 박자를 맞추다 **7** 〖스포츠〗 득점이 되다

and ~ing [수량을 나타내는 말 뒤에서] (총 합계가) 계속해서 늘어나[증가하여] ***~ against*** a person 〈실패 등이〉 …에게 불리해지다 ***~ … against*** a person [보통 부정문으로] …을 …에게 불리하게 작용시키다 ***can ~ on (the fingers of) one hand*** 한 손으로 셀 수 있는 정도로 그 수가 적다 ***~ down*** 카운트다운하다, 초읽기하다 ((로켓 발사 등에서 10, 9, 8, …1과 같이)) ***~ for much[little, nothing]*** 가치가 있다[없다], 중요하다[하지 않다] ***~ heads[noses]*** 인원[출석자] 수를 세다 ***~ in*** …을 셈에 넣다; (구어) 〈사람을〉 한패에 넣다 ***~ off*** 세어서 등분하다; 〖미군〗 (병사가 정렬하여) 번호를 붙이다(((영)) number off) ***~ on[upon]*** 의지하다, 기대하다(rely): I ~ *on* you to help. 도와주실 것을 기대합니다. ***~ on one's fingers*** 손꼽아 세다 ***~ out*** (1) 〈물건을〉 세어서 내놓다; (세어서) 빼다; 돈을 소리내어 세어 주다 (2) (구어) …을 제외하다 (3) 번호를 부르다 (4) [종종 수동형으로] 〖권투〗 〈…에게〉 녹아웃을 선언하다 (5) ((미·구어)) 〈득표의 일부를〉 유효표에서 제외하다; [종종 수동형으로] 득표수를 속여 〈후보자를〉 낙선시키다; [종종 수동형으로] 〖영국의회〗 〈의장이〉 정족수 미달을 이유로 〈의회의〉 유회를 선언하다 ***~ over*** …을 다시 세다; 일일이 세다 ***~ sheep*** (잠들기 위해 머릿속으로) 양을 세다 ***~ the house*** 입장 인원수를 조사하다 ***~ up*** …을 다 세어보다, 총계하다(sum up) ***~ (up) to ten*** (구어) 마음을 가라앉히려고 열을 세다, 급한 마음을 억누르다[참다] ***stand up and be ~ed*** 강력히 지지하다

—*n.* **1** ⓒⓤ 계산, 셈 **2** 총수, 총계; 회계, 경리 **3** 〖법〗 (기소장의) 소인(訴因); (고려 중인 사항의) 문제점, 논점 **4** [the ~] 〖권투〗 카운트 ((녹다운된 선수에게

일어설 여유를 주기 위해 10초를 헤아리기》; 〖야구〗 (타자의) 볼카운트 《볼·스트라이크 순으로 two and one 따위로 씀》 **5** (방적사의) 카운트, 번수 **6** 〖영국의회〗 정족수(40명) 미달에 의한 유회 (선언) **7** Ⓤ (고어) 고려(考慮)(account) **8** 〖물리〗 (가이거 계수관에서 기록되는) 1회의 이온화 반응
beyond [***out of***] ~ 셀 수 없는, 무수한 ***get*** [***set***] ~ ***on*** …을 중시하다 ***keep*** ~ (***of***) …을 계속 세다; …의 수를 기억하다 ***lose*** ~ (***of***) …의 수를 잊다, …을 중간에서 셀 수 없게 되다 ***lose*** ~ ***of time*** 시간 가는 것을 잊다 ***on all*** **~s** 모든 점에서 ***out*** [***down***] ***for the*** ~ 녹아웃되어 ***take*** ~ ***of*** …을 세다; …을 중요시하다 ***take*** [***make***] ***no*** ~ ***of*** …을 중요시하지 않다, 무시하다 ***take the*** ~ 〖권투〗 카운트아웃(count-out)이 되다, 녹아웃이 되다, 케이오 패가 되다; 지다 ***take the last*** [***long***] ~ (미·속어) 죽다
— *a.* [숫자 뒤에서] …개들이의: The box is labeled 50 ~. 그 상자에는 50개들이란 라벨이 붙어 있다.

*****count²** [káunt] [L =companion] *n.* (*fem.* **~·ess** [-is]) (영국 이외의) 백작 ★ comte (F), conte (It.), Graf (G) 등의 역어(譯語)로 영국의 earl에 해당함.
~·shìp *n.*

*****count·a·ble** [káuntəbl] *a.* 셀 수 있는; 〖수학〗 〈집합이〉 가산의: a ~ noun 가산 명사
— *n.* 셀 수 있는 것; 〖문법〗 셀 수 있는 명사, 가산 명사 (opp. *uncountable*; ⇨ 문법해설 (8))
còunt·a·bíl·i·ty *n.* **-bly** *ad.*

count·back [káuntbæ̀k] *n.* 카운트백 방식 《동점인 경우 후반 성적이 좋은 쪽을 승자로 하는 평점 방식》

count·down [káuntdàun] *n.* (로켓 발사 등에서의) 초읽기, 카운트다운(cf. COUNT¹ down): begin the ~ 초읽기를 시작하다

*****coun·te·nance** [káuntənəns] *n.* **1** ⓊⒸ (얼굴의) 표정, 안색; 얼굴 생김새, 용모(⇨ face 유의어): change ~ 안색을 바꾸다 / His ~ fell. 그는 침통한 표정을 지었다. **2** Ⓤ (정신적) 원조, 찬조, 지지, 장려 **3** Ⓤ [또는 a ~] 침착(composure), 냉정: regain one's ~ 냉정함을 되찾다 ***find no*** ~ ***in*** …의 지지를 받지 못하다 ***give*** [***lend***] ~ ***to*** …의 편을 들다 ***in the light of*** a person***'s*** ~ …의 원조[찬조]에 의하여 ***keep*** a person ***in*** ~ …을 당황하게 하지 않다; …의 체면을 세워 주다, 창피를 주지 않다 ***keep*** one***'s*** ~ 태연하다, (웃지 않고) 천연스런 얼굴을 하고 있다 ***lose*** ~ 냉정을 잃다 ***out of*** ~ 당황하여, 무안하여 ***put*** a person ***out of*** ~ …을 얼떨떨하게 하다; …에게 창피를 주다 ***with a good*** ~ 태연하게, 침착하게
— *vt.* (문어) **1** 〈사람·행동 등에 대해〉 호의를 보이다, 찬성하다, 장려하다 **2** 묵인하다, 허용하다
cóun·te·nànc·er *n.* 찬성[원조, 장려]자

‡**count·er¹** [káuntər] [OF 「계산하기 위한 책상」의 뜻에서] *n.* **1** (은행·상점 등의) 계산대, 카운터, 판매대; 계수 장치, (방사선의) 계수관(管); (비유) 하찮은 사람: a girl behind the ~ 여점원 **2** 모조 화폐 《어린이 장난감의》; (속어) 경화(coin) **3** (식당·바 등의) 카운터, 스탠드; (주방의) 조리대 **4** 계산하는 사람; 계산기; 산가지 《카드놀이 등에서 점수를 세는》 **5** (미·속어) (야구의) 득점, 스코어 **6** 〖컴퓨터〗 계수(計數) 프로그램 《인터넷 사이트의 접속자 수를 계산해 주는 컴퓨터 프로그램》 ***across the*** ~ 합법적으로, 정당하게 〈매매하다 등〉 ***over the*** ~ (약을 살 때) 처방전 없이; 〖증권〗 (거래소가 아니라 증권업자의) 점두(店頭)에서; 판매장에서: pay *over the* ~ 카운터에 돈을 치르다 ***serve*** [***sit***] ***behind the*** ~ 점포에서 일하다; 소매점을 경영하다 ***under the*** ~ 암거래[암시세]로, 비밀로

*****coun·ter²** [káuntər] [L 「반대하여」의 뜻에서] *a.* **1 a** Ⓐ 반대의, 거꾸로의: the ~ direction 반대 방향 **b** Ⓟ (…와) 정반대로 《*to*》 **2** (한 쌍에서) 한 쪽의, 부(副)의, 짝의: a ~ list 비치용 명단
— *ad.* (…와) 반대 방향으로; 정반대로, 거꾸로 《*to*》 ***run*** [***go, act***] ~ ***to*** 〈교훈·법칙 등을〉 거스르다, 〈규칙 등과〉 반대되는 행동을 취하다
— *vt.* **1** …에 대항하다, 거스르다, 반대하다 《*with, by*》 **2** 무효로 하다, 취소하다 **3** 〖체스·권투〗 받아치다
— *vi.* 반대하다, 거스르다; 〖권투〗 받아치다, 카운터를 먹이다, 역습하다
— *n.* **1** 역(逆)(의 것), 반대(되는 것) **2** 〖펜싱〗 (칼끝을 둥그렇게 돌려) 적의 칼끝을 막기; 〖권투〗 받아치기, 카운터(counterpunch); 〖스케이트〗 역회전 **3** 〖항해〗 고물의 내민 부분 **4** (발의) 뒤꿈치 부분 **5** (구두의) 뒷굽 가죽 **6** 〖인쇄〗 활자면의 팬 부분

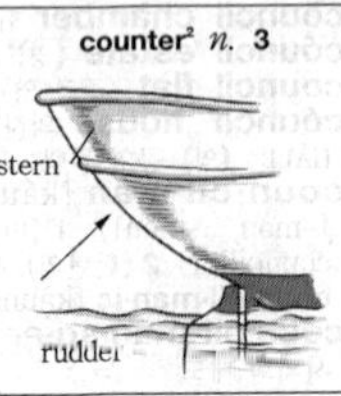

counter- [káuntər] *pref.* [동사·명사·형용사·부사에 붙여] 「적대, 보복, 반(反), 역(逆); 대응, 부(副)」의 뜻

coun·ter·ac·cu·sa·tion [kàuntərækjuzéiʃən] *n.* Ⓤ 〖법〗 맞고소; 역고소[고발]

*****coun·ter·act** [kàuntərǽkt] *vt.* **1** 거스르다, 방해하다 **2** 〈약 등이 효력 등을〉 중화하다 **3** 〈계획 등을〉 훼방하다, 좌절시키다
▷ counteráction *n.*; counteráctive *a.*

coun·ter·ac·tion [kàuntərǽkʃən] *n.* ⓊⒸ **1** (약의) 중화 작용; (계획의) 방해, 저지 **2** 반작용, 반동: action and ~ 작용과 반작용

coun·ter·ac·tive [kàuntərǽktiv] *a.* 반작용의; 중화성의 — *n.* 반작용제, 중화제 **~·ly** *ad.*

coun·ter·ad·ver·tis·ing [kàuntərǽdvərtàiziŋ] *n.* Ⓤ (미) (다른 광고에 대한) 반론 광고, 역선전

coun·ter·a·gen·cy [káuntərèidʒənsi] *n.* Ⓤ 반동 작용, 반동력

coun·ter·a·gent [káuntərèidʒənt] *n.* 반작용제; 반대 동인(動因)

coun·ter·ap·proach [káuntərəpròutʃ] *n.* [보통 *pl.*] 〖군사〗 (적의 접근 경로를 막는) 대항 참호

coun·ter·ar·gu·ment [káuntərɑ̀:rgjumənt] *n.* 반대론, 반론

coun·ter·at·tack [káuntərətæ̀k] *n.* 역습, 반격
— [⌐—⌐, ⌐——⌐] *vt., vi.* 역습[반격]하다

coun·ter·at·trac·tion [kàuntərətrǽkʃən] *n.* **1** Ⓤ 반대 인력 **2** (상대방과의) 대항 인기 거리[프로]

coun·ter·bal·ance [kàuntərbǽləns] *vt.* **1** 대등하게 하다, 평형(平衡)시키다 《*with*》 **2** 효과를 상쇄하다, 견제하다(neutralize); 부족을 보충하다, 벌충하다 《*with*》 — [⌐—⌐] *n.* **1** 〖기계〗 평형추(錘) **2** 평형력; (딴 것과) 균형을 취하는 힘[세력] 《*to*》

coun·ter·bid [káuntərbìd] *n.* 〖상업〗 대항적 매입 주문 《경매 시장 등에서》

coun·ter·blast [káuntərblæ̀st | -blɑ̀:st] *n.* **1** 〖기상〗 반대 기류, 역풍 **2** 심한 반발; 강경한 반대 《*to*》

coun·ter·blow [káuntərblòu] *n.* 반격, 역습; 〖권투〗 카운터블로 (counterpunch) 《맞받아치는 펀치》; 〖의학〗 반동 손상

coun·ter-ceil·ing [káuntərsì:liŋ] *n.* 〖건축〗 방화[방음] 천장

coun·ter·change [kàuntərtʃéindʒ] *vt.* **1** 반대의 위치에 두다, 바꿔 치다 **2** 〈무늬를〉 교착시키다
— *vi.* 바뀌다, 교체하다

coun·ter·charge [káuntərtʃɑ̀:rdʒ] *n.* 〖군사〗 반격, 역습; 보복; 반론; 〖법〗 반소(反訴)
— [⌐—⌐] *vt.* 역습하다; 〖법〗 반소하다

cóunter chèck 예금 인출표

coun·ter·check [káuntərtʃèk] *n.* **1** 대항[억제] 수단, 반대, 방해 **2** (정확을 기하기 위한) 재조회, 재대조 — [⌐—⌐] *vt.* **1** 방해하다, 대항하다 **2** 재대조하다

thesaurus **counteract** *v.* act against, hinder, oppose, thwart, frustrate, foil, restrain, resist

coun·ter·claim [káuntərklèim] 〖법〗 *n.* 반대 요구, (특히 피고의) 반소(反訴) — [⌐–⌐] *vi.* 반소하다 《*for, against*》 — *vt.* 반소하여 청구하다 **~·ant** *n.*

coun·ter·clock·wise [kàuntərklάkwàiz | -klɔ́k-] *a., ad.* 시곗바늘 회전과 반대의[로], 왼쪽으로 도는[돌게] 《★ 《영》에서는 anti-clockwise 쪽이 일반적》: a ~ rotation 좌회전/Turn the lid ~. 뚜껑을 시곗바늘과 반대 방향으로 돌려라.

coun·ter·con·di·tion·ing [kàuntərkəndíʃəniŋ] *n.* Ⓤ 〖심리〗 반대 조건 부여 《자극에 대한 좋지 않은 반응을 바람직한 것으로 대치하기》

coun·ter·coup [káuntərkù:] *n.* 반(反)쿠데타

coun·ter·cul·ture [káuntərkʌ̀ltʃər] *n.* Ⓤ [보통 the ~] 반(反)(체제) 문화 《기성 사회의 가치관을 타파하려는 1960-70년대 젊은이들의 문화》

còun·ter·cúl·tur·al *a.* **cóun·ter·cùl·tur·ist** *n.*

coun·ter·cur·rent [káuntərkə̀:rənt | -kʌr-] *n.* 역류; 〖전기〗 역전류
— *a., ad.* (…와) 반대 방향의[으로] 《*to*》

coun·ter·cy·cli·cal [kàuntərsáiklikəl, -síkli-] *a.* 경기(景氣) 순환 경향과 반대되는, 경기 조정(형)의

coun·ter·dec·la·ra·tion [kàuntərdèkləréiʃən] *n.* 반대 성명, 반대 선언

coun·ter·deed [káuntərdì:d] *n.* (공표된 증서를 무효로 할 수 있는) 반대 증서; (공표된 협약을 취소하는) 비밀 서류

coun·ter·dem·on·strate [kàuntərdémənstrèit] *vi.* (어떤 데모에 반대하는) 반대 데모[대항적 시위 운동]를 하다 **-dèm·on·strá·tion** *n.* **-strà·tor** *n.*

coun·ter·drive [káuntərdràiv] *n.* 반격, 역습

cóunter drùg 의사의 처방 없이 판매되는 약

coun·ter·drug [káuntərdrʌ̀g] *n.* 〖약학〗 대항약 《습관성 물질을 끊게 하는》

cóunter electromótive fórce 〖전기〗 역(逆) 기전력(back electromotive force)

coun·ter·es·pi·o·nage [kàuntəréspiənά:ʒ, -nidʒ] *n.* Ⓤ 대항적 스파이 활동, 방첩

coun·ter·ev·i·dence [káuntərévədəns] *n.* 반증, 반대의 증언

coun·ter·ex·am·ple [káuntərigzæ̀mpl | -zὰ:m-] *n.* (정리·명제에 대한) 반증, 반례(反例)

coun·ter·fac·tu·al [kàuntərfǽktʃuəl] *n., a.* 〖논리〗 반사실 조건문(의) 《문장의 첫 절이 사실과 반대인 명제로 이루어진 표현법; What if... 따위》

***coun·ter·feit** [káuntərfìt] *a.* **1** 위조의, 가짜의 (forged); 모조의: ~ dollar bills 위조 달러 지폐/a ~ signature 가짜 서명/a ~ diamond 모조 다이아몬드 **2** 허위의, 꾸민, 마음에도 없는: ~ illness 꾀병
— *n.* 위조 물건(fake); 모조품, 가짜
— *vt.* **1** 〈화폐·지폐·문서 등을〉 위조하다(forge) **2** 모조하다, 흉내내다; …인 체하다 **3** …와 아주 흡사하다
— *vi.* 위조하다; 모르는 척하다, 시치미 떼다
~·er *n.* 위조자; 모조자; 《특히》 화폐 위조자(coiner)

coun·ter·foil [káuntərfɔ̀il] *n.* 부본(副本)(stub) 《수표·영수증 등을 떼고 증거로 남겨 두는 쪽지》

coun·ter·force [káuntərfɔ̀:rs] *n.* Ⓤ **1** 대항 세력, 반대 세력, 저항력 **2** 〖미군〗 선제 핵공격 무기

coun·ter·fort [káuntərfɔ̀:rt] *n.* 〖토목〗 부벽(扶壁), 버팀벽; (산의) 돌출부

coun·ter·glow [káuntərglòu] *n.* 〖천문〗 대일조(對日照)

coun·ter·gue(r)·ril·la [kàuntərgərílə] *n.* 대항 게릴라

cóunter ìmage 〖수학〗 역상(逆像)(inverse image)

coun·ter·in·dem·ni·ty [kàuntərindémnəti] *n.* 손해 배상(금)

coun·ter·in·sur·gen·cy [kàuntərinsə́:rdʒənsi] *n.* (*pl.* **-cies**) Ⓤ 대(對)반란 계획[활동]
— *a.* 대반란(용)의

coun·ter·in·sur·gent [kàuntərinsə́:rdʒənt] *a., n.* 대반란의 (전사(戰士))

coun·ter·in·tel·li·gence [kàuntərintélədʒəns] *n.* Ⓤ 대적(對敵) 정보[첩보] 활동

Counterintélligence Còrps 〖미군〗 방첩 부대 《略 CIC》

coun·ter·in·tu·i·tive [kàuntərintjú:ətiv | -tjú:-] *a.* 직관에 반하는, 반직관적인

coun·ter·i·on [káuntəràiən] *n.* 〖물리〗 반대 이온

coun·ter·ir·ri·tant [kàuntərírətənt] 〖의학〗 *n.* 반대[유도] 자극제 《겨자 등》 — *a.* 반대[유도] 자극제의

coun·ter·ir·ri·tate [kàuntərírətèit] *vt.* 〖의학〗 반대[유도] 자극제로 치료하다

coun·ter·ir·ri·ta·tion [kàuntərìrətéiʃən] *n.* Ⓤ 〖의학〗 반대[유도] 자극(법)

coun·ter·jum·per [káuntərdʒʌ̀mpər] *n.* 《구어·경멸》 (소매점의) 주인, 점원

coun·ter·light [kàuntərláit] *vt.* **1** 〈방 안을〉 마주 본 양측 창[조명]으로 비추다 **2** 〈사물을〉 정면에서 조명하다 — [⌐–⌐] *n.* 마주 보는 창; 역광선[조명]

count·er·man [káuntərmæ̀n] *n.* (*pl.* **-men** [-mèn]) (간이식당 등의) 카운터 점원

coun·ter·mand [kàuntərmǽnd, -mά:nd, ⌐–⌐ | kàuntəmά:nd] *vt.* **1** 〈명령·주문을〉 취소하다, 철회하다 **2** 반대 명령으로 소환하다
— [⌐–⌐] *n.* (주문·명령의) 취소; 반대[철회] 명령

coun·ter·man·i·fes·to [kàuntərmæ̀nəféstou] *n.* (*pl.* **~es**) (다른 성명에 대한) 반대 성명(서)

coun·ter·march [káuntərmὰ:rtʃ] 〖군사〗 *n.* 반대 행진, 후진(後進), 후퇴 — [⌐–⌐, ⌐–⌐] *vi., vt.* 후진[반대 행진]하다[시키다]; 역행하다[시키다]

coun·ter·mark [káuntərmὰ:rk] *n.* **1** (화물 등에 붙이는) 부표(副標) **2** (주조 화폐에 새기는) 부가 각인
— [⌐–⌐] *vt.* …에 부표를 붙이다; 부가 각인을 찍다

coun·ter·meas·ure [káuntərmèʒər] *n.* **1** 대항책[수단], 대응책, 대책 **2** 반대[보복] 수단 《*against*》

coun·ter·mine [káuntərmàin] *n.* **1** 〖군사〗 (육군의) 대항 갱도; (해군의) 역기뢰(逆機雷) **2** 대항책
— [⌐–⌐] *vt.* **1** 〖군사〗 대항 갱도[역기뢰]로써 대항하다[방어하다] **2** 계략을 역이용하다
— *vi.* 대항 갱도를 만들다; 역기뢰를 부설하다

coun·ter·move [káuntərmù:v] *n.* = COUNTERMEASURE — [⌐–⌐] *vi., vt.* 대항 수단으로서 하다; 대항 수단을 취하다

coun·ter·move·ment [káuntərmù:vmənt] *n.* ⓊⒸ 대항 행동[운동]

coun·ter·of·fen·sive [kàuntərəfénsiv] *n.* 〖군사〗 반격(反擊), 역습

coun·ter·of·fer [káuntərɔ̀:fər | -ɔ̀fə] *n.* 대안(對案)(제출); 〖상업〗 수정 제안, 카운터 오퍼

coun·ter·pane [káuntərpèin] *n.* (장식적으로 씌우는) 침대의 겉덮개, 침대 커버(bedspread)

***coun·ter·part** [káuntərpὰ:rt] *n.* **1** 〖법〗 정부(正副) 2통 중의 1통, 《특히》 부본, 사본 **2** (한 쌍의) 한 쪽 **3** 아주 닮은 사람[것] **4** 상대물, 상대방, 대응물[자] **5** (연극의 주역에 대한) 상대역 **6** 〖음악〗 대응부

cóunterpart fúnd 〖경제〗 대충(對充)자금 《피원조국이 원조받은 물자에 상당하는 금액을 그 나라의 중앙은행에 예치하는》

coun·ter·par·ty [káuntərpὰ:rti] *n.* (계약 등의) 한쪽 당사자

count·er·per·son [káuntərpə̀:rsn] *n.* 카운터 점원

coun·ter·pho·bic [kàuntərfóubik] *a.* 역(逆)공포의, 공포스러운 상황[장면]을 스스로 찾는

coun·ter·plan [káuntərplæ̀n] *n.* 대안(對案), 대책; 대안(代案)

cóunter plày 〖미식축구〗 카운터 플레이

coun·ter·plea [káuntərplì:] *n.* 〖법〗 부수적 반대 항변[답변]

coun·ter·plot [káuntərplὰt | -plɔ̀t] *n.* 대항책;

---

counterfeit *a.* fake, copied, imitation, feigned, simulated, bogus (opp. *genuine, authentic*)

(의표를 찌르는) 계략 ── *v.* (~·ted; ~·ting) *vt.* 〈적의 계략에〉 계략으로써 대항하다, 〈계략을〉 역이용하다 ── *vi.* 반대의 계략[대항책]을 강구하다

coun·ter·point [káuntərpɔ̀int] *n.* **1** Ⓤ 〖음악〗 대위법(對位法); 대위 선율 **2** 대조[병치]적인 요소
── *vt.* **1** 대조[병치]에 의해 강조하다 **2** 〖음악〗 대위법으로 작곡[편곡]하다

coun·ter·poise [káuntərpɔ̀iz] *n.* **1** 평형추(錘) (counterbalance) **2** 균세물(均勢物), 균세력, 평형력 (counterbalance) **3** Ⓤ 균형, 평형, 안정 **4** 〖전기〗 매설 지선(地線) ***be in*** ~ 평형을 유지하다
── *vt.* **1** …와 균형을 이루다 **2** 평형[균형]을 유지시키다(balance) **3** 보충하다

coun·ter·poi·son [káuntərpɔ̀izn] *n.* 해독성 독소; 해독제(antidote)

coun·ter·pose [kàuntərpóuz] *vt.* 대치하다 《*to*》

coun·ter·pres·sure [káuntərprèʃər] *n.* Ⓤ 반대 압력, 역압(逆壓)

coun·ter·pro·duc·tive [kàuntərprədʌ́ktiv] *a.* 기대하지 않은 결과를 초래하는, 역효과의; 비생산적인

coun·ter·pro·gram [kàuntərpróugræm] *vi.*, *vt.* 〖TV〗 (경쟁 방송국의 프로그램에 대해 같은 시간대에) 대항 프로그램을 편성하다 **~·ming** *n.*

coun·ter·prop·a·gan·da [kàuntərprɑ̀pəgǽndə | -prɔ̀pə-] *n.* Ⓤ 〖군사〗 역선전; 반대 선전

coun·ter·pro·pos·al [káuntərprəpòuzəl] *n.* 반대 제안; 대안(對案)

coun·ter·prop·o·si·tion [kàuntərprɑ̀pəzíʃən | -prɔ̀pə-] *n.* 반대 동의(動議)

coun·ter·pul·sa·tion [kàuntərpʌlséiʃən] *n.* 〖의학〗 반대 박동법, 역박동

coun·ter·punch [káuntərpʌ̀ntʃ] *n.* 반격; (권투의) 카운터펀치, 카운터블로(counterblow)

coun·ter·pur·chase [káuntərpə̀:rtʃəs] *n.* 대응(對應) 구매 《대형 상품 수출시, 수출액의 일정 비율만큼 수입국의 제품을 구입하는 일; 略 CP》

Cóunter Reformátion [the ~] 반종교 개혁 《16-17세기의 가톨릭교회 내부의 자기 개혁 운동》

coun·ter·ref·or·ma·tion [kàuntərrèfərméiʃən] *n.* ⓊⒸ (이전의 개혁에 대한) 반(反)개혁

coun·ter·re·ply [káuntərriplài] *n.* 대답에 대한 대답 ── [⌐—⌐, ⌐—⌐] *vi.*, *vt.* 말대답하다; (대답에 대해) 되대꾸하다

coun·ter·rev·o·lu·tion [kàuntərrèvəlú:ʃən] *n.* ⓊⒸ 반혁명 **~·ist** *n.* 반혁명주의자

coun·ter·rev·o·lu·tion·ar·y [kàuntərrèvəlú:ʃənèri | -ʃənəri] *a.* 반혁명의 ── *n.* (*pl.* **-ar·ies**) 반혁명주의자(counterrevolutionist)

còunter rócker = COUNTER-ROCKING TURN

coun·ter-róck·ing túrn [kàuntərrɑ́kiŋ- | -rɔ́k-] 〖스케이트〗 역회전, 카운터

coun·ter·scarp [káuntərskɑ̀:rp] *n.* 〖축성〗 (해자의) 경사진 외벽[외안(外岸)]

coun·ter·shad·ing [káuntərʃèidiŋ] *n.* 〖동물〗 몸체가 햇빛에 노출된 부분은 어두운 색, 그늘진 부분은 밝은 색이 되는 현상 《은폐하는 데 도움이 됨》

coun·ter·shaft [káuntərʃæ̀ft | -ʃɑ̀:ft] *n.* 〖기계〗 중간축

coun·ter·shock [káuntərʃɑ̀k | -ʃɔ̀k] *n.* 〖의학〗 카운터쇼크 《부정맥을 정지시키기 위해 심장에 주는 전기 충격》

coun·ter·sign [káuntərsàin] *n.* **1** 군호(password); 응답 신호 **2** 부서, 연서
── [⌐—⌐, ⌐—⌐] *vt.* 〈문서에〉 부서[연서]하다; 확인[승인]하다

coun·ter·sig·na·ture [kàuntərsígnətʃər] *n.* 부서(副署), 연서(連署)

coun·ter·sink [káuntərsìŋk, ⌐—⌐] *vt.* (**-sank** [-sæ̀ŋk]; **-sunk** [-sʌ̀ŋk]) 〈구멍의〉 위쪽을 넓히다, 원뿔형으로 〈구멍을〉 넓히다; 원뿔형 구멍에 〈나사 대가리를〉 묻다 ── [⌐—⌐] *n.* 원뿔형 구멍(을 파는 송곳)

coun·ter·spy [káuntərspài] *n.* (*pl.* **-spies**) 역간첩, 대항 스파이

coun·ter·stain [káuntərstèin] 〖염색〗 *n.* 대비 염색제 ── [⌐—⌐] *vt.*, *vi.* 대비 염색제로 착색하다[되다]

coun·ter·state·ment [káuntərstèitmənt] *n.* 반대 진술, 반박

coun·ter·stroke [káuntərstròuk] *n.* 되받아 침, 반격

coun·ter·sub·ject [káuntərsʌ̀bdʒikt] *n.* 〖음악〗 (푸가의) 대주제(對主題)

coun·ter·sue [káuntərsù: | -sjù:] *vi.*, *vt.* (민사 소송의 피고가 원고를) 반소(反訴)하다, 맞고소하다

coun·ter·sunk [káuntərsʌ̀ŋk] *a.* 《영》 〈나사·볼트의 대가리가〉 구멍에 묻은

coun·ter·ten·den·cy [kàuntərténdənsi] *n.* (*pl.* **-cies**) 역경향

coun·ter·ten·or [káuntərtènər] 〖음악〗 *n.* Ⓤ 카운터테너 《tenor보다 높은 남성(男聲)의 최고 음역》; Ⓒ 그 가수[목소리] ── *a.* Ⓐ 카운터테너의

coun·ter·ter·ror [kàuntərtérər] *n.*, *a.* 대항[보복]성 테러(의)

coun·ter·ter·ror·ism [kàuntərtérərìzm] *n.* Ⓤ 대항[보복] 테러 (행위) **-ist** *n.*

coun·ter·thrust [káuntərθrʌ̀st] *n.* 되찌르기; 반격

coun·ter·top [káuntərtɑ̀p | -tɔ̀p] *n.* (평평하고 납작한) 주방용 조리대

coun·ter·trade [káuntərtrèid] *n.* Ⓤ 대응 무역 《수출입의 균형을 위한 조건부 무역 거래》

coun·ter·trans·fer·ence [kàuntərtrænsfə́:rəns | -trǽnsfər-] *n.* 〖정신분석〗 역[반대]전이 《치료자의 환자에 대한 감정 전이》

coun·ter·trend [káuntərtrènd] *n.* 반대의 경향, 역경향

coun·ter·turn [káuntərtə̀:rn] *n.* 역방향 전환, 역회전; (이야기·극 등의 줄거리의) 의외의 전환, 급전

coun·ter·type [káuntərtàip] *n.* 반대형; 대응형(型)

coun·ter·vail [kàuntərvéil] *vt.* (반대 작용으로) 무효로 만들다; 대항하다; 상쇄하다; 보상하다
── *vi.* 대항하다 《*against*》; 상쇄하다

coun·ter·vail·ing [káuntərvèiliŋ] *a.* Ⓐ 《문어》 반대 효력을 가진, 상쇄의

countervàiling dùty 상계(相計) 관세, 형평 관세 《수출국의 보조를 받은 수입품에 부과하는 할증 관세; 略 CVD》

coun·ter·val·ue [káuntərvæ̀lju:] *n.* Ⓤ (특히 전략상의) 동등한 가치, 등가(等價)

coun·ter·view [káuntərvjù:] *n.* 반대 의견[견해]

coun·ter·vi·o·lence [kàuntərváiələns] *n.* Ⓤ 대항적[보복적] 폭력

coun·ter·weigh [kàuntərwéi] *vt.* = COUNTERBALANCE ── *vi.* 평형력으로서 작용하다 《*with*》

coun·ter·weight [káuntərwèit] *n.*, *vt.* = COUNTERBALANCE

coun·ter·word [káuntərwə̀:rd] *n.* 〖언어〗 전용어(轉用語), 대용어 《본뜻보다 넓은 뜻으로 쓰이는 통속어; *affair*(=thing), *awful*(=very) 등》

coun·ter·work [káuntərwə̀:rk] *n.* **1** Ⓤ 대항 작업, 반대 행동, 반작용; 방해 **2** [*pl.*] 〖군사〗 대루(對壘)
── [⌐—⌐, ⌐—⌐] *vt.* 대항하다, 방해하다; 역효과가 나게 하다; 좌절시키다 ── *vi.* 반대로 작용하다 **~·er** *n.*

*__count·ess__ [káuntis] [count²의 여성형] *n.* [종종 C~] **1** 백작 부인[미망인] 《영국에서는 earl의 여성형》 **2** 여자 백작

count·ing [káuntiŋ] *n.* Ⓤ 계산; 집계; 개표(開票): a ~ overseer[witness] 개표 참관인[입회인]

cóunting fràme[ràil] (유아용) 주판식 계산기

cóunting hòuse 회계[경리]과; 회계실

cóunting nùmber 〖수학〗 제로 또는 정(正)의 정수(整數)(whole number)

cóunting ròom = COUNTING HOUSE

⁑**count·less** [káuntlis] *a.* 셀 수 없는, 무수한(innu-

merable) **~·ly** *ad.*
cóunt nòun 〖문법〗 가산 명사(countable)
count-out [káuntàut] *n.* 〖영국의회〗 정족수 (40명) 미달로 인한 유회; (미) 제외표(에 의한 낙선자); 〖권투〗 카운트아웃
cóunt pálatine 〖역사〗 펠러타인백(伯) **1** 후기 로마 제국 최고 사령관 **2** 독일 황제의 허가로 일부 왕권을 자기 영토에서 행사하던 영주
coun·tri·fied, -try- [kʌ́ntrəfàid] *a.* **1** 〈사람·사물 등이〉 시골티[촌티] 나는, 세련되지 못한(rustic) **2** 〈경치 등이〉 전원풍의, 야취(野趣)가 있는
‡**coun·try** [kʌ́ntri] *n.*, *a.*

L 「(자기의) 반대쪽에 펼쳐진 (토지)」의 뜻에서 →「토지」, 「지역」 **1** →「국토」, 「나라」 **2** →(자기 나라인 데서) 「고국」 **3**, →「고향」 **6** →「시골」 **4** 이 되었음

— *n.* (*pl.* **-tries**) **1** Ⓤ **지역**, 지방, 토지: mountainous[wooded] ~ 산악[삼림] 지방 《★ 보통은 관사 없이 형용사가 따름》/ So many *countries*, so many customs. (속담) 고장이 다르면 풍속도 다르다. **2 나라, 국가**; 국토: an industrial ~ 공업국 / a developing ~ 개발도상국 / all over the ~ 온 나라 안을[에서]

유의어 **country** 「나라」의 뜻을 나타내는 가장 일반적인 말로서 국토를 뜻한다. **nation** 국토보다는 그 주민에 중점을 두는 말이다. **state** 법률적·정치적 통일체로서의 국가

3 본국, 조국, 고국: love of one's ~ 조국애, 애국심 **4** [the ~] (도시와 대비하여) **시골**; 교외, 전원, 농촌 지대 《★ farm, ranch, pasture, orchard, woods 등을 연상시키는 말; 관련 형용사: pastoral, rural》: go into *the* ~ 시골로 가다 / town and ~ 도시와 시골 《★ 대구(對句)가 되어 관사 없음.》 **5** [the ~; 집합적; 단수 취급] (영) 국민; 대중, 일반 민중 **6 출생국**, 고향, 향토 **7** Ⓤ (활동의) 영역, 분야, 방면 **8** [the ~] (영·구어) 〖크리켓〗 외야(outfield): in *the* ~ 삼주문(三柱門)에서 멀리 떨어져 **9** 〖법〗 배심(jury) **10** Ⓤ (구어) = COUNTRY MUSIC
across* (*the*) ~** 들을 횡단하여, 크로스컨트리의, 단교(斷郊)의 〈경주 등〉 ***appeal* [*go*] *to the* ~** ⇨ appeal. ***down* ~** 지방[해안]으로 ***God's* (*own*) ~** (미) 북미 합중국(의 일부); 지상의 낙원 ***leave the* ~** 고국을 떠나다(go abroad) ***live in the* ~** 시골에서 살다 ***My* [*Our*] *~, right or wrong! 옳건 그르건 내 조국은 내 조국이다! ***put* [*throw*] one*self upon* one's ~** 배심 재판을 요구하다 ***up* ~** 도시[해안]에서 떨어져
— *a.* Ⓐ **1** 시골(풍)의; 전원 생활의; 시골에서 자란: ~ life 전원 생활 / a ~ boy 시골 소년 **2** 컨트리 음악의 〈가수 등〉 **3** 거칠고 세련되지 못한 **4** 나라의, 국가의
coun·try-and-west·ern [kʌ́ntriən*d*wéstərn] *n.* Ⓤ (미) 〖음악〗 컨트리 웨스턴, 컨트리 음악(country music) 《미국 남부에서 발생한 민속 음악; 略 C&W, C-and-W》
cóuntry blúes [때로 단수 취급] 컨트리블루스 《기타 반주를 수반하는 포크 블루스》
coun·try-born [kʌ́ntribɔ́:rn] *a.* 시골 태생의
coun·try-bred [-bréd] *a.* 시골에서 자라난
cóuntry bùmpkin 시골뜨기, 촌사람
cóuntry clùb 컨트리클럽 《테니스·골프·수영 등의 시설이 있는 교외의 클럽》
cóuntry cóusin 처음으로 도시에 나온 촌뜨기
cóuntry dámage 〖보험〗 (선적 전의 내륙 수송 과정에서의) 지방[원산지] 손해
coun·try-dance [-dæ̀ns | -dɑ̀:ns] *n.* 컨트리 댄스 《영국의 지방 춤; 남녀가 두 줄로 서로 마주 서서 춤》
coun·try·fied [kʌ́ntrəfàid] *a.* = COUNTRIFIED
coun·try·folk [kʌ́ntrifòuk] *n.* [집합적] **1** 지방 사람, 시골 사람들(rustics) **2** 같은 나라 사람, 동포(fellow countrymen)
cóuntry géntleman (시골에 넓은 토지를 소유하고 광대한 주택에 거주하는) 신사[귀족] 계급의 사람, 지방의 대지주(squire)
cóuntry hòuse 1 (영) (시골의) 귀족[대지주]의 저택(cf. TOWN HOUSE) **2** (미) 별장
cóuntry jàke[jày] (미·구어) 시골뜨기
cóuntry kítchen (식당 겸용의) 넓은 주방
coun·try·like [kʌ́ntrilàik] *a.*, *ad.* 시골풍의[으로], 촌스러운[스럽게]
coun·try·made [kʌ́ntrimèid] *a.* (인도) 사제(私製)의, 일반인이 만든: a ~ pistol 사제 권총
***coun·try·man** [kʌ́ntrimən] *n.* (*pl.* **-men** [-mən, -mèn]) **1 시골 사람** 《남자》(rustic) **2** [보통 one's ~] **동포** 《남자》; 동향인: my fellow ~ 내 동포 **3** (어떤) 지방의 주민
cóuntry míle (미·구어) 아주 먼 거리, 광대한 범위
cóuntry músic 〖음악〗 = COUNTRY-AND-WESTERN
Cóuntry Pàrty [the ~] 〖영국사〗 농민당, 지방당 《Whig당의 전신》; [**c- p-**] 지방[농민]당 《도시나 공업의 이익에 대항하는》
coun·try·peo·ple [-pì:pl] *n.* = COUNTRYFOLK
cóuntry rísk 〖금융〗 국가별 위험도 《해외 융자를 해줄 때의 융자 대상국의 신용도》
cóuntry róck 1 〖음악〗 컨트리 록 《1960년대에 유행한 록조(調)의 컨트리 음악; rockabilly 등》 **2** 〖지질〗 모암(母岩)
coun·try·seat [-sì:t] *n.* (영) = COUNTRY HOUSE 1
‡**coun·try·side** [kʌ́ntrisàid] *n.* [the ~] **1** (국내의) 한 지방, 시골 **2** [집합적; 단수 취급] (어느) 지방 사람 ***scour the* ~** (미·구어) 사방팔방을 뒤져 찾다
cóuntry sìnger 컨트리 음악 가수
cóuntry stóre 시골[휴양지, 관광지]의 잡화점
cóuntry tówn 시골 읍
coun·try·wide [kʌ́ntriwáid] *a.* 전국적인(cf. NATIONWIDE)
coun·try·wom·an [kʌ́ntriwùmən] *n.* (*pl.* **-wom·en** [-wìmin]) 시골 여자; [보통 one's ~] 같은 나라[고향]의 여자
‡**coun·ty** [káunti] [L 「백작(count)의 관할 지역」의 뜻에서] *n.* (*pl.* **-ties**) **1 a** (영·아일) 주(州) 《행정·사법·정치상의 최대 구획; shire라고도 함》 **b** (영연방의 일부에서) 군(郡) 《주의 최대 행정구》 **c** (미) 군(郡) 《parish제의 Louisiana 주와 borough제의 Alaska 주를 제외한 각 주의 정치·행정의 최대 하위 구역》 **2** [the ~; 집합적] **a** (영) 주민(州民) **b** (미) 군민 **c** (영·고어) 주의 명문[부호]
cóunty ágent (미) (연방·주정부가 파견한) 농사 고문(agricultural agent)
cóunty bórough 1 (영) 특별시 《인구 5만 이상으로 행정상 county와 동격; 1974년 폐지》 **2** (아일) 자치 도시
cóunty clérk (미) 군 서기(書記)
cóunty cóllege (영) (15-18세의 남녀를 위한) 정시제(定時制) 보습(補習) 학교
cóunty commíssioner (미) 군정(郡政) 위원
cóunty córporate 〖영국사〗 독립 자치구(corporate county) 《county와 동격의 시·읍》
cóunty cóuncil [집합적] (영) 주의회
cóunty cóuncillor (영) 주의회 의원
cóunty cóurt (영) 주[지방] 법원; (미) 군 법원
coun·ty-court [kàuntikɔ́:rt] *vt.* (영·구어) 주[지방] 법원에 제소하다
cóunty crícket (영) 주 대항 크리켓 시합
cóunty fáir (미) (연 1회의) 군의 농산물·가축 품평회
cóunty fámily (영) 주[지방]의 명문
cóunty fárm (미) 군영(郡營)의 구빈(救貧) 농장(poor farm)
cóunty háll (영) 주의회 회관
cóunty hóme[hóuse] (미) 군 운영의 구빈원

cóunty pálatine 《영》 팰러틴 백작령(領) 《count palatine이 소유한 주; 지금은 Cheshire, Lancashire의 2주》

cóunty schòol 《영》 공립학교(council school)

cóunty séat 《미》 군청 소재지(cf. COUNTY TOWN)

cóunty séssions 《영》 주(州) 사계(四季) 법원 《주 치안 판사가 매년 4회 열던 형사 법원》

cóunty tówn 《영》 주청(州廳) 소재지, 주도(州都)

coun·ty·wide [kàuntiwáid] *a.*, *ad.* 《영》 주 전체에 걸친[걸쳐]

coup [kú:] [F 「치기」의 뜻에서] *n.* (*pl.* **~s** [-z]) **1** (불시의) 일격 **2** 대히트, 대성공, 큰 인기: make[pull off] a great ~ 대성공[히트]을 거두다 **3** =COUP D'ÉTAT

coup de fou·dre [kú:-də-fú:drə] [F] **1** 벼락 **2** 돌발 사고, 청천벽력 **3** 전격적인 사랑, 첫눈에 반함

coup de grâce [kú:-də-grɑ́:s] [F] 최후의 일격, 온정의 일격(mercy stroke)

coup de main [kú:-də-mǽŋ] [F] 기습

coup de maî·tre [kú:-də-métrə] [F] 대단한[뛰어난] 솜씨, 신기(神技), 위업

coup d'é·tat [kú:-deitɑ́:] [F =stroke of state] 쿠데타, 무력 정변

coup de thé·â·tre [kú:-də-teiɑ́:trə] [F] 무대상[연극]의 히트; 극적 행동[계략]

coup d'oeil [kú:-dɔ́:i] [F] 일견(glance), 개관; (정세 등을 재빨리 알아차리는) 혜안(慧眼)

coupe[1] [kú:p] *n.* **1** 아이스크림과 셔벗을 과일과 거품 낸 크림 등으로 장식한 디저트 **2** 1을 담는 유리 용기

cou·pé, cou·pe[2] [ku:péi | ⌐–] [F 「잘린」의 뜻에서] *n.* **1** 쿠페형 마차 《2인승 4륜 유개 마차》 **2** 《영》 〖철도〗 객차 뒤끝의 칸 《한쪽에만 좌석이 있음》 **3** 쿠페형 자동차 《sedan보다 작고 문이 두 개인 2-5인승》

cou·pla [kʌ́plə] *a.* 《구어》 =a COUPLE of

⁑**cou·ple** [kʌ́pl] [L 「맺는 것」의 뜻에서] *n.* **1** (밀접한 관계에 있는) 둘, 한 쌍(⇨ pair 유의어); 《특히》 부부; 남녀 한 쌍, 약혼한 남녀; (댄스의) 남녀 한 쌍 《등》; 두 개, 두 사람 《동류의 물건·사람》: a married ~ 결혼한 두 사람, 부부 / a young ~ 젊은 부부 **2** [보통 *pl.*] 사냥개 두 마리를 이어 매는 가죽끈(leash) **3** (*pl.* **~**) 두 마리씩의 사냥개 한 쌍 **4** 《미·구어》 얼마간, 두서넛 (사람) **5** 〖물리〗 우력(偶力); 〖전기〗 =VOLTAIC COUPLE; 〖건축〗 두 재목을 'Λ' 모양으로 붙여 짠 것; 〖천문〗 연성(連星), 이중성(二重星)

a ~ of (1) 두 개[사람]의(two) (2) 《구어》 수 개[명]의, 두서넛의; 소수의(a few) ***go***[***hunt, run***] ***in ~s*** 늘 둘이 짝지어 다니다; 협력하다

—*vt.* **1** 〈2개를〉 (짝이 되게) 연결하다(link); 연결기로 〈차량을〉 연결하다; 〈사냥개를〉 두 마리씩 잡아매다 **2** 〈두 사람을〉 결혼시키다 **3** 〈동물을〉 교미시키다 **4** 결부시켜 생각하다, 연상하다(associate) 《*with*》: (~+목(+부)) (~+목+전+명) ~ A and B (together) =~ A *with* B A와 B를 결부시켜 생각하다

—*vi.* **1** 연결되다; 하나가 되다, 협력하다 **2** 《문어》 교미하다, 성교하다 **3** 결혼하다(marry)

cou·ple·dom [kʌ́pldəm] *n.* Ⓤ 부부 생활

cou·pler [kʌ́plər] *n.* 연결자; 연결기[장치]; (오르간 등의) 연결 구조[연동 장치], 커플러

cou·plet [kʌ́plit] *n.* 〖운율〗 2행 연구(聯句), 대구(對句); 한 쌍; 〖음악〗 쿠프레 《론도 형식의 대조부》

the heroic ~ 서사시적 2행 연구(체) 《각 행이 약강격(弱强格) 10음절》

cou·pling [kʌ́pliŋ] *n.* **1** Ⓤ 연결, 결합; 교미 **2** (철도 차량의) 연결기[장치] **3** 〖기계〗 커플링, 연결기[장치] **4** 〖전기〗 결합 (장치) **5** (개·말 등의) 흉부에서 뒷다리의 접합부까지의 부분

cóupling cònstant 〖물리〗 결합 상수(常數)

*__cou·pon__ [kú:pɑn | -pɔn] [F 「절취된 한 조각」의 뜻에서] *n.* **1** 쿠폰 《떼어서 쓰는 표》; (상품에 첨부된) 할인권, 경품 교환권; (철도의) 쿠폰식 승차권; 회수권(의 한 장); 식료품 교환권; 배급표: a food ~ 식권 / a manufacturer's ~ 제조 회사 할인 쿠폰 **2** 〖상업〗 (공채 증서·채권 등의) 이자표 **3** 《영》 〖정치〗 (당수(黨首)가 주는) 입후보 공천장 ***cum ~*** =**~ *on*** 이자표가 붙은 ***ex ~*** =**~ *off*** 이자표가 없는

cóupon bònd 이자부 채권, 쿠폰 채권

cóupon clìpper 《미》 (다량의) 이자부 채권 소유자, 이자 생활자

cou·pon·er [kú:pɑnər | -pɔn-] *n.* (상품에 첨부된) 할인권 모으기에 열심인 사람

cou·pon·ing [kú:pɑniŋ | -pɔn-] *n.* Ⓤ **1** (판매 촉진을 위한) 쿠폰[할인권] 배포 **2** (절약을 위한) 쿠폰[할인권] 수집

cóupon ràte 채권의 표면 이자율

cóupon sỳstem 경품부 판매법

cóupon tìcket 떼어 쓰는 표, 쿠폰식 유람권

⁑**cour·age** [kɔ́:ridʒ, kʌ́r- | kʌ́r-] [L 「마음」의 뜻에서] *n.* Ⓤ 용기, 담력, 배짱(opp. *cowardice*): moral ~ (신념을 지키려는) 정신적 용기

> 유의어 **courage**는 정신적인 것을 강조한다: the *courage* to support unpopular causes 인기 없는 주의를 지지하는 용기 **bravery**는 드러난 행동을 강조한다: *bravery* in battle 전투에서의 용감성

Dutch ~ 술김에 내는 용기 ***have the ~ of*** one***'s*** (***own***) ***convictions***[***opinions***] 자기의 소신[의견]을 단행[주장]하다 ***have the ~ to*** do …할 용기가 있다, 용감하게도 …하다: He *had the ~ to* live his life according to his own belief. 그는 용감하게도 자신의 신념대로 평생을 살았다. ***lose ~*** 낙담하다 ***take ~*** (…에서) 용기를 얻다 《*from*》 ***take*** one***'s ~ in both hands*** 필요한 일을 감행하다, 대담하게 나서다 ***take***[***muster, pluck, screw***] ***up ~*** 용기를 내다[불러일으키다]

▷ courágeous *a.*; encóurage *v.*

⁑**cou·ra·geous** [kəréidʒəs] *a.* 용기 있는, 용감한, 담력이 있는(opp. *cowardly*): The judge's decision was ~. 그 판사의 판결은 용기 있는 일이었다.

> 유의어 **courageous** 위험·곤란에 직면하여 그에 굴하지 않는 정신적 용기가 있는: *courageous* admission of one's own fault 자기의 결점을 용기 있게 인정하기 **brave** 행동적인 용기를 강조한다: a *brave* soldier 용감한 군인 **bold** 남들이 보기에 대담하고 도전적이며 무모하다고도 생각될 만큼 용감한: a *bold* explorer 대담한 탐험가

~·ly *ad.* **~·ness** *n.*

cou·rante [kurɑ́:nt] [F] *n.* (*pl.* **~s** [-s]) **1** 크란트 춤 《이탈리아에서 생겨나 17세기 프랑스에서 발달》 **2** 〖음악〗 쿠랑트(무곡)

cour·gette [kuərʒét] *n.* 《영》 =ZUCCHINI

cour·i·er [kɔ́:riər, kúr- | kúr-] *n.* **1** (주로 영) (여행사가 단체객에게 수행시키는) 안내원, 가이드 **2** 급사(急使); 특사; 밀사 **3** [**C~**; 신문의 명칭에 써서] …신문, …통신: the Liverpool *C~* 리버풀 쿠리어[신문] **4** 통지[전언]의 정기적인 전달 수단 **5** (특사가 이용하는) 운송 기관 《비행기·배 등》

⁑**course**[1] [kɔ́:rs] *n.*, *v.*

> L 「달리기」의 뜻에서
> (시간의) 「경과」 **3** ─┬→(흐르는 방향)→ 「방향」 **2 a**
> ├→(나아가는 진로) 「코스」 **7**
> └→(연속되는 것) 「과정」 **5 a**

thesaurus **courage** *n.* bravery, valor, gallantry, heroism, fearlessness, nerve, lionheartedness, boldness, daring, audacity, resolution, determination (opp. *fear, cowardice*)

course[1] *n.* **1** 진행 advance, proceeding, develop-

— *n.* **1** Ⓤ [종종 the ~] **진행**, 전진, 추이(progress): *the* ~ of life 인생 행로 / keep on *the* ~ 진행을 계속하다 **2 진로**, 방향, 수로, 침로, **항로**; 노정: a ship's ~ 침로, 운항로 **3** [보통 the ~] (때의) 경과, 진행, 추이, 추세: *the* ~ of nature 자연의 추세 / *the* ~ of things 일의 진행[추이] **4 a** (행동의) **방침**, 방향: a middle ~ 중용(中庸)(middle way) / a ~ of action 행동 방침, 방책 **b** [*pl.*] 행동, 거동: mend one's ~*s* 행실을 고치다 **5 a** (학습) **과정**(課程), 교육 과정, 강좌, 코스; 학과 과목: a ~ of study 연구[학습] 과정, 학습 지도 요령 **b** (강의·치료 등의) 연속 《*of*》 **6** (식사의) 코스, 일품(一品), (한) 접시 《dinner에서 나오는 한 접시씩을 말하며 보통 soup, fish, meat, sweets, cheese, dessert》: a four-~ dinner 4품 요리 식사 **7** (경주·경기의) **코스**, 골프 코스(=golf ~), 《특히》 경마장(racecourse) **8** 〖건축〗 (돌·벽돌 등의) 가로층, 가로 줄; 〖편물〗 뜨개 눈의 가로 줄 **9** 〖항해〗 큰 가로돛: the fore ~ 앞 돛대의 가로 돛 / the main ~ 큰 돛대의 가로돛 **10** [종종 *pl.*] (나침반의) 포인트 **11** [종종 *pl.*] 월경(menses) **12** (마상 창시합에서 기사(騎士)의) 한 번 찌르기, 한 번의 공격 **13** (사냥개가 후각에 의존하지 않고) 눈으로 행하는 추적

(as) a matter of ~ 당연한 일(로서) ***be on her ~*** 〈배가〉 침로를 취하고[항해하고] 있다 ***by ~ of*** 〈법률 등〉의 절차를 밟아, …의 관례에 따라 ***chart a ~*** 〈배 등이〉 진로를 계획하다[정하다] ***hold [change] one's ~*** 방향[방침]을 지속하다[바꾸다] ***in ~*** (1) 《고어》 =in due COURSE (2) 《속어》 =of COURSE. ***in ~ of*** 《영》 …중에 있는: be *in ~ of* construction 건축[건설] 중이다 ***in due ~*** 일이 순조로이 진행되어[진행되면], 오래지 않아, 적당한 때에 ***in mid ~*** 도중에서, 중간에서 ***in the ~ of*** …동안에(during): *in the ~ of* this year 금년 중에 ***in (the) ~ of time*** 시간이 지나면, 언젠가는, 머지않아 ***in the ordinary [normal] ~ of events [things]*** 자연히, 보통은, 대개(usually) ***leave*** a thing ***to take its own ~*** …을 되어가는 대로 내버려 두다 ***of ~*** 물론, 당연히(《구어》 'course); [지적당하거나 생각이 나서] 그렇구나, 아 참 ***(of) ~ not*** 물론 그렇지 않다 ***on [off] ~*** 침로대로[를 벗어나] ***run [take] its [their] ~*** 자연의 경과[추이]를 밟다[따르다, 좇다]; 자연히 소멸하다 ***shape [set] her ~*** 〈배가〉 침로를 정하다 ***stay [stick] the ~*** (경주에서) 완주하다; 끝까지 버티다[포기하지 않다] ***steer a ~*** 진로를 따르다 ***take one's own ~*** 독자적인 방침을 취하다, 자기 마음대로 하다 ***take to evil ~s*** 난봉을 부리다 ***walk over the ~*** 〈경마 말이〉 수월하게 이기다

— *vt.* **1** 〈말 등을〉 달리다 **2** 사냥개를 부려서 사냥하다, 〈사냥개로 하여금〉 몰게 하다; 〈사냥개가 토끼를〉 좇아가다(chase) **3** 《시어》 〈들판을〉 횡단하다 **4** 〈구름 등이〉 어지럽게 날다 **5** 〈기와·돌 등을〉 층으로 쌓다

— *vi.* **1** 〈말·개·아이 등이〉 뛰어다니다(run) **2** (사냥개를 부려) 사냥을 하다 **3** 〈피가〉 돌다, 순환하다; 〈눈물이〉 하염없이 흐르다 **4** 침로를 잡다

course², **'course** [of *course*] *ad.* 《구어》 물론, 당연히

cóurse bòok (강좌용) 교과서(textbook)

cours·er [kɔ́ːrsər] *n.* **1** 《시어·문어》 준마(駿馬); 군마(軍馬) **2** (사냥개를 부려) 사냥하는 사람; 사냥개 **3** 〖조류〗 제비물떼새 《아프리카 사막·남아시아산(産)》

course·ware [kɔ́ːrswὲər] *n.* Ⓤ 〖컴퓨터〗 코스웨어 《교육용 소프트웨어》

course·work [kɔ́ːrswə̀ːrk] *n.* Ⓤ 〖교육〗 (어떤 교과의) 학습 과제 《시험과 함께 성적 평가의 자료가 됨》; 교과 학습

---

ment, flow, movement, succession **2 진로** route, way, track, direction, path, road, passage **3 방책** method, way, process, procedure, manner, policy **4 교육 과정** course of study, curriculum, program, schedule, classes, lectures

cours·ing [kɔ́ːrsiŋ] *n.* Ⓤ 추적; 사냥개를 부리는 사냥; (greyhounds를 쓰는) 토끼 사냥

‡court [kɔ́ːrt] *n., a., v.*

> L 「둘러싸인 장소」의 뜻에서
> ┌→안마당 **1 a** →(뜰) →「코트」 **2**
> └→「궁정」 **3 a** →(그 회의) 「법정」, 「재판」 **4 a**

— *n.* **1 a** (주위에 건물이 있는) **안마당**, 안뜰(courtyard); (Cambridge 대학의) 네모진 마당(quadrangle) **b** (박람회 등의) 진열장의 구획 **c** 《영》 대저택; 《영》 (주위에 건물이 있는 뒷거리의) 좁은 길, 막다른 골목 **d** 《미》 모텔(=motor ~) **2** (테니스 등의) **코트**, 경기장 **3 a** [종종 **C~**] **궁정**, 궁중; 왕실: *C~* etiquette 궁중 예법 **b** [집합적] 조신들 **c** [종종 **C~**] 알현(식); 어전 회의 **4 a 법정**, 법원; Ⓤ 재판 **b** (특히 주의) 의회, 입법부 **c** [the ~; 집합적; 단수 취급] 법관, 판사, 재판관 **5** (회사 등의) 임원[중역]회; [집합적] 임원, 위원, 중역; 《영》 (일부 대학의) 평의원회 **6** (우애(友愛) 조합 등의) 지부(회) **7** Ⓤ (군주에 대한) 추종, 아첨; 《특히》 (남자가) 여자의 비위를 맞추기, 구애

a ~ of sessions (미국의) 주(州) 형사 법원 ***appear in ~*** 출정(出廷)하다 ***at ~*** 궁정에서 ***be presented at C~*** 〈신임 대사·공사나 사교계의 자녀 등이〉 궁중에서 배알하다 ***bring [take] to ~*** 〈사건을〉 재판에 걸다 ***civil [criminal] ~*** 민사[형사] 법원 ***~ of first instance*** 제1심 법원 ***go to C~*** 입궐하다 ***hold ~*** (1) 재판을 열다 (2) (왕 등이 신하들을 모아) 어전 회의를 열다; 알현식을 베풀다 (3) 《익살》 (팬들에게 둘러싸여) 왕처럼 행세하며 말하다, 사람들을 재미있게 해 주다 ***in ~*** 법정에서 ***laugh ... out of ~*** …을 일소에 부쳐 버리다, 문제 삼지 않다 ***order the ~ to be cleared*** 방청인의 퇴정을 명령하다 ***out of ~*** 법정 밖에서; 각하되어; 〈제안 따위가〉 일고의 가치도 없는 ***pay [make]*** (one's) ***~*** 비위를 맞추다; 〈여자를〉 구슬리다, 구애하다 《*to*》 ***present at ~*** (특히 사교계에서 자녀 등의) 배알에 시중을 들다 ***put [rule] ... out of ~*** …을 다루지 않기로 하다, 문제 삼지 않다; 무시하다 ***put oneself out of ~*** 다른 사람이 상대하지도 않을 일을 하다[말을 하다] ***settle ... out of ~*** …을 (소송하지 않고) 타협으로 해결하다 ***take ... into ~*** …을 재판에 걸다 ***the C~ of Admiralty*** 《영》 해사(海事) 재판소 ***the High C~ of Parliament*** 《영》 영국 의회 ***the Supreme C~ (of Judicature)*** 《영》 최고 사법 재판소, 대법원

— *a.* Ⓐ **1** 궁정의, 궁정에 관한[어울리는] **2** 코트를 사용하는 스포츠의: a ~ star (코트를 사용하는) 테니스[농구 등]의 인기 선수

— *vt.* **1** 비위 맞추다 **2** 〈여자에게〉 사랑을 호소하다, 구애하다(woo); 《일반적으로》 구하다(seek), 얻으려고 애쓰다 **3** 꾀다, 유혹하다(allure) **4** 〈의심·재난 등을〉 초래하다(invite), 만나다 **5** 《영·구어》 법원에 고소하다

— *vi.* 구애하다; 〈남녀가〉 (결혼을 전제로) 사귀다, 서로 사랑하다

▷ cóurtly *a.*

cóurt bàron 〖영국사〗 장원(莊園) 재판소 《장원 내의 민사 사건을 영주가 재판했음; 1867년 폐지》

cóurt càrd 《영》 (카드의) 그림 패(《미》 face card) 《킹·퀸·잭》

cóurt cìrcular 《영》 (신문의) 궁정 기사; 궁정 행사 일보

cóurt còsts 《미》 법정[소송] 비용

cóurt cùpboard 《영》 16-17세기의 찬장 《문 없이 2~3단의 선반으로 나뉘어 있음》

cóurt dànce 궁정 무용

cóurt dày 공판일, 개정일(開廷日)

cóurt drèss 궁중복, 대례복

‡cour·te·ous [kə́ːrtiəs] *a.* 예의 바른, 정중한; 친절한(⇨ polite 유의어) 《*to, toward*》: be ~ *to* one's guests 손님에게 정중하다 // (~+*of*+명+*to* do) It is very ~ *of* you *to* help me. 도와주셔서 정말 고

맙습니다. **~·ly** *ad.* **~·ness** *n.* ▷ cóurtesy *n.*
cour·te·san, -zan [kɔ́ːrtəzən, kə́ːr- | kɔ̀ːtizǽn] *n.* (특히 부자 상대의) 고급 매춘부, 정부
‡cour·te·sy [kə́ːrtəsi] *n.* (*pl.* **-sies**) **1** Ⓤ 예의 (바름), 정중, 공손, 친절; Ⓒ 정중한 행위[말] **2** Ⓤ 호의 (favor); Ⓤ 특별 대우, 우대 **3** = CURTSY
be granted the courtesies [~] ***of the port*** ((미)) 세관의 검사를 면제받다 ***by ~*** 의례상(의), 관례상(의) ***by ~ of*** …의 허가에 의해; …의 호의로; … 때문에, 덕분에 ***do*** one***'s ~*** …의 부탁을 들어주다, …에게 친절을 베풀다 ***do*** a person ***the ~ to*** do[***of*** do***ing***] …에게 예의 바르게도 …하다 ***to return the ~*** 답례를 위하여, 답례로서
— *a.* Ⓐ 예의상의; 우대의
▷ cóurteous *a.*
cóurtesy càll[**vìsit**] 의례적인 방문, 예방
cóurtesy càr (회사·호텔 등의) 고객 수송용 차; (수리 공장에서 내주는) 대차(代車)
cóurtesy càrd (은행·호텔·클럽 등의) 우대권[카드]
cóurtesy lìght (문을 열면 켜지는) 차내등
cóurtesy rùnner 〖야구〗 (불의의 사고 때의 주자를 대신하는) 대주자(代走者), 핀치 러너
cóurtesy tìtle **1** ((영)) 관례[예의]상의 작위[경칭] ((귀족 자녀의 이름 앞에 붙이는 Lord, Lady, The Hon. 등)) **2** 명목적 칭호 ((모든 대학 선생을 Professor라고 부르는 것과 같은))
cóurt fòol 궁중 전속의 어릿광대
cóurt guìde ((영)) 신사록 ((원래는 입궐을 허가받은 사람의 인명록))
cóurt hànd 〖영국사〗 공문서[법정] 서체
***court·house** [kɔ́ːrthàus] *n.* (*pl.* **-hous·es** [-hàuziz]) **1** 법원 (청사), 재판소(law court); ((미)) 군청 청사 **2** ((미)) 군청 소재지
***cour·ti·er** [kɔ́ːrtiər] *n.* **1** 조신(朝臣), 정신(廷臣) **2** 아첨꾼, 알랑쇠 **3** ((고어)) 구애자
court·ing [kɔ́ːrtiŋ] *a.* 연애 중인, 결혼할 것 같은
cóurt làdy 나인, 궁녀(宮女)
court-leet [kɔ́ːrtlìːt] *n.* 〖영국사〗 영주 재판소
court·ly [kɔ́ːrtli] *a.* (**-li·er**; **-li·est**) **1** 공손한, 고상한; 우아한, 기품 있는: ~ manners 품위 있는 예의범절 **2** 아첨하는(flattering)
— *ad.* 궁정풍으로; 품위 있게, 우아하게; 아첨하여
cóurt·li·ness *n.*
cóurtly lóve 궁정식[풍] 연애 ((귀부인에 대한 중세 유럽의 기사도적 연애))
court-mar·tial [kɔ́ːrtmáːrʃəl] *n.* (*pl.* **courts-, ~s**) 군사 법원; 군사 법원의 심리[판결]: drumhead ~ (전투 지구의) 임시 군사 법원 — *vt.* (**~ed**; **~·ing** | **~led**; **~·ling**) 군사 법원에 회부하다
Cóurt of Appéal [the ~] 〖영국법〗 항소 법원
cóurt of appéals 〖미국법〗 **1** 상소 법원 **2** [또는 **C- of A-**] (미국 New York주 등의) 최고 법원
Cóurt of Cassátion [the ~] 〖법〗 파기원(破棄院) ((프랑스·벨기에 등의 대법원))
cóurt of cháncery 〖법〗 형평법 법원
cóurt of cláims 〖미국법〗 (연방 또는 일부 주의) 청구(請求) 법원
cóurt of cómmon pléas [보통 the ~] 〖법〗 민사 법원
Cóurt of Cónscience [the ~] ((영)) 소액 채권 법원; [**the c- of c-**] (도덕의 심판자로서의) 양심
cóurt of doméstic relátions 〖법〗 가정 법원 (domestic relations court)
cóurt of hónor 〖법〗 명예 법원 ((개인, 특히 군인의 명예에 관한 침해 등을 심리))
cóurt of inquíry **1** 예심(豫審) 군사 법원 **2** ((영)) 재해[사고] 원인 조사단
cóurt of láw 사법 재판소, 법원
cóurt of récord 기록 법원
Cóurt of Séssion [the ~] 〖스코법〗 최고 민사 재판소
Cóurt of St. Jámes's [the ~] 성(聖)제임스 궁정 ((영국 왕궁의 공식 명칭))
cóurt of súmmary jurisdíction 즉결 심판소
cóurt órder 법원 명령
cóurt plàster 반창고 ((옛 궁녀가 애교점으로 붙인 데서))
cóurt repórter 법원 속기사[서기]
cóurt ròll 법원 기록; 〖영국사〗 장원(莊園) 기록 ((장원 영주 재판소의 토지 등록 대장))
court·room [kɔ́ːrtrùːm] *n.* 법정
***court·ship** [kɔ́ːrtʃip] *n.* **1** Ⓤ **a** (여자에 대한) 구애, 구혼 **b** (새·동물의) 구애 (동작) **2** 구혼 기간
cóurt shòe ((영)) 코트 슈(((미)) pump)
court·side [kɔ́ːrtsàid] *n.* (테니스·농구 등의) 코트 사이드 ((경기 코트의 경계선에 인접한 장소))
cóurt tènnis 실내 테니스(cf. LAWN TENNIS)
Cóurt TV 법정 TV ((법정 재판을 생중계하는 유선 TV 방송; 상표명))
court·watch [kɔ́ːrtwɑ̀tʃ | -wɔ̀tʃ] *vt.* (지원을 위해) 법정에서 방청하다
***court·yard** [kɔ́ːrtjɑ̀ːrd] *n.* 안마당, 안뜰
cous·cous [kúːskuːs] *n.* 쿠스쿠스 ((밀을 쪄서 고기·야채 등을 곁들인 북아프리카 요리))
‡cous·in [kʌ́zn] [L 「이종 사촌」의 뜻에서] *n.* **1** 사촌, 종형, 종제, 종자, 종매: a first[full] ~ (친)사촌(cousin-german) **2** 친척, 일가; 혈연 관계에 있는 사람 **3** 경(卿) ((국왕이 타국의 왕이나 자국의 귀족에게 쓰는 호칭)) **4** 같은 계통의 것 ((민족·문화 등)) **5** ((미·속어)) 친한 친구; 얼간이, 봉
call ~s (***with ...***) (…와) 친척간이라고 말하다[말하고 나서다] (***first***) ***~ once removed*** 사촌의 자녀, 종질; 부모의 사촌 ***first ~ twice removed*** 사촌의 손자, 재종 ***second ~*** 육촌, 재종 ***third ~*** 팔촌, 삼종
~·hòod, ~·shìp *n.* Ⓤ 종형제[자매] 관계, 사촌간
cous·in·age [kʌ́zənidʒ] *n.* 사촌[친척] 관계; 사촌[친척]들 ▷ cóusinly *a.*
cóusin bròther ((인도·구어)) (자신의) 사촌 ((남자))
cous·in-ger·man [kʌ́zndʒə́ːrmən] *n.* (*pl.* **cous·ins-**) 친사촌(first cousin)
cous·in-in-law [kʌ́zninlɔ̀ː] *n.* (*pl.* **cous·ins-**) 사촌의 남편[아내] ((사촌 매부·사촌 처남 등))
cous·in·ly [kʌ́znli] *a.* 사촌(간)의, 사촌 같은, 사촌다운 — *ad.* 사촌같이, 사촌답게
cous·in·ry [kʌ́znri] *n.* [집합적] 사촌들; 일가친척
cóusin sister ((인도·구어)) (자신의) 사촌 ((여자))
cou·teau [kuːtóu] [F] *n.* (*pl.* **~x** [-z]) 쌍날의 큰 나이프 ((옛날에 무기로서 휴대))
coûte que coûte [kúːt-kə-kúːt] [F] *ad.* 어떤 대가[희생]를 치르더라도, 기어코
cou·ter [kúːtər] *n.* (갑옷의) 팔꿈치 받이
couth [kúːθ] [uncouth의 역성(逆成)] *a.* **1** ((익살)) 예의 바른, 세련된, 고상한 **2** ((고어)) 잘 알려진, 낯익은
— *n.* 예의 바름; 세련, 고상함
couth·ie [kúːθi] *a.* ((스코)) 우호적인, 친절한; 안락한, 기분 좋은
cou·ture [kuːtúər] [F] *n.* **1** Ⓤ 여성복 재단(업), 양재(업) **2** [집합적] 드레스 메이커, 패션[의상] 디자이너, 양재사 **3** (고급 여성복 디자이너가 만든) 여성복
— *a.* 유명 디자이너의[가 만든]; 유행의, 첨단의
cou·tu·ri·er [kuːtúərièi, -riər, -rjei] [F] *n.* 드레스 메이커, 패션 디자이너 ((남성))
cou·tu·ri·ère [kuːtúəriər, -riɛ̀ər | kuːtùːriɛ́ə] [F] *n.* COUTURIER의 여성형
cou·vade [kuːvɑ́ːd] [F] *n.* 의만(擬娩) ((아내가 분만할 때 남편도 함께 자리에 누워 산고(産苦)를 흉내내거나 음식을 제한하는 풍습))

thesaurus **courtesy** *n.* politeness, civility, chivalry, good breeding, kindness, gentility
cover *v.* **1** 덮다 overlay, overspread, blanket, carpet, coat, bury **2** 숨기다 hide, conceal, screen

co·va·lence, -len·cy [kouvéiləns(i)] *n.* 《미》 〖화학〗 공유(共有) 원자가; = COVALENT BOND
co·vá·lent *a.* 전자쌍을 공유하는, 공유 결합의
covàlent bónd 〖화학〗 (2 원자에 의한 전자의) 공유(共有) 결합, 등극(等極) 결합
co·var·i·ance [kouvέəriəns] *n.* Ⓤ 〖통계〗 공분산(共分散)
co·var·i·ant [kouvέəriənt] *a.* 〖수학〗 공변(共變)의[하는] 〈미분·지수 등〉
***cove**[1] [kóuv] *n.* **1** (만 안의) **후미**, 내포(內浦), (해안 낭떠러지의) 후미진 곳 **2** (험한) 산골짜기 길, 산그늘 **3** 〖건축〗 코브, 홍예식 천장
—*vt., vi.* 〖건축〗 〈천장 등을〉 아치형으로 만들다
cove[2] *n.* **1** 《영·속어》 놈, 녀석(chap) **2** 《호주·속어》 주인; 《특히》 목양장의 관리자
cov·en [kʌ́vən, kóu-|kʌ́vən] *n.* (보통 13명의) 마녀의 집회
cov·e·nant** [kʌ́vənənt] [L 「(함께) 오다」의 뜻에서] *n.* **1** 계약, 맹약, 서약(contract) **2** 〖법〗 날인 증서; 날인 증서 계약; 계약 조항 **3** [the C~] 〖성서〗 (신과 이스라엘 사람 사이의) 약속, 계약 ***the Ark of the C~ ⇨ ark. ***the C~ of the League of Nations*** 국제 연맹 규약 《1919년의 베르사유 조약의 제1편》 ***the Land of the C~*** 〖성서〗 약속의 땅(Canaan)
—*vi.* (…와) 계약하다 《*with*》: 《~+전+명》 ~ *with* a person *for* …와 …의 계약을 하다
—*vt.* 계약하다; 〈…(할 것)을〉 계약[서약, 맹약]하다 《*to* do, *that* ...》: 《~+*to* do》 He ~*ed to* do it. 그는 그것을 하겠다고 서약했다.
cov·e·nant·ed [kʌ́vənəntid] *a.* **1** 계약한; 계약상의 의무가 있는 **2** 〖신학〗 신과의 계약에 의하여 얻은: ~ grace (신의) 은총
cov·e·nan·tee [kʌ̀vənəntíː, -næn-] *n.* 피계약자
cov·e·nant·er [kʌ́vənəntər] *n.* **1** 맹약자, 계약자 **2** [또는 《스코》 kʌ̀vənǽn-] [**C~**] 《스코》 〖역사〗 서약자 《장로주의(Presbyterianism)의 지지를 맹세한》
cov·e·nan·tor [kʌ́vənəntər] *n.* 〖법〗 계약자
cóvenant theólogy 〖그리스도교〗 계약 신학
Cóv·ent Gárden [kʌ́vənt-, kɑ́v-|kɔ́v-, kʌ́v-] **1** 코번트 가든 《London 중심 지구; 청과·화초 도매 시장이 있었음》 **2** 코번트 가든 (오페라) 극장 《정식명은 Royal Opera House》
Cov·en·try [kʌ́vəntri, kɑ́-|kɔ́-] *n.* 코번트리 《영국 Warwickshire 지방의 도시》 ***send*** a person ***to ~*** …을 따돌리다, 배척[추방]하다
⁑**cov·er** [kʌ́vər] *v., n.*

L 「완전히 가리다」의 뜻에서	
① (표면을) 덮다	타 **1**
② (덮어) 감추다	타 **5**
③ (어떤 거리를) 가다	타 **9**
④ (어떤 범위에) 걸치다	타 **10**

—*vt.* **1** **덮다**; 〈물건에〉 **뚜껑을 덮다**; 싸다, 씌우다, 〈머리에〉 모자를 씌우다[쓰다]; 감싸다 《*with*》: Snow ~*ed* the highway. =The highway was ~*ed with* snow. 간선 도로는 눈으로 덮였다. // 《~+목+전+명》 ~ one's face *with* one's hands 손으로 얼굴을 감싸다 **2** 〈…에〉 (벽지 등을) **바르다**, …의 겉을 붙이다[바르다], 표지를 달다, 〈…에〉 (페인트 등을) 칠하다 《*with*》: 《~+목+전+명》 ~ a wall *with* paper[paint] 벽에 벽지를 바르다[페인트를 칠하다] **3** 덮어 씌우다, 뒤덮다, 가득 채우다: The trees are almost ~*ed with* blossoms. 나무들은 거의 꽃으로 뒤덮여 있다. **4** [수동형 또는 ~ one*self*로] (영광·치욕 등을) 한몸에 받다, 누리다, 당하다; 가득 차다 《*with*》: be ~*ed with* glory[shame] 영광[치욕]으로 가득 차다 // 《~+목+전+명》 ~ *oneself with* honor 명예를 누리다 **5** 감추다, 숨기다, 가리다: ~ a mistake 과오를 숨기다 // 《~+목+전+명》 ~ one's bare shoulders *with* a shawl 노출된 어깨를 숄로 가리다 **6** **감싸주다**, 보호하다(shield, protect); 〖군사〗 엄호하다; 〖스포츠〗 후방을 수비하다, 커버하다; 〈상대 플레이어를〉 마크하다; 〖테니스〗 코트를 수비하다: ~ the landing 상륙을 엄호하다 // 《~+목+전+명》 The cave ~*ed* him *from* the snow. 그 동굴에서 그는 눈을 피할 수 있었다. **7** 떠맡다, …의 대신 노릇을 하다, …의 책임을 지다: ~ the post 그 지위를 떠맡다 **8** 〈대포·요새 등이〉 …에 대한 방위로서 도움이 되다; 아래를 내려다보다(command), 사정거리 내에 두다; (총 등으로) 겨누다: The battery ~*ed* the city. 대포는 그 시를 사정권 내에 두었다. // 《~+목+전+명》 ~ the enemy *with* a rifle 적에게 총을 겨누다 **9** 〈어떤 일정한 거리를〉 가다, 〈어떤 지역을〉 답파하다(travel): The car ~*s* 200 miles a day. 그 차는 하루에 200 마일을 주행한다. **10** 〈어떤 범위에〉 **걸치다, 미치다**(extend over); 〈분야·영역 등을〉 **포함하다**(include); 〈사례 등에〉 적용되다; 〈연구·주제를〉 다루고 있다; 학습하다, 강의하다: The rule ~*s* all cases. 그 법칙은 모든 경우에 적용된다. **11** 〈비용·손실 등을〉 **보상하다**[하기에 족하다] **12** …에 담보를 넣다, (담보로) 보상하다; …에 보험을 들다 **13** 〖카드〗 (나온 패보다) 높은 패를 내다 **14** 〖신문·라디오·TV〗 〈사건을〉 취재하다; 〈뉴스 등을〉 보도하다, 방송하다: The reporter ~*ed* the accident. 기자는 그 사고를 보도했다. **15** 〈암탉이 알을〉 품다; 〈종마가 암말에〉 올라타다 **16** 《미》 미행하다 **17** 〈레코드·노래의〉 커버 버전(cover version)을 만들다
—*vi.* **1** (부재자를) 대신하여 일하다 《*for*》 **2** (남의) 비밀 등을 감싸서 숨기다 《*for*》, 알리바이 제공을 하다 **3** 〈액체 등이〉 표면에 퍼지다 **4** 〖카드〗 (나온 패보다) 높은 패를 내다
be ~ed 모자를 쓰고 있다: Please *be ~ed*. 모자를 쓰십시오. ***~ in*** 〈구멍·무덤 등에〉 흙을 덮다; 〈도로·테라스 등에〉 지붕을 얹다 ***~ into the Treasury*** 《미》 국고에 수납하다 ***~ over*** 〈구멍 등의〉 전면(全面)을 덮다; 〈물건의 흠 등을〉 가리다; 〈실책 등을〉 감추다 ***~ one self*** 〈비난·손실을〉 예방[방어]하다 ***~ oneself with*** …을 온몸에 지니다 ***~ shorts***[***short sales***] 〖증권〗 공매(空賣)한[투기적으로 판] 증권을 도로 사다[메우다] ***~ one's tracks*** 발자국을 지우다; 종적을 감추다 ***~ (the) ground*** (어느) 거리를 가다[나아가다]; 〈강연(자)·보고(자)가〉 (어떤) 범위를 다루다; (특정 문제를) 철저히[상세히] 논하다[다루다] ***~ up*** 싸서 감추다, 모조리 덮어버리다; 〈나쁜 짓 등을〉 은폐하다 ***~ up for*** a person …의 실수[부정 행위]를 감싸다 ***remain ~ed*** 모자를 쓴 채로 있다
—*n.* **1** **덮개**, 커버; 뚜껑; [*pl.*] (침구용의) 커버, 침대보, 담요; 싸는 물건 **2** (책의) **표지** 《*for*》 (cf. JACKET); 포장지; 봉투 **3** ⓊⒸ 숨는 곳, 피난처, 잠복처(shelter); 짐승이 숨는 곳 《숲·덤불 등》 **4** ⓊⒸ 〖군사〗 엄호(물); 차폐(물); 상공 엄호 비행대(=air ~); (폭격기의) 엄호 전투기대 **5** Ⓤ (어둠·밤·연기 등의) 차폐물; 위장; 핑계, 구실; Ⓒ 감추는 것, (주목 등을) 돌리는 것 《*for*》 **6** =COVER VERSION **7 a** (식탁 위의) 한 사람분의 식기: a dinner of 10 ~*s* 열 사람의 만찬회 / *C~s* were laid for ten. 10인분의 식기가 놓였다. **b** =COVER CHARGE **8** Ⓤ (손해) 보험; 보험에 의한 담보; 〖상업〗 담보물, 보증금(deposit) **9** 〖크리켓〗 후위(의 자리); 〖테니스〗 코트 커버 (수비 폭); 〖스포츠〗 가드, 후위 **10** Ⓤ [보통 the ~] (한 지역에 자라는) 식물; (스키에 적합한) 눈 **11** 〖컴퓨터〗 판(版), 버전
beat a ~ 짐승이 숨은 곳을 두들겨 찾다 ***blow*** one***'s ~*** 신원[비밀]을 폭로하다, …의 정체를 폭로하다[밝히다] ***break ~*** = break COVERT. ***draw a ~*** = draw a COVERT. (***from***) ***~ to ~*** 전권(全卷)을 통해서, 책의 처음부터 끝까지 ***get under ~*** 안전한 곳에

---

3 보호하다 protect, shield, defend, guard **4** 포함하다 include, contain, involve, embrace, comprise **5** 보도하다 report, write up, describe, tell of **6** 보상하다 compensate for, make up for

숨다 ***take*** ~ 〖군사〗 (지형·지물을 이용하여) 숨다, (적의 포화 등에서) 몸을 지키다 《*from*》; 숨다, 피난하다 《*from*》 ***under*** ~ (1) 봉투에 넣어서; 동봉하여 《*to*》 (2) 숨어서; 은밀하게 ***under plain*** ~ 발신[발송]인·내용의 명기 없이[없는] ***under separate*** [***the same***] ~ 딴[같은] 봉투에 넣어서 ***under*** (***the***) ~ ***of*** …의 엄호를 받아서; 〈질병 등을〉 핑계 삼아; 〈어둠 등을〉 타서, 숨어서
~·a·ble *a.* **~·er** *n.* ▷ cóvert *a.*

∗**cov·er·age** [kʌ́vəridʒ] *n.* ⓤⓒ **1** 적용 범위 **2** 〖보험〗 보상 (범위) **3** 〖경제〗 정화(正貨) 준비(금) **4** 보도 (범위), 취재 (범위); (광고의) 도달 범위; (라디오·텔레비전의) 방송 (범위), 서비스[가청] 구역

cov·er·all [kʌ́vərɔ̀:l] *n.* [보통 *pl.*] 상하가 붙은 작업복 《overall과 달라 소매가 있음》 — *a.* Ⓐ 전체를 덮는; 포괄적인, 전반적인

coveralls

cóver chàrge (식당·카바레 따위의) 서비스료

cóver cròp 간작(間作) 《비료용이나 토양을 보호할 목적으로 겨울 밭에 심어 두는 클로버 등》

cóver drìve 〖크리켓〗 후위를 통과하는 타구

cov·ered [kʌ́vərd] *a.* 덮개를 씌운, 뚜껑을 한; 모자를 쓴; 엄호물[차폐물]이 있는, 차폐한(sheltered): a ~ position 〖군사〗 차폐 진지

cóvered brídge 〖건축〗 지붕이 있는 다리

cóv·ered-dish súpper [-dìʃ-] 각자가 음식을 가져오는 회식

cóvered wágon (미) 포장마차; (영) 〖철도〗 유개화차

cóvered wáy (미) 지붕이 있는 복도; 〖축성〗 복도

cóver gìrl 커버 걸 《잡지 등의 표지 모델이 되는 매력적인 여자》

cóver glàss **1** (현미경의) 커버 글라스 **2** 영사 필름의 슬라이드 보호용 유리

‡**cov·er·ing** [kʌ́vəriŋ] *n.* **1** ⓤ 덮음, 덮어 씌움; 엄호, 차폐 **2** 덮개, 외피(外皮), 커버, 지붕
— *a.* 덮는; 엄호의: ~ fire 엄호 사격 / a ~ party 작업 엄호대

cóvering lètter[**nòte**] 첨부서, 설명서(cover letter) 《동봉물에 첨부한》

∗**cov·er·let** [kʌ́vərlit] *n.* 침대보, 침대 덮개; (고어) 《일반적으로》 덮개

cóver lètter = COVERING LETTER

cov·er·lid [kʌ́vərlìd] *n.* (방언) = COVERLET

cóver lìnes 커버 라인 《잡지 등의 표지에 인쇄되는 특집 기사의 제목[내용] 등》

cóver nòte (영) 〖보험〗 가(假)증서, 보험 인수증

cóver pàge (원고·보고서·팩스 따위의) 표지

cóver pòint 〖크리켓〗 후위

cóver posítion (잡지) 표지의 광고 게재 위치

co·vers [kóuvə:rs] *n.* = COVERSED SINE

có·versed síne [kóuvə:rst-] 〖수학〗 여시(餘矢)

cóver shèet = COVER PAGE

cóver shòt 광각(廣角)[전경(全景)] 사진 (촬영)

cóver slìp = COVER GLASS

cóver stòry **1** 커버스토리 《잡지의 표지와 관련된 기사》 **2** (진실을 숨기기 위한) 꾸민 이야기

∗**co·vert** [kóuvərt, kʌ́- | kʌ́-] *a.* **1** 은밀한, 숨은; 암암리의, 비밀의(opp. *overt*) **2** 〖법〗 〈처가〉 남편의 보호를 받고 있는: a feme ~ 기혼녀, 유부녀
— *n.* **1** ⓤⓒ (짐승의) 숨는 장소, 잠복지(cover) **2** [*pl.*] (새의) 칼깃: tail ~*s* 꼬리 칼깃 **3** 덮개, 피복물 **4** 일부러 숨김: in ~ 살그머니
break ~ 〈짐승이〉 숨은 곳에서 뛰어나오다 ***draw a*** ~ 짐승을 숨은 곳에서 몰아내다 ***under*** ~ 비호받아, 피난하여 ***under*** (***the***) ~ ***of*** …의 보호를 받고; …에 숨어서, 위장하여 **~·ly** *ad.* 은밀히, 살며시 **~·ness** *n.*

cóvert áction[**operátion**] (경찰·정보부의) 비밀 공작, 비밀 첩보 활동

cóvert clòth 능직 모[면]직물의 일종

cóvert còat (사냥·승마·먼지막이용의) 짧은 외투

cóver tèxt 암호문이 숨겨진 보통의 문장

cov·er·ture [kʌ́vərtʃər] *n.* **1** ⓤⓒ 덮개, 씌워 덮는 물건; 엄호물; 피난처 **2** ⓤ 〖법〗 (남편의 보호를 받는) 유부녀[기혼녀]의 신분(cf. FEME COVERT): under ~ 유부녀의 신분으로

cov·er-up [kʌ́vərʌ̀p] *n.* **1** (진상의) 숨김, 은폐, 은닉; 은폐 공작; 알리바이 **2** (수영복 등의 위에 입는) 여성용 겉옷의 총칭

cóver vèrsion 〖음악〗 커버 버전 《원래 곡의 가수나 작곡가가 아닌 가수나 그룹에 의한 녹음》

∗**cov·et** [kʌ́vit] *vt.* 〈남의 물건 등을〉 몹시 탐내다, 바라다, 갈망하다: All ~, all lose. (속담) 모든 것을 탐내면 모든 것을 잃는다, 대탐대실(大貪大失).
— *vi.* 몹시 탐내다: 《~+전+명》 ~ *after*[*for*] popularity 인기를 얻으려고 기를 쓰다
~·a·ble *a.* **~·er** *n.* **~·ing·ly** *ad.* ▷ cóvetous *a.*

cov·et·ous [kʌ́vitəs] *a.* (남의 것을) 몹시 탐내는 《*of*, *to* do》; 탐욕스러운: be ~ *of* …을 몹시 탐내다
~·ly *ad.* **~·ness** *n.* ▷ cóvet *v.*

cov·ey [kʌ́vi] *n.* (*pl.* **~s**) **1** (메추리·자고처럼 태어난 뒤 잠시 어미새와 함께 사는) 새의 무리(brood) **2** (익살) (사람·사물의) 한 떼[무리], 일단: spring[start] a ~ *of* partridges 자고의 한 떼를 날아오르게 하다

cov·in [kʌ́vin] *n.* **1** ⓤ 〖법〗 (제3자에 대한) 사해(詐害) 밀약, 통모(通謀); 동맹, 공모 **2** (고어) 사기, 속임수

‡**cow**[1] [káu] *n.* (*pl.* **~s,** (고어·시어) **kine** [káin]) **1** 암소, 젖소; [*pl.*] (미) 축우(cattle)
관련 cow[1] 암소. bull은 거세하지 않은 수소. ox는 거세된 수소로서 소의 총칭으로도 쓰인다. calf는 송아지. beef 쇠고기. veal 송아지 고기. moo 울음소리.
2 (무소·코끼리·바다표범·고래 등의) 암컷 《cow whale 「암고래」처럼 복합어로도 쓰임; opp. *bull*》 **3** (속어) 단정치 못한 여자; (경멸) 계집
fair ~ (호주) 매우 불쾌한 사람[것] ***have a*** ~ (미·속어) 몹시 화를 내다, 놀라다, 걱정하다 ***salt the*** ~ ***to catch the calf*** (미·구어) 간접적 수단으로 목적을 달성하다 ***the*** ~ ***with the iron tail*** (익살) 우유를 묽게 하는 데 쓰는 펌프 ***till*** [***until***] ***the ~s come home*** (구어) 오랫동안, 언제까지나

cow[2] *vt.* 위협하다, 으르다(⇨ cowed)

cow·a·bun·ga [kàuəbʌ́ŋgə] *int.* 만세, 해냈다; 자, 간다 《surfer가 파도 마루에 올라탔을 때의 외침》

‡**cow·ard** [káuərd] [L 「꼬리(를 사림)」의 뜻에서; 개의 동작에서] *n.* 겁쟁이, 비겁한 사람; 〖경마〗 겁이 많은 말
— *a.* 겁이 많은, 소심한; 비겁한: a ~ blow 비겁한 공격 ▷ cówardice *n.*; cówardly *a.*

∗**cow·ard·ice** [káuərdis] *n.* ⓤ 겁(opp. *bravery*)

∗**cow·ard·ly** [káuərdli] *a.* 겁이 많은; 비겁한, 비열한(opp. *brave*): a ~ lie 비열한 거짓말
— *ad.* 겁을 내어 **-li·ness** *n.* = COWARDICE

cow·bane [káubèin] *n.* 〖식물〗 독미나리

cow·bell [-bèl] *n.* (목에 단) 소의 방울

cow·ber·ry [káubèri, -bəri | -bəri] *n.* (*pl.* **-ries**) 〖식물〗 월귤나무, (미) 호자덩굴

cow·bird [-bə̀:rd] *n.* 〖조류〗 찌르레기 《북미산》

‡**cow·boy** [káubɔ̀i] *n.* **1** 목동, (미·캐나다) 카우보이 **2** (미·속어) 난폭자, 무법자, 악한 **3** (영·속어) 무모한 사람; 무모한 운전자 **4** (미·속어) 서부식 샌드위치; (카드의) 킹; 갱단의 두목 ***~s and Indians*** 서부극 놀이 《아이들의 카우보이와 인디언의 싸움 놀이》

cówboy bòot 카우보이 부츠 《뒤축이 높고 꿰맨 자리의 모양새에 공들인 가죽 장화》

cówboy còffee (미·속어) 블랙커피

thesaurus **coy** *a.* shy, bashful, retiring, timid, unsure, diffident (opp. *bold*, *brazen*, *impudent*)

ców·boy hàt (미) 카우보이 모자 《테가 넓고 춤이 높은 모자》

Ców·boy Stàte [the ~] 미국 Wyoming주의 속칭

cowcatcher 1

cow·catch·er [káukæ̀tʃər] *n.* **1** (미) (기관차 앞의) 배장기(排障器) ((영) plough, fender) **2** 〖라디오·TV〗 (프로그램 직전에 넣는) 짧은 광고[선전]

ców chìps 말린 쇠똥 《미국 서부 개척 시대에 연료로 썼음》

ców còllege (미·속어) 농과 대학; 지방 대학

ców còuntry (미국 서남부의) 목축 지대; 《특히》 Texas주

cowed [káud] *a.* 겁 먹은, 질린(cf. COW²)

cow·er [káuər] *vi.* (추위·공포 등으로) 움츠리다; 위축되다 《*down*》

cow·fish [káufìʃ] *n.* (*pl.* **~, ~·es**) **1** 〖동물〗 **a** 해우(海牛) **b** 돌고래, 물돼지 《등》 **2** 〖어류〗 (머리에 뿔이 있는) 거북복어

cow·girl [-gə̀ːrl] *n.* 목장에서 일하는 여자; 여자 카우보이

ców gràss (호주) 〖식물〗 야생의 토끼풀

cow·hand [-hæ̀nd] *n.* 소 치는 사람; 카우보이

cow·heel [-hìːl] *n.* 카우힐, 족편 《쇠족을 양파 등 양념과 함께 젤리 모양으로 삶은 요리》

cow·herb [káuhə̀ːrb | -hə̀ːb] *n.* 〖식물〗 말뱅이나물 《석죽과(科)》

cow·herd [-hə̀ːrd] *n.* 소 치는 사람

cow·hide [-hàid] *n.* **1** Ⓤ (털이 붙은) 소 생가죽; (무두질한) 쇠가죽 **2** (미) 쇠가죽 채찍
— *vt.* (미) 쇠가죽 채찍으로 치다

cow·house [-hàus] *n.* (*pl.* **-hous·es** [-hàuziz]) 외양간, 우사(牛舍)

co·win·ner [kouwínər, ㅅㅡ] *n.* 공동 우승[수상]자

cow·ish [káuiʃ] *a.* 소 같은; (고어) 겁이 많은

ców kìller 〖곤충〗 개미벌 《특히 미국 남부의》

cowl¹ [kául] *n.* **1** (수도자의) 고깔 달린 겉옷; 그 고깔 **2** 수도자(monk) **3** 승모(僧帽) 모양의 것, (고깔 모양의) 굴뚝 갓; (환기통 꼭대기의) 집풍기(集風器); (기관차 굴뚝 꼭대기의) 불똥 막이 《쇠그물로 된 둥우리》 **4** =COWLING **5** 카울 《자동차 보닛의 일부로, 앞 유리창과 이어지는 부분》
— *vt.* …에게 고깔(같은 것)을 씌우다

cowl² *n.* (영·방언) 큰 물통

cowled [káuld] *a.* **1** 고깔을 단[쓴] **2** 〖생물〗 승모(僧帽) 모양의

cow·lick [káulìk] *n.* (이마 위쪽 등의) 곤추선 머리카락

cow·like [káulàik] *a.* 소 같은, 소와 비슷한

cowl·ing [káuliŋ] *n.* 〖항공〗 엔진 커버

cowl·neck [káulnèk] *n.* (둥글게 접혀 드리운 것을 댄) 네크라인(neck line); 그 네크라인을 한 의류

cow·man [káumən] *n.* (*pl.* **-men** [-mən, -mèn]) (영) 소를 치는 사람; (미) (서부의) 목축 농장주, 목우업자(ranchman)

co·work·er [kóuwə̀ːrkər, ㅅㅡ] *n.* 같이 일하는 사람, 동료(fellow worker), 협력자

ców pársley 〖식물〗 야생의 챠빌(wild chervil)

ców pársnip 〖식물〗 어수리 무리 《소의 먹이》

cow·pat [-pæ̀t] *n.* 쇠똥(의 둥근 덩이)

cow·pea [-pìː] *n.* 〖식물〗 동부, 광저기 《식용, 소의 먹이》

Cow·per [kúːpər, káu-] *n.* 쿠퍼 **William ~** (1731-1800) 《영국의 시인·찬송가 작자》

---

cozy *a.* comfortable, warm, snug, homelike, sheltered, safe (opp. *uncomfortable*)

Ców·per's glànd [káupərz-, kúː-] [영국의 해부학자 이름에서] 〖해부〗 쿠퍼선(腺) 《남성의 요도구선(尿道球腺)》

ców pìe (속어) 쇠똥

cow·poke [-pòuk] *n.* (미·속어) 카우보이

ców pòny (미) (카우보이가 타는) 목장용 조랑말

cow·pox [-pɑ̀ks | -pɔ̀ks] *n.* Ⓤ 〖수의학〗 우두

cow·punch·er [-pʌ̀ntʃər] *n.* (미·구어) 소 치는 사람; 카우보이(cowboy)

cow·rie, -ry [káuri] *n.* (*pl.* **-ries**) 〖패류〗 별보배고둥, 자패(紫貝) 무리 《옛날에 화폐로 사용》

co·write [kouráit] *vt.* (**-wrote** [-róut]; **-writ·ten** [-rítn]) 공동 집필하다 **co·wrít·er** *n.*

cow·shed [-ʃèd] *n.* 외양간, 우사(牛舍)

cow·shot [-ʃɑ̀t | -ʃɔ̀t] *n.* (크리켓속어) 허리를 구부리고 치는 강타

cow·skin [-skìn] *n.* =COWHIDE

cow·slip [-slìp] *n.* 〖식물〗 **1** (영) 앵취란화, 서양깨풀 **2** (미) 산동이나물

ców tòwn (미) 목우 지대의 중심 도시[마을]

ców trèe (남미산) 뽕나뭇과(科)의 식물 《우유 같은 식용 수액(樹液)이 나옴》

cox [kɑ́ks | kɔ́ks] (구어) *n.* (특히 경주용 보트의) 콕스, 키잡이 **—** *vt., vi.* (보트의) 키잡이 노릇을 하다

cox·a [kɑ́ksə | kɔ́ksə] *n.* (*pl.* **cox·ae** [kɑ́ksiː | kɔ́ksə]) **1** 〖해부〗 고관절(股關節); 엉덩이 **2** 〖동물〗 기절(基節) 《곤충의 다리가 가슴에 접속되는 부분》

cox·al [kɑ́ksəl | kɔ́k-] *a.* 기절[둔부]의; 고관절의

cox·al·gi·a [kɑksǽldʒiə, -dʒə | kɔk-], **cox·al·gy** [kɑ́ksældʒi | kɔ́k-] *n.* Ⓤ 〖병리〗 고관절통; 요통

cox·comb [kɑ́kskòum | kɔ́ks-] *n.* **1** 멋쟁이, 맵시꾼 **2** (고어) 머리 **3** (폐어) 어릿광대가 쓰던 모자

cox·comb·i·cal [kɑkskɑ́mikəl, -kóum- | kɔkskɔ́m-, -kóum-] *a.* 모양내는, 멋부리는 **~·ly** *ad.*

cox·comb·ry [kɑ́kskòumri | kɔ́ks-] *n.* (*pl.* **-ries**) Ⓤ 멋부림; 태부림

Cox·sack·ie vìrus [kɑksǽki-, kuksɑ́ːki- | kuksɑ́ːki-] [첫 환자가 발견된 뉴욕 주의 동네 이름에서] 콕사키 바이러스 《소아의 인후 궤양성 수포증(水泡症) 등의 원인 바이러스》

cox·swain [kɑ́ksən, -swèin | kɔ́k-] *n.* (보트) 키잡이; 정장(艇長) **—** *vt.* (보트) 키잡이 노릇을 하다
~·shìp *n.* Ⓤ 키잡이[정장] 노릇[수완]

cox·y [kɑ́ksi | kɔ́ksi] *a.* (**cox·i·er**; **-i·est**) (영) 건방진, 잘난 체하는, 뽐내는(cocky)

∗**coy** [kɔ́i] *a.* **1** 〈여자의 태도가〉 수줍어하는; 부끄러워하는; 어려워하는 《*of*》 **2** (고어) 〈장소가〉 남의 눈에 띄지 않는, 구석진 **~·ly** *ad.* 부끄러운 듯이 **~·ness** *n.*

Coy 〖군사〗 Company

coy·dog [káidɔ̀ːg, -dɑ̀g | -dɔ̀g] [*coyote*+*dog*] *n.* 암코요테(coyote)와 수캐의 잡종

coy·o·te [kaióuti, káiout | kɔióuti, kɔ́iout] *n.* (*pl.* **~s,** [집합적] **~**) **1** 〖동물〗 코요테 《북미 대초원의 늑대의 일종》 **2** (미) 악당, 망나니, 비열한 사나이

Cóyote Stàte [the ~] 미국 South Dakota 주의 속칭

coy·pu [kɔ́ipuː] *n.* (*pl.* **~s,** [집합적] **~**) 〖동물〗 코이푸, 누트리아(nutria) 《남미산(産); 그 모피는 고급》

coz [kʌ́z] *n.* (*pl.* **~·(z)es**) (미·구어) 사촌(cousin)

coze [kóuz] *vi.* 터놓고[다정하게] 이야기하다; 한담[잡담]하다 **—** *n.* 잡담, 한담

coz·en [kʌ́zn] *vt., vi.* (문어) 속이다, 기만하다(cheat) 《*of, out of*》; 속여 …하게 하다 《*into*》 **~·er** *n.*

coz·en·age [kʌ́zənidʒ] *n.* Ⓤ 사기, 기만

∗**co·zy** [kóuzi] *a.* (**-zi·er**; **-zi·est**) **1** 〈방 등이〉 (따뜻하여) 기분 좋은, 편안한(comfortable); 포근한, 아늑한(snug) **2** 단란한, 화기애애한, 친해지기 쉬운
— *ad.* 신중하게 ***play it ~*** (위험을 피하려고) 조심조심[주의깊게] 행동하다
— *n.* (*pl.* **-zies**) **1** (teapot 등의) 보온 커버 **2** 단집이 있는 2인용 소파 《방구석에 놓음》

— *v.* (**-zied**) *vi.* 《미·구어》 아늑해지다 《*up*》; 친해지다 ~ ***up to*** a person …와 친해지려고[가까워지려고] 하다, …의 환심을 사려고 하다
— *vt.* **1** 〈방 등을〉 아늑하게 하다 **2** 《영·구어》 〈속여서〉 안심시키다 **có·zi·ly** *ad.* **có·zi·ness** *n.*
cp candle power; chemically pure; compare(⇨ cf.); coupon **cP, cp** 〖물리〗 centipoise
CP [sí:pí:] [*C*ommunist *P*arty] *n.* [the ~] 《구어》 공산당 **~·er** *n.* 공산당원
CP chemically pure; chief of police; Command Post; Common Pleas; Common Prayer; Court of Probate **CP, C/P** charter party **CPA** Canadian Pacific Airlines; Cathay Pacific Airways; certified public accountant; 〖컴퓨터〗 critical path analysis **CPB** Corporation for Public Broadcasting 《미》 공공 방송 협회 **CPCU** Chartered Property and Casualty Underwriter **cpd** compound **CPE** Certificate of Proficiency in English 〈영국 케임브리지 대학의〉 영어 능력 평가 **CPFF** cost plus fixed fee **CPI, cpi** consumer price index **Cpl.** corporal **cpm** cycles per minute **CPM** 《미》 Certified Property Manager; 〖경영〗 critical path method **CP/M** 〖컴퓨터〗 Control Program for Microcomputers 《미국의 Digital Research사가 개발한 마이크로컴퓨터용 운영 체제; 상표명》
CP máil [sí:pi-] [CP는 프랑스 어 Colis Postaux (우편소포)의 약어] 《미》 국제 제3종 우편(소포)
cpo, CPO Chief Petty Officer **CPR** Canadian Pacific Railway; cardiopulmonary resuscitation 심폐 기능 소생 **CPRE** Council for the Preservation of Rural England **cps** 〖컴퓨터〗 characters per second; cycles per second **CPS** certified professional secretary **CPSC** Consumer Product Safety Commission **CPU** central processing unit 〖컴퓨터〗 중앙 처리 장치 **CQ** call to quarters 교신[방송] 개시 신호; Charge of Quarters 〖군사〗 당직 하사관 **cr** credit; creditor; crown **Cr** 〖화학〗 chromium **CR** conditioned reflex; conditioned response; consciousness-raising; consumer's research 〖광고〗 소비자 조사; Costa Rica; critical ratio
‡**crab**[1] [krǽb] *n.* **1** 〖동물〗 게; Ⓤ 게살 **2** 〖기계〗 윈치 대차(臺車) **3** [the C~] 〖천문〗 게자리; 〖점성〗 거해궁(巨蟹宮)(Cancer) **4** =CRAB LOUSE **5** [*pl.*] 《속어》 크래브 《두 주사위가 다 한 끗이 나오기; 최하위》 **6** 《구어》 불리, 실패 **7** 〖항공〗 비스듬히 날기
catch a ~ 〖조정〗 노를 잘못 저어 뒤집어지다 ***turn out***[***come off***] ~***s*** 실패로 돌아가다
— *vt., vi.* (**~bed**; **~·bing**) **1** 게를 잡다 **2** 〖항공〗 〈비행기가〉 비스듬히 비행하다 **3** 〈게처럼 옆으로〉 움직이다, 옆으로 기다 ▷ crábby *a.*
crab[2] *n.* =CRAB APPLE
crab[3] *v.* (**~bed**; **~·bing**) *vt.* **1** 〈매가 다른 매를〉 발톱으로 할퀴다(scratch, claw) **2** 《미·구어》 깎아내리다, 흠잡다; 불평하다 **3** 《미·구어》 망치다(spoil); 발뺌하다 《*out*》 — *vi.* **1** 〈매가〉 발톱으로 서로 할퀴다 **2** 《구어》 불평하다 《*about*》; 흠을 잡다 ~ ***a person's act***[***the deal***] …의 계획을 망쳐 놓다
— *n.* **1** 심술쟁이 **2** [*pl.*] 《비어》 매독
cráb àpple 〖식물〗 돌능금, 야생 능금
crab·bed [krǽbid] [게(crab[1])의 걸음걸이에서] *a.* **1** 〈사람·언동이〉 심술궂은; 괴팍한; 신랄한, 비정한 **2** 〈문체 등이〉 이해하기 어려운; 〈필적이〉 이상야릇한, 알아보기 힘든 **~·ly** *ad.* **~·ness** *n.*
crab·ber[1] [krǽbər] *n.* 게잡이 어부[배]
crabber[2] *n.* 혹평가, 헐뜯는 사람
crab·bing [krǽbiŋ] *n.* Ⓤ **1** 게잡이 **2** 〖방직〗 〈모직물의〉 열탕(熱湯) 처리
crab·by[1] [krǽbi] *a.* (**-bi·er**; **-bi·est**) 게 같은, 게가 많은
crabby[2] *a.* =CRABBED 1
cráb gràss 〖식물〗 왕바랭이속(屬)의 1년초
cráb lòuse 〖곤충〗 사면발이
crab·meat [krǽbmì:t] *n.* 게살
Cráb Nèbula 〖천문〗 게 성운 《황소자리의 성운; 지구에서 약 5,000광년》
cráb pòt 게잡이 통발
crab's-eyes [krǽbzàiz] *n. pl.* 해안석(蟹眼石) 《게의 밥통 속의 결석(結石); 의료용》
crab·stick [krǽbstìk] *n.* **1** 돌능금나무(crab tree)로 만든 지팡이[곤봉] **2** 심술쟁이, 매정한 사람
cráb trèe 〖식물〗 돌능금나무
crab·wise [krǽbwàiz], **-ways** [-wèiz] *ad.* 게처럼, 옆으로 기어서; 신중히
‡**crack** [krǽk] *n.* **1 a** 갈라진 금, 틈, 〈문·창 등의〉 조금 열린 틈: The building has ~*s* in wall. 그 건물 벽에는 금이 가 있다. **b** [a ~; 부사적] 조금, 약간: Open the window *a* ~. 창을 조금만 열어라. **c** 〈인격 등의〉 흠, 결점, 결함; 정신 이상, 발광 **2** [보통 the ~] 《구어》 〈채찍·벼락 등의〉 갑작스런 날카로운 소리, 탕, 찰칵, 지끈, 우지직: *the* ~ of thunder 벼락 소리 **3** 철썩 〈하고〉 치기, 날카로운 일격 **4** 목이 쉼, 변성(變聲) **5 a** 《고어·영·방언》 자랑, 허풍; 《스코》 잡담 **b** [*pl.*] 소식, 진담(珍談) **c** 《구어》 재치 있는[멋진] 말, 경구(警句); 비꼬는 말 **6** 《영·구어》 일류의 사람[물건], 제일인자, 명마(名馬), 〈연기의〉 명수(名手) **7** 《속어》 금고털이 강도; 강도(burglar(y)) **8** 《구어》 시도, 기도(attempt) **9** 《속어》 값싼 농축 코카인 **10** 《아일·구어》 =CRAIC
a fair ~ ***of the whip*** 《영·구어》 공평[공정]한 기회[취급] ***at the*** ~ ***of dawn***[***day***] 새벽에 ***fall***[***slip***] ***between the*** ~***s*** 〈부주의 등으로〉 잊혀지다, 묵살되다 ***have***[***take***] ***a*** ~ ***at*** 《미·속어》 …을 시도하다[해보다] ***in a*** ~ 순식간에, 곧 ***on the*** ~ 조금 열리어 ***paper***[***paste, cover***] ***over the*** ~***s*** 《구어》 허겁지겁 결점을 감추다, 임시 모면하다, 호도하다 ***the*** ~ ***of doom*** 최후의 심판일(의 벼락 소리); 《일반적으로》 마지막을 알리는 신호
— *a.* Ⓐ 《구어》 아주 우수한, 일류의: be a ~ hand at …의 명수이다 / a ~ shot 명사수
— *ad.* 탁, 탕, 찰칵, 지끈, 우지직, 날카롭게
— *vi.* **1** 찰깍[땅, 지끈]하며 깨지다; 금이 가다; 못쓰게 되다 **2** 날카로운 폭음을 내다, 〈채찍이〉 철썩 하고 소리를 내다, 〈총이〉 탕 하고 소리나다 **3** 〈목이〉 쉬다; 변성하다 《★ break 쪽이 일반적》 **4** 《영》 지껄이다, 잡담하다(chat) **5** 〈정신적·육체적으로〉 약해지다, 못쓰게 되다, 굴복하다, 녹초가 되다: (~+전+명) ~ *under* a strain 과로로 몸이 망가지다 **6** 〖화학〗 열분해하다
— *vt.* **1** 금가게 하다 **2** 지끈 깨다, 부수다, 〈금고 등을〉 부수다; 〈집 등에〉 강도질하러 침입하다: ~ chestnut 밤을 까다 **3** 날카로운 소리가 나게 하다, 〈채찍을〉 철썩 소리나게 하다; 꽝 치다, 찰싹 때리다; 〈술병·깡통 등을〉 열다, 따서 마시다; 〈농담 등을〉 하다: ~ a home run 홈런을 치다 // (~+목+전+명) ~ a bottle *with* a person 술병을 따서 …와 마시다 / ~ a joke 농담하다 **4** 〈목을〉 쉬게 하다 **5** 〈신용 등을〉 떨어뜨리다, 잃게 하다; 미치게 하다, …의 마음에 아픔을 주다 **6** 〖화학〗 〈가압 증류(蒸溜)에 의하여〉 〈중유 등을〉 분해하여 휘발유 등을 뽑아내다, 분류(分溜)하다 **7** 《구어》 〈어려운 문제 등을〉 해결하다; 〈암호 등을〉 풀다 **8** 〖컴퓨터〗 〈다른 컴퓨터·시스템에〉 불법으로 침입하다(hack); 〈소프트웨어를〉 불법 복제하다 **9** 알리다, 설명하다 **10** 《미》 조금 열다, 조금 연 채로 두다: ~ a door [window, valve] 문[창, 밸브]을 조금 열다
a hard nut to ~ 매우 어려운 문제 ~ ***a book*** 책을 펴 보다; 공부하다 ~ ***a crib*** 《영·속어》 남의 집에 침입하다 ~ ***a deal*** 《미·속어》 거래[협정]하다 ~ ***a record***[***mark***] 《미·속어》 기록을 깨다 ~ ***a smile***

thesaurus **cracked** *a.* broken, chipped, split, splintered, damaged, defective, flawed, crazed

씽긋 미소 짓다, 빙그레 웃다; (미·속어) 억지웃음을 짓다 ~ ***a tube*** (미·속어) 캔맥주의 뚜껑을 따다[열다] ~ ***back*** (속어) 말대꾸하다 ~ ***down*** (***on***) (구어) (…을) 엄하게 다스리다[단속하다], 엄벌에 처하다 ~ ***hardy***[***hearty***] (호주) 꾹 참다 ~ ***heads together*** (속어) 양쪽에 똑같이 벌주다 ~ ***into*** 컴퓨터 시스템에 피해를 주거나 정보를 훔칠 목적으로 〈다른 사람의 컴퓨터에〉 몰래 들어가다 ~ ***it*** (호주·구어) 잘 해내다; 〈여자를〉 차지하다 ~ ***on*** 〘항해〙 돛을 전부 활짝 펴다; 돛을 활짝 펴고 쾌주(快走)하다 ~ ***onto*** (속어) …와 성관계를 갖기 시작하다 ~ ***open*** 폭로하다; (미·속어) 병마개를 따다 ~ ***out*** do***ing*** 갑자기 …하다[하기 시작하다] ~ one***'s jaw*** (미·속어) 자만하다, 허풍 떨다 ~ ***up*** (1) [보통 수동형; 부정문으로] 칭찬하다, …이라는 평판이다 (2) 〈탈것 등이[을]〉 부스러지다[부스러뜨리다], 대파시키다(crash) (3) 〈사람·건강 등이〉 쇠해지다, 못쓰게 되다 (4) (구어) 갑자기 웃기[울기] 시작하다; (구어) 〈사람을〉 웃기다 (5) (구어) (압박감 등으로) 미치다 ~ ***wise*** (속어) 그럴듯한[재치 있는] 말을 하다 ***get ~ing*** (구어) 〈일을〉 신속하게 시작하다; 서두르다

crack·a·jack [krǽkədʒæ̀k] *n., a.* =CRACKERJACK

cráck bàby 코카인 중독자 어머니에게서 태어나는 신생아

crack·brain [-brèin] *n.* 미친 사람; 바보

crack·brained [-brèind] *a.* 미친; 바보 같은

crack·down [-dàun] *n.* (구어) 갑자기 후려침; (위법 행위 등의) 단속; 탄압 (*on*)

∗**cracked** [krǽkt] *a.* **1** 깨진, 부스러진; 금이 간; 갈라진 **2** 〈인격·신용 등이〉 떨어진, 손상된 **3** 변성한, 〈목이〉 쉰 **4** (구어) 미친; 어리석은
be ~ up to be (구어) [보통 부정문에서] …이라는 평판이다, …이라고 믿어져 있다

crácked whéat 으깬 밀

∗**crack·er** [krǽkər] *n.* **1** 크래커 (단맛이 없는, 얇고 딱딱한 비스킷)((영) biscuit) **2** 폭죽(爆竹), 딱총 **3** 크래커 봉봉(=~ **bónbon**) (통형(筒形)의 양쪽 끝을 잡아당기면 폭음과 함께 그 속에서 장난감 등이 튀어나오게 꾸며진) **4** (미남부·경멸) 가난뱅이 백인 **5** 쪼개는 기구, 파쇄기(破碎器); [*pl.*] 호두 까는 기구(nutcrackers); (익살) 이, 이빨 **6** (방언) 거짓말, 허풍(lie); 거짓말[허풍]쟁이 **7** (속어) 빠른 걸음걸이(cracking pace); 파멸, 파산 **8** (영·구어) 멋진 것, 멋쟁이, 미인 **9** [**C~**] (경멸) 미국 Georgia 주 출신의 사람 또는 주민의 속칭 **10** 분해 반응탑 (석유 화학에서) **11** 〘컴퓨터〙 해커(hacker), 시스템의 기능을 마비시키는 사람 ***get the ~s*** (속어) 미치다, 머리가 돌다 ***go a ~*** 전속력을 내다; 납작해지다

crack·er-bar·rel [krǽkərbæ̀rəl] *a.* (미) (시골 잡화점의 분위기를 연상케 하는) 스스럼없는, 마음 편한; 시골티가 나는; 〈사람이〉 소박한

crácker fàctory (미·속어) 정신 병원

crack·er·jack [krǽkərdʒæ̀k] (미·구어) *n.* 우수품, 일등품; 일류의 사람, 제일인자 **—***a.* 우수한, 일류의, 훌륭한, 굉장한

Crácker Jàck 당밀(糖蜜)로 뭉쳐 놓은 팝콘 (상표명)

crack·ers [krǽkərz] *a.* Ⓟ (영·속어) 미친(crazy); 멍한; 열중한 (*about*): drive a person ~ …을 미치게 하다 ***go ~*** 미치다; 열중하다

Crácker Státe [the ~] 미국 Georgia 주의 속칭

crack·head [krǽkhèd] *n.* (속어) 코카인 상용자[중독자]

crack·house [-hàus] *n.* (속어) 크랙[코카인] 취급하는 곳 (팔고, 사고, 피우는)

crack·ing [krǽkiŋ] *n.* Ⓤ 〘화학〙 (석유의) 열분해, 크래킹 **—***a.* (구어) 굉장히 좋은, 아주 멋진; 활발한, 빠른; 철저한, 맹렬한 **—***ad.* [보통 ~ good으로] (구어) 매우, 굉장히(very) ***get ~*** (구어) (정력적으로) 착수하다, 서두르다

crack·jaw [-dʒɔ̀ː] *a.* (구어) (턱이 돌아갈 듯이) 발음하기 어려운, 이상야릇한

∗**crack·le** [krǽkl] *vi., vt.* 우지직우지직[딱딱] 소리 내다[나게 하다]; 금이 가다[가게 하다]
—*n.* **1** 우지직우지직[딱딱] 하는 소리 **2** Ⓤ (도자기의) 잔금 무늬; =CRACKLEWARE ▷ cráckly *a.*

crack·le·ware [krǽklwὲər] *n.* Ⓤ 잔금이 나게 구운 도자기

crack·ling [krǽkliŋ] *n.* Ⓤ **1** 우지직우지직[딱딱] 소리 냄; (과자 등이 말라서) 파삭파삭함 **2** (구운 돼지의) 오득오득한 가죽살 **3** [보통 *pl.*] (라드(lard)를 짜낸) 찌끼 **4** [집합적] (영·구어) 매력적인 여성들: a bit of ~ 매력적인 여성

crack·ly [krǽkli] *a.* (**-li·er**; **-li·est**) 파삭파삭[오득오득]한

crack·nel [krǽknəl] *n.* 살짝 구운 비스킷; [*pl.*] (미) 바삭바삭하게 튀긴 돼지 비곗살

crack·pot [krǽkpɑ̀t | -pɔ̀t] (구어) *n.* 이상한 사람, 미친 것 같은 사람 **—***a.* Ⓐ 이상한, 미친 것 같은 **~·ism** *n.* Ⓤ (구어) 괴상한 짓, 미친 짓 같음

cracks·man [krǽksmən] *n.* (*pl.* **-men** [-mən, -mèn]) (속어) 강도, 금고털이 (도둑)((비차별어) safecracker, burglar)

crack·up [krǽkʌ̀p] *n.* **1** (비행기의) 추락; (자동차 등의) 충돌(collision) **2** (구어) 정신적인 파탄; 신경쇠약 **3** 붕괴, 파괴

crack·y[1] [krǽki] *a.* (**crack·i·er**; **-i·est**) **1** 금이 간; 깨지기 쉬운 **2** (영·방언) 미치광이 같은

cracky[2] *n.* [다음 성구로] ***By ~!*** 젠장!, 저런!, 칫!

-cracy [-krəsi] (연결형) 「…의 지배(력·권); …정치[정체], 정치 계급」의 뜻: demo*cracy*

⁑**cra·dle** [kréidl] *n.* **1** 요람, 유아용 침대(cot) **2** [the ~] 요람 시대, 어린 시절; [보통 the ~] (예술·전통 등을 육성한) 요람지, (문화 등의) 발상지 (★ birthplace 보다 딱딱한 말) **3** 요람 모양의 받침대; (전화의) 수화기대; 〘항해〙 (조선·수리용의) 선가(船架); 진수대(進水臺); (자동차 수리용의) 이동대; (대포를 얹는) 포가(砲架); (와인 병을 기울여 놓는) 와인 받침 **4** 〘농업〙 낫에 덧대는 틀; 틀을 덧댄 낫(=~ scythe) **5** 〘광산〙 선광기(選鑛器) **6** 〘의학〙 (환부에 침구가 닿는 것을 막는) 이불 지지가(支持架)
from the ~ 어린 시절부터 ***from the ~ to the grave*** 요람에서 무덤까지, 일생 동안 ***in the ~*** 초기에 (있어서), 어릴 적에: What is learned *in the* ~ is carried to the tomb. (속담) 세 살 버릇 여든까지 간다. ***rob the ~*** (미·구어) (1) 훨씬 나이 어린 상대와 결혼[데이트, 사랑]하다 (2) (스포츠 등에서) 아주 어린 선수를 스카우트하다 ***the ~ of the deep*** 바다(ocean) ***watch over the ~*** 발육[성장]을 지켜보다
—*vt.* **1** 요람에 넣(어서 재우)다; 흔들어 어르다; 육성하다 **2** 받침대에 올려놓다, 〈배를〉 선가로 괴다, 미끄럼대 위에 놓다; 수화기를 수화기대에 놓다 **3** 〈사금을〉 선광기로 선광하다 **4** (안전하게 보호하듯이) 떠받치다, 살짝 안다; 양손으로 안듯이 들다 **5** 〈곡물을〉 덧살 댄 낫으로 베다
—*vi.* **1** 요람에 눕다 **2** 덧살 댄 낫으로 작물을 베다

crádle càp 〘병리〙 두피의 지루성(脂漏性) 피부염

cra·dle·land [kréidllæ̀nd] *n.* 발상지, 요람지

crádle ròbber (구어) =CRADLE SNATCHER

crádle scỳthe 틀이 달린 낫 (수확용)

cradle scythe

crádle snàtcher (구어) 자기보다 훨씬 연하인 사람과 결혼[연애]하는 사람

cra·dle·song [-sɔ̀ːŋ | -sɔ̀ŋ] *n.* 자장가(lullaby)

cra·dling [kréidliŋ] *n.* Ⓤ 육성; 〘건축〙 나무 또는 쇠로 된 뼈대(틀); 〘광산〙 (사금의) 선광(選鑛)

---

cradle *n.* **1** 요람 crib, bed, cot **2** 발상지 birthplace, source, fountainhead, place of origin

:craft [krǽft, krɑ́:ft | krɑ́:ft] *n.*, *vt.*

OE「힘, 재주」의 뜻에서
「기술」 **1** →(기술을 가진 사람) →「동업자들」 **3**
(기교) →「잔꾀」 **4**

— *n.* **1** Ⓤ 기능, 기교(skill), 교묘; (특수한) 기술, 재주; 수공업; 공예 **2** (특히 손끝의 기술을 요하는) 직업, 숙련 직업 **3** [집합적] (특수 기술을 가진) 동업자들; 동업 조합; [the C~] 프리메이슨단(cf. FREEMASON) **4** Ⓤ 교활, 간지, 잔꾀, 술책(cunning) **5** (*pl.* ~) (특히 소형의) 선박; 비행기, 비행선; 우주선
the gentle **~** 낚시질, 낚시꾼들
— *vt.* [보통 수동형으로] (미) 〈물건·제품을〉 정교하게[공들여] 만들다, 세밀하게 만들다: *~ed* products 공예품, 세공품 ▷ cráfty *a.*

-craft [krӕft | krɑ̀:ft] ((연결형)) 「…의 기술[기예, 직업]; …의 탈것」의 뜻: state*craft*

cráft bròther (숙련 직업의) 동업자

cráft guìld 동업자 조합, 직업별 길드

cráft knìfe (영) 문구용 칼, 조각도

***crafts·man** [krǽftsmən, krɑ́:fts- | krɑ́:fts-] *n.* (*pl.* **-men** [-mən, -mèn]) **1** (숙련된) 장인, 기능공, 숙련공 ((journeyman의 위)) **2** 기예가, 기술자, 명공(名工), 명장(名匠)((비차별어)) artisan, craftperson, craft(s) worker, skilled worker)
~·ship *n.* Ⓤ 장인의 기능; 숙련

crafts·peo·ple [-pì:pl] *n. pl.* [집합적] 장인(匠人)

crafts·per·son [-pə̀:rsn] *n.* 장인, 숙련공

crafts·wom·an [-wùmən] *n.* (*pl.* **-wom·en** [-wìmin]) CRAFTSMAN의 여성형

cráft ùnion 직업별 조합(horizontal union)

craft·work [-wə̀:rk] *n.* 공예[세공] 일[작업]; 공예[세공]품

craft·y** [krǽfti, krɑ́:f- | krɑ́:f-] *a.* (**craft·i·er**; **-i·est**) **1** 교활한(cunning), 간교한, 나쁜 꾀가 많은(⇨ sly 유의어) **2** (고어·방언) 교묘한 (as***) **~ *as a fox*** (여우처럼) 매우 교활한
cráft·i·ly *ad.*, **-i·ness** *n.* ▷ cráft *n.*

crag¹ [krǽg] *n.* **1** 울퉁불퉁한 바위, 험한 바위산 **2** 〖지질〗 (잉글랜드 동부의) 개사층(介砂層) ▷ cràggy *a.*

crag² *n.* (스코) 목; 목구멍

crag·ged [krǽgid] *a.* = CRAGGY

crag·gy [krǽgi] *a.* (**-gi·er**; **-gi·est**) **1** 바위가 많은; 바위가 울퉁불퉁한 **2** 〈남자 얼굴이〉 우악스럽게 생긴 **crág·gi·ly** *ad.* **crág·gi·ness** *n.*

crags·man [krǽgzmən] *n.* (*pl.* **-men** [-mən, -mèn]) 험한 바위산을 잘 타는 사람

craic [krǽk] *n.* Ⓤ (아일·구어) 즐거운 시간; 잡담, 수다(crack)

crake [kréik] *n.* (*pl.* **~s**, **~**) 〖조류〗 뜸부기(corncrake); 뜸부기의 울음소리

cram** [krǽm] *v.* (**~med**; **~·ming**) *vt.* **1** (좁은 곳에) 밀어넣다, 채워[다져] 넣다(stuff): (~+목+전+명) ~ a hall *with* people 홀에 사람들을 가득 밀어 넣다 / ~ books *into* a bag 책들을 가방 속에 쑤셔 넣다 **2** 〈음식을〉 억지로 집어 먹다; 포식시키다, 너무 먹이다(overfeed) ((*with*)): (~+목+전+명) ~ oneself *with* food 포식하다 **3** 주입식으로 가르치다[공부시키다] ((*for*)); 〈학과를〉 주입하다 ((*up*)) **4** (속어) …에게 거짓말을 하다 **~ something *down* a person*'s throat (구어) 〈생각·의견 등을〉 남에게 강요하다
— *vi.* **1** 포식하다, 게걸스럽게 먹다 **2** (구어) (시험 등을 위해) 벼락공부를 하다 **3** 밀어닥치다, 몰려오다; (빽빽이) 몰려 타다 ((*into*)) **4** (속어) 거짓말하다
— *n.* **1** (구어) (시험 준비의) 벼락공부 **2** = CRAMMER 1 **3** (사람의) 빽빽이 들어참; 혼잡 **4** (속어) 거짓말(lie) ▷ crám-fúll *a.*

cram·bo [krǽmbou] *n.* (*pl.* **~es**) 운(韻)찾기 (놀이); 서투른 압운[시]

crám còurse **1** 집중 보충 수업[과정] **2** = CRASH COURSE

cram-full [krǽmfúl] *a.* Ⓟ (영·구어) 빽빽하게 찬 ((*of*))

crammed [krǽmd] *a.* **1** …로 꽉 들어찬, 가득 찬 ((*with*)): All the drawers were ~ *with* papers. 모든 서랍에 서류들이 빽빽이 차 있었다. **2** Ⓟ 잔뜩 밀어[채워] 넣어진: We're ~ to a small room. 우리는 좁은 방에 밀어 넣어졌다.

cram·mer [krǽmər] *n.* **1** 주입식으로 공부시키는 교사[공부하는 학생] **2** 입시 준비 학원 **3** (속어) 거짓말

cram·oi·sy, -sie [krǽmɔizi, -məzi] (고어) *a.* 진홍색의 — *n.* 진홍색의 천

***cramp¹** [krǽmp] *n.* **1** 꺾쇠(= ~ iron); 죔쇠, 죄는 기구(clamp) **2** 구속물; 구속, 속박
— *vt.* **1** 죔쇠 등으로 바싹 죄다 **2** 속박하다 **3** 핸들을 (갑자기) 꺾다 **~ a person*'s style*** (속어) …을 갑갑하게 하다, …의 능력을 충분히 발휘하지 못하게 하다
— *a.* 읽기 어려운, 알기 어려운; 갑갑한, 비좁은

cramp² *n.* **1** (근육의) 경련, 쥐 ((★ (미)에서는 Ⓒ, (영)에서는 보통 Ⓤ)): bather's ~ 헤엄치다가 나는 쥐 / writer's ~ 서경(書痙) ((글 쓸 때 손에 나는 쥐)) **2** [보통 *pl.*] 심한 복통; [*pl.*] (미·완곡) 월경통
— *vt.* [보통 수동형으로] (…에) 경련을 일으키다, 쥐가 나게 하다 — *vi.* 경련(의 발작)을 일으키다

cramped¹ [krǽmpt] *a.* 비좁은, 갑갑한; 〈필체·문체 등이〉 배배 꼬인, 읽기[알기] 어려운 **~·ness** *n.*

cramped² *a.* 경련을 일으킨

cramp·fish [krǽmpfìʃ] *n.* (*pl.* **~·es**, [집합적] **~**) 〖어류〗 전기가오리(electric ray)

crámp ìron 꺾쇠, 걸쇠

cram·pon [krǽmpɑn | -pɔn], **-poon** [krӕmpú:n] *n.* **1** [보통 *pl.*] 쇠갈고리, 쇠집게 **2** [*pl.*] (빙상용의) 동철(冬鐵), (등산용의) 아이젠, 스파이크

cran [krǽn] *n.* (스코) 크랜 ((청어를 다는 중량의 단위; 37.5 갤런))

cran·age [kréinidʒ] *n.* Ⓤ 기중기 사용권[료]

cran·ber·ry [krǽnbèri | -bəri] *n.* (*pl.* **-ries**) 〖식물〗 덩굴월귤; 그 열매 ((소스·젤리의 원료로 씀))

cránberry bùsh[trèe] 〖식물〗 미국 백당나무 ((북미 원산; 가막살나무속(屬)))

cránberry glàss 크랜베리 글라스 ((보랏빛이 감도는 붉은 빛깔의 투명 유리))

:crane [kréin] *n.* **1** 기중기, 크레인; [*pl.*] 〖항해〗 (보트 등을 달아 놓는) 뱃전의 팔 모양의 기중기; 〖TV·영화〗 (카메라를 싣고 높은 각도에서 촬영하기 위한) 크레인 **2** 사이펀(siphon); (기관차의) 급수관(= **wáter ~**); 자재(自在) 갈고리 **3** 〖조류〗 학(鶴), 두루미 ((★ 장수·순결·거만 등의 상징)); (미) 왜가리; [the C~] 〖천문〗 두루미자리
— *vt.* 기중기로 달아 올리다[나르다]; 〈목을〉 쑥 내밀다
— *vi.* 목을 길게 빼다; 〈말이〉 멈추고 머뭇거리다 ((*at*)); 〈사람이〉 주저하다; 뒷걸음질치다 ((*at*)); 〈카메라가〉 크레인으로 이동하다

cráne flỳ 〖곤충〗 꾸정모기(daddy-longlegs)

cranes·bill, crane's- [kréinzbìl] *n.* 〖식물〗 이질풀 (무리)

cra·ni·a [kréiniə] *n.* CRANIUM의 복수

cra·ni·al [kréiniəl] *a.* 두개(頭蓋)(골)의

cránial índex 〖인류〗 두개[두골] 지수 ((두폭(頭幅)의 두고(頭高)에 대한 백분비))

cránial nèrve 〖해부·동물〗 뇌신경

cra·ni·ate [kréiniət, -nièit] 〖동물〗 *a.* 두개(頭蓋)가 있는 — *n.* 두개 동물

crani(o)- [kréini(ou)] ((연결형)) 「두개(頭蓋)」의 뜻 ((모음 앞에서는 crani-))

cra·ni·o·log·i·cal [krèiniəlɑ́dʒikəl | -lɔ́-] *a.* 두개학(頭蓋學)의

thesaurus **craft** *n.* **1** 기술, 재능 skill, expertise, mastery, art, technique, workmanship, talent, ability, dexterity **2** 직업 occupation, vocation,

cra·ni·ol·o·gy [krèiniálədʒi | -ɔ́lə-] *n.* Ⓤ 두개학
-gist *n.* 두개학자
cra·ni·om·e·ter [krèiniámətər | -ɔ́mə-] *n.* 두개 측정기, 두골 계측기
cra·ni·o·met·ric, -ri·cal [krèiniəmétrik(əl)] *a.* 두개 측정상의
cra·ni·om·e·try [krèiniámətri | -ɔ́mə-] *n.* Ⓤ 두골 계측(법), 두개 측정(법)
cra·ni·o·sa·cral [krèiniouséikrəl, -sǽkrəl] *a.* 〖해부〗 부교감(副交感) 신경의(parasympathetic)
cra·ni·os·co·py [krèniáskəpi | -ɔ́s-] *n.* 두개 진찰, 두개 검사; 두상학(頭相學)
cra·ni·ot·o·my [krèiniátəmi | -ɔ́tə-] *n.* (*pl.* **-mies**) 〖외과〗 개두(開頭)(술)
cra·ni·um [kréiniəm] *n.* (*pl.* **-ni·a** [-niə], **~s**) 〖해부〗 두개; 두개골(skull); 《익살》 대가리
*__crank__[1] [krǽŋk] *n.* **1** 〖기계〗 **크랭크**, L자형 손잡이 **2** 묘한 표현; 기상(奇想), 변덕(fad) **3** 《구어》 기인(奇人), 괴짜(faddist), 변덕쟁이; 《미·구어》 (성미가) 까다로운 사람, 심술쟁이 **4** 회전반(盤) 《형벌로 죄수가 회전시켰던 것》 **5** 《미·속어》 =METHAMPHETAMINE
— *vt.* **1** 크랭크 모양으로 구부리다; 크랭크로 연결하다 **2** (크랭크를 돌려서) 촬영하다; 크랭크를 돌려서 〈엔진을〉 걸다 《*up*》
— *vi.* 크랭크를 돌리다 《*up*》 **~ *in*** …을 시작하다 **~ *out*** 《구어》 (기계적으로) 척척 만들어내다 **~ *up*** 《구어》 시작하다; 〈노력·생산을〉 늘리다, 〈정도를〉 높이다
— *a.* 〈기계·건물이〉 온전하지 못한, 흔들흔들하는(shaky); 《영·방언》 〈사람이〉 병약한; 괴짜의[에 의한]
a ~ call 장난 전화 ▷ cránky[1] *a.*
crank[2] *a.* 《방언》 활발한, 기력이 왕성한
crank[3] *a.* 〖항해〗 기울기 쉬운, 뒤집히기 쉬운
cránk àxle 〖기계〗 크랭크 차축(車軸)
crank·case [krǽŋkkèis] *n.* (내연 기관의) 크랭크실(室)[케이스]
cran·kle [krǽŋkl] *vi.* 꾸부러지다
— *n.* 꾸불꾸불함
cránk lètter (저명 인사에 대한 익명의) 협박장, 협박적인 투서
crank·pin [krǽŋkpìn] *n.* 〖기계〗 크랭크 핀
crank·shaft [krǽŋkʃæ̀ft | -ʃɑ̀:ft] *n.* 〖기계〗 크랭크샤프트, 크랭크축(軸)
crank·y[1] [krǽŋki] *a.* (**crank·i·er**; **-i·est**) **1** 《성미》 까다로운, 심기가 뒤틀린 **2** 괴팍한, 괴짜의(eccentric); 변덕스런 **3** 〈기계·건물 등이〉 불안정한, 흔들흔들하는 **4** 〈길 등이〉 꾸불꾸불한 **5** 《영·방언》 병약한
be ~ on 《구어》 …에 열중해[빠져] 있다
cránk·i·ly *ad.* **cránk·i·ness** *n.*
cranky[2] *a.* (**crank·i·er**; **-i·est**) 〖항해〗 〈배가〉 기울기 쉬운
cran·nied [krǽnid] *a.* 금[틈]이 난
cran·nog [krǽnəg], **-noge** [-nədʒ] *n.* (고대 아일랜드·스코틀랜드의) 호상(湖上) 인공 섬, 호상 주택
cran·ny [krǽni] *n.* (*pl.* **-nies**) **1** 갈라진 틈, 깨어진 틈 **2** 깊숙한 장소, 구석 **3** 《미·속어》 마리화나
search every (***nook and***) **~** 샅샅이 뒤지다
crap[1] [krǽp] *n.* 《미》 **1** (craps에서) 두 개의 주사위를 굴려 나온 질 숫자 《2, 3, 12; 2번째 이후는 7》 **2** =CRAPS — *vi.* (**~ped**; **-ping**) 지는 숫자가 나오다 **~ *out*** 《속어》 단념하다, 손을 떼다, 포기하다; 쉬다, 낮잠 자다
crap[2] *n.* Ⓤ 《속어·비어》 **1** 쓰레기; 배설물, 똥; 배변 **2** 허튼소리(nonsense); 거짓말; 허풍: Cut the ~! 허튼소리 마라, 그만둬! ***shoot the ~*** 《미·속어》 허튼소리를 지껄이다 ***the ~ out of*** 《구어》 몹시
— *v.* (**~ped**; **~·ping**) *vt.* 《미·속어》 허튼소리를 하다; 〈일 등을〉 엉망으로 만들다 《*up*》 **~ *around*** 바보 같은 짓을 하다; 농땡이 부리다; (시시한 일에) 구애되다 《*with*》 — *vi.* 《비어》 배변하다 — *int.* 우라질
*__crape__ [kréip] [L 「(머리털이) 곱슬곱슬한」의 뜻에서] *n.* Ⓤ **검은 크레이프**; Ⓒ **검은 크레이프 상장**(喪章) 《모자·팔소매에 두름》 ★ 다른 색의 것은 crêpe
craped [kréipt] *a.* **1** (검은) 크레이프를 두른; 상장(喪章)을 단 **2** 곱슬곱슬한, 오그라든
crápe háir =CREPE HAIR
crape·hang·er [kréiphæ̀ŋər] *n.* 《미·속어》 **1** (재미없는) 음산한 사람, 비관론자 **2** 장의사
crápe mỳrtle 〖식물〗 백일홍
crap·house [krǽphàus] *n.* 《비어》 옥외 변소
crap·pie [krǽpi] *n.* (*pl.* **~s,** [집합적] **~**) 〖어류〗 크래피 《미국 5대호 지방산(産); 작은 담수어》
crap·py [krǽpi] *a.* (**-pi·er**; **-pi·est**) 《속어》 **1** 〈영화·생각 등이〉 엉터리인, 시시한 **2** 지겨운, 터무니없는
craps [krǽps] *n. pl.* [단수 취급] 《미》 크랩 노름 《두 개의 주사위를 써서 하는; cf. CRAP[1]》
shoot ~ 크랩 노름을 하다
crap·shoot [krǽpʃù:t] 《구어》 *n.* 예측할 수 없는 일, 문제가 되는[위험한] 것[일]; 도박, 노름
— *vi.* 모험을 하다; 도박[투기]하다
crap·shoot·er [krǽpʃù:tər] *n.* 《미》 크랩 노름꾼; 《구어》 위험에 뛰어드는 사람
crap·u·lence [krǽpjuləns] *n.* Ⓤ 과음, 숙취
crap·u·lent [krǽpjulənt] *a.* 과음한, 숙취의
crap·u·lous [krǽpjuləs] *a.* 폭음[폭식]의; 과음[과식]으로 병이 난
cra·que·lure [krækljúər, ⌐-⌐ | krǽkəljùə] *n.* (오래된 그림의 표면에 생기는) 잔금, 균열
cra·ses [kréisi:z] *n.* CRASIS의 복수
__crash__[1] [krǽʃ] [의성어] *n.* **1 와르르, 쿵, 쾅 《무너지거나 충돌할 때 등에 나는 소리》; (천둥·대포의) 굉음 **2** (비행기의) **추락**; (차의) **충돌** (사고); (충돌 등에 의한 차량의) 파괴 **3** (시세·장사 등의) 무너짐, 파멸, 붕괴: a sweeping ~ 〖증권〗 대폭락 / fall with a ~ 요란한 소리를 내면서 무너지다 **4** 〖컴퓨터〗 (시스템의) 고장, 충돌 **5** 〖생태〗 (개체수의) 돌발적인 급격한 감소
— *vi.* **1** 와지끈[산산이] 부서지다[무너지다]; **굉장한 소리를 내다**, 굉장한 소리를 내고 움직이다[나아가다]: (~+전+명) The dishes *~ed to* the floor. 접시가 쨍그렁 하고 마룻바닥에 떨어져 산산조각이 났다. **2** 와르르 무너지다 《*down, through*》; 〈우레가〉 울려퍼지다 《*out*》: (~+부) The stone wall *~ed down.* 돌담이 와르르 무너졌다. **3** 〈사업·계획 등이〉 실패[와해]하다, 파산하다 **4** 〈차 등이〉 충돌하다 《*into, against*》; 〈비행기가〉 **추락하다** 《*on, into*》; 〈비행사가〉 추락사하다; 〈자동차가〉 파괴되다: (~+전+명) A dump truck *~ed into*[*against*] our train. 덤프 트럭이 우리가 탄 열차와 충돌했다. **5** 《속어》 (어떤 곳에) 숙박하다, 자다 《*in, on*》: (~+전+명) Can I ~ *in* your room? 자네 방에서 재워 주지 않겠나? **6** 〖컴퓨터〗 〈시스템·프로그램이〉 갑자기 기능을 멈추다; 《미·속어》 〈전기 기구가〉 작동되지 않다 **7** 《속어》 마약 기운이 떨어지다 《*out*》, (마약 기운이 떨어져서) 힘이 빠지다 **8** 《속어》 〖의학〗 심장 정지의 위험성이 있다 **9** 〖생태〗 〈개체수가〉 급속히 감소하다 **10** 《구어》 참패하다
— *vt.* **1** 와장창[산산조각으로] 바수다: (~+목+전+명) ~ a cup *against* a wall 찻잔을 벽에 던져 산산조각을 내다 **2** [~ one's way로] (요란한 소리를 내며) …을 달리다, 밀고 나아가다: (~+목+전+명) ~ *one's way*[one's horse] *through* the thicket 바삭바삭 덤불을 헤치며 나아가다[말을 몰다] **3** 〈적기를〉 격추시키다; 〈비행기를〉 불시착시키다 **4** 〈사업 등을〉 실패하다 **5** 《구어》 〈초대받지 않은 모임 등에〉 밀고 들어가다, 표 없이 들어가다(gate-crash) **6** 〖컴퓨터〗 〈시스템 등을〉 갑자기 기능을 멈추게 하다
~ against [***into***] …에 (무섭게) 충돌하다 ***~ and burn*** 《구어》 〈회사가〉 망하다, 파산하다; 《미·구어》 사랑에 멋지게 실패하다 ***~ a party*** 《구어》 파티에 초대받지 않고 참석하다 ***~ in*** [***on***] 《구어》 난입(亂入)하다

---

work, employment **3** 교활 slyness, deceit, guile
cram *v.* stuff, push, shove, pack in, force
crash[1] *n.* clash, clank, clang, bang, smash

~ ***out*** 《속어》 (1) (특히 남의 집에) 거저[공짜로] 묵다 (2) 교도소에서 탈주하다, 탈옥하다 ~ ***over*** 와르르 전복하다 ~ one***'s way through*** …을 밀치고 나아가다 ~ ***the gate*** 《구어》 (초대를 받지도 않고) 몰려가다; (극장 등에) 표 없이 들어가다(cf. GATE-CRASH)
— *ad.* 《구어》 요란스러운 소리를 내며
— *a.* Ⓐ 《구어》 (위급 사태에 대처하기 위해) 전력을 다한, 응급의; 속성의: a ~ diet 속성 다이어트 / a ~ program 단기 속성 계획

crash² *n.* Ⓤ 거친 아마포 《수건·하복·테이블보 등에 쓰임》

crásh bàrrier 《영》 (고속도로·활주로 등의) 방호 울타리, 가드레일

crásh bòat 구명 보트 《비행기의 해상 추락·불시착 때에 쓰이는 인명 구조용 고속 소형정》

crásh càrt 《의학속어》 크래시 카트 《심장 정지 때 등 긴급 조처용의 약품·기기 등 일습을 실은 손수레》

crásh còurse 《구어》 집중 훈련[강좌], 특강

crásh dìve 〖항해〗 (잠수함의) 급속 잠항(潛航)

crash-dive [krǽʃdàiv] *vi.* **1** 〈잠수함이〉 급속히 잠항하다 **2** 〈비행기가〉 급강하하다 — *vt.* **1** 〈잠수함을〉 급속 잠항시키다 **2** 〈비행기를〉 급강하시키다

crashed [krǽʃt] *a.* 《속어》 만취한(drunk)

crash·er [krǽʃər] *n.* **1** 요란스러운 소리를 내며 부서지는 것; 강타, 통격(痛擊) **2** 《구어》 = GATE-CRASHER **3** 《미·속어》 강도

crash-halt [krǽʃhɔ̀lt] *n.* 《영》 급정거

crásh hèlmet (자동차 경주자용의) 안전 헬멧

crash·ing [krǽʃiŋ] *a.* 《구어》 **1** 완전한, 철저한 **2** 예외적인; 최고의 **3** 놀랄 만한, 두려울 만한
a ~ bore 지독하게 따분한 사람[것] **~·ly** *ad.*

crash-land [krǽʃlǽnd] *vt., vi.* 〖항공〗 불시착시키다[하다], 동체(胴體) 착륙시키다[하다]

crash-land·ing [-lǽndiŋ] *n.* ⓊⒸ 불시착

crásh pàd **1** (자동차 내부 등의) 방충(防衝) 패드, 완충 장치 **2** 《속어》 무료 숙박소

crásh prògram (개발·생산 등의) 긴급 계획, 비상사태 타개책

crash·proof [krǽʃprù:f] *a.* = CRASHWORTHY

crásh stòp 급정거

crásh tèst 신차의 안전 검사

crash-test [-tèst] *vt.* (신제품의) 안전 테스트를 하다

crásh tèst dúmmy 자동차 충돌 실험용 인형

crásh trùck[wàgon] 《미·속어》 (비행장의) 구급차

crash·wor·thy [-wə̀:rði] *a.* 〈차 등이〉 충돌[충격]에 견딜 수 있는, 내충격성(耐衝擊性)의 **-thi·ness** *n.*

cra·sis [kréisis] *n.* (*pl.* **-ses** [-si:z]) 〖문법〗 모음 축합(母音縮合)

crass [krǽs] *a.* **1** 우둔한, 아주 어리석은; 형편없는, 지독한 **2** 《고어》 〈천이〉 두꺼운, 투박한
~·ly *ad.* 어리석게도; 지독히 **~·ness** *n.*

cras·si·tude [krǽsitjù:d | -tjù:d] *n.* Ⓤ **1** 우둔 **2** 올이 성김; 조잡

-crat [kræ̀t] 《연결형》 「-cracy의 지지자[일원]」의 뜻: auto*crat* 《형용사형은 -cratic(al)》

cratch [krǽtʃ] *n.* 《영·방언》 구유; 《고어》 여물통

*__crate__ [kréit] *n.* **1** (병·파위를 운반하는) 나무 상자, (짐을 보호하는) 나무틀; (과실 등을 나르는) 대[버들]바구니 **2** 《구어》 (수리를 요할 정도의) 낡은 자동차[비행기]
— *vt.* 나무 상자[대바구니]에 채워 넣다

*__cra·ter__ [kréitər] *n.* **1** (화산의) 분화구; (운석이 떨어져 생긴) 구멍, (달의) 크레이터 **2** 〖군사〗 (폭탄·포탄·지뢰의 폭발로 생긴) 구멍, 탄공(彈孔)
— *vt.* 탄공을 만들다, …에 구멍을 내다
— *vi.* 구멍이 뚫리다

cra·ter-face [kréitərfèis] *n.* 《미·속어》 여드름 난 얼굴

cra·ter·i·form [kréitərəfɔ̀:rm, krətérə-] *a.* 분화구 모양의; 〖식물〗 컵 모양의

Cráter Láke 크레이터 호 《미국 Oregon 주에 있는 화산호(火山湖)》; [**c- l-**] 《일반적으로》 화산호

cra·ter·let [kréitərlit] *n.* 작은 분화구[크레이터]

-cratic, -cratical [krǽtik(əl)] 《연결형》 -CRAT의 형용사형

Ć ràtion 〖미육군〗 C호[휴대] 식량 《통조림 야전식(野戰食)》

cra·ton [kréitɑn | -tɔn] *n.* 〖지질〗 대륙괴(大陸塊), 크라톤 《지각의 안정 부분》

craunch [krɔ́:ntʃ, krɑ́:ntʃ | krɔ́:ntʃ] *vt., vi., n.* = CRUNCH

cra·vat [krəvǽt] *n.* **1** 넥타이 《★ 영국에서는 상용어(商用語), 미국에서는 멋부려 쓰는 용어》 **2** 《고어》 크러뱃 《17세기경 남성이 목에 감은 스카프 모양의 neckcloth》 **3** 〖외과〗 삼각건(三角巾) ***wear a hempen ~*** 《속어》 교수형을 당하다

*__crave__ [kréiv] *vt.* **1** 간청하다: ~ pardon 용서를 빌다 // (~+목+전+명) ~ mercy *of*[*from*] a person …에게 관대한 처분을 간청하다 **2** 열망[갈망]하다: I ~ water. 물이 마시고 싶어 못 견디겠다. // (~+***that*** 절) I ~ *that* she (should) come. 그녀가 오기를 열망한다. **3** 〈사정이〉 필요로 하다(require)
— *vi.* **1** 간청하다 《*for*》 **2** 갈망[열망]하다 《*for, after*》 ★ wish, desire, long for 등보다 뜻이 강함.
cráv·er *n.*

cra·ven [kréivən] *a.* **1** 겁 많은, 비겁한(cowardly) **2** 《고어》 패배한 ***cry*** ~ 「항복」하고 소리치다; 항복하다
— *n.* 겁쟁이, 비겁한 사람 **~·ly** *ad.* **~·ness** *n.*

*__crav·ing__ [kréiviŋ] *n.* ⓊⒸ 갈망; 열망 ***have a ~ for*** …을 열망하다
— *a.* 갈망하는; 열망하는 **~·ly** *ad.* **~·ness** *n.*

craw [krɔ́:] *n.* (하등 동물의) 밥통; (새·곤충의) 모이주머니, 멀떠구니 ***stick in*** a person***'s ~*** 《구어》 〈음식이〉 소화되지 않다, 얹히다; 마음에 들지 않다, 참을 수가 없다

craw·dad [krɔ́:dæ̀d], **craw·dad·dy** [-dæ̀di] *n.* (*pl.* **-dads; -dad·dies**) = CRAYFISH

craw·fish [krɔ́:fiʃ] *n.* (*pl.* [집합적] **~, ~·es**) **1** 〖동물〗 = CRAYFISH **2** 《미·구어》 꽁무니 빼는 사람; 변절자 — *vi.* 《미·구어》 꽁무니 빼다; 변절하다

‡**crawl¹** [krɔ́:l] *vi.* **1** (가만가만) 기어가다, 기다, 포복하다(⇨ creep 유의어): (~+부) ~ *about* on all fours[on hands and knees] 네발로 기어다니다 // (~+전+명) ~ *into*[*out of*] a hole 구멍으로 기어들어가다[구멍에서 기어나오다] **2** 〈기차·교통 등이〉 서행하다, 느릿느릿 달리다[걷다] 《*about*》; 〈시간이〉 천천히 지나다 **3** 살금살금 걸어다니다; (남에게 잘 보이려고) 굽실거리다, 아첨하다 《*to, before*》; 살살 환심을 사다 《*into*》; (사냥감에) 살금살금 다가가다 《*on, upon*》: (~+부) He tried to ~ *back* into favor. 그는 굽실거리며 다시 환심을 사려고 했다. **4** 〈장소가 벌레 등으로〉 우글거리다, 들끓다 《*with*》: (~+전+명) The hut *~ed with* insects. 그 오두막에는 벌레들이 득실거렸다. **5** 〈벌레가 기듯이〉 근질근질하다, 오싹해지다 **6** 크롤로 헤엄치다 **7** 〈페인트 도장면이〉 (접착제의 불완전으로) 벗겨지다, 얼룩이 지다, 쪼그라들다
~ (home) on one***'s eyebrows*** 《속어》 지칠 대로 지쳐서 (돌아)오다 ***~ up*** 〈옷 등이〉 밀리어 올라가다
— *n.* **1** [a ~] 포복, 기어감; 천천히 걸음, 서행 **2** [보통 the ~] 〖수영〗 크롤 (수영법)(= **~ stròke**); (경기 종목으로서의) 크롤 **3** 《미·속어》 댄스
a pub ~ 《영·속어》 이집 저집 돌아다니며 술 마심 ***go at a ~*** 느릿느릿 걷다; 서행하다, 〈자동차 등이 손님을 찾아〉 거리를 슬슬 돌아다니다 ***go for a ~*** 어슬렁어슬렁 산책에 나가다 ▷ cráwly *a.*

crawl² *n.* 활어조(活魚槽)

crawl·er [krɔ́:lər] *n.* **1** 기어가는 사람; 포복 동물, 파충(爬蟲)류(reptile); 《미》 뱀잠자리의 유충; 이(louse) **2** 《속어》 (비굴한) 알랑쇠; 게으름뱅이 **3** 《미·

thesaurus **crave** *v.* **1** 간청하다 ask for, plead for, seek, entreat, implore **2** 갈망하다 long for, desire, want, wish for, need, require

구어) 앉은뱅이 거지 **4** 《영·구어》 손님을 찾아 슬슬 다니는 택시 **5** [*pl.*] (기기 시작하는 유아의) 겉옷(baby's overalls) **6** 크롤 수영자 **7** 무한궤도(차)
cráwler làne (오르막길의) 저속 차선
cráwler tràctor 무한궤도(형) 트랙터
crawl·er·way [krɔ́:lərwèi] *n.* 로켓[우주선] 운반용 도로
crawl·ing [krɔ́:liŋ] *n.* crawl하기; (페인트 등의) 칠 얼룩 **—** *a.* 《속어》 벼룩[이, 진드기]가 꾄; 《영·속어》 아첨하는, 굽실거리는
crawl·ing·ly [krɔ́:liŋli] *ad.* 기어가듯이, 느릿느릿
cráwling pèg 〖경제〗 크롤링 페그 《점진적인 평가(平價) 변경 방식》
crawl·space [krɔ́:lspèis] *n.* **1** (천장[마루 밑]의 배선·배관 등을 위한) 좁은 공간 **2** =CRAWLERWAY
crawl·way [krɔ́:lwèi] *n.* **1** (동굴 속 등의) 기어서만 다닐 수 있는 낮은 길 **2** =CRAWLERWAY
crawl·y [krɔ́:li] *a.* (**crawl·i·er**; **-i·est**) 《구어》 근질근질한; 으스스한, 소름 끼치는
— *n.* 기어다니는 벌레[동물]
cray·fish [kréifìʃ] *n.* (*pl.* [집합적] **~**, **~·es**) 〖동물〗 **1** 가재; Ⓤ 그 살 **2** 왕새우(spiny lobster)
cray·fish·ing [kréifìʃiŋ] *n.* Ⓤ 가재잡이
‡**cray·on** [kréiɑn, -ən | -ɔn, -ən] [F 「연필(pencil)」의 뜻에서] *n.* **1** 크레용: an artist in ~ 크레용 화가 **2** 크레용 그림 **3** (아크등의) 탄소봉(carbon point)
— *vt.*, *vi.* 크레용으로 그리다; (크레용으로) 초벌그림을 그리다; 대략적인 계획을 세우다 **~·ist** *n.*
∗**craze** [kréiz] *vt.* **1** [보통 수동형으로] 미치게 하다, 발광시키다; 열중시키다: *be ~d* about a film star 영화배우에게 미치다 **2** 〈오지그릇을〉 잔금이 나타나게 굽다 **3** 《고어》 〈건강 등을〉 잃다, 허약하게 하다
— *vi.* **1** 발광하다 **2** 잔금이 생기다 **3** 〖야금〗 〈열처리한 철강 제품이〉 표면에 망 상태의 모양이 생기다(worm)
— *n.* **1** 광기(狂氣)(insanity) **2** (일시적) 열광, 열중; 대유행(fad) 《*for*》: have a ~ *for* …에 열중하다 **3** (도자기 표면에 생긴) 잔금
be (***all***) ***the ~*** 대유행이다 ***like ~*** 《구어》 맹렬히 ▷ crázy *a.*
crazed [kréizd] *a.* **1** 발광한, 정신 이상의 **2** 감정을 억제할 수 없는 **3** 빙렬이 나게 구운 〈오지그릇 등〉
cra·zi·ly [kréizili] *ad.* 미친 듯이; 열광적으로; 막무가내로
‡**cra·zy** [kréizi] *a.* (**-zi·er**; **-zi·est**) **1** 미친; 흥분해 있는, 미치광이 같은; 미칠 것 같은: go ~ 정신이 이상해지다 / The noise is driving me ~. 소음 때문에 미칠 것 같다. **2** 《구어》 열중한; 반한 《*for*, *about*, *over*》, 열광적인, 꼭 하고 싶어하는: She's ~ *about* him. 그녀는 그에게 푹 빠져 있다. **3** 〈행동·생각 등이〉 무분별한, 상식 없는, 어리석은: (~+***to*** do) It would be ~ *to* give up now. 지금 포기하는 것은 어리석은 일이다. **4** 《속어》 굉장히 좋은, 나무랄 데 없는 **5** 《구어》 이상한, 기묘한 **6** 결함이 많은, 〈건물·배 등이〉 흔들거리는 ***be ~ to*** do 꼭 …하고 싶어하다[싶어 못 견디다] ***like ~*** 《구어》 미친 듯이, 맹렬하게, 무지무지하게
— *n.* **1** 《속어》 괴짜, 기인; 과격한 사람 **2** 《미·속어》 정신 병원 입원 환자; 정신병 환자 **crá·zi·ness** *n.*
crázy bòne 《미》 =FUNNY BONE
crázy hòuse 《속어》 정신 병원
crázy pàvement[《영》 **pàving**] (산책길 등의) 크기가 다른 포석이 깔린 포장
crázy quilt 조각을 이어 만든 이불
cra·zy·weed [kréiziwì:d] *n.* =LOCOWEED
CRC camera-ready copy; Civil Rights Commission **CRE** Commission for Racial Equality
C-re·ac·tive prótein [sí:riæ̀ktiv-] 〖생화학〗 C 반응성 단백질 《폐렴 구균의 C다당체에 반응; 略 CRP》

craze *n.* fad, vogue, trend, fashion, enthusiasm, passion, obsession, mania, fancy
crazy *a.* insane, mad, lunatic, wild, delirious

∗**creak** [krí:k] [의성어] *n.* 삐걱거리는 소리, 키익키익[삐걱삐걱] 울리는 소리, 삐걱거림
— *vi.*, *vt.* 삐걱거리(게 하)다: *C~ing* doors hang the longest. 《속담》 병약자가 오래 산다., 「고로롱 팔십」 ▷ créaky *a.*
creak·y [krí:ki] *a.* (**creak·i·er**; **-i·est**) 삐걱거리는 **créak·i·ly** *ad.* **créak·i·ness** *n.*
‡**cream** [krí:m] *n.* Ⓤ **1** 크림, 유지(乳脂) 《NOTE 미국에서는 홍차·커피에 흔히 크림을 타지만, 영국에서는 생우유(fresh milk)를 타는 일이 많음》 **2** 크림 과자[식품, 요리] **3** (화장용) 크림; 크림 모양의 제품 **4** (액체의) 더껑이 **5** [the ~] 정화(精華), 정수; (이야기의) 묘미가 있는 곳 《*of*》 **6** 크림색, 담황색; Ⓒ 크림색의 말[토끼] **7** 《비어》 정액(semen)
~ of lime 석회유(石灰乳) ***~ of tartar*** 주석영(酒石英) ***get the ~ of*** …의 정수를 빼내다 ***the ~ of society*** 최상층 사회, 사교계의 꽃들 ***the ~ of the ~*** =CRÈME DE LA CRÈME. ***the ~ of the crop*** 《미》 가장 좋은 것[사람], 정선된 것[사람], 정수
— *a.* **1** Ⓐ 크림으로 만든, 크림이 든; 크림 모양의 **2** 크림색의, 담황색의 **3** 《미·속어》 편한, 쾌적한
— *vt.* **1** 〈우유에서〉 크림을 분리하다[빼다], 크림을 떠내다 **2** 알짜를 뽑다 《*off*》 **3** 〈홍차 등에〉 크림을 넣다 **4** 〈버터와 설탕 등을〉 휘저어 크림 모양으로 만들다; 〈요리에〉 크림 소스를 치다; 〈고기·야채를〉 크림으로 삶다 **5** (화장) 크림을 바르다 **6** 《속어》 〈상대방을〉 완전히 해치우다, 완패시키다
— *vi.* **1** 〈우유에〉 크림[유지]이 생기다 **2** 〈액체에〉 더껑이가 생기다, 크림 모양으로 굳어지다 **3** 《비어》 사정(射精)하다 ***~ off*** 〈…에서 제일 좋은 데를〉 빼내다, 정선하다 **~** one***'s jeans*** [***silkies***] 《미·속어》 쉽게 해내다; 《비어》 오르가슴에 달하다, 황홀해하다 ***~ up*** 《미·속어》 일을 완벽하게 해내다 ▷ créamy *a.*
créam chèese 크림치즈 《생우유에 크림을 넣은 연한 치즈》
cream-col·ored [-kʌ̀lərd] *a.* 크림색의
créam cràcker 《영》 (단맛이 없는) 크래커
cream·cups [-kʌ̀ps] *n.* (*pl.* ~) 〖식물〗 양귀비꽃과(科)의 풀 《크림색 꽃이 핌; 캘리포니아산(産)》
cream·er [krí:mər] *n.* **1** 크림을 뜨는 접시; =CREAM SEPARATOR **2** 《미》 (식탁용) 크림 그릇 **3** 크리머 《커피 등에 타는 크림 대용품》 **4** (크림 생성을 촉진하기 위한) 냉장고
cream·er·y [krí:məri] *n.* (*pl.* **-er·ies**) **1** 버터[치즈] 제조소; 낙농장(酪農場) **2** 유제품 판매점
cream-faced [-féist] *a.* (무서워서) 얼굴이 하얗게 질린
créam hòrn 크림 혼 《원뿔 모양의 크림 과자》
créam ìce 《영》 =ICE CREAM
cream·laid [-lèid] *n.* Ⓤ 줄무늬가 들어 있는 크림색 필기 용지(cf. LAID PAPER)
créam pùff **1** 크림 퍼프, 슈크림 《★ 「슈크림」은 프랑스 어 chou à la crème에서 생긴 말》 **2** 《구어》 여자 같은 남자; 패기 없는 사나이 **3** 《미·속어》 새 차나 다름없는 중고차 **4** [형용사적으로] 화사한, 화려한
créam sàuce 크림 소스(white sauce)
créam sèparator 크림 분리기
cream·slice [-slàis] *n.* 크림[아이스크림]을 뜨는 얇은 나무 주걱
créam sóda 바닐라 향을 낸 소다수
créam tèa 《영》 크림 티 《잼과 고체 크림을 바른 빵을 먹는 오후의 차》
cream·ware [-wɛ̀ər] *n.* [집합적] 크림색 도자기
créam wòve 크림색 그물 무늬가 있는 종이(cf. WOVE PAPER)
∗**cream·y** [krí:mi] *a.* (**cream·i·er**; **-i·est**) **1** 크림 같은 **2** 크림을 함유한[이 많은] **3** 크림 모양의; 반들반들하고 말랑말랑한 **4** 크림색의
créam·i·ly *ad.* **créam·i·ness** *n.* ▷ créam *n.*
crease[1] [krí:s] *n.* **1 a** (종이·피륙 등의) 접은 자국[금] **b** [보통 *pl.*] (바지의) 주름 **c** (옷의) 주름, 큰 구

김살 ★ 작은 구김살은 wrinkles. **d** (얼굴의) 주름 **2** 〖크리켓〗 투수[타자]의 한계선
— *vt.* **1** 〈바지·종이 등에〉 주름을 잡다 **2** 주름투성이로 만들다; 구기다; 〈이마 등을〉 주름지게 하다 **3** 《영·속어》 〈사람을〉 포복절도시키다 **4** 《미》 탄환으로 찰과상을 입히다[기절시키다] — *vi.* **1** 접은 자국이 생기다; 구겨지다; 주름지다 **2** 《영·속어》 포복절도하다, 크게 웃다 《*up*》 **~·less** *a.*
crease² *n.* = CREESE
creased [kríːst] *a.* 《미·속어》 극도로 지친
creas·er [kríːsər] *n.* (제본·재봉 등에서의) 주름 잡는 기구
crease-re·sis·tant [kríːsrizìstənt] *a.* 〈옷감이〉 구겨지지 않는
crea·sing [kríːsiŋ] *n.* 〖건축〗 (담·굴뚝 위의) 비막이 기와[벽돌]
cre·a·sote [kríːəsòut] *n., vt.* = CREOSOTE
creas·y [kríːsi] *a.* (**creas·i·er**; **-i·est**) 주름이 많은; 구김살투성이의
‡**cre·ate** [kriéit] [L 「낳다」의 뜻에서] *vt.* **1** 〈신·자연력 등이 새로운 것을〉 **창조하다**: (~+목+보) All men are ~*d* equal. 사람은 모두 평등하게 태어났다. **2** 〈독창적인 것을〉 **창작하다**; 〈배우가 어떤 역을〉 창조하다, 초연(初演)하다; 〈새로운 형을〉 안출하다 **3** 〈회사 등을〉 창립하다; 〈제도·관직 등을〉 창설하다 **4** 귀족으로 만들다, 〈위계·작위를〉 주다: (~+목+보) ~ a man a peer …을 귀족에 봉하다 / be ~*d* (a) baron 남작 작위를 수여받다 **5** 〈새로운 사태·소동 등을〉 **야기하다**, 일으키다(cause); 〈인상 등을〉 주다; 〈평판 등이〉 나게 하다: ~ a sensation 센세이션을 일으키다
~ a scene 추태를 부리다
— *vi.* **1** 창조적인 일을 하다 **2** 《영·구어》 몹시 떠들어대다 《*about*》 **cre·át·a·ble** *a.* **cre·át·ed·ness** *n.*
▷ creátion, créature *n.*; creátive *a.*
cre·a·tine [kríːətìːn, -tin] *n.* Ⓤ 〖생화학〗 크레아틴
créatine kínase 〖생화학〗 크레아틴 키나아제 《근육 활동시에 ATP 생성 반응을 촉매하는 효소》
créatine phósphate 〖생화학〗 크레아틴 인산(燐酸)
cre·at·i·nine [kriǽtənìːn, -nin] *n.* Ⓤ 〖생화학〗 크레아티닌 《척추동물의 근육·오줌·혈액 속의 백색 결정》
‡**cre·a·tion** [kriéiʃən] *n.* Ⓤ **1** **창조**; [the C~] (신의) **천지 창조**, 창세(創世) **2** **창작**; 창설; (제국 등의) 건설 **3** 수작(授爵), 위계(位階)의 수여 **4** [집합적] (신의) **창조물**, 삼라만상, 만물, 우주 **5** Ⓒ (지력·상상력의) 산물, 작품; (배우의) 역(役)의 창조, 초연, 새 연출; (의상 등의) 창안, 새 의장(意匠) **6** [감탄사로서] 《미·구어》 어머나 ***beat*** [***lick, whip***] (***all***) ~ 《미·구어》 그 무엇보다도 뛰어나다[뒤지지 않다]: That *beats* (*all*) ~. 그거 참 놀랍구나, 그거 참 유쾌하군. ***in all*** ~ 《미·구어》 [의문사를 강조하여] 도대체 ***like all*** ~ 《미·구어》 맹렬히, 열심히 ***the ~ of peers*** 《영》 (상원의 반대를 억제하는 수단으로서 정부 지지의) 귀족을 마구 만들어 내는 일 ***the lord of*** (***all***) ~ 만물의 영장(man); 인간 **~·al** *a.* ▷ creáte *v.*; creátive *a.*
cre·a·tion·ism [kriéiʃənìzm] *n.* Ⓤ 〖신학〗 영혼 창조설; 〖생물〗 창조론(opp. *evolutionism*) **-ist** *n.*
creátion scìence (천지) 창조 과학
creátion scientist *n.*
*****cre·a·tive** [kriéitiv] *a.* **1** **창조적인**, 창조력이 있는 **2** **독창적인**(originative), 창작적인 **3** 뜻있는, 건설적인 **4** 과장된 자료[정보]를 사용한: ~ bookkeeping 분식 장부 ***be ~ of*** …을 낳다, 창조하다
— *n.* 《미·구어》 독창적인 사람
~·ly *ad.* **~·ness** *n.*
creátive accóunting 재무 보고서의 교묘한 조작, 《경멸》 경리 조작
creátive evolútion 창조적 진화 《프랑스의 Bergson 철학의 근본 사상》
creátive wrìting (소설·희곡·시의) 창작 (작품)
cre·a·tiv·i·ty [krìːeitívəti, krìːə-] *n.* Ⓤ **창조적임**, 창조성; 독창력, 창조력; 《속어》 활기, 생기

*****cre·a·tor** [kriéitər] *n.* **1** **창조자**, 창작자, 창설자 **2** [the C~] **조물주**, 신(God) **3** (극의) 역(役) 창조자; 수작자(授爵者); (새 의장) 고안자 **~·ship** *n.* Ⓤ
cre·a·tress [kriéitris] *n.* CREATOR의 여성형
crea·tur·al [kríːtʃərəl] *a.* 피조물의; 생물의; 인간[동물]적인
‡**crea·ture** [kríːtʃər] [L 「창출된 자」의 뜻에서] *n.* **1** (신의) **창조물**(cf. CREATION) **2** **생물**, 《특히》 동물; 《미》 마소, 가축 **3** [주로 애정·동정·경멸 등의 형용사와 함께] 사람, 녀석, 놈, 년, 자식: fellow ~*s* 동포 / Poor ~! 가엾어라! / the[that] ~ 《경멸》 저 녀석, 그 놈 / What a ~! 웬 놈이야! **4** 〈사람·사물 등에〉 지배당하는 자, 예속자, 부하, 앞잡이(tool); 노예, 종(slave): a ~ of circumstances[impulse] 환경[충동]의 노예 **5** 가공의 동물; 정체불명의 생물: a ~ of fancy 공상의 동물 / ~*s* from outer space 우주에서 온 수수께끼의 생물 **6** 소산(所産), 산물, 아들: a ~ *of* the age 시대의 아들 **7** [the ~] 《익살》 독한 술, 《특히》 위스키 (***all***) ***God's ~s*** (***great and small***) 하느님의 (크고 작은) (온갖) 창조물[생물], 인간도 동물도 (모두) ***good ~s*** = CREATURE COMFORTS
créature cómforts [종종 the ~] 육체적 안락을 주는 것; 《특히》 먹을[마실] 것, 음식물
crèche [kréʃ, kréiʃ] [F] *n.* **1** 《영》 탁아소 **2** 《미》 구유 속의 어린 예수상(像)(《영》 crib) **3** 고아원 **4** 〖동물〗 크레슈 《공동으로 돌보아지는 새끼 동물의 집단》
cred [kréd] *n.* Ⓤ = STREET CRED
cre·dence [kríːdəns] *n.* **1** Ⓤ 신용, 신임(belief, credit): a letter of ~ 신임장(cf. CREDENTIALS) **2** 〖가톨릭〗 (미사에 필요한 것을 놓는) 제구대(= ~ tàble) **3** 〖가구〗 = CREDENZA 1
find ~ with …의 신임을 받다 ***give*** [***refuse***] ***~ to*** …을 믿다[믿지 않다]
cre·den·dum [kridéndəm] *n.* (*pl.* **-da** [-də]) 〖신학〗 신조, 신앙 개조(信仰個條)
cre·dent [kríːdənt] *a.* **1** 《고어》 신용하는 **2** 《폐어》 신용할 수 있는
cre·den·tial [kridénʃəl] *n.* [보통 *pl.*] **1** (대사·공사 등에게 수여하는) 신임장; (사람 등의) 자격, 적격, 적성: present ~*s* 신임장을 제정하다 / ~*s* committee 자격 심사 위원회 **2** 자격 증명서, 성적[인물] 증명서
— *a.* 신용 증명이 되는, 신임의: a ~ letter 신임장
— *vt.* **1** 신임장[자격증]을 주다: (~+목+***to*** do) She has been ~*ed to* teach math. 그녀는 수학 교사 자격을 갖고 있다. **2** [보통 수동형으로] 신임[신용]하다 **~·ed** [-d] *a.* 자격을 갖춘, 유자격의 〈교사〉 **~·ism** *n.* Ⓤ 자격[학력] 편중주의
cre·den·za [kridénzə] *n.* **1** (르네상스 시대의) 식기 진열장(credence) **2** 〖가톨릭〗 제구대(credence) **3** (서류·사무용품을 넣는) 캐비닛
cred·i·bil·i·ty [krèdəbíləti] *n.* Ⓤ 믿을 수 있음, 진실성; 신용, 신빙성
credibílity gàp **1** (정부나 정치가 등의) 언행 불일치 **2** 신빙성의 결여, 불신감; (세대간의) 단절(감)
cred·i·ble [krédəbl] *a.* 신용[신뢰]할 수 있는, 확실한 **~·ness** *n.* **-bly** *ad.* 확실히; 믿을 만한 소식통에서
‡**cred·it** [krédit] [L 「믿다」의 뜻에서] *n.* Ⓤ **1** **신뢰**, **신용**(trust) **2** **명성**, 평판; 신망; 진실성 **3 a** 〖상업〗 **외상** (판매), 신용 판매[대부]; (크레디트에 의한) 지불 유예 기간; 크레디트: Cash or ~ (card)? 현금입니까, 카드입니까? 《상점 점원이 고객에게 묻는 말》 **b** 〖부기〗 대변(貸邊)(opp. *debit*) 《略 cr.》; 대변의 기입; 대월

thesaurus **create** *v.* generate, originate, invent, initiate, engender, produce, design, devise, make, build, construct, develop, shape, form (opp. *demolish, destroy*)
creative *a.* inventive, imaginative, original, ingenious, resourceful, inspired, artistic
credit *n.* **1** 신용 belief, credence, faith, trust, reliability, confidence **2** 명성 name, reputation,

(貸越) 계정 c (은행의) 대출금, 융자; 예금(잔고) 4 신용장(letter of credit) 5 명예, 공; 칭찬; [보통 a ~] 명예가 되는 것, 자랑 《*to*》: He is *a* ~ *to* his family. 그는 가문의 명예이다. 6 Ⓒ 《미》 (어떤 과목의) 수료[이수] 증명; 이수 단위, 학점 《*for*》; 《영》 (시험 성적의) 양(良) 7 (공적·성질 등이 있다고) 인정함, 믿음 《*for*》 8 [보통 *pl.*] 크레디트 《영화·출판물 등에서 이용 자료의 출처 및 제공자 등의 명시》

be* (*much*) *to the* ~ *of a person[***to*** a person***'s*** ~] …의 커다란 명예이다, 〈…의 행위 등이〉 훌륭하다 ***do* ~ *to*** a person = ***do*** a person ~ …의 명예가 되다, 면목을 세우다 ***gain*** [***lose***] ~ (***with***) (…의) 신용을 얻다[잃다] ***get*** [***have, take***] ~ ***for*** …의 공로를 인정받다, …에 의하여 면목을 세우다 ***give*** a person ~ 신용 대부하다 ***give*** a person ~ ***for*** 〈성질 등을〉 …이 당연히 가진 것으로 보다; 〈행위 등을〉 …에게 돌리다, …의 공로로 치다 ***give* ~ *to*** 〈이야기 등을〉 믿다 ***have* ~** 신용이 있다 《*with, at*》, 예금이 있다 《*at*》 ***have*** [***get***] ***the* ~ *of*** …의 영예를 얻다, 명예롭게도 …했다고 인정받다 ***letter of* ~** 〖상업〗 신용장 《略 L/C》 ***long*** [***short***] **~** 장기[단기] 신용 대부 ***No* ~.** 외상 사절. ***of good* ~** 평판이 좋은 ***on* ~** 외상으로, 신용 대부로 ***reflect* ~ *on*** [***upon***] …의 명예가 되다 ***take* ~ *to*** one***self*** (***in***) (…을) 자기의 공적으로 돌리다 ***take*** (***the***) **~ *for*** (1) …의 공로를 가로채다 (2) …의 공적이라고 인정되다 ***to*** one***'s* ~** (1) …의 명예가 되게, 기특한[하게도] (2) 자기의 이름으로[이 붙는] (3) 〖부기〗 …의 대변에 ***with* ~** 훌륭하게

— *vt.* 1 믿다, 신용하다: I can't ~ that story. 나는 그런 이야기를 믿을 수 없다. 2 〈…의 성질·감정 등을 가지고 있다고〉 믿다 《*with*》; 〈공로·명예를〉 …에게 돌리다; …덕분으로 돌리다(ascribe) 《*to*》: (~+목+전+명) ~ something *to* a person = ~ a person *with* something 어떤 물건이 …에게 속하는 것으로 보다/Until now I have always ~*ed* you *with* some sense[honesty]. 지금까지는 네게도 얼마간의 분별[정직성]은 있다고 생각해 왔다. 3 〖부기〗 〈얼마의 금액을 …의〉 대변에 기입하다 《*to*》: (~+목+전+명) ~ a sum *to* a person = ~ a person *with* a sum …의 대변에 금액을 기입하다 4 《미》 〈…에게〉 학점[이수 증명]을 주다 《*with*》: (~+목+전+명) ~ a student *with* three hours in world history 학생에게 3시간의 세계사 학점을 주다 5 〖상업〗 …에게 외상 판매를 하다 《*with*》

cred·it·a·bil·i·ty [krèditəbíləti] *n.* Ⓤ 1 명예가 됨 2 신용할 만함

***cred·it·a·ble** [kréditəbl] *a.* 1 명예가 되는; 칭찬할 만한, 훌륭한 《*to*》: It is ~ *to* your good sense. 그걸 보니 자네의 양식을 높이 살 만하군, 과연 훌륭한 분별이다. 2 신용할 만한
~·ness *n.* **-bly** *ad.* 훌륭하게

crédit accòunt 《영》 외상 계정(《미》 charge account)

crédit àgency[**bùreau**] (신용 판매를 위한) 신용 조사소[기관], 상업 흥신소

crédit ànalyst (개인·법인의) 신용 등급 조사원

crédit bàlance 〖부기〗 대변 잔고

crédit càrd 크레디트 카드, 신용 카드

créd·it-card càlculator [kréditkɑ̀ːrd-] 〖컴퓨터〗 크레디트 카드 크기[두께]의 전자 계산기

crédit crúnch 신용 규제, 신용 제한

crédit hòur 《미》 〖교육〗 (이수의) 단위 시간

crédit insùrance 신용[대손] 보험

crédit lífe insùrance 신용 생명 보험 《채무자 사망시 대출 금액의 미불분을 보증하는 보험》

crédit lìmit 신용 한도(액)

crédit lìne 1 크레디트 라인 《뉴스·기사·사진·그림의 복제(複製) 등에 붙이는, 제공자의 이름 등을 쓴 것》 2 신용[외상] 한도액; 신용장 개설 한도; 신용 한도 (《미》 credit limit)

crédit màn 신용 조사원

crédit memoràndum 대변 전표, 크레디트 메모 《사는 사람에게 발행하는 송장 이외의 전표》

crédit nòte 〖상업〗 대변 전표 《입금·반품 때 판 사람이 보내는 전표》

***cred·i·tor** [kréditər] *n.* 1 채권자(opp. *debtor*): ~*'s* ledger 매입처 원장(元帳) 2 〖부기〗 대변(貸邊) 《略 cr》 **~·shìp** *n.*

crédit ràting (개인·법인의) 신용도 평가 등급

crédit réference àgency (개인·법인의) 신용(등급) 조회소

crédit rìsk 신용 리스크 《채무 변제 불능의 위험성이 있는 채무자, 또는 그 위험성》

crédit sàle 〖상업〗 신용 판매, 외상 판매

crédit sìde 〖부기〗 대변 ***on the* ~** (1) 〖부기〗 대변에 (2) 좋은 점은

crédit slìp 입금표; = CREDIT MEMORANDUM

crédit squeèze (인플레이션 대책으로서 정부가 취하는) 금융 긴축 (정책)

crédit stànding (채무 지불 능력의) 신용 상태

crédit tìtle 크레디트 타이틀 《영화·텔레비전의 제작자·감독·출연자 기타 관계자의 자막》

crédit trànche [-trɑ̀ːnʃ] 크레디트 트란시 《IMF 가맹국이 출자 할당액을 초과하여 빌릴 수 있는 금액》

crédit trànsfer 은행 계좌의 대체

crédit ùnion 소비자 신용 조합

cred·it·wor·thy [kréditwə̀ːrði] *a.* 〖상업〗 (재정적으로) 신용할 수 있는, 신용도 높은 **-thi·ness** *n.*

cre·do [kríːdou, kréi-] [L 「나는 믿다」의 뜻에서] *n.* (*pl.* **~s**) 1 《일반적으로》 신조(creed) 2 [the C~] 〖그리스도교〗 사도 신경(the Apostles' Creed); 니케아 신경(the Nicene Creed)

***cre·du·li·ty** [krədjúːləti | -djúː-] *n.* Ⓤ 믿기 쉬움; 경신(輕信), 고지식함 ▷ crédulous *a.*

***cred·u·lous** [krédʒuləs | -dju-, -dʒu-] *a.* 1 〈남의 말 등을〉 잘 믿는; 속기 쉬운(opp. *incredulous*) 2 경솔히 믿는 데서 오는 **~·ly** *ad.* **~·ness** *n.*
▷ credúlity *n.*

Cree [kríː] *n.* (*pl.* [집합적] **~, ~s**) 1 크리 족 《캐나다 중앙부에 살던 아메리카 원주민》 2 Ⓤ 크리 말

‡**creed** [kríːd] [L 「믿다」의 뜻에서] *n.* 1 (종교상의) 신경(信經), 교의(敎義); [the C~] 사도 신경(the Apostles' Creed) 2 《일반적으로》 신조, 신념, 주의, 강령: one's political ~ …의 정치적 신념 **~·al** *a.*

‡**creek** [kríːk, krík | kríːk] *n.* 1 《미·캐나다·호주》 내, 지류, 크리크 2 《영》 (바다·강·호수의) 작은 만, 후미 3 연안 지대 소택지의 수류[수로] 4 하구
up the* ~** (without a paddle***) 《속어》 (1) 난처하여, 딱하게 되어, 곤경에 빠져; 《특히》 임신하여 (2) 미친 듯한, 심한 (3) 틀리어, 잘못되어

Creek [kríːk] *n.* (*pl.* [집합적] **~, ~s**) 1 [the ~] 〖역사〗 크리크 동맹 2 [the ~(s)] (크리크 동맹에 속하던) 크리크 족; 크리크 사람 3 Ⓤ 크리크 말

creel [kríːl] *n.* 1 (낚시꾼의) 다래끼 2 〖방직〗 실꾸리 꽂는 틀 3 (물고기·새우 등을 잡기 위한) 통발

‡**creep** [kríːp] *vi.* (**crept** [krépt]) 1 기다, 포복하다

---

prestige, esteem, influence
credulous *a.* overtrusting, deceivable, unsuspicious, unskeptical, naive, trusting, gullible (opp. *skeptical, incredulous*)
creed *n.* doctrine, dogma, teaching, canon, catechism, beliefs, principles, rules
creek *n.* stream, brook, small river, channel
creep *v.* crawl, slither, squirm, wriggle, writhe

> 유의어 **creep** 유아 등이 기어다님을 나타내고 「느릿느릿, 슬금슬금」의 느낌이 든다: A baby ~*s.* 아기가 느릿느릿 기어간다. **crawl** 뱀 따위가 기어다님을 나타내고 비유적으로는 비굴감이 따른다: A snake ~*s.* 뱀이 기어간다.

2 살금살금 걷다, 살살 기다[걷다]: (~+전+명) Our car *crept through* heavy traffic. 우리 차는 교통 혼잡 속에서 느릿느릿 나아갔다. 3 〈덩굴·나무 뿌리 등이〉 얽히다, 뻗어 퍼지다: (~+전+명) ~ *up* the wall 벽을 타고 올라가다 / ~ *over* the ground 땅 위를 뻗어나가다 4 근질근질하다; 섬뜩해지다 5 소리를 죽여 걷다; 슬며시 접근하다: (~+부) ~ *in* 슬며시 기어들다 6 슬며시 …의 마음을 사다; 〈사상 등이〉 어느덧 스며들다; 〈세월 등이〉 슬며시 다가오다; 〈문체가〉 유창하지 못하다, 너무 단조롭다: (~+전+명) ~ *into* a person's favor 슬며시 …의 환심을 사다 / Age ~*s upon* us. 노년은 부지중에 다가온다. 7 〘항해〙 탐해구(探海鉤)(creeper)로 해서를 더듬다(drag) 8 〈레일 등이〉 점점 어긋나 움직이다; (금속이 열 등으로) 휘다, 변형되다
— *vt.* (고어·시어) 〈식물 등이〉 …의 위를 기어오르다
~ in 슬며시 기어들다 **~ into** …에 몰래[슬며시] 들어가다 ***make*** a person***'s flesh*** [***skin***] **~** = ***make*** a person **~ *all over*** …을 소름 끼치게 하다
— *n.* 1 포복; 서행(徐行) 2 [보통 the ~s] (구어) 섬뜩해지는 느낌, 전율(戰慄) 3 (동물이 드나드는 울타리 등의) 개구멍; = CREEPHOLE 1 4 Ⓤ 〘지질〙 지층의 변형 5 (속어) 아니꼬운[불쾌한] 녀석 6 〘물리〙 크리프 《계속적인 가열과 압력 때문에 물체에 생긴 영구적인 변형》 ***at*** [***on***] ***the* ~** (영·속어) 사람이 있는데 몰래 숨어들어 ***give*** a person ***the* ~*s*** …을 섬뜩하게 하다, 소름 끼치게 하다: It *gave* me *the* (cold) ~*s*. 그것은 나를 섬뜩하게 하였다. ▷ créepy *a.*

creep·age [kríːpidʒ] *n.* 천천히[살금살금] 걸음[움직임]; 아주 조금씩 움직임

creep·er [kríːpər] *n.* 1 기는 것; (특히 기는) 곤충, 파충류의 동물(reptile); 〘식물〙 덩굴 식물; 〘조류〙 나무에 기어오르는 새, 《특히》 나무발바리 2 (속어) 아첨꾼, 비열한 사나이 3 〘항해〙 탐해구(探海鉤) 4 [*pl.*] (갓난애의) 겉옷; 놀이옷 5 [*pl.*] (미끄러지지 않게 구두 바닥에 댄) 얇은 철판; (미·속어) (도둑이 신는) 고무[펠트]창 구두 6 〘크리켓〙 땅볼(grounder)

creep·ered [kríːpərd] *a.* 〈집 등이〉 담쟁이로 덮인

creep·hole [kríːphòul] *n.* 1 (짐승의) 숨는[드나드는] 구멍 2 발뺌, 핑계(excuse)

creep·ing [kríːpiŋ] *a.* 1 기는, 기어 돌아다니는: ~ plants 덩굴 식물 / ~ things 파충류 2 느린(slow), 은밀한, 잠행성(潛行性)의 3 남몰래 빌붙는, 슬며시 환심사는; 비굴[비열]한 4 근질근질한; 오싹한
— *n.* Ⓤ 1 기기, 포복; 서서히[슬며시] 움직임 2 아첨 3 근질근질[오싹]한 느낌 4 〘항해〙 탐해법(探海法)
~·ly *ad.* 기어서; 서서히

créeping barráge 〘군사〙 잠행 탄막(潛行彈幕)

créeping crúd (미·속어) 1 알 수 없는 병[질환] 2 불쾌한 사람[것]

créeping erúption 〘병리〙 포복성 발진 《피부병》

créeping féa·tur·ism [-fíːtʃərizm] (컴퓨터속어) 프로그램이 더욱 복잡해져가는 경향[특질]

créeping inflátion 〘경제〙 잠행성 인플레이션(cf. GALLOPING INFLATION)

créeping Jén·nie [**Jénny**] [-dʒéni] 〘식물〙 좀가시풀

créeping Jésus (영·속어) 1 숨어 도망치는 사람, 비겁한 사나이 2 아첨꾼; 위선자

créeping paràlysis 〘병리〙 서서히 진행하는 마비; 《특히》 보행성 운동 실조(증)

créep jòint (미·속어) 1 밤마다 장소를 옮기는 도박장 2 (손님의 돈을 훔치는) 수상쩍은 술집[매춘굴]

creep·mouse [kríːpmàus] *a.* 겁 많은, 소심한

creep·y [kríːpi] *a.* (**creep·i·er**; **-i·est**) 1 (구어) 근질근질[오싹]한; 소름이 끼치는 2 기어 돌아다니는; 꾸물꾸물 움직이는 3 (영·속어) 비굴한, 아첨하는
créep·i·ly *ad.* **créep·i·ness** *n.*

creep·y-crawl·y [kríːpikrɔ́ːli] (영·구어) *a.* = CREEPY — *n.* (유아어) 기는 벌레

creese [kríːs] *n.* (칼날이 물결 모양인) 말레이시아 사람의 단도(kris)

cre·mains [kriméinz] [*cre*mated+*remains*] *n. pl.* (화장(火葬)한 사람의) 유골

cre·mate [kríːmeit | kriméit] *vt.* 1 〈시체를〉 화장하다 2 〈서류 등을〉 소각하다(burn)

cre·ma·tion [kriméiʃən] *n.* Ⓤ 1 화장(火葬) 2 소각 **~·ism** *n.* Ⓤ 화장론 **~·ist** *n.* 화장론자

cre·ma·tor [kríːmeitər | kriméi-] *n.* 1 (화장터의) 화장 작업원; 쓰레기 태우는 인부 2 화장로(爐); 쓰레기 소각로

cre·ma·to·ri·al [krìːmətɔ́ːriəl, krè- | krè-] *a.* 화장(火葬)의

cre·ma·to·ri·um [krìːmətɔ́ːriəm, krè- | krè-] *n.* (*pl.* **~s, -ri·a** [-riə]) (영) = CREMATORY

cre·ma·to·ry [kríːmətɔ̀ːri, kré- | krémətəri] *a.* 화장(火葬)의; 소각의 — *n.* (*pl.* **-ries**) 화장터; 쓰레기 소각장

crème [krém, kríːm] [F] *n.* 1 = CREAM 2 = CREAM SAUCE 3 크렘 《달콤한 맛의 리큐어》

crème brû·lée [krem-bruːéi] [F. = burnt cream] (*pl.* **crèmes brû·lées**) 크렘 브륄레 《설탕을 태워 만든 캐러멜 위에 뿌려진 커스터드 크림》

crème car·a·mel [krém-kǽrəməl] [F] 크렘 캐러멜 《캐러멜 소스를 친 디저트 과자》

crème de ca·ca·o [krém-də-kóukou] [F] 코코아와 바닐라 열매를 넣어 만든 리큐어

crème de la crème [krém-də-lɑː-krém] [F] 1 일류 인사들, 사교계의 꽃 2 최상의 것, 정화(精華)

crème de menthe [krém-də-mɑ́ːnt] [F] 박하를 넣은 리큐어

crème fraîche[**fraîche**] [krem-fréʃ] [F. = fresh cream] 크렘 프레슈 《젖산을 첨가해 약간 발효시킨 크림》

Cre·mo·na [krimóunə] *n.* 1 크레모나 《북부 이탈리아의 도시》 2 [때로 **c~**] 〘음악〙 크레모나산(産) 바이올린 《명품으로 유명》

cre·nate, -nat·ed [kríːneit(id)] *a.* 〘식물〙 무딘 톱날 모양의 《잎의 가장자리 등》

cre·na·tion [krinéiʃən] *n.* ⓊⒸ 〘식물〙 무딘 톱날 모양; 〘해부〙 (위축된 적혈구의) 무딘 톱날 모양 형성

cren·a·ture [krénətʃər, kríː-] *n.* 〘식물〙 무딘 톱날 모양의 구조

cren·el [krénl], **cre·nelle** [krinél] *n.* 〘축성〙 1 총안, 활 쏘는 구멍 2 [*pl.*] 총안이 있는 성의 흉벽

cren·el·ate [krénəlèit] *vt.* …에 총안[활 쏘는 구멍]을 만들다 — *a.* = CRENELATED

cren·el·at·ed [krénəlèitid] *a.* 1 〈성벽이〉 총안을 갖춘 2 〘건축〙 총안 무늬의 3 〘식물〙 무딘 톱날 모양의

cren·el·a·tion [krènəléiʃən] *n.* ⓊⒸ 1 총안 설비 2 총안이 있는 성벽 3 톱날 모양(의 것), 들쭉날쭉한 것

cren·el·et [krénəlit] *n.* 작은 총안(銃眼)

cren·u·late [krénjulèit, -lət], **cren·u·lat·ed** [-lèitid] *a.* 〈잎 가장자리가〉 무딘 톱니 모양의

cren·u·la·tion [krènjuléiʃən] *n.* 무딘 톱니 모양(의 돌기)

Cre·ole [kríːoul] *n.* [종종 **c~**] 1 크리올 사람: **a** 서인도 제도, Mauritius 섬, 남아메리카 등에 이주한 백인(특히 스페인 사람)의 자손 **b** (미국 Louisiana주의) 프랑스계 이민의 자손 **c** 크리올과 흑인과의 혼혈아 **d** (서인도·아메리카 태생의) 흑인(= ~ **Négro**) 2 Ⓤ 크리올 말 **a** 1b가 쓰는 프랑스 말 **b** 혼성어 3 Ⓤ 크리올 요리 — *a.* [종종 **c~**] 1 크리올(특유)의 2 (서인도 제도 등에서 나는) 외래종의 3 〈요리가〉 크리올풍의 《토마토·양파·고추 등을 사용》

Créole Státe [the ~] 미국 Louisiana 주의 속칭

cre·o·lize [kríːəlàiz] *vt.* 1 크리올풍으로 하다 2 〈언어를〉 혼성시키다, 혼합어로 만들다 — *vi.* 크리올풍이 되다 **crè·ol·i·zá·tion** *n.*

cré·ol·ized lánguage [kríːəlàizd-] 〘언어〙 혼성언어

cre·oph·a·gous [kriɑ́fəgəs | -ɔ́f-] *a.* 육식성의 (carnivorous)

cre·o·sol [krí:əsɔ̀:l, -sàl | -sɔ̀l] *n.* Ⓤ 〚화학〛 크레오솔

cre·o·sote [krí:əsòut | krí:ə-, kríə-] *n.* Ⓤ 〚화학〛 **1** 크레오소트 《의료·목재 방부용》 **2** 콜타르 크레오소트
— *vt.* 크레오소트로 처리하다

créosote òil 크레오소트유(油) 《목재 방부제·살충제용》

*__crepe, crêpe__ [kréip] [F] *n.* Ⓤ **1** 크레이프, 주름진 비단의 일종(cf. CRAPE); 검은 크레이프 상장(喪章) 《★ crape쪽이 일반적》 **2** = CREPE RUBBER **3** = CREPE PAPER **4** 크레이프 《얇은 팬케이크》

crepe de Chine [kréip-də-ʃí:n] [F] 크레이프드신 《엷은 비단 크레이프》

crépe háir 인조 털 《연극의 가짜 수염·가발용》

crepe·hang·er [kréiphæ̀ŋər] *n.* = CRAPEHANGER

crépe pàper 크레이프 페이퍼, 주름 종이 《조화(造花)·포장용》

crépe rúbber 크레이프 고무 《잔 주름이 가게 눌러 편 생고무; 구두 밑창에 사용》

crêpe su·zette [kréip-su:zét, krép-] [F] 얇은 디저트용 팬케이크

crep·i·tant [krépətənt] *a.* **1** 타닥타닥 소리 나는 **2** 〚병리〛 염발음(捻髮音)의

crep·i·tate [krépətèit] *vi.* **1** 타닥타닥[딱딱] 소리 나다(crackle) **2** 〚의학〛 염발음을 내다

crep·i·ta·tion [krèpətéiʃən] *n.* ⓊⒸ **1** 타닥타닥(나는 소리) **2** 〚의학〛 염발음(捻髮音)

cre·pon [kréipan | -pɔn] [F] *n.* Ⓤ 크레퐁 《두꺼운 크레이프; 양털·비단 또는 그것을 섞어 짠 주름천》

‡**crept** [krépt] *v.* CREEP의 과거·과거분사

cre·pus·cu·lar [kripʌ́skjulər] *a.* **1** 《문어》 어두컴컴한, 어둑어둑한, 황혼의(dim) **2** 《문어》 반개화(半開化)의; (문화의) 여명기의: a ~ period 반개화 시대 **3** 〚동물〛 어두컴컴한 때에 출현[활동]하는

cre·pus·cule [kripʌ́skju:l, krépəskjù:l | krépəskjù:l], **cre·pus·cle** [kripʌ́sl] *n.* Ⓤ 땅거미, 황혼, 어스름

Cres. 《영》 Crescent **cres(c).** 〚음악〛 crescendo; crescent

cre·scen·do [kriʃéndou, -sén- | -ʃén-] [It. 「커지다」의 뜻에서] *ad.* **1** 〚음악〛 점점 세게 《略 cres(c).; 기호<》(opp. *diminuendo*) **2** (감정·동작을) 차차 강하게 — *a.* 크레셴도의, 점강음의; 점점 강한
— *n.* (*pl.* **~s, -di** [-di]) **1** 〚음악〛 점강(漸强)음[음절], 크레셴도 **2** (climax에의) 진전, (감동·기세 등의) 점점 세어지기, 점고(漸高); 최고조
— *vi.* 〈기세·소리가〉 강해지다, 더하다

*__cres·cent__ [krésnt] [L 「증대하다」의 뜻에서] *n.* **1** 초승달, 신월(新月) **2** 초승달 모양(의 것); 〚문장〛 초승달 문장 **3** (고대 터키 제국의) 초승달 모양의 기장; 터키 제국[군대]; [the C~] 회교 **4** 《영》 초승달 모양의 광장(廣場)[거리] **5** 크루아상(croissant)(= ≁ **roll**)
— *a.* Ⓐ **1** 초승달 모양의 **2** 〈달이〉 차차 차는[커지는] (increasing) **cres·cen·tic** [krəséntik] *a.*

cres·cive [krésiv] *a.* 점차 증대[성장]하는

cre·sol [krí:sɔ:l, -sal | -sɔl] *n.* Ⓤ 〚화학〛 크레졸

cress [krés] *n.* 〚식물〛 큰 다닥냉이(= garden ~)

cres·set [krésit] *n.* 화톳불[횃불]용 기름통[쇠바구니]

Cres·si·da [krésidə] *n.* **1** 여자 이름 **2** 〚그리스신화〛 크레시다 《애인 Troilus를 배반한 Troy 여자》

‡**crest** [krést] *n.* **1** (새의) 볏(comb); 관모(冠毛), 도가머리(tuft of hair) **2** 깃 장식(plume); (투구의) 앞꽂이 장식; 투구 (꼭대기) **3** (방패 꼴 문장(紋章)의) 꼭대기 장식; (봉인(封印)·접시·편지지 등에 찍힌) 문장(紋章) **4** 〚건축〛 용마루 (장식) **5** (말 등의) 머리 장식; 갈기(mane) **6** (물건의) 꼭대기; 산꼭대기; (파도의) 물마루; 최상(最上), 극치 **7** 산등성이 (모양의 것) **8** 〚해부〛 (특히 뼈의) 모서리, 융기
erect one***'s ~*** 의기양양해지다 ***on the ~ of the [a] wave*** 물마루를 타고; 의기양양하여, 행운의 절정에 one***'s ~ falls*** 풀이 죽다, 기가 꺾이다
— *vt.* **1** 〚건축〛 …에 용마루 장식을 달다 **2** 〈산의〉 꼭대기에 이르다, 〈파도의〉 물마루를 타다
— *vi.* 〈파도가〉 물마루를 이루다, 놀치다
~·ed [-id] *a.* Ⓐ 볏이 있는; 깃 장식이 있는

crést clòud 삿갓구름

crésted whéatgrass 〚식물〛 마초풀

crest·fall·en [kréstfɔ̀:lən] *a.* 풀이 죽은, 맥빠진, 기운 없는(dejected) **~·ly** *ad.* **~·ness** *n.*

crest·ing [kréstiŋ] *n.* Ⓤ 〚건축〛 용마루 장식; 〚가구〛 (의자·거울 등의) 조각 장식

crest·less [kréstlis] *a.* **1** 꼭대기 장식이 없는; 가문(家紋)이 없는 **2** 신분이 천한

crést ràil (의자 등받이의) 장식 가로대

cre·ta·ceous [kritéiʃəs] *a.* 백악질(白堊質)의(chalky) **~·ly** *ad.*

Cre·ta·ceous [kritéiʃəs] *a.* 〚지질〛 백악기(紀)[계]의: ~ period 백악기 / ~ system 백악계
— *n.* [the ~] 〚지질〛 백악기[층]

Cre·tan [krí:tn] *a.* 크레타 섬 (사람)의
— *n.* 크레타 섬 사람

Crete [krí:t] *n.* 크레타 섬 《지중해 동남부에 있는 그리스령의 섬》

cret·ic [krí:tik] *n.* 〚운율〛 장단장(長短長)(— ◡ —)[강약강(强弱强)(∸×∸)]격(格)의 음각(音脚)

cre·ti·fy [krí:təfài] *vt.* (**-fied**) 〚지질〛 백악[석회]화하다

cre·tin [krí:tn | krétin] *n.* **1** 크레틴병 환자 **2** 《구어》 바보, 백치

cre·tin·ism [krí:tənìzm | krétin-] *n.* Ⓤ 〚병리〛 크레틴병 《알프스 산지의 풍토병; 불구가 되는 백치증》

cre·tin·oid [krí:tənɔ̀id | krétin-] *a.* 크레틴병 (환자) 같은

cre·tin·ous [krí:tənəs, kré- | kré-] *a.* **1** 크레틴병의[에 걸린] **2** 바보 같은, 백치의[같은]

cre·tonne [kritán, krí:tan | kretɔ́n] *n.* Ⓤ 크레톤 사라사 《의자 덮개·휘장용》

Créutz·feldt-Já·kob disèase [krɔ́itsfeltjá:kɔ:b-] [독일의 정신과 의사 이름에서] 〚병리〛 크로이츠펠트야코프병 《바이러스로 인한 치명적 뇌질환》

cre·val·le [krəvǽli, -vǽlə] *n.* (*pl.* [집합적] **~, ~s**) 〚어류〛 줄전갱이(무리의 식용어)

cre·vasse [krəvǽs] [F = crevice] *n.* **1** 크레바스 《빙하의 깊게 갈라진 열극》 **2** 《미》 (둑의) 틈이 난 곳

*__crev·ice__ [krévis] *n.* (지면·바위·벽 등의 좁고 깊게) 갈라진 틈, 균열, 열극 **crév·iced** *a.*

‡**crew**[1] [krú:] [「(군대의) 증강」의 뜻에서] *n.* [집합적] **1 a** (승객을 제외한 배·비행기·열차의) 승무원 전원 **b** (고급 선원을 제외한) 일반 선원들; (비행기에서 운항 승무원 이외의) 승무원 **2** (보트의) 크루, 보트의 팀 **3** 보트 레이스 **4** 《구어》 동아리, 패거리(set, gang); 대(隊), 반(班); (노동자의) 일단 **5** 《구어》 패거리, 한패
— *vi., vt.* …의 승무원의 일원으로서 일하다 **~·less** *a.*

crew[2] *v.* 《영》 CROW[1]의 과거

créw cùt 상고머리, 스포츠 머리

crew·el [krú:əl] *n.* Ⓤ **1** (수·뜨개 등의 겹실로 쓰는) 털실 **2** = CREWELWORK

crew·el·work [krú:əlwə̀:rk] *n.* Ⓤ 털실 자수

crew·man [krú:mən] *n.* (*pl.* **-men** [-mən, -mèn]) (배·비행기·우주선 등의) 승무원, 탑승원

crew·mate [-mèit] *n.* (우주선 등의) 동승 승무원

créw nèck[**nèckline**] 크루넥 《스웨터 등 깃이 없는 둥근 네크라인》

créw sòck [보통 *pl.*] 골이 진 두꺼운 양말

*__crib__ [kríb] *n.* **1** 유아용 침대 《테두리 난간이 있는》 **2** (가로장이 있는) 구유, 여물통(cf. MANGER) **3** (통나무) 오두막(hut); 좁은 방[집]; 저장소, 곳간 《소금·옥수수 등의》 **4** 〚카드〛 **a** [the ~] (cribbage에서) 선(先)이 쥔 패 **b** = CRIBBAGE **5** 《구어》 (남의 작품의) 무단 사용, 표절(plagiarism) 《*from*》 **6** 《구어》 (학생용의) 자습서, 주해서; 커닝 페이퍼 **7** 《속어》 집, 가게; 금고 **8** 〚건축〛 방틀 《통나무·강철재 등으로 틀을 짜서

그 속에 돌·흙을 채운 것; 기초, 댐의 건설에 사용》 **9** 《속어》 매춘굴, (도둑의) 소굴
— *v.* (**~bed**; **~·bing**) *vt.* **1** …에 구유를 비치하다[두다] **2** 《구어》 〈남의 작품을〉 무단 사용하다, 표절하다 《*from*》 **3** 〈좁은 곳에〉 밀어 넣다
— *vi.* **1** 〈말이〉 구유를 물어뜯다 **2** 《구어》 남의 작품을 무단 사용하다, 표절하다; 커닝하다; 자습서를 쓰다
crib·bage [kríbidʒ] *n.* Ⓤ 크리비지 《2-4명이 하는 카드놀이의 일종》
crib·ber [kríbər] *n.* **1** 표절자 **2** 커닝하는 사람 **3** 여물통을 물어뜯는 버릇이 있는 말
crib·bing [kríbiŋ] *n.* Ⓤ **1** =CRIB-BITING **2** 〖광산〗 **a** 평곡을 좁은 간격이 정(井)자형으로 쌓는 광목 지주법의 하나 **b** 빈틈없이 광벽을 지지하는 광목
crib-bite [kríbbàit] *vi.* 〈말이〉 구유를 물어뜯다
crib-bit·ing [-bàitiŋ] *n.* Ⓤ 〈말이〉 구유[여물통]를 물어뜯으며 거칠게 숨쉬는 버릇
críb còurse 《미·학생속어》 (대학의) 쉬운 강좌
críb crìme [jòb] 《미·속어》 노인을 노린 강도[강탈]
críb dèath 《구어》 유아(乳兒)의 돌연사(sudden infant death syndrome)
crib·ri·form [kríbrəfɔ̀ːrm] *a.* 〖해부·식물〗 소공질(小孔質)의, 체 모양의(sievelike)
crib·work [kríbwə̀ːrk] *n.* Ⓤ **1** 통나무 기초 공사 **2** 방틀 공사
crick [krík] *n.* (목·등 등의) 근육[관절] 경련, 쥐: get[have] a ~ in one's neck 목 근육에 쥐가 나다
— *vt.* …에 경련을 일으키다, …에 쥐가 나다
***crick·et**[1] [kríkit] [의성어] *n.* 〖곤충〗 귀뚜라미 《★ 평화·행운의 상징; 울음소리 chirp》
(*as*) ***merry*** [***chirpy, lively***] ***as a*** ~ 《속어》 매우 쾌활[명랑]하게
crick·et**[2] [kríkit] [OF 「배트(bat)」의 뜻에서] *n.* Ⓤ **1** 크리켓 《특히 영국에서 인기 있는 스포츠; 11명씩 두 패로 갈려서 하는 옥외 구기》: a ~ field[match] 크리켓 경기장[경기] 관련 batsman (타자), bowler (투수), the pitch (삼주문과 삼주문 사이의 자리), umpire (심판), wicket (삼주문) **2** 《영·구어》 [부정문에서] 공명정대함, 페어플레이 ***It's not (***quite***) ***~.*** 《구어》 정정당당하지 못하다. ***play*** ~ 크리켓을 하다; 정정당당하게 행동하다
— *vi.* 크리켓을 하다
cricket[3] *n.* 《미·방언》 낮은 의자, 발판(footstool)
crick·et·er [kríkitər] *n.* 크리켓 경기자
crick·et·ing [kríkitiŋ] *a.* Ⓐ 크리켓을 하는; 크리켓용의
cri·coid [kráikɔid] 〖해부〗 *a.* 고리 모양의, 환상[윤상]의(ringlike) **—** *n.* 환상 연골(環狀軟骨)
cri de coeur [kríː-də-kə́ːr] [F =cry from the heart] 열렬한 항의[호소]
cri·er [kráiər] *n.* **1** 외치는[우는] 사람 **2** (공판정의) 정리(廷吏)(cf. OYEZ) **3** (동리·마을 등의) 포고(布告)를 알리는 광고꾼(=town ~); 도붓장수
cri·key [kráiki] *int.* 《속어》 저런, 이것 참(놀랐는데) ★ By ~! 라고도 함.
Crim·bo [krímbou] *n.* Ⓤ 《영·구어》 =CHRIMBO
crim. con. 〖법〗 criminal conversation
‡crime [kráim] [L 「판결」의 뜻에서] *n.* **1** (법률상의) 죄, 범죄: commit a serious ~ 중죄를 범하다

> 유의어 **crime** 살인·강도 등 법률에 위반되는 행위: the *crime* of murder 살인죄 **sin** 종교적·도덕적 죄악: the *sin* of blasphemy 신에 대한 모독죄 **vice** 「미덕」의 반대어로서 도덕에 위배되는 좋지 않은 행위: regard gambling as a *vice* 도박을 악덕으로 간주하다

2 Ⓤ 《일반적으로》 죄악, 반도덕적 행위(sin); 범죄 행위[활동] **3** [보통 a ~] 《구어》 유감스러운[분한] 일; 부끄러운[한심스러운, 어리석은] 짓[일]
a capital ~ (사형에 처할 만한) 중죄 ***attempt a*** ~ 못된 짓을 꾸미다 ***~s against the State*** 국사범(國事犯) ***put*** [***throw***] ***a*** ~ ***upon*** …에게 죄를 덮어씌우다 ***worse than a*** ~ 언어도단의
▷ críminal *a.*; críminate *v.*
Cri·me·a [kraimíːə, kri-] *n.* **1** [the ~] 크림 반도 《흑해 북쪽 해안의》 **2** 크림 《크림 반도에 있던 구소련 자치 공화국; 제2차 대전 후 우크라이나 공화국에 편입》
Cri·mé·an *a.*
críme agàinst humánity 인류에 대한 범죄 《인종·국적·종교·정치적 이념 등으로 인한 집단 학살》
críme agàinst náture **1** 〖법〗 반(反)자연적 범죄 《계간·수간 등 부자연한 성행위》 **2** 반자연적 행위
Criméan Wár [the ~] 크림 전쟁(1853-56) 《영·프랑스·터키·사르디니아 연합군 대 러시아의 전쟁》
críme fiction 범죄[추리] 소설
críme làboratory 과학 수사 연구소
crime pas·si·o·nel [kríːm-pàːsiənél | -pæsiə-] [F] 치정(痴情) 관계 사건 《특히 치정 살인》
crimes [kráimz] *int.* =CHRIST
críme shèet 〖영국군〗 (군기 위반의) 범죄 기록
críme wàve (일시적인) 범죄의 증가
críme wrìter 범죄[추리] 소설 작가
‡crim·i·nal [krímənl] *n.* **범인, 범죄자**(offender): a habitual ~ 상습범
— *a.* **1** Ⓐ **범죄(성)의**; 형사상의(opp. *civil*): a ~ case 형사 사건 / a ~ offense 형사 범죄 **2** **범죄적인**; 죄를 범하는: a ~ operation 낙태 **3** Ⓟ 《구어》 괘씸한, 한심스러운; 〈가격 등이〉 도가 지나친
▷ críme *n.*; críminate *v.*
críminal assáult 〖법〗 범죄성 폭행, 강간
críminal chrómosome 범죄자 염색체 《남성의 극히 일부에 보이는 여분의 Y염색체》
críminal códe 〖법〗 형사법(규); 형사 법전
críminal contémpt 〖법〗 법정 모욕(죄)
críminal conversátion[**connéction**] 〖법〗 간통죄(adultery)
críminal cóurt 형사 법원, 형사 법정
Críminal Investigátion Depártment [the ~] 《영》 (런던 시경의) 형사부 《略 CID》
crim·i·nal·ist [krímənəlist] *n.* **1** 범죄학자(criminologist) **2** 형법학자
crim·i·nal·is·tics [krìmənəlístiks] *n. pl.* [단수 취급] 《미》 범죄 증거학; 범죄학, 형사학
crim·i·nal·i·ty [krìmənǽləti] *n.* (*pl.* **-ties**) **1** 범죄(행위) **2** Ⓤ 범죄성, 유죄(guiltiness); 범죄 행위
crim·i·nal·i·za·tion [krìmənəlizéiʃən | -lai-] *n.* Ⓤ 법률로 금하기, 유죄로 하기
crim·i·nal·ize [krímənəlàiz] *vt.* 법률로 금하다, 〈사람·행위를〉 유죄로 하다
críminal láw 형법, 형사법(cf. CIVIL LAW)
críminal láwyer 형사(법) 전문 변호사
críminal líbel 〖법〗 범죄적 비방 행위 《극히 악질적인 중상 문서를 보내는 일》
crim·i·nal·ly [krímənəli] *ad.* **1** 법을 범하여[어겨], 범죄적으로 **2** 형법에 의해서, 형사[형법]상
críminal récord 범죄 기록, 전과(record)
críminal sýndicalism 〖미국법〗 형사 신디컬리즘 《경제적·정치적 변혁을 달성하기 위해 폭력·테러 등에 의존하는 것을 옹호하는 주의》
crim·i·nate [krímənèit] *vt.* **1** …에게 죄를 지우다 **2** 고발[기소]하다; …의 유죄를 증명하다 **3** 비난하다 ~ one***self*** 자기에게 불리한 증언을 하다 **-nà·tor** *n.*
crim·i·na·tion [krìmənéiʃən] *n.* ⓊⒸ 죄를 씌움, 고소, 기소; (심한) 비난
crim·i·na·tive [krímənèitiv, -nə- | -nə-], **-na·to·ry** [-nətɔ̀ːri | -nèitəri] *a.* 죄를 지우는; 비난하는

thesaurus **criminal** *a.* unlawful, illegal, lawbreaking, illicit, lawless, felonious, delinquent, corrupt, wicked **—** *n.* lawbreaker, offender, wrongdoer, felon, delinquent, culprit, villain,

crim·i·ne [krímәni] *int.* 《고어》 이런, 이것 참

crim·i·no·gen·ic [krìmәnәdʒénik] *a.* 범죄를 야기하는: a ~ environment 범죄를 야기하는 환경

criminol. criminologist; criminology

crim·i·no·log·i·cal [krìmәnәlɑ́dʒikәl | -lɔ́-] *a.* 범죄[형사]학(상)의 **~·ly** *ad.*

crim·i·nol·o·gy [krìmәnɑ́lәdʒi | -nɔ́-] *n.* Ⓤ 범죄학, 형사학 **-gist** *n.* 범죄학자

crim·i·nous [krímәnәs] *a.* 죄를 범한 ★ 주로 다음 성구로 ***a ~ clerk*** 파계 성직자.

crimp[1] [krímp] *vt.* **1** 〈머리털을〉 곱슬곱슬하게 지지다; 〈천 등에〉 주름을 잡다; 〈구두·가죽 등을〉 길들이다, 틀이 잡히게 하다 **2** 〈생선·고기에〉 칼집을 내어 수축시키다 **3** 《미·구어》 방해하다, 훼방놓다(cramp) **4** …의 양 끝을 끌어당겨서 쌓다
—*n.* 《미》 **1** [*pl.*] 지진 머리, 웨이브, 컬(cf. CURL) **2** 주름, 주름살 **3** 《미·구어》 방해(물), 훼방(물) ***put a ~ in*** [***into***] 《미·구어》 훼방하다, 방해하다

crimp[2] *n.* (사람을 유괴하여 선원·군인으로 파는) 유괴 주선업자 —*vt., vi.* (선원·군인으로 팔기 위해서) 유괴하다, 꾀어 선원[군인]으로 팔다

crimp·er [krímpәr] *n.* 지지는 사람[물건], 헤어 아이론(curling iron)

crímp·ing ìron [krímpiŋ-] 헤어 아이론《머리털을 곱슬곱슬하게 만드는》; 주름 잡는 다리미

crim·ple [krímpl] *n.* 주름살, 주름, 구김살
—*vt., vi.* 주름 잡다[잡히다], 지지다; 곱슬곱슬해지게 하다[해지다]

Crimp·lene [krímpli:n] *n.* 크림플린《주름이 잘 안 가는 합성 섬유; 상표명》

crimp·y [krímpi] *a.* (**crimp·i·er; -i·est**) **1** 곱슬곱슬한(curly); 주름진 **2** (오그라질 만큼) 추운: ~ weather 추운[쌀쌀한] 날씨

⁎**crim·son** [krímzn, -sn | -zn] *a.* **1** 진홍색의(deep-red), 〈석양이〉 진홍색의, 시뻘건 **2** 피비린내 나는: a ~ crime 피비린내 나는 범죄
—*n.* Ⓤ 진홍색 (물감)《위엄의 상징》
—*vt.* 진홍색으로 하다[물들이다]; 새빨갛게 하다
—*vi.* 진홍색이 되다; 새빨개지다(blush)

crímson láke 크림슨 레이크《진홍색 안료》

cringe [kríndʒ] [OE 「몸을 구부리다」의 뜻에서] *vi.* **1** (겁이 나서) 움찔하다(cower) **2** 굽실거리다《*to*》; 알랑거리다(fawn): (~+전+명) The beggar is *cringing to* passersby. 거지가 행인들에게 굽실거리고 있다. **3** 《구어》 싫증이 나다, 진력나다《*at*》
—*n.* 비굴한 태도, 굽실거림 **críng·er** *n.*

cringe-mak·ing [kríndʒméikiŋ] *a.* 《영·구어》 당혹스럽게 하는; 진절머리 나게 하는

cringe·wor·thy [kríndʒwә̀:rði] *a.* 《구어》 당황하게 하는, 쑥스럽게 만드는(cringe-making)

crin·gle [kríŋgl] *n.* 〔항해〕 (돛의 가장자리·귀 등에 단) 밧줄 구멍

cri·nite [kráinait] *a.* 머리털 모양의(hairy); 〔동물·식물〕 보드라운 털이 있는

crin·kle [kríŋkl] *vi.* **1** 주름지다; 구기다, 오그라들다(shrink)《*up*》 **2** 주춤하다, 손을 빼다 **3** 〈종이 등이〉 버스럭거리다 —*vt.* 주름 잡다; 오그라들게 하다
—*n.* **1** 주름, 굽이침; 구김살 **2** 버스럭거리는 소리

crin·kly [kríŋkli] *a.* (**-kli·er; -kli·est**) **1** 〈천이〉 주름살 진; 〈머리털이〉 곱슬곱슬한, 물결 모양의 **2** 버스럭거리는

crin·kum-cran·kum [kríŋkәmkrǽŋkәm] *a., n.* 《문어》 구불구불한 (것); 복잡한 (것)

cri·noid [kráinɔid, krí-] *a.* **1** 백합 모양의(lily-shaped) **2** 〔동물〕 바다나리 무리의
—*n.* 〔동물〕 바다나리 **cri·nói·dal** *ad.*

crin·o·line [krínәlin] *n.* **1** Ⓤ 크리놀린《옛날 스커트를 부풀게 하기 위하여 쓰던, 말총 등으로 짠 딱딱한 천》 **2** 크리놀린 스커트(hoopskirt) **3** (군함의) 어뢰 방어망 **crín·o·lined** *a.*

crin·o·tox·in [krìnәtɑ́ksin | -tɔ́k-] *n.* 〔생화학〕 크리노톡신《개구리 등이 분비하는 동물 독》

cri·ol·la [krióulә] *n.* CRIOLLO의 여성형

cri·ol·lo [krióulou] *n.* (*pl.* **~s** [-z]) **1** (스페인 어권) 중남미 태생의 유럽계《보통 스페인계》의 사람(cf. CREOLE 1) **2** 라틴 아메리카에서 개발된 가축의 품종
—*a.* criollo(s)의

cri·o·sphinx [kráiәsfìŋks] *n.* (*pl.* **~·es, -sphin·ges** [-sfíndʒi:z]) 숫양의 머리를 한 스핑크스

cripes [kráips] [Christ의 변형] *int.* [때로 by ~로 놀람·혐오 등을 나타내어] 《속어》 저런, 에계계

crip-fak·er [krípfèikәr] *n.* 《속어》 불구를 가장한 거지

⁑**crip·ple** [krípl] *n.* **1** 신체[정신] 장애자, 불구자《★ disabled person이나 handicapped person이 완곡한 말》; 절름발이, 앉은뱅이; 병신, 폐인 **2** 《미·속어》 서투른 선수; [*pl.*] 약하고 서투른 팀(weak team) **3** 《미·방언》 (잡목 등이 난) 소택지 **4** (창문 청소할 때 등에 쓰이는) 발판 **5** 《야구속어》 (노 스트라이크 스리 볼일 때의) 위력 없는 투구 **6** 불량품
—*vt.* **1** 〈특히 수족을〉 병신으로 만들다, 절름거리게 하다 **2** 무능[무력]하게 하다, 해치다, 전투력을 잃게 하다
—*a.* 불구의, 절름거리는; 능력이 뒤떨어진
críp·pler *n.*

crip·ple·dom [krípldәm] *n.* Ⓤ 신체 장애

crip·pling [kríplíŋ] *a.* (기능을 상실할 정도로) 심하게 손상[부상]한

crise de con·fi·ance [krí:z-dә-kɔ:nfiɑ́:ns] [F =crisis of confidence] 신뢰(관계)의 위기

crise de con·science [krí:z-dә-kɔ:nsiɑ́:ns] [F =crisis of conscience] 양심의 위기

crise de nerfs [krí:z-dә-nέәr] [F =crisis of nerves] 히스테리의 발작

⁑**cri·sis** [kráisis] [Gk 「결정하다」의 뜻에서] *n.* (*pl.* **-ses** [-si:z]) **1** 위기, 결정적 단계, 중대 국면: a financial ~ 재정[금융] 위기 **2** (운명의) 중대한 기로 **3** (병의) 고비, 위험한 고비; 〔의학〕 분리(分利) ***bring to a ~*** 위기에 몰아넣다 ***come to*** [***reach***] ***a ~*** 위기에 달하다 ***~ of capitalism*** 자본주의 체제의 (구조적 원인에 의한) 재정 위기《마르크스 경제학자의 용어》 ***pass the ~*** 위기[고비]를 넘기다
▷ critical *a.*

crísis cènter **1** 《미》 위기 관리 센터, 긴급 대책 본부 **2** 전화 긴급 상담소, 「생명의 전화」

crísis intervèntion 〔심리·의학〕 위기 개입《정신적 위기 상태에 처한 사람에 대한 치료적 개입》

crísis mànagement 《미》 위기 관리《주로 국제적 긴급 사태에 대처하기 위해 경영자나 정부가 쓰는 정책》

crísis relocátion 《미》 비상시 소개(疏開)

crísis theòlogy 위기 신학《스위스의 K. Barth 등이 제창한 새 정통파 신학》

⁑**crisp** [krísp] [L 「곱슬곱슬한」의 뜻에서] *a.* **1** 〈음식물이〉 파삭파삭한, 〈야채·과일 등이〉 아삭아삭하는, 신선한, 싱싱한; 〈종이 등이〉 빳빳한, 빠닥빠닥한; 〈지폐 등이〉 갓 만들어진 **2** 〈공기·날씨 등이〉 서늘한, 상쾌한(fresh) **3** 〈말씨가〉 또렷또렷한; 〈문체가〉 힘 있는, 시원시원한; 〈동작이〉 활발한(lively) **4** 〈양배추잎 등이〉 돌돌 말린; 〈머리털이〉 곱슬곱슬한(curly); 잔물결이 이는 **5** 《미·구어》 마약에 취한
—*vt.* **1** 〈머리털 등을〉 곱슬곱슬하게 하다; 물결이 일게 하다 **2** 바삭바삭하게 굽다; 〈땅을〉 꽁꽁 얼게 하다
—*vi.* **1** 〈머리털 등이〉 곱슬곱슬하게 되다; 물결이 일다 **2** 바삭바삭하게 구워지다; 〈땅이〉 꽁꽁 얼다
—*n.* **1** 파삭파삭한 것 **2** [the ~] 《속어》 빳빳한 지폐, 지폐 뭉치 **3** [보통 *pl.*] 《영》 얇게 썬 감자 프라이, 포테이토칩(《미》 potato chips) ***to a ~*** 바삭바삭하게 **~·ly** *ad.* **~·ness** *n.* ▷ crispy *a.*

---

gangster, bandit, transgressor, sinner, trespasser
crisis *n.* **1** 위기 emergency, disaster, catastrophe, calamity, plight, trouble, difficulty **2** 고비 turning point, climax, culmination, height

cris·pate, -pat·ed [kríspeit(id)] *a.* 곱슬곱슬해진; 〈가장자리가〉 돌돌 말린; 〖동물·식물〗 끝이 말린
cris·pa·tion [krispéiʃən] *n.* ⓊⒸ **1** 곱슬곱슬하게 함[됨] **2** 〖의학〗 (근육의 수축으로 인한) 연축성 의주감(攣縮性蟻走感) **3** (액체면의) 잔물결
crisp·bread [kríspbrèd] *n.* 《영》 (호)밀가루로 만든 얇은 비스킷
crisp·en [kríspən] *vt., vi.* 주름지(게 하)다; 파삭파삭하게 하다[되다]
crisp·er [kríspər] *n.* **1** 주름지게 하는 사람[기계] **2** (신선도를 유지하는) 냉장고의 야채 보관실
Cris·pin [kríspin] *n.* **1** 크리스핀 《남자 이름》 **2** [Saint ~] 성크리스피누스 《3세기 로마의 그리스도교 순교자; 제화공(製靴工)의 수호 성인》 **3** [**c~**] 제화공
crisp·y [kríspi] *a.* (**crisp·i·er**; **-i·est**) 파삭파삭한, 아삭아삭하는; 부스러지기 쉬운; 활발한, 산뜻한; 곱슬곱슬한 **crísp·i·ness** *n.*
criss·cross [krískrɔ̀:s, -krɑ̀s | -krɔ̀s] *n.* **1** 열십자(+), 십자형; 십자형으로 교차한 물건; (글자를 모르는 사람이 서명 대신 사용하는) ×표 **2** 엇갈림, 모순 **3** 《미》 (석판 등에 그려놓고 하는) 십자놀이(tick-tack-toe) **—** *a.* **1** Ⓐ 십자의; 교차된 **2** 골을 잘 내는
— *ad.* **1** 십자로; 교차하여 **2** 의도와는 달리; 엇갈리어, 어긋나서 ***go*** ~ 〈일이〉 잘 안 되다, 엇갈리다
— *vt.* 십자를 그리다; 십자 모양으로 하다; 교차하다; 종횡으로 통하다 **—** *vi.* 십자 모양이 되다; 종횡으로 움직이다
criss·cross-row [krískrɔ̀:sróu | -krɔ̀s-] *n.* [the ~] 《고어》 알파벳
cris·sum [krísəm] *n.* (*pl.* **-sa** [-sə]) 〖조류〗 새의 하복부(의 깃털)
cris·ta [krístə] *n.* (*pl.* **-tae** [-ti:]) **1** 〖해부〗 볏, 융기 **2** 능(稜), 소릉 《뼈의 솟아오른 부분》 **3** 〖생물〗 크리스타 《미토콘드리아 내막의 돌출부》
cris·tate [krísteit] *a.* **1** 〖동물〗 볏이 있는 **2** 〖식물〗 볏 모양의
crit. critic(al); criticism; criticized
***cri·te·ri·on** [kraitíəriən] *n.* (*pl.* **-ri·a** [-riə], **~s**) **1** (판단·평가 등의) 표준, 기준, 규범, 척도 《*of, for*》: one's ~ of success 성공의 기준 **2** 특징
cri·te·ri·um [kraitíəriəm, kri-] *n.* 크리테리움 《일반 도로를 코스로 하는 자전거 경주》
‡**crit·ic** [krítik] [Gk 「식별하고 결정할 수 있는」의 뜻에서] *n.* **1** 비판하는 사람; (문예·미술 등의) 비평가, 평론가; (고문서 따위의) 감정가: an art ~ 미술 평론가/Biblical[textual] ~ 성경[원전(原典)] 비평가 **2** 혹평가, 흠잡기를 일삼는 사람(faultfinder) **3** 《고어》 =CRITICISM; CRITIQUE
— *a.* 비판적인 ▷ crítical *a.*
‡**crit·i·cal** [krítikəl] *a.* **1** 비평(가)의, 평론의: ~ works 평론 **2** 비판적인; 비평[감식]력이 있는; 엄밀한; 호되게 비판하는, 혹평적인, 흠을 잘 잡는: a ~ remarks 비판적인 말 **3** 위기의, 아슬아슬한, 위험한; 〈병이〉 고비에 있는, 위독한: a ~ list 중환자 명부/be in a ~ condition 중태이다 **4** 결정적인, 중대한; 비상시에 불가결한: a ~ situation 중대한 국면[형세] **5** 〖수학·물리〗 임계(臨界)의 **6** 본문 교정의: a ~ edition of Chaucer 초서의 본문 교정판 **~·ness** *n.*
crítical ángle [the ~] 〖광학·항공〗 임계각
crítical apparátus (문헌 연구에서) 연구 자료 (apparatus criticus)
crítical cónstant 〖물리〗 임계 상수
crítical dámping 〖물리〗 (진동의) 임계 제동[감쇠]
crítical dénsity 〖물리〗 임계 밀도
crit·i·cal·i·ty [krìtikǽləti] *n.* Ⓤ 〖물리〗 임계(臨界)(성); 위험한 상태
***crit·i·cal·ly** [krítikəli] *ad.* **1** 비평[비판]적으로; 혹평하여 **2** 아슬아슬하게, 위태롭게 **3** 〖물리〗 임계적으로
crítical máss **1** 〖물리〗 임계 질량 **2** 바람직한 결과를 효과적으로 얻기 위해 필요(충분한) 양
crítical páth anàlysis[mèthod] 크리티컬 패스 분석법 《최단 공기(工期)와 최소 경비로 작업을 진행하기 위해 컴퓨터로 작업 일정을 결정하는 방법; 略 CPA[CPM]》
crítical périod 〖심리〗 임계기(期)
crítical philósophy (칸트(파)의) 비판 철학
crítical pòint 〖수학·물리〗 임계점
crítical préssure 〖물리〗 임계 압력
crítical rátio 〖통계〗 임계비
crítical région 〖통계〗 (가설(假說) 검정에 있어서의) 기각역(棄却域), 위험역
crítical státe 〖물리〗 임계 상태
crítical témperature 〖물리〗 임계 온도
crítical théory 비판 이론
crítical válue 〖통계〗 임계값
crítical vólume 〖물리〗 임계 체적[부피]
crit·ic·as·ter [krítikæ̀stər] *n.* 엉터리 비평가 **~·ism** *n.* **-try** *n.*
crit·i·cise [krítəsàiz] *v.* 《영》 =CRITICIZE
‡**crit·i·cism** [krítəsìzm] *n.* ⓊⒸ **1** 《일반적으로》 비평, 비판, 평론; 평론[비판]문 **2** 〖철학〗 비판주의; (칸트의) 비판 철학 **3** 혹평; 비난, 흠잡기 **4** 성서 비평 ***higher*** ~ 성서의 고등 비평 《성서의 문학적·역사적 연구》 ***literary*** ~ 문학 비평 ***textual*** ~ 본문 비평; 성서의 원전 연구 ▷ críticize *v.*; crítical *a.*
crit·i·ciz·a·ble [krítisàizəbl] *a.* 비평의 여지가 있는; 비판할 만한
‡**crit·i·cize | -cise** [krítəsàiz] *vt.* **1** 비평[비판, 평론]하다 **2** 비난[혹평]하다, 흠을 잡다(⇨ blame 유의어): ~ him for incompetence 그의 무능력을 비난하다
— *vi.* 흠잡다; 비평하다 **crít·i·cìz·er** *n.*
critico- [krítikou] 《연결형》 「비평적인」의 뜻: *critico*-historical 비판 역사적인
cri·tique [kritíːk] *n.* ⓊⒸ **1** (문예·미술 작품 등의) 비평, 평론 **2** 비평법; 비평 행위
— *vt.* (비판적으로) 논평[비평, 분석]하다
crit·ter, -tur [krítər] *n.* **1** 《미·방언》 동물, 생물(creature), 《특히》 가축, 소, 말; 《구어》 괴상한 동물 **2** 《경멸》 사람, 녀석
crlf [kə́:rləf] [*c*arriage *r*eturn *l*ine *f*eed] 《컴퓨터 속어》 *n.* 복귀와 개행(改行) **—** *vi.* 개행하다
CRM customer relationship management 〖경영〗 고객 관계 관리 **C.R.O.** 《영》 Commonwealth Relations Office
***croak** [króuk] [의성어] *n.* **1** 까악까악[개굴개굴] 우는 소리 《까마귀·개구리 등의》 **2** 목쉰 소리; 원망하는 말, 불평; 불길한 말
— *vi.* **1** 까악까악[개굴개굴] 울다 **2** 〈사람이〉 쉰 목소리를 내다; 음산한 소리로 말하다, 불평을 하다 **3** 《속어》 죽다(die); 《미·속어》 낙제하다(fail)
— *vt.* **1** 〈재앙 등을〉 음산한 목소리로 알리다 **2** 《속어》 죽이다(kill)
croak·er [króukər] *n.* **1** 개굴개굴[까악까악] 우는 것; 〖어류〗 우는 물고기, 《특히》 동갈민어과(科)의 물고기 《북미산(産)》 **2** 불길한 예언을 하는 사람; 비관론자; 불평가 **3** 《미·속어》 의사; 목사
croak·y [króuki] *a.* (**croak·i·er**; **-i·est**) 개굴개굴[까악까악] 우는; 목쉰; 〈목소리 등이〉 음산한
Cro·at [króuæt, -ɑ:t | -æt] *n., a.* =CROATIAN
Cro·a·tia [krouéiʃə, -ʃiə] *n.* 크로아티아 《구유고슬라비아 연방의 한 공화국; 1991년 독립을 선언해 1992년 유럽 공동체(EC)의 승인을 얻음; 수도는 Zagreb》
Cro·a·tian [krouéiʃən, -ʃiən] *a.* 크로아티아의; 크로아티아 사람[말]의 **—** *n.* **1** 크로아티아 사람 **2** Ⓤ 크로아티아 말
croc [krɑ́k | krɔ́k] *n.* 《구어》 =CROCODILE

thesaurus **critical** *a.* **1** 비평의 evaluative, analytic, interpretative, commentative **2** 비판적인 faultfinding, captious, censorious, disapproving, judgmental **3** 위기의 dangerous, perilous, serious, risky, hazardous **4** 결정적인 crucial, decisive,

cro·chet [krouʃéi | króuʃei, -ʃi] [F「작은 갈고리」의 뜻에서] *n.* Ⓤ 크로셰 뜨개질(cf. KNITTING): a ~ hook[needle] 크로셰 뜨개질용 갈고리 바늘
— *vi., vt.* 크로셰 뜨개질하다
cro·ci [króusai, -kai] *n.* CROCUS의 복수
cro·cid·o·lite [krousídəlàit] *n.* Ⓤ 〖광물〗 청석면(青石綿)
crock[1] [krák | krɔ́k] *n.* **1** 오지그릇 《항아리, 독 등》 **2** 사금파리 《화분의 구멍 마개》
crock[2] *n.* **1** 《구어》 늙은 말, 못 쓰게 된 말 **2** 《구어》 폐인, 늙어 빠진 사람, 병약자, 무능자; 늙은 양 《암컷》; 《속어》 운동을 하지 않는[하지 못하는] 사람 **3** 《영·구어》 고물 자동차, 노후선(船) **4** 술고래(drunkard)
— *vt.* [보통 수동형으로] 《구어》 폐인이 되게 하다, 쓸모없게 하다 — *vi.* 《구어》 못 쓰게[쓸모없게] 되다; 폐인이 되다 《*up*》
crock[3] *n.* 《영》 검댕, 때(soot, smut); (불완전한 염색포의) 표면에 남은 염료
— *vi.* 〈천이〉 (문질러져서) 표면에 남은 염료가 떨어지다 — *vt.* 《영》 검댕으로 더럽히다
crock[4] *n.* 《미·속어》 허튼소리, 허풍(humbug)
~ ***of shit*** 형편없는 엉터리[난센스]; 쓸모없는 놈
crocked [krákt | krɔ́kt] *a.* 《미·속어》 술 취한
crock·er·y [krákəri | krɔ́-] *n.* Ⓤ [집합적] 오지그릇, 도자기류
crock·et [krákit | krɔ́-] *n.* 〖건축〗 크로켓, 덩굴무늬 장식 《고딕 건축의 꽃봉오리나 잎새 모양의 장식》
Crock·pot [krákpàt | krɔ́kpɔ̀t] *n.* (전기) 도기 냄비 《저온·장시간 요리용; 상표명》
crock·y [kráki | krɔ́ki] *a.* (**crock·i·er**; **-i·est**) 노후한, 병약한, 무능한
∗**croc·o·dile** [krákədàil | krɔ́-] *n.* **1** 〖동물〗 **크로코다일** 《나일악어처럼 주둥이가 뾰족하고 대형의 것》(cf. ALLIGATOR); 《일반적으로》 **악어**; Ⓤ 그 가죽 **2** 《영·구어》 (2열 종대로 걷는) 초등학생 등의 긴 행렬; (자동차 등의) 긴 행렬 **3** 《고어》 거짓 눈물을 흘리는 사람, 위선자(hypocrite)
▷ crocodílian *a.*
crócodile bìrd 〖조류〗 악어새 《악어의 기생충을 잡아먹고 사는 물새 비슷한 새; 아프리카산(産)》
crócodile clìp 〖전기〗 = ALLIGATOR CLIP
crócodile tèars [악어는 먹이를 먹으면서 눈물을 흘린다는 전설에서] 거짓 눈물: weep[shed] ~ 거짓 눈물을 흘리다
croc·o·dil·i·an [kràkədíliən | krɔ̀-] *n.* 〖동물〗 악어 《악어목의 총칭》 — *a.* **1** 악어(류)의; 악어 같은 **2** 거짓의, 위선적인, 불성실한
∗**cro·cus** [króukəs] *n.* (*pl.* **~·es, -ci** [-sai, -kai]) **1** 〖식물〗 **크로커스**; 그 꽃 《영국에서 봄에 맨 먼저 피는 꽃》 **2** ⓊⒸ (닦아서 윤을 내는 데 쓰이는) 산화철(酸化鐵) 가루 **3** 《영·속어》 돌팔이 의사 **4** 진한 노란색
Croe·sus [kríːsəs] *n.* (*pl.* **~·es, -si** [-sai]) **1** 크로이소스(560-546 B.C.) 《B.C. 6세기의 Lydia의 최후의 왕으로 큰 부자로 유명함》 **2** 《일반적으로》 큰 부자
(***as***) ***rich as*** ~ 막대한 재산을 가진
croft [krɔ́ːft, kráft | krɔ́ft] *n.* 《영》 **1** 집과 잇닿은 작은 농장 **2** (특히, crofter의) 소작지
croft·er [krɔ́ːftər, kráft- | krɔ́ft-] *n.* 《영》 (Scotland 고지(高地) 등의) 소작인, 소농(小農)
Cróhn's disèase [króunz-] [미국의 의사 이름에서] 〖병리〗 크론병(病), 국한성 회장염(回腸炎)
crois·sant [krəsɑ́ːnt] [F「초승달(crescent)」의 뜻에서] *n.* (*pl.* **~s** [-z]) 크루아상(《미》 crescent (roll)) 《초승달 모양의 롤 빵》
Croix de Guerre [krwɑ̀-də-gέər] [F = cross of war] (프랑스의) 무공 십자훈장
cro·jack [krádʒik | krɔ́-] *n.* 《속어》 = CROSSJACK
Cro-Mag·non [kroumǽgnən, -nɑn, -mǽnjən | -mǽnjɔn] [유골이 발견된 프랑스의 동굴 이름에서] *n., a.* 크로마뇽인(人)(의) 《후기 구석기 시대의 키가 크고 머리가 긴 원시인》
Cro-Mágnon màn 크로마뇽인(人)
crom·lech [krámlek | krɔ́m-] *n.* 〖고고학〗 크롬렉, 환상 열석(環狀列石)
cró·mo·lyn sódium [króumәlin-] 〖약학〗 크로몰린 나트륨 《기관지 확장제》
Crom·well [krámwel, -wəl, krʌ́m- | krɔ́m-] *n.* 크롬웰 **Oliver ~** (1599-1658) 《영국의 정치가》
Crom·wel·li·an [krɑmwéliən, krʌm- | krɔm-] *a.* 크롬웰 지지자[부하]의; (가구 양식이) 크롬웰풍의
crone [króun] *n.* **1** 쪼그랑할멈 **2** 늙은 암양(羊)
Cro·nus [króunəs] *n.* 〖그리스신화〗 크로노스 《거인(Titans)의 하나; 부친의 왕위를 빼앗았으나 후에 아들 Zeus에게 쫓겨남; 로마 신화의 Saturn에 해당》
cro·ny [króuni] *n.* (*pl.* **-nies**) 《구어》 (오랜) 친구, 벗(chum)
cro·ny·ism [króuniìzm] *n.* Ⓤ 《미》 (관직 취임 등에서) 친구 봐주기, 편파, 편들기
∗**crook** [krúk] *vt.* **1** 〈팔·손가락 등을〉 (갈고리 모양으로) **구부리다**, (활처럼) 굽히다 **2** 갈고리로 낚아채다 **3** 《속어》 훔치다(steal), 사취하다(cheat); 속이다: ~ a friend 친구를 속이다 // (~+목+전+명) ~ a thing *from* a person …에게서 물건을 사취하다
— *vi.* 구부러지다, (활처럼) 굽다(bend, curve)
~ one'***s*** [***the***] ***elbow*** 《속어》 술을 (많이) 마시다 ~ one'***s little finger*** ⇨ finger.
— *n.* **1** 구부러진 갈고리; 《스코》 갈고리 달린 냄비걸이 **2** 양치기의 (손잡이가 구부러진) 지팡이; (주교의) 홀장(笏杖)(crosier) **3** (길·강 등의) 굽이, 굴곡[만곡](부); 〖음악〗 (취주 악기의) 변주관 **4** 《구어》 악한, 사기꾼, 도둑: a ~ film[play] 갱 영화[극]
a ~ in one'***s lot*** 《스코》 불행, 역경 ***by hook or by ~*** 무슨 짓을 해서라도 ***have a ~ in*** one'***s nose*** [***character***] 코[성격]가 비뚤어져 있다 ***on the ~*** 옳지 못한[나쁜] 짓을 하여
— *a.* 《호주·구어》 부정한, 싫은, 기분이 언짢은, 화난
go ~ (…에게) 화내다 《*at, on*》; 대들다 《*to*》
crook·back [krúkbæ̀k] *n.* 곱사등이
crook·backed [-bæ̀kt] *a.* 곱사등이의
‡**crook·ed** [krúkid] *a.* **1 구부러진**; 굴곡된, 비뚤어진; 기형의; 허리가 구부러진 **2** 《구어》 **부정직한**, 마음이 비뚤어진; 《구어》 부정 수단으로 얻은; 《속어》 몰래 만든, 밀매(密賣)의 **3** [krúkt] 〈막대기·지팡이 등이〉 T자꼴의 손잡이가 있는 **~·ly** *ad.* **~·ness** *n.*
cróoked àrm 《속어》 좌완 투수; 변칙 투수
cróoked stíck 《방언》 무능한 게으름뱅이, 쓸모없는[변변치 못한] 사람
Crookes [krúks] *n.* 크룩스 **Sir William ~** (1832-1919) 《영국의 화학자》
Cróokes gláss 크룩스 유리 《자외선 흡수 유리; 보안경용》
Cróokes ráy 〖물리〗 크룩스선, 음극선(cathode ray)
Cróokes túbe 〖물리〗 크룩스관 《진공관의 일종》
crook·neck [-nèk] *n.* 목이 길고 굽은 호박 《관상용》
croon [krúːn] *vt.* **1** (감상적으로) 낮은 소리로 노래하다, 입속 노래를 부르다; 중얼거리다 **2** 낮은 목소리로 노래하여 (…의 상태로) 만들다 《*to*》 — *vi.* 감상적으로 낮게 노래하다; 낮게 중얼거리는 듯한 소리를 내다
— *n.* 낮게 부르는 노래; (낮은 소리로 부르는) 감상적인 유행가 **~·er** *n.*
‡**crop** [kráp | krɔ́p] [OE「싹, 이삭」의 뜻에서] *n.* **1 농작물**, 수확물 《곡물·과실·야채 등》; [the ~s] (한 지방·한 계절의) 모든 농작물; **수확고**, 생산고 《★ harvest보다 통속적인 말. harvest는 주로 수확 시기·작업이나 수확고를 강조함》: an abundant ~ 풍작 / a bad ~ 흉작 / white[green, black] ~*s* 곡물[야채, 콩]류 /

---

important, momentous, urgent, vital, essential
criticize *v.* censure, denounce, blame, condemn
crooked *a.* **1** 구부러진 curved, bent, twisted, contorted, warped, hooked, bowed **2** 기형의 deformed, crippled, disfigured, out of shape

a catch ~ 간작 **2** (새의) 멀떠구니, 모이주머니(craw) **3** 채찍의 손잡이; (끝에 가죽끈의 고리가 달린) 승마용 채찍 **4** [a ~] 무리(group), 떼; (귀찮은 일 등의) 발생, 속출 **5** 막깎기, 짧게 깎은 머리 **6** (광상(鑛床)의) 노두(露頭) **7** 동물 한 마리분의 무두질한 가죽; (가축의) 귀에 낸 표 《소유주 표시》

a ~ of 잇달은; 썩 많은 ***have a ~*** 막깎다 ***in*** [***under***] ***~*** 농작물이 심어져 있는 ***neck and ~*** ⇨ neck. ***out of ~*** 농작물이 심어져 있지 않은 ***standing*** [***growing***] ***~s*** 아직 베지 아니한 농작물

— *v.* (**~ped**; **~·ping**) *vt.* **1** 자르다, 베다(clip); 〈머리털 등을〉 짧게 깎다, 막깎다; 〈표시로서 동물의 귀나 벌로서 사람의 귀의〉 끝을 자르다, 잘라내다; 〈책〉 페이지의 여백을 잘라 버리다 **2** 〈동물이 풀 등의 끄트머리를〉 잘라 먹다(eat down): 《~+목+부》 The sheep have *~ped* grass very short. 양이 풀을 아주 짧게 뜯어 먹었다. **3** 〈농작물을〉 수확하다, 베어들이다(reap), 따다 **4** 〈농작물을〉 심다: 《~+목+전+명》 ~ a field *with* barley 밭에 보리를 심다 **5** 『사진』 〈네거티브 프린트의〉 불필요한 부분을 잘라내다

— *vi.* **1** [well 등의 부사와 함께] 농작물이 (…하게) 되다: The beans *~ped well*[*badly*] that year. 그해는 콩이 잘 되었다[잘 안 되었다]. **2** 작물을 심다 **3** 〈가축 등이〉 풀을 뜯어 먹다

~ *out* (1) 〈광상(鑛床) 등이〉 노출하다 (2) 나타나다, 생기다(occur) **~ *up*** (1) 갑자기 나타나다[생기다]; 〈문제 등이〉 일어나다, 제기되다 (2) = CROP out (1)

cróp cìrcle 미스터리 서클 《잉글랜드 남부 지역 등에서 밭의 밀이 원형으로 쓰러져 있는 현상》

crop-dust [krɑ́pdʌ̀st | krɔ́p-] *vt.* (비행기로) …에 분말 농약을 뿌리다

cróp dùster 농약 살포 비행기[비행사]

crop-dust·ing [-dʌ̀stiŋ] *n.* Ⓤ (비행기에 의한) 농약 살포, 농작물 소독

crop-ear [-ìər] *n.* 《폐어》 귀를 잘라낸 사람[동물]

crop-eared [-ìərd] *a.* **1** 귀를 잘라낸 〈가축〉 **2** 〈청교도가〉 (머리를 짧게 깎아) 귀가 드러난

crop·land [-læ̀nd] *n.* Ⓤ (농)경지

crop-o·ver [-òuvər] *n.* (서인도 제도의) 사탕수수 수확 (축제)

crópped pànts [krɑ́pt- | krɔ́pt-] 무릎께서 잘라 버린 짧은 바지

crop·per [krɑ́pər | krɔ́-] *n.* **1** 농작물을 재배하는 사람 **2** 농작물: a good[poor] ~ 잘 되는[잘 되지 않는] 농작물 **3** 농작물을 베어들이는 사람; 『기계』 (베·종이 등의) 자투리 절단기 **4** 《미》 (지주에게 수확의 절반을 바치는 조건하의) 소작인(sharecropper) **5** 《구어》 추락, 거꾸로 떨어짐; 낙마; 대실패 ***come*** [***fall, get***] ***a ~*** (말 등에서) 털썩 떨어지다; (사업 등에) 크게 실패하다

crop·pie [krɑ́pi | krɔ́pi] *n.* (*pl.* **~s,** [집합적] **~**) = CRAPPIE

crop·ping [krɑ́piŋ | krɔ́p-] *n.* Ⓤ 『출판』 크로핑 《사진·삽화의 불필요한 부분 다듬기》

crop·py [krɑ́pi | krɔ́pi] *n.* (*pl.* **-pies**) **1** 까까머리, 몽구리 《사람》 **2** 『영국사』 단발 당원 《1798년의 아일랜드 반도(叛徒)의 속칭》 **3** 《속어》 시체(corpse)

cróp rotàtion 『농업』 윤작(輪作)

cróp spràỳing = CROP-DUSTING

cróp tòp (배꼽이 드러나는) 여성용 짧은 상의

cro·quem·bouche [kroukumbúːʃ] [F. =crunches in the mouth] *n.* 크로캉부슈 《캐러멜을 풀처럼 사용하여 슈크림을 피라미드 모양으로 싼 케이크》

cro·quet [kroukéi | króukei, -ki] [F] *n.* Ⓤ 크로케 《잔디 위에서 하는 공놀이》; (크로케에서) 상대편 공을 자기 공으로 제치는 타구법: take ~ = CROQUET a ball — *vt., vi.* 『크로케』 〈상대편 공을 다른 방향으로〉 제치다: ~ a ball 자기의 공으로 상대 공을 제치다

cro·quette [kroukét | krɔ-, krou-] [F] *n.* 『요리』 크로켓

cro·qui·gnole [króukənjòul] [F] *n.* 크로키놀 《퍼머넌트 웨이브 세트의 한 방식》

cro·quis [kroukíː] [F] *n.* (*pl.* **~** [-z]) 크로키, 스케치(sketch)

crore [krɔ́ːr] *n.* (*pl.* **~s, ~**) 《인도》 1,000만

cro·sier, -zier [króuʒər] *n.* **1** 홀장(笏杖)(crook) 《주교·수도원장의 직권표(職權標)》 **2** 『식물』 (고사리 등의) 끝이 말린 구조

‡**cross** [krɔ́ːs, krɑ́s | krɔ́s] [L 「십자형」의 뜻에서] *n.* **1** 십자가; [the C~] (그리스도가 못 박힌) 십자가; 그리스도의 수난, 속죄; 십자고상 《그리스도의 수난상[도]》 **2** (십자가로 상징되는) 그리스도교 (국가) (Christianity, Christendom; cf. CRESCENT 3); 『천문』 북[남]십자성 **3** 수난, 시련, 고난(affliction); 고생(거리), 불행; 장애 **4** 십자형, 십자 기호; ×표 《문맹자의 서명의 대용》; (맹세·축복 등을 할 때 공중이나 이마·가슴 등에 긋는) 십자 표시, 성호; 키스(kiss) 《편지 속에 ××등으로 씀》: the Buddhist ~ 卍(만자) / the ~ of Lorraine ‡형 십자 / the ~ of St. Anthony = tau ~ T형 십자 / the ~ of St. George 흰 바탕에 빨간색의 정십자형 《잉글랜드의 기장》 / the ~ of St. James 칼 모양의 긴 십자형 / the ~ of Patrick 흰 바탕에 빨간색의 X형 십자 《아일랜드의 기장》 / the St. Andrew's ~ = saltire (~) X형 십자 《특히 푸른 바탕에 흰 십자는 스코틀랜드의 기장(旗章)》 **5** 십자(가를 위에 단) 지팡이 《대주교의 직권표(職權標)》 **6** 십자 표지, 십자탑 《묘비나 거리의 중심·시장 등의 표지로 씀》 **7** 십자형 훈장; (목에 거는) 십자(가) 장식 **8** 잡종(mongrel); (동식물의) 이종 교배(hybrid); 절충, 중간물 **9** 《속어》 부정, 기만, 야바위 **10** 『권투』 크로스 펀치, 크로스 카운터 **11** (배관의) 십자 이음매 **12** 『연극』 (다른 배우의 앞을 지나) 무대를 가로지르는 것

bear [***take***] ***one's ~*** 십자가를 지다, 수난을 견디다 ***die on the ~*** 십자가에 못 박혀 죽다 ***follower of the C~*** 그리스도교도 ***go on the ~*** 《속어》 부정이나 도둑질을 하다 ***have a*** (***heavy***) ***~ to bear*** 고난[시련]이 많다, 무거운 십자가를 지고 있다 ***make one's ~*** 〈무식자가〉 서명 대신 십자를 그리다 ***No ~, no crown.*** 고난 없이 영광 없다. ***on the ~*** (1) 십자가에 못박혀 (2) 어긋나게, 비스듬하게 (3) 《속어》 부정 수단으로, 나쁜 짓을 하여 ***preacher of the C~*** 그리스도교 설교사 ***soldier*** [***warrior***] ***of the C~*** 십자군 전사; 그리스도교 전도의 투사 ***take*** (***up***) ***the ~*** (1) 『역사』 십자가 휘장을 받다, 십자군에 가담하다 (2) = bear one's CROSS. ***the C~ versus the Crescent*** 그리스도교 대(對) 이슬람교 ***the Grand C~*** 대십자 훈장 《최고 Knight 훈장; 略 GC》 ***the holy*** [***real, true, Saint***] ***C~*** 예수가 못 박힌 십자가 ***the Military C~*** 무공 십자훈장 《세계 대전 초기 영국에서 제정; 略 M.C.》 ***the Southern*** [***Northern***] ***C~*** 『천문』 남십자성[북십자성] ***the Victoria C~*** 《영》 빅토리아 십자 훈장 《略 V.C.》

— *vt.* **1** 교차시키다, 엇걸다; (서로) 교차하다 **2** 십자[성호]를 긋다 **3** 가로줄을 긋다; 《영》 〈수표에〉 횡선을 긋다; 말살하다 《*out, off*》; 〈쓴 편지 위에〉 다시 교차적으로 써넣다 《우편 요금을 아끼기 위하여》: ~ a check 수표에 횡선을 긋다 // 《~+목+부》 ~ *out* a wrong word 틀린 말을 줄을 그어 지우다 **4** 〈길·사막 등을〉 가로지르다, 횡단하다, 넘다, 〈강·다리를〉 건너다; 〈생각이〉 떠오르다; 〈웃음 등이 얼굴에〉 지나가다 **5** 《속어》 〈말·안장에〉 걸터 타다: ~ a horse 말에 올라앉다 **6** …와 스쳐 지나다; 〈편지·심부름꾼 등이 도중에서〉 엇갈리다; 〈편지가〉 잘못 가다 **7** 〈남의 계획·희망 등을〉 방해하다; 거스르다, 거역하다: 《~+목+전+명》 He is *~ed in* his plan[love]. 그의 계획[사랑]이 방해받고 있다. **8** 〈동식물을〉 교배(交配)시키다(interbreed); 잡종으로 만들다: 《~+목+전+명》 ~ A *with* B A와 B를 교배시키다 **9** 〈전화선을〉 딴 통화자에게 연결하다 **10** 〈사람 등을〉 (…의 장소에서) 건너게 하다, 횡단하는 것을 돕다 《*at*》 **11** 《속어》 속이다, 배신하다(double-cross)

— *vi.* **1** 〈2선이〉 교차하다 **2** (길·강을) 건너가다, (…에서 …으로) 건너다, 도항하다 《*over, from*》; 『연

극〗 무대를 가로지르다 **3** 〈두 사람이〉 스쳐 지나가다; 〈두 장의 편지 등이〉 엇갈리다 **4** 이종 교배하다

~ *out* [*off*] 줄을 그어 지우다, 말살하다, 말소하다(cancel) **~ *over*** (1) 넘다, 건너가다 (2) 《영》 (반대당 등으로) 돌아서다 (3) 《완곡》 죽다 **~ one*self*** (손을 이마에서 가슴, 어깨에서 어깨로) 십자[성호]를 긋다 **~ one*'s fingers* = *keep* one*'s fingers ~ed*** 가운뎃손가락을 굽혀서 집게손가락에 포개다 《성공[행운]을 비는 동작》; 《미·구어》 의심을 품고 경계하고 있다 **~ a person*'s hand* [*palm*] (*with silver*)** …에게 몰래 돈을 주다 **~ one*'s heart*** 가슴에 십자[성호]를 긋다; 맹세하다, 약속하다 **~ one*'s mind*** 〈생각이〉 마음에 떠오르다 **~ a person*'s path* = ~ *the path of* a person** …와 만나다; …의 가는 길을 가로지르다, …의 계획을 가로막다, 방해하다 **~ one*'s t's*** 언행이 매우 조심스럽다(cf. DOT[1] one's i's) **~ *swords*** 칼을 맞대다; 논전을 벌이다, 싸우다 《*with*》 **~ *that bridge when* a person *comes to it*** 〈문제를〉 그때 가서 생각하다, 지레 걱정하지 않다 **~ *the line*** 〖해양〗 적도를 통과하다 **~ *up*** 《미·속어》 배반[배신]하다

—*a.* **1** 교차한, 가로의, 비스듬한, 가로지른 **2** (…와) 엇갈린, (…에) 반대되는, 배반하는(opposed) 《*to*》; 《고어》 반대의, 거꾸로의, 역의; 《고어》 불리한, 불편한 **3** 시무룩한, 기분이 언짢은, 성을 잘 내는(irritable) 《*with*》; 〈아기가〉 보채는 **4** 《속어》 비뚤어진, 속이는; 부정 수단으로 얻은(ill-gotten) **5** 교호적(交互的)인(reciprocal) **6** 이종 교배의, 잡종의(hybrid)

(*as*) **~ *as two sticks* [*as a bear* (*with a sore head*), *as the devil*]** 《구어》 몹시 성미가 까다로운; 몹시 기분이 언짢은

~·a·ble *a.* **cròss·a·bíl·i·ty** *n.*

▷ cróssly, crósswise *ad.*

cross- [krɔ́:s, krɑ́s | krɔ́s] 《연결형》 **1** 「횡단하는」의 뜻: *cross*-channel **2** 「교차하는」의 뜻: *cross*-bred; *cross*-examination **3** 「십자가」의 뜻: *cross*-bearer

cross-ac·tion [krɔ́:sæ̀kʃən | krɔ́s-] *n.* 〖법〗 반대 소송, 반소(反訴)

cross-ad·dict·ed [-ədíktid] *a.* 교차성 중독의 《동시에 두 종류 이상의 약물을 상용하는》

cross-armed [-ɑ̀:rmd] *a.* **1** 팔짱을 낀 **2** 가로장을 댄

cróss assémbler 〖컴퓨터〗 교차 어셈블러 《다른 종류의 컴퓨터 프로그램을 생성하는》

cross·bar [-bɑ̀:r] *n.* **1** 가로장, 빗장 **2** 크로스바; (축구·럭비의) 골 가로대; (높이뛰기 등의) 바 **3** (포 조준기의) 가로 표척(標尺)

cross·beam [-bì:m] *n.* 〖건축〗 대들보(girder)

cross·bear·er [-bɛ̀ərər] *n.* **1** 〖교회〗 십자가를 드는 사람, 십자가를 지는 사람 **2** 〖건축〗 들보

cross-bed·ded [-bédid] *a.* 〖지질〗 사층리(斜層理)가 있는 《사암(砂岩) 따위로 된 단층 속에, 층리(層理) 방향과 엇갈려 줄무늬가 있음》

-bèd·ding *n.* Ⓤ 사층리

cross·belt [-bèlt] *n.* 어깨에 비스듬히 걸치는 탄띠

cross·bench [-bèntʃ] 《영》 *n.* [보통 *pl.*] (영국 하원의) 무소속[중립] 의원석 《다른 의원석과 직각으로 놓여 있음》 **—*a.*** 중립의, 치우치지 않는 ***have the ~ mind*** 한 당[파]에 치우치지 않다

cross·bench·er [-bèntʃər] *n.* 《영》 무소속[중립] 의원

cross·bill [-bìl] *n.* 〖조류〗 솔잣새

cross·bill [-bìl] *n.* **1** 〖법〗 반소장(反訴狀) **2** 역어음, 교차 어음

cróss bìrth 〖의학〗 횡위(橫位) 분만

cross·bite [-bàit] *n.* 〖치과〗 부정 교합(不正咬合)

cróss bònd (벽돌의) 열십자 쌓기

cross·bones [-bòunz] *n. pl.* 대퇴골(大腿骨) 2개를 교차시킨 도형(圖形) 《죽음의 상징; 지금은 위험 경고의 표시》 ***skull and ~*** 두개골 밑에 교차된 대퇴골을 그린 도형 《죽음의 상징, 해적의 기표(旗標)》

cross-bor·der [-bɔ̀:rdər] *a.* 국경을 넘는

cross·bow [-bòu] *n.* 석궁(石弓) 《중세의 무기》

cross·bow·man [-mən] *n.* (*pl.* **-men** [-mən, -mèn]) 석궁 사수(射手)

cross·bred [-brèd] *n., a.* 잡종(의), 교배종(의), 이종(의)

cross·breed [-brì:d] *n.* 잡종(hybrid) **—*vt., vi.*** (**-bred** [-brèd]) 이종 교배하다, …의 잡종을 만들다

cross·buck [-bʌ̀k] *n.* (X자형의) 철도 건널목 경계 표지

cróss bún 《영》 십자 무늬로 당의(糖衣)를 입힌 과자빵(= hot ~) 《Good Friday에 먹음》

cross-bus·ing [-bʌ́siŋ] *n.* Ⓤ 《미》 백인·흑인 학생의 공동 버스 통학

cross-but·tock [-bʌ́tək] *n., vt.* 〖레슬링〗 허리치기(를 하다)

cross-chan·nel [-tʃǽnl] *a.* 해협 횡단의, 해협의 맞은편 쪽의 《특히 영국 해협의》

cross-check [-tʃék] *vt.* **1** 〈여러 자료를〉 비교 검토하다, 다른 각도에서 검증하다 **2** 〖아이스하키〗 크로스 체크하다 《반칙》 **—** [ˊˋ, ˋˊ] *n.* **1** 다른 관점에서의 검토 **2** 〖아이스하키〗 크로스 체크

cross·claim [-klèim] *n.* 〖법〗 교차 청구 《공동 소송인의 입장에 있는 사람이 서로 행하는》

cróss còlor 컬러 TV 화상의 일그러짐

cross-con·tam·i·nat·ion [-kəntæ̀mənéiʃən] *n.* Ⓤ 교차 오염 《미생물이 다른 개체에게 오염되는》

cross-cor·re·late [-kɔ̀:rəlèit] *vt.* 〈데이터를〉 상호 비교하다

cróss cóunter 〖권투〗 크로스 카운터 《상대방 공격에 대해 교차적으로 가하는 반격》

cross-coun·try [-kʌ̀ntri] *a.* **1** 산야를 횡단하는: a ~ race 크로스컨트리 레이스 **2** 〈여행·비행 등이〉 나라 끝에서 끝까지의, 전국을 횡단하는 **—** [ˊˋ, ˋˊ] *n.* Ⓤ 크로스컨트리 경기 **—*ad.*** 산야를 횡단하여

cróss-country skíing 크로스컨트리 스키

cross-court [-kɔ́:rt] *a., ad.* (농구·배구 코트의) 대각선 방향의[으로]; 코트 반대쪽의[으로]

cross-cous·in [-kʌ̀zn] *n.* 고종[이종] 사촌

cross-cross·let [-krɔ́:slit | -krɔ́slit] *n.* (문장(紋章)에서) 십자가의 끝이 각각 십자가로 된 것

cross-cul·tur·al [-kʌ́ltʃərəl] *a.* 비교 문화의, 이문화(異文化)간의 **~·ly** *ad.*

cross·cur·rent [-kə̀:rənt | -kʌ̀r-] *n.* 역류(逆流); [종종 *pl.*] 대립하는 경향 《*of*》

cross-cur·ric·u·lar [-kəríkjulər] *a.* 《영》 (교육 과정이) 통합 교과의

cross·cut [-kʌ̀t] *a.* **1** Ⓐ 가로 켜는 〈톱〉 **2** 가로 자른 **—*n.*** **1** 샛길, 지름길 **2** (재목의) 가로 켜기 **3** 〖스케이트〗 활주형의 일종 **4** 〖영화〗 컷백 《두 장면의 평행 묘사》 **—*v.*** (~; **~·ting**) *vt.* 가로 켜다; 가로지르다; 〖영화〗 〈별도의 장면을〉 삽입하다; 〈남의 영역에〉 침입하다; 〈결속 등을〉 풀다, 해소하다 **—*vi.*** 〖영화〗 삽입 장면을 넣다 **~·ter** *n.*

crósscut sáw 가로 켜는 톱

cross·cut·ting [-kʌ̀tiŋ] *n.* 〖영화·TV〗 대조적 장면을 삽입하는 기술

cróss dáting Ⓤ 〖고고학〗 비교 연대 측정

cross-dis·ci·pli·nar·y [-dísəplinèri | -dísəplinəri] *a.* 여러 학문 분야에 걸치는

cross-dress [-drés] *vi.* 《구어》 이성용(用)의 옷을 입다 **~·er** *n.* 《구어》 이성 복장을 한 사람

cross-dress·ing [-drésiŋ] *n.* Ⓤ 이성의 의상을 입기

crosse [krɔ́:s, krás | krɔ́s] *n.* 크로스 《옥외 경기인 lacrosse용의 손잡이가 긴 라켓》
crossed [krɔ́:st, krást | krɔ́st] *a.* **1** 십자 모양으로 놓은, 교차한 **2** 횡선을 그은 **3** (절약하기 위하여) 가로 세로로 글씨를 쓴 〈편지〉 **4** 〈계획·야망 등이〉 방해된
crόssed chéck[(영) **chéque**] 〖상업〗 횡선 수표
cross-ex·am·i·na·tion [-igzæ̀mənéiʃən] *n.* ⓊⒸ **1** 〖법〗 반대 심문 **2** 힐문, 준엄한 추궁
cross-ex·am·ine [-igzǽmin] *vt.* **1** 〖법〗 〈증인에게〉 반대 심문하다 **2** 힐문하다 **-in·er** *n.*
cross-eye [-ài] *n.* 내사시(內斜視)(esotropia); [*pl.*] 모들뜨기눈
cross-eyed [-àid] *a.* **1** 내사시의, 모들뜨기눈의 **2** (미·구어) 눈의 초점이 맞지 않도록 취한(=∠ **drúnk**) ***look at*** a person ~ (미·속어) 의심하는 눈으로 사람을 보다 **~·ness** *n.*
cross-fade [-féid] *vt.* 〖영화·TV〗 페이드인과 페이드아웃을 동시에 쓰다, 크로스페이드하다
— [∠∠] *n.* 크로스페이드
cross-fer·tile [-fə́:rtl | -fə́:tail] *a.* 〖식물〗 타화 수정할 수 있는; 〖동물〗 타가 수정할 수 있는
cross-fer·til·i·za·tion [-fə̀:rtəlizéiʃən | -fə̀:-təlai-] *n.* Ⓤ **1** 〖동물〗 타가 수정(他家受精); 〖식물〗 타화(他花) 수정 **2** (다른 문화 등의) 상호 교류
cross-fer·til·ize [-fə́:rtəlàiz] *vt., vi.* 〖동물〗 타가 수정시키다[하다]; 〖식물〗 타화 수정시키다[하다]; (서로 다른 사상 등을) 교류시키다[하다]
cross-file [-fáil] *vi., vt.* (미) 2개 정당 이상의 예선에 입후보하다[시키다]
crόss fire **1** 〖군사〗 십자 포화, 집중 공격; (통신의) 혼선 **2** (질문의) 일제 공세; (말의) 격렬한 응수 **3** 〖야구〗 플레이트의 각을 좌우로 가로지르는 투구 **4** (상반되는 요구·주장 사이에서) 꼼짝할 수 없는 곤경
cross-fron·tier [-frʌntíər] *a.* 경계[영역]를 넘어서 행하여지는
cross-gar·net [-gɑ̀:rnit] *n.* (고어) T자형의 경첩(T hinge)
cross-grain [-grèin] *n.* (목재의) 엇결(cf. STRAIGHT GRAIN)
cross-grained [-gréind] *a.* **1** 〈목재가〉 엇결의 **2** (구어) 심술궂은(perverse); 완고한 **3** 〈문제 등이〉 처리하기 어려운
crόss hàirs (망원경 등의 초점에 새긴) 십자선
cross·hatch [-hæ̀tʃ] *vt., vi.* 〖회화〗 사교(斜交)[직교(直交)] 평행선의 음영을 넣다 — *n.* 망상선(網狀線)
cross-hatch·ing [-hæ̀tʃiŋ] *n.* Ⓤ 〖회화〗 사교(斜交)[직교] 평행선의 음영(陰影)
cross·head [-hèd] *n.* **1** 〖기계〗 크로스헤드 《피스톤의 꼭대기》 **2** =CROSSHEADING
cross·head·ing [-hèdiŋ] *n.* (신문의) 전단 폭을 꽉 채우는 타이틀
cross-hold·ings [-hóuldiŋz] *n. pl.* (영) (여러 개의 회사에 의한 주식의) 상호 소유
cross-im·mu·ni·ty [-imjú:nəti] *n.* Ⓤ 〖의학〗 교차 면역 《병원균과 유속균(類屬菌)의 면역》
crόss índex 상호 참조
cross-in·dex [-índeks] *vt., vi.* (참고서·색인 등에) 상호 참조 표시를 하다
crόss inféction 〖의학〗 교차 감염
cross·ing** [krɔ́:siŋ | krɔ́-] *n.* ⓊⒸ **1** 횡단; 교차; 도항(渡航); 스침; 가로선 긋기 **2** Ⓒ (도로의) 교차점, (철도의) 건널목; 십자로; 횡단보도: a ~ gate 건널목 차단기 / a pedestrian[(영) zebra] ~ 횡단보도 **3** (수표의) 횡선 **4** 교잡, 이종 교배 **5** 반대 ***have a good [***rough***] ~ 항해하기에 바다가 잔잔하다[거칠다]
crόssing guàrd (미) (학교의) 건널목 안전 당번
crόssing όver 〖생물〗 (염색체의) 교차
cross·jack [-dʒæ̀k] *n.* 〖항해〗 뒷돛대 아랫단의 큰 가로돛
crόss kéys [단수 취급] 2개의 열쇠가 교차한 문장(紋章) 《특히 로마 교황의》
cross-leg·ged [-légid, -légd] *a., ad.* 다리를 포갠[포개고], 책상다리를 한[하고] **~·ly** *ad.*
cross·let [-lit] *n.* =CROSS-CROSSLET
crόss lícense (두 회사의) 상호 특허 사용 허가
cross-li·cense [-láisəns] *vt., vi.* (다른 회사와) 상호 특허 사용 계약을 맺다
cross·light [-làit] *n.* **1** 교차 광선, 십자광 **2** 다른 견해
cross·line [-làin] *n.* **1** 횡단선(橫斷線) **2** 한 줄짜리 표제, 부표제 《신문 기사 등에서》
— *a.* 〖유전〗 잡교계(雜交系)의
cross-link [-lìŋk] 〖화학〗 *n.* 교차[가교] 결합 (원자군) — [∠∠] *vt., vi.* 교차 결합시키다[하다]
crόss-lìnk·age *n.* Ⓤ 교차 결합
cross-link·er [-lìŋkər] *n.* 〖화학〗 가교제(架橋劑)
cross-lots [-lɑ̀ts | -lɔ̀ts] *ad.* (미·구어) 밭[들판]을 지나서; 지름길로 ***cut*** ~ 지름길로 가다
***cross·ly** [krɔ́:sli | krɔ́s-] *ad.* **1** 가로로, 비스듬히 **2** 거꾸로, 반대로 **3** 뿌루퉁하게, 심사가 나서
cross-match [-mæ̀tʃ] *vi., vt.* 〖의학〗 〈혈액을〉 교차 (적합) 시험을 하다; (일련의 리스트와) 〈관련 있는 항목을〉 맞춰 보다
crόss màtching 〖의학〗 교차 (적합) 시험
cross-mate [-méit] *vt., vi.* =CROSSBREED
cross-mod·al [-móudl] *a.* 〖심리〗 2감각 통합의
cross-mo·dal·i·ty [-moudǽləti] *n.* 〖심리〗 2감각 통합성
cross-mul·ti·ply [-mʌ́ltəplài] *vi.* 〖수학〗 두 분수의 각각의 분자에 다른 분수의 분모를 곱하다
cross-na·tion·al [-nǽʃənəl] *a.* 2개국 이상의[에 걸치는]
cross·ness [krɔ́:snis | krɔ́s-] *n.* Ⓤ 심기가 나쁨, 뿌루퉁함, 짓궂음(bad temper)
crόss of Cálvary [the ~] 3단(段)의 대상(臺上)에 놓인 십자가
cross·o·ver [-òuvər] *n.* **1** (입체) 교차로, 육교 **2** 〖생물〗 =CROSSING OVER **3** (영) 〖철도〗 전철(轉轍) 선로 **4** 〖음악〗 크로스오버 《재즈에 록·라틴 음악이 섞인 형태》 **5** (미) 〖정치〗 지지자를 바꾼 투표자 **6** (연관 공사에서) U자관(管) **7** 〖전자〗 =CROSSOVER NETWORK — *a.* 위기의, 분기점의, 교차점의
crόssover nètwork 〖전자〗 크로스오버 회로 《multiway loudspeaker system에서의 주파수 분할용》
crόssover vèhicle (승용차와 트럭 등과 같이) 두 가지 절충형 자동차
cross-own·er·ship [-óunərʃip] *n.* Ⓤ (미) (신문사와 라디오·텔레비전 회사의) 공동 소유
cross-par·ty [-pɑ́:rti] *a.* 두 개 이상의 정당과 관련 있는[관계가 있는]
cross·patch [-pæ̀tʃ] *n.* (구어) 까다로운 사람, 잘 토라지는 여자[아이]
cross·piece [-pì:s] *n.* 가로대[장]
cross-plat·form [-plǽtfɔ:rm] *a.* 〖컴퓨터〗 크로스플랫폼의
cross-ply tíre [-plai-] (영) 중층(重層) 타이어 《안쪽 면에 그물 모양의 실로 강화한》
cross-pol·li·nate [-pɑ́ləneit | -pɔ́-] *vt.* 〖식물〗 타화 수분(他花受粉)시키다
cross-pol·li·na·tion [-pɑ̀lənéiʃən | -pɔ̀-] *n.* Ⓤ 〖식물〗 타화 수분; (지식·생각 등의) 교류
crόss pròduct 〖수학〗 외적(外積)(outer product), 벡터적(積)(vector product)
cross-pro·mo·tion [-prəmóuʃən] *n.* ⒸⓊ 〖상업〗 교차 광고[판매 활동] 《둘 이상의 관련된 제품의 추가 판매를 겨냥한》
cross-pur·pose [-pə́:rpəs] *n.* **1** 반대 목적, (의향의) 상치(相馳) **2** [*pl.*] 동문서답식 문답 놀이 ***be at ~s*** (무의식 중에) 서로 오해하다; 서로 어긋난 짓[말]을 하다
cross-ques·tion [-kwéstʃən] *vt.* 반대 심문하다 (cross-examine) — *n.* 반문, 힐문

cross·rail [-rèil] *n.* 가로대, 가로장[쇠]
cróss ràte 〘금융〙 크로스 레이트, 《특히》 영·미 환(換)시세
cross-re·act [-ri:ǽkt] *vi.* 〘면역〙 〈항원·항체가〉 교차 반응하다 **cróss-re·ác·tion** *n.* 교차 반응 **cróss-re·ác·tive** *a.*
cross-re·fer [-rifə́:r] *v.* (**~red**; **~·ring**) *vi.* 전후[상호] 참조하다 **—** *vt.* 〈독자에게〉 상호 참조시키다
cross-ref·er·ence [-réfərəns] *n.* (같은 책 중의) 전후[상호] 참조 **—** *vt., vi.* = CROSS-REFER
cróss relátion 〘음악〙 = FALSE RELATION
cross-re·sis·tance [-rizístəns] *n.* 〘생물〙 교체 저항성; 교차 내성
∗**cross·road** [krɔ́:sròud | krɔ́s-] *n.* **1** 교차로; (간선 도로와 교차하는) 골목길, 샛길(byroad) **2** [종종 *pl.*; 단수·복수 취급] **십자로, 네거리** 《옛날 영국에서는 자살자의 매장소》; (행동 선택의) 기로(岐路); 활동의 중심지: a *~s* store 《미》 네거리의 가게 《마을 사람들이 모여 잡담을 하는 잡화점 등》 **3** [*pl.*] 《미·속어》 십자 모양이 새겨진 암페타민 알약 《마약에서》
stand [***be***] ***at the ~s*** 기로[갈림길]에 서다
cross·ruff [-rʌ̀f, -rʌ́f] 〘카드〙 *n.* Ⓤ 같은 편끼리 서로 번갈아 으뜸 패를 내어 겨루는 휘스트(whist)의 일종 **—** [⌐⌐] *vt., vi.* 크로스러프로 놀이하다
cróss sèa 〘항해〙 옆놀, 역풍랑(逆風浪)
cróss sèction 가로 자르기; 횡단면, 단면도; (사회 등의) 대표적인 면, 단면 《*of*》; 단면적
cross-sec·tion [-sékʃən] *vt.* …의 횡단도를 만들다 **—** *a.* = CROSS-SECTIONAL
cross-sec·tion·al [-sékʃənl] *a.* 횡단면의; (전체를 대표하는) 단면의
cróss-séction pàper 모눈종이
cross-sell·ing [-sèliŋ] *n.* 상호 판매, 끼워 팔기 《영화와 그 레코드·원작본 따위를 동시에 판매함》
cróss shòt 크로스 숏 《화면에 대해서 비스듬히 찍은 화상》; 〘테니스〙 코트의 대각선으로 치는 공
cross-staff [-stæ̀f | -stɑ̀:f] *n.* (*pl.* **~s, -staves** [-stæ̀vz | -stèivs]) 〘측량〙 직각기(直角器)
cross-ster·ile [-stéril | -stérail] *a.* 교잡(交雜) 불임(不稔)의, 교잡 불임(不姙)의
cross-stitch [-stìtʃ] *n., vt., vi.* (X자꼴의) 십자뜨기(로 하다)
cróss strèet 교차로, (큰길과 교차되는) 골목길
cross-sub·si·dize [-sʌ́bsədaiz] *vi., vt.* 〈채산성 없는 사업을〉 다른 사업의 이득으로 유지하다 **-di·za·tion** [-dizéiʃən] *n.*
cróss tàlk **1** 〘통신〙 혼선, 혼신 **2** 말다툼, 언쟁; 《영》 (의회에서) 당파간의 말의 응수; (희극 배우의) 응수
cross·tie [krɔ́:stài | krɔ́s-] *n.* 《미》 〘철도〙 침목
cross-tol·er·ance [-tɑ́lərəns | -tɔ́l-] *n.* 교차 내성(耐性) 《약리적으로 비슷한 특성에 대한 내성》
cross·town [-tàun] 《미》 *a.* 시내를 횡단하는 〈도로·버스 등〉; 마을을 끼고 반대에 위치한
— *ad.* 시내를 가로질러[횡단하여]
— *n.* 시내 횡단 버스[전차]
cross-trad·ing [-trèidiŋ] *n.* (해운 회사의) 3국간 운행[취항]; 3국간 환전
cross-train [-tréin] *vt.* 두 가지 (이상의) 작업·일·운동 등에 익숙하도록 훈련시키다
cross-train·er [-tréinər] *n.* [보통 *pl.*] 두 가지 (이상의) 스포츠를 잘하는 선수; 두 가지 (이상의) 스포츠용 운동화
cross-train·ing [-tréiniŋ] *n.* 크로스트레이닝 《몇 가지 운동을 결합하여 행하는 트레이닝 방법》
cross·trees [-trì:z] *n. pl.* 〘항해〙 돛대 꼭대기의 가로장
cross-up [-ʌ̀p] *n.* 《구어》 (오해로 인한) 혼란, 분규; 배신
cross-val·i·da·tion [-væ̀lədéiʃən] *n.* Ⓤ 〘통계〙 크로스 확인 《한 표본에 대해 성공한 방법을 다른 표본에 적용시켜 정당성을 확인하기》
cross-vot·ing [-vóutiŋ] *n.* Ⓤ 교차 투표 《자기 당에 반대 또는 다른 당에 찬성을 허용하는 투표 형식》; (자기 당에의) 반대 투표
cross·walk [-wɔ̀:k] *n.* 《미》 횡단보도
cross·way [-wèi] *n.* = CROSSROAD
∗**cross·ways** [krɔ́:swèiz | krɔ́s-] *ad.* = CROSSWISE
cross·wind [-wìnd] *n.* 〘항해·항공〙 옆바람
∗**cross·wise** [krɔ́:swàiz | krɔ́s-] *ad.* **1** 십자형으로, 엇갈리게; 가로로, 비스듬히(cf. LENGTHWISE) **2** 거꾸로(contrarily) **3** 거역하여, 심술궂게
— *a.* 십자형의; 가로의; 비스듬한 ▷ cróss *a.*
∗**cróss·word** [krɔ́:swə̀:rd | krɔ́s-] *n.* **크로스워드** (퍼즐) 《글자 맞추기 놀이》(= **⌐ pùzzle**): do a ~ 크로스워드 퍼즐을 하다
cro·tales [króutlz, -tɑ:lz | króut-] *n. pl.* 작은 심벌즈 모양의 악기
crotch [krɑ́tʃ | krɔ́tʃ] *n.* **1** (인체·바지의) 가랑이; (나무의) 아귀(fork); (길·강의) 분기점, 갈림길 **2** 가랑이 이음새(에 쓰이는 천) **3** 〘항해〙 = CRUTCH 3 **4** 《속어》 샅, 음부
crotched [krɑ́tʃt | krɔ́tʃt] *a.* 갈래진, 가랑이진
crotch·et [krɑ́tʃit | krɔ́-] *n.* **1** 《영》 〘음악〙 4분 음표(《미》 quarter note)(cf. BREVE): a ~ rest 4분 쉼표 **2** 별난[변덕스러운] 생각, 기상(奇想)(whim) **3** 갈고리(hook); 〘해부〙 갈고리 모양의 기관(器官)
crotch·e·teer [krɑ̀tʃətíər | krɔ̀tʃi-] *n.* 기상가(奇想家), 기인(奇人), 괴짜
crotch·et·y [krɑ́tʃəti | krɔ́-] *a.* (**-et·i·er**; **-i·est**) 변덕스러운, 괴벽스러운, 〈노인이〉 외고집의 **crótch·et·i·ness** *n.*
crotch·less [krɑ́tʃlis | krɔ́tʃ-] *a.* (속옷의) 가랑이 부분이 트인
cro·ton [króutn] *n.* 〘식물〙 파두(巴豆) 《동아시아산(産); 완하제》
Cróton bùg [króutn-] 《미》 〘곤충〙 바퀴(German cockroach)
cro·tón·ic ácid [kroutɑ́nik-, -tóun- | -tɔ́n-] 〘화학〙 크로톤산
cróton òil 파두유(油) 《하제(下劑)》
∗**crouch** [kráutʃ] [OF 「굽다」의 뜻에서] *vi.* **1** 몸을 쭈그리다, 쪼그리고 앉다; 웅크리다(stoop) 《*down*》; 오그라지다 《*to*》 **2** (비굴하게) 굽실거리다, (두려워서) 위축되다 《*to*》: (~+전+명) He *~ed to* his master. 그는 주인에게 굽실거렸다.
— *vt.* 〈머리·허리를〉 (비굴하게) 구부리다, 낮게 하다
— *n.* Ⓤ 웅크림; 비굴하게 굽실거림
croup[1] [krú:p] *n.* Ⓤ 〘병리〙 크루프, 위막성 후두염(僞膜性喉頭炎) **~·ous** [krú:pəs] *a.*
croup[2], **croupe** [krú:p] *n.* (말·개의) 엉덩이
crou·pi·er [krú:piər, -pièi] [F] *n.* (도박장의 돈을 모으고 지불하는) 금전 책임자; (연회의) 부사회자 《식탁의 아랫자리에 앉음》
croup·y [krú:pi] *a.* (**croup·i·er**; **-i·est**) 〘병리〙 크루프성의; 크루프 비슷한; 크루프에 걸린
crouse [krú:s] *a.* 《스코·북인도》 활발한, 건강한
crous·tade [kru:stɑ́:d] *n.* 크루스타드 《파삭파삭하게 튀긴 빵 또는 파이 속에 고기 요리를 채워 넣은 것》
crou·ton [krú:tɑn, –⌐ | krú:tɔn] [F] *n.* 크루톤 《샐러드 장식용의 가미된 말린 빵조각》
∗**crow**[1] [króu] [의성어] *n.* **1** 수탉의 울음소리(cf. COCKCROW)(⇨ cock[1] 관련) **2** (갓난애의) 환성
— *vi.* (**~ed**, 《주로 영》 **crew** [kru:]; **~ed**) **1** 〈수탉이〉 울다, 때를 알리다 **2** 〈갓난애가 기뻐서〉 소리지르다 **3** 환성을 올리다, 의기양양해지다; 자만하다(boast) 《*over*》: (~+전+명) ~ *over* one's enemy 적을 이기고 뽐내다 **~·er** *n.*
‡**crow**[2] [króu] *n.* **1** 〘조류〙 까마귀 관련 raven, rook, jackdaw, carrion crow. 울음소리 caw, croak **2** [**C~**] 〘천문〙 까마귀자리 **3** = CROWBAR **4** 《속어》 흑인; [old ~] 《속어》 못생긴 여자
as the ~ flies = ***in a ~ line*** 일직선으로, 지름길

로 가서(cf. in a BEELINE) ***a white ~*** 진귀한 것 ***eat*** (***boiled***) ***~*** 《미·구어》 마지못해 싫은 일을 하다, 굴욕을 참다; 자기의 실패[과오]를 인정하다 ***have a ~ to pluck*** [***pull, pick***] ***with*** a person 《구어》 …에게 할 말이 있다 ***Stone the ~s!*** [놀람·불신을 나타내어] 《영·속어》 설마!, 어렵쇼!

Crow [króu] *n.* (*pl.* **~s,** ~) 크로 사람 《북미 원주민의 한 종족》; Ⓤ 크로말 **—***a.* 크로 사람[말]의

crow·bar [króubɑ̀ːr] [그 끝이 까마귀발 비슷한 데서] *n.* 쇠지레

crow·ber·ry [króubèri, -bəri | -bəri] *n.* (*pl.* **-ries**) 〖식물〗 시로미; 그 열매; 《미》 덩굴월귤

crow·bill [króubìl] *n.* 〖외과〗 크로빌 《상처에서 탄알 등을 빼내는 겸자(鉗子)》; 뾸로 만들어진 원뿔형의 화살촉

‡**crowd¹** [kráud] [OE 「앞으로 밀다」의 뜻에서] *n.* **1** 군중, 인파(throng); 오합지졸(⇨ mob 유의어); [the ~] 민중, 대중: a ~ of 10,000 만 명의 군중 **2** 다수, 많음: I have ~*s* of things to do. 나는 할 일이 태산 같다. **3** 《구어》 패거리, 동료, 그룹(company, set); 청중, 관객: a football ~ 미식축구 관중 ***a ~ of*** 많은 ***follow*** [***go with***] ***the ~*** 대세에 따르다, 부화뇌동하다 ***gather a ~*** 관객[관중]을 끌다 ***in ~s*** = ***in a ~*** 여럿이서 ***pass in a ~*** 《구어》 별로 남보다 못하지는 않다, 그저 그만하다

— *vi.* **1** 군집하다, 붐비다 《*about, round, in*》: (~+전+명) They ~*ed around* the singer. 그들은 그 가수 주위로 모여들었다. **2** 몰려들다, 밀치락달치락하며 들어가다 《*into*》: (~+전+명) The boys ~*ed into* the room. 소년들은 방으로 우 몰려 들어갔다. **3** 《비유》 〈추억 등이〉 떠오르다, 차례로 솟아나다 **4** 《구어》 서두르다

— *vt.* **1** 〈…에〉 꽉 들어차다, 군집하다 **2** 《꽉》 들어차게 하다, 밀어 넣다, 떠밀어 내다 《*into, with*》: (~+목+전+명) ~ books *into* a box = ~ a box *with* books 책을 상자 속에 채워 넣다 **3** [수동형으로] 〈장소가〉 …로 붐비다, 만원이다 《*with*》(⇨ crowded) **4** 《미·구어》 다그치다, 요구하다, 강요하다(compel): (~+목+전+명) ~ a debtor *for* immediate payment 채무자에게 즉시 갚으라고 강요하다 **5** 《미·구어》 〈어떤 나이가〉 거의 되어 가다 **6** 《미·흑인속어》 집단으로 덮치다, 멍석말이하다 ***~ on*** [***upon***] = ***~ in upon*** …에 쇄도하다; 《마음에》 불현듯 떠오르다 ***~*** (***on***) ***sail*** 〖항해〗 (속도를 내기 위해) 돛을 전부 펴다, 돛의 수를 늘리다 ***~ out*** [보통 수동형으로] 〈장소·위치에서〉 밀어내다 《*of, from*》 ***~ up*** 떠밀어 올리다, 들어 올리다

crowd² *n.* 크라우드 《고대 켈트 족의 현악기》

‡**crowd·ed** [kráudid] *a.* **1** 붐비는, 혼잡한, 만원의 《★ 콩나물시루 같은 심한 혼잡은 jammed》(opp. *empty*): ~ solitude 군중 속에서 느끼는 고독감 **2** Ⓟ (사람·물건 등으로) 〈장소가〉 가득 차서 《*with*》: The room was ~ *with* furniture. 방은 가구로 가득 차 있었다. **3** 파란만장의, 다사다난한 《*with*》: a ~ life 다사다난한 생활[생애] **4** 〈여드름·주근깨 등이〉 만발한 **~·ly** *ad.* **~·ness** *n.*

crow·die¹, crow·dy¹ [kráudi] *n.* Ⓤ 부드러운 스코틀랜드 치즈

crowd-pleas·er [kráudplìːzər] *n.* 《구어》 인기인, 스타, 명물 **crówd-plèas·ing** *a.*

crówd pùller 《구어》 인기인, 인기물

crow·dy², crow·die² [kráudi] *n.* (*pl.* **-ies**) 《스코》 오트밀에 우유나 물을 넣어 만든 죽

crow·foot [króufùt] *n.* (*pl.* **-feet** [-fìːt]) **1** (*pl.* **~s**) 〖식물〗 미나리아재비, 젓가락나물 **2** 〖항해〗 (갑판 텐트를) 달아매는 밧줄 한 벌 **3** 〖군사〗 = CALTROP 2

Crów Jím [Jim Crow의 역어순] 《미·속어》 (흑인의) 백인에 대한 인종 차별 **Crów Jím·ism** *n.*

‡**crown** [kráun] [L 「화환, 관(冠)」의 뜻에서] *n.* **1** 왕관, 면류관, 보관(寶冠)(diadem); [the ~] (왕관이 상징하는) 왕위, 제위, 제왕[여왕]의 신분; [the ~, 종종 the C~] 제왕, 여왕, 군주; (군주국의) 주권, 국왕의 지배[통치], 국왕의 영토 **2** (승리의) 화관, 영관(榮冠); (노력의 대가인) 영광, 명예(의 선물)(reward) **3** 왕관표; 왕관표가 붙은 것 **4** 크라운 화폐 《영국의 25펜스 경화, 옛 5실링 은화》 **5** 크라운 인쇄지[판] 《15×20인치; 381×508mm》 **6** (물건의) 꼭대기(top), 최고부, 《특히》 둥근 꼭대기; 정수리; 머리(head); (모자의) 꼭대기; 산꼭대기 **7** 〖치과〗 치관(齒冠), (금관 등의) 인공 치관 **8** 〖건축〗 홍예머리 《중앙부》 **9** 〖식물〗 덧꽃부리, 부관(副冠) **10** (맥주병 등의) 왕관(= ~ cap) **11** [the ~] (명예·아름다움 등의) 극치, 정수; 절정; 압권 《*of*》 **12** [the ~] 선수권 ***an officer of the ~*** 《영》 (국왕이 임명한) 관리 ***~ and anchor*** 도박의 일종 《왕관·닻 표가 있는 주사위와 판으로 하는》 ***the martyr's ~*** 순교자가 지니는 영예

— *vt.* **1** 〈사람·머리에〉 관을 씌우다, 왕위에 앉히다: George VI was ~*ed* in 1936. 조지 6세는 1936년에 즉위했다. // (~+목+보) The people ~*ed* him king. 국민은 그를 왕위에 앉혔다. **2** 〈영예를〉 지니게 하다 《*with*》 **3** …의 꼭대기에 올려 놓다, 씌우다: (~+목+전+명) the peaks ~*ed with* snow 눈에 덮인 봉우리 / ~ a poet *with* laurel 시인에게 월계관을 씌우다 **4** …의 최후를 장식하다, 유종의 미를 거두다: Success has ~*ed* his hard work. = His hard work has been ~*ed with* success. 그는 노력한 덕택에 성공하였다. **5** 〈치아에〉 인공 치관을 씌우다 **6** 〖체커〗 〈말을 겹쳐서〉 왕이 되게 하다 **7** 《구어》 …의 머리를 때리다 **8** 〈도로·갑판 등을〉 가운데가 높게 하다 ***to ~*** (***it***) ***all*** 결국에 가서는, 게다가

crówn àntler (사슴의) 가장 끝에 있는 가지뿔

Crówn attórney 《캐나다》 주[연방] 정부 검찰관

crówn cánopy 임관(林冠) 《숲의 우거진 윗부분》

crówn càp 《영》 (맥주병 등의) 마개

crówn cólony [종종 **C- C-**] (영국왕의) 직할 식민지

Crówn Cóurt 〖영국법〗 영국의 순회 형사 법원

Crówn Dérby 영국 더비(Derby)산(産) 자기(瓷器) 《왕실 인가의 왕관표가 있음》

crowned [kráund] *a.* **1** 왕관을 쓴, 왕위에 오른; 관식(冠飾)을 단: ~ heads 국왕과 여왕 **2** [복합어를 이루어] (모자의) 춤이 있는: high-[low-]~ (모자의) 춤이 높은[낮은] **3** 왕권에 기초한

crown·er [kráunər] *n.* **1** 관을 씌우는 사람, 대관시키는 사람; 영예를 주는 사람[것] **2** 완성자 **3** 《구어》 (말 위에서) 거꾸로 떨어지기 **4** 《미·속어》 수탉 **5** (전시품에 붙여지는) 선전용 라벨

crown·et [kráunet, -nit] *n.* 《고어》 왕관

crówn èther 〖화학〗 크라운 에테르

crówn fire (산불의) 수관화(樹冠火) 《나무의 윗부분을 태움》; 《미·속어》 심한 숙취

crówn glàss (광학용의) 크라운 유리; (수공예) 창유리

crówn gràft 〖원예〗 조개접, 할접

crówn grèen 《영》 양쪽보다 중앙이 더 높은 론볼링(lawn bowling)용 잔디밭

crown·ing [kráuniŋ] *a.* 더할 나위 없는, 최고의, 정상(頂上)의, 더없는: the ~ folly 더없는 바보

— *n.* **1** 대관(식) **2** 완성 **3** (아치 등의) 꼭대기 부분

crówn jéwels [the ~] 《영》 대관식 때 쓰는 보석류 《왕관·홀(笏) 등》

crówn lànd 《영》 왕실 소유지

crown·land [kráunlæ̀nd] *n.* (옛 오스트리아·헝가리의) 주(州)

crówn làw 《영》 형법(criminal law)

crówn láwyer 《영》 왕실 변호사; 형사 변호사

crówn lèns 크라운 유리 렌즈

Crówn Óffice [the ~] 〖영국법〗 **1** (고등 법원의) 형사부 **2** 대법관청(Chancery)의 국새부(國璽部)

thesaurus **crowded** *a.* full, busy, overflowing, packed, cramped, crushed, congested,

crówn of thórns 1 〖식물〗 (마다가스카르산(産)) 등대풀속(屬)의 관목 2 (그리스도가 썼던) 가시 면류관

crówn pìece (영국의) 크라운 은화 《옛 5실링》

crown·piece [-pì:s] *n.* (물건의) 꼭대기를 이루는 것

crówn prínce (영국을 제외한 나라의) 황태자, 왕세자(cf. Prince of WALES)

crówn príncess (영국을 제외한 나라의) 왕세자[황태자]비; 여자 왕위 추정(推定) 계승자

Crówn prósecutor (잉글랜드와 웨일스의) 검사

crówn sàw 원통톱

crówn whèel 〖기계〗 크라운 톱니바퀴

crówn wítness 〖영국법〗 (형사 사건의) 검사측 증인

crown·work [kráunwə̀:rk] *n.* **1** 〖치과〗 치관(齒冠) (보철) **2** 〖축성〗 관새(冠塞) 《위험한 지점을 숨기기 위한 방어 보루》

crów quìll 1 까마귀 깃펜 《잔글씨용》 **2** (제도용) 잔글씨용 철펜

crow's-bill [króuzbìl] *n.* 까마귀 부리 모양의 핀셋

crow's-foot [króuzfùt] *n.* (*pl.* **-feet** [-fì:t]) **1** [보통 *pl.*] 눈초리의 주름살 **2** 〖군사〗 =CALTROP 2 **3** 삼각 자수

crów's nèst 〖항해〗 돛대 위의 망대(望臺)

crow's nest

crow·step [króustèp] *n.* = CORBIESTEP

Croy·don [krɔ́idn] *n.* **1** Greater London 남부의 도시 **2** [c~] 2륜 마차의 일종

croze [króuz] *n.* **1** 나무통판 끝에 난 홈 **2** 홈을 만드는 기계 —*vt.* …에 홈을 만들다

cro·zier [króuʒər] *n.* =CROSIER

CRP C-reactive protein **Cr$** cruzeiro(s) **CRT** cathode-ray tube 음극선관

CRT displáy [sí:ɑ̀:rtí:-] 〖컴퓨터〗 브라운관에 문자·도형을 표시하는 컴퓨터 단말 장치

cru [krú:] *n.* (*pl.* **~s**) 프랑스의 포도주 산지; 그 포도주의 등급

cru·ces [krú:si:z] *n.* CRUX의 복수

***cru·cial** [krú:ʃəl] [F 「십자가의」의 뜻에서] *a.* **1** 결정적인(decisive), 중대한: a ~ moment 결정적인 순간 **2** 〈시련·문제 등이〉 어려운, 혹독한 **3** 〖해부〗 십자형의: a ~ incision 〖외과〗 십자 절개 **~·ly** *ad.*

crú·cian cárp [krú:ʃən-] 〖어류〗 붕어

cru·ci·ate [krú:ʃiət, -èit] *a.* 〖동물·식물〗 십자형의

crúciate lígament 〖해부〗 (무릎의) 십자 인대

cru·ci·ble [krú:səbl] *n.* **1** (용광로의) 쇳물 괴는 곳; 〖야금〗 도가니 **2** 가혹한 시련 ***be in the ~ of*** …의 혹독한 시련을 받고 있다

crúcible fúrnace 〖야금〗 도가니로(爐)

crúcible stéel 〖야금〗 도가니강(鋼)

cru·ci·fer [krú:səfər] *n.* **1** 〖교회〗 =CROSSBEARER 1 **2** 〖식물〗 십자화과 식물

cru·cif·er·ous [kru:sífərəs] *a.* 십자가를 진[로 장식한]; 〖식물〗 십자화과의

cru·ci·fix [krú:səfiks] *n.* **1** 그리스도 수난상(像) **2** 《일반적으로》 십자가(cross) **3** (체조의) 십자형 매달리기

crucifix 1

cru·ci·fix·ion [krù:səfíkʃən] *n.* **1** Ⓤ 십자가에 못 박음; [the C~] 그리스도를 십자가에 못 박음; Ⓒ 십자고상 **2** ⓊⒸ 큰 시련, 고난

cru·ci·form [krú:səfɔ̀:rm] *a.* 십자형의, 십자가 모양의 —*n.* 십자가; 십자형; 〖수학〗 십자곡선 **~·ly** *ad.*

***cru·ci·fy** [krú:səfài] [L 「십자가(cross)에 못 박다」의 뜻에서] *vt.* (**-fied**) **1** 십자가에 못 박다 **2** 몹시 괴롭히다 **3** 〈정욕 등을〉 억누르다 **4** (속어) 혼내 주다; 혹평하다, 여럿이 규탄하다 **-fi·er** *n.* ▷ crucifíxion *n.*

cru·ci·ver·bal·ist [krù:səvə́:rbəlist] *n.* 크로스워드 퍼즐 창안자[애호가]

cruck [krʌ́k] *n.* (영) 크럭 《중세 목조 건물의 뼈대에 쓰였던 한 쌍의 휜 각재(角材)》

crud [krʌ́d] *n.* **1** (속어) (찌꺼기 등의) 침전물, 지저분한 것(rubbish); 혐오스러운 놈, 비열한 놈 **2** 과장, 허풍, 변명 **3** 원인 모를 병; 성병; [the ~] (속어) 몸의 불편함 **4** (방언) =CURD —*vt.*, *vi.* (**~·ded**; **~·ding**) (영·방언) 의결시키다[하다], 확실히 하다[해지다] **crúd·dy** *a.*

‡**crude** [krú:d] [L 「피 묻은; 날것의」의 뜻에서] *a.* **1** 천연 그대로의, 인공을 가하지 않은; 생짜의, 날것의, 가공하지 않은, 정제하지 않은(⇨ raw 유의어; opp. *refined*): ~ material(s) 원료 **2** 익지 않은; 소화가 안 된; 〈병 등이〉 초기인 **3** 조잡한, 거친(rough); 미숙한, 생경(生硬)한; 있는 그대로의, 노골적인(bare); 〈태도 등이〉 버릇없는(rude), 세련되지 못한 **4** 〈빛이〉 칙칙한(garish) **5** 〖문법〗 어미 변화가 없는
—*n.* Ⓤ 미정제품, 원료; 원유(=~ oil)
~·ly *ad.* 조잡하게, 투박하게; [문장을 수식하여] 노골적으로 말하면 **~·ness** *n.* ▷ crúdity *n.*

crúde óil[petróleum] 원유

cru·di·tés [krù:ditéi] [F] *n. pl.* 생야채 전채(前菜) 《보통 잘게 썬 셀러리나 당근을 찍어 먹는 소스와 함께 식사 전에 제공됨》

cru·di·ty [krú:dəti] *n.* (*pl.* **-ties**) **1** Ⓤ 생것임, 미숙, 생경, 조잡 **2** 미숙한 것, 조잡한 것[짓], 미완성품 《예술 등의》 **3** Ⓤ 거칢

‡**cru·el** [krú:əl, krúəl] [L 「날것의, 거친」의 뜻에서] *a.* (**~·er**, **~·est** | **~·ler**, **~·lest**) **1** 잔혹한, 잔인한, 무자비한, 무정한(merciless); 비참한, 무참한: be ~ *to* animals 동물을 학대하다 **2** (구어) 〈규칙 등이〉 심한, 지독한, 가혹한, 냉엄한
—*ad.* (구어) 지독하게, 몹시(very, badly)
—*vt.* (속어) 〈기회 등을〉 망가뜨리다, 못 쓰게 하다
~·ly *ad.* **~·ness** *n.* ▷ crúelty *n.*; crúelly *ad.*

cru·el·heart·ed [krú:əlhɑ́:rtid] *a.* 무자비한, 비정한

‡**cru·el·ty** [krú:əlti, krúəl-] *n.* (*pl.* **-ties**) **1** Ⓤ 잔학, 잔혹, 무자비, 잔인성: an act of ~ 잔학 행위 **2** [*pl.*] 잔인한 행위, 학대 **3** Ⓤ 끔찍함 **4** 〖연극〗 잔혹극 ▷ crúel *a.*

cru·el·ty-free [-frí:] *a.* 〈화장품·약품 등이〉 동물 실험을 거치지 않고 개발된; 동물성 식품을 함유하지 않은

cru·et [krú:it] *n.* **1** 양념병 《식초·기름을 담는》 **2** 〖가톨릭〗 주수(酒水)병 《성찬식의 포도주[물] 그릇》 **3** 양념병대(臺)(=~ stànd)

Cruft's [krʌ́fts] [창시자 이름에서] *n.* (영) 런던에서 2월에 열리는 개 경연회(=~ Dóg Shòw)

cruft·y [krʌ́fti] (미·속어) *a.* 손 대고 싶지 않은, 기분 나쁜; 《일반적으로》 불쾌한; 너무 복잡한, 잘못 만들어진 —*n.* 자질구레한 잡동사니; 〖컴퓨터〗 다루기 힘든 데이터 기록

***cruise** [krú:z] [Du. 「가로지르다」의 뜻에서] *vi.* **1** 순항(巡航)하다 **2** (구어) 돌아다니다, 연애 상대를 찾아다니다; 〈택시가〉 (손님을 태우러) 돌아다니다 **3** 〈비행기·배가〉 순항 속도로 날다[항행하다]; 〈자동차가〉 경제 속도로 달리다 **4** (미) 삼림지를 답사하다 **5** (어떤 장소에) 가다, 떠나다; (여기저기) 여행하다 《*around*》
—*vt.* **1** 〈지역을〉 순항하다; 〈비행기를〉 순항 속도로 날게 하다, 〈차를〉 경제 속도로 몰다 **2** (구어) 〈공원·거리 등에서〉 여자[남자]를 낚으러 다니다[슬슬 차를 몰고 다니다] **3** (미·속어) 쉽게 합격하다[학점을 따다] **4** (미) 〈삼림지를〉 답사하다
cruising [***cruisin'***] ***for a bruising*** [***bruisin'***] (미·속어) 말썽[폭력]을 자초하는 짓을 하여
—*n.* 순항, 순양(巡洋); (구어) 만보(漫步), 만유(漫遊); (미 해병대의) 대원 복무 기간; (속어) 쉬운 일

crúise càr (미) 경찰 순찰차(squad car)

swarming, thronged, populous, mobbed
crucial *a.* decisive, critical, determining, central

crúise contròl (미) **1** 〖항공〗 순항 속도 조정 **2** (자동차의 임의의 지정 속도를 유지하는) 자동 속도 조정 시스템

crúise mìssile 〖군사〗 순항 미사일 《무인기(無人機)의 원리를 응용한 미사일》

cruis·er** [krú:zər] *n.* **1** 순양함; 유람용 모터보트 (=cabin ~) 《motorboat보다 크지만 yacht보다 작으며 침식 가능》; (미) =SQUAD CAR; 순항 비행기; (미·구어) (속도 빠른) 자동차, 자전거 **2** 손님을 찾아 돌아다니는 택시; (미) 삼림 답사자; (구어) 만유자(漫遊者), 여행자 **3** (영·구어) 〖권투〗 =CRUISERWEIGHT **4** (속어) (거리를 돌아다니는) 매춘부 ***a battle ~ 순양 전함 ***a converted*** [***light***] ~ 개장(改裝)[경(輕)] 순양함 ***an armored*** [***a belted***] ~ 장갑 순양함

cruis·er·weight [krú:zərwèit] *n.* =LIGHT HEAVYWEIGHT

crúise shìp 유람선

cruise·way [krú:zwèi] *n.* (영) 뱃놀이용의 수로(水路)

cruis·ing [krú:ziŋ] *n.* Ⓤ 여자[남자]를 낚으러 다니기 《공원 등에서 걷거나 차를 몰며》 ***go*** ~ 여자[남자]를 낚으러 가다

crúising ràdius 순항[항속] 반경 《급유 없이 왕복할 수 있는 최대 거리》

crúising spèed 순항 속도 《경제 속도》

crúising tàxi 손님을 찾아다니는 빈 택시

cruit [krú:t] *n.* (미·속어) 신병, 신인, 풋내기

crul·ler [krʌ́lər] *n.* (미) 꽈배기 도넛

crumb** [krʌ́m] *n.* **1** [보통 *pl.*] (빵 등의) 작은 조각, 빵 부스러기, 빵가루 **2** Ⓤ 빵의 속 《말랑한 부분》 (opp. *crust*) **3** 소량, 조금 《*of*》 **4** (미·속어) 이(louse); (미·속어) 인간쓰레기, 쓸모없는 놈 ***to a ~ 자잘한 데까지, 엄밀히

— *vt.* **1** 〈빵을〉 부스러뜨리다 **2** 빵가루를 묻히다; 빵가루를 넣어서 〈수프 등을〉 걸게 하다 **3** (급사 등이 식탁에서) 빵 부스러기를 치우다

~ ***the deal*** (미·속어) 계획을 엉망으로 만들다 ~ ***up*** (이를 잡기 위해) 옷을 삶다; 청소하다

— *a.* 〈파이 껍질이〉 비스켓 가루와 설탕 등을 넣어 만들어진 **~·er** *n.* ▷ crúmby *a.*

crumb-brush [krʌ́mbrʌ̀ʃ] *n.* 빵 부스러기를 치울 때 쓰는 솔 《식탁용》

crumb·cloth [krʌmklɔ̀:θ | -klɔ̀θ] *n.* 빵 부스러기 받이 《식탁 밑 양탄자에 까는 보》

‡crum·ble [krʌ́mbl] *vt.* 〈빵 등을〉 부스러뜨리다, 가루로 만들다, 잘게 찢다 《*up*》

— *vi.* **1** 부스러지다, (산산이) 무너지다: (~+副) The old wall is *crumbling away* at the edges. 낡은 담의 가장자리가 무너져 가고 있다. // (~+前+名) The temples ~*d into* ruin. 신전은 무너져서 폐허가 되었다. **2** 〈세력·희망 등이〉 힘없이 무너지다, 망하다, 붕괴하다 《*away*》: the *crumbling* economy 무너지는 경제 상황 ***That's the way the cookie ~s.*** 나쁜 일들은 일어나게 마련이다.

— *n.* 산산이 무너진 것; [*pl.*] 바짝 구운 빵 등의 조각; (영·방언) 빵가루; 파편; Ⓤ 크럼블 《과일 푸딩》

crum·blings [krʌ́mbliŋz] *n. pl.* 부순[부서진] 파편, 작은 조각

crum·bly [krʌ́mbli] *a.* (**-bli·er**; **-bli·est**) 부서지기 쉬운, 푸석푸석한(brittle) — *n.* (속어) 연장자, 노인; (영·속어) 부모 **crúm·bli·ness** *n.*

crumbs [krʌ́mz] *int.* (영) 아이고, 이런 《놀람·실망의 발성》

crum·bum [krʌ́mbʌ̀m] *n.* (미·속어) 인간쓰레기, 쓸모없는 놈(crumb) — *a.* (속어) 이가 들끓는, 불결한, 혐오스러운

crumb·y [krʌ́mi] *a.* (**crumb·i·er**; **-i·est**) **1** 빵 부스러기투성이의; 빵가루를 묻힌 **2** 빵 속 같은; (빵 속같이) 부드러운(opp. *crusty*) **3** (미·속어) 지저분한

crum·horn [krʌ́mhɔ̀:rn] *n.* 크럼호른 《관의 끝 부분이 원뿔꼴로 휘어진 르네상스 시대의 리드(reed) 악기》

crum·my [krʌ́mi] *a.* (**-mi·er**; **-mi·est**) **1** (속어) 지저분한; 하찮은, 싸구려의; 몸이 쾌하지 못한; 충분치 못한, 부족한; 이(louse)가 꾀는 **2** (영·속어) 〈여자가〉 포동포동한(plump), 귀여운

— *n.* (*pl.* **-mies**) **1** (속어) (화물 열차 뒤의) 차장칸 **2** (캐나다) 삼림 노동자 운반차 **3** (영·속어) 이(louse)

crump [krʌ́mp, krúmp | krʌ́mp] [의성어] *n.* **1** 우지끈하는 소리 **2** (구어) 강타(hard hit); 털썩 넘어짐 **3** (군대속어) 폭음; 폭렬탄(爆裂彈), 대형 폭탄[포탄]

— *vt.* **1** 우두둑 깨물다 **2** (군대속어) 대형 포탄으로 폭격하다 — *vi.* 우지끈 소리 내다; 폭음을 내며 폭발하다

— *a.* (스코) 부서지기 쉬운, 무른

crum·pet [krʌ́mpit] *n.* (영) **1** 핫케이크의 일종(cf. MUFFIN) **2** (속어) 머리 **3** (구어) (섹스의 대상으로서의) 여자; (여성의) 성적 매력 ***barmy*** [***balmy***] ***on the*** ~ = ***off*** one***'s*** ~ (속어) 머리가 돈

crúmp hòle 큰 포탄(이 터져 생긴) 구멍

***crum·ple** [krʌ́mpl] *vt.* **1** (뭉쳐) 구기다, 구김살투성이로 만들다 《*up*》 《★ crease보다 딱딱한 말》: (~+名+副) (~+名+前+名) He ~*d* (*up*) a letter *into* a ball. 그는 편지를 꼬깃꼬깃 뭉쳤다. **2** 〈상대편을〉 압도하다, 찌부러뜨리다 《*up*》

— *vi.* **1** 구겨지다, 구김살투성이가 되다 **2** 무너지다, (지쳐서) 늘어지다 《*up*》: (~+前+名) ~ *to* dust 폭삭 무너지다 // (~+副) He ~*d up* under the news. 그 소식을 듣고 그는 풀이 죽었다.

— *n.* 주름 **crúm·ply** *a.* 구김[주름]이 가기 쉬운

crum·pled [krʌ́mpld] *a.* 〈쇠뿔 등이〉 뒤틀린; 쭈글쭈글한, 주름살투성이의

crúmple zòne 충격 흡수대 《특히 자동차의 범퍼》

crunch [krʌ́ntʃ] [의성어] *vt.* **1** 오도독[아삭아삭] 씹다[깨물다](⇨ bite 유의어) **2** 〈눈길 등을〉 저벅저벅 밟다[밟고 가다] **3** 〖컴퓨터〗 〈대량의 데이터를〉 고속 처리하다 — *vi.* **1** 오도독[아삭아삭] 소리 내며 씹다[깨물다] **2** 저벅저벅 소리 내며 밟다[밟고 가다] **3** 〖컴퓨터〗 대량의 데이터를 고속 처리하다

— *n.* **1** 우두둑우두둑 부서지는 소리; 짓밟아 부숨 **2** [the ~] (구어) 결정적 시기, 위기; 요긴한 점; 곤궁; 정체, 불황; (문제의) 핵심 ***when*** [***if***] ***it comes to the*** ~ 결정적인 시기가 오면, 만일의 경우

— *a.* (구어) 결정적인, 중대한; 고난의, 위기의

crunch·er [krʌ́ntʃər] *n.* **1** 아작아작[오도독오도독] 소리 내는 사람[것] **2** (구어) 결정적인 일격[논쟁, 사건] **3** [*pl.*] (미·속어) (두) 발(feet)

crúnch tìme 고도의 긴장이 요구되는 때

crunch·y [krʌ́ntʃi] *a.* (**crunch·i·er**; **-i·est**) 우두둑 깨무는[소리나는]; 자박자박 밟는; 무른; (미·학생속어) 건강 지향적인, 환경 보존주의의

crúnch·i·ly *ad.* **-i·ness** *n.*

crunk [krʌ́ŋk] *n.* 〖음악〗 크렁크 《반복적이고 빠른 댄스 리듬의 미국 남부식 랩음악 스타일》

cru·or [krú:ɔ:r] *n.* 〖의학〗 혈병(血餠), 응혈

crup·per [krʌ́pər, krúp- | krʌ́p-] *n.* 껑거리끈 《마구(馬具)》; 말 엉덩이(croup); (익살) (사람의) 엉덩이

cru·ra [krúərə] *n.* CRUS의 복수

cru·ral [krúərəl] *a.* 〖해부·동물〗 다리의, 대퇴의

crus [krʌ́s, krú:s] *n.* (*pl.* **cru·ra** [krúərə]) 〖해부·동물〗 다리, 하퇴(下腿)

***cru·sade** [kru:séid] [Sp., F 「십자가를 단 집단」의 뜻에서] *n.* **1** [**C~**] 〖역사〗 십자군; (종교상의) 성전(聖戰)(holy war) **2** (강력한) 개혁[숙청, 박멸] 운동 《*against*, *for*》: a ~ *against* alcohol[smoking] 금주[금연] 운동

— *vi.* **1** 〖역사〗 십자군에 참가하다 **2** 개혁 운동에 참여하다 《*for*, *against*》

***cru·sad·er** [kru:séidər] *n.* 십자군 전사; 개혁 운동가

cru·sa·do [kru:séidou, -zɑ́:- | -séi-] [Port.] *n.* (*pl.* **~(e)s**) (십자가 무늬가 있는) 포르투갈의 옛 은화

cruse [krú:z] *n.* (고어) 단지, 병(jar)

thesaurus **crush** *v.* **1** 부수다 break up, shatter, smash, pound **2** 궤멸시키다 put down, quell, sub-

crush [krʌ́ʃ] *vt.* **1 눌러 부수다,** 뭉개다, 짜부라뜨리다; 〈물건을〉 (압력 등을 가하여) 평평하게 하다, 고르게 하다: (~+목+전+명) ~ a cockroach *under*[*with*] the foot 바퀴벌레를 밟아 뭉개다 // (~+목+보) My hat was ~*ed* flat. 모자가 납작하게 짜부라졌다. // (~+목+전+명) ~ a person *to* death …을 압사시키다 **2** 밀어[쑤셔] 넣다, 밀치고 나아가다: (~+목+전+명) He went on ~*ing* his way *through* the crowd. 그는 군중 속을 밀어 제치며 계속 걸어 나아갔다. **3** 압착하다, 짜다; 가루로 만들다, 분쇄하다 《*up, down*》: (~+목(+부)) ~ (*out*) the juice from grapes 포도에서 과즙을 짜내다 **4** 구김살투성이로 만들다 《*up*》; (힘 있게) 껴안다: (~+목+부) Take care not to ~ (*up*) my cap. 내 모자가 구겨지지 않도록 주의해 주시오. // (~+목+전+명) She ~*ed* her child *to* her breast. 그녀는 아이를 힘껏 껴안았다. **5** 진압하다, 억압하다 **6 궤멸시키다,** 압도하다, 박멸하다 《*out*》; 〈정신·희망을〉 꺾다(overwhelm): My hopes were ~*ed*. 내 희망은 깨어졌다. // (~+목+전+명) They ~*ed* all their enemies *out of* existence. 그들은 적군을 전멸시켰다. **7** 《고어》 〈술 등을〉 다 마시다
—*vi.* **1** 서로 밀치며 들어가다, 쇄도하다; 충돌하다 《*into, through*》: (~+전+명) ~ *into* a train 열차에 쇄도하다 **2** (압력으로) **부서지다;** 구겨지다: (~+부) Cotton ~*es* very *easily*. 무명은 잘 구겨진다.
~ a cup of wine 술을 마시다 ***~ a fly on the wheel*** = break a FLY[1] on the wheel. ***~ down*** 눌러 부수다; 분쇄하다; 진압하다 ***~ on*** 〈이성에게〉 반하다, 연정을 품다 ***~ out*** 부수고 나가다; 《미·구어》 탈옥하다 ***~ up*** 분쇄하다; 〈종이 등을〉 꼬깃꼬깃 뭉치다
—*n.* **1** 눌러 터뜨림, 압착; 분쇄; 진압, 압도; 분쇄량 **2** 혼잡, 서로 떼밀기; 붐빔; 군중; 《구어》 북적거리는 연회(crowded gathering) **3** 《구어》 짝패, 떼거리, 그룹; 《군대속어》 부대(unit) **4** 과즙, 스쿼시(squash) **5** 《구어》 홀딱 반함, 심취(하는 대상)(infatuation) **6** 《호주》 (낙인을 찍기 위하여 가축을 한 마리씩 몰아넣는) 울타리 길 **7** 결정적 순간, 위기 상황 ***have*** [***get***] ***a ~ on*** 《구어》 …에게 홀딱 반하다 **~·a·ble** *a.*

crúsh bàr (막간에 관객이 이용하는) 극장 내의 바

crúsh bàrrier 《영》 군중을 막기 위해 세운 철책

crush·er [krʌ́ʃər] *n.* **1** 눌러 터뜨리는 물건; 분쇄기; 쇄석기(碎石機) **2** 《구어》 맹렬한 일격; 꼼짝 못하게 굴복시키는 주장[사실] **3** 《속어》 경찰관; 《속어》 인기 있는 남자, 멋진 남자

crúsh hát = OPERA HAT

crush·ing [krʌ́ʃiŋ] *a.* Ⓐ **1** 눌러 터뜨리는, 박살내는, 분쇄하는 **2** 압도적인, 궤멸적인; 결정적인 **3** 《미·속어》 〈옷 등이〉 매우 좋은 —*n.* **1** (와인·기름 제조 공정에서의) 눌러 터뜨림, 압착 **2** 으깬 포도 **3** (망원 카메라에 의한) 거리 압축 (효과) **~·ly** *ad.*

crush·proof [krʌ́ʃprù:f] *a.* 짜부라지지 않는 〈종이 상자 등〉

crush-room [krʌ́ʃrù:m] *n.* 《영》 (극장의) 휴게실

Cru·soe [krú:sou] *n.* ⇨ Robinson Crusoe

crust [krʌ́st] [OF 「껍질」의 뜻에서] *n.* **1 빵 껍질** (opp. *crumb*); [a ~] 굳어진 빵 한 조각 《보잘것없는 음식》; [a ~] 양식, 생계(living) **2** (물건의) 딱딱한 표면, 겉껍질, 딱딱한 껍질; = PIECRUST; 〖동물〗 갑각(甲殼); [the ~] 〖지질〗 지각(地殼); 《미》 얼어붙은 눈의 표면 **3** 부스럼 딱지(scab); (포도주 등의) 버캐; (목욕통 안에 끼는) 때 **4** (사물의) 겉, 표면; 겉치레(veneer) **5** [the ~] 《속어》 철면피, 뻔뻔스러움(impudence); 《경찰속어》 사기꾼; 성미가 까다로운 사람 **6** 《속어》 머리 ***earn*** one***'s ~*** 밥벌이를 하다 ***off*** one***'s ~*** 《속어》 미친, 정신이 돌아 ***the upper ~*** 《속어》 상류 사회
—*vt.* 겉껍질로 덮다, 겉껍질로 싸다
—*vi.* 겉껍질이 생기다; 딱지가 앉다; 굳어 붙다
▷ crústy *a.*

---

due, conquer, defeat, suppress
cry *v.* weep, sob, wail, whine (opp. *laugh*)

Crus·ta·cea [krʌstéiʃə] *n. pl.* 〖동물〗 갑각류(甲殼類)

crus·ta·cean [krʌstéiʃən] *a., n.* 갑각류의 (동물)

crus·ta·ce·ol·o·gy [krʌstèiʃiɑ́lədʒi | -ɔ́lə-] *n.* Ⓤ 갑각류학(甲殼類學) 《해양 생물학 부문》 **-gist** *n.*

crus·ta·ceous [krʌstéiʃəs] *a.* 피각질(皮殼質)의; 피각 같은; 〖동물〗 갑각류의; 〖식물〗 = CRUSTOSE

crus·tal [krʌ́stl] *a.* 외피[갑각]의; 지각(地殼)의: ~ movement 지각 운동

crústal pláte 〖지질〗 (지각) 구조 플레이트

crust·ed [krʌ́stid] *a.* 겉가죽[겉껍질]이 있는; 〈포도주가〉 버캐가 생긴, 잘 익은; 해묵은, 낡은, 고색이 깃든; 응고한 **~·ly** *ad.*

crus·tose [krʌ́stous] *a.* 〖식물〗 고착(固着)의

crust·quake [krʌ́stkwèik] *n.* 〖지질·천문〗 (행성 등의) 지각(地殼)성 지진

crust·y [krʌ́sti] *a.* (**crust·i·er**; **-i·est**) **1** 피각질(皮殼質)의, 겉껍질 같은; 〈빵 등이〉 껍질이 딱딱하고 두꺼운(opp. *crumby*) **2** 까다로운, 쉬 화를 내는(irritable); 무뚝뚝한(surly); 버릇없는 **3** (포도주가) 숙성한 **4** 《속어》 더러운, 초라한; 천한 —*n.* 《영·구어》 (남루한) 젊은 부랑자[노숙자]
crúst·i·ly *ad.* **crúst·i·ness** *n.* Ⓤ

*__crutch__ [krʌ́tʃ] *n.* **1** [보통 a pair of ~*es*] 목다리, 목발, 협장(脇杖): walk on ~*es* 목발을 짚고 걷다 **2** 버팀목(prop) **3** 〖항해〗 고물의 팔꿈치 꼴 버팀목, 차주(叉柱); (보트의) 크러치 **4** (사람의) 샅 **5** 여자용 안장의 등자(鐙子); 《미·속어》 자동차
—*vt.* 목다리 짚다; 버팀목을 대다
—*vi.* 목다리 짚고 걷다

crutched [krʌ́tʃt, krʌ́tʃid] *a.* 목다리에 의지한; 지주로 버틴

Crútched Fríars 십자가 수도회 《17세기 중반까지 영국에 있었음》

crux [krʌ́ks] [L 「십자형」의 뜻에서] *n.* (*pl.* **~·es, cru·ces** [krú:si:z]) **1** 요점, 급소; 난문, 수수께끼(puzzle) **2** (문장(紋章)에서의) 십자가(cross); 〖등반〗 등반에서 가장 어려운 곳 **3** [**C~**] 〖천문〗 남십자성(the Southern Cross)

crux an·sa·ta [krʌ́ks-ænséitə] [L] = ANKH

crux cri·ti·co·rum [krʌ́ks-kritəkɔ́:rəm] [L] 비평가의 난문(難問)

cru·za·do [kru:zéidou] *n.* (*pl.* **~(e)s**) = CRUSADO

cru·zei·ro [kru:zɛ́ərou] [Port.] *n.* (*pl.* **~s** [-z]) 크루제이루 《브라질의 옛 화폐 단위; 기호 Cr $》

*****cry** [krái] *v.* (**cried**) *vi.* **1 부르짖다,** 외치다(shout), 소리지르다, 〈새·짐승이〉 울다, 〈사냥개가〉 짖다

> 유의어 **cry** 기쁨·놀람·괴로움·아픔 등으로 무의식중에 소리 지르다 **shout** 큰 소리로 외치거나 말하다 **exclaim** 기쁨·놀람 등의 강한 감정을 갖고 큰 소리를 내다

2 큰 소리로 부르다[말하다] 《*out*; *to, for*》: (~+부) (~+전+명) I *cried out for* my mother. 어머니를 큰 소리로 불렀다. / He *cried out to* me *for* help. 그는 나에게 살려 달라고 큰 소리로 외쳤다. **3** 엉엉 울다, 울부짖다, 울다; 흐느끼다(sob): (~+전+명) ~ *with* pain 아파서 울부짖다 / The old lady *cried for* joy at the news. 그 노부인은 그 소식을 듣고 기뻐서 울었다.

> 유의어 **cry** 소리내어 울다. **weep** 「소리를 내지 않고 울다」의 뜻으로서, 특히 눈물을 흘리는 것을 나타내는 문어적인 말이다. **sob** 목메어 울거나 흐느끼면서 훌쩍훌쩍 울다.

4 《구어》 〈물건·사람이〉 (결단 등을) 크게 필요로 하다 《*out*; *for*》: (~+부) (~+전+명) ~ *out for* change 변화를 요구하다 **5** 〈브레이크 등이〉 금속음을 내다
—*vt.* **1 외치다,** 큰 소리로 부르다[말하다](shout): He *cried* (*out*) a good night. 그는 큰 소리로 「안녕

히 주무세요」라고 말했다.// (~+*that* 절) She *cried* (*out*) *that* she was happy. 그녀는 기쁘다고 큰 소리로 말했다. **2** 〈뉴스를〉 큰 소리로 알리다; 〈물건을〉 소리치며 팔다 **3** (엉엉) 울다; 울며 …하다: ~ bitter tears 피눈물을 흘리다// (~+목+보) ~ oneself blind 너무 울어서 눈앞이 안 보이다 **4** 《고어》 애원하다 **5** 칭찬하다, 찬양하다

~ *against* …에 반대를 외치다 **~ *back*** 《스코》 다시 부르다, 소환하다; 【사냥】 〈사냥꾼 등이〉 되돌아오다, 되돌아서다; 《비유》 〈동물 등이〉 옛 조상을 닮다 **~ *before* one *is hurt*** [부정문에서] 《구어》 쓸데없는 걱정을 하다 **~ *down*** 헐뜯다; 야유하여 깎아내리다 (decry) **~ *for*** …을 울며 요구하다, …의 위급함을 호소하다; …을 절실히 필요로 하다 **~ *for the moon*** 불가능한 것을 바라다 **~ *halves*** 반씩 나누기를 요구하다 《*in*》 **~ *hands off*** (상대방·경쟁자에게) 손 떼라고 말하다 **~ *havoc*** ⇨ havoc. **~ *off*** (…에서) 손을 떼다 《*from*》, 포기하다; 취소하다 **~ *out*** 고함지르다, 절규하다 **~ *out against*** 큰 소리로 …에 항의[불평]하다 **~ *out for*** …을 아주 필요로 하다, 요구하다 **~ *over*** 〈불행 등을〉 한탄하다 **~ *quarter*** ⇨ quarter. **~ *quits*** 《미·구어》 (서로) 말다툼을 그치다; 무승부로 하다, 비긴 것으로 하다 **~ one*self asleep*** [***to sleep***] 울다가 잠이 들다 **~ one*'s eyes*** [***heart***] ***out*** 눈이 붓도록[가슴이 터지도록] 울다 **~ *shame upon*** …을 극구 비난하다, 맹렬히 공격하다 **~ *stinking fish*** 《영·속어》 자기 것을 깎아내리다 **~ *to*** [***unto***] 《고어》 …에게 읍소(泣訴)하다; …에 도움을 애걸하다 《*for*》 **~ *up*** 칭찬하다, 추어올리다 ***for ~ing out loud*** 《구어》 [감탄사적으로] 아 기막혀, 저런, 잘 됐구나! 《불쾌·놀람·기쁨의 표현》; [명령문에서] 제발 (부탁이니): *For ~ing out loud*, shut that door! 제발 그 문 좀 닫아라! ***give*** a person ***something to ~ about*** 《구어》 〈꾸중 듣고 계속 우는 아이를〉 더 엄하게 벌주다 ***It is no use ~ing over spilt milk.*** 《속담》 엎지른 물은 도로 담을 수 없다.

— *n.* (*pl.* **cries**) **1** 고함, 외침, (새·짐승의) 우는 소리; (개 등의) 짖는 소리; (어린아이의) 우는 소리 **2** 《구어》 울부짖는 소리, 울음소리, (소리내어) 울기, 통곡 **3** 알리는 소리, 소리쳐 파는 소리 **4** 함성; 표어(watchword), 슬로건 **5** 탄원, 청원, 요구; 여론(의 소리) 《*for*, *against*》; 소문 《*that* ...》 **6** 금속음; 《구어》 떠들썩함 **7** [*pl.*] 《스코》 결혼 예고 **8** 사냥개의 무리

a far [***long***] **~** 원거리 《*to*》; 현저한 간격, 큰 차이 《*from*》 ***a hue and ~*** 범인 추적의 함성; 세인(世人)의 노호(怒號) ***all ~ and no wool*** = ***more ~ than wool*** = ***much*** [***a great***] **~ *and little wool*** 공연한 소동, 태산 명동(鳴動)에 서일필(鼠一匹) 《결과가 보잘것없음》 ***all the ~*** 최신 유행(the vogue) **~ *from the heart*** 열렬한 항의 ***follow in the ~*** 부화뇌동하다 ***give*** [***raise***] ***a ~*** 외치다, 한 번 소리 지르다 ***have a good ~*** 실컷 울다 ***have*** one***'s ~ out*** 울 만큼 울다, 실컷 울다 ***in full ~*** 〈사냥개가〉 일제히 추적하여; 《비유》 일제히 ***out of ~*** 소리가 미치지 않는 곳에, 멀리 ***within ~ of*** …에서 부르면 들리는 곳에

cry- [krái], **cryo-** [kráiou, kráiə] 《연결형》 「추위; 한랭; 냉동」의 뜻 《모음 앞에서는 cry-》

cry·ba·by [kráibèibi] *n.* (*pl.* **-bies**) 울보, 겁쟁이; (실패 등에) 우는소리 하는 사람

cry·ing [kráiiŋ] *a.* Ⓐ **1** 외치는; 울부짖는 **2** 긴급한 〈필요〉, 좌시할 수 없는; 심한, 지독한 ***a ~ need*** (…에 대한) 급한 용무 《*for*》 ***a ~ shame*** 《구어》 심한 망신

crýing ròom 《미·속어》 우는 방 《좌절했을 때 들어앉아 엉엉 울 수 있으면 좋겠다고 생각되는 곳》

crýing tòwel 《미·속어》 눈물 수건 《걸핏하면 우는 소리 하는 사람에게 필요하다고 가상되는》

cry·o·bank [kràioubæ̀ŋk] *n.* (정자 등을 보관하는) 저온 냉동 은행

cry·o·bi·ol·o·gy [kràioubaiɑ́lədʒi | -ɔ́lə-] *n.* Ⓤ 저온 생물학 **crỳ·o·bi·o·lóg·i·cal** *a.* **-gist** *n.*

cry·o·ca·ble [kràiəkéibl] *n.* 극저온 케이블

cry·o·e·lec·tron·ics [kràiouilektrɑ́niks | -trɔ́-] *n. pl.* [단수 취급] (극)저온 전자 공학 **-ic** *a.*

cry·o·ex·trac·tion [kràiouikstræ̀kʃən] *n.* Ⓤ (백내장 수정체의) 냉동 적출

cry·o·ex·trac·tor [kràiouikstræ̀ktər] *n.* 【안과】 (백내장 치료를 위한) 동결 추출기(凍結抽出器)

cry·o·gen [kráiədʒən, -dʒèn] *n.* 【화학】 한제(寒劑)

cry·o·gen·ic [kràiədʒénik] *a.* 극저온의; 극저온(저장)을 필요로 하는; 극저온에 맞는 **-i·cal·ly** *ad.*

cry·o·gen·ics [kràiədʒéniks] *n. pl.* [단수 취급] 저온학(低溫學)

cry·o·lite [kráiəlàit] *n.* Ⓤ 【광물】 빙정석(氷晶石)

cry·om·e·ter [kraiɑ́mətər | -ɔ́mə-] *n.* 저온도계

cry·on·ics [kraiɑ́niks | -ɔ́niks-] *n. pl.* [단수 취급] (인간의 사체의) 냉동 보존술 **cry·ón·ic** *a.*

cry·o·phil·ic [kràiəfílik] *a.* 저온에서도 잘 자라는, 호냉성의

cry·o·phyte [kráiəfàit] *n.* 【식물】 빙설(氷雪) 식물

cry·o·plank·ton [kràiəplǽŋktən] *n.* (빙하·북극지방의 얼음물 속에 사는) 빙설 플랑크톤

cry·o·pres·er·va·tion [kràiəprèzərvéiʃən] *n.* Ⓤ 냉동 보존[저장]

cry·o·pre·serve [kràiəprizə́ːrv] *vt.* 〈세포·조직 등을〉 저온 보존하다

cry·o·probe [kráiəpròub] *n.* 【외과】 저온[냉동] 탐침(探針) 《조직을 얼려 제거할 때 사용》

cry·o·pro·tec·tant [kràiouprətéktənt] *n.*, *a.* = CRYOPROTECTIVE

cry·o·pro·tec·tive [kràiouprətéktiv] *a.* 항냉동(抗冷凍)의, 부동의; 동결 방지용의

— *n.* 항냉동제, 동결 방지제

cry·o·pump [kráiəpʌ̀mp] *n.* 【물리】 저온 펌프

cry·o·re·sis·tive [kràiərizístiv] *a.* (전도성(電導性)을 높이기 위해) 극저온화한

cry·o·scope [kráiəskòup] *n.* 빙점계(氷點計), 결빙점 측정기

cry·os·co·py [kraiɑ́skəpi | -ɔ́s-] *n.* (*pl.* **-pies**) 빙점법, 응고점 강하법 **crỳ·o·scóp·ic** *a.*

cry·o·stat [kráiəstæ̀t] *n.* 저온 유지 장치

cry·o·sur·ger·y [kràiousə́ːrdʒəri] *n.* Ⓤ 저온[냉동] 수술 **-súr·geon** *n.* **-súr·gi·cal** *a.*

cry·o·ther·a·py [kràiouθérəpi] *n.* Ⓤ 냉동[한랭] 요법

cry·o·tron [kráiətrɑ̀n | -trɔ̀n] *n.* 【물리】 크라이오트론 《자장으로 제어할 수 있는 초전도성 소자》

crypt [krípt] *n.* 토굴, 지하실 《특히 성당의 납골 또는 예배용》 ▷ crýptic *a.*

crypt- [krípt], **crypto-** [kríptou, -tə] 《연결형》 「숨은; 비밀의」의 뜻 《모음 앞에서는 crypt-》

crypt·a·nal·y·sis [krìptənǽləsis] *n.* 암호 해독(학) **crỳpt·an·a·lýt·ic** *a.* **crypt·án·a·lyst** *n.*

crypt·an·a·lyze [krìptǽnəlàiz] *vt.* 〈암호문을〉 풀다, 해독하다

cryp·tate [krípteit] *n.* 【화학】 크립테이트 《킬레이트 화합물의 하나》

crypt·es·the·sia [krìptəsθíːʒə, -ʒiə] *n.* 【심리】 잠재 감각 《과학적으로 설명할 수 없는 지각 작용》

cryp·tic, -ti·cal [kríptik(əl)] *a.* **1** 이유를 알 수 없는; 애매한; 숨은, 비밀의(mystic); 신비적인 **2** 암호를 사용한 **3** 【동물】 몸을 숨기는 데 알맞은

— *n.* 암호문 **-ti·cal·ly** *ad.*

cryp·to [kríptou] *n.* (*pl.* **~s**) 《영·구어》 비밀 결탁자[당원]; = CRYPTO-COMMUNIST

— *a.* 비밀의, 숨겨진; 내밀(內密)의

crypto- [kríptou, -tə] 《연결형》 = CRYPT-

cryp·to·bi·o·sis [krìptoubaióusis] *n.* (*pl.* **-ses** [-siːz]) 【생물】 (저온 극한 상태에서) 휴면 생활

cryp·to·bi·ote [krìptoubáiout] *n.* 【생태】 휴면 생활자 《대사 작용 없이 생존하는 생물》

-bi·ot·ic [-baiɑ́tik | -ɔ́t-] *a.*

cryp·to·coc·co·sis [krìptoukɑkóusis | -kɔkóu-] *n.* (*pl.* **-ses** [-si:z]) 〖병리〗 효모균증 《효모균에 의해 생기는 병; 특히 신경 계통이나 폐의 장애가 특징》
cryp·to·coc·cus [krìptəkɑ́kəs | -kɔ́kəs] *n.* Cryptococcus속(屬) 효모균류
cryp·to-Com·mu·nist [krìptoukɑ́mjunist | -kɔ́m-] *n.* 공산당 비밀 당원
cryp·to·ex·pló·sion strúcture [krìptou-iksplóuʒən-] 〖지질〗 의분화(擬噴火) 구조
cryp·to·gam [kríptəgæ̀m] *n.* 〖식물〗 민꽃식물, 은화(隱花)식물(cf. PHANEROGAM)
cryp·to·gam·ic [krìptəgǽmik], **cryp·tog·a·mous** [kriptɑ́gəməs | -tɔ́-] *a.* 〖식물〗 민꽃식물의, 은화식물의
cryp·to·gen·ic [krìptədʒénik] *a.* 〈병 등이〉 원인 불명의
cryp·to·gram [kríptəgræ̀m] *n.* 암호(문)
cryp·to·graph [kríptəgræ̀f | -grɑ̀:f] *n.* **1** = CRYPTOGRAM **2** 암호 쓰는 법, 암호; 암호 작성 장치
— *vt.* 암호로 하다
cryp·tog·ra·pher [kriptɑ́grəfər | -tɔ́-] *n.* 암호 사용자
cryp·to·graph·ic [krìptəgrǽfik] *a.* 암호(법)의 **-i·cal·ly** *ad.*
cryp·tog·ra·phy [kriptɑ́grəfi | -tɔ́-] *n.* **1** Ⓤ 암호 작성[해독]법 **2** 암호문
cryp·to·lect [kríptəlèkt] *n.* 암호
cryp·tol·o·gy [kriptɑ́lədʒi | -tɔ́lə-] *n.* Ⓤ 암호 작성[해독]술; 암호학, 암호 연구
-gist *n.* **crỳp·to·lóg·ic, crỳp·to·lóg·i·cal** *a.*
cryp·to·mer·i·a [krìptəmíəriə] *n.* 〖식물〗 삼나무 (Japanese cedar)
cryp·tom·ne·sia [krìptɑmní:ʒə | -ziə] *n.* 〖심리〗 잠복 기억 《과거의 경험을 회상했을 때 그것이 미경험인 양 느껴지는 일》
cryp·to·nym [kríptənìm] *n.* 익명(匿名)
cryp·tón·y·mous *a.*
cryp·to·phyte [kríptəfàit] *n.* 〖식물〗 지중(地中) 식물 **crỳp·to·phýt·ic** *a.*
crypt·or·chism [kriptɔ́:rkizəm], **crypt·or·chi·dism** [kriptɔ́:rkidìzm] *n.* 〖병리〗 은고(隱睾), 잠복 고환(睾丸)
cryp·to·spo·rid·i·um [krìptouspərídiəm] *n.* 〖동물〗 크립토스포리디움, 와포자충(窩胞子蟲)
cryp·to·sys·tem [kríptəsìstəm] *n.* 암호 체계
cryp·to·zo·ic [krìptəzóuik] *a.* **1** [**C~**] 〖지질〗 음생대(陰生代)의 **2** 〖동물〗 은잠성(隱潛性)의, 암소성(暗所性)의 — *n.* [the C~] 〖지질〗 음생대
cryp·to·zo·ol·o·gy [krìptəzouɑ́lədʒi | -ɔ́l-] *n.* Ⓤ (설인(雪人)과 같이) 미확인 생물의 연구 **-gist** *n.*
cryst. crystalline; crystallized
‡**crys·tal** [krístl] [Gk 「얼음」의 뜻에서] *n.* **1 a** Ⓤ 수정(=rock ~) **b** 수정 제품[세공]; (점치는 데 쓰는) 수정 구슬(=~ ball); (구어) 수정점(占) **2 a** Ⓤ 컷글라스, 고급 납유리 **b** 크리스털[컷글라스] 제품, 컷글라스 식기류; (미) (시계의) 유리 덮개((영) watch glass) **3** 〖화학·광물〗 결정(체): Salt forms in ~*s.* 소금은 결정을 이룬다. **4** 〖전자〗 (검파용) 광석, 반도체; 광석 검파기, 광석 정류기[발진기] **5** (미·속어) 각성제 (*as*) ***clear as*** ~ 〈물 따위가〉 맑고 투명한, 깨끗한; 〈말·논리 따위가〉 명석한, 명백한
— *a.* **1** Ⓐ 수정(질[제])의, 크리스털[컷글라스]제의 **2** 수정 같은, 맑고 투명한 **3** 〖전자〗 수정 발진식의; 광석을 쓰는: a ~ (radio) set (옛날) 광석 라디오
— *vt.* 정화시키다; 수정(같은 물질)으로 싸다
▷ crýstalline *a.*; crýstallize *v.*
crýstal áxis 〖결정〗 결정축(軸)
crýstal báll (점치는) 수정 구슬; 점치는 방법
crys·tal-ball [krístlbɔ̀:l] *vt., vi.* (속어) 예언하다, 점치다
crys·tal-clear [-klíər] *a.* 맑고 투명한; 명명백백한
crýstal clòck 수정 시계
crýstal detéctor 〖전자〗 광석 검파기
crýstal gàzer 수정 점쟁이
crýstal gàzing 수정점(占) 《수정 구슬에 나타나는 환상으로 점을 침》
crýstal glàss = CRYSTAL *n.* 2
crýstal hábit 〖결정〗 결정 습성, 결정상(相)
crýstal hèaling 수정 요법(crystal therapy) 《발진(發振) 수정으로 병을 고친다는 요법》
crystall- [krístəl], **crystallo-** [krístəlou, -lə] 《연결형》 「결정(結晶)」의 뜻 《모음 앞에서는 crystall-》
crýstal làser 〖물리〗 결정(結晶) 레이저
crýstal làttice 〖결정〗 결정 격자
crys·tal·lif·er·ous [krìstəlífərəs] *a.* 수정을 산출하는[함유한]
***crys·tal·line** [krístəlin, -làin | -làin] *a.* **1** 수정 같은, 투명한 **2** 결정(질)의, 결정체로 된
— *n.* 결정체; (눈알의) 수정체
crỳs·tal·lín·i·ty *n.* Ⓤ 결정도, 투명함
▷ crýstal *n.*; crýstallize *v.*
crýstalline héaven [**sphére**] 〖천문〗 (Ptolemy 천문학에서 외권(外圈)과 항성 사이에 2개가 있다고 상상된) 투명 구체(球體)
crýstalline léns 〖해부〗 (안구의) 수정체
crys·tal·lite [krístəlàit] *n.* 〖광물〗 정자(晶子); = MICELLE
crys·tal·li·za·tion [krìstəlizéiʃən | -lai-] *n.* Ⓤ 결정화; 구체화(된 것); Ⓒ 결정체; 설탕 절임
***crys·tal·lize** [krístəlàiz] *vt.* **1** 결정시키다, 결정화(結晶化)하다 **2** 〈사상·계획 등을〉 구체화하다 **3** 설탕에 절이다: ~*d* fruit 설탕에 절인 과실
— *vi.* **1** 결정하다, 결정화하다: (~+*to* do) Water ~*s to* form snow. 물이 결정하여 눈이 된다. **2** 〈사상·계획 등이〉 구체화되다: (~+전+명) Her vague fear ~*d into* a reality. 그녀의 막연한 두려움이 현실이 되었다. **-lìz·a·ble** *a.* **-lìz·er** *n.*
crys·tal·lized [krístəlàizd] *a.* **1** 결정화한 **2** 설탕 절임의: ~ fruit 설탕에 절인 과일 **3** 구체화된
crystallo- [krístəlou, -lə] 《연결형》 = CRYSTALL-
crys·tal·lo·graph·ic, -i·cal [krìstələgrǽfik(əl)] *a.* 결정학적인, 결정학상의
crys·tal·log·ra·phy [krìstəlɑ́grəfi | -lɔ́-] *n.* Ⓤ 결정학 **-pher** *n.* 결정학자
crys·tal·loid [krístəlɔ̀id] *a.* 결정상(結晶狀)의; 결정의, 정질(晶質)의 — *n.* 〖화학〗 정질(opp. *colloid*); 〖식물〗 (씨의) 결정체
crys·tal·loi·dal [krìstəlɔ́idl] *a.*
crýstal mèth = METH
Crýstal Pálace [the ~] 수정궁 《1851년 런던에 철골과 유리로 만들어 세웠던 만국 박람회용 건물; 1936년 소실》
crýstal píckup (전축용) 크리스털 픽업
crýstal pléat (스커트 등의) 같은 방향으로 곱게 세운 주름[플리트]
crys·tal-see·ing [krístlsì:iŋ] *n.* = CRYSTAL GAZING
crys·tal-se·er [-sì:ər] *n.* = CRYSTAL GAZER
crýstal sèt 〖전자〗 광석 수신기
crýstal sỳstem 〖결정〗 결정계 《결정(結晶)에 적용되는 6개의 구분》
crýstal thèrapy = CRYSTAL HEALING
crýstal vísion 수정점(에서 보이는 상)
crýstal wédding 수정혼식 《결혼 15주년의 기념식》
Cs 〖화학〗 cesium; 〖기상〗 cirrostratus **CS** capital stock; (영) Chartered surveyor; chief of staff; Christian Science[Scientist]; Civil Service; Court of Session **cs.** case(s); census; consul **C/S** cycles per second **C$** cordoba(s) **CSA** child sexual abuse 아동 성적 학대; Child Support Agency (영국의) 양육비 지원 기관; Confederate States of America **csc** cosecant

CSC Civil Service Commission; Conspicuous Service Cross 수훈 십자훈장 **CSE** (영) Certificate of Secondary Education

C-sec·tion [síːsèkʃən] *n.* (구어) ＝CAESAREAN SECTION

CSF 〔생리〕 cerebrospinal fluid

CS gàs 최루 가스 《발명자 B. Carson과 R. Stoughton에서》

CSI Crime Scene Investigation **CSIRO** (호주) Commonwealth Scientific and Industrial Research Organization **csk** cask **CSM** command and service module; corn, soya, milk 《혼합 식품》; (영) Company Sergeant Major **CSO** Chief Signal Officer; chief staff officer

C-SPAN [síːspæ̀n] *n.* 미국의 비영리 케이블 TV의 공중 통신망

C-spot [síːspɑ̀t | -spɔ̀t] *n.* (미·속어) 100달러 지폐 (C-note)

C sprìng C자형 스프링

C. Ss. R. *Congregatio Sanctissimi Redemptoris* 《L ＝Congregation of the Most Holy Redeemer》 **CST** (미) Central Standard Time

C-store [síːstɔ̀ːr] *n.* [때로 **c~**] 편의점(convenience store)

CSU California State University

C supplý 〔전자〕 C 전원(電源)

CSW Certified Social Worker **CSYS** Certificate of Sixth Year Studies (스코틀랜드의) 6년 졸업 자격증 (시험) **ct** carat(s); cent(s); centum; certificate; county; court **CT** (미) Central Time; computerized tomography 컴퓨터 단층 촬영; (미) 〔우편〕 Connecticut **Ct.** Connecticut; Count; Court **CTBT** comprehensive test ban treaty 포괄적 핵실험 금지 조약 **CTC** centralized traffic control; City Technology College (영국의) 도시 기술 고등학교; (영) Cyclists' Touring Club

cteno- [ténou, -nə, tíː-] 《연결형》 「빗 모양」의 뜻

cte·noid [tíːnɔid, té-] 〔동물〕 *a.* 빗 모양의; 빗 모양의 비늘을 가진 〈물고기〉
— *n.* 즐린류(櫛鱗類)의 물고기

cten·o·phore [ténəfɔ̀ːr, tíːnə-] *n.* 〔동물〕 빗해파리

ctg., ctge. cartage; cartridge

C3, C-3 [síːθríː] *a.* 〔군사〕 건강[체격]이 열등한; (구어) 최저의

C³-I command, control, communication and intelligence **CTI** computer telephony integration 컴퓨터 전화 통합 **ctn** carton; 〔수학〕 cotangent

c. to c. center to center **CTOL** conventional take-off and landing 〔항공〕 통상 이착륙 **ctr.** center

Ctrl. 〔컴퓨터〕 control (key) **CTS** computer [computerized] typesetting system **cts.** carats; centimes; cents; certificates

CT scàn ＝CAT SCAN

CT scànner ＝CAT SCANNER

CTV cable television; Canadian Television Network

C-type vírus [síːtàip-] 〔의학〕 C형 바이러스 《발암성으로 여겨지고 있음》

Cu cubic; 〔기상〕 cumulus; 〔화학〕 *cuprum* 《L＝copper》 **CU** close-up **CU, cu** see you 안녕 《인터넷·휴대 전화 메시지의 약어》

cua·dril·la [kwɑːdríːljə] *n.* (*pl.* **~s** [-z]) 카드릴라 《투우사를 돕는 조수단》

***cub** [kʌb] *n.* **1** (곰·사자·이리 등) 짐승 새끼, 어린 짐승(whelp); 고래[상어]의 새끼: a bear ~ 능소니 곰의 새끼 **2** [종종 an unlicked ~로] (경멸) 버릇없는 자식 **3** (영) ＝WOLF CUB; (미) ＝CUB SCOUT **4** (미·구어) 수습생, 애송이, 풋내기; 풋내기 신문 기자 (＝~ reporter)
— *a.* Ⓐ 수습의, 풋내기의
— *vt., vi.* (**~bed**; **~·bing**) 〈어미 짐승이〉 새끼를 낳다; 새끼 여우 사냥을 하다; 풋내기 사진 기자로 일하다
▷ cúbbish *a.*

cub. cubic

***Cu·ba** [kjúːbə] *n.* 쿠바 《카리브 해(海)의 공화국; 수도 Havana》 ▷ Cúban *a., n.*

cub·age [kjúːbidʒ] *n.* 체적, 용적, 부피

Cúba lí·bre [-líːbrə] 쿠바리브레 《콜라와 럼주를 섞은 음료》

***Cu·ban** [kjúːbən] *a.* 쿠바 (사람)
— *n.* 쿠바 사람

cub·ane [kjúːbein] *n.* 〔화학〕 쿠반

Cúban fórkball (미·속어) ＝SPITBALL 2

Cúban héel 쿠반 힐 《굽이 넓은 중간 힐》

Cu·ban·ize [kjùːbənáiz | ⏤⏤] *vt.* 쿠바화하다 《라틴 아메리카 국가의 사회주의화》

Cu·ba·nol·o·gist [kjùːbənɑ́lədʒist | -nɔ́-] *n.* 쿠바 문제 전문가

Cúban sándwich (미) 쿠바식 샌드위치 《햄·소시지·치즈 등을 많이 넣음》

cu·ba·ture [kjúːbətʃər] *n.* **1** Ⓤ 입체 구적법(求積法) **2** 체적, 부피, 용적

cub·bing [kʌ́biŋ] *n.* (영) ＝CUB HUNTING

cub·bish [kʌ́biʃ] *a.* 새끼 짐승 같은; 버릇없는; 단정치 못한, 지저분한

cub·by [kʌ́bi] *n.* (*pl.* **-bies**) (구어) ＝CUBBYHOLE

cub·by·hole [kʌ́bihòul] *n.* **1** 아늑한 곳; 비좁은 방 **2** 작은 반침[찬장]

CUBC Cambridge University Boat Club

‡**cube** [kjúːb] *n.* **1** 입방체, 정육면체; 입방꼴을 한 것 《주사위·깔림돌·나무 벽돌 등》 **2** Ⓤ 〔수학〕 입방, 세제곱: 6 feet ~ 6피트 입방 **3** 각설탕; [the ~s] (속어) 주사위(die); (미·속어) LSD가 들어간 각설탕
— *vt.* **1** 〈수를〉 세제곱하다; 체적[부피]을 구하다 **2** 입방꼴로 자르다(dice) **3** 깔림돌[나무 벽돌]을 깔다 **4** 〈고기 등을〉 격자꼴로 칼질하다 **cúb·er** *n.*
▷ cúbic, cúbical *a.*

cu·beb [kjúːbeb] *n.* ⓊⒸ 쿠베브 《자바·보르네오산(産) 후추 열매; 약용·조미료》

cúbe fàrm (익살) (낮은 칸막이로 구획된) 작은 방이 많은 큰 회사(사무실)

cube·head [kjúːbhèd] *n.* (미·속어) LSD(가 들어간 각설탕) 상용자(常用者)

cúbe róot 〔수학〕 입방근, 세제곱근

cúbe stèak 큐브 스테이크 《격자꼴로 칼질하여 연하게 한 스테이크(용 쇠고기)》

cúbe sùgar 각설탕

cub·hood [kʌ́bhùd] *n.* Ⓤ (짐승의) 어린[새끼] 시절; (비유) 초기

cúb hùnting 새끼 여우 사냥((영) cubbing)

‡**cu·bic** [kjúːbik] *a.* **1** 〔수학〕 입방의, 정육면체의 세제곱의, 3차의, 체적의 《略 cub., cu.》: ~ content 용적, 체적 **2** ＝CUBICAL
— *n.* 〔수학〕 3차(방정)식; 3차 곡선[함수] ▷ cúbe *n.*

cu·bi·cal [kjúːbikəl] *a.* 입방체의, 정육면체의; 부피[용적]의 **~·ly** *ad.* **~·ness** *n.*

cúbic equátion 〔수학〕 3차 방정식

cu·bi·cle [kjúːbikl] *n.* (기숙사 등의 칸막이한) 작은 침실; (도서관의) 개인용 열람석; (수영장 등의) 탈의실

cúbic méasure 체적 도량법

cu·bi·form [kjúːbəfɔ̀ːrm] *a.* 입방형의, 정육면체의

cub·ism [kjúːbizm] *n.* Ⓤ 〔미술〕 입체파, 큐비즘

cub·ist [kjúːbist] *n.* 〔미술〕 입체파의 예술가 《화가·조각가》 — *a.* 입체파[식]의

cu·bis·tic [kjuːbístik] *a.* ＝CUBIST

cu·bit [kjúːbit] *n.* 〔역사〕 완척(腕尺), 큐빗 《팔꿈치에서 가운뎃손가락 끝까지의 길이; 46-56 cm》

cu·bi·tal [kjúːbitl] *a.* 완척의; 팔꿈치의

cu·bi·tus [kjúːbətəs] *n.* (*pl.* **-ti** [-tai]) 〔해부〕 팔꿈치

cu·boid [kjúːbɔid] *a.* 입방형의, 주사위꼴의: the ~ bone 〔해부〕 주사위뼈, 투자골(骰子骨)

— *n.* 〖해부〗 주사위뼈; 〖수학〗 직평행 6면체
cu·boi·dal [kju:bɔ́idl] *a.* = CUBOID
cúb repòrter 《구어》 풋내기[수습] 신문 기자
cúb scòut [때로 **C- S-**] 《미》 BOY SCOUTS 중의 어린이 단원《8-10세》
cu·ca·ra·cha [kù:kərɑ́:tʃə] [Sp.] *n.* 멕시코의 춤[노래]의 일종
cu·chi·fri·to [kù:tʃifrí:tou] [Sp.] *n.* (*pl.* **~s**) 쿠치프리토《모나게 썬 돼지고기 튀김》
cúck·ing stòol [kʌ́kiŋ-] 징벌 의자《옛날에 부정한 상인 등을 대중 앞에 앉히던 징계 도구》
cuck·old [kʌ́kəld] [OF 「뻐꾸기(cuckoo)」의 뜻에서] 《경멸》 *n.* 오쟁이 진 남편, 부정한 아내의 남편
— *vt.* 〈아내가 남편에게〉 부정한 짓을 하다; …의 아내와 사통하다
cuck·old·ry [kʌ́kəldri] *n.* UC **1** 유부녀의 서방질 **2** (남편이) 오쟁이를 짐
‡**cuck·oo** [kú:ku:, kú- | kú-] [의성어] *n.* (*pl.* **~s**) **1** 〖조류〗 뻐꾸기 (★ 영국에서는 봄·초여름을 알리는 새로서 환영받음; 다른 새의 둥지에 탁란(托卵)함); 뻐꾹《그 울음소리》 **2** 《속어》 미친 사람, 얼간이, 바보 **3** 《속어》 사람, 놈 ***the ~ in the nest*** 사랑의 보금자리의 침입자; (평화를 교란하는) 방해자
— *a.* 《속어》 미친(crazy); 우둔한(stupid); (맞아서) 정신이 아찔한, 의식을 잃은; 취한: knock him ~ 그를 기절케 하다 ***drive*** a person **~** …을 미치게 만들다 ***go*** **~** 미치다
— *vt.* 단조롭게 되풀이하다
— *vi.* 뻐꾹뻐꾹 울다; 뻐꾸기 소리를 흉내내다
cúckoo clòck 뻐꾸기 시계
cúckoo ègg 〖컴퓨터〗 뻐꾸기 알《MP3 음악 파일처럼 꾸민 가짜 파일; 음악이 실려 있지 않음》
cuck·oo·flow·er [kú:kuflàuər | kú-] *n.* 〖식물〗 황새냉이 무리
cuck·oo·land [-lǽnd] *n.* 몽상의 나라
cuck·oo·pint [-pàint] *n.* 〖식물〗 유럽아룸(arum) 《토란과(科)》
cúckoo spìt[spìttle] 〖곤충〗 좀매미; U 그 거품(frog spit)
cu. cm. cubic centimeter(s)
cu·cul·late [kjú:kəlèit, kju:kʌ́leit] *a.* 두건 모양의; 〖식물〗 〈잎 등이〉 고깔 모양의; 두건을 쓴
cu·cum·ber** [kjú:kʌmbər] *n.* 〖식물〗 오이《덩굴식물 및 그 열매》 (as***) ***cool as a ~*** 태연자약한, 냉정한; 기분 좋게 시원한
cúcumber trèe 〖식물〗 (북미산) 목련속(屬)의 교목; (열대 아시아산) 오렴자(五斂子)
cu·cur·bit [kju:kə́:rbit] *n.* 〖식물〗 조롱박; 〖화학〗 (옛날의) 증류병(蒸溜甁)
cu·cur·bi·ta·ceous [kju:kə̀:rbitéiʃəs | kju-] *a.* 〖식물〗 박과(科)의
cud [kʌ́d] *n.* **1** 새김질감《반추 동물이 제1위에서 입으로 게워 내어 씹는 음식물》 **2** 《방언·속어》 씹는 담배의 한 조각(quid) ***chew the ~*** 새김질하다; 《구어》 숙고하다
cud·bear [kʌ́dbɛ̀ər] *n.* UC 〖식물〗 이끼의 일종; (그 이끼에서 채취하는) 보랏빛 물감
***cud·dle** [kʌ́dl] *vt.* 꼭 껴안다, 껴안고 귀여워하다
— *vi.* **1** 서로 껴안다: The couple was *cuddling* in the corner. 그 커플은 구석에서 서로 껴안고 있었다. **2** 꼭 붙어 자다[앉다]《*up together, up to*》; 새우잠 자다《*up*》 **3** 《구어》 아첨하다, 비나리 치다
— *n.* 포옹: a ~ toy (아이들의) 장난감 (동물) 인형
▷ cúddly, cúddlesome *a.*
cud·dle·some [kʌ́dlsəm] *a.* = CUDDLY
cud·dly [kʌ́dli] *a.* (**-dli·er**; **-dli·est**) 껴안고 싶은
cud·dy[1] [kʌ́di] *n.* (*pl.* **-dies**) **1** 〖항해〗 (반갑판선의) 선실 겸 요리실; (고물의 하갑판에 있는) 식당 겸 사교실 **2** 작은 방, 식기실
cud·dy[2], **-die** [kʌ́di, kúdi | kʌ́di] *n.* (*pl.* **-dies**) 《스코》 당나귀; 얼간이
cudg·el [kʌ́dʒəl] *n.* (짧고 굵은) 곤장《옛 형구·무기》 ***take up the ~s*** 논쟁에 끼이다; (…을 위해) 용감히 변호하다《*for*》
— *vt.* (**~ed**; **~·ing** | **~led**; **~·ling**) 곤봉으로 때리다, 치다 **~ one's *brains*** 곰곰이 생각하다, 지혜를 짜내다《*for, to* do》
cud·weed [kʌ́dwì:d] *n.* = COTTONWEED
cue**[1] [kjú:] *n.* **1** 신호, 계기, 암시, 단서(hint) **2** 〖연극〗 큐《대사의 마지막 문구 또는 배우의 몸짓; 딴 배우의 등장이나 발언의 신호》; 〖음악〗 연주 지시 악절 **3** 역할, 임무 **4** 《고어》 기분 **5** 〖심리〗 행동을 유도하는 자극 ***give a person ***the ~*** …에게 암시를 주다, 훈수하다 ***miss*** one***'s ~*** 《미·구어》 자기 차례를 잊다; 좋은 기회를 놓치다 ***on ~*** (…에게서) 신호를 받고《*from*》; 시기 적절하게 ***take*** one***'s ~ from*** a person …의 예를 본받다 ***That's*** one***'s ~*** 《미·구어》 …할 차례다; 좋은 기회다
— *vt.* **1** …에게 신호를 주다; 행동 개시의 지시를 주다《*in*》 **2** 〈대본에 음악 등을〉 추가하다, 삽입하다《*in*》 **~** a person ***in*** = **~ *in*** a person 《구어》 …에게 큐[신호]를 보내다; …에게 알리다, 정보를 주다《*on*》 **~ *... up*** 〈카세트·비디오·CD 등을〉 player에 갖다 넣다《틀 수 있도록》
cue[2] [queue의 변형 철자에서] *n.* **1** (당구의) 큐 **2** (차례를 기다리는) 줄(queue) **3** 땋은 머리, 변발(queue)
— *vt.* **1** 〈머리를〉 변발로 하다 **2** 〈공을〉 큐로 치다
— *vi.* 큐를 사용하다 **cúe·ist** *n.* 당구가
cúe bàll 〖당구〗 칠 공, 큐볼(opp. *object ball*); 《미·속어》 대머리인 사람; 괴짜
cúe càrd 큐 카드《방송 중 출연자에게 보여주는 대사·지시 등을 쓴 카드》
cúed spéech [kjú:d-] [때로 **C- S-**] 구화(口話)와 수화(手話)를 조합한 농아자를 위한 언어 전달법
cues·ta [kwéstə] [Sp.] *n.* 〖지리〗 케스타《한쪽이 비교적 가파르고 다른 쪽이 밋밋한 대지(臺地)》
cuff**[1] [kʌ́f] [ME 「장갑」의 뜻에서] *n.* (장식용의) 소매 끝동; (와이셔츠의) 커프스; 《미》 바지의 접단(《영》 turnup); [*pl.*] 《구어》 수갑; 〖가구〗 장식 테두리 ***for the ~ 《미·속어》 내밀한 ***off the ~*** 《구어》 즉석의[에], 즉흥적인[으로] ***on the ~*** 《속어》 외상의[으로], 월부의[로] ***shoot*** one***'s ~*** (셔츠의) 커프스를 박으로 내놓다《거만·불안감을 나타냄》
— *vt.* …에 접단을 붙이다; …에 수갑을 채우다; 《미·속어》 …에게서 돈을 빌리다; 외상으로 하다
cuff[2] *n.* (손바닥으로) 찰싹 때림[침]
at ~s 서로 때리며 ***~s and kicks*** 치고 박고 ***go*** [***fall***] ***to ~s*** 싸움을 하다
— *vt., vi.* (손바닥으로) 치다, 때리다; 싸우다, 맞붙다
cúff bùtton [보통 *pl.*] 소맷부리[커프스] 단추
cuf·fee [kʌ́fi] *n.* 《미·속어》 흑인
cúff lìnk [보통 *pl.*] 《미》 커프스 단추[링크](《영》 sleeve link): a pair of *~s* 커프스 단추 한 쌍
Cu·fic [kjú:fik] *n., a.* = KUFIC
cu. ft. cubic foot[feet]
cui bo·no [kwí:-bóunou, kái- | kwí:-bɔ́nou] [L = for whose advantage] 그것으로 누가 이익을 보았는가[보는가] 하는 것; (가치·동기를 결정하는) 유익성, 유용성
cu. in. cubic inch(es)
cui·rass [kwirǽs] *n.* 동체 갑옷; (갑옷의) 흉갑(胸甲); 〖동물〗 골판(骨板); (군함의) 장갑(裝甲)
— *vt.* …에게 동체 갑옷[흉갑]을 입히다; 장갑하다
cui·rassed [kwirǽst] *a.* 동체 갑옷[흉갑]을 입은; 장갑한
cui·ras·sier [kwìərəsíər] *n.* 〖역사〗 (프랑스 등의) 흉갑기병(胸甲騎兵), 중기병
Cui·se·náire ròd [kwìzənɛ́ər-, ⏤⏤] [벨기에의 교육자 이름에서] 퀴즈네르 막대《산수 교육 용구; 상표명》
cuish [kwíʃ] *n.* = CUISSE
cui·sine [kwizí:n] [F 「부엌」의 뜻에서] *n.* U 요

리; 요리법; Ⓒ 《고어》 주방, 요리장
cui·sine min·ceur [kwizí:n-minsə́:r] [F] 퀴진 맹쇠르 《저칼로리의 프랑스 요리법》
cuisse [kwís] *n.* 《갑옷의》 넓적다리 가리개
cuke [kjú:k] *n.* 《구어》 오이(cucumber)
CUL, cul see you later 《인터넷·휴대전화 메시지의 약어》
culch [kʌ́ltʃ] *n.* **1** 《굴 양식장의 물밑에 까는》 조개껍질 **2** 굴의 알 **3** 《속어》 잡동사니
—*vt.* 〈양식장에〉 조개껍질·돌·모래 등을 깔다
cul-de-sac [kʌ́ldəsǽk, -sæ̀k, kúl-] [F 「자루(sack) 밑」의 뜻에서] *n.* (*pl.* **culs-de-sac** [kʌ́lz-], **cul-de-sacs** [-s]) **1** 막다른 길[골목](dead-end street); 〖군사〗 3면 포위 **2** 궁지, 곤경; 《의론의》 막힘 **3** 〖해부〗 맹관(盲管)
cul·do·scope [kʌ́ldəskòup] *n.* 〖의학〗 더글러스와(窩) 내시경
cul·dot·o·my [kʌldɑ́təmi | -dɔ́t-] *n.* Ⓤ 〖외과〗 더글러스와(窩) 절개(술)
-cule [kjù:l], **-cle** [kl] *suf.* 「작은 …」의 뜻: ani*malcule*, parti*cle*
CUL8R see you later(CUL)
cu·let [kjú:lit] *n.* **1** 큘렛 《브릴리언트식으로 연마한 보석 아랫부분의 평면》 **2** 《갑옷의》 엉덩이 가리개
cu·lex [kjú:leks] *n.* (*pl.* **-li·ces** [-ləsì:z]) 〖곤충〗 《유럽·북미의》 모기
cul·i·nar·i·an [kjù:lənɛ́əriən, kʌ̀l- | kʌ̀l-] *n.* 요리사; 주방장
cu·li·nar·y [kjú:lənèri, kʌ́l- | kʌ́linəri] *a.* Ⓐ 부엌[주방](용)의; 요리[조리]의: the ~ art 요리법/~ vegetables[plants] 채소류/mushrooms dried for ~ use 요리용으로 건조된 버섯 **cú·li·nàr·i·ly** *ad.*
cull[1] [kʌ́l] *vt.* **1** 〈꽃 등을〉 따다, 따 모으다(pick) **2** 고르다, 추려내다, 발췌하다(select): (~+목+전+명) ~ the choicest lines *from* the poem 그 시에서 가장 훌륭한 행을 발췌하다 **3** 〈노쇠한 가축 등을〉 추려서 죽이다, 도태하다
—*n.* 추림, 선택; 《꽃 따위를》 따기; 도태; [보통 *pl.*] 《폐품·열등품으로》 추려낸 것, 쓰레기 같은 사람 **~·ing** *n.*
cull[2] *n.* 《영·방언》 =CULLY
cul·len·der [kʌ́ləndər] *n., vt.* =COLANDER
cull·er [kʌ́lər] *n.* 추려내는[열등한 것을 선별하는] 사람; 《뉴질》 해롭다고 생각되는 동물을 죽이는 사람
cul·let [kʌ́lit] *n.* 《녹여서 재생하는》 유리 부스러기
cul·lion [kʌ́ljən] *n.* **1** 《고어》 비열한 놈, 하등한 인간 **2** 〖식물〗 난초(orchid) **3** =TESTIS
—*a.* 비열한, 하등한
cul·lis [kʌ́lis] *n.* 《지붕의》 빗물 홈통
cul·ly [kʌ́li] *n.* (*pl.* **-lies**) **1** 《속어》 동료(fellow), 짝패 **2** 《고어》 《잘 속는》 멍청이, 얼간이
—*vt.* 사기치다, 속이다
culm[1] [kʌ́lm] *n.* 〖식물〗 줄기, 대 《보리·대 등 마디가 있는 것》 —*vi.* 대[줄기]가 되다
culm[2] *n.* **1** Ⓤ 《특히》 가루[하등] 무연탄 **2** [**C~**] 〖지질〗 쿨름 《하부 석탄계의 암층》
cul·mif·er·ous [kʌlmífərəs] *a.* 〖식물〗 대[줄기]가 있는, 대[줄기]가 생기는
cul·mi·nant [kʌ́lmənənt] *a.* 최고점[절정]의; 〖천문〗 자오선상의, 남중하고 있는
***cul·mi·nate** [kʌ́lmənèit] *vi.* **1** 최고점[극점, 절정]에 달하다; 최고조에 달하다, 전성(全盛)의 극에 달하다; 드디어 (…이) 되다 《*in*》: (~+전+명) ~ *in* power 전성의 극에 이르다/Misfortunes ~*d in* bankruptcy. 불운 끝에 파산하고 말았다. **2** 〖천문〗 최고도[자오선]에 달하다, 남중하다
—*vt.* 끝내다, 완결시키다, …의 최후를 장식하다; 클라이맥스[최고조]에 이르게 하다(climax)
cul·mi·nàt·ing *a.* 절정에 달하는, 궁극의
▷ culminátion *n.*
cul·mi·na·tion [kʌ̀lmənéiʃən] *n.* ⓊⒸ **1** 최고점, 정점, 정상; 최고조, 전성, 극치; 성취, 완성 **2** 〖천문〗 자오선 통과, 남중(southing)
cu·lottes [kjuːlɑ́ts | kjuːlɔ́ts] *n. pl.* 바지식 스커트, 치마 바지

cul·pa [kʌ́lpə] [L] *n.* (*pl.* **-pae** [-pi:]) 〖로마법〗 과실, 죄
cul·pa·ble [kʌ́lpəbl] *a.* 과실 있는, 책잡을 만한, 비난할 만한; 괘씸한; 《고어》 죄 있는(criminal): ~ negligence 태만죄 ***hold*** a person **~** …을 나쁘다고 생각하다
cùl·pa·bíl·i·ty *n.* **~·ness** *n.*
-bly *ad.* 괘씸하게도
cúlpable hómicide 〖스코법〗 고살(故殺)(죄)
***cul·prit** [kʌ́lprit] *n.* [the ~] **1** 범죄자, 죄인, 범인(offender) **2** 〖영국법〗 형사 피고인(the accused)
***cult** [kʌ́lt] [L 「경작; 숭배」의 뜻에서] *n.* **1** 컬트, 《열광적》 신흥 종교; 《종교적》 제식(祭式), 의식 **2** 숭배, 동경, 신앙 《*of*》: an idolatrous ~ 우상 숭배/~ *of* personality 개인 숭배 **3** 예찬; 유행, …열(熱)(fashion, craze) 《*of*》: the ~ *of* beauty 미의 예찬/the ~ *of* yoga 요가의 유행 **4 a** 〖사회〗 컬트 《소수의 조직화된 신앙 집단》 **b** [집합적] 숭배자[예찬자] 집단 **5** 이교(異敎), 사교(邪敎); 종파(sect) **6** 《안수》기도 요법 **cul·tic** [kʌ́ltik] *a.* **~·ish** *a.*
cultch [kʌ́ltʃ] *n., vt.* =CULCH
cult-fig·ure [kʌ́ltfigjər] *n.* 숭배의 대상자
cul·ti·gen [kʌ́ltədʒən, -dʒèn] *n.* 재배종, 배양 변종
cult·ism [kʌ́ltizm] *n.* Ⓤ 예찬(주의); 극단적인 종파[유행]주의 **-ist** *n.* 예찬가; 열광자; 광신자
cul·ti·va·ble [kʌ́ltəvəbl] *a.* 경작할 수 있는; 재배할 수 있는; 계발할 수 있는 **cùl·ti·va·bíl·i·ty** *n.*
cul·ti·var [kʌ́ltəvɑ̀:r, -vər | -vɑ:] [*culti*vated *var*iety] *n.* 〖식물〗 재배종, 《재배》 품종 《略 cv》
‡**cul·ti·vate** [kʌ́ltəvèit] [L 「경작하다」의 뜻에서] *vt.* **1** 경작하다(till); 《미》 〈재배 중의 작물을〉 사이갈이하다 **2** 재배하다; 〈물고기·굴·진주 등을〉 양식하다, 〈세균을〉 배양하다 **3** 〈수염을〉 기르다(grow) **4** 〈재능·품성·습관 등을〉 양성하다(develop); 교화하다, 계발하다; 〈예술·학술 등을〉 장려하다, …의 발달에 노력하다; 〈문학·기예를〉 닦다, 연마하다: ~ manners 예의 범절을 익히다 **5** 〈친구·교제를〉 구하다, 깊게 하다, …와 친분을 가지려 하다 ***~ the acquaintance of*** 자진하여 …에게 교제를 청하다 ▷ cultivátion *n.*
***cul·ti·vat·ed** [kʌ́ltəvèitid] *a.* **1** 경작[재배, 양식]된: ~ land 경(작)지 **2** 교양 있는(refined), 교화[세련]된, 우아한: ~ manners 세련된 몸가짐
‡**cul·ti·va·tion** [kʌ̀ltəvéiʃən] *n.* Ⓤ **1** 경작, 재배; 양식; 배양 **2** 양성, 교화; 수양, 수련; 세련, 우아 **3** Ⓒ 배양균 **4** 친구를 얻음; 우호 증진 ***be under ~*** 경작되고 있다 ***bring ... under ~*** …을 개간하다
▷ cúltivate *v.*
***cul·ti·va·tor** [kʌ́ltəvèitər] *n.* **1** 경작자; 재배자 **2** 양성자, 개척자; 연구자; 수양자 **3** 〖농업〗 경운기
cul·trate, -trat·ed [kʌ́ltreit(id)] *a.* 《칼날처럼》 얇고 끝이 뾰족한
cul·tur·a·ble [kʌ́ltʃərəbl] *a.* =CULTIVABLE
‡**cul·tur·al** [kʌ́ltʃərəl] *a.* **1** 문화의[에 관한], 문화적인 **2** 교양적인, 수양상의; 인문상(人文上)의: ~ studies 교양 과목 **3** 배양[재배]상의 ▷ cúlture *n.*
cúltural anthropólogy 문화 인류학 **-gist** *n.*
cúltural crínge 《호주》 《영국[높은] 문화에 대한》 비굴한 추종, 종속적인 태도
cúltural exchánge 문화 교류
cúltural geógraphy 문화 지리학
cul·tur·al·i·za·tion [kʌ̀ltʃərəlizéiʃən | -lai-] *n.* Ⓤ 문화 습득

thesaurus **cultivate** *v.* **1** 경작하다 farm, plow, dig, fertilize **2** 재배하다 plant, raise, produce, tend **3** 계발하다 culture, educate, train, civilize,

cul·tur·al·ize [kʌ́ltʃərəlàiz] *vt.* 문화적 영향을 미치다[끼치다]
cúltural lág 〖사회〗 문화(적) 지체, 문화의 낙후
*__cul·tur·al·ly__ [kʌ́ltʃərəli] *ad.* **1** 교양으로서, 문화적으로 **2** 경작상(으로), 재배상(으로)
cúltural plúralism 〖사회〗 문화적 다원성 《소수자 집단이 그 고유 문화를 유지하면서 전체 사회에 참여하는 것》; (이를 지지하는) 문화적 다원주의
cúltural relatívity 〖사회〗 문화 상대주의
Cúltural Revolútion **1** [the ~] (중국의) 문화 대혁명(1966-71) **2** [c- r-] 문화 혁명
cúltural revolútionary 문화 혁명 주창[지지]자
cul·tu·ra·ti [kʌ̀ltʃərɑ́:ti:] *n. pl.* 교양인 계급, 문화인
‡**cul·ture** [kʌ́ltʃər] *n.*, *vt.*

> L「경작, 손질」의 뜻에서
> 갈고 가꿈 → (생물·식물의) 「재배」 **4**, 「배양」 **5**
> → (비유적) → (개인의 품성을 기름) 「수양」 **3**
> → 「교양」 **2**
> → (사회 일반의 사고방식) 「문화」 **1**

— *n.* **1** [UC] 문화(cf. KULTUR), 정신 문명, 개화: popular ~ 대중 문화

> [유의어] **culture**가 정신적인 면에 중점을 둔 말임에 대해 **civilization**은 물질적인 면에 중점을 둔 말이다

2 [U] 교양, 세련; (인간의) 지적·예술적 활동; 그 성과(물): a man of ~ 교양 있는 사람 **3** [U] 훈련, 수양: physical ~ 체육 **4** [U] 재배, 양식; 사육; (토지의) 경작: ~ of cotton 목화 재배 / the ~ of oysters 굴 양식 **5** [UC] (세균 등의) 배양; 배양균
— *vt.* **1** 〈세균을〉 배양하다 **2** (시어) 재배하다, 경작하다 **3** (드물게) 교화하다 **~·less** *a.* ▷ cúltural *a.*
cúlture àrea 〖인류〗 (공통의) 문화 영역 《문화적 특색을 공유하는 지리적 범위》
cúlture còmplex 〖사회〗 문화 복합체
cul·tured [kʌ́ltʃərd] *a.* **1** 교화[세련]된, 교양 있는, 문화를 가진 **2** 재배[양식]된; 경작된
cúltured péarl 양식 진주
cúlture fàctor 〖인류·사회〗 문화(적) 요인
cúlture fèature (한 지역의) 인공적 특징 《도로·교량·집 등》
cúlture flúid (세균) 배양액
cúl·ture-frèe tést [kʌ́ltʃərfrì:-] 〖심리·교육〗 문화에 영향을 받지 않는 검사
cúlture gàp 문화간의 격차
cúlture hèro 문화 영웅 《문화를 창시한, 또는 사회의 이상을 구현한 신화적·전설적 인물》
cúlture làg = CULTURAL LAG
cúlture mèdium 〖생물〗 배지(培地), 배양기(基)
cúlture mỳth 〖인류〗 문화 신화
cúlture pàttern 〖인류〗 문화 양식
cúlture pèarl = CULTURED PEARL
cúlture shòck 문화 충격 《이질적인 문화나 새로운 생활양식을 접할 때 받는 충격》
cúlture tràit 〖인류〗 문화 특성
cúlture vùlture (속어) 문화 탐닉자 《문화 행사마다 쫓아다니는》; 사이비 문화인
cúlture wàr 문화 전쟁 《이념·종교·철학 등의 차이에서 기인한 대립》
cul·tur·ist [kʌ́ltʃərist] *n.* **1** 재배자; 배양자 **2** 교화자; 문화주의자
cul·tur·ol·o·gy [kʌ̀ltʃərɑ́lədʒi | -rɔ́-] *n.* [U] 문화학
cul·tus [kʌ́ltəs] *n.* (*pl.* **~·es**, **-ti** [-tai]) = CULT
cul·ver [kʌ́lvər] *n.* 비둘기(dove, pigeon)
cul·ver·in [kʌ́lvərin] *n.* 〖역사〗 **1** 컬버린포(砲) 《16-17세기의 장포(長砲)》 **2** 컬버린 소총
cul·vert [kʌ́lvərt] *n.* **1** 암거(暗渠), 배수거 **2** 〖전기〗 선거(線渠) 《전선 통과용 파이프》 **3** 암거 위의 다리
cum¹ [kʌ́m, kúm | kʌ́m] [L = with] *prep.* [보통 복합어를 이루어] …이 붙은[딸린], …와 함께: a bed-~-sitting room 침실 겸 거실
cum² [kʌ́m] *n.*, *vi.* (비어) = COME²
cum³ [kʌ́m], **cume** [kjú:m] (미·대학속어) *n.* 대학생의 학업 평균치 — *vi.* 열심히 공부하다
cum. cumulative **Cumb, Cumb.** Cumberland; Cumbria
cum·ber [kʌ́mbər] *vt.* = ENCUMBER
— *n.* 방해(물), 장애(물) **~·er** *n.* 방해자
Cum·ber·land [kʌ́mbərlənd] *n.* 컴벌랜드 《잉글랜드 북서부의 옛 주; 지금은 Cumbria주의 일부》
cum·ber·some [kʌ́mbərsəm] *a.* 주체스러운, 방해가 되는, 귀찮은, 성가신 **~·ly** *ad.* **~·ness** *n.*
cum·brance [kʌ́mbrəns] *n.* 방해, 성가심; 부담
Cum·bri·a [kʌ́mbriə] *n.* 컴브리아 주(州) 《잉글랜드 북부의 주》 **Cúm·bri·an** *a.*, *n.* Cumbria[Cumberland]의 (사람)
cum·brous [kʌ́mbrəs] *a.* = CUMBERSOME
cum div. 〖증권〗 cum dividend
cùm dívidend 배당부(配當附) 《略 cd, cum div.; opp. *ex dividend*》
cume [kjú:m] *n.* = CUM³
cu·mec [kjú:mek] [*cu*bic *me*ter per se*c*ond] *n.* 큐멕 《유량(流量)의 단위; 초당 1m³ 상당》
cum gra·no sa·lis [kʌm-gréinou-séilis] [L = with a grain of salt] *ad.* 좀 에누리하여, 줄잡아
cum·in [kʌ́mən, kúm- | kʌ́m-] *n.* **1** 〖식물〗 쿠민, 애기회향 《미나릿과(科) 식물》 **2** 그 열매 《양념·약용》
cum lau·de [kum-láudei, -də, -di | kʌm-lɔ́:di] [L = with praise] *ad.* (졸업시) 우등으로(cf. MAGNA CUM LAUDE, SUMMA CUM LAUDE)
cum·mer [kʌ́mər] *n.* (스코) **1** 대모(代母)(godmother) **2** 여자(친구) **3** 계집아이 **4** 마녀 **5** 산파
cum·mer·bund [kʌ́mərbʌ̀nd] *n.* (야회복 등의) 웨이스트밴드; (인도인 등의) 장식 허리띠

cummerbund

cum·min [kʌ́min] *n.* = CUMIN
cum·quat [kʌ́mkwɑt | -kwɔt] *n.* = KUMQUAT
cum·shaw [kʌ́mʃɔ:] [Chin.「감사」의 뜻에서] *n.* **1** 사례금 **2** 팁; 선물 **3** (항해속어·군대속어) (군수물자의) 불법 입수
cu·mu·late [kjú:mjulèit] *vt.* 쌓아 올리다; 쌓다, 축적하다
— *vi.* 쌓이다, 축적되다
— [-lət] *a.* 쌓아 올린
cu·mu·la·tion [kjù:mjuléiʃən] *n.* [UC] 쌓아 올림; 축적(accumulation)
*__cu·mu·la·tive__ [kjú:mjulətiv, -lèi-] [L「증가한」의 뜻에서] *a.* 누적하는, 누가(累加)하는; 누증[누적]적인; 〈형벌이〉 가중의: a ~ medicine 〖의학〗 점가약(漸加藥) / a ~ offense 〖법〗 반복 범죄 / *C*~ Book Index (미국의) 도서 총색인 / *C*~ Index (미국의) 잡지 기사 총색인 **~·ly** *ad.* 점증적으로 **~·ness** *n.*
cúmulative distribútion fùnction 〖통계〗 누적 분포 함수
cúmulative évidence 누적 증거; 〖법〗 중복 증거
cúmulative vóting 누적 투표(법) 《후보자 수와 동수의 표를 선거인이 갖고 전부를 동일 후보자에게 투표하거나 복수 후보자에게 나누어 투표할 수 있는 선거 제도》
cu·mu·li [kjú:mjulài, -lì:] *n.* CUMULUS의 복수
cu·mu·li·form [kjú:mjuləfɔ̀:rm] *a.* 적운(積雲) 모양의, 뭉게구름 모양의
cu·mu·lo·cir·rus [kjù:mjulousírəs] *n.* 〖기상〗 권적운(卷積雲), 털쌘구름 《略 Cc》

---

enlighten, enrich, improve, polish, refine
cumulative *a.* accumulative, increasing, growing, enlarging, swelling, accruing, collective, amassed

cu·mu·lo·nim·bus [kjù:mjulouníṃbəs] *n.* 적란운(積亂雲), 쎈비구름 (略 Cb)

cu·mu·lo·stra·tus [kjù:mjuloustréitəs] *n.* 〖기상〗 층적운(層積雲), 층쎈구름 (略 Cs)

cu·mu·lus [kjú:mjuləs] *n.* (*pl.* **-li** [-lài, -lì:], ~) **1** 퇴적, 누적 (*of*) **2** 〖기상〗 적운(積雲), 쎈구름, 뭉게구름 (略 Cu) **-lous** [-ləs] *a.* 적운[쎈구름]의

cunc·ta·tion [kʌŋktéiʃən] *n.* 지체, 지연(delay)
cunc·ta·tive [kʌ́ŋkteitiv] *a.*

cunc·ta·tor [kʌŋktéitər] *n.* 굼뜬[꾸물거리는] 사람

cu·ne·al [kjú:niəl] *a.* 쐐기의, 쐐기 모양의

cu·ne·ate [kjú:niət, -èit] *a.* 〖식물〗 쐐기 꼴의 **~·ly** *ad.*

cu·ne·i·form [kju:ní:əfɔ̀:rm, kjú:niə- | kjú:nifɔ̀:m] *a.* **1** (문자 등의) 쐐기 꼴의: ~ characters 설형(楔形) 문자 **2** 설형 문자의 **3** 〖해부〗 설상골의 (쐐기 모양의 뼈) **—** *n.* **1** 설형 문자(에 의한 기록) **2** 〖해부〗 설상골(楔狀骨)

cuneiforms *n.* 1

cun·ner [kʌ́nər] *n.* 〖어류〗 용치놀래기의 일종

cun·ni·lin·gus [kʌ̀nəlíŋgəs] *n.* Ⓤ 여성 성기의 구강(口腔) 애무

‡**cun·ning** [kʌ́niŋ] [OE 「알고 있는」의 뜻에서] *a.* **1** 교활한, 간사한(⇨ sly 유의어): a ~ trick[plan] 교활한 술책[계획] / (as) ~ as a fox 매우 교활한 **2** 교묘한(ingenious) **3** (고어) 노련한; 재간 있는(skillful) **4** Ⓐ (미·구어) 귀여운 〈아이·동물〉(cf. CUTE); 매력 있는, 멋있는 〈물품 등〉 **—** *n.* Ⓤ **1** 교활, 빈틈없음, 잔꾀; 간사(craftiness) **2** 솜씨, 숙련, 교묘(dexterity) **~·ly** *ad.* **~·ness** *n.*

cunt [kʌ́nt] *n.* (비어) **1** 여자 성기(pussy, box); 성교 **2** [you ~로도 써서] 싫은 년[놈], 비열한 년[놈]

‡**cup** [kʌ́p] *n.* **1** 찻종, 찻잔, 잔 (홍차·커피용)(cf. GLASS): a coffee ~ 커피 잔 / a breakfast ~ 조반용 찻종 (보통 잔의 약 두 배 크기) / a ~ and saucer 받침접시로 받친 찻잔 ★ 우리말의 「컵」은 영어의 glass. **2** 한 잔(의 양)(cupful) (*of*): a ~ *of* coffee 커피 한 잔 **3** 컵 (용량의 단위; 8액량 온스(237 *ml*)) **4** (흔히 굽이 달린) 컵, 술잔; 성찬배; [the ~] 성찬의 포도주: withhold *the* ~ 성찬의 포도주는 그만두고 빵만으로 지내다 **5** [때로 the C~] 우승컵; (영) 우승컵 쟁탈전(의 결승전): a ~ event 결승 시합 / win *the* ~ 우승하다 **6** 잔 모양의 것; (뼈의) 배상와(杯狀窩)(socket); 꽃받침(calyx); (도토리의) 깍정이; 〖골프〗 (공을 쳐 넣는) 구멍, 그 구멍에 꽂는 금속통; 브래지어의 컵; 〖스포츠〗 급소 보호구; 〖의학〗 부항단지(cupping glass) **7** [*pl.* 또는 the ~] 술; 음주: the ~ that cheers (속어) 백약(百藥)의 장(長), 술 **8** 컵 (샴페인·포도주·사과주 등에 향료·감미(甘味)를 넣어 얼음으로 차게 한 음료) **9** (성경 가운데 있는 여러 어구에서) 운명의 잔, 운명(fate), (인생) 경험(experience): drink a bitter ~ 고배(苦杯)를 마시다 **10** [*pl.*] (미·흑인속어) 잠, 수면 **11** (영·속어) =CUP OF TEA
be a ~ too low (영·방언) 어쩐지 기운이 없다 ***between*** (***the***) ***~ and*** (***the***) ***lip*** 거의 다 된 판에, 달성[완성] 직전에 ***~ and ball*** 죽방울(놀이) ***~ of coffee*** (미·구어) 잠시 묵음, 짧은 체류 ***dash the ~ from*** a person***'s lips*** (문어) …의 기쁨을 빼앗다, …의 의도를 짓밟다 ***drain the ~ of sorrow*** [***pleasure, life***] ***to the bottom*** [***dregs***] 슬픔의 잔[환락의 단술, 인생의 신산(辛酸)]의 바닥을 비우다 ***have got*** [***had***] ***a ~ too much*** (구어) 술에 취해 있다 ***in*** one***'s ~s*** 얼근하게 취하여(drunk) One***'s*** [***The***] ~ of happiness[misery] ***is full.*** (행복[불행]) 이 극점에 달해 있다. One***'s ~ runs over*** [***overflows***]. 무한히[그지없이] 행복하다. ***the ~ that cheers but not inebriates*** (익살) 차·홍차의 별칭 (기운을 돋우나 취하지 않는 잔의 뜻으로 Cowper의 시구에서)
— *v.* (**~ped**; **~·ping**) *vt.* **1** 잔에 넣다[받다]: (~+목+전+명) ~ water *from* brook 시냇물을 잔으로 뜨다 **2** 〖의학〗 〈환자에게서〉 부항단지로 피를 빨아내다 **3** 〈손 등을〉 잔 모양으로 만들다; 손을 잔 모양으로 하여 〈…을〉 가리다[받치다]: ~ one's hands behind one's ears 양손을 귀에 갖다 대다 (잘 들리도록) **4** 〖골프〗 땅바닥을 훑다 (클럽으로 공을 칠 때)
— *vi.* **1** 잔 모양을 이루다 **2** 〖의학〗 부항단지를 사용하다 **3** 〖골프〗 지면을 치다 **~·like** *a.* 잔 모양의

CUP Cambridge University Press

cup·bear·er [kʌ́pbὲərər] *n.* 〖역사〗 (궁정 연회에서) 술 따르는 사람, 잔 드리는 자

‡**cup·board** [kʌ́bərd] *n.* **1** 식기장, 찬장 **2** (주로 영) (옷·음식을 넣는) 벽장((미) closet)
a skeleton in the ~ (감추고 싶은) 한 집안의 비밀[수치] ***The ~ is bare.*** 찬장이 비었다; (비유) 돈이 없다.

cúpboard lòve (주로 영) 타산적인 사랑

cup·cake [kʌ́pkèik] *n.* ⓊⒸ 컵케이크 (컵 모양의 틀에 넣어 구운 과자); (속어) =LSD

cu·pel [kjú:pəl, kju:pél] *n.* (금·은 분석용) 회분(灰粉) 접시; 회분로(爐) **—** *vt.* (**~ed**; **~·ing** | **~led**; **~·ling**) 회분 접시로 분석하다 **cú·pel·er, cu·pél·ler** *n.*

cu·pel·la·tion [kjù:pəléiʃən, -pe-] *n.* Ⓤ 〖야금〗 회분법

Cúp Fìnal [때로 c- f-] **1** [종종 the ~] (영국 축구 연맹배 쟁탈의) 결승전 **2** [the ~] 우승배전, 결승전

***cup·ful** [kʌ́pfùl] *n.* (*pl.* **~s, cups·ful**) **1** 한 잔(의 분량) **2** (미) 〖요리〗 컵 (tablespoon 16개의 액량; 8온스)

cúp fùngus 〖식물〗 찻종버섯

cup·hold·er [kʌ́phòuldər] *n.* 우승배 보유자, 우승자

***Cu·pid** [kjú:pid] [L 「욕망, 사랑」의 뜻에서] *n.* **1** 〖로마신화〗 큐피드 (Venus의 아들로 사랑을 맺어 주는 신; cf. EROS) **2** [**c~**] 사랑의 사자(使者); 미소년; 연애

cu·pid·i·ty [kju:pídəti] *n.* Ⓤ 탐욕, 욕심; 색욕

Cúpid's bów [-bóu] **1** 큐피드의 활 **2** 이중 활꼴의 (윗)입술 모양[선]

cúp of téa (구어) **1** [부정어와 함께; one's ~] 기호[취미]에 맞는 사람[물건]: That's *not my* ~. 그것은 내가 좋아하는 것이 아니다. **2** [수식어와 함께] 고려[생각]해야 할 일(matter): a different[another] ~ 별도의[다른] 문제

cu·po·la [kjú:pələ] *n.* **1** 〖건축〗 둥근 지붕(의 꼭대기 탑) (흔히 풍향계 등이 있음); 둥근 천장(cf. VAULT[1]) **2** 선회 포탑(旋回砲塔) **3** 〖생물〗 반구(半球) 모양의 융기[기관] **4** 〖야금〗 큐폴라, 용선로(鎔銑爐) **5** 〖군사〗 전망대 **6** 〖생물〗 반구상의 돌기
cú·po·làt·ed *a.*

cupola 1

cup·pa [kʌ́pə] [cup of (tea)의 단축형] *n.* **1** (영·구어) 한 잔의 차; 한 잔 **2** [one's ~] (영·속어) 기호(嗜好)(cup of tea)

cupped [kʌ́pt] *a.* 찻종 모양의

cup·per [kʌ́pər] *n.* 〖의학〗 부항단지를 쓰는 사람

cup·ping [kʌ́piŋ] *n.* Ⓤ 〖의학〗 부항에 의한 방혈법(放血法)

cúpping glàss 〖의학〗 부항단지

cup·py [kʌ́pi] *a.* (**-pi·er**; **-pi·est**) **1** 잔 같은 **2** 작은 구멍이 많은

cupr- [kjú:pr | kjú:-], **cupri-** [kjú:pri | kjú:-] (연결형) 「구리」의 뜻 (모음 앞에서는 cupr-): *cupri*ferous, *cupr*eous

cu·pram·mo·ni·um [kjù:prəmóuniəm | kjù:-] *n.* Ⓤ 〖화학〗 구리 암모늄

cu·pre·ous [kjú:priəs | kjú:-] *a.* 구리의, 구리 같은, 구릿빛의
cu·pric [kjú:prik | kjú:-] *a.* 〖화학〗 구리의, 제2구리의
cúpric hydróxide 〖화학〗 수산화 (제2)구리
cúpric súlfate 〖화학〗 = COPPER SULFATE
cu·prif·er·ous [kjuprífərəs | kju:-] *a.* 구리를 함유한
cu·prite [kjú:prait | kjú:-] *n.* Ⓤ 〖광물〗 적동석(赤銅石)
cupro- [kjú:prou, -prə | kjú:-] 《연결형》 = CUPR-
cu·pro·nick·el [kjú:prənìkəl | kjú:-] *n.* Ⓤ 백동(白銅) **—** *a.* 구리와 니켈을 함유한
cu·prous [kjú:prəs | kjú:-] *a.* 〖화학〗 제1구리의
cu·prum [kjú:prəm | kjú:-] *n.* Ⓤ 〖화학〗 구리(copper) 《기호 Cu》
cúp tìe 《영》 (특히 축구의) 우승배 쟁탈전
cup-tied [kʌ́ptàid] *a.* 〈팀 등이〉 우승배 쟁탈전에 출전한
cu·pu·late [kjú:pju:lèit, -lət] *a.* **1** 잔[깍정이] 모양의 **2** cupule을 가진[이 생기는]
cu·pule [kjú:pju:l] *n.* **1** 〖식물〗 (도토리 등의) 깍정이 **2** 〖동물〗 흡반, 빨판
cur [kə́:r] *n.* **1** 똥개, 잡종개 **2** 망종, 쌍놈, 비겁한 놈
cur. currency ; current
cu·ra [kú:rɑ] [Sp.] *n.* 《미·속어》 회복, 치유 ; 습관성 마약을 끊기
cur·a·bil·i·ty [kjùərəbíləti] *n.* Ⓤ 치료 가능성
*__cur·a·ble__ [kjúərəbl] *a.* 〈병 등이〉 **치료할 수 있는,** 고칠 수 있는 **~·ness** *n.* **-bly** *ad.*
cu·ra·çao [kjúərəsàu, -sòu | kjùərəsóu], **-çoa** [-sóu | -sóuə] [원산지인 서인도 제도의 Curaçao 섬에서] *n.* Ⓤ 큐라소 《오렌지 향료가 든 리큐어》
cu·ra·cy [kjúərəsi] *n.* (*pl.* **-cies**) ⓊⒸ CURATE의 직위[임기]
cu·ran·de·ro [kùərəndɛ́ərou] *n.* (*pl.* **~s**) 민간[심령] 치료사, 주술사, 기도사
cu·ra·re, -ri [kjurɑ́:ri | kjuə-], **-ra** [-rə] *n.* **1** Ⓤ 큐라레 《남미 원주민이 살촉에 칠하는 독약》 **2** 그 식물
cu·ra·rine [kjuərɑ́:rin, -ri:n] *n.* 〖생화학〗 큐라린 《큐라레(curare)에서 채취하는 맹독의 알칼로이드》
cu·ra·rize [kjuərɑ́:raiz, kjúərəràiz | kjuə-] *vt.* (생체 해부 등에서) 〈동물을〉 큐라레로 마비시키다
cu·rà·ri·zá·tion *n.*
cu·ras·sow [kjúərəsòu, kjuərǽsou | kjúərəsòu] *n.* 〖조류〗 봉관조(鳳冠鳥) 《칠면조 비슷한 중·남미산(産)의 새》
cu·rate [kjúərət] *n.* **1** 《영》 (교구의) 보좌 신부, 부목사 《rector 또는 vicar의 대리 또는 조수》; 《고어》 《일반적으로》 목사 ; 성직자 **2** 《영·구어》 작은 부젓가락 ***perpetual*** ~ (분교구) 목사(vicar)
— [kjuəréit, ⌐–] *vt.* …의 curator 역할을 하다
cu·rate-in-charge [kjúərətintʃɑ́:rdʒ] *n.* 《영》 (교구 목사의 실격[정직] 때에) 임시로 교구를 맡는 목사
cúrate's égg [the ~] 《영》 옥석혼효(玉石混淆), 좋은 점도 있고 나쁜 점도 있는 것
cur·a·tive [kjúərətiv] *a.* 병에 잘 듣는, 치료의, 치유적인, 치유력 있는 **—** *n.* 의약 ; 치료법
~·ly *ad.* **~·ness** *n.*
cu·ra·tor [kjuəréitər] *n.* **1** (박물관·미술관 등의) 큐레이터, 학예[전시] 책임자, 관리자, 관장, 지배인 ; 보좌인, 재산 관리인, 후견인 **2** 《영》 (대학의) 평의원
~·shìp *n.* Ⓤ CURATOR의 직위[신분]
cu·ra·to·ri·al [kjùərətɔ́:riəl] *a.* curator의
*__curb__ [kə́:rb] [L 「구부리다」의 뜻에서] *n.* **1 재갈,** 고삐 **2 구속,** 속박, 억제(check) 《*to*》 **3** (말의 뒷발에 생기는) 비절후종(飛節後腫) 《절름발이의 원인》 **4** (우물 위의) 정(井)자 테 **5** ⒸⓊ 《미》 (인도와 차도 사이의) 연석(緣石)(《영》 kerb) **6** 《미》 〖증권〗 장외(場外) 시장 ; [집합적] 장외 시장의 중개인들
keep [***put, place***] ***a ~ on*** [***upon***] 〈노여움 등을〉 억제하다 ***on the ~*** 《미》 가두[장외]에서
— *vt.* **1** 〈말에〉 재갈을 물리다 **2** 억제하다(restrain) **3** 《미》 (인도에) 연석을 깔다 **4** 〈개를〉 (변을 보게) 도랑 쪽으로 데리고 가다 **5** 〈행동이 나쁜 아이 등을〉 꾸짖다, 혼내다 **6** 〈우물에〉 우물테를 만들다
cúrb bìt 재갈 《마구》
cúrb bròker[**òperator**] 《미》 (주식의) 장외 거래 중개인
cúrb chàin (말의) 재갈 사슬
Cúrb Exchànge 《구어》 = AMERICAN STOCK EXCHANGE
curb·ing [kə́:rbiŋ] *n.* Ⓤ 연석(緣石), 연석 재료
cúrb màrket 〖증권〗 장외(場外) 시장
cúrb ròof 〖건축〗 이중 물매 지붕

curb roof

cúrb sèrvice 《미》 (주차 중인 차내의 손님에게 음식 등을 날라다 주는) 배달 서비스 ; 특별 봉사
curb·side [kə́:rbsàid] *n.* 보도[차도]의 연석(緣石) 쪽, 보도, 길가 **—** *a.* 연석 쪽의, 길가의, 길거리의
curb·stone [kə́:rbstòun] *n.* **1** (보도의) 연석(curb) **2** 《미·속어》 담배꽁초 **—** *a.* **1** 장외 거래의 ; 가두(街頭)에서 영업하는 **2** 풋내기의 ; 《구어》 아마추어의 ; 소박한
cúrbstone márket = CURB MARKET
cúrbstone opínion 시정(市井)의 의견
cúrb wèight (자동차의) 전비(全備) 중량, 운전 정비 중량 《비품·연료·오일·냉각액을 포함》
cur·cu·li·o [kə:rkjú:liòu] *n.* (*pl.* **~s**) 〖곤충〗 꿀꿀이바구미속(屬)
cur·cu·ma [kə́:rkjumə] *n.* 〖식물〗 강황, 심황
cúrcuma pàper 〖화학〗 = TURMERIC PAPER
*__curd__ [kə́:rd] *n.* **1** [종종 *pl.*] **응유**(凝乳), 굳은 우유(cf. WHEY) **2** Ⓤ 굳은 식품 : bean ~ 두부 **3** (콜리플라워 등의 식용) 꽃봉오리 뭉치 ***~s and whey*** 응유 제 식품(junket)
— *vt., vi.* = CURDLE ▷ cúrdy *a.* ; cúrdle *v.*
cúrd chèese 《미》 = COTTAGE CHEESE
cur·dle [kə́:rdl] *vi., vt.* 응유(凝乳)로 굳다[굳히다] ; 응고하다[시키다] ; 부패시키다[부패하다] ; 파괴하다[파괴되다] ; 《미·속어》 마음에 거슬리다, 불쾌하게 느끼다 ~ ***the*** [a person***'s***] ***blood*** 간담을 서늘케 하다
cúrd sòap 염석(塩析) 비누
curd·y [kə́:rdi] *a.* (**curd·i·er** ; **-i·est**) 굳어진, 응유 모양의, 응결한, 응유분이 많은
‡**cure**[1] [kjúər] [L 「조심, 돌봄」의 뜻에서] *vt.* **1 치료하다,** 고치다(⇨ heal 유의어) : ~ a patient 환자를 치료하다 // (~+목+전+명) be ~*d of* a disease 병이 낫다 / Time ~*d* him *of* his grief. 시간은 그의 슬픔을 가시게 해 주었다. **2** 〈나쁜 버릇을〉 고치다 ; 〈문제·상황을〉 해결하다 **3** 〈육류·어류 등을〉 (말리거나 소금에 절여) 보존 처리하다(preserve) **4** 〈고무를〉 가황(加黃)하다, 경화하다 ; 〈담배 등을〉 건조시키다 **5** 〈콘크리트를〉 양생(養生)하다
— *vi.* **1** 치료하다 ; 〈병이〉 낫다, 치유되다 **2** 바르게 고치다 **3** 〈고기 등이〉 보존에 적합한 상태가 되다 ; 〈고무가〉 경화되다
— *n.* **1** (특수한) **치료**(법), 의료 《*of*》; 치료제[법], 요양 ; 광천, 온천 ; 구제책, 교정법(矯正法)(remedy) 《*for*》; 해결책 : a ~ *for* poverty 빈곤 대책 **2** 치유, 회복 **3** 〖그리스도교〗 **a** 영혼의 구제 ; 신앙의 감독 **b** 목사직 ; 관할 교구 ; 〖가톨릭〗 사제 ; 사제직 **4** (육류·어류의) 보존 처리(법) **5** (고무의) 가황, 경화 ; (시멘트의) 양생, (플라스틱의) 경화 ***take the ~*** 《미·속어》 (알코올 중독 치료 등을 위해) 입원하다 ; 난봉을 그만두다
the ~ of souls 사제직
cure[2] *n.* 《속어》 별난 사람, 괴짜
cu·ré [kjuəréi, ⌐– | ⌐–] [F] *n.* (프랑스의) 교구 목사, 사제(cf. CURATE)

cure-all [kjúərɔ̀:l] *n.* 만능약, 만병통치약(panacea); 《비유》 모든 문제를 해결할 수 있는 것
cure·less [kjúərlis] *a.* 치료법이 없는, 불치의; 구제[교정]할 수 없는
cur·er [kjúərər] *n.* **1** 치료자; 치료기 **2** 건어물[훈제품] 제조인
cu·ret·tage [kjùərətá:ʒ, kjuərétidʒ] [F] *n.* Ⓤ 〖외과〗 소파(搔爬)(술)
cu·rette, cu·ret [kjuərét] [F] 〖의학〗 *n.* 퀴레트, 소파기 《숟가락 모양의 외과 기구》 **—** *vt., vi.* 퀴레트로 긁어내다, 소파하다 **cu·rétte·ment** *n.*
cur·few [kɔ́:rfju:] *n.* **1** 만종(晩鐘), 저녁종 **2** 〖영국사〗 중세기의 소등령; 그 시간; 소등용 종; 야간 단속 개시 시작[실시 시간]; 《일반적으로》 외출 금지 **3** (계엄령 등의) 소등 명령, 야간 외출[통행] 금지; 〖미군〗 귀대 시간
cu·ri·a [kjúəriə] *n.* (*pl.* **-ri·ae** [-riì:]) **1** 〖고대로마〗 큐리아 《행정구》; 큐리아 집회소; 원로원; (고대 이탈리아 각 도시의) 참사(參事)회, 참사 회의장 **2** 〖영국사〗 (노르만 왕조 시대의) 법정 **3** [the C~] 로마 교황청 **cú·ri·al** *a.*
cu·ri·age [kjúəriidʒ] *n.* 〖물리〗 퀴리수(數) 《퀴리로 나타낸 방사능의 강도》
Cúria Ro·má·na [-rouméinə, -má:-] [the ~] 〖가톨릭〗 로마 교황청
Cu·rie [kjúəri, kjuəríː | kjúəri] *n.* **1** 퀴리 **Pierre** ~ (1859-1906)와 **Marie** ~ (1867-1934) 《라듐을 발견한 프랑스의 과학자 부부》 **2** [**c~**] 〖물리·화학〗 퀴리 《방사능 강도의 단위; 略 C, Ci》
Cúrie cònstant = CURIAGE
Cúrie pòint [**tèmperature**] 〖물리〗 퀴리점[온도] 《자성 물체가 가열되어 자성이 0이 되는 온도》
Cúrie's láw 〖물리〗 (상자성체(常磁性體)의) 퀴리의 법칙
cu·ri·o [kjúəriòu] [*curio*sity] *n.* (*pl.* **~s**) 골동품, 진귀한 미술품; 별난 사람
cu·ri·o·sa [kjùəriόusə] *n. pl.* **1** 진본(珍本), 진서 **2** 외설 책 **3** 진품
‡**cu·ri·os·i·ty** [kjùəriásəti | -ɔ́sə-] *n.* (*pl.* **-ties**) **1** Ⓤ 호기심: *C*~ killed the cat. 《속담》 호기심이 강하면 망신당할 수 있다. // (~+*to* do) She has a surprising ~ *to* know everything she can. 그녀에게는 가능하다면 무엇이든지 다 알고 싶어하는 놀라운 호기심이 있다. **2** Ⓤ 진기함, 신기함 **3** 진기한 것, 골동품(curio) ***out of*** **~** 호기심에서 ▷ cúrious *a.*
curiósity shòp 골동품 상점
cu·ri·o·so [kjùəriόusou, -zou] [It.] *n.* (*pl.* **~s, -si** [-si:, -zi:]) 미술품 애호[감식]가, 골동품 수집가 (cf. VIRTUOSO)
‡**cu·ri·ous** [kjúəriəs] [L 「주의 깊은」의 뜻에서] *a.* **1** 호기심이 강한, 알고 싶어하는, 캐기 좋아하는: (~+*to* do) I'm ~ *to* know. 알고 싶다. // (~+(전+) ***wh.*** 절·구) I am ~ (*as to*) *how* she will receive the news. 그녀가 그 소식을 어떻게 받아들일지 궁금하다.

> 유의어 **curious** 좋은 뜻으로나 나쁜 뜻으로나 다 같이 쓰인다: Children are *curious* about everything. 어린이는 온갖 것에 호기심을 가진다. **inquisitive** 자기와 관계없는 일에 대해서도 마구 알고[듣고] 싶어하는: They dreaded the visits of their *inquisitive* relatives. 그들은 캐묻기 좋아하는 친척들의 방문을 두려워했다. **prying** 아주 무례해서 쓸데없는 참견을 하기도 하는: *prying* neighbors who refuse to mind their own business 남의 일에 관심이 많은 캐기 좋아하는 이웃들 **meddlesome** 남의 일에 뛰어들어 쓸데없이 참견하는: a *meddlesome* landlord 참견이 심한 하숙집 주인

2 호기심을 끄는, 기이한 **3** (고어·문어) 면밀한, 정성들인(exact); 정밀한, 세심한 **4** 진서(珍書)인 《서점 목록에서 외설 서적을 지칭》 **5** (구어) 이상한, 묘한(⇨ strange 유의어): a ~ fellow 별난 사람, 괴짜 **6** (고어) 주의 깊은; 까다로운; 복잡한, 미묘한 **7** (완곡) 동성애의 ***~er and ~er*** (속어) 갈수록 기기묘묘한 **~ *to say*** 이상한 말이지만, 이상하게도 ***steal a ~ look*** 호기심에 찬 눈빛으로 슬쩍 엿보다 (*at*)
~·ness *n.* ▷ curiósity *n.*; cúriously *ad.*
⁎**cu·ri·ous·ly** [kjúəriəsli] *ad.* **1** 신기한 듯이, 호기심에서 **2** [문장 전체를 수식하여] 기묘하게(도), 지독하게; 정교하게: *C*~ enough ... = It is curious that ... 신기하게도 …, 이상하게도 … **3** [형용사를 강조하여] 이상하게도, 몹시: ~ charming 아주 매혹적인
cu·rite [kjúərait] *n.* Ⓤ 〖광물〗 큐라이트 《방사성 우라늄 광석》
cu·ri·um [kjúəriəm] *n.* Ⓤ 〖화학〗 큐륨 《방사성 원소의 하나; 기호 Cm, 번호 96》
‡**curl** [kɔ́:rl] *vt.* **1** 〈머리털을〉 곱슬곱슬하게 하다, 컬하다 **2** 꼬다; 비틀다 (*up*); 둥글게 감다; 〈입술 등을〉 일그러뜨리다 **3** 〈수면을〉 물결치게 하다 **4** 때려눕히다, 납작하게 만들다 **5** 당혹하게 하다, 질리게 하다
— *vi.* **1** 〈머리털이〉 곱슬곱슬해지다 **2** 〈연기가〉 맴돌다, 비틀리다, 〈길이〉 굽이지다; 〈공이〉 커브하다: Paper ~*s* when it burns. 종이는 타면 둥글게 오그라든다. // (~+전+명) Smoke ~*ed out of* the chimney. 연기가 굴뚝에서 소용돌이치며 올라갔다. **3** 《스코》 컬링 놀이(curling)를 하다 **4** (영·구어) 당황하다, 쩔쩔매다 **~ *around*** …을 돌돌 말다[감다] **~ one*self up*** 웅크리고 자다 **~ one*'s lip*(*s*)** (경멸하여) 입을 비쭉거리다 **~ *the*** [a person***'s***] ***hair*** …을 놀라게 하다 **~ *the mo*** (호주·속어) 대성공을 거두다 **~ *up*** (1) …을 끝부터 감아[말아]올리다 (2) 〈잎 등이〉 말리다, 오그라들다; 새우잠 자다, 움츠러들다 (3) 〈다리를〉 접어 포개다; (공포·웃음 등으로) 몸을 뒤틀다 (4) (속어) 쓰러지다; (구어) 〈사람을〉 쓰러지다 ***make*** a person***'s hair*** **~** (속어) …을 소름끼치게 하다
— *n.* **1** (머리털의) 컬, 곱슬털; [*pl.*] 고수머리, 《일반적으로》 머리칼 **2** 나선형의 것, 소용돌이 꼴, 굽이침 **3** Ⓤ 감음, 말아 올림, 꼬임, 비틀림; 〖수학〗 (벡터의) 회전 **4** Ⓤ (감자 등의) 위축병(萎縮病)
~ *of the lip*(*s*) (경멸의 표시로) 입을 비쭉거림 ***go out of*** **~** 컬이 풀리다; (속어) 기운을 잃다, 맥이 풀리다 ***in*** **~** = CURLED ▷ cúrly *a.*
curled [kɔ́:rld] *a.* **1** 곱슬털의; 소용돌이 꼴의 **2** 〈잎이〉 두르르 말린; 위축병에 걸린
curl·er [kɔ́:rlər] *n.* **1** 머리를 지지는 사람; 컬 클립 **2** curling 경기자
cur·lew [kɔ́:rlu: | -lju:] *n.* (*pl.* **~s,** ~) 〖조류〗 마도요
cur·li·cue, cur·ly·cue [kɔ́:rlikjù:] *n.* 소용돌이 장식; 소용돌이 모양의 장식 서체(flourish)
curl·i·ness [kɔ́:rlinis] *n.* ⓊⒸ 곱슬곱슬함, 돌돌 말림
curl·ing [kɔ́:rliŋ] *n.* **1** Ⓤ 컬링 《얼음 위에서 돌을 미끄러뜨려 표적에 맞히는 놀이》 **2** ⓊⒸ 말리기, 말아지지기; 〈잎 등의〉 말려 올라감, 위축 **—** *a.* 말리기 쉬운, 머리 지지는 데 쓰는: ~ pins (머리의) 컬핀
cúrling ìron [종종 *pl.*] 헤어 아이론
cúrling stòne 컬링 놀이용의 반반하고 둥근 무거운 화강암 《15-18 kg》
cúrling tòngs = CURLING IRON
curl·pa·per [kɔ́:rlpèipər] *n.* [보통 *pl.*] 컬용 종이 《지진 머리를 말아 두는》
⁎**curl·y** [kɔ́:rli] *a.* (**curl·i·er**; **-i·est**) **1** 곱슬곱슬한(wavy), 고수머리의, 말리기 쉬운 **2** 〈목재가〉 나뭇결이 물결 모양의; 〈잎이〉 두르르 말린, 오그라진 **3** 〈질문 등이〉 대답하기 어려운 **4** (영·속어) 몸의 털이 곤두서는, 음산한 ▷ cúrl *n., v.*
cúrly éndive = ENDIVE
curl·y·head [kɔ́:rlihèd], **curl·y·pate** [-pèit] *n.* 고수머리인 사람

thesaurus **curious** *a.* **1** 호기심이 강한 inquiring, inquisitive, interested, searching, questioning **2** 이상한 strange, unusual, rare, odd, queer, peculiar

cur·mudg·eon [kərmʌ́dʒən] *n.* 심술궂은 구두쇠 **~·ly** *a.* 인색한, 심술궂은
curn [kə́ːrn] *n.* 《스코》 **1** 곡식 알갱이 **2** 소량, 소수
curr [kə́ːr] *vi.* (고양이처럼) 가르릉거리다, 낮게 신음하다 **—** *n.* 가르릉거리는 소리
cur·rach, -ragh [kʌ́ːrəx, kʌ́rə] *n.* 《아일·스코》 =CORACLE; 소택지(沼澤地)
cur·rant [kə́ːrənt, kʌ́r-|kʌ́r-] *n.* **1** (작고 씨가 없는) 건포도 **2** 〖식물〗 까치밥나무; 그 열매
‡**cur·ren·cy** [kə́ːrənsi, kʌ́r-|kʌ́r-] *n.* (*pl.* **-cies**) **1** ⓊⒸ 통화, 통화 유통액; 지폐; 화폐 대용물: foreign ~ 외화/local ~ 국내 통화/metallic[paper] ~ 경화(硬貨)[지폐] **2** Ⓤ (화폐 등의) 유통, 통용; (사상 등의) 용인, 수용; 보급, 유포, 유행; (정보 등의) 전달(성) **3** 통용[유행] 기간 ***accept*** a person ***at his*** [***her***] ***own*** ~ …을 그 자신이 말하는 대로 인정하다 ***be in common***[***wide***] ~ 일반에[널리] 통용되고 있다 ***gain***[***lose***] ~ 통용하기 시작하다[하지 않게 되다] ***gain***[***lose***] ~ ***with the world*** 사회에서 신용을 얻다[잃다] ***give*** ~ ***to*** …을 통용[유포]시키다(circulate) ▷ cúrrent *a.*
cúrrency authórities [the ~] 통화 당국
cúrrency bònd 발행국 통화 지불 채권
cúrrency circulátion 통화 유통
cúrrency prìnciple[**dòctrine**] 통화주의(cf. BANKING DOCTRINE)
cúrrency swàp 〖금융〗 통화 스왑 《서로 다른 통화 표시의 채권 및 채무의 교환》
‡**cur·rent** [kə́ːrənt, kʌ́r-|kʌ́r-] [L「달리는, 흐르는」의 뜻에서] *a.* **1** 지금의, 현재의 《略 curt.》: the 10th ~[*curt.*] 이달 10일/the ~ issue[number] 최근호 《금월[금주]호》/the ~ month[year] 이달[올해] **2** 현행의, 통용하는, 유통[유포]되고 있는, 현재 유행하는; 습관적인, 통례의, 사회의 공통적인: ~ English 시사[일상] 영어/~ news 시사 뉴스/the ~ price 시가(時價) **3** 흘림글씨의, 초서체의(running) **4** 《고어》 흐르는, 유동하는 **5** 《폐어》 진짜의 ***pass***[***go, run***] ~ 일반에 통용되다, 세상에서 인정되다
— *n.* **1** 흐름, 유동(流動); 조류, 기류; 해류 《★ stream보다 흐름이 세고 빠름을 강조》 **2** 경향, 때의 흐름, 풍조(tendency) **3** 〖전기〗 전류; 전류의 세기 ***swim with the*** ~ 세상 풍조를 따르다
▷ cúrrency *n.*; cúrrently *ad.*
cúrrent accóunt **1** 〖경제〗 경상 계정(cf. CAPITAL ACCOUNT) **2** 〖은행〗 당좌 계정(open account); 《영》 당좌 예금(《미》 checking account) **3** 〖회계〗 =BOOK ACCOUNT
cúrrent affáirs (최신) 시사 문제
cúrrent ássets 〖상업〗 유동 자산
cúrrent bàlance 〖전기〗 전류 천칭(天秤)
cúrrent collèctor 〖전기〗 집전(集電) 장치
cúrrent dènsity 〖전기〗 전류 밀도 《기호 J》
cúrrent diréctory 〖컴퓨터〗 현재 디렉터리, 현재 목록 《MS-DOS에서 현재 작업 중인》
cúrrent dríve 〖컴퓨터〗 현재 드라이브
cúrrent efficiency 〖물리〗 전류 효율
cúrrent evénts 시사(時事), 시사 문제 연구
cúrrent expénses 경상비
cúrrent liabílities 〖회계〗 유동 부채(流動負債) 《상환 기일이 1년 이내의 부채》
***cur·rent·ly** [kə́ːrəntli, kʌ́r-|kʌ́r-] *ad.* **1** 일반적으로, 널리(generally) **2** 지금(은), 현재(는), 목하(now): ~ under construction 현재 공사 중인 **3** 손쉽게, 거침없이, 수월하게
cúrrent mòney 통화
cúrrent rátio 〖회계〗 유동 비율(流動比率) 《유동 부채에 대해 유동 자산의 크기》

---

current *a.* **1** 현재의 present, contemporary, modern, existing **2** 통용되는 prevailing, prevalent, accepted, circulating, general, popular

cúrrent shéet =MAGNETODISK
cur·ri·cle [kə́ːrikl|kʌ́r-] *n.* 2륜 쌍두마차
cur·ric·u·lar [kərikjulər] *a.* 교과[이수] 과정의
‡**cur·ric·u·lum** [kəríkjuləm] *n.* (*pl.* **-la** [-lə], **~s**) **1** 교과[교육] 과정 **2** 이수 과정 **3** 활동 계획
currículum ví·tae [-váiti:|-ví:tai] [L =course of life] (*pl.* **cur·ric·u·la vi·tae** [-lə-]) 이력(서) (personal history, 《미》 résumé) 《★ 영·미의 이력서는 현재에서 시작하여 과거로 거슬러 올라감》
cur·rie [kə́ːri, kʌ́ri|kʌ́ri] *n.* =CURRY[1]
cur·ried [kə́ːrid, kʌ́rid|kʌ́rid] *a.* 카레 가루로 조리한: ~ rice 카레라이스
cur·ri·er [kə́ːriər, kʌ́r-|kʌ́r-] *n.* **1** 제혁(製革)업자, 제혁공 **2** 말 손질하는 사람
cur·ri·er·y [kə́ːriəri, kʌ́r-|kʌ́r-] *n.* (*pl.* **-er·ies**) 제혁업; 제혁 공장
cur·rish [kə́ːriʃ] *a.* **1** 들개[똥개] 같은 **2** 딱딱거리는(snappish), 상스러운, 천한 **~·ly** *ad.* **~·ness** *n.*
cur·ry**[1] [kə́ːri, kʌ́ri|kʌ́ri] [Tamil「소스」의 뜻에서] *n.* (*pl.* **-ries**) **1** Ⓤ 카레 (가루) **2** ⓊⒸ 카레 요리: ~ and[with] rice 카레라이스 ***give a person ~ 《호주·속어》 …을 야단치다, …에게 욕설하다
— *vt.* (**-ried**) 카레 요리로 하다, 카레로 맛들이다
curry[2] *vt.* (**-ried**) **1** 〈말을〉 빗질하다, 손질하다 **2** 〈가죽을 무두질하여〉 마무르다 ~ ***below the knee*** 《속어》 비위 맞추다 ~ ***favor with*** a person = ~ a person***'s favor*** …의 비위를 맞추다, …에게 아첨하다
cur·ry·comb [kə́ːrikòum, kʌ́ri-|kʌ́ri-] *n., vt.* 말빗(으로 빗기다)
cúrry pòwder 카레 가루
‡**curse** [kə́ːrs] *v.* (~**d** [-t], 《고어》 **curst** [kə́ːrst]) *vt.* **1** 저주하다, 재앙을 빌다 **2** 욕지거리하다, 악담하다; 〈신(神) 등에〉 불경한 말을 하다, 모독하다 (~+목+전+명) The thief ~*d* the police *for* finding him. 도둑은 들키자 경관에게 욕지거리를 했다. **3** [보통 수동형으로] 천벌을 내리다, 화를 끼치다, 괴롭히다(afflict) 《*with*》: He is ~*d* with poor health. 그는 허약 체질을 타고났다. **4** 〖종교〗 파문(破門)하다
— *vi.* **1** 저주하다 《*at*》 **2** 욕지거리하다; 불경한 말을 하다 《*at*》: (~+전+명) ~ *at* a person …을 매도하다 ~ ***and swear*** 악담을 퍼붓다 ***C~ it!*** 빌어먹을!, 제기랄! ***C~ you!*** 뒈져라!
— *n.* **1** 저주 **2** 저주의 말, 악담, 독설 《Damn!, Confound you! Deuce take it! 등》: *C~s*(, like chickens,) come home to roost. 《속담》 하늘에 침 뱉기, 남을 해치면 나 먼저 해를 입는다. **3** 저주받는 것; 천벌, 재앙: the ~ of drink 술의 큰 해독 **4** 〖종교〗 파문 **5** =CUSS 2 **6** [the ~] 《구어》 월경 (기간) ***call down***[***lay***] ***a*** ~ (***from Heaven***) ***upon*** a person = ***lay*** a person ***under a*** ~ …을 저주하다 ***C~ upon it!*** 제기랄! ***not care***[***give***] ***a*** ~ (***for***) 《구어》 …등은 조금도 상관치 않다 ***not worth a*** ~ 《구어》 조금도 가치가 없는 ***the*** ~ ***of Cain*** 영원한 유랑 생활 《카인이 받은 형벌》 ***the*** ~ ***of Scotland*** 《영》 〖카드〗 다이아몬드의 아홉 끗 ***under a*** ~ 저주받아, 천벌을 받아
***curs·ed** [kə́ːrsid, kə́ːrst], **curst** [kə́ːrst] *a.* **1** 저주받은, 천벌받은 **2** 저주할, 가증스러운 ★구어에서는 강조하는 말로 쓰임 **3** [보통 **curst**] 《고어·방언》 심술궂은, 심사 고약한
cúrs·ed·ness *n.* Ⓤ 저주받은[천벌받고 있는] 상태; 저주스러움
curs·ed·ly [kə́ːrsidli] *ad.* **1** 저주받아, 천벌을 받아 **2** 《구어》 가증하게도, 터무니없이(confoundedly)
cur·sil·lo [kuərsíːljou] *n.* (*pl.* **~s**) 〖가톨릭〗 꾸르실료 운동; 단기 교육을 위한 제1단계 집회
curs·ing [kə́ːrsiŋ] *n.* Ⓤ 저주; 악담; 파문; 신에 대한 모독
cur·sive [kə́ːrsiv] *a.* 초서체의, 흘림글씨의; 필기체의 **—** *n.* ⓊⒸ 흘림글씨, 초서; 초서체로 쓴 것 《편지·원고 등》; 〖인쇄〗 필기체 활자 **~·ly** *ad.* **~·ness** *n.*

cur·sor [kə́ːrsər] *n.* 커서 **1** 계산자·측량 기계 등의 눈금선이 있는 이동판 **2** 〖컴퓨터〗 브라운관(CRT)의 문자가 입력되는 위치를 표시하는 이동 깜박이 점[막대]
cúrsor contról kèy 〖컴퓨터〗 커서 제어 키
cúrsor dìsk 〖컴퓨터〗 커서 디스크 《키보드의 구석에 있는 원반 또는 4각형 패드》
cur·so·ri·al [kəːrsɔ́ːriəl] *a.* 〖동물〗 달리기에 적합한: ~ birds 주금류(走禽類) 《타조 등》
cúrsor kèy 〖컴퓨터〗 커서 키 《키보드상의 키의 하나로 이를 누르면 커서가 이동하게 됨》
cur·so·ry [kə́ːrsəri] *a.* 서두르는(hurried); 마구잡이의, 소홀한(careless); 피상적인: give him a ~ glance 그를 흘끗 보다 **-ri·ly** *ad.* **-ri·ness** *n.*
curst [kə́ːrst] *v.* 《고어》 CURSE의 과거·과거분사
— *a.* = CURSED
cur·sus ho·no·rum [kə́ːrsəs-hɑnɔ́ːrəm | -hɔ-] [L = course of honors] 명예로운 관직의 연속, 엘리트 코스
curt [kə́ːrt] *a.* **1** 무뚝뚝한, 퉁명스러운(abrupt) **2** 〈문체가〉 간략한; 짧은, 짧게 자른 **~·ly** *ad.* **~·ness** *n.*
curt. current
***cur·tail** [kərtéil] *vt.* **1** 짧게 줄이다(shorten); 단축하다, 생략하다 **2** 〈비용 등을〉 삭감하다: We are *~ed of* our expenses. 우리는 경비를 삭감당하였다. **3** 〈권리 등을〉 축소하다, 줄이다(reduce); 박탈하다(deprive) 《*of*》: (~+목+전+명) ~ a person *of* his privileges …의 권리를 박탈하다
~·er *n.* **~·ment** *n.* ⓊⒸ 단축; 삭감
‡cur·tain [kə́ːrtn] [L 「작은 안뜰, 울 막은 곳」의 뜻에서] *n.* **1** 커튼, (문의) 휘장; 접는 식의 가리개 **2 a** (극장의) 막, 휘장; 개막 시간; 종막; 끝내기 효과[대사]: The ~ rises[falls]. 막이 오른다[내린다]. **b** = CURTAIN CALL **3** 휘장 꼴의 물건; (휘장 꼴의) 칸막이; 막벽 《성(城)을 건축할 때 두 개의 능보(稜堡)를 연결하는》 **4** [보통 *pl.*] 《속어》 죽음
a ~ of fire*[*smoke*]** 〖군사〗 탄막[연막] ***be ~s 《구어》 끝이 나다, 종결되다; 죽다, 끝장이다 ***behind the ~*(*s*)** 막후에서, 비밀리에 ***bring down the ~ on*** …을 끝마치다, 폐지하다 ***C~!*** 여기서 막! 《다음은 상상해 보시라; 관객의 주의를 끌기 위한 말》 ***draw the ~ on*[*over*]** …에 커튼을 내리다; 〈뒤끝을 맺지 않고 하던 말을〉 그치다 ***draw the ~s*** (방의) 커튼을 모두 치다[쳐서 어둡게 하다] ***drop the ~*** (1) (극장의) 막을 내리다 (2) 활동을 마치다 ***raise the ~*** 막을 걷어 올리다, 막을 열어 보이다; 활동을 시작하다 ***ring down*[*up*] *the ~*** (극장에서) 벨을 울려 막을 내리다[올리다]; 종말[개시]을 고하다 《*on*》 ***take a ~*** 〈배우가〉 관중의 갈채에 응하여 막 앞에 나타나다
— *vt.* **1** 막[커튼]을 치다[장식하다]: *~ed* windows 커튼을 친 창 **2** 막[커튼]으로 가리다[막다] 《*off*》: (~+목+부) The part of the room has been *~ed off*. 방의 그 부분은 커튼으로 칸막이가 되어 있다.
cúrtain càll 커튼콜 《공연이 끝난 후에 박수갈채로 관중이 배우를 막 앞으로 불러내는 일》
cur·tain·fall [kə́ːrtnfɔ̀ːl] *n.* **1** (연극의) 끝 **2** (사건의) 결말, 대단원(大團圓)
cúrtain fire 〖군사〗 탄막 포화[사격], 탄막(barrage)
cúrtain lècture (아내가 남편에게 하는) 침실에서의 잔소리
cúrtain lìne 〖연극〗 한 막[장]을 끝맺는 대사
cúrtain ràil = CURTAIN ROD
cúrtain ràiser **1** 개막극 **2** 《구어》 (리그전의) 개막전; (게임의) 제1회; 개막 연기
cúrtain rìng 커튼 고리
cúrtain ròd 커튼 로드 《커튼을 거는 막대》
cúrtain spèech **1** (연극 종료 직후) 막 앞에서의 인사말 **2** (연극[막, 장]의) 마지막 대사
cúrtain tìme (연극·콘서트 등의) 개막 시간
cur·tain-up [kə́ːrtnʌ̀p] *n.* Ⓤ 《영》 연극의 개막
cúrtain wàll 〖건축〗 (구조물이 없는) 외벽, 막벽
cur·tal [kə́ːrtl] *n.* 커털 《16세기의 목관 저음 악기》
cur·ta·na [kəːrtéinə, -tɑ́ːnə] *n.* 칼끝이 없는 검 《영국왕의 대관식에서 자비의 상징으로 받듦》
cur·tate [kə́ːrteit] *a.* 단축한, 생략한
cur·te·sy [kə́ːrtəsi] *n.* (*pl.* **-sies**) 〖법〗 환부산(鰥夫産) 《아내가 죽은 뒤 남편이 아내의 토지 재산을 일생 동안 가지는 권리; cf. DOWER》
cur·ti·lage [kə́ːrtəlidʒ] *n.* 〖법〗 주택에 딸린 땅
curt·sey [kə́ːrtsi] *n.* (*pl.* **~s**), *vi.* = CURTSY
curt·sy** [kə́ːrtsi] *n.* (*pl.* **-sies**) (왼발을 빼고 무릎을 굽혀 몸을 약간 숙이는 여자의) 절, 인사 ***drop*[*make*] *a ~ to 〈여자가〉 …에게 절[인사]하다
— *vi.* (**-sied**) 〈여자가〉 절하다 《*to*》
cu·rule [kjúəruːl] *a.* 〖고대로마〗 대관(大官) 의자에 앉을 자격이 있는; 최고위의, 고위 고관의
cúrule chàir 〖고대로마〗 대관(大官) 의자 《상아를 박은 걸상》
cur·va·ceous, -cious [kəːrvéiʃəs] *a.* 《미·구어》 곡선미의, 성적 매력이 있는
cur·va·ture [kə́ːrvətʃər, -tʃùər] *n.* Ⓤ **1** 만곡(彎曲), 뒤틀림 **2** 〖수학〗 곡률(曲率), 곡도, 굴곡
‡curve [kə́ːrv] [L 「굽은」의 뜻에서] *n.* **1** 곡선, 곡면 **2** (도로 등의) 만곡부, 굽이, 커브, 굴곡; 곡선 운동; [보통 *pl.*] (여자의) 곡선미 **3** 구부렁이; 곡선자: a French ~ 운형(雲形)자 **4** 〖통계〗 곡선 도표, 그래프; 〖수학〗 곡선 **5** 〖야구〗 커브(공) **6** 〖교육〗 커브 평가, 상대 평가 **7** 홀리는 술책, 속임수, 사기
get on to* a person*'s ~s 《미·속어》 …의 의도를 알다 ***make on a*[*the*] *~*** 커브[상대] 평가로 평점하다 ***throw a ~*** 《구어》 속이다; 의표를 찌르다
— *vt.* **1** 굽히다, 만곡시키다(⇨ bend[1] 유의어) **2** 〖야구〗 〈공을〉 커브시키다
— *vi.* 구부러지다, 만곡하다; 곡선을 그리다: (~+전+명) The road *~s round*[*around*] the gas station. 도로가 그 주유소 주위를 돌아 나 있다.
— *a.* 굽은, 만곡인
cúrve bàll **1** 〖야구〗 커브(공) **2** 책략
curved [kə́ːrvd] *a.* 구부러진, 만곡한, 곡선 모양의
curv·ed·ly [kə́ːrvidli] *ad.* **cúrv·ed·ness** *n.*
cúrve fitting 〖수학〗 곡선 맞춤
cúrve kìller 《미·학생속어》 우등생
cur·vet [kə́ːrvit | kəːvét] *n.* 〖마장마술〗 커벳, 등약(騰躍) 《앞발이 땅에 닿기 전에 뒷발이 뛰는, 보기 좋은 도약》 ***cut a ~*** 등약[도약]하다
— [kərvét, kə́ːrvit | kəːvét] *v.* (**~·(t)ed**; **~·(t)ing**) *vi.* **1** 〈말이〉 등약하다 **2** 〈아이 등이〉 뛰어다니다 **—** *vt.* 〈기수가 말을〉 등약[도약]시키다
cur·vi·lin·e·ar [kəːrvilíniər], **-e·al** [-iəl] *a.* 곡선의; 곡선을 이루는; 곡선으로 만들어진
cùr·vi·lin·e·ár·i·ty *n.*
curv·y [kə́ːrvi] *a.* (**curv·i·er**; **-i·est**) **1** 〈길 등이〉 구불구불한, 굽은 (데가 많은) **2** = CURVACEOUS
cus·cus [kʌ́skəs] *n.* 〖동물〗 쿠스쿠스 《호주·뉴기니산의 유대(有袋) 동물》
cu·sec [kjúːsek] [*cu*bic foot per *sec*ond] *n.* 큐섹 《매초 1입방 피트의 물 흐름》
cush [kúʃ] *n.* Ⓤ 《미·속어》 현금(cash); 지갑; 《당구구어》 쿠션(cushion)
cush·at [kʌ́ʃət, kú- | kʌ́-] *n.* 《스코》 〖조류〗 염주비둘기, 흠비둘기(wood pigeon)
cu·shaw [kəʃɔ́ː, kúːʃɔː] *n.* 〖식물〗 수세미호박(= ~ squàsh)
Cúsh·ing's disèase[sỳndrome] [kúʃiŋz-] [미국의 신경 외과의 이름에서] 〖병리〗 쿠싱병[증후군] 《ACTH 호르몬의 과잉으로 인한 신진대사의 이상증》
‡cush·ion [kúʃən] [L 「허리, 엉덩이」의 뜻에서] *n.* **1** 쿠션, 방석, 안석 **2** 쿠션 꼴을 한 것, 바늘겨레(pincushion); (물건을 받쳐 놓는) 받침 방석; (다리) 받침; (여

thesaurus **curtail** *v.* reduce, cut, lessen, decrease, diminish, shorten (opp. *increase*)
custody *n.* **1** 보호 guardianship, charge, care,

자의) 허리띠에 대는 형겊 받침; 〖야구〗 (1, 2, 3루의) 베이스 **3** **완충물**; (당구대의) 쿠션; 《일반적으로》 위안을 주는 것 **4** 〖기계〗 공기 쿠션 《충격을 덜기 위한》 **5** 《속어》 (위급할 때나 노후 등의) 준비, 저금 **6** [the ~s] 《미·속어》 여객 차량 **7** 《미·속어》 마약 한 대
— *vt.* **1** **쿠션으로 받치다**; 쿠션에 올려놓다; 쿠션을 달다 **2** 〈충격·고통 등을〉 흡수하다, 완화하다, 가라앉히다 **3** 〈사람을〉 지키다, 보호하다 《*from, against*》 **4** 〖당구〗 〈공을〉 쿠션에 대어[붙여] 놓다 **5** 〈불평·비판 등을〉 적당히 따돌리다, 얼버무리다 **~·less** *a.* **~·like** *a.*
▷ cúshiony *a.*

cush·ion-craft [kúʃənkræ̀ft | -krɑ̀:ft] *n.* (*pl.* ~) = AIR-CUSHION VEHICLE(《영》 hovercraft)

cúshion stàr 〖동물〗 유럽오각불가사리

cúshion tìre 고무 조각을 채워 넣은 자전거 타이어

cush·ion·y [kúʃəni] *a.* **1** 쿠션 같은; 부드러운, 폭신한 **2** = CUSHY **3** 쿠션으로 사용되는

Cush·it·ic [kəʃítik] *n.* 쿠시 어군[어파] 《소말리아·에티오피아의 언어》 — *a.* 쿠시 어군[어파]의

cush·y [kúʃi] *a.* (**cush·i·er**; **-i·est**) 《속어》 〈일 등이〉 편한, 쉬운(easy); 즐거운; 《미·속어》 멋진, 화려한 **cúsh·i·ly** *ad.* **cúsh·i·ness** *n.*

cusk [kʌ́sk] *n.* (*pl.* **~s,** [집합적] ~) 〖어류〗 **1** (북대서양산) 대구과(科)의 식용어 **2** 모캐(burbot)

cusp [kʌ́sp] *n.* **1** 첨단 **2** 〖천문〗 (초생달의) 뾰족한 끝 **3** 〖건축〗 (아치의) 두 곡선이 만나서 이루는 세모꼴의 끝 **4** (이·잎사귀 등의) 끝 **5** 〖기하〗 (두 곡선의) 첨점(尖點) **6** 〖점성〗 숙(宿)의 개시점; 변화의 발단
cus·pate [kʌ́spət, -peit] *a.* **cusped** [kʌ́spt] *a.*
▷ cúspidate *a.*

cus·pid [kʌ́spid] *n.* 〖해부〗 (사람의) 송곳니

cus·pi·dal [kʌ́spədl] *a.* **1** 끝이 뾰족한 **2** 〖기하〗 첨점의[을 이루는]

cus·pi·date, -dat·ed [kʌ́spədèit(id)] *a.* 끝이 뾰족한 **cùs·pi·dá·tion** *n.* Ⓤ 〖건축〗 cusp의 장식

cus·pi·dor [kʌ́spədɔ̀:r] *n.* 《미》 타구(唾具)(spittoon)

cuss [kʌ́s] 《미·구어》 *n.* **1** 저주, 악담 **2** 놈, 녀석(fellow) 《동물에게도 씀》 ***be not worth a*** (***tinker's***) **~** 한푼의 가치도 없다 ***not care*** [***give***] ***a*** (***tinker's***) **~** 조금도 개의치 않다 — *vt., vi.* = CURSE

cuss·ed [kʌ́sid] *a.* 《구어》 **1** = CURSED **2** 고집 센, 완고한(obstinate), 괴팍한 **~·ly** *ad.* **~·ness** *n.*

cuss·word [kʌ́swə̀:rd] *n.* 《미·구어》 저주하는 말, 악담, 욕지거리(oath)(cf. CURSE)

***cus·tard** [kʌ́stərd] *n.* CU 커스터드 《우유·계란에 설탕·향료를 넣어서 찐[구운] 과자》; Ⓤ 《주로 영》 커스터드 소스 《디저트용》; 냉동 커스터드 《아이스크림과 비슷함》: ~ cup 커스터드 담는[굽는] 작은 그릇 / ~ pudding 커스터드 푸딩

cústard àpple **1** 〖식물〗 번지과(蕃枝科)의 식물 《서인도 제도산(産)》 **2** 포포(pawpaw) 《북미산(産)》

cústard glàss 커스터드 유리 《담황색의 불투명 유리》

cus·tard-pie [kʌ́stərdpái] *a.* 저속한[법석떠는] 희극(slapstick)의 《초기 무성 영화에서 커스터드가 든 파이를 상대방 얼굴에 던지는 일이 흔히 있었음》

cústard pówder 《영》 커스터드 소스를 만들기 위한 분말 가루 《옥수수 가루, 설탕 등을 섞은》

cus·to·di·al [kʌstóudiəl] *a.* 보관의, 보호의; 관리인의; 보호·관리만 하는 — *n.* 성보(聖寶)(relics) 용기

custódial séntence 구류 판결, 유치형(留置刑)

cus·to·di·an [kʌstóudiən] *n.* **1** 관리인, 보관자 **2** 수위(janitor) **3** 후견인, 보호자 **~·ship** *n.*

cus·to·dy** [kʌ́stədi] *n.* (*pl.* **-dies**) Ⓤ **1** **보관**, 관리; (특히 미성년자의) **보호**, 감독, 후견 **2** 구류, 감금(imprisonment) ***have* ~ *of a child (아이)를 보호하다 ***have the* ~ *of*** …을 보관하다 ***in* ~** 수감[구인]되어, 구류 중 ***in the* ~ *of*** …에 보관[보호]되어 ***keep*** a person ***in* ~** …을 구류[감금]하여 두다 ***take*** a person ***into* ~** …을 수감[구인]하다(arrest)
▷ custódial *a.*

---

keeping, protection, supervision, control, management, safekeeping **2** 감금 imprisonment, detention, confinement, restraint, constraint

---

‡**cus·tom** [kʌ́stəm] *n., a.*

> L 「함께 습관이 됨」의 뜻에서
> → 「풍습」; 「습관」 **1**
> → (가게의) 「단골」, 「고객」 **2**
> (cf. CUSTOMER)
> → (관례적인 공물) → (세금) → 「관세」 **3**

— *n.* **1** CU [집합적] (사회·집단의) **풍습**, **관습**, 관례; (사람의) **습관**; (개인의) 습관적 행위; 《미》 (대학의) 규칙; 〖법〗 관습(법), 관례: break an old ~ 옛 관습을 어기다 / *C*~ is (a) second nature. 《속담》 습관은 제2의 천성이다.

> 유의어 **custom** 사회나 국가 등의 전통적인 관습: the *custom* of wearing black at funerals 장례식에 검은 옷을 입는 관습 **habit** 개인의 버릇이나 습관: his *habit* of tugging at his ear in perplexity 곤혹스러울 때 자기의 귀를 잡아당기는 그의 버릇

2 Ⓤ [집합적] **단골**, 고객(patronage); (상점 등의) 애고(愛顧) **3** [*pl.*] **관세**; [*pl.*; 단수 취급] **세관**; 통관 수속: ~*s* officials 세관원 / pass[get through, go through] (the) ~*s* 세관을 통과하다 **4** 사용료; 세(稅) **5** 특별 주문 자동차 **6** (중세의) 연공(年貢), 조세(租稅) ***as is*** one***'s*** **~** 여느 때나 다름없이 ***withdraw*** one***'s*** **~** (…에서) 물건 구입을 안 하기로 하다 《*from*》
— *a.* Ⓐ 《미》 주문한, 맞춤의(custom-made): ~ clothes 맞춤복 / a ~ tailor 맞춤 양복점
▷ cústomary *a.*

cus·tom·a·ble [kʌ́stəməbl] *a.* 《주로 미》 관세가 붙는(dutiable)

cus·tom·ar·i·ly [kʌ́stəmèrəli, ⌐–⌐–– | kʌ́stəmər-] *ad.* 습관적으로, 관례상

‡**cus·tom·ar·y** [kʌ́stəmèri | -məri] *a.* **1** **습관적인**, 통례의(⇨ habitual 유의어) **2** 〖법〗 관례에 의한, 관습상의: a ~ law 관습법 **3** 〖문법〗 〈동사의 형태 등이〉 관습적 행위를 나타내는
— *n.* (*pl.* **-ar·ies**) **1** (한 나라·영역의) 관례집(慣例集) **2** Ⓤ 관습법, 불문율 ▷ cústom *n.*

cus·tom-build [kʌ́stəmbíld] *vt.* (개인) 주문으로 짓다[제작하다]

cus·tom-built [-bílt] *a.* 〈자동차 등〉 주문 제작의

cus·tom-de·sign [-dizáin] *vt.* 주문에 의하여 설계하다

***cus·tom·er** [kʌ́stəmər] *n.* **1** (상점의) **고객**, **단골**, 거래처(patron): regular ~ 단골 손님

> 유의어 **customer** 상점 등에서 정기적으로 물건을 사는 손님: old *customers* at the restaurant 그 식당의 오래된 고객들 **client** 의사·은행·변호사 등의 기술적인 서비스를 받는 사람: a lawyer's *clients* 변호사의 고객들

2 《구어》 놈, 녀석(fellow): an awkward[a rum] ~ 다루기 어려운 녀석, 보기 싫은 놈 **3** 매춘부; 세관 관리

cústomer bàse 〖경영〗 고객층, 고객 기반

cústomer engineèr 〖컴퓨터〗 대(對)고객 서비스 요원 《略 CE》

cus·tom·er-fac·ing [kʌ́stəmərfèisiŋ] *a.* 〈직원이〉 고객을 직접 응대하는

cústomer púrchase òrder 구입 주문서

cústomer's bròker[**màn**] 증권 회사의 고객 담당원

cústomer sèrvice 고객 서비스

cus·tom·house [kʌ́stəmhàus], **cus·toms-** [kʌ́stəmz-] *n.* (*pl.* **-hous·es** [-hàuziz]) 《미》 세관

cus·tom·ize [kʌ́stəmàiz] *vt.* (미) 주문에 응하여 만들다; 〖컴퓨터〗 커스터마이즈하다 《자기 취향에 맞도록 설정을 바꾸다》 **-iz·er** *n.*
cus·tom-made [kʌ́stəmméid] (미) *a.* 주문품의, 맞춤의(opp. *ready-made*) **—***n.* (옷 등의) 주문품
cus·tom-make [-méik] *vt.* 주문으로 만들다
cústom òffice 세관 (사무소)
cus·toms [kʌ́stəmz] *n. pl.* =CUSTOM 3
cústoms dùties 관세
cus·toms-free [kʌ́stəmzfríː] *a.* 무관세의
cústoms ùnion 관세 동맹
cus·tom-tai·lor [kʌ́stəmtéilər] *vt.* 주문에 따라 변경[기획, 제작]하다
cústom tàriff 관세율, 관세표
cus·tos [kʌ́stɑs | -tɔs] [L] *n.* (*pl.* **cus·to·des** [kʌstóudiːz]) 관리인, 감시인
custos rot·u·lo·rum [-rɑ̀tʃuló:rəm | -rɔ̀tju-] [L] 〖영국법〗 수석 치안 판사
***cut** [kʌ́t] *v., a., n.*

> 기본적으로는 「베다」 1의 뜻에서
> → 「자르다」 2 → 「삭제하다」, 「편집하다」 4 / → 「빼먹다」 3
> → (절단하다) → 「중단하다」 3 / → 「가로지르다」 6
> → (베어 상처 내다) → 「살을 에다」 7

—*v.* (~; **~·ting**) *vt.* **1** 베다, 상처를 내다: (~+목+전+명) ~ one's finger *with* a knife 칼로 손가락을 베다 **2** 자르다, 잘라내다, 절단하다, 베어 버리다 《종종 *away, off, out*》; 〈나무를〉 베다, 〈풀을〉 베다; 〈화초를〉 꺾다; 〈고기·빵 등을〉 썰다(carve); 〈페이지를〉 자르다; 〈머리를〉 깎다: ~ timber 재목을 자르다 // (~+목+부) ~ *away*[*off*] a branch 가지를 잘라 버리다 // (~+목+목) (~+목+전+명) Please ~ me a slice of bread. = Please ~ a slice of bread *for* me. 빵 한 조각을 잘라 주세요. / ~ an apple *in* half[*into* halves] 사과를 반으로 자르다 // (~+목+보) ~ one's hair[nails] close 머리[손톱]를 짧게 깎다

> 유의어 **cut** 「자르다」는 뜻을 나타내는 가장 일반적인 말 **chop** 식칼이나 도끼로 쳐서 자르다: *chop* a log 통나무를 자르다 **hack** 난폭하게 마구 패서 자르다: *hack* off a limb 큰 가지를 쳐서 자르다

3 그만두다, 중단하다; 〈관계를〉 끊다(sever), 절교하다; (구어) 모른 체하다, 무시하다; (구어) 〈수업을〉 빼먹다, 결석하다: ~ an acquaintanceship 교제를 끊다 / ~ school[the class] 학교[수업]를 빼먹다 **4** 줄이다, 단축하다, 〈각본·영화 등을〉 삭제[컷]하다, 〈필름·테이프를〉 (줄여서) 편집하다; 〈비용을〉 삭감하다; 〈값을〉 깎아 내리다(reduce); 〈비누가 더러움 등을〉 씻어내다: (~+목+부) They ~ *down* the price by half during the sale. 세일 기간 중 그 가격을 반값으로 내렸다. **5** 〈보석을〉 깎아 다듬다; 〈돌·상(像)·이름을〉 조각하다, 새기다; 〈옷감·옷을〉 재단하다: ~ a coat 상의를 재단하다 / ~ a diamond 금강석을 갈다 // (~+목+전+명) ~ one's name *on* a tree 나무에 이름을 새기다 **6** 〈물 등을〉 헤치며 나아가다, 돌진하다; 〈길 등을〉 터 놓다, 내다; 〈굴·터널 등을〉 파다; 가로지르다, 교차하다(cross); 〈사물이 장소를〉 구분 짓다, 나누다: (~+목+전+명) ~ a road *through* a hill 산을 잘라 길을 내다 **7** 〈찬 바람·서리 등이〉 …의 살을 에다; (매 등으로) 모질게 치다; 가슴을 에다, 마음 아프게 하다: (~+목+전+명) The icy wind ~ me *to* the bone. 찬 바람이 뼛속까지 스며들었다. **8** 〖카드〗 〈패를〉 떼다(cf. DEAL[1]); 〖스포츠〗 〈공을〉 깎아 치다, 커트하다 **9** 〈말 등을〉 거세하다 **10** (구어) 실연(實演)하다, 행하다 **11** 〈이를〉 나게 하다 **12** (미·구어) 〈위스키 등을〉 묽게 하다(dilute) 《*with*》 **13** 〈엔진·수도 등을〉 차단하다, 끄다, 잠그다(stop) 《*off*》 **14** 〈연설·노래 등을〉 (레코드·테이프 등에) 녹음하다, 편집하다 **15** (구어) 〈눈에 띄는 동작·태도를〉 보이다, 나타내다; (코를) 골다; (방귀를) 뀌다

—*vi.* **1** 베다, 절단하다; 베어 나누다; 조각하다; 재단하다 **2** 〈날이〉 들다, 베어지다, 잘리다: (~+부) This knife ~*s well.* 이 칼은 잘 든다. **3** 〈쟁기·배 등이〉 헤치며 나아가다, 뚫고 지나가다 《*through*》; 건너가다, 질러가다 《*across*》: (~+전+명) ~ *through* woods 숲 속을 뚫고 나가다 / ~ *across* a yard 뜰을 가로질러 가다 **4** (살을 에듯이) 아프다, 아리다, 〈찬 바람이〉 몸에 스며들다; 〈세균이〉 생기다: (~+부) The wind ~ bitterly. 바람이 살을 에는 듯했다 // (~+전+명) The criticism ~ *at* him. 그 비평은 그에게 너무나 신랄했다. / The wind ~ *through* my thin clothes. 찬 바람이 나의 얇은 옷을 통해 몸에 스며들었다. **5** 〖카드〗 패를 떼다; (테니스 등에서) 공을 깎아 치다 **6** (미·구어) (급히) 달아나다, 질주하다 《*along, down*》; [명령법으로] 물러가라(Be off!) **7** 〈이가〉 나다 **8** (문제점 등의) 핵심을 찌르다 **9** 〖영화〗 [보통 명령법으로] 촬영을 중단하다; 편집[삭제]하다 **10** 〈차가〉 급회전하다 **11** 〈옷 등이〉 꼭 끼다

be ~ out for [***to be***] [보통 부정문에서] …에[되기에] 적임이다[어울리다] ***~ about*** 뛰어다니다 ***~ a check*** (미·구어) 수표를 쓰다 ***~ across*** (1) 〈들판 등을〉 질러가다; …을 방해하다 (2) …와 대립[저촉]되다 (3) …을 넘다, 초월하다 (4) …에 널리 미치다 ***~ adrift*** 〈배를〉 떠내려 보내다; 헤어지다, 영원히 가 버리다 ***~ after*** …을 급히 쫓다 ***~ along*** (영·구어) 허겁지겁 달아나다; 자리를 뜨다 ***~ a loss*** (일찌감치 손을 떼어) 더 이상의 손해를 막다 ***~ and carve*** 분할하다 ***C~ and come again.*** (구어) (얼마든지) 먹고 싶은 대로 먹어라. ***~ and contrive*** (수입은 적지만) 이럭저럭 꾸려나가다 ***~ and run*** (구어) 황급히 도망치다 ***~ a rag*** (미·속어) 춤추다(dance) ***~ a record*** 녹음하다 ***~ at*** (1) (칼로) 내려치다; 사정없이 매질하다 (2) (구어) (정신적으로) 타격을 주다; 〈희망 등을〉 꺾다 ***~ a tooth*** 이가 나다 ***~ away*** (1) 베어 버리다; 마구 베어대다 (2) (구어) 도망치다 ***~ back*** (1) 〈꽃나무·과수의〉 가지를 짧게 치다 (2) 〈수량·크기를〉 줄이다; 〈비용을〉 삭감하다 《*on*》 (3) 〖영화〗 먼저의 장면으로 전환하다 ***~ both*** [***two***] ***ways*** 〈행위·의론 등이〉 좋기도 하고 나쁘기도 하다, 장단점이 있다 ***~ corners*** (미·구어) 쉽게 행하다; 지름길로 가다; (…을 사려고) 절약하여 돈을 모으다 ~ a person ***dead*** [***cold***] (아는) 사람을 모르는 체하다 ***~ down*** (1) 〈나무를〉 베어 넘어뜨리다; 〈칼로〉 베어 넘기다 (2) 〈병 등이 사람을〉 넘어뜨리다 (3) 〈치수 등을〉 줄이다 (4) 〈비용을〉 삭감하다 《*on*》; 〈값을〉 깎다 (5) (담배 등의) 양을 줄이다 ***~ … down to size*** 《(과대 평가되고 있는) 사람·문제 등을》 실력[실상]대로 평가를 낮추다 ***~ for deal*** [***partners***] 패를 떼어 선[짝]을 정하다 ***~ … free*** (밧줄 등을 잘라서) …을 자유롭게 하다; 〈일 등에서〉 빠져나가다 《*from*》 ***~ in*** (1) 끼어들다, 간섭하다; 말참견하다 (2) 〈사람·자동차가〉 갑자기 앞에 끼어들다, 새치기하다 (3) (전화에서) 남의 이야기를 몰래 듣다 (4) (구어) (댄스 중의 남자에게서) 파트너를 가로채다 (5) 〖카드〗 나가는 사람 대신 놀이에 끼다(cf. CUT out (5)) ***~ into*** = CUT in (1); 〈예금 등을〉 까먹다, 줄이다 ***~ it*** (속어) 달리다, 뺑소니치다; [명령법으로] 집어치워!, 닥쳐! ***~ it fat*** (구어) 자랑하다, 허세 부리다 ***~ it fine*** [***close***] (구어) 〈시간·돈 등을〉 최소 한도로 줄이다 ***~ it off*** (속어) 잠들다 ***C~ it*** [***that***] ***out!*** (구어) 그만둬, 닥쳐! ***~ loose*** (1) 끈[사슬]을 끊어 놓다 (2) 관계[구속]를 끊다 (3) (미) 도망치다, 벗어나다 (4) 멋대로 행동하다, 법석을 떨다 (5) 활동[공격]을 시작하다 ***~ lots*** 제비를 뽑다 ***~ no ice*** (속어) 아무 효과

> **thesaurus** **cut** *v.* **1** 베다 gash, slash, pierce, penetrate, wound **2** 자르다 chop, sever, divide, carve, slice; trim, clip, snip, shear, prune **3** 줄이

도 없다, 아무 영향도 주지 않다 ~ ***off*** (1) 베어내다; 삭제하다 《*from*》 (2) 중단하다, 끊다 (3) 《미·구어》 폐적(廢嫡)하다, (자식과) 의절하다 (4) 〈통화·연락 등을〉 가로막다; 잠잠케 하다 (5) 〈병 등이 사람을〉 넘어뜨리다 ~ a person ***off with a shilling*** (체면상 겨우 1실링의 유산을 주어) 절연하다 ~ ***on*** 급히 나아가다; 살아가다 ~ ***out*** (1) 잘라내다; 제거하다, 생략하다 (2) 〈옷을〉 마르다; 예정하다, 준비하다, 맞추다 (3) 〈…을〉 제쳐놓고 그 자리를 차지하다, 〈경쟁자를〉 앞지르다 (4) 〈적함을〉 포획하다 《적의 포화를 뚫고, 또는 항구 안에서》 (5) 〔카드〕 나갈 사람을 정하다, 나가게 하다(cf. CUT in (5)) (6) 《미》 〈동물을〉 무리에서 떼어놓다; 좌[우]로 나와 앞에서 오는 자동차를 방해하다 《앞차를 앞지르기 위하여》 ~ ***over*** (1) 횡단하다 (2) 전면적으로 베어 넘기다 (3) 쓰러뜨리다 (4) 《미》 〈옷을〉 다시 만들다[짓다] ~ ***round*** 《미·구어》 뛰어 돌아다니다; 실속 없이 뽐내다 ~ one***'s coat according to*** one***'s cloth*** 분에 맞는 생활을 하다 ~ one***self*** 다치다 ~ one***'s eye*** 《미·구어》 눈짓하다 ~ a person***'s hair*** …을 놀라게[겁먹게] 하다 ~ ***short*** (1) 줄이다; 단축하다: to ~ a long story *short* 요컨대/*C*~ it *short*! 《속어》 간단히 말해라! (2) 〈남의 말을〉 가로막다 ~ one***'s losses*** = CUT a loss. ***C~ the funny stuff!*** 《구어》 농담 말게, 바보 같은 짓 그만둬! ~ ***... too fine*** (특히 중요하지 않은 세부 사항을) 지나치게 어렵게 만들다 ~ ***... to*** [***in***] ***pieces*** (1) …을 난도질하다; 〈적을〉 분쇄하다, 궤멸시키다 (2) 〈저서 등을〉 혹평하다 ~ ***to the bone*** 《구어》 〈지출을〉 최대한 줄이다 ~ a person ***to the heart*** [***quick***] 가슴에 사무치게 하다 ~ ***under*** 《미》 …보다 싸게 팔다 ~ ***up*** (1) 근절하다; 썰다; 분할하다 (2) 〈적군을〉 궤멸시키다 (3) 《구어》 마구 깎아 내리다; 《구어》 [보통 수동형으로] 몹시 마음 아프게 하다; 《미·구어》 〈소동을〉 일으키다, 장난치다 (4) 《속어》 쌍방이 묵계하여 부정한 수단으로 승부를 내다 (5) 재단되다, 마를 수 있다 (6) 《미·구어》 익살떨다(clown), 뽐내어 보이다(show off) ~ ***up fat*** [***well***] (1) 분량이 많다 (2) 많은 재산을 남기고 죽다 ~ ***up rough*** [***savage, rusty, stiff, ugly, nasty***] 《영·구어》 성내다, 난폭하게 설치다 ~ ***up to*** 《미·속어》 지난 일의 공치사를 하다; 모여서 이익을 나누다

—*a.* Ⓐ **1** 벤, 벤 자리가 있는 **2** 베어 가른, 베어낸, 꺾은, 자른: ~ flowers 자른 꽃 **3** 토막토막 자른, 새긴 **4** 깎아 다듬은: a ~ stone 깎아 다듬은 돌/⇨ cut glass **5** 줄인, 삭감한: ~ prices 할인 가격 **6** 거세한 **7** 《속어》 취한 **8** (정신적으로) 상처 입은 ***at ~ rates*** 할인하여 ~ ***and dried*** = CUT-AND-DRIED ~ ***in the craw*** [***eye***] 《미·속어》 취한

—*n.* **1 a** 베기, 일격; 〔펜싱〕 내리쳐 베기, 한 번 치기; 날카로운 매질 **b** 벤 상처[자리]; 벤[새긴] 금(notch) **2** 절단; (각본 등의) 삭제, 컷 **3** 삭감, 에누리, 할인 감가(減價) 《*in*》, 임금의 인하 **4** 지름길(shortcut); 횡단로; = CUTTING 4 **5** 무대의 홈 《배경을 오르내리게 하는》 **6** 벤 조각, 《특히》 고깃점, 베어낸 살(slice) 《*from*》; 큰 고깃덩어리 **7** (옷의) 마름질, (머리의) 깎는 법, 형, 모양(shape, style) **8** 목판화, 컷, 삽화, 인화; 〔인쇄〕 판(版) **9** [보통 the ~] 《구어》 모른 체함; 〈수업 등을〉 빼먹기 **10** 〔카드〕 패 떼기; 떼는 차례; 떼어서 나온 패; 〔테니스〕 깎아치기 **11** 《구어》 몫, 배당 《*of, in*》 **12** (추첨의) 제비 **13** 가벼운 식사 **14** 무정한 처사; 신랄한 비꼼 **15** 수확(량)

a ~ above [***below***] 《구어》 …보다 한 층 위[아래] ***draw ~s*** (종이 심지 등으로) 제비 뽑다 ***give*** a person ***the ~ direct*** (보고도) 아주 모르는 체하다 ***have*** [***take***] ***a ~*** 《미》 고기 한 조각으로 식사를 마치다, 간단한 식사를 하다 ***take a ~ at*** 《속어》 …하려고 시도하다 ***the ~ of*** one***'s jib*** ⇨ jib

▷ cútty *a.*

다 shorten, abridge, condense, abbreviate, contract, compact, summarize **4** 삭감하다 reduce, curtail, decrease, lessen, lower, diminish

cut·a·bil·i·ty [kʌ̀təbíləti] *n.* Ⓤ 〔축산〕 도축된 가축에서 팔 수 있는 살코기의 비율

cut-and-come-a·gain [kʌ̀tən*d*kʌ́məgèn] *n.* ⓊⒸ **1** (구어) (고기 등을) 몇 번이고 베어 먹기 **2** 풍부함, 무진장 **3** 〔식물〕 양배추의 일종 **—***a.* 마음껏 먹을 수 있는; 풍족한

cut-and-dried [kʌ́tən*d*dráid], **-dry** [-drái] *a.* **1** 〈말·계획 등이〉 미리 준비된, 미리 결정된 **2** 신선함이 없는, 무미건조한, 활기 없는(dull); 틀에 박힌, 진부한

cút and páste 〔컴퓨터〕 문장의 일부를 떼어 이동 삽입하기

cut-and-paste [kʌ́tən*d*péist] *a.* 풀과 가위로 만든, 스크랩하여 편집한; 〔컴퓨터〕 잘라 붙이는

cút and thrúst 〔펜싱〕 칼로 베거나 찌르기; (토론 등의) 활발한 의견 교환

cut-and-try [kʌ́tən*d*trái] *a.* 시행착오의

cu·ta·ne·ous [kju:téiniəs] *a.* 피부의; 피부를 해치는 **~·ly** *ad.*

cut·a·way [kʌ́təwèi] *a.* **1** 〈모닝코트 등〉 (앞섶을 허리께부터) 비스듬히 재단한 **2** 〈기계 등이〉 절단 작용이 있는 **3** 〈모형·도해 등이〉 (안이 보이도록) 외부의 일부를 잘라낸 **—***n.* **1** 모닝코트(=~ **cóat**) **2** (안이 보이도록) 외부의 일부를 잘라낸 그림[모형] **3** 〔영화·TV〕 장면 전환

cut·back [kʌ́tbæ̀k] *n.* **1** (인원·생산 등의) 축소, 삭감 **2** (소설·영화 등에서) 이야기가 앞으로 되돌아가기; 〔영화〕 컷백, 장면 전환(cf. FLASHBACK) **3** 〔원예〕 가지치기, 가지치기한 과수 **4** 〔미식축구〕 컷백 **5** 〔서핑〕 컷백 《서프보드를 파도 마루로 향해서 회전함》

cut·cha [kʌ́tʃə] *a.* 《인도》 빈약한, 임시 변통의(cf. PUKKA) **—***n.* 햇볕에 말린 벽돌

cut·down [kʌ́tdàun] *n.* **1** 축소, 삭감, 감소, 저하(reduction) **2** 〔의학〕 (도뇨관의 삽입을 쉽게 하기 위한) 정맥 절개(切開) **—***a.* 축소한, 단축한

***cute** [kjú:t] *a.* (**cut·er**; **-est**) **1** 《주로 미·구어》 〈아이·물건 등이〉 귀여운, 예쁜(pretty): a ~ baby 귀여운 아기 **2** 《구어》 영리한(clever), 눈치 빠른, 기민한(shrewd) **3** 《미·속어》 멋진, 근사한, 최고의 **4** 《미》 뽐내는, 눈꼴 신 **~·ly** *ad.* **~·ness** *n.*

cute·sy, -sie [kjú:tsi] 《미·구어》 *a.* 귀엽게 보이려는, 뽐내는 **—***n.* 귀여움 **cúte·si·ness** *n.*

cute·sy-poo [kjú:tsipù:] *a.* 《구어》 지나치게 깜찍한; 너무 뽐내는

cut·ey [kjú:ti] *n.* (*pl.* **~s**) = CUTIE

cút gláss 컷글라스(의 그릇)

cut-glass [kʌ́tglæ̀s | -glɑ́:s] *a.* Ⓐ **1** 컷글라스(제)의 **2** 《영》 〈말씨 등이〉 상류 계급의

cut-grass [kʌ́tgræ̀s | -grɑ̀:s] *n.* 〔식물〕 잎가장자리가 톱니 모양으로 된 풀, 《특히》 겨풀

Cuth·bert [kʌ́θbərt] *n.* **1** 커스버트 《남자 이름; 애칭 Cuddie》 **2** 《영·속어》 징병 기피자 《특히 제1차 대전 중의》 **3** 〔식물〕 나무딸기

cu·ti·cle [kjú:tikl] *n.* **1** 〔해부·동물〕 표피(表皮)(epidermis); (손톱·발톱 뿌리의) 엷은 피부 **2** 〔식물〕 상피, 각피(角皮), 큐티클라

cu·ti·col·or [kjú:təkʌ̀lər] *a.* 살색의

cu·tic·u·la [kju:tíkjulə] *n.* (*pl.* **-lae** [-lì:]) = CUTICLE 1

cu·tic·u·lar [kju:tíkjulər] *a.* 표피의; 각피(角皮)의

cut·ie [kjú:ti] *n.* **1** 《구어》 귀여운[예쁜] 처녀[여자] **2** 모사(謀士); 전술가; 정교한 책략 **3** 건방진 녀석

cútie pìe 《구어》 = CUTIE 1; 연인 **cút·ie-pìe** *a.*

cu·tin [kjú:tin] *n.* Ⓤ 〔식물〕 각질(角質), 큐틴질

cut-in [kʌ́tìn] *a.* 삽입한 **—***n.* **1** 〔인쇄〕 (삽화 등의) 맞춰 넣기 **2** 〔영화〕 삽입 화면 **3** 《미·속어》 할당으로 돌아가는 권리

cu·tin·ize [kjú:tənàiz] *vt., vi.* 큐틴화하다

cu·tis [kjú:tis] *n.* (*pl.* **-tes** [-ti:z], **~·es**) 〔해부〕 피부, 《특히》 진피(眞皮)

cut·las(s) [kʌ́tləs] *n.* (휘고 폭이 넓은) 단검 《주로 옛날 선원들이 쓰던》

cut·lass·fish [kʌ́tləsfìʃ] *n.* 〖어류〗 갈치
cut·ler [kʌ́tlər] *n.* 칼 장수, 칼 만드는 사람
cut·ler·y [kʌ́tləri] *n.* Ⓤ **1** [집합적] 칼붙이; 식탁용 날붙이 《나이프·포크·스푼 등》 **2** 칼 제조업
***cut·let** [kʌ́tlit] *n.* **1** (굽거나 튀김용의) 얇게 저민 고기 **2** (저민 고기·생선 살 등의) 납작한 크로켓
cut·line [kʌ́tlàin] *n.* (미) **1** (출판물의) 삽화에 곁들이는 설명문(caption) **2** 〖스쿼시〗 서브 공의 하한선 《벽에 표시된》
cút mòney (미) 분할 화폐 《18-19세기에 스페인 화폐를 잘라 잔돈으로 대용한》
cút nàil 대가리 없는 못
cut·off [kʌ́tɔ̀:f | -ɔ̀f] *n.* **1** 절단, 차단; 분리; (회계의) 결산일, 마감날; (효력·계약 등의) 확정 범위[기한] **2** (미) 지름길(shortcut); (고속도로의) 출구 **3** 〖기계〗 차단 장치 **4** [보통 *pl.*] 무릎께에서 자른 청바지 **5** 〖전자〗 (전자관·반도체 소자의) 전류가 끊김; 〖건축〗 방화 장치 **6** 〖야구〗 컷오프 《외야에서 홈으로 던진 공을 내야수가 차단하는 것》 **7** 〖음악〗 정지
— *a.* (계약 등의) 기한[범위]을 나타내는: a ~ date for making changes 변경 기한
cut-off-block [kʌ́tɔ:fblɑ̀k | -ɔfblɔ̀k] *n.* 〖미식축구〗 컷오프 블록
cútoff fréquency 〖전자〗 차단 주파수
cútoff màn 〖야구〗 컷오프맨 《외야에서 던진 공을 내야로 전달하는 선수》
cu·tor [kjú:tər] *n.* (미·속어) 검찰관, 검사
cut·out [kʌ́tàut] *n.* **1** 차단 **2** 도려내기[꿰매 붙이기] 세공(appliqué) **3** (각본·영화 필름의) 삭제 부분 **4** 〖전기〗 컷아웃, 안전기(安全器); 〖기계〗 (내연 기관의) 배기 밸브 **5** 무리를 떠난 동물
cut·o·ver [kʌ́tòuvər] *a.*, *n.* (미) 벌목한 (땅)
cut-price [kʌ́tpràis] *a.* **1** 할인[특가]의; 값을 깎는: a ~ sale 염가 할인 판매 **2** Ⓐ 특가품을 파는
cut·purse [kʌ́tpə̀:rs] *n.* (고어) 소매치기
cút ràte 할인 가격[요금], 특가
cut-rate [kʌ́tréit] *a.* Ⓐ (미) 할인의, 싸게 파는
cút-shéet fèeder [-ʃì:t-] = SHEET FEEDER
cut·ta·ble [kʌ́təbl] *a.* 잘리는; 자르기 쉬운
cut·tage [kʌ́tidʒ] *n.* Ⓤ 〖식물〗 삽목(법)
***cut·ter** [kʌ́tər] *n.* **1** 베는 사람, 재단사; 〖영화〗 필름 편집자 **2** 베는 도구, 재단기, 절단기, (기구의) 날; 〖해부〗 앞니(incisor) **3** (미·캐나다) (말이 끄는) 소형 썰매 《1-2인승》 **4** 〖항해〗 커터 《군함에 딸린 소형 배》; 외돛대의 소형 범선; (미) 연안 감시선 **5** (미) 질이 나쁜 쇠고기
cútter bàr (자르는 기계의) 날이 선 막대
cut·throat [kʌ́tθròut] *n.* **1** 살인자(murderer); 극악무도한 사람 **2** = CUTTHROAT TROUT **3** 〖카드〗 세 사람이 하는 게임 《브리지 등》 **4** = CUT-THROAT RAZOR
— *a.* Ⓐ **1** 살인의; 잔인한, 흉악한 **2** 〈경쟁 등이〉 치열한(keen), 파괴적인 **3** 〖카드〗 셋이 하는(three-handed)
cút-throat rázor [kʌ́tθrout-] (날이) 길고 예리한 면도칼(cf. SAFETY RAZOR)
cútthroat tròut 〖어류〗 아가미 주위에 붉은 반점이 있는 송어
cút tìme 〖음악〗 = ALLA BREVE
‡**cut·ting** [kʌ́tiŋ] *n.* ⓊⒸ **1** 절단; 재단; 베어내기; 벌채(伐採) **2** Ⓒ 자른 가지 《꺾꽂이용》 **3** Ⓒ (영) 오려낸 것((미) clipping); 베어낸 것: a press ~ 신문에서 오려낸 것 **4** 개착(開鑿), 파헤친 곳: 깎고 가는 가공 **5** (구어) 염가 판매, 할인 **6** (구어) 치열한 경쟁 **7** 〖영화〗 필름[녹음 테이프] 편집
— *a.* **1** Ⓐ 예리한 **2** 살을 에는 듯한 **3** 〈비판 등이〉 통렬한, 신랄한 **4** 〈눈 등이〉 날카로운(penetrating) **5** (구어) (남보다) 싸게 파는
cútting bòard 도마; 재단대
cútting édge **1** (날붙이의) 날; (말·글 등의) 신랄함, 날카로움 **2** (기술 등의) 최첨단 ***be on the ~*** 지도적 입장에 있다; 앞장서다 **cút·ting-èdge** *a.*
cútting flùid 절삭제(切削劑) 《액체·가스》
cútting gràss 〖동물〗 = CANE RAT
cútting hòrse 소를 무리에서 떼어놓기 위해 훈련시킨 말
cútting ròom (필름·테이프의) 편집실
cut·tle [kʌ́tl] *n.* = CUTTLEFISH
cut·tle·bone [kʌ́tlbòun] *n.* 오징어의 뼈
cut·tle·fish [kʌ́tlfìʃ] *n.* (*pl.* **~, ~·es**) 〖동물〗 오징어, 《특히》 뼈오징어; Ⓤ 오징어 살
cut·ty [kʌ́ti] *a.* (**-ti·er**; **-ti·est**) (스코) **1** 짧게 자른; 치수가 짧은 **2** 성미 급한 — *n.* (*pl.* **-ties**) **1** (영) 짧은 사기 파이프; 짧은 숟가락 **2** 바람기 있는 여자; 말괄량이 **3** (흑인 사이에서) 친구
cut·ty·hunk [kʌ́tihʌ̀ŋk] *n.* 삼실을 꼬아 만든 낚싯줄 《특히 손으로 꼰 것》
cútty sàrk (스코) (여자용) 짧은 옷 《셔츠, 스커트, 슬립 등》; 여자; 말괄량이
cútty stòol (스코) **1** 징벌용 의자 《옛날 Scotland에서 부정한 유부녀 등을 앉히던 걸상》 **2** 낮은 의자
cut·up [kʌ́tʌ̀p] *n.* (미·속어) 장난꾸러기, 쾌활하고 기운 찬 사람
cut·wa·ter [kʌ́twɔ̀:tər] *n.* (뱃머리의) 물을 가르는 부분; (교각의) 물가름
cut·work [kʌ́twə̀:rk] *n.* Ⓤ 컷워크 《레이스 바탕의 오려낸 자리에 무늬를 넣는 자수》
cut·worm [kʌ́twə̀:rm] *n.* 〖곤충〗 뿌리를 잘라 먹는 벌레, 야도충
cu·vée [kju:véi] *n.* 큰 나무통에 넣은 혼합 와인; (샴페인) 혼합주
cu. yd. cubic yard(s)
CV [sí:ví:] *n.* 〖미군〗 항공모함의 함종별 기호
cv. convertible **c.v., C.V.** curriculum vitae
CVA cardiovascular accident 〖의학〗 심혈관 발작; cerebrovascular accident 〖의학〗 뇌혈관 발작, 뇌졸중; Columbia Valley Authority **CVO** Commander of the Royal Victorian Order (영) 빅토리아 상급 훈작사(勳爵士) **CVS** 〖의학〗 chorionic villus sampling **CVT** continuously variable transmission 무단(無段) 변속기
CW [sí:dʌ́blju:] [continuous wave] *n.* (구어) = MORSE CODE
CW chemical warfare; clockwise; continuous wave **CWA** Civil Works Administration (미) 토목 사업국; Communications Workers of America **Cwlth.** Commonwealth
cwm [kú:m] [Welsh = valley] *n.* (영) 〖지질〗 = CIRQUE 1; = COMBE
CWO chief warrant officer **c.w.o.** cash with order 〖상업〗 현금 지불 주문 **CWS** Chemical Warfare Service 화학전 부대; Cooperative Wholesale Society **cwt** hundredweight(s)
cwtch [kútʃ] *vi.*, *vt.* (웨일스) (팔을) 꼭 붙잡다; (팔에) 꼭 안기다: *C~* up to your mam! 엄마 팔을 꼭 잡아라.
-cy [si] *suf.* **1** 「직·지위·신분」의 뜻: captain*cy* **2** 「성질, 상태」의 뜻: bankrupt*cy*
cy capacity; currency; 〖화학〗 cyanide 〖컴퓨터〗 cycle(s) **CY** calendar year **Cy.** county **CYA** (속어) cover your ass
cy·an [sáiæn, -ən] *n.* Ⓤ, *a.* 청록색(의)
cyan- [sáiən, saiǽn], **cyano-** [sáiənou, saiǽnou] 《연결형》 「남색; 시안(화물)」의 뜻 《모음 앞에서는 cyan-》
cy·an·a·mide [saiǽnəmid, -màid | -màid] *n.* Ⓤ 〖화학〗 시안아미드 《비료용》
cy·a·nate [sáiənèit, -nət] *n.* Ⓤ 〖화학〗 시안산염
cýan blúe 청록색
cy·an·ic [saiǽnik] *a.* **1** 〖화학〗 시안의[을 함유한] **2** 〖식물〗 푸른(빛의)

thesaurus **cutthroat** *n.* killer, butcher, slayer
cutting *a.* **1** 살을 에는 듯한 biting, bitter, keen,

cyánic ácid 〖화학〗 시안산(酸)

cy·a·nide [sáiənàid, -nid | -nàid] *n.* Ⓤ 〖화학〗 **1** 시안[청(靑)]화물(化物), 청산염(靑酸塩) **2** 청산칼리[나트륨] **—***vt.* 〖야금〗 시안으로 처리하다

cýanide pròcess 〖야금〗 청화법(靑化法)

cy·a·nine [sáiəniːn, -nin] *n.* Ⓤ 〖화학〗 시아닌

cy·a·nite [sáiənàit] *n.* Ⓤ 〖광물〗 남정석(藍晶石)

cy·a·nize [sáiənàiz] *vt.* 〖화학〗 〈공중 질소를〉 시안화하다[고정시키다]

cy·a·no [sáiənòu, saiǽnou] *a.* 〖화학〗 시안기(基)를 함유한

cy·a·no·a·cet·y·lene [sàiənouəsétəlin | -lìːn] *n.* 〖화학〗 Ⓤ 시아노아세틸렌 《성운(星雲)에서 발견된 유기 물질》

cy·a·no·ac·ry·late [sàiənouǽkrəlèit] *n.* 〖화학〗 시아노아크릴레이트 《의료용 등의 강력 순간 접착제》

cy·a·no·bac·te·ri·um [sàiənoubæktíəriəm] *n.* (*pl.* **-ri·a** [-riə]) 시아노 박테리아 《청록색 세균문(門)의 세균》

cy·a·no·co·bal·a·min [sàiənoukoubǽləmin] *n.* 비타민 B_{12}(cobalamin)

cy·an·o·gen [saiǽnədʒən, -dʒèn] *n.* Ⓤ 〖화학〗 시아노겐, 청소(靑素) 《유독 가스》

cy·a·no·gen·ic [sàiənoudʒénik, saiǽnə-] *a.* 〖화학〗 시안화수소를 만들 수 있는

cy·a·nom·e·ter [sàiənɑ́mətər | -nɔ́-] *n.* (하늘 등의 푸른 정도를 재는) 시안계(計)

cy·a·no·sis [sàiənóusis] *n.* (*pl.* **-ses** [-siːz]) Ⓤ 〖병리〗 치아노제 《산소 결핍 때문에 혈액이 검푸르게 되는 상태》

cy·a·not·ic [sàiənɑ́tik | -nɔ́-] *a.* 〖병리〗 치아노제의

cy·an·o·type [saiǽnətàip] *n.* Ⓤ 청사진(법) (blueprint)

cy·a·nú·ric ácid [sàiən*j*úərik- | -njúər-] 시아누르산(酸) 《백색의 결정체; 멜라민 제조제》

Cyb·e·le [síbəlìː] *n.* 키벨레 《Phrygia의 대지의 여신; cf. RHEA》

cy·ber [sáibər] *a.* 컴퓨터와 관계 있는, 컴퓨터(네트워크)의, 사이버의, 인터넷의: ~ sales 네트워크 상의 판매

cyber- [sáibər-] 《연결형》 「컴퓨터; 컴퓨터 네트워크; 가상현실; 인터넷」의 뜻

cy·ber·ca·fé [sáibərkæfèi] *n.* 사이버 카페, 인터넷 카페 《인터넷을 사용할 수 있는 카페》

cy·ber·cash [sáibərkæ̀ʃ] *n.* Ⓤ 전자 화폐 《컴퓨터 네트워크 상에서 유통되는 화폐》

cy·ber·crime [-kràim] *n.* 인터넷상에서의 컴퓨터 범죄

cy·ber·crud [sáibərkrʌ̀d] *n.* 《미·속어》 컴퓨터와 관련된 사기[속임수]

cy·ber·cul·ture [sáibərkʌ̀ltʃər] *n.* Ⓤ 인공 두뇌화 사회[문화] **cỳ·ber·cúl·tur·al** *a.*

cy·ber·fo·ren·sics [-fərènsiks, -ziks] *n. pl.* [단수 취급] 〖컴퓨터〗 사이버 범죄 수사학

cy·ber·fraud [-frɔ̀ːd] *n.* Ⓤ 〖컴퓨터〗 (인터넷 상의) 사이버 사기

cy·ber·kid·nap·per [-kìdnæpər] *n.* 〖컴퓨터〗 사이버 유괴범 《인터넷을 통해 알게 된 사람을 유괴하는》

cy·ber·land [-lænd] *n.* Ⓤ 〖컴퓨터〗 사이버랜드 《인터넷 사용자들의 세상》

cy·ber·nate [sáibərnèit] *vt.* 〈제조 공정 등을〉 컴퓨터로 자동 조절하다, 인공 두뇌화하다 **-nàt·ed** *a.*

cy·ber·na·tion [sàibərnéiʃən] [*cyber*netics+*-ation*] *n.* Ⓤ 컴퓨터에 의한 자동 제어

cy·ber·naut [sáibərnɔ̀ːt] *n.* 〖컴퓨터〗 **1** 사이버노트 《인터넷상의 가상현실 세계를 여행하는 사람》 **2** 인터넷 사용자

cy·ber·net·ic, -i·cal [sàibərnétik(əl)] *a.* 인공 두뇌학의 **-i·cal·ly** *ad.*

cy·ber·net·i·cist [sàibərnétəsist], **-ne·ti·cian** [-nətíʃən] *n.* 인공 두뇌학자

cy·ber·net·ics [sàibərnétiks] *n. pl.* [단수 취급] 인공 두뇌학, 사이버네틱스

cy·ber·phil·i·a [sàibərfíliə] *n.* Ⓤ 컴퓨터를 병적으로 좋아함, 컴퓨터광(狂)(증)

cy·ber·pho·bi·a [sàibərfóubiə] *n.* Ⓤ 컴퓨터 공포[혐오](증)

cý·ber·phòbe *n.* 컴퓨터 공포[혐오]증자

cy·ber·porn [sáibərpɔ̀ːrn] *n.* 《속어》 사이버포르노, 인터넷 음란 외설물

cy·ber·punk [sáibərpʌ̀ŋk] *n.* **1** Ⓤ 사이버펑크 《컴퓨터가 지배하는 미래 도시를 묘사한 공상 과학 소설》 **2** 사이버펑크 작가 **3** 《속어》 컴퓨터광(狂)

cy·ber·sex [sáibərsèks] *n.* 사이버섹스 《인터넷을 통한 성적(性的) 행위·전시·대화》

cy·ber·sick·ness [sáibərsìknis] *n.* 컴퓨터를 장시간 사용함으로 인해 생기는 메스꺼움

cy·ber·space [sáibərspèis] *n.* Ⓤ 사이버스페이스 《컴퓨터와 정보통신 시스템으로 실현하는 활동 공간; cf. VIRTUAL REALITY》; 가상현실

cy·ber·sport [sáibərspɔ̀ːrt] *n.* 전자 게임

cy·ber·squat·ter [sáibərskwɑ̀tər | -skwɔ̀t-] *n.* 〖컴퓨터〗 도메인 투기꾼

cy·ber·squat·ting [sáibərskwɑ̀tiŋ | -skwɔ̀t-] *n.* 〖컴퓨터〗 도메인 투기

cy·ber·stalk·ing [sáibərstɔ̀ːkiŋ] *n.* 〖컴퓨터〗 사이버 스토킹

cy·ber·ter·ror·ism [sáibərtèrərizm] *n.* 〖컴퓨터〗 사이버테러리즘

cy·ber·ter·ror·ist [sáibərtèrərist] *n.* 〖컴퓨터〗 사이버테러리스트

cy·ber·thief [sáibərθìːf] *n.* 사이버 도둑, 컴퓨터 해커

cy·ber·war [sáibərwɔ̀ːr] *n.* 사이버 전쟁 《컴퓨터망 침투·파괴 전쟁》

cy·ber·wid·ow [sáibərwìdou] *n.* 사이버 과부 《컴퓨터광(狂)의 아내》

cy·borg [sáibɔːrg] [*cyb*ernetic+*org*anism] *n.* 사이보그, 인조 인간 《특수한 환경에서도 살 수 있게 생리 기능의 일부가 기계에 의해 대행되고 있는 인간·생물체》

cy·brar·i·an [saibrέəriən] [*cyb*er-+lib*rarian*] *n.* 인터넷에 오른 정보를 찾아서 모으고 관리하는 사람

cyc [sáik] *n.* 《구어》 =CYCLORAMA 2

cy·cad [sáikæd] *n.* 〖식물〗 소철

cycl- [sáikl], **cyclo-** [sáiklou, -lə, sík-] 《연결형》 「원, 고리; 주기, 회전; 환식(環式)」의 뜻 《모음 앞에서는 cycl-》

cycl. cyclopedia; cyclopedic

cy·cla·ble [síkləbl] *a.* 자전거 전용의 〈도로〉

cy·cla·mate [sáikləmèit, sí-] *n.* Ⓤ 시클라메이트 《무영양의 인공 감미료》

cy·cla·men [sáikləmən, -mèn | sí-] [그 알뿌리가 둥근 모양(cycle)을 한 데서] *n.* 〖식물〗 시클라멘

cy·clan·de·late [saiklǽndəlèit, -lət] *n.* 〖약학〗 시클란델레이트 《말초 혈관 확장약》

cy·clase [sáikleis, -kleiz] *n.* 〖생화학〗 시클라아제 《화합물을 환상화(環狀化)시키는 효소》

cy·claz·o·cine [saiklǽzəsiːn] *n.* 〖약학〗 시클라조신 《마약 중독 치료용 진통제》

:cy·cle [sáikl] [Gk 「원」의 뜻에서] *n.* **1** 일회전; 순환(기), 주기; 〖전기〗 사이클, 주파 《★ 지금은 hertz가 일반적임》; 〖컴퓨터〗 사이클 《(1) 컴퓨터가 1회의 처리를 완료하는 데 드는 최소한의 시간 간격 (2) 1단위로서 반복되는 일련의 컴퓨터 동작》 **2** 한 시대, 오랜 세월 **3** (신화·전설 등의) 1단(團), 1군(群), 전체; 《특히》 일련의 사시(史詩)[전설]: the Arthurian ~ 아서왕 전설 전집 / the Trojan ~ 트로이 전쟁사 시 대계(大系) **4** 자전거(bicycle), 3륜차(tricycle), 오토바이(cf. MOTORCYCLE) **5** 〖식물〗 (꽃의) 윤체(輪體); 〖천문〗 궤도; 〖화학〗 (원자의) 고리; 〖수학〗 순회 치환; 〖생물〗

piercing, sharp **2** 신랄한 hurtful, wounding, caustic, acid, sarcastic

= LIFE CYCLE ***hit for the ~*** 〚야구〛 사이클 히트를 치다 ***move in a ~*** 주기적으로 순환하다
— *vi.* **1** 순환하다, 회귀(回歸)하다, 주기를 이루다 **2** 자전거를 타다, 오토바이를 타다, 자전거 여행을 하다 **3** 〚야구〛 사이클 히트를 치다
— *vt.* 순환시키다 ▷ cýclic *a.*

cy·cle·car [sáiklkὰ:*r*] *n.* 소형 3륜차[4륜차]

cýcle làne (영) 자전거 도로(bicycle lane)

cy·cler [sáiklə*r*] *n.* = CYCLIST

cy·cle-rick·shaw [sáiklrìkʃɔ:, -ʃɑ: | -ʃɔ:] *n.* 자전거 인력거 《아시아에서 사용되는, 승객용 좌석이 있는 3륜 자전거》

cy·cle·ry [sáikləri] *n.* (*pl.* **-ries**) 자전거포

cýcle thèory 〚경제〛 경기 순환설

cýcle tíme 〚컴퓨터〛 사이클 타임 《기억 장치의 읽는 속도》

cy·cle·track [sáikltræ̀k] *n.* 자전거(전용) 도로

cy·cle·way [sáiklwèi] *n.* (영) = CYCLETRACK

cy·clic, -cli·cal [sáiklik(əl), síklik-] *a.* **1** 순환기의; 주기적인 **2** (일련의) 사시(史詩)[전설]의 **3** 〚화학〛 환식(環式)(화합물)의; 〚식물〛 윤생(輪生)의
cý·clic·ly, cý·cli·cal·ly *ad.* 주기적으로, 순환하여

cýclic adénosine monophósphate = CYCLIC AMP

cýclical stóck 〚증권〛 경기의 영향을 강하게 받는 주식

cýclical unemplóyment 〚경제〛 (경기 순환에 의한) 주기적 실업

cýclic ÁMP 〚생화학〛 사이클릭[환상(環狀)] AMP, 아데노신 1인산 회로 《대사나 신경계의 기능을 조정하는 생화학 반응의 한 가지》

cýclic chórus 〚고대그리스〛 윤무창(輪舞唱) 《Dionysus 제단 둘레를 돌며 부르는 노래》

cýclic flówer 〚식물〛 윤생화(輪生花)

cýclic GMP 〚생화학〛 사이클릭[환상(環狀)] GMP 《호르몬 작용을 중개하는 물질; 세포의 증식 기능과 관련이 있음》

cýclic póets 호머(Homer)에 이어 트로이 전쟁을 읊은 시인들

cýclic redúndancy chèck 〚컴퓨터〛 순환 중복 검사 《데이터 전송 시 오류를 검출하는》

cýclic shíft 〚컴퓨터〛 순환 자리 이동

‡**cy·cling** [sáikliŋ] *n.* Ⓤ **1** 사이클링, 자전거 타기 **2** 순환 운동

***cy·clist** [sáiklist] *n.* 자전거 타는 사람, 자전거로 여행하는 사람

cy·clo [sí:klou, sái-] *n.* (*pl.* **~s**) 3륜 택시

cyclo- [sáiklou, -lə, sí-] 《연결형》 = CYCL-

cy·clo-cross [sáikloukrɔ̀:s | -krɔ̀s] *n.* 크로스컨트리 자전거 경주

cy·clo·di·ene [sàiklədáii:n] *n.* 〚화학〛 (염소화(化)) 메틸렌군(群)을 갖는) 유기 화학제의 총칭 《살충제용》

cy·clo·drome [sáikloudròum] *n.* 자전거 경기장

cy·clo·gen·e·sis [sàiklədʒénəsis, sìklə-] *n.* 〚기상〛 저기압의 발생[발달]

cy·clo·graph [sáikləgræ̀f, sí- | -grὰ:f] *n.* **1** 원호기(圓弧器) **2** 파노라마 카메라 **3** 금속 경도 측정기

cy·clo·hex·ane [sàikləhéksein] *n.* Ⓤ 〚화학〛 시클로헥산 《용제(溶劑)·나일론의 원료》

cy·cloid [sáiklɔid] *n.* **1** 〚수학〛 사이클로이드, 파선(擺線) **2** 〚어류〛 원린어(圓鱗魚) — *a.* **1** 원형의 **2** 〚어류〛 원린어과(科)의 **3** 〚정신의학〛 순환 병질의

cy·cloi·dal [saiklɔ́idl] *a.* 〚수학〛 사이클로이드의, 파선상(擺線狀)의

cy·clom·e·ter [saiklάmətə*r* | -klɔ́-] *n.* **1** 원호 측정기 **2** 차륜 회전 기록기, 주행계

***cy·clone** [sáikloun] [Gk 「돌다」의 뜻에서] *n.* **1** 〚기상〛 (인도양 등의) 열대성 저기압, 사이클론; 《일반적으로》 온대성 저기압(⇨ storm 유의어) **2** 대폭풍[선풍]; (미) 큰 회오리바람(tornado) **3** (원심 분리식) 집진(集塵) 장치

cýclone cèllar (미) **1** 사이클론 대피호[지하실] **2** 안전 지대

cy·clon·ic [saiklάnik | -klɔ́-] *a.* **1** 사이클론의 **2** 격렬한, 강렬한 **-i·cal·ly** *ad.*

cy·clo·nite [sáiklənàit, sí-] *n.* Ⓤ 강력 고성능 폭약

Cy·clo·pe·an [sàikləpí:ən] *a.* **1** [종종 **C~**] Cyclops의[같은] **2** [때로 **c~**] 거대한 **3** [보통 **c~**] 〚건축〛 거석(巨石)으로 쌓는 **4** [**c~**] 〚병리〛 애꾸눈의

cy·clo·pe·di·a, -pae- [sàikləpí:diə] *n.* 백과사전(encyclopedia) **-pe·dic** *a.* **-pe·dist** *n.*

cy·clo·pen·ta·di·ene [sàikləpèntədái:in, sì-] *n.* 〚화학〛 사이클로펜타디엔 《C_5H_6; 살충제 제조에 쓰이는 무색의 액체 유기 화합물》

cy·clo·phos·pha·mide [sàikləfάsfəmàid | -fɔ́s-] *n.* 〚약학〛 시클로포스파미드 《임파선종·백혈병 치료제》

cy·clo·ple·gi·a [sàikləplí:dʒiə, sìklə-] *n.* 〚병리〛 모양근(毛樣筋) 마비, 안근(眼筋) 마비, 눈조절 마비
cỳ·clo·plé·gic *a., n.*

cy·clo-pousse [sì:kloupú:s] [F] *n.* (동남아시아의) 3륜 택시

cy·clo·pro·pane [sàiklouproúpein] *n.* Ⓤ 〚화학·약학〛 시클로프로판 《흡입 마취제》

Cy·clops [sáiklαps | -klɔps] *n.* (*pl.* **Cy·clo·pes** [saiklóupi:z]) **1** 〚그리스신화〛 키클롭스 《Sicily에 살았던 애꾸눈의 거인》 **2** [**c~**] 애꾸눈이 **3** [**c~**] 〚동물〛 물벼룩

cy·clo·ram·a [sàiklərǽmə | -rά:mə] *n.* **1** 원형 파노라마 **2** 〚연극〛 파노라마식 배경막 **-rám·ic** *a.*

cy·clo·sis [saiklóusis] *n.* (*pl.* **-ses** [-si:z]) Ⓤ 〚생물〛 (세포 안에서의) 원형질 환류(環流)

cy·clo·spo·rine [sàikləspɔ́:ri:n] *n.* 〚약학〛 시클로스포린 《거부 반응 방지제》

cy·clo·stome [sáikləstòum, sí-] *a., n.* 둥근 입을 가진, 원구류(圓口類)의 (물고기)

cy·clo·style [sáikləstàil] *n.* 톱니바퀴식 철필로 원지를 긁는 등사기 — *vt.* 사이클로스타일로 인쇄하다

cy·clo·thyme [sáikləθàim, sí-] *n.* 조울증 환자

cy·clo·thy·mi·a [sàikləθáimiə] *n.* Ⓤ 〚정신의학〛 순환 기질 《정서적 불안정의 상태》

cy·clot·o·my [saiklάtəmi | -klɔ́-] *n.* (*pl.* **-mies**) **1** 〚외과〛 모양체근(毛樣體筋) 절개 박리술 **2** 〚수학〛 원분(圓分) 《원 둘레를 등분하는 이론》 **cỳ·clo·tóm·ic** *a.*

cy·clo·tron [sáiklətrὰn | -trɔ̀n] *n.* 〚물리〛 사이클로트론 《원자 파괴를 위한 이온 가속 장치》

cy·der [sáidə*r*] *n.* (영) = CIDER

cy·e·sis [saií:sis] *n.* (*pl.* **-ses** [-si:z]) 임신

cyg·net [sígnit] *n.* 백조의 새끼, 어린 백조

Cyg·nus [sígnəs] *n.* **1** 〚조류〛 백조속(屬) **2** 〚천문〛 백조자리(the Swan)

CYK consider yourself kissed 《친숙한 사이의 편지에서 키스의 표시로서 씀》

cyl. cylinder; cylindrical

‡**cyl·in·der** [sílində*r*] [Gk 「구르다」의 뜻에서] *n.* **1** 원통(圓筒), 원주(圓柱); 〚수학〛 원기둥 **2** 〚기계〛 실린더, 기통(汽筒), (펌프의) 통 **3** (윤전기의) 회전통, 윤전기 **4** 봄베(Bombe), 온수[급탕] 탱크 **5** (회전식 권총의) 탄창 **6** 〚고고학〛 원통형의 석인(石印)[토기(土器)]; 〚컴퓨터〛 실린더 《자기(磁氣) 디스크 장치의 기억 장소의 단위》 ***function*** [***click, hit, operate***] ***on all*** [***four, six***] ***~s*** 〈엔진이〉 전력을 내고 있다; 쾌조이다 ***miss on all*** [***four***] ***~s*** 부조(不調)하다
— *vt.* 실린더를 달다; 실린더의 작용을 받게 하다
~·like *a.* ▷ cylíndrical *a.*

cýlinder blòck 〚자동차〛 실린더 블록 《내연 기관의 실린더를 포함한 금속제 기관의 본체》

cýlinder dèsk = ROLL-TOP DESK

cyl·in·dered [sílində*r*d] *a.* [보통 복합어를 이루어] …기통의, …에 실린더가 달린: a six-~ car 6기통차

cýlinder escàpement (시계의) 실린더 역회전 방지 장치

cýlinder hèad (내연 기관의) 실린더 헤드
cýlinder prèss 원압(圓壓) 인쇄기
cýlinder sàw = CROWN SAW
cýlinder sèal 〖고고학〗 원통인장
cy·lin·dri·cal [silíndrikəl], **-dric** [-drik] *a.* 원통(모양)의 **-dri·cal·ly** *ad.*
cylíndrical coórdinates 〖수학〗 원기둥 좌표
cyl·in·droid [síləndrɔ̀id] *n.* 〖기하〗 곡선주(柱), 타원 기둥 **—** *a.* 원기둥 모양의
cym- [saim], **cymo-** [sáimou, -mə] 《연결형》 「물결; 취산(聚繖) 꽃차례」의 뜻 《모음 앞에서는 cym-》
Cym. Cymric
cy·ma [sáimə] *n.* (*pl.* **-mae** [-mi:], **~s**) **1** 〖식물〗 = CYME **2** 〖건축〗 반곡(反曲); 반곡선
cy·mar [simɑ́:r] *n.* 여자용 윗옷 《품이 넉넉한》
cy·ma·ti·um [siméiʃiəm | -tiəm] [L] *n.* (*pl.* **-ti·a** [-ʃiə | -tiə]) 〖건축〗 반곡(反曲)
***cym·bal** [símbəl] *n.* [보통 *pl.*] 〖음악〗 심벌즈 《타악기》 **~·ist, ~·er** *n.* 심벌즈 연주자
cym·ba·lo [símbəlòu] *n.* (*pl.* **~s**) 〖음악〗 침발로 《dulcimer 비슷한 옛 현악기》
cym·ba·lom [símbələm, tʃím-] *n.* = CIMBALOM
cym·bid·i·um [simbídiəm] *n.* 〖식물〗 심비듐 《열대 아시아산(産)의 한란 무리》
cym·bi·form [símbəfɔ̀:rm] *a.* 〖동물·식물〗 보트 모양의
cyme [sáim] *n.* 〖식물〗 취산(聚繖) 꽃차례
cym·ling [símliŋ] *n.* 〖식물〗 = PATTYPAN SQUASH
cymo- [sáimou, -mə] 《연결형》 = CYM-
cy·mo·gene [sáimədʒi:n] *n.* Ⓤ 〖화학〗 시모겐 《석유 정제시 추출되는, 부탄이 주성분인 휘발유》
cy·mo·graph [sáiməgræ̀f | -grɑ̀:f] *n.* 《미》 = KYMOGRAPH
cy·moid [sáimɔid] *a.* 물결 모양의
cy·mo·phane [sáiməfèin] *n.* 〖광물〗 = CHRYSOBERYL
cy·mo·scope [sáiməskòup] *n.* 〖전기〗 검파기
cy·mose [sáimous, -ˊ], **-mous** [-məs] *a.* 〖식물〗 취산 꽃차례의; 취산상(狀)의
Cym·ric [kímrik] *a.* 웨일스의; 웨일스 사람[말]의 (Welsh) **—** *n.* Ⓤ 웨일스 말
Cym·ru [kímru:] *n.* 킴루 《Wales의 웨일스 어명》
Cym·ry [kímri] *n.* [the ~; 복수 취급] 웨일스 사람
***cyn·ic** [sínik] [Gk 「개 같은」의 뜻에서] *n.* **1** 비꼬는 사람, 빈정대는 사람 **2** [**C~**] 견유학파(犬儒學派)의 사람; [the C~s] 견유학파, 키니코스학파 《기원전 4세기경 그리스 철학의 하나》
— *a.* **1** 비꼬는(cynical) **2** [**C~**] 견유학파적인 **3** 〖천문〗 시리우스[천랑성]의
▷ cýnical *a.*
***cyn·i·cal** [sínikəl] *a.* **1** 빈정대는, 냉소적인(sneering) (*about*), 세상을 백안시하는 **2** [**C~**] 견유학파의 **~·ly** *ad.* **~·ness** *n.*
cyn·i·cism [sínəsìzm] *n.* Ⓤ **1** 냉소, 비꼬는 버릇; 비꼬는 말 **2** [**C~**] 견유(犬儒)주의, 냉소주의, 시니시즘 (cf. CYNIC *n.* 2)
cy·no·ceph·a·lus [sìnouséfələs, sài- | sài-] *n.* **1** 〖동물〗 비비(狒狒) **2** (전설상의) 개 머리를 한 사람
cy·no·sure [sáinəʃùər, sín- | -sjùə, -zjùə] *n.* **1** 《문어》 만인의 주목거리 (*of*) **2** 길잡이가 되는 것, 지침 **3** [the C~] 《폐어》 〖천문〗 작은곰자리(Ursa Minor); 북극성(Polaris)
Cyn·thi·a [sínθiə] *n.* **1** 〖그리스신화〗 킨티아 《달의 여신 Diana의 별명》 **2** 《시어》 달 **3** 여자 이름
CYO Catholic Youth Organization
cy·pher [sáifər] *n.*, *vi.*, *vt.* 《영》 = CIPHER
cy·pher·punk [sáifərpʌ̀ŋk] *n.* 〖컴퓨터〗 사이퍼펑크 《수신자만이 알 수 있는 암호로 정보를 보내는 사람[프로그래머]》
cy pres, cy·pres [sí:-préi] *n.*, *a.*, *ad.* 〖법〗 가급적 근사의 원칙(에 의한[의하여])
cy·press** [sáiprəs] *n.* **1** 〖식물〗 사이프러스 《편백나뭇과(科)의 상록 침엽수; 상(喪)·애도의 상징으로서 묘지에 심음》; 그 재목 **2** 《시어》 (죽음의 상징으로서의) 사이프러스의 가지 ***Japanese **~** 노송나무, 편백(扁柏)
cýpress vìne 〖식물〗 유홍초(留紅草) 《메꽃과의 덩굴식물》
Cyp·ri·an [sípriən] *a.* **1** 키프로스(Cyprus) 섬의; 키프로스 섬 사람[말]의 **2** 사랑의 여신 Venus의 **3** 음탕한 **—** *n.* **1** 키프로스 섬 사람(Cypriot) **2** Venus의 숭배자 **3** 음탕한 여자, 《특히》 매춘부
cyp·ri·nid [síprənid, sipráin-] *a.*, *n.* 〖어류〗 잉엇과(科)의 (물고기)
cy·prin·o·dont [siprínədɑ̀nt, sipráinə- | -dɔ̀nt] *a.*, *n.* 송사릿과(科)의 (물고기)
cyp·ri·noid [síprənɔ̀id, sipráinɔid] *a.*, *n.* 〖어류〗 잉어 비슷한 (물고기)
Cyp·ri·ot [sípriət], **-ote** [-òut, -ət | -òut] *a.* 키프로스 섬의; 키프로스 사람[말]의 **—** *n.* **1** 키프로스 섬 사람 **2** Ⓤ (그리스 어의) 키프로스 섬 사투리
cyp·ri·pe·di·um [sìprəpí:diəm] *n.* (*pl.* **-di·a** [-diə]) 〖식물〗 개불알꽃, 복주머니꽃
cy·pro·hep·ta·dine [sàiprouhéptədì:n] *n.* 〖약학〗 시프로헵타딘 《항(抗)히스타민제》
cy·prot·er·one [saiprɑ́təròun | -prɔ́-] *n.* 〖생화학〗 시프로테론 《웅성(雄性) 호르몬의 분비를 억제하는 합성 스테로이드》
Cy·prus [sáiprəs] *n.* 키프로스 《지중해 동부의 섬; 공화국; 수도 Nicosia》
Cyr·e·na·ic [sìrənéiik, sàirə-] *a.* **1** Cyrenaica의, Cyrene의 **2** 키레네학파의 《기원전 4세기경 Aristippus가 창시한 쾌락주의의》
— *n.* 키레네(학파) 사람; 쾌락주의자(hedonist)
Cyr·e·na·i·ca, Cir- [sìrənéiikə, sàirə-] *n.* 키레나이카 《고대 그리스의 식민지였던 북아프리카 리비아의 동부 지방》
Cy·re·ne [sairí:ni] *n.* **1** 키레네 《북아프리카 Cyrenaica 지방의 고대 그리스의 식민 도시》 **2** 〖그리스신화〗 키레네 《여자 사냥꾼》
Cyr·il [sírəl] *n.* 키릴로스 《그리스의 전도자; 9세기경 슬라브 말 표기용 키릴 자모를 발명》; 남자 이름
Cy·ril·lic [sirílik] *a.* 키릴 문자의[로 쓰인]
— *n.* Ⓤ [the ~] 키릴 알파벳(=~ alphabet)
Cyríllic álphabet [the ~] 키릴 알파벳
Cy·rus [sáirəs | sáiər-] *n.* **1** 키로스 2세(600?-529 B.C.) 《페르시아 제국 건설자》 **2** 남자 이름
Cys 〖생화학〗 cysteine
cyst [síst] *n.* **1** 〖동물·식물〗 포낭(包囊), 피낭(被囊) (bladder, sac) **2** 〖병리〗 낭종(囊腫), 낭포(囊胞)
cyst- [sist], **cysti-** [sísti], **cysto-** [sístou, -tə] 《연결형》 「담낭, 방광, 낭포」의 뜻 《모음 앞에서는 cyst-》
cys·tec·to·my [sistéktəmi] *n.* 〖외과〗 낭선종(囊腺腫) 절제술, 방광 절제술
cyst·ic [sístik] *a.* **1** 포낭이 있는 **2** 〖해부〗 방광의; 담낭(gallbladder)의
cys·ti·cer·coid [sìstəsə́:rkɔid] *n.* 〖동물〗 의낭미충(擬囊尾蟲)
cys·ti·cer·co·sis [sìstəsərkóusis] *n.* (*pl.* **-ses** [-si:z]) 〖병리〗 낭충증(囊蟲症) 《돼지·쇠고기의 촌충의 유충으로 인한 질병; 장에서 신체의 다른 부분으로 옮겨짐》
cys·ti·cer·cus [sìstəsə́:rkəs] *n.* (*pl.* **-ci** [-sai, -kai]) 〖동물〗 낭미충(囊尾蟲)
cýstic fibrósis 〖병리〗 낭포성 섬유증
cys·ti·form [sístəfɔ̀:rm] *a.* 낭포상(囊胞狀)의, 주머니 모양의
cys·tine [sísti:n, -tin] *n.* 〖생화학〗 시스틴 《함황(含黃) 아미노산의 일종》
cys·ti·no·sis [sìstənóusis] *n.* (*pl.* **-ses** [-si:z]) 〖의학〗 시스틴 (축적)증 《유전성 대사(代謝) 질환》
cỳs·ti·nót·ic *a.*

cys·ti·tis [sistáitis] *n.* Ⓤ 〔병리〕 방광염
cysto- [sístou, -tə] 《연결형》 =CYST-
cys·to·carp [sístəkὰːrp] *n.* 아포낭(芽胞囊)
cys·to·cele [sístəsìːl] *n.* Ⓤ 〔병리〕 방광 헤르니아
cys·tog·ra·phy [sistágrəfi | -tɔ́-] *n.* Ⓤ 〔의학〕 방광 (X선) 조영[촬영](법)
cyst·oid [sístɔid] *a.* 포낭(包囊) 모양의
cys·to·ma [sistóumə] *n.* (*pl.* **~s, ~·ta** [-tə]) 〔병리〕 낭종(囊腫) 《난소에 많이 발생》
cys·to·scope [sístəskòup] *n.* 〔의학〕 방광경(鏡) — *vt.* 〈환자를〉 방광경으로 조사하다
cys·tos·co·py [sistáskəpi | -tɔ́-] *n.* Ⓤ 〔의학〕 방광경 검사(법)
cys·tos·to·my [sistástəmi | -tɔ́s-] *n.* (*pl.* **-mies**) 〔외과〕 방광루(瘻) 형성술
cys·tot·o·my [sistátəmi | -tɔ́t-] *n.* (*pl.* **-mies**) ⓊⒸ 〔외과〕 방광 절개(술); 담낭 절개(술)
cyt- [sait], **cyto-** [sáitou, -tə] 《연결형》 「세포, 세포질」의 뜻 《모음 앞에서는 cyt-》
-cyte [sàit] 《연결형》 「세포, 세포질」의 뜻
Cyth·er·e·a [sìθəríːə] *n.* 〔그리스신화〕 키테레이아 《Aphrodite(=Venus)의 별명》
Cyth·er·e·an [sìθəríːən] *a.* **1** 사랑의 여신 Aphrodite(=Venus)의 **2** 금성(Venus)의 — *n.* **1** Aphrodite(=Venus)의 숭배자 《여자》 **2** 매춘부 《특히 인도의 사원 주위의》
cyto- [sáitou, -tə] 《연결형》 =CYT-
cy·to·chem·is·try [sàitəkémistri] *n.* Ⓤ 세포 화학
cy·to·chrome [sáitəkròum] *n.* Ⓤ 〔생화학〕 시토크롬 《세포의 산화 환원에 작용 하는 색소 단백질》
cýtochrome óxidase 〔생화학〕 시토크롬 산화 효소
cy·to·e·col·o·gy [sàitouikálədʒi | -kɔ́-] *n.* Ⓤ 세포 생태학 **-e·co·log·i·cal** [-ìːkəládʒikəl | -lɔ́-] *a.*
cy·to·gen·e·sis [sàitədʒénəsis], **cy·tog·e·ny** [saitádʒəni | -tɔ́-] *n.* Ⓤ 〔생물〕 세포 발생[분화]
cy·to·ge·net·ic, -i·cal [sàitoudʒinétik(əl)] *a.* 세포 유전학의 **-i·cist** *n.*
cy·to·ge·net·ics [sàitoudʒinétiks] *n. pl.* [단수 취급] 세포 유전학
cy·to·ki·ne·sis [sàitoukiníːsis, -kai-] *n.* Ⓤ 세포질 분열 《핵분열 다음에 일어나는》 **-ki·nét·ic** *a.*
cy·to·ki·nin [sàitəkáinin] *n.* Ⓤ 〔생화학〕 시토키닌 《식물 생장 호르몬》
cytol. cytological; cytology
cy·tol·o·gist [saitálədʒist | -tɔ́-] *n.* 세포학자
cy·tol·o·gy [saitálədʒi | -tɔ́-] *n.* Ⓤ 세포학
cy·to·log·i·cal [sàitəládʒikəl | -lɔ́-] *a.* **cỳ·to·lóg·i·cal·ly** *ad.*
cy·tol·y·sin [saitáləsin, sàitəláisin | saitɔ́li-] *n.* 〔생화학〕 세포 용해소
cy·tol·y·sis [saitáləsis | -tɔ́l-] *n.* Ⓤ 〔생리〕 세포 용해[붕괴] (반응) **cy·to·lyt·ic** [sàitəlítik] *a.*
cy·to·me·gal·ic [sàitoumigǽlik] *a.* 〔병리〕 거세포성(巨細胞性)의
cy·to·meg·a·lo·vi·rus [sàitoumègəlouváiərəs] *n.* 〔생물〕 사이토메갈로[거세포] 바이러스 《헤르페스 바이러스의 일종으로 조직의 변화를 초래》
cy·to·mem·brane [sàitouméмbrein] *n.* 〔생화학〕 세포막(cell membrane)
cy·tom·e·try [saitámətri | -tɔ́-] *n.* Ⓤ 〔의학〕 혈구(血球) 계산 **cỳ·to·mét·ric** *a.*
cy·to·mor·phol·o·gy [sàitoumɔːrfálədʒi | -fɔ́-] *n.* Ⓤ 〔생리〕 세포 형태학
cy·to·path·ic [sàitəpǽθik] *a.* 〔병리〕 세포 변성(變性)의
cy·to·path·o·gen·ic [sàitoupæ̀θədʒénik] *a.* 〔의학〕 세포 병원성의 **-ge·nic·i·ty** [-dʒinísəti] *n.*
cy·to·pa·thol·o·gy [sàitoupəθálədʒi | -θɔ́-] *n.* Ⓤ 〔병리〕 세포 병리학
cy·to·pe·ni·a [sàitəpíːniə] *n.* Ⓤ 〔병리〕 혈구 감소(증)
cy·to·phys·i·ol·o·gy [saitəfìziálədʒi | -ɔ́lə-] *n.* Ⓤ 세포 생리학
cy·to·plasm [sáitəplæ̀zm] *n.* Ⓤ 〔생물〕 세포질
cy·to·plas·mic [sàitəplǽzmik] *a.*
cy·to·plast [sáitəplæ̀st] *n.* 〔생물〕 세포질체
cy·to·sine [sáitəsìːn, -zìːn, -sin] *n.* Ⓤ 〔생화학〕 시토신 《핵산(DNA, RNA)의 중요 성분》
cy·to·skel·e·ton [sàitəskélitən] *n.* 〔생물〕 세포 골격 **cỳ·to·skél·e·tal** *a.*
cy·to·sol [sáitəsɔ̀ːl, -sàl | -sɔ̀l] *n.* 〔생물〕 시토졸 《세포질의 액상(液狀) 부분》
cy·to·some [sáitəsòum] *n.* 〔생물〕 세포질체(體), 세포 원형질
cy·to·stat·ic [sàitəstǽtik] *a.* 세포 분열[증식]을 억제하는 — *n.* 세포 증식[분열] 억제제(劑) 《암 치료》 **-i·cal·ly** *ad.*
cy·to·tax·on·o·my [sàitoutæksánəmi | -sɔ́n-] *n.* Ⓤ 세포 분류학
cy·to·tech [sàitəték] *n.* =CYTOTECHNOLOGIST
cy·to·tech·nol·o·gist [sàitouteknálədʒist | -nɔ́-] *n.* 〔의학〕 세포 검사 기사
cy·to·tech·nol·o·gy [sàitouteknálədʒi | -nɔ́-] *n.* Ⓤ 〔의학〕 세포 검사(술) **-no·lóg·ic** *a.*
cy·to·tox·ic·i·ty [sàitoutaksísəti | -tɔk-] *n.* Ⓤ (세포 독소에 의한) 세포 독성
cy·to·tox·in [sàitətáksin | -tɔ́k-] *n.* 〔면역〕 세포 독소 《혈액으로 운반되어 특정한 기관에서만 작용하여 그 세포를 해치는 물질》
cy·tot·ro·pism [saitátrəpìzm | -tɔ́t-] *n.* Ⓤ 〔생물〕 **1** 향세포성 **2** 세포 친화성
CZ Canal Zone
czar [záːr, tsáːr] [Russ. =Caesar] *n.* **1** 황제, 군주 **2** [**C~**] 제정 러시아의 황제 **3** [종종 **C~**] 전제 군주(autocrat), 독재자; 권력자, 지도자
~·dom [-dəm] *n.* Ⓤ Czar의 영토[지위, 권력]
czar·das, csar- [tʃáːrdaːʃ | -dæʃ] [Hung.] *n.* (*pl.* ~) 차르다시 《헝가리의 민속 음악》
czar·e·vitch, -wich [záːrəvìtʃ, tsáːr-] [Hung.] *n.* 제정 러시아의 황태자
cza·rev·na [zaːrévnə, tsaː-] *n.* 제정 러시아의 황녀(皇女)[황태자비(皇太子妃)]
cza·ri·na [zaːríːnə, tsaː-], **-rit·za** [-rítsə] *n.* (제정 러시아의) 황후
czar·ism [záːrizm, tsáːr-] *n.* Ⓤ 전제[독재] 정치; (러시아의) 제정(帝政) **czár·ist** *a., n.*
∗**Czech** [tʃék] *n.* **1** 체코 사람 《주로 Bohemia와 Moravia에 사는 슬라브 족의 사람》 **2** 《흔히》 체코슬로바키아 사람; Ⓤ 체코 말
— *a.* 체코의; 체코 사람[말]의 **~·ish** *a.*
▷ Czechoslovákia *n.*
Czech. Czechoslovak; Czechoslovakia(n)
Czech·o·slo·vak [tʃékəslóuvæk, -vaːk | -væk] *n.* 체코슬로바키아 사람 — *a.* 체코슬로바키아(사람)의
Czech·o·slo·va·ki·a [tʃèkəsləváːkiə, -vǽk- | -vǽk-] *n.* 체코슬로바키아 《유럽 중부의 구 공화국; 체코와 슬로바키아로 분리(1993)》
▷ Czéch, Czechoslóvak *a.*
Czech·o·slo·va·ki·an [tʃèkəslouváːkiən, -vǽk- | -vǽk-] *a., n.* =CZECHOSLOVAK
Czéch Repúblic [the ~] 체코 공화국 《유럽 중부에 위치하며 구체코슬로바키아의 서부 지방(보헤미아, 모라비아, 시실리아)을 포함; 수도 Prague》
Czer·ny [tʃέərni | tʃə́ːni] *n.* 체르니 **Carl ~** (1791-1857) 《오스트리아의 피아니스트 겸 작곡가》

D d

d, D [díː] *n.* (*pl.* **d's, ds, D's, Ds** [-z]) **1** 영어 알파벳의 넷째 자: *D* for David David의 D 《국제 전화 통화 용어》 **2** D자 모양(의 것): a *D*-trap D형 방취판(防臭瓣) **3** 〖수학〗 넷째의 기지수(cf. A, B, C; X, Y, Z); 제4의 물건[사람]: vitamin *D* 비타민 D **4** (5단계 평가에서) 가(可), D 《최하위 합격 성적》: He barely passed English with a *D.* 그는 영어를 D로 겨우 합격했다. **5** 〖음악〗 라음, 라조 **6** (로마 숫자의) 500: C*D* =400 **7** 〖컴퓨터〗 (16진수의) D 《10진법에서 13》 **8** (미·속어) LSD; 추문(dirt); 형사(dick, detective) **9** (신발의) D사이즈 **10** 견습공 **11** (영) 국익 차원의 언론 통제 **12** 〖심리〗 D급[가장 가벼운] 수면

D deep; density; depth; deuterium; diameter; diopter **d.** date; daughter; day; deceased; degree; delete; *denarii* 《L =pence》; *denarius* 《L =penny》; depart(s); diameter; died; dime; dividend; dollar(s); doses; drachma **D.** December; Democrat(ic); *Deus* 《L =God》; Doctor; Don; Duchess; Duke; Dutch

d– [díː, dǽm] ⇨ damn *vt.*

-d *suf.* =-ED

d'[1] [d] *v.* do의 단축형

d'[2] *prep.* 프랑스[이탈리아]인 이름 앞에 붙는 de[di]의 단축형: Louis *d'*Albert

'd [d] *v.* **1** had, would, should의 단축형: I'*d* [aid] =I had[would, should] **2** [where, what, when 등 의문사 뒤에서] did의 단축형: When'*d* he start? =When did he start? 그는 언제 출발했니?

d° ⇨ do

da [dáː] *n.* (속어) =DAD[1]

da [dáː] [Russ.] *ad.* 예(yes)(opp. *nyet*)

DA Defence Act; delayed action (bomb); (알제리) dinar(s); District Attorney (미) 지방 검사; Doctor of Arts; drug addict; duck's arse **D/A** deposit account; digital-to-analog; documents against[for] acceptance

dab[1] [dǽb] *v.* (**~bed**; **~·bing**) *vt.* **1** 가볍게 두드리다 《*with*》; 〈새 등이〉 가볍게 쪼다; 두드려 붙이다; 살짝 누르다: (~+목+전+명) ~ one's eyes *with* a handkerchief 눈에 손수건을 살짝 갖다 대다 **2** 살살 칠하다, 가볍게 문지르다 《*on, onto, over*》 **3** 〈로프 등을〉 던지다 **4** 지문을 찍다 **—** *vi.* 가볍게 두드리다[스치다, 대다]: (~+전+명) ~ *at* one's face with a puff 분첩으로 얼굴을 두드리다 **~ off** 〈먼지 등을〉 톡톡 털다 **~ out** 〈양말 등을〉 손빨래하다

— *n.* **1** 가볍게 두드림; (페인트·고약 등을) 칠하기[붙이기]; 천공(穿孔)[타인(打印)]기(機) **2** (구어) 소량: a ~ of peas 한 줌의 완두콩 **3** (영·속어) 지문

dab[2] (영·구어) *n.* 명인(名人), 명수(=~ hand) 《*at*》 **—** *a.* 숙련된

dab[3] *n.* (*pl.* **~, ~s**) 〖어류〗 작은가자미(flatfish)

DAB Dictionary of American Biography

dab·ber [dǽbər] *n.* 가볍게 두드리는 사람[것]; (물감·구두약 등을) 칠하는 사람; 칠하는 솔(pad); 〖인쇄〗 잉크솔

***dab·ble** [dǽbl] *vt.* **1** 〈물 등을〉 튀기다; 튀겨서 적시다: (~+목+전+명) boots ~*d with* mud 흙탕이 튀어서 묻은 구두 **2** 가볍게 헹구다

— *vi.* **1** 물을 튀기다, 물장난을 하다: (~+전+명) ~ *in* water 물장난치다 **2** 취미[장난] 삼아 해보다 《*in, at, with*》: (~+전+명) ~ *at* painting 취미 삼아 그림을 그리다

dab·bler [dǽblər] *n.* 물장난하는 사람; (일을) 취미[장난] 삼아 하는 사람, 애호가(dilettante)

dab·chick [dǽbtʃìk] *n.* **1** 〖조류〗 농병아리 **2** 작은 요트

dáb hànd (영·구어) =DAB[2]

dab·ster [dǽbstər] *n.* **1** (방언) =DAB[2] **2** (미·구어) 일을 취미[장난] 삼아 하는 사람, 애호가(dabbler)

DAC Development Assistance Committee 개발 원조 위원회 《OECD의 하부 기관》; digital-to-analog converter

da ca·po [dɑː-káːpou] [It. =(repeat) from the head] 〖음악〗 *ad.* 처음부터 (반복하라), 다카포 《略 DC》 **—** *a.* Ⓐ 다카포의

Dac·ca [dǽkə] *n.* =DHAKA

dace [déis] *n.* (*pl.* **~, ~s**) 〖어류〗 황어

da·cha [dáːtʃə] [Russ.] *n.* (러시아의) 시골 별장

dachs·hund [dáːkshùnt | dǽkshùnd] [G =badger dog] *n.* 닥스훈트 《사냥용 개》

da·coit [dəkɔ́it] *n.* (인도·미얀마의) 강도(단)

da·coit·y [dəkɔ́iti] *n.* (dacoit의) 약탈

D/A convérter [*d*igital-to-*a*nalog] 〖전자〗 DA 변환기

Da·cron [déikrɑn, dǽk- | -rɔn] *n.* 데이크론 《셔츠·옷감 등의 합성 섬유의 일종; 상표명》; [*pl.*] 그것으로 만든 셔츠[옷 《등》]

dac·tyl [dǽktil] *n.* 〖시학〗 **1** (고전시의) 장단단격(長短短格) 《—◡◡》 **2** (영시의) 강약약격 《´××》

dac·tyl·ic [dæktílik] *a., n.* dactyl의 (시구)

dactyl(o)- [dǽktəl(ou)] 《연결형》 「손가락; 발가락」의 뜻 《모음 앞에서는 dactyl-》

dac·tyl·o·gram [dæktíləgræ̀m] *n.* 지문(指紋)(fingerprint)

dac·ty·log·ra·phy [dæ̀ktəlágrəfi | -lɔ́g-] *n.* Ⓤ 지문학(指紋學); 지문법(法)

dac·ty·lol·o·gy [dæ̀ktəlálədʒi | -lɔ́l-] *n.* Ⓤ 지화술(指話術)[법]

⁑dad[1] [dǽd] *n.* (구어·소아어) 아빠(daddy) 《papa보다 흔히 쓰는 말》(cf. mom, mum); 아저씨 《낯선 사람에게》

dad[2] *int.* [종종 **D~**] (구어) =GOD 《대개 가벼운 저주의 말》

DAD digital audio disc

dad·a [dǽdə, dədáː] *n.* (소아어) =DAD[1]

da·da(·ism) [dáːdɑː(ìzm)] *n.* Ⓤ [종종 **D~**] 다다이즘 《문학·미술상의 허무주의》 **dà·da·ís·tic** *a.*

da·da·ist [dáːdɑːist] *n.* [종종 **D~**] 허무주의적 예술가, 다다이스트 **—** *a.* 다다이스트의

dad·dy** [dǽdi] *n.* (*pl.* **-dies**) **1** (구어) 아버지 《dad보다 더 친밀감을 가진 말》(cf. MUMMY); (미·속어) 최연장자, 가장 중요한 인물 **2** =SUGAR DADDY ***the [***a***] **~ *of*** ⇨ the FATHER (and mother) of

dad·dy-long·legs [-lɔ́ːŋlègz | -lɔ́ŋ-] *n.* [단수·복수 취급] **1** 〖곤충〗 소경거미 《harvestman의 속칭》; 꾸정모기 《crane fly의 속칭》 **2** (익살) 키다리

Dad·dy-o [dǽdiòu] *n.* [종종 **d~**] (미·속어) 아저씨 《남자 일반에 대한 친근한 호칭》

da·do [déidou] *n.* (*pl.* **~(e)s**) 〖건축〗 징두리 판벽; 기둥 밑동 《둥근 기둥 하부의 네모진 곳》 **—** *vt.* …에 징두리 판벽을 붙이다; 〈판자 등에〉 홈을 파다

da·do'd [déidoud] *a.* 징두리 판벽[기둥 밑동]을 댄

dádo ràil 〖건축〗 징두리 테 《벽을 위아래로 분리시키기 위해 돋우어 올린 테》

D

dad·rock [dǽdrὰk | -rɔ̀k] *n.* 나이 든 록스타[그룹]가 공연하는 음악
DAE Dictionary of American English
dae·dal [dí:dl] *a.* 《주로 시어》 **1** 교묘한 **2** 복잡한 **3** 변화무쌍한, 갖가지의(varied)
Dae·da·lian, -lean [di:déiljən, -liən] *a.* Daedalus의 솜씨 같은, 복잡한
Dae·da·lus [dédələs | dí:d-] *n.* 〖그리스신화〗 다이달로스 《Crete의 미궁을 만든 Athens의 장인》
dae·mon [dí:mən] *n.* = DEMON
dae·mon·ic [dimάnik | -mɔ́n-] *a.* = DEMONIC
daff[1] [dǽf | dά:f] *vt.* **1** 《고어》 옆으로 밀어젖히다 (thrust aside) **2** 《폐어》 (변명 등을 해서) 교묘히 피하다; 질질 끌다
daff[2] [dǽf] *n.* 《구어》 = DAFFODIL
daf·fa·down·dil·ly, -fo- [dǽfədàundíli] *n.* (*pl.* **-lies**) 《방언·시어》 = DAFFODIL
‡**daf·fo·dil** [dǽfədìl] *n.* **1** 〖식물〗 수선화; 그 꽃 《Wales의 상징》(cf. NARCISSUS); Ⓤ 담황색 **2** 《미·속어》 여성적인 남자
daf·fy [dǽfi] *a.* (**-fi·er**; **-fi·est**) 《구어》 어리석은; 미친(crazy) **dáf·fi·ly** *ad.* **dáf·fi·ness** *n.*
daft [dǽft | dά:ft] *a.* 《영·구어》 어리석은, 얼간이의 (silly); 미친; 열광적인 **~·ly** *ad.* **~·ness** *n.*
dag [dǽg] *n.* **1** (옷 등의) 가리비·나뭇잎 무늬의 가두리 장식 **2** 《호주·구어》 별난 사람
dag decagram(s)
Da·ge·stan [dὰ:gəstά:n, dæ̀gəstǽn] *n.* 다게스탄 《카스피해에 면한 러시아 연방 자치 공화국》
dag·ga [dǽgə] *n.* 《남아공》 대마(hemp); 대마초 (cannabis)
dagged [dǽgd] *a.* 《미·속어》 술 취한(drunk)
‡**dag·ger** [dǽgər] *n.* **1** 단도, 단검, 비수 《암살의 상징》; 〖인쇄〗 칼표(obelisk) 《†》: double ~ 이중 칼표 《‡》 **2** 적의(敵意)(hostility) **3** 《미·속어》 남자역의 여자 동성연애자 ***at ~s drawn*** [***drawing***] 서로 노려보고[반목하여] 《*with*》 ***look ~s at*** …을 노려보다 ***speak ~s to*** …에게 독설을 퍼붓다
— *vt.* …에 칼표를 매기다; 단검으로 찌르다
dag·ger·board [dǽgərbɔ̀:rd] *n.* 〖항해〗 (요트의) 소형 수하 용골(垂下龍骨)(cf. CENTERBOARD)
dag·gy [dǽgi] *a.* (**-gi·er, -gi·est**) 《호주》 **1** 더러운; 〈머리가〉 헝클러진, 〈옷차림 등이〉 단정치 못한 **2** 관습을 따르지 않는
da·go, D- [déigou] *n.* (*pl.* **~(e)s**) 《구어·경멸》 스페인[포르투갈, 이탈리아](계) 사람
da·go·ba [dά:gəbə] *n.* 〖불교〗 사리탑; 솔도파
Dágo réd 《미·속어》 싸구려 적포도주 《이탈리아산》
da·guerre·o·type [dəgɛ́ərətàip, -riə- | -gérou-] [프랑스의 사진술 발명가의 이름에서] *n.*, *vt.* (옛날의) 은판(銀板) 사진(으로 찍다)
Dág·wood (sàndwich) [dǽgwud-] [미국의 신문 만화 *Blondie*에 나오는 남편; 그가 만드는 샌드위치의 이름] [종종 **d~**] 《미》 초대형 샌드위치
dah [dά:] *n.* 모스 부호의 장음(dash)(cf. DIT)
da·ha·be·ah, -bee·yah, -bi·ah [dὰ:həbí:ə] *n.* 나일 강의 여객용 범선(帆船) 《지금은 증기선》
dahl·ia** [dǽljə, dά:l- | déil-] [스웨덴의 식물학자 이름에서] *n.* 〖식물〗 달리아, 천축모란; Ⓤ 달리아빛 《진한 자주색》 ***blue ~ 좀처럼 없는 것
— *a.* 달리아빛의, (진한) 자주색의
dai·kon [dáikɑn] [Jap.] *n.* ⓊⒸ (아시아 요리에 쓰이는) 무
Dail (Eir·eann) [dɔ̀il(-ɛ́ərɔ:n, -rɑn) | dâil (-ɛ́ərən)] [the ~] 《아일》 아일랜드 공화국의 하원
‡**dai·ly** [déili] *a.* Ⓐ **1** 매일의, 나날의; 일간의 〈신문〉; 일상의: a ~ (news)paper 일간 신문 / one's ~ life 일상 생활 **2** 매일 계산하는, 일당의, 일부(日賦)의: a ~ wage 일급, 일당
— *ad.* 매일, 날마다(every day); 끊임없이
— *n.* (*pl.* **-lies**) **1** 일간 신문 **2** 《영·구어》 통근하는 하녀, 파출부(= ~ help) **3** [*pl.*] = RUSH[1] *n.* 7
dái·li·ness *n.* Ⓤ 일상성; 일상적인 규칙성[일률성, 단조로움] ▷ dáy *n.*
dáily bréad [보통 one's ~] 생계, 나날의 양식
dai·ly-bread·er [déilibrédər] *n.* 《영》 임금 생활자, 근로자; 통근자(commuter)
dáily dóuble (경마에서) 복승식(複勝式); 《미·속어》 2연승, 두 번 계속된 성공
dáily dózen 《구어》 (건강을 위해) 매일 하는 체조 (workout) 《원래 12종류로 이루어져 있었음》; 일과로 하는 임무[업무]
dáily grínd 《구어》 판에 박힌 매일의 지루한 일
dáily hélp 통근하는 하녀, 파출부 《daily maid [girl, woman]라고도 함》
dáily instállment 일부(日賦), 일수(日收)
dáily néeds 일용품
Daim·ler [dáimlər] *n.* 다임러 《독일제 고급 자동차; 상표명》
Daim·ler·Chrys·ler [-kráislər] *n.* 다임러크라이슬러 《1998년 독일의 Daimler-Benz사와 미국의 Chrysler사가 합병한 거대 자동차 메이커》
dai·mon [dáimoun] *n.* = DEMON
dain·ti·ly [déintili] *ad.* 우아하게; 섬세하게; 맛있게; 까다롭게; 가려서: eat[fare] ~ 음식을 가려 먹다
dain·ti·ness [déintinis] *n.* Ⓤ 우미(優美)함; 맛이 좋음; 까다로움; 호사를 좋아함, (음식을) 가림
‡**dain·ty** [déinti] [L 「품위」의 뜻에서] *a.* (**-ti·er**; **-ti·est**) **1** 섬약한, 섬세한, 우아한, 가냘픈 《delicate 보다 문어적인 말》: ~ hands 섬섬옥수 **2** 《문어》 맛 좋은: ~ bits 맛있는 것, 진미 **3** 까다로운; 《문어》 음식을 가리는 《*about*》 ***be born with a ~ tooth*** 미식가로 태어나다, 천성이 입이 까다롭다
— *n.* (*pl.* **-ties**) 맛있는 것, 진미(珍味)
dai·qui·ri [dáikəri, dǽkə-] [쿠바 섬의 럼주(酒) 생산지 이름에서] *n.* 다이키리 《럼주·라임 주스·설탕·얼음을 섞은 칵테일》
‡**dair·y** [dɛ́əri] [OE 「빵을 굽는 사람」의 뜻에서] *n.* (*pl.* **dair·ies**) **1** (농장 안의) 착유장(搾乳場); 버터·치즈 제조장 **2** 우유·버터 판매점 **3** 유제품 제조업, 낙농업 **4** [집합적] 젖소 **5** 유제품
— *a.* Ⓐ 우유의, 유제품의
dáiry càttle [집합적] 젖소(cf. BEEF CATTLE)
dáiry[bútter] compàrtment (냉장고의) 유제품 보관 칸막이
dáiry crèam (합성한 것이 아닌) 낙농장제(製) 유지방, 생크림
dáiry fàrm 낙농장
dáiry fàrmer 낙농가
dáiry fàrming 낙농업
dair·y-free [dɛ́ərifrí:] *a.* 〈식품이〉 유제품이 함유되지 않은
dair·y·ing [dɛ́əriiŋ] *n.* Ⓤ 낙농업
dair·y·land [dɛ́ərilæ̀nd] *n.* (미국의) 낙농 지대 《Wisconsin, Minnesota 등》
dair·y·maid [dɛ́ərimèid] *n.* = DAIRYWOMAN 1
dair·y·man [-mən] *n.* (*pl.* **-men** [-mən]) 낙농장 일꾼; 낙농장 주인; 우유 장수
dáiry pròducts 낙농 제품, 유제품
dair·y·wom·an [-wùmən] *n.* **1** 낙농장에서 일하는 여자 **2** 유제품을 파는 여자
da·is [déiis, dáiis] *n.* [보통 *sing.*] (홀·식당의) 상단, 높은 자리; (강당의) 연단(platform)
dai·sied [déizid] *a.* 《시어》 데이지가 피어 있는
‡**dai·sy** [déizi] [OE의 「day's eye(태양)」의 뜻에서] *n.* (*pl.* **-sies**) **1** 〖식물〗 데이지(《미》 English ~) 《태양 숭배의 상징》 **2** 《속어》 일품(逸品), 아주 좋은 물건[사람] **3** Ⓤ 《미》 돼지 어깨살의 훈제 햄(= ~ hàm)

thesaurus **dainty** *a.* delicate, petite, neat, exquisite, refined, fine, elegant, graceful, pretty
damage *n.* **1** 손상 harm, injury, hurt, impair-

4 [D~] 여자 이름 5 겁 많은 남자 6 남자 동성애자
(*as*) ***fresh as a*** **~** 원기 왕성하여, 발랄하여 ***count the daisies*** 죽다 ***push up daisies*** ((속어)) 죽다(die); 죽어 파묻히다 ***under the daisies*** ((속어)) 죽어서 매장되어
— *a.* 훌륭한, 아주 좋은
— *ad.* ((미·속어)) 굉장히
dáisy chàin 1 ((영)) 데이지 화환 2 (사건·단계 등의) 연쇄 3 〖컴퓨터〗 데이지 체인 ((컴퓨터와 주변 기기를 직렬로 이어 전송(轉送)하기))
dais·y-chain [-tʃèin] *vt.* 〈기기를〉 데이지 체인 방식으로 연결하다
dáisy cùtter 1 (구보 때) 발을 조금밖에 들지 않는 말 2 (야구·크리켓·테니스 등에서의) 땅을 스치듯 날아가는 공 3 (군대속어) (살상용) 파편 폭탄
Dáisy Stàte [the ~] 미국 North Carolina 주의 별명
dáisy whèel 데이지 휠 ((전동 타자기·컴퓨터 프린터의 데이지꽃 모양의 원반형 활자 부위; 고속으로 조용히 타자가 됨))
dak [dɔ́:k, dɑ́:k | dɑ́:k] *n.* ((인도)) (사람·말에 의한) 역전(驛傳) 수송 (우편물)
Dak. Dakota
Da·kar [dəkɑ́:r, dɑ:-] *n.* 다카르 ((Senegal의 수도))
dák búngalow ((인도)) (역전의) 여인숙
Da·ko·ta [dəkóutə] *n.* 1 다코타 ((미국 중부의 지방; North Dakota, South Dakota 주로 나뉨; 略 Dak.)); [the ~s] 남북 양(兩) 다코타 주 2 (*pl.* ~, ~s) 다코타 족 ((아메리칸 인디언의 한 종족)) 3 다코타 말 ((語))
Da·kó·tan *a., n.* 다코타 주의 (사람)
dal [dɑ́:l] *n.* = DHAL
dal decaliter(s) **DAL** data access language
dal·a·dal·a [dǽlədælə] *n.* (탄자니아에서) 택시로 이용되는 소형 버스
Da·lai La·ma [dɑ́:lai-lɑ́:mə] 달라이 라마 1 티벳 라마교의 최고 성직자[지도자] 2 14대 달라이 라마 ((노벨 평화상 수상(1989)))
da·la·si [dɑ:lɑ́:si] *n.* (*pl.* ~, ~s) 달라시 ((Gambia의 화폐 단위; = 100 bututs; 기호 D))
*__dale__ [déil] *n.* ((시어·북잉글)) (구릉 지대 등에 있는 넓은) 골짜기(valley)
Da·lek [dɑ́:lek] *n.* ((영)) 달렉 ((BBC의 TV 프로에 나오는 로봇; 귀에 거슬리는 단조로운 소리로 말함))
dales·man [déilzmən] *n.* (*pl.* **-men** [-mən]) (잉글랜드 북부의) 골짜기에 사는 사람
Da·leth [dɑ́:leθ] *n.* 히브리어 알파벳의 네 번째 글자
Da·li [dɑ́:li] *n.* 달리 **Salvador ~** (1904-89) ((스페인의 초현실주의 화가))
Da·lian [dɑ̀:ljɑ́:n] *n.* 다롄(大連) ((랴오둥(遼東) 반도 남단의 상업항))
da·lit [dɑ́lit] *n.* ((인도)) 불가촉천민(不可觸賤民), 달리트 ((전통적인 카스트 제도에서의 최하층민))
Dal·las [dǽləs] *n.* 댈러스 ((미국 Texas 주 북동부의 도시; J. F. Kennedy가 암살된 곳))
dalles [dǽlz] *n. pl.* (협곡의) 급류(dells)
dal·li·ance [dǽliəns, -ljəns] *n.* ⓊⒸ ((시어)) 희롱, 장난; (남녀의) 희롱거림
dal·ly[1] [dǽli] *v.* (**-lied**) *vi.* 1 희롱하다, 갖고 놀다(toy) ((*with*)); 장난치다, 남녀가 희롱하다 ((*with*)): ((~+전+명)) ~ *with* one's glass 유리컵을 갖고 놀다 / ~ *with* a girl 여자와 희롱거리다 2 빈둥빈둥 지내다; 우물쭈물하다 ((*about, over*)): ((~+전+명)) ~ *over* one's work 시간만 걸리고 일이 진척되지 않다
— *vt.* 〈시간 등을〉 낭비하다, 헛되이 하다(waste) ((*away*)): ((~+목+부)) ~ *away* the time[a chance] 시간을 낭비하다[기회를 헛되이 놓치다]
dál·li·er *n.* **~·ing·ly** *ad.* ▷ dálliance *n.*

ment, abuse, defilement, detriment, destruction, ruin, devastation, loss, suffering 2 비용 cost, expense, charge, bill, account, total

dally[2] *vt.* 〈밧줄을〉 감다
dálly mòney ((미·속어)) 위자료
Dal·ma·tia [dælméiʃə] *n.* 달마티아 ((크로아티아의 아드리아 해 연안 지방))
Dal·ma·tian [dælméiʃən] *n.* 1 달마티아 사람 2 달마티아 개(= ≒ **dóg**)
— *a.* 달마티아(사람)의

Dalmatian 2

dal·mat·ic [dælmǽtik] *n.* 〖가톨릭〗 달마티카 ((제의(祭衣)의 일종)); (국왕의) 대관식복
dal se·gno [dɑ:l-séinjou] [It.] *ad.* 〖음악〗 𝄋표부터 되풀이하여 ((略 D.S.))
dal·ton [dɔ́:ltn] *n.* 〖물리〗 돌턴 ((원자 질량의 단위))
Dal·ton [dɔ́:ltn] *n.* 돌턴 **John ~** (1766-1844) ((영국의 화학자·물리학자))
dal·ton·ism [dɔ́:ltənìzm] [발견자인 J. Dalton에서] *n.* [또는 D~] Ⓤ (선천성) 적록(赤綠) 색맹; ((일반적으로)) 색맹
Dálton Plàn[Sỳstem] 돌턴식 교육법 ((미국 Massachusetts의 돌턴 시에서 시도; 할당된 과제를 학생이 자발적으로 학습함))
Dálton's atómic théory 돌턴의 원자설 ((근대 원자 이론의 기초))
‡**dam**[1] [dǽm] *n.* 1 댐, 둑; (둑으로) 막아놓은 물 2 (비유) 장애물 3 〖치과〗 고무막 ((치료 중 침이 흐르는 것을 막음))(= **rúbber ~**)
— *vt.* (**~med**; **~·ming**) …에 댐을 만들다 ((*up*)); 둑으로 막다 ((*up, out, off*)); 막다(block), 〈감정 등을〉 억누르다 ((*in, back, up*)): ((~+목+부)) ~ *up* a stream 개울을 둑으로 막다 / ~ *back* one's tears 울음을 참다 / ~ one's feelings *up* 감정을 조절하다
dam[2] *n.* (가축의) 어미 짐승(cf. SIRE)
dam[3] *a., ad.* = DAMNED
dam decameter **DAM** direct access memory; direct access method; domain analysis and modeling
‡**dam·age** [dǽmidʒ] [L 「해, 손상」의 뜻에서] *n.* 1 Ⓤ 손해, 손상, 피해 ((★ damage는 남에게서 받은 손해, loss는 잃음으로써 입은 손해)): flood ~ 홍수 피해 / do[cause] ~ to …에 손해를 끼치다 2 [the ~] ((속어)) 비용, 대가(cost) ((*for*)); [*pl.*] ((속어)) (식당의) 청구서: What's *the* ~? 비용이 얼마요? ((식당 등에서 「계산은 얼마요?」하는 것을 익살스럽게 하는 말)) 3 [*pl.*] 〖법〗 손해액, 배상금: claim ~*s* 손해 배상을 요구하다
— *vt.* 1 손해[피해]를 입히다, 못쓰게 만들다(⇨ injure 유의어) 2 〈명예를〉 손상시키다
— *vi.* 다치다, 아픔을 느끼다
~·a·ble *a.* **dám·ag·er** *n.*
dámage contròl ((군사)) (응급) 피해 대책; ((일반적으로)) 수습책, (피해의) 억제: ~ party 피해 대책반
dam·aged [dǽmidʒd] *a.* 1 손해[피해]를 입은; 하자가 생긴 2 ((속어)) 취한 **~ *goods*** 하자품; ((속어)) 처녀가 아닌 여자
dámage limitàtion (사고 발생시의) 피해를 최소화하기
dam·ag·ing [dǽmidʒiŋ] *a.* 손해를 끼치는, 해로운; (법적으로) 불리한 〈진술 등〉 **~·ly** *ad.*
dam·a·scene [dǽməsì:n, ⌐-⌐] *a.* Damask의; 〈칼 등이〉 물결 무늬가 있는 — *vt.* 〈금속에〉 금·은을 상감(象嵌)하다; 〈칼날에〉 물결 무늬를 띠게 하다; 다마스크 천 모양의 꽃무늬를 놓다
— *n.* (강철 등의) 문채(文彩), 물결 무늬
Dam·a·scene [dǽməsì:n, ⌐-⌐] *a., n.* Damascus의 (사람)
Da·mas·cus [dəmǽskəs] *n.* 다마스쿠스 ((시리아의 수도)) ***the road to*** **~** 회개의 길 ((Paul이 다마스쿠스로 향하는 길에서 회개하였다고 함))

Damáscus stéel 다마스크 강철《도검용》
dam·ask [dǽməsk] *n.* Ⓤ, *a.* **1** 다마스크 천(의), 문직(紋織)(의) **2** (무늬를 띤) 다마스크 강철(의) **3** 《시어》 장미색(의), 담홍색(의)
— *vt.* **1** 문직으로 하다 **2** 정교한 무늬를 나타내다
dam·as·keen [dǽməskì:n, ⌐—⌐] *vt.* = DAMASCENE
dámask róse 담홍색 장미의 일종; 담홍색
dámask stéel = DAMASCUS STEEL
Da·mas·tes *n.* [dəmǽsti:z] = PROCRUSTES
*__dame__ [déim] [L 「여인」의 뜻에서] *n.* **1** 《고어·시어·익살》 귀부인(lady); 《일반적으로》 지체 높은 숙녀 **2** 나이가 든 여인 **3** 《미·속어》 여자 **4** (자연·운명 등 의인화된) 여신: *D*~ Fortune 운명의 여신/*D*~ Nature 자연의 여신 **5** [**D**~] 《영》 baronet의 부인 《지금은 Lady》; [**D**~] 데임 《knight에 상당하는 작위를 받은 여인의 존칭; 남자의 Sir에 해당》 **6** 《영》 이튼(Eton) 학교의 사감 《남자 사감에게도 썼음》 **7** 《영》 (판토마임에서 남자가 연기하는) 나이든 여자 **8** (dame school의) 여교사
dáme schòol (예전에 여인이 자택을 개방하여 가르치던) 서당
dam·fool [dǽmfú:l] 《구어》 *n.* 지독한 바보 — *a.* 몹시 어리석은
dam·fool·ish [-fú:liʃ] *a.* = DAMFOOL
dam·i·an·a [dəmiǽnə] *n.* 〖식물〗 다미아나 《강장제·최음제로 쓰이는 멕시코산(産) 식물의 말린 잎》
da·min·o·zide [dəmínəzàid] *n.* 다미노자이드 《사과의 성장을 억제하는 농약》
dam·mar [dǽmər] *n.* 다마르 《남아시아·호주산(産)의 경질 수지의 일종; 무색 니스의 원료》
dam·min·o·zide [dəmínəzàid] *n.* 〖화학〗 식물 성장 억제제
dam·mit [dǽmit] *int.* 《구어》 제기랄(damn it)
as near as ~ 《영·속어》 거의, 대체로
‡**damn** [dǽm] *vt.* **1** 〈문예 작품·연극 등을〉 **헐뜯다,** 악평하다; 파멸시키다, 망치다 **2** 〈하느님이 사람을〉 **영원히 벌주다,** 지옥에 떨어뜨리다 **3 저주하다,** 매도하다 **4** [분노·실망을 나타내어] 제기랄, 젠장: *D*~ it (all)! 제기랄!, 빌어먹을! ★ 종종 완곡하게 d—, d—n으로 쓰고, [dí:, dǽm]으로 발음함.
— *vi.* **1** 저주하다, 매도하다, 욕설하다 **2** 《속어》 제기랄: Oh, ~! 제기랄!
Be ~ed to you! = D~ you! 뒈져라, 에끼 빌어먹을 자식! ***curse and*** ~ '빌어먹을'['제기랄'] 하고 욕하다 ***D~***[***God*** ~] ***it!*** 젠장!, 제기랄! ***D~ me, but*** I'll do it. 꼭 하고 말 테다. ~ ***the consequence*** [***expense***] (결과·비용 등) 골치 아픈 일은 생각지 않다 ~ ***with faint praise*** 추어주는 듯하면서 비난하다 ***do***[***know***] ~ ***all*** 전혀 아무 일도 하지 않다[쥐뿔도 모르다] ***I'll be***[***I am***] ~***ed if*** it is true[***if*** I do]. 천만에 그럴 리가 있나[내가 그런 짓을 할 리가 있나]. ***Well, I'll be***[***I'm***] ~***ed.*** 《구어》 기막혀, 에그머니나, 저런. 《강한 놀람》
— *n.* **1** damn이란 말(을 하기) **2** 저주, 매도, 욕설 **3** [부정적으로] 《구어》 조금도, 전혀
be not worth a ~ 한 푼의 가치도 없다 ~ ***all*** 《영·속어》 전혀(nothing) ***give***[***care***] ***a*** ~[***darn***] [부정문으로] 관심을 갖다, 상관하다: I do*n't give*[*care*] *a* ~ any more. 더이상 상관하지 않겠다.
— *a.* Ⓐ 《속어》 = DAMNED: a ~ fool 지독한 바보/a ~ lie 새빨간 거짓말 ~ ***thing*** 《구어》 이 망할 것
— *ad.* 《속어》 = DAMNED: ~ cold 지독하게 추운
~ ***well*** 《속어》 확실히, 훤히: You know ~ *well* I'm right! 내가 옳다는 것을 잘 알고 있겠지!
— *int.* 제기랄!
▷ damnátion *n.*; dámnatory *a.*
dam·na·ble [dǽmnəbl] *a.* **1** 가증한; 저주받을 만한 **2** 《구어》 몹시 싫은, 지긋지긋한(confounded)
dàm·na·bíl·i·ty *n.* **~·ness** *n.* **-bly** *ad.* 언어 도단으로; 《구어》 지독하게(very)
dam·na·tion [dæmnéiʃən] *n.* Ⓤ **1** 저주, 욕설, 악평 (*of*) **2** 지옥에 떨어뜨림[떨어짐], 천벌; 파멸(ruin)
— *int.* 제기랄, 젠장, 아차, 분하다!(damn)
dam·na·to·ry [dǽmnətɔ̀:ri | -təri] *a.* 저주의; 파멸적인; 비난의
*__damned__ [dǽmd] *a.* (~·**er**; ~·**est, dámnd·est**) **1 a** 〖신학〗 영겁의 정죄(定罪)를 받은, **저주받은 b** [the ~; 명사적; 복수 취급] 지옥의 망령들 **2** 《구어》 넌더리 나는(odious); 《속어》 괘씸한, 얼토당토않은 ★ 완곡하게 d—d라고 쓰고, [dí:d, dǽmd]라고 읽음.
~ ***sight better*** 《미·구어》 매우 좋은 ***I'll see*** a person ~ ***before***[***first***] 《구어》 …할 정도라면 죽는 편이 낫다 ***You ~!*** 이 벼락맞을 놈아!
— *ad.* 《구어》 지독하게, 굉장히 《나쁜 뜻으로도 좋은 뜻으로도 쓰임》: be ~ hot 지독히 덥다
damned·est, damnd- [dǽmdist] *a.* Ⓐ [DAMNED의 최상급; the ~] 몹시 놀라운, 터무니없는
— *n.* [one's ~] 최선: do[try] one's ~ 최선을 다하다
dam·ni·fi·ca·tion [dæ̀mnifikéiʃən] *n.* Ⓤ 〖법〗 손상 (행위)
dam·ni·fy [dǽmnəfài] *vt.* (**-fied**) 〖법〗 손상하다
damn·ing [dǽmiŋ, dǽmniŋ] *a.* 지옥에 떨어질; 〈죄가〉 파멸적인; 〈증거 등이〉 꼼짝 못할, 아주 불리한
~·**ly** *ad.* ~·**ness** *n.*
Dam·o·cle·an [dæ̀məklí:ən] *a.* Damocles의[같은]
Dam·o·cles [dǽməklì:z] *n.* 다모클레스 《Syracuse의 왕인 Dionysius I의 신하》 ***the sword of*** ~ = ~***' sword*** 다모클레스(머리 위)의 검, 신변에 따라다니는 위험 《왕의 행복을 칭송하는 다모클레스를 왕좌에 앉히고, 그 머리 위에 머리카락 하나로 칼을 매달아 왕의 신변의 위험을 가르친 고사에서》
Dá·mon and Pýthias [déimən-] 다몬과 피티아스 《고대 그리스에서 목숨을 걸고 맹세를 지킨 두 친구 (cf. DAVID and Jonathan)》; 《일반적으로》 둘도 없는 친구, 절친한 친구
dam·o·sel, -zel [dǽməzèl, ⌐—⌐] *n.* 《고어·시어》 = DAMSEL
‡**damp** [dǽmp] [L 「습기」의 뜻에서] *a.* **축축한,** 습기 찬(⇨ wet 유의어): a cold, ~ day 춥고 습기 찬 날
— *n.* Ⓤ **1** 습기, 물기, 안개(fog), 수증기(vapor) **2** [보통 a ~] 의기소침(dejection); 낙담(시키는 것) **3** [보통 *pl.*] 땅의 독기; 유독 가스 **4** [*pl.*] 《미·속어》 진정제, 최면제 ***cast***[***strike***] ***a*** ~ ***over***[***into***] …의 흥을 깨뜨리다, 찬물을 끼얹다
— *vt.* **1** 축축하게 하다 **2** [종종 ~ down] 〈불을〉 끄다; 〈소리를〉 약하게 하다; 〖전기〗 〈진폭을〉 줄이다; 〖음악〗 〈현의〉 진동을 멈추다: (~+목+부) ~ (*down*) a fire 불을 끄다 《재를 덮거나 송풍을 중지하여》 **3** 〈기를〉 꺾다, 풀죽게 하다: (~+목+부) ~ *down* an agitation 소동을 가라앉히다 **4** 〈사람을〉 숨막히게 하다
— *vi.* **1** 축축해지다 **2** 〖전기〗 〈진폭이〉 감소되다 ~·**ly** *ad.* ~·**ness** *n.* ▷ dámpen *v.*
dámp còurse 〖건축〗 벽 속의 방습층(dampproof course) 《슬레이트와 같은 습기를 막는 재료로 됨》
damp-dry [dǽmpdrái] *vt.* (**-dried**) 〈세탁물을〉 눅눅하게 말리다 — *a.* 설말린 〈세탁물〉
damp·en [dǽmpən] *vt.* 축축하게 하다, 축이다; 〈기·열의 등을〉 꺾다; 〈남을〉 풀죽게 하다
— *vi.* 축축해지다; 기가 꺾이다 ~***ing weather*** 습기찬[궂은] 날씨 ~·**er** *n.* dampen하는 것; 완충 장치
damp·er [dǽmpər] *n.* **1** 기를 꺾는 것; 야유: cast [put] a ~ on …의 기를 꺾다; …을 트집잡다 **2** (우표 등을) 축이는 기구 **3** (피아노의) 지음기(止音器), (바이올린 등의) 약음기; 진동을 멈추게 하는 장치; (자동차 등의) 댐퍼(shock absorber); 〖전기〗 제동자(制動子); (벽난로의) 바람문; (전기 난로의) 통풍 조절기 **4** 《미·속어》 금전 등록기 **5** 《캐나다·속어》 독방 ***turn*** a person***'s*** ~ ***down*** 《미·속어》 (당장의) 성욕을 채우

thesaurus **damned** *a.* **1** 저주받은 cursed, lost, doomed, condemned **2** 넌더리 나는 annoying, hateful

다 ; …을 진정시키다
— *vt.* 《구어》 흥을 깨다, 찬물을 끼얹다
dámper pèdal 〖음악〗 (피아노의) 댐퍼 페달
damp·ing [dǽmpiŋ] *a.* **1** 습기를 주는 : a ~ machine (직물을 윤내는) 가습기(加濕機), 습윤기 **2** 〖전기〗 제동[감폭(減幅)]하는
— *n.* Ⓤ 〖전기〗 제동, (진동의) 감폭
damp·ing-off [dǽmpiŋɔ́:f | -ɔ́f] *n.* Ⓤ 〖식물〗 모잘록병, 장승병
damp·ish [dǽmpiʃ] *a.* 조금 습한[눅눅한]
damp·proof [dǽmpprù:f] *a.* 방습성의 : a ~ course = DAMP COURSE
dámp rág 《미·속어》 실망
dámp squíb 《영·구어》 실패로 끝난[주목을 끌지 못한] 기획
dam·sel [dǽmzəl] 〔L 「젊은 숙녀(dame)」의 뜻에서〕 *n.* 《고어·문어》 (신분이 높은) 처녀 ; 소녀
dam·sel·fish [dǽmzəlfìʃ] *n.* (*pl.* **~, ~·es**) 〖어류〗 (열대의 색이 화려한) 자리돔
dam·sel·fly [dǽmzəlflài] *n.* (*pl.* **-flies**) 〖곤충〗 실잠자리
dam·site [dǽmsàit] *n.* 댐 건설용 부지
dam·son [dǽmzən] *n.* 〖식물〗 서양자두(나무) ; 암자색 — *a.* 서양자둣빛의, 암자색의
dámson chèese damson의 설탕절임
dam·yan·kee, damn- [dæ̀mjǽŋki] *n.* 《미남부·경멸》 양키놈, 북부놈
dan[1] [dǽn] *n.* 부표 《심해 어업·소해(掃海) 작업을 위한 위치 표지용》 (=~ **búoy**)
dan[2] [dá:n, dǽn] *n.* (태권도·유도 등의) 단 ; 유단자
Dan[1] [dǽn] *n.* **1** 남자 이름 《Daniel의 애칭》 **2** 북부 팔레스타인에 이주한 히브리 사람 **3** 팔레스타인 북단의 도시 ***from ~ to Beersheba*** 끝에서 끝까지
Dan[2] *n.* 《고어·시어》 Master, Sir에 상당하는 경칭
Dan. Daniel ; Danish
Da·nang, Da Nang [dɑ:nɑ́:ŋ] *n.* 다낭 《베트남 중동부의 항구 도시》
***dance** [dǽns | dɑ́:ns] *vi.* **1** 춤추다 : (~+전+명) I *~d with* her to the piano music. 피아노 곡에 맞추어 그녀와 춤추었다. **2** 뛰어 돌아다니다, 날뛰다 : (~+부) ~ *up* and *down* 깡충깡충 뛰어 돌아다니다 / ~ *about* for joy 기뻐 날뛰다 **3** 〈나뭇잎·물결·먼지·그림자 등이〉 춤추다, 흔들리다 ; 〈심장·혈액 등이〉 약동하다 **4** 《속어》 남이 말한 대로 하다
— *vt.* **1** 〈춤을〉 추다, 〈댄스를〉 하다 **2** 춤추게 하다 ; 〈아이를〉 어르다(dandle) **3** 춤추어 (어떤 상태에) 이르게 하다 : (~+목+보) She *~d* him weary. 그녀는 춤으로 그를 지치게 했다. // (~+목+전+명) ~ a person *out of* breath 춤의 상대자를 숨차게 하다 // (~+목+부) ~ one's chance *away* 춤추느라고 기회를 놓치다
~ a hornpipe 기뻐 날뛰다 ***~ attendance on***[***upon***] a person ⇨ attendence. ***~ away***[***off***] 춤추며 사라지다 ; 춤추다가 〈기회·때 등을〉 놓치다(⇨ *vt.* 3) ***~ on air***[***a rope***] = ***~ upon nothing*** 교수형에 처해지다 ***~ on*** a person***'s lips*** 《속어》 …의 얼굴을 때리다 ***~*** one***self into*** a person***'s favor*** 춤을 추어 …의 마음에 들게 하다, 알랑거려 …의 마음에 들다 ***~ to another***[***a different***] ***tune*** 의견[상태, 행동 등]을 바꾸다 ***~ to*** a person***'s piping***[***pipe, tune, whistle***] …의 장단에 맞추어 춤추다, …이 하라는 대로 행동하다
— *n.* **1** 댄스, 춤, 무도, 무용 : social ~ 사교댄스 **2** 댄스[무도]곡 **3** 댄스파티, 무도회(ball, dancing party) **4** [the ~] 무도법[술] ; 발레(ballet) **5** 기뻐서 날뜀 ***get the last ~*** 마지막에 웃다, 최종적인 승리를 거두다 ***go into*** one***'s ~***[***dog and pony show, song and ~***] 《속어》 상투적인 말을 늘어 놓다 《부탁하거나 말할 때》 ***lead*** a person ***a pretty***[***jolly, merry***] ***~*** …을 이리저리 끌고 다녀 괴롭히다 ; …에게 늘 폐를 끼치다 ***lead the ~*** 맨 먼저 춤추다 ; 솔선하여 말하다 ***the ~ of death*** 죽음의 무도 《중세 예술에서 죽음의 신이 인간들을 무덤으로 인도하는 그림으로 인생무상의 상징》 ***the ~ of joy*** 미국에서 5월 1일의 꽃 축제 날에 야외에서 추는 folk dance의 일종
dance·a·ble [dǽnsəbl | dɑ́:ns-] *a.* 〈음악 등이〉 댄스에 알맞은, 댄스용의
dánce bànd 댄스(용) 밴드
dánce càrd (파트너의 이름이 열기된) 댄스 카드 ; 《미·속어》 우선순위 명단
dánce dràma 무용극
dánce flòor (나이트클럽 등의) 댄스 플로어
dánce fòrm 〖음악〗 무곡 형식
dánce hàll **1** 댄스홀, 무도장 **2** 《미·속어》 사형 집행실 **3** = RAGGA
dánce hòstess (댄스홀의) 직업 댄서
dánce mùsic 무도곡, 무곡, 댄스 음악
dánce òrchestra 댄스 악단
***danc·er** [dǽnsər | dɑ́:ns-] *n.* **춤추는 사람** ; 댄서, (전문적인) 무용가, 무희 ; 돌기만 하는 권투 선수
danc·er·cise [dǽnsərsàiz | dɑ́:ns-] [*dance*+*exercise*] *n.* 댄서사이즈 《건강 증진을 위한 일종의 재즈 댄스》
dánce stùdio 댄스 교습소[연습장]
***danc·ing** [dǽnsiŋ | dɑ́:nsiŋ] *n.* Ⓤ **댄스** (연습), 무도(법)
dáncing gìrl 댄서, 무희
dáncing hàll = DANCE HALL
dáncing mània[**màlady**] 무도병(病)
dáncing màster 댄스 교사
dáncing mìstress 댄스 여교사
dáncing pàrty 댄스파티, 무도회
dáncing ròom 무용[무도]실
dáncing schòol 댄스 교습소, 무용 학교
dáncing shòe(s) 무용화
dáncing stèp 나선 계단의 안쪽 폭을 직선 계단의 폭과 같게 한 것
danc·y [dǽnsi | dɑ́:nsi] *a.* 춤추기[댄스]에 알맞은, 춤추고 싶어지는
D and C, D & C [dí:-ənd-sí:] [*d*ilation *and* *c*urettage] 〖의학〗 (자궁 경관) 확장과 (내막) 소파
D. & D., D and D [dí:-ənd-dí:] 《미·속어》 **1** [*d*eaf *and* *d*umb] 묵비권을 행사하는 : play ~ (보복이 두려워) 묵비권을 행사하다 **2** [*d*runk *and* *d*isorderly] 음주 문란 《경찰 용어》
*__dan·de·li·on__ [dǽndəlàiən] 〔OF 「사자의 이빨」의 뜻에서 ; 민들레의 잎 모양에서〕 *n.* 〖식물〗 **민들레**
dándelion còffee 말린 민들레 뿌리(로 만든) 음료
dan·der[1] [dǽndər] *n.* Ⓤ **1** (머리의) 비듬 **2** 《구어》 분통, 분노 ***get*** one***'s***[a person***'s***] ***~ up*** 화내다 […을 화나게 하다]
dander[2] *n.* 《스코》 산책 — *vi.* 산책하다
dan·di·a·cal [dændáiəkəl] *a.* 멋쟁이다운, 멋부린
Dán·die Dín·mont (**tèrrier**) [dǽndi-dínmɑnt- | -mɔnt-] 댄디딘몬트 테리어 《몸체가 길고 다리가 짧은 테리어개의 일종》
dan·di·fi·ca·tion [dæ̀ndifikéiʃən] *n.* Ⓤ 《구어》 치장, 멋부린 차림새
dan·di·fied [dǽndəfàid] *a.* 멋부린, 잔뜩 치장한
dan·di·fy [dǽndəfài] *vt.* (**-fied**) 멋쟁이로 치장시키다, 멋부리게 하다
dan·dle [dǽndl] *vt.* 〈아이를〉 흔들어 어르다 ; 달래다 ; 귀여워하다
Dan·dong [dɑ́:ndɔ́:ŋ] *n.* 단둥(丹東) 《중국 랴오닝(遼寧)성의 압록강 변의 항구 도시》
dan·druff [dǽndrəf], **-driff** [-drif] *n.* Ⓤ (머리의) 비듬 **-druff·y** [-drəfi], **-driff·y** [-drifi] *a.*
*__dan·dy__[1] [dǽndi] *n.* (*pl.* **-dies**) **멋쟁이** (남자), 맵시꾼 ; 《구어》 훌륭한[멋진] 것 ; 돛대가 2개인 작은 범선

---

damp *a.* moist, wettish, dank, soggy, dewy, humid, drizzly, vaporous (opp. *dry, arid*)

— *a.* (-**di·er**; -**di·est**) ⦅구어⦆ 훌륭한, 굉장한 ***fine and*** ~ ⇨ fine¹
— *ad.* 훌륭하게, 멋지게
▷ dándify *v.*
dandy² *n.* = DENGUE
dándy brùsh 말빗⦅고래뼈로 만든 말 솔⦆
dándy càrt ⟨스프링이 달린⟩ 우유 배달차
dándy fèver = DENGUE
dan·dy·ish [dǽndiiʃ] *a.* 멋쟁이의, 멋부리는 ⟨남자⟩
dan·dy·ism [dǽndiizm] *n.* Ⓤ 치장, 멋부림
dándy ròll(er) ⦗제지⦘ 비치는 무늬를 넣는 롤러
***Dane** [déin] *n.* **1** 덴마크 사람 **2** [the ~s] ⦗역사⦘ 데인 족⦅9-11세기에 영국에 침입한 북유럽 사람⦆; 데인 족 사람 **3** = GREAT DANE
▷ Dánish *a.*
Dane·law, -lage [déinlɔ̀:] *n.* ⦗영국사⦘ 데인법⦅데인 족에 점령된 England 동북부의 법⦆; 그 시행 지역
dang¹ [dǽŋ] *v., n., a., ad.* ⦅속어⦆ = DAMN
dang² ⦅미·비어⦆ *n.* 음경 — *a.* = SEXY
danged [dǽŋd] *a., ad.* = DAMNED
‡**dan·ger** [déindʒər] [OF「(군주의) 권력, 해를 가할 수 있는 힘」의 뜻에서] *n.* **1** ⓊⒸ 위험 (상태)(opp. *safety*); 위험성 ⦅*of*⦆: *D*~! Falling Rocks. ⦅게시⦆ 위험! 낙석 주의. / There's no ~ *of*.... …할 위험[가능성]은 없다 / *D*~ past, God forgotten. ⦅속담⦆ 뒷간에 갈 적 마음 다르고 올 적 마음 다르다.

> 유의어 **danger** 정도와는 상관없이 「위험」을 뜻하는 가장 일반적인 말이다: the *danger* of falling on icy walks 언 길에서 넘어질 위험 **risk** 자기 책임하에 무릅쓰는 위험: Do it at your own *risk.* 네가 책임지고 그것을 해라. **peril** 임박한, 피할 수 없는 큰 위험: in *peril* of death 죽을 위험에 놓인 **hazard** 우연에 좌우되는, 또는 인간의 힘으로는 피할 수 없는 위험: the *hazards* of hunting big game 큰 짐승을 사냥하는 데 따르는 위험

2 위험한 것[사람, 일], 위협 ⦅*to*⦆: The animal is a ~ *to* the public. 그 동물은 사람들에게 위협이 된다. **3** 철도의 정지 신호 표지 **4** ⦅고어⦆ 사법권, 관할권(jurisdiction) **5** ⦅도달⦆ 범위(reach, range) **6** 손상(damage)
at ~ ⟨신호가⟩ 위험을 나타내어: The signal is *at* ~. 위험 신호가 나와 있다. ***in*** ~ 위험[위독]하여: *in* ~ of life[being fired] 생명의[해고당할] 위험이 있어 ***make*** ~ ***of*** …을 위험시하다 ***out of*** ~ 위험에서 벗어나
~**·less** *a.* ▷ dángerous *a.*; endánger *v.*
dánger àngle ⦗항해⦘ 위험 각도
Dánger Cáve 데인저 동굴⦅미국 Utah주의 Great Basin 동부에 있는 동굴 유적⦆
dánger lìne 위험선⦅안전 지대와의 경계⦆
dánger lìst ⦅구어⦆ ⟨병원의⟩ 중환자 명부: be on the ~ ⟨환자가⟩ 중태이다
dánger màn ⦗스포츠⦘ ⟨상대에게⟩ 위협이 되는 선수
dánger mòney ⦅영⦆ 위험 수당
‡**dan·ger·ous** [déindʒərəs] *a.* **1** 위험한, 위태로운: ⦅~+*to* do⦆ It is ~ *to* swim in this river. 이 강에서 헤엄치는 것은 위험하다. **2** ⟨사람·동물 등이⟩ 위해를 가할 것 같은 ⦅*to*⦆, 위험스러운: a ~ man 위험 인물 / a ~ object[thing] 위험물 ~ ***ground***[***territory***] ⟨문제를 야기할 수 있는⟩ 쟁점, 위기
~**·ness** *n.*
dángerous drúg 위험 약물, ⦅특히⦆ 마약
***dan·ger·ous·ly** [déindʒərəsli] *ad.* 위험하게, 위태롭게: He is ~ ill. 그는 위독하다.
dánger sìgnal 위험 신호, 정지 신호
dánger zòne ⦗군사⦘ 위험 지대[구역]
***dan·gle** [dǽŋgl] *vi.* **1** ⟨달랑달랑⟩ 매달리다: ⦅~+전+명⦆ ~ *from* the ceiling 천장에 매달려 있다 **2** ⟨남의 꽁무니를⟩ 따라다니다 ⦅*about, after, round*⦆: ⦅~+전+명⦆ He spent his youth (in) *dangling after* the girls. 그는 여자 꽁무니를 쫓아다니며 청춘을 보냈다.
— *vt.* 매달다; ⟨유혹물을⟩ 달랑거려 보이다 ***keep*** a person ***dangling*** ⦅구어⦆ …에게 결과를 알리지 않고 기다리게 하다, …을 애타게[안달복달하게] 하다
— *n.* 매달리기, 매달린 것
dan·gle-dol·ly [dǽŋgldɑ̀li | -dɔ̀li] *n.* ⦅영⦆ 자동차의 유리창에 매다는 마스코트 인형
dan·gler [dǽŋglər] *n.* **1** 매달리는 사람, 매달린 부분 **2** 여자 꽁무니를 따라다니는 사람
dán·gling párticiple [dǽŋgliŋ-] ⦗문법⦘ 현수(懸垂) 분사⦅주어와 문법적으로 결합되지 않은 채 쓰인 분사: *Swimming* in the pond, the car was out of sight. 연못에서 헤엄치고 있었으므로 차가 보이지 않았다.⦆
Dan·iel [dǽnjəl] *n.* **1** 남자 이름 **2** ⦗성서⦘ 다니엘⦅유대의 예언자 이름⦆; ⟨구약 성서 중의⟩ 다니엘서 **3** ⟨다니엘 같은⟩ 명재판관
dan·i·o [déiniòu] *n.* (*pl.* ~**s**) ⦗어류⦘ 다니오⦅작은 관상용 열대어⦆
***Dan·ish** [déiniʃ] *a.* 덴마크(사람[말])의, 데인 사람[족]의
— *n.* Ⓤ 덴마크 말; [the ~] 덴마크인; [때로 **d**~] = DANISH PASTRY
▷ Dáne, Dénmark *n.*
Dánish blúe 덴마크 치즈⦅파란 줄이 있음⦆
Dánish pástry ⟨과일·땅콩 등을 가미한⟩ 파이 비슷한 과자빵
Dánish Wèst Índies [the ~] 덴마크령 서인도 제도⦅미국령 버진 제도(Virgin Islands of the United States)의 옛 이름⦆
dank [dǽŋk] *a.* **1** 축축한, 습기 찬(damp) **2** ⦅미·속어⦆ 싫은, 나쁜 **3** ⦅미·속어⦆ 매우 좋은
— *n.* 습기; 저습지 ~**·ly** *ad.* ~**·ness** *n.*
dan·ke schön [dɑ́:ŋkə-ʃə̀:n] [G] *int.* 대단히 감사합니다(thank you very much)
Dan·ne·brog [dǽnəbrɑ̀g | -brɔ̀g] *n.* ⟨붉은 바탕에 백십자가 있는⟩ 덴마크 국기
D'An·nun·zi·o [dɑ:nú:ntsiòu] *n.* 단눈치오 **Gabriele** ~ (1863-1938)⦅이탈리아의 시인·소설가⦆
dan·ny [dǽni], **don·ny** [dɑ́ni | dɔ́ni] *n.* ⦅영·방언⦆ 손, ⟨어린 아기에게⟩ 손, 손!
Dan·ny [dǽni] *n.* 남자 이름⦅Daniel의 애칭⦆
danse ma·ca·bre [dɑ́:ns-məkɑ́:brə] [F] = the DANCE of death
dan·seur [dɑ:nsə́r] [F] *n.* 남자 발레 댄서
dan·seur no·ble [dɑ:nsə́r-nɔ́:blə] [F] 당쇠르 노블⦅발레의 파드되(pas de deux) 등에서 발레리나의 상대역 남자 무용수⦆
dan·seuse [dɑ:nsə́:z] [F] *n.* 발레리나
Dan·te [dɑ́:ntei, dǽnti] *n.* 단테 ~ **Alighieri** [ɑ̀:ligjɛ́əri] (1265-1321)⦅이탈리아의 시인; 「신곡(神曲)」의 작가⦆
Dan·te·an [dǽntiən, dæntí:ən] *a.* 단테(류)의
— *n.* 단테 연구가[숭배자]
Dan·tesque [dæntésk] *a.* 단테류의; 장중한
Dan·tist [dǽntist] *n.* 단테 연구가
***Dan·ube** [dǽnju:b] *n.* [the ~] 다뉴브 강⦅독일 남서부에서 시작하여 동으로 흘러 흑해로 들어감; 독일명 Donau⦆ **Dan·ú·bi·an** *a.*
Dan·zig [dǽntsig] *n.* 단치히⦅Gdańsk의 독일명⦆
dap [dǽp] *vi., vt.* (~**ped**; ~**·ping**) ⦗낚시⦘ 미끼를 살며시 수면에 떨어뜨리다; ⟨공이⟩ 튀다, 튀게 하다; ⟨새가⟩ 물에 뛰어들다; ⟨돌을⟩ 물위에 튀게 던지다, 물수

thesaurus **danger** *n.* risk, peril, jeopardy, hazard, endangerment, insecurity, menace, threat, peril (opp. *safety, security*)
dangerous *a.* perilous, hazardous, risky, chancy, precarious, uncertain, insecure, unsafe,

제비를 뜨다 —*n.* (공의) 튐; (돌의) 물수제비; (물 속에 살짝 담그는) 낚시 미끼; 손바닥을 서로 치는 인사

DAP distributed array processor; document application profile

Daph·ne [dǽfni] *n.* **1** 여자 이름 **2** 〖그리스신화〗 다프네 《Apollo에게 쫓기어 월계수로 변한 요정(妖精)》 **3** [d~] 〖식물〗 서향나무

daph·ni·a [dǽfniə] *n.* 〖동물〗 물벼룩속(屬)

Daph·nis [dǽfnis] *n.* 〖그리스신화〗 다프니스 《목가(牧歌)의 창시자》

Dáphnis and Chlóe 다프니스와 클로에 《2-3세기경 그리스의 목가적인 이야기 속의 연인들》

dap·per [dǽpər] *a.* 날씬한, 말쑥한 《*in*》; 작고 민첩한; 활기 있는 **~·ly** *ad.* **~·ness** *n.*

dap·ple [dǽpl] *a.* 얼룩진: the ~ sky 권적운(卷積雲)이 낀 하늘 —*n.* 얼룩, 얼룩배기; 얼룩배기의 동물 —*vt., vi.* 얼룩지(게 하)다

dap·pled [dǽpld] *a.* 얼룩(배기)의

dap·ple-gray | **-grey** [dǽplgréi] *a., n.* 회색에 검은 얼룩이 박힌 (말)

DAPS direct access programming system

dap·sone [dǽpsoun] *n.* 〖약학〗 댑손 《항균성 물질; 나병·피부병 치료제》

DAR Daughters of the American Revolution

darb [dɑ́ːrb] *n.* 《미·속어》 굉장한[대단한] 것[사람]

dar·bies [dɑ́ːrbiz] *n. pl.* 《속어》 수갑

Dár·by and Jóan [dɑ́ːrbi-] [민요 중의 노부부에서] 의좋은 늙은 부부

dar·cy [dɑ́ːrsi] *n.* 〖물리〗 투과율의 단위

Dar·dan [dɑ́ːrdn], **Dar·da·ni·an** [dɑːrdéiniən] *a., n.* = TROJAN

Dar·da·nelles [dɑ̀ːrdənélz] *n.* [the ~] 다르다넬스 해협 《마르마라(Marmara) 해와 에게(Aegean) 해를 잇는 유럽·아시아 대륙간의 해협》(cf. HELLESPONT)

‡**dare** [dέər] [OE 「용감하다」의 뜻에서] *v.* (**~d,** 《고어·방언》 **durst** [də́ːrst]; **~d**) *auxil. v.* 감히 …하다, 뱃심 좋게[겁내지 않고, 건방지게도] …하다(venture): He *~n't* do it. 그는 그럴 용기가 없다. / *D~* he fight? 그는 싸울 용기가 있을까? / How ~ you say such a thing? 네가 감히 어찌 그런 말을 할 수 있나? / He met her, but he *~n't* tell her the truth. 그는 그녀를 만났으나 감히 사실을 말할 용기가 없었다.

USAGE (1) 부정·의문문에 쓰이며 3인칭·단수·현재형은 dare로 -s를 붙이지 않는다; 조동사 do가 불필요하고 to없는 부정사가 따르며, 부정의 daren't는 과거에 대해서도 쓰인다. (2) 조동사로서의 용법은 지금은 그다지 쓰이지 않으며, 동사로서의 용법이 일반적이다.

~ I say it 굳이[감히] 말하자면 ***Don't you ~!*** = 《구어》 ***(Just) you ~!*** 당치도 않다! ***How ~ ... !*** 감히 …하다니! ***I ~ say*** 아마 …일 것이다(maybe); 그럴 거야 《종종 반어적》: *I ~ say* (that) that's true. = That's true, *I ~ say.* 그것은 아마 사실일 것이다. 《접속사 that은 항상 생략》 ★ 「나는 감히 …라고 말한다」라는 뜻으로 쓸 때는 I maintain (that) ..., I assert (that) ... 등의 표현을 쓰는 것이 좋음. ***I ~ swear*** …라 확신한다

—*vt.* **1** 감히 …하다, 뱃심 좋게[건방지게도] …하다 《조동사 용법과 같은 뜻; 구문은 보통 동사처럼 -s, do, to를 씀; 그러나 to를 쓰지 않는 경우도 있음》: 《**~+*to*** do》 He *does* not ~ *to* do it. 그는 그럴 용기가 없다. / *Does* he ~ *to* do it? 그는 감히 그것을 할 수 있을까? / He *~s to* do it. 그는 감히 그것을 한다. / I have never *~d* (*to*) speak to him. 그와는 감히 말을 나누어 본 적이 없다. / I wonder how he *~d* (*to*) say that. 어떻게 그가 감히 그런 말을 했을까. / Don't you ~ *to* touch me. 나한테 건방지게 손을 대서는 안 돼. **2** 모험적으로 해보다, 〈위험을〉 무릅쓰다: I ~ any danger[anything]. 어떤 위험이라도 무릅쓰고 한다. **3** 도전하다(challenge): 《~+目+***to*** do》 I ~ you *to* jump across that stream. 자 어때, 저 개울을 뛰어 넘을 수 있겠나. 《어림도 없을걸.》 // 《~+目+前+名》 He *~d* me *to* the fight. 덤빌 테면 덤벼 보라고 그가 나에게 도전했다.

—*vi.* 대담하게[감히] 하다, (…할) 용기가 있다: I would do it if I *~d.* 할 수만 있다면 하겠는데 (겁이 나서 못하겠다).

—*n.* 도전(challenge), 용기, 기력: give a ~ 도전하다 / take a ~ 도전에 응하다 **dár·er** *n.*

dare·dev·il [dέərdèvəl] *a.* Ⓐ 물불을 가리지 않는 —*n.* 무모하게 덤비는 사람; 저돌적인 사람

dare·dev·il·ry [-dèvəlri], **-dev·il·try** [-tri] *n.* (*pl.* **-ries**; **-tries**) ⓊⒸ 무모한 용기, 무모; 만용

***dare·n't** [dέərənt, dέərnt | dέənt] dare not의 단축형

dare·say [dὲərséi] *v.* [I ~로 써서] 《주로 영》 = I DARE say

Dar es Sa·laam [dɑ̀ːr-es-səlɑ́ːm] 다르에스살람 《탄자니아의 수도·해항》

darg [dɑ́ːrg] *n.* 《스코·호주》 하루[일정량]의 일

dar·gah [də́ːrgɑː] *n.* (이슬람교의) 성인의 묘, 성묘

Da·ri [dɑ́ːriː] *n.* 다리 말(語) 《페르시아 말의 일종; 아프가니스탄의 Tajik 사람이 사용함》

dar·ic [dǽrik] *n.* 고대 페르시아의 금화[화폐 단위]

‡**dar·ing** [dέəriŋ] *n.* Ⓤ 용기; 대담성; 참신함 —*a.* 대담한, 용감한; 앞뒤를 헤아리지 않는, 무모한; 혁신적인, 참신한: a ~ escape 대담한 탈출 / a ~ film 참신한 영화 **~·ly** *ad.* **~·ness** *n.*

Da·ri·us [dəráiəs] *n.* **1** 남자 이름 **2** 다리우스 《고대 페르시아의 왕(558?-486? B.C.)》

Dar·jee·ling [dɑːrdʒíːliŋ] *n.* **1** 다르질링 《인도 West Bengal 주의 피서지》 **2** 다르질링 차(= **~ téa**)

‡**dark** [dɑ́ːrk] *a., n., v.*

OE의 「어두운」, 「빛이 없는」의 뜻에서
비유적으로 → (기분·마음이) 음울한 **7** / (사물이) 비밀스러운 **4** / (지성이) 무지몽매한 **5**

—*a.* **1** 어두운, 캄캄한(opp. *clear, light*) **2** 거무스름한(somber); 〈피부·눈·머리칼이〉 검은(cf. BRUNETTE; opp. *fair, blond*); 〈색이〉 진한(opp. *light*): ~ green 암녹색(暗綠色) **3** 〈뜻이〉 애매한, 모호한(obscure) **4** 비밀의, 숨은; 일반에게 알려지지 않은, 알 수 없는 **5** 우둔한, 몽매한, 미개의; 오지의, 시골의: the *~est* ignorance 극도의 무지 **6** 뱃속 검은, 음흉한, 흉악한(wicked): ~ deeds 나쁜 짓, 비행 **7** 광명이 없는, 음울한(gloomy; opp. *sunny*): ~ days 불운[실의(失意)]의 시대, 불길한 나날 / look on the ~ side of things 사물의 어두운 면을 보다, 사물을 비관적으로 보다 **8** 〈얼굴빛 등이〉 흐린, 우울한(opp. *pleasant*) **9** 〖음성〗 〈[l]음이〉 흐린, 탁한 **10** 방송되지 않은 ***keep (...)*** **~** 숨어 있다, (…을) 숨겨 두다; (일을) 비밀로 해두다 ***the ~ side of the moon*** 달의 뒷면; 《미·속어》 하원

—*n.* Ⓤ **1** [the ~] 어둠; 암흑 **2** [관사 없이] 밤, 저녁께 **3** 비밀, 분명치 않음; 무지(ignorance) **4** 〖미술〗 어두운 색, 음영 **5** 《미·속어》 시골뜨기

after [before] ~ 어두워진 뒤에[지기 전에] ***a leap in the ~*** 무모한 짓 ***at ~*** 저녁녘에 ***in the ~*** 어두운 데에(서); 모르고; 비밀로; 무지하여

—*vt.* 《고어》 어둡게 하다(darken)

▷ dárken *v.*; dárkness *n.*; dárkly *ad.*

dárk adaptàtion 〖안과〗 암순응(暗順應)(cf. LIGHT ADAPTATION)

dark-a·dapt·ed [dɑ́ːrkədæ̀ptid] *a.* 〖안과〗 암순응의

threatening, menacing (opp. *safe, harmless*)
dangle *v.* hang, swing, sway, trail, droop
daring *a.* bold, adventurous, brave, courageous, valiant, audacious, fearless, rash, undaunted, reckless (opp. *cowardly, cautious*)

Dárk Áges [the ~] **1** 암흑 시대 《서로마 제국의 멸망(476년)부터 1000년경까지의 유럽 시대; 넓게는 중세(the Middle Ages) 전체》 **2** [종종 **dark ages**] 미지·미개발 단계
dárk biólogy 생물[세균] 무기와 관련된 과학적 연구
dárk blúe 《영·속어》 Oxford 대학의 선수[응원단]
dárk bréad 《통밀 가루로 만든》 흑빵
dárk chòcolate 다크 초콜릿(plain chocolate)
dárk cómedy = BLACK HUMOR; BLACK COMEDY
Dárk Cóntinent [the ~] 암흑 대륙 《19세기 이전의 아프리카》
dárk cúrrent 〖전기〗 암전류(暗電流)
dark·en** [dáːrkən] *vt., vi.* **1** 어둡게 하다[되다]; 〈색을〉 거무스름하게 하다[되다]; 희미하게 하다[되다] **2** 음침[음울]하게 하다[되다] **3** 애매하게 하다[되다] **4** 〈명성을〉 더럽히다[게 되다] **5** 시력을 빼앗(기)다 **~ *counsel 더욱 더 혼란[분규]시키다 ***Don't*** [***Never***] **~ *my door*(*s*) *again.*** 두 번 다시 내 집에 발을 들여놓지 마라. **~·er** *n.* ▷ dárk *a.*
dark·ey [dáːrki] *n.* = DARKY
dárk field 《현미경의》 암시야(暗視野)
dárk-field illuminátion [-fìːld-] 암시야 조명(법) 《현미경 시료(試料)의》
dárk-field míсroscope 〖광학〗 한외(限外) 현미경, 암시야 현미경(ultramicroscope)
dárk glásses 색안경
dárk hórse 다크호스 《경마에서 실력 미지수의 말》; 《경기·선거 등에서》 의외의 강력한 경쟁 상대
dark·ie [dáːrki] *n.* = DARKY
dark·ish [dáːrkiʃ] *a.* 어스레한; 거무스름한
dárk lántern 《한 면만 비치게 되고》 가릴 수도 있는 각등(角燈)
dar·kle [dáːrkl] *vi.* 어스름해지다; 〈얼굴빛·기분이〉 험악[음울]해지다
dark·ling [dáːrkliŋ] *ad., a.* 《문어》 어스름[어둠] 속에[의] **—** *n.* 어둠
dark·ly** [dáːrkli] *ad.* **1** 어둡게; 거무스름하게 **2** 음울하게; 험악하게 **3** 모호하게; 희미하게 **4** 은밀히, 남몰래 ***look **~** 음울[험악]한 얼굴을 하다 《*at*》
dárk mátter 〖우주〗 암흑 물질(cf. COLD DARK MATTER)
dárk mèat 요리하면 검어지는 고기 《닭다리 고기 등》; 《미·비어》 《섹스 파트너인》 흑인
dárk mìneral 〖지학〗 암색 조암 광물 《비중 2.8 이상》
dárk nébula 〖천문〗 암흑 성운(星雲)
‡**dark·ness** [dáːrknis] *n.* Ⓤ **1** 암흑, 어둠, 검음; 캄캄함, 암흑세계 **2** 무지, 맹목 **3** 흑심(黑心), 마음의 어두움 **4** 불명료, 모호 ***deeds of*** **~** 나쁜 짓, 범죄 ***the Prince of D~*** 마왕(Satan)
dark·net [dáːrknèt] *n.* 불법적인 거래가 이뤄지는 컴퓨터 네트워크
dárk ráys 암복사선(暗輻射線) 《자외선이나 적외선 같은 눈에 보이지 않는 광선》
dárk reàction 〖식물〗 암반응(暗反應)
dark·room [dáːrkrù(ː)m] *n.* 〖사진〗 암실
dark-skinned [-skìnd] *a.* 피부가 검은
dark·some [dáːrksəm] *a.* 《시어》 어스레한, 음침한
dárk stár 〖천문〗 암흑성 《연성계(連星系) 등에서 보이지 않는 별》
dark·town [dáːrktàun] *n.* 흑인 거주 구역
dark·y [dáːrki] *n.* 《구어·경멸》 검둥이, 흑인; 《호주·속어》 원주민; 《영·속어》 = DARK LANTERN
‡**dar·ling** [dáːrliŋ] *n.* 가장 사랑하는[귀여워하는] 사람, 사랑스런[귀여운] 사람, 마음에 드는 사람[동물]; [때로 **D~**] 《애칭》 애야; 여보 《★ 부부·애인·가족끼리는 남녀를 불문하고 호칭에 씀; 어린이를 보고 Hello, *D~*. (아가야, 안녕.) 등으로도 쓰임》: the ~ of all hearts 만인의 사랑을 한 몸에 지닌 사람
— *a.* Ⓐ 가장 사랑하는, 마음에 드는; 《구어》 굉장히 좋은, 매력적인 《주로 여성어》; 《드물게》 간절히 바라는 **~·ly** *ad.* **~·ness** *n.*

darm·stadt·ium [dàːrmstǽtiəm] *a.* 〖화학〗 다름슈타튬 《인공 방사성 원소; 기호 Ds, 번호 110》
***darn**[1] [dáːrn] *vt.* 〈구멍을〉 꿰매다, 짜깁다(mend)
— *n.* 꿰매기, 기움질, 짜깁기; 꿰맨 자리
darn[2] *v., n., a., ad.* 《구어·완곡》 = DAMN
dar·na·tion [dɑːrnéiʃən] *n., int* = DAMNATION
darned [dáːrnd] *a., ad.* 《구어·완곡》 = DAMNED
dar·nel [dáːrnl] *n.* 〖식물〗 독보리
darn·er [dáːrnər] *n.* **1** 꿰매는[짜깁는] 사람[물건]; 짜깁는 바늘 **2** 잠자리(dragonfly)
darn·ing [dáːrniŋ] *n.* Ⓤ 《해진 구멍의》 짜깁기; 꿰맨[꿰맬] 것: a ~ egg[ball] 《둥근》 짜깁기용 받침
dárning nèedle 1 짜깁기 바늘 **2** 《미·방언》 잠자리
dar·o·bok·ka [dæ̀rəbάkə | -bɔ́kə] *n.* 《북아프리카의》 두 손바닥으로 두드리는 북
DARPA [dáːrpə] [*D*efense *A*dvanced *R*esearch *P*rojects *A*gency] *n.* 《미》 국방 고등 연구 기획청
dart** [dáːrt] *n.* **1** 던지는 《화》살, 다트; [*pl.*; 단수 취급] 화살던지기 《실내 놀이》 **2** [a ~] 급격한 돌진; 투사(投射): make *a* ~ for the door 문을 향해 돌진하다 **3** 《곤충 등의》 침 **4** 〖양재〗 다트 **5** 험악한 표정[말], 신랄한 말; 《비유》 비꼼, 빈정댐 ***the Old D~ 《호주·속어》 영국
— *vt.* **1** 〈시선·빛·화살 등을〉 던지다, 쏘다; 발(사)하다 《*forth*》: (~+목+부) ~ one's eyes *around* 재빨리 둘러보다 // (~+목+전+명) She *~ed* a quick glance *at* me. 그녀는 재빨리 나에게 시선을 보냈다. **2** 〈의복에〉 다트를 달다
— *vi.* 《던진 화살처럼》 날아가다 《*out, into, past,* etc.》; 돌진하다 《*forward*》: (~+전+명) A bird *~ed through* the air. 새가 공중을 쏜살같이 날아갔다. // (~+부) The deer saw me and *~ed away.* 사슴은 나를 보자 쏜살같이 달아났다.
dart·board [dáːrtbɔ̀ːrd] *n.* 다트판 《화살 던지기의 과녁판》
dart·er [dáːrtər] *n.* **1** 재빨리 움직이는 사람[것]; 돌진하는 사람[것] **2** 〖어류〗 시어(矢魚) 《북미산(産) 작은 민물고기》 **3** 〖조류〗 = SNAKEBIRD
dart·ist [dáːrtist] *n.* 화살 던지기 게임을 하는 사람
dar·tle [dáːrtl] *vt., vi.* 되풀이하여 던지다[돌진하다]; 자꾸[여기저기] 움직이다
Dart·moor [dáːrtmuər] *n.* **1** 다트무어 《영국 Devon주의 바위가 많은 고원》 **2** 《그곳의》 다트무어 교도소 **3** 다트무어종(種)의 양
Dart·mouth [dáːrtməθ] *n.* **1** 다트머스 《영국 Devon주의 항구》 **2** 《그곳의》 다트머스 해군 사관학교(Royal Naval College)
dar·tre [dáːrtər] *n.* 〖의학〗 포진상(疱疹狀) 피부병, 헤르페스(herpes) **dar·trous** [dáːrtrəs] *a.*
Dar·von [dáːrvɑn | -vɔn] *n.* 다르본 《진통제; 상표명》
Dar·win [dáːrwin] *n.* 다윈 **Charles ~** (1809-82) 《영국의 박물학자; 진화론 제창자》
***Dar·win·i·an** [dɑːrwíniən] *a.* 다윈의; 다윈설의
— *n.* 다윈설의 신봉자, 진화론자
Dar·win·ism [dáːrwinìzm] *n.* Ⓤ 다윈설, 진화론 《자연 도태와 적자 생존을 주장함》 **-ist** *n., a.* = DARWINIAN
DASD [déizdiː] [*d*irect *a*ccess *s*torage *d*evice] *n.* 〖컴퓨터〗 직접 접근 기억 장치
‡**dash** [dǽʃ] *vt.* **1** 내던지다(fling, hurl) 《*to, against; away, off, out, down*》; 《때려》 부수다(shatter): (~+목+전+명) ~ a book *to*[*on*] the floor 책을 마룻바닥에 내동댕이치다 / ~ a glass *to* bits[*in* pieces] 유리컵을 산산이 부수다 **2** 〈물 등을〉 끼얹다(sprinkle) 《*in, over*》; 튀기다(splash) 《*with*》: (~+목+전+명) ~ cold water *in*[*into*] the face 얼굴에 찬물을 끼얹다 **3** 〈희망 등을〉 꺾다; 낙담시키다(depress) **4** 〈액체 등의 소량을〉 …에 타다, 가미하다

thesaurus **darling** *a.* dear, dearest, loved, beloved, adored, cherished, treasured, precious

(tinge) ⦅*with*⦆: ⦅~+목+전+명⦆ ~ coffee *with* milk 커피에 우유를 조금 타다 **5** ⦅영⦆ =DAMN ⦅이 말을 'd'로 줄인 데서⦆ **6** ⦅속어⦆ 매수하다(bribe) **7** 당황하게 하다; 부끄럽게 하다 **8** ⦅고어⦆ 취소하다; 닦아 없애다 **9** …을 급히 행하다, 단숨에 하다 ⦅*down, off*⦆: ~ *off* a letter 편지를 단숨에 쓰다
— *vi.* **1** 돌진하다 ⦅*along, forward, off, on,* etc.⦆: ⦅~+전+명⦆ ~ *from*[*out of*] a room 방에서 달려 나오다 // ⦅~+부⦆ A motorcar ~*ed by.* 자동차가 휙 지나갔다. **2** ⦅세차게⦆ 충돌하다 ⦅*against, into, upon*⦆ **3** 급히[단숨에] 하다
~ *down* 세차게 내던지다; = DASH off (2). ***D~ it*** **(*all*)!** 제기랄! (Damn it!) **~ *off*** (1) 급히 떠나다, 돌진하다 (2) 〈문장·그림·편지 등을〉 단숨에 쓰다[그리다] **~ *out*** 급히 가다; 튀어 나가다; 말살하다 **~ *up*** 전속력으로 도착하다
— *n.* **1** [the ~] ⦅액체가⦆ 세차게 부딪치는 소리 **2** [a ~] 돌진, 돌격(onset) ⦅*at*⦆; [보통 *sing.*] ⦅단거리의⦆ 경주: a hundred-meter ~ 100미터 경주 **3** 충돌(collision); ⦅기운·희망 등을⦆ 꺾는 일[것], 장애 **4** 주입(infusion); 소량, 소량의 가미(加味) **5** 단숨에 써내림, 필세(筆勢) **6** 대시 ⦅기호⦆ ⦅—⦆
USAGE 구문의 중단·변경이나 낱말의 생략 등을 나타냄: To write imaginatively one needs – imagination. ⦅강조⦆ / Health, wealth, friends – all are gone. ⦅총괄⦆ / Oh, how I wish – ! / Well, I don't know – that is – no, I can't accept. ⦅주저⦆ / Who broke the window? – Not I. ⦅화자(話者) 변경⦆ / Two of our party – Tom and Fred – were late. ⦅dash 두 개로 괄호의 역할을 함⦆ / Mr. B– of New York / Go to the d–! ⦅낱말·숫자·인명·지명 등의 생략⦆
7 ⦅통신⦆ ⦅모스 부호의⦆ 장음(長音) ⦅—⦆ **8** Ⓤ 기세, 기운(vigor); 당당한 기세[풍채] **9** 과시, 허세 **10** ⦅구어⦆ 계기판(dashboard) **11** ⦅음악⦆ 강한 스타카토 기호
a ~ of …의 소량; …의 기미: *a ~ of* humor 약간의 유머 ***at a ~*** 단숨에 ***have a ~ at ...*** ⦅구어⦆ …을 시험적으로 해보다, 시도하다 ***in a ~*** 서둘러, 허둥지둥 ***make a ~ at*** [***for***] …을 향하여 단숨에 내닫다

DASH, Dash [dǽʃ] [*d*rone *a*nti-*s*ubmarine *h*elicopter] *n.* 대(對)잠수함 무인 헬리콥터

dash·board [dǽʃbɔ̀ːrd] *n.* **1 a** ⦅마차·썰매의⦆ 진흙[눈]받이(splashboard) **b** ⦅뱃머리에 있는⦆ 파도막이판 **2** ⦅자동차·비행기의⦆ 계기판, 대시보드

dáshboard dìning ⦅익살⦆ 운전 중에 식사하기

dashed[1] [dǽʃt] *a.* **1** 의기소침한, 낙심한 **2** Ⓐ ⦅영·구어⦆ 괘씸한, 지독한(damned)
— *ad.* ⦅영·구어⦆ 지독히, 굉장히(damned): That's ~ interesting. 그것은 굉장히 재미있다.

dashed[2] *a.* 대시 기호(—)로 된[이루어진]

da·sheen [dæʃíːn] *n.* ⦅식물⦆ 타로토란(taro)

dash·er [dǽʃər] *n.* **1** 돌진하는 사람 **2** 교반기(機) **3** ⦅속어⦆ 위세 당당한 사람 **4** 계기판

da·shi·ki [dəʃíːki, dɑː-] *n.* 다시키 ⦅아프리카의 민속 의상으로, 선명한 빛깔의 덮어쓰는 옷⦆

*__dash·ing__ [dǽʃiŋ] *a.* **1** 기세 좋은, 생기 있는(spirited) **2** 위세 당당한, 화려한(showy)
~·ly *ad.* 기세 좋게

dásh lìght 계기판용 빛

dash·pot [dǽʃpɑ̀t | -pɔ̀t] *n.* ⦅기계⦆ 대시포트 ⦅완충·제동 장치⦆

dash·y [dǽʃi] *a.* (**dash·i·er**; **-i·est**) = DASHING

das(s)·n't [dǽsnt] ⦅미·방언⦆ dare not의 단축형

das·tard [dǽstərd] *n.* 비겁자

das·tard·ly [dǽstərdli] *a.* 비겁한, 비열한, 용렬한
— *ad.* 비겁한 방법[태도]으로 **-li·ness** *n.*

da·stur [dəstúər] *n.* 파시(Parsi)교의 고승

da·sym·e·ter [dæsímətər] *n.* ⦅물리⦆ 가스 밀도계

das·y·ure [dǽsijùər] *n.* ⦅동물⦆ 주머니고양이 ⦅오스트레일리아 및 태즈메이니아산(産)⦆

DAT differential aptitude test 적성 판별 검사; digital audiotape **dat.** dative

⁑**da·ta** [déitə, dǽtə, dɑ́ːtə | déitə, dɑ́ːtə] *n. pl.* **1** [복수 또는 단수 취급] 데이터, 자료; ⦅관찰·실험으로 얻은⦆ 사실, 지식, 정보 ⦅*on*⦆: *These ~ are*[*This ~ is*] accurate. 이 데이터는 정확하다. ⦅단수형으로는 one of the data를 쓰는 것이 보통이며, datum은 거의 쓰이지 않음⦆ **2** [보통 단수 취급] ⦅컴퓨터⦆ 데이터 ***process*** [***retrieve***] **~** 데이터를 처리[검색]하다
— *vt.* ⦅미⦆ ⦅어떤 인물·집단에 관한⦆ 정보를 수집하다

dáta bànk 데이터 뱅크 ⦅컴퓨터용 정보와 그 축적·보관 및 제공 기관⦆

da·ta·bank [déitəbæ̀ŋk] *vt.* 데이터 뱅크에 넣다[보관하다]

da·ta·base [-bèis] *n.* 데이터베이스 ⦅컴퓨터 정보의 축적 및 이 정보의 제공 서비스⦆

dátabase mánagement sỳstem ⦅컴퓨터⦆ 데이터베이스 관리 시스템 ⦅略 DBMS⦆

dátabase sèrver ⦅컴퓨터⦆ 데이터베이스 서버 ⦅제공자 측의 집배신(集配信) 장치⦆

dáta bìnder ⦅컴퓨터⦆ 데이터 바인더 ⦅컴퓨터로부터의 프린트 아웃을 철하는⦆

dat·a·ble, date·a·ble [déitəbl] *a.* 시일을 추정[측정]할 수 있는 **~·ness** *n.*

dáta bròadcasting 데이터 브로드캐스팅 ⦅각종 데이터를 PC 대상으로 전송하는 등의 새로운 방송 방식⦆

dáta bùs ⦅컴퓨터⦆ 데이터 버스 ⦅다른 컴퓨터 시스템 간을 흐르는 데이터 회로⦆

dáta càpture[**collèction**] ⦅컴퓨터⦆ 데이터 수집

dáta cárrier ⦅컴퓨터⦆ 데이터 기억 매체

dáta cènter ⦅컴퓨터⦆ 데이터 센터

da·ta·com(m)s [déitəkɑːmz, dǽtə- | -kɔmz] *n. pl.* ⦅컴퓨터⦆ 데이터 통신 ⦅컴퓨터 간 데이터 전송⦆

dáta communicàtion ⦅컴퓨터⦆ 데이터 통신

dáta compréssion ⦅컴퓨터⦆ 데이터 압축

dáta convèrsion ⦅컴퓨터⦆ 데이터 변환

Dáta Dísc·man [-dískmən] 데이터 디스크맨 ⦅일본 Sony사의 전자책 기기; 상표명⦆

da·ta-driv·en [-drívən] *a.* ⦅컴퓨터⦆ 〈프로그램이〉 데이터에 따라 처리를 하는

dáta encrýption stàndard ⦅금융⦆ 데이터 암호화 기준 ⦅略 DES⦆

dáta flòw ⦅컴퓨터⦆ 데이터 흐름 ⦅프로그램을 병렬 처리하는 방식의 하나⦆

dáta fòrmat ⦅컴퓨터⦆ 데이터의 형식

da·ta·glove [-glʌ̀b] *n.* ⦅컴퓨터⦆ 데이터 글러브 ⦅virtual reality의 상을 조작하기 위해 센서가 부착된 데이터 입력용 장갑⦆

da·ta·gram [-græ̀m] *n.* ⦅컴퓨터⦆ 데이터그램 ⦅패킷 교환망에서 취급되는 패킷의 일종⦆

dáta intégrity ⦅컴퓨터⦆ 데이터 완전성 ⦅입력된 데이터가 변경·파괴되지 않은 상태⦆

dáta ínterchange fòrmat ⦅컴퓨터⦆ 데이터 교환 형식 ⦅略 DIF⦆

dáta ìnterchange fórmat fìle ⦅컴퓨터⦆ 데이터 교환 형식 파일 ⦅DIF file이라고도 함⦆

dat·al[1] [déitl] *n.* ⦅주로 탄광의⦆ 일급제(日給制)

datal[2] *a.* 날짜[연대](date)의[가 있는]; 날짜[연대]순으로 배열한

dáta lèakage ⦅컴퓨터⦆ 데이터 누설 ⦅데이터를 불법으로 입수하여 외부로 유출하는 범죄⦆

dáta lìnk ⦅통신·컴퓨터⦆ 데이터 링크 ⦅데이터 송수신을 위한 통신선; 略 D/L⦆

da·tal·ler [déitələr] *n.* ⦅영·방언⦆ 날품팔이(day laborer) ⦅특히 탄광의⦆

dáta lògger ⦅컴퓨터⦆ 데이터 이력 기록 장치

dáta lògging ⦅컴퓨터⦆ 데이터 이력 기록

da·ta·ma·tion [dèitəméiʃən] [*data*+*automation*] *n.* **1** Ⓤ 자동 데이터 처리 **2** ⦅속어⦆ 데이터메이

---

dart *v.* dash, rush, bolt, fly, flash, tear, run, bound, shoot, spring, leap

선《해커가 애독하는 잡지》
dáta mìning 〔컴퓨터〕 데이터 마이닝《인터넷 같은 방대한 정보의 바다에서 유용한 정보를 추출하는 기술》
da·ta·phone [déitəfòun] *n.* 데이터폰 (방식)《전화 회선을 사용하는 데이터 전송 장치》
Da·ta·post [déitəpòust] *n.* 데이터포스트《영국 우체 공사의 지급 소포 우편》
dáta pròcessing 〔컴퓨터〕 데이터 처리, 정보화 과정《略 DP, D.P.》
dáta pròcessor 〔컴퓨터〕 데이터 처리 장치
dáta protèction 데이터 보호《사용의 법적 규제》
dáta provìder 네이터 세공업자
dáta redùction 〔컴퓨터〕 데이터 정리[압축]
dáta retríeval 〔컴퓨터〕 데이터 검색
da·ta·ry [déitəri] *n.* 〔가톨릭〕 교황청 장새원(掌璽院)《성직 희망자의 적격 심사를 하는 교황청의 한 부서》; 장새원장(長)
dáta secúrity 〔컴퓨터〕 데이터 보안
dáta sèt **1** 데이터 세트《데이터 처리상 1단위로 취급되는 일련의 기록》 **2** 모뎀(modem)
dáta shèet 〔컴퓨터〕 데이터 시트《데이터를 기입하기 위한 용지》
dáta strùcture 〔컴퓨터〕 데이터 구조
dáta tèrminal 〔컴퓨터〕 데이터 단말 장치《데이터 송수신용 컴퓨터》
dáta términal equìpment 〔통신〕 데이터 단말 장치《略 DTE》
dáta transmìssion 〔컴퓨터〕 데이터 전송(傳送)
dáta tỳpe 〔컴퓨터〕 데이터 형식
dáta wàrehouse 〔컴퓨터〕 데이터 웨어하우스《한 회사 등의 정보를 일괄 관리하는 데이터베이스》
‡**date**[1] [déit] [L 「주어진 (것)」의 뜻에서; 고대 로마에서 편지 서두에 *data Romae*(로마에서 주어진)라고 썼던 데서] *n.* **1** 날짜, (연)월일《달과 날로 나타내는 것이 보통인데, 때로 연을 덧붙임》: the ~ of one's birth 생년월일《略 DOB》/What's today's ~? = What ~ is it today? 오늘이 며칠입니까? ★ 요일을 물을 때는 What day is it? **2** 《구어》 만날 약속, 데이트《특히 이성과의 약속》(cf. BLIND DATE, DOUBLE DATE): a coffee[picnic] ~ 커피를 마시기로[피크닉 가기로]한 데이트/have[make] a ~ *with* …와 만날 약속이 있다[을 하다]/keep[break] a ~ *with* …와의 만날 약속을 지키다[어기다] **3** 《미·구어》 데이트 상대 **4** 연대, 시대 **5** 《상업문에서》 당일; Ⓤ 《구어》 금일; 《정해진》 기일, 기한 **6** [*pl.*] 《사람의》 생몰년(生沒年) **7** 《연예인의》 출연 계약
at a late*[*later*] ~** 후일에, 나중에 ***at an early ~ 근간, 머지않아 ***bring* … *up to ~*** (1) 〈사물을〉 최신식(의 것)으로 하다 (2) 〈남에게 …에 관한〉 최신 정보를 제공하다《*on, about*》 ***get up to ~*** (1) 〈작업 등을〉 끝마치다《*with*》 (2) …의 최신 정보를 얻다《*with*》 ***of early ~*** 초기의, 고대의 ***out of ~*** 시대에 뒤떨어진, 구식의(old-fashioned) ***to ~*** 이날까지, 지금[현재]까지 ***under ~*** Jan. 5. 1월 5일자의 ★ [날짜 매김] 일반적으로 《미》에서는 July 4, 1986. 군사·과학 관계에서는 4 July, 1986의 형식을 잘 씀. 메모 등에 줄여 쓸 때에는 7/4/86의 형식을 쓰지만 《영》 기타에서는 4(th) July, 1986, 줄여서 4/7/86 또는 4-7,86처럼 쓰는 수도 있음. July 4는 보통 July fourth라고 읽지만 구어에서는 July four라고도 읽음.
up*[*down*] *to ~ (1) 이날[오늘날]까지(의) (2) 최신식으로[의], 현대적으로[인] (3) 〈시대 등에〉 뒤지지 않고 ***without ~*** 무기한으로
— *vt.* **1** 〈편지·문서에〉 날짜를 기입하다; 〈사건·미술품 등에〉 날짜[연대]를 매기다: (~+목+보) a Kennedy silver ~*d* 1964 1964년의 각인이 있는 케네디 은화 // (~+목+전+명) The letter is ~*d from* London, 16 July. 그 편지는 런던발 7월 16일자로 되어 있다. **2** …을 시대에 뒤지게 하다 **3** 《미·구어》 〈이성과〉 만날 약속을 하다, …와 데이트하다 **4** 〈사물·사건이〉 어느 시대를 나타내다
— *vi.* **1** 《미》 〈편지가〉 날짜가 적혀 있다: (~+전+명) the letter *dating from* 1968 1968년 날짜의 편지 **2** (…부터) 시작되다, 기산(起算)되다(count time) **3** 〈예술·문체 등이〉 특정 시대의 것이라고 인정되다; 옛날 것이다, 시대에 뒤지다 **4** 《미·구어》 (이성과 만날) 약속을 하다, 데이트하다《*with*》
~ back (…으로) 소급하다《*to*》 **~ up** 〈시간을〉 일정으로 채우다: be ~*d up* 《구어》 일정이 꽉 차다
date[2] [L 「손가락」의 뜻에서; 모양이 비슷하다 해서] *n.* 대추야자(의 열매)
date·a·ble [déitəbl] *a.* = DATABLE
dáte hàit 《미·속어》 (10대 남자에게) 인기 있는 여자
date·book [déitbùk] *n.* 《신문 기자의》 예정 메모책; 《회합 등의 예정을 적는》 메모책, 예정장
dat·ed [déitid] *a.* **1** 날짜가 있는[적힌] **2** 시대에 뒤진, 구식의 **3** 〈증권이〉 상환 기일이 붙은
~·ly *ad.* **~·ness** *n.*
date·less [déitlis] *a.* **1** 날짜가 없는; 연대[시기]를 알 수 없는 **2** 《시어》 무한의(endless); 태곳적부터의 **3** 불후의, 언제나 흥미 있는 **4** 《구어》 (사교상의) 약속이 없는; (이성의) 교제 상대(date)가 없는
dáte lìne [the ~] 날짜 변경선《동경 또는 서경 180도의 자오선; 정식으로는 international date line》
date·line [déitlàin] *n.* 날짜 기입선《편지·신문·잡지 등의 발신지와 날짜 등을 기입하는 난》
— *vt.* 〈기사 등에〉 발신지와 날짜를 기입하다
date·mark [-mà:rk] *n.* 일부인(日附印)《특히 금·은제 식기류에 찍은 제조 연월일》
— *vt.* …에 일부인을 찍다
dáte of récord [the ~] 권리 확정 기일
dáte pàlm 〔식물〕 대추야자
dáte plùm 〔식물〕 고욤(나무)
dat·er [déitər] *n.* **1** 날짜 찍는 사람[기구], 날짜 스탬프 **2** 《구어》 데이트하는 사람
dáte ràpe 데이트 상대에 대한 성폭행
date·rape [déitrèip] *vt.* 〈데이트 상대를〉 성폭행하다
dáte slìp (도서관 책의) 반납 기일[대출 일자]표
dáte stàmp (우편물 등에 찍는) 날짜 인자기(印字器), 일부인; 날짜 고무인(印), 소인
date-stamp [déitstæ̀mp] *vt.* 〈우편물 등에〉 일부인[소인]을 찍다
dat·ing [déitiŋ] *n.* Ⓤ **1** 날짜 기입; 〔상업〕 사후 일부(事後日附)(postdating); (고고학 등에서의) 연대 결정 **2** 《구어》 데이트하기
dáting àgency 결혼·교제 소개소
dáting bàr 독신 남녀용 바[술집](singles bar)
da·ti·val [deitáivəl, də-] *a.* 〔문법〕 여격(與格)의
da·tive [déitiv] [L 「주어진」의 뜻에서] *n.* 〔문법〕 여격《명사·대명사가 간접목적어로 되어 있을 때의 격: I gave *him*[*the boy*] an apple.에 있어서의 him, boy》 — *a.* **1** 〔문법〕 여격의: the ~ case 여격 **2** 〔법〕 재판소에 의해 선임된; (종신이 아닌) 해임될 수 있는
~·ly *ad.* 여격으로서
dátive vérb 〔문법〕 여격동사, 수여동사《간접·직접의 두 목적어를 취하는 동사》
Da·tong [dɑ́:tɔ́:ŋ] *n.* 다통(大同)《중국 산시성(山西省)의 도시; 교외에 운강(雲崗) 석굴이 있음》
da(t)·to [dɑ́:tou] *n.* (*pl.* **~s**) **1** 《필리핀·말레이시아 등지의》 족장(族長) **2** (barrio의) 수장(首長)
***da·tum** [déitəm, dǽt-, dɑ́:t- | déitəm, dɑ́:t-] [L 「주어진」의 뜻에서] *n.* **1** (*pl.* **-ta** [-tə]) 논거(論據), 여건, 소여(所與), **자료**《단수의 뜻이라도 보통 data를 씀》; 〔논리〕 기지(既知) 사항; 〔수학〕 기지수 **2** (*pl.* **~s**) 《계산·측량 등의》 기준, 기준점[선, 면]
dátum lìne 〔측량〕 기준선
dátum plàne[**lèvel**] 〔측량〕 기준면
dátum pòint 〔측량〕 기준점
da·tu·ra [dətjúərə | -tjúərə] *n.* 〔식물〕 흰독말풀
DATV digitally assisted television **dau.** daughter
daub [dɔ́:b] [L 「석회 도료를 바르다」의 뜻에서] *vt.*

1 〈도료 등을〉 흠뻑 바르다, 칠하다(coat, cover) 《*with*》 **2** 더럽히다(soil) **3** 〈채료를〉 마구[서투르게] 칠하다; 〈그림을〉 서투르게 그리다
— *vi.* 《구어》 서투른 그림을 그리다; 〈도료를〉 바르다
— *n.* **1** 바르기, 마구 칠함; 더러움(smear) **2** 《질척한》 칠, 도료 **3** 서투른 그림 ***wattle and*** **~** ⇨ wattle **~·ing·ly** *ad.* 조잡하게

daube [dóub] *n.* 쇠고기에 야채를 곁들인 스튜; 스튜 요리용 냄비(pot)

daub·er [dɔ́:bər] *n.* **1** 칠하는 사람, 미장이 **2** =DAUBSTER **3** 칠하는 솔[도구] ***get*** one***'s*** **~** ***down*** 기력이 없어지다

daub·er·y [dɔ́:bəri] *n.* (*pl.* **-er·ies**) **1** 그림물감을 더덕더덕 칠하기; UC 서투른 그림 **2** 속임수

daub·ster [dɔ́:bstər] *n.* 서투른 화가, 환쟁이

daub·y [dɔ́:bi] *a.* (**daub·i·er**; **-i·est**) 마구 그린; 끈적끈적한

⁑**daugh·ter** [dɔ́:tər] *n.* **1** 딸(opp. *son*) 《son과는 달리 호칭으로는 잘 쓰이지 않음》; 《어떤 나라·장소 등의》 부녀자 **2** 《사람·사건·시대의 정신적[지적] 소산인》 여자; …이 낳은 여성 《*of*》: ~*s of* the church 교회의 여신도들 **3** 《사건이》 낳은 것, 소산: a ~ of civilization 문명의 소산 **4** 동물의 암컷
a ~ of Abraham 유대 여자 ***a ~ of the horseleech*** 탐욕스런 사람 ***be*** one***'s mother's***[***father's***] **~** 《성격이》 어머니[아버지] 그대로이다 ***~s of the American Revolution*** 《미》 미국 애국 여성회 《회원은 독립 전쟁 때 싸운 이들의 자손에 한함; 略 DAR》
— *a.* **1** 딸로서의, 딸다운; 딸과 같은 관계에 있는 **2** 〖생물〗 제1세의 소산의; 〖물리〗 방사성 붕괴로 생긴
~·less *a.* ▷ dáughterly *a.*

daugh·ter·board [dɔ́:tərbɔ̀:rd] *n.* 〖컴퓨터〗 (motherboard에 붙은) 소형 회로판

dáughter céll 〖생물〗 딸세포

dáughter chrómosome 〖생물〗 딸염색체

dáughter cómpany 자회사

dáughter élement 〖물리〗 딸원소 《방사성 원소의 붕괴로 생기는》

daugh·ter·hood [dɔ́:tərhùd] *n.* U 딸로서의 신분; 처녀 시절; [집합적] 딸들

daugh·ter-in-law [dɔ́:tərinlɔ̀:] *n.* (*pl.* **daughters-**) **1** 며느리 **2** 《속어》 =STEPDAUGHTER

dáughter lànguage 《특정한 언어에서 발전해 나간》 파생 언어

daugh·ter·ly [dɔ́:tərli] *a.* 딸로서의, 딸다운

dáughter núcleus 〖생물〗 《핵분열로 생긴》 딸핵

dau·no·my·cin [dɔ̀:nəmáisin] *n.* 〖생화학〗 다우노마이신 《급성 백혈병 치료용 항암성 항생 물질》

*__daunt__ [dɔ́:nt, dɑ́:nt | dɔ́:nt] [L 「길들이다, 복종시키다」의 뜻에서] *vt.* 위압하다; 《한》풀을 꺾다, 기세[기운]를 꺾다 ***nothing ~ed*** 《문어》 조금도 굽히지 않고 **~·ing·ly** *ad.*

*__daunt·less__ [dɔ́:ntlis, dɑ́:nt- | dɔ́:nt-] *a.* 겁없는, 꿈쩍도 하지 않는, 불굴의 **~·ly** *ad.* **~·ness** *n.*

dau·phin [dɔ́:fin] *n.* 〖역사〗 프랑스 황태자의 칭호 《1349-1830년 왕조시대의》

dau·phin·ess [dɔ́:finis] *n.* 〖역사〗 프랑스 황태자비의 칭호

DAV Disabled American Veterans 미국 상이 군인회

Dave [déiv] *n.* 남자 이름 《David의 애칭》

da·ven [dɑ́:vən] [Yiddish] *vi.* 기도하다, 《유태인 특유의》 기도문을 외다

dav·en·port [dǽvənpɔ̀:rt] [그 제작자의 이름에서] *n.* **1** 《영》 소형 책상 《경첩 달린 뚜껑을 열면 책상이 되는》 **2** 《미》 《침대 겸용의》 대형 소파

Da·vid [déivid] *n.* **1** 남자 이름 《애칭 Dave, Davy; 略 Dav.》 **2** 〖성서〗 다윗 《이스라엘 제2대 왕, 시편의 시의 작자》 **3** [St. ~] 성 다윗 《Wales의 수호성인; 축일은 3월 1일》 **~ *and Jonathan*** 〖성서〗 막역한 친구

Dàvid and Golíath *n., a.* 〖성서〗 다윗과 골리앗(의); 《비유》 소인과 거인[약자와 강자](의)

Da·vid·ic [dəvídik] *a.* 다비드 《자손》의

da Vin·ci [də-víntʃi] 다빈치 **Leonardo ~** (1452-1519) 《이탈리아의 화가·건축가·과학자》

Da·vis [déivis] *n.* 남자 이름

Dávis apparàtus [발명자 Sir R.H. Davis에서] 데이비스 장치 《잠수함 탈출 장치》

Dávis Cúp **1** 데이비스컵 《1900년 미국인 D. F. Davis가 영미 테니스 경기(후에 국제 선수권 대회가 됨)를 위해 기증한 우승배》 **2** [the ~] 데이비스컵전

dav·it [dǽvit, déiv-] *n.* **1** 〖항해〗 《보트·닻을》 달아올리는 기둥, 대빗 **2** 《고어》 =FISH DAVIT

da·vy [déivi] *n.* (*pl.* **-vies**) 《속어》 선서서(宣誓書) (affidavit) ***take*** one***'s*** **~** 《속어》 맹세하다

Da·vy [déivi] *n.* **1** 남자 이름 《David의 애칭; Davey, Dave라고도 함》 **2** 데이비 **Sir Humphry ~** (1778-1829) 《영국의 화학자》

Dávy Jónes 《익살》 〖항해〗 바다 귀신, 해마(海魔)

Dávy Jónes's lócker 해저; 바다의 무덤: go (down)[be sent] to ~ 익사하다

Dávy làmp [발명가 Sir H. Davy의 이름에서] 《옛날 탄광용의》 《데이비》 안전등

daw [dɔ́:] *n.* =JACKDAW

daw·dle [dɔ́:dl] *vi.* 빈둥거리다, 빈둥빈둥 시간을 보내다 《*along, over*》: 《~+전+명》 ~ *along* a street 거리를 어슬렁어슬렁 걷다 **—** *vt.* 〈시간을〉 낭비하다 《*away*》: 《~+목+부》 He ~*d away* his time. 그는 시간을 헛되이 보냈다.
— *n.* **1** 빈둥거림, 시간 낭비 **2** 굼벵이; 게으름뱅이

dáw·dler *n.* **-dling·ly** *ad.*

dawg [dɔ́:g] *n.* 《구어》 개(dog)

dawk[1] [dɔ́:k] *n.* =DAK

dawk[2] [*d*ove+*h*awk] *n.* 《미》 소극적 반전론자; 비둘기파(dove)와 매파(hawk)의 중간파

⁑**dawn** [dɔ́:n] *n.* U **1** 새벽, 동틀녘, 여명(daybreak): at ~ 새벽녘에 / before ~ 날이 새기[동트기] 전에 **2** [the ~] 《일의》 시초, 조짐, 서광 《*of*》: at *the ~ of* the 21st century 21세기의 시초에 **3** 《구어》 돌연한 깨달음 ***from ~ till dusk***[***dark***] 새벽부터 해질 때까지
— *vi.* **1** [종종 it을 주어로] 날이 새다, 〈하늘이〉 밝아지다: *It*[Day, Morning] ~*s.* 날이 샌다. **2** 《서서히》 발달하기 시작하다; 〈사물이〉 나타나기 시작하다, 보이기 시작하다 **3** 〈일이 …에게〉 이해되기 시작하다 《*on, upon*》: 《~+전+명》 It ~*ed on* him that ... …을 그가 알기 시작했다

dáwn chòrus **1** 《극광 등으로 인한》 새벽의 라디오 전파 장애 **2** 이른 아침의 합창 《새들의 지저귐》

dawn·ing [dɔ́:niŋ] *n.* U **1** 새벽, 여명; 동녘, 동쪽 **2** 《새 시대 등의》 조짐, 출현, 시작

dáwn màn [때로 **D- M-**] 원시인, 원인(原人)

dáwn patròl **1** 〖군사〗 새벽 정찰 비행 **2** 《라디오·텔레비전의》 새벽 프로그램 담당자

dáwn ràid 《영》 아침 급습 《회사 인수를 목적으로 첫 거래의 주식을 대량으로 매입하는 일》

⁑**day** [déi] *n.* **1 a** 하루, 날, 태양일(=solar ~): What ~ of the month is it today? =What's today? 오늘은 며칠이죠? **b** 〖천문〗 《지구 이외의》 천체의 하루 《1회 자전에 요하는 시간》 **2** U 낮(opp. *night*), 해가 떠 있는 동안: during the ~ 낮 동안(은) **3** 《노동[근무] 시간의》 하루: an eight-hour ~ 8시간 노동 **4** [종종 **D~**] 기념일, 축제일, 데이; 특정일, 기일, 약속 날짜: Mother's *D~* 어머니날 **5** [종종 *pl.*] 시대(epoch), 시절, 시기; [the ~] 그 시대, 당시; 현대: the custom of *the* ~ 그 당시의 습관 / *the* present ~ 현대 **6** [보통 the ~, one's ~] 《사람의》 전성기[시대]; [종종 *pl.*] 일생: *Our* ~ will come. 좋은 시절이 올 거요. 《낙담한 사람에게 격려하는 말》 **7** [the ~] 어느 날의 일, 《특히》 싸움, 승부(contest), 승리(victory): *The* ~ is ours. 승리는 우리의 것이다. **8** [부사절을 이끌어] 《…의》 날에:

He was born the ~ (*that*) his father left for Europe. 그는 아버지가 유럽으로 떠난 날에 태어났다. ***a ~ after the fair*** ⇨ fair². ***all ~*** (***long***) = ***all the ~*** 하루 종일, 진종일 ***any ~*** (1) 언제든 (2) = any DAY of the week ***any ~ of the week*** 《구어》 어떠한 조건[경우]이건, 어떻게든; 아무리 생각해 보아도 (***as***) ***clear as ~*** 대낮처럼 밝은; 아주 명백한 ***as happy*** [***merry, honest***] ***as the ~ is long*** 매우 행복해서[기뻐서, 정직해서] ***at that*** [***this***] ***~*** 그 무렵에[바로 지금] ***at the end of the ~*** 《구어》 결국, 최후에는 ***at the present ~*** 오늘날 ***before ~*** 날 새기 전에 ***better ~s*** 좋은 시절 《과거 또는 장래의》: We have seen *better ~s*. 우리도 한창때[전성시대]가 있었다. ***between two ~s*** 밤새 ***by ~*** 해 있을 때는, 낮에는(opp. *by night*) ***by the ~*** 하루 단위로 〈일하다·지불하다 등〉 (Let's) ***call it a ~.*** 《구어》 오늘은 이것으로 그치자[그만 하자]. ***carry*** [***win***] ***the ~*** 승리하다, 성공하다 ***count the ~s*** 《구어》 (어느 날을) 손꼽아 기다리다 ***~ about*** 《영》 하루 걸러 ***~ after ~*** (오늘도 내일도) 매일; 며칠이고 끝이 없이 ***~ and night*** = ***night and ~*** 밤낮, 자지도 쉬지도 않고 ***~ by ~*** = ***from ~ to ~*** 매일매일; 날마다(daily) ***~ in, ~ out*** = ***~ in and ~ out*** 날이면 날마다(every day) ***~s after date*** 일부(日附) 후 …일 ***~s of grace*** 지불 유예 기간 ***~s of wine and roses*** 번영기, 행복한 시기 ***early*** [***late***] ***in the ~*** 〈일이〉 이른[늦은] 단계에서 ***end*** [***close***] one***'s ~s*** 죽다 ***every ~*** 매일 ***Every dog has his ~.*** ⇨ dog. ***every other ~*** = ***every second ~*** 하루 걸러서 ***for many a long ~*** 오랫동안 ***from ~ one*** 처음부터 ***from one ~ to the next*** 이틀 계속하여 ***from this ~ forth*** 오늘 이후 ***have a ~ off*** 〈근로자 등이〉 하루 쉬다 ***have a ~ out*** 하루 외출하다 ***Have a nice ~!*** 좋은 하루를! 《헤어질 때의 인사》 ***have had*** one***'s ~*** 〈사람이〉 한물가다, 전성기가 지나다; 〈일이〉 끝나다 ***have*** one***'s ~*** 한때를 만나다, 전성기가 있다 ***How goes the ~?*** 형세는 어떤가? ***if a ~*** ⇨ if. ***I haven't got all ~.*** 《구어》 서둘러라; (나는) 서두르고 있다. ***in a ~*** 하루에; 일조 일석에 ***in broad ~*** 대낮에, 백주에 공공연하게 ***in ~s to come*** [***gone by***] 장래[지난날]에 ***in*** one***'s ~*** 한창[젊었을] 때에는 ***in the ~ of*** trouble[evil] (고난[액운])을 당할 때에 ***in the ~s of old*** = ***in the olden ~s*** 옛날에(formerly) (***in***) ***these ~s*** 오늘날(nowadays) ★ 이 숙어는 지나간 일에 쓸 때도 있으며, 구어에서는 in을 생략할 때가 많음. ***in those ~s*** 그 당시[시대]에는(then) ★ 보통 in을 생략하지 않음. ***It is all in the*** [***a***] ***~'s work.*** = ***All in the ~'s work.*** (싫지만) 아주 일상적인[당연한, 보통의] 일이다, 별나지도 않은 일이다. ***It's early ~s.*** 결과를 말하기는 이르다. ***keep*** one***'s ~*** 약속 날짜를 지키다, 기일을 지키다 ***know the time of ~*** 뭣이든지 다 알고 있다 ***lose the ~*** 지다, 패배하다 ***make a ~ of it*** 하루를 즐겁게 보내다 ***Make my ~!*** 《미·속어》 할 테면 해보라, 자 해봐, 덤벼! ***make*** a person***'s ~*** 《미·속어》 …을 (그날) 하루 즐겁게 해주다 ***men of other ~s*** 옛날 사람 ***men of the ~*** 당대의 사람 ***name the ~*** ⇨ name *vt.* ***not be*** a person***'s ~*** 재수 없는 날이다 ***not have all ~*** 《구어》 꾸물거릴 수 없다, 시간이 없다 ***not know the time of ~*** 《구어》 전혀 모르다 ***of a ~*** 명이 짧은, 일시적인 ***of the ~*** (그) 당시의; 그날의; 지금의 ***one ~*** (과거나 미래의) 어느 날; 언젠가는 ***one of these*** (***fine***) ***~s*** = ***one fine ~*** 근일중에, 근간에 ***one of those days*** 《구어》 일이 꼬인[망친] 날 ***on*** one***'s ~*** 《구어》 한창때에는 ***pass the time of ~*** (그 시각에 맞는) 인사를 하다 《고풍임》 ***pass off the evil ~*** 《구어》 싫은 일을 뒤로 미루다 ***quit the ~*** (일을 마치고) 귀가하다 ***save the ~*** 궁지를 벗어나다 one***'s ~*** 집에 있는 날 《일주일에 하루 손님을 맞는》; 생애; 전성 시대 ***see better ~s*** 보다 나은 시기가 오다 ***some ~*** (보통 미래의) 어느날, 언젠가, 머지않아 ★ 과거에서 본 미래에도 사용함. ***That'll be the ~.*** 《구어·익살》 그렇게 된다면야, 설마(그럴 수 있을까), 그런 것은 (도저히) 믿을 수 없다. ***the ~ after tomorrow*** [***before yesterday***] 모레[그저께] ★ 《미》에서는 종종 the를 생략함. ***the ~ before*** [***after***] ***the fair*** 시기가 너무 일러[늦어] ***the other ~*** 일전에 ***this ~ and age*** 금일, 현재 ***this ~ week*** [***fortnight, month, year***] 《영》 내주[2주일 후, 다음 달, 내년]의 오늘; 지난주[2주일 전, 지난 달, 작년]의 오늘 ***Those were the ~s.*** 그 옛날이 좋았지. ***till*** [***up to***] ***this ~*** 오늘(날)까지 꼭 ***to a*** [***the***] ***~*** 하루도 어김없이, 정확히 〈몇 년 《등》〉: It's been three years *to the ~* since we met. 우리가 만난지 정확히 3년이 되었구나. ***to this*** [***that***] ***~*** 오늘날[그 당시]까지 ***What is the time of ~?*** 지금 몇 시입니까? ***without ~*** 무기한으로 ▷ dáily *a.*

Day·ak [dáiæk] *n.* (*pl.* **~, ~s**) **1** 다야크 족 《보르네오 내륙에 사는 비이슬람교 종족》 **2** Ⓤ 다야크 말

day·bea·con [déibìːkən] *n.* 〖항해〗 (등불 없는) 주간 항로 표지

day·bed [déibèd] *n.* 소파 겸용의 침대; 낮잠·휴식용의 긴 의자

day·bill [-bìl] *n.* 연극 (등) 광고[선전] 포스터

dáy blìndness 주맹(晝盲)(증)(hemeralopia)

dáy bòarder 《영》 통학생 《식사만 학교에서 하는》

day·book [-bùk] *n.* **1** 일기[지] **2** 〖부기〗 거래 일기장 **3** 수첩, 메모장

dáy bòy 《영》 (기숙제 학교의) 남자 통학생

‡**day·break** [déibrèik] *n.* Ⓤ 새벽(dawn): at ~ 새벽에 / *D~* came. 날이 새었다.

day-by-day [-baidéi] *a.* 날마다의, 매일의(daily)

dáy càmp 주간에만 하는 어린이를 위한 캠프

dáy càre 데이 케어 《미취학 아동·고령자·신체 장애자 등을 주간만 돌봐주는 일》

day-care [-kɛ̀ər] *a.* Ⓐ 주간 탁아(소)의, 보육의

day·care [-kɛ̀ər] *vt.* 〈아이를〉 탁아소에 맡기다

dáy-care cénter 탁아소

dáy cènter 데이 센터 《노령자·장애자에게 여러 서비스를 제공하는 복지 시설》

dáy còach 《미》 보통 객차(cf. CHAIR CAR); 〖항공〗 주간 요금 클래스

***day·dream** [déidrìːm] *n.* 백일몽, 공상
— *vi.* 백일몽을 꿈꾸다, 공상에 잠기다
~·er *n.* **~·lìke** *a.*

dáy fìghter 주간 전투기

day·flow·er [-flàuər] *n.* **1** 피었다가 그날 시드는 꽃 **2** 〖식물〗 자주달개비

day·fly [-flài] *n.* (*pl.* **-flies**) 하루살이(mayfly)

dáy gìrl 《영》 (기숙제 학교의) 여자 통학생

Day-Glo [déiglòu] *n.* 데이글로 《형광(螢光) 안료를 포함한 인쇄용 잉크의 일종; 상표명》

day·glow [déiglòu] *n.* 〖기상〗 주간 대기광(大氣光)

dáy hòspital 주간 병원, 외래 환자 전용 병원

dáy in cóurt 〖법〗 법정 출두일; 변론[발언]할 기회

dáy jòb 본업, 생업(cf. MOONLIGHT JOB)

dáy làbor 날품; 미숙련 노동자

dáy làborer 날품팔이, 일급쟁이

dáy lèngth 〖식물〗 광주기(photoperiod)

dáy lètter 《미》 주간 보통 전보 《요금이 쌈; opp. *night letter*; cf. LETTERGRAM》

‡**day·light** [déilàit] *n.* Ⓤ **1** 일광, 빛(light); 낮(daytime); 새벽(dawn) **2** (똑똑히 보이는) 틈, 간격 《경조(競漕)시 두 보트 사이, 승마자와 안장과의 사이, 술의 표면과 잔의 운두와의 사이 등》 **3** [*pl.*] 《고어·속어》 눈(eyes) **4** 《비유》 이해, 지식; (일이) 밝혀짐, 공공연함, 주지(周知) **5** [*pl.*] 《속어》 의식, 제정신

thesaurus **daydream** *v.* dream, muse, fantasize
daze *v.* stun, stupefy, shock, confuse, bewilder, befuddle, numb, paralyze, shock, amaze

burn ~ 쓸데없는 짓을 하다 **in broad ~** 대낮에, 백주에, (대낮에) 공공연하게 **knock** [**beat, kick**] **the** (**living**) **~s out of ...** 《속어》 …을 실컷 때려 눕히다, 간담을 서늘하게 하다 **let ~ into** …을 밝은 곳에 내놓다; …에 구멍을 뚫다; 《속어》 …을 쏘다, 찌르다 **No ~!** 가득 따릅시다! 《축배를 들기 전에 toastmaster가 하는 말》 **scare** [**frighten**] **the** (**living**) **~s out of** 놀라게 하다, 겁주다 **see ~** (1) 이해하다 (2) 해결[완성]의 서광이 비치다, 전망이 보이다 《*into, through*》 (3) 〈사물이〉 햇빛을 보다, 공표되다; 〈사람이〉 태어나다

— *a.* 〈필름이〉 주광용의; 낮 동안의

— *vt.* **1** …에 햇빛을 쬐다 **2** (교차점 등에서) 장애물을 제거하여 전망이 트이게 하다

dáylight blùe 주광(晝光)색; 주광색 채료[안료]

day·light·ing [déilàitiŋ] *n.* 주광 조명; 《구어》 (불법의) 주간 부업

dáylight làmp 주광등(晝光燈)

dáylight róbbery **1** 백주의 강도, 공공연한 도둑 행위 **2** 터무니없는 대금[청구], 바가지 씌우기, 폭리

dáylight sáving 일광 절약[이용] 《여름에 시계를 1시간 앞당겨 낮을 많이 이용하는 제도》

dáylight sáving tìme 일광 절약 시간, 서머타임 《略 DST; 《영》 summer time》

dáylight tìme = DAYLIGHT SAVING TIME

dáy lìly 《식물》 **1** 원추리속(屬)의 총칭 《백합과(科)》 **2** 옥잠화속의 총칭; 그 꽃

dáy lòan 당일 (상환) 대출

day·long [déilɔ̀:ŋ | -lɔ̀ŋ] *ad., a.* 종일(의)

dáy màn 당직 제외 선원 《요리사·승객 담당원 등》

day·mare [-mɛ̀ər] *n.* (악몽과도 같은) 나쁜 체험

day·mark [-mɑ̀:rk] *n.* 《항공》 주간 항로 표지

dáy mòde 《미·속어》 주간 모드 《사람이 주간에 활동하고 밤에는 잠자는 상태》: I'm in ~ this week. 금주의 내 활동기(期)는 주간이다.

day-neu·tral [-njù:trəl] *a.* 〈식물이〉 중일성(中日性)의 《일조량의 변화에 관계없이 생장·개화하는》

dáy nùrsery 탁아소

Dáy of Atónement [the ~] = YOM KIPPUR

dáy óff 《구어》 비번(非番), 휴일

Dáy of Júdgment ⇨ Judgment Day

dáy of réckoning ⇨ reckoning

dáy of rést = SABBATH

Dáy 1, Dáy Óne 《구어》 최초의 날

dáy òrder 《증권》 당일 유효 주문

dáy òut 외출일, 소풍일, 행락일

dáy òwl 《조류》 주행성(晝行性) 올빼미

dáy pàck 당일치기 하이킹·캠프용의 배낭

dáy pàrting (방송국 네트워크의) 하루의 방송 시간 구분 《prime time, late fringe 등》

dáy pèrson 《구어》 낮에 활동하기를 좋아하는 사람

dáy pùpil 《영》 = DAY STUDENT

dáy relèase 《영》 (근로자의 교육을 위한) 연수 휴가 제도

dáy retúrn 《영》 = DAY TICKET

day·room [-rù:m] *n.* (기숙제 학교·군대·병원 등의 독서 등도 가능한) 주간 휴게실, 오락실

days [déiz] *ad.* 《미·구어》 (언제나) 낮에(는): work ~ and go to school nights 낮에는 일하고 밤에는 학교에 가다

day-sail·er [déisèilər] *n.* (침구 설비가 없는) 소형선 《요트의 일종》

dáy schòlar = DAY STUDENT

dáy schòol **1** 사립 통학제 학교(opp. *boarding school*) **2** 주간 (초·중등) 학교(opp. *night school*) **3** 평일 학교 《평일에 보통 오전 9시부터 오후 3시까지 여는》

dáy shìft **1** (공장 등의) 주간 근무 (시간)(opp. *night shift*): on the ~ 주간 근무로 **2** [집합적] 주간 근무자[반]

day·side [-sàid] *n.* **1** (신문사의) 주간 근무(자) (opp. *nightside*) **2** 《천문》 행성의 햇빛을 받는 쪽

days·man [déizmən] *n.* (*pl.* **-men** [-mən]) 《고어》 **1** 중재인, 조정자(arbiter) **2** 날품팔이꾼

dáys of gráce (어음 만기 후의) 지불 유예 기간

day·spring [déispriŋ] *n.* 《고어·시어》 = DAWN

day·star [-stɑ̀:r] *n.* **1** 샛별(morning star) **2** [the ~] 《시어》 낮의 별 《태양》

dáy stùdent (기숙제 학교의) 통학생

dáy sùrgery (입원이 필요 없는) 간단한 수술

day·tal·er [déitələr] *n.* 《영·방언》 = DATALLER

dáy tìcket 《영》 당일 통용의 할인 왕복표

***day·time** [déitàim] *n.* **낮, 주간**: in the ~ 주간에, 낮 동안에(opp. *at night*)

— *a.* Ⓐ 낮[주간]의: ~ burglaries 백주의 강도

dáytime rúnning lìght [(영) **làmp**] 《자동차》 주간(晝間) 주행등 《약한 전조등》

day·times [-tàimz] *ad.* 《미》 낮(동안)에는

day-to-day [déitədéi] *a.* Ⓐ **1** 나날의, 일상의 **2** 그날그날 살아가는 **3** 《상업》 당좌의

Day·tó·na 500 [deitóunə-fáivhʌ́ndred] 데이토너 500 《미국 플로리다 주 Daytona Beach에서 매년 개최되는 stock car 경주 대회》

day-trade [déitrèid] *vi.* (주식·상품을) 당일치기로 매매하다

dáy tràder 《증권》 단타 매매자 《당일치기 매매를 일삼는 투기가》

dáy tràding (주식·상품의) 당일치기 매매

dáy trìp 《영》 당일치기 (행락) 여행

day-trip [-trìp] *vi.* 《영》 당일치기로 여행하다 **~·per** *n.*

day·wear [-wɛ̀ər] *n., a.* 주간용 의복[화장](의)

day·work [-wə̀:rk] *n.* 주간 근무, 하루의 일

***daze** [déiz] [ON 「피곤해지다」의 뜻에서] *vt.* 멍하게 하다; 눈부시게 하다; 현혹시키다

— *n.* [a ~] 현혹; 멍한 상태; 눈이 부심: be in *a* ~ 눈이 부셔서 잘 보지 못하다[어리벙벙하다]

~·ness *n.*

dazed [déizd] *a.* (충격 등으로) 아찔해진, 멍해진: They waited for the rescue boats, ~ and frightened. 그들은 어리벙벙하고 놀란 상태로 구조선을 기다렸다.

daz·ed·ly [déizidli] *ad.* 눈이 부셔, 멍하니

da·zi·bao [dɑ́:dzí:báu] *n.* (중국의) 대자보(大字報) (wallposter)

***daz·zle** [dǽzl] [daze의 반복형] *vt.* **1** 눈부시게 하다, (빛이 세어) 바로 보지 못하게 하다 **2** 〈아름다움·화려함 등이〉 현혹시키다, 감탄시키다, 압도하다

— *vi.* (강한 빛으로) 〈눈이〉 부시다; 눈부시게 빛나다; 감탄하다

— *n.* Ⓤⓒ 현혹; 눈이 부신 빛

— *a.* 〈구두가〉 매우 밝은 색의

dáz·zler *n.*

dázzle pàint 《군사》 (함선의) 위장, 카무플라주

dázzle sỳstem 《항해》 위장(도장)법

***daz·zling** [dǽzliŋ] *a.* **눈부신**, 휘황찬란한; 현혹적인: ~ advertisement 현혹적인 광고 **~·ly** *ad.*

dB, db decibel(s) **DB** 《컴퓨터》 database; daybook **db.** debenture **d.b., D.B.** daybook **D.B.** Bachelor of Divinity; Domesday Book **dBA** decibels acoustic **DBA** 《컴퓨터》 database administer; Doctor of Business Administration **d/b/a, d.b.a.** doing business as

dBASE [dí:beis] *n.* 《컴퓨터》 디베이스 《PC용으로 개발된 최초의 데이터베이스 프로그램》

DBCS database control system 《컴퓨터》 데이터베이스 제어 시스템; double byte character sets 《컴퓨터》 2바이트 문자 세트

DBH, Dbh diameter at breast height **D.Bib.**

---

dazzle *v.* **1** 눈부시게 하다 blind temporarily, daze, overpower **2** 현혹시키다 overwhelm, fascinate, awe, stagger, dumbfound, amaze

Douay Bible **dbl.** double **DBMS** database management system **DBS** direct broadcast satellite **DC** 〖음악〗 da capo; 〖컴퓨터〗 data communication; dental corps; direct current; District Court; District of Columbia **d.c.** direct current **DCB** 〖컴퓨터〗 data control block **DCC** Digital Compact Cassette **DCD** digital compact disk **DCG** definite clause grammar **D.Ch.E.** Doctor of Chemical Engineering **DCL** Doctor of Canon Law; Doctor of Civil Law **DCM** Distinguished Conduct Medal **DCOM** Distributed Component Object Model **DCP** diagnostic control program; display control program **DCS** data collection system; display control system **dd** dated; delivered **DD** Department of Defense; deputy director; dishonorable discharge; Doctor of Divinity **d.d.** days after date[delivery]; demand draft

d–d [dí:d, dǽmd] *a.* = DAMNED

D-day [dí:dèi] [D<*day*] *n.* **1** 〖군사〗 공격 개시일 (cf. ZERO HOUR); 《일반적으로》 계획 개시 예정일, 중요한 일이 있는 날 **2** (영) 십진법(통화 채용)의 날

DDB design database **DDC** 〖도서관〗 Dewey decimal classification; 〖컴퓨터〗 direct digital control **ddC, DDC** dideoxycytidine 《AIDS의 치료 시약》 **DDD** direct distance dialing 장거리 직통 전화 **DDE** dynamic data exchange 〖컴퓨터〗 동적 자료[데이터] 교환 **ddI, DDI** dideoxyinosine 《AIDS의 치료 시약》 **DDL** 〖컴퓨터〗 data definition language **DDoS** 〖컴퓨터〗 distributed denial of service **DDP** 〖컴퓨터〗 distributed data processing **D.D.S.** Doctor of Dental Surgery[Science] **DDT** dynamic debugging tool 〖컴퓨터〗 오류를 고치는 프로그램; (미·속어) don't do that; dichloro-diphenyl-trichloroethane] 〖약학〗 디디티 《살충제; cf. BHC》 **DDVP** dimethyl-dichlor-vinyl-phosphate 〖약학〗 디디비피 《살충제》

de[1] [di, də] [L = down from, off] *prep.* 「…에서[부터]; …에 대하여」의 뜻: *de* facto

de[2] [də] [F = of, from] *prep.* 「…의; …에서; …에 속하는」의 뜻: coup *de* main

DE (미) 〖우편〗 Delaware; 〖미해군〗 destroyer escort **D.E.** defensive end; Doctor of Engineering; driver education

de- [di:, di, də] *pref.* **1** 「강하(down from, down to)」의 뜻: *de*bus, *de*scend, *de*press **2** 「분리(off, away, aside)」의 뜻: *de*cline, *de*precate **3** 「강조(entirely, completely)」의 뜻: *de*claim, *de*nude **4** 「부정(bad)」의 뜻: *de*ceive, *de*lude **5** 「역전(un-)」의 뜻: *de*centralize, *de*calcify **6** 「해체(asunder, apart)」의 뜻: *de*compose

DEA Drug Enforcement Administration **Dea.** Deacon

de·ac·cel·er·ate [di:æksélərèit, -ək-] *vi.*, *vt.* = DECELERATE

de·ac·ces·sion [dì:æksé∫ən, -ək-] (미) *vt.* (작품·수집품의 일부를 다른 작품을 구입하기 위하여) 매각[처분]하다 **—** *n.* 매각, 처분

de·a·cid·i·fy [dì:əsídəfài] *vt.*, *vi.* (**-fied**) 산을 제거하다, 산성도를 낮추다

*****dea·con** [dí:kən] *n.* **1** 〖영국국교·가톨릭〗 부제(副祭); 〖그리스정교〗 보제(補祭); (장로 교회 등의) 집사 **2** (스코) (상공 조합의) 조합장 **3** Ⓤ (미) 갓난 송아지의 가죽
— *vt.* **1** (미·구어) (회중이 노래하기 전에) 〈찬송가〉의 1행을 미리 낭독하다 《*off*》 **2** (미·속어) 〈과실 등을〉 상등품을 위에 놓다, 저질품을 섞다, 눈가림하다 **3** (미) 〈돼지 등을〉 거세하다 **~·ship** *n.*

dea·con·ess [dí:kənis] *n.* (기독교의) 여자 집사; (기독교의) 자선 사업 여성 회원

dea·con·ry [dí:kənri] *n.* (*pl.* **-ries**) **1** deacon의 직 **2** [집합적] deacon들

déacon's bénch 좁고 긴 방추형의 나무를 몇개씩 나란히 엮어, 등받이와 팔걸이가 되도록 한 벤치

de·ac·qui·si·tion [di:æ̀kwəzí∫ən] *n.* 처분 예정의 수집품; 수집품의 처분[매각]

de·ac·ti·vate [di:ǽktəvèit] *vt.* 군대를 해산하다, 동원을 해제시키다(cf. ACTIVATE); 효과를 제거하다; 비활성화시키다 **—** *vi.* 〖물리〗 방사능을 잃다

de·ac·ti·va·tion [di:æ̀ktəvéi∫ən] *n.* **-và·tor** *n.*

‡**dead** [déd] *a.* **1 a** 죽은(opp. *alive*); 말라 죽은; 〈바람이〉 자버린, 그친: shoot a person ~ 쏘아 죽이다 / He has been ~ for two years. 그가 죽은 지 2년이 된다.(cf. *He died two years ago.*) / *D*~ men tell no tales. (속담) 죽은 사람은 말이 없다. 《비밀을 아는 자는 죽이라는 뜻》 **b** [the ~; 명사적; 복수 취급] 죽은 사람; 고인; 망자(亡者) **2** Ⓐ 생명이 없는, 무생물의: ~ leaves 마른 잎, 고엽 **3** (죽은 것처럼) 움직이지 않는; 잠잠한; Ⓟ 감각이 없는, 마비된 (numbed): ~ fingers 곱은 손가락 / a ~ faint 실신(失神) **4** 불이 꺼진; 생기[기력, 활기]가 없는; 〈소리·빛깔·빛 등이〉 흐릿한, 침침한(dull, heavy); 〈시장의 경기 등이〉 활발하지 않은; 〈음료 등이〉 김빠진 **5** Ⓐ 〈말 등이〉 스러진, 폐용된, 무효의: a ~ village 폐촌 **6** 쓸모없는, 비생산적인, 팔리지 않는; 〈토지가〉 메마른 **7** 출입구가 없는, 〈앞이〉 막힌 **8** 〖경기〗 아웃이 된, 죽은 **9** Ⓟ (구어) (죽은 것처럼) 기진맥진한, 녹초가 된 (worn-out) **10** Ⓐ (죽음같이) 필연적인, 틀림없는, 정확한 **11** Ⓐ 전적인, 완전한, 철저한(absolute): on a ~ level 아주 수평으로 **12** 〈경기가〉 일시 정지의; 〈공이〉 잘 튀지 않는; 〈그라운드가〉 공이 잘 굴러가지 않는; 〖골프〗 〈공이〉 홀(hole) 바로 옆에 있는 **13** 〈전지 등이〉 끊어진, 다 된; 〈전화가〉 끊어진, 통하지 않는; 〈전선 등이〉 전류가 통해 있지 않은 **14** 형식만의, (정신적으로) 무의미한 **15** 〈애정이〉 식은 **16** 〖법〗 시민[재판]권을 잃은 **17** (속어) 〈집이〉 아무도 없는
(as) ~ as mutton [***a doornail, a coffin nail, a salmon***] 아주 죽은, 전혀 움직이지 않는 ***be ~ on one's feet*** (구어) 몹시 지친 ***come to a ~ stop*** 딱 멈추다 ***cut ~*** (구어) 보고도 모르는척하다 ***~ above*** [***between***] ***the ears*** 부주의한, 건성의 ***~ and buried*** 죽어 매장되어; 〈일이〉 이미 끝나버려, 아주 잊고 말아 ***~ and done with*** (구어) 〈일이〉 완전히 끝나 ***~ and gone*** 죽어 버려서; 〈생각·일 등이〉 구식의 ***~ from the neck up*** (구어) 바보인; 멍한 ***~ hours of the night*** 고요한 한밤중 ***~ in the water*** 〈계획 등이〉 수포로 돌아가, 실패하여 ***~ to*** …에 무감각한: He is ~ *to* pity. 그는 인정이 없다. ***~ to rights*** (구어) 확실한[히]; 현행범으로 ***~ to the world*** (구어) 깊이 잠들어; 의식이 없어 ***in ~ earnest*** 진정으로 ***more ~ than alive*** 죽도록 지쳐 ***over my ~ body*** (구어) 살아 생전에는[눈에 흙이 들어가기 전에는] 절대로 (…시키지 않겠다) : "Let's stay at home on summer vacation."—"*over my ~ body!*" 여름 휴가 때 그냥 집에 있자.—절대 안돼! ***the ~ hand of*** …의 압력 ***wouldn't*** [***won't***] ***be seen ~*** (구어) (…은[…하기는]) 죽어도 싫다, 절대 하지 않겠다
— *ad.* **1** (구어) 완전히, 아주, 전적으로 **2** 직접적으로, 똑바로; 정면으로; 꼭, 바로 **3** 갑자기, 느닷없이, 뚝 ***cut*** a person ***~*** …을 전혀 모르는 체하다 ***~ against*** (구어) …에 전적으로 반대인 ***~ asleep*** (구어) 세상 모르고 잠들어 ***~ broke*** (구어) 빈털터리가 되어 ***~ certain*** [***sure***] (구어) 절대로 확실한 ***~ drunk*** (구어) 곤드레만드레 취한 ***~ easy*** 아주 쉬운 ***~ on*** (구어) 전적으로 옳은[정확한] ***~ tired*** (구어) 녹초가 되어

thesaurus **dead** *a.* **1** 죽은 deceased, late, departed, lifeless, extinct, perished, gone, passed away **2** 마비된 numb, unfeeling, paralyzed **3** 폐용된 obsolete, outmoded, disused, invalid

— *n.* **1** 죽은 듯이 고요한 때, 가장 생기 없는 시간 **2** (미·속어) 목적지 불명 우편 ***at (the) ~ of night*** 한밤중에 ***in the ~ of winter*** 한겨울에 ***leave for ~*** (…을) 멀리 떼어 놓다 ***loud enough to wake the ~*** 아주 시끄러운 ***rise from the ~*** 부활하다, 소생하다
▷ díe, déaden *v.*; déadly *a.*; déath *n.*

déad áir (속어) 〖라디오·TV〗 (아무것도 방송되고 있지 않는) 방송 중단; (옥내 등의) 정체 공기

déad-áir spàce [dédέər-] 〖건축〗 단열(斷熱) 공기층 《공기가 막힌 공간》

dead-a·live [-əláiv] *a.* 기운[활기] 없는; 불경기의; 단조로운(dull)

dead-and-a·live [-əndəláiv] *a.* (영) = DEAD-ALIVE

déad ángle 〖군사〗 사각(死角) 《사격할 수 없는 각도; cf. DEAD SPACE》

déad-ball lìne [-bɔ:l-] 〖럭비〗 데드볼 라인 《골라인 뒤쪽 25야드를 넘지 않는 곳에 평행으로 그은 선》

déad béat (구어) 녹초가 된; 참패한

dead·beat[1] [-bì:t] *n.* **1** (속어) 게으름뱅이, 부랑자; 식객, 기식자 **2** (미·속어) 빚[대금]을 떼어먹는 사람; 기차를 거저 타는 방랑자
— *vi.* (미·속어) 빈둥거리다; 기식하다

deadbeat[2] *a.* 〖시계〗 직진식(式)의; 〖기계〗 속시(速示)의; 〈계기의 지침이〉 흔들리지 않고 바로 가리키는

déadbeat dád (미·속어) (이혼 후의) 자녀 양육비를 내지 못하는 아버지

déad bòlt 데드볼트 《스프링 작용이 없이 열쇠나 손잡이를 돌려야만 움직이는 걸쇠》

dead·born [-bɔ̀:rn] *a.* 사산(死産)의(stillborn)

déad cát **1** (속어) (서커스에서) 관중에게 구경만 시키는 사자[호랑이, 표범《등》] **2** 엄한[조소하는 듯한] 비판, 혹평

déad-cat bóunce [dédkæ̀t-] (구어) 〖증권〗 (대폭락 후의) 경미한 상승

déad cénter [the ~] 〖기계〗 (크랭크의) 사점(死點)(dead point); (선반(旋盤)의) 부동 중심; 정확한 중심

déad cínch (미·속어) [a ~] 절대 확실한 것[일]

déad cólor(ing) (유화의) 바탕칠

déad dròp (스파이의) 연락용 정보 전달 장소

déad dúck (속어) 가망 없는 사람[것], 끝장난 사람[것]

dead·ee [dedí:] *n.* (사진 보고 그린) 고인의 초상화

dead·en [dédn] *vt.* **1** 〈활기·감수성·감정 등을〉 약하게 하다, 무감각하게 하다 **2** 〈소리·고통·광택·향기 등을〉 지우다, 덜다, 둔하게 하다; 〈술 등의〉 김을 빼다 **3** 〈속력을〉 늦추다 **4** 〈벽 등에〉 방음 장치를 하다 **5** 〈나무를〉 말라죽게 하다 — *vi.* 사멸하다; 약해지다; 김이 빠지다 **~·er** *n.*

déad énd **1** (관(管) 등의) 막힌 끝; (통로의) 막다름, 막다른 골목; (철도 지선의) 종점 **2** (행동·상황 등의) 막다름, 막힘, 궁지

dead-end [dédénd] *a.* Ⓐ **1** 막다른: a ~ street 막다른 길 **2** 발전성[장래성]이 없는; 빈민굴의; 밑바닥 생활의, 꿈도 희망도 잃은; 무법의: a ~ kid (꿈도 희망도 없는) 빈민가의 비행 소년, 거리의 부랑아 / a ~ job 장래성이 없는 직업[직위]
— *vi., vt.* 막다르게 되다[하다]

dead·en·ing [dédniŋ] *n.* Ⓤ **1** 방음재, 방음 장치; 무광(택) 도료 **2** (미) (나무를 고사시켜) 개간한 토지 **~·ly** *ad.*

dead·eye [dédài] *n.* 〖항해〗 삼공 활차(三孔滑車); (미·구어) 사격의 명수

dead·fall [-fɔ̀:l] *n.* (미) **1** (무거운 것을 떨어뜨려 짐승을 잡는) 함정, 덫 **2** (숲속의) 쓰러진 나무 **3** (미·속어) 하급 술집, 비밀 도박장

déad fíngers (공기 드릴의 사용으로) 손가락 감각의 마비

déad fire = ST. ELMO'S FIRE

déad fréight 〖상업〗 공하(空荷) 운임 《무겁거나 취급이 어려운 화물》

déad gíveaway (구어) 결정적인 증거

déad gróund **1** 〖군사〗 = DEAD SPACE 3 **2** 〖전기〗 완전 접지

déad hánd **1** 〖법〗 = MORTMAIN **2** (현재[생존자]에 대한) 과거[죽은 자]의 압박감 **3** [D- H-] = RAYNAUD'S DISEASE

dead·head [-hèd] *n.* **1** (미) (우대권·초대권을 가진) 무료 입장자[승객]; 회송(열)차[버스, 비행기], 빈 차[비행기] **2** (미·구어) 무용지물, 무능한 사람; 바보 **3** (영) 시든 꽃 **4** 무료 배포지
— *vi., vt.* 〈사람이[을]〉 무료 입장[승차]하다[시키다]; 〈차를〉 회송하다; 시든 꽃을 들어내다[잘라내다]
— *a., ad.* 빈 차의[로]; 쓸모없는[이]

déad héat (두 사람 이상의 경기자가 동시에 골인하는) 무승부 《접전은 a close finish[race]라고 함》

dead-heat [-hí:t] *vi.* (경주에서) 동시에 골인하다

déad hórse 아무짝에도 못쓰는 것; (구어) 끝난 이야기, 쓸데없는 논의
flog a ~ 끝난 이야기를 다시 화제에 올리다; 헛수고를 하다 ***pay for ~*** 묵은 빚을 갚다 ***work for a ~*** = ***work the ~*** 선불 받은 몫을 일하다

déad hóur (미·속어) (대학생의) 강의 없는 시간

dead·house [-háus] *n.* 시체 안치소, 영안실

déad íssue (구어) 끝난[지나간] 문제

déad lánguage 사어(死語) 《라틴어 등》

déad létter **1** (법률 등의) 사문(死文), 공문(空文) **2** 배달 불능 우편물 **3** 없어진[잃어버린] 것 **4** = DEAD ISSUE

déad létter bòx[dròp] = DEAD DROP

déad-let·ter óffice [-lètər-] (중앙 우체국의) 배달 불능 우편물과(課)

déad líft **1** (기계를 쓰지 않고) 바로 들어올리기 **2** (고어) 필사적 노력(을 요하는 일·상황)

dead·light [-làit] *n.* **1** 〖항해〗 현창(舷窓) 안뚜껑 《침수 등을 막음》 **2** 채광창 **3** [*pl.*] (미·속어) 눈

*__dead·line__ [dédlàin] *n.* **1** (미) 사선(死線) 《죄수가 넘으면 총살당하는》; 넘지 못할 선 **2** (신문·잡지의) 원고 마감 시간; 최종 기한(time-limit) 《*for*》 **3** 〖군사〗 수리[정기 검사]를 위해 모아 놓은 탱크·화포들
— *vt.* (정비·수리를 위해) 〈탱크 등을〉 사용 금지하다

déad lóad 〖건축·철도〗 정[사]하중(靜[死]荷重), 자중(自重), 자체 중량(opp. *live load*)

déad lóan 회수 불능 대출금

*__dead·lock__ [dédlàk | -lɔ̀k] *n.* **1** 막다른 골목; 교착(상태); 정돈(停頓): be in[come to, reach] a ~ 교착 상태에 있다[가 되다] / end in ~ 교착 상태에서 끝나다 / break a ~ = bring a ~ to an end 교착 상태를 타개하다 **2** 이중 자물쇠 **3** 독방 **4** (시합·경기의) 동점 **5** 〖컴퓨터〗 정지, 교착 《두 개의 작업을 동시에 진행할 때 발생하는》
— *vi., vt.* 정돈되다, 교착 상태가 되다 《*over*》; 교착 상태가 되게 하다 **~ed** [-t] *a.* 막다르게 된, 교착 상태의

déad lóss **1** (보상받을 수 없는) 순전한 손실, 전손(全損) **2** 무용지물, 전혀 쓸모없는 사람[것]

__dead·ly__ [dédli] *a.* (-li·er**; **-li·est**) **1** 치명적인, 치사의 (⇨ fatal 유의어): a ~ poison 맹독 / a ~ weapon 흉기 **2** Ⓐ 죽음[죽은 사람]과 같은(deathlike); 활기 없는; 따분한, 지루한: a ~ party 따분한 파티 **3** 살려 둘 수 없는 〈적《등》〉; 목숨을 건; 집념이 센: ~ combat 사투 **4** 매우 효과적인 《*against*》 **5** (구어) 심한(excessive): with ~ speed 맹렬한 속도로 **6** Ⓐ 〖신학〗 지옥에 갈 정도의 〈죄악〉 **7** 매우 정확한 **8** 날카로운, 통찰력이 있는 **9** 매우 좋은; 매우 나쁜
in ~ haste 굉장히 급하게 ***the seven ~ sins*** =

deadly **1** 치명적인 fatal, lethal, mortal, dangerous, destructive, harmful, poisonous, toxic, malignant **2** 심한 intense, great, extreme, excessive, immoderate, marked

DEADLY SINS
— *ad.* 죽은 듯이; (구어) 지독하게, 무섭게, 몹시 (extremely); 치명적으로: ~ serious 아주 진지한
déad·li·ness *n.*
déadly embráce 〖컴퓨터〗 =DEADLOCK
déadly níghtshade 〖식물〗 =BELLADONNA
déadly síns [the ~; 복수 취급] (지옥에 떨어지는) 7대 죄악(=seven ~) 《pride, covetousness, lust, anger, gluttony, envy, sloth》
déad màn [보통 dead men으로] (구어) =DEAD SOLDIER 1
déad-man's flóat [dédmæ̀nz-] 〖수영〗 엎드려 뜨기(prone float) 《양팔을 앞으로 뻗고 엎드린 자세》
déadman's hànd (미·속어) **1** (포커에서) 에이스 2매와 8짜리 2매가 있는 패 **2** 불운, 불행
déadman's hándle 〖기계〗 (손을 떼면 동력이 멈추는) 자동 제어 핸들
déad màrch (특히 군대의) 장송 행진곡
déad maríne (호주·속어) =DEAD SOLDIER 1
déad màtter **1** 〖인쇄〗 (해판 직전의) 폐판(廢版) **2** 〖화학〗 무기물
déad méat (미·속어) **1** (시판 전의) 식육 **2** 시체 **3** (사람의) 빈사[곤란한] 상태: You're ~. 넌 이제 죽었어[끝장났어].
déad néttle 〖식물〗 광대수염
dead-on [dédɔ́:n | -ɔ́n] *a.* (구어) 바로 그대로의, 아주 정확한[옳은](perfect)
dead-on-ar·ri·val [-əráivəl] *n.* **1** 병원에 도착하였을 때 이미 사망한 환자 《略 DOA》 **2** 〖전자〗 처음 사용 때 작동하지 않는 전자 회로 **3** (미·속어) 헤로인
déad òverhang (신규 투자를 못할 정도의) 부채[채무] 과다
déad pàn (구어) 무표정한 얼굴(의 사람)(poker face) 《아일랜드 사람의 특징이라 함》; 무표정으로 하는 연기[희극]
dead·pan [-pæ̀n] (구어) *a., ad.* 무표정한[하게]
— *vi.* (**~ned**; **~·ning**) 무표정한[진지한] 얼굴을 하다[로 말하다]
déad pèdal (미·속어) 느리게 운전하는 차; 서툴러서 신중한 운전자(Sunday driver)
déad pígeon (속어) =DEAD DUCK
déad póint =DEAD CENTER
déad prèsident (속어) 달러 지폐 《달러화에 주로 전직 미국 대통령의 초상화가 찍혀 있는데서》
déad púll =DEAD LIFT
déad réckoning **1** 〖항해·항공〗 추측 항법(推測航法) **2** 《일반적으로》 추측[추정]에 의한 계산
déad rínger (속어) 똑같이 닮은 사람 《*for*》
déad róom 무향실(無響室) 《음향 반사를 최소화한》
déad rún 전력 질주
Déad Séa [the ~] 사해 《이스라엘과 요르단 사이의 함수호(鹹水湖)》
Déad Sèa ápple[frúit] [the ~] =the APPLE of Sodom
Déad Séa Scròlls [the ~] 사해(死海) 문서[사본] 《사해 북서부 동굴에서 발견된 구약 성서 등을 포함한 고문서의 총칭》
déad sét **1** (사냥개가 사냥감을 노릴 때의) 부동 자세; 단호한 자세 **2** 과감한[정면] 공격; 끈기 있는[필사의] 노력; (특히 여성의) 열렬한 구애(求愛) 《*at*》: make a ~ *at* (논의·조소 등으로) …을 공격하다; (여성이 남성에게) 열렬히 구혼하다
déad shót **1** 명중탄 **2** 사격의 명수
déad sléep 깊은잠, 숙면
dead-smooth [-smú:ð] *a.* 매우 매끄러운, 매우 매끄럽게 움직이는
déad sóldier (미·속어) **1** 빈 술병[깡통] (dead man) **2** 먹다 만 음식; 담배꽁초
déad spáce **1** 〖생리〗 사강(死腔) 《비강(鼻腔)에서 폐포(肺胞)까지의 부분》 **2** 〖건축〗 소용없는 공간 《기둥 둘레 등》 **3** 〖군사〗 사계(死界), 사각(死角) 《사격할 수 없는 지역; cf. DEAD ANGLE》
déad spít (구어) 꼭 닮은 사람 《*of*》
déad spòt **1** 난청 지역 **2** 방송 중지 상태
déad stíck **1** 회전을 멈춘 프로펠러 **2** (비어) 발기하지 않는 음경
déad-stick lánding [-stìk-] 〖항공〗 프로펠러 정지 착륙 《엔진을 끄고 내리는 불시착》
déad stóck **1** 팔리고 남은 상품, 사장(死藏) 재고 **2** (가축에 대해) 농구(農具) **3** 병들어 죽은 가축
déad stórage (가구·서류 등의) 사장(死藏)
déad tìme 〖전자〗 부동(不動) 시간, 불감(不感) 시간 《지령 후 작동하기까지의》
dèad trée edìtion (익살) 〖컴퓨터〗 인터넷 상의 잡지[신문] 복사판
déad wàgon (미·속어) 영구차, 운구차
déad wáll 창·문이 없는 벽
déad wáter **1** 사수(死水), 괸 물 **2** 〖항해〗 (항해 중) 배 뒤에 소용돌이치는 물
dead·weight [-wéit] *n.* **1** (생명·자동력이 없는 사람·물체의) 중량; 무거운 물건 **2** 〖건축·철도〗 =DEAD LOAD **3** Ⓤ 〖항해〗 배에 실은 것의 무게 《선원·승객·화물·연료 등》 **4** (부채 등의) 무거운 짐 《*of*》; 부담스러운[귀찮은] 사물
déadweight capácity[tónnage] 〖항해〗 재화 중량 톤수
déadweight tón 중량톤 《2,240파운드》
dèad whíte (Européan) mále (미·익살) 유럽의 지식인 남성 《Socrates, Plato, Aristotle, Shakespeare 등; 略 DW(E)M》
déad wínd 역풍, 맞바람(head wind)
dead·wood [-wùd] *n.* Ⓤ **1** 말라 죽은 가지[나무] **2** 무용지물; 무의미한 상투어구; 쓸모없는 사람 **3** [*pl.*] 〖조선〗 역재(力材) **4** 〖볼링〗 레인 위에 쓰러져 있는 핀 **5** (미·속어) 팔다 남은 입장권(묶음) ***have*** [***get***] ***the ~ on ...*** (미남부·속어) …보다 유리한 입장에 서다, …을 지배하다
déad zòne **1** 사각지대: The town is a cultural ~. 그 도시는 문화의 사각지대이다. **2** (두 장소나 무리를 나누는) 분리 지역 **3** 통신 무반응 구역 **4** 〖생물〗 (산소 부족으로 생물이 살 수 없는) 죽음의 해역(海域)
de·aer·ate [diéiəreit] *vt.* …에서 공기를 제거하다; 〈액체에서〉 기포를 없애다
de·aer·á·tion *n.* **-a·tor** *n.*
‡**deaf** [déf] *a.* (**~·er**; **~·est**) **1** 귀머거리의, 귀가 먼: a ~ person 귀머거리 **2** Ⓟ 무관심한, 〈탄원·충고 등에〉 귀를 기울이지 않는 《*to*》 ***be ~ as an adder*** [***a door, a post, a stone***] 귀가 전혀 들리지 않다 ***~ of an ear*** [***in one ear***] 한 쪽 귀가 먼 ***turn a ~ ear to*** …에 조금도 귀를 기울이지 않다
— *n.* [the ~; 명사적; 복수 취급] 귀머거리들
~·ish *a.* **~·ly** *ad.* **~·ness** *n.* ▷ déafen *v.*
deaf-aid [défèid] *n.* (영) 보청기(hearing aid); (방송인용의) 작은 이어폰
deaf-and-dumb [-əndʌ́m] *a.* Ⓐ 농아의; 농아자(용)의: a ~ alphabet[language] 수화(deaf language)
deaf-blind [-bláind] *a.* 시청각 장애의, 농맹의
***deaf·en** [défən] *vt.* **1** 귀머거리로 만들다, …의 귀를 먹먹하게 하다 《큰 소리로》: We were *~ed* by the explosion. 우리는 그 폭발 때문에 귀가 먹먹해졌다. **2** 〈음성·악음(樂音)을〉 들리지 않게 하다 **3** (벽·바닥 등에) 방음 장치를 하다
~ed *a.* (일시적으로) 청각을 잃은 ▷ déaf *a.*
deaf·en·ing [défəniŋ] *a.* **1** 귀청이 터질 것 같은 **2** 방음(防音)의(soundproof)

thesaurus **deal**[1] *v.* **1** 분배하다 distribute, give out, hand out, allocate, apportion, share out **2** 처리하다 take care of, cope with, handle, manage **3** 행동하다 act, behave, conduct oneself **4** 거래하다 trade, traffic, do business, negotiate, bargain

— *n.* Ⓤ 방음 장치; 방음 재료(deadening)
~·ly *ad.* 귀청이 터질 것 같이
déaf lànguage 수화(手話)
deaf-mute [-mjúːt] *n., a.* 농아자(의)
deaf-mut·ism [-mjúːtizm] *n.* Ⓤ 농아 상태
déaf nút **1** 인(仁)이 없는 견과(堅果) **2** 무가치한 일
‡**deal**[1] [díːl] [OE 「나누다」의 뜻에서] *v.* (**dealt** [délt]) *vt.* **1** 나누어 주다, 분배하다 《*out, to*》: (~+목+전+명) ~ (*out*) gifts *to*[*among*] the poor 가난한 사람들에게 선물을 나눠 주다 **2** 〈카드 패를〉 도르다: (~+목+목) He had been *dealt* seven trumps. 그에게는 으뜸패가 7장 돌라졌다. **3** 〈타격을〉 가하다: (~+목+목) (~+목+전+명) ~ a person a blow = ~ a blow *at*[*to*] a person …에게 일격을 가하다 **4** (미·속어) 〈무기·마약을〉 불법적으로 사다[팔다]
— *vi.* **1** 다루다, 처리하다, 취급하다 《*with*》: (~+전+명) ~ *with* a problem 문제를 처리하다 / How best should we ~ *with* the present situation? 어떻게 현 사태에 가장 잘 대처할 것인가? **2** (…에 대하여) 행동하다, 대우하다, 대하다 《*with*》: (~+전+명) ~ well[badly] *with* a person …을 우대[냉대]하다 // (~+부) She ~*s fairly.* 그녀는 (누구에게나) 공정하게 대한다. **3** 〈책·강연 등이〉 (주제 등을) 다루다, 논하다 《*with*》 **4** (상품을) 취급하다 《*in*》; (…에) 종사하다 《*in*》: (~+전+명) ~ *in* wool and cotton 양털과 솜을 취급하다 / He *dealt in* the research project. 그는 그 연구 계획에 종사했다. **5** (사람·회사·상점 등과) 거래하다 《*at, with*》 **6** (…와) 관계하다, 교제하다 《*with*》 **7** 카드 패를 도르다 **8** (구어) (사람을) 죽이다, 없애다 《*with*》 **9** (속어) 무기·마약을 밀매하다
~ *by* (영) 〈사람이〉 〈사람을〉 다루다 《well, badly와 함께 흔히 수동형으로 쓰임》 ***~ from the bottom of the deck*** 속이다 ~ a person ***in*** (속어) …을 (게임·사업 등에) 끌어들이다, 참가시키다 ***~ off*** 카드 패를 다 도르다 ~ a person ***out*** 〈남을〉 한패에 끼워주지 않다, 제외하다 ***hard to ~ with*** 다루기 힘든
— *n.* **1** 거래(bargain); (쌍방에 이익이 되는) 협정, 담합(談合); 부정 거래, 뒷거래, 밀약(密約)(job) **2** (구어) 취급, 처리, 대우, 대접 **3** 카드 패를 도르기, 도를 차례[권리]; (카드놀이의) 한 판 **4** (사회·경제상의) 정책, 계획 **5** [a ~] 분량, 액(額); 다량, 대량 **6** 분배 **7** (구어) 사항; 중요 인물[사건]
a big ~ ⇨ BIG DEAL. ***a great*[*good*] *~*** (1) 다량, 상당량, 많이 (2) [강조어로서 more, less, too many, too much, 또는 비교급 앞에 붙여서] 훨씬 더, 아주 더: *a great ~* more[cheaper] 훨씬 더 많은[싼] ***a great*[*good*] *~ of*** 다량의(a lot of) ***a vast ~*** 굉장히 ***crumb the ~*** (속어) 계획을 망쳐놓다 ***cut a ~*** (구어) …와 매매 협정을 맺다 ***do*[*strike*] *a ~ with*** …와 거래하다; (속어) …와 협정[타협]하다 ***Good ~!*** (미·속어) 좋아! ***new ~*** (구어) 재출발, 대변혁 ***no ~*** (속어) 합의할 수 없는, 실패의 ***No ~!*** (미·속어) 싫어!, 안돼! ***raw*[*square*] *~*** 부당한[공정한] 취급[처사] ***That's a ~.*** 좋아 알았다; 그것으로 결정짓자[계약하자].
deal[2] *n.* Ⓤ 전나무[소나무] 널빤지
— *a.* 전나무[소나무] 재목의
déal brèaker (특히 미) 협상[거래]을 깨는 것[사람]
de·al·co·hol·ize [diːǽlkəhɔːlàiz | -hɔl-] *vt.* 〈술에서〉 알코올 성분을 제거하다
‡**deal·er** [díːlər] *n.* **1** 상인, 판매업자, …상(商) 《*in*》: a wholesale ~ 도매상 / a ~ *in* tea 차(茶) 상인 **2** (특정의) 행동을 하는 사람: a plain ~ 행동이 솔직한 사람 **3** [the ~] 카드 패를 도르는 사람; 도박장의 종업원, 도박사 **4** (미·속어) 불법적인 마약 거래자 **5** (미) 《증권》 딜러((영) broker)
déaler's hàbit (미·구어) 마약의 중증 중독
deal·er·ship [díːlərʃìp] *n.* Ⓤ 판매권[업, 지역]; (미) 판매 대리점, 특약점
‡**deal·ing** [díːliŋ] *n.* **1** [보통 *pl.*] 교섭, 교제, 관계; 거래, 매매 《*with*》: I've never had any ~*s with* him. 나는 그와 한번도 교제가 없었다. **2** Ⓤ (남에 대한) 행동, 짓 **3** Ⓤ (카드 패 등의) 도름
déaling ròom 《증권》 (증권 거래소의) 딜링 룸 《주식 거래가 이루어지는》
deal·mak·er [díːlmèikər] *n.* 거래[협상]의 해결사, (부정) 거래자 **déal·màk·ing** *n.*
‡**dealt** [délt] *v.* DEAL[1]의 과거·과거분사
de·am·bu·la·tion [diːæ̀mbjuléiʃən] *n.* 산책; (산책과 같은) 가벼운 걷기 운동
de·am·bu·la·to·ry [diːǽmbjulətɔ̀ːri | -təri] *a., n.* = AMBULATORY
de-A·mer·i·can·ize [diːəmérikənàiz] *vt.* 비[탈]미국화(化)하다, …에 대한 미국의 관여를 적게 하다
dè-A·mèr·i·can·i·zá·tion *n.* 비[탈]미국화
de·am·i·dase [diːǽmədèis] *n.* 《생화학》 데아미다아제 《효소》
de·am·i·nate [diːǽmənèit] *vt.* 《생화학》 탈(脫)아미노하다 《아미노 화합물에서 아미노기(基)를 뽑는 것》
***dean** [díːn] *n.* **1** 《가톨릭》 지구(地區) 수석 사제, 지구장; 《영국국교》 (cathedral의) 주임 사제; (영) 지방 부(副)감독[집사](=rural ~) **2** (단과 대학의) 학장; (미국 대학의) 학생과장; (Oxford, Cambridge 대학의) 학생감(監) **3** 단체의 최고참자(doyen) **4** 최고참 도박사
— *vi.* dean직을 맡아보다
~·shìp *n.* Ⓤ dean의 직[지위, 임기]
dean·er·y [díːnəri] *n.* (*pl.* **-er·ies**) **1** Ⓤ dean의 직[지위, 임기]; dean의 관사[저택] **2** dean의 관구(管區)
déan's lìst (미) (학기·학년말의) 대학 우등생 명단
‡**dear** [díər] *a., n., ad., int.*

소중한 **3**	(사람에 대하여) 사랑스러운, 귀여운 **1**
	(물건에 대하여) 값이 비싼, 고가의 **4**

— *a.* (**~·er**; **~·est**) **1** Ⓐ 친애하는, 귀여운, 그리운: a ~ friend of mine 나의 친한 친구 / a ~ little girl 귀여운 여자 아이 **2** [보통 **D~**] Ⓐ 경애하는, …님: *D~* Smith 스미스님 **3** 소중한, 귀중한 《*to*》: one's ~*est* wish 간절한 소원 **4** Ⓟ 〈상품 등이〉 (품질에 비해) 비싼; Ⓐ 비싼 〈가게 등〉; 고급리의: This book is ~. = The price of this book is *high.* 이 책은 값이 비싸다.
D~*[*My ~*] *Mr.*[*Mrs., Miss*]** A (1) 여보세요 (A 선생님[부인, 양]) 《말할 때의 공손한 부름말; 때로는 비꼼·항의의 기분을 나타냄》 (2) 근계(謹啓) 《편지의 첫머리에 쓰는 말; 미국에서는 D~ … 쪽이 My ~ …보다 친밀감이 더 있지만, 영국에서는 그 반대》 ***D~ Sir*[*Madam*]** 근계(謹啓) 《상업문 또는 모르는 사람에 대한 편지의 서두 인사》 ***D~ Sirs*[*Madams*]** 근계 《회사·단체 등에 대한 편지의 서두 인사》 ***for ~ life 죽을 힘을 다하여, 죽살이치고 ***hold*** a person ***~*** …을 귀엽게 여기다
— *n.* 친애하는 사람, 귀여운 사람; 애인 ★ 보통 부름말로 (my) dear 또는 (my) dearest라고 말하며, 「여보; 얘」 등의 뜻이 됨.
D~ knows …은 아무도 모른다(God knows) ***There's*[*That's*] *a ~.*** 얘, 참 착하지. 《울지 마라 등》; (잘 해서, 울지 않아) 착하구나. ***What ~s they are!*** 어쩌면 저렇게 귀여울까!
— *ad.* **1** 귀여워하여, 소중히(dearly) **2** 비싸게
It will cost him ~. 비싸게 치일걸, 혼이 날걸. ***pay ~ for*** one's ignorance (무지) 때문에 골탕먹다

— *n.* arrangement, transaction, agreement, negotiation, bargain, contract, pact, understanding, compact, concordat
dear *a.* beloved, loved, darling, adored, cherished, close, intimate, respected

—*int.* 아이구!, 어머나!, 저런! 《놀람·연민·초조·곤혹·경멸 등을 나타냄》 ***D~, ~! = D~ me! = Oh*(,) *~!*** 원!, 저런!, 어머나! ***Oh ~*(,) *no!*** 원, 천만에! **~·ness** *n.*
▷ déarly *ad.*, ; endéar *v.*

Déar Ábby 디어 애비 《Abigail Van Buren의 필명으로 독자의 질문에 답하는 미국 신문의 인생 상담란》

dear·est [díərist] 《고어》 *a.* [DEAR의 최상급] **1** 친애하는 《편지의 서두에 쓰는》: '*D~* Bill', the letter began. '친애하는 빌에게'가 편지의 서두였다. **2** [보통 Ⓐ] 간절한, 애타는: It was her ~ wish to have a child. 아이를 갖는 것이 그녀의 간절한 바람이었다.
— *n.* 여보, 애야 ★ 보통 애칭으로 my ~라고 함: Come (my) ~, let's go home. 애야, 이리 오너라, 집에 가자.

dear·ie [díəri] *n.* = DEARY

Déar Jóhn (létter) [편지 서두의 Dear John에서] 《미·구어》 **1** 《병사에게 보낸 아내·애인의》 이혼 요구서, 절연장 **2** 《일반적으로》 절교장

‡**dear·ly** [díərli] *ad.* **1** 극진히, 끔찍이, 깊이 〈사랑하다 등〉 **2** 값 비싸게 ★ 보통 sell[buy] dear (비싸게 팔다[사다])는 dearly로 하지 않음. ***~ beloved*** 친애하는 여러분 《목사가 회중에게 하는 호칭》

déar móney 【금융】 고리채(opp. *cheap money*)

*__dearth__ [dɑ́ːrθ] *n.* Ⓤ [a ~] 《문어》 부족, 결핍 《*of*》; 기근(飢饉)(famine): *a ~ of* information 정보[지식] 부족

dear·y [díəri] *n.* (*pl.* **dear·ies**) 《익살》 귀여운 사람아(darling) 《연배의 여자가 젊은 여자에게 씀》

dea·sil [díːzəl] *ad.* 우로 돌아서, 《특히》 동에서 서로
— *n.* 태양[시계]의 진행 방향

‡**death** [déθ] *n.* ⓊⒸ **1** 죽음, 사망; [the ~] 파멸, 멸망(destruction), 종말 《*of*》 **2** [D~] 죽음의 신 《낫을 든 해골의 모습으로 표시되는》 **3** 죽는 모양[꼴], 죽은 상태 **4** [the ~] (…의) 사인(死因); 염병; 사형 **5** 살인(murder), 살육 **6** 《구어》 공포, 두려움
(a fate) worse than ~ 실로 심한 상태; 《속어》 강간당하는 것 ***(as) pale as ~*** 몹시 창백하여 ***(as) sure as ~*** 아주 확실히 ***at ~'s door*** 빈사(瀕死) 상태로, 명재경각(命在頃刻)으로 ***be burnt*[*frozen, starved*] *to ~*** 타[얼어, 굶어] 죽다(cf. be DROWNed) ★ 이 경우 특히 영국에서는 burn a person dead, be burnt dead 등으로 말할 때가 많음. ***be ~ on*** 《구어》 …에는 훌륭한 솜씨다; …을 몹시 싫어하다: The cat *is ~ on* rats. 그 고양이는 쥐를 기가 막히게 잘 잡는다. / We *are ~ on* humbug. 협잡은 질색이다. ***be in at the ~*** (여우 사냥에서) 여우의 죽는 것을 보다; (일의) 결말을 끝까지 보다 ***be the ~ of*** [보통 will과 함께] 《구어》 (1) 〈사람·사물이〉 목숨을 빼앗다, …의 사인(死因)이 되다; …을 죽이다, 몹시 괴롭히다 (2) 〈사람·사물이〉 죽도록 웃기다 ***be worse than ~*** 아주 지독하다 ***catch*** one***'s ~ (of cold)*** 《구어》 지독한 감기에 걸리다 ***catch the ~ of it*** 죽다 ***D~!*** 죽일 놈 같으니!, 아차! ***die the*** [***a***] ~ ⇨ DIE. ***~ with dignity*** 존엄사 《mercy killing(안락사)의 완곡한 표현》 ***die a thousand ~s*** 죽을 고생을 하다; 극도의 불안에 떨다 ***do … to ~*** (1) 《구어》 …을 몇 번이고 되풀이하여 재미가 없게 하다 (2) …을 죽이다 ***feel like ~ (warmed up)*** 《구어》 몹시 지쳐 있다; 상태가 몹시 나쁘다 ***field of ~*** 싸움터, 사지(死地) ***flog*** [***ride***] ***… to ~*** 《구어》 〈문제를〉 집요하게 토론하다 ***hold*** [***hang***] ***on like*** [***for***] ***grim ~*** 꼭 붙들고 늘어지다, 꼭 매달리다 ***in the ~*** 최후에 ***meet*** one***'s ~*** 죽다 ***natural ~*** 자연사, 천수(天壽)를 다함 ***put … to ~*** 사형에 처하다, 처형하다; 죽이다 ***shoot*** [***strike***] a person ***to ~*** 쏴[때려] 죽이다 ***to ~*** 죽도록, 극단적으로, 몹시 〈피곤한 등〉 ***to the ~*** 죽을 때까지, 최후까지 ***violent ~*** 변사(變死), 횡사(橫死)
▷ díe *v.*; déad, déathly *a.*

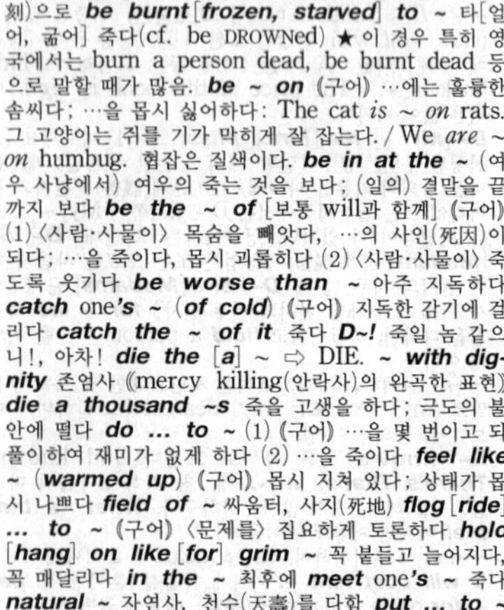
Death 2

déath àdder 《오스트레일리아산(産)》 독사의 일종

déath ágony 단말마[죽음]의 고통

déath àsh (방사능의) 죽음의 재

*__death·bed__ [déθbèd] *n.* 죽음의 자리, 임종(臨終): ~ repentance 임종의 참회; 때늦은 정책 전환 ***on*** [***at***] one***'s ~*** 임종에
— *a.* 임종의

déath bèll 임종을 알리는 종, 조종(passing bell)

déath bènefit 【보험】 사망 보험금

death·blow [-blòu] *n.* 치명적 타격; 치명상

déath càmp 죽음의 수용소, 집단 처형장

déath cèll 사형수 감방[독방]

déath certìficate 사망 진단서[확인서]

déath chàir (사형용) 전기의자

déath chàmber 사형실; 임종의 방

déath cùp[《영》 **càp**] 【식물】 광대버섯 《독버섯》

déath dàmp (임종시) 죽음의 식은땀

death·day [-dèi] *n.* 사망일, 기일(忌日)

death-deal·ing [-dìːliŋ] *a.* 죽음을 초래하는, 치명적인, 치사의

déath dùty 《영》 상속세(《미》 death tax)

déath educàtion 죽음에 대한 교육

déath fèud 죽음을 부르는 원한

déath fìre 도깨비불 《죽음의 징조》

death·ful [déθfəl] *a.* **1** 죽음의, 죽음과 같은(deathly) **2** 치명적인(fatal)

déath hòuse 《미》 사형수 감방 건물, 사형수동(棟)

déath ìnstinct [the ~] 【정신의학】 죽음의 본능; 자살하려는 경향

déath knèll 조종(弔鐘); 죽음[종언]의 전조

death-leap [déθlìːp] *n.* 투신자살

death·less [déθlis] *a.* 불사[불멸, 불후]의, 영구한(immortal) **~·ly** *ad.* **~·ness** *n.*

death·like [déθlàik] *a.* 죽음[죽은 사람]과 같은

death·ly [déθli] *a.* **1** = DEATHLIKE: a ~ silence 죽음 같은 고요 **2** 치사(致死)의, 치명적인; 잔인한 **3** 죽음을 암시하는 **—** *ad.* 죽은 듯이; 극단적으로; 아주, 몹시: a ~ pale face 사색이 된 얼굴

déath màsk 데스 마스크, 사면(死面)

déath mètal 【음악】 데스 메탈 《폭력·악마의 이미지를 상징하는 템포 빠른 메탈록》

déath pènalty [the ~] 사형

death·place [-plèis] *n.* 사망지(opp. *birthplace*)

déath pòint 치사점 《생물의 생존 한계 온도》

death-qual·i·fy [-kwɑ̀ləfai | -kwɔ̀l-] *vt.* 〈사형 폐지론자에게〉 배심원이 될 의무를 면제하다

déath ràte 사망률(mortality (rate))

déath ràttle (임종 때의) 가래 끓는 소리

déath rày (SF에서의) 살인 광선: a ~ weapon 살인 광선 무기

déath ròll (전쟁·재해 등의) 사망자 명부; 사망자수

déath rów (한 줄로 늘어선) 사형수 감방: ~ inmates 사형수들

déath sànd 【군사】 살인사(殺人砂) 《방사능 분말; 닿으면 죽음》, (방사능을 함유한) 죽음의 재

déath sèat 《미·호주·속어》 (차의) 조수석

déath sèntence 사형 선고

death's-head [déθshèd] *n.* 해골(骸骨), 두개골 (의 그림 또는 모형) 《죽음의 상징》

thesaurus **dearth** *n.* lack, scarcity, want, deficiency, shortage, insufficiency, rareness, meagerness, sparseness (opp. *abundance*)
death *n.* dying, demise, end, passing, expiration, finish, termination, extinction, obliteration
debar *v.* shut out, exclude, keep out, prevent

déath squàd (라틴 아메리카의 군사 정권에서의 경범죄자·좌파 등에 대한) 암살대
déath tàx ((미)) 상속세(((영)) death duty)
death-throe [déθθròu] *n.* 죽음의 고통
déath tòll (사고·전쟁 등의) 사망자수
death·trap [-træ̀p] *n.* 죽음의 함정 ((인명 피해의 우려가 있는 건물·상태·장소))
Déath Válley 데스 밸리, 죽음의 계곡 ((California 주 남동부의 건조 분지))
déath wàrrant **1** 사형 집행 영장 **2** 치명적 타격[사건], (의사의) 임종 선언 ***sign** one**'s** (**own**) ~* 스스로 파멸을 부르다
death·watch [-wɑ̀tʃ | -wɔ̀tʃ] *n.* **1** 임종을 지켜봄; 경야(經夜), (상가에서의) 밤샘(vigil) **2** 사형수 감시인; ((미)) (중대 발표 등을 대기하는) 기자단 **3** [곤충] 살짝수염벌레(=∠ **bèetle**) ((수놈이 암컷을 부르는 소리는 죽음의 전조라는 속설에서))
déath wìsh [심리] 죽기를 바람 ((자기 또는 남이)); 자살 충동
déath wìth dígnity 존엄사 ((소극적 안락사(euthanasia)로 쓰이는 용어))
de·au·tom·a·ti·za·tion [diːɔːtɑ̀mətizéiʃən | -tɔ̀mətai-] *n.* 탈(脫)자동화
deb [déb] *n.* **1** (구어) =DEBUTANTE **2** (미·속어) 거리를 배회하는 불량 소녀
deb. debenture; debit; debutante **DEB** [컴퓨터] data extent block
de·ba·cle, dé·bâ·cle [deibɑ́ːkl, -bǽkl | -bɑ́ːkl] [F 「빗장을 벗기다」의 뜻에서] *n.* **1** 강의 얼음이 부서지는 것; (산)사태 **2** 와해(瓦解), 붕괴; (시세의) 폭락, (갑작스런) 완패 **3** (군대의) 패주(敗走), 궤주(潰走)
de·bag [diːbǽg] *vt.* (**~ged**; **~·ging**) (영·속어) **1** (장난·벌로서) 바지를 벗기다 **2** …의 정체를 폭로하다
de·bar [dibɑ́ːr] *vt.* (**~red**; **~·ring**) 제외하다; 〈…하는 것을〉 (법으로) 금하다; 방해하다 ((*from*)): ~ a person *from* doing …가 …하는 것을 금하다
~·ment *n.* Ⓤ 제외; 금지
de·bark[1] [dibɑ́ːrk] *vt., vi.* =DISEMBARK
de·bark[2] [diːbɑ́ːrk] *vt.* 나무껍질을 벗기다; 〈동물을〉 짖지 못하게 하다
de·bar·ka·tion [dìːbɑːrkéiʃən] *n.* Ⓤ 양륙, 상륙
de·base [dibéis] *vt.* **1** 〈품성·인격 등을〉 떨어뜨리다; [~ one*self*로] 품성을 떨어뜨리다, 면목을 잃다 **2** 〈품질·가치 등을〉 저하시키다(reduce)
~·ment *n.* Ⓤ (품위·품질의) 저하; (화폐의) 가치 저하; 악화, 타락 **de·bás·er** *n.*
de·bat·a·ble [dibéitəbl] *a.* **1** 논쟁의 여지가 있는, 이론(異論)이 있는(arguable), 미해결의; 계쟁 중의 **2** 〈토지가〉 여러 국가 소유의: a ~ ground 계쟁지(係爭地) ((국경 등)); 논쟁점
‡**de·bate** [dibéit] [OF 「이기다」의 뜻에서] *vi.* **1** 논쟁[토론]하다, 토론에 참가하다 ((*on, about*))(⇨ discuss 유의어): (~+전+명) ~ *on*[*about*] a question 어떤 문제에 대해 토론하다 **2** 숙고하다 ((*of, about*))
— *vt.* **1** 토의[토론]하다 **2** 숙고[검토]하다(consider): (~+***wh.*** ***to*** do) I was *debating* in my mind *whether to* go or not. 갈까 말까 숙고 중이었다. ***~ with*** one***self*** 숙고하다, 곰곰이 생각하다
— *n.* ⓊⒸ 토론, 토의, 논쟁 ((*upon*))(⇨ argument 유의어); [the ~s] (의회의) 토의록, 토론 보고서: the question under ~ 논쟁 중인 문제 ***hold ~ with*** one***self*** 숙고하다 ***open the ~*** 토론을 개시하다
~·ment *n.*
de·bat·er [dibéitər] *n.* 토론 (참가)자

debase *v.* degrade, devalue, disgrace, shame, dishonor, discredit, humiliate, humble
debate *v.* discuss, argue, dispute, wrangle, contend, contest, controvert, altercate
debris *n.* rubble, wreckage, rubbish, remains
debt *n.* liability, obligation, indebtedness, score

de·bát·ing clùb[**socìety**] [dibéitiŋ-] 토론 클럽
debáting pòint (본질적이 아닌) 토론의 한 논점
de·bauch [dibɔ́ːtʃ] *vt.* (주색으로) 타락시키다; 〈여자를〉 유혹하다(seduce); 〈마음·취미·판단 등을〉 더럽히다 — *vi.* 주색에 빠지다, 방탕하다
— *n.* 방탕, 난봉; 방탕한 시절; 폭음, 폭식
~·er *n.* 방탕자 **~·ment** *n.*
de·bauched [dibɔ́ːtʃt] *a.* 타락한, 부패한; 방탕의: a ~ man 방탕자 **de·báuch·ed·ly** [-tʃidli] *ad.*
de·bauch·ee [dèbɔːtʃíː, -ʃíː] *n.* 방탕자, 난봉꾼
de·bauch·er·y [dibɔ́ːtʃəri] *n.* (*pl.* **-er·ies**) **1** Ⓤ 방탕, 도락: a life of ~ 방탕 생활 **2** [*pl.*] 유흥, 환락 **3** (고어) (배신 등으로의) 유혹
deb·by, -bie [débi] *n.* (구어) =DEBUTANTE
Deb·by [débi] *n.* 여자 이름
de·ben·ture [dibéntʃər] *n.* **1** (정부 발행의) 채무증서 **2** (영) 사채; ((미)) 무담보 사채(=∠ **bònd**)
debénture stòck (영) 무상환 사채(社債)
de·bil·i·tate [dibílətèit] *vt.* 쇠약[허약]하게 하다
de·bil·i·tá·tion *n.* Ⓤ 쇠약, 허약화
de·bil·i·ty [dibíləti] *n.* Ⓤ (병에 의한) 쇠약: nervous ~ 신경 쇠약
deb·it [débit] *n.* **1** 차변(借邊) ((장부의 좌측))(opp. *credit*); 차변 기입: the ~ side 차변란/a ~ slip 출금 전표 **2** 결점, 단점
— *vt.* 〈금액을〉 (…의) 차변에 기입하다 ((*against, to*)); …의 계좌에 (차입금을) 기입하다 ((*with*))(opp. *credit*); 〈돈을〉 (계좌에서) 인출하다 ((*from*)); 〈신용카드 (계좌)에서〉 (금액을) 직불[납입]하다 ((*with*)): Please ~ my Visa account *with* the sum of $100. 내 비자 카드에서 100달러를 직불해 주시오.
débit càrd 직불 카드 ((대금 지급시 은행 예금을 즉시 인출·예입할 수 있는 카드))
débit pòlicy 호별 수금 방식의 생명 보험 증권
deb·o·nair(**e**) [dèbənέər] [F =of good breed] *a.* 사근사근한, 정중한; 유쾌한, 쾌활한
~·ly *ad.* **~·ness** *n.*
de·bone [diːbóun] *vt.* 〈새·생선의〉 뼈를 발라내다(bone) **de·bón·er** *n.*
de·boost [dibúːst] *vi.* 〈우주선 등이〉 감속(減速)하다 — *n.* (우주선 등의) 감속
Deb·o·rah [débərə] *n.* **1** 여자 이름 **2** [성서] 데보라 ((이스라엘의 여자 예언자))
de·bouch [dibáutʃ, -búːʃ] [F 「넘쳐나오다」의 뜻에서] *vi.* **1** 〈강 등이〉 흘러나오다 ((*into*)) **2** 〈길·군대 등이〉 넓은 곳으로 나오다 ((*into*)) — *vt.* (넓은 곳으로) 유출[진출]시키다 — *n.* =DÉBOUCHÉ
dé·bou·ché [dèibuːʃéi] [F] *n.* **1** (요새 등의) 진출구; 출구(outlet) **2** (상품의) 판로(market) ((*for*))
de·bouch·ment [dibúːʃmənt, -báutʃ- | -báutʃ-, -búːʃ-] *n.* Ⓤ 진출 (지점); (강 등의) 유출(구)
Deb·rett [dəbrét] *n.* (구어) 디브렛 ((영국 귀족 연감))(=∠**'s Péerage**)
de·bride [dibríːd, dei-] *vt.* 창상(創傷) 세정[절제]하다, 〈괴사 조직을〉 제거하다
~·ment *n.* Ⓤ 창상 절제[세정], 괴사 조직 제거
de·brief [diːbríːf] *vt.* 〈특정 임무를 마치고 온 사람에게서〉 보고를 듣다 ((*on*)); 〈공무원 등에게〉 이임 후 비밀 정보의 공표를 금지시키다; 〈피실험자에게〉 실험에 대해 말하다
~·ing *n.* debrief하기[받기]; 복명(復命)
de·bris [dəbríː, déibriː | déibriː] [F 「부수다」의 뜻에서] *n.* (*pl.* ~ [-z]) 부스러기, (파괴물의) 파편, 잔해; [지질] (산·절벽 아래에 쌓인) 암석 부스러기; [등산] 쌓인 얼음 덩어리
débris sùrge 파편 폭풍 ((주로 빌딩이 무너지면서 생기는))
‡**debt** [dét] [F 「지불해야 할 것」의 뜻에서] *n.* **1** ⓊⒸ 빚, 부채, 채무(liability) **2** ⒸⓊ (남에게) 빚진 것, 신세, 은혜 **3** [신학] 죄(sin)
bad[***good***] ***~*** 회수 불능[가능]의 빚 ***be in*** a per-

son*'s* ~ = ***be in ~ to*** a person 남에게 빚[신세]을 지고 있다 ***contract***[***incur***] ***~s*** 빚이 생기다 ***~ of gratitude*** 은덕, 신세 ***~ of honor*** 체면상 갚아야 할 빚, 《특히》 노름빚 ***~ of***[***to***] ***nature*** 천명, 죽음(death): pay one's ~ *to nature* = pay the ~ *of nature* 죽다 ***floating ~*** 일시 차입금(借入金) ***funded ~*** 이자부(附) 장기 부채 ***get***[***run***] ***into ~*** 빚을 지다 ***get***[***keep***] ***out of ~*** 빚을 갚다[지지 않고 살다] ***the national ~*** 국채 **~·less** *a.*

débt bòndage 부채 상환을 위해 노예처럼 일하기

débt collèctor 《영》 빚 수금 대행업자

debt còunseling 채무에 관한 조언[상담]

débt còunselor 채무 상환 방법의 조언자

débt fínancing 채권 금융 《공채·사채 등 채권 발행에 의한 자금 조달》

débt forgìveness 채무 면제[포기]

débt-for-ná·ture swàp [détfərnéitʃər-] 환경 대 채무 스왑 《채무 이행 대신에 자연 보호를 요구하는 일》

débt ìssue (기업의) 고정적 부채, 장기 부채

débt lìmit 〖재정〗 채무 한도(액); 공채 발행 한도

*__debt·or__ [détər] *n.* **1** 채무자, 차주(借主)(opp. *creditor*) **2** 신세[의무]를 진 사람 **3** 〖부기〗 차변(debit) 《略 dr.》: a ~ account 차변 계정 **4** 죄인

débtor nátion 채무국

dèbt óverhang (회사·정부의) 채무 과잉

débt ràtio 부채 비율

débt retìrement 채무 상환

debt-rid·den [-rìdn] *a.* 빚[적자]에 허덕이는

debt-sad·dled [-sæ̀dld] *a.* 빚더미에 앉은

débt sèrvice 채무 원리금 상환

débt swàp 〖금융〗 채무 스왑

débt to équity ràtio 채무 대 자기 자본 비율

de·bug [di:bʌ́g] *vt.* (**~ged**; **~·ging**) **1** 《미》 해충을 없애다 **2** 《구어》 〈비행기 등의〉 결함을 고치다; 〖컴퓨터〗 〈프로그램의〉 잘못을 찾아 고치다 **3** 《구어》 〈방 등에서〉 도청 장치를 제거하다

— *n.* 《구어》 debug하는 컴퓨터 프로그램 **~·ger** *n.*

de·bug·ging [di:bʌ́giŋ] *n.* 〖컴퓨터〗 디버깅 《프로그램의 잘못을 찾아내어 수정하기》: a ~ program 디버깅 프로그램

de·bunk [di:bʌ́ŋk] *vt.* 《구어》 〈사람·제도·사상 등의〉 정체를 폭로하다 **~·er** *n.*

de·bus [di:bʌ́s] *vt.*, *vi.* (**~(s)ed**; **~·(s)ing**) (주로 자동차·버스·트럭에서) 내리다

*__de·but, dé·but__ [déibju:, ─́] [F] *n.* 처음으로 정식 사교계에 나감; 첫 무대[출연], 데뷔; (신상품의) 첫 등장, (사회 생활의) 첫걸음; 《속어》 (성행위의) 첫 경험 ***make*** one***'s ~*** 데뷔하다

— *vi.* (…로) 데뷔하다 《*as*》

— *vt.* (청중 앞에서) 처음 연주[연기]하다; 신상품으로 소개하다

— *a.* 첫 등장의, 첫걸음의

deb·u·tant [débjutɑ̀:nt] [F] *n.* 첫 무대에 선 배우; 사교계에 처음 나온 사람

deb·u·tante [débjutɑ̀:nt, -tæ̀nt] [F] *n.* debutant의 여성형

de·bye [dəbái] *n.* 〖전기〗 디바이 《전기 이중극 모멘트의 단위; 略 D》(= ∠ **ùnit**)

dec [dék] [*dec*rement] *vt.* 《속어》 〖컴퓨터〗 빼다, 감하다 《변수에서 일정한 값을 빼기》

dec- [dek], **deca-** [dékə] 《연결형》 「10(배)」의 뜻 《모음 앞에서는 dec-》(cf. DECI-, HECTO-, CENTI-)

dec. deceased; decimeter; declaration; declension; decrease **Dec.** December

dec·a·dal [dékədl] *a.* 10(년간)의

*__de·cade__ [dékeid, ─́] [Gk 「10의 단위」의 뜻에서] *n.* **1** 10년간 **2** 10개가 한 벌이 된 것; 10권[편] **3** 〖가톨릭〗 로사리오 염주

▷ décadal *a.*

dec·a·dence, -den·cy [dékədəns(i), dikéidns(i)] *n.* Ⓤ **1** 쇠미(衰微), 타락 **2** (문예 사조의) 퇴폐(기); [종종 **D~**] 데카당스 《19세기 말 프랑스를 중심으로한 퇴폐적 문화 풍조》; (과도한) 방종, 방자

dec·a·dent [dékədənt] *a.* 퇴폐적인; (문예 사조의) 퇴폐기의, 데카당파의; 제멋대로인

— *n.* 데카당파의 예술가·문인; 퇴폐적인 사람

de·caf, -caff [dí:kæf] *a.*, *n.* 카페인을 제거한[줄인] (커피[콜라 《등》])

de·caf·fein·ate [di:kǽfənèit | -fin-] *vt.* 〈커피 등에서〉 카페인을 제거하다[줄이다]: ~*d* coffee 카페인이 없는 커피

dec·a·gon [dékəgɑ̀n | -gən] *n.* 10각[변]형

dec·a·gram | dec·a·gramme [dékəgræ̀m] *n.* 데카그램 《10 grams》

dec·a·he·dral [dèkəhí:drəl] *a.* 〖수학〗 10면체의, 10면이 있는

dec·a·he·dron [dèkəhí:drən] *n.* 10면체

dec·a·hy·drate [dèkəháidrit, -dreit] *n.* 〖화학〗 10수화물(水和物)

de·cal [dí:kæl, dikǽl] *n.* = DECALCOMANIA

— *vt.* 〈도안·그림 등을〉 전사하다

de·cal·ci·fy [di:kǽlsəfài] *v.* (**-fied**) *vt.* 석회질을 제거하다; 〈뼈에서〉 칼슘을 제거하다

— *vi.* 석회질이 빠지다

de·cal·ci·fi·ca·tion [di:kæ̀lsəfikéiʃən] *n.* Ⓤ 석회질 제거; 칼슘의 손실

de·cal·co·ma·ni·a [dikæ̀lkəméiniə, -njə] *n.* **1** Ⓤ (유리·도기·금속 등에의) 도안·그림 등의 전사(轉寫) 인쇄 **2** 전사한 도안[그림]

de·ca·les·cence [dì:kəlésns] *n.* (가열 중인 금속의) 감열(減熱)[감온(減溫)] 현상 **-cent** *a.*

dec·a·li·ter | dec·a·li·tre [dékəlì:tər] *n.* 데카리터 《10 liters》

Dec·a·logue, -log [dékəlɔ̀:g, -lɑ̀g | -lɔ̀g] *n.* **1** [the ~] (모세의) 십계(十戒)(the Ten Commandments) **2** [**d~**] 기본 계율

De·cam·er·on [dikǽmərən, de-] *n.* [the ~] 데카메론, 열흘 이야기 《Boccaccio 작》

dec·a·me·ter | dec·a·me·tre [dékəmì:tər] *n.* 데카미터 《10 meters》

dec·a·met·ric [dèkəmétrik] *a.* 〖통신〗 고주파 무선의 《파장 10-100미터의》; 데카미터의 《10미터의》

de·camp [dikǽmp] *vi.* **1** 야영을 거두다 **2** 도망하다(run away) 《*from*》 **~·ment** *n.*

dec·a·nal [dékənl, dikéi- | dikéi-] *a.* dean(직)의; 성당의 남쪽(성가대)의

dec·ane [dékein] *n.* 〖화학〗 데칸 《메탄계 탄화수소의 총칭》

de·ca·ni [dikéinai] *a.* 〖음악〗 (찬송가의 교창(交唱)에서) 남쪽 성가대가 노래해야 할(cf. CANTORIS)

de·cant [dikǽnt] *vt.* **1** 〈용액의〉 웃물을 가만히 따르다; 〈포도주를〉 decanter에 옮기다 **2** (밖으로) 옮기다 **3** 임시로 거주하게 하다 **dè·can·tá·tion** *n.*

de·cant·er [dikǽntər] *n.* (식탁용) 마개 있는 유리병 《보통 포도주를 담음》

de·ca·pac·i·tate [dì:kəpǽsətèit] *vt.* 〖생리〗 (정자(精子)의) 수정 능력을 없애다

de·ca·pac·i·ta·tion [dì:kəpæ̀sətéiʃən] *n.* Ⓤ 〖생리〗 (정자의) 수정 능력 제거

de·cap·i·tal·ize [di:kǽpətəlàiz] *vt.* …의 자본을 빼앗다, 자본 형성을 방해하다, 자본을 철수하다

de·cap·i·tate [dikǽpətèit] *vt.* …의 목을 베다(behead); 《미》 해고하다(dismiss); 무력화시키다

de·cap·i·ta·tion [dikæ̀pətéiʃən] *n.* Ⓤ 목 베기; 《미》 해고, 파면

de·cap·i·ta·tor [dikǽpətèitər] *n.* 목 베는 사람; 《미》 해고[파면]하는 사람

thesaurus **deceased** *a.* late, dead, departed

deceive *v.* mislead, delude, fool, misguide, swindle, seduce, ensnare, entrap, beguile, trick, hoax, bamboozle, dupe

dec·a·pod [dékəpɑ̀d | -pɔ̀d] *n., a.* 〚동물〛 십각류(十脚類)(의) 《새우·게 등》; 십완류(十腕類)(의) 《오징어 등》

de·car·bon·ate [di:kɑ́:rbənèit | -kɑ́:-] *vt.* …에서 이산화탄소를 제거하다 **de·càr·bon·á·tion** *n.*

de·car·bon·i·za·tion [di:kɑ̀:rbənizéiʃən] *n.* 탄소 제거, 탈(脫)탄소

de·car·bon·ize [di:kɑ́:rbənàiz] *vt.* (엔진의 실린더 벽 등의) 탄소를 제거하다

de·car·box·yl·ase [dì:kɑ:rbɑ́ksəlèis, -lèiz | -bɔ́k-] *n.* 데카르복실라아제 《탈(脫)탄소 효소》

de·car·box·yl·ate [dì:kɑ:rbɑ́ksəlèit | -bɔ́k-] *vt.* 〚화학〛 〈유기 화합물에서〉 카르복시기를 제거하다

de·car·bu·rize [di:kɑ́:rbjuràiz] *vt.* = DECARBONIZE; 〚야금〛 탈탄소(脫炭素)하다

dec·are [dékɛər, ⌐⌐] *n.* 데카르 《10아르; 1,000 평방 미터》

dec·a·rock [dékərɑ̀k | -rɔ̀k] *n.* = GLITTER ROCK

de·car·tel·i·za·tion [di:kɑ:rtèlizéiʃən] *n.* Ⓤ 〚경제〛 기업 집중 배제, 카르텔 해체

dec·a·stere [dékəstìər] *n.* 10입방미터 《10 m³》

de·cas·u·al·ize [di:kǽʒuəlàiz] *vt.* 〈임시 근로자의〉 고용을 중지하다; 상시 고용화하다

dec·a·syl·lab·ic [dèkəsilǽbik] *n., a.* 10음절 (시행(詩行))(의)

dec·a·syl·la·ble [dékəsìləbl] *n.* 10음절 (시행)

de·cath·lete [dikǽθli:t] *n.* 10종 경기 선수

de·cath·lon [dikǽθlɑn | -lɔn] *n.* Ⓤ [보통 the ~] 10종 경기(cf. PENTATHLON)

‡**de·cay** [dikéi] [OF 「떨어지다」의 뜻에서] *vi.* **1** 부식[부패]하다, 썩다; 〈이가〉 벌레 먹다, 삭다, 충치가 되다

> 유의어 **decay** 식물·동물 등의 조직이 차츰 변하여 부식하다: Too much sugar will *decay* your tooth. 설탕을 너무 많이 먹으면 이가 삭는다. **rot** 특히 동식물이 세균의 작용으로 부패하다; 일반적인 말: The fruit *rotted* on the vines. 과실이 덩굴에 달린 채 썩었다. **putrefy** 동물질이 썩어서 악취를 풍기다; 격식 차린 말: *putrefying* corpses 부패해 가는 송장들 **spoil** 식품이 상하여 못 먹게 되다: Fish *spoils* quickly. 생선은 쉬이 상한다.

2 〈번영·체력 등이〉 쇠하다, 쇠퇴하다(decline); 타락[퇴화]하다(deteriorate) **3** 〚물리〛 〈방사성 물질이〉 자연 붕괴하다 **4** 〈인공위성이〉 감속하다

— *vt.* 부패시키다; 〈이가〉 썩게 하다

— *n.* Ⓤ 부식, 문드러짐(rot); 쇠미(衰微), 쇠퇴(decline); 충치; 〚물리〛 (방사성 물질의) 자연 붕괴; (대기와의 마찰로 인한 인공위성의) 감속

***be in* ~** 썩어 있다, 쇠미하여 있다 ***fall* [*go*] *into* [*to*] ~** 썩다, 쇠잔하다

~·a·ble *a.* **~·er** *n.* **~·ing** *a.* **~·less** *a.*

▷ décadence *n.*; décadent *a.*

decáy cònstant 〚물리〛 붕괴 상수

de·cayed [dikéid] *a.* **1** 부패한, 썩은; 벌레 먹은: ~ meat 썩은 고기 / a ~ tooth 충치 **2** 쇠퇴한; 타락한

decáy hèat 〚원자력〛 붕괴열

decáy sèries 〚물리〛 붕괴 계열(radioactive series)

decáy tìme 〚물리〛 붕괴 시간; 〚컴퓨터〛 감쇠 시간

Dec·can [dékən] *n.* [the ~] (인도의) 데칸 고원; (인도의) 데칸 반도

decd. deceased

***de·cease** [disí:s] *n.* Ⓤ 사망(death)

— *vi.* 사망하다(⇨ die¹ 유의어)

***de·ceased** [disí:st] *a.* 사망한(dead), 고(故)…; [the ~; 단수·복수 취급] 고인

> **decent** *a.* **1** 어울리는 proper, correct, appropriate, fit, suitable, becoming **2** 품위 있는 decorous, modest, polite, respectable, dignified **3** 친절한 generous, kind, thoughtful, honorable

de·ce·dent [disí:dnt] *n.* 〚미국법〛 사자(死者), 고인(故人); 피상속인

decédent estáte 〚미국법〛 유산

‡**de·ceit** [disí:t] *n.* ⓊⒸ **사기,** 기만; **책략**; 허위, 부실(不實): discover (a piece of) ~ 사기 행위를 간파하다 ▷ decéive *v.*; decéitful *a.*

***de·ceit·ful** [disí:tfəl] *a.* **기만적인,** 사기의; 허위의(false); 〈외양이〉 사람의 눈을 속이기 쉬운

~·ly *ad.* 속여서, 속이려고 **~·ness** *n.*

de·ceiv·a·ble [disí:vəbl] *a.* 속일 수 있는

‡**de·ceive** [disí:v] [L 「덫에 걸리게 하다」의 뜻에서] *vt.* **속이다,** 기만하다(⇨ cheat 유의어); 현혹시키다; …을 속여서 …하게 하다; 《고어》 배반하다: 《~+목+전+명》 be ~*d in* a person …을 잘못 보고 있다 / ~ a person *into* going …을 속여서 가게 하다

~ one***self*** 잘못 생각하다, 오해하다

— *vi.* 사기치다, 속이다

de·céiv·er *n.* **de·céiv·ing·ly** *ad.*

▷ decéit, decéption *n.*; decéptive *a.*

de·cel·er·ate [di:sélərèit] *vt., vi.* 속도를 줄이다, 감속하다(opp. *accelerate*) **-a·tor** *n.* 감속기

de·cel·er·a·tion [di:sèləréiʃən] *n.* Ⓤ 감속; 〚물리〛 감속도(opp. *acceleration*): a ~ lane[《영》 strip] 《미》 (고속도로의) 감속 차선

de·cel·er·on [di:sélərɑ̀n | -rɔ̀n] *n.* 〚항공〛 제동 보조익

de·cel·er·om·e·ter [di:sèlərɑ́mətər | -rɔ́m-] *n.* (자동차의) 감속계

‡**De·cem·ber** [disémbər] [L 「10월」의 뜻에서; 고대 로마에서는 1년을 10개월로 하여, 3월을 첫달로 한 데서] *n.* **12월** 《평화·정적을 연상시킴; 略 Dec.》

de·cem·vir [disémvər] *n.* (*pl.* **~s, -vi·ri**[-vəràì]) 〚로마사〛 10대관(十大官)의 한 사람; 10인 위원회의 한 사람 **de·cém·vi·ral** *a.*

de·cem·vi·rate [disémvərət, -rèit] *n.* Ⓤ 〚로마사〛 10대관의 직[기간]; 십두(十頭) 정치

de·cen·cy** [dí:snsi] *n.* (*pl.* **-cies**) **1** Ⓤ **보기 흉하지 않음;** 품위; 체면 **2** Ⓤ 예절 바름, 몸가짐의 단정함; (언어·동작의) 점잖음; [*pl.*] 예의범절(proprieties): 《~+*to* do》 He had not the *decencies to* say "Thank you." 그는 고맙다는 인사를 할 예의범절도 없었다. **3** Ⓤ 《속어》 관대, 친절 **4** [the -cies] 보통의 생활에 필요한 것 **5** 《고어》 법의 준수; (사회적) 질서 유지 ***D~ forbids. 《게시》 소변 금지. ***for ~'s sake*** 체면[외관]상 ***have the ~ to*** 관대하게도 …하다

▷ décent *a.*

de·cen·na·ry [disénəri] *n., a.* 10년간(의)

de·cen·ni·ad [diséniæ̀d] *n.* = DECENNIUM

de·cen·ni·al [diséniəl] *a.* 10년간[마다]의

— *n.* 《미》 10년제(祭)

de·cen·ni·um [diséniəm] *n.* (*pl.* **~s, -ni·a** [-niə]) 10년간(decade)

‡**de·cent** [dí:snt] [L 「어울리는」의 뜻에서] *a.* **1** (사회 기준에) **맞는, 남부럽지 않은,** 어울리는: a ~ living 남부럽지 않은 생활 **2 점잖은,** 예절 바른, 단정한, 의젓한(opp. *indecent*): ~ language 점잖은 말 / ~ conduct 예의 바른 처신 **3** 《구어》 〈수입 등이〉 어지간한, 상당한: a ~ salary 상당한 봉급 **4** 《영·구어》 친절한, 엄하지 않은, 너그러운: a ~ fellow 기분 좋은[마음에 드는] 사람 **5** 《구어》 (남 앞에 나서도 될 만큼) 옷을 입은, 벗지 않은: ~ clothes 말쑥한 복장 / Are you ~? 옷은 입으셨나요? 《문 등을 열기 전 당황함을 피하기 위해 하는 질문》 **~·ness** *n.*

▷ décency *n.*; décently *ad.*

de·cen·ter | de·cen·tre [di:séntər] *vt.* (중심에서) 분산시키다

de·cent·ly [dí:sntli] *ad.* **1** 점잖게; 단정하게: be ~ dressed 단정한 옷차림을 하다 **2** 《구어》 상당히, 꽤: He's doing very ~. 그는 남부럽지 않게 잘살고 있다. **3** 《영·구어》 친절히, 관대히

de·cen·tral·i·za·tion [di:sèntrəlizéiʃən] *n.* Ⓤ 분산; 집중 배제; 지방 분권

de·cen·tral·ize [di:séntrəlàiz] *vt.* 〈행정권·인구 등을〉 분산시키다; …의 집중을 배제하다; 지방으로 분산시키다 **—***vi.* 분산화하다

∗**de·cep·tion** [disépʃən] *n.* Ⓤ **1** 속임; 사기: practice (a) ~ on a person …을 속이다

> 유의어 **deception** 남을 속이는 말이나 행동을 뜻하는 일반적인 말; 반드시 나쁜 뜻으로만 쓰이는 것은 아님: A magician uses *deception.* 마술사는 속임수를 쓴다. **fraud** 남을 속여 재산이나 권리 등을 빼앗는 범죄적인 짓: get money by *fraud* 돈을 사취하다 **trickery** 교묘한 술책·속임수를 써서 속이는 짓;다소 문어적인 말: resort to *trickery* to gain one's ends 목적을 달성하기 위해 술책을 쓰다

2 기만 수단; 속이는 물건 ***a piece of*** **~** 사기 행위

~·al *a.* ▷ decéive *v.*; decéptive *a.*

de·cep·tive [diséptiv] *a.* 〈사람을〉 속이는, 현혹시키는; 믿을 수 없는; 오해를 사는(misleading) **~·ly** *ad.* **~·ness** *n.*

decéptive cádence 〖음악〗 거짓마침, 위종지(僞終止)

de·cer·e·brate [di:sérəbrèit] 〖외과〗 *vt.* 대뇌를 제거하다 **—** [di:sérəbrət, -brèit] *a.* 뇌가 제거된; 이성을 잃은 **—***n.* 뇌 없는 동물; 이성을 잃은 사람

de·cer·ti·fy [di:sə́:rtəfài] *vt.* (**-fied**) …의 증명[인가]을 취소[철회]하다

de·chlo·ri·nate [di:klɔ́:rənèit] *vt.* 〖화학〗 염소를 제거하다

de·chris·tian·ize [di:krístʃənàiz] *vt.* …의 기독교적 특질을 잃게 하다, 비기독교화하다

deci- [dési, désə] 《연결형》 「10분의 1」의 뜻(cf. DECA-)

dec·i·are [désəɑ̀:r] *n.* 데시아르 (1/10 아르)

dec·i·bar [désəbɑ̀:r] *n.* 〖기상〗 0.1바

dec·i·bel [désəbèl, -bəl] *n.* 〖전기·물리〗 데시벨 《전력[음향]의 측정 단위; 略 dB, db》 ***raise the ~ level*** 《미·속어》 사기[활기]를 높이다 《*off*》

de·cid·a·ble [disáidəbl] *a.* 결정할 수 있는

⁑**de·cide** [disáid] 〖L 「잘라내다」의 뜻에서〗 *vt.* **1** 결심[결의]하다(resolve) ★ 이 뜻으로는 목적어로 명사·대명사를 쓰지 않음: (~+*to* do) (~+*that* 절) He has *~d to* become a doctor. 《★ ~ do*ing*은 잘못》 = He has *~d that* he will become a doctor. 그는 의사가 되려고 결심했다.

> 유의어 **decide** 깊이 생각한 끝에 결심하다: She *decided* to sell her house. 그녀는 집을 팔기로 결심했다. **resolve** decide보다 격식 차린 말로서 끝까지 관철하려고 결심하다: He *resolved* to quit smoking. 그는 금연을 결심했다. **determine** 굳게 결심하다: She *determined* to marry Frank. 그녀는 프랭크와 결혼하기로 결심했다.

2 결정하다: (~+*that* 절) It has been *~d that* the conference shall be held next month. 다음 달에 회의를 개최하기로 결정되었다. // (~+*wh. to* do) (~+*wh.* 절) He could not ~ *where to go.* = He could not ~ *where* he should go. 그는 어디로 가야 할지 결정할 수 없었다. **3** 〈…에게〉 결심시키다: The new evidence *~d* him. 새 증거가 그를 결심케 했다. // (~+목+*to* do) His death *~d* me *to* leave school. 그의 죽음으로 나는 학교를 그만두기로 결심했다. **4** 〈논점 등을〉 해결하다, 〈승부를〉 정하다; 〖법〗 판결하다: ~ a question 문제를 해결하다 // (~+목+전+명) ~ a case *in favor of*[*against*] the plaintiff 원고에게 유리[불리]하게 사건을 판결하다

—*vi.* **1** 결심[결정]하다(determine) 《*on, upon*》: (~+전+명) ~ *on* a course of action 행동 방침을 정하다 **2** 판결을 내리다: (~+전+명) The judge *~d against*[*for, in favor of*] the defendant. 판사는 피고에게 불리[유리]한 판결을 내렸다. ▷ decísion *n.*; decísive *a.*

⁑**de·cid·ed** [disáidid] *a.* **1** 결정적인; 결연한, 단호한, 과단성 있는(resolute): a ~ person 과단성 있는 사람 **2** 분명한, 명확한(distinct)

> 유의어 **decided** 「의문의 여지가 없는」의 뜻: a *decided* victory (누구에게나 분명한) 일방적인 승리 **decisive** 「명확한 결과를 가져오는」의 뜻: a *decisive* victory (싸움의 성패가 판가름나는) 결정적인 승리

~·ness *n.* ▷ decídedly *ad.*

∗**de·cid·ed·ly** [disáididli] *ad.* **1** 확실히, 명백히, 단연: This is ~ better than that. 이것이 저것보다 단연코 낫다. **2** 단호히, 뚜렷하게: answer ~ 분명하게 대답하다

de·cid·er [disáidər] *n.* **1** 결정[재결]자; 결정적인 사건[행동] **2** 《영》 동점 결승 경기

de·cid·ing [disáidiŋ] *a.* 결정적인, 결승[결전]의(decisive)

de·cid·o·pho·bi·a [disàidəfóubiə] *n.* 판결[결단]하는 것에 대한 공포(증)

de·cid·u·ous [disídʒuəs | -dju-] *a.* **1** 〖생물〗 탈락성의; 낙엽성의(opp. *persistent*): a ~ tooth 배냇니, 젖니(milk tooth) **2** 덧없는

dec·i·gram | **dec·i·gramme** [désigræ̀m] *n.* 데시그램 (1/10 그램; 略 dg)

dec·ile [désil] *n., a.* 〖통계〗 십분위수(의)

dec·i·li·ter | **dec·i·li·tre** [désəlì:tər] *n.* 데시리터 (1/10 리터; 略 dl)

de·cil·lion [disíljən] *n.* 《영·독일》 백만의 10제곱 (1에 0이 60개 붙음); 《미·프랑스》 천의 11제곱 (1에 0이 33개 붙음) **—***a.* 데실리온의

∗**dec·i·mal** [désəməl] *a.* 〖수학〗 십진법의, 소수(小數)의; (통화 등이) 십진제의: ~ number 십진수 **—***n.* 소수; [*pl.*] 십진법 ***a circulating***[***repeating***] **~** 순환 소수 ***an infinite ~*** 무한 소수 ***go ~*** (통화) 십진제를 채용하다 ***to 5 places of ~s*** 소수점 (5)자리까지 **~·ìsm** *n.* 십진법[제] **~·ist** *n., a.* 십진법[제] 주장[주의]자(의) **~·ly** *ad.*

décimal arìthmetic 〖수학〗 십진산, 소수산

décimal classificàtion (도서의) 십진 분류법

décimal còinage 통화 십진제

décimal cùrrency 십진제 통화

décimal fràction 〖수학〗 소수(cf. COMMON FRACTION)

dec·i·mal·ize [désəməlàiz] *vt.* 〈통화 등을〉 십진법으로 하다 **dèc·i·mal·i·zá·tion** *n.* Ⓤ 십진법화(化)

décimal notátion 〖수학〗 십진 기수[표기]법

décimal nùmber 〖컴퓨터〗 10진수 《0에서 9까지의 숫자를 사용하는》

décimal numeràtion 십진법

décimal plàce 〖수학〗 소수 자리

décimal pòint 〖수학〗 소수점(point)

décimal sỳstem [the ~] 십진법[제]; = DECIMAL CLASSIFICATION

décimal tàb 〖컴퓨터〗 데시멀 탭 《워드 프로세서에서 숫자의 소수점을 맞추는 기능》

dec·i·mate [désəmèit] 〖L 「10번째의 사람을 뽑다」의 뜻에서〗 *vt.* **1** (특히 고대 로마에서 처벌로서) 열 명

thesaurus **decidedly** *ad.* distinctly, clearly, definitely, certainly, positively, absolutely
decipher *v.* decode, translate, interpret, solve, work out, figure out, reveal

에 한 명씩 제비 뽑아 죽이다 **2** 〈질병·전쟁 등이〉 많은 사람을 죽이다: a population *~d* by disease 병으로 격감한 인구 **3** 《폐어》 …의 10분의 1을 제거하다
dèc·i·má·tion *n.* **-mà·tor** *n.*

dec·i·me·ter | **-me·tre** [désəmìːtər] *n.* 데시미터 《1/10 미터; 略 dm》

de·ci·pher [disáifər] *vt.* 〈암호·수수께끼를〉 풀다, 해독[번역]하다(decode); 〈고문서 등을〉 판독하다 (opp. *cipher*); 〈상황을〉 확실히 하게 하다
— *n.* (문자·글의) 판독; 암호 해독
~·a·ble *a.* 해독[판독]할 수 있는 **~·er** *n.* **~·ment** *n.*

‡**de·ci·sion** [disíʒən] *n.* UC **1** 결정(determination); 해결 **2** 판결, 재결(judgment); C 결의문, 판결문: give a ~ on a matter 사건에 판결을 내리다 **3** 결의, (…하려는) 결심, 결단: by one's own ~ 독단으로 / modify one's ~ 마음을 바꾸다 // (~+*to* do) (~+***that*** 절) His ~ *to* resign surprised me. = His ~ *that* he (should) resign was a surprise to me. 사직하겠다는 그의 결심에 나는 놀랐다. **4** U 결단력, 과단성: act with ~ 결연히 행동하다 / He lacks ~. 그는 결단력이 없다. **5** U 〖권투〗 판정승: win by ~ 판정으로 이기다 ***a man of ~*** 과단성 있는 사람 ***arrive at*** [***come to, reach***] ***a ~*** 해결이 되다, 결정되다 ***~ by majority*** 다수결 ***give a ~ for*** [***against***] …에 유리[불리]한 판결을 내리다 ***make*** [***take***] ***a ~*** 결정하다, 결단하다
— *vt.* 《구어》 〖권투〗 판정으로 이기다 **~·al** *a.*
▷ decíde *v.*; decísive *a.*

de·ci·sion-mak·er [disíʒənmèikər] *n.* (정책 등의) 의사 결정자

decísion màking 의사 결정

de·ci·sion-mak·ing [-mèikiŋ] *a.* 〈정책·원칙 등을〉 결정하는: the ~ process (정책·방향) 결정 과정

decísion pròblem 〖수학〗 결정 문제

decísion ròom (최고 경영자의) 의사 결정 특별실

decísion suppórt sỳstem 〖컴퓨터〗 (경영의) 의사 결정 지원 시스템 (略 DSS)

decísion tàble 의사 결정 일람표 《모든 조건과 필요한 행동을 표시하는 표》

decísion thèory 〖통계〗 의사 결정 이론 《의사 결정시 여러 요인의 수량적 과정을 반영하는》

decísion trèe 의사 결정 분지도(分枝圖) 《전략·방법 등을 나뭇가지 모양으로 그린 것》

de·ci·sive** [disáisiv] *a.* **1** 〈문제·논쟁 등이〉 결정적인, 중대한: ~ evidence[proof] 결정적 증거, 확증 **2** 〈성격 등이〉 단호한, 과단성 있는(⇨ decided 유의어) **3** 〈차이가〉 명확한 **4** 압도적인, 당당한 ***be ~ of …을 결정하다, 결단을 내리다 **~·ness** *n.* U 결정적임, 단호함 ▷ decíde *v.*; decísion *n.*

de·ci·sive·ly [disáisivli] *ad.* 결정적으로; 단호히

decísive vòte[**bàllot**] = CASTING VOTE

dec·i·stere [désistìər] *n.* 데시스테르 《1/10 스테르 [세제곱미터]》

de·civ·i·lize [diːsívəlàiz] *vt.* 미개 상태로 돌리다, 비문명화하다 **de·cìv·i·li·zá·tion** *n.*

‡**deck** [dék] *n.* **1** 〖항해〗 갑판, 덱: the forecastle [quarter, main] ~ 앞[뒤, 주] 갑판 / the upper [middle, lower] ~ 상[중, 하] 갑판 **2** 《미》 (철도의) 객차 지붕; (버스 등의) 바닥, 층; (복엽기의) 날개 **3** 《미》 (카드 패의) 한 벌 《52매》: a ~ of cards 카드 한 벌 **4** 《미》 (집에 딸린) 목제 테라스 **5** 〖컴퓨터〗 덱 《천공한 일련의 카드》 **6** [the ~] 《영·속어》 지면 (ground) **7** 《미·속어》 마약 봉지; (궐련의) 한 갑 **8** = TAPE DECK **9** 《영·속어》 활주로 **10** 《미》 (연극의) 무대; 〖야구〗 (다음 타자의) 대기 장소
between ~s 〖항해〗 선실에서; 갑판 사이에서 ***clear the ~s*** (***for action***) 갑판을 치우다; 전투 준비를 하다; 투쟁[활동] 준비를 하다 ***deal*** a person ***a poor ~*** 《속어》 매정하게 대하다 ***~s awash*** 《속어》 술에 취한 ***hit the ~*** 《미·구어》 기상하다; 바닥에 엎드리다[쓰러지다]; 행동 준비를 하다 ***on ~*** (1) 갑판에 나가; 당직하여(cf. go BELOW) (2) 《미》 (다음 타자석에서) 대기하여 (3) 《미》 다음 차례로[의] ***play*** [***deal, operate***] ***with a full ~*** 분별[이성]이 있다 ***stack the ~*** ⇨ stack
— *vt.* **1** [~ one*self* 또는 수동형으로] 장식하다, 꾸미다, 입히다 《*out, with*》: (~+목+전+명) The room *was ~ed with* flowers. 방은 꽃으로 꾸며져 있었다. // (~+목+부) ~ one*self out*[*up*] in one's best 나들이 옷을 차려입다 **2** 〖항해〗 갑판을 깔다 **3** 《미·속어》 때려 눕히다

décked [dékt] *a.* 장식이 있는, 장식된

déck bòy 갑판(청소)원

déck brìdge 상로교(上路橋), 노선교(路線橋)

déck cábin 갑판 선실

déck càrgo 갑판에 싣는 짐

déck chàir 갑판 의자; 휴대용 의자, 접의자
rearrange the ~s on the Titanic 《미·구어》 아무 소용도 없는 짓을 하다

deck·el [dékəl] *n.* = DECKLE

deck·er [dékər] *n.* **1** 《구어》 갑판 선원[선객] **2** [복합어로] …층의 갑판이 있는 함선[버스]: a double-~ 2층 버스 / a three-~ 3층함 **3** 장식자[물]

déck gàng (근무 중이지만) 당직원이 아닌 선원들; 배 안에서 하역 작업하는 인부들

deck·hand [dékhæ̀nd] *n.* 갑판원, 평선원; 《미·속어》 (극장의) 무대 담당자

deck·house [-hàus] *n.* (*pl.* **-hous·es** [-hàuziz]) 갑판실

deck·ing [dékiŋ] *n.* 갑판·지붕의 표장재(表裝材); 바닥·지붕 까는 재료 《콘크리트·석면·강철 등》

deck·le [dékl] *n.* 〖제지〗 뜸틀 《종이의 판형(判型)을 정하는》; = DECKLE EDGE

déckle édge 〖제지〗 (손으로 뜬 종이의) 도련하지 않은 가장자리 **déck·le-èdged** *a.*

déck lìd 자동차의 뒷 트렁크 덮개

déck lìght 갑판 채광창[천창]

déck lòad 〖항해〗 (상)갑판 적재 화물

déck lòg 〖항해〗 갑판부 (항해) 일지

déck òfficer 〖항해〗 갑판 사관 《선장·항해사 등》

déck pàssage 갑판 도항(渡航)

déck pàssenger 갑판[3등] 선객

déck quòits [단수 취급] (갑판 위에서 밧줄[고무] 고리로 하는) 고리 던지기 놀이

déck shòe 데크슈 《미끄럼 방지 고무 바닥의 가죽 신발》

déck tènnis 덱 테니스 《갑판에서 네트를 사이에 두고 작은 밧줄 고리를 치고 받음》

déck wàtch 갑판 시계 《항해용 정밀 시계》; 갑판 당직원

de·claim [dikléim] [L 「큰 소리로 외치다」의 뜻에서] *vt.* 〈시문을〉 (웅변조로) 낭독[암송]하다, 연설하다
— *vi.* 열변을 토하다; 낭독[웅변]을 연습하다; 격렬하게 비난[공격]하다 ***~ against*** …에 항의하다, 맹렬히 규탄하다 **~·er** *n.*

dec·la·ma·tion [dèkləméiʃən] *n.* **1** U 낭독(법) **2** 연설, 열변; 장광설

de·clam·a·to·ry [diklǽmətɔ̀ːri | -təri] *a.* 낭독조의; 연설투의; 〈문장이〉 수사적(修辭的)인, 과장된

de·clar·a·ble [dikléərəbl] *a.* **1** 선언[언명]할 수 있는; 밝힐[증명할] 수 있는 **2** (세관에서) 신고해야 할

de·clar·ant [dikléərənt] *n.* **1** 선언[발표]하는 사람; 신고인(declarer); 원고(原告) **2** 〖미국법〗 미국 귀화 신청[선서]자

‡**dec·la·ra·tion** [dèkləréiʃən] *n.* UC **1** 선언, 발표, 포고(announcement); (사랑의) 고백; 선언서(manifesto): a ~ of war 선전 포고 **2** (세관·세무서에의)

---

decisive *a.* **1** 결정적인 deciding, determining, final, critical, crucial, influential, important (opp. *insignificant*) **2** 단호한 determined, resolute, firm, unhesitating (opp. *hesitant, indecisive*)

신고(서): a ~ of income 소득의 신고 3 〖법〗 진술(陳述), (증인의) 선언; 소장(訴狀); (소송에서) 원고의 진술(cf. PLEA) 4 〖카드〗 득점 발표; 으뜸패 선언 ***the D~ of Human Rights*** 세계 인권 선언 《1948년 12월 유엔에서 채택》 ***the D~ of Independence*** (미국의) 독립 선언 《1776년 7월 4일》 ***the D~ of Rights*** (영국의) 권리 선언

∗de·clar·a·tive [diklǽrətiv] *a.* **1** =DECLARATORY **2** 〖문법〗 평서(平敍)의: a ~ sentence 평서문 ***be ~ of*** …을 진술하다 **~·ly** *ad.*

declárative lánguage 〖컴퓨터〗 선언형 언어 《절차형 언어(procedural language)에 대비하여 문제의 사실 관계를 논리적으로 기술하는 프로그래밍 언어; Prolog 등》

∗de·clar·a·to·ry [diklǽrətɔ̀:ri | -təri] *a.* 선언[신고]의; 진술[단정]적인: a ~ judgment 〖법〗 선언적 판결, 확인 판결

‡de·clare [diklέər] [L 「명백하게 하다」의 뜻에서] *vt.* **1** 선언[포고]하다, 공표하다(proclaim); 선고하다: ~ a state of emergency 비상사태를 선포하다 // (~+목+보) ~ a person winner …을 승자로 선언하다 // (~+목+(***to be***) 보) The accused was ~*d* (*to be*) guilty. 피고는 유죄를 선고받았다. // (~+목+전+명) ~ war *against*[*upon, on*] a country 어떤 나라에 선전 포고하다

> 유의어 **declare** 반대 등에도 개의치 않고 공개적으로 선언하다 **assert** 증거에 입각한다기보다는 자기 소신에 의거하여 단언하다: *assert* that modern music is just noise 현대 음악을 소음에 불과하다고 단언하다

2 언명[단언]하다(affirm): (~+***that*** 절) He ~*d that* her allegation was a lie. 그는 그녀의 주장이 허위라고 단언했다. **3** (세관에서) 신고하다: Do you have anything to ~? =Anything to ~? 신고하실 것이 있습니까? **4** 〖카드〗 〈가진 패를〉 알리다; 〈어느 패를〉 으뜸패로 선언하다 **5** 〈사물이〉 나타내다, …의 증거가 되다(reveal): The heavens ~ the glory of God. 하늘이 하나님의 영광을 나타내도다. 《시편 19: 1》 **6** 〈중역 회의가 특별 배당의〉 지불을 발표하다 **7** 〖크리켓〗 중도에 〈회(回)의〉 종료를 선언하다

— *vi.* (찬성·반대 등을) 선언[단언, 언명]하다; 〖법〗 (원고로서의) 주장을 진술하다

~ against[***for, in favor of***] …에 반대[찬성]한다고 언명하다: ~ for [against] war 주전[반전]론을 주창하다 ***~ off*** 해약[취소]하다 ***~ oneself*** 소신을 말하다; 신분을 말하다; 정당에 당원으로 등록하다 ***…, I ~!*** 정말 …이네! ***Well, I ~!*** 원, 저런, 설마!

▷ declarátion *n.*; declárative *a.*

de·clared [diklέərd] *a.* Ⓐ **1** 선언한, 언명한, 공공연한 **2** 신고한; 가격 표기의: ~ value (수입품의) 신고 가격

de·clar·ed·ly [diklέəridli] *ad.* 공공연히, 명백히

de·clar·er [diklέərər] *n.* 선언[단언]자; 신고자; 〖카드〗 으뜸패의 선언자

de·class [di:klǽs | -klɑ́:s] *vt.* …의 계급을 낮추다; 사회적 지위[신분]를 낮추다[없애다]

dé·clas·sé [dèiklæséi | –⌐–] [F] *a., n.* (*fem.* **-sée** [~]) 몰락한 (사람[것]); 신분이 낮은 (사람)

de·clas·si·fy [di:klǽsəfài] *vt.* (**-fied**) 〈서류·암호 등을〉 기밀 정보의 리스트에서 제외하다, 비밀 취급을 해제하다 **de·clàs·si·fi·cá·tion** *n.*

de·claw [di:klɔ́:] *vt.* …의 발톱을 제거하다; 무력화하다

de·clen·sion [diklénʃən] *n.* **1 a** Ⓤⓒ 〖문법〗 어형 변화, 격 변화, 굴절 《명사·대명사·형용사의 수·성·격에 의한 변화》(cf. CONJUGATION, INFLECTION) **b** 동일 어형 변화 어군 **2** Ⓤ 기울어짐; Ⓒ 내리막길 **3** Ⓤ 타락, 탈선 《*from*》, (기준에서의) 일탈(deviation) **4** (정중한) 거절 **~·al** *a.*

de·clin·a·ble [dikláinəbl] *a.* 〖문법〗 어형 변화가 되는, 격 변화가 있는

dec·li·nate [dékləneit] *a.* 아래로 굽은[기운]

dec·li·na·tion [dèklənéiʃən] *n.* Ⓤⓒ **1** 기움, 경사 **2** 편위(偏位); 〖물리〗 (자침의) 편차(variation); 〖천문〗 적위(赤緯) **3** (관직 등의) 정식 사퇴; 사절 **4** (문어) 쇠퇴, 하락 **5** (기준·일정 방향에서) 벗어남, 일탈 **~·al** *a.*

‡de·cline [dikláin] *v., n.*

> 옆으로 비키다 ┌ (제의에 대해서 외면하다) → 거절하다 **1**
> └ (직선에서 벗어나다) → 기울다 **2** → (내려가다) 쇠퇴하다 **4**

— *vi.* **1** (정중히) **거절하다**, 사절하다: She ~*d* with thanks. 그녀는 정중히 거절했다. **2** (문어) 기울다, 내려가다 **3** 〈해가〉 기울다(sink); 종말[황혼]에 가까워지다 《*to, toward*(*s*)》 **4** 쇠퇴하다(fall off), 타락[퇴보]하다, 〈힘이〉 쇠하다; 감퇴하다 **5** 〖경제〗 〈물가 등이〉 떨어지다, 하락하다 **6** (…에) 마음이 기울다 《*to*》 **7** 〖문법〗 어형 변화를 하다

— *vt.* **1** 〈도전·초대·신청 등을〉 **거절[사절]하다**(opp. *accept*)(⇨ refuse¹ 유의어): ~ a person's offer …의 제의를 거절하다 // (~+***to*** do) (~+***-ing***) He ~*d to* explain. =He ~*d* explain*ing*. 그는 해명하기를 거부했다. ★ (~+***to*** do)가 일반적. **2** 기울이다; 〈고개를〉 푹 숙이다 **3** 〖문법〗 〈명사·대명사·형용사를〉 어형[격] 변화시키다(cf. CONJUGATE)

— *n.* [보통 a ~, the ~] **1** (해가) **기움 2** 내리받이; 쇠퇴, 퇴보, 타락; (귀족 계급 등의) 몰락; 만년: *a* gentle ~ in the road 도로의 완만한 내리막 / *a* ~ in the power of Europe 유럽 세력의 쇠미 **3** 감퇴; (가격의) 하락 《*in*》: *a* sharp[rapid] ~ *in* unemployment 실업률의 급격한 하락 **4** 소모성 질환, 폐병 ***fall***[***go***] ***into a ~*** 〈나라·경제 등이〉 쇠퇴하다; 폐병에 걸리다 ***in ~*** 기울어, 쇠퇴하여 ***in the ~ of*** one***'s life*** 만년에 ***on the ~*** 기울어져; 쇠퇴하여, 내리막에

de·clín·er *n.*

de·clin·ing [dikláiniŋ] *a.* Ⓐ 기우는, 쇠퇴하는: one's ~ fortune[years] 쇠운(衰運)[만년(晩年)]

dec·li·nom·e·ter [dèklənɑ́mətər | -nɔ́m-] *n.* 방위각계(方位角計), 자침 편차계

de·cliv·i·tous [diklívətəs] *a.* 내리받이의 **~·ly** *ad.*

de·cliv·i·ty [diklívəti] *n.* (*pl.* **-ties**) (문어) 내리받이(길)(opp. *acclivity*)

de·cli·vous [dikláivəs] *a.* 내리받이의(opp. *acclivous*)

de·clutch [di:klʌ́tʃ] *vi.* (영) (차의) 클러치를 풀다

de·clut·ter [di:klʌ́tər] *vt.,vi.* 정리하다

dec·o [dékou, déikou] *n.* [종종 **D~**] = ART DECO

— *a.* art deco풍의

de·coct [dikɑ́kt | -kɔ́kt] *vt.* 〈약 등을〉 달이다

de·coc·tion [dikɑ́kʃən | -kɔ́k-] *n.* **1** Ⓤ 달임 **2** 달인 즙[약], 탕약

de·code [di:kóud] *vt., vi.* 〈암호문을〉 풀다, 번역하다(cf. ENCODE); 〈부호화된 데이터 등을〉 해독하다 《원래 말·형식으로》; (구어) (간단히) 설명하다

— *n.* (정보 처리에서의) 해독, 디코드(화)

de·cod·er [di:kóudər] *n.* (암호문의) 해독자; 해독기; (전화 암호) 자동 해독 장치; 〖컴퓨터〗 디코더

de·cod·ing [di:kóudiŋ] *n.* 〖컴퓨터〗 디코딩

de·coke [di:kóuk] *vt.* (영·구어) =DECARBONIZE

— *n.* 탈(脫)탄소

de·col·late [dikɑ́leit | -kɔ́l-] *vt.* …의 목을 베다(behead); 〈연속 용지를〉 분리하다, 잘라내다

thesaurus **declare** *v.* **1** 선언하다 announce, proclaim, pronounce, make known, broadcast, publish **2** 단언하다 state, assert, maintain, affirm, claim, allege, swear, confess, profess
decline *v.* **1** 거절하다 turn down, refuse, say no **2** 쇠퇴하다 degenerate, deteriorate, fail, fall,

de·col·la·tion [dìːkəléiʃən] *n.* Ⓤ 참수(斬首); 〖종교〗 성도 참수화(聖徒斬首畫)
de·col·la·tor [díːkəlèitər] *n.* 참수형 집행인, 망나니
dé·col·le·tage [dèikɑlətɑ́ːʒ, dèkələ- | dèikɔl-tɑ́ːʒ] 〖F〗 *n.* 어깨를 드러냄; 옷깃을 깊이 판 네크라인의 여성복
dé·col·le·té [dèikɑlətéi, dèkələ- | deikɔ́ltei] 〖F＝bare the neck of〗 *a.* 〈드레스가〉 어깨를 드러낸, 데콜테옷을 입은: a robe ~ 로브 데콜테《여성 야회복》
de·col·o·nize [diːkɑ́lənàiz | -kɔ́l-] *vt.* 〈식민지에〉 자치[독립]를 부여하다, 비식민지화하다
de·col·o·ni·za·tion [-nizéiʃən | -nai-] *n.*
de·col·or | **-our** [diːkʌ́lər] *vt.* 탈색[표백]하다
de·col·or·ant [diːkʌ́lərənt] *n.* 탈색[표백]제
— *a.* 탈색성의, 표백하는(bleaching)
de·col·or·i·za·tion [diːkʌ̀lərizéiʃən] *n.* Ⓤ 탈색
de·col·or·ize [diːkʌ́ləràiz] *vt.* ＝DECOLOR
de·com·mer·cial·ize [dìːkəmə́ːrʃəlàiz] *vt.* 비(非)상업화하다 **de·còm·mer·cial·i·zá·tion** *n.*
de·com·mis·sion [dìːkəmíʃən] *vt.* 〈배·비행기 등의〉 취역을 해제하다; 조업을 중지하다, 휴업하다
— *n.* (원자로의) 폐로(廢爐)
de·com·mu·nize [diːkɑ́mjunàiz | -kɔ́m-] *vt.* 비(非)공산화하다 **de·còm·mu·ni·zá·tion** *n.*
de·com·pen·sa·tion [diːkɑ̀mpənséiʃən | -kɔ̀mpn-] *n.* Ⓤ 〖정신의학〗 보상 작용의 상실; 〖의학〗 (심장의) 대상 부전(代償不全)《호흡 곤란 등》
de·cóm·pen·sàte *vi.* 〈심장이〉 대상 부전이 되다
***de·com·pose** [dìːkəmpóuz] *vt.* **1** (성분·요소로) 분해시키다 《*into*》: 《~＋목＋전＋명》 A prism ~*s* sunlight *into* its various colors. 프리즘은 일광을 여러 색으로 분해한다. **2** 부패[변질]시키다 **3** 분석하다
— *vi.* 분해[붕괴]하다; 부패하다 **-pós·a·ble** *a.*
▷ decomposítion *n.*; decompósite *a.*
de·com·posed [dìːkəmpóuzd] *a.* 분해[부패]된
de·com·pos·er [dìːkəmpóuzər] *n.* 분해하는 사람[것]; 〖생태〗 분해자《박테리아·균류 등》
de·com·pos·ite [dìːkəmpɑ́zit | -kɔ́mpə-] *a.* 복(複)[재(再)]혼합된 — *n.* 복[재]혼합물; 이중 복합어 《newspaperman, railroader 등》
***de·com·po·si·tion** [diːkɑ̀mpəzíʃən | -kɔ̀m-] *n.* Ⓤ 분해; 해체; 부패, 변질 ▷ decompóse *v.*
de·com·pound [dìːkəmpáund] *vt.* 분해하다 (decompose) — [diːkɑ́mpaund | -kɔ́m-] *a.*, *n.* ＝DECOMPOSITE
de·com·press [dìːkəmprés] *vt.* 에어록(air lock)으로 압력을 감소시키다; 감압(減壓)하다; 〖의학〗 (기관·부위의) 압박을 완화하다; 〖컴퓨터〗 압축된 파일을 풀다[원상태로 복원하다] — *vi.* 감압되다; 《구어》 긴장이 풀리다, 느슨해지다, 약해지다
de·com·pres·sion [dìːkəmpréʃən] *n.* Ⓤ **1** 감압 **2** 〖컴퓨터〗 압축된 파일을 풀기[풂]
decompréssion chàmber 감압실, 기압 조정실
decompréssion sìckness 〖병리〗 감압증, 잠함(潛函)병(caisson disease)
de·com·pres·sor [dìːkəmprésər] *n.* 감압 장치
de·con·cen·trate [diːkɑ́nsəntrèit | -kɔ́n-] *vt.* 〈중앙 집중에서〉 분산시키다; (경제력의) 집중을 배제하다(decentralize) **de·còn·cen·trá·tion** *n.* Ⓤ 분산; (경제력의) 집중 배제
de·con·di·tion [dìːkəndíʃən] *vt.* **1** 〈사람의〉 몸 컨디션을 망가뜨리다, 건강을 손상시키다 **2** 〈동물의〉 조건 반사를 제거하다

weaken **3** 하락하다 decrease, diminish, lessen
decompose *v.* **1** 분해시키다 separate, divide, disintegrate, dissect, analyze, atomize, dissolve **2** 부패하다 decay, rot, go bad, putrefy
decorative *a.* ornamental, fancy, adorning, embellishing, beautifying, enhancing, garnishing

de·con·flict, de·con·flict [dìːkənflíkt] *vt.* (항공기 등을 회항하여) 충돌[교전]을 피하다
de·con·gest [dìːkəndʒést] *vt.* 혼란을 없애다, 혼잡을 완화시키다; 충혈을 완화하다
de·con·gés·tion [-dʒéstʃən] *n.* **-gés·tive** *a.*
de·con·ges·tant [dìːkəndʒéstənt] *n.* ⓊⒸ 〖약학〗 (특히 코의) 충혈 완화제; 소염제(消炎劑)
— *a.* 충혈 완화 작용이 있는
de·con·glom·er·ate [dìːkənglɑ́mərət | -glɔ́m-] *vt.* 〈복합 기업을〉 분할하다
de·con·se·crate [diːkɑ́nsəkrèit | -kɔ́n-] *vt.* 세속화하다
de·con·struct [dìːkənstrʌ́kt] *vt.* 해체[분해]하다; 〈문예 작품을〉 해체주의 방법으로 논하다
de·con·struc·tion [dìːkənstrʌ́kʃən] *n.* 〖철학·문학〗 해체《철학·비평의 방법의 하나》 **~·ism** *n.* Ⓤ **~·ist** *a.*, *n.*
de·con·tam·i·nant [dìːkəntǽmənənt] *n.* 오염 제거 장치, 정화제
de·con·tam·i·nate [dìːkəntǽmənèit] *vt.* 오염을 제거하다, 정화하다; 독가스[방사능]를 제거하다; 〈기밀 문서에서〉 기밀 부분을 삭제하다
de·con·tàm·i·ná·tion *n.* **-na·tor** *n.*
de·con·tex·tu·al·ize [dìːkəntékstʃuəlàiz] *vt.* 문맥에서 떼어 놓고 고찰하다
de·con·trol [dìːkəntróul] *vt.* (**~led**; **~·ling**) (정부 등의) 관리를 해제하다, 통제를 철폐하다
— *n.* Ⓤ 관리[통제] 해제: ~ of domestic oil prices 국내 석유가의 통제 해제
de·cor, dé·cor [deikɔ́ːr | déikɔː] 〖F〗 *n.* Ⓤ 장식(양식); 실내 장식; 무대 장치
‡**dec·o·rate** [dékərèit] *vt.* **1** 장식하다 《*with*》: 《~＋목＋전＋명》 ~ a room *with* flowers and pictures 방을 꽃과 그림으로 장식하다

> 유의어 **decorate** 단조로운 것, 또는 원래는 아름답지 못한 것을 특정 목적을 위해 꾸며서 아름답게 하다: *decorate* a wall with pictures 벽을 그림으로 장식하다 **adorn** 원래 아름다운 것을 꾸며서 더욱 아름답게 하다: a necklace *adorned* her neck 그녀의 목에 장식된 목걸이 **ornament** 장식하여 외관을 더욱 아름답게 하다: a crown *ornamented* with jewels 보석들로 장식된 왕관

2 …의 장식물이 되다; 〈벽·방 등에〉 페인트를 칠하다, 벽지를 바르다: ~ a wall 벽에 벽지를 바르다 **3** …에게 훈장을 주다 《*for*; *with*》: 《~＋목＋전＋명》 He was ~*d* (*with* a medal) *for* his distinguished services. 그는 현저한 공적으로 훈장을 받았다.
▷ decorátion *n.*; décorative *a.*
dec·o·rat·ed [dékərèitid] *a.* **1** 훌륭하게 꾸민, 장식된 **2** 훈장을 받은 **3** 〖건축〗 장식식(裝飾式)의
décorated shéd 〖건축〗 전체적으로 실용성을 추구하되 정면은 위엄 있는 디자인
déc·o·rat·ing bàg [dékərèitiŋ-] (고깔 모양의) 케이크 장식용 자루
‡**dec·o·ra·tion** [dèkəréiʃən] *n.* **1 a** Ⓤ **장식(법)**, 꾸밈새: interior ~ 실내 장식 **b** [*pl.*] 장식물: Christmas ~*s* 크리스마스 장식 **2 훈장** ▷ décorate *v.*
Decorátion Dày 《미》 현충일(Memorial Day)
***dec·o·ra·tive** [dékərətiv, -kəreit- | dékərə-] *a.* 장식의, 장식적인; 화사한 〈여성복〉: ~ art 장식 미술
~·ly *ad.* **~·ness** *n.* ▷ décorate *v.*; decorátion *n.*
dec·o·ra·tor** [dékərèitər] *n.* **장식자**; 실내 장식가 (＝interior ~); 《영》 도배장이, 칠장이, 도배공 ***have the ~s in 《속어》 생리를 하다
— *a.* 실내 장식용의
dec·o·rous [dékərəs, dikɔ́ːrəs | dékə-] *a.* 예의 바른, 단정한; 품위 있는; 근엄한
~·ly *ad.* **~·ness** *n.* ▷ decórum *n.*
de·cor·ti·cate [diːkɔ́ːrtikèit] *vt.* …의 (나무) 껍질

을 벗기다; 〖의학〗 (뇌 등의) 피질(皮質)을 제거하다; …의 가면을 벗기다 **-càt·or** *n.*

de·co·rum [dikɔ́:rəm] *n.* Ⓤ **1** 단정(端正) **2** 예의 바름, 에티켓; [종종 *pl.*] (품위 있는) 예절 ▷ décorous *a.*

de·cou·page, dé- [dèiku:pɑ́:ʒ] [F] *n.* 데쿠파주 《오려낸 종이 쪽지를 붙이는 그림 (기법)》 ― *vt.* 〈벽 등을〉 데쿠파주로 장식하다

de·cou·ple [di:kʌ́pl] *vt.* 분리[분단]하다; (지하 폭발로 핵폭발의) 충격을 흡수[완화]하다; 〖전기〗 (회로간 신호의) 결합을 없애다 ― *vi.* 분리[분단]되다

***de·coy** [dikɔ́i] *vt.* (미끼를 써서) 유인[유혹]하다, 꾀어내다 《*away*; *from, into, out of*》: 《~+목+전+명》 ~ ducks *within* gunshot 오리를 사정 거리 내로 유인하다
― *vi.* 미끼에 걸리다, 유혹당하다
― [dí:kɔi, dikɔ́i] *n.* **1** 유인하는 장치, 미끼(bait); 미끼로 쓰는 새(=∠ **bìrd**); 꾀어내기 위해 쓰는 물건[사람] **2** (오리 등의) 유인 못, 유인 장소 **3** 〖우주과학·군사〗 레이더 탐지 방해용 물체 《레이더 교란용》 **4** (미·속어) 사람이 없는 순찰차 **~·er** *n.*

décoy dùck 유인용 오리; 미끼 구실하는 사람

décoy shìp =Q-BOAT

‡de·crease [dikrí:s] *vi.* (opp. *increase*) **1** 줄다, 감소하다: His influence slowly *~d.* 그의 영향력은 서서히 줄었다.// 《~+전+명》 ~ *in* population 인구가 점점 줄어들다 **2** 〈온도계 등이〉 내리다 **3** 축소되다; 〈힘 등이〉 줄다
― *vt.* 줄이다, 감소[축소, 저하]시키다; (뜨개질의) 〈코수를〉 줄이다

> 유의어 **decrease** 크기·양·수·힘이 점차로 줄다[줄이다]: *decrease* the speed of one's car 차의 속도를 줄이다 **lessen** (수가 아닌) 양·크기·정도·중요성이 줄다[줄이다]: She has been unable to *lessen* her debt. 그녀는 빚을 줄이지 못하고 있다. **diminish** 감지할 수 있을 정도로 전체적으로 감소하다를 뜻하는 격식 차린 말: The heat *diminished* as the sun went down. 석양이 지자 더위는 덜해졌다. **reduce** 보통 인위적으로 크기·양·정도를 줄이다: You must *reduce* your calorie intake. 당신의 칼로리 섭취량을 줄여야 되겠소. **dwindle** 수·크기·힘이 점점 줄어서 없어져 가다: Our provisions *dwindled* slowly. 우리의 식량은 서서히 줄어들었다. **abate** 굉장한 힘이나 양이 줄다를 뜻하는 격식 차린 말: The storm *abated.* 폭풍은 잦아들었다.

― [dí:kri:s, dikrí:s] *n.* ⓊⒸ 감소, 축소; Ⓒ 감소량[액]: a rapid[sharp] ~ in population 인구의 급감 ***be on the ~*** 점차로 줄다, 감소 추세에 있다

de·creas·ing [dikrí:siŋ] *a.* 감소하는, 점점 주는 **~·ly** *ad.* 점점 줄어[감소하여]; 점감적으로

‡de·cree [dikrí:] [L 「공적으로 결정하다」의 뜻에서] *n.* **1** 법령, 율령(律令), 포고: a ~ that slavery (should) be abolished 노예 제도 폐지 법령 **2** (법원의) 명령, 판결; 〖종교〗 (공의회의) 결의, 교령(敎令); [*pl.*] 교령집, 법령집 **3** 〖신학〗 신의(神意), 섭리, 천명; 계율
― *vt.* **1** 〈신이〉 명하다, 〈운명이〉 정하다: 《~+*that* 절》 Fate *~d that* he (should) die. 그는 죽을 운명이었다. **2** (법령으로서) 포고하다 **3** (미) 판결하다 (adjudge)
― *vi.* 법령을 포고하다; 판결을 내리다 **de·cré·er** *n.*

decrée ábsolute 〖법〗 이혼 확정 판결

de·cree-law [-lɔ̀:] *n.* 법령, 부령(部令), 각령(閣令)

decrée nísi 〖법〗 이혼의 가(假)판결

dec·re·ment [dékrəmənt] *n.* (opp. *increment*) ⓊⒸ **1** (드물게) 감소; 소모 **2** 감액, 감량; 〖물리·전자〗 감소율 ― *vt.* 〈…의〉 감소를 나타내다

dèc·re·mén·tal *a.*

dec·re·me·ter [dékrəmì:tər, dikrémə-] *n.* 〖전기〗 감폭계(減幅計)

de·crep·it [dikrépit] *a.* **1** 노쇠한; 쇠약해진 **2** 〈건물 등이〉 오래 써서 낡은, 노후화한 **~·ly** *ad.*

de·crep·i·tate [dikrépətèit] *vt., vi.* 〈소금 등을[이]〉 바작바작 소리나게 굽다[구워지다]

de·crèp·i·tá·tion *n.*

de·crep·i·tude [dikrépətjù:d | -tjù:d] *n.* Ⓤ 노쇠(한 상태), 허약; 노후(老朽)

decresc. 〖음악〗 decrescendo

de·cre·scen·do [dèikriʃéndou, dì:- | dì:-] [It.] 〖음악〗 *a., ad.* 점점 약한[약하게] 《略 decresc.; 기호 >》 ― *n.* (*pl.* **~s**) 점차 약음(의 악절), 데크레셴도

de·cres·cent [dikrésnt] *a.* 〈달이〉 이지러지는, 하현의(opp. *increscent*) ― *n.* 하현달

de·cre·tal [dikrí:tl] *a.* 법령의, 법령적인
― *n.* 〖가톨릭〗 교황의 교령[교서]; [*pl.*] 교령집

de·cre·tist [dikrí:tist] *n.* 교회법 학자; (중세 대학의) 법학부 학생

de·cre·tive [dikrí:tiv] *a.* =DECRETAL

de·cri·al [dikráiəl] *n.* ⓊⒸ 비난, 중상

de·cri·er [dikráiər] *n.* 비난자, 중상(中傷)자

de·crim·i·nal·i·zation [di:krìmənəlizéiʃən] *n.* 비(非) 범죄화

de·crim·i·nal·ize [di:krímənəlàiz] *vt.* 해금(解禁)하다; 〈사람·행위를〉 기소[처벌] 대상에서 제외하다; 〈범죄자를〉 정신 치료하다

de·cruit [dì:krú:t] *vt.* 〈고령자 등을〉 다른 회사[낮은 부서]로 배치 전환하다 **~·ment** *n.*

de·crus·ta·tion [dì:krʌstéiʃən] *n.* 외피(外皮) 제거

de·cry [dikrái] *vt.* (**-cried**) **1** 비난하다, 헐뜯다 **2** 〖경제〗 〈통화 등의〉 가치를 떨어뜨리다

de·crypt [di(:)krípt] *vt.* 〈암호를〉 해독[번역]하다 (decipher) **de·crýp·tion** *n.* 〖컴퓨터〗 해독

de·cul·tur·ate [di:kʌ́ltʃərèit] *vt.* 〈민족·사회에서〉 문화(특성)를 빼앗다

dec·u·man [dékjumən] *a.* 열 번째의; 〈파도가〉 거대한: a ~ wave 큰 파도

de·cum·ben·cy [dikʌ́mbənsi], **-bence** [-bəns] *n.* (*pl.* **-cies**; **~s**) ⓊⒸ 드러누움, 누운 자세; 땅 위로 뻗음

de·cum·bent [dikʌ́mbənt] *a.* **1** 드러누운, 가로누운 **2** 〖식물〗 〈가지·줄기가〉 땅 위로 뻗은 **3** 〈동물의 털이〉 누운

dec·u·ple [dékjupl] *n., a.* 10배(의)(tenfold)
― *vt., vi.* 10배로 하다[되다]

de·cur·rent [dikə́:rənt, -kʌ́r- | -kʌ́r-] *a.* 〖식물〗 〈잎이〉 줄기 아래로 뻗은

de·cus·sate [dékəsèit, dikʌ́seit] *vt., vi.* X자 꼴로 교차하다 ― [dikʌ́seit, -sət] *a.* 직각으로 교차한, X자 꼴의; 〖식물〗 십자 대생(十字對生)의

de·cus·sa·tion [dèkəséiʃən, dì:k-] *n.* ⓊⒸ X자꼴[십자형] 교차; (신경의) 교차: optic ~ 시신경 교차

dec·yl [désəl] *n.* 〖화학〗 데실(기) 《데칸(decane)에서 수소 원자 하나를 제거한 1가의 기》

ded. dedicated; dedication **D.Ed.** Doctor of Education

de·dal [dí:dl] *a.* =DAEDAL

de·dans [dədɑ́:ŋ] [F] *n.* (테니스 코트의) 서브측 뒤의 관람석; [the ~] 테니스 관중

ded·i·cant [dédikənt] *n.* 헌정[헌납]자

‡ded·i·cate [dédikèit] [L 「떼어놓다」의 뜻에서] *vt.* **1** 봉납[헌납]하다: ~ a new church building 신축 교회를 헌당하다// 《~+목+전+명》 ~ a shrine *to* a deified hero 신이 된 영웅을 신전에 모시다 **2** 〈생애·시간을〉 바치다; [~ one*self* 로] (…에) 전념하다 《*to*》:

> **thesaurus** **decree** *n.* **1** 법령 edict, law, statute, act, ordinance, regulation, rule, enactment, command **2** 판결 ruling, verdict, judgment, decision
> **dedicate** *v.* devote, give, commit, apply, pledge,

(~+목+전+명) ~ one's time[*oneself*] *to* business[politics] 사업[정치]에 전념하다 **3** 〈저서·작곡 등을〉 …에게 헌정하다 《*to*》: (~+목+전+명) ~ a book[poem] *to* one's wife[patron] 책[시]을 아내[후원자]에게 바치다 / *Dedicated to* ... 〈이 책을〉 …에게 바칩니다 **4** 《미》 〈공공건물 등을〉 공식으로 개관하다, 〈기념비의〉 제막식을 하다 **5** 〖법〗 〈토지 등을〉 공공용으로 제공하다
▷ dedicátion *n.*; dédicative, dédicatory *a.*

ded·i·cat·ed [dédikèitid] *a.* **1** 〈이상·정치·목표 등에〉 일신을 바친, 헌신적인: a ~ artist 헌신적인 예술가 **2** 〈장치 등이〉 오로지 특정한 목적을 위한, 전용의

ded·i·ca·tee [dèdikətíː] *n.* 헌정받는 사람(opp. *dedicator*)

*__ded·i·ca·tion__ [dèdikéiʃən] *n.* Ⓤ **1** 바침, 봉헌, 봉납, 헌납, 기부; **헌신** 《*to*》: ~ *to* the organization 조직에 대한 헌신 **2** 헌정; Ⓒ 헌정사 **3** 《미》 개관; Ⓒ 개관식, 헌당식 **4** 《사유지의》 공공지로서의 제공
~·al *a.* ▷ dédicate *v.*

ded·i·ca·tive [dédikèitiv] *a.* = DEDICATORY

ded·i·ca·tor [dédikèitər] *n.* 봉납자; 헌정자; 헌신자(opp. *dedicatee*)

ded·i·ca·to·ry [dédikətɔ̀ːri | -təri] *a.* 봉납[헌납]의[을 위한]; 헌정의

de·dif·fer·en·ti·a·tion [diːdìfərènʃiéiʃən] *n.* 〖생물〗 탈분화(脫分化)
de·dìf·fer·én·ti·àte *vi.* 탈분화하다

*__de·duce__ [didjúːs | -djúːs] [L 「아래로 이끌다」의 뜻에서] *vt.* **1** (…에서) **연역(演繹)하다, 추론하다** 《*from*》 (opp. *induce*)(⇨ infer 유의어): (~+목+전+명) ~ a conclusion *from* premises 전제에서 결론을 연역[추론]하다 // (~+*that* 절) From this fact we ~*d that* he didn't agree with us. 이 사실에서 우리는 그가 우리와 의견이 같지 않다고 추론했다. **2** 〈계통을〉 따지다, 〈유래를〉 찾다(derive) 《*from*》: ~ one's lineage 가계(家系)를 더듬다 // (~+목+전+명) ~ the annals *from* 1620 연대기의 시초를 1620년까지 거슬러 올라가다 ▷ dedúction *n.*; dedúctive *a.*

de·duc·i·ble [didjúːsəbl | -djúːs-] *a.* 추론할 수 있는 **-bly** *ad.*

de·duck [didʌ́k] *n.* 《미·속어》 (과세) 공제액[항목]; 급료에서의 공제

*__de·duct__ [didʌ́kt] *vt.* 빼다, 공제하다 《*from, out of*》: (~+목+전+명) ~ 5% *from* a person's salary 봉급에서 5%를 공제하다
— *vi.* 〈가치 등이〉 떨어지다 《*from*》
▷ dedúction *n.*

de·duct·i·ble [didʌ́ktəbl] *a.* 공제할 수 있는; 세금 공제가 되는 ~ ***clause*** 〖보험〗 공제 조항
— *n.* 공제 조항(이 있는 보험 증권); 공제 금액
de·dùct·i·bíl·i·ty *n.*

*__de·duc·tion__ [didʌ́kʃən] *n.* **1** Ⓤ 빼기, 공제, 삭감; Ⓒ 공제액 **2** UC 추론(의 결과), 결론; Ⓤ 〖논리〗 연역(법)(opp. *induction*) **3** 〖건축〗 (치수·측량의) 감소치
▷ dedúct, dedúce *v.*

de·duc·tive [didʌ́ktiv] *a.* 추론적인; 〖논리〗 연역적인(opp. *inductive*): ~ method 연역법 / ~ reasoning 연역적 추리[추론] **~·ly** *ad.*

dee [díː] *n.* **1** D자; D자 꼴의 것 **2** 'd—'의 발음(cf. DAMN) **3** 《영·속어》 형사(detective)

⁑**deed** [díːd] *n.* **1** 행위(action); 업적, 공적(exploit) (⇨ conduct 유의어) **2** UC (말에 대한) 실행(action) **3** 〖법〗 (정식 날인한) 증서
~ of covenant 〖법〗 약관 날인 증서 ***~s of arms*** 무훈, 무공 ***in ~ as well as in name*** 명실 공히 ***in*** (***every***) ~ 실로, 실제로(cf. INDEED) ***in word and*** (***in***) ~ 언행이 다 (함께)
— *vt.* 《미》 증서를 작성하여 〈재산을〉 양도하다 《*to*》
~·less *a.*

deed·box [díːdbɑ̀ks | -bɔ̀ks] *n.* 증서 보관함[금고]

déed pòll 〖법〗 (당사자의 한 쪽만이 작성하는) 단독 날인 증서

dee·jay [díːdʒèi] *n.* 《구어》 = DISK JOCKEY

*__deem__ [díːm] *vt.* 《문어》 (…으로) **생각하다, 간주하다** (consider): (~+목+(***to be***) 보) (~+***that*** 절) I ~ it good to do so. 나는 그렇게 하는 것이 좋다고 생각한다. / We ~ him (*to be*) honest. = We ~ *that* he is honest. 우리는 그가 정직하다고 생각한다.
— *vi.* (…의) 의견을 갖다; 생각하다 《*of*》: (~+전+명) ~ highly *of* a person's honesty …의 정직함을 존경하다

deem·er [díːmər] *n.* 《미·속어》 **1** 10센트 동전 (dime); 쩨쩨한 팁 **2** 쩨쩨한 (팁을 내는) 사람

de·em·pha·size [diːémfəsàiz] *vt.* 덜 강조하다, 중요시하지 않다; 경시하다 **de·ém·pha·sis** *n.*

deem·ster [díːmstər] *n.* (영국 the Isle of Man의) 재판관, 판사

de·en·er·gize [diːénərdʒàiz] *vt.* …의 전원을 끊다

⁂**deep** [díːp] *a., ad., n.*

> (표면[입구]에서 아래[안]로) 깊은 **1**
> →(뜻이 깊어서) 심원한 **2**; (소리가 깊은 느낌이 들어) 굵고 낮은; (색이) 짙은 **5**
> →(빠져나오지 못할 만큼) 깊이 빠진 **2**

— *a.* **1** (아래로) **깊은**(opp. *shallow*), 깊숙이 들어간; (안으로) 깊은; (상당히) 두꺼운; **깊이가 …인**: a pond 5 feet ~ 깊이 5피트의 못 / a lot 50 feet ~ 얼안 길이 50피트의 부지 **2** 심원한(profound); **난해한**; 뿌리 깊은; 깊이 빠진[몰두한], 열심인 《*in*》: ~ *in* love 사랑에 빠진 **3** 통렬한(intense), 충심으로의 (heartfelt): ~ regret 절실한 후회 **4** 《구어》 뱃속 검은(sly): ~ one 엉큼한[뱃속 검은] 사람 **5** 〈목소리 등이〉 굵고도 낮은, 장중한; 〈색 등이〉 짙은, 검은(cf. FAINT, THIN) **6** (시간적·공간적으로) 먼: the ~ past 먼 옛날 **7** 〈겨울·밤이〉 깊은, 〈잠이〉 깊은; 〈죄가〉 무거운; 술을 많이 마시는: a ~ drinker 술고래 **8** (신체의) 피하의; 심부의; 〖언어〗 심층의 **9** 〖크리켓〗 (중심에서) 멀리 떨어진 ***ankle-*** [***knee-, waist-***] ~ ***in mud*** 진창에 발목[무릎, 허리]까지 빠져 ***a ship ~ in the water*** 흘수(吃水)가 깊은 배 ***drawn up six*** [***eight***] ~ 6[8]렬로 늘어서서 ***in ~ water***(***s***) 매우 곤궁하여[난처하여, 괴로워]
— *ad.* **1** 깊이, 깊게; 지나치게: go ~ into the cave 동굴 안으로 깊이 들어가다 / Still waters run ~. 《속담》 깊은 강물은 소리 없이 흐른다. **2** 밤 늦게까지
~ ***down*** 《구어》 마음속으로는, 내심은; 사실은 ~ ***into the night*** 밤 늦게까지 ***dig*** ~ 많은 돈을 지불하다[주다]; 자세히 조사하다 ***drink*** ~ 흠씬 마시다 ***run*** [***go***] ~ 깊이 침투해[뿌리내리고] 있다, 뿌리 깊다
— *n.* **1** [보통 *pl.*] 심연(深淵)(abyss), 심해 《6,000m 이상 깊은 곳》, 깊은 못, 깊숙한 곳 **2** [the ~] 《시어》 대양; 대해: monsters[wonders] of *the* ~ 대해의 괴물[경이] **3** 한겨울, 한밤중 **4** [the ~] 〖크리켓〗 투수의 후방의 경계선 부근에 있는 외야수의 위치 **5** (의식의) 깊은 속 **6** [the ~] (시간·공간 등의) 매우 넓음
in the ~ of night [***winter***] 한밤중[한겨울]에
~·ness *n.* ▷ dépth *n.*; déepen *v.*; déeply *ad.*

Déep Blúe 디프 블루 《체스를 하는 IBM 컴퓨터 프로그래밍의 명칭》

deep-bod·ied [-bɑ́did | -bɔ́d-] *a.* 〈물고기가〉 몸통이 긴

déep bréathing 심호흡

deep-browed [-bráud] *a.* 이마가 넓고 시원한 《지성을 나타냄》

deep-chest·ed [-tʃéstid] *a.* 가슴이 두툼한, 가슴팍이 두꺼운; 가슴속 깊이에서 우러나는

---

surrender, give out, set aside, allot
deduct *v.* subtract, take away, withdraw, abstract, remove, discount (opp. *add*)
deem *v.* think, believe, consider, feel, suppose

déep díscount 대폭[초특가] 할인
deep-dish [-dìʃ] *a.* 〖요리〗 운두가 높은 접시로 구운 〈파이 등〉; 두꺼운 〈피자 등〉
deep-drawn [-drɔ́:n] *a.* 판금을 차가울 때 다이(die)에 넣어 형(型)을 만드는
deep-dyed [-dàid] *a.* 《경멸》 짙게 물든; 순전한
déep ecólogy 전면적 생태 보호 운동
‡deep·en [dí:pən] *vt.* **1** 〈인상·감정·지식 등을〉 깊게 하다, 〈사태 등을〉 심화시키다, 심각하게 하다: ~ one's understanding of other cultures 다른 (나라) 문화에 대한 이해를 깊게 하다 **2** 〈색·어두움을〉 짙게 하다; 〈소리 등을〉 낮게 하다
— *vi.* **1** 〈인상·감정·지식 등이〉 깊어지다, 〈사태 등이〉 심화되다, 심각해지다: The recession may ~ still further. 경기 침체는 더욱 심각해질지 모른다. **2** 〈색·어두움이〉 짙어지다; 〈소리 등이〉 낮아지다; 〖기상〗 기압이 저하하다[되다] ▷ déep *a.*; dépth *n.*
déep ènd (풀 등의) 수심이 깊은 쪽
***go* (*in*) *off the* ~** 《구어》 갑자기 화를 내다, 몹시 흥분하다; 정신이 들다; 무모한 행동을 하다 ***jump* [*be thrown*] *in at the* ~** 《구어》 (경험이 없는데도) 갑자기 어려운 일을 당면하게 되다
déep fát (deep-fry용의) 지방유(油)
deep-felt [-félt] *a.* 깊이 느낀, 충심으로의 〈감사 등〉
déep fócus 〖영화〗 디프 포커스 《근경과 원경을 아울러 선명하게 잡는 초점 조절》
déep fréeze 1 (계획·활동 등의) 동결 상태; 《속어》 냉대 《특히 동맹자에 대한》 **2** 급속 냉동 보존
***put in* [*into*] *a* [*the*] ~** 〈활동을〉 중단시키다, 동결시키다
deep-freeze [-frí:z] *vt.* (**~d, -froze** [-fróuz]; **-fro·zen** [-fróuzn]) **1** 급속 냉동하다 **2** 〈활동 등을〉 중단시키다, 동결시키다
— *n.* **1** = DEEP FREEZER **2** 《속어》 교도소
Deep·freeze [-frí:z] *n.* 급속 냉동 냉장고 《상표명》
déep fréezer (급속) 냉동 냉장고
deep-fro·zen [-fróuzn] *a.* 급속 냉동된
deep-fry [-frái] *vt.* (**-fried**) 기름에 잠기게 하여 튀기다(cf. SAUTÉ)
déep frýer (튀김 요리에 쓰는 철사로 된 망이 있는) 운두가 깊은 프라이팬[냄비]
deep·go·ing [-góuiŋ] *a.* 근본[기본]적인
déep gréen 극단적 환경 보호주의 정책의 찬동자
deep·ie [dí:pi] *n.* 《구어》 입체 영화(3-D film)
déep kíss 혀로 하는 키스(soul kiss, French kiss)
deep-laid [-léid] *a.* 주의 깊게[감쪽같이] 꾸민[계획한] 〈음모 등〉
‡deep·ly [dí:pli] *ad.* **1** 깊이: dig the ground ~ 땅을 깊이 파다 **2** 〈감정 등이〉 깊이, 몹시, 진심으로: love her ~ 그녀를 진심으로 사랑하다 **3** 철저히, 심각하게; 〈음모 등이〉 주도 면밀하게, 교묘히 **4** 강렬하게(intensely) **5** 짙게; 〈소리가〉 굵고 낮게
deep-mined [-màind] *a.* 깊은 갱에서 캔(opp. *opencut*): ~ coal 깊은 갱에서 캐낸 석탄
déep móurning (전부 검은색의) 정식 상복(喪服)
deep·mouthed [-máuðd, -máuθt] *a.* 〈사냥개의 짖는 소리가〉 낮고 굵직한
déep pòcket 《미·속어》 **1** 부, 재력 **2** [*pl.*] 자금원(源); 부자
deep-read [-réd] *a.* 학식이 깊은, 정통한 《*in*》
deep-root·ed [-rú:tid] *a.* 〈관습·편견 등이〉 뿌리 깊은 《병에 대해서는 deep-seated》
deep-sea [-sí:] *a.* 깊은 바다의; 원양의: ~ fishery[fishing] 원양 어업 / ~ lead 심해 측연(測鉛)
deep-seat·ed [-sí:tid] *a.* **1** 뿌리 깊은; 고질적인: a ~ disease 만성[고질]병 **2** 심층(深層)부의
deep-set [-sét] *a.* 깊이 파인; 움푹하게 들어간 〈눈〉; 뿌리 깊은
déep shít 《미·속어》 몹시 골치 아픈 일[상태]
déep síx 《속어》 수장(水葬), 해장(海葬), 바다에 버리기; 무덤; 폐기 (장소) ***give ... the* ~** …을 내던지다, 방기하다, 장사 지내다
deep-six [-síks] *vt.* 《속어》 **1** 바다에 내던지다; 폐기하다 **2** 거절하다; 〈고소를〉 취하하다 **3** 말살하다
Déep Sóuth [the ~] (미국의) 최남부 지방 《Georgia, Alabama, Mississippi, Louisiana 주 등》
déep spáce (지구에서) 먼 우주 공간(outer space); 심(深)우주 **déep-spáce** *a.*
déep spàce nétwork 심우주 통신망
déep strúcture 〖언어〗 심층 구조 《(변형) 생성 문법에서 표층 구조에 대응되는 기저(基底) 구조》
déep thérapy 〖의학〗 X선 심부(深部) 치료
deep-think [-θìŋk] *n.* 《미·속어》 극단적으로 학구적인 생각, 탁상공론
déep thróat 1 《미·캐나다·속어》 내부 고발자 《특히 정부의 고관》 **2** 《미·비어》 깊은 펠라티오
déep vèin thrombósis 〖병리〗 심(深)정맥 혈전증(《영》 economy class syndrome) 《略 DVT》
deep-voiced [-vɔ́ist] *a.* 목소리가 낮고 굵은
deep·wa·ter [-wɔ̀:tər] *a.* 깊은 물의, 심해의(deep-sea); 원양의
‡deer [díər] [OE 「동물」의 뜻에서] *n.* (*pl.* **~, ~s**) 〖동물〗 사슴: a herd of ~ 사슴 떼 / hunt ~ 사슴 사냥을 하다
[관련] 일반적으로 수사슴은 buck, 암사슴은 doe, 새끼는 fawn; 미국의 사슴으로 제일 큰 moose의 경우, 수컷은 bull, 암컷은 cow; 영국 및 유럽에 많은 red deer의 경우, 수컷은 stag, 암컷은 hind.
déer flỳ 대모등에붙이속(屬) 등에의 총칭, 사슴파리
déer fòrest 사슴 사냥 숲
deer·hound [díərhàund] *n.* 사슴 사냥개 《greyhound와 비슷한데 좀 더 큼》
déer lìck 사슴이 소금기를 핥으러 오는 샘[늪]
déer mòuse 〖동물〗 흰발생쥐 《북미산(産)》
déer pàrk (사슴을 방사해 놓은) 사슴 사냥터
deer·skin [-skìn] *n.* U.C 사슴 가죽, 녹비(옷)

deerstalker 2

deer·stalk·er [-stɔ̀:kər] *n.* **1** 사슴 사냥꾼 **2** 사냥 모자(fore-and-after)
deer·stalk·ing [-stɔ̀:kiŋ] *n.* U 사슴 사냥
de-es·ca·late [di:éskəlèit] *vt., vi.* 점감(漸減)시키다[되다]; 단계적으로 줄이다[줄다] **de-ès·ca·lá·tion** *n.* **-la·to·ry** [-lətɔ̀:ri | -lèitəri] *a.* 단계적으로 축소하는, 축소적인
deet, Deet [dí:t] *n.* 《미》 디트 《방충제 diethyltoluamide의 속칭; 상표명》
de-ex·cite [dì:iksáit] *vi., vt.* 〖물리〗 하방 천이(下方遷移)하다[시키다] **de-èx·ci·tá·tion** *n.*
def [déf] [*def*initely] 《미·속어》 *ad.* 전적으로, 정말
— *a.* 멋진, 좋은, 최고의(cool)
def. defective; defendant; defense; deferred; definite; definition
de·face [diféis] *vt.* **1** 외관을 더럽히다, 손상시키다 **2** 〈비명·증서 등을〉 마손시켜 잘 보이지 않게 하다; 《비유》 말살하다, 지우다(obliterate) **3** 체면을 잃게 하다 **~·ment** *n.* **de·fác·er** *n.*
de fac·to [di:-fǽktou, dei-] [L = from the fact] *a.* 사실상의(actual, in fact)(opp. *de jure*); (법적 요건은 없지만) 사실상 존재하는, 현존의: ~ recognition 〖외교〗 사실상의 승인 / a ~ government 사실상의 정부 — *ad.* 사실상(actually)
de fácto stándard 〖컴퓨터〗 사실상의 표준 《널

thesaurus **deeply** *ad.* greatly, very, extremely, profoundly, intensely, keenly, acutely, sharply
defect *n.* fault, flaw, imperfection, deficiency, crack, weakness, shortcoming, lack

리 쓰이어 표준으로 인정될 만한 규격·기기》

def·ae·cate [défikèit] *vt., vi.* 《영》 =DEFECATE

def·ae·ca·tion [dèfikéiʃən] *n.* 《영》 =DEFECATION

de·fal·cate [difǽlkeit, -fɔ́:l- | dí:fælkèit] *vi.* 위탁금을 유용하다, 횡령하다 **-ca·tor** *n.*

de·fal·ca·tion [dì:fælkéiʃən, -fɔ:l-] *n.* Ⓤ 〖법〗 위탁금 유용; Ⓒ 부당 유용액; 결점, 단점

def·a·ma·tion [dèfəméiʃən] *n.* Ⓤ 중상, 비방: ~ of character 명예 훼손

de·fam·a·to·ry [difǽmətɔ̀:ri | -təri] *a.* 중상하는, 비방하는(slanderous)

de·fame [diféim] *vt.* 중상하다, …의 명예를 훼손하다; 모욕하다 **de·fám·er** *n.*

de·fa·mil·iar·ize [dìfəmíljəràiz] *vt.* 〈문학 작품 등이〉〈일상 생활 등을〉 이화(異化)하다

de·fang [di:fǽŋ] *vt.* …의 엄니를 뽑다; 장애를 없애다, 무해하게 하다

de·fat [di:fǽt] *vt.* (**~·ted**; **~·ting**) …의 지방질을 제거하다, 탈지하다

de·fault [difɔ́:lt] [OF 「빠져 있는」의 뜻에서] *n.* Ⓤ **1** 태만, 불이행(neglect); 〖법〗 채무 불이행; (법정에의) 결석: judgment by ~ 결석 재판 **2** 부족(lack) **3** 〖컴퓨터〗 디폴트값(=~ value) **4** (경기 등에의) 불출장, 기권: win[lose] by ~ 부전승[부전패]하다 ***go by ~*** 〈판결이〉 결석 재판에서 내려지다 ***in ~ by*** 〈지불·의무를〉 이행하지 않고 ***in ~ of*** …이 없을 때는; …이 없으므로 ***make ~*** 〖법〗 결석하다
— *a.* 〖컴퓨터〗 디폴트의, 내정값의
— *vi.* **1** 의무를 게을리하다 **2** 채무를 이행하지 않다 《*in, on*》: 《~+전+명》 ~ *on* a debt 빚을 갚지 않다 **3** 〈재판에〉 결석하다 **4** 〈시합에〉 출장하지 않다, 부전패하다 — *vt.* **1** 〈의무·채무를〉 이행하지 않다 **2** 결석 재판에 부치다; (소송에서) 지다 **3** 경기에 출전하지 않다; (경기에서) 부전패가 되다, 기권하여 〈시합에〉 지다

de·fault·er [difɔ́:ltər] *n.* 태만자, 체납자, 계약[채무] 불이행자; 공금 횡령[착복]자; (재판의) 결석자; 〖영국군〗 규율 위반자

defáult òption 〖컴퓨터〗 디폴트 옵션 《프로그램 언어 등에서 옵션이 지정되지 않았을 때 자동적으로 선택되는 옵션》

defáult vàlue 〖컴퓨터〗 디폴트값, 내정값 《이용자가 값을 지정하지 않는 경우 자동으로 선택되는 것》

DEFCON [défkɑn | -kɔn] [*def*ense readiness *con*dition] *n.* 데프콘, 방위 준비 태세 《미국의 경계 상태 정도를 나타내는 기준; 1에서 5단계》

de·fea·sance [difí:zəns] *n.* 〖법〗 **1** Ⓤ 무효화, 폐기, 파기 **2** 계약 해제 조건[증서]

de·fease [difí:z] *vt.* 〈계약을〉 무효화하다, 파기하다

de·fea·si·ble [difí:zəbl] *a.* 무효로 할 수 있는, 해제[취소, 폐기]할 수 있는 **de·fèa·si·bíl·i·ty** *n.*

‡**de·feat** [difí:t] *vt.* **1** 쳐부수다, 패배시키다(beat) 《*in*》: ~ an enemy 적을 무찌르다 // 《~+목+전+명》 ~ the opponent team *in* the first set 첫 세트에서 상대팀을 이기다

> 유의어 **defeat** 「패배시키다」를 뜻하는 가장 일반적인 말이다 **conquer** 영속적인 승리·지배를 나타낸다: Tanks and planes may *defeat* the troops but they cannot *conquer* the people. 전차와 비행기가 군대를 쳐부술 수 있을지라도 국민을 정복할 수는 없다. **vanquish** 특히 한 번 싸움에서 상대방을 지우고 승리하다: a *vanquished* army 패배한 군대

2 〈…의 계획·희망 등을〉 헛되게 하다, 좌절시키다: ~ one's own object[purpose, end] 자신의 목적에 어긋나다 // 《~+목+전+명》 be ~*ed in* one's purpose 목적을 이루지 못하다 **3** 〖법〗 무효로 하다(annul)
— *n.* ⓊⒸ **1** 패배, 짐 **2** 타파 **3** 좌절, 실패 《*of*》 **4** 〖법〗 무효로 함, 파기

de·feat·ism [difí:tizm] *n.* Ⓤ 패배주의; 패배주의적 행동 **-ist** *n., a.* 패배주의자(의)

de·fea·ture [difí:tʃər] *vt., n.* =DISFIGUREMENT

def·e·cate [défikèit] *vt., vi.* 정화하다[되다], 〈더러움·불순물을〉 없애다[없어지다](purify); 배변(排便)하다 **-cà·tor** *n.* 정화기(淨化器), 여과 장치

def·e·ca·tion [dèfikéiʃən] *n.* Ⓤ 정화; 배변

‡**de·fect** [dí:fekt, difékt] *n.* **1** 결점, 결함; 단점, 약점; 흠(blemish) **2** Ⓤ 결손, 부족; Ⓒ 부족액[량] ***in ~*** 부족하여, 모자라서 ***in ~ of*** …이 없는 경우에는; …이 없으므로 ***the ~s of*** one***'s qualities*** 장점에 따르는 결점, 옥에 티: He has *the ~s of his qualities.* 그는 장점에 따르는 결점이 있다.
— [difékt] *vi.* 탈퇴하다, 변절하다 《*from*》; 도망가다, 망명하다 《*to*》
▷ deféctive *a.*

defect. defective

de·fec·tion [difékʃən] *n.* ⓊⒸ (조국·주의·당 등을) 저버림, 탈당, 탈퇴 《*from*》; 변절, 망명 《*to*》; 의무의 불이행, 태만; 결함, 부족

***de·fec·tive** [diféktiv] *a.* **1** 결점[결함]이 있는, 불완전한 **2** Ⓟ 모자라는 점이 있는(wanting) 《*in*》 **3** 〈사람이〉 지능적으로 표준 이하인 **4** 〖문법〗 〈단어가〉 활용형의 일부가 없는
— *n.* **1** 심신 장애자, 《특히》 정신 장애자 **2** 〖문법〗 결여어 **3** 〖통계〗 불량품, 결함품
~·ly *ad.* 불완전하게 **~·ness** *n.*
▷ défect, deféction *n.*

deféctive tràck 〖컴퓨터〗 결함 트랙 《자기 디스크 등의》

deféctive vèrb 〖문법〗 결여 동사 《변화형이 결여된 can, may, must, shall, will 등》

deféctive vírus 〖생물〗 (복제 못하는) 결손 바이러스

de·fec·tol·o·gy [dì:fektɑ́lədʒi, difek- | -tɔ́l-] *n.* 결함[결점] 연구, 결함학

de·fec·tor [diféktər] *n.* 탈주자, 탈당자; 배반자, 망명자

de·fed·er·al·ize [di:fédərəlàiz] *vt.* 〈정부 기능을〉 지방 행정으로 이양[분산]하다

de·fem·i·nize [di:fémənàiz] *vt.* …의 여성다움을 없애다, 남성화하다

‡**de·fence** [diféns] *n.* 《영》 =DEFENSE

‡**de·fend** [difénd] [L 「격퇴하다」의 뜻에서] *vt.* **1** 방어하다, 지키다 《*from, against*》(⇨ protect 유의어): 《~+목+전+명》 ~ a city *against* an attack 도시를 공격에서 지키다 **2** (언론 등에서) 옹호하다 **3** 〖법〗 변호[항변, 답변]하다 **4** 〖스포츠〗 〈포지션을〉 지키다, 〈타이틀을〉 방어하다 **5** 〈학설·의견을〉 지지하다(support)
— *vi.* 방어[변호]하다; 〖스포츠〗 수비하다 **~ one*self*** 자기를 변호하다 ***God***[***Heaven***] ***~!*** (그런 일은) 절대로 없다! **~·a·ble** *a.*
▷ defénse *n.*; defénsive *a.*

***de·fend·ant** [diféndənt] 〖법〗 *n.* 피고(인), 피고측 (opp. *plaintiff*)
— *a.* 피고의, 피고측의

de·fend·er** [diféndər] *n.* **1** 방어[옹호]자; 〖스포츠〗 선수권 보유자(opp. *challenger*) **2** 〖법〗 =DEFENDANT ***the D~ of the Faith 신앙의 옹호자 《헨리 8세 이후의 영국 왕의 전통적인 칭호》

de·fen·es·tra·tion [di:fènəstréiʃən] *n.* Ⓤ (사람·물건을) 창밖으로 내던지기; (정당·관직에서의) 축출, 해직, 디펜스 **de·fén·es·tràte** *vt.*

‡**de·fense** | **de·fence** [diféns] *n.* **1** ⓊⒸ 방어, 방위, 수비(opp. *offense, attack*) 《*against*》: legal ~

---

defend *v.* **1** 방어하다 protect, guard, preserve, secure, shield, screen, fortify (opp. *attack*) **2** 지지하다 support, back, argue for, stand by, uphold, sustain, endorse, bolster (opp. *criticize*)

정당방위 / national ~ 국방 / offensive ~ 공세 방어 / Offense is the best ~. 공격은 최선의 방어이다. **2** 방어물; [*pl.*] 〖군사〗 방어 시설 **3** (경기에서) 골을 지키는 선수[팀]; 수비(의 방법), 디펜스 **4** Ⓤ 변명; ⓊⒸ 〖법〗 변호, 답변(서); [the ~] 피고측 《피고와 그 변호사》(opp. *prosecution*) **5** 《미》 (대학 학위 심사 등의) 문답 시험: an oral ~ 구두 문답 시험 ***~ in depth*** 종(縱)심층 방어 《방어 시설이 여러 겹으로 된 복잡한 저항선》 ***deliver a ~ of*** …을 옹호하다 ***in ~ of*** …을 지키기 위하여: speak *in* ~ *of* …의 변호를 하다 ***put oneself in the state of ~*** 방어 태세를 갖추다 ***the science [art] of (self-)~*** 호신술 《권투, 데권도, 유도 등》 ▷ defénd *v.*; defénsive *a.*

***de·fense·less** [difénslis] *a.* 무방비의; 방어할 수 없는 **~·ly** *ad.* **~·ness** *n.* Ⓤ 무방비 (상태)

de·fense·man [-mən, -mæ̀n] *n.* (*pl.* **-men** [-mən, -mèn]) 자기방어 구역에 위치한 선수

defénse mèchanism 〖심리·생리〗 방어 기구[기제(機制)]

defénse míssile 미사일 요격 미사일

defénse spènding 국방비, 국방비 지출

de·fen·si·ble [difénsəbl] *a.* 방어[변호]할 수 있는 **de·fèn·si·bíl·i·ty** *n.* 방어 가능성 **-bly** *ad.* **~·ness** *n.*

‡**de·fen·sive** [difénsiv] *a.* **1** 방어적인, 방위[자위]의; 수비의; 변호의(opp. *offensive*) **2** 〈말씨·태도가〉 수세인 **3** Ⓟ 화를 잘 내는 ***take ~ measures*** 방어책을 강구하다
— *n.* [the ~] 방어, 수세; 변호 ***be [stand, act] on the ~*** = ***assume the ~*** 수세를 취하다, 수비 태세를 갖추다 ***play the ~ in a game*** (시합에서) 수비를 하다 **~·ly** *ad.* **~·ness** *n.*
▷ defénd *v.*; defénse *n.*

defénsive báck 〖미식축구〗 수비팀의 최후열

defénsive drìving 《미》 방어 운전(법)

defénsive médicine 자기 방어적 의료 《의사가 의료 사고 소송을 피하려고 과잉 검사를 지시하는 일》

defénsive tàctics 《미》 (경찰의) 호신술

de·fen·so·ry [difénsəri] *a.* = DEFENSIVE

***de·fer¹** [difə́ːr] *v.* (**~red**; **~·ring**) *vt.* 연기하다, (뒤로) 미루다(⇨ delay 유의어) 《*till, until*》; 《미》 …의 징병을 유예하다: ~ payment 지불을 연기하다 // (~+*-ing*) ~ mak*ing* a decision 결심을 늦추다
— *vi.* 연기[지연]되다, 미루적거리다 **~·rer** *n.*

defer² *v.* (**~red**; **~·ring**) *vi.* (사람에게) 경의를 표하다; (경의를 표하여 남의 의견·희망에) 따르다 《*to*》
— *vt.* (아무에게) …의 결정을 맡기다[부탁하다] 《*to*》

de·fer·a·ble [difə́ːrəbl] *a.*, *n.* = DEFERRABLE

def·er·ence** [défərəns] *n.* Ⓤ 복종; 존경, 경의 《*to*》 ***blind ~ 맹종 ***in [out of] ~ to*** …을 존중하여, …을 좇아 ***pay [show] ~ to*** …에게 경의를 표하다 ***with all (due) ~ to you*** 지당한 말씀이오나, 미안하오나

def·er·ent¹ [défərənt] *a.* 〖해부〗 수송[배설]의, 수정관의: a ~ duct 수정관(輸精管)
— *n.* 〖천문〗 지구를 둘러싼 가상의 원

deferent² *a.* = DEFERENTIAL

def·er·en·tial [dèfərénʃəl] *a.* 경의를 표하는, 공손한(respectful) **~·ly** *ad.* 경의를 표하여, 공손히

de·fer·ment [difə́ːrmənt] *n.* Ⓤ **1** 연기; 천연(遷延); 거치(据置) **2** 《미》 징병 유예

de·fer·ra·ble [difə́ːrəbl] *a.* 연기할 수 있는; 《미》 징병을 유예할 수 있는 — *n.* 《미》 징병 유예자

de·fer·ral [difə́ːrəl] *n.* (예산의) 집행 연기(deferment)

de·ferred [difə́ːrd] *a.* 연기된; 거치(据置)한; 징병 유예중인

deférred addréssing 〖컴퓨터〗 지연 번지 지정법

deférred annúity 거치 연금

deférred ássets 〖부기〗 이연 자산(移延資産)

deférred íncome 〖회계〗 이연 수익

deférred ínsurance 거치 보험

deférred páy[páyment] 《영》 (사병의 급여 중) 거치 지불금 《제대 또는 사망 때까지 보류하는》

deférred prócessing 〖컴퓨터〗 지연 처리

deférred restárt 〖컴퓨터〗 지연 재가동

deférred sávings 거치 예금

deférred séntence 〖법〗 선고 유예

deférred sháre[stóck] 《영》 배당 거치주(株) (opp. *preferred share*)

deférred télegram 간송(間送) 전보 《요금이 쌈》

de·fer·ves·cence [dìːfərvésns, dèf-] *n.* 열이 내림[내리는 때]; 해열기 **dè·fer·vésce** *vi.* 열이 내리다

de·feu·dal·ize [diːfjúːdəlàiz] *vt.* 비(非)봉건화하다

de·fi·ance** [difáiəns] *n.* Ⓤ 도전(challenge); 완강한 반항[저항]; (명령·관습·위험 등의) 무시 《*of*》; (싸움·전쟁 등의) 도전, 도발 ***bid ~ to ... = ***set ... at ~*** …에 도전[반항]하다, …을 무시하다(disregard) ***in ~ of*** …을 무시하고, …에 반항하여
▷ defý *v.*; defíant *a.*

defíance càmpaign 시민 불복종 운동 《1952년 이후 남아프리카의》

de·fi·ant** [difáiənt] *a.* 도전적인, 반항적인, 시비조의; 거만한(insolent) ***be ~ of …을 무시하다 ***with a ~ air*** 반항적인 태도로 **~·ly** *ad.* **~·ness** *n.*
▷ defý *v.*; defíance *n.*

de·fi·brate [diːfáibreit] *vt.* 〈나무·폐지(廢紙) 등에서〉 섬유를 분리하다

de·fi·bril·late [diːfíbrəlèit, -fáibrə-] *vt.* (전기 충격 등으로) 〈심장의〉 (근섬유) 세동(細動)을 멎게 하다 **-la·tor** *n.* 세동 제거기

de·fi·bril·la·tion [dìfiːbrəléiʃən, -faibrə-] *n.* Ⓤ 〖의학〗 제세동(除細動) 《빈맥성 심박동을 정상 심박동으로 돌리기 위한 전기적 충격법》

***de·fi·cien·cy** [difíʃənsi] *n.* (*pl.* **-cies**) ⒸⓊ **1** 부족, 결핍 《*of*》 **2** 부족분[량, 액]; 《특히》 수입 부족액; 결손(cf. EXCESS) **3** (심신의) 결함 ▷ defícient *a.*

defíciency accòunt 결손금 계정

defíciency disèase 〖병리〗 (아미노산·무기염류·비타민 등의) 결핍성 질환, 비타민 결핍증

defíciency pàyment 《영》 정부 보조금 《농산물 가격 안정을 위한》

***de·fi·cient** [difíʃənt] *a.* Ⓟ 부족한 《*in*》, 불충분한; 불완전한, 결함 있는(defective); 투미한, 멍청한
— *n.* 결함이 있는 것[사람] **~·ly** *ad.*
▷ defíciency, déficit *n.*

defícient númber 〖수학〗 부족수

***def·i·cit** [défəsit | défəsit, difísit] *n.* **1** 부족(액), 결손 《*in*》; 적자(opp. *surplus*): a ~ *in* revenue 세입 적자 / trade ~ 무역 적자 **2** 불리한 처지, 열세

déf·i·cit-cov·er·ing bónd [défəsitkʌ̀vəriŋ-] 적자 (보전) 국채

déficit fináncing (정부의) 적자 재정 (정책)

déf·i·cit-fi·nánc·ing bònd [-fənǽnsiŋ-] 적자 국채

déficit spénding (정부의) 적자 지출

de·fi·er [difáiər] *n.* 도전자; 반항자; 무시하는 사람

def·i·lade [dèfəléid] *n.*, *vt.* 〖군사〗 차폐(遮蔽)(하다)(shield)

de·file¹ [difáil] *vt.* 〈명예·명성 등을〉 더럽히다, 불결[부정(不淨)]하게 하다 《*by, with*》; 〈신성(神聖)을〉 모독하다 《*by, with*》; 〈여성의〉 순결을 범하다
~·ment *n.* Ⓤ 더럽힘, 오염 **de·fíl·er** *n.*

de·file² [difáil, díːfail] *vi.* 〖군사〗 (일렬) 종대로 행진하다 — *n.* 애로, 좁은 길; (일렬) 종대 행진

de·fin·a·ble [difáinəbl] *a.* 한정할 수 있는; 정의(定義)[설명]할 수 있는 **-bly** *ad.*

thesaurus **defensive** *a.* protecting, safeguarding, shielding, watchful, averting, withstanding
defer¹ *v.* postpone, put off, adjourn, suspend
defiant *a.* resistant, disobedient, rebellious, insubordinate, provocative, challenging, bold

‡**de·fine** [difáin] *vt.* **1** 정의를 내리다, 〈말의〉 뜻을 명확히 하다: (~+목+**as** 보) ~ a word *as* ... 낱말의 뜻이 …라고 정의를 내리다 **2** 〈진의(眞意)·본질·입장 등을〉 밝히다: ~ one's position 자기의 입장을 밝히다 **3** 〈경계·범위를〉 한정하다: ~ a boundary 경계를 짓다 **4** 〈사물이〉 특징짓다, …의 특징이 되다, 〈윤곽을〉 뚜렷하게 하다; 명백히 보여주다: ~ one's duties 자기의 임무를 명백히 하다 / Reason ~*s* man. 이성이 인간의 특징이다.
— *vi.* 정의를 내리다
▷ definítion *n.*; définite *a.*

defíned ìtem [difáind-] 〖컴퓨터〗 피정의(被定義) 항목

defíned vàriable 〖컴퓨터〗 피정의 변수

de·fin·i·en·dum [difìniéndəm] *n.* (*pl.* **-da** [-də]) 정의되는 것, 사전의 표제어; 〖논리〗 피정의항

de·fin·i·ens [difíniənz] *n.* (*pl.* **-en·tia** [difìniénʃiə, -ʃə]) 정의하는 것, 정의(definition) 《사전의 어의 설명 부분 등》; 〖논리〗 정의항

de·fín·ing mó·ment [difáiniŋ-] 본질[정체]이 밝혀지는 결정적 순간

defíning vocàbulary 정의(定義)용 어휘 《사전에서 단어를 설명할 때 쓰이는 어휘의 목록》

*__def·i·nite__ [défənit] *a.* **1** 분명히 한정된, 확정된, 일정한 **2** 명확한: a ~ answer 확답 **3** 〖문법〗 한정하는 **4** 〖식물〗 〈싹이〉 제 위치에 나는; 〈화서·수술이〉 정수(定數)의 **~·ness** *n.*
▷ defíne *v.*; defínitude *n.*; définitely *ad.*

définite árticle [the ~] 〖문법〗 정관사 《the》

définite íntegral 〖수학〗 정적분(定積分)

‡**def·i·nite·ly** [défənitli] *ad.* 명확히; 한정적으로; 《구어》 [강한 긍정·동의] 확실히, 그렇고말고(yes, certainly); [부정어와 함께 강한 부정] 절대로 (…아니다)
— *int.* 《구어》 물론, 그럼(certainly)

*__def·i·ni·tion__ [dèfəníʃən] *n.* Ⓤ **1 a** 한정; 명확 **b** Ⓒ 정의(定義), 말뜻 **2** (렌즈의) 해상력(解像力) **3** (라디오 재생음·텔레비전 재생화의) 선명도, 명료도, (무전의) 감응도 ***give the colors*** ~ 색채를 선명하게 하다 ***by*** ~ 정의에 의하면; 정의상으로는, 당연히
~·al *a.* **~·al·ly** *ad.* ▷ defíne *v.*

definítion paràmeter 〖컴퓨터〗 정의 매개 변수

de·fin·i·tive [difínətiv] *a.* **1** 한정적인; 정의적인 **2** 결정적인, 최종적인(final): a ~ edition 결정판 **3** 일정한, 명확한 **4** 〖생물〗 완전히 발달한 형태의(opp. *primitive*); 완성된, 최종의: ~ organs 완전 기관 **5** (기념 우표와 구별하여) 보통 우표의 — *n.* **1** 〖문법〗 한정사 **2** 보통 우표 **~·ly** *ad.* **~·ness** *n.*

definitive hóst 〖생물〗 종결[고유] 숙주(宿主)(cf. INTERMEDIATE HOST)

de·fi·ni·tize [défənitàiz, difín- | défin-] *vt.* 명확히 하다, 구체화하다

de·fi·ni·tude [difínət*j*ù:d | -tjù:d] *n.* Ⓤ 명확성, 적확성

def·la·grate [défləgrèit | déf-, dí:f-] *vt., vi.* 갑자기 연소시키다[하다](burn), 확 타게 하다[타다]

def·la·gra·tion [dèfləgréiʃən] *n.* Ⓤ 〖화학〗 폭연(爆燃)(작용)(cf. DETONATION)

de·flate [difléit] *vt.* **1** 〈타이어·공 등에서〉 공기[가스]를 빼다 **2** 〖경제〗 〈가격·통화를〉 수축시키다(opp. *inflate*) **3** 《미·구어》 〈희망·자신 등을〉 꺾다
— *vi.* 공기가 빠지다; 통화가 수축하다; 자신을 잃다
de·flá·tor *n.* 〖경제〗 디플레이터, 가격수정 인자

de·flat·ed [difléitid] *a.* 기분이 상한, 기가 꺾인

*__de·fla·tion__ [difléiʃən] *n.* Ⓤ **1** 공기[가스]를 뺌; (기구의) 가스 방출 **2** 수축; 〖경제〗 통화 수축, 디플레이션(opp. *inflation*)(⇨ inflation 유의어) **3** 〖지질〗 건식(乾蝕), 풍식(風蝕) **~·ist** *n., a.* 통화 수축론자(의)
▷ defláte *v.*; deflátionary *a.*

de·fla·tion·ar·y [difléiʃənèri | -ʃənəri] *a.* 통화 수축의, 디플레이션의

deflátionary gáp 〖경제〗 디플레이션 갭 《유효 수요의 수준이 완전 고용 수준을 밑돌 때 발생하는》

deflátionary spiral 〖경제〗 악성 디플레이션

de·flect [diflékt] *vi., vt.* (광선·탄알 등이 한쪽으로) 비끼다[비끼게 하다], 빗나가다[빗나가게 하다] 《*from*》; 〈생각 등이〉 편향(偏向)하다[시키다]; 구부리다(swerve) **~·a·ble** *a.*

de·flect·ed [difléktid] *a.* 아래로 굽은; 〖생물〗 = DEFLEXED

de·flec·tion | **de·flex·ion** [diflékʃən] *n.* ⓊⒸ 빗나감, 비뚤어짐, 비낌; 〖물리〗 편향; (계기 등의) 편차; 〖공학〗 (부재의) 휨, 휘는 정도

defléction còil 〖컴퓨터〗 편향 코일

defléction yòke 〖전자〗 편향 요크

de·flec·tive [difléktiv] *a.* 편향적인, 빗나가는

de·flec·tor [difléktər] *n.* **1** 변류기(變流器) 《기류·연소 가스 조절용》 **2** 편침의(偏針儀)

de·flexed [diflékst] *a.* 〖생물〗 아래로 (심하게) 굽은

de·flo·ra·tion [dèfləréiʃən, dì:- | dì:flɔ:r-] *n.* Ⓤ 꽃을 땀; 아름다움을 빼앗음; 처녀 능욕

de·flow·er [di(:)fláuər] *vt.* …의 꽃을 따다; 〈처녀를〉 범하다; …의 아름다움을 빼앗다, 더럽히다 **~·er** *n.*

de·flux·ion [diflʌ́kʃən] *n.* 〖병리〗 체액 유출로 인한 병; 체액의 대량 유출

de·foam [di:fóum] *vt.* …의 거품을 없애다; 발포를 막다 **~·er** *n.*

de·fo·cus [di:fóukəs] *v.* (~(**s**)**ed**; ~·(**s**)**ing**) *vt.* 〈렌즈 등의〉 초점을 흐리게 하다 — *vi.* 초점이 흐려지다
— *n.* 초점의 흐려짐; 흐리게 한 영상(映像)

De·foe [difóu] *n.* 디포 **Daniel** ~ (1659?-1731) 《영국의 소설가, *Robinson Crusoe*의 저자》

de·fog [di:fɔ́:g, -fɑ́:g | -fɔ́g] *vt.* (~**ged**; ~·**ging**) **1** (자동차의 유리 등에서) 서린 김[물방울]을 제거하다 **2** 《구어》 명확히 하다 **~·ger** *n.* = DEFROSTER

de·fo·li·ant [di:fóuliənt] *n.* 고엽제(枯葉劑)

de·fo·li·ate [di:fóulièit] *vt., vi.* 잎이 지게 하다[지다]; 《미》 〈숲에〉 고엽제를 뿌리다 **de·fò·li·á·tion** *n.* Ⓤ 낙엽; 고엽(枯葉) 작전 **-à·tor** *n.* 낙엽지게 하는 것; 고엽제(defoliant)

de·force [di:fɔ́:rs] *vt.* 〖법〗 〈남의 부동산을〉 불법으로 점유하다; 몰아내다 **~·ment** *n.*

de·for·ciant [di:fɔ́:rʃənt] *n.* 〖법〗 토지 불법 점유자, 화해 양도인

de·for·est [di:fɔ́:rist, -fɑ́r- | -fɔ́r-] *vt.* 삼림을 벌채[개간]하다(opp. *afforest*) **~·er** *n.* 삼림 벌채자

de·for·es·ta·tion [di:fɔ̀:ristéiʃən, -fɑ̀r- | -fɔ̀r-] *n.* Ⓤ 삼림 벌채, 산림 개간; 남벌(濫伐)

de·form [difɔ́:rm, di:-] *vt.* 추하게 하다; 볼품없게 하다, 불구로 만들다; 〖물리〗 변형시키다; 〖미술〗 데포르메하다 — *vi.* 변형되다, 추해지다 **~·a·ble** *a.*

de·for·mal·ize [di:fɔ́:rməlàiz] *vt.* …의 딱딱함을 없애다, 약식이 되게 하다

*__de·for·ma·tion__ [dì:fɔ:rméiʃən] *n.* Ⓤ **1** 변형 **2** 볼품없음, 추함; 기형; 〖지질·물리〗 변형(량); 〖미술〗 데포르마시옹 **~·al** *a.*

de·for·ma·tive [difɔ́:rmətiv] *a.* deform하는(경향이 있는)

*__de·formed__ [difɔ́:rmd, di:-] *a.* 변형된, 일그러진, 흉한; 기형의; 불구의(crippled) ★ 사람에게는 handicapped를 흔히 씀.

defórmed bár 이형(異形) 철근 《콘크리트의 접착력을 높이려고 표면에 요철을 만든》

*__de·for·mi·ty__ [difɔ́:rməti] *n.* (*pl.* **-ties**) **1** Ⓤ 기형 **2** 기형 부분 **3** 신체적 기형[변형](disfigurement); 기형물 **4** Ⓤ 추함; 불쾌함 **5** ⓊⒸ (인격 등의) 결함
▷ defórm *v.*

---

define *v.* **1** 명확히 설명하다 explain, describe, interpret, elucidate, clarify **2** 한정하다 mark out, fix, settle, demarcate, bound

definitely *ad.* certainly, surely, undoubtedly, positively, absolutely, clearly, obviously

DEFRA (영) Department for Environment, Food and Rural Affairs

de·frag·ment [di:frǽgmənt] *vt.* 〖컴퓨터〗 (디스크 안의 데이터의) 조각 처리된 것을 연계하여 배열하다, 단편화를 해소하다 **de·fràg·men·tá·tion** *n.*

∗**de·fraud** [difrɔ́:d] *vt.* **1** 속여서 빼앗다, 횡령하다 (deprive) ((*of*)): (~+목+전+명) ~ a boy *of* his money 소년에게서 돈을 속여 빼앗다 **2** 속이다(cheat) — *vi.* 사기치다 **~·er** *n.* ▷ defraudátion *n.*

de·frau·da·tion [dì:frɔ:déiʃən] *n.* Ⓤ 사취

de·fray [difréi] *vt.* (문어) 〈비용을〉 지불[부담]하다 (pay), 지출하다 **~·a·ble** *a.* **~·al** [-əl], **~·ment** *n.* Ⓤ 지불, 지출 **~·er** *n.*

de·friend [difrénd] *vt.* 〖인터넷〗 (SNS나 facebook 따위의) 친구 목록에서 삭제하다

de·friz·zer [di:frízər] *n.* (구어) 곱슬머리를 푸는 약제

de·frock [di:frák | -frɔ́k] *vt.* 성직(聖職)을 빼앗다 (unfrock)

de·frost [di:frɔ́:st, -frást | -frɔ́st] *vt.* 서리[얼음]를 없애다; 〈차창의〉 성에[김]를 없애다((영) demist); 〈냉동 식품을〉 녹이다; 자산 동결을 해제하다 — *vi.* 서리[얼음]가 걷히다, 〈얼은 것이〉 녹다(thaw)

de·frost·er [di:frɔ́:stər, -frást- | -frɔ́st-] *n.* 서리 제거 장치

deft [déft] *a.* 손재주 있는, 솜씨 좋은(skillful) ((*at*)); Ⓟ 재치 있는: (~+*of*+명+*to* do) It was very ~ *of* him *to* say so. 그렇게 말했다니 그는 여간내기가 아니다. **~·ness** *n.*

deft·ly [déftli] *ad.* 솜씨 좋게, 교묘히

de·fu·el [di:fjú:əl] *vt.* …에서 연료를 제거하다

de·funct [difʌ́ŋkt] *a.* (문어) 〖법〗 **1** 죽은, 고인이 된(dead, deceased) **2** 없어져 버린, 현존하지 않는 (extinct) **3** 효력을 잃은, 폐지된 — *n.* [the ~] 죽은 사람, 고인

de·func·tive [difʌ́ŋktiv] *a.* 고인의; 장례식의

de·fund [di:fʌ́nd] *vt.* …의 재원을 고갈시키다; 재정 원조를 철회하다

de·fuse, -fuze [di:fjú:z] *vt.* **1** 〈폭탄·지뢰의〉 신관을 제거하다 **2** …의 위기를 해제하다, 진정시키다 — *vi.* 위험성이 약해지다 **de·fús·er** *n.*

‡**de·fy** [difái] [L 「믿지 않다」의 뜻에서] *vt.* (**-fied**) **1** 무시하다, 문제삼지 않다, 얕보다; 공공연히 반항하다 **2** 〈사물이〉 허용하지 않다, 〈해결·시도 등을〉 좌절시키다 (baffle) **3** (어려운 일을 해볼테면 해봐 하고) 도전하다, 벋서다: (~+목+*to* do) I ~ you *to* do this. 이것을 네가 할 수 있으면 해봐라.
~ description 이루 다 말할 수 없다 ***~ every criticism*** 비평할 여지가 없다
— [difái, dí:fai] *n.* (*pl.* **-fies**) (미·구어) 공공연한 반항, 도전 ▷ defíance *n.*; defíant *a.*

deg. degree(s)

dé·ga·gé [dèigɑ:ʒéi] [F =disengaged] *a.* (*fem.* **-gée** [~]) 〈태도·몸가짐이〉 딱딱하지 않은, 편안한; 초연한

de·gas [di:gǽs] *vt.* (**~sed**; **~·sing**) 가스를 제거하다; 진공으로 만들다 **de·gás·sing** *n.* Ⓤ 가스 제거

De·gas [dəgɑ́:] *n.* 드가 **Edgar ~** (1834-1917) ((프랑스의 화가))

de Gaulle [də-góul, -gɔ́:l] 드골 **Charles ~** (1890-1970) ((프랑스의 장군·대통령))

de Gaull·ist [də-góulist] 드골파의 사람

de·gauss [di:gáus] *vt.* 〈선체·텔레비전 수상기 등을〉 소자(消磁)하다 **~·er** *n.*

de·gear·ing [di:gíəriŋ] *n.* 〖경제〗 =DELEVERAGE

de·gen·der·ize [di:dʒéndəràiz], **de·gen·der** [di:dʒéndər] *vt.* 〈언어 등에서〉 성차별을 없애다

de·gen·er·a·cy [didʒénərəsi] *n.* Ⓤ **1** 퇴화, 퇴보; 타락 **2** 성적 도착 **3** 〖물리〗 축퇴(縮退)

∗**de·gen·er·ate** [didʒénərèit] [L 「자기의 종족과 달라지다」의 뜻에서] *vi.* 퇴보하다 ((*from*)); 타락하다 ((*into*)); 〖생물〗 퇴화하다 ((*to*)); 〖병리〗 변성[변질]하다; 〖물리〗 축퇴하다: (~+전+명) ~ *into* commonplace 평범한 일이 되어 버리다
— *vt.* 쇠퇴[퇴보, 퇴행]시키다; 타락시키다
— [-rət] *a.* 퇴화한; 타락한; 변질한; 〖물리〗 축퇴(縮退)한; 〖수학〗 축중(縮重)한: a ~ star 축퇴성
— [-rət] *n.* 타락자; 퇴화한 것[동물]; 변질자; 성욕 도착자 **~·ly** *ad.* **~·ness** *n.*

degénerate mátter 〖물리〗 축퇴 물질

degénerate semicondúctor 〖물리〗 축퇴형 반도체

degénerate státe 〖물리〗 축퇴 상태

∗**de·gen·er·a·tion** [didʒènəréiʃən] *n.* Ⓤ **1** 타락, 퇴보; 퇴폐 **2** 〖생물〗 퇴화; 〖병리〗 변성(變性), 변질 **3** 〖물리〗 축퇴; 〖수학〗 축중 **4** 〖컴퓨터〗 =NEGATIVE FEEDBACK ▷ degénerate *v.*, *a.*; degénerative *a.*

de·gen·er·a·tive [didʒénərèitiv, -rət-] *a.* 퇴화적인, 퇴행성(退行性)의; 타락한; 〖병리〗 변질[성]의: ~ joint disease 퇴행성 관절증(osteoarthritis)

de·germ [di:dʒə́:rm] *vt.* …에서 병균[미생물]을 제거하다; 〈곡식에서〉 배아(胚芽)를 제거하다

de·glam·or·ize | **-our·ize** [di:glǽməràiz] *vt.* …의 매력[지위]을 빼앗다

de·grad·a·ble [digréidəbl] *a.* (화학적으로) 분해할 수 있는

∗**deg·ra·da·tion** [dègrədéiʃən] *n.* Ⓤ **1** 좌천, 파면 **2** 하락, 강등, 타락, 퇴폐 **3** 퇴보; 〖생물〗 (기능) 퇴화 (degeneration); 〖지질〗 (지층·암석 등의) 붕괴; 〖화학〗 분해 **dég·ra·dà·tive** *a.* ▷ degráde *v.*

∗**de·grade** [digréid] [L 「단을 낮추다」의 뜻에서] *vt.* **1** …의 지위를 낮추다, 좌천시키다, 면직[강등]하다(⇨ humble 유의어) **2** …의 품위를 떨어뜨리다; 면목을 잃게 하다 **3** 〖생물〗 퇴화시키다; 〖지질〗 붕괴시키다; 〖물리〗 〈에너지를〉 변쇠(變衰)시키다 **4** 〈사진의〉 선명도를 떨어뜨리다
— *vi.* **1** 지위[신분]가 떨어지다; 위계를 잃다 **2** 타락하다, 품위가 떨어지다; 〖생물〗 퇴화하다 **3** (Cambridge 대학에서) 우등 학위 지원의 시험을 1년간 연기하다 **de·grád·er** *n.* ▷ degradátion *n.*

de·grad·ed [digréidid] *a.* 타락[퇴화]한; 모욕을 당한; 비속화된 **~·ly** *ad.* **~·ness** *n.*

de·grad·ing [digréidiŋ] *a.* 품위를 떨어뜨리는

de·grease [di:grí:s, -grí:z] *vt.* 〈기계 등의〉 그리스[유지]를 제거하다 **de·gréas·er** *n.*

‡**de·gree** [digrí:] *n.* **1** ⒸⓊ 정도, 등급(grade); 단계 **2** ⓊⒸ 학위: take the doctor's ~ in economics 경제학 박사 학위를 받다 **3** 〖법〗 친등(親等), 촌수; 〖미국법〗 범죄의 등급: a relation[murder] in the first ~ 1등친[제1급 살인] **4** (각도·경위도·온도계 등의) 도, 각도율; 〖음악〗 도(度); 〖수학〗 차(次)(수): 45 ~*s* 45 도/~*s* of latitude 위도 **5** 〖문법〗 급: the positive[comparative, superlative] ~ 원[비교, 최상]급(級) **6** (고어) 계급, 지체(rank): a man of high ~ 지체 높은 사람 ***a high*** [***low***] ***~ of*** 고도[저도]의 ***by ~s*** 차차[점차]로 ***in a ~*** 조금은 ***in a greater or less ~*** (정도의 차는 있으나) 다소라도 ***in some ~*** 얼마간, 다소는 ***not in the slightest*** [***least, smallest***] ***~*** 조금도 …않다 ***one ~ under*** (구어) 조금 기분이 안좋은 ***prohibited*** [***forbidden***] ***~s*** (***of marriage***) 결혼 금지의 친등[촌수] ((1등친에서 3등친)) ***Song of D~s*** = GRADUAL PSALM. ***to a ~*** (구어) 크게, 매우; 얼마간 ***to a high ~*** 고도로, 대단히 ***to some*** [***a certain***] ***~*** 약간은, 어느 정도는 ***to the last*** [***highest***] ***~*** 극도로
de·gréed *a.* **~·less** *a.*

degrée dày (대학의) 학위 수여일, 졸업식

de·gree-day [digrí:déi] *n.* 도일(度日) ((어느 날의 평균 기온의 표준 온도와의 차; 略 dd))

thesaurus **defraud** *v.* cheat, swindle, rob, trick, fool, mislead, delude, deceive, beguile
defy *v.* **1** 무시하다 disobey, disregard, ignore,

degrée mill = DIPLOMA MILL
degrée of fréedom 〖화학·물리〗 자유도(度)
degrée of fróst 《영》 빙점하, 영하
de·gres·sion [digréʃən] *n.* Ⓤ 하강(下降)(descent); (과세의) 체감
de·gres·sive [digrésiv] *a.* 체감적인 **~·ly** *ad.*
de·gum [di:gʌ́m] *vt.* (**~med**; **~·ming**) …에서 고무 성질을 제거하다 **~·mer** *n.*
de·gust [di:gʌ́st] *vt.* 음미하다 ―*vi.* 풍미가 있다
de haut en bas [də-out-ɑ:ŋ-bɑ́:] [F = from above to below] *a.*, *ad.* 깔보는 (태도로), 무례한[무례하게]
de·head [di:héd] *vt.* 〈새우 등의〉 머리를 자르다
de·hire [di:háiər] *vt.* 《미》 〈관리자를〉 해고하다
de·hir·ing [di:háiəriŋ] *n.* 《미》 권고 사직; 기업의 인력 감축[동결]
de·hisce [dihís] *vi.* 입을 벌리다(open); 〈씨껍질·과실이〉 터져 벌어지다, 열개(裂開)하다
de·his·cence [dihísns] *n.* Ⓤ 〖식물〗 열개; 〖의학〗 (봉합의) 터져 벌어짐 **de·hís·cent** *a.*
de·horn [di:hɔ́:rn] *vt.* 《미》 …의 뿔을 잘라내다 ―*n.* 《미·속어》 주정뱅이; 밀주(密酒)
de·hu·man·ize [di:hjú:mənàiz] *vt.* …의 인간성을 빼앗다, 〈사람을〉 기계적[비개성적]으로 만들다
de·hù·man·i·zá·tion *n.* Ⓤ 인간성 말살
de·hu·mid·i·fi·er [dì:hju:mídəfàiər] *n.* 제습기
de·hu·mid·i·fy [dì:hju:mídəfài] *vt.* (**-fied**) 〈대기에서〉 습기를 없애다, 탈습(脫濕)[제습]하다
dè·hu·mìd·i·fi·cá·tion *n.*
de·hy·drate [di:háidreit] *vt.* **1** 탈수(脫水)하다, 수분을 빼다, 건조시키다: *~d* vegetables[eggs] 건조 야채[계란] **2** 활력[묘미, 효과]을 없애다 ―*vi.* 수분이 빠지다, 탈수되다, 마르다
-drà·tor *n.* 탈수기[장치]; 탈수[건조]제
de·hy·dra·tion [dì:haidréiʃən] *n.* Ⓤ 탈수, 건조; 〖의학〗 탈수증
de·hy·dro·cho·les·ter·ol [di:hàidrəkəléstərɔ̀ul] *n.* 〖생화학〗 디하이드로콜레스테롤 《피부에 존재하며 자외선을 받으면 비타민 D_3가 됨》
de·hy·dro·freeze [di:háidrəfrì:z] *vt.* 〈식품을〉 탈수 냉동 처리하다
de·hy·dro·ge·nase [di:háidrədʒənèis, -nèiz] *n.* 〖생화학〗 탈(脫)수소 효소 《산화 환원 효소의 일종》
de·hy·dro·ge·nate [dì:haidrɑ́dʒənèit | di:háidrə-] *vt.* 〖화학〗 〈화합물에서〉 수소를 제거하다
de·hỳ·dro·ge·ná·tion *n.*
de·hyp·no·tize [di:hípnətàiz] *vt.* 최면 (상태)에서 깨어나게 하다 **de·hỳp·no·ti·zá·tion** *n.*
de·ice [di:áis] *vt.* 〈비행기 날개·차창·냉장고 등에〉 제빙(除氷)[방빙(防氷)] 장치를 하다
de·ic·er [di:áisər] *n.* 제빙[방빙] 장치; 방빙제
de·i·cide [dí:əsàid] *n.* **1** Ⓤ 신(神)을 죽임 **2** 신을 죽이는 사람 **de·i·cid·al** [dì:əsáidl] *a.*
deic·tic [dáiktik] *a.* 〖논리〗 직증적(直證的)인(opp. *elenctic*); 〖문법〗 지시적인(demonstrative) ―*n.* 〖문법〗 지시어, 화자 기준어
de·if·ic [di:ífik] *a.* 신격화하는; 신과 같은
de·i·fi·ca·tion [dì:əfikéiʃən] *n.* Ⓤ 신으로 숭상함[섬김], 신격화; 신성시
de·i·form [dí:əfɔ̀:rm] *a.* 신의 모습을 한; 신 같은
de·i·fy [dí:əfài] *v.* (**-fied**) *vt.* 신으로 섬기다; 신으로 받들다, 신성시하다; 〈부·권력을〉 중요시하다 ―*vi.* 신성해지다 **dé·i·fi·er** *n.*
deign [déin] *vi.* **1** 황송하옵게도 …하여 주시다(condescend): (~+*to* do) The King *~ed to* grant an audience. 황송하옵게도 국왕께서 배알을 허락해 주셨다. **2** [주로 부정문에서] 머리를 숙여[부끄러움을 참고, 체면 불구하고] …하다 ―*vt.* [주로 부정문에서] 하사하다, 내리다: (~+목+목) She *~s* us *no* attention. 그녀는 우리를 거들떠보지도 않는다.
De·i gra·ti·a [dí:ai-gréiʃiə] [L = by the grace of God] *ad.* 신의 은총으로 《略 D.G.》
deil [dí:l] *n.* 《스코》 = DEVIL
Dei·mos [dáimɑs | -mɔs] *n.* **1** 〖그리스신화〗 데이모스 《Ares의 아들; 공포의 상징》 **2** 〖천문〗 데이모스 《화성의 두 위성 중 하나》
de·in·dus·tri·al·i·za·tion [dì:indʌ̀striəlizéiʃən] *n.* (패전국 등의) 공업력을 파괴[축소]하는 것; (어느 지역의) 제조업의 쇠퇴, 산업의 공동화
de·in·dus·tri·al·ize [dì:indʌ́striəlàiz] *vt.* **1** …의 공업[산업]을 쇠퇴시키다; 탈공업화시키다 **2** 〈패전국 등의〉 공업력을 파괴[축소]하다 ―*vi.* 공업[산업]이 쇠퇴하다; 탈공업화하다
de·in·sti·tu·tion·al·ize [di:ìnstətjú:ʃənəlàiz | -tjú:-] *vt.* 비(非)제도화하다; 〈심신 장애자를〉 병원[시설]에서 퇴원[퇴소]시키다 ―*vi.* 제약[획일성]을 잃다
de·i·on·ize [di:áiənàiz] *vt.* 〖화학〗 〈물·기체 등의〉 이온을 제거하다; 중성으로 만들다
de·ism [dí:izm] *n.* Ⓤ 〖철학〗 이신론(理神論), 자연신론[교] **dé·ist** *n.* 자연신교 신도
de·i·so·late [di:áisəlèit] *vt.* 비(非)고립화시키다
de·is·tic, -ti·cal [di:ístik(əl)] *a.* 자연신교(도)의
⁎**de·i·ty** [dí:əti] *n.* (*pl.* **-ties**) **1** Ⓤ 신위(神位), 신격, 신성(神性)(divinity) **2** 신(god) 《다신교의 남신·여신》; [the D~] (일신교의) 신(God) **3** 신적 존재 ***Supreme D~*** 신, 하느님 ▷ déify *v.*
deix·is [dáiksis] *n.* 〖문법〗 대상 지시(指示), 직시
dé·jà en·ten·du [dèiʒɑ:-ɑ:ntɑ:ndjú:] [F] 이미 듣고 안다는 느낌[인식]
dé·jà lu [-ljú:] [F] 이미 읽은 적이 있다는 인식
dé·jà vu [-vjú:] [F = already seen] **1** 〖심리〗 기시(감)(旣視(感)) 《일종의 착각》 **2** 매우 진부한 것
de·ject [didʒékt] *vt.* …의 기를 꺾다, 낙담시키다
de·jec·ta [didʒéktə] *n. pl.* 배설물; 분변(excrements)
⁎**de·ject·ed** [didʒéktid] *a.* 낙심[낙담]한, 풀 죽은 **~·ly** *ad.* 맥없이, 낙심하여 **~·ness** *n.*
de·jec·tion [didʒékʃən] *n.* Ⓤ **1** 낙담, 실의(depression): in ~ 낙담하여 **2** 우울 **3** ⓊⒸ 〖의학〗 배설물; 통변(通便)
dé·jeu·ner [déiʒənèi] [F] *n.* (늦은) 조반; 점심
de ju·re [di:-dʒúəri] [L = by right, by law] *ad.*, *a.* 정당하게[한], 합법으로[의], 법률상(의)(opp. *de facto*)
dek(a)- [dék(ə)] 《연결형》 = DEC(A)-
dek·a·li·ter [dékəli:tər] *n.* 《미》 = DECALITER
dek·a·me·ter [dékəmi:tər] *n.* 《미》 = DECAMETER
dek·ko [dékou] *n.* (*pl.* **~s**) 《영·속어》 일별(一瞥), 엿봄 ―*vt.* 보다(look at)
del. delegate; delegation; delete **Del.** Delaware
de·laine [dəléin] *n.* Ⓤ 메린스, 모슬린
de·lam·i·nate [di:lǽmənèit] *vi.*, *vt.* 얇은 조각[층]으로 갈라지다[가르다]; 〖생물〗 엽렬(葉裂)하다(*cf.* LAMINATE) **de·làm·i·ná·tion** *n.*
De·lá·ney Amèndment[clàuse] [diléini-] 《미》 딜레이니 수정[조항] 《발암성 식품 첨가물 등의 전면 금지법》
⁎**Del·a·ware** [déləwɛ̀ər] [행정관 De la Warr의 이름에서] *n.* **1** 델라웨어 주 《미국 동부에 있는 주; 略 Del.》 **2** [the ~] 델라웨어 강 **3** 델라웨어종의 포도 **4** 델라웨어 말 **5** 델라웨어 족 ***the ~ Water Gap*** 델라웨어 협곡 ▷ Delawárean, -ian *a.*, *n.*
Del·a·war·e·an, -i·an [dèləwɛ́əriən] *a.*, *n.* 델라웨어 주의 (사람)
‡**de·lay** [diléi] *vt.* **1** 늦추다, 지체시키다: Ignorance *~s* progress. 무지가 진보를 늦춘다. / The train *was ~ed* (for) two hours by the accident. 기차는 사고로 2시간 연착했다. **2** 미루다, 연기하다: We

---

deride, scorn **2** 저항하다 resist, confront, face, stand up to, withstand **3** 좌절시키다 frustrate, repulse, repel, thwart, foil

must ~ our holidays until next month. 휴가를 다음 달까지 미뤄야 한다. // 《~+*-ing*》 ~ writ*ing* to a person …에게 편지 쓰는 것을 미루다 ★《~+*to* do》 형은 비표준 용법

> 유의어 **delay** 주로 실패·과실 등에 의해 빨리 해야 할 일을 어느 시기까지, 때로는 무기한으로 미루다: We cannot *delay* any longer. 우리는 더 이상 미룰 수 없다. **postpone** 어떤 이유로 일정 시일까지 연기하다: The game is *postponed* until Saturday. 경기는 토요일까지 연기되었다. **put off** postpone의 구어: He *put off* going till next week. 그는 다음 주까지 가기를 연기했다. **defer** 기회를 기다리며 앞으로 어느 때까지 연기하다: *defer* paying a bill 청구서의 지불을 미루다 **suspend** 결정의 실행을 일시적으로 연기하다: *suspend* punishment 처벌을 일시 연기하다

— *vi.* 우물쭈물하다; 시간이 걸리다
— *n.* [U,C] **1** 지연, 지체; 유예, 연기 **2** 지연 시간[기간] **3** 중간 휴식 ***admit of no*** **~** 잠깐의 여유도 주지 않다, 일각의 유예도 허락하지 않다 ***without*** (***any***) **~** 지체 없이, 곧(at once) **~·er** *n.*

de·láyed áction [diléid-] (폭탄·카메라 등의) 지연 작동, 시한식(時限式) 작용

de·layed-ac·tion [diléidǽkʃən] *a.* 지발(遲發)의; 지연 작동의, 시한식의: a ~ bomb 시한폭탄

delàyed dróp (낙하산의) 개산(開傘) 지연 강하

delàyed néutron 〖물리〗 지발 중성자

delàyed spéech (어린아이의) 언어 지체

delàyed stéal 〖야구〗 지발(遲發) 도루

delàyed stréss reàction 〖의학〗 지연성 스트레스 반응《상처 입은 지 6개월 이상 지나서 발생함》

delàyed tíme sỳstem 〖컴퓨터〗 시간 지연[축적] 방식(opp. *real-time system*)

de·lay·er·ing [diléiəriŋ] *n.* (미·속어) (기업의) 직계[직층]의 간소화《관리직 부분의 직계를 정리 삭감하기》

de·láy·ing àction [diléiiŋ-] 지연 전술; 시간 벌기

deláy lìne 〖컴퓨터〗 지연선(遲延線)

deláy scrèen 〖전자공학〗 잔광(殘光) 스크린《형광성 코팅을 한 감광 스크린》

del cre·de·re [del-kréidəri] [It.] *a.*, *ad.* 〖상업〗 매주(買主) 지급 보증의[아래]: a ~ account 보증금 계정/a ~ agent 지급 보증 대리인

de·le [dí:li] [L =delete] 〖교정〗 *vt.* 삭제하라(cf. DELETE); 삭제 기호를 넣다 — *n.* 삭제 지시 기호

de·lec·ta·ble [diléktəbl] *a.* 즐거운, 기쁜; 맛있는(delicious) — *n.* 맛있는 음식[식사]

de·lèc·ta·bíl·i·ty *n.* **-bly** *ad.*

de·lec·ta·tion [dì:lektéiʃən] *n.* [U] 〖문어〗 환희, 쾌락(pleasure): for one's ~ 재미로

de·lec·tus [diléktəs] *n.* (학습용) 라틴[그리스] 작가 발췌서[본], 명문초(名文抄)

del·e·ga·ble [déligəbl] *a.* 〈직권 등이〉 대리인에게 위임할 수 있는: ~ authority 대리권

del·e·ga·cy [déligəsi] *n.* (*pl.* **-cies**) **1** [U] 대표 임명[파견]; 대표권 **2** 대표자단, 사절단 **3** (Oxford 대학의) 특별 상임 위원회 **4** (대학의) 학부, 연구소

de·le·gal·ize [di:lí:gəlàiz] *vt.*, *vi.* …의 법적 인가를 취소하다[되다], 비합법화하다[되다]

‡**del·e·gate** [déligət, -gèit] *n.* **1** 대표, 사절, 파견 위원, 대리인(deputy) 《대표단은 delegation》(cf. REPRESENTATIVE): ~*s* from Korea 한국 대표단 **2** (미) (준주(準州)(Territory) 선출의) 연방 하원 의원, 대의원《발언권은 있으나 투표권이 없음》; (Maryland, Virginia, West Virginia 주의) 주의회 하원 의원
— [-gèit] *vt.* **1** (대리자·대표자로서) 특파[파견]하다(depute): 《~+목+***to*** do》 ~ a person *to* attend a conference …을 대표로서 회의에 참석시키다 // 《~+목+전+명》 ~ a person *to* a convention …을 대표로서 대회에 파견하다 **2** 〈권한 등을〉 …에게 위임하다 《*to*》: 《~+목+전+명》 ~ power[authority] *to* an envoy 사절에게 권한을 위임하다 **3** 〖법〗 〈채무를〉 (…에게) 넘기다 《*with*》

dèl·e·ga·tée *n.* **-gà·tor** *n.*
▷ delegátion *n.*

dél·e·gat·ed legislátion [déligèitid-] 〖법〗 (행정부가 법에 따라 행하는) 위임 입법

*__del·e·ga·tion__ [dèligéiʃən] *n.* **1** [U] 대표 임명; (권력 등의) 위임 **2** [U] 대표 파견 **3** [집합적] 대표단, 대위원단; (미) 각 주(州)를 대표하는 국회의원: the entire South Korean ~ 전체 한국 대표단
▷ délegate *v.*

de·le·git·i·mate [dì:lidʒítəmèit] *vt.* 비합법화하다, …의 권위를 실추시키다 **dè·le·gìt·i·má·tion** *n.*

*__de·lete__ [dilí:t] *vt.* 삭제하다, 지우다 《*from*》
— *vi.* 삭제되다

deléte kèy 〖컴퓨터〗 딜리트[삭제] 키

del·e·te·ri·ous [dèlitíəriəs] *a.* (문어) (심신에) 해로운; 유독한 **~·ly** *ad.* **~·ness** *n.*

de·le·tion [dilí:ʃən] *n.* [U] 삭제; [C] 삭제 부분; (염색체·유전자 일부의) 결실(缺失)

de·lev·er·age [di:lévəridʒ] 〖경제〗 *n.* 차입을 줄이고 주식을 매각함으로써 경영 상태를 호전시키는 것
— *vt.* 주식 발행으로 〈부채를〉 줄이다 **-ag·ing** *n.*

delf(**t**) [délf(t)], **delft·ware** [délftwὲər] [생산지인 도시 이름 Delft에서] *n.* [U] (네덜란드의) 델프 오지 그릇《일종의 채색 도기》

Del·hi [déli] *n.* 델리《인도 북부의 연방 직할 주, 그 주도; Mogul 제국의 옛 수도》

Délhi bélly (속어) (인도에서의 외국 여행자의) 설사(turista)

del·i [déli] *n.* (구어) =DELICATESSEN

Del·ia [dí:ljə] *n.* 여자 이름

*__de·lib·er·ate__ [dilíbərət] [L 「(머리 속으로) 무게를 달다」의 뜻에서] *a.* **1** 신중한, 생각이 깊은, 사려 깊은 《*in*》: a ~ choice 신중한 선택 **2** 찬찬한, 침착한, 느긋한: ~ steps 찬찬한 걸음 **3** 고의의, 계획적인 《intentional보다 구어적》: ~ murder 모살(謀殺)
— *v.* [-rèit] *vt.* 숙고하다; 심의하다, 토의하다: 《~+***wh. to*** do》 ~ *how to* do it 그것을 하는 방법을 숙고하다 // 《~+***wh.*** 절》 They are *deliberating what* he said. 그들은 그가 한 말을 검토하고 있다.
— *vi.* 숙고하다; 심의하다 《*on*, *upon*, *over*》: 《~+전+명》 ~ *on*[*over*] a problem 문제를 심의하다 **~·ness** *n.*
▷ deliberátion *n.*; delíberative *a.*

‡**de·lib·er·ate·ly** [dilíbərətli] *ad.* 신중히; 고의로, 일부러; 찬찬히, 유유히: speak quietly and ~ 차분하게 신중히 말하다

*__de·lib·er·a·tion__ [dilìbəréiʃən] *n.* [U] **1** 숙고, 곰곰이 생각함; [종종 *pl.*] (정식의) 심의, 토의: the ~*s* of the committee 위원회의 심의 **2** 신중함; (동작의) 완만, 찬찬함 ***under*** **~** 숙고[협의] 중: bring a problem *under* ~ 문제를 토의에 올리다 ***with*** **~** 신중히, 차근차근
▷ delíberate *v.*, *a.*; delíberative *a.*

de·lib·er·a·tive [dilíbərətiv, -rèit- | -rət-] *a.* 깊이 생각하는; 심의하는: a ~ assembly[body] 심의회 **~·ly** *ad.* 숙고한 끝에, 신중히 **~·ness** *n.*

de·lib·er·a·tor [dilíbərèitər] *n.* 숙고자, 심의자

del·i·ble [déləbl] *a.* 삭제[말소]할 수 있는

*__del·i·ca·cy__ [délikəsi] *n.* (*pl.* **-cies**) [U] **1** (빛깔 등의) 고움 **2** (용모·자태 등의) 우아, 고상함 **3** 정교

> thesaurus **delegate** *n.* representative, deputy, agent, spokesman, spokeswoman, envoy, messenger, emissary, commissary
> **deliberate** *a.* **1** 신중한 careful, cautious, unhurried, thoughtful (opp. *hasty*) **2** 고의의 intentional, planned, considered, calculated, designed, conscious (opp. *accidental*, *unintentional*)

(함); (감각 등의) **섬세, 민감**; (계기 등의) 민감도, 정밀함 **4** 신중함, (문제 등의) **미묘함**, 다루기 힘듦: a matter of great ~ 극히 미묘한 문제 **5** (다른 사람의 감정에 대한) 동정심, 곰살궂음; 겸손한 마음씨, 얌전함 **6 섬약함**; 허약, 연약함: ~ of health 병약 **7** Ⓒ **맛있는 것, 진미** ***feel a certain ~ about*** …을 다소 스스러워하다 ***out of ~*** 신중하게 ***with*** (***great***) ***~*** (실로) 정교히 ▷ délicate, delícious *a.*

‡del·i·cate [délikət] *a., n.*

> 원래는 「기분 좋은」의 뜻. 우아한 **1 a** →(연약한) **1 b** →깨지기 쉬운**1 c** →(식별하기 어렵도록) 미미한 **4** →(세심한 주의가 필요한) 미묘한 **5**

— *a.* **1 a 섬세한, 고운**(fine); **우아한**, 고상한: a ~ hand 섬섬옥수 / a ~ figure 우아한 자태 **b 섬약한**, 연약한, 가냘픈(frail), 허약한(feeble): in ~ health 병약하여 **c 깨지기 쉬운**: a ~ china 깨지기 쉬운 자기

> 유의어 **delicate** 「섬세하고 미묘한」의 뜻으로서 연약함이 따르는 아름다움을 암시: *delicate* craftsmanship 섬세한 공예 솜씨 **elegant** 호화스러우며 취미가 매우 세련된: a sumptuous but *elegant* dining room 호화로우면서도 우아한 식당 **exquisite** 「정교한」의 뜻으로서 특히 감각이 예민하고 취미가 고상한 사람만이 이해할 것 같은 아름다움을 암시: an *exquisite* gold bracelet 정교한 금팔찌 **graceful** 자연히 우러나는 것 같이 우아한: a *graceful* dance 우아한 춤 **refined** 세련되고 품위 있고 지성을 느끼게 하는: *refined* tastes 세련된 취미

2 맛좋은; 〈빛깔이〉 아름다운, 〈색조가〉 부드러운, 연한: ~ wine 미주(美酒) / a ~ blue light 푸르스름한 빛 **3** 〈기계 등이〉 **정밀한**; 정교한; 〈감각이〉 **예민한**, 민감한; 〈성미가〉 까다로운 **4 미미한**, 미세한(subtle): a ~ difference 미세한 차이 **5 미묘한**, 다루기 어려운, 말하기[하기] 힘드는, 세심한 주의가 필요한: a ~ situation 미묘한[처리하기 어려운] 상황 / a ~ operation 힘드는 수술 **6** 솜씨 좋은, 교묘한 **7** 동정심이 있는, 곰살궂은, 자상한: ~ attention 자상한 배려
be in a ~ condition (미·속어) 임신 중이다
— *n.* (고어) 진미(珍味)
▷ délicacy *n.*; délicately *ad.*

＊del·i·cate·ly [délikətli] *ad.* 우아하게, 섬세하게; 미묘하게; 정교하게; 고상하게

del·i·ca·tes·sen [dèlikətésn] *n. pl.* **1** [집합적; (영) 단수 취급] 조제(調製) 식품 《미리 요리된 고기·치즈·샐러드·통조림 등》 **2** [단수 취급] 조제 식품 판매점[식당](deli)

‡de·li·cious [dilíʃəs] [L 「매력이 있는」의 뜻에서] *a.* **1** (매우) 맛좋은, 맛있는(good-tasting); 향기로운: a ~ dinner 맛좋은 정찬 / a ~ perfume 기분 좋은 향기 **2** 상쾌한, 즐거운, 매우 재미있는
— *n.* [D~] 딜리셔스 《미국산(産) 사과의 일종》
~·ly *ad.* ~·ness *n.*

de·lict [dilíkt | dí:likt] *n.* Ⓤ 〖법〗 불법 행위, 범죄 ***in flagrant ~*** 현행범으로

‡de·light [diláit] [L 「매력으로 당기다」의 뜻에서] *n.* **1** Ⓤ **기쁨**; 즐거움, 환희(⇨ pleasure 유의어) **2** 기쁘게 하는 것, 낙, 즐거운 것: Dancing is her ~. 춤이 그녀의 낙이다. ***take*** [***have***] ***~ in*** …을 기뻐하다, …을 즐기다, …을 낙으로 삼다: *take* a great ~ *in* teasing others 다른 사람들을 놀리는 것을 큰 낙으로 삼다 ***to*** one***'s*** (***great***) ***~*** (매우) 기쁘게도 ***with ~*** 기꺼이
— *vt.* **매우 기쁘게 하다**, 〈귀·눈을〉 즐겁게 하다; 즐기게 하다(⇨ delighted); …에게 즐거움이 되다: ~ the eyes 눈요기가 되다
— *vi.* 매우 기뻐하다, 즐기다 《*in, on*》: (~+전+명) He ~*s in* gardening. 그는 정원 가꾸기를 매우 좋아한다. // (~+*to* do) Tom ~*s to* put difficult questions to his teacher. 톰은 선생님에게 어려운 질문하기를 좋아한다.
~·er *n.*

＊de·light·ed [diláitid] *a.* **1** Ⓟ **아주 기뻐하여** 《*at, in*》: (~+*to* do) He was ~ *to* hear the news. 그는 그 소식을 듣고 몹시 기뻐했다. // (~+전+**-ing**) She was ~ *at* receiv*ing* so many letters. 그녀는 그렇게 많은 편지를 받고 기뻐했다. // (~+***that*** 절) He was ~ *that* you were well again. 그는 당신이 회복된 것을 기뻐하더군요. **2** Ⓐ 기뻐하는, 즐거워하는: a ~ voice 기뻐하는 목소리 ***be ~ with*** [***at***] …을 기뻐하다 **~·ly** *ad.* 기뻐서, 기꺼이 **~·ness** *n.*

‡de·light·ful [diláitfəl] *a.* 매우 기쁜, 즐거운, 몹시 유쾌한; 〈사람·성격이〉 매혹적인, 귀염성 있는: a ~ room 쾌적한 방 **~·ly** *ad.* **~·ness** *n.*

de·light·some [diláitsəm] *a.* 《시어·문어》 = DELIGHTFUL

De·li·lah [diláilə] *n.* **1** 여자 이름 **2** 〖성서〗 델릴라 《Samson을 배반한 여자》 **3** 배반한 여자, 요부

de·lim·it [dilímit], **-lim·i·tate** [-mətèit] *vt.* 범위[한계, 경계]를 정하다(demarcate)

de·lim·i·ta·tion [dilìmitéiʃən] *n.* **1** Ⓤ 한계[경계] 결정 **2** 한계, 분계

de·lim·it·er [dilímitər] *n.* 〖컴퓨터〗 구획 문자 《자기(磁氣) 테이프에서 데이터의 시작[끝]을 나타냄》

de·lin·e·ate [dilínièit] *vt.* 윤곽을 그리다; 묘사[서술]하다

de·lin·e·a·tion [dilìniéiʃən] *n.* **1** Ⓤ 묘사 **2** 도형; 설계, 도해; (재봉용) 본 **3** 서술, 기술

de·lin·e·a·tive [dilínièitiv | -niət-] *a.*

de·lin·e·a·tor [dilínièitər] *n.* **1** 묘사하는 사람[기구] **2** (양재의) 본 **3** 반사식 도로 경계 표시

de·link [di:líŋk] *vt.* 독립시키다, …의 연결을 끊다 **~·age** *n.*

de·lin·quen·cy [dilíŋkwənsi] *n.* (*pl.* **-cies**) **1** Ⓤ 직무 태만, 의무 불이행; ⓊⒸ 연체, 체납(금) **2** ⓊⒸ 과실, 범죄, 비행, 청소년 범죄(= juvenile ~)

de·lin·quent [dilíŋkwənt] *a.* **1** 직무 태만의; 비행을 저지른; 비행자의 **2** 〈세금·부채 등이〉 체납의
— *n.* **1** (직무) 태만자; 범법자 **2** 비행 소년(= juvenile ~) **~·ly** *ad.*

delínquent sùbculture 〖심리〗 비행성(非行性) 저(低)문화 《비공리성·찰나주의·집단 맹종성 등》

del·i·quesce [dèlikwés] *vi.* 용해하다; 〖화학〗 조해(潮解)하다; 〖생물〗 융화(融化)하다; 〖식물〗 분기(分技)하다 — *vt.* 용해하다; 없애다

del·i·ques·cence [dèlikwésns] *n.* Ⓤ 용해; 〖화학〗 조해(성) **-cent** [-snt] *a.*

de·lir [dilíər] *vi.* 섬망(譫妄) 상태가 되다, 극도의 흥분 상태에 빠지다

del·i·ra·tion [dèləréiʃən] *n.* 《드물게》 = DELIRIUM

de·lir·i·ant [dilíəriənt] *a.* 섬망 발생성의
— *n.* 섬망 발생 물질 《마약 등》

＊de·lir·i·ous [dilíəriəs] *a.* 헛소리를 하는, (일시적) 정신 착란의 《*from, with*》; 정신없이 흥분한, 미쳐 날뛰는, 제정신이 아닌 《*with*》: ~ *with* joy 기뻐서 어쩔 줄 모르는 **~·ly** *ad.* **~·ness** *n.* ▷ delírium *n.*

de·lir·i·um [dilíəriəm] [L 「빗나가다」의 뜻에서] *n.* (*pl.* **~s, -lir·i·a** [-riə]) ⓊⒸ 섬망 상태, (일시적) 정신 착란; 맹렬한 흥분(상태), 광란, 광희(狂喜): a ~ of joy 광희 ***lapse*** [***fall***] ***into*** (***a***) ***~*** 헛소리를 하기 시작하다

---

delicious *a.* **1** 맛있는 tasty, appetizing, mouthwatering, flavorsome (opp. *revolting, disgusting*) **2** 즐거운 delightful, enchanting, enjoyable
delighted *a.* pleased, joyful, happy, glad, overjoyed, blissful, thrilled, excited
delinquent *n.* offender, culprit, criminal, wrongdoer, lawbreaker, transgressor, vandal

delírium tré·mens [-trí:mənz, -menz | -menz] [L =trembling delirium] *n.* 〖의학〗 (알코올 중독에 의한) 진전(震顫) 섬망증 《略 d.t.('s)》
del·ish [dilíʃ] *a.* 《구어》 =DELICIOUS
de·list [di:líst] *vt.* 목록[표]에서 빼다; 〈증권의〉 (특정 거래소에서) 상장을 폐지하다
del·i·tes·cence [dèlətésns] *n.* Ⓤ 잠복 (기간); (증상의) 돌연 소실(消失)
del·i·tes·cent [dèlətésənt] *a.* 잠복하고 있는
‡**de·liv·er** [dilívər] *v.*

L 「자유롭게 하다」의 뜻에서. 「해방시키다」 **5** (방출하다) 인도하다 **2** → 배달하다 **1** → (의견을) 말하다 **3**

— *vt.* **1** 〈물건·편지를〉 **배달하다,** 〈전언 등을〉 전하다: ~ a package 소포를 배달하다 **2 넘겨 주다,** 인도하다, 포기하다 《*up, over*; *to, into*》; 〖법〗 정식으로 교부하다: 《~+목+부》 ~ a city *up* 도시를 포기하다 // 《~+목+전+명》 ~ a castle (*up*) *to* an enemy 성(城)을 적에게 내어주다 **3** 〈연설·설교를〉 하다, 〈의견을〉 말하다: ~ a verdict of guilty 유죄 평결을 선포하다 **4** 〈타격·공격 등을〉 주다, **가하다**(aim) 《*at*》; 〈유전이 기름을〉 분출시키다, 내다; 〈타자에게 공을〉 던지다(pitch): 《~+목+전+명》 ~ an attack *against*[*on*] an enemy 적에게 공격을 가하다 **5 구해내다**(relieve), 구원하다, 해방시키다 《*from, out of*》: 《~+목+전+명》 ~ a person *from*[*out of*] danger …을 위험에서 구해내다 / *D~* us *from* evil. 〖성서〗 우리를 악에서 구하옵소서. 《주기도문》 **6** [보통 수동형으로] 분만[해산]시키다 《*of*》: 《~+목+전+명》 The doctor *~ed* her *of* a girl[*~ed* a girl *to* her]. 의사는 그녀의 여자 아기를 받아냈다. **7** 《미·구어》 후보자·정당을 위하여 〈표를〉 모으다 **8** 《고어》 〈배의〉 짐을 내리다
— *vi.* **1** 분만[해산]하다, 낳다 **2** 상품 등을 배달하다 **3** (기대에) 보답하다, 성공하다 **4** (약속 등을) 이행하다 《*on*》 **5** 말하다; 자유의 몸이 되다
be ~ed of 〈아이를〉 낳다; 〈시를〉 짓다: She *was ~ed of* a boy. 그녀는 사내아이를 분만했다. ***~ a blow*** 일격을 가하다, 한 대 치다 ***~ battle*** 공격을 개시하다 ***~ on** one's **promises*** 약속을 이행하다 ***~ over*** 인도하다; 〈재산 등을〉 양도하다 ***~*** one***self of*** an opinion (의견)을 말하다 ***~*** one***self to*** the police (경찰)에 자수하다 ***Stand and ~!*** ⇨ stand. ***~ the goods*** 물건을 넘기다; 《구어》 약속을 이행하다 ***~ up*** 넘겨 주다; 〈성 등을〉 내주다
▷ delíverance, delívery *n.*
de·liv·er·a·ble [dilívərəbl] *a.* (즉시) 배달 가능한; 〈미사일 등이〉 도달 가능한
— *n.* 실행 가능한 일; 배송품
*****de·liv·er·ance*** [dilívərəns] *n.* **1** Ⓤ 《문어》 **구출,** 구조 《*from*》; 석방(release), 해방 **2** ⓊⒸ 진술[의견](의 공표), 공식 의견 **3** ⓊⒸ 〖법〗 (배심의) 평결
de·liv·ered [dilívərd] *a.* 〖상업〗 …인도(引渡)의: ~ to order 지정인 인도 / ~ on rail 화차 적하(積荷) 인도
delívered príce 인도 가격
*****de·liv·er·er*** [dilívərər] *n.* **1** 배달인, 인도인(引渡人), 교부자 **2** 구조자; 석방자 **3** 발표자
‡**de·liv·er·y** [dilívəri] *n.* (*pl.* **-er·ies**) ⓊⒸ **1** (편지 등의) 배달, …편; 배달물: a ~ certificate 배달 증명서 **2 인도,** 명도, 교부, 출하, 납품: a ~ port 인도항 **3 말투,** 강연[논술](투): a rapid[clear] ~ 빠른[명료한] 말투 / a telling ~ 효과있는 말투 **4** 방출, 발사; 배급, 배수(配水); 〖야구〗 투구법; 타격법; 〖군사〗 (미사일의 목표 지점) 도달 **5 구조,** 해방 **6** 분만, 해산, 출산: an easy ~ 순산
by express[《미》 ***special***] ***~*** 빠른우편으로 ***~ on arrival*** 〖상업〗 착하(着荷) 인도 ***on ~*** 배달시에, 인도와 동시에 ***payment on ~*** 현품 상환 지불 ***take ~ of*** (goods) (물건을) 인수하다 ▷ delíver *v.*

delívery bòy (상점의) 배달 사환 《성차별을 피하여 delivery clerk[delivery person]이라고 함》
delívery chàrge 배달료
delívery clèrk 배달원
de·liv·er·y·man [dilívərimən, -mæ̀n] *n.* (*pl.* **-men** [-mən]) 상품 배달원 《성차별을 피하여 deliverer, delivery person이라고도 함》
delívery nòte 《영》 (물품) 배달 인수증
de·liv·er·y·per·son [-pə̀:rsn] *n.* 《미》 배달원
delívery ròom 1 (병원의) 분만실 **2** (도서관의) 도서 대출실
delívery trùck[《영》 **vàn**] 《미》 하물 배달 트럭 (panel truck)
*****dell*** [dél] *n.* (초목이 우거진) 작은 골짜기
Del·la [délə] *n.* 여자 이름 《Adela, Delia의 애칭》
Dél·lin·ger phenòmenon [délindʒər-] [발견자인 미국 물리학자 J. H. Dellinger(1886-1962)에서] 〖물리〗 델린저 현상 《태양 흑점의 출현과 관계 있는 전신 전파의 이상 감쇠》
del·ly, del·lie [déli] *n.* 《구어》 =DELI
Del·mar·va Península [delmɑ́:rvə-] [*Del*aware+*Ma*ryland+*V*irgini*a*] [the ~] 《미》 델마버 반도 《미국 동부 3주를 포함하는 반도; 비공식 호칭》
de·lo·cal·ize [di:lóukəlàiz] *vt.* 본래의 장소에서 옮기다, 지방색(色)을 없애다 **—** *vi.* 〈전자가〉 다른 위치로 옮겨가다 **de·lò·cal·i·zá·tion** *n.*
de·louse [di:láus, -láuz] *vt.* 이를 잡다; 불쾌한 것을 제거하다
Del·phi [délfai] *n.* 델포이 《그리스의 고대 도시; Apollo 신전이 있었음》
Del·phi·an [délfiən], **-phic** [-fik] *a.* Delphi의; Apollo 신전[신탁]의; 모호한 **-phi·cal·ly** *ad.*
Délphic óracle [the ~] 아폴로 신전의 신탁
Del·phine [délfən] *n.* 여자 이름
del·phin·i·um [delfíniəm] *n.* 〖식물〗 참제비고깔; 짙은 청색
Del·phi·nus [delfáinəs] *n.* 〖천문〗 돌고래자리(the Dolphin) 《略 Del》
Del·phol·o·gy [delfɑ́lədʒi | -fɔ́l-] *n.* (과학·기술 분야에서의) 미래 예측 방식의 연구
*****del·ta*** [déltə] *n.* **1** 델타 《그리스어 알파벳의 넷째자 Δ, δ; 영어의 D, d에 해당》 **2 a** Δ자 꼴의 물건 **b** [D~] (통신의) D문자를 표시하는 부호; 〖수학〗 델타 《변수의 증분(增分) 기호 Δ》 **c** (특히 하구의) **삼각주**; [the D~] 나일강 어귀의 삼각주 **3** [**D~**] 미국의 인공위성 발사 로켓 **4** [the D~] 〖천문〗 델타성(星)
▷ deltáic *a.*
DELTA [déltə] [*D*iploma in *E*nglish *L*anguage *T*eaching to *A*dults] *n.* Ⓤ 델타 《영국의 케임브리지 대학의 성인 영어 교수법 수료증 과정》
Délta Áir Lìnes 델타 항공 《미국의 항공 회사》
Délta blùes 델타 블루스 《컨트리 뮤직》
délta connèction 〖전기〗 델타 접속[결선]
Délta Fòrce 《미》 델타 포스 《특별 테러 타격 부대》
délta hepatìtis 델타 간염(hepatitis delta)
del·ta·ic [deltéiik] *a.* 삼각주의[같은]
délta mètal 〖야금〗 델타 메탈 《구리·아연·철의 합금》
délta modulàtion 〖컴퓨터〗 델타 변조
délta pàrticle 〖물리〗 델타 입자 《기호 Δ》
délta plàin 삼각주 평야
délta ràу 〖물리〗 델타선
délta rhỳthm 〖의학〗 =DELTA WAVE
del·ta-v, -vee [déltəví:] [*delta*+*v*elocity] *n.* 《구어》 가속
délta vìrus 〖의학〗 =DELTA HEPATITIS
délta wàve 〖의학〗 (뇌파의) 델타파 《깊은 수면 상태에서 나타남》

thesaurus **deliver** *v.* **1** 배달하다 carry, bring, transport, convey, send, dispatch **2** 넘겨 주다 hand over, turn over, transfer, yield, give up **3**

délta wíng 〚항공〛 삼각익(기)
del·ta-wing(ed) [-wíŋ(d)] *a.* 〚항공〛 삼각익의
del·ti·ol·o·gy [dèltiálədʒi | -ɔ́l-] *n.* Ⓤ 그림 엽서 수집 **-gist** *n.*
del·toid [déltɔid] *a.* 델타자(Δ) 모양의, 삼각형의, 삼각주 모양의 ━*n.* 〚해부〛 삼각근(= ∠ **mùscle**)
del·toi·dal [deltɔ́idl] *a.* = DELTOID
* **de·lude** [dilú:d] 〚L 「잘못해서 행동하다」의 뜻에서〛 *vt.* 속이다, 착각하게 하다, 현혹하다; 속이어 …시키다: 《~+목+전+명》 ~ a person *to* his[her] ruin 속여서 …을 파멸시키다 **~ one*self*** 착각하다, 망상하다 **de·lúd·er** *n.* ▷ delúsion *n.*; delúsive *a.*
* **del·uge** [déljuːdʒ | -juːdʒ] *n.* **1** 대홍수, 범람; 호우(downpour); [the D~] 〚성서〛 노아의 대홍수 《창세기 6-9》: a ~ of fire 불바다 **2** [보통 a ~] 《비유》 (편지·방문객 등의) 쇄도, 밀어닥침 《*of*》: receive a ~ *of* complaints 엄청난 불평을 받다
***After me*[*us*] *the* ~.** 나중에야 홍수가 지든 말든 무슨 상관이냐.
━*vt.* 범람시키다(flood); 밀어닥치다(overwhelm); [보통 수동형으로] 쇄도하다, 침수시키다; 압도하다 《*with*》: 《~+목+전+명》 *be* ~*d with* applications 신청이 쇄도하다
* **de·lu·sion** [dilú:ʒən] *n.* **1** Ⓤ 현혹, 기만 **2** ⓊⒸ 미혹, 환상, 잘못된 생각; 〚정신의학〛 망상, 착각 ★ delusion은 개인의 「잘못된 생각」, illusion은 누구나가 빠지기 쉬운 감각적 착오.
be*[*labor*] *under a* ~** 망상에 시달리다 **~ *of persecution*[*grandeur*]** 피해[과대]망상 ***Rid yourself of all ~s. 망상을 버려라.
~·al *a.* **~·ar·y** *a.* ▷ delúde *v.*; delúsive *a.*
de·lu·sive [dilú:siv] *a.* 기만적인; 망상적인(illusional), 현혹적인, 착각하게 하는; 거짓의; 가공의; 실망시키는 **~·ly** *ad.* **~·ness** *n.* ▷ delúde *v.*
de·lu·so·ry [dilú:səri] *a.* = DELUSIVE
de·luxe, de luxe [dəlúks, -lʌ́ks] 〚F = of luxury〛 *a.* Ⓐ 호화로운, 사치스런 《명사 뒤에 놓이는 경우도 있음》: a ~ edition (책의) 호화판 / articles ~ 사치품 ━*ad.* 호화롭게, 사치하게
delve [délv] *vi.* **1** 〈서적·기록 등을〉 탐구하다, 깊이 파고들다 《*into, among*》 **2** 〈도로 등이〉 아래로 급경사지다 **3** 《고어·시어》 파다 ━*vt.* 《고어·시어》 〈땅을〉 파다(dig); (파내어) 손에 넣다 ━*n.* 동굴(den); 움푹 팬 곳[땅] **délv·er** *n.* 파는 사람; 탐구자
dely. delivery
Dem [dém] *n.* 《미·구어》 민주당원(Democrat)
dem. demurrage **Dem.** Democrat; Democratic
dem- [di:m], **demo-** [dí:mou] 《연결형》 「대중, 민중, 인민」의 뜻 《모음 앞에서는 dem-》
de·mag·ne·tize [di:mǽgnətàiz] *vt.* 〈…에서〉 자기(磁氣)를 없애다, 소자하다; 〈테이프의〉 녹음을 지우다 ━*vi.* 소자되다 **de·màg·ne·ti·zá·tion** *n.* Ⓤ 소자(消磁) **-tiz·er** *n.*
de·mag·ni·fy [di:mǽgnəfài] *vt.* (특히 보존을 위해) 축소하다, 마이크로화하다 **dè·mag·ni·fi·cá·tion** *n.*
dem·a·gog [déməgàg | -gɔ̀g] *n., vi, vt.* 《미》 = DEMAGOGUE
dem·a·gog·ic, -i·cal [dèməgádʒik(əl), -gádʒ- | -gɔ́g-, -gɔ́dʒ-] *a.* 선동가의; 선동적인 **-i·cal·ly** *ad.*
dem·a·gogue [déməgàg | -gɔ̀g] 〚Gk 「민중의 지도자」의 뜻에서〛 *n.* **1** 선동 정치가 **2** (옛날의) 민중[군중] 지도자 ━*vi.* demagogue로서 행동하다
━*vt.* 과장해서 말하다
dém·a·gog·ism *n.* = DEMAGOGUERY
dem·a·gogu·er·y [déməgàgəri, -gɔ̀:g- | -gɔ̀g-] *n.* Ⓤ 민중 선동, 악선전
dem·a·go·gy [déməgòudʒi, -gɔ̀:dʒi, -gàdʒi | -gɔ̀gi] *n.* **1** Ⓤ 민중 선동 **2** demagogue에 의한 지배 **3** 민중 선동가 그룹
de·man [di:mǽn] *vi., vt.* 《영》 감원하다, 해고하다; 《미》 …의 사내다움을 없애다
*** **de·mand** [dimǽnd | -má:nd] 〚L 「맡기다」의 뜻에서〛 *vt.* **1** 요구[요청]하다(ask for), 청구하다 《*of, from*》: 《~+목+전+명》 ~ too high a price *of*[*from*] a person …에게 엄청난 값을 청구하다 // 《~+***to*** do》 He ~*ed to* be told everything. 그는 모든 것을 말하라고 요구했다. ★ demand는 사람을 목적어로 삼지 않으며, 《~+목+***to*** do》의 형태로는 쓰지 않음. // 《~+***that*** 절》 He ~*ed that* the house (should) be searched. 그는 가택 수색을 요구했다. ★ 《구어》에서는 should를 쓰지 않는 경우가 많음.

> 유의어 **demand** 명령·권력에 의거하여 요구하다: *demand* obedience 복종을 요구하다 **claim** 자기의 당연한 권리로서 요구하다: *claim* a throne 왕위를 요구하다

2 〈사물이〉 〈숙련·인내·시일 등을〉 필요로 하다(need) (cf. REQUIRE): This matter ~*s* great caution. 이 일은 세심한 주의를 요한다. **3** 묻다, 힐문하다, 말하라고 다그치다: ~ a person's business 무슨 용건인가 묻다 **4** 〚법〛 (법정 등에) 소환하다(summon)
━*vi.* 요청[요구]하다; 묻다 《*of*》 ***~ing money with menaces*** 〚영국법〛 공갈, 갈취(extortion)
━*n.* **1 a** 요구(claim); 청구(request) 《*for, on*》: a ~ *for* higher wages 임금 인상 요구 **b** 요구되는 것, 요구 사항 **2** 〚법〛 청구(권), 권리 주장 **3** Ⓤ 〚경제〛 수요, 수요량, 판로(販路) 《*for, on*》: no ~ *for* luxury goods 사치품 수요가 전무함
be in* (*great*) ~** 수요가 (많이) 있다 **~ *and supply = ***supply and*** **~** 수요와 공급 ***hold a ~ against*** a person …에 대해 청구권이 있다 ***make ~s on*[*upon*]** (1) 〈시간·돈 등〉을 들게 하다: This project *makes* many ~*s on* my time. 이 일은 내게 시간이 너무 많이 든다. (2) 〈남〉에게 압력을 가하다 ***on ~*** 요구[수요]가 있는 즉시 ***supply the ~ for*** …의 수요를 채우다 **~·a·ble** *a.*
de·man·dant [dimǽndənt | -má:n-] *n.* 요구자; 〚법〛 (부동산 소송의) 원고(原告)
demánd bìll[dràft] = SIGHT DRAFT
demánd bùs 《영》 요청 버스 《일정 구역 내의 이용자가 요청을 하면 태우러 오는 버스》
demánd cùrve 〚경제〛 수요 곡선
demánd depòsit 요구불 예금
de·mand-driv·en [demǽnddrìvən | -má:nd-] *a.* 수요 주도형의
de·mand·er [dimǽndər | -má:ndər] *n.* 요구자
demánd fèeding (일정한 시간에 젖먹이지 않고) 아기가 울 때 먹이기
demánd inflátion = DEMAND-PULL
de·mand·ing [dimǽndiŋ | -má:nd-] *a.* 〈사람이〉 요구가 지나친, 지나친 요구를 하는; 〈일이〉 큰 노력을 요하는 **~·ly** *ad.* **~·ness** *n.*
demánd lòan = CALL LOAN
demánd mànagement 《영》 〚경제〛 수요 관리 정책
demánd nòte 일람불 약속 어음; 지불 청구서
de·mand-o·ri·ent·ed [dimǽndɔ́:rièntid | -má:nd-] *a.* 〚경제〛 수요에 중점을 둔
de·mand-pull [-pùl] *n.* 〚경제〛 수요 과잉 인플레이션 《수요가 공급을 초과할 때의 물가 상승; cf. COST-PUSH》(= ∠ **inflátion**)
de·mand-side [-sàid] *a.* 수요 중시(정책)의(cf. SUPPLY-SIDE) **-sid·er** *n.*
demánd-side económics 수요 중시의 경제학
de·man·toid [dimǽntɔid] *n.* 〚광물〛 비취 석류석 《보석》
de·mar·cate [dimá:rkeit | dí:ma:kèit] *vt.* 한계를 정하다; 분리하다, 구별하다

해방시키다 set free, liberate, release, save, rescue
delude *v.* mislead, deceive, fool, take in, trick, cheat, beguile, misguide

de·mar·ca·tion [dì:mɑ:rkéiʃən] [Sp. =mark out] *n.* **1** 경계, 분계 **2** Ⓤ 경계[한계] 결정, 구분 **3** 〖노동〗 노동 조합간의 작업 관장 구분
demarcátion dispùte 세력권(圈) 다툼
dé·marche [deimɑ́:rʃ, di-] [F] *n.* 수단, 조치; (외교상의) 전환책; 항의, 요구
de·mark [di:mɑ́:rk] *vt.* =DEMARCATE
de·mar·ket·ing [di:mɑ́:rkitiŋ] *n.* 역(逆) 마케팅 《담배 회사 등 자사의 수요 억제를 위한 선전 활동》
de·mas·cu·lin·ize [di:mǽskjulənàiz] *vt.* …의 남성다움을 없애다 **de·màs·cu·lin·i·zá·tion** *n.*
de·mas·si·fy [di:mǽsəfài] *vt.* (**-fied**) 비(非)대중화하다; 비집중화하다; 다양하게 하다
de·ma·te·ri·al·ize [dì:mətíəriəlàiz] *vt., vi.* 비(非)물질화시키다[하다]; 안 보이게 하다[되다]; 〈서류 따위를〉 컴퓨터 문서로 만들다[전자화 하다] **-za·tion** *n.*
deme [dí:m] *n.* **1** (그리스의) 시(市), 지방 자치체 **2** 〖생물〗 딤《지역 교배 집단》
de·mean[1] [dimí:n] *vt.* 〈신분·품위를〉 떨어뜨리다 ~ one***self to*** do …할 신세에까지 떨어지다
demean[2] *vt.* [~ one*self* 로] 《문어》 행동하다, 처신하다(behave): ~ one*self* well[ill, like a man] 훌륭하게[잘못, 남자답게] 처신하다
de·mean·ing [dimí:niŋ] *a.* 품위를 떨어뜨리는
***de·mean·or** | **de·mean·our** [dimí:nər] *n.* Ⓤ 처신, 거동, 행실, 품행(conduct); 태도, 몸가짐; 표정 (⇨ manner 유의어): a kind and gentle ~ 친절하고 점잖은 태도
de·ment·ed [diméntid] *a.* 《고어》 미친(mad); 《속어》 〈프로그램이〉 오류가 있는 **~·ly** *ad.* **~·ness** *n.*
dé·men·ti [deimɑ́:nti:] [F] *n.* 〖외교〗 (소문 등에 대한) 공식 부인
de·men·tia [diménʃə, -ʃiə] *n.* Ⓤ **1** 〖정신의학〗 백치, 치매: senile[precocious] ~ 노인성[조발성] 치매증 **2** 《일반적으로》 광기(madness) **-tial** *a.*
deméntia prá(e)·cox [-prí:kɑks | -kɔks] 〖정신의학〗 조발성 치매증 《schizophrenia(정신 분열증)의 구용어》
dem·e·ra·ra [dèmərέərə] [원산지명에서] *n.* 황갈색 조당(粗糖)(=~ **sùgar**)
de·merge [dimə́:rdʒ] *vi., vt.* 〈기업이〉 별개 회사로 분할되다; 〈기업을〉 별개 회사로 분할하다
de·merg·er [dimə́:rdʒər] *n.* 합병 파기; 합병 기업의 분할
de·mer·it [dimérit | di:-, ⌐⌐] *n.* **1** 잘못, 과실; 단점, 결점(opp. *merit*) **2** 《미》 〖교육〗 벌점(=~ **màrk**) ***the merits and ~s of*** …의 장단점, 득실, 공과(功過) ★ 대조적 의미를 강조하여 [dí:mərits]로 발음하기도 함.
de·mer·sal [dimə́:rsəl] *a.* 〈생물이〉 해저에 사는
de·mesne [diméin, -mí:n] [F 「영토」의 뜻에서] *n.* **1** Ⓤ 〖법〗 토지의 점유 **2** 점유지, 소유지; 장원 **3** 저택에 따른 땅; [보통 *pl.*] 영지(estates); 사유지 **4** 지역(district); 활동 범위, 영역, 분야 ***a ~ of the State*** = ***a State ~*** 국유지 ***a royal ~*** = ***a ~ of the Crown*** 왕실 소유지(Crown lands) ***hold*** estates ***in ~*** (토지)를 영유하다 **de·mésn·i·al** *a.*
De·me·ter [dimí:tər] *n.* 〖그리스신화〗 데메테르 《농업·결혼·사회 질서의 여신; 로마신화의 Ceres》
demi- [démi] 《연결형》 「반(半)…, 부분적…」의 뜻
dem·i·god [démigɑ̀d | -gɔ̀d] *n.* **1** 반신반인(半神半人) **2** 숭배받는 인물 **3** 《구어》 (미·인격 등이) 아주 뛰어난 사람
~·dess *n.* demigod의 여성형
dem·i·john [démidʒɑ̀n | -dʒɔ̀n] *n.* (채롱으로 싼) 아가리가 작은 큰 유리병 《3-10갤런들이》

demijohn

de·mil·i·ta·ri·za·tion [di:mìlətərizéiʃən] *n.* Ⓤ 비무장화, 비군사화, 군국주의의 추방
de·mil·i·ta·rize [di:mílətəràiz] *vt.* **1** 비무장화하다, 〈원자력 등을〉 비군사화하다 **2** 군정에서 민정으로 옮기다
de·míl·i·ta·rized zòne [di:mílətəràizd-] 비무장지대(《略 DMZ》)
dem·i·lune [démilù:n] *n.* **1** 반달 **2** 〖축성〗 반월보(半月堡) **—** *a.* 반월형의
dem·i·min·i [dèmimíni] *a.* 초(超)미니의 **—** *n.* 초미니 스커트[드레스]
dem·i·mon·daine [dèmimɑndéin | -mɔn-] [F] *n* 화류계 여자, 매춘부; 첩 **—** *a.* 화류계의
dem·i·monde [démimɑ̀nd | dèmimɔ́nd] [F] *n.* [the ~; 집합적] 화류계; 화류계 여자; (법적·도의적으로) 저속한 패거리; 패배자
de·min·er·al·ize [di:mínərəlàiz] *vt., vi.* …에서 광물질을[이] 제거하다[되다], 탈염(脫鹽)하다[되다]
de·mi-pen·sion [dəmi:pɑŋsjɔ́:ŋ] [F] *n.* **1** (하숙·호텔의) 1박 2식제(《영》 half board); 그 요금 **2** (학교의) 점심 급식제
dem·i·rep [démirèp] *n.* =DEMIMONDAINE
de·mise [dimáiz] *n.* ⓊⒸ **1** 붕어(崩御); 서거, 사망 《death의 완곡한 말》 **2** 〖법〗 (유언·임대차에 의한) 권리 양도[설정] **3** (왕위의) 계승, 양위 **4** 《익살》 소멸, 종말, 활동 정지
— *vt.* 〖법〗 양도하다; 유증(遺贈)하다; 〈재산권을〉 임대하다(lease) **—** *vi.* 주권을 양도하다; 사망하다; 유증하다 **de·mís·a·ble** *a.* 양도할 수 있는
dem·i-sec [démisék] *a.* 〈와인·샴페인이〉 중간 정도 쓴 맛의
dem·i·sem·i·qua·ver [dèmisémikwèivər] *n.* 《영》 〖음악〗 32분 음표(《미》 thirty-second note)
de·mis·sion [dimíʃən] *n.* ⓊⒸ 사직; 퇴위; 《드물게》 해고, 면직(dismissal)
de·mist [di:míst] *vt.* 《영》 〈차의 창유리 등에서〉 흐림[서리]을 제거하다 **~·er** *n.* =DEFROSTER
de·mit [dimít] *vt., vi.* (**~·ted**; **~·ting**) 해고시키다; 사직하다
dem·i·tasse [démitæ̀s, -tɑ̀:s] [F =half cup] *n.* (식후의 블랙 커피용) 작은 커피잔; 그 한 잔
dem·i·tint [démitint] *n.* 〖미술〗 간색(間色)(half tint); (그림의) 바림 부분
dem·i·urge [démiə̀:rdʒ | démi-, dí:mi-] *n.* **1** (Plato 철학에서) 조물주; (고대 그리스의) 행정관 **2** (제도·사상 등에서) 결정적 영향력을 가진 사람[것]
dem·i·ur·gic, -gi·cal [dèmiə́:rdʒik(əl) | dì:mi-] *a.* 조물주의; 세계 창조의, 창조력을 가진
dem·i·volt(e) [démivòult | -vɔ̀lt] *n.* Ⓤ (말이 앞다리를 들고 하는) 반회전
dem·i·world [démiwə̀:rld] *n.* =DEMIMONDE
dem·o [démou] *n.* (*pl.* **dem·os**) **1** 데모, 시위 행진(demonstration) **2** 데모하는 사람 **3** 시청(試聽)용 음반[테이프]; (자동차 등의) 선전용 견본 **4** 〖컴퓨터〗 시험[테스트]용 프로그램 **5** 《미》 폭파[파괴] 대원 **—** *vt.* 실연해 보여 주다
Dem·o [démou] *n.* 《미·구어》 민주당원(Democrat)
demo- [dí:mou] 《연결형》 =DEM-
de·mob [di:mɑ́b | -mɔ́b] 《영·구어》 *n.* =DEMOBILIZATION **—** *vt.* (**~bed**; **~·bing**) =DEMOBILIZE
de·mob-hap·py [-hæ̀pi] *n.* (스트레스가 많은 업무에서 빠져 나왔을 때의) 홀가분한 심정
de·mo·bi·li·za·tion [di:mòubəlizéiʃən] *n.* Ⓤ 〖군사〗 동원 해제, 제대
de·mo·bi·lize [di:móubəlàiz] *vt.* 〖군사〗 부대를 해산하다(disband), 〈병사를〉 제대시키다(discharge)
Dem·o·chris·tian [déməkrístʃən] *n.* (유럽의) 기독교 민주당원

thesaurus **demeanor** *n.* behavior, bearing, air
demolish *v.* tear down, bulldoze, dismantle, undo, break up, destroy, wreck, ruin

‡de·moc·ra·cy [dimákrəsi | -mɔ́k-] 〚Gk「민중의 정치」의 뜻에서〛 *n.* (*pl.* **-cies**) **1** Ⓤ **민주주의**; 민주제, 사회적 평등, 민주 정치, 민주 정체; Ⓒ 민주주의국 **2** [**D~**] 《미》 민주당(의 정강); [집합적] 민주당원 **3** [the ~] 일반 국민, 민중, 서민 **4** 산업 민주제(= industrial ~) ▷ democrátic *a.*; demócratize *v.*

***dem·o·crat** [déməkræ̀t] *n.* **1** 민주주의자[정치론자] **2** [**D~**] 《미》 민주당원(Demo) **3** 《영》 사회 자유 민주당원[지지자]

‡dem·o·crat·ic [dèməkrǽtik] *a.* **1** 민주정체[주의]의: a ~ government 민주주의 정부 **2** 민주적인; 사회적 평등을 존중하는 **3** [**D~**] 《미》 민주당의: a *D~* nominee 민주당 지명자[공천자] **4** 일반 대중의, 서민적인 **-i·cal·ly** *ad.* 민주적으로

Democrátic Párty [the ~] 《미》 민주당 《the Republican Party와 더불어 현재 미국의 2대 정당; ⇨ donkey》

Dem·o·crát·ic-Re·púb·li·can Párty [dèməkrǽtikripʌ́blikən-] [the ~] 〚미국사〛 (19세기 초의) 민주 공화당 《현 민주당의 전신》

de·moc·ra·tism [dimákrətìzm | -mɔ́k-] *n.* Ⓤ 민주주의의 이론[제도, 원칙]

de·moc·ra·ti·za·tion [dimàkrətizéiʃən | -mɔ̀k-] *n.* Ⓤ 민주화

de·moc·ra·tize [dimákrətàiz | -mɔ́k-] *vt.* 민주화하다, 민주적[평민적]으로 하다; 대중화하다

De·moc·ri·tus [dimákritəs | -mɔ́k-] *n.* 데모크리토스(460?-370? B.C.) 《그리스의 철학자》

dé·mo·dé [dèimɔ:déi] 〚F =out-of-date〛 *a.* 시대[유행]에 뒤진, 낡은(outmoded)

de·mod·ed [di:móudid] *a.* = DÉMODÉ

de·mod·u·late [di:mádʒulèit | -mɔ́dju-] *vt.* 〚통신〛 복조(復調)하다; 검파하다 **-là·tor** *n.* 복조기

De·mo·gor·gon [dì:məgɔ́:rgən, dèmə-] *n.* (고대 신화의) 마왕, 마신(魔神)

de·mog·ra·pher [dimágrəfər | -mɔ́g-] *n.* 인구통계학자

dem·o·graph·ic, -i·cal [dèməgrǽfik(əl), dì:mə-] *a.* 인구 (통계)학의 **-i·cal·ly** *ad.*

dem·o·graph·ics [dèməgrǽfiks, dì:mə-] *n. pl.* [단수 취급] 인구 통계

demográphic tímebomb 《영》 인구학적 시한폭탄 《출생률 저하로 인해 노동 인구의 고령화에 의존할 수 밖에 없는 인구학적 예측》

demográphic transítion 인구학적 천이(遷移) 《출생률·사망률의 주된 변화》

de·mog·ra·phy [dimágrəfi | -mɔ́g-] *n.* Ⓤ 인구통계학, 인구학

dem·oi·selle [dèmwəzél] 〚F〛 *n.* **1** (미혼의) 젊은 여자, 처녀 **2** = DAMSELFISH **3** 〚곤충〛 실잠자리

***de·mol·ish** [dimáliʃ | -mɔ́l-] 〚L「다 된 물건을 망가뜨리다」의 뜻에서〛 *vt.* **1** 〈건물을〉 **헐다,** 〈계획·지론 등을〉 뒤집다, **파괴하다** 《destroy보다 딱딱한 말》; 〈제도 등을〉 폐지하다 **2** 《속어·익살》 모조리 먹어 치우다 **~·er** *n.* **~·ment** *n.* = DEMOLITION ▷ demolítion *n.*

dem·o·li·tion [dèməlíʃən, dì:-] *n.* **1** Ⓤ 파괴, 폭파; (특권 등의) 타파: a ~ squad 폭파 공작대 **2** [*pl.*] 폐허; [*pl.*] (전쟁용) 폭약

demolítion bàll 건물 파괴용 철구(鐵球)

demolítion bòmb 대형 파괴 폭탄

demolítion dérby 자동차 파괴 경기 《서로 충돌하며 끝까지 달리는 차가 우승함》

demolítion jòb (정치적인) 파괴 공작, 분쇄하는 일; 〚스포츠〛 (상대(팀)에 대한) 압승 《*against*》

***de·mon** [dí:mən] 〚L「악령」의 뜻에서〛 *n.* (*fem.* **~·ess** [-is, -es]) **1** 악마, 마귀, 귀신(devil); 사신(邪神); 악의 화신, 귀신 같은 사람

> 유의어 **demon** 그리스 신화에서 말하는 신들과 사람들 중간에 있다고 생각되는 악마 **devil** 기독교에서 말하는 하나님에 대한 악마

2 귀재, 명인, 비범한 사람 《*for, at*》: a ~ *for* work[*at* golf] 일의 귀신[골프의 명수] **3** 〚종교〛 정령(精靈), 신령; 〚그리스신화〛 [보통 **daemon**으로] (gods와 men의 중간에 위치하는) 수호신 **4** 《호주·속어》 사복 경찰, 형사 **5** 《미·속어》 10센트 화폐 ***the little ~*** (*of* a child) 장난꾸러기

— *a.* 악령[악마]의, 악령에 사로잡힌

demon. 〚문법〛 demonstrative

démon drínk 악마의 음료, 술

de·mon·e·ti·za·tion [di:mánətàizéiʃən | -mʌ́n-] *n.* Ⓤ (본위 화폐로서의) 통용[유통] 금지; 폐화(廢貨)

de·mon·e·tize [di:mánətàiz | -mʌ́n-] *vt.* 본위 화폐로서의 자격을 잃게 하다; 〈화폐·우표 등의〉 통용을 폐지하다

de·mo·ni·ac [dimóuniæ̀k, dì:mənáiæk] *a.* 귀신의[같은]; 마귀 들린; 광란의, 흉포한

— *n.* 마귀 들린[같은] 사람; 미치광이

de·mo·ni·a·cal [dì:mənáiəkəl] *a.* = DEMONIAC

de·mon·ic, -i·cal [dimánik(əl) | -mɔ́n-] *a.* **1** 악마의[같은] **2** 귀신 들린; 흉포한 **3** 천재적인, 마력을 가진 **-i·cal·ly** *ad.*

de·mon·ism [dí:mənìzm] *n.* Ⓤ 귀신 숭배, 사신교(邪神敎); 귀신학[론] **-ist** *n.*

de·mon·ize [dí:mənàiz] *vt.* 악마처럼 만들다, 악마가 되게 하다 **dè·mon·i·zá·tion** *n.*

demono- [dí:mənou] 《연결형》 「마귀, 귀신」의 뜻

de·mon·oc·ra·cy [dì:mənákrəsi | -nɔ́k-] *n.* Ⓤ 마귀[귀신]의 지배; 지배하는 마귀 집단

de·mon·ol·a·ter [dì:mənálətər | -ɔ́l-] *n.* 악마[귀신] 숭배자

de·mon·ol·a·try [dì:mənálətri | -ɔ́l-] *n.* Ⓤ 마귀[귀신] 숭배 **-trous** *a.*

de·mon·ol·o·gy [dì:mənálədʒi | -ɔ́l-] *n.* Ⓤ 귀신학[론], 악마 연구[신앙] **-gist** *n.*

de·mon·stra·bil·i·ty [dimànstrəbíləti | dèmən-] *n.* Ⓤ 논증(論證) 가능성

de·mon·stra·ble [dimánstrəbl, démən- | démən-, dimɔ́n-] *a.* 논증할 수 있는; 명백한 **-bly** *ad.* 논증할 수 있도록; 명백히, 논증에 의하여

de·mon·strant [dimánstrənt | -mɔ́n-] *n.* = DEMONSTRATOR

‡dem·on·strate [démənstrèit] 〚L「나타내다」의 뜻에서〛 *vt.* **1** 논증[증명]하다 《prove쪽이 적용 범위가 넓음》, 〈사물이〉 …의 증거가 되다: ~ the law of gravitation 인력의 법칙을 증명하다 // (~+*that* 절) He ~*d that* the earth is round. 그는 지구가 둥글다는 것을 증명했다. **2** (모형·실험 등으로) **설명하다,** 실지로 해보이다: (~+*wh. to* do) He ~*d how to* use the instrument. 그는 그 기계의 사용법을 설명했다. **3** 〈상품을〉 실물로 선전하다: He ~*d* the new car. 그는 새 차를 실물로 선전했다. **4** 〈감정 등을〉 표시하다, 내색하다

— *vi.* **1** 시위운동[데모]을 하다 《*against, for*》: (~+전+명) ~ *against* a racial prejudice 인종차별에 항의해서 시위운동을 하다 **2** 실지 교수로 가르치다 **3** 〚군사〛 (위협·견제를 위해) 군사력을 과시하다, 양동(陽動) 작전을 하다 **4** 〈사물·실험이〉 증명되다 ▷ demonstrátion *n.*; demónstrative *a.*

‡dem·on·stra·tion [dèmənstréiʃən] *n.* ⓊⒸ **1** 논증, 증명; 증거 **2** 실물[실험] 교수, 실연(實演): a ~ model 전시용 모델 **3** (감정의) 표명: a ~ of support 지지 표명 **4** 시위운동, 데모: hold[stage] a ~ for [against] …에 지지[반대] 시위를 하다 **5** 〚군사〛 군사력의 과시, 양동(陽動) 작전 ***give a ~ of …*** …을 겉으로 드러내다, 표명하다 ***to ~*** 명확하게, 결정적으로

---

demonstrate *v.* **1** 논증하다 prove, validate, verify **2** 설명하다 show, indicate, display, express **3** 시위하다 protest, march, parade, rally

~·al *a.* 시위 (운동)의 **~·ist** *n.* 시위 운동(참가)자
▷ démonstrate *v.*; demónstrative *a.*

demonstrátion effèct 〖경제〗 전시 효과 《남의 소비 행동에 따라 개인의 소비 지출이 영향을 받는 일》

demonstrátion vèrsion 〖컴퓨터〗 (소프트웨어의) 전시[데모]판

de·mon·stra·tive** [dimánstrətiv | -mɔ́n-] *a.* **1** 〖문법〗 지시의: a ~ adjective[adverb, pronoun] 지시 형용사[부사, 대명사] **2** 예증적인, 논증할 수 있는; 표현적인 **3** Ⓟ 분명히 나타내는, 입증하는 《*of*》: It is ~ *of* his skill. 그것은 그의 기술을 입증하고 있다. **4** 시위적인 **5** 감정을 드러내는 ***be* ~ *of …을 증명하다, …을 명시하다
— *n.* 〖문법〗 지시사 《that, this 등》
~·ly *ad.* 논증적으로; 감정을 드러내어 **~·ness** *n.*
▷ démonstrate *v.*; demonstrátion *n.*

dem·on·stra·tor [démənstrèitər] *n.* **1** 논증자, 증명자 **2** (실험 과목·실기의) 실지 교수자[조수]; (상품·기계의) 실지 설명자[선전원]; 실지 선전용 제품[모델] 《자동차 등》 **3** 시위 운동자, 데모 참가자

de·mor·al·i·za·tion [dimɔ̀:rəlizéiʃən | -mɔ̀r-] *n.* Ⓤ 풍속 문란; 혼란; 사기 저하

de·mor·al·ize [dimɔ́:rəlàiz, -már- | -mɔ́r-] *vt.* **1** …의 풍속을 문란시키다(corrupt) **2** …의 사기를 꺾다(cf. MORALE); 혼란시키다, 어리둥절하게 하다(bewilder) **-ìz·er** *n.* **-iz·ing** *a.*

de·mos [dí:mas | -mɔs] *n.* (*pl.* **~·es, -mi** [-mai]) (고대 그리스의) 시민; 민중, 대중

De·mos·the·nes [dimásθənì:z | -mɔ́s-] *n.* 데모스테네스(384?-322 B.C.) 《고대 그리스의 정치가》

De·mos·then·ic [dìmasθénik, dèm-] *a.* 데모스테네스류(流)의; 애국적 열변의

de·mote [dimóut] *vt.* 《미》 …의 계급[지위]을 떨어뜨리다; 강등시키다(opp. *promote*)

de·moth [di:mɔ́:θ] *vt.* 《속어》 〈사용하지 않고 두었던 것을〉 다시 사용하기 시작하다

de·moth·ball [di:mɔ́:θbɔ̀:l | -mɔ́θ-] *vt.* (전투를 위해) 〈군함 등을〉 현역으로 복귀시키다(reactivate)

de·mot·ic [dimátik | -mɔ́t-] *a.* 《문어》 **1** 민중의; 통속적인(popular) **2** (고대 이집트의) 민간용 문자의 (cf. HIERATIC) **3** 〈언어가〉 일상적인
— *n.* [**D~**] Ⓤ 현대 통속 그리스어(語)

de·mot·ics [dimátiks | -mɔ́t-] *n. pl.* [단수 취급] 민중과 사회의 연구, 민중학

de·mo·tion [dimóuʃən] *n.* Ⓤ 좌천; 강등, 격하

de·mo·ti·vate [di:móutəvèit] *vt.* …의 의욕[동기]을 잃게 하다 **de·mò·ti·vá·tion** *n.* Ⓤ 의욕 상실

de·mount [di:máunt] *vt.* 〈대(臺) 등에서〉 떼어내다, 뜯어내다; 분해하다 **~·a·ble** *a.* 떼어낼 수 있는

de·mul·cent [dimʌ́lsənt] 〖의학〗 *a.* 자극을 완화하는 — *n.* (통증) 완화제, 진통제

de·mul·si·fy [di:mʌ́lsəfài] *vt.* 〖생물·화학〗 〈유탁액의〉 유화(乳化)를 방해하다 **de·mùl·si·fi·cá·tion** *n.*

de·mul·ti·plex [dimʌ́ltəplèks] *n.* 〖컴퓨터〗 디멀티플렉스, 역다중화 **~·er** *n.*

***de·mur** [dimə́:r] *vi.* (**~red**; **~·ring**) **1** 난색을 표하다, 이의를 제기하다, 반대하다 《object보다 뜻이 약함》 《*to, at, about*》: 《~+전+명》 ~ *to* a suggestion 제의에 반대하다 / ~ *at* working overtime 초과 근무에 이의를 제기하다 **2** 〖법〗 항변하다
— *n.* Ⓤ 이의, 반대 ***without*** [***with no***] **~** 이의 없이
▷ demúrral *n.*

de·mure [dimjúər] *a.* (**-mur·er**; **-est**) **1** 얌전피우는, 새침한, 점잔빼는 **2** 차분한, 삼가는; 태연한
~·ly *ad.* 점잖게; 얌전한 체하며 **~·ness** *n.*

de·mur·ra·ble [dimə́:rəbl] *a.* 〖법〗 항변할 수 있는; 이의를 제기할 수 있는

de·mur·rage [dimə́:ridʒ | -mʌ́r-] *n.* Ⓤ **1** 〖상업〗 초과 정박(碇泊); 일수(日數) 초과료 **2** (철도의) 화차[차량] 유치료(留置料)

de·mur·ral [dimə́:rəl | -mʌ́r-] *n.* Ⓤ 이의 (신청) (demur); 항변

de·mur·rant [dimə́:rənt | -mʌ́r-] *n.* 〖법〗 이의 신청자

de·mur·rer [dimə́:rər | -mʌ́r-] *n.* **1** 항변자, 이의 신청자, 반대자(objector) **2** 〖법〗 방소 항변(妨訴抗辯); (피고의) 항변; 이의 (신청) ***put in a* ~** 이의를 신청하다 ▷ demúr *v.*

de·mu·tu·al·ize [di:mjú:tʃuəlàiz] *vt.* 〖경제〗 〈상호 보험 회사를〉 주식회사로 전환하다

de·my [dimái] *n.* (*pl.* **-mies**) **1** 디마이판(判) 《인쇄 용지는 《미》 16×21인치, 《영》 17 1/2×22 1/2인치》 **2** 《영》 (Oxford 대학 Magdalen College의) 장학생

de·my·o·li·nate [di:máiələnèit] *vt.* 〖의학〗 〈신경의〉 수초(髓鞘)를 제거[파괴]하다

de·mys·ti·fy [di:místəfài] *vt.* (**-fied**) …의 신비성[애매함, 편견]을 제거하다; 계몽하다
de·mỳs·ti·fi·cá·tion *n.*

de·myth·i·cize [di:míθəsàiz] *vt., vi.* …의 신화적 요소를 없애다, 비신화화(非神話化)하다; 계몽하다
de·mỳth·i·ci·zá·tion *n.* Ⓤ 비신화화

de·myth·i·fy [di:míθəfài] *vt.* = DEMYTHICIZE

de·my·thol·o·gize [dì:miθálədʒàiz | -θɔ́l-] *vt.* …의 신화성을 없애다, 〈기독교의 가르침·성서를〉 비신화화하다 — *vi.* 신화적[전설적] 요소를 구별하다
dè·my·thòl·o·gi·zá·tion *n.* Ⓤ (성서의) 비신화화

***den** [dén] *n.* **1** (야수가 사는) 굴, 동굴; (동물원의) 우리 **2** 밀실, (도둑 등의) 소굴: a gambling ~ 도박꾼의 소굴 **3** 《구어》 (남성의) 사실(私室) 《서재·작업실 등》 **4** 《미》 (cub scouts 중의) 유년단의 분대
— *v.* (**~ned**; **~·ning**) *vi.* 굴에 살다 《*up*》; 사실에 틀어박히다 《*up*》
— *vt.* 〈동물을〉 굴에 몰아넣다 《*up*》

Den [dén] *n.* 남자 이름 《Dennis의 애칭》

Den. Denmark

de·nar·i·us [dinɛ́əriəs] [L = of ten] *n.* (*pl.* **-nar·ii** [-riài]) 고대 로마의 은화 《★ 약어 d.를 영국에서 옛 penny, pence의 약어로 썼음; cf. £.S.D.》

den·a·ry [dí:nəri, dén- | dí:nə-] *a.* 십진의(cf. BINARY); 10배의; 10을 포함하는: the ~ scale 십진법

de·na·tion·al·ize [di:nǽʃənəlàiz] *vt.* **1** …에서 독립국의 자격을 박탈하다 **2** 국적[공민권]을 박탈하다 **3** 〈기업 등을〉 민영화하다 **de·nà·tion·al·i·zá·tion** *n.*

de·nat·u·ral·ize [di:nǽtʃərəlàiz] *vt.* **1** …의 본래 성질을 바꾸다, 변성시키다; 부자연하게 하다 **2** 귀화권[시민권]을 박탈하다 **de·nàt·u·ral·i·zá·tion** *n.*

de·na·tur·ant [di:néitʃərənt] *n.* 변성제(變性劑)

de·na·ture [di:néitʃər] *vt.* **1** 〈에틸알코올·단백질·핵연료를〉 변성시키다 **2** 특성을 빼앗다, 본성을 바꾸다
— *vi.* 〈단백질이〉 변성하다 ***~d alcohol*** 변성 알코올 《마시지 못함》 **de·nà·tur·á·tion** *n.* Ⓤ 변성

de·na·zi·fy [di:ná:tsəfài, -nǽ-] *vt.* (**-fied**) 비(非)나치화하다 **de·nà·zi·fi·cá·tion** *n.* Ⓤ 비나치화

dén chìef 《미》 유년단 분대(den)의 분대장

dén dàd 《미》 = DEN FATHER

dendr- [déndr], **dendro-** [déndrou] 《연결형》 「나무(tree)」의 뜻 《모음 앞에서는 dendr-》

den·dri·form [déndrəfɔ̀:rm] *a.* 수목상(樹木狀)의

den·drite [déndrait] *n.* 〖광물〗 모수석(模樹石); 〖화학〗 수지상 결정(樹枝狀結晶); 〖해부〗 (신경의) 수지상 돌기

den·drit·ic [dendrítik] *a.* 모수석[수지상]의

den·dro·bi·um [dendróubiəm] *n.* 〖식물〗 석곡속(屬)

den·dro·chro·nol·o·gy [dèndroukrənálədʒi | -nɔ́l-] *n.* Ⓤ 〖식물〗 연륜(年輪) 연대학

den·dro·gram [déndrəgræ̀m] *n.* 〖생물〗 계통수 (cf. CLADOGRAM)

den·droid [déndrɔid] *a.* 수목상(樹木狀)의

---

thesaurus **demur** *n.* objection, dispute, dissent, protest, reluctance, unwillingness
denote *v.* **1** 표시하다 indicate, signify, betoken,

den·drol·a·try [dendrálətri | -drɔ́l-] *n.* Ⓤ 수목 숭배
den·dro·lite [déndrəlàit] *n.* 나무의 화석
den·drol·o·gy [dendráləd3i | -drɔ́l-] *n.* Ⓤ 수목학
den·drom·e·ter [dendrámətər | -drɔ́m-] *n.* 측수기(測樹器)《높이·지름을 잼》
den·dron [déndran | -drɔn] *n.* (*pl.* **-dra, ~s**) 〖해부〗 수지상 돌기
-dendron [déndrən] 《연결형》「나무(tree)」의 뜻: Rhodo*dendron*
dene[1] [dí:n] *n.* 《영》 (숲이 우거진) 깊은 골짜기
dene[2] *n.* 《영》 (해안의) 모래톱, 사구(砂丘)
Den·eb [déneb] *n.* 〖천문〗 데네브《백조자리의 α성》
den·e·ga·tion [dènigéiʃən] *n.* ⓊⒸ 부정(否定), 부인(否認), 거절
de·ner·vate [di:nə́rveit] *vt.* 〖외과〗 〈조직·신체 일부에서〉 신경을 제거하다 **dè·ner·vá·tion** *n.*
de·neu·tral·ize [di:njú:trəlàiz | -njú:-] *vt.* 〈국가·영토 등을〉 비(非)중립화하다
dén fàther 유년단 분대(den)의 남성 지도자
DEng Doctor of Engineering
Deng·ist [dʌ́ŋist] *n.*, *a.* 덩샤오핑 지지자(의)
den·gue [déŋgei, -gi | -gi] *n.* Ⓤ 〖의학〗 뎅기열(熱) (= **~ fèver**) 《관절·근육이 아픔》
Deng Xiao·ping [dʌ́ŋ-ʃàupíŋ] 덩샤오핑(鄧小平)(1904-97) 《중국 공산당의 지도자》
de·ni·a·bil·i·ty [dinàiəbíləti] *n.* 《미》 (고위 인사의 정치적 스캔들 등의) 관련 사실 부인; 진술 거부(권)
de·ni·a·ble [dináiəbl] *a.* 부인[거부]할 수 있는
∗**de·ni·al** [dináiəl] *n.* ⓊⒸ **1 부정**, 부인; 거부, 거절, 부동의(不同意) **2** 〖법〗 부인: a general[specific] ~ 전면[부분] 부인 **3** 절제, 자제, 극기(克己)(self-denial)
give a ~ to = ***make*** [***give, issue***] ***a ~ of*** …을 부정[거부]하다 ***give a flat ~*** 딱 잘라 거절하다 ***take no ~*** 마다하지 못하게 하다
▷ denýv.
de·nic·o·tin·ize [di:níkətinàiz] *vt.* 〈담배에서〉 니코틴을 없애다
de·ni·er[1] [dináiər] *n.* 부정[거부]자
de·nier[2] [daníər] *n.* **1** 데니어《생사·나일론의 굵기를 재는 단위》 **2** 〖역사〗 프랑스의 옛 화폐; 소액
den·i·grate [dénigrèit] *vt.* 검게 하다; 더럽히다; 모욕하다, 〈명예를〉 훼손하다; 헐뜯다
dèn·i·grá·tion *n.* Ⓤ 명예 훼손 **-grà·tor** *n.*
den·im [dénim] *n.* Ⓤ 데님《두꺼운 무명; 작업복·운동복을 만듦》; [*pl.*] 데님제 작업복[진(jeans)]; 데님제 의복: a pair of ~*s* 진바지
~ed [-d] *a.* 데님제 옷[진]을 입은
Den·is [dénis] *n.* **1** 남자 이름 **2** [St. ~] 성(聖) 드니《프랑스의 수호성인》
De·nise [dəní:z, -ní:s] *n.* 여자 이름
de·ni·trate [di:náitreit] *vt.* …에서 질산(염)을 없애다
dè·ni·trá·tion *n.* Ⓤ 탈(脫)질산
de·ni·tri·fy [di:náitrəfài] *vt.* (**-fied**) 질소를 제거하다 **de·nì·tri·fi·cá·tion** *n.* Ⓤ 탈(脫)질소 (작용)
den·i·zen [dénəzən] *n.* **1** 주민; 거류자 **2** 《문어》 (숲·공중에 사는) 동식물《새·짐승·나무 등》 **3** 《영》 (공민권을 부여받은) 거류민, 귀화 외국인; 외래 동식물; 외래어 **4** 빈번히 드나드는 사람 《*of*》
— *vt.* …에게 귀화를 허가하다 **~·shìp** *n.* Ⓤ 공민권
∗**Den·mark** [dénma:rk] [Dan. 「덴마크 사람의 영토」의 뜻에서] *n.* 덴마크《유럽 북서부의 왕국; 수도 Copenhagen》 ▷ Dánish *a.*; Dáne *n.*
dén mòther 《미》 유년단 분대(den)의 여성 지도자
Den·nis [dénis] *n.* 남자 이름 ***His name is ~.*** 《미·속어》 저 녀석은 구제 불능이다.

symbolize, represent, stand for **2** 의미하다 mean, convey, designate, suggest, imply
denounce *v.* condemn, criticize, attack, censure

Dénnis the Ménace 개구쟁이 데니스《미국의 Hank Ketcham이 그린 만화 주인공》
denom. denomination
de·nom·i·nate [dinámənèit | -nɔ́m-] *vt.* 명명(命名)하다(name); …(이)라고 일컫다, 부르다(designate): 《~+목+보》 ~ the length a mile 그 길이를 1마일이라고 부르다
— [-nət] *a.* 특정한 이름이 있는; 〈수가〉 단위명이 붙은: a ~ number 명수(名數)《3 feet처럼 단위명에 붙은 숫자》
∗**de·nom·i·na·tion** [dinàmənéiʃən | -nɔ̀m-] *n.* **1** Ⓤ 명명; Ⓒ 명칭, 명의(名義)(name, title) **2** 계급, 파(派), 종류; 《특히》 종파, 교파《대개 sect보다 큰 것》: clergy of all ~*s* 모든 종파의 성직자 **3** 〖수학〗 단위명(單位名) **4** (화폐 등의) 단위 (명칭); (화폐·증권의) 액면 금액: What ~*s* (do you want)? 얼마짜리로 드릴까요? 《은행원이 고객에게 묻는 말》 **5** (트럼프의) 패의 순위 ***money of small ~s*** 소액 화폐, 잔돈 ▷ denóminate *v.*; denóminative *a.*
de·nom·i·na·tion·al [dinàmənéiʃənl | -nɔ̀m-] *a.* **1** 종파의, 종파적인, 교파의: a ~ school (특정) 종파가 경영하는 학교 **2** 명칭상의, 명목상의 **~·ìsm** *n.* Ⓤ 종파심, 교파심; 분파주의 **~·ly** *ad.*
de·nom·i·na·tive [dinámənətiv, -nèi- | -nɔ́minə-] *a.* **1** 명칭적인, 이름을 나타내는 **2** 〖문법〗 (특히 동사가) 명사[형용사]에서 나온 **—** *n.* 〖문법〗 명사[형용사] 유래어《특히 동사; to *man*, *open* 등》 **~·ly** *ad.*
de·nom·i·na·tor [dinámənèitər | -nɔ́m-] *n.* **1** 명명자[물], 이름의 기원 **2** 〖수학〗 분모(cf. NUMERATOR) **3** 공통 요소 (***the least***) ***common ~*** (최소) 공분모
de·not·a·ble [dinóutəbl] *a.* 표시할 수 있는
de·no·ta·tion [dì:noutéiʃən] *n.* ⓊⒸ **1** 표시, 지시; 표(mark), 상징; 명칭 **2** (말의) 명시적 의미; 〖논리〗 외연(外延)(extension)(opp. *connotation*); 기호(sign)가 표시하는 것[가치, 속성]
de·no·ta·tive [dí:noutèitiv | dinóutət-] *a.* **1** 표시하는, 지시하는 《*of*》 **2** 〖논리〗 외연적인(opp. *connotative*) **~·ly** *ad.* **~·ness** *n.*
∗**de·note** [dinóut] *vt.* **1 표시하다**, 나타내다 **2** …의 표시[상징]이다; 의미하다 **3** 〖논리〗 외연을 나타내다 (opp. *connote*) **~·ment** *n.* ⓊⒸ 표시
de·no·tive [dinóutiv] *a.* 표시[지시]하는(denotative) ▷ denotátion *n.*; dénotative *a.*
de·noue·ment, dé- [dèinu:má:ŋ | deinú:mɔŋ] [F =unite] *n.* **1** (연극 등의) 대단원 **2** (분쟁·시비 등의) 해결, 낙착
∗**de·nounce** [dináuns] [L 「…의 반대 선언을 하다」의 뜻에서] *vt.* **1 비난하다**; 탄핵하다; 고발하다: ~ a heresy 이교를 탄핵하다 // 《~+목+전+명》 ~ a person *for* neglect of duty …을 의무 불이행이라고 비난하다 // 《~+목+***as*** 보》 Somebody ~*d* him to the police *as* a spy. 어떤 사람이 그를 간첩이라고 경찰에 고발했다. **2** 〈조약·휴전 등의〉 종결[파기]을 통고하다 **3** 《폐어》 예시[예고]하다(portend) **~·ment** *n.* = DENUNCIATION **de·nóunc·er** *n.*
▷ denunciátion *n.*
de nou·veau [də-nú:vou] [F] *ad.* = DE NOVO
de no·vo [di:-nóuvou] [L =from the new] *ad.* 처음부터, 새로(이)(anew), 다시(again)
‡**dense** [déns] [L 「두터운」의 뜻에서] *a.* **1 a** 밀집한, 빽빽한: a ~ forest 밀림 **b** 〈인구가〉 조밀한(opp. *sparse*): a ~ population 조밀한 인구

> 유의어 **dense** 속이 높은 밀도로 꽉 차 있는: a *dense* fog 짙은 안개 **thick** 농축되어 있는, 또는 다량의 것이 일정한 곳에 집중되어 있는: *thick* hair 숱이 많은 머리털 **close** 빈틈없이 차 있는: a sweater with a *close* weave 촘촘하게 짠 스웨터

2 〈안개 등이〉 자욱한, 짙은; 농밀한; 농후한; 〖사진〗

〈음화가〉 불투명한: a ~ fog 짙은 안개 **3** 《구어》 머리 나쁜, 우둔한(stupid); 〈어리석음 등이〉 지독한: ~ ignorance 지독한 무식 **4** 〈문장이〉 난해한 **5** 〖물리〗 고밀도의 **~·ly** *ad.* 짙게, 밀집하여, 빽빽이 **~·ness** *n.* ▷ dénsify *v.*; dénsity *n.*

dénse páck 《미》 (전략 미사일의) 밀집 배치 (방식)

den·si·fy [dénsəfài] *vt.* (**-fied**) 〖화학·물리〗 밀도를 높이다; (수지(樹脂)를 배어들게 하여) 〈목재를〉 치밀하게 하다 **dèn·si·fi·cá·tion** *n.* **-fi·er** *n.*

den·sim·e·ter [densímətər] *n.* 밀도[비중]계

den·si·tom·e·ter [dènsətɑ́mətər | -tɔ́m-] *n.* = DENSIMETER; 〖광학〗 농도계

*__den·si·ty__ [dénsəti] *n.* (*pl.* **-ties**) **1** Ⓤ 밀도, 농도, (안개 등의) 짙음; (인구의) 조밀도: traffic ~ 교통량 **2** ⓊⒸ 〖사진〗 (음화의) 농도; 〖물리〗 밀도; 농도, 불투명도; 비중 **3** 우둔함 **~ *of scanning*** 〖컴퓨터〗 주사선 밀도 ▷ dénse *a.*; dénsify *v.*

dénsity fùnction 《확률》 밀도 함수

den·som·e·ter [densɑ́mətər | -sɔ́m-] *n.* 덴소미터 《종이의 공기가 통하는 다공성을 재는 기구》

*__dent__[1] [dént] *n.* **1** (눌려서) 움폭 들어간 곳; 《비유》 때린 자국(dint) **2** (수량적인) 감소; (약화·감소시키는) 효과, 영향; (높은 콧대를) 꺾기 **3** (첫 단계의) 전진, 진보 ***make a ~ in*** …을 움푹 들어가게 하다; …에 (경제적 등으로) 영향을 주다; …을 줄게 하다; [보통 부정문으로] 《구어》 〈일 등이〉 …에 돌파구를 마련하다; …을 다소 진척시키다; 주의를 끌다, 인상을 주다 **—** *vt., vi.* 움폭 들어가(게 하)다; 손상시키다, 약화시키다 **~ *it*** [***the ball***] 〖야구〗 공을 강타하다

dent[2] *n.* (톱니바퀴 등의) 이, (빗)살

dent- [dent], **denti-** [dénti] 《연결형》 「이」의 뜻 《모음 앞에서는 dent-》

dent. dental; dentist; dentistry

*__den·tal__ [déntl] *a.* **1** 이의; 치과(용)의: a ~ clinic [office] 치과/a ~ nurse 치과 간호사 **2** 〖음성〗 치음의: a ~ consonant 치음 **—** *n.* 〖음성〗 치음《자음 [t, d, θ, ð] 등》; 치음자 《d, t 등》 **~·ly** *ad.*

déntal cáries 충치

déntal dám 덴털 댐 **1** 치과 치료용 라텍스제의 투명한 막 **2** 에이즈 등의 감염을 방지하기 위해 여자 성기에 씌우는 얇은 라텍스 막

déntal flòss 〖치과〗 치실《치간 청소용 푼사》

déntal fòrmula 〖동물〗 치식(齒式)

déntal hygíene 치과 위생

déntal hygíenist 치과 위생사(士)

den·tal·ize [déntəlàiz] *vt.* 〖음성〗 치음화(齒音化)하다 **dèn·tal·i·zá·tion** *n.*

déntal mechànic 《영》 = DENTAL TECHNICIAN

déntal pláque 치구(齒垢), 치태

déntal pláte 의치(義齒), 의치상(床)(denture)

déntal púlp 치수(齒髓)

déntal sùrgeon 치과 의사(dentist), 《특히》 구강(口腔) 외과 의사

déntal sùrgery 치과 (의학), 구강 외과(학)

déntal technìcian 치과 기공사

den·ta·ry [déntəri] *n., a.* (동물의) 치골(의)

den·tate [dénteit] *a.* 〖동물〗 이가 있는; 〖식물〗 톱니 모양의 **~·ly** *ad.*

den·ta·tion [dentéiʃən] *n.* ⓊⒸ 〖동물〗 이 모양의 구조[돌기]; 〖식물〗 톱니 모양

dént còrn 〖식물〗 마치종(馬齒種) 옥수수 《사료용》

denti- [dénti] 《연결형》 = DENT-

den·ti·care [déntikɛ̀ər] *n.* 《캐나다》 (정부가 시행하는 어린이를 위한) 무료 치아 치료

den·ti·cle [déntikl] *n.* **1** 작은 이; 이 모양의 돌기 **2** 〖건축〗 = DENTIL

den·tic·u·lar [dentíkjulər] *a.* 작은 이 모양의

den·tic·u·late [dentíkjulət, -lèit] *a.* 〖식물〗 작은 이 모양의; 〖건축〗 이 모양의 장식이 있는 **~·ly** *ad.*

den·tic·u·la·tion [dentìkjuléiʃən] *n.* ⓊⒸ 작은 이 (모양)의 돌기; 작은 이; 〖건축〗 이 모양의 장식; [보통 *pl.*] 한 틀의 작은 이

den·ti·form [déntəfɔ̀ːrm] *a.* 이 모양의(tooth-shaped)

den·ti·frice [déntəfris] *n.* Ⓤ 치분(齒粉), 치약(tooth powder, toothpaste)

den·tig·er·ous [dentídʒərəs] *a.* 이를 가진

den·til [déntl, -til | -til] *n.* 〖건축〗 이 모양의 장식

den·ti·la·bi·al [dèntiléibiəl] 〖음성〗 *a.* 순치음(脣齒音)의 **—** *n.* 순치음 《[f, v]》

déntil bànd 〖건축〗 치상(齒狀) 쇠시리

den·ti·lin·gual [dèntilíŋgwəl] 〖음성〗 *a.* 설치음(舌齒音)의 **—** *n.* 설치음 《[θ, ð] 등》

den·tin [déntn, -tin | -tin], **-tine** [déntiːn] *n.* Ⓤ (이의) 상아질 **den·tin·al** [déntənəl | -tiːnl] *a.*

‡**den·tist** [déntist] *n.* 치과 의사(dental surgeon): go to the ~('s) (치료받으러) 치과에 가다

den·tist·ry [déntistri] *n.* Ⓤ 치과 의술, 치과학

den·ti·tion [dentíʃən] *n.* ⓊⒸ **1** 이 나기, 치아 발생(의 경과) **2** 치열(齒列)

den·toid [déntɔid] *a.* 이 같은, 이 모양의

den·to·sur·gi·cal [dèntousə́ːrdʒikəl] *a.* 구강 외과의

den·tu·lous [déntʃuləs] *a.* 이를 가진, 이가 난

den·ture [déntʃər] *n.* [보통 *pl.*] 틀니, 의치(義齒), 《특히》 전체 의치 ★ false teeth쪽이 일반적임. ***a full*** [***partial***] **~** 총[부분] 의치

den·tur·ist [déntʃərist] *n.* 의치 기공사

de·nu·cle·ar·ize [diːnjúːkliəràiz | -njúː-] *vt.* 비핵화(非核化)하다: a *~d* zone 비핵무장 지대 **de·nù·cle·ar·i·zá·tion** *n.* Ⓤ 비핵화

de·nu·cle·ate [diːnjúːklièit | -njúː-] *vt.* 〈원자·세포 등의〉 핵을 제거하다 **de·nù·cle·á·tion** *n.*

de·nu·date [dénjudèit, dinjúːdeit] *vt.* 발가벗기다(denude) **—** *a.* [dinjúːdeit, dénjudèit] 발가벗은

de·nu·da·tion [dìːnjuːdéiʃən, dènju- | dìːnjuː-] *n.* Ⓤ **1** 발가벗김; 발가숭이 (상태), 노출 **2** 〖지질〗 삭박(削剝), 표면 침식, 나지화(裸地化)

de·nude [dinjúːd | -njúːd] *vt.* **1** 발가벗기다, 노출시키다; 〈껍질을〉 벗기다(strip); 〈땅에서〉 나무를 모두 없애다 《*of*》: (~+목+전+명) ~ the land *of* trees 토지에서 나무를 없애다 **2** 박탈하다 《*of*》: (~+목+전+명) His father's death *~d* him *of* all his hopes for the future. 그는 아버지의 사망으로 미래의 희망을 모두 잃어버렸다. **3** 〖지질〗 삭박(削剝)하다

de·nuke [diːnjúːk] *vt.* = DENUCLEARIZE

de·nun·ci·ate [dinʌ́nsièit, -ʃi-] *vt., vi.* 탄핵하다, 공공연히 비난하다(denounce)

*__de·nun·ci·a·tion__ [dinʌ̀nsiéiʃən, -ʃi-] *n.* ⓊⒸ 탄핵, 공공연한 비난, 고발; 위협(threat), 경고적[위협적] 선언, (조약 등의) 폐기 통고

de·nun·ci·a·tive [dinʌ́nsièitiv, -siətiv | -ətiv] *a.* = DENUNCIATORY

de·nun·ci·a·tor [dinʌ́nsièitər, -ʃi-] *n.* 탄핵[고발]자

de·nun·ci·a·to·ry [dinʌ́nsiətɔ̀ːri, -ʃiə- | -təri] *a.* 비난의, 탄핵적인; 위협적인

de·nu·tri·tion [dìːnjuːtríʃən | -njuː-] *n.* 영양실조; 식이 요법

Den·ver [dénvər] *n.* 덴버 《미국 Colorado 주의 주도》

Dénver bóot = FRENCH BOOT

‡**de·ny** [dinái] *vt.* (**-nied**) **1** 부인[부정]하다: ~ a rumor 소문을 부정하다 // (~+목+전+명) The defendant *denied* the charges *against* him. 피고는 고소된 죄상을 부인했다. // (~+*-ing*) He *denied* having said so. 그는 그런 말을 하지 않았다고 했다. // (~+***that*** 절) (~+목+***to be*** 보) He *denied that* he was a German. = He *denied* himself *to be* a German. 그는 자신이 독일인이 아

thesaurus **deny** *v.* **1** 부인하다 contradict, negate, nullify, disagree with, disclaim, take back, refute, controvert, repudiate (opp. *admit*) **2** 거절하다 refuse, reject, turn down, dismiss,

니라고 했다.

> 유의어 **deny** 상대방이 말한 것 등을 사실이 아니라고 부정·부인하다: He *denied* the charge. 그는 혐의를 부인했다. **contradict** 공공연히, 또는 분명히 틀렸음을 부정할 뿐만 아니라 도리어 반대의 것을 옳다고 주장하다: The report was officially *contradicted*. 그 보도는 공식적으로 부정됐다.

2 〈요구 등을〉 거절하다, 〈…에게 줄 것을〉 주지 않다: 《~+목+목》 《~+목+전+명》 She *denies* her son nothing. =She *denies* nothing *to* her son. 그녀는 아들의 요구는 무엇이든지 들어 준다. / I was *denied* this. =This was *denied* (*to*) me. 나는 이것을 거절당했다. **3** 〈방문자에게〉 면회 사절로 하다 《*to*》: 《~+목+전+명》 ~ oneself *to* a visitor 면회를 사절하다 **~ (a person) *justice*** 공평한 처분을 하지 않다 **~ one*self*** 극기[자제]하다; 〈쾌락 등을〉 멀리하다: He *denied himself* all luxuries. 그는 모든 사치를 멀리했다. ***not ~ (but) that ...*** …이 아니라고는 하지 않다 **~·ing·ly** *ad.* ▷ deníal *n.*

deoch an dor·is [dɔ́:x-ən-dɔ́:ris] 《스코·아일》 이별의 잔

de·o·dar [dí:ədɑ̀:r] *n.* 〖식물〗 히말라야삼나무

de·o·dor·ant [di:óudərənt] *a.* 방취(防臭)의 (효력 있는) — *n.* 방취제(deodorizer)

de·o·dor·ize [di:óudəràiz] *vt.* …의 악취를 없애다; 〈나쁜 일·불쾌감 등을〉 보기좋게 꾸미다

de·ò·dor·i·zá·tion *n.* Ⓤ 냄새 제거, 방취, 탈취

de·o·dor·iz·er [di:óudəràizər] *n.* 방취[탈취]제

De·o gra·ti·as [déiou-grɑ́:tsiɑ̀:s] 〖L =thanks to God〗 *ad.* 신의 도움으로 《略 D.G.》

de·on·tic [di:ɑ́ntik | -ɔ́n-] *a.* 〖언어〗 의무적인, 의무에 관한

de·on·tol·o·gy [dì:ɑntɑ́lədʒi | -ɔntɔ́l-] *n.* Ⓤ 〖철학〗 의무론

de·òn·to·lóg·i·cal *a.* **-gist** *n.* 의무론자

de·or·bit [di:ɔ́:rbit] *vt., vi.* 〈인공위성 등이〉 궤도에서 벗어나(게 하)다

De·o vo·len·te [déiou-vəlénti] 〖L =God being willing〗 *ad.* 하늘[하느님]의 뜻이라면 《略 DV》

de·ox·i·dant [di:ɑ́ksədənt | -ɔ́k-] *n.* 〖화학〗 탈(脫)산소제

de·ox·i·date [di:ɑ́ksədèit | -ɔ́ks-] *vt.* =DEOXIDIZE

de·ox·i·da·tion [di:ɑ̀ksədéiʃən | -ɔ̀ks-], **-di·za·tion** [-dizéiʃən] *n.* Ⓤ 〖화학〗 산소 제거, 환원

de·ox·i·dize [di:ɑ́ksədàiz | -ɔ́ks-] *vt.* 〖화학〗 …에서 산소를 제거하다; 〈산화물을〉 환원하다

-dìz·er *n.* 탈(脫)산소제

deoxy- [di:ɑ́ksi | -ɔ́k-] 《연결형》 〖화학〗 「유사한 화합물보다 분자 중의 산소가 적은」의 뜻

de·ox·y·gen·ate [di:ɑ́ksidʒənèit | -ɔksí-] *vt.* **1** …에서 (유리(遊離)) 산소를 제거하다 **2** =DEOXIDIZE **-àt·ed** *a.* 〈혈액의〉 헤모글로빈이 감소한 **-a·tion** *n.* Ⓤ 탈(脫)산소화

de·ox·y·ri·bo·nu·cle·ase [di:ɑ̀ksiràibounjú:klièis | -ɔ̀ks-] *n.* Ⓤ 〖생화학〗 디옥시리보뉴클레아제 《DNA 분해 효소》

de·ox·y·ri·bo·nu·cle·ic ácid [di:ɑ̀ksiràibounju:klí:ik- | -ɔ̀ks-] 〖생화학〗 디옥시리보핵산 《略 DNA》

de·ox·y·ri·bo·nu·cle·o·pro·tein [di:ɑ̀ksiràibounju:kliəpróuti:n | -ɔ̀ks-] *n.* 〖생화학〗 디옥시리보핵단백질 《DNA를 생성한 핵단백질》

de·ox·y·ri·bo·nu·cle·o·tide [di:ɑ̀ksiràibounjú:kliətàid | -ɔ̀ks-] *n.* 〖생화학〗 디옥시리보뉴클레오티드 《DNA의 구성 물질》

de·ox·y·ri·bose [di:ɑ̀ksiráibous | -ɔ̀ks-] *n.* 〖생화학〗 디옥시리보스 《디옥시리보핵산의 주요 성분》

dep. department; depart(s); departure; deponent; deposed; deposit; depot; deputy

‡**de·part** [dipɑ́:rt] *vi.* **1** 《문어》 〈열차·사람 등이〉 출발하다, 떠나다(start) 《*from, for*》: 《~+전+명》 They *~ed for* America[*from* Seoul]. 그들은 미국으로[서울에서] 떠났다. / The flight *~s from* Seoul *for* Tokyo at 5:15 P.M. 서울발 동경행 항공편은 오후 5시 15분에 출발한다.

USAGE 시각표에서는 약어 dep.를 씀: dep. Seoul 4:30 P.M. 오후 4시 30분 서울발

2 《미》 세상을 떠나다 **3** (상도(常道)·습관 등에서) 벗어나다, 빗나가다(diverge) 《*from*》: 《~+전+명》 ~ *from* one's usual way of working 늘 하던 작업 방식을 바꾸다

— *vt.* 《미》 출발하다(leave): 《~+목+전+명》 ~ Korea *for* Chicago 한국을 떠나 시카고로 향하다 ***~ from life*** 죽다 ***~ from* one*'s word* [*promise*]** 약속을 어기다 ***~ this life*** 이 세상을 하직하다, 이승을 떠나다 ▷ depárture *n.*

de·part·ed [dipɑ́:rtid] *a.* **1** (최근에) 죽은(deceased); [the ~; 명사적; 단수 취급] 고인 《개인》; [복수 취급] 죽은 사람 《전체》 **2** 지나간, 과거의

de·part·ee [dipɑ:rtí:, dì:-] *n.* 떠나는 사람

‡**de·part·ment** [dipɑ́:rtmənt] *n.*

> 원래는 「분할된 것」의 뜻에서 → 「(조직의) 한 부문」 **1**, 「(정부의) 부」 **2**, 「(대학의) 과」 **3**

1 부문, …부(部); (백화점의) …매장: the men's clothing ~ 신사복 매장 **2** 《영·미》 (행정 조직의) 성(省), 부(部); 《영》 국(局), 과(課); (프랑스의) 현(縣)

NOTE [미국의 부] the Department of Agriculture(농무부)[Commerce(상무부), Defense(국방부), Education(교육부), Energy(에너지부), Health and Human Services(보건 복지부), Housing and Urban Development(주택·도시 개발부), Justice(법무부), Labor(노동부), the Interior(내무부), the Treasury(재무부), Transportation(교통부), State(국무부)]

3 (대학의) 학부, 과: the literature ~ 문학부, 문과 **4** 〖군사〗 군관구(軍管區) **5** [보통 one's ~] 《구어》 (책임·활동 등의) 분야, 영역: That's *your* ~. 그것은 자네 분야이다. **6** (간행물·라디오의) 상설 특별란[프로그램] ***in every ~ of* one*'s life*** 생활의 모든 분야에서 ▷ departméntal *a.*

de·part·men·tal [dipɑ:rtméntl | dì:pɑ:t-] *a.* 부문[성, 국, 현]의: a ~ store 《영》 =DEPARTMENT STORE **~·ism** *n.* Ⓤ 부문주의, 분과제(分課制); 《경멸》 관료적 형식주의, 관청식 **~·ly** *ad.*

de·part·men·tal·ize [dipɑ:rtméntəlàiz | dì:pɑ:t-] *vt.* 각 부문으로 나누다, 세분화하다

‡**depártment stòre** 백화점

‡**de·par·ture** [dipɑ́:rtʃər] *n.* ⓊⒸ **1** 출발; 발차(opp. *arrival*): a ~ platform 발차 플랫폼 **2** (방침 등의) 새 발전: a new ~ 새 발전[시도], 신기축(新機軸) **3** 이탈, 배반 《*from*》: a ~ *from* the usual habit 습관으로부터의 일탈 **4** Ⓤ 《고어》 사망(death) **5** Ⓤ 〖항해〗 (출발점에서의) 동서(東西) 거리; 〖측량〗 경선(經線) 거리 ***on* one*'s ~*** 출발에 즈음해서 ***take* one*'s ~*** 출발하다, 떠나다 《*for* ... *from*》 ▷ depárt *v.*

depárture lòunge (공항의) 출발 라운지[로비]

de·pas·ture [di:pǽstʃər, -pɑ́:s- | -pɑ́:s-] *vi.* 〈가축이〉 목초를 뜯어먹다(graze) — *vt.* 방목하다(pasture); 〈토지의〉 목초를 다 뜯어먹다; 〈토지가〉 〈가축에〉 목초를 공급하다 **de·pás·tur·age** *n.* Ⓤ 방목(권)

de·pau·per·ate [dipɔ́:pərèit | di:-] *vt.* **1** 빈약하게 하다; 쇠약하게 하다; 메마르게 하다 **2** 〖생물〗 발육

---

repulse, decline, veto (opp. *accept*)

depart *v.* **1** 출발하다 go, start out, set out, leave (opp. *arrive, stay*) **2** 벗어나다 turn aside, diverge, deviate, vary, differ, branch off

이 부전하게 하다 — [-rət] *a.* 〖식물〗 발육 부전의
de·pau·per·a·tion [dipɔ̀:pəréiʃən] *n.* Ⓤ 빈약화; 쇠약; 〖식물〗 발육 부전; 위축
de·pau·per·ize [dipɔ́:pəràiz | di:-] *vt.* 가난하지 않게 하다, 가난뱅이를 없애다
de·pe·nal·ize [dipí:nəlaiz, -pén-] *vt.* …의 불이익을 줄이다, 처벌을 가볍게 하다
‡**de·pend** [dipénd] *vi.*

> 「…에 매달리다」의 뜻에서, 비유적으로 「…에 의존하다」, 「의지하다」 **1 a**로 되었음.

1 a 의존하다, 의지하다 《*on, upon*》: 《~+전+명》 ~ *upon* another for help 타인의 원조에 의존하다 **b** 믿다, 신뢰하다(rely) 《*on, upon*》: 《~+전+명》 I ~ *on* your word. 나는 네 말을 믿는다.

> 유의어 **depend** 남 또는 어떤 것의 힘이나 원조에 의지하다의 뜻으로서 종종 자기 자신의 힘이나 생각이 부족함을 암시한다: Children *depend* on their parents. 어린이는 부모에 의지한다. **rely** 과거의 경험이나 객관적인 판단에 의거하여 의지하다: *rely* on a person's word 남의 약속에 의지하다

2 …나름이다 《*on, upon*》, …에 달려 있다, 좌우되다: 《~+전+명》 ~ *on* the weather 날씨에 달려 있다/ Much ~*s upon* you. 많은 것이 자네에게 달려 있네. **3** [보통 진행형으로] 〈소송·의안 등이〉 미결로 있다(cf. PENDING) **4** 《고어·시어》 매달리다 《*from*》: 《~+전+명》 a lamp ~*ing from* the ceiling 천장에 매달려 있는 램프 **5** 〖문법〗 〈절·낱말이〉 종속하다 《*on, upon*》 ***D- upon it!*** 틀림없다!, 염려마라! ***That*** [***It all***] **~s.** 그것은[모두가] 때와 장소[형편]에 달렸다. 《다음에 on circumstances가 생략된 문구》
▷ depéndence, depéndency *n.*; depéndent *a.*
de·pend·a·bil·i·ty [dipèndəbíləti] *n.* Ⓤ 의존할[믿을] 수 있음
∗**de·pend·a·ble** [dipéndəbl] *a.* 의존할[믿을, 신뢰할] 수 있는 **~·ness** *n.* **-bly** *ad.* 믿음직하게
∗**de·pend·ence, -ance** [dipéndəns] *n.* Ⓤ **1** 의뢰; 의존, 종속 상태 **2** 신뢰 《*in, on, upon*》 **3** Ⓒ 의지하는 것[사람] **4** (인과 등의) 의존 관계 **5** 〖법〗 미결 **6** 〖의학〗 (마약) 의존(증)
▷ depénd *v.*; depéndent *a.*
de·pend·en·cy, -an·cy [dipéndənsi] *n.* (*pl.* **-cies**) **1** Ⓤ 의존 (상태) **2** 종속물; 부속 건물, 별관 **3** 속국, 보호령 **4** 식솔이 딸림 **5** 의존증, 중독(증)
de·pend·en·cy-prone [-pròun] *a.* (약물) 의존 경향의
‡**de·pend·ent** [dipéndənt] *a.* **1 a** Ⓟ 〈남에게〉 의지[의존]하는 《*on, upon*; *for*》: He is ~ *on* his uncle *for* his living expenses. 그는 생활비를 삼촌에게 의존하고 있다. **b** 종속 관계의, 예속적인(opp. *independent*) **2** Ⓟ …에 좌우되는, …나름인 《*on, upon*》: The harvest is ~ *upon* the weather. 수확은 날씨에 좌우된다. **3** 매달린
— *n.* 남에게 의지하여 사는 사람; 하인, 종; 부양가족, 식솔; 의존[종속]물; 〖문법〗 종속어구[절]
~·ly *ad.* 남에게 의지하여, 의존[종속]적으로
▷ depénd *v.*; depéndence, depéndency *n.*
depéndent cláuse 〖문법〗 종속절(subordinate clause)(opp. *principal clause*)
depéndent váriable 〖수학〗 종속 변수
de·peo·ple [di:pí:pl] *vt.* = DEPOPULATE
de·per·son·al·ize [di:pə́:rsənəlàiz] *vt.* 비인간[몰개인]화하다, 인격[개성]을 박탈하다; 객관화하다
de·pèr·son·al·i·zá·tion *n.* 몰개인화, 객관화
de·phos·pho·rize [di:fɑ́sfəràiz | -fɔ́s-] *vt.* 〈광석에서〉 인분(燐分)을 제거하다
∗**de·pict** [dipíkt] *vt.* 《문어》 (그림·조각·말로) 그리다, 묘사하다 《*as*》 《represent보다 딱딱한 말이며 자세히 생생하게 그리기를 강조함》: 《~+목+*as*+보》 ~ him *as* a hero 그를 영웅으로 묘사하다
de·píc·ter, -tor *n.*
▷ depíction *n.*; depíctive *a.*
de·pic·tion [dipíkʃən] *n.* ⓊⒸ 묘사, 서술
de·pic·tive [dipíktiv] *a.* 묘사[서술]적인
de·pic·ture [dipíktʃər] *vt.* 상상하다; = DEPICT
de·pig·men·ta·tion [di:pìgməntéiʃən] *n.* 〖병리〗 탈색소(脫色素)
dep·i·late [dépəlèit] *vt.* 〈가죽 등에서〉 털을 뽑다
dep·i·la·tion [dèpəléiʃən] *n.* ⓊⒸ 탈모(脫毛), (특히 동물 가죽의) 털뽑기
dep·i·la·tor [dépəlèitər] *n.* 제모제(除毛劑), 털 뽑는 기계
de·pil·a·to·ry [dipílətɔ̀:ri | -təri] *a.* 탈모의 (효능이 있는) — *n.* (*pl.* **-ries**) 탈모제
de·plane [di:pléin] *vi.*, *vt.* 《미·구어》 비행기에서 내리(게 하)다(opp. *enplane*)
de·plen·ish [dipléniʃ] *vt.* 비우다(opp. *replenish*)
de·plete [diplí:t] *vt.* 격감시키다; 〈세력·자원 등을〉 고갈시키다; 〖의학〗 방혈하다
de·plét·a·ble *a.*
de·plét·ed uránium [diplí:tid-] 열화(劣化) 우라늄 《略 DU》
de·ple·tion [diplí:ʃən] *n.* Ⓤ **1** (자원 등의) 고갈, 소모 **2** 〖의학〗 방혈(放血); 〖생리〗 체액 감소 (상태)
deplétion allòwance 감모(減耗) 공제 《지하자원 채굴 회사에 인정해 주는》
de·ple·tive [diplí:tiv] *a.* 고갈[소모]시키는, 혈액[체액]을 감소시키는
de·ple·to·ry [diplí:təri] *a.* = DEPLETIVE
de·plor·a·bil·i·ty [diplɔ̀:rəbíləti] *n.* Ⓤ 한탄스러움, 비통, 비참
∗**de·plor·a·ble** [diplɔ́:rəbl] *a.* 통탄할, 한탄스러운; 슬픈, 비참한; 유감인 **~·ness** *n.* **-bly** *ad.*
∗**de·plore** [diplɔ́:r] *vt.* 〈죽음·과실 등을〉 비탄하다, 개탄하다; 몹시 한탄[후회]하다; 비난[비판]하다 《condemn과는 달리 사람을 목적어로 갖지 않음》
de·plór·er *n.* **de·plór·ing·ly** *ad.* 통탄[한탄]스럽게(도); 몹시; 유감스럽게(도)
de·ploy [diplɔ́i] 〖군사〗 *n.* Ⓤ 전개(展開), 배치
— *vi.*, *vt.* 전개하다[시키다]; (전략적으로) 배치하다
~·a·ble *a.* **~·ment** *n.* ⓊⒸ 전개, 배치
de·plume [di:plú:m] *vt.* **1** 깃털을 뽑다 **2** 명예[재산]를 박탈하다 **dè·plu·má·tion** *n.*
de·po·lar·i·za·tion [di:pòulərizéiʃən] *n.* Ⓤ 〖전기·자기〗 탈분극(脫分極), 복극(復極), 소극(消極)(한 것); 〖광학〗 편광(偏光)의 소멸
de·po·lar·ize [di:póuləràiz] *vt.* **1** 〖전기〗 감극(減極)[소극(消極)]하다; 〖광학〗 편광을 소멸시키다 **2** 〈확신·편견 등을〉 뒤집다 **-iz·er** *n.* 소극제(劑)
de·po·lit·i·cize [dì:pəlítəsàiz] *vt.* …에서 정치색을 없애다, 비[탈]정치화하다 **de·po·lìt·i·ci·zá·tion** *n.*
de·pol·lute [dì:pəlú:t] *vt.* …의 오염을 제거하다
de·pol·lu·tion [dì:pəlú:ʃən] *n.* Ⓤ 오염 제거
de·po·lym·er·ize [dì:pəlíməràiz, di:pɑ́lim- | di:pɔ́lim-, dì:pəlím-] *vi.*, *vt.* 〖화학〗 〈중합체가[를]〉 단량체로 분해되다[시키다] **dè·po·lỳm·er·i·zá·tion** *n.*
de·pone [dipóun] *vt.*, *vi.* 〖법〗 선서하고 증언하다
de·po·nent [dipóunənt] *n.* **1** 〖법〗 선서 증인 **2** 〖문법〗 이태(異態) 동사(= ∠ **vérb**) 《그리스어·라틴어에서 형태는 수동이고 뜻은 능동인 동사》
— *a.* 〖문법〗 이태의
de·pop·u·lar·ize [di:pɑ́pjuləràiz | -pɔ́p-] *vt.* …의 인기를 빼앗다
de·pop·u·late [di:pɑ́pjulèit | -pɔ́p-] *vt.* …의 주민을 없애다[줄이다] **de·pòp·u·lá·tion** *n.* Ⓤ 인구 감소

thesaurus **depict** *v.* **1** 그리다 portray, draw, paint, sketch, illustrate, outline **2** (말로) 묘사하다 describe, detail, narrate, recount

de·pop·u·la·tor [di:pɑ́pjulèitər | -pɔ́p-] *n.* 인구를 줄이는 것 《사람·전쟁·기근 등》

de·port [dipɔ́:rt] *vt.* **1** 국외로 추방하다, 유형에 처하다(⇨ expel 유의어): 《~+목+전+명》 They *~ed* the criminals *from* their country. 그들은 범죄자들을 국외로 추방했다. **2** 운반하다, 이송[수송]하다; 《특히》 〈범죄자를〉 강제 이송하다 **3** 《문어》 [~ one*self* 로; 부사구와 함께] 처신하다, 행동하다(behave): ~ *oneself* prudently[with dignity] 신중히[위엄 있게] 처신하다 **~·a·ble** *a.* **~·er** *n.*

de·por·ta·tion [dì:pɔ:rtéiʃən] *n.* Ⓤ 국외 추방; 이송, 수송: a ~ order 퇴거 명령

de·por·tee [dì:pɔ:rtí:] *n.* 피추방자; (추방될) 억류자

***de·port·ment** [dipɔ́:rtmənt] *n.* Ⓤ 태도, 거동, 처신; 행실, 품행; 《영》 (젊은 여성의) 행동거지

de·pos·al [dipóuzəl] *n.* Ⓤ (왕의) 폐위(deposition); (고관의) 면직, 파면

***de·pose** [dipóuz] *vt.* **1** 〈높은 지위에서〉 물러나게 하다, 면직하다; 〈국왕을〉 폐하다, 찬탈하다(dethrone) **2** 〖법〗 (선서·공술서로) 증언하다(testify): 《~+*that* 절》 He *~d that* he had seen the boy on the day of the fire. 그는 화재가 나던 날 그 소년을 보았다고 증언했다.
— *vi.* 〖법〗 증언하다: 《~+전+*-ing*》 ~ *to* having seen it 그것을 보았다고 증언하다
de·pós·a·ble *a.* **de·pós·er** *n.* 면직[퇴위]시키는 사람; (선서) 증언자
▷ deposítion *n.*

****de·pos·it** [dipɑ́zit | -pɔ́z-] [L 「내려놓다」의 뜻에서] *vt.* **1 a** 두다(place), 아래에 놓다: ~ books on the floor 책을 바닥에 놓다 **b** 〈동전을〉 집어넣다 《자동판매기 등에》: *D~* a dime and dial your number. 10센트를 넣고 번호를 돌리시오. **2** 침전[퇴적]시키다 **3** 〈돈을〉 맡기다, 예금하다, 공탁하다 《*in, with*》; 〖정치〗 〈조약의 비준서를〉 기탁하다: 《~+목+전+명》 ~ money *in*[*with*] a bank 은행에 예금하다 / He *~ed* the book *with* me. 그는 그 책을 나에게 맡겼다. **4** 〈돈을〉 보증금으로 치르다 **5** 〈알을〉 낳다(lay), 〈새가〉 탁란(托卵)하다 **6** 〈농지를〉 휴경(休耕)하다
~ one***self on*** …에 앉다
— *vi.* 놓여지다; 예금되다; 보증금으로 치르다; 쌓이다, 침적되다: ~ directly into one's bank accounts 은행 계좌로 바로 입금시키다
— *n.* **1** 침전물, 퇴적물; 광상(鑛床), 매장물: oil *~s* 석유 매장량 **2** 탁란된 알 **3** Ⓤ 맡김, 기탁 **4** 적립금, 증거금, 기탁물, 전셋돈; 공탁금, 예금(액); 보석금: put down a ~ on a computer 컴퓨터를 살 예약금을 걸다 **5** 《주로 미》 = DEPOSITORY 1, DEPOT 1
current [***fixed***] **~** 당좌[정기] 예금 **~ *in trust*** 신탁 예금 ***have*** [***place***] money ***on*** **~** (돈)을 맡고 있다[맡기다] ***make*** [***leave, pay, put*** (***down***)] ***a*** **~** ***on*** a house (집의) 계약[보증]금을 치르다 ***on*** [***upon***] **~** 은행에 예금해서; 보관해서

depósit accòunt 《주로 영》 보통 예금 계좌(《미》 savings account)

de·pos·i·ta·ry [dipɑ́zətèri | -pɔ́zitəri] *n.* (*pl.* **-tar·ies**) 맡는 사람, 보관인, 수탁자, 피공탁자; 보관소; 창고 — *a.* = DEPOSITORY

de·po·si·tion [dèpəzíʃən, dì:pə-] *n.* ⓊⒸ **1** 관직 박탈, 파면; 폐위 **2** 〖법〗 선서 증언[증서]; 조서(調書) **3** 내려놓기; 퇴적, 침전(물) **4** (유가 증권 등의) 공탁; 공탁물 **5** 탁란(托卵) **6** [the D~] 그리스도 강가(降架) 《예수를 십자가에서 내림》; 그 그림[조각] **~·al** *a.*

depósit mòney 공탁금; 예금 화폐

de·pos·i·tor [dipɑ́zitər | -pɔ́z-] *n.* **1** 예금[공탁]자 **2** 침전기; 전기 도금기

de·pos·i·to·ry [dipɑ́zitɔ̀:ri | -pɔ́zitəri] *n.* (*pl.* **-ries**) **1** 공탁소, 수탁소, 보관소, 창고: a ~ of learning 학문의 보고(寶庫) **2** 보관인, 수탁자(depositary) — *a.* 보관의[에 의한]

depósitory lìbrary 《미》 정부 간행물 보관 도서관

depósit pàyment 계약[보증]금 지불

depósit recèipt 예금 증서

depósit slìp (은행의) 예입[예금] 전표

***de·pot** [dí:pou | dépou] [F = deposit] *n.* **1** 《영》 저장소, 창고; 〖상업〗 상품 유통 거점 **2** 〖군사〗 병참부, 보급소; 《영》 연대 본부; 보충대; 포로수용소 **3** 《미》 (철도)역(railroad station), 버스 터미널 (건물), 공항 (건물); 버스[전차, 기관차] 차고
— *vt.* depot에 두다[넣다]

dépot shìp 모함(母艦)(tender), 모선

depr. depreciation

de·pra·va·tion [dèprəvéiʃən] *n.* Ⓤ 악화; 부패, 타락

de·prave [dipréiv] *vt.* 나쁘게 만들다(debase), 악화시키다; 타락[부패]시키다; 험담하다
~·ment *n.* **de·práv·er** *n.*

de·praved [dipréivd] *a.* 타락한, 저열한, 불량한 **~·ly** *ad.* **~·ness** *n.*

de·prav·i·ty [diprǽvəti] *n.* (*pl.* **-ties**) **1** Ⓤ 타락, 부패 **2** 악행, 비행, 부패 행위

dep·re·cate [déprikèit] *vt.* **1** 비난하다, 반대하다: 《~+*-ing*》 He *~d* extend*ing* a helping hand to lazy people. 그는 게으른 사람들에게 원조의 손을 뻗쳐서는 안 된다고 반대했다. // 《~+목+***as*** 보》 He *~d* his son's premature attempt *as* improvident. 그는 아들의 성급한 시도를 경솔하다고 비난했다. **2** 업신여기다 **3** 《고어》 …에서 면하기를 애원하다, 빌다 **-cà·tor** *n.*

dep·re·cat·ing·ly [déprikèitiŋli] *ad.* 비난하듯이; 애원[탄원]조로

dep·re·ca·tion [dèprikéiʃən] *n.* ⓊⒸ 반대, 불찬성, 항의; 애원, 탄원

dep·re·ca·to·ry [déprikətɔ̀:ri | -kətəri, -kèit-] *a.* **1** 사과[변명]하는; 탄원의, 변명하는 듯한: a ~ letter 변명하는 편지 **2** 비난[불찬성]의, 반대의 **-ri·ly** *ad.* **-ri·ness** *n.*

de·pre·ci·a·ble [diprí:ʃiəbl, -ʃə-] *a.* 가격 인하가 되는; 《미》 가격을 내릴 수 있는

***de·pre·ci·ate** [diprí:ʃièit] [L 「…의 값을 떨어뜨리다」의 뜻에서] *vt.* **1** …의 (특히 시장) 가치를 저하[감소]시키다; 구매력을 감소시키다 **2** 얕보다, 경시하다
— *vi.* (화폐·상품 등의) 가치가 떨어지다, 값이 내리다 (opp. *appreciate*) **-à·tor** *n.*
▷ depreciátion *n.*; depréciative, depréciatory *a.*

de·pre·ci·at·ing·ly [diprí:ʃièitiŋli] *ad.* 얕보아, 경시하여

de·pre·ci·a·tion** [diprì:ʃiéiʃən] *n.* ⓊⒸ **1** 가치 하락, 가격의 저하; 화폐의 구매력 저하: ~ of the currency 화폐 가치의 하락 **2** 〖부기〗 감가상각, 감가 견적 **3** 경시 ***in **~** (***of***) (…을) 경시하여
▷ depréciate *v.*

depreciátion allówance = DEPRECIATION RESERVE

depreciátion insùrance 감가상각비 보험

depreciátion resèrve 감가상각 충당금

de·pre·ci·a·tive [diprí:ʃièitiv] *a.* = DEPRECIATORY

de·pre·ci·a·to·ry [diprí:ʃiətɔ̀:ri | -təri] *a.* **1** 감가적(減價的)인, 하락 경향의 **2** 업신여기는, 깔보는

dep·re·date [déprədèit] *vt., vi.* 약탈하다, 파손하다, 망치다 **-dà·tor** *n.* **dép·re·dà·to·ry** *a.*

dep·re·da·tion [dèprədéiʃən] *n.* Ⓤ 약탈; [보통 *pl.*] 파괴의 흔적; 약탈 행위

***de·press** [diprés] [L 「내리눌린」의 뜻에서] *vt.* **1** 낙담시키다, 우울하게 하다 《disappoint보다 뜻이 강함》: The loss of his job *~ed* him. 직장을 잃고 그는 의기소침했다. **2** 내리누르다 **3** 저하시키다; 〈목소리·정도 등을〉 낮추다 **4** 쇠약하게 하다, 경기를 나쁘게 만

---

deplore *v.* regret, lament, mourn, condemn
depress *v.* deject, dispirit, discourage, daunt, dishearten, oppress, make sad

들다, 부진하게 하다; 〈시세를〉 하락시키다: Business is *~ed.* 경기가 나쁘다. **5** 진압시키다[하다], 복종시키다 **~·i·ble** *a.*
▷ depréssion *n.*; depréssive *a.*

de·pres·sant [diprésnt] *a.* **1** 〖의학〗 진정[억제] 효과가 있는 **2** 의기소침하게 하는 **3** 값을 내린; 경기를 침체시키는 **—** *n.* 〖약학〗 진정제; 〖화학〗 강하제

‡de·pressed [diprést] *a.* **1** 의기소침한, 낙담한; 〖정신의학〗 우울증의 **2** 불경기의, 부진한; 〈주(株)가〉 하락한; 궁핍한, 빈곤한: a ~ market 침체 시장 **3** 〈노면 등이〉 내려앉은; 움푹 들어간; 〈동·식물이〉 평평한 **4** 〈하력 등이〉 표준 이하의 **5** 〈스위치가〉 눌러진

depréssed área 불황(不況) 지역, 빈곤 시혁

depréssed clásses [the ~] 《영》 (인도의) 최하층민

de·press·ing [diprésiŋ] *a.* 억압적인; 침울하게 만드는, 울적한 **~·ly** *ad.*

‡de·pres·sion [dipréʃən] *n.* **1** Ⓤ **의기소침, 우울;** 〖정신의학〗 우울증: nervous ~ 신경 쇠약 **2** ⓊⒸ (땅의) 함몰; Ⓒ **움푹한 땅 3** ⓊⒸ **불경기, 불황,** 불황기; [the D~] =GREAT DEPRESSION: in the grip of a severe ~ 심각한 불황에 빠져 있는

> 유의어 **depression** 실업자의 증대를 수반하는 광범위한 불경기 **recession** 경기 후퇴의 불황 **stagnation** 경기 정체의 불황

4 ⓊⒸ 강하, 침하 **5** 〖생리〗 기능 저하, 억압 작용 **6** 〖천문·측량〗 (수평) 부각(俯角) **7** 〖기상〗 저기압(cyclone, low) ***atmospheric*** [***barometric***] **~** 저기압
▷ depréss *v.*; depréssive *a.*

Depréssion glàss 대불황 유리 그릇 《1920-40년대까지 미국에서 대량 생산된 반투명 유리 용기》

de·pres·sive [diprésiv] *a.* =DEPRESSING **—** *n.* 우울증 환자 **~·ly** *ad.*

de·pres·sor [diprésər] *n.* 억압물, 억압자; 〖의학〗 압저기(壓低器); 〖해부〗 억제근; 〖생리〗 감압(減壓) 신경(=**~ nèrve**); 〖약학〗 혈압 강하제

de·pres·sur·ize [di:préʃəràiz] *vt.* 감압하다, …의 기압을 내리다; 긴장을 풀다 **—** *vi.* 기압이 내려가다
de·près·sur·i·zá·tion *n.*

de·priv·a·ble [dipráivəbl] *a.* 빼앗을 수 있는

de·priv·al [dipráivəl] *n.* ⓊⒸ 박탈

dep·ri·va·tion [dèprivéiʃən] *n.* ⓊⒸ **1** 박탈; (상속인의) 자격 박탈; (성직의) 파면 **2** 상실, 손실(loss), 부족 (상태) 《*of*》; Ⓤ 궁핍, 빈곤 **3** (근친과의) 사별; 애정 결핍

‡de·prive [dipráiv] *vt.* **1** 〈사람에게서〉 〈물건을〉 빼앗다, 〈권리 등의 행사를〉 허용치 않다, 주지 않다 《*of*》: (~+목+전+명) ~ a man *of* his property[life] …에게서 재산[생명]을 빼앗다
USAGE (1) rob과는 달리, 불법 수단을 행사하는 뜻은 없고 중립적인 말임. (2) 수동형에서 of 앞의 명사만이 주어가 될 수 있음.
2 면직[파면]하다, 〈성직을〉 박탈하다
be ~d of …을 빼앗기다 **~ one*self*** 〈즐거움 등을〉 자제하다, 삼가다, 끊다 《*of*》; 폐[손실]를 입다
▷ deprivátion, deprival *n.*

de·prived [dipráivd] *a.* **1** 가난한(poor), 불우한 **2** [the ~; 명사적; 복수 취급] 가난한 사람들

de·pro·fes·sion·al·ize [dì:prəféʃənəlàiz] *vt.* 비전문(직)화하다

de pro·fun·dis [dèi-proufúndis, dì:-proufʌ́n-] [L =out of the depths] *ad.* (슬픔·절망 등의) 구렁텅이에서 **—** *n.* [a ~] (슬픔·절망의) 구렁텅이에서의 외침[절규]; [the D- P-] 〖성서〗 시편 제130편

de·pro·gram [di:próugræm] *vt.* (**~(m)ed**; **~·(m)ing**) 신념[신앙]을 버리게 하다, 눈뜨게 하다; 《(악습에 젖은) 사람을》 재교육하다 **~·mer** *n.*

de·pro·tein·ize [di:próutinàiz] *vt.* …에서 단백질을 제거하다

dept. department; deputy

‡depth [dépθ] *n.* **1** ⓊⒸ **깊이,** 깊은 정도 **2** ⓊⒸ (건물 등의) 깊숙함, 안 길이 **3** [보통 *pl.*] **깊은 곳,** 깊음, 구렁; 《문어》 심연(abyss), 심해(深海) **4** Ⓤ (계절의) 한창 때, 한가운데: in the ~ of winter 한겨울에 **5** [*pl.*] 깊숙이 들어간 곳, 오지: in the ~(*s*) of the forest 숲 속 깊숙이 **6** Ⓤ (인물·성격 등의) **깊이;** (감정의) 심각성, 강렬성(intensity); 심원(profundity); 중대함; 난해함: study a matter in great ~ 아주 심각하게 문제를 조사하다 **7** Ⓤ (빛깔 등의) 짙음, 농도; (소리의) 낮은 음조
be beyond [***out of***] **one's ~** (키가 닿지 않는) 깊은 구렁에 빠져 있다; 이해[역량]가 미치지 못하다 ***from*** [***in***] ***the ~ of*** **one's *heart*** 마음속에서, 신심으로 ***in ~*** 깊이는; 깊이 있게[는], 철저히[한] ***in the ~ of*** ⇨ *n.* 4. ***to the ~ of*** …의 깊이까지; 마음속까지
~·less *a.* 깊이를 모르는; 깊이 없는, 피상적인
▷ déep *a.*; déepen *v.*

dépth chàrge[**bòmb**] (대(對) 잠수함용) 수중 폭뢰(爆雷)

dépth finder 수심 측정기 (cf. DEPTH SOUNDER)

dépth gàuge 측심기, 깊이 게이지

depth·ie [dépθi] *n.* 《미·구어》 =DEEPIE

dépth ìnterview 심층 인터뷰[면접]

dépth of fíeld 〖광학〗 피사계(被寫界) 심도(深度)

dépth of fócus 〖광학〗 초점 심도

dépth percèption 깊이 감각, 거리 감각

dépth psychòlogy 심층 심리학

dépth recòrder 〖항해〗 자기(自記) 심도계

dépth sòunder 〖항해〗 (선박의) 초음파 측심 장치

dep·u·rant [dépjurənt] *n.* 청정제(淸淨劑) **—** *a.* 정화력 있는; (혈액 등을) 맑게 하는

dep·u·rate [dépjurèit] *vt., vi.* 정화하다

dep·u·ra·tion [dèpjuréiʃən] *n.* Ⓤ 정화(淨化)[정혈(淨血)] (작용)

dep·u·ra·tive [dépjurèitiv] *a.* 정화하는 **—** *n.* 정화제

dep·u·ra·tor [dépjurèitər] *n.* 정화기, 정화제

de·purge [di:pə́:rdʒ] *vt.* 추방을 해제하다

de·pur·gee [dì:pə:rdʒí:] *n.* 추방 해제자

dep·u·ta·tion [dèpjutéiʃən] *n.* Ⓤ 대리 (행위), 대표, 대리 파견(delegation); Ⓒ 대리 위원단, 대표단

de·pute [dipjú:t] *vt.* 대리자로 삼다; 〈일·직권을〉 위임하다: (~+목+*to* do) I *~d* him *to* take charge of the club while I was in London. 내가 런던에 체류하는 동안 그를 클럽 책임자로 위임했다.

dep·u·tize [dépjutàiz] *vi.* 대리 근무를 하다(substitute) 《*for*》 **—** *vt.* …에게 대리를 명하다
dèp·u·ti·zá·tion *n.*

***dep·u·ty** [dépjuti] *n.* (*pl.* **-ties**) **1** 대리인, 대리역, 부관; 대표자, 대의원 **2** [**D~**] (프랑스·이탈리아 등의) 하원 의원
— *a.* 대리의, 부(副)의(acting, vice-): a ~ chairman 의장[회장] 대리, 부의장[회장] / a ~ governor 부지사 / a ~ judge[prosecutor] 예비 판사[검사] / a ~ premier[prime minister] 부수상, 부총리 / a ~ mayor 부시장 / the *D~* Speaker 《영》 (하원의) 부의장 ***by ~*** 대리로 ***the Chamber of Deputies*** 〖프랑스사〗 하원 《지금은 the National Assembly》
▷ depúte, députize *v.*

députy lieuténant 《영》 주(州) 부지사

députy mínister 《캐나다》 상급 공무원

députy shériff 《미》 군(郡) 보안관 대리

deque [dék], **de·queue** [di:kjú:] [*d*ouble-*e*nded *queue*] *n.* 〖컴퓨터〗 데크, 데큐 《양끝의 어느 쪽에서든 데이터의 출입이 가능한 데이터 행렬》

der., deriv. derivation; derivative; derive(d)

> **thesaurus** **deputy** *n.* substitute, assistant, delegate, agent, spokesperson, ambassador, commissioner, envoy, mediator, legate

de·ra·cial·ize [di:réiʃəlàiz] *vt.* …에서 인종적 특징을 없애다; 인종 차별을 없애다
de·rac·i·nate [dirǽsənèit] *vt.* 뿌리 뽑다, 근절시키다; 〈사람을〉 (조국·고향 등으로부터) 떼어 놓다, 고립시키다 **de·ràc·i·ná·tion** *n.* Ⓤ 근절
de·rad·i·cal·ize [di:rǽdikəlàiz] *vt.* 과격주의[사상]를 버리게 하다 **de·ràd·i·cal·i·zá·tion** *n.*
de·rail [di:réil] *vt.* [보통 수동형으로] 〈기차 등을〉 탈선시키다; 〈계획 따위를〉 실패하게 하다: be[get] *~ed* 탈선하다 **—** *vi.* 탈선하다; 좌절하다
— *n.* 《주로 미》 (차량의) 탈선기
~·ment *n.* ⓊⒸ 탈선
de·rail·leur [diréilər] *n.* (자전거의) 변속 장치; 변속 장치가 있는 자전거
de·range [diréindʒ] *vt.* 흐트러뜨리다, 어지럽히다; 미치게 하다; [보통 수동형으로] 〈사람을〉 발광시키다 **de·ránged** *a.* 혼란된; 미친 **de·ráng·er** *n.*
de·range·ment [diréindʒmənt] *n.* Ⓤ 교란, 혼란; 발광: mental ~ 정신 착란
de·rate [di:réit] *vt.* 감세(減稅)하다; 〖전기〗 〈오래된 전기 기구 등의〉 출력을 내려서 사용하다
de·ra·tion [di:réiʃən | -rǽʃ-] *vt.* 〈식품 등을〉 배급제도에서 제외하다
de·rat·ize [di:rǽtaiz] *vt.* 《특히》 〈배 안의〉 쥐를 잡다 **de·ràt·i·zá·tion** *n.* Ⓤ 쥐 잡기
***Der·by** [də́:rbi | dɑ́:-] *n.* (*pl.* **-bies**) **1** 더비 《영국 Derbyshire의 주청 소재지》 **2** [the ~] 더비 경마 《영국 Surrey 주 Epsom Downs에서 매년 6월에 거행됨》; 대경마 《《미》에서는 Kentucky주 Churchill Downs에서 거행됨》; [**d~**] (공개) 경기, 경주: a bicycle ~ 자전거 경주 **3** [**d~**] = DERBY HAT
Dérby Dày 더비 경마일
Dérby dòg 《구어》 경마장의 경기로를 헤매는 개; 거치적거리는 사람[것]
dérby hát 《미》 중산 모자(《영》 bowler)
Der·by·shire [də́:rbiʃìər, -ʃər, də́:r- | dɑ́:biʃə] *n.* 더비셔 《영국 중부의 주》
de·re·al·i·za·tion [di:rìəlizéiʃən | -rìəlai-] *n.* Ⓤ 〖정신의학〗 현실감 상실
de·rec·og·nize [di:rékəgnàiz] *vt.* 〈국가·정부에 대한〉 승인을 취소하다; (회사·기업 내에서의) 〈노동조합의〉 교섭권[승인]을 취소하다 **de·rèc·og·ní·tion** *n.*
de·ref·er·ence [di:réfərəns] *n.* 〖컴퓨터〗 디레퍼런스 《프로그래밍 언어에서 포인터가 가리키는 번지에 수납된 데이터에 접근하기》
de·reg·is·ter [di:rédʒistər] *vt.* …의 등록을 취소하다 **de·règ·is·trá·tion** *n.*
de rè·gle [də-régl] 〖F〗 *a.* Ⓟ 규정대로의, 정규의
de·reg·u·late [di:régjulèit] *vt., vi.* 규칙을 폐지하다; 통제[규제]를 철폐하다 **de·règ·u·lá·tion** *n.*
de·re·ism [di:rí:izm, deiréiizm] *n.* Ⓤ 〖심리〗 비현실성 **dè·re·ís·tic** *a.* **dè·re·ís·ti·cal·ly** *ad.*
Der·ek [dérik] *n.* 남자 이름 《Theodoric의 애칭》
der·e·lict [dérəlìkt] *a.* **1** 유기[포기]된 **2** 《미》 의무 태만의, 무책임한: ~ in one's duty 자신의 의무를 태만히 하는 **—** *n.* **1** 유기물 《특히 버려진 배》; 버림받은 사람, 노숙자, 낙오자 **2** 《미》 직무 태만자 **3** 〖법〗 (바다나 하천의 수위 저하로 인해 생긴) 새로운 땅
der·e·lic·tion [dèrəlíkʃən] *n.* ⓊⒸ 포기, 유기; 태만; 〖법〗 바닷물이 빠져 생긴 땅; 결점, 단점
de·re·press [dì:riprés] *vt.* 〖생물〗 〈유전자의〉 발현을 활성화하다 **dè·re·prés·sion** *n.*
de·re·pres·sor [dì:riprésər] *n.* 〖생물〗 유도자 (inducer)
de·req·ui·si·tion [di:rèkwəzíʃən] 《영》 *n.* Ⓤ 접수 해제 **—** *vt., vi.* 접수를 해제하다
de·re·strict [dì:ristríkt] *vt.* …의 제한을 해제하다: ~ a road 도로의 속도 제한을 해제하다

deride *v.* mock, ridicule, sneer at, make fun of, laugh at, scorn, scoff at, jeer at
derision *n.* mockery, ridicule, scorn

***de·ride** [diráid] *vt.* …을 (…라고) 비웃다, 조소하다, 조롱하다(mock) 《*as*》(⇨ ridicule 유의어): ~ a person's efforts 남의 노력을 비웃다
de·ríd·er *n.* **de·ríd·ing·ly** *ad.* 비웃듯이
▷ derísion *n.*; derísive *a.*
de ri·gueur [də-ri:gə́:r] 〖F〗 *a.* Ⓟ 〈복장 등이〉 (관습·예절상) 필요한, 요구되는
de·ris·i·ble [dirízəbl] *a.* 웃음거리가 되는
***de·ri·sion** [diríʒən] *n.* Ⓤ 비웃음, 조소, 조롱(mockery); Ⓒ 조소거리, 웃음거리
be in ~ 조소받고 있다 ***be the ~ of*** …에게서 조롱당하다 ***bring*** a person ***into ~*** …을 웃음거리로 만들다 ***hold***[***have***] a person ***in ~*** …을 조롱하다 ***in ~ of*** …을 조롱하여
▷ deríde *v.*; derísive *a.*
de·ri·sive [diráisiv] *a.* 조소[조롱]하는(mocking); 비웃을 만한, 조소받을 (만한) **~·ly** *ad.*
de·ri·so·ry [diráisəri, -zə-] *a.* **1** = DERISIVE **2** 아주 근소한[시시한]: a ~ salary 쥐꼬리만한 봉급
deriv. derivation; derivative; derive(d)
de·riv·a·ble [diráivəbl] *a.* 끌어낼 수 있는; 추론할 수 있는 《*from*》
***der·i·va·tion** [dèrəvéiʃən] *n.* ⓊⒸ **1** (다른 것·근원에서) 끌어냄, 유도 **2** 유래, 기원(origin) **3** 〖언어〗 (말의) 파생, 어원; Ⓒ 파생어 **4** 파생(물) **5** 〖수학〗 **a** (정리의) 전개(development) **b** 미분(differentiation) **~·al** *a.* **~·al·ly** *ad.* **~·ist** *n.*
***de·riv·a·tive** [dirívətiv] *a.* (근원에서) 끌어낸; 유도적인(cf. ORIGINAL); 〖언어·법〗 파생적인; 《경멸》 〈작품 등이〉 모방한: a ~ action 파생소송
— *n.* **1** 파생물; 〖언어〗 파생어(opp. *primative*) **2** 〖화학〗 유도체; 〖수학〗 미분 계수; 도함수(導函數); 〖의학〗 유도제[법] **3** 〖경제〗 파생 상품; 복합 금융 상품 **4** (시민권을 얻은) 귀화 외국인 **~·ly** *ad.* **~·ness** *n.*
‡**de·rive** [diráiv] 〖L 「강(river)에서 물을 끌어내다」의 뜻에서〗 *vt.* **1** (다른 것·근원에서) 〈이익·즐거움 등을〉 끌어내다, 얻다 《*from*》: (~+목+전+명) He *~d* a lot of profit *from* the business. 그는 그 일에서 많은 이익을 얻었다. **2** 〈단어·관습 등이〉 …에서 비롯되다, 〈사람이〉 …의 유래를 찾다(trace); [종종 수동형으로] …에 기원을 두다, …에서 나오다 《*from*》; 추론[추리]하다; 〈영화 등을〉 (소설에서) 각색하다 《*from*》: (~+목+전+명) The belief is entirely *~d from* the wish for safety. 그 신앙은 오로지 안전을 바라는 마음에서 비롯된 것이다. / This word is *~d from* Latin. 이 낱말은 라틴어에서 파생되었다. **3** 〖화학〗 〈화합물을〉 유도하다 **4** 〖수학〗 〈계수를〉 미분에 의해 유도하다
— *vi.* 유래하다, 파생하다, 나오다 《*from*》: (~+전+명) The term *~s from* Greek. 이 용어는 그리스어에서 유래한다.
▷ derivátion *n.*; derívative *a.*
de·rived [diráivd] *a.* 유래된, 파생된: ~ words 파생어 / ~ demand 파생 수요
derived cúrve 〖수학〗 도곡선(導曲線) 《도함수의 곡선》
derived fórm 〖언어〗 = DERIVATIVE
derived fúnction 〖수학〗 도함수(導函數)
derived únit 〖물리·화학〗 유도 단위
derm- [də:rm], **derma-** [də́:rmə] 《연결형》 「피부」의 뜻 《모음 앞에서는 derm-》
derm [də:rm], **der·ma**[1] [də́:rmə] *n.* Ⓤ 〖해부〗 진피(dermis); 피부(skin)
derma[2] *n.* **1** (소시지에 사용하는) 소·닭의 내장 **2** 소시지(kishke)
-derma [də́:rmə] 《연결형》 derma[1]의 연결형 《특히 피부 질환명에 사용》
derm·a·bra·sion [də̀:rməbréiʒən] *n.* 〖외과〗 피부 찰상법(擦傷法)[박리술(剝離術)]
derm·a·ceu·ti·cal [də̀:rməsjú:tikəl] *n., a.* 〖약

학〗 피부 개량[미화]제(의)
der·mal [dɔ́:rməl], **der·mat·ic** [də:rmǽtik] *a.* 피부의, 피부에 관한; 진피의
dermat- [dɔ́:rmət], **dermato-** [dɔ́:rmətou] 《연결형》 「피부의」의 뜻 《모음 앞에서는 dermat-》
der·ma·therm [dɔ́:rməθə̀:rm] *n.* 〖의학〗 피부 온도계
der·ma·ti·tis [də̀:rmətáitis] *n.* Ⓤ 피부염: atopic ~ 아토피성 피부염
der·mat·o·gen [dərmǽtədʒən] *n.* 〖식물〗 원표피
der·mat·o·glyph·ics [dərmæ̀təglífiks, dɔ̀:r-mətə-] *n. pl.* **1** [복수 취급] (손·발의) 피부(줄) 무늬, 피문(皮紋) **2** [단수 취급] 피문학(皮紋學)
der·ma·toid [dɔ́:rmətɔ̀id] *a.* 피부 비슷한, 피부 모양의
der·ma·tol·o·gy [də̀:rmətɑ́lədʒi | -tɔ́l-] *n.* Ⓤ 피부병학 **-gist** *n.* 피부과 전문의, 피부병 학자
der·ma·tome [dɔ́:rmətòum] *n.* **1** 〖해부〗 피(부)절(節) **2** 〖외과〗 피부 채취기, 채피도(採皮刀) **3** 〖발생〗 진피절(眞皮節), 원시 피부 분절 《배(胚)에 있어 장차 피부로 발달하는 부분》
der·mat·o·phyte [dərmǽtəfàit] *n.* 〖병리〗 피부 사상균
der·mat·o·phy·to·sis [dərmæ̀təfaitóusis] *n.* 〖의학〗 피부 사상균증
der·mat·o·plas·ty [dərmǽtəplæ̀sti] *n.* 〖외과〗 (피부 이식에 의한) 피부 성형술
der·ma·to·sis [də̀:rmətóusis] *n.* (*pl.* **-to·ses** [-si:z]) 〖병리〗 피부병
der·mat·o·zo·on [dərmæ̀təzóuɑn | -ɔn] *n.* 〖생물〗 피부 기생(미세) 동물
der·ma·trop·ic [də̀:rmətrɑ́pik | -trɔ́p-] *a.* 〈바이러스가〉 피부에 기생하는, 피부성의
der·mic [dɔ́:rmik] *a.* = DERMAL
der·mis [dɔ́:rmis] *n.* Ⓤ 진피(眞皮); 피부
der·moid [dɔ́:rmɔid] *a.* 피부 모양의
— *n.* 〖의학〗 유피(類皮) 낭종[낭포](= ~ **cyst**)
dern [dɔ́:rn] *v., a., ad.* = DARN²
der·nier cri [dɛ̀ərnjei-krí:, də̀:rn-] [F] 결정적[최종적]인 말; 최신 유행
der·nier res·sort [-rəsɔ́:r] [F] 최후 수단
de·ro [dérou] *n.* (*pl.* **~s**) 《호주·속어》 낙오자; 부랑자; 《익살》 녀석, 사람(person)
der·o·gate [dérəgèit] *vi.* **1** (명성·품위·가치 등을) 훼손[손상]하다, 떨어뜨리다 《*from*》: 《~+전+명》 The charge cannot ~ *from* his honor. 그의 명성은 그 혐의에 의해 손상되지는 않는다. **2** 〈사람이〉 …에서 타락하다 《*from*》 — *vt.* 헐뜯다, 깔보다, 훼손하다
der·o·ga·tion [dèrəgéiʃən] *n.* Ⓤ (명예·가치 등의) 감손(減損), 손상, 훼손, 저하; 타락
de·rog·a·tive [dirɑ́gətiv | -rɔ́g-] *a.* 가치[명예]를 훼손하는 **~·ly** *ad.*
de·rog·a·to·ry [dirɑ́gətɔ̀:ri | -rɔ́gətəri] *a.* (명예·품격·가치 등을) 손상하는 《*to*》; 경멸적인: ~ remarks 경멸적인 말 **de·rog·a·tó·ri·ly** *ad.*
de·ro·man·ti·cize [dì:roumǽntəsàiz] *vt.* …에서 공상적[감상적] 요소를 없애다
der·rick [dérik] [1600년경의 런던의 사형 집행인 이름에서] *n.* **1** 데릭 《배 등에 화물을 싣는 기중기》(= ~ **crane**) **2** (석유 갱(坑)의) 유정탑(油井塔) **3** 〖항공〗 이륙탑 **4** 《미·속어》 (암호가에서 고급품 전문의 민완) 도둑 **5** 《미·속어》 아주 남성다운 레즈비언

derrick 1

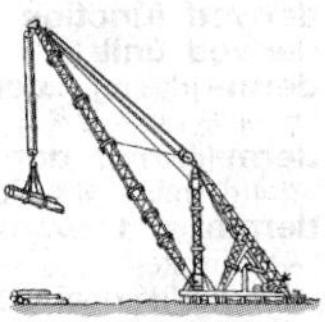

der·ri·ère [dèriɛ́ər] [F] *n.* 《구어》 엉덩이, 둔부(buttocks)
der·ring-do [dériŋdú:] [daring to do의 전와(轉訛)] *n.* (*pl.* **der·rings-**) 《고어》 필사적인 용기
der·rin·ger [dérindʒər] [발명자인 미국인 이름에서] *n.* 데린저식 권총 《구경이 크고 총신이 짧음》

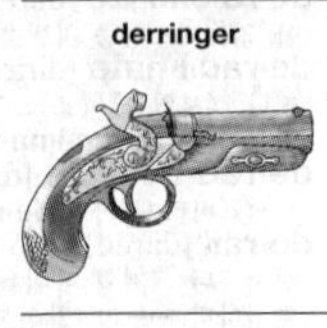
derringer

der·ris [déris] *n.* 데리스 《동인도 제도산(産)의 콩과(科) 식물》; 그 뿌리에서 만든 살충제
der·ro [dérou] *n.* = DERO
der·ry¹ [déri] *n.* 《호주·뉴질》 혐오(감)(dislike); 편견 ***have a ~ on*** …을 혐오하다
derry² *n.* (*pl.* **-ries**) 《속어》 폐옥(廢屋) 《부랑자 등이 이용하는》
de·rust [di:rʌ́st] *vt.* …의 녹을 제거하다
derv [dɔ́:rv] [*d*iesel-*e*ngined *r*oad *v*ehicle] *n.* Ⓤ 《영》 디젤 엔진용 연료
der·vish [dɔ́:rviʃ] *n.* **1** 〖이슬람교〗 수도 탁발승 **2** 미친 듯이 춤추는 사람; 엄청난 에너지의 소유자
DES data encryption standard 〖컴퓨터〗 데이터 암호화 규격; 《영》 Department of Education and Science
de·sa·cral·ize [di:séikrəlàiz, -sǽk-] *vt.* 비(非)신성화하다, 세속화하다(secularize)
de·sal·i·nate [di:sǽlənèit] *vt.* = DESALT
de·sal·i·na·tion [di:sæ̀lənéiʃən] *n.* Ⓤ (바닷물 따위의) 탈염(脫鹽), 담수화: a ~ plant 담수화 공장
de·sal·in·ize [di:sǽlənàiz] *vt.* = DESALT
de·salt [di:sɔ́:lt] *vt.* 〈바닷물을〉 탈염하다 **~·er** *n.*
de·scale [di:skéil] *vt.* …의 물때를 벗기다
des·cant [deskǽnt, dis-] *vi.* **1** 상세하게 설명하다(dwell) 《*on, upon*》 **2** 〖음악〗 (다른 선율에 맞추어) 노래[연주]하다 **3** 《고어》 달콤하게 노래하다
— [déskænt] *n.* **1** 《시어》 가곡(melody, song) **2** 〖음악〗 수창(隨唱), 수주(隨奏) **3** 상설(詳說), 논평
— [déskænt] *a.* 《주로 영》 〖음악〗 소프라노의; 고음부의, (가장) 높은
déscant recórder 《영》 〖음악〗 = SOPRANO RECORDER
Des·cartes [deikɑ́:rt] *n.* 데카르트 **René ~** (1596-1650) 《프랑스의 철학자·수학자》
‡**de·scend** [disénd] [L 「아래로+오르다→내려가다」의 뜻에서] *vi.* **1** 내려가다, 내려오다, 내리다(opp. *ascend*): 《~+전+명》 ~ *from* a tree 나무에서 내려오다 **2** 내리받이가 되다, (아래로) 경사지다 《*to*》: 《~+전+명》 The path ~*s to* the river. 길은 강쪽으로 경사져 있다. **3** 〈사람이〉 계통을 잇다, 자손이다 《*from*》; 〈토지·재산·성질이〉 전해지다, 내림이다 《*from; to*》: 《~+전+명》 ~ *from* father *to* son 아버지로부터 아들에게 전해지다 **4** (…할 만큼) 타락하다, 비굴하게도 (…까지) 하다 《*to*》: 《~+전+명》 ~ *to* a fraud 비열하게도 사기를 치다 **5** (차례로) 감소[축소]하다; 〈소리가〉 낮아지다; (개론에서 각론으로) 옮아가다 《*from; to*》: 《~+전+명》 Let's ~ *to* details. 세부로 옮겨가자. **6** 〈집단이〉 습격하다; (갑자기) 몰려가다, 불시에 방문하다 《*on, upon*》; 〈노염·정적 등이〉 (사람·장소에) 엄습하다 《*on, upon*》: 《~+전+명》 They ~*ed upon* the enemy soldiers. 그들은 적병을 급습했다. **7** 〖천문〗 〈태양·별 등이〉 지평선에 가까워지다 **8** 〖인쇄〗 (g, j, y처럼) 아래로 내리뻗다
— *vt.* **1** 〈비탈·층계 등을〉 내려가다(go down): ~ a mountain 산을 내려가다 **2** [수동형으로] …(의) 자손이다; 〈언어 등이〉 유래하다(⇨ descended) 《*from*》
▷ descént, descéndant *n.*
‡**de·scend·ant** [diséndənt] *n.* **1** 자손, 후예(opp. *ancestor*); 전래물 **2** (외관·성질 등의) 후세의 모습 **3** 제자, 문하생(disciple) **4** [**D~**] 〖점성술〗 하강점

thesaurus **descend** *v.* go down, come down, move down, drop, fall, sink, subside, plummet, plunge, tumble, slump, slope

in [***on***] (***the***) ~ 몰락해 가는, 내리막의
— *a.* = DESCENDENT; DESCENDING
▷ descénd *v.*
de·scend·ed [diséndid] *a.* Ⓟ 전해진, 유래한 《*from*》 ***be ~ from*** …의 자손이다
de·scend·ent [diséndənt] *a.* 하강성의, 강하[낙하]하는; 파생한 《*from*》; 전해 내려오는, 세습의
de·scend·er [diséndər] *n.* **1** 내려가는 사람[것] **2** 〔인쇄〕 하강 문자 《g, p, y 등》
de·scen·deur [diséndər] [F.] *n.* 〔등산〕 (자일의 마찰을 이용한) 금속제 현수(懸垂) 하강기
de·scend·i·ble [diséndəbl] *a.* (자손에게) 전하여지는, 유전되는, 유증할 수 있는; 하강하는
de·scend·ing [diséndiŋ] *a.* 내려가는, 강하하는, 하향의(opp. *ascending*); 〔컴퓨터〕 내림차순의
descénding cólon 〔해부〕 하행 결장
descénding létter = DESCENDER 2
descénding nóde 〔천문〕 강교점(降交點)
descénding órder (숫자의) 하향 순서 《큰 수에서 작은 수로의》; (문자의) 역순 《Z에서 A로의》; 〔컴퓨터〕 내림차순
de·scen·sion [disénʃən] *n.* **1** 〔점성술〕 최저 성위(星位) **2** = DESCENT 1
‡**de·scent** [disént] *n.* **1** ⓊⒸ 강하(降下), 하강, 하산; 하락(opp. *ascent*): We're going to begin the ~ for Los Angeles. 로스앤젤레스 착륙을 위해 하강하기 시작합니다. 《기내 방송》 **2** 내리받이(길); ⓊⒸ 전락, 몰락 **3** 급습, 급침입 《*on, upon*》; (경관 등의) 돌연한 검색[임검]; 갑작스런 방문 **4** Ⓤ 가계, 출신, 혈통 《*from*》: of Irish ~ 아일랜드계의 **5** Ⓤ 〔법〕 세습, 상속; 유전 **6** (계통 중의) 한 세대 ***a man of high ~*** 문벌이 좋은 사람 ***in direct ~ from*** …부터의 직계로 ***lineal ~*** 직계 비속(卑屬) ***make a ~ on*** …을 급습[일제 단속]하다
▷ descénd *v.*
de·school [di:skú:l] *vt.* 〈사회에서〉 (전통적인) 학교 제도를 없애다, 탈학교화하다 **~·ing** *n.* **~·er** *n.*
de·scram·ble [di:skræ̀mbl] *vt.* 〈혼선된 신호를〉 들을 수 있도록 조정하다(unscramble)
de·scrib·a·ble [diskráibəbl] *a.* 묘사[기술]할 수 있는
‡**de·scribe** [diskráib] [L 「밑에 베끼다」의 뜻에서] *vt.* **1** 〈특징 등을〉 묘사하다, 기술하다, 말로 설명하다: Words cannot ~ the scene. 말로는 그 광경을 설명할 수 없다. // (~+목+전+명) Can you ~ the man *to* me? 그 남자의 모습을 내게 말해 주겠소? **2** 〈사람을〉 …라고 칭하다, 평하다 《*as*》: (~+목+**as** 보) He ~s himself *as* a great statesman. 그는 자신을 위대한 정치가라고 말한다. **3** 표시하다; 〈선·도형을〉 그리다 《draw쪽이 일반적》; 〈천체가〉 〈어떤 도형을〉 그리며 운행하다 ***~ a circle*** 원을 그리다 **de·scríb·er** *n.*
▷ descríption *n.*; descríptive *a.*
‡**de·scrip·tion** [diskrípʃən] *n.* **1** ⓊⒸ 기술(記述), 서술, 기재 **2** 서술적 묘사, 서사문(敍事文); (물품의) 설명서, 해설 **3** (여권·허가증 등의) 기재 사항; (경찰 등의) 인상서(人相書) **4** Ⓤ 〔수학〕 작도(作圖) **5** (구어) 종류(kind); 등급(class) ***answer*** [***fit, match***] ***the ~*** (***of***) (…의) 인상착의와 일치하다 ***be beyond*** [***past***] ***~*** = ***beggar*** [***defy***] (***all***) ***~*** 이루 형용할 수 없다 ***give*** [***make***] ***a ~ of*** …을 기술[묘사]하다 ***of every ~*** [***all ~s***] 모든 종류의 ***of some*** [***any***] ***~*** 어떤 종류의 ***of worst ~*** 최악의 종류의
▷ descríbe *v.*; descríptive *a.*
de·scrip·tive** [diskríptiv] *a.* **1** 기술(記述)[서술]적인, 설명적인, 기사체(記事體)의 **2** 도형(圖形) 묘사의 **3** 〔문법〕 기술적인 **4** 사실[체험]에 근거한, 사실에 관한 ***~ of …을 묘사[서술]한 **~·ly** *ad.* **~·ness** *n.*
▷ descríbe *v.*; descríption *n.*
descríptive cláuse 〔문법〕 기술절(記述節)
descríptive geómetry 도형 기하학
descríptive grámmar 기술(記述) 문법
descríptive lábel 품질 표시
descríptive linguístics 기술(記述) 언어학
descríptive statístics 〔사회〕 기술 통계학
de·scrip·tiv·ism [diskríptəvìzm] *n.* Ⓤ 〔언어〕 기술주의; 〔철학〕 경험주의 **-tiv·ist** *n.*, *a.* 기술 언어학자; 기술 언어학의
de·scrip·tor [diskríptər] *n.* 〔컴퓨터〕 기술어(記述語), 기술자(記述子) 《정보의 분류·색인에 쓰는 어구》
de·scry [diskrái] *vt.* (**-scried**) (문어) 어렴풋이 [멀리] 알아보다, 발견하다; (관측·조사하여) 알아내다; (고어) 〈이름 따위를〉 밝히다 《진행형 없음》
Des·de·mo·na [dèzdəmóunə] *n.* 데스데모나 《셰익스피어작 *Othello*에서 Othello의 처》
des·e·crate [désikrèit] *vt.* …의 신성을 더럽히다(opp. *consecrate*); 〈신성한 것을〉 속되게 쓰다
-crat·er, -cra·tor *n.* 신성 모독자
des·e·cra·tion [dèsikréiʃən] *n.* Ⓤ 신성 모독
de·seed [di:sí:d] *vt.* …의 씨를 빼다 **~·er** *n.*
de·seg·re·gate [di:ségrigèit] *vt.*, *vi.* (미) (학교 등에서) 인종 차별 대우를 폐지하다
de·seg·re·ga·tion [dì:segrigéiʃən, di:sèg-] *n.* Ⓤ 인종 차별[격리] 폐지(cf. SEGREGATION)
~·ist *n.*, *a.*
de·se·lect [dì:silékt] *vt.* **1** (미) 훈련에서 해제하다 **2** (영) 〈현직 의원을〉 다음 선거에 공천하지 않다 **3** (구어) (연수 기간에) 해고하다 **4** 〔컴퓨터〕 선택 해제하다
de·sen·si·tize [di:sénsətàiz] *vt.* 〔사진〕 〈감광재의〉 감도를 줄이다; 〔생리〕 민감성[과민성]을 줄이다[없애다]; 냉담[무관심]하게 하다 **de·sèn·si·ti·zá·tion** *n.* **-tiz·er** *n.* 〔사진〕 감감제(減感劑)
de·ser·pi·dine [disə́:rpədì:n] *n.* 디서피딘 《혈압강하제·정신 안정제로 쓰임》
‡**des·ert**[1] [dézərt] [L 「버림받은」의 뜻에서] *n.* 사막; 황야; 불모 지대; 불모 시대; (사막과 같은) 적막; 적막한 마음의 세계: the Sahara *D*~ 사하라 사막
— *a.* Ⓐ 사막 같은; 불모의(barren); 사는 사람 없는, 쓸쓸한; 사막에 사는; 사막에서 착용하는
de·sert·ic [dezə́:rtik] *a.* **~·like** *a.*
de·sert[2] [dizə́:rt] *n.* **1** 상[벌]을 받을 만한 가치[자격], 공과(功過); 공적, 장점(merit) **2** [종종 *pl.*] 당연한 응보, 상응한 상[벌]
above one***'s ~s*** 과분하게 ***get*** [***meet with, receive***] one***'s*** (***just***) ***~s*** 응분의 상[벌]을 받다
▷ deserve *v.*
‡**de·sert**[3] [dizə́:rt] *vt.* **1** 〈사람·책임 등을〉 버리다, 유기하다, 저버리다, 방치하다 《abandon이나 forsake와는 달리, 비난의 뜻이 포함됨》; 〈선원·군인 등이〉 탈주[탈영]하다: ~ one's wife and children 처자를 버리다 **2** 〈신념 등이〉 〈사람에게서〉 없어지다; 〈힘 등이〉 〈사람에게서〉 없어지다; 〈기억에서〉 지워지다: His self-assurance ~*ed* him. 그는 자신을 잃었다. **3** [수동형으로 쓰여] 인적이 끊기다, 사람이 다니지 않다 (⇨ deserted): *be ~ed* at night 밤에는 인적이 끊기다
— *vi.* 의무[직무]를 버리다, (무단히) 지위[자리]를 떠나다; 도망치다; 〔군사〕 탈영하다 《*from*》: (~+전+명) ~ *from* barracks 탈영하다
▷ desértion *n.*
désert bòot 고무 바닥에 스웨이드 가죽의 편상화(編上靴)
désert chérry (미·군대속어) 사막전의 신병(新兵)
***de·sert·ed** [dizə́:rtid] *a.* **1** 인적이 끊긴; 사람이 살지 않는: a ~ street 인적이 끊긴 거리 **2** 버림받은
de·sert·er [dizə́:rtər] *n.* 유기자; 직장 포기자; 도망자, 탈영병, 탈선(脫船)자, 탈당자
désert féver 〔의학〕 사막열(熱)
des·er·tic·o·lous [dèzərtíkələs] *a.* 〔생물〕 사막에

---

desert[1] *n.* wasteland, waste, wilderness
desert[3] *v.* abandon, forsake, give up, cast off, leave, betray (opp. *maintain*, *stay*)

사는[자라는]

de·sert·i·fi·ca·tion [dezə̀ːrtəfikéiʃən] *n.* 사막화

désert iguána 〖동물〗 사막 이구아나

désert ìsland 무인도

de·ser·tion [dizə́ːrʃən] *n.* Ⓤ **1** 내버림; 유기; 탈영, 탈주, 탈함(脫艦), 탈당; 의무 불이행[방치]; 〖법〗 처자 유기 **2** 황폐 (상태)

▷ desért³ *v.*

de·sert·i·za·tion [dèzərtizéiʃən | -taiz-] *n.* = DESERTIFICATION

désert lòcust 〖곤충〗 이집트 땅메뚜기 《아시아 및 북아프리카에 발생·이동하며 농작물에 큰 피해를 줌》

desert rat 〖동물〗 사막쥐 《캥거루쥐 따위》

désert várnish 사막칠 《철·망간의 산화물로 사막의 암석 표면에 보이는 검은 빛》

‡**de·serve** [dizə́ːrv] [L 「부지런히 봉사하다」의 뜻에서] *vt.* (마땅히) …할[받을] 만하다; …할[될] 가치[값어치]가 있다 《진행형 없음》: ~ attention 주목할 만하다 / ~ one's fate (그렇게 된 것도) 당연한 운명이다 // 《~+*to* do》 《~+*-ing*》 《~+*that* 절》 The problem ~*s* solv*ing*. = The problem ~*s to* be solved. 그 문제는 풀어볼 만한 가치가 있다. / His conduct ~*s to* be praised. 그의 행위는 칭찬받을 만하다. / He ~*s* help*ing*. = He ~*s that* we should help him. = He ~*s to* have us help him. 그는 도움을 받을 자격이 있다. ★ 《영》에서는 《~+*-ing*》보다 《~+*to* do》쪽이 일반적임.

— *vi.* 《문어》 값어치가 있다, 당연히 (보답·상·벌 등을) 받을 만하다, …에 상당하다 《*of*》: 《~+전+명》 efforts *deserving of* admiration 칭찬을 받을 만한 노력 **~ *all* [*everything*] one *gets* = *get what* [*whatever*] one ~** 〈사람이〉 나쁜 짓의 대가를 받아야 한다; 자업자득이다 **~ *well* [*ill*] *of*** …으로부터 상[벌]을 받을 만하다: He ~*s well of* his country. 그는 나라에 공로가 있다. ***You ~ it.*** 자업자득이다 《상대편 행동을 비판하여》

▷ desért² *n.*

de·served [dizə́ːrvd] *a.* 〈상·벌·보상 등이〉 응당한: ~ promotion 응당한 승진 **~·ness** *n.*

de·serv·ed·ly [dizə́ːrvidli] *ad.* 당연히, 마땅히

de·serv·er [dizə́ːrvər] *n.* 적격자, 유자격자

de·serv·ing [dizə́ːrviŋ] *a.* **1** Ⓟ 마땅히 …을 받을 만한 《*of*》; …할 가치 있는: His conduct is ~ *of* the highest praise. 그의 행위는 최고의 칭찬을 받을 만하다. **2** Ⓐ (경제적) 원조를 받을 만한 〈학생 등〉

— *n.* 당연한 상벌; 공과

~·ly *ad.* 공이 있어서, 당연히 **~·ness** *n.*

de·sex [diːséks] *vt.* 거세하다, …의 난소를 제거하다; 성적 매력을 없애다; 《미》 성차별적 표현을 없애다

de·sex·u·al·ize [diːsékʃuəlàiz] *vt.* = DESEX

de·sèx·u·al·i·zá·tion *n.*

des·ha·bille [dèzəbíːl | dézæbìːl] [F] *n.* = DISHABILLE

des·ic·cant [désikənt] *a.* 건조시키는 (힘이 있는) (drying) — *n.* 건조제

des·ic·cate [désikèit] *vt.* **1** 건조시키다, 〈식품을〉 물기를 빼서 건물(乾物)[가루]로 보관하다: ~*d* milk 분유 **2** 생기를 잃게 하다, 무기력하게 하다: a ~*d* woman 생기[매력] 없는 여자 — *vi.* 마르다, 건조하다; 무기력하게 되다, 생기를 잃다 — *n.* 건조 제품 《등》

des·ic·cat·ed [désəkèitid] *a.* 건조한, 분말의; 생기가 없는

des·ic·ca·tion [dèsikéiʃən] *n.* Ⓤ 건조 (작용), 탈수; 마름

des·ic·ca·tive [désikèitiv | desíkə-] *a.* = DESICCANT

des·ic·ca·tor [désikèitər] *n.* 건조시키는 사람; 건조기[장치]; 〖화학〗 데시케이터 《밀봉 건조 용기》

de·sid·er·ate [disídərèit | -zíd-, -síd-] *vt.* 《고어》 소망하다, 바라다 **de·sìd·er·á·tion** *n.*

de·sid·er·a·tive [disídərətiv, -rèit- | -zídərət-, -síd-] *a.* 소망하는, 바라는 — *n.* 〖문법〗 (동사의) 희구법(希求法)

de·sid·er·a·tum [disìdəráːtəm, -réi-] *n.* (*pl.* **-ta** [-tə]) **1** 몹시 아쉬운 것; 절실한 요구[필요성] **2** [보통 *pl.*] 구입 희망 도서 리스트(want list)

‡**de·sign** [dizáin] *n.*, *v.*

> 「기도」, 「계획」 **4** →(구체적인) 「도안」, 「디자인」 **1**, 「설계」 **2**

— *n.* **1** ⓊⒸ **디자인**, 의장(意匠), **도안**, 밑그림, 초벌 그림; Ⓒ 무늬, 본, 모형(pattern); 구조, 뼈대: the art of ~ 디자인술 / a school of dress ~ 복식 학원 / ~ for advertisement 광고 도안 **2** Ⓤ **설계**, 기획, 복안 **3** (소설·극 등의) 구상, 착상, 줄거리 **4 계획**, 기도, 의도(⇨ plan 유의어), 목적; (계획에 따른) 진전; [*pl.*] 꿍꿍이 수작, 속셈, 음모 《*on*, *against*》 **5** 예술[미술] 작품 ***by* ~** 고의로, 계획적으로(opp. *by accident*) ***have* [*harbor*] *~s on*** …을 차지하려는 엉큼한 마음을 갖고 있다, …에게 흑심을 품다

— *vt.* **1 디자인하다**, 밑그림[도안]을 만들다; **설계하다**: 《~+목+목》 We ~*ed* him a superb house. 우리는 그 사람에게 훌륭한 집을 설계해 주었다. **2 계획하다**, 입안하다(plan): 《~+*-ing*》 《~+*to* do》 ~ break*ing* prison = ~ *to* break prison 탈옥을 계획하다 **3** (어떤 목적을 위하여) 예정하다(destine) 《*for*》: 《~+목+전+명》 《~+목+*as* 보》 《~+목+*to be* 보》 He ~*s* his son *for*[*as*] a doctor. = He ~*s* his son *to be* a doctor. 그는 아들을 의사로 만들 작정이다. // 《~+*that* 절》 I did not ~ *that* my sister should have seen it. 나는 여동생에게 그것을 보일 생각은 아니었다. **4** 목적을 품다, 뜻을 품다 (intend): 《~+*to* do》 He ~*ed to* study law. 그는 법률을 공부하기로 마음먹었다. // 《~+*that* 절》 He is ~*ing that* he will study abroad. 그는 외국에서 공부하려고 생각하고 있다.

— *vi.* 의장[도안]을 만들다, 디자이너 노릇을 하다; 설계하다; 뜻을 두다, …할 예정이다 《*for*》: 《~+전+명》 ~ *for* a new model of car 신형 자동차를 설계하다 **~·a·ble** *a.* **~·less** *a.* 무계획적인

desígn àids 설계 원용[보조]기

‡**des·ig·nate** [dézignèit] [design과 같은 어원] *vt.* **1 명시하다, 가리키다, 지적하다**; 나타내다, 의미하다 (denote, signify): ~ the boundaries of a country 국경을 명시하다 **2 지명하다**, 선정하다; 임명하다 (appoint) 《*as*, *to*, *for*》 ★ 종종 수동형으로 쓰임: 《~+목+전+명》 They ~*d* him *to*[*for*] the office. 그들은 그를 그 직책에 임명했다. // 《~+목+*as* 보》 ~ a person *as* one's successor …을 후계자로 지명하다 **3** …을 …이라고 부르다[칭하다](call): 《~+목+보》 The ruler of the country was ~*d* (*as*) king. 그 나라의 통치자는 왕이라고 일컬어졌다.

— [-nət, -nèit] *a.* [명사 뒤에서] 지명을 받은, 지정된: a bishop ~ 임명된 주교 《아직 취임하지 않은》

-na·tive [-nèitiv], **-na·to·ry** [-nətɔ̀ːri | -təri] *a.*

▷ designátion *n.*

des·ig·nat·ed [dézignèitid] *a.* 지정된; 관선의

désignated dríver 《미》 지명 운전자 《파티 등에서 음주하지 않고 귀가 때 운전하도록 지명된 사람》

désignated hítter 〖야구〗 지명 타자 《略 DH, dh》; 《비유》 대역, (문제 해결에 직면한) 대표자

***des·ig·na·tion** [dèzignéiʃən] *n.* **1** Ⓤ **지정**, 지시 **2 임명**, 지명, 선임 **3** 《문어》 명칭, 호칭; 칭호(title); (명칭 등의) 의미; 《미》 자격(qualification) **4** 〖철학·

thesaurus **design** *v.* **1** 설계하다 sketch, draw, outline, draft, delineate **2** 의도하다 intend, aim, devise, plan, mean, contrive, destine

designate *v.* **1** 명시하다 call, name, entitle, term, label, denominate **2** 임명하다 appoint, nominate, select, choose, elect, assign, depute

논리》 지시 작용
des·ig·na·tor [dézignèitər] *n.* 지명[지정]인
desígn chàrt réader 〖컴퓨터〗 도면 판독 장치
desígn cỳcle 〖컴퓨터〗 (제품 개발의) 디자인 사이클
de·signed [dizáind] *a.* 계획적인, 고의의(intentional); 본을 뜬; 의장 도안에 의한
de·sign·ed·ly [dizáinidli] *ad.* 고의로, 계획적으로 (opp. *accidentally*)
des·ig·nee [dèzigní:] *n.* 지명된 사람, 피지명자
desígn engineèr 〖컴퓨터〗 설계 기사
‡de·sign·er [dizáinər] *n.* **디자이너**, 의장 도안가; 설계자; 음모자, 모사(plotter); 《미·속어》 위폐범
—*a.* 유명 디자이너에 의한[의 이름이 든]; 고급의, 고가의: ~ jeans[jewelry] 고가의 진바지[보석]
desígner báby 맞춤 아기 《희귀 질환 치료를 목적으로 인공 수정으로 선택된 배아를 착상시켜 태어난 아기》
desígner brànd 유명 디자이너 제품
desígner drùg 합성 마약
desígner géne 유전자 조작으로 만들어진 유전자
desígner làbel 유명 디자이너의 상표가 있는 상품
desígner stùbble 《구어》 일부러 깎지 않은 텁수룩한 수염
de·sign·ing [dizáiniŋ] *n.* Ⓤ 설계; 의장(意匠), 도안, (옷의) 디자인 **—*a.*** **1** 설계의, 도안의 **2** 꿍꿍이 수작을 품은, 뱃속이 검은; 계획적인 **~·ly** *ad.*
desígn rùle 〖전자〗 디자인룰 《LSI의 최소 배선폭으로 특징지을 수 있는 설계의 기준》
de·silt [di:sílt] *vt.* 〈강·하천 등을〉 준설(浚渫)하다
de·sil·ver [di:sílvər], **de·sil·ver·ize** [di:sílvəràiz] *vt.* …에서 은을 제거하다, 탈은(脫銀)하다
des·i·nence [désənəns] *n.* **1** (시(詩)의) 끝, 끝 행 **2** 〖문법〗 어미(ending), 접미어(suffix)
de·sip·i·ence [disípiəns] *n.* Ⓤ 《문어》 터무니없음, 어처구니없음
de·si·pra·mine [dəzíprəmì:n] *n.* 〖약학〗 데시프라민 《항울약》
***de·sir·a·bil·i·ty** [dizàiərəbíləti] *n.* (*pl.* **-ties**) ⓊⒸ 바람직함; (*pl.*) 바람직한 상황
‡de·sir·a·ble [dizáiərəbl] *a.* **바람직한,** 탐나는, 호감이 가는 〈사람·물건〉; 〈여성이〉 탐나도록 매력적인: a ~ woman 성적 매력이 있는 여자
—*n.* 호감이 가는 사람[물건]
~·ness *n.* **-bly** *ad.* 바람직하게, 탐나게
‡de·sire [dizáiər] [L 「별에서 (대망(待望)하다)」의 뜻에서] *vt.* **1 몹시 바라다,** 욕구하다; 원하다, 희망하다 (⇨ want 유의어): We all ~ success. 우리는 모두 성공을 바란다. // (~+*to* do) We ~ *to* be happy. 우리는 행복해지기를 바란다. // (~+목+*to* do) I ~ you *to* go at once. 나는 네가 곧 가 주기를 바란다. // (~+*that* 절) (~+전+명+*that* 절) She ~*d* (*of* them) *that* the letters (should) be burnt after her death. 그녀는 (그들에게) 자기의 사후에 편지를 모두 태워주기를 바랐다. ★ should가 생략되는 것은 주로 미식 용법. **2 요구[요망]하다,** 원하다: (~+*that* 절) I ~ *that* action (should) be postponed. 의결이 연기되기를 요망합니다. ★ 《구어》에서는 should를 잘 쓰지 않음. **3** 〈이성(異性)에〉 욕정을 품다
It is ~d that … …함이 바람직하다 ***leave nothing*** [***little***] ***to be ~d*** 미진한 점이 전혀[거의] 없다 ***leave something*** [***much, a lot, a great deal***] ***to be ~d*** 미진한 점이 좀 있다[많다]
—*vi.* 《미》 〈사람이〉 욕망을 갖다[느끼다]; 바라다
—*n.* **1 욕구,** 욕망 《*for*》; 갈망 《*for*》; 식욕; 정욕(lust): (~+*to* do) Most people have a ~ *to* collect things. 사람들은 대개 수집욕이 있다. // (~+전+*-ing*) His ~ *of* return*ing* to his family was natural. 가족에게 돌아가고 싶은 그의 소망은 당연한 것이었다. // (~+*that* 절) I appreciate his ~ *that* we should come to an early settlement. 조기 해결을 바라는 그의 갈망은 이해할 만하다. **2** Ⓤ 요망, 요구(request); Ⓒ **요망하는 것[사람]**: They made their ~*s* known to the mayor. 그들의 요구 사항을 시장이 알도록 했다. ***at*** one***'s ~*** 희망에 따라, 희망대로 ***by ~*** 소망에 의해서 ***to*** one***'s heart's ~*** 흡족하도록 **de·sír·er** *n.*
de·sired [dizáiərd] *a.* 바랐던, 희망했던, 훌륭한: the long-~ success 오래 바랐던 성공 **~·ly** *ad.*
***de·sir·ous** [dizáiərəs] *a.* Ⓟ **원하는, 바라는**: (~+*to* do) He is ~ *to* know the truth about the affair. 그는 그 사건의 진상을 알고 싶어한다. // (~+전+*-ing*) He is very ~ *of* visit*ing* France. 그는 프랑스에 몹시 가고 싶어한다. // (~+*that* 절) He was ~ *that* nothing (should) be said about it. 그는 그것에 관해서 아무 말도 없기를 바랐다. ★ 《구어》에서는 should를 잘 쓰지 않음.
~·ly *ad.* **~·ness** *n.* ▷ desíre *v.*
de·sist [dizíst, -síst] *vi.* 《문어》 그만두다, 단념하다 《*from*》: ~ *from* smoking 담배를 끊다
de·sist·ance [dizístəns] *n.* Ⓤ 중지, 단념
‡desk [désk] *n.* **1 a 책상,** 공부[사무] 책상 **b** 《미》 설교단; [the ~] 성직(聖職) **c** 악보대 **2** [the ~] 사무, 문필직 **3** [the ~] 《미》 (신문의) 편집부, 데스크; (관청 등의) 부국(部局); [집합적] (호텔·회사 등의) 안내계, 프런트: *the* city ~ (신문사의) 사회부 **4** 《영》 (문방구·서한용) 서랍, 서랍용 문고 ***be*** [***sit***] ***at*** one***'s*** [***the***] ***~*** 글을 쓰고 있다; 사무를 보다 ***cylinder ~*** = ROLL-TOP DESK ***go to*** one***'s ~*** 집무를 시작하다
—*a.* Ⓐ 탁상용의; 사무의, 내근의: a ~ calendar [telephone] 탁상 달력[전화기] / a ~ lamp 탁상 전기 스탠드 / a ~ dictionary 탁상판 사전
desk·bound [déskbàund] *a.* **1** 앉아서 일하는; 책상에 얽매인 **2** (자신의 일 이외에) 현실에 어두운 **3** (전시에) 비전투원인
désk chèck 《컴퓨터속어》 탁상 검사 《algorism을 검사하기》
désk chècking 〖컴퓨터〗 탁상 검사 《하드웨어의 검사 이전에 프로그램의 오류를 눈으로 검사하기》
désk clèrk 《미》 (호텔 등의) 접수 담당자
désk cópier 탁상용 (소형) 복사기
désk còpy (채택 교재의 교수용) 증정본
desk·fast [-fəst] [*desk*+break*fast*] *n.* 《익살》 (사무실) 책상에서의 아침 식사
desk·ful [déskfùl] *n.* 책상에 가득한 것[일]
de·skill [di:skíl] *vt.* (자동화·분업화 등으로) 단순 작업으로 하다
désk jòb (군대 등에서 실전에 대비되는) 사무적인 일
désk jòbber 판매 중계업자, 직송 배급업자
désk jòckey 《미·속어》 사무직원
desk·man [déskmæ̀n, -mən] *n.* (*pl.* **-men** [-mèn]) (신문사의) 내근 기자; (기업체의) 관리 직원; (호텔의) 접수 담당자
desk·mate [-mèit] *n.* (교실에서의) 짝
désk òrganizer 책상의 칸막이 필통
désk pàd 책상용 깔개 《고무판 등》
désk polìceman 내근 경관
désk resèarch (기록·통계에 의한) 탁상 조사
désk sécretary 《미》 (협회 등의) 내근 직원(cf. FIELD SECRETARY)
désk-size(d) [-sàiz(d)] *a.* 탁상용 크기의
désk stùdy 《영》 탁상 연구
désk thèory 탁상공론
desk·top [-tàp | -tɔ̀p] *a.* 〈컴퓨터 등이〉 탁상용의: a ~ calculator 탁상용 계산기 **—*n.*** 데스크탑 컴퓨터 (= ~ **compúter**)(cf. LAPTOP, NOTEBOOK, PALMTOP); 데스크탑 《컴퓨터 작동 후의 화면》; 책상의 작업면

---

designer *n.* deviser, fashioner, creator, architect
desire *v.* wish for, long for, want, crave, covet, aspire to **—*n.*** **1 욕구** want, wish, fancy, longing, yearning, craving, eagerness, enthusiasm, aspiration **2 성적 욕구** lust, passion, sexual attraction, libido, sexuality, sensuality

désktop chárger 소형 탁상 충전기 《휴대 전화 충전용》
désktop públishing 탁상 출판 《편집·조판·도표 등을 컴퓨터로 함; 略 DTP》
désk wòrk 책상에서 하는 일, 사무, 문필업
D. ès L. [F=Doctor of Letters] *Docteur ès Lettres* 문학박사
des·moid [dézmɔid, dés-] *a.* **1** 섬유(상)의 **2** 인대(모양)의(ligamentous) — *n.* 〖병리〗 유건종(類腱腫)
Des Moines [də-mɔ́in] 디모인 《미국 Iowa주의 주도》
des·mo·some [dézməsòum] *n.* 〖해부〗 데즈모 섬, 접착반(接着斑) 《인접한 세포를 결합시키는 부위》
de·so·cial·ize [di:sóuʃəlàiz] *vt.* 비사회화하다
de·sò·cial·i·zá·tion *n.* Ⓤ 비사회화; 비사회주의화
‡**des·o·late** [désələt, déz-] *a.* **1 황량한,** 황폐한, 사는 사람 없는; 적막한: a ~ wilderness 사람이 없는 황야 **2 쓸쓸한,** 고독한, 외로운: a ~, friendless life 쓸쓸하고 고독한 생활 **3** 우울한, 어두운
— [-lèit] *vt.* **1 황폐시키다 2** 쓸쓸[적적]하게 하다 (⇨ desolated) **3** 〈사람을〉 돌보지 않다, 버리다
~·ly *ad.* **~·ness** *n.* ▷ desolátion *n.*
*__des·o·lat·ed__ [désəlèitid, déz-] *a.* Ⓟ 〈사람이〉 쓸쓸한, 외로운: She was ~ to hear the news. 그 소식을 듣자 그녀는 처량해졌다. **~·ly** *ad.*
des·o·lat·er, -la·tor [désəlèitər, déz-] *n.* 황폐시키는 것[사람]
*__des·o·la·tion__ [dèsəléiʃən, déz-] *n.* Ⓤ **1 황폐시킴;** Ⓒ 황량한 곳, 폐허(ruin) **2** 쓸쓸함, 처량함, 슬픔, 비참 ▷ désolate *v.*
de·sorb [di:sɔ́:rb | -zɔ́:rb] *vt.* 〖물리·화학〗 〈흡수된 물질을〉 흡수제에서 제거하다 **de·sórp·tion** *n.*
‡**de·spair** [dispέər] [L 「희망을 잃다」의 뜻에서] *n.* **1** Ⓤ 절망; 자포자기(opp. *hope*): an act of ~ 자포자기 행위/be in ~ 절망에 빠지다

> 유의어 **despair** 완전히 희망을 잃고 절망함: commit suicide in *despair* 절망하여 자살하다 **desperation** 궁지에 몰려 자포자기에 빠짐: Having no job and no money, in *desperation* he robbed a bank. 직업도 돈도 없어서 그는 자포자기하여 은행을 털었다.

2 [the ~] 절망하게 하는 것[사람], 절망의 원인; 골칫거리 《*of*》: He is *the* ~ *of* his parents. 그의 부모는 그를 버린 자식으로 치고 있다
abandon one***self*** [***give*** one***self up***] ***to*** ~ 자포자기하다 ***drive*** a person ***to*** ~ = ***throw*** a person ***into*** ~ …을 절망 상태로 몰아 넣다 ***in*** ~ 절망하여, 자포자기하여
— *vi.* **절망하다,** 체념하다 《*of*》; (남의) 일을 비관적으로 생각하다: (~+전+명) We ~*ed of* his life. = His life is ~*ed of*. 그는 살아날 가망이 없다. ▷ désperate *a.*; desperátion *n.*
*__de·spair·ing__ [dispέəriŋ] *a.* Ⓐ **절망적인,** 자포자기한 **~·ly** *ad.*
des·patch [dispǽtʃ] *vt., n.* 《영》 =DISPATCH
des·per·a·do [dèspərά:dou, -réi-] [Sp.] *n.* (*pl.* ~(**e**)**s**) (특히 초기 미국 서부 개척 시기의) 범법자, 무법자; 자포자기한 도박꾼
‡**des·per·ate** [déspərət] *a.* **1** Ⓐ 〈사람·행위가〉 **막가는,** 자포자기의: a ~ criminal 흉악범 **2** 목숨을 건, **필사적인,** 무모한; Ⓟ 몹시 탐나는; (…하고 싶어) 못 견디는 《*for, to* do》: I was ~ *for* a glass of water. 물 한 잔 마시고 싶어서 죽을 지경이었다. **3** 절망적인, (좋아질) 가망이 없는(critical): a ~ illness 가망 없는 병 **4** 극도의, 지독한: ~ poverty 극빈
— *ad.* 《구어·방언》 =DESPERATELY **~·ness** *n.*
▷ despáir *v.*; desperátion *n.*
‡**des·per·ate·ly** [déspərətli] *ad.* **1 절망적으로;** 자포자기하여; **필사적으로;** 생각다 못해 **2** 《구어》 몹시, 지독하게(excessively)
*__des·per·a·tion__ [dèspəréiʃən] *n.* Ⓤ **절망, 자포자기**(⇨ despair 유의어); 필사적임, 죽살이침 ***drive*** a person ***to*** ~ 죽살이치게 하다; 《속어》 노발대발하게 하다 ***in*** ~ 필사적으로; 자포자기하여
▷ despáir *v.*; désperate *a.*
de·spi·ca·ble [déspikəbl, dispík-] *a.* 치사한, 비루한, 비열한 **~·ness** *n.* **-bly** *ad.*
de·spin [dì:spín] *vt., vi.* (**-spun** [-spʌ́n]; **~·ning**) 〈인공위성 등이〉 회전을 멈추다, 회전 속도를 떨어뜨리다
de·spir·it·u·al·ize [di:spíritʃuəlàiz] *vt.* …에서 정신성[정신적인 것]을 빼앗다
*__de·spise__ [dispáiz] [L 「내려다보다」의 뜻에서] *vt.* **경멸하다, 멸시하다;** 혐오하다(dislike): I ~ lunching alone. 혼자서 점심 먹는 것은 싫다.

> 유의어 **despise** 사람·물건을 시시하다고 얕보다: I *despise* hypocrites. 나는 위선자를 경멸한다. **scorn** 사람·물건에 노여움이 섞인 강한 경멸감을 느끼다: They *scorned* him as a liar. 그를 거짓말쟁이라고 경멸했다. **disdain** 사람·물건을 하찮게 여기고 거만하게[우월하게] 경멸하다: He *disdains* foreigners. 그는 외국인을 경멸한다.

~·ment *n.* **de·spís·er** *n.*
‡**de·spite** [dispáit] *prep.* …**에도 불구하고:** They went for a walk ~ the rain. 그들은 비가 오는 데도 불구하고 산책을 나갔다. ★ in spite of보다 문어적이며, 신문 등에서 잘 쓰는 말.
— *n.* Ⓤ 무례; 위해(危害); 《고어》 악의, 경멸 (***in***) ~ ***of*** 《문어》 …을 무시하고; …에도 불구하고 ★ despite 또는 in spite of가 보통. ***in*** my ~ 안 된다고 하는데도 (act) ***in*** one***'s*** (***own***) ~ 《고어》 본의 아니게 (하다) ▷ despíteful *a.*
de·spite·ful [dispáitfəl] *a.* 《고어》 =SPITEFUL **~·ly** *ad.* **~·ness** *n.*
de·spit·e·ous [dispítiəs] *a.* 《고어》 **1** 악의 있는, 심술궂은 **2** 경멸적인; 냉혹한, 비정한 **~·ly** *ad.*
de·spoil [dispɔ́il] *vt.* 약탈하다; 〈자연환경 등을〉 파괴하다; 〈기분·가치 등을〉 손상시키다: (~+목+전+명) ~ a person *of* right …에게서 권리를 박탈하다 **~·er** *n.* **~·ment** *n.* Ⓤ 약탈
de·spo·li·a·tion [dispòuliéiʃən] *n.* Ⓤ 약탈; (자연환경의) 파괴
de·spond [dispάnd | -spɔ́nd] *vi.* 《문어》 낙심하다, 낙담하다 《*of*》: ~ *of* one's future 장래를 비관하다
— *n.* Ⓤ 《고어》 낙담(despondency)
de·spon·den·cy [dispάndənsi | -spɔ́n-], **-dence** [-dəns] *n.* Ⓤ 낙담, 의기소침
de·spon·dent [dispάndənt | -spɔ́nd-] *a.* 기가 죽은, 의기소침한; Ⓟ 낙담한 《*at, about, over*》
— *n.* 실망[낙담]한 사람 **~·ly** *ad.*
de·spond·ing [dispάndiŋ | -spɔ́n-] *a.* =DESPONDENT **~·ly** *ad.*
*__des·pot__ [déspət, -pɑt | -pɔt] [Gk 「주인」의 뜻에서] *n.* **전제 군주,** 독재자; 폭군(tyrant)
▷ despótic *a.*
des·pot·ic, -i·cal [dispάtik(əl) | -pɔ́t-] *a.* 전제[독재]적인; 횡포한 ***be despotic to*** [***toward***] …에 대해 횡포하다 **-i·cal·ly** *ad.*
despótic mónarch 전제 군주
despótic mónarchy 전제 군주제[국]

thesaurus **desolate** *a.* **1** 황량한 bare, barren, bleak, desert, waste, wild **2** 사람이 없는 deserted, unoccupied, forsaken, abandoned, isolated
despair *n.* hopelessness, dejection, depression, desperation, discouragement, misery, distress
desperate *a.* **1** 막가는 audacious, bold, violent, mad, lawless **2** 필사적인 compelling, urgent,

des·pot·ism [déspətìzm] *n.* **1** Ⓤ 전제 정치, 독재제; 압제, 폭정 **2** 전제국; 전제 정부 **-ist** *n.* 전제론자
des·po·tize [déspətàiz] *vi.* 전제 군주[독재자] 노릇을 하다, 독재 지배를 하다
des·pu·mate [déspjumèit, dispjú:-] *vt.* 〈액체의〉 표면 피막을 걷어내다, 웃더껑이를 제거하다
— *vi.* 〈액체의〉 표면 피막을 형성하다; 〈불순물의〉 피막으로 배출되다 **dès·pu·má·tion** *n.*
des·qua·mate [déskwəmèit] *vi., vt.* 〖병리〗 〈표피가〉 벗겨지다; 벗기다 **dès·qua·má·tion** *n.*
des res [dèz-réz] [*des*irable *res*idence] 《영·구어》 이상적인 주택
‡**des·sert** [dizə́:rt] [F 「식탁을 치우다」의 뜻에서] *n.* ⓊⒸ 디저트, 후식 《미국에서는 파이·푸딩·과자류·아이스크림 등, 영국에서는 원래 과일·과자류 등이 나왔는데, 지금은 거의 미국과 같음》
— *a.* Ⓐ 디저트용의: a ~ fork[knife] 디저트 포크[나이프] / ~ raisin 디저트용 고급 건포도
dessért sèrvice 디저트용 접시
des·sert·spoon [dizə́:rtspù:n] *n.* 디저트스푼 《teaspoon과 tablespoon의 중간 크기》
des·sert·spoon·ful [-spù:nfùl] *n.* 디저트스푼 하나의 분량
dessért wìne 디저트용 달콤한 포도주
de·sta·bi·lize [di:stéibəlàiz] *vt.* 불안정하게 하다; 〈정권을〉 약체화시키다 **de·stà·bi·li·zá·tion** *n.*
de·sta·lin·ize, de-Sta- [di:stɑ́:linàiz] *vt.* 비(非)스탈린화하다 **de·stà·lin·i·zá·tion, de-Stà-** *n.*
de·ster·il·ize [di:stérəlàiz] *vt.* 〈유휴 물자를〉 활용하다; 《미》 〈금의〉 봉쇄를 해제하다
‡**des·ti·na·tion** [dèstənéiʃən] *n.* **1** 목적지, 행선지, 도착지[항]; 〖상업〗 상품이 닿을 곳[항구]; 편지의 보낼 곳: a vacation ~ 휴양지 / a port of ~ (상품의) 도착항 **2** ⓊⒸ 목적, 용도 **3** (통신의) 수신자
destinátion fìle 〖컴퓨터〗 목적 파일
destinátion wèdding 교외[휴양지]에서 거행되는 결혼식
‡**des·tine** [déstin] *vt.* **1** 〈어떤 목적·용도로〉 예정해 두다 《*for*》: 《~+목+전+명》 ~ the day *for* a reception 그 날을 환영회로 잡아 두다 **2** [보통 수동형으로] (운명으로) 정해지다, 운명짓다(doom) (⇨ destined): 《~+목+전+명》 《~+목+*to* do》 be ~*d for* the ministry = be ~*d to* enter the ministry 성직자가 될 몸이다 ▷ déstiny, destinátion *n.*
‡**des·tined** [déstind] *a.* **1** (운명으로) 예정된; 운명지어진: one's ~ course of life 숙명적으로 정해진 인생 행로 **2** Ⓟ 《문어》 (…로) 향하는 《*for*》: This ship is ~ *for* New York. 이 배는 뉴욕행이다.
‡**des·ti·ny** [déstəni] *n.* Ⓤ **1** 운명, 숙명(⇨ fate 유의어) **2** [**D~**] 하늘(의 뜻)(Providence); [the Destinies] 운명의 3여신(the Fates)
by **~** 운명으로[에 의해서] ***the man of*** **~** 운명을 지배하는 사람 《나폴레옹 1세와 같은 사람》
▷ déstine *v.*
des·ti·tute** [déstət*j*ù:t | -tjù:t] *a.* **1** Ⓟ 〈…이〉 결핍한, 없는(in want) 《*of*》: ~ *of* common sense 양식이 없는 **2** 빈곤한, 궁핍한(poor); [the ~; 명사적; 복수 취급] 가난한 사람들 ***be **~** ***of*** …이 결여되다, …이 없다 ***be left*** **~** 곤궁에 빠져 있다
▷ destitútion *n.*
des·ti·tu·tion [dèstət*j*ú:ʃən | -tjú:-] *n.* Ⓤ 결핍(상태); 극빈, 빈곤, 궁핍
de·stock [di:stɑ́k | -stɔ́k] *vi.* 재고를 줄이다

pressing, critical, acute **3** 무모한 risky, rash, reckless, hazardous, indiscreet
despite *prep.* regardless of, in spite of, notwithstanding, in the face of
destiny *n.* fate, fortune, lot, future, luck
destructive *a.* devastating, disastrous, catastrophic, dangerous, lethal, damaging, harmful

de·stress [di:strés] *vt.* …의 중압을 없애다
‡**de·stroy** [distrɔ́i] [L 「허물어뜨리다」의 뜻에서] *vt.* **1** 파괴하다(opp. *construct*); 〈문서 등을〉 파기하다; 훼손하다: The building was ~*ed* by a bomb. 그 건물은 폭탄으로 파괴되었다.

> 유의어 **destroy** 쌓아올린 것을 파괴하여 못쓰게 하다를 뜻하는 가장 일반적인 말이다: *destroy* a town 도시를 파괴하다 **ruin** 복구가 불가능할 정도로 파괴하다: The ancient capital was *ruined* by an earthquake. 그 고대 수도는 지진으로 폐허가 되었다. **wreck** 난폭한 수단으로 부수다: The car was *wrecked* in the collision. 그 차는 충돌 사고로 대파되었다.

2 멸하다, 괴멸[박멸]하다, 구제(驅除)하다; [보통 수동형으로] 〈동물을〉 죽이다, 잡다: Many lives *were* ~*ed* in the war. 그 전쟁에서 많은 사람이 죽었다. **3** 소실(消失)시키다: be ~*ed* by fire 소실(燒失)되다 **4** 파기하다, 무효로 하다 **5** 〈계획·희망 등을〉 망치다: ~ all her hopes 그녀의 모든 희망을 깨버리다
~ it***self***[one***self***] 자멸[자살]하다
— *vi.* 파괴하다, 부서지다 **~·a·ble** *a.*
▷ destrúction *n.*; destrúctive *a.*
***de·stroy·er** [distrɔ́iər] *n.* 파괴[파기]자; 박멸자; 〖군사〗 구축함(cf. TORPEDO-BOAT DESTROYER)
destróyer èscort 《미》 호위 구축함
destróyer lèader 향도(嚮導) 구축함
de·stróy·ing ángel [distrɔ́iiŋ-] 〖식물〗 광대버섯 《독버섯》
de·struct [distrʌ́kt] *a.* Ⓐ 파괴용의: a ~ button 파괴 단추 《미사일을 공중 폭파시키는》
— *n.* (고장난 로켓의) 자동 파괴, 공중 폭파
— *vt.* 〈로켓 등을〉 자동 파괴하다, 자폭시키다
— *vi.* 〈로켓 등이〉 자동적으로 파괴되다, 자폭하다
de·struct·i·ble [distrʌ́ktəbl] *a.* 파괴[괴멸]할[될] 수 있는 **de·strùct·i·bíl·i·ty** *n.* Ⓤ 파괴성; 파괴력
‡**de·struc·tion** [distrʌ́kʃən] *n.* Ⓤ **1** 파괴; (대량) 살인; (문서의) 파기(죄): weapons of mass ~ 대량 파괴 무기 **2** 절멸, 구제(驅除): the ~ of vermin 해충의 구제 **3** 멸망(ruin), 파멸 **4** Ⓒ 파멸의 원인: Women were his ~. 여자 때문에 그는 신세를 망쳤다. **~·ist** *n.* 파괴[무정부]주의자
▷ destróy *v.*; destrúctive *a.*
‡**de·struc·tive** [distrʌ́ktiv] *a.* (opp. *constructive*) **1** 파괴적인, 해를 끼치는 《*of, to*》: a ~ typhoon 파괴적인 태풍 / a habit ~ *to* health 건강에 해로운 습관 **2** 파괴주의적인; 부정적인: ~ criticism 파괴적 비평 **3** 소거된 **~·ly** *ad.* **~·ness** *n.*
▷ destróy *v.*; destrúction, destructívity *n.*
destrúctive distillátion 분해 증류, 건류(乾溜)
destrúctive interférence 〖물리〗 상쇄적 간섭
destrúctive réad 〖컴퓨터〗 파괴성 판독 《한 번 판독하면 그 데이터가 파괴[소거]되는 기억 장치》
de·struc·tiv·i·ty [dì:strʌktívəti, distrʌk-] *n.* Ⓤ 파괴 능력
destrúct lìne (미사일의) 자폭선(自爆線)
de·struc·tor [distrʌ́ktər] *n.* **1** 《영》 폐기물[오물] 소각로(爐) **2** (미사일의) 파괴 장치, 자폭 장치
destrúct sỳstem 자폭 장치
de·struc·ture [di:strʌ́ktʃər] *vt.* …의 구조를 파괴[해체]하다
de·suete [di:swí:t] [F] *a.* 시대[유행]에 뒤진
des·ue·tude [déswit*j*ù:d | déswitjù:d, disjú:i-] *n.* Ⓤ 《문어》 폐지 (상태), 폐용(廢用), 불용
fall [***pass***] ***into*** **~** 안 쓰이게 되다, 스러지다
de·sul·fur, -phur [di:sʌ́lfər] *vt.* = DESULFURIZE
de·sul·fur·ize, -phur·ize [di:sʌ́lfjuràiz, -fə- | -fju-] *vt.* 탈황(脫黃)하다, …에서 황을 제거하다
de·sùl·fu·ri·zá·tion *n.* **-iz·er** *n.*
des·ul·to·ri·ly [dèsəltɔ́:rəli, ⌐─⌐── | désəltərəli]

ad. 산만하게, 종작없이, 만연히, 띄엄띄엄

des·ul·to·ry [désəltɔ̀:ri | -təri] *a.* 일관성 없는; 산만한; 주제를 벗어난, 종잡을 수 없는(⇨ random 유의어): a ~ talk 산만한 잡담 / ~ reading 난독(亂讀) **-ri·ness** *n.*

DET diethyltryptamine 속효성(速效性) 환각제

det. detach; detachment; detail; determine; determiner **Det.** detective

***de·tach** [ditǽtʃ] [F 「떼다」와 「붙이다(attach)」에서] *vt.* **1** 떼다, 떼어내다(remove) (*from*); 분리하다 (*from*): (~+목+전+명) ~ a locomotive *from* a train 열차에서 기관차를 분리하다 **2** 〈군대·군함을〉 파견하다(dispatch): (~+목+**to** do) The soldiers were *~ed to* guard the visiting prince. 내방한 왕자를 경호하기 위해 병사들이 파견되었다. // (~+목+전+명) ~ a ship *from* a fleet 함대에서 배를 한 척 파견하다 **~ one*self* from** …에서 이탈하다[벗어나다] **~·er** *n.*
▷ detáchment *n.*

de·tach·a·ble [ditǽtʃəbl] *a.* 분리할 수 있는; 파견할 수 있는 **de·tàch·a·bíl·i·ty** *n.* **-bly** *ad.*

***de·tached** [ditǽtʃt] *a.* **1 a** 분리된, 고립된(isolated); 〈가옥이〉 한 집 한 가구인: a ~ house 독립 가옥, 단독 주택 / a ~ palace 별궁 **b** 파견된: a ~ force 분견[파견]대 **2** 초연한, 얽매이지 않은, 〈의견 등이〉 사심 없는, 공평한: a ~ view 공평한[객관적] 견해 **3** [안과] (망막이) 박리된 **~·ness** *n.*

de·tach·ed·ly [ditǽtʃidli, -tʃtli] *ad.* 떨어져서, 고립하여; 사심 없이, 공평하게; 초연히

detáched sérvice [군사] 파견 근무

***de·tach·ment** [ditǽtʃmənt] *n.* Ⓤ **1** 분리, 이탈 **2** (세속·이해(利害) 등에 대해서) 초연함, 공평 **3** 파견; Ⓒ 파견(함)대: a medical ~ (군대의) 의료반

‡**de·tail** [dí:teil, ditéil] [F 「잘게 썰다」의 뜻에서] *n.* **1** 세부, 세목, 항목(item); 지엽적(枝葉的)인 일, 사소한 일(trifle); [*pl.*] 상세한 설명[기술]: But that is a (mere) ~. [종종 비꼬아서] 하지만 그것은 사소한 일이잖아요. **2** UC [건축·미술] 세부 (묘사); [건축·기계] 상세도(=~ drawing) **3** [군사] 행동 명령; 특별 임무(의 임명), (소수의) 특파 부대 (미국에서는 경찰대·기자단에 대해서도 말함), 선발대
a matter of* ~** 사소한 일 ***beat*[*defeat*] *in* ~** 각개(各個) 격파하다 (down***) ***to the smallest*[*last*] ~** 아주 사소한[마지막] 세부에 이르기까지 ***give a full* ~ *of*** …을 상세히 설명하다 ***go*[*enter*] *into* ~s** 상세히 말하다 ***in* ~** 상세히; 세부에 걸쳐
— *vt.* **1** 상술(詳述)하다; 열거하다 **2** [군사] 분견하다, 특파하다: (~+목+**to** do) They were *~ed to* search the chapel. 그들은 예배당을 수색하도록 파견되었다. // (~+목+전+명) ~ a man *for* sentry duty 병사에게 보초 근무를 명하다 **3** (미) 〈차 등에〉 세부 장식을 하다; (미) 〈차의〉 안팎을 철저히 청소하다 **4** 〈중고차를〉 꼼꼼히 손질하다
— *vi.* 상세도를 만들다

détail dràwing [건축·기계] 상세도, 세부 설계도

***de·tailed** [dí:teild, ditéild] *a.* 상세한, 세부에 걸친; 파견된: a ~ report 상세한 보고 **~·ly** *ad.*

de·tail·er [dí:teiler] *n.* (제조 회사가 파견하는) 판촉 사원, 판매점 지원 담당자

de·tail·ing [dí:teiliŋ] *n.* Ⓤ (건물·옷감 등의) 세부 장식

détail màn 신약 정보 담당자 (의사·병원에 신약을 설명·소개하는 제약 회사의 영업 사원)

***de·tain** [ditéin] *vt.* **1** 〈사람을〉 못가게 붙들다, 기다리게 하다: We were *~ed* by an accident. 사고 때문에 늦어졌다. **2** [법] 유치[구류, 감금]하다: (~+목+**as** 보) The police *~ed* him *as* a suspect. 경찰은 그를 용의자로서 유치시켰다. **3** (영) 〈사람을〉 (병원에) 수용하다 **~·ment** *n.* =DETENTION
▷ deténtion *n.*

de·tain·ee [ditéini:, dì:teiní:] *n.* [법] 구류자, 억류자

de·tain·er [ditéinər] *n.* CU [법] **1** 불법 유치, 불법 점유 **2** 구금 연장 영장 **3** 구금, 감금 **4** (미·철도속어) 발차[배차] 계원

de·tas·sel [di:tǽsəl] *vt.* 〈옥수수의〉 수꽃이삭을 제거하다 (자가 수분을 못하도록)

‡**de·tect** [ditékt] [L 「덮개를 벗기다」의 뜻에서] *vt.* **1** 〈나쁜 짓 등을〉 발견하다(⇨ discover 유의어); 간파하다, 〈정체 등을〉 탐지하다, 인지하다: ~ the smell of smoke 연기 냄새를 탐지하다 // (~+목+**-ing**) ~ a person (in the act of) steal*ing* …이 도둑질하는 현장을 발견하다 **2** [통신] 검파하다; [화학] 검출하다
— *vi.* 〈형사·탐정이〉 탐색[수색]하다
~·a·ble, ~·i·ble *a.* 발견할 수 있는, 탐지할 수 있는
▷ detéction *n.*; detéctive *n., a.*

de·tect·a·phone, de·tect·o- [ditéktəfòun] *n.* (미) 전화 도청기[장치]

de·tec·tion [ditékʃən] *n.* UC 간파, 탐지, 발각 (*of*); 발견; 검출; [통신] 검파

detéction lìmit [화학] (물질의 농도 분석에서의) 검출 한계

‡**de·tec·tive** [ditéktiv] *n.* 탐정, 형사: a private ~ 사립 탐정 / a police ~ 형사
— *a.* 탐정의; 검출[검파]용의: a ~ agency 사설 탐정사, 흥신소 ▷ detéct *v.*; detéction *n.*

detéctive stòry[nòvel] 탐정 소설

***de·tec·tor** [ditéktər] *n.* **1** 탐지자[기], 발견자: a lie ~ 거짓말 탐지기 / a metal[smoke] ~ 금속[연기] 탐지기 **2** [통신] 검파기; [전기] (누전의) 검전기; [화학] 검출기: a crystal ~ 광석 검파기

detéctor càr [철도] (선로의 균열을 찾아내는) 디텍터 차

de·tent [ditént] *n.* [기계] (시계·기계 등을 멈추게 하는) 멈춤쇠

dé·tente, de·tente [deitá:nt] [F =relaxation] *n.* (국제 관계 등의) 긴장 완화, 데탕트

de·ten·tion [ditén∫ən] *n.* Ⓤ **1** 붙잡아 둠, 저지 **2** (판결 전의) 구치, 유치, 구금 (「구류」는 custody); (벌로서) 방과 후 학교에 남게 함 ***a ~ cell*** 유치장 ***a house of ~*** 미결감, 유치장 ***under ~*** 구류되어

deténtion bàrrack [영국군] 영창

deténtion càmp 임시 수용소, 억류소

deténtion cènter (영) 단기 소년원; 강제 수용소(concentration camp)

deténtion facìlity 구류 시설; 소년원

deténtion hòme (미) 소년원, 소년 구치소

deténtion hòspital 격리 병원

de·ter [ditə́:r] *vt.* (**~red**; **~·ring**) (겁먹어) 그만두게 하다, 단념시키다, (못하게) 막다 (*from*): (~+목+전+명) The cold *~red* him *from* going out. 추위 때문에 그는 외출을 하지 못했다.

de·terge [ditə́:rdʒ] *vt.* 〈상처 등을〉 깨끗이 하다; 정화하다; 씻어 내다 **de·térg·er** *n.*

de·ter·gen·cy [ditə́:rdʒənsi] *n.* Ⓤ 세정력(洗淨力), 정화력(淨化力)

de·ter·gent [ditə́:rdʒənt] *a.* 깨끗이 씻어 내는
— *n.* 세정제, 세제, 합성[중성] 세제

***de·te·ri·o·rate** [ditíəriərèit] [L 「악화하다」의 뜻에서] *vt.* 〈질을〉 나쁘게 하다, 악화시키다; 〈가치를〉 저하시키다; 타락시키다
— *vi.* 〈질·건강·날씨 등이〉 나빠지다, 악화[저하]하다, 타락하다(opp. *ameliorate*)
▷ deteriorátion *n.*; detériorative *a.*

de·te·ri·o·ra·tion [ditìəriəréiʃən] *n.* UC 악화, (가치의) 하락, 저하; 퇴보(opp. *amelioration*); [언어] 의미의 하락

de·te·ri·o·ra·tive [ditíəriərèitiv | -rət-] *a.* 악화

thesaurus **detach** *v.* unfasten, disconnect, unhitch, remove, separate, loosen, free, sever, disengage, disjoin, tear off, divide, disunite
detect *v.* notice, note, discern, perceive, make

하는 경향이 있는; 타락적인
de·ter·ment [ditə́:rmənt] *n.* Ⓤ 제지[저지]; Ⓒ 제지[저지]하는 것, 방해물 《*to*》
de·ter·mi·na·ble [ditə́:rmənəbl] *a.* 확정[결정]할 수 있는; 〖법〗 종결지어야 하는 **-bly** *ad.*
de·ter·mi·na·cy [ditə́:rmənəsi] *n.* 결정성, 확정성; 결정된 상태, 기정
de·ter·mi·nant [ditə́:rmənənt] *a.* 결정하는; 한정적인 **—** *n.* 결정자[물]; 〖생물〗 결정소(素); 〖논리〗 한정사(限定辭); 〖수학〗 행렬식
detérminant ránk 〖수학〗 (행렬의) 계수(rank)
de·ter·mi·nate [ditə́:rmənət] *a.* 한정된, 명확한; 확정된, 결정된; 결정적인, 결연한; 〖수학〗 기지수의; 〖식물〗 〈꽃차례가〉 유한의; 〖공학〗 〈구조의 일부가〉 명확한 압력만을 받는 **—** [-nèit] *vt.* 〈사물·일을〉 확인하다, 명확히 하다 **~·ly** *ad.* **~·ness** *n.*
detérminate cléavage 〖발생〗 결정적 난할(卵割)
detérminate érror 명료 오차
⁑de·ter·mi·na·tion [ditə̀:rmənéiʃən] *n.* Ⓤ **1** 결심; 결단(력); **결정**: (~+*to* do) his ~ *to* continue the investigation 그 조사를 계속하려는 그의 결심 **2** 확인; 해답; 〖물리〗 측정(법); 〖논리〗 한정; 〖법〗 판결; 종결; 〖의학〗 (혈액 순환의) 편향(偏向)
make a ~ of …을 결정하다 ***with ~*** 단호히
▷ detérmine *v.*; detérminate, detérminative *a.*
de·ter·mi·na·tive [ditə́:rmənèitiv, -nət-|-nət-] *a.* 결정력이 있는; 확정적인, 한정적인 **—** *n.* 결정[한정] 요인; 〖문법〗 한정사, 결정사 **~·ly** *ad.* **~·ness** *n.*
de·ter·mi·na·tor [ditə́:rmənèitər] *n.* = DETERMINER 1
⁂de·ter·mine [ditə́:rmin] [L 「한계를 정하다」의 뜻에서] *vt.* **1 결심시키다**(⇨ determined): (~+목+*to* do) This ~*d* me *to* act at once. 이로써 나는 즉시 행동하기로 결심했다. // (~+목+전+명) The letter ~*d* him *against* the plan. 그 편지를 읽고 그는 그 계획에 반대하기로 결정했다. **2 결심하다**, 결의하다(⇨ decide 유의어): (~+*to* do) (~+*that* 절) I ~*d to* go. = I ~*d that* I would go. 나는 가기로 결심했다. / I ~*d that* nothing should be changed. 하나도 바꾸지 않기로 결심했다. ★ 《구어》에서는 흔히 should를 생략. **3 결정하다**, 단정하다: Demand ~*s* prices. 수요가 가격을 결정한다. // (~+*wh.* 절) ~ *which* is right 어느 쪽이 옳은지를 결정하다 // (~+*wh. to* do) We have not yet ~*d what to* do. 우리는 무엇을 할 것인가를 아직 정하지 않았다. **4** 〈경계를〉 확정하다, 〈날짜·가격 등을〉 (미리) **정하다**; 〖물리〗 측정하다; 〖논리〗 한정하다; 〖기하〗 위치를 결정하다; 〖법〗 판결[종결]하다
— *vi.* **1 결정하다**; 결심하다 《*on*》: (~+전+명) They ~*d on* their course of future. 그들은 장래의 방침을 결정했다. / We ~*d on* going at once. 우리는 곧 가기로 정했다. **2** 〖법〗 〈효력 등이〉 끝나다(expire)
▷ determinátion *n.*; detérminate, detérminative *a.*
***de·ter·mined** [ditə́:rmind] *a.* **1** 결연[단호]한(resolute); Ⓟ **굳게 결심한**: (~+*to* do) She was ~ *to* make no mention of this. 그녀는 이 일에 대해 아무 말도 않기로 굳게 결심했다. // (~+전+*-ing*) The boy was firmly ~ *on* becom*ing* a painter. 소년은 화가가 되기로 굳게 결심하고 있었다. **2** 결정[확정]된, 한정된 **~·ly** *ad.* 결연히, 단호히 **~·ness** *n.*
de·ter·min·er [ditə́:rmənər] *n.* **1** 결정하는 사람[것] **2** 〖문법〗 한정사 《the, a, this, your 등 명사를 한정하는 말》
de·ter·min·ism [ditə́:rmənìzm] *n.* Ⓤ 〖철학〗 결정론 **-ist** *n.*, *a.* 결정론자(의)
de·ter·min·is·tic [ditə̀:rmənístik] *a.* 결정론(자)적인 **-ti·cal·ly** *ad.*
de·ter·ra·ble [ditə́:rəbl] *a.* 제지[억제]할 수 있는
de·ter·rence [ditə́:rəns, -tʌ́r-, -tér-|-tér-] *n.* Ⓤ **1** 제지, 저지 **2** 전쟁 억제(력)
de·ter·rent [ditə́:rənt, -tʌ́r-, -tér-|-tér-] *a.* 방해하는, 제지시키는, 기가 꺾이게 하는; 전쟁 억지의: ~ force[power] 전쟁 억지력 / ~ effect 전쟁 억지 효과 **—** *n.* **1** 방해물 **2** 전쟁 억지력; 《특히》 핵무기: the nuclear ~ 핵억지력
de·ter·sive [ditə́:rsiv] *a.*, *n.* = DETERGENT
***de·test** [ditést] [L 「신을 증인으로 호출하여 저주하다」의 뜻에서] *vt.* **혐오하다**, 몹시 싫어하다(abhor), 지독히 미워하다(⇨ hate 유의어): I ~ snakes. 나는 뱀이 질색이다. // (~+*-ing*) My mother ~*s* go*ing* out alone. 어머니는 혼자 나다니시길 아주 싫어하신다. **~·er** *n.* ▷ detestátion *n.*
de·test·a·ble [ditéstəbl] *a.* 혐오할 만한, 몹시 싫은: be ~ *to* …에게 미움받다 **~·ness** *n.* **-bly** *ad.* 가증하게
de·tes·ta·tion [dì:testéiʃən] *n.* **1** Ⓤ 아주 싫어함, 혐오, 증오(hatred) **2** 아주 싫은 것[사람]
be in ~ 미움받고 있다 ***hold ... in ~*** = ***have a ~ of*** …을 몹시 싫어하다
de·throne [di:θróun, di-] *vt.* 〈왕을〉 폐위하다; …을 권좌에서 몰아내다 《*from*》 **~·ment** *n.* Ⓤ 폐위, 찬탈; 강제 퇴위 **de·thrón·er** *n.*
de·tick [di:tík] *vt.* 〈가축의〉 진드기를 없애다
det·i·nue [détənjù:|-njù:] *n.* Ⓤ 〖법〗 (동산의) 불법 점유; 불법 점유 동산 반환 소송
det·o·na·ble [détənəbl] *a.* 폭발[폭파]할 수 있는
det·o·nate [détənèit] *vt.*, *vi.* 〈폭약을〉 폭발[폭파]시키다[하다]; 《비유》 촉발하다, 폭발적으로 일으키다: a *detonating* cap 뇌관(雷管) / a *detonating* fuse 폭발 신관(信管) / a *detonating* hammer (총기의) 공이 / *detonating* gas 폭명기 / *detonating* powder 폭약 / ~ dynamite 다이너마이트를 폭발시키다
det·o·na·tion [dètənéiʃən] *n.* ⓊⒸ 폭발; 폭음
det·o·na·tor [détənèitər] *n.* 뇌관, 폭발 신관, 기폭부; 기폭약; 《영》 〖철도〗 폭명(爆鳴) 신호기
de·tour, dé·tour [dí:tuər, ditúər] [F = turning] *n.* 우회(迂回); 에움길, 우회로(路) ***make*** [***take***] ***a ~*** 우회하다
— *vi.*, *vt.* 돌아서 가다[가게 하다] 《(*a*)*round*》
de·tox [dí:tɑks|-tɔks] 《미·구어》 *n.* = DETOXIFICATION **—** [-ˊ] *vt.*, *vi.* = DETOXIFY
de·tox·i·cant [di:tɑ́ksəkənt|-tɔ́ks-] *a.* 해독성의 **—** *n.* 해독제
de·tox·i·cate [di:tɑ́ksəkèit|-tɔ́ks-] *vt.* = DETOXIFY **de·tòx·i·cá·tion** *n.* **-ca·tor** *n.*
de·tox·i·fi·ca·tion [di:tɑ̀ksəfikéiʃən|-tɔ̀ks-] *n.* Ⓤ 해독; 알코올[마약] 중독자의 치료 기간
detoxificátion cènter 알코올[마약] 중독자 치료 센터
détox tànk = DETOXIFICATION CENTER
de·tox·i·fy [di:tɑ́ksəfài|-tɔ́k-] *v.* (**-fied**) *vt.* …에서 독을 제거하다; …의 알코올[마약] 의존증을 치료하다 **—** *vi.* 알코올[마약] 의존증을 치료 받다
de·tract [ditrǽkt] *vt.* 〈주의를〉 딴 데로 돌리다 (divert) 《*from*》; 《고어》 〈가치·중요성·명성 등의〉 〈일부를〉 감하다, 손상시키다; 비방하다; 얕보다
— *vi.* **1** 〈가치·명예가〉 떨어지다 《*from*》 **2** 나쁘게 말하다, 헐뜯다 《*from*》 **de·trác·tor** *n.* 중상자
de·trac·tion [ditrǽkʃən] *n.* ⓊⒸ **1** 감손(減損) 《*from*》 **2** 험담, 중상(slander), 비난
de·trac·tive [ditrǽktiv] *a.* 험담하는, 비난하는, 욕하는 **~·ly** *ad.*
de·trac·to·ry [ditrǽktəri] *a.* = DETRACTIVE
de·train [di:tréin] *vi.*, *vt.* 《문어》 열차에서 내리(게

---

out, observe, recognize, catch, sense, find out
detest *v.* loathe, abhor, abominate, hate, despise, execrate, feel aversion[hostility, animosity] toward, shrink from

하)다(opp. *entrain*) **~·ment** *n.*
de·trib·al·ize [di:tráibəlàiz] *vt.* …에서 종족의 인습을 탈피시키다, 개명시키다 **de·trìb·al·i·zá·tion** *n.*
det·ri·ment [détrəmənt] *n.* Ⓤ 상해(傷害), 손해, 손실; Ⓒ 유해물, 손해의 원인 ***to the ~ of*** …에 손해를 주어 ***without ~ to*** …에 손해 없이
det·ri·men·tal [dètrəméntl] *a.* Ⓟ 해로운, 불리한 (*to*): the ~ effects of urban renewal 도시 재개발의 유해한 영향 **—** *n.* 해로운 사람[것]; (속어) 달갑지 않은 구혼자 **~·ly** *ad.* 해롭게, 불리하게
de·tri·tal [ditráitl] *a.* 〖지질〗 암설(岩屑)의, 쇄암질의
de·tri·tion [ditríʃən] *n.* Ⓤ 마멸 (작용), 마모
de·tri·ti·vore [ditráitəvɔ̀:*r*] *n.* 〖생태〗 detritus를 먹고 사는 동물
de·tri·tus [ditráitəs] *n.* (*pl.* ~) 〖지질〗 암설(岩屑); 파편 (더미); 〖생태〗 시체, 배설물, 유기 분해물
***De·troit** [ditrɔ́it] *n.* 디트로이트 (미국 Michigan주의 자동차 공업 도시); 미국 자동차 산업계
de trop [də-tróu] [F=too many[much]] *a.* Ⓟ 지나치게 많은, 군더더기의, 쓸모 없는
de·trude [ditrú:d] *vt.* 밀어내다; 밀치다
de·trun·cate [ditrʌ́ŋkeit | di:-] *vt.* …의 일부를 잘라내어 줄이다, 삭감하다 **dè·trun·cá·tion** *n.*
de·tru·sor [ditrú:sə*r*] *n.* 〖해부〗 (방광의) 배뇨근(排尿筋)
de·tu·mes·cence [dì:t*j*u:mésns] *n.* 〖병리〗 종창 감퇴
Deu·ca·li·on [d*j*u:kéiljən | dju:-] *n.* 〖그리스신화〗 듀칼리온 (Prometheus의 아들; 처 Pyrrha와 홍수에서 살아남은 인류의 조상; cf. NOAH)
deuce[1] [djú:s | djú:s] [F 「2」의 뜻에서] *n.* **1** 〖카드〗 2의 패; 주사위의 2(점) **2** Ⓤ 〖경기〗 듀스 (테니스에서는 40 대 40의 득점) **3** (미·속어) 2달러 지폐; (영) 2펜스 ***~ of clubs*** (미·속어) 두 주먹
— *a.* (특히 게임·스포츠·도박에서) 둘의, 2의
— *vt.* 〈경기를〉 듀스로 하다 ***~ it*** (미·속어) 두 번째가 되다; 둘이서 하다, 약혼하다, 데이트하다
deuce[2] [OE 「신」의 뜻에서] *n.* (고어·구어) **1** Ⓤ 화(禍), 액운(bad luck); 재앙, 액귀(厄鬼); 악마(devil) **2** [the ~] [가벼운 욕으로서] 제기랄, 망할 것; [의문사의 센 뜻] 도대체; [부정] 전혀 않다[없다](not at all) ★ 숙어에서는 devil 대신에 쓰기도 함.
a [***the***] ***~ of a ...*** 지독한, 굉장한 ***D~*** [***The ~***] ***knows.*** 아무도 모른다, 알 게 뭐냐.(cf. GOD KNOWS) ***go to the ~*** 파멸하다; [명령법] 뒈져 버려 ***like the ~*** 몹시, 맹렬한 기세로 ***play the ~ with*** (구어) …을 망쳐 버리다 (***the***) ***~ a bit*** 조금도 …않다(not at all). ***the ~ and all*** 모조리; 하나도[신통한 것은] 없다 ***The ~*** it is[you are, etc.]! (그것이[자네가, …이] 그렇다니) 놀랍다[심하다, 고약하다, 설마]! ***The ~ is in it if I cannot.*** 내가 못한대서야. (꼭 할 수 있다) (***The***) ***~ take it!*** 아뿔싸!, 아차!, 빌어먹을! There will be ***the ~ to pay.*** 후환이 (있을 걸.) ***The*** (***very***) ***~ is in them!*** 그놈들 정말 돌았군! ***What the ~*** is that? (속어) 도대체 (그게) 뭐냐[어떻게 된 거냐]? ***Why*** [***Where***] ***the ~ ...?*** …은 도대체 왜 그래[어디냐]?
deuce-ace [djú:sèis | djú:s-] *n.* (주사위의) 2와 1 (가장 나쁜 숫자); (고어) 불운(bad luck)
deuc·ed [djú:sid, djú:st | djú:-] (영·구어) *a.* Ⓐ 정말 분한, 저주스러운; 굉장한: in a ~ hurry 굉장히 서둘러 **—** *ad.* 굉장히, 몹시: a ~ fine girl 아주 예쁜 처녀 **~·ly** [-sidli] *ad.*
deur·me·kaar [dʒə̀:*r*məkά:*r*] *a.* (남아공·구어) 혼란 상태에 빠진, 어리둥절한
de·us ex ma·chi·na [déiəs-eks-mά:kinə] [L=god from the machine] (그리스 고전극의) 다급할 때 등장하여 돕는 신; 위급함을 해결하는 판에 박힌[억지스러운] 결말
Deut. Deuteronomy
deuter- [djú:tə*r* | djú:-], **deutero-** [-rou] (연결형) 「제2의; 재(再)」의 뜻 (모음 앞에서는 deuter-)
deu·ter·ag·o·nist [djù:tərǽgənist | djù:-] *n.* (그리스 고전극의) 주역(protagonist) 다음가는 역(cf. TRITAGONIST); (일반적으로) 들러리 역할
deu·ter·an·ope [djú:tərənòup | djú:-] *n.* 제2색맹[녹색맹]인 사람 **dèu·ter·a·nó·pi·a** [-nóupiə] *n.* 제2색맹 **dèu·ter·an·óp·ic** *a.*
deu·ter·ate [djú:tərèit] *vt.* 〖화학〗 중수소화하다; (화합물에) 중수소를 넣다
dèu·ter·á·tion *n.* 중수소화(化)
deu·ter·ide [djú:təràid] *n.* 〖화학〗 중수소화물
deu·te·ri·um [dju:tíəriəm | dju:-] *n.* Ⓤ 〖화학〗 중수소(heavy hydrogen) (기호 D)
deutérium óxide 〖화학〗 산화중수소, 중수
deu·ter·og·a·my [djù:tərάgəmi | djù:tərɔ́g-] *n.* Ⓤ 재혼 **-mist** *n.* 재혼자
deu·ter·on [djú:tərὰn | djú:tərɔ̀n] *n.* 〖물리·화학〗 중양자 (deuterium의 원자핵)
Deu·ter·on·o·my [djù:tərάnəmi | djù:tərɔ́n-] *n.* 〖성서〗 신명기(申命記) (구약 성서 중의 한 책) **-ter·o·nóm·ic** *a.* **-mist** *n.* 신명기 작자[편자]
deu·ter·op·a·thy [djù:tərάpəθi | -rɔ́p-] *n.* Ⓤ 〖의학〗 후발증(後發症), 속발증(續發症)
deu·ter·o·stome [dú:tərəstòum, djú:-] *n.* 〖발생〗 신구(新口); 〖동물〗 신구 동물
deu·to·plasm [djú:təplæ̀zm] *n.* 〖발생〗 난황질 **dèu·to·plás·mic** *a.*
deut·sche mark, Deut·sche·mark, D-m- [dɔ́itʃə(-)mὰ:rk] [G] *n.* 독일 마르크 (독일의 전 화폐 단위; 略 DM)
Deut·sches Reich [dɔ́itʃəs-ráik] [G] *n.* 도이치 제국 (제2차 대전 전의 독일의 독일어 명칭)
Deutsch·land [dɔ́itʃlὰ:nt] [G] *n.* 도이칠란트 (Germany의 독일어명)
Deutsch·mark [dɔ́itʃmὰ:rk] *n.* =DEUTSCHE MARK
deut·zi·a [djú:tsiə, dɔ́it- | djú:tsjə] *n.* 〖식물〗 말발도리속(屬)
deux-che·vaux [dǝ́:ʃəvóu] [F=two horses] *n.* (프랑스 Citroën사가 만든) 2마력의 소형 승용차
Dev., Devon. Devonshire
de·va [déivə] *n.* **1** 〖힌두교·불교〗 [**D~**] 제파(提婆) (석가의 제자); 천신, 범천(梵天) **2** 〖조로아스터교〗 악신(惡神)
de·val·u·ate [di:vǽljuèit] *vt.* =DEVALUE
de·val·u·a·tion [di:væ̀ljuéiʃən] *n.* Ⓤ **1** 〖경제〗 평가 절하(平價切下)(opp. *revaluation*) **2** 가치[신분]의 저하 **~·ist** *n.* 평가 절하론자
de·val·ue [di:vǽlju:] *vt.* 가치를 감하다; 〖경제〗 〈화폐를〉 평가 절하하다(opp. *revalue*)
— *vi.* 〈화폐가〉 가치가 내리다
De·va·na·ga·ri [dèivənά:gəri:] *n.* 데바나가리 문자 (산스크리트어·힌디어 따위를 표기하는데 사용)
***dev·as·tate** [dévəstèit] *vt.* 〈국토를〉 **황폐시키다**; 철저하게 파괴하다; 〈사람을〉 압도하다, 망연자실케 하다 **-tated** *a.* 망연자실한 ▷ devastátion *n.*
dev·as·tat·ing [dévəstèitiŋ] *a.* **1** (완전히) 파괴적인, 황폐시키는 **2** 〈주장 등이〉 압도적인, 통렬한 **3** 엄청난, 치명적인, 충격적인: ~ news 충격적인 뉴스 / a ~ smile 뇌쇄적인 미소
dev·as·ta·tion [dèvəstéiʃən] *n.* ⓊⒸ 황폐하게 함, 유린; 황폐 (상태); [*pl.*] 약탈의 자취, 참화, 참상
dev·as·ta·tor [dévəstèitə*r*] *n.* 약탈자; 파괴자
*****de·vel·op** [divéləp] [F 「포장을 풀다」의 뜻에서] *vt.* **1 발달시키다**, 발전[발육]시키다; 계발하다; 〈의론 등을〉 전개하다: ~ muscles 근육을 발달시키다 / ~ one's business 사업을 확장하다 / ~ an argument [a the-

thesaurus **devastate** *v.* **1 황폐시키다** destroy, ruin, demolish, wreck, annihilate, spoil **2 압도하다** overcome, overwhelm, shock, bewilder

ory] 의론[이론]을 전개하다 / Art *~s* our sensibility. 예술은 감성을 함양한다. / Studies ~ the mind. 학문은 지성을 계발한다. // (~+목+전+명) ~ buds *into* flowers 봉오리를 개화시키다 **2** 〈자원·토지를〉 개발하다: ~ natural resources 천연자원을 개발하다 **3** 〈경향·자질 등을〉 발현시키다; 〈취미·습관 등을〉 붙이다: ~ a tendency to disregard instructions 지시를 무시하는 경향을 보이기 시작하다 / You should ~ a reading habit. 너는 독서하는 습관을 붙여야 한다. **4** (미) 〈정신적·물질적으로 숨은 것을〉 나타나게 하다; 〈비밀을〉 밝히다(reveal, disclose); 〈병을〉 발병시키다; 〈화재·사고 등을〉 일으키다: ~ symptoms of tuberculosis 결핵의 증상을 나타내다 ★ He *developed* tuberculosis.와 같은 표현도 (미·구어)에서는 씀. **5** 〖수학〗 전개하다; 〖음악〗 〈주제를〉 전개하다; 〖생물〗 진화시키다 **6** 〖사진〗 현상하다: *~ed* colors 현색(顯色) 염료 / *~ing* solution 현상액 / ~ a roll of film 필름 한 통을 현상하다 **7** 〖군사〗 전개하다; 〈공격을〉 개시하다; 〖체스〗 〈말을〉 움직이다; 〈깃발을〉 펼치다 (보통 과거분사로 사용)

— *vi.* **1** 발달하다; 발전하다; 전개되다, 발육하다 (*from, into*): The situation *~ed* rapidly. 국면이 급속히 진전되었다. // (~+전+명) Plants ~ *from* seeds. 식물은 씨에서 자란다. / His cold *~ed into* pneumonia. 그는 감기가 악화되어 폐렴이 되었다. **2** 〈사실 등이〉 밝혀지다; 〈숨었던 것이〉 밖으로 나타나다; 우연히 (…이) 알려지다; 〖사진〗 〈사진의 상(像)이〉 나타나다, 현상되다; (유리한 위치에) 말을 움직이다; 〖생물〗 발생하다, 진화하다 (*from*): It has *~ed* that ... …하다는 것이 밝혀졌다

▷ devélopment *n.*

de·vel·op·a·ble [divéləpəbl] *a.* 발달[전개]할 수 있는, 개발[전개] 가능한

devélopable súrface 〖수학〗 가전면(可展面)

de·vel·oped [divéləpt] *a.* **1** 〈국가 등이〉 고도로 발달한, 선진의: a ~ country 선진국 **2** 자세히 기술한, 전개한

de·vel·op·er [divéləpər] *n.* **1** 개발자 **2** 택지 개발[조성]업자 **3** 〖사진〗 현상제[액] **4** 근력 트레이닝 기구 **5** 〖조선〗 원도공(原圖工)

de·vel·op·ing [divéləpiŋ] *a.* 발전 도상의 ★ underdeveloped 대신에 쓰임: a ~ country[nation] 개발 도상 국가

devéloping àgent 〖사진〗 현상액

de·vél·op·ing-óut pàper [-áut-] 〖사진〗 현상(인화)지 (略 DOP)

‡**de·vel·op·ment** [divéləpmənt] *n.* **1** Ⓤ 발달, 성장(growth); 발전, 진전(⇨ progress 유의어); (자원 등의) 개발, (재능 등의) 계발; 확장; 전개: a ~ bank 개발 은행 / mental ~ 지성의 발육 **2** Ⓒ 발전의 소산; 진전된 새로운 단계; 새 사태[사실]: the latest news *~s* from New York 뉴욕에서 보내는 최신 뉴스 (뉴스 앵커가 쓰는 말) **3** (미) Ⓒ (특히 부동산업자에 의해 조성된) 단지, 주택군; (영) (정부의) 산업 개발 원조 지역 **4** 〖생물〗 진화(evolution); 발생 **5** 〖수학〗 전개; 〖음악〗 전개(부) **6** 〖사진〗 현상; 〖섬유〗 현색(顯色) ***bring land under ~*** 토지를 개발[개간]하다

▷ devélop *v.*; developméntal *a.*

de·vel·op·men·tal [divèləpméntl] *a.* Ⓐ 개발[계발]적인; 발달[발육]상의; 발생의 **~·ly** *ad.*

developméntal biólogy 발생 생물학

developméntal disabílity 〖심리〗 발달 장애

developméntal diséase 〖병리〗 (발육 과정에서 생기는) 발육병

developméntally chállenged 발달상 문제가 있는 (mentally retarded의 완곡어)

developméntal psychólogy 발달 심리학

devélopment àrea (영) 개발 촉진 지역

Devélopment Assístance Commìttee 개발 원조 위원회 (OECD의 하부 기관; 略 DAC)

devélopment rìghts (농지 등의) 개발권

devélopment sỳstem 〖컴퓨터〗 개발 시스템

devélopment wòrk 개발 사업

de·verb·a·tive [divə́:rbətiv] 〖문법〗 *a.* 동사에서 유래된[파생한] — *n.* 동사 유래어, 동사 파생어

de·vi·ance, -an·cy [dí:viəns(i)] *n.* (지능·사회 적응·성욕의) 이상(의 행동), 일탈; 〖통계〗 편차값

de·vi·ant [dí:viənt] *a.* (표준에서) 벗어난, 정상이 아닌, 이상한 — *n.* 사회의 상식[습관]에서 벗어난 사람, (특히 성적) 이상 성격자, (속어) 호모

de·vi·ate [dí:vièit] *vi.* 빗나가다, 일탈하다, 벗어나다 (*from*) — *vt.* 빗나가게 하다, 일탈시키다(divert) (*from*) — *n.* = DEVIANT; 〖통계〗 편차값

-à·tor *n.* **-a·tò·ry** *a.*

***de·vi·a·tion** [dì:viéiʃən] *n.* ⓊⒸ **1** 탈선, 일탈 (행위) (*from*) **2** (자침(磁針)의) 자차(自差); 편향; 〖생물·통계〗 편차; 편차값(= **~ vàlue**); 〖항해〗 항로 변경; 〖광학〗 (광선의) 굴곡, 편향

~·ism *n.* Ⓤ 편향; (공산당 등의 노선에서의) 이탈

~·ist *n.* (공산당 등의) 이탈자, 편향자

‡**de·vice** [diváis] *n.* **1** 장치; 고안품, (어떤 목적에 맞도록 꾸며진) 설비 (*for*); (완곡) 폭발물, 폭탄; 피임 기구, 성 기구: a safety ~ 안전 장치 **2** 고안, 방책, 의도; [종종 *pl.*] 책략, 계책 **3** 의장(意匠), 도안, 무늬, 상표 **4** 문장(紋章), 제명(題銘), 명구(銘句) **5** [*pl.*] 의지, 소망, 생각(fancy) ***leave*** a person ***to his*[*her*] *own ~s*** …을 자기 생각대로 하게 내버려 두다 (충고나 도움도 주지 않고) ▷ devíse *v.*

devíce addréss 〖컴퓨터〗 장치 번지

devíce contról 〖컴퓨터〗 장치 제어

de·vice-de·pen·dent [diváisdipéndənt] *a.* 〖컴퓨터〗 장치 의존성의

devíce drìver 〖컴퓨터〗 장치 구동기

de·vice-in·de·pen·dent [-indipéndənt] *a.* 〖컴퓨터〗 장치 독립성의

device technòlogy (전자) 부품 (개발) 기술

‡**dev·il** [dévəl] [Gk. 「욕설하는 사람」의 뜻에서] *n.* **1** 악마, 악귀, 마귀(⇨ demon 유의어); [보통 the D~] 마왕, 사탄(Satan): Needs must when the ~ drives. (속담) 악마가 몰아세울 때는 어쩔 수 없다, 발등의 불을 끄기 위해선 못할 짓 없다. / Speak [Talk] of *the D~* (and he will [is sure to] appear). (속담) 호랑이도 제 말 하면 온다. **2** 괴상한 우상, 사신(邪神) **3** 극악한 사람, (악덕·투지의) 화신, …광(狂): the ~ of greed 탐욕의 화신 **4** (구어) 저돌적인[무모한] 사람; 정력가; 다루기 힘든 사람 **5** [보통 수식어와 함께] (…한) 사람, 놈: a handsome[poor] ~ 멋진[불쌍한] 녀석 **6** (저술가 밑에서) 문필을 하청받아 일하는 사람; (인쇄소의) 사환; 변호사의 조수; 남에게 이용당하는 남자 **7** 〖기계〗 절단기 **8** 〖요리〗 (매운 양념을 많이 친) 불고기 **9** [the ~] **a** [욕이나 놀람을 나타내어] 제기랄, 빌어먹을, 설마 **b** [의문사와 함께] 도대체: Who *the* ~ is he? 도대체 그 사람은 누구냐? **c** [강한 부정] 결코 …아니다: *The* ~ he is. 그는 결코 그런 사람이 아니다. **d** (미) 질책, 비난 **10** (건설 현장에서 쓰는) 휴대용 난로 ★ deuce의 숙어에서는 (the) deuce를 the devil로 바꾸어 놓을 수 있음.

a* [*the*] *~ of a ... 굉장한 …, 엄청난 … (a hell of a …가 일반적임) ***and the ~ knows what*** 기타 여러가지, 그 밖에 많이 ***as the ~ hates holy water*** 몹시 미워하여 ***Be a ~!*** (구어) (되든 안 되든) 해 봐라! ***be a ~ for*** …광(狂)이다 ***be between the ~ and* (*the*) *deep* (*blue*) *sea*** 진퇴양난이다 ***be the ~* (*of it*)** 야단나다, 죽을 지경이다, 못살겠다 ***black as the ~*** 시꺼먼 ***catch the ~*** 몹시 비난을 받다 ***~ a bit*** 결코[절대로] (…않다) ***~ a one*** 전무(全無) ***~ on two sticks*** = DIABOLO ***for the ~ of it*** 장난으로, 골탕 먹이려고 ***full of the ~*** (구어)

---

development *n.* growth, maturing, expansion, spread, evolution, progress, forming, establishment
device *n.* appliance, tool, apparatus, utensil

〈아이가〉 장난꾸러기의 ***give the ~ his due*** 싫은 사람이라도 인정할 것은 인정하다 ***go to the ~*** 몰락[영락]하다; [명령법] 뒈져라!, 꺼져 버려! ***have a*** [***the***] ***~ of job*** (…하는 데) 몹시 애먹다, 혼나다 ***have the ~'s own luck*** ⦅구어⦆ 굉장히 운이 좋다 ***in the ~*** [강조; 의문사와 함께] 도대체 ***It's the ~*** (***and all***). 그거 골칫거리다. ***let the ~ take the hindmost*** 꼴찌는 악마에게 잡아먹혀라; 먼저 가는 자가 제일이다 ***like the ~*** 맹렬히, 정력적으로 ***paint the ~ blacker than he is*** 과장하여 악평하다 ***play the ~ with*** ⦅구어⦆ …을 엉망진창으로 만들다 ***raise the ~*** 대소동을 일으키다; 대연회를 열다 ***say the ~'s paternoster*** 투덜투덜 불평을 하다 ***tell the truth and shame the ~*** ⦅구어⦆ 결단코 진실을 말하다 ***the ~ and all*** 모든 악한 것 ***The D~ gets into*** a person …에게 마가 끼다 ***the ~ rebuking sin*** 악마의 설법, 자기 잘못을 덮어 놓고 남을 탓하기 ***the ~'s own job*** [***problem***] 몹시 어려운 일[문제] ***The ~ take it!*** ⦅영·속어⦆ 빌어먹을!, 제기랄! ***the ~ to pay*** ⦅속어⦆ 앞으로 닥칠 큰 곤란; ⦅미·구어⦆ 심한 벌 ***the ~ you know is better than the ~ you don't*** 모르는 곤경보다 싫어도 지금의 곤경이 낫다 ***The ~ you will*** [***you won't, he can, he can't***]. ⦅속어⦆ 그럴리가!, 마음대로 해라! ***There's the ~ among the tailors.*** ⦅영⦆ 야단법석이다, 큰 싸움판이다. ***the*** (***very***) ***~*** (***of it***) ⦅구어⦆ 몹시 어려운 (일), 괴로운 (일); 성가신 (일) ***To the ~ with*** ⦅구어⦆ …은 집어 치워라!, …은 내가 알 게 뭐냐!

— *v.* (**~ed**; **~·ing** | **~led**; **~·ling**) *vt.* **1** ⦅미·구어⦆ 괴롭히다, 곯리다, 학대하다 **2** 〈고기 등에〉 고추[후추]를 많이 쳐서 굽다 **3** 절단기로 자르다

— *vi.* ⦅주로 영⦆ (변호사·저술가 등의) 하청 일을 맡다; (때때로 보상 없이) 힘든 의무를 다하다; (인쇄소의) 심부름을 하다

▷ dévilish *a.*

dev·il-dodg·er [dévəldɑ̀dʒər | -dɔ̀dʒə] *n.* ⦅구어⦆ (큰 목소리를 내는) 설교자, 종군 목사

dévil dòg ⦅미·구어⦆ 해병대원(marine) ⦅별명⦆

dev·il·dom [dévəldəm] *n.* Ⓤ Ⓒ **1** 마계(魔界), 악마의 나라 **2** 악마의 지배력[신분] **3** [집합적] 악마

dev·iled | **dev·illed** [dévəld] *a.* 맵게 양념한

dev·il·fish [dévəlfìʃ] *n.* (*pl.* **~**, **~·es**) 〖어류〗 아귀; 낙지, 오징어; 쥐가오리 ⦅등⦆

⁎**dev·il·ish** [dévəliʃ] *a.* **1** 악마 같은; 흉악한, 극악무도한 **2** ⦅구어⦆ 지독한, 극심한, 극도의(extreme)

— *ad.* ⦅구어⦆ 지독하게, 엄청나게

~·ly *ad.* **~·ness** *n.* ▷ dévil *n.*

dev·il·ism [dévəlìzm] *n.* Ⓤ **1** 마성(魔性); 악마 같은 짓 **2** 악마 숭배

dev·il·kin [dévəlkin] *n.* 작은 악마(imp)

dev·il-may-care [-meikέər] *a.* 물불을 가리지 않는, 저돌적인(reckless); 태평스러운

dev·il·ment [dévəlmənt] *n.* Ⓤ Ⓒ 악마의 행적; 나쁜 장난

dev·il·ry [dévəlri] *n.* (*pl.* **-ries**) Ⓤ Ⓒ **1** 무모한 장난 **2** 극악무도(한 짓); 악마의 소행, 마술; 악마론(論) **3** [집합적] 악마

dévil's ádvocate **1** (철저한 논의를 위해) 고의적으로 반대를 하는 사람, 반대를 위해 시비를 거는 사람 **2** 〖가톨릭〗 시성(諡聖) 조사 심문관 ***play*** (***the***) ***~*** 일부러 반대 입장을 취하다, 선의의 비판자가 되다

dévil's bédpost ⦅구어⦆ 〖카드〗 클럽 4의 패 ⦅재수 없다고 함⦆

dévil's bónes ⦅속어⦆ 주사위(dice)

dévil's bóoks ⦅놀이용⦆ 카드(playing-cards)

dévil's dárning nèedle 〖곤충〗 (실)잠자리

dévil's dózen ⦅속어⦆ 13, 13개

dévil's fòod càke (맛이 농후한) 초콜릿 케이크

Dévil's Ìsland 악마의 섬(Ile du Diable) ⦅프랑스령 Guiana 앞바다의 섬; 원래 유형도(流刑島)⦆

dévil's pícture bòoks = DEVIL'S BOOKS

dévil's tattóo 손가락[발끝]으로 책상[마루]을 똑똑 두드리기 ⦅흥분·초조의 동작⦆

Dévil's Tríangle [the ~] 마(魔)의 3각 수역(cf. BERMUDA TRIANGLE)

dev·il·try [dévəltri] *n.* (*pl.* **-tries**) = DEVILRY

dev·il·wood [dévəlwùd | dévl-] *n.* 올리브의 작은 고목

de·vi·ous [díːviəs] *a.* **1** 우회하는, 에두르는, 구불구불한; 외진(remote) **2** 〈방법 등이〉 상도를 벗어난, 사악한 **3** 솔직하지 않은, 비뚤어진 **4** 〈흐름·바람 등이〉 방향이 변하기 쉬운 **~·ly** *ad.* **~·ness** *n.*

de·vis·a·ble [diváizəbl] *a.* **1** 궁리해 낼 수 있는 **2** 〖법〗 유증(遺贈)할 수 있는

de·vis·al [diváizəl] *n.* Ⓤ 연구, 궁리, 고안

⁑**de·vise** [diváiz] *vt.* **1** 〈방법을〉 궁리하다, 고안[안출]하다; 발명하다 ⦅*how*, *to* do⦆ ★ 1의 명사는 DEVICE.: ~ a plan 계획을 생각해 내다 **2** 〖법〗 〈부동산을〉 유증(遺贈)하다 ⦅*to*⦆ **3** ⦅고어⦆ 상상하다, 가정하다 **4** ⦅고어⦆ 〈특히 나쁜 일을〉 꾸미다

— *vi.* 궁리하다, 고안하다(contrive)

— *n.* Ⓤ 〖법〗 (부동산) 유증; 유증 재산 ⦅부동산⦆; Ⓒ 유언장의 증여 조항

de·vi·see [dèvəzíː, divaizíː] *n.* 〖법〗 (부동산) 수증자(受贈者)(opp. *devisor*)

de·vis·er [diváizər] *n.* **1** 고안[안출, 발명]자, 계획자 **2** 〖법〗 = DEVISOR

de·vi·sor [diváizər] *n.* 〖법〗 (부동산) 유증자

de·vi·tal·ize [diːváitəlàiz] *vt.* …에서 생명[활력]을 빼앗다[약화시키다] **de·vì·tal·i·zá·tion** *n.*

de·vi·ta·min·ize [diːváitəminàiz | -vít-] *vt.* …에서 비타민을 없애다

de·vit·ri·fy [diːvítrəfài] *v.* (**-fied**) *vt.* 〖화학〗 〈유리를〉 불투명하게 하다 — *vi.* 〖암석〗 결정화되다

de·vìt·ri·fi·cá·tion *n.* Ⓤ 〖화학〗 실투(失透)

de·vo·cal·ize [diːvóukəlàiz] *vt.* 〖음성〗 〈유성음을〉 무성음화하다

de·vo·cal·i·za·tion [diːvòukəlizéiʃən | -lai-] *n.*

de·voice [diːvɔ́is] *vt.* 〖음성〗 〈유성음을〉 무성음화하다 — *vi.* 무성음화되다

⁎**de·void** [divɔ́id] *a.* Ⓟ ⦅문어⦆ 결여된, …이 없는 ⦅*of*⦆: a person ~ *of* humor 유머가 없는 사람

— *vt.* 〈사람에게서〉 (…을) 빼앗다 ⦅*of*⦆

de·voir [dəvwáːr, dévwaːr] [F] *n.* **1** [*pl.*] 예의, 경의 **2** ⦅고어⦆ 본분, 의무; 직무 ***do*** one***'s ~*** 본분을 다하다 ***pay*** one***'s ~s to*** …을 찾아가 경의를 표하다

de·vol·a·til·ize [diːvɑ́lətəlàiz | -vɔ́l-] *vt.*, *vi.* 〖화학〗 〈증기를〉 액화시키다, 〈증기가〉 액화되다

de·vo·lu·tion [dèvəlúːʃən | dìːv-] *n.* Ⓤ **1** 계승, 양도; 〖법〗 (권리·의무·지위 등의) 상속인에의 이전 **2** (중앙 정부로부터 지방 자치제에의) 권한 이양, 사무 위임; 〖의회〗 위원 위임 **3** 〖생물〗 퇴화 **4** (발달 과정 등에 있어서) 단계적 추이, 변화, 이행 **5** ⦅영⦆ 〖정치〗 자치, 영국내 독립; (아일랜드의) 지방 분권 **~·àr·y** *a.* **~·ist** *n.* ▷ devólve *v.*

de·volve [divɑ́lv | -vɔ́lv] *vt.* 〈권리·의무·직분을〉 양도하다, 맡기다, 지우다 ⦅*on*, *upon*⦆

— *vi.* 〈재산 등이〉 이전되다(pass) ⦅*to*, *on*⦆; 귀속하다 ⦅*on*, *upon*⦆; 의존하다 **~·ment** *n.*

de·volved [divɑ́lvd | -vɔ́lvd] *a.* 〈권력·권한 등이〉 양도된, 귀속된, 넘어간: ~ responsibility 양도된 책임

Dev·on [dévən] *n.* **1** 데번 주(州) ⦅잉글랜드 남서부의 주⦆ **2** 데번종(種)의 소 ⦅유육(乳肉) 겸용⦆

De·vo·ni·an [dəvóuniən] *a.* **1** (영국의) Devon주의 **2** 〖지질〗 데본기(紀)[계(系)]의 — *n.* **1** Devon주

thesaurus **devise** *v.* contrive, work out, plan, form, plot, scheme, invent, create, conceive
devoid *a.* lacking, without, wanting
devotion *n.* **1** 헌신 loyalty, faithfulness, fidelity, commitment, dedication **2** 신앙심 piety, devout-

의 사람 **2** [the ~] 〖지질〗 데본기(紀)[계(系)]
Dev·on·shire [dévənʃìər, -ʃər] *n.* Devon의 구칭
‡**de·vote** [divóut] [L 「맹세코 봉납하다」의 뜻에서] *vt.* 〈몸·노력·시간·돈을〉 (…에) **바치다**, 쏟다, 기울이다, 충당하다 《*to*》; 〈재산 등을〉 (신 등에게) 봉납[봉헌]하다: (~+목+전+명) ~ one's life *to* education 교육에 일생을 바치다 **~ one*self to*** …에 일신을 바치다, …에 전념하다, …에 빠지다, …에 골몰[몰두]하다 ▷ devótion *n.*
∗**de·vot·ed** [divóutid] *a.* **1** **헌신적인**, 몸을 바친; 맹세한; 열심인 **2** (…을) 주제로 한, 다룬 《*to*》: a book ~ *to* American history 미국 역사를 다룬 책 **3** Ⓟ (…에) **골몰하여[하는]** 《*to*》; 열렬히 사랑하는, 애정이 깊은 《*to*》 **4** (신에게) 헌납[봉헌]된 **5** (고어) 저주받은 **~·ly** *ad.* 헌신적으로 **~·ness** *n.*
dev·o·tee [dèvətíː, -téi] *n.* **1** (광신적) 신자 《*of*》 **2** 애호가, 열애자 《*of*》: a ~ *of* golf 골프광
‡**de·vo·tion** [divóuʃən] *n.* Ⓤ **1** **헌신, 전념** 《*to*》; 강한 애착, 헌신적 사랑 《*for*》 **2** 귀의(歸依), 신앙심 **3** [*pl.*] 기도: be at one's ~*s* 기도하고 있다 **4** (어떤 것을) (목적·주의 등에) 바치기, 충당 《*to*》 ▷ devóte *v.*; devótional *a.*
de·vo·tion·al [divóuʃənl] *a.* Ⓐ 신앙의; 기도의; 헌신적인 **—** *n.* [때로 *pl.*] 짧은 기도 **~·ism** *n.* Ⓤ 경건주의; 광신 **~·ist** *n.* 경건주의자; 광신가 **~·ly** *ad.*
‡**de·vour** [diváuər] [L 「몽땅 삼키다」의 뜻에서] *vt.* **1** 〈사람·동물이〉 **게걸스레 먹다**, 탐식하다: The lion ~*ed* its prey. 사자는 잡은 먹이를 게걸스레 먹었다. **2** 〈질병·화재 등이〉 멸망시키다; 〈바다·어둠·시간·망각 등이〉 삼켜버리다 **3** 탐독하다; 뚫어지게 보다; 열심히 듣다 **4** [보통 수동형으로] 〈호기심·근심 등이〉 …의 주의를[마음을] 빼앗다, 열중시키다, 사로잡히다 《*by, with*》: She *was* ~*ed by* jealousy. 그녀는 질투심에 사로잡혔다. **~ *the way*[*road*]** (시어) 길을 바삐 가다; 〈말이〉 빨리 달리다 **~·er** *n.*
de·vour·ing [diváuəriŋ] *a.* 게걸스레 먹는; 〈감정이〉 열렬한, 강렬한 **~·ly** *ad.*
∗**de·vout** [diváut] *a.* **1** **믿음이 깊은**, 독실한; 헌신적인 **2** Ⓐ 마음에서 우러나는, 열렬한; 〈사람이〉 성실한 **3** [the ~; 명사적; 복수 취급] 독실한 신자들 **~·ly** *ad.* **~·ness** *n.* ▷ devóte *v.*
‡**dew** [djúː | djúː] *n.* Ⓤ **1** **이슬** **2** (시어) 신선함, 상쾌함(freshness) 《*of*》; (눈물·땀의) 방울 **3** (구어) = SCOTCH WHISKY; = MOUNTAIN DEW **4** [*pl.*] (미) 10달러; (미·속어) 마리화나 **~-*lit eyes*** (시어) 눈물로 빛나는 눈 **—** *vt., vi.* 이슬로 적시다[젖다]; 축이다, 눅눅하게 하다: It ~*s.* 이슬이 내린다. **~·less** *a.*
DEW [djúː | djúː] [*D*istant *E*arly *W*arning] *n.* 원거리 조기 경계(cf. DEW LINE)
de·wan [diwáːn] *n.* (인도) 주(州) 재무 장관; (인도 독립 주의) 수상(diwan)
Déw·ar flàsk[**vèssel**] [djúːər-] [스코틀랜드의 발명자 이름에서] 〖물리〗 듀어 병, 보온병 《실험용 단열 용기》
de·wa·ter [diːwɔ́ːtər, -wát- | -wɔ́ːtə] *vt.* 탈수[배수]하다 **~·er** *n.* 탈수기 **~·ing** *n.* Ⓤ 탈수
dew·ber·ry [djúːbèri | djúːbəri, -bèri] *n.* (*pl.* **-ries**) 〖식물〗 듀베리 《나무딸기의 일종》
dew·claw [-klɔ̀ː] *n.* (개 발의) 며느리발톱; (소·노루 등의) 위제(僞蹄), 퇴화한 발굽 **~ed** *a.*
dew·drop [-dràp | -drɔ̀p] *n.* **1** 이슬방울 **2** (영·익살) 콧물
Dew·ey [djúːi | djúːi] *n.* **1** 남자 이름 **2** 듀이 **John** ~ (1859-1952) 《미국의 철학자·교육자》
Déwey décimal classificàtion[**sỳstem**] [미국의 고안자 Melvil Dewey에서] [the ~] 〖도서관〗 듀이 십진 도서 분류법
dew·fall [djúːfɔ̀ːl | djúː-] *n.* ⓊⒸ 이슬이 내림[맺힘]; 이슬 맺힐 무렵 《저녁 때》
DEWK [djúːk | djúːk] [*d*ouble *e*mployed *w*ith *k*ids] *n.* (*pl.* **~S, ~s**) 아이가 있는 맞벌이 부부(cf. DINK)
dew·lap [djúːlæ̀p | djúː-] *n.* (소 등의) 목 밑에 처진 살; (속어) (살찐 사람의) 군턱
dew-lapped [-læ̀pt] *a.* 목 아랫살이 처진
DÉW lìne [the ~] 듀라인 《미국·캐나다의 공동 원거리 조기 경계망; 북위 70° 선 부근》
de·worm [diːwɔ́ːrm] *vt.* 〈개 따위로부터〉 기생충을 구제하다; 구충[살충]하다
déw pòint [the ~] 〖기상〗 (온도의) 이슬점(點)
déw pònd (영) 이슬 못, (구릉지의) 인공 연못
dew·ret [djúːrèt | djúː-] *vt.* (**~·ted**; **~·ting**) 〈삼 등을〉 비[이슬]에 맞혀 부드럽게 하다
∗**dew·y** [djúːi | djúːi] *a.* (**dew·i·er**; **-i·est**) **1** 이슬 맺힌, 이슬 많은; 이슬 같은 **2** (시어) 눈물 젖은 **3** 상쾌한 〈잠 등〉 **déw·i·ly** *ad.* **déw·i·ness** *n.* ▷ déw *n.*
dew·y-eyed [djúːiàid | djúːi-] *a.* (어린이처럼) 천진난만한 (눈을 가진), 티 없는, 순진한
dex [déks] *n.* (속어) 덱스 《dextroamphetamine 제제; Dexedrine 정제》
dex·a·meth·a·sone [dèksəméθəsòun] *n.* 〖약학〗 덱사메사손 《알레르기·염증 치료제》
Dex·a·myl [déksəmil] *n.* 덱사밀 《비만·우울증 치료제; 상표명》
dexed [dékst] *a.* (속어) 덱스(dex)에 취한
Dex·e·drine [déksədriːn, -drin] *n.* 덱세드린 《식욕 감퇴제; 상표명》
dex·ie [déksi] *n.* (속어) = DEX
dex·i·o·car·di·a [dèksioukáːrdiə] *n.* 〖병리〗 우심(증) 《심장이 오른쪽에 있음》
dex·ter [dékstər] *a.* **1** 오른쪽의 **2** (방패 모양 문장(紋章) 바탕의) 오른쪽의 《마주보아 왼편》(opp. *sinister*)
∗**dex·ter·i·ty** [dekstérəti] *n.* Ⓤ **1** **손재주 있음**, 솜씨 좋음 **2** 재치; 민첩, 기민 **3** (드물게) 오른손잡이 ▷ déxterous *a.*
dex·ter·ous [dékstərəs] [L 「오른쪽의」의 뜻에서] *a.* **1** 손재주가 있는, 솜씨 좋은; 교묘한: be ~ in[at] doing …하는 데 재간이 있다 **2** 민첩한, 영리한; 빈틈없는 **3** 오른손잡이의 **~·ly** *ad.* **~·ness** *n.*
dextr- [dekstr], **dextro-** [dékstrou] 《연결형》 「오른쪽의(right); 오른쪽으로 도는」의 뜻 《모음 앞에서는 dextr-》
dex·tral [dékstrəl] *a.* (opp. *sinistral*) **1** 오른쪽의, 오른손잡이의 **2** 〈고둥이〉 오른쪽으로 감긴 **—** *n.* 오른손잡이 사람 **~·ly** *ad.*
dex·tran [dékstrən] *n.* Ⓤ 〖화학〗 덱스트란 《혈장(血漿) 대용품》
dex·tran·ase [dékstrənèis] *n.* 〖생화학〗 덱스트라나아제 《치석을 분해하여 치약에 첨가함》
dex·trin [dékstrin], **-trine** [-trin, -triːn] *n.* Ⓤ 〖화학〗 덱스트린, 호정(糊精) 《우표·봉투의 풀로 쓰임》
dextro- [dékstrou, -trə] 《연결형》 = DEXTR-
dex·tro·am·phet·a·mine [dèkstrouæmfétəmìːn] *n.* 〖약학〗 덱스트로암페타민 《각성제 및 식욕 억제약으로 씀; cf. DEX》
dex·tro·car·di·a [dèkstroukáːrdiə] *n.* = DEXIOCARDIA
dex·trorse [dékstrɔːrs, ⌐⌐] *a.* 〖식물〗 오른쪽으로 감아 올라가는 《뿌리에서 보아》; 〖동물〗 〈고둥이〉 오른쪽으로 감긴(dextral)
dex·trose [dékstrous] *n.* Ⓤ 〖화학〗 우선당(右旋糖), 포도당

---

ness, religiousness, spirituality, holiness
devour *v.* eat up, consume, swallow up
dexterity *n.* adroitness, agility, skill, nimbleness, handiness, expertise, talent, craft, artistry, mastery, fitness

dex·trous [dékstrəs] *a.* = DEXTEROUS
DF, D/F, D.F. direction finder 방위 측정 장치; direction finding **D.F.** Dean of Faculty 스코틀랜드 변호사 협회장; *Defensor Fidei* (L = Defender of the Faith); *Distrito Federal* (Sp. = Federal District); Doctor of Forestry **D.F.C.** Distinguished Flying Cross 공군 수훈 십자 훈장 **DfES** Department for Education and Skills (영) 교육 기술부 **DFID** Department for International Development (영국의) 국제 개발부 **D.F.M.** 〔공군〕 Distinguished Flying Medal **dft.** defendant; draft **dg.** decigram(s) **D.G.** *Dei gratia* (L = by the grace of God); *Deo gratias* (L = thanks to God); Director General; Dragon Guards
DH [dì:éitʃ] [*d*esignated *h*itter] *n.* 〔야구〕 지명 타자 —*vi.* (~·**ed**; ~·**ing**) 지명 타자로 나서다
D.H. Doctor of Humanities **DHA** docosahexaenoic acid (물고기 기름 속에 존재하는 불포화 지방산)
Dha·ka [dɑ́:kə, dǽkə] *n.* 다카 (방글라데시의 수도)
dhal, dal [dɑ́:l] *n.* 〔식물〕 달 (인도산(産) 누른 콩; 그 콩으로 만든 전통 요리)
dha·nia [dɑ́:njə] *n.* (동아프리카·인도·남아공) 고수풀의 잎[씨앗] (향신료)
dhan·sak [dʌ́nsɑ:k, dǽnsæk] *n.* (콩과 향신료를 넣은) 인도의 육류 또는 야채 요리
dhar·ma [dɑ́:rmə, də́:r- | dɑ́:-] [Skt. 「법」의 뜻에서] *n.* Ⓤ 〔힌두교·불교〕 **1** (우주·인간의) 본성, 본체 **2** 덕(virtue); 법(law); 계율 **3** 부처의 가르침
dhár·mic *a.*
dhar·na [dɑ́:rnə, də́:r-] *n.* (인도에서) 단식 농성
DHEA dehydroepiandrosterone 〔생화학〕 인체 내 부신(副腎)에서 생성되는 생식 호르몬
DHL [dí:èitʃél] [창설자명 *D*alsey, *H*illblom, *L*ynn] *n.* 디에이치엘 (독일의 국제 항공 택배 회사; 상표명)
D.H.L., DHL Doctor of Hebrew Letters; Doctor of Hebrew Literature
dhó·bi ítch [dóubi-] 〔병리〕 완선(jock itch) (습진의 일종)
dho·ti [dóuti], **dhoo·ti(e)** [dú:ti] *n.* (인도) (남자의) 허리에 두르는 천(cf. SARI)
dhow [dáu] *n.* 다우선(船)(dow) (인도양·아라비아해 등의 연안 무역 범선)
DHS (미) Department of Homeland Security
dhur·rie [də́:ri | dʌ́ri] *n.* 더리 (인도산(産)의 두꺼운 면포; 커튼·양탄자용)
D.Hy. Doctor of Hygiene
di [dí:] *n.* 〔음악〕 디 (도와 레 사이의 음정)
Di 〔화학〕 didymium **DI** (미) Department of the Interior; diffusion index 〔경제〕 확산 지수; discomfort index 불쾌지수; drill instructor 〔미군〕 훈련 담당 하사관
di-[1] [dài] (연결형) 〔화학〕 「둘의; 이중의」의 뜻: *di*acidic
di-[2] [di, də, dai] *pref.* 「분리…」의 뜻 (dis-의 단축형): *di*gest, *di*lute
di-[3] [dai], **dia-** [dáiə] *pref.* 「…을 통해서; …을 가로질러서; …으로 이루어지는」의 뜻 (과학 용어를 만듦; 모음 앞에서 di-): *di*optric
DIA Defense Intelligence Agency (미) 국방부 정보국 **dia.** diagram; diameter
di·a·base [dáiəbèis] *n.* Ⓤ 〔지질〕 휘록암(輝綠岩); (영) 암녹색의 화성암 **dì·a·bá·sic** *a.*
di·a·bat·ic [dàiəbǽtik] *a.* 열교환으로 발생하는; 단열이 아닌
di·a·be·tes [dàiəbí:tis, -ti:z] *n.* Ⓤ 〔병리〕 당뇨병
diabétes in·síp·i·dus [-insípədəs] 〔병리〕 요붕증(尿崩症) (略 DI)
diabétes mél·li·tus [-mélitəs, -məlái-] 〔병리〕 진성(眞性) 당뇨병

di·a·bet·ic [dàiəbétik] *a.* 당뇨병의, 당뇨병에 걸린; 당뇨병 환자(용)의: a ~ coma 당뇨병성 혼수 —*n.* 당뇨병 환자
diabétic retinópathy 〔병리〕 당뇨병성 망막증
di·a·be·to·gen·ic [dàiəbì:tədʒénik] *a.* 당뇨병 유발(성)의
di·a·be·tol·o·gist [dàiəbitɑ́lədʒist | -tɔ́l-] *n.* 당뇨병 전문 의사
di·a·ble·rie [diɑ́:bləri] *n.* **1** ⓊⒸ 악마의 소행, 요술; 마력; (무모한) 장난 **2** Ⓤ 악마 연구[전설] **3** Ⓤ 악마의 세계
di·a·ble·ry [diɑ́:bləri] *n.* = DIABLERIE
di·a·bol·ic, -i·cal [dàiəbɑ́lik(əl) | -bɔ́l-] *a.* **1** 악마의[같은], 마성의 **2** [보통 diabolical] 악마적인, 극악무도한 **-i·cal·ly** *ad.* 악마같이 **-i·cal·ness** *n.*
di·ab·o·lism [daiǽbəlìzm] *n.* Ⓤ **1** 마술, 마법(sorcery); 악마 같은 짓[성질] **2** 악마주의[숭배] **-list** *n.* 악마주의자, 악마 신앙가; 악마 연구가
di·ab·o·lize [daiǽbəlàiz] *vt.* 악마화하다, 악마적으로 (표현)하다
di·ab·o·lo [diǽbəlòu | -ǽb-, -ɑ́:b-] *n.* (*pl.* ~**s**) **1** Ⓤ 디아볼로, 공중 팽이놀이 **2** 그 팽이
di·ác·e·tone álcohol [daiǽsətoun-] 〔화학〕 디아세톤 알코올
di·a·ce·tyl·mor·phine [dàiəsì:tlmɔ́:rfi:n] *n.* 〔약학〕 디아세틸모르핀 (통칭 헤로인(heroin))
di·a·chron·ic [dàiəkrɑ́nik | -krɔ́n-] *a.* 〔언어〕 통시(通時)적인 (언어 사실을 역사적으로 연구·기술하는 입장) **-i·cal·ly** *ad.*
diachrónic linguístics [단수 취급] 통시(通時) 언어학
di·ach·ron·ism [daiǽkrənìzm] *n.* Ⓤ 〔언어〕 통시적 연구법
di·ach·ro·ny [daiǽkrəni] *n.* (*pl.* **-nies**) **1** 〔언어〕 통시적 방법; 통시적 변화 **2** 역사적 변화
di·ach·y·lon [daiǽkəlɑ̀n | -lɔ̀n], **-lum** [-ləm] *n.* Ⓤ 〔약학〕 단연 경고(單鉛硬膏)
di·ac·id [daiǽsid] 〔화학〕 *a.* 이산(二酸)(성)의: a ~ base 이산 염기 —*n.* 이염기산
di·a·cid·ic [dàiəsídik] *a.* = DIACID
di·ac·o·nal [daiǽkənl] *a.* 〔그리스도교〕 부제(副祭)[집사](deacon)의
di·ac·o·nate [daiǽkənət, -nèit] *n.* ⓊⒸ 〔그리스도교〕 **1** 부제(副祭)[집사](deacon)의 직분[임기] **2** [집합적] 부제, 집사(deacon); 부제[집사] 단체
di·a·crit·ic [dàiəkrítik] *a.* **1** = DIACRITICAL **2** 〔의학〕 = DIAGNOSTIC —*n.* = DIACRITICAL MARK
di·a·crit·i·cal [dàiəkrítikəl] *a.* 구별을 위한, 구별[판별]할 수 있는; 〔음성〕 발음을 구별하는, 음성 구분의
diacrítical márk[sígn] 발음 구별 부호 (ā, ă, ä, â의 ¯ ˘ ¨ ^, 또는 ç의 ¸ 등)
di·ac·tin·ic [dàiæktínik] *a.* 〔물리〕 자외선을 통과시키는
di·a·del·phous [dàiədélfəs] *a.* 〔식물〕 〈수술이〉 이체(二體)의, 양체(兩體)의
di·a·dem [dáiədèm] *n.* **1** (문어) 왕관(crown); (동양의 왕·여왕의 머리에 감는) 띠, 리본 **2** 왕권(royal power), 왕위; 머리 위에 빛나는 영광 —*vt.* 왕관으로 장식하다; …에게 왕관[영예]을 주다 ~**ed** [-d] *a.* 왕관을 쓴

diadem *n.* **1**

díadem spìder 〔동물〕 무당거미
di·ad·ro·mous [daiǽdrəməs] *a.* 〈물고기가〉 민물과 바닷물의 양 수역을 회유(回遊)하는
di·aer·e·sis [daiérəsis] *n.* (*pl.* **-ses** [-sì:z]) **1** 〔문법〕 음절의 분절(分切), 분음(分音) **2** 〔음성〕 분음 기호 (coöperate처럼 문자 위에 붙이는 ¨의 부호) **3** 〔의학〕 절단 **di·ae·ret·ic** [dàiərétik] *a.*

diag. diagonal(ly); diagram
di·a·gen·e·sis [dàiədʒénəsis] *n.* 〖지질〗 속성(續成) 작용 《퇴적물이 암석화되는 과정》
di·a·ge·ot·ro·pism [dàiədʒi:ɑ́trəpìzm] *n.* 〖식물〗 횡굴지성(橫屈地性) 《중력 방향과 직각으로 뻗는》
di·ag·nose [dáiəgnòus, -nòuz | -nòuz] [diagnosis의 역성(逆成)] *vt., vi.* **1** 〖의학〗 진단하다 《사람은 목적어가 되지 않음》: (~+목+**as** 보) The doctor ~*d* her case *as* tuberculosis. 의사는 그녀의 병을 결핵이라고 진단했다. **2** 〈문제 등의〉 원인을 밝혀내다, 조사 분석하다 **3** 〖컴퓨터〗 〈프로그램 오류나 장치의 장애를〉 진단하다 **-nòs·a·ble, ~·a·ble** *a.*
∗**di·ag·no·sis** [dàiəgnóusis] [Gk. 「식별하기」의 뜻에서] *n.* (*pl.* **-ses** [-si:z]) CU 〖의학〗 **진단(법)**; 〖생물〗 (특징을 기술하는) 정확한 분류; 식별; (문제의 원인이나 성질의) 판단 분석; (문제의) 해답, 해결 《*of*》: make an accurate ~ 정확한 진단을 내리다/give a ~ *of* pneumonia 폐렴 진단을 내리다
▷ díagnose *v.*; diagnóstic *a.*
di·ag·nos·tic [dàiəgnɑ́stik | -nɔ́s-] *a.* **1** 〖의학〗 진단상의; Ⓟ 증상을 나타내는 《*of*》 **2** 〖생물〗 특징적인; 〖컴퓨터〗 진단의: a ~ program 진단 프로그램
— *n.* 〖의학〗 진단; 진단약, 진단 기구; 특수 증상; 특징; 〖컴퓨터〗 진단 메시지; 진단 루틴
-ti·cal·ly *ad.* 진찰[진단]에 의해서
di·ag·nos·ti·cian [dàiəgnɑstíʃən | -nɔs-] *n.* 진찰 전문 의사; 진단자; (일반의) 분석가
diagnóstic routìne 〖컴퓨터〗 진단 루틴 《프로그램의 잘못·고장 부위를 찾아내는 프로그램》
di·ag·nos·tics [dàiəgnɑ́stiks | -nɔ́s-] *n. pl.* [단수 취급] 〖의학〗 진단(법); 〖컴퓨터〗 진단 루틴
di·ag·o·nal [daiǽgənl] *a.* **1** 대각선의 **2** 비스듬한, 사선(斜線)의 **3** 〖방적〗 능직의 — *n.* **1** 〖수학〗 대각선 **2** 사선; 비스듬히 나가는 것 **3** 〖방적〗 능직(= ~ **clòth**) **4** 〖수학〗 항(項) **5** 〖조선〗 페어링
~·ly *ad.* 대각선으로; 비스듬하게
di·ag·o·nal·ize [daiǽgənəlàiz] *vt.* 〖수학〗 〈행렬을〉 대각선화하다 **-ìz·a·ble** *a.*
diágonal mátrix 〖수학〗 대각(선) 행렬
‡**di·a·gram** [dáiəgræ̀m] *n.* **1** 도형; 도식; 도해 **2** 〖수학·통계〗 도표; 일람표 **3** (열차의) 운행표 ***draw a ~*** (구어) (그림으로 그리다시피) 알기 쉽게 설명하다
— *vt.* (**~ed**; **~·ing** | **~med**; **~·ming**) 그림[도표]으로 나타내다, 도해하다
▷ diagrammátic *a.*; diagrámmatize *v.*
di·a·gram·mat·ic, -i·cal [dàiəgrəmǽtik(əl)] *a.* 도표의, 도식의; 개략의, 윤곽만의 **-i·cal·ly** *ad.*
di·a·gram·ma·tize [dàiəgrǽmətàiz] *vt.* 도표로 만들다, 도해하다
di·a·graph [dáiəgræ̀f | -grɑ̀:f] *n.* 〖측량〗 분도척(分度尺); 도면 확대기
di·a·ki·ne·sis [dàiəkiní:sis, -kai-] *n.* 〖생물〗 이동기 《감수 제1 분열 전기의 최종 단계》 **-net·ic** [-nétik] *a.*
‡**di·al** [dáiəl] *n., v.*

> L 「날(day)」의 뜻에서 「해시계」 **2** → 「시계의 문자판」 **1** → 「다이얼」 **1**

— *n.* **1** 다이얼, (시계·나침반 등의) **글자판**; (계량기·라디오 등의) 지침반; (전화기의) 숫자판 **2** [보통 sun ~] 해시계; 광산용 컴퍼스 **3** (속어) 낯, 상판 **4** (보석을 커트하는 데 쓰는) 절삭기
— *v.* (**~ed**; **~·ing** | **~led**; **~·ling**) *vt.* **1** (다이얼을 돌려) 〈라디오·텔레비전의〉 파장에 맞추다; 국을 선택하다 《*in*》 **2** 〈전화·라디오 등의〉 다이얼을 돌리다; 〈번호를〉 돌리다; …에 전화하다 **3** 다이얼로 계량[표시]하다; 광산 컴퍼스로 재다
— *vi.* **1** (전화의) 다이얼을 돌리다; 전화를 걸다 **2** 다이얼로 조정하다
~ed in (미·속어) 〈사람이〉 정신을 집중하고 있는, 전념하고 있는 ***~ in*** (컴퓨터에서) 인터넷에 전화 접속하다 ***~ out*** 고의적으로 …을 무시하다[잊어버리다]
dial. dialect(al); dialectic(al); dialog(ue)
dial-a- [dáiələ] 《연결형》 「전화 호출; 전화 응답」의 뜻
di·al-a-bus [dáiələbʌ̀s] *n.* 전화 호출 버스
di·al-a-porn [dáiələpɔ̀:rn] *n.* 전화 섹스 《전화에 의한 외설적인 회화 서비스》
∗**di·a·lect** [dáiəlèkt] [Gk. 「고장의 말」의 뜻에서] *n.* **1** 방언; 지방 사투리: speak in ~ 사투리로 말하다 **2** (한 계급·직업 특유의) 통용어, 말씨 **3** 자기 표현법, 표현 형식 ▷ dialéctal *a.*
di·a·lec·tal [dàiəléktl] *a.* 방언의; 방언 특유의
~·ly *ad.*
díalect àtlas 방언 (분포) 지도
díalect geógraphy = LINGUISTIC GEOGRAPHY
díalect léveling 〖언어〗 방언 평준화 《TV·라디오의 보급이나 교육으로 방언 간의 차이·특징이 없어짐》
di·a·lec·tic [dàiəléktik] *a.* **1** 〖철학〗 변증(법)적인; 논증을 잘하는; 〈대립 등이〉 상호 간의; 상극의 **2** = DIALECTAL — *n.* **1** [종종 *pl.*] 논리(학); 논리적 토론술 **2** Ⓤ 〖철학〗 변증법 **3** (상대하는 사상·세력 등의) 대립, 모순; 상극 《*between*》
di·a·lec·ti·cal [dàiəléktikəl] *a.* = DIALECTIC
~·ly *ad.*
dialéctical matérialism 변증법적 유물론
dialéctical matérialist 변증법적 유물론자
dialéctical theólogy 변증법적 신학
di·a·lec·ti·cian [dàiəlektíʃən] *n.* 변증가; 논법가; 방언학자(dialectologist)
di·a·lec·ti·cism [dàiəléktəsìzm] *n.* 사투리, 방언; 그 (지역) 사람의 독특한 말투
di·a·lec·tol·o·gy [dàiəlektɑ́lədʒi | -tɔ́l-] *n.* Ⓤ 방언학, 방언 연구 **-gist** *n.*
di·al·er [dáiələr] *n.* **1** 다이얼을 돌리는 사람[물건] **2** 자동 다이얼 장치(《특히 영》 dialler)
díal gàuge 〖건축〗 다이얼 게이지
dial-in [-ín] *a.* = DIAL-UP — *n.* 다이얼인 《대표 전화를 거치지 않고 직통으로 내선 전화를 호출하기; 또는 회사 내의 개인의 직통 전화번호》
di·al·ing [dáiəliŋ] *n.* UC **1** 다이얼을 돌림 **2** 해시계 제조 기술; 해시계에 의한 시간 측정 **3** 광산 컴퍼스에 의한 측량 **4** 〖컴퓨터〗 번호 부르기
díalling còde (영) (전화의) 지역 번호, 국번(《미》 area code, dialing code)
díalling tòne (영) = DIAL TONE
di·a·log [dáiəlɔ̀:g, -lɑ̀g | -lɔ̀g] *n.* (미) = DIALOGUE
díalog bòx 〖컴퓨터〗 대화 상자 《사용자의 입력을 받아들일 때 스크린에 나타나는 서브 윈도》
di·a·log·ic, -i·cal [dàiəlɑ́dʒik(əl) | -lɔ́dʒ-] *a.* 대화(체)의, 문답(체)의 **-i·cal·ly** *ad.*
di·al·o·gism [daiǽlədʒìzm] *n.* 대화식 토론법
di·al·o·gist [daiǽlədʒist] *n.* 대화자; 문답체 작가; 극작가 **dì·a·lo·gís·tic, -ti·cal** *a.*
di·al·o·gize [daiǽlədʒàiz] *vi.* 대화하다
‡**di·a·logue,** (미) **di·a·log** [dáiəlɔ̀:g, -lɑ̀g | -lɔ̀g] *n.* **1** 대화, 문답, 회화 **2** 의견 교환, 토론; 회담 **3** Ⓤ (극·이야기 중의) 대화 부분 **4** 대화체의 작품
— *vi.* 대화하다 《*with*》
— *vt.* 〈작품 등을〉 회화체로 하다, 대화체로 표현하다; 말솜씨로 속이려 하다 ▷ dialógic *a.*
Díalogue Máss 〖가톨릭〗 대화 미사
díal tèlephone (미) 다이얼식 자동 전화
díal tòne (전화) 발신음(《영》 dialling tone)
di·al-up [dáiəlʌ̀p] *n., a.* 〖컴퓨터〗 다이얼 호출(식의) 《컴퓨터 단말기 등과의 연결이 전화 회선을 이용한》
di·al·y·sis [daiǽləsis] *n.* (*pl.* **-ses** [-sì:z]) UC **1** 〖의학·화학〗 투석(透析), 여막 분석(濾膜分析) **2** 분해, 분리
di·a·lyt·ic [dàiəlítik] *a.* 〖화학〗 투석(성)의; 투막성(透膜性)의 **-i·cal·ly** *ad.*
di·a·lyze [dáiəlàiz] *vt.* 〖화학〗 투석하다, 여막 분석

하다 ── *vi.* 투석을 받다 **-lỳz·a·ble** *a.*

di·a·lyz·er [dáiəlàizər] *n.* **1** 투석기(透析器), 여막(濾膜) 분석기 **2** 〖의학〗 (인공 신장의) 투석조(槽)

diam. diameter

di·a·mag·net [dáiəmæ̀gnit] *n.* 〖물리〗 반자성체(反磁性體)

di·a·mag·net·ic [dàiəmægnétik] *a.* 〖물리〗 반자성의 **-i·cal·ly** *ad.*

di·a·mag·ne·tism [dàiəmǽgnətìzm] *n.* Ⓤ 〖물리〗 반자성(反磁性)(학)

di·a·man·té [dì:əmɑ:ntéi | dàiəmǽnti, diə-] [F] *n.* 디아망테 《드레스 등에 박은 인공 보석 등의 반짝이는 장식》; 이 장식을 한 드레스나 직물

di·a·man·tine [dàiəmǽntain] *a.* 다이아몬드의[같은]

‡**di·am·e·ter** [daiǽmətər] *n.* **1** 〖수학〗 (원·구체·원뿔 곡선 등의) 지름, 직경: 3 inches in ~ 지름이 3인치 ★ in ~은 관사 없음. **2** …배 《렌즈의 확대 단위》: magnify an object 1,000 ~*s* 물체를 1,000배로 확대하다 ▷ diámetral, diamétric *a.*

di·am·e·tral [daiǽmətrəl] *a.* 직경의

di·a·met·ric, -ri·cal [dàiəmétrik(əl)] *a.* **1** 직경의 **2** 정반대의, 완전히 대립하는

di·a·met·ri·cal·ly [dàiəmétrikəli] *ad.* **1** 직경 방향으로 **2** 정반대로; 바로(exactly), 전혀 ★ 다음 성구로. **~ *opposed*** 전연 반대인 **~ *opposite*** 정반대의

di·a·mide [dáiəmàid, daiǽmid] *n.* 〖화학〗 디아미드 《두 개의 아미드기(基)를 가진 화합물》

di·a·mine [dáiəmì:n] *n.* 〖화학〗 디아민 《두 개의 아미노기를 가진 아민》; = HYDRAZINE

di·am·mó·ni·um phósphate [dàiəmóuniəm-] 〖화학〗 인산이암모늄 《비료; 略 DAP》

‡**di·a·mond** [dáiəmənd | dáiə-] [L =adamant(견고한 돌)에서 a-가 없어진 형태에서] *n.* **1 a** ⒸⓊ 〖광물〗 다이아몬드, 금강석 《4월의 탄생석》: black ~*s* 검정 다이아몬드 《시추용》; 석탄(coal) **b** 다이아몬드 장신구 **2** 다이아몬드 모양, 마름모꼴 **3** 〖카드〗 다이아몬드 패; [*pl.*] 다이아몬드 패 한 벌: a small ~ 점수가 낮은 다이아몬드 패 **4** 〖야구〗 내야; 야구장 **5** 〖인쇄〗 다이아몬드 활자체 **6** 무색 투명한 수정

a ~ in the rough = ***a rough ~*** 천연 그대로의 금강석; (닦으면 빛날) 다듬어지지 않은 인물 ***a ~ of the first water*** 최고급 다이아몬드 《water는 투명도》; 일류 인물 ***It is ~ cut ~.*** 용호상박의[막상막하의] 경기[대결]이다.

── *a.* Ⓐ 다이아몬드(제)의, 다이아몬드가 박힌; 다이아몬드처럼 빛나는; 마름모꼴의; 다이아몬드가 나는

── *vt.* 다이아몬드(비슷한 것으)로 장식하다

díamond annivérsary (결혼 등의) 60주년[75주년] 기념일

di·a·mond·back [dáiəmondbæ̀k] *a.* 등에 다이아몬드[마름모]꼴 무늬가 있는 〈나방 등〉

díamondback móth 〖곤충〗 배추좀나방

díamondback ráttlesnake 〖동물〗 방울뱀

díamondback térrapin 〖동물〗 후미거북 《북아메리카산(産) 식용》

di·a·mond-cut [-kʌ̀t] *a.* 마름모꼴로 다듬은[자른] 〈보석 등〉 **~·ter** *n.* 다이아몬드 연마공

díamond dríll (광산용) 검정 다이아몬드 시추기

díamond dùst 다이아몬드 분말 《연마용》

díamond field 다이아몬드 산지

Díamond Hèad 다이아몬드 헤드 《하와이 주 Oahu 섬 남동부의 곶을 이룬 사화산》

di·a·mond·if·er·ous [dàiəməndífərəs] *a.* 다이아몬드가 있는[산출되는]

díamond júbilee ((여)왕의 즉위) 60 또는 75주년 축전(cf. JUBILEE)

díamond làne (미) 다이아몬드 차선 《버스나 다인승 차량 전용 차선; 노면에 큰 마름모꼴이 그려져 있음》

díamond ríng effèct 〖천문〗 다이아몬드 링 효과 《개기 일식 직전·직후에 달 주위에 햇빛이 반지처럼 보이는 현상》

Díamond Státe [the ~] 미국 Delaware주의 별칭 《면적이 작은 데서》

díamond wédding [보통 one's ~] 다이아몬드 혼식(婚式) 《결혼 60주년 또는 75주년 기념》

dia·mor·phine [dàiəmɔ́:rfi:n] *n.* Ⓤ 디아모르핀 《강력한 마약으로 진통제로 쓰임》

*****Di·an·a** [daiǽnə] *n.* **1** 〖로마신화〗 다이아나 《달의 여신, 처녀성과 수렵의 수호신; 그리스 신화의 Artemis》 **2** (시어) 달(moon) **3** 여자 사냥꾼; 순결을 지키는 여자; 자태가 수려한 젊은 여자 **4** 여자 이름

di·an·thus [daiǽnθəs] *n.* 〖식물〗 패랭이속(屬)

di·a·pa·son [dàiəpéizn, -sn] *n.* **1** 〖음악〗 화성; 완전 협화음, 옥타브[8도] 음정 **2** (악기·음성의) 음역 **3** (파이프 오르간의) 다이어페이슨 음전 《an open ~ (개구(開口) 음전)과 a closed[stopped] ~ (폐구 음전)의 두 가지가 있음》 **4** 〖물리〗 소리굽쇠 **5** Ⓤ 범위, 분야, 영역

diapáson nórmal 〖음악〗 국제 표준음(= **pítch**)

di·a·pause [dáiəpɔ̀:z] *n.* (곤충 등의) 휴면기(休眠期) ── *vi.* [주로 현재분사형으로] 휴면하다

di·a·pe·de·sis [dàiəpidí:sis] *n.* (*pl.* **-ses** [-si:z]) 〖생리〗 누출(성 출혈), (혈관 외) 유출

di·a·per [dáiəpər] *n.* **1** Ⓤ 마름모꼴 무늬가 있는 천 《보통 삼베》 **2 a** 마름모꼴 무늬 있는 냅킨[수건] **b** (미) (아기의) 기저귀((영) napkin, nappy): a cloth ~ 천 기저귀/a disposal ~ 1회용 종이 기저귀/change a baby's ~ 아기의 기저귀를 갈다 **3** Ⓤ 마름모꼴 (장식) 무늬, 기하학적 무늬 ── *vt.* **1** 마름모꼴 무늬로 장식하다 **2** (미) …에게 기저귀를 채우다 **3** 다채롭게 하다, 변화를 주다

diaper *n.* **3**

di·a·pered [dáiəpərd] *a.* 마름모꼴 무늬가 있는

díaper ràsh (미) 기저귀로 인한 피부염[발진]

di·a·pha·ne·i·ty [daiæ̀fəní:əti, dàiə- | dàiə-] *n.* 투명도(transparency)

di·aph·a·nog·ra·phy [daiæ̀fənɑ́grəfi | -nɔ́g-] *n.* Ⓤ 〖의학〗 투과(透過) 검사(법) 《유방암 등의》

di·aph·a·nom·e·ter [daiæ̀fənɑ́mətər | -nɔ́m-] *n.* 투명도 측정기 **-try** *n.*

di·aph·a·nous [daiǽfənəs] *a.* 〈천이〉 거의 투명한; 내비치는; 〈그림 등이〉 극히 섬세한, 기묘한; 〈가능성이〉 희박한 **~·ly** *ad.* **~·ness** *n.*

di·a·phone [dáiəfòun] *n.* **1** 무적(霧笛) 《안개가 끼었을 때 울리는 고동》 **2** 〖언어〗 방언적인 이음(異音)

di·aph·o·rase [daiǽfərèis] *n.* 〖생화학〗 디아포라아제 《플라빈 단백질 효소》

di·a·pho·re·sis [dàiəfərí:sis] *n.* Ⓤ 〖의학〗 (인위적인 다량의) 발한(發汗), 발한 요법

di·a·pho·ret·ic [dàiəfərétik] 〖의학〗 *a.* 발한(성)의, 발한 효과가 있는 ── *n.* 발한제

di·a·phragm [dáiəfræ̀m] *n.* **1** 〖해부〗 횡격막, 가로막 **2** 칸막이; (조개 내부의) 칸막이벽; (식물의) 격막, 막벽(膜壁); (기계류의) 격판(隔板), (전화기의) 진동판; 〖사진〗 (렌즈의) 조리개 **3** 페서리(pessary) 《여성용 피임 기구》 ── *vt.* **1** …에 칸막이판[진동판, 조리개]을 붙이다 **2** 〈렌즈 따위의〉 조리개를 조르다

di·a·phrag·mat·ic [dàiəfrægmǽtik] *a.* 횡격막의; 격막의; 칸막이의: ~ respiration 횡격막 호흡 **-i·cal·ly** *ad.*

díaphragm pùmp 격막 펌프

di·aph·y·sis [daiǽfəsis] *n.* (*pl.* **-ses** [-sì:z]) 〖해부〗 (장골(長骨)) 골간, 골본체(骨本體)

dia·pos·i·tive [dàiəpɑ́zətiv | -pɔ́z-] *n.* 〖사진〗 투명 양화[포지] 《슬라이드 등》

di·ar·chi·al [daiɑ́:rkiəl] *a.* 양두(兩頭) 정치의

di·ar·chy [dáiɑ:rki] *n.* (*pl.* **-chies**) ⓊⒸ 양두(兩

頭) 정치(cf. MONARCHY)
di·ar·i·al [daiέəriəl] *a.* 일기(체)의
di·a·rist [dáiərist] *n.* 일기를 쓰는 사람, 일지 담당자; 일기 작가
di·a·ris·tic [dàiərístik] *a.* 일기식[체]의
di·a·rize [dáiəràiz] *vt., vi.* 일기에[를] 쓰다
di·ar·rhe·a | di·ar·rhoe·a [dàiəríːə | -ríə] [Gk 「흘러 지나감」의 뜻에서] *n.* ⓊⒸ 〖의학〗 설사
***~ of the mouth* [*jawbone*]** 《미·속어》 (그칠줄 모르는) 수다병 **-rhe·al** *a.*
di·ar·thro·sis [dàiɑːrθróusis] *n.* (*pl.* **-ses** [-siːz]) 〖해부〗 가동(可動) 관절, 전동(全動) 관절
*** **di·a·ry** [dáiəri] [L 「일당(日當) (기록)」의 뜻에서] *n.* (*pl.* **-ries**) **1** 일기, 일지; 일기장: keep a ~ = write in one's ~ every day 일기를 쓰다 **2** 《영》 일기장식 수첩, 연간 예정 수첩(《미》 calendar)
▷ diárial *a.*
Di·as [díːəs] *n.* 디어스 **Bartholomeu ~** (1450?-1500) 《포르투갈의 항해자; 희망봉 발견자》
di·a·scope [dáiəskòup] *n.* **1** (투명한 물건을 보는) 투영경(投影鏡) **2** 〖의학〗 유리 압진기(壓診器)
Di·as·po·ra [daiǽspərə] [Gk 「사방으로 흩어짐」의 뜻에서] *n.* **1** [the ~] 디아스포라 《바빌론 유수 후의 유대인의 분산》(cf. DISPERSION) **2** [집합적] (팔레스타인 이외의) 타국에 거주하는 유대인; 이스라엘[팔레스타인] 이외의 유대인 거주지 **3** [d~] 《국외》 집단 이주[탈출]; 이산; 이주자 집단, 소수 이교도 집단
di·a·spore [dáiəspɔ̀ːr] *n.* **1** 수산화 알루미늄광 **2** 〖식물〗 전파체, 산포체
di·a·stase [dáiəstèis, -stèiz] *n.* Ⓤ 〖생화학〗 디아스타아제, 녹말 당화[소화] 효소
di·a·stat·ic [dàiəstǽtik] *a.* 〖생화학〗 디아스타아제(성)의, 당화성의
di·a·ste·ma [dàiəstíːmə] *n.* (*pl.* **~·ta** [-tə]) **1** 〖생물〗 격막질 **2** 〖치과〗 치아의 틈, 치극(齒隙)
di·as·ter [daiǽstər] *n.* 〖생물〗 (핵분열의) 쌍성(雙星)
di·as·to·le [daiǽstəliː, -li | -li] *n.* Ⓤ **1** 〖생리〗 심장 확장(기(期))(cf. SYSTOLE); 《비유》 확장기 **2** 〖시학〗 (고전시의) 음절 연장(音節延長)
di·a·stol·ic [dàiəstɑ́lik | -tɔ́l-] *a.* **1** 심장 확장(기)의 **2** 〈혈압이〉 심박(心拍) 사이에 동맥압을 표시하는 **3** 음절 연장의[에 따른]
diastólic préssure 확장기 혈압 《최소 혈압》
di·as·tro·phism [daiǽstrəfìzm] *n.* Ⓤ 〖지질〗 지각 변동, 지각 변형 **dì·a·stróph·ic** *a.*
di·a·tes·sa·ron [dàiətésərən, -rɑ̀n] *n.* 〖신학〗 통관(通觀)[대관(對觀)] 복음서
di·a·ther·man·cy [dàiəθə́ːrmənsi], **-ma·cy** [-məsi] *n.* Ⓤ 〖물리〗 투열성(透熱性), 열이 통함
di·a·ther·ma·nous [dàiəθə́ːrmənəs] *a.* 〖물리〗 투열성의(opp. *athermanous*)
di·a·ther·mic [dàiəθə́ːrmik] *a.* **1** 〖의학〗 투열 요법의 **2** 〖물리〗 투열성의
di·a·ther·my [dáiəθə̀ːrmi] *n.* **1** 〖의학〗 (고주파를 이용한) 투열 요법 **2** 투열 요법 장치
di·ath·e·sis [daiǽθəsis] *n.* (*pl.* **-ses** [-sìːz]) ⓊⒸ 〖의학〗 (병에 걸리기 쉬운) 소질, 특이 체질
di·a·thet·ic [dàiəθétik] *a.* 〖의학〗 특이 체질의
di·a·tom [dáiətɑ̀m | -tɔ̀m] *n.* 〖식물〗 규조, 돌말
di·a·to·ma·ceous [dàiətəméiʃəs] *a.* 〖식물〗 규조[돌말] 무리의; 〖지질〗 규조토의
diatomáceous éarth 규조토(kieselguhr)
di·a·tom·ic [dàiətɑ́mik | -tɔ́m-] *a.* 〖화학〗 2원자(성)의; 이가(二價)의(divalent)
di·a·ton·ic [dàiətɑ́nik | -tɔ́n-] *a.* 〖음악〗 온음계(적)인: the ~ scale 온음계 **-i·cal·ly** *ad.*
di·a·ton·i·cism [dàiətɑ́nəsìzm | -tɔ́n-] *n.* 〖음악〗 온음계주의; 온음계법
di·a·treme [dáiətrìːm] *n.* 〖지질〗 다이어트림, 화도(火道) 《암장(岩漿) 속의 가스 폭발로 생긴 분화공》
di·a·tribe [dáiətràib] *n.* ⓊⒸ 《문어》 통렬한 비난의 연설[문장, 비평] 《*against*》
di·at·ro·pism [daiǽtrəpìzm] *n.* 〖식물〗 횡굴성(横屈性) 《외부 자극에 대해 직각으로 뻗으려는 경향》
di·az·e·pam [daiǽzəpæ̀m] *n.* Ⓤ 〖약학〗 다이아제팜 《진정제의 일종》
di·a·zine [dáiəzìːn, daiǽzin] *n.* Ⓤ 〖화학〗 다이아진
di·az·o [daiǽzou, -éiz-] *a.* 〖화학〗 2질소의; diazotype의 **—** *n.* 디아조 화합물(= **~ cómpound**), 《특히》 디아조 염료(= **~ dýe**); = DIAZOTYPE
di·az·o·a·mi·no [daiæ̀zouəmíːnou] *a.* 〖화학〗 디아조아미노기를 가진
diazoamíno gròup 〖화학〗 디아조아미노기(基)
diázo gròup 〖화학〗 디아조기(基)
di·a·zole [dáiəzòul] *n.* 〖화학〗 디아졸
di·a·zo·ni·um [dàiəzóuniəm] *a.* 〖화학〗 디아조늄 화합물의[에서 유도된]
diázo pròcess 〖사진〗 디아조법 《디아조 화합물의 감광성을 이용한 복사법》
di·az·o·tize | di·az·o·tise [daiǽzətàiz] *vt.* 〖화학〗 디아조화(化)하다
di·az·o·type [daiǽzətàip] *n.* 〖사진〗 다이아조타이프 《사진 인화법의 일종》
di·az·ox·ide [dàiæzɑ́ksaid | -ɔ́k-] *n.* 〖약학〗 디아족사이드 《강력한 항고혈압 작용이 있음》
dib[1] [díb] *n.* **1** (lawn bowling에서) 표적용 작은 백구(白球)(jack) **2** 《영》 〖카드〗 잭 놀이 **3** 《속어》 몫 **4** 《속어》 1달러; 《미·속어》 돈(dibs)
dib[2] *vi.* (**~bed**; **~·bing**) = DIBBLE *v.* 2
di·ba·sic [daibéisik] *a.* 〖화학〗 2염기(성)의: ~ acid 2염기산
dib·ber [díbər] *n.* = DIBBLE
díbber bòmb 활주로 (파괴용) 폭탄
dib·ble [díbl] *n.* (파종·모종용) 구멍 파는 연장
— *vt., vi.* **1** 〈땅에〉 구멍을 파다; 구멍을 파고 심다[뿌리다] **2** 《영》 물에 낚시 미끼를 살짝 담그다[담그면서 낚다]

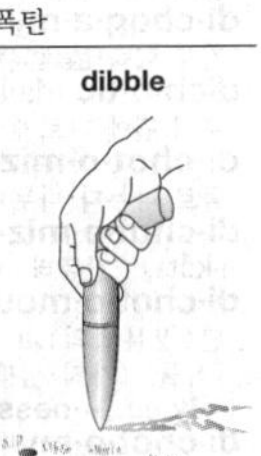

dib·bler [díblər] *n.* **1** 구멍 파는 사람[연장] **2** 〖동물〗 얼룩주머니쥐 《오스트레일리아산(産)》
dib·buk [díbək] *n.* (*pl.* **~s**, **-buk·im**) = DYBBUK
di·bit [dáibit] *n.* 〖컴퓨터〗 쌍(雙)비트 《두 개의 비트로 이루어지는 데이터》
dibs [díbz] *n. pl.* 《속어》 (소액의) 돈, 잔돈, 푼돈; 《미·구어》 소유권, 청구권, 자기 차례 《주로 어린이 말》 《*on*》: have ~ *on* 《미·구어》 …에[할] 권리가 있다
di·bu·caine [daibjúːkein] *n.* 〖약학〗 디부카인 《국부 마취제》
di·car·box·yl·ic [daikɑ̀ːrbɑksílik | -bɔk-] *a.* 〖화학〗 두 개의 카르복시기를 가진: ~ acid 디카르복시산
* **dice** [dáis] *n. pl.* (*sing.* **die** [dái]) **1 a** 주사위 ★ dice는 die의 복수형이지만 한 개를 이를 때도 흔히 dice라고 함. **b** [단수 취급] 주사위 놀이, 도박 **2** 작은 입방체 **3** (자동차 경주에서) 둘 이상의 운전자가 선두를 빼앗으려고 경쟁하는 것
in the ~ 있을 것 같은, 일어날 것 같은 ***load the ~*** 주사위를 조작하다 《납을 채우는 따위》; 《구어》 〈사람·사물을〉 불리하게 하다, 불리한 입장에 서게 하다 《*against*》 ***no ~*** 안 돼, 싫어 《강하게 거절할 때》; 소용 없다, 헛수고다 ***one of the ~*** 주사위 하나 《보통 a die 대신에 씀》 ***play* (*at*) *~*** 주사위 놀이를 하다
— *vi.* **1** 주사위 놀이를 하다; 노름하다 《*with*》 **2** (자동차 경주에서) 유리한 위치를 다투다
— *vt.* **1** 도박으로 잃다 《*away*》: (~+목+부) ~ *away* one's fortune 노름으로 재산을 탕진해 버리다 **2** 〖요리〗 〈고기·야채를〉 주사위꼴로 자르다 **3** 주사위[체크] 무늬로 만들다 **4** 《호주·구어》 거절하다, 포기하다
~ one*self into debt* 노름으로 빚지다 **~ one*self***

out of ... 노름으로 …을 날리다 ~ ***with death*** 목숨을 걸고[쓸데없이] 큰 모험을 하다

dice·box [dáisbɑ̀ks | -bɔ̀ks] *n.* 주사위통 《주사위를 흔들어서 던지는》

díce cùp 주사위 컵 《주사위를 담아 흔들어 내는》

di·cen·tric [daiséntrik] *a.* 〈염색체가〉 두 개의 동원체(動原體)를 갖는

di·ceph·a·lous [daiséfələs] *a.* 【의학】 쌍두의

dice·play [dáisplèi] *n.* Ⓤ 주사위 놀이; 도박

dic·er [dáisər] *n.* 주사위 놀이꾼, 노름꾼; 음식을 주사위꼴로 자르는 기계; 《속어》 중산 모자, 헬멧

dic·ey [dáisi] *a.* (**dic·i·er**; **-i·est**) 《속어》 위험한, 아슬아슬한; 불확실한

dich- [daik] 《연결형》 「둘로 (나뉜)」의 뜻 《모음 앞에서는 dich-》

di·cha·si·um [daikéiʒiəm] *n.* (*pl.* **-cha·si·a** [-ʒiə]) 【식물】 기산 화서(岐散花序)

dichlor- [dàiklɔ́:r], **dichloro-** [-klɔ́:rou] 《연결형》 「염소 2원자를 함유한」의 뜻 《모음 앞에서는 dichlor-》

di·chlo·ride [dàiklɔ́:raid], **-rid** [-rid] *n.* 【화학】 2염화물

di·chlo·ro·meth·ane [daiklɔ̀:rouméθein] *n.* 【화학】 디클로로메탄 《토양 오염의 원인 물질의 하나》

di·chlo·ro·phe·nox·y·acé·tic ácid [daiklɔ̀:roufinɑ̀ksiəsí:tik-, -əsétik- | -nɔ̀k-] 【화학】 디클로로페녹시아세트산 《그 나트륨염은 제초제(除草劑); 2, 4-D 라고도 함》

dicho- [dáikou] 《연결형》 = DICH-

di·chog·a·mous [daikɑ́gəməs | -kɔ́g-] *a.* 【식물】 자웅 이숙의

di·chog·a·my [daikɑ́gəmi | -kɔ́g-] *n.* Ⓤ 【식물】 자웅 이숙(雌雄異熟)

dich·o·tic [daikóutik] *a.* (소리의 높이·세기가) 좌우의 귀에 다르게 들리는

di·chot·o·mize [daikɑ́təmàiz | -kɔ́t-] *vt.*, *vi.* 둘로 나누다[나뉘다], 분기시키다[하다], 두 갈래지다

di·chót·o·miz·ing séarch [daikɑ́təmàiziŋ- | -kɔ́t-] 【컴퓨터】 이분(二分) 탐색법(binary search)

di·chot·o·mous [daikɑ́təməs | -kɔ́t-] *a.* **1** 양분된; 2분법의: a ~ question 양자택일의 질문 **2** 【식물】 〈가지·잎맥이〉 두 갈래로 갈라진
~·ly *ad.* **~·ness** *n.*

di·chot·o·my [daikɑ́təmi | -kɔ́t-] [Gk 「둘로 자르다」의 뜻에서] *n.* (*pl.* **-mies**) Ⓤⓒ **1** 【철학·논리】 이분법, 양단법; 이분, 양분 《*between*》 **2** 【식물】 (가지가) 두 갈래로 갈림 **3** 【천문】 현월(弦月), 반달

di·chro·ic [daikróuik] *a.* 이색성의

di·chro·ism [dáikrouìzm] *n.* Ⓤ 【결정·광학】 2색성 《각도·농도에 따라 색이 달라 보이는 성질》

di·chro·mat [dáikroumæ̀t] *n.* 【안과】 2색형 색각자(色覺者)

di·chro·mate [daikróumeit] *n.* 【화학】 중(重)크롬산염(酸鹽)

di·chro·mat·ic [dàikroumǽtik, -krə-] *a.* 두 색을 가진, 2색성의; 【동물】 2변색성의; 【안과】 이색형 색각의

di·chro·ma·tism [daikróumətìzm] *n.* Ⓤ 2색성; 【동물】 2변색성; 【안과】 2색형[성] 색맹

di·chro·mic [daikróumik] *a.* 【화학】 중(重)크롬의, 중크롬산의, 중크롬산을 나타내는

dic·ing [dáisiŋ] *n.* Ⓤ **1** = DICEPLAY: a ~ house 도박장 **2** 【제본】 (가죽 표지의) 마름모꼴 장식 **3** 주사위 모양으로 자름

dick¹ [dík] *n.* 《속어》 형사, (사설) 탐정, 조사관, 경찰관; 《미·속어》 (적의) 전사자

dick² *n.* **1** 《영·구어》 놈, 녀석 **2** 《비어》 음경 **3** 《비어》 불쾌한 녀석; 바보; 무가치, 무의미(nothing)
— *vi.* 《속어》 엉뚱한 짓을 하다, 빈둥거리다 《*around*》 — *vt.* 〈남을〉 혼내 주다, 〈일을〉 망가뜨리다, 엉망으로 만들다 《*around*, *over*》 ~ ***up*** 《영·호주·속어》 엉망으로 만들다

dick³ *n.* 《속어》 사전(dictionary)

dick⁴ *n.* 《영·속어》 언명, 선언 ***take*** one***'s*** [***the***] ~ 《영·속어》 맹세하다 《*to* it, *that* ...》 ***up to*** ~ 《속어》 빈틈없는; 멋진

Dick [dík] *n.* **1** 남자 이름 《Richard의 애칭》 **2** 남자의 일반적인 명칭

dick·ens [díkinz] *n.* [the ~] 《구어》 = DEVIL; 《속어》 개구쟁이《호칭》 ***like the*** ~ 맹렬하게 ***play the*** ~ ***with*** …을 엉망으로 만들다 ***The*** ~***!*** 이런!, 빌어먹을! ***The*** ~ ***of it is that ...*** 그것에 관해 가장 곤란한 것은 …이다. ***What the*** ~ (***is it***)***?*** 대체 어떻게 된 거야?, 뭐야?

Dick·ens [díkinz] *n.* 디킨스 **Charles** ~ (1812-70) 《영국의 소설가》 ▷ Dickénsian *a.*

Dick·en·si·an [dikénziən] *a.* Dickens(류)의
— *n.* 디킨스 애호가; 디킨스 연구가

dick·er¹ [díkər] *vi.*, *vt.* 《구어》 **1** 거래하다, 흥정하다 **2** 물물 교환하다 **3** (조건을 내걸고) 협상하다
— *n.* Ⓤⓒ **1** 작은 거래; 물물 교환 **2** 협상, (정치상의) 타협

dicker² *n.* 【상업】 10(ten); 털가죽 10장; 10개 (한 벌); 약간의 수량

dick·ey¹, **dick·y**¹, **dick·ie** [díki] *n.* (*pl.* **dick·eys**, **dick·ies**) **1** 뗄 수 있는 와이셔츠의 가슴판; (셔츠의) 높은 칼라 **2 a** (어린이용) 턱받이; (블라우스처럼 보이게 드레스 밑에 입는) 앞장식 **b** 나비넥타이(= ~ **bòw**) **3** (마차 속의) 마부 자리(= ~ **bòx**); (2인승 자동차 뒤의) 임시 좌석(= ~ **sèat**) **4** 작은 새 《참새 등》 **5** 《영·방언》 (수)나귀

dickey¹ 1

dickey², **dicky**² *a.* (**dick·i·er**; **-i·est**) 《영·구어》 위태위태한, 약한, 미덥지 못한; 〈회사 등이〉 곧 망할 것 같은: very ~ on one's pins 다리가 휘청거려

dick·ey·bird, **dick·y-** [díkibə̀:rd] *n.* 《영·구어·유아어》 작은 새; 《영·구어》 한마디 말 ***not say a*** ~ 한마디도 말하지 않다

dick·head [díkhèd] *n.* 《비어》 귀두; (골치 아픈) 바보

Dick·in·son [díkinsn] *n.* 디킨슨 **Emily** ~ (1830-86) 《미국의 여류 시인》

Díck tèst [고안자인 내과의사 G. F. Dick (1881-1967)에서] 【의학】 딕 테스트 《성홍열 피부 시험》

Díck Trácy 딕 트레이시 《미국 만화의 주인공 형사》

dick·ty [díkti] *a.*, *n.* = DICTY

dick·wad [díkwɑd] *n.* 《속어·비어》 비열한 놈; 바보, 멍청이

di·cli·nous [daikláinəs, dáiklə-] *a.* 【식물】 자웅이화(雌雄異花)의, 암수딴꽃의; 단성(單性)의

di·cot [dáikɑt | -kɔt], **di·cot·yl** [dáikɑtl | -kɔtl] *n.* 【식물】 dicotyledon의 단축형

di·cot·y·le·don [daikɑ̀təlí:dn, dàikɑt- | -kɔ̀t-] *n.* 【식물】 쌍떡잎식물(cf. MONOCOTYLEDON)
~·ous *a.*

di·cou·ma·rin [daikjú:mərin | -kú:-], **-rol** [-rɔ̀:l, -rɑ̀l] *n.* Ⓤ 【화학】 디쿠마린, 디쿠마롤 《혈액 응고 방지제·혈전(血栓) 치료용》

di·crot·ic [daikrɑ́tik | -krɔ́t-] *a.* 【생리】 중박(重搏)의 《한 번의 심박(心搏)에 맥박이 두 번 있는》
dí·cro·tìsm *n.* Ⓤ 중박성

dict. dictation; dictator; dictionary

dic·ta [díktə] *n.* DICTUM의 복수

Dic·ta·phone [díktəfòun] [*dictate*+*phone*] *n.* (속기용) 구술 녹음기(dictating machine) 《상표명》

***dic·tate** [díkteit, ―́― | ―́―] [L 「말하다」의 뜻에서] *vt.* **1** 구술하다, 〈필기자 등에게〉 불러 주어 받아쓰게

thesaurus **dictate** *v.* **1** 구술하다 read out, speak, say, utter, recite **2** 명령하다 order, com-

하다: (~+목+전+명) ~ a letter *to* a secretary 비서에게 편지를 받아쓰게 하다 **2** 〈조건·방침 등을〉 명령[지시]하다 (*to*) **3** …에 영향을 끼치다, 조정하다
— *vi.* **1** 글을 받아쓰게 하다, 요건을 구두로 일러 주다 (*to*): (~+전+명) ~ *to* a stenographer 구술해서 속기사에게 받아쓰게 하다 **2** [보통 부정문으로] 지시하다 (*to*): (~+전+명) *No* one shall ~ *to* me. = I won't be ~*d to.* 나는 누구의 지시도 받지 않는다.
— [ㅅ—] *n.* [종종 *pl.*] (신·이성·양심 등의) 명령, 지시
▷ dictátion *n.*; dictatórial *a.*

díc·tat·ing machìne [díkteitiŋ-] 구술(口述) 녹음(재생)기

‡**dic·ta·tion** [diktéiʃən] *n.* **1** Ⓤ **구술**(口述), **받아쓰기**: take ~ 받아쓰다 / write at a boss's ~ 상사의 구술을 받아쓰다 **2** 받아쓴 것; 받아쓰기 시험 **3** Ⓤ 명령, 지시; 분부 ***do*** (something) ***at the ~ of*** …의 지시에 따라 (일을) 하다
▷ díctate *v.*

*__dic·ta·tor__ [díkteitər, ―ㅅ―|―ㅅ―] *n.* (*fem.* **-tress** [-tris]) **1 독재자**, 절대 권력자 **2 구술자**, 받아쓰게 하는 사람 **3** 지령자, 지배자, 권위자; 으스대는 사람 ▷ dictatórial *a.*

dic·ta·to·ri·al [dìktətɔ́:riəl] *a.* 독재자의, 독재적인; 전횡적(專橫的)인; 권세 부리는, 오만한
~·ly *ad.* **~·ness** *n.*

*__dic·ta·tor·ship__ [diktéitərʃìp, ㅅ―ㅅ―] *n.* Ⓤ **절대[독재]권**; 독재자의 직[임기]; 독재 정권[정부, 국가] ***~ of the proletariat*** 프롤레타리아 독재

*__dic·tion__ [díkʃən] [L 「말하기」의 뜻에서] *n.* Ⓤ **1 용어 선택, 어법**, 말씨: poetic ~ 시어(詩語)(법) **2** (미) 발성법, 화법((영) elocution) **~·al** *a.* **~·al·ly** *ad.*

‡**dic·tion·ar·y** [díkʃənèri|-ʃənəri] [L 「단어집」의 뜻에서] *n.* (*pl.* **-ar·ies**) **1 사전**, 사서, 자전, 용어 사전(glossary); 특수 사전: a Korean-English ~ 한영 사전 / consult a ~ 사전을 찾아보다 / look up a word in a ~ 단어를 사전에서 찾아보다 **2** 《컴퓨터》 용어집, 딕셔너리 《프로그램 등에서 쓰이는 코드·용어의 일람표》
a walking [***living***] ~ 살아 있는 사전, 박식한 사람 ***the D~ of National Biography*** 영국 인명 사전 (略 DNB)

díctionary càtalog 《도서관》 사서체 목록 《저자·책명·건명(件名) 등 모든 기입(entry)과 참조를 알파벳순으로 배열한 목록》

díctionary Énglish 딱딱한 영어

díctionary sòrt 《컴퓨터》 사전 차례 소트 《일련의 문자 열(列)을 사전식으로 차례대로 재배열하는 조작》

Dic·to·graph [díktəgræ̀f, -grɑ̀:f|-grɑ̀:f] *n.* 딕토그래프 《도청·녹음용 고감도 확성 송화기; 상표명》

dic·tum [díktəm] [L =something said] *n.* (*pl.* **-ta** [-tə], **~s**) **1** (전문가의) 의견, 언명(言明) **2** 《법》 =OBITER DICTUM **3** 격언, 금언

dic·ty [díkti] (미·속어) *a.* 고급의, 훌륭한; 상류인 체하는, 거만한 — *n.* 귀족, 부자

dic·ty·o·some [díktiəsòum] *n.* =GOLGI BODY

Di·cu·ma·rol [daikjú:mərɔ̀:l, -rɑ̀l|-rɔ̀l] *n.* 디큐마롤 《혈액 응고 방지제; dicoumarin의 상표명》

‡**did** [díd] *v.* DO[1]의 과거

DID densely inhabited district 인구 밀집 지구

di·dact [dáidækt] *n.* 설교 잘 하는 사람, 도학자

di·dac·tic, -ti·cal [daidǽktik(əl)|di-, dai-] *a.* **1** 교훈적인, 설교적인 **2** 남을 가르치고 싶어하는, 교사인 체하는 **3** (실험보다) 강의나 교과서 중심의
-ti·cal·ly *ad.*

di·dac·ti·cism [daidǽktəsìzm] *n.* Ⓤ 교훈[계몽]주의, 교훈적 경향

di·dac·tics [daidǽktiks] *n. pl.* [단수 취급] 교수법[학]; 교훈, 교의(敎義)

di·dap·per [dáidæ̀pər] *n.* 《조류》 논병아리

---

mand, decree, direct, impose, enjoin
dictator *n.* despot, tyrant, oppressor

---

did·dle[1] [dídl] *vt.* (구어) 속이다, 속여서 빼앗다 (*out of*): (~+목+전+명) ~ a person *out of* his [her] money …의 돈을 사취하다
— *n.* (미·속어) 사기

diddle[2] *vi., vt.* (구어) 앞뒤로 빠르게 움직이다[움직이게 하다]; 시간을 낭비하다 (*around*); (구어) 만지작거리다 (*with*); (비어) …와 성교하다; 자위행위를 하다 **díd·dler** *n.* (미·속어) 어린이 성적 학대자

did·dly [dídli] *n.* (속어) 하찮은 것, 보잘것없는 것 (nothing): not worth ~ 한 푼의 가치도 없는
— *a.* 하찮은, 보잘것없는

did·dly·bop [-bɑ̀p|-bɔ̀p] *vi.* (미·속어) 빈들빈들 시간을 보내다; 신나게 시간을 보내다
— *n.* 기분 풀이, 즐거운 때[모임]

did·dly·shit [-ʃit] *a., n.* (미·속어) =DIDDLY

did·dly-squat [-skwɑ̀t|-skwɔ̀t] *n.* (속어) 아무짝에도 쓸모없음

did·dums [dídəmz] *int.* 아이 착해라, 예뻐 《아이를 달래는 말》

did·dy [dídi] (영·속어) *n.* 유방, 젖꼭지; 모유, 젖
— *a.* 조그마한, 작은

di·de·ox·y·cyt·i·dine [dàidi:ɑ̀ksisí:tədì:n|-ɔ̀k-] *n.* 《약학》 디데옥시시티딘 《AIDS 치료제; 略 DDC》

di·de·ox·y·in·o·sine [dàidi:ɑ̀ksií:nəsì:n|-ɔ̀k-] *n.* 《약학》 디데옥시이노신 《AIDS 치료제; 略 DDI》

did·ger·i·doo, -jer- [dìdʒərədú:] *n.* (*pl.* **~s**) 디저리두 《오스트레일리아 원주민의 전통 악기》

di·di [dí:di:] *n.* (인도) **1** 누나, 언니 **2** (자신의) 여사촌 누나[언니] **3** [호칭으로] 부인, 노부인

di·die [dáidi] *n.* (유아어) 기저귀(diaper)

‡**did·n't** [dídnt] did not의 단축형(⇨ do[1])

di·do [dáidou] *n.* (*pl.* **~(e)s**) **1** (미·구어) 까불기, 장난 **2** (속어) 하찮은 것 **3** (속어) 불평, 반대
cut [***kick***] (***up***) **~(*e*)*s*** 까불거리다

DIDO [dáido] [*d*reck *i*n, *d*reck *o*ut] *n.* (컴퓨터 속어) 디도 《잘못된 입력은 잘못된 출력 결과로 이어진다는 말; cf. GIGO》

didst [dídst] *v.* (고어) DO[1]의 2인칭 단수 doest의 과거: thou ~ =you did (⇨ do[1])

di·dy [dáidi] *n.* (*pl.* **-dies**) =DIDIE

di·dym·i·um [daidímiəm, di-] *n.* Ⓤ 《화학》 디디뮴 《두 가지 희토류(稀土類) 원소 neodymium과 praseodymium의 혼합체》

did·y·mous [dídəməs] *a.* 쌍생의, 쌍을 이룬

‡**die**[1] [dái] *v.* (**dy·ing** [dáiiŋ]) *vi.* **1 죽다**: (~+전+명) ~ *for* one's country 조국을 위해 죽다 / ~ *from* wounds[weakness] 부상[쇠약]으로 죽다 / ~ *of* disease[hunger, old age] 병[굶주림, 노령]으로 죽다 // (~+보) ~ rich[poor] 부자로[가난하게] 죽다 / ~ a beggar 거지로 죽다 ★ 일반적으로 die *of*는 병·굶주림·노령 등으로, die *from*은 외상(外傷)·부주의로 인하여 죽는 것을 나타낸다고 하나 실제로는 이 경우에도 *of*를 쓰기도 함.

> 유의어 **die** 「죽다」의 뜻의 가장 일반적인 말 **pass away** die의 완곡한 말: He *passed away* peacefully. 그는 편안히 돌아가셨다. **decease**도 완곡한 말이지만 법률 용어로도 쓰인다: his *deceased* wife 그의 망처(亡妻) **perish**는 외부로부터의 폭력·굶주림·추위·화재 등으로 죽다: Many people *perished* because of famine. 기근으로 죽은 사람이 많다.

2 (고통·괴로움으로) 죽을 것 같다; 〈엔진·심장 따위가〉 기능을 정지하다; 《신학》 정신적으로 죽다, 죽음의 고통을 맛보다; [보통 be dying으로] (구어) 죽도록[몹시] 갖고[하고] 싶어하다, 애타다 (*for*); 오르가슴에 달하다: (~+전+명) *I'm dying for* that camera. 나는 저 카메라가 몹시 갖고 싶다. // (~+***to*** do) He *is dying to* meet his mother. 그는 어머니를 몹시 보고 싶어한다. **3 a** 시들어 죽다; 영원히 멸망하다, 망각

되다 **b** 무감각해지다 《*to*》; 맥이 빠지다; 〈술 등의〉 김이 빠지다 **c** 〈불·제도·예술·명성 등이〉 꺼지다, 사라지다, 없어지다 **d** 〈소리·빛 등이〉 점점 작아지다, 희미해지다 《*away, down, off, out, into*》: The engine ~*d.* 엔진이 꺼졌다. // 《~+부》 The wind slowly ~*d down.* 바람이 서서히 잤다. // 《~+전+명》 ~ *to* the world 세상을 버리다 / Her secret ~*d with* her. 그녀는 비밀을 밝히지 않고 죽었다. **4** 〖야구〗 아웃이 되다

— *vt.* [동족 목적어 death를 취하여] …한 죽음을 하다: ~ the *death* of a hero 영웅다운 죽음을 하다

~ a dog's death 비참하게 죽다 ***~ at*** one's ***post*** 순직하다 ***~ away*** 〈바람·소리 등이〉 점점 약해지다[사라지다]; 기절하다(faint) ***~ back*** 〈초목이〉 (뿌리만 남은 채) 가지 끝에서 죽어가다 ***~ by*** violence (비명)에 죽다 ***~ down*** 사라져 버리다(fade); 차차 진정되다; 가지 끝에서 죽어가다 ***~ game*** 용감하게 싸우다 죽다 ***~ hard*** 격전 끝에 죽다; 완강하게 저항하다; 〈습관 등이〉 쉽사리 없어지지 않다 ***~ horribly*** 《컴퓨터속어》 끔찍하게 죽다 《극적으로 크래시하다》 ***~ in battle*** 전사하다 ***~ in harness*** 분투하다가 죽다, 순직하다 ***~ in*** (one's) ***bed*** 집에서 죽다 《병·노령 등으로》 ***~ in*** one's ***shoes***[***boots***] = ***~ with*** one's ***boots***[***shoes***] ***on*** 횡사(橫死)하다; 근무[전투] 중에 죽다 ***~ in the last ditch*** 죽을 때까지 싸우다 ***~ laughing*** 포복절도하다 ***~ off*** 〈일가·종족 등이〉 차차 멸망하다; 차례로 죽다[말라죽다] ***~ on*** one's ***feet*** 급사하다 ***~ on*** a person's ***hand*** 《미·구어》 …의 간호를 받으며 죽다 ***~ on the air*** 〈종소리 등이〉 공중에 사라지다 ***~ on the vine*** 열매를 맺지 않고 끝나다 ***~ out*** 죽어 없어지다; 낡아 없어지다, 차차 소멸하다 ***~ standing up*** 〖연극〗 (무대에서) 연기를 해도 박수를 못 받다 ***~ the***[***a***] ***death*** 《영·구어》 (1) 완전히 실패하다; 〈유행 따위가〉 한물가다 (2) 《구어》 〈배우가〉 관객의 호응을 못 받다 ***~ to self***[***the world***] 자기[속세]를 버리다 ***~ to shame*** 염치를 잊다 ***~ with*** one 〈비밀 등을〉 죽을 때까지 지키다 (***I***) ***hope***[***wish***] ***I may ~*** = (***I***) ***hope to ~*** 《구어》 맹세컨대, 절대로 ***Never say ~!*** 낙담하지 마라!, 비관 마라! ***to ~*** (***for***) 《미·속어》 (1) [형용사적] 훌륭한, 멋있는 (2) [부사적] 대단히, 굉장히

— *n.* 《속어》 죽음(death) ★ 다음 성구로. ***make a ~*** (***of it***) 죽다 ▷ déad *a.*; déath *n.*

***die²** [dái] [L 「운(運)에 의해 주어진 것」의 뜻에서] *n.* (*pl.* **dice** [dáis]) **1** 주사위 **2** 주사위 도박, 주사위 놀이(⇨ dice) **3** 주사위 꼴로 자른 것 **4** (*pl.* **~s**) **a** 철인(鐵印), 금형; 거푸집, 음각(陰刻)를, 형판(型板); 찍어내는 본; 〖건축〗 대동(臺胴) 《주각(柱脚)의 네모 부분》 **b** 〖기계〗 다이스 틀 《수나사 깎는 도구》

(***as***) ***straight***[***true, level***] ***as a ~*** 똑바른, 결코 틀림없는 ***be upon the ~*** 위기에 처해 있다, 생사의 갈림길에 있다 ***The ~ is cast***[***thrown***]. 주사위는 던져졌다, 일[운명]은 이미 결정되었다. 《Caesar가 Rubicon 강을 건넜을 때 한 말》

— *vt.* (**died**; **~·ing**) 다이스로 자르다 《*out*》

die-a·way [dáiəwèi] *a.* 힘 없는, 풀이 죽은
— *n.* (소리·영상의) 점차적인 소멸

die·back [-bæ̀k] *n.* 〖식물·병리〗 잎마름병, 모잘록병

die-cast [-kæ̀st] *vt.* 〖야금〗 die casting으로 주조하다 — *a.* die casting으로 주조된

díe càsting 〖야금〗 다이 캐스팅, 압력 주조; 다이캐스팅 주물(鑄物)

di·e·cious [daiíːʃəs] *a.* 〖생물〗 = DIOECIOUS

die·hard [dáihɑ̀ːrd] *n.* **1** 완강한 저항자; (정치상의) 완고한 보수주의자 **2** 《속어》 = SCOTTISH TERRIER

die-hard [dáihɑ̀ːrd] *a.* 끝까지 버티는; 완고한
~·ism *n.* Ⓤ 완고한 보수주의

die-in [-ìn] *n.* 죽은 것처럼 드러눕는 시위 행동

di·el [dáiəl, díːəl] *a.* 〖생태〗 하루 밤낮의, 1주야(晝夜)의 《야간을 포함한 24시간》

di·e·lec·tric [dàiiléktrik] 〖전기〗 *a.* 유전체(誘電體)의 — *n.* 유전체 **-tri·cal·ly** *ad.*

dieléctric cónstant 〖전기〗 유전율

dieléctric héating 〖전기〗 유전 가열

dieléctric léns 〖물리〗 유도체 렌즈

dieléctric stréngth 〖전기〗 절연 내력(絶緣耐力)

Dien Bien Phu [djén-bjèn-fúː] 디엔비엔푸 《베트남 북서부의 도시; 인도차이나 전쟁에서의 프랑스군 기지; 1954년 월맹군에게 함락됨》

di·en·ceph·a·lon [dàienséfəlɑ̀n | -lɔ̀n] *n.* (*pl.* **~s, -la** [-lə]) 〖해부〗 간뇌(間腦) **di·èn·ce·phál·ic** *a.*

di·ene [dáiiːn, ─́] *n.* 〖화학〗 디엔 《이중 결합이 두 개 있는 화합물의 총칭》

die-off [dáiɔ̀ːf | -ɔ̀f] *n.* 종(種)의 급격한 자연 소멸

di·er·e·sis [daiérəsis] *n.* (*pl.* **-ses** [-sìːz]) = DIAERESIS

die·sel [díːzəl, -səl | -zəl] *n.* **1** = DIESEL ENGINE **2** 디젤 기관차[트럭, 선박 《등》] **3** 《구어》 = DIESEL OIL
— *a.* 디젤 엔진의
— *vi.* 〈가솔린 엔진이〉 스위치를 끈 뒤에도 회전을 계속하다, 디젤링하다

Die·sel [díːzəl, -səl | -zəl] *n.* 디젤 **Rudolf ~** (1858-1913) 《디젤 기관을 발명(1892)한 독일인 기사》

die·sel-e·lec·tric [díːzəliléktrik, -səl- | -zəl-] *a.* 〈기관차 등이〉 디젤 발전기의[를 갖춘] — *n.* 디젤 전기 기관차

***díesel èngine**[**mòtor**] 디젤 엔진[기관]

die·sel-hy·drau·lic [-haidrɔ́ːlik] *n., a.* 유체[액체]식 디젤 기관(의)

die·sel·ing [díːzəliŋ, -səl- | -zəl-] *n.* (가솔린 엔진의) 디젤링 《스위치를 꺼도 엔진 내의 과열점에 의해 자기 점화하여 회전을 계속하는 일》

die·sel·ize [díːzəlàiz, -səl- | -zəl-] *vt., vi.* …에 디젤 엔진을 달다, 디젤화(化)하다
dìe·sel·i·zá·tion *n.*

díesel òil[**fùel**] 디젤유(油)

die·sink·er [dáisìŋkər] *n.* 〖기계〗 다이스 틀을 파는 사람, 금형공(金型工)

Di·es I·rae [díːeis-íərei | díːeiz-íərai] [L = day of wrath] **1** 「진노의 날」 《진혼곡에서 불리는 라틴어 성가》 **2** [**d- i-**] 최후의 심판 날

di·e·sis [dáiəsis] *n.* (*pl.* **-ses** [-sìːz]) 〖인쇄〗 = DOUBLE DAGGER

di·es non [dáiiːz-nɑ́n, díːeis-nóun | dáiiːz-nɔ́n] [L] 〖법〗 휴정일; 휴업일 《법정 일수에서 제외되는》

die·so·hol [díːzəhɔ̀ːl, -hɑ̀l | -hɔ̀l] [*diesel*+*alcohol*] *n.* 디젤유와 알코올의 혼합물 《디젤 엔진의 연료》

díe stàmping (종이에의) 금형 양각 각인

die·stock [dáistɑ̀k | -stɔ̀k] *n.* 나사 깍기용(用) 공구(screw stock)

di·es·trus [daiéstrəs] *n.* 〖동물〗 발정 휴지기 《발정기와 발정기 사이》

‡di·et¹ [dáiət] [L 「하루의 음식」의 뜻에서] *n.* **1** ⒸⓊ 일상의 음식물: a meat[vegetable] ~ 육[채]식 **2** (치료·체중 조절을 위한) 규정식; 식이 요법; (병원 등의) 규정식 일람표(= **~ shèet**) **3** (특정의 사람·집단만의) 상식(常食) **4** (가축 등의) 상용 사료 **5** (오락·독서 등에서의) 습관적인[지긋지긋한] 것: a ~ of TV shows 맨날 보는 TV 쇼 ***be***[***go***] ***on a ~*** 감량[다이어트]을 하고 있다[하기 시작하다] ***take***[***keep***] ***~*** (섭생을 위해) 규정식을 먹다[먹고 있다]
— *a.* 체중 감량식으로 적당한, 《특히》 당분이나 칼로리가 낮은, 규정식의(dietetic)
— *vt., vi.* 〈환자에게〉 규정식을 주다; 규정식을 먹다, 식이 요법을 하다 **~ one*self*** 식이 요법을 하다
~·er *n.* ▷ dietétic, díetary *a.*

‡di·et² [dáiət] [L 「공식 회합」의 뜻에서] *n.* [the D~]

thesaurus **different** *a.* **1** 다른 unlike, dissimilar, contrasting, incompatible, inconsistent; changed, altered, modified, transformed; separate, distinct, individual **2** 여러 가지의 diverse,

1 국회, 의회 《덴마크·스웨덴·헝가리·일본·구 프로이센 등의; ⇨ PARLIAMENT 2, CONGRESS 1》 2 (스코) 〖법〗 개정일; 회기 **~·al** [-tl] *a.*

di·e·tar·y [dáiətèri | -təri] *a.* 음식물의; 규정식의; 식이 요법의: a ~ cure 식이 요법
— *n.* (*pl.* **-tar·ies**) 규정식; (식사의) 규정량
▷ díet¹ *n.*

díetary fíber 식이성 섬유; 섬유질 식품

díetary làw 〖유대교〗 음식 규정《음식물·조리법·조리 기구·식기 등에 관한 규정》

díetary lífe 식생활

Díet Cóke 다이어트 코크《저칼로리 콜라; 상표명》

di·e·tet·ic, -i·cal [dàiətétik(əl)] *a.* Ⓐ 식이(성)의, 영양(학)의 **-i·cal·ly** *ad.*

di·e·tet·ics [dàiətétiks] *n. pl.* [단수 취급] 영양학; 식이 요법(학)

di·éth·yl·ene glýcol [daiéθəlì:n-] *n.* 〖화학〗 디에틸렌 글리콜《니트로셀룰로오스의 용매 등에 씀》

di·éth·yl éther [daiéθəl-] 〖화학〗 디에틸에테르

di·eth·yl·stil·bes·trol [daièθəlstilbéstrɔ:l] *n.* 〖약학〗 디에틸스틸베스트롤《합성 여성 호르몬의 일종》

di·eth·yl·tryp·ta·mine [daièθəltríptəmì:n] *n.* 〖약학〗 디에틸트립타민《환각 작용이 있음; 略 DET》

di·et·ist [dáiətist] *n.* = DIETITIAN

di·e·ti·tian, -ti·cian [dàiətíʃən] *n.* 영양사[학자]

díet kitchen (병원 등의) 규정식 조리실

díet lìst (식이 요법용의) 규정 식단

díet pìll (미) 살 빼는 약《호르몬·이뇨제 등의 체중 감량제》

Dieu et mon droit [djə́:-ei-mɔ:n-drwɑ́:] [F =God and my right] 신과 나의 권리《영국 왕실 문장(紋章)에 쓰여진 표어》

dif- [dif] *pref.* = DIS-¹《f 앞에 올 때》

dif(f) [díf] *n.* (구어) = DIFFERENCE; = DIFFERENTIAL

dif., diff. difference; different; differential

‡**dif·fer** [dífər] [L 「떨어져 나오다」의 뜻에서] *vi.* **1** 다르다, 틀리다 《*in, as to, from*》: (~+전+명) French ~*s from* English in many respects. 프랑스어는 많은 점에서 영어와 다르다. **2** 의견을 달리하다 《*with, from*》《disagree보다 딱딱한 말》: (~+전+명) He ~*s with* me entirely. 그는 나와 의견이 전혀 다르다. ***agree to ~*** ⇨ agree. ***I beg to ~* (*with* you).** 실례지만 내 의견은 다릅니다.《격식 차린 딱딱한 표현》 ▷ dífference *n.*; dífferent *a.*

‡**dif·fer·ence** [dífərəns] *n.* Ⓒⓤ **1** 다름, 상위; 차이, 차이점: a ~ in appearance[quality] 외관[질]의 차이 / tell the ~ (차이를) 분간하다, 구별하다 / the ~ between A and B = the ~ *of* A from B A와 B의 차이 ★ 전자가 일반적임. / the ~ between the two 양자 간의 차이 **2** [또는 a ~] (수·양의) 차, 차액; (주가 변동의) 차액; 〖수학〗 차; 〖논리〗 차이; 특징, 특이점 **3** [종종 *pl.*] 의견 차이; 불화, 다툼; (국제 간의) 분쟁: wide ~*s* of opinion 의견의 큰 차이 《*with*》 **4** (미·속어) [the ~] 유리한 상태, 강점; (자신에게) 유리한 것《권총 따위》
bury the ~s 의견 차이를 없던 것으로 하다 ***distinction without a ~*** 소용 없는 구별 ***for all the ~ it ... makes*** 거의 차이가 없음을 고려에 넣어(도) ***have their*[*our*] *~s*** 의견 충돌로 틀어지고 있다 ***make a*[*no*] *~*** 차이가 생기다[없다]; 변화가 있다[없다]; 효과가[영향이] 있다[없다], 중요하다[하지 않다]; 차별을 두다[안 두다] 《*between*》 ***make up the ~*** 필요한 금액의 부족분을 내다 ***meet*[*pay*] *the ~*** 차액을 보상하다[지불하다] ***Same ~.*** (구어) 그게 그거지. ***sink the ~*** (영·구어) 화해[화친]하다 ***split the ~*** 차액을 등분하다; 〈쌍방이〉 양보하다, 절충하다, 타협하다 ***That makes all the ~.*** 그렇다면 이야기는 전연 달라진다. ***What's the ~?*** 무엇이 다른가?; (구어) 괜찮지 않은가? ***with a ~*** [명사 뒤에서] 특별한, 색다른; 좀 별난, 이색적인
— *vt.* (드물게) = DIFFERENTIATE
▷ díffer, differéntiate *v.*; dífferent, differéntial *a.*

dífference lìmen[thrèshold] 〖심리〗 변별역(閾)

dífference rìng 〖수학〗 = QUOTIENT RING

‡**dif·fer·ent** [dífərənt] *a.* **1** 딴, (…와) 다른, 별개의; 같지 않은 《*from*》 USAGE ~ from이 보통이나 《영·구어》에서는 ~ to, 《미·구어》에서는 ~ than이 되는 경우도 있음; 수식어는 much[very, far] ~, 부정문에서는 much를 씀: It's very ~ *than*[*from*] any other city. 이곳은 다른 어떤 도시와 아주 다르다. **2** Ⓐ [복수 명사와 함께] 서로 다른, 별개의; Ⓐ 여러 가지의, 갖가지의(various): boys in ~ age groups 여러 연령층의 소년들 **3** (미) 색다른, 독특한(unusual): something ~ 무언가 색다른 것
~ people with the same name 동명이인 ***It is a ~ matter.*** 그것은 별개의 문제다. ***It's ~ when it comes to*** education. (교육)에 대해서라면 이야기는 달라진다. ***It's*[*The case is*] *quite ~ with*** us. (우리들)에 관해서는 사정이 전혀 다르다.
▷ díffer, differéntiate *v.*; dífference *n.*

dif·fer·en·ti·a [dìfərénʃiə, -ʃə] *n.* (*pl.* **-ti·ae** [-ʃiì:]) 차이점; 본질적 차이; 〖논리〗 종차(種差)

dif·fer·en·ti·a·ble [dìfərénʃiəbl] *a.* 구별할 수 있는; 〖수학〗 미분 가능한

***dif·fer·en·tial** [dìfərénʃəl] *a.* **1** 차이의, 구별의; 차별적인: ~ duties 차별 관세 **2** 특이한 **3** 〖수학〗 미분의 **4** 〖물리·기계〗 차동(差動)의, 응차(應差)의
— *n.* **1** 〖상업〗 협정 임률차(協定賃率差); 차별액; 임금 격차 **2** 〖철도〗 운임차《같은 지점에 이르는 두 가지 경로의》 **3** Ⓤ 〖수학〗 미분 **4** 〖생물〗 특이 형태 **5** 차동 장치 **6** [*pl.*] 〖야구〗 실적(credentials) **7** (미·속어) 엉덩이 **~·ly** *ad.* 달리, 구별하여, 별도로

differéntial ánalyzer 〖컴퓨터〗 미분 해석기《아날로그(analog) 계산기의 한 가지》

differéntial associátion 〖사회〗 문화적 접촉《범죄 행위는 그것을 긍정하는 집단[상황]에서 배워 나간다는 이론》

differéntial cálculus [the ~] 〖수학〗 미분학

differéntial coeffícient 〖수학〗 미분 계수

differéntial equátion 〖수학〗 미분 방정식

differéntial géar(ing) 〖기계〗 차동 장치

differéntial óperator 〖컴퓨터·수학〗 미분 연산자

differéntial psychólogy 〖심리〗 차이 심리학

differéntial quótient 〖수학〗 미분 계수

differéntial ráte 임금의 차등률; (관세·운임 등의) 특정 인하율

differéntial wáge (주로 영) (같은 회사 내 근로자의) 임금 격차 《*between*》

***dif·fer·en·ti·ate** [dìfərénʃièit] *vt.* **1** 구별짓다, 식별하다 《*from*》(⇨ distinguish 유의어): (~+목+전+명) ~ man *from* brutes 인간을 짐승과 구별하다 **2** 변이(變異)시키다, 특수화시키다, 분화하다 **3** 〖수학〗 미분하다
— *vi.* 구별이 생기다; (…사이를) 구별[식별]하다 《*between, among*》; 〈기관(器官)·종(種)·언어 등이〉 특수화[분화]하다 《*into*》
▷ dífference, differentiátion *n.*

dif·fer·en·ti·a·tion [dìfərènʃiéiʃən] *n.* Ⓤⓒ **1** 차별(의 인정), 구별; 차별 대우 **2** 〖생물〗 분화, 파생 《*into*》 **3** 〖수학〗 미분

***dif·fer·ent·ly** [dífərəntli] *ad.* **1** 다르게, 같지 않게 《*from, to, than*》 **2** 따로, 별도로(otherwise)

differently àbled *a.* 다른 능력을 가진《「신체 장애(disabled)」의 완곡한 말》

dif·fi·cile [dì:fisí:l | ⌐–⌐] *a.* 남과 어울리지 않는, 성미가 까다로운(cf. DOCILE)

---

various, several, many, numerous **3** 독특한 unusual, uncommon, distinctive, rare, unique
differential *a.* distinctive, distinguishing, discriminating, different, discriminatory

‡**dif·fi·cult** [dífikʌ̀lt, -kəlt | -kəlt] [difficulty의 역성(逆成)] *a.* **1** 곤란한, 어려운; …하기 어려운[힘든] (opp. *easy*; ⇨ hard [유의어]): be placed in ~ circumstances 어려운 곤경에 처하다 // 《~+***to*** do》 It is ~ *to* convince him. 그를 설득하기는 어렵다. **2** 알기[풀기] 힘든 **3** 〈사람이〉 까다로운, 완고한; 〈형편 등이〉 대처하기 어려운, (일이) 다루기 힘든: Don't be so ~. 그렇게 까다롭게 굴지 마라. **~·ly** *ad.* 《드물게》 = with DIFFICULTY

‡**dif·fi·cul·ty** [dífikʌ̀lti | -kəl-] [L 「쉽지 않음」의 뜻에서] *n.* (*pl.* **-ties**) **1** Ⓤ 곤란, 어려움; Ⓒ 어려운 일, 난국(opp. *facility*): Another ~ arose. 또 하나의 어려움이 발생했다. // 《~+[전]+***-ing***》 I have ~ *in* remember*ing* names. 남의 이름을 좀처럼 기억할 수가 없다. **2** [보통 *pl.*] 곤경, 《특히》 재정 곤란; 난제, 난점; [종종 *pl.*] 방해, 장해: financial *difficulties* 재정 곤란 **3** [보통 *pl.*] 항의, 불평, 이의, 다툼, 말썽: labor *difficulties* 노동 쟁의
be in difficulties for money (돈)에 곤란을 받고 있다 ***find ~ in*** do*ing* …하기 어렵다는 것을 알다 ***get***[***run***] ***into difficulties*** 곤경에 빠지다 ***make a ~ = make***[***create, raise***] ***difficulties*** 이의를 제기하다, 난색을 표하다 ***the ~ of*** do*ing* …하는 것의 어려움 ***with ~*** 겨우, 간신히(opp. *easily*) ***without*** (***any***) **~** (아무런) 어려움 없이, 수월히
▷ difficult *a.*

∗**dif·fi·dence** [dífədəns] *n.* Ⓤ 자신이 없음(opp. *confidence*); 기가 죽음; 삼감, 수줍음(shyness)
with (***nervous***) **~** 머뭇거리며, 주저하며 ***with seeming ~*** 얌전부리며 ▷ díffident *a.*

∗**dif·fi·dent** [dífədənt] [L 「신용하지 않는」의 뜻에서] *a.* 자신 없는(opp. *confident*); 숫기 없는, 수줍은, 소심한 **~·ly** *ad.* ▷ díffidence *n.*

dif·flu·ence [dífluəns] *n.* Ⓤ 유출(流出); 유동성; 용해, 융해

dif·flu·ent [dífluənt] *a.* 유출성의; 녹아 흐르는 (fluid); 용해[융화(溶化)]의

dif·fract [difrǽkt] *vt.* 분산시키다, 분해하다; 〚물리〛 〈광파·음파·전파 등을〉 회절(回折)시키다
— *vi.* 분산[회절]하다

dif·frac·tion [difrǽkʃən] *n.* Ⓤ 〚물리〛 회절

diffráction gràting 〚광학〛 회절 격자

dif·frac·tive [difrǽktiv] *a.* 〚물리〛 회절하는, 회절성의 **~·ly** *ad.*

dif·frac·tom·e·ter [difræktɑ́mətər, dìf- | -tɔ́m-] *n.* 〚물리〛 회절계 《물질의 결정 구조나 원자 구조를 관찰하는 장치》

dif·fu·sate [difjú:zeit] *n.* 〚물리〛 확산체; 〚화학〛 투석물

∗**dif·fuse** [difjú:z] *vt.* **1** 흐트러뜨리다, 방산(放散)하다; 〈빛·열·냄새 등을〉 발산하다 **2** 퍼뜨리다, 보급시키다; 〈친절·행복 등을〉 두루 베풀다[미치게 하다]: 《~+[목]+[전]+[명]》 His fame is ~*d throughout* the city. 그의 명성은 시중에 널리 퍼져 있다. **3** 〚물리〛 확산시키다
— *vi.* 퍼지다, 흩어지다; 〚물리〛 확산하다
— [difjú:s] *a.* 널리 퍼진, 흩어진; 〈문체 등이〉 산만한, 말수가 많은 **~·ly** *ad.* **~·ness** *n.*
▷ diffúsion *n.*; diffúsive *a.*

dif·fused [difjú:zd] *a.* 확산된; 널리 퍼진; 〚물리〛 산란한: ~ light 산광 / ~ lighting 확산 조명

diffúsed júnction (반도체 접합의) 확산 접합

diffúse nébula 〚천문〛 확산 성운

dif·fus·er, -fu·sor [difjú:zər] *n.* **1** 유포[보급]하는 사람 **2** (기체·광선 등의) 확산기, 방산기, 살포기

dif·fus·i·ble [difjú:zəbl] *a.* 퍼지는; 보급[확산]할 수 있는; 〚물리〛 확산성의 **dif·fùs·i·bíl·i·ty** *n.*

∗**dif·fu·sion** [difjú:ʒən] *n.* Ⓤ **1** 방산(放散), 발산; 보급, 유포 《*of*》 **2** 〚물리·기상〛 확산 (작용) 《*of*》; 〚사진〛 (초점의) 흐림 **3** 〚인류·사회〛 (문화 등의) 전파, 보급 **4** (문체 등의) 산만 **~·al** *a.*
▷ diffúse *v.*; diffúsive *a.*

diffúsion ìndex 〚경제〛 확산 지수, 경기 동향 지수

dif·fu·sion·ism [difjú:ʒənìzm] *n.* 〚사회〛 (문화의) 전파론(傳播論) **-ist** *n.*, *a.*

diffúsion lìne[**rànge**] (유명 디자이너의) 저렴한 보급판 컬렉션

diffúsion pùmp 〚기계〛 확산 (진공) 펌프

dif·fu·sive [difjú:siv] *a.* 잘 퍼지는, 보급되기 쉬운, 보급력 있는; 확산성의; 산만한, 장황한
~·ly *ad.* **~·ness** *n.*

dif·fu·siv·i·ty [difjusívəti] *n.* Ⓤ 〚물리〛 열확산성[율]

‡**dig** [díg] *v.* (**dug** [dʌ́g], 《고어》 **~ged**; **~·ging**) *vt.* **1** 〈땅·밭을〉 파다, 파헤치다; 〈굴·묘를〉 파다; 파내다, 〈광물을〉 채굴하다: ~ a hole 구멍을 파다 // 《~+[목]+[보]》 ~ a grave open 무덤을 파헤치다 // 《~+[목]+[부]》 ~ a field *up* 밭을 일구다 // 《~+[목]+[전]+[명]》 ~ a tunnel *through* the hill 언덕에 터널을 파다 **2** 《구어》 찌르다, 〈손가락 끝·칼 등을〉 찔러넣다, 꽂다 《*in*, *into*》: 《~+[목]+[전]+[명]》 ~ a fork *into* a pie 포크를 파이에 꽂다 **3** 〈사람을〉 손가락[팔꿈치]으로 쿡 찌르다; 〈사람을〉 (일 등에) 몰두케 하다, 열중시키다 《*into*》 **4** 탐구하다, 찾아내다, 캐내다 《*up*, *out*》: 《~+[목]+[부]》 ~ *out* the truth 진실을 알아내다 // 《~+[목]+[전]+[명]》 ~ (*out*) facts *from* books 책에서 사실을 찾아내다 **5** 《구어》 이해하다; 《구어》 …에 주목하다, 잘 보다[듣다]; 마음에 들다; 즐기다 **6** 《미·속어》 시험하다
— *vi.* **1** (도구·손 등으로) 땅을 파다; 〈굴·터널 등을〉 파나가다 《*into*, *through*, *under*》; (보물 등을 찾아) 파다: 《~+[전]+[명]》 ~ *for* gold[treasure] 금[보물]을 찾아 땅을 파다 **2** 찔러넣다 《*in*》; 〈의사 등이〉 환부를 절개하다 **3** 탐구[연구]하다(search) 《*for*, *into*》; 《구어》 힘써 공부하다 《*at*》 **4** 《구어》 이해하다; 좋아하다 **5** 《구어》 하숙하다, 셋방에 살다 **6** 《미·속어》 급히 나가다
~ a pit for …을 잡으려고 함정을 파다 **~ *at*** 《속어》 〈남을〉 빈정대다, 곯리다 **~ *away*** 계속해서 파다; 〈둑 등을〉 파 무너뜨리다 **~ *deep*** 후하게 돈을 내놓다 **~ *down*** 파내려가다; 파 무너뜨리다; 《미·속어》 자기 돈으로 치르다 **~ *down into*** a person***'s mind*** …의 마음 속을 깊이 살펴보다 **~ *for*** ⇨ *vi.* 1, 3 **~ *in*** (1) (자기 진지를 지키기 위해) 참호를 파다 (2) 의견을 바꾸지 않다, 입장을 고수하다 (3) 《구어》 부지런히 일하다[공부하다] (4) 《구어》 게걸스레 먹기 시작하다; (전투) 태세를 갖추다 **~** a person ***in the ribs*** 손가락[팔꿈치]으로 …의 옆구리를 쿡 찌르다 **~ *into*** (1) 〈옆구리 등을〉 쿡 찌르다 (2) 《구어》 …을 정력적으로 공부하다 (3) 《구어》 …을 덥석 물다, …에 덥석 달려들다 (4) …을 파들어가다 (5) 〈재산 등을〉 쓰다, 거의 탕진하다 **~ *open*** 파헤치다; 〈무덤 등을〉 파젖히다 **~ *out*** (1) 파내다; 찾아내다; 흙을 파서 몰아내다; 《미·속어》 파서 도망치다, 떠나다; 《미》 구출 (작업을) 하다 (2) 조사해 내다 **~ *over*** 파헤치고 찾다; 《구어》 고쳐[다시] 생각하다 **~** one***self in*** 참호[굴]를 파서 몸을 숨기다; 《구어》 (취직하여) 자리잡다, 착실해지다 **~** one***'s way*** 파헤쳐 나가다 《*in*, *into*》, 파고 나가다 《*out*》, 파 뚫다 《*through*》 **~** jazz ***the most*** (재즈)라면 누구 못지 않게 좋아하다 **~ *up*** (1) 〈황무지를〉 일구다, 개간하다; 파내다 (2) 발견하다; 명백히 드러내다; 《미·속어》 주목하다, 주의하여 듣다 (3) 《구어》 〈비용 등을〉 그러모으다
— *n.* **1** 파기 **2** 《구어》 쿡 찌르기; 《비유》 빈정대기 《*at*》 **3** 《미》 공부만 파는 학생 **4** [*pl.*] 《구어》 거처, 하숙(방), 셋방 **5** 《속어》 섹스 쇼 ***give*** a person ***a ~***

thesaurus **difficult** *a.* **1** 어려운 hard, complicated, complex, intricate, problematic (opp. *easy*, *simple*) **2** (일이) 힘든 intricate, involved, perplexing, abstruse, abstract, delicate, hard
diffident *a.* shy, bashful, sheepish, unconfident, timid, fearful, shrinking, reserved, hesitant, reluctant, unsure (opp. *bold*, *assertive*)
diffuse *v.* spread around, scatter, disperse, dissi-

in the ribs …의 옆구리를 찌르다

dig. digest 《책의》

dig·a·mist [dígəmist] *n.* 재혼자

di·gam·ma [daigǽmə] *n.* 디감마 《초기 그리스 문자의 Ϝ; [w]로 발음》

dig·a·mous [dígəməs] *a.* 재혼의

dig·a·my [dígəmi] *n.* Ⓤ 재혼(cf. BIGAMY)

di·gas·tric [daigǽstrik] 〖해부〗 *a.* 〈근육이〉 이복(二腹)의; 이복근의 **—** *n.* 이복근 《아래턱의 근육》

di·gen·e·sis [daidʒénəsis] *n.* Ⓤ 〖생물〗 세대 교번[교대] **di·ge·net·ic** [dàidʒənétik] *a.*

dig·e·ra·ti [didʒərɑ́ːti] [*digi*tal+lit*erati*] *n.* 《미·속어》 컴퓨터 전문가, 컴퓨터 지식인 계급

‡**di·gest** [didʒést, dai-] [L 「따로따로 나르다」의 뜻에서] *vt.* **1** 소화하다; 〈약·포도주가〉 〈음식의〉 소화를 돕다[촉진하다]: food easy to ~ 소화가 잘되는 음식 **2** 〈지식 등을〉 잘 이해하다, 터득하다; 〈의미를〉 음미하다, 잘 새기다; 숙고하다; 〈새 영토 등을〉 동화시키다: ~ the poem 그 시를 음미하다 **3** 간추리다, 요약하다; 정리[분류]하다 **4** 〖화학〗 증해(蒸解)[침지(浸漬)]하다; 쪄서 부드럽게 하다 **5** 참다, 견디다
— *vi.* 〈음식물이〉 소화되다, 삭다; 음식을 소화하다; 〖화학〗 증해되다: (~+副) This food ~*s well*[*ill*]. 이 음식은 소화가 잘[안] 된다.
— [dáidʒest] *n.* **1** 요약, 적요; (문학 작품 등의) 개요 **2** (법령의) 요람, 집성; [the D~] 유스티니아누스 법전 **3** 〖생화학〗 소화물(消化物)
▷ digéstion *n.*; digéstive *a.*

di·ges·tant [didʒéstənt, dai-] *n.* 〖의학〗 소화제 (digestive)

di·gest·er [didʒéstər, dai-] *n.* **1** 소화(촉진)제 **2** 〖요리〗 수프 냄비, 찜통, 압력솥 **3** 〖화학〗 침지기(浸漬器)(digestor) **4** 요약 정리자, 다이제스트 기자[편집인]

***di·gest·i·ble** [didʒéstəbl, dai-] *a.* 소화할 수 있는, 소화하기 쉬운; 요약할 수 있는
di·gèst·i·bíl·i·ty *n.* Ⓤ 소화성[율]

di·ges·tif [dìːdʒestíːf] [F] *n.* 디제스티프 《소화를 촉진하기 위해 식후에[식전에] 먹는 것, 특히 술》

‡**di·ges·tion** [didʒéstʃən, dai-] *n.* ⓊⒸ **1** 소화 (작용), 삭임, 소화력: have a good[poor, weak] ~ 위장이 튼튼하다[약하다] **2** 이해; (정신적인) 동화 흡수; 동화력; 〖화학〗 침지(浸漬) ▷ digést *v.*

***di·ges·tive** [didʒéstiv, dai-] *a.* Ⓐ **1** 소화를 돕는, 소화력 있는; 소화를 촉진하는: ~ organs[juice, fluid] 소화 기관[액] **2** 〖화학〗 침지(浸漬)의
— *n.* 소화(촉진)제, 정장제; 《영》 소화 비스킷(=∠ **bíscuit**) **~·ly** *ad.* 소화 작용으로 **~·ness** *n.*
▷ digést *v.*; digéstion *n.*

digéstive glànd 〖해부〗 소화선(腺), 소화샘

digéstive sỳstem [the ~] 〖해부〗 소화기 계통

di·ges·tor [didʒéstər, dai-] *n.* = DIGESTER 3

***dig·ger** [dígər] *n.* **1** 파는 사람[도구, 기계], 굴착기, (특히 금광의) 광부 **2** [때로 **D~**] 《속어》 (제1차 세계대전의) 호주[뉴질랜드] 군인 **3** 《호주·뉴질·구어》 어이, 자네 《부르는 말》 **4** [**D~**] 나무뿌리를 캐먹고 사는 미국 서부의 인디언(=**D∠ Índian**) **5** 《속어》 암표상(의 앞잡이); 소매치기 **6** 《미·속어》 돈 목적으로 남성과 교제[결혼]하는 여자(gold digger) **7** [**D~**] 동료에게 자선 행위를 하는 히피 **8** 〖곤충〗 = DIGGER WASP

dígger wàsp 〖곤충〗 나나니벌

dig·ging [dígiŋ] *n.* **1** Ⓤ 파기; 채굴, 채광; 〖법〗 발굴 **2** [*pl.*] 광산, 금광 **3** [*pl.*] 《영·구어》 하숙; 《구어》 주거(住居), 거처

dight [dáit] *vt.* (**~, ~·ed**) [주로 수동형으로] 《고어》 꾸미다 《*with*》; 갖추다; 《스코》 깨끗이 닦다

dig·i·cam [dídʒikæ̀m] [*digi*tal *cam*era] *n.* 디지캠, 디지털 카메라

dig·it [dídʒit] [L 「손가락」의 뜻에서] *n.* **1** 손가락, 발가락 **2** 손가락의 폭 《약 $^3/_4$인치》 **3** 아라비아 숫자 《0-9 중 하나; 본래 손가락으로 세었음》 **4** 〖천문〗 식분(蝕分) 《태양·달의 직경의 $^1/_{12}$》 **5** [*pl.*] 《미·속어》 전화번호: get ~*s* 《미·속어》 (좋아하는 사람의) 전화번호를 알아내다

***dig·i·tal** [dídʒətl] *a.* Ⓐ **1** 〈통신·정보·녹음 등이〉 디지털(방식)의(opp. *analog*), 숫자로 된[나타내는, 계산하는]; 〖컴퓨터〗 디지털(형)의; 컴퓨터화된: go ~ 디지털화되다 **2** 손가락(모양)의; 손가락이 있는
— *n.* **1** 《익살》 손가락 **2** (피아노·오르간의) 건(鍵) **3** 디지털 시계[온도계] **~·ly** *ad.* ▷ dígit *n.*

Dígital Áge [the ~] 디지털[컴퓨터] 시대

dígital/ánalog convèrter 〖컴퓨터〗 디지털·아날로그 변환기(D / A converter)

dígital áudio bròadcast 디지털 오디오 방송 《略 DAB》

dígital áudiodisk 디지털 오디오디스크 《음향 프로그램을 담은 콤팩트디스크》

dígital áudiotape 디지털 오디오테이프 《원음과 가까운 녹음·재생을 하는; 略 DAT》

dígital áudio tàperecorder 디지털 오디오 테이프리코더 《디지털 신호로 녹음·재생하는 장치; 略 DAT》

dígital cámera 디지털 카메라(digicam) 《화상을 디지털 데이터로 기록하는 카메라》

dígital cásh 디지털 캐시, 전자 화폐

dígital clóck 디지털 시계

dígital communicátion 디지털 통신

dígital compàct cassétte 디지털 콤팩트 카세트 《디지털 방식으로 녹음되는; 略 DCC》

dígital cómpact dísc 디지털 콤팩트디스크 《略 DCD》

dígital compúter 디지털 컴퓨터(cf. ANALOG COMPUTER)

dígital divíde 정보 격차 《PC·인터넷 이용 계층[국가] 간에 생기는 격차》

dígital ímage 디지털 화상

dígital ímage pròcessing 〖컴퓨터〗 디지털 화상 처리 《화상 정보를 디지털화(化)하기》

dig·i·tal·in [dìdʒətǽlin | -téil-] *n.* 〖약학〗 디기탈린 《강심제》

dig·i·tal·is [dìdʒətǽlis | -téil-] *n.* **1** 〖식물〗 디기탈리스(foxglove) **2** 디기탈리스 제제(製劑) 《강심제》

dig·i·tal·ize [dídʒətəlàiz] *vt.* **1** 〖의학〗 〈사람에게〉 디기탈리스를 투여하다 **2** 〖컴퓨터〗 = DIGITIZE

dígital módem 디지털 모뎀[변복조 장치]

dígital photógraphy 디지털 사진(술) 《컴퓨터에 의한 사진 조작》

dígital plótter 디지털 플로터 《도형·문자를 디지털로 입력하여 펜으로 기록하는 플로터 장치》

dígital recórding 디지털 녹음

dígital sígnal prócessor 디지털 신호 처리기 《오디오나 화상 처리에 쓰이는 LSI; 略 DSP》

dígital sígnature 디지털 서명

dígital subtráction angiògraphy 〖의학〗 컴퓨터 조영 엑스레이 촬영법 《동맥에 조영제(造影劑)를 넣어 행하는; 略 DSA》

díg·it·al-to-án·a·log convèrter [dídʒətltəǽnəlɔ̀ːg-] 디지털 아날로그 변환기

dígital TV́[télevision] 디지털 텔레비전

dígital vérsatile dìsc 디지털 다기능 디스크 《略 DVD》

dígital vídeo 디지털 비디오

dígital vídeo dìsc 디지털 비디오 디스크 《略 DVD》

dígital wátch 디지털 시계 《시간이 숫자로 표시되는》

---

pate, send out, disseminate, distribute

dig *v.* till, harrow, plow, excavate, quarry, tunnel, burrow, mine, hollow out, unearth,

digest *v.* **1** 소화하다 absorb, dissolve, break down, assimilate **2** 잘 이해하다 take in, understand, comprehend, grasp **3** 숙고하다 reflect on, ponder, consider **—** *n.* summary, synopsis, outline, abridgment, review

dígital wàtermarking 전자 투명 무늬 넣기 《화상 데이터에 저작권 정보를 몰래 넣어 놓았다가 나중에 검사하기 위한 기술》

dig·i·tate, dig·i·tat·ed [dídʒətèit(id)] *a.* 〖동물〗 손가락[발가락]이 있는; 〖식물〗 〈잎이〉 손바닥 모양의 **~·ly** *ad.*

dig·i·ta·tion [dìdʒətéiʃən] *n.* UC 〖생물〗 지상(指狀) 분열; 지상 조직[돌기]

dígit hèad (속어) 컴퓨터 숙련자[전문가]

digiti- [dídʒəti] 《연결형》 「손가락(finger)」의 뜻

dig·i·ti·form [dídʒətəfɔ̀:rm] *a.* 손가락 모양의

dig·i·ti·grade [dídʒətəgrèid] 〖동물〗 *a.* 발가락으로 걷는 **—** *n.* 지행(趾行) 동물 《개·고양이 등》

dig·i·ti·za·tion [dìdʒətizéiʃən | -tai-] *n.* U 디지털화

dig·i·tize [dídʒətàiz] *vt.* 〖컴퓨터〗 디지털화하다, 계수화하다 **-tìz·er** *n.* 디지털[계수]화 장치

dig·i·tox·in [dìdʒətɑ́ksin | -tɔ́k-] *n.* 〖약학〗 디기톡신 《심부전 치료제》

dig·i·zine [dídʒəzì:n] [*digi*tal maga*zine*] *n.* (구어) (인터넷·CD-ROM으로 배포되는) 디지털 잡지(cf. E-ZINE)

di·glos·si·a [daiglɑ́siə | -glɔ́s-] *n.* 〖언어〗 양층 언어 현상 《다른 사회적 상황에서의 두 언어[방언] 사용》

di·glot [dáiglɑt | -glɔt] *a.* 2개 국어로 쓰인[말하는] **—** *n.* 2개 국어판[로 된 책] **di·glót·tic** *a.*

*__dig·ni·fied__ [dígnəfàid] *a.* 위엄 있는; 고귀한, 기품 있는(noble) **~·ly** *ad.* **~·ness** *n.*

*__dig·ni·fy__ [dígnəfài] *vt.* (**-fied**) **1** 위엄있게 하다, 장엄하게 하다, 존귀[고귀]하게 하다(ennoble); 위엄 있는 칭호를 붙이다 **2** 그럴듯하게 꾸미다: (~+목+전+명) ~ a school *with* the name of an academy 학교를 아카데미라는 그럴듯한 이름으로 부르다 ▷ dígnity *n.*

dig·ni·tar·y [dígnətèri | -təri] *n.* (*pl.* **-tar·ies**) 고위 인사, 고관; 《특히》 고위 성직자: a government ~ 정부 고관 **—** *a.* 존엄한, 명예 있는

‡**dig·ni·ty** [dígnəti] [L 「가치」의 뜻에서] *n.* (*pl.* **-ties**) **1** U 존엄, 위엄, 품위 **2** U (태도 등의) 위풍, 장중: a man[player] of ~ 관록 있는 사람[선수] **3** 위계, 작위 **4** (고어) 고위 인사, 고관, 고위 성직자 **5** 〖점성〗 행성의 영향력이 강하게 되는 위치

be beneath one***'s ~*** 체면 깎이는 일이다 ***stand*** [***be***] ***upon*** one***'s ~*** 점잔빼다, 뽐내다 ***the ~ of labor*** [***the Bench***] 노동[법관]의 존엄성 ***with ~*** 위엄 있게; 점잔을 빼고 ▷ dígnify *v.*

di·gox·in [didʒɑ́ksin | -dʒɔ́k-] *n.* 〖화학〗 디곡신 《심부전 치료제》

di·graph [dáigræf | -grɑ:f] *n.* 〖음성〗 한 소리를 나타내는 두 글자, 이중음자(二重音字) 《*sh* [ʃ], *ea* [i:, e] 등》 **di·gráph·ic** *a.* **di·gráph·i·cal·ly** *ad.*

di·gress [digrés, dai-] *vi.* 〈이야기 등이〉 빗나가다; 본 줄거리를 떠나다, 탈선하다, 지엽으로 흐르다 (*from*) **~·er** *n.*

di·gres·sion [digréʃən, dai-] *n.* UC 지엽으로 흐름, 여담, 탈선 ***to return from the ~*** 본론으로 되돌아가서 **~·al** *a.*

di·gres·sive [digrésiv, dai-] *a.* 본론을 떠난, 지엽적인 **~·ly** *ad.* **~·ness** *n.*

di·he·dral [daihí:drəl] *a.* 〖수학·결정〗 두 개의 평면의[으로 된]; 2면각의; 〖항공〗 상반각을 이룬 **—** *n.* 〖수학〗 2면각; 〖항공〗 상반각(上反角)(=~ **ángle**)

di·he·dron [daihí:drən] *n.* 〖기하〗 2면각(dihedral)

di·hy·brid [daihάibrid] 〖생물〗 *n.* **1** 양성(兩性) 잡종 **2** 유전자 잡종 **—** *a.* 양성 잡종의

dihydr- [daihάidr], **dihydro-** [-drou] 《연결형》 〖화학〗 「수소 원자 2개를 포함한」의 뜻 《모음 앞에서는 dihydr-》

di·hy·drate [daihάidreit] *n.* 〖화학〗 2수화물

di·hy·dric [daihάidrik] *a.* 〖화학〗 2개의 수산기를 가진

di·hy·dro·strep·to·my·cin [dàihàidroustrèptəmáisn] *n.* U 〖화학·약학〗 디하이드로스트렙토마이신 《결핵 치료제》

di·hy·drox·y [dàihaidrɑ́ksi | -drɔ́k-] *a.* 〖화학〗 2개의 수산기를 가진

di·jo·naise [dì:dʒənéiz] *n.* 겨자와 마요네즈를 섞은 소스 《고기나 생선 요리를 곁들임》 (=~ **sàuce**)

dik-dik [díkdìk] *n.* 작은 영양(羚羊) 《아프리카산(産)》

dike[1] [dáik] *n.* **1** 도랑(ditch); 《영·방언》 수로(watercourse) **2** 제방, 둑; 둑길(causeway) **3** 방벽(防壁); 방어 수단 **4** 〖지질〗 암맥(岩脈) **5** (속어) 소변소(lavatory)
— *vt.* 제방으로 막다, …에 제방을 쌓다
— *vi.* 제방을 쌓다

dike[2] *n.* =DYKE[2]

dik·tat [diktɑ́:t | díktæt, -tɑ:t] *n.* (패자 등에 대한) 절대적 명령, 일방적 결정, 강권 정책

dil. dilute; diluted

Di·lan·tin [dailǽntən, di-] *n.* 〖약학〗 다일랜틴(=~ **sódium**) 《간질약; 상표명》

di·lap·i·date [dilǽpədèit] *vt., vi.* 〈건물 등을〉 헐다, 헐어지다; 황폐케 하다[해지다]; (고어) 〈가산을〉 탕진하다; 낭비하다(squander) **-dà·tor** *n.*

di·lap·i·dat·ed [dilǽpədèitid] *a.* 황폐한; 〈집 등이〉 기울어진, 〈가구 등이〉 헐어 빠진; 초라한

di·lap·i·da·tion [dəlæ̀pədéiʃən] *n.* UC 황폐(ruin); 무너짐, 사태; 허물어진 것 《암석 등》; 낭비; 〖영국법〗 (가구 딸린 셋집의) 손모료(損耗料)

di·lat·a·ble [dailéitəbl, di-] *a.* 부풀어오르는, 퍼지는, 팽창성의 **di·làt·a·bíl·i·ty** *n.* U 팽창력[성, 률]

di·lat·an·cy [diléitənsi, dai-] *n.* 〖물리〗 다일레이턴시 《현탁물(懸濁物)에 압력을 가하면 입자 간극이 증대하여 액체를 흡수하여 부풀어 굳어지는 현상》

di·lat·ant [diléitənt, dai-] *a.* 팽창성의, 확장성의(dilating); 〖물리〗 다일레이턴시(dilatancy)의[를 나타내는] **—** *n.* 팽창성의 것; 〖화학〗 다일레이턴트; 〖외과〗 확장기(dilator)

di·la·ta·tion [dìlətéiʃən, dàilə- | dáileit-, dìl-] *n.* U 팽창, 확장; 〖의학〗 비대[확장](증); 〖수학〗 (도형의) 상사(相似) 변환; (문장·이야기의) 부연, 확충

dilatátion and curettáge 〖의학〗 자궁 경관 확장 및 소파 수술(D and C)

di·la·ta·tive [dailéitətiv, də-] *a.* =DILATIVE

*__di·late__ [dailéit, di-] [L 「넓히다」의 뜻에서] *vt.* 넓히다, 팽창시키다(expand)
— *vi.* **1** 넓어지다, 팽창하다(swell) **2** (문어) 자세히 말하다[쓰다], 부연하다 (*on, upon*): ~ *on* one's views 견해를 자세히 말하다 ***with ~d*** [***dilating***] ***eyes*** 눈을 크게 뜨고
▷ dilatátion *n.*; dilátive *a.*

di·la·tion [dailéiʃən, di-] *n.* =DILATATION

di·la·tive [dailéitiv, di-] *a.* 팽창성의; 확장시키는

dil·a·tom·e·ter [dìlətɑ́mətər | -tɔ́m-] *n.* 〖물리〗 팽창계(計) **dìl·a·to·mét·ric** *a.* **dìl·a·tóm·e·try** *n.*

di·la·tor [dailéitər, di-] *n.* 확장[팽창]시키는 사람[것]; 〖외과〗 확장기; 〖의학〗 확장약; 〖해부〗 확장근

dil·a·to·ry [dílətɔ̀:ri | -təri] *a.* 느린, 더딘(slow); 늦은(belated); 시간을 끄는: a ~ measure 지연책 **dìl·a·tó·ri·ly** *ad.* 느리게, 늑장부려 **-ri·ness** *n.* U 지연, 늑장, 꾸물거림, 완만

Di·lau·did [dailɔ́:did, di-] *n.* 딜라우디드 《진통·마취제; 상표명》

dil·do [díldou] *n.* (*pl.* **~s**) (비어) 모조 남근[음경]; (미·속어) 바보, 얼간이

thesaurus **dignity** *n.* stateliness, nobleness, solemnity, gravity, decorum, loftiness, majesty
dilate *v.* enlarge, widen, expand, expound, elaborate (opp. narrow, contract)
dilemma *n.* difficult choice, Catch-22, vicious

ǂdi·lem·ma [dilémə] [Gk. 「2중의 가정」의 뜻에서] *n.* **1** 진퇴양난, 딜레마, 궁지 **2** 〖논리〗 양도 논법(兩刀論法) ***be in a* ~ = *be on the horns of a* ~ = *be put in*[*into*] *a* ~** 딜레마[진퇴유곡]에 빠지다 ▷ dilemmátic

dil·em·mat·ic, -i·cal [dìləmǽtik(əl)] *a.* 딜레마의[같은], 진퇴양난이 된; 양도 논법적인

dil·et·tante [dílitɑ̀:nt, dìlitɑ́:nt, -tǽnti | dìlitǽnti] [It.] *n.* (*pl.* **~s, -tan·ti** [-ti]) 문학·예술의 애호가; 아마추어 평론가, 도락 예술가, 딜레탕트(cf. AMATEUR) **—** *a.* (전문적이 아닌) 도락의, 아마추어의 **dìl·et·tán·tish, -tán·te·ish** [-tiiʃ] *a.*

dil·et·tant·ism [dílitɑ:ntìzm, -tæn- | -tæn-], **-tan·te·ism** [-tiìzm] *n.* Ⓤ 취미로 하는 일, 도락; 아마추어 예술; 얕은 지식

Di·li [dí(:)li] *n.* 딜리 《동티모르의 수도》

ǂdil·i·gence¹ [dílədʒəns] *n.* Ⓤ 근면, 부지런함; 〖법〗 주의, 안전 배려 ***with* ~** 근면하게 ▷ díligent *a.*

dil·i·gence² [dílidʒɑ̀:ns, dílidʒəns] [F] *n.* (*pl.* **~s**) (프랑스·스위스 등의) 승합 마차

ǂdil·i·gent [dílədʒənt] [L 「높이 평가하는」의 뜻에서] *a.* 근면한, 부지런한 《*in*》(opp. *idle, lazy*); 애쓴, 공들인 〈일 등〉

> 유의어 **diligent** 정해진 목적을 위하여 부지런히 애쓰는; 격식 차린 말: She is *diligent* in her pursuit of a degree. 그녀는 학위를 따려고 부지런히 공부한다. **industrious** 특히 습관적·성격적으로 부지런한: Ants are *industrious.* 개미는 부지런히 일한다. **hardworking** industrious의 구어적인 말: a *hardworking* student 열심히 공부하는 학생

▷ díligence¹ *n.*

⁎dil·i·gent·ly [dílədʒəntli] *ad.* 부지런히, 열심히, 애써

dill [díl] *n.* 〖식물〗 딜 《미나릿과(科) 식물; 열매나 잎은 향미료; 성경에서 일컫는 anise》; = DILL PICKLE

dil·lion [díljən] *n.* 《미·속어》 방대한[천문학적] 수; 엄청난 양[수](zillion)

Díl·lon's Rúle [dílənz-] 〖미국법〗 딜론의 원칙 《지방 자치 단체의 권한은 주 헌법 또는 법에 명기된 것에 한한다는 원칙》

díll píckle 딜로 양념한 오이 피클

dil·ly [díli] *n.* (*pl.* **-lies**) 《속어》 놀랄 만한[훌륭한] 것[사람]; 비범한 것 **—** *a.* 즐거운, 재미있는

dílly bàg 《호주·구어》 (음식을 담아 나르는) 망태기, 바구니 《원래는 갈대·목피제》

dil·ly·dal·ly [dílidæ̀li, ᐨᐨᐨ] *vi.* (**-lied**) 《구어》 (결심이 서지 않아) 꾸물거리다, 시간 낭비하다(cf. DALLY¹ 2) **díl·ly·dál·li·er** *n.*

di·lo·pho·sau·rus [dailòufəsɔ́:rəs] *n.* 〖고생물〗 딜로포사우루스 《쥐라기 초기의 대형 공룡; 머리에 긴 볏 모양 돌기가 있었음》

dil·u·ent [díljuənt] *a.* 묽게 하는; 희석용의 **—** *n.* 〖의학〗 희석액[제]

di·lute [dailú:t, di-] *vt., vi.* **1** 묽게 하다, 묽어지다, 희석하다[되다], 희박하게 하다, 희박해지다; 강도[효력]를 약하게 하다 **2** 〖증권〗 〈1주당 이익·자산 등을〉 실질적으로 가치 저하시키다 **3** 〈노동력에〉 비숙련공의 비율을 늘리다 **—** *a.* 묽게 한, 희석한; 묽은, 심심한 **di·lút·er, di·lú·tor** *n.* **di·lú·tive** *a.*

di·lu·tee [dìlu:tí:, dài-] *n.* 임시로 숙련공의 일을 하는 비숙련공(cf. DILUTION 2)

di·lu·tion [dailú:ʃən, di-] *n.* Ⓤ **1** 묽게 함, 희석; 희박; 〖화학〗 희석도; 박약화; Ⓒ 희석물; (1주(株)당 이익 등의) 실질적인 가치 저하 **2** 《영》 노동 희석 《숙련이 필요 없는 일에 임시로 비숙련공을 쓰는 일; cf. DILUTEE》(= **~ of lábor**)

dilútion of éarnings 주식 가치의 희석화

di·lu·vi·a [dilú:viə | dai-, di-] *n.* DILUVIUM의 복수

di·lu·vi·al [dilú:viəl | dai-, di-], **-vi·an** [-viən] *a.* **1** (특히 Noah의) 대홍수로 생겨난 **2** 〖지질〗 홍적(洪積)층[기]의: ~ formations 홍적층 **~·ism** *n.* Ⓤ 홍수설 **~·ist** *n.*

dilúvial théory 〖지질〗 홍수설 《노아의 홍수를 사실로 인정하고 화석은 홍수로 사멸한 생물의 유체로 봄》

di·lu·vi·um [dilú:viəm | dai-, di-] *n.* (*pl.* **~s, -vi·a** [-viə]) 〖지질〗 홍적층(層)

ǂdim [dím] *a.* (**~·mer**; **~·mest**) **1** 어두컴한, 어스레한: a ~ room 어둑한 방 **2** 〈물건·눈이〉 흐릿한, 희미한; Ⓐ 〈기억 등이〉 어렴풋한, 어슴푸레한, 아련한: a ~ sound 희미한 소리 / eyes ~ with tears 눈물로 흐릿해진 눈 **3** 윤이 안 나는, 흐린(dull), 칙칙한 **4** 《구어》 〈이해력이〉 둔한, 멍청한 **5** 《구어》 가망성이 희박한, 미덥지 못한 **6** 〈성질이〉 현저하지 않은, 활기가 없는 **7** 비관적인 ***take a* ~ *view* (*of* ...)** 《구어》 (…을) 비관[회의]적으로 보다; 탐탁하게 여기지 않다 ***the* ~ *and distant past*** 아득히 먼 과거

— *v.* (**~med**; **~·ming**) *vi.* 어스레해지다, 어두침침해지다; 흐려지다, 눈이 침침해지다: (~+전+명) ~ *with* tears 눈물로 흐려지다

— *vt.* 어둑하게 하다; 흐리게 하다; 〈눈을〉 침침하게 하다; 《미》 (건너편 차를 위해) 〈차의 헤드라이트를〉 아래로 향하게[감광(減光)] 하다: ~ the light 불빛을 어둑하게 하다, 희미하게 하다

~ *down* 〈조명을〉 차차 약하게 하다 **~ *out*** 《미》 〈도시 등을〉 등화관제하다; 〈전등을〉 어둡게 하다(cf. DIMOUT) **~ *up*** 〈조명을〉 차차 강하게 하다

— *n.* **1** [*pl.*] (자동차의) 감광(減光)한 헤드라이트; 주차 표시등 **2** 어두컴 **3** 《영·속어》 눈이 나쁜 사람

dim. dimension; diminuendo; diminutive

dim·bo [dímbou] *n.* 《속어》 머리가 둔한 여자

dím bùlb 《속어》 바보, 얼간이(dimwit)

⁎dime [dáim] [L 「10분의 1」의 뜻에서] *n.* **1** 다임, 10센트 동전 《미국·캐나다의; 略 d.》

NOTE 지하철 매표기·전화 등의 slot에 집어넣는 동전으로서 가장 흔하게 쓰이는 「잔돈」이라는 뜻이 내포됨.

2 [a ~; 부정문에서] 《미·구어》 단돈 한 닢 **3** 《속어》 10달러; 10년 금고형; = DIME BAG **4** [*pl.*] 《고어》 돈, 벌이 **5** 《미·속어》 (내기 돈의) 1,000달러

a* ~ *a dozen 《미·구어》 흔해 빠진, 평범한; 헐값인 ***drop a*[*the*] ~** (경찰에) 밀고하다 《*on*》; 남을 헐뜯다[비판하다] ***get off the* ~** 《미·속어》 시작하다, 시시한 짓을 그만두다 ***not care a* ~** 조금도 마음에 두지 않다 ***not worth a* ~** 아무 가치도 없는 ***on a* ~** 좁은 장소에서; 곧, 즉시 ***stop on a* ~** 돌연히 그만두다[멈추다] ***turn on a* ~** 《미·구어》 〈차가〉 급커브를 돌다 **—** *vi.* 《미·속어》 (경찰에) 밀고하다 《*on*》

díme bág 《미·속어》 10달러치 마약 봉지

díme dròpper [공중전화로 밀고하는 데서] 《미·속어》 밀고자, 내통자

díme muséum 싸구려 구경거리

di·men·hy·dri·nate [dàimenháidrənèit] *n.* 〖약학〗 디멘히드리네이트 《항히스타민제; 멀미 예방약》

dime-note [dáimnòut] *n.* 《미·속어》 10달러 지폐

díme nóvel [10센트였던 데서] 《미》 값싸고 선정적인 소설(책), 싸구려 소설(cf. 《영》 PENNY DREADFUL, SHILLING SHOCKER) **díme nóvelist**

⁎di·men·sion [diménʃən, dai-] [L 「재다」의 뜻에서] *n.* 《略 dim.》 **1** (길이·넓이·두께의) 치수 **2** [*pl.*] 넓이, 면적; 용적, 크기, 부피(bulk); 규모, 범위; 중요성: of great ~*s* 매우 큰, 매우 중요한 **3** (인격 등의) 특질; 도덕적·지적 수준 **4** 〖수학·물리〗 차원: of one ~ 1차원의, 선(線)의 / of two ~*s* 2차원의, 평면의 / of three ~*s* 3차원의, 입체의 **5** [*pl.*] 《구어》 여성의 버스트·웨이스트·히프의 치수

---

circle, predicament, plight, difficulty, trouble

dim *a.* **1** 흐린 faint, weak, feeble, pale, dingy; dark, gray, somber, overcast, cloudy, foggy, dusky **2** 〈물건이〉 흐릿한 vague, indistinct, unclear, shadowy, blurred, obscured

—*vt.* [주로 수동형으로] 《주로 미》 **1** 특정의 치수로 만들다 **2** 〈제작도·도표 등에〉 치수를 표시하다
▷ diménsional *a.*
di·men·sion·al [diménʃənl, dai-] *a.* [종종 복합어를 이루어] …치수의; …차원의: a three-~ picture 입체 영화 / four-~ space 4차원 공간 **~·ly** *ad.*
di·men·sion·less [diménʃənlis, dai-] *a.* 크기가 없는 《길이도 폭도 두께도 없는 「점」》; 무한한
diménsion lùmber 규격 치수의 재목 《두께 2-5인치, 폭 4-12인치》
diménsion stòne 규격 치수의 석재 《길이·폭이 0.6m 이상》
di·mer [dáimər] *n.* 〖화학〗 **1** 2분자체(二分子體) **2** 2량체(二量體) **di·mér·ic** *a.*
dim·er·ous [dímərəs] *a.* 두 부분으로 갈라진[이루어진]; 〖식물〗 〈꽃 등이〉 이수성(二數性) 기관을 가진; 〈곤충이〉 이부절(二跗節)의: a ~ flower 이수화
díme stòre 《미》 **1** 10센트[싸구려] 잡화점(five-and-dime) NOTE 현재는 10센트로 파는 물건은 거의 없고 「싸구려 가게」의 뜻으로 쓰임; 정식으로는 variety store, discount house[store]라고 함.
2 《속어》 〖볼링〗 5·10번 핀이 남은 split
dime-store [dáimstɔ̀ːr] *a.* 싸구려[염가]의; 2급품의
dim·e·ter [dímətər] *n.* 〖운율〗 이보구(二步句) 《각운(脚韻) 두 개로 이루어지는 시행(詩行)》
di·meth·o·ate [daiméθouèit] *n.* 〖화학〗 디메토에이트 《살충제로 쓰임》
di·meth·yl [daiméθəl] *a.* 〖화학〗 두 메틸기를 함유한
di·meth·yl·ni·tros·a·mine [daimèθəlnaitróusəmìːn] *n.* 〖화학〗 디메틸니트로스아민 《담배 연기 등에 함유된 발암 물질》
diméthyl sulfóxide 〖화학〗 디메틸 술폭시드 《무색·무독의 액체로 용제·항(抗)염증제; 略 DMSO》
di·meth·yl·tryp·ta·mine [daimèθəltríptəmìːn, -min] *n.* 〖화학〗 디메틸트립타민 《환각제; 略 DMT》
di·mid·i·ate [dimídiət] *a.* 둘로 나뉜, 양분된, 절반의 — [-èit] *vt.* 둘로 나누다; 반으로 줄이다
dimin. diminish; 〖음악〗 diminuendo; diminutive
‡**di·min·ish** [dimíniʃ] [L 「작게 하다」의 뜻에서] *vt.* 줄이다, 감소하다(opp. *increase*; ⇨ decrease 유의어); 〖음악〗 반음 낮추다; 〖건축〗 〈기둥을〉 끝을 가늘게 하다; 〈사람의〉 권위[명예, 지위, 평판 《등》]를 손상시키다, 떨어뜨리다
—*vi.* 줄다, 감소[축소]되다; 〖건축〗 끝이 가늘어지다(taper): 《~+전+명》 ~ *in* speed 속도가 떨어지다 / ~ *in* population 인구가 감소되다
~·a·ble *a.* **~·ment** *n.*
▷ diminútion *n.*; dimínutive *a.*
di·min·ished [dimíniʃt] *a.* 감소[감손]된; 권위[위신]가 떨어진; 〖음악〗 반음 줄인
dimínished responsibílity 〖법〗 한정 책임 능력 《감형 대상이 되는, 정신 장애로 판단력 감퇴 상태》
dimínished séventh (**chórd**) 〖음악〗 감칠화음(減七和音); 감칠도 음정
di·min·ish·ing [dimíniʃiŋ] *a.* 점감하는 **~·ly** *ad.*
dimínishing retúrns 〖경제〗 수확 체감: the law of ~ 수확 체감의 법칙
di·min·u·en·do [dimìnjuéndou] [It.] 〖음악〗 *ad.*, *a.* 점점 약하게[약한] 《기호 >; 略 dim.》(opp. *crescendo*) —*n.* (*pl.* **~s**) **1** (힘·음량 등의) 점감(漸減) **2** 디미누엔도의 악절(樂節)
***dim·i·nu·tion** [dìmənjúːʃən | -njúː-] *n.* Ⓤ **1** 감소, 감손(減損), 축소; Ⓒ 감소량[액] **2** 〖건축〗 (기둥 등의) 끝이 가늘어짐; 〖음악〗 (주제의) 축소
▷ dimínish *v.*; dimínutive *n.*, *a.*
di·min·u·ti·val [dimìnjutáivəl] *a.* 축소적인, 지소사(指小辭)[성]의 —*n.* 〖문법〗 지소형 어미
***di·min·u·tive** [dimínjutiv] *a.* **1** 소형의, 작은, 자그마한; 《특히》 아주 작은: She was of ~ stature. 그녀는 몸집이 작았다. **2** 〖문법〗 지소(指小)의
—*n.* **1** 〖문법〗 지소어(語); 지소적 접미사 《-ie, -kin, -let, -ling 등; cf. AUGMENTATIVE》 **2** 축소형 《*of*》; 애칭 《Tom, Dick 등》 **3** 작은 사람[물건]
~·ly *ad.* 축소적으로, 지소사로서 **~·ness** *n.*
▷ dimínish *v.*; diminútion *n.*
dim·is·so·ry [díməsɔ̀ːri | -səri] *a.* 쫓아내는, 떠나게 하는; 떠나는 것을 허가하는
dímissory létter 〖그리스도교〗 (감독이 주는) 목사의 전임(轉任) 허가장
dim·i·ty [díməti] *n.* (*pl.* **-ties**) ⓊⒸ 골지게 짠 줄무늬 있는 무명 《커튼·침대 커버용》
***dim·ly** [dímli] *ad.* 어스레하게, 어둑하게; 어렴풋이; 희미하게
DIMM double in-line memory module
dim·mer¹ [dímər] *n.* **1** 어둑하게 하는 사람[물건] **2** (조명·자동차 전조등의) 조광기(調光器), 제광(制光) 장치 **3** [*pl.*] 《미》 (차의) 주차 (표시)등 《parking light쪽이 일반적》; 감광(減光)한 헤드라이트(low beam) **4** = DIMMER SWITCH
dimmer² *n.* 《미·속어》 10센트(dime)
dímmer swìtch **1** 조광 스위치 **2** 《미》 (전조등의) 감광[하향] 스위치(《영》 dip switch)
dim·mish [dímiʃ] *a.* 어두컴컴한
di·morph [dáimɔːrf] *n.* (광물 등의) 동질이상(同質二像)의 한 쪽
di·mor·phous [dàimɔ́ːrfəs], **-phic** [-fik] *a.* 〖생물〗 동종이형(同種二形)의; 〖결정〗 동질이상(同質二像)의 **-phism** [-fìzm] *n.*
dim·out [dímàut] *n.* (등불을) 어둑하게 함; 경계 등화 관제(cf. BLACKOUT); (발전소의 출력 부족 따위로 인한) 등화 제한
***dim·ple** [dímpl] *n.* 보조개; 옴폭 들어간 곳; 잔물결; (유리 속의) 기포
—*vi.*, *vt.* 보조개를 짓다, 옴폭해지다; 잔물결을 일으키다 **dím·pled** *a.* 보조개가 생긴, 잔물결이 인
dim·ply [dímpli] *a.* (**-pli·er**; **-pli·est**) **1** 보조개[옴폭한 곳]가 있는 **2** 잔물결이 이는; 파문이 많은
dim-sight·ed [dímsáitid] *a.* 시력이 약한
dim sum [dím-sʌ́m] [Chin.] 딤섬(點心) 《밀가루 반죽으로 고기·야채 등을 싸서 찐 중국 요리》
dim·wit [dímwìt] *n.* 《구어》 멍청이, 얼간이
dim-wit·ted [-wítid] *a.* 《구어》 우둔한, 바보의
***din** [dín] *n.* ⓊⒸ 소음, 떠듦, (쟁쟁·쾅쾅 하는) 시끄러운 소리: make a ~ 시끄럽게 굴다, 소란을 피우다
kick up a **~** 《구어》 쾅쾅 소리내다; 강력히 반대하다
—*v.* (**~ned**; **~·ning**) *vt.* 소음으로 〈귀를〉 멍멍하게 하다; 큰 소리로 (되풀이해) 말하다: 《~+목+전+명》 ~ one's ears *with* cries 큰 소리 쳐서 귀를 멍멍하게 하다 / ~ something *into* a person's ears …에게 …을 귀가 따갑게 일러 주다
—*vi.* (귀가 멍멍하도록) 울리다
DIN [dín] [*D*eutsche *I*ndustrie *N*ormen] *n.* 독일 공업 규격
din- [dain], **dino-** [dáinou, -nə] 《연결형》 「무서운」의 뜻 《모음 앞에서는 din-》
Di·nah [dáinə] *n.* 여자 이름
di·nar [dinɑ́ːr | díːnɑː] *n.* **1** 디나르 《이라크·요르단·튀니지·유고슬라비아의 화폐 단위》 **2** 디나르 《7세기 말 이래 수세기 동안 이슬람교 국가의 화폐 단위》
Di·nár·ic Álps [dinǽrik-] [the ~] 디나르알프스 《슬로베니아에서 알바니아 북부까지 뻗은 알프스 지대》
dinch [díntʃ] *vt.* 〈담배를〉 비벼 끄다
—*n.* (담배)꽁초
din-din [díndìn] *n.* 《유아어·구어》 = DINNER
‡**dine¹** [dáin] [OF 「단식을 깨다」의 뜻에서] *vi.* (…와) 식사를 하다(have dinner) 《*with*》; 정찬을 먹다
—*vt.* **1** 정찬[만찬]을 대접하다, 정찬[만찬]에 초대하다 **2** 〈방·테이블이〉 (몇 사람) 식사할 수 있다
~ *forth* 식사하러 나가다 **~ *in*** 집에서 식사하다 **~ *on*** [***upon, off***] 〈특별한 음식을〉 식사로 먹다 **~ *out*** 밖에서 식사하다, 외식하다 **~ *out on*** (1) …의 일로 […을 이야기해 주도록] 식사에 초대되다 (2) (식사 분위

기가 즐겁도록) 〈재미나는 경험이나 소식〉에 관해서 이야기하다 ▷ dínner *n.*

dine[2] *n.* 《미·속어》 =DYNAMITE

din·er [dáinər] *n.* **1** 식사하는 사람, 정찬[만찬]의 손님 **2** 《미》 식당차(dining car); 《미·캐나다》 (도로변의) 식당차식의 간이 식당

di·ner·gate [dainə́:rgət] *n.* =SOLDIER ANT

di·ner·o [dinɛ́ərou] *n.* (*pl.* **~s**) **1** 디네로 《페루의 옛 화폐》 **2** 《미·속어》 돈(money)

din·er-out [dáinəráut] *n.* (*pl.* **din·ers-**) 외식하는 사람, 자주 만찬에 가는 사람(cf. DINE out)

Dín·ers Càrd [dáinərz-] 다이너스 카드 《Diners Club이 발행하는 신용 카드》

Díners Clùb 다이너스 클럽 《미국의 신용 카드 회사》

di·nette [dainét] *n.* 《미》 (부엌 근처의) 식사 코너; 약식 식탁·의자 세트(=∠ **sèt**); 작은 식당

di·neu·tron [dàinjú:trɑn | -njú:trɔn] *n.* 〖물리〗 중중성자(重中性子)

ding[1] [díŋ] *vt.* **1** 〈종 등을〉 땡땡 울리게 하다 **2** 《구어》 구구하게 타이르다 **3** 《호주·속어》 〈계획 등을〉 방치하다 —*vi.* 〈종 등이〉 땡땡 울리다
—*n.* 땡땡 《종소리》; 《미·속어》 마리화나

ding[2] *vt.* (**~ed, dang** [dǽŋ]) **1** 《구어》 〈…의 표면을〉 움푹 들어가게 하다 **2** 《스코·속어》 …에 부딪히다, …을 때리다 **3** 《구어》 〈사람을〉 배제[제명]하다; 〈사귀고 있던 상대를〉 차다 —*n.* **1** 《미·속어》 구타, 타격 **2** 《미·속어》 반대표, 불채용 통지

ding-a-ling [díŋəlìŋ] *n.* 《미·속어》 바보, 얼간이; 괴짜, 미치광이, 별난 사람

Ding an sich [díŋ-ɑ:n-zík] [G] 〖철학〗 물(物) 자체(thing-in-itself)

ding·bat [díŋbæ̀t] *n.* **1** 《미·구어》 …라고 하는 것[사람], 거시기 《잘 모르는 것의 대용어》 **2** 《미·속어》 바보, 미치광이 **3** 장치, 고안 **4** 〖인쇄〗 장식 활자, 장식 괘; (독자의 주의를 끄는) 기호

ding·dong [díŋdɔ̀:ŋ, -dɑ̀ŋ | -dɔ̀ŋ] *n.* 땡땡 《종소리》; 《주로 영》 격론; 《미·철도속어》 객차; 《미·속어》 음경 —*a.* Ⓐ 땡땡 울리는; 격렬한, 격전의: a ~ race 막상막하의 경주 —*ad.* 《구어》 열심히, 부지런히 〈일하다 《등》〉 ***go*** [***be, hammer away***] ***at it*** ~ 《구어》 열심히 일하다

dinge [díndʒ] *n., a.* 《속어》 흑인(의)

ding·er [díŋər] *n.* **1** 《속어》 결정적 요소, 결정타; 〖야구〗 홈런 **2** 《미·속어》 거지, 부랑자 **3** 《미·속어》 도난 경보기; 《호주·속어》 항문, 궁둥이

din·ghy [díŋgi] *n.* (*pl.* **-ghies**) 작은 배, 함재정(艦載艇); 작은 경주용 요트; 구명용 고무 보트

din·gle [díŋgl] *n.* 깊고 좁은 골짜기(dell); 《미·속어》 음경, 페니스

din·gle-dan·gle [-dæ̀ŋgl] *ad.* 대롱대롱

din·go [díŋgou] *n.* (*pl.* **~es**) 〖동물〗 딩고 《오스트레일리아산(産) 들개》; 《호주·속어》 배반자, 비겁자
—*vi., vt.* 《호주·속어》 겁쟁이처럼 행동하다, 불성실한 태도를 취하다; 피하다 《*from*》; 배반하다 《*on*》

ding·us [díŋəs] *n.* 《구어》 고안, 장치(gadget); 거시기 《이름을 알 수 없는 것》; 《미·속어》 마약의 도구; 《속어》 음경, 페니스

díng wàrd 《미·속어》 정신과 병동

***din·gy** [díndʒi] *a.* (**-gi·er**; **-gi·est**) **1** 거무죽죽한; 그을은, 때묻은 **2** 평판이 나쁜 **3** 《미·학생속어》 무일푼의; 멍청한; 생기없는
—*n.* =DINGHY
dín·gi·ly *ad.* **dín·gi·ness** *n.*

‡**din·ing** [dáiniŋ] *n.* 식사; 정찬 《오찬·만찬》

díning càr 〖철도〗 식당차

díning hàll (대학 등에서 정찬 때 쓰는) 큰 식당

‡**díning ròom** 식당 《가정·호텔의 정찬용》

díning tàble 식탁(dinner table)

di·ni·tro·ben·zene [dainàitroubénzi:n] *n.* Ⓤ 〖화학〗 디니트로벤젠 《매염제(媒染劑)》

dink[1] [díŋk] *n.* 작은 모자 《때때로 대학 1년생이 쓰는》; 모자(hat)

dink[2] *n.* 《비어》 음경

dink[3] *n., vt.* 〖테니스〗 드롭 샷(drop shot)(으로 치다)

dink[4] *n.* 《구어·경멸》 베트공, (월남전에서의) 북월남인; 흑인

DINK, Dink, dink[5] [díŋk] [*D*ouble *I*ncome, *N*o *K*ids] *n.* 《구어》 아이 없는 맞벌이 부부(의 한 사람) 《고급 고객으로 간주됨》(cf. DEWK)

dink·ey [díŋki] *n.* (*pl.* **~s**) 《구어》 작은 것; (구내 작업용) 소형 기관차, 소형 전차(電車)

Dink·ie, Dink·y, dink·y[1] [díŋki] *n.* 《주로 영》 =DINK

din·kum [díŋkəm] 《호주·뉴질·구어》 *a.* 진짜의, 믿을 수 있는; 훌륭한 —*n.* Ⓤ 전형적인 것[사람]; 고된 노동(toil); 진실(truth)

dínkum óil 《호주·뉴질·속어》 사실 그대로의 진상, 진실

dink·y[2] [díŋki] *a.* (**dink·i·er**; **-i·est**) **1** 《영·구어》 말쑥한; 귀여운; 산뜻한 《여성어》 **2** 《미·구어》 작은, 사소한 —*n.* (*pl.* **dink·ies**) **1** =DINKEY **2** =DINGHY

dink·y-di(**e**) [díŋkidái] *n., a.* 《호주·뉴질·속어》 =DINKUM

‡**din·ner** [dínər] *n.* **1** Ⓤ Ⓒ 정찬, (하루의 주요) 식사, (지금은 보통) 만찬; 오찬

NOTE 《영·미》에서는 dinner를 보통 저녁에 먹는데, 일요일에는 dinner를 낮에 먹는다. 낮에 먹으면 저녁에는 간단한 supper가 된다. 손님을 초대할 때는 dinner에 초대하는 것이 예의로 되어 있다.

2 공식 만찬[오찬] **3** 정식(table d'hôte)
ask a person ***to*** ~ …을 정찬에 초대하다 ***at*** [***before***] ~ 식사중[전]에 ***cook*** [***make***] (one***'s*** [***the***]) ~ 저녁 식사를 준비하다 ~ ***without grace*** 《완곡》 혼전 성관계 ***done like a*** ~ 《호주·속어》 완전히 당한, 완패한 ***early*** [***late***] ~ 오찬[만찬] ***eat*** one***'s*** ~ 《영》 법정 변호사 자격을 따려고 공부중이다 ***give a*** ~ ***in*** his ***honor*** 그를 주빈으로 만찬회를 열다 ***have*** ~ 식사하다 ***lose*** [***shoot, toss***] one***'s*** ~ 《미·속어》 먹은 것을 토하다[게우다] ***make a good*** [***poor***] ~ 흡족하게[부족하게] 식사를 하다
▷ díne *v.*

dínner bàsket 《미·속어》 밥통, 배

dínner càll 식사 신호; 《미》 (만찬 대접에 대한) 답례 방문

dínner clòth 정찬용 식탁보

dínner clòthes (정찬용) 정식 야회복

dínner còat 《영》 =DINNER JACKET

dínner dànce 만찬 후의 댄스; 만찬을 곁들인 댄스 파티

dínner drèss[**gòwn**] (여자용) 약식 야회복 《남자의 dinner jacket에 상당》

dínner fòrk 메인 코스용 포크

dínner hòur 낮 휴식 시간; 저녁 식사 시간

dínner jàcket (남자용) 약식 야회복; 그 상의(《미》 tuxedo)

dínner knìfe (식사의) 메인 코스용 나이프

dínner làdy 《영》 학교 급식 담당 아주머니

din·ner·less [dínərlis] *a.* 정찬이 없는[빠진]; 단식하는(fasting)

dínner pàrty 만[오]찬회, 축하연

dínner plàte 정찬용 접시 《식사 때 주요한 음식을 담는 크고 편편한 접시》

dínner sèrvice[**sèt**] 정찬용 식기 한 벌

dínner sùit 《영》 =TUXEDO

dínner tàble [the ~] 정찬용 식탁, 정찬의 자리

dínner thèater 극장식 식당

dínner tìme 저녁 식사 시간

dínner wàgon (바퀴 달린) 이동 식기대

din·ner·ware [dínərwɛ̀ər] *n.* Ⓤ 식기류; 식기 한 벌

di·no [dí:nou] *n.* (*pl.* **~s**) **1** 《구어》 =DINOSAUR **2** 《미·속어》 이탈리아[남유럽] 사람 《차별 용어》

dino- [dáinou, -nə] 《연결형》 =DIN-

di·noc·er·as [dainɑ́sərəs] *n.* 〖고생물〗 공각수(恐角獸) 《코끼리와 생김새가 비슷하고 머리에 세 쌍의 뿔이 있는 동물》

*__di·no·saur__ [dáinəsɔ̀ːr] *n.* **1** 〖고생물〗 **공룡** **2** 거대하여 다루기 힘든 것; 시대에 뒤떨어진 것[사람]

Di·no·sau·ri·a [dàinəsɔ́ːriə] *n. pl.* 〖고생물〗 공룡류

di·no·sau·ri·an [dàinəsɔ́ːriən] *n., a.* 공룡(의)

di·no·there [dáinəθìər] *n.* 〖고생물〗 공수(恐獸) 《제3기 신생대의 코끼리 비슷한 포유동물》

*__dint__ [dínt] *n.* **1** Ⓤ 힘, 폭력 **2** 움푹 들어간 곳, 두들긴 자리; 상처 **3** (고어) 타격 ★ 다음 성구로. ***by ~ of*** …의 힘으로, …에 의해서(by means of)

— *vt.* (두들겨서) 움푹 들어가게 하다

DIO disk input / output **dioc.** diocesan; diocese

di·oc·e·san [daiɑ́səsən | -ɔ́s-] *a.* Ⓐ 감독[주교] 관구의 **—** *n.* 교구 주교

di·o·cese [dáiəsis, -sìːz, -sìːs] *n.* 〖그리스도교〗 감독[주교] 관구

di·ode [dáioud] *n.* 〖전자〗 다이오드, 2극 진공관

di·oe·cious [daiíːʃəs] *a.* 〖생물〗 자웅 이주[체]의 **~·ly** *ad.* **~·ness** *n.*

di·oe·cism [daiíːsizm] *n.* Ⓤ 〖생물〗 자웅 이주

di·oes·trum [daiéstrəm, -íːs- | -íːs-] *n.* 〖생물〗 (동물, 특히 암컷의) 발정기

Di·og·e·nes [daiɑ́dʒənìːz | -ɔ́dʒ-] *n.* 디오게네스 (412?-323 B.C.) 《그리스의 철학자》

di·o·le·fin [daióuləfin] *n.* 〖화학〗 공액(共軛) 이중 결합이 2개인 화합물의 총칭(diene)

Di·o·ny·si·a [dàiəníʃiə, -nís- | -níz-, -nis-] *n.* 디오니소스제(祭), 주신제(酒神祭)

Di·o·nys·i·ac [dàiənísiæ̀k, -náisi- | -nízi-, -nísi-], **-ny·sian** [-ʃən | -ziən] *a.* Dionysus(제(祭))의, Bacchus의

Di·o·ny·si·us [dàiəníʃiəs] *n.* 디오니시오스(430-367 B.C.) 《Syracuse의 왕》

Di·o·ny·sus, -sos [dàiənáisəs] *n.* 〖그리스신화〗 디오니소스 《술의 신; 로마 신화에서는 Bacchus》

di·o·phán·tine equátion [dàiəfǽntain-, -tiːn-, -tn-] 〖수학〗 디오판투스(Diophantus) 방정식

di·op·side [daiɑ́psaid, -sid | -ɔ́p-] *n.* Ⓤ 〖광물〗 투휘석(透輝石) 《준보석》 **di·òp·síd·ic** *a.*

di·op·ter | **di·op·tre** [daiɑ́ptər | -ɔ́p-] *n.* 〖광학〗 디옵터 《렌즈의 굴절력의 단위; 略 D》 **-tral** *a.*

di·op·tom·e·ter [dàiɑptɑ́mətər | -ɔptɔ́m-] *n.* 안굴절계(眼屈折計) **-try** *n.*

di·op·tric, -tri·cal [daiɑ́ptrik(əl) | -ɔ́p-] *a.* **1** 굴절 광학의[에 관한] **2** 광선 굴절(응용)의, 시력 보정용(補正用)의 〈렌즈〉 **-tri·cal·ly** *ad.*

di·op·trics [daiɑ́ptriks | -ɔ́p-] *n. pl.* [단수 취급] 굴절 광학(cf. CATOPTRICS)

Di·or [diɔ́ːr | díːɔː] *n.* 디오르 **Christian ~** (1905-57) 《프랑스의 의상 디자이너》

di·o·ram·a [dàiərǽmə, -rɑ́ːmə | -rɑ́ːmə] [G 「광경」의 뜻에서] *n.* **1** 디오라마, 투시화(透視畫)(cf. COSMORAMA) **2** (입체 소형 모형에 의한) 실경(實景) **3** 디오라마관(館) **4** (영화 촬영용) 축소 세트 **dì·o·rám·ic** *a.*

di·o·rite [dáiəràit] *n.* Ⓤ 〖광물〗 섬록암(閃綠岩)

Di·os·cu·ri [dàiəskjúərai] [「Zeus의 아들들」의 뜻에서] *n. pl.* [the ~] 〖그리스신화〗 디오스쿠로이 《쌍둥이 아들 Castor와 Pollux》

*__di·ox·ide__ [daiɑ́ksaid, -sid | -ɔ́ksaid] *n.* 〖화학〗 이산화물

di·ox·in [daiɑ́ksin | -ɔ́k-] *n.* Ⓤ 〖화학〗 다이옥신 《독성이 강한 유기염소 화합물; 제초제 등》

‡**dip**[1] [díp] *v., n.*

> 「깊은(deep)」과 같은 어원.
> 아래로 내리다→(물에 내려) 담그다 **1**; 씻다 **2**; 퍼내다 **3**

— *v.* (**~ped,** 《고어》 **dipt** [dípt]; **~·ping**) *vt.* **1** (살짝) **담그다**; 담가서 물들이다 《「완전히 담그다」는 immerse》: ~ a dress 옷을 담가서 물들이다 // (~+목+전+명) ~ the bread *in*[*into*] the milk 빵을 우유에 적시다 **2** (녹인 초에 심지를 넣어) 〈양초를〉 만들다; 〈양(羊)을〉 살충액에 넣어 씻다 **3** (국자로) 퍼내다, 떠내다 《*out, up*》: (~+목+전+명) ~ hot water *from* a boiler with a dipper 국자로 솥에서 더운 물을 퍼내다 **4** 〈깃발 등을〉 잠시 내렸다 올리다 《신호 또는 경례로》; 〈머리 등을〉 가볍게 숙이다; 〖항공〗 〈비행기를〉 상승 전에 일시 급강하시키다 **5** 〈사건 등에〉 끌어들이다, 연루시키다 **6** [보통 수동형으로] 《구어》 빚지게 하다: *be ~ped* 빚이 있다 **7** 《영》 〈헤드라이트를〉 하향(下向)하다(《미》 dim) **8** 〖그리스도교〗 …에게 침례를 베풀다

— *vi.* **1** (액체에) 살짝 잠기다, 잠깐 들어가다 《*in, into*》 **2** 물건을 건지려고 손 《등》을 쑥 넣다 《*into*》: (~+전+명) He *~ped into* the jar for an olive. 그는 올리브를 꺼내려고 단지에 손을 넣었다. **3** 가라앉다, 내려가다, (아래로) 기울다; 무릎을 살짝 굽히고 인사하다; 〖지질〗 침하하다; 〈가격·매상 등이〉 조금[일시적으로] 감소하다 **4** 〈비행기가〉 급강하하다 《상승 전에》 **5** 대충 조사하다[읽다]; (장난삼아) 해보다 《*in, into*》: (~+전+명) ~ *into* speculation 투기를 좀 해보다 **6** 《속어》 소매치기를 하다; 《미·속어》 사람의 대화를 몰래 엿듣다

~ (deep) into the future 장래를 (깊이) 생각하다 ***~ in*** 〈음식 등을〉 나누다, 자기 몫을 가지다 ***~ into*** 〈보고서 등을〉 대강 훑어보다 ***~ into one's pocket*** [***purse, money, savings***] (필요가 있어서) 돈을 내다[저금 《등》에 손을 대다] ***~ out*** 《속어》 달아나다; 《호주·속어》 실패하다

— *n.* **1** 살짝 담금[잠금], 물에 뛰어듦, 미역감음: have[take] a ~ in the ocean 해수욕을 하다 **2** 한 번 푸기[퍼낸 양] **3** Ⓤ 담가 씻는 액체, 《특히》 양(羊)을 씻는 액체; (푸딩에 치는) 소스 **4** (실 심지) 양초 **5** (토지·도로의) 침하; 경사, 움푹한 곳 《*in*》; (전선(電線)의) 늘어진 정도 **6** (자침의) 복각(伏角), 부각(俯角); 〖측량〗 (지평선의) 안고차(眼高差) **7** (깃발의) 길이(cf. FLY[2] 3) **8** 순간적 강하, 급강하; (물가의) 일시적 하락 **~·pa·ble** *a.*

dip[2] *n.* 《속어》 어리석은 사람; 불쾌한 사람; 《구어》 술고래, 주정뱅이 **—** *a.* = DIPPY

DIP [díp] [*d*ual *in*-line *p*ackage] *n.* 〖전자〗 딥, 이중 인라인 패키지 《두 줄의 핀이 배열된 IC 패키지》

DIP 〖컴퓨터〗 document image processing **Dip., dip** diploma **Dip.A.D.** 《영》 Diploma in Art and Design

di·par·tite [daipɑ́ːrtait] *a.* 부분으로 나누어진

dip-cir·cle [dípsə̀ːrkl] *n.* 복각계(伏角計)

di·pep·ti·dase [daipéptədèis, -dèiz] *n.* 〖생화학〗 디펩티다아제 《디펩티드를 가수 분해하는 효소》

di·pep·tide [daipéptaid, dai-] *n.* 〖생화학〗 디펩티드

di·phase [dáifèiz] *a.* 〖전기〗 이상성(二相性)의

di·phas·ic [daiféizik] *a.* = DIPHASE

dip·head [díphèd] *n.* 《미·속어》 바보, 얼간이

di·phen·yl·hy·dan·to·in [daifènlhaidǽntouin, -fiːnl-] *n.* 〖약학〗 = PHENYTOIN

di·phos·phate [daifɑ́sfeit | -fɔ́s-] *n.* 〖화학〗 이인산염(二燐酸塩)

*__diph·the·ri·a__ [difθíəriə, dip-] *n.* Ⓤ 〖병리〗 디프테리아 ▷ diphtherític *a.*

diph·the·rit·ic [dìfθərítik, dìp-], **diph·ther·ic** [difθérik, dip-], **diph·the·ri·al** [difθíəriəl, dip-] *a.* 〖병리〗 디프테리아성의

diph·thong [dífθɔːŋ, díp- | -θɔŋ] *n.* **1** 〖음성〗 이중 모음, 복모음 《[ai, au, ɔi] 등》 **2** 〖인쇄〗 = LIGA-

thesaurus **dip**[1] *v.* submerge, immerse, sink, soak, drench, plunge, lower, steep, bathe, rinse, souse, duck, douse

TURE 4 —*vt., vi.* (단모음을) 이중 모음화하다 **diph·thon·gal** [difθɔ́:ŋgəl, dip- | -θɔ́ŋg-] *a.*

diph·thong·ize [dífθɔ:ŋàiz | -θɔŋg-] *vt.* 〖음성〗 이중 모음화하다 **dìph·thong·i·zá·tion** *n.*

di·phy·let·ic [dàifailétik] *a.* 〖생물〗 2계통 발생의, 조상이 2계통인

diph·y·o·dont [dífiədɑ̀nt | -dɔ̀nt] 〖동물〗 *a., n.* (대부분의 포유류처럼) 이를 한 번 가는 (동물)

dipl- [dípl] 《연결형》 「이중…; 복(複)…」의 뜻

dipl. diplomacy; diplomat; diplomatic

di·ple·gia [daiplí:dʒə, -dʒiə] *n.* 〖병리〗 양측 마비

di·plex [dáipleks] *a.* 〖통신〗 이중 통신의, 이신(二信)의(cf. DUPLEX): ~ operation[transmission, reception] 단향 이로(單向二路) 통신[송신, 수신]법

diplo- [díplou, -lə] 《연결형》 = DIPL-

dip·lo·blas·tic [dìpləblǽstik] *a.* 이배엽성의

dip·lo·coc·cus [dìpləkɑ́kəs | -kɔ́k-] *n.* (*pl.* **-ci** [-sai]) 〖세균〗 쌍구균(雙球菌)

di·plod·o·cus [diplɑ́dəkəs | -plɔ́d-] *n.* 디플로도쿠스 《쥐라기 후기의 거대한 초식 공룡》

dip·lo·gen [diplóudʒən] *n.* 중수소(deuterium)

dip·loid [díplɔid] *a.* 2중의; 〖생물〗 배수(倍數)의 —*n.* 〖생물〗 배수 염색체; 〖결정〗 편방 24면체

***di·plo·ma** [diplóumə] [G 「둘로 접은 종이」의 뜻에서] *n.* (*pl.* **~s,** (드물게) **~ta** [-tə]) **1** 졸업 증서; (학위·자격) 증서; 특허장 **2** 공문서; 상장, 감사장; [*pl.*] (고고학상의) 고문서 ***get* one*'s* ~** 대학을 졸업하다 —*vt.* …에게 diploma를 주다

***di·plo·ma·cy** [diplóuməsi] *n.* Ⓤ 외교(술); 외교적 수완; 절충의 재능(tact)
▷ díplomat *n.*; diplomátic *a.*

di·plo·ma·ism [diplóuməìzm] *n.* Ⓤ 학력 편중[우선] 주의

diplóma mìll (미·구어) 학위 남발 대학, 삼류 대학

***dip·lo·mat** [dípləmæ̀t] *n.* 외교관; 외교가; 흥정을 잘하는 사람

dip·lo·mate [dípləmèit] *n.* (위원회로부터 인증을 받은) 자격 취득자, 유자격자; 전문 의사

di·plo·ma·tese [diplóumətì:z] *n.* 외교어, 외교 용어

***dip·lo·mat·ic** [dìpləmǽtik] *a.*

「diploma(공문서)」→「외교 문서(에 관한)」→「외교의」

1 Ⓐ **외교의, 외교상의**; 외교관의: establish[break off, restore] ~ relations 외교 관계를 수립하다[단절하다, 회복하다] **2** 외교적 수완이 있는; 교섭[흥정]에 능한; 외교적인 언사에 능한: You are so ~. 말솜씨가 참 능란하시네요. **3** Ⓐ 고문서학의; 원문대로의 **-i·cal·ly** *ad.*

diplomátic bág = DIPLOMATIC POUCH

diplomátic chánnel 외교 채널[경로]

diplomátic còrps[bòdy] 외교단

diplomátic cóurier 외교 문서 전령[운반자]

diplomátic immúnity 외교관 면책 특권 《재판·수색·체포·과세 등의 면제 특권》

diplomátic pàssport 외교관 여권

diplomátic póuch 외교 행낭(行囊), 외교 파우치

dip·lo·mat·ics [dìpləmǽtiks] *n. pl.* [단수 취급] 고문서학(古文書學)

diplomátic sérvice 외교관 근무; [the ~; 집합적] 공관원; [**D- S-**] (영) 외교부

diplomátic shúttle (왕복 외교에 있어서의) 왕복

di·plo·ma·tist [diplóumətist] *n.* (영) = DIPLOMAT

di·plo·ma·tize [diplóumətàiz] *vi., vt.* 외교술을 쓰다, 외교적 수완을 발휘하다 **di·plò·ma·ti·zá·tion** *n.*

diplomat *n.* ambassador, envoy, foreign minister, consul, emissary, legate; peacemaker, mediator, arbitrator, negotiator, conciliator

dip·lon [díplɑn | -lɔn] *n.* 〖물리〗 중양자(deuteron)

dip·lont [díplɑnt | -lɔnt] *n.* 〖생물〗 이배체; 복상(複相) 생물 **dip·lónt·ic** *a.*

dip·lo·phase [dípləfèiz] *n.* 〖생물〗 복상(複相)

dip·lo·pi·a [diplóupiə] *n.* 〖안과〗 복시(複視)(증)

dip·lo·pod [dípləpɑ̀d | -pɔ̀d] *a.* 노래기강(綱)의 —*n.* 노래기(millipede)의 류(類)

díp nèedle 경침(傾針)(dipping needle) 《지자기의 복각(伏角)을 측정하는 자침》; 〖측량〗 복각계

díp nèt (자루 달린) 사내끼

dip·no·an [dípnouən] *a., n.* 〖어류〗 폐어류(肺魚類)의 (물고기)

di·po·lar [daipóulər] *a.* 〖전기·화학〗 2극성의

di·pole [dáipòul] *n.* 〖전기〗 이중극(二重極), 쌍극자(雙極子); 〖통신〗 2극 안테나

díp pèn 잉크를 찍어 쓰는 펜

***dip·per** [dípər] *n.* **1** 국자 《등》; 퍼[떠]내는 기구; (준설기 등의) 디퍼; = DIPPER DREDGE **2** 담그는 사람[물건]; [**D~**] (고어) 〖그리스도교〗 침례교도(Baptist) **3** 잠수하는 새 《물까마귀·물총새 등》 **4** [the D~] (미) 〖천문〗 **북두칠성**(=the Big[Great] D~) 《큰곰자리의 일곱 개의 별》; 소(小)북두칠성(=the Little D~) 《작은곰자리의 일곱 개의 별》 **5** (속어) 소매치기 **6** 대충 읽는 사람 **~·ful** *n.*

dípper drèdge[shòvel] 디퍼 준설선

dip·per·mouth [dípərmàuθ] *n.* (미·속어) 입이 큰 사람, 하마 입 《별명》

díp·ping bàll [dípiŋ-] 〖테니스〗 디핑 볼 《네트를 살짝 넘어 낮게 떨어지는 드롭 샷》

dípping nèedle = DIP NEEDLE

dip·py [dípi] *a.* (**-pi·er**; **-pi·est**) (속어) **1** 미친, 환장한(mad) 《*about, over*》; 멍청한, 바보 같은(silly) **2** 취한; 현기증 나는 **díp·pi·ness** *n.*

di·pro·ton [daipróutən] *n.* 다이프로톤 《신형의 초소립자》

dip·shit [dípʃit] *n.* (비어) 굼벵이, 쓸모없는 사람, 한심한 사람, 재주없는 사람

dip·so [dípsou] (구어) *n., a.* = DIPSOMANIAC

dip·so·ma·ni·a [dìpsəméiniə, -sou-] *n.* Ⓤ 〖병리〗 음주광(飮酒狂), 알코올 중독

dip·so·ma·ni·ac [dìpsəméiniæ̀k, -sou-] *n.* 〖병리〗 음주광, 알코올 중독자 —*a.* 알코올 중독의

dip·so·pho·bi·a [dipsəfóubiə] *n.* 음주 공포증

dip·stick [dípstìk] *n.* **1** (자동차의 기름을 재는) 계량봉(計量棒) **2** 멍청이, 괴짜 **3** (미·속어) 음경

díp swìtch (영) (전조등의) 감광[하향] 스위치(dimmer switch)

DIP swìtch 〖컴퓨터〗 딥(DIP) 스위치

dip·sy-do(o) [dípsidú:] *n.* **1** (야구속어) 낙차가 큰 커브, 스크류 볼 **2** (미·속어) = DIPSY-DOODLE

dip·sy-doo·dle [dípsidú:dl] *n.* (미·속어) **1** 부정 행위[거래], 사기, 야바위; 사기꾼 **2** 〖야구〗 슬로 커브; 공타 삼진; 〖권투〗 짜고 하는 시합

dipt [dípt] *v.* DIP의 과거·과거분사

Dip·ter·a [díptərə | -tərə] *n. pl.* 〖곤충〗 쌍시류

dip·ter·al [díptərəl] *a.* **1** 〖곤충〗 = DIPTEROUS **2** 〖건축〗 이중 주랑(二重柱廊)의, 쌍복도의

dip·ter·an [díptərən], **-on** [-rɑ̀n | -rɔ̀n] *a., n.* 쌍시류의 (곤충)

dip·ter·os [díptərɑ̀s] *n.* (*pl.* **-oi** [-ɔ̀i]) 〖건축〗 이중 열주당(二重列柱堂)

dip·ter·ous [díptərəs] *a.* 〖곤충〗 쌍시(류)의, 날개가 둘 달린

dip·tych [díptik] *n.* **1** (고대 로마에서 사용한) 둘로 접는 서판 **2** (그림·조각을 새긴) 두 쪽으로 접는 판

dir., Dir. director

dire** [dáiər] *a.* **1** Ⓐ 무서운, 무시무시한(terrible); 비참한(dismal); 음산한, 불길한 **2** 〈필요·위험 등이〉 긴박한, 극단적인 **3** (구어) 심한, 지독한: in ~ need of …을 절실히[시급히] 필요로 하는 ***the ~ sisters 복수의 3여신(the Furies) **~·ly** *ad.*

‡di·rect [dirékt, dai-] *v., a., ad.*

원래는「옳은 방향으로 향하게 하다」의 뜻.
→(편지를)「…앞으로 보내다」 **4** (cf. ADDRESS)
→(시선을)「보내다」 **3**
→「방향을 가리키다」 **2**
→「지시하다」 **1**
→(빗나가지 않도록)「지휘·감독하다」 **1**

— *vt.* **1** 지도하다(instruct); 지배하다(govern); 감독하다(control), 지휘하다, 지시[명령]하다(order); 〈영화·연극 등을〉 연출[감독]하다: Prof. Jones ~*ed* my graduate work. 존스 교수가 나의 대학원 연구를 지도해 주셨다. // 《~+목+*to* do》 He ~*ed* her *to* keep the secret. 그는 그녀에게 비밀을 지킬 것을 명령했다. **2** 가리키다, 길을 대다 《*to*》 (⇨ lead[1] 유의어): 《~+목+전+명》 Could you ~ me *to* the library? 도서관으로 가는 길을 알려 주시겠습니까? **3** 〈눈·주의·노력·방침 등을〉 돌리다, 향하게 하다, 기울이다 《*to, at, toward*(*s*)》: 《~+목+전+명》 Nobody ~*ed* his attention *to* the fact. 아무도 그 사실에 주의를 기울이지 않았다. **4** 〈편지·소포의〉 겉봉을 쓰다, 〈편지 등을〉 (…앞으로) 내다(address) 《*to*》; …을 (…에) 보내다, 송신(送信)하다 《*to*》: ~ a letter 편지의 겉봉을 쓰다 // 《~+목+전+명》 *D*~ this letter *to* his business address. 이 편지는 그의 근무처 앞으로 해 주세요. **5** 《주로 영》 (긴급시에) 〈정부가〉 〈노동자나 군사를〉 특정 산업에 배당하다

— *vi.* 지도[지휘]하다, 감독[연출]하다; 지시[명령]하다; 안내역을 맡다; 우송하다 ***a ~ing post*** 도표(道標) ***as ~ed*** 지시[처방]대로

— *a.* **1** 똑바른; 똑바로 나아가는, 직행의, 직통의 (opp. *indirect*): a ~ flight 직행 항공편 / a ~ shot 직격[명중]탄 **2** 직접의(immediate): the ~ phone[line] 직통 전화 **3** 정면의, 바로 맞은편의: the ~ opposite[contrary] 정반대 **4** 솔직한, 노골적인, 단도직입적인: a ~ question[answer] 솔직한 질문[답변] **5** 〖문법〗 직접의 〈인용·화법 등〉: ~ narration 직접 화법 **6** 〖정치〗 직접 투표의: a ~ election 직접 선거 **7** 〖전기〗 직류의; 〖수학〗 정(正)의 **8** 〖천문〗 (서에서 동으로) 순행(順行)하는 **9** 〖염색〗 매염제(媒染劑)를 쓰지 않은; 〖음악〗 병행의

— *ad.* 곧장; 직접으로; 직행[직통]하여

USAGE direct와 directly 양자를 같은 뜻으로 쓰는 것은 다음 경우에 한한다: (1) 직선적으로 움직일 때: go *direct*[*directly*] to New York 뉴욕으로 직행하다 (2) 장애물이 개입되지 않을 때: *direct*[*directly*] from producer to buyer 생산자에게서부터 구매자에게로 직접

▷ diréction *n.*; diréctive *a.*; diréctly *ad.*

diréct áccess 〖컴퓨터〗 = RANDOM ACCESS

diréct-access stórage devìce [dirékt-ǽksəs-, dai-] 〖컴퓨터〗 직접 접근 기억 장치 《略 DASD》

di·rect-act·ing [-ǽktiŋ] *a.* 직접 작동하는, 〈증기 펌프가〉 직동의

diréct áction 직접 행동 《총파업 등》; 직접 작용

diréct addréssing 〖컴퓨터〗 직접 주소 지정

diréct bróadcast sàtellite 〖TV〗 직접 방송 위성 《略 DBS》

diréct cínema 디렉트 시네마 《cinéma vérité의 엄격한 한 형태》

diréct cóst 직접 경비

diréct còupled *a.* 〖전기·컴퓨터〗 직결형의

diréct cúrrent 〖전기〗 직류(opp. *alternating current*) 《略 DC》

diréct débit (영) (은행) 계좌에서 공과금 대리 납부

diréct depósit (급료 등의) 은행 계좌 이체 제도

di·rect-di·al [-dáiəl] *vi., vt.* (국외(局外)에) 직통 다이얼 전화를 걸다

— *a.* 직통 다이얼 전화를 걸 수 있는 (방식의)

~·**ing** *n.*

diréct díscourse (미) 〖문법〗 = DIRECT NARRATION

diréct dístance díaling (미) 장거리 직통 다이얼 전화 《略 DDD》

diréct dýe 〖화학〗 직접 염료

di·rect·ed [diréktid, dai-] *a.* 유도된, 지시받은, 규제된: ~ economy 통제 경제

di·réct·ed-én·er·gy wèapon[**devìce**] [-énərdʒi-] 〖군사〗 (대(對)핵미사일용) 빔 무기(beam weapon)

diréct évidence 〖법〗 (증인이 대는) 직접 증거

diréct examinátion 〖법〗 직접[주] 심문

diréct frée kíck 〖축구〗 직접 프리 킥

diréct hít 직격, 명중

diréct inítiative 〖정치〗 직접 발의권

diréct ínput 〖컴퓨터〗 직접 입력 《단말 장치에서 호스트 컴퓨터에 데이터를 직접 입력하기》: a ~ device 직접 입력 장치

‡di·rec·tion [dirékʃən, dai-] *n.*

「옳은 방향으로 향하게 함」(cf. DIRECT)
→「방향」 **1**
→「지시; 지도」 **5, 4**

1 CU 방향, 방위: an angle of ~ 방위각 **2** (어떤 방향의) 지역, 지점, 위치, 방면: from all ~*s* 각 방면으로부터 **3** 경향, 방침; 목표, 목적: a new ~ in school education 학교 교육의 새 경향 **4** UC 지도; 관리, 지배: personal ~ 개별 지도 **5** [*pl.*] 명령, 지령, 지휘, 지시, 사용법: under the president's ~*s* 총재의 지시하에 / ~*s* for the use of medicine 약 사용상의 주의 사항 **6** U (영화 등의) 감독, 연출 **7** 〖음악〗 악보상의 기호[지시], 지휘 **8** (편지 등의) 수취인 주소 성명 **9** = DIRECTORATE

a [***the***] ***sense of ~*** 방향 감각 ***in all ~s*** = ***in every ~*** 사방팔방으로, 각 방면으로 ***in the ~ of*** …의 쪽으로 ***under the ~ of*** = ***under*** a person***'s ~*** …의 지도[지휘] 아래

▷ diréct *v.*; diréctional, diréctive *a.*

di·rec·tion·al [dirékʃənl, dai-] *a.* 방향[방위](상)의; 〖통신〗 지향성(指向性)의, 방향 탐지의; 지시[안내]의, 지휘하는: a ~ antenna 지향성 안테나

diréctional sígnal (차의) 방향 지시등(turn signal)

diréction fínder 〖통신〗 방향 탐지기, 방위 측정기 《略 D.F.》

diréction ìndicator 〖항공〗 방향 지시기, 방향계

di·rec·tion·less [dirékʃənlis] *a.* 방향 없는; 목표 없는

di·rec·tive [diréktiv, dai-] *a.* Ⓐ **1** 지시하는; 〖통신〗 지향식의 **2** 지도[지배]적인 —*n.* 지령, 명령(order); 〖컴퓨터〗 지시어, 지시문 ~·**ly** *ad.* ~·**ness** *n.*

di·rec·tiv·i·ty [dirèktívəti, dai-] *n.* U 지향성, 방향성

diréct lábor 직접 노동[노무]

diréct líghting 직접 조명

‡di·rect·ly [diréktli, dai-] *ad.* **1** 곧장, 똑바로, 일직선으로(straight): look ~ at me 나를 정면으로 쳐다보다 **2** 직접(적)으로: You're ~ responsible for this accident. 당신은 이 사고에 직접적으로 책임이 있다. **3** 참으로, 전적으로, 바로(exactly): live ~ opposite the store 가게의 바로 맞은편에 살다 **4** 즉시로; 곧이어, 이내: I'll be with you ~. 곧 당신께 가겠습니다. **5** 솔직하게 **6** 〖수학〗 정비례하여

— *conj.* 《영·구어》 …하자마자(as soon as)

diréct máil 다이렉트 메일 《회사나 백화점이 직접

thesaurus **directly** *ad.* **1** 직접 firsthand, personally, face to face **2** 즉시 immediately, at once, instantly, right away, quickly, promptly **3**

소비자에게 우송하는 광고 인쇄물; 略 DM)
diréct máiler 다이렉트 메일 업자[담당자]; 다이렉트 메일의 내용물
diréct márketing (생산자와 소비자 간의) 직접 매매
diréct mémory àccess 〖컴퓨터〗 직접 메모리 액세스 (略 DMA)
diréct mèthod [the ~] (외국어만으로의) 직접 교수법
diréct mótion 직진 운동; 〖천문〗 순행
diréct narrátion 〖문법〗 직접 화법
di·rect·ness [diréktnis, dai-] *n.* Ⓤ 똑바름; 직접적임, 솔직함
diréct óbject 〖문법〗 직접 목적어
Di·rec·toire [direktwɑ́:r] *n.* (1795-99년 프랑스 혁명 정부의) 집정부(執政府)
— *a.* **1** 집정부 양식의 **2** 〈복장이〉 집정부 시대풍의
‡ **di·rec·tor** [diréktər, dai-] *n.* **1 지도자,** 지휘자 **2 관리직의 사람;** (고등학교의) 교장; 장관, 국장; 중역, 이사; 〖영화〗 감독; 〖음악〗 지휘자; (미) 〖연극〗 연출가((영) producer) **3** (프랑스 혁명 정부의) 집정관 **4** 〖기계〗 지도자(指導子); 〖외과〗 유구 탐침(有溝探針); 〖군사〗 (고사포 등의) 전기(電氣) 조준기 **~ *of photography*** 영화 촬영 감독(cinematographer)
~·ship *n.* director의 직[임기] ▷ directórial *a.*
di·rec·to·rate [diréktərət, dai-] *n.* **1** Ⓤ director의 직[지위] **2** [집합적] 이사회
diréctor géneral 총재, 장관; (비영리 단체의) 회장, 사무총장
di·rec·to·ri·al [direktɔ́:riəl, dài-] *a.* **1** 지휘[지도]상의; 지휘자[이사, 중역, 중역회]의 **2** [**D~**] (프랑스) 집정 내각의
Diréctor of Públic Prosecútions [the ~] (영) 검찰 총장 (略 DPP)
diréctor's chàir (앉는 자리와 등받이에 캔버스를 댄) 접의자 (영화 감독들이 사용한 데서)

director's chair

diréctor's cùt 〖영화〗 디렉터스 컷, 감독의 삭제 부분 (원래는 감독이 원해서 촬영했다가 개봉 때에는 삭제된 부분)
* **di·rec·to·ry** [diréktəri, dai-] *a.* **지휘의,** 지도적인, 지시적인; 〖법〗 훈령적(訓令的)인
—*n.* (*pl.* **-ries**) **1 주소 성명록;** 지령[훈령]집: a telephone ~ 전화번호부 **2** (교회의) 예배 규칙서 **3** = DIRECTORATE **4** [**D~**] 〖역사〗 = DIRECTOIRE **5** 〖컴퓨터〗 외부 기억 장치에 들어있는 파일 목록; 특정 파일의 특징 기술서
a business **~** 상공인 성명록
diréctory assístance[(영) **enquíries**] (전화 회사의) 전화번호 안내 (information이라고도 함)
diréct pósitive 〖사진〗 직접 양화(陽畵)
diréct prímary (미) 직접 예비 선거 (당원의 직접 투표에 의한 후보자 지명)
diréct propórtion 〖수학〗 정비례
di·rec·tress [diréktris, dai-] *n.* DIRECTOR의 여성형
di·rec·trix [diréktriks, dai-] *n.* (*pl.* **~·es, -tri·ces** [-trəsì:z]) **1** (드물게) = DIRECTRESS **2** 〖수학〗 준선(準線) **3** 〖군사〗 주선(主線) (포화 사계(射界)의 중심선)
diréct rùle (중앙 정부에 의한) 직할 통치, 직접 지배
diréct sále[**sélling**] 직접 판매, 직판
diréct spéech 〖문법〗 = DIRECT NARRATION
diréct táx 직접세

솔직하게 frankly, bluntly, straightforwardly
director *n.* manager, executive, administrator, head, chief, leader, superviser

diréct taxátion 직접 과세
di·rect-to-con·sum·er [-təkənsú:mər] *a.* Ⓐ (제약 회사 등에 의한) 소비자에게 직접 호소하는 〈광고〉
di·réct-ví·sion prìsm [-víʒən-] 〖광학〗 직시(直視) 프리즘
diréct-vísion spèctroscope 〖광학〗 직시 분광기
dire·ful [dáiərfəl] *a.* (문어) 무서운; 비참한; 불길한 **~·ly** *ad.* **~·ness** *n.*
dir·et·tis·si·ma [dìrətísəmə] [It.] *n.* 〖등산〗 수직 등반
díre wòlf 〖고생물〗 (홍적세기(洪積世紀)에 멸종된) 이리
dirge [də́:rdʒ] *n.* 만가(挽歌), 장송가, 애도가
dirge·ful [də́:rdʒfəl] *a.* 장송의, 구슬픈
dir·ham [diərhǽm | díəræm], **dir·hem** [diərhém] *n.* 디르함 (모로코 등의 화폐 단위; 기호 DH)
dir·i·gi·bil·i·ty [dìrədʒəbíləti, dirìdʒ-] *n.* Ⓤ 조종 가능(성)
dir·i·gi·ble [dírədʒəbl, dirí-] *a.* 조종할 수 있는: a ~ balloon 비행선 **—***n.* 기구(氣球), 비행선
di·ri·gisme [dì:ri:ʒí:sm, -ʒí:zm] [F] *n.* 〖경제〗 통제 경제 정책 **-giste** *a.*
dir·i·ment [dírəmənt] *a.* 〖법〗 무효로 하는
díriment impédiment 〖법〗 (혼인 원인 무효의) 절대 장애 [결격 사유]
dirk [də́:rk] *n.* (스코틀랜드 고지인의) 단도, (해군 사관 후보생의) 단검 **—** *vt.* 단검으로 찌르다
dirn·dl [də́:rndl] *n.* (오스트리아 티롤 지방 농민의) 여자옷; (던들식) 헐렁한 스커트(= **~ skìrt**)
‡ **dirt** [də́:rt] *n.* Ⓤ **1 진흙**(mud); **쓰레기,** 먼지; 때, 오물; (덩어리지지 않은) **흙,** (속어) 벽돌 흙 **2** 비열(한 행위) **3** (미·호주) 욕설, 험담, 잡소리, 음담패설, 스캔들; (미·속어) 돈 **4** 무가치한 것; (개인 회사 등의) 내밀한 정보, 진상 **5** 〖광산〗 폐석; 〖전기〗 오손(汚損) **6** (미·속어) 설탕
(*as*) *cheap*[*common*] *as* **~** (구어) 매우 싼; 〈가족·여자가〉 상것의, 천한 ***cut*** **~** (미·속어) 뛰다, 뺑소니치다 ***dig*[*dish*] *the*** **~** (미·속어) 나쁜 소문을 퍼뜨리다 ***dig up*[*for*]** **~** (구어) …의 부정[스캔들]을 캐다 (*on*) **~ *under*** one***'s feet*** 쓸모없는 것 ***do*[*play*]** a person **~** (미·속어) …에게 비열한 짓을 하다 ***eat*** **~** (속어) 굴욕을 참다; (미·속어) 먼저 한 말을 번복하다 ***hit the*** **~** (속어) (1) 〖야구〗 베이스에 슬라이딩하다 (2) (위험을 피하여) 엎드리다 ***in the*** **~** (미·속어) 아주 난처하게 되어 ***take a*** **~ *nap*** (미·속어) 죽어서 매장되다 ***talk*** **~** 음담패설을 하다 ***throw*[*fling*]** **~ *at*** …에게 욕질하다 ***treat*** a person ***like*** **~** 〈사람을〉 업신여기다 ***yellow*** **~** (미·속어) 돈
▷ dírty *a.*
dirt·bag [də́:rtbæ̀g] *n.* (속어) **1** 〖군사〗 환경 미화원, 쓰레기 수거인 **2** 불결한 녀석, 싫은[시시한] 녀석
dírt bèd 〖지질〗 이토층(泥土層)
dírt bìke (구어) = TRAIL BIKE
dirt-cheap [-tʃí:p] *a., ad.* (구어) 헐값의[으로], 터무니없이 싼[싸게]
dírt chùte (미·속어) 항문, 똥구멍
dirt-dish·er [-dìʃər] *n.* (미·구어) = DISHER
dirt-eat·ing [-ì:tiŋ] *n.* Ⓤ (야만인의) 흙을 먹는 풍습; 〖병리〗 (어린애의) 토식증(土食症)
dírt fàrm (미·구어) 보통의 자작 농장, 소규모의 농장
dírt fàrmer (미·구어) 자작농(opp. *gentleman farmer*)
dirt·heap [-hì:p] *n.* 쓰레기 더미
dírt pìe (아이들이 만드는) 진흙떡
dirt-poor [-púər] *a.* 찢어지게 가난한
dírt róad (미·호주) 비포장도로
dírt tràck **1** 진흙이나 석탄재 등을 깐 경주로 **2** = DIRT ROAD
dírt wàgon (미) 청소차, 쓰레기 운반차(dust cart)

***dirt·y** [dǝ́:rti] *a.* (**dirt·i·er**; **-i·est**) **1** 더러운, 불결한; 〈길 등이〉 진창의 《강조의 부사는 very, really》 (opp. *clean*): Wash your ~ hands. 더러운 손을 씻어라. **2** 〈빛깔이〉 흐린, 탁한 **3** 상스러운, 추잡한; 음란한, 외설의; 〈행위 등이〉 부정한, 비열한; 〈스포츠 행사가〉 약물 복용에 얼룩진, 부정한; 업신여기는, 적의 있는; 경멸하는: ~ gains 부정한 이득/You ~ coward! 이 비열한 겁쟁이야! **4** 〈날씨가〉 사나운 (stormy) **5** 《미·속어》 마약 중독의, 마약을 가진 **6** 《구어》 〈핵무기가〉 방사능[방사성 오염물]이 많은: a ~ bomb 방사능이 많은 폭탄(cf. CLEAN BOMB) **7** 《속어》 〖의학〗 전염병의; 오염된; 소독하지 않은
be ~ on 《호주·속어》 …에게 화내고[분개하고] 있다 ***do the ~ on*** 《속어》 …에게 비열한 짓을 하다 ***get the ~ end*** (***of the stick***) 《구어》 (1) 싫은 일을 맡게 되다 (2) 부당한 대우[혹평]를 받게 되다 (3) 최악의 사태를 경험하다 ***play ~*** 《구어》 더러운 수작을 부리다, 부정을 저지르다 ***talk ~*** 음란한 이야기를 하다
— *vt., vi.* (**dirt·ied**) 더럽히다; 〈바다·토지 등을〉 방사성 물질로 오염시키다; …의 명예[명성]를 더럽히다; 더러워지다
— *ad.* **1** 《구어》 비열하게; 교활하게; 음란하게: play ~ 《경기에서》 반칙하다 **2** 《영·속어》 매우, 엄청나게(very): a ~ great house 굉장히 큰 집
— *n.* 비열한 사람
dírt·i·ly *ad.* **dírt·i·ness** *n.* ▷ dírt *n.*

dírty bírd 《미·속어》 아무개, 모씨(某氏)
dírty bómb 오염 폭탄 《방사능 오염 물질을 방출함》
dírty dáncing = LAMBADA
dírty dóg 《속어》 비열한 놈, 신용할 수 없는 자
dírty dózens [the ~] = DOZENS
dírty hèavy 《미·속어》 《영화·TV의》 악역
dírty jóke 《속어》 **1** 야한 농담 **2** 머리 나쁜 놈
dírty línen[**láundry**] 《구어》 집안의 수치, 남부끄러운 일; 《비어》 섹스에 관한 자세한 내용 ***wash*** one***'s ~ in public*** 남 앞에서 치부[집안의 수치]를 드러내다
dírty lóok 《미·구어》 보기 흉한[싫은] 얼굴 ***give*** a person ***a ~*** 《구어》 …에게 상을 찌푸리다, 깔보는 눈으로 보다
dir·ty-mind·ed [dǝ́:rtimáindid] *a.* 속마음이 더러운[음탕한]
dírty móney 부정한 돈; 오물 취급 수당
dírty móuth 《속어》 음란한[야한, 실례되는] 말을 잘 하는 사람
dir·ty-neck [-nék] *n.* 《미·속어》 육체 노동자, 농사꾼; 《경멸》 이민
dírty òld mán 《속어》 색골 영감, 호색 노인
dírty pláy 《경기의》 반칙
dírty póol 《속어》 치사한 행위, 부정한 방법
dírty tríck 비열한 짓; [*pl.*] 《선거 운동 방해를 목적으로 한》 부정 공작, 중상: play a ~ on …에게 비열한 짓을 하다
dírty wár 더러운 전쟁 《정부군의 혁명군에 대한 전쟁》
dírty wásh = DIRTY LINEN
dírty wéekend 《영·속어》 《약혼자가 아닌》 불륜 상대와의 주말
dírty wórd 야비[음란]한 말; 입에 담을 수 없는 말
dírty wòrk 몸이 더러워지는 일, 궂은 일; 싫은 일; 비열한 짓, 모략: ~ at the crossroads 《구어》 비열한 짓, 모략, 협잡; 《속어》 성행위
dis [dís] 《미·속어》 *vt.* **1** 경멸[멸시]하다; 업신여기다, 깔보다 **2** 헐뜯다, 비방하다 — *n.* 실망
Dis [dís] *n.* **1** 〖로마신화〗 디스 《저승의 신; 그리스 신화의 Pluto》 **2** 하계(下界), 지옥
DIS the Disney Channel 《케이블 TV의 디즈니 채널》
dis-[1] [dis] *pref.* **1** [동사에 붙여] 「반대 동작」의 뜻: *dis*arm **2** [명사에 붙여] 「없애다; 벗기다; 빼앗다」 등의 뜻의 동사를 만듦: *dis*mantle **3** [형용사에 붙여] 「…않게 하다」의 뜻의 동사를 만듦: *dis*able **4** [명사·형용사에 붙여] 「불(不)…; 비(非)…; 무(無)…」의 뜻: *dis*connection; *dis*agreeable **5** 「분리」의 뜻: *dis*continue **6** 「부정」의 뜻을 강조함: *dis*annul
dis-[2] [dis] *pref.* di-[1]의 변형: *dis*syllable
dis. discharge; disciple; discipline; discount; distance; distant; distribute
***dis·a·bil·i·ty** [dìsǝbílǝti] *n.* (*pl.* **-ties**) **1** UC 무능, 무력; 《법률상의》 행위 무능력, 무자격 **2** 《신체 등의》 불리한 조건, 장애, 핸디캡 **3** 상해 보험금(= ~ insúrance pàyments)
disabílity clàuse 〖보험〗 폐질(廢疾)[상해] 조항
disabílity insùrance 상해 보험
***dis·a·ble** [diséibl] *vt.* **1** 무능[무력]하게 하다 《*from, for*》: (~+목+전+명) It ~*d* him *for* military service. 그것 때문에 그는 군복무를 할 수 없었다. **2** 손상하다, 불구로 만들다(maim) **3** 〖법〗 무능력[무자격]하게 만들다, 실격시키다 **4** 〈기계를〉 고장 나게 하다; 〈배를〉 항해 불능으로 만들다; 〈적함을〉 격파하다 **5** 〖컴퓨터〗 《하드웨어·소프트웨어상의》 기능을 억제하다 **~·ment** *n.* U 무능[무력]하게 함, 무능[무력]해짐; 무(능)력; 신체 부자유
▷ disabílity *n.*
dis·a·bled [diséibld] *a.* **1** 불구가 된(crippled); 무능력해진: a ~ car 고장난 차/a ~ soldier 상이군인 **2** [the ~; 집합적; 복수 취급] 신체 장애자들
disábled lìst 〖야구〗 부상자 명단
dis·a·blist [diséiblist] *a.* 장애인에 대해 차별이나 편견을 가진
dis·a·buse [dìsǝbjú:z] *vt.* 《그릇된 관념·미몽에서》 깨게 하다 《*of*》: (~+목+전+명) ~ him *of* superstition 그를 미신에서 깨어나게 하다
di·sac·cha·ride [daisǽkǝràid, -rid] *n.* 〖화학〗 이당(류) 《sucrose, lactose, maltose 등》
dis·ac·cord [dìsǝkɔ́:rd] *n.* 부조화, 불일치
— *vi.* 일치[화합]하지 않다 《*with*》
dis·ac·cred·it [dìsǝkrédit] *vt.* …의 자격을 뺏다, …에 대한 인정을 취소하다
dis·ac·cus·tom [dìsǝkʌ́stǝm] *vt.* …에게 습관을 버리게 하다: be ~*ed* of sleeping late 늦잠 자는 버릇이 없어지다
dis·a·dapt [dìsǝdǽpt] *vt.* 적응 못하게 하다
dis·ad·van·tage** [dìsǝdvǽntidʒ, -vɑ́:n-|-vɑ́:n-] *n.* **1** 불리한 처지[조건], 불편(함) 《*in, to*》 **2** U 불리, 불이익, 손실, 손해 ***at a ~ 불리한 입장에(서) ***sell*** goods ***to ~*** 《물건》을 불리한 조건으로[밑지고] 팔다 ***take*** a person[***be taken***] ***at a ~*** 불시에 공격을 가하다[당하다] ***to*** a person***'s ~*** = ***to the ~ of*** a person …에게 불리하도록 ***under*** (***great***) ***~s*** 《크게》 불리한 조건하에
— *vt.* 〈사람을〉 불리하게 하다; …에게 손해 입히다
▷ disadvantágeous *a.*
dis·ad·van·taged [dìsǝdvǽntidʒd, -vɑ́:n-|-vɑ́:n-] *a.* **1** 불리한 조건을 가진; 《사회적·경제적으로》 혜택받지 못한 **2** [the ~; 명사적; 집합적; 복수 취급] 혜택받지 못한 사람들 《poor people의 완곡한 말》 **~·ness** *n.*
dis·ad·van·ta·geous [disæ̀dvǝntéidʒǝs, dìsæd-|-vɑ:n-] *a.* **1** 불리한; 손해를 입히는 **2** P 형편상 나쁜, 불편한 《*to*》 **~·ly** *ad.* **~·ness** *n.*
dis·af·fect [dìsǝfékt] *vt.* …에게 불만[불평]을 품게 하다, 《실망하여》 배반케 하다
dis·af·fect·ed [dìsǝféktid] *a.* 《정부 등에》 불평[불만]을 품은, 못마땅해 하는, 이반(離反)한(disloyal) 《*to, toward*(*s*), *with*》; 싫어진 **~·ly** *ad.*

thesaurus **dirty** *a.* **1** 더러운 unclean, soiled, grimy, messy, muddy, filthy, foul, stained **2** 상스러운 obscene, indecent, vulgar, coarse **3** 비열한 mean, nasty, vile, unfair, dishonest, deceitful
disable *v.* impair, damage, incapacitate, weaken, cripple, paralyze
disadvantage *n.* **1** 불리 drawback, weakness, flaw, defect, handicap (opp. *advantage, benefit*)

dis·af·fec·tion [dìsəfékʃən] *n.* Ⓤ 불평, (특히 정부에 대한) 불만, 민심 이탈; 혐오, 적의

dis·af·fil·i·ate [dìsəfílièit] *vt.* (단체에서) 제명하다 《*from*》; [~ one*self* 로] 〈사람이〉 …에서 탈퇴하다, 이탈하다 《*from*》 **—** *vi.* 탈퇴하다; (…와) 인연을 끊다 《*with*》

dis·af·firm [dìsəfə́:rm] *vt.* **1** 부정[거부]하다, 〈앞서 한 말을〉 취소[번복]하다 **2** 〖법〗 부인하다, 파기하다

dis·af·fir·mance [dìsəfə́:rməns], **dis·af·fir·ma·tion** [dìsæfərméiʃən] *n.* Ⓤ 거부, 부정(negation); 〖법〗 부인, 파기

dis·af·for·est [dìsəfɔ́rist] *vt.* **1** 〖영국법〗 (삼림법의 적용을 해제하여) 일반 토지로 만들다 **2** 〈삼림지를〉 개척하다 **dìs·af·fòr·es·tá·tion** *n.*

dis·ag·gre·gate [disǽgrigèit] *vt., vi.* 구성 요소로 분해하다[되다] **—** *a.* 분해된, 해체된 **dis·àg·gre·gá·tion** *n.* **-gà·tive** *a.*

∗**dis·a·gree** [dìsəgrí:] *vi.* **1** 일치하지 않다 《*with*》: (~+전+명) His report ~*s with* yours. 그의 보고는 당신 것과 일치하지 않는다. **2** 의견이 다르다(differ); 사이가 나쁘다, 다투다(quarrel) 《*with*》: (~+전+명) ~ *with* him 그와 의견이 맞지 않다 / ~ *in* opinion about the problem 그 문제에 대해 의견이 맞지 않다 **3** 〈풍토·음식이〉 체질에 맞지 않다 《*with*》: (~+전+명) Pork always ~*s with* me. 돼지고기는 내 체질에 맞지 않는다. ***agree to*** **~** 상대방의 다른 의견을 인정하여 다투지 않기로 하다: Let's *agree to* ~ and part friends. 의견 차이는 할 수 없는 일로 치고 의좋게 헤어집시다.
▷ disagréeable *a.*; disagréement *n.*

∗**dis·a·gree·a·ble** [dìsəgrí:əbl] *a.* **1** 불쾌한, 마음에 안 드는, 싫은, 비위에 거슬리는 《*to*》: be ~ *to* the taste 맛이 고약하다 **2** 〈사람이〉 성미가 까다로운, 사귀기 어려운
— *n.* [보통 *pl.*] 불쾌한 일, 비위에 거슬리는 일; 마음에 거슬리는 성질: the ~*s* of life 세상의 불쾌한 일
~·ness *n.* **-bly** *ad.*

∗**dis·a·gree·ment** [dìsəgrí:mənt] *n.* Ⓤ 불일치, 의견 차이; 논쟁; (체질에) 안 맞음, 부적합
be in ~ with …와 의견이 맞지 않다; 〈음식·풍토가〉 …와 맞지 않다

dis·al·low [dìsəláu] *vt.* 《문어》 허가하지 않다, 금하다; 〈요구 등을〉 각하하다(reject), 승인하지 않다
~·a·ble *a.* **~·ance** *n.* Ⓤ 불허, 각하

dis·am·big·u·ate [dìsæmbígjuèit] *vt.* 〈문장·서술 등의〉 애매한 점을 없애다, 명확하게 하다
dìs·am·bìg·u·á·tion *n.*

dis·a·men·i·ty [dìsəménəti, -mí:n-] *n.* 《영》 (장소 등의) 불쾌, 불편; [*pl.*] 불쾌한 표정

dis·an·nul [dìsənʌ́l] *vt.* (**~led**; **~·ling**) (전면적으로) 취소하다 **~·ment** *n.*

⁑**dis·ap·pear** [dìsəpíər] *vi.* **1** 사라지다, 안 보이게 되다(⇨ vanish 유의어): (~+전+명) ~ *in* the crowd 군중 속으로 사라지다 **2** 소멸[소실]하다(opp. *appear*); 멸종되다; 〖법〗 실종하다 **3** 《미·속어》 (흔적 없이) 죽다 《be killed의 완곡한 말》
— *vt.* 보이지 않게 하다, (시야에서) 없애다 **~ *off the face of the earth*** 완전히 행방을 감추다 ***do a ~ing act*[*trick*]** (꼭 필요할 때) 모습을 감추다
▷ disappéarance *n.*

∗**dis·ap·pear·ance** [dìsəpíərəns] *n.* Ⓤ 사라짐, 소실, 소멸; 실종: ~ from home 가출

2 손실 harm, damage, loss (opp. *gain*)
disagree *v.* differ, oppose, object, dissent, vary, conflict, clash, contrast, diverge, quarrel
disappoint *v.* **1** 실망시키다 let down, dishearten, depress, dispirit, upset, sadden, dismay, dissatisfy, vex **2** 좌절시키다 thwart, frustrate, defeat, baffle, hinder, obstruct, hamper
disapprove *v.* dislike, be against, criticize, blame

⁑**dis·ap·point** [dìsəpɔ́int] *vt.* **1** 실망시키다: His lecture ~*ed* us. 그의 강연에 우리는 실망했다. **2** 〈기대·목적을〉 어긋나게[헛되게] 하다(baffle); [수동형으로] 실망하다 (⇨ disappointed) 《*at, in, with* 《등》》 **3** 〈계획을〉 좌절시키다(upset)
— *vi.* 실망하다 ▷ disappóintment *n.*

dis·ap·point·ed [dìsəpɔ́intid] *a.* 실망한, 기대가 어긋난; 실현되지 못한, 좌절된: his ~ face 그의 실망한 얼굴 / I'm ~ with you. 너한테 실망했다. ***be agreeably ~*** 기우에 그쳐서 기쁘다 ***be ~ of*** **one*'s purpose*** 기대가 어긋나다 **~·ly** *ad.*

∗**dis·ap·point·ing** [dìsəpɔ́intiŋ] *a.* 실망시키는, 기대에 어긋나는, 시시한 **~·ly** *ad.* 실망스럽게도; [강조적] 몹시, 심하게 **~·ness** *n.*

⁑**dis·ap·point·ment** [dìsəpɔ́intmənt] *n.* **1** Ⓤ 실망, 기대에 어긋남: our ~ at the result 결과에 대한 우리의 실망 / It is with great ~ that .... …이 매우 실망스럽다 **2** Ⓒ 실망거리, 생각보다 시시한 사람[일, 물건] ***to save ~*** 나중에 실망하지 않도록 ***to*** **one*'s ~*** 낙심천만하게도 ▷ disappóint *v.*

dis·ap·pro·ba·tion [disæ̀prəbéiʃən] *n.* 《문어》 = DISAPPROVAL

dis·ap·pro·ba·tive [disǽprəbèitiv], **-to·ry** [-təri] *a.* 안 된다고 하는, 불찬성의, 불만[비난]을 나타내는

∗**dis·ap·prov·al** [dìsəprú:vəl] *n.* Ⓤ 안 된다고 함; 불승인, 불찬성, 불만; 비난: shake one's head in ~ 안 된다고[불찬성이라고] 고개를 젓다
▷ disappróve *v.*

∗**dis·ap·prove** [dìsəprú:v] *vt.* 안 된다[옳지 않다]고 하다; 불만을 나타내다; 비난하다: ~ his rash conduct 그의 경솔한 행동을 비난하다
— *vi.* 찬성하지 않다; 불가하다고 하다 《*of*》: (~+전+명) I wholly ~ *of* your action. 나는 당신의 행동에 전적으로 찬성하지 않는다. **-próv·er** *n.*
▷ disappróval *n.*

dis·ap·prov·ing [dìsəprú:viŋ] *a.* 못마땅해하는, 찬성하지 않는: a ~ glance[tone, look] 못마땅해하는 눈길[어조, 표정] **~·ly** *ad.*

∗**dis·arm** [disɑ́:rm] *vt.* **1** …의 무기를 빼앗다, 무장을 해제하다(cf. REARM): (~+목+전+명) ~ a person *of* weapon …에게서 무기를 빼앗다 **2** 〈위험·비평 등을〉 무력하게 하다; 〈노여움·의심 등을〉 가시게 하다: ~ criticism 비평을 무력하게 하다
— *vi.* 무장을 해제하다; 군비를 축소[철폐]하다
~·er *n.* 무장 해제하는 사람, 군축론자, 핵무기 사용 금지론자 ▷ disármament *n.*

∗**dis·ar·ma·ment** [disɑ́:rməmənt] *n.* Ⓤ **1** 무장 해제 **2** 군비 축소, 군축(cf. REARMAMENT): a ~ conference 군축 회의 / nuclear ~ 핵군축

disármament negotiátion 군축 협상

dis·arm·ing [disɑ́:rmiŋ] *a.* 홍분[노여움, 두려움, 적의 《등》]을 가라앉히는; 애교 있는: a ~ smile (화를) 누그러뜨리는[가시게 하는] 미소 **~·ly** *ad.*

dis·ar·range [dìsəréindʒ] *vt.* 어지럽히다, 혼란시키다 **~·ment** *n.* **dìs·ar·ráng·er** *n.*

dis·ar·ray [dìsəréi] *n.* Ⓤ 혼란, 난잡; 단정치 못한 옷차림 **—** *vt.* **1** = DISARRANGE **2** 《고어》 …의 옷을 벗기다; 〈부속물을〉 빼앗다 《*of*》

dis·ar·tic·u·late [dìsɑ:rtíkjulèit] *vt., vi.* 탈구시키다[하다]; 이음매를 벗기다[가 벗겨지다]

dis·ar·tic·u·la·tion [dìsɑ:rtìkjuléiʃən] *n.* Ⓤ 탈구

dis·as·sem·ble [dìsəsémbl] *vt.* 해체하다, 분해하다; 〖컴퓨터〗 역(逆)어셈블하다 《어셈블된 기계어 프로그램에서 어셈블리 언어 프로그램으로 변환하다》
— *vi.* 분해되다; 〈군중 등이〉 흩어지다
— *n.* Ⓤ 〖컴퓨터〗 역어셈블 **-bly** *n.*

dis·as·sem·bler [dìsəsémblər] *n.* 〖컴퓨터〗 역(逆)어셈블러

dis·as·so·ci·ate [dìsəsóuʃièit, -si-] *vt.* = DISSOCIATE **dìs·as·sò·ci·á·tion** *n.*

‡dis·as·ter [dizǽstər, -zάːs-|-zάːs-] 《L 「별에서 멀리 떨어진」의 뜻에서》 *n.* **1** Ⓤ (큰) **재해,** 재앙, 대참사; 불행, 재난: natural ~*s* 천재(天災) / a man-made ~ 인재 / suffer a ~ 재난을 당하다

> 유의어 **disaster** 개인이나 사회 전반의 큰 재해로 생명·재산 등의 손실이 따르는 것 **catastrophe** 비참한 결과를 가져오는 재해로, 개인의 경우에 쓰지만 특정 집단에도 쓰는 말: environmental *catastrophe* 환경 파괴의 파국 **calamity** 큰 고통과 슬픔을 가져오는 재해나 불행으로서 catastrophe보다 뜻은 약함: Aids is one of the greatest *calamities* of our age. 에이즈는 우리 시대의 최악의 재앙 중 하나이다.

2 《구어》 (큰) 실패; 실패작; [a ~] 엉망진창인 것: The party was *a* total ~. 파티는 완전히 엉망으로 끝났다. ▷ disástrous *a.*

disáster àrea 《미》 재해 지역; 재해 지정 지구

disáster film[mòvie] 재난 영화

***dis·as·trous** [dizǽstrəs, -zάːs-|-zάːs-] *a.* **비참한,** 피해가 막심한; 재해[재난]를 일으키는; 대실패의; 지독한 《*to*》; 《고어》 불길한, 불운한 **~·ly** *ad.* ▷ disáster *n.*

dis·a·vow [dìsəváu] *vt.* 《문어》 부인[부정]하다 **~·a·ble** *a.* **~·al** *n.* ⓊⒸ 부인, 부정 **~·er** *n.*

dis·band [disbǽnd] *vt.* **1** 〈조직을〉 해산하다 **2** 《특히》 〈군대를〉 해산하다; 〈군인을〉 제대시키다 — *vi.* 해산하다 **~·ment** *n.* Ⓤ 해산, 해제, 제대

dis·bar [disbάːr] *vt.* (**~red**; **~·ring**) 〖법〗 법조계에서 추방하다; …의 변호사(barrister)의 자격[특권]을 박탈하다 《*from*》 **~·ment** *n.*

dis·be·lief** [dìsbilíːf] *n.* Ⓤ **불신,** 믿으려 하지 않음, 의혹 《*in*》; 불신앙(⇨ unbelief 유의어) ***in (***utter***) **~** (완전히) 불신하여

dis·be·lieve [dìsbilíːv] *vt., vi.* 믿지 않다 《*in*》 **dìs·be·líev·er** *n.* **dìs·be·líev·ing** *a.*

dis·bench [disbéntʃ] *vt.* **1** …에게서 자리를 빼앗다 **2** 《영》 법학원 간부의 직[자격]을 빼앗다

dis·ben·e·fit [disbénəfit] *n.* 불이익, 손실

dis·bos·om [disbúzəm] *vt.* 털어놓다, 고백하다

dis·bound [disbáund] *a.* 〈책 등이〉 철이 흐트러진

dis·branch [disbrǽntʃ|-brάːntʃ] *vt.* **1** …의 나뭇가지를 치다 **2** 잘라내다(sever)

dis·bud [disbʌ́d] *vt.* (**~·ded**; **~·ding**) …의 (쓸데없는) 눈[봉오리]을 따다; 〈가축의〉 자라는 뿔을 자르다

dis·bur·den [disbə́ːrdn] *vt.* …에서 짐을 내리다 (unload); 〈사람·마음 등의〉 짐[부담]을 덜어주다 (relieve) 《*of*》; 〈심중을〉 토로하다; 〈불만 등을〉 털어놓다 **~ one's *mind***[**one*self*] ***of*** 마음의 짐을 벗다 — *vi.* 무거운 짐을 내리다; 안심하다 **~·ment** *n.*

dis·burse [disbə́ːrs] *vt., vi.* 지불하다(pay out); 분배하다

dis·burse·ment [disbə́ːrsmənt] *n.* **1** Ⓤ 지불, 지출 **2** 지불금, 지급금; [종종 *pl.*] 〖법〗 영업비

***disc**[1] [dísk] *n., vt.* 《주로 영》 = DISK

disc[2] *n.* 《구어》 = DISCOTHEQUE

disc. discount; discover(ed); discoverer

disc- [dísk], **disci-** [dísi, díski], **disco-** [dískou, -kə] 《연결형》 「원반; 레코드」의 뜻 《모음 앞에서는 disc-》

dis·caire [diskέər] *n.* (디스코의) 레코드 담당자

dis·cal [dískəl] *a.* 원반 모양의

dis·calced [diskǽlst], **dis·cal·ce·ate** [diskǽlsiət, -sièit] *a.* 〈수도사·수녀가〉 맨발의

dis·cant [dískænt] *vi., n.* = DESCANT

***dis·card** [diskάːrd] *vt.* **1** 〈폐습·신앙 등을〉 **버리다,** 〈헌 옷 등을〉 처분하다: ~ed paper 폐지 **2** 〈사람을〉 저버리다 **3** 〖카드〗 〈불필요한 패를〉 버리다 — [´–] *n.* **1** Ⓤ 버림(받음), 포기; 폐기 **2** (도서관의) 폐기 도서; 버려진[버림받은] 사람[물건] **3** Ⓤ 〖카드〗 가진 패를 버림; Ⓒ 버린 패 ***go into the* ~** 버림받다, 폐기되다, 잊혀지다 ***throw into the* ~** 《미》 폐기하다 **~·a·ble** *a.* **~·er** *n.* **~·ment** *n.*

dis·car·nate [diskάːrnət, -neit] *a.* 육체[실체]가 없는, 무형의(incorporeal)

dísc bràke = DISK BRAKE

dísc càmera 디스크 카메라

dísc drìve = DISK DRIVE

dis·cept [disépt] *vi.* 논의[토론]하다, 논쟁하다

‡dis·cern [disə́ːrn, -zə́ːrn] 《L 「나누어 분리시키다」의 뜻에서》 *vt.* **1 식별하다,** 분별하다: 《~+목+전+명》 ~ good *from*[and] bad 선악을 분별하다 **2** (눈으로) 보고 분간하다, 알아보다 **3** 뚜렷하게 인식하다, 깨닫다; 발견하다 — *vi.* 차이를 알다, 분간하다, 식별하다 《distinguish 쪽이 일반적》: 《~+전+명》 ~ *between* honesty and dishonesty 성실과 불성실을 식별하다 **~·er** *n.* **~·ment** *n.* Ⓤ 식별, 인식; 통찰력, 안식(眼識) ▷ discérnment *n.*

dis·cern·i·ble, -a·ble [disə́ːrnəbl, -zə́ːrn-] *a.* 보고 알 수 있는; 인식[식별]할 수 있는 **-bly** *ad.*

dis·cern·ing [disə́ːrniŋ, -zə́ːrn-] *a.* **1** 통찰력[식별력]이 있는, 총명한 **2** [the ~; 복수 취급] 식별력 있는 사람들 **~·ly** *ad.*

dis·cerp·ti·ble [disə́ːrptəbl, -zə́ːrp-] *a.* 분리할 수 있는; 분해할 수 있는(divisible)

dísc fìlm 디스크 카메라용 필름

‡dis·charge [distʃάːrdʒ] *v., n.*

> 기본적으로는 「부담을 제거하다」의 뜻에서
> →(탈것이 짐을)「내리다」 타 **1** 자 **1**
> →(안에 있는 것을)「배출하다」 타 **5** 자 **3**
> →(구속을 제거하다) →「석방하다」 타 **6**
> →「해고하다」 타 **6**
> →(자기 자신을 해방시킴)「책임·의무를 다하다」 타 **6, 7**

— *vt.* **1** 〈배에서〉 **짐을 부리다,** 〈짐을〉 내리다, 양륙하다; 〈차량이〉 〈승객을〉 내리다: 《~+목+전+명》 ~ a ship *of* a cargo = ~ a cargo *from* a ship 배에서 짐을 내리다 **2** 〈물 등을〉 방출하다; 쏟다 **3** 〈총포를〉 발사하다: ~ a gun *at* an enemy 적에게 발포하다 **4** 〖전기〗 방전하다 **5 배출하다,** 배설하다(eject); 〈고름을〉 내다: The wound ~*d* pus. 상처에서 고름이 나왔다. **6** 〈속박·의무·근무 등에서〉 **해방하다,** 면제[방면]하다; 제대[퇴원]시키다; 〈죄수를〉 놓아주다(set free) (⇨ free 유의어); 해고하다, 면직시키다(⇨ dismiss 유의어) 《*from*》: 《~+목+전+명》 ~ a prisoner *from* a jail 죄수를 출옥시키다 / ~ a patient *from* hospital 환자를 퇴원시키다 / He was ~*d from* his post. 그는 해임되었다. **7** 〈약속·채무를〉 **이행하다**(fulfill), 〈부채를〉 갚다; 〈직무 등을〉 수행하다(perform) **8** 〖염색〗 탈색하다 **9** 〖법〗 〈명령을〉 취소하다(cancel) **~ one*self of* one's *duty*** 의무를 다하다

— *vi.* **1** 짐을 부리다, 내리다, 양륙하다; 〈부담이〉 없어지다 **2** 〈강이〉 흘러들다 《*into*》: 《~+전+명》 The river ~*s into* the Pacific Ocean. 그 강은 태평양으로 흘러 들어간다. **3** 배출하다 **4** 〈총포가〉 발사되다 **5** 〖전기〗 방전되다 **6** 〈빛깔이〉 바래다 **7** 사정(射精)하다

— [´–, –´] *n.* **1** Ⓤ **짐부리기,** 양륙: ~ afloat 해상에서 짐을 부림 **2 발사,** 발포 **3 a** Ⓤ 〖전기〗 방전; 쏟아져 나옴; 〖의학〗 객담(喀痰) **b** 방출, 유출; 배출물: a ~ from the ears[eyes, nose] 귀고름[눈곱, 콧물]

thesaurus **disastrous** *a.* catastrophic, calamitous, tragic, adverse, terrible, shocking, dreadful, harmful, injurious, unfortunate, hapless

discard *v.* throw away, dispose of, scrap, dispense with, reject, abandon, relinquish, forsake, drop (opp. *keep, retain*)

discern *v.* see, notice, observe, perceive, make

c Ⓤ 유출량[률] **4** Ⓤ **해방,** 면제 《*from*》; 방면; 책임 해제; (채무·계약 등의) 소멸 **5** ⓊⒸ 제대; 해직, 면직, 해고 《*from*》; Ⓒ 해임장; 제대 증명서 **6** Ⓤ (의무의) 수행; (채무의) 이행, 상환 **7** Ⓤ 탈색, 발색(拔色); Ⓒ 탈색제(劑), 표백제 **~·a·ble** *a.*

dis·chárged bànkrupt [distʃɑ́:rdʒd-] 면책된 도산 채무자

dis·char·gee [dìstʃɑ:rdʒí:] *n.* (속박·의무·근무 등에서) 해방된[면제된] 사람; (군대에서) 제대한 사람

díscharge làmp 방전 램프 《수은등 따위》

díscharge prìnting 발염(拔染)

dis·charg·er [distʃɑ́:rdʒər] *n.* **1** 짐 부리는 사람[기구] **2** 사수(射手), 사출 장치; 방출자[구]; 〖전기〗 방전자(放電子); 〖염색〗 탈색제; 표백제

díscharge tùbe 〖전기〗 방전관

dísc hàrrow 원판 써레 《트랙터용》

dis·ci [dísai] *n. pl.* DISCUS의 복수

disci- [dísi, díski] 《연결형》 = DISC-

dis·ci·form [dísifɔ̀:rm] *a.* 원반 모양의

∗**dis·ci·ple** [disáipl] [L 「배우다」의 뜻에서] *n.* **1** 문하생, 문인(門人), 제자 **2** 그리스도의 12사도(Apostles)의 한 사람 **3** [D~] 사도 교회의 신자 ***the*** (***twelve***) ***Disciples*** (예수의) 12사도

~·shìp *n.* Ⓤ 제자의 신분[기간]

Discíples of Chríst [the ~] 사도 교회 《Campbell 부자(父子)가 1809년 미국에 세운 개신교 교파》

dis·ci·plin·a·ble [dísəplìnəbl] *a.* 훈련할 수 있는; 징계해야 할 〈죄 등〉

dis·ci·plin·ant [dísəplinənt] *n.* 수행자, 《특히》 스페인의 고행 수도회 수사

dis·ci·pli·nar·i·an [dìsəplinέəriən] *n.* 훈련자; 규율이 엄한 사람, 엄격한 교사

— *a.* = DISCIPLINARY

dis·ci·pli·nar·y [dísəplinèri | -plínəri] *a.* **1** 훈련상의, 훈육의; 훈계의 **2** 규율상의; 징계의: a ~ committee 징계 위원(회) / ~ action[punishment] 징계 처분 **3** 학과의, 학과[학문]로서의

∗**dis·ci·pline** [dísəplin] [disciple과 같은 어원] *n.* **1** ⓊⒸ **훈련**(training), 단련, 수양 **2** Ⓤ (단련으로 얻은) 억제, 자제(심), 극기(克己) **3** Ⓤ **기율,** 기강, 질서 (order): military ~ 군기, 군율 **4** Ⓤ 징계, 징벌 (chastisement); 〖그리스도교〗 고행(penance); 역경, 고난 **5** 학과, 학문의 부문[분야]

be under ~ 규율이 바르다, 훈련이 잘 되어 있다

keep one***'s*** passions ***under*** ~ (정욕)을 억제하다

— *vt.* **1** 훈련[단련]하다; …에게 질서를 지키게 하다 **2** 벌하다, 징계하다: 《~+목+전+명》 ~ one's son *for* dishonesty 정직하지 않다고 아들을 벌주다

-plin·al *a.* **-plin·er** *n.* ▷ dísciplinary *a.*

dis·ci·plined [dísəplind, -plìnd] *a.* 훈련받은, 잘 통솔된

dísc jòckey = DISK JOCKEY

dis·claim [diskléim] *vt.* **1** …의 권리[청구권]를 포기하다 **2** 〈관계·책임 등을〉 부인하다 **3** 〈요구·권한을〉 거부[부인]하다 **—** *vi.* 〖법〗 청구권을 포기하다

dis·claim·er [diskléimər] *n.* **1** 〖법〗 기권, 부인 (denial) **2** 부인[거부, 포기]자 **3** 포기[부인] 성명(서)

dis·cla·ma·tion [dìskləméiʃən] *n.* Ⓤ 부인 (행위), 거부 (행위); (권리의) 포기

dis·cli·max [diskláimæks] *n.* Ⓤ 〖생태〗 방해극상 (妨害極相) 《사람이나 가축의 끊임없는 방해를 받아 생물 사회의 안정이 무너지는 일》

∗**dis·close** [disklóuz] *vt.* 드러내다, 노출시키다; 폭로[적발]하다; 〈비밀 등을〉 털어놓다, 발표하다: 《~+목+전+명》 He ~*d* the secret *to* his friend. 그는 친구에게 비밀을 털어놓았다. **dis·clós·er** *n.*

▷ disclósure *n.*

∗**dis·clo·sure** [disklóuʒər] *n.* Ⓤ **1 폭로,** 발각; 발표; Ⓒ 발각된 일, 털어놓은 이야기: the ~ of classified information 기밀 정보의 누설 **2** (특허 신청서에 기재한) 명세 **3** (기업·관공서의) 정보 공개; 기업 공개

dis·co[1] [dískou] *n.* (*pl.* **~s**) **1** 《구어》 디스코(discotheque) **2** Ⓤ 디스코 음악(= **~ mùsic**); 디스코 춤; 디스코의 음향 조명 장치

— *a.* **1** 디스코의, 디스코 음악의 **2** 디스코를 위한

— *vi.* 디스코 춤을 추다; 디스코(텍)에 가다

disco[2] [(power-)*dis*tribution *co*mpany] *n.* (잉글랜드·웨일스의) 전력 공급 회사

disco- [dískou, -kə] 《연결형》 = DISC-

dísco bíscuit 《영·속어》 환각제(Ecstasy)의 속칭

dis·cob·o·lus [diskɑ́bələs | -kɔ́b-] *n.* (*pl.* **-li** [-lài]) (고대의) 원반 투수; 「원반 던지는 사람」 《조각상》

dis·cog·ra·phy [diskɑ́grəfi | -kɔ́g-] *n.* (*pl.* **-phies**) **1** 수집가가 하는 레코드 분류 (기재법) **2** (작곡가·연주가별) 취입 레코드 일람표 **3** 레코드 음악 연구

-pher *n.* **dìs·co·gráph·i·cal, -ic** *a.*

dis·coid [dískɔid] *a., n.* 원반 모양의 (것)

dis·coi·dal [diskɔ́idl] *a.* = DISCOID

dísco jòckey 디스코(텍) 자키

dis·col·or | **dis·col·our** [diskʌ́lər] *vt., vi.* 변색[퇴색]시키다[하다], 빛깔을 더럽히다[이 더러워지다]; 빛깔이 바래다 **~·ment** *n.*

dis·col·or·a·tion [diskʌ̀ləréiʃən] *n.* Ⓤ 변색, 퇴색; Ⓒ (변색으로 생긴) 얼룩

dis·com·bob·u·late [dìskəmbɑ́bjulèit | -bɔ́b-] *vt.* 《미·구어》 혼란시키다, 당황하게 하다, 방해하다

-làt·ed *a.* 《미·구어》 혼란된, 술취한, 지리멸렬한

dis·com·fit [diskʌ́mfit] *vt.* **1** 〈계획·목적을〉 뒤집어 엎다, 좌절시키다; 쩔쩔매게 하다, 당황케 하다 **2** 무찌르다 **—** *n.* 《고어》 패주, 좌절

dis·com·fi·ture [diskʌ́mfətʃər] *n.* ⓊⒸ (계획 등의) 실패; 쩔쩔맴, 당황; 완패; 괴멸, 대패주(大敗走)

∗**dis·com·fort** [diskʌ́mfərt] *n.* Ⓤ **불쾌,** 불안; (약한) 고통; Ⓒ 귀찮은 일, 불편, 곤란; 《고어》 고민, 비탄: to one's ~ 불쾌하게도 / abdominal ~ 복통

— *vt.* 불쾌[불안]하게 하다 **~·a·ble** *a.*

discómfort ìndex 불쾌지수 《略 DI》

dis·com·mode [dìskəmóud] *vt.* 《문어》 불편하게[부자유스럽게] 하다; …에게 폐를 끼치다, 괴롭히다

dis·com·mon [diskɑ́mən | -kɔ́m-] *vt.* **1** 〖법〗 〈공유지를〉 울타리로 막아 사유지로 하다, 불하하다; …의 입회권을 빼앗다 **2** 《영》 (Oxford·Cambridge 대학에서) 〈상인에게〉 재학생과의 거래를 금하다

dis·com·pose [dìskəmpóuz] *vt.* 《문어》 〈마음의〉 안정을 잃게 하다, 불안하게 하다; 산란하게 하다

-pós·ed·ly *ad.* 침착성을 잃고 **-pós·ing·ly** *ad.*

dis·com·po·sure [dìskəmpóuʒər] *n.* Ⓤ 마음의 동요, 심란, 불안, 당황

∗**dis·con·cert** [dìskənsə́:rt] *vt.* **1 당황하게[쩔쩔매게] 하다,** 어쩔줄 모르게 하다 **2** 〈계획 등을〉 뒤엎다, 혼란시키다 **~·ing** *a.* 당황케 하는 **-cér·tion** *n.*

~·ment *n.* ▷ disconcértment *n.*

dis·con·cert·ed [dìskənsə́:rtid] *a.* 당혹한, 당황한 **~·ly** *ad.* **~·ness** *n.*

dis·con·firm [dìskənfə́:rm] *vt.* 확인하지 않다; 〈명령을〉 거절하다 **dis·còn·fir·má·tion** *n.*

dis·con·form·a·ble [dìskənfɔ́:rməbl] *a.* 〖지질〗 부정합의[에 관한]

dis·con·form·i·ty [dìskənfɔ́:rməti] *n.* Ⓤ **1** 〖지질〗 평행 부정합(不整合) **2** 《고어》 불복종 《*to, with*》

dis·con·nect [dìskənékt] *vt.* …와의 연락을 끊다; (…로부터) 떼어 놓다, 분리하다 《*from, with*》; …의 전원을 끊다; 〈전화 등을〉 끊다; 〈전화·가스·전력의 공급을〉 끊다: a ~*ing* gear 단절 장치

---

out, distinguish, recognize, differentiate

discharge *v.* **1 (짐을) 내리다** unload, disburden, remove, relieve **2 발사하다** fire, shoot, explode, set off **3 해방하다** set free, let go, release, liberate, acquit **4 해고하다** fire, dismiss, expel

disclose *v.* make known, reveal, release, leak, confess, expose, uncover (opp. *conceal, hide*)

—*vi.* 관계를 끊다, 물러나다 —*n.* 연락을 끊는 일; 전화선[케이블 TV]의 절단; 통화 불능

dis·con·nect·ed [dìskənéktid] *a.* 따로따로 떨어진; 연락이 끊긴; 〈가스·전력 등이〉 공급이 끊긴; 〈문장 등이〉 앞뒤가 맞지 않는 **~·ly** *ad.* **~·ness** *n.*

dis·con·nec·tion | **dis·con·nex·ion** [dìskənékʃən] *n.* Ⓤ 단절; 연락 없음, 분리; 〖전기〗 단선; 맥락이 없음

dis·con·so·late [diskɑ́nsələt | -kɔ́n-] *a.* **1** 〈사람이〉 우울한, 서글픈, (몹시) 슬픈, 절망적인 《*about, at, over*》 **2** 〈장소·사물이〉 음침한, 불쾌한 **~·ly** *ad.* **~·ness** *n.* **dis·còn·so·lá·tion** *n.*

∗**dis·con·tent** [dìskəntént] *n.* **1** Ⓤ 불만, 불평, 불쾌 **2** 불만의 원인; Ⓤ 〖법〗 불복; 불평 분자
—*a.* Ⓟ 불평[불만]이 있는(discontented) 《*with*》
—*vt.* 불만[불평]을 품게 하다, …의 기분을 상하게 하다(displease) 《*with*》(⇨ discontented)
~·ment *n.* Ⓤ = DISCONTENT 1

∗**dis·con·tent·ed** [dìskənténtid] *a.* 불만을 품은, 불만스러운, 불평스러운 《*with*》 **~·ly** *ad.* **~·ness** *n.*

dis·con·tig·u·ous [dìskəntígjuəs] *a.* 접촉해 있지 않은

dis·con·tin·u·ance [dìskəntínjuəns] *n.* Ⓤ 정지, 중지, 단절; 〖법〗 (소송의) 취하; 불법 점유

dis·con·tin·u·a·tion [dìskəntìnjuéiʃən] *n.* = DISCONTINUANCE

∗**dis·con·tin·ue** [dìskəntínju:] *vt.* 〈계속하기를〉 그만두다(stop) 《*doing*》; 정지하다; 중지[중단]하다(interrupt), (일시) 휴지(休止)하다; 〖법〗 〈소송을〉 취하하다(abandon): ~ the services 서비스를 중지하다 / The course was ~*d.* 강좌가 폐강되었다.
—*vi.* 중지[휴지]되다; 〈잡지 등이〉 폐간[휴간]되다
▷ discontínuance, discontinuátion, discontinúity *n.*; discontínuous *a.*

∗**dis·con·ti·nu·i·ty** [dìskɑntənjú:əti | -kɔ̀ntinjú:-] *n.* **1** Ⓤ 불연속(성); 단절, 두절 **2** 갈라진[끊어진] 데 《*between*》; Ⓤ 〖수학〗 불연속점

dis·con·tin·u·ous [dìskəntínjuəs] *a.* 끊어진, 단절의, 불연속성의, 단속적인; 〖수학〗 불연속의 **~·ly** *ad.* **~·ness** *n.*

dis·co·phile [dískəfàil] *n.* 레코드 애호[수집]가

∗**dis·cord** [dískɔ:rd] *n.* **1** Ⓤ 불일치, 불화; ⓊⒸ 알력, 의견 충돌(opp. *concord*): be in ~ with the facts 사실과 일치하지 않다 **2** ⓊⒸ 〖음악〗 불협화음(opp. *harmony*); 소음, 귀에 거슬리는 소리
the apple of **~** ⇨ apple
—[⌐–, –⌐] *vi.* **1** 일치하지 않다, 불화하다 《*with, from*》 **2** 〖음악〗 협화하지 않다
▷ discórdance *n.*; discórdant *a.*

dis·cor·dance, -dan·cy [diskɔ́:rdəns(i)] *n.* Ⓤ **1** 불화, 부조화, 불일치 **2** 〖음악〗 불협화(음) **3** 〖지질〗 (지층의) 부정합(不整合)

dis·cor·dant [diskɔ́:rdənt] *a.* **1** 〈생각이〉 조화[일치]하지 않는; 사이가 나쁜 **2** 〈음성이〉 귀에 거슬리는 **3** 〖지질〗 부정합의 **4** 〖음악〗 불협화음의 **~·ly** *ad.*

dis·co·theque, -thèque [dískətèk, ⌐–⌐] [F 「레코드 라이브러리」의 뜻에서] *n.* 디스코텍; 《영》 디스코용 조명과 음향 기기(를 사용한 파티)
—*vi.* 디스코텍에서 춤추다

‡**dis·count** [dískaunt, –⌐] *vt.* **1** 할인하다 《게시에서는 10% OFF 또는 SAVE 10% 등으로 표기함》: ~ men's wear at ten percent 남성복을 10% 할인해서 팔다 **2** 에누리하여 듣다[생각하다]; 신용하지 않다; 무시하다, 도외시하다, 고려에 넣지 않다 **3** …의 가치[효과]를 줄이다, 감소시키다 **4** 〖상업〗 〈어음을〉 할인하여 팔다[사들이다]; 당장의 작은 이익 때문에 팔다
—*vi.* 할인하다; 고려하다 《*for*》
—[⌐–] *n.* ⒸⓊ 할인, (액면 이하의) 감가(deduction); 〖상업〗 할인액; (어음 등의) 할인율; (빚의) 선불 이자; 《비유》 참작
accept a story ***with*** **~** (이야기)를 에누리하여 듣다 ***at a*** **~** (액면 이하로) 할인하여(below par; opp. *at a premium*); 값이 떨어져; 팔 곳이 없어; 얕뵈어
banker*('s)** [cash***] **~** 은행[현금] 할인 ***give*** [***allow***] ***a*** **~** 할인을 하다 《*on*》
—[⌐–] *a.* Ⓐ 할인의, 염가 판매의
~·a·ble *a.* 할인할 수 있는

díscount bròker 어음 할인 중개인

dís·count·ed cásh flòw [dískauntid-] 〖회계〗 현금 흐름 할인법 《略 DCF》

dis·coun·te·nance [diskáuntənəns] *vt.* …에 언짢은 표정을 짓다, 무안을 주다; …에 찬성하지 않다, …을 승인하지 않다 —*n.* Ⓤ 불찬성, 반대

dis·count·er [dískauntər] *n.* **1** 할인하는 사람 **2** discount house 경영자 **3** = DISCOUNT BROKER

díscount hòuse 《영》 (환어음의) 할인 상사, 어음 할인업자; 《미》 싸구려 가게, 염매(廉賣) 상점

díscount màrket 어음 할인 시장

díscount ràte 〖금융〗 어음 할인율; 재할인율(rediscount rate); 《미》 연방 준비 은행의 대출 금리

díscount stòre[**shòp, wàrehouse**] 할인 점포, 싸구려 가게(discount house)

díscount wìndow (중앙 은행의) 대출 창구 《시중 은행을 상대하는》

‡**dis·cour·age** [diskə́:ridʒ | -kʌ́r-] *vt.* **1** …의 용기를 잃게 하다, 낙담시키다(opp. *encourage*): The news ~*d* me. = I was ~*d* at the news. 나는 그 소식에 낙담했다. **2** 〈반대·곤란 등이〉 방해하다, 훼방놓다; 〈계획·사업 등을〉 말리다, 단념시키다(deter) 《*from*》; 불찬성의 뜻을 표명하다: Our company's working environment ~*s* creativity. 우리 회사의 근무 환경은 창의성 개발에 도움이 되지 않는다. / (~+목+전+명) ~ one's son *from* traveling alone 아들이 혼자 여행하는 것을 단념시키다
—*vi.* 낙담[실망]하다
~·a·ble *a.* **-ag·er** *n.* ▷ discóuragement *n.*

dis·cour·aged [diskʌ́ridʒd] *a.* 낙담한, 낙심한; 《미·속어》 술에 취한

∗**dis·cour·age·ment** [diskə́:ridʒmənt | -kʌ́r-] *n.* **1** Ⓤ 낙담, 낙심, 실의(失意) **2** 기를 죽이는 것[행위, 사정], 방해 《*to*》 **3** Ⓤ 단념시킴, 반대

dis·cour·ag·ing [diskə́:ridʒiŋ | -kʌ́r-] *a.* 낙담시키는, 맥빠지게 하는 **~·ly** *ad.* 실망스럽게(도)

∗**dis·course** [dískɔ:rs, –⌐] *n.* **1** 강화(講話), 강연; 설교; 연설; (진지한) 담론, 토론, 담화, 이야기 《*on, upon*》: hold ~ with …와 담론하다 **2** 논설, 논문 《*on, upon*》 **3** Ⓤ 〖언어〗 담화(conversation); 〖문법〗 화법(narration)
—[–⌐, ⌐–] *vi.* 이야기하다, 말하다; 연설[강연]하다, 설교하다; 논술하다 《*on, upon*》: ~ *on* Greek mythology 그리스 신화에 관해서 강연하다

díscourse anàlysis 〖언어〗 담화 분석

díscourse màrker 〖문법〗 담화 표지[지시어] 《말과 말 사이를 연결해 주는 단어나 구》

dis·cour·te·ous [diskə́:rtiəs] *a.* 실례의, 무례한, 버릇없는 **~·ly** *ad.* **~·ness** *n.*

dis·cour·te·sy [diskə́:rtəsi] *n.* **1** Ⓤ 무례, 실례, 버릇없음(rudeness) **2** 무례한 언행

‡**dis·cov·er** [diskʌ́vər] *vt.* **1** 발견하다; 알다, 깨닫다, (…의 존재를) 알아채다: ~ a plot 음모가 있다는 것을 알아채다 // (~+목+***to be*** 보) (~+***that*** 절) I ~*ed* him *to be* a liar. = I ~*ed that* he was a liar. 나는 그가 거짓말쟁이라는 것을 알았다. // (~+***wh.*** 절) They ~*ed where* the treasure was

thesaurus **discord** *n.* **1** 불화 disagreement, dissension, dispute, argument, conflict, strife, contention, opposition, hostility (opp. *accord, concord*) **2** 불협화음 disharmony, dissonance
discourage *v.* **1** 낙담시키다 dishearten, dispirit, deject, cast down, depress, disappoint, daunt **2** 말리다 dissuade, deter, restrain, inhibit, oppose

buried. 그들은 어디에 보물이 묻혀 있는지를 알아냈다.

> 유의어 **discover** 모르는 사물을 처음으로 발견하다라는 뜻의 일반적인 말: *discover* a planet 행성을 발견하다 **find** discover의 구어적인 말이며 적용 범위가 가장 넓음: I *found* a dollar bill on the street. 길거리에서 1달러 지폐를 발견했다. **detect** 숨어 있는 결점이나 나쁜 일을 잘 살피어 발견하다: *detect* a printer's error 오식을 발견하다

2 《고어》 나타내다, 밝히다
— *vi.* 발견하다
be ~ed 〖연극〗 (막이 오를 때) 이미 무대에 등장해 있다 ***D~ America*** 미국을 발견하자 《미국 내 관광 진흥책으로 쓰는 표어》 ***~ check*** 〖체스〗 장군을 부르다 ***~ oneself to*** a person …에게 자기 이름을 대다
— *n.* [**D~**] **1** 미국의 일반인 대상의 과학 잡지 《상표명》 **2** 미국의 신용 카드의 하나 《상표명》
~·a·ble *a.* 발견할 수 있는, 〈효과 등이〉 눈에 보이는
▷ discóvery *n.*

***dis·cov·er·er** [diskʌ́vərər] *n.* **1 발견자**; 창안자 **2** [**D~**] 미국 공군의 인공위성

dis·cov·er·ist [diskʌ́vərist] *a.* 발견 학습법을 지지하는(cf. DISCOVERY METHOD)

dis·cov·ert [diskʌ́vərt] *a.* 〖법〗 남편 없는 《미혼[이혼]녀 또는 과부》

dis·cov·er·ture [diskʌ́vərtʃər] *n.* 〖법〗 (여자가) 혼인 관계에 없는 상태[신분]

‡**dis·cov·er·y** [diskʌ́vəri] *n.* (*pl.* **-er·ies**) **1** Ⓤ **발견**; Ⓒ 발견물(cf. INVENTION); 유망한 신인 **2** Ⓤ (연극 등의 줄거리의) 전개(unfolding) **3** 〖법〗 개시(開示) 《공판(公判) 전 증거 (서류) 또는 사실을 제시하는 절차》 **4** 《고어》 발각, 폭로 **5** [**D~**] 디스커버리호 《미국 우주 왕복선 제3호기》 ▷ discóver *v.*

Discóvery Dày 《미》 = COLUMBUS DAY

discóvery mèthod 발견 학습법 《학생에게 자주적으로 지식 습득·문제 해결을 하게 하는 교육법》

dísc pàrking 디스크 주차제 《주차 허가 시간을 나타내는 원반형 카드를 부착하는 방식》

dísc plàyer = VIDEODISK PLAYER

dis·cre·ate [dìskriéit] *vt.* 근절하다

***dis·cred·it** [diskrédit] *vt.* **1** 신용을 떨어뜨리다, 평판을 나쁘게 하다: (~+목+전+명) The divorce *~ed* them *with* the public. 그들은 이혼으로 사람들의 평판이 나빠졌다. **2** 의심하다, 신용하지 않다
— *n.* Ⓤ **1 불신**, 불신임; 의혹(doubt) **2** 망신, 불명예; Ⓒ 망신거리 《*to*》: a ~ *to* our family 우리 집안의 망신(거리) ***bring ... into*** [***onto***] ~ 평판이 나빠지게 하다 ***bring ~ on*** [***onto, upon***] ***oneself*** 불신[불명예]을 초래하다 ***fall into ~*** 평판이 나빠지다 ***suffer ~*** 의혹을 받다[사다] ***throw*** [***cast***] ***~ on*** [***upon***] …에(게) 의혹을 품다[던지다] ***to*** a person***'s ~*** …의 평판을 나빠지게, 불명예가 되게

dis·cred·it·a·ble [diskréditəbl] *a.* 신용을 떨어뜨리는, 평판이 나빠지게 하는, 망신스러운, 남부끄러운 **-bly** *ad.* 남부끄럽게(도)

***dis·creet** [diskríːt] [L 「식별하다」의 뜻에서] *a.* **사려[분별, 지각] 있는**; 〈언어·행동 등이〉 신중한 《*in*》; 예의 바른; 조심스러운: She is ~ *in* her behavior. 그녀는 행동이 신중하다.
~·ly *ad.* **~·ness** *n.* ▷ discrétion *n.*

dis·crep·ance [diskrépəns] *n.* 《드물게》 = DISCREPANCY

---

discourse *n.* **1** 강연 address, lecture, oration, sermon **2** 담화 conversation, talk, dialogue, communication, discussion, conference, colloquy
discreet *a.* careful, cautious, prudent, judicious, wary, guarded, reserved, considerate, tactful
discriminate *v.* distinguish, differentiate, discern, separate, segregate, make a difference

dis·crep·an·cy [diskrépənsi] *n.* (*pl.* **-cies**) ⓊⒸ 모순, 불일치, 어긋남 《*between*》; [*pl.*] (개개의) 상위점, 불일치점: There is something of ~. 상당한 차이가 있다.

dis·crep·ant [diskrépənt] *a.* 서로 어긋나는, 모순된, 앞뒤가 안 맞는(inconsistent) **~·ly** *ad.*

dis·crete [diskríːt] *a.* **1** 분리된, 따로따로의; 불연속의 **2** 〖철학〗 추상적인 **3** 〖수학·물리〗 이산(離散)의: ~ quantity 분리[이산]량 **4** 〖컴퓨터〗 개별의 《따로따로 분리된 구성 부품의》 — *n.* 부품; (스트레오 등의) 컴포넌트 **~·ly** *ad.* **~·ness** *n.*

discréte compónent 〖컴퓨터〗 개별 부품

***dis·cre·tion** [diskréʃən] *n.* Ⓤ **1 행동[판단, 선택]의 자유, 결정권**, (자유)재량, 참작: (~+*to* do) It is within your ~ *to* settle the matter. 그 문제의 해결은 너의 재량으로 할 수 있다. **2 분별, 신중**, 사려: D~ is the better part of valor. 《속담》 신중은 용기의 핵심 부분이다, 삼십육계에 줄행랑이 제일. 《종종 비겁한 행위의 핑계》 // (~+전+*-ing*) You must show proper ~ *in* carry*ing* out the plan. 그 계획을 실천하는 데 있어서는 신중해야 한다. **3** 《고어》 인식력, 안식(眼識)(discernment) **4** 《폐어》 분리 **5** 〖법〗 재판소의 판결 결정권
at ~ 임의로; 무조건: surrender *at* ~ 무조건 항복하다 ***at the ~ of*** = ***at*** one***'s ~*** …의 자유재량으로[마음대로] ***leave*** the matter ***to the ~ of*** …에게 (그 일을) 일임하다 ***use*** one***'s ~*** 적절히 처리하다, 재량껏 처리하다 ***with ~*** 신중하게 ***years*** [***the age***] ***of ~*** 분별 연령 《영국·미국 법률상으로는 14세》
▷ discréet *a.*

dis·cre·tion·al [diskréʃənl] *a.* = DISCRETIONARY

dis·cre·tion·ar·y [diskréʃənèri | -ʃənəri] *a.* 《문어》 임의의, 자유재량의: a ~ order 〖상업〗 중매인에게 시세대로 매매를 일임하는 주문 / a ~ principle 독단주의 ***~ powers to act*** 자유로이 행동할 수 있는 재량권

discrétionary accóunt 〖금융〗 매매 일임 계정 《매매를 대리업자의 자유재량에 일임하는 계정》

discrétionary íncome 〖경제〗 재량 소득 《가처분 소득에서 기본 생활비를 뺀 잔액》

discrétionary trúst 재량 신탁 《수탁자가 재량권을 가지는》

dis·crim·i·na·ble [diskrímənəbl] *a.* 구별[식별] 가능한 **dis·crìm·i·na·bíl·i·ty** *n.* **-bly** *ad.*

dis·crim·i·nance [diskrímənəns] *n.* 식별법, 판별 수단

dis·crim·i·nant [diskrímənənt] *n.* 〖수학〗 판별식
— *a.* = DISCRIMINATING

discríminant análysis 〖통계〗 판별 해석

discríminant fúnction 〖통계〗 판별 함수

dis·crim·i·nate** [diskrímənèit] *vi.* **1 구별하다**, 식별[분간]하다 《*between*》(⇨ distinguish 유의어): (~+전+명) ~ *between* right and wrong 옳고 그른 것을 분간하다 / ~ *among* synonyms 동의어를 구별하다 **2** 차별하다, 차별 대우하다 《*against*》: It is illegal to ~ *against* women. 여성을 차별하는 것은 불법이다. **3** 판단력을 발휘하다 ***~ against [***in favor of***] …을 냉대[우대]하다
— *vt.* 구별하다, 식별[분간]하다; …의 차이를 나타내다 《*from*》: (~+목+전+명) ~ one thing *from* another 갑과 을을 구별하다
— [-nət] *a.* 《고어》 식별된, 명확한; 차별적인
~·ly *ad.* ▷ discriminátion *n.*; discríminative, discríminatory *a.*

dis·crim·i·nat·ing [diskrímənèitiŋ] *a.* **1** 구별할 수 있는; 식별력이 있는: a ~ palate 맛을 분간해 내는 미각 **2** Ⓐ 차별적인 《discriminatory가 일반적》: a ~ tariff 차별 세율 **3** 날카로운 심미안이 있는: a ~ shopper 심미안이 있는 쇼핑객 **~·ly** *ad.*

***dis·crim·i·na·tion** [diskrìmənéiʃən] *n.* Ⓤ **1** 구별; 식별(력), 판별(력), 안식(眼識); Ⓒ 《고어》 차이점

2 차별, 차별 대우 《*against*》, 특별 대우 《*in favor of*》: racial ~ 인종 차별 / without ~ 차별 없이, 평등하게 **~·al** *a.* ▷ discríminate *v.*; discríminative, discríminatory *a.*

dis·crim·i·na·tive [diskrímənèitiv, -nət- | -nət-] *a.* **1** 식별하는, 차이를 분간하는 **2** 구별을 나타내는; 특이한 **3** 차별적인 **~·ly** *ad.* **~·ness** *n.*

dis·crim·i·na·tor [diskrímənèitər] *n.* **1** 식별[차별]하는 사람 **2** 〖전자〗 판별 장치 《주파수·위상의》

dis·crim·i·na·to·ry [diskrímənətɔ̀:ri | -təri] *a.* = DISCRIMINATIVE

dis·crown [diskráun] *vt.* …의 왕관을 빼앗다; 퇴위시키다(dethrone)

dis·cur·sive [diskə́:rsiv] *a.* **1** 〈제목 등이〉 광범위한; 〈글·이야기 등이〉 산만한, 종잡을 수 없는(digressive) **2** 추론[논증]적인(opp. *intuitive*) **~·ly** *ad.* **~·ness** *n.*

dis·cur·sus [diskə́:rsəs] *n.* 조리가 정연한 토의[설명]

dis·cus [dískəs] *n.* (*pl.* **~·es, -ci** [-kai]) **1** (경기용) 원반; [the ~] 원반던지기(=~ throw) **2** 디스커스 《남아메리카산(産) 관상용 열대어》

⁑**dis·cuss** [diskʌ́s] [L 「흔들어서 산산조각나게 하다」의 뜻에서] *vt.* **1** 논의[심의]하다, 토론[토의]하다(debate); 상의하다(talk over); 검토하다, (책 등에서 상세히) 논하다: ~ the world situation 세계 정세를 논하다 // (~+목+전+명) I *~ed* the problem *with* him. 나는 그와 그 문제를 논의했다. // (~+*-ing*) We *~ed* join*ing* the club. 우리는 그 클럽에 가입하는 문제에 대해 논의했다. // (~+*wh.* *to* do) (~+*wh.* 절) ~ *what to* do = ~ *what* should be done 무엇을 해야 할지 상의하다 ★ (~+*that* 절) 사용은 불가.

> 유의어 **discuss** 어떤 문제를 여러 각도로 검토해 논하다: *discuss* the need for a new highway 새 간선 도로의 필요성을 토의하다 **debate** 공공 문제를 찬성·반대로 나누어 공개 석상에서 공식으로 토론하다: *debate* the merits of the amendment 개정안의 장점을 토의하다 **argue** 자기 주장을 내세워 상대방의 주장을 논박하기 위해 이유·증거 등을 제시하며 논하다: *argue* that the project will be too costly 그 사업은 너무 돈이 많이 든다고 주장하다 **dispute** 의견이 충돌함으로써 종종 격렬하게 논쟁하다: I *disputed* against war with him. 나는 전쟁을 반대하여 그와 격론을 주고받았다.

2 《드물게》 〈음식 등을〉 즐기며[맛있게] 먹다(enjoy): ~ a bottle of wine 포도주를 즐기며 마시다
—*vi.* 토의하다 **~·a·ble, ~·i·ble** *a.* **~·er** *n.* ▷ discússion *n.*

dis·cus·sant [diskʌ́sənt] *n.* (심포지엄·토론회 등의) 토론(참가)자

⁑**dis·cus·sion** [diskʌ́ʃən] *n.* **1** UC 토론, 토의(debate), 검토, 심의 《*about, on, of*》(⇨ argument 유의어) **2** 논문, 논고 《*on*》; 〖법〗 변론 **3** U 《드물게》 즐기며 먹음[마심] 《*of*》
be down for ~ 토의 대상에 올라 있다 ***beyond*** ~ 논할 여지도 없는 ***come up for*** ~ 의제로 되다 a question ***under*** ~ 심의 중인 (문제) ▷ discúss *v.*

discússion gròup 토의 그룹 《(특히) 인터넷 상에서 토론하는 사람들》

díscus thròw(ing) [the ~] 원반던지기

díscus thròwer 원반던지기 선수

***dis·dain** [disdéin] *vt.* **1** 경멸하다, 멸시하다, 업신여기다(look down on)(⇨ despise 유의어) **2** …할 가치가 없다고 생각하다, …하기를 떳떳지 않게 여기다: (~+*to* do) ~ *to* notice an insult 모욕을 무시해 버리다 // (~+*-ing*) The soldier *~ed* shoot*ing* an unarmed enemy. 그 병사는 무장하지 않은 적을 쏘는 것을 떳떳치 않게 여겼다.
—*n.* U 경멸(감), 모멸(하는 태도·기색); 거드름 ▷ disdáinful *a.*

dis·dain·ful [disdéinfəl] *a.* 거드름 부리는(haughty), 경멸적인(scornful): be ~ of …을 경멸[무시]하다 **~·ly** *ad.* 경멸하여 **~·ness** *n.*

⁑**dis·ease** [dizí:z] *n.* **1** UC (사람·동식물의) 병, 질병, 질환(⇨ illness 유의어): a serious ~ 중병 / a family[hereditary] ~ 유전병 / an inveterate[a confirmed] ~ 난치병 / die of (a) ~ 병으로 죽다 / catch a ~ 병에 걸리다 / suffer from a ~ 병을 앓다 / Rats spread ~. 쥐는 병을 퍼뜨린다. **2** U (정신·사회 등의) 불건전(한 상태), 퇴폐, 타락; 병폐, 폐해: Greed is a ~ of modern society. 탐욕은 현대 사회의 병폐이다. **3** U (술의) 변질 **4** (식물의) 병
—*vt.* [보통 수동형으로] 병에 걸리게 하다(⇨ diseased)

***dis·eased** [dizí:zd] *a.* **1** 병든, 병에 걸린 《ill, sick 보다 심각한 상태임을 암시하는 말》: the ~ part 환부 **2** 병적인: a ~ fancy 병적인 공상

diséase gèrm 병원균

dis·e·co·nom·ics [disèkənάmiks | -nɔ́m-] *n. pl.* [단수 취급] 마이너스 경제 정책[경제학]

dis·e·con·o·my [dìsikάnəmi | -kɔ́n-] *n.* (*pl.* **-mies**) 비경제; 비용 증대(의 요인)

dis·e·lec·tion [disilékʃən] *n.* 낙선

dis·em·bar·go [dìsembά:rgou, -im- | -im-] *vt.* 〈선박의〉 억류를 해제하다; 출항[입항] 금지를 해제하다; 통상을 재개하다

dis·em·bark [dìsembά:rk, -im- | -im-] *vi., vt.* 〈화물·승객 등이[을]〉 (배·비행기 등에서) 내리다[게 하다], 양륙하다[시키다], 상륙하다[시키다] **~·ment** *n.*

dis·em·bar·ka·tion [disèmbα:rkéiʃən] *n.* U 양륙, 상륙; 하륙, 하선: a ~ card 입국 신고서

dis·em·bar·rass [dìsembǽrəs, -im- | -im-] *vt.* **1** 곤란으로부터 해방하다(free), 〈걱정·짐 등을〉 벗겨 주다(rid) 《*of*》; …을 안심시키다 **2** [~ one*self* 로] 〈걱정·무거운 짐 등을〉 벗다; 안심하다 《*of*》 **~·ment** *n.* U 해방, 이탈 《*of*》

dis·em·bod·ied [dìsembάdid | -imbɔ́d-] *a.* A **1** 육체가 없는, 육체에서 분리된; 실체 없는, 현실에서 유리된 **2** 〈목소리 등이〉 모습이 안 보이는 사람에게서 나온

dis·em·bod·y [dìsembάdi, -im- | -imbɔ́d-] *vt.* (**-bod·ied**) **1** 〈영혼 등을〉 육체로부터 분리시키다 **2** 〈사상 등을〉 구체성에서 분리하다 **-bód·i·ment** *n.* U (영혼의) 육체 이탈

dis·em·bogue [dìsembóug, -im- | -im-] *vt.* 〈강이〉 〈물을〉 (바다·호수로) 흘려 보내다, 방출하다 《*into*》: (~+목+전+명) The river *~s* itself[its water] *into* the sea. 강은 바다로 흘러 들어간다.
—*vi.* 〈강물이〉 (바다·호수 등으로) 흘러 들어가다 《*into*》 **~·ment** *n.*

dis·em·bos·om [dìsembúzəm, -bú:z-, -im- | -imbúz-] *vt.* [~ one*self* 로] 〈비밀 등을〉 털어놓다, 밝히다 《*of*》: ~ one*self of* a secret 비밀을 털어놓다 —*vi.* 비밀[흉금]을 털어놓다

dis·em·bow·el [dìsembáuəl, -im- | -im-] *vt.* (**~ed**; **~·ing** | **~led**; **~·ling**) 〈동물의〉 내장을 꺼내다, …의 배를 가르다 《새·물고기를 요리할 때는 clean을 씀》: ~ oneself 할복하다 **~·ment** *n.*

dis·em·broil [dìsembrɔ́il, -im- | -im-] *vt.* …의 엉킨 것을 풀다, …의 혼란을 진정시키다

dis·em·plane [dìsempléin] *vi.* 비행기에서 내리다

dis·em·ployed [dìsemplɔ́id, -im- | -im-] *a.* 직업 없는, 실직한

thesaurus **discussion** *n.* talk, conversation, chat, dialogue, debate, discourse, conference
disease *n.* sickness, disorder, malady, ailment, complaint, affliction, condition, disability
disembark *v.* land, arrive, get off, step off

dis·em·pow·er [dìsempáuər, -im-|-im-] *vt.* …로부터 영향력[권력]을 빼앗다 **~·ment** *n.*
dis·en·a·ble [dìsenéibl, -in-|-in-] *vt.* 무능[무력]하게 하다(make unable); …의 자격을 박탈하다
dis·en·chant [dìsentʃǽnt, -tʃɑ́:nt, -in-|-intʃɑ́:nt] *vt.* 〈사람을〉 마법에서 풀다; [보통 수동형으로] …의 미몽[환상]을 깨우다, …에게 환멸을 느끼게 하다 《*with*》 (⇨ disenchanted)
~·er *n.* 마법을 푸는 사람 **~·ing** *a.* **~·ing·ly** *ad.* **~·ment** *n.* Ⓤ 미몽에서 깨어남, 각성
dis·en·chant·ed [dìsentʃǽntid, -tʃɑ́:nt|-intʃɑ́:nt-] *a.* 흥미가 없는, 환멸을 느끼는; 시큰둥한 《*with*》: She was becoming ~ *with* her job as a lawyer. 그녀는 변호사로서의 자신의 직업에 흥미를 잃어 가고 있었다.
dis·en·cum·ber [dìsenkʌ́mbər, -in-|-in-] *vt.* 〈…을〉 (고생·방해물로부터) 해방시키다, 풀어 주다 《*of, from*》
dis·en·dow [dìsendáu, -in-|-in-] *vt.* 〈교회의〉 기부[기본] 재산을 몰수하다 **~·er** *n.* **~·ment** *n.*
dis·en·fran·chise [dìsenfrǽntʃaiz, -in-|-in-] *vt.* = DISFRANCHISE **~·ment** *n.*
dis·en·gage [dìsengéidʒ, -in-|-in-] *vt.* **1** 〈기계 등의〉 연결[접속]을 풀다; (…에서) …을 풀다, 떼다 《*from*》 **2** (의무·속박에서) 〈사람을〉 해방하다 《*from*》: ~ oneself *from* debt 빚에서 벗어나다, 빚을 갚다 **3** 〈전투를〉 중지하다; 〈부대를〉 철수시키다; [~ one*self* 로] 교전을 중지하다, 철수하다 **—** *vi.* **1** 〈기계 등이〉 연결이 풀리다 **2** 교전을 중지하다, 철수하다 ***disengaging action*** 〖군사〗 교전 회피, 자발적 철수
dis·en·gaged [dìsengéidʒd, -in-|-in-] *a.* **1** Ⓟ 《문어》 〈사람이〉 약속이 없는, 자유로운, 한가한(free); 〈장소가〉 비어 있는(vacant) **2** 풀린; 유리된
dis·en·gage·ment [dìsengéidʒmənt, -in-|-in-] *n.* Ⓤ **1** 해방 상태, 자유, 여가; 해약, 《특히》 파혼 **2** 해방; 이탈, 유리 《*from*》 **3** 〖군사〗 철수
dis·en·roll [dìsenróul, -in-|-in-] *vt.* 〈사람을〉 (훈련 계획 등에서) 제적하다 **~·ment** *n.*
dis·en·tail [dìsentéil, -in-|-in-] *vt.* 〖법〗 〈재산의〉 한정 상속 지정을 해제하다(free from entail)
dis·en·tan·gle [dìsentǽŋgl, -in-|-in-] *vt.* 〈엉킨 것을〉 풀다 《*from*》; 〈혼란에서〉 풀어내다 《*from*》; [~ one*self* 로] (분규·분쟁 등에서) 빠져나오다, 해방되다 《*from*》 **—** *vi.* 풀리다 **~·ment** *n.*
dis·en·thral(l) [dìsenθrɔ́:l, -in-|-in-] *vt.* (**-thral·led**; **-thral·ling**) 〈노예 등을〉 해방하다(set free) **~·ment** *n.* Ⓤ 해방
dis·en·throne [dìsenθróun, -in-|-in-] *vt.* = DETHRONE **~·ment** *n.*
dis·en·ti·tle [dìsentáitl, -in-|-in-] *vt.* …에게서 권리[자격]를 박탈하다
dis·en·tomb [dìsentú:m, -in-|-in-] *vt.* 무덤에서 파내다; 발굴하다(disinter) **~·ment** *n.*
dis·en·trance [dìsentrǽns, -in-|-intrɑ́:ns] *vt.* 황홀 상태에서 깨어나게 하다 **~·ment** *n.*
dis·en·twine [dìsentwáin, -in-|-in-] *vt., vi.* …의 꼬인 것을 풀다; …의 꼬인 것이 풀리다
dis·e·quil·i·brate [dìsikwíləbrèit] *vt.* …의 균형을 깨다 **dìs·e·quìl·i·brá·tion** *n.*
dis·e·qui·lib·ri·um [disì:kwəlíbriəm, dìsi:k-] *n.* (*pl.* **~s, -ri·a** [-riə]) ⓊⒸ (경제의) 불균형, 불안정
dis·es·tab·lish [dìsistǽbliʃ] *vt.* 〈제도를〉 폐지하다; 면직하다; 〈교회의〉 국교제를 폐지하다 **~·ment** *n.*
dis·es·tab·lish·men·tar·i·an [dìsistæ̀bliʃməntέəriən] *n., a.* [종종 **D~**] 국교 제도 폐지론자(의)
dis·es·teem [dìsistí:m] *vt.* 얕보다, 경시하다 (slight) **—** *n.* Ⓤ 경멸, 냉대
di·seur [di:zə́:r] [F] *n.* (*pl.* **~s** [~]) 화술가, 낭송가
di·seuse [di:zə́:z] [F] *n.* (*pl.* **~s** [~]) 여자 화술가[낭송자]
dis·fa·vor | **dis·fa·vour** [disféivər] *n.* Ⓤ 《문어》 **1** 탐탁찮게 여김, 냉대, 싫어함(dislike); 불찬성(disapproval) **2** 눈 밖에 남, 총애를 잃음; 인기 없음 **3** 불친절(한 행위) ***be***[***live***] ***in*** **~** (***with*** **...**) (…의) 미움을 받고 있다, 인기가 없다 ***fall***[***come***] ***into*** **~** (***with*** **...**) (…의) 인기를 잃다, 눈 밖에 나다 ***to***[***in***] ***the*** **~** ***of*** …에 불리하게
— *vt.* 탐탁찮게 여기다, 냉대하다
dis·fea·ture [disfí:tʃər] *vt.* = DISFIGURE
dis·fel·low·ship [disfélouʃìp] *n.* (프로테스탄트 교회에서) 제명, 지위 박탈 **—** *vt.* 제명하다
***dis·fig·ure** [disfígjər|-gə] *vt.* …의 외관을 손상하다, 볼꼴사납게 하다; …의 가치를 손상하다
~·ment *n.* **dis·fig·ur·á·tion** *n.*
dis·flu·en·cy [disflú:ənsi] *n.* 눌변; 말더듬
dis·for·est [disfɑ́rist|-fɔ́r-] *vt.* = DEFOREST
dis·fran·chise [disfrǽntʃaiz] *vt.* 〈개인의〉 공민권[선거권]을 빼앗다; 〈법인 등의〉 특권을 박탈하다(opp. *enfranchise*) **~·ment** *n.* Ⓤ 공민권[선거권] 박탈
dis·frock [disfrɑ́k|-frɔ́k] *vt.* = UNFROCK
dis·func·tion [disfʌ́ŋkʃən] *n.* = DYSFUNCTION
dis·fur·nish [disfə́:rniʃ] *vt.* 〈사람·물건으로부터〉 (소유물·부속품 등을) 떼어내다 《*of*》 **~·ment** *n.*
dis·gorge [disgɔ́:rdʒ] *vt., vi.* 〈먹은 것을〉 토해 내다; 〈강 등이〉 흘러들다 《*at, into*》; 〈부정한 이익 등을〉 게워 내다, 마지못해 내놓다
‡dis·grace [disgréis] *n.* **1** Ⓤ 불명예, 망신(dishonor), 치욕(shame)

> 유의어 **disgrace** 남의 존경·호의를 잃는 일: Poverty is no *disgrace.* 가난은 불명예가 아니다. **dishonor** 자기 행위에 의해 명예·자존심을 잃는 일: prefer death to life with *dishonor* 치욕적으로 사느니 죽음을 택하다 **shame** 남에게 모멸을 당하고 느끼는 수치로서, 자신 아닌 남의 행위 등의 결과인 경우가 많음: bring *shame* to one's family 가문의 명예를 더럽히다

2 망신거리; [a ~] 망신시키는 것 《*to*》 **3** Ⓤ 눈 밖에 나 있음, 인기 없음(disfavor)
be a **~** ***to*** …의 망신이다; …의 명예 훼손이다 ***bring*** **~** ***on*** one's family (가문)을 더럽히다 ***fall into*** **~** …의 총애를 잃다 《*with*》 ***in*** **~** 망신하여; (특히 어린아이가 어른의) 눈 밖에 나서
— *vt.* **1** …의 수치가 되다; 욕보이다, 〈이름을〉 더럽히다(dishonor) **2** [보통 수동형으로] 총애를 잃게 하다; 〈관리 등을〉 (벌로서) 면직[파면]하다
~ one***self*** 망신을 당하다 **dis·grác·er** *n.*
▷ disgráceful *a.*
dis·graced [disgréist] *a.* 망신을 당한; 실각한
***dis·grace·ful** [disgréisfəl] *a.* 수치스러운, 불명예스러운, 면목없는 **~·ly** *ad.* 망신스럽게(도) **~·ness** *n.*
dis·grunt [disgrʌ́nt] *vt.* 내뱉 듯이 말하다
dis·grun·tle [disgrʌ́ntl] *vt.* 기분 상하게 하다, …에게 불만을 품게 하다(⇨ disgruntled) **~·ment** *n.*
dis·grun·tled [disgrʌ́ntld] *a.* 불만인; 뾰로통한, 심술난(moody) 《*at, with*》
‡dis·guise [disgáiz] *vt.* **1** 변장[위장]시키다: ~ one's voice 목소리를 꾸미다 // 《~+목+전+명》 ~ oneself *with* a wig 가발로 변장하다 // 《~+목+***as*** 보》 ~ oneself *as* a beggar 거지로 변장하다 / a door ~*d as* a bookcase 책장처럼 꾸며진 문 **2** 〈사실을〉 숨기다, 〈의도·감정을〉 속이다, 감추다(hide): 《~+목+전+명》 ~ a fact *from* a person 사실을 …에게 감추다

---

disfigure *v.* deface, deform, blemish, scar, flaw, spoil, damage, injure, maim, vandalize, ruin
disguise *v.* camouflage, dress up, cover up, conceal, mask, screen, veil, shroud, cloak, fake, falsify (opp. *reveal, display*)

— *n.* ⓊⒸ **1 변장**, 위장, 가장; 분장(makeup); 가면; 가장복 **2** 속이기, 겉꾸미기, 거짓 행동; 구실 ***in*** **~** 변장한[하여]: a blessing *in* ~ 외면상 불행해 보이는 행복 ***in*** [***under***] ***the*** **~** ***of*** …으로 변장하여, …을 구실로 ***make no*** **~** ***of*** one's feelings (감정)을 드러내다 ***throw off*** one***'s*** **~** 가면을 벗어버리다, 정체를 드러내다 ***without*** **~** 노골적으로, 숨김없이 **~·ment** *n.*

dis·guised [disgáizd] *a.* **1** 변장한; 속임수의 **2** (미·속어) 술 취한: ~*d* in[with] drink 술김에, 술의 힘을 빌려 **~·ly** *ad.*

‡**dis·gust** [disgʌ́st] [L 「맛을 좋아하지 않다」의 뜻에서] *n.* Ⓤ (매우) **싫음**, 메스꺼움, **혐오감**, 질색, 넌더리 《*at, for, toward, against, with*》: She looked with ~ at the food. 그녀는 혐오스럽다는 듯이 그 음식을 바라보았다. ***fall into*** **~** ***of*** …이 아주 싫어지다 ***in*** **~** 싫증나서, 넌더리나서 ***to*** one***'s*** **~** 넌더리[싫증]나게도, 유감스럽게도

— *vt.* **역겹게 하다**, 정떨어지게 하다, 넌더리나게 하다 ***be*** [***feel***] **~*ed*** ***at*** [***by, with***] …으로 메스꺼워지다; …에 넌더리나다

▷ disgústful, disgústing *a.*

dis·gust·ed [disgʌ́stid] *a.* 싫증난, 정떨어진, 메스꺼운; 화나는, 분개한 **~·ly** *ad.* **~·ness** *n.*

dis·gust·ful [disgʌ́stfəl] *a.* 메스꺼운, 넌더리나는; 지긋지긋한 **~·ly** *ad.* **~·ness** *n.*

‡**dis·gust·ing** [disgʌ́stiŋ] *a.* **메스꺼운**, 역겨운, 넌더리나는; 아니꼬운, 정말로 싫은, 정나미가 떨어지는: a ~ smell 메스꺼운 냄새 **~·ly** *ad.*

dis·gus·to [disgʌ́stou] *a., n.* (미·속어) 역겨운 (사람), 넌더리 나는 (사람)

‡**dish** [díʃ] [L 「원반(disk)」의 뜻에서] *n.* **1** (우묵한) **큰 접시** 《원형 또는 타원형의》, 주발, 사발; [the ~es] 식탁용 접시류, **식기류** 《나이프·포크도 포함되나 보통 은식기·유리 식기는 포함하지 않음》: wash up *the* ~*es* = (미) do *the* ~*es* 설거지하다

> 유의어 **dish** 여럿이 나눠 먹도록 음식을 많이 담아 식탁에 놓는 큰 접시 **plate** dish에서 각자가 덜어 먹기 위한 얕고 작은 접시 **saucer** 커피잔 등의 받침 접시

2 (접시에 담은) **요리**; 한 접시(의 요리) **3** 《일반적으로》 **음식** **4** 접시 모양의 물건; 파라볼라 안테나(의 반사판)(=~ antenna); (영·고어) =CUP **5** (구어) 매력적인 여자 **6** [one's ~] (구어) (자신이) 좋아하는 것, 자신있는 것 **7** 〖야구〗 홈 베이스 ***a*** **~** ***of gossip*** [***chat***] 한바탕의 잡담 ***made*** **~*es*** (고기·야채 기타 여러 가지의) 모듬 요리 ***a standing*** **~** 늘 똑같은 요리; 틀에 박힌 화제

— *vt.* **1** 〈요리를〉 접시에 담다 《*up, out*》: ~ *up* the dinner 만찬을 대접하다 **2** 접시 모양으로 우묵하게 들어가게 하다 《*up*》 **3** 〖정치〗 정책을 가로채서 〈상대 정당을〉 패배시키다; (영·구어) 〈사람·계획·희망 등을〉 꺾다, 해치우다; 속이다

— *vi.* 접시 모양으로 우묵해지다; (미·속어) 잡담[험담]하다; (미·구어) (…에 관한) 많은 정보·화제를 주다[제공]하다 《*on*》 **~ *it out*** (미·구어) 벌주다, 호통치다, 꾸짖다 **~ *out*** (1) 〈음식을〉 접시에 담아 나누어 주다; (구어) (아낌없이) 분배하다[주다] (2) (구어) 〈정보 등을〉 퍼뜨리다, 흘리다 **~ *the dirt*** (구어) 남의 (나쁜) 소문 이야기를 늘어놓다, 험구를 늘어놓다 **~ *up*** 음식을 내다, 음식을 접시에 담다; 〈이야기 등을〉 꺼내다, 그럴듯하게 늘어놓다

dis·ha·bille, des- [dìsəbíːl, -bíl | -sæbíːl, -sə-] [F 「의복을 벗다」의 뜻에서] *n.* Ⓤ 약장(略裝), 약복, 단정치 못한 복장, 평복 ***in*** **~** 〈특히 여성이〉 단정치 못한 복장으로, 살을 드러낸 옷차림으로

dis·ha·bit·u·ate [dìshəbítʃuèit] *vt.* …에게 (…한) 습관을 버리게 하다

dísh áerial = DISH ANTENNA

dis·hal·low [dishǽlou] *vt.* …의 신성을 더럽히다

dis·hal·lu·ci·na·tion [dìshəlùːsənéiʃən] *n.* Ⓤ (착각[환각]에서의) 각성; 환멸

dísh anténna 〖통신〗 접시형 안테나

dis·har·mon·ic [dìshɑːrmɑ́nik | -mɔ́n-] *a.* 부조화의, 비대칭성의

dis·har·mo·ni·ous [dìshɑːrmóuniəs] *a.* 조화되지 않는, 부조화의, 불협화의 **~·ly** *ad.*

dis·har·mo·nize [dìshɑ́ːrmənàiz] *vt.* …의 조화를 깨뜨리다[어지럽히다] — *vi.* 조화가 깨지다

dis·har·mo·ny [dìshɑ́ːrməni] *n.* ⓊⒸ 불일치, 부조화; 불협화(음), 음조가 안 맞음(discord)

dish·cloth [díʃklɔ̀ːθ | -klɔ̀θ] *n.* (*pl.* **~s** [-klɔ̀ːðz | -klɔ̀θs]) (영) (접시 닦는) 행주((미) dish towel)

díshcloth góurd 〖식물〗 수세미외

dish·clout [díʃklàut] *n.* (영·방언) =DISHCLOTH

dísh còver 접시 덮개 《음식 보온용》

dis·heart·en** [dishɑ́ːrtn] *vt.* 낙심[낙담]시키다, …에게 용기를 잃게 하다, 실망케 하다 ***feel **~*ed*** ***at*** …을 보고[듣고] 낙심하다 **~·ment** *n.* Ⓤ 낙심

dis·heart·en·ing [dishɑ́ːrtniŋ] *a.* 낙심시키는 (듯한): ~ news 낙담시키는 소식 **~·ly** *ad.*

dished [díʃt] *a.* **1** 움푹 들어간, 꺼진 **2** 〖기계〗 〈바퀴·핸들이〉 접시형인 **3** (속어) 몹시 지친

dish·er [díʃər] *n.* (미·구어) 남의 (나쁜) 소문 이야기를 늘어놓기 좋아하는 사람(dirt-disher)

di·shev·el [diʃévəl] *vt.* (**~ed**; **~·ing** | **~led**; **~·ling**) **1** 〈머리를〉 부스스하게 하다; 〈옷차림을〉 단정치 못하게 입다 **2** …의 옷차림[머리카락]을 흩뜨리다 **~·ment** *n.*

di·shev·eled | **di·shev·elled** [diʃévəld] *a.* **1** 〈머리가〉 헝클어진, 흩어진(unkempt) **2** 〈옷차림이〉 단정치 못한

dish·ful [díʃfùl] *n.* (한) 접시 가득(한 양) 《*of*》

dísh gràvy (구운 고기 등에서 나오는) 육즙

‡**dis·hon·est** [disɑ́nist | -ɔ́n-] *a.* **1** 〈사람이〉 **부정직한**, 불성실한: a ~ politician 부정직한 정치인 **2** 〈행위 등이〉 부정한, 눈속임의: a ~ transaction 부정 거래 **~·ly** *ad.* 부정직하게(도), 불성실하게(도)

▷ dishónesty *n.*

***dis·hon·es·ty** [disɑ́nəsti | -ɔ́n-] *n.* (*pl.* **-ties**) Ⓤ **부정직**, 불성실; Ⓒ 부정 (행위), 사기

▷ dishónest *a.*

‡**dis·hon·or** | **dis·hon·our** [disɑ́nər | -ɔ́n-] *n.* Ⓤ **1 불명예**, 망신, 치욕(⇨ disgrace 유의어): bring ~ on one's family 가문의 치욕이 되다 **2** [또는 a ~] 망신거리, 망신시키는 것 《*to*》: *a* ~ *to* his school 학교의 망신거리 **3** 굴욕, 모욕(insult) **4** 〖상업〗 (어음의) 부도 ***be a*** **~** ***to*** …의 불명예이다 ***live in*** **~** 수치스러운[굴욕적인] 생활을 하다

— *vt.* **1** …의 명예를 손상시키다[더럽히다]; 창피를 주다(disgrace) **2** 〈여자의〉 정조를 범하다(violate) **3** 〈약속 등을〉 어기다; 〖상업〗 〈은행이〉 〈어음·수표를〉 부도내다(opp. *accept*): a ~*ed* check[bill] 부도 수표[어음] **~·er** *n.*

dis·hon·or·a·ble [disɑ́nərəbl | -ɔ́n-] *a.* 불명예스러운, 수치스러운; 부도덕한, 비열한 **~·ness** *n.* **-bly** *ad.*

dishónorable díscharge 〖군사〗 불명예 제대(증)

dis·horn [dishɔ́ːrn] *vt.* 〈짐승의〉 뿔을 자르다

dis·house [disháuz] *vt.* 〈거주자를〉 집에서 쫓아내다; 〈어떤 지역에서〉 집을 철거하다

dish·pan [díʃpæ̀n] *n.* (미) 설거지통, 개수통

díshpan hánds 취사·세탁으로 거칠어진 손

dish·rag [díʃræ̀g] *n.* (미) =DISHCLOTH

dísh tòwel (미) (접시 닦는) 행주((영) dishcloth)

dish·ware [díʃwɛ̀ər] *n.* 접시류, 식기류

thesaurus **disgust** *n.* revulsion, repugnance, aversion, nausea, distaste, abhorrence, loathing, detestation; offense, disapproval, displeasure
dishonest *a.* fraudulent, cheating, untrustwor-

dish·wash·er [-wɔ̀:ʃər, -wɑ̀ʃ- | -wɔ̀ʃ-] *n.* **1** 접시 닦는 사람[기계], 식기 세척기 **2** 〖조류〗 할미새
dish·wash·ing [-wɔ̀:ʃiŋ, -wɑ̀ʃ- | -wɔ̀ʃ-] *n.* Ⓤ 접시 씻기 **—** *a.* 접시 씻는: ~ liquid 식기 세척제
dish·wa·ter [-wɔ̀:tər, -wɑ̀t- | -wɔ̀:t-] *n.* Ⓤ 개숫물; (식기 씻은) 구정물; 멀건[맛없는] 수프, 묽은 차[커피 《등》], 내용 없는 이야기: (as) dull as ~ 몹시 지루한 / like[(as) weak as] ~ 〈차 등이〉 묽어, 맛이 없어 **—** *a.* 거무스름한[어둑어둑한]
dish·y [díʃi] *a.* (**dish·i·er**; **-i·est**) 《영·구어》 성적 매력이 있는; 폭로성 이야기가 가득한
* **dis·il·lu·sion** [dìsilú:ʒən] *vt.* **1** …의 환영[환상, 미몽]을 깨우치다 **2** 환멸을 느끼게 하다(⇨ disillusioned)
— *n.* Ⓤ 미몽을 깨우치기; 환멸 **~·ment** *n.* 환멸(감)
▷ disillúsionize *v.*; disillúsive *a.*
dis·il·lu·sioned [dìsilú:ʒənd] *a.* 환멸을 느낀: be[get] ~ at[about, with] …에 환멸을 느끼다
dis·il·lu·sion·ize [dìsilú:ʒənàiz] *vt.* = DISILLUSION
dis·il·lu·sive [dìsilú:siv] *a.* 환멸적인
dis·im·pas·sioned [dìsimpǽʃənd] *a.* 냉정한, 침착한
dis·im·pris·on [dìsimprízn] *vt.* 〈감금에서〉 석방하다, 출감시키다 **~·ment** *n.* Ⓤ 석방, 출옥
dis·in·cen·tive [dìsinséntiv] *a., n.* 행동[의욕]을 꺾는 (것); 경제 성장을 저해하는 (것)
dis·in·cli·na·tion [disìnklənéiʃən, dìsin-] *n.* Ⓤ [또는 a[some] ~, one's ~] 싫증, 마음이 안 내킴 《*for, toward*》: (~+*to* do) He has *a* ~ *to* speak in public. 그는 여러 사람들 앞에서 말하는 것을 싫어한다.
dis·in·cline [dìsinkláin] *vt.* [수동형으로] 싫증이 나게 하다, 마음이 안 내키게 하다 《*to* do, *for, to*》(⇨ disinclined) **—** *vi.* 마음이 안 내키다
dis·in·clined [dìsinkláind] *a.* Ⓟ …하고 싶지 않은, 내키지 않는(reluctant) 《*for, to, to* do》: be ~ *to* work 일할 마음이 내키지 않다
dis·in·cor·po·rate [dìsinkɔ́:rpərèit] *vt.* 〈법인의〉 자격을 박탈하다; 〈법인 조직을〉 해체하다
dis·in·dus·tri·al·ize [dìsindʌ́striəlàiz] *vt.* …의 산업 생산을 줄이다, 산업을 없애다
dis·in·fect [dìsinfékt] *vt.* (살균) 소독하다; 〖컴퓨터〗 〈바이러스를〉 없애다 **-féc·tive** *a.* **-féc·tor** *n.*
dis·in·fect·ant [dìsinféktənt] *a.* 살균성의, 소독력이 있는 **—** *n.* 살균[소독]제
dis·in·fec·tion [dìsinfékʃən] *n.* Ⓤ 소독, 살균
dis·in·fest [dìsinfést] *vt.* 〈집 등에서〉 해충[쥐]을 구제(驅除)하다 **dìs·in·fes·tá·tion** *n.*
dis·in·flate [dìsinfléit] *vt.* …의 인플레이션을 완화[억제]하다 **—** *vi.* 인플레이션이 완화되다
dis·in·fla·tion [dìsinfléiʃən] *n.* Ⓤ 〖경제〗 디스인플레이션 《인플레이션 완화》 **~·ar·y** [-èri | -əri] *a.* 인플레이션 완화에 도움이 되는
dis·in·form [dìsinfɔ́:rm] *vt.* …에게 허위[역] 정보를 흘리다 **~·er** *n.*
dis·in·for·ma·tion [disìnfərméiʃən, dìsin-] *n.* Ⓤ 허위 정보 《특히 적의 첩보망을 속이기 위한》
dis·in·gen·u·ous [dìsindʒénjuəs] *a.* 솔직하지 않은; 음흉한; 부정직[불성실]한(dishonest)
~·ly *ad.* **~·ness** *n.*
dis·in·her·it [dìsinhérit] *vt.* 〖법〗 **1** 폐적(廢嫡)하다, …의 상속권을 박탈하다 **2** …의 기득권을 빼앗다
dis·in·her·i·tance [dìsinhéritəns] *n.* Ⓤ 〖법〗 상속권 박탈, 폐적
dis·in·hi·bit [dìsinhíbit] *vt.* 《문어》 억제에서 풀어주다; 담대하게 하다

thy, false, corrupt, deceitful, lying, cunning, trickery, guile (opp. *honest, upright*)
disinterested *a.* unbiased, impartial, detached, objective, impersonal, neutral, dispassionate

dis·in·hi·bi·tion [disìnhəbíʃən, dìsin-] *n.* 〖심리〗 탈(脫)억제 《외부 자극으로 일시적으로 억제를 잃음》
dis·in·sect·i·za·tion [dìsinsèktizéiʃən | -taiz-], **dis·in·sec·tion** [dìsinsékʃən] *n.* (항공기 등으로 하는) 해충 구제(驅除)
dis·in·te·gra·ble [disíntəgrəbl] *a.* 붕괴할 수 있는
dis·in·te·grate [disíntəgrèit] *vt.* 붕괴[분해, 풍화]시키다 **—** *vi.* **1** (…으로) 붕괴[분해]되다 《*into*》 **2** 《구어》 〈몸·정신이〉 쇠약하다 **-grà·tive** *a.*
dis·in·te·gra·tion [disìntəgréiʃən] *n.* ⓊⒸ 분해, 붕괴, 분열, 분산; 〖물리〗 (방사성 원소의) 붕괴; 〖지질〗 풍화 작용
disintegrátion cònstant 〖물리〗 붕괴 정수
dis·in·te·gra·tor [disíntəgrèitər] *n.* **1** 분해[붕괴]시키는 것 **2** (원료 등의) 분쇄기, (제지용) 파쇄기
dis·in·ter [dìsintə́:r] *vt.* (**~red**; **~·ring**) 〈시체 등을〉 (무덤 등에서) 파내다, 발굴하다 《*from*》; 들추어내다, 드러내다 **~·ment** *n.* Ⓤ 발굴; Ⓒ 발굴물
dis·in·ter·est [disíntərist] *n.* Ⓤ 이해 관계[사리사욕]가 없음; 무관심; 불이익
— *vt.* …에게 이해 관계[관심]를 없게 하다(⇨ disinterested) ~ one***self*** (***from***) (…와) 손을 끊다; (외교적으로) 간섭 등의 의지[권리]를 버리다
* **dis·in·ter·est·ed** [disíntərèstid, -trìst-] *a.* **1** 사심 없는, 공평한; 이해 관계 없는, 제3자적인 《★ 2의 뜻으로 오인될 우려가 있어서 impartial이나 unbiased를 쓰는 사람이 많음》 **2** 흥미 없는, 무관심한, 냉담한 《*in*》 《★ 비표준적 용법이며 uninterested쪽이 일반적임》
~·ly *ad.* **~·ness** *n.*
dis·in·ter·me·di·ate [dìsintərmí:dièit] *vi.* 《미》 (증권에 투자하기 위해) 은행 예금을 인출하다, 금융 기관 중개를 탈피하다
dis·in·ter·me·di·a·tion [dìsintərmì:diéiʃən] *n.* Ⓤ 탈(脫)금융 중개화, 금융 기관 이탈
dis·in·tox·i·cate [dìsintɑ́ksikèit | -tɔ́k-] *vt.* 술 깨게 하다; (마약·알코올 중독자의) 중독 증상을 고치다
dìs·in·tòx·i·cá·tion *n.*
dis·in·vest [dìsinvést] *vt., vi.* 〖경제〗 투자를 줄이다[회수하다] **~·ment** *n.*
dis·in·vite [dìsinváit] *vt.* …로의 초대를 취소하다
dis·in·volve [dìsinvɑ́lv | -vɔ́lv] *vt.* 펼치다; (분쟁 등에서) 해방하다 **~·ment** *n.* Ⓤ (군사적·정치적) 의무의 기피, 연루되기를 회피하기
dis·ject [disdʒékt] *vt.* 흩뿌리다, 살포하다; 분산시키다; 〈사지(四肢) 등을〉 찢다 **dis·jéc·tion** *n.*
dis·join [disdʒɔ́in] *vt., vi.* 분리하다[되다]
dis·joined [disdʒɔ́ind] *a.* 이탈된, 분리된
dis·joint [disdʒɔ́int] *vt.* **1** …의 관절을 삐게 하다, 탈구시키다 **2** (낱낱으로) 해체하다 **3** [보통 수동형으로] 지리멸렬하게 하다 **—** *vi.* 관절이 삐다; 해체되다 **—** *a.* 〖수학〗 〈두 집합이〉 공통 원소를 갖지 않은
dis·joint·ed [disdʒɔ́intid] *a.* 관절이 삔; 흐트러진, 낱낱으로 된; 〈사상·문체 등이〉 지리멸렬한
~·ly *ad.* **~·ness** *n.*
dis·junct [disdʒʌ́ŋkt] *a.* 분리된(disconnected); 〖음악〗 도약의; 〖곤충〗 〈머리·가슴·배 부분이〉 분리된, 분획된 **—** [ㅅ-] *n.* 〖논리〗 선언지(選言肢); 〖문법〗 이접사(離接詞)
dis·junc·tion [disdʒʌ́ŋkʃən] *n.* ⓊⒸ 분리, 분열; 〖논리〗 선언(選言)[이접(離接)] (명제)
dis·junc·tive [disdʒʌ́ŋktiv] *a.* 분리성(性)의; 〖문법〗 이접적인; 〖논리〗 선언적인 **—** *n.* 〖문법〗 이접적 접속사 《*but, yet* 등》(= **~ conjúnction**); 〖논리〗 선언 명제 **~·ly** *ad.* 분리적으로
dis·junc·ture [disdʒʌ́ŋktʃər] *n.* Ⓤ 분리하기; 분리 상태
* **disk, disc** [dísk] *n.* **1** (납작한) 원반 (모양의 물건); (경기용) 원반; (아이스하키의) 퍽(puck) **2** 〖식물〗 화반(花盤) **3** [보통 **disc**] (축음기의) 레코드, 디스크 **4** 평원형(平圓形)의 표면: the sun's ~ 태양 표면 **5** 〖해부〗 추간판[연골] **6** (터빈의) 날개바퀴; (자동

차의) 주차 시간 표시판 **7** 〖컴퓨터〗 자기 디스크(= magnetic ~) ***flying ~*** = FLYING SAUCER
— *vt.* **1** 평원형으로 만들다 **2** [보통 **disc**] 《구어》 레코드에 취입하다[녹음하다] **3** disk harrow로 갈다 **~·lìke** *a.* ▷ díscal *a.*

dísk bàrrow (청동기 시대의) 원형 모양의 토분
dísk bràke (자동차의) 디스크 브레이크
dísk càche 〖컴퓨터〗 디스크 캐시 《주기억 장치와 자기 디스크 사이의 고속 기억 장치》
dísk cràsh 〖컴퓨터〗 디스크 크래시 《자기 디스크 장치 등의 고장》
dísk drìve 〖컴퓨터〗 디스크 드라이브 《자기 디스크의 작동·판독 장치》
disk·ette [diskét] *n.* 〖컴퓨터〗 = FLOPPY DISK
dísk flòwer[flòret] 〖식물〗 중심화(中心花)
dísk hàrrow 원판 써레 《트랙터용 농기구》
dísk jòckey 디스크자키 《略 DJ》
dísk òperating sỳstem 〖컴퓨터〗 = DOS
dísk pàck 〖컴퓨터〗 디스크 팩 《뗐다 붙였다 할 수 있는 한 벌의 자기(磁氣) 디스크》
dísk whèel (스포크가 없는) 원판 차바퀴

‡**dis·like** [disláik] *vt.* **싫어하다,** 좋아하지 않다 《★ 진행형이 없으며, not like보다 뜻이 강하고 hate보다 뜻이 약함》: I ~ this kind of food. 이런 음식은 싫다. // 《~+*-ing*》 I ~ (his) do*ing* it. (그가) 그것을 하는 것이 싫다. 《(~+*to* do)는 드물게 쓰임》 // 《~+목+*to* do》 I ~ him *to* drink so much. 그가 술을 그렇게 많이 마시는 것이 싫다.
— *n.* UC 싫어함, 혐오 《*for, of, to*》 ***have a ~ to*** [***of, for***] …을 싫어하다 **one's *likes and ~s*** [díslaiks] 호불호(好不好) ***take a strong ~ to*** …을 매우 싫어하게 되다 **dis·lík(e)·a·ble** *a.* 싫은

dis·lik·ing [disláikiŋ] *n.* = DISLIKE
dis·lo·cate [dísloukèit, ㅡㅡ | dísləkèit] *vt.* 탈구시키다; 〖지질〗 단층이 지게 하다; 차례[위치]가 뒤바뀌게 하다; 〈계획·사업 등을〉 뒤틀리게 하다, 혼란시키다
dís·lo·cat·ed wòrker [dísloukèitid- | -lə-] (회사에서 정리된) 실직자
∗**dis·lo·ca·tion** [dìsloukéiʃən | -lə-] *n.* UC **탈구;** 혼란 (기간); 전위(轉位); 〖지질〗 단층; 변위(變位) ▷ díslocate *v.*
dis·lodge [dislɑ́dʒ | -lɔ́dʒ] *vt.* 이동시키다; 제거하다(remove); 〈적·상대 팀 등을〉 (진지·수비 위치 등에서) 몰아내다, 격퇴하다(drive); 〈사람을〉 (지위에서) 쫓아내다 《*from*》: 《~+목+전+명》 They ~*d* the enemy *from* the hill. 그들은 적을 언덕에서 격퇴시켰다. — *vi.* 숙사[숙영지]를 떠나다
dis·lódg(e)·ment *n.*
∗**dis·loy·al** [dislɔ́iəl] *a.* **불충한,** 불성실한, 신의 없는 《*to*》 《정치적인 뜻으로는 disaffected를 씀》: be ~ *to* one's country 나라에 불충하다 **~·ist** *n.* **~·ly** *ad.* ▷ dislóyalty *n.*
dis·loy·al·ty [dislɔ́iəlti] *n.* (*pl.* **-ties**) UC **1** 불충, 불성실; 신의 없음 **2** 불충한[불성실한, 배신] 행위
∗**dis·mal** [dízməl] [L 「불길한 나날」의 뜻에서] *a.* **1** 음침한, 음산한; 〈기분 등이〉 우울한, 침울한 《gloomy보다 딱딱한 말》 **2** 〈경치 등이〉 쓸쓸한, 황량한; 〈장소 등이〉 무시무시한, 기분 나쁜 **3** 비참한, 참담한
— *n.* [the ~s] 우울; 음산한 것; 《미남부》 (해안의) 습지대, 소택지 ***be in the ~s*** 울적하다, 「저기압」이다 **~·ly** *ad.* **~·ness** *n.*
dísmal Jímmy 《미·속어》 성격이 어두운 사람
dísmal scíence [the ~] 《익살》 경제학
Dísmal Swámp [the ~] 디즈멀 대습지 《Virginia와 North Carolina에 걸친 습지대》
dísmal tráde [the ~] 장의업(葬儀業)
dis·man·tle [dismǽntl] *vt.* **1** 〈건물·배에서〉 장비를 떼어내다; 비품을 치우다; 〈지붕 등을〉 벗기다 《*of*》; 〈요새의〉 방비를 철거하다; 〈배의〉 의장품(艤裝品)을 제거하다; 옷을 벗기다 **2** 〈기계 등을〉 분해하다, 해체하다; 파괴하다, 소멸시키다 — *vi.* 〈기계 등이〉 분해되다: This bed ~*s* easily. 이 침대는 쉽게 분해된다. **~·ment** *n.* **-tler** *n.*
dis·mask [dismǽsk | -mɑ́(:)-] *vt.* = UNMASK
dis·mast [dismǽst | -mɑ́:st] *vt.* [종종 수동형으로] 〈폭풍이〉 〈배의〉 돛대를 앗아가다[부러뜨리다]
∗**dis·may** [disméi] [OF 「기력을 없애다」의 뜻에서] *n.* U **1 당황,** 어찌할 바를 모름; **놀람,** 두려움, 절망[불안]감, 마음의 요동 **2** 실망, 낙담; 자신감 상실 ***in*** [***with***] ***~*** 망연자실하여, 두려워하여 ***to*** **one's *~*** 낙담스럽게도, 놀랍게도
— *vt.* 당황케 하다; 놀라게 하다, 낙담[실망]케 하다 **~·ing·ly** *ad.*
dis·mem·ber [dismémbər] *vt.* **1** …의 팔다리를 절단하다 **2** 〈국토를〉 분할하다 **3** 〈회사·기관 등의〉 업무[부문]를 축소하다, 재편성하다 **~·ment** *n.*
‡**dis·miss** [dismís] *v.*

> L 「쫓아버리다」의 뜻에서
> (모인 사람들을 쫓아버리다) → 「해산시키다」 **1**
> (직장에서 쫓아내다) → 「해고하다」 **2**
> (생각 등을 떨쳐 버리다) → 「버리다」 **3**

— *vt.* **1** 〈집회 등을〉 **해산시키다,** 산회시키다; 〈사람을〉 퇴거시키다, 퇴거를 허락하다[명하다] **2 해고하다,** 면직하다, 면직하다, 내쫓다(expel) 《*from*》: 《~+목+전+명》 ~ oneself *from* office 공직에서 물러나다 / ~ a boy *from* school 학생을 퇴학시키다 / The officer was ~*ed* (*from*) the army[the service]. 그 장교는 군대에서 제적되었다. 《수동의 경우에는 종종 from이 생략됨》

> 유의어 **dismiss** 해고하다의 뜻의 격식 차린 말: *dismiss* a person for neglect of duty …을 직무태만으로 해고하다 **drop** dismiss의 구어 **discharge** 불만이 있어서 해고하다: *discharge* a lazy employee 게으른 종업원을 해고하다 **fire** 《구어》 고용주가 인정사정없이 해고하다: *fire* one's cook for theft 훔쳤다는 이유로 요리사를 해고하다 **sack** 《영·구어》 내쫓듯이 해고하다

3 〈생각 등을〉 버리다; (깨끗이) 잊어버리다 《*from*》: 《~+목+전+명》 ~ an anxiety *from* one's thought 걱정을 아주 잊다 **4** 〈토의 중인 문제 등을〉 간단히 처리해 버리다, 걷어치우다; 〖법〗 〈소송 사건을〉 각하[기각]하다 **5** 〖크리켓〗 〈타자·팀을〉 아웃시키다
— *vi.* 해산하다, 분산하다(disperse): *D*~! 《구령》 〖군사〗 해산! **~·i·ble** *a.* ▷ dismíssal, dismíssion *n.*
∗**dis·miss·al** [dismísəl] *n.* U **1** 해산; 퇴거; 해방; 퇴학, 퇴회(退會) **2** 면직, 해고 《*from*》; 〖법〗 (소송의) 각하, (상소의) 기각 **3** (생각 등의) 방기 ***~ from school*** 퇴학 처분 ▷ dismíss *v.*
dis·mis·sion [dismíʃən] *n.* 《고어》 = DISMISSAL
dis·mis·sive [dismísiv] *a.* 각하하는, 거부하는 (듯한), 부정적인 《*of*》; 물리치는; 경멸적인 **~·ly** *ad.*
dis·mis·so·ry [dismísəri] *a.* 해고 통지의
∗**dis·mount** [dismáunt] *vi.* 〈말·자전거·오토바이 등에서〉 내리다 《*from*》 《열차·버스·택시에서 「내리다」는 alight》: ~ *from* a horse 말에서 내리다
— *vt.* **1** 〈말 등에서〉 내리게 하다; 낙마시키다 **2** 〈선반 등에서〉 아래로 내려놓다; 〈대포를〉 포차[포좌(砲座)]에서 내리다 **3** 〈그림 등을〉 틀에서 빼내다; 〈보석 등을〉

thesaurus **dislike** *n.* aversion, disapproval, disapprobation, distaste, animosity, hostility, antipathy, hate, detestation
dismal *a.* **1** 우울한 gloomy, sad, unhappy, miserable, wretched, despondent, sorrowful **2** 황량한 dreary, bleak, dull, desolate, grim, cheerless
dismay *v.* **1** 당황케 하다 disconcert, startle, surprise, shock, disturb, perturb, upset, unsettle,

떼어내다 **4** 〈기계 등을〉 분해하다
— *n.* [UC] 하마(下馬), 하차 **~·a·ble** *a.* **~·ed** *a.*
Dis·ney [dízni] *n.* 디즈니 **Walt(er) Elias ~** (1901-66) 《미국의 만화 영화 제작자》
Dis·ney·esque [dìzniésk] *a.* 〈사람·사물·태도 등이〉 디즈니(Disney) 만화[디즈니랜드] 같은
Dis·ney·land [díznilæ̀nd] *n.* 디즈니랜드 《Walt Disney가 Los Angeles에 만든 유원지》; 대규모 유원지; 동화의 나라
Dísneyland dáddy 《미·속어》 자녀와 좀처럼 못 만나는 이혼한[별거한] 아버지
Dísney Wórld 디즈니 월드 《미국 Florida주 Orlando에 있는 유원지》
*__dis·o·be·di·ence__ [dìsəbí:diəns] *n.* [U] **1** 불순종, 불복종, 반항; 불효 《*to*》(opp. *obedience*) **2** 〈명령·규칙 등의〉 위반, 반칙 《*to*》: ~ *to* orders 명령 위반
▷ disobéy *v.*; disobédient *a.*
dis·o·be·di·ent [dìsəbí:diənt] *a.* **1** 순종[복종]하지 않는; 불효한 **2** [P] 위반하는 《*to*》 **~·ly** *ad.*
▷ disobéy *v.*; disobédience *n.*
*__dis·o·bey__ [dìsəbéi] *vt.*, *vi.* 〈분부·명령 등을〉 따르지 않다, 불복종하다; 반칙하다, 어기다: punishments for *~ing* rules 규율을 어긴 데 대한 벌칙 **~·er** *n.*
▷ disobédient *a.*; disobédience *n.*
dis·o·blige [dìsəbláidʒ] *vt.* 《문어》 불친절하게 대하다, …의 뜻을 거스르다; 노하게 하다; …에게 폐를 끼치다; 〈사람에게〉 당혹스럽게 하다
dis·o·blig·ing [dìsəbláidʒiŋ] *a.* 불친절한, 인정 없는; 화나게 하는; 폐를 끼치는 **~·ly** *ad.*
di·so·mic [daisóumik] *a.* 〖생물〗 2염색체의
dis·op·er·a·tion [disɑ̀pəréiʃən | disɔ̀p-] *n.* [CU] 〖생태〗 (생물 상호간의) 상해(相害) 작용
*__dis·or·der__ [disɔ́:rdər] *n.* [UC] **1** 무질서, 혼란 (상태); 난잡(⇨ confusion [유의어]) **2** (사회적·정치적) 불온, 소동, 소란 **3** (심신 기능의) 부조(不調), 장애; (가벼운) 병(disease): a mental[psychiatric] ~정신 질환 ***be in ~*** 혼란 상태에 있다: My room *was in* utter ~. 내 방은 마구 어질러져 있었다. ***fall*** [***throw***] ***into ~*** 혼란에 빠지다[빠뜨리다]
— *vt.* 〈질서 등을〉 어지럽히다, 혼란시키다; 〈심신을〉 탈나게 하다, 병들게 하다
— *vi.* 혼란에 빠지다; 장애[이상]를 일으키다
▷ disórderly *a.*
dis·or·dered [disɔ́:rdərd] *a.* 혼란된, 난잡한; 탈난, 병든: a ~ mind 정신 착란 / ~ digestion 소화불량 **~·ly** *ad.* **~·ness** *n.*
dis·or·der·li·ness [disɔ́:rdərlinis] *n.* [U] **1** 무질서, 혼란 **2** 난폭; 공안 방해
dis·or·der·ly [disɔ́:rdərli] *a.* **1** 무질서한, 혼란한 **2** 난폭한, 무법의; 난잡한 **3** 〖법〗 공안 방해의, 풍기 문란의 — *ad.* 무질서하게; 난폭하게; 풍기 문란하게
— *n.* 난폭자, 무법자; 풍기 문란자
disórderly cónduct 〖법〗 치안[풍기] 문란 행위 《경범죄》; 불법 방해
disórderly hóuse 풍기 문란 업소 《매음굴, 도박장》
disórderly pérson 〖법〗 치안[풍기] 문란자
dis·or·ga·ni·za·tion [disɔ̀:rgənizéiʃən | -naiz-] *n.* [U] 해체, 분열; 혼란; 무조직, 무체계
dis·or·ga·nize [disɔ́:rgənàiz] *vt.* …의 조직[질서]을 파괴[문란케]하다, …을 혼란시키다 **-nìz·er** *n.*
dis·or·ga·nized [disɔ́:rgənàizd] *a.* 조직[질서]이 문란한; 엉터리의, 지리멸렬한; 부주의한

alarm, frighten **2** 낙담케 하다 discourage, dishearten, dispirit, depress, daunt
disobey *v.* defy, disregard, resist, violate
disorder *n.* **1** 무질서 mess, chaos, muddle, confusion, disarray **2** (사회·정치적) 소동 disturbance, disruption, tumult, riot, rumpus **3** 병 disease, ailment, complaint, sickness, illness
dispatch *v.* send, post, mail, transmit, convey

dis·o·ri·ent [disɔ́:rièntl] *vt.* …의 방향 감각을 혼란시키다; (낯선 상황에 처하게 하여) 갈피를 못 잡게 하다, 어리둥절하게 하다; (교회의) 성단이 동쪽을 향하지 않게 짓다; 〖정신의학〗 …에게 시간·장소·관계에 대한 인식 기능을 잃게 하다
dis·o·ri·en·tate [disɔ́:riəntèit] *vt.* = DISORIENT
dis·o·ri·en·ta·tion [disɔ̀:riəntéiʃən] *n.* [U] 방향 감각 상실; 혼미
dis·o·ri·ent·ed [disɔ́:rièntid] *a.* 《미》 혼란에 빠진; 방향 감각을 잃은
dis·own [disóun] *vt.* 〈저작물 등을〉 자기 것이 아니라고 말하다; …와의 관계를 부인하다; 〈자식과〉 의절(義絕)하다 《진행형 없음》: ~ one's son 아들과 인연을 끊다 **~·er** *n.* **~·ment** *n.*
disp. dispensary
dis·par·age [dispǽridʒ] *vt.* **1** 얕보다, 깔보다 **2** 헐뜯다, 험담하다, 비난하다 **~·ment** *n.* [U] 경멸, 얕봄; 비난; 불명예, 오명 **-ag·er** *n.*
dis·par·ag·ing [dispǽridʒiŋ] *a.* 얕보는; 험담하는, 비난하는 **~·ly** *ad.*
dis·pa·rate [díspərət, dispǽr- | díspər-] *a.* (본질적으로) 다른, 공통점이 없는; 〖논리〗 부동등(不同等)의, (전혀) 이종(異種)의 — *n.* [보통 *pl.*] 전혀 비교할 수 없는 것 《언어 개념 등》 **~·ly** *ad.* **~·ness** *n.*
dis·par·i·ty [dispǽrəti] *n.* [UC] 상이, 부동, 부등(不等)(inequality), 불균형, 불일치 《*between, in, of*》
dis·park [dispɑ́:rk] *vt.* 〈개인의 정원·수렵지를〉 개방하다
dis·part [dispɑ́:rt] *vt.*, *vi.* 분열하다, 분리하다, 분할하다[되다] **~·ment** *n.*
dis·pas·sion [dispǽʃən] *n.* [U] 냉정; 공평
dis·pas·sion·ate [dispǽʃənət] *a.* 감정적이 아닌, 냉정한(calm); 공평한(impartial) **~·ly** *ad.* **~·ness** *n.*
‡__dis·patch__ [dispǽtʃ] *vt.* **1** 〈군대·특사 등을〉 급파[특파]하다; 〈급보를〉 발송하다 《*to*》 **2** 〈일 등을〉 재빨리 해치우다; 신속히 처리하다; 〈식사를〉 빨리 먹어치우다 **3** 죽이다(kill); 〈사형수 등을〉 처형하다
— *n.* **1** [U] 급파, 특파, 파견; 급송, 발송, 발신; [C] 속달편 **2** 급송 공문서; 〖신문〗 급보, 특전 **3** [U] (처리 등의) 신속; 날랜 처리; [UC] 죽음에 의한 해결, 살해(killing): a happy ~ 《익살》 할복 자살 **4** (속달 화물) 운송 대리점 ***be mentioned in ~es*** 《영》 〈군인의 이름이〉 수훈(殊勳) 보고서에 오르다 ***with ~*** 신속히, 재빠르게
dispátch bòat 공문서 송달용 쾌속선
dispátch bòx[**càse**] (공문서의) 송달함
dis·patch·er [dispǽtʃər] *n.* (열차·버스·트럭 등의) 배차[발차, 조차]원, 발송 담당자, 급파하는 사람; 《미·속어》 조작해 놓은 한 쌍의 주사위; 운전 지시 장치
dispátch nòte (국제 우편) 소화물 송장[딱지]
dispátch rìder 〖군사〗 (말·오토바이를 타는) 전령, 급사(急使)
dispátch tùbe 기송관(氣送管) 《압축 공기로 급한 서신을 보내는》
dis·pau·per [dispɔ́:pər] *vt.* 〖법〗 생활 보호 대상자에서 제외하다
dis·peace [dispí:s] *n.* [U] 평화의 결여; 불화
*__dis·pel__ [dispél] *vt.* (**~led**; **~·ling**) 쫓아버리다, 〈근심·의심 등을〉 없애다; 〈안개 등을〉 헤쳐 없애다(disperse): Work *~s* boredom. 일을 하면 지루한 줄 모른다. **~·la·ble** *a.* **~·ler** *n.*
dis·pen·sa·ble [dispénsəbl] *a.* **1** 없어도 되는 (opp. *indispensable*) **2** 베풀어[나누어] 줄 수 있는 **3** 〖가톨릭〗 특별 면제할 수 있는, 관면할 수 있는 〈죄〉
dis·pèn·sa·bíl·i·ty *n.* **~·ness** *n.*
dis·pen·sa·ry [dispénsəri] *n.* (*pl.* **-ries**) **1** (병원 등의) 약국, 조제실; (학교·공장 등의) 의무실, 양호실; (무료·낮은 요금의) 진찰소, 공공 의료 시설 **2** 《미》 주류 지정 판매소
dis·pen·sa·tion [dìspənséiʃən, -pen-] *n.* [UC] **1** 분배, 시여(施與); 분배품, 시여물 **2** (의약의) 조제,

처방 **3** 처리; (법 등의) 시행, 실시 《*of*》 **4** 하늘이 내리는 것; 하늘의 뜻, (신의) 섭리 **5** 통치, 제도, 체제 **6** 〖신학〗 율법 (시대); 〖법〗 (법의) 적용 면제; 〖가톨릭〗 특면; 특면장 **7** 없는 대로 견딤, 없이 지냄 《*with*》
the Mosaic ~ 모세의 율법 (시대) **~·al** *a.*

dis·pen·sa·tor [díspənsèitər, -pen-] *n.* 《고어》 **1** =DISPENSER 1, 2 **2** 지배자(manager)

dis·pen·sa·to·ry [dispénsətɔ̀:ri | -təri] *n.* (*pl.* **-ries**) **1** 의약품 해설서(書), 약전 주해서 **2** 《고어》 = DISPENSARY 1

***dis·pense** [dispéns] 〖L 「계량하여 분배하다」의 뜻에서〗 *vt.* **1** 분배하다, 나누어 주다, 베풀다(distribute); 〈법을〉 시행하다(administer), 집행하다: ~ justice 법을 시행하다 // 《~+목+전+명》 ~ food and clothing *to* the poor 빈민에게 식량과 옷을 나누어 주다 **2** 〈기계·용기 등이〉 〈물건을〉 내주게 되어 있다, 〈자판기가〉 〈상품을〉 판매하고 있다: This vending machine ~*s* hot coffee. 이 자판기는 뜨거운 커피가 나온다. **3** 〈약을〉 조제하다; 투여하다 **4** 〖가톨릭〗 특면하다; …의 (의무를) 면제하다(exempt) 《*from*》: 《~+목+전+명》 ~ a person *from* his[her] obligations …의 의무를 면제하다
— *vi.* **1** 면제하다; 〖가톨릭〗 특면하다 **2** 조제하다
~ ***with*** (1) …없이 지내다 《do without보다 딱딱한 말》: You cannot be ~*d with.* 당신 없이는 지낼 수 없다. (2) …을 생략하다: ~ *with* formalities 딱딱한 형식을 생략하다 (3) …을 불필요하게 만들다, 하지 않아도 되게 하다: Machinery ~*s with* much labor. 기계로 일손이 크게 덜어진다.
— *n.* 지출, 경비 ▷ dispensátion *n.*

dis·pens·er [dispénsər] *n.* **1** 약사(藥師), 조제자 **2** 베푸는 사람, 분배자 **3** 자동판매기; 디스펜서 《휴지·종이컵 등을 빼내어 쓰게 된 장치》

dis·péns·ing chémist [dispénsiŋ-] 《영》 약사(藥師), 조제사

dis·peo·ple [dispí:pl] *vt.* …의 주민을 없애다, 인구를 감소시키다(depopulate) **~·ment** *n.*

di·sper·my [dáispə̀:rmi] *n.* 이정(二精) 《1개의 알에 2개의 정자를 수정하는 일》 **di·spér·mic** *a.*

dis·per·sal [dispə́:rsəl] *n.* =DISPERSION

***dis·perse** [dispə́:rs] *vt.* **1** 흩뜨리다, 흩어지게 하다 (scatter); 〈적을〉 패주시키다(rout); 〈군중을〉 해산시키다; 〈바람이〉 〈구름·안개 등을〉 흩어 없어지게 하다, 소산시키다 **2** 〈환영 등을〉 쫓아버리다; 〈군대·경찰 등을〉 분산 배치하다 **3** 〈종자·병·지식 등을〉 퍼뜨리다, 전파시키다(diffuse); 〈전단을〉 살포하다 **4** 〖광학〗 〈빛을〉 분산시키다; 〈미립자를〉 분산시키다
— *vi.* 〈군중 등이〉 흩어지다, 분산[이산]하다; 산재하다; 〈구름·안개 등이〉 흩어 없어지다, 소산하다
— *a.* 〖광학〗 분산된 **dis·pérs·er** *n.*
▷ dispérsal, dispérsion *n.*; dispérsive *a.*

dis·persed [dispə́:rst] *a.* 흩어진, 분산된

dis·pers·ed·ly [dispə́:rsidli] *ad.* 뿔뿔이 흩어져서, 사방으로

dispérse dýe 〖화학〗 분산 염료

dispérse sýstem 〖물리·화학〗 분산계(分散系)

dis·pérs·ing ágent [dispə́:rsiŋ-] 〖화학〗 분산제

dis·per·sion [dispə́:rʒən, -ʃən | -ʃən] *n.* Ⓤ **1 a** 흩뜨림, 살포; 분산; 흩어짐, 이산(離散); 살포도 **b** [the D~] =DIASPORA 1 **2** 〖광학〗 분산, 분광; 〖의학〗 (염증 등의) 소산(消散); 〖통계〗 분산; 〖군사〗 탄착(彈着)의 흩어짐; 〖생물〗 동물[식물]의 분포도

dispérsion mèdium 〖화학〗 분산매(媒)

dis·per·sive [dispə́:rsiv] *a.* 흩어지는; 흩뜨리는, 분산적인; 전파성의 **~·ly** *ad.* **~·ness** *n.*

dispérsive pówer 〖광학〗 분산능(能) 《물질의 빛을 분산하는 능력을 나타내는 양》

dis·per·soid [dispə́:rsɔid] *n.* 〖물리·화학〗 분산질(質) 《분산매 속의 미세 입자》

dis·pir·it [dispírit] *vt.* …의 기를 꺾다, 낙담시키다; 기력[힘]을 없애다 **~·ment** *n.*

dis·pir·it·ed [dispíritid] *a.* 기가 꺾인, 풀 죽은, 낙심한(disheartened) **~·ly** *ad.* **~·ness** *n.*

dis·pir·it·ing [dispíritiŋ] *a.* 낙심[낙담]시키는

dis·pit·e·ous [dispítiəs] *a.* 《고어》 무자비한, 잔혹한 **~·ly** *ad.* **~·ness** *n.*

***dis·place** [displéis] *vt.* **1** 바꾸어 놓다, (원래의 장소에서) 옮겨 놓다 《*from*》 **2** 대신 들어서다 **3** 〖화학〗 치환(置換)하다 **4** 〈관리를〉 면직[해임]하다; 〈사람을〉 (고국 등에서) 강제 추방하다 《*from*》 **5** 〈배가〉 …의 배수량을 가지다; 〈자동차·엔진이〉 …의 배기량을 가지다. The ship ~*s* 25,000 tons. 그 배의 배수량은 25,000톤이다. **~·a·ble** *a.* ▷ displácement *n.*

dis·placed [displéist] *a.* 추방된, 유민[난민]의
— *n.* (전쟁·재난 등에 의한) 난민; 유랑자

displáced hómemaker (이혼·별거·남편의 사망·무능력 등으로) 생활 수단을 잃은 주부

displáced pérson (전쟁·압제 때문에 고국에서 추방된) 난민, 유민(流民) 《略 DP, D.P.》

dis·place·ment [displéismənt] *n.* Ⓤ **1** 바꾸어 놓기, 전치(轉置); 〖화학〗 치환; 이동; 배제; 퇴거; 〖물리〗 변위 **2** 면직, 해임 **3** 〖약학〗 여과(濾過) **4** (선박의) 배수량[톤](cf. TONNAGE 2); (엔진의) 배기량: a ship of 20,000 tons ~ (배수 톤수) 2만톤의 배 / a car of 1,800 cc ~ 배기량 1,800 cc의 차 **5** 〖천문〗 (별 등의) 시운동(視運動)

displácement activity 〖생태〗 전위(轉位) 행동

displácement cùrrent 〖물리〗 변위 전류

displácement hùll 〖선박〗 배수형 선체

displácement tòn 〖선박〗 배수 톤

displácement tònnage 배수 톤수

dis·plac·er [displéisər] *n.* (조제용) 여과기(percolator); 배제하는 사람[물건]

***dis·play** [displéi] 〖OF 「펴다, 펼치다」의 뜻에서〗 *vt.* **1** 전시하다, 진열하다, 장식하다(⇨ show 유의어): ~ goods 상품을 전시하다 // 《~+목+전+명》 Various styles of suits are ~*ed in* the shopwindows. 여러 가지 스타일의 정장들이 진열창에 진열되어 있다. **2 a** 〈감정·성질 등을〉 나타내다, 드러내다; 〈능력 등을〉 발휘하다; 과시하다: 《~+목+전+명》 ~ one's ignorance *to* everyone 모두에게 자기의 무지를 드러내다 **b** 〖컴퓨터〗 〈데이터를〉 (화면에) 표시하다: An error message is ~*ed.* 에러 메시지가 화면에 표시되었다. **3** 〈깃발·돛 등을〉 펼치다, 〈날개 등을〉 펴다 **4** 〖인쇄〗 (특수 활자 배열로) 〈어구·제목 등을〉 돋보이게 하다
~ one***self***[***itself***] 나타나다
— *vi.* **1** 전시하다; 표시되다 **2** 〖동물〗 과시하다
— *n.* ⓊⒸ **1** 전시, 진열(show); [집합적] 전시품: a ~ of fireworks 불꽃놀이 **2** 표시; 표명 **3** 드러내 보이기, 과시; (감정 등의) 표현 **4** 〖인쇄〗 어떤 말이 특히 눈에 띄게 조판하기[한 인쇄물] **5** 〖컴퓨터〗 디스플레이, 화면 표시 장치; Ⓤ 그 정보 **6** 〖동물〗 (새 등의 위협·구애를 위한) 과시 행동 ***make a ~ of*** …을 드러내 보이다, 과시하다 ***on ~*** 진열[전시]하여 ***out of ~*** 보란 듯이 **~·er** *n.*

displáy àd 《구어》 (신문·잡지의) 디스플레이 광고 《크게 눈에 띄고 화려한》

displáy àdvertising [집합적] (신문·잡지의 화려한) 디스플레이 광고(opp. *classified advertising*)

displáy àrtist (진열창 등의) 전시 광고 제작자

displáy bìn 《미》 (상점의) 진열 상품 할인 판매 상자(《영》 dump bin)

thesaurus **dispense** *v.* distribute, hand out, allocate, assign, apportion, disburse
disperse *v.* break up, disband, separate, dissolve, scatter, melt away, vanish
display *v.* **1** 전시하다 show, exhibit, present, arrange, dispose, array, demonstrate **2** 나타내다 reveal, disclose, manifest, evince **3** 과시하다 show off, flaunt, parade, boast, vaunt
disposal *n.* **1** 폐기 throwing away, clearance,

display̓ bòard (전광) 게시판
displáy càbinet[càse] 진열 케이스
displáy desìgner 진열 광고 디자이너
dis·played [displéid] *a.* (문장(紋章)에서) 〈새가〉 날개를 펴고 다리를 벌린
displáy hòme (전시용) 모델 하우스
displáy kèy 디스플레이 키 《호텔 등의 객실용 열쇠》
displáy tỳpe 〖인쇄〗 표제·광고용 활자
displáy wìndow (정면) 진열창
‡dis·please [dìsplíːz] *vt.* **불쾌하게 하다**, …의 비위를 거스르다, 성나게 하다(offend, annoy) 《*at, with*》: His reply *~ed* the judge. 그의 대답이 판사를 불쾌하게 했다. / She is *~d at* his rude behavior. =She is *~d with* him for behaving rudely. 그녀는 그의 무례한 행동에 화가 나 있다.
— *vi.* 불쾌하다, 기분이 상하다
dis·pleased [dìsplíːzd] *a.* 화난: a ~ look 화난 얼굴 ▷ displéasure *n.*
dis·pleas·ing [displíːziŋ] *a.* 불쾌한, 화나는, 싫은 《*to*》 **~·ly** *ad.* **~·ness** *n.*
∗dis·plea·sure [displéʒər] *n.* Ⓤ **불쾌**, 불만; 골, 화; Ⓒ 《고어》 불쾌한 일, 불만의 원인; 불안; 고통
incur **[*arouse*]** ***the ~ of*** …의 비위를 거스르다 ***take*** (***a***) ***~*** 불쾌하게 여기다, 화내다 ***with ~*** 불만스럽게, 불쾌하게 여기며
dis·port [dispɔ́ːrt] *vt.* [~ one*self*로] 흥겹게 놀다, 즐기다 **—** *vi.* 흥겹게 놀다, 장난하다
dis·pos·a·ble [dispóuzəbl] *a.* **1** 처분할 수 있는, 마음대로 쓸 수 있는; 〈소득 등이〉 (세금을 지불하고) 자유로이 쓸 수 있는 **2** 〈종이 제품 등이〉 사용 후 버릴 수 있는: ~ cups[towels] 1회용 컵[수건] **—** *n.* [종종 *pl.*] 《미》 사용 후 버리는 물건, 일회용 물품
dis·pòs·a·bíl·i·ty *n.*
dispósable íncome 가(可)처분 소득
dispósable wòrker 《속어》 임시 고용원, 아르바이트 종업원
‡dis·pos·al [dispóuzəl] *n.* Ⓤ **1** (재산·문제 등의) **처분**, 처리, 정리; 양도, 매각 **2** 처분의 자유; 처분권 **3** 배치, 배열 **4** (싱크대에 부착된) 음식물 쓰레기 분쇄기(disposer) ***be at*** **[*in*]** a person***'s ~*** …의 마음대로 처분할 수 있다, 임의로 쓸 수 있다 ***~ by sale*** 매각 처분 ***put*** **[*place, leave*]** something ***at*** a person***'s ~*** …의 임의 처분에 맡기다 ▷ dispóse *v.*
dispósal bàg (비행기·호텔의) 오물[구토]용 봉지
dispósal cènter 오물 처리장
dispósal dìaper 1회용 기저귀
‡dis·pose [dispóuz] *vt.* **1** 〈군대·물건을〉 **배치하다**, 배열하다 《*for*》: (~+목+전+명) ~ soldiers *for* the battle 병사를 전장에 배치하다 / ~ books *in* order 책을 정돈하다 **2** …**할 마음이 내키게 하다** 《*to*》 (⇨ disposed 1 a): (~+목+***to*** do) His advice *~d* me *to* read it. 그의 조언으로 그것을 읽고 싶어졌다. **3** 〈사람에게〉 …의 경향을 갖게 하다, 〈사람에게〉 …의 영향을 받기 쉽게 하다 《*to*》(⇨ disposed 1 b): (~+목+전+명) His physique *~s* him *to* backache. 그는 요통을 앓기 쉬운 체격이다. **4** 〈사무·문제 등을〉 처리하다
— *vi.* **1** **처리하다**, 처치[처분]하다: Man proposes, God ~. 일은 사람이 하고 결과는 하늘에 맡긴다. **2** 일의 추세[성패]를 결정하다
~ of …을 처분하다, 처리하다, …의 결말을 짓다; 팔아 버리다; 해치우다, 죽이다: ~ *of* oneself 거취를 결정하다, 처신하다
▷ dispósal, disposítion *n.*
∗dis·posed [dispóuzd] *a.* Ⓟ **1 a** …**할 생각이 있는**, 마음이 내키는 《*for, toward*》: I'm not ~ *for* a drive. 드라이브할 마음이 내키지 않는다. **b** …의 경향[기질]이 있는 《*to* do》: I am ~ *to* agree with you. 나는 당신한테 찬성하고 싶다. **2** [well, ill 등 부사와 함께] (…에 대하여) …한 감정을 품고 《*to, toward*》: be *well*[*ill*] ~ 호의[악의]를 가지고 있다; 성품이 좋다[나쁘다] **3** 배치된
dis·pos·er [dispóuzər] *n.* **1** 처리자[기] **2** (싱크대에 부착하는) 음식 찌꺼기 처리 장치(=garbage ~)
‡dis·po·si·tion [dìspəzíʃən] *n.* ⒸⓊ **1 배열**, 배치; [*pl.*] 작전 계획: the ~ of troops 군대의 배치 **2** 처분, 매각, 정리 《disposal쪽이 일반적》 **3** 〖법〗 양도, 증여; 처분권, 처분의 자유 **4 성질**, 기질, 성벽(性癖); (…하는) 경향, 성향; (…하고 싶은) 생각, 의향: (~+***to*** do) He had a ~ *to* do gambling. 그는 노름하는 습성이 있었다. / She has a natural ~ *to* catch cold. 그녀는 감기에 잘 걸리는 체질이다. **5** 〖의학〗 소인(素因) **6** 〖컴퓨터〗 디스포지션 《파일의 배타적 사용이나 공용을 하는 기능》
at **[*in*]** a person***'s ~*** …의 마음대로[임의로] ***~ of Providence*** 하늘의 뜻, 신의 섭리 ***God has the supreme ~ of all things.*** 신은 만물의 최고 지배권을 가진다. ***make*** one***'s ~s*** 만반의 준비를 하다
~·al *a.* ▷ dispóse *v.*
dis·pos·i·tive [dispɑ́zətiv | -pɔ́z-] *a.* (사건·문제 등의) 방향을 결정하는
dis·pos·sess [dìspəzés] *vt.* 《문어》 **1** …에게서 재산[사용권]을 빼앗다 《*of*》: ~ a person *of* his[her] property …의 재산을 빼앗다 **2** (토지에서) 추방하다 **3** 〈건물의〉 소유권을 박탈하다 **-sés·sor** *n.*
dis·pos·sessed [dìspəzést] *a.* **1** 쫓겨난 **2** 토지·가옥을 빼앗긴; [the ~; 명사적; 복수 취급] 파산자들, 방랑자들 **3** 좌절한, 소외된
dis·pos·ses·sion [dìspəzéʃən] *n.* Ⓤ 몰아내기; 강탈, 탈취; 〖법〗 부동산 불법 점유
dis·pos·ses·so·ry [dìspəzésəri] *a.* (토지·가옥 등을) 빼앗는
dis·praise [dispréiz] *vt.* 헐뜯다, 나쁘게 말하다; 비난하다(blame) **—** *n.* ⓊⒸ 헐뜯기; 비난 ***speak in ~ of*** …을 헐뜯다, 비난하다
dis·práis·er *n.* **dis·práis·ing·ly** *ad.*
dis·pread [dispréd] *vt., vi.* 펼치다, 열다; 펼쳐지다, 확대되다 **~·er** *n.*
dis·prod·uct [disprɑ́dʌkt, -dəkt | -prɔ́d-] *n.* 유해 제품, 불량품
dis·proof [disprúːf] *n.* ⓊⒸ **1** 반증(反證), 논박, 반박 **2** 반증 물건 ▷ disprόve *v.*
dis·pro·por·tion [dìsprəpɔ́ːrʃən] *n.* Ⓤ 불균형; Ⓒ 불균형한 것 **—** *vt.* …의 균형을 잃게 하다, 어울리지 않게 하다(mismatch)
~·al *a.* = DISPROPORTIONATE
dis·pro·por·tion·ate [dìsprəpɔ́ːrʃənət] *a.* 불균형의, 어울리지 않는 《*to*》; 과잉한, 너무 작은
~·ly *ad.* **~·ness** *n.*
dis·prov·al [disprúːvəl] *n.* = DISPROOF
∗dis·prove [disprúːv] *vt.* (**~d**; **~d, -prov·en**) …의 반증을 들다, 그릇됨을 증명하다, 논박하다(refute)
dis·próv·a·ble *a.* ▷ dispróof *n.*
dis·put·a·ble [dispjúːtəbl, díspjut-] *a.* 논쟁[의문]의 여지가 있는; 의심스러운 **-bly** *ad.*
dis·pu·tant [dispjúːtənt] *n.* 《문어》 논쟁자, 토론자; 논객 **—** *a.* 논쟁의; 논쟁 중인
dis·pu·ta·tion [dìspjutéiʃən] *n.* ⓊⒸ 논쟁; 토론
dis·pu·ta·tious [dìspjutéiʃəs] *a.* 논쟁적인; 논쟁을 좋아하는 **~·ly** *ad.* **~·ness** *n.*
dis·put·a·tive [dispjúːtətiv] *a.* = DISPUTATIOUS
‡dis·pute [dispjúːt] *vi.* **1 논쟁하다** 《*with*》, (…에 대

---

discarding, scrapping **2** 처분, 정리 settlement, determination, deciding, finishing up, conclusion **3** 배치 distribution, allocation, assignment
disposition *n.* **1** 배열 arrangement, placement, positioning, ordering **2** 성질, 경향 character, nature, spirit, temper, inclination, tendency
disprove *v.* refute, deny, contradict
dispute *v.* debate, discuss, argue, disagree, quarrel, wrangle (opp. *agree*)

해) 논의하다 (*about, on*)(⇨ discuss 유의어): (~+전+명) ~ *with* one's boss *about*[*on*] the project 상사와 그 기획에 대해서 논쟁하다 **2** (…에 대해) 반론하다, 이의를 말하다 (*against*)
— *vt.* **1 논하다, 토의하다**(discuss); 논박하다: (~+**wh.** 절) ~ *whether* the decision is right 그 결정이 옳은지 어떤지에 대해 논의하다 **2** 〈사실 등에〉 의심을 품다, 이의를 제기하다 **3** 항쟁[저항, 저지]하다 (oppose): ~ the enemy's advance 적의 전진을 저지하다 **4** 〈우위(優位)·승리 등을〉 겨루다, 얻으려고 [잃지 않으려고] 다투다(contend for): ~*d* territory (영유권을 둘러싼) 분쟁 지역 / ~ every inch of ground 한치의 땅을 두고 다투다 // (~+목+전+명) ~ a prize *with* a person …와 상을 다투다 **5** 논쟁하여 …하게 하다: (~+목+전+명) ~ a person *into* agreement 논쟁하여 …을 동의하게 하다 // (~+목+부) ~ a person *down* …을 논파(論破)하다
— *n.* **1** (감정적인) **논쟁,** 논의(⇨ argument 유의어) **2** 분쟁, 쟁의, 항쟁; 언쟁, 싸움(quarrel) (*about, on*): a border ~ 경계[국경] 분쟁 / a labor ~ 노동쟁의 ***beyond*** [***past, without, out of***] (***all***) ~ 논쟁[의문]의 여지없이, 분명히 ***in*** [***under***] ~ 논쟁 중의[에], 미해결의[로]: a point *in* ~ 논쟁점
dis·pút·er *n.* 논쟁자
▷ disputátion *n.*; disputátious, dispútative *a.*

dis·qual·i·fi·ca·tion [diskwɑ̀ləfikéiʃən | -kwɔ̀l-] *n.* **1** Ⓤ 자격 박탈; 무자격, 불합격, 실격 **2** 실격[결격] 사유[조항] (*for*)

dis·qual·i·fied [diskwɑ́ləfàid | -kwɔ́l-] *a.* 자격을 잃은, 실격[결격]이 된

dis·qual·i·fy [diskwɑ́ləfài | -kwɔ́l-] *vt.* (**-fied**) **1** 실격시키다, 실격자[부적임자]로 판정하다 (*for, from*); 〈병 등이〉 〈사람을〉 무능하게 만들다(disable) (*for*): (~+목+전+명) ~ a person *for* the work 그 일을 하지 못하게 하다 **2** (법률상) 결격자라고 선고하다 (*for*); 〖스포츠〗 출전 자격을 박탈하다 (*for, from*): (~+목+전+명) He was *disqualified from* tak*ing* part in the competition. 그는 그 경기에 참가할 자격을 잃었다. **-fi·a·ble** *a.*

dis·qui·et [diskwáiət] *vt.* …의 마음의 평온을 잃게 하다, 〈가슴을〉 두근거리게 하다(disturb); 불안하게 하다 — *n.* Ⓤ (사회적) 불온, 동요; 불안, 걱정
~·ly *ad.* **~·ness** *n.*

dis·qui·et·ing [diskwáiətiŋ] *a.* 불안하게 하는, 걱정하게 하는 **~·ly** *ad.*

dis·qui·e·tude [diskwáiət*j*ù:d | -tjù:d] *n.* Ⓤ 불안한 상태, 불온, 동요; 걱정

dis·qui·si·tion [dìskwəzíʃən] *n.* (장황한) 논문, 논고(論考), (딱딱한) 강연 (*on, about*)

Dis·rae·li [dizréili] *n.* 디즈레일리 **Benjamin ~** (1804-81) (영국의 정치가·소설가)

dis·rate [disréit] *vt.* 〈사람·배의〉 등급을 낮추다

***dis·re·gard** [dìsrigɑ́:rd] *vt.* **무시[경시]하다** (ignore), 소홀히 하다(⇨ neglect 유의어): ~ a stop sign 정지 표지를 무시하다
— *n.* UC 무시, 경시(ignoring) (*of, for*): have a complete ~ *for* …을 완전히 무시하다 ***in ~ of*** …을 무시하여 ***with ~*** 소홀하게

dis·re·gard·ful [dìsrigɑ́:rdfəl] *a.* 무시[경시]한, 무관심한

dis·re·lat·ed [dìsriléitid] *a.* 무관한, 관련이 없는
dìs·re·lá·tion *n.*

dis·rel·ish [disréliʃ] *n.* Ⓤ [또는 a~] 싫음, 혐오 (*for*): have *a ~ for* …을 싫어하다 — *vt.* 싫어하다, 혐오하다(dislike)

dis·re·mem·ber [dìsrimémbər] *vt.* (미·구어) 잊다(forget), 생각이 안 나다

dis·re·pair [dìsripέər] *n.* Ⓤ (손질·수리 부족에 의한) 파손 (상태), 황폐: in ~ 황폐하여 / fall into ~ 파손되다, 황폐하다

dis·rep·u·ta·ble [disrépjutəbl] *a.* **1** 평판이 좋지 않은, 남우세스러운, 창피한 (*to*); 〈사람이〉 질이 나쁜 **2** 보기 흉한, 초라한 — *n.* 평판이 나쁜 사람
dis·rèp·u·ta·bíl·i·ty *n.* **~·ness** *n.* 악평 **-bly** *ad.*

dis·re·pute [dìsripjú:t] *n.* Ⓤ 악평; 불명예: fall into ~ 평판이 나빠지다

dis·re·spect [dìsrispékt] *n.* UC 무례, 실례, 경시, 경멸 (*for*); 실례되는 말[행위]
— *vt.* …에게 실례를 하다; 경시[경멸]하다

dis·re·spect·a·ble [dìsrispéktəbl] *a.* 존경할 가치가 없는 **~·ness** *n* **-bly** *ad.* **dìs·re·spect·a·bíl·i·ty** *n.*

dis·re·spect·ful [dìsrispéktfəl] *a.* 무례한, 실례되는, 경멸하는 (*of*) **~·ly** *ad.* **~·ness** *n.*

dis·robe [disróub] *vt.* **1** …의 옷을 벗기다; 〈…에게서〉 (관복·예복을) 벗기다(undress); [~ one*self* 로] 의복을 벗다 **2** (비유) …로부터 (위엄·권한·지위 등을) 박탈하다(strip) (*of*) — *vi.* 옷을 벗다

dis·root [disrú(:)t] *vt.* 뿌리뽑다(uproot); 제거하다 (remove)

***dis·rupt** [disrʌ́pt] *vt.* **1** 〈제도·국가 등을〉 **붕괴시키다;** 분열시키다 **2** 〈파티 등을〉 (일시적으로) 혼란시키다; 〈교통·통신 등을〉 혼란시키다; 일시 불통으로 만들다, 중단[두절]시키다 **3** 〈물건을〉 분쇄하다, 파열시키다
— *vi.* (드물게) 분쇄되다
— *a.* 분열한, 분쇄된 **~·er** *n.*

***dis·rup·tion** [disrʌ́pʃən] *n.* Ⓤ **1 붕괴;** 분열; 중단, 두절; 혼란 **2** 분열[붕괴]된 상태 **3** [the D~] 스코틀랜드 교회 분열 (1843년 국교로부터의)

dis·rup·tive [disrʌ́ptiv] *a.* 분열[붕괴]시키는; 파괴적인; 분열로 일어난: prevent ~ workplace conflicts 업무 차질을 일으키는 직장내 갈등을 예방하다
~·ly *ad.* **~·ness** *n.*

disrúptive díscharge 〖전기〗 파열 방전

dis·rup·ture [disrʌ́ptʃər] *n.* 중단; 분열, 파열
— *vt.* = DISRUPT

diss. dissertation

diss [dís] *vt., n.* (미·속어) = DIS

***dis·sat·is·fac·tion** [dìssætisfǽkʃən, dissæ̀t-] *n.* Ⓤ 불만, 불평 (*at, with*); Ⓒ 불만의 원인
▷ dissátisfy *v.*; dissatisfáctory *a.*

dis·sat·is·fac·to·ry [dìssætisfǽktəri, dissæ̀t-] *a.* 불만(족)스러운; 불만의 원인이 되는 (*to*)

dis·sat·is·fied [dissǽtisfàid] *a.* 불만스러운, 불만을 나타내는: a ~ look 불만스러운 표정
~·ly *ad.* **~·ness** *n.*

dis·sat·is·fy** [dissǽtisfài] *vt.* (**-fied**) 불만을 느끼게 하다, 불평을 갖게 하다 ***be dissatisfied with [***at***] …에 불만이다
▷ dissatisfáction *n.*; dissatisfáctory *a.*

dis·save [disséiv] *vi.* (생활비에 쓰려고) 예금을 인출하다; 거의[전혀] 저축을 못하다, 돈을 빌리다
dis·sáv·er *n.* **dis·sáv·ing** *n.*

***dis·sect** [disékt, dai-] *vt.* **1 절개하다;** 해부하다 **2** 상세히 분석[비평]하다, 세밀하게 조사하다
— *vi.* 해부하다
▷ dissection *n.*

dis·sect·ed [diséktid, dai-] *a.* **1** 절개[해부]한 **2** 〖식물〗 전열(全裂)의; 〖지질〗 개석(開析)된

dis·sect·ing [diséktiŋ, dai-] *a.* 해부의, 절개용의: a ~ knife[room] 해부도[실]

dis·sec·tion [disékʃən, dai-] *n.* Ⓤ **1** 절개; 해부, 해체 **2** Ⓒ 해부체[모형] **3** 정밀한 분석[조사] **4** (영) (상품의) 분류 구분 **5** 〖지질〗 개석(開析)

dis·sec·tor [diséktər, dai-] *n.* 해부(학)자; 해부기구

thesaurus **disregard** *n.* inattention, neglect, negligence, indifference, heedlessness
disrupt *v.* disorder, disorganize, disarrange, disturb, upset, interrupt, interfere with
dissatisfaction *n.* discontent, disapproval, dis-

dissèctor tùbe 〖전자〗 디섹터관(image dissector)
dis·seise, -seize [dissí:z] *vt.* 〖법〗 〈사람에게서〉 (부동산의) 점유권을 침탈하다 **dis·séi·sor, -zor** *n.* (부동산 점유) 침탈자(opp. *disseisee*)
dis·sei·see, -zee [dìssi:zí:] *n.* 〖법〗 (부동산 점유) 피침탈자
dis·sei·sin, -zin [dissí:zin] *n.* Ⓤ 〖법〗 (부동산의) 점유 침탈 (상태)
dis·sem·ble [disémbl] *vt.* **1** 〈성격·감정 등을〉 숨기다 **2** 가장하다(disguise) **3** 시치미 떼다, 모른 체하다 **4** 무시하다 **—** *vi.* 진의를 숨기다, 시치미 떼다, 모른 체하다 **-bler** *n.* 위선자 **-bling** *a.* **-bling·ly** *ad.*
dis·sem·i·nate [disémənèit] *vt.* **1** 〈씨를〉 흩뿌리다 **2** 〈주장·의견을〉 퍼뜨리다(diffuse)
-nà·tor *n.* 씨 뿌리는 사람; 선전자; 살포기
dis·sem·i·nat·ed [disémənèitid] *a.* 〖의학〗 파종성(播種性)의, 산재성(散在性)의
dis·sem·i·na·tion [disèmənéiʃən] *n.* Ⓤ 파종; 보급
dis·sem·i·na·tive [disémənèitiv] *a.* 파종성의
⁎**dis·sen·sion, -tion** [disénʃən] *n.* ⓊⒸ **1** 의견의 차이, 불일치 **2** 불화(의 원인), 의견의 충돌, 알력, 분쟁 ▷ dissént *v.*
dis·sen·sus [disénsəs] *n.* 의견 불일치[차이]
⁎**dis·sent** [disént] [L 「떨어져서 느끼다」의 뜻에서] *vi.* **1** 의견을 달리하다, 이의를 말하다(disagree) ((*from*))(opp. *consent*): (~+전+명) ~ *from* the opinion 그 의견에 불찬성이다 **2** ((영)) 국교에 반대하다 **—** *n.* Ⓤ **1** 불찬성, 의견 차이, 이의 ((*from*)) **2** [보통 **D~**] ((영)) 국교 반대(Nonconformity); [집합적] 비국교도(dissenter) **3** 〖법〗 = DISSENTING OPINION ▷ disséntion *n.*; disséntient *a.*, *n.*
dis·sent·er [diséntər] *n.* **1** 반대자 **2** [보통 **D~**] ((영)) 국교 반대자(opp. *Conformist*); 비국교도
dis·sen·tience [disénʃəns] *n.* 의견을 달리함, 반대
dis·sen·tient [disénʃənt, -ʃiənt] *a.*, *n.* 다수 의견에 반대하는 (사람) **~·ly** *ad.*
dis·sent·ing [diséntiŋ] *a.* **1** 이의 있는, 반대 의견의 **2** ((영)) 국교에 반대하는 ***pass without a ~ voice*** 한 사람의 이의도 없이 통과하다 **~·ly** *ad.*
disSénting opínion 〖법〗 (다수 의견의 판결에 대한 소수 판사의) 반대 의견
dis·sen·tious [disénʃəs] *a.* 논쟁을 좋아하는, 싸움을 좋아하는; 당파 싸움을 일으키는
dis·sep·i·ment [disépəmənt] *n.* 〖동물·식물〗 격막, 격벽, 씨방 격막 **dis·sèp·i·mén·tal** *a.*
dis·sert [disə́:rt], **dis·ser·tate** [dísərtèit] *vi.* 논하다, 논문을 쓰다 **dís·ser·tà·tor** *n.*
dis·ser·ta·tion [dìsərtéiʃən] [L 「논하다」의 뜻에서] *n.* (긴) 학술[학위] 논문; ((특히)) 박사 논문; 논설, 논술(cf. THESIS) **~·al** *a.*
dis·serve [dissə́:rv] *vt.* …에게 해로운 짓을 하다, 해를 입히다(do harm to)
dis·ser·vice [dissə́:rvis] *n.* Ⓤ [또는 a ~] 해, 폐, 구박, 모진 짓: do a person (*a*) ~ …에게 해를 주다, 몹쓸 짓을 하다 **—** *vt.* …에게 피해를 주다
~·a·ble *a.*
dis·sev·er [disévər] *vt.* 분리하다(sever), 분열하다, 분할하다(divide) **—** *vi.* 나뉘다, 분리하다
~·ance [-sévərəns] *n.* Ⓤ 분리, 분할 **~·ment** *n.*
dis·si·dence [dísədəns] *n.* Ⓤ (의견·성격 등의) 차이, 불일치; (전체주의에 대항하는) 반체제
dis·si·dent [dísədənt] *a.* (…와) 의견을 달리하는 ((*from*)); 반체제의 **—** *n.* 의견을 달리하는 사람; 반체제자; 비국교도(dissenter) **~·ly** *ad.*
dis·sim·i·lar [dissímələr] *a.* …와 비슷하지 않은, 다른 ((*to, from*)) **~·ly** *ad.*
dis·sim·i·lar·i·ty [dissìmələ́rəti] *n.* Ⓤ 비슷하지 않음; 부동성(不同性); Ⓒ 차이점(difference)
dis·sim·i·late [disímәlèit] *vt.*, *vi.* 같지 않게 하다[되다]; 〖음성〗 이화시키다[하다](opp. *assimilate*)
-là·tive *a.* **-là·to·ry** *a.*
dis·sim·i·la·tion [disìmәléiʃən] *n.* ⓊⒸ 〖음성·생물〗 이화(異化) (작용)(opp. *assimilation*)
dis·si·mil·i·tude [dìssimílətjù:d | -tjù:d] *n.* Ⓤ 같지 않음, 부동(不同); 차이; Ⓒ 차이점
dis·sim·u·late [disímjulèit] *vt.* 〈의사·감정 등을〉 (속여) 숨기다 **—** *vi.* 시치미 떼다 **-là·tor** *n.*
dis·sim·u·la·tion [disìmjuléiʃən] *n.* ⓊⒸ 시치미 뗌, (감정의) 위장; 위선; 〖정신의학〗 질환 은폐
⁎**dis·si·pate** [dísəpèit] *vt.* **1** 〈구름·안개 등을〉 흩뜨리다; 〈슬픔·공포 등을〉 가시게 하다, 없애다 **2** 〈시간·재산 등을〉 낭비하다, 탕진하다(waste) **3** [종종 수동형으로] 〈열 등을〉 방산(放散)하다
— *vi.* **1** 〈구름 등이〉 흩어져 없어지다(vanish) **2** 난봉부리다, 재산을 탕진하다 **3** 〈열 등이〉 방산(放散)하다
-pàt·er, -pà·tor *n.*
▷ dissipátion *n.*; díssipative *a.*
dis·si·pat·ed [dísəpèitid] *a.* 방탕한, 난봉부리는; 낭비된; 소산(消散)된 **~·ly** *ad.* **~·ness** *n.*
dis·si·pa·tion [dìsəpéiʃən] *n.* Ⓤ **1** 소산(消散), 소실, 분해 ((*of*)); 〖물리〗 (에너지의) 소산, 흩어지기 **2** 낭비 ((*of*)) **3** 난봉, 방탕; 유흥 **4** (간단한) 기분풀이, 오락
dis·si·pa·tive [dísəpèitiv] *a.* 소산(消散)하는; 낭비적인; 〖물리〗 에너지가 흩어지는
dis·so·ci·a·ble [disóuʃiəbl, -ʃəbl] *a.* **1** 분리할 수 있는 **2** 조화[화해]되지 않는 **3** 비사교적인(unsociable) **dis·sò·ci·a·bíl·i·ty** *n.* **~·ness** *n.*
dis·so·cial [disóuʃəl] *a.* 반사회적인(unsocial)
dis·so·cial·ize [disóuʃəlàiz] *vt.* 비사교적[이기적]으로 만들다, 교제를 싫어하게 하다
dis·so·ci·ate [disóuʃièit, -si-] *vt.* **1** 떼어놓다, 분리하다(separate); 분리하여 생각하다 ((*from*))(opp. *associate*); …와의 관계를 끊다 **2** 〖심리〗 〈인격을〉 분열시키다 **3** 〖화학〗 해리(解離)하다 **—** *vi.* 교제를 끊다; 분리[해리]하다 ~ one***self from*** …와 관계를 끊다
— *a.* 분리[분열]된
dis·só·ci·at·ed personálity [disóuʃièitid, -si-] 〖심리〗 분열 인격
dis·so·ci·a·tion [disòusiéiʃən, -ʃi-] *n.* Ⓤ 분리 (작용·상태); 〖심리〗 (의식·인격의) 분열; 〖화학〗 해리
dis·so·ci·a·tive [disóuʃièitiv, -si-, -ʃət-] *a.* 분리적인, 분열성의; 〖화학〗 해리적인
dis·sol·u·bil·i·ty [disɑ̀ljubíləti | -sɔ̀l-] *n.* Ⓤ 분리[용해]성; 해소할 수 있음
dis·sol·u·ble [disɑ́ljubl | -sɔ́l-] *a.* **1** 분해할 수 있는, 용해성의 **2** 해산할 수 있는 〈단체 등〉; 해제[해소]할 수 있는 **~·ness** *n.* **-bly** *ad.*
dis·so·lute [dísəlù:t] *a.* 방종한, 타락한; 방탕한, 난봉부리는 **~·ly** *ad.* **~·ness** *n.*
⁎**dis·so·lu·tion** [dìsəlú:ʃən] *n.* ⓊⒸ **1** (의회·단체·조합 등의) 해산; (결혼 등의) 해소 **2** (기능의) 소멸, 사멸 **3** 분해, 분리 **4** 〖화학〗 용해, 융해 **5** 붕괴, 부패 **6** (사업의) 청산 ▷ dissólve *v.*
dis·solv·a·ble [dizɑ́lvəbl | -zɔ́lv-] *a.* **1** 분해할 수 있는 **2** 해산[해제, 해소]할 수 있는
⁑**dis·solve** [dizɑ́lv | -zɔ́lv] *vt.* **1** 〈물질을〉 (액체로) 용해하다, 녹이다; 〈물건을〉 분해하다: Water ~*s* sugar. 물은 설탕을 녹인다. // (~+목+전+명) ~ salt *in* water 소금을 물에 녹이다 **2** 〈의회·단체 등을〉 해산하다: ~ Parliament 의회를 해산하다 **3** 〈계약·속박 등을〉 해소[해제]하다(undo); 〖법〗 무효로 하다; 〈결혼·관계 등을〉 종료시키다, 해소하다 **4** 〈영향·마력 등의〉 효력을 풀다 **5** 〖영화·TV〗 〈화면을〉 디졸브[오버랩]시키다 **6** 〈의혹을〉 풀다
— *vi.* **1** (…으로) 용해하다, 녹다 ((*in*)) ((가열하지 않

---

appointment, frustration, unhappiness, dismay
dissension *n.* disagreement, dispute, argument, conflict, friction, strife, discord, contention
dissolve *v.* **1** 용해되다 melt, liquefy **2** 사라지다 disappear, evaporate, vanish, perish

고서도 고체가 액체로 녹다》; 녹아서 (…이) 되다 《*into*》; 녹듯이 사라지다 《*into, in*》: (~+젠+명) Sugar ~*s in* water. 설탕은 물에 녹는다. **2** 《영》 〈의회·단체 등이〉 해산(을 선언)하다: The crowds ~*d*. 군중들은 해산했다. **3** 〈결혼·관계 등이〉 해소되다, 〈효력이〉 없어지다 **4** 〈힘이〉 약해지다, 사라지다: (~+전 +명) His courage ~*d in* the face of the danger. 위험에 직면하여 그의 용기는 꺾였다. **5** 〘영화·TV〙 디졸브[오버랩]하다 **6** (웃음·눈물의 상태로) 되다 《*in, into*》 **7** 〈사태가〉 (…으로) 악화되다 《*into*》

~ *in* 〈영화 화면이〉 차차 밝아지다(fade in) **~[*be ~d*] *in*[*into*] *tears*** 하염없이 울다 **~ *itself into ...*** 녹아서 …으로 되다, 결국 …로 귀착되다 **~ *out*** 〈영화 화면이〉 차차 어두워지다

— *n.* Ⓤ 〘영화·TV〙 디졸브, 오버랩(overlap) 《한 화면 위에 다른 화면이 겹치면서 먼저 화면이 차차 사라지게 하는 장면 전환 기법》 **dis·sólv·er** *n.*

▷ dissolútion *n.*; dissólvent *a.*

dis·sólved gás [dizálvd | -zɔ́lvd] 유용성(油溶性) 가스 《원유에 용해된》

dissólved óxygen (물속의) 용존(溶存) 산소량 《물의 오염도를 나타냄; 略 DO》

dis·sol·vent [dizálvənt | -zɔ́l-] *a.* 용해력이 있는

— *n.* 용해제, 용매(solvent)

dis·sólv·ing víew [dizálviŋ- | -zɔ́l-] 〘영화·TV〙 디졸브 화면

dis·so·nance, -nan·cy [dísənəns(i)] *n.* ⓊⒸ **1** 〘음악〙 불협화(음)(opp. *consonance*); 〘물리〙 비공명(非共鳴) **2** 불일치, 부조화, 불화(discord)

dis·so·nant [dísənənt] *a.* 귀에 거슬리는, 〘음악〙 불협화(음)의; 조화되지 않은(opp. *harmonious*) **~·ly** *ad.*

dis·spread [dispréd] *vt., vi.* = DISPREAD

*__dis·suade__ [diswéid] *vt.* (설득하여) 단념시키다, (…하지 않도록) 만류하다 《*from*》(opp. *persuade*): (~+목+전+*-ing*) She tried to ~ her son *from* marry*ing* the girl. 그녀는 아들이 그 처녀와 결혼하는 것을 단념시키려 했다. **dis·suád·er** *n.*

dis·sua·sion [diswéiʒən] *n.* Ⓤ (설득하여) 단념시킴, 만류, 말림(opp. *persuasion*)

dis·sua·sive [diswéisiv] *a.* 만류하는, 말리는 **~·ly** *ad.* **~·ness** *n.*

dis·syl·la·ble [dáisìləbl, daisíl-, dísil-] *n.* = DISYLLABLE **dìs·syl·láb·ic** [-lǽbik] *a.*

dis·sym·met·ric, -ri·cal [dìssimétrik(əl)] *a.* **1** 균형이 안 잡힌, 〈크기·모양이〉 안 어울리는 **2** 반대[좌우] 대칭(對稱)의 **~·ly** *ad.*

dis·sym·me·try [dissímətri] *n.* ⓊⒸ 불균형, 비대칭(非對稱); 반대[좌우] 대칭(opp. *symmetry*)

dist. distance; distant; distinguish(ed); district

dis·taff [dístæf, -tɑːf | -tɑːf] *n.* (*pl.* **~s**) **1** 실톳대, 실패; (물레의) 가락; [the ~] 물레질 **2** 여자의 일[분야]; [집합적] 여성; 모계, 어머니 쪽 — *a.* 여자의; 모계의, 외가의

distaff 1

dis·taff·er [distǽfər] *n.* (특히 남성 사회에서 활동하는) 여성

dístaff sìde [the ~] 모계(母系), 어머니 쪽, 외가(cf. SPEAR SIDE): on *the* ~ 외가[모계]의

dis·tal [dístl] *a.* 〘식물·해부〙 말초(부)의, 말단의(terminal)(opp. *proximal*); 〘치과〙 원심(遠心)의 **~·ly** *ad.*

‡**dis·tance** [dístəns] *n.* ⓊⒸ **1** 거리; 간격; 노정(路程) **2** [*sing.*] 먼 거리, 먼 곳; 〘경마〙 240야드의 거리; 〘회화〙 원경(遠景): India is a great ~ *away* [*off*]. 인도는 아주 멀다. **3** [*sing.*] (시간의) 간격, 동안, 사이, 경과 **4** [보통 *pl.*] 공간, 넓이 **5** (혈연·신분 등의) 차이, 현격 《*between*》; (태도의) 소원, 격의, 서먹함 **6** 〘음악〙 음정 **7** (성질 등의) 차이 **8** 진보의 흔적 **9** (복싱의) 공격 거리 **10** 〘수학〙 거리 계수 **11** 〘군사〙 부대 간 거리

at a* ~** 어떤 거리를 두고, 좀 떨어져: *at a* ~ of 5 meters 5미터 떨어져 ***at this* ~ *of time 시일이 지난 지금에 와서는[도] ***be some*[*no*] ~** 좀 멀리[바로 가까이] 있다 ***from a* ~** 멀리서 ***gain* ~ *on*** …와의 거리를 좁히다 ***go*[*last*] *the* ~** (1) 끝까지 해내다 (2) 〘야구〙 〈투수가〉 완투하다; 〘권투〙 마지막 회까지 싸우다 ***go the full* ~** 《속어》 끝까지 가다[해내다, 싸우다]; (체포되어) 교도소로 가다 ***in*[*into*] *the* (*far*)** 먼 곳에(far away) ***keep* a person *at a* ~** (쌀쌀하게 굴어) 멀리하다 ***Keep at a* ~!** 가까이 오지 마! ***keep* one*'s* ~** (사람 등과의 사이에) 거리를 두다, 가까이 하지 않다 ***know* one*'s* ~** 제 분수를 알다[지키다] ***put some* ~ *between*** A ***and*** B 《구어》 A와 B 사이에 거리[시간]를 두다, A와 B를 이간시키다[분리하여 생각하다] ***take* ~** 《미·속어》 멀리 떠나다 ***to a* ~** 먼 곳으로 ***within striking*[*hailing, hearing, walking, easy*] ~ *of*** …에서 얼어지면 코 닿을[부르면 들리는, 걸어갈 수 있는, 편하게 걸어갈 수 있는] 곳에

— *vt.* **1** 간격을 두다; 멀리 놓다 **2** (경기에서) 앞서다, 멀리 떼어놓다 ***be ~d*** (경쟁에서) 뒤떨어지다 **~ one*self from*** 〈사람·사물〉에서 거리를 두다, 떨어지다

▷ dístant *a.*

dístance lèarning 통신 교육, 방송 교육

dístance màde góod 〘항해〙 직항 거리, 직항로

dístance pòle[(영) pòst] 〘경마〙 주정표(走程標)

dístance ràce 장거리 경주

dístance rùnner 장거리 주자

dístance univèrsity 《캐나다》 통신 대학

‡**dis·tant** [dístənt] [L 「떨어져 서다」의 뜻에서] *a.* **1** 〈거리가〉 먼, 원격의(far-off); 멀리서 온; 멀리 가는; 거리가 …인, …떨어져 (있는) 《*from*》: a ~ view 원경(遠景) / The place is six miles ~[is ~ six miles] *from* the sea. 그 곳은 해안에서 6마일 떨어져 있다.

> 유의어 **distant** 거리를 명시하여 아주 먼: a town 100 miles *distant* 100마일 거리에 있는 도시 **far** 거리·시간·관계 등이 매우 떨어져 있는: *far* into the future 먼 장래에 **remote** 단순히 물리적인 거리 뿐만 아니라 심리적인 거리감도 나타낸다: a village *remote* from the town 그 도시에서 멀리 떨어진 마을

2 (시간적으로) 먼, 아득한 **3** Ⓐ 〈친척 등이〉 혈연이 먼, 〈관계 등이〉 먼 **4** 〈닮은 정도가〉 먼; 〈과거 등이〉 어렴풋한(faint) **5** 〈태도 등이〉 거리를 두는, 경원하는, 쌀쌀한(cold) 《*toward*(*s*)》; 에둘러 말하는: a ~ air 냉담한 태도 **6** 〈눈매 등이〉 먼 데를 보는 듯한, 꿈꾸는 듯한 ***at no* ~ *date*** 멀지 않아서 ***in the* (*dim and*) ~ *past*** 아주 먼 옛날에 **~·ness** *n.*

▷ dístance *n.*; dístantly *ad.*

dístant éarly wàrning 〘군사〙 원거리 조기 경보 (cf. DEW LINE)

dis·tan·ti·ate [distǽnʃièit] *vt.* (정신적으로) 거리를 두다

dis·tant·ly [dístəntli] *ad.* **1** 멀리, 떨어져서 **2** 쌀쌀하게, 냉담하게 **3** 〈친척 관계 등이〉 멀리 **4** 에둘러

dístant sìgnal 〘철도〙 원거리 신호기

*__dis·taste__ [distéist] *n.* Ⓤ (음식물에 대한) 싫증, 염증, 혐오(disrelish); 《일반적으로》 싫음, 혐오(dislike) ***have a* ~ *for*** music[work] (음악[일])을 싫어하다

▷ distásteful *a.*

dis·taste·ful [distéistfəl] *a.* 불쾌한; 싫은(dis-

thesaurus **distance** *n.* **1** 거리 interval, span, space, gap, stretch, extent **2** 먼 거리 remoteness, farness **3** 소원함 aloofness, coldness, formality
distaste *n.* dislike, disfavor, aversion, disgust,

agreeable) ⟪*to*⟫ **~·ly** *ad.* **~·ness** *n.*
Dist. Atty. district attorney
dist·co [dískou] *n.* ⟪영⟫ ＝DISCO[2]
Dist. Ct. district court
dis·tem·per[1] [distémpər] *n.* Ⓤ **1** 디스템퍼 ⟪개, 특히 강아지의 급성 전염병⟫ **2** (심신의) 병, 이상, 부조; 불쾌 **3** ⟪고어⟫ 사회적 불안, 소란
— *vt.* [보통 과거분사로] 병적으로 되게 하다, 〈심신이〉 탈나게 하다: a *~ed* fancy 병적 공상 **~ed·ly** *ad.*
distemper[2] *n.* Ⓤ **1** 디스템퍼 ⟪아교·달걀 등에 갠 채료⟫; ⟪영⟫ 수성 도료 **2** 디스템퍼화(畵)[화법(畵法)]
— *vt.* **1** 디스템퍼로 그리다 **2** ⟪영⟫ 〈벽·천장 등에〉 디스템퍼를 칠하다 **3** 〈안료를〉 물과 아교와 사이즈(size[2]) 로 섞다
dis·tem·per·ate [distémpərət] *a.* 절도 없는; 병에 걸린
dis·tem·per·a·ture [distémpərətʃər] *n.* (심신의) 부조(不調); ⟪고어⟫ 절제[중용]의 결여
dis·tend [disténd] *vt., vi.* 넓히다, 넓어지다; (내부 압력에 의해) 팽창시키다[하다]; 과장하다 **~·er** *n.*
dis·tend·ed [disténdid] *a.* 넓어진, 확대한; 팽창한 **~·ly** *ad.* **~·ness** *n.*
dis·ten·si·ble [disténsəbl] *a.* 팽창시킬 수 있는, 팽창성의 **dis·tèn·si·bíl·i·ty** *n.* Ⓤ 팽창성
dis·ten·sion, -tion [disténʃən] *n.* Ⓤ 팽창, 확대
dis·tich [dístik] *n.* 〖운율〗 2행 연구(聯句), 대구(對句)
dis·ti·chous [dístikəs] *a.* 〖식물〗 2열생(列生)의; 〖동물〗 2분된 **~·ly** *ad.*
∗**dis·till | dis·til** [distíl] [L 「아래로 떨어뜨리다」의 뜻에서] *v.* (**-tilled**; **-till·ing**) *vt.* **1** 증류하다, …을 증류하여 …으로 만들다 ⟪*into*⟫(cf. BREW): (~+목+전+명) ~ freshwater *from* seawater = ~ seawater *into* freshwater 바닷물을 증류해서 민물로 만들다 **2** 증류하여 〈불순물을〉 제거하다 ⟪*off, out*⟫: (~+목+부) ~ *off* the impurities 증류하여 불순물을 없애다 **3** …의 정수(精粹)를 빼내다, 추출하다 (extract) **4** 방울방울 듣게 하다 ⟪*into*⟫
— *vi.* **1** 증류되다; (증류 작용으로) 농축되다 **2** 방울져 떨어지다; 스며[배어] 나오다 **~·a·ble** *a.*
▷ distillátion, dístillate *n.*; distíllatory *a.*
dis·til·land [dístəlæ̀nd] *n.* 증류된[증류 중의] 물질
dis·til·late [dístələt, -lèit, distílət] *n.* **1** 증류된 물질; 증류액 **2** 석유 제품 **3** 진수, 정수
dis·til·la·tion [dìstəléiʃən] *n.* Ⓤ 증류(법); ⓊⒸ 증류물; 정수: dry ~건류 / destructive ~ 분해 증류
distillátion còlumn 증류탑
dis·til·la·to·ry [distílətɔ̀:ri | -təri] *a.* 증류(용)의
dis·tilled [distíld] *a.* 증류한, 증류하여 얻은
distílled líquor 증류주 ⟪위스키·진 등⟫
distílled wáter 증류수
dis·till·er [distílər] *n.* **1** 증류주 제조업자 **2** 증류기
dis·till·er·y [distíləri] *n.* (*pl.* **-er·ies**) 증류소; (위스키·진 등의) 증류주 제조소
‡**dis·tinct** [distíŋkt] *a.* (**~·er**; **~·est**) **1** 〈성질·종류가〉 별개의, (전혀) 다른(different) ⟪*from*⟫; 독특한: Butterflies are ~ *from* moths. 나비는 나방과는 종류가 다르다. **2** 뚜렷한, 똑똑한, 명료한; 명확한, 틀림없는(opp. *vague*): a ~ difference 뚜렷한 차이 **3** ⟪시어⟫ 장식된; 여러 가지 색깔의 **4** 드문; 〈언행이〉 눈에 띄는 ***as ~ from*** …와 대비적으로; …라기보다도(rather than); …와는 뚜렷이 달라 **~·ness** *n.*
▷ distínction *n.*; distínguish *v.*; distínctly *ad.*
‡**dis·tinc·tion** [distíŋkʃən] *n.*

> 「구별」 **1** →(다른 것과 구별되는) 「특징」 **2** →(우수한 특징) 「우수성」 **3** →(우수함의 표시) 「영예」 **4**

revulsion, repugnance, antipathy, disinclination, loathing, horror, hatred, objection
distinctly *ad.* clearly, decidedly, definitely, obviously, plainly, evidently, apparently

1 Ⓤ 구별, 차별; 식별, 판별; (…와의) 차이(difference), 상위, 다름 ⟪*between*⟫: a sharp[clear] ~ *between* A and B A와 B 사이의 뚜렷한 차이 **2** Ⓤ (구별되는) 특징, 특질, 특이성 **3** Ⓤ (정신·태도·성격 등의) 우수성, 탁월 **4** ⓊⒸ 수훈(殊勳), 훌륭한 성적; 영예, 특별 대우 **5** Ⓤ 저명, 고귀, 기품이 있음 **6** Ⓤ (문체의) 특징, 개성 **7** Ⓤ (텔레비전의) 선명도 **8** 대조, 비교 **9** 등급, 분류 **10** 눈에 띄는 외모, 외관
a ~ without a difference 쓸데없는 구별 ***draw a ~*** [***make no ~***] ***between*** …사이에 구별을 짓다[짓지 않다] ⟪대상이 셋 이상일 경우에도 among이 아니라 between을 씀⟫ ***gain*** [***win***] ***~*** 수훈을 세우다, 이름을 빛내다 ***in ~ from*** …와 구별하여 ***lack ~*** 위엄이 없는, 개성이 없는 ***of ~*** 탁월한, 저명한 ***rise to ~*** 이름을 떨치다 ***with ~*** 뛰어난 성적으로; 영예롭게, 훌륭히 ***without ~*** of rank (신분의) 차별 없이
▷ distínct, distínctive *a.*; distínguish *v.*
∗**dis·tinc·tive** [distíŋktiv] *a.* 특유의, 특이한, 특색 있는; 차이[차별]를 나타내는, 구별이 있는
~·ness *n.* Ⓤ 특수성
distínctive féature 〖언어〗 변별적 특징 ⟪2음소간의 대조적 판별에 도움이 되는; 양순음—유성음—비음 등⟫
∗**dis·tinc·tive·ly** [distíŋktivli] *ad.* 특징적으로; (다른 것과) 구별하여; 독특하게; 〖언어〗 판별적으로; 차이를 나타내어: ~ high-pitched songs 두드러지게 고음을 띠고 있는 노래들
‡**dis·tinct·ly** [distíŋktli] *ad.* 뚜렷하게, 명백하게; 의심할 나위 없이; ⟪구어⟫ 정말로, 참으로
dis·tin·gué [dìstæŋgéi, —∸—] [F] *a.* 〈태도·용모·복장 등이〉 기품 있는, 고귀한, 뛰어난
‡**dis·tin·guish** [distíŋgwiʃ] [L 「구멍을 뚫어 표를 하여 따로 하다」의 뜻에서] *vt.* **1** 구별하다, 식별[분간]하다(discern) ⟪*from*⟫; 구분하다, 분류하다(classify) ⟪*into*⟫: ~ colors 색깔을 식별하다 // (~+목+전+명) ~ good *from* evil 선악을 분간하다 / ~ mankind *into* races 인류를 인종으로 분류하다

> 유의어 **distinguish** 어떤 특징에 따라 사물을 다른 것과 식별하는 가장 일반적인 말: I cannot *distinguish* between the twins. 저 쌍둥이는 분간할 수가 없다. **discriminate** 서로 비슷한 것끼리의 미묘하고 세세한 차이를 식별하다: *discriminate* good and bad books 양서와 악서를 분간하다 **differentiate** 특징을 상세히 비교하여 헷갈리는 것끼리의 특수한 차이를 분간하다: *differentiate* between real pearls from imitations 진짜 진주와 가짜를 식별하다

2 …을 특징지우다; …의 차이를 나타내다 ⟪*from*⟫: A trunk *~es* the elephant. 긴 코가 코끼리의 특징이다. // (~+목+전+명) Reason *~es* man *from* the animals. 이성에 의하여 인간과 동물이 구별된다. **3** [보통 ~ oneself로] 두드러지게 하다, 유명하게 하다 ⟪*by, for, in*⟫(⇨ distinguished): (~+목+전+명) ~ *oneself in* literature 문학으로 유명해지다 / ~ *oneself by* bravery 용맹을 떨치다
— *vi.* (…와의 차이를) 구별[분간]하다 ⟪*between*⟫: (~+전+명) ~ sharply *between* the two words 두 낱말을 분명히 구별하다 **~·er** *n.* **~·ment** *n.*
dis·tin·guish·a·ble [distíŋgwiʃəbl] *a.* 구별할 수 있는; 분간할 수 있는 ⟪*from*⟫ **-bly** *ad.*
▷ distínct, distínctive *a.*; distínction *n.*
‡**dis·tin·guished** [distíŋgwiʃt] *a.* **1** 두드러진, 현저한(eminent), 발군의; 저명한 ⟪*for, as*⟫; 뛰어난, 빼어난 **2** 〈태도 등이〉 기품 있는, 품위 있는
Distínguished Cónduct Mèdal 〖영국군〗 공로 훈장 ⟪전공(戰功)에 대한; 略 DCM⟫
Distínguished Flýing Cròss 〖영국공군〗 공군 수훈 십자 훈장 ⟪略 DFC⟫
Distínguished Sérvice Cròss 〖영국·미해군〗

수훈 십자 훈장 《略 DSC》
Distínguished Sérvice Mèdal 〖미군〗 (군인 일반에 주는) 공로 훈장; 〖영국해군〗 (하사관 이하의 병사에 주는) 공로 훈장 《略 DSM》
Distínguished Sérvice Òrder 〖영국군〗 무공 훈장 《장교에게 줌; 略 DSO》
dis·tin·guish·ing [distíŋgwiʃiŋ] *a.* 특징적인, 다른 것과 구별되는, 특색 있는
distn. distillation
dis·to·ma [dístəmə] *n.* 〖동물〗 디스토마, 간질(肝蛭)
di·sto·ma·to·sis [daistoumətóusis] *n.* (*pl.* **-ses** [-si:z]) 〖수의학〗 간질병(肝蛭病)
di·stome [dáistoum] *a., n.* 디스토마의 (흡충)
∗**dis·tort** [distɔ́:rt] *vt.* **1** [종종 수동형으로] 〈얼굴 등을〉 **찌푸리다,** 〈손발 등을〉 비틀다, 뒤틀다 《*by, with*》 **2** 〈사실·진리 등을〉 왜곡하다; 곡해하다 **3** 〈라디오·텔레비전 등이〉 〈소리·화상을〉 일그러뜨리다; 부정확하게 재생[증폭]하다 **~·er** *n.*
▷ distórtion *n.*; distórted *a.*
dis·tort·ed [distɔ́:rtid] *a.* 비뚤어진; 곡해된, 왜곡된; 기형의: ~ views 편견/~ vision 난시
~·ly *ad.* 비뚤어져, 곡해하여 **~·ness** *n.*
dis·tor·tion [distɔ́:rʃən] *n.* [U,C] **1** (모양을) 찌그러뜨림; 찌그러진 상태[부분]; 왜곡된 이야기; 〖물리〗 (상(像)의) 뒤틀림; 〖의학〗 (신체·골격 등의) 만곡(彎曲); 염좌(捻挫); (라디오·텔레비전의) 소리·화상의 일그러짐 **2** (사실 등의) 왜곡, 곡해 **~·al** *a.* **~·less** *a.*
dis·tor·tion·ist [distɔ́:rʃənist] *n.* 만화가; (몸을 마음대로 구부리는) 곡예사(contortionist)
distr. distribute; distribution; distributor
∗**dis·tract** [distrǽkt] [L 「떼어놓다」의 뜻에서] *vt.* **1** 〈마음·주의를〉 **흐트러뜨리다,** 딴 데로 돌리다, 전환시키다(divert) 《*from*》(opp. *attract*): 《~+목+전+명》 Their chatter ~*s* me *from* studying. 그들의 수다 때문에 공부에 정신을 집중할 수 없다. **2** [주로 수동형으로] 〈마음을〉 괴롭히다, 어지럽히다, 당황하게 하다(perplex), 혼란시키다(⇨ distracted): Her sorrow ~*ed* her. 그녀는 슬픔으로 마음을 가누지 못했다. **3** 즐겁게 하다, …의 기분을 풀게 하다
~·i·ble, ~·a·ble *a.*
▷ distráction *n.*; distráctive *a.*
dis·tract·ed [distrǽktid] *a.* 〈주의 등이〉 빗나간, 마음이 산란한; 미친 듯한 《*with, by, at*》: She was ~ *with* doubts. 그녀는 의혹으로 마음이 산란했다.
drive a person ~ …의 마음을 산란하게 하다, …을 (반)미치게 하다 **~·ly** *ad.* **~·ness** *n.*
dis·tract·er, -tract·or [distrǽktər] *n.* (선다형 시험에서) 정답 이외의 선택지(肢)
dis·tract·ing [distrǽktiŋ] *a.* 마음을 산란케 하는; 미칠 것 같은 **~·ly** *ad.*
∗**dis·trac·tion** [distrǽkʃən] *n.* **1** [U] **정신이 흩어짐,** 주의 산만, 방심 **2** 기분 전환, 오락 **3** [U] 마음의 혼란, 심란, 정신 착란(madness) **4** 불화; 소동
drive a person ***to*** ~ …을 미치게[화나게] 하다 ***to*** ~ 미친 듯이 ▷ distráct *v.*
dis·trac·tive [distrǽktiv] *a.* 주의[정신]를 산만하게 하는; 미치게 하는
dis·train [distréin] *vt., vi.* 〖법〗 〈동산을〉 압류하다 《*on, upon*》 **~·a·ble** *a.* **~·ment** *n.*
dis·train·ee [dìstreiní:] *n.* 〖법〗 피압류인
dis·train·er, -trai·nor [distréinər] *n.* 〖법〗 (동산) 압류인
dis·traint [distréint] *n.* [U] 〖법〗 동산 압류
dis·trait [distréi] [F] *a.* (*fem.* **-traite** [-t]) (불안·근심으로) 멍한, 넋나간(absent-minded)
dis·traught [distrɔ́:t] *a.* **1** [P] (…으로) 정신이 혼란하여 《*with*》 **2** 미친 **~·ly** *ad.*
‡**dis·tress** [distrés] *n.* [U] **1** (큰) **고민**(worry), 비통, 비탄(grief), 고뇌, 걱정; [C] 고민거리 《*to*》 **2** 고통(pain); 피로 **3 곤란,** 고생 **4** 곤궁, 빈곤, 재난; 〖항해〗 조난: a signal of ~ 조난 신호 **5** 〖법〗 = DISTRAINT **6** 고통[괴로움, 위험 《등》]의 원인 ***in*** ~ (1) 곤란받고 (있는) 《*for*》 (2) 조난하여: a ship *in* ~ 조난[난파]선
— *vt.* **1 a 괴롭히다,** 고민하게 하다, 슬프게 하다 **b** [종종 ~ one*self* 또는 수동형으로] 괴로워하다, 슬퍼하다 《*at, about*》(⇨ distressed): 《~+목+전+명》 Don't ~ *yourself about* the matter. 그 일로 걱정하지 마시오. / She was ~*ed at* the sight. 그 광경을 보고 그녀는 마음이 아팠다. **2** 곤궁하게 하다 **3** (긴장·중압으로) 지치게 하다(exhaust) **4** 괴롭혀서 …시키다, 강제하다 《*into*》: 《~+목+전+명》 His poverty ~*ed* him *into* committing theft. 가난이 그로 하여금 도둑질하게 했다.
— *a.* **1** 출혈 판매의, 투매품의: ~ prices 투매 가격/~ goods 투매 상품 **2** 빈민 구제의: ~ work 빈민 구제 사업 ▷ distréssful *a.*
distréss càll 조난 호출, 구원 요청 《SOS, May-day 등》; (새·동물 등의) 위험을 알리는 소리
dis·tressed [distrést] *a.* **1** 고민하는, 괴로운, 슬퍼하는; 궁핍한 **2** 투매의; 〈가구 등을〉 흠을 내어 오래된 것처럼 꾸민 **3** 미친
distréssed área 1 《미》 자연 재해 지구 **2** 《영》 (실업자가 많은) 불황 지구
distréss flàg 조난 신호기(旗) 《마스트 중간에 달거나 거꾸로 닮》
distréss frèquency 조난 신호 주파수
dis·tress·ful [distrésfəl] *a.* 고민이 많은, 괴로운, 비참한 **~·ly** *ad.* **~·ness** *n.*
distréss gùn 〖항해〗 조난 신호포 《1분 간격》
dis·tress·ing [distrésiŋ] *a.* 괴로움을 주는, 비참한; 애처로운 **~·ly** *ad.*
distréss mèrchandise 《미》 투매[하자품] 상품
distréss ròcket 〖항해〗 조난 신호의 불꽃
distréss sàle[sèlling] 출혈 투매
distréss sìgnal 조난 신호
distréss wàrrant 〖법〗 압류 영장
dis·trib·u·tar·y [distríbjutèri | -təri] *n.* (*pl.* **-tar·ies**) 지류(支流)(cf. TRIBUTARY)
‡**dis·trib·ute** [distríbju:t] [L 「따로따로 주다」의 뜻에서] *vt.* **1 분배하다,** 배분하다, 배당하다, 벼르다; 배포하다, 배급하다 《*among, to*》; 〈상품 등을〉 유통시키다, 공급하다: 《~+목+전+명》 ~ pamphlets *to* the audience[*among* those present] 청중[참석자들]에게 소책자를 배포하다 **2 살포하다** 《*at*》, 분포시키다 《*over*》, (골고루) 퍼뜨리다, 뿌리다; [보통 수동형으로] 〈인종·동식물이〉 **분포되다** 《*over, through*》(⇨ distributed): ~ ashes *over* a field 밭에 재를 뿌리다 / The insect *is* ~*d* widely *throughout* the world. 그 곤충은 온 세계에 널리 분포되어 있다. **3** 분류하다(classify), (분류) 배치하다 《*into*》: 《~+목+전+명》 ~ plants *into* twenty-two classes 식물을 22종으로 분류하다 **4** 〖논리〗 확충[주연(周延)]시키다 **5** 〖인쇄〗 해판하다
— *vi.* 분배하다; 살포하다 **-ut·a·ble** *a.*
▷ distribútion *n.*; distríbutive *a.*
dis·trib·ut·ed [distríbju:tid] *a.* (널리) 분포된; 광범위한; 〖언어〗 광역성의; 〖컴퓨터〗 분산된 《다수의 컴퓨터로 분산 처리되는》
distríbuted dáta prócessing 〖컴퓨터〗 분산 데이터 처리
distríbuted lògic 〖컴퓨터〗 분산 논리
distríbuted práctice 〖심리〗 분산 학습 《긴 간격을 두고 시행하는》
distríbuted prócessing 〖컴퓨터〗 분산 처리
distríbuted sýstem 〖컴퓨터〗 분산 체계[시스템]

thesaurus **distract** *v.* divert, turn aside, deflect, confuse, disturb, bewilder, perplex
distraction *n.* **1** 정신이 흩어짐 diversion, interruption, disturbance, interference **2** 기분 전환 amusement, entertainment, pastime **3** 심란 confusion, bewilderment, perplexity, agitation

《독립적 처리 기능을 가진 컴퓨터들을 통신망으로 연결한 것》

dis·trib·u·tee [distrìbjutí:] *n.* 〖법〗 (유언 없는 사망자의) 유산 상속권자; 《일반적으로》 분배를 받는 사람

dis·trib·ut·ing [distríbju:tiŋ] *a.* 분배의, 배급의, 분포의: a ~ center (생산물의) 집산지 / a ~ station 배전소; 배급소

‡**dis·tri·bu·tion** [dìstrəbjú:ʃən] *n.* Ⓤ **1** 분배, 배급, 배포, 배달; Ⓒ 배급품, 몫: the ~ of wealth 부의 분배 **2** 구분, 분할, 분류 《*of*》 **3** (동식물 등의) 분포 (상태); Ⓒ 분포 구역: a ~ chart 분포도 **4** 배열; 배치 (상태) **5** 〖법〗 (재산의) 분배, 유산 분배 **6** 〖경제〗 (부의) 분배; (상품의) 유통: the ~ structure 유통 기구 **7** 〖통계〗 분포 **8** 〖논리〗 주연(周延), 확충 **9** 〖언어〗 분포 **10** 〖인쇄〗 해판 **11** 〖전기〗 배전
~·al *a.* (동식물) 분포상의
▷ distríbute *v.*; distríbutive *a.*

distribútion bòard (영) 〖전기〗 배전반(配電盤)

distribútion cènter 유통[물류] 센터

distribútion chánnel 〖경제〗 유통 경로

distribútion coefficient 〖화학〗 분배 계수

distribútion còst 유통 경비, 판매비, 배송비

distribútion cùrve 〖통계〗 분포 곡선

distribútion fùnction 〖통계〗 분포 함수

distribútion sàtellite 배급 위성 《지상국에 신호를 재발송하기 위한 소형 통신 위성》

dis·trib·u·tive [distríbjutiv] *a.* Ⓐ **1** 분배의[에 관한] **2** 〖문법〗 배분적인 **3** 〖논리〗 〈용어가〉 주연(周延)[확충]적인 **—** *n.* 〖문법〗 배분사(配分詞), 배분 대명사[형용사] 《each, every 등》 **~·ly** *ad.* **~·ness** *n.*

distríbutive educátion 직업 실습 교육 《학교와 산업계가 협동하는》

distribútive jùstice 〖사회〗 분배의 공정

distribútive láw 〖수학〗 분배 법칙

*__dis·trib·u·tor, -ut·er__ [distríbjutər] *n.* **1** 분배자; 배급[배포]자, 영화 배급업자 **2** 〖경제〗 판매자, 판매 대리점, 도매업자 **3** 〖기계〗 배전기 **4** (하수 처리의) 살수 장치 **5** 〖인쇄〗 해판공; (linotype의) 자동 해판 장치; (인쇄기의) 잉크 롤러

dis·trib·u·tor·ship [distríbjutərʃìp] *n.* 〖상업〗 (판매 대리인이 가지고 있는) 판매 대리[독점]권

‡**dis·trict** [dístrikt] *n.* **1** 지구, 지역, 구역 《행정·사법·선거·교육 등의》, 관구, 행정구, 시[군]의 한 구역 (⇨ area 유의어): the shopping[business] ~ of a town 도시의 쇼핑[상업] 지구 **2** (미) (하원 의원·주의회 의원의) 선거구 **3** 《일반적으로》 지방, 지역(region, area): the Lake *D*~ 호수 지방 《영국 북서부》 / the coal[fen] ~ 탄광[소택] 지방 **4** (영) 교구(parish)의 한 구역 《district visitor가 담당하는》; (영) 주(州) 자치구 《county를 세분한 행정구로서 district council을 가지는 것》
— *vt.* 지구[관구]로 나누다; (미) 선거구로 나누다

dístrict attórney (미) 지방 검사 《略 DA》

dístrict cóuncil (영) 지방 자치구 의회

dístrict cóurt (미) 지방 법원; (스코) (경범죄를 재판하는) 간이 재판소

dístrict héating 지역난방

dístrict jùdge (미) 지방 법원 판사

dístrict léader (미) (정당의) 지방 지부장

dístrict màn 특정 지역 취재 담당 신문 기자

dístrict núrse (영) 지구 (순방) 간호사

Dístrict of Colúmbia [the ~] (미) 컬럼비아 특별구 《미국 연방 정부 소재지; 略 D.C.; 일반적으로는 Washington, D.C.라고도 함》

---

distribution *n.* giving out, allocation, dispensation, assignment, administering

disturb *v.* **1** 방해하다 interrupt, distract, bother, trouble, interfere with **2** 불안하게 하다 concern, perturb, worry, upset, agitate, frighten, dismay, distress, unsettle, confuse, bewilder

---

dístrict státion (미) 지구 경찰서 《도시 또는 자치 단체의 경찰에 속함》

dístrict superinténdent (감리교의) 교구 감독

dístrict vísitor (영) 교구 목사보 《여성》

di·strin·gas [distríŋgəs, -gæs] *n.* **1** 〖법〗 (sheriff에게 명한) 압류 영장 **2** 〖상업〗 = STOP ORDER

*__dis·trust__ [distrʌ́st] *vt.* **신용하지 않다,** 믿지 않다; 의심하다 《mistrust보다 뜻이 강함》: ~ one's own eyes 자기의 눈을 의심하다
— *n.* Ⓤ [또는 a ~] 불신; 의혹, 의심 《*of*》
~·er *n.* ▷ distrústful *a.*

dis·trust·ful [distrʌ́stfəl] *a.* **1** 의심 많은, (쉽게) 믿지 않는 《*of*》 **2** 의심스러운(doubtful)
~·ly *ad.* **~·ness** *n.*

‡**dis·turb** [distə́:rb] [L 「혼란시키다」의 뜻에서] *vt.* **1** 〈마음·일 등을〉 **방해하다, 어지럽히다,** 불안하게 하다; …에게 폐를 끼치다: The news *~ed* us. 그 소식은 우리를 불안하게 했다. // (~+목+전+명) ~ a person *in* his[her] work[sleep] …의 일[수면]을 방해하다 **2** 혼란시키다; 휘저어 놓다: ~ the water 물을 휘저어 놓다 **3** 〈평화·질서·휴식을〉 어지럽히다, 교란하다: ~ the peace 치안을 어지럽히다 **4** 〈행위·상태를〉 저해하다, 막다 **5** 〈권리를〉 침해하다
— *vi.* 어지럽히다; (수면·휴식 등을) 방해하다
Do not ~! 입실 사절, 깨우지 마시오! 《호텔 등의 방문에 거는 팻말의 문구》 ***Don't ~ yourself.*** 그대로 계십시오. 《일어나지 마시오; 일을 계속하시오.》
~·er *n.* ▷ distúrbance *n.*

‡**dis·tur·bance** [distə́:rbəns] *n.* ⓊⒸ **1** (질서·치안의) **소란,** 소동, (사회) 불안, 혼란, 교란; **방해,** 장애(물): a ~ of the public peace 치안 방해 / cause [make, raise] a ~ 소동을 일으키다 **2** (마음의) 동요, 불안, 걱정 **3** 〖법〗 (권리 등의) 침해 **4** 〖지질〗 요란 《가벼운 지각 변동》 **5** 〖기상〗 (바람의) 요란; 저기압
▷ distúrb *v.*

dis·turbed [distə́:rbd] *a.* **1** 어지러운; 거칠어진 **2** 〈마음이〉 산란한, 동요한, 불안한: be ~ at[by] the news 그 소식을 듣고 걱정하다 **3** 정신[정서] 장애가 있는, 신경증의 **4** [the ~; 명사적; 복수 취급] 정신[정서] 장애자

dis·turb·ing [distə́:rbiŋ] *a.* 불안하게 하는; 불온한, 교란시키는; 방해가 되는 《*to*》 **~·ly** *ad.*

di·style [dístail, dáis-] *a.* 〖건축〗 〈고대 사원·건물 등이〉 이주식(二柱式)의

di·sul·fate, -phate [daisʌ́lfeit] *n.* 〖화학〗 이황산염

di·sul·fide, -phide [daisʌ́lfaid, -fid] *n.* 〖화학〗 이황화물

di·sul·fi·ram [daisʌ́lfəræ̀m] *n.* 〖약학〗 디술피람 《술이 싫어지는 약》

dis·u·ni·fy [disjú:nəfài] *vt.* …의 통일성을 해치다, 조화를 파괴하다

dis·un·ion [disjú:njən] *n.* Ⓤ **1** 분리, 분열 **2** 불일치, 불통일; 내분, 알력, 불화

dis·un·ion·ist [disjú:njənist] *n.* 분리주의자; (특히 미국 남북 전쟁 때의) 합중국 분리주의자 **-ism** *n.*

dis·u·nite [dìsju:náit] *vt., vi.* 분리[분열]시키다[하다]; 불화하게 하다[되다] **dis·u·nít·er** *n.*

dis·u·ni·ty [disjú:nəti] *n.* Ⓤ 불일치, 불통일(disunion); 불화

*__dis·use__ [disjú:s] *n.* Ⓤ **쓰지 않음;** 폐지, 폐기
fall [***come***] ***into ~*** 쓰이지 않게 되다
— [disjú:z] *vt.* …의 사용을 그만두다

dis·used [disjú:zd] *a.* 쓰이지 않게 된, 폐용된: a ~ mine 폐광

dis·u·til·i·ty [dìsju:tíləti] *n.* 해[불편, 불쾌, 고통]를 가져오는 것[성질]; 비효율

dis·val·ue [disvǽlju:] *n.* (가치의) 부인; 경시, 무시; 〖철학〗 부정적 가치, 반(反)가치
— *vt.* 경시하다, 얕보다

di·syl·la·bize [daisíləbàiz, di-] *vt.* 2음절로 하다

di·syl·la·ble, dis·syl- [dáisìləbl, daisíl-, dí-] *n.* 2음절어
dì·syl·láb·ic *a.* 2음절(어)의
dit [dít] *n.* 〖통신〗 돈《모스 부호 등의 단음; cf. DAH》
‡**ditch** [dítʃ] *n.* **1** (보통 밭 등 관개용) 수로, 도랑, 배수구(溝)[로]; 천연의 수로(watercourse) 《길가의 도랑은 gutter》 **2** [the D~] 《영·속어》 영국 해협; 북해(北海) **3** 참호; 요새의 호(壕)
be driven to the last ~ 궁지에 몰리다 ***die in a ~*** 도랑에 빠져[길가에서] 죽다 ***die in the last ~*** 최후까지 분투하다가 죽다
— *vt.* **1** …에 도랑을 파다, 해자로 두르다 《*around, about*》: (~+목+부) ~ a city *around*[*about*] 도시를 해자로 두르다 **2** 〈도랑을〉 치다, 수축(修築)하다 **3** 도랑에 빠뜨리다; 《미·구어》 〈자동차 등을〉 길에서 벗어나게 하다; 《미》 〈기차를〉 탈선시키다; 《미·비유》 몰락시키다(ruin) **4** 〈비행기를〉 불시 착수(着水)시키다 **5** 《속어》 〈물건을〉 버리다; 〈사람을〉 따돌리다; 〈관계를〉 끊다; 〈일·책임 등에서〉 꽁무니 빼다, 도망치다(get away from), 〈수업 등을〉 빼먹다
— *vi.* 도랑을 파다; 도랑을 치다[수축하다]; 〈비행기가〉 불시 착수하다; 《속어》 (학교를) 꾀부려 쉬다
hedging and ~ing 울타리와 도랑의 수리
ditch·dig·ger [dítʃdìgər] *n.* 도랑을 파는 사람[기계](ditcher); (단순) 중노동자
ditch·er [dítʃər] *n.* 도랑을 파는[치는, 고치는] 사람[기계]
ditch·wa·ter [dítʃwɔ̀:tər] *n.* Ⓤ 도랑에 괸 물
(*as*) ***dull as ~*** 침체할 대로 침체하여; 아주 시시한
di·the·ism [dáiθiìzm] *n.* Ⓤ (선악) 이신론(二神論) **-ist** *n.* **dì·the·ís·tic, -ti·cal** *a.*
dith·er [díðər] *vi.* (걱정·흥분으로) 벌벌 떨다; 안절부절못하다, 당황하다 《*about*》 — *n.* [a ~; 《영》 the ~s] 《구어》 떨림, 당황(한 상태) ***all of a ~*** 당황하여, 어찌할 바를 몰라 ***in a ~*** 당황하여, 안절부절 못하여 **~·er** *n.* **díth·er·y** *a.*
di·thi·ón·ic ácid [dàiθaiánik- | -ɔ́n-] 〖화학〗 디티온산
dith·y·ramb [díθəræ̀mb] *n.* **1** 〖고대 그리스〗 주신(酒神) (Dionysus) 찬양가 **2** 열광적인 시[연설, 문장]
dith·y·ram·bic [dìθəræ̀mbik] *a.* 주신(酒神) 찬가의; 열광적인 — *n.* = DITHYRAMB **-bi·cal·ly** *ad.*
di·tran·si·tive [daitræ̀nsətiv] *a., n.* 이중 목적어를 가지는 (동사)(= ~ **vérb**) 《give, send 등》
dit·sy [dítsi] *a.* 《속어》 **1** 어리석은, 바보의; 침착하지 못한 **2** 지저분한
dit·ta·ny [dítəni] *n.* (*pl.* **-nies**) 〖식물〗 꽃박하
dit·tied [dítid] *a.* 소곡(ditty)으로 작곡된[불리는]
dit·to [dítou] [It. 「앞서 말한」의 뜻에서] *n.* (*pl.* **~s**) **1** Ⓤ 동상(同上), 위와 같음(the same) 《略 do., d°, 일람표 등에서는 〃(ditto mark) 또는 —를 대용함》 **2** 《속어》 꼭 닮은 것(close copy) **3** 사본(copy), 복사 **4** 《영》 (옷감·색이) 상하로 어울리는 옷
a suit of ~s = ***a ~ suit*** 아래위 한 벌의 옷 ***be in ~s*** 아래위 같은 감의 옷을 입고 있다 ***say ~ to*** 《구어》 …의 의견에 전적으로 동의하다
— *a., ad.* 《속어》 (앞과) 같은[같게], 마찬가지로
— *vt., vi.* 복사하다; 되풀이하다
dit·to·graph [dítəgræ̀f, -grɑ̀:f] *n.* (실수로) 중복해서 쓴 글자[문구], 중복 어구
dit·to·graph·ic [dìtəgræ̀fik] *a.* 실수로 중복해서 쓴
dit·tog·ra·phy [ditágrəfi | -tɔ́g-] *n.* ⓊⒸ 중복 오사(誤寫) 《literature를 literat*at*ure로 쓰는 등》
Dítto machìne 디토 복사기 《상표명》
dítto màrk[**sìgn**] 중복 부호 《〃》
dit·ty [díti] *n.* (*pl.* **-ties**) (소박한) 소곡(小曲), 단가(短歌), 단시(短詩)
dítty bàg (선원이 바느질·세면도구 등을 넣는) 잡낭
dítty bòx 작은 상자 《ditty bag과 같은 용도》
ditz [díts] *n.* 《속어》 바보, 천치
dit·zy [dítsi] *a.* = DITSY

di·u·re·sis [dàiərí:sis, -jur- | dàijuər-] *n.* Ⓤ 〖의학〗 이뇨(利尿)
di·u·ret·ic [dàiərétik, -jur- | dàijuər-] *a.* 이뇨의 — *n.* ⓊⒸ 이뇨제 **-i·cal·ly** *ad.*
di·ur·nal [daiə́:rnl] *a.* **1** 낮의, 주간(晝間)의(opp. *nocturnal*); Ⓐ 날마다의 **2** 〖식물〗 낮에 피는; 〖동물〗 주행성의; 〖천문〗 일주(日周)의: the ~ motion 일주 운동 — *n.* 〖가톨릭〗 주간 성무 일과서 《시간마다의 기도문을 쓴 책》 **~·ly** *ad.*
diúrnal párallax 〖천문〗 일주 시차(日周視差)
di·u·ron [dáiərɑ̀n | djúərɔ̀n] *n.* 디우론 《제초제》
div 〖수학〗 divergence **Div** division **div.** diversion; divide(d); dividend; divine; divinity; division; divisor; divorced
di·va [dí:və, -vɑ: | -və] [It.] *n.* (*pl.* **~s, -ve** [-vei]) (가극의) 프리마돈나, 주연[인기] 여가수
di·va·gate [dáivəgèit] *vi.* 《문어》 **1** 헤매다 **2** 〈이야기 등이〉 본론에서 벗어나다, 일탈하다 《*from*》
dì·va·gá·tion *n.* Ⓤ 방황; ⓊⒸ 여담(으로 흐르기)
di·va·lent [daivéilənt] *a.* 〖화학〗 2가(價)의(bivalent) **di·vá·lence** *n.* Ⓤ 〖화학〗 2가
di·van [diván, daivǽn] [Turk.] *n.* **1** (벽에 붙여 놓는 등·팔걸이 없는) 긴 의자; 침대 의자, 소파 겸 침대 (= ~ **bèd**) **2** 회의, 위원회(council) **3** (오스만 제국의) 추밀원 《군주의 사적 자문 기관》; (터키·중동의) 국정 회의; (중동의) 회의실, 알현실, 법정, 관세청 **4** (아라비아·페르시아 시인의) 작품집, 개인 시집 **5** 찻집; (담배 가게가 붙어 있는) 흡연실
di·var·i·cate [daivǽrəkèit, di-] *vi.* 두 갈래로 갈라지다, 분기되다 — *vt.* 분리하다, 확대하다
— [-kət] *a.* 분기된; 가지가 갈라져 나온 **~·ly** *ad.*
di·var·i·ca·tion [daivæ̀rəkéiʃən, di-] *n.* ⓊⒸ 분기(점); 의견의 차이
‡**dive** [dáiv] *vi.* (**~d,** 《미·구어》 **dove** [dóuv]) **1** (물 속으로) 뛰어들다; 물속에 잠기다; (…을 찾아) 잠수하다 《*for*》; 〈잠수함 등이〉 잠수하다: (~+전+명) ~ *into* a river 강물에 뛰어들다 **2** 갑자기 안 보이게 되다, (덤불 등에) 들어가 숨다 《*into*》: (~+전+명) ~ *into* bushes 덤불 속으로 숨어들다 **3** 손을 쑤셔 넣다 《*into*》: (~+전+명) ~ *into* a bag 자루에 손을 쑤셔 넣다 **4** 〈비행기·새가〉 급강하하다 **5** 〈연구·사업·오락 등에〉 열심히 착수하다, 몰두하다 《*in, into*》: (~+전+명) ~ *into* politics 정치에 몰두하다
— *vt.* **1** 〈손 등을〉 쑤셔 넣다 **2** 〈잠수함 등을〉 잠수시키다 **3** 〈비행기 등을〉 급강하시키다 **4** 《드물게》 조사하다
~ in 열심히 착수하다[몰두하다]; 《구어》 먹기 시작하다
— *n.* **1** (수영의) 다이빙, 잠수: a fancy ~ 곡예 다이빙 **2** 〖항공〗 급강하: a nose[steep] ~ 급강하 **3** (음식점·여관 등의) 지하실; 특수한 물건을 파는 지하층 **4** 《미·속어》 (흔히 지하에 있는) 싸구려[수상한, 불법의] 술집[숙박소, 댄스홀, 도박장]: an opium-smoking ~ 아편굴 **5** 《속어》 (권투에서) 짜고 하는 녹아웃 **6** (매상 등의) 격감 《*in*》 **7** 몰두, 탐구 ***make a ~ for*** …을 잡으려고 하다 ***take a ~*** 《속어》 (권투에서) 짜고 녹아웃당하다; 〈가격·재산·명성이〉 하락하다
dive-bomb [dáivbɑ̀m | -bɔ̀m] *vt., vi.* 급강하 폭격을 하다 **~·ing** *n.* Ⓤ 급강하 폭격
díve bòmber 급강하 폭격기
díve bràke 〖항공〗 급강하 브레이크
díve lìght (다이버가 수중에서 사용하는) 라이트
dive-mas·ter [-mæ̀stər] *n.* 다이버 감독 《스쿠버 다이버의 안전 관리 책임자》
*__div·er__ [dáivər] *n.* **1** 물에 뛰어드는[잠수하는] 사람, 다이빙 선수; 잠수부; 해녀 **2** 〖조류〗 잠수하는 새 《아비(loon) 등》 **3** 《속어》 잠수함; 〖항공〗 급강하 폭격기 **4** (문제 등의) 탐구자 《*into*》 **5** 《영·속어》 소매치기

thesaurus **diverge** *v.* **1** 분기하다 divide, part, separate, split, fork, branch off **2** 〈의견 등이〉 갈라지다 disagree, conflict, clash

∗**di·verge** [divə́ːrdʒ, dai-] *vi.* **1** 〈길·선 등이〉 **분기하다**, 갈라지다; 〖물리·수학〗 〈수열·급수 등이〉 발산하다(opp. *converge*) **2** 빗나가다; 보통 모양[상태]에서 벗어나다 《*from*》 **3** 〈의견 등이〉 갈라지다 《*from*》
—*vt.* 돌리다, 빗나가게 하다
▷ divérgence *n.*; divérgent *a.*

di·ver·gence, -gen·cy [divə́ːrdʒəns(i), dai-] *n.* (*pl.* **~s**; **-cies**) ⓊⒸ 분기; 일탈(逸脫); (의견 등의) 차이; 〖수학·물리〗 발산; 〖심리〗 확산; 〖식물〗 잎과 잎 사이의 거리; 방산[발산]성

di·ver·gent [divə́ːrdʒənt, dai-] *a.* **1** 분기하는; 갈라지는(opp. *convergent*); (관습 등에서) 일탈한 **2** 〈의견 등이〉 다른: ~ opinions 이론(異論) **3** 〖수학〗 발산의; 〖기하〗 방사상의 **~·ly** *ad.*

divérgent thínking 〖심리〗 확산적 사고

di·ver·ger [divə́ːrdʒər, dai-] *n.* diverge하는 사람[것]; 〖심리〗 확산적 사고형의 사람

di·verg·ing [divə́ːrdʒiŋ, dai-] *a.* = DIVERGENT

divérging léns 〖광학〗 발산 렌즈《오목 렌즈》

di·vers [dáivəːrz] *a.* 《고어》 몇 개의; 여러 가지의
— *pron.* [복수 취급] 몇 개, 몇 사람

∗**di·verse** [divə́ːrs, dáivəːrs | daivə́ːs, ∠—] *a.* **다른 종류의**, 다른(different) 《*from*》; 여러 가지의, 다양한(varied): a man of ~ interests 취미가 다양한 사람 **~·ly** *ad.* **~·ness** *n.*
▷ divérsity *n.*

di·ver·si·fi·ca·tion [divə̀ːrsəfikéiʃən, dai-] *n.* **1** Ⓤ 다양화, 다양성, 잡다한 상태 **2** ⓊⒸ 변화, 변형 **3** ⓊⒸ 〖경제〗 (사업의) 다각화, (투자 대상의) 분산

di·ver·si·fied [divə́ːrsəfàid, dai-] *a.* 변화가 많은, 여러 가지의(varied), 다각적인: a very ~ line of machinery 아주 다양화된 기계 설비

divérsified fárming 복합[다각적] 영농

di·ver·si·form [divə́ːrsəfɔ̀ːrm, dai-] *a.* 다양한, 여러 가지 모양의

di·ver·si·fy [divə́ːrsəfài, dai-] *v.* (**-fied**) *vt.* 여러 가지로 변화시키다[만들다], 다양화하다; 〈투자 대상을〉 분산시키다; 〈사업을〉 다각화하다 —*vi.* 〈기업이〉 다각[다양]화하다; 투자를 분산하다
-fi·a·ble *a.* **-fi·er** *n.*

∗**di·ver·sion** [divə́ːrʒən, dai- | daivə́ːʃən] *n.* ⓊⒸ **1 전환**, 딴 데로 돌림; 분수(分水); (자금의) 유용 **2** 〖군사〗 견제[양동] (작전) **3** Ⓒ 기분 전환, 오락(recreation) **4** 《영》 (통행 금지 시의) 우회로(《미》 detour)
▷ divért *v.*; divérsionary *a.*

di·ver·sion·al [divə́ːrʒənl | daivə́ːʃənl] *a.* 기분 전환이 되는, 재미나는

di·ver·sion·ar·y [divə́ːrʒənèri, dai- | daivə́ːʃənəri] *a.* **1** 〖군사〗 견제적인, 양동의 **2** 주의를 딴 데로 돌리는

di·ver·sion·ist [divə́ːrʒənist, dai- | daivə́ːʃənist] *n.* (정치적) 편향[일탈]자, 파괴[반정부] 활동가《공산주의자의 표현》; 양동 작전가 **-ìsm** *n.* Ⓤ 편향

∗**di·ver·si·ty** [divə́ːrsəti, dai-] *n.* (*pl.* **-ties**) **1** ⓊⒸ **다양성**, 변화(variety); Ⓤ 상이, 차이; Ⓒ 상이점 **2** [a ~] 여러 가지, 잡다 《*of*》: *a* ~ *of* opinion 여러 가지 의견 **3** 《완곡》 인종의 다양함
▷ divérse *a.*; divérsify *v.*

∗**di·vert** [divə́ːrt, dai-] *vt.* **1** …을 …으로 **전환하다**, 딴 데로 돌리다 《*from*; *to*, *into*》; 유용[전용]하다; 《영》 〈교통을〉 우회시키다: (~+목+전+명) ~ the course *of* a river = ~ a river *from* its course 강의 흐름을 바꾸다 **2** 다른 대상을 향하게 하다, 〈주의를〉 딴 곳으로 돌리다 《*from*, *to*》; 〖군사〗 견제하다 **3** 기분 전환을 시키다, 즐겁게 해 주다(amuse)
—*vi.* (본래의 일 등에서) 벗어나다
be ~ed by [*in*, *with*] …을 즐기다, 즐거워하다 **~** ***oneself in*** …을 즐기다, …으로 기분을 풀다
▷ divérsion *n.*

diverse *a.* various, varying, different, mixed, distinctive, contrasting, conflicting, miscellaneous (opp. *identical*, *similar*, *like*)

di·ver·tic·u·li·tis [dàivərtìkjuláitis] *n.* 〖의학〗 게실염(憩室炎)

di·ver·tic·u·lum [dàivərtíkjuləm] *n.* (*pl.* **-la** [-lə]) Ⓤ 〖의학〗 게실(憩室)

di·ver·ti·men·to [divə̀ːrtəméntou] [It.] *n.* (*pl.* ***-ti*** [-tiː]) 〖음악〗 디베르티멘토, 희유곡(嬉遊曲)

di·vert·ing [divə́ːrtiŋ, dai-] *a.* 기분 전환이 되는, 즐거운, 재미있는(amusing) **~·ly** *ad.*

di·ver·tisse·ment [divə́ːrtismənt] [F = diversion] *n.* **1** 오락, 연예 **2** (연극·오페라에서) 막간의 여흥《짤막한 발레·무곡 등》; 접속곡 **3** = DIVERTIMENTO

di·ver·tive [divə́ːrtiv, dai-] *a.* = DIVERTING

Di·ves [dáiviːz] *n.* 〖성서〗 부자(富者), 갑부

Díves còsts 《영》 통상적 소송 비용(opp. *pauper costs*)

di·vest [divést, dai-] *vt.* **1** 〈…의〉 (옷을) 벗기다(strip) 《*of*》: (~+목+전+명) ~ a person *of* his[her] coat …의 코트를 벗기다 **2** 〈권리·계급 등을 …에게서〉 빼앗다(deprive) 《*of*》; 제거하다(rid) 《*of*》; 〖법〗 〈권리·재산 등을〉 박탈하다: be *~ed of* …을 빼앗기다, 상실하다 // (~+목+전+명) ~ a person *of* his[her] rights …의 권리를 빼앗다 **3** 〈사람으로부터〉 〈책임 등을〉 없애다; 〈사람을〉 (의무 등으로부터) 벗어나게 하다 **4** 〖상업〗 〈자회사·지주 회사 등을〉 매각[분리]하다 ~ one***self of*** …을 벗(어 던지)다, 떨쳐 없애다; 〈재산 등을〉 포기하다, 처분하다

di·vest·ment [divéstmənt, dai-] *n.* ⓊⒸ 〖금융〗 투자 철회[회수]

di·ves·ti·ture [divéstətʃər, dai-] *n.* Ⓤ 박탈; 자회사의 매각; 기업 분할; 투자의 철수

díve tàbles (스쿠버 다이빙용) 잠수표

div·i [dívi] *n.* = DIVVY

di·vid·a·ble [diváidəbl] *a.* = DIVISIBLE

∗∗∗**di·vide** [diváid] [L 「분리하다」의 뜻에서] *vt.* **1 나누다**, 쪼개다, 분할하다(split up) 《*into*》 《*in* two [half]에서만 in이 쓰임》(⇨ separate 유의어): (~+목+전+명) *D*~ it *into* three equal parts. 그것을 3등분하시오. // (~+목+부) How did they ~ the profits *up*? 그들은 이익을 어떻게 나누었는가? **2 분배하다**; 〈시간 등을〉 할당하다 《*among*, *between*》; 가르다, 나누어 갖다(share) 《*with*》: (~+목+전+명) ~ profits *with* workmen 이익을 근로자와 나누어 갖다 / He ~*d* his property *among*[*between*] his four sons. 그는 재산을 네 아들에게 나누어 주었다. **3 분리하다**; 격리하다 《*from*》: (~+목+전+명) ~ the sick *from* the others 환자를 격리시키다 **4** 〈도로·하천 등이〉 **가르다**(part): (~+목+전+명) The river ~*s* my land *from* his. 강이 내 땅을 그의 땅과 갈라놓고 있다. **5 분류하다** 《*into*》: (~+목+전+명) The subject may be ~*d into* two branches. 그 문제는 두 부분으로 분류될 수 있을 것이다. **6** 〈의견·관계 등을〉 **분열시키다**; 〈사람들의〉 사이를 갈라놓다 《*on*》: Envy ~*d* them. 시샘이 그들의 사이를 갈라놓았다. // (~+목+전+명) Opinions are ~*d on* the point. 그 점에서 의견이 갈리어 있다. / They were ~*d in* opinion. 그들은 의견을 달리했다. **7** 〈마음을〉 분열시키다 **8** 〈의회·회의를〉 두 파로 나누어 찬부를 표결하다 《*on*》: (~+목+전+명) ~ the House *on* the point 그 점을 의회의 표결에 부치다 **9** 〖수학〗 〈어떤 수를〉 (다른 수로) 나누다 《*by*》; 〈어떤 수로〉 (다른 수를) 나누다 《*into*》; (우수리 없이) 나뉘어떨어지게 하다: *D*~ 6 *by* 2[*D*~ 2 *into* 6], and you get 3. = 6 ~*d by* 2 is[equals, gives] 3. 6 나누기 2는 3이다. / 9 ~*s* 36. 36은 9로 나누어떨어진다. **10** 〖기계〗 도수[눈금]를 새기다
—*vi.* **1** 갈라지다, 쪼개지다; 〈강·길 등이〉 둘로 갈리다 《*into*》: (~+전+명) They ~*d* (*up*) *into* small groups. 그들은 작은 그룹으로 갈라졌다. **2** (…에 관하여) 의견이 갈라지다 《*on*, *over*》 **3** (의회·회의에서) 찬

반 투표를 하다, 표결하다 《*on*》 **4** 나눗셈하다; (우수리 없이) 나누어떨어지다 **5** (…와) 공유하다, 똑같이 분배하다 ***be ~d against itself*** 〈단체·국가가〉 내부 분열이 되다 ***D~! D~!*** 표결이요! 표결! ***~ and rule* [*conquer*]** 분할 통치하다 ***~ up*** 〈나라를〉 분할하다
— *n.* **1** 분할(division) **2** 분계(分界); 《미》 분수령, 분수계(watershed) **3** (…와) 서로 어긋남, 서로 틀림, 상위(相違) 《*between*》 ***~ and rule*** 분할 통치 (정책), 각개 격파 ***cross the great ~*** (완곡) 죽다
di·vid·ed [diváidid] *a.* **1** 분할된, 갈라진; 분리된: ~ ownership (토지) 분할 소유 / ~ payments 분할 지불 **2** 〈의견 등이〉 각기 다른, 분열한 **3** 〖식물〗 〈잎이〉 열개(裂開)한 **~·ly** *ad.* **~·ness** *n.*
▷ divíde *v.*; divísional *a.*
divíded cónsonant 분열[분할] 자음
divíded híghway 《미》 중앙 분리대가 있는 간선 도로
divíded skírt (여자 승마용의) 치마 바지(culottes)
divíded úsage 분할 어법 《sing의 과거 sang, sung처럼 다른 철자·발음 등이 있는 것》
*__div·i·dend__ [dívədènd, -dənd] [L 「나누어진 것」의 뜻에서] *n.* **1** 〖수학〗 **피제수**(被除數), **나뉨수**(opp. *divisor*) **2** 공채 이자; (주식·보험의) 이익 배당, **배당금**; (파산 청산의) 분배금 《*in*》 **3** 〖금융〗 배당률, 배당액 **4** 《일반적으로》 나누어진 몫 **5** (구어) 특별 수당, 증액 보수, 경품; (기대 이상의) 이익 ***~ on* [*off*]** 《미》 배당이 있는[없는](cum[ex] dividend)
dívidend accòunt 배당금 계정
dívidend chèck[《영》 **chèque**] 배당 수표
dívidend còver 배당 배율
dívidend strìpping 《영》 배당 과세 면제
dívidend wàrrant 배당금 지불증
dívidend yìeld 배당 수익
di·vid·er [diváidər] *n.* **1** 분할자, 분배자 **2** 분열의 원인; 이간자 **3** [*pl.*] 분할기, 디바이더: a pair of ~*s* 디바이더 1개 **4** [*pl.*] (상자·방 등의) 칸막이
di·vid·ing [diváidiŋ] *a.* **1** 나누는, 구분하는: ~ bars 창살 / a ~ ridge 분수령 / a ~ line 경계(선) **2** 〖기계〗 눈금용의 — *n.* 〖기계〗 (계기 등의) 눈금
divíding éngine 눈금 새기는 기계
div·i·div·i [dívidívi] *n.* (*pl.* **~, ~s**) 〖식물〗 열대 아메리카산(産) 콩과(科) 식물(의 꼬투리) 《무두질에 씀》
Di·vi·na Com·me·dia [di:ví:nə-kɑmméidjə] [It. =Divine Comedy] [*La* ~] 신곡(神曲) 《단테(Dante)의 장편 서사시》
div·i·na·tion [dìvənéiʃən] *n.* **1** ⓊⒸ 점(占) **2** [종종 *pl.*] 예언; 예견, 선견지명
di·vin·a·to·ry [divínətɔ̀:ri | -təri] *a.* 점의; 예견적인; 직관적 인지(認知)의, 본능적 예지(豫知)의
‡**di·vine** [diváin] *a.* (**-vin·er**; **-est**) **1 신의**; 신성(神性)의; 신이 준, 하늘이 내린: the ~ Being[Father] 신(神), 하느님 / ~ grace 신의 은총 / ~ nature 신성(神性) **2 신성한**(holy); 종교적인; 신에게 바친 **3** 성스러운, 거룩한: ~ beauty[purity] 성스러운 아름다움[순결] **4** 비범한; (구어) 아주 훌륭한, 멋진 《주로 여성이 쓰는 강조어》: ~ weather 아주 좋은 날씨 **5** 인간을 초월한, 신의 일인 **6** (고어) 신학의
— *n.* (드물게) 신학자; 성직자, 목사; [the D~] 신, 창조주; 인간의 영적인 면
— *vt.* **1 점치다**, 미리 알다, 예언하다, (본능적으로) 예지하다; 예측하다, 알아맞히다, 〈남의 생각 등을〉 간파하다 **2** 점 막대기로 〈수맥·광맥을〉 찾아내다
— *vi.* **1** 점치다 **2** 점 막대기로 (수맥·광맥을) 찾다 《*for*》 **3** 추측하다
~·ly *ad.* 신처럼, 신의 힘으로, 거룩하게; (구어) 훌륭히 **~·ness** *n.*
▷ divínity, divinátion *n.*; divínatory *a.*
Divíne Cómedy [The ~] =DIVINA COMMEDIA
divíne héaling 신의 힘에 의한 치유; 신앙 요법
Divíne Mínd 〖크리스천 사이언스〗 신(Mind)
Divíne Óffice [the ~] 〖가톨릭〗 성무 일과 《상급 성직자가 외우는 낭송 및 기도》
di·vin·er [diváinər] *n.* **1** 점쟁이; 예언자 **2** 점 막대기로 (수맥(水脈)·광맥을) 찾아내는 사람 **3** 《미·속어》 (술집에서) 팁을 주지 않는 사람
divíne ríght [the ~] 〖역사〗 신수(神授) 왕권; 왕권 신수(설)(=**~ of kíngs**); 《일반적으로》 신수 권리
divíne sérvice 예배식, 전례(典禮)
‡**div·ing** [dáiviŋ] *n.* Ⓤ **잠수**; 〖수영〗 다이빙
— *a.* 물속에 들어가는; 잠수(용[성])의; 강하[침하(沈下)]용의
díving bèetle 〖곤충〗 물방개
díving bèll 〖항해〗 잠수 종 《종모양의 잠수기(器)》

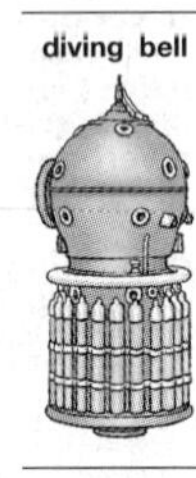
diving bell

díving bòard (수영장 등의) 다이빙대[판]
díving bòat 잠수 작업용 보트
díving càtch 〖야구〗 다이빙 캐치
díving hèlmet 잠수모
díving rèflex 〖생리〗 잠수 반사
díving sùit [**drèss**] 잠수복
di·vin·ing [diváiniŋ] *n.* Ⓤ, *a.* 점(占)(의), 예언(의)
divíning ròd (수맥 등을 찾는) 점 막대기 《끝이 갈라진》(cf. DOWSE[2])
*__di·vin·i·ty__ [divínəti] *n.* (*pl.* **-ties**) **1 a** Ⓤ [the D~] =DEITY, GOD; 천지 창조의 신, (기독교의) 신 **b** Ⓒ [종종 **D~**] 《일반적으로》 **신**(god); 천사; 거룩한 사람 **2** Ⓤ **신성**(神性); 신격(神格) **3** Ⓤ 신의 힘[덕] **4** Ⓤ 신학(theology); (대학의) 신학부 **5** 크림 과자의 일종(=**~ fùdge**) ***Doctor of D~*** 신학 박사 《略 D.D.》 ▷ divíne *a.*
divínity càlf 암갈색 송아지 가죽 《신학책 표지용》
divínity cìrcuit (**bìnding**) =YAPP (BINDING)
divínity schòol 신학교
div·i·nize [dívənàiz] *vt.* 신격화하다; 신으로 모시다, …에 신성을 부여하다 **dìv·i·ni·zá·tion** *n.*
di·vi·si [diví:zi] [It.] *a.* 〖음악〗 디비지, 분주(分奏)의
di·vis·i·bil·i·ty [divìzəbíləti] *n.* Ⓤ 나눌 수 있음, 가분성; 〖수학〗 나누어떨어짐
di·vis·i·ble [divízəbl] *a.* 나눌 수 있는, 가분의; 〖수학〗 (우수리 없이) 나누어떨어지는 《*by*》
-bly *ad.* 나눌 수 있게; 나누어떨어지게
‡**di·vi·sion** [divíʒən] *n.* **1** ⓊⒸ **분할**; 분배, 구획, 배분; 〖생물〗 분열; 〖원예〗 포기 나누기; Ⓤ 〖수학〗 나눗셈, 제법(除法)(opp. *multiplication*) **2** (분할된) **구분**, 부분; 구(區), 부(部), 단(段), 절(節) **3 경계선**; 칸막이, 격벽; (저울·온도계 등의) 눈금 **4** 분류; 〖생물〗 (유(類)·과(科)·속(屬) 등의) 부문; 〖식물〗 (식물 분류상의) 문(門)(cf. CLASSIFICATION) **5** 〖육군〗 사단; 〖해군〗 분함대(分艦隊), 전대(戰隊); 〖미공군〗 (항공) 사단 **6** ⓊⒸ (의견 등의) **차이**, 불일치, 분열 **7** 《영》 (찬반 양파로 갈라지는) 표결 《*on*》 **8** (학교·교도소 등의) 반, 조(class): 1st[2nd, 3rd] ~ 《영》 교도소의 미죄(微罪)[경죄, 중죄]조 **9** 《미》 (관청·회사 등의) **부**, **국**, **과** 《略 Div.》; (대학의) 학부 **10** 《영》 (선거구로서의) 주[자치 도시]의 일부(《미》 district) **11** 〖스포츠〗 (체중·기량·연령별의) 클래스, 급(級); (축구의) 부, 리그; 《영》 (공무원의) 급(級) ***go to a ~*** 《영》 표결에 들어가다 ▷ divíde *v.*; divísional *a.*
di·vi·sion·al [divíʒənl] *a.* **1** 분할상의, 구분적인; 〖수학〗 나눗셈의 **2** 부분적인 **3** 〖군사〗 사단의; 전대(戰隊)의: a ~ commander 사단장
~·ly *ad.* 분할적으로, 구분적[부분적]으로; 나눗셈으로

thesaurus **dividend** *n.* share, surplus, portion, bonus, extra, benefit, plus
divine *a.* godly, heavenly, celestial, holy, angelic, sacred, spiritual, sacramental
division *n.* **1** 분할 dividing, cutting up, severance, splitting, parting, separation, detachment **2** (분할된) 부분 section, part, portion, piece, bit,

divísion àlgebra 〖수학〗 다원체(多元體)
divísion àlgorithm 〖수학〗 호제법(互除法)
di·vi·sion·ar·y [divíʒənèri | -ʒənəri] *a.* 《영》 = DIVISIONAL
divísion bèll (영국 의회의) 표결 신호종
di·vi·sion·ism [divíʒənìzm] *n.* [종종 **D~**] 〖미술〗 = POINTILLISM **-ist** *n., a.*
divísion lóbby 《영》 표결 로비 《의회의 복도》
divísion of lábor 〖경제〗 분업
divísion of pówers 〖정치〗 (입법·행정·사법의) 삼권 분립; 《미》 (연방과 주의) 주권(主權) 분립
divísion sìgn[màrk] 〖수학〗 나눗셈 부호 《÷》; 분수를 나타내는 사선 《/》
di·vi·sive [diváisiv] *a.* 불화를 일으키는
~·ly *ad.* **~·ness** *n.*
*__di·vi·sor__ [diváizər] *n.* 〖수학〗 **제수**(除數), 나눗수 (opp. *dividend*); 약수: a common ~ 공약수
‡__di·vorce__ [divɔ́ːrs] [L 「떨어져서 향하다」의 뜻에서] *n.* **1** UC (법원 판결에 따른 법률상의) **이혼,** 결혼 해소 **2** 분리, 절연, 분열 **3** 《미·속어》 가정 내의 총격
— *vt.* **1** 〈부부를〉 **이혼시키다** 《*from*》; 〈배우자와〉 이혼하다: He ~*d* his wife. 그는 아내와 이혼했다. // (~+목+전+명) ~ oneself *from* one's wife = be ~*d from* one's wife 아내와 이혼하다 **2** 〈밀접한 것을〉 분리시키다(separate) 《*from*》: (~+목+전+명) ~ education *from* religion 교육과 종교를 분리하다
— *vi.* 이혼하다 **~·a·ble** *a.*
di·vor·cé [divɔ̀ːrséi, -ˊ-ˋ] [F] *n.* 이혼한 남자
divórce còurt 이혼 법정
di·vorced [divɔ́ːrst] *a.* **1** 이혼한 **2** 분리된 《*from*》: He seems completely ~ *from* reality. 그는 완전히 현실과 동떨어진 것처럼 보인다.
di·vor·cée, 《영》 **-cee** [divɔ̀ːrséi, -síː] [F] *n.* 이혼한 여자
di·vorce·ment [divɔ́ːrsmənt] *n.* UC 이혼; 분리
divórce mìll 《구어》 (이혼 조건이 까다롭지 않은 주(州)와 국가의) 이혼 법정
div·ot [dívət] *n.* **1** 《스코》 뗏장(sod) **2** 〖골프〗 (클럽에 맞아) 뜯긴 잔디의 한 조각
di·vul·gate [divʌ́lgeit] *vt.* 〈비밀을〉 누설하다 《*to*》; 폭로하다 《*that* ...》 **dìv·ul·gá·tion** *n.*
di·vulge [divʌ́ldʒ, dai-] *vt.* 〈비밀 등을〉 누설하다 (reveal), 폭로하다 《*to*》 **~·ment** *n.* **di·vúlg·er** *n.*
di·vul·gence [divʌ́ldʒəns, dai-] *n.* UC 비밀 누설; 폭로
di·vulse [daivʌ́ls, di-] *vt.* 〖외과〗 열개(裂開)하다
di·vúl·sion *n.* U 〖외과〗 열개
div·vy [dívi] *n.* (*pl.* **-vies**) 《구어》 몫, 배당
— *vt., vi.* 《구어》 분배하다 《*up, between*》
Di·wa·li, De·wa·li [diwɑ́ːli], **Di·va·li** [-vɑ́ː-] *n.* 〖힌두교〗 등명제(燈明祭) 《10월 또는 11월에 행해지는 인도의 종교적 축제》
di·wan [diwɑ́ːn, -wɔ́ːn | -wɑ́ːn] *n.* = DEWAN
Dix·i·can [díksikən] *n.* 《미》 남부 출신의 공화당원
dix·ie [díksi] *n.* 《영》 (야영용) 큰 냄비; 반합(飯盒)
Dix·ie [díksi] *n.* 《미》 **1** 남부 여러 주의 별명(= ~ **Lànd**) **2** 딕시 《남북 전쟁 때 남부에서 유행한 쾌활한 노래》 **3** 여자의 이름 ***whistle*** **~** 《미·속어》 무책임한 말을 하다, 자기 좋을 대로 생각하다
— *a.* 미국 남부 여러 주의
Dix·ie·crat [díksikræ̀t] *n.* 《미》 미국 남부의 민주당 탈당파(의 사람) **Dìx·ie·crát·ic** *a.*
Díxie Cùp 종이컵 《음료·아이스크림용; 상표명》

---

segment **3 불화** disagreement, dissension, conflict, feud **4 (조직의) 부, 국** branch, department, section, sector, arm, division
divorce *n.* dissolution, disunion, breakup, split-up, separation, severance, breach
dizzy *a.* lightheaded, faint, vertiginous, shaky, staggering, wobbly, reeling

---

Dix·ie·land [díksilæ̀nd] *n.* U **1** = DIXIE 1 **2** 딕시랜드 재즈(= ~ **jázz**) **~·er** *n.* 딕시랜드 재즈 연주자
dix·it [díksit] *n.* (특히 독단적인) 발언, 단언
dix·y [díksi] *n.* (*pl.* **dix·ies**) = DIXIE
DIY, D.I.Y., d.i.y. do-it-yourself
DIY'er, DIYer [díːáiwáiər] *n.* = DO-IT-YOURSELFER
di·zen [dáizn] *vt.* 《고어》 치장하다 《*out, up*》
di·zy·got·ic [dàizaigɑ́tik | -gɔ́t-], **di·zy·gous** [daizáigəs] *a.* (이란성 쌍생아처럼) 두 개의 수정란에서 자란
dizygótic[dizýgous] twín 〖유전〗 = FRATERNAL TWIN(cf. MONOZYGOTIC TWIN)
dizz·ball [dízbɔ̀ːl] *n.* 《미·속어》 바보
*__diz·zy__ [dízi] *a.* (**-zi·er**; **-zi·est**) **1 현기증 나는** (giddy), 어지러운 **2** Ⓐ 〈운동·높은 데·성공 등이〉 어지러울 정도의, 아찔한 **3** 《구어》 지각 없는, 어리석은 **4** Ⓟ 마음이 들떠 《*with*》
— *vt.* (**-zied**) 현기증 나게 하다, 현혹시키다
díz·zi·ly *ad.* **díz·zi·ness** *n.*
diz·zy·ing [díziiŋ] *a.* 현기증이 날 것 같은(giddy)
~·ly *ad.*
diz·zy-wiz·zy [díziwìzi] *n.* 《미·속어》 마약의 알약 [정제]
DJ [díːdʒèi | dìːdʒéi] *n., vt., vi.* 디스크자키(를 하다) 《*at*》
DJ, dj disk jockey; 《영》 dinner jacket **D.J.** District Judge; *Doctor Juris* 《L = Doctor of Law》 **D-J** Dow-Jones average
Dja·kar·ta [dʒəkɑ́ːrtə] *n.* = JAKARTA
djel·la·ba(h) [dʒəlɑ́ːbə] *n.* 젤라바 《아랍 남자의 겉옷; 긴 소매에 후드가 달림》
DJIA Dow-Jones Industrial Average
djib·ba(h) [dʒíbə] *n.* = JIBBA
Dji·bou·ti, Ji·b(o)u- [dʒibúːti] *n.* 지부티 《아프리카 동부의 공화국; 수도 Djibouti》
djin(n) [dʒín], **djin·ni** [dʒíni] *n.* = JINN
dk dark; deck; dock
DK, d.k., dk [díːkéi] [*d*on't[*d*oesn't] *k*now] *vt.* 《미·속어》 모른다고 말하다, 무시하다, 모른 체하다
dkg decagram(s) **dkl** decaliter(s) **dkm** decameter(s) **dks** decastere(s) **dl** deciliter(s) **DL** Delta Air Lines; Deputy Lieutenant; 〖야구〗 disabled list; Doctor of Law **D/L** 〖컴퓨터〗 data link; demand loan
D làyer D층 《이온권의 최하층》
DLC 〖컴퓨터〗 data link control **DLit(t),** *Doctor Lit(t)erarum* 《L = Doctor of Letters [Literature]》 **DLL** 〖컴퓨터〗 dynamic link library **DLM** 〖음악〗 double long meter **DLO** Dead Letter Office; dispatch loading only
D-lock [díːlɑ̀k | -lɔ̀k] *n.* (자전거의) D로크
DLP 《호주》 Democratic Labor Party **dlr.** dealer **dlrs., dlrs** dollars **DLS, D.L.S.** Doctor of Library Science **dlvy.** delivery **dm** decimeter **DM** Deutsche mark(s) **D.M.** Daily Mail; Doctor of Medicine; Doctor of Mathematics **DMA** 〖컴퓨터〗 direct memory access; Doctor of Musical Arts **DMAC** duobinary multiplexed analogue component
D-mark, D-Mark [díːmɑ̀ːrk] *n.* = DEUTSCHE MARK
DMB 〖TV〗 Digital Multimedia Broadcasting **D.M.D.** *Dentariae Medicinae Doctor* 《L = Doctor of Dental Medicine》 **DMDT** methoxychlor 〖화학〗 메톡시클로르 《살충제용》 **DME** distance measuring equipment 거리 측정 전파 장치
D mèson 〖물리〗 D 중간자
D.M.I. Director of Military Intelligence **DMin** doctor of ministry **D.M.L.** Doctor of Modern Languages **DMN, DMNA** 〖화학〗 dimethylni-

trosamine **D.M.S.** (영) Diploma in Management Studies; Doctor of Medical Science
DMs [dìːémz] *n.* = DR MARTENS
DMSO dimethyl sulfoxide **DMT** dimethyltryptamine ((환각제)) **D.Mus.** Doctor of Music
DMV (미) Department of Motor Vehicles
DMZ demilitarized zone 비무장 지대 **D.N.** Daily News **D/N** debit note 차변표(借邊票)
d—n [díːn, dǽm] *v.* = DAMN(cf. D—, D—D)
DNA[1] [díːènéi] [*d*eoxyribo*n*ucleic *a*cid] *n.* Ⓤ 〖생화학〗 니옥시리보핵산(核酸)(cf. RNA)
DNA[2] Defense Nuclear Agency; 〖컴퓨터〗 digital network architecture
DNÁ clóning DNA 생물 복제
DNÁ fíngerprint DNA 지문
DNÁ fíngerprinting DNA 지문 감정법
DNÁ idèntificátion DNA 분석에 의해 개인을 확정하는 방법
DNÁ lígase 〖생화학〗 DNA 연결 효소
DNÁ pólymerase 〖생화학〗 DNA 폴리메라아제 ((DNA의 복제 및 수복(修復)을 촉매하는 효소))
DNÁ próbe DNA 검출법
DNÁ prófiling DNA 감식법
DNÁ replicátion 〖생화학〗 DNA 복제
DN·ase [díːéneis, -eiz | -eis], **DNA·ase** [díːènéieis, -eiz | -eis] *n.* Ⓤ 〖생화학〗 DN(A) 분해 효소(deoxyribonuclease)
DNÁ tést DNA 감식
DNÁ vírus DNA 바이러스 ((DNA를 가진 바이러스))
DNB, D.N.B. Dictionary of National Biography 영국 인명 사전 **DNC** direct numerical control 〖컴퓨터〗 직접 수치 제어 **DNF** did not finish
Dnie·per [níːpər] *n.* [the ~] 드네프르 강 ((러시아 서부의 강; 흑해로 흐름))
D-no·tice [díːnòutis] [D<*d*efence] *n.* (영) D통고 ((정부가 기밀 유지를 위해 보내는 보도 금지 통고))
DNR do not resuscitate 〖의학〗 억지로 생명 유지를 할 필요 없음 **DNS** 〖컴퓨터〗 domain name server[system]
‡**do**[1] ⇨ do (p. 721)
do[2] [dóu] *n.* (*pl.* **~s**) 〖음악〗 (도레미파 음계의) 「도」, 기음(基音)(cf. SOL-FA)
DO dissolved oxygen **DO, D.O.** defense order
do., d° [dítou] ditto **D/O, d.o.** delivery order **DOA, D.O.A.** dead on arrival 도착시 이미 사망 ((의사 용어)); 〖컴퓨터〗 (제품 등의) 도착시 불량
do·a·ble [dúːəbl] *a.* (행)할 수 있는
do-all [dúːɔ̀ːl] *n.* 허드레꾼, 잡역부(factotum)
doat [dóut] *vi.* = DOTE **~·er** *n.*
dob [dáb | dɔ́b] *vi.* (**~bed**; **~·bing**) (호주·속어) 배반하다, 밀고하다 ((*in*)); (기부금 등을) 내다 ((*in*))
Dob [dáb | dɔ́b] *n.* 남자 이름 ((Robert의 애칭))
DOB, d.o.b. date of birth
dob·ber [dábər | dɔ́b-] *n.* **1** (미·방언) 낚시찌 (bob) **2** (호주·속어) = DOBBER-IN
dob·ber-in [dábərìn | dɔ́b-] *n.* (호주·속어) 밀고자, 배반자
dob·bin [dábin | dɔ́b-] *n.* **1** 말 ((馬)), 농사 말, 짐말, 복마(卜馬) **2** 18세기에 쓰던 1질(gill)들이 술잔
dob·by [dábi | dɔ́bi] *n.* 〖방직〗 도비 ((작은 무늬를 짜는 직기의 부속 장치; 또는 그것으로 짠 무늬(의 천)))
do·be, -bie, -by [dóubi] *n.* (미·구어) = ADOBE
Do·ber·man (**pin·scher**) [dóubərmən(-pínʃər)] *n.* 도베르만 (핀셔) ((독일산(産) 군용·경찰견))
Do·bro [dóubrou] *n.* (*pl.* **~s**) 도브로 ((금속 반향판이 달린 어쿠스틱 기타; 상표명))
dob·son [dábsn | dɔ́b-] *n.* 〖곤충〗 **1** = HELLGRAMMITE **2** = DOBSONFLY
dob·son·fly [dábsnflài | dɔ́b-] *n.* (*pl.* **-flies**) 〖곤충〗 뱀잠자리
doc[1] [dák | dɔ́k] *n.* (구어) 의사; [이름 앞에 붙여] …선생(doctor); 녀석; (호칭) 선생님
doc[2] *n.* (속어) (영화·TV의) 다큐멘터리(documentary); (컴퓨터속어) = DOCUMENTATION
doc. document
do·cent [dóusnt | dousént] [G] *n.* (대학의) 시간강사(lecturer); (박물관 등의) 안내인 **~·shìp** *n.*
doch-an-dor·rach [dáxəndárəx | dɔ́xəndɔ́r-], **-dor·ris** [-dáris | -dɔ́r-] *n.* (스코·아일) 이별의 술잔(stirrup cup)
***doc·ile** [dásəl | dóusail] [L 「가르치다」의 뜻에서] *a.* 온순한, 유순한; 〈사람이〉 다루기 쉬운, 〈학생이〉 가르치기 쉬운: the ~ masses 다루기 쉬운 대중 **~·ly** *ad.*
do·cil·i·ty [dasíləti, dou- | dou-] *n.* Ⓤ 온순, 유순; 다루기[가르치기] 쉬움
‡**dock**[1] [dák | dɔ́k] *n.* **1** (미) 선창, 부두, 안벽(岸壁), 잔교(pier) **2** 독, 선거(船渠); [보통 *pl.*] 조선소: a dry[floating] ~ 건(乾)[부(浮)]선거 **3** (영) 〖철도〗 독 ((선로의 종점으로 3면이 플랫폼으로 되어 있는)) **4** (극장의) 무대 장치 창고 **5** 항공기의 격납고[수리고]
in **~** 〈배가〉 수리 공장에 들어가; (영·구어) 수리 중인, 입원하여 ***in dry*** **~** (속어) 실직하여
— *vt.* **1** (수리하기 위해) 〈배를〉 독에 넣다; (하역·승하선하기 위해) 〈배를〉 부두에 대다 **2** 〈항구에〉 독을 설치하다 **3** 〈우주선을〉 다른 우주선과 도킹시키다 ((*with*))
— *vi.* 〈배가〉 독에 들어가다; 부두에 들어가다; 〈우주선이〉 도킹하다 ((*with*))
dock[2] *n.* [the ~] (형사 법정의) 피고석
enter the **~** 피고석에 서다 ***in the*** **~** 피고석에 앉아, 재판을 받아
dock[3] *n.* **1** (짐승) 꼬리의 심 **2** 짧게 자른 꼬리 **3** (급료의) 감액 (액수)
— *vt.* **1** 〈꼬리·털 등을〉 짧게 자르다 **2** 절감하다; 〈임금을〉 삭감하다 ((*off*)); 〈어느 부분을〉 감하다 ((*of*)) **3** (결근·지각 등의 벌로서) 감봉하다 **4** 〈…로부터〉 〈…을〉 빼앗다 ((*of*)); …에서 일부를 깎다
dock[4] *n.* 〖식물〗 수영·소리쟁이 등의 식물
dock·age[1] [dákidʒ | dɔ́k-] *n.* **1** Ⓤ 독[선거(船渠)] 설비 **2** ⓊⒸ 독 사용료 **3** (선박의) 입거(入渠)
dockage[2] *n.* Ⓤ 절감(節減), 삭감; (씻어서 쉽게 제거할 수 있는) 이물, 반지기, 잡물
dóck brìef 〖영국법〗 (피고인이 법정 변호사에게 건네는) 사건 요약서
dóck chàrges[**dùes**] 독 사용료
dock·er [dákər | dɔ́k-] *n.* **1** (영) 독[부두] 노동자, 항만 노동자(longshoreman) **2** 절약하는 사람
Dock·ers [dákərz | dɔ́k-] *n. pl.* 미국산 면바지 ((상표명))
dock·et [dákit | dɔ́k-] *n.* **1** 〖영국법〗 공식적인 소송 기록[판결] 요지(要旨)(의 등록); (미) 소송 사건 일람표; 소송인 명부(名簿) **2** (영) (서류·소포에 붙이는) 내용 적요(摘要), 명세서, 부전(附箋) **3** (미) (사무상의) 처리 예정표; (회의 등의) 협의 사항 **4** 꼬리표(label) **5** 관세 지불 증명서 **6** (영) (통제 물자의) 구입 허가증
on the **~** (미·속어) 고려 중(인); 수행[실시]되어
— *vt.* **1** 〖법〗 〈판결 등을〉 요약서[소송 사건표]에 기입하다 **2** 〈문서에〉 내용 적요를 달다; 〈소포에〉 꼬리표를 붙이다
dock-glass [dákglæ̀s | dɔ́kglɑ̀ːs] *n.* (와인 시음용) 큰 술잔
dock·hand [dákhæ̀nd | dɔ́k-] *n.* 항만 근로자
dock·ing [dákiŋ | dɔ́k-] *n.* Ⓤ 독에 들어감, 독에 넣음; 두 우주선의 결합, 도킹 — *a.* 독에 들어가는[넣는]; 우주선 결합의
dócking adàpter 도킹[결합]한 두 우주선의 연결 통로
dócking stàtion 〖컴퓨터〗 도킹 스테이션 ((휴대용 정보 단말기 등을 PC와 연결하기 위한 기기))

thesaurus **docile** *a.* manageable, controllable, compliant, obedient, accommodating, obedient, yielding (opp. *disobedient*, *willful*)

do

do는 본동사·조동사·대동사의 세 가지 중요한 용법이 있다.

1 본동사 「하다」로서의 구문은 일반동사와 같다.

2 조동사로서는 be 동사와 같이 변칙동사의 하나이다. not과 직접 결합하여 부정문을 만들고, 주어와 도치되어 의문문을 만든다. 조동사와 be동사가 있는 문장에서는 do 없이 부정문·의문문을 만든다. 단 본동사 have가 있을 때에는 《미》에서는 do를 써서 부정문·의문문을 만든다. 명령문에서는 be의 경우에도 do를 써서 부정문을 만든다(⇨ *auxil. v.* 1 a).

3 긍정문의 강조 용법으로 쓴다: *Do* tell me. 제발 말해 주시오.

4 부정사·동명사·분사에는 쓰지 않으므로 to don't go, don't going 등으로는 쓰지 않으며 not to go, not going 등으로 한다.

‡do [dúː, 《약하게》 du, də] *v.* (**did** [díd] ; **done** [dʌ́n]) 《USAGE (1) 3인칭 단수 직설법 현재 **does** [dʌ́z], (2) 《고어》 3인칭 단수 직설법 현재 **do·eth** [dúːiθ], **doth** [dʌ́θ] ; 2인칭 단수 현재 (thou) **do·est** [dúːist], **dost** [dʌ́st] ; 과거 (thou) **didst** [dídst]》

기본적으로는 「어떤 행위를 하다」의 뜻.	
① (어떤 일·행위 등을) 하다	타 **1 a, b, c, d**
② 끝내다	타 **1 e**
③ 베풀다, 주다	타 **2**
④ 처리하다	타 **3**
⑤ 행동하다	자 **1**
⑥ 살아가다, 지내다	자 **2**
⑦ 충분하다, 쓸모가 있다	자 **3**

— *vt.* **A 1 하다,** 행하다 **a** 〈행동·일 등을〉 **하다,** 행하다: *do* repairs 수리하다 / *do* something wrong 무언가 나쁜 짓을 하다 / *do* research on chemistry 화학 연구를 하다 / What are you *doing*? 무엇을 하고 있니? / I have nothing to *do*. 나는 아무것도 할 일이 없다. / We must *do* something about it. = Something must be *done* about it. 그것은 어떻게든 해야만[손을 써야만] 한다. / What can I *do* for you? [점원이 손님에게] 무엇을 (도와) 드릴까요?, 어서 오십시오.; [의사가 환자에게] 어디가 편찮으십니까? / You can *do* what you like. 하고 싶은 일을 해도 좋다.

> 유의어 **do**는 일의 옳고 그름과는 관계없이 「하다」의 일반적인 의미를 갖는다. **accomplish**와 **achieve**는 어떤 내용[사항]을 완성한다는 의미로, accomplish는 노력·솜씨·인내에 의한 목적 달성을 뜻하고 achieve는 「중요한·훌륭한·위대한 일」의 달성을 강조한다.

b 〈일·의무 등을〉 **다하다,** 수행하다; 진력하다: *do* a good deed 선행을 하다 / *do* one's military service 병역에 복무하다 / *do* business with …와 거래하다 / *Do* your duty. 본분[의무]을 다해라. / You *did* the right[proper] thing. 너는 정당한 일을 했다. / I've *done* all I can. 나는 전력을 다했다. **c** [보통 the, any, some, one's, much를 수반하고 -ing를 목적어로 하여] 〈…의 행위를〉 하다: *do the* wash*ing*[shop*ping*] 세탁[쇼핑]을 하다 / I wanted to *do some* telephon*ing*. 전화를 좀 걸고 싶었다. **d** (직업으로서) 〈…을〉 **하다,** 종사하다: 《~+*-ing*》 *do* lectur*ing* 강의를 하다 / *do* teach*ing* 교직에 종사하다 / What does he *do* for a living? — He *does* plumb*ing*. 그의 직업은 무엇이냐? — 배관공이다. ★ *vt.* A 1 a의 용법대로 He *does* shoe repairs. (구두 수선을 한다.)처럼 대답하는 경우도 있음 **e** [보통 have *done*, be *done*의 형태로] 해 버리다: I'*ve* already *done* it. 나는 벌써 다 끝냈어. / Now you'*ve done* it. 《구어》 저런, 실수를 했군. / The work *is done*. 일이 끝났다. 《주로 끝난 상태를 나타내며, The work *has been done*.은 완료를 강조함》 / *Have* you *done* reading? 다 읽었니?

2 주다 a (…에게) 〈이익·손해 등을〉 **주다,** 끼치다, 입히다 《*to, for*》: 《~(+목)+목》 《~+목+전+명》 It doesn't *do* any good. 아무 쓸모도 없다. / The medicine will *do* you good. 그 약을 먹으면 나을 겁니다. / The bad weather has *done* great damage *to* the crops. 악천후가 농작물에 큰 피해를 입혔다. **b** (…에게) 〈명예·경의·옳은 평가 등을〉 **나타내다,** 베풀다, 주다 《*to*》: 《~+목+목》 《~+목+전+명》 *do* a person a service …의 시중을 들다 / *do* a person a kindness …에게 친절을 베풀다 / *do* a person honor = *do* honor *to* a person …에게 경의를 표하다; …의 명예가 되다 / *do* a person[thing] justice = *do* justice *to* a person[thing] 사람[사물]을 공평하게 취급하다 **c** 〈…에게〉 〈은혜 등을〉 **베풀다,** 〈…의〉 〈부탁 등을〉 들어주다 《*for*》: 《~+목+목》 《~+목+전+명》 Will you *do* me a favor? = Will you *do* a favor *for* me? 부탁드릴 말씀이 있는데요?

3 (어떤 방법으로든) **처리하다 a** (회답을 써서) 〈편지의〉 처리를 하다: *do* one's correspondence 편지의 답장을 쓰다 **b** 〈방·침대 등을〉 **치우다,** 정리[청소]하다; 〈접시 등을〉 닦다: *do* the dishes 접시를 닦다 / The maid was told to *do* the bathroom. 가정부는 욕실을 청소하라는 지시를 받았다. **c** 〈꽃꽂이를〉 하다; 〈머리를〉 손질하다; 〈얼굴을〉 화장하다: Mother will *do* the flowers. 꽃꽂이는 어머니가 하신다. / Tell her to go and *do* her hair and nails. 가서 머리와 손톱을 깔끔히 하고 오라고 그녀에게 이르시오. / She usually spends two hours *doing* her face. 그녀는 화장하는 데 보통 2시간이 걸린다. **d** 〈학과를〉 **공부하다,** 전공[준비]하다: He has been *doing* chemistry at Columbia University. 그는 컬럼비아 대학에서 화학을 전공하고 있다. **e** 〈문제·계산을〉 풀다(solve): *do* a puzzle[problem] 퍼즐[문제]을 풀다 / Will you *do* this sum for me? 이 계산을 해 주겠어요? **f** 〈책을〉 쓰다; 〈그림을〉 그리다; 〈영화를〉 제작하다; 〈작품을〉 만들다; 〈극을〉 상연하다: *do* a movie 영화를 제작하다 / *do* a Christmas tree 크리스마스 트리를 장식하다 / *do* a portrait 초상화를 그리다 // 《~+목+전+명》 They *did* the book *into* a movie. 그들은 그 책을 영화화했다. **g** 〈…을 위해서〉 〈복사·리포트 등을〉 하다; 〈번역을〉 하다 《*for*》; 〈책 등을〉 (어떤 언어에서) (다른 언어로) 번역하다 《*from* ... *into*》: 《~+목+목》 《~+목+전+명》 How many copies shall I *do*? — *Do* ten copies. 복사를 몇 장 할까요? — 10매 복사하시오. / We asked her to *do* us a translation. = We asked her to *do* a translation *for* us. 그녀에게 번역을 해 달라고 부탁했다. / *do* a book *from* Greek *into* English 책을 그리스어에서 영어로 번역하다

4 〈고기 등을〉 요리하다; 〈요리를〉 만들다(cf. WELL-DONE 1, OVERDONE, UNDERDONE): *do* fish well 생선 요리를 잘하다 / *do* a salad 샐러드를 만들다 / This steak has been *done* to a turn. 이 스테이크는 알맞게 구워졌다.

5 〈…에게〉 도움이 되다, 〈…에〉 충분하다, 〈…에〉 족하다 《수동형은 없음》: Will this sum of money *do* you? — That will *do* me very well. 이만한 돈이

면 되겠습니까? — 그만하면 되겠습니다.
6 a 〈…의 역을〉 맡아 하다, 연기하다: He *did* Macbeth well. 그는 맥베스 역을 잘했다. / She always *does* the hostess admirably[very well]. 그녀는 언제나 여주인 역을 잘 해낸다. **b** [do a+고유 명사형으로] 《영·구어》 〈…처럼〉 행동하다, …인 체하다; 〈…을〉 흉내내다: *do a* Chaplin 채플린의 흉내를 내다 **c** [the+형용사를 목적어로 하여] 《영·구어》 …하게 행동하다: *do the* agreeable[amiable] 상냥하게 행동하다
7 《구어》 〈…을〉 구경하다, 참관하다; *do* the sights (of ...) (…의) 명승지를 구경하다 / Have you *done* the Tower (of London) yet? 런던 탑 구경을 벌써 하셨습니까?
8 〈어떤 행위를〉 (관습·예의상) 인정하다, 용납하다: That sort of things simply isn't *done.* 그와 같은 것은 절대로 용납되지 않는다.
9 a 〈어떤 거리를〉 답파(踏破)하다, (나아)가다; 여행하다: We[Our car] *did* 70 miles in an hour. 우리[우리 차]는 1시간에 70마일을 달렸다. / They *did* Greece in 4 weeks. 그들은 4주간에 그리스 여행을 했다. **b** 〈…의 속도로〉 달리다, 가다: We were *doing* 55 on the turnpike. 우리는 고속도로를 시속 55마일로 달리고 있었다.
10 《구어》 **a** 〈…을〉 속이다: I've been *done.* 나는 속았다. **b** 〈…에게서〉 (돈 등을) 속여서 빼앗다[등쳐 먹다] 《*out of, for*》: 《~+목+전+명》 He once *did* me *out of* a large sum of money. 그는 전에 나를 속여서 큰돈을 빼앗았다.
11 《영·구어》 〈…을〉 골탕먹이다, 혼내주다(punish); 《구어》 기진맥진하게 하다(exhaust): That last set of tennis *did* me. 그 테니스의 마지막 세트에서 나는 아주 지쳐버렸다.
12 《구어》 〈…을〉 (…혐의로) 기소[체포, 고발, 고소]하다; 〈형기를〉 복역하다: *do* time (in prison) 복역하다 / He's been *done* for speeding. 그는 속도위반으로 기소되었다. / He *did* three years for assault. 그는 폭행죄로 3년형을 살았다.
13 a (손님의) 볼일을 봐 주다, 시중들다 《수동형은 없음》: I'll *do* you next, sir. [이발관 등에서] (오래 기다리셨습니다) 다음 손님 앉으십시오. **b** 《영·구어》 [보통 well과 함께] 〈…을〉 (잘) 대접하다(cf. DO[1] by) 《수동형은 없음》: They *do* you very *well* at that hotel. 저 호텔은 서비스가 아주 그만이다. **c** [~ one*self*로; well 등과 함께] 사치를 하다 《수동형은 없음》: He *does himself* fairly *well.* 그는 호화롭게 산다.
14 (상습적으로) 〈마약을〉 복용[상용]하다: The police arrested him for his *doing* cocaine. 경찰은 그를 코카인 복용으로 체포했다.
15 〈죄를〉 짓다, 저지르다; 《속어》 죽이다; 강도질을 하다; 습격하다: crimes *done* deliberately 고의로 저지른 범죄
16 《구어》 가담하다, 참가하다: Let's *do* lunch next week. 내주 점심이나 같이 하자.
17 《속어》 [보통 do it 으로] 섹스하다 《*with, to*》
— B 1 [dúː] [대동사로서 be, have 이외의 동사의 반복을 피하기 위하여 사용; 단 《영》에서는 have가 「소유, 상태」를 뜻할 때는 have를 씀; cf. *vi.* B]: If you want to see her, *do* it now. 그녀를 만나고 싶으면 지금 만나라.
2 [준동사로서 so, that을 목적어로 하여]: He was asked to leave the room, but he refused to *do so.* 그는 방에서 나가 달라고 요구를 받았으나 그러기를 거부했다. / "Does she play tennis?" — "Yes, I've seen her *doing* so[*that*]." 그녀는 테니스를 칩니까? — 예, 치는 것을 본 적이 있어요.
— *vi.* **A 1** [well, right 등의 양태 부사 또는 부사절과 함께] (행)하다, 행동하다; 처신하다: *do as* a gentleman should 신사답게 행동하다 / You *did well*[*right*] in telling it to me. 그것을 내게 말해주기를 잘했어. / You've only to *do as* you are told. 너는 하라는 대로 하기만 하면 돼.
2 [well, badly, how 등과 함께] **a** 〈사람이〉 (형편·건강 상태·성적 등이) …한 형편이다; 〈일이〉 (잘) 되어가다(get along): He is *doing splendidly*[*poorly*] at school. 그는 학교 성적이 훌륭하다[신통치 않다]. / Mother and child are both *doing well.* 모자가 다 건강하다. / He *does* fairly *well* for himself. 그는 상당히 잘해 나가고 있다. **b** 〈사업이〉 (잘[안])되다: His business is *doing well.* 그의 사업은 잘되어 간다. **c** 〈식물이〉 잘 자라다: Flax *does well* after wheat. 밀 다음으로는 아마가 잘 된다.
3 [보통 will, won't와 함께] **a** …에 쓸모가 있다, 아쉬운 대로 쓸 만하다, 충분하다 《*for*》: 《~+전+명》 These shoes *won't do for* mountaineering. 이 구두는 등산에 적합하지 않다. **b** 〈…이 …하기에〉 충분하다, 족하다: 《~+*for*+명+*to* do》 This room *will do for* three people *to* lie down. 이 방은 세 사람이 누워도 충분하다. **c** 괜찮다, 되다, (습관·예의상) 용납되다: *Will* $10 *do?* 10달러면 되겠지? / That *will do.* 그것이면 돼; 됐어, 그만해 둬. / That *won't*[doesn't] *do.* 그건 안 돼[못써]. / It *won't do* to be late for the meeting. 그 회의에 늦으면 안 돼.
4 [현재분사형으로] 일어나고 있다, 생기고 있다: What's *doing* across the street? 길 건너편에 무슨 일이 있는가?
— B [dúː] [대동사로서 be, have 이외의 동사의 반복을 피하기 위하여 사용함; cf. *vt.* B] **1** [동일한 동사(및 그것을 포함하는 어군)의 반복을 피하여]: She plays the piano as well as he *did.* 그녀는 그만큼 피아노를 잘 친다. / Living as I *do* in the country, I rarely have visitors. 시골에 살아서 찾아오는 이가 좀처럼 없다.
2 [부가의문문에서]: You didn't know I was a novelist, *did* you? 내가 소설가인 걸 모르셨죠? / I think this is the best thing, *don't* you? 이것이 최고라고 생각하는데, 어때요? 《의향을 확인》
3 [대답하는 문장에서]: "Who saw it?" — "I *did.*" 누가 그걸 봤지? — 제가요. 《I를 강조함》 / "Did he write to you?" — "Yes, he *did*[No, he *didn't*]." 그는 네게 편지를 썼니? — 응, 그랬어[아니, 쓰지 않았어].
4 [상대의 말에 맞장구를 칠 때]: "He came to see me yesterday." — "Oh, *did* he?" 어제 그가 날 찾아왔었어. — 아, 그랬어요?
be done with ... ⇨ done *a.*
be to do with ... …와 관계가 있다
do away with ... [때로 수동형으로] (1) 〈…을〉 없애다, 폐지하다: This old custom should *be done away with.* 이 낡은 관습은 폐지되어야 한다. (2) 〈사람 등을〉 죽이다: He *did away with* most of his rivals. 그의 경쟁자의 대부분을 죽였다.
do badly for 《구어》 …의 비축이 충분치 않다, …을 조금밖에 구하지 못하다
do by 〈…에게〉 대하다, 〈…을〉 접대[대우]하다 《by는 toward의 뜻》: He has always *done* well *by* his friends. 그는 늘 친구들에게 잘한다. / Do as you would *be done by.* 남에게서 대접을 받고자 하는 대로 너희도 남을 대접하라. (⇨ GOLDEN RULE)
do down 《영·구어》 (1) 〈…을〉 속이다 (2) 〈…에게〉 창피를 주다 (3) 〈남의〉 험구를 하다, 헐뜯다
do for ... (1) ⇨ *vi.* A 3 a (2) 《영·구어》 〈…을〉 위해 주부 노릇[가정부 역]을 하다, 돌보다: Mary *does for* her father and brother. 메리는 아버지와 오빠를 위해 집안일을 맡고 있다. (3) [보통 수동형으로] 《구어》 〈…을〉 지치게 하다; 망치다; 죽이다; 〈물건을〉 못쓰게 만들다: I'm *done for.* 이젠 글렀다.; 이제 녹초가 됐다[손들었다].
do in (1) 《구어》 〈사람을〉 녹초가 되게[지치게] 하다: The work really *did* me *in.* 그 일은 정말 나를 녹초로 만들었다. (2) 《구어》 〈사람을〉 파멸[파산]시

키다; 속이다 (3) 《속어》 〈사람을〉 상하게 하다, 죽이다: *do* oneself *in* 자살하다
do it (1) 주효하다: Steady *does it.* 꾸준히 해야 효과를 본다. 《형용사·부사가 주어 노릇을 할 경우도 있음》 (2) [주로 완료형으로] 실패[실수]하다(⇨ *vt.* A 1 e) (3) 《속어》 성교하다
do it all 《속어》 (1) 종신형을 살다 (2) 다재다능하다
do it up 《속어》 솜씨있게 하다, 훌륭히 해내다
do much[***a lot***] ***for*** 〈…을〉 크게 돋보이게 하다
do one! 《영·구어》 꺼져!
do or die 죽기 아니면 살기로[죽을 각오로] 하다(cf. DO-OR-DIE): We must *do or die.* 우리는 사력을 다해야 한다.
do out 《구어》 〈방 등을〉 청소하다; 〈서랍 등을〉 깨끗이 정돈하다; 〈방을〉 다시 꾸미다
do a person ***out of his***[***her***] money 〈남〉에게서 (돈)을 빼앗다(⇨ *vt.* A 10 b)
do over (1) 〈방·벽 등을〉 새로 칠하다; 개장하다: Her room was *done over* in pink. 그녀의 방은 핑크색으로 새로 칠해졌다[꾸며졌다]. (2) 《미·구어》 〈…을〉 되풀이하다, 다시 하다: *Do* the work *over*; it's a mess. 일이 엉망이니 다시 하시오. (3) 《속어》 〈…을〉 두들겨 패다
do something for[***to***] 《구어》 〈…을〉 꽤 돋보이게 하다, 더 보기 좋게 하다
do to (1) = ***do*** by (2) 〈손 따위〉에 상처를 내다
do up (1) 〈…을〉 수리하다, 손질하다: They *did up* the old house and rented it out. 그들은 낡은 집을 수리해서 세를 놓았다. (2) 〈머리를〉 다듬다, 손질하다: *do up* one's hair 머리 손질을 하다 (3) [*do* one*self up* 또는 be *done up*으로] 모양내다; 화장하다, 차려 입다: The children *were* all *done up* in costumes. 어린이들은 모두 민속 의상으로 차려 입고 있었다. (4) 〈물건을〉 싸다; 꾸리다: *do up* a parcel 소포를 꾸리다 (5) 〈단추·훅·지퍼를〉 잠그다; 〈옷 등이〉 단추[훅, 지퍼]로 채워지다(opp. *undo*): She *did up* the zip on her dress. 그녀는 옷의 지퍼를 잠갔다. (6) [보통 수동형으로] 《구어》 〈…을〉 기진맥진하게[녹초로] 만들다 《do in쪽이 일반적》: I'*m done up.* 난 기진맥진이다.
do well for 《구어》 …의 비축이 충분하다; …을 충분히[넉넉히] 구하다
do with … (1) [의문대명사 what을 목적어로 하여] (어떻게) …을 처리하다: I don't know *what* to *do with* this money. 이 돈을 어떻게 해야 할지 모르겠다. (2) [can, could와 함께; 부정문·의문문에서] 《구어》 …으로 때우다: *Can* you *do with* buttered toast for breakfast? 아침 식사는 버터 바른 토스트인데 괜찮으시겠어요? (3) [can't와 함께] 《영·구어》 참다, 견디다: I *can't do with* wait*ing* any longer. 이제 더 이상 기다리지 못하겠다. (4) [could와 함께] 《구어》 〈…을〉 갖고[하고] 싶다, …이 필요하다: I *could do with* more leisure time. 여가 시간이 좀 더 있으면 좋겠다.
do without … (1) (…)없이 지내다: I can't *do without* this car. 이 자동차 없이는 배길 수 없다. (2) [can, could와 함께] 《구어》 〈비평·간섭 등〉이 없어도 되다, 필요없다
have done with (1) …을 마치다, 끝내다: *Have* you *done with* the paper? 신문은 다 봤습니까? (2) …와 관계를 끊다: I'*ve done with* him for the future. 그 녀석과는 앞으로 관계가 없다.
have something[***nothing***] ***to do with*** (1) …와 관계[관련, 교섭, 거래]가 있다[없다]《관계 정도에 따라 much, a lot, (a) little 등을 씀》: What do you *have to do with* the matter? 당신은 그 문제와 무슨 관계가 있나요? (2) …을 다루다
How are you doing? [친한 사이의 인사로서] 《미·구어》 어떻게 지내니?(How are you?)
How do you do? ⇨ how
make do (***with***) ⇨ make
No can do. 무리하다.
Sure do! 《구어》 물론이지!, 당연하다!
That does[***did***] ***it!*** 《구어》 (1) 그건 너무하다!, 더는 못 참겠다. (2) 이제 됐어!
That's done it! 《구어》 (1) 아뿔사! (2) 됐다!, 잘했다!
That will do! (1) 그거면 됐어! (2) 이제 그만!
to do with … [보통 something, nothing, anything 등의 뒤에 두어] …에 관계하다: I want *nothing to do with* him. 그 사람하고는 상관하고 싶지 않다. / Smoking has a great deal[quite a lot] *to do with* lung cancer. 흡연은 폐암과 깊은 관계가 있다.
(***Well,***) ***did you ever!*** 《구어》 그거 놀랄 일인데!
Well, I never did! 《구어》 놀랐는 걸!, 설마!
What is to do? 《구어》 무슨 일이 있었나?
what to do with one***self*** (때를) 어떻게 보내다[지내다]; 어떻게 처신하다: The kids don't know *what to do with themselves* on rainy days. 비 오는 날이면 아이들은 무엇을 하면서 시간을 보내야 할지 모른다.
What[《영》 ***How***] ***will you do for …?*** …을 어떻게 마련하는가?: *What will you do for* food while you're climbing the mountain? 등산 중에 음식은 어떻게 마련합니까?
Will do. 《영·구어》 하겠어요., 알겠어요.
You do that. 《구어》 (1) 그렇게 하시지요. (2) 마음대로 하시오.; 해볼 테면 해봐.

—*auxil. v.* [(자음 앞) də, (모음 앞) du, dú:] (**did** [did, díd]; 3인칭 단수 직설법 현재 **does** [dəz, dʌ́z]) 《USAGE (1) 부정의 단축형 **don't** [dóunt], **doesn't** [dʌ́znt], **didn't** [dídnt] (2) 《고어》 2인칭 단수 현재 (thou) **dost** [dəst, dʌ́st]; 3인칭 단수 현재 **doth** [dəθ, dʌ́θ] (3) 동사 be, have의 경우는 쓰지 않음; 단 have의 경우 《미》에서는 *Do* you have …?, I *do* not have …가 보통; 또 명령법의 be의 강조나 부정의 경우에는 씀. (4) 부정사·동명사·분사에는 쓰지 않으므로, to don't go, don't going은 잘못; 각각 not to go, not going으로 함》
1 a [be, have 이외의 동사(《미》는 have도 포함)의 부정문을 만들어]: He *doesn't* eat meat. 그는 고기를 먹지 않는다. / He *didn't* go there. 그는 그곳에 가지 않았다. **b** [부정의 명령법을 만들어] 《be 동사는 명령법에서만 do를 씀》: *Don't* go! 가지 마라! / *Don't* be afraid. 겁내지 마라.
2 [be, have 이외의 동사(《미》는 have도 포함)의 의문문에 써서]: *Do* you hear me? 내 말이 들립니까? / *Do* you have (any) money? 돈이 있습니까? / *Did* she phone? 그녀가 전화했니?
3 [강조·균형 등을 위하여 술어(의 일부)를 문두에 놓을 때]: Never *did* I see such a fool. 일찍이 저런 바보를 본 적이 없다.(cf. I never saw such a fool.) / Little *did* I dream that I should see him there. 그를 그곳에서 만나리라고는 꿈에도 생각지 못했다. / In vain *did* he try hard. 그는 열심히 해 보았지만 허사였다.
4 [긍정문을 강조하여] 《언제나 do [dú:], does [dʌ́z], did [díd] 식으로 강하게 발음함》: I *do* think it's a pity. 정말 딱하게 생각한다. / *Do* come to see me again. 꼭 다시 찾아오시오. / *Do* be quiet! 조용히 하라니까! / I *did* go, but I couldn't see him. 가긴 갔지만 그를 만날 수 없었다.

—*n.* (*pl.* **dos, do's** [-z]) **1** 《구어·익살》 행위 **2** 《구어》 (여성의) 머리 모양(hairdo) **3** 《구어》 연회, 파티: They are having a *do* for her on her birthday. 그들은 그녀의 생일날에 파티를 열 예정이다. **4** 《영·속어》 사기, 속임수: It's all a *do.* 그것은 순전히 사기다. **5** [*pl.*] 해야 할 것; 명령 사항: *do*'s and don'ts 지켜야 할 사항, 행동 규범(집)(cf. DON'T *n.*)
Fair dos[***do's***]***!*** 《영·속어》 공평하게 합시다!

dock·ize [dákaiz | dɔ́k-] *vt.* 〈항만 등에〉 독을 설치하다

dock·land [dáklæ̀nd | dɔ́k-] *n.* [종종 **D~**] 《영》 선창 지역(《미》 waterfront) 《특히 런던의》

dock·mas·ter [-mæ̀stər, -mɑ̀:s-] *n.* 선거(船渠) 현장 주임; 항장(港長) 보좌

dock·o·min·i·um [dɑ̀kəmíniəm | dɔ̀k-] [*dock*+ cond*ominium*] *n.* 《미》 분양 보트 계류장; 전용 보트 계류장이 딸린 분양 맨션

dóck ràt 《미·속어》 부둣가의 노숙자[부랑자]

dock·side [dáksàid | dɔ́k-] *n.*, *a.* 선창(의), 부둣가(의)

dock-tailed [-tèild] *a.* 꼬리를 자른

dock-wal·lop·er [-wɑ̀ləpər | -wɔ̀l-] *n.* 《미·속어》 독[부두]의 임시 노동자, 부두[선창] 부랑자

dóck wàrrant 《영》 항만 창고 증권

dock·work·er [-wə̀:rkər] *n.* 항만 근로자

dock·yard [-jɑ̀:rd] *n.* **1** 조선소 **2** 《영》 해군 공창(工廠)(《미》 navy yard)

Doc Mar·tens[dɑ̀k-mɑ́:rtənz] 《구어》 = DR MARTENS

doc·o·sa·hex·a·e·nó·ic ácid [dɑ̀kəsəhèksəinóuik- | dɔ̀k-] 〖생화학〗 = DHA

‡**doc·tor** [dáktər | dɔ́k-] [L 「가르치다」의 뜻에서] *n.* **1** 의사; [호칭으로 쓰여] 선생 ★ 《영》에서는 보통 내과 의사(physician)에, 《미》에서는 외과 의사(surgeon), 치과 의사(dentist), 수의사(veterinary) 등에도 씀; 《구어》로는 doc라고도 함: go to the ~('s) = see[consult] the ~ 의사의 진찰을 받다, 병원에 가다/ send for a[the] ~ 의사를 부르러 보내다/call in a[the] ~ 의사를 부르다 《단골 의사이면 the》 **2** 박사, 의학박사 《略 D., Dr.》; 박사 학위 **3** 《고어》 학자, 교사: Who shall decide when ~*s* disagree? 학자들의 의견이 구구하다면 결정할 수가 없다. **4** [보통 수식어와 함께] 《구어》 수리하는 사람: a car ~ 자동차 정비공 **5** 조절[보정(補正)]기(器) **6** (암녹색의) 제물낚시 **7** 《속어》 (배·야영의) 요리사 **8** 주술사 **9** 경주마에 약[마약]을 투여하는 사람 **10** 〖기상〗 독터 《시원한 열대 지방의 해풍(海風)》 **11** 식품 첨가물[개량제] **12** 《미·속어》 술 ***be* one*'s own* ~** 스스로[자가] 치료하다 ***be under a* ~*'s care*** [《영·구어》 ***the*** ~] 의사의 치료를 받고 있다 (*for*) ***D~ of Divinity*** [***Laws, Medicine***] 신학[법학, 의학] 박사 ***go for the*** ~ 《호주·속어》 (경마에서) 말을 질주시키다; 필사적으로 노력하다; 가진 돈을 몽땅 걸다 (***just***) ***what the* ~ *ordered*** 《구어》 (바로) 필요한 것, (바로) 갖고 싶었던 것 ***play*** ~[~***s and nurses***] 〈아이들이〉 의사[병원]놀이하다 ***the D~s of the Church*** 교회 박사 《기독교 초기의 학덕 높은 교부·신학자의 칭호》 ***You're the* ~.** 《구어》 당신한테 맡기겠소.; 지당한 말씀이오.

— *vt.* **1** 〈사람·병을〉 치료하다: (~+목+부) We'll ~ him *up.* 그의 치료를 마칩시다. **2** 〈기계 등을〉 손질[수선]하다(mend) **3** 〈음식물 등에〉 (다른 것을) 섞다 (*with*); [종종 ~ up] 〈음식물에〉 마취제를 넣다 **4** 〈보고서·증거 등을〉 변조[조작]하다, …을 함부로 바꾸다 (*up*); 〈연극 등을〉 개작하다 **5** 〈동물을〉 거세하다 《neuter의 완곡한 말》 **6** 〈사람에게〉 박사 학위를 수여하다 ~ one***self*** 스스로[자가] 치료하다

— *vi.* **1** 의사 노릇을 하다, 병원을 개업하다 **2** 약을 먹다, 치료를 받다

~·hood *n.* **~·less** *a.* **~·shìp** *n.*

doc·tor·al [dáktərəl | dɔ́k-] *a.* Ⓐ 박사의; 대학자의; 권위 있는(authoritative): a ~ dissertation 박사 학위 논문/a ~ program 박사 과정 **~·ly** *ad.*

doc·tor·ate [dáktərət | dɔ́k-] *n.* 박사 학위, 학위

dóctor bòok 가정용 의학서

Dóctor of Philósophy 박사 학위 《법학·신학·의학을 제외한 학문의 최고 학위》; 박사 《略 Ph.D., D.Phil.》 ★ 「철학 박사」는 *Ph.D.* in philosophy

doc·tor's [dáktərz | dɔ́k-] *n.* **1** = DOCTOR'S DEGREE **2** = DOCTOR'S OFFICE

Dóctors' Cómmons (런던 시의) 민법 박사 회관 《1857년까지 유언·결혼·이혼 등을 다루었음》

dóctor's degrèe **1** 박사 학위(doctorate); 명예 박사 학위 **2** 의과[치과, 수의과] 대학 졸업생에게 주는 학위

dóctor's òffice 의원, (개인) 병원

dóctor's órders 《구어》 절대 준수 사항, 지상 명령

dóctor's stùff 《경멸》 약(藥)

doc·tress [dáktris | dɔ́k-] *n.* 《드물게》 여의사; 여자 박사; 《미》 여(女)기도사

doc·tri·naire [dɑ̀ktrinέər | dɔ̀k-] *a.* 순이론적인; 공론의, 비현실적인; 이론 일변도의 — *n.* 순이론가, 공론가 **-náir·ism** *n.* Ⓤ 공리공론

doc·trin·al [dáktrinl | dɔktrái-, dɔ́ktri-] *a.* Ⓐ 교의상(敎義上)의; 학리상의 **~·ly** *ad.*

dóctrinal theólogy = DOGMATICS

doc·tri·nar·i·an [dɑ̀ktrinέəriən | dɔ̀k-] *n.* = DOCTRINAIRE

‡**doc·trine** [dáktrin | dɔ́k-] [L 「가르침」의 뜻에서] *n.* ⓊⒸ **1** (종교의) 교의(敎義), 교리: Catholic ~*s* 가톨릭 교리 **2** (정치·학문상의) 주의; 《미》 공식 (외교) 정책; 원칙, 학설(cf. THEORY); 교전(敎典): the Monroe *D*~ 먼로주의(Monroeism)/the ~*s* of Freud 프로이트 학설 ▷ dóctrinal *a.*

dóctrine of descént 〖생물〗 생명 연속설

doc·trin·ism [dáktrinìzm | dɔ́k-] *n.* 《미》 교리 지상주의 **-ist** *n.*

doc·u·dra·ma [dákjudrɑ̀:mə | dɔ́k-] [*docu*mentary+*drama*] *n.* 다큐멘터리 드라마 **~·tist** *n.*

‡**doc·u·ment** [dákjumənt | dɔ́k-] [L 「공식 서류」의 뜻에서] *n.* **1** (증거·기록이 되는) 문서, 서류, 조서, 기록, 문헌; 증서(deed); 증권: a human ~ 인간[인성(人性)] 기록/an official[a public] ~ 공문서/ classified ~*s* 〖군사〗 기밀 서류/draw up a ~ 서류를 작성하다 **2** 기록 영화 **3** (교역·상거래 등에 필요한) 서류 **4** 〖컴퓨터〗 문서 《특히 사용 설명서》

~ of annuity [***obligation***] 연금[채권] 증서 ***~ of shipping*** 선적 서류

— [-mènt] *vt.* **1** …에 증거[자료]를 제공[첨부]하다 **2** 문서[증거 서류]로 증명하다; 〈저서·논문 등에〉 (주석·각주 등으로) 전거(典據)를 보이다 **3** 상세히 보도[기록]하다 **~·a·ble** *a.* **~·er** *n.*

doc·u·men·tal [dɑ̀kjuméntl | dɔ̀k-] *a.* = DOCUMENTARY 1

doc·u·men·tal·ist [dɑ̀kjuméntəlist | dɔ̀k-] *n.* 다큐멘탈리스트 《문헌·정보의 수집·분류·정리를 전문으로 하는 사람》

doc·u·men·tar·i·an [dɑ̀kjumentέəriən, -mən- | dɔ̀k-] *n.* (영화·TV 등에서) 다큐멘터리적 기법을 전문으로 하는 사람; 다큐멘터리 작가[프로듀서]

doc·u·men·ta·rist [dɑ̀kjuméntərist | dɔ̀k-] *n.* = DOCUMENTARIAN

doc·u·men·tar·ize [dɑ̀kjuméntəràiz | dɔ̀k-] *vt.* 다큐멘터리로 하다

***doc·u·men·ta·ry** [dɑ̀kjuméntəri | dɔ̀k-] *a.* **1** 문서의, 서류[증서]의 **2** 〖영화·문학〗 사실을 기록한: a ~ drama 다큐멘터리 드라마

— *n.* (*pl.* **-ries**) (영화·텔레비전 등의) 기록물, 기록영화(= ~ **film**), 다큐멘터리, 실록 (*on, about*)

-men·tár·i·ly *ad.* ▷ dócument *n.*

documéntary bìll[**dráft**] 화환(貨換)어음

documéntary évidence 〖법〗 증거 서류, 서증

documéntary létter of crédit 화환 신용장

doc·u·men·ta·tion [dɑ̀kjumentéiʃən, -mən- | dɔ̀k-] *n.* Ⓤ **1** 문서[증거 서류] 조사; 증거 서류 제출 **2** 증거 자료, (역사 소설·그림 등의) 고증 **3** 문서 자료의 분류 정리, 문서 분류 시스템 **4** (선박의) 선적 서류 비치 **5** 〖컴퓨터〗 문서화 《시스템 해설 등, 특정한 목적을

thesaurus **doctrine** *n.* creed, belief, dogma, conviction, teaching, principle, precept

위해 작성되는 문서들의 총칭》
documentátion mànagement 〔컴퓨터〕 문서 관리
doc·u·men·ta·tive [dɑ̀kjuméntətiv | dɔ̀k-] *a.* 증거 서류에 의한, 증빙 서류가 되는
dócument càse (가죽·비닐 등으로 만든) 서류철[폴더]
dócument rèader 〔컴퓨터〕 문서 해독 장치
doc·u·soap [dɑ̀kjusóup | dɔ̀k-] [*docu*mentary+*soap* opera] *n.* 다큐소프 《다큐멘터리식 연속 홈드라마》
doc·u·tain·ment [dɑ̀kjutéinmənt | dɔ̀k-] [*docu*mentary+enter*tainment*] *n.* 《미》 (TV 등의) 다큐멘터리 쇼, 오락적 다큐멘터리
DOD Department of Defense 《미》 국방부
do·dad [dú:dæ̀d] *n.* 《미·속어》 =DOODAD
dod·der[1] [dɑ́dər | dɔ́d-] *vi.* 《구어》 (중풍이나 노령으로) 떨다; 비틀거리다, 비틀거리며 걷다 **~ along** 비틀비틀 걷다 **~·er** *n.*
dodder[2] *n.* 〔식물〕 실새삼
dod·dered [dɑ́dərd | dɔ́d-] *a.* 〈고목이〉 가지 끝이 떨어져 없는; 늙어빠진
dod·der·ing [dɑ́dəriŋ | dɔ́d-] *a.* 비틀거리는, 비실거리는
dod·der·y [dɑ́dəri | dɔ́d-] *a.* =DODDERING
dod·dle [dɑ́dl | dɔ́dl] *n.* [a ~] 《영·구어》 손쉬운 일
dode [dóud] *n.* 《미·속어》 바보
dodec(a)- [doudék(ə) | dóudek(ə)] 《연결형》 「12」의 뜻 《모음 앞에서는 dodec-》
do·dec·a·gon [doudékəgɑ̀n, -gən | -gən] *n.* 〔기하〕 12변형, 12각형 **dò·de·cág·o·nal** *a.*
do·dec·a·he·dron [doudèkəhí:drən, dòudekə- | dòudekə-] *n.* (*pl.* **~s, -dra** [-drə]) 〔기하·결정〕 12면체(體) **-hé·dral** *a.*
do·dec·a·pho·ny [doudékəfòuni, dòudikǽfəni | dòudekəfóuni] *n.* Ⓤ 〔음악〕 12음 음악[기법] **do·dec·a·phon·ic** [dòudekəfɑ́nik | -fɔ́n-] *a.* **dò·dec·a·phón·ist** *n.* 12음 음악 작곡가
do·de·ca·syl·la·ble [doudékəsìləbl, dòudek- | dòudek-] *n.* 〔운율〕 12음절의 시행[단어]
***dodge** [dɑdʒ | dɔdʒ] *vt.* **1** (재빨리) 피하다, 날쌔게 비키다(avoid): ~ a ball (날아오는) 공을 피하다 **2** 《구어》 〈질문·의무 등을〉 교묘히 회피하다[받아넘기다]
— *vi.* **1** 몸을 홱 피하다, 살짝 비키다 《*round, about, behind, between, into*》: (~+전+명) ~ *behind* a tree 살짝 나무 뒤에 숨다 // (~+부) He went *dodging about.* 그는 홱[이리저리] 몸을 비키며 나아갔다. **2** 말꼬리를 안 잡히다, 교묘하게 둘러대다, 얼버무리다, 속이다 《*about*》
— *n.* **1** 몸을 홱 피함[비킴]: make a quick ~ 몸을 홱 피하다 **2** 속임수, 발뺌: (~+*to* do) That's a ~ *to* win your confidence. 그것은 당신의 신용을 얻으려는 속임수입니다. **3** 꾀, 묘안 《*for*》; 신안(新案), 신안 기구: a ~ *for* catching flies 파리 잡는 기구 **4** 《미·속어》 불법적인 축재 수단 **5** 《영·속어》 직업
do the (religious) ~ on 《영·속어》 (남의) 환심을 사려고 독실한 신자인 체하다 ***on the ~*** 《영·구어》 (소매치기·절도 등) 부정한 짓을 하여
▷ dódgy *a.*
Dodge [dɑdʒ | dɔdʒ] *n.* 다지 《미국 Chrysler사의 Dodge 사업부가 제조하는 승용차》
dódge bàll 도지 볼, 피구(避球) 《게임》
Dodg·em [dɑ́dʒəm | dɔ́dʒ-] [*dodge*+th*em*] *n.* [종종 the ~s] 유원지 등에 있는 작은 전기 자동차를 타고부딪치는 놀이 시설; 그 자동차(=∠ **càr**)
dodg·er [dɑ́dʒər | dɔ́dʒ-] *n.* **1 a** 몸을 홱 비키는 사람 **b** 속임수[발뺌]를 잘쓰[하]는 사람; 협잡꾼 **2** (배의 브리지의) 파도막이 벽 **3** 《미·호주》 전단, 광고 쪽지 **4** 《미남부》 =CORN DODGER **5** 《속어》 음식물, 빵, 샌드위치, (빵 등의) 큰 부분 **—** *a.* 《호주·속어》 좋은, 훌륭한
Dodg·ers [dɑ́dʒərz | dɔ́dʒ-] *n.* 미국 메이저리그 야구단 《the Los Angeles Dodgers의 애칭》
dodg·er·y [dɑ́dʒəri | dɔ́dʒ-] *n.* 말로 발뺌하기, 속임
dodg·y [dɑ́dʒi | dɔ́dʒi] *a.* (**dodg·i·er; -i·est**) **1** 《영·구어》 수상한, 믿지 못할 **2** 《영·호주·뉴질·구어》 〈사물이〉 위태로운, 위험한 **3** 《영·구어》 〈사람이〉 교활한, 속임수[발뺌]가 능한 **4** 《컴퓨터속어》 아주 별난
do·do [dóudou] *n.* (*pl.* **~(e)s**) **1** 〔조류〕 도도 《17세기 말에 절멸한 거위만하며 날지 못하는 거대한 새》 **2** 모자라는 사람, 팔푼이; 시대에 뒤떨어진 사람; 《미·속어》 단독 비행의 경험이 없는 훈련 중인 조종사 **(as) *dead as a ~*** 완전히 죽어; 케케묵은; 잊혀져

dodo 1

do-do [dú:dù:] *n.* 《유아어》 응가 《똥, 대변, 배변》
dódo splìt 〔볼링〕 헤드핀과 7핀 또는 10핀이 남은 스플릿
doe [dóu] *n.* (*pl.* **~s,** ~) 암사슴 《fallow deer의 암컷》; (토끼·양·염소·쥐 등의) 암컷(opp. *buck*[1])
Doe [dóu] *n.* ⇨ John Doe
DOE Department of Energy 《미》 에너지부; Department of the Environment 《영》 환경부
DOE, d.o.e. depends[depending] on experience 경험자 우대 《구인 광고의 글》
doe-eyed [dóuàid] *a.* 〈여자가〉 크고 아름다운 갈색 눈을 가진
doek [dúk] *n.* 《남아공》 둑 《4각형의 여자 머리쓰개》
do·er** [dú:ər] *n.* **1** 행위자, 행하는 사람(actor, performer), 실행가: He is a ~, not a talker. 그는 공론가가 아니고 실천하는 사람이다. **2** 발육하는 동물[식물]: a good[bad] ~ 발육이 좋은[나쁜] 동물[식물] **3** 기인(奇人) ***a hard ~ 《호주》 괴짜
⁑does [dʌz, dəz] *v.* DO[1]의 3인칭 단수 현재형
doe·skin [dóuskìn] *n.* ⓊⒸ **1** 암사슴 가죽; 무두질한 암사슴 가죽 **2** 도스킨 《암사슴 가죽 비슷한 나사(羅紗)》; [*pl.*] 도스킨 장갑 **—** *a.* 암사슴 가죽(제)의
⁑does·n't [dʌ́znt] does not의 단축형(⇨ do[1])
do·est [dú:ist] *v.* 《고어·시어》 DO[1]의 2인칭 단수 직설법 현재형: thou ~ =you do
do·eth [dú:iθ] *v.* 《고어·시어》 DO[1]의 3인칭 단수 직설법 현재형: he[she] ~ = he[she] does
doff [dɑf, dɔ:f | dɔf] [*do*+*off*] *vt.* **1** 《문어》 〈옷·모자 등을〉 벗다(opp. *don*[2]) **2** 《문어》 〈풍습 등을〉 버리다 **3** 〈실·재료 등을〉 기계에서 빼다
— *n.* 섬유 등을 기계에서 빼냄[빼낸 것] **~·er** *n.*
do·fun·ny [dú:fʌ̀ni] *n.* 《미·구어》 =DOODAD
⁑dog [dɔ:g, dɑg | dɔg] *n.* **1** 개; 갯과(科) 중의 몇 종류 《늑대·들개 등》: have[own, keep] a ~ 개를 키우다[사육하다] / Every ~ has his day. 《속담》 쥐구멍에도 볕들 날이 있다. / Give a ~ a bad name and hang him. 《속담》 한번 낙인 찍히면 끝장이다. 《개를 잡으려면 그 개가 미쳤다고 하라는 뜻에서》 / Let sleeping ~s lie. 《속담》 긁어 부스럼 만들지 마라. / Love me, love my ~. 《속담》 나를 사랑한다면 내 개도 사랑하라.; 아내가 귀여우면 처갓집 말뚝 보고도 절한다.
관련 (1) 「강아지」는 puppy, whelp; 「개집」은 kennel; 짖는 소리는 bark, bay, bowwow; growl, howl, snarl; whine, yap, yelp; 형용사는 canine (2) guard[watch] dog (지키는 개), guide[Seeing Eye] dog (맹도견), hunting dog (사냥개), police dog (경찰견), sheepdog (양치기 개), toy dog (애완견)
2 (갯과(科) 동물의) 수컷, 수캐(opp. *bitch*): a ~ wolf 이리의 수컷 **3** 쓸모없는 인간[물건]; 매력 없는 남

---

dodge *v.* dart, duck, sidestep, move aside, elude, escape, avoid, shun

자; 못생긴 여자; [욕으로] 빌어먹을 놈; [보통 cunning, jolly, lucky, sad, sly 등의 형용사와 함께] 놈, 녀석(fellow): a *sad*[*jolly*] ~ 딱한[유쾌한] 놈 **4** (구어) 겉치레, 허세 **5** 쇠갈고리, 꺾쇠, 쇠로 된 집게, 무집게; [*pl.*] =ANDIRON **6** [*pl.*] (미·구어) 핫도그(=hot ~) **7** [the ~s] (구어) 개 경주(=~ racing) **8** [*pl.*] (속어·익살) 발(feet) **9** [the D~] 〖천문〗 큰개자리(=the Great D~); 작은개자리(=the Little D~); 시리우스 별(dogstar, Sirius), 천랑성(天狼星) **10** 〖동물〗 바다표범(=sea ~) 《북아메리카산(産)》 **11** 외견, 외모 **12** (미·속어) 실망, 나담

a dead ~ 무용지물; (미·속어) 권위를 잃은 사람 ***a ~ in a blanket*** (잼을 넣은) 푸딩 ***a ~ in the manger*** (구어) (자기에게 쓸모없는 것도 남이 쓰려면 방해하는) 심술쟁이 《이솝 우화에서》 (***as***) ***sick as a ~*** 기분이 매우 언짢은 ***call off the ~s*** (구어) 휴식하다, 긴장을 풀다 ***die a ~'s death***[***the death of a ~***] = ***die like a ~*** 비참한 죽음을 하다 ***dressed up like a ~'s dinner*** ⇨ DOG'S DINNER. ***eat ~*** (미) 굴욕을 참다(eat dirt) ***give ... to the ~s*** ⇨ throw ... to the DOGS. ***go to the ~s*** (구어) 영락[몰락]하다; 쓸모없게 되다; 타락하다 ***help a*** (***lame***) ***~ over a stile*** 남의 곤경을 구해 주다 ***It shouldn't happen to a ~.*** (미·구어) 극악무도하다.; 언어도단이다. ***lead a ~'s life*** ⇨ DOG'S LIFE. ***like a ~ with two tails*** 크게 기뻐하여, 기꺼이 ***put on*** (***the***) ***~*** (미·구어) 잘난 체하다, 으스대다 ***teach an old ~ new tricks*** (비유) 늙은 개한테 새로운 재주를 가르치다 《이제 새삼 그런 일을 할 수는 없다》 ***That ~ will hunt.*** (미·속어) 좋은 안(案)이다., 잘될 것 같다. ***That ~ won't***[***don't***] ***hunt***[***bark***]. (미·속어) 설득력이 없다, 말이 되지 않는다. ***the ~s of war*** (시어) 전쟁의 참화 ***the hair of the ~*** (***that bit*** a person) ⇨ hair. ***throw ... to the ~s*** 내버리다; 희생시키다 ***treat*** a person ***like a ~*** (구어) …을 홀대하다, 괄시하다 ***work like a ~*** 개같이 (열심히) 일하다

— *vt.* (**~ged**; **~·ging**) **1** 미행하다, 귀찮게 따라다니다(shadow) **2** 〈재난·불행 등이〉 …에 끝없이 따라다니다 **3** 〖기계〗 쇠갈고리로 걸다 **4** (미·속어) 무시하다; 〈사람에게〉 나쁜 짓을 하다; 거짓말을 하다; 헐뜯다, 비방하다

— *vi.* 끈질기게 따라다니다

~ around[***about***] (미·속어) 〈사람을〉 괴롭히다, 욕설하다, 헐뜯다 ***~ it*** (구어) 농땡이 부리다, 〈일을〉 겉날리다; (미·속어) 뽐내다, 허세부리다; 도피하다 ***~ on*** (미·속어) =DOG around. ***~ out*** (미·속어) 나무라다, 꾸짖다, 비난하다 ***~ out***[***up***] (미·속어) 몸치장하다

— *ad.* [보통 복합어를 이루어] 완전히, 아주(utterly): ~-tired (구어) 녹초가 된 **~·dom** *n.* 개 무리, 개임; [집합적] 애견가들 **~·less** *a.*

▷ dóggish, dóggy *a.*

dóg and póny shòw (미·속어) 시시한 구경거리[서커스]; 겉만 번지르한 광고[PR]

dóg àpe 〖동물〗 =BABOON

dog·bane [dɔ́:gbèin, dɑ́g-|dɔ́g-] *n.* 〖식물〗 개정향풀

dog·ber·ry [-bèri] *n.* (*pl.* **-ries**) 〖식물〗 층층나무, 마가목; 그 열매 《식용에 부적합》

Dog·ber·ry [dɔ́:gbèri, dɑ́g-|dɔ́g-] *n.* **1** 도그베리 《셰익스피어 작에 등장하는 어리석은 경관》 **2** [종종 **d~**] 어리석은[실수하는] 관리

dóg bìscuit 도그 비스킷 《개 먹이》; (미·군대속어) 비상 휴대용 비스킷, 건빵; (미·속어) 못생긴 여자

dóg bòx (영) 개 수송용 화차

dog·cart [dɔ́:gkɑ̀:rt, dɑ́g-|dɔ́g-] *n.* 개 수레; 2륜 마차 《전에는 좌석 밑에 사냥개를 태웠음》

dog·catch·er [-kæ̀tʃər] *n.* (미) 들개 포획인(人)

dog-cheap [-tʃí:p] *a.*, *ad.* (미) 터무니없이 싼[싸게], 갯값의[으로]

Dóg Chów (미) 도그차우 《개 먹이; 상표명》

dóg clùtch 〖기계〗 맞물리는 클러치

dóg còllar **1** 개 목걸이 **2** (구어) (목사·사제 등의) 빳빳이 세운 칼라 **3** 목에 맞는 (여자) 목걸이

dóg dàys 복중(伏中), 삼복 《Dog Star가 태양과 함께 뜨는 7월 초에서 8월 중순까지》; 침체[정체]기; (미·속어) 생리일

dog-do(o) [-dù:] *n.* (구어) 개똥 (같은 것)

dog-ear [-ìər] *n.* 책장 모서리의 접힌 부분

— *vt.* 〈책장의〉 모서리를 접다

dog-eared [-ìərd] *a.* **1** 책장[페이지] 모서리가 접힌 **2** 써서 낡은; 초라한

dog-eat-dog [-ì:tdɔ́:g|dɔ́g] *a.* Ⓐ (골육상쟁하듯) 치열하게 다투는, 냉혹하게 사리사욕을 추구하는, 인정사정없는 — *n.* 골육상쟁, 치열한 경쟁

dóg ènd (영·속어) 담배꽁초(cigarette end)

dóg èye (미·속어) 비난의 눈초리

dog·face [-fèis] *n.* (미·군대속어) (제2차 대전에서의) 보병, 육군 병사

dog-faced [-fèist] *a.* 개상(相)의

dog·fall [-fɔ̀:l] *n.* 〖레슬링〗 무승부, 비김

dóg fàncier 애견가; 개 전문가; 개장수

dóg fàshion (비어) 개 모양으로 뒤에서 하는 성교

dóg fènnel 〖식물〗 개꽃의 일종

dog·fight [-fàit] *n.* 개싸움; 치열한 싸움(cf. CATFIGHT); 〖군사〗 전투기의 공중전, 혼전(混戰)

— *vt.*, *vi.* (**-fought**) 혼전을 벌이다; 공중전을 벌이다

dog·fish [-fìʃ] *n.* 〖어류〗 작은 상어 《돔발상어 등》

dóg fòod 개의 먹이; (미·해군속어) 콘비프 요리

dog·foot [-fùt] *n.* (미·군대속어) 보병

dóg fòx 숫여우(male fox)

***dog·ged** [dɔ́:gid, dɑ́g-|dɔ́g-] *a.* 완고한, 끈덕진: It's ~ as [that] does it. (속담) 끈덕지게 버텨야 성사된다. **~·ly** *ad.* **~·ness** *n.*

dog·ger[1] [dɔ́:gər, dɑ́g-|dɔ́g-] *n.* 네덜란드의 쌍돛대 어선

dogger[2] *n.* (호주) 들개(dingo) 사냥꾼

Dógger Bánk [the ~] 도거 뱅크 《영국 북쪽 북해 중앙부의 해역; 세계 유수의 대어장》

dog·ger·el [dɔ́:gərəl, dɑ́g-|dɔ́g-] *n.* Ⓤ (운율이 맞지 않는) 광시(狂詩), 졸렬한[엉터리] 시

— *a.* 우스꽝스러운(comic); 서투른; 조잡한

dog·ger·y [dɔ́:gəri, dɑ́g-|dɔ́g-] *n.* (*pl.* **-ger·ies**) **1** Ⓤ 개 같은[비열한] 짓 **2** Ⓤ [집합적] 개 **3** (미·속어) 대폿집 **4** 오합지졸; 하층민(rabble)

dog·gie [dɔ́:gi, dɑ́gi|dɔ́gi] *n.* 강아지; (유아어) 멍멍 — *a.* **1** Ⓐ 개의, 개 같은; (구어) 개를 좋아하는 **2** (미·구어) 젠체하는, 거만한

dóggie bàg (미) (식당에서 손님이 먹다 남은 것을) 넣어 주는 봉지

dog·gi·ness [dɔ́:ginis, dɑ́gi-|dɔ́gi-] *n.* Ⓤ **1** 개 같음; 개를 좋아함 **2** 개 냄새

dog·gish [dɔ́:giʃ, dɑ́g-|dɔ́g-] *a.* **1** 개 같은 **2** 심술궂은(surly), 딱딱거리는 **3** (구어) 멋 부리기 좋아하는 **~·ly** *ad.* **~·ness** *n.*

dog·go [dɔ́:gou, dɑ́g-|dɔ́g-] *ad.* (영·속어) 숨어서, 보이지 않는 곳에서 ***lie ~*** 꼼짝 않고 숨어 있다

— *a.* (미·속어) 열등한, 볼품없는

dog·gone [dɔ́:ggɔ́:n, -gɑ́n, dɑ́g-|dɔ́gɔn] (미·속어) *a.* Ⓐ 저주할, 괘씸한, 비참한; 더러운

— *ad.* 괘씸하게, 지긋지긋하게 — *int.* 빌어먹을, 제기랄 — *vt.* 저주하다, 악담하다

dog·goned [dɔ́:ggɔ́:nd, -gɑ́nd, dɑ́g-|dɔ́gɔnd] *a.*, *ad.* (미·속어) =DOGGONE

dóg gràss 〖식물〗 =COUCH GRASS

dog·gy [dɔ́:gi, dɑ́gi|dɔ́gi] *a.* (**-gi·er**; **-gi·est**) **1** 개의[에 관한] **2** 개를 좋아하는 **3** (미·속어) 젠체하는; 멋 부리는(showy) **4** 가치 없는, 변변찮은 **5** (미·흑인속어) 짓궂은 — *n.* (*pl.* **-gies**) = DOGGIE

dóggy bàg =DOGGIE BAG

dóggy pàddle =DOG PADDLE

dóg hàndler 개 조련사; 경찰견 담당자

dog·hole [dɔ́:ghòul, dɑ́g-|dɔ́g-] *n.* 개구멍; 누추한 곳[집]; (미·속어) (탄광 등의) 작은 구멍
dog·hood [dɔ́:ghùd, dɑ́g-|dɔ́g-] *n.* Ⓤ 개임, 개의 성질; [집합적] 개
dog·house [dɔ́:ghàus, dɑ́g-|dɔ́g-] *n.* (*pl.* **-hous·es** [-hàuziz]) **1** (미) 개집 **2** (미·구어) (요트의) 작은 선실, (과학 기기가 장착된, 로켓·미사일의) 표면의 볼록한 부분 ***in the ~*** (미·속어) 면목을 잃고, 미움을 사서, 인기가 떨어져
dog·hutch [-hʌ̀tʃ] *n.* 개집; 누추한 곳
do·gie [dóugi] *n.* (미서부) 어미 없는 송아지
dóg ìron (미남부) = ANDIRON
dóg kènnel 개집(doghouse)
dóg Látin 변칙적인[파격적인] 라틴어
dóg lèad 개줄, 개사슬
dog·leg [dɔ́:glèg, dɑ́g-|dɔ́g-] *n.* (개의 뒷다리처럼) 굽은 것, 비틀린 것(kink); 비행기 진로의 갑작스러운 변경; (도로 등의) 급커브; (미) 질이 나쁜 담배; (미·속어) 신용이 나쁜 사람 **—** *a.* = DOGLEGGED
— *vt.* (**~ged**; **~·ging**) 지그재그로 나아가다
dog·leg·ged [-lègid, -lègd] *a.* (개의 뒷다리처럼) 굽은: a ~ staircase「く」모양으로 굽은 계단
dóg lètter = DOG'S LETTER
dog·like [-làik] *a.* 개 같은; 충실한
dóg lòuse 〖곤충〗 개이 (개의 몸에 기생)
∗**dog·ma** [dɔ́:gmə, dɑ́g-|dɔ́g-] *n.* (*pl.* **~s, ~·ta** [-tə]) ⓊⒸ **1** 교의, 교리(doctrine); 교조(敎條), 신조 **2** 정설, 정칙(定則), 정론 **3** 독단적 주장[견해]
▷ dogmátic *a.*; dógmatize *v.*
dog·man [dɔ́:gmən, dɑ́g-|dɔ́g-] *n.* **1** (호주) 크레인 운전자에게 지시 신호를 보내는 사람 **2** 개장수
∗**dog·mat·ic, -i·cal** [dɔ:gmǽtik(əl), dɑg-|dɔg-] *a.* **1** 교의상의, 교리에 관한 **2** 〖철학〗 독단주의의(cf. SKEPTICAL) **3** 독단적인
-i·cal·ly *ad.* **-i·cal·ness** *n.*
▷ dógma, dogmátics *n.*; dógmatize *v.*
dog·mat·ics [dɔ:gmǽtiks, dɑg-|dɔg-] *n. pl.* [단수 취급] 〖그리스도교〗 교리[신조]론, 교의학(敎義學)
∗**dog·ma·tism** [dɔ́:gmətìzm, dɑ́g-|dɔ́g-] *n.* Ⓤ 독단주의; 독단론; 독단적인 태도; 교조주의
-tist *n.* 독단가; 독단론자
dog·ma·tize [dɔ́:gmətàiz, dɑ́g-|dɔ́g-] *vi.* 독단적인 주장을 하다 (*on*) **—** *vt.* 〈주의 등을〉 교리로 나타내다 **dòg·ma·ti·zá·tion** *n.* **-tìz·er** *n.*
dog·meat [dɔ́:gmì:t, dɑ́g-|dɔ́g-] *n.* **1** 개 먹이로 주는 고기; 개고기 **2** 쓸모없는[시시한] 것
dóg nàil 대가리가 한쪽으로 내민 못
dóg nàp (구어) 선잠(catnap)
dog·nap [dɔ́:gnæp, dɑ́g-|dɔ́g-] [*dog*+kid*nap*] *vt.* (**~(p)ed**; **~·(p)ing**) (팔기 위해) 〈개를〉 훔치다
~·(p)er *n.* 개도둑
do-good [dú:gùd] *a.* (구어·경멸) (공상적인) 사회 개량을 꾀하는[지향하는]; 자선가인 체하는
~·er *n.* (경멸) 공상적인 사회 개량가, 자선가인 체하는 사람 **~·ing** *a., n.*
do-good·ism [dú:gùdizm] *n.* Ⓤ (구어·경멸) (공상적) 사회 개량주의
dóg pàddle [보통 the ~] 〖수영〗 개헤엄
dog-poor [dɔ́:gpúər, dɑ́g-|dɔ́g-] *a.* 몹시 가난한
dóg ràcing[ràce] 개 경주
dóg ròse 〖식물〗 들장미의 일종
dóg's àge [a ~] (구어) 오랫동안(cf. DONKEY'S YEARS)
dog's-bane [dɔ́:gzbèin, dɑ́gz-|dɔ́gz-] *n.* = DOGBANE
dogs·bod·y [dɔ́:gzbɑ̀di, dɑ́gz-|dɔ́gzbɔ̀di] *n.* (*pl.* **-bod·ies**) (영·구어) 뼈빠지게 일하는[혹사당하는] 사람, 잡역부; (영·해군속어) 하급 사관
dóg's bréakfast (구어) 뒤죽박죽, 엉망
dóg's bréath (속어) 싫은[불쾌한] 녀석
dóg's chànce [a ~; 부정문에서] (구어) 아주 희박한 가망성 ***not stand*[*have*] *a ~*** 도저히 가망이 없다
dóg's dèath 비참한 죽음 ***die a ~*** ⇨ DOG
dóg's dìnner (구어) 먹다 남은 음식; 엉망진창(mess); 추녀, 추남 ***dressed up like a ~*** 지나치게 화려하게 차려 입고
dóg's disèase (호주·속어) 유행성 독감
dog's-ear [-ìər] *n.* = DOG-EAR
dog's-eared [-ìərd] *a.* = DOG-EARED
dóg's gràss = COUCH GRASS
dog·shore [dɔ́:gʃɔ̀:r, dɑ́g-|dɔ́g-] *n.* 〖조선〗 (진수할 때까지 배를 떠받치는) 버팀기둥
dóg shòw **1** 도그 쇼, 애완견 대회 **2** (미·군대속어) 구두 검사 **3** (미·속어) 지방 공연
dog-sick [-sík] *a.* 몹시 몸이 아픈(very sick)
dog·skin [-skìn] *n.* ⓊⒸ 개가죽; 무두질한[모조의] 개가죽
dog·sled [-slèd] *n.* 개썰매
— *vi.* (**~·ded**; **~·ding**) 개썰매로 가다
dóg slèdge[slèigh] = DOGSLED
dog·sleep [-slì:p] *n.* ⓊⒸ 선잠; 풋잠
dóg's lètter 견음 문자(犬音文字) (r 자; r의 발음이 개의 으르렁거리는 소리와 비슷한 데서)
dóg's lìfe [a ~] (구어) 비참한[고생 많은] 생활 ***lead*[*live*] *a ~*** 비참한 생활을 하다[하게 하다]
dóg's mèat 개에게 주는 고기 (말고기 등)
dóg's nòse 맥주와 진[럼]과의 혼합주
dóg's spìke (철도 레일 고정용의) 대못
dogs·tail [dɔ́:gztèil, dɑ́gz-|dɔ́gz-] *n.* 〖식물〗 왕바랭이 무리
Dóg Stàr [the ~] = SIRIUS
dog's-tongue [dɔ́:gztʌ̀ŋ|dɔ́gz-] *n.* 〖식물〗 큰꽃마리(hound's-tongue)
dóg's-tooth víolet [-tù:θ-] = DOGTOOTH VIOLET
dóg tàg 개패; (군대속어) 인식표
dog·tail [dɔ́:gtèil, dɑ́g-|dɔ́g-] *n.* **1** 〖식물〗 = DOGSTAIL **2** 벽돌용 흙손(= ∠ **trówel**) (하트형)
dóg tèam (개썰매를 끄는) 한 무리의 개
dóg tènt (미·구어) (휴대용) 소형 텐트
dóg tìck 〖동물〗 개진드기
dog-tired [-táiərd] *a.* (구어) 녹초가 된
dog·tooth [-tù:θ] *n.* (*pl.* **-teeth** [-tì:θ]) **1** 송곳니 **2** 〖건축〗 송곳니 장식 **—** *vt.* 〖건축〗 송곳니 장식으로 꾸미다
dógtooth víolet 〖식물〗 얼레지
dóg tòur 〖연극〗 지방 순회 공연
dóg tràin (캐나다) (한 떼가 끄는) 개썰매
dog·trot [-trɑ̀t|-trɔ̀t] *n.* **1** 종종걸음 **2** (건물 사이의) 지붕이 달린 통로 **—** *vi.* (**~·ted**; **~·ting**) 종종걸음으로 달리다[가다]
dóg tùne (속어) 시시한 노래
dóg wàgon (미·속어) (핫도그 등을 파는) 싸구려 식당; 고물 트럭
dóg wàrden = DOGCATCHER
dog·watch [-wɑ̀tʃ|-wɔ̀tʃ] *n.* 〖항해〗 반당직(半當直) (오후 4시-6시 또는 6시-8시의 2시간 교대); (구어) 밤 당번; (속어) (신문 기자의) 대기 근무 시간
dog-wea·ry [-wíəri] *a.* 아주 지친
dóg whìp 개 채찍
dog-wolf [-wùlf] *n.* 수늑대
dog·wood [-wùd] *n.* 〖식물〗 층층나무; 층층나무 목재; 담[황]갈색 **—** *a.* 갈색[담갈색, 황갈색]의
do·gy [dóugi] *n.* (*pl.* **-gies**) = DOGIE
dóg yèar 도그 이어 (정보화 사회의 변천의 빠름을 비유한 말; 1 dog year는 52일로 침)
doh [dóu] *n.* = DO[2]
DoH Department of Health (영) 보건부
d'oh [dóu] *int.* (구어·익살) 아뿔사, 아차 (어리석은 짓[말]을 한 것을 깨닫고 지르는 소리)
Do·ha [dóuhɑ:] *n.* 도하 (Qatar의 수도)
DOHC 〖자동차〗 double overhead camshaft **DOI**

Department of the Interior (미) 내무부; digital object identifier 〔전자〕 디지털 콘텐츠 식별기

doi·ly [dɔ́ili] 〔이것을 만든 상인 이름에서〕 *n.* (*pl.* **-lies**) **1** (레이스 등으로 만든) 탁상용 작은 그릇을 받치는 깔개 **2** 작은 냅킨

*__do·ing__ [dúːiŋ] *n.* **1** Ⓤ 하기, 행함, 수행 **2** [*pl.*] (구어) 행동, 행위, 활동, 소행; 서동 **3** [the ~s] (이름이 생각나지 않는) 그것: Pass me *the* ~*s.* 그것 좀 집어다오. **4** 《영·구어》 꾸지람, 야단침 **5** [*pl.*] (미·방언) 요리(의 재료) ***take*** [***want***] ***some*** [***a lot of***] **~** (구어) 상당한[많은] 노력이 필요하다

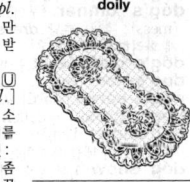

doit [dɔ́it] *n.* (옛 네덜란드의) 작은 동전; 얼마 안되는 돈, 소액 ***not care a*** **~** 조금도 개의치 않다 ***not worth a*** **~** 한 푼의 가치도 없는

doit·ed [dɔ́itid] *a.* (스코) 노망한(senile)

do-it-your·self [dúːitʃərsélf, -itjər- | -itjɔː-] *a.* Ⓐ (수리·조립 등을) 스스로[손수] 하는, 자작(自作)의: The English are ~ people. 영국인은 제 손으로 물건 만들기를 좋아하는 국민이다.
— *n.* Ⓤ 손수 함; 손수 만드는 취미 (略 D.I.Y.)
~·er *n.* 손수 만드는 사람

DOJ Department of Justice

do·jo [dóudʒou] [Jap.] *n.* (*pl.* **~s**) 도장(道場)

DOL Department of Labor **dol.** dollar(s)

Dol·by [dóulbi, dɔ́ːl-] *n.* 돌비 《녹음·재생 때의 잡음 감소방식; 상표명》(=**~ Sỳstem**)

Dol·by·ized [dóulbiàizd, dɔ́ːl- | dɔ́l-] *a.* 돌비 방식의

dol·ce [dóultʃei | dɔ́ltʃi] [It.] *a., ad.* 〔음악〕 달콤한[달콤하게], 감미로운[감미롭게] **—** *n.* 〔음악〕 돌체

dol·ce far nien·te [dóultʃei-fàːr-niénti] [It. =sweet doing nothing] 안일, 일락(逸樂)

dol·ce vi·ta [-víːtə] [It. =sweet life] [the ~, la ~] (방종한) 감미로운 생활

dol·drums [dóuldrəmz, dɑ́l-, dɔ́ːl- | dɔ́l-] *n. pl.* **1** 〔항해〕 (특히 적도 부근의) 열대 무풍대; 무풍 상태 **2** 답답함; 우울, 침울; 정체 상태[기간] ***be in the*** **~** 〈배가〉 무풍지대에 들어가 있다; (구어) 침울해 있다; 침체 상태에 있다, 불황이다

*__dole__[1] [dóul] *n.* **1** 시주, 구호품, 의연품; 분배물; 얼마 안 되는 몫 **2** (영·구어) 실업 수당((미) welfare) ***be on the*** **~** (영·구어) 실업 수당을 받고 있다 ***draw*** [***go on***] ***the*** **~** 실업 수당을 받다 ***Happy man may be his ~!*** 그에게 행복이 있기를!
— *vt.* 베풀다, 〈구호품을〉 주다; 조금씩[인색하게] 나누어 주다 (*out*)

dole[2] *n.* Ⓤ (시어) 슬픔(woe), 비탄 ***make*** one***'s*** **~** 비탄에 잠기다 **—** *vi.* 한탄하다

dole-draw·er [dóuldrɔ̀ːr] *n.* (영) 실업 수당을 받는 사람

*__dole·ful__ [dóulfəl] *a.* 서글픈, 슬픈(sad), 수심에 잠긴; 음울한 **~·ly** *ad.* **~·ness** *n.* ▷ dole[2] *n.*

dóle quéues (영·구어) [the ~; 집합적] 실업자들

dol·er·ite [dɑ́lərài t | dɔ́l-] *n.* Ⓤ 〔광물〕 조립현무암(粗粒玄武岩); 다른 각종의 화성암
dol·er·it·ic [dɑ̀lərítik | dɔ̀l-] *a.*

doles·man [dóulzmən] *n.* (*pl.* **-men** [-mən, -mèn]) 구호품을 받는 사람

dole·some [dóulsəm] *a.* (문어) =DOLEFUL

dol·i·cho·ce·phal·ic [dɑ̀likousəfǽlik | dɔ̀l-] *a.* 〔인류〕 장두(長頭)의(opp. *brachycephalic*)

do·li·ne, -na [dəlíːnə] *n.* 〔지질〕 돌리네(sinkhole) 《석회암 지대의 움푹 패인 땅》

do·lit·tle [dúːlìtl] (구어) *n.* 게으름뱅이, 나태한 사람 **—** *a.* 게으른

‡**doll** [dɑ́l | dɔ́l] [Dorothy의 애칭 Doll에서] *n.* **1** 인형; 백치 미인; (속어) 소녀, 여학생; 정부(情婦); (미·구어) 매력적인 여자[남자] **2** (미·구어) 마음씨 좋은 사람; 도움이 되는 사람 ***cut out*** (***paper***) **~*s*** (미·속어) 미치다, 미친 척하다
— *vt.* (구어) 예쁘게[화려하게] 차려 입다 (*up*): (~+目+副) ~ oneself *up* =be ~*ed up* 잘 차려입다(deck out)
— *vi.* (구어) 한껏 차려 입다 ▷ dóllish *a.*

Doll [dɑ́l | dɔ́l] *n.* 여자 이름 (Dorothy의 애칭)

‡**dol·lar** [dɑ́lər | dɔ́l-] [옛 독일 은화의 명칭; 보헤미아의 Joachimstal에서 주조된 데서] *n.* **1 a** 달러 《미국·캐나다·홍콩·싱가포르·호주·뉴질랜드 등의 화폐 단위; 기호 $; =100 cents》 **b** 1달러 화폐 **2** (영·속어) 5실링 은화(crown) **3** 〔물리〕 달러 《원자로 반응도의 차이》 **4** [the ~s] 금전(money), 부(wealth)
bet one***'s bottom*** **~** ⇨ bet. **~*s to doughnuts*** (구어) (1) 거의[십중팔구] 확실함 (2) 천양지차 ***in ~s and cents*** (미) 돈으로 쳐서; 돈밖에 모르는 ***like a million ~s*** (미·구어) 최고로 컨디션[기분]이 좋은; 〈여자가〉 멋진, 아주 매력적인 ***not have one ~ to rub against another*** (미·속어) 돈이 없다

dóllar àrea 〔경제〕 달러 (유통) 지역

dól·lar-a-yéar màn [dɑ́lərəjíər- | dɔ́l-] (미) 거의 무보수로 연방 정부에서 일하는 민간인

dóllar (**còst**) **àveraging** 〔증권〕 정액 정기 매입 《정기적으로 일정액의 증권에 투자하기》

dóllar crìsis 〔경제〕 달러 위기

dóllar dày 1달러 균일 특매일

dóllar diplòmacy 달러 외교; 금력 외교

dóllar gàp[**shòrtage**] 〔경제〕 달러 부족

dóllar impèrialism 달러 제국주의

dol·lar·i·za·tion [dɑ̀lərizéiʃən | dɔ̀ləraiz-] *n.* Ⓤ 한 국가의 화폐를 미국 달러로 전환하기

dol·lar·ize [dɑ́ləràiz | dɔ́l-] *vt.* 〈한 국가가〉 〈자국 통화를〉 미국 달러로 전환하다

dol·lar·oc·ra·cy [dɑ̀lərɑ́krəsi | dɔ̀l-] *n.* Ⓤ 달러에 의한 지배

dol·lars-and-cents [dɑ́lərzən*d*sénts | dɔ́l-] *a.* 금전의, 금전만을 고려한

dóllar sìgn[**màrk**] 달러 기호 (＄ 또는 $)

dol·lar-spin·ner [dɑ́lərspìnər | dɔ́l-] *n.* (미·속어) 돈벌어 주는 것, 팔리는 것, 달러 박스

dóllar spòt 〔식물〕 달러 스폿 《갈색 부분이 서서히 퍼져가는 잔디의 병》

dóllar stòre (1달러 (이하) 짜리의) 염가 판매점

dol·lar-watch·er [-wɑ̀tʃər | -wɔ̀tʃər] *n.* 검약가

dol·lar·wise [-wàiz] *ad.* 달러로, 달러로 환산하여; 금전[재정]적으로 **—** *a.* 검약하는

dóll càrriage 인형의 탈것

dóll cìty (미·속어) (인형 같은) 미녀, 미남; [감탄사적으로] 멋있는 것, 기막힌 생각

doll·house [dɑ́lhàus | dɔ́l-] *n.* (미) 인형의 집; 조그마한 집((영) doll's house)

doll·ish [dɑ́liʃ | dɔ́l-] *a.* 인형 같은, 새침한, 아름다우나 표정이 없는 **~·ly** *ad.* **~·ness** *n.*

dol·lop [dɑ́ləp | dɔ́l-] *n.* (치즈·버터같이 말랑말랑한) 덩어리; 소량, 조금 (*of*); (미·속어) 여자
— *vt.* 〈버터나 크림 등을〉 듬뿍 바르다

dóll's hòuse (영) =DOLLHOUSE

*__dol·ly__ [dɑ́li | dɔ́li] *n.* (*pl.* **-lies**) **1** (유아어) 인형 (애칭) **2** (궤도 위에 움직이는) 작은 짐수레; 〔영화·TV〕 돌리 《이동식 촬영기대(臺)》 **3** (영) (세탁물의) 휘젓는 방망이; (광물을 부수는) 절굿공이; (말뚝 박을 때 쓰는) 이음 말뚝; (철공용의) 형철(型鐵) **4** (영·속어) 젊고 매력적인 여성(=~ bird)
— *a.* **1** (영·구어) 〈특히 여성이〉 매력적인, 스마트한

thesaurus **domain** *n.* **1** 영토 realm, kingdom, empire, dominion, estate **2** 분야 area, field, section, sphere, province

2 〖크리켓〗 〈포구·타격이〉 치기[잡기] 쉬운, 편한
—*vt., vi.* (**-lied**) **1** 〖영화·TV〗 〈카메라를〉 dolly에 얹어서 이동시키다 **2** 멋지게 차려 입히다 ((*up*)) **3** 〖크리켓〗 〈공을〉 (잡기 쉽도록) 완만한 포물선이 되게 던지다

Dol·ly [dɑ́li | dɔ́li] *n.* **1** = DOLL **2** 복제 양의 이름 ((1997년 영국 Roslin 연구소에서 발표))

dólly bàg (영·구어) = DOROTHY BAG

dólly bìrd (영·속어) (머리가 모자라는) 매력적인 여자

dólly càmera dolly에 싣고 이동시키는 카메라

dólly dàncer (미·군대속어) 장교의 환심을 사서 편한 임무를 맡는 병사

dólly gìrl = DOLLY BIRD

dólly shòp [간판이 검은 인형인 데서] (뱃사람 상대의) 고물상 겸 전당포

dólly shòt 〖영화·TV〗 dolly에서의 촬영

Dólly Vár·den [-vɑ́ːrdn] 꽃무늬의 사라사 여성복과 모자 ((19세기 스타일))

dol·man [dóulmən, dɑ́l- | dɔ́l-] *n.* (*pl.* **~s**) **1** 케이프식 소매가 달린 여성용 망토 **2** 터키의 외투 **3** 경기병(hussar)용 재킷(=**~ jácket**)

dólman sléeve 돌먼 슬리브 ((소맷부리쪽에서 좁아지는 헐렁한 여성복 소매))

dol·men [dóulmən, dɑ́l- | dɔ́lmen] *n.* 〖고고학〗 고인돌, 지석묘(支石墓)(cf. CROMLECH)

do·lo·mite [dóuləmàit, dɑ́l- | dɔ́l-] *n.* Ⓤ 〖광물〗 백운석[암] **dol·o·mit·ic** [dɑ̀ləmítik | dɔ̀l-] *a.*

Do·lo·mites [dóuləmàits, dɑ́l- | dɔ́l-] *n. pl.* [the ~] 돌로미테 알프스 ((이탈리아 북부의 산맥))

do·lo·mit·ize [dóuləmaitàiz | dɔ́l-] *vt.* 〖지질〗 〈석회암을〉 백운암화하다 **dò·lo·mit·i·zá·tion** *n.*

do·lor | **do·lour** [dóulər] *n.* Ⓤ (시어) 슬픔, 비탄(grief) ***the ~s of Mary*** [***the Virgin***] 〖가톨릭〗 성모 마리아의 (7가지) 슬픔

Do·lo·res [dəlɔ́ːris] *n.* 여자 이름

do·lo·rim·e·ter [dòulərímətər] *n.* 〖의학〗 통각계

do·lo·rim·e·try [dòulərímətri, dɑ̀l- | dɔ̀l-] *n.* Ⓤ 〖의학〗 통각(痛覺) 측정

do·lo·rol·o·gy [dòulərɑ́lədʒi | -rɔ́l-] *n.* Ⓤ 통각학, 동통학(疼痛學)

dol·or·ous [dɑ́lərəs, dóul- | dɔ́l-] *a.* (시어) 슬픈, 비통한; 고통스러운 **~·ly** *ad.* **~·ness** *n.*

⁎**dol·phin** [dɑ́lfin, dɔ́ːl- | dɔ́l-] *n.* **1** 〖동물〗 돌고래; 〖어류〗 만새기(dorado)(=**~ fish**): ~ oil 돌고래유 **2** 〖항해〗 (배의) 계선주(繫船柱), 계선 부표 **3** [the D~] 〖천문〗 돌고래자리

dol·phi·nar·i·um [dɑ̀lfinέəriəm, dɔ̀ːl- | dɔ̀l-] *n.* 돌고래 수족관(水族館)

dólphin bùtterfly[**fishtail**] 〖수영〗 버터플라이[접영] 돌핀 영법(泳法)

dólphin kìck 〖수영〗 버터플라이[접영]의 발놀림

dol·phin-safe [-sèif] *a.* 〈어로법이〉 돌고래를 해치지 않는

dólphin strìker 〖항해〗 돛단배 이물에 붙인 창 모양의 원재(圓材)

dólphin tráiner 돌고래 조련사

dols. dollars

dolt [dóult] *n.* 얼뜨기, 멍청이

dolt·ish [dóultiʃ] *a.* 멍청한 **~·ly** *ad.*

Dom [dɑ́m | dɔ́m] *n.* **1** 베네딕트회 등의 수도사의 존칭 **2** 돈 ((포르투갈이나 브라질의 귀인·고위 성직자의 세례명 앞에 붙이던 경칭))

dom. domain; domestic; dominion **Dom.** Dominica(n); Dominion; Dominus

-dom [dəm] *suf.* **1** 「…의 지위·위계; …권; …의 세력 범위, …령, …계」의 뜻: Christen*dom*, king*dom* **2** [추상적 관념]: free*dom*, martyr*dom* **3** 「…사회(의 사람들)」: official*dom*, squire*dom*

---

domestic *a.* **1** 가정의 home, household, family, residential **2** 길든 tame, trained, domesticated **3** 국내의 internal, not export

⁎**do·main** [douméin, də-] [L 「소유권·지배」의 뜻에서] *n.* **1** 영토, 영지; 세력 범위; (개인의) 소유지 **2** (학문·사상·활동 등의) 범위, …계(sphere) **3** 〖수학〗 영역, 변역, 정의역; 〖컴퓨터〗 도메인 ***be out of*** one'***s ~*** 전문 밖이다 ***~ of use*** 〖법〗 지상권 ((차지인(借地人)의 토지 소유권)) **do·má·ni·al** *a.*

domáin àddress 〖컴퓨터〗 도메인 어드레스[번지]

domáin èxpert 〖컴퓨터〗 특정 분야의 전문가

domáin knòwledge 〖컴퓨터〗 특정 분야의 지식

domáin nàme 〖컴퓨터〗 도메인 이름

domáin nàme sèrver 〖컴퓨터〗 도메인 이름 서버 ((略 DNS))

domáin nàme sỳstem 〖컴퓨터〗 도메인 이름 시스템 ((略 DNS))

⁑**dome** [dóum] [It. 「대성당」의 뜻에서] *n.* **1** 〖건축〗 **둥근 천장**(vault); (반구 모양의) 둥근 지붕 **2** 둥근 지붕 모양의 물건; (산·숲 등의) 둥그런 꼭대기; 반구형의 건물; 〖야구〗 돔 구장(球場); (기관차·보일러의) 종 모양의 증기실 **3** (결정(結晶)의) 비면(庇面) **4** (미·속어) 머리; ((특히)) 대머리 **5** (시어) 웅장한 건물, 큰 저택(mansion) **6** 〖항공〗 천측창(天測窓)
—*vt.* **1** 둥근 지붕으로 덮다 **2** 반구형으로 만들다
—*vi.* 반구형으로 부풀다 **~·like** *a.* ▷ dómy *a.*

dome *n.* **1**
lantern
dome
drum

dome·ball [dóumbɔ̀ːl] *n.* 〖야구〗 돔 구장에서의 경기

dóme càr 〖철도〗 전망차 ((유리 천장의))

domed [dóumd] *a.* 둥근 지붕의[으로 덮은], 둥근 천장의; 반구형의

dome-doc·tor [dóumdɑ̀ktər | -dɔ̀k-] [머리의 의사란 뜻에서] *n.* (속어) 정신과 의사

dóme fàstener (장갑 등의) 똑딱 단추

dóme lìght (자동차 따위의) 차내등; (순찰차·구급차의) 지붕 위의 등

domes·day [dúːmzdèi] *n.* (고어) = DOOMSDAY

Dómesday Bòok [the ~] (중세 영국의) 토지 대장 ((William I가 1086년에 만들게 한 것))

⁑**do·mes·tic** [dəméstik] *a., n.*

> 원래는 「집의」라는 뜻(cf. DOME)
> 집[가정]의 **1**
> → (동물이 집에서) 길든 **3**
> → 자국의, 국내의 **4**

—*a.* **1** 가정의, 가사의: ~ affairs 가사 / ~ dramas 가정극, 홈드라마 / ~ industry 가내 공업 **2** 가정적인, 살림이 알뜰한 **3** 〈동물이〉 길든(tame; opp. *wild*): ~ animals 가축 / a ~ pigeon 집비둘기 / a ~ duck 집오리(⇨ duck[1] 관련) **4** 국내의(opp. *foreign*); 자국의, 국산의, 자가제의(homemade): ~ airlines 국내선 항공사 / ~ postage[mail] 국내 우편료[우편물] / ~ products 국산품 / ~ production 국내 생산
—*n.* **1** 하인, 하녀, 가정부, 가정의 고용인 **2** [*pl.*] (미) 국내[가내] 제품; 가정용 리넨 ((타월·시트 등)) **3** (구어) 가족간의 격렬한 싸움
▷ domestícity *n.*; doméstícate *v.*

do·mes·ti·ca·ble [dəméstikəbl] *a.* 길들이기 쉬운; 가정에 정들기 쉬운

doméstic abùse = DOMESTIC VIOLENCE

do·mes·ti·cal·ly [dəméstikəli] *ad.* 가정적으로, 가사상; 국내에서; 국내 문제에 관해서

doméstic àrchitecture (아파트·주택·별장 등의) 주택 건축

⁎**do·mes·ti·cate** [dəméstikèit] *vt.* **1** 〈동물을〉 길들이다(⇨ tame 유의어); 〈식물을〉 재배할 수 있게 하다 **2** 〈사람을〉 가정[고장]에 정들게 하다; 〈야만인을〉 교화

하다(civilize) **3** 자기 집안[국내]에 받아들이다 **4** 〈난해한 학설 등을〉 일반인이 이해하기 쉽게 하다 **5** 〈외국 기업을〉 자국화하다
— *vi.* **1** 가정적이 되다 **2** 〈동물이〉 길들다; 〈식물이〉 재배 가능하게 되다
— [dəméstikət, -kèit] *n.* 길든 동물, 재배 식물
do·mès·ti·cá·tion *n.* ▷ doméstic *a.*
do·mes·ti·cat·ed [dəméstikèitid] *a.* 〈동물이〉 길든; 〈사람이〉 가정적인, 가사를 좋아하는
doméstic demànd 국내 수요, 내수
doméstic ecónomy 가정(家政)
doméstic fówl 가금(家禽), 《특히》 닭
doméstic hèlp 가정부(domestic)
do·mes·tic·i·ty [dòumestísəti] *n.* (*pl.* **-ties**) Ⓤⓒ 가정 생활; 가정적임; 가정에의 애착; [*pl.*] 가사
doméstic pártner 동서(同棲)[동거] 파트너
doméstic pártnership 동서[동거] 관계 《동성애 부부 등의》
doméstic prélate 〖가톨릭〗 (교황청의) 명예 고위 성직자
doméstic relátions còurt 《미》 가정 법원
doméstic scíence 가정학(家政學)
doméstic sérvice (하인 등이 하는) 가사, 집안일
doméstic sỳstem 가내 공업 제도(opp. *factory system*)
doméstic víolence 〖사회〗 가정 내 폭력 《略 DV》
doméstic wórker 하인, 가정의 고용인 《요리사·가정부·집사 등》
dóme tènt 돔형 텐트 《둥근 지붕 모양의》
dom·ic, -i·cal [dóumik(əl), dɑ́m-] *a.* 둥근 지붕[천장]식의, 돔(dome)이 있는
do·mi·cile [dɑ́məsàil, -səl | dɔ́m-], **-cil** [-səl] *n.* **1** 《문어》 처소, 집; 〖법〗 (주민 등록상의) 주소(abode) **2** 〖상업〗 어음 지불 장소 **~ *of choice*** [***origin***] 〖법〗 기류[본적]지
— *vt.* **1** [종종 수동형으로] 《문어》 …의 주소를 정하다 《*in*, *at*》 **2** 〈어음의〉 지불 장소를 지정하다 《*at*》(⇨ domiciled) — *vi.* 거주[정주]하다
do·mi·ciled [dɑ́məsàild | dɔ́m-] *a.* 지불지 지정의: a ~ bill 타처 지급[지급지 지정] 어음
do·mi·cil·i·ar·y [dɑ̀məsílièri | dɔ̀misíliəri] *a.* **1** 주소지의, 가택의; 어음 지불지의: a ~ nurse 방문 간호사 **2** 주택과 간호를 제공하는
— *n.* (*pl.* **-ies**) **1** 《미》 요양 중인 상이군인을 위한 시설 **2** 《영》 (의사의) 왕진
domicíliary règister 호적
domicíliary vísit 〖법〗 가택 수색; (의사 등의) 가정 방문
dom·i·cil·i·ate [dɑ̀məsílièit | dɔ̀m-] *vt.*, *vi.* (…의) 거처를 정하다, 정주하(게 하)다
dom·i·nance, -nan·cy [dɑ́mənəns(i) | dɔ́m-] *n.* Ⓤ 우월(ascendancy); 권세; 지배; 우세; 〖생물·심리〗 우성(優性)
*****dom·i·nant** [dɑ́mənənt | dɔ́m-] *a.* **1** 지배적인, 권력을 장악한; 가장 유력한, 우세한; 주요한: the ~ party 제1[다수]당 / a ~ hand 능한 손

> 유의어 **dominant** 지배적인; 최대의 영향력을 가진: a *dominant* social class 지배적 사회 계급 **predominant** (중요함이나 영향력에 있어서) 다른 것보다 우세한: a *predominant* emotion 우세한 감정

2 우위를 차지하는, 두드러진; 〖생물〗 우성의(cf. RECESSIVE): a ~ character 우성 형질 / a ~ gene 우성 유전자 **3** 월등히 높은, 우뚝 솟은: a ~ peak 우뚝 솟은 봉우리 **4** 〖음악〗 (음계의) 제5도의, 딸림음의
— *n.* **1** 주요[우세]한 물건 **2** 〖생물〗 우성 (형질) **3** 〖음악〗 (음계의) 제5음 **~·ly** *ad.*
▷ dóminate *v.*; dóminance *n.*
dóminant wávelength 〖물리〗 주파장(主波長)

*****dom·i·nate** [dɑ́mənèit | dɔ́m-] 〖L 「지배하다」의 뜻에서〗 *vt.* **1** 지배[위압]하다: a communist-*dominated* organization 공산주의자가 지배하는 단체 **2** 〈격정 등을〉 억누르다, 조절하다 **3** 우위를 차지하다, 좌우하다; 특징지우다 **4** 〈산이〉 빼어나게 솟다, 내려다 보다
— *vi.* **1** 지배력을 발휘하다, 위압하다, 우위를 차지하다 《*over*》 **2** 우뚝 솟다, 탁월하다
▷ dóminant *a.*; dóminance *n.*
*****dom·i·na·tion** [dɑ̀mənéiʃən | dɔ̀m-] *n.* **1** Ⓤ 지배, 통치(rule) 《*over*》: exercise ~ *over* 지배력[권]을 행사하나 **2** Ⓤ 우세 **3** [*pl.*] 〖신학〗 주(主)천사 《천사의 9계급 중 제4 계급의 천사》 ▷ dóminate *v.*
dom·i·na·tive [dɑ́mənèitiv, -nət- | dɔ́m-] *a.* 지배적인, 우세한
dom·i·na·tor [dɑ́mənèitər | dɔ́m-] *n.* 지배자, 통솔자; 지배력
do·mi·na·trix [dɑ̀mənéitriks | dɔ̀m-] *n.* (*pl.* **-na·tri·ces** [-néitrəsì:z]) 여자 지배자
dom·i·neer [dɑ̀məníər | dɔ̀m-] *vi.* **1** 권세를 부리다, 뻐기다, 압제하다 《*over*》 **2** 높이 솟다(tower) 《*over*, *above*》 — *vt.* …에게 위세 부리다, 좌지우지하다; …위에 솟다
dom·i·neer·ing [dɑ̀məníəriŋ | dɔ̀m-] *a.* 횡포한, 거만한(arrogant) **~·ly** *ad.* **~·ness** *n.*
Do·min·go [dəmíŋgou] *n.* 도밍고 **Placido ~** (1941-) 《스페인의 오페라 가수》
Dom·i·nic [dɑ́mənik | dɔ́m-] *n.* **1** 남자 이름 **2** 도미니크 **Saint ~** (1170-1221) 《도미니크(수도)회(Dominican Order)의 창립자》
Dom·i·ni·ca [dɑ̀məní:kə, dəmíni- | dɔ̀miní:kə, dəmíni-] *n.* **1** 여자 이름(Dominique) **2** 도미니카 《서인도 제도의 영연방의 섬나라; 수도 Roseau》
do·min·i·cal [dəmínikəl] *a.* **1** 주(主)의, 그리스도의: the ~ day 주일, 일요일 **2** 주일의, 일요일의
domínical létter 주일 문자 《교회력에서 일요일을 표시하는 A-G의 일곱자 중 하나》
domínical yéar [the ~] 서력(西曆), 서기(西紀)
Do·min·i·can [dəmínikən] *a.* **1** 성도미니크의; 도미니크회의 **2** 도미니카 공화국의 — *n.* **1** 도미니크회의 수사(Black Friar) **2** 도미니카 공화국 사람
Domínican Órder [the ~] 도미니크(수도)회 《로마 가톨릭 소속》
Domínican Repúblic [the ~] 도미니카 공화국 《서인도 제도의 국가; 수도 Santo Domingo》
dom·i·nie [dɑ́məni, dóum- | dɔ́m-] *n.* **1** 《주로 스코》 선생(schoolmaster) **2** 《미》 목사(clergyman)
*****do·min·ion** [dəmínjən] *n.* **1** Ⓤ 지배[통치]권[력], 주권 **2** Ⓤⓒ 지배, 통제; Ⓤ 〖법〗 소유[영유]권 **3** [종종 *pl.*] 영토(territory) **4** [the D~] (영연방의) 자치령 **5** [*pl.*] = DOMINATION 3
exercise* ~ *over …에 지배권을 행사하다 ***hold*** [***have***] **~ *over*** …을 지배하다
Domínion Dày **1** 캐나다 자치령 제정 기념일 《7월 1일》 **2** 뉴질랜드 자치령 제정 기념일 《9월 26일》
Dom·i·nique [dɑ̀məní:k | dɔ̀m-] *n.* **1** 여자 이름(Dominica) **2** 도미니크종(種) 《미국산(産) 닭의 품종》
dom·i·no [dɑ́mənòu | dɔ́m-] *n.* (*pl.* **~(e)s**) **1** 도미노 골패 《뼈 혹은 상아로 만든 직사각형의 패》; [*pl.*; 단수 취급] 도미노 놀이 《28개의 골패로 하는 점수 맞추기》 **2** 하나가 쓰러지면 연달아 쓰러지는 것; 《속어》 타도의 일격 **3** 도미노 가장복 《무도회 등에서 입는 두건과 작은 가면이 달린 헐렁한 옷》; 그것을 입은 사람; 도미노 가면 《얼굴의 상반부를 가리는》 **4** [*pl.*] 《미·속어》 (craps 놀이의) 주사위(dice); 《미》 각설탕, 설탕 시럽 《상표명》 **5** 〖정치〗 도미노 이론(= ~ theory) ***It's all ~ with*** him. 《속어》 (그는) 이제 아주 글렀다[가망이 없다].

thesaurus **dominate** *v.* rule, govern, control, command, direct, preside over, master, domi-

dómino effèct 도미노 효과《한 가지 사건이 다른 사건을 연쇄적으로 일으키는 누적적 효과》
dómino pàper 대리석 무늬의 종이《벽지 등》
dómino thèory 도미노 이론《한 나라가 공산화되면 인접 국가들도 공산화된다는》
dom·pas [dɔ́:mpʌs | dɔ́m-] *n.* (과거 남아프리카 흑인의) 거소 증명서
Dom. Rep. Dominican Republic
dom·sat [dɑ́msæ̀t | dɔ́m-] [*dom*estic *sat*ellite] *n.* 국내 통신(용) 위성
dom·y [dóumi] *a.* 돔(dome)(모양)의
*__don__[1] [dɑ́n | dɔ́n] [Sp. 「주인」의 뜻에서] *n.* **1** [**D~**] 님, 씨《스페인에서 남자의 세례명 앞에 붙이는 경칭, 본래는 귀인의 존칭》: *D~* Quixote 돈키호테 **2** 스페인 신사; 스페인 사람(Spaniard) **3** 명사, 요인; 《속어》 명수《*at*》 **4** (영국 대학에서) college의 학장; 학생감(監), 개인 지도 교수, 특별 연구원(fellow) **5** 《미·속어》 (마피아의) 수령, 두목
*__don__[2] [dɑ́n | dɔ́n] [do on에서] *vt.* (**~ned**; **~·ning**) 《문어》 〈옷·모자 등을〉 입다, 쓰다(opp. *doff*)
Don [dɑ́n | dɔ́n] *n.* **1** 남자 이름《Donald의 애칭, Donnie라고도 함》 **2** [the ~] 돈 강《Azov해로 흘러 들어가는 러시아 중부의 강》
do·na [dóunə] [Port.] *n.* (포르투갈의) 귀부인; [**D~**] … 부인(Lady, Madam)
do·ña [dóunjə] [Sp. = lady] *n.* (스페인의) 귀부인; [**D~**] …부인(Lady, Madam)
do·nah [dóunə] *n.* 《영·속어》 여자; 애인
Don·ald [dɑ́nld | dɔ́n-] *n.* 남자 이름《애칭 Don》
Dónald Dúck **1** 도널드 덕《Disney의 만화 영화에 나오는 집오리》 **2** 걸핏하면 화를 내는 까다로운 사람
Dónald Dúck effèct 〖우주과학〗 도널드 덕 효과《우주 비행 중에 생기는 음성의 고음화 현상》
*__do·nate__ [dóuneit, ˊ-ˋ | -ˊ] *vt.* **1** 《주로 미》 〈돈 등을〉 (자선 사업·공공 기관에) 기부[기증]하다, 증여하다《*to*》: She ~*s* money to the orphanage every year. 그녀는 매년 고아원에 돈을 기부한다. **2** 〈혈액·장기 등을〉 제공[기증]하다《*to*》: ~ blood 헌혈하다
— *vi.* 기부[기증]하다《*to*》
*__do·na·tion__ [dounéiʃən] *n.* **1** Ⓤ 기부, 기증; Ⓒ 기증물, 기부금: make a ~ of $1,000 to the hospital 병원에 천 달러를 기부하다 **2** 《미》 = DONATION PARTY ▷ dónate *v.*; dónative *a.*, *n.*
donátion pàrty 《미》 선물 파티《주최자에게 줄 선물을 손님들이 가지고 와서 하는 파티》
don·a·tive [dɑ́nətiv, dóun- | dóun-] *n.* 기증물, 기부금 — *a.* 기증의[을 위한]
do·na·tor [dóuneitər, ˊ-ˋ- | -ˊ-] *n.* 기부[기증]자
Do·nau [dóunau, dɔ́:-] *n.* [the ~] 도나우 강《Danube 강의 독일어명》
‡**done** [dʌ́n] *v.* DO[1]의 과거분사 ***Easier said than ~.*** ⇨ say. ***No sooner said than ~.*** ⇨ soon
— *a.* **1** Ⓟ 끝난, 마친 **2** [보통 복합어를 이루어] 〈음식이〉 익은, 구워진: half-~ 반쯤 구워진[익은] / over-~ 너무 구워진[익은] / under-~ 덜 구워진[익은] **3** 〈기업 등이〉 망쳐진, 망한; 속은; 《구어》 기진맥진한(exhausted); 다 써버린, 소모된 **4** [대개 부정문에서] 〈행위가〉 예의 바른, 관습에 따른: That is*n't* ~[the ~ thing]. 그것은 버릇없는 짓이다. **5** 〈복장 등이〉 정해져 있는 **6** 《구어》 체포된 (***all***) ***~ and dusted*** 《구어》 완전히 준비를 마치고 ***badly ~ by***[***in***] = hard DONE by. ***be***[***have***] ***~ with*** …을 끝내다, 끝장내다; …와 손[인연]을 끊다, 절교하다; …을 그만두다 ***D~!*** 좋다, 알았다! (Agreed!)《내기에 응하여》 ***~ for*** 《구어》 망가진, 결딴난; 지쳐; 다 죽어가: I am ~ *for.* 나는 이제 다 틀렸다. ***~ in*** 《미·구어》 지쳐서, 기진맥진하여; 망가져; 죽어 ***~ over*** 《구어》 녹초가 된; 《영·속어》 〈가택·신체를〉 철저히 수색 당한 ***~ to a turn*** 알맞게 익은 ***~ up*** 녹초가 되어; 차려 입고(cf. DO up) ***hard ~ by*** 화가 나; 괄시[홀대]받아 (***over and***) ***~ with*** 《속어》 완료되어, 다 끝난 ***Well ~!*** 용하다, 잘했다, 훌륭하다!
— *ad.* 《방언》 완전히, 벌써: I've ~ made up my mind. 아주[이미] 결심해 버렸다.
dóne déal [보통 a ~] 《미·구어》 기정사실, 거래의 성립, 다 끝난 일, 변경 불능의 일
do·nee [douní:] *n.* **1** 증여받는 사람; 구호받는 사람(opp. *donor*) **2** 〖법〗 수증자(受贈者); 지정권자(指定權者) **3** 〖의학〗 수혈자(受血者), 장기의 피이식자
done·ness [dʌ́nnis] *n.* Ⓤ 《속어》 (음식이) 알맞게 요리된 상태; (요리의) 만듦새
dòn·er ke·báb [dòunər-kəbɑ́b | dɔ́nə-] 《영》 도너 케밥《피타(pitta) 빵에 구운 고기를 넣은 요리》
dong[1] [dɔ́:ŋ, dɑ́ŋ | dɔ́ŋ] *n.* 큰 종이 뎅 하고 울리는 소리; 《호주·구어》 강타 — *vi.* 뎅 하고 울리다
dong[2] *n.* (*pl.* ~) 동《베트남의 화폐 단위; =10 hao; 기호 D》
dong[3] *n.* 《미·비어》 음경(penis)
don·ga [dɑ́ŋgə, dɔ́:ŋ- | dɔ́ŋ-] *n.* 《남아공》 협곡, 산협(ravine, gully); 오두막집
don·gle [dɑ́ŋgl | dɔ́ŋgl] *n.* 〖컴퓨터〗 동글《소프트웨어 보호 장치의 일종》
don·jon [dʌ́ndʒən, dɑ́n- | dɔ́n-, dʌ́n-] *n.* (성의) 아성, 내성(內城)
Don Juan [dɑn-*h*wɑ́:n, -dʒú:ən | dɔn-dʒú:ən] **1** 돈 후안《스페인의 전설적 방탕자》 **2** 방탕자, 엽색가
Dòn Júan·ism 〖정신의학〗 돈 후안증(satyriasis)
‡**don·key** [dɑ́ŋki, dɔ́:ŋ-, dʌ́ŋ- | dɔ́ŋ-] *n.* (*pl.* **~s**) **1** 〖동물〗 당나귀(ass) ★ (1) 미국에서는 만화화하여 민주당의 상징으로 씀(cf. ELEPHANT). (2) ass는 「궁둥이」란 뜻이 있어서, donkey쪽을 일반적으로 씀; 인내·멍청이의 상징. **2** 《구어》 바보, 얼간이 **3** = DONKEY ENGINE **4** 《미·철도속어》 보선구(保線區)의 노동자 **5** 특별한 패를 사용하는 카드 게임의 일종
(***as***) ***stubborn as a ~*** (당나귀처럼) 몹시 고집센
talk the hind legs off a ~ 쉴새없이 지껄여대다
— *a.* Ⓐ 〈기계가〉 보조의: a ~ boiler 보조 보일러
dónkey dèrby 《영》 당나귀 경마
dónkey èngine 〖기계〗 보조 엔진; 〖철도〗 소형 기관차
dónkey jàcket 《영》 두꺼운 방수 작업복
dónkey stòol (미술 학교의) 낮은 걸상
dónkey's yèars[**èars**] 《영·구어》 아주 오랫동안 (cf. DOG'S AGE)
don·key·work [-wə̀:rk] *n.* Ⓤ [the ~] 《영·구어》 지루하고 힘든 일
don·na [dɔ́:nə, dɑ́nə | dɔ́nə] [It. =lady] *n.* (*pl.* **-ne** [-nei]) (이탈리아의) 귀부인; [**D~**] …부인
don·née [dɑnéi | dɔ-] [F] *n.* (소설·드라마 상의) 테마, 주제; 기본 전제
don·nish [dɑ́niʃ | dɔ́n-] *a.* 학생감(監) 같은; 지나치게 근엄하게 구는 **~·ly** *ad.* **~·ness** *n.*
don·ny·brook [dɑ́nibrùk | dɔ́n-] *n.* [종종 **D~**] 《영》 떠들썩한 언쟁, 드잡이, 난투
do·nor [dóunər] *n.* **1** 기증자, 시주(opp. *donee*); 〖의학〗 혈액[조직, 장기] 제공자 **2** 〖전자〗 도너(=~ impúrity)《반도체에 혼입하여 자유 전자를 증가시키는 불순물》 **3** 〖법〗 증여자 **4** 〖화학〗 공여체 **~·shìp** *n.*
dónor càrd (사후의) 장기 제공 승낙 카드
dónor inseminátion 인공 수정
do-noth·ing [dú:nʌ̀θiŋ] *a.* 아무 일도 안 하는, 태만한(idle) — *n.* 게으름뱅이(idler) **~·er** *n.* **~·ism** *n.* Ⓤ 태만한 버릇; 무위무책주의
Don Quix·o·te [dɑ̀n-kihóuti, dɑn-kwíksət | dɔ̀n-kwíksət] **1** 돈키호테《스페인의 작가 Cervantes가 쓴 풍자 소설; 그 주인공》(cf. SANCHO PANZA) **2** 현실을 무시한 이상가
‡**don't** [dóunt] do not의 단축형: You know that, ~ you? 너는 알고 있지 (안 그래)? ★ 《구어》에서

neer, tyrannize, intimidate
donor *n.* giver, donator, contributor

doesn't 대신에 쓰기도 하지만 비표준 용법임. ***Oh, ~!*** 아, 안돼 (그러지 말게)!
— *n.* [보통 *pl.*] 《익살》 금제, 금지 조항
don't-blink [dóuntblíŋk] *a.* (깜박이지 않으면 안 보일 만큼) 아주 작은
don't-care [-kὲər] *n.* 부주의한 사람, 무관심한 사람 — *a.* 부주의한
don't-know [-nóu] *n.* (설문 조사에서) 모른다고 대답하는 사람, 태도 보류자, 부동표 투표자
don·to·pe·dal·o·gy [dὰntoupedǽlədʒi | dɔ̀n-] *n.* 뇌는 내모 밀을 히는 버릇[재주]
do·nut [dóunət, -nʌ̀t | -nʌt] *n.* = DOUGHNUT
doo·bie, -by [dú:bi] *n.* 《미·속어》 대마초 담배; 《속어》 (컴퓨터의) 데이터베이스
doo·dad [dú:dæ̀d] *n.* 《미·구어》 하찮은 장식품, 값싼 것; 장치, 물건; = DOOHICKEY 1
doo·dah [dú:dɑ:] *n.* 《영·속어》 **1** 흥분 **2** = DOODAD ***all of a ~*** 흥분하여
doo·dle[1] [dú:dl] *n.* **1** 낙서 **2** 《미·속어》 하찮은 것, 시시한 소리 — *vi., vt.* **1** (딴 생각하면서) 낙서하다; 빈둥거리다 **2** 《구어》 맥없이 연주하다 **3** 《방언·속어》 속이다 **dóo·dler** *n.*
doodle[2] *n.* 《미중부》 건초 더미
doo·dle·bug [dú:dlbʌ̀g] *n.* **1** 《미》 〖곤충〗 개미귀신(ant lion); 그 유충 **2** 《미·구어》 비과학적인 광맥[수맥] 탐지기 **3** 《미·구어》 소형 경주용 자동차 **4** 《구어》 폭명탄(爆鳴彈)(buzz bomb)
doo·dle-shit [-ʃìt] *n.* 《미·비어》 허튼소리, 난센스; [부정문에서] 조금도 (…없다)
doo·dling [dú:dliŋ] *n.* 낙서; 《미·속어》 맥없는 연주
doo·dly-squat [dú:dliskwὰt | -skwɔ̀t] *n.* 《속어》 = DIDDLY — *a.* 《미·속어》 돈 한 푼 없는
doo-doo [dú:dù:] *n.* 《유아어》 응가 ***in deep ~*** 《미·속어》 아주 난처하게 되어, 곤경에 빠져
— *vi.* 《유아어》 응가를 하다
doo·dy, -di [dú:di] *n.* 《유아어》 응가
doo·fun·ny [dú:fʌ̀ni] *n.* = DOODAD
doo·fus [dú:fəs] *n.* (*pl.* **~·es**) 《미·속어》 바보, 괴짜
doo·hick·ey [dú:hìki] *n.* 《미·구어》 **1** 그것, 거시기 《이름을 모를 때나 잊었을 때의 대용어; cf. THINGUMBOB》 **2** 여드름
doo·jee [dú:dʒi:] *n.* 《미·속어》 헤로인《마약》; 태어나면서부터 헤로인에 중독된 갓난아이
doo·jig·ger [dú:dʒìgər] *n.* = DOOHICKEY 1
dool·a [dú:lə] *n.* 산모 보조원《여자》
doo·lal·ly [dú:læli] *a.* 《속어》 머리가 돈, 미친
doo·lie[1] [dú:li] *n.* 《미·속어》 (공군 사관학교) 1년생
doo·ly, -lie[2] [dú:li] *n.* 《인도》 간이 들것
‡**doom** [dú:m] [OE 「판결」의 뜻에서] *n.* Ⓤ **1** (보통 나쁜) 운명(fate), 파멸(ruin)(⇨ fate 유의어) **2** 《고어》 (특히 불리한) 재판, 판결 **3** (신이 내리는) 최후의 심판 **4** 〖역사〗 법령 ***meet*** [***go to, be sent to***] ***one's ~*** 망하다, 죽다 ***pronounce*** a ***person's ~*** …에게 형벌을 선고하다 ***the crack of ~*** ⇨ crack. ***the day of ~*** = DOOMSDAY
— *vt.* **1** [보통 수동형으로] (보통 나쁘게) 운명 짓다(fate), 운명을 정하다(destine) 《*to*》: (~+목+전+명) (~+목+*to* do) The plan was *~ed to* fail-ure[*~ed to* fail]. 그 계획은 결국 실패하게 돼 있었다. **2** …에게 (…의) 판결을 내리다 《*to*》; 〈형을〉 선고하다: (~+목+전+명) (~+목+*to* do) ~ a person *to* death[*to* die] …에게 사형을 선고하다
dóom and glòom 비관적인 전망, 절망적[암담한] 상태(gloom and doom)
doomed [dú:md] *a.* 운이 다한, 불운한
doom·ful [dú:mfəl] *a.* 장래가 어두운; 불길한 **~·ly** *ad.*
doom-lad·en [dú:mlèidn] *a.* [보통 Ⓐ] 파멸로 이끄는, 죽음을 예고하는: ~ economic forecasts 파멸을 예고하는 경제 예측
doom·say·er [dú:msèiər] *n.* (큰 재난 등의) 불길한 일을 예언하는 사람 **-sày·ing** *a., n.*
dooms·day [dú:mzdèi] *n.* **1** 최후의 심판일, 세상의 마지막 날(the Last Judgment) **2** 판결 날, 운명이 결정되는 날 ***till ~*** 영원히
— *a.* **1** 대참사를 예감케 하는 **2** 전 세계를 파멸시키는
Dóomsday Bòok [the ~] = DOMESDAY BOOK
dóomsday cùlt 세계 종말론 교파
dooms·day·er [dú:mzdèiər] *n.* = DOOMSAYER
Dóomsday Machìne 〖군사〗 인류 파멸의 흉기 《핵에 의한 파괴를 작동시키는 가상의 장치》
dóomsday scenário 〖군사〗 지구 최후의 날의 가상 시나리오 《미국과 구소련의 핵전쟁 계획》
doom·ster [dú:mstər] *n.* **1** 《고어》 재판관 **2** = DOOMSAYER
doom·watch [dú:mwὰtʃ | -wɔ̀tʃ] *n.* 환경 파괴 방지를 위한 감시 **~·er** *n.* **~·ing** *n.*
doom·y [dú:mi] *a.* (**doom·i·er**; **-i·est**) 운명적인, 불길한
Doo·na [dú:nə] *n.* 《호주》 깃털 이불 《상표명》
‡**door** [dɔ́:r] *n.* **1** 문, 문짝 **2** 문간, (문짝이 달린) 출입구, 현관: the front ~ 현관문 / at[in] the ~ 출입구에서, 문간에서 / There is someone at the ~. 현관[문간]에 누가 (와) 있다. **3** 한 집, 1호(戶); 한 방 **4** 문호, (…에) 이르는 길[관문] 《*to*》: a ~ *to* success 성공으로의 길 **5** 〖선박〗 개폐할 수 있는 덮개
관련 accordion[folding] door (접(이)문), French door (프랑스식 창문), revolving door (회전문), sliding door (미닫이), swing(ing) door (스윙 도어), trapdoor (천장·마루 등의 들어올리는 문)
answer [***go to***] ***the ~*** 《구어》 현관으로 손님을 맞으러 나가다 ***at*** a ***person's ~*** …의 집 바로 가까이에, …의 집 근처에(close by); …의 책임[탓]으로 ***be at death's ~*** 빈사 상태에 있다 ***behind closed*** [***locked***] ***~s*** 비밀리에, 밀실에서 ***be on the ~*** 《개찰 등》 출입구의 업무를 보고 있다 ***blow*** a ***person's ~s open*** 《미·속어》 …을 압도하다, 능가하다 ***by*** [***through***] ***the back ~*** 비밀로, 몰래 ***close its ~s*** (1) 〈클럽 등이〉 (신입자에게) 문호를 닫다 《*to*》 (2) 〈회사 등이〉 도산하다 ***close*** one***'s ~s*** 문호를 닫다, 들이지 않다 《*to*》; 가게를 걷어치우다, 폐업하다 ***close*** [***shut***] ***the ~ on*** [***upon, to***] 문을 닫아 …을 들여 놓지 않다; …에의 길을 막다 ***darken*** a ***person's ~(s)*** [부정문에서] (싫어하는데도) …의 집을 방문하다 ***do ~s*** [***a ~***] 《미·속어》 (약탈 등의 목적으로) 마약 사용의 현장을 덮치다 (***from***) ***~ to ~*** 집집마다 ***in ~s*** 옥내에(서) ***knock on the ~*** 〖야구〗 〈마이너리그 선수가〉 메이저 리그에 진출할 만한 경기력을 보이다 ***lay*** [***lie***] ***at the ~ of*** …의 탓으로 돌리다[탓이다] ***leave the ~ open for*** …의 여지[가능성]를 남겨 두다 ***next ~*** 옆집에 ***next ~ but one*** 한 집 건너 이웃집 ***next ~ to*** …의 옆집에; …에 아주 임박해, 거의 …이라고 할: be *next ~ to* death 죽음에 임박해 있다 ***open a*** [***the***] ***~ to*** [***for***] …에 문호를 개방하다, 편의[기회]를 주다(cf. OPEN-DOOR) ***open the ~*** 〖야구〗 (에러 등으로) 상대 팀에게 찬스를 주다 ***out of ~s*** 옥외에서(cf. OUT-OF-DOOR(S)) ***packed to the ~s*** 가득 차서 ***show*** a person ***the ~*** 사람을 (문 밖으로) 쫓아내다; 《미·속어》 그 자리에서 해고하다 ***show*** a person ***to the ~*** …을 현관까지 배웅하다 ***shut*** [***slam***] ***the ~*** 〖야구〗 〈투수가〉 상대 팀의 찬스를 없애버리다 ***shut*** [***slam***] ***the ~ in*** a ***person's face*** 다른 사람의 의견·제안 등을 들어주지 않다 ***slam the ~ on*** …에[에게] 종지부를 찍다, 끝장내다 ***throw open the ~ to*** ⇨ throw. ***turn*** a person ***out of ~s*** …을 내쫓다 ***within*** [***without***] ***~s*** 옥내[외]에(서) **~·less** *a.*
dóor alàrm 현관의 경보장치
***door·bell** [dɔ́:rbèl] *n.* 문간의 벨[초인종]

thesaurus **doom** *v.* **1** 운명 짓다 fate, destine, predestine, ordain **2** 선고하다 sentence, judge, pro-

door·case [-kèis] *n.* 문틀, 문얼굴
dóor chàin 도어 체인 《방범용 문의 쇠사슬》
dóor chèck[clòser] 도어 체크 《문이 천천히 닫히게 하는 장치》
do-or-die [dúːərdái] *a.* Ⓐ **1** (목적을 위해) 결사적인, 총력을 다한 **2** 위기에 처한
door·frame [dɔ́ːrfrèim] *n.* =DOORCASE
dóor fùrniture (영) 문 부속품 《손잡이·고리·자물쇠 등》
dóor hàndle (영) (냉장고 등의) 손잡이
door·jamb [-dʒæ̀m] *n.* 문설주
door·keep·er [-kìːpər] *n.* 문지기, 수위
dóor-kèy chìld [-kìː-] (맞벌이 부부의) 열쇠를 차고 다니는 아이
door·knob [-nɑ̀b | -nɔ̀b] *n.* 문 손잡이
dóorknob hànger 문 손잡이에 거는 카드 (('DO NOT DISTURB' 등의 메시지가 쓰여 있음))
door-knock·er [-nɑ̀kər | -nɔ̀kər] *n.* 노커 《방문객이 두들기는 문에 달린 쇠》; 방문 판매원, 여론 조사원
door·man [-mæ̀n, -mən] *n.* (*pl.* **-men** [-mèn, -mən]) (호텔·백화점 등의) 도어맨, 현관 안내인
door·mat [-mæ̀t] *n.* **1** (현관의) 구두 흙털개 **2** (구어) 짓밟혀도 잠자코 참는 사람 ***treat*** a person ***like a*** ~ …을 학대[혹사]하다
dóor mìrror (자동차의) 도어[사이드] 미러
dóor mòney 입장료
door·nail [-nèil] *n.* (옛날 문의) 징 모양의 큰 못 (***as***) ***dead as a*** ~ (구어) 아주 죽은; 작동하지 않는
dóor òpener 1 잠긴 문을 여는 기구 **2** (구어) 외판원이 집에 들어가기 위해 주는 선물 **3** (구어) (성공·호기 등을 이끌어내는) 열쇠
door·plate [-plèit] *n.* (금속제의) 문패
door·post [-pòust] *n.* =DOORJAMB
(***as***) ***deaf as a*** ~ 완전히 귀가 먹은
dóor prìze 1 (파티 등에서) 추첨이나 세련된 의상 등으로 받는 상 **2** (파티 등에서) 우연히 만나는 멋진 여성
door·pull [-pùl] *n.* (잡아당기는) 문 손잡이
dóor ròller (미닫이의) 호차(戶車)
door·scrap·er [-skrèipər] *n.* (현관문 밖에 두는 금속제) 흙긁개
door·sill [-sìl] *n.* 문지방(threshold)
dóor stàrter (유개 화차의) 도어 시동 장치
door·stead [-stèd] *n.* (영) 입구, 문간
door·step** [dɔ́ːrstèp] *n.* **1** (현관문 밖의) 단(段), 현관 계단 **2** (영·속어) 두껍게 썬 빵 ***on [***at***] one***'s*** [***the***] ~ 문 앞에서, 집 가까이에 ***shit on*** one***'s own*** ~ (영·비어) 가문에 똥칠하다
— *a.* (영) 호별 방문의
— *vi.* (영) 호별 방문하다; (감시를 위해) 현관 계단에서 기다리다
— *vt.* 〈갓난아이를〉 남의 집 문 앞에 버리다 **~·per** *n.*
door·step·ping [-stèpiŋ] *n.* 호별 방문; (기자 등의) 남의 집 문 앞에서 대기하기
dóorstep sèlling 방문 판매
door·stone [-stòun] *n.* 문 앞의 섬돌
door·stop(·per) [-stɑ̀p(ər) | -stɔ̀p-] *n.* 문짝이 열려 있도록 괴는 쐐기꼴 멈추개; (문짝이 받히지 않도록 벽·바닥에 대는) 고무를 씌운 돌기
door-to-door [dɔ́ːrtədɔ́ːr] *a.* Ⓐ 집집마다의, 호별의; 택배의: ~ canvassing[poll] 호별 방문 선거 운동[여론 조사] / a ~ delivery 택배
— *ad.* 집집마다, 호별로; 택배로
dóor tràck 미닫이의 레일
‡**door·way** [dɔ́ːrwèi] *n.* 문간, 현관, 출입구; (…으로의) 문호, (…에 이르는) 길 (*to*): Keeping early hours is a ~ *to* health. 일찍 자고 일찍 일어나는 것은 건강의 비결이다.
door·yard [-jɑ̀ːrd] *n.* (미) 현관의 앞마당

nounce, decree, condemn
door *n.* doorway, portal, entrance, exit

doo-wop [dúːwɑ̀p | -wɔ̀p] *n.* 두왑 《흑인 음악 리듬 앤드 블루스의 코러스 중 한 가지》
dooze[1] [dúːz] *n.* (미·속어) 식은 죽 먹기
dooze[2] *vt.* (미·속어) 감언으로 속이다[아첨하다]
doo·zy, -zie [dúːzi], **-zer** [-zər] *n.* (*pl.* **-zies**; **~s**) (미·속어) 출중한 것 — *vi.* (집 등을 수리해서) 깨끗하게 하다, (방 등을) 장식하다
dop [dɑ́p | dɔ́p] *n.* 돕 《보석 연마용 공구의 일종》
D.O.P. developing-out paper 〖사진〗 현상 인화지
do·pa [dóupə] *n.* 〖생화학〗 도파 《아미노산 중의 하나; 파킨슨병 치료약》
do·pa·mine [dóupəmìːn] *n.* Ⓤ 〖생화학〗 도파민 《뇌 안의 신경 전달 물질》
do·pa·mi·ner·gic [dòupəminə́ːrdʒik] *a.* 〖생화학〗 도파민으로 활성화되는[에 반응하는]
dop·ant [dóupənt] *n.* 〖전자〗 반도체[순수한 물질]에 첨가하는 미세한 불순물
dope** [dóup] *n.* Ⓤ **1** (속어) 마약(narcotic drug); (선수·말에 먹이는) 흥분제, 근육 증강제; 진정제 **2** 진한[풀 같은] 액체; 기계 윤활유; 도프 도료 《비행기 날개 등에 칠하는 도료》; (다이너마이트의) 흡수제 **3** (속어) 내부 소식; (비밀) 정보; 우승마의 예상 **4** Ⓒ (미·속어) 마약 중독자; (구어) 멍청이 **5** (미·캐나다) 현상액 **6** (미·남부) 코카콜라 ***do ~ (속어) 마약을 하다 ***hit the*** ~ (미·속어) 마약을 사용하다 ***spill the*** ~ (경마 등에서) 정보를 누설하다
— *a.* (속어) 마약의; (미·속어) 멋있는
— *vt.* **1** 진한 액체로 처리하다; 도프 도료를 칠하다 **2** (속어) 마약[아편]을 먹이다; 〈경주마 등에〉 흥분제를 먹이다: ~ oneself with cocaine 코카인을 음용하다 **3** 속여 넘기다(hoodwink) **4** (미) 〈경마 결과 등을〉 예상하다 **5** 〖물리〗 〈반도체 등에〉 불순물을 첨가하다
— *vi.* 마약을 상용하다
~ (***it***) ***up*** (속어) 마약으로 기분이 좋아지다, 마약을 사용하다 ~ ***off*** (속어) 마약을 복용한 것처럼 멍해 있다, 꾸벅꾸벅 졸다 ~ ***out*** (속어) 추측하다, 알아내다; 산출하다, (미·속어) (경마 등의 결과를) 예상하다
dópe àddict (속어) 마약 상용자
dópe dòg (구어) 마약 수색견
doped-out [dóuptàut] *a.* 마약에 취해 있는
dópe fiend (속어) 마약 상용자(drug addict)
dope·head [dóuphèd] *n.* 마약 중독자
dope·house [dóuphàus] *n.* (미·속어) 마약 밀매 장소
dope·nik [dóupnìk] *n.* (속어) 마약 중독자
dópe pùsher[pèddler] (속어) 마약 밀매자
dop·er [dóupər] *n.* (속어) 마약 상용자[판매인]
dope·sheet [dóupʃìːt] *n.* (속어) 경마 신문, (경마 등의) 예상지(紙); (방송속어) 도프시트 《촬영을 위한 상세한 지시서》; 과거의 기록
dope·ster [dóupstər] *n.* (미·속어) (선거·경마의) 예상가; 마약 밀매인, 마약 상용[중독]자
dópe stìck (속어) =CIGARETTE
dópe stòry =THINK PIECE 1
dópe tèst =DOPING TEST
dope·y [dóupi] (속어) *a.* 마약에 취한 듯한, 멍한; 멍청한; 지루한; (미) 졸린; 지친
~·ness, dóp·i·ness *n.*
dop·i·az·a [dóupiɑːzə] *n.* Ⓤ (영) (고기에 양파 소스를 넣은) 남아시아의 요리의 일종
dop·ie [dóupi] *n.* (미·속어) 마약 사용자
dop·ing [dóupiŋ] *n.* **1** 〖물리〗 도핑 《반도체에 불순물을 첨가하여 전기적 특성을 얻기》 **2** 〖스포츠〗 도핑, 금지 약물 복용[사용]
dóping tèst 금지 약물 검사(dope test)
Dop·pel·gäng·er, -gang- [dɑ́pəlgæ̀ŋər | dɔ́p-] [G =double-goer] *n.* [때로 **d~**] 생령(生靈)(wraith) 《본인과 판박이인 분신령(分身靈)》
Dópp·ler effèct [dɑ́plər- | dɔ́p-] [발견자인 오스트리아 물리학자 Doppler(1803-53)에서] 〖물리〗 도플러 효과

Dóppler rádar 〖전자〗 도플러 레이더 《속도를 재기 위해 도플러 효과를 이용한 것》
Dóppler shift 〖물리〗 도플러 이동
Dopp·ler-shift [-ʃìft] *vt.* 〖물리〗 〈주파수 등에〉 도플러 이동을 일으키다
dop·y [dóupi] *a.* (**dop·i·er**; **-i·est**) = DOPEY
dor [dɔ́ːr] *n.* 붕붕거리며 나는 곤충(dorbeetle)
Dor. Dorian; Doric
Do·ra [dɔ́ːrə] *n.* 여자 이름 《Dorothea, Doris의 애칭》
do·ra·do [dərɑ́ːdou] *n.* (*pl.* **~s, ~**) **1** 〖어류〗 만새기 **2** [**D~**] 〖천문〗 황새치자리
DORAN [dɔ́ːræn] [*Do*ppler+*ran*ge] *n.* 〖전자〗 도란 《도플러 효과의 원리를 이용한 항해용 거리 측정 전자 장치》
dor·bee·tle [dɔ́ːrbìːtl] *n.* 〖곤충〗 = DOR
Dór·cas society [dɔ́ːrkəs-] [성경의 여성 이름 Dorcas에서] 도커스회 《빈민에게 옷을 만들어 주는 교회의 자선 부녀회》
Dor·ches·ter [dɔ́ːrtʃèstər | -tʃis-] *n.* 잉글랜드 Dorset 주의 주도
do-re-mi [dóuréimíː] *n.* (미·속어) 돈, 현금
Do·ri·an [dɔ́ːriən] *a.* **1** 고대 그리스의 Doris 지방(사람)의 **2** 〖음악〗 도리아 선법의 **—** *n.* 도리스 사람
Dórian Gráy 도리안 그레이 《O. Wilde의 소설의 주인공인 미소년》
Dor·ic [dɔ́ːrik, dɑ́r- | dɔ́r-] *a.* **1** 도리스(Doris) 지방의, 도리스 사람의(Dorian) **2** 〖건축〗 도리스식의 (cf. CORINTHIAN, IONIAN) **3** 〈영어가〉 촌스러운 **—** *n.* Ⓤ **1** (고대 그리스의) 도리스 방언 **2** (영어의) 시골 사투리, 방언 **3** 〖건축〗 도리스 양식 ***in broad ~*** 순 시골 사투리로
Dóric órder [the ~] 〖건축〗 도리스 양식 《가장 오래된 그리스식 건축 양식》
Do·ris[1] [dɔ́ːris, dɑ́r- | dɔ́r-] *n.* 도리스 《그리스의 중부 지방》
Doris[2] *n.* **1** 여자 이름 《애칭 Dolly, Dora》 **2** 〖그리스신화〗 도리스 《바다의 신 Nereus의 아내이며 Nereids의 어머니》
dork [dɔ́ːrk] *n.* **1** (미·비어) 음경(penis) **2** (속어) 촌뜨기; 싫은 녀석; 바보 **—** *vt.* (미·비어) 〈남자가〉 …와 성교하다 ***~ off*** (미·속어) 빈둥빈둥 놀다
Dor·king [dɔ́ːrkiŋ] [영국의 원산지 명에서] *a., n.* 도킹종(種)의 (닭)
dork·y [dɔ́ːrki] *a.* (**dork·i·er**; **-i·est**) (속어) 바보의, 이상한
dorm [dɔ́ːrm] *n.* (구어) = DORMITORY 1
dor·man·cy [dɔ́ːrmənsi] *n.* Ⓤ (동·식물의) 휴면(상태); 비활동 상태, 휴지(休止), 정지
dor·mant** [dɔ́ːrmənt] [L 「자다」의 뜻에서] *a.* **1** 잠자는 (것 같은); 수면 상태의; 〈싹·씨 등이〉 겨울에 발육 정지 중인 **2** 휴지(休止) 상태에 있는(opp. *active*); 잠복 중인: a ~ volcano 휴화산 **3** 〈능력 등이〉 잠재하는; 〈자금 등이〉 유휴 상태의; 〈권리 등이〉 미발동의 ***lie ~ 동면[하면] 중이다; 잠재하고 있다; 사용되지 않고 있다, 〈권리 등이〉 행사되지 않고 있다
dórmant accóunt (은행의) 휴면 계좌
dórmant pártner = SILENT PARTNER
dórmant wíndow (방언) = DORMER
dor·mer [dɔ́ːrmər] *n.* 지붕창(= **~ window**); 지붕창의 돌출 구조부

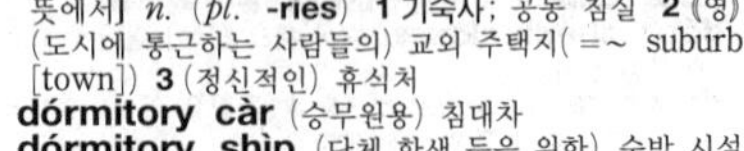
dormer

dor·meuse [dɔːrmə́ːz] [F = sleeper] *n.* **1** (영) 침대차 **2** = MOBCAP
dor·mice [dɔ́ːrmàis] *n.* DORMOUSE의 복수
dor·mie [dɔ́ːrmi] *a.* 〖골프〗 (매치 플레이에서) 남은 홀수만큼 이기고 있는
dor·mi·tive [dɔ́ːrmətiv] *a.* 최면성의 **—** *n.* 최면제, 아편

‡**dor·mi·to·ry** [dɔ́ːrmətɔ̀ːri | -tri] [L 「자는 곳」의 뜻에서] *n.* (*pl.* **-ries**) **1** 기숙사; 공동 침실 **2** (영) (도시에 통근하는 사람들의) 교외 주택지(= ~ suburb [town]) **3** (정신적인) 휴식처
dórmitory càr (승무원용) 침대차
dórmitory shìp (단체 학생 등을 위한) 숙박 시설을 갖춘 배
dórmitory sùburb[tòwn] (영) = DORMITORY 2
Dor·mo·bile [dɔ́ːrmoubìːl] *n.* (영) 도모빌 《캠프용 대형 트레일러; 상표명》
dor·mouse [dɔ́ːrmàus] *n.* (*pl.* **-mice** [-màis]) **1** 〖동물〗 겨울잠쥐 **2** (비유) 잠꾸러기
dorm·y [dɔ́ːrmi] *a.* = DORMIE
do·ron [dɔ́ːrɑn] *n.* 유리 섬유제 방탄복
Dor·o·the·a [dɔ̀ːrəθíːə, dɑ̀r- | dɔ̀rəθíə] *n.* 여자 이름
Dor·o·thy [dɔ́ːrəθi, dɑ́r- | dɔ́r-] *n.* 여자 이름 《애칭 Doll, Dolly, Dora, Dotty》 ***a friend of ~*** 남자 동성애자
Dórothy bàg (영) 아가리를 끈으로 죄는 여성용 핸드백 《손목에 겲》
dorp [dɔ́ːrp] *n.* (남아프리카) 작은 부락, 소촌락
dors- [dɔ́ːrs], **dorsi-** [dɔ́ːrsə], **dorso-** [dɔ́ːrsou, -sə] 《연결형》 「등과; 등의; 등에」의 뜻 《모음 앞에서는 dors-》
dos·a [dóusə] *n.* (쌀가루로 만든) 인도의 팬케이크
dor·sal [dɔ́ːrsəl] *a.* Ⓐ 〖해부·동물〗 등(부분)의; 등 모양의; 〖음성〗 〈소리가〉 혀의 등에서 조절되는 **—** *n.* 〖해부·동물〗 등지느러미; 척추; 〖음성〗 설배음(舌背音) **~·ly** *ad.* 등(부분)에[으로]
dórsal fín 〖어류〗 등지느러미
dor·sal·is [dɔːrsǽlis, -seil-] *n.* (*pl.* **-sal·es** [-sǽliːz, -séil-]) 〖해부〗 배동맥(背動脈)
dórsal vértebra 〖해부〗 가슴등뼈, 흉추(胸椎)
d'or·say [dɔːrséi] *n.* 도르세이 《여성용 펌프스(pump)》
Dor·set·shire [dɔ́ːrsitʃiər, -ʃər] *n.* 잉글랜드 남부의 주 《주도 Dorchester; Dorset이라고도 함》
dor·sum [dɔ́ːrsəm] *n.* (*pl.* **-sa** [-sə]) 〖해부·동물〗 등, 등 부분; 〖음성〗 설배(舌背)
do·ry[1] [dɔ́ːri] *n.* (*pl.* **-ries**) 평저(平底) 소형 어선
dory[2] *n.* (*pl.* **-ries**) 〖어류〗 달고기류(=John D~)
DOS [dɔ́ːs, dɑ́s | dɔ́s] [*d*isk *o*perating *s*ystem] *n.* 〖컴퓨터〗 도스 《디스크의 정보를 조작하는 프로그램》
DOS Department of State
dos-à-dos [dóusidóu, -zi-] [F] *ad.* (고어) 등을 맞대고 **—** *n.* (*pl.* **-dos** [-dóuz]) 등을 맞대고 앉는 차[긴 의자]; (미) 등을 맞대고 돌이서 추는 댄스 **—** *vt., vi.* (**-dosed** [-dóud]; **~·ing** [-dóuiŋ]) = DO-SI-DO
dos·age [dóusidʒ] *n.* **1** Ⓤ 〖의학·약학〗 투약, 조제 **2** ⓊⒸ 〖의학〗 1회분의 투약[복용]량, 적량; (전기·X선 등의) 조사(照射) 적량 **3** Ⓤ (포도주 등에의) 첨가물 가미
dósage índex (미·경마속어) 과거의 성적[승패]표
dós and dón'ts 지켜야 할 사항, 행동 규범(집)
***dose** [dóus] *n.* **1** (약의) 1회분(량), 복용량 **2** (쓴) 약; 약간의 경험: a ~ of hard work 약간의 고된 일 **3** (속어) 성병, 《특히》 임질: He came down with a ~. 그는 임질에 걸렸다. **4** (미·속어) 잔뜩, 다량 **5** (샴페인 등의) 첨가 향미료 **6** 〖물리〗 선량(線量)
give a person a ~ of his[her] own medicine …에게 (같은 방식으로) 되갚음하다 ***have a regular ~ of*** …을 너무 마시다; …이 지나치다 ***like a ~ of salts*** (속어) 굉장한 속도로, 눈 깜짝할 사이에
— *vt.* **1** 투약하다, 복용시키다 《*with*》: 《~+목+전+명》 ~ pyridine *to* a person = ~ a person *with* pyridine …에게 피리딘을 복용시키다 // 《~+목+부》 ~ *up* a person …에게 여러 가지 약을 먹이다 **2** 〈약을〉 조제하다, 적량으로 나누다: 《~+목+부》 《~+목+전+명》 ~ *out* aspirin *to* a person …에게

thesaurus **dormant** *a.* sleeping, asleep, slumbering, inactive, inert, latent, stagnant, slug-

아스피린을 지어 주다 **3** 〈포도주 등에〉 합성물을 섞다 《*with*》: (~+목+전+명) ~ wine[champagne] *with* sugar 포도주[샴페인]에 설탕을 섞다
—*vi.* 약을 먹다
~ one***self with*** …을 복용하다 **dós·er** *n.*
dosed [dóust] *a.* 《속어》 성병에 걸린; 〈경주마·개가〉 흥분제가 투여된
dóse-re·sponse cùrve [dóusrispàns- | -spɔ̀ns-] 용량 반응 곡선 《투여된 약의 용량과 그 생리학적 효과의 관계를 나타냄》
dosh [dɑ́(:)ʃ | dɔ́ʃ] *n.* 《영·속어》 돈
do-si-do, do-se-do [dóusi:dóu] *n.* (*pl.* **~s**) **1** 〖무용〗 도시도 《등을 맞대고 돌면서 추는 춤》 **2** 《미·속어》 (링 위에서 돌아다니기만 하는) 시시한 권투 시합
—*vt.* 〈상대를〉 도시도로 추게 하다
—*vi.* 도시도를 추다
do·sim·e·ter [dousímətər] *n.* **1** 〖약학〗 약량계(藥量計) **2** 〖물리·의학〗 (방사선) 선량계(線量計)
do·sim·e·try [dousímətri] *n.* Ⓤ 약량 측정; (방사선의) 선량 측정 **do·si·met·ric** [dòusəmétrik] *a.*
doss [dɑ́s | dɔ́s] 《영》 *n.* **1** (여인숙의) 조잡한[간이] 침대 **2** [a ~] 잠 **3** 《학생속어》 쉬운 과목[일]
—*vi.* (여인숙에서) 자다; 노숙하다 **~·er**[1] *n.*
dos·sal, -sel [dɑ́səl | dɔ́s-] *n.* (제단 뒤쪽 또는 목사 자리 옆의) 휘장, 장막
dos·ser[2] [dɑ́sər | dɔ́sər] *n.* 등에 지는 짐바구니, (말 등에 얹는) 옹구; (의자 등받이의) 장식
dóss hòuse 《영·속어》 값싼 여인숙, 간이 숙박소
dos·si·er [dɑ́:sièi, -siər, dɔ́:s- | dɔ́s-] [F = bundle of papers] *n.* (*pl.* **~s** [-z]) 일건[관계] 서류
dos·sy [dɑ́si | dɔ́si] *a.* (**-si·er**; **-si·est**) 《영·구어》 맵시 있는
dost [dʌ́st, 《약하게》 dəst] *v.* 《고어》 DO[1]의 제2인칭 단수 직설법 현재형 《주어 thou일 때》
Do·sto·(y)ev·sky [dàstəjéfski, dʌ̀s- | dɔ̀stɔiéf-] *n.* 도스토예프스키 **Fyodor M. ~** (1821-81) 《러시아의 소설가》 **Dòs·to·(y)év·ski·an** *a.*
‡**dot**[1] [dɑ́t | dɔ́t] *n.* **1** (작고 둥근) 점 《i나 j의 점; 모스 부호의 점 등》; 소수점 《단, 읽을 때는 point라 함》; 〖음악〗 부점(附點) 《음표나 쉼표의 오른쪽에 붙여 1/2만큼 음을 길게 함을 표시하는》 **2** 점같이 작은 것; 꼬마: a mere ~ of a child 조그만 아이 **3** 반점, 얼룩점, 기미 **4** 〖TV〗 컬러 브라운관의 삼원색의 광점(光点) **5** 〖복식〗 물방울 무늬 **6** 〖컴퓨터〗 닷 《인터넷 웹사이트나 e메일 주소 사이에 찍는 점》
connect the ~s 《속어》 단편적 사실에서 어떤 결론을 도출하다 ***in the year ~*** ⇨ year. ***off*** one***'s ~*** 《속어》 얼뜬, 미친 ***on the ~*** 《구어》 꼭 제시간에, 정각에 ***to a ~*** 《구어》 완전히, 철저히, 아주 ***to the ~ of an i*** 세부에 이르기까지 완전히
—*vt.* (**~·ted**; **~·ting**) **1** …에 점을 찍다, 점점으로 표시하다: ~ an 'i' i에 점을 찍다 **2** 〈장소에〉 점재하다 《*with*》: Cows *~ted* the field. 소들이 들에 점재하고 있었다. // (~+목+전+명) a field *~ted with* sheep 양이 여기저기 흩어져 있는 들판 **3** 적어 두다 《*down*》: (~+목+부) He *~ted down* what I said. 그는 내가 말한 것을 적어 두었다. **4** 〖요리〗 …에 (버터·마가린 등을) 바르다 **5** 《미·속어》 〈사람에게〉 한 방 먹이다, 때리다
—*vi.* 점을 찍다
~ and carry one (가산하여 10이 되면) 점을 찍어 한 자리 올리다; = DOT and go one. ***~ and go one*** 절름거리다; [형용사·부사적으로] 절름거리는, 절름거리며 **~** a person ***one in the eye*** 《영·속어》 …의 눈을 탁 때리다 **~** one***'s i's*** 하는 짓이 신중하다 ***~ the***[one***'s***] ***i's and cross the***[one***'s***] ***t's*** 상세히 표시하다, 명확히 설명하다 ▷ dótty[1] *a.*
dot[2] [dɑ́t, dɔ́:t | dɔ́t] *n.* (아내의) 지참금(dowry)

---

gish, lethargic, torpid
dose *n.* amount, quantity, portion

Dot [dɑ́t | dɔ́t] *n.* 여자 이름 《Dorothea, Dorothy의 애칭》
DOT 《미》 Department of Transportation
dot·age [dóutidʒ] *n.* Ⓤ **1** 망령, 노망(senility)(cf. ANECDOTAGE) **2** 맹목적 애정
be in[***fall into***] one***'s ~*** 노망나 있다[노망나다]
dot-and-dash [dɑ́təndǽʃ | dɔ́t-] *a.* 〖통신〗 모스(Morse)식 부호의 —*vt.* 모스식으로 송신하다
dot·ard [dóutərd] *n.* 노망한 늙은이
dot-com, Dot-Com, .com [dɑ́tkàm | dɔ́t-] 《구어》 〖컴퓨터〗 *n.* 인터넷 회사, 닷컴 《인터넷 비즈니스를 주업으로 하는 (벤처) 기업; 회사명에 .com을 사용》
—*v.* (**~·med**; **~·ming**) *vt., vi.* (…의) 닷컴을 설립하다; 전자 상거래를 하다
—*a.* 닷컴의, 전자 상거래의
dot-com·mer [-kàmər] *n.* 《구어》 〖컴퓨터〗 인터넷 회사 직원, 인터넷 회사 소유주
dote [dóut] *vi.* **1** 망령들다 **2** 맹목적으로 사랑하다, …에 홀딱 빠지다 《*on, upon*》: ~ *on* one's grandson 손자를 애지중지하다 **3** 〈목재가〉 썩다
—*n.* **1** (목재의) 썩음 **2** 《방언》 (노화에 의한) 노망
▷ dótage *n.*
doth [dʌ́θ, 《약하게》 dəθ] *v.* 《고어》 DO[1]의 제3인칭 단수 직설법 현재형(cf. DOETH)
dot·ing [dóutiŋ] *a.* Ⓐ **1** 맹목적으로 사랑하는, 지나치게 귀여워하는 **2** 노망한 **~·ly** *ad.*
dót mátrix 〖컴퓨터〗 도트 매트릭스 《점의 집합으로 문자나 도형을 표현하는 방법》
dót (mátrix) prìnter 〖컴퓨터〗 도트 프린터 《점을 짜맞춰 문자를 표현하는 인쇄 장치》
dót pàttern 도트 패턴 《문자나 도형을 나타내는 점의 집합》
dót per ínch 〖컴퓨터〗 인치당 도트 수 《略 dpi》
dót pròduct 〖수학〗 = INNER PRODUCT
dot-se·quen·tial [dɑ́tsikwénʃəl | dɔ́t-] *a.* 〖TV〗 점순차(點順次) 방식의: ~ system 점순차 방식
dots/mm 〖컴퓨터〗 밀리미터당 도트 수
dot·ted [dɑ́tid | dɔ́t-] *a.* **1** 점(선)이 있는; 점으로 된; 드문드문 있는 **2** 〖음악〗 부점이 있는: ~ crotchet 부점 4분 음표 《1/2만큼 음이 길어짐》
dótted líne 1 [the ~] (서명란 등의) 점선; 절취선 **2** (지도에 적어 넣은) 예정 코스 ***sign on the ~*** 문서에 서명하다; 《구어》 무조건 동의하다
dótted swíss (물방울 무늬의) 스위스 모슬린
dot·tel [dɑ́tl | dɔ́tl] *n.* = DOTTLE
dot·ter [dɑ́tər | dɔ́tər] *n.* **1** 점 찍는 기구, 《특히》 점묘(點描) 기구 **2** (조준 연습 장치의) 점적기(點的器)
dot·ter·el [dɑ́tərəl], **dot·trel** [dɑ́trəl | dɔ́t-] *n.* **1** 〖조류〗 물떼새(plover)의 일종 **2** 《영·방언》 바보
dot·tle [dɑ́tl | dɔ́tl] *n.* (파이프에 남은) 담배 찌꺼기
dot·ty[1] [dɑ́ti | dɔ́ti] *a.* (**-ti·er**; **-ti·est**) 점이 있는; 점 같은; 점점이 산재하는
dotty[2] *a.* 《영·구어》 **1** 〈다리가〉 휘청휘청한 **2** 머리가 모자라는, 멍청한; 머리가 돈 **3** Ⓟ 열중한, 반한 《*about*》 **dót·ti·ly** *ad.* **dót·ti·ness** *n.*
Dot·ty [dɑ́ti | dɔ́ti] *n.* 여자 이름 《Dorothea, Dorothy의 애칭》
dót whèel (바퀴식의) 점선을 그리는 기구
dot·y [dóuti] *a.* (**dot·i·er**; **-i·est**) **1** 〈나무가〉 썩어 가는, 썩은 **2** 《미남부》 늙어빠진 **dó·ti·ness** *n.*
douane [dwɑ́n] [F] *n.* 세관
Dou·áy Bíble[**Vérsion**] [du:éi-] [the ~] 두에이 성서 《Vulgate 성서를 프랑스에서 영역한 성서; 신약은 1582년, 구약은 1610년에 출판》
‡**dou·ble** [dʌ́bl] *a.* **1** 〈수량이〉 두 배의, 갑절의; 두 배의 가치[성능, 농도, 세기]가 있는: a ~ portion 두 배의 몫 / ~ pay 두 배의 급료 / do ~ work 갑절의 일을 하다 관련 triple (3배의), quadruple (4배의), quintuple (5배의), sextuple (6배의), septuple (7배의), octuple (8배의), nonuple (9배의), decuple (10배의) **2** 2중의, 겹의(twofold); 쌍의; 둘로 접은, 두

장을 겹친, 겹으로 칠한: a ~ blanket 두 겹으로 이어진 담요/a ~ collar 접은 깃/a ~ edge 양날/a ~ lock 이중 자물쇠/~ windows 이중창(窓)/have a ~ advantage 이중의 이익이 있다 **3** 〈방·침대 등이〉 **2인용의**; 1인 2역의: a ~ sleeping bag 2인용 침낭/a ~ room (호텔 등의) 2인용 방 **4** 표리[딴 마음]가 있는, 음흉한; 〈의미가〉 두 가지로 새길 수 있는, 애매한: live a ~ life 이중 생활을 하다 **5** 〈꽃 등이〉 겹의, 겹꽃잎의(opp. *single*): a ~ daffodil 겹꽃 수선화 **6** Ⓐ 〈위스키 등이〉 더블의
wear a ~ face 표리가 있다, 얼굴과 마음이 다르다 ***work ~ tides*** 밤낮으로 일하다
— *ad.* **곱절로; 이중으로,** 겹으로, 두 가지로; 쌍으로 ***play ~*** 양쪽에 충성을 다하다, 이중적으로 행동하다 ***ride ~*** (둘이서) 같이 타다 ***see ~*** (취하여) 물건이 둘로 보이다 ***sleep ~*** 둘이 같이 자다
— *n.* **1 두 배**(의 수·양), 곱, 갑절; (걸음의) 구보 **2** 이중; 중복, 겹친 것, 접힌 주름(fold); 〖인쇄〗 이중 인쇄 **3** (…와) 꼭 닮은 사람[것](duplicate), 영상; 생령(生靈); 〖영화〗 대역: Betty is the ~ of her aunt. 베티는 자기 이모와 꼭 닮았다. **4** [*pl.*] 〖경기〗 더블스, 복식 경기(cf. SINGLES); 〖상업〗 (피륙의) 길이·폭이 큰 필 **5** 〖야구〗 2루타; 〖카드〗 (점수의) 배가; 〖경마〗 (마권의) 복식 **6** (몰린 짐승·강물살의) 급회전, 돌아서 뛰어감 **7** (영) 더블 《화살 던지기 놀이(darts)에서 목표판의 바깥쪽 두 원 사이를 맞히기》 **8** (양·세기가) 더블(의 위스키 《등》) **9** (호텔의) 더블 침대의 방 **10** (토론회에서 의론의) 회피, 발뺌 **11** [the ~] 2연승; [*pl.*] 하나의 낚싯줄에 두 마리의 고기가 걸린 것 **12** 이중 스파이 ***at the ~*** 〈군인들이〉 구보로; =on the DOUBLE. ***be*** a person***'s ~*** …을 쏙 닮다, 빼쏘다 ***~ or nothing*** [***quits***] (1) 져서 배로 손해보거나 이겨서 본전이 되느냐 하는 내기; 죽기 아니면 살기의 승부 (2) [부사적으로] 이판사판으로 ***make a ~*** (2연발총으로) 두 마리를 한꺼번에 맞히다 ***on the ~*** (구어) 황급히, 신속히 ***split a ~*** 〖야구〗 더블헤더에서 서로 승패를 주고받다[비기다]
— *vt.* **1 두 배로 하다**: I will ~ your salary. 봉급을 배로 올려 주겠다. **2 둘로 접다**; 이중으로 하다, 겹치다; 〈주먹을〉 쥐다; 〈실 등을〉 두 겹으로 꼬다: ~ one's fist 주먹을 쥐다// (~+목+부) I *~d over* a leaf. 나는 책장을 접었다. **3** (1인) 2역을 하다 **4** 〖항해〗 〈갑(岬)을〉 돌아가다, 회항하다 **5** 〖야구〗 〈주자를〉 2루타로 진루시키다; 2루타로 〈득점을〉 올리다; 〈주자를〉 더블플레이의 두 번째로 아웃시키다 **6** 〖농구〗 되튀어오게 하다; 〖카드〗 〈상대방의 점수를〉 배가시키다 **7** 〈옷에〉 (다른 소재로) 배접하다, 장식을 달다
— *vi.* **1 두 배가 되다**; 갑절의 힘을 내다; 〖군사〗 구보로 가다, 뛰다 **2** (둘로) 접히다; (통증 등으로) 몸을 구부리다: (~+부) He *~d over*[*up*] with pain. 그는 고통 때문에 몸을 구부렸다. **3** 뒤로 되돌아오다; 〈토끼 등이〉 (추적자를 피하려고) 급회전하다: (~+전+명) ~ *upon* one's steps 오던 방향으로 되돌아가다// (~+부) The fox *~d back.* 여우는 급회전했다. **4** 〖농구〗 되튀어오다 **5** 대신하다 《*for*》; 1인 2역을 하다, 겸용이 되다 《*as*》: He *~s as* producer and director. 그는 제작자와 연출가의 1인 2역을 한다. **6** 〖야구〗 2루타를 치다 **7** 〖음악〗 (담당한 악기 외에 다른 하나의 악기도) 연주하다 《*on*》 **8** 더블데이트하다 **9** (폐어) 남의 눈을 속이다
~ as ⇨ *vi.* 5 ***~ back*** 둘로 접다; 〈길 등을〉 급히 되돌아가다 ***~ for*** …의 대역을 하다, 대용이 되다 ***~ in*** (안쪽으로) 접어 넣다 ***~ in brass*** (미·속어) 부업을 하다[하여 수입을 얻다] ***~ itself*** 배가 되다 ***~ off*** 〖야구〗 플라이 때 베이스 터치하여 더블 플레이하다 ***~ over*** 접어서 겹치다, (웃음·고통으로) 몸을 구부리다 ***~ the parts of*** …의 2역을 하다 ***~ up*** 둘로 접다[접히다, 접어 개다]; 〈고통 등이〉 몸을 구부리게 하다; 〈슬픔 등이〉 〈사람을〉 서지 못하게 하다; 몸을 (거의) 접힐 만큼 굽히다; 〖야구〗 병살하다; 한 방에 거처하다, 같이 쓰다 《*with*》; 〈방 등이〉 겸용이 되다 《*as*》

dóuble áct 단짝인 두 배우[코미디언](의 연기)
dou·ble-act·ing [dʌ́blǽktiŋ] *a.* 〖기계〗 복동(複動)(식)의: a ~ engine 복동 기관
dou·ble-ac·tion [-ǽkʃən] *n.* (화기의) 복동식 《방아쇠만 당기면 공이치기가 서고 발사되는 방식》
dóuble ágent 이중 간첩
dóuble áx 양날 도끼
dóuble áxel 〖스케이팅〗 2회전 반의 점프
dou·ble-bag·ger [-bǽgər] *n.* (미·속어) 추녀, 추남; 〖야구〗 2루타
dou·ble-bank [-bǽŋk] *vt.* **1** 〖항해〗 〈노를〉 두 사람이 젓다; 〈보트를〉 양쪽에서 노젓다; 〈밧줄을〉 양쪽에서 잡아당기다 **2** (영) 〈자동차를〉 이중 주차시키다
— *vi.* (호주·구어) (말·자전거에) 둘이 타다
dou·ble-banked [-bǽŋkt] *a.* 〖항해〗 **1** 〈보트가〉 쌍좌(雙座)의 **2** 〈frigate가〉 2단식의
dóuble bár 〖음악〗 (악보의) 겹세로줄
dou·ble-bar·rel [-bǽrəl] *n.* 2연발총
— *a.* =DOUBLE-BARRELED
dou·ble-bar·reled | -bar·relled [-bǽrəld] *a.* **1** 2연발식의; 쌍통식(雙筒式)의 〈쌍안경〉: a ~ shotgun 2연발식 산탄총 **2** 〈진술 등이〉 이중 목적의, 두 가지로 해석되는; 애매한 **3** (영·구어) 〈성(姓)이〉 하이픈으로 겹친 《예컨대 Forbes-Robertson》
dóuble báss 〖음악〗 =CONTRABASS
dóuble bassóon 〖음악〗 =CONTRABASSOON
dóuble béd 더블베드, 2인용 침대(cf. SINGLE BED, TWIN BED)
dou·ble-bed·ded [-bédid] *a.* 2인용 침대가 있는; 싱글 침대가 2개 있는
dóuble bíll 〖영화〗 2편 동시 상영
dóuble bínd 딜레마; 〖정신의학〗 이중 구속: be in a ~ 딜레마에 빠져 있다
dou·ble-blind [-bláind] 〖의학〗 *a.* (약의 효과를 판정하는 방법에서) 이중 맹검(二重盲檢)의(cf. SINGLE-BLIND **—** *n.* 이중 맹검법(=∠∼ tèst)
dóuble blóck (두 고패의) 이중 도르래
dóuble blúff 이중으로 속이기 《상대편이 거짓말인 줄 알게 하고서는 말한 대로 실행하기》
dóuble bógey 〖골프〗 더블 보기 《기준 타수(par)보다 2타 더 쳐서 홀에 넣기》(⇨ par[1] 관련)
dou·ble-bo·gey [-bóugi] *vt.* 〖골프〗 〈어떤 홀을〉 더블 보기로 마치다
dóuble bóiler 이중 냄비[솥]
dóuble bónd 〖화학〗 이중 결합
dou·ble-book [-búk] *vt., vi.* (취소에 대비하여) 〈방·좌석의〉 예약을 이중으로 받다 **-bóok·ing** *n.*
dóuble bóttom **1** (상자·배 등의) 이중 바닥 **2** 주가의 오르고 내림이 같은 폭으로 반복하는 상태
dou·ble-breast·ed [-bréstid] *a.* 〈상의가〉 겹자락의, 더블의(cf. SINGLE-BREASTED)
dóuble búrden 〖사회〗 이중 부담 《여성의 가사 책임과 직업인으로서의 책무 등》
dóuble cháracter 이중인격
dou·ble-check [-tʃék] *vt., vi.* 재확인[재점검]하다 **—** *n.* 재확인 《*on*》
dóuble chín [a ~] 이중 턱
dou·ble-chinned [-tʃínd] *a.* 이중 턱[군턱]의
dóuble clíck 〖컴퓨터〗 더블 클릭 《마우스의 버튼 등을 빠르게 두 번 누르기》
dou·ble-click [-klík] *vi., vt.* 〈마우스 등을〉 더블 클릭하다
dóuble clóth 겹으로 짠 피륙, 이중직(織)
dou·ble-clutch [-klʌ́tʃ] *vi.* (미) (자동차에서) 더블 클러치를 밟다
dou·ble-con·cave [-kánkeiv | -kɔ́n-] *a.* =CONCAVO-CONCAVE
dóuble concérto 〖음악〗 이중 협주곡 《두 독주 악기를 위한 협주곡》
dou·ble-con·vex [-kánveks | -kɔ́n-] *a.* =CONVEX-CONVEX

dou·ble-cov·er [-kʌ́vər] *vt.* =DOUBLE-TEAM
dóuble créam (영) 지방분 농도가 높은 크림
dou·ble-crop [-krɑ́p | -krɔ́p] *vt., vi.* (**~ped**; **~·ping**) 이모작(二毛作)하다
dóuble cróss **1** (구어) 져 주겠다고 약속해 놓고 이김, 배반, 배신(betraying) **2** 〖생물〗 이중 교잡
dou·ble-cross [-krɔ́:s, -krɑ́s] *vt.* (구어) 져 주겠다는 말을 어기고 이기다, 배반하다 **~·er** *n.* 배반자
dóuble dágger 〖인쇄〗 2중 단검표(diesis) (‡)
dou·ble-dare [-dɛ́ər] *vt.* (구어) …에게 갑절의 각오로 도전[도발]하다 《*to* do》
dóuble dáte (미·구어) 남녀 두 쌍의 데이트
dou·ble-date [-déit] *vi., vt.* (미·구어) (…와) 더블데이트를 하다
dou·ble-deal [-dí:l] *vi.* (**-dealt**) 양다리 걸치다
dou·ble-deal·er [-dí:lər] *n.* 언행에 표리가 있는 사람, 딴 마음을 가진 사람
dou·ble-deal·ing [-dí:liŋ] *n.* 표리 있는 언행, 배신; 불성실 **—** *a.* 표리가 있는; 불성실한
dou·ble-deck [-dék], **-decked** [-t] *a.* 2층 갑판의; 2층으로 된: a ~ bed 2층 침대
— *vt.* 〈다리·도로 등에〉 둘째 단을 첨가하다
dou·ble-deck·er [-dékər] *n.* **1** 2층 버스[전차, 여객기] **2** 〖항해〗 2층선[함] **3** (미·구어) (빵 3쪽의) 이중 샌드위치 **4** (미·속어) =DOUBLEHEADER 1
dou·ble-de·clutch [-diklʌ́tʃ] *vi.* (영) =DOUBLE-CLUTCH
dóuble decomposítion 〖화학〗 복(複)분해
dou·ble-den·si·ty [-dénsəti] *a.* 〖컴퓨터〗 배밀도의
dou·ble-dig·it [-dídʒit] *a.* Ⓐ 〈인플레이션·실업률 등이〉 두 자리 수의: ~ inflation 두 자리 수의 인플레이션
dóuble dígits 두 자리 수(double figures)
dóuble díp (미) 더블의 아이스크림(콘)
dou·ble-dip [-díp] *vi.* (미·구어) 〈퇴역 군인 등이〉 연금과 급료를 이중으로 받다; 〈공무원·생활 보호자가〉 급여 이외에 딴 수입을 얻다 **—** *a.* 연금과 급료를 이중으로 취하는 **~·per** *n.* **~·ping** *n.*
dou·ble-dome [-dòum] *n.* (미·구어) 지식인, 인텔리(egghead)
dóuble dóor 양쪽으로 여닫는 문
dóuble drésser 옆으로 긴 서랍이 두 개씩 층층으로 있는 장[찬장]
dóuble dríbble 〖농구〗 *n.* 더블 드리블
— *vi.* 더블 드리블하다
dóuble Dútch **1** (영·구어) 통 알아들을 수 없는 말 **2** [때로 **d- d-**] 둘이서 두 개의 줄을 서로 반대쪽으로 돌리는 줄넘기 놀이
dóuble dúty [다음 성구로] ***do* ~** (미) 두 가지 기능[역할]을 다하다
dou·ble-du·ty [-djú:ti | -djú:-] *a.* 두 가지 기능[역할]을 가진
dou·ble-dyed [-dáid] *a.* **1** 두 번 염색한 **2** 악에 깊이 물든; 철저한 〈악한 등〉
dóuble éagle **1** (문장(紋章)에서) 쌍두 독수리 **2** (미) 옛 20달러 금화 **3** 〖골프〗 더블 이글 《파보다 3타 적은 타수》
dou·ble-edged [-édʒd] *a.* **1** 쌍날의 **2** 〈논의 등이〉 두 가지로 이해되는; 이중 목적[효과]을 가진: a ~ sword (긍정과 부정의) 양면성을 지닌 상황[결정]
dou·ble-end·ed [-éndid] *a.* 양 끝이 닮은; 양쪽으로 사용할 수 있는, 앞뒤가 없는 〈배·전차〉
dóuble-ènded bólt 양쪽에 나사홈이 파인 볼트
dou·ble-end·er [-éndər] *n.* 머리가 둘 있는 것, 양두 기관차[배]
dou·ble en·ten·dre [dʌ́bl-ɑ:ntɑ́:ndrə] Ⓕ 두 뜻으로 해석되는 말 《그 중 하나는 상스러운 뜻》
dóuble éntry 〖부기〗 복식 기장(법)(cf. SINGLE ENTRY)
dou·ble-en·try [-éntri] *a.* 복식 기장의: ~ bookkeeping 복식 부기
dóuble expósure 〖사진〗 이중 노출
dou·ble-faced [-féist] *a.* **1** 양면이 있는; 안팎으로 다 쓰이게 짠 〈피륙 등〉 **2** 표리 있는, 위선적인
dóuble fáult 〖테니스〗 더블 폴트 《서브를 두 번 연속해서 실패하기》
dou·ble-fault [-fɔ́:lt] *vi.* 〖테니스〗 더블 폴트하다
dóuble féature 〖영화〗 두 편 동시 상영
dóuble fertilizátion 〖식물〗 중복 수정(受精)
dou·ble-fig·ure [-fígjər] *a.* (영) =DOUBLE-DIGIT
dóuble fígures 두 자리 수 《10~99》
dóuble fírst (영) (대학 졸업 시험의) 2과목 최고 득점(자)
dóuble flát 〖음악〗 겹내림표 《♭♭》; 겹내림음
dou·ble-flow·ered [-fláuərd] *a.* 겹꽃의, 꽃잎이 여러 겹으로 피는
dou·ble-gait·ed [-géitid] *a.* (미·속어) 양성(애)의, 남녀 공용의
dou·ble·gang·er [-gæ̀ŋər] *n.* =DOPPELGÄNGER
dóuble génitive 〖문법〗 이중 소유격 《a car *of* my *father's* 등》
dou·ble-glaze [-gléiz] *vt.* 〈창문·방에〉 이중 유리를 끼우다 **dóu·ble-gláz·ing** *n.* Ⓤ 이중 유리
dóuble Glóucester 더블 글로스터 《영국산(産) 고지방의 굳은 치즈》
dóuble hárness **1** 쌍두마차용 마구 **2** 협력; 결혼생활(matrimony) ***in* ~** 협력하여; 결혼하여
dou·ble·head·er [-hédər] *n.* (미) **1** 〖야구〗 더블헤더 《두 팀이 하루 두 번 하는 시합》 **2** 기관차가 2대 달린 열차 **3** 꽃불의 일종 **4** 단기간에 연속해서 행해지는 두 공연[일어나는 두 사건] **5** (호주·속어) 양면의 무늬가 같은 동전《도박용》
dou·ble-heart·ed [-hɑ́:rtid] *a.* 이심(二心)을 품은
dou·ble-he·li·cal [-hélikəl] *a.* 〖생화학〗 (DNA의) 이중 나선의
dóuble hélix 〖생화학〗 (DNA의) 이중 나선 (구조)
dóuble hóuse (미) 현관 양옆에 방이 있는 집; 2세대 연립 주택
dou·ble-hung [-hʌ́ŋ] *a.* 내리닫이의 〈창문〉
dóuble hýphen 〖인쇄〗 더블 하이픈 《=》
dóuble ímage 이중상(像) 《한 화상이 동시에 다른 화상으로도 보이는 일; 산이 잠자는 사자로 보이는 등》
dóuble indémnity (미) 보험금 배액(倍額) 보상 《돌연사·사고사의 경우》
dóuble insúrance 중복 보험
dóuble íntegral 〖수학〗 이중 적분
dóuble jéopardy 〖법〗 이중의 위험, 재리(再理) 《동일 범죄로 피고를 재차 재판에 회부하는 일》 ***prohibition against* ~** 일사부재리
dou·ble-job·ber [-dʒɑ́bər | -dʒɔ́bər] *n.* (영) (봉급에 보태기 위해) 부업을 하는 사람
dou·ble-joint·ed [-dʒɔ́intid] *a.* (전후 좌우 자유로이 움직이는) 이중 관절을 가진
dóuble júmp **1** 〖체스〗 폰(pawn)이 한 번에 두 칸 전진하기 **2** 〖체커〗 2회 연속해서 움직여 상대의 두 말을 먹는 일
dóuble knít *n., a.* 겹으로 짠 천(의)
dou·ble-lead·ed [-lédid] *a.* 〖인쇄〗 〈행간이〉 배로 된
dóuble létter 〖인쇄〗 합자(合字)(ligature)
dou·ble-lived [-láivd] *a.* 이중 생활의
dou·ble-lock [-lɑ́k | -lɔ́k] *vt.* 이중으로 자물쇠를 채우다, 단단히 문단속하다
dóuble májor (미) 두 가지 전공(을 하는 학생)
dóuble méaning 모호한 뜻; =DOUBLE ENTENDRE
dou·ble-mean·ing [-mí:niŋ] *a.* 의미가 애매한
dou·ble-mind·ed [-máindid] *a.* 결단을 못 내리는; 이심(二心)을 품은(deceitful) **~·ly** *ad.* **~·ness** *n.*
dóuble négative[negátion] 〖문법〗 이중 부정 《보기: [완곡한 긍정] *not un*common(=common) / [속어체에서 부정의 강조] I do*n't* know *no*thing.(=I know *no*thing.)》

dou·ble·ness [dʌ́blnis] *n.* Ⓤ **1** 중복성; 이중, 2배 크기 **2** (행동의) 표리(duplicity); 속이는 것

dóuble níckel (미·속어) 시속 55마일 《고속도로의 제한 속도》

dóuble nóte 〖음악〗 겹온음표, 배온음표

dou·ble-o, -O [-óu] [*o*nce-*o*ver의 두 개의 o] (미·구어) *n.* (*pl.* **~s**) 엄중한 조사; 세심한 주의[관찰] — *vt.* [**-o**] 엄중하게 조사하다, 세심한 주의를 기울이다

dóuble óbelisk 〖인쇄〗 = DOUBLE DAGGER

dóuble óccupancy 2인실[트윈룸] 사용

007 [dʌ́blòusévən] *n.* 007 《Ian Fleming의 스파이 소설의 주인공 James Bond의 암호명》

dóuble (**òrgan**) **tránsplant** 〖의학〗 (동시) 이중 장기 이식 《가령 심장과 간장의》

dóuble óverhead cámshaft 〖자동차〗 오버헤드 캠샤프트 한 쌍 《하나는 흡입판, 다른 하나는 배출판을 조작함; 略 DOHC》

dou·ble-packed [-pǽkt] *a.* 이중으로 포장된

dou·ble-page spréad [-pèidʒ-] 두 페이지 크기의 지면, 양면 광고

dou·ble-paned [-péind] *a.* 〈창문이〉 이중 유리의

dou·ble-park [-pɑ́ːrk] *vt., vi.* (주차한 차 옆에) 이중 주차하다 《불법 주차》 **~·er** *n.* **~·ing** *n.*

dóuble personálity 〖심리〗 이중인격

dóuble pláy 〖야구〗 병살, 더블 플레이

dóuble pneumónia 〖의학〗 양측 폐렴

dóuble posséssive = DOUBLE GENETIVE

dóuble póstal càrd 왕복 엽서

dóuble precísion 〖컴퓨터〗 2배 정밀도 《보통 2배의 기억 용량을 써서 정밀도를 높이는 것》

dou·ble-quick [-kwík] *a., ad.* (구어) 매우 급한[하게] — *n.* 구보 — *vi., vt.* 구보하다[시키다]

dóuble quótes 〖인쇄〗 큰따옴표 《" "》

dóuble réed 〖음악〗 더블 리드 《오보에·바순처럼 혀(reed)가 두 개 달린 악기》

dou·ble-reed [-ríːd] *a.* 〖음악〗 더블 리드의

dou·ble-re·fine [-rifáin] *vt.* 〖야금〗 두 번 정련하다

dóuble refráction 〖광학〗 복(複)굴절

dóuble revérse 〖미식축구〗 더블 리버스 《reverse를 두 번 하는 공격측 트릭 플레이》

dóuble rhýme 〖운율〗 이중 압운(押韻) 《행 끝 두 음절의 압운; 보기: *numbers*; *slumbers* 등》

dóuble rhýthm 〖운율〗 더블 리듬 《약음부가 강음부의 2배 길이의 운율》

dóuble rífle 복식 라이플총

dou·ble-ring [-ríŋ] *a.* (결혼식에서) 반지 교환의

dou·ble-rip·per [-rípər], **-run·ner** [-rʌ́nər] *n.* (미) 2대의 연결 썰매

dóuble róle 〖영화〗 1인 2역

dóuble róom (호텔 등의) 2인용 방

dóuble sált 〖화학〗 복염(複鹽)

dóuble sáw (**bùck**) (미·속어) 20달러 (지폐)

dou·ble-seat·er [-síːtər] *n.* 〖항공〗 2인승 비행기

dóuble shárp 〖음악〗 겹올림표 《× 또는 ✕》

dóuble shíft (공장·학교의) 2교대제, 2부제

dou·ble-sid·ed [-sáidid] *a.* 양면의, 양면 사용이 가능한

dou·ble-space [-spéis] *vi., vt.* 한 행씩 띄어 타자하다[인쇄하다]

dou·ble·speak [-spìːk] *n.* = DOUBLE-TALK

dóu·ble-speed dríve [-spìːd-] 〖컴퓨터〗 (CD-ROM의) 배속 드라이브

dóuble spréad = DOUBLE-PAGE SPREAD

dóuble stándard 이중 표준 《남성에 비해 여성에게 엄한 도덕 표준》; 〖경제〗 = BIMETALLISM

dóuble stár 〖천문〗 이중성(星) 《한 별처럼 보이는》

dóuble stéal 〖야구〗 더블 스틸, 이중 도루

dóuble stém 〖스키〗 속력을 늦추기 위해 양쪽 스키의 뒤쪽을 벌리는 자세

dóuble stóp 〖음악〗 (현악기의) 중음(重音)

dou·ble-stop [-stɑ́p | -stɔ́p] *vt., vi.* (**~ped**; **~·ping**) 〖음악〗 (현악기의) 2현을 동시에 누르고 켜서 중음(重音)을 내다

dou·ble-strik·ing [-stràikiŋ] *n.* 〖컴퓨터〗 (프린터의) 이중타(二重打)

dóuble súmmer tìme (영) 이중 서머 타임 《표준시보다 2시간 빠름》

dou·blet [dʌ́blit] *n.* **1** 허리가 잘록한 남자의 상의 《15-17세기 남자의 경장(輕裝)》 **2** 아주 닮은 물건의 한 쪽; 쌍을 이루는 한 쪽; [*pl.*] 쌍둥이 **3** 쌍으로 된 것 (pair, couple); 《특히》 접합 렌즈, 이중 렌즈; 이중선(線); 이중항(項); 〖인쇄〗 (착오로) 두 번 식자한 단어 **4** 〖언어〗 이중어 《같은 어원에서 갈라진 말; 보기: fashion-faction; hospital-hostel-hotel》 **5** [*pl.*] 2연발총으로 쏘아 떨어뜨린 두 마리의 새; (두 주사위의) 땡 《같은 점수》 **6** (미·속어) 가짜, 모조품

dóuble táckle 이중 도르래 (장치)

dóuble táke (구어) [다음 성구로] ***do a* ~** (희극배우가) 처음엔 웃음으로 받아넘겼다가 화들짝 놀라는 시늉을 하다; 놀라서 다시 보다

dou·ble-talk [dʌ́bltɔ̀ːk] (구어) *n.* Ⓤ 남을 어리벙벙하게 하는 허튼소리; 앞뒤가 안 맞는 이야기, 애매모호한 말 — *vi., vt.* double-talk를 하다 **~·er** *n.*

dóuble tápe 왕복[양면]용 자기 테이프

dóuble taxátion 이중 과세

dou·ble-team [-tíːm] *vt.* 〖미식축구·농구〗 〈상대 선수를〉 2명이 함께 마크하다, 두 배의 힘으로 공격[수비]하다 — *vi.* (미) 두 명이 협력해서 (…에) 대처하다

Dóuble Tén[**Ténth**] [the ~] (중국의) 쌍십절(雙十節) 《신해혁명 기념일; 10월 10일》

dou·ble·think [-θìŋk] [G. Orwell이 '1984'에서 사용한 조어] *n.* 이중 사고[신념] 《모순된 두 생각을 동시에 용인하는 능력》 — *a.* (비논리적) 이중 사고의 — *vt., vi.* (**-thought**) (…에 대해) 이중 사고를 하다

dóuble tíde 쌍조(雙潮)(agger)

dóuble tìme **1** 〖군사〗 구보 **2** (휴일 근무자에 대한 급여의) 2배 지급

dou·ble-time [-tàim] (미) *a.* Ⓐ 구보의 — *vt., vi.* 구보시키다[하다]

dou·ble·ton [dʌ́bltən] *n.* 〖카드〗 손에 있는 두 장의 짝 맞는 패(cf. SINGLETON)

dou·ble-tongue [-tʌ̀ŋ] *vi., vt.* 〖음악〗 (취주 악기로) 〈빠른 템포의 스타카토 악절을〉 복절법(複切法)으로 연주하다 **-tóngu·ing** *n.* Ⓤ 〖음악〗 복절법

dou·ble-tongued [-tʌ́ŋd] *a.* 일구이언하는, 거짓말의

dóuble tóp (다트 놀이의) 더블 twenty의 점수

dóublet pàttern (직물 등에서) 중심선에 대해 대칭으로 그려진 무늬

dóuble tráck 〖철도〗 복선; 〖항공〗 더블 트랙 《한 노선에 복수 항공사가 경합하기》

dou·ble-track [-trǽk] *vt.* 〖철도〗 복선으로 하다

dóu·ble-trail·er trúck [-trèilər-] 더블트레일러 《두 대의 트레일러를 연결한 트랙터》

dóuble tránsitive vérb 〖문법〗 = DITRANSITIVE

dou·ble·tree [-trìː] *n.* (미) 수레·쟁기 등의 가로대

dóuble tróuble (구어) 매우 골치 아픈 사람[것]

dóuble trúck 좌우 양면 기사[광고]

dou·ble-u, -you [dʌ́bljùː] *n.* W, w의 문자

dóuble vísion 복시(複視)

dóuble wédding 두 쌍의 합동 결혼식

dóuble whámmy (미·속어) 이중고, 이중의 불운[재난]

dóuble whóle nóte (미) 〖음악〗 2온음표((영) breve)

dou·ble-wide [-wàid] *n.* 2대 연결 이동 주택 《mobile house 2채를 연결한 것》 — *a.* 폭이 2배의, 통상보다 2배 넓은

thesaurus **doubt** *n.* suspect, distrust, mistrust, query, question (opp. *trust, believe*)
doubtful *a.* **1** 의심을 품은 suspicious, distrustful,

dóuble wíng[**wíngback formàtion**] 〖미식축구〗 더블 윙(백 포메이션) 《양쪽 윙에 백을 한 사람씩 배치한 공격 진형》

dou·bling [dʌ́bliŋ] *n.* UC **1** 배가, 배증(倍增) **2** 이중으로 하기; 접어 겹치기; 접힌 주름; [*pl.*] (의복의) 안 **3** (추적을 피하기 위한) 급회전 **4** 〖선박〗 더블링 《위아래 두 개의 돛대의 접합부》 **5** 재증류(再蒸溜)

dou·bloon [dʌblú:n] *n.* (옛날의) 스페인 금화

*****dou·bly** [dʌ́bli] *ad.* **두 곱으로**; 2중으로

‡**doubt** [dáut] [L 「두 가지 중에서 골라야 하다」의 뜻에서] *vt.* [진행형 없음] **1 의심하다,** 수상히 여기다, 의혹을 품다: I ~ her honesty. 나는 그녀의 정직성을 의심한다. // (~+*wh.* 절) I ~ *whether*[*if*] he was there. 그가 그곳에 있었는지 어떤지 의심스럽다. // (~+*that* 절) Can you ~ *that* the earth is round? 지구가 둥글다는 것을 의심할 수 있는가? // (~+*-ing*) We don't ~ its be*ing* true. = We don't ~ (*but*) *that* it is true. 그것이 사실이라는 것을 의심치 않는다.

> 유의어 **doubt** 확신 또는 분명한 증거가 없기 때문에 「…은 아니다」라고 의심하다: I *doubt* if he is a detective. 그가 형사인지 아닌지 의심스럽다. **suspect** 의심할 만한 점이 있기 때문에 「…인 것 같다」는 의심을 갖다: I *suspect* that he is an imposter. 그는 아무래도 협잡꾼 같다.

2 (고어·방언) 염려하다, …이 아닐까 생각하다 《*that*》
— *vi.* 의심하다, 의혹을 품다, 미심쩍게 생각하다 《*about*, *of*》: (~+전+명) I don't ~ *of* your success. 나는 당신의 성공을 의심치 않소. / He ~*s about* everything. 그는 모든 것을 의심한다.
I ~ it [***that***]. 그렇지 않을 걸., 어떨지 몰라.
— *n.* CU **1 의심,** 회의(懷疑); 불신 **2** (결과 등이) 의심스러움, 불확실함: There is some ~ (as to) whether he will be elected. 그가 당선될지 어떨지 다소 불확실하다. ★ whether 앞의 as to나 about 등의 전치사는 흔히 생략됨.
beyond [***out of***] ***~*** = ***beyond the shadow of a ~*** 의심할 여지 없이, 물론 ***give ... the benefit of the ~*** ⇨ benefit ***have no ~*** 의심치 않다, 확신하다 《*that* ..., *of*》 ***have*** one***'s ~s about ...*** …이 과연 정말[현명한 일]인지 의심스럽게 생각하다 ***in ~*** 의심하여, 미심쩍어; 불확실하여 ***make no ~ of*** [***that ..., but that ...***] …을 조금도 의심치 않다, 확신하다 ***no ~*** (1) 의심할 바 없이; 물론 (2) 필시, 아마도(probably) ***throw ~ on*** …에 의심을 두다 ***without*** (***a***) ***~*** 의심할 바 없이; 물론
~·a·ble *a.* 의심할 만한; 불확실한 **~·er** *n.*

‡**doubt·ful** [dáutfəl] *a.* **1** Ⓟ 〈사람이〉 **의심을 품고** (있는), 확신[자신]이 없는, 망설이고(undecided) 《*of*》: He was ~ *of* the outcome. 그는 그 결과에 자신이 없었다. **2** 〈사물이〉 **의심스러운,** 분명치 않은, 어정쩡한 (⇨ suspicious 유의어): It is ~ whether the rumor is true or not. 그 소문이 사실인지 아닌지 의심스럽다. **3** 〈결과 등이〉 불안한, 불확실한: The outcome is ~. 결과는 어찌 될지 모른다. **4** 〈인물 등이〉 못 미더운, 수상쩍은(suspicious): a ~ character 수상쩍은 인물 / in ~ taste 야비하게 **~·ly** *ad.* **~·ness** *n.*

doubt·ing [dáutiŋ] *a.* Ⓐ 의심하는, 불안한
~·ly *ad.* 의심스러운 듯이, 불안스레

dóubting Thómas [도마가 예수 부활을 보지 않고는 믿지 않았다는 성서 「요한복음」에서] (증거가 없으면) 무엇이나 의심하는 사람

‡**doubt·less** [dáutlis] *a.* **의심 없는,** 확실한
— *ad.* **1 의심할 여지 없이,** 확실히, 틀림없이; 물론 (no doubt) **2** 아마(probably); (폐어) 걱정 없이: I shall ~ see you tomorrow. 내일은 아마 만나 뵐 수 있을 것입니다. **~·ly** *ad.* **~·ness** *n.*

---

mistrustful, skeptical, questioning, incredulous **2** 의심스러운 uncertain, dubious, questionable, disputable, indecisive, hesitating (opp. *certain*)

---

douce [dú:s] *a.* (주로 스코) 조용한, 침착한, 착실한; (영·방언) 붙임성 있는 **~·ly** *ad.*

dou·ceur [du:sə́:*r*] [F] *n.* 팁(tip); 뇌물(bribe)

douche [dú:ʃ] *n.* **1** (의료상의) 주수(注水), 관주(灌注)(법); 관수욕(灌水浴), 질(膣)세정 **2** 관수기(器), 질세척기(=~ bag) (***like***) ***a cold ~*** (구어) 찬물 벼락을 맞은 (듯이) ***take a ~*** 질세척을 하다; (속어) [명령법으로] 썩 꺼져
— *vt., vi.* 주수하다, 관주법을 행하다

dóuche bàg 1 (구어) 휴대용 관수기 **2** (미·속어) 지겨운 녀석, 얼간이

dou·dou [dáudau] [Ind.] *n.* 애정(endearment)

Doug [dʌ́g] *n.* 남자 이름 《Douglas의 애칭》

*****dough** [dóu] *n.* Ⓤ **1 가루 반죽**; 굽지 않은 빵: a ~-brake[-kneader, -mixer] 반죽 기계 **2** (밀가루 반죽 같은) 연한 덩어리 **3** (미·속어) 돈, 현금 **4** (미·구어) 보병(步兵) **5** 고무풀 ***My cake is ~.*** 계획은 실패야. **~·like** *a.*

dough·boy [dóubɔ̀i] *n.* **1** (영·구어) 찐빵, 찐만두 **2** (미·구어) 보병(infantryman)

dough·face [-fèis] *n.* **1** (미국 남북 전쟁 당시) 남부의 노예제에 찬성한 북부 의원[사람] **2** (미·구어) 줏대[패기] 없는 사람

dough-faced [-féist] *a.* (미·구어) 얼굴이 핏기 없고 푸석푸석한; 줏대[패기] 없는

dough·foot [-fùt] *n.* (*pl.* **-feet** [-fì:t], **~s**) (미·군대속어) 보병(infantryman)

dough·head [-hèd] *n.* (미·속어) 바보, 멍청이

*****dough·nut** [dóunət, -nʌ̀t | -nʌ̀t] *n.* **도넛** 《미국에서는 고리 모양, 영국에서는 구멍 없는 빵 모양이 흔함》; 도넛 모양의 것; (속어) 타이어, (자동차의) 스핀 ***blow*** [***lose***] one***'s ~*** (미·학생속어) 토하다
— *vt.* (**~·ted**; **~·ting**) (영·구어) 〈국회의원이〉 〈연설자를〉 둘러싸다

dóughnut fàctory[**fòundry**] (미·속어) 값싼 음식점; 무료 급식소[식량 배급소] 《doughnut house [joint]라고도 함》

dough·ty [dáuti] *a.* (**-ti·er**; **-ti·est**) (고어·익살) 대담한(bold), 용맹스러운 **dóugh·ti·ly** *ad.*

dough·y [dóui] *a.* (**dough·i·er**; **-i·est**) **1** 가루 반죽[굽지 않은 빵] 같은; 설 구운(halfbaked) **2** (구어) 창백한; 〈지능이〉 둔한 **dóugh·i·ness** *n.*

Doug·las [dʌ́gləs] *n.* 남자 이름 《애칭 Doug》

Dóuglas bàg 더글라스 백 《산소 소비량 측정을 위해 내쉰 숨을 모으는 주머니》

Dóuglas fír[**sprúce, píne, hémlock**] [the ~] 〖식물〗 미송(美松) 《미국 서부산(産) 커다란 소나무》

dou·la [dú:lə] *n.* 조산사(助産師)

dou·ma [dú:mə] *n.* = DUMA

dóum pàlm 〖식물〗 이집트의 종려나무

dour [dúə*r*, dáuə*r* | dúə] *a.* **1** 음울한, 뚱한, 시무룩한(sullen) **2** 엄한; 완고한 **3** (스코) 〈땅이〉 불모의
~·ly *ad.* **~·ness** *n.*

dou·rou·cou·li [dùərəkú:li | dù:ru:-] *n.* 〖동물〗 밤원숭이(night ape) 《열대 아메리카산(産)》

douse[1] [dáus] *vt.* **1** 〈물속에〉 처박다 《*in*》 **2** 〈물을〉 끼얹다 《*with*》 **3** 〖항해〗 〈돛을〉 내리다; 〈현창(舷窓)을〉 닫다 **4** (구어) 〈등불을〉 끄다 **5** (구어) 〈모자·의복 등을〉 벗다 — *vi.* 잠기다, 흠뻑 젖다

douse[2] *vi.* = DOWSE[2]

doux [dú:] [F] *a.* 〈샴페인이〉 아주 달콤한

DOVAP [dóuvæ̀p] [*D*oppler *v*elocity *a*nd *p*osition] *n.* 도밥 《미사일 등의 위치·속도를 도플러 효과를 응용하여 계산하는 시스템》

‡**dove**[1] [dʌ́v] *n.* **1** 〖조류〗 **비둘기;** [the D~] 〖천문〗 비둘기자리 **2** (평화·유순·온화 등의 상징으로서의) 비둘기(cf. OLIVE BRANCH): a ~ of peace 〖성서〗 평화의 비둘기 **3** [**D~**] (상징으로서) 성령(Holy Spirit) **4** 순결한[천진난만한, 유순한] 사람; 귀여운 사람 《종종 애칭으로》; 비둘기파(의 사람), 온건 평화주의자(opp.

hawk) ★ pigeon과 같은 뜻이나 특히 작은 종류를 가리킬 때가 많음. (***as***) ***gentle as a*** ~ 지극히 유순한[상냥한]

*__dove__² [dóuv] *v.* 《미·구어》 DIVE의 과거

dóve còlor 비둘기색 《엷은 홍회색》

dove-col·ored [dʌ́vkʌ̀lərd] *a.* 비둘기색의

dove·cote [dʌ́vkòut], **-cot** [-kɑ̀t | -kɔ̀t] *n.* **1** 비둘기장 **2** 조화가 이루어진 단체 ***flutter*** [***cause a flutter in***] ***the ~s*** 조용히 있는 사람들을 동요시키다, 공연히 벌집을 쑤셔 놓다

dove-eyed [-àid] *a.* 눈매가 부드러운

dove-gray [-gréi] *n., a.* 보라빛 띤 회색(의)

dove·house [-hàus] *n.* (*pl.* **-hous·es**) 비둘기장

dove·let [dʌ́vlit] *n.* 작은[어린] 비둘기

dove·like [dʌ́vlàik] *a.* 비둘기 같은; 온화한, 유순한

*__Do·ver__ [dóuvər] *n.* 도버 《영국 동남부의 항구 도시》 ***the Strait*(*s*) *of*** ~ 도버 해협

Dóver's pówder 〖약학〗 도버산(散), 아편 토근산(吐根散) 《진통·발한제》

dove's-foot [dʌ́vzfùt] *n.* 〖식물〗 매발톱꽃무리

dove·tail [dʌ́vtèil] *n.* 〖목공〗 열장 장부촉 **—** *vt., vi.* 열장이음으로 하다 《*in, into, to*》; 꼭 맞추다, (긴밀하게) 서로 연계하다; 꼭 들어맞다 《*in, into*》

dovetails

dóvetail hìnge 열장장부꼴 경첩

dóvetail jòint 〖목공〗 열장이음

dóvetail plàne 〖목공〗 열장이음 대패

dóvetail sàw 〖목공〗 열장 장부톱

dov·ish [dʌ́viʃ] *a.* 비둘기 같은; 《구어》 비둘기파와 같은, 온건 평화파의(opp. *hawkish*) **~·ness** *n.*

dow [dáu] *n.* = DHOW

Dow [dáu] *n.* = DOW-JONES AVERAGE

Dow., dow. dowager

dow·a·ger [dáuədʒər] *n.* **1** 〖법〗 (죽은 남편의 칭호·재산을 계승한) 귀족 미망인 **2** 《구어》 기품 있는 귀부인 ***a ~ duchess*** (영국의) 공작 미망인 ***an empress ~*** (제국의) 황태후 ***a queen ~*** (왕국의) 태후 **—** *a.* Ⓐ dowager의; 중년 귀부인의

Dów Chémical 다우 케미컬 《미국의 화학 제품 메이커》

dow·dy¹ [dáudi] *a.* (**dowd·i·er**; **-i·est**) 단정치 못한; 〈의복이〉 시대에 뒤떨어진, 맵씨 없는, 촌스러운, 누추한 **—** *n.* (*pl.* **-dies**) (옷차림이) 누추한[단정치 못한] 여자 **dów·di·ly** *ad.* **dów·di·ness** *n.*

dowdy² *n.* (*pl.* **-dies**) = PANDOWDY

dow·dy·ish [dáudiiʃ] *a.* 볼품 없는, 헙수룩한

dow·el [dáuəl] 〖목공〗 *n.* 은못, 맞춤 못 **—** *vt.* (**~ed**; **~ing** | **~led**; **~·ling**) 은못으로 맞추다

dowels

dow·el·(l)ing [dáuəliŋ] *n.* Ⓤ 은못[맞춤 못](으로 접합하기)

dow·er [dáuər] *n.* ⓊⒸ **1** 〖법〗 미망인의 상속몫 《과부가 살아 있는 동안 분배받는 망부(亡夫)의 유류(遺留) 부동산》 **2** 《고어·시어》 = DOWRY 1 **3** 천부의 재능, 자질 **—** *vt.* **1** 《문어》 망부의 유산 일부를 그 미망인에게 주다 《*with*》 **2** 〈재능을〉 부여하다(endow) 《*with*》

dow·itch·er [dáuitʃər] *n.* 〖조류〗 큰부리도요 《도요새 비슷한 새; 북미 동해안산(産)》

Dów-Jónes àverage[**index**] [dáudʒóunz-] [the ~] 〖증권〗 다우존스 평균 (주가)[지수]: on *the* ~ 다우 존스 평균 주가로(는)

Dów-Jónes indústrial áverage [the ~] 다우존스 공업주(株) 평균

dow·las [dáuləs] *n.* Ⓤ 올이 굵은 아마[면]포

Dów mètal 다우 메탈 《마그네슘 85퍼센트 이상의 매우 가벼운 합금》

‡**down**¹ ⇨ down (p. 741)

down² [dáun] *n.* Ⓤ **1** (새의) 솜털 **2** 부드러운 털; 잔털; (민들레·복숭아 등의) 솜털, 관모(冠毛) (***as***) ***soft as*** ~ 매우 부드러운 ***bed of*** ~ 오리털 이불 **—** *a.* 오리털이 들어 있는

down³ *n.* [보통 *pl.*] (넓은) 고원지; [the D~s, ~s] (남부 잉글랜드의 수목 없는) 언덕진 초원지(cf. DOWNS 1); 《고어》 모래 언덕(dune)

down-and-dirt·y [dáunəndə́ːrti] *a.* 〈성(性)·정치 등이〉 타락하고 더러운, 부도덕한

down-and-out [-əndáut] *a., n.* 무일푼의 (사람), 아주 몰락[쇠약]해 버린 (사람); 녹아웃된 (권투 선수) **~·er** *n.*

down-at-(the-)heel(s) [-ət(ðə)híːl(z)] *a.* 《구어》 구두 뒤축이 닳아빠진; 가난한, 초라한

down·beat [-bìːt] *n.* **1** 〖음악〗 강박(强拍), 하박(下拍) 《지휘봉을 위에서 밑으로 내려 지시하는》(opp. *upbeat*) **2** 《미》 감퇴, 쇠퇴 **—** *a.* **1** 《미·구어》 비관적인, 음울한 **2** 한가로운, 느긋한

down-bow [-bòu] *n.* 〖음악〗 (현악기의) 활을 아래로 당기면서 켜기(opp. *up-bow*)

down·burst [-bə̀ːrst] *n.* (뇌우를 동반한) 강한 하강 기류

*__down·cast__ [dáunkæ̀st | -kɑ̀ːst] *a.* **1** 〈눈을〉 내리뜬, 아래로 향한 **2** 풀이 죽은, 기가 꺾인 **—** *n.* **1** 파멸, 멸망 **2** 눈을 내리뜨기; 우울한 표정 **3** 〖광산〗 세로의 통기갱(通氣坑)(opp. *upcast*) **4** 〖지질〗 = DOWNTHROW

down·change [-tʃèindʒ] *vi.* (자동차를) 저속 기어로 바꾸다

down·com·er [-kʌ̀mər] *n.* 〖기계〗 물건을 아래로 보내는 파이프

dówn convèrter 〖전자〗 다운 컨버터 《PC의 화면 표시를 TV 수상기로 표시할 수 있는 변환 장치》

down·court [-kɔ̀ːrt] *a., ad.* 〖스포츠〗 코트의 반대편 엔드라인의[으로]

down·curved [-kə̀ːrvd] *a.* 끝부분이 아래로 굽은

down·cy·cle [-sàikl] *n.* (경기 순환의) 하강기, 하강 사이클

down·draft | **-draught** [-dræ̀ft | -drɑ̀ːft] *n.* (굴뚝 등으로) 불어 내리는 바람; 하강 기류

down·dressed [-drèst] *a.* 수수한 옷차림의, 평상복의

down·drift [-drìft] *n.* 하강 경향, (구절의) 내림조

dówn éast [종종 **D- E-**] *ad., a.* 《미·구어》 동부 연안 지방으로[에서, 의], 《특히》 Maine주로[에서, 의]

dówn éaster [종종 **D- E-**] 《미·구어》 동부 연안 지방[뉴잉글랜드] 사람, 《특히》 Maine주 사람

down·er [dáunər] *n.* 《속어》 **1** 진정제; 감퇴 **2** 지겨운 경험[사람], 낙담시키는 것 **3** 〖야구〗 싱커

*__down·fall__ [dáunfɔ̀ːl] *n.* ⓊⒸ **1** (급격한) 낙하, 전락(轉落) **2** (비·눈 등이) 쏟아짐 **3** 몰락, 실각, 멸망, 실패; 몰락의 원인 **4** (무거운 것을 떨어뜨려 짐승을 잡는) 함정, 올가미(《미》 deadfall)

down·fall·en [-fɔ̀ːlən] *a.* 《주로 미》 몰락[실각]한; 〈집 등이〉 무너진, 황폐한

down·field [-fíːld] *ad., a.* 〖미식축구〗 다운필드 《공격측이 달려가는 방향》로[의]

down·flow [-flòu] *n.* 아래로 흐름; 하강 기류

down·grade [-grèid] *n., a.* 《미》 내리받이(의); 《비유》 내리막길(의), 운이 기움[기운] ***on the*** ~ 몰락하기 시작한, 망해 가는 **—** *vt.* …의 품질을 떨어뜨리다; 강등[격하]시키다

thesaurus **downcast** *a.* disheartened, dispirited, downhearted, dejected, depressed, discouraged, disappointed, despondent, miserable, dismayed, blue, gloomy (opp. cheerful)

downfall *n.* fall, collapse, ruin, crash, destruction, debasement, degradation, overthrow

down

OE의 「언덕에서 (내려와서)」에서 온 말이다. 전치사적 부사(prepositional adverb)의 하나로서 up의 대어로 쓰인다. 주로 위치와 방향을 나타내는 부사와 전치사로 쓰이며, 많은 동사와 결합하여 동사구를 만든다. 동사와의 결합은 해당 동사항을 참조하기 바란다.
특히 전치사의 up과 down은 주로 위치의 수직 방향을 나타내지만 along이나 across같이 수평 방향을 나타내기도 한다. 즉 중심에서 먼 쪽은 down을 쓰고 가까운 쪽은 up을 쓴다.

down[1] [dáun] *ad., prep., a., v., n.*

기본적으로는 「낮은 쪽」의 뜻
① 낮은 쪽으로, …의 아래[하류]로 부 **1, 2, 3, 4** 전 **1**
② (말하는 곳에서) 떨어져서, 떠나서 부 **5**
③ 시대가 나중에, 후대에 부 **9 b** 전 **2**
④ (물가·신분 등이) 하락[영락]하여 부 **6**
⑤ 약해져서 부 **10 b**

—*ad.* (opp. *up*) ★ be 동사와 결합한 경우에는 *a.* 로도 간주됨. **1 a** (높은 위치에서) **낮은 쪽으로,** 아래로[에]: climb ~ 손발을 써서 내려오다 / look ~ 내려다보다, 아래를 보다 / jump ~ 뛰어 내리다 **b** (책상 위 등에) **내려 놓아:** put[lay] a thing ~ on the table 테이블 위에 물건을 내려 놓다 **c 바닥에,** 땅바닥에, 지면에, (강·바다 등의) 밑바닥에: fall ~ 넘어지다, 떨어지다 / get ~ (차 등에서) 내리다 / pull ~ 끌어 넘어뜨리다 / knock ~ 때려 눕히다 / put[lay] ~ one's load 하물을 바닥에 내리다 / The ship went ~ with all on board. 배는 승선자 전원과 함께 침몰했다. **d** (위층에서) **아래층으로:** ~ in the cellar 지하실에 / come ~ 아래로 내려오다 **e** 〈음식을〉 삼켜, 먹어: swallow a pill ~ 알약을 먹다 **f** [be의 보어로 써서] 〈기(旗) 등이〉 **내려져,** 〈셔터 등이〉 내려져; 〈사람이〉 (위층에서) **내려와서;** 〈강물이〉 줄어: The picture is ~ on the left side. 그림이 좌측으로 처져 있다. / All the blinds were ~. 블라인드는 전부 내려져 있었다. / He is not ~ yet. 그는 아직 (침실에서) 아래층으로 내려오지 않았다. / The river is ~. 강의 수위가 떨어지고 있다.
2 [종종 be의 보어로 써서] 〈천체가〉 **져서:** The sun went ~. 해가 졌다. / The sun is ~. 해가 넘어간다.
3 a (드러)**누워, 앉아:** lie ~ 드러눕다 / sit ~ 앉다 **b** [동사를 생략하여 명령문으로] (개를 보고) 앉아, 엎드려; 〈보트의 노를〉 내려: *D*~! (사람에게 앞다리를 걸치(려)거나, 덤벼드는 개를 보고) 그만, 그쳐! 《「앉아!」는 Sit!》 / *D*~ oars! 노를 내려!
4 a (북쪽에서) **남쪽으로[에]:** go ~ to London from Edinburgh 에든버러에서 런던으로 내려가다 / ~ South 《미》 남부 여러 주로[에서] **b** (내·강의) **하류로**
5 a (특정한 장소·화자(話者)가 있는 데서) **떨어져:** go ~ to the station 역까지 가다 / go ~ to one's office in the city 시내의 사무실로 가다 **b** 《영》 (수도·옥스퍼드·케임브리지 대학 등에서) 떠나, 귀성하여, 졸업하여, 퇴학하여(cf. GO down): He has come ~ (*from* the University). 그는 (대학에서) 고향에 돌아와 있다. / He was sent ~. 그는 학교에서 귀가 조치를 당했다. 《근신 등으로》
6 [종종 be의 보어로 써서] **a** 〈값·기온 등이〉 **내려;** 〈질이〉 **저하하여:** bring[mark] ~ the price 값을 내리다 / The stocks are ~. 주가가 내렸다. / Exports have gone ~ this year. 수출이 금년에는 줄었다. **b** 〈신분·지위·인기 등이〉 **내려가;** 영락하여: come ~ in the world 영락하다 / He was ~ to his last penny. 그는 무일푼이 될 만치 영락했다.
7 a 〈양이〉 적어질 때까지, 〈농도가〉 묽어질 때까지: boil ~ 바짝 졸이다 / water ~ the whiskey 위스키에 물을 타다 **b** 발견할 때까지: hunt ~ 끝까지 추적하다 **c** 그칠 때까지: The wind has gone[died] ~. 바람이 잔잔해졌다[잦았다]. **d** 〈음량·정도·어조 등이〉 **작아져,** 축소[농축, 압축]하여; 〈세기가〉 약해져; 〈속도가〉 떨어져; 〈물건이〉 가늘어져: grind ~ the corn 곡물을 갈아 으깨다 / heels worn ~ 닳아 없어진 구두 뒤축 / Turn ~ the radio. 라디오 소리를 줄여라. / Slow ~ the car. 차의 속도를 줄여라.
8 a 완전히(completely): ⇨ down to the GROUND[1]. **b** [tie, fix, stick 등의 동사와 함께] 꽉, 단단히: fix a thing ~ 물건을 단단히 고정시키다 **c** 말짱하게, 깨끗하게: wash ~ a car 깨끗이 세차하다
9 a (위는 …부터) 아래는 …에 이르기까지: from King ~ to cobbler 위는 왕에서 아래는 신기료장수(에 이르기)까지 **b** (이른 시기에서) 후기로; (후대로) 계속해서, (초기부터) 내리, 줄곧; (…에) 이르기까지 상세히 《*to*》: from Middle Ages ~ *to* the present 중세 시대부터 현재까지 / from 100 ~ *to* 10 100에서 10까지
10 [종종 be 등의 보어로 써서] **a** 넘어져, 엎드려: He was ~ on his back. 그는 자빠져 있었다. **b** 〈사람이〉 쇠약해져, 〈건강이〉 나빠져; 〈풀기가〉 죽어: She is ~ *with* influenza[flu]. 그녀는 독감을 앓아 누워 있다. / You seem rather ~. 어째 기운이 없어 보이는군. / He felt a bit ~ about his failure. 그는 실패로 해서 좀 풀이 죽어 있었다. **c** 〈기세 등이〉 약해져: slow ~ 속도를 늦추다 / The fire is ~. 불이 꺼져 가고 있다. **d** 패배[굴복] 상태로: talk ~ a person 남을 말로써 이기다
11 현금[맞돈]으로, 계약금 조로: (no) money ~ 계약금 (없음) / We paid $20 ~ and $10 a month thereafter. 우리는 20달러는 현금으로 나머지는 월부로 10달러씩 지불했다. (⇨ PAY down)
12 (종이에) 씌어져, 기록되어: Write this ~. 이것을 받아 적으시오. / Get his phone number ~. 그의 전화번호를 적어 놓으시오.
13 a 《구어》 완료하여, 마치고: Two problems ~, one to go. 두 문제는 마치고 나머지는 하나. **b** 《야구》 아웃이 되어(out): one[two] ~ 1사[2사]에
14 a [be의 보어로 써서] (경기에서) 져서; (돈내기에서) 잃어: be ~ *by* two goals 두 골을 지고 있다 / He is ~ (*by*) 10 dollars. 그는 10달러 잃었다. **b** 〈내기 돈을〉 걸어 《*on, for*》: Get all the cash ~ *on* this two-year-old horse. 현금을 몽땅 이 두 살짜리 말에 거시오. / Are you ~ *for* the second race? 제2 레이스에 내기 돈을 걸었습니까?
15 …의 책임으로; …에게 맡겨져 《*to*》: It's ~ *to* him to support his family. 가족의 부양은 그의 어깨에 달려 있다.
be ~ on ... 《구어》 (1) …에게 화내고 있다; …을 미워[싫어]하고 있다: He *is* very ~ *on* me. 그는 나를 몹시 미워하고 있다. (2) 〈일〉에 반대하다, 편견을 갖다; 〈잘못 등〉을 금방 알아차리고 지적하다 (3) 〈지불·배상 등을〉 강하게 요구하다 《*for*》
be ~ to (1) ⇨ *ad.* 15 (2) 〈돈 등이〉 …밖에 남지 않다: We'*re* ~ *to* our last dollar. 우리에겐 마지막 1달러밖에 없다.
be ~ with 《속어》 …와 친하게 지내다, 서로 친구다
~ and out (1) 영락하여, 빈털터리가 되어(cf. DOWN-AND-OUT) (2) 《권투》 녹다운되어
~ but not out 괴롭지만 아직 희망이 있는, 단념하기에는 이른
~ cold[pat] 완전히 알아, 숙지하여
~ there 아래쪽(에서); 《구어·완곡》 거기(가) 《음부를

가리킴》
~ through …동안 내내[줄곧]: ~ *through* the years 요 몇해 동안 내내
~ under ⇨ DOWN UNDER
~ with ... (1) = go[be] DOWN with. (2) [명령법으로] …을 타도하라: *D~ with* the tyrant! 폭군 타도! / *D~ with* racism! 인종 차별을 없애라!
get [be] ~ 《미·속어》 (최신 정보에) 통하다
get ~ to …에 본격적으로 대들다: You must *get ~ to* your studies. 자네는 본격적으로 공부와 씨름해야 한다.
get ~ to earth 현실 문제에 파고 들다
go [be] ~ with (병)으로 쓰러지다[앓아눕다](⇨ 10b)
up and ~ ⇨ up *ad.*
— [dàun] *prep.* **1** [이동을 나타내어] **a** (높은 데서) 내려가, …의 아래쪽으로: come ~ a hill 언덕을 내려오다 / fall ~ the stairs 계단에서 굴러 떨어지다 **b** (어떤 지점에서) …을 따라: drive[ride, run, walk] ~ a street 거리를 차로[말을 타고, 뛰어, 걸어] 지나가다 **c** 〈흐름·바람을〉 따라, …을 타고; …을 남하하여: ~ the wind 바람 불어가는 쪽으로 / sail ~ the South Sea 남해를 남하하다 / ~ the Thames 템스 강 하류에 / further ~ the river 강을 훨씬 내려간 데에
2 [시간을 나타내어] …이래 (줄곧): The rule remained the same ~ the ages. 그 규칙은 옛날부터 지금까지 여전하다.
3 〖연극〗 (무대) 앞쪽에
~ the road 《미·구어》 장래(에); 《속어》 목이 잘려
— [dáun] *a.* Ⓐ **1 a** 아래로의, 아래쪽으로의: a ~ leap 뛰어내리기 **b** 내려가는, 내리받이의: the ~ trend of business 경기의 하강 경향 / Take the ~ escalator on the right. 오른쪽에서 내려가는 에스컬레이터를 타시오. / ⇨ downgrade **c** 낮은 곳의, 지면[바닥]에 있는; 〈풀·나무가〉 베어져 쓰러진 **d** 도심[번화가]쪽의: ~ business district 도심의 사업 지구
2 〈열차 등이〉 하행의: a ~ train 하행 열차 / the ~ platform 하행선 플랫폼
3 (구입 등에서) 계약금의; 현금의: money ~ 맞돈; 계약금(⇨ *ad.* 11) / (a) ~ payment 계약금(의 지불)
4 기운 없는, 의기소침한; 풀이 죽은, 음울한: a ~ expression 의기소침한 표정 / You seem pretty ~ today. 오늘 퍽 우울해 보이는구나.
5 〖미식축구〗 〈공이〉 정지된, 다운이 된
6 〈컴퓨터 등이〉 고장난; 〈가게·공장 등이〉 (개수·건축 중으로) 휴업한: The computer is ~ again. 컴퓨터가 또 고장이다.
7 a (…에 대하여) 알고 있는; 준비가 된 **b** 《미·속어》 멋진; 훌륭한: a ~ dude 멋진 녀석
— *vt.* **1** 〈사람을〉 때려 눕히다; 지게 하다: He ~*ed* his opponent in the third round. 그는 3라운드에서 상대를 때려 눕혔다.
2 〈액체·약 등을〉 삼키다, 먹다, 마시다: He ~*ed* the medicine at one swallow. 그는 그 약을 단숨에 삼켰다.
3 《영·구어》 〈사람을〉 멸시하다
4 〖미식축구〗 〈공을〉 다운하다: ~ the ball on the 20-yard line 20야드 라인에 공을 다운하다
— *vi.* 내리다; 〈개 등이〉 앉다; 《미·속어》 진정제를 먹다
~ a few 《구어》 술을 (몇 잔) 마시다
~ tools 《영·구어》 스트라이크에 들어가다; 일을 (일시) 그만두다
~ with it 《미·속어》 알다, 이해하다
— [dáun] *n.* **1** 하위, 하강
2 [*pl.*] 쇠퇴, 쇠운, 내리막: ⇨ UPS and downs *n.*
3 〖미식축구〗 다운 《일련의 공격권을 이루는 4회 공격의 하나》
have a ~ on a person 《영·구어》 (사람에게) 반감[미움]을 품다, 화내다, …을 싫어하다

down·haul [-hɔ̀:l] *n.* 〖항해〗 (돛) 내림밧줄
∗**down·heart·ed** [dáunhɑ́:*r*tid] *a.* 낙담한: Are we ~! 《속어》 우리가 기가 죽다니!
~·ly *ad.* **~·ness** *n.*
∗**down·hill** [dáunhìl] *n.* **1** 내리막길; 몰락 **2** 〖스키〗 활강 (경기) **3** 《미·속어》 (형기·군복무의) 후반기
the ~ (side) of life 인생의 내리막길 《만년》
— [∠∠] *a.* **1** Ⓐ 내리막(길)의; 더 나빠진(worse) **2** Ⓐ 〖스키〗 활강 (경기)의 **3** 수월한, 쉬운
— [∠∠] *ad.* 내리받이로, 기슭쪽으로 **be ~ all the way** 순조롭다; 내리막길[악화일로]을 걷다 **~ from here on** 이제부터는 수월하게[간단하게] **go ~** 내리막을 내려가다; 〖스키〗 활강하다; 《비유》 질이 떨어지다, 더 나빠지다, 기울다, 쇠퇴하다
down·hill·er [dáunhílə*r*] *n.* 〖스키〗 활강 선수
dównhill skíing (턴 등을 포함한) 활강
down·hold [-hòuld] *n.* 《미》 (경비 등의 슬기로운) 삭감, 억제 — *vt.* 삭감[억제]하다
down·hole [-hòul] *ad.* 땅 속에; 파내려가
— *n.* 하향공(孔)
dówn hòme 《미·구어》 남부(주, 지방)
down-home [-hóum] *a.* Ⓐ 《미·구어》 남부 (특유)의, 남부적인; 시골풍의, 소박한; 싹싹한
down·ie [dáuni] *n.* = DOWNER
Dówn·ing Strèet [dáuniŋ-] **1** 다우닝가(街) 《수상·재무장관의 관저가 있는 런던의 거리》 **2** 영국 정부
find favor in ~ 영국 정부의 환심을 사다 **No. 10 ~** 영국 수상 관저(의 번지)
dówn jàcket 다운[오리털] 재킷 《솜털을 속에 넣어 누빈 재킷》
down·land [dáunlæ̀nd] *n.* **1** 넓은 고지 **2** 경사진 목초지, (호주·뉴질랜드의) 기복이 있는 초원
down-lead [-lì:d] *n.* 〖전기〗 안테나의 실내 도입선
down·light(·er) [-làit(ə*r*)] *n.* (불빛이 아래로 비춰지도록) 천장에 설치된 스포트라이트
down·link [-lìŋk] *n.*, *a.* 다운링크(의) 《우주선·위성 등으로부터 지구로의 데이터[정보] 송신로》: ~ data 다운링크 데이터
down·load [-lòud] *n.* 다운로드 《주 컴퓨터에서 그것에 접속된 단말 컴퓨터로 데이터나 소프트웨어를 복사[이전]하기》 — *a.* 다운로드의
— *vt.* 〈데이터를〉 다운로드하다
~·a·ble *a.* **~·ing** *n.* = DOWNLOAD
down·look·ing [-lùkiŋ] *a.* 〈레이더가〉 하향 전파를 보내는 《저공 비행기나 미사일 대책》
down·low [-lòu] *n.* [the ~] 《구어》 (…에 대한) 중요한 사실, 진상 《*on*》: the website that gives you *the ~ on* the newest cars 최신 자동차에 대한 정보를 제공하는 웹사이트 **on the ~** 은밀하게, 비밀히
— *a.* Ⓐ 《속어》 남성이 동성애를 하면서 이성애자인 척하는
down-mar·ket [-mɑ̀:*r*kit] *a.*, *ad.* 《영》 저소득층용의[으로], 대중용의[으로]; 싼, 싸게
go [move] ~ 싸구려를 사기[팔기] 시작하다 **take a thing ~** …을 싸구려로 바꾸다
down·most [-mòust] *a.*, *ad.* 가장 낮은[낮게]
dówn páyment (할부금의) 계약금, 첫 불입금
down·pipe [-pàip] *n.* 《영》 수직 낙수 홈통(《미》 downspout)
down·play [-plèi] *vt.* 《미·구어》 줄잡다, 경시하다
down·pour [-pɔ̀:*r*] *n.* 억수 (같은 비), 호우: get caught in a ~ 억수 같은 비를 만나다
dówn quàrk 〖물리〗 다운 쿼크 《소립자를 구성한다고 생각되는 기본 입자 쿼크의 일종》
down·range [-réindʒ] 《미》 *ad.* 〈미사일 등이〉 사

thesaurus **downright** *a.* **1** 솔직한 frank, straightforward, candid, plainspoken, outspoken,

정(射程)을 따라 — [스] a. (미사일의) 사정 지역의
— [스] n. 사정 지역
down·rate [-rèit] vt. 중시하지 않다, 낮추어 보다; …의 등급[비율]을 낮추다, 경기 회복 속도를 억제하다
*__down·right__ [dáunràit] a. Ⓐ **1** 〈사람·성격 등이〉 **곧은**, 솔직한, 노골적인: a ~ sort of man 솔직한 성격의 사람 **2** 〈악행·거짓말 등이〉 **철저한**, 순전한: ~ nonsense 아주 터무니없는 소리/a ~ lie 새빨간 거짓말
— ad. 철저하게, 아주, 완전히; 솔직하게, 노골적으로
~·ly ad. **~·ness** n.
down·riv·er [-rívər] ad., a. 강 아래[하류]에[의]
Downs [dáunz] n. [the ~] **1** 잉글랜드 남부 및 동남부의 구릉 지대 **2** (영국 Kent주 동해안에 있는) 다운스 정박지
down·scale [dáunskèil] (미) vi., vt. **1** (…의) 규모를 축소하다 **2** (저질의 싸구려 물건을) 팔다[사다]
— n., a. **1** 저소득층(의), 하층민(의) **2** 저질의 싸구려 물건[서비스](의)
down·shift [-ʃìft] vi., vt. **1** (자동차 운전에서) 저속 기어로 전환하다 **2** 과중한 일을 피하다, 생활 페이스를 늦추다 — n. 저속 기어로 바꿈
down·side [-sàid] n. **1** 아래쪽(opp. *upside*); 하강, 악화: on the ~ 아래쪽에; 하향세에 **2** 불리한[부정적인] 면 ~ ***up*** 거꾸로 되어, 뒤집혀
— a. 아래쪽의; 하강의, 〈경제가〉 하향의, 전망이 나쁜
down·size [-sàiz] vt., vi. 〈차를〉 소형화하다; (기업·사업 등이) 〈인원을〉 (대폭) 축소하다 — a. 소형의
down·siz·ing [-sàiziŋ] n. **1** 소형화; 기구 축소, (대폭적) 인원 삭감(reorganizing) **2** 〖컴퓨터〗 다운사이징 《주 컴퓨터의 정보 시스템을 PC 등의 시스템으로 치환(replace)하기》 — a. 소형화의; 기구 축소의
down·slide [-slàid] n. 저하, 하락
down·slope [-slòup] n., a., ad. 내리막(의, 에)
dówn sóuth [종종 **d- S-**] a., ad. (미) 《일반적으로》 남부 여러 주(州)의[에]
down·spin [-spìn] n. 급락(急落)
down·spout [-spàut] n. (미) 수직 낙수 홈통; (영) 전당포
Dówn('s) sýndrome [영국의 의사 이름에서] 〖병리〗 다운 증후군 《21번 염색체의 이상으로 인한 선천적 질환; 구칭 mongolism》
down·stage [-stéidʒ] ad. 〖연극〗 무대의 앞쪽에; (영화[텔레비전]의) 카메라를 향해
— a. Ⓐ 무대 앞쪽의
— [스] n. Ⓤ 무대 앞쪽(opp. *upstage*)
down·stair [-stέər] a. Ⓐ = DOWNSTAIRS
‡**down·stairs** [dáunstέərz] ad. **아래층으로**[에]; (구어) 〖항공〗 지상에: go ~ 아래층에 내려가다
kick a person **~** …을 집에서 내쫓다; 해고하다; 강등[좌천]시키다
— n. pl. [단수·복수 취급] 아래층; (미) 극장의 1층 (opp. *upstairs*); 내려가는 (전용) 계단; (2층 버스의) 1층 《inside, lower-deck라고도 함》
— [스] a. Ⓐ 아래층의
down·state [-stèit] (미) n. 주(州)의 남부
— [스] a. Ⓐ, ad. 주남부의[에] **dówn·stát·er** n.
*__down·stream__ [dáunstríːm] a., ad. **1** 하류의[에], 강 아래의[로](opp. *upstream*) **2** (석유 산업의) 하류 부문의[에서] 《수송·정제·판매의 단계》
— n. (산업에서) 하류 부분, 판매 부분
down·stroke [-stròuk] n. **1** (피스톤 등의) 위에서 밑으로의 작동 **2** 아래로의 내려긋기 **3** (미·속어) 계약금
down·sweep [-swìːp] vt., vi. (**-swept**) 아래로 구부리다[굽다], 아래로 휘게 하다[휘다]
down·swing [-swìŋ] n. (경기·출생률 등의) 하강; 〖골프〗 다운스윙
down-the-line [-ðəláin] a., ad. 완전한[히], 전면적인[으로], 철저한[히]

---

brusque, open, blunt **2** 순전한 complete, absolute, outright, utter, thorough, sheer

down·throw [-θròu] n. **1** 〖지질〗 (단층에 의한 지반의) 침강, 저하(opp. *upthrow*) **2** 타도, 전복, 전도; 패배
down·tick [-tìk] n. **1** 기업 활동의 저하[악화] **2** 〖증권〗 전날 종가보다 싼 거래
dówn tìmber (미) [집합적] (태풍 등으로) 쓰러진 나무
down·time [-tàim] n. Ⓤ 정지[중단] 시간 《공장·기계의》; 〖컴퓨터〗 비사용 시간; 고장 시간; (사람의) 휴양 기간
down-to-earth [-tuə́ːrθ] a. 철저한, 더할 나위 없는; 현실적인, 실제적인
‡**down·town** [dàuntáun] (미) ad. **도심지에서[로]**; 도시의 중심가[상가]에[로] ***go*** **~** 〖야구〗 홈런을 치다
— a. Ⓐ **도심(지)의**, 중심가[상가]의
— [스, 스] n. **도심지**; 상가, 상업 지구(opp. *uptown*)
~·er n. (미) 도심지의 사람
down·train [-trèin] n. 하행 열차
down·trend [-trènd] n. (경기의) 하향 추세
dówn tríp (미·속어) 지독한 체험, 혼남
down·trod [-tràd | -trɔ̀d] a. = DOWNTRODDEN
down·trod·den [-tràdn | -trɔ̀dn] a. 짓밟힌; 학대받는(oppressed)
down·turn [-tə̀ːrn] n. (경기 등의) 하강, 하향(decline); 침체, 불활발: Only several companies expect a ~ in business. 일부 업체들만이 사업 약화를 예상한다.
dówn únder ad. (영국에서 보아) 지구의 정반대쪽에; 오스트레일리아[뉴질랜드]에(서)
‡**down·ward** [dáunwərd] a. Ⓐ **1** 아래쪽으로의, **아래로 향한**; 내려가는; 〈시세 등이〉 하향의 (opp. *upward*); (비유) 내리막의 **2** 쇠퇴하여, 타락하여: go ~ in life 영락하다 **3** …이후의(later) ***start on the ~ path*** 타락[하락]하기 시작하다
— ad. **아래쪽으로**, 아래로 향하여; 떨어져, 타락하여; …이후, 이래: from the 16th century ~ 16세기 이래로
~·ly ad. **~·ness** n. Ⓤ 침체 경향, 정체
dównward mobílity 〖사회〗 (직업·결혼 등으로 인한) 사회적 지위의 하강 이동
down·wards [dáunwərdz] ad. = DOWNWARD
down·warp [-wɔ̀ːrp] n. 〖지질〗 하향 요곡(撓曲) 《지표면의 광범위하고 완만한 하곡(下曲)》
down·wash [-wɑ̀ʃ, -wɔ̀(ː)ʃ] n. **1** 〖항공〗 세류(洗流) 《비행 중 날개가 아래로 내리미는 공기》 **2** (산에서) 내려씻기는 토사
down·welling [-wèliŋ] n. 〖해양〗 하강류 《해류가 농도 차이로 하강하는 것》
down·wind [-wínd] a., ad. 바람 불어가는 쪽으로(향한), 순풍의(leeward); 바람 아래로
*__down·y__[1] [dáuni] a. (**down·i·er**; **-i·est**) **1** 솜털 같은, 부드러운; 폭신폭신한; 부드러운 털이 든: a ~ couch 폭신폭신한 소파 **2** (속어) 마음놓을 수 없는; 만만찮은 **3** 〈동작 등이〉 우아한, 침착한
— n. (영·속어) 침대: do the ~ 자고 있다
dówn·i·ness n.
downy[2] a. 구릉의, 기복(起伏)이 많은
dówny míldew 〖식물〗 노균병(露菌病)
down·zone [dáunzòun] vt. 다운존화하다 《고밀도화를 억제하기 위해 건축 기준을 바꾸다》
dow·ry [dáuəri] n. (pl. **-ries**) **1** (신부의) 지참금, 가자(嫁資) **2** 천부의 재능
dowse[1] [dáus] vt. = DOUSE[1]
dowse[2] vi. 점치는 막대기(divining rod)로 수맥[광맥]을 찾다 **~·er** n. **dóws·ing** n.
dóws·ing ròd [dáuziŋ-] = DIVINING ROD
Dów thèory 다우 이론 《주식 시장의 가격 동향의 예상법》
dox·ol·o·gy [dɑksɑ́lədʒi | dɔksɔ́l-] n. (pl. **-gies**) 〖그리스도교〗 송영(頌詠), 찬가; 《특히》 영광송
dox·o·log·i·cal [dɑ̀ksəlɑ́dʒikəl | dɔ̀ksəlɔ́dʒ-] a.

dox·o·ru·bi·cin [dὰksərú:bəsin | dɔ̀k-] *n.* 〖약학〗 독소루비신 《항(抗)종양성 항생 물질》

dox·y¹ [dάksi | dɔ́k-] *n.* (*pl.* **dox·ies**) 《구어》 《특히 종교상의》 설(說), 교리; 의견

doxy² *n.* 《고어·속어》 헤픈 여자, 갈보, 정부

doy·en [dɔién, dɔ́iən] [F] *n.* 《단체의》 고참자, 원로; 수석자, 제1인자 《*of*》: the ~ *of* the diplomatic corps 외교단 단장

doy·enne [dɔién] [F] *n.* DOYEN의 여성형

Doyle [dɔ́il] *n.* 도일 **Sir Arthur Conan** ~ (1859-1930) 《영국의 추리 소설가·의사; 명탐정 Sherlock Holmes를 창조》

doy·ley [dɔ́ili] *n.* (*pl.* **~s**) = DOILY

doz. dozen(s)

***doze¹** [dóuz] *vi.* **1** 꾸벅꾸벅 졸다(drowse); 선잠을 자다 《*off*》: (~+副) ~ *off* 깜박 졸다 // (~+前+名) ~ *over* one's work 일하면서 졸다 **2** 멍하니 지내다 — *vt.* 졸면서 지내다[시간 보내다] 《*away, out*》: (~+名+副) ~ *away* one's time = ~ one's time *away* 꾸벅꾸벅 졸면서 시간을 보내다

— *n.* 선잠, 겉잠, 졸기; 《목재의》 썩음

fall [***go off***] ***into a ~*** 《저도 모르게》 깜박 졸다

doze² *vt.* 《구어》 = BULLDOZE

‡doz·en [dʌ́zn] [L 「12」의 뜻에서] *n.* (*pl.* **~s,** ~) 《동류의 물건의》 **1다스,** 1타(打), 12개; 《구어》 상당히 많음; [**~s**] 다수 《略 doz., dz.》

USAGE (1) a ~ of pencils보다는 a ~ pencils와 같이 형용사로 사용하는 것이 일반적이다. (2) some 이외의 수사나 many, several 등의 뒤에서는 단수형을 쓴다: two[several] ~ pencils 2[몇] 다스의 연필 / five ~ of these pencils 이 연필 5다스 / some ~*s* of pencils 연필 몇 다스

a baker's [***devil's, long, printer's***] ~ 13개 ***a dime a ~*** 《속어》 싸구려의, 흔해 빠진 ***a round*** [***full***] ~ 에누리 없는 1다스 ***by the ~*(*s*)** 수십(개)씩이나 ***~s of*** people[times] 수십(명[번]) ***give*** a person ***two ~s*** 《속어》 …을 채찍질하다 ***in ~s*** 한 다스씩(으로) ***talk*** [***speak***] ***thirteen*** [***nineteen, twenty, forty***] ***to the ~*** 《영》 쉴새없이 지껄여대다

— *a.* Ⓐ **1다스의,** 12의: a ~ apples 12개의 사과 / half a ~[a half ~] bottles 6개의 병

doz·ens [dʌ́znz] *n. pl.* [the ~] 《미·속어》 다즌스 《상대방 가족[어머니]에 대한 상스러운 농담을 하는 흑인들의 게임》: play *the* ~ 다즌스를 하다

doz·enth [dʌ́znθ] *a.* 열두번째의, 제12의

doz·er¹ [dóuzər] *n.* 《구어》 = BULLDOZER

dozer² *n.* 조는[선잠 자는] 사람

doz·y [dóuzi] *a.* (**doz·i·er**; **-i·est**) **1** 졸음이 오는, 졸리는 **2** 《영·구어》 어리석은 **3** 《미·호주》 〈목재가〉 썩은 **dóz·i·ly** *ad.* **dóz·i·ness** *n.*

dp data processing; 〖야구〗 double play **DP, D.P.** data processing; degree of polymerization 〖화학〗 중합도(重合度); 〖야구〗 designated player; dew point; displaced person; doctor of pharmacy; double play **DPA** *Deutsche Presse Agentur* 《독일의 통신사》 **D.Ph. DPhil** Doctor of Philosophy **D.P.H.** Diploma in Public Health 〖의학〗 공중 위생 면허장; Doctor of Public Health **dpi** dots per inch **D.P.I.** Director of Public Instruction **DPL** diplomat **dpm** 〖물리〗 disintegrations per minute **DPP, D.P.P.** 《영》 Director of Public Prosecutions **dpt, dpt.** department; deponent

d quàrk 〖물리〗 = DOWN QUARK

DR dead reckoning; digital recording; dining room **dr.** debit; debtor; drachma(s); dram(s); drive; drum

‡Dr, Dr. [dάktər | dɔ́k-] 《주로 영》 Doctor의 약어: *Dr.* Smith 스미스 박사; 《의사》 스미스 선생님

Dr. Drive 《거리 이름에서》

drab¹ [drǽb] *n.* Ⓤ 단조로움; 칙칙한 황갈색

— *a.* (**~·ber**; **~·best**) 단조로운; 칙칙한 황갈색의 **~·ly** *ad.* **~·ness** *n.*

drab² *n.* 단정치 못한 여자; 매춘부

— *vi.* (**~bed**; **~·bing**) 매춘부와 관계하다

drab·bet [drǽbət] *n.* 《영》 갈색 즈크 천

drab·ble [drǽbl] *vi.* 흙탕물을 튀기다, 흙탕물에 젖다; 흙탕물을 튀기며 가다 《*along*》 — *vt.* 〈옷 등을〉 질질 끌어 흙탕물로 더럽히다(draggle)

dra·cae·na [drəsí:nə] *n.* 〖식물〗 용혈수

drachm [drǽm] *n.* **1** = DRACHMA **2** = DRAM

drach·ma [drǽkmə, drά:k-] *n.* (*pl.* **~s, -mae** [-mi:]) **1** 드라크마 《그리스의 화폐 단위; 기호 d., D., dr., Dr.》 **2** 〖고대 그리스의〗 은화

Dra·co¹ [dréikou] *n.* 〖천문〗 용자리(the Dragon); 〖동물〗 날도마뱀(= **~ lizard**)

Draco², Dra·con [dréikαn | -kɔn] *n.* 드라콘 《기원전 7세기 말의 Athens의 입법가》

Dra·co·ni·an [dreikóuniən, drə-] *a.* **1** 드라콘(Draco²) 식의 **2** [**d~**] 엄격한(rigorous), 가혹한(cruel) **~·ism** *n.* Ⓤ 엄격주의

Dra·con·ic [dreikάnik, drə- | -kɔ́n-] *a.* **1** = DRACONIAN **2** 〖천문〗 용자리(Draco)의

Drac·o·nid [drǽkənid] *n.* 〖천문〗 용자리 유성군(流星群)

Drac·u·la [drǽkjulə] *n.* 드라큘라 《B. Stoker의 소설명 및 주인공인 흡혈귀 백작》

draff [drǽf] *n.* **1** 찌꺼기, 《맥주의》 지게미 **2** 《돼지에게 주는》 음식 찌꺼기

dráff·y *a.* 찌꺼기의; 가치 없는

‡draft | draught [drǽft, drά:ft | drά:ft] *n., a., v.*

> 원래 「끌다」의 뜻으로 drag, draw와 같은 어원.
> → 「선을 긋다」 → 「초벌 그림, 초고」 **1**
> → (끌어들이다) → (공기를) → 「틈새 바람」 **2**
> (액체를) → 「한 번 마심」 **3**
> → (돈을) 꺼내다 → 「환어음」 **9**

— *n.* **1 밑그림,** 초고; 초안; 설계도, 도면: a ~ copy 초고 **2 틈새 바람,** 외풍; 통풍; 통풍 장소[장치], 통풍공 **3** (**단숨에**) **마시기;** (한 번) 마시는 양; [보통 draught] 흡인(吸引), 《물약 등의》 1회분; 《들여마신》 한 번의 공기[연기 《등》] **4** 《영》 분견대, 특파 부대; 《호주》 떼에서 분리한 가축 무리 **5** 《미》 **징병,** 징모, 모병 **6** 《차·짐 등을》 끌기; 견인량(量) **7** [보통 draught] 한 그물의 어획량 **8** Ⓤ [보통 draught] 《그릇에서 그릇으로》 따르기, 《주류를》 통에서 따르기: beer on ~ 《통에서 따른》 생맥주 **9 환어음,** 수표 《특히 은행의 한 지점에서 다른 은행 앞으로 보내는》, 지불 명령서; Ⓤ 어음 발행, 환으로 만들기; 《상품 화물의》 총량에 대한 감량 **10** ⓊⒸ 〖항해〗 《배의》 흘수(吃水) **11** [draughts] 《영》 체커(의 말)(cf. CHECKERS) **12** [the ~] 〖스포츠〗 드래프트제 《신인 선수 선발 제도》 ★ 《영》에서는 1, 4, 9를 제외하고서는 draught를 씀.

at a ~ 단숨에 《마시다 등》 ***by ~*** 어음으로 ***~ on demand*** 요구[일람]불 환어음 ***draw a ~*** 통풍시키다; 《얼마의》 어음을 발행하다 《*for*》 ***feel a ~*** 《속어》 냉대[미움]받고 있다고 느끼다; 〈흑인이〉 자기에 대한 인종적 편견을 느끼다 ***feel the ~*** 《구어》 궁하다, 주머니가 비어 있다 ***in ~*** (***form***) 초안의[으로] ***make a ~ on*** [***upon***] (1) 《은행》에서 자금을 끌어내다 (2) 《비유》 《신뢰·우정 등》을 강요하다 ***make out a ~ of*** …의 초안을 잡다 ***on ~*** 직접 통에서 따른[따라]; 통에서 따를 수 있게 한

— *a.* **1** Ⓐ 견인용의: a ~ animal 짐(수레) 끄는 짐승, 역축(役畜) **2** 통에서 따른 **3** Ⓐ 기초된; 초안의: a ~ bill 《법안의》 초안

— *vt.* **1** 기초[기안]하다; 〈설계도·그림 등의〉 초벌 그림을 그리다 **2** 선발하다; 징병하다; 〈군대의 일부를〉 선

thesaurus **draft** *n.* rough, sketch, outline, preliminary version, plan, abstract, skeleton, draw-

발 파견[특파]하다: (~+目+前+名) ~ a person *to* a post …을 어떤 지위에 발탁하다 / He was *~ed into* the army. 그는 군대에 징집당했다. **3** ⦅일반적으로⦆ 잡아당기다, 뽑다
—*vi.* 제도공으로서 기술을 연마하다; (자동차 경주에서 바람을 덜 받기 위해) 앞차의 바로 뒤를 달리다
~·a·ble *a.*
dráft allòwance (운반 중의) 감량에 대한 공제
dráft bàit ⦅미·속어⦆ 징병을 앞둔 사람
dráft béer 생맥주
dráft bòard ⦅미⦆ (자치체의) 징병 위원회; ⦅미·속어⦆ 술집, 맥주집
dráft càrd ⦅미⦆ 징병 카드
dráft chàir = WING CHAIR
dráft dòdger ⦅미⦆ 징병 기피자
draft·ee [dræftíː, drɑːft- | drɑːft-] *n.* ⦅미⦆ 징집된 사람
dráft èngine (광산의) 배수 기관
draft·er [drǽftər, drɑ́ːft- | drɑ́ːft-] *n.* **1** (문서의) 기안자; 밑그림 그리는 사람 **2** ⦅미⦆ 짐수레용 말
dráft fùrnace 통풍로
dráft gèar 〚철도〛 (차량의) 연결기
dráft hòrse 복마, 짐수레 말
draft·ing [drǽftiŋ, drɑ́ːft- | drɑ́ːft-] *n.* **1** U,C 기안[기초] (방법): a ~ committee 기초 위원회 **2** U 제도: ~ paper 제도(용)지 **3** U ⦅미⦆ (징병의) 선발 **4** (자동차 경주에서) 앞차 바로 뒤를 달림
dráfting ròom ⦅미⦆ 제도실(⦅영⦆ drawing room)
dráfting tàble 제도대(臺)
dráft màrk 〚선박〛 흘수표(吃水標)
dráft nèt 예망(曳網), 예인망
draft·nik [drǽftnik, drɑ́ːft- | drɑ́ːft-] *n.* ⦅미·속어⦆ 징병 반대자
drafts·man [drǽftsmən, drɑ́ːfts- | drɑ́ːfts-] *n.* (*pl.* **-men** [-mən]) **1** 제도공; 도안가 **2** 기초[기안]자; 데생(에 뛰어난) 화가; (공)문서 작성자
~·shìp *n.* U 제도공[기안자]의 기술[솜씨]
drafts·per·son [drǽftspə̀ːrsn, drɑ́ːfts- | drɑ́ːfts-] *n.* (회사에 고용된) 제도사
drafts·wom·an [drǽftswùmən, drɑ́ːfts- | drɑ́ːfts-] *n.* (*pl.* **-wom·en** [-wìmin]) DRAFTSMAN의 여성형
dráft tùbe (물 터빈의) 흡출관(吸出管)
draft·y [drǽfti, drɑ́ːfti | drɑ́ːfti] *a.* (**draft·i·er**; **-i·est**) 외풍이 있는; 통풍이 잘 되는
—*n.* ⦅미·구어⦆ 생맥주
dráft·i·ly *ad.* 바람을 일으키듯 **dráft·i·ness** *n.*
‡**drag** [drǽg] *v.* (**~ged**; **~·ging**) *vt.* **1** 〈무거운 것을〉 끌다(⇨ pull 유의어); 〈발·꼬리 등을〉 질질 끌다; 잡아끌 듯이 데려가다 **2** (닻·예인망을 끌어) 찾다, 〈물 밑바닥을〉 훑다; 소해(掃海)하다: (~+目+前+名) ~ a pond *for* a drowned person's body 익사체를 찾느라고 못을 훑다 **3** (써레로) 고르다(harrow) **4** 〈바퀴를〉 제동기로 멈추다 **5** 무리하게 끄집어내다, 쳐들다, 끌어넣다 ⦅*in, into*⦆; 오래 끌다 ⦅*on, out*⦆: (~+目+前+名) ~ a country *into* a war 나라를 전쟁으로 끌어들이다 / He always *~s* his Ph. D. *into* a discussion. 그는 어떤 토론에서든 자기의 박사 학위를 들먹거린다. **6** 〚야구〛 (배트를 당기듯하여) 〈번트를〉 치다 **7** 〈담배·파이프를〉 깊이 빨다 **8** 〚컴퓨터〛 〈아이콘 등을〉 드래그하다 ⦅마우스 버튼을 눌러가며 화면상을 이동시키다⦆
—*vi.* **1** 〈닻·사슬 등이〉 질질 끌리다; 〈배의 닻이〉 걸리지 않다 **2** (질질 끌려가듯이) 괴롭다; 빽빽하다: The door *~s.* 문짝이 빽빽하다. // (~+前+名) anxiety *~ging at* one's heartstrings 가슴이 죄어드는 듯한 근심 **3** 느릿느릿[터벅터벅] 걷다; 〈회의·일 등이〉 질질 오래 끌다 **4** 〚음악〛 소리를 낮게 끌다; 박자가 느려지다 **5** (그물 등으로) 물 바닥을 훑다 **6** ⦅속어⦆ (담배를) 한 대 피우다 **7** ⦅미·속어⦆ drag race에 참가하다 **8** (써레로) 고르다
~ along 느릿느릿 나아가다 **~ her anchor** 〈배가〉 (바람이나 해류 등 때문에) 닻을 끌며 이동하다 **~ away** 끌어가다; 〈나무 등을〉 잡아 뽑다; 〈어린이를〉 (텔레비전 등에서) 떼어 놓다 ⦅*from*⦆ **~ behind** 지체하여[꾸물거려] (남보다) 늦어지다 **~ by** 〈시간이〉 지루하게 가다 **~ down** 끌어내리다; 〈사람을〉 쇠약하게 하다; 영락[타락]시키다; ⦅속어⦆ 〈급료를〉 받다; 〈일 등이〉 〈돈을〉 낳다 **~ged out** ⦅미·구어⦆ 기진맥진하여 **~ in**[**into**] (행동·토론 등에) …을 끌어들이다; 〈관계없는 화제 등을〉 (토론 등에) 들고 나온다 **~ in by the head and shoulders** 〈쓸데없는 일을〉 억지로 끄집어 내다 **~ in your rope** [명령형으로] 닥쳐, 조용히 해 **~ it** ⦅미·속어⦆ (일·이야기 등을) 그만두다; 교제를 끊다 **~** (**off**) (**to …**) ⦅구어⦆ 억지로 (영화·모임 등으로) 데리고 가다 **~ on** 지루하게 계속하다, 질질 오래 끌다 **~ out** 질질 끌어내다; 오래 끌게 하다; 〈말을〉 오래 끌다 **~ … out of** ⦅구어⦆ …로부터 〈정보를〉 억지로 얻어내다 **~ oneself** 간신히 …하다: The hikers *~ged themselves* along. 도보 여행자들은 발을 질질 끌며 걸어갔다. **~ one's feet**[**heels**] 발을 질질 끌며 걷다; ⦅미·속어⦆ 일부러 늑장부리다[꾸물거리다] **~ through** 겨우 끝내다 **~ up** 끌어올리다; 뽑아내다; 〈화제를〉 억지로 끄집어내다; ⦅영·구어⦆ 〈아이를〉 되는 대로 마구 기르다
—*n.* **1** 견인; 끌기, 당기기 **2** 네 갈고리 닻; 예인망(dragnet); 큰 써레(heavy harrow) **3** 튼튼한 썰매(sledge); (지붕 위에 좌석이 있는) 사륜마차 ⦅스포츠용·여객용⦆ **4** (바퀴의) 철제 제동 장치 **5** 방해물, 거치적거리는 것(burden): a ~ to a person …에게 짐이 되는 것 / a ~ on a person's career[development] …의 출세[발달]에 방해가 되는 것 **6** 〚수렵〛 (여우 등의) 냄새 자국; 인공적인 냄새 자국(cf. DRAG HUNT) **7** ⦅미·속어⦆ 영향력, 세력(influence), 연고(pull), 총애(favor): have[enjoy] a ~ with one's master 주인 마음에 들고 있다 **8** ⦅미⦆ (특히 hot rods에 의한) 자동차 스피드 경주(=~ race) **9** ⦅미·속어⦆ 거리, 도로(street, road): the main ~ 중심가, 번화가 **10** ⦅속어⦆ 여자 친구, 연인(girlfriend); 이성의 복장, (특히 호모의) 여자 복장; 여장 파티; 댄스 파티; ⦅일반적으로⦆ 의복 **11** (담배를) 빨기(puff) **12** 〚항해〛 흘수차(吃水差), 저항 **13** ⦅구어⦆ 지루한 사람; 귀찮음 **14** 〚컴퓨터〛 드래그 ⦅마우스 버튼을 누른 상태에서 마우스를 끌고 다니는 것⦆ **cop a ~** ⦅미·속어⦆ 담배를 피우다 **in ~** ⦅속어⦆ 여장[남장]하여, 지나치게 화려한 복장으로
—*a.* ⦅속어⦆ 여장[남장]의, 화려한 의상의; drag queen의, 여성 동반의
drág ànchor = SEA ANCHOR
drag-and-drop [drǽgəndrɑ́p | -drɔ́p] 〚컴퓨터〛 *vt.* 〈아이콘 등을〉 끌어놓다
—*a.* A 끌어놓기(식)의
drág bùnt 〚야구〛 드래그 번트
drág chàin **1** 〚기계〛 바퀴 멈추는 쇠사슬; (차량의) 연결 사슬 **2** (비유) 장애물, 방해물
drág coefficient 〚항공〛 항력 계수
dra·gée [dræʒéi] [F] *n.* 사탕, 당과; (케이크 장식에 쓰이는) 은빛의 작은 알; 당의정(糖衣錠)
drag·ger [drǽgər] *n.* drag하는 것[사람], 저인망 어선; 소형 트롤 어선
drag·ging [drǽgiŋ] *a.* **1** 질질 끄는 **2** 〈시간·일·행사 등이〉 오래 걸리는 **3** 감아 올리기 위한
—*n.* 〚컴퓨터〛 드래깅 **~·ly** *ad.*
drág·gin' wàgon [drǽgiŋ-] ⦅미·속어⦆ 레커차
drag·gle [drǽgl] *vt.* 질질 끌어 더럽히다[적시다]
—*vi.* **1** 옷자락을 질질 끌다 **2** 터벅터벅 걸어가다
drág·gled *a.* 질질 끌린; 더러운
drag·gle-tail [drǽgltèil] *n.* 치맛자락을 질질 끄는 [단정치 못한] 여자(slut)
drag·gle-tailed [-tèild] *a.* **1** ⦅고어⦆ 〈여자가〉 옷자락을 질질 끄는 **2** 행실 나쁜(slatternly)

---

ing, blueprint, diagram, delineation
drag *v.* pull, draw, haul, tug, trail, lug, tow

drag·gy [drǽgi] *a.* (**-gi·er**; **-gi·est**) (구어) 느릿느릿한, 활기 없는; 지루한
drag·hound [drǽghàund] *n.* drag hunt용 사냥개
drág hùnt 사냥개가 인공 냄새를 쫓아가서 하는 사냥 《특히 여우 사냥》
drág kìng (속어) 남장 여성[레즈비언](cf. DRAG QUEEN)
drág lìft (영) (스키장의) 예인식 리프트
drag·line [drǽglàin] *n.* **1** = DRAGROPE **2** 드래그라인 《버킷 달린 토사 굴착기》(= ~ **cràne**)
drag·net [-nèt] *n.* **1** 저인망, 예인망, 후릿그물 **2** (비유) (경찰의) 수사망; 대량 검거
drag·o·man [drǽgəmən] *n.* (*pl.* **~s, -men** [-mən]) (아라비아·터키 등지의) 통역
⁑**drag·on** [drǽgən] [Gk 「서내한 뱀」의 뜻에서] *n.* **1** (날개·발톱이 있으며 불을 토한다는 전설의) 용 **2** [the D~] 〖천문〗 용자리 (Draco) **3** (문장(紋章)의) 용문(龍紋); 용문기(旗) **4** 사나운 사람; (구어) 남자 같은 성질의 여자 **5** (젊은 여자의) 엄중한 (여)감시인(chaperon) 《용이 「보물의 수호자」라는 전설에서》 **6** 〖동물〗 날도마뱀(=flying ~); 비둘기의 한 변종 **7** (군대속어) 장갑 트랙터 **8** [the (old) D~] 마왕 (Satan) **9** 〖성서〗 큰 동물 **10** 동아시아의 신흥 공업국 《한국·대만·싱가포르·홍콩》 ***chase the*** **~** (속어) 마약[헤로인]을 쓰다

dragon 1

drágon bòat (중국의) 용선(龍船)
drag·on·ess [drǽgənis] *n.* 암용
drag·on·et [drӕ̀gənét | drǽgənit] *n.* **1** 작은 용, 용새끼 **2** 〖어류〗 동갈양탯과(科)의 물고기
***drag·on·fly** [drǽgənflài] *n.* (*pl.* **-flies**) 〖곤충〗 잠자리
drágon làdy [미국 만화 *Terry and the Pirates*의 인물에서] [종종 **D- L-**] 무자비하고 사악한 힘을 행사하는 글래머 여성
drágon lìght 드래건 라이트 《눈을 못 뜨게 하는 경찰용 강력 조명》
drágon lìzard = KOMODO DRAGON
drag·on·nade [drӕ̀gənéid] *n.* **1** [보통 *pl.*] 〖역사〗 용기병(龍騎兵)의 박해(1681-85) 《Louis XIV의 신교도에 대한》 **2** 무력 박해 **—***vt.* 무력으로 박해하다
drágon's blòod 기린혈(麒麟血) 《용혈수(dragon tree)의 열매에서 채취한 수지(樹脂); 니스 등의 착색제》
drágon's mòuth 〖식물〗 난초과(科) 식물의 총칭
drágon's tèeth **1** 분쟁의 씨[원인]: sow ~ 분쟁의 씨를 뿌리다 **2** (영·구어) (쐐기꼴 콘크리트로 된) 대(對)전차 방위 시설
drágon trèe 〖식물〗 용혈수(龍血樹)
dra·goon [drəgúːn] *n.* **1** (영국 중기병 연대 소속의) 기병; 〖역사〗 용기병 《기총(騎銃)을 가진 기마 보병》 **2** 사나운 사람 **3** 〖조류〗 집비둘기의 일종
—*vt.* **1** 용기병[무력]으로 박해하다 **2** 박해를 가하여 (…)시키다 《*into*》: (~+목+전+명) ~ a person *into* working …을 강압적으로 일하게 하다
Drágoon Guàrds [the ~] (영) 근위 용기병 연대
drag·out [drǽgàut] *n.* = KNOCK-DOWN-DRAG-OUT
drág pàrachute 〖항공〗 감속 낙하산
drág pàrty (미·속어) 이성 복장으로 벌이는 파티; 호모의 파티
drág quèen (미·속어) (여자 차림을 좋아하는) 남자 동성애자, 여장 남자(cf. DRAG KING)
drág ràce (속어) (hot rod에 의한) 자동차의 가속 경주 《¼마일의 직선 코스》
drag·rope [drǽgròup] *n.* (포차(砲車)·기구를) 끄는 줄, 유도 로프(guide rope)
drag·ster [drǽgstər] *n.* (미·속어) drag race용 자동차; drag race 참가자
drág strìp drag race용 직선 코스
drags·ville [drǽgzvil] *n.* Ⓤ, *a.* (속어) 지루한 (것)
drag-tail [drǽgtèil] *vt., vi.* 느릿느릿 움직이(게 하)다, 게으르게 일하다
drail [dréil] *n.* (미) (낚시용의) 굴림낚시; 쟁기의 자루에 나와 있는 쇠로 된 돌기 《말을 맴》
—*vi.* 추를 단 낚싯줄로 낚시하다
⁑**drain** [dréin] *vt.* **1** 배수[방수]하다; 〈토지에〉 배수 시설을 하다: a well-~*ed* city 배수 시설이 잘된 도시 **2** 〖의학〗 고름을 짜다 **3** 〈물을〉 빼서 말리다; 〈잔을〉 쭉 마셔버리다: (~+목+보) ~ the land dry 토지를 완전히 배수하다 // (~+목+전+명) ~ a glass *of* its contents 컵에 든 것을 다 마시다 **4** 〈재물·힘 등을〉 차츰 소모시키다(exhaust), 고갈시키다: (~+목+전+명) The war ~*ed* the country *of* its men and money. 그 전쟁은 그 나라의 인적·물적 자원을 고갈시켰다. // (~+목+보) The work will ~ him dry. 그 일로 그는 진이 빠지고 말 것이다. **5** 〈재물·인재를〉 국외로 유출시키다 《*away, off*》: (~+목+부) ~ *away* the best brains to America 가장 우수한 두뇌들을 미국으로 유출시키다
—*vi.* **1** 〈액체가〉 흘러 나가다, (흘러) 빠지다 《*off, away*》: (~+전+명) The water ~*ed through* a small hole. 물은 작은 구멍에서 줄줄 흘러 나왔다. // (~+부) The water soon ~*ed away.* 물은 곧 빠졌다. **2** 〈땅이〉 배수되다; 〈늪 등이〉 말라버리다; 〈젖은 해면·천 등이〉 물기가 가시고 마르다: (~+전+명) The plain ~*s into* the lake. 이 들판의 물은 그 호수로 흘러든다. **3** 〈체력 등이〉 차츰 쇠진하다 《*away, off*》; 〈핏기 등이〉 (얼굴에서) 가시다 《*from, out of*》: (~+전+명) I saw the color ~ *from* her face. 그녀의 얼굴에서 핏기가 가시는 것을 보았다. **4** 〈재물·인재가〉 (해외로) 유출되다 《*away, off*》
~ *away*[*off*] 〈물이〉 빠지다; 유출시키다[되다]; 〈생명이〉 서서히 쇠진하다 **~ (...) *dry*** (바싹) 말리다, (물기가 빠져) 마르다; 〈잔을〉 다 마셔버리다; …에게서 활력[감정]을 고갈시키다 **~ ... *to the dregs*** ⇨ dreg
—*n.* **1** 배수로, 방수로, 하수구(sewer); [*pl.*] 하수(시설) **2** 배수(관); 〖의학〗 배농관(排膿管) **3** 배출; (화폐 등의) 끊임없는[점차적] 유출; 고갈(의 원인) 《*on*》, 낭비, 출비(expenditure): a ~ *on* the national resources 국가의 자원을 고갈시키는 것 / the ~ of specie from a country 정화(正貨)의 국외 유출 **4** (속어) (술의) 한 모금; [*pl.*] (잔 속의) 마시다 남은 것, 찌꺼기(dregs) **5** (미·속어) 지루한 사람[물건]
circle the **~** (속어) 빈사 상태이다 ***down the*** **~** (구어) 소실되어; 낭비되어, 수포로 돌아가 ***laugh like a*** **~** (영·속어) (싱겁게) 큰 소리로 웃다
***drain·age** [dréinidʒ] *n.* **1** Ⓤ 배수(draining), 배수법: ~ work 배수 공사 **2** 배수 장치; 배수로, 하수구, 배수 구역[유역] **3** 하수, 오수(汚水) **4** 〖외과〗 배액(排液)(법)
dráinage bàsin[**àrea**] (하천의) 배수 지역, 유역
dráinage tùbe 〖외과〗 배액관, 배농관(排膿管)
drain·board [dréinbɔ̀ːrd] *n.* (미) (개수대 옆의) 그릇 건조대
dráin còck 〖기계〗 (보일러의) 배수 꼭지
drained [dréind] *a.* [보통 Ⓟ] 진이 빠진, 녹초가 된: She suddenly felt totally ~. 그녀는 갑자기 완전히 진이 빠졌다.
dráined wèight (통조림 등의) 수분 제외 중량, 고형[고체]량
drain·er [dréinər] *n.* 하수 (배관) 공사하는 사람; 배수기(器); 배수구(溝)(drain)
drain·field [-fìːld] *n.* 배수지(地) 《정화조의 내용물을 땅에 흡수시키는 구역》

thesaurus **dramatic** *a.* **1** 연극의 theatrical, stage **2** 극적인 exciting, spectacular, thrilling, startling

drain·ing [dréiniŋ] *n.* Ⓤ 배수 (작용[공사])
dráining bòard 《영》 = DRAINBOARD
drain·less [dréinlis] *a.* 배수 설비가 없는; 《시어》 마르는 일이 없는(inexhaustible)
drain·pipe [dréinpàip] *n.* **1** 배수관, 하수관 **2** [*pl.*] 《구어》 꼭 끼게 통이 좁은 바지(= **~ tròusers**) **—** *a.* 《구어》 〈바지 등이〉 매우 통이 좁은
dráin pùmp 배수 펌프
dráin tràp (배수관의) 냄새 막는 장치
Dráize tèst [dréiz-] 드레이즈 테스트 《화학 물질의 사람 눈에 미치는 유해성·자극성의 시험》
∗**drake**[1] [dréik] *n.* 수오리(male duck)(⇨ duck[1] 관련)
drake[2] *n.* **1** 〖곤충〗 하루살이(mayfly); (하루살이꼴) 제물낚시(= **~ flỳ**) **2** (17-18세기의) 소형 대포
Drake [dréik] *n.* 드레이크 **Sir Francis ~** (1540-96) 《영국의 제독》
Dráke equátion 〖천문〗 드레이크 방정식 《은하계 안의 지적 생물을 발견하는 확률을 추론하는 식》
drake·stone [-stòun] *n.* 물수제비뜨는 납작한 돌 (cf. DUCK(s) and drake(s))
dram [drǽm] *n.* **1** 드램 《무게의 단위; 보통 $^1/_{16}$ 상용(常用) 온스(1.772그램); 《미》 약량(藥量)은 $^1/_8$ 약용 온스(3.887그램)》 **2** $^1/_8$ 액량(液量) 온스(0.0037리터) **3** (위스키 등의) 적은 양, 한 모금; 《일반적으로》 소량(a bit) **4** 음주(drinking) ***be fond of a ~*** 술을 즐기다 ***have not one ~ of*** learning (배운 것)이 조금도 없다
— *v.* (**-med**; **~·ming**) *vi.* 《고어》 술을 홀짝홀짝 마시다 **—** *vt.* 《고어》 …에게 술을 강요하다
DRAM [dí:rӕ̀m] [*d*ynamic *r*andom *a*ccess *m*emory] *n.* 〖전자〗 디램, 다이내믹 램 《수시 기입과 읽기를 하는 메모리》
dram. dramatic; dramatist
‡**dra·ma** [drɑ́:mə, drǽmə | drɑ́:mə] [Gk. 「행위」의 뜻에서] *n.* **1** 희곡, 극시(劇詩), 각본 《play보다 딱딱한 말; 보통은 내용이 진지한 것을 이름》 **2** Ⓤ [the ~] 연극, 극문학; 상연[연출]법: *the* historical[musical] ~ 사극[음악극] / a ~ school 연극 학교 **3** 극적인 사건; Ⓤ 극적인 상태[효과] 《*of*》 ***make a ~ out of*** …을 과장되게 말하다; 《미》 …에서 극적인 상황을 만들다, …으로 야단법석을 떨다
dra·ma-doc [drɑ̀:mədɑ́k | -dɔ́k] *n.* 다큐멘터리 드라마 《실제 사건을 드라마화한 것》
dra·ma·logue [drɑ́:məlɔ̀:g, drǽm- | -lɔ̀g] *n.* (관객에 대하여) 극의 낭독
Dram·a·mine [drǽməmì:n] *n.* 드라마민 《항(抗)히스타민제, 멀미 예방약; 상표명》
dráma quèen 《구어·경멸》 사소한 일에 소란을 떠는 사람 《주로 여성을 가리킴》
‡**dra·mat·ic** [drəmǽtik] *a.* **1** 희곡의, 각본의; 연극의[에 관한]: a ~ performance (연극의) 상연 / a ~ piece 한 편의 희곡[각본] / ~ presentation[reproduction] 상연 **2** 극적인; 연극 같은: a ~ event 극적인 사건 **3** 〖음악〗 〈가성(歌聲)이〉 낭랑하게 울리는
dra·mat·i·cal [drəmǽtikəl] *a.* 《고어》 = DRAMATIC
∗**dra·mat·i·cal·ly** [drəmǽtikəli] *ad.* 희곡[연극]적으로; 극적으로: Interest rates began to climb ~. 금리가 급격히 오르기 시작했다.
dramátic írony 〖연극〗 극적 아이러니 《관객은 아는데 연기자는 모르고 행동함으로써 생기는 아이러니》
dramátic mónologue 〖문학〗 극적 독백
dra·mat·ics [drəmǽtiks] *n. pl.* **1** [단수·복수 취급] 연출법, 연기술 **2** [복수 취급] 아마추어 연극, 학생 연극 **3** [복수 취급] 과장된 표현[태도]
dramátic únities [the ~] 〖연극〗 (때·장소·행동의) 3일치
dram·a·tis per·so·nae [drǽmətis-pərsóuni: | drɑ́:mətis-pəsóunai] [L = persons of the drama] [복수 취급] 등장인물; [단수 취급] 배역표 《略 dram. pers.》; 사건의 관계자
∗**dram·a·tist** [drǽmətist, drɑ́:mə-] *n.* 극작가, 각본 작가(playwright)
dram·a·ti·za·tion [drӕ̀mətizéiʃən, drɑ̀:mə-] *n.* Ⓤ 각색, 극화; 극화한 것, 각색한 것
∗**dram·a·tize** | **-tise** [drǽmətàiz, drɑ́:mə-] *vt.* **1** 〈사건·소설 등을〉 각색하다, 극으로 만들다, 극화하다: ~ a novel 소설을 각색하다 **2** 극적으로[생생하게] 표현하다; 돋보이게 하다
— *vi.* 극이 되다, 각색되다; 연기하다, 연극적인 태도를 취하다, 과장하여 표현하다 **~ one*self*** 연극적인 태도를 취하다, 연기하다 **-tìz·a·ble** *a.*
dram·a·turg(e) [drǽmətə̀:rdʒ, drɑ́:mə-], **-tur·gist** [-dʒist] *n.* = DRAMATIST
dram·a·tur·gic, -gi·cal [drӕ̀mətə́:rdʒik(əl)] *a.* 극작의, 희곡[각본] 연출상의
dram·a·tur·gy [drǽmətə̀:rdʒi, drɑ́:mə-] *n.* Ⓤ **1** 극작술[법] **2** (각본[극]의) 상연[연출]법
Dram·bu·ie [drӕmbú:i] *n.* 드람부이 《스카치 위스키의 일종; 상표명》
drám drìnker (술을) 조금씩 마시는 사람
dram·e·dy [drɑ́:mədi, drǽm-] [*drama*+*comedy*] *n.* 《미·속어》 (TV의) 코미디 드라마
dram. pers. 〖연극〗 dramatis personae
‡**drank** [drǽŋk] *v.* DRINK의 과거
∗**drape** [dréip] [L 「천」의 뜻에서] *vt.* **1** …을 (의류·포장 등으로) 낙낙하게 덮다, 꾸미다, 〈옷 등을〉 (…에) 우아하게 걸치다; 〈포장 등을〉 치다 《*over, around*》: (~+목+전+명) ~ a robe *around* a person's shoulders …의 어깨에 겉옷을 걸쳐 주다 **2** 싸다(enfold) **3** 〈팔을〉 아무렇게나 얹다, 〈다리를〉 축 늘어뜨리다, 척 걸치다, 〈몸을〉 아무렇게나 기대다 《*over*, *(a)round*, *against*》: (~+목+전+명) He ~*d* his arm *round* [*over*] her shoulders. 그는 그녀의 어깨에 팔을 척 얹었다. **4** 〈스커트 등을〉 주름잡아 낙낙하게[우아하게] 하다 **5** 〖의학〗 〈진찰·수술하는 부분의 주위를〉 멸균한 천으로 덮다 **6** 〈깃대에〉 (애도의 표시로) 검은 스카프를 달다 **~ one*self*** 천[가운 《등》]을 걸치다; 몸을 기대다
— *n.* **1** 덮는 천, 포장; [*pl.*] 《미》 (얇은 커튼 위에 치는) 커튼 **2** Ⓤ (스커트 등의) 드리워진 모양, 드레이프 ***set of ~s*** 한 벌의 멋진 유행복
dráp·a·ble, drápe·a·ble *a.*
drap·er [dréipər] *n.* 《주로 영》 포목상, 직물점; 《영》 (막 따위의) 무대 담당자: a linen[woolen] ~ 리넨[모직물] 상인 **~'s** (***shop***) 《영》 포목점(《미》 dry goods store)
∗**drap·er·y** [dréipəri] *n.* (*pl.* **-er·ies**) **1** Ⓤ [또는 *pl.*] (포장·장막 등의) 부드러운 피륙의 우아한 주름; ⓊⒸ (주름 잡힌) 포장[장막, 옷 《등》], 《미》 (두꺼운) 커튼 천 **2** ⓊⒸ 《영》 피륙, 직물(《미》 dry goods), 복지 **3** Ⓤ 《영》 포목업; 포목점(draper's shop); 포목상(draper's trade) **4** Ⓒ (그림·조각에서 인물의) 걸친 옷; 입은 옷의 표현(법)
drápe sùit 《속어》 긴 상의와 좁은 바지
∗**dras·tic** [drǽstik] *a.* 〈치료·변화 등이〉 격렬한, 맹렬한; 〈수단 등이〉 철저한, 과감한: adopt[take] ~ measures 과감한 수단을 쓰다 / apply ~ remedies 과감한[대담한] 치료를 하다 《독한 하제(下劑) 등》
— *n.* 극약, 강한 설사약
∗**dras·ti·cal·ly** [drǽstikəli] *ad.* 과감하게, 철저하게
drat [drǽt] [God rot의 전와형(轉訛形)] *vt., vi.* (**~·ted**; **~·ting**) 《속어》 저주하다 《damn의 완곡한 말》 ***D~ it!*** 젠장!, 빌어먹을! ***D~ you!*** 이 자식아!
— *int.* 쳇, 젠장 《초조함을 나타냄》
D ràtion 〖미육군〗 D호 휴대 식량 《긴급용》
drat·ted [drǽtid] *a.* Ⓐ 《구어》 괘씸한
∗**draught** [drǽft, drɑ́:ft | drɑ́:ft] *n.* = DRAFT
draught·board [drǽftbɔ̀:rd | drɑ́:ftbɔ̀:d] *n.* 《영》 = CHECKERBOARD 1

---

drastic *a.* extreme, severe, desperate, radical, harsh, sharp, forceful

dráught exclùder 《영》 =WEATHER STRIP

draughts [drǽfts | drɑ́:fts] *n. pl.* [단수 취급] 《영》 =CHECKERS

draughts·man [drǽftsmən | drɑ́:fts-] *n.* (*pl.* **-men** [-mən, -mèn]) 《영》 =DRAFTSMAN

draughts·man·ship [drǽftsmənʃìp | drɑ́:fts-] *n.* 《영》 =DRAFTSMANSHIP

draughts·per·son [drǽftspə̀:rsn | drɑ́:fts-] *n.* 《영》 =DRAFTSPERSON

draughts·wo·man [drǽftswùmən | drɑ́:fts-] *n.* 《영》 =DRAFTSWOMAN

draught·y [drǽfti, drɑ́:fti | drɑ́:fti] *a.* (**draught·i·er**; **-i·est**) 《영》 =DRAFTY

Dra·vid·i·an [drəvídiən] *n.* 드라비다 사람 《남인도에 사는 비(非)아리안계 종족》; Ⓤ 드라비다 말 ― *a.* 드라비다 사람[말]의

Dra·vid·ic [drəvídik] *a.* =DRAVIDIAN

‡draw [drɔ́:] *v.*, *n.*

> 기본적으로는 「끌다」의 뜻
> ① 끌다, 끌어당기다 — 타 **1 a**
> ② (자기쪽으로 끌다) 잡아끌다, 끌어들이다 — 타 **1 b**
> ③ (밖으로 끌다) 끌어내다, 꺼내다 — 타 **2**
> ④ (안으로 끌다) 들이쉬다 — 타 **9**
> ⑤ (선 등을 끌 듯이) 긋다, 그리다 — 타 **6**

― *v.* (**drew** [drú:]; **drawn** [drɔ́:n]) *vt.* **1 a** 당기다, 끌다, 잡아끌다; 끌어당기다(⇨ pull 유의어): ~ a cart 짐마차를 끌다 / ~ a sail 돛을 올리다 // (~+목+부) ~ a person *aside* …을 한쪽으로 끌고 가다 // (~+목+전+명) ~ a curtain *over* a window 창에 커튼을 치다 **b** 〈기관차 등이〉 끌고 가다(drag), 잡아끌다(haul), 끌어들이다; 〈고삐·재갈 등을〉 잡아채다: (~+목+부) ~ a belt *tight* 혁대를 졸라매다 **c** 〈활을〉 당기다(bend); 〈로프의〉 매듭을 풀다(untie) **2** 〈물건을〉 잡아빼다, 〈이빨 등을〉 뽑다, 꺼내다; 〈칼·권총 등을〉 빼다, (칼집에서) 뽑다 《*at, against*》; 〈카드패·제비 등을〉 뽑다; 〈내장을〉 꺼내다; (숲에서) 〈사냥감을〉 몰이하다; (강·연못 등에서) 저인망을 끌다: ~ lots 제비를 뽑다 / ~ a sword 칼을 뽑다 / ~ a prize 상품이 당첨되다 // (~+목+전+명) ~ a cork *from* the bottle 병마개를 뽑다 **3** (두레박으로) 〈물을〉 긷다; (그릇에서) 〈액체를〉 따르다, 떠내다; (장소에서) 퍼내다; 〈차를〉 달이다, 끓이다: (~+목+전+명) ~ water *from* a well 우물에서 물을 긷다 **4** 〈결론 등을〉 내다(deduce); 〈이야기에서 교훈을〉 얻다; 《구어》 (넘겨짚어) 알아내다 《*out of*》; 〈근원에서〉 끌어내다, 얻다(derive); 〈급료·공급을〉 받다, 〈은행·계좌에서〉 돈을 찾다: ~ a conclusion 결론을 내다 / ~ one's wages 임금을 받다 **5** 〈남의 마음·이목 등을〉 끌다(attract) 《*to*》; 〈손님을〉 끌다, …의 인기를 끌다 《*to*》; 유인하다(entice) 《*to, into, from*》; 끌어넣어 …시키다(induce); 〈파멸 등을〉 가져오다 《*upon* one*self*》, 초래하다; 빨아당기다; 〈자석 등이〉 당기다(attract); 〈금속이〉 〈열을〉 띠다, 녹슬다, 빨아들이다; 〈이자를〉 낳다: ~ an audience 청중을 끌다 // (~+목+전+명) feel *drawn to* …에 마음이 끌리다 / ~ a person's attention *to* …로 …의 주의를 돌리게 하다 // (~+목+*to* do) endeavor to ~ one's child *to* study 아이에게 공부시키려고 애쓰다 **6** 〈그림을〉 (연필·목탄·펜·크레용 등으로) 그리다; 〈선을〉 긋다, 베끼다; 〈말로〉 묘사하다: (~+목+전+명) ~ animals *from* life 동물을 사생하다

> 유의어 **draw** (그림을) 연필이나 펜 등으로 그리다 **paint** 그림물감으로 그리다: a landscape *painted* in oils 유화로 그린 풍경화

7 〈문서를〉 작성하다 《*up, out*》; 〚상업〛 〈어음 등을〉 발행하다 《*on*》: ~ a bill of exchange 환어음을 발행하다 // (~+목+전+명) ~ a bill *on* a person …에게 어음을 발행하다 **8** 〈피를〉 흘리다, 흘리게 하다; 〚의학〛 〈고약 등이〉 〈피·고름 등을〉 빨아내다, 빨리 곪게 하다; 〈물을〉 빠지게 하다: No blood has been *drawn* yet. 아직 한 방울의 피도 흘리지 않았다. **9** 〈숨을〉 들이쉬다(inhale) 《*in*》; 〈한숨을〉 쉬다; 〈바람을〉 통하게 하다: ~ (*in*) a (deep) breath (심)호흡하다 / ~ a long sigh 긴 한숨을 쉬다 **10** 〈승부·시합을〉 비기게 하다: The game was *drawn.* 경기는 비겼다. **11** 잡아늘이다; 〈실을〉 뽑다; 〈철사를〉 만들다 《금속을 잡아늘여서》; 〈금속을〉 두들겨 펴다; 길게 늘이다 **12** 오므리다; 〈얼굴을〉 찡그리다(distort) **13** 〈배의〉 흘수가 …이다: a ship *~ing* 20 feet of water 흘수가 20피트인 배 **14** 비교[구별]하다 《*between*》: ~ a distinction 구별하다 // (~+목+전+명) ~ a comparison *between* A and B A와 B를 비교하다 **15** 〚당구〛 〈자기 공을〉 끌어당기다; 〚골프〛 〈공을〉 너무 왼쪽으로 가게 하다; 〚크리켓〛 〈공을〉 왼편으로 비스듬히 날리다

― *vi.* **1** 끌리다; 끌다, 끌어당기다(pull): (~+부) This horse *~s well.* 이 말은 (짐을) 잘 끈다. **2** 칼을 뽑다; 권총을 빼다; 〈이빨 등이〉 빠지다 **3** 청하다, 부탁하다, 요구하다 《*on, upon*》: (~+전+명) ~ *on* a person for help …에게 도움을 청하다 **4** 다가가다, 모여들다 《*about, around, near, off, on, round, to,* etc.》; 〈때가〉 가까워지다 《*to, toward*(*s*)》: (~+부) The summer vacation is *~ing near.* 여름 방학이 다가오고 있다. // (~+전+명) Like *~s to* like. 《속담》 유유상종. **5** 〈물이〉 빠지다; [well, badly 등의 양태 부사와 함께] 〈파이프 등이〉 바람이 통하다; 〈《영》굴뚝·굴뚝 등의〉 연기가 통하다: (~+부) The chimney *~s well.* 그 굴뚝은 연기가 잘 빠진다. **6** 〈차 등이〉 우러나다: (~+부) This tea *~s well.* 이 차는 잘 우러난다. **7** [well, badly 등의 양태 부사와 함께] 남의 눈[주의]을 끌다, 인기를 끌다: (~+부) The new play is *~ing well.* 그 새 연극은 인기를 끌고 있다. **8** 그리다, 선을 긋다, 묘사하다, 제도하다 **9** 어음을 발행하다 《*on*》; (경험·사람 등에) 의존하다 《*on, upon*》; (…을) 요구[필요로]하다, 활용[이용]하다; (정보·식량 등을) 손에 넣다 《*from*》; 〈자금 등을〉 이용하다 **10** 제비를 뽑다 《*for*》: (~+전+명) ~ *for* prizes 상품을 타려고 제비를 뽑다 / ~ *for* partners 제비를 뽑아 상대를 정하다 **11** 〚의학〛 〈고약 등이〉 〈고름을〉 빨아내다 **12** 〈승부·시합이〉 비기다(cf. DRAWN game); (앞서가는 말(馬)에) 다가가다 **13** (새끼줄이 당겨져) 팽팽해지다; 〈돛이〉 펴지다 **14** 오므라지다(shrink), 〈피부가〉 당기다 **15** 〈배의〉 흘수가 …이다 **16** 〈사냥개가〉 (사냥감의) 은신처를 찾다; (냄새로) 〈사냥개가〉 사냥감을 쫓다

~ ahead 앞지르다; (…에서) 떨어지다 《*of*》; 〚항해〛 〈바람이〉 맞바람이 되다 **~ along** 질질 끌다 **~ alongside** (1) 옆에 (와서) 나란히 서다 (2) [~ alongside …로] …의 옆에 오다, …에 나란히 서서 전진하다 **~ and quarter** 죄인의 사지를 각각 다른 말에 잡아매고 달리게 하여 네 조각 내다, 능지처참하다 **~ apart** 떨어지다 《*from*》, 둘로 갈라지다; 떼어놓다; 소원해지다; (내밀히 이야기하려고) 옆으로 부르다 **~ (*a*)*round*** 주위에 모이다; 둘러 싸다 **~ aside** (*vi.*) 옆에 다가가다; (*vt.*) 한 방향으로 움직이다; 〈커튼을〉 열다; 〈사람을〉 (내밀히 이야기하려고) 옆으로 부르다 **~ at** 담배를 피우다; 〈파이프를〉 피우다 **~ away** (경주 등에서) 앞서다; 〈내민 손을〉 빼다, 〈몸을〉 뒤로 빼다 《*from*》; 〈주의 등을〉 …에서 돌리다 《*from*》 **~ back** 물러서다, 뒷걸음치다; 되돌리다; 〈관세 등을〉 환불받다; 손을 떼다; 〈쳤던 막을〉 열어젖히다 **~ down** 〈막 등을〉 내리다; 〈비난·노여움을〉 초래하다; 〈액체를〉 졸이다; 〈급료를〉 얻다 **~ even with** …을 따라 잡다 **~ in** 〈비용을〉 삭감하다, 긴축하다; 빨아들이다; 꾀어들이다; 《주로 영》 〈날이〉 저물어 가다, 〈해가〉 짧아지다(opp. DRAW out); 〈기차가〉 역에 도착하다, 〈차가〉 길가에

> **thesaurus** **drawback** *n.* disadvantage, problem, difficulty, trouble, flaw, block, handicap,

서다; 〈고삐를〉 죄다; 신중히 하다; 대강 그리다; 〈뿔·발톱 등을〉 감추다 **~ in** one**'s horns** ⇨ horn. **~ it fine** 지출[시간]을 줄이다; 분명히 구별하다 **~ it mild** 《영·구어》 [주로 명령법으로] 온건하게 말하다 **~ it strong** 과장하여 말하다 **~ level with** a person (…와) 대등해지다; 〈경쟁에서〉 따라잡다 **~ near** 다가오다[가다]; 박두하다 **~ off** 〈물 등을〉 빼다, 빠지게 하다, 따라내다 《*from*》; 선발하다; 〈군대 등을〉 철수하다[시키다], 〈사람이〉 물러나다; 〈주의를〉 딴 데로 돌리다; 〈장갑·구두 등을〉 벗다; 〈아픔 따위를〉 없애다 **~ on** 〈장갑·구두 등을〉 끼다, 신다; …하도록 유인하다 《*to* do》; …을 일으키다; …에 의지하다 《*for*》; 〈어음을〉 발행하다; 〈겨울·밤이〉 가까워지다; 다가오다; 〈기술·경험을〉 살리다; 칼[권총]을 뽑아 위협하다; 〈담배·파이프를〉 피우다 **~ out** 끌어내다, 뽑아내다(extract) 《*from*》; 〈돈을〉 찾다; 꾀어내다; (넘겨짚어) 입을 열게 하다; 잡아 늘이다; 〈금속을〉 두들겨 늘이다; 오래 끌게 하다; 〈문서를〉 작성하다; 그리다, 묘사하다, 〈안을〉 세우다(plan); 〈해·이야기가〉 길어지다; 〈군대를〉 파견하다(detach); 정돈하다(array); 〈기차가〉 플랫폼을 떠나다 **~ round** ⇨ draw around. **~** one**self up** 꼿꼿이[떡 버텨] 서다; 자세를 고치다; 태도가 굳어지다 **~ short and long** 길고 짧은 제비를 뽑다 **~ together** (서로) 다가가다; 〈의견의〉 합의를 보다; …을 단결[협력]시키다 **~ up** 끌어올리다; 바치다; 정렬시키다[하다]; 〈문서를〉 작성하다; 〈계획을〉 짜다; 박두하다, 다가오다 《*to*》, 따라잡다 《*with*》; 〈차 등을〉 (길가로 가서) 멈추다, 세우다 **~ upon** …을 이용하다, …에 의지하다(draw on) **~** (ruin) **upon** one**self** 자신에게 (파멸을) 가져오다 **~ … up sharp**[**sharply**] 〈일이〉 〈사람의〉 이야기를 돌연 중단시키다, 〈사람을〉 문득 생각에 잠기게 하다

—*n.* **1** 끌어당김, 끌기; 잡아 뽑음; 권총을 뽑; (파이프·담배·술의) 한 모금 **2** 이목[인기]을 끄는 것; (사람을) 끄는 것: The new play is a great ~. 이번의 연극은 대성공이다. **3** (승부 등의) 비김: end in a ~ 동점으로 끝나다 / call it a ~ 무승부로 하다 **4** 제비(뽑기), 복권 판매 **5** 《미》 (도개교(跳開橋)의) 개폐부 (= **~ spàn**)(cf. DRAWBRIDGE) **6** 〖지리〗 마른 골짜기, (자연히 생긴) 배수로 **7** 잡아늘이기 **8** 〖당구〗 끄는 공 **9** 《방언》 서랍(drawer) **beat** a person **to the ~** …에게 기선을 잡다; 〈남〉보다 빨리 권총[칼]을 뽑다 **slow**[**quick**] **on the ~** 권총 빼드는 솜씨가 느린[빠른]; 《미·속어》 머리 회전이 둔한[빠른] **the luck of the ~** 운수(소관), 요행; 운에 맡김

~·a·ble *a.*

draw-and-fire [drɔ́:əndfáiər] *n.* 《미·구어》 (권총을 번개같이 빼어 쏘는) 속사

*__draw·back__ [drɔ́:bæ̀k] *n.* **1** 약점, 결점 《*in*》; 장애, 고장 《*to*》 **2** Ⓤⓒ 공제 《*from*》 **3** Ⓤ 환불금, 환불 세금, 관세 환급(還給): ~ cargo 관세 환급 화물 **4** 철수, 철회

dráwback lòck 노브식 자물쇠 《밖에서는 열쇠로 열고 안에서는 손잡이로 여는》

draw·bar [-bɑ̀:r] *n.* 〖철도〗 차량 연결봉; 트랙터의 연결봉

draw·bridge [-brìdʒ] *n.* 가동교(可動橋), 도개교; (옛날 성의 해자에 걸쳐 놓은) 들어올리는 다리

drawbridge

Draw·can·sir [drɔ:kǽnsər] *n.* **1** 드로캔서 《G. Villiers작 *The Rehearsal* (1672)에 나오는 인물》 **2** 적에게나 자기편에게나 강한 인물; 몹시 거만하게 구는 사람

obstacle, barrier, impediment, hurdle, fault, weakness (opp. *advantage, benefit*)

dráw cùrtain 〖연극〗 (극장의) 가로닫이 막[커튼]

draw·down [drɔ́:dàun] *n.* 《미》 삭감, 축소; 수위의 저하; 론(loan)의 차용 총액; (대용량의 전력 소비 기구(器具)의 접속에 의한) 일시적 전압 강하

draw·ee [drɔ:í:] *n.* 〖상업〗 (환)어음 수취인(opp. *drawer*)

‡**draw·er** [drɔ́:ər] *n.* **1** draw하는 사람[것]; 《특히》 제도사 **2** 〖상업〗 어음 발행인(opp. *drawee*) **3** 《고어》 술집 급사 **4** [drɔ́:r] 서랍; [*pl.*] 장롱

a chest of ~s 옷장 한 개 **out of the bottom ~** 하층 계급 출신의 **out of the top ~** 양반[상류 계급] 출신의 **refer to ~** ⇨ refer

draw·er·ful [drɔ́:rfùl] *n.* 한 서랍분(分) 《*of*》

drawers [drɔ́:rz] [draw on에서] *n. pl.* 드로어즈, 팬츠; 속바지: a pair of ~ 드로어즈 한 벌

draw·gate [drɔ́:gèit] *n.* (방수로의 수량을 조절하는) 끌어 올리는 수문

draw-gear [-gìər] *n.* (철도 차량의) 연결기

‡**draw·ing** [drɔ́:iŋ] *n.* **1** (연필·펜·숯 등으로 그린) 그림, 데생, 스케치; Ⓤ 제도: line ~ 선화 / freehand ~ 자재화 / instrumental[mechanical] ~ 용기화 **2** Ⓤ 〖상업〗 (수표·어음의) 발행; [*pl.*] 《영》 (상점의) 매상고 **3** Ⓤ (철사 등을) 잡아늘이기 **4** Ⓤ 칼을 빼기; (카드 패를) 뽑기; 제비뽑기; 복권 **5** Ⓤ (차 등을) 달여내기 **~ in** (은행권 등의) 회수 **~ in blank** (어음의) 백지 발행 **~ out** (예금을) 찾음 **in ~** 정확히 그려져 **make a ~** 그림을 그리다, 베껴 그리다 **out of ~** 잘못 그려서; 조화되지 못하여

dráwing accòunt 〖상업〗 인출금 계정; (세일즈맨의) 선불액 계정; 《미》 = CURRENT ACCOUNT

dráwing blòck 떼어 쓰는 도화지첩, 스케치북

dráwing bòard 화판, 제도판

go back to the ~ 《구어》 (실패 후에) 처음부터 다시 시작하다 **on the ~** 계획 단계에서

dráwing càrd 인기 연예인[강연자]; 인기 프로, 인기 품목; 이목을 끄는 광고; 〖야구〗 멋진 대전

dráwing còmpasses 제도용 컴퍼스

dráwing ìnstrument 제도 용구[기구]

dráwing knìfe = DRAWKNIFE

dráwing màster 미술 교사

dráwing pàper 도화지, 제도 용지

dráwing pèn 오구(烏口), 가막부리(ruling pen)

dráwing pìn 《영》 압정, 제도 핀(《미》 thumbtack)

dráwing pòwer 《미》 흡인력, 끌어당기는 매력 (《영》 pulling power)

dráwing rìght 〖경제〗 인출권(cf. SPECIAL DRAWING RIGHTS)

‡**dráwing ròom** [식당에서 물러가는(withdraw) 방이란 뜻에서] **1** 《영》 응접실, 객실 《현재는 living room이 일반적》; [집합적] 손님들 **2** 《미》 (열차의) 특별 객실 **3** 《영》 (궁정의) 회견, 접견(cf. LEVEE[2]) **4** 《영》 제도실(《미》 drafting room) **hold a ~** 공식 회견을 하다

draw·ing-room [-rù:m] *a.* 객실용의, 고상한; 객실[상류 사회]을 다룬: a ~ car 《미》 특별 객차(parlor car)

dráwing strìng = DRAWSTRING

dráwing tàble 제도용 책상

draw·knife [drɔ́:nàif] *n.* (*pl.* **-knives** [-nàivz]) (양쪽에 손잡이가 달린) 앞으로 당겨서 깎는 칼

drawl [drɔ́:l] *vi., vt.* 느리게 말하다, 점잔빼어 말하다 《*out*》 —*n.* 느린 말투 **Southern ~** 《미》 남부 사람의 독특한 느린 말투

~·er *n.* **dráwl·y** *a.*

drawl·ing [drɔ́:liŋ] *a.* 느리게 질질 끄는, 우물쭈물하는, 뜸직뜸직한; 답답한, 지루한 **~·ly** *ad.* 느릿느릿

draw·man [drɔ́:mən] *n.* (*pl.* **-men** [-mən]) 플라스틱성형 조립공

‡**drawn** [drɔ́:n] *v.* DRAW의 과거분사

—*a.* **1** (칼집에서) 빼낸(naked) **2** 비긴, 무승부의: a ~ game 비긴 경기 **3** 내장[속]을 빼낸 〈생선·새 등〉

4 그어진 〈선 등〉 5 긴장된; 잡아당겨 늘어진[일그러진]: a ~ face[look] 찡그린 얼굴[표정] ***feel ~ to*** [***toward***] …에 매력을 느끼다
dráwn bútter (소스용의) 녹인 버터
draw·net [drɔ́:nèt] *n.* (그물코가 성긴) 새잡이 그물
dráwn gláss 압연한 판유리
drawn-out [drɔ́:náut] *a.* =LONG-DRAWN-OUT
drawn-thread [-θrèd] *a.* 올을 뽑아 얽어 만든: ~ work = DRAWNWORK
drawn·work [-wə̀:rk] *n.* 〖복식〗 드론워크 《올을 뽑아 얽어 만든 레이스의 일종》
draw·plate [drɔ́:plèit] *n.* (철사 제조용의) 다이스 철판
dráw plày 〖미식축구〗 드로 플레이 《패스하는 척하고 자기편 백(back)에게 공을 건네주는 플레이》
dráw póker 〖카드〗 드로 포커 《5장의 패를 받고서 첫 내기를 하고, 그 뒤에 3장까지 패를 교환할 수 있음》
draw·shave [-ʃèiv] *n.* 〖목공〗 =DRAWKNIFE
dráw shèet 병상 시트 《환자의 둔부에 까는 작은 시트》; 토너먼트 경기의 리스트
dráw shòt 〖당구〗 드로 샷 《맞힐 공에 맞고 나서 뒤로 끌려오도록 공의 밑 부분을 치기》
draw·string [-strìŋ] *n.* (자루·옷자락 등을) 졸라매는 끈
dráw tàble (판을 꺼내 면적을 넓힐 수 있는) 조립식 테이블
dráw tòp draw table의 확장판
draw·tube [-tjù:b | -tjù:b] *n.* (현미경·망원경 등의) 슬라이드식 신축 자재통
dráw wèll 두레 우물
dray [dréi] *n.* (바닥이 낮은 4륜의) 짐마차; (미) 썰매(sledge); 화물 자동차
— *vt., vi.* dray로 운반하다; dray를 끌다
dray·age [dréiidʒ] *n.* Ⓤ 짐마차 운반(삯)
dráy hòrse 짐마차 말
dray·man [dréimən] *n.* (*pl.* **-men** [-mən]) 짐마차꾼
drch. drachma(s)
‡**dread** [dréd] *vt.* **무서워하다**, 두려워하다, 염려[걱정]하다; 꺼리다: The burnt child ~*s* the fire. (속담) 불에 놀란 아이 부지깽이만 보아도 놀란다. // (~+***to*** do) I ~ *to* think of what they will do next. 그들이 이번엔 무슨 짓을 할지 생각하면 두려워진다. // (~+***-ing***) She ~*s* go*ing* out at night. 그녀는 밤에 외출하기를 겁낸다. // (~+***that*** 절) They ~ *that* the volcano may erupt again. 그들은 화산이 다시 폭발하지 않을까 무서워하고 있다.
— *vi.* 두려워하다; 우려하다(feel dread)
— *n.* **1** Ⓤ **공포**(⇨ fear 유의어); 불안; 우려 **2** 무서운 사람[물건], 공포[두려움]의 대상[원인]
be [***live***] ***in ~ of*** …을 늘 무서워하고 있다 ***have a ~ of*** …을 두려워하다
— *a.* Ⓐ (문어) **1** 대단히 무서운 **2** 〖고어〗 외경심을 일으키는, 황공한(awful) ▷ dréadful *a.*
dread·ed [drédid] *a.* Ⓐ 두려운, 대단히 무서운
‡**dread·ful** [drédfəl] *a.* **1** 무서운, 두려운, 무시무시한 **2** (구어) 몹시 불쾌한, 지겨운; 따분한; 참으로 지독한: a ~ bore 몹시 따분하게 하는 사람
— *n.* (영) 스릴러, 선정적인 소설[잡지](=penny ~)
~**·ness** *n.*
dread·ful·ly [drédfəli] *ad.* **1** 무섭게, 무시무시하게; 겁에 질려 **2** (구어) 몹시, 지독히: a ~ long speech 지독히 긴 연설
dread·locks [drédlɑ̀ks | -lɔ̀ks] *n. pl.* (자메이카 흑인이 하는) 여러 가닥의 로프 모양으로 땋아 내린 머리 모양, 라스타파리안(Rastafarian) 헤어 스타일
dread·nought, -naught [-nɔ̀:t] [영국의 전함 이름에서] *n.* **1** [**D~**] 〖군사〗 드레드노트형 전함, 노급함(弩級艦) 《20세기 초 영국의 대형 전함》 **2** 대형 기계 **3** (속어) 헤비급 권투 선수 **4** 용감한 사람
dreads [drédz] *n. pl.* =DREADLOCKS

‡**dream** [drí:m] *n.* **1** 꿈; 꿈에서 본 것(⇨ reverie 유의어); 꿈길을 더듬음: Sweet ~*s*! 잘 자! 《부모가 아이에게 하는 말》 **2** [a ~] 꿈결(같음); 몽상, 백일몽 (의 상태)(daydream) **3** 포부, 희망, 이상, (장래의) 꿈 **4** (구어) 꿈인가 싶은[훌륭한, 아름다운, 매력 있는] 것[사람] ***a bad ~*** 악몽; 악몽과 같은[곤란한] 상황 ***be*** [***live, go about***] ***in a ~*** 꿈결같이 지내다 ***beyond*** a person***'s wildest ~s*** …의 기대[상상] 이상의[으로] ***go to*** one***'s ~*** (시어) 꿈나라에 들어가다, 잠들다 ***have a*** bad ***~*** (나쁜) 꿈을 꾸다 ***in*** one***'s wildest ~*** [보통 부정문에서] 꿈에도 ***In your ~s.*** (구어) (그건) 꿈에서나 가능하다., 그렇게는 안 될걸. ***like a ~*** (구어) 쉽게, 간단히; 완벽하게 ***like a ~ come true*** (구어) 꿈이 이루어진 것 같은 ***read a ~*** 해몽하다 ***the land of ~s*** 꿈나라, 잠 ***waking ~*** 백일몽(daydream), 공상
— *a.* Ⓐ **1** 꿈의, 꿈처럼 멋있는; 이상적인: a display of ~ cars 멋진 차의 전시 **2** 환상의, 비현실적인: She lives in a ~ world. 그녀는 환상의 세계에 살고 있다.
— *v.* (**~ed** [-d | drémt], **dreamt** [drémt]) ★ (미)에서는 dreamed가 일반적. *vi.* **1** **꿈을 꾸다**, 꿈에 보다 《*of, about*》: (~+전+명) ~ *of*[*about*] home 고향의 꿈을 꾸다 **2** 꿈꾸듯 황홀해지다; 몽상하다, 환상에 잠기다 《*of*》; [부정문에서] 꿈에도 생각하지 않다 《*of*》 ★ of 뒤에는 보통 *-ing*가 옴: (~+전+명) I *little*[*never*] ~*ed of* meet*ing* her. 그녀를 만나리라고는 꿈에도 생각지 않았다.
— *vt.* **1 a** **꿈꾸다**; 몽상하다: (~+***that*** 절) He always ~*s that* he will be a statesman. 그는 언제나 정치가가 되겠다고 꿈꾸고 있다. **b** [동족목적어와 함께] …한 꿈을 꾸다: ~ a (dreadful) *dream* (무서운) 꿈을 꾸다 USAGE 형용사가 따르지 않을 때에는 보통 have a dream을 쓴다. 단, 시·성서에서는 dream *n.*을 동족목적어로 하는 dream a dream, dream dreams와 같은 형태도 볼 수 있다.
2 꿈결처럼[멍하니] 〈세월을〉 보내다, 취생몽사하다 《*away, out*》: (~+목+부) ~ *away*[*out*] one's time[life] 멍하니 시간[생애]을 보내다 **3** [보통 부정문으로] (구어) 꿈꾸다; (…라고) 상상하다 ***~ and cream*** (미·속어) 성적인 몽상에 잠기다 《*about*》 ***~ away*** [***out***] ⇨ *vt.* 2 ***D~ on!*** (구어) 꿈꾸고 있네! 《빈정댐》 ***~ up*** (구어) …을 문득 생각해 내다; 만들어내다, 창작하다 ***go about ~ing*** 꿈길을 더듬다
dréam àllegory =DREAM VISION
dréam anàlysis 〖정신분석〗 꿈 분석
dréam bàit (미·학생속어) 이상적인 이성(異性)
dream·boat [drí:mbòut] *n.* (속어) 이상적인 이성(異性); 욕심나는 것, 아주 좋은 것
dréam bòok 꿈 해설서, 해몽 책
dream·catch·er [drí:mkæ̀tʃər] *n.* (좋은 꿈을 꾸게 한다는) 장식 반지 《원래 인디언들이 만듦》
*__dream·er__ [drí:mər] *n.* **꿈꾸는 사람**; 몽상가, 공상가(visionary)
dréam fàctory 영화 스튜디오; 영화 산업
dream·ful [drí:mfəl] *a.* 꿈 많은
~**·ly** *a.* ~**·ness** *n.*
dream·ing [drí:miŋ] *a.* 꿈꾸는; 꿈결 같은, 몽상적인 — *n.* 꿈꾸기 ~**·ly** *ad.*
dream·land [drí:mlæ̀nd] *n.* **1** ⓊⒸ 꿈나라, 유토피아 **2** Ⓤ (익살·문어) 잠(sleep)
dream·less [drí:mlis] *a.* 꿈이 없는, 꿈꾸지 않는
~**·ly** *ad.* 꿈꾸지 않고 ~**·ness** *n.*
dream·like [drí:mlàik] *a.* 꿈 같은, 어렴풋한
dréam machìne 텔레비전 (방송) 산업[업계]
dréam mèrchant 꿈을 파는 상인 《호화 생활·로맨

thesaurus **dreadful** *a.* terrible, frightful, horrible, grim, awful, terrifying, ghastly, fearful
dreamy *a.* visionary, fanciful, romantic, idealistic, impractical, unrealistic, daydreaming
dreary *a.* **1** 황량한 dismal, bleak, somber, dark,

스 등에 대한 대중의 갈망을 대리 만족시켜 주는 영화·CM 등의 제작자)
dréam rèader 해몽가
dream·scape [drí:mskèip] *n.* 꿈 같은[초현실적인] 정경(의 그림)
dream-stick [-stìk] *n.* 《속어》 아편 정제
***dreamt** [drémt] *v.* DREAM의 과거·과거분사
dréam tèam (최고의 멤버를 갖춘) 환상의 팀
dréam tìcket (선거에서 대량 득표가 가능한) 이상적인 한 쌍의 후보자; (다시 없는) 귀중한 기회
dream·time [drí:mtàim] *n.* 〖호주신화〗 꿈의 시대 《세계 창조 때의 지복 시대》
dréam vìsion (중세 문학의) 꿈 이야기
dream·while [-*h*wàil] *n.* 꿈꾸는 동안
dream·work [-wə̀:rk] *n.* 〖정신분석〗 꿈 작업 《꿈의 내용을 만드는 무의식의 과정》
dream·world [-wə̀:rld] *n.* 꿈[공상]의 세계
***dream·y** [drí:mi] *a.* (**dream·i·er**; **-i·est**) **1** 꿈 많은 **2** 꿈꾸는 듯한, 환상에 잠기는 **3** 꿈 같은, 덧없는, 어렴풋한 **4** 《구어》 《일반적으로 여성어》 멋진, 훌륭한
dréam·i·ly *ad.* **dréam·i·ness** *n.* Ⓤ
drear [dríər] *a.* 《시어》 =DREARY
‡**drear·y** [dríəri] *a.* (**drear·i·er**; **-i·est**) **1** 〈풍경·날씨 등이〉 **적적한**, 쓸쓸한, 음울한(gloomy); 황량한 **2** 〈시간 등이〉 지루한(dull), 〈이야기 등이〉 따분한
— *n.* (*pl.* **drear·ies**) 따분한[재미없는, 불쾌한] 사람
— *vi.* 쓸쓸하게[따분하게] 만들다
dréar·i·ly *ad.* **dréar·i·ness** *n.*
dreck, drek [drék] *n.* 《비어》 똥; 《속어》 쓰레기, 잡동사니; 넝마
dreck·y [dréki] *a.* 《영·비어》 더러운, 불쾌한
dredge[1] [drédʒ] *n.* **1** 준설기[선](dredger) **2** (물밑을 훑는) 반두 (그물) **—** *vt.* **1** 준설하다, 물 밑바닥을 훑다 **2** 〈반두로〉 훑어 잡다 《*up*》; 《구어》 〈스캔들·사실 등을〉 (애써) 캐내다, 들추어 내다 《*up*》 **—** *vi.* 물밑바닥을 치다; 반두로 잡다
dredge[2] *vt.* 〈밀가루 등을〉 뿌리다(sprinkle) 《*over*》, 〈밀가루를〉 묻히다 《*with*》
dredg·er[1] [drédʒər] *n.* **1** 준설 인부; 준설기[선] **2** 반두 그물 어부 **3** 굴 채취선; 굴 따는 사람
dredger[2] *n.* 밀가루[설탕] 뿌리는 기구[용기]
drédg·ing machìne [drédʒiŋ-] 준설기(dredge)
dree [drí:] 《스코·고어》 *vt.*, *vi.* 참다: ~ one's fate[weird] 운명을 달게 받다 **—** *a.* =DREICH
dreg [drég] *n.* **1** [보통 *pl.*] 잔재, 찌꺼기, 앙금; 하찮은 것, 쓰레기: the ~*s* of society 사회의 쓰레기 **2** 적은 분량의 나머지 ***drink*** [***drain***] ***... to the ~s*** …을 남김없이 마시다; 〈세상의 쓴맛·단맛을〉 다 맛보다 ***not a ~*** 조금도 …없다[않다]
dreg·gy [drégi] *a.* (**-gi·er**; **-gi·est**) 찌꺼기가 있는; 찌꺼기가 많은; 탁한, 더러운
D règion 〖통신〗 **1** D영역 《전리층의 최하 영역》 **2** =D LAYER
dreich [drí:x] *a.* 《스코》 오래 끄는, 지루한
Drei·ser [dráisər, -zər] *n.* 드라이저 **Theodore ~** (1871-1945) 《미국의 소설가; 대표작 *An American Tragedy*(1925)》
drek [drék] *n.* =DRECK
‡**drench** [dréntʃ] [OE 「마시게 하다」의 뜻에서] *vt.* **1** **흠뻑 물에 적시다**(soak); 액체에 담그다; 완전히 채우다 **2** 〈마소에〉 물약을 먹이다 ***be ~ed to the skin*** 흠뻑 젖다
— *n.* **1** 흠뻑 젖음[젖게 함]; 호우, 폭우: a ~ of rain 억수로 퍼붓는 비 **2** (마소에게 먹이는) 물약; 흠뻑 마시기; (가죽을 담그는) 용액

---

overcast, depressing **2** 지루한 uninteresting, flat, dry, tedious, wearisome, boring, monotonous, routine, uneventful
drench *v.* saturate, permeate, drown, flood, wet
dress *n.* gown, robe, garment, clothes, attire

drench·er [dréntʃər] *n.* **1** 《구어》 호우, 폭우 **2** (마소용의) 물약 먹이는 기구 **3** 방화용 방수 장치
drench·ing [dréntʃiŋ] *n.* 흠뻑 젖음: get a (good) ~ 흠뻑 젖다
— *a.* 흠뻑 적시는, 억수로 쏟아지는: a ~ rain 억수로 쏟아지는 비 **~·ly** *ad.*
Dres·den [drézdən] *n.* 드레스덴 《독일 동부의 도시》 **—** *a.* 드레스덴풍[제]의; 정교하고 아름다운
Drésden chína[**pórcelain, wàre**] 드레스덴 도자기
‡**dress** [drés] *n.*, *a.*, *v.*

> 원래는 「가지런히 하다, 준비하다」의 뜻 → 「몸치장시키다」 → 「옷을 입히다」 → 「옷」이 되었음

— *n.* **1** Ⓤ (어떤 목적이나 행사에 어울리는) **의복, 옷,** 복장(clothing), 의상(costume); 정장, 예복, 야회복; 《속어》 예복이 필요한 모임: casual ~ 평상복 **2** (여성·여아의) **드레스,** 원피스 《신사복은 보통 suit, clothes》 **3** ⓊⒸ (새의 깃·수목의 가지나 잎 등의) 외형, 단장; (책의) 장정
관련 evening dress(야회복), housedress(여성용 홈드레스), maternity dress(임신부복), morning dress 《영》 (남성의 주간 예복), wedding dress(신부의 혼례 의상)
in full ~ 정장[예복]으로 ***"No ~."*** 정장이 아니라도 무방합니다. 《초대장에 쓰는 글귀》
— *a.* Ⓐ **1** 드레스(용)의 **2** 예복용의 〈옷〉; 예복을 입어야 할: a ~ dinner 공식 만찬회
— *v.* (**~ed,** 《고어·시어》 **drest** [drést]) *vt.* **1** …에게 **옷을 입히다**(clothe) 《*in*》(⇨ dressed 1): ~ a baby 아기에게 옷을 입히다 // 《~+목+전+명》 ~ a child *in* a raincoat 아이에게 비옷을 입히다 **2** **정장시키다**; 옷을 차려 입다, 몸치장하다 **3** 아름답게 장식하다(adorn) 《*with*》: 《~+목+부》 ~ *up* a shop-window 가게의 진열창을 (상품으로) 장식하다 // 《~+목+전+명》 ~ one's hair *with* flowers 머리를 꽃으로 꾸미다 **4** 〈머리를〉 손질하다, 땋다; 〈말의〉 털을 빗겨 주다; 〖군사〗 정렬시키다 **5** 〈상처·부상자를〉 (붕대·고약 등으로) 처매다; 〈가죽·직물·석재·목재 등을〉 다듬어 곱게 하다; 〈음식을〉 요리하다, (흰 소스 등을 쳐서) 맛을 내다; 〈식탁 등의〉 준비를 하다; (털·내장을 뽑아) 〈새·생선 등을〉 요릿감으로 손보다, 다듬다; 〈정원수 등을〉 전지하다(prune); 〈땅을〉 갈다, 거름을 주다: ~ leather 가죽을 무두질하다 // 《~+목+전+명》 ~ food *for* the table 식탁에 내놓을 음식을 조리하다 **6** 〈광석·곡물을〉 선별하다, 선광(選鑛)하다 **7** (동물에게서) 난소를 제거하다, 거세하다
— *vi.* **1** **옷을 입다**[입고 있다], 옷차림을 하다(⇨ dressed 1): 《~+부》 ~ *well*[*badly*] 옷차림이 좋다[나쁘다] **2** 정장하다, 야회복을 입다 《*for*》: She ~*ed for* dinner. 그녀는 만찬용 야회복을 입었다. **3** 〖군사〗 정렬하다: 《~+부》 ~ *back*[*up*] 정렬하기 위하여 뒤로 물러서다[앞으로 나서다] **4** 〈소·돼지 등이〉 (시장용으로 팔린 후) 무게가 … 나가다 《*out*》
be ~ed in one's (***Sunday***) ***best*** 나들이옷을 입고 있다 ***be ~ed to kill*** 《구어》 홀딱 반할 만한 옷차림을 하고 있다 ***be ~ed up*** 옷을 잘 차려 입고 있다 ***be ~ed*** (***up***) ***to the nines***[***knocker teeth***] 《구어》 최상의 정장을 차려 입고 있다 ***~ down*** 〈말을〉 빗어주다(rub down); (심하게) 꾸짖다(scold), 매질하다(thrash); 수수한 옷을 입다, 약식 복장을 하다; 〈채찍·몽둥이로〉 치다, 패다; 〈머리·정원수를〉 다듬다, 손질하다 ***~ out*** 치장하다, 차려 입다; 〈상처를〉 처매다 ***~ oneself*** 옷을 입다; 단장하다; 정장하다 《*for*》 ***~ up*** 성장[분장]시키다; 〈사물을〉 보기[듣기] 좋게 하다, 꾸미다, 분식하다 《*as, in*》; 〈어린이가〉 …으로 가장하다 《*as, in*》; 〈부대를〉 정렬시키다 ***Right ~!*** 《구령》 우로 나란히!
dréss affàir 정장이 필요한 행사[모임]
dres·sage [drəsɑ́:ʒ | drésɑ:ʒ] Ⓕ *n.* Ⓤ 말을 길들

임, 조마(調馬)(horse-training); 마장 마술(馬場馬術)
dréss càp 〖군사〗 정장용 군모
dréss círcle 극장의 특등석 《2층 정면석; 원래는 야회복을 입는 것이 관례》
dréss cóat 연미복(tail coat)
dréss còde 복장 규정: a military ~ 군복 규정
dréss-down dáy [drésdàun-] 약식[자유] 복장으로 근무하는 날 《금요일·여름철 등》
dressed [drést] *v.* DRESS의 과거·과거분사
— *a.* **1** 옷을 입은 **2** 손질[화장]을 한, 치장한: ~ brick 장식[화장] 벽돌 《건물의 외장용》/ ~ skin 무두질한 가죽/ ~ lumber 화장재(材) **3** 요리용으로 준비된: ~ meat 정육(精肉)
***dress·er**[1] [drésər] *n.* **1** (극장 등의) 의상 담당자, 옷 입히는 사람; (쇼윈도) 장식가 **2** [형용사와 함께] 옷차림이 …한 사람: a smart ~ 멋쟁이 **3** (영) (외과 수술의) 조수, 붕대 담당자 **4** 마무리 직공[기구]
dresser[2] *n.* **1** (미) 경대, 화장대(dressing table) **2** (영) 찬장, 서랍장

dresser[2] **1** **dresser**[2] **2**

drésser sèt 화장 도구 세트 《빗·거울 등》
dréss fòrm (양재용) 인체 모형
dréss gòods (여성·아동용) 옷감
dress·i·ness [drésinis] *n.* Ⓤ 옷치장을 좋아함; 〈복장이〉 맵시 있음, 화려함
***dress·ing** [drésiŋ] *n.* **1** ⓊⒸ 끝손질; (직물의) 끝손질하는 풀; (도로 포장의) 마무리 재료; 〖건축〗 화장 석재(石材); Ⓤ 〖광산〗 선광 **2** ⓊⒸ 〖요리〗 드레싱, 소스; (미) (닭·칠면조 요리의) 소, 속(stuffing) **3** ⓊⒸ (외과의) 처치 용품, 연고, 붕대, 깁스 **4** Ⓤ 비료(manure) **5** Ⓤ 옷입기, 몸단장; 의복, 의상 **6** ⓊⒸ (장식을 위한) 손질; (영) 정렬 **7** (구어) = DRESSING-DOWN
dréssing bèll[gòng] (만찬 등을 위해) 몸치장할 것을 알리는 종
dréssing càse[bàg] 화장 도구 가방
dress·ing-down [drésiŋdáun] *n.* (구어) 엄한 질책, 호된 꾸지람; 구타, 채찍질 ***give*** a person ***a good ~*** …을 호되게 꾸짖다[때리다]

dressing gown

dréssing glàss 화장대 거울
dréssing gòwn[ròbe] (잠옷 위에 입는) 화장복 《남녀 공용; cf. BATHROBE》
dréssing jàcket (영) = DRESSING SACK
dréssing màid 화장을 맡아보는 시녀
dréssing ròom **1** (연극배우 등의) 분장실, 경의실 **2** 화장하는 방 《침실 옆에 딸린 작은 방》
dréssing sàck[sàcque] (미) (여성용의) 짧은 화장복
dréssing stàtion 〖군사〗 응급 치료소(aid station)
dréssing tàble 화장대, 경대
dress·ing-up [-ʌ̀p] *n.* 성장, 가장(假裝), 변장: play at ~ 〈어린이가〉 변장놀이하다
dréss lèngth 드레스 한 벌 감
***dress·mak·er** [drésmèikər] *n.* 여성복 양재사, 재단사; 양장점(cf. TAILOR)
— *a.* 〈여성복이〉 모양 있고 공들인, 선이 부드러운(cf. TAILOR-MADE)
***dress·mak·ing** [drésmèikiŋ] *n.* **1** Ⓤ 여성복 제조(업), 양재(업) **2** [형용사적] 양재(용)의: a ~ school 양재 학교
dréss paràde 〖군사〗 정장 사열식; 패션쇼
dréss rehéarsal 〖연극〗 (무대 의상을 입고 정식으로 하는) 총연습, 정식 무대 연습; 정식으로 하는 것과 같은 연습
dréss sènse 복장에 관한 센스
dréss shìeld[presèrver] 땀받이 《여성의 속옷 겨드랑이 밑에 대는》
dréss shírt (예복용·비즈니스용) 와이셔츠
dréss shóe 예복용 구두
dréss súit (남성용) 예복, 야회복
dréss swórd 예복에 차는 칼
dréss tíe 예복용 넥타이
dréss úniform 〖군사〗 예장, 예복(cf. SERVICE UNIFORM); 〖미해군〗 (추울 때 입는) 짙은 남색 군복
dress-up [-ʌ̀p] *a.* 정장을 요하는: a ~ dinner 정장 만찬회 — *n.* [보통 *pl.*] (구어) 정장; 액세서리
dress·y [drési] *a.* (**dress·i·er**; **-i·est**) (구어) **1** 옷차림에 신경 쓰는; 옷치장을 좋아하는; 잘 차려 입는 **2** 맵시 있는(stylish); 멋진, 멋쟁이의
drest [drést] *v.* (고어·시어) = DRESSED
‡**drew** [drú:] *v.* DRAW의 과거
Drew [drú:] *n.* 남자 이름
drex·ting [drékstiŋ] *n.* 술에 취해 휴대폰 문자를 보내는 행위
drey [dréi] *n.* 다람쥐 집
Dr. Feel·good [-fí:lgùd] (미·구어) 각성제를 정기적으로 먹여 환자를 기분 좋게 만드는 의사; 기분 좋게 해주는 사람
DRG Diagnosis Related Group(ing) 《Medicare의 진단 관련 분류법》
drib [dríb] *n.* [보통 *pl.*] (방언) 한 방울; 소량
~s and drabs (구어) 소량, 아주 조금
drib·ble [dríbl] *vt.* **1** 〈물방울 등을〉 똑똑 떨어뜨리다, 〈침을〉 흘리다; 〈돈·정력 등을〉 조금씩 내다 《*out*》 **2** 〖구기〗 〈공을〉 드리블하다; 〖당구〗 〈공을〉 포켓에 굴려 넣다 — *vi.* **1** 〈물방울 등이〉 똑똑 떨어지다 **2** 침을 흘리다 **3** 〖구기〗 〈공을〉 드리블하다; 〖당구〗 공이 포켓에 굴러 들어가다
— *n.* **1** (물방울 등이) 똑똑 떨어짐; 소량, 조금 **2** 〖구기〗 드리블; 〖배구〗 두 번 이상 동일 경기자의 몸에 공이 닿기 **3** (스코) 이슬비, 가랑비
dríb·bler *n.* dribble하는 사람[선수]
drib·(b)let [dríblit] *n.* 작은 물방울 《*of*》; 소량, 소액, 근소 ***by*** [***in***] ***~s*** 조금씩
‡**dried** [dráid] *v.* DRY의 과거·과거분사
— *a.* 건조한, 말린: ~ eggs 건조란/~ fruit 건조 과일 《plum 등》/~ goods 마른 식품, 건어물
dríed béef **1** 말린 쇠고기, 육포 **2** (미) 진부한 글귀
dríed mílk = DRY MILK
dried-out [dráidáut] *a.* (속어) 마약을 완전히 끊은
dried-up [-ʌ́p] *a.* **1** 바싹 마른: a ~ pond 말라버린 연못 **2** (늙어서) 쭈글쭈글한
***dri·er** [dráiər] *a.* DRY의 비교급
— *n.* **1** 말리는 사람 **2** 건조기, 드라이어; = SPIN-DRIER **3** 건조제, 건조 촉진제
‡**drift** [dríft] *n.* **1** ⓊⒸ 표류, 떠내려감(drifting); 흐름, 흐름의 방향; 이동, 방랑 **2** 밀어 보냄, 미는 힘, 추진력 **3** Ⓤ 되는 대로 내버려 둠; (언동·입장 등의) 느린 변화: a policy of ~ 방임책, 미봉책 **4** ⓊⒸ 경향, 동향, 대세(tendency) 《*of*》; [*sing.*] (담화의) 주의(主意), 취지(tenor) **5** (눈·비·토사 등의) 바람에 날려 쌓인 것; 표류물; 〖지질〗 표적물(漂積物); [the D~] = DILUVIUM **6** (조류·기류의) 이동률; 유속; 표류 거리; 〖항해〗 편류(偏流); 〖항공〗 편류, 드리프트; (나선형으로 뱅뱅 돌아가는 탄환의) 탄도 편차(偏差); (차의) 옆으로 밀림 **7** 〖광산〗 갱도; 〖기계〗 (금속에 구멍을) 뚫는 기구, 드리프트 **8** (남아공) 여울(ford) **9** (영) 몰아 한데 모으기 《방목 가축의 소유자를 결정하기 위해》 **10** 〖언어〗 정향(定向) 변화 **11** 〖천문〗 불규칙한 속도 분포를 가진 별의 무리
get [***catch***] ***the*** [a person***'s***] ~ (속어) (어찌 되어 있는지 또는 남이 하는 말을) 알다, 이해하다: (Do you)

thesaurus **drift** *v.* **1** 표류하다 float, coast **2** 방랑하다 wander, rove, roam, stray

get my ~? (미·속어) 내 말 알겠니? **on the ~** 표류하여; 방랑하여 **the ~ of a current** 흐름, 조류(의 방향); 유속(流速)

— *vi.* **1** 표류하다, 떠돌다 《*with, on, down*》: ~*ing* clouds 뜬구름 // (~+부) ~ *about* at the mercy of the wind 바람이 부는 대로 떠돌다 // (~+전+명) ~ *down* the river 강을 떠내려가다 / ~ *with* the current 물이 흐르는 대로 떠돌다 **2** 무작정 나아가다, 되는 대로 지내다; 부지중에 빠지다 《*into, toward*》; 방랑하다, 전전하다, (구어) 어슬렁거리다: (~+전+명) ~ *into* a bad habit 부지중에 나쁜 습관에 빠지다 / ~ *toward* bankruptcy 부지중에 파산하다 **3** (바람에) 날려[밀려] 쌓이다 **4** 구멍을 뚫다[넓히다] **5** 〈차가〉 (정해진 길에서) 벗어나다; (동력이 끊긴 뒤) 타력으로 가다 **6** 〖TV〗 〈영상 등이〉 흔들리다

— *vt.* **1** 표류시키다, 떠내려 보내다: (~+목+전+명) be ~*ed into* war (어쩌다) 전쟁에 휘말려 들다 // (~+목+부) The current ~*ed* the boat *downstream.* 물살이 보트를 하류로 떠내려가게 했다. **2** 〈바람이〉 날려 보내다, 불어서 쌓이게 하다 (~+목+전+명) the back garden ~*ed with* fallen leaves 낙엽이 휘날려서 쌓인 뒤뜰 **3** 〈물의 작용이〉 퇴적시키다 **4** 〈볼트 구멍을〉 드리프트로 크게 만들다 **5** (미·서부) 〈가축을〉 (도중에 풀을 먹이며) 천천히 몰다

~ along 표류하다; 정처 없이 떠돌다; 엄벙덤벙 지내다 **~ (along) through life** 일생을 엄벙덤벙 지내다, 허송세월하다 **~ apart** 따로따로 흩어지다; 소원해지다 **~ away**[**out**] (미·구어) 가버리다, 줄행랑치다 **~ off** (**to sleep**) 어느덧 잠들다[졸다] **let things ~** 일을 되는 대로 내버려 두다

drift·age [dríftidʒ] *n.* Ⓤ **1** 표류 작용 **2** 밀려 내려가는 거리, (선박의) 표정(漂程); (바람에 의한 탄알의) 편차(windage) **3** Ⓒ 표류[표적]물

dríft ànchor = SEA ANCHOR

dríft àngle 〖항해·항공〗 편류각(偏流角), 편각(偏角) 《이물[기수]과 진행 방향이 이루는 각》

drift·bolt [dríftbòult] *n.* 드리프트볼트 《무거운 재질의 목재를 맞춰 죄기 위한 철핀》

dríft bòttle 표류[해류]병 《해류 연구자나 표류자의 통신문을 넣은》

dríft cùrrent 풍조(風潮) 《풍력 때문에 생기는 조류》

drift·er [dríftər] *n.* **1** 표류자[물], 표류선 **2** 유망(流網) 어선 **3** 유랑자; (속어) 직업[집]을 수시로 자꾸 바꾸는 사람 **4** 대형 착암기

dríft ìce 유빙(流氷)

dríft ìndicator[**mèter, sìght**] 〖항공〗 편류계

dríft·ing míne [dríftiŋ-] 〖해군〗 부류(浮流) 기뢰

drift·less [dríftlis] *a.* 목적 없는; 표류하지 않는 **~·ly** *ad.* **~·ness** *n.*

dríft nèt 유망(流網)

dríft sànd 〖토목〗 유사(流砂), 표사(漂砂)

dríft transìstor 〖전자〗 드리프트 트랜지스터, 합금 확산형 트랜지스터

drift·way [dríftwèi] *n.* 〖광산〗 갱도; 〖항해〗 편류; (영·미·방언) 가축을 모는 길

drift·weed [-wìːd] *n.* 표류 해초 《다시마 등》

drift·wood [-wùd] *n.* Ⓤ 유목(流木); Ⓒ 무용지물, 부랑자 — *a.* 유목의

drift·y [dríftі] *a.* (**drift·i·er**; **-i·est**) 표류성의, 떠내려가는; 〈눈 등이〉 바람에 쌓인; (미·속어) 멍청한

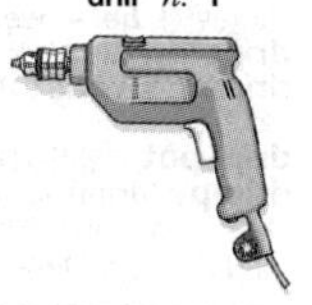
drill[1] *n.* **1**

:drill[1] [dríl] *n.* **1** 송곳, 천공기; 착암기 **2** UC 엄격한 훈련[연습], 반복 연습 《*in*》(⇨ exercise 유의어); 〖군사〗 교련, 훈련; Ⓒ (속어) = DRILLMASTER **3** 〖패류〗 두드럭고둥의 일종 《양식 굴에 큰 해를 줌》 **4** [the ~] (영·구어) 올바른 방법[수순]: What's *the* ~? 어떻게 하는 겁니까?

— *vt.* **1** …에 구멍을 뚫다 **2** 〖군사〗 교련하다 **3** (엄하게) 훈련하다, 반복 연습시키다 《*in, on*》, 철저히 가르치다 《*in*》; 〈사상 등을〉 철저히 주입하다[불어 넣다] 《*into*》: (~+목+전+명) ~ the pupils *in* manners 학생들에게 예절을 철저히 가르치다 **4** (미·구어) 〈공을〉 강타하다, 라이너를 치다; (미·속어) 총알로 꿰뚫다, 쏴 죽이다

— *vi.* **1** 구멍을 뚫다 《*through*》; 〈총알·공 등이〉 빨리 직진하다 **2** 〖군사〗 교련을 받다 **3** 반복 연습을 하다, 맹연습을 하다 **4** (미·속어) 마약을 주사하다 **~ in** 〈요점 등을〉 반복해서 가르치다

~·a·ble *a.* **~·er**[1] *n.* 보르반; 보르반공(工)

drill[2] *n.* 〖농업〗 **1** 조파기(條播機): ~ husbandry 조파법 **2** 파종골; 이랑(에 심은 농작물의 줄)

— *vt., vi.* 이랑에 씨를 뿌리다[심다]

~·er[2] *n.* 조파하는 사람

drill[3] *n.* Ⓤ 능직(綾織)의 튼튼한 무명

drill[4] *n.* 〖동물〗 드릴개코원숭이 《서아프리카산(産)》

dríll bìt 〖기계〗 드릴에 끼우는 날

dríll bòok 1 〖군사〗 교련[훈련] 교범(敎範) **2** 연습장

dríll còrps = DRILL TEAM

dríll gròund 연병장

drill·ing[1] [dríliŋ] *n.* Ⓤ **1** 교련; 훈련, 연습 **2** 송곳질, 구멍 뚫기; [*pl.*] 송곳밥 — *a.* 날카로운, 통렬한 (biting)

drilling[2] *n.* Ⓤ (씨의) 조파법

drilling[3] *n.* = DRILL[3]

drílling machìne 보르반(盤), 천공기; 시추기

drílling mùd 굴착 이수(泥水) 《드릴 파이프에 수압 펌프로 주입하는》

drílling rìg (해양 석유의) 굴착[시추] 장치, 착암기

dríll instrùctor 훈련 교관 《하사관》

dril·lion [dríljən] *n., a.* (미·속어) 막대한 수(의)

drill·mas·ter [drílmæ̀stər | -mɑ̀ːs-] *n.* 교련 교관; (군대식) 체육 교사; 엄하게 가르치는 사람

dríll pìpe (유정) 굴착 파이프 《굴착 이수(泥水)를 주입하는 회전관》

dríll prèss 〖기계〗 드릴 프레스, 천공반(盤)

dríll sèrgeant 〖군사〗 훈련 담당 하사관

drill·ship [drílʃìp] *n.* 해저 굴착선, 시추선

dríll tèam 〖군사〗 (사열 훈련을 받은) 시범 부대

dríll tòwer 소방 훈련탑

dri·ly [dráili] *ad.* = DRYLY

drin·a·myl [drínəmìl] *n.* (영) 〖약학〗 드리나밀 《합성 마취약·각성제; 속칭은 purple heart》

D̀ rìng D자형 금속 고리 《의류·가방 등에 쓰임》

:drink [dríŋk] *v.* (**drank** [drǽŋk]; **drunk** [drʌ́ŋk], (시어) **drunk·en** [drʌ́ŋkən]) *vt.* **1** 〈물·술 등을〉 마시다, 먹다: ~ a glass of milk 우유 한 잔을 마시다 // (~+목+전+명) ~ wine *out of* a glass 유리잔으로 포도주를 마시다

> 유의어 **drink** 액체를 '마시다'의 일반적인 말: *drink* tea 차를 마시다 **sip** 조금씩 질금질금 마시다: *sip* a mug of hot chocolate 머그 잔에 든 뜨거운 코코아를 조금씩 마시다 **gulp** 단숨에 또는 게걸스레 꿀꺽 마시다: *gulp* down a cup of water 물 한 잔을 꿀꺽 마시다 **quaff** 특히 술을 꿀꺽꿀꺽[많이] 마시다

2 쭉 마셔 비우다(empty) **3** 〈임금·급료 등을〉 술로 낭비하다 《*away*》 **4** …을 위해 축배를 들다 《*to*》: ~ the President 대통령의 건강을 위해 건배하다 // (~+목+전+명) ~ success *to* an enterprise 기업의 성공을 빌며 건배하다 / We *drank* a toast *to* the bride and groom. 신부와 신랑을 위해 우리는 건배하였다. **5** 〈식물·토지가〉 〈수분을〉 흡수하다(absorb) 《*up, in*》; 〈지식 등을〉 흡수하다; …에 정신이 팔리다

---

drill[1] *v.* train, coach, teach, instruct, discipline, exercise, rehearse, ground

⟪in⟫; 〈사람·동물이〉 〈공기를〉 깊이 들이마시다(breathe in) ⟪into⟫: A sponge ~*s* water. 스펀지는 물을 흡수한다. // (~+목+부) Plants ~ *up* water. 식물은 물을 빨아올린다. **6** [종종 ~ one*self* 로] 마시어 …상태에 이르다: ~ *oneself* to death[illness] 술 때문에 죽다[병이 나다]
—*vi.* **1** 술을 마시다, 음료를 마시다; (…에서) 물을 마시다 ⟪*from, out of*⟫: eat and ~ 먹고 마시다 / ~ and drive 음주 운전을 하다 / I don't smoke or ~. 나는 담배도 술도 안 한다. // (~+전+명) ~ *from* a stream[fountain] 개울[샘]에서 물을 마시다 / ~ *out of* a jug 주전자로 물을 마시다 **2** (상습적으로) 술을 많이 마시다; 몹시 취하다: I'm sure he ~*s*. 틀림없이 그는 술꾼이다. **3** [보어와 함께] 마시면 …맛이 나다: (~+보) This wine ~*s* flat. 이 포도주는 통 맛이 없다[김빠진 맛이다]. // (~+부) This cocktail ~*s pretty well*. 이 칵테일은 마실 만하다[괜찮다]. **4** 건배하다, 축배를 들다 ⟪*to*⟫: (~+전+명) Let's ~ *to* his success[health]. 그의 성공[건강]을 위해 건배합시다. **5** (영·속어) 뇌물을 먹다
~ away 술 때문에 〈이성·재산을〉 잃다; 술을 마시며 허송세월하다; 〈슬픔 등을〉 술로 잊다 ***~ deep*** 흠뻑 마시다 ⟪*of*⟫; 술고래이다; 〈지식 등을〉 많이 흡수하다 ⟪*of*⟫ ***~ down***[***off***] 단숨에 쭉 들이키다, 다 마셔 버리다 ***~ … dry***[***empty***] 〈용기를〉 다 마셔 버리다 ***~ hard***[***heavily***] = DRINK deep. ***~ in*** 빨아들이다; 정신없이 듣다[바라보다]: ~ *in* a beautiful scene 아름다운 경치에 매료[도취]되다 ***~ it*** (속어) 실컷 마시다 ***~ oneself out of*** 술로 (지위 등을) 잃다 ***~*** (***to***) ***a person's health*** ⇨ *vi.* 4. ***~ a person under the table*** 〈사람을〉 곯아떨어지게 하다 ***~ up*** [보통 명령법으로] 다 마셔라; 빨아올려라 ***~ with the flies*** (호주·구어) 혼자 마시다 ***I could ~ the sea dry.*** 목이 몹시 마르다. ***I'll ~ to that.*** (미·속어) (상대에 동의하여) 그렇다, 동감이요, 찬성이다.
—*n.* **1** UC 마실 것, 음료; 알코올 음료, 주류: food and ~ 먹을 것과 마실 것, 음식물 **2** (마실 것의) 한잔 **3** U 음주, 호주(豪酒), 폭주 **4** [the ~] (구어) 큰 강, ⟪특히⟫ 큰 바다: hit *the* ~ 바다에 추락하다
be given[***addicted***] ***to ~*** 술에 빠져 있다 ***be on the ~*** 노상 술을 마시고 있다, 술에 빠져 있다 ***do a ~*** (영·구어) 술을 마시다, 한잔 하다 ***do a ~ thing*** (미·속어) 술을 엄청나게 마셔대다, 폭음하다 ***have a ~*** 한잔하다 ***in ~*** = ***the worse for ~*** = ***under the influence of ~*** 술에 취하여, 취중에 ***soft***[***small***] ***~*** (알코올 성분이 없는) 청량음료 ***take a ~*** 한잔 하다; (야구속어) 삼진당하다 ***take to ~*** 술꾼이 되다

drink·a·ble [dríŋkəbl] *a.* 마실 수 있는, 마시기에 적합한 —*n.* [보통 *pl.*] 음료, 마실 것(cf. EATABLE)
drìnk·a·bíl·i·ty *n.*
drink-driv·er [-dráivər] *n.* 음주 운전자
drink-driv·ing [-dráiviŋ] *n., a.* 음주 운전(의)
∗**drink·er** [dríŋkər] *n.* 마시는 사람; (특히 상습적인) 술꾼; (가축용) 급수기: a hard[heavy] ~ 대주가
Drínker réspirator [미국의 발명자 이름에서] 〚의학〛 드링커 (인공) 호흡기, 철폐(iron lung)
drink·er·y [dríŋkəri] *n.* 술집
drink·ies [dríŋkiz] *n.* [집합적] (속어) 술, 주류; 주연(酒宴)
⁑**drink·ing** [dríŋkiŋ] *n.* U **1** 마심, 흡입 **2** (특히 상습적·과도한) 음주: heavy ~ 과음
—*a.* 마시기에 알맞은, 마실 수 있는; 〈용기(容器)가〉 마시는 데 사용되는; 술을 좋아하는; 〈모임 등이〉 술 마시기 위한; 음주의: a ~ driver 음주 운전자 / a ~ companion 술친구 / a ~ party 주연(酒宴)
drínking bòut 주연(酒宴); 술 마시기 내기
drínking bòx (캐나다) (빨대를 넣는) 음료수 팩
drínking chòcolate (영) 초콜릿 가루 음료(cf. COCOA)
drínking cùp 술잔
drínking fòuntain 분수식 물 마시는 곳
drínking hòrn 뿔잔
drínking pròblem 알콜 의존증[중독]
drínking sòng 술자리에서 부르는 노래
drínking stràw (음료수) 빨대(straw)
drínk·ing-up tìme [dríŋkiŋʌ́p-] (영) (폐점 후의) 술잔을 다 비울 때까지의 여유 시간
drínking wàter 음료수, 마실 물
drínk mòney[**pènny**] (영·속어) 술값, 술밑천
drínk òffering 제주(祭酒)
drínk pròblem (영) = DRINKING PROBLEM
drinks machine 음료 자동판매기
drínks pàrty (영) 칵테일 파티
⁑**drip** [dríp] (cf. DROP) *v.* (**~ped, dript** [drípt]) *vi.* **1** 〈액체가〉 듣다, 똑똑 떨어지다 ⟪*from*⟫: (~+전+명) The rain was ~*ping from* the eaves. 빗방울이 처마에서 똑똑 떨어지고 있었다. **2** (흠뻑 젖어서) 〈물방울이〉 떨어지다, 흠뻑 젖다 ⟪*with*⟫ **3** (…로) 넘치다 ⟪*with*⟫ **4** (비유) 〈음악 등이〉 조용히 흐르다
—*vt.* 〈물방울을〉 듣게 하다, 똑똑 떨어뜨리다; 〈향기 등을〉 대량으로 발산시키다: This pipe ~*s* oil. 이 관에서 기름이 똑똑 떨어진다.
—*n.* **1** [*sing.*] 똑똑 떨어지기, 듣기, 적하(滴下); 〚의학〛 점적(點滴)(약), 점적 장치: be put on a ~ 점적을 박다 **2** [종종 *pl.*] 듣는 방울; (불고기 등에서) 방울방울 맺히는 기름; (비유) 감상(感傷), 눈물이 많음 **3** 똑똑 떨어지는 물방울 소리 **4** 〚건축〛 = DRIPSTONE **5** (미·속어) 미련한[사교성 없는] 사람; 군소리, 실없는 말; 불평 **6** (속어) 성병, ⟪특히⟫ 임질 ***in a ~*** 한 방울씩 떨어져 ***in ~s*** 물방울이 되어 ***on the ~*** (영·속어) 월부[할부]로
dríp àdvertising 드립식 광고 ⟪장기간에 걸쳐 반복 선전하기⟫
dríp còffee 드립 커피 ⟪드립식 커피 끓이개(Dripolator)로 만든 커피⟫
drip-drip [drípdrìp], **-drop** [-drɑ̀p | -drɔ̀p] *n.* 그치지 않고 똑똑 떨어짐; 낙숫물, 물방울
drip-dry [-drái] *v.* (**-dried**) *vi., vt.* 〈나일론 등이〉 짜지 않고 널어도 마르다[널어 말리다] —*a.* 짜지 않고 널어도 곧 마르는 천으로 만든; 다림질이 필요 없는
—*n.* (*pl.* **-dries**) 드립드라이의 옷
drip-feed [-fì:d] (영) 〚의학〛 *n., a.* (위 내의) 점적(點滴)(의) —*vt.* 〈환자에게〉 점적 주입하다
dríp grìnd 드립 커피용으로 곱게 간 커피
dríp irrigàtion = TRICKLE IRRIGATION
dríp jòint 〚건축〛 (지붕을) 단을 지어 이기
drip·less [dríplis] *a.* 〈내용물이〉 흘러내리지 않도록 마련된
dríp màt 컵 받침
Drip·o·la·tor [drípəlèitər] [*drip*+percolator] *n.* 드립식 커피 끓이개 ⟪상표명⟫
drip·page [drípidʒ] *n.* 똑똑 떨어지기[떨어지는 양]
dríp pàinting 〚미술〛 드립 페인팅 ⟪그림물감을 흘리거나 튀겨서 그리는 액션 페인팅⟫
dríp pàn **1** (떨어지는) 액체받이, 기름받이 **2** = DRIPPING PAN
∗**drip·ping** [drípiŋ] *n.* U **1** 똑똑 떨어짐, 적하 **2** 듣는 것, 물방울; [종종 *pl.*] (불고기에서) 떨어지는 육즙
—*a.* **1** 빗물이 떨어지는 **2** 흠뻑 젖은; [부사적] 흠뻑 젖을 만큼 ***be ~ wet*** 흠뻑 젖어 있다
drípping pàn (불고기의) 육즙받이
drípping róast 계속적으로 수월하게 들어오는 이익의 원천
dríp pòt 드립식 커피포트
drip·py [drípi] *a.* (**-pi·er**; **-pi·est**) 물이 똑똑 떨어지는 〈수도꼭지〉; 축축히 비가 오는 〈날씨〉; (구어) 감상적인; (속어) 따분한, 흔해빠진

thesaurus **drip** *v.* drop, trickle, dribble, splash, sprinkle, plop, leak, percolate
drive *v.* **1** 몰다 move, get going, urge, press,

drip·stone [drípstòun] *n.* Ⓤ 〖건축〗 (문·창 위 등의) 빗물받이 돌; 〖화학〗 (종유석·석순 같은) 점적석(點滴石)[탄산칼슘]

dript [drípt] *v.* DRIP의 과거·과거분사

⁑drive [dráiv] *v., n.*

> 「몰다, 몰아치다」가 본래의 뜻 **1**
> (마차를) 「몰다」→(차를) 「운전하다」 **2**→(운전하여) 「태워 가다」 **2**
> (우격다짐으로 움직이다)→「억지로 …시키다」 **5**

—*v.* (**drove** [dróuv] ; **driv·en** [drívən]) *vt.* **1** 몰다, 쫓다; 〈마소를〉 몰다, 몰아가다, 쫓다, 〈새·짐승·적을〉 몰아치다, 몰아내다 《보통 *away, forward, back, in, out, to, into, from, out of, through*》; 〈펜 등을〉 휘두르다: ~ a quill 쓰다 // 《~+목+전+명》 ~ one's cattle *to* the pasture 소를 목장으로 몰아가다 / ~ a person *out of* a country …을 국외로 추방하다 // 《~+목+부》 ~ the dog *away* 개를 쫓아버리다 **2** 〈차 등을〉 몰다, 운전[조종]하다; 〈마차의 말을〉 부리다; 태워 가다 《★ drive는 탈것에 타고 몰다. ride는 자전거·오토바이·말 등을 몰다. 배는 steer, navigate, 돛단배는 sail, 모터보트는 handle, 비행기는 pilot, fly.》: 《~+목+부》 ~ her *home* 그 여자를 차에 태워 집까지 바래다주다 // 《~+목+전+명》 They *drove* the injured people *to* the hospital. 그들은 병원까지 부상자들을 차로 실어 날랐다. **3** [보통 수동형으로] 〈증기·전기 등이〉 〈기계를〉 운전시키다, 작동시키다; 추진시키다: Water ~*s* the mill. 물이 물레방아를 회전시킨다. / The machine *is driven* by electricity[compressed air]. 그 기계는 전기[압축 공기]로 움직인다. **4** [보통 hard와 함께] 혹사시키다: 《~+목+부》 ~ a person *hard* …을 혹사시키다 **5** …하게 내몰다, 억지로 …하게 하다(compel) 《*to, into, out of*》; [보어와 함께] …한 상태에 빠뜨리다 《주로 angry, mad, crazy, insane 등을 보어로 씀》: 《~+목+보》 ~ a person angry …을 성나게 하다 // 《~+목+전+명》 ~ a person *to* despair[suicide] …을 절망[자살]케 하다 // 《~+목+***to*** do》 I was *driven to* resign. 사직해야 할 처지에 몰렸다. / Hunger ~*s* one *to* steal. 배가 고프면 도둑질을 하게 된다. **6** 〈바람이〉 〈구름·눈·비를〉 불어 보내다; 〈물이〉 떼밀어 보내다; 〈못·말뚝 등을〉 박다; 〈지식 등을〉 주입하다 《*into*》; 〈터널·굴을〉 뚫다, 〈우물을〉 파다(bore) 《*through*》, 〈철도를〉 관통시키다, 부설하다; 〖인쇄〗 〈단어·행(行) 등을〉 넘기다: Clouds are *driven* by the wind. 구름이 바람에 흩날린다. // 《~+목+전+명》 ~ piles *into* the ground 말뚝을 땅에 박다 / ~ a line over *to* the next page 1행을 다음 면으로 넘기다 / The storm *drove* the ship *out of* its course. 폭풍 때문에 그 배는 항로에서 벗어났다. **7** 〈장사 등을〉 하다, 경영하다, 〈일 등을〉 완수하다: ~ a good[bad] bargain 유리[불리]한 흥정을 하다 / ~ a brisk export trade 활발하게 수출업을 경영하다 **8** 〈공을〉 강타하다; 〖테니스〗 드라이브를 넣다; 〖야구〗 (안타·희생 플라이를 쳐서) 〈주자를〉 진루시키다; 〖골프〗 (드라이버로) 〈공을〉 tee에서 멀리 치다: 《~+목+전+명》 The batter *drove* the ball *into* the bleachers. 타자는 공을 외야 관람석으로 날려 보냈다. **9** 〈시간·날짜 등을〉 물리다, 연기하다(defer): 《~+목+전+명》 ~ it *to* the last minute 마지막까지 질질 끌다

—*vi.* **1** 차를 몰다[운전하다]; 차[마차]를 타고 가다, 드라이브하다 《★ 「버스[전철]로 가다」는 take a bus [train], ride in a bus[train]》; 〈차가〉 가다 《*across, along, around, by, through, into, to,* etc.》: Will you walk or ~? 걷겠습니까, 차로 가겠습니까? // 《~+전+명》 ~ *in* a taxi 택시로 가다 / ~ *through* a park 공원을 차로 지나가다 **2** 〈배 등이〉 질주하다, 돌진하다, 전진하다; 〈구름이〉 날아가다; 〈비 등이〉 세게 부딪치다 《*against*》: 《~+전+명》 The rain was *driving against* the windows. 비가 창에 세차게 몰아치고 있었다. **3** (목표를 향해) 열심히 노력하다 **4** 공을 강타하다; 속구를 던지다; 〖골프〗 드라이버로 힘껏 치다; 저격하다 《*at*》 **5** 〖광산〗 갱도를 파다 **6** [보통 진행형으로] 《구어》 …할 작정이다, 추구하다, 의도하다, 의미하다(intend) 《*at*》: What *is* he *driving at*? 그는 대체 어쩌자는 것인가[무슨 말을 하는 것인가]?

D~ ahead! 전진! ***~ at*** ⇨ *vi.* 6. ***~ away*** 몰아내다, 쫓아내다; 〖골프〗 제1타를 치다; 〈구름·불안 등을〉 날려 버리다; 차를 몰고 가버리다; 〈사람을〉 차에 태워 가다 ***~ away at*** 《구어》 …을 부지런히[열심히] 하다 ***~ back*** (1) 되쫓아 버리다; 물리치다 (2) 차를 타고 돌아오다; 차에 태워 보내 주다 ***~ a person back on*** 〈그만둔 습관 따위를〉 다시 시작하게 하다; 〈사람에게〉 …을 재사용하게 하다 ***~ down*** 〈이율 따위를〉 인하하다; 차를 몰고 (…까지) 가다 《*to*》 ***~ hard*** ⇨ *vt.* 4. ***~ … home*** (1) 〈못 등을〉 단단히 박다 (2) 〈견해·사실을〉 납득[통감]시키다; 〈일의〉 핵심을 찌르다 (3) ⇨ *vt.* 2. ***~ in*** 몰아[떼밀어]넣다; 〈머리에〉 주입하다; 〈말뚝 등을〉 때려 박다; 차를 몰고 들어가다; 〖야구〗 안타를 쳐서 주자를 홈인시키다 ***~ into*** 몰아넣다; 〈바람이〉 〈눈 등을〉 날려 쌓이게 하다; 〈과업 등을〉 머리에 주입시키다 ***~ off*** ＝DRIVE away. ***~ on*** 차를 몰고 나아가다; (…하도록) 내몰다 《*to* do; *forward*》 ***~ on the horn*** 《구어》 (자동차) 운전 중 불필요하게 경적을 울리다 ***~ out*** 쫓아내다; …대신 들어앉다; 차를 몰고 나가다 ***~ to*** …으로 차를 달리다; ⇨ *vt.* 5: be *driven to* despair 절망에 빠지다 / ~ *to* one's wit's[wits'] end 어찌할 바를 모르게 하다 ***~ under*** 억압하다 ***~ up*** 차를 타고 오다 《*to*》; 〈값을〉 올리다 ***let ~*** 겨누다, 쏘다, 덤벼들다, 겨누어 …에 던지다[치다] 《*at*》: He *let* ~ *at* me with a book. 그 녀석이 나한테 책을 던졌다.

—*n.* **1** Ⓒ 드라이브; (차를) 몰기: take[go for] a ~ 드라이브하(러 가)다 **2** 드라이브 길; 《영》 차도, (큰 저택의 대문에서 현관의 차 대는 데까지의) 사설 차도 (《미》 driveway); 공원 안[수풀 속]의 차도 **3** (마차·자동차로 가는) 거리: an hour's ~ 차로 1시간 걸리는 거리 **4** ⓊⒸ 박력, 추진력, 정력(energy); 〖심리〗 동기, 동인(動因), 충동, 본능적 욕구; (일·곤란함에) 쫓기는 상태; 스트레스; (군대의) 대공세 **5** 〖상업〗 (시장 가격을 내리려고 하는) 염가 방매; 《원래 미》 (기부금 모집 등의) 운동(campaign); 대선전: a Red Cross ~ 적십자 모금 운동 **6** Ⓤ (시대 등의) 흐름(drift), 경향(tendency) **7** (사냥감·적을) 몰아댐; (짐승 떼를) 몰기; 《고어》 (몰아 모은) 가축의 떼(drove); 뗏목 **8** 〖구기〗 드라이브, 장타, 강타; 〖골프〗 드라이버 샷 《장타를 노리는 티샷》; 〖테니스〗 속구 치는 법; 〖크리켓〗 강타; 〖야구〗 라인 드라이브(liner) **9** Ⓤ 〖기계〗 구동(驅動) 장치, 전동(傳動); (자동차의 자동 변속기의) 드라이브 [주행]의 위치: a car with rear-wheel ~ 후륜 구동차 **10** 〖컴퓨터〗 드라이브, 구동 장치 **11** 질주감, 가속감; 《미·속어》 (마약으로 인한) 질주감, 약동[고양]감 ***full ~*** 전속력으로(at full speed) ***in a ~*** 단숨에, 일거에 **drív(e)·a·ble** *a.*

driv(e)·a·bil·i·ty [dràivəbíləti] *n.* 운전 용이도

drive·a·way [dráivəwèi] *n.* 자동차의 배송(配送); (자동차의) 발진

dríve bày 〖컴퓨터〗 드라이브 베이 《옵션 드라이브를 넣는 공간》

drive-by [dráivbài] *n.* (*pl.* **~s**) 차로 가기; 《미》 차 타고 가며 총을 쏘기(＝**∠ shòoting**)
— *a.* 차로 가는; 주행 중인 차에서의

drive-by-wire [-baiwáiər] *n., a.* (차 엔진 등의) 반자동 제어 장치(의)

dríve chàin ＝DRIVING CHAIN

***drive-in** [dráivìn] *n.* 《미》 드라이브인 《차에 탄 채 이용할 수 있는 영화관·은행·상점·간이식당 등》

---

push, impel, herd **2** 운전[조종]하다 operate, steer, handle, guide, direct, manage **3** 억지로 …하게 하다 force, compel, constrain, make

— *a.* Ⓐ 드라이브인 식의: a ~ theater 드라이브인 극장/a ~ bank 드라이브인 은행
driv·el [drívəl] *v.* (**~ed**; **~·ing** | **~led**; **~·ling**) *vi.* **1** 침을 흘리다, 코를 흘리다 **2** 철없는 소리를 하다
— *vt.* **1** 흘리다 **2** 〈시간 등을〉 낭비[허비]하다 《*away*》; 바보 같은 소리를 하다
— *n.* Ⓤ **1** 군침, 콧물 **2** 어리석은[철없는] 소리
~·er *n.* 침 흘리는 사람; 바보
drive·line [dráivlàin] *n.* (자동차의) 동력 전달 장치
‡**driv·en** [drívən] *v.* DRIVE의 과거분사
— *a.* 〈눈 등이〉 날리어 쌓인; 강제된; (충동에) 내몰린; 〖컴퓨터〗 …구동형의
dríven wéll (미) 깊이 판 우물
drive-off [dráivɔ̀:f] *a.* = DRIVE-ON
drive-on [dráivɔ̀:n | -ɔ̀n] *a.* 〈배가〉 자동차 수송이 가능한, 차를 탄 채로 들어가는
‡**driv·er** [dráivər] *n.* **1** 운전사, 마부; (기계의) 조종자; (영) 기관사 **2** 소[말]몰이꾼, 가축 상인(drover) **3** (노예·죄수 등의) 감독 **4** 〖기계〗 동력 전달부; (기관의) 동륜(動輪)(driving wheel) **5** 〖골프〗 드라이버, 1번 우드 클럽 《공치는 부분이 나무로 된 골프채》 **6** (말뚝 등을) 박는 기계 **7** 〖컴퓨터〗 드라이버
dríver ànt 〖곤충〗 군대개미 《아프리카·아시아산(産)》
dríver educátion 운전자 교육 《운전 기술·정비·안전 교육》
driv·er·less [dráivərlis] *a.* 운전사가 필요 없는
dríver's lìcense (미) 운전면허(증)((영) driving licence)
dríver's sèat 운전석 ***in the ~*** 지배적 지위[입장]에 있는, 결정권을 쥔
dríver's tèst (미) 운전 시험(driving test)
dríve scrèw 나사못(screw nail)
drive·shaft [dráivʃæ̀ft] *n.* = DRIVING SHAFT
dríve sỳstem 구동 장치
drive-through, drive-thru [-θrù:] *a.* Ⓐ 차에 탄 채 구경하며 지나가는, 드라이브 스루 식의: a ~ zoo 드라이브 스루식 동물원 — *n.* 드라이브 스루
dríve-through delívery (미·속어) 드라이브 스루 출산[분만] 《출산 당일 또는 최단 기간 입원으로 출산하기》
dríve tìme = DRIVING TIME
dríve tràin (자동차의) 구동렬(驅動列)
drive-up [-ʌ̀p] *a.* (미) 〈은행·가게·식당 등이〉 차를 탄 채 볼일을 볼 수 있게 된: a ~ window (at a bank) 차를 탄 채로 서비스를 받는 (은행) 창구
***drive·way** [dráivwèi] *n.* **1** 사유 차도, (도로에서 집·차고까지의) 진입로[차도]((영) drive); (캐나다) 경치 좋은 간선 도로 **2** 가축을 몰고 가는 길
dríve whèel = DRIVING WHEEL
‡**driv·ing** [dráiviŋ] *a.* Ⓐ **1** 추진하는; 동력 전도(傳導)[전달]의: ~ force 추진력 **2** 정력적인(vigorous): a ~ salesman 정력적인 세일즈맨 **3** 〈바람이〉 휘몰아치는, (바람에 날려) 질주하는, 맹렬한: a ~ rain 휘몰아치는 비 **4** 사람을 혹사하는: a ~ manager 사람을 혹독하게 부려먹는 지배인 **5** 운전용의, 조종용의 **6** 〈소설·이야기의 내용이〉 극적인
— *n.* Ⓤ **1** 운전(법), 조종(법) **2** 몰이 **3** 추진; (차바퀴의) 전동력(傳動力) **4** (못 등을) 박(아넣)기 **5** 〖골프〗 tee에서 멀리 치기 ***~ under the influence*** (미) 음주[취중] 운전 《미국의 일부 주에서는 driving while intoxicated보다 경범으로 처벌함》 ***~ while intoxicated*** (미) 음주[만취] 운전
dríving àxle 〖기계〗 (기관차 등의) 구동축
dríving bàn 운전면허 정지
dríving bànd[bèlt] 동력 전달 벨트
dríving bòx 마부석; 〖기계〗 동륜축함(函)
dríving chàin (차의) 구동 체인
dríving gèar (기관의) 구동(驅動) 장치
dríving ìron 〖골프〗 1번 아이언 《장타(長打)용》
dríving lìcence (영) = DRIVER'S LICENSE
dríving mìrror (영) 백미러(rearview mirror)
dríving rànge 골프 연습장
dríving schòol 자동차 운전 학원
dríving sèat = DRIVER'S SEAT
dríving shàft 〖기계〗 구동축(驅動軸), 운전축
dríving tèst 운전면허 시험
dríving tìme 운전 소요 시간; (차로 통근하는) 운전 시간대(帶)
dríving whèel **1** 〖기계〗 동륜; (자동차 등의) 구동륜 **2** (자동차의) 핸들((steering) wheel): sit behind the ~ 차를 운전하다
***driz·zle** [drízl] *n.* Ⓤ 이슬비, 가랑비, 보슬비
— *vi.* [종종 it을 주어로 하여] 이슬비[가랑비]가 내리다: *It* was *drizzling* that day. 그날은 이슬비가 내리고 있었다. **dríz·zling·ly** *ad.*
driz·zle-puss [-pùs] *n.* (미·속어) 찌찌한[하찮은] 녀석
driz·zly [drízli] *a.* 이슬비[가랑비] 내리는
DRM 〖컴퓨터〗 digital rights management 디지털 콘텐츠 저작권 관리
Dr Mar·tens [dɑ̀ktər-mɑ́:rtənz | dɔ̀k-] *pl.* 닥터 마틴즈 《바닥이 두껍고 끈으로 묶게 되어 있는 신발; 상표명》
dro·gher [dróugər] *n.* 드로거 《서인도 제도의 소형 화물 범선》
drogue [dróug] *n.* **1** (고래잡이) 작살 줄에 달린 부표 **2** (비행장의) 풍향 기드림; = DROGUE PARACHUTE **3** 〖항공〗 (비행기가 끄는) 기드림 《사격 연습용 표적》 **4** 〖항공〗 드로그 《공중 급유기의 호스 끝에 있는 깔때기 모양의 급유구》 **5** = SEA ANCHOR
drógue pàrachute (소형의) 보조 낙하산; (전투기·우주선 등의) 감속용(減速用) 낙하산
droit [drɔ́it] [F=right] *n.* 〖법〗 **1** 권리(legal right); 권리의 대상 **2** 법률 **3** [*pl.*] 세금(dues), 관세
droit du sei·gneur [drwɑ́:-du:-seinjɔ́:r] [F=right of the lord] **1** (봉건) 영주의 초야권(初夜權) **2** (비유) 전횡(專橫)
droll [dróul] *a.* 익살떠는, 우스꽝스러운(opp. *serious*) — *n.* 익살꾸러기, 어릿광대; 익살 — *vi.* 익살떨다; 농을 하다(jest) 《*with, at, on*》; 단조로운 말투로 이야기하다(drone) **~·ness** *n.* **dról·ly** *ad.*
droll·er·y [dróuləri] *n.* (*pl.* **-er·ies**) ⓊⒸ 익살스러운 짓; 농담, 해학; 만화; (고어) 인형극; 촌극
drome [dróum] *n.* (구어) = AIRDROME
-drome [dròum] 《연결형》 **1** [명사형 어미] 「경주로; 넓은 시설」의 뜻: air*drome*, hippo*drome* **2** [형용사형 어미] 「달리는」의 뜻
drom·e·dar·y [drɑ́mədèri, drʌ́m- | drɔ́mədəri, drʌ́m-] *n.* (*pl.* **-dar·ies**) 단봉(單峰) 낙타 《등에 혹이 하나가 있는; 아라비아산(産); cf. BACTRIAN CAMEL》
drom·on(d) [drɑ́mən(d), drʌ́m- | drɔ́m-, drʌ́m-] *n.* (중세에 주로 지중해에서 사용되던) 대형 쾌속 범선
***drone**[1] [dróun] *n.* **1** (꿀벌의) 수벌(cf. WORKER) **2** 게으름뱅이(idler) **3** 원격 조작 기구; (무선 조종되는) 무인 비행 물체 **4** (구어) 따분한 사람
— *vi., vt.* 빈둥거리며 지내다(idle) 《*away, on*》
***drone**[2] [dróun] *n.* **1** 윙윙거리는 소리, 단조로운 저음; 〖음악〗 백파이프; 백파이프의 지속 저음(관) **2** 단조로운 말투의 사람
— *vi., vt.* 윙윙거리다; 낮은 소리로 단조롭게 노래하다[이야기하다, 말하다] 《*on, out*》 **drón·ing·ly** *ad.*
dróne flỳ 〖곤충〗 꽃등에
dron·go [drɑ́ŋgou | drɔ́ŋ-] (*pl.* **~s**) *n.* **1** 〖조류〗 권미과(科)의 총칭 《바람까마귀 등》(=**~ shrike**) **2** (호주·속어) 바보, 멍청이
droob [drú:b] *n.* (호주·속어) 감상적인 사람; (미·속어) 팔푼이, 아둔패기
droog [drú:g] *n.* 갱의 일원(gangster)
droog·ie [drú:gi] *n.* 갱 소년, 비행 소년[소녀]

thesaurus **droop** *v.* **1** 축 늘어지다 hang, stoop, bend, bow, sag, sink, slump, fall down, drop **2**

droo·kit, drou·kit [drúkit] *a.* 《스코》 흠뻑 젖은

drool [drú:l] *vi.* **1** 군침을 흘리다; 침이 나오다 **2** 《구어》 실없는[허튼] 소리를 하다 **3** 《구어》 몹시 기뻐하다, 열광하다, 갈망하다 **—** *vt.* 〈군침 등을〉 입에서 질질 흘리다 **—** *n.* **1** 군침 **2** 《구어》 실없는[허튼] 소리

drool·er [drú:lər] *n.* 〖야구〗 =SPITBALL

drool·y [drú:li] *a.* (**drool·i·er**; **-i·est**) **1** 《구어》 침을 흘리는 **2** 《미·속어》 굉장히 매력적인; 《미·속어》 〈옷·차 등이〉 (군침이 날 정도로) 매우 근사한 **—** *n.* 《미·속어》 인기 있는 남자 《10대들의 용어》

‡droop [drú:p] *vi.* **1** 축 늘어지다, 처지다; 〈눈을〉 내리깔다, 〈고개를〉 숙이다 **2** 〈초목이〉 시들다, 〈사람이〉 힘이 없어지다, 약해지다; 풀이 죽다, 맥이 풀리다: His spirits *~ed.* 그는 풀이 죽었다. // (~+전+명) *~ with* sorrow 슬퍼서 의기소침하다 / Plants *~ from* drought. 식물이 가뭄으로 시든다. **3** 《시어》 〈해 등이〉 지다(sink)

— *vt.* 〈고개·얼굴 등을〉 숙이다; 〈눈을〉 내리깔다

— *n.* **1** 축 늘어짐, 수그러짐; 시듦, 의기소침 **2** (가락이) 처짐(fall) **3** 《미·속어》 활기 없는 놈; 멍청이

droop·ing [drú:piŋ] *a.* 늘어진; 눈을 내리깐, 고개 숙인; 풀이 죽은 **~·ly** *ad.*

dróop nòse 〖항공〗 (초음속기 등의 착륙시 시야를 넓히기 위해) 숙일 수 있는 기수(機首)

droop-snoot [drú:psnù:t] 《구어》 *n.* =DROOP NOSE(의 비행기) **—** *a.* 기수가 아래로 굽는 〈항공기〉

droop·y [drú:pi] *a.* (**droop·i·er**; **-i·est**) 축 늘어진, 수그린; 《구어》 지친, 의기소침한

dróopy dráma 《미·속어》 (TV·라디오의) 낮시간의 연속극

‡drop [drɑ́p | drɔ́p] *n.* **1** (액체의) 방울 **2** 한 방울의 분량; (물약의) 적량(滴量); [*pl.*] 점적약(點滴藥), 적제(滴劑); [a ~; 부정문에서] 미량, 소량; 《구어》 소량[한잔]의 술 《*of*》: *a ~ of* fever 미열 / *not a ~ of* kindness 친절이라고는 조금도 없는 **3** 물방울 모양의 것; 펜던트(pendant)에 박은 보석 《진주 등》, 펜던트가 달린 귀고리; 〖건축〗 물방울 장식; 〖가구〗 이슬방울 장식; 〖과자〗 드롭스 **4** 방울져 떨어짐(dropping); 급강하; 〖군사〗 (낙하산에 의한) 공중 투하, 낙하산 강하, 낙하산 부대; 낙하 거리, 낙차; 몰락 《*in*》, (가격·주식 등의) 하락 《*in*》, (온도의) 강하 《*in*》; (지면의) 함몰(의 깊이); 〖럭비·미식축구〗 =DROPKICK; 〖야구〗 드롭 **5** 떨어지는 장치, 함정; (교수대의) 발판; (우체통의) 넣는 구멍, 투입구; (극장의) 현수막(=~ curtain), 배경막; (문·서랍 등의) 열쇠 구멍 덮개 **6** 《속어》 비밀 정보[장물, 밀수품] 은닉 장소; 《미·캐나다》 중앙 저장고[보관소] **7** 〖식물〗 (야채의) 균핵병(菌核病) **8** 급경사, 가파른 비탈; (파이프 등의) 급경사 부분 **9** (카지노에서) 칩 판매고 **10** 《미·흑인속어》 고아; 《미·속어》 돈을 지불해 주는 손님; 택시 기본 요금 ***a ~ in the*** [***a***] ***bucket*** [***the ocean***] 소량, 창해일속(蒼海一粟) ***at the ~ of a hat*** 신호가 있자마자; 곧; 걸핏하면, 확고한 이유도 없이 ***~ by ~*** 한 방울씩, 조금씩 ***have*** [***get***] ***a ~ in*** one***'s*** [***the***] ***eye*** 얼근히 취해 있다 ***have*** [***get***] ***the ~ on*** a person 《미·속어》 상대편보다 먼저 권총을 들이대다; …에게 선수치다 ***in ~s*** 한 방울씩; 천천히 ***take*** [《영》 ***do***] ***a ~*** 술을 마시다, 한잔하다

— *v.* (**~ped, dropt** [drɑ́pt | drɔ́pt]; **~·ping**) *vi.* **1** 방울져 떨어지다, 뚝뚝 떨어지다, 듣다: (~+전+명) Tears *~ped from* her eyes. 그녀의 눈에서 눈물이 흘러내렸다. **2 a** (갑자기·뜻밖에) **떨어지다**(fall) 《*from*》, 〈꽃이〉 지다; 〈막 등이〉 내리다; 〈말·한숨이〉 무심결에 불쑥 나오다: You might hear a pin ~. 핀이 떨어지는 소리도 들릴 만큼 조용하다. // (~+전+명) The book *~ped from* his hand. 그의 손에서 책이 떨어졌다. / A sigh *~ped from* his lips. 그의 입에서 한숨이 불쑥 새어 나왔다. **b** 푹 쓰러지다, 지쳐서 쓰러지다; 상처를 입고 쓰러지다; 죽다(die): (~+전+명) ~ *with* fatigue 피로로 쓰러지다 / ~ (*on*) *to* one's knees 털썩 무릎을 꿇다 **c** (차츰 어떤 상태에) 빠지다, 〈어떤 상태가〉 되다 《*into*》: (~+전+명) He *~ped into* the habit of smoking. 그는 담배를 피우는 습관이 생겼다. // (~+보) He soon *~ped* asleep. 그는 곧 잠들었다. **3** 〈사람이〉 훌쩍 내리다, 뛰어내리다 《*off, from*》; 〈언덕·강 등을〉 내려가다 《*down*》; 〈해가〉 지다(sink): (~+전+명) ~ *down* the river 강을 내려가다 **4** 〈경첩·턱 등이〉 덜컥 내려지다, 처지다 **5** 〈바람이〉 자다; 〈h음 등이〉 탈락되다, 없어지다; 〈편지 왕래 등이〉 끊어지다; 〈일이〉 중단되다; 〈가격이〉 내리다, 〈지위가〉 떨어지다; 〈온도·생산고가〉 내려가다, 〈소리가〉 약해지다; 〈모습 등이〉 사라지다, 안 보이게 되다 **6** 뒤떨어지다, 낙후하다; 탈락하다, 중퇴하다, 그만두다 《*behind, out of, to*》: let the matter ~ 일을 집어치우다 // (~+부) ~ *behind* 낙오되다 // (~+전+명) ~ *out of* the line 전열에서 낙오되다 **7** 《구어》 〈사람이〉 우연히 들르다 《*by, in, into*》; 우연히 만나다 《*across*》: (~+부) (~+전+명) ~ *by at* one's office 사무실에 들르다 **8** 〈사냥개가〉 사냥감을 보고 웅크리다 **9** 《속어》 (마약을) 하다, 복용하다 **10** 〈동물의 새끼가〉 태어나다 **11** 《속어》 체포되다

— *vt.* **1** 똑똑 떨어뜨리다, 방울져 듣게 하다, 엎지르다, 흘리다: ~ sweat 땀을 흘리다 // (~+목+전+명) ~ a tear *over* a matter 어떤 일에 눈물을 흘리다 **2** 〈물건을〉 떨어뜨리다(let fall), 손에서 떨어뜨리다; 투함(投函)하다; (낙하산으로) 공중 투하하다; 〈짧은 편지를〉 써 보내다 《편지통에 떨어뜨린다는 뜻에서》; 〈지갑 등을〉 잃어버리다; 〈돈을〉 잃다, 〈내기에서〉 지다; 《구어》 〈승객·짐을〉 (도중에서) **내려놓다**; 《구어》 〈전언(傳言)을〉 전달하다; 〈물건을〉 보내다; 〖구기〗 〈공을〉 …에 고의로 떨어뜨리다; 〖럭비·미식축구〗 dropkick으로 공을 〈골에〉 넣다: (~+목+목) (~+목+전+명) *D~* me a line. = *D~* a line *to* me. 한 자 적어 보내주시오. / ~ money *over* a transaction 거래에서 손해를 보다 / *D~* me *at* the next stop, please. 다음 정거장에서 내려 주세요. **3** 〈닻·막 등을〉 내리다, 드리우다; 〈눈길을〉 떨어뜨리다, 〈눈을〉 내리깔다; 〈목소리를〉 낮추다; 〈수·양을〉 줄이다, 〈질을〉 낮추다, 〈h음이나 ng의 g 등을〉 빠뜨리다(omit) 《이를테면 hot을 'ot, singing을 singin'이라고 하는 것》: ~ a line 낚싯줄을 드리우다 **4** 우연히 들르다; 무심코 입 밖에 내다, 암시하다; 〈한숨·미소를〉 짓다: ~ a hint 암시를 주다, 넌지시 시사하다 **5** (도중에서) …와 헤어지다 **6** 〈습관 등을〉 **버리다**(give up); 〈의논 등을〉 중단하다, 그만두다; 절교하다: ~ a bad habit 나쁜 습관을 버리다 **7** 〈소·말·양 등이〉 〈새끼를〉 낳다 **8** 도끼로 찍어 눕히다, 쳐서[쏘아] 쓰러뜨리다, 〈새를〉 쏘아 떨어뜨리다 **9** 《미》 해고하다, 퇴학시키다(⇨ dismiss 유의어); 〈소송을〉 취하하다 《*from*》: The company is *~ping* some 100 employees. 회사는 약 100명의 종업원을 해고하려고 한다. // (~+목+전+명) ~ a person *from* the membership …을 회원에서 제명하다 **10** 《구어》 〈달걀을〉 끓는 물에 넣다(poach) **11** 《속어》 죽이다(kill) **12** 〖럭비·미식축구〗 드롭킥으로 〈점수를〉 올리다 **13** 《속어》 (도박·투기 등에서) 〈돈을〉 잃다, 날리다 **14** 《속어》 〈마약을〉 하다 **15** 《영·속어》 〈위폐·위조 수표 등을〉 사용하다 **16** 《미·속어》 〈절도품·밀수품 따위를〉 건네다, 인도하다 **17** 〖항해〗 넘어서 가다, …이 안 보이는 곳까지 오다 **18** [보통 수동형으로] 《미·속어》 체포하다 **19** 〖컴퓨터〗 〈아이콘 등을〉 드롭하다 《드래그한 아이콘 등을 목적한 곳에서 마우스 버튼을 떼어 놓다; cf. DRAG *vt.* 8》

~ across 우연히 만나다(come across); 〈물건을〉 우연히 발견하다; 꾸짖다, 벌주다 ***~*** (***a***)***round*** =DROP in. ***~ away*** 한 사람씩 가버리다, (어느덧) 없어지다, 가버리다; 한 방울씩 떨어지다 ***~ back*** [***behind***] 뒤떨어지다, …보다 뒤지다 ***~ by*** 《구어》 (…에) 잠깐 들르다 ***~ dead*** 푹 쓰러져 죽다, 급사하다; [명령법으로] 《속어》 꺼져; 뒈져라 ***~ down*** 쓰러지다; 〈바람 등

약해지다 weaken, languish, falter, wither, decline, diminish, deteriorate

이〉 갑자기 멎다; 강을 따라 내려가다 ~ **from the sight**[**notice**] 안 보이게 되다, 시야에서 사라지다 ~ **in** (1) (한 사람씩) 들어가다 (2) 《구어》 잠깐 들르다 ★「사람」에는 on, 「집」에는 at을 씀: He often ~*s in on* me[*at* my house]. 그는 자주 내게[우리 집에] 들른다. (3) 우연히 만나다 《*with*》 ~ a person **in it** 《영·구어》 〈남에게〉 큰 폐를 끼치다 ~ **into** 들르다, 기항(寄港)하다; 야단치다; 〈습관에〉 빠지다 **D~ it!** 《구어》 (그 이야기는) 그만두게!; (그 일은) 그만 잊어버려! ~ **off** 차츰 없어지다[줄다]; 〈단추 등이〉 떨어지다, 빠지다; 사라져 가다; (어느새) 잠들다; 쇠약해지다; (갑자기) 죽다; 〈차 등에서〉 하차하다, 도중에 내려 놓다 ~ **on**[**upon**] 《구어》 우연히 만나다[발견하다]; 선발하다, 지명하다; 꾸짖다 ~ **one** 《영·속어》 방귀를 뀌다; 〖럭비〗 번트를 하다 ~ **on** (**to**) 호되게 꾸짖다 ~ **out** 떠나다; 사라지다; 빠지다, 없어지다; 〖럭비〗 드롭아웃하다; 〈선수가〉 〈경기에〉 결장하다, 빠지다; (체제파에서) 이탈하다 《*of, from*》; 낙오하다, 중퇴하다 ~ **out of** …에서 손을 떼다; 〈학교 등을〉 그만두다; 뒤떨어지다: ~ *out of* usage 〈낱말·표현이〉 쓰이지 않게 되다 ~ **over** 《구어》 =DROP by. ~ **short** 부족해지다 《*of*》; 《속어》 갑자기 죽다 ~ **through** 아주 형편없이 되다, 결딴나다, 불발로 끝나다 ~ **to** …을 낌새 맡다, 알다 **fit**[**ready**] **to** ~ 녹초가 되어 **let** ~ ⇨ let

drop·back [drάpbæ̀k | drɔ́p-] *n.* (이전 수준까지) 가격[수준]을 끌어내리기

dróp bìscuit =DROP CAKE

drop-by [drάpbài | drɔ́p-] *n.* 《미》 (정치가·연예인 등이) 얼굴을 내밀기

dróp càke[**còokie**] 반죽을 스푼으로 번철 위에 떨어뜨려 구운 쿠키

dróp càse 《미·속어》 바보

dróp clòth (페인트칠 등을 할 때 방바닥·가구 등을 덮는) 페인트받이 천[시트, 종이 《등》]

dróp cùrtain (무대의) 현수막(drop scene)

drop-dead [-dèd] 《속어》 *a.* (경이·선망으로) 눈을 사로잡는, 눈이 부실 정도의; 최대 한도의; 《미·구어》 최종적인, 진짜 마지막의: a ~ date 최종 마감 날짜

dróp-dead lìst 《미·구어》 미운[사귀기 싫은] 사람의 명단

dróp-down ménu [drάpdaun-] 〖컴퓨터〗 드롭다운 메뉴 《주 메뉴 하위에 나란히 배열하는 메뉴 형태》

drop-drill [-drìl] *n.* 파종과 동시에 시비하는 장치

dróp fòlio 〖인쇄〗 아래쪽에 인쇄된 페이지 숫자

dróp fòrge 〖기계·건축〗 낙하 단조 장치

drop-forge [-fɔ̀ːrdʒ] *vt.* 〖야금〗 낙하 단조로 성형(成形)하다 **dróp-fòrg·er** *n.*

dróp fòrging 〖야금〗 낙하 단조 (제품)

dróp frónt (책장의 덮개를 앞으로 내리면 책상의 윗판이 되는) 접는 판자(fall front)

dróp góal 〖럭비·미식축구〗 드롭 골 《골을 겨누어 찬 dropkick의 성공》

dróp hàmmer 〖기계〗 (단조용의) 낙하 해머

dróp hándlebars (자전거의) 아래로 굽은 핸들

drop·head [-hèd] *n.* 《영》 개폐식 포장 지붕 자동차, 컨버터블(convertible); 타자기나 재봉틀의 판을 집어넣으면 테이블이 되는 장치

drop-in [-ìn] *n.* 《구어》 불쑥 들르는 사람[장소]; 마음 편한 모임[파티]; 마약 상용자 아지트; 《미·학생속어》 (대학에 나오는) 가짜 학생; 〖컴퓨터〗 드롭인 《데이터 이동 중에 오류로 섞여 들어간 글자·데이터》
— *a.* 〈장소 등이〉 가벼운 마음으로 들를 수 있는, 예약이 필요 없는

drop-kick [-kík] *vt., vi.* 드롭킥하다 **~·er** *n.*

drop·kick [-kìk] *n.* 〖럭비·미식축구〗 드롭킥 《공을 땅에 떨어뜨려 튀어오를 때 차는 방법; cf. PUNT[3]》

dróp lèaf 책상에 경첩으로 달아 접게 되어 있는 보조판 **dróp-lèaf** *a.*

drop·let [drάplit | drɔ́p-] *n.* 작은 물방울

dróplet inféction 〖의학〗 비말(飛沫) 감염

dróp lètter 《미》 (수취인이 우체국에 찾으러 오는) 유치(留置) 우편물; 《캐나다》 접수 우체국 배달 구역 내 우편물

drop·light [drάplàit | drɔ́p-] *n.* (이동식) 현수등

drop·line [-làin] *n.* 〖신문〗 드롭라인 《몇 행으로 된 표제가 2행부터 차례로 안으로 물린 것》

drop-off [-ɔ̀ːf | -ɔ̀f] *n.* **1** 급경사면, 절벽 **2** 감소, 하락, 쇠퇴 — *a.* 〈렌터카가〉 이용 후 현장에서 인계하는

dróp-off pòint **1** 배달품 전달 장소 **2** (유괴 사건 등에서) 몸값을 두고 가는 장소

drop·out [-àut] *n.* **1** 낙후, 탈락; 《구어》 (기성 사회나 학교에서의) 탈락자; 중퇴자 **2** 〖럭비〗 드롭아웃 《공격측의 트라이가 성공하지 못한 경우, 수비측이 하는 드롭킥》 **3** 〖컴퓨터〗 드롭아웃 《자기 테이프의 데이터 소실 부분》 **4** 〖인쇄〗 하이라이트판(版)

drop·page [drάpidʒ | drɔ́p-] *n.* (사용·작업 중에) 흘리거나 버리게 되는 양; 덜 익은 낙과량(落果量); 낙하, 떨어뜨리기

dróp pàss 〖축구·하키〗 드롭 패스 《드리블한 선수가 공[퍽]을 뒤따르는 자기편에게 맡기고 자기는 전진하기》

drópped égg [drάpt- | drɔ́pt-] 《미》 수란(水卵)(poached egg)

drópped séat 앉는 자리가 우묵한 의자

drópped shòulder 〖복식〗 진동을 보통 위치보다 팔 쪽으로 처지게 붙이기

drópped wáist 로 웨이스트 《드레스의 허리선이 히프쪽으로 처져 있는 스타일》

drop·per [drάpər | drɔ́p-] *n.* **1** 떨어뜨리는 사람; (안약 등의) 점적기(點滴器) **2** 드로퍼 개 《포인터와 세터의 교배종》 **3** 《미·속어》 전문 살인자

drop·per-in [drάpərín | drɔ́p-] *n.* 《속어》 불쑥[잠깐] 들르는 사람

drop·ping [drάpiŋ | drɔ́p-] *n.* Ⓤⓒ **1** 적하(滴下); 낙하, 투하 **2** [*pl.*] 방울져 떨어지는 것, 촛농; 낙하물, 낙모(落毛), (새·짐승의) 똥(dung)

drópping bòttle 점적병(點滴瓶)

drópping gròund[**zòne**] =DROP ZONE

dróp prèss =DROP HAMMER

dróp scène **1** 무대의 현수막(drop curtain) **2** 대단원, 끝장(finale)

dróp scòne 《영》 팬케이크의 일종

dróp sèat (택시·버스의) 경첩으로 매단 보조 좌석

drop·ship [drάpʃìp | drɔ́p-] *vt.* 〈물건을〉 생산자 직송으로 보내다 **~·per** *n.*

dróp shìpment 생산자 직송

dróp shòt 〖테니스·배드민턴〗 드롭 샷 《네트를 넘자 곧 떨어지는 공》

drop·si·cal [drάpsikəl | drɔ́p-] *a.* 〖병리〗 수종(水腫)의 **~·ly** *ad.* 수종처럼

drop·sied [drάpsid | drɔ́p-] *a.* =DROPSICAL

drop·sonde [drάpsὰnd | drɔ́psɔ̀nd] *n.* 〖기상〗 투하[낙하] 존데(cf. RADIOSONDE)

drop-sul·fur [-sʌ̀lfər] *n.* 〖화학〗 입자꼴 유황 《녹여서 물에 떨어뜨려 작은 낟알처럼 된》

drop·sy [drάpsi | drɔ́p-] *n.* Ⓤ 수종(水腫)(증), 부기(浮氣)

dropt [drάpt | drɔ́pt] *v.* DROP의 과거·과거분사

dróp tàble 접이식 탁자 《벽·열차 좌석에 고정되어 접을 수 있는》

dróp tèst (충격을 알아보는) 낙하 시험[테스트]

drop-test [drάptèst | drɔ́p-] *vt.* 낙하 테스트하다

dróp the hándkerchief 수건 돌리기 놀이

dróp tìn 〖야금〗 입자꼴 주석 《녹여서 물에 떨어뜨려 알맹이가 된》

drop·top [-tὰp | -tɔ̀p] *n.* 《구어》 컨버터블 (자동차)

dróp vòlley 〖테니스〗 발리에 의한 드롭 샷

dróp wáist (옷이) 아래로 처진 허리선

dróp wìndow 내리닫이 창

drop·wort [-wə̀ːrt, -wɔ̀ːrt | -wə̀ːt] *n.* 〖식물〗 참

thesaurus **drown** *v.* flood, submerge, immerse, inundate, deluge, swamp, engulf, drench

터리풀, 독미나리 무리
dróp zòne 〘군사〙 (낙하산) 투하[강하] 지역
drosh·ky [drɑ́ʃki | drɔ́ʃ-], **dros·ky** [drɑ́ski | drɔ́s-] *n.* (*pl.* **-kies**) **1** (러시아의) 무개 4륜 마차 **2** (러시아의) 각종 마차
dro·som·e·ter [drousɑ́mətər | drɔsɔ́m-] *n.* 노량계(露量計), 이슬양계
dro·soph·i·la [drousɑ́fələ | drɔsɔ́f-] *n.* (*pl.* **~s, -lae** [-lìː]) 〘곤충〙 초파리
dross [drɔ́ːs, drɑ́s | drɔ́s] *n.* Ⓤ **1** 〘야금〙 쇠똥, 광재(鑛滓); 《특히》 떠 있는 찌기, 찌꺼기, 불순물 **2** 쓸모없는 것 **dróss·y** *a.*
*__drought__ [dráut] *n.* CU **1** 가뭄, 한발; (장기간의) 부족, 결핍(scarcity); 〘야구〙 슬럼프 **2** 《고어》 건조; 《방언》 목마름
drought·y [dráuti] *a.* (**drought·i·er**; **-i·est**) 가뭄의; 모자라는; 《방언》 목마른 **dróught·i·ness** *n.*
drouth [dráuθ] *n.* 《미·스코·시어》 =DROUGHT
drouth·y [dráuθi] *a.* 《미·스코·시어》 =DROUGHTY
‡**drove**[1] [dróuv] *v.* DRIVE의 과거
drove[2] *n.* **1** (소·돼지·양의) 떼지어 가는 무리(⇨ group 유의어); 몰려 움직이는 인파 **2** (석수의) 굵은 정(=~ **chìsel**); (돌의) 거칠게 다듬은 면(=~ **wòrk**) **3** 좁은 관개용 수로 ***in ~s*** 떼를 지어; 함께 몰려
—*vt., vi.* 《영》 〈가축의 무리를〉 몰고 가다; 가축을 매매하다; 〈석재를〉 (굵은 정으로) 다듬다
dro·ver [dróuvər] *n.* 가축을 시장으로 몰고 가는 사람, 가축 상인
dróve ròad[wày] 《주로 스코》 가축을 몰고 가는 길
‡**drown** [dráun] *vi.* **물에 빠져 죽다**, 익사하다 ★ 《미》에서는 *vt.* 1보다 *vi.*를 쓰는 것이 일반적: A *~ing* man will catch[clutch] at a straw. 《속담》 물에 빠진 사람은 지푸라기라도 붙잡는다.
—*vt.* **1 a** 물에 빠져 죽게 하다, **익사시키다**(⇨ drowned 1) **b** [~ one*self*로] 투신자살하다: ~ *oneself* in a river 강에 투신하다 **2 a** [종종 수동형으로] 물바다가 되게 하다, 침수시키다 《*by, in*》: Her eyes *were ~ed in* tears. 그녀의 눈은 눈물에 젖어 있었다. **b** 〈식품에〉 …을 잔뜩 치다[넣다] 《*with*》 **3** 〈시끄러운 소리가〉 〈작은 소리를〉 안 들리게 하다 《*out*》; 압도하다 **4** 〈근심·걱정을〉 잊게 하다 《*in*》: 《~+목+전+명》 He tried to ~ his troubles *in* drink. 그는 괴로움을 술로 달래려고 했다. **5** [~ one*self*로] …에 몰두하다, …에 전념하다 《*in*》(⇨ drowned 2): He *~ed himself in* work. 그는 일에 몰두했다.
~ out (1) 떠내려 보내다, 몰아내다: be *~ed out* (홍수로) 〈주민이〉 대피하다 (2) 《미·구어》 〈소리를〉 안 들리게 하다 **~ one*self in drink*** 술에 빠지다 **~ one*'s sorrows*** 술로 슬픔을 잊다
drowned [dráund] *a.* **1** 물에 빠져 죽은: a ~ body 익사체 **2** Ⓟ …에 빠진, 몰두한
drówned válley 〘지질〙 익곡(溺谷), 빠진골
drown·ing [dráuniŋ] *a.* 익사하는; 《미·속어》 혼란한, 이해할 수 없는
drown·proof [dráunprùːf] *vt.* …에게 익사 방지 부유법(浮遊法)을 가르치다
drown·proof·ing [dráunprùːfiŋ] *n.* Ⓤ 〘수영〙 익사 방지 부유법
drowse [dráuz] *vi., vt.* 꾸벅꾸벅 졸다, 깜박 졸다 《doze쪽이 일반적》; 졸게 하다, 졸며 〈시간을〉 보내다, 취생몽사하다 《*away*》; 《고어》 활기가 없다
—*n.* Ⓤ 졸음, 선잠(sleepiness)
drow·si·ly [dráuzili] *ad.* 졸린 듯이, 꾸벅꾸벅
*__drow·sy__ [dráuzi] *a.* (**-si·er**; **-si·est**) **1** 졸리는; 졸린 듯한, 꾸벅꾸벅 조는 **2** 졸음이 오는, 졸리게 하는 **3** 〈거리 등이〉 활기 없는, 〈동작 등이〉 둔한(dull) **drów·si·ness** *n.* Ⓤ 졸림; 께느른함
drow·sy-head [dráuzihéd] *n.* 졸리는[께느른한]

---

drowsy *a.* sleepy, half asleep, tired, weary, sluggish, lethargic (opp. *alert, lively*)

듯한 사람, 잠꾸러기
Dr. Strángelòve =STRANGELOVE
drub [drʌ́b] *vt., vi.* (**~bed**; **~·bing**) (몽둥이 등으로) 치다(beat); 〈발을〉 구르다 《*with*》; 〈생각을〉 주입하다 《*into*》, 〈생각을〉 내몰다 《*out of*》; 압승하다; 혹평하다 —*n.* (몽둥이 등의) 구타 **~·ber** *n.* **~·bing** *n.*
drudge [drʌ́dʒ] *n.* (단조롭고 힘든 일을) 꾸준히 하는 사람; 판에 박은 지겨운 일 —*vi.* (고된 일에) 꾸준히 정진하다(toil) 《*at*》 —*vt.* …에게 단조롭고 고된 일을 시키다 **drúdg·er** *n.*
drudg·er·y [drʌ́dʒəri] *n.* Ⓤ (단조로운) 천역, 고역 (cf. SLAVERY)
drudg·ing·ly [drʌ́dʒiŋli] *ad.* 애써서, 고되게
‡**drug** [drʌ́g] *n.* **1** 약, 약제, 약품(⇨ medicine 유의어); [*pl.*] 《미》 (치약 등) 위생 용품 **2** 마약, 마취제(narcotic); 흥분제 ***a ~ on*** [***in***] ***the market*** [be, become 뒤에서] 체화(滯貨), 흔해서 안 팔리는 상품 ***be on ~s*** 마약 중독이다 ***do ~s*** = ***do the ~ thing*** 《속어》 마약을 복용하다
—*v.* (**~ged**; **~·ging**) *vt.* **1** …에 약을 타다; 〈음식물에〉 독약[마취제]을 넣다 **2** 약[마취제]을 먹이다 **3** 싫증나게 하다(cloy)
—*vi.* 마약을 상용하다 ***~ out*** 《미·속어》 녹초가 되다, 뻗어 버리다
drúg abùse 마약 남용; 약물의 남용
drúg àddict[fìend] 마약 중독자
drúg ágent 마약 단속관
drúg báron =DRUG LORD
drúg búst 《미》 마약 단속 **~·er** *n.*
drúg czàr 《미》 마약 단속 총책 《정부의 임명된 최고 책임자》
drúg dèaler 마약 판매상
Drúg Enfórcement Administràtion 《미》 (법무부의) 마약 단속국 《略 DEA》
drug·fast [-fæ̀st | -fɑ̀ːst] *a.* 〈병이〉 약이 잘 안 듣는; 〈세균이〉 약품에 강한, 내성의
drug·free [-frìː] *a.* 〈지역이〉 마약이 없는, 〈사람이〉 마약을 하지 않는
drugged-out [drʌ́gdáut] *a.* 《구어》 (약물·마약에) 취해 있는
drug·get [drʌ́git] *n.* (인도산(産)의) 거친 융단, 옛날의 나사(羅紗)의 일종
drug·gie [drʌ́gi] *n.* =DRUGGY
*__drug·gist__ [drʌ́gist] *n.* 《주로 미·스코》 **약제사**(pharmacist, 《영》 chemist); drugstore의 주인
drug·gy [drʌ́gi] 《미·속어》 *n.* (*pl.* **-gies**) 마약 중독자 —*a.* 마약(사용)의; 마약에 취한
drúg hàbit [the ~] 마약 상용 습관
drug·head [drʌ́ghèd] *n.* 중증의 마약 중독자
drúg interáction 〘약학〙 약물 상호 작용
drug·less [drʌ́glis] *a.* 약을 쓰지 않는 〈요법 등〉
drúg lòrd 《미·속어》 마약왕
drug·mak·er [-mèikər] *n.* 약제사; 제약업자
drúg misùse 《영》 =DRUG ABUSE
drug·o·la [drəgóulə] *n.* 《미·속어》 (경찰이나 당국에 바치는) 마약 판매 묵인 청탁 뇌물
drúg pèddler 마약 밀매인(peddler)
drúg pùmp 〘의학〙 약 펌프 《혈관 주사용》
drug·push·er [drʌ́gpùʃər] *n.* 《구어》 마약 밀매(密賣)자 《drug peddler[dealer]라고도 함》
drúg resìstance 약제 내성
drúg rùnner 마약 운반책[밀수입자]
drúg squàd 《영》 (경찰의) 마약 수사반
drug·ster [drʌ́gstər] *n.* 마약 중독자
‡**drug·store** [drʌ́gstɔ̀ːr] *n.* 《미》 **드러그스토어, 약국** (《영》 chemist's shop) ★ 미국에서는 약품류 이외에 일용 잡화·화장품·담배·책 등도 팔고 소다수·커피 등도 판매; 지금은 supermarket 등에 밀려 성하지 못함.
drúgstore cówboy 《미·캐나다·속어》 옷차림만 카우보이; drugstore에서나 어정거리는 건달
drúg tràfficking Ⓤ 마약 밀매

dru·id [drúːid] *n.* **1** [종종 **D~**] 고대 Gaul 및 Celt 족의 드루이드교의 사제(司祭) 《예언자·시인·재판관·마법사 등을 포함》 **2** eisteddfod의 임원
dru·íd·ic, -i·cal *a.*
dru·id·ism [drúːidìzm] *n.* Ⓤ 드루이드교
‡drum¹ [drʌ́m] *n.* **1** 북, 드럼 《신호·전투 개시 등의 상징》; [*pl.*] (오케스트라·악대의) 드럼부(部); 〖군사〗 고수(鼓手)(drummer) 관련 bass drum(큰북), bongo (drum)(봉고), conga (drum)(콩가), double drum(양면북), kettledrum(케틀드럼), timpani(팀파니), snare[side] drum(작은 북), tabla(타블라), tambourine(탬버린)
2 북소리 (비슷한 소리); 알락해오라기(bittern)의 울음소리 **3** 〖해부〗 (귀의) 중이(middle ear), 고실, 고막(eardrum); 〖동물〗 고상(鼓狀) 기관; (기계의) 몸통; 원통형 용기, 드럼통; 돔 지붕을 받치는 원통형 구조물; (기관총의) 원반형 탄창; 〖컴퓨터〗 자기 드럼 **4** (영·속어) 집, 하숙집; 매춘굴; (미·속어) 나이트클럽 **5** (호주·속어) 믿을 만한 정보, 예상 (**as**) ***tight as a*** ~ 인색한; (영·속어) 정신없이[곤드레만드레] 취한 ***beat***[***bang***] ***the*** ~(***s***) (구어) 요란하게 선전[지지]하다, 뽐내다 《*for*》 ***run a*** ~ (호주·속어) 〈경주마가〉 예상대로 뛰박질을 하다 ***with*** ~***s beating and colors flying*** 북 치고 깃발을 휘날리며 〈입성하다 등〉
—*v.* (~**med**; ~·**ming**) *vi.* **1** 북을 치다 **2** 둥둥[쿵쿵] 치다[때리다, 발을 구르다] 《*with, on, at*》: (~+전+명) ~ *on* the piano[*at* the door] 피아노[문]를 꽝꽝[탕탕] 치다 / ~ *on* a table with one's fingers 손가락으로 테이블을 탕탕 치다 **3** 북을 쳐서 모으다; 선전하다, 팔러 돌아다니다 《*for*》: (~+전+명) ~ *for* a new model 신제품을 선전하다 / ~ *for* new subscribers 신규 구독자를 모으러 다니다 **4** 〈새·곤충이〉 윙윙 날개 소리를 내다 **5** (영·속어) 〈도둑이〉 빈집털이를 하다 **6** (영·속어) 차를 달리다
—*vt.* **1** 〈곡을〉 북을 쳐서 연주하다 **2** 둥둥[쿵쿵] 소리를 내다 《*with*》 **3** 북을 쳐서 모으다 **4** (귀가 따갑도록) 되풀이하여 …하게 하다 《*into*》, 주입하다, 〈머리에〉 쑤셔넣다 《*into*》: (~+목+전+명) ~ an idea *into* a person …에게 어떤 생각을 주입시키다 / ~ a person *into* apathy 잔소리를 자꾸 하여 …을 무감각하게 만들다 **5** (미·속어) 선전하며 다니다, 장려하다 **6** (호주·속어) …에게 정보를 주다, 경고하다 **7** (영·속어) 〈도둑이〉 (빈집임을 확인하기 위해) 벨을 울리다
~ ***down*** 침묵시키다 ~ ***in*** …을 되풀이하여 강조하다[가르치다] ~ a person ***out of*** (원래) 북을 쳐서 …을 (군대 등에서) 추방[제명]하다: be ~*med out of* school 퇴학당하다 ~ ***up*** (북을 쳐) 불러모으다; (선전 등으로) 활기를 불어넣다; 〈지지 등을〉 획득하다; 〈방법 등을〉 궁리해 내다; (영·속어) 반합(등)으로 차를 끓이다 **~·like** *a.*
drum² *n.* = DRUMLIN
drúm and báss 〖음악〗 = DRUM 'N' BASS
drúm and búgle còrps 고적대
drum·beat [drʌ́mbìːt] *n.* 북소리; 북을 치기[두드리기]; 요란히 창도하는 주의[정책]
drum·beat·er [-bìːtər] *n.* (구어) 요란한 광고[선전]자; (주의·정책 등의) 열성적 창도자
drum·beat·ing [-bìːtiŋ] *n.* (구어) 요란한 선전
drúm bràke (자동차의) 드럼 브레이크
drúm còrps 고수대(鼓手隊), 군악대
drum·fire [-fàiər] *n.* Ⓤ (돌격 전의) 연속 집중 포화; (질문·비판·선전 등의) 집중 공세
drum·fish [-fìʃ] *n.* (*pl.* ~, ~·**es**) 〖어류〗 민어과(科)의 물고기 《미국산(産); 북소리 같은 소리를 냄》
drum·head [-hèd] *n.* **1** 북 가죽 **2** 〖해부〗 고막(eardrum) **3** 〖항해〗 캡스턴(capstan)의 머리 부분
—*a.* 〈재판 등이〉 약식의, 즉결의
drúmhead cóurt-martial 〖군사〗 전지(戰地) 임시 군사 법원
drúm kìt 드럼이나 심벌즈의 세트
drum·lin [drʌ́mlin] *n.* 〖지질〗 드럼린, 빙퇴구(氷堆丘)
drúm machìne 드럼 머신 《드럼 소리를 내는 전자 악기》
drúm màjor 군악대장, 고수장, 악장
drúm majorètte **1** (여성의) 군악[고수]대장 **2** (악대의) 밴드 걸, 배턴 걸(baton twirler)
drúm mèmory 〖컴퓨터〗 드럼 기억 장치 《자기(磁氣)로 코팅된 회전식 금속 실린더》
***drum·mer** [drʌ́mər] *n.* **1** 고수(鼓手) 《특히 군악대의》, 드러머 **2** (미·구어) 지방 순회 판매원 《원래 북으로 고객을 끌었음》((영) commercial traveler); (속어) 도둑 **3** (호주·속어) 방랑자(tramp)
hear[***march to***] ***a different*** ~ 〈사람이〉 남들과 다르다; 관습을 깨다
drum·ming [drʌ́miŋ] *n.* 북 치기; (율동적으로) 치는 소리; (영·속어) 도둑질; (영·속어) 호별 방문 판매
drúm 'n' báss 〖음악〗 드럼앤 베이스 《1990년대 영국에서 시작된 저음 비트의 댄스 음악》
drúm pàd 전자 드럼 《디지털 악기의 하나》
drúm prìnter 〖컴퓨터〗 드럼식 프린터
drum·roll [drʌ́mròul] *n.* 드럼[티파니]의 연타
drúm sèt 드럼 세트
drum·stick [-stìk] *n.* **1** 북채 **2** 〖요리〗 닭·오리 등의 다리 《북채와 비슷하여》
drúm tàble 서랍 달린 회전식 둥근 테이블
‡drunk [drʌ́ŋk] *v.* DRINK의 과거분사
—*a.* Ⓟ **1** (술에) 취한(intoxicated; cf. DRUNKEN): drive ~ (구어) 음주 운전을 하다 ★ '그는 취해 있었다.'는 He was ~. 로 표현하며, He was drunken. 이라고는 하지 않음. **2** 도취된 《*with*》 (***as***) ~ ***as a fiddler***[***lord, fish, skunk***] 만취하여 ***beastly***[***blind, dead***] ~ 곤드레만드레 취하여 ***be*** ~ 취해 있다 ***crying*** ~ (구어) 취해서 우는 ~ ***and disorderly***[***incapable***] 〖법〗 만취한 ***get*** ~ 취하다
—*n.* (구어) **1** 술주정뱅이; 만취 상태 **2** 술좌석, 주연
***drunk·ard** [drʌ́ŋkərd] *n.* 술고래, 모주꾼; (미·철도속어) 토요일 심야 열차
drúnk dríver 음주 운전자
drúnk dríving 음주 운전
***drunk·en** [drʌ́ŋkən] *a.* Ⓐ 술 취한, 만취한(cf. DRUNK)(opp. *sober*), 술주정뱅이의; 술로 인한
~·ly *ad.* 취해서 **~·ness** *n.*
drúnken dríving = DRINK-DRIVING
drunk·om·e·ter [drʌŋkɑ́mətər | -kɔ́m-] *n.* (미) 음주 측정기((영) Breathalyzer): take a ~ test 음주 측정 테스트를 받다
drúnk tànk (미·속어) 주정뱅이 유치장
dru·pa·ceous [druːpéiʃəs] *a.* 〖식물〗 핵과[석과]의; 핵과를 맺는
drupe [drúːp] *n.* 〖식물〗 핵과, 석과 《plum, cherry 등》
drupe·let [drúːplit], **dru·pel** [drúːpəl] *n.* 〖식물〗 소핵과(小核果), 소석과
Drú·ry Láne [drúəri-] [the ~] 런던의 유명한 극장 《17세기 창립》
Druse, Druze [drúːz] *n.* 드루즈파 《이슬람교 시아파의 한 분파》
druth·er [drʌ́ðər] (미·구어) *ad.* 꽤, 상당히 (rather) **—***n.* [*pl.*] 선택, 바람, 좋아함 ***have*** one'***s*** ~***s*** (자유로운) 선택권을 가지다
D.R.V. Daily Reference Value 1일 섭취 영양 적정량 **DRX** drachma(s), drachmae
‡dry [drái] *a.* (**dri·er**, ~·**er**; **dri·est**, ~·**est**) **1** 마른, 물기 없는(opp. *wet*); 말린 〈목재 등〉; 마른 것으로 만든; 건성(乾性)의, 가래가 나오지 않는: a ~ house 습기 없는 집 / a ~ cough 마른 기침 **2 a** 가문; 건조성의; 갈수(渴水)의, 〈우물 등이〉 말라붙은; 〈젖소 등이〉 젖이 안 나오는; 고체의(cf. LIQUID): a ~ season

thesaurus **drunk** *a.* drunken, intoxicated, inebriated, under the influence, tipsy (opp. *sober*)
dry *a.* **1** 마른 arid, parched, scorched, dehydrated, desiccated, waterless, moistureless, torrid,

건기(乾期), 갈수기 **b** 《구어》 목마른(thirsty) **3** 〈포도주 등이〉 맛이 산뜻한, 톡 쏘는 풍미의, 달콤한 종류가 아닌(opp. *sweet*) **4** 눈물을 흘리지 않는, 눈물나게 하지 않는, 정다운 맛이 없는, 냉담한; 무미건조한: ~ thanks 형식적인[성의 없는] 감사 **5** 〈사실 등이〉 적나라한, 노골적인; 무뚝뚝한; 편견이 섞이지 않은; 욕심에 사로잡히지 않은; 〔미술〕 아취(雅趣)가 없는 **6** 《미·구어》 금주의, 금주법을 실시[찬성]하는, 금주파의, 술이 나오지 않는 〈파티〉 (opp. *wet*): a ~ town 금주 도시 **7** 《군대속어》 실탄을 사용하지 않는; 연습의 **8** 버터를 바르지 않은: ~ bread[toast] 버터를 바르지 않은 빵[토스트] **9** 〈물건·일이〉 기대대로 진행되지 않는, 실리가 없는 **10** 《고어》 현금 지불의: ~ money 현금 **11** 〈목소리·소리가〉 불쾌한; 음[성]량이 모자란 **12** 〔식물〕 〈과일이〉 성숙 시기에 껍질에 수분이 없는 **13** 《미·속어》 (도박에서) 자금이 없는; 〈배우가〉 대사를 까먹은 **14** 《주로 영·구어》 보수당 우파의

come up ~ 《미》 실패하다 ***die a ~ death*** (익사나 유혈이 아니라) 천수를 다하여 죽다 ***~ as a bone*** [***stick***] 바싹 마른 ***~ as dust*** ⇨ dust. ***~ behind the ears*** 《미·구어》 다 자란, 버젓한, 경험을 쌓은 ***go*** ~ 금주하다 ***milk*** [***suck***] a person ~ 〈남에게서〉 돈(따위)를 우려내다 ***not ~ behind the ears*** 미숙한, 풋내기의 ***run*** ~ 〈물[젖]이〉 마르다

— *v.* (**dried**) *vt.* **1** 말리다, 건조시키다; 탈수하다 **2** 닦아 말리다; 〈눈물을〉 닦아내다, 훔치다: ~ oneself 몸의 물기를 닦다 // (~+목+전+명) ~ one's hands *on* a towel 타월로 손을 닦다 **3** 〈식품을〉 (보존하기 위해) 말리다(cf. DRIED)

— *vi.* **1** 마르다, 물기가 빠지다; 고갈되다, 바싹 마르다; 〈소가〉 젖이 마르다 **2** 《구어》 〈배우가〉 대사를 잊다 ***~ down*** 〈몸 등을〉 (타월로) 말리다, 물기를 닦다 ***~ off*** 바싹 말리다[마르다] ***~ out*** (완전히) 말리다, 마르다; 《구어》 〈중독자가〉 금단 요법을 받다[받게 하다]; 알콜[마약]을 끊게 하다 ***~ up*** (1) 바싹 말리다[마르다], 물기를 닦다 (2) 〈자금·상상력 등이〉 고갈되다, 바닥나다 (3) 《구어》 말을 그치다, 말이 그치다: *D~ up!* 입닥쳐! (4) 〔연극〕 대사를 잊다

— *n.* **1** (*pl.* **dries**) **a** 가뭄, 한발(drought); 건조 상태(dryness); 《호주》 건조 지역; 사막 (지대) **b** 〔기상〕 건조기 **2** (*pl.* **~s**) 《미·구어》 금주(법 찬성)론자 (opp. *wet*) **3** 〔연극〕 (무대에서) 대사를 잊어버리는 것 **4** 《영·속어》 (보수당의) 우파 정치가 ***in the ~*** 젖지 않고; 육상[뭍]에서 **drý·a·ble** *a.*

dry·ad [dráiəd, -æd] *n.* (*pl.* **~s, -a·des** [-ədìːz]) 〔그리스신화〕 드라이어드 《나무·숲의 요정》(cf. NAIAD, OREAD) **dry·ad·ic** [draiǽdik] *a.*

drý área 〔건축〕 지하실 외벽을 따라서 채광·통풍·방습을 위해 파 놓은 공간

dry·as·dust [dráiəzdʌ́st] *a.* 무미건조한
— *n.* [종종 **D~**] 너무 학구적이어서 지루한 작가[학자, 역사가]

drý ávalanche (지진·사태 등으로 인한) 토석류(土石流), 암설류(岩屑流)

drý bàttery 〔전기〕 건전지 《1개 또는 두개 이상의 dry cell로 이루어진》

drý béer 일본에서 개발된 톡 쏘는 맛의 맥주

drý bòb 《영·속어》 (Eton 학교의) 크리켓 부원(cf. WET BOB)

dry-boned [dráibòund] *a.* 뼈와 가죽만 남은

dry-bones [-bòunz] *n. pl.* [단수 취급] 말라깽이

dry·brush [-brʌ̀ʃ] *n.* 드라이브러시 《그림물감을 조금 칠한 브러시로 문질러 그리는 기법》

dry-bulb [-bʌ̀lb] *a.* 건구식(乾球式)의

drý-bùlb thermómeter 건구식 온도계

drý cèll 〔전기〕 건전지(cf. WET CELL)

---

droughty, barren, sterile **2** 냉담한 unemotional, indifferent, cool, cold, aloof, impersonal **3** 무미건조한 boring, uninteresting, tedious, dull, monotonous, flat, unimaginative

dry-clean [-klíːn] *vt., vi.* 드라이클리닝하다[되다]

drý cléaner 드라이클리닝 약품 《벤젠·나프타 등》; 드라이클리닝 업자

drý cléaning 드라이클리닝(한 세탁물)

dry-cleanse [-klénz] *vt.* = DRY-CLEAN

dry-cure [-kjúər] *vt.* 〈고기·생선 등을〉 건조 보존하다, 포(脯)로 하다(cf. PICKLE[1])

Dry·den [dráidn] *n.* 드라이든 **John ~** (1631-1700) 《영국의 시인·극작가·비평가》

drý distillátion 〔화학〕 건류(乾溜)

drý dòck 드라이 독, 건선거(乾船渠), 건옥 《선반을 넣을 수 있도록 만든 구축물》 ***in ~*** 《구어》 실직하여; 입원하여

dry-dock [dráidɑ̀k | -dɔ̀k] *vt., vi.* 건선거에 넣다[들어가다]

dry-dock·age [-dɑ̀kidʒ | -dɔ̀k-] *n.* 건선거에 넣기; 건선거에서의 수리 비용

drý dýeing (섬유의) 건식 염색

dry·er [dráiər] *n.* = DRIER

drý èye 〔의학〕 건조성 각막[결막]염 ***There was not a ~ in the house.*** 《종종 익살》 청중[관중]은 모두 감동했다[울었다].

dry-eyed [dráiàid] *a.* 울지 않는, 냉정한

drý fàrm (건조지의) 건지(乾地) 농장

dry-farm [-fɑ̀ːrm] *vt.* 〈토지·작물을〉 건지 농법으로 경작[재배]하다 — *vi.* 건지 농법을 쓰다

drý fármer 건지 농법을 쓰는 농부

drý fárming 건지(乾地) 농법

drý-fly físhing [-flài-] 제물낚시를 물위에 띄우는 낚시질(opp. *wet-fly fishing*)

drý fóg 〔기상〕 건무(乾霧)

dry·foot [-fùt] *ad.* 발을 적시지 않고

drý frúit 〔식물〕 건과(乾果)

drý fùck 《미·비어》 드라이 퍽 《음경의 삽입 없는 성행위 또는 사정하지 않는 성교》

drý gínger 드라이 진저 《위스키 등에 타서 마심》

drý gòods **1** 《미》 직물, 포목, 의류(《영》 drapery); 《영》 곡물(soft goods): a ~ store 포목점 **2** 《미·속어》 (성의 대상으로서의) 여자

dry-gulch [-gʌ̀ltʃ] *vt.* 《구어》 잠복하다가 습격하다, 태도를 표변하여 배신하다; 《미·구어》 죽이다

drý hóle (석유·가스의) 산출이 없는 유정[가스정]; 마른 우물

dry·house [-hàus] *n.* (*pl.* **-hous·es** [-hàuziz]) (공장 등의) 건조실(drying room)

drý húmor 정색을 하고 하는 유머

drý íce 〔화학〕 드라이아이스 《냉각제》: a cake of ~ 드라이아이스 1개

dry·ing [dráiiŋ] *n.* Ⓤ 건조(시키기)
— *a.* 건조용의; 건조성의: a ~ house 건조소 / a ~ machine 건조기 / a ~ wind[breeze] 빨래가 잘 마르는 바람

drýing òil 건성유 《대두유, 피마자유 따위》

dry·ish [dráiiʃ] *a.* 덜 마른

drý kíln 목재 제조용 건조 가마, 건조로(爐)

dry·land [dráilæ̀nd] *n.* (강수량이 적은) 건조 지역; (바다 등에 대하여) 육지; 《미·흑인속어》 안전

drýland fàrming 건조지 농법

drý làw 금주법

drý líght 편견 없는 견해

dry·ly [dráili] *ad.* 건조하여; 무미건조하게; 냉담하게; 공정하게

drý másonry (돌담을 시멘트·모르타르 없이) 돌로만 쌓기

drý méasure 건량(乾量) 《건조된 곡물·과실 등의 계량; cf. LIQUID MEASURE》

drý mílk 분유 《dried milk, milk powder, powdered milk라고도 함》

drý mòp (먼지 닦이용) 자루 걸레

dry·ness [dráinis] *n.* Ⓤ 건조(한 상태); 무미건조; 냉담, 정열이 없음; (술의) 쌉쌀함; 금주

drý nùrse 1 (젖을 먹이지 않는) 보모(cf. WET NURSE) 2 《구어》 (미숙한 상관의) 보좌역
dry-nurse [dráinə̀:rs] *vt.* 〈유아를〉 보육하다(cf. WET-NURSE); (불필요한 일까지) 일일이 설명[지도]하다
drý plàte 〖사진〗 건판
dry·point [-pɔ̀int] *n.* 드라이포인트 《동판 조각 바늘》; 드라이포인트 요판화; Ⓤ 드라이포인트 동판 기법, 요판(凹版) 조각법
dry-roasted [-róustid] *a.* 〈특히 견과류가〉 기름을 (거의) 쓰지 않고 볶은
drý rót 1 (목재·식물의) 건조 부패(균) 2 (도덕적) 부패 《*in*》
dry-rot [-rɑ̀t | -rɔ̀t] *vt.* (**~·ted**; **~·ting**) 1 건조 부패시키다 2 〈사회 등을〉 부패[타락]시키다
drý rún 1 〖군사〗 (실탄 없이 하는) 모의 연습 2 《구어》 예행 연습, 리허설; 시운전 3 《비어》 =DRY FUCK 4 〖컴퓨터〗 가상 동작 체크 **—** *vt.* 《구어》 …의 예행[모의] 연습을 하다
dry-salt [-sɔ̀:lt] *vt.* 〈고기 등을〉 소금에 절여서 건조 보존하다
dry·salt·er [-sɔ̀:ltər] *n.* 《영·구어》 건물(乾物) 장수; 《영》 화학 약품[제품] 판매업자
dry·salt·er·y [-sɔ̀:ltəri] *n.* ⓊⒸ 《영》 건물상(商) (《미》 grocery); 건물류(《미》 dry-cured foods)
drý shampóo 드라이 샴푸(제) 《물을 쓰지 않는 세발(제)》
drý sháve 물을 쓰지 않는 면도 《전기 면도 등》
dry-shod [-ʃɑ̀d | -ʃɔ̀d] *a.*, *ad.* 신[발]을 적시지 않는[않고]
dry-ski [-skí:] *a.* 옥내[인공 사면] 스키의
drý skíd (자동차 등의) 마른 도로면에서의 미끄러짐
dry-skid [-skìd] *vi.* 〈자동차 등이〉 마른 도로면에서 미끄러지다
drý slòpe (스키 연습용) 인공 사면
dry-snap [-snæ̀p] *vt.* (권총으로) 공포 사격하다
drý spèll 건조기; (경제 활동의) 불황기, 정체기
drý stéam (액체 방울이 없는) 건조 증기
dry·stone [-stòun] *a.* 《영》 〈벽 등이〉 모르타르 없이 돌쌓기한
drỳstone wáll 《영》 =DRY WALL
drý stóve 〖원예〗 (선인장 등의) 건조 식물용 온실
dry·suit [dráisu:t | -sjut] *n.* 건식 잠수복 《물에 젖지 않도록 일체형으로 된 잠수복》
dry-up [-ʌ̀p] *n.* 〖연극〗 1 대사를 잊음 2 각본에 없는 말이나 우스운 짓으로 상대역을 웃겨 연극의 진행을 중단시킴
drý wàll 〖건축〗 (모르타르를 쓰지 않는) 돌쌓기 담; 《미》 건식 벽체(壁體) 《회반죽을 쓰지 않고 벽판이나 플라스틱 보드로 만든 벽》
dry-wall [-wɔ̀:l] *a.* 건식 벽체의
— *vt.* 건식 벽체로 하다
drý wàsh 다리지 않은 마른 세탁물; 말라버린 강바닥
drý wéight 〖우주과학〗 건조 중량 《연료·승무원·소모품을 제외한 우주선·로켓의 중량》
DS data set **d.s.** days after sight 〖상업〗 일람후 …일; document signed **D.S.** dal segno; Dental Surgeon; depositary shares 〖증권〗 예탁 주식[증권]; Doctor of Science; **DSC** Distinguished Service Cross 〖군사〗 청동 수훈 십자장 **D.Sc.** Doctor of Science **DSL** deep scattering layer 〖지질〗 심해 산란층; 〖통신〗 digital subscriber line **DSM** 〖군사〗 Distinguished Service Medal **DSO** Distinguished Service Order 〖영국군〗 수훈장(殊勳章) **d.s.p.** *decessit sine prole* (L =died without issue) **DSR** dynamic spatial reconstructor **DSS** decision support system 〖컴퓨터〗 (의사) 결정 지원 시스템; 《영》 Department of Social Security **DST** daylight-saving time
'dst [dst] wouldst, hadst의 단축형
D-structure [dí:strʌ̀ktʃər] *n.* =DEEP STRUCTURE

D.Surg. Dental Surgeon **d.t.** diethyl toluamide **DTE** data terminal equipment **D.Th.** Doctor of Theology **DTI** Department of Trade and Industry 《영》 통상 산업부 **DTM** desktop music **DTP** desktop publishing; diphtheria, tetanus, and pertussis
DT's, d.t.'s, D.T.'s [dí:tí:z] *n. pl.* [보통 the ~] 《구어》 =DELIRIUM TREMENS
DTV desktop video **DU** depleted uranium **Du.** Duke; Dutch
du·ad [djú:æd | djú:-] *n.* 한 쌍, 2개 1조; 〖화학〗 2가(價) 원소(cf. DYAD)
***du·al** [djú:əl | djú:-] [L 「2의」 뜻에서] *a.* Ⓐ 1 둘의; 둘을 나타내는, 양자의 2 이중의(double, twofold); 두 부분으로 된; 이원적(二元的)인: ~ nationality 이중 국적 3 〖문법〗 양수(兩數)의
— *n.* 〖문법〗 양수(형) 《옛 영어의 *wit*(=we two) 등》
— *vt.* 《영》 〈도로를〉 왕복이 분리된 도로(dual carriageway)로 하다 **~·ly** *ad.*
du·al-band [djú:əlbǽnd | djú:-] *a.* Ⓐ 〈휴대 전화기가〉 이중 대역의 《적어도 2개국에서 사용 가능한》
du·al-ca·reer [-kəríər] *n.*, *a.* 맞벌이(의): a ~ family 맞벌이 가정
dúal cárriageway 《영》 =DIVIDED HIGHWAY (《미·캐나다》 dual highway)
dúal cítizen 이중[다중] 국적자; 이중 시민권을 가진 사람
dúal cítizenship 이중[다중] 국적(dual nationality); (연방 국가에서) 주요 국가 양쪽의 시민권
dúal contról (항공기·자동차의) 이중[복식] 조종 장치
du·al-earn·er [-ə̀:rnər] *a.* =DUAL-CAREER
dúal híghway =DIVIDED HIGHWAY
du·al·in [djú:ələn | dju:-], **-ine** [-lì:n] *n.* 듀얼린 《초석·니트로글리세린·톱밥을 섞어 만든 폭약》
du·al·ism [djú:əlìzm | djú:-] *n.* Ⓤ 1 이중성, 이원(二元)성 2 〖철학〗 이원론(cf. MONISM, PLURALISM); 〖종교〗 이신교; 〖신학〗 그리스도 이성론(二性論)
-ist *n.* 이원론자
du·al·is·tic [djù:əlístik | djù:-] *a.* 이원적인, 이원론의: the ~ theory 이원설 **-ti·cal·ly** *ad.*
du·al·i·ty [dju:ǽləti | dju:-] *n.* (*pl.* **-ties**) ⓊⒸ 이중[이원]성; 〖수학·논리〗 쌍대성(雙對性)
du·al·ize [djú:əlàiz | djú:-] *vt.* 이중으로 하다, 겹치다, 이원적이라고 간주하다
Dúal Mónarchy [the ~] 〖역사〗 이중 제국 《1867-1918년의 오스트리아-헝가리 제국》
dúal númber 〖문법〗 양수(兩數) 《둘 또는 한 쌍을 나타냄; cf. SINGULAR, PLURAL》
dúal personálity 〖심리〗 이중 인격
dúal prícing 2중 가격 표시
dúal prócessor 〖컴퓨터〗 이중 처리기 《중앙 처리 장치(CPU)를 이중화하기》
du·al-pur·pose [djú:əlpə́:rpəs | djú:-] *a.* 이중 목적의(cf. MULTIPURPOSE); 〈차량이〉 객차·화물 양용의; 〈가축이〉 고기와 젖을 목적으로 사육되는
dúal slálom =PARALLEL SLALOM
dúal sỳstem 〖컴퓨터〗 이중 시스템 《두 개의 컴퓨터 시스템을 동일하게 처리하게 하여 신뢰성을 높이는 시스템》
du·al-use [-jù:s] *a.* 《미》 〈과학 기술 등이〉 군민(軍民) 양용의
dub[1] [dʌ́b] *vt.* (**~bed**; **~·bing**) 1 《문어·고어》 (국왕이 칼로 어깨를 가볍게 치고) knight 작위를 주다: (~+목+보) The king *~bed* him a knight. 국왕은 그에게 나이트 작위를 수여했다. 2 〈새 이름·별명·명칭을〉 주다, 붙이다, 〈…을 …이라고〉 부르다 3 〈가죽에〉 기름칠을 하다, 〈목재 등을〉 매끄럽게 하다; 《영》 〈제물낚시 등을〉 달다 4 《속어》 〈골프 공을〉 잘못 치다; 〈시험

thesaurus **dubious** *a.* 1 수상쩍은 questionable, suspicious, unreliable 2 의심을 품은 doubtful,

등에서〉 실수하다 **~ *out*** 〈판자 등의 울퉁불퉁한 면을〉 평평하게 하다 **dúb·ber**[1] *n.*

dub[2] [double의 단축형] *vt.*, *vi.* (**~bed**; **~·bing**) 〖영화·TV〗 **1** 〈필름에〉 새로 녹음하다; 〈필름·테이프에〉 음향 효과를 넣다 《*in*》 **2** 다른 나라 말로 재녹음하다, 재취입하다; 〈테이프에〉 재녹음하다 **3** 〈복수의 사운드 트랙을〉 합성하다 **4** 《미·속어》 …의 카피를 뜨다
— *n.* **1** 재녹음, 더빙; 《미·속어》 모방, 복제 **2** 새로 추가된 음향 효과음 **dúb·ber**[2] *n.*

dub[3] *vt.*, *vi.* (**~bed**; **~·bing**) 찌르다 《*at*》; 〈북을〉 치다 **—** *n.* 찌르기; 북치기, 북소리

dub[4] *vi.* [다음 성구로] **~ *in*** [***out***] 돈을 전부 치르다[내다, 기부하다] **~ *up*** (1) 〈사람을〉 집에 가두다, 감금[유폐]하다 (2) = DUB in

dub[5] *n.* 《미·속어》 서투른[손재주 없는] 사람; 신참자; 담배 ***flub the ~*** 《미·속어》 꾀피우다, 게으름 피우다; 《미·속어》 실수하다

dub[6] *n.* 《북잉글·방언》 웅덩이(pool), 수렁

dub. dubious **Dub.** Dublin

dub-a-dub [dʌ́bədʌ́b] *n.* = RUB-A-DUB

Du·bai [du:bái] *n.* 두바이 《아랍 에미리트 연방의 주요 구성국의 하나; 그 수도》

dub·bin [dʌ́bin] *n.* Ⓤ 더빈유(油) 《피혁용 유지》
— *vt.* …에 더빈유를 바르다

dub·bing[1] [dʌ́biŋ] *n.* Ⓤ **1** knight 작위 수여 **2** = DUBBIN **3** 제물낚시를 만드는 털

dubbing[2] *n.* Ⓤ 〖영화·TV〗 더빙, 재녹음

dub·by [dʌ́bi] *a.* 《영》 〈음악이〉 더브(dub[2]) 같은 《소리가 메아리처럼 되풀이되는》

dub·ee [djú:bi] *n.* 《속어》 마리화나 담배; 《흑인속어》 자동차

du·bi·e·ty [dju:báiəti | dju:-] *n.* (*pl.* **-ties**) Ⓤ 《문어》 의혹, 의아스러움; Ⓒ 의심스러운 것[일]

du·bi·os·i·ty [djù:biɑ́səti | djù:biɔ́s-] *n.* (*pl.* **-ties**) = DUBIETY

*__du·bi·ous__ [djú:biəs | djú:-] *a.* **1 수상쩍은,** (어쩐지) 의심스러운 《doubtful쪽이 의심의 정도가 심함》: a ~ character 믿지 못할 인물, 수상쩍은 사람 **2** Ⓟ 〈사람이〉 의심을 품은, 반신반의하는 《*of*, *about*》 **3** 〈말 등이〉 **모호한,** 진의가 분명치 않은, 애매한: a ~ answer 모호한 답변 **4** 〈결과 등이〉 미덥지 않은, 마음놓을 수 없는, 불안한: The result remains ~. 결과는 여전히 마음놓을 수 없다.
~·ly *ad.* **~·ness** *n.*

du·bi·ta·ble [djú:bətəbl | djú:-] *a.* 의심스러운, 명확치 않은

du·bi·ta·tive [djú:bətèitiv | djú:bitət-] *a.* 의심스러운 듯한, 의심을 표시하는, 주저하는

*__Dub·lin__ [dʌ́blin] *n.* 더블린 《아일랜드 공화국의 수도; 略 Dub.》 **~·er** *n.*

Dúblin Báy Práwn = LANGOUSTINE

dub·ni·um [dú:bniəm] *n.* 〖화학〗 두브늄 《초우라늄 원소; 기호 Db, 번호 105》

du·bok [djú:bɑk | djú:bɔk] *n.* 《미·속어》 장물[밀매품, 비밀 정보]의 은닉처

Du·bon·net [djù:bənéi | djubɔ́nei] [F] *n.* **1** 뒤보네 《프랑스산의 달콤한 포도주; 상표명》 **2** [**d~**] 짙은 자주색 **—** *a.* [**d~**] 짙은 자주색의

du·cal [djú:kəl | djú:-] *a.* 공작(duke)의; 공작다운, 공작령(領)(dukedom)의 **~·ly** *ad.*

duc·at [dʌ́kət] *n.* **1** (옛날 유럽 대륙에서 사용한) 금화, 은화 **2** [*pl.*] 금전, 현찰 **3** 《미·속어》 표; 입장권; 《미·속어》 조합원증

du·ce [dú:tʃei | -tʃi] [It.] *n.* **1** 수령(chief) **2** [il D~] 총통 《Benito Mussolini의 칭호》

Du·chénne dystróphy [du:ʃén-] 〖의학〗 뒤센형 근(筋)위축증 《근 디스트로피의 일종》

*__duch·ess__ [dʌ́tʃis] *n.* **1 공작(duke) 부인**[미망인] **2** 여공작(女公爵), (공국(公國)의) 여성 원수 **3** 《영·속어》 풍채·몸매가 좋은 여자[어머니, 아내] **4** 《영·속어》 행상[도붓장수]의 아내(dutch) **5** 《미·속어》 새침한 여자 아이 **6** 《미·속어》 불량소녀

du·chésse potátoes [dju:ʃés- | dju:-] 달걀과 뒤섞은 으깬 감자 《굽거나 튀김》

duch·y [dʌ́tʃi] *n.* (*pl.* **duch·ies**) **1** 공국, 공작령(dukedom) 《duke, duchess의 영지》 **2** 영국 왕실의 영지 《Cornwall 및 Lancaster》

‡**duck**[1] [dʌ́k] [OE 「잠수하다」의 뜻에서] *n.* (*pl.* **~s,** [집합적] **~**) **1** 오리, 집오리 《수다·기만의 상징》; 오리[집오리]의 암컷(opp. *drake*); Ⓤ 오리 고기
관련 들오리 wild duck, 오리[집오리]의 수컷 drake, 집오리 domestic duck, 오리 새끼 duckling, 오리의 울음 소리는 quack
2 [**~**(**s**)] 《미·속어·애칭·호칭》 사랑스러운 사람, 귀여운 것[사람](darling) **3** 〖크리켓〗 = DUCK'S EGG **4** = LAME DUCK **5** 《속어》 바보, 괴짜; 《미·속어》 매력 없는 사람 **6** 《속어》 (환자용) 요강, 변기
a fine day for (***young***) ***~s*** 비 오는 날 ***break*** one'***s ~*** (스포츠에서) 선취 득점하다 ***do a ~*** 《영·속어》 달아나다, 숨다 ***~*(*s*) *and drake*(*s*)** 물수제비뜨기 ***have*** [***get***] one'***s ~s*** (***all***) ***in a row*** 만반의 준비를 갖추다 ***in two shakes of a ~'s tail*** 순식간에, 별안간 ***like a*** (***dying***) ***~ in a thunderstorm*** 대경실색하여, 허겁지겁 ***like water off a ~'s back*** 아무런 감명도 주지 않고, 별 효과도 못 거두고, 마이동풍 격으로 ***lovely weather for ~s*** 《구어》 = a fine day for DUCKs. ***make ~s and drakes of money*** = ***play ~s and drakes with money*** 돈을 물쓰듯 하다 ***pour water over a ~'s back*** 헛수고하다 ***take to ... like a ~ to water*** 극히 자연스럽게 …에 착수하다; …을 좋아하다 ***tight as a ~'s arse*** [***hole***] 《영·비어》 지독히 인색한

duck[2] *vi.* **1** 물속으로 (쑥) 들어가다, 머리를 갑자기 물속에 처박다; 무자맥질하다 **2** 머리를 홱 숙이다, 몸을 홱 굽히다 《*at*》; 몸을 구부리고 달아나다; 《구어》 꾸벅 절하다 **3** 《구어》 (책임·타격 등을) 살짝 피하다, 피신하다 《*out of*》 **4** 《구어》 〖카드〗 나온 패보다 낮은 패를 내놓다 **—** *vt.* **1** 〈머리를〉 들었다 숙였다 하다(bob) **2** 〈남의〉 머리를 물속에 집어넣다, 〈사람 등을〉 (물속에) 덤벙 밀어넣다 《*in*》, 살짝 물에 담그다 **3** 《구어》 〈책임·타격·사람을〉 피하다, 회피하다
— *n.* **1** 머리[전신]를 숙임[구부림] **2** 물속으로 쑥 들어감 **3** 슬쩍 몸을 피하기

duck[3] *n.* Ⓤ 즈크, 범포(帆布)천; [*pl.*] 《구어》 즈크천 바지

duck[4] *n.* 《미·군대속어》 수륙 양용 트럭(DUKW)

dúck àss[**àrse**] 《속어》 = DUCKTAIL

duck·bill [dʌ́kbìl] *n.* 〖동물〗 오리너구리(platypus)

duck·billed [-bìld] *a.* 오리 같은 주둥이를 가진

dúck-billed plátypus [dʌ́kbìld-] 〖동물〗 = DUCKBILL

duck·boards [-bɔ̀:rdz] *n. pl.* (진창길 등에 건너질러 깐) 널빤지 길

dúck bùmps 《속어》 소름(gooseflesh)

dúck ègg 〖크리켓〗 = DUCK'S EGG

duck·er[1] [dʌ́kər] *n.* **1** 잠수하는 사람 **2** 잠수하는 새, 《특히》 농병아리

ducker[2] *n.* 오리 치는 사람; 오리 사냥꾼

duck·er·y [dʌ́kəri] *n.* 오리 사육장

dúck hàwk 〖조류〗 **1** 《미》 매 **2** 《영》 개구리매

dúck hòok 〖골프〗 덕 훅 《코스에서 많이 벗어나는》

duck·ie [dʌ́ki] *a.* 《영·구어》 = DUCKY

duck·ing[1] [dʌ́kiŋ] *n.* Ⓤ 오리 사냥

ducking[2] *n.* ⓊⒸ 물속에 처박음; 머리[몸통]를 갑자기 숙임[구부림]; 〖권투〗 밑으로 빠져 나옴, 더킹
give a person ***a ~*** …을 물속에 처박다

dúcking stòol 물고문 의자 《옛날에 죄인을 긴 나무 끝에 매달아 물속에 처박던 형구》

duck-leg·ged [dʌ́klègid, -lègd] *a.* (짧은 다리로)

---

uncertain, unsure, hesitant, skeptical **3** 모호한 equivocal, ambiguous, indefinite, unclear, vague

아장아장 걷는; 다리가 짧은

duck·ling [dʌ́kliŋ] *n.* **1** 오리 새끼(cf. -LING¹ 1) (⇨ duck¹ 관련) **2** Ⓤ 어린 오리 고기

duck·mole [dʌ́kmòul] *n.* = DUCKBILL

duck·pin [-pìn] *n.* (미) **1** 덕핀《일종의 십주희(十柱戲)용 핀》 **2** [*pl.*; 단수 취급] 덕핀 볼링(cf. NINEPIN, BOWLING)

dúck's àss[àrse] = DUCK TAIL

dúck's diséase (익살) 짧은 다리

dúck's ègg (영·구어) 〚크리켓〛 영점《영(0)이 오리 알과 같은 데서》

dúck shòt 오리 사냥의 총알

dúck sóup (미·속어) 식은 죽 먹기; (속이기 쉬운) 봉

dúck squèezer (미·학생속어) 환경 보호론자

duck·tail [dʌ́ktèil] *n.* (구어) 덕테일《10대 소년이 양 옆 머리를 길게 길러 뒤에서 합친 머리》(= ∠ hàircut)

ducktail

duck·weed [-wìːd] *n.* 〚식물〛 개구리밥

duck·y [dʌ́ki] (구어) *n.* (*pl.* **duck·ies**) (영) = DARLING; 새끼 오리; (미·속어) 여성적인 남자 ── *a.* (**duck·i·er**; **-i·est**) 귀여운; 유쾌한, 즐거운; (구어) 멋있는; (미·속어) (종종 비꼬는 뜻을 담아서) 좋은

duct [dʌ́kt] *n.* **1** 송수관(送水管) **2** 〚생리〛 도관(導管), 수송관; 〚식물〛 도관, 맥관 **3** 〚건축〛 암거(暗渠); 〚전기〛 선거(線渠), 덕트 **4** (미·속어) 코카인

── *vt.* 〈가스·열·전파 등을〉 도관[덕트]으로 보내다

-duct 《연결형》 「…관(管)」의 뜻: aque*duct*

duc·tile [dʌ́ktəl | -tail] *a.* **1** 〈금속이〉 두들겨 펼 수 있는, 연성(延性)의 **2** 〈진흙 등이〉 어떤 모양으로도 되는, 유연한 **3** 양순한, 유순한, 고분고분한

duc·til·i·ty [dʌktíləti] *n.* Ⓤ **1** 연성(延性), 전성(展性); (아스팔트의) 신도(伸度) **2** 유연성 **3** 양순한 성품(docility)

duct·ing [dʌ́ktiŋ] *n.* 도관 조직; 도관 재료

duct·less [dʌ́ktlis] *a.* (도)관이 없는

dúctless glánd 〚해부〛 내분비선(endocrine gland)

dúct tàpe (미) 덕트 테이프《배수관 수선 등에 쓰이는 강한 접착 테이프》

duc·tule [dʌ́ktjuːl | -tjuːl] *n.* 〚해부·동물〛 소도관(small duct)

duct·work [dʌ́ktwə̀ːrk] *n.* (냉난방 장치 등의) 도관 조직, 배관(ducting)

dud [dʌ́d] (구어) *n.* 쓸모없는 것[사람]; 불발탄; 실패; [보통 *pl.*] (한 벌의) 옷, 누더기(rags); [*pl.*] 소지품(belongings); (구어) 위조물 ── *a.* 쓸모없는, 가짜의, 무익한: ~ coin (미) 위조 화폐

dude [djúːd | djúːd] *n.* **1** (미·구어) 젠체하는 사람; 멋쟁이(dandy) **2** (미서부·캐나다) 동부의 도회지 사람; 《특히》 서부의 목장에 놀러 오는 동부의 관광객 **3** (미·속어) 사내, 놈, 녀석

── *vi., vt.* (미·구어) 성장(盛裝)하(게 하)다《*up*》

── *a.* (미·속어) 멋진, 굉장한, 훌륭한

dúde rànch (미) (서부의) 관광 목장

du·dette [djuːdet | djuː-] *n.* (미·구어) 멋쟁이 여자; (미·속어) 여자

dudg·eon [dʌ́dʒən] *n.* [다음 성구로] ***in*** (***a***) ***high*** [***great, deep***] ~ 몹시 화를 내어

dud·ish [djúːdiʃ | djúː-] *a.* (미·속어) 멋쟁이의, 멋부리는 **~·ly** *ad.*

‡**due** [djúː | djúː] *a., n., ad.*

> 원래는 「당연히 치러야 할」의 뜻
> 당연히 해야 할 **1** ─┬→ 정당한 **2**
> └→ 하기로 되어 있는 **4**

── *a.* **1** 지불 기일이 된, 당연히 치러야 할: ~ date (어음의) 만기일 / This bill is ~. 이 어음은 만기가 되었다. **2** Ⓟ 응당 받아야 할《*to*》; Ⓐ 정당한, 당연한, 적당한: by ~ process of law 정당한 법 절차에 따라 / The discovery is ~ *to* Newton. 그 발견은 당연히 뉴턴에게 돌려야 한다. **3** Ⓟ (원인을 …에) 돌려야 할《*to*》: (~+전+*-ing*) The accident was ~ *to* the driver's fail*ing* to give a signal. 사고는 운전사가 신호를 하지 못했기 때문에 일어난 것이었다. **4** Ⓟ 도착할 예정인; [부정사와 함께] (언제) …하기로 되어 있는: The train is ~ in London at 5 p.m. 열차는 오후 5시에 런던에 도착할 예정이다. // (~+***to*** do) He is ~ *to* speak tonight. 그는 오늘 밤에 연설할 예정이다.

after [***upon***] ~ ***consideration*** 충분히 고려한 뒤에 ***at the ~ time*** = in DUE course[time]. ***become*** [***fall***] ~ 〈어음 등이〉 만기가 되다 ~ ***to*** (1) …에 기인하는, …때문인: ~ *to* the approaching storm 다가오는 폭풍 때문에 ★ due to보다도 owing to, because of가 더 일반적이라고 하지만 (미·구어)에서는 잘 사용됨. (2) …에게 치러야[주어야] 할; 〈…하는 것은〉 당연한; …할 예정인; …에 돌려야 할 ***in ~ course*** [***time***] (언젠가) 때가 오면, 적당한 때에, 머지않아 ***in ~ form*** 정식으로

── *n.* 당연히 지불되어야[주어져야] 할 것, 당연한 권리; [보통 *pl.*] 부과금, 세금, 요금, 수수료, 사용료, 회비: club ~*s* 클럽의 회비

by [***of***] ~ (고어·시어) 마땅히, 당연히 ***for a full*** ~ 〚항해〛 영구히, 충분히, 전적으로 ***give a person his*** [***her***] ~ …을 공정하게 다루다, …에게 정당한 대우를 해주다 ***pay ~s*** (미·속어) 빛나지 않는 노력을 계속하다(cf. DUES-PAYING) ***pay*** one***'s ~s*** (미·속어) 책임을 다하다; 경험을 쌓다; (악전고투 끝에) 어떤 권리[특권《등》]를 획득하다; (잘못·부주의 등의) 응보를 받다; 수업료를 내다; 형기를 끝마치다

── *ad.* [방위의 이름 앞에 붙여서] 정(正)[바로] …(exactly): go ~ south 정남으로 가다

dúe bìll (미) 〚상업〛 차용 증서

dúe cóurse (**of láw**) = DUE PROCESS

dúe dáte (어음의) 지급 만기일

***du·el** [djúːəl | djúː-] [L 「두 사람의 싸움」의 뜻에서] *n.* **1** (두 사람 간의) 결투《입회자(second)가 지켜보는》; [the ~] 결투법: fight a ~ with a person …와 결투하다 **2** 투쟁; (양자 간의) 싸움; (미) 운동 경기, 시합: a ~ of wits 재치 겨루기

── *vi., vt.* (**~ed**; **~·ing** | **~led**; **~·ling**) 결투하다 **~·(l)er, ~·(l)ist** *n.* 결투자, 투쟁자 **~·(l)ing** *n.* Ⓤ 결투(술) **~·(l)is·tic** *a.*

du·en·de [duːéndei] [Sp.] *n.* **1** Ⓤ 불가사의한 매력, 마력 **2** 악귀(goblin), 악마(demon)

du·en·na [djuːénə | djuː-] [Sp.] *n.* **1** (스페인 등에서) 소녀를 감독·지도하는 부인 **2** 입주 여자 가정 교사

dúe prócess (**of láw**) 〚법〛 정당한 법의 절차《미국 헌법 제5조, 제14조》

dues-pay·ing [djúːzpèiiŋ | djúː-] [Sp.] *n., a.* 남 밑에서 고생하며 쌓는 경험(의)

***du·et** [djuːét | djuː-] *n.* **1** 〚음악〛 이중창, 이중주, 이중창[주]곡(cf. DUO), 듀엣(⇨ solo 관련); 〚무용〛 듀엣 무곡 **2** (익살) 둘만의 대화 **3** 한 쌍(pair)

── *vi.* (**~·ted**; **~·ting**) 〚음악〛 듀엣하다 **~·tist** *n.*

du·et·to [djuːétou | djuː-] [It.] *n.* (*pl.* **~s, -ti** [-ti]) = DUET

duff¹ [dʌ́f] *n.* **1** (영·방언) = DOUGH **2** 푸딩의 일종 **3** Ⓤ 분탄(coal dust) **4** Ⓤ 〚생태〛 (숲 속의) 퇴적되어

thesaurus **due** *a.* **1** 마땅히 지급받아야 할 payable, owed, owing **2** 적당한 proper, rightful, correct, fitting, appropriate, apt **3** …하기로 되어 있는 scheduled, expected, required, anticipated

duel *n.* contest, competition, clash, struggle, battle, fight, encounter, engagement

썩은 낙엽·식물(=fórest ~)

duff[2] *n.* 《속어》 궁둥이(buttocks); 자리, 좌석(seat) ***get off*** one's ~ 《미·비어》 일어서서 작업을 하다, 일에 힘쓰다 ***up the*** ~ 《영·속어》 임신하여

duff[3] *vt.* 《속어》 〈물품을〉 속이다, 〈헌 것을〉 새 것처럼 보이게 하다(fake up); 〈골프채가〉 〈공을〉 헛치다; 《영》 때리다; 《호주·속어》 〈가축을〉 훔치다; 〈가축을〉 남의 토지에 방목하다 **—** *a.* 《구어》 〈품질이〉 보잘것없는, 가짜의 **—** *n.* 쓸데없는 것; 가짜

duf·fel [dʌ́fəl], **duf·fle** [dʌ́fl] *n.* **1** Ⓤ 거친 모직물의 일종 **2** (나사로 만든) 갈아입을 옷; [보통 duffle] 캠핑 용구 일습

dúffel[dúffle] bàg (군용) 즈크제 원통형 잡낭

duff·er [dʌ́fər] *n.* **1** 《구어》 바보, 우둔한 사람; 《미 북부·방언》 노인 **2** 가짜, 가짜 돈, 가짜 그림; 쓸데없는 것; 《호주·속어》 광물이 나오지 않는 광산; 《호주·속어》 소 도둑 **3** 《영》 사기꾼; 악덕 상인; 행상인

dúffle[dúffel] còat 더플코트 《후드가 달린 무릎까지 내려오는 방한 코트》

duffle coat

Du Fu [dú:fú:] =TU FU

*__dug__[1] [dʌ́g] *v.* DIG의 과거·과거분사

dug[2] *n.* (어미 짐승의) 젖통이(udder); 젖꼭지(teat)

du·gong [dú:gɑŋ, -gɔ:ŋ | -gɔŋ] *n.* (*pl.* **~, ~s**) 〖동물〗 듀공 《홍해·인도양산(産)의 포유동물》

*__dug·out__ [dʌ́gàut] *n.* **1** 〖군사〗 방공[대피]호; 참호, 호; 〖야구〗 더그아웃 《야구장의 선수 대기소》 **2** 마상이(canoe) **3** 《영·속어》 (재소집된) 퇴역 장교 **4** 《미·속어》 냉장고 《10대의 용어》

duh(h) [dʌ́] *int.* 《미·속어》 이런, 설마, 쯧쯧, 에계계, 어마 《불찬성·불쾌·경멸 등을 나타냄》

DUI driving under the influence (of alcohol [drugs]) 음주[약물 복용] 운전

dui·ker(·bok) [dáikər(bɑ̀k) | -(bɔ̀k)] *n.* 〖동물〗 영양의 일종 《남아프리카산(産)》

du jour [də-ʒúər, dju:- | dju:-] [F] *a.* **1** 어느 특정한 날을 위한 **2** 오늘의

du·ka·wal·lah [dú:kəwɑ̀lə | -wɔ̀lə] *n.* (케냐·아프리카 동부의) 작은 가게 주인

‡**duke** [djú:k | djú:k] [L 「지도자」의 뜻에서] *n.* **1** 《영》 공작(*fem.* DUCHESS; ⇨ NOBILITY 2): a royal ~ 왕족의 공작 **2** 〖역사〗 (유럽의 공국(公國) 또는 소국(小國)의) 군주, 공(公); 대공(大公) **3** 〖식물〗 듀크종(種)의 버찌 **4** [*pl.*] 《속어》 주먹(fists), 손 **5** (권투속어) 승리 선언 **6** [the ~] 《미·속어》 (농장의) 수소 **7** [*pl.*] 《미·속어》 무릎 ***put up*** one's ~ 《속어》 싸울 준비를 하다; [명령형으로] 덤벼라!
—*vt.* **1** 《미·속어》 〈사람을〉 때려눕히다; (정신적으로) 상처입히다 《*out*》 **2** 《미·구어》 〈사람에게〉 넘겨주다; 악수하다 **3** 《속어》 장식하다 《*up*》
—*vi.* 《미·속어》 치고받고 싸우다
~d up 《속어》 장식한 ***~ it out*** 《미·속어》 치고받고 싸우다, 싸워서 결판내다 ***~ on it*** 《영·속어》 악수하다 ***~ out*** 《미·속어》 때려 누이다, 기절하도록 때리다; (…에게) 상처를 입히다
~·dom *n.* 공작령, 공국; Ⓤ 공작의 지위

Duke [djú:k | djú:k] *n.* 남자 이름

duke-out [djú:kàut | djú:k-] *n.* 《미·속어》 서로 치고받기

dukes-up [djú:ksʌ̀p | djú:ks-] *a.* 《미·속어》 걸핏하면 싸우는, 호전적인

DUKW, Dukw [dʌ́k] *n.* 《구어》 =DUCK[4]

---

dull *a.* **1** 무딘 blunt, unkeen, edgeless, unsharpened **2** 우둔한 stupid, unintelligent, slow **3** 따분한 boring, tedious, uninteresting, monotonous **4** 나른한 idle, sluggish, sleeply, drowsy
duly *ad.* properly, correctly, rightly, fittingly, appropriately, on time, punctually

---

dulce [dʌ́ls] *n.* =DULSE

dul·cet [dʌ́lsit] *a.* 《문어》 (듣기·보기에) 상쾌한, 〈음색이〉 아름다운, 감미로운(sweet) **~·ly** *ad.*

dul·ci·fy [dʌ́lsəfài] *vt.* (**-fied**) **1** 〈기분 등을〉 상쾌[평온]하게 하다, 누그러뜨리다 **2** 〈맛 등을〉 감미롭게 하다 **dùl·ci·fi·cá·tion** *n.*

dul·ci·mer [dʌ́lsəmər] *n.* **1** 〖음악〗 덜시머 《사다리꼴의 현이 달린 타악기의 일종》 **2** 기타 비슷한 미국 민속 악기

dulcimer 1

dul·cin·e·a [dʌlsíniə, dʌ̀lsəní:ə] [Sp. Don Quixote가 동경한 시골 처녀 이름에서] *n.* (이상적인) 애인, 연인

dul·ci·tol [dʌ́lsətɔ̀:l, -tɑ̀l | -tɔ̀l] *n.* Ⓤ 〖화학〗 덜시톨 《6가의 알코올; 감미료》

dul·ci·tone [dʌ́lsətòun] *n.* 덜시톤 《소리굽쇠를 두드리는 건반 악기; 상표명》

‡**dull** [dʌ́l] [OE 「어리석은」의 뜻에서] *a.* **1** 〈칼날 등이〉 무딘(opp. *sharp, keen*)

> 유의어 **dull** 원래의 날카로움이 무디어졌을 때 쓴다: a *dull* knife 무딘 나이프 **blunt** 원래 무디게 만들어진 것에 쓴다: a *blunt* fencing saber (끝이) 뭉툭한 펜싱용 검

2 〈색·빛·음색 등이〉 분명[똑똑]치 않은(dim)(opp. *vivid*); 〈날씨가〉 우중충한, 흐린(cloudy), 후덥지근한; 〈고통 등이〉 둔하게[무지근하게] 느껴지는: a ~ pain[ache] 둔통(鈍痛) **3** 〈머리가〉 둔한, 우둔한(stupid); 멍청한 **4** 예민하지 못한; 감각이 전혀 없는 〈무생물〉 **5** 단조롭고 지루한, 따분한, 재미없는(boring) **6** 〈장사·사람이〉 활기 없는, 침체된, 나른한, 느린; 음울한 **7** 〈상품·재고품이〉 잘 팔리지 않는: Trade is ~. 거래가 한산하다. (**as**) ***~ as dishwater***[《영》 ***ditchwater***] 《구어》 전혀 재미없는, 아주 따분한 ***be ~***[《미》 ***hard***] ***of hearing*** 잘 듣지 못하다
—*vt.* **1** 둔하게 하다; 무디게 하다 **2** 〈고통 등을〉 덜다 **3** 흐리게 하다, 희미하게 하다 **4** 〈지능·시력 등을〉 우둔하게 하다, 〈격한 감정 등을〉 누그러뜨리다
—*vi.* 둔해지다; 흐려지다, 희미해지다
~ the edge of …의 날을 무디게 하다; …의 감도[쾌감]를 덜하게 하다

dull·ard [dʌ́lərd] *n.* 얼간이, 멍청이
— *a.* 둔감한, 둔한

dull-brained [dʌ́lbrèind] *a.* 머리가 둔한

dull-eyed [-àid] *a.* 눈에 총기가 없는, 눈이 흐릿한

dull·ish [dʌ́liʃ] *a.* 좀 둔한; 좀 멍청한[모자라는]; 긴장이 풀린 듯한 **~·ly** *ad.*

*__dull·ness, dul-__ [dʌ́lnis] *n.* Ⓤ **1** 둔함; 둔감; 멍청함, 아둔함 **2** 불경기; 느림 **3** 지루함; 답답함; 침울

dulls·ville [dʌ́lzvil] 《미·속어》 *n.* Ⓤ [종종 **D~**] 따분한 것[일, 장소]; 따분함 **—** *a.* 몹시 따분한

dúll tòol 《미·속어》 쓸모없는 녀석

dull-wit·ted [dʌ́lwítid] *a.* =DULL-BRAINED

*__dul·ly__ [dʌ́li] *ad.* 둔하게, 멍청하게(stupidly); 활발치 못하게; 지루하게; 느리게

du·lo·sis [djuːlóusis | dju:-] *n.* (개미의) 노예 공생(共生) 《개미의 집단이 다른 종류의 개미에 의해 노예 상태가 되는 것》

dulse [dʌ́ls] *n.* 〖식물〗 덜스 《식용 홍조류(紅藻類)》

‡**du·ly** [djú:li | djú:-] *ad.* **1** 정식으로; 온당하게; 정당하게, 당연히, 적당히 **2** 충분히(sufficiently) **3** 제시간에, 때에 알맞게; 기일[시간]대로(punctually)
~ to hand 〖상업〗 틀림없이 받음 ▷ dúe *a.*

du·ma [dú:mə] *n.* (제정 러시아의) 의회; [the D~] (1906-17년의) 러시아 국회

Du·mas [djuːmɑ́: | djú:mɑ:] *n.* 뒤마 **Alexandre** ~ (1802-70; 1824-95) 《프랑스의 같은 이름의 소설가·극작가 부자(父子)》

‡**dumb** [dʌ́m] *a.* **1 a** (발성 기관의 이상으로) **말 못하는**, 벙어리의 《'타고난 청각 장애로 인한'은 mute》; 벙어리와 다름없는: the ~ millions (정치적 발언권이 없는) 무언의 대중, 민중 **b** [the ~; 명사적; 복수 취급] 말 못하는 사람들: the deaf and ~ 농아(聾啞) **2 말을 하지 않는**, 말없는; 무언의 〈연극 따위〉(mimed) **3** (놀람 등 때문에) 말문이 막힌[막힐 정도의]; 말로 표현할 수 없는 **4** 소리 없는, 소리 나지 않는 **5** (미·구어) 우둔한, 어리석은(stupid) **6** 〖항해〗 〈배·항공기가〉 추진[조종] 기관 따위가 없는 **7** 〖컴퓨터〗 단독으로는 데이터 처리 능력이 없는; 〖군사〗 〈폭탄 따위가〉 유도식이 아닌(opp. *smart*) ***strike*** a person **~** …을 말문이 막히게[깜짝 놀라게] 하다
— *ad.* 멍청하게, 분별없이
— *n.* 바보, 멍청이; 어처구니없는 실수
— *vt.* (문어) 침묵시키다
— *vi.* 잠자코 있다, 입을 다물다
~ ***down*** [(속어) ***up***] (미·구어) (교육 등의) 수준을 낮추다, 쉽게 만들다, 대중화하다; 〈뉴스·정보 등을〉 (이해하기 쉽게) 간단명료화하다

dúmb ánimal 말 못하는 동물
dumb·ass [dʌ́mæ̀s] *n.* (미·비어) 바보, 멍청이
dúmb bárge = DUMB CRAFT
dumb·bell [dʌ́mbèl] *n.* **1** 아령: a pair of ~*s* 한 쌍의 아령 **2** (미·속어) 바보, 멍청이
dúmb blónde 머리가 나쁜 금발 미인
dúmb bómb (미·속어) (유도식이 아닌) 재래식 폭탄
dúmb búnny (속어) 우직한 사람, 좀 모자라는 사람
dúmb clúck (속어) 바보, 멍청이
dúmb cráft (영) 돛 없는 배, 무동력선
dumb·er [dʌ́mər] *n.* (미·속어) 바보
dumb·found·ed [dʌ̀mfáundid] *a.* (놀라서) 말문이 막힌, 어안이 벙벙한(dumbstruck): The news left her ~. 그 소식으로 인해 그녀는 말문이 막혔다.
dumb·found(·er) [dʌ̀mfáund(ər), ⌐⌐] *vt.* 말문이 막히게[깜짝 놀라게] 하다, 어쩔 줄 모르게 하다
dúmb fríend 애완동물
dumb·john [-dʒɑ̀n | -dʒɔ̀n] *n.* (미·속어) 멍청이, 잘 속는 사람, 봉; 신병(新兵)
dumb·head [-hèd] *n.* (미·속어) 멍청이
dúmb ìron 〖기계〗 (자동차의) 스프링 받침
dumb·ly [dʌ́mli] *ad.* 말없이, 묵묵히
dumb·ness [dʌ́mnis] *n.* Ⓤ **1** 벙어리임(muteness) **2** 무언, 침묵(silence) **3** (주로 미·구어) 우둔
dum·bo [dʌ́mbou] *n.* (*pl.* **~s**) (미·속어) 바보, 얼간이; 바보 짓, 실수 — *a.* 어이없는, 시시한
Dum·bo [dʌ́mbou] *n.* **1** Walt Disney의 만화 영화 주인공인 아기 코끼리 **2** [**d~**] 〖항공〗 해난 구조기 **3** [**d~**] (미·속어) **a** 공화당의 상징 **b** 귀가 큰 사람
dúmb óx (구어) (덩치가 큰) 바보
dúmb piáno 무음 피아노 《운지(運指) 연습용》
dúmb shòw 무언극; 무언의 손짓[몸짓]
dumb·size [dʌ́msàiz] *vi.* (미) 업무에 지장을 줄 만큼 감원하다
dumb·struck [dʌ́mstrʌ̀k], **-strick·en** [-strìkən] *a.* 놀라서 말도 못하는
dúmb tèrminal 〖컴퓨터〗 단순 단말기 《온라인 송수신만 하는 것》
dumb·wait·er [-wèitər] *n.* (미) 식품·식기 운반용 승강기((영) food lift); 소형 화물 승강기; (영) = LAZY SUSAN
dum·dum [dʌ́mdʌ̀m] [Calcutta 부근의 조병창 Dum Dum에서] *n.* **1** 덤덤탄(= ⌐ **búllet**) 《명중하면 탄체가 퍼져서 상처가 커짐》 **2** (미·속어) 바보
— *a.* (미·속어) 바보의, 멍청한
du·met [dú:met] *n.* 진공관이나 백열등의 필라멘트에 쓰이는 구리 피막선 《철과 니켈의 합금》
dum·found(·er) [dʌ̀mfáund(ər), ⌐⌐] *vt.* = DUMBFOUND(ER)
dum·my** [dʌ́mi] *n.* (*pl.* **-mies**) **1** (양복점의) **인체 모형**, 마네킹, (옷을 입힌) **장식용 인형**; (연습용) 표적 인형 **2** (속어) 바보, 멍청이 **3** 모조품, 가짜; 〖영화〗 대역 인형; (영) (젖먹이의) 고무 젖꼭지((미) pacifier); (미) (옛날의) 무음(無音) 기관차; 〖인쇄〗 가(假)제본된 부피 견본(pattern volume); 견본 **4** 명의[표면]상의 대표자(figurehead), 꼭두각시, 로봇, (남의) 앞잡이; 유령 회사; (경멸) 벙어리, 과묵한 사람(dumb person) **5** 〖카드〗 공석(空席), 더미 《자기의 패를 보여주고 파트너에게 게임을 맡기는 사람》; 그가 가지고 있는 패 **6** 〖군사〗 공포(空砲) **7** 〖컴퓨터〗 더미 《기능을 하지 않으나 형식상 필요한 데이터·드라이브 등》; 〖언어〗 더미[대역] (기호) **8** (미·속어) 빵(bread) **9** (속어) 효력이 약한 마약; 가짜 헤로인 **10** (속어) 페니스 **11** (영·속어) 지갑 ***beat [***flog, pound***] ***one's ~*** (미·비어) 〈남자가〉 용두질[자위]하다 ***chuck a ~*** (미·속어) 게우다 ***sell the*** [***a***] **~** 〖럭비·축구〗 공을 패스하는 체하며 상대편을 속이다 ***spit the ~*** (호주·속어) 분통을 터뜨리다
— *a.* Ⓐ **1** 가짜의, 모조의(sham); 앞잡이의, 명의만의, 가상의: a ~ director 명의(名義)뿐인 중역[이사] / a ~ cartridge 공포(空包) / a ~ horse 목마 **2** 〖카드〗 공석의 **3** 말이 없는
— *v.* (**-mied**) *vt.* 〖제본〗 부피 견본을 만들다 《*up*》; 모조품으로 보이다 《*in*》
— *vi.* (속어) 입을 열지 않다 《*up*》; 〖럭비·축구〗 공을 패스하는 체하다
dúmmy còmpany 유령 회사
dúmmy héad 더미 헤드 《귀 부분에 마이크를 설치한 사람 머리 모양의 녹음 장치》
dúmmy rùn 공격[예행] 연습; 시행, 시주
dúmmy sìgnal 〖야구〗 거짓 사인
dúmmy stóckholder 가공(架空)의 주주
***dump**[1] [dʌ́mp] *vt.* **1** 〈쓰레기를〉 내버리다, (쓰레기 버리는 곳에) 와르르 쏟아 버리다; 쾅 떨어뜨리다 《*down*》; 〈용기·차 등에서〉 비우다, 버리다 《*from*》; 〈물자 등을〉 쌓아 남겨 두다: (~+목+부) ~ *out* the gravel 자갈을 와르르 쏟아 버리다 // (~+목+전+명) The truck ~*ed* the coal *on* the sidewalk. 트럭이 석탄을 보도에 쏟아 놓았다. **2** 〖상업〗 외국 시장에 헐값으로 팔다, 덤핑하다 **3** 〈과잉 인구를〉 외국으로 내보내다 **4** (구어) (무책임하게) 버리다 **5** (미·속어) **a** 〈상대를〉 녹다운시키다 **b** 〈시합에서〉 일부러 지다 **6** (미·속어) 〈사람을〉 죽이다 **7** (미·속어) 토하다 **8** (야구속어) …에 번트를 대다; 〈내야 안타를〉 치다 **9** 〖컴퓨터〗 덤프하다 《메모리의 내용을 출력[표시]하다》; 〈컴퓨터의〉 전원을 끊다 **10** (호주) 〈파도가〉 〈수영자·서퍼를〉 메어치다; 〖미식축구〗 (공을 패스하기 전에) 〈상대 팀의 쿼터백을〉 태클하여 넘어뜨리다
— *vi.* **1** 털썩 떨어지다 **2** 헐값으로 팔다, 투매[덤핑]하다 **3** (속어) 불만을 말하다 **4** (비어) 똥누다 **5** (미·속어) 게우다 **~ *on*** …을 헐뜯다; 고민거리를 토로하다 ***Let's ~.*** (미·속어) 자, 가자[돌아가자].
— *n.* **1** (미) 쓰레기 버리는 곳, 쓰레기 더미; 버린 돌의 무더기; 〖군사〗 (식량·탄약 등의) 임시 집적소 **2** 털썩, 쾅, 와르르(thud), 찰싹 《소리》 **3** (미·속어) 황폐한 집[마을], 더러운 장소; 건물; (미·속어) 교도소; (비어) 배변(排便) **4** 덤프차, 덤프트럭 **5** 〖컴퓨터〗 (메모리) 덤프 《기억 영역의 내용을 출력[표시]하기》 **6** (미·속어) 뇌물을 받고 져 주는 시합; (속어) 잔돈 **7** 덤핑 ***do not care a ~*** 조금도 상관치 않다 ***take a ~*** (미·비어) 똥누다
dump[2] *n.* [*pl.*] (구어) 우울, 의기소침
(***down***) ***in the ~s*** 우울[울적]하여, 맥없이
dúmp bìn (영) = DISPLAY BIN
dúmp càr 〖철도〗 경사대가 달린 화차; 덤프차
dump·cart [dʌ́mpkɑ̀:rt] *n.* (미) 덤프식 (손)수레

thesaurus **dumb** *a.* **1 말문이 막힌** speechless, wordless, silent, mute, voiceless, soundless, tongue-tied **2 우둔한** stupid, dull, slow, unintelligent, foolish (opp. *intelligent, bright, quick*)
dump[1] *v.* **1 쾅 내려놓다** place, lay down, put

《외바퀴 또는 두바퀴》

dump·er [dʌ́mpər] *n.* **1** 쓰레기 치우는 사람, 청소부 **2** =DUMPCART; 《미》 덤프트럭(=~ **trùck**) **3** 투매(投賣)하는 사람 **4** 《호주》 (서퍼·수영자를) 해안으로 메다꽂는 큰 파도 ***go into the ~*** 《미·속어》 완전히 실패하다, 버려지다 ***in the ~*** 《미·속어》 파산하여, 몰락하여; 아주 버려진

dump·i·ness [dʌ́mpinis] *n.* Ⓤ 짧고 굵음, 뭉뚝함

dump·ing [dʌ́mpiŋ] *n.* Ⓤ **1** (쓰레기 등을) 쏟아 버림: a ~ ground 쓰레기 처리장 **2** 투매, 덤핑: a ~ field (해외) 덤핑[투매] 시장 **3** 《속어》 깎아내림

dump·ish [dʌ́mpiʃ] *a.* 우울한, 침울한, 슬픈; 《폐어》 둔한, 멍청한 **~·ly** *ad.* **~·ness** *n.*

dúmp jòb 《미·속어》 욕질, 매도, 비난

dump·ling [dʌ́mpliŋ] *n.* **1** 고기만두, 과일 푸딩 《디저트》 **2** 《구어》 땅딸보; 촌놈

Dump·ster [dʌ́mpstər] *n.* 《미》 덤프스터 《금속제의 대형 쓰레기 수집 용기; 상표명》(《영》 skip)

dúmpster dìve 《미·속어》 (귀중한 것을 찾으려고) 쓰레기통을 뒤지다 **dúmpster dìver**

dúmpster dìving 《미·속어》 (귀중한 것을 찾으려고) 쓰레기통 뒤지기

dúmp trùck 《미》 덤프트럭, 덤프차

dump·y[1] [dʌ́mpi] *a.* (**dump·i·er**; **-i·est**) 땅딸막한, 뭉툭한 **—** *n.* (*pl.* **dump·ies**) (스코틀랜드 원산의) 다리가 짧은 닭; [*pl.*] 영국 경기병 제19연대의 애칭 **dúmp·i·ness** *n.*

dumpy[2] *a.* 뚱한, 우울한, 시무룩한

dúmpy lèvel 〖측량〗 망원경이 달린 수준기(水準器)

dun[1] [dʌ́n] *vt.* (**~ned**; **~·ning**) 빚 독촉을 하다; 귀찮게 굴다(pester) **—** *n.* **1** 빚 독촉장 **2** 채귀(債鬼), 재촉이 심한 채권자

dun[2] *a.* **1** 암갈색의 **2** 《시어》 어둠침침한, 우울한(gloomy) **—** *n.* Ⓤ **1** 암갈색 **2** 〖곤충〗 =MAYFLY **3** 〖낚시〗 =DUN FLY **4** 암갈색[밤색] 말, 구렁말, 자류마(紫騮馬) **—** *vt.* **1** 암갈색으로 하다; 어둡게 하다 **2** 〈물고기를〉 소금에 절여 저장하다 **~·ness** *n.*

dun[3] *n.* (특히 성이 있는) 언덕(hill)

Du·nant [du:nɑ́:ŋ | dju:-] *n.* 뒤낭 **Jean Henri** ~ (1828-1910) 《스위스의 자선 사업가; 적십자의 창립자》

Dun·can [dʌ́ŋkən] *n.* **1** 남자 이름 **2** 덩컨 **Isadora** ~ (1878-1927) 《미국의 무용가》

***dunce** [dʌ́ns] *n.* 열등생, 저능아

dúnce('s) càp 원추형의 종이 모자 《예전에 열등생이나 게으른 학생에게 벌로 씌우던》

Dun·dée càke [dʌndí:-] 《주로 영》 (아몬드를 얹은) 프루트케이크

dun·der·head [dʌ́ndərhèd] *n.* 바보 **dùn·der·héad·ed** *a.* 머리가 나쁜, 투미한

dun·der·pate [dʌ́ndərpèit] *n.* =DUNDERHEAD

dune [djú:n | djú:n] *n.* (해변 등의) 모래 언덕

dúne bùggy 모래 언덕·모래밭 주행용 소형차 (beach buggy)

dune·mo·bile [djú:nmoubì:l | djú:n-] *n.* =DUNE BUGGY

dun-fish [dʌ́nfìʃ] *n.* 간한 대구

dún flỳ 〖낚시〗 파리 애벌레 모양의 갈색 제물낚시

dung [dʌ́ŋ] *n.* Ⓤ (동물의) 똥; 거름, 비료(manure); 《미·속어》 싫은 사람 **—** *vt.*, *vi.* (땅에) 거름[비료]을 주다

dun·ga·ree [dʌ̀ŋgərí:] *n.* Ⓤ 거친 무명천 《동인도산》; [*pl.*] 그것으로 만든 바지 《노동복》

dúng bèetle[**chàfer**] 〖곤충〗 쇠똥구리

dúng càrt 분뇨(운반)차

Dún·ge·ness cráb [dʌ́ndʒənès-] (작은) 식용 게 《북미 태평양 연안산(産)》

***dun·geon** [dʌ́ndʒən] *n.* **1** (성내의) 지하 감옥 **2** =DONJON; 〖야구〗 최하위 **—** *vt.* 지하 감옥에 가두다 (*up*)

Dúngeons & Drágons 던전스 앤드 드래건스 《미국의 롤 플레이잉 게임; 상표명》

dúng flỳ 〖곤충〗 똥파리

dúng fòrk (마구간) 퇴비용 갈퀴[쇠스랑]

dung·heap [dʌ́ŋhì:p] *n.* (특히 농장의) 똥[거름]더미(dunghill)

dung·hill [dʌ́ŋhìl] *n.* **1** 똥[거름] 더미, 퇴비 **2** 타락한 상태, 더러운 곳 ***a cock on his***[***its***] ***own ~*** 제집에서 활개 치는 사람, 골목대장

dúnghill cóck[**hén**] 보통 닭 《game fowl과 구별하여》

dung·y [dʌ́ŋi] *a.* (**dung·i·er**; **-i·est**) 똥 같은; 더러운

Dun·hill [dʌ́nhil] *n.* 던힐 《영국의 신사복·끽연구 등의 제조 판매 회사; 상표명》; 그 제품

du·nie·was·sal [dù:niwɑ́səl | -wɔ́s-] *n.* 《스코》 중류 신사; 명문 집안의 차남 이하의 아들

dunk [dʌ́ŋk] *vt.*, *vi.* 〈빵 등을〉 커피[홍차]에 적시다[담그다](dip); 〖농구〗 덩크 슛하다 **~ *on*** 《미·속어》 …을 공격하다, 혼내 주다 **—** *n.* 멱감기; (음식을 적시는) 소스; 〖농구〗 덩크 슛

Dun·kirk [dʌ́nkə:rk | -ˊ] *n.* **1** 됭케르크 《프랑스 북부의 항구 도시》 **2** [제2차 대전 때 영국·프랑스군이 이곳에서 후퇴한 데서] 필사적인 철수, 위기, 긴급 사태 **—** *vi.*, *vt.* 필사적인 철수를 하다[시키다]

Dúnkirk spírit [the ~] 됭케르크 정신 《위기에 처했을 때의 불굴의 정신》

dúnk shòt 〖농구〗 덩크 슛

dun·lin [dʌ́nlin] *n.* (*pl.* **~**, **~s**) 〖조류〗 민물도요

Dun·lop [dʌnlɑ́p, ˊ- | dʌ́nlɔp] *n.* **1** 던롭 고무 타이어(=~ **tíre**) **2** 던롭 치즈 (=~ **chéese**) 《스코틀랜드의 Dunlop 지방 원산》 ***dangle the ~s*** 《영·속어》 〈비행기가〉 착륙용 바퀴를 내리다

dun·nage [dʌ́nidʒ] *n.* Ⓤ **1** 《구어》 수하물, 휴대품 (baggage) **2** 〖항해〗 짐 깔개 《적하물 밑에 깔거나 사이에 끼우는 것》

dun·ner [dʌ́nər] *n.* =DUN[1] 2

dun·nite [dʌ́nait] *n.* 〖군사〗 고성능 D폭약

dun·no [dənóu] 《구어》 =(I) don't know.

dun·nock [dʌ́nək] *n.* 《영》 =HEDGE SPARROW

dun·ny [dʌ́ni] *n.* (*pl.* **-nies**) 《호주·속어》 (옥외) 변소; 《스코·속어》 지하실, 지하 통로

dúnny càrt 《호주》 분뇨 (운반)차(night cart)

dunt [dʌ́nt, dúnt] *n.* 《스코》 쾅 치기, 둔탁한 일격; 그 상처 **—** *vt.* 쾅 치다

du·o [djú:ou | djú:-] [It. 「two」의 뜻에서] *n.* (*pl.* **~s**) **1** 〖음악〗 이중주(곡) 《2개의 다른 악기를 위한 악곡; 2개의 동일 악기를 위한 작품은 duet》; 이중창(곡); 이중주단, 이중창단 **2** (연예인 등의) 짝; 콤비, 2인조: a comedy ~ 희극 2인조

duo- [djú:ou, djú:ə | djú:-] 《연결형》 「둘」의 뜻

du·o·dec·i·mal [djù:ədésəməl | djù:-] [L 「2와 10」의 뜻에서] *a.* 12의; 〖수학〗 12분의 1의, 12진법의: the ~ system (of notation) 12진법 **—** *n.* **1** 12분의 1 **2** [*pl.*] 〖수학〗 12진법; 12진수 **~·ly** *ad.*

du·o·dec·i·mo [djù:ədésəmòu | djù:-] *n.* (*pl.* **~s**) Ⓤ 12절판 《약 7 1/2×4 1/2인치 크기; 略 12mo, 12°》, 사륙판(四六判), B6판; 12절[사륙]판 책(cf. FOLIO) **—** *a.* 12절판의

du·o·de·nal [djù:ədí:nl, dju:ɑ́dənl | djù:ədí:nl] *a.* 십이지장의

duodénal úlcer 〖병리〗 십이지장 궤양

du·o·den·a·ry [djù:ədénəri, -dí:- | djù:-] *a.* 〈한 단위가〉 12의; 12진법의

du·o·de·ni·tis [djù:oudináitis, dju:ɑ̀dənáitis | djù:oudi-] *n.* Ⓤ 〖병리〗 십이지장염

du·o·de·num [djù:ədí:nəm, dju:ɑ́dənəm | djù:ə-dí:n-] *n.* (*pl.* **-de·na** [-nə], **~s**) 〖해부〗 십이지장

---

down, deposit, drop, let fall, throw down, fling down **2** 내버리다 dispose of, get rid of, throw away, scrap **3** (용기·그릇 따위에서) 비우다 discharge, empty out, pour out, unload **4** (무책임하게) 버리다 abandon, desert, leave, forsake

du·o·graph [djú:əgræ̀f | djú:əgrɑ̀:f] *n.* 〖인쇄〗 = DUOTONE
du·o·logue [djú:əlɔ̀:g, -lɑ̀g | djú:əlɔ̀g] [*duo*+mono*logue*] *n.* 대화 《dialogue쪽이 일반적》; 대화극 (cf. MONOLOGUE)
duo·mo [dwóumou] [It.] *n.* (*pl.* **~s, -mi** [-mi]) (특히 이탈리아의) 대성당
du·op·o·ly [dju:ɑ́pəli | dju:ɔ́p-] *n.* (*pl.* **-lies**) 〖경제〗 복점(複占) 《두 기업에 의한 독점》; 〖정치〗 양대 강국에 의한 패권 **du·òp·o·lís·tic** *a.*
du·op·so·ny [dju:ɑ́psəni | dju:ɔ́p-] *n* 〖경제〗 수요자[구매자] 복점
du·o·rail [djú:ərèil | djú:-] *n.* 이궤(二軌) 철도 《모노레일에 대해 일반 철도를 가리킴》
du·o·tone [djú:ətòun | djú:-] 〖인쇄〗 *n.* 2색 그림, 2색 망판(網版), 더블톤; 더블톤 인쇄물 **—** *a.* 2색의
DUP Democratic Unionist Party (북아일랜드의) 민주 연합당 **dup.** duplex; duplicate
du·pat·ta [dupʌ́tə] *n.* 두파타 《인도의 스카프》
dupe[1] [djú:p | djú:p] *n.* 잘 속는 사람, '봉', '밥'; 앞잡이 **—** *vt.* 속이다; (미·속어) 〈사람에게〉 심한 짓을 하다 **dúp·a·ble** *a.* 속기 쉬운 **dúp·er** *n.*
dupe[2] *n.*, *vt.* = DUPLICATE; 〖영화〗 복제 네거 필름(의 작성); 〖TV〗 복제 비디오 테이프
dup·er·y [djú:pəri | djú:p-] *n.* (*pl.* **-er·ies**) 사기
du·ple [djú:pl | djú:-] *a.* 2배의(double)
dúple tìme 〖음악〗 2박자
du·plex [djú:pleks | djú:-] *a.* Ⓐ **1** 이중의, 두 부분으로 된: a ~ hammer 양면 망치 **2** 〖기계〗 복식의 **3** 〖통신〗 동시 송수신 방식[이중 통신 방식]의: ~ telegraphy 이중 전신(법) **4** 〈아파트가〉 두 세대용의
— *n.* **1** = DUPLEX APARTMENT; (미) = DUPLEX HOUSE **2** 〖음악〗 2중 음표 **3** 양면 이색(二色)지(紙) **4** 동시 송수신[이중 통신] 방식 **5** (DNA의) 중복 부위
— *vt.* 이중으로 하다[바꾸다], 중복하다
du·pléx·i·ty *n.*
dúplex apártment 복식 아파트 《상·하층을 한 가구가 쓰는》
dúplex hóuse (미) (두 가구용) 연립 주택((영) semidetached house)
dúplex prìnting 〖컴퓨터〗 양방향 프린트
dúplex sỳstem 〖컴퓨터〗 복식 시스템 《2대의 컴퓨터를 설치하되 하나는 예비용》
du·pli·ca·ble [djú:plikəbl | djú:-] *a.* 이중으로 할 수 있는; 복제[복사] 가능한
***du·pli·cate** [djú:plikət | djú:-] [L 「두 겹으로 접다」의 뜻에서] *a.* Ⓐ **1** 중복의; 이중의; 두 배의; 한 쌍의 **2** 똑같은, 꼭 닮은, 짝의: a ~ key 여벌 열쇠(cf. PASSKEY) **3** 복제의, 사본[복사]의: a ~ copy 부본, 사본; (그림의) 복제품 **4** 〖카드〗 다른 사람과 같은 패의
— *n.* **1** (동일물의) 두 통 중의 하나, 부본, 사본; 복사, 복제, 복제품: a ~ of a letter 편지의 사본 **2** 짝을 맞추는[이루는] 한 쪽의 표, 전당표 **3** 동의어 **4** 〖카드〗 듀플리킷 게임(= ~ bridge) ***in*** **~** 두 통으로
— [-kèit] *vt.* **1** 이중[2배]으로 하다; 두 번 되풀이하다 **2** 복사[복제]하다(reproduce), 정부 2통으로 만들다 **3** 〖컴퓨터〗 복사하다
— *vi.* **1** 중복되다 **2** 〈같은 유전자가〉 중복되다 **3** 〖가톨릭〗 (하루에) 2번 미사를 거행하다
dúplicate brídge 듀플리킷 브리지 《각자가 같은 패로 시작하여 득점을 겨루는 놀이》
dúplicate rátio 〖수학〗 제곱비
dú·pli·cat·ing machìne [djú:plikèitiŋ- | djú:-] 복사기; = PROFILER
***du·pli·ca·tion** [djù:plikéiʃən | djù:-] *n.* Ⓤ **1** 이중, 중복, 2배 **2** 복사, 복제; Ⓒ 복제[복사]품
du·pli·ca·tor [djú:plikèitər | djú:-] *n.* **1** 복사기 **2** 복제자[기]
du·plic·i·tous [dju:plísətəs | dju:-] *a.* 식언의, 불성실한; 사기의 **~·ly** *ad.*
du·plic·i·ty [dju:plísəti | dju:-] *n.* Ⓤ 일구이언, 표리부동; 불성실
Du·Pont [dju:pɑ́nt | djupɔ́nt] *n.* 뒤퐁 《미국의 화학 제품 회사; 상표명》
du·ra[1] [dúərə] *n.* = DURRA
du·ra[2] [djúərə | djúərə] *n.* = DURA MATER
du·ra·bil·i·ty [djùərəbíləti | djùər-] *n.* Ⓤ 내구성, 내구력
***du·ra·ble** [djúərəbl | djúər-] *a.* 영속성 있는, 항구성의; 오래 견디는, 튼튼한
— *n.* [*pl.*] 내구(소비)재 《주택·가구·차 등》(= **~ góods**; opp. *nondurables, nondurable goods*)
~·ness *n.* **-bly** *ad.*
dúrable préss 〖방직〗 형태 고정 가공 《의복의 주름 등을 영구 가공하는 방법; 略 DP》
du·ral[1] [djurǽl | djuə-] *n.* = DURALUMIN
du·ral[2] [djúərəl | djúər-] *a.* 경(뇌)막의
du·ral·u·min [djurǽljumin | djuə-] *n.* Ⓤ 〖야금〗 두랄루민 《알루미늄 합금; 항공기 자재》
dúra máter [L] 〖해부〗 경뇌막(硬腦膜)(cf. PIA MATER)
du·ra·men [djuréimin | djuəréimen] *n.* Ⓤ 〖식물〗 중심 목질(木質), 심재(心材)
dur·ance [djúərəns | djúə-] *n.* Ⓤ (고어) 감금 ***in*** **~** (***vile***) (불법) 감금되어
du·ra·tion** [djuréiʃən | djuər-] [L 「계속하다」의 뜻에서] *n.* Ⓤ **1** 지속, 계속; 존속 **2** 계속[존속] 기간 **3** [the ~] 전쟁 지속 기간 **4** 〖음성〗 음량, 음의 길이 (quantity) **5** 〖증권〗 듀레이션 《채권의 평균 상환 기간》 ***for the **~** 전쟁이 끝날 때까지; (굉장히) 오랫동안 ***of long*** [***short***] **~** 장기[단기]의 ***the*** **~** ***of flight*** 〖항공〗 항속[체공(滯空)] 시간
dur·a·tive [djúərətiv | djúər-] *a.* 〖문법〗 계속 중의; 미완의; 계속상(相)의 《keep, love, remain, go on 등과 같이 동작·상태가 얼마 동안 계속됨을 나타내는 상》 **—** *n.* 〖문법〗 계속상(의 동사)
dur·bar [də́:rbɑ:r] *n.* (인도 제후의) 궁정; (인도 제후·총독 등의) 공식 접견(실)
du·ress [djuərés, djúəris | djuərés] *n.* Ⓤ **1** 구속, 감금 **2** 〖법〗 강박, 강요, 강제 ***under*** **~** 강요[강제]되어 **du·rés·sor** *n.* 강박자
Du·rex [djúəreks | djúər-] *n.* **1** (영) = CONDOM 《상표명》 **2** (호주) = SELLOTAPE
Dur·ham [də́:rəm | dʌ́r-] *n.* **1** 더럼 《영국 북동부의 주, 그 주도; 略 Dur(h).》 **2** 더럼종의 육우(肉牛)
Dúrham Rùle (미) 더럼 규정 《정신 질환[장애]에 의한 위법 행위라면 형사 면책될 수 있다는》
du·ri·an, -on [dúəriən, -riɑ̀:n | djúəriən] *n.* 〖식물〗 두리언 《말레이 군도산(産)의 나무 및 그 열매》
‡**dur·ing** [djúəriŋ | djúər-] *prep.* **1** (특정 기간의) …동안 (내내) **2** (특정 기간) …사이에, …하는 중에 ★ during은 특정한 기간 동안에 관하여 쓰고 for는 불특정의 기간에 관해서 씀: ~ life[the winter] 평생 동안[겨울 내내] / He came ~ my absence. 그는 내가 없을 때에 왔다.
dur·mast [də́:rmæ̀st, -mɑ̀:st | -mɑ̀:st] *n.* 떡갈나무의 일종 《유럽산(産)》
durn [də́:rn] *v.*, *a.*, *ad.*, *n.* (미·구어) = DARN[2]
Du·roc(-Jer·sey) [djúərɑk(-dʒə́:rzi) | djúərɔk-] *n.* 미국산 두록(저지)종의 돼지 《성장이 빠르고 강건함》
du·rom·e·ter [djuərɑ́mətər | djuərɔ́m-] *n.* (금속 등의) 경도계(硬度計)
dur·ra, du·ra [dúərə] *n.* 〖식물〗 수수의 일종
dur·rie [də́:ri, dʌ́:ri] *n.* = DHURRIE
durst [də́:rst] *v.* (고어) DARE의 과거
du·rum [djúərəm | djúər-] *n.* Ⓤ 〖식물〗 (마카로니 등의 원료가 되는) 밀의 일종(= **~ whèat**)
Du·shan·be [dju:ʃɑ́:nbə] *n.* 두산베 《타지크 공화국의 수도》

thesaurus **durable** *a.* lasting, long-lasting, enduring, persistent, abiding, continuing, con-

dusk** [dʌ́sk] *n.* Ⓤ **1** 땅거미, 황혼 《twilight가 어두워져서 darkness가 되기 전》, 어스름 **2** 그늘(shade), 어둠(gloom) ***at ~ 해질 무렵에
—*a.* 《시어》 =DUSKY
—*vi., vt.* 《시어》 어둑해지다[하게 하다], 《날이》 저물어가다 **dúsk·ish** *a.* ▷ dúsky *a.*

***dusk·y** [dʌ́ski] *a.* (**dusk·i·er**; **-i·est**) **1** 어스레한, 어둑어둑한 **2** 〈피부가〉 거무스름한, 검은 《darky의 완곡한 말》 **3** 음울한(sad, gloomy) **dúsk·i·ly** *ad.* 어둑어둑하게, 음울하게 **dúsk·i·ness** *n.*

Düs·sel·dorf [djúsəldɔ̀:rf | dúsl-] *n.* 뒤셀도르프 《독일 라인 강가의 항구 도시》

‡dust [dʌ́st] *n.* Ⓤ **1** 먼지, 티끌; [a ~] 자욱한 먼지, 흙먼지; 진폐증(塵肺症) **2 a** 가루, 분말; 꽃가루: ~ tea 가루차 **b** 사금(=gold ~) **3** [a ~] 《문어》 흙, 땅 **4** [the ~] 《시어·문어》 시체(dead body); 인체; 인간(man): *the* honored ~ 유해 **5** 《고어·속어》 돈, 현금 **6** 소란, 소동 **7** 《영》 재, 쓰레기(refuse) **8** 무가치한 것 **9** [the ~] 굴욕, 수치
after [***when***] ***the ~ settles*** [***has settled***] 《구어》 혼란[소동]이 가라앉은 후에[가라앉으면] ***allow the ~ to settle*** 《구어》 사태[상황]가 가라앉기를 기다리다 (***as***) ***dry as ~*** 《구어》 무미건조한 ***bite the ~*** 《구어·익살》 (1) 죽다, 《특히》 전사하다; 부상하다; 병이 나다; 〈기계 등이〉 움직이지 않게 되다 (2) 패배하다, 실패하다; 굴욕을 참다 ***cut the ~*** 《미·구어》 술을 마시다, 한잔하다 ***droop to the ~*** 굴복하다 ***~ and ashes*** 먼지와 재 《실망스러운 것, 하찮은 것》 ***D~ thou art, and unto ~ shalt thou return.*** 『성서』 너는 흙이니 흙으로 돌아갈 것이니라. ***eat*** a person***'s ~*** 《경쟁에서》 지다 ***gather ~*** 〈물건이〉 먼지를 뒤집어 쓰다; 이용되지 않고 있다; 무시당하다 ***humbled in*** [***to***] ***the ~*** 굴욕을 받고 ***in the ~*** 죽어서; 모욕을 받고 ***kick up*** [***make, raise***] ***a ~*** 소동을 피우다 ***lay the ~*** 〈비가〉 먼지를 가라앉히다 ***leave ... in the ~*** 〈경쟁 상대 따위를〉 압도하다 ***lick*** [***kiss***] ***the ~*** 앓아눕다; 〈제안 등이〉 매장되다; 〈기계 등이〉 못쓰게 되다 ***make the ~ fly*** 《구어》 싸움을 시작하다; 큰 소란을 피우다; 재깍 해치다 ***out of ~*** 먼지 속에서; 굴욕적인 처지에서 ***repent in ~ and ashes*** 깊이 뉘우치다 ***shake the ~ off*** one***'s feet*** =***shake off the ~ of*** one***'s feet*** 자리를 박차고 가버리다 《마태복음 10: 14》 ***take the ~ of*** …에게 추월당하다 ***throw ~ in*** a person***'s eyes*** …을 속이다 ***turn to ~*** 《문어》 사라지다 ***wait for the ~ to settle*** = allow the DUST to settle. ***will*** [***can***] ***not see ... for ~*** 《구어》 《눈 깜짝할 사이에》 보이지 않게 되다
—*vt.* **1** 〈가루 따위를〉 뿌리다, 흩뿌리다, 끼얹다 《*with*》: 《~+목+전+명》 ~ a cake *with* sugar = ~ sugar on *to* a cake 케이크에 설탕을 뿌리다 / hair *~ed with* gray 백발이 성성한 머리 **2** 〈사람·물건의〉 먼지를 털다[닦아내다] 《*off*》: 《~+목+부》 ~ (*off*) a table 테이블의 먼지를 털다 **3** 〈살충제를〉 뿌리다, 《미·구어》 공중 살포하다(sprinkle) 《*with*》: 《~+목+전+명》 ~ plants *with* insecticide 식물에 살충제를 뿌리다 **4** 《미·속어》 〈사람을〉 속이다 **5** 《속어》 때려부수다 ***~ down*** 먼지를 털다; …을 엄하게 꾸짖다 ***~ off*** (1) =*vt.* 2 (2) 《야구속어》 〈투수가〉 타자 가까이를 겨누어 투구하다(cf. DUSTER 6) (3) 《미·속어》 죽이다 (4) 〈오래 안 쓰던 것을〉 다시 사용하다 ***~ out*** 〈물건의〉 안을 깨끗이 청소하다 ***~ oneself down*** [***off***] 입은 옷의 먼지를 털다; 부진[재난]에서 재기하다 ***~ a person's jacket*** (***for*** him[her]) 《속어》 …을 두들겨패다 ***~ the eyes of*** …을 속이다 ***~ up*** 〈남을〉 공격하다
—*vi.* **1** 〈새가〉 사욕(砂浴)을 하다; 가루를 흩뿌리다 《*with*》: 《~+전+명》 ~ *with* insecticide 살충제를 뿌리다 **2** 먼지를 털다; 청소하다 **3** [종종 ~ it] 《미·속어》 《먼지를 털고》 황급히 가버리다
~·less *a.* **~·like** *a.* ▷ dústy *a.*

dúst bàg 《진공 청소기의》 먼지 주머니
dúst bàll 《미·구어》 먼지 더미[덩이]
dúst bàth 《새의》 사욕(砂浴), 토욕(土浴)
dust·bin [dʌ́stbìn] *n.* 《영》 쓰레기통(《미》 trash can, garbage can)
dústbin màn 《영》 쓰레기 수거인
dúst bòwl 《모래 폭풍이 부는》 황진 지대 《미시시피 서부의 건조 평원 지대》
dúst bòwl·er 황진 지대 주민
dúst bòx 쓰레기통
dust·brand [dʌ́stbræ̀nd] *n.* 《보리의》 깜부기병
dúst bùnny 《미·구어》 =DUST BALL
dúst càp 《망원경·카메라의》 렌즈 커버[뚜껑]
dúst càrt 《영》 쓰레기차(《미》 garbage truck)
dúst chùte 《건물의》 쓰레기 투하 장치
dust-cloak [-klòuk] *n.* 《영》 =DUST-COAT
dust·cloth [-klɔ̀:θ | -klɔ̀θ] *n.* (*pl.* **~s** [-klɔ̀:ðz | -klɔ̀θs]) 《부드러운》 걸레; 먼지막이 커버
dust-coat [-kòut] *n.* 《영》 =DUSTER 3
dust-col·or [-kʌ̀lər] *n.* 엷은 다갈색
dúst còunter 계진기(計塵器)
dúst còver **1** 《가구 등의》 먼지막이 커버 **2** = DUST JACKET
dúst dèvil 《열대 사막의》 회오리바람
dúst disèase 《구어》 =PNEUMOCONIOSIS
***dust·er** [dʌ́stər] *n.* **1** 먼지 터는 사람, 청소부 **2** 먼지떨이, 총채, 먼지 청소기; 먼지 닦는 헝겊[걸레], 《영》 칠판지우개 **3** 《미》 먼지막이 코트[겉옷](《영》 dust-coat) **4** 『해군』 군함기(旗)(ensign) **5** 《분말 살충제 등의》 살포기 **6** 《야구속어》 타자 몸 가까이를 지나는 위협적 속구(=**~ bàll**)(cf. BEANBALL) **7** 《미》 마른 우물 **8** 《미》 《여성의 헐렁한》 실내복; 얇은 무릎 덮개
dust-guard [dʌ́stgɑ̀:rd] *n.* 방진 장치, 《자전거 등의》 흙받기
dúst hèad 《미·속어》 angel dust의 상용자
dust·heap [-hì:p] *n.* 쓰레기 더미; 망각, 무시, 폐기
dust-hole [-hòul] *n.* 《영》 쓰레기 버리는 구덩이
dust·i·ly [dʌ́stili] *ad.* 먼지투성이가 되어
dust·i·ness [dʌ́stinis] *n.* Ⓤ 먼지투성이; 무미건조
dust·ing [dʌ́stiŋ] *n.* **1** Ⓤ 먼지 털기 **2** Ⓤ 가루 살포; 소량; 《화약을》 체로 거름 **3** 《속어》 구타
dústing pòwder 《상처 소독용》 살포제; 땀띠약
dúst jàcket 책 커버(book jacket)
dúst kìtten[**kìtty**] =DUST BALL
dust·less [dʌ́stlis] *a.* 먼지 없는; 먼지가 일지 않는
dust·man [dʌ́stmæ̀n | -mən] *n.* (*pl.* **-men** [-mèn]) **1** 《영》 쓰레기 수거인(《미》 garbage collector) **2** 《구어》 졸음의 요정(cf. SANDMAN); 졸음 ***The ~'s coming.*** 아이 졸려.
dúst mìte *n.* 『곤충』 먼지 진드기 《집에 살며 알레르기를 일으킴》
dúst mòp =DRY MOP
dúst of ángels =ANGEL DUST
dust·off [-ɔ̀:f | -ɔ̀f] *n.* 《미·군대속어》 부상자 후송[구출]용 헬리콥터
du·stoor, -stour [dəstúər] *n.* =DASTUR
dust·pan [dʌ́stpæ̀n] *n.* 쓰레받기
dust·proof [-prù:f] *a.* 먼지를 막는, 방진의
dúst shèet =DUST COVER 1
dúst shòt 아주 작은 산탄(霰彈)
dúst stòrm 《건조지의》 모래 폭풍, 사진(沙塵) 폭풍
dúst tàil 『천문』 《혜성의》 먼지 꼬리
dust·trap [-træ̀p] *n.* 먼지 제거 장치, 집진기
dust·up [-ʌ̀p] *n.* 《구어》 소동, 난투, 싸움; 말다툼
dúst wràpper 《책의》 커버, 재킷
‡dust·y [dʌ́sti] *a.* (**dust·i·er**; **-i·est**) **1** 먼지투성이의, 먼지가 많은 **2** 무미건조한, 시시한; 생기 없는 **3** 먼지빛의, 회색의(gray); 〈술이〉 탁한; 《영》 애매한: a

---

stant, firm, permanent, unfading, changeless, invariable, strong, resistant (opp. *ephemeral*)

~ answer 모호한 대답 **4** 가루 모양의(powdery) **5** 바람이 강한 **6** 《영·속어》 (70세 이상의) 늙은이의 ***not*** [***none***] ***so*** ~ 《영·구어》 과히 나쁘지는 않은(not so bad), 그저 그런: The pay is *not so* ~. 급료는 과히 나쁘지 않다.
— *n.* **1** [**D~**] 《속어》 키가 작음, 꼬마 **2** 《영·속어》 70세 이상의 노인 **3** 《영·속어》 쓰레기 수거인
▷ dúst *n.*

dústy bútt 《미·속어》 키 작은 사람, 땅꼬마

dústy míller **1** 〖식물〗 앵초의 일종 **2** 제물낚시의 일종 **3** 《미》 〖곤충〗 나방이 일종

dutch [dʌ́tʃ] *n.* 《영·속어》 여자; 행상인의 아내: my old ~ 우리 마누라

‡Dutch [dʌ́tʃ] 〔본래 「독일의」의 뜻이었는데 17세기부터 「네덜란드의」의 뜻이 됨〕 *a.* **1** 네덜란드의; 네덜란드령(領)의
관련 (1) 화란[네덜란드의 속칭]은 Holland, 공식으로는 (the Kingdom of) the Netherlands (2) 네덜란드는 옛날 영국과 해외 진출을 경쟁하던 강국이었기 때문에 Dutch에는 경멸하거나 놀리는 숙어·복합어가 많은데, 이들을 사용하는 것은 네덜란드 사람에게 결례가 됨.
2 네덜란드 사람[말]의; 《고어》 독일(사람)의 **3** 네덜란드제[산(産)]의 **4** 네덜란드풍[류]의 ***go*** ~ 《구어》 비용을 각자 부담하다 (*with*) (★ Let's go fifty-fifty., Let's split the bill between us.를 더 잘 씀)
— *n.* **1** Ⓤ 네덜란드 말, 《폐어·방언》 독일 말: ⇨ PENNSYLVANIA DUTCH; DOUBLE DUTCH **2** [the ~] 네덜란드 사람[국민] ★ 한 사람은 a Dutchman, a Hollander **3** [**d~**] 《속어》 =DUTCH. **4** 《구어》 노여움, 분노(dander) ***beat the*** ~ 《미·구어》 깜짝 놀라게 하는 짓을 하다 ***do the*** ~ 《미·속어》 자살하다 ***in*** ~ 《미·구어》 난처하게 되어 (*with*); (남의) 미움을 사, 언짢게 하여 (*with*): get *in* ~ 난처하게 되다, …의 미움을 사다 ***to beat the*** ~ 《미·속어》 무제한으로, 최고로, 아주
— *vt.* [**d~**] 《미·속어》 파산시키다; (악의로) 〈타인의 장사·건강·평판 따위를〉 망치다

Dútch áct [the ~] 《미·속어》 자살 (행위): do *the* ~ 자살하다

Dútch áuction 값을 깎아 내려가는 경매

Dútch bárgain 《구어》 술 좌석에서의 매매 계약

Dútch bárn 기둥과 지붕만으로 된 건초 헛간

Dútch bríck =DUTCH CLINKER

Dútch bútter 인조 버터

Dútch cáp **1** 더치캡 《좌우 테 부분에 삼각천의 접단이 붙은 여성 레이스 모자》 **2** (피임용) 페서리(cap)

Dútch chéese 네덜란드 치즈 《탈지유로 만들며 둥글고 연함》; =COTTAGE CHEESE

Dútch clínker (아주 단단한) 네덜란드 벽돌

Dútch clóver 〖식물〗 토끼풀, 클로버

Dútch Colónial *a.* 2단 박공 지붕의 《New York이나 New Jersey의 네덜란드 이민의 건축 양식》

Dútch cómfort[**consolátion**] 《구어》 더 이상 나쁘지 않은 것만도 다행이라는 위안

Dútch cóncert 《구어》 (네덜란드식의) 혼성 합창 《각자 다른 노래를 동시에 부름》; 소음

Dútch cóurage 《구어》 술김의 허세[만용]; 술; 《미·속어》 마약

Dútch cúre [the ~] =DUTCH ACT

Dútch dáting 《구어》 비용 각자 분담 데이트

Dútch dóll 이음매가 있는 나무 인형

Dútch dóor **1** 상하 2단식 도어 《따로따로 여닫는》 **2** (잡지의) 접은 광고

Dutch door 1

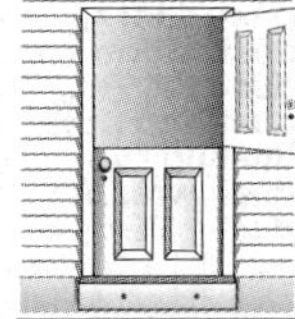

Dútch East Índies [the ~] 네덜란드령 동인도 제도 (Netherlands East Indies) 《현재의 인도네시아》

Dútch élm disèase 〖식물〗 자낭균(子囊菌)에 의한 느릅나무병

Dútch fóil[**góld, léaf, métal**] 네덜란드 금박, 모조 금박 《구리와 아연의 합금》

Dútch líquid 2염화 에틸렌

Dútch lúnch 냉육·치즈 등의 모듬 1인분; 각자 비용 부담의 점심 회식

Dutch·man** [dʌ́tʃmən] *n.* (*pl.* **-men** [-mən]) **1** 네덜란드 사람(Hollander, Netherlander) 《성차별이 없는 말은 a Dutch person, Dutch people》 **2** 네덜란드 배 **3** 《미·속어·경멸》 독일인 **4** (이음매의) 틈 메우는 나무 **5** 응급 치료 대용품 **6** 《구어》 유럽인; 외국인 ***I'm a ~. 《구어》 (그렇잖으면) 내 목을 내놓겠다 《단언할 때 쓰는 말》: *I'm a* ~ if it's true. 절대 아니다, 그것이 정말이라면 내 목숨을 내놓겠다.

Dútch óven (스튜용) 철제 압력 솥; 고기 굽는 그릇[냄비]; 벽돌제 가마

Dútch rúb 《미·속어》 꿀밤

Dútch schóol 〖미술〗 네덜란드 화파(畫派)

Dútch tréat 《구어》 회비 각자 부담의 회식[파티] ***go*** ~ = go DUTCH

Dútch úncle 《구어》 엄하게 꾸짖는 사람: talk to a person like a ~ …을 엄하게 꾸짖다[타이르다]

Dútch whíte 〖안료〗 네덜란드백(白) 《흰 물감》

Dútch wífe 죽부인(竹夫人) 《열대 지방에서 손발을 얹어 시원하게 잘 수 있게 만든 대나무 기구》

Dutch·wom·an [dʌ́tʃwùmən] *n.* (*pl.* **-wom·en** [-wìmin]) 네덜란드 여자

du·te·ous [djúːtiəs | djúː-] *a.* 《문어》 본분을 지키는(dutiful), 충절의, 순종적인 **~·ly** *ad.* 본분을 지켜서 **~·ness** *n.*

du·ti·a·ble [djúːtiəbl | djúː-] *a.* 〈수입품 등이〉 관세를 물어야 할(cf. DUTY-FREE): ~ goods 과세품

du·ti·ful [djúːtifəl | djúː-] *a.* 의무를 다하는, 본분을 지키는, 충성된, 착실한; 예의 바른: ~ respect 공경, 공순(恭順) **~·ly** *ad.* 충실하게; 예의 바르게 **~·ness** *n.* Ⓤ 충실, 순종; 예의 바름

‡du·ty [djúːti | djúː-] 〔OF 「당연히 해야 할(due) 일」의 뜻에서〕 *n.* (*pl.* **-ties**) **1** Ⓤ 의무, 본분; 의리(⇨ responsibility 유의어): a strong sense of ~ 강한 의무감 **2** ⓊⒸ [종종 *pl.*] 임무, 직무, 직책, 직분; 〖군사〗 군무; Ⓤ (교회의) 종무(宗務), 교직(教職), 예배의 집전: military ~ 병역 의무 / begin one's ~ 군복무를 시작하다 **3** Ⓤ 《문어》 존경, 경의 (*to*): pay[send, present] one's ~ *to* …에게 삼가 경의를 표하다 **4** [종종 *pl.*] 세금, 관세(cf. TAX): import *duties* 수입세 **5** Ⓤ 〖기계〗 (연료 소비량에 대한) 기관의 효율; 〖농업〗 =DUTY OF WATER **6** (법률이나 습관에 따라 과해지는) 봉사; 부과금 **7** 《구어》 (주로 아이들의) 배변 ***be*** (***in***) ~ ***bound to*** do …할 의무가 있다(cf. DUTY-BOUND) ***do*** ~ ***as*** [***for***] 〈사물이〉 …의 구실을 하다, …을 대신하다 ***do*** [***perform***] one***'s*** ~ 본분[의무]을 다하다 ***fail in*** one***'s*** ~ 본분[의무, 직무]을 게을리하다 ***in the line of*** ~ 근무 중; 일로(서) ***off*** [***on***] ~ 비번[당번]으로, 근무 시간 외[중]에 《차고지행의 택시에는 OFF DUTY라고 게시됨》 ***take*** a person***'s*** ~ …의 일을 대신해서 하다
▷ dútiful *a.*

du·ty-bound [djúːtibáund | djúː-] *a.* 의무로서 …해야 할 (*to* do)

dúty càll 의리상의 방문

du·ty-free [-fríː] *a.*, *ad.* 관세가 없는[없이], 면세의[로]: a ~ shop 면세점 — *n.* 면세품

dúty òfficer 당직 장교[경관]

dúty of wáter [the ~] 〖농업〗 용수량 《단위 토지 면적당의 관개 수량》

thesaurus **duty** *n.* **1** 의무 responsibility, obligation **2** 임무 task, job, chore, assignment, commission, mission, function, charge, part, role, requirement **3** 경의 allegiance, loyalty, respect, faithfulness **4** 세금 tax, levy, tariff, customs

du·ty-paid [-péid] *a.*, *ad.* 납세필의[로]
dúty solìcitor (영) (빈민을 변호하는) 국선 변호인
du·um·vir [djuːʌ́mvər | djuː-] *n.* (*pl.* **~s, -vi·ri** [-vərài | -rìː]) 〖로마사〗 양두 정치가의 한 사람
du·um·vi·rate [djuːʌ́mvərət | djuː-] *n.* **1** 〖고대 로마〗 2인 연대직(職)(의 임기) **2** 양두(兩頭) 정치
du·vay [djuːvéi | djúːvei] *n.* (영) 깃털 이불
du·vet [djuːvéi | djúːvei] [F] *n.* 깃털 이불; (등산용) 오리털 재킷(= ~ **jàcket**)
duvét dày (영) 병가 (꾀병도 포함)
du·ve·tyn(e) [djúːvətìːn | djúː-] *n.* Ⓤ 보풀이 선 벨벳 비슷한 천
DV *Deo volente* (L = God willing); domestic violence; Douay Version (of the Bible) **Dv.** [거리 이름] Drive **DVD** digital versatile[video] disk
DVD bùrner[wrìter] DVD 레코더(recorder)
DVD-R digital versatile disk-recordable **DVD-RAM** digital versatile disk-RAM **DVD-ROM** digital versatile disk-ROM **DVD-RW** digital versatile disk-rewritable **DVI** digital video interactive **DVM(S)** Doctor of Veterinary Medicine (and Surgery)
Dvo·řák [dvɔ́ːrʒɑːk, -ʒæk] *n.* 드보르작 **Anton ~** (1841-1904) (체코슬로바키아의 작곡가)
DVR digital video recorder **DVT** deep vein thrombosis 〖병리〗 심정맥 혈전증 **d.w., DW** deadweight; dishwasher; distilled water; dust wrapper
dwaal [dwɑ́ːl] *n.* (남아공·구어) 멍한 상태, 혼란스러운 상태
‡**dwarf** [dwɔ́ːrf] *n.* (*pl.* **dwarves** [dwɔ́ːrvz], **~s**) **1** 난쟁이(pygmy); 꼬마 **2** 보통보다 작은 동물[식물], 분재(盆栽); 좀생이 **3** 〖북유럽신화〗 난쟁이 (땅속에 살며 금속 세공을 잘하나 못생긴; cf. MIDGET) **4** 〖천문〗 = DWARF STAR
— *a.* Ⓐ 자그마한, 소형의; 꼬마의(opp. *giant*); [식물 이름에 붙여서] 특별히 작은, …왜성(矮性)의; 위축된
— *vt.* 작게 하다; …의 성장을 방해하다, 위축시키다; 작아 보이게 하다: a *~ed* tree 분재
— *vi.* 작아지다, 위축되다
~·lìke *a.* **~·ness** *n.* ▷ dwárfish *a.*
dwárf dóor (높이가) 반쪽짜리 문
dwarf·ish [dwɔ́ːrfiʃ] *a.* **1** 난쟁이 같은; 유난히 작은 (pygmyish), 오그라져서 작은(stunted) **2** 〈지능이〉 발달하지 않은 **~·ly** *ad.* **~·ness** *n.*
dwarf·ism [dwɔ́ːrfizm] *n.* Ⓤ 위축; (동식물의) 왜소성; 〖의학〗 왜소 발육증, 소인증
dwárf plánet 〖천문〗 왜소(矮小)행성 (소행성과 행성의 중간 단계의 천체)
dwárf stár 〖천문〗 왜성(矮星)
dweeb [dwíːb] *n.* (미·속어) 기분나쁜[싫은] 녀석; (학생속어) 공부벌레 **~·ish** *a.* **dwéeb·y** *a.*
‡**dwell** [dwél] *vi.* (**dwelt** [dwélt], **~ed** [-d, -t]) **1** (문어) 살다, 거주하다 (*at, in, near, on, among*) (★ 지금은 live가 일반적): (~+전+명) ~ *at* home 국내에 거주하다 **2** (어떤 상태에) 머무르다, 못 떠나다 (*in*): (~+전+명) ~ *in* one's mind 마음에 남다 **3** 〈말이〉 발을 올리는 것이 더디다, 울타리를 넘기 전에 잠깐 주저하다 **~ on**[**upon**] (1) …에 유의하다; …을 (곰곰이) 생각하다 (2) 자세히 설명하다; 강조[역설]하다 (3) 머뭇거리다; 얘기를 길게 늘어놓다; 길게 늘여 발음하다, 〈음을〉 길게 뽑다
— *n.* 휴지(休止); (기계 운전 중의) 규칙적인 휴지
*****dwell·er** [dwélər] *n.* **1** 거주자, 주민 **2** 머뭇거리는 말 (장애물 같은 것을 뛰어넘을 때)

---

dwell *v.* reside, live, lodge, stay, abide
dwindle *v.* **1** 점차 감소하다 decrease, lessen, diminish, shrink, contract **2** 타락하다, 저하되다 decline, fail, sink, ebb, wane, degenerate, deteriorate, decay, wither, rot, disappear, vanish

---

‡**dwell·ing** [dwéliŋ] *n.* (문어) 거처, 주소, 사는 집, (우리)집, 누옥(자기 집의 겸양어); Ⓤ 거주
dwélling hòuse 주거, 주택
dwélling plàce 주소, 거처
‡**dwelt** [dwélt] *v.* DWELL의 과거·과거분사
DWI driving while intoxicated 음주 운전
Dwight [dwáit] *n.* 남자 이름
*****dwin·dle** [dwíndl] *vi.* **1** 점차 감소하다, 점점 작아[적어]지다(⇨ decrease 유의어): The population is *dwindling.* 인구가 점점 줄어들고 있다. // (~+전+명) The airplane *~d to* a speck. 비행기는 점점 작아지다가 하나의 점이 되었다. **2** 여위다; 〈명성 등이〉 떨어지다; 〈품질이〉 저하되다, 타락하다; 〈가치 따위가〉 없어지다 **~ (*away*) *to nothing*** 점점 줄어서 없어지다 **~ *down to*** …에까지 감퇴하다
— *vt.* 작게[적게]하다; 축소[감소]하다: (~+목+전+명) The failure *~d* his reputation *to* nothing. 그 실패는 그의 명성을 무로 만들었다.
dwín·dling *a.* (점차) 줄어드는
dwin·dler [dwíndlər] *n.* 발육이 나쁜 사람[동물]
DWP Department for Work and Pensions
DWT deadweight tons[tonnage] **dwt.** denarius weight (L = pennyweight)(cf. PWT.)
DX [dìːéks] *n.*, *a.* 〖통신〗 장거리(의)(distance; distant); 원거리 수신(의)
DX·er [dìːéksər] *n.* 해외 방송 수신자[애호가]
DX·ing [díːéksiŋ] *n.* 원거리[해외] 방송 청취 (취미)
Dy 〖화학〗 dysprosium
d'ya [djə] (구어) do you의 단축형
dy·ad [dáiæd] *n.* **1** (한 단위로서의) 둘, 한 쌍, 2개 군(群); 〖수학〗 다이애드 (두 벡터(vector) *a*와 *b*를 나란히 쓴 *ab*) **2** 〖화학〗 2가 원소(cf. MONAD); 〖생물〗 2분 염색체(cf. TETRAD) **3** 〖사회〗 양자(兩者) 관계
— *a.* = DYADIC
dy·ad·ic [daiǽdik] *a.* 2개의 부분의[으로 구성되는]; 〖화학〗 2가 원소의 **-i·cal·ly** *ad.*
dy·ar·chy [dáiɑːrki] *n.* (*pl.* **-chies**) = DIARCHY
dyb·buk [díbək] [Heb.] *n.* 〖유대전설〗 (사람에게 붙는) 사망자의 악령
‡**dye** [dái] *n.* ⓊⒸ **1** 염료, 물감: acid[basic, synthetic] *~s* 산성[염기성, 합성] 염료 **2** 물든 색, 색조, 빛깔 ***of the blackest***[***deepest***] **~** 제 일류의; 가장 악질의, 극악한: an intellectual *of the deepest* ~ 제1급의 지식인 / a crime[scoundrel] *of the blackest*[*deepest*] ~ 극악한 범죄[악당]
— *v.* (**dyed**; **~·ing**) *vt.* 물들이다, 염색[착색]하다: (~+목+전+명) ~ a green *over* a white 흰 바탕에 녹색을 물들이다 // (~+목+보) ~ a white dress blue 흰 옷을 푸르게 물들이다
— *vi.* 염색되다; …하게 물들다: (~+부) This cloth *~s well*[*badly*]. 이 옷감은 물이 잘 든다[잘 들지 않는다]. **~ *in* (*the*) *grain*** = (미) **~ *in the wool*** (짜기 전에) 실에 염색하다; (비유) (사상 등을) 철저히 침투시키다
dỳe·a·bíl·i·ty *n.* **~·a·ble** *a.*
dye·bath [dáibæθ] *n.* 염욕(染浴) (염색용 용액)
dyed [dáid] *a.* 물들인, 염색된
dyed-in-the-wool [dáidinðəwúl] *a.* **1** (짜기 전에) 실에 염색한 **2** (사상적으로) 철저한, 골수의: a ~ conservative 골수 보수주의자
dye·house [dáihàus] *n.* (*pl.* **-hous·es** [-hàuziz]) 염색소, 염색 공장
dye·ing [dáiiŋ] *n.* Ⓤ 염색(법); 염색업
dýe làser 색소 레이저
dy·er [dáiər] *n.* 염색업자, 염색소
dý·er's bròom [dáiərz-] 녹황색
dy·er's-broom [-brùːm] *n.* 〖식물〗 금작화의 일종
dy·er's-weed [-wìːd] *n.* 염료 식물 (원료용)
dye·stuff [dáistʌ̀f], **dye·ware** [-wὲər] *n.* 물감, 염료, 색소
dýe trànsfer 〖사진〗 염료 전사법에 의한 인화(법)

dye·wood [-wùd] *n.* Ⓤ 염료가 되는 각종 목재
dye-works [-wə̀:rks] *n.* (*pl.* ~) 염색 공장, 염색소
*__dy·ing__ [dáiiŋ] *v.* DIE[1]의 현재분사
— *a.* **1** 죽어가는, 빈사 상태의; 임종의, 마지막의; (막) 꺼져 가는, 〈날·한해가〉 막 저물어가는, 사라져 가는: a ~ swan 빈사의 백조 《죽음에 임해서 비로소 노래를 부른다고 함》/ one's ~ bed[wish, words] 임종의 자리[소원, 유언]/a ~ year 저물어가는 해 **2** 죽을 운명의(mortal), 멸망해야 할 **3** (속어) 몹시 …하고 싶어하는, …하고 싶어 못견디는 《*to* do, *for*》 ***till*** [***to***] one'***s*** ~ ***day*** 죽는 날까지
— *n.* Ⓤ 사망, 죽음(death), 종말
dyke[1] [dáik] *n.* =DIKE[1]
dyke[2] *n.* (미·속어) (남성 역할을 하는) 동성애자, 레즈비언 **dýke·y** *a.*
dyn dynamo; dynamometer; 〖물리〗 dyne **dyn.** dynamics
dyna- [dáinə] 《연결형》 「힘, 동력(power)」의 뜻
dy·na·graph [dáinəgræ̀f | -grɑ̀:f] *n.* 〖철도〗 궤도 시험기
dyn(am). dynamics
dynam- [dáinəm], **dynamo-** [-nəmou] 《연결형》 「힘, 동력(power)」의 뜻 《모음 앞에서는 dynam-》
dy·nam·e·ter [dainǽmətər] *n.* 〖광학〗 (망원경의) 배율계(倍率計)
*__dy·nam·ic__ [dainǽmik] [Gk 「강력한」의 뜻에서] *a.* **1** 동력의, 동적인(opp. *static*): ~ density (인구의) 동적 밀도 **2** 역학(상)의: ~ engineering 기계 공학 **3** 동태의, 동세적(動勢的)인(cf. POTENTIAL); 에너지[원동력, 활동력]를 내는, 기동(起動)적인; 유력한; 〈성격이〉 정력적인, **활동적인**: ~ economics 동태 경제학/a ~ young woman 정력적인 젊은 여성 **4** 〖의학〗 기능적인(functional)(cf. ORGANIC): a ~ disease 기능 질환 **5** 〖철학〗 역본설(力本說)의 **6** 〖음악〗 강약(법)의 **7** 〖컴퓨터〗 동적인
— *n.* 힘, (원)동력
dy·nam·i·cal [dainǽmikəl] *a.* =DYNAMIC
dynámic allocátion 〖컴퓨터〗 동적 할당
dy·nam·i·cal·ly [dainǽmikəli] *ad.* 동력학적으로, 역학상; 정력적으로, 다이내믹하게
dynámic electrícity 〖전기〗 동전기, 전류
dynámic equilíbrium 〖물리〗 동적 평형
dynámic héadroom 〖전자〗 다이내믹 헤드룸 《특별히 강력한 신호를 재생할 수 있는 앰프의 용량》
dynámic ìmage 〖컴퓨터〗 동화상
dynámic immobílity (주로 정치계에서) 동적인 무활동 상태, 적극적 정관(靜觀) 태도
dynámic línk 〖컴퓨터〗 동적 링크
dynámic mémory 〖컴퓨터〗 동적 기억 장치
dynámic meteorólogy 기상 역학
dynámic posítioning 〖항해〗 (컴퓨터에 의한) 자동 위치 제어, 자동 정점(定點) 유지
dynámic psychíatry 역동(力動) 정신 의학
dynámic psychólogy 역동 심리학
dynámic RÁM 〖컴퓨터〗 다이내믹 램, 디램
dynámic ránge 〖음향〗 재생 가능한 최대 음량과 최소 음량의 비의 차
*__dy·nam·ics__ [dainǽmiks] *n. pl.* **1** [단수 취급] 〖물리〗 역학; 동역학; 역학 관계: rigid ~ 강체(剛體) 역학 **2** 원동력; 힘, 활력, 에너지, 박력; 정신 역학 **3** 〖음악〗 강약법
dynámic spátial reconstrúctor 동적 입체 화상 구성 장치 《신체 기관을 3차원의 움직이는 영상으로 나타내는; 略 DSR》
dynámic stréngth 동적 강도 《지진 등에서 갑자기 가해지는 중압에 대한 구조물의 저항력》
dynámic vérb 〖문법〗 동작 동사
dy·na·mism [dáinəmìzm] *n.* **1** Ⓤ 〖철학〗 역본설(力本說), 역동설 **2** 활력, 패기, 박력 **3** (어떤 체계의) 발전[운동] 과정[기구] **-mist** *n.* **dỳ·na·mís·tic** *a.*
dy·na·mi·tard [dáinəmitɑ̀:rd] *n.* (특히 범죄나 테러·혁명을 목적으로 한) 다이너마이트 사용자
*__dy·na·mite__ [dáinəmàit] *n.* Ⓤ **1** 다이너마이트 **2** (구어) 성격이 격렬한 사람, 위험한 인물[것]; 놀라운[굉장한, 충격적인] 것[사람] **3** (속어) (양질의) 헤로인, 코카인, 마리화나 (담배)
— *a.* Ⓐ (미·속어) 최고의, 강력한, 굉장한
— *vt.* 다이너마이트로 폭파하다, …에 다이너마이트를 장치하다; 전멸시키다
— *int.* (미·속어) 최고다, 굉장하다, 멋지다!
dy·na·mit·ic [dàinəmítik] *a.*
dy·na·mit·er [dáinəmàitər] *n.* =DYNAMITARD; (미·속어) 트럭을 혹사하는 운전기
dy·na·mit·ism [dáinəmàitizm] *n.* Ⓤ (다이너마이트를 사용하는) 급진적 혁명주의
dy·na·mize [dáinəmàiz] *vt.* **1** 활성화시키다, 활기를 넣다 **2** 〈연금의〉 가치를 높이다
*__dy·na·mo__ [dáinəmòu] *n.* (*pl.* **~s**) **1** 〖전기〗 발전기, 다이너모: an alternating[a direct] current ~ 교류[직류] 발전기 **2** (구어) 정력가
DYNAMO [dáinəmòu] [*dyna*mic *mo*dels] *n.* 〖컴퓨터〗 다이너모 《시뮬레이터의 일종》
dynamo- [dáinəmòu] 《연결형》 =DYNA-
dy·na·mo·e·lec·tric, -tri·cal [dàinəmouilék-trik(əl)] *a.* 역학적 에너지와 전기적 에너지를 서로 변환하는
dy·nam·o·graph [dainǽməgræ̀f | -grɑ̀:f] *n.* 역량(力量) 기록기, 자기(自記) 역량계
dy·na·mom·e·ter [dàinəmɑ́mətər | -mɔ́m-] *n.* **1** 검력계(檢力計); 악력(握力)계; 역량계, 동력계; 액압(液壓)계 **2** (영) 〖광학〗 (망원경의) 배율계
dy·na·mom·e·try [dàinəmɑ́mətri | -mɔ́m-] *n.* Ⓤ 동력 측정법 **dỳ·na·mo·mét·ric** *a.*
dy·na·mo·tor [dáinəmòutər] *n.* 발전동기(發電動機) 《발전기와 전동기를 겸함》, 회전 변류기
dy·nap·o·lis [dainǽpəlis] *n.* 기능 도시 《간선 도로를 따라 잘 계획된 도시》
dy·nast [dáinæst, -nəst | dínəst] [Gk 「지배자」의 뜻에서] *n.* (왕조의 세습) 군주, 왕, 주권자, 통치자
dy·nas·tic, -ti·cal [dainǽstik(əl) | di-, dái-] *a.* 왕조의, 왕가의 **-ti·cal·ly** *ad.*
*__dy·nas·ty__ [dáinəsti | dín-] *n.* (*pl.* **-ties**) **왕조**, 왕가; 왕조 지배; 권력자 무리, 지배자층; (어느 분야의) 명가, 명문: the Tudor ~ 튜더 왕조
dy·na·tron [dáinətrɑ̀n | -trɔ̀n] *n.* 〖전기〗 다이너트론 《2차 방전 이용 4극 진공관》
dýnatron òscillator 〖전기〗 다이너트론 발진기
dyne [dáin] *n.* 〖물리〗 다인 《힘의 단위》
dy·no [dáinou] *n.* (*pl.* **~s**) (미·구어) **1** 동력계(dynamometer) **2** (다이너마이트를 쓰는) 철도 굴착 요원, 터널공
dy·node [dáinoud] *n.* 〖전자〗 다이노드 《2차 전자 공급을 위한 전자관 안의 전극》
dy·no-mite [dáinoumàit] *a.* (구어) 굉장한, 엄청난, 최고의
d'you [dʒú:, dʒə] = do you
dyp·so [dípsou] *n., a.* =DIPSO
dys- [dis] *pref.* 「악화; 불량; 곤란」 등의 뜻
dys·ar·thri·a [disɑ́:rθriə] *n.* 〖병리〗 (신경 장애로 인한) 구음(構音) 장애
dys·bar·ism [dísbɑːrìzm] *n.* Ⓤ 〖병리〗 감압증(減壓症), 잠함병(潛函病)
dys·cal·cu·li·a [dìskælkjú:liə] *n.* = ACALCULIA
dys·en·ter·y [dísəntèri | -tri] *n.* Ⓤ 〖병리〗 이질; 설사(diarrhea) **dỳs·en·tér·ic** *a.*
dys·func·tion [disfʌ́ŋkʃən] *n.* ⓊⒸ 〖병리〗 기능 장애; 〖사회〗 역기능 — *vi.* 기능 장애를 일으키다; 고장나다 **~·al** *a.* 기능 장애의; 역기능적인
dysfúnctional fámily 〖사회〗 역기능[문제] 가정 《알코올[마약] 중독·폭력 등의 문제를 안은 가정》
dys·gen·e·sis [disdʒénəsis] *n.* 〖병리〗 발육 부전 《클라인펠터 증후군처럼 생식선의 부전》

dys·gen·ic [disdʒénik] *a.* 〖생물〗 역도태(逆淘汰)의, 역(逆)선택의; 열생학(劣生學)의(opp. *eugenic*)

dys·gen·ics [disdʒéniks] *n. pl.* [단수 취급] 〖생물〗 열생학(劣生學)(opp. *eugenics*)

dys·graph·i·a [disgrǽfiə] *n.* 〖병리〗 서자(書字) 착오[장애]

dys·ki·ne·si·a [dìskiníːʒə, -ʒiə | -zjə] *n.* 〖병리〗 운동 장애 **dỳs·ki·nét·ic** [-nétik] *a.*

dys·lex·i·a [disléksiə] *n.* Ⓤ 〖병리〗 난독증(難讀症)

dys·lex·ic [disléksik] *a.* 독서 장애의, 실독증의 ―*n.* 독서 장애자, 실독증 환자

dys·lo·gia [dislóudʒə] *n.* 〖병리〗 담화 곤란

dys·lo·gis·tic [dìslədʒístik] *a.* 비난의, 욕설의 (opp. *eulogistic*) **-ti·cal·ly** *ad.*

dys·men·or·rhe·a [dìsmenəríːə] *n.* 〖의학〗 월경 곤란[불순] **-rhé·ic** *a.*

dys·met·ri·a [dismétriə] *n.* 〖의학〗 운동 거리 측정 장애; (소뇌성) 운동 조절 실조

dys·mne·sia [disníːʒə, -ʒiə] *n.* 〖병리〗 기억 장애

dys·mor·phia [dismɔ́ːrfiə] *n.* Ⓤ 〖의학〗 신체 이형(異形)증 **dys·mor·ph·ic** [-mɔ́ːrfik] *a.*

dys·mor·phol·o·gy [dìsmɔːrfɑ́lədʒi | -fɔ́l-] *n.* 〖의학〗 기형학《기형의 연구·치료》

dys·pa·thy [díspəθi] *n.* 동정심의 결여; 반감

dys·pep·sia [dispépʃə, -siə], **-pep·sy** [-si] *n.* Ⓤ 〖병리〗 소화 불량(증)(opp. *eupepsia*)

dys·pep·tic [dispéptik] *a.* 소화 불량(성)의; 우울하고 화를 잘 내는 ―*n.* 소화 불량인[위가 약한] 사람

dys·pha·gia [disféidʒə, -dʒiə] *n.* 〖병리〗 연하(嚥下) 곤란[장애]

dys·pha·sia [disféiʒə, -ʒiə, -ziə] *n.* 〖병리〗 (대뇌 장애로 인한) 부전 실어증(不全失語症)

dys·phe·mism [dísfəmìzm] *n.* 〖수사학〗 위악(僞惡) 어법《보통의 표현 대신에 불쾌한 표현을 쓰기》; 위악 어법의 표현

dys·pho·ni·a [disfóuniə] *n.* Ⓤ 〖병리〗 발음 곤란, 언어[발성] 장애 **dys·phon·ic** [disfɑ́nik | -fɔ́n-] *a.*

dys·pho·ri·a [disfɔ́ːriə] *n.* 〖의학〗 불쾌, 정신 불안, 신체 위화(違和) **dys·phór·ic** *a.*

dys·pla·sia [displéiʒə, -ʒiə, -ziə] *n.* 〖병리〗 형성(形成) 이상, 형성 장애 **dys·plás·tic** *a.*

dysp·n(o)e·a [dispníːə] *n.* Ⓤ (미) 〖병리〗 호흡 곤란 **dysp·ne·ic** [dispníːik] *a.* 호흡 곤란의

dys·prax·i·a [disprǽksiə] *n.* 〖병리〗 통합 운동 장애

dys·pro·si·um [disprόusiəm | -ziəm] *n.* Ⓤ 〖화학〗 디스프로슘《희토류 원소; 기호 Dy, 번호 66》

dys·rhyth·mi·a [disríðmiə] *n.* (뇌파·심전도의) 율동 부정(不整)

dys·to·cia [distóuʃə, -ʃiə] *n.* 〖병리〗 난산, 이상 분만

dys·to·ni·a [distóuniə] *n.* 〖병리〗 (여러 기관의) 긴장 이상

dys·to·pi·a [distóupiə] [*dis*+U*topia*] *n.* 반(反)유토피아, 암흑향(暗黑鄕), 지옥향 **-pi·an** *a.*

dys·troph·ic [distrɑ́fik, -tróuf- | -trɔ́f-] *a.* **1** 〖의학〗 영양 실조의[로 인한] **2** 〖생태〗 〈호수가〉 부식(腐植) 영양의

dys·tro·phi·ca·tion [dìstrəfikéiʃən] *n.* ⓊⒸ 〖생태〗 (호수·하천 등의) 영양 오염, 부식 영양화

dys·tro·phy [dístrəfi], **-tro·phi·a** [distróufiə] *n.* Ⓤ 〖병리·생물〗 영양 실조[장애]

dys·u·ri·a [dìsjuəríːə, disjúəriə | disjúəriə] *n.* Ⓤ 〖병리〗 배뇨(排尿) 곤란[장애] **dys·ú·ric** *a.*

dz. dozen(s)

E e

e, E [íː] *n.* (*pl.* **e's, es, E's, Es** [-z]) **1** 이 《영어 알파벳의 제5자》 **2** E자형(의 것) **3** 〖음악〗 마음(音); 마조(調) **4** (부호로서) 다섯 번째의 것 **5** 〖논리〗 전칭 부정(全稱否定); (Lloyd's의 상선 등급의) 제2 등급; 《미》 (학업 성적에서) 조건부 급제; 《미》 E자기(旗) 《2차 대전시 관청이 우수 산업 단체에 준》 **6** 〖컴퓨터〗 16진수의 E 《10진법의 14》

e 〖천문〗 eccentricity; 〖물리〗 erg; 〖수학〗 *e* 《자연 대수의 밑; ≒2.71828》 **e.** eldest; engineer(ing); 〖연극〗 entrance; 〖야구〗 errors; export **E** east(ern); English; excellent; Expressway **E.** Earl; Earth; east(ern); Easter; engineer(ing); English **E°** (칠레) escudo(s)

e-¹ [i, iː] *pref.* =EX-² ★ e-는 《미》에서는 종종 [ə] 《특히 l 앞에서》: elect [ilékt, əlékt]

e-², E- *pref.* 「전자의; 인터넷의」의 뜻: *e*-shopping, *e*-commerce

ea. each **E.A., EA** 〖교육〗 educational age 교육 연령; enemy aircraft **E.A.A.** Engineer in Aeronautics and Astronautics **EAC** East African Community 동아프리카 공동체

‡**each** ⇨ each(p. 775)

EACSO [iɑ́ːksòu, iǽk-] [East African Common Services Organization] *n.* 동아프리카 공동 업무 기구

ead. *eadem* (처방전에서) 같음, 동일 《L =the same》

EAEC European Atomic Energy Community (cf. EURATOM); East African Economic Community 동아프리카 경제 공동체

‡**ea·ger¹** [íːgər] [L 「날카로운」의 뜻에서] *a.* (**~·er**; **~·est**) **1** Ⓟ (…을) 열망[갈망]하는 《*for, after, about*》; 간절히 (…)하고 싶어하는(impatient) 《*to* do》: The child is ~ *to* have the plaything. 그 아이는 그 장난감을 몹시 갖고 싶어한다.

> 유의어 **eager** 아주 열심히 어떤 일을 하기를 희망하고 있는: be *eager* to learn how to drive a car 자동차 운전을 간절히 배우고 싶어하다 **anxious** 강한 희망을 갖고 있지만 그것의 달성 여부에 대해 불안한 마음을 품고 있는: He is *anxious* to know the truth. 그는 진상을 한사코 알고 싶어한다. **keen** 강한 흥미 또는 욕망을 갖고 어떤 일을 하려고 열심인: The team was *keen* on winning. 그 팀은 승리하기를 열망했다.

2 Ⓟ (…에) 열성적인 《*in, about*》: He is very ~ *in* his studies. 그는 공부에 매우 열심이다. **3** Ⓐ 〈표정·태도 등이〉 열심인 **4** 〈욕망·식욕 등이〉 격렬한, 왕성한 **5** 《고어》 〈추위가〉 심한

ea·ger² [íːgər | éi-] *n.* 《주로 영》 =EAGRE

éager béaver 《구어》 일벌레, 노력가

‡**ea·ger·ly** [íːgərli] *ad.* 열망하여; 열심히; 간절히

ea·ger·ness** [íːgərnis] *n.* Ⓤ 열의, 열심, 열망: (~+*to* do) She said so in her ~ *to* see him. 그녀는 그를 만나고 싶은 나머지 그렇게 말했다. ***be all ~ to do …하고 싶어서 못 견디다 ***with*** ~ 열심히

‡**ea·gle** [íːgl] *n.* **1** 〖조류〗 독수리 ★ 독수리 새끼 eaglet; 독수리 집 aerie **2** 독수리표 《미국의 국장(國章)》; 독수리표의 군기[문장(紋章)]; 《미》 해군 대령[육군 대령]의 금장(襟章) **3** 〖골프〗 표준보다 두 타수 적은 타수(⇨ par 관련) **4** (미국의) 옛 10달러 금화 **5** [the E~] 〖천문〗 독수리자리(Aquila)

ea·gle-beak [íːglbìːk] *n.* **1** 《미·구어》 매부리코 **2** 《미·속어·경멸》 유대인

éagle dày 《미·군대속어》 봉급날

Éagle defénse 〖미식축구〗 이글 디펜스 《수비 대형의 하나》

éagle èye 날카로운 눈; 눈이 날카로운 사람; 탐정

ea·gle-eyed [íːglàid] *a.* 눈이 날카로운; 시력이 뛰어난; 형안(炯眼)의

éagle frèak 《미·속어·경멸》 자연[환경] 보호주의자, 야생 동물 보호주의자; (특히 천연 자원 등의) 보호론자

ea·gle-hawk [íːglhɔ̀ːk] *n.* 〖조류〗 수리매 《남미산》

éagle òwl 〖조류〗 수리부엉이 《유럽산(産)》

éagle rày 〖어류〗 매가오리

Éagle Scòut 《미》 21개 이상의 공훈 배지를 받은 보이 스카우트 단원

ea·gle·stone [íːglstòun] *n.* 이글스톤 《독수리가 알을 쉽게 낳기 위해 둥지로 가져간다고 믿어진, 순산과 부부 화합의 부적》

ea·glet [íːglit] *n.* 독수리 새끼

ea·gre [íːgər | éi-] *n.* 해소(海嘯) 《특히 영국 Humber, Trent, Severn 하구의》

EAK East Africa Kenya 《차량 국적》 **EAL** Eastern Air Lines 《미》 동부 항공사

Èa·ling cómedy [ìːliŋ-] 코미디물의 하나 《1930-1950년대에 영국 Ealing Studios가 시리즈로 제작한 코미디》

Éames chàir [íːmz-] [미국의 디자이너 Charles Eames의 이름에서] (합판·플라스틱제의) 몸에 맞게 디자인된 의자

Eames chair

E. & O.E. errors and omissions excepted 오기(誤記)와 누락은 제외 **E. and P.** extraordinary and plenipotentiary 특명 전권의 **EAP** employee assistance program 근로자 지원 프로그램; English for academic purposes 학문을 위한 영어 교수법

‡**ear¹** [íər] *n.* **1** 귀; 《특히》 외이(外耳), 귓바퀴: the external [internal, middle] ~ 외[내, 중]이 **2** 청각, 청력; 음의 식별력, 음감: a keen[nice] ~ 예민한 청력/a good ~ 좋은 음감(音感) **3** 경청, 주의 **4** 귀 모양의 것; (찻잔·주전자 등의) 손잡이, (종 등의) 꼭지 **5** 《특히》 신문의 (1면) 상단 좌우 양끝의 박스 기사란 **6** [*pl.*] 《속어》 이어폰; CB 무선기; 도청기

A word in your ~. 잠깐 할 말이 있어. ***be all ~s*** 《구어》 열심히 귀를 기울이다: "Are you listening?"—"I'm *all ~s.*" 듣고 있니?—잘 듣고 있어. ***be by the ~s*** 사이가 나쁘다 ***believe*** one***'s ~s*** ⇨ believe. ***bend an ~*** 귀를 기울여 듣다 ***bend*** a person***'s ~*** 《속어》 …에게 진저리나도록 지껄여대다 ***bow down*** [***incline***] one***'s ~s to*** = ***lend an*** [one***'s***] ***~ to*** …에 귀를 기울이다, 귀담아듣다 ***bring a storm about*** one***'s ~s*** 주위에서 떠들썩한 비난을 받다 ***by ~*** 〖음악〗 악보를 안 보고, 악보 없이 ***catch***[***reach, fall on, come to***] one***'s ~s*** 귀

thesaurus **eager¹** *a.* enthusiastic, ardent, avid, fervent, desirous, anxious, keen, longing,

each

every가 형용사로만 쓰이는 데 대하여 each는 형용사·대명사·부사 등으로 쓰인다. every가 하나하나를 가리키면서 동시에 전체를 종합하여 생각하는 데 대하여 each는 전체에 관계없이 개개의 것을 하나하나 들어서 말하는 경우에 쓴다.
동격의 대명사적 용법과 부사적인 용법과의 사이에는 밀접한 관계가 있음에 유의해야 한다.

‡**each** [íːtʃ] *a., pron., ad.*

기본적으로는 「각각(의)」의 뜻.
① 각자의, 각각의 형
② 각자, 각기 대 **1, 2**
③ 제각기 부

— *a.* Ⓐ [단수 명사를 수식하여] **각자의,** 각각의, 각기의, 각… ★ each 앞에 the, one's나 기타의 수식어를 사용치 않음: at[on] ~ side of the road 길 양쪽에 《at[on] both sides of the road로 바꾸어 쓸 수 있음》/ *E*~ student had a different solution to the problem. 학생들은 제각기 그 문제에 대한 해답이 달랐다. / *E*~ one of us has his[her] room. 우리들에게는 각자 방이 있다. ★ 단수 취급을 원칙으로 하지만 《구어》에서는 *E*~ one of us *have our* rooms.로 복수 취급이 되는 경우도 있음; cf. *pron.* 1
bet ~ way 『경마』 단승식(單勝式)과 복승식의 양쪽에 걸다
~ and every [each 또는 every의 강조형으로] 각기[각자] 모두: The captain wants ~ *and every* man to be here at six o'clock. 선장은 전원이 여섯시까지 여기에 집합하기를 원한다.
~ time (1) 매번, 그때마다, 언제나: He tried many times and ~ *time* he failed. 그는 여러 차례 시도하였으나 그때마다 실패하였다. (2) [접속사적으로] …할 때마다: His heart beats fast ~ *time* he meets her. 그의 가슴은 그녀를 만날 때마다 두근거린다.
on ~ occasion 일이 있을 때마다, 매번
— *pron.* **1 각자,** 각기 ★ 부정문에서는 each를 쓰지 않고 no one이나 neither를 씀: *E*~ hated the other. 그 둘은 서로를 미워했다. / *E*~ of us *has* his[her] opinion. 우리들은 각기 자기 의견을 가지고 있다. ★ 단수 취급을 원칙으로 함.
2 [복수(대)명사의 동격으로 써서] 각자, 각기: We ~ have our own opinions. 우리들은 각자 자기의 의견을 갖고 있다. 《이 경우에는 주어에 일치시켜 복수 취급; cf. 1》
~ and all 각자가 모두, 제각기
~ other [목적어 · 소유격으로만 써서] **서로(를),** 상호간에 ★ each other는 주어로 쓸 수가 없으므로 each와 the other로 나누어서 배치됨: We *each* know what *the other* wants[*the others* want]. = *Each* of us knows what *the other* wants[*the others* want]. 우리는 서로[각자가] 상대방이 원하는 바를 알고 있다. / They love ~ *other.* 그들은 서로 사랑한다. / They shook hands with ~ *other.* 그들은 서로 악수했다. / They know ~ *other's* weak points. 그들은 서로의 약점을 알고 있다.
— *ad.* 한 사람[개]마다, 각자에게, 제각기: I gave them two dollars ~. 그들에게 각각 2달러씩 주었다.

에 들어오다, 들리다 ***easy on the ~*** 《구어》 듣기 좋은 ***fall down about*** a person***'s ~s*** 〈조직·새로운 계획 등이〉 완전히 무너지다 ***fall on deaf ~s*** 주의를 끌지 못하다, 무시당하다, 쇠귀에 경 읽기다 ***fall together by the ~s*** 드잡이[싸움]를 시작하다 ***from ~ to ~*** 입을 크게 벌리고 ***gain the ~ of*** …의 경청하는 바가 되다, …이 귀담아들어 주다 ***give ~ to*** 《문어》 …에 귀를 기울이다 ***go in*** (***at***) ***one ~ and out*** (***at***) ***the other*** 한쪽 귀로 듣고 한쪽 귀로 흘려버리다; 깊은 인상[감명]을 주지 못하다 ***have an***[***no***] ***~ for*** music (음악)을 알다[모르다] ***have***[***keep***] ***an***[one***'s***] ***~ to the ground*** 여론의 동향에 귀를 기울이다 ***have***[***win, gain***] a person***'s ~*** …에게 자기 말을 듣게 하다, …에게 영향력이 있다. ***I would give my ~s*** (…을 얻을[할] 수 있다면) 어떠한 희생도 치르겠다 《*for, to*》 ***on*** one***'s ~*** 분개한 상태에, 분격하여; 버릇없이 ***out on*** a person***'s ~*** 《속어》 갑자기 직장[학교, 조직]에서 쫓겨나서 ***over*** (***head and***) ***~s*** = ***up to the ~s*** (연애·음모에) 열중하여 《*in*》; (빚 때문에) 꼼짝 못하여 《*in*》 ***pin back*** one***'s ~*** [종종 명령형으로] 《영·구어》 주의해서 듣다 ***pin*** a person***'s ~s back*** 《미·구어》 완전히 패배시키다 ***play***[***sing***] ***by ~*** 악보 없이 연주[노래]하다 ***play it by ~*** 《구어》 임기응변으로 처리하다 ***prick up*** one***'s ~s to*** …에 귀를 기울이다 one***'s ~s are burning*** (누군가의 이야깃거리가 되어) 귀가 간지럽다 ***set*** persons ***by the ~s*** …들 사이에 싸움을 붙이다 ***shut***[***close***] one***'s ~s to*** …에 귀를 기울이지 않다, …을 들으려고 하지 않다 ***throw*** a person ***out on his***[***her***] ***~*** 《속어》 …을 내쫓다 ***to the ~s*** 한도까지, 실컷, 가득 ***turn a deaf ~ to*** …에 조금도 귀를 기울이지 않다 ***up to*** one***'s ~s in*** (1) (궁지에 빠져) 옴짝달싹 못하게 되어 《*in*》 (2) 열중하여, 골몰[몰두]하여 《*in*》 ***warm*** one***'s ~*** 《속어》 …에게 유창하게[흥분해서] 이야기하다 ***wet behind the ~s*** 《속어》 미숙한, 풋내기의 ***with ~s flapping*** 《구어》 듣고 싶어 안달이 나서 ***with*** (***only***) ***half an ~*** 귀를 기울이지 않고, 집중하지 않고, 무심히 **~·like** *a.*

yearning, intent, impatient (opp. *indifferent, uninterested, apathetic*)

*****ear²** [íər] *n.* (보리 등의) **이삭**; 옥수수 알 ***be in*** (***the***) ***~*** 이삭이 패어 있다
— *vi.* 이삭이 패다 《*up*》
ear·ache [íərèik] *n.* UC 귀앓이
ear·bang·er [íərbæ̀ŋər] *n.* 《미·속어》 아첨꾼, 떠버리, 허풍선이
ear·bash [íərbæ̀ʃ] 《호주·속어》 *vt.* …에게 계속 지껄이다 — *vi.* 계속해서 지껄이다
ear·bash·ing [íərbæ̀ʃiŋ] *n.* 《영·구어》 길고 심한 잔소리
ear·bend·er [íərbèndər] *n.* 《미·구어》 쉴 새 없이 지껄이는 사람, 수다쟁이
ear-biter [-bàitər] *n.* 돈을 꾸는 사람
ear·bud [íərbʌ̀d] *n.* [보통 *pl.*] 귓속에 들어가는 소형 이어폰
éar càndy 《속어》 듣기엔 좋지만 깊이가 없는 음악
ear·cap [íərkæ̀p] *n.* 《영》 (방한용) 귀덮개
ear-catch·er [íərkæ̀tʃər] *n.* 소리로 남의 주의를 끄는 것; 외기 쉬운 곡[가사]
ear·con [íərkɑ̀n | -kɔ̀n] *n.* 『컴퓨터』 이어콘 《컴퓨터가 실행 중인 또는 실행 가능한 작업을 나타내는 음성 신호》
ear·deaf·en·ing [íərdèfəniŋ] *a.* 귀청이 떨어질 것 같은
ear·drop [íərdrɑ̀p | -drɔ̀p] *n.* **1** (특히 펜던트가 달린) 귀고리(earring) **2** [*pl.*] (액체 상태의) 귀약
ear·drum [íərdrʌ̀m] *n.* 중이(中耳) 귀청, 고막

ear-dust·er [íərdÀstər] *n.* **1** (미·속어) 〖야구〗 타자의 몸을 거의 스치는 투구 **2** 수다쟁이

eared[1] [íərd] *a.* [종종 복합어로] 귀 (모양의 것이) 있는, 귀가 달린; …의 귀가 있는: long-~ 귀가 긴

eared[2] *a.* [종종 복합어로] 이삭이 팬; …의 이삭이 있는: golden-~ 황금빛 이삭이 팬

ear·flap [íərflæ̀p] *n.* **1** [*pl.*] 방한모의 귀덮개 **2** 〖해부〗 귓바퀴, 귓불

ear·ful [íərfùl] *n.* [an ~] (구어) 허풍; 깜짝 놀랄 만한 소식, 중대한 뉴스; 잔소리

ear·hole [íərhòul] *n.* 귓구멍, 이도(耳道)

on the ~ (속어) 사기를 쳐서

— *vt.* 듣다(listen); 엿듣다(overhear)

ear·ing [íəriŋ] *n.* 〖항해〗 돛의 윗귀를 활대에 잡아매는 가는 밧줄

***earl** [ə́:rl] *n.* (영) 백작 《영국 이외에서는 count; ⇨ nobility 1; cf. COUNTESS》

ear·lap [íərlæ̀p] *n.* = EARFLAP

earl·dom [ə́:rldəm] *n.* ⓊⒸ 백작의 지위[신분, 영지]

Earl(e) [ə́:rl] *n.* 남자 이름

ear·less[1] [íərlis] *a.* 귀 없는; 들리지 않는; 음치의

earless[2] *a.* 이삭이 없는

Éarl Gréy 얼그레이 차《베르가모트 향이 나는》

ear·li·est [ə́:rlist] *a.* [EARLY의 최상급] 가장 이른[빠른] ***at** one**'s ~ convenience*** 형편 닿는 대로, 되도록 빨리 ***~ days (yet)*** 시기상조인: It is ~ *days yet* to make up one's mind. 결심하기에는 아직 이르다.

— *n.* [the ~] 초기, 가장 빠른 시기: *The* ~ we can finish is tomorrow. 우리가 가장 빨리 마칠 수 있는 시간은 내일이다. ***at the ~*** 일러도, 빨라도

ear·li·ness [ə́:rlinis] *n.* Ⓤ 이름, 빠름; 조기(早期)

Éarl Márshal (영국의) 문장원(紋章院) 총재 《현재는 Norfolk 공작 집안의 세습직》

ear·lobe [íərlòub] *n.* 〖해부〗 귓불

ear·lock [íərlɑ̀k | -lɔ̀k] *n.* 귀 앞에 늘여져 있는 머리카락

earl·ship [ə́:rlʃìp] *n.* = EARLDOM

‡ear·ly [ə́:rli] [OE 「이전에」의 뜻에서] *ad.* (**-li·er**; **-li·est**) **1** 일찍이, 일찍부터, 일찌감치; 초기에: ~ in the day[morning] 아침 일찍이/get up ~ 아침 일찍이 일어나다

> 유의어 **early** 어떤 정해진 시간보다 일찍 또는 어떤 기간의 초기에: in the *early* part of this century 금세기 초기에 **soon** 현재 또는 어떤 시점에서 오래지 않아, 곧: They will *soon* arrive. 그들은 곧 도착할 것이다. **fast** 속도가 빨리: Children grow up *fast.* 아이들은 빨리 자란다.

2 시간 전에, 늦지 않게 **3** 예전에 **4** (고어) 머지 않아, 곧(soon) ***as ~ as*** May[1800] 이미[일찍이] (5월[1800년])에 ***as ~ as possible*** 되도록 일찍부터 ***~ and late*** (아침) 일찍부터 (밤) 늦게까지, 자나깨나 ***~ in life*** 아직 젊을 때에 ***~ on*** (영) (일·회의·경기 진행의) 초기에, 조기에, 초반에; 곧 ***~ or late*** 조만간《★ 현재는 sooner or later가 보통임》 ***~ to bed and ~ to rise*** 일찍 자고 일찍 일어나기

— *a.* (**-li·er**; **-li·est**) **1** 〈시각·계절 등이〉 이른(opp. *late*): an ~ riser 아침 일찍이 일어나는 사람/an ~ visit(or) 이른 아침의 방문(객)/at an ~ hour 아침 일찍이/~ habits 일찍 자고 일찍 일어나는 습관 **2** (보통보다) 이른; 아직 젊은: an ~ death 요절(夭折), 요사(夭死) **3** 올된, 이른 철에 나도는: ~ fruits 맏물 과일 **4** 초기의; 시초의 **5** (문어) 가까운 장래의: on an ~ day 근일에 ***at an ~ date*** 머지 않아서 ***~ maturity of mind*** 조숙(早熟) ***keep ~ hours*** 일찍 자고 일찍 일어나다 one**'s *~ days*** 젊었을 때

éarly adópter 얼리 어답터 《남들보다 먼저 신제품을 사서 써 보는 사람》

Éarly Américan *a.* 〈가구·건물·도구 등이〉 초기 미국[영국 식민지 시대] 양식의

éarly bìrd (구어) **1** 일찍 일어나는 사람, 정각보다 일찍 오는 사람 **2** 첫차: The ~ catches the worm. (속담) 새도 일찍 일어나야 벌레를 잡는다. 《부지런해야 수가 난다》 **3** [**E- B-**] 미국의 상업 통신 위성 《북미와 유럽 간의》

ear·ly-bird [ə́:rlibə̀:rd] *a.* (구어) 이른 아침의, 일찍 오는 사람을 위한

éarly clósing (dày) 조기 폐점(일)

Éarly Énglish 초기 영국의 건축 양식 《1189-1272년의 초기 고딕 양식》

éarly gráve 요절

éarly léaver (영) (학교의) 중도 퇴학자, 낙오자

Éarly Módern Énglish 초기 근대 영어 《1500-1750년 사이의 영어》

éarly músic 중세 르네상스 시대의 음악

éarly retírement (정년 전의) 조기 퇴직

ear·ly-to-bed·der [-təbèdər] *n.* 일찍 자는 사람

ear·ly-Vic·to·ri·an [-viktɔ́:riən] *a.*, *n.* 빅토리아 왕조 초기의 (사람[작가]); 구식의 (사람)

éarly wárning (방공 등의) 조기 경보

éar·ly-wárn·ing ràdar [ə́:rliwɔ́:rniŋ-] 〖군사〗 조기 경보 레이더

éarly-wárning sỳstem 〖군사〗 (핵 공격에 대한) 조기 경보 체제

ear·mark [íərmɑ̀:rk] *n.* **1** 귀표 《소유주를 밝히기 위하여 가축 등의 귀에 표시함》; 표(標); 소유주의 표시; 책장 모서리의 접힌 부분(dog-ear) **2** [종종 *pl.*] 특징 ***under ~*** (특정한 용도·사람의 것으로) 지정된, 배정된 《*for*》

— *vt.* 〈가축에〉 귀표를 하다; (페이지의) 귀를 접다; (자금 등을 특정 용도에) 지정하다, 배당하다 《*for*》; …의 소유라고 인정하다 《*for*》

ear-mind·ed [íərmàindid] *a.* 〖심리〗 청각형(聽覺型)의 《청각으로 상황 파악》

ear·muff [íərmÀf] *n.* [보통 *pl.*] 방한용 귀집

earmuff

‡earn[1] [ə́:rn] *vt.* **1** 벌다, 일하여 얻다 **2** 〈명성·평판·지위 등을〉 획득하다, 얻다 《*for*》: ~ fame 명성을 얻다 // (~+목+전+명) ~ a reputation *for* honesty 정직하다는 평판을 얻다 **3** 〈감사·보수 등을〉 받을 만하다 **4** 〈이익 등을〉 낳다, 얻게 하다, 가져오다: Money well invested ~*s* good interest. 잘 투자된 돈은 충분한 이익을 올린다. // (~+목+목) (~+목+전+명) Your untiring efforts will ~ you a good reputation. = Your untiring efforts will ~ a good reputation *for* you. 너의 지칠 줄 모르는 노력은 네게 좋은 평판을 가져올 것이다.

— *vi.* 수입을 낳다 **~ one*'s bread* [*living*]** 생활비를 벌다, 밥벌이를 하다 **~ one*'s way through college*** 고학으로 대학을 나오다 **éarn·er** *n.*

earn[2] *vi.*, *vt.* (폐어) 비통해하다(grieve)

éarned íncome [ə́:rnd-] (세법상의) 근로 소득

éarned rún 〖야구〗 (투수의) 자책점, 언드 런 《略 ER》

éarned rún àverage 〖야구〗 (투수의) 방어율 《略 ERA》

éarned súrplus 이익 잉여금

‡ear·nest[1] [ə́:rnist] *a.* **1** 진지한, 열심인(⇨ serious 유의어); 열렬한 《*over*, *about*, *in*》: an ~ worker 성실히 일하는 사람 // He is ~ *in* his endeavors. 그는 열심히 노력하고 있다. **2** 진지하게 고려해야 할, 중대한 **3** 〈말·감정 등이〉 성실한, 본심으로부터의

thesaurus **earn**[1] *v.* **1** 벌다 make, get, receive, collect, bring in, take in **2** 획득하다 gain, win, attain, achieve, obtain, merit, deserve

earnest[1] *a.* **1** 진지한 solemn, grave, intense, thoughtful, serious, staid **2** 열렬한 sincere, fer-

—*n.* Ⓤ 진지함, 진심 ***in*** ~ 진지하게, 진심으로; 본격적으로: Are you *in* ~? 진심으로 그러는 거냐? / It began raining *in* ~. 비가 본격적으로 내리기 시작했다. ***in good***[***real, sober, dead***] ~ 진지하게, 진정으로 ~·**ness** *n.*

earnest[2] *n.* **1** 계약금, 약조금, 증거금 **2** 징조, 전조(前兆) ((*of*))

‡**ear·nest·ly** [ə́:rnistli] *ad.* 진지하게, 진정으로

éarnest mòney 계약금, 약조금

***earn·ing** [ə́:rniŋ] *n.* **1** Ⓤ (일하여) 벌기; 획득 **2** [*pl.*] 소득, 수입, 번 것: average[gross] ~*s* 평균[총] 소득 / net ~*s* 순수입

éarning pòwer 〚경제〛 수익(능)력

éarnings pèr sháre 〚증권〛 주당 순익 ((순이익을 발행된 평균 주수(株數)로 나눈 것; 略 EPS))

earn·ings-re·lat·ed [ə́:rniŋzriléitid] *a.* 소득에 따른: an ~ pension 소득액 비례 지급 연금

Éarnings Relàted Súpplement[**Bénefit**] ((영)) 보험 급부금 ((영국의 사회 보장 제도에서 6개월간 실업자[환자]에게 전년도 소득에 따라 지급됨))

éarnings yìeld 〚증권〛 이율 ((주당 순익을 주가로 나눠 얻어지는 이익률))

EAROM [íərɑm | -rɔm] [*e*lectrically *a*lterable *r*ead *o*nly *m*emory] *n.* 〚컴퓨터〛 전자적 변경 가능 롬(ROM)

***ear·phone** [íərfòun] *n.* **1** 이어폰, 수신기 ((양 귀용은 복수형)) **2** (머리에 쓰고 듣는) 수화[수신]기(headphone)

ear·pick [íərpìk] *n.* (때때로 귀금속제의) 귀이개

ear·piece [íərpì:s] *n.* **1** [보통 *pl.*] (방한모의) 귀덮개(earflaps) **2** [보통 *pl.*] 안경다리 **3** (청진기 등의) 귀에 대는 부분 **4** = EARPHONE 1

ear·pierc·ing [íərpìərsiŋ] *a.* 귀청이 찢어질 것 같은 〈비명〉

ear·plug [íərplʌ̀g] *n.* [보통 *pl.*] 귀마개 ((방수·방음용))

ear·reach [íərrì:tʃ] *n.* = EARSHOT

***ear·ring** [íəriŋ] *n.* [종종 *pl.*] 귀고리, 이어링

ear·set [íərsèt] *n.* (전화·컴퓨터용의) 헤드폰 세트

éar shèll = ABALONE

ear·shot [íərʃɑt | -ʃɔt] *n.* Ⓤ 목소리가 닿는 거리, 부르면 들리는 거리 ***out of***[***within***] ~ 불러서 들리지 않는[들리는] 곳에

éar spècialist 이과(耳科) 전문의(醫)

ear·split·ting [íərsplìtiŋ] *a.* 귀청이 찢어질 듯한, 천지를 진동하는

‡**earth** [ə́:rθ] *n.* **1** [the ~; 종종 (the) E~] 지구: the revolution of *the* ~ around the sun 지구의 공전 / the rotation of *the* ~ on its axis 지구의 자전 / *the* ~*'s* surface 지구 표면

> 유의어 **earth** 해·달·별에 대하여 지구 **globe** 인간이 사는 둥근 세계로서의 지구를 강조한다: circle the *globe* 지구를 일주하다

2 [the ~; 집합적] 지구상의 주민: *the* whole ~ 전 세계의 사람 **3** [the ~] 대지, (하늘에 대하여) 땅; (바다에 대하여) 육지: bring to *the* ~ (지상으로) 쏘아 떨어뜨리다 **4** [the ~] (천국·지옥에 대하여) 이승(this world) **5** Ⓤ (암석에 대하여) 흙(soil), 토양(土壤) **6** ⓊⒸ 여우[담비]의 굴 **7** Ⓤ 속세의 일, 속된 일 **8** [*pl.*] 〚화학〛 토류(土類) **9** [the ~] ⒸⓊ ((영)) 〚전기〛 어스, 접지(接地)(((미)) ground): an ~ plate 어스판(板) **10** Ⓤ 지(地) ((고대 철학에서 말하는 우주 형성의 4원소, 즉 지수화풍(地水火風) 중의 하나))

bring** a person **back[***down***] ***to*** ~ (***with a bang***[***a bump***]) ((구어)) …를 (꿈·흥분 등에서 깨워) 현실로 되돌리다 ***come back***[***down***] ***to*** ~ (몽상에서) 현실 세계로 돌아오다 ***cost the*** ~ ((구어)) 비용이 엄청나게 들다 ***down to*** ~ ((구어)) 실제적인, 현실적인; 솔직히; 완전히 ***go the way of all the*** ~ 〚성서〛 죽다 ***look***[***feel, taste***] ***like nothing on*** ~ (1) 아주 좋지 않게 보이다[느끼다, 맛이 나다] (2) 매우 색다르게[멋지게, 지독하게] 보이다[느끼다, 맛이 나다] ***move heaven and*** ~ 백방으로 노력하다 ***on*** ~ (1) 지상에 (살아 있는): while he was *on* ~ 그가 살아 있는 동안 (2) [최상급을 강조하여] 이 세상에서: *the greatest* man *on* ~ 이 세상에서 가장 위대한 사람 (3) [의문사를 강조하여] (자네는) 도대체: *Why on* ~ are you sitting there? 도대체 왜 거기에 앉아 있는 거냐? (4) [부정을 강조하여] 전혀, 조금도(at all): There is *no* reason *on* ~ why you should do that. 자네가 그런 일을 할 이유는 조금도 없어. ***on the face of the*** ~ [강조하여] 지구상에서 ***pay***[***charge, cost***] ***the*** ~ ((구어)) 큰 돈을 치르다 ***put to*** ~ 〚전기〛 어스하다, 접지시키다 ***run … to*** ~ ((영)) (1) 〚사냥〛 〈여우를〉 구멍에 몰아 넣다 (2) …을 찾아내다, 자취를 밝혀내다; 추궁하다, 붙잡다 ***take*** ~ = ***go to*** ~ 굴로 도망치다

—*vt.* **1** 〈나무·뿌리·채소 등에〉 흙을 덮다, 북주다; 흙속에 묻다 ((*up*)): (~+목+부) ~ *up* potatoes 감자에 북주다 **2** 〈여우 등을〉 굴에 몰아넣다 **3** ((영)) 〚전기〛 접지하다, 어스하다

—*vi.* 〈여우 등이〉 굴로 도망치다

▷ éarthen, éarthly, éarthy *a.*

éarth àrt 〚미술〛 어스 아트(land art) ((지형·경관 등을 소재로 한 공간 예술))

éarth bàg 모래주머니

earth·born [ə́:rθbɔ̀:rn] *a.* **1** 땅에서 태어난 **2** 죽을 운명의; 인간적인 **3** 속세의, 현세의

earth·bound [ə́:rθbàund] *a.* **1** 〈뿌리 등이〉 땅에 고착되어 있는 **2** 〈동물·새 등이〉 땅 표면에서 떠날 수 없는: an ~ bird 날 수 없는 새 **3** 세속에 얽매인, 현실적인 **4** 〈우주선 등이〉 지구를 향한 **5** 상상력이 결여된, 세련되지 않은

earth·bred [ə́:rθbrèd] *a.* 지상에서 자란; 천한(vulgar)

éarth clòset ((영)) 토사 살포식 변소, 노천 변소 ((전쟁터에서 사용))

Éarth-cròss·ing àsteroid [ə́:rθkrɔ̀(:)siŋ-] 지구와 충돌할 가능성이 있는 소행성

éarth cùrrent 〚전기〛 지전류(地電流)

Éarth Dày 지구의 날 ((환경 보호의 날; 4월 22일))

earth·day [-dèi] *n.* 〚천문〛 지구일 ((다른 천체상의 시간을 환산하는 데에 쓰이는 지구상의 24시간의 하루))

***earth·en** [ə́:rθən] *a.* 흙으로 만든, 오지(그릇)의; 세속적인 ▷ éarth *n.*

***earth·en·ware** [ə́:rθənwὲər] *n.* Ⓤ [집합적] 질그릇, 오지그릇; (도자기를 만드는) 점토

earth-friend·ly [ə́:rθfrèndli] *a.* 지구[환경] 친화적인

earth-god [-gɑ̀d | -gɔ̀d] *n.* 대지의 신 ((식물의 생장과 풍요의 신))

earth-god·dess [-gɑ̀dis | -gɔ̀d-] *n.* 대지의 여신

éarth hòuse 흙집; 땅속의 집

earth·i·an [ə́:rθiən] *n.* [종종 **E**~] 지구인, 지구 생물 —*a.* 지구의

earth·i·ness [ə́:rθinis] *n.* Ⓤ 토질, 토성(土性); 속취(俗臭), 속악(俗惡)(earthliness)

earth·light [ə́:rθlàit] *n.* 〚천문〛 = EARTHSHINE

earth·li·ness [ə́:rθlinis] *n.* Ⓤ 지상의 것으로서의 성질; 현세[세속]적임, 속됨

earth·ling [ə́:rθliŋ] *n.* 지구인; 인간; 속인

earth·lub·ber [ə́:rθlʌ̀bər] *n.* 지구 밖으로 나가 본[우주 비행을 한] 적이 없는 사람; (우주에서 본) 지상 생활자; 우주 비행사가 아닌 사람(cf. LANDLUBBER)

---

vent, ardent, passionate, zealous

earnings *n.* income, salary, wage, pay, revenue, profit, gain, emolument, stipend

earth *n.* **1** 지구 globe, sphere, planet **2** 땅 land, ground **3** 흙 dirt, soil, clay, turf

‡earth·ly [ə́:rθli] *a.* Ⓐ (**-li·er**; **-li·est**) **1** 지구[지상]의 **2** 이 세상의, 이승의, 속세의(worldly)(opp. *heavenly*): ~ pleasures 세속적 쾌락 **3** 《구어》 [강조] **a** [부정문에서] 전혀, 조금도(at all): There is *no* ~ use for it. 전혀 쓸모가 없다. **b** [의문문에서] 도대체(on earth): *What* ~ purpose can it serve? 도대체 어떤 목적에 쓸 것인가?
have not an **~** 《영·구어》 전혀 가망[희망]이 없다 《earthly 뒤에 chance, hope, idea 등이 생략》
▷ éarth *n.*

earth·ly-mind·ed [ə:rθlimáindid] *a.* 《고어》 속세적(俗世的)인(worldly-minded)

earth·man [ə́:rθmæ̀n, -mən] *n.* (*pl.* **-men** [-mèn]) [때로 **E~**] (SF에서) 지구에 사는 사람, 인간

éarth mòther [종종 **E- M-**] (만물의 생명의 근원으로서의) 대지; 생명과 풍요의 상징으로서의 여신; 모성적인 여성

earth·mov·er [ə́:rθmù:vər] *n.* 땅을 고르는 기계 《대형 불도저, 파워 셔블 등》

earth·nut [ə́:rθnʌ̀t] *n.* 〖식물〗 땅콩

éarth òrbital velócity 지구 궤도 속도

éarth pìllar 〖지질〗 (주위의 흙의 침식에 의해 생기는) 흙기둥

earth-plate [ə́:rθplèit] *n.* 접지판(接地板)

‡earth·quake [ə́:rθkwèik] *n.* **지진**(cf. SEISMOLOGY); (사회·정치적) 대변동

éarthquake cènter 진앙(震央), 진원지

éarthquake insùrance 지진 보험

éarthquake intènsity 진도(震度)

éarthquake lìghts[lìghtning] 지진시의 발광 현상 《지진 때 하늘이 밝게 빛나는 현상》

earth·quake-proof [ə́:rθkwèikprù:f] *a.* 내진(耐震)의: an ~ building 지진에도 끄떡없는 빌딩

éarthquake séa wàve 해일

éarthquake shòck 지진(의 진동)

éarthquake sòunds = EARTH SOUNDS

Éarth Rèsources Technólogy Sàtellite 지구 자원 탐사 기술 위성 《Landsat의 구칭; 略 ERTS》

earth·rise [ə́:rθràiz] *n.* (달 또는 달을 도는 우주선에서 본) 지구의 떠오름, 지구돋이(cf. SUNRISE, MOONRISE)

éarth sàtellite (지구를 도는) 인공위성(artificial satellite)

earth·scape [ə́:rθskèip] *n.* 《미》 (우주선 등에서 본) 지구의 모습[경관]

éarth scìence 지구 과학 《지리학·지질학·기상학 등》

earth·shak·ing [ə́:rθʃèikiŋ] *a.* 세계를 떠들썩하게 하는, 극히 중대한 **~·ly** *ad.*

earth-shat·ter·ing [ə́:rθʃæ̀təriŋ] *a.* = EARTH-SHAKING

earth-shel·tered [ə́:rθʃèltərd] *a.* (반)지하 건축의

earth·shine [ə́:rθʃàin] *n.* Ⓤ 〖천문〗 (달의 어두운 부분을 엷게 비추는) 지구의 반사광

earth·shock [ə́:rθʃɑ̀k | -ʃɔ̀k] *n.* 지변(地變), 천재지변 《지진·화산 폭발·기상 이변 등》

Éarth Shòes 뒤축이 앞축보다 낮은 구두 《발이 피로하지 않고 편함; 상표명》

éarth sòunds (지진에 수반되는) 땅울림

éarth stàtion 지상국(局) 《위성·우주 통신용》

Éarth Súmmit [the ~] 지구 서밋 《1992년 Rio de Janeiro에서 열린 유엔 환경 개발 회의의 속칭》

éarth tàble 〖건축〗 근석(根石) 《건물의 토대 중에서 땅 표면으로 나온 부분》

éarth tìme 〖천문〗 지구시(時) 《천체 현상을 지구상에서 관측하는 데 사용; 지구의 자전 시간이 기준이 됨》

éarth tòne 연한 회색에서 검은 갈색에 이르는 난색조(暖色調)

éarth trèmor 약한 지진

earth·ward [ə́:rθwərd] *ad., a.* 땅[지구]쪽으로 (향한) (cf. HEAVENWARD)

earth·wards [ə́:rθwərdz] *ad.* = EARTHWARD

Earth·watch [ə́:rθwɑ̀tʃ | -wɔ̀tʃ] *n.* 지구 감시망 《세계적 규모로 환경 오염을 감시하기 위한》

Éarth Wèek 지구 (보호) 주간 《환경 보호의 주간, 1971년 4월 18-24일에 처음 실시; cf. EARTH DAY》

earth·wom·an [ə́:rθwùmən] *n.* (*pl.* **-wom·en** [-wìmin]) (SF에서의) 여자 지구인

earth·work [ə́:rθwə̀:rk] *n.* **1** Ⓤ 토목 공사 **2** 〖군사〗 토루(土壘) **3** [*pl.*] 대지 예술 《흙·돌·모래·물 등의 자연물을 소재로 함》

***earth·worm** [ə́:rθwə̀:rm] *n.* 《특히》 **지렁이,** 땅속에 사는 벌레; 《고어》 벌레 같은[비열한] 인간

earth·y [ə́:rθi, -ði] *a.* (**earth·i·er**; **-i·est**) **1** 흙의, 흙 같은, 토양성의 **2** 땅의, 땅속에 사는 **3** 《고어》 지상의; 속세의, 세속적인 **4** 실제적인, 현실적인 **5** 촌스러운; 저속한, 야비한, 거친 **6** 솔직한, 명백한(direct); 소박한 ***of*** [***from***] ***the earth,*** **~** 〖성서〗 땅에서 났으니 흙에 속한 《고린도 전서 15: 47》; 너무나도 속세적인

Earth-year [ə́:rθjìər | -jə̀:] *n.* [때로 **e~**] 지구년 《1년을 365일 기준으로 한 시간》

éar trùmpet (옛날의) 나팔형 보청기

ear·wax [íərwæ̀ks] *n.* Ⓤ 귀지

ear·wig [íərwìg] *n.* 〖곤충〗 집게벌레
— *vt.* (**~ged**; **~·ging**) 《고어》 …에게 (넌지시) 귀띔하다, 솔깃한 말로 남을 움직이려 하다

ear·wit·ness [íərwìtnis] *n.* 남이 하는 이야기를 듣는[보고하는] 사람; 〖법〗 전문 증인(傳聞證人)

éar wràp (귀를 뚫지 않고 다는) 귀고리 장식

‡ease [í:z] *n.* Ⓤ **1** (몸의) **편함,** 안정; (고통의) 경감(relief) 《*from*》 **2** **마음 편함,** 평안 **3** **용이함;** 쉬움, 평이함 **4** 안이(安易), 자유로움; (태도·모양 등의) 홀가분함, 여유 있음 **5** (생활의) 안락; 안일 **6** (의복·구두 등의) 넉넉함, 여유
at (one***'s***) **~** 마음 편하게; 여유 있게, 안심하고: *At ~!* 《미·구령》 〖군사〗 쉬어! 《《영》 Stand easy!》 ***be*** [***feel***] ***at*** **~** 안심하다, 마음 놓다 ***be at*** **~** ***in Zion*** 안일한 생활을 하다 ***ill at*** **~** (불안해서) 마음 놓이지 않는, 안절부절못하는 ***live at*** **~** 편안히 지내다, 안락하게 살다 ***march at*** **~** 〖군사〗 제걸음으로 가다 ***set*** one***'s heart at*** **~** 안심하다 ***stand at*** **~** 〖군사〗 쉬어 자세로 서다(opp. *stand at* attention) ***take*** one***'s*** **~** 몸을 편히 가지다, 편히 쉬다 ***well at*** **~** 여유 있게, 느긋한 마음으로, 마음 편하게 ***with*** **~** 용이하게, 손쉽게(easily)
— *vt.* **1** 〈고통·고민 등을〉 **진정[완화]시키다,** 덜다; 편하게 하다, 안심시키다: ~ a person's anxiety …의 불안을 진정시키다 / Music ~*d* my mind. 음악이 나의 마음을 달래주었다. // 《~+목+전+명》 ~ a person *of* pain …의 고통을 덜어 주다 **2** 《익살》 …에게서 (…을) 빼앗다(rob) 《*of*》: 《~+목+전+명》 ~ a person *of* his[her] wallet …의 지갑을 빼앗다 **3** 느슨하게 하다(loosen); 〈속도 등을〉 늦추다 《*down*》: 《~+목+부》 ~ *down* the car[the speed of a car] 자동차의 속력을 늦추다 **4** 〈물건을〉 조심해서 움직이다, 천천히 …하다: 《~+목+전+명》 They ~*d* the piano *into* the room. 그들은 피아노를 조심스럽게 움직여 방 안에 들여놓았다.
— *vi.* **1** 〈통증 등이〉 **가벼워지다,** 편해지다: 《~+부》 The pain has ~*d off*. 통증이 가벼워졌다. **2** 천천히 움직이다 《*along, over*》: He ~*d* into the car. 그는 천천히 차에 올랐다.
E~ all! 〖항해〗 노젓기 그만! **~** ***away*** 가벼워지다; 〖항해〗 〈밧줄 등을〉 늦추다 **~** ***down*** 〖항해〗 늦추다, 느스러지다; 속력을 늦추다, 속력이 늦어지다 ***E~ her!*** 〖항해〗 속력을 늦춰! **~** ***in*** (일 등에) 서서히 익숙해지게 하다 《*to*》 **~** ***out*** …을 사직시키다, 추방하다 **~** one***self*** 안심하다(= ~ one's mind); 기분을 풀다, 홀가분한 기분이 되다; 대변[소변]을 보다 **~** one***'s leg*** 쉬어 자세를 취하다 **~** ***up*** [***off***] 《구어》 (1) 〈아픔·긴장 등이〉 누그러지다, 완화되다 (2) 일을 경감시키다 (3) 〈태도를〉 누그러뜨리다 《*on*》: *E~ up on* her. 그녀에 대한 태도를 누그러뜨리시오. (4) 늦추다, 적게 하다

《on》: He ~d *off on* the accelerator. 그는 액셀러레이터를 늦추었다. ▷ éasy *a.*

ease·ful [íːzfəl] *a.* 마음 편한, 안락한, 편안한; 태평스러운, 안일한 **~·ly** *ad.* **~·ness** *n.*

∗**ea·sel** [íːzəl] *n.* 화가(畫架), 이젤; (칠판 등의) 받침틀

easel

ease·less [íːzlis] *a.* 마음이 편치 않은, 심신이 안정되지 않은, 불안한

éasel pàinting[**pìcture**] 화가(畫架)에 얹어서 그리기에 알맞은 (크기의) 그림; 화가에 얹고 그림 그리기

ease·ment [íːzmənt] *n.* **1** Ⓤⓒ (고통 등의) 경감 **2** 안락; 안락을 주는 것 **3** Ⓤ 〖법〗 지역권(地役權)

⁑**eas·i·ly** [íːzili] *ad.* **1** 용이하게, 쉽게: You can get there ~. 그 곳은 쉽사리 갈 수 있다. **2** 원활하게, 술술 **3** 편안하게, 마음 편히 **4 a** [can, may와 함께] 아마(probably), 어쩌면: The plane *may* ~ be late. 비행기는 아마 늦을 것이다. **b** [최상급, 비교급을 강조하여] 분명히, 물론: It is ~ *the best* hotel. 그것은 분명히 가장 좋은 호텔이라고 할 수 있다. ▷ éasy *a.*

eas·i·ness [íːzinis] *n.* Ⓤ **1** 용이함, 평이(平易)함 **2** 소탈함, 마음 편함, 태연함(ease)

⁑**east** [íːst] *n.* **1** [the ~] 동(쪽), 동방; 동부 (略 e., E): Too far ~ is west. (속담) 극동(極東)은 서(西)이다, 양극은 통한다. **2** [the ~] 동부 지방 **3** [the E~] **a** 동양, 아시아(cf. FAR EAST, MIDDLE EAST, NEAR EAST) **b** 동유럽 제국, 공산권 제국 **c** (미) 동부(지방) 《Mississippi 강에서 대서양 연안까지의 지방; cf. DOWN EAST》 **d** (옛날의) 동로마 제국 **4** (교회의) 동쪽 끝, 제단쪽 **5** (시어) 동풍

to [***in, on***] ***the ~ of*** …의 동쪽[동부, 동쪽 끝]에

— *a.* Ⓐ **1** 동(녘)의, 동쪽에서 오는: an ~ wind 동풍 **2** 동부의; 제단 쪽의 《교회의 본당에서 보아》

— *ad.* 동쪽에[으로]: lie ~ (of) (…의) 동쪽에 있다 / lie ~ and west 동서에 걸쳐 있다

due ~ 정동(正東)으로[에]

▷ éastern *a.*; éastward(s) *ad.*; éasterly *a.*, *ad.*

East., east. eastern

Éast Áfrican Commúnity [the ~] 동아프리카 공동체 《略 EAC》

Éast Berlín (독일 통일 전의) 동베를린

Éast Blóc 옛 동유럽 공산권 《바르샤바 조약 기구(Warsaw Treaty Organization)에 가맹한 구소련과 동구 여러 나라》

east·bound [íːstbàund] *a.* 동쪽으로 가는

éast by nórth[**sóuth**] *n.*, *a.*, *ad.* 〖항해·측량〗 동미북[남](東微北[南])(의[에]) 《동에서 북[남]으로 11° 15′의 방위점; 略 EbN[EbS]》

Éast Céntral [the ~] (런던 시의) 중앙 동부 우편구 《略 E.C.》

Éast Chína Séa [the ~] 동(東)중국해

Éast Cóast [the ~] (미국의) 동해안, 대서양 연안

Éast Còast Féver 동아프리카 해안 열병 《진드기를 매개로 한 소의 질병》

Éast Énd [the ~] 런던 시의 동부 《빈민가; cf. WEST END》 **Éast-Ènd·er** *n.*

⁑**Eas·ter** [íːstər] *n.* **1** (그리스도의) 부활절[제] **2** 부활 주일 《춘분 후, 만월(滿月) 다음의 첫 일요일; =~ Day[Sunday]》 **3** 부활절 주간(=~ week)

Éaster bàsket 부활절 바구니 《부활절 아침에 아이들이 찾아내는 사탕 바구니》

Éaster Bùnny 부활절 토끼 《아이들에게 줄 Easter basket를 가져온다는 가상의 토끼》

Éaster càndle 부활절에 켜는 큰 초

Éaster càrd 부활절 카드 《greeting card의 일종으로 부활절의 인사로 보냄》

Éaster cýcle 부활절 순환기 《로마 교회에서는 84년, 알렉산드리아 교회에서는 19년》

Éaster Dáy =EASTER SUNDAY

Éaster dùes =EASTER OFFERINGS

Éaster ègg **1** 채색한 달걀 《부활절의 선물·장식용; 그리스도 부활의 상징》 **2** 〖컴퓨터〗 (프로그램의) 숨은 기능, (프로그램 속의) 숨은 메시지

Éaster Éve [the ~] 부활절 전야

Éaster Ísland [1772년 Easter Day에 발견된 데서] 이스터 섬 《남태평양상의 칠레령(領)의 화산섬; 석상(石像)이 많은 것으로 유명》

Éaster lìly (미) 부활절 장식용 백합

east·er·ling [íːstərliŋ] *n.* (고어) 동쪽 나라의 주민, 동방인

east·er·ly [íːstərli] *a.* 동쪽의, 동방의; 〈바람이〉 동쪽으로부터의: an ~ wind 동풍

— *ad.* 동쪽에[으로], 〈바람이〉 동쪽으로부터

— *n.* 동풍

Éaster Mónday 부활 주일(Easter Sunday) 다음날 월요일 《미국의 North Carolina와 캐나다에서는 공휴일》

⁑**east·ern** [íːstərn] *a.* **1** 동쪽의, 동쪽으로부터의 **2** [보통 **E~**] 동양의(Oriental); 동양식의 **3** 동향의, 동쪽으로 가는 **4** [종종 **E~**] 동부 지방의 **5** [**E~**] 동방 교회(Eastern Church)의

— *n.* [**E~**] **1** 동방의 주민, 동양인 **2** 동방 교회 신도

▷ éast *n.*

Éastern Áir Línes 이스턴 항공 《미국의 항공 회사; 略 EAL; 국제 약칭 EA》

Éastern blóck [the ~] (옛) 동유럽권(圈) 《구 소련 영향권하의 국가들》

Éastern Chúrch [the ~] 〖그리스도교〗 동방 교회 《그리스 정교회 등》

Èastern cónference [the ~] 동부 컨퍼런스 《미국 프로 농구(NBA)의 경기 연맹》

Éastern Dáylight Tìme (미) 동부 여름 시간 《Eastern (Standard) Time의 여름 시간; 略 EDT》

east·ern·er [íːstərnər] *n.* [종종 **E~**] (미) 동양 사람; 동부 지방[제주(諸州)]의 주민[출신]

Éastern Estáblishment 동부 주류파 《하버드, 예일, 컬럼비아 대학 등 동부의 명문교 출신으로 정치·재계의 중추를 이루는 인맥》

Éastern Hémisphere [the ~] 동반구(東半球)

east·ern·ize [íːstərnàiz] *vt.* 동양식 사고·습관·풍속 등에 의하여 영향을 주다

east·ern·most [íːstərnmòust] [eastern의 최상급에서] *a.* 가장 동쪽의

Éastern Órthodox Chúrch [the ~] 동방 정교회(the Orthodox Church)

Éastern Ríte Chúrch [the ~] 동방 전례(典禮) 교회 《그리스·시리아 등의 가톨릭 교회; 성직자가 가정을 가질 수 있음》

Éastern (**Róman**) **Émpire** [the ~] 동로마 제국

Éastern Shóre [the ~] (미국 동부 Chesapeake 만의) 동부 연안 지방

Éastern Slávs 동슬라브 민족 《러시아인·우크라이나인을 포함》

Éastern (**Stándard**) **Tìme** (미·캐나다) 동부 표준시 《Greenwich 표준시보다 5시간 늦음; 略 EST》

Éastern Wéstern 〖영화〗 (미·구어) (일본·중국에서 제작된) 동양판 서부 영화(cf. SPAGHETTI WESTERN)

Éaster ófferings 부활절의 헌금

Éaster Paràde 부활절 퍼레이드[축하 행진]

Éaster Súnday =EASTER 2

Éaster térm 〖영국법〗 4월 15일 후 약 3주간의 개정기(開廷期); (영) (대학의) 봄학기, 크리스마스부터 부활절까지의 학기

Eas·ter·tide [íːstərtàid] *n.* **1** 부활절 계절 《부활 주일부터 성령 강림 주일(Whitsunday)까지의 50일간》 **2** 부활 주일부터 시작되는 1주일간(Easter week)

Eas·ter·time [íːstərtàim] *n.* =EASTER

Éaster wéek 부활 주간 《Easter Sunday부터 시작됨》

Éast Gérman *a.* 구 동독 (사람)의

Éast Germánic 〖언어〗 동(東)게르만어(군)
Éast Gérmany (1990년 통일 이전의) 동독 《수도 Berlin; cf. WEST GERMANY》
Éast Índia Còmpany [the ~] 동인도 회사 《17-19세기에 동인도(East Indies)와의 무역을 위해 영국·네덜란드·프랑스 등이 설립》
Éast Índian (미) 동인도 (제도) 사람
— *a.* 동인도 (제도)의
Éast Índies [the ~] 동인도 《인도·인도네시아·말레이 제도를 포함하는 아시아의 동남부; cf. WEST INDIES》
east·ing [íːstiŋ] *n.* UC **1** 〖항해〗 동항(東航); 편동항행(偏東航行) **2** (천체의) 동진(東進); (바람 방향의) 동향(東向) **3** 동향, 동방위(東方位)
East·man [íːstmən] *n.* 이스트먼 **George ~** (1854-1932) 《미국의 발명가·사업가; Kodak 사진기와 롤필름 발명》
east·most [íːstmòust] *a.* = EASTERNMOST
east-north·east [íːstnɔ̀ːrθíːst] *n.* [the ~] 동북동 《略 ENE》 — *a.* 동북동의: an ~ wind 동북동 바람 — *ad.* 동북동으로[에서]
Éast Pákistan 동(東)파키스탄 《1971년말 독립하여 Bangladesh가 됨》
Éast Síde [the ~] 미국 뉴욕시 Manhattan 섬의 동부 《원래 빈민가》
east-south·east [íːstsàuθíːst] *n.* [the ~] 동남동 《略 ESE》 — *a.* 동남동의 — *ad.* 동남동으로; 동남동으로부터
Éast Sússex 이스트 서섹스 《잉글랜드 남동부의 주 Sussex의 행정 구역의 하나》
Éast Tímor 동티모르 《Timor 섬 동부 지역의 나라; 수도 Dili》
∗**east·ward** [íːstwərd] *ad.*, *a.* **동쪽으로(의)**: ~ position 제단(祭壇) 정면 《성만찬 때의 사제의 좌석》
— *n.* [the ~] 동쪽 (지역, 지점)
~·ly *a.*, *ad.* 동쪽으로부터의; 동쪽으로
east·wards [íːstwərdz] *ad.* = EASTWARD
East-West [íːstwést] *a.* 동서간의 《특히 과거의 미·소간의》
‡**eas·y** [íːzi] *a.*, *ad.*, *n.*

> 기본적으로는 「편한」의 뜻. 「사물이 편하게 이루어지다」에서 「쉬운」의 뜻이 되었음.

— *a.* (**eas·i·er**; **-i·est**) **1** 쉬운, 용이한(opp. *difficult, hard*)(⇨ simple 유의어): (~+*to* do) That is an ~ question *to* answer. 그것은 쉽게 답할 수 있는 질문이다. // (~+*to* do) He is ~ *to* get on with. 그는 사귀기가 쉽다. **2** 안락한, 편한, 마음 편한: She led an ~ life. 그녀는 안락한 삶을 살았다. **3** 〈의복 등이〉 낙낙한 **4** 〈성격이〉 태평스러운(easygoing); 단정치 못한: He is ~ in his morals. 그는 품행이 단정치 못하다. **5** 〈담화·문체 등이〉 부드러운, 매끈한; 〈기분·태도 등이〉 여유 있는, 딱딱하지 않은: Be ~! 마음의 여유를 가져라!, 걱정할 것 없다! **6** 〈속도 등이〉 알맞은, 느린 **7** 엄격하지 않은, 관대한 **8** 〖상업〗 〈상품의 수요가〉 풍부한; 〈시장의 거래가〉 완만한(opp. *tight*) **9** 〈경사·각도 등이〉 가파르지 않은; 〈길이〉 완만한
(as) ~ as ABC [anything, pie, shelling peas, falling off a log, winking] 아주 쉬운 ***~ of access*** 접근하기 쉬운 ***~ on the eye(s)*** 보기 좋은; 아름다운 ***~ to get on with*** ⇨ *a.* 1 ***~ way out*** (미·구어) 도망치기 쉬운 방법; 하기 편한 해결(법) ***free and ~*** 대범하고 소탈한 ***Honors (are) ~.*** 승산은 반반(이다). 《최고의 패가 고르게 분배된 데서》 ***I'm ~*** (구어) 어느 쪽이건 상관없습니다 ***in ~ circumstances*** 잘[편하게] 사는 ***make oneself ~ (about)*** (…에 대하여) 안심하다, 걱정하지 않다 ***take the ~ way out*** 쉬운 타개책을 취하다 ***within ~ distance [reach]*** 가까이에
— *ad.* (**eas·i·er**; **-i·est**) (구어) 쉽게; (마음) 편하게, 자유로이, 여유 있게: *E*~ come, ~ go. (속담) 얻기 쉬운 것은 잃기도 쉽다.
E~! 〖항해〗 늦춰라! ***E~ all!*** 〖항해〗 (노젓기) 그만! ***E~ does it!*** (구어) 천천히[조심해서] 해라! ***get off ~*** 가벼운 죄로 모면하다 ***go ~*** 서두르지 않고[태평스럽게] 하다 ***go ~ on*** a person …을 너그러이 봐주다, 관대하게 대하다 ***go ~ on [with]*** …을 과용하지 않다, 적당한 양을 사용하다 ***It's easier said than done.*** 말하기는 쉬우나 행하기는 어렵다. ***Stand ~!*** (영·구령) 쉬어! 《(미)에서는 보통 At ease!》 ***take things ~ = take it ~*** 매사를 대범하게 생각하다, 서두르지 않다, 덤비지 않다
— *n.* (구어) 휴식; (노젓기 등의) 정지
take an ~ 쉬다 **~·like** *ad.*
eas·y-care [íːzikὲər] *a.* 손질하기 쉬운
éasy chàir 안락의자
eas·y-does-it [ìːzidʌ́zit] *a.* 서두르지 않는, 태평한
∗**eas·y·go·ing** [íːzigóuiŋ] *a.* **1** **태평스러운**; 안이한, 게으른 **2** 〈말(馬) 등이〉 걸음이 완만한 **~·ness** *n.*
éasy lístening 듣기에 편한 음악
éasy máke (속어) = EASY MARK; 아무하고 자는 여자
éasy márk (구어) 잘 속는[만만한] 사람, 봉
éasy méat (구어) = EASY MARK
éasy móney 쉽게 번 돈, 사취한 돈, 부정 이득; 손쉬운 돈벌이
eas·y-pea·sy [íːzipíːzi] *a.* (영·유아어) 매우 쉬운
éasy ríder (속어) **1** (성적(性的)으로 만족을 주는) 연인 《남자》; (매춘부의) 정부 **2** (노력하지 않고) 성공[생활]하는 사람 **3** 기타(guitar)
éasy strèet [종종 **E- S-**] (구어) 유복한 신분; 재정적 독립: be on[in] ~ 유복하게 지내다
éasy térms 할부, 월부: on ~ 할부로, 월부로
éasy vírtue 몸가짐이 헤픔, 부정(不貞): a lady [woman] of ~ 방종한 여자; 창녀
‡**eat** [íːt] *v.* (**ate** [éit | ét], (고어) **eat** [ét, íːt]; **eat·en** [íːtn], (고어) **eat** [ét, íːt]) *vt.* **1** 먹다; 〈음식물을〉 씹어서 삼키다; 〈국·죽 등을〉 떠내어 마시다: ~ good food 미식(美食)하다, 좋은 식사를 하다 / Well, don't ~ me! (익살) 그렇게 잡아먹을 듯이 굴지 말게!, 좀 진정하게! // (~+목+전+명) ~ soup *from* a plate 접시의 수프를 (스푼으로) 먹다 / What did you ~ *for* lunch? 점심에 무엇을 먹었나? // (~+목+보) It is *eaten* hot with butter. 그것은 버터를 발라 식기 전에 먹는다. **2** 파괴하다, 침식[부식]하다; 〈해충 따위가 …을〉 마구 먹어대다 《*away, out, up*》: This acid ~*s* metal. 이 산은 금속을 부식한다. // (~+목+부) be *eaten away* with rust 녹이 나서 푸석푸석해지다 **3** 〈병·근심 따위가〉 서서히 침범하다, 소모시키다 **4** (구어) 낭비하다: An old car ~*s* oil. 낡은 차는 휘발유를 많이 먹는다. **5** [진행형으로] (구어) 초조하게 만들다, 괴롭히다; (미·속어) 들볶다: What's ~*ing* you? 무엇 때문에 속을 태우고 있느냐? **6** 황폐하게 하다, 망치다 **7** (속어) 〈손해·비용 등을〉 감수하다; 부담하다 **8** (영·속어) 넋을 잃고 보다
— *vi.* **1** 음식을 먹다, 식사를 하다: ~ and drink 먹고 마시다 / ~ well 잘 먹다 **2** 먹어 들어가다, 파먹다, 침식[부식]하다 《*into*》: (~+전+명) The sea has *eaten into* the north shore. 바다가 북쪽 해안을 침식했다. **3** (미·구어) 〈음식이〉 먹을 수 있다, …한 맛이 나다: (~+부) This fish ~*s well.* 이 생선은 맛이 좋다. // (~+보) This cake ~*s* crisp. 이 과자는 맛이 파삭파삭하다.
be eaten up with (걱정 등)에 사로잡히다; (빚으

thesaurus **easy** *a.* **1** 쉬운 simple, effortless, obvious, apparent, uncomplicated, undemanding, painless, facile (opp. *hard, difficult, demanding*) **2** 안락한 at ease, untroubled, unworried, at peace, calm, tranquil, serene, composed, secure,

로) 움쭉 못하다; (병으로) 몹시 쇠약해지다 ~ a person ***alive*** 《구어》 (1) (매우 화가 나서) …을 몹시 비난하다[벌주다] (2) (논쟁·경쟁에서) …을 완전히 제압하다[압도하다] (3) [보통 수동형으로] 〈모기가〉 수없이 물다, 공격하다 ~ ***at*** …을 초조하게 만들다 ~ ***away*** 마구 먹어대다; 먹어 들어가다; 〈녹 등이〉 부식하다 ~ ***crow*** 《미·구어》 굴욕을 참다; 잘못을 마지못해 시인하다 ~ ***high off***[***on***] ***the hog*** 호사스럽게 살다 ~ ***humble pie*** 굴욕을 참다, 비평[비난]을 감수하다 ~ ***in*** 집에서 식사를 하다 ~ ***into*** 먹어들어 가다; 부식하다; 〈재산을〉 소비하다 ~ ***of*** (the repast) (음식 대접에) 한몫 끼다, …의 일부를 먹다 ~ ***off*** 물어 찢어[뜯어] 내다; 먹어 치우다 ~ ***out*** 다 먹어버리다; 침식하다; 외식하다 ~ a person ***out of house and home*** …의 재산을 탕진하다 ~ ***out of*** a person***'s hand*** 전적으로 복종하다 ~ one***self sick*** 과식하여 병이 나다 ~ one***'s fill*** 배불리 먹다 ~ one***'s head off*** 많이 먹기만 하고 일을 하지 않다 ~ one***'s heart out*** 슬픔에 가슴이 찢기다, 비탄에 잠기다 ~ one***'s terms***[***dinners***] 변호사 공부를 하다 ~ one***'s words*** 앞서 한 말을 취소하다 ~ ***the ginger*** 《속어》 자기 몫 이상을 갖다, 가장 좋은 부분을 취하다 ~ ***the wind out of*** = ~ ***to windward of*** 『항해』 바람 불어오는 쪽으로 나아가 다른 배의 바람을 가로막다 ~ ***to windward*** 『항해』 (바람을 최대한 이용하기 위해) 돛을 활짝 펴고 달리게 하다 ~ ***up*** 다 먹어버리다; 소비하다(consume); 지나가다; 〈도로를〉 마구 질주해 가다; 열중하게 하다 ***I'll ~ my hat***[***hands, boots***] ***if …*** 《구어》 만약 …이라면 내 목을 베어라, 만일 …이라면 손에 장을 지지겠다 (=I'm a Dutchman if …)

— *n.* [*pl.*] 《구어》 음식; 식사(meals)

EATA East Asia Travel Association

eat·a·ble [íːtəbl] *a.* 먹을 수 있는, 식용에 적합한(edible) — *n.* [보통 *pl.*] 먹을 수 있는 것, 식료품: ~*s* and drinkables 음식물

⁑**eat·en** [íːtn] *v.* EAT의 과거분사

eat·er [íːtər] *n.* 먹는 사람; 부식물(腐蝕物)[제(劑)]; 날로 먹을 수 있는 과일

eat·er·y [íːtəri] *n.* (*pl.* **-er·ies**) 《구어》 간이식당

eat·er·tain·ment [íːtərtèinmənt] [*eat*+*enter-tainment*] *n.* 이터테이먼트 《음식도 먹으면서 오락도 즐기는 것》

eat-in [íːtìn] *n.* **1** 《미·구어》 (1960년대에) 흑인이 인종 차별 식당에 몰려가서 식사를 하는 차별 항의 운동 **2** 《미·구어》 (1980년대에) 검소한 회식을 하고 그 회비의 일부를 좋은 일에 기부하는 운동 **3** 《미·속어》 오럴 섹스를 하는 난잡한 파티

⁑**eat·ing** [íːtiŋ] *n.* Ⓤ **1** 먹기 **2** (맛·품질에서 본) 음식(물), 식품: be good[bad] ~ 맛있는[맛없는] 음식이다 — *a.* **1** 〈근심 등이〉 마음을 썩이는 **2** 식용의; 《특히》 날로 먹을 수 있는(cf. COOKING): ~ fish 식용 물고기

éating àpple 생식용 사과(cf. COOKING apples)

éating disòrder (거식증·과식증 등의) 섭식 장애

éating hòuse[**plàce**] 음식점, 값이 싼 식당

éating ìrons 철제 식사 도구 《나이프, 포크, 스푼 등》

Éa·ton àgent [íːtn-] 『생물』 이튼 인자 《mycoplasma의 옛 이름》

eau [óu] [F =water] *n.* (*pl.* **~x** [~, -z]) 물

eau de Co·logne [óu-də-kəlóun] [F 「쾰른의 물」이란 뜻에서] 오드콜로뉴 《향수의 일종》

eau de Nile [-níːl] [F 「나일 강의 물」이란 뜻에서] 암녹색

eau de toilette [-twɑːlét] 오드트왈렛 《향기가 약한 향수의 일종》

eau-de-vie [òudəvíː] [F 「생명수」의 뜻에서] *n.* (*pl.* **eaux-** [ouz-]) 브랜디

eau su·crée [óu-suːkréi] [F] 설탕물

*__eaves__ [íːvz] *n. pl.* 처마, 차양 ★ 단수로 eave를 쓰는 경우도 있음.

eaves·drip [íːvzdrìp] *n.* 낙숫물; (처마 밑의) 낙숫물 자국

eaves·drop [íːvzdrὰp | -drɔ̀p] *vi.* 엿듣다, 도청하다 《*on*》(⇨ overhear 유의어)

— *n.* =EAVESDRIP **~·per** *n.* **~·ping** *n.*

éaves tròugh[**spòut**] 《미》 『건축』 낙숫물 홈통

Eb 『화학』 erbium **EB** eastbound; Encyclop(a)edia Britannica

e·Bay [íːbei] *n.* Ⓤ 이베이 《인터넷 경매 사이트 명칭》 — *vt.* 이베이를 하다

*__ebb__ [éb] *n.* **1** [the ~] 썰물, 간조(干潮)(opp. *flood, flow*) **2** 감퇴, 쇠퇴기 ***be at an***[***a low***] **~** = ***be at***[***on***] ***the ~*** 〈조수가〉 빠져 가고 있다; 〈사물이〉 쇠퇴기에 있다 ***the ~ and flow*** (조수의) 간만, 썰물과 밀물; (사업·인생의) 성쇠

— *vi.* **1** 〈조수가〉 빠지다, 써다(opp. *flow*) **2** 〈혈액·힘 등이〉 줄다; 〈가산 등이〉 기울다(decline): (~+副) His life was slowly *~ing away.* 그의 생명은 서서히 쇠퇴해 가고 있었다. ~ ***back*** 〈기운 등이〉 되돌아오다, 소생하다: His courage *~ed back* again. 그는 용기를 되찾았다.

ébb tìde [보통 the ~] **1** 썰물, 간조 **2** 쇠퇴(기)

EBCDIC [ébsidìk] [*e*xtended *b*inary-*c*oded *d*ecimal *i*nterchange *c*ode] *n.* 『컴퓨터』 확장 2진화 10진법 부호

Eb·en·e·zer [èbəníːzər] *n.* 남자 이름

EBF Encyclop(a)edia Britannica Film 대영 백과사전을 기초로 한 교육 영화 **EBITDA, Ebitda** 『경제』 earnings before interest, taxes, depreciation, and amortization

Eb·la·ite [ébləàit, íːb-] *n.* 에블라어(語) 《시리아 북부에서 발견된 세계 최고(最古)의 셈어족 언어》; 에블라 사람 — *a.* 에블라어(語)[사람, 왕국]의

Eb·lan [éblən, íːb-] *a.* =EBLAITE

EbN east by north 동미북(東微北)

E-boat [íːbòut] [*e*nemy *boat*] *n.* 《영》 쾌속 어뢰정 《제2차 대전 때 독일의》

E·bó·la fèver [ibóulə-] 에볼라 열 《바이러스 감염에 의한 급성 내출혈 증상의 치명적 질병》

Ebóla vìrus 『세균』 에볼라 바이러스 《고열과 내출혈을 일으키는 열대 전염병 바이러스》

eb·on [ébən] *n., a.* 《고어·시어》 =EBONY

E·bon·ics [ebάniks | -bɔ́n-] [*Ebo*ny+pho*nics*] *n.* 《미》 흑인 영어(Black English)

eb·o·nite [ébənàit] *n.* Ⓤ 에보나이트, 경질(硬質)[경화] 고무(vulcanite)

eb·o·nize [ébənàiz] *vt.* 흑단(黑檀) 비슷하게 (착색)하다, …을 흑단색으로 하다

*__eb·on·y__ [ébəni] *n.* (*pl.* **-on·ies**) **1** 『식물』 흑단 《인도산(産)》 **2** Ⓤ 흑단재(材) 《고급 가구의 재료》

— *a.* 흑단으로 만든; (흑단처럼) 새까만

Ebony *n.* 《미》 에보니 《미국의 흑인 대상 월간 잡지; John H. Johnson이 1945년 창간》

— *a.* 흑단으로 만든; (흑단처럼) 새까만

e-book [íːbùk] [*e*lectronic *book*] *n.* 전자책

EBR Experimental Breeder Reactor 실험용 증식로(增殖爐)

e·bri·e·ty [ibráiəti] *n.* 《드물게》 =INEBRIETY

EbS east by south 동미남(東微南)

e·bul·lience, -lien·cy [ibʌ́ljəns(i), ibúl-] *n.* Ⓤ 《문어》 비등(沸騰); (감정 등의) 격발, 격정의 발로

e·bul·lient [ibʌ́ljənt, ibúl-] *a.* 끓어 넘치는; 〈원기·열정 등이〉 넘쳐 흐르는, 용솟음치는 《*with*》 **~·ly** *ad.*

eb·ul·lism [ébjulìzm] *n.* 『의학』 (급속한 기압 강하로 인한) 체액 비등(體液沸騰)

eb·ul·li·tion [èbəlíʃən] *n.* ⓊⒸ 비등; 격발, 용솟음, 분출, 돌발(outburst) 《*of*》

---

relaxed, comfortable

easygoing *a.* even-tempered, placid, serene, relaxed, carefree, tolerant, undemanding, amiable, patient (opp. *intolerant, tense*)

eatable *a.* edible, palatable, digestible

e·bur·na·tion [ì:bərnéiʃən] *n.* 〖병리〗 상아질화(象牙質化) 《골관절증에서 볼 수 있는》
e-busi·ness [í:bìznis] *n.* [종종 **E~**] 인터넷 사업, 인터넷[전자] 상거래; 인터넷 기업[회사]
EBV Epstein-Barr virus
ec [ék] *n.* Ⓤ 《속어》 경제학(economics)
ec-[1] [i:k, ek], **eco-** [ékou, -kə, í:k-] 《연결형》 「환경; 생태」의 뜻 《모음 앞에서는 ec-》
ec-[2] [ek, ik] *pref.* = EX-[2]
EC European Community 유럽 공동체 **E.C.** East Central (London의) 동(東) 중앙 우편구(區); Established Church 영국 국교(회) **ECA, E.C.A.** Economic Commission for Africa (국제 연합의) 아프리카 경제 위원회; Economic Cooperation Administration 《미》 경제 협력국 《MSA의 옛 명칭》
e·cad [í:kæd, ék-] *n.* 〖생태〗 적응 형질 《어떤 변화 형태가 유전이 아닌 외부 환경에 의한 것으로 인정되는 것》
ECAFE [ekǽfei | eká:fei] [*E*conomic *C*ommission for *A*sia and the *F*ar *E*ast] *n.* 아시아 극동 경제 위원회, 에카페 《ESCAP의 옛 명칭》
é·car·té [èika:rtéi | -ˊ-] [F] *n.* 〖카드〗 에카르테 《32장의 카드로 두 사람이 함》
e-cash [í:kæ̀ʃ] [*e*lectronic *cash*] *n.* 전자 화폐(e-money)
ECB European Central Bank 유럽 중앙 은행; 〖컴퓨터〗 event control block 사건 제어 블록 《컴퓨터 운영 체계(OS)에서 사건의 상태를 나타내는 데 사용되는 제어 블록》
ec·bol·ic [ekbálik | -bɔ́l-] 〖의학〗 *n.* (자궁 수축을 촉진하는) 분만 촉진약; 낙태약
— *a.* 분만[유산]을 촉진하는
ec·ce ho·mo [L = Behold the man!] **1** [étʃei-hóumou, ékei-] 이 사람을 보라 《빌라도가 가시 면류관을 쓴 그리스도를 가리켜서 한 말; 요한복음 19 : 5》 **2** [éksi-hóumou, ékei-] 〖미술〗 가시 면류관을 쓴 그리스도의 초상화
*__ec·cen·tric__ [ikséntrik, ek-] [Gk 「중심에서 떨어진」의 뜻에서] *a.* **1** 〈사람·행동 등이〉 **별난, 상궤(常軌)를 벗어난, 괴벽스러운**: an ~ person 괴벽스러운 사람, 기인 / boys dressed in ~ clothing 별난 옷을 입은 소년들 **2** 〖기계〗 편심(偏心)의 **3** 〖수학〗 (원이 다른 원과) 중심을 달리하는(opp. *concentric*) **4** 〖천문〗 〈궤도가〉 편심적인(opp. *circular*); 〈천체가〉 편심 궤도[이심권(離心圈)]를 그리며 이동하는
— *n.* **1** 괴벽스러운 사람, 별난 사람 **2** 이상한[묘한, 별난] 것[일] **3** 〖기계〗 편심기[륜] **4** 〖수학〗 이심원
-tri·cal·ly *ad.* ▷ eccentrícity *n.*
*__ec·cen·tric·i·ty__ [èksəntrísəti, -sen-] *n.* (*pl.* **-ties**) **1** Ⓤ (옷차림·행동 등의) **남다름**, 별남, 기발 **2** 기행, 괴벽스러운 버릇 **3** 〖수학·천문〗 이심률(離心率) **4** 〖기계〗 편심 (거리); 편심률
ec·chy·mo·sis [èkəmóusis] *n.* (*pl.* **-mo·ses** [-si:z]) 〖병리〗 (타박에 의한) 반상(斑狀) 출혈
eccl. ecclesiastic(al) **Eccl(es).** Ecclesiastes
Ec·cles cáke [ékəlz-] 《영》 에클스 케이크 《건포도 등을 넣은 둥근 케이크》
ec·cle·si·a [iklí:ʒiə, -ziə] *n.* (*pl.* **-si·ae** [-ziì:]) **1** (특히 아테네의) 시민 의회 **2** 〖그리스도교〗 교회(당)
-al *a.* 교회의(ecclesiastical)
Ec·cle·si·as·tes [iklì:ziǽsti:z] *n.* 〖성서〗 전도서 《구약 성경 중의 한 권; 略 Eccl., Eccles.》
ec·cle·si·as·tic [iklì:ziǽstik] [Gk 「집회[교회]」의 뜻에서] *n.* **1** (그리스도교의) 성직자, 목사(clergyman) **2** 정통 교회 신도 《다른 교도와 구별하여》
— *a.* = ECCLESIASTICAL
*__ec·cle·si·as·ti·cal__ [iklì:ziǽstikəl] *a.* **교회 조직의, 성직(聖職)의**: the ~ Commission(ers) 영국 국교회의 교무 위원회 / an ~ court 교회 재판소
~·ly *ad.* 교회의 견지에서, 교회법상
ec·cle·si·as·ti·cism [iklì:ziǽstəsìzm] *n.* Ⓤ 교회의 주의[관행, 정신, 전통]; 교회 중심주의
Ec·cle·si·as·ti·cus [iklì:ziǽstikəs] *n.* 집회서(書) 《구약 외전 중의 한 권; 略 Ecclus.》
ec·cle·si·o·log·ic, -i·cal [iklì:ziəlɑ́dʒik(əl) | -lɔ́dʒ-] *a.* 교회학상의; 교회 건축학적인
ec·cle·si·ol·o·gy [iklì:ziɑ́lədʒi | -ɔ́l-] *n.* Ⓤ 교회학; 교회 건축학 **-gist** *n.* 교회 건축 연구가; 교회학자
Ecclus. Ecclesiasticus **ECCM** electronic counter-countermeasures 〖군사〗 대전자(對電子) 대책 《전자 대책(ECM)에 대한 대항 수단의 총칭》
ec·crine [ékri(:)n, -rain] *a.* 〖생리〗 외분비(선)의; 누출 분비의: ~ gland 외분비샘
ec·cri·nol·o·gy [èkrənɑ́lədʒi | -nɔ́l-] *n.* Ⓤ 〖생리〗 분비선학(分泌腺學)
ec·dem·ic [ekdémik] *a.* 〖병리〗 외래성의, 〈질병이〉 발생 장소에서 떨어진 곳에서 확인되는
ec·dys·i·ast [ekdíziæ̀st] *n.* 《미·익살》 = STRIPTEASER
ec·dy·sis [ékdəsis] *n.* (*pl.* **-ses** [-sì:z]) 〖동물〗 탈각(脫殼); (뱀·갑각류 등의) 탈피(脫皮)
ec·dy·sone [ékdəzòun, -sòun | ekdáisòun] *n.* 〖생화학〗 엑디손 《곤충의 탈피 촉진 호르몬》
ECE Economic Commission for Europe (국제 연합의) 유럽 경제 위원회
e·ce·sis [isí:sis] *n.* 〖생태〗 토착 《외부에서 들어온 식물이 그곳에 정착하는 것》
ECF extended-care facility **ECG** electrocardiogram **ech.** echelon
ech·e·lon [éʃəlɑ̀n | -lɔ̀n] [F 「사닥다리의 가로대」의 뜻에서] *n.* **1** 〖군사〗 사다리꼴[제형(梯形)] 편성, 제대(梯隊), 제진(梯陣); 제형 배치의 군대 **2** [종종 *pl.*] (지휘 계통·조직 등의) 단계, 계층 ***in*** ~ 사다리꼴을 이루어
— *vt., vi.* 제형으로 배치하다, 사다리꼴을 이루다
~·ment *n.* 사다리꼴 편성[배치]
e·chid·na [ikídnə] *n.* (*pl.* **~s, -nae** [-ni:]) 〖동물〗 바늘두더지
echin- [ikáin, ékən], **echino-** [ikáinou, -nə, ékə-] 《연결형》 「가시; 성게」의 뜻 《모음 앞에서는 echin-》
e·chi·na·cea [ìkainéisiə, èkinéi-, -ʃə] *n.* Ⓤ Ⓒ 에치나세아 《인체의 저항력을 높여 주는 식물》
e·chi·nate [ikáineit, -nət, ékənèit | ékinèit] *a.* 가시가 많은, 유극(有棘)의
e·chi·no·derm [ikáinədə̀:rm, ékənə-] *n.* 〖동물〗 극피(棘皮)동물
e·chi·noid [ikáinɔid, ékənɔ̀id] *n., a.* 〖동물〗 성게(같은)
e·chi·nus [ikáinəs] [Gk 「고슴도치」의 뜻에서] *n.* (*pl.* **-ni** [-nai]) **1** 〖동물〗 성게 **2** 〖건축〗 만두형(饅頭形) 《도리아식 건축 양식의 주관(柱冠)을 이루는 아치형》
‡**ech·o** [ékou] [Gk 「소리」의 뜻에서] *n.* (*pl.* **~es**) **1** 메아리, 반향 **2** (의견·심정에의) 공감, 공명; (여론 등의) 반향, 반응 **3** 반복, 흉내, 모방; 부화뇌동자, 모방자 **4** 〖통신〗 (레이더 등에 쓰는) 전자파의 반사, 에코 **5** 자취, 흔적 **6** [**E~**] 에코 《미국의 수동 통신 위성; 전파의 반사로 중계》 **7** [**E~**] 《미》 (통신에서) E를 나타내는 부호 **8** [**E~**] 〖그리스신화〗 숲의 요정, 에코 《공기와 흙 사이에서 태어난 nymph; Narcissus를 사모하다 죽어 소리만 남았다고 함》 ***cheer*** a person ***to the*** ~ …에게 크게 박수갈채를 보내다 ***find an*** ~ ***in*** a person***'s heart*** …의 공명을 얻다
— *vi.* 반향하다, 울리다, 울려 퍼지다: (~+副) The sound of the cannon ~*ed around*. 대포 소리가 사방에 울려 퍼졌다. // (~+前+名) His voice ~*ed through* the hall. 그의 목소리가 온 홀에 울렸다.
— *vt.* **1** 〈소리를〉 **반향하다**; 〈감정을〉 반영하다: (~+名+副) ~ *back* a noise 소리를 반향시키다 **2** 〈남의 말·의견을〉 앵무새처럼 되풀이하다, 그대로 흉내내다
~·ism *n.* = ONOMATOPOEIA ▷ echóic *a.*

thesaurus **eccentric** *a.* odd, queer, strange, peculiar, weird, bizarre, outlandish, uncommon,

ECHO [ékou] *n.* 〖의학〗 초음파 검사법 《체내 장기의 이상을 조사하는 방법; 종양·돌 검출에 유용》
ech·o·car·di·o·gram [èkoukɑ́:rdiəgræ̀m] *n.* 〖의학〗 초음파 심장 진단도
ech·o·car·di·og·ra·phy [èkoukɑ̀:rdiɑ́grəfi | -ɔ́g-] *n.* 〖의학〗 초음파 심장 검진(법)
écho chàmber 반향실(反響室) 《방송에서 연출상 필요한 에코 효과를 만들어 내는 방》
écho chèck 〖컴퓨터〗 에코 검사, 반송 조회
écho effèct 메아리 효과 《어떤 일이 뒤늦게 되풀이 되거나, 그 결과가 늦게 나타나는 현상》
ech·o·en·ceph·a·log·ra·phy [èkouinsèfəlɑ́grəfi | -lɔ́g-] *n.* Ⓤ 〖의학〗 초음파 뇌검사(법)
ech·o·gram [ékougræ̀m] *n.* 〖항해〗 음향 측심(測深) 기록도; 〖의학〗 에코도(圖) 《오실로스코프의 스크린에 나타나는 환부 조직의 탐지도》
ech·o·graph [ékougræ̀f | -grɑ̀:f] *n.* 음향 측심 기록 장치; (체내의) 초음파 검사 장치
èch·o·gráph·ic *a.* **èch·o·gráph·i·cal·ly** *ad.*
e·cho·ic [ekóuik] *a.* **1** 반향의; 반향 장치의 **2** 〖언어〗 의음(擬音)[의성(擬聲)]의
echóic mémory 〖심리〗 음향 기억
ech·o·la·li·a [èkouléiliə] *n.* 〖심리〗 반향 언어 《남의 말을 그대로 흉내내는 행동》; (유아기의) 음성 모방
ech·o·lo·cate [èkoulóukèit] *vt.* 음파 탐지하다 **—** *vi.* 음파 탐지 기능을 갖다
ech·o·lo·ca·tion [èkouloukéiʃən] *n.* 〖전자〗 반향 위치 결정법; 〖동물〗 반향 정위(定位) 《박쥐 등이 발사한 초음파의 반향으로 물체의 존재를 측정하는 능력》
écho machìne 〖전기〗 반향 장치 《테이프 리코더 등을 이용하여 인공적으로 반향음을 만들어 내는 장치》
écho plàte 〖방송·녹음〗 에코 효과 장치
ech·o·prax·i·a [èkoupræ̀ksiə] *n.* 〖정신의학〗 반향 동작 《남의 행동에 대한 병적인 모방》
èch·o·prác·tic *a.*
écho sòunder 〖항해〗 음향 측심기(測深器)
écho sòunding 〖항해〗 음향 측심
écho vèrse 반향 반복시 《앞행 끝의 음절을 되풀이 하는 시》
ech·o·vi·rus [ékouvàiərəs], **ÉCHO vìrus** *n.* 〖세균〗 에코 바이러스 《사람의 장내에서 번식, 수막염(髓膜炎)의 원인이 됨》
echt [ékt] [G] *a.* 진정한, 순수한, 참된, 진짜의
e·cize [í:saiz] *vi.* 〖생태〗 〈특히 이주성(移住性) 생물이〉 새로운 환경에 정착·순응하다
ECLA Economic Commission for Latin America (국제 연합의) 라틴 아메리카 경제 위원회
é·clair [eiklɛ́ər, ik- | éikleə] [F 「번개」의 뜻에서; 초콜릿을 뿌린 모양에서] *n.* 에클레어 《가늘고 긴 슈크림에 초콜릿을 뿌린 것》
é·clair·cisse·ment [eiklɛ̀ərsi:smɑ́:ŋ] [F] *n.* (*pl.* **~s** [-z]) 석명(釋明), 해명, 설명: come to an ~ with a person …와 양해가 되다
ec·lamp·si·a [iklæ̀mpsiə] *n.* Ⓤ 〖병리〗 경련, 《특히》 자간(子癇), (어린이의) 급간(急癎)
é·clat [eiklɑ́:, ⌐—] [F =clap] *n.* Ⓤ (명성·성공 등의) 화려함; (행위·연기 등의) 과시; 갈채
***with* (*great*) ~** (대)갈채 속에; 화려하게, 성대하게
ec·lec·tic [ikléktik, ek-] [Gk 「선택하는」의 뜻에서] *a.* **1** 취사선택하는(selecting) **2** 절충주의의, 절충적인 **3** 〈취미·의견 등이〉 (폭)넓은 **4** 〖철학〗 절충학파의 **—** *n.* **1** 절충학파의 철학자 **2** 절충주의자 **3** [the E~s] (이탈리아의) 절충화파 사람들
ec·léc·ti·cal·ly *ad.* **ec·léc·ti·cìsm** *n.* Ⓤ 절충주의
Ecléctic schóol [the ~] 〖철학〗 절충학파; 〖미술〗 절충화파 《16세기말 이탈리아의 볼로냐화파, 또는 19세기초 프랑스화의 일파》
⁎**e·clipse** [iklíps] [L 「버리다」의 뜻에서] *n.* **1** 〖천문〗 (해·달의) 식(蝕)(cf. PARTIAL[TOTAL, SOLAR, LUNAR] ECLIPSE); (별의) 엄폐(掩蔽) **2** ⒸⓊ 빛의 소멸 **3** ⒸⓊ (영예·명성 등의) 그늘짐, 떨어짐, 실추(失墜) **4** (등대의) 주기적 전암(全暗) **5** 〖조류〗 겨울깃으로 되기(=**~ plùmage**) **6** 〖의학〗 (세포 내 바이러스의) 음성기(陰性期) ***in* ~** 〈해·달이〉 일식[월식]이 되어; 광채[영향력]를 잃고; 〈새가〉 아름다운 깃을 잃고 ***phase of the* ~** 식변상(蝕變相), 식분(蝕分)
— *vt.* **1** 〈천체가〉 가리다(hide); 〈빛·등불의 빛을〉 어둡게 하다 **2** 〈명성·행복 등을〉 그늘지게 하다, 무색하게 하다, 능가하다 ▷ eclíptic, eclíptical *a.*
e·clíps·ing bínary[**váriable**] [iklípsiŋ-] 〖천문〗 식변광성(蝕變光星)
e·clip·sis [iklípsis] *n.* (*pl.* **-ses** [-si:z], **~·es**) 〖언어〗 (문장 일부의) 생략; (선행어의 영향에 따른) 어두(語頭) 자음의 음성 변화 ★ 드물게 ELLIPSIS로도 씀.
e·clip·tic, -ti·cal [iklíptik(əl)] 〖천문〗 *a.* 식(蝕)의, 일식[월식](eclipse)의; 황도(黃道)의 **—** *n.* [the ~] 황도 **-ti·cal·ly** *ad.*
ec·logue [éklɔ:g, -lɑg | -lɔg] *n.* 《시어》 (때때로 대화체의) 목가(牧歌), 전원시; 목가시
e·clo·sion [iklóuʒən] *n.* Ⓤ 〖곤충〗 우화(羽化), 부화(孵化)
ECLSS environmental control and life support system 〖우주공학〗 환경 제어·생명 유지 시스템
ECM electronic countermeasures(⇨ ECCM); European Common Market 유럽 공동 시장
ECNR European Council of Nuclear Research
eco- [ékou, -kə, í:k-] 《연결형》 =EC-¹
ec·o·ac·tiv·ist [èkouǽktivist, ì:k-] *n.* 환경 보호 운동가
ec·o·ac·tiv·i·ty [èkouæktívəti, ì:k-] *n.* Ⓤ 생태 보전 활동, 환경오염 방지 운동
ec·o·ca·tas·tro·phe [èkoukətǽstrəfi, ì:k-] *n.* (환경오염에 의한) 생태계의 대변동
ec·o·cen·tric [èkouséntrik, ì:k-] *a.* 환경 중심의
ec·o·cen·trism [èkouséntrizm, ì:k-] *n.* 환경 중심주의
ec·o·cide [ékəsàid, í:kə-] *n.* Ⓤ 환경 파괴
èc·o·cí·dal *a.*
ec·o·clim·ate [ékouklàimət, í:k-] *n.* 〖생태〗 생태 기후 《생식지의 기후 요인의 총체》
ec·o·de·vel·op·ment [èkoudivéləpmənt, ì:k-] *n.* 환경·경제의 조화를 유지하는 경제 개발
ec·o·doom [èkoudú:m, ì:k-] *n.* 생태계의 대규모 파괴 (예언)
ec·o·doom·ster [èkoudú:mstər, ì:k-] *n.* ecodoom을 예언[경고]하는 사람
ec·o·fal·low [ékoufæ̀lou, í:k-] *n.* 〖농업〗 농지 휴한 농법(休閑農法)
eco·fem·i·nism [èkouféмənizm, ì:k-] *n.* 에코 페미니즘 《환경 운동과 여성 해방 운동의 사상을 통합한 생태 여성론》
ec·o·freak [ékoufrì:k, í:k-] *n.* 《속어·경멸》 열렬한 환경[자연] 보호론자(econut)
ec·o-friend·ly [èkoufréndli, ì:k-] *a.* 환경 친화적인
ec·o·ge·o·graph·ic, -i·cal [èkoudʒì:əgrǽfik(əl), ì:k-] *a.* 〖생태〗 생태 지리적인 《환경의 생태학적인 면과 지리학적인 면의 양쪽에 관련되는》
ec·o·haz·ard [ékouhæ̀zərd, í:k-] *n.* 에코 해저드 《환경 파괴적인 행동 또는 물질》
ecol. ecological; ecology
ec·o·la·bel [ékoulèibl, í:k-] *n.* 에코 라벨 《환경 안전 기준을 지킨 제품임을 보증하는》
é·cole [eikɔ́:l] [F] *n.* (*pl.* **~s** [~]) 학교, 학파(school)
E. co·li [í:-kóulai] 〖세균〗 대장균(Escherichia coli)
ec·o·log·ic, -i·cal [èkəlɑ́dʒik(əl), ì:k- | -lɔ́dʒ-] *a.* 생태학(生態學)의[적인] **-i·cal·ly** *ad.*
ecológical állergy 〖의학〗 생태학적 알레르기 《화학 물질·석유 제품 등에 의한》

---

abnormal (opp. *ordinary, conventional*)
echo *v.* reverberate, resound, reflect, repeat

ecológical árt 환경 예술, 생태학적 예술《자연의 흙·모래·얼음 등을 소재로 한 예술》
ecológical effíciency 〖생태〗 생태 효력, 생태적 효율《물질·에너지의 전이(轉移) 효율》
ecológical fóotprint 생태발자국《인간의 일상생활에 쓰이는 자원과 폐기물 처리에 필요한 토지 면적》
ecológical níche 〖생물〗 생태적 지위
ecológical pýramid 〖생태〗 생태적 피라미드
ecológical succéssion 〖생태〗 생태 천이(遷移)
e·col·o·gist [ikáləd ʒist | ikɔ́l-] *n.* 생태학자(生態學者), 사회 생태학자
e·col·o·gy [ikálədʒi | ikɔ́l-] [Gk「환경과 학문」의 뜻에서] *n.* Ⓤ **1** 생태학(bionomics); 사회 생태학 **2** 생태《*of*》; (생태학적으로 본) 자연[생태] 환경《*of*》 **3** (생태) 환경 보전; 환경 보전 정책
E-COM [í:kàm | -kɔ̀m] [*E*lectronic *C*omputer-*O*riginated *M*ail] *n.* (미) 전자 우편 서비스
e-comm [í:kàm] *n.* =E-COMMERCE
e-com·merce [í:kàmərs | -kɔ̀m-] *n.* 전자 상거래
ec·o·mone [í:koumòun, ék-] [*eco*logy+hor*mone*] *n.* (자연계의 균형에 영향을 미치는) 생태 호르몬
econ. economic(s); economist; economy
ec·o·niche [ékounìtʃ, í:k-] *n.* 생태적 지위
e·con·o·box [ikánəbàks | ikɔ́nəbɔ̀ks] *n.* (미) 경제차《연료 소비가 적은 상자형 자동차의 별명》
e·con·o·met·ric, -ri·cal [ikànəmétrik(əl) | -kɔ̀n-] *a.* 계량 경제학의 **-ri·cal·ly** *ad.*
e·con·o·met·rics [ikànəmétriks | ikɔ̀n-] *n. pl.* [단수 취급] 〖경제〗 계량(計量)[통계] 경제학, 경제 측정학 **-me·trí·cian** *n.* **-rist** *n.*
‡ec·o·nom·ic [èkənámik, ì:k- | -nɔ́m-] *a.* **1** 경제학의: ~ principles 경제학상의 법칙 **2** 경제(상)의: an ~ policy 경제 정책 **3** (드물게) 경제적인, 절약하는 ★ 이 뜻으로는 economical이 보통. **4** (학문적인 것에 대(對)하여) 실리적인, 실용상의(practical) **5** (영) 유익한, 이익이 남는(profitable)
‡ec·o·nom·i·cal [èkənámikəl, ì:k- | -nɔ́m-] *a.* **1** 경제적인, 절약이 되는(saving), 절약하는(thrifty): an ~ stove 절전형 스토브 / an ~ housewife 알뜰한 주부

> 유의어 **economical** 낭비하지 않고 검약을 중시하는: It is *economical* to buy in large quantities. 대량으로 구입하는 것이 경제적이다. **thrifty** 돈이나 물건의 사용이 알뜰한: a *thrifty* bargain hunter 특가품을 찾아다니는 알뜰 살림꾼 **frugal** 의식 등에 돈을 들이지 않고 절약하는: a *frugal* living 검약하는 생활

2 〈말·문체 등이〉 간결한 **3** 경제상의, 경제학의
***be ~ of* [*with*]** …을 절약하다: He *is* ~ *of*[*with*] money[his time]. 그는 돈[시간]을 절약한다.
~·ly *ad.* 경제적으로, 경제상 ▷ ecónomy *n.*
Económic and Mónetary Ùnion (EC의) 경제 통화 동맹
Económic and Sócial Cóuncil [the ~] (국제 연합의) 경제 사회 이사회(略 ECOSOC)
económic ánimal 경제 동물《경제 대국으로서의 일본을 야유하는 호칭》
económic blockáde 경제 봉쇄
económic bótany 실용 식물학
económic cóld wár 경제 냉전《경제 마찰로 인한 국가 간의 대립》
económic críme 경제 범죄《공금 횡령·수회·밀수·부정 축재 등》
Económic Decentralizátion [the ~] 경제력 집중 배제법
económic detérminism (사회·문화 등의) 경제 결정론
económic devélopment zòne (중국의) 경제 개발구(區)
económic geógraphy 경제 지리학
económic góods 경제재(財)
económic grówth ràte 경제 성장률
económic índicator 〖경제〗 경제 지표
económic lífe (기계 설비의) 경제 수명
económic mán 〖경제〗 경제인《경제 원리에 맞게 합리적 행동을 하는 사람》
económic mígrant 〖법〗 경제 이민《경제 생활 향상을 위해 이주하는》
económic módel 〖경제〗 경제 모델
económic refugée 경제 난민
económic rént 〖경제〗 경제 지대(地代)
Económic Repórt [the ~] (미국 대통령의) 경제 보고《연초에 상하 양원에 보냄》
***ec·o·nom·ics** [èkənámiks, ì:k- | -nɔ́m-] *n. pl.* [보통 단수 취급] **경제학**(political economy); [보통 복수 취급] (한 나라의) 경제 상태《*of*》; 경제적 측면, 경제성; 재력, 경제력
económic sánctions 경제적 제재[봉쇄]
económic stríke 경제(적 요구에 의한) 파업
económic wárfare 경제 전쟁
económic zóne 경제 수역(水域)
ecónomies of scále 〖경제〗 규모의 경제《생산 요소 투입량의 증대에 따른 생산비 절약 또는 수익 향상》
e·con·o·mism [ikánəmìzm | ikɔ́n-] *n.* Ⓤ 경제주의, 경제 지상주의
***e·con·o·mist** [ikánəmist | ikɔ́n-] *n.* **1 경제학자** **2** (고어) 경제가; 절약가《*of*》
e·con·o·mi·za·tion [ikànəmizéiʃən | ikɔ̀n-] *n.* Ⓤ 경제화, (금전·시간·노력 등의) 절약, 경제적 사용
***e·con·o·mize** | **-mise** [ikánəmàiz | ikɔ́n-] *vt.* 절약하다; 경제적으로 사용하다; 〈노력·시간·금전 등을〉 유익하게 쓰다
— *vi.* 절약하다, 낭비를 삼가다《*in, on*》
e·con·o·miz·er [ikánəmàizər | ikɔ́n-] *n.* **1** 절약자, 경제가, 검약자(儉約者) **2** (화력·연료 등의) 절약 장치
‡e·con·o·my [ikánəmi | ikɔ́n-] [Gk「가정 관리, 가계」의 뜻에서] *n.* (*pl.* **-mies**) Ⓤ **1 절약**, 검약(frugality); 효율적인 사용《*of*》; [*pl.*] 절약의 실례[방안]: with an ~ *of* words 불필요한 말을 생략하고, 간결하게 **2** Ⓤ **경제**; 경제 상태[생활]; 수입, 벌이한 금액: domestic ~ 가정 경제 **3** 경제 기구 **4** Ⓤ 〖신학〗 (하늘의) 조화; 섭리: the ~ of redemption[salvation] 속죄[구원]의 섭리 **5** (고어) (자연계 등의) 이법(理法), 질서; (유기적) 조직 **6** =ECONOMY CLASS **7** (폐어) 집안 살림 ***~ of truth*** 진리를 형편에 따라 적당히 조절하여 다룸, 사실 그대로 말하지 않음 ***practice* [*use*] *~*** 절약하다
— *a.* Ⓐ 경제적인; (여객기의) 보통석의; 절약형의, 절약형 사이즈의
ecónomy clàss (여객기의) 일반석, 보통석
ecónomy cláss sỳndrome 일반석 증후군《장시간 비행기의 좁은 좌석에 앉아 있어서 생기는 혈전증 등의 증상》
ecónomy of scále 〖경제〗 규모의 경제
e·con·o·my-size [ikánəmisàiz | ikɔ́n-] *a.* Ⓐ **1** 값싸고 편리한[작은] 사이즈의: ~ cars 값싸고 작은 차들 **2** 보통보다 값싸고 큰
e·co·nut [í:kounʌ̀t, ékə-] *n.* (속어) =ECOFREAK
ec·o·pho·bi·a [èkoufóubiə, ì:kou-] *n.* 〖심리〗 주거 공포(증)《자택(부근)의 환경 공포증》
ec·o·phys·i·ol·o·gy [èkoufìziálədʒi, ì:kou- | -ɔ́l-] *n.* 환경 생리학
-o·log·i·cal [-ziəládʒikəl | -lɔ́dʒ-] *a.* **-gist** *n.*
ec·o·pol·i·tics [èkoupálitiks, ì:kou- | -pɔ́l-] *n.* 경제 정치학; 환경 정치[정책]학
ec·o·por·nog·ra·phy [èkoupɔ:rnágrəfi, ì:kou- |

thesaurus **economic** *a.* financial, monetary, budgetary, fiscal, commercial, trade
ecstasy *n.* bliss, rapture, elation, euphoria, joy,

-nɔ́g-] *n.* 환경 문제에 대한 대중의 관심을 이용한 광고
ECOSOC [í:kousɑ̀k | -sɔ̀k] [*Eco*nomic and *So*cial *C*ouncil (of the United Nations)] *n.* (국제 연합의) 경제 사회 이사회
ec·o·spe·cies [ékouspì:ʃiz, í:kou-] *n.* (*pl.* ~) 〖생태〗 생태종(生態種)
ec·o·sphere [ékousfìər, í:kou-] *n.* (우주의) 생물 생존권(生存圈), (특히 지구의) 생물권, 생태권
ec·o·sys·tem [ékousìstəm, í:kou-] *n.* [종종 the ~] 〖생태〗 생태계
ec·o·tage [ékətɑ̀:ʒ] *n.* 공해 반대 운동 《환경 파괴를 막기 위해 실력 행사를 함》
ec·o·tar·i·an [ì:koutέəriən] *n.* 친환경 음식만 먹는 사람 **—** *a.* 친환경 방식의[으로 만든]
ec·o·tec·ture [ékətèktʃər] [*eco*+archi*tecture*] *n.* 환경 우선 건축 디자인 《환경상의 요인을 실용보다 중시하는 디자인》
ec·o·ter·ror·ist [èkoutérərist, ì:kou-] *n.* (공해를 막기 위해 실력 행사를 하는) 활동가 《환경 보전 지역에서의 산업화·개발 등을 반대》 **-ism** *n.*
ec·o·tone [ékətòun, í:kə-] *n.* 〖생태〗 이행대(移行帶), 추이대(推移帶) 《인접하는 생물 군집 간의 이행부》
ec·o·tour·ism [ékoutùərizm, í:kou-] *n.* 자연 환경을 해치지 않는 범위 내에서 행해지는 관광 여행
ec·o·type [ékoutàip, í:kou-] *n.* 〖생태〗 생태형
eco-vil·lage [ì:kouvílidʒ] *n.* 친환경 마을 《가구수는 적지만 환경 보호 노력을 강화한 거주지》
ec·o·war·rior [èkouwɑ́riər | -wɔ́r-] *n.* 환경 전사, 과격한 환경 활동가
ECOWAS [ekóuwəs] [*E*conomic *Co*mmunity of *W*est *A*frican *S*tates] *n.* 서아프리카 제국 경제 공동체
ECR electronic cash register 전자식 금전 등록기
ec·ru [ékru:, éikru:] [F] *n.* Ⓤ, *a.* 베이지(색)(의), 엷은 갈색(의)
ECS European Communications Satellite 유럽 통신 위성 **ECSC, E.C.S.C.** European Coal and Steel Community 〖경제〗 유럽 석탄 철강 공동체
ec·sta·size [ékstəsàiz] *vt., vi.* 황홀하게 하다[해지다], 무아경에 이르게 하다[이르다]
ec·sta·sy** [ékstəsi] [Gk 「사람을 의식 밖에 놓다」의 뜻에서] *n.* (*pl.* **-sies**) **1** 무아경, 황홀경(rapture); 환희, 광희(狂喜) **2** (시인 등의) 망아(忘我), 법열(法悅) **3** 〖심리〗 엑스터시, 의식 혼탁 상태, 정신 혼미 **4** [때로 **E~**] (미·속어) 엑스터시 《환각·각성제의 일종; 略 XTC》 ***be in ecstasies over …에 아주 정신이 팔려 있다 ***go*** [***get***] ***into ecstasies over*** …의 무아경에 이르다 ▷ ecstátic *a.*
ec·stat·ic [ekstǽtik] *a.* 희열에 넘친, 완전히 마음이 팔린; 황홀한, 무아경의 **—** *n.* 황홀경에 빠지는 사람; [*pl.*] 황홀경(raptures) **-i·cal·ly** *ad.*
ECT electroconvulsive therapy 〖정신의학〗 전기 충격 요법
ect- [ekt], **ecto-** [éktou, -tə] 《연결형》 「외(부)」의 뜻 《모음 앞에서는 ect-》(opp. *endo-*)
ec·to·blast [éktəblæ̀st] *n.* 〖생물〗 =ECTODERM
ec·to·crine [éktəkrin, -krì:n] *n.* 〖생화학〗 엑토크린, 외부 대사(代謝) 산물; 외분비(물)
ec·to·derm [éktədə̀:rm] *n.* 〖생물〗 **1** 외배엽 **2** 외피; (무장(無腸) 동물 등의) 외세포층
ec·to·en·zyme [èktouénzaim] *n.* 〖생화학〗 체외(體外) 효소, 세포 외 효소 《체외에 분비된》
ec·to·gen·e·sis [èktoudʒénəsis] *n.* 〖생물〗 체외 발생 《배(胚)가 인공 환경 따위 생체 외에서 발생하는》
ec·tog·e·nous [ektɑ́dʒənəs | -tɔ́dʒ-] *a.* 〈박테리아·기생체 등이〉 외생(外生)의, 숙주의 체외에서 발육하는
ec·to·hor·mone [èktouhɔ́:rmoun] *n.* 〖생화학〗 외분비[엑토] 호르몬(pheromone) **-hor·món·al** *a.*
ec·to·morph [éktəmɔ̀:rf] *n.* 〖심리〗 외배엽형[마르고 키가 큰 형]의 사람; 허약 체질자
ec·to·mor·phic [èktəmɔ́:rfik] *a.* 〖심리〗 외배엽형의; 허약한(asthenic)
ec·to·mor·phy [éktəmɔ̀:rfi] *n.* 〖심리〗 외배엽형
-ectomy [éktəmi] 《연결형》 「…절제(술)」의 뜻: append*ectomy*, tonsill*ectomy*
ec·to·par·a·site [èktoupǽrəsait] *n.* 〖동물〗 체외 기생충 《진드기 등》
ec·to·phyte [éktəfàit] *n.* 외부 기생 식물 《동물이나 다른 식물의 외부에 기생하는 식물》
ec·to·pi·a [ektóupiə] *n.* 〖의학〗 (내장 등의) 선천성 위치 이상(異常), 전위(轉位)
ec·top·ic [ektɑ́pik | -tɔ́p-] *a.* 〖병리〗 정규 장소 밖의
ectópic prégnancy 자궁 외 임신
ec·to·plasm [éktəplæ̀zm] *n.* **1** 〖생물〗 외부 원형질 **2** 〖심령술〗 (영매(靈媒)의 몸에서 나오는) 가상의 심령체 **èc·to·plas·mát·ic, èc·to·plás·mic** *a.*
ec·to·therm [éktəθə̀:rm] *n.* 〖동물〗 변온 동물, 냉혈 동물 **èc·to·thér·mic** *a.*
ec·tro·pi·on [ektróupiɑ̀n | -ɔ̀n] [G] *n.* 〖의학〗 안검 외반(眼瞼外反) 《눈꺼풀이 뒤집혀 안구 결막이 외면으로 노출된 상태, 눈을 감지 못하고 시력이 나빠짐》
ec·type [éktaip] *n.* 모형(模型), 복사; 〖건축〗 부조(浮彫) **ec·ty·pal** [éktəpəl, -tai-] *a.*
ECU, ecu [eikú:, í:si:jú:] [*E*uropean *C*urrency *U*nit] *n.* 유럽 화폐 단위 《유럽 공동체 통화의 계산 단위》
é·cu [eikjú:] [F] *n.* (*pl.* **~s** [-z]) (특히 17-18세기의) 프랑스 은화
ECU extreme closeup **E.C.U.** English Church Union **Ecua.** Ecuador
Ec·ua·dor [ékwədɔ̀:r] [Sp. =equator] *n.* 에콰도르 《남미 북서부의 공화국; 수도 Quito》
Èc·ua·dó·ran *n., a.* **Ec·ua·do·re·an, -ri·an** [èkwədɔ́:riən] *n., a.* 에콰도르 사람(의)
ec·u·men·ic, -i·cal [èkjuménik(əl) | ì:k-] [Gk 「전 세계에서」의 뜻에서] *a.* 세계적인, 전반적인, 보편적인; 전(全) 그리스도 교회의, 세계 그리스도교(회) 통일의; 요소가 혼합한, 섞인 **-i·cal·ly** *ad.*
ecuménical cóuncil [종종 **E- C-**] 공회의(公會議); 세계 교회 회의
ec·u·men·i·cal·ism [èkjuménikəlìzm | ì:k-] *n.* Ⓤ 〖그리스도교〗 세계 교회주의[운동], 전(全) 그리스도 교회 통일주의
ecuménical mòvement 세계 교회 운동
ecuménical pátriarch 총(總)대주교 《그리스 정교회의 최고 주교》
ec·u·men·i·cism [èkjuménəsìzm | ì:k-] *n.* = ECUMENISM
ec·u·me·nic·i·ty [èkjumənísəti, -me- | ì:k-] *n.* 그리스도교 각파의 세계적 통합 상태
ec·u·me·nism [ékjumənìzm, ikjú:- | í:kju-] *n.* Ⓤ (교파를 초월한) 세계 교회주의 **-nist** *n.*
ec·u·me·nop·o·lis [èkjumənɑ́pəlis, ekjù:m- | èkjuminɔ́p-] *n.* 세계 도시
e-cur·ren·cy [í:kə̀:rənsi] *n.* 〖컴퓨터〗 전자 화폐
ECWA Economic Commission for Western Asia (국제 연합의) 서아시아 경제 위원회
ec·ze·ma [éksəmə, égzə-, igzí:- | éksimə] *n.* Ⓤ 〖병리〗 습진 **ec·zem·a·tous** [igzémətəs, -zí:mə- | eksém-] *a.*
ed [éd] *n.* (구어) 교육(education): a course in driver's ~ 운전 교육 과정
Ed [éd] *n.* 남자 이름 《Edgar, Edmund, Edward, Edwin의 애칭》
ED Department of Education 교육부; effective dose (약의) 유효량 **ed.** edited; edition; editor; education **E.D.** election district; ex dividend
-ed [《d 이외의 유성음(有聲音) 뒤》 d; 《t 이외의 무성음 뒤》 t; 《t, d의 뒤》 id] *suf.* **1** [규칙동사의 과거·

---

exultation (opp. *anguish, misery, torment*)
ecstatic *a.* blissful, joyous, jubilant, elated, joyful, in the seventh heaven

과거분사를 만듦]: call>call*ed*, call*ed*; talk>talk*ed*, talk*ed*; mend>mend*ed*, mend*ed* **2** [명사로부터 형용사를 만듦] 「…을 가진, …을 갖춘, …에 걸린」의 뜻: armor*ed* 갑옷을 입은, 장갑(裝甲)한; wing*ed* 날개가 있는; diseas*ed* 병에 걸린 ★ 형용사일 경우 [t, d] 이외의 음 뒤에서도 [id, əd]라고 발음되는 것이 있음: ag*ed*, bless*ed*, legg*ed*

EDA Economic Development Administration 경제 개발청

e·da·cious [idéiʃəs] *a.* 《문어·익살》 탐식(貪食)하는, 대식(大食)의 ~·**ly** *ad.*

e·dac·i·ty [idǽsəti] *n.* Ⓤ 《문어·익살》 왕성한 식욕; 대식

E·dam [í:dəm, í:dæm] *n.* 에담 치즈 《겉을 빨갛게 물들인 네덜란드산 치즈》(=~ **chéese**)

ed·a·ma·me [èdəmɑ́:mei] [Jap. *eda*(=twig, branch)+*mame*(=bean)] *n.* 깍지 완두콩 《주로 소금물에 삶아서 먹음》

e·daph·ic [idǽfik] *a.* 〖식물〗 토양(土壤)의; 〖생태〗 토양에 관련된; (기후보다는) 토양의 영향을 받는; 토착의(autochthonous) **-i·cal·ly** *ad.*

edáphic clímax 〖생태〗 토양적 극상(極相)

E-Day [í:dèi] [*e*ntry *day*] *n.* (영국의) EC 가입 기념일 《1973년 1월 1일》

EDB ethylene dibromide 이(二)브롬화(化) 에틸렌 《살충제》 **Ed.B.** Bachelor of Education

ed·biz [édbìz] [*ed*ucation+*biz*] *n.* 《미·속어》 교육 산업

E.D.C., EDC European Defense Community 유럽 방위 공동체

É/D cárd [*e*mbarkation and *d*isembarkation] 출입국 카드

ed. cit. the edition cited 인용[참조]판 **Ed.D.** Doctor of Education 교육학 박사 **E.D.D.** English Dialect Dictionary

Ed·da [édə] *n.* [the ~] 에다 《북유럽의 신화·시가집(詩歌集)》 ***the Elder*** [***Poetic***] ~ 고(古)에다 《1200년경에 만들어진 고대 북유럽 신화·전설의 시집》 ***the Younger*** [***Prose***] ~ 신(新)에다 《1230년경에 만들어진 시작(詩作)의 안내서》

Ed·die [édi] *n.* 남자 이름 《Edgar, Edward의 애칭; cf. ED》

Éd·ding·ton('s) límit [édiŋtən(z)-] 〖천문〗 에딩턴 한계 광도 《일정 질량의 천체가 낼 수 있는 빛의 최대한의 밝기》

***ed·dy** [édi] *n.* (*pl.* **-dies**) 소용돌이, 회오리바람; (먼지 바람·안개·연기 등의) 회오리; 역류; (사상·정책·예술·철학 등의) 반주류(反主流)(파)

— *vi.*, *vt.* (**-died**) 소용돌이치다[치게 하다]

éddy cùrrent 〖전기〗 와상(渦狀) 전류 《자장을 변동시킬 때 도체 안에 생김》

e·del·weiss [éidlvàis, -wàis | -vàis] *n.* [G 「고상한」과 「흰」의 뜻에서] 〖식물〗 에델바이스 《알프스산 고산 식물; 스위스 국화》

edelweiss

e·de·ma [idí:mə] *n.* (*pl.* **~s, ~·ta** [-tə]) ⓊⒸ 〖병리〗 부종(浮腫), 수종(水腫) **e·dem·a·tous** [idémətəs, idí:m-] *a.*

***E·den**[1] [í:dn] [Heb. 「기쁨」의 뜻에서] *n.* 〖성서〗 에덴 동산 《인류의 시조 Adam과 Eve가 살았다는 낙원》; 낙토, 낙원; 극락(의 상태)

Eden[2] *n.* 남자[여자] 이름

e·den·tate [i:dénteit] *a.* 이가 없는; 〖동물〗 (앞니와 송곳니가 없는) 빈치류(貧齒類)의

— *n.* 〖동물〗 빈치류의 동물 《개미핥기·나무늘보 등》

e·den·tu·lous [i:déntʃuləs] *a.* 이가 없는(toothless)

EDF European Development Fund 유럽 개발 기금

Ed·gar [édgər] *n.* **1** 남자 이름 《애칭 Ed》 **2** 에드거상(賞) 《미국에서 매년 우수한 추리 소설가에게 수여하는 E. A. Poe의 소흉상(小胸像)》

‡**edge** [édʒ] *n.*, *v.*

> 「날」→(날처럼) 날카로운 것→(물건의) 「가장자리」→「전, 테두리」→「변두리, 끝」

— *n.* **1** 가장자리, 모; 끝, 가, 언저리, 변두리; (봉우리·지붕 등의) 등, 등성마루(crest): the water's ~ 물가 **2 a** (날붙이의) 날(⇨ blade 유의어); (날의) 날카로움: have no ~ 날이 들지 않다 **b** [보통 an ~, the ~] (욕망·말 등의) 날카로움, 격렬한 《*of*》: *a* fine ~ *of* cynicism 통렬한 비꼼 **3** 《미·구어》 우세, 유리(advantage) 《*on*, *over*》: a decisive military ~ *over* the enemies 적에 대한 결정적인 군사적 우위 **4** 경계; 위기, 위태한 판국 **5** 《속어》 거나한 기분: have an ~ on 한잔하여 거나한 기분이다

be all on ~ (*to* do) (…하고 싶어) 몹시 초조해하고 있다, 안달하다, 안절부절못하다 ***by the ~ of the sword*** 칼을 들이대고 ***do the inside*** [***outside***] ~ 〖스케이트〗 안[바깥]쪽 날로 지치다 ***gilt ~s*** (책의) 도금한 언저리 《제본하여 등을 제외한 부분(위·배·아래)에 도금한》 ***give*** a person ***the ~ of*** one***'s tongue*** …을 호되게 꾸짖다 ***have*** [***get***] ***an*** [***the***] ***~ on*** a person 《미》 …보다 우세하다 ***not to put too fine an ~ upon it*** 노골적으로 말하면 ***on ~*** 초조하여; 불안하여 ***on the ~ of*** …의 가장자리[모서리]에; 막 …하려는 찰나에 ***on the ~ of*** one***'s seat*** 몹시 흥분하여, 완전히 매료되어 ***over the ~*** 《구어》 머리가 돌아서, 미쳐서: go *over the* ~ 미치다 ***put an ~ on*** a knife (칼)을 갈다, 날을 세우다 ***put*** a person ***to the ~ of the sword*** 칼로 베어 죽이다 ***set an ~ on*** [***to***] 〈식욕 등을〉 돋우다 ***set ... on ~*** …을 모로 세우다; …을 날카롭게 하다; …을 초조하게 하다: *set* one's nerves *on* ~ …의 신경을 날카롭게 하다 ***set*** one***'s*** [***the***] ***teeth on ~*** 〈소음 등이〉 이를 갈게 하다, 진저리나게 하다; 신물이 나도록 불쾌하게 하다; 초조하게 하다 ***take the ~ off*** 〈날붙이의 날을〉 무디게 하다; (힘·감흥(感興) 등의) 기세를 무디게 하다, 꺾다 ***take the ~ off*** one***'s appetite*** (가벼운 식사로) 요기하다

— *vt.* **1** 〈칼에〉 날을 세우다; 날카롭게 하다(sharpen): (~+목+보) ~ a knife sharp 칼을 날카롭게 갈다 **2** …에 테를 달다, …을 (…으로) 가두르다 《*with*》; (언덕 등이 …의) 언저리가 되다: Hills ~ the village. 마을은 언덕에 둘러싸여 있다. // (~+목+전+명) ~ a road *with* trees 길을 따라 나무를 심다 **3** 비스듬히 나아가다; 서서히[조금씩] 나아가다[움직이다] 《*away*, *into*, *in*, *out*, *off*, *nearer*》: (~+목+전+명) He ~*d* his way *through* the crowd. 그는 군중을 헤치고 나아갔다. // (~+목+부) I ~*d* my chair *nearer* to the fire. 나는 의자를 불 쪽으로 조금씩 당겼다. **4** 《구어》 …에게 근소한 차로 이기다, …을 간신히 이기다

— *vi.* (일정한 방향으로) 비스듬히 나아가다, 조금씩 나아가다: (~+전+명) ~ *along* a cliff 벼랑을 따라 조금씩 나아가다

~ along 비스듬히 나아가다 ***~ away*** (***off***) 〖항해〗 (배가) 차차 떨어져[멀어져] 가다 ***~ down upon*** a ship 〖항해〗 (배에) 서서히 접근하다 ***~ in*** 서서히 (해안에) 접근하다 《*with*》; 〈말을〉 끼워 넣다 ***~ into*** 천천히 나아가다[움직여 가다] ***~*** a person ***on*** …을 격려하여 …시키다 《*to* do》 ***~ out*** (조심하여) 천천히 나오다; 《미》 …에 근소한 차로 이기다, 간신히 이기다 ***~ out of*** 차차 …에서 쫓아내다 ***~ oneself into*** …에 끼어들다, 서서히 들어가다 ***~ up*** 차츰 다가서다 《*to*, *on*》

edge·bone [édʒbòun] *n.* =AITCHBONE

thesaurus **edge** *n.* **1** 가장자리 border, side, boundary, rim, margin, fringe **2** 날카로움 sting,

édge cìty 1 (속어) (긴장·흥분 등의) 극한 상태 《마약 복용자 등이 경험하는》 **2** (미·구어) 에지 시티 《도시 주변부의 쇼핑센터·오피스 빌딩·주택 등의 밀집 지역》
edged [édʒd] *a.* **1** 날이 있는: double-~ 양날의 **2** 〈풍자 등이〉 통렬한 **3** 가장자리가 있는 **4** 거나하게 취한
édge effèct 〖생태〗 주변 효과 《생물 군집 천이대(帶)에서의 군집 구조》
edge·less [édʒlis] *a.* **1** 날이 없는; 무딘(blunt) **2** 가장자리[모서리]가 없는
edge-of-the-seat [édʒəvðəsíːt] *a.* 〈광경 등이〉 자신도 모르게 좌석에서 몸을 일으킬 정도의
edg·er [édʒər] *n.* 가를 잘라내는 톱; 가장자리 마무리공
édge tòol 칼붙이, 날붙이 ***play with ~s*** 날이 선 연장으로 장난하다; 위험한 짓을 하다
edge·ways [édʒwèiz], **-wise** [-wàiz] *ad.* **1** 날[가장자리, 끝]을 밖으로 대고; 언저리[가장자리]를 따라서 **2** 〈두 물건이〉 끝과 끝을 맞대고 ***get a word in ~*** (구어) (기회를 보아) 한마디 하다, 말참견하다
edg·ing [édʒiŋ] *n.* **1** Ⓤ 가두리 침, 테두름 **2** 가장자리 장식, (화단 등의) 가두리 **3** 〖스키〗 에징 《스키의 모서리로 눈 위에 저항을 주는 동작》
édging shèars 잔디 가위
edg·y [édʒi] *a.* (**edg·i·er**; **-i·est**) **1** 날이 날카로운 **2** (구어) 초조한; 신랄한 **3** 〈그림 등이〉 윤곽이 뚜렷한 **édg·i·ly** *ad.* **édg·i·ness** *n.*
edh, eth [éð] *n.* 에드 《ð자; 고대 영어 자모의 하나; cf. THORN》
EDI 〖컴퓨터〗 electronic data interchange
ed·i·bil·i·ty [èdəbíləti] *n.* Ⓤ 식용(食用)에 알맞음, 먹을 수 있음
*__ed·i·ble__ [édəbl] *a.* 먹을 수 있는, 식용에 알맞은(eatable): ~ fat[oil] 식용 지방[기름]
— *n.* [보통 *pl.*] 식품 **~·ness** *n.*
e·dict [íːdikt] *n.* **1** (국왕·정부·당국 등이 발포하는) 포고(布告), 칙령(勅令)(decree): a Royal[an Imperial] ~ 칙령 **2** 《일반적으로》 명령 ***E~ of Nantes*** [the ~] 〖프랑스사〗 낭트 칙령 《1598년 Henry 4세가 신교도에 대해 예배의 자유 등을 인정한 칙령》
ed·i·fi·ca·tion [èdəfikéiʃən] *n.* Ⓤ (덕성(德性) 등의) 함양; 계발, 교화, 사상 선도
*__ed·i·fice__ [édəfis] *n.* **1** 건물; 대건축물: a holy ~ 대성당 **2** (지적인) 구성물, 체계: build the ~ of knowledge 지식의 체계를 세우다
édifice còmplex 거대 건축 지향 《행정 계획이나 건축가의 구상 등에서》
ed·i·fy [édəfài] [L 「건조(建造)하다」의 뜻에서] *vt.* (**-fied**) 덕성을 북돋우다; (도덕적·정신적으로) 교화하다, 계발하다 **-fi·er** *n.*
ed·i·fy·ing [édəfàiiŋ] *a.* 계발하는; 교훈적인 **~·ly** *ad.*
e·dile [íːdail] *n.* = AEDILE
Edin. Edinburgh
Ed·in·burgh [édnbəːrə, -bʌ̀rə | -bərə] *n.* **1** 에든버러 《스코틀랜드의 수도》 **2** 에든버러공(公) **the Duke of ~** (1921-) 《현 영국 여왕 Elizabeth 2세의 부군》
Édinburgh (Internátional) Féstival [the ~] 에든버러 축제 《매년 여름에 개최되는 국제 음악·연극제》
Ed·i·son [édəsn] *n.* 에디슨 **Thomas A. ~** (1847-1931) 《미국의 발명가》
Édison effèct [the ~] 〖물리〗 에디슨 효과
*__ed·it__ [édit] *vt.* **1** 편집하다 **2** 〈신문·잡지·영화 등을〉 편집 (발행)하다 **3** 교정하다, 〈신문의 내용 등을〉 수정하다 **4** 〖컴퓨터〗 〈데이터를〉 편집하다 **5** 〖유전〗 (유전자의) 배열을 바꾸다 **~ out** 삭제하다
— *n.* (구어) 편집 (작업); 편집 항목; (신문의) 사설 **~·a·ble** *a.* ▷ edítion, éditor *n.*
edit. edited; edition; editor
E·dith [íːdiθ] *n.* 여자 이름
éd·it·ing tèrminal [éditiŋ-] 〖컴퓨터〗 편집 단말(端末) 장치 《텍스트 편집용 컴퓨터 입출력 장치(input/output device)》
‡**e·di·tion** [idíʃən] *n.* **1** (초판·재판의) 판(版) 《같은 판으로, 1회에 발행한 책 전부》: the first ~ 초판/go through ten ~*s* 10판을 거듭하다

> 유의어 **edition** 개정·증보 또는 판형·정가 등을 변경하여 새로 인쇄·발행한 것을 말한다. **impression** 원판을 변경함이 없이 그대로 인쇄·발행한 것: the second *impression* of the first edition 초판의 제2쇄

2 (보급판·호화판의) 판: a cheap[pocket, popular] ~ 염가[포켓, 보급]판/a revised[an enlarged] ~ 개정[증보]판/a desk[a library] ~ 탁상[도서관]판 **3** 총서(叢書) **4** (비유) 복제(複製)(물): an inferior ~ of his father 아버지만 못한 아들 ▷ édit *v.*
e·di·tion·al·ize [idíʃənəlàiz] *vi.* (신문을) 판제(版制)로 발행하다
edítion bìnding 〖제본〗 미장(美裝) 제본 《장식적 체제를 중요시함》
é·di·tion de luxe [idíʃən-də-lúks] [F] 호화판
e·di·ti·o prin·ceps [idíʃiòu-prínseps] [L] 초판(first edition)
‡**ed·i·tor** [édətər] *n.* **1** 편집자, 교정자 **2** 편집 책임자, 편집장; 편집 발행인; 엮은이 **3** (신문의) 주필, 논설위원((미) editorial writer, (영) leader writer) **4** 편집기 《영화 필름·자기 테이프 등의》 ***a city ~*** (미) 사회 부장; (영) 경제 부장 ***a financial ~*** (미) 경제란 담당 기자 ***a managing ~*** 편집국장 ***chief ~*** = ***~ in chief*** 편집장, 주간, 주필(cf. SUBEDITOR); (각부) 부장
‡**ed·i·to·ri·al** [èdətɔ́ːriəl] *n.* (신문·잡지의) 사설, 논설((영) leading article, leader); (라디오·TV 방송국의 소견을 말하는) 성명 방송
— *a.* **1** 편집자의, 편집(상)의: an ~ office 편집실/the ~ staff 편집부원 **2** 사설[논설]의: an ~ article 사설/an ~ writer (미) 사설 담당 기자, 논설위원/an ~ paragraph[note] 사설란의 소론(小論)[단평]/~ 'we', 우리 《필자의 자칭》
~·ly *ad.* 편집 주간(主幹)으로서, 주필[편집장]의 자격으로; 사설로서[에서]
editórial àdvertising (신문의) 기사체 광고
ed·i·to·ri·al·ist [èdətɔ́ːriəlist] *n.* (신문의) 논설위원(editorial writer)
ed·i·to·ri·al·ize [èdətɔ́ːriəlàiz] *vi., vt.* 사설로 논하다; (사실 보도에) 사견을 섞다 《*on, about*》
ed·i·tò·ri·al·i·zá·tion *n.* **-ìz·er** *n.*
editórial mátter 〖광고〗 편집 기사면
ed·i·tor·ship [édətərʃìp] *n.* Ⓤ 편집인[장]의 지위[직무, 임기]; 편집 수완; 교정
ed·i·tress [édətris] *n.* EDITOR의 여성형
édit suìte (전자 기기가 있는) 비디오 편집실
édit tràce (전자 출판에서) 편집상 변경 과정의 기록
-ed·ly [idli] *suf.* -ed로 끝나는 단어의 부사 어미
★ -ed를 [d] [t]로 발음하는 단어에 -ly, -ness를 붙이는 경우, 그 앞의 음절에 악센트가 있을 때는 흔히 [-id]로 발음함: deserv*edly* [dizə́ːrvidli]
Edm. Edmond; Edmund **Ed.M.** Master of Education 교육학 석사(碩士)
Ed·mond, Ed·mund [édmənd] *n.* 남자 이름 《애칭 Ed, Ned》
Ed·na [édnə] *n.* 여자 이름
E·dom [íːdəm] *n.* **1** 〖성서〗 에돔 《Jacob의 형 Esau의 별칭》 **2** 에돔 《고대 팔레스타인에 근접한 사해 남방의 고대 왕국》

---

sharpness, severity, pointedness, acerbity
edit *v.* revise, correct, modify, rewrite, check

E·dom·ite [íːdəmàit] *n.* 〖성서〗 에돔 사람 《Esau 또는 Edom의 자손》
EDP electronic data processing 전자 데이터 처리 **EDPM** electronic data processing machine 전자 데이터 처리 기계 **EDPS** electronic data processing system 전자 데이터 처리 조직 **EDR** European Depository Receipt 유럽 예탁 증권 **Ed.S.** Education Specialist **eds.** editors **E.D.T., EDT** Eastern daylight time 《미》 동부 서머 타임 **EDTA** ethylenediaminetetraacetic acid 〖화학〗 에틸렌디아민 사초산(四醋酸) 《혈액 응고 방지제》 **educ.** educated; education; educational
Ed·sel [édsəl] [미국 Ford 사의 자동차 Edsel의 대실패에서] *n.* 《미·구어》 실패작, 쓸모없는 것, 팔리지 않는 상품
ed·u·ca·bil·i·ty [èdʒukəbíləti] *n.* Ⓤ 교육의 가능성
ed·u·ca·ble [édʒukəbl] *a.* 〈사람이〉 교육할 수 있는
*__ed·u·cate__ [édʒukèit] [L 「끌어내다」의 뜻에서] *vt.* **1** 교육하다, 육성하다; 〈정신을〉 도야(陶冶)하다, 훈육하다: (~+목+전+명) ~ a person *for* a thing …을 어떤 일에 적합하도록 교육하다 **2** 〈특수 능력·취미 등을〉 기르다; 〈귀·눈 등을〉 훈련하다(train) 《*in, to*》; 〈동물을〉 길들이다(train): (~+목+전+명) ~ a person *in* art …을 훈련하여 예술적 재능을 키우다/~ the eye *in* painting 그림을 보는 안목을 기르다 **3** [종종 수동형으로] 학교에 보내다, 교육을 받게 하다(⇨ teach 유의어): (~+목+전+명) He *is* ~*d in* law [*at* a college]. 그는 법률[대학에서] 교육을 받고 있다. —*vi.* 교육[훈련]하다 ~ one***self*** 독학[수양]하다 ~ ***the ear*** [***eye***] 듣고[보고] 경험을 쌓다 《*to*》
‡**ed·u·cat·ed** [édʒukèitid] *a.* Ⓐ **1** 교육받은, 교양 있는: an ~ and sensitive woman 교양 있고 섬세한 여성/a Harvard-~ lawyer 하버드 출신의 변호사 **2** 《구어》 지식[경험]에 의한; 근거가 있는: an ~ guess 경험에서 나온 추측 **~·ly** *ad.* **~·ness** *n.*
ed·u·ca·tee [èdʒukeitíː] *n.* 학생, 피교육자
‡**ed·u·ca·tion** [èdʒukéiʃən] *n.* Ⓤ **1** 교육, 훈련: intellectual[moral, physical] ~ 지육[덕육, 체육]/get[give] a good ~ 훌륭한 교육을 받다[시키다]

> 유의어 **education** 사람이 익힌 전반적인 능력·지식 및 그것을 익히기에 이르는 과정을 뜻하는 말이다. **training** 일정 기간에 어떤 목적을 갖고 행하는 특정 분야에서의 실제적인 교육: on-the-job *training* 현장 교육[실습] **instruction** 학교 등에서의 조직적인 교육: have very little formal *instruction* 정규 교육을 거의 받지 못하다

2 [때로 an ~] 《직업을 위한》 전문적 교육 **3** [때로 an ~] 학교 교육: *a* university[college] ~ 대학 교육 **4** 《품성·능력 등의》 도야, 훈육, 양성(養成) **5** 교육학, 교수법 **6** 《동물을》 길들임, 훈련(training); 《꿀벌·박테리아 등의》 사육, 배양 ***the Ministry of E-*** 교육부
‡**ed·u·ca·tion·al** [èdʒukéiʃənl] *a.* 교육상의; 교육적인: an ~ age 교육 연령 《略 EA》/~ films 교육 영화 **~·ist** *n.* =EDUCATIONIST **~·ly** *ad.*
ed·u·cá·tion·al-in·dús·tri·al cómplex [-indʌ́striəl-] 산학(産學) 협동[복합] (체제)
educátional párk 학교 (교육) 공원[단지] 《각종 교육 기관을 일정한 지역에 집중시켜 시설을 공용하도록 만듦》
educátional psychólogy 교육 심리학
educátional sociólogy 교육 사회학
educátion(al) technólogy 교육 공학
educátional télevision 《미》 교육 텔레비전 (프로) 《略 ETV》
ed·u·ca·tion·ese [èdʒukèiʃəníːz] *n.* 교육학자의 용어[어법]
ed·u·ca·tion·ist [èdʒukéiʃənist] *n.* **1** 교육 전문가 **2** 《경멸》 교육학자
educátion tàx 교육세(diploma tax)
ed·u·ca·tive [édʒukèitiv | -kət-] *a.* 교육적인, 교육상 유익한, 교육의
*__ed·u·ca·tor__ [édʒukèitər] *n.* 교육자[가], 교사(teacher); 교육 전문가[학자]; 교육 행정가
ed·u·ca·to·ry [édʒukətɔ̀ːri | -təri] *a.* 교육에 도움이 되는, 교육적인; 교육(상)의
e·duce [idjúːs | idjúːs] *vt.* 《문어》 **1** 《드물게》 〈잠재하여 있는 성능 등을〉 끌어내다(cf. EDUCATE) **2** 〈결론 등을〉 끌어내다, 추단(推斷)하다; 연역(演繹)하다 **3** 추출(抽出)하다
e·duc·i·ble [idjúːsəbl | idjúːs-] *a.* 추출[연역]할 수 있는, 이끌어낼 수 있는
ed·u·crat [édʒukræ̀t] *n.* 《미》 교육 행정가[관료]
e·duct [íːdʌkt] *n.* 추출물, 추론의 결과; 〖화학〗 유리체(遊離體)
e·duc·tion [idʌ́kʃən] *n.* Ⓤ 끌어냄; 계발; 추론; 배출; 추출; Ⓒ 추출물
edúction pìpe 〖기계〗 배기관
edúction vàlve 〖기계〗 배기판(瓣)
e·duc·tive [idʌ́ktiv] *a.* 끌어내는, 추론[추단]하는
e·dul·co·rate [idʌ́lkərèit] *vt.* 신맛[짠맛, 떫은맛]을 빼다, 우려내다; 《폐어》 달게 하다; 〖화학〗 가용성(可溶性) 물질[혼합물]을 추출하다
e·dùl·co·rá·tion *n.*
ed·u·tain·ment [èdʒutéinmənt] [*edu*cation+enter*tainment*] *n.* 교육적이고 흥미 있는 TV 방송·책·소프트웨어 《특히 초등학생들을 위한》
Edw. Edward; Edwin
Ed·ward [édwərd] *n.* 남자 이름(cf. ED, NED, TED)
Ed·ward·i·an [edwɔ́ːrdiən, -wɑ́ːr- | -wɔ́ː-] *a.* 《영국의》 에드워드왕 시대의 《특히 7세의》; 《에드워드 7세 시대의 특징인》 자기 만족과 유복함을 반영하는 —*n.* 에드워드 (7세) 시대 사람
Édwards Áir Fórce Bàse 《미》 에드워드 공군 기지 《캘리포니아 주 소재; 항공 테스트 센터가 있음》
Édward the Conféssor 에드워드 참회왕 **Saint** ~ (1002?-66) 《Westminster 성당을 세운 영국 왕 (1042-66)》
Ed·win [édwin] *n.* 남자 이름 《애칭 Ed, Ned》
Ed·wi·na [edwíːnə] *n.* 여자 이름
e.e. errors excepted 틀린 것은 제외하고 **E.E.** Early English; electrical engineer; electrical engineering
'ee [iː] *pron.* 《속어》 ye(=you)의 생략형: Thank'*ee*. 고맙네.
-ee¹ [íː, ìː] *suf.* 「행위자(agent)를 나타내는 명사 어미 -or에 대하여 보통 그 작용을 받는 사람」의 뜻: address*ee*, employ*ee*, pay*ee*
-ee² *suf.* 지소사(指小辭) 어미(cf. -IE): goat*ee*
E.E. & M.P. Envoy Extraordinary and Minister Plenipotentiary 특명 전권 공사 **EEC** European Economic Community 유럽 경제 공동체, 유럽 공동 시장 **EEG** electroencephalogram 〖의학〗 뇌파도
ee·jay [íːdʒèi, ⌐⌐] *n.* =ELECTRONIC JOURNALISM
ee·jit [íːdʒit] *n.* 《아일·스코·속어》 바보, 멍청이 (idiot)
eek [íːk] *int.* 《미》 이크, 아이쿠
*__eel__ [íːl] *n.* (*pl.* **~, ~s**) **1** 〖어류〗 뱀장어 **2** 뱀장어같이 잘 빠져나가는 사람[물건] **3** =EELWORM (***as***) ***slippery as an*** ~ 《뱀장어처럼》 미끈미끈한; 《비유》 붙잡을 수가 없는, 요리조리 잘 빠져나가는, 꼬리를 잡히지 않는
éel bùck 《영》 =EELPOT
eel·grass [íːlgræ̀s | -grɑ̀ːs] *n.* 〖식물〗 거머리말 《거머리말속(屬)의 바닷말》; 나사말(tape grass)
eel·pot [íːlpɑ̀t | -pɔ̀t] *n.* 《미》 뱀장어를 잡는 통발

thesaurus **educate** *v.* instruct, teach, school, tutor, coach, train, drill, inform, enlighten, cultivate, develop, improve, rear, nurture, foster

eel·pout [í:lpàut] *n.* (*pl.* **~, ~s**) 〖어류〗 등가시치
eel·spear [í:lspìər] *n.* 뱀장어 작살
eel·worm [í:lwə̀:rm] *n.* 〖동물〗 선충(류)
eel·y [í:li] *a.* (**eel·i·er**; **-i·est**) 뱀장어 같은(eel-like); 미끈미끈한, 요리조리 잘 빠져나가는, 붙잡을 수 가 없는; 몸을 비비 꼬는
e'en[1] [í:n] *ad.* 《시어》 = EVEN[1]
e'en[2] *n.* 《시어》 = EVEN[2]
ee·nie, mee·nie, mi·nie, moe [ì:ni-mì:ni-máini-mòu] *int.* 이니 미니 마이니 모, 누구로 할까 《술래잡기에서 술래를 정할 때 등에 쓰는 말》
een·sy-ween·sy [í:nsiwí:nsi] *a.* 《유아어》 조금의, 얼마 안 되는
EENT eye, ear, nose and throat **EEO** equal employment opportunity **EEOC** 《미》 Equal Employment Opportunity Commission **EER** energy efficiency ratio 〖전기〗 에너지 효율비
*__e'er__ [ɛ́ər] *ad.* 《문어》 = EVER
-eer [íər] *suf.* **1** [명사 어미; 때로 경멸적] 「…관계자; …취급자」의 뜻: auction*eer*, mountain*eer*, sonnet*eer*, profit*eer* **2** [동사 어미] 「…에 종사하다」의 뜻: election*eer*
ee·rie, ee·ry [íəri] *a.* (**-ri·er**; **-ri·est**) **1** 기분 나쁜, 무시무시한, 등골이 오싹한(weird) **2** 《영·방언》 (미신적으로) 무서워 겁내는, 두려워하는
ee·ri·ly [íərəli] *ad.* 무시무시하게, 무서워하여; 불가사의하게
ee·ri·ness [íərinis] *n.* Ⓤ 기분 나쁨, 무시무시함
E.E.T.S. Early English Text Society 초기 영어 텍스트 협회 **EEZ** exclusive economic zone 배타적 경제 수역(水域)
Ee·yo(e)r·ish [í:jɔ:riʃ] [만화영화 *Winnie-the-Pooh*의 당나귀 이름에서] *a.* (**more ~**; **most ~**) 걱정거리를 안고 사는; 비관적인: Why are you so ~? 왜 그렇게 속을 태우고 있느냐?
ef [éf] *n.* 알파벳의 F[f]
ef- [if, ef] *pref.* = EX[2]- 《f- 앞의 변형》: *ef*fect
eff [éf] *vt., vi.* 《속어》 성교하다
~ and blind 《속어》 더러운 말을 쓰다 ***~ off*** 《속어》 성교하다; 떠나다, 도망치다, 튀다
eff. efficiency
ef·fa·ble [éfəbl] *a.* 《고어》 말[설명]할 수 있는
*__ef·face__ [iféis] *vt.* **1** 지우다, 말살하다; 삭제하다: 《~+목+전+명》 ~ some lines *from* a book 책에서 몇 줄을 삭제하다 **2** 〈회상·인상 등을〉 지워 없애다 《*from*》: The very memory of her was ~*d* *from* his mind. 그녀에 대한 기억조차 그의 마음 속에서 지워졌다. **3** 〈사람을〉 눈에 띄지 않게 하다, 그늘지게 하다(eclipse) **~ one*self*** 눈에 띄지 않게 행동하다, (표면에서) 물러나다 **~·a·ble** *a.* **~·ment** *n.* Ⓤ 말소; 소멸 **ef·fác·er** *n.*
‡**ef·fect** [ifékt] *n., vt.*

> L 「만들어진 것」이란 뜻에서 「결과」→(결과를 초래케 하는 힘) 「효력」, 「영향」

— *n.* **1** ⓊⒸ 결과(consequence)(⇨ result 유의어): cause and ~ 원인과 결과, 인과 **2** ⓊⒸ 효과, 영향; (법률 등의) 효력; (약 등의) 효험, 효능: side ~*s* 부작용 **3** (색채·형태의) 배합, 광경; 감명, 영향, 인상; [*pl.*] 〖연극〗 효과: sound[lighting] ~*s* 음향[조명] 효과 / stage ~ 무대 효과 **4** Ⓤ 외양, 체면, 체재: love of ~ 겉치레 **5** [the, that과 함께] 취지, 의미(purport, meaning): *the* general ~ 대의(大意) / I received a letter to *the* following ~. 다음과 같은 취지의 편지를 받았다. **6** [*pl.*] 동산; 물품, 물건; 개인 자산, 소유물: household ~*s* 가재(家財)

effect *n.* **1** 결과 conclusion, consequence, outcome, aftermath **2** 효력 force, operation, action, implementation — *v.* cause, bring about, create

7 (물리·화학적) 효과: the Doppler ~ 도플러 효과 **8** [*pl.*] 〖음악〗 의성음 발음기(器)
bring ... to ~ = ***carry ... into ~*** …을 실행[수행]하다 ***come into ~*** 효력을 나타내다, 실시되다 ***for ~*** (보는 사람·듣는 사람에 대한) 효과를 노리고: be calculated *for* ~ 〈장식 등이〉 눈에 잘 띄도록 고안되어 있다 ***give ~ to*** …을 실행[실시]하다 ***have an ~ on*** …에 효과[영향]를 나타내다[미치다] ***in ~*** 사실상, 실제에 있어서; 요컨대; 〈법률 등이〉 효력 있는, 활동하여 ***no ~s*** 예금 전무(全無) 《부도 수표에 기입하는 말; 略 N/E》 ***of no ~*** = ***without ~*** 무효의(useless) ***personal ~s*** 동산, 사유물; 소지품 ***to good***[***great***] ***~*** 효과적으로 ***take ~*** 효력을 나타내다, 실시되다 ***to no ~*** 아무런 효과도 없이, 소용 없이 ***to the ~ that*** …이라는 취지로[의] ***to this***[***the same***] ***~*** 이러한[동일한] 취지로 ***with ~*** 효과적으로, 감명 깊게
— *vt.* 〈변화 등을〉 초래하다; 〈목적·계획 등을〉 달성하다, 이루다 ***~ an entrance*** (강제로) 밀고 들어가다 ***~ an insurance***[***a policy of insurance***] 보험증권을 발행시키다, 보험에 들다 **~·i·ble** *a.*
ef·fect·er [iféktər] *n.* = EFFECTOR
‡**ef·fec·tive** [iféktiv] *a.* **1** 유효한, 효과적인, 효력 있는; 〈약·요법이〉 (병에) 효과가 있는 《*against*, *for*》: ~ teaching methods 효과적인 교수법 / ~ *against* polio 소아마비에 효과적인

> 유의어 **effective** 기대한 효과가 있는: an *effective* plan 효과를 기대할 수 있는 계획 **efficacious** 약·치료·수단·방법 등이 효력이 있는: an *efficacious* remedy 효력 있는 치료법 **efficient** 시간과 노력을 낭비하지 않고 거침없이 일을 수행하는 능력을 말하며 사람·사물에 다 쓴다: an *efficient* secretary 유능한 비서

2 Ⓐ 〖군사〗 실(實)병력의, 실제 동원할 수 있는 **3** 유력한, 유능한 **4** 감동적인, 눈에 띄는, 인상적인 **5** 실제의, 사실상의 **6** 〈법률 등이〉 실행 중인, 유효한
become ~ 《미》 효력이 생기다, 실시되다 ***~ strength*** of an army (한 군대의) 전투력
— *n.* **1** [보통 *pl.*] 〖미군〗 실(實)병력, 현역 근무에 적당한 군인; (군의) 정예(精銳) **2** 〖경제〗 = EFFECTIVE MONEY **ef·fec·tív·i·ty** *n.* ▷ effect *n.*
efféctive áperture 〖광학〗 (렌즈의) 유효 구경
efféctive demánd 〖경제〗 유효 수요
efféctive dóse (약제·방사선 치료의) 유효량(量)
efféctive exchánge ràte 〖금융〗 실효(實效) 환시세[환율] 《국제 통화 기금(IMF)이 당해국과 다른 주요 20개국 통화의 환시세를 복합시켜 산출하는 지수》
*__ef·fec·tive·ly__ [iféktivli] *ad.* **1** 효과적으로, 유효하게; 유력하게 **2** 실제로, 사실상
efféctive mòney[**còin**] 〖경제〗 경화(opp. *paper money*)
ef·fec·tive·ness [iféktivnis] *n.* Ⓤ 유효(성), 효과적임
efféctive ránge 〖군사〗 유효 (사정) 거리
ef·fec·tor [iféktər] *n.* **1** 작동자, 작동물 **2** 〖생리〗 작동체(作動體), 효과기(器) 《신경의 말단에 있으면서 근육·장기 등을 활동시키는 기관》
*__ef·fec·tu·al__ [iféktʃuəl] *a.* 《문어》 효과적인, 유효한, 충분한; 실제의: ~ demand 유효 수요 / an ~ cure 효과적인 치료 **ef·fèc·tu·ál·i·ty** *n.* **~·ly** *ad.* **~·ness** *n.*
ef·fec·tu·ate [iféktʃuèit] *vt.* 《문어》 실시하다, 〈법률 등을〉 유효하게 하다, 〈목적 등을〉 달성하다, 이루다
ef·fec·tu·a·tion [ifèktʃuéiʃən] *n.* Ⓤ 달성, 수행; (법률 등의) 실시
ef·fem·i·na·cy [iféminəsi] *n.* Ⓤ 여자 같음, 나약, 연약, 우유부단
*__ef·fem·i·nate__ [ifémənət] [L 「여자답다」의 뜻에서] *a.* 여자 같은, 나약한
— [-nèit] *vt., vi.* 나약하게 하다[되다]
~·ly *ad.* **~·ness** *n.*

ef·fen·di [iféndi] *n.* (*pl.* **~s**) 나리, 선생님(master, sir) 《터키에서 관리·학자 등에 대한 옛 경칭》
ef·fer·ent [éfərənt] *a.* 〖생리〗 〈신경이〉 원심성(遠心性)인, 〈혈관이〉 수출성(輸出性)[도출성(導出性)]인
— *n.* **1** 수출관(管), 원심성 신경 **2** 방죽·호수 등에서 나오는 물줄기 **-ence** [-əns] *n.* **~·ly** *ad.*
ef·fer·vesce [èfərvés] *vi.* **1** 〈탄산수 등이〉 부글부글 거품이 일다; 〈가스 등이〉 거품이 되어 나오다 **2** 〈사람이〉 흥분하다 《*with*》
ef·fer·ves·cence, -cen·cy [èfərvésns(i)] *n.* Ⓤ **1** 비등(沸騰), 거품이 남 **2** 감격, 흥분, 활기
ef·fer·ves·cent [èfərvésnt] *a.* **1** 비등성의, 거품이 이는 **2** 흥분한; 활기 있는 **~·ly** *ad.*
ef·fete [ifí:t] *a.* **1** 정력이 빠진, 맥빠진, 쇠퇴한 **2** 〈동식물·토지 등이〉 생산력이 없는, 메마른 **3** 〈남자가〉 여성적인, 나약한 **~·ly** *ad.* **~·ness** *n.*
ef·fi·ca·cious [èfəkéiʃəs] *a.* 《문어》 효과 있는, 〈약이〉 잘 듣는; 〈수단·치료 등이〉 효능[효험] 있는 《*against*》 (⇨ effective 유의어): ~ *against* fever 해열에 효력이 있는 **~·ly** *ad.* **~·ness** *n.*
ef·fi·cac·i·ty [èfəkǽsəti] *n.* = EFFICACY
*__ef·fi·ca·cy__ [éfikəsi] *n.* Ⓤ 《문어》 **효능**, 효험; 유효: the ~ of a drug 약의 효능
‡**ef·fi·cien·cy** [ifíʃənsi] *n.* Ⓤ **1** **능력, 능률**: ~ wages 능률급(給) **2** 〖물리·기계〗 능률, 효율: ~ test 능률 시험 **3** = EFFICIENCY APARTMENT
▷ efficient *a.*
effíciency apàrtment 《미》 원룸형 아파트 《작은 부엌이 딸린 거실 겸 침실에 욕실이 있음》
effíciency bàr 능률 바 《그 이상의 승급에는 일정한 능률 달성을 필요로 하는 급여 수준》
effíciency engineèr[èxpert] 《미》 능률[생산성] 향상 기사[전문가]
effíciency repòrt 작업 효율 평가 보고; 근무 고과표
‡**ef·fi·cient** [ifíʃənt] *a.* **1** 〈기계·방법 등이〉 **능률적인, 효과가 있는,** 유효한(⇨ effective 유의어): an ~ heating system 능률적인 난방 시스템 **2** **유능한, 실력 있는,** 민완(敏腕)의, 적임인(competent): a very ~ secretary 아주 유능한 비서 **3** 어떤 결과를 낳는, 일으키는 **4** [보통 복합어를 이루어] 최대한 능률 좋게 이용하는: a fuel-~ engine 연비가 좋은 엔진
~·ly *ad.* 능률적으로, 유효하게
▷ efficiency *n.*
effícient cáuse 〖철학〗 동력인(動力因), 작용인(因) 《Aristotle이 말한 운동의 4대 원인의 하나》
effícient márket hypòthesis 〖증권〗 효율적 시장 가설(假說) 《새로운 정보의 주가(株價)에 대한 반응은 동시적이란 가설》
Ef·fie [éfi] *n.* **1** 여자 이름 《Euphemia의 애칭》 **2** 에피상(賞) 《미국 마케팅 협회가 매년 선정하는 최우수 광고상》
ef·fig·i·al [ifídʒiəl] *a.* 초상[인형]의, 초상[인형]을 닮은
ef·fi·gy [éfidʒi] *n.* (*pl.* **-gies**) **1** 조상, (화폐 등의) 초상, 화상(portrait) **2** (미워하는 사람을 닮게 만든) 인형, 우상 ***burn*[*hang*]** a person ***in*** ~ (악인·미운 사람 등의) 형상을 만들어 태우다[목매달다]
ef·fing, F-ing [éfiŋ] *a.* 《속어·완곡》 = FUCKING
efflor. efflorescent
ef·flo·resce [èflərés] [L 「피기 시작하다」의 뜻에서] *vi.* **1** 《문어》 꽃피다 **2** 〈문물(文物) 등이〉 개화하다, 번영하다 《*into*》 **3** 〖화학〗 풍화(風化)[정화(晶化)]하다; (땅·벽 등의 표면에서) 소금기가 솟다; 〖병리〗 발진(發疹)하다
ef·flo·res·cence [èflərésns] *n.* Ⓤ **1** 《문어》 개화(開花); 개화기 **2** 〖화학〗 풍화 (작용); 〖병리〗 발진
ef·flo·res·cent [èflərésnt] *a.* **1** 《문어》 꽃이 핀 **2** 〖화학〗 풍화성의
ef·flu·ence [éfluəns] *n.* **1** Ⓤ (광선·전기·액체 등의) 내뿜음, 발산, 방출, 흘러나옴(outflow) **2** 유출[방출]물; 흘러나오는 물; 하수, 폐수
ef·flu·ent [éfluənt] *a.* 유출[방출]하는
— *n.* **1** (강·호수·저수지 등에서) 흘러나오는 물 **2** ⓊⒸ (공장 등에서의) 유해 방출물, 폐수, 폐기물
ef·flu·vi·al [iflú:viəl] *a.* 악취의
ef·flu·vi·um [iflú:viəm, ef-] *n.* (*pl.* **-vi·a** [-viə], **~s**) **1** 발산(發散), 증발; 취기(臭氣), 악취 **2** 〖물리〗 자기소(磁氣素), 전기소
ef·flux [éflʌks], **ef·flux·ion** [iflʌ́kʃən] *n.* ⓊⒸ **1** (액체·공기·가스 등의) 유출, 발산 **2** 유출량[물] **3** (시간의) 경과; 만기(滿期)
‡**ef·fort** [éfərt] [L 「힘을 밖으로 냄」의 뜻에서] *n.* **1** ⓊⒸ **노력, 분투, 수고;** (모금(募金) 등의) 운동: spare no ~*s* 노력을 아끼지 않다

> 유의어 **effort** 어떤 일이나 목적을 달성하기 위한 노력·수고: make an *effort* to be punctual 시간을 지키도록 노력하다 **endeavor** effort보다 딱딱한 말로서 보다 장기간에 걸친 진지한 노력: a life spent in the *endeavor* to do good 선행을 하려는 노력으로 지낸 일생

2 노력의 성과(achievement), (문학·예술 등의) 역작, 노작(勞作); 훌륭한 연설: a fine literary ~ 훌륭한 문학 작품 / His performance was a pretty good ~. 그의 솜씨는 매우 훌륭했다. **3** Ⓤ 〖기계〗 작용력
make an ~ = ***make ~s*** 노력하다, 애쓰다 《*to* do》 ***make every*** ~ (***to*** do) 온갖 노력을 다하다, 몹시 애쓰다 ***with*[*without*]** ~ 애써[힘들이지 않고]
éffort bàrgain 노력 협정 《노동 생산성에 관한 노사 합의》
ef·fort·ful [éfərtfəl] *a.* 노력한, 노력이 필요한; 억지로 꾸민, 부자연스러운 **~·ly** *ad.* **~·ness** *n.*
ef·fort·less [éfərtlis] *a.* 노력하지 않는, 힘들지 않는; 쉬운(easy) **~·ly** *ad.* **~·ness** *n.*
éffort sỳndrome 〖병리〗 심장 신경증(cardiac neurosis)
ef·fron·ter·y [ifrʌ́ntəri] *n.* (*pl.* **-ter·ies**) **1** Ⓤ 뻔뻔스러움, 몰염치, 철면피: have the ~ to do 뻔뻔스럽게도 …하다 **2** [때로 *pl.*] 뻔뻔스런 행위
ef·fulge [ifʌ́ldʒ] *vi.* 눈부시게 빛나다, 빛을 발하다
ef·ful·gence [ifʌ́ldʒəns | ifúl-] *n.* Ⓤ 《문어》 광휘, 광채
ef·ful·gent [ifʌ́ldʒənt | ifúl-] *a.* 《문어》 광채가 나는, 눈부시게 빛나는 **~·ly** *ad.*
ef·fuse [ifjú:z] *vt., vi.* 〈액체·빛·향기 등을〉 발산시키다[하다], 유출시키다[하다], 스며 나오게 하다[스며 나오다]; [비유적으로] (심정을) 토로하다
— [ifjú:s] *a.* 흩어 뿌려진, 내리쏟아진; 〖식물〗 〈꽃차례가〉 분산한, 드문드문 펼쳐진
ef·fu·sion [ifjú:ʒən] *n.* Ⓤ **1** 유출, 삼출(滲出), 스며나옴; Ⓒ 유출물 **2** 토로, 발로 《*of*》; Ⓒ 토로한 말[시, 산문] **3** 〖병리〗 일출(溢出) 《기관으로부터 체강으로 체액이 넘쳐 나오는 것》 **4** 〖물리〗 분산(噴散) 《분자간 평균 거리보다 작은 구멍에서 기체가 흘러 나오는 것》
ef·fu·sive [ifjú:siv] *a.* 심정을 토로하는, 〈감정이〉 넘쳐 흐르는 《*in*》; 〖지질〗 분출[화산]암의: ~ rocks 분출암 **~·ly** *ad.* **~·ness** *n.*
E-fit [í:fít] [*E*lectronic *F*acial *I*dentification *T*echnique] *n.* 몽타주 사진 작성 방식 《상표명》
EFL English as a foreign language
E-free [í:frí:] *a.* 〈식품이〉 첨가물이 없는(cf. E NUMBER)
eft[1] [éft] *n.* 〖동물〗 영원(蠑螈)(newt)
eft[2] *ad.* 《고어》 다시(again), 나중에(afterward)
EFTA [éftə] [*E*uropean *F*ree *T*rade *Associa-*

thesaurus **efficient** *a.* **1** 능률적인 well-organized, well-run, well-ordered, streamlined, labor-saving **2** 유능한 capable, able, competent, effective, productive, skillful, proficient, expert, deft
effort *n.* **1** 노력 exertion, power, work, labor,

tion] *n.* 유럽 자유 무역 연합
EFT(S) [éft(s)] [*e*lectronic *f*unds *t*ransfer (system)] *n.* 〚컴퓨터〛 전자식 자금 이동 (시스템)
EFTPOS, Eftpos, eft/pos [éftpɑs | -pɔs] [*e*lectronic *f*unds *t*ransfer at the *p*oint *o*f *s*ale] *n.* 판매 시점에 신용 카드를 이용한 물품 대금 결제
eft·soon(s) [eftsú:n(z)] *ad.* 《고어》 머지않아
Eg. Egypt(ian); Egyptology **e.g.** *exempli gratia* 《L =for example》
e·gad(s) [igǽd(z)] *int.* 《고어·익살》 저런, 어머나, 정말, 뭐라고
É gàlaxy =ELLIPTICAL GALAXY
e·gal·i·tar·i·an [igæ̀lətέəriən] *a.* 평등주의의
— *n.* 평등주의자 **~·ism** *n.* Ⓤ 평등주의
é·ga·li·té [èigælitéi] [F] *n.* 평등(equality)
Eg·bert [égbərt] *n.* **1** 남자 이름 **2** 에그버트(775?-839) 《중세 영국 West Saxons의 왕(802-839); 영국 최초의 왕(829-839)》
e·gest [i:dʒést, idʒést] *vt.* 〚생리〛 (체내로부터) 배설[배출]하다(discharge)(opp. *ingest*)
e·gés·tion *n.* **e·gés·tive** *a.*
e·ges·ta [i:dʒéstə, idʒés-] *n. pl.* [단수·복수 취급] 배설[배출]물
‡**egg**[1] [ég] *n.* **1** 알; 달걀, 계란: a raw ~ 날달걀/a poached ~ 수란(水卵)/a boiled ~ 삶은 달걀/a soft-boiled ~ 반숙한 달걀/fried ~*s* 프라이한 달걀 **2** =EGG CELL **3** 《속어》 투하 폭탄(bomb) **4** 《속어》 [bad, dumb, good, tough 등과 함께] 놈, 녀석(chap): a *bad* ~ 《속어》 나쁜 놈, 불량자; 서툰 계획/a *good* ~ 《속어》 훌륭한 사람[물건] **5** 달걀 모양의 것 (*as*) ***full as an*** ~ 꽉 찬 (*as*) ***sure as ~s is ~s*** 《익살》 틀림없이 ***golden ~s*** 큰 벌이, 횡재 ***Good ~!*** 훌륭하다! ***have*** [***put***] ***all*** one***'s ~s in one basket*** 한 사업에 모든 것을 걸다 ***have ~s on the spits*** 하는 일이 있어 손을 못 떼다 ***in the*** ~ 미연에, 초기에: crush *in the* ~ 미연에 방지하다/a thief *in the* ~ 도둑이 될 놈 ***lay an*** ~ 알을 낳다; 《속어》 〈익살·흥행 등이〉 실패하다; 《군대속어》 폭탄을 투하하다 ***sit on ~s*** 〈닭이〉 알을 품다 ***teach*** one***'s grandmother to suck ~s*** 경험이 더 많은 사람에게 충고하다, 「공자 앞에 문자 쓰다」 ***tread upon ~s*** 조심해서 걷다[행동하다]
— *vt.* 달걀로 요리하다; 《구어》 달걀을 내던지다
— *vi.* 새알을 채집하다 **~·less** *a.* **égg·y** *a.*
egg[2] *vt.* 선동하다, 충동하다, 부추기다, 격려하다(incite) 《*on*》
égg and dárt [**ánchor, tóngue**] 〚건축〛 달걀 모양과 창[닻, 혀] 모양이 연속적으로 엇갈려 있는 건축물 가장자리 장식
égg-and-spóon ràce [égənspù:n-] 스푼 레이스 《달걀을 숟가락 위에 올려 놓고 달리는 경기》
égg àpple =EGGPLANT
egg·ar [égər] *n.* 〚곤충〛 솔나방
egg·beat·er [égbì:tər] *n.* **1** 달걀을 저어 거품이 일게 하는 기구, 교반기 **2** 《미·속어》 =HELICOPTER **3** 프로펠러 **4** 선외 모터보트
egg-bound [égbàund] *a.* 〈새·물고기 등이〉 알을 몸에서 뗄 수 없는, 알에 얽매인
egg·box [égbɑ̀ks | -bɔ̀ks] *n.* (보통 6개들이) 계란 케이스 **—** *a.* 〈건물이〉 계란 케이스 모양의
égg cèll 〚생물〛 난자(卵子), 난세포(ovum)
égg contàiner (플라스틱제 등의) 달걀 용기, 달걀판 《대소를 불문한 달걀 용기의 총칭》
égg còzy 삶은 달걀 덮개 《보온용》
egg·crate [égkrèit] *n.* **1** 칸막이 달걀 포장 상자 **2** 격자 차양 《전등빛·햇빛 반사용》
égg crèam 《미》 우유·향료·시럽·소다를 섞은 음료
egg·cup [égkʌ̀p] *n.* 삶은 달걀 담는 컵 《식탁용》
égg cústard 달걀·설탕·우유로 만든 과자
égg dànce 달걀춤 《흩어 놓은 달걀 사이에서 눈을 가리고 추는 춤》; 매우 어려운 일
égg·drop sóup [égdrɑ̀p- | -drɔ̀p-] 계란 수프, 계란탕
egg·er [égər] *n.* =EGGAR
égg flìp 《영》 =EGGNOG
égg fóo yúng [**yóung**] [ég-fú:-jʌ́ŋ] 《미》 에그푸영 《양파·새우·다진 돼지고기·달걀 등으로 만든 미국식 중국 요리》
egg·head [éghèd] *n.* 《구어·경멸》 지식인, 인텔리(intellectual); 《속어》 대머리 **~·ism** *n.* 《구어》 인텔리성(性), (인텔리적) 이론
egg·head·ed [éghèdid] *a.* 《구어》 egghead 같은 **~·ness** *n.*
egg·mass [égmæ̀s] *n., a.* 《구어》 지식층(의)
egg·nog [égnɑ̀g | -nɔ̀g] *n.* ⓊⒸ 에그노그 《우유와 설탕을 섞은 음료; 종종 술에 섞기도 함》
egg·plant [égplæ̀nt | -plɑ̀:nt] *n.* 〚식물〛 가지(나무); 진한 보라색
égg ròll 《미》 에그롤 《야채류·고기를 다진 소를 달걀을 넣은 피(皮)에 말아넣고 튀긴 중국 요리; spring roll이라고도 함》
égg ròlling 부활절에 Easter eggs를 굴리는 놀이 《깨지 않고 굴리는 자가 이김》
éggs Bénedict 에그 베네딕트 《토스트 또는 영국풍의 muffin 토스트에 얇게 썰어 구운 햄을 얹고 네덜란드 소스를 바른 것》
égg sèparator 난황(卵黃) 분리기
egg-shaped [égʃèipt] *a.* 달걀 모양의
egg·shell [égʃèl] *n.* 달걀 껍질; 깨지기 쉬운 것
— *a.* 얇고 부서지기 쉬운: ~ china[porcelain] 얇은 도자기
égg slìce 오믈렛을 뜨거나 뒤집는 기구
éggs òver líght [**éasy**] 노른자위를 깨지 않고 앞뒤로 뒤집어 익힌 달걀 프라이
égg spòon 삶은 달걀을 먹는 작은 숟가락
éggs súnnyside ùp 노른자위가 반숙이 되도록 뒤집지 않고 익힌 달걀 프라이 ★ 보통, 식당에서는 sunny, 뒤집은 프라이는 over라고 함.
égg stànd 달걀 스탠드 《몇 쌍의 eggcup과 egg spoon을 포함》

egg stand 
egg spoon
eggcup

egg·suck·er [égsʌ̀kər] *n.* 《속어》 아첨꾼, 간살쟁이
égg tìmer 달걀 삶는 시간을 재는 약 3분 정도의 (모래) 시계
égg tòoth 난치(卵齒) 《조류·파충류의 새끼가 알을 깨고 나올 때에 쓰는 부리의 끝》
égg trànsfer 〚의학〛 난자 이식 (수술)
égg tránsfer bàby 〚의학〛 수정란 이식아
egg·whisk [éghwìsk | -wìsk] *n.* =EGGBEATER
égg whìte 달걀 흰자위(cf. YOLK)
e·gis [í:dʒis] *n.* =AEGIS
eg·lan·tine [égləntàin, -tì:n] *n.* =SWEETBRIER
EGmc 〚언어〛 East Germanic 동(東)게르만어(군)
e·go [í:gou, égou] [L 「나」의 뜻에서] *n.* (*pl.* **~s**) ⒸⓊ **1** 〚철학·심리〛 자아(自我)(the 'I'): absolute [pure] ~ 〚철학〛 절대[순수]아(我) **2** 《구어》 자만; 아욕(我欲) **3** 자존심
~ ***involvement*** 〚심리〛 자아 관여 ***puncture*** a person***'s*** ~ 《미·구어》 …의 자만심을 꺾어주다, …을 망신시키다
égo anàlysis 〚정신분석〛 자아 분석

---

striving, endeavor, toil, struggle, attempt, try **2** 노력의 성과 achievement, accomplishment, attainment, result, creation, production, feat, deed
effortless *a.* easy, simple, uncomplicated, undemanding, painless (opp. *difficult, demanding*)

e·go·cen·tric [ìːgouséntrik, ègou-] *a.* 자기 중심의, 이기적인 **—** *n.* 자기 (중심)주의자 **-tri·cal·ly** *ad.* **e·go·cen·tric·i·ty** [-trísəti] *n.* Ⓤ 자기 본위

e·go·cen·trism [ìːgouséntrizm, ègou-] *n.* 자기 중심; 〖심리〗 (아이들의) 자기 중심성

e·go·dys·ton·ic [ìːgoudistánik | -tɔ́n-] *a.* 〖정신 의학〗 자아 비(非)친화성의, 자기 소외의

égo idèal 〖정신분석〗 자아 이상 《개인이 도달하고자 노력하는 인간의 의식적인 의식 표준》

égo idèntity 〖심리〗 자아 동일성

e·go·ism [íːgouìzm, égou-] *n.* Ⓤ **1** 이기주의, 자기 본위[중심], 이기적인 성향(opp. *altruism*) **2** 자만, 자부심; 자아 의식 **3** 〖논리〗 이기설(利己說)

e·go·ist [íːgouist, égou-] *n.* **1** 〖논리〗 이기주의자 **2** 자기 본위의 사람, 제멋대로 하는 사람(opp. *altruist*; cf. EGOTIST) **3** 자부심이 강한 사람

e·go·is·tic, -ti·cal [ìːgouístik(əl), ègou-] *a.* 이기주의의; 자기 본위의, 제멋대로의, 아욕(我欲)이 강한 **-ti·cal·ly** *ad.*

egoístic hédonism 〖논리〗 개인적 쾌락설 《행위 결정의 동기는 주관적 쾌락이라는 설》

e·go·ma·ni·a [ìːgouméiniə, ègou-] *n.* Ⓤ 병적인 자기 중심벽(癖)

e·go·ma·ni·ac [ìːgouméiniæ̀k, ègou-] *n.* 병적[극단적]으로 자기 중심적인 사람; 극단적으로 자존심이 강한 사람 **e·go·ma·ni·a·cal** [ìːgoumənáiəkəl, ègou-] *a.*

égo psychòlogy 자아 심리학

e·go·sphere [íːgousfìər, égou-] *n.* 자아 영역

e·go-state [íːgoustèit, égou-] *n.* 〖심리〗 자아 상태

e·go-surf·ing [-sə̀ːrfiŋ] *n.* Ⓤ 〖컴퓨터〗 (익살) 인터넷 상에서 자기 이름 찾기 《몇 번이나 나타날지 보려고》

e·go-syn·ton·ic [ìːgousintánik | -tɔ́n-] *a.* 〖정신 의학〗 자아 친화적인

e·go·tism [íːgətìzm, égə-] *n.* Ⓤ **1** 자기 중심벽(癖) 《I, my, me를 지나치게 많이 쓰는 버릇》 **2** 자만, 자부(self-conceit) **3** 이기주의, 자기 본위

e·go·tist [íːgətist, égə-] *n.* 자기 중심주의자; 자존가(自尊家); 이기주의자

e·go·tis·tic, -ti·cal [ìːgətístik(əl), ègə-] *a.* 자기 중심[본위]의; 독선적인; 이기적인 **-ti·cal·ly** *ad.*

e·go·tize [íːgətàiz, égə-] *vi.* (드물게) 자기 자랑하다, 자기 일만 말하다

égo trìp (구어) 이기적[자기 본위적] 행위

e·go-trip [íːgətrìp, égə-] *vi.* (**~ped**; **~·ping**) (구어) 제멋대로[자기 중심적으로] 행동하다

EGR exhaust-gas recirculation (자동차의) 배출 가스 환원 장치

e·gre·gious [igríːdʒəs, -dʒiəs] *a.* **1** 악명 높은; 지독한, 언어도단의, 엄청난: an ~ ass[fool] 지독한 바보 / an ~ mistake 터무니없는 실수 **2** (고어) 탁월한, 발군의 **~·ly** *ad.* **~·ness** *n.*

e·gress [íːgres] *n.* (문어) **1** Ⓤ (특히 격리된 곳·울안에서) 밖으로 나가기(opp. *ingress*) **2** 출구(exit), (연기가) 빠지는 곳, 배출구 **3** Ⓤ 밖으로 나갈 수 있는 권리 **4** 〖천문〗 = EMERSION 2
— [igrés] *vi.* 밖으로 나가다; (우주선에서) 탈출하다

e·gres·sion [igréʃən] *n.* **1** 물러남, 퇴거, 나감 **2** 〖천문〗 = EMERSION 2

e·gres·sive [igrésiv] *a.* **1** 물러나는, 퇴거의 **2** 〖음성〗 내쉬는 숨소리의

e·gret [íːgrit, ég-, iːgrét | íːgrit] *n.* **1** 〖조류〗 큰해오라기 《유럽산》; (각종) 해오라기(heron); 해오라기의 깃; 그 깃털 장식(aigrette) **2** 〖식물〗 (엉겅퀴·민들레 등의) 관모(冠毛), 갓털

‡E·gypt [íːdʒipt] *n.* 이집트 《아프리카 북부의 공화국; 공식명 Arab Republic of Egypt; 수도 Cairo》 ▷ Egýptian *a.*

Egypt. Egyptian

‡E·gyp·tian [idʒípʃən] *a.* 이집트(사람[말])의
— *n.* **1** 이집트 사람; Ⓤ (고대) 이집트 말 **2** (폐어) 집시(gypsy) **3** (구어) 이집트 궐련[담배] ▷ Égypt *n.*

Egýptian clóver 클로버의 일종 《이집트, 시리아 원산》

Egýptian cótton 〖식물〗 이집트 목화

E·gyp·tian·i·za·tion [idʒìpʃənizéiʃən | -nai-] *n.* 이집트화(化)

E·gyp·tian·ize [idʒípʃənàiz] *vt.* 이집트화하다; 〈외국 자산 등을〉 이집트의 국유(國有)로 하다

Egýptian PT [*Egyptian* *p*hysical *t*raining] (영·속어·경멸) 낮잠

E·gyp·tol·o·gy [ìːdʒiptálədʒi | -tɔ́l-] *n.* Ⓤ 이집트학(學) **-gist** *n.* 이집트학자

***eh** [éi, é, ɛ̃ | éi] *int.* 뭐라고, 에, 그렇잖아 《놀람·의문·동의를 구함》

EHF, ehf extremely high frequency 〖통신〗 마이크로파(波) **EHP** effective horsepower 유효 마력; electric horsepower 전기 마력 **EHV** extra high voltage 〖전기〗 초고압 **E.I.** East Indian; East Indies **EIB** Export-Import Bank (of Washington) (워싱턴) 수출입 은행

ei·co·sa·pen·ta·e·nó·ic ácid [àikousəpèntəi-nóuik-] ⇨ EPA

Eid [íːd] *n.* 이드 《이슬람교도들이 라마단을 끝내고 벌이는 주요한 두 축제 중 하나》

ei·der [áidər] *n.* (*pl.* **~s,** ~) **1** 〖조류〗 솜털오리 (= **~ dùck**) 《북유럽 연안산(產)》 **2** = EIDERDOWN 1

ei·der·down [áidərdàun] *n.* **1** Ⓤ eider의 가슴에 난 솜털 **2** Ⓒ (그것을 넣은) 깃털 이불

ei·det·ic [aidétik] *a.* 〖심리〗 직관적(直觀的)인 **-i·cal·ly** *ad.*

ei·do·graph [áidougræ̀f | -grɑ̀ːf] *n.* 신축 축도기(縮圖器) 《원화를 임의로 확대·축소할 수 있음; pantograph의 일종》

ei·do·lon [aidóulən | -lɔn] *n.* (*pl.* **~s, -la** [-lə]) 유령, 허깨비, 환영(幻影); 이상(상(像)), 이상화된 인물

Éif·fel Tówer [áifəl-] [the ~] 에펠 탑 《A. G. Eiffel이 1889년에 파리에 세운 높이 300미터의 철탑》

eigen- [áigən] [G] 《연결형》 「고유의; 독특한」의 뜻

ei·gen·fre·quen·cy [áigənfrìːkwənsi] *n.* 〖수학·물리〗 고유 진동수

ei·gen·func·tion [áigənfʌ̀ŋkʃən] *n.* 〖수학〗 고유 함수

ei·gen·val·ue [áigənvæ̀ljuː] *n.* 〖수학〗 고유치(固有值)

ei·gen·vec·tor [áigənvèktər] *n.* 고유 벡터(characteristic vector)

‡eight [éit] *a.* **1** Ⓐ 8의, 여덟 개[명]의: ~ men 여덟 사람 **2** Ⓟ 8세의: He is ~. 그는 8세이다. ***an ~-day clock*** 8일에 한 번 태엽을 감는 시계
— *pron.* [복수 취급] 여덟 개[사람]
— *n.* **1** 8, 여덟 **2** 8의 기호 《viii》 **3** 여덟 시; 여덟 살; 여덟 개[사람] **4** 여덟 개 한 조(組), 8인조, 8인조 보트; 8인조의 보트 선수; [the E~s] Oxford 대학·Cambridge 대학 대항 보트 경주 **5** 〖카드〗 8점짜리 패 **6** 8기통 자동차 **7** [*pl.*] = OCTAVO
a figure of ~ 8자형; 〖스케이트〗 8자형 활주 ***a piece of*** ~ 스페인의 옛 은화, 스페인 달러 ***have one over the*** ~ (영·구어) 잔뜩 취하다

éight bàll **1** (미) 〖당구〗 8이라고 쓴 검은 공(을 중심으로 하는 공놀이) **2** (미·속어·경멸) 흑인, 얼빠진 놈 **3** (속어) 〖통신〗 무지향성(無指向性) 마이크 ***behind the*** ~ (미·속어) 위험[불리]한 위치에(서)

éight bít compúter 〖컴퓨터〗 8비트 컴퓨터

‡eigh·teen [èitíːn] *a.* **1** Ⓐ 18의, 열여덟개[명]의: in the ~-fifties 1850년대에 **2** Ⓟ 18세의
— *pron.* [복수 취급] 열여덟 개[사람]
— *n.* ⓊⒸ [무관사] 18; 18세; Ⓒ 18의 기호; 18개 한 조(組); [*pl.*] = EIGHTEENMO

thesaurus **egoist** *n.* self-seeker, egotist
egoistic *a.* conceited, self-centered, self-seeking,

eigh·teen·mo [èitíːnmou] *n.* (*pl.* **~s**) 18절(折)(판)(octodecimo) 《18mo를 영어식으로 읽은 것》
*__eigh·teenth__ [èitíːnθ, ⌐⌐] *a.* **1** [보통 the ~] **제18의**, **열여덟 번째의** **2** 18분의 1의
— *pron.* [the ~] 제 열여덟 번째 사람[물건]
— *n.* **1** [보통 the ~] **제18** 《略 18th》, **열여덟 번째**; (달의) 제18일 **2** 18분의 1 ***the E~ Amendment*** 미국 헌법 수정 제18조 《금주법; 1933년 폐지》
~·ly *ad.* 열여덟 (번)째로
eigh·teen-wheel·er [éitiːnhwíːlər] *n.* 《미·속어》 대형 트레일러 트럭
eight·fold [éitfòuld] *a.*, *ad.* 여덟 배의[로], 여덟 겹의[으로]
éightfold wáy 〖물리〗 팔도설(八道說) 《소립자 분류법의 하나》
eight-four [éitfɔ́ːr] *a.* 《미》 〖교육〗 8-4제의 《초등 교육 8년·중등 교육 4년의》
‡**eighth** [éitθ, éiθ] *n.* (*pl.* **~s**) **1** [보통 the ~] **제8** 《略 8th》, **여덟 번째**; (달의) 제8일 **2** 8분의 1 **3** 〖음악〗 8도(度)
— *pron.* [the ~] 제 여덟 번째 사람[물건]
— *a.* **1** [보통 the ~] **제8의**, **여덟 번째의** **2** 8분의 1의
— *ad.* 여덟 번째로 **~·ly** *ad.* 여덟 번째로
éighth nòte 〖음악〗 8분 음표(quaver)
éight hóurs (정당한 노동 시간인) 8시간
— *a.* [종종 eight-hour] Ⓐ 8시간제의: the ~[eight hours'] day 1일 여덟 시간 노동제 / ~ labor 여덟 시간 노동 / the ~ law 여덟 시간 노동법
éighth rèst 〖음악〗 8분 쉼표
800 númber [éithʌ́ndrid-] 《미》 800번 서비스 《800이 붙은 수신자 부담 요금》(toll-free number)
*__eight·i·eth__ [éitiiθ] *n.*, *a.* [보통 the ~] **제80(의)**, 80번째(의); 80분의 1(의)
— *pron.* 제80번째 사람[물건]
eight·pence [éitpéns] *n.* (*pl.* **~**, **~s**) (영국의) 8펜스
eight·pen·ny [éitpèni | -pəni] *a.* 8펜스의; 〈못이〉 길이 2¹/₂인치(약 6.4cm)의
eights [éits] *n. pl.* 《미·속어》 통화 끝(sign-off)
eight·score [éitskɔ́ːr] *n.* 160 《8×20》
eight·some [éitsəm] *n.* 8사람이 추는 춤; 그 춤을 추는 8인조
éight-tràck tápe [éittræ̀k-] 8트랙 녹음 테이프
‡**eight·y** [éiti] *a.* 80(개[명])의
— *pron.* [복수 취급] 80개[명]
— *n.* (*pl.* **eight·ies**) **1** 80(의 수(數)), 80세, 여든; 80의 기호[숫자] 《80, LXXX》 **2** [the eighties] (개인의) 80대(代); (세기의) 80년대
the E~ Club (1880년에 창설된) 영국 자유당 클럽
eight·y-eight, 88 [éitiéit] [건(鍵)의 총수가 88개인 데서] *n.* 《미·속어》 피아노(piano)
eighty·fold [éitifòuld] *a.*, *ad.* 80배의[로]
eight·y-six, 86 [éitisíks] *vt.* 《미·속어》 (식당·바 등에서 손님에게) 식사·음료의 제공을 거절하다, 서비스하지 않다; 〈사람을〉 배척하다, 무시하다
eight·y-two, 82 [-túː] *n.* 《미·속어》 (식당의) 한 잔의 물
ei·kon [áikɑn | -kɔn] *n.* = ICON
Ei·leen [ailíːn, ei- | ⌐⌐] *n.* 여자 이름
eina [éinə] *int.* 《남아공》 아야, 아악 《갑작스런 고통을 느낄 때》
E. Ind. East Indian
ein·korn [áinkɔːrn] [G] *n.* 외알밀 《작은 이삭에 열매가 한 알씩 열림》
Ein·stein [áinstain] *n.* 아인슈타인 **Albert ~** (1879-1955) 《유대계 독일 태생의 미국 물리학자; 상대성 원리의 제창자》
Éinstein equàtion 〖물리〗 아인슈타인 방정식 《질량과 에너지와의 방정식》
Ein·stein·i·an [ainstáiniən] *a.* 아인슈타인의; 아인슈타인 이론의, 상대성 원리의
ein·stein·i·um [ainstáiniəm] *n.* Ⓤ 〖화학〗 아인슈타이늄 《방사성 원소; 기호 Es, 번호 99》
Éinstein mòdel [**ùniverse**] 〖천문〗 아인슈타인 모델 《아인슈타인이 상대성 이론에 의해 생각한 우주의 모델》
Éinstein's théory of relatívity = EINSTEIN THEORY
Éinstein thèory 〖물리〗 아인슈타인의 상대성 원리
Ei·re [έərə, áirə, -ri] *n.* 에이레 《아일랜드(Ireland) 공화국의 옛 이름(⇨ Ireland)》
ei·ren·ic [airénik, -ríːn-] *a.* = IRENIC
ei·ren·i·con [airénikɑ̀n | airíːnikɔ̀n] *n.* 평화[중재] 제의 《특히 종교상 분쟁에 대한》
E.I.S. Educational Institute of Scotland **EISA** Extended Industry Standard Architecture 〖컴퓨터〗 확장 업계 표준 구조 《ISA버스를 32비트로 확장한 PC / AT 호환기의 버스 규격》
eis·e·ge·sis [àisədʒíːsis] *n.* (*pl.* **-ses** [-siːz]) (특히 성서 원문에 관한) 자기 해석 《자신의 사상을 개입시킨 해석 등》
Ei·sen·how·er [áizənhàuər] *n.* 아이젠하워 **Dwight David ~** (1890-1969) 《미국의 장군·제34대 대통령(1953-61)》
Éisenhower jàcket = BATTLE JACKET
eis·tedd·fod [aistéðvɑd, -vɔːd | -vɔd] [Welsh = session] *n.* (*pl.* **~s**, **-fod·au** [àisteðvɑ́ːdai | -vɔ́d-]) (Wales에서 매년 개최되는) 음유 시인(詩人) 대회; (어떤 한 지방의) 음악 콩쿠르
‡**ei·ther** ⇨ either (p. 794)
ei·ther-or [íːðərɔ́ːr | áiðərɔ́ː] *a.* 양자택일의
— *n.* 양자택일, 이분법
e·jac·u·late [idʒǽkjulèit] *vt.* **1** 《문어》 갑자기 외치다, 갑자기 소리 지르다 **2** 〖생리〗 〈액체를〉 내뿜다; 사정(射精)하다 — *vi.* 사정하다; (갑자기) 외치다
— [-lət] *n.* (사정된) 정액
e·jac·u·la·tion [idʒæ̀kjuléiʃən] *n.* ⓊⒸ **1** 갑자기 지르는 외침[탄식 소리], 절규(絶叫) **2** 〖생리〗 사출(射出); 사정(射精)
e·jac·u·la·tor [idʒǽkjulèitər] *n.* **1** 갑자기 외치는 사람 **2** 〖해부〗 사출근(筋), 사정근
e·jac·u·la·to·ri·um [idʒæ̀kjulətɔ́ːriəm] *n.* (정자 은행의) 정자 채취실, 사정실
e·jac·u·la·to·ry [idʒǽkjulətɔ̀ːri | -təri] *a.* **1** 절규적인 **2** 〖생리〗 사정의: an ~ duct 사정관(管)
ejáculatory incómpetence 〖의학〗 사정 불능
e·ject [idʒékt] [L 「밖으로 던지다」의 뜻에서] *vt.* **1** 쫓아내다, 축출[추방]하다(expel) 《*from*》; 〖법〗 퇴거시키다; 해고하다(dismiss) **2** 〈액체·연기 등을〉 뿜어내다, 배출하다; 배설하다 《*from*》
— *vi.* (고장 비행기의 사출 좌석에서) 긴급 탈출하다
e·jec·ta [idʒéktə] *n. pl.* [단수·복수 취급] (화산 등에서의) 분출물; 〖천문〗 (달 표면에 운석이 충돌하여 내는) 산란물
e·jec·tion [idʒékʃən] *n.* Ⓤ **1** 방출(放出), 분출, 배출; ⓊⒸ 방출물, 분출물 **2** 〖법〗 (토지·가옥에서의) 방축(放逐), 퇴거
ejéction càpsule 〖항공〗 (비행기·우주선 등의) 사출(射出)[탈출] 캡슐
ejéction sèat 〖항공〗 사출 좌석 《조종사의 긴급 탈출을 위한 기체 밖 방출 장치》
e·jec·tive [idʒéktiv] *a.* **1** 방출하는, 방사(放射)하는, 몰아내는 **2** 〖음성〗 방출음의
— *n.* 〖음성〗 방출음 **~·ly** *ad.*
e·ject·ment [idʒéktmənt] *n.* **1** Ⓤ 방출; 추방, 방축, 몰아냄 《*from*》 **2** 〖법〗 부동산 점유 회복 소송
e·jec·tor [idʒéktər] *n.* **1** 몰아내는 사람, 쫓아내는 사람 **2** 배출[방사]기(器)[관(管), 장치]: an ~ condenser[washer, pump] 방사 응축기[세정기, 펌프]

selfish, egocentric, egotistic, self-loving, narcissistic, vain, proud, self-important

either

either에는 다음 세 가지 용법이 있다.
1 [부정어와 함께 써서] …도 아니다[않다]: 이 용법은 긍정의 too에 대응한다.
2 [긍정문에서] 둘 중의 어느 한쪽: both나 each와 대립되는 수도 있지만 이들과 가까워지는 수도 있다.
3 or와 함께 상관 접속사로 쓰인다. either … or …는 neither … nor …에 대응한다.

‡ei·ther [íːðər, ái- | áiðə] *a., pron., conj., ad.*

기본적으로는 「어느 한쪽」의 뜻에서
① 어느 한쪽(의) 형 **1 a** 대 **1**
② [either… or…로] …거나 …거나 접
③ [부정문에서] 어느 쪽도 (…아니다) 형 **1 b** 대 **2**
④ [부정문에서] …도 또한 (…않다) 부 **1**
⑤ 양쪽의 형 **2**

— *a.* [단수 명사를 수식하여] **1 a** [긍정문에서] (둘 중) **어느 한쪽[하나]의**, 어느 쪽의 …이든지: You may sit at ~ end of the table. 테이블의 어느 끝 쪽에든 앉으시오. **b** [부정문에서] (둘 중) **어느 쪽의 …도** (…않다): I do*n't* know ~ boy. 어느 쪽 소년도 모른다. 《I know neither boy.로 바꾸어 쓸 수 있음》 **c** [의문문·조건문에서] (둘 중) **어느 한쪽의**…: Did you see ~ boy? 어느 한쪽 소년이라도 봤어요? **2** [보통 ~ side[end]로] **양쪽의**, 각각의 《(구어)에서는 both sides[ends] 또는 each side[end]를 씀》: There are trees on ~ *side* of the street. 그 거리의 양쪽에 가로수가 서 있다.
~ way (1) (두 가지 방법 중) 어느 쪽이든, 어느 쪽으로 하든, 어차피 (2) 어느 쪽에나
in ~ case 어느 경우에나, 좌우간
— *pron.* **1** [긍정문에서] (둘 중의) **어느 한쪽**, 어느 쪽도: *E*~ will do. 어느 쪽이든 좋다. / There's tea or coffee — you can have ~. 커피나 홍차 어느 것이든 드실 수 있습니다. 《USAGE either는 단수 취급을 원칙으로 하지만, (구어)에서는, 특히 of 뒤에 복수 (대)명사가 이어질 때에는 복수 취급을 할 때가 있음》 **2** [부정문에서] (둘 중) **어느 쪽도**: I do*n't* know ~. 어느 쪽도 모른다. 《I know neither.로 바꾸어 쓸 수 있음》/ I do*n't* like ~ of his brothers. 나는 그의 형제들을 어느 쪽도 좋아하지 않는다. **3** [의문문·조건문에서] (둘 중의) **어느 쪽인가**: Did you see ~ of the boys? 그 소년들 중 어느 한쪽이라도 만났습니까?
— *conj.* [either … or …의 형태로] …**거나** …**거나** (어느 하나가[것이라도]): *E*~ he *or* I am to blame. 그나 나나 둘 중 하나가 잘못한 것이다. 《★ 동사는 일반적으로 뒤의 주어와 호응함; 그러나 어조가 좋지 않으므로 *E*~ he is to blame *or* I am.이라고 하는 일이 많음》/ *E*~ you *or* she is to go. 너나 그녀 둘 중 한 사람이 가야 한다. / He is now ~ in London *or* in Paris. 그는 현재 런던이나 파리 중 어느 한 곳에 있다. 《USAGE 이 문에서와 같이 either … or … 뒤에 문법적으로 다른 품사 또는 다른 구조를 갖는 단어·어군(語群)이 오는 것은 잘못으로 여겨지고 있지만 (구어)에서는 흔히 씀》
— *ad.* **1** [부정문에서] …**도 또한** (…않다)(cf. ALSO, TOO 1 a) 《★ not … either로 neither와 같은 뜻이 되는데 전자쪽이 일반적; 또 이 구문에서는 either 앞의 (,)는 있어도 좋고 없어도 좋음》: If you do not go, I shall *not* ~. 당신이 가지 않는다면 나도 가지 않는다. / "I won't go." — "*Nor* I ~." 나는 가지 않겠다. — 나도 안 가요. / "I don't enjoy tennis." — "I do*n't*, ~." 나는 테니스를 즐기지 않아요. — 나도 즐기지 않아요. **2** [특히 부정하는 내용의 앞 진술을 추가적으로 수정 표현해서] (구어) …이라고는 하지만 (…은 아니다): There was a shop, and *not* so big ~. 가게가 하나 있었다, 그렇게 크지는 않지만.

ejéctor sèat = EJECTION SEAT

eka- [ékə, éikə] 《연결형》 〖화학〗 (미지의 원소명에 사용하여) 주기율표의 동족란(欄)에서 「…의 밑에 와야 할 원소」의 뜻: *eka*lead 에카연(鉛) 《원자 번호 114가 될 원소》

eke¹ [íːk] *vt.* (고어·방언) 늘리다, 잡아늘이다, 크게 하다 **~ *out*** 늘리다, 〈부족분을〉 보충하다; (속어) 간신히 생계를 이어가다: ~ *out* a scanty livelihood 근근히 생계를 유지하다 / ~ *out* a miserable existence 간신히 연명하다

eke² *ad.* (고어) 또한(also); 게다가, 뿐만 아니라

EKG *Electrokardiogramme* 《G = electrocardiogram》; electrocardiograph

e·kis·tics [ikístiks] *n. pl.* [단수 취급] 인간 거주 공학[거주학] **e·kís·tic** *a.*

Ék·man láyer [ékmən-] 〖항해〗 에크만 (해류)층 《항해의 흐르는 방향이 풍향과 90°를 이루는 층》

el¹ [él] [*el*evated railroad] *n.* (미·구어) 고가 철도

el² *n.* **1** (알파벳의) L[l]자 **2** = ELL² 2

el- [íl] *pref.* = EN- 《l의 앞》

el. elected; elevation

‡e·lab·o·rate [ilǽbərət] [L 「만들어 내다」의 뜻에서] *a.* **공들인**, 고심하여 만들어 낸, 복잡한; 정교한
— *v.* [-rèit] *vt.* **1 애써 만들다**, 고심하여 만들다; 정교하게 만들다; 〈문장·고안 등을〉 퇴고(推敲)하다 **2** 〖생리〗 〈음식 등을〉 동화하다
— *vi.* **1** 갈고 닦다; 상세히 말하다, 부연하다 《*on, upon*》: Don't ~. 지나치게 공들이지 마라. // (~+전+명) ~ *upon* a plan 계획을 면밀히 검토하다 / ~ (*up*)*on* an idea 어떤 생각을 상세히 설명하다 **2** 정교해지다 **~·ness** *n.*

***e·lab·o·rate·ly** [ilǽbərətli] *ad.* 공들여, 애써서; 정교하게

e·lab·o·ra·tion [ilæ̀bəréiʃən] *n.* Ⓤ **1** 고심하여 만듦[완성시킴], 공들임; 퇴고(推敲); 복잡함, 정교, 면밀 **2** Ⓒ 고심작, 노작(勞作); (추가한) 상세한 말; 상술 **3** 〖생리〗 동화, 합성

e·lab·o·ra·tive [ilǽbərèitiv, -rət-] *a.* 공들인, 정교한 **~·ly** *ad.*

e·lab·o·ra·tor [ilǽbərèitər] *n.* 고심하여[정성들여] 만드는 사람; (문장을) 퇴고(推敲)하는 사람

el·ae·om·e·ter [èliɑ́mətər | -ɔ́m-] *n.* 지방 비중계, 올리브유계(oleometer)

E·laine [iléin] *n.* **1** (Arthur왕 전설에서의) 일레인 **2** 여자 이름

Él Ál (**Ísrael Áirlines**) [él-ǽl-] 엘알 이스라엘 항공 《이스라엘 항공 회사》

E·lam [íːləm] *n.* 엘람 《페르시아 만 북쪽의 지역명; 그곳에 있었던 고대 왕국》

thesaurus **elaborate** *a.* **1** 복잡한 complicated, complex, intricate (opp. *simple, plain*) **2** 정교한 detailed, ornate, fancy, showy, ostentatious — *v.* **1** 부연하다 expand on, enlarge on, amplify **2** 정교하게 만들다 develop, improve, refine, polish, embellish, enhance, ornament, embroider

E·lam·ite [íːləmàit] *a.* 엘람(Elam)의, 엘람 사람[말]의 **—** *n.* **1** 엘람 사람 **2** Ⓤ 엘람 말

é·lan [eilɑ́ːn, -lǽn] [F =flight(비약)] *n.* Ⓤ 기력, 예기(銳氣); 비약, 약진, 활기(vigor), (특히 군대의) 돌진(dash)

e·land [íːlənd] *n.* (*pl.* **~s,** [집합적] ~) 〖동물〗 큰 영양(羚羊) 《남아프리카산(産)》

eland

élan vi·tal [-viːtɑ́ːl] [F] 〖철학〗 생명의 비약, 생(生)의 약동 《Bergson의 용어》

el·a·pid [éləpid] *a., n.* 〖동물〗 코브라과(科)의 (독사)

***e·lapse** [ilǽps] [L 「미끄러져 가다」의 뜻에서] *vi.* 《문어》 〈시간이〉 경과하다, 지나다 ★ pass 쪽이 일반적.
— *n.* (시간의) 경과; 짧은 시간(lapse)

e·lápsed tíme [ilǽpst-] 경과 시간[타임] 《보트나 자동차의 일정 코스의 주행 시간》

e·las·mo·branch [ilǽsməbræ̀ŋk, ilǽz-] *n., a.* 〖어류〗 판새류(板鰓類)(의), 연골어(軟骨魚)류(의) 《상어·가오리 등》

e·las·tane [ilǽstein] *n.* Ⓤ 《영》 신축성이 좋은 의복 소재; 엘라스탄 《스타킹이나 속옷 등을 만들 때 씀》

e·las·tase [ilǽsteis] *n.* 〖생화학〗 엘라스타아제 《엘라스틴의 가수 분해를 촉매하는 효소; 췌장에서 주로 발견됨》

***e·las·tic** [ilǽstik] *a.* **1** 탄력 있는, 탄성의, 신축성이 있는(⇨ flexible 유의어); 휘기 쉬운, 낭창낭창한, 나긋나긋한: an ~ string[cord, tape] 고무끈[줄, 테이프] **2** 반발력이 있는; 활달한, 쾌활한; 융통성[순응성]이 있는: an ~ conscience 융통성이 있는 양심
— *n.* **1** 고무 끈; 고무줄이 든 천 **2** 《미》 고리 모양의 고무줄 **3** [보통 *pl.*] 고무줄이 든 천의 제품, 《특히》 양말 대님 **-ti·cal·ly** *ad.* 탄력적으로; 신축자재하게

e·las·ti·cate [ilǽstəkèit] *vt.* …에 탄성[신축성]을 갖게 하다 **-càt·ed** *a.*

elástic bánd 《영》 고무 밴드(rubber band)

elástic clàuse 《미》 〖헌법〗 신축[탄력] 조항 《의회의 잠재적 권한을 규정하는 것》

elástic collísion 〖물리〗 탄성 충돌

elástic deformátion 〖물리〗 탄성 변형

e·las·tic·i·ty [ilæstísəti, ìːlæs-] *n.* Ⓤ **1** 탄력; 신축성; 〖물리〗 탄성 **2** 불행에서 일어서는 힘 **3** 융통성, 순응성; 쾌활함

e·las·ti·cize [ilǽstəsàiz] *vt.* (고무줄 등을 넣어서) …에 탄성[신축성]을 갖게 하다 **-cìzed** *a.*

elástic límit 〖물리〗 탄성 한계

elástic módulus 〖물리〗 탄성률(modulus of elasticity)

elástic scáttering 〖물리〗 탄성 산란

elástic sìdes (옛날 고무장화의) 양쪽의 (단추나 끈 대신에 단) 고무천; 고무장화

elástic tíssue 〖해부〗 탄력[탄성] 조직

elástic wáve 〖물리〗 탄성파(波)

e·las·tin [ilǽstin] *n.* 〖생화학〗 엘라스틴, 탄력소 《단백질의 일종》

e·las·to·hy·dro·dy·nam·ics [ilæ̀stouhàidroudainǽmiks] *n. pl.* [단수 취급] 유체(流體) 탄성 역학, 가압(加壓) 액체 탄성학

e·las·to·mer [ilǽstəmər] *n.* 〖화학〗 엘라스토머 《천연고무·합성 고무 등》

el·as·tom·e·ter [ilæstɑ́mətər | -tɔ́m-] *n.* 탄력계(計), 탄성률계

---

elastic *a.* **1** 탄력 있는 plastic, flexible, pliant, stretchy, yielding, rubbery, rebounding **2** 융통성 있는 flexible, adaptable, fluid, adjustable, accommodating, variable (opp. *rigid, inflexible*)
elation *n.* bliss, euphoria, rapture, ecstasy, joy, delight, jubilation

---

Elas·to·plast [ilǽstəplæ̀st | -plɑ̀ːst] *n.* =BAND-AID 1

e·late [iléit] *vt.* 고무하다, 기운을 북돋아 주다; 뽐내게[우쭐대게] 하다 **—** *a.* =ELATED

e·lat·ed [iléitid] *a.* 의기양양한, 득의만면의, 우쭐대는(proud) 《*at, by*》: He was ~ *at* the news. 그는 그 소식을 듣고 우쭐댔다. **~·ly** *ad.* **~·ness** *n.*

el·a·ter [élətər] *n.* **1** 〖식물〗 (포자를 튀겨 내는) 탄사(彈絲) **2** 〖곤충〗 방아벌레

e·la·tion [iléiʃən] *n.* Ⓤ 의기양양

É làyer 〖통신〗 E층 《지상 100-120km에 위치한 전리층으로 장·중파의 전파를 반사함》

El·ba [élbə] *n.* 엘바 (섬) 《이탈리아의 작은 섬; 1814-15년 Napoleon 1세의 첫 유배지》

El·be [élb] *n.* [the ~] 엘베 강 《북해로 흘러드는 독일의 강》

El·bert [élbərt] *n.* 남자 이름 《애칭 Bert》

El·ber·ta [elbə́ːrtə] *n.* 여자 이름

‡**el·bow** [élbou] [OE 「팔(ell)의 활(bow)」의 뜻에서] *n.* **1** 팔꿈치; (옷의) 팔꿈치 **2** 팔꿈치[L자] 모양의 것; (팔꿈치 모양의) 굽은 관(管); (팔꿈치 모양의) 굽은 이음매; 팔걸이(=∠ **rèst**); (팔꿈치 모양의) 굴곡, (하천·도로 등의) 급한 굽이 **3** 《미·속어》 경관, 형사 《범인을 좇아 인파 속을 팔꿈치로 제치며 나아간다는 뜻에서》
at** a person**'s ~ = ***at the ~(s)*** 팔 닿는 곳에, 바로 가까이에 ***bend*** [***crook, lift, raise, tip***] ***the*** [one***'s***] ***~*** 《구어》 술을 마시다, 《특히》 과음하다 ***from*** one***'s*** [***the***] ***~*** 곁에서 떨어져 ***get the ~*** 《구어》 퇴짜맞다, 연분을 끊기다 ***give*** a person ***the ~*** 《구어》 …와 연분을 끊다, 퇴짜놓다 ***jog*** a person***'s ~*** …의 팔꿈치를 슬쩍 찌르다 《주의·경고 등을 위해》 ***More***[***All***] ***power to your ~!*** 《구어》 더욱 건투[건강, 성공]하시기를 빕니다! ***out at ~s***[***the ~***] (옷의) 팔꿈치가 떨어져, 누더기가 되어(shabby); 〈사람이〉 초라하여, 가난하여 ***rub*** [***touch***] ***~s with*** …와 사귀다 ***up to the*** [one***'s***] ***~s*** (일 등에) 몰두하여 《*in*》
— *vt.* 팔꿈치로 쿡 찌르다[떼밀다]: 《~+목+부》 ~ people *aside*[*off*] 사람들을 팔꿈치로 밀어제치다 // 《~+목+전+명》 ~ oneself *into* a crowded train 혼잡한 열차 속으로 사람을 밀어제치고 들어가다 / ~ one's way *through* a crowd 군중 속을 밀어제치고 나아가다 / ~ a person *out of* the way 방해가 되지 않도록 사람을 밀어제치다
— *vi.* 밀어제치고 나아가다

el·bow-bend·er [élboubèndər] *n.* 《미·구어》 술 마시는 사람, 술꾼; 《미·속어》 사교적인[쾌활한] 사람

el·bow-bend·ing [-bèndiŋ] *n.* 《구어》 음주; 과음 **—** *a.* 과음한

élbow bòard (팔꿈치를 필 수 있는) 창문턱

élbow chàir 팔걸이 의자

élbow grèase 《익살·구어》 팔의 힘으로 하는 일 《연마(硏磨) 등》; 힘드는 일; 끈기

el·bow·room [élbourùːm] *n.* Ⓤ **1** (팔꿈치를 자유롭게 움직일 수 있는) 여지, 여유, 충분한 활동 범위 **2** 기회; (행동·사고의) 자유

el cheap·o [èl-tʃíːpou] *a., n.* 값싼[싸구려의, 시시한] (물건)

eld [éld] *n.* Ⓤ **1** 《영·방언》 연령, 나이(age) **2** 《고어·시어》 노년(老年); 옛날

eld. eldest

‡**eld·er**[1] [éldər] [OE old의 비교급] *a.* Ⓐ **1** 《영》 (형제 등의 혈연 관계에서) 나이가 위인, 연장(年長)의 (opp. *younger*) ★ 《미》에서는 older를 쓰는 일이 많음: one's ~ brother[sister] 형, 오빠[누나, 언니] **2** [the E~; 인명 앞이나 뒤에 덧붙여] (같은 이름 또는 성의 사람·부자·형제 등 중에서) 연상의(opp. *the Younger*) **3** 선배의, 고참의(cf. OLDER, SENIOR, MAJOR) **4** 옛날의; 초기의
— *n.* **1** 연장자; 《고어》 노인; [보통 one's ~s로] 선배, 웃어른 **2** 조상(ancestor) **3** 원로; 원로원 의원 **4**

장로 《특히 장로교회의》
~·shìp n. Ⓤ 연장[선배]임; (교회의) 장로직
elder² n. 〖식물〗 딱총나무 무리
élder abùse 노인 학대
el·der·ber·ry [éldərbèri | -bəri] n. (pl. -ries) **1** 딱총나무 열매 《검보라색》 **2** =ELDER²
élderberry wíne elderberry 열매로 담근 술
élder bróther (영) 수로 안내 협회(Trinity House)의 간부 회원
el·der·care [éldərkɛ̀ər] n. Ⓤ (미) 노인 의료 계획, 노인 예방 진료 계획 《의료 보험 제도의 보완책》
el·der·flow·er [éldərflàuər] n. 〖식물〗 딱총나무 꽃
élder hánd =ELDEST HAND
***eld·er·ly** [éldərli] a. **1 a** 나이가 지긋한, 늙숙한, 중년이 지난, 초로(初老)의(⇨ old 유의어) **b** [the ~; 집합적] 중장년층, 초로의 사람들 **2** 시대에 뒤진
-li·ness n. Ⓤ 지긋한 나이, 초로
élderly depéndency ràtio 노령자 (피)부양률
élder státesman (정계의) 원로, 장로; (조직·집단의) 유력자, 중진
‡el·dest [éldist] [OE old의 최상급] a. Ⓐ (형제 등의 혈연 관계에서) 가장 나이 많은; 맏이의 ★ (미)에서는 oldest를 쓰는 일이 많음; cf. ELDER¹ 1: one's ~ brother[sister, child] 맏형[맏누이, 맏아이] / one's ~ son[daughter] 맏아들, 장남[맏딸, 장녀]
éldest hánd (카드놀이에서 패 도르는 사람의 왼쪽에 있는) 카드를 첫 번째로 받는 사람
E.L.D.O., ELDO, El·do [éldou] [*E*uropean *L*auncher *D*evelopment *O*rganization] n. 유럽 우주 로켓 개발 기구
El Do·ra·do [èl-dərɑ́:dou, -réi-] [Sp. = the gilded (country) 황금의 나라] **1** 엘도라도 《남미 아마존 강변에 있다고 상상되었던 황금향(鄕)》 **2** 《일반적으로》 황금향, 이상적인 낙원
El·dred [éldrid] n. 남자 이름
el·dritch [éldritʃ] a. (스코) 무시무시한, 소름이 끼치는, 섬뜩한
El·ea·nor [élənər, -nɔ̀:r], **El·e·a·no·ra** [èliənɔ́:rə] n. 여자 이름 《Helen의 변형; 애칭 Ella, Ellie, Nell(e), Nelly, Nellie, Nora》
e-learn·ing [ì:lə́:rniŋ] n. 〖컴퓨터〗 인터넷[전자] 학습
El·e·at·ic [èliǽtik] a., n. 〖철학〗 엘레아 학파의 (사람) **-i·cìsm** n.
elec., elect. electric(al); electrician; electricity; electuary
el·e·cam·pane [èlikæmpéin] n. 〖식물〗 목향(木香) 《엉거싯과(科)의 식물》; 목향 과자 《목향나무에서 뽑은 향료로 만듦》
e·lec-pow·ered [ilékpàuərd] a. 전동의
‡e·lect [ilékt] [L 「선택하다」의 뜻에서] vt. **1** 선거하다, 선출[선임]하다: (~+목+(**to be**) 보) ~ a person (*to be*) president …을 총재[회장, 대통령]로 선출하다 // (~+목+**as** 보) ~ a person *as* chairman …을 의장으로 선출하다 // (~+목+전+명) He was *~ed for*[*to*] Congress in 2004. 그는 2004년에 국회의원으로 선출되었다. **2** 택하다, 고르다, 결정하다 (choose): ~ suicide 자살을 택하다 // (~+**to** do) He *~ed to* remain at home. 그는 집에 남아 있기로 정했다. **3** (미) 〈과목 등을〉 선택하다 **4** 〖신학〗 〈하느님이 사람을〉 택하다; (신의) 소명(召命)을 받다
—*vi.* (투표 등으로) 선택하다, 선거하다
—*a.* **1** 선정[선발]된 **2** [보통 복합어를 이루어] (아직 취임하지 않았으나) 선출[선임]된: the President-~ 대통령 당선자 **3** 〖신학〗 (하느님에게) 선택된(opp. *reprobate*)
—*n.* [the ~; 집합적; 복수 취급] (문어) **1** 뽑힌 사람 **2** 특권 계급, 엘리트 **3** 〖신학〗 하느님의 선민(選民)들(God's elect)
▷ eléction n.; eléctive a.
e·lect·a·ble [iléktəbl] a. 선출될 수 있는; 선출[선택]될 만한 **e·lèct·a·bíl·i·ty** n.
e·lect·ed [iléktid] a. 선출된(opp. *appointed*): an ~ official 선출된 공무원 **—***n.* =ELECT 2
e·lect·ee [ilektí:] n. 선출[선택]된 사람
‡e·lec·tion [ilékʃən] n. **1** (투표에 의한) **선거**; 선정; 선임; 당선: be up[(미) run, (영) stand] for ~ 입후보하다 / carry[win] an ~ 선거에 이기다, 당선하다 **2** Ⓤ 〖신학〗 하느님의 선택
general ~ 총선거 ***special ~*** (미) 보궐 선거((영) by-election) ***the Central E~ Management Committee*** (우리나라의) 중앙 선거 관리 위원회 《略 CEMC》 ▷ eléct v., eléctive a.
eléction bòard 선거 관리 위원회
eléction campàign 선거 운동
Eléction Dày **1** (미) 대통령 선거일 《11월 첫 월요일 다음의 화요일》 **2** [**e- d-**] 《일반적으로》 선거일
eléction dìstrict 선거구
e·lec·tion·eer [ilèkʃəníər] vi. 선거 운동을 하다
—*n.* 선거 운동자[원]
e·lec·tion·eer·er [ilèkʃəníərər] n. =ELECTIONEER
e·lec·tion·eer·ing [ilèkʃəníəriŋ] n. Ⓤ 선거 운동
—*a.* 선거 운동의: an ~ agent 선거 운동원
eléction làw violátion 선거법 위반
eléction retùrns 선거 개표 보고(서)
e·lec·tive [iléktiv] a. **1** 선거에 의한 〈직위·권능 등〉; 선거의[에 관한]; 선거하기 위한, 선거권을 가진: an ~ body 선거 단체 **2** (미) 〈과목이〉 임의로 선택할 수 있는((영) optional)(opp. *compulsory*): an ~ course 선택 과목 / an ~ system 선택 과목 제도 **3** 〈수술 등이〉 긴급을 요하지 않는, 내키는 대로 정해지는: ~ surgery 대기 수술
—*n.* (미) 선택 과목[과정]((영) optional) **~·ly** ad. 골라서(by choice); 선거에 의하여 **~·ness** n.
eléctive affínity 〖화학〗 선택적 친화력
***e·lec·tor** [iléktər] n. **1** 선거인, 유권자 **2** (미) (대통령·부통령) 선거인 **3** [보통 **E~**] 〖역사〗 선거후(侯), 선제후(選帝侯) 《신성 로마 제국에서 황제 선정권을 가지고 있던》 **~·ship** n.
e·lec·tor·al [iléktərəl] a. **1** 선거의; 선거인의: an ~ district 선거구 **2** [보통 **E~**] 〖역사〗 (독일의) 선거후(侯)의: an ~ prince 선거후(侯) **~·ly** ad.
eléctoral cóllege [the ~; 집합적] (미) 각 주의 (대통령·부통령) 선거인단
eléctoral róll[régister] [보통 the ~] 선거인 명부
eléctoral vóte (미) 〖정치〗 대통령·부통령 선거인단에 의한 투표(cf. POPULAR VOTE)
e·lec·tor·ate [iléktərət] n. **1** [the ~; 집합적] 선거민 (전체), 유권자 (전원) **2** 〖역사〗 (신성 로마 제국의) 선거후(侯)의 지위[관할, 영토]
electr- [iléktr], **electro-** [iléktrou, -trə] 《연결형》 「전기의, 전기에 의한」의 뜻 《모음 앞에서는 electr-》
electr. electric(al); electrician; electricity
E·lec·tra [iléktrə] n. **1** 여자 이름 **2** 〖그리스신화〗 엘렉트라 《Agamemnon과 Clytemnestra의 딸; 동생을 부추겨 어머니와 그 정부를 죽임》 **3** 〖천문〗 엘렉트라 《Pleiades 성단(星團)의 한 별》
Eléctra còmplex 〖정신분석〗 엘렉트라 콤플렉스 《딸이 아버지에 대해서 무의식적으로 지니고 있는 성적인 사모감》(cf. OEDIPUS COMPLEX)
e·lec·tress [iléktris] n. **1** 여성 선거인[유권자] **2** [보통 **E~**] 〖역사〗 (신성 로마 제국의) 선거후(侯) 부인[미망인]
e·lec·tret [iléktrit] n. 〖물리〗 일렉트릿 《반영구적 분극(分極)을 가진 유전체》
‡e·lec·tric [iléktrik] [Gk 「호박(琥珀)」의 뜻에서; 호박을 마찰하면 전기가 일어나는 데서] a. **1 전기(성)의**; 전기를 띤[일으키는], 발전의; 전기 장치의; 전기

thesaurus **elect** v. vote for, choose, pick, select, appoint, decide on, designate, determine

같은 **2** 전격적인, 충격적인, 자극적인(thrilling) **3** 〈악기가〉 전기에 의해 음을 내는; 음을 증폭하는 장치를 갖춘 **4** 〈색이〉 선명한, 강렬한
—*n.* **1** 전기로 움직이는[작용하는] 것; 전차; 전기 자동차[기관차] **2** 《고어》 기전(起電) 물체 《호박·유리 등》; [*pl.*] 전등, 전기 설비[장치]

:e·lec·tri·cal [iléktrikəl] *a.* **1 전기에 관한**; 전기의[에 의한]: ~ timekeeping 전자 계시(計時) **2** 전기 같은; 전격적인 **~·ness** *n.*

eléctrical degrée 〔전기〕 전기 각도 《교류 전류 1사이클의 1/360》

eléctrical engineér 전기 (공학) 기사, 전기 기술자

eléctrical engineéring 전기 공학

e·lec·tri·cal·ly [iléktrikəli] *ad.* **1** 전기(작용으)로; 전기학상(으로) **2** 전격적으로

eléctrical precípitator 전기 집진(集塵) 장치

eléctrical scánning 〔전자〕 전기적 주사(走査)

eléctrical stórm = ELECTRIC STORM

eléctrical transcríption 〔TV·라디오〕 녹음 방송; 방송용 녹음판

eléctric blánket 전기 담요

eléctric blúe 강청색(鋼靑色) 《밝고 금속적인[차가운] 느낌의 청색》

eléctric cár 전기 자동차

eléctric cháir **1** 전기의자 《사형용》 **2** [the ~] 전기의자로의 사형(electrocution)

eléctric chárge 〔전기〕 전하(電荷)

eléctric córd 《미》 전기 코드

eléctric cúrrent 전류(電流)

eléctric displácement 〔전기〕 전기 변위(變位)

eléctric éel 〔어류〕 전기뱀장어 《남아메리카산(産)》

eléctric éye 〔전기〕 광전지(光電池)(photoelectric cell)

eléctric éye càmera 자동 노출 카메라

eléctric fénce 전기 울타리

eléctric fíeld 〔전기〕 전계(電界)

eléctric fíre 《영》 전기 백열 히터

eléctric flúx 〔전기〕 전기력선

eléctric fúrnace 전기로(爐)

eléctric guitár 전기 기타

eléctric háre 전동식 모형 토끼 《개 경주에서 사용》

eléctric héater 전기난로, 전열기

e·lec·tri·cian [ilektríʃən, ìːlek-] *n.* 전기 기사; 전공(電工), 전기 담당자

:e·lec·tric·i·ty [ilektrísəti, ìːlek-] *n.* Ⓤ **1 전기**: atmospheric ~ 공중 전기 / frictional ~ 마찰 전기 / galvanic ~ 유(流)전기 / magnetic ~ 자(磁)전기(magnetism) / negative[resinous] ~ 음전기 / positive[vitreous] ~ 양전기 / thermal ~ 열전기 **2** 전류; (공급) 전력: install ~ 전기 장치를 하다 **3** 전기학 **4** (남에게도 감염할 듯한) 심한 흥분, 열정

eléctric líght **1** 전광, 전등빛 **2** 전등 《백열등·형광등 따위》

eléctric mótor 전동기

eléctric néedle 〔외과〕 전기침(針)

eléctric néws tàpe 전광 뉴스

eléctric órgan **1** 전기[전자] 오르간 **2** 〔동물〕 (전기뱀장어·시끈가오리 등의) 전기 기관(器官)

eléctric poténtial 〔전기〕 전위(電位)

eléctric pówer 전력

eléctric ráy 〔어류〕 전기가오리 《총칭》

eléctric rócket 〔로켓〕 전기 추진 로켓

eléctric sháver[rázor] 전기면도기

eléctric shóck 전기 쇼크[충격], 전격, 감전

eléctric shóck thèrapy 〔정신의학〕 전기 쇼크 요법

eléctric stéel 〔야금〕 전로강(電爐鋼)

eléctric stórm 심한 뇌우(雷雨)

---

election *n.* **1** 선거 ballot, poll **2** 선정 voting, choosing, picking, selection, choice, appointment

---

eléctric téeth 《미·속어》 경찰; 자동차 속도 측정 장치(radar)

eléctric tórch 《영》 (막대기 모양의) 손전등(《미》 flashlight)

eléctric tówel 전기 온풍 건조기 《화장실 등에서 젖은 손·얼굴을 말리기 위한 것》

eléctric wáve 〔전기〕 전파; 전자파(電磁波)

eléctric wíre 전선

e·lec·tri·fi·ca·tion [ilèktrəfikéiʃən] *n.* Ⓤ **1** 대전(帶電), 감전; 충전 **2** (철도·가정 등의) 전화(電化) **3** 몹시 감동[흥분]시킴

***e·lec·tri·fy** [iléktrəfài] *vt.* (**-fied**) **1** 〈물체에〉 전기를 통하게 하다, 대전(帶電)시키다, 〈사람을〉 감전시키다; 충전하다: an *electrified* body 대전체(帶電體) **2** 〈철도·가정 등을〉 전화(電化)하다: ~ a railroad 철도를 전화하다 **3** 깜짝 놀라게 하다(startle), 충격을 주다, 흥분시키다(excite) **4** 전력을 공급하다 **5** 〈음악을〉 전기적으로 증폭하다

e·lec·tri·fy·ing [iléktrifaiiŋ] *a.* 흥분하게 하는, 짜릿한: The dancers gave an ~ performance. 그 무용수들은 짜릿한 공연을 펼쳤다.

e·lec·tri·za·tion [ilèktrizéiʃən | -trai-] *n.* = ELECTRIFICATION

e·lec·trize [iléktraiz] *vt.* = ELECTRIFY

e·lec·tro [iléktrou] *vt.*, *n.* (*pl.* **~s**) **1** = ELECTROPLATE **2** = ELECTROTYPE

electro- [iléktrou, -trə] 《연결형》 = ELECTR-

e·lec·tro·a·cous·tics [ilèktrouəkúːstiks] *n. pl.* [단수 취급] 전기 음향학 **-tic, -ti·cal** [-tik(əl)] *a.*

e·lec·tro·ac·u·punc·ture [ilèktrəǽkjupʌ̀ŋktʃər] *n.* 전기 침술 (요법), 전기침

e·lec·tro·a·nal·y·sis [ilèktrouənǽləsis] *n.* Ⓤ 〔화학〕 전기 분석, 전해(電解), 전리(電離)

e·lec·tro·bath [iléktroubæ̀θ | -bɑ̀ːθ] *n.* 전조(電槽), 전해조(電解槽), 전액(電液) 《전기 도금용》

e·lec·tro·bi·ol·o·gy [ilèktroubaiɑ́lədʒi | -ɔ́l-] *n.* 전기 생물학 《동식물의 전기 현상을 취급》

e·lec·tro·car·di·o·gram [ilèktroukɑ́ːrdiəgræ̀m] *n.* 〔의학〕 심전도 《略 ECG》

e·lec·tro·car·di·o·graph [ilèktroukɑ́ːrdiəgræ̀f | -grɑ̀ːf] *n.* 〔의학〕 심전계(心電計)

e·lec·tro·car·di·og·ra·phy [ilèktroukɑ̀ːrdiɑ́grəfi | -ɔ́g-] *n.* 〔의학〕 심전도 기록[검사](법)

e·lec·tro·cau·ter·y [ilèktroukɔ́ːtəri] *n.* 〔의학〕 전기 소작기(燒灼機); 전기 소작법[술]

e·lec·tro·chem·i·cal [ilèktroukémikəl] *a.* 전기 화학의 **~·ly** *ad.*

e·lec·tro·chem·ist [ilèktroukémist] *n.* 전기 화학자

e·lec·tro·chem·is·try [ilèktroukémistri] *n.* Ⓤ 전기 화학

e·lec·tro·chrom·ism [ilèktroukróumizm] *n.* 〔화학〕 통전(通電) 변색(성)

e·lec·tro·chron·o·graph [ilèktroukrɑ́nəgræ̀f | -krɔ́nəgrɑ̀ːf] *n.* 전기 기록 시계

e·lec·tro·con·vul·sive [ilèktroukənvʌ́lsiv] *a.* 〔정신의학〕 전기 경련의[에 관한, 을 수반하는]

electroconvúlsive thèrapy = ELECTROSHOCK THERAPY

e·lec·tro·cor·ti·co·gram [ilèktroukɔ́ːrtikəgræ̀m] *n.* 〔의학〕 뇌파도(腦波圖)

e·lec·tro·cor·ti·cog·ra·phy [ilèktroukɔ̀ːrtikɑ́grəfi | -kɔ́g-] *n.* 〔의학〕 뇌파 측정법 《대뇌 피질에 직접 전극을 접촉시키는》

e·lec·tro·cute [iléktrəkjùːt] *vt.* **1** 전기(쇼크)로 죽이다, 감전사시키다 **2** (전기의자로) 전기 사형에 처하다

e·lec·tro·cu·tion [ilèktrəkjúːʃən] *n.* Ⓤ **1** 감전사 **2** = ELECTRIC CHAIR 2

e·lec·trode [iléktròud] *n.* 〔전기〕 전극(電極), 전극봉(棒)

e·lec·tro·del·ic [ilèktrədélik] *a.* 전광에 의해 환각

적인 효과를 내는
e·lec·tro·de·pos·it [ilèktroudipázit | -pɔ́z-] 〖화학〗 *vt.* 전착(電着)시키다 **—** *n.* 전착물
e·lec·tro·dep·o·si·tion [ilèktroudèpəzíʃən] *n.* Ⓤ 〖화학〗 전착; 전해 석출(電解析出)
eléctrode poténtial 〖전기〗 전극 전위
e·lec·tro·di·ag·no·sis [ilèktroudaiəgnóusis] *n.* 〖의학〗 전기 진단(법)
e·lec·tro·di·al·y·sis [ilèktroudaiǽləsis] *n.* 〖물리·화학〗 전기 투석, 전해 투석(透析) 《전해(電解)의 전극을 놓고 확산을 촉진시키는 투석법》
e·lec·tro·dy·nam·ic, -i·cal [ilèktroudainǽmik(əl)] *a.* 전기력의; 전기 역학의[적인]
e·lec·tro·dy·nam·ics [ilèktroudainǽmiks] *n. pl.* [단수 취급] 전기 역학
e·lec·tro·dy·na·mom·e·ter [ilèktroudainəmɑ́mitər | -mɔ́m-] *n.* (전류·전압·전력을 측정하기 위한) 전력계, 동력 전류계
e·lec·tro·en·ceph·a·lo·gram [ilèktrouenséfələgræ̀m] *n.* 〖의학〗 뇌파도, 뇌전도
e·lec·tro·en·ceph·a·lo·graph [ilèktrouenséfələgræ̀f | -grɑ̀:f] *n.* 〖의학〗 뇌파 전위(電位) 기록 장치
e·lec·tro·en·ceph·a·log·ra·phy [ilèktrouensèfəlɑ́grəfi | -lɔ́g-] *n.* 〖의학〗 뇌파 전위 기록술
e·lec·tro·fish·ing [iléktroufìʃiŋ] *n.* Ⓤ 전류 어법(漁法) 《직류 전원의 집어(集魚) 효과를 이용한 것》
e·lec·tro·form [iléktrəfɔ̀:rm] *vt.* 전기 주조(鑄造)하다
e·lec·tro·gas·dy·nam·ics [ilèktrougæ̀sdainǽmiks] *n. pl.* [단수 취급] 전기 유체 역학
e·lec·tro·gen·e·sis [ilèktroudʒénəsis] *n.* 〖의학〗 전기 발생 《생체의 세포 조직에서의 발전 활동》 **-gén·ic** *a.*
e·lec·tro·gram [iléktrəgræ̀m] *n.* 〖의학〗 전기 기록도[곡선도] 《신체 조직 속에 전극을 넣어 작성하는 활동 전위도》
e·lec·tro·graph [iléktrəgræ̀f | -grɑ̀:f] *n.* **1** 〖전기〗 전위(電位) 기록기 **2** 전기판 조각기(電氣版彫刻器); 사진 전송 장치; X선 사진
e·lèc·tro·gráph·ic *a.* **e·lèc·tro·gráph·i·cal·ly** *ad.*
e·lec·trog·ra·phy [ilektrɑ́grəfi | -trɔ́g-] *n.* Ⓤ 전위 기록[전기판 조각, 사진 전송]술
e·lec·tro·hy·drau·lics [ilèktrouhaidrɔ́:liks] *n. pl.* [단수 취급] 전기 수력학(水力學) **-lic** *a.*
e·lec·tro·jet [iléktrədʒèt] *n.* 고층 전류 《상층 대기에 존재하는 이온의 흐름; 지표에 대해 이동하면서 갖가지 오로라 현상을 일으킴》
e·lec·tro·ki·net·ic [ilèktroukinétik] *a.* 동(動)전기적인, 동전기상의
e·lec·tro·ki·net·ics [ilèktroukinétiks] *n. pl.* [단수 취급] 동전기학(動電氣學)(cf. ELECTROSTATICS)
e·lec·tro·ky·mo·graph [ilèktroukáiməgræ̀f | -grɑ̀:f] *n.* 〖의학〗 심파동(心波動) 기록기
e·lec·tro·less [iléktròulis] *a.* 〖화학〗 비전착성(非電着性) 금속 석출의
e·lec·tro·lier [ilèktrəlíər] *n.* 꽃전등, 전기 샹들리에(cf. CHANDELIER)
e·lec·trol·o·gist [ilektrɑ́lədʒist | -trɔ́l-] *n.* (사마귀·점·지나치게 많은 털 등을 제거하기 위한) 전기 분해 요법 숙련자
e·lec·tro·lu·mi·nes·cence [ilèktroulù:mənésns] *n.* Ⓤ 〖전기〗 전장(電場) 발광, 전기 루미네선스
e·lec·trol·y·sis [ilèktrɑ́ləsis | -trɔ́l-] *n.* Ⓤ **1** 〖화학〗 전기 분해, 전해 **2** 〖의학〗 전기 분해 요법 《모근·종양 등을 전류로 파괴하기》
e·lec·tro·lyte [iléktrəlàit] *n.* 〖화학〗 전해물[질, 액]
e·lec·tro·lyt·ic [ilèktrəlítik] *a.* 전해(질)의: an ~ cell[bath] 전해조(槽) / ~ dissociation 전리(電離)
e·lec·tro·ly·za·tion [ilèktrəlizéiʃən | -lai-] *n.* Ⓤ **1** 〖화학〗 전해, 전기 분해 **2** 〖의학〗 전기 분해법 치료
e·lec·tro·lyze [iléktrəlàiz] *vt.* **1** 〖화학〗 전해 (처리)하다, 전기 분해하다 **2** 〖의학〗 전기 분해법으로 치료[제거]하다
e·lec·tro·lyz·er [iléktrəlàizər] *n.* 〖물리·화학〗 전해조(槽)
e·lec·tro·mag·net [ilèktroumǽgnit] *n.* 전자석(電磁石)
e·lec·tro·mag·net·ic [ilèktroumægnétik] *a.* 전자석의; 전자기(電磁氣)의 **-i·cal·ly** *ad.*
electromagnétic compatibílity 〖컴퓨터〗 전자 환경 적합성 《전자파 잡음 등으로 인한 전자 환경의 악화를 방지하는 조치》
electromagnétic fíeld 〖전기〗 전자기장
electromagnétic fórce 〖전기〗 전자기력
electromagnétic indúction 〖전기〗 전자(電磁) 유도
electromagnétic interáction 〖물리〗 전자기적 상호 작용
electromagnétic interférence 〖전기〗 전자 방해 《다른 기기(機器)를 방해하는 전자 제품의 잡음; 略 EMI》
electromagnétic púlse 〖전기〗 전자기 펄스 《핵폭발에 의해 생긴 고농도의 전자 방사》
electromagnétic radiátion 〖물리〗 전자기 방사선 《전파·광선·X선·감마선 등 전자파의 방사》
e·lec·tro·mag·net·ics [ilèktroumægnétiks] *n. pl.* [단수 취급] = ELECTROMAGNETISM
electromagnétic spéctrum 전자기 스펙트럼
electromagnétic únit 전자기 단위 《전류의 자기 효과를 바탕으로 하여 만든 단위계(系); 단위를 10암페어로 함》
electromagnétic wáve 〖물리〗 전자파(波)
e·lec·tro·mag·ne·tism [ilèktroumǽgnətìzm] *n.* Ⓤ 전자기(학)(電磁氣(學))
e·lec·tro·me·chan·i·cal [ilèktroumikǽnikəl] *a.* 전기 기계의, 전기 기계에 관한 **~·ly** *ad.*
e·lec·tro·mer [iléktrəmər] *n.* 〖화학〗 전자 이성체(異性體)
e·lec·tro·met·al·lur·gy [ilèktroumétələ̀:rdʒi, -mətǽlər-] *n.* Ⓤ 전기 야금학(冶金學)
e·lec·tro·me·te·or [ilèktroumí:tiər] *n.* 전기적 대기 현상 《번개·벼락 따위》
e·lec·trom·e·ter [ilèktrɑ́mətər | -trɔ́m-] *n.* 전위계(電位計)
e·lec·tro·mo·bile [iléktrəməbì:l] *n.* 전기 자동차 《석유 절약·무공해의 자동차》
e·lec·tro·mo·tive [ilèktrəmóutiv] *a.* 전동(電動)의, 기전(起電)의: ~ force 기전력, 전동력 《略 EMF, emf》 **—** *n.* 《속어》 전기 기관차(cf. LOCOMOTIVE)
e·lec·tro·mo·tor [ilèktrəmóutər] *n.* 전기 발동기, 전동기, 전기 모터
e·lec·tro·my·o·gram [ilèktroumáiəgræ̀m] *n.* 〖의학〗 근전도(筋電圖) 《略 EMG》
e·lec·tro·my·og·ra·phy [ilèktroumaiɑ́grəfi | -ɔ́g-] *n.* 〖의학〗 근전도 검사[기록](법)
***e·lec·tron** [iléktrɑn | -trɔn] *n.* **1** 〖물리·화학〗 **전자**, 일렉트론: ~ emission 전자 방출 **2** = ELECTRUM
eléctron affínity 〖물리〗 전자 친화력(親和力)[친화도, 친화성]
e·lec·tro·nar·co·sis [ilèktrounɑ:rkóusis] *n.* Ⓤ 〖의학〗 전기 마취(요)법
eléctron bèam 〖물리〗 전자 빔 《전계(電界)·자계(磁界)에서 한 방향으로 모아져 흐르는 전자의 흐름》
eléctron béam mèlting (금속의) 전자빔 용해법
eléctron càmera 〖전자〗 전자 카메라
eléctron clòud 〖물리〗 전자 구름
e·lec·tro·neg·a·tive [ilèktrounégətiv] *a.* (opp. *electropositive*) **1** 〖전기〗 음전기의; 음전성(性)의 **2** 〖화학〗 (전기에 대해) 음성의, 산성의 **3** 〖물리·화학〗 비금속성의(nonmetallic) **—** *n.* 〖화학〗 (전기) 음성 물질
eléctron gàs 〖물리〗 전자 기체[가스]
eléctron gùn 〖전자〗 (텔레비전 브라운관의) 전자류

(流) 집주관(集注管), 전자총(銃)

*__e·lec·tron·ic__ [ilèktrɑ́nik | -trɔ́n-] *a.* **전자의**; 전자 공학의; 전자 음악의; 컴퓨터의, 컴퓨터 제품[서비스]의: an ~ calculator[computer] 전자계산기 / an ~ carillon 전자 카리용《전자 장치로 된 한 쌍의 종》/ an ~ exchanger 전자 교환기 / an ~ fence 전자 장벽을 이루는 일련의 항공모함과 항공기 / ~ scanning 〖전자〗 전자적 주사(走査) **-i·cal·ly** *ad.*

electrónic árt 전자 예술《섬광·움직이는 라이트 등을 사용한 예술 양식》

electrónic authenticátion 전자 인증

electrónic bánking 전자화된 은행 업무, (컴퓨터망을 이용한) 전자 결제

electrónic bómb 〖군사〗 전자 폭탄《강력한 극초단파의 전자기파를 이용, 폭발 현상 없이 목표물을 파괴할 수 있는 신형 무기》

electrónic bóok 〖컴퓨터〗 전자책(e-book)

electrónic bráin 《구어》 전자두뇌《초기의 computer의 별명; 지금은 별로 안 씀》

electrónic búlletin bòard 전자 게시판

electrónic cásh = ELECTRONIC MONEY

electrónic chúrch 전자 교회, 복음 전도 프로그램(을 이용하는 교단)

electrónic chúrchman 텔레비전·라디오 등을 이용하여 일반 대중에게 설교하는 성직자

electrónic cómmerce 전자 상거래《컴퓨터를 이용한 거래 형태》

electrónic commúnity 〖컴퓨터〗 전자 공동체《컴퓨터 통신망을 이용한 지역 사회》

Electrónic Compúter-Oríginated Máil 《미》 컴퓨터 발신형 전자 우편《1981년 1월부터 실시》

electrónic cónference 전자 회의

electrónic cóttage 전자 기기를 완비한 주택《Alvin Toffler의 「제3의 물결」에서 언급된 미래의 생활 양식》

electrónic cóuntermeasure 〖군사〗 (적 미사일의) 유도 방향 전환 전자 장치《略 ECM》

electrónic críme 컴퓨터 범죄

electrónic dáta ìnterchange 〖컴퓨터〗 전자 자료 교환《略 EDI》

electrónic dáta pròcessing 〖컴퓨터〗 전자 정보 처리《略 EDP》

electrónic engineéring 전자 공학

electrónic fíle 전자 파일《대량의 문서·자료 등을 전기 신호의 형태로 보관하는 장치》

electrónic flásh 〖사진〗 전자 플래시, 스트로브(라이트)(strobe light)《발광 장치》

electrónic fúnds trànsfer 온라인 자금 이체[이행 결제]《略 EFT》: ~ system ⇨ EFTS

electrónic gáme 전자 게임, 비디오 게임(video game)

electrónic ignítion 전자 점화 장치

electrónic ímaging 전자 영상 시스템《영상 정보를 자기 테이프 등에 저장하여 TV 화면으로 보는 방식》

electrónic intélligence = ELINT

electrónic jóurnal 전자 저널《인터넷 등 전자 매체 형식의 정기 간행물》

electrónic jóurnalism 《특히 미》 텔레비전 보도; [집합적] 방송 기자《略 EJ》

electrónic kéyboard 전자식 건반 악기

electrónic léarning 전자 학습《컴퓨터를 이용한 학습; 略 EL》

electrónic máil = E-MAIL

electrónic máilbox 전자 우편함

electrónic márketplace 전자 시장《케이블 TV나 인터넷을 이용하는》

electrónic média 전자 미디어《전자·통신 기술을 응용한 정보 전달 매체의 총칭》

electrónic méeting 전자 회의

electrónic móney 전자 화폐《컴퓨터 통신망상에서 통용되는》

electrónic músic 〖음악〗 전자 음악

electrónic néws gàthering 휴대용 TV 카메라와 음향 기기를 이용한 뉴스 보도 시스템《略 ENG》

electrónic óffice 전자식 사무실《전자 기기에 의한 사무 처리의 자동화》

electrónic órgan 전자 오르간

electrónic órganizer 〖컴퓨터〗 전자수첩

electrónic públishing 전자 출판

*__e·lec·tron·ics__ [ilèktrɑ́niks | -trɔ́n-] *n. pl.* [단수 취급] **전자 공학**, 일렉트로닉스

electrónic shópping = TELESHOPPING

electrónic sígnature = DIGITAL SIGNATURE

electrónic smóg 전파 스모그《각종 전파·전기 기기로부터 발생한 유해 전자파》

electrónic spréadsheet 〖컴퓨터〗 (전자) 스프레드시트《도표 계산용 소프트웨어》

electrónic stýlus = LIGHT PEN

electrónic survéillance 전자 기기를 이용한 감시[정보 수집]《전화 도청 등》

electrónic tágging = TAG³ *n.*

electrónic tícket 전자 항공권(e-ticket)

electrónic tícketing 전자 항공권 판매 (서비스)

electrónic tówn háll 전자 시의회《텔레비전·인터넷 상에서 행해지는 행정과 시민의 대화[토론]》

electrónic tránsfer 온라인 (자금) 이체

electrónic tùbe = ELECTRON TUBE

Electrónic Univérsity 전자 대학《가정의 개인용 컴퓨터와 전국 각지의 대학을 결합시킨 쌍방향의 신형 교육 시스템》

electrónic vídeo recòrder 전자식 녹화기《略 EVR》

electrónic vírus 〖컴퓨터〗 컴퓨터 바이러스

electrónic wárfare 〖군사〗 전자전(戰)

Electrónic Yéllow Páges 전자식 직업 전화부《특정 직업별 전화부의 정보를 온라인으로 제공하는》

e·lec·tron·i·ture [ilektrɑ́nitʃər | -trɔ́n-] *n.* 전자 기기 사용에 알맞도록 제작된 사무용 집기

eléctron lèns 전자 렌즈

eléctron mìcroscope 전자 현미경

eléctron mùltiplier 〖전자〗 전자 증배관(增倍管)《음극에서 나오는 전자의 수를 2차 방출로 증가시켜 양극에 흡수되도록 한 진공관》

eléctron neutrìno 〖물리〗 전자 중성 미자《질량 제로 또는 제로에 무한히 가까운 lepton의 안정 소립자》

e·lec·tron·o·graph [ilèktrɑ́nəgræ̀f | -trɔ́nə-grɑ̀:f] *n.* 전자 사진(기)

e·lec·tro·nog·ra·phy [ilèktrənɑ́grəfi | -nɔ́g-] *n.* **1** 〖인쇄〗 전자 전사법《전자적으로 문자·화상(畫像)을 종이에 전사하는》 **2** 〖광학〗 전자 현미경 상(像)

eléctron òptics 전자 광학

eléctron páir 〖물리〗 전자쌍(雙)

eléctron próbe 전자 프로브《비(非)파괴 분석이 가능한 전자 빔으로 시료에 충격을 가하는 X선 장치》

eléctron spín rèsonance 〖물리〗 전자 스핀 공명(共鳴)《略 ESR》

eléctron tèlescope 전자 망원경

eléctron tránsport 〖생화학〗 전자 전달《전자의 전달로 산화 환원이 행해지는 것》

eléctron tùbe 〖전자〗 전자관《진공관 등》

eléctron vòlt 〖물리〗 전자 볼트《기호 eV》

e·lec·tro·oc·u·lo·gram [ilèktrouɑ́kjuləgræ̀m | -ɔ́k-] *n.* 〖안과〗 전기 안구도, 안전도(眼電圖)《略 EOG》

e·lec·tro-op·tic [ilèktrouɑ́ptik | -ɔ́p-] *a.* 전기 광학의

electro-óptic devíce 〖전기〗 전기 광학 소자(素子)

electro-óptic efféct 〖전기〗 전기 광학 효과

e·lec·tro-op·tics [ilèktrouɑ́ptiks | -ɔ́p-] *n. pl.* [단수 취급] 전기 광학

e·lec·tro·os·mo·sis [ilèktrouɑzmóusis, -ɑs- | -ɔz-] *n.* 〖물리·화학〗 전기 침투《전압이 걸린 전장(電

場)에서, 액체가 양극 사이에 놓인 막을 통과하는 현상》
e·lec·tro·paint [iléktroupèint] *n.* 전해 도장(電解塗裝)에 쓰이는 도료 — *vt., vi.* (금속에) 전해 도장하다
e·lec·tro·paint·ing [iléktroupèintiŋ] *n.* 전해[전기] 도장 《금속 표면에 페인트의 엷은 층을 전해시켜 침적(沈積)시킴》
e·lec·tro·phone [iléktrəfòun] *n.* 전기 보청기; 전음기(電音器) 《송화기의 일종》; 전자 악기
e·lec·tro·phon·ic [ilèktrəfánik | -fɔ́n-] *a.* 전기 발성(發聲)의: ~ music 전자 음악
e·lec·tro·pho·rese [ilèktroufərí:s] *vt.* 〖물리·화학〗 전기 이동을 작용시키다
e·lec·tro·pho·re·sis [ilèktroufərí:sis] *n.* Ⓤ 〖물리·화학〗 전기 이동
e·lec·troph·o·rus [ilèktráfərəs | -trɔ́f-] *n.* (*pl.* **-ri** [-rài]) 〖물리〗 전기 쟁반, 기전반(起電盤)
e·lec·tro·pho·to·graph [ilèktroufóutəgræ̀f | -grɑ̀:f] *n.* 〖의학〗 전기 진단 사진
e·lec·tro·pho·tog·ra·phy [ilèktroufətágrəfi | -tɔ́g-] *n.* Ⓤ 전자 사진(술) 《전기적 방법에 의해 인화지에 화상을 만드는》
e·lec·tro·phrén·ic respirátion [ilèktrou-frénik-] 〖의학〗 횡격막 신경 전기 (자극) 호흡(법) 《인공 호흡의 일종》
e·lec·tro·phys·i·ol·o·gy [ilèktroufiziálədʒi | -ɔ́l-] *n.* 전기 생리학
e·lec·tro·plate [iléktrəplèit] *vt.* (은 등으로) 전기 도금하다 — *n.* 전기 도금물
-plàt·ing *n.* Ⓤ 전기 도금(법), 전도(電鍍)
e·lec·tro·plex·y [iléktrəplèksi] *n.* (영) = ELECTROSHOCK THERAPY
e·lec·tro·pol·ish [ilèktroupáliʃ | -pɔ́l-] *vt.* 〈금속을〉 전자 연마하다 《전해조의 양극에서》
e·lec·tro·pop [iléktrəpɑ̀p | -pɔ̀p] *n.* 전자 팝 《전자음을 사용한 팝 뮤직》
e·lec·tro·po·ra·tion [ilèktroupəréiʃən] *n.* 〖생물〗 전기 천공법(穿孔法) 《세포막에 가는 구멍을 내기 위해 전기 펄스를 사용하는 유전자 도입법》
e·lec·tro·pos·i·tive [ilèktroupázətiv | -pɔ́z-] *a.* (opp. *electronegative*) **1** 〖전기〗 양전기의; 양전성(性)의 **2** 〖화학〗 (전기에 대해) 양성(陽性)의, 염기성(鹽基性)의(basic) **3** 〖물리·화학〗 금속성의(metallic) — *n.* 〖화학〗 (전기) 양성 물질
e·lec·tro·pult [iléktrəpʌ̀lt] *n.* 〖항공〗 전기식 캐터펄트(catapult)
e·lec·tro·ret·i·no·gram [ilèktrourétənəgræ̀m] *n.* 〖안과〗 망막 전위도(電位圖), 망전도(網電圖) 《略 ERG》
e·lec·tro·ret·i·no·graph [ilèktrourétənəgræ̀f | -grɑ̀:f] *n.* 〖안과〗 망막 전기 측정기
e·lec·tro·scope [iléktrəskòup] *n.* 검전기(檢電器)
e·lec·tro·scop·ic [ilèktrouskápik | -skɔ́p-] *a.* 검전기의
e·lec·tro·sen·si·tive [ilèktrousénsətiv] *a.* 전기 감광성의
e·lec·tro·sen·si·tiv·i·ty [ilèktrousènsətívəti] *n.* 〖생물〗 (동물의) 전기 지각 능력; (생체 일반의) 전기 감응력, 전기 반응
e·lec·tro·shock [iléktrəʃɑ̀k | -ʃɔ̀k] *n.* ⓊⒸ 〖정신의학〗 전기 쇼크[충격] (요법) 《정신병 치료법》; 그 혼수 상태
eléctroshock thèrapy 〖정신의학〗 전기 쇼크[충격] 요법(electric shock therapy)
e·lec·tro·sleep [iléktrouslì:p] *n.* Ⓤ 〖의학〗 전기 수면 《뇌에 저전압 전류를 흘려 잠들게 함》
e·lec·tro·smog [iléktrəsmɑ̀g, -smɔ̀:g | -smɔ̀g] *n.* Ⓤ 컴퓨터 등 각종 전자기기들이 만들어 낸 전자파
e·lec·tro·stat·ic [ilèktrəstǽtik] *a.* 〖전기〗 정전(靜電)(기)의; 정전기학의: an ~ accelerator 〖물리〗 정전형 가속기(加速器) / ~ capacity[field, induction] 정전 용량[계(界), 유도(誘導)] / an ~ generator 정전 발전기
electrostátic precípitator 전기 집진기(集塵機)
e·lec·tro·stat·ics [ilèktrəstǽtiks] *n. pl.* [단수 취급] 정전기학(cf. ELECTROKINETICS)
electrostátic únit 〖전기〗 정전 단위 《略 esu, ESU》
e·lec·tro·sur·ger·y [ilèktrousə́:rdʒəri] *n.* 전기 외과(술) **-gi·cal** *a.* **-gi·cal·ly** *ad.*
e·lec·tro·syn·the·sis [ilèktrousínθəsis] *n.* 〖화학〗 전기 합성
e·lec·tro·tech·nics [ilèktroutékniks] *n. pl.* [단수 취급] = ELECTROTECHNOLOGY
e·lec·tro·tech·nol·o·gy [ilèktrouteknálədʒi | -nɔ́l-] *n.* 전기 공학, 전자 공학
e·lec·tro·ther·a·peu·tic, -ti·cal [ilèktrou-θèrəpjú:tik(əl)] *a.* 〖의학〗 전기 요법의
e·lec·tro·ther·a·peu·tics [ilèktrouθèrəpjú:tiks] *n. pl.* [단수 취급] 〖의학〗 전기 요법
e·lec·tro·ther·a·pist [ilèktrouθérəpist] *n.* 〖의학〗 전기 요법 의사
e·lec·tro·ther·a·py [ilèktrouθérəpi] *n.* Ⓤ 〖의학〗 전기 요법
e·lec·tro·ther·mal [ilèktrouθə́:rməl] *a.* 전열(電熱)의, 전기와 열의 **~·ly** *ad.*
e·lec·tro·tome [iléktroutòum] *n.* 자동 차단기
e·lec·trot·o·nus [ilèktrátənəs | -trɔ́t-] *n.* Ⓤ 〖생리〗 전기 긴장 《전류를 통하였을 때 일어나는 신경·근육의 생리적 긴장》
e·lec·tro·type [iléktrətàip] *n., vt.* 〖인쇄〗 전기판(版)(으로 뜨다)
e·lec·tro·typ·er [iléktrətàipər] *n.* 전기 제판공(製版工)
e·lec·tro·typ·y [iléktrətàipi] *n.* Ⓤ 전기판 제작법, 전기 제판술
e·lec·tro·va·lence, -len·cy [ilèktrouvéiləns(i)] *n.* 〖화학〗 **1** 이온 결합 **2** 전기 원자가(原子價), 전자가(電子價)
e·lec·tro·weak [iléktrouwì:k] *a.* 전자석과 약한 자계(磁界)의 상호 작용설[현상]의
e·lec·trum [iléktrəm] *n.* Ⓤ 호박(琥珀)색의 금은 합금 《고대 그리스의 화폐 제조용》
e·lec·tu·ar·y [iléktʃuèri | -tjuəri] *n.* (*pl.* **-ar·ies**) 〖약학〗 (가루약에 시럽·꿀을 섞은) 연약(煉藥), 핥아먹는 약
el·e·doi·sin [èlədɔ́isn] *n.* 〖약학〗 엘레도이신 《낙지의 침샘에서 채취한 혈관 확장·강압제》
el·ee·mos·y·nar·y [èlimásənèri | èlii:mɔ́sənəri] *a.* **1** 《문어》 자선적인, 자선의: ~ spirit 자선심 **2** 자선적 구호의[에 의지하는]
*__el·e·gance, -gan·cy__ [éligəns(i)] *n.* (*pl.* **-ganc·es**; **-cies**) **1** Ⓤ 우아, 고상(grace, refinement) **2** [보통 *pl.*] 우아[고상]한 것, 점잖은[단정한] 말[몸가짐] **3** Ⓤ (과학적인) 정밀함, (사고·증명 등의) 간결함
‡**el·e·gant** [éligənt] 〚L 「선발된」의 뜻에서〛 *a.* **1** 품위 있는, 우아한, 고상한(graceful)(⇨ delicate 유의어): a tall, ~ woman 키가 크고 우아한 여성 **2** 〈예술·문학·문체 등이〉 기품 있는, 격조 높은, 아취가 있는(tasteful): ~ arts 고상한 예술 《fine arts와 거의 같은 말》 **3** 《구어》 훌륭한, 멋진(fine, nice) **4** 〈이론·논증·해결법 등이〉 명쾌한 ***life of ~ ease*** 단아하고 안락한 생활, 화사한 생활
— *n.* 고상한 사람, 세련된 취미의 소유자
~·ly *ad.* 우아하게, 고상하게
el·e·gi·ac, -a·cal [èlidʒáiək(əl)] *a.* **1** 엘레지 형식의, 슬픈 가락의 **2** 〖시학〗 애가조(哀歌調)의, 애가[만가(挽歌)] 형식의, 애수적인 **3** 〈시인이〉 애가를 짓는
— *n.* [*pl.*] 애가[만가] 형식의 시구(詩句)

thesaurus **elegant** *a.* stylish, graceful, fashionable, beautiful, charming, exquisite, refined
elementary *a.* basic, fundamental, rudimentary, primary, easy, simple, straightforward

elegíac cóuplet[dístich] 애가조 연구(聯句) ((dactyl(−◡◡)의 6보구(步句)와 5보구가 교대되는 2행 연구))
elegíac stánza 〖시학〗 애가(哀歌)조의 연(聯) ((약강조(調) 5시각(詩脚)의 abab와 압운(押韻)되는 4행 연구(聯句)))
el·e·gist [élədʒist] *n.* 애가[만가] 시인
el·e·gize [élədʒàiz] *vi.* 애가[만가]를 만들다 ((*upon*)); 애가조로 시를 짓다, 애가[만가]로 슬픔[칭송]을 나타내다 **—***vt.* …의 애가를 짓다, 애가[만가]로[풍으로] 읊다
*__el·e·gy__ [élədʒi] *n.* (*pl.* **-gies**) **1** 애가, 비가, 만가, 엘레지 **2** 애가[만가]조의 시
elem. element(s); elementary
‡**el·e·ment** [éləmənt] [L 「제1원리」의 뜻에서] *n.* **1** (전체 중의 필요한) 요소, 성분, 구성 요소: the chief ~ of success 성공의 주요 요인/Cells are ~*s* of living bodies. 세포는 생체의 기본 요소이다.

> 유의어 **element** 전체를 형성하는 성분이나 요소의 하나로서 그 이상 나눌 수 없음을 나타낼 경우가 많다: the *elements* of a sentence 문의 요소 **factor** 어떤 현상이나 사항 등의 요인이 되는 것: Luck was a *factor* in his success. 행운이 그의 성공의 한 요소였다.

2 〖물리·화학〗 원소: Gold, silver and copper are ~*s*. 금, 은, 동은 원소이다. **3** 〖전기〗 전지; 전극 **4 a** 〖철학〗 4대 원소 ((땅·물·불·바람))의 하나 **b** [the ~s] (천기(天氣)에 나타나는) 자연력; 폭풍우: the fury of *the* ~*s* 자연력의 맹위(猛威) **c** (생물의) 고유의 영역 ((새·짐승·벌레·물고기가 각기 사는 곳)); (사람의) 고유한 활동 (영역), 적소(適所) **5** 〖군사〗 (소)부대, 분대; 〖미공군〗 최소 단위의 편대 ((2-3기)) **6** [the ~s] (학문의) 원리(principles); 초보, 입문 ((*of*)) **7** [the E~s] (문어) 〖신학〗 성찬식의 빵과 포도주 **8** [종종 *pl.*] (정치적인 의미에서 사회의) 집단, 분자: discontented ~*s* of society 사회의 불평[불만] 분자 **9** [보통 an ~] (…의) 기미, 다소 ((*of*)) ★of 뒤는 추상명사: There is *an* ~ *of* truth in what you say. 네 말에 일리가 있다. **10** 〖수학〗 원소, 요소 **11** 〖기하〗 도형을 구성하는 요소 ((점, 선, 면 등))
be in** one**'s** ~* 본래의 활동 범위 안[득의의 경지]에 있다 ***be out of** one**'s** ~* 능력을 발휘 못하는[알맞지 않은] 환경에 있다 ***strife [***war***] ***of the ~s*** 대폭풍우 ***the four ~s*** (만물을 이루는 근원이라고 옛 사람이 믿은) 4대 원소 ((earth, water, air, fire))
▷ eleméntal, eleméntary *a.*
*__el·e·men·tal__ [èləméntl] *a.* **1** 요소의; 〖물리·화학〗 원소의[같은] **2** (미) 기본[본질]적인; 기본 원리의 **3** 〖철학〗 4대 원소의(cf. ELEMENT 4 a); 자연력의: the ~ spirits 4대 원소를 불러 일으키는 정령(精靈)/~ strife 4대 원소의 투쟁, 대폭풍우/~ worship 자연력 숭배 **4** 자연력과 같은, 절대(絕大)의 **5** 초보의 ★이 뜻으로 지금은 elementary가 보통. **6** 〈사람의 성격·감정 등이〉 자연 그대로의, 숨김없는, 단순 소박한
—*n.* **1** 4대 원소의 정령의 하나 **2** [보통 *pl.*] 기본 원리
~·ly *ad.* 요소적으로, 기본적으로 ▷ élement *n.*
eleméntal área 화소(畫素) ((텔레비전 화면의 직사각형 구역))
eleméntal díet 〖의학〗 기본식(基本食), 성분 영양
‡**el·e·men·ta·ry** [èləméntəri] *a.* **1** 기본이 되는, 초보의, 입문의(introductory); Ⓐ 초등학교의: ~ education (미) 초등 교육 **2** 〈질문 등이〉 초보적인, 간단한 **3** 〖화학〗 (단)원소의: ~ substances 단체(單體) **4** 요소의, 합성[복합]이 아닌 **5** 사대(四大) 원소의; 자연력의 **-men·tá·ri·ly** *ad.* **-ri·ness** *n.*
▷ élement *n.*
eleméntary fúnction 〖수학〗 초등 함수
eleméntary párticle 〖물리〗 소립자
eleméntary schòol (미) 초등학교 ((★ 미국에서는 6년 또는 8년제; 지금은 보통 grade school이라고 함; cf. PRIMARY SCHOOL))
élement 105 〖화학〗 105번 원소(hahnium) ((인공 방사성 원소의 하나))
élement 104 〖화학〗 104번 원소(rutherfordium) ((12번째의 초(超)우라늄 원소; 인공 방사성 원소))
élement 107 〖화학〗 107번 원소 ((주기표 번호 107의 초우라늄 원소의 15번째의 것; 인공 방사성 원소))
élement 106 〖화학〗 106번 원소 ((초우라늄 원소의 14번째의 것; 인공 방사성 원소))
élement 126 〖화학〗 126번 원소 ((자연 속에 존재한다고 믿어지는 미발견의 무거운 화학 원소))
el·e·mi [éləmi] *n.* 엘레미 ((열대산(産)의 방향 수지(芳香樹脂); 고약·니스용))
El·e·na [élənə] *n.* 여자 이름
e·len·chus [iléŋkəs] *n.* (*pl.* **-chi** [-kai, -ki:]) **1** 〖논리〗 반대 논증(論證), 논파(論破) **2** ((일반적으로)) 논란(論難), 논박 ***Socratic*** ~ 소크라테스(Socrates)의 문답법
e·lenc·tic [iléŋktik] *a.* 논박의; 〖논리〗 반대 논증적인; 궤변의
‡**el·e·phant** [éləfənt] *n.* (*pl.* **~s,** [집합적] ~) **1** 코끼리 ★ (1) 수컷은 bull ~; 암컷은 cow ~; 새끼는 calf ~; 울음소리는 trumpet; 코는 trunk (2) 미국에서는 이것을 만화화하여 공화당의 상징으로 함. **2** (영) 엘리펀트 형지(型紙) ((28×23인치 크기의 도화지)) ***double*** ~ 엘리펀트 배형지(倍型紙) ((40×26 ½인치의 크기)) ***pink*** ~ 술 취한 눈에 보이는 헛것 ***see the*** ~ (미·속어) 실사회를 알다, 세상 물정을 알다
el·e·phan·ta [èləfǽntə] *n.* 인도의 맬라바르 연안에서 부는 강풍 ((9월-10월))
élephant bird 〖조류〗 융조(隆鳥)(aepyornis)
élephant èars (구어) 〖우주공학〗 미사일 겉면의 두꺼운 금속판 ((공중 마찰로 인한 열의 분산을 도모))
élephant gràss 부들 ((남아시아산(産); 밧줄·바구니용))
el·e·phan·ti·a·sis [èləfəntáiəsis, -fæn-] *n.* Ⓤ **1** 〖병리〗 상피병(象皮病) **2** 바람직하지 않은 확장[증대]
el·e·phan·tine [èləfǽnti:n | -tain] *a.* 코끼리의; 코끼리 같은, 거대한(huge); 느릿느릿한, 둔중한; 거추장스러운; 서투른(clumsy): ~ humor 시원찮은 유머/~ movements 둔중한 동작
élephant sèal 〖동물〗 해상(海象), 해마(海馬)
el·e·phant's-ear [éləfəntsìər] *n.* 〖식물〗 **1** = BEGONIA **2** = TARO
élephant trànquilizer (미·속어) = ANGEL DUST
El·eu·sin·i·an [èljusíniən] *a., n.* 엘레우시스(Eleusis)시의 (시민)
Eleusínian mýsteries 엘레우시스 제전 ((곡식의 여신 Demeter를 받드는 신비적 의식))
E·leu·sis [ilú:sis] *n.* 엘레우시스 ((고대 그리스 Attica국의 도시))
elev. elevation
‡**el·e·vate** [éləvèit] *vt.* **1** 〈사물을〉 올리다, 들어 올리다(raise); 〈소리를〉 높이다; 〖가톨릭〗 〈성체를〉 거양(擧揚)하다: ~ a gun 포구(砲口)를 올리다/~ the voice 목소리를 높이다 **2** 〈사람을〉 승진시키다, 등용하다(exalt) ((*to*)): (~+목+전+명) ~ a person *to* the section chief …을 과장으로 승진시키다 **3** 〈정신·성격 등을〉 높이다, 고상하게 하다, 향상시키다 **4** 의기양양하게 하다, 기를 북돋우다(cf. ELATE)
—*vi.* 품성[지성]을 향상시키다; 올라가다
~ ***the Host*** 〖가톨릭〗 성체를 거양하다
— [éləvèit, -vət] *a.* (고어) 높여진
▷ elevátion *n.*

---

elevate *v.* **1** 올리다 raise, lift, hoist, hike up (opp. *lower*) **2** 승진시키다 promote, upgrade, advance (opp. *demote*) **3** 기를 북돋우다 cheer, brighten, animate, exhilarate, elate, boost (opp. *depress*)

***el·e·vat·ed** [éləvèitid] *a.* **1** 〈지면·기준면 등이〉 **높여진, 높은** **2** 〈사상 등이〉 **고상한,** 고결한(lofty, noble): ~ thoughts 고상한 사상 **3** 《구어》 의기양양한, 명랑한 **4** 《구어》 거나한, 한잔하여 기분이 좋은(slightly drunk)
— *n.* = ELEVATED RAILROAD

élevated ráilroad[ràilway] 《미》 고가 철도(《영》 overhead railway) 《略 L, el》

e·le·vat·ing [éləveitiŋ] *a.* 고양시키는, 향상시키는: Reading this essay was an ~ experience. 이 수필을 읽은 것은 정신을 고양시키는 체험이었다.

***el·e·va·tion** [èləvéiʃən] *n.* **1** Ⓤ [an ~] 높이, 고도, 해발(altitude)(⇨ height 유의어); Ⓒ 높은 곳, 고지(height) **2** Ⓤ (사상·문체 등의) 고상함, 기품; 향상; 고결, 고상(高尙) 《*of*》 **3 높임,** 들어 올림; 등용, 승진 《*to*》 **4** [an ~] (포술·측량에서) 앙각(仰角), 고도 **5** 〔건축〕 입면도, 정면도 **6** 〔발레〕 공중 도약 (자세)
the E~ of the Host 〔가톨릭〕 성체 거양 ***to an ~ of*** …의 높이까지 ▷ élevate *v.*

‡el·e·va·tor [éləvèitər] *n.* **1** 《미》 **엘리베이터,** 승강기(《영》 lift): an ~ operator[man, boy, girl] 엘리베이터 운전하는 사람 / go up[down] by ~[in an ~] 엘리베이터로 올라가다[내려가다] / I took the ~ to the 10th floor. 10층까지 엘리베이터로 올라갔다. **2** 물건을 올리는 사람[장치]; 지렛대; 양곡기, 양수기, 떠올리는 기계 **3** 《미》 (양곡기 설비가 있는) 큰 곡물 창고(= grain ~) **4** 〔항공〕 승강타(昇降舵): ~ angle 승강타각(角) **5** 〔해부〕 거근(擧筋)

élevator mùsic 엘리베이터 음악 《백화점의 엘리베이터 같은 데서 나오는 경음악》

élevator shòe [보통 *pl.*] 키가 크게 보이도록 안창을 두껍게 깐 구두

el·e·va·to·ry [éləvətɔ̀:ri | élivèitəri] *a.* 올리는, 높이는

‡e·lev·en [ilévən] [OE 「10을 세고 나머지 하나」의 뜻에서] *a.* **1** Ⓐ 11의, 11개[사람]의 **2** Ⓟ 11세의
— *pron.* [복수 취급] 11개, 열한 사람
— *n.* **1** 11; 11의 기호 《11, xi, XI》 **2** 11시; 11세; 11달러[파운드, 센트, 펜스] **3** 11개 한 벌[11명 1조]의 것; 《특히》 축구[크리켓] 팀 **4** [the E~] 그리스도의 11사도 《12사도 중 Judas를 제외한》 **5** [*pl.*] 《영》 = ELEVENSES ***be in the ~*** (11인조) 선수의 한 사람이다

e·lev·en·fold [ilévənfòuld] *a., ad.* 11배의[로]

eléven o'clòck 《영·방언》 (11시 경에 먹는) 간단한 식사

e·lev·en-plus [ilévənplʌ́s] *n.* [보통 the ~] 《영》 (11세 이상 응시할 수 있는) 중학 입학 자격 시험(= ~ **examinátion**) 《지금은 거의 폐지》

e·lev·ens·es [ilévənziz] *n. pl.* [단수 취급] 《영·구어》 오전 11시 경에 먹는 가벼운 식사[다과] 《커피나 홍차만이기도 함》

‡e·lev·enth [ilévənθ] *a.* [보통 the ~] **제11의,** 11번째의; 11분의 1의
— *pron.* [the ~] 11번째의 사람[것]
— *n.* [보통 the ~] **제 11,** 11번째(의 것); 11분의 1; (달의) 제11일 **~·ly** *ad.* 11번째로

eléventh hóur [the ~] 마지막 기회, 최후의 순간, 막판, 마감이 임박한 시간 ***at the ~*** 막판에, 마지막 기회에

el·e·von [éləvɑ̀n | -vɔ̀n] *n.* 〔항공〕 엘리본 《승강타(昇降舵)와 보조 날개의 역할을 하는》

***elf** [élf] *n.* (*pl.* **elves** [élvz]) **1 꼬마 요정** 《숲·굴 등에 사는》 **2** 꼬마, 난쟁이(dwarf); 장난꾸러기
play the ~ (못된) 장난을 치다
▷ élfin, élfish *a.*

ELF English as a lingua franca 〔언어〕 공용어[세계어]로서의 영어; Eritrean Liberation Front 에리트레아 자유 전선 **ELF, Elf, elf** extremely low frequency 초(超)저주파

élf àrrow[bòlt, dàrt] 《고어》 (꼬마 요정의) 돌화살촉, 화살꼴 돌 《신비한 힘이 있는 것으로 영국 미신가들이 믿는》

élf chìld 몰래 바꿔친 아이(changeling)

élf fìre 도깨비불(ignis fatuus)

elf·in [élfin] *a.* 꼬마 요정의[같은]; 장난 잘하는
— *n.* 꼬마 요정; 장난꾸러기(urchin)

elf·ish [élfiʃ] *a.* 꼬마 요정 같은; 장난 잘하는
~·ly *ad.* **~·ness** *n.*

elf·land [élflæ̀nd] *n.* 꼬마 요정의 나라

elf·lock [élflɑ̀k | -lɔ̀k] *n.* [보통 *pl.*] 헝클어진 머리카락, 난발

Él·gin márbles [élgin-] [the ~] (대영 박물관에 있는) 고대 그리스의 대리석 조각 《Thomas Bruce, 7th Earl of Elgin(1766-1841)의 기증품》

El Gi·za [el-gí:zə] = GIZA

El Gre·co [-grékou] 엘 그레코(1541-1614) 《그리스 태생의 스페인 종교화가》

el·hi [élhai] [*el*ementary school+*hi*gh school] *a.* 초등학교에서 고등학교까지의, 초·중·고의

E·li·a [í:liə] *n.* Charles LAMB의 필명

E·li·as [iláiəs] *n.* **1** 남자 이름(cf. ELIOT) **2** = ELIJAH 2

e·lic·it [ilísit] *vt.* (진리 등을 논리적으로) 도출하다, 이끌어 내다; 〈사실·대답·웃음 등을〉 유도해 내다
e·lìc·i·tá·tion *n.* **e·líc·i·tor** *n.*

e·lide [iláid] *vt.* **1** 〔문법〕 〈모음·음절을〉 생략하다 《보기: *th'*(= the) inevitable hour》 **2** 삭제[제거]하다; 무시하다; 삭감[단축]하다 **e·líd·a·ble** *a.*

el·i·gi·bil·i·ty [èlidʒəbíləti] *n.* Ⓤ 적임, 적격: ~ rule 자격 규정

***el·i·gi·ble** [élidʒəbl] [L 「고르다」의 뜻에서] *a.* **적격의, 적임의;** 〔법〕 자격이 있는 《*for*》; 바람직한(desirable), 적합한(suitable); 결혼 상대로서 알맞은[바람직한]: 《~+*to* do》 He is not ~ *to* enter the game. 그는 경기에 참가할 자격이 없다. // He is ~ *for* the presidency. 그는 사장 자격이 있다.
— *n.* 적임자, 적격자, 유자격자 《*for*》
~·ness *n.* **-bly** *ad.*

éligible páper 적격 어음 《중앙 은행에서 인정받은》

El·i·hu [éləhjù: | iláihju:] *n.* **1** 남자 이름 **2** 〔성서〕 엘리후 《고민하는 욥에게 하느님의 거룩하심을 깨우치려 하던 젊은이》

E·li·jah [iláidʒə] *n.* **1** 남자 이름 **2** 〔성서〕 엘리야 《Hebrew의 예언자》

e·lim·i·na·ble [ilímənəbl] *a.* 제거할 수 있는; 〔수학〕 소거(消去)할 수 있는

e·lim·i·nant [ilímənənt] *n.* 〔수학〕 소거식(式)

‡e·lim·i·nate [ilímənèit] [L 「문지방에서부터 쫓아내다」의 뜻에서] *vt.* **1 제거하다,** 삭제하다; (예선에서) 탈락시키다, 떨어뜨리다; 〔수학〕 소거하다: 《~+목+전+명》 She ~*d* all errors *from* the typescript. 그녀는 타이프 원고에서 잘못된 곳을 모두 삭제했다. **2** 〔생리〕 배출[배설]하다 《*from*》: 《~+목+전+명》 ~ waste matter *from* the system 노폐물을 몸에서 배출하다 **3** 고려하지 않다, 무시하다 **4** 《구어·익살》 〈사람을〉 죽이다, 없애다
▷ eliminátion *n.*; elíminative, elíminatory *a.*

***e·lim·i·na·tion** [ilìmənéiʃən] *n.* ⓊⒸ **1 제거, 배제,** 삭제 **2** 〔경기〕 예선: ~ matches 예선 경기 **3** 〔생리〕 배출, 배설 **4** 〔수학〕 소거(법)

eliminátion reàction 〔화학〕 제거 반응(cf. ADDITION REACTION)

e·lim·i·na·tive [ilímənèitiv | -nət-] *a.* 제거할 수 있는; 〔수학〕 소거할 수 있는; 〔생리〕 배출[배설] (작용)의

e·lim·i·na·tor [ilímənèitər] *n.* **1** 제거하는 사람; 배제기(排除器) **2** 〔전기〕 엘리미네이터 《교류를 직류로 바꾸는 장치》

e·lim·i·na·to·ry [ilímənətɔ̀:ri | -təri] *a.* 제거[삭제, 배출, 배설]의

El·i·nor [élənər] *n.* 여자 이름

el·int, ELINT [élint, ilínt] 〔*el*ectronic *int*elligence〕 *n.* Ⓤ 전자 정찰[정보 수집]; 전자 정찰기[선]

El·i·ot [éliət, éljət] *n.* **1** 남자 이름 **2** 엘리엇 **George** ~ (1819-80) 《영국의 여류 소설가; Mary Ann Evans의 필명》 **3** 엘리엇 **T**(**homas**) **S**(**tearns**) ~ (1888-1965) 《미국 태생의 영국 시인·평론가; 노벨 문학상 수상(1948)》

ELISA [iláizə, -sə] 〔*e*nzyme-*l*inked *i*mmunosor-bent *a*ssay〕 *n.* 〖의학〗 (AIDS 바이러스 등의) 병소 감염 진단 테스트 《항원을 투입한 혈액이 색변화를 일으키는 효소의 작용으로 판단》

E·lis·a·beth [ilízəbəθ] *n.* **1** 여자 이름 **2** 〖성서〗 엘리사벳 《세례 요한의 어머니》

E·lise [ilí:s, ilí:z] *n.* 여자 이름

E·li·sha [iláiʃə] *n.* **1** 남자 이름 **2** 〖성서〗 엘리샤 《Hebrew의 예언자로 Elijah의 후계자》

e·li·sion [ilíʒən] *n.* ⓊⒸ **1** 〖문법〗 (모음·음절 등의) 생략 **2** 《일반적으로》 삭제, 생략

*__e·lite__ [ilí:t, eilí:t] 〔F = chosen〕 *n.* **1** [보통 the ~; 집합적] **엘리트**(층), 선택된 사람들(chosen people), 최상류층 사람들, 정예(精鋭), (사회의) 중추 《*of*》: *the* ~ *of* society 상류 인사, 명사 / the ruling ~ 지도적 자리에 있는 엘리트 **2** Ⓤ (타이프라이터의) 엘리트 활자 《10포인트》
— *a.* 엘리트의[에게 적합한]; 정선된, 우량(품)의

Elíte Guárd (나치스의) 친위대, 정예 부대

e·lit·ism [ilí:tizm, eilí:t-] *n.* Ⓤ **1** 엘리트주의 **2** 엘리트에 의한 지배; 엘리트 의식[자존심]

e·lit·ist [ilí:tist, eilí:t-] *n.* 엘리트주의자, 엘리트(자처자) — *a.* 엘리트주의의

e·lix·ir [ilíksər] 〔Arab. = philosopher's stone〕 *n.* 《문어》 **1** 〖약학〗 엘릭시르 《복용하기 쉽게 몇 가지 성분을 조합한 액체 약》 **2** 연금약액(鍊金藥液) 《비(卑)금속을 황금으로 만든다고 함》; [the ~] 불로장생 영약(靈藥) **3** 《일반적으로》 만병 통치약(cure-all) ***the ~ of life*** 불로장생 약

Eliz. Elizabeth; Elizabethan

E·li·za [iláizə] *n.* 여자 이름 《Elizabeth의 애칭》

‡**E·liz·a·beth** [ilízəbəθ] *n.* **1** 여자 이름 《애칭은 Bess, Bessie, Bessy, Beth, Betty, Eliza, Elsie, Lily, Lisa, Liz, Liza, Lizzie, Lizzy》 **2 a** ~ Ⅰ 엘리자베스 1세(1533-1603) 《영국 여왕(1558-1603)》 **b** ~ Ⅱ 엘리자베스 2세(1926-) 《현재 영국 여왕(1952-)》 **3** 〖성서〗 = ELISABETH 2

*__E·liz·a·be·than__ [ilìzəbí:θən] *a.* **엘리자베스 여왕 시대의,** 엘리자베스 여왕의
— *n.* 엘리자베스 여왕 시대의 사람들, 엘리자베스조(朝)의 문인[정치가]

Elizabéthan sónnet 〖시학〗 엘리자베스조(朝)풍의 소네트

elk [élk] *n.* (*pl.* **~s,** [집합적] **~**) **1** 〖동물〗 엘크 《북유럽·아시아·북아메리카산의 큰 사슴》 **2** Ⓤ 무두질한 가죽의 일종 **3** [**E~**] 《미》 엘크스 자선 보호회(Benevolent and Protective Order of Elks)의 회원

elk·hound [élkhàund] *n.* (노르웨이 원산의) 사슴 사냥개

ell¹ [él] *n.* 엘 《옛 척도의 단위; 영국에서는 45인치》: Give him an inch and he'll take an ~. 《속담》 한 치를 주면 한 자를 달라 한다, 봉당을 빌려주니 안방까지 달란다.

ell² *n.* **1** = EL² 1 **2** L자 꼴의 것; 〖건축〗 물림, 퇴(간) 《몸채에 직각으로 잇대어 지은 건물》; 직각 엘보(elbow) 《90°의 접속 곡관(曲管)》

El·la [élə] *n.* 여자 이름

El·len [élən] *n.* 여자 이름

el·lipse [ilíps] *n.* 〖수학〗 타원, 타원주(周)

*__el·lip·sis__ [ilípsis] *n.* (*pl.* **-ses** [-si:z]) **1** ⓊⒸ 〖문법〗 **생략** 《*of*》(⇨ 문법 해설 (9)) **2** 〖인쇄〗 생략 부호 《—, …, *** 등》

el·lip·so·graph [ilípsəgræ̀f | -grɑ̀:f] *n.* 타원 컴퍼스, 타원(楕圓)자

el·lip·soid [ilípsɔid] *n.* 〖수학〗 타원체[면]
— *a.* = ELLIPSOIDAL

el·lip·soi·dal [ilipsɔ́idl | èlip-] *a.* 타원체(모양)의

ellipt. elliptical; elliptically

el·lip·tic [ilíptik] *a.* = ELLIPTICAL

el·lip·ti·cal [ilíptikəl] *a.* **1** 타원(형)의: ~ trammels 타원 컴퍼스, 타원자 **2** 〖문법〗 생략법의, 생략적인 **3** 〈말·문장이〉 간결한, 어구를 생략한 **4** 〈의미가〉 애매한, 알기 어려운 — *n.* = ELLIPTICAL GALAXY
~·ly *ad.* **~·ness** *n.*

ellíptical gálaxy 〖천문〗 타원 성운(cf. SPIRAL GALAXY)

el·lip·tic·i·ty [iliptísəti, èlip-] *n.* ⓊⒸ 타원 모양; 타원율(率), 《특히》 지구 타원율

El·lis [élis] *n.* 남자 이름

Éllis Ísland 엘리스 섬 《뉴욕항의 작은 섬; 전에 이민 검역소가 있었음》

*__elm__ [élm] *n.* 〖식물〗 **느릅나무;** Ⓤ 느릅나무 목재

élm bàrk bèetle 느릅나무좀 《느릅나무 입고병(立枯病)을 매개》

El·mer [élmər] *n.* 남자 이름

El·mo [élmou] *n.* 남자 이름

elm·y [élmi] *a.* (**elm·i·er**; **-i·est**) 느릅나무가 많은

El Ni·ño [él-ní:njou] 〔Sp. 「남자 아이」의 뜻〕 엘니뇨 현상 《페루 앞바다 적도 부근의 중부 태평양 해역의 해면 온도가 급상승하는 현상; cf. LA NIÑA》

*__el·o·cu·tion__ [èləkjú:ʃən] *n.* ⓊⒸ **웅변술,** 연설[낭독]법; 발성법; 과장된 변론: theatrical ~ 무대 발성법

el·o·cu·tion·ar·y [èləkjú:ʃənèri | -ʃənəri] *a.* 발성법상의; 연설법[웅변술]상의

el·o·cu·tion·ist [èləkjú:ʃənist] *n.* 연설법 전문가; 웅변가; 발성법 교사

é·loge [eilóuʒ] 〔F〕 *n.* 찬사; (특히 프랑스 학술원 회원의) 추도 연설, 추도사

E·lo·him [elóuhim, èlouhí:m] *n.* 엘로힘 《구약 성서에 나오는 하느님을 칭하는 보통 명사》

E·lo·hist [elóuhist, élou-] *n.* 엘로히스트 《구약 성서 첫 6편에서 하느님을 Elohim이라 부른 저자》

e·loign [ilɔ́in] *vt.* **1** [~ one*self* 로] 멀리 옮겨지다, 퇴거하다 **2** 《고어》 〖법〗 〈압류당할 것 같은 동산(動産)을〉 딴 곳에 숨기다

El·o·ise [élouì:z, ㅅ-ㅅ] *n.* 여자 이름

E. long. east longitude

e·lon·gate [ilɔ́:ŋgeit | í:lɔŋgèit] *vt.* 〈물건·일을〉 (시간·공간적으로) 연장하다, 늘이다(lengthen)
— *vi.* 길어지다, 〈식물이〉 (길게) 생장하다, 길게 늘어나다 — *a.* 길게 된; 〖생물〗 (가늘고) 긴

e·lon·gat·ed [ilɔ́:ŋgeitid | í:lɔŋgèit-] *a.* = ELONGATE

e·lon·ga·tion [ilɔ:ŋgéiʃən | ì:lɔŋ-] *n.* ⓊⒸ **1** 연장(선), 신장(伸張)(부), 늘어남 **2** 〖천문〗 이각(離角) 《태양과 행성 간의 각(角)거리》

e·lope [ilóup] *vi.* **1** 〈남녀가〉 눈이 맞아 달아나다, 〈여자가〉 애인과 달아나다 《*with*》 **2** 자취를 감추다, 도망하다(abscond) 《*with*》

e·lope·ment [ilóupmənt] *n.* ⓊⒸ 애인과 함께 달아나기; 가출; 도망

e·lop·er [ilóupər] *n.* 눈이 맞아 달아나는 사람; 도망꾼

‡**el·o·quence** [éləkwəns] *n.* Ⓤ **1 웅변,** 능변; 이성(理性)에 호소하는 힘, 감동시키는 힘: fiery ~ 열변 **2** 《고어》 웅변법, 수사법(rhetoric) **3** 유창한 이야기[화술], 설득력

‡**el·o·quent** [éləkwənt] 〔L 「말하고 있는」의 뜻에서〕 *a.* 《문어》 **1 웅변의,** 능변인; 〈연설·문체 등이〉 사람을 감동시키는 힘이 있는, 감명적인: an ~ speech 설득력 있는 연설 **2** 표정이 풍부한; 뚜렷이 표현하는 《*of*》: Eyes are more ~ than lips. 눈은 입 이상으로 말을 한다. ***be ~ of*** …을 잘 표현하다: Her face *was* ~ *of* pleasure. 그녀의 얼굴에 기쁨이 역력히 드러났다.
~·ly *ad.* 웅변[능변]으로

El Pas·o [el-pǽsou] 엘패소 《미국 Texas 주 서부

의 Rio Grande 인접 도시》
El·sa [élsə] *n.* 여자 이름
El Sal·va·dor [el-sǽlvədɔ̀ːr] [Sp. =the Savior] 엘살바도르《중앙 아메리카의 공화국; 수도 San Salvador》
‡**else** [éls] *a.* [부정대명사·의문대명사 뒤에 써서; 부정문에서] **그 밖의,** 다른: who ~'s =whose ~《전자보다 옛 용법》어느 다른 사람의 / Do you want *anything* ~? 그 밖에 다른 것이 필요합니까? / *somebody* ~'s hat 어떤 다른 사람의 모자 / There is *no one* ~ to come. 그 밖에 올 사람은 아무도 없다. / *What* could I say? 그렇게 말할 도리밖에 없죠.
— *ad.* **1** [anywhere, nowhere, somewhere 또는 의문부사의 뒤에 써서] **그 밖에,** 달리: You had better go *somewhere* ~. 다른 곳에 가는 게 낫겠다. / *Where* ~ can I go? 달리 어디로 갈 수 있겠는가? / *How* ~ can you hope to get it? 그 밖의 어떤 방법으로 그것을 얻기를 바라겠는가? **2** [보통 or ~] **그렇지 않으면,** …이 아니면: He must be joking, *or* ~ he is mad. 그는 농담을 하고 있음에 틀림없다, 그렇지 않다면 그는 미친 사람이다. / Run, (*or*) ~ you will be late. 뛰어라, 그렇지 않으면 늦는다. / Do as I tell you *or* ~. 내가 하라는 대로 해라, 그렇지 않으면. 《좋지 않다는 위협》
‡**else·where** [élsʰwɛ̀ər | èlswέə] *ad.* 어떤 딴 곳에[에서, 으로]; 다른 장소에서는; 다른 경우에: here as ~ 다른 경우와 마찬가지로 이 경우에도 / His mind was ~. 그의 마음은 딴 곳에 있었다.
else·whith·er [élsʰwìðər | èlswíðə] *ad.* 《문어》 =ELSEWHERE
El·sie [élsi] *n.* 여자 이름《Alice, Alicia, Elizabeth, Eliza 등의 애칭》
ELSS extravehicular life support system 〖우주과학〗 선외(船外) 생명 유지 장치 **ELT** English Language Teaching 영어 교수법, 영어 교육[교재]; European letter telegram
El Tor [el-tɔ́ːr] [시나이 반도에 있는 이집트의 검역소 이름에서] 〖세균〗 엘토르형 콜레라균
el·u·ant [éljuənt] *n.* 용리제(溶離劑), 용리액
el·u·ate [éljuət, -èit] *n.* 용출액(溶出液)《성분 분리를 위해 용해된 물질의 용액》
e·lu·ci·date [ilúːsədèit] [L 「명료하게 하다」의 뜻에서] *vt.* 《문어》 〈사실·성명(聲明) 등을〉 명료하게 하다, 밝히다; 해명하다, 천명하다, 설명하다(explain)
— *vi.* 해명[설명]하다
e·lu·ci·da·tion [ilùːsədéiʃən] *n.* Ⓤⓒ 《문어》 설명, 해명
e·lu·ci·da·tive [ilúːsədèitiv] *a.* 설명적인, 해명적인
e·lu·ci·da·tor [ilúːsədèitər] *n.* 설명[해명]하는 사람, 해설자
e·lu·ci·da·to·ry [ilúːsədətɔ̀ːri | -təri] *a.* 밝히는; 설명적인
e·lu·cu·brate [ilúːkjubrèit] *vt.* 〈특히 문예 작품 등을〉 고심해서 만들어 내다
*****e·lude** [ilúːd] *vt.* **1** 〈포박·위험 등을〉 (교묘하게 몸을 돌려) 피하다, 벗어나다(⇨ escape [유의어]); 〈법·의무·지불 등을〉 회피하다(evade); 자취를 감추다, 발견되지 않다: ~ the law 법망을 뚫다 **2** 〈사물이 이해·기억 등에서〉 빠져나가다; …에게 이해[인지]되지 않다 **~ *observation*** (사람의) 눈에 띄지 않다 **~ one's *grasp*** (잡으려고 해도) 잡히지 않다 The meaning **~s me.** 나는 (그 뜻)을 알 수가 없다.
e·lúd·er *n.* ▷ elúsion *n.*; elúsive *a.*
e·lu·sion [ilúːʒən] *n.* Ⓤ 도피, 회피
e·lu·sive [ilúːsiv] *a.* **1** (교묘히) 피하는, 달아나는, 잡히지 않는 **2** 알기[기억하기] 어려운, 정의하기 어려운 **~·ly** *ad.* **~·ness** *n.*
e·lu·so·ry [ilúːsəri, -zə-] *a.* =ELUSIVE
e·lute [iːlúːt] *vt.* 〖화학〗 녹여서 분리하다
e·lu·tion [iːlúːʃən] *n.* 〖화학〗 용리(溶離)
e·lu·tri·ate [ilúːtrièit] *vt.* 씻어서 깨끗이 하다; 〖광산〗 세광하다, 현탁(懸濁) 분리하다 **e·lù·tri·á·tion** *n.*
e·lu·vi·al [ilúːviəl] *a.* 용탈(溶脫)의
e·lu·vi·ate [ilúːvièit] *vt.* 용탈(溶脫)하다
e·lu·vi·a·tion [ilùːviéiʃən] *n.* 용탈《물의 작용으로 토양의 구성 성분이 용액 또는 현탁액의 형태로 제거되는 일》
e·lu·vi·um [ilúːviəm] *n.* (*pl.* **-vi·a** [-viə]) 〖지질〗 풍화 잔류물(殘留物), 잔류 퇴적물[층], 잔적층(殘積層)
el·van [élvən] *n.* 〖암석〗 **1** 맥반암(脈斑岩)《영국 Cornwall산(産)》; 그 큰 암맥 **2** 화강반암(花崗斑岩)
el·ver [élvər] *n.* 새끼 뱀장어《바다에서 강물로 올라온》
*****elves** [élvz] *n.* ELF의 복수
El·vi·ra [elváirə] *n.* 여자 이름
el·vish [élviʃ] *a.* =ELFISH
E·ly [íːli] *n.* 일리《잉글랜드 동부의 Isle of Ely 지방의 도시; 유명한 성당이 있음》
É·ly·sée [èilizéi] [F] *n.* **1** 엘리제(궁)《파리의 프랑스 대통령 관저》 ★ 종종 the Élysée Palace로도 쓰임. **2** [the ~] 프랑스 정부
e·ly·si·an [ilíʒən | -ziən] *a.* [종종 **E~**] **1** Elysium의[같은] **2** 지복(至福)의: ~ joy 극락의 환희
elýsian fíelds [종종 **E~**] =ELYSIUM 1 a(cf. CHAMPS ÉLYSÉES)
E·ly·si·um [ilíʒiəm | ilíziəm] *n.* **1 a** 〖그리스신화〗 엘리시움《선량한 사람들이 죽은 후 사는 곳》 **b** 극락, (행복의) 이상향, 파라다이스(paradise) **2** 지상(至上)의 행복
el·y·troid [élətrɔ̀id] *a.* 겉날개와 같은[닮은]
el·y·tron [élətrɑ̀n | -trɔ̀n], **-trum** [-trəm] *n.* (*pl.* **-tra** [-trə]) 〖곤충〗 겉날개, 시초(翅鞘)
El·ze·vi(e)r [élzəvìər] *n.* 엘제비어 활자체
em¹ [ém] *n.* M자; 〖인쇄〗 전각《M자 크기의 4각형》
em², 'em [əm] *pron. pl.* 《구어》 =THEM
Em [ém] *n.* 여자 이름《Emily, Emma 등의 애칭》
em- [im, em] *pref.* =EN-《b, p, m의 앞》 ★ em-의 발음에 대하여는 ⇨ en-.
Em 〖화학〗 emanation **EM** 〖군사〗 education manual; electronic mail 전자 우편; electron microscope 전자 현미경; 《미》 enlisted man[men] 사병(士兵), 지원병 **E.M.** Engineer of Mines **EMA** European Monetary Agreement 〖경제〗 유럽 통화 협정
e·ma·ci·ate [iméiʃièit] *vt.* **1** [보통 수동형으로] 〈사람·얼굴 등을〉 수척해지게 하다, 여위게[쇠약하게] 하다: He *was* ~*d* by long illness. 그는 오랜 병으로 쇠약해져 있었다. **2** 〈땅을〉 메마르게 하다
— *vi.* 수척해지다
e·ma·ci·at·ed [iméiʃièitid] *a.* 수척한, 여윈, 쇠약한; 〈땅이〉 메마른
e·ma·ci·a·tion [imèiʃiéiʃən] *n.* Ⓤ 여윔, 쇠약, 수척하게 함[됨], 초췌
E-mail, e-mail [íːmèil] [*e*lectronic *mail*] *n.* 〖컴퓨터〗 이메일, 전자 우편《컴퓨터의 네트워크를 이용하여 주고받는 메시지; 그 시스템》
— *vt.* [**e~**] …에게 이메일[전자 우편]을 보내다, 이메일로 보내다: I ~*ed* my answer to him. 나는 내 답변을 그에게 이메일로 보냈다.
em·a·nate [émənèit] [L 「흘러나오다」의 뜻에서] *vi.* 〈빛·열·소리·증기·향기 등이〉 나다, 발산[방사]하다 (come out), 퍼지다《*from*》; 〈생각·제안 등이〉 나오다《*from*》 — *vt.* 발산시키다
em·a·na·tion [èmənéiʃən] *n.* Ⓤ **1** 내뿜음, 발산, 방사; Ⓒ 발산물, 방사물《*from, of*》: an ~ *from* a flower 꽃에서 풍기는 향기 **2** 감화력; (사회 환경·문화 등의) 소산 **3** 〖화학〗 에마나티온《방사성 물질에서

thesaurus **elude** *v.* avoid, get away from, dodge, evade, escape, duck, flee, shun
emaciated *a.* gaunt, famished, wasted, skinny
emancipation *n.* setting free, liberation, release, deliverance, discharge, unshackling,

방출되는 기체 원소의 고전적 호칭; 略 Em》

em·a·na·tive [émənèitiv] *a.* 발산[방사]하는[시키는], 발산성 있는, 방사성의 **~·ly** *ad.*

e·man·ci·pate [imǽnsəpèit] [L 「재산[권리]을 다른 데로 옮기다」의 뜻에서] *vt.* **1** 〈노예 등을〉 해방하다, 석방하다; 〈사람·국가 등을〉 (속박·제약 등에서) 해방하다 《*from*》 **2** 〖로마법〗 〈아이를〉 부권(父權)에서 해방하다 **3** [~ one*self* 로] (…에서부터) 자유로워지다; (…을) 끊다 《*from*》: He *~d himself from* his bad habit. 그는 나쁜 버릇을 끊었다.

-pàt·ed [-id] *a.* 해방된; 전통에 얽매이지 않는, 자주적인, 자유인의 **-pà·tive** *a.* = EMANCIPATORY

***e·man·ci·pa·tion** [imæ̀nsəpéiʃən] *n.* Ⓤ Ⓒ **1** (노예 등의) 해방 《*of*》; 〖로마법〗 부권(父權)에서의 해방 **2** (미신 등으로부터의) 해방, 이탈, 벗어남
▷ emáncipate *v.*; emáncipatory *a.*

e·man·ci·pa·tion·ist [imæ̀nsəpéiʃənist] *n.* (노예) 해방론자

Emancipátion Proclamàtion [the ~] 〖미국사〗 노예 해방령[해방 선언] 《1862년 Lincoln 대통령이 선언; 1863년 1월 1일부터 발효》

e·man·ci·pa·tor [imǽnsəpèitər] *n.* (노예) 해방자: the Great *E*~ 위대한 해방자 《Abraham Lincoln을 말함》

e·man·ci·pa·to·ry [imǽnsəpətɔ̀:ri | -təri] *a.* 해방의, 석방의

E·man·u·el [imǽnjuəl] *n.* 남자 이름

e·mar·gi·nate [imɑ́:rdʒənèit, -nit], **-nat·ed** [-èitid] *a.* 〖식물〗 가장자리가 톱니 모양으로 갈라진, 오목하게 들어간

e·mas·cu·late [imǽskjulèit] [L 「남성이 아니게 하다」의 뜻에서] *vt.* **1** 〈남자를〉 거세하다(castrate) **2** 무기력하게 하다, 약하게 하다(weaken); 〈문장·법률 등의〉 골자를 빼 버리다 — [-lət, -lèit] *a.* **1** 거세된 **2** 무기력한; 골자가 빠진 **-làt·ed** *a.*

e·mas·cu·la·tion [imæ̀skjuléiʃən] *n.* Ⓤ **1** 거세(된 상태) **2** 골자를 빼어 버림, 얼버무림, 무력화; 유약

e·mas·cu·la·tive [imǽskjulèitiv] *a.* 거세하는; 무력화하는

e·mas·cu·la·tor [imǽskjulèitər] *n.* 거세하는 사람[도구]; 무력화하는 사람[사물]

e·mas·cu·la·to·ry [imǽskjulətɔ̀:ri | -təri] *a.* = EMASCULATIVE

em·balm [imbɑ́:m, em-] *vt.* **1** 시체를 방부 처리하다, 미라로 만들다 **2** (비유) …을 영원히 잊혀지지 않게 하다 **3** (고어) 〈방 등을〉 향기로 채우다 **~ed** [-d] *a.* (속어) 술에 취한(drunk) **~·er** *n.*

em·bálm·ing flúid [imbɑ́:miŋ-, em-] (미·속어) 진한 커피, 독한 술[위스키]

em·balm·ment [imbɑ́:mmənt, em-] *n.* Ⓤ (시체의) 방부(防腐) 보존, 미라로 만듦; Ⓒ 방부 보존제

em·bank [imbǽŋk, em-] *vt.* 〈하천 등에〉 둑[제방]을 쌓다, 〈저수지 등을〉 방죽으로 둘러싸다

***em·bank·ment** [imbǽŋkmənt, em-] *n.* **1** 둑, 제방; Ⓤ 축제(築堤) **2** Ⓤ 둑을 쌓기 **3** [the E~] = THAMES EMBANKMENT

em·bar·ca·de·ro [embɑ̀:rkədέərou] *n.* (*pl.* **~s**) **1** 부두, 선창 **2** [종종 **E~**] San Francisco의 선창가

em·bar·ca·tion [èmbɑ:rkéiʃən] *n.* = EMBARKATION

***em·bar·go** [imbɑ́:rgou, em-] [Sp. 「억제하다」의 뜻에서] *n.* (*pl.* **~es**) **1** (선박의) 출항[입항] 금지, 억류 **2** 통상 정지; 봉쇄 **3** 《일반적으로》 (…에 대한) 제한, 억제, 금지(prohibition), 금제(禁制) 《*on*》: an ~ *on* wheat exports 밀 수출 금지

freedom, liberty
embargo *n.* ban, bar, restriction, restraint, blockage, barrier, impediment, obstruction
embarrass *v.* upset, disconcert, discompose, confuse, agitate, distress, shame, humiliate

be under an ~ 〈배가〉 억류되어 있다; 봉쇄되어 있다; 〈수출이〉 금지되어 있다 ***gold ~*** 금 수출 금지 ***lay* [*put, place*] *an ~ on*** ships[trade] = ***lay*** ships [trade] ***under an ~*** (선박을) 억류하다; (통상을) 정지하다 ***lay an ~ upon*** free speech (언론의 자유)를 억압하다 ***lift* [*take off, remove*] *an ~*** 출항 정지를 해제하다; 해금하다
—*vt.* **1** 〈배에〉 출항[입항] 금지를 명하다 **2** 〈통상을〉 정지하다; 〈배·화물을〉 징발[몰수]하다

em·bark** [imbɑ́:rk, em-] [L 「작은 배(bark)에 태우다」의 뜻에서] *vt.* **1** (배·비행기 등에) 태우다, 승선[탑승]시키다, 적재하다, 싣다(opp. *disembark*) **2** (사업 등에) 투자하다; 사업에 끌어넣다: 《~+목+전+명》 ~ much money *in* trade 장사에 많은 돈을 투자하다 **~ one*self in …에 착수하다
—*vi.* **1** 배[비행기]에 타다, 승선[탑승]하다; 배[비행기]로 향발(向發)하다: 《~+전+명》 ~ *at* New York 뉴욕에서 승선하다 / ~ *in*[*on*] a boat 배에 타다 / ~ *for* France by steamer 기선으로 프랑스를 향해 떠나다 **2** 착수하다, 종사하다(engage) 《*on, upon*》: 《~+전+명》 ~ *on* matrimony 결혼 생활로 들어가다 / ~ *upon* a business 사업에 착수하다

***em·bar·ka·tion** [èmbɑ:rkéiʃən] *n.* Ⓤ **1** 승선, 탑승, 적재 **2** (새 사업 등에의) 착수

embarkátion càrd 출국 카드 ★ disembarkation card는 입국 카드.

em·bark·ment [imbɑ́:rkmənt, em-] *n.* = EMBARKATION

em·bar·ras de ri·chesse [ɑ̃:mbərɑ́:-də-ri:ʃés] [F = embarrassment of riches] 처리 곤란할 정도로 재산이 많음, 지나친 풍요

****em·bar·rass** [imbǽrəs, em-] [Sp. 「장벽을 두다, 방해하다」의 뜻에서] *vt.* **1** 어리둥절하게 하다, 쩔쩔매게 하다, 부끄럽게[무안하게] 하다, 난처하게[낭패케] 하다(perplex)(⇨ embarrassed 1; bewilder 유의어): 《~+목+전+명》 ~ a person *with* questions 질문을 하여 …을 난처하게 하다 **2** [보통 수동형으로] 금전적으로 쪼들리게 하다(⇨ embarrassed 2): They *are ~ed* in their affairs. 그들은 재정난에 빠져 있다. **3** 방해하다, 저해하다 **4** 〈문제 등을〉 뒤엉키게 하다
—*vi.* 당황하다, 갈팡질팡하다 **~·a·ble** *a.*
▷ embárrassment *n.*

em·bar·rassed [imbǽrəst, em-] *a.* **1** 어리둥절한, 당혹한, 창피한, 무안한, 난처한 《*at, by, with, for*》: be[feel] ~ *in*[*by*] the presence of strangers 모르는 사람들 앞에서 당혹해하다 **2** (금전적으로) 궁색한, 쪼들리는: They are financially ~. 그들은 재정난을 겪고 있다.

em·bar·rassed·ly [imbǽrəstli, -rəsid-, em-] *ad.* 곤란[난처]한 듯이; 멋쩍은 듯이

em·bar·rass·ing [imbǽrəsiŋ, em-] *a.* 쩔쩔매게 하는, 당황[창피, 무안]케 하는; 난처한, 곤란한 **~·ly** *ad.*

em·bar·rass·ment** [imbǽrəsmənt, em-] *n.* Ⓤ **1** 난처, 당황, 낭패, 당혹; (남의 앞에서의) 지나친 수줍음, 무안함 **2** 당황[무안]케 하는 것[사람], 성가신 사람 **3** Ⓒ [보통 *pl.*] 재정 곤란, 궁핍 **4** 당혹[곤혹, 낭패]의 원인 **5** 과다, 과잉 **6** 〖의학〗 기능 장애 ***an ~ of riches 주체할 수 없는 정도로 (좋은 것들이) 많음
▷ embárrass *v.*

em·bas·sa·dor [imbǽsədər, em-] *n.* (고어) = AMBASSADOR

em·bas·sage [émbəsidʒ] *n.* (고어) = EMBASSY

***em·bas·sy** [émbəsi] *n.* (*pl.* **-sies**) **1** 대사관(cf. LEGATION): attached to an ~ 대사관 부(附)[근무]의 / the British *E*~ in Seoul 서울의 영국 대사관 **2** [집합적] 대사관 직원 (전원); 대사 일가[일행] **3** Ⓤ 대사의 임무[사명] **4** 사절 (일행); (사절의) 사명(mission): be sent on an ~ to 사명을 띠고[사절로서] …으로 파견되다

em·bat·tle [imbǽtl, em-] *vt.* **1** 〈군대에〉 전투 진용[태세]을 갖추게 하다, 진을 치게 하다(⇨ embattled

1) **2** 〈건물·성벽에〉 총안 흉장(銃眼胸牆)을 마련하다
em·bat·tled [imbǽtld, em-] *a.* **1** 전투 태세를 갖춘, 포진한 **2** 〖건축〗 총안 흉장이 있는 **3** 〖문장〗 〈구획선이〉 총안 모양으로 들쭉날쭉한 **4** 적(군)에게 포위당한; 〈사람이〉 늘 괴롭혀지는, 지겨운
em·bat·tle·ment [imbǽtlmənt, em-] *n.* **1** 전투 진용[태세]을 갖춘 상태 **2** =BATTLEMENT
em·bay [imbéi, em-] *vt.* **1** 〈배를〉 만(灣)에 넣다; 〈바람이 배를〉 만 안에 들여 보내다 **2** 〈선대(船隊)를〉 만처럼 둘러싸서 지키다 **3** 가두어 넣다, 포위하다 **4** 만 모양으로 하다
em·bay·ment [imbéimənt, em-] *n.* **1** 만 형성 **2** 만, 만 모양의 것
Emb·den [émdən] *n.* 〖조류〗 엠덴 《집거위의 일종》
em·bed [imbéd, em-] *vt.* (**~·ded**; **~·ding**) **1** [보통 수동형으로] 〈물건을〉 깊숙이 박다, 파묻다 **2** (마음 속 등에) 깊이 간직하다 《*in*》 **3** 〖언어·수학〗 끼워 넣다 **—***vi.* 끼워 넣어지다 《*in*》 **~·ment** *n.*
em·bel·lish [imbéliʃ, em-] *vt.* **1** 아름답게 하다, 미화하다(beautify); 장식하다(adorn) **2** 〈문장을〉 꾸미다, 〈이야기 등을〉 윤색하다 **~·er** *n.*
em·bel·lish·ment [imbéliʃmənt, em-] *n.* **1** Ⓤ 꾸밈, 장식; (이야기 등의) 윤색 **2** Ⓒ 장식물
∗**em·ber** [émbər] *n.* [보통 *pl.*] **타다 남은 것** [장작], 깜부기불, 여신(餘燼): rake (up) hot *~s* 잿불을 긁어 모으다
émber dàys 〖가톨릭〗 사계 재일(四季齋日) 《단식과 기도를 함; 각각 3일간》
émber wèek 〖가톨릭〗 사계 재일 주간
em·bez·zle [imbézl, em-] *vt.* (위탁금 등을) 가로채다, 횡령[착복]하다
em·bez·zle·ment [imbézlmənt, em-] *n.* Ⓤ (위탁금 등의) 도용(盜用), 횡령, 착복
em·bez·zler [imbézlər, em-] *n.* 〈위탁금 등을〉 써버리는 사람, 횡령[착복]자
em·bit·ter [imbítər, em-] *vt.* **1** 쓰라리게[비참하게] 하다, 〈마음·감정 등을〉 몹시 상하게 하다; 〈원한·재앙 등을〉 더욱 격화시키다 **2** 〈남을〉 화내게 하다, 격분시키다 **em·bít·tered** [-d] *a.* **~·er** *n.*
em·bit·ter·ment [imbítərmənt, em-] *n.* Ⓤ (괴로움 등의) 심각화; (원한 등의) 격화; 격분
em·blaze[1] [imbléiz, em-] *vt.* 《고어》 **1** 비추다, 밝게 하다 **2** 태우다
emblaze[2] *vt.* 《폐어》 =EMBLAZON
em·bla·zon [imbléizn, em-] *vt.* **1** 문장(紋章)으로 꾸미다(blazon) 《*with, on*》 **2** (아름다운 색으로) 그리다, 장식하다 《*with*》 **3** 칭찬[찬양]하다 **~·er** *n.* **~·ment** *n.* Ⓤ 장식; 수식; 찬양
em·bla·zon·ry [imbléiznri, em-] *n.* (*pl.* **-ries**) 문장(紋章) 장식(법); [집합적] 문장; Ⓒ 아름다운 장식
∗**em·blem** [émbləm] [L 「상감 세공」의 뜻에서] *n.* **1** 상징, 표상(表象)(symbol) 《*of*》 **2** 상징적인 무늬[문장], 기장(記章)(badge) **3** 전형, 귀감(龜鑑)(type) 《*of*》 **—***vt.* 《드물게》 …의 표징(表徵)이 되다, 상징하다(symbolize) ▷ emblemátic *a.*; emblématize *v.*

emblem 2

em·blem·at·ic, -i·cal [èmbləmǽtik(əl)] *a.* 상징적인; 표상하는 《*of*》: be ~ *of* …의 표상이다, …을 상징하다 **-i·cal·ly** *ad.*
em·blem·a·tist [emblémətist] *n.* 표장(標章) 제작자, 기장[표장] 고안자
em·blem·a·tize [emblémətàiz] *vt.* 상징적으로 나타내다; 상징하다(symbolize)
émblem bòok 우의화집(寓意畫集)
em·ble·ments [émbləmənts] *n. pl.* 〖법〗 **1** 인공 경작물, 근로 과실(果實) **2** (차지인(借地人)의) 농작물 수득권
em·bod·i·ment [imbάdimənt, em- | -bɔ́d-] *n.* **1** Ⓤ 구체화, 구현(具現) **2** (어떤 성질·감정·사상 등의) 구체화된 것, 화신(化身)(incarnation) 《*of*》 **3** 통합체, 한데 모은 것
∗**em·bod·y** [imbάdi, em- | -bɔ́di] *vt.* (**-bod·ied**) **1** (사상·감정 등을 예술품·말 등으로) **구체화하다, 구체적으로 표현하다, 구현하다** 《*in*》: 《~+목+전+명》 ~ democratic ideas *in* the speech 민주주의 사상[관념]을 연설에서 구체적으로 나타내다 **2** 〈정신에〉 형태를 부여하다 **3** 합체(合體)시키다, 통합하다; 〖군사〗 (부대로) 편성하다 **4** (…안에) 포함하다, 수록하다: The book *embodies* all the rules. 그 책에는 모든 규칙이 수록되어 있다. **em·bód·i·er** *n.* ▷ embódiment *n.*
em·bog [imbάg | -bɔ́g] *vt.* (**~ged**; **~·ging**) **1** 수렁에 빠뜨리다 **2** 궁지에 빠져 꼼짝 못하게 하다
em·bold·en [imbóuldən, em-] *vt.* **1** 대담하게 하다 **2** 용기를 돋우어 주다: 《~+목+*to* do》 This *~ed* me *to* ask for more help. 나는 이것으로 용기를 얻어 더 원조해 달라고 부탁했다.
em·bo·lec·to·my [èmbəléktəmi] *n.* 〖외과〗 색전(塞栓) 제거(술)
em·bol·ic [embάlik | -bɔ́l-] *a.* **1** 〖병리〗 색전(塞栓)(증)의, 색전증에 의한 **2** 〖발생〗 함입(陷入)(기(期))의, 함입에 의한
em·bo·lism [émbəlìzm] *n.* Ⓤ **1** 〖병리〗 색전증(塞栓症) **2** 윤년[일, 달]을 넣음(으로 가해진 기간) **èm·bo·lís·mic** *a.*
em·bo·li·za·tion [èmbəlizéiʃən | -laiz-] *n.* (혈관 등의) 색전(塞栓)에 의한 폐색
em·bo·lus [émbələs] *n.* (*pl.* **-li** [-lài]) **1** 〖병리〗 색전(塞栓), 전자(栓子) **2** 삽입물 《박힌 쐐기나 주사기의 피스톤》
em·bon·point [ɑ̃:mbɔ:mpwǽŋ] [F =in good condition] *n.* 《완곡》 (여성의) 비만(肥滿)(plumpness)
em·bos·om [imbúzəm, em-] *vt.* 《문어·시어》 **1** [보통 수동형으로] 〈나무·언덕 등이〉 둘러싸다(surround) 《*in, with, among*》: a house *~ed in* [*with*] trees 나무로 둘러싸인 집 **2** 가슴에 품다, 껴안다(embrace); 소중히 하다
∗**em·boss** [imbɔ́:s, -bάs, em- | -bɔ́s] *vt.* **1 부조(浮彫) 세공을 하다** **2** 〈무늬·도안을〉 양각(陽刻)으로 하다; 〈금속에〉 돋을새김으로 넣다: an *~ing* calender (포목 등의) 압형기(押型機) // 《~+목+전+명》 The gold cup is *~ed with* a design of flowers. 금 컵에는 꽃무늬가 돋을새김으로 들어 있다. / A floral design was *~ed on* the letter case. 편지함 표면에는 꽃무늬가 양각으로 도드라져 있었다. **3** 부풀리다(inflate); 융기시키다 **~·a·ble** *a.* **~·er** *n.* ▷ embóssment *n.*
em·bossed [imbɔ́:st, -bάst, em- | -bɔ́st] *a.* **1** 부조 세공을 한; 양각으로 무늬를 넣은: ~ work 부조 세공, 양각 무늬 **2** 양각으로 새긴, 돋을새김의; 눌러서 도드라지게 한: ~ stamps 도드라진 무늬를 넣은 인지(印紙)[우표]
em·boss·ment [imbɔ́:smənt, -bάs-, em- | -bɔ́s-] *n.* **1** Ⓤ 부조(浮彫)로 함, 도드라지게 함 **2** 부조 세공; 양각 무늬 (장식)
em·bou·chure [ɑ̀:ŋbuʃúər, ⌐–⌐ | ɔ̀mbuʃúə] [F =to put into the mouth] *n.* **1** 강 어귀, 하구(estuary); (골짜기 등의) 어귀(opening) **2** (취주 관악기의) 주둥이; (악기 주둥이에) 입술 대는 법
em·bour·geoise·ment [ɑ:mbùərʒwɑ:zmɑ́:ŋ] [F] *n.* Ⓤ 중산 계급[부르주아]화(化)
em·bowed [imbóud, em-] *a.* 활처럼 휜, 활모양의
em·bow·el [imbáuəl, em-] *vt.* (**~ed**; **~·ing** |

thesaurus **emblem** *n.* crest, badge, symbol, representation, token, image, figure, mark, sign,
embody *v.* **1** 구현하다 represent, symbolize, stand for, typify, express **2** 통합하다 combine, incorpo-

~led; **~·ling**) = DISEMBOWEL

em·bow·er [imbáuər, em-] *vt.* (푸른 잎 등으로) 가리다, 나무 그늘에 숨기다, 나무로 둘러싸다 《*in, with*》

***em·brace**[1] [imbréis, em-] [L 「팔(brace) 안에 안다」의 뜻에서] *vt.* **1** 포옹하다; 껴안다(hug): ~ a child tenderly 아이를 부드럽게 껴안다 **2** 《문어》 〈제안 등을〉 기꺼이 받아들이다, 〈기회를〉 포착하다: ~ an opportunity 기회를 놓치지 않고 이용하다 **3** 〈주의 등을〉 채택하다, 〈교의를〉 받아들이다(adopt): ~ Buddhism 불교에 귀의하다 **4** 〈직업을〉 잡다, 〈…한 생활에〉 들어가다 **5** 〈많은 것을〉 포함하다(include) **6** 〈숲·산 등이〉 둘러싸다(surround) **7** 알아채다, 깨닫다, 터득하다
—*vi.* 서로 포옹하다
—*n.* **1** 포옹 **2** 《완곡》 성교 **3** (견해·주의 등의) 받아들임, 용인 ▷ embrácement *n.*

embrace[2] *vt.* 〖법〗 〈법관·배심원 등을〉 매수하다, 포섭하다

em·brace·ment [imbréismənt, em-] *n.* Ⓤ **1** 포옹(embrace) **2** (기꺼이) 받아들임, 수락

em·brace·or [imbréisər, em-] *n.* 〖법〗 (법관·배심원 등을) 매수하는 사람

em·brac·er [imbréisər, em-] *n.* **1** 포옹하는 사람; 받아들이는 사람 **2** = EMBRACEOR

em·brac·er·y [imbréisəri, em-] *n.* (*pl.* **-er·ies**) 〖법〗 법관·배심원 매수죄 《뇌물·협박 등에 의한》

em·brac·ive [imbréisiv, em-] *a.* **1** 포괄적인(comprehensive) **2** 포옹을 좋아하는

em·branch·ment [imbrǽntʃmənt, -brɑ́:ntʃ-, em- | -brɑ́:ntʃ-] *n.* Ⓤⓒ (골짜기·산계(山系)·하천 등의) 분기(分岐), 분류(分流)

em·bran·gle [imbrǽŋgl, em-] *vt.* 혼란[분규]시키다(entangle) **~·ment** *n.*

em·bra·sure [imbréiʒər, em-] *n.* **1** 〖건축〗 안쪽을 바깥쪽보다 넓게 낸 문이나 창구멍 **2** (바깥쪽을 향하게 넓어진) 성벽의 총안(銃眼)

embrasure 2

em·brit·tle [imbrítl, em-] *vt., vi.* 부서지기 쉽게 하다[되다], 무르게 하다[되다]

em·bro·cate [émbrəkèit] *vt.* 《문어》 〈상처에〉 물약을 바르다, 찜질하다 《*with*》

em·bro·ca·tion [èmbrəkéiʃən] *n.* Ⓤ 《문어》 도포(塗布); ⓒ (약용) 도포액, 습포

em·bro·glio [imbróuljou, em- | em-] *n.* (*pl.* **~s**) = IMBROGLIO

***em·broi·der** [imbrɔ́idər, em-] *vt.* **1** 수놓다: 《~+목+전+명》 a scarf *~ed in* red thread 빨간 실로 수놓은 스카프 / ~ flowers *on* her dress = ~ her dress *with* flowers 그녀의 옷에 꽃 자수를 놓다 **2** 〈이야기 등을〉 윤색하다, 과장하다(exaggerate)
—*vi.* **1** 수놓다; 장식하다 **2** (말 등을) 과장[윤색]하다 ▷ embróidery *n.*

em·broi·der·er [imbrɔ́idərər, em-] *n.* 자수업자, 수놓는 사람

***em·broi·der·y** [imbrɔ́idəri, em-] *n.* (*pl.* **-der·ies**) **1** Ⓤ 자수; ⓒ 자수품 **2** Ⓤⓒ 윤색(潤色); 과장 ▷ embróider *v.*

em·broil [imbrɔ́il, em-] *vt.* **1** (분쟁·전쟁 등에) 휩쓸어 넣다(entangle) 《*in*》 **2** 혼란[분규]시키다, 뒤얽히게 하다 **3** 반목시키다 《*with*》
~·ment *n.* Ⓤⓒ 혼란; 분규, 반목, 소동

em·brown [imbráun, em-] *vt., vi.* 갈색으로 물들이다[물들다]; 〈빛깔을〉 어둡게 하다[되다]

---

rate, bring together, comprise, contain
embrace[1] *v.* **1** 껴안다 hold, hug, cuddle, clutch, grab, clasp, encircle **2** 포함하다 cover, include, take in, deal with, contain, comprise

em·brue [imbrú:, em-] *vt.* = IMBRUE

em·brute [imbrú:t, em-] *vt., vi.* = IMBRUTE

embry- [émbri], **embryo-** [émbriou, -briə] 《연결형》 「embryo」의 뜻 《모음 앞에서는 embry-》

em·bry·o** [émbriòu] *n.* (*pl.* **~s**) **1 a** (보통 임신 8주일까지의) 태아 **b** 〖동물·식물〗 배(胚); 애벌레 **2** 《일반적으로》 (발달의) 초기의 것, 싹 ***in ~ 《구어》 〈계획 등이〉 미완성의, 준비 중인; 성숙하지 않은
—*a.* = EMBRYONIC ▷ embryónic *a.*

émbryo frèezing 수정란의 동결 보존 《액체 질소로 냉동 보존》

em·bry·o·gen·e·sis [èmbrioudʒénəsis] *n.* = EMBRYOGENY **-ge·nét·ic** *a.*

em·bry·og·e·ny [èmbriɑ́dʒəni | -ɔ́dʒ-] *n.* 배(胚) 형성, 배(胚)발생; 발생[태생]학 **èm·bry·o·gén·ic** *a.*

em·bry·oid [émbriɔ̀id] *n.* 〖생물〗 (동식물의) 부정배(不定胚), 배양체(胚樣體) 《배(胚)의 구조와 기능을 가진 식물[동물]》 —*a.* 배양의

embryol. embryology

em·bry·o·log·ic, -i·cal [èmbriəlɑ́dʒik(əl) | -lɔ́dʒ-] *a.* 발생[태생]학(상)의 **-i·cal·ly** *ad.*

em·bry·ol·o·gist [èmbriɑ́lədʒist | -ɔ́l-] *n.* 발생[태생]학자

em·bry·ol·o·gy [èmbriɑ́lədʒi | -ɔ́l-] *n.* Ⓤ 발생학, 태생학

em·bry·on·ic [èmbriɑ́nik | -ɔ́n-] *a.* **1** 배(胚)에 관한; 태아의, 태생의; 배(胚)[태아] 같은 **2** 발달되지 않은, 미발달의; 초기의, 배아기의

embryónic dísk 〖생물〗 배반(胚盤), 배반엽(葉), 배자판(胚子板)

embryónic mémbrane 〖생물〗 배체외막(胚體外膜)

émbryo sàc 〖식물〗 배낭(胚囊)

émbryo trànsfer[trànsplant] 〖의학〗 배이식(胚移植) 《자궁 내의 태아를 외과적 수단으로 다른 자궁으로 옮기는 것; cf. EGG TRANSFER》

em·bry·ul·ci·a [èmbriʌ́lsiə] *n.* 태아 적출(摘出)(술)

em·bus [imbʌ́s, em-] *vt., vi.* (**~sed**; **~·sing**) 〖군사〗 버스[트럭]에 태우다[타다]

em·bus·qué [ɑ̃:mbu:skéi] [F 'to ambush'를 뜻하는 단어의 과거분사에서] *n.* (관직에 있으면서) 병역을 기피하는 사람

em·cee [émsí:] [M.C.(= Master of Ceremonies)를 발음대로 철자를 구성] 《미·구어》 *n.* 사회자
—*vt., vi.* (**~d**; **~·ing**) 사회를 보다

EMCF European Monetary Cooperation Fund 〖금융〗 유럽 통화 협력 기금

ém dàsh 〖인쇄〗 m자 크기의 대시 부호

e·meer [imíər | emíə] *n.* = EMIR

e·mend [iménd] *vt.* 〈문서·서적의 본문 등을〉 교정[수정]하다(correct) **~·er** *n.*

e·mend·a·ble [iméndəbl] *a.* 수정[정정]할 수 있는

e·men·date [í:mendèit, émən-] *vt.* = EMEND

e·men·da·tion [ì:mendéiʃən, èmən-] *n.* **1** Ⓤⓒ 교정, 수정 **2** [종종 *pl.*] 교정한 곳

e·men·da·tor [í:mendèitər, émən-] *n.* 교정[수정]자

e·men·da·to·ry [iméndətɔ̀:ri | i:méndətəri] *a.* 교정[수정]의

emer. emeritus

***em·er·ald** [émərəld] *n.* **1** 〖광물〗 에메랄드, 취옥(翠玉) **2** Ⓤ 에메랄드 빛, 밝은 초록색(= ~ green) **3** Ⓤ 《영》 〖인쇄〗 에메랄드 활자체 《약 6.5포인트》
—*a.* **1** 에메랄드(제)의; 에메랄드를 박은 **2** 에메랄드 빛의, 밝은 초록색의

émerald cùt 〖보석〗 에메랄드 컷 《다이아몬드나 에메랄드의 세공법》

émerald gréen 에메랄드 그린 《선명한 진녹색》

Émerald ísle [the ~] 《문어》 에메랄드 섬 《아일랜드의 속칭》

*****e·merge** [imə́:rdʒ] [L 「(물속에서) 나오다」의 뜻에서] *vi.* **1** (물속·어둠 속 등에서) 나오다, 나타나다

(appear) 《*from*》: (~+전+명) The full moon will soon ~ *from* behind the clouds. 보름달이 곧 구름 뒤에서 나타날 것이다. **2** (빈곤·낮은 신분 등에서) 벗어나다, 빠져 나오다(come out) 《*from*》: (~+전+명) ~ *from* poverty[difficulty] 빈곤에서 벗어나다[곤란에서 빠져 나오다] **3** 〈새로운 사실 등이〉 (조사 결과 등에서) 드러나다, 알려지다, 판명되다; 〈곤란·문제 등이〉 일어나다(arise)
▷ emérgence *n.*; emérgent *a.*

e·mer·gence [imə́ːrdʒəns] *n.* Ⓤ **1** 출현, 발생 《*of, from*》 **2** 탈출 《*from*》 **3** 〖식물〗 모상체(毛狀體) **4** 〖유전〗 (진화에서 나타나는) 돌연변이

‡**e·mer·gen·cy** [imə́ːrdʒənsi] *n.* (*pl.* **-cies**) ⓊⒸ 비상사태, 비상시, 위급, 급변(exigency): a state of ~ 비상사태 / in this ~ 이 위급한 때에 / in case of[in an] ~ 비상[위급]시에는 / carry out a regular ~ drill 정기적인 비상 대비 훈련을 실시하다.
— *a.* Ⓐ 비상용의, 긴급한: an ~ act[ordinance] 긴급 법령 / an ~ call 비상소집 / ~ fund 〖상업〗 비상[우발] 손실 준비 자금 / an ~ man 임시 고용인; 〖미식축구〗 보결 선수 / ~ measures 긴급 조치, 응급[비상] 대책 / ~ ration 〖군사〗 비상 휴대 식량 / an ~ staircase 비상 계단

emérgency bòat = ACCIDENT BOAT

emérgency bràke (미) (자동차의) 사이드 브레이크(parking brake, (영) hand brake) 《주차용·비상용》; (기차 따위의) 비상 제동기

emérgency càse 구급상자; 위급 환자

emérgency dòor[èxit] 비상구

emérgency lànding 〖항공〗 긴급[불시] 착륙: an ~ field 불시 착륙장

emérgency médical technìcian 구급 간호사, 응급 구조 대원 《略 EMT》

emérgency pòwer 비상 지휘권[통치권] 《재해·전시의》

emérgency ròom (병원의) 응급실 《略 ER》

emérgency sèrvices 긴급 구호 활동

e·mer·gent [imə́ːrdʒənt] *a.* Ⓐ **1** 나타나는, 출현하는; 주목을 끌기 시작하는 **2** 불시의, 긴급한(urgent) **3** 〈국가 등이〉 신흥의, 신생의 **4** 〖유전〗 창발적(創發的)인 — *n.* (줄기와 잎이 공중으로 뻗어 있는) 수생(水生) 식물 《연꽃·부들 따위》

emérgent evolútion 창발적 진화 《진화의 어느 단계에서 전혀 예기치 않은 새로운 성질이나 생물 또는 행동 양식이 나타난다는 설》

e·mer·gi·cen·ter [imə́ːrdʒəsèntər] *n.* (미) 응급 진료소, 구급 의료 센터 《예약 없이 간단한 응급 치료를 싼값으로 받을 수 있는》

e·merg·ing [imə́ːrdʒiŋ] *a.* 최근 생겨난, 최근에 만들어진: an ~ industry 신흥 산업

e·mer·i·ta [imérətə] *n.* (*pl.* **-tae** [-tìː], **~s**) (여성) 명예 교수; 그 지위[직] — *a.* 〈여성이〉 사임[은퇴] 후에도 재직 중의 예우를 받는, 명예 대우의: a professor ~ of music 음악과 여자 명예 교수

e·mer·i·tus [imérətəs] *a.* 명예 퇴직의: an ~ professor = a professor ~ 명예 교수
— *n.* (*pl.* **-ti** [-tài]) 명예 교수; 명예직에 있는 사람

e·mersed [iːmə́ːrst] *a.* (물속 등에서) 나온, 나타난

e·mer·sion [iːmə́ːrʒən | -ʃən] *n.* ⓊⒸ **1** (고어) 출현(emergence) **2** 〖천문〗 (일식[월식] 후 또는 엄폐(掩蔽) 후의 천체의) 재현(再現)(reappearance)

Em·er·son [émərsən] *n.* 에머슨 **Ralph Waldo** ~ (1803-82) 《미국의 평론가·시인·철학자》

Em·er·so·ni·an [èmərsóuniən] *a.* 에머슨의[같은]; 에머슨풍의 — *n.* 에머슨 숭배자 **~·ism** *n.* Ⓤ 에머슨주의, (에머슨풍의) 초월주의(超越主義)

em·er·y [éməri] *n.* Ⓤ 금강사(金剛砂) 《연마용》

Em·er·y [éməri] *n.* 남자 이름

émery bàg 금강사 주머니 《바늘 연마용》

émery bòard 손톱 미는 줄 《매니큐어용》

émery clòth 사포(砂布), 속새 《연마용》

émery pàper 사지(砂紙), 속새

émery whèel 금강사로 만든 회전(回轉) 숫돌

em·e·sis [éməsis] *n.* (*pl.* **-ses**) 〖병리〗 구토

E-me·ter [íːmìːtər] [*E*lectro*meter*] *n.* 피부의 전기 저항 변화를 측정하는 전위계 《거짓말 탐지기와 비슷한 장치》

e·met·ic [imétik] *a.* **1** 토하게 하는, 구토를 일으키는 **2** (비유) 메스꺼운, 욕지기가 날 것 같은
— *n.* 토제(吐劑) **e·mét·i·cal·ly** *ad.*

é·meute [eimə́ːt] [F] *n.* 폭동, 반란(riot)

emf, EMF, E.M.F., e.m.f. electromotive force 〖전기〗 기전력(起電力), 전동력(電動力) **EMF** European Monetary Fund 유럽 통화 기금 **EMG** electromyograph 〖의학〗 근전(筋電) 기록 장치 **EMI** electromagnetic interference 전자 방해

-emia [íːmiə] *suf.* 〖의학〗 「…한 혈액을 가진 상태; 혈액 중에 …을 가진 상태」의 뜻: leuk*emia* 백혈병

e·mic [íːmik] *a.* 〖언어〗 이미크적(的)인 《언어·문화 현상 등의 분석·기술에 있어서 기능면을 중시하는 관점에 관해서 말함》(cf. ETIC)

e·mic·tion [imíkʃən] *n.* 배뇨(urination)

***em·i·grant** [émigrənt] *n.* (다른 나라로 가는) **이민**(移民), 이주자(cf. IMMIGRANT)
— *a.* Ⓐ **1** (타국으로) **이주하는**; 이민의: an ~ company 이민 회사 **2** 〈새가〉 이주성의: an ~ bird 철새(bird of passage)

***em·i·grate** [émigrèit] [L 「밖으로 이동하다」의 뜻에서] *vi.* (타국으로) **이주하다**, 이민하다(⇨ migrate 유의어); (다른 주 등으로) 전출하다(cf. IMMIGRATE): (~+전+명) ~ *from* Korea *to*[*into*] Canada 한국에서 캐나다로 이주하다

***em·i·gra·tion** [èmigréiʃən] *n.* Ⓤ **1** (타국으로의) **이주**(移住)(cf. IMMIGRATION) **2** [집합적] 이민(emigrants); Ⓒ (일정 기간 내의) 이민 수 **3** 출국 관리(管理)

emigrátion tàx = EXIT TAX

em·i·gra·to·ry [émigrətɔ̀ːri | -təri] *a.* **1** 이주의, 이주에 관한 **2** 〈조류(鳥類)가〉 이주성(移住性)의

é·mi·gré [émigrèi] [F] *n.* (*pl.* **~s** [-z]) **1** (해외) 이주자(emigrant) **2** (정치상의) 국외 이주자, 망명자; 《특히》 망명한 왕당원(王黨員) 《1789년 프랑스 혁명 당시의》; 망명자 《1918년 러시아 혁명 당시 혹은 나치 독일에서의》 — *a.* Ⓐ 망명한: an ~ artist 망명 예술가

E·mile [eimíːl] *n.* 남자 이름

Em·i·ly, Em·i·lie [éməli] *n.* 여자 이름

***em·i·nence** [émənəns] *n.* **1** Ⓤ (지위·신분 등의) **고위**(高位), 높음, 고귀함(loftiness); **저명**, 명성(celebrity); (학덕 등의) 탁월 《*in*》: achieve[reach, win] ~ as a writer 작가로서 유명해지다 / attain[achieve] ~ *in* …에서 두드러지다 / rise to ~ 유명해지다, 출세하다 **2** [His[Your] E~] 〖가톨릭〗 전하(殿下) 《추기경의 존칭·호칭》 **3** (문어) 높은 곳, 고대(高臺), 언덕(hill) **4** 〖해부〗 융기(隆起)
▷ éminent *a.*

é·mi·nence grise [èimináːns-gríːz] [F = gray cardinal] (*pl.* **é·mi·nences grises** [~]) 심복, 앞잡이; 숨은 실력자, 배후 인물

em·i·nen·cy [émənənsi] *n.* (*pl.* **-cies**) = EMINENCE

‡**em·i·nent** [émənənt] [L 「돌출하는」의 뜻에서] *a.* **1** 〈지위·신분이〉 **높은**(lofty); **저명한**(famous) 《특히 학문·과학·예술 등의 전문적 분야에서》: an ~ writer 저명 작가 / She was ~ for her piety. 그녀는 신앙심이 깊기로 유명했다. **2** 〈자질·행위 등이〉 **뛰어난**(outstanding); 훌륭한, 탁월한(distinguished) **3** 돌출한,

thesaurus **emergency** *n.* urgent situation, crisis, danger, accident, difficulty, plight, predicament, unforeseen occurrence
emigrate *v.* migrate, immigrate, quit, relocate
eminent *a.* important, great, distinguished, well-

〈산·건물 등이〉 우뚝 솟은, 우뚝한 **~·ly** *ad.*
éminent domáin 〖법〗 토지 수용권
em·i·o·cy·to·sis [èmiːousaitóusis] *n.* 〖생물〗 (세포의) 배출 작용, 배출 과정의 하나
-tot·ic [-tɑ́tik | -tɔ́t-] *a.*
e·mir [imíər, ei- | emíə] [Arab. = commander] *n.* **1** (이슬람 국가들의) 왕족(prince), 수장(首長) **2** 《고어》 모하메드의 자손의 존칭
e·mir·ate [imíərət, ei- | em-] *n.* emir의 관할 구역[권한]; 수장국(cf. UNITED ARAB EMIRATES)
em·is·sar·y [éməsèri | -səri] *n.* (*pl.* **-sar·ies**) **1** 사절, 사자(messenger), 《특히》 밀사(密使) **2** 밀정, 간첩(spy) **—** *a.* 사자의; 밀사의
*__e·mis·sion__ [imíʃən] *n.* UC **1** (빛·열·향기 등의) 방사, 내뿜음, 발산(發散), 방출; 방사물, 방출물 **2** 《고어》 (지폐·주권 등의) 발행; 발행고 **3** (굴뚝·엔진 등으로부터의) 배기, 배출; 배출물(질) **4** 〖생리〗 사정(射精)
emíssion spèctrum 〖분광〗 발광[방출] 스펙트럼
emíssion stàndard (배기가스의) 배출 기준
emíssion tráding (국가간) 온실가스 배출권 거래 제도(carbon trading)
e·mis·sive [imísiv] *a.* 방사성의, 방출적인; 방사[방출]된
e·mis·siv·i·ty [èməsívəti, ìːm-] *n.* 〖물리·화학〗 방사율, 복사능(輻射能)
*__e·mit__ [imít] [L = send out] *vt.* (**~·ted**; **~·ting**) **1** 〈빛·열·향기 등을〉 방사하다(give out), 내뿜다; 〈소리를〉 내다(utter): light and heat *~ted* from the sun 태양의 발사광과 열 **2** 〈의견·말 등을〉 토로하다; 〈지폐·어음 등을〉 발행하다(issue); 〈법령 등을〉 발포[공포]하다; 〈신호를〉 (전파로) 보내다
e·mit·tance [imítns] *n.* 〖물리〗 이미턴스 《단위 면적당 빛 등의 방사력(放射力)》
e·mit·ter [imítər] *n.* **1** 방사체; (법령 등의) 발포자; (지폐 등의) 발행인 **2** 〖전자〗 이미터 《트랜지스터의 전극의 하나》
Em·ma [émə] *n.* 여자 이름(cf. EMMY[1])
Em·man·u·el [imǽnjuəl] *n.* 남자 이름
Em·me·line [éməlìːn, -làin] *n.* 여자 이름
em·men·a·gogue [əménəgɔ̀ːg, -gɑ̀g | -gɔ̀g] *n.* 〖약학〗 월경 촉진약, 통경제(通經劑)
Em·men·t(h)a·ler [éməntɑ̀ːlər], **-t(h)al** [-tɑ̀ːl] *n.* U 에멘탈 (치즈)(Swiss cheese)
em·mer [émər] *n.* 에머밀 《사료 작물로 재배》
em·met [émit] *n.* (고어·방언) 개미(ant)
em·me·tro·pi·a [èmətróupiə] *n.* U 〖안과〗 정시안(正視眼)(cf. HYPEROPIA)
Em·my[1], **Em·mie** [émi] *n.* 여자 이름 《Emily, Emilia, Emma의 애칭》
Emmy[2] *n.* (*pl.* **~s**) 에미 상 《Emmy Award에서 트로피로 수여되는 작은 조상(彫像)》
Émmy Awárd 에미상(賞) 《미국의 텔레비전 우수 프로·우수 연기자·기술자 등에게 매년 1회 수여되는 상》
EmnE., EMnE. Early Modern English
em·o [ímou] *n.* 이모 《기타를 중심으로 한 음과 멜로디, 감성적인 선율을 특징으로 하는 음악 장르》
emo·din [émədin] *n.* 〖화학〗 에모딘 《하제(下劑)용》
e·mol·lient [imɑ́ljənt | imɔ́l-] *a.* (피부 등을) 부드럽게 하는; (고통을) 완화하는(soothing): an ~ lotion for the skin 피부 연화 로션 **—** *n.* 〖약학〗 (피부) 연화약(軟化藥); 완화제
e·mol·u·ment [imɑ́ljumənt | imɔ́l-] *n.* [보통 *pl.*] 《문어》 (직책·지위 등에서 생기는) 소득, 이득(profits) 《*of*》; 보수, 수당, 봉급

---

known, celebrated, renowned, prominent, noted
emotional *a.* **1** 감정적인 feeling, passionate, warm, sentimental, ardent, sensitive **2** 감정에 호소하는 moving, affecting, touching, tear-jerking
emperor *n.* ruler, sovereign, monarch, king

---

e-mon·ey [íːmʌ̀ni] *n.* = ELECTRONIC MONEY
e·mote [imóut] *vi.* 《구어》 **1** 과장된 거동[연기]을 하다 **2** 감정을 겉으로 (과장해서) 나타내다
e·mo·ti·con [imóutikɑ̀n | -kɔ̀n] [*emot*ion+*icon*] *n.* 〖컴퓨터〗 이모티콘 《키보드로 입력할 수 있는 범위에서 기호를 조합하여 만든 다양한 표정의 얼굴 모습》
‡**e·mo·tion** [imóuʃən] [L 「〈사람을〉 밖으로 움직이다, 흥분시키다」의 뜻에서] *n.* **1** U (심신의 동요를 수반하는 정도의) **감동,** 강렬한 감정, 감격(⇨ feeling 유의어): kindle a person's ~ …을 감동시키다 **2** UC [종종 *pl.*] (희로애락의) **감정 3** (이성·의지에 대하여) 감정, 정서 ***betray*** **one's ~** 감정을 드러내다 ***with*** **~** 감동[감격]해서 **~·a·ble** *a.*
*__e·mo·tion·al__ [imóuʃənl] *a.* **1** 〈사람·성질 등이〉 **감정적인,** 감정에 움직이기 쉬운; 정에 무른, 감수성이 강한 **2** 〈음악·문학 등이〉 감정에 호소하는, 감동적인: an ~ actor 감정 표현이 능숙한 배우 **3** 감정의, 정서의 **~·ly** *ad.*
emótional intélligence 감성(感性) 지능 《타인의 감정을 이해·수용하고 자기 감정을 조절하는 능력》
e·mo·tion·al·ism [imóuʃənəlìzm] *n.* U **1** 감정에 흐름, 정서 본위, 감격성 **2** 감정 표출(벽) **3** 〖예술〗 주정(主情)주의
e·mo·tion·al·ist [imóuʃənəlist] *n.* **1** 감정적인 사람, 감정가 **2** 정에 무른 사람, 감격성의 사람 **3** 감정에 호소하는 작가 **4** 주정주의자 **e·mò·tion·al·ís·tic** *a.*
e·mo·tion·al·i·ty [imòuʃənǽləti] *n.* U 감격성, 감동성; 정서성
e·mo·tion·al·ize [imóuʃənəlàiz] *vt.* **1** 정서적으로 하다, 감정적으로 취급하다 **2** 감정에 강하게 호소하다, 몹시 감동시키다 **—** *vi.* 감정적[비이성적]인 언동을 하다
e·mo·tion·less [imóuʃənlis] *a.* 무표정한, 무감동의; 감정이 담기지 않은; 감정을 나타내지 않는 **~·ly** *ad.* **~·ness** *n.*
e·mo·tive [imóutiv] *a.* **1** 감정의[에 관한] **2** 〈어구 등이〉 감정을 나타내는, 감정 표출의 **3** 감정에 호소하는, 감동적인 **~·ly** *ad.* **~·ness** *n.*
e·mo·tiv·i·ty [iːmoutívəti] *n.* U 감동성
EMP electromagnetic pulse **Emp.** Emperor; Empress; Empire
em·pale [impéil, em-] *vt.* = IMPALE
em·pa·na·da [èmpənɑ́ːdə] [Sp. = breaded] *n.* 엠파나다 《중남미의 스페인식 파이 요리; 고기·생선·야채 등을 재료로 사용》
em·pan·el [impǽnl, em-] *vt.* (**~ed**; **~·ing** | **~led**; **~·ling**) = IMPANEL
em·paque·tage [ɑːŋpɑːktɑ́ːʒ] [F = packaging, package] *n.* 패키지 (예술) 작품 《캔버스 등으로 물건을 싸고 묶어서 만들어 내는 개념 예술(conceptual art)의 한 수법》
em·pa·thet·ic [èmpəθétik] *a.* = EMPATHIC
em·path·ic [empǽθik] *a.* 감정 이입의[에 입각한] **-i·cal·ly** *ad.*
em·pa·thize [émpəθàiz] *vt., vi.* 감정 이입(移入)하다, 마음으로부터 공감하다 《*with*》
em·pa·thy [émpəθi] *n.* U 〖심리〗 감정 이입, 공감 《*with*》
em·pen·nage [ɑ̀ːmpənɑ́ːʒ, èm-] [F] *n.* 〖항공〗 (비행기·비행선의) 미부(尾部), 미익(尾翼)
‡**em·per·or** [émpərər] [L 「최고의 지배권을 가지다」의 뜻에서] *n.* (*fem.* **-press** [-pris]) **1 황제,** 제왕 (cf. MAJESTY 2): the ~ system 황제 제도 / ~ worship 황제[제왕] 숭배 《신으로서의》 ★ the Emperor Nero(네로 황제)처럼 보통 정관사를 붙임. **2** 〖역사〗 동[서]로마 황제 **~·ship** *n.* U 제위(帝位), 황제의 통치권[위력]
émperor mòth 〖곤충〗 산누에나방
émperor pènguin 〖조류〗 엠퍼러[황제] 펭귄 《가장 큰 종류》
em·per·y [émpəri] *n.* (*pl.* **-per·ies**) 《시어·문어》 황제의 영토[통치권]; 광대한 영토[권력]

‡**em·pha·sis** [émfəsis] [Gk 「잘 보이게 하다」의 뜻에서] *n.* (*pl.* **-ses** [-sìːz]) ⓊⒸ **1** (어떤 사실·사상·감정·주의 등에 부가하는) **중요성, 강조,** 중점: speak *with* ~ 역설하다 **2** 〖언어〗 강세, 어세(語勢)(accent) 《*on*》; 〖수사〗 강세법(强勢法)(⇨ 문법 해설 (10)); 〖미술〗 (윤곽·색채의) 강조
lay [***place, put***] (***great***) **~ *on*** [***upon***] …에 (특히) 중점을 두다, …을 (크게) 강조[역설]하다
▷ émphasize *v.*; emphátic *a.*

‡**em·pha·size** [émfəsàiz] *vt.* **1** 〈사실 등을〉 **강조하다,** 역설하다(stress): ~ the point 중점을 역설하다 // 《~+***that*** 절》 Parents ~ *that* children should be independent. 부모들은 아이들이 독립심을 가져야 한다고 강조한다. **2** 〈어구를〉 강조하다; 강조하여 노래하다; 〖미술〗 (윤곽·색채 등으로) …을 강조하다
▷ émphasis *n.*

*__em·phat·ic__ [imfǽtik, em-] *a.* **1 어조가 강한,** (표현상의) 힘이 있는, 단호한: an ~ denial 단호한 부인[부정] **2** 〈단어·음절이〉 강조된, 악센트가 있는 **3** 두드러진, 현저한 **4** 〈사람이〉 힘이 센, 기력이 있는

*__em·phat·i·cal·ly__ [imfǽtikəli, em-] *ad.* **1** 강조하여; 힘차게; 단호히 **2** 전혀, 단연코: It is ~ not true. 그것은 단연코 사실이 아니다.

em·phy·se·ma [èmfəsíːmə, -zíː-] *n.* 〖병리〗 기종(氣腫), 《특히》 폐기종: pulmonary ~ 폐기종

‡**em·pire** [émpaiər] [L 「지배, 통치」의 뜻에서] *n.* **1 제국**(帝國); 제왕의 영토 **2** Ⓤ 제왕의 주권, 황제의 통치; 절대 지배권 《*over*》 **3** [the E~] 대영 제국(=the British E~); 〖역사〗 《일반적으로》 신성 로마제국(=the Holy Roman E~); (나폴레옹 보나파르트의) 프랑스 제1 제정, (나폴레옹 3세의) 제2 제정 **4** (거대 기업의) 왕국: an industrial ~ of steel 철강 산업 왕국 ***the E~ of the East*** [***West***] = ***the Eastern*** [***Western***] ***E~*** 동[서]로마 제국
— *a.* 대영 제국의 특징을 가진; [**E~**] 〈가구·복장 등이〉 프랑스 제정 시대풍의

émpire bùilder 《구어》 자기의 세력 확대에 주력하는 사람

em·pire-build·ing [émpaiərbìldiŋ] *n.* Ⓤ (정치적·외교적 또는 기업 내에서의) 세력[영향력, 판도] 확대

Émpire Cìty [the ~] New York City의 별명

Émpire Dày 대영 제국 국경일 《Victoria 여왕 탄신일인 5월 24일; 1958년 이후로는 Commonwealth Day라고 공칭(公稱)함》

Émpire lìne 엠파이어 라인 《가슴 바로 아래로 허리선이 있는 여성복》

Émpire Stàte [the ~] New York주의 속칭

Émpire Stàte Buílding [the ~] 엠파이어 스테이트 빌딩 《뉴욕 시 소재의 지상 102층의 고층 건물; 텔레비전 탑(67.7m)을 포함한 높이는 약 449m》

Émpire Stàte of the Sóuth [the ~] 미국 Georgia주의 속칭

em·pir·ic [impírik, em-] *a.* = EMPIRICAL
— *n.* 《고어》 **1** 경험에만 의존하는 사람, 경험주의자 **2** 경험주의 과학자[의사] **3** 돌팔이 의사(quack), 협잡꾼

*__em·pir·i·cal__ [impírikəl, em-] *a.* **1 경험적인,** 경험[실험]상의: an ~ formula 〖화학〗 실험식 **2** 경험주의의 〈의사 등〉 **~·ly** *ad.*

empirícal probabílity 〖통계〗 경험적 확률

em·pir·i·cism [impírəsìzm, em-] *n.* Ⓤ **1** 경험주의[론](cf. RATIONALISM) **2** 경험적[비과학적] 치료법; 돌팔이 의사적인 치료 **3** 경험으로부터 이끌어진 결론

em·pir·i·cist [impírəsist, em-] *n.* 경험주의자; 〖철학〗 경험론자(empiric) — *a.* 경험주의의

em·place [impléis, em-] *vt.* 〈포상(砲床)을〉 설치하다

em·place·ment [impléismənt] *n.* **1** Ⓤ (포상(砲床) 등의) 설치, 정치(定置) **2** 설치 장소, 위치 **3** 〖군사〗 포상

em·plane [impléin, em-] *vt.* 비행기에 태우다[싣다](opp. *deplane*) — *vi.* 비행기에 타다(enplane)

‡**em·ploy** [implɔ́i, em-] *vt., n.*

> 「안에 싸서 넣다, 고용하다」가 본래의 뜻
> ┌→〈사람을〉「고용하다」
> └→〈물건을〉「사용하다」

— *vt.* **1** 〈사람을〉 **쓰다, 고용하다,** 일을 주다; 〈동물을〉 부리다: men ~*ed by* the railroads 철도 종업원 // 《~+목+전+명》 I am ~*ed in* a bank. 은행에 다니고 있다. // 《~+목+***as*** 보》 He is ~*ed as* a clerk. = They ~ him *as* a clerk. 그는 사무원으로 근무하고 있다.

> 유의어 **employ** 견인 직위으로서 정식으로, 또한 계속적으로 사람을 고용하다: be *employed* as a secretary 비서로 채용되다 **hire** 돈을 지불하고 일시적으로 사람을 고용하는 것으로서, 보통 개인적으로 사람을 고용하는 경우에 쓴다: We *hired* a man to mow the lawn. 우리는 잔디 깎는 사람을 고용했다.

2 [보통 수동형 또는 one*self* 로] …에 종사하다, …에 헌신하다(occupy, devote): 《~+목+전+명》 He *was* ~*ed in* clipping the hedge. = He ~*ed himself in* clipping the hedge. 그는 산울타리의 가지치기를 하였다. **3** 《문어》 〈물건·수단 등을〉 사용하다, 쓰다: 《~+목+***as*** 보》 ~ alcohol *as* a solvent 알코올을 용제로 쓰다 ★ use 쪽이 일반적임. **4** 〈공사(工事)가 …에게〉 일[직업]을 주다: The work will ~ 60 men. 이 일은 60명의 일이다. **5** 《문어》 〈시간·정력 등을〉 **소비하다**(spend): ~ one's energies to advantage 정력을 유효하게 쓰다
— *n.* Ⓤ 《문어》 고용 ★ 주로 다음 성구로.
be in a person***'s*** **~** = ***be in the ~ of*** a person …에게 고용되어 있다 ***have*** many persons ***in*** one***'s*** **~** 많은 사람을 쓰고 있다 ***in*** [***out of***] **~** 취직[실직]하여 ▷ emplóyment *n.*

em·ploy·a·ble [implɔ́iəbl, em-] *a.* 〈사람이〉 고용하기에 적합한 — *n.* 고용[취직] 적격자
em·plòy·a·bíl·i·ty *n.*

em·ployed [implɔ́id, em-] *a.* **1** 취직[취업]하고 있는 **2** [the ~; 복수 취급] 고용자들, 노동자 《보통 한 나라·한 지역의 취업자 전체를 말함》

‡**em·ploy·ee, -ploy·e, em·ploy·é** [implɔ́iiː, èmplɔiíː] *n.* **고용인,** 고용살이하는 사람, 종업원(opp. *employer*)

emplóyee stóck òwnership plàn 종업원 지주 제도 《略 ESOP》

‡**em·ploy·er** [implɔ́iər, em-] *n.* **고용주;** 사용자

‡**em·ploy·ment** [implɔ́imənt, em-] *n.* Ⓤ **1** (노동자의) **사용, 고용;** 사역: salaries and terms of ~ 급여와 고용 조건 **2** (고용되어 급료를 받고 일하는) 일자리, 직업(work, occupation) **3** (시간·노력·사물 등의) 사용, 이용 《*of*》: the ~ *of* computers 컴퓨터의 사용 **4** Ⓒ 《문어》 (취미로서 하는) 일, 활동
be (***thrown***) ***out of* ~** 실직 상태이다; 해고되다 ***in the ~ of*** …에(게) 고용되어 ***public ~ stabilization office*** 공공 직업 안정소 ***take*** a person ***into ~*** …을 고용하다 ***throw*** a person ***out of ~*** …을 해고하다 ▷ emplóy *v.*

Emplóyment Àct [the ~] 고용법

emplóyment àgency (민간의) 직업소개소[안내소]

emplóyment bùreau 《미》 직업소개소

emplóyment exchànge[**òffice**] 《영》 공공(公共) 직업소개소

Emplóyment Sèrvice Ágency [the ~] 《영》 직업 안내[안정]소, 고용 서비스청(廳)

thesaurus **empower** *v.* authorize, license, certify, accredit, qualify, sanction
empty *a.* **1** 빈 unfilled, vacant, void, hollow,

Emplóyment Tráining ⦅영⦆ (실업자에 대한) 직업 훈련 (제도) ⦅略 ET⦆
emplóyment tribúnal ⦅영⦆ = INDUSTRIAL TRIBUNAL
em·poi·son [impɔ́izn, em-] *vt.* **1** ⦅고어⦆ 독을 넣다, 독살하다 **2** 악독한 마음[앙심]을 품게 하다; 격앙[격분]시키다 ⦅*against*⦆ **3** 부패[타락]시키다 **~·ment** *n.*
em·po·ri·um [impɔ́:riəm, em-] *n.* (*pl.* **~s, -ri·a** [-riə]) ⦅문어⦆ **1** (중앙) 시장(市場)(mart), 상업 중심지 **2** ⦅미⦆ 백화점, 큰 상점
em·pow·er** [impáuər, em-] *vt.* **1** (법률상) …에게 권능[권한]을 부여하다, …할 권력을 위임하다 (authorize): ⦅~+목+to*** do⦆ The President is *~ed to* veto a bill which has passed through Congress. 대통령은 의회를 통과한 법안을 거부할 권한이 부여되어 있다. **2** …할 수 있도록 하다(enable), …할 능력[자격]을 주다, (…할 것을) …에게 허용하다: ⦅~+목+***to*** do⦆ Science *~s* men *to* control natural forces. 과학은 인간에게 자연의 힘을 조절할 능력을 부여한다. **~·ment** *n.*
‡em·press [émpris] *n.* **1 a** 황후 **b** 여제(女帝), 여왕 (cf. EMPEROR, MAJESTY 2) **2** 여왕 같은 존재; 절대적인 위력을 가진 여성 ***Her Majesty*** [***H.M.***] ***the E~*** 황후[여왕] 폐하
émpress dówager 황태후, 대비
em·presse·ment [ɑ̃:mpresmɑ́:ŋ] [F] *n.* (환영 등의) 열의, 열성; 친절, 온정
em·prise, -prize [empráiz] *n.* ⦅고어·시어⦆ 웅도(雄圖), 모험; 담대한 용기(prowess)
emp·ti·ly [émptəli] *ad.* 멍하게; 공허[허무]하게
emp·ti·ness [émptinis] *n.* Ⓤ **1** 공(空), (속이) 빔 **2** (마음·사상·내용 등의) 텅 빔, 공허; 덧없음 **3** 무지, 무의미 **4** 빈 곳; 공복
‡emp·ty [émpti] [OE 「한가한」의 뜻에서] *a.* (**-ti·er**; **-ti·est**) **1** 〈용기·집·차 등이〉 빈; 〈도로 등이〉 인적이 없는: an ~ house 빈 집 / an ~ street 사람의 왕래가 없는 거리 / Your glass is ~. Can I fill it up? 잔이 비었군요. 채워 드릴까요?

> 유의어 **empty** 속에 아무것도 없는: an *empty* room (사는 사람도 가구도 없는) 빈 방 **vacant** 원래 속에 있어야 할 것이 일시적으로 비어 있는: a *vacant* room (호텔·아파트 등의) 빈 방 **blank** 물건의 표면에 아무것도 없는, 공백의: a *blank* paper 백지

2 ⦅문어⦆ (성질 등을) 결여한, …이 없는(devoid) ⦅*of*⦆: a book ~ *of* real information 실질적인 정보가 결여된 책 **3** 〈마음이〉 공허한; 무의미한(meaningless); ⦅경멸⦆ 〈내용·가치 등이〉 없는, 하찮은, 실없는 **4** ⦅구어⦆ 배고픈: feel ~ 시장기를 느끼다 **5** 일손이 빈 (idle) **6** 〖수학〗 〈집합이〉 원소를 포함하지 않은 **7** 〈사람이〉 무지한; 바보 같은 ***be on an ~ stomach*** 배가 고프다 ***~ cupboards*** ⦅비유⦆ 음식물의 결핍 (lack of food) ***~ stomachs*** 굶주린 사람들 ***pay*** a person ***in ~ words*** …에게 거짓 약속을 하다 ***return*** [***come away***] ***~*** 헛되이[빈손으로] 돌아오다 ***send away*** (a person) ***~*** (…을) 빈손으로 돌려 보내다
— *n.* (*pl.* **-ties**) [보통 *pl.*] 빈 상자[광주리, 병, 차, 통] ***running on ~*** 활기[특징, 창의력]를 잃은
— *v.* (**-tied**) *vt.* **1** 〈그릇 등을〉 비우다; 다 마셔버리다; 없어지게 하다: ~ a bucket 양동이를 비우다 / The rain soon *emptied* the street. 비 때문에 거리는 사람의 통행이 금새 없어졌다. // ⦅~+목+전+명⦆ ~ a purse *of* its contents 지갑을 털어 속에 든 것을 비우다 **2** [~ it*self* 로] 〈강 등이〉 …에 흘러들다 ⦅*into*⦆: ~ *itself into* the sea 〈강이〉 바다로 흘러들다 **3** (다른 그릇에) 옮기다(transfer): ⦅~+목+전+명⦆ ~ grain *from* a sack *into* a box 곡식을 자루에서 상자로 옮기다
— *vi.* **1** 비다, 비워지다 **2** 배변[배뇨]하다; 〈강 등이〉 흘러들다: ⦅~+전+명⦆ The Nile River *empties into* the Mediterranean Sea. 나일 강은 지중해로 흘러든다.

unoccupied, uninhabited, desolate, bare, barren, clear, blank (opp. *full*, *occupied*) **2** 무의미한 meaningless, futile, worthless, useless, aimless

émpty cálorie (단백질·비타민 등을 포함하지 않은) 식물 칼로리
emp·ty-hand·ed [émptihǽndid] *a.* 손이 비어 있는; 일이 없는; 아무런 수확도 없는
émpty-handed fáke 〖미식축구〗 쿼터백이 빈손으로 공을 던지는 시늉을 하는 것
emp·ty-head·ed [-hédid] *a.* ⦅구어⦆ 생각이 없는, 지각없는, 무지한 **~·ness** *n.*
émpty nést (자녀의 독립·출가로) 부모만 사는 집
émpty néster ⦅구어⦆ 자식이 없는 사람[부부], 자식들과 따로 사는 외로운 부부
émpty nést sỳndrome 〖정신의학〗 빈 둥지[공소(空巢)] 증후군 ⦅성장한 자식이 떠난 후 겪게 되는 우울한 심리 상태의 노년 부부에게 흔히 나타나는 증후군⦆
émpty sét 〖수학〗 공집합(空集合)(null set) ⦅기호 ϕ⦆
émpty súit 쓸모없고 하는 일이 없는 중역 간부
émpty wórd (특히 중국어 문법에서의) 허어(虛語) ⦅독립된 뜻이 없는 말⦆
em·pur·ple [impə́:rpl, em-] *vt., vi.* 자줏빛으로 하다[물들이다] **-pled** [-d] *a.* 자줏빛이 된
em·py·e·ma [èmpií:mə, -pai-] *n.* (*pl.* **~s, ~·ta** [-tə]) 〖병리〗 축농(증), ⦅특히⦆ 농흉(膿胸)
em·py·re·al [èmpərí:əl, -pai-, empíriəl] *a.* 최고천(最高天)의; 정화(淨火)의; 하늘의
em·py·re·an [èmpərí:ən, -pai-, empíriən] *n.* [the ~] **1** (고대 우주론의 오천(五天) 중에서) 가장 높은 하늘, 최고천(最高天) ⦅불과 빛의 세계로서 후에는 신과 천사들이 사는 곳으로 믿어진⦆ **2** 창공, 하늘(sky)
— *a.* = EMPYREAL
EMR educable mentally retarded 교육 가능한 저능아 **EMS** emergency medical service; enhanced message service (휴대 전화의) 확장 문자 서비스; European Monetary System 〖금융〗 유럽 통화 제도; Express Mail Service 국제 특급 우편
EMT emergency medical technician
e·mu [í:mju:] *n.* (*pl.* **~s,** [집합적] **~**) 에뮤 ⦅오스트레일리아산(産)의 타조 비슷한 큰 새⦆
EMU Economic and Monetary Union (EU의) 경제 통화 동맹 ; European monetary union; extravehicular mobility unit; 〖우주항공〗 우주선 밖 활동용 우주복 **E.M.U., e.m.u., emu** electromagnetic unit
em·u·late [émjulèit] *vt.* **1** …와 경쟁하다, 우열을 다투다[겨루다] **2** 열심히 흉내내다[모방하다] **3** …에 필적하다 **4** 〖컴퓨터〗 〈다른 프로그램을〉 에뮬레이트하다, 모방하다 — [-lət] *a.* ⦅폐어⦆ = EMULOUS
em·u·la·tion [èmjuléiʃən] *n.* Ⓤ **1** 경쟁, 겨룸, 대항: a spirit of ~ 경쟁심 **2** 〖컴퓨터〗 에뮬레이션 ⦅다른 컴퓨터의 기계어 명령대로 실행할 수 있는 기능⦆
em·u·la·tive [émjulèitiv, -lət-] *a.* 경쟁의, 지지 않으려는 **~·ly** *ad.*
em·u·la·tor [émjulèitər] *n.* **1** 경쟁자; 모방자 **2** 〖컴퓨터〗 에뮬레이터 ⦅emulation을 하는 장치·프로그램⦆
em·u·lous [émjuləs] *a.* **1** 경쟁적인, 경쟁심이 강한 **2** 지지 않으려는; 열심히 본뜨려는[모방하려는] **3** ⦅폐어⦆ 질투하는, 시샘하는 ***be ~ of*** …에 지지 않으려고 힘쓰다; …을 본뜨다; 열망하다 **~·ly** *ad.* **~·ness** *n.*
e·mul·si·fi·ca·tion [imʌ̀lsəfikéiʃən] *n.* Ⓤ 유상화(乳狀化), 유제(乳劑)화, 유화(乳化) (작용)
e·mul·si·fy [imʌ́lsəfài] *vt., vi.* (**-fied**) 유상[유제]으로 만들다: *emulsified* oil 유화유(乳化油)
-fi·er *n.* 유화(乳化)하는 사람[것], 유화제, 유화기(機)
e·mul·sion [imʌ́lʃən] *n.* ⓊⒸ **1** 〖화학〗 유제(乳劑); 유상액(乳狀液) **2** 〖사진〗 감광(感光) 유제 **3** 에멀

션 페인트(=~ pàint) 《마르면 윤이 없어지는》
emúlsion chàmber 〖물리〗 원자핵 건판을 연판(鉛板) 사이에 끼워 조립한 하전입자(荷電粒子) 비적(飛跡) 측정기
e·mul·sive [imʌ́lsiv] *a.* 유제성의; 유상화성(性)이 있는, 유제화할 수 있는
e·munc·to·ry [imʌ́ŋktəri] *n.* (*pl.* **-ries**) 〖생리〗 배출기(관) 《피부·신장·폐 등》 **—** *a.* 배출기(관)의
en[1] [én] *n.* **1** N자 **2** 〖인쇄〗 반각(半角) 《전각(全角)(em)의 2분의 1》
en[2] [ɑːŋ, ɔːŋ] [F] *prep.* …에 (있어서), …으로, …으로서(in, at, to, like) ★ ***en bloc*** 등의 성구(成句)는 각기 그 항목을 볼 것.
EN Enrolled Nurse
en- [in, en], **em-** [im, em] *pref.* 동사를 만듦 《en-, em-의 발음: 이 접두사에 전혀 악센트가 없을 경우, 일상어는 [in, im]을 쓰지만, 비교적 드문 말 또는 다소 정중하게 말하는 경우에는 [en, em]으로 되는 경향이 있음. 그렇지만 이 사전에서는 하나만 싣는 경우가 많음》 **1** [명사 앞에 붙여서] 「…의 안에 넣다」의 뜻: *en*case, *en*shrine **2** [명사·형용사 앞에 붙여서] 「…으로 만들다, …이 되게 하다(make)」의 뜻: *en*dear, *en*slave, *em*bitter 《이 경우에 다시 접미사 -en이 붙는 경우가 있음: *em*bold*en*, *en*light*en*》 **3** [동사 앞에 붙여서] 「…의 속[안]에(in, into, within)」의 뜻: *en*fold, *en*shroud ★ en-과 in-은 서로 바꿀 수 있는 경우가 있지만 대체로 《영》에서는 en-, 《미》에서는 in-을 쓰는 경우가 많음.
-en[1], **-n**[1] [-ən] *suf.* [불규칙 동사의 과거분사 어미]: spok*en*, swor*n*
-en[2], **-n**[2] *suf.* [물질 명사에 붙여] 「질(質)[성(性)]의, …으로 된, …제(製)의」의 뜻: ash*en*, gold*en*, wheat*en*
-en[3] *suf.* **1** [형용사에 붙여] 「…으로 하다[되다]」의 뜻: dark*en*, sharp*en* **2** [명사에 붙여서] 「…하다[되다]」의 뜻: height*en*, length*en* (cf. EN- 2)
-en[4] *suf.* [지소(指小) 명사 어미]: chick*en*, kitt*en*
‡en·a·ble [inéibl, en-] *vt.* **1** 〈사물이 사람에게〉 …할 수 있게 하다, 가능하게 하다, (…하는) 힘[권능, 권리, 자격, 수단, 기회]을 부여하다: (~+목+***to*** do) Money ~*s* one *to* do a lot of things. 돈이 있으면 많은 일을 할 수 있다. / The law ~*s* us *to* receive an annuity. 그 법으로 우리들은 연금을 받을 수가 있다. **2** 허락[허용, 허가]하다 **3** 〖컴퓨터〗 〈장치를〉 작동시키다, …에 스위치를 넣다 **~·ment** *n.*
-enabled [inéibld] 《연결형》 〖컴퓨터〗 「(어떤) 프로그램을 특히 강화한」의 뜻: Internet-*enabled*
en·a·bler [inéiblər, en-] *n.* **1** 조력자 **2** 남을 도와주고 있다고 본인은 생각하고 있지만 실제로는 남을 망치고 있는 사람
en·a·bling [inéibliŋ, en-] *a.* 〈법률이〉 (특별한) 권능을 부여하는; 합법화하는
enábling áct[státute] 〖법〗 권능 부여법, 수권법(受權法)
enábling legislátion 《미》 새로운 주(州)의 합중국 가맹을 인정하는 법률
en·act** [inǽkt, en-] *vt.* **1** 〈법률을〉 제정하다, 규정하다; 〈법률이 …이라고〉 규정하다 **2** 〈연극이나 어떤 장면을〉 상연하다(act); …의 역을 연기하다(play) ***as by law ~ed 법률이 규정하는 바와 같이 ***be ~ed*** 행해지다, 일어나다 ***Be it further ~ed that …*** 다음과 같이 법률로 정함 **en·áć·tor** *n.*
▷ enáctive *a.*; enáctment *n.*
en·áct·ing cláuse [inǽktiŋ-, en-] 〖법〗 제정 조항 《법률안 또는 제정법의 서두(序頭) 문구》
en·ac·tion [inǽkʃən, en-] *n.* =ENACTMENT
en·ac·tive [inǽktiv, en-] *a.* 법률 제정의; 제정권[입법권]을 가지는
en·act·ment [inǽktmənt, en-] *n.* 《문어》 **1** Ⓤ (법의) 제정 **2** 법령, 법규 **3** 법률의 조항
***e·nam·el** [inǽməl] *n.* ⓊⒸ **1** 에나멜, 법랑(琺瑯); 유약 **2** 에나멜 도료, 광택제 **3** Ⓤ (치아 등의) 법랑질 **4** 에나멜을 입힌 그릇, 법랑 세공품
— *vt.* (**~ed**; **~·ing** | **~led**; **~·ling**) **1** …에 에나멜을 입히다[칠하다], 법랑을 입히다(⇨ enameled) **2** 〈무늬 등을〉 에나멜로 그리다[광택을 내다]; 《시어》 오색으로 아로새기다
e·nam·eled [inǽməld] *a.* 에나멜(도료)를 입힌, 법랑을 칠한: ~ glass 에나멜 유리 / ~ leather 에나멜 가죽 / ~ paper 에나멜지
e·nam·el·ware [inǽməlwɛ̀ər] *n.* Ⓤ [집합적] 법랑 철기[그릇]
en·a·mine [énəmìːn, enǽmiːn] *n.* 〖화학〗 에나민 《이중 결합 탄소를 가진 아민》
en·am·or | **-our** [inǽmər] *vt.* [보통 수동형으로] 반하게 하다; 매혹하다(charm); 애호하다 (*of, with*): (~+목+전+명) The parents *are ~ed of* their youngest daughter. 양친은 막내딸을 애지중지한다. / He *is ~ed with* foreign films. 그는 외국 영화라면 사족을 못 쓴다. ***be*** [***become***] ***~ed of*** …에 반해 있다[반하다]
en·am·ored | **-oured** [inǽmərd] *a.* 매혹된, 홀딱 반한, 사랑에 빠진 **~·ness** *n.*
en·an·ti·o·mer [inǽntiəmər] *n.* 〖화학〗 거울상(이성질)체
en·an·ti·o·morph [inǽntiəmɔ̀ːrf] *n.* **1** (결정(結晶)의 좌우상(左右像) 《좌우 대칭의 결정체의》 **2** 〖화학〗 거울상(이성질)체, 대장체(對掌體)
en·an·ti·o·sis [inæ̀ntióusis] [Gk] *n.* (*pl.* **-ses** [-siːz]) 〖수사학〗 곡언법(litotes); 반어(反語), 반어법
en·arch(·ist) [énaːrk(ist)] *n.* (프랑스의) 국립 행정 학원(ENA) 출신의 고급 공무원
en·ar·thro·sis [ènaːrθróusis] *n.* (*pl.* **-ses** [-siːz]) 〖해부〗 구와관절(球窩關節)
e·na·tion [iːnéiʃən] *n.* 〖식물〗 융기생장 《보통 잎의 표면에 생기는 작은 돌기》
en at·ten·dant [ɑːŋ-ætɑːŋdɑ́ːŋ] [F = while waiting] *ad.* 기다리면서; 그 사이에
en bloc [ɑːŋ-blɑ́k | -blɔ́k] [F = in a lump] *ad.* 일괄하여, 총괄적으로: resign ~ 총사직하다
enc. enclosed; enclosure; encyclopedia
en·cae·nia [ensíːnjə] *n. pl.* **1** [복수 취급] (도시·교회 등의) 창립 기념제 **2** [**E~**] [종종 단수 취급] (Oxford 대학 등의) 창립 기념제
en·cage [inkéidʒ, en-] *vt.* 새장[우리]에 넣다; 가두다
en·camp [inkǽmp, en- | in-] *vi., vt.* 야영하다[시키다]
en·camp·ment [inkǽmpmənt, en- | in-] *n.* **1** Ⓤ 야영(함) **2** 야영지, 진지; [집합적] 야영자
en·cap·si·date [inkǽpsədèit, en-] *vt.* 〖생화학〗 (세포 내에서) 〈바이러스 입자를〉 단백질막으로 싸다
en·càp·si·dá·tion *n.*
en·cap·su·late [inkǽpsjulèit, en- | inkǽpsju-] *vt.* **1** 캡슐에 넣다[싸다] **2** 〈사실·정보 등을〉 요약하다 **—** *vi.* 캡슐에 들어가다[싸이다] **en·càp·su·lá·tion** *n.*
en·case [inkéis, en-] *vt.* 〈상자 등에〉 넣다; 싸다 **~·ment** *n.* Ⓤ 상자에 넣음; Ⓒ 상자, 용기
en·cash [inkǽʃ, en-] *vt.* 《영》 〈증권·어음 등을〉 현금으로 바꾸다, 현금으로 받다(cash) **~·ment** *n.*
en·caus·tic [inkɔ́ːstik, en-] *a.* 불에 달구어 착색한; 납화(蠟畫)의: ~ paintings 불에 달구어 그린 그림; 납화(법) / ~ tiles 채색 기와, 색[무늬] 타일 **—** *n.* Ⓤ 납화법; Ⓒ 납화
-ence [əns] *suf.* -ent를 어미로 하는 형용사에 대한 명사 어미: sil*ence*, prud*ence*
en·ceinte[1] [ɑːnsǽnt] [F] *a.* 《고어》 임신한(pregnant)
enceinte[2] [F] *n.* (*pl.* **~s** [-s]) 울, 담(enclosure); 구내; 〖축성〗 성벽, 성곽
encephal- [inséfəl | enkéf-], **encephalo-** [-lou] 《연결형》 「뇌」의 뜻 《모음 앞에서는 encephal-》

thesaurus **enchant** *v.* bewitch, fascinate, charm, captivate, enthrall, beguile, enrapture

en·ce·phal·ic [ènsəfǽlik | -kəf-, -səf-] *a.* 뇌수(腦髓)의[에 관계가 있는]

en·ceph·a·lit·ic [ensèfəlítik | -kèf-, -sèf-] *a.* 뇌염의

en·ceph·a·li·tis [ensèfəláitis | -kèf-, -sèf-] *n.* Ⓤ 〖병리〗 뇌염: Japanese ~ 일본 뇌염

encephalítis le·thár·gi·ca [-liθɑ́:rdʒikə] 〖병리〗 기면성(嗜眠性) 뇌염

en·ceph·a·li·to·gen [insèfəláitədʒən | enkèf-, -sèf-] *n.* 〖의학〗 뇌염 유발 물질

en·ceph·al·i·za·tion [insèfəlizéiʃən | enkèfəlai-, -sèf-] *n.* Ⓤ 〖생물〗 대뇌화(大腦化) 《피질 중추로부터 피질로의 기능의 이동》

encephalizátion quòtient 〖생물〗 대뇌화 지수(指數) 《체중과 뇌중량과의 관계 지수》

encephalo- [inséfəlou | enkéf-, -séf-] 《연결형》 = ENCEPHAL-

en·ceph·a·lo·gram [enséfələgræ̀m | -kéf-, -séf-], **-graph** [-græ̀f | -grɑ̀:f] *n.* 〖의학〗 뇌수 엑스레이 사진

en·ceph·a·log·ra·phy [ensèfəlɑ́grəfi | -kèfə-lɔ́g-, -sèf-] *n.* Ⓤ 〖의학〗 뇌 엑스레이 촬영법

en·ceph·a·lo·ma [ensèfəlóumə | -kèf-, -sèf-] *n.* (*pl.* **~s, ~·ta** [-tə]) 〖병리〗 뇌종양; 뇌헤르니아

en·ceph·a·lo·ma·la·ci·a [insèfəlouməléiʃiə | -kèf-, -sèf-] *n.* 〖병리〗 뇌연화(腦軟化)(증)

en·ceph·a·lo·my·e·li·tis [ensèfəloumàiəláitis | -kèf-, -sèf-] *n.* Ⓤ 〖병리·수의학〗 뇌척수염

en·ceph·a·lo·my·o·car·di·tis [ensèfəloumàiə-kɑ:rdáitis | -kèf-, -sèf-] *n.* Ⓤ 〖병리〗 뇌척수 심근염(心筋炎)

en·ceph·a·lon [enséfəlɑ̀n | enkéfəlɔ̀n, -séf-] *n.* (*pl.* **-a·la** [-ələ]) 〖해부〗 뇌수(brain)

en·ceph·a·lop·a·thy [ensèfəlɑ́pəθi | -kèfəlɔ́p-, -sèf-] *n.* 〖정신의학〗 뇌병, 뇌질환

en·chain [intʃéin, en-] *vt.* 사슬로 매다; 속박하다; 〈주의·흥미를〉 끌다: be ~*ed* by superstition 미신에 얽매이다 **~·ment** *n.*

en·chaîne·ment [ɑ̃ŋʃeinmɑ́:ŋ] 〖F〗 *n.* (*pl.* **~s** [-z]) 〖발레〗 앙셴망 《pas와 pause의 결합》

‡**en·chant** [intʃǽnt | -tʃɑ́:nt] 〖L 「(노래를 불러서) 마법에 걸다」의 뜻에서〗 *vt.* **1** 매혹하다; 호리다, 황홀하게 하다 《*with, by*》: Venice ~*ed* me instantly. 나는 베니스에 즉각적으로 매혹되었다. **2** …에 마법을 걸다; 마술적 효과를 주다 **~·ed** [-id] *a.* 요술에 걸린 ▷ enchántment *n.*

en·chant·er [intʃǽntər | -tʃɑ́:nt-] *n.* **1** 매력 있는 사람, 매혹하는 사람 **2** 마법사, 요술쟁이

*__en·chant·ing__ [intʃǽntiŋ | -tʃɑ́:nt-] *a.* Ⓐ 매혹적인, 황홀하게 하는 **~·ly** *ad.*

*__en·chant·ment__ [intʃǽntmənt | -tʃɑ́:nt-] *n.* Ⓤ **1** 매혹, 매력 **2** 마법(을 걸기), 마술, 요술 **3** 마법에 걸린 상태, 황홀 **4** Ⓒ 매혹하는 것, 황홀하게 하는 것 ▷ enchánt *v.*

en·chant·ress [intʃǽntris | -tʃɑ́:nt-] *n.* 여자 요술쟁이, 마녀(魔女); 매혹적인 여자 ★ ENCHANTER의 여성형.

en·chase [intʃéis, en-] *vt.* **1** …에 부각[조각]하다, 새기다 **2** 아로새기다, 박아 넣다(set), 새겨 넣다(inlay) 《*in*》

en·chi·la·da [èntʃəlɑ́:də, -lǽdə] *n.* 엔칠라다 《토르티야(tortilla)에 고기 등을 말아 싸고 매운 칠리(chili) 소스를 끼얹은 멕시코 요리》 ***the whole ~*** 《미·속어》 모든 것, 총집합, 모든 것이 포함된 것

en·chi·rid·i·on [ènkaiərídiən, -ki-] *n.* (*pl.* **~s, -rid·i·a** [-iə]) 《드물게》 편람, 교본, 안내서

en·cho·ri·al [enkɔ́:riəl], **-ric** [-rik] *a.* 《드물게》 그 나라 (특유)의 《특히 민중 문자에 관해서 씀》

---

enclose *v.* **1** 에워싸다 surround, circle, ring, confine, encompass **2** 동봉하다 include, insert, put in

en·ci·na [insí:nə, en-] *n.* 〖식물〗 (미국 남서부산(産)의) 떡갈나무의 일종

en·ci·pher [insáifər, en-] *vt.* 암호로 바꾸다(opp. *decipher*)

*__en·cir·cle__ [insə́:rkl, en-] *vt.* **1** [보통 수동형으로] 에워[둘러]싸다(surround) 《*by, with*》: an ancient city ~*d with* walls 성벽으로 둘러싸인 고대 도시 **2** 일주하다 **~·ment** *n.* Ⓤ 에워쌈, 포위; Ⓒ 일주

encl. enclosed; enclosure

en clair [ɑ:ŋ-kléər] 〖F〗 *ad.* (암호가 아닌) 보통 말로

en·clasp [inklǽsp | -klɑ́:sp] *vt.* 움켜쥐다, 잡다(clasp); 껴안다(embrace)

en·clave [énkleiv, ɑ́:n- | én-] 〖F 「갇힌」의 뜻에서〗 *n.* **1** 타국 영토 내의 자국 영토(cf. EXCLAVE) **2** (대도시 등) 소수의 이문화(異文化) 집단의 거주지 **3** 〖생태〗 (대군락 가운데) 고립된 조그만 식물 군락 **4** 고립된 장소 **5** 언어의 섬 《특정 지역의 언어가 주위의 다른 언어와 고립된 지역》 **—** *vt.* 〈영토 등을〉 둘러싸다; 고립화시키다

en·clit·ic [enklítik, in-] 〖문법〗 *a.* 전접(적)(前接的)인 《자체에는 악센트가 없고 바로 앞의 말의 일부처럼 발음됨》(opp. *proclitic*)
— *n.* 전접어 《보기: I'll의 *'ll*, cannot의 *not* 등》 **-i·cal·ly** *ad.*

‡**en·close** [inklóuz, en-] *vt.* **1** 에워싸다, (담·벽 등으로) 둘러싸다(surround): 《~+목+전+명》 ~ a garden *with* a fence 뜰에 담을 둘러치다 **2** 동봉하다: *Enclosed* please find a check for ten dollars. 10달러 수표를 동봉하였으니 받아 주시기 바랍니다. 《상용문에서》 // 《~+목+전+명》 ~ a check *with* a letter 편지에 수표를 동봉하다 **3** (상자 등에) 넣다(shut up), 싸다: 《~+목+전+명》 ~ a jewel *in* a casket 보석을 작은 상자에 넣다 **4** 〈소농지·공유지 등을〉 (사유지로 하기 위해) 둘러막다 ▷ enclósure *n.*

*__en·closed__ [inklóuzd, en-] *a.* **1** 둘러싸인, 에워싸인: Do not use this substance in an ~ space. 이 물질을 폐쇄된 장소에서 사용하지 마시오. / The castle was ~ *by* tall mountains. 그 성은 높은 산들로 둘러싸여 있었다. **2** 동봉된: Please complete the ~ application form. 동봉한 지원서를 작성하세요. **3** 〈종교적 공동체가〉 단절된, 고립된

*__en·clo·sure__ [inklóuʒər, en- | in-] *n.* **1** Ⓤ (담·울타리로) 둘러쌈; 인클로저 《공유지를 사유지로 하기 위해》 **2** Ⓤ 울로 둘러싼 땅, 구내(構內); Ⓒ 울, 담 **3** 동봉(한 것), 동봉물 **4** 포위, 싸는 것, 가두기 ▷ enclóse *v.*

enclósure àct (영) [the ~] 공유지의 사유지화 법령 《공유지를 사유지로 울 막는 데 관한 법령》

en·clothe [inklóuð, en-] *vt.* = CLOTHE

en·cloud [inkláud, en-] *vt.* 구름으로 싸다[덮다]

en·code [inkóud, en-] *vt., vi.* 〈보통 문장을〉 암호로 바꿔 쓰다; 부호화하다(opp. *decode*)

en·cod·er [inkóudər, en-] *n.* 암호기; 〖컴퓨터〗 부호기

en·co·mi·ast [enkóumiæ̀st, -əst] *n.* 찬양하는 사람(eulogist), 찬미자; 아첨[아부]자

en·co·mi·as·tic [enkòumiǽstik] *a.* **1** 찬미의, 칭찬의 **2** 아부하는; 추종적인

en·co·mi·um [enkóumiəm] *n.* (*pl.* **~s, -mi·a** [-miə]) 《문어》 칭찬하는 말, 찬사 《*of, on*》

en·com·pass [inkʌ́mpəs, en-] *vt.* 《문어》 **1** (특히 공격·방어하기 위해) 둘러[에워]싸다, 포위하다(surround) **2** 〈일·사물 등이〉 …을 포함하다, 싸다 **3** 〈일 등을〉 완전히 처리하다, 완수하다 **~·ment** *n.*

en·core [ɑ́:nkɔ:r, ɑ́:ŋ- | ɔ́ŋkɔ:r] 〖F = again〗 *int.* (재연(再演)을 요구하며) 재청이요! ★ 프랑스에서는 이 말을 쓰지 않고 Bis! 라고 함. **—** *n.* **1** 앙코르(Encore!)의 소리, 재연의 요청, 재청 **2** (앙코르에 응한) 연주 **—** *vt.* (앙코르를 외치며) 재연(주)을 요청하다: ~ a singer 가수에게 앙코르를 요청하다

‡**en·coun·ter** [inkáuntər, en-] 〖F「만나다」의 뜻에서〗 *vt.* **1** (우연히) 만나다, 마주치다: (~+목+전+명) ~ an old friend *on* the train 기차에서 옛 친구를 우연히 만나다 **2** 〈위험·곤란 등에〉 **부닥치다** **3** 〈적과〉 교전하다, 충돌하다: ~ an enemy force 적군과 대전하다 **4** 〈토론 등에서 상대편에게〉 대항하다(oppose)
—*vi.* 만나다(meet), 교전하다 《*with*》: (~+전+명) ~ *with* danger 위험에 부닥치다
—*n.* **1** 마주침 《*with*》: have an ~ *with* …와 우연히 만나다 **2** 교전, 충돌 《*with*》; 《미·속어》 경기

encóunter gròup 〖정신의학〗 집단 감수성 훈련 그룹

encóunter gròuper[gròupie] 집단 감수성 훈련 그룹의 참가자

‡**en·cour·age** [inkə́:ridʒ, en- | -kʌ́r-] *vt.* **1** …의 용기[기운]를 북돋우다(hearten); 격려하다: (~+목+전+명) ~ a person *in* doing his[her] hardest …을 격려하여 힘껏 하게 하다 / be ~*d at* one's success 성공으로 힘을 얻다 // (~+목+*to* do) ~ a boy *to* learn 소년을 격려하여 공부하게 하다 **2** 장려하다; 〈발달 등을〉 촉진하다, 조장하다: (~+목+전+명) ~ a person *in* his[her] idleness …의 게으름을 조장하다 **en·cóur·ag·er** *n.* ▷ cóurage *n.*

***en·cour·age·ment** [inkə́:ridʒmənt, en- | inkʌ́r-] *n.* Ⓤ **1** 격려, 장려: grants for the ~ of research 연구 장려금 / shouts of ~ 격려의 외침[고함 소리] // (~+*to* do) He gave us great ~ *to* carry out the plan. 그는 우리가 그 계획을 수행하도록 크게 격려해 주었다. **2** 장려[격려]가 되는 것, 격려하여 주는 것, 자극(stimulus): There is some ~ in doing it. 그것을 하는 데에 약간의 의욕을 느낀다.

en·cour·ag·ing [inkə́:ridʒiŋ, en- | -kʌ́r-] *a.* 격려[장려]의, 힘을 북돋아 주는; 유망한(opp. *discouraging*) **~·ly** *ad.* 격려하여, 격려하듯이

en·crim·son [inkrímzn, -sn | -zn] *vt.* 새빨갛게 물들이다

en·cri·nite [énkrənàit] *n.* 〖동물〗 갯나리(의 화석)

en·croach [inkróutʃ, en-] *vi.* **1** (남의 나라·땅 등을) 잠식(蠶食)하다, 침략하다, 침입하다(intrude) 《*on, upon*》: (~+전+명) ~ *upon* another's land 남의 토지에 침입하다 **2** (남의 권리 등을) 침해하다(infringe), (남의 시간을) 빼앗다 《*on, upon*》: (~+전+명) ~ *on* another's rights 남의 권리를 침해하다 / ~ *upon* a person's leisure …의 한가한 시간을 빼앗다 **3** 〈바다가〉 침식하다 《*on*》: (~+전+명) The ocean has ~*ed on* the shore at many points. 그 해안의 많은 지점이 바다에 침식되어 있다.

en·croach·er [inkróutʃər, en-] *n.* 침입[침해]자

en·croach·ment [inkróutʃmənt, en-] *n.* **1** ⓊⒸ 잠식, 침략; 침해 **2** 침식지; 침략지

en·crust [inkrʌ́st, en-] *vt., vi.* 외피(外皮)로 덮다[를 형성하다]; 아로새기다

en·crust·ed [inkrʌ́stid, en-] *a.* 외피로 덮인; 껍데기가 있는: a crown ~ with diamonds 다이아몬드가 촘촘히 박힌 왕관

en·crus·ta·tion [ènkrʌstéiʃən] *n.* = INCRUSTATION

en·crypt [inkrípt, en-] *vt., vi.* = ENCODE

en·crýp·tion [inkrípʃən-, en-] *n.* 부호 매김

encrýption àlgorithm 〖컴퓨터〗 부호 매김 풀이법 《정보 해독 불능에 대비해 수학적으로 기술된 법칙의 모음》

en·cul·tu·rate [inkʌ́ltʃərèit, en-] *vt.* 〈관념·행동양식 등을〉 소속 사회의 문화에 적응시키다, 문화화(文化化)시키다

en·cul·tu·ra·tion [inkʌ̀ltʃəréiʃən, en-] *n.* Ⓤ 〖사회〗 문화화(文化化), 문화 적응

en·cum·ber** [inkʌ́mbər, en-] *vt.* **1** 방해하다, 폐끼치다, 거추장스럽게 하다(hinder, hamper[1]): Heavy armor ~*ed* him in the water. 물속에서는 중장비가 그에게 방해가 되었다. // (~+목+전+명) a mind ~*ed with* useless learning 쓸모없는 학문 때문에 방해를 받은 마음 **2** (방해물로) 〈장소를〉 막다(choke up): (~+목+전+명) a passage ~*ed with* furniture 가구로 막힌 통로 **3** (채무 등을) 〈사람·토지에〉 지우다(burden): (~+목+전+명) ~ an estate *with* mortgages 토지를 저당 잡히다 / be ~*ed with* debt 빚을 지고 있다 **4** 귀찮게 하다, (무거운 짐을) 지우다 《*with*》 **~*ed estate 저당 잡힌 부동산
▷ encúmbrance *n.*

en·cum·brance [inkʌ́mbrəns, en-] *n.* **1** 방해물, 폐가 되는 것, 거추장스러운 것 **2** 〖법〗 부동산상의 부담[채무] 《저당권 등》 **3** 부양 가족, 《특히》 어린아이 ***be without ~*** 부양 가족[자식]이 없다 ***freed from all ~s*** 전혀 저당 잡혀 있지 않은 ▷ encúmber *v.*

en·cum·branc·er [inkʌ́mbrənsər, en-] *n.* 〖법〗 (저당권자 등) 타인의 재산에 대한 부담을 가진 자

-ency [ənsi] *suf.* 「성질·상태」를 나타내는 명사 어미: consist*ency*, depend*ency*

ency(c). encyclopedia

en·cyc·lic, -li·cal [insíklik(əl)] *n.* 회칙(回勅) 《특히 로마 교황이 전 성직자에게 보내는》
—*a.* 회람의, 회송(回送)의

‡**en·cy·clo·p(a)e·di·a** [insàikləpí:diə, en-] 〖L「전반적인 교육」의 뜻에서〗 *n.* **1** **백과사전**; 전문 사전 **2** [the E~] 〖프랑스사〗 백과전서

en·cy·clo·p(a)e·dic, -di·cal [insàikləpí:dik(əl), en-] *a.* **1** 백과사전적인 **2** 〈사람·지식이〉 해박한, 박학의

en·cy·clo·p(a)e·dism [insàikləpí:dizm, en-] *n.* **1** 백과사전적 지식 **2** [종종 **E~**] 백과사전주의

en·cy·clo·p(a)e·dist [insàikləpí:dist, en-] *n.* 백과사전 편집자

en·cyst [insíst, en-] *vt., vi.* 〖생물〗 포낭(包囊)(cyst)에 싸다[싸이다]
~·ment *n.* **en·cys·ta·tion** [ènsistéiʃən, in-] *n.*

‡**end** [énd] *n., a., v.*

> OE「*ende*(끝)」에서
> ┌(긴 것·장소가 끝나는 데)→「끄트머리; 끝」**1, 2**
> ├(정도·상태의 끝)→한도 **4**
> ├(인생의 끝)→죽음 **7**
> └(마지막 목표로 하는 것)→목적 **5**

—*n.* **1** **끝**(close); (이야기 등의) 마지막, 결말, 끝장(conclusion): And there is the ~ (of the matter). 이것으로 끝이다. **2** **끄트머리**, 가, 말단; (거리 등의) 끝나는 곳; (방 등의) 막다른 곳; (막대기의) 첨단; (편지·책 등의) 끝 부분, 결말 **3** (세계의) 극지(極地) **4** (최후의) **한계**, 한도, 한(限)(limit): at the ~ of one's stores[endurance] 재고[인내력]가 다하여 / There is no ~ to it. 한이 없다. **5** **목적**(aim), 존재 이유: a means to an ~ 목적 달성을 위한 한 수단 / gain[attain] one's ~(*s*) 목적을 달성하다 / The ~ justifies the means. 《속담》 목적은 수단을 정당화한다. **6** **결말**, 결과(result) **7** **종지**(終止); 멸망(destruction); **최후**, 죽음(death); 죽음[파멸, 멸망]의 원인 **8** [*pl.*] 지스러기, 나부랭이 **9** 〖미식축구〗 전위선 양끝의 선수 **10** 《미》 부분, 방면; (사업 등의) 부문, 면 **11** 《미·구어》 (포획한 물건 등의) 몫(share) **12** 〖섬유〗 경사(經絲), 날실 **13** (잔디 볼링 등의) 한 경기, 한 게임 **14** [the ~] 《속어》 인내의 극한을 넘은 것; (어떤 특성의) 절정, 극치, 최고(peak, acme) **15** 〖양궁〗 과녁이 있는 곳; 1회의 화살 수
all ~s up 완전히, 철저히 ***at a loose ~*** = ***at***

thesaurus **encounter** *v.* **1** 마주치다 meet by chance, run into, run across, come upon **2** 대면하다 confront, be faced with, contend with
encourage *v.* **1** 용기를 북돋우다 cheer, stimulate, motivate, inspire, invigorate **2** 격려하다 urge, persuade, influence (opp. *discourage, dissuade*)

loose ~s ⇨ loose end. ***at an ~*** 다하여, 끝나서: be *at an* ~ 다하다, 끝나다 ***at*** one***'s wit's*** [***wits'***] ~ 난처하여, 어찌할 바를 모르고 ***at the ~*** 마침내(at last) ***at the ~ of*** one***'s rope*** 인내력이 다하여, 더 이상 대처할 수 없는 ***begin at the wrong ~*** 처음부터 (일을) 잘못 시작하다 ***bring ... to an ~*** …을 끝내다, 마치다 ***come to an ~*** 끝나다: *come to a* happy ~ 결과가 좋게 되다, 잘되어 끝나다, 다행한 결말을 짓다 ***come to***[***meet***] ***a sticky***[***bad***] ***~*** 《영·구어》 난처하게 되다; 매우 비참한 종말에 이르다 ***~ for ~*** 양끝을 거꾸로, 반대로 ***~ of the road*** 생존 등이 불가능해진 상황[국면] ***~ on*** 끝을 앞으로 향하게 하여; 〖항해〗 정면으로 ***~ to ~*** 끝과 끝을 (세로로) 이어서 ***~ up*** 한 끝을 위로 하여 ***from ~ to ~*** 끝에서 끝까지 ***get hold of the wrong ~ of the stick*** 오해하다 ***get*** one***'s ~ away*** 《영·속어》 성교하다 ***go off*** (***at***) ***the deep ~*** (풀(pool)의 깊은 쪽으로부터 들어간다는 뜻에서) 위험을 무릅쓰다; 자제(自制)를 잃다 ***go to the ~s of the earth*** 할 수 있는 한 최대한의 노력을 하다 ***have an ~ in view*** 계획을 품고 있다 ***have the right ~ of the stick*** 《구어》 유리한 입장에 서다 ***in the ~*** 마침내, 결국은 ***keep***[***hold***] ***up*** one***'s ~*** 자기 몫을 다하다, 자기가 맡은 일을 훌륭히 해내다 ***make an ~ of*** = ***put an ~ to*** …을 끝내다, 그만두다(stop) ***make ~s meet*** 《주로 미》 = ***make both***[***two***] ***~s meet*** 수입과 지출의 균형을 맞추다, 수입에 알맞은 생활을 하다 ***meet*** one***'s ~*** 죽다 ***near*** one***'s ~*** 죽을 때가 가까워: be *near* one's ~ 죽을 때가 가깝다 ***no ~*** 《구어》 몹시: I'm *no* ~ glad. 나는 몹시 기쁘다. ***no ~ of***[***to***] 《구어》 (1) 한없는, 매우 많은 (2) 대단한, 훌륭한; 심한: *no ~ of* a fellow 근사한 녀석 / *no ~ of* a fool 이루 말할 수 없는 바보 ***on ~*** (1) 곤두서서(upright): make one's hair stand *on* ~ (공포 등으로) 머리카락을 쭈뼛 서게 하다 (2) 계속하여: It rained for three days *on* ~. 3일 동안 계속하여 비가 왔다. ***put an ~ to*** …을 끝내다, 그만두게 하다, 없애다 ***put an ~ to*** one***self*** 자살하다 ***right***[***straight***] ***on ~*** 잇달아; 즉시(at once) ***the ~ of the line*** 참을 수 있는 한계, 끝장 ***There's the ~ of it.*** 이것[그것]으로 끝. ***to no ~*** 헛되이(vain), 무익하게: I labored *to no* ~. 헛수고를 했다. ***to the*** (***bitter***[***very***]) ***~*** = 《구어》 ***to the ~ of chapter*** 끝까지, 최후까지 ***to the ~ of the earth*** 땅 끝까지, 도처를 〈뒤지다 등〉 ***to the ~ of time*** 언제까지나 ***to the ~ that ...*** …하기 위하여 (in order that ...) ***to this***[***that, what***] ***~*** 이[그, 무엇] 때문에 ***turn ~ for ~*** 뒤집어[거꾸로] 놓다 ***without ~*** 끝없는(endless); 끝없이(forever)

— *a.* 끝의, 최종의, 궁극의: the ~ result 최종 결과

— *vt.* **1** 끝내다, 마치다, 결말을 내다(conclude) (⇨ finish[1] 유의어) **2** 죽이다(kill), …의 사인(死因)이 되다; 파멸시키다 **3** …의 끝을 이루다, 끝에 있다 **4** 능가하다, …을 웃돌다

— *vi.* **1** 끝나다: 《~+전+명》 The day ~*ed with* a storm. 그 날은 폭풍우로 저물었다. **2** (…으로) 끝나다, 결국 (…이) 되다 《*in*》: 《~+전+명》 The match ~*ed in* a victory for our opponents. 시합은 우리 상대편의 승리로 끝났다. **3** 이야기를 끝맺다, 끝으로 말하다 **4** 《드물게》 죽다

a[***the***] thing ***to ~ all*** things 정평있는, 탁월한: *a* novel *to ~ all* novels 모든 소설을 능가하는 소설 ***~ by*** do***ing*** …하는 것으로 끝나다: I ~, as I began, *by* thank*ing* you. 다시 한 번 여러분에게 감사드리며 이만 마치겠습니다. ***~ in*** ⇨ *vi.* 2 ***~ in smoke*** 〈계획 등이〉 수포로 돌아가다 ***~ it*** (***all***) 《구어》 자살하다 ***~ off*** 〈연설·책 등을〉 끝맺다, 끝내다 (conclude); 끝나다 ***~ or mend*** 폐지하든가 또는 개량하다 ***~ up*** 끝나다; 《구어》 마침내는 (…으로) 되다 《*in, on*》 ***~ with*** …으로 끝나다

---

end *v.* **1** 끝내다 stop, finish, quit, cease, conclude, terminate, discontinue (opp. *begin, start*) **2** 파멸시키다 destroy, annihilate, extinguish
endanger *v.* threaten, risk, jeopardize, imperil
endeavor *v.* try, attempt, strive, aspire, struggle, labor, venture, essay

---

END European Nuclear Disarmament **end.** endorsed

end- [end], **endo-** [éndou, -də] 《연결형》 「내부; 흡수」의 뜻 《모음 앞에서는 end-》

end-all [éndɔ̀:l] *n.* 대단원(大團圓), 종국(終局) ***be-all and ~*** 모든 것인 동시에 최종적인 것: To him money is *be-all and* ~. 그는 언제나 돈타령만 한다.

en·dam·age [indǽmidʒ, en-] *vt.* = DAMAGE **~·ment** *n.*

en·da·me·ba, end·a·moe·ba [èndəmí:bə] *n.* (*pl.* **-bae** [-bi:], **~s**) 엔드아메바 《바퀴벌레 등에 기생하는 아메바 적리(赤痢)의 병원균》

*__en·dan·ger__ [indéindʒər, en-] *vt.* 위험에 빠뜨리다, 위태롭게 하다: ~ a person's life …의 생명을 위태롭게 하다 **~·ment** *n.*

en·dan·gered [indéindʒərd, en-] *a.* 위험[위기]에 처한; 〈동식물이〉 멸종될 위기에 이른

endángered spécies 멸종 위기에 처한 동식물의 종(種)

en·darch [éndɑ:rk] *a.* 〖식물〗 내원형(內原型)의

énd aròund 〖미식축구〗 엔드 어라운드 《볼을 받은 공격팀의 end가 라인 반대측으로 우회하여 전진하는 트릭 플레이》

end·ar·ter·ec·to·my [endɑ:rtəréktəmi] *n.* (*pl.* **-mies**) 〖외과〗 동맥 내막(內膜) 절제(술)

én dàsh [én-] 〖인쇄〗 N자 크기[반각, 2분]의 대시 부호

end-blown [éndblòun] *a.* 입을 대고 부는 주둥이가 세로로 달린 〈관악기 등〉

end·brain [éndbrèin] *n.* 종뇌(終腦) 《전뇌(前腦)의 전반부》

énd brùsh 〖생물〗 = END PLATE

end-con·sum·er [éndkənsù:mər] *n.* 최종 소비자(end user)

*__en·dear__ [indíər, en-] *vt.* **1** 사랑[귀염]받게 하다, 사모하게 하다 《*to*》; [~ one*self* 로] (…에게) 사랑받다 《*to*》: 《~+목+전+명》 His humor ~*ed* him *to* all. = He ~*ed himself to* all by his humor. 그는 유머가 있어서 모든 사람에게 사랑을 받았다. **2** 《폐어》 가격[가치, 평가]을 높게 하다 ▷ déar *a.*

en·dear·ing [indíəriŋ, en-] *a.* 사람의 마음을 끄는, 사랑스러운(attractive); 애정을 나타내는(caressing) **~·ly** *ad.*

en·dear·ment [indíərmənt, en-] *n.* **1** Ⓤ 친애 **2** (행위·말에 의한) 애정의 표시, 애무 **3** 사랑받는 것, 귀여움받는 것

‡**en·deav·or** | **-our** [indévər, en-] *n.* ⓊⒸ 《문어》 노력, 시도, 애씀(⇨ effort 유의어) ***do***[***make***] one***'s*** (***best***) ***~s*** = ***make every ~*** 전력을 다하다

— *vi.* 《문어》 **1** 노력하다(strive) 《*at, after*》: Anyhow, he is ~*ing.* 하여간 그는 노력하고 있다. // 《~+전+명》 ~ *after* happiness 행복을 얻으려고 노력하다 **2** 시도하다(try)

— *vt.* **1** (…하려고) 노력하다, 시도하다: 《~+***to*** do》 ~ *to* do one's duty 의무를 다하려고 노력하다 **2** 《고어》 얻으려고 노력하다

en·dem·ic [endémik] *a.* **1** 풍토[지방]병의, 풍토성의, 〈병이〉 한 지방 특유의(cf. EPIDEMIC): an ~ disease 지방[풍토]병 **2** 〈동·식물이〉 그 지방 특산의(opp. *exotic*) — *n.* 지방병, 풍토병 **-i·cal·ly** *ad.* 지방[풍토]적으로

en·dem·i·cal [endémikəl] *a.* = ENDEMIC

en·de·mism [éndəmìzm], **en·de·mic·i·ty** [èndəmísəti] *n.* Ⓤ 한 지방의 특유성, 고유성; 풍토성

en·den·i·zen [indénəzən, en-] *vt.* 귀화시키다
end·er·gon·ic [èndərgɑ́nik | -gɔ́n-] *a.* 〚생화학〛 에너지 흡수성의(cf. EXERGONIC) 《생화학 반응에서 에너지를 필요로 하는 성질》
en·der·mic [endə́:rmik] *a.* 〚의학〛 피부에 침투하여 작용하는, 피부에 바르는; 피내(皮內)의
en dés·ha·bil·lé [ɑ:ŋ-dèizəbi:jéi] [F] *ad.* 평복으로, 약식 복장으로
énd gàme, end·game [éndgèim] *n.* (체스·경기의) 최종회, 막판; 《일반적으로》 최종 단계; 〚군사〛 엔드 게임 《적의 탄도 미사일 방어 시스템을 기만하는 수단의 일종》
end·gate [éndgèit] *n.* (트럭의) 적재함의 뒷문
énd gràin (판자 끝의) 나뭇결
‡**end·ing** [éndiŋ] *n.* **1** 종결, 종료(conclusion); 종국, 결말: a happy ~ 행복스럽게[좋게] 끝나는 결말, 해피 엔딩 **2** 최후, 임종(death) **3** 〚문법〛 (활용) 어미; (낱말의) 끝부분 《shadow의 -ow 등》
en·disked [indískt, en-] *a.* 레코드에 녹음된
en·dis·tance [indístəns] *vt.* 〈연극 등이 관객에게〉 거리감을 가지게 하다, 관객을 이화(異化)하다
en·dive [éndaiv] *n.* **1** 〚식물〛 꽃상추 《샐러드용》 **2** (미) 〚식물〛 꽃상추(chicory)의 어린 잎
énd kèy 〚컴퓨터〛 엔드 키 《커서를 문서나 페이지의 가장 끝으로 이동시키는 키》
end·leaf [éndlì:f] *n.* = ENDPAPER
‡**end·less** [éndlis] *a.* **1** 끝이 없는; 영원히 계속하는; 무한의(infinite) **2** (구어) (너무 길어서) 끝이 없는, 장황한; 끊임없는(incessant); 무수한 **3** 〚기계〛 순환의: an ~ band[belt, strap] (이음매가 없는) 순환 피대/an ~ chain (자전거 등의) 순환 쇠사슬/an ~ saw 띠톱 **~·ly** *ad.* **~·ness** *n.*
énd lìne 끝[한계, 경계]을 나타내는 선; (테니스·농구·미식축구 등의) 엔드 라인
end·long [éndlɔ̀:ŋ | -lɔ̀ŋ] *ad.* (고어) 세로로, 똑바로 서서
énd màn 줄의 맨 끝에 있는 사람; (미) 희극 악단에서 흑인으로 분장한 양 끝의 광대역 악사
énd màtter 〚인쇄〛 책의 부록(back matter) 《주석·참고 문헌 목록·색인 등》
end·most [éndmòust] *a.* 맨 끝의, 마지막의
end·note [éndnòut] *n.* (책의) 권말에 있는 주(註)
endo- [éndou, -də] 《연결형》 = END-
en·do·bi·ot·ic [èndoubaiɑ́tik | -ɔ́t-] *a.* 〚생물〛 숙주의 조직 내에서 기생하는, 생물체 안에 사는
en·do·blast [éndəblæ̀st] *n.* 〚생물〛 내배엽(內胚葉) (endoderm) **èn·do·blás·tic** *a.*
en·do·car·di·al [èndoukɑ́:rdiəl] *a.* 〚해부〛 심장 내의; 심장 내막의
en·do·car·di·tis [èndoukɑ:rdáitis] *n.* 〚병리〛 심장 내막염
en·do·car·di·um [èndoukɑ́:rdiəm] *n.* (*pl.* **-di·a** [-diə]) 〚해부〛 심장 내막
en·do·carp [éndəkɑ̀:rp] *n.* 〚식물〛 내과피(內果皮), 속열매 껍질(cf. PERICARP)
en·do·cast [éndəkæ̀st | -kɑ̀:st] *n.* 〚고고학〛 = ENDOCRANIAL CAST
en·do·cen·tric [èndouséntrik] *a.* 〚문법〛 내심적(內心的)인(opp. *exocentric*): an ~ construction 내심(內心) 구조
en·do·crá·ni·al cást [èndoukréiniəl-] 〚고고학〛 두개골 안쪽을 뜬 틀[본] 《뇌의 모양이나 크기를 계측함》
en·do·crine [éndəkrin, -kràin] 〚생리〛 *a.* 내분비의; 내분비샘[물]의 **—** *n.* **1** = ENDOCRINE GLAND **2** 내분비물, 호르몬(hormone)
éndocrine glànd 〚생리〛 내분비샘
en·do·crin·ic [èndəkrínik] *a.* = ENDOCRINE
en·do·cri·nol·o·gy [èndoukrənɑ́lədʒi, -krai- | -nɔ́l-] *n.* Ⓤ 〚의학〛 내분비학 **-gist** *n.* 내분비학자
en·do·cy·to·bi·ol·o·gy [èndousàitoubaiɑ́lədʒi | -ɔ́l-] *n.* 세포 내의 기관 등의 구조·기능을 연구하는 학문
en·do·cy·tose [èndousaitóus, -tóuz] *vt.* 〚생물〛 〈세포가 이물(異物)을〉 흡수하다
en·do·cy·to·sis [èndousaitóusis] *n.* (*pl.* **-ses** [-si:z]) 〚생물〛 세포 이물 흡수, 엔도시토시스 **-tot·ic** [-tɑ́tik | -tɔ́t-] *a.*
en·do·derm [éndədə̀:rm] *n.* 〚생물〛 내배엽(內胚葉)(cf. ECTODERM); 〚의학〛 내피(內皮)
en·do·der·mis [èndoudə́:rmis] *n.* 〚식물〛 내피(內皮)
en·do·don·tics [èndoudɑ́ntiks | -dɔ́n-] *n. pl.* [단수 취급] 치내 요법(齒內療法)(학) 《치수(齒髓) 질환의 원인·진단·예방·처치를 다루는 치과학의 한 분야》
en·do·en·zyme [èndouénzaim] *n.* 〚생화학〛 세포 내 효소
end-of-dáy glàss [èndəvdéi-] 혼색 유리잔(spatter glass) 《장식용》
end-of-file [éndəvfáil] *n.* 〚컴퓨터〛 = EOF
en·dog·a·mous [endɑ́gəməs | -dɔ́g-] *a.* 〚사회〛 동족 결혼에 의한[에 관한]
en·dog·a·my [endɑ́gəmi | -dɔ́g-] *n.* Ⓤ 〚사회〛 동족(同族) 결혼(opp. *exogamy*)
en·do·gen [éndədʒin, -dʒèn] *n.* 〚식물〛 단자엽(單子葉)[외떡잎] 식물
en·do·gen·ic [èndoudʒénik] *a.* **1** = ENDOGENOUS 1 **2** 〚지질〛 내인성(內因性)의; 내부로부터 성장하는, 내부적 원인에 의한
en·dog·e·nous [endɑ́dʒənəs | -dɔ́dʒ-] *a.* (cf. EXOGENOUS) **1** 〚식물〛 내생(內生)의; 〚생리〛 내생적인 **2** 〚지질〛 = ENDOGENIC 2 **~·ly** *ad.*
en·dog·e·ny [endɑ́dʒəni | -dɔ́dʒ-] *n.* Ⓤ 〚생물〛 내인성(內因性) 발육
en·do·glos·sic [èndouglɔ́:sik, -glɑ́:s- | -glɔ́s-] *a.* 〚언어〛 (한 나라·지역의 주된 언어로 쓰이는) 제1언어의, 공용어의(cf. EXOGLOSSIC)
en·do·lith·ic [èndoulíθik] *a.* 〈지의류(地衣類)가〉 암석의 표면에 돋아난
en·do·lymph [éndoulìmf] *n.* 〚해부〛 (내이(內耳)의) 미로(迷路) 임파, 내임파(액)
en·do·me·tri·o·sis [èndoumì:trióusis] *n.* 〚병리〛 자궁 내막[증식]증, 자궁 내막 이소(異所) 발생 《낭종의 형성·유착·월경통이 특징》
en·do·me·tri·tis [èndoumitráitis] *n.* Ⓤ 〚병리〛 자궁 내막염
en·do·me·tri·um [èndoumí:triəm] *n.* (*pl.* **-tri·a** [-triə]) 〚해부〛 자궁 내막 **-tri·al** *a.*
en·do·mi·to·sis [èndoumaitóusis] *n.* ⓊⒸ 〚생물〛 핵내 유사 분열(核內有絲分裂)
en·do·mix·is [èndoumíksis] *n.* 〚생물〛 엔도믹시스, 섬모충류(纖毛蟲類)의 내혼(內混), 단독 혼합
en·do·morph [éndoumɔ̀:rf] *n.* 〚심리〛 내배엽형의 사람 《비만형》; 〚광물〛 (다른 광물 안의) 내포 광물
en·do·mor·phic [èndoumɔ́:rfik] *a.* 〚심리〛 내배엽형의(cf. ECTOMORPHIC); 〚광물〛 내포 광물의
en·do·mor·phism [èndoumɔ́:rfizm] *n.* 〚광물〛 (관입 화성암 중에서 생기는) 혼성 작용; 〚수학〛 자기준동형(自己準同形)
en·do·mor·phy [éndoumɔ̀:rfi] *n.* 〚심리〛 내배엽형(內胚葉型)
en·do·nor·ma·tive [èndounɔ́:rmətiv] *a.* 〚언어〛 (한 나라의 일부 지역의 주민이 사용하는) 제2언어의 (cf. EXONORMATIVE)
en·do·nu·cle·ase [èndounú:klièis, -èiz, -njú:-] *n.* 〚생화학〛 엔도뉴클레아제 《DNA 혹은 RNA의 사슬을 분해하여 불연속화(不連續化)시키는 효소》
en·do·par·a·site [èndoupǽrəsàit] *n.* 〚동물〛 내부 기생체[충] 《촌충 등》

thesaurus **endless** *a.* unlimited, unending, infinite, boundless, continual, constant, unfading, everlasting, unceasing, interminable
endorse *v.* **1** 배서하다 sign, autograph, under-

en·do·per·ox·ide [èndoupərɑ́ksaid | -rɔ́ks-] *n.* 〔생화학〕 엔도페록시드 《prostaglandin의 합성 원료가 되는 고산화 화합물의 총칭》
en·do·pha·sia [èndouféiʒə | -ziə] *n.* 내어(內語) 《청취 가능한 발성을 수반하지 않는 내적 언어》
en·do·phil·ic [èndəfílik] *a.* 〔생태〕 인간 (환경)과 관계가 있는
en·do·phyte [éndəfàit] *n.* 〔식물〕 내부 기생 식물, 내생식물(內生植物)
en·do·plasm [éndəplæ̀zm] *n.* Ⓤ 〔생물〕 내부 원형질, 내질(內質) 《원생동물 세포의》(opp. *ectoplasm*)
en·do·plas·mic [èndəplǽzmik-] *a.*
endoplásmic retículum 〔생물〕 세포질 망상(網狀) 구조, 소포체(小胞體)
énd òrgan 〔생리〕 (신경의) 종말[말단] 기관
en·do·rhe·ic [èndəríːik] *a.* 〔지리〕 (바다로 직접 통하는 하류(河流)가 없는) 내부 유역의
en·dor·phin [endɔ́ːrfin] *n.* 〔생화학〕 엔도르핀 《내인성(內因性)의 모르핀 모양의 펩티드(peptides); 진통 작용이 있음》
*__en·dorse__ [indɔ́ːrs, en-] *vt.* **1** 〈어음·증권 등에〉 배서하다; 〈설명·비평 따위를 서류의 뒷면에〉 써넣다 **2** 《문어》 〈남의 언설(言說) 등을〉 뒷받침하다, 보증하다 (confirm); 시인하다(approve) **3** 《영》 〈자동차 등의 면허증에〉 위반 죄과(罪科)를 이서하다 **4** 〈상품을〉 추천하다 ***be ~d out*** (흑인이 당국에 의해) 신분증명서를 갖추지 못하여 도시에서 추방당하다 **~ ...** ***off*** (어음 따위의 이면에) 〈금액을〉 써서 일부 영수를 증명하다 **~** ***over*** a bill ***to*** (어음)에 배서하여 …에게 양도하다
en·dórs·a·ble *a.*
en·dors·ee [indɔ̀ːrsíː, èndɔːr-] *n.* 피(被)배서인, 양수인
en·dorse·ment [indɔ́ːrsmənt, en-] *n.* ⓊⒸ 배서; 보증, 승인, 시인(approval); (상품 등의) 추천; (증서에의) 서명, 지시 등의 기입
en·dors·er, en·dor·sor [indɔ́ːrsər, en-] *n.* 배서(양도)인
en·do·sarc [éndəsɑ̀ːrk] *n.* Ⓤ 〔생물〕 내질(內質), 내부 원형질(endoplasm)
en·do·scope [éndəskòup] *n.* 〔의학〕 (장내(臟內)·요도 등의) 내시경(內視鏡)
en·dos·co·py [endɑ́skəpi | -dɔ́s-] *n.* Ⓤ 〔의학〕 내시경 검사(법)
en·do·skel·e·ton [èndouskélətn] *n.* 〔해부〕 내(內)골격(opp. *exoskeleton*) **-e·tal** [-tl] *a.*
en·dos·mo·sis [èndɑzmóusis | -dɔz-] *n.* Ⓤ 〔생물·화학〕 (내)삼투
en·do·sperm [éndouspə̀ːrm] *n.* 〔식물〕 배젖, 내유(內乳), 배유(胚乳)
en·do·spore [éndəspɔ̀ːr] *n.* 내생포자(內生胞子)
en·dos·te·um [endɑ́stiəm | -dɔ́s-] *n.* (*pl.* **-te·a** [-tiə]) 〔해부〕 골내막(骨內膜)
en·do·sym·bi·o·sis [èndousìmbaióusis, -bi- | -bi-] *n.* 〔생물〕 내공생(內共生)
en·do·the·ci·um [èndouθíːʃiəm, -siəm | -ʃiəm] *n.* (*pl.* **-ci·a** [-ʃiə, -siə | -sjə]) 〔식물〕 **1** 내피, 내측벽 **2** 이끼류의 포자낭 안쪽 층
en·do·the·li·um [èndouθíːliəm] *n.* (*pl.* **-li·a** [-liə])(cf. EPITHELIUM) 〔해부·동물〕 내피(內皮), (세포의) 내복(內覆) 조직; 〔식물〕 내종피(內種皮)
en·do·therm [éndəθə̀ːrm] *n.* 〔동물〕 온혈 동물
en·do·ther·mic [èndouθə́ːrmik] *a.* **1** 〔화학〕 흡열성의, 흡열의 **2** 〔동물〕 온혈성의
en·do·tox·in [èndoutɑ́ksin | -tɔ́ks-] *n.* 〔생화학〕 (균체(菌體)) 내(內)독소 **-tóx·ic** *a.*
en·do·tox·oid [èndoutɑ́ksɔid | -tɔ́ks-] *n., a.* 〔면역〕 (균체) 내독소에서 얻을 수 있는 변성(變性) 독소(의)
en·do·tra·che·al [èndoutréikiəl] *a.* 기관(氣管) 내의, 기관 내를 통해서의
‡**en·dow** [indáu, en-] [F 「수여하다」의 뜻에서] *vt.* **1** 〈학교·병원 등에〉 재산을 증여하다; …의 기금으로 기부[기증]하다: an *~ed* school 기본 재산을 가진 학교, 재단 법인 조직 학교 / ~ a scholarship 장학금을 기부하다 **2** [보통 수동형으로] …에게 (재능·특징 등을) 부여하다 《*with*》: (~+목+전+명) His daughters *are* all *~ed with* remarkable beauty and grace. 그의 딸들은 모두 천부적으로 대단히 아름답고 우아하다. / Nature has *~ed* her *with* wit and intelligence. 하늘은 그녀에게 기지와 지성을 주었다. **3** 《폐어》 〈여자에게〉 지참금을 주다 **~·er** *n.*
*__en·dow·ment__ [indáumənt, en-] *n.* **1** Ⓤ 기증, 기부; Ⓒ 기본 재산; 기부금 **2** [보통 *pl.*] (천부의) 자질, 재능: natural *~s* 천부의 재능
endówment assùrance 《영》 = ENDOWMENT INSURANCE
endówment insùrance 양로 보험
endówment mòrtgage (양로 보험의 이익으로 갚는) 저당권 설정의 주택 구입 대부
endówment pòlicy 양로 보험 증권
end·pa·per [éndpèipər] *n.* 〔제본〕 면지
énd plàte 〔생물〕 종판(終板), 단판(端板) 《운동 신경 말단이 근육 섬유와 접속하는 부분》
énd·play [éndplèi] *n.* 〔카드〕 엔드플레이 《카드놀이에서 사용하는 수법》 — *vt.* 엔드플레이로 빠뜨리다
énd pòint 종료점, 종점; 〔화학〕 (적정(滴定)의) 종점; = ENDPOINT
end·point [éndpɔ̀int] *n.* 〔수학〕 단점(端點), 종점 《선분(線分)이나 광선의 끝을 나타내는 점》
énd pròduct (연이은 변화·과정·작용의) 최종 결과; 〔물리〕 최종 생성물[원소]
énd resùlt 최종 결과; 결말
énd rhỳme 〔운율〕 각운(脚韻)
en·drin [éndrin] *n.* Ⓤ 〔화학〕 엔드린 《살충제》
énd rùn 〔미식축구〕 엔드런 《공을 가진 선수가 아군 방어진의 측면을 돌아 후방으로 나가는 플레이》; 《구어》 교묘한 회피
end·run [éndrʌ̀n] *vt., vi.* 《미·구어》 잘 피해서 가다, 잘 빠져나가다
énd stòp 단락점 《마침표·물음표·느낌표》
end-stopped [éndstɑ̀pt | -stɔ̀pt] *a.* 〔운율〕 행말을 맺는; 동작 끝의 휴지를 특징으로 하는
Ends·ville [éndzvil] *a., n.* [때로 **e~**] 《미·속어》 최고의 (것); 궁극적인 (것)
énd tàble (소파·의자 곁에 놓는) 작은 테이블
end-to-end [éndtuénd] *a.* 한쪽 끝과 다른 한쪽 끝을 잇는; 〔외과〕 (장(腸) 등의) 절단한 면과 다른 한끝을 봉합하는
en·due [indjúː, en- | -djúː] *vt.* **1** 《문어》 [종종 수동형으로] (능력·재능 등을) …에게 부여하다(endow) 《*with*》: (~+목+전+명) a man *~d with* inventive genius 발명의 재능을 타고난 사람 / ~ a person *with* the full rights of a citizen …에게 모든 시민권을 부여하다 **2** 〈옷을〉 입다; 〈사람에게〉 입히다 (clothe) 《*with*》
en·dur·a·ble [indjúərəbl, en- | -djúər-] *a.* 참을 수 있는, 견딜 수 있는 **-bly** *ad.*
‡**en·dur·ance** [indjúərəns, en- | -djúər-] *n.* Ⓤ **1** 지구력, 내구성(耐久性): an ~ test 내구 시험 **2** 인내, 견딤, 참을성(⇨ patience 유의어); 인내력 ***beyond*** [***past***] **~** 참을 수 없을 만큼 ▷ endúre *v.*
endúrance lìmit 피로[내구(耐久)]한도
‡**en·dure** [indjúər, en- | -djúə] [L 「굳히다」의 뜻에서] *vt.* **1** [특히 부정문으로] 〈사람이〉 참다, 〈곤란·고통 등을〉 견디다, 인내하다: can*not* ~ the sight 차마 볼 수 없다 // (~+***to*** do) (~+***-ing***) I can*not* ~ *to*

---

write, validate **2** 승인하다 approve, support, authorize, ratify, sanction, warrant, confirm
endow *v.* provide, give, present, confer, bestow, enrich, supply, furnish, award, gift

see her tortured. =I can*not* ~ see*ing* her tortured. 그 여자가 고통을 받는 것은 차마 볼 수 없다. **2**〈물건이〉 **견디다,** 지탱하다

> 유의어 **endure** 장기간에 걸쳐 고통·불행·곤란 등에 대해 노력해서 견디어 내다: The pioneers *endured* many hardships. 선구자들은 많은 고난을 견디어 냈다. **bear** 고통·곤란·슬픔·불쾌함 등을 참다: She *bore* the pain well. 그녀는 그 아픔을 잘도 참았다. **suffer** 고통·불쾌함을 참고 견디다: I cannot *suffer* such insults. 그런 모욕은 참을 수 없다. **stand** 불쾌한 것, 싫은 것을 가제십으로 참다: unable to *stand* teasing 놀림을 참고 있을 수 없는[없어서]

3 [특히 부정문으로] 〈해석 등을〉 허용하다, 인정하다 **—***vi.* 《문어》 **1** 지탱하다; 지속하다(last) **2** 참다, 견디다 ▷ endúrance *n.*

*****en·dur·ing** [ind*j*úəriŋ, en-|-djúər-] *a.* **참을성 있는;** 영속하는, 영구적인(lasting): an ~ fame 불후의 명성 **~·ly** *ad.* **~·ness** *n.*

en·dur·o [ind*j*úərou, en-|-djúər-] *n.* (*pl.* **~s**) (자동차 등의) 장거리 내구(耐久) 경주

énd ùse 〖경제〗 (생산물의) 최종 용도

énd ùser 최종 수요자, 실수요자

end·ways [éndwèiz], **end·wise** [-wàiz] *ad.* 끝을 앞으로[위로] 향하게 하여, 세로로, 똑바로; 끝과 끝을 맞대고

En·dym·i·on [endímiən] *n.* 〖그리스신화〗 엔디미온 《달의 여신 Selene에게 사랑받은 미소년》

énd zòne 〖미식축구〗 엔드 존 《골라인과 엔드 라인 사이의 구역》

ENE, E.N.E. east-northeast 동북동

-ene [-i:n] *suf.* **1** 〖화학〗 「불포화 탄소 화합물」의 뜻: benz*ene*, butyl*ene* **2** 「…에서 태어난[사는] 사람」의 뜻: Nazar*ene*

en·e·ma [énəmə] *n.* (*pl.* **~s, ~·ta** [-tə]) 〖의학〗 **1** 관장(灌腸); 관장제(劑)[액(液)] **2** 관장기(器)

⁑en·e·my [énəmi] [L 「친구가 아닌 것」의 뜻에서] *n.* (*pl.* **-mies**) **1 적,** 적대자, 경쟁 상대: a lifelong [sworn] ~ 평생[불구대천]의 원수/political *enemies* 정적(政敵)/Let's stop being *enemies.* 서로 적대시하지 맙시다.

> 유의어 **enemy** 일반적인 말로서 집단이나 국가의 경우에는 개인적인 적의가 들어 있지 않을 때도 있다. **foe** 시어 또는 문어로서 적극적인 적의가 들어 있다.

2 적병, 적함; [the ~; 집합적] 적군, 적함대, 적국 《집합체로 볼 때에는 단수, 구성 요소를 생각할 때에는 복수 취급》: *The* ~ was driven back. 적(군)은 격퇴되었다./*The* ~ are in great force. 적은 대군이다. **3** (…에) 해를 주는 것, 반대자 《*of, to*》: an ~ *of* freedom 자유의 적/an ~ *to* the faith 신앙의 적 **4** [the (old) E~] 악마(the devil)

be an ~ to …을 미워하다; …을 해치다 ***be*** one***'s own*** ~ 자기 자신을 해치다 ***How goes the ~?*** 《구어》 몇 시냐?(What time is it?)

—*a.* **1** Ⓐ 적(국)의: an ~ plane[ship] 적기[적선] **2** 《폐어》 적대시하는(hostile)

énemy álien 적국적(敵國籍) 거류 외국인 《전쟁 중 상대국에 거주하는》

*****en·er·get·ic, -i·cal** [ènərdʒétik(əl)] *a.* **정력적인,** 활기에 찬, 원기 왕성한; 〈행동·효과 등이〉 강력한, 유력한, 효과적인: an able and ~ politician 유능하고 활동적인 정치인 **-i·cal·ly** *ad.* ▷ énergy *n.*

en·er·get·ics [ènərdʒétiks] *n. pl.* [단수 취급] 〖물리〗 에너지론[학]

en·er·gid [énərdʒid] *n.* 〖생물〗 에너지드 《원형질의 단위; 세포핵과 활성 세포질》

en·er·gism [énərdʒìzm] *n.* Ⓤ 〖논리〗 활동주의

en·er·gize [énərdʒàiz] *vt.* 정력을 주다, 격려하다; 〖전기〗 …에 전류를 통하다, 전압을 주다: ~ a person *for* work …을 격려하여 일을 하게 하다

—*vi.* 정력적으로 활동하다 **èn·er·gi·zá·tion** *n.*

en·er·giz·er [énərdʒàizər] *n.* 정력[활력]을 주는 사람[물건]; 〖의학〗 항울제(抗鬱劑), 정신 활성 부여제

en·er·gu·men [ènərgjú:min] *n.* 마귀에 홀린 사람; 광신자, 열광자

⁑en·er·gy [énərdʒi] [G 「작업 중; 활동 중」의 뜻에서] *n.* (*pl.* **-gies**) Ⓤ **1 정력,** 힘, 세력(⇨ power 유의어); 기력, 근기, 원기: full of ~ 정력이 넘쳐 **2** 〖물리〗 **에너지,** 세력; (석유·전기·태양열 등의) 에너지원(源): kinetic ~ 운동 에너지/latent[potential] ~ 잠재[위치] 에너지 **3** [종종 *pl.*] (개인의) 활동력, 행동력: brace one's *energies* 힘[기운]을 내다 ***conservation*** [***dissipation***] ***of*** **~** 에너지의 보존[소산] ***devote*** one***'s energies to*** …에 정력을 기울이다 ▷ energétic *a.*

énergy àudit (시설의 에너지 절감을 위한) 에너지 감사[진단] **énergy àuditor** *n.*

énergy bùdget (생태계의) 에너지 수지(收支)

énergy bùsh (연료·전력이 되는) 에너지림(林)

énergy chàrge 전기 요금

énergy crìsis 에너지 위기

énergy efficiency ràtio 에너지 효율 《略 EER》

en·er·gy-ef·fi·cient [énərdʒiifíʃənt] *a.* 〈차량·엔진 등이〉 연료 효율이 좋은, 연비가 좋은

énergy flòw (생태계의) 에너지의 흐름

énergy ìndustry 에너지 산업 《석탄·석유·전기·가스 산업 등》

en·er·gy-in·ten·sive [énərdʒiinténsiv] *a.* 많은 에너지를 소비하는, 에너지 집약적인

énergy lèvel 〖물리〗 에너지 준위(準位); 맹렬히 활동하는 힘

énergy pàrk 《미》 에너지 단지, 에너지 자원 공동 이용지

en·er·gy-sav·ing [énərdʒisèiviŋ] *a.* 에너지를 절약하는: ~ technology 에너지 절약 기술

en·er·vate [énərvèit] *vt.* …의 기력을 약화시키다, 기운[힘]을 빼앗다(weaken)

-vàt·ed [-id] *a.* 활력을 잃은, 무기력한

en·er·va·tion [ènərvéiʃən] *n.* Ⓤ 원기[기력] 상실, 쇠약; 나약

en·face [inféis, en-] *vt.* 〈어음·증권 등의〉 표면에 기입[인쇄, 날인]하다 **~·ment** *n.*

en fa·mille [ɑ̃:ŋ-fəmí:jə] [F =in the family] *ad.* 가족이 다 함께; 흉허물 없이; 비공식으로

en·fant ché·ri [ɑ:ŋfɑ́:ŋ-ʃeirí:] [F =cherished infant] 귀염둥이, 총아

en·fant gâ·té [-gɑ:téi] [F =spoilt child] 버릇없는 아이, 응석둥이

en·fants per·dus [ɑ:ŋfɑ́:ŋ-perdy] [F =lost children] 잃어버린 아이들; 결사대, 특공대

en·fant ter·ri·ble [ɑ:ŋfɑ́:ŋ-terí:bl] [F =terrible child] (*pl.* **en·fants ter·ri·bles** [~]) **1** 무서운 아이, 올되고 깜찍한 아이 **2** 지각없고 염치없는[무책임한] 사람

en·fee·ble [infí:bl, en-] *vt.* [종종 수동형으로] 약화시키다(weaken) **~·ment** *n.* Ⓤ 쇠약

en·feoff [inféf, -fí:f, en-] *vt.* 영지(領地)[봉토(封土)]를 주다 **~·ment** *n.* ⓊⒸ 봉토 하사(下賜); 봉토 하사장[증서]; 봉토

en fête [ɑ:ŋ-féit] [F =in festival] *ad.* **1** 축제 기분으로 떠들썩하여 **2** 성장(盛裝)하여

thesaurus **enemy** *n.* opponent, rival, adversary, antagonist, opposition

energetic *a.* active, lively, vigorous, strenuous, brisk, dynamic, animated, spirited, vital

enforce *v.* **1** 시행하다 apply, carry out, adminis-

en·fet·ter [inféṭər, en-] *vt.* 족쇄를 채우다; 속박하다(constrain); 노예로 만들다

en·fe·ver [infíːvər, en-] *vt.* 열광시키다

Én·field rífle [énfiːld-] 미군이 제1차 세계 대전에서 사용한 0.30 구경의 라이플총

en·fi·lade [énfəlèid | ⌐-⌐] *n.* **1** 〚군사〛 종사(縱射)(를 받을 위치) **2** 〚건축〛 (방 출입구의) 병렬 배치법 **—** *vt.* 종사하다

en·fin [ɑːŋfǽŋ] 〖F〗 *ad.* 결론적으로, 마침내

en·fleu·rage [ɑ̀ːŋfluːrɑ́ːʒ] 〖F〗 *n.* 냉침법(冷浸法) 《꽃의 향기를 상온에서 무취의 기름·지방 등에 노출시켜 향수를 만드는 방법》

en·fold [infóuld, en-] *vt.* 싸다 《*in, with*》; 안다, 포옹하다; 접다; 주름잡다

‡en·force [infɔ́ːrs, en-] *vt.* **1** 〈법률 등을〉 **실시[시행]하다,** 집행하다 **2** 억지로 시키다, 강요하다(compel) (⇨ enforced): ~ obedience to one's demand by threats 협박하여 자기 요구에 복종하기를 강요하다 // (~+목+전+명) ~ one's opinion *on* a child 자기 의견에 따를 것을 아이에게 강요하다 **3** 〈논거(論據)·주장·요구 등을〉 강력히 주장하다 **4** 〈논점 등을〉 강조[보강]하다

en·force·a·ble [infɔ́ːrsəbl, en-] *a.* 시행[집행, 강제]할 수 있는 **en·fòrce·a·bíl·i·ty** *n.*

en·forced [infɔ́ːrst, en-] *a.* 강제된, 강제적인: ~ currency 강제 통화 / ~ education 의무 교육 **en·forc·ed·ly** [infɔ́ːrsidli, en-] *ad.*

***en·force·ment** [infɔ́ːrsmənt, en-] *n.* Ⓤ **1** (법률의) **시행,** 집행: strict ~ of the law 법의 엄격한 시행 **2** (복종 등의) 강제 **3** (의견 등의) 강조

enfórcement nòtice 《영》 (불법적인 개발·건축 등에 대한 시당국의) 위반 통고, 개선 명령

en·forc·er [infɔ́ːrsər, en- | in-] *n.* **1** 강제하는 사람[것]; (의논 등의) 주창자 **2** 《미·속어》 경호원, 보디가드; 폭력 단원 **3** 〚법〛 (법률 등의) 집행자 《재판소 등》 **4** 〚아이스하키〛 상대 팀이 겁을 먹도록 거친 플레이를 하는 선수

en·frame [infréim, en-] *vt.* 틀[액자]에 끼우다

en·fran·chise [infrǽntʃaiz, en-] *vt.* **1** 참정권[선거권]을 주다 **2** 석방하다, 해방하다(set free) **3** 〈도시에〉 자치권을 주다, 선거구(區)로 하다

en·fran·chise·ment [infrǽntʃizmənt, -tʃaiz- | -tʃiz-] *n.* Ⓤ **1** 참정[선거]권 부여 **2** 해방, 석방

eng [éŋ] *n.* 발음 부호의 ŋ

ENG electronic news gathering **eng.** engine; engineer(ing); engraved; engraver; engraving

Eng. England; English

‡en·gage [ingéidʒ, en-] *v.*

> OF 「저당(gage)에 넣어서 (약속하다)」의 뜻에서 → 「약속하다」 「구속하다」
> ┌ (결혼의 약속) 「약혼시키다」 **4**
> ├ (고용의 계약) 「고용하다」 **6**
> └ (일로써 구속) 「종사시키다」 **5**

— *vt.* **1 약속하다,** 계약하다; 보증하다: (~+*to* do) She ~*d to* visit you tomorrow. 그녀는 내일 당신을 방문하겠다고 약속했다. // (~+목+*to* do) He ~*d* himself *to* do the job. 그는 그 일을 하기로 약속했다. **2** 《문어》 〈방·좌석 등을〉 예약하다(⇨ engaged 1): ~ two seats at a theater 극장에 두 좌석을 예약하다 **3** 〈시간 등을〉 채우다, 차지하다; 바쁘게 하다: have one's time fully ~*d* 시간이 꽉 차 있다 // (~+목+전+명) be ~*d in*[*on*] …으로 바쁘다 **4** [보통 수동형 또는 ~ one*self* 로] **약혼시키다**(⇨ engaged 2) **5** [~ one*self* 로] (…에) **종사시키다,** 관여하다 《*in*》(⇨ engaged 3): (~+목+전+명) He ~*s him-self in* politics. 그는 정치에 종사하고 있다. **6 고용하다**(hire): ~ a servant 하인을 고용하다 // (~+목+*as* 보) ~ a person *as* a secretary …을 비서로 고용하다 ★ 《미》에서는 hire, employ를 쓰는 것이 일반적임. **7** 〈사람을〉 (담화 등에) 끌어들이다(draw) 《*in*》: ~ a person *in* conversation …을 이야기에 끌어넣다 **8** 〈마음·주의 등을〉 끌다(attract) **9** 〈적군과〉 교전하다; 〈군대를〉 교전시키다: ~ the enemy 적과 교전하다 **10** 〚건축〛 〈기둥을〉 벽에 (반쯤 파묻히게) 붙이다; 〚기계〛 〈톱니바퀴 등을〉 맞물리게 하다 **11** 〚펜싱〛 〈칼을〉 서로 맞부딪다 **12** 《폐어》 관계하게 하다, 함정에 빠지게 하다

— *vi.* **1 종사하다,** 관여하다, 근무하다 《*in*》; 착수하다(embark): (~+전+명) ~ *in* business 상업에 종사하다 / ~ *for* the season 계절 노동자로 일하다 **2** 약속하다, 장담하다, 보증하다, 맹세하다: (~+전+명) I can't ~ *for* such a thing. 나는 그런 것을 약속할 수는 없다. // (~+*that* 절) I'll ~ *that* what he says may be true. 그가 말하는 것은 진실이라고 제가 보증합니다. // (~+*to* do) He ~*d to* do the work by himself. 그는 그 일을 혼자서 할 것을 맹세했다. **3** 교전하다 《*with*》: (~+전+명) ~ *with* the enemy 적과 교전하다 **4** 〚기계〛 〈톱니바퀴 등이〉 걸리다, 맞물다, 잘 돌아가다 **5** 〚펜싱〛 칼싸움을 하다

~ *for* 약속하다, 보증하다(⇨ *vi.* 2) **~ *in*** 종사하다 (⇨ *vi.* 1); …에 착수하다, 시작하다; 참가하다 **~ one*self in*** …에 종사하다(⇨ *vt.* 5) **~ one*self to*** a girl (어느 처녀)와 약혼하다 **~ one*self to*** do …할 것을 약속하다(⇨ *vt.* 1)

▷ engágement *n.*

en·ga·gé [ɑ̀ːŋgɑːʒéi] 〖F =engaged〗 *a.* 〈작가 등이〉 정치[사회] 문제에 적극 관여하는, 참가의

en·gaged** [ingéidʒd, en-] *a.* **1** Ⓟ **약속된;** 예약된: Your seat is ~. 당신의 좌석은 예약되어 있습니다. **2 약혼 중인,** 약혼한 《*to*》: an ~ couple 약혼한 남녀 / I am ~ *to* her. 그녀와 약혼 중이다. **3** Ⓟ (…에) **종사하는** 《*in*》: He is ~ *in* foreign trade. 그는 해외 무역에 종사하고 있다. **4** 바쁜; 착수하여; Ⓟ 《영》 〈전화·화장실 등이〉 사용 중인(《미》 busy): be ~ with …로 바쁘다 **5** 교전 중인 **6** 〚기계〛 연동(連動)의 **7** 〚건축〛 〈기둥이〉 벽에 반쯤 묻힌 ***The line [***Number***] ***is ~.*** 통화 중. (《미》 The line's busy.)

engáged tòne 〚전화〛 통화 중 신호음(busy tone)

‡en·gage·ment [ingéidʒmənt, en-] *n.* **1 a** (회합 등의) **약속, 계약:** a previous ~ 선약 / make an ~ 약속[계약]하다 **b** [*pl.*] 채무 **2 약혼 3** Ⓤ 일, 용무 **4** Ⓤ 고용(employment); 고용 기간, 사용[업무] 시간 **5** 교전(交戰): a military ~ 무력 충돌 **6** 〚철학〛 연대성(連帶性) **7** Ⓤ 〚기계〛 (톱니바퀴의) 맞물림

be under an **~** 계약이 있다 ***break off an*** **~** 해약하다, 파약하다 ***meet*** one***'s ~s*** 채무를 이행하다

▷ engáge *v.*

engágement càlendar 약속 일정표

engágement rìng 약혼반지

en·gag·ing [ingéidʒiŋ, en-] *a.* 남의 마음을 끄는, 매력 있는, 애교 있는(winning) **~·ly** *ad.* **~·ness** *n.*

en gar·çon [ɑːŋ-gɑːrsɔ́ːŋ] 〖F〗 *ad.* 독신자로서

en garde [ɑːŋ-gɑ́ːrd] 〖F =on guard〗 *int.* 〚펜싱〛 준비! 《시합 직전에 주심이 선수에게 하는 명령》

en·gar·land [ingɑ́ːrlənd, en-] *vt.* 화환으로[꽃다발로] 장식하다

Eng.D. Doctor of Engineering

En·gel [éŋgəl] *n.* 엥겔 **Ernst ~** (1821-96) 《독일의 통계학자》

Eng·els [éŋgəlz] *n.* 엥겔스 **Friedrich ~** (1820-95) 《독일의 사회주의자; Marx의 협력자》

Éngel's coeffícient 엥겔 계수(係數) 《Engel's law에서 실지출(實支出)에 대한 음식비의 백분비》

Éngel's láw 〚경제〛 엥겔의 법칙 《Engel이 제시한

---

ter, implement, fulfill, execute **2** 강요하다 force, compel, insist on, require, pressure

engagement *n.* **1** 약속 appointment, date, commitment, arrangement, meeting, rendezvous **2** 약혼 betrothal, marriage pledge

가정 경제의 법칙》

en·gen·der [indʒéndər, en-] *vt.* **1** 〈감정 등을〉 생기게 하다, 발생케 하다(produce): Pity often ~*s* love. 동정은 흔히 사랑이 된다. **2** (고어) 낳다(beget) —*vi.* 생기다, 일어나다 **~·ment** *n.* Ⓤ 초래, 야기

en·gild [ingíld, en-] *vt.* 닦다, 윤내다

engin. engineer; engineering

‡**en·gine** [éndʒin] [L 「타고난 재능(에 의해서 생긴 것)」의 뜻에서] *n.* **1** 발동기; (복잡하고 정밀한) 기계(장치), 기관, 엔진; 증기 기관(=steam ~): a car ~ 자동차 엔신 **2** 기관차(locomotive); 소방차 **3** (고어) 수단, 기구(instrument)
—*vt.* (증기) 기관을 장치하다

éngine bày 〖항공〗 (동체 하부의) 엔진 격납실

éngine còmpany 소방서

éngine drìver (영) (특히 기차의) 기관사((미) engineer)

‡**en·gi·neer** [èndʒiníər] *n.* **1** 기사, 기술자; 공학자: a computer ~ 컴퓨터 기사 **2** (상선의) 기관사; (미) (기차의) 기관사((영) engine driver); 기관공(mechanic) **3 a** (육군의) 공병: the Corps of *E*~*s* 공병대 **b** (해군의) 기관 장교 **4** 일을 솜씨 있게 처리하는 사람, 수완가
chief ~ 기관장; 기사장(技師長) ***civil*** ~ 토목 기사 ***first*** ~ 1등 기관사 ***naval***[***marine***] ~ 조선 기사 ***Royal E~s*** 영국군 공병대《略 R.E.》
—*vt.* **1** (기사로서) …공사를 감독[설계]하다, 건조하다: ~ an aqueduct 도수관(導水管) 공사의 설계를 하다 **2** 솜씨 있게 처리하다; 공작하다, 꾀하다《*through*》: ~ a plot 계략을 꾸미다 // (~+목+전+명) ~ a bill *through* Congress (교묘하게) 법안의 의회 통과를 꾀하다
—*vi.* 기사로서 일하다; 교묘하게 처리하다

Engineér Còrps (미) 공병단

en·gi·néered fòod [èndʒiníərd-] 가공 보존 식품

en·gi·neer·ese [èndʒiniəríːz] *n.* 기술 용어, 전문 용어; 기술자 투의 문체

‡**en·gi·neer·ing** [èndʒiníəriŋ] *n.* Ⓤ **1** 공학; 기관학: electrical[mechanical, civil] ~ 전기[기계, 토목] 공학 **2** 공학[토목] 기술; 토목 공사: an ~ bureau 토목국/an ~ work 토목 공사 **3** 기사의 일[활동] **4** 교묘한 처리[공작]; 음모, 획책

enginéering geólogy 토목 지질학

enginéering scìence 공학

enginéer òfficer 〖육군〗 공병 장교; 〖해군〗 기관 장교

éngine hòuse (기관차·소방차 등의) 차고

en·gine·man [éndʒinmæ̀n, -mən] *n.* (*pl.* **-men** [-mèn, -mən]) =ENGINE DRIVER

éngine ròom (선박 등의) 기관실; (비유) 심장부

en·gine·ry [éndʒinri] *n.* Ⓤ **1** [집합적] 기계류, 기관류; 무기 **2** 계략, 책략

éngine tùrning 로제트 무늬《시계 뒤덮개·증권 등에 기계로 새겨 넣은 줄무늬》

en·gird [ingə́ːrd, en-] *vt.* (**-girt** [-gə́ːrt], **~·ed**) 띠로 감다; 둘러싸다

en·gir·dle [ingə́ːrdl, en-] *vt.* 띠 모양으로 둘러싸다; 둘러싸다, 에워싸다(girdle)

‡**Eng·land** [íŋglənd, íŋlənd] [OE 「(영국인의 조상인) 앵글족(Angles)의 땅」의 뜻에서] *n.* **1** [좁은 뜻] 잉글랜드《Great Britain섬의 스코틀랜드와 웨일스를 뺀 부분; 수도 London》 **2** [넓은 뜻] 영국(Britain)《略 Eng.》(cf. (GREAT) BRITAIN, UNITED KINGDOM) ▷ English *a.*

Eng·land·er [íŋgləndər, íŋlənd-] *n.* **1** =LITTLE ENGLANDER **2** (드물게) 잉글랜드 사람, 영국인

‡**Eng·lish** [íŋgliʃ, íŋliʃ] *a.* **1** 잉글랜드의; 잉글랜드 사람의 **2** 영어의 **3** 영국의(British), 영국 사람의
—*n.* **1** [무관사로] Ⓤ 영어(=the ~ language): American ~ 미국 영어/English ~ 영국 영어《미국 영어와 구별하여》/the ~ for *so* 「so」에 대한 영어/the ~ of the eighteenth century 18세기의 영어 ★ 특정한 종류의 영어를 지시할 때는 the가 붙음. **2** [the ~; 복수 취급] 영국 사람, 영국 국민, 영국군: *The* ~ are a nation of shopkeepers. 영국인은 상업 국민.《애덤 스미스의 말》 **3** Ⓤ 〖인쇄〗 잉글리시체(體)《14포인트에 해당하는 활자》 **4** [때로 **e~**] (미) (테니스·당구 등에서) 틀어치기 **5** 영어[영문학, 영작문]의 교과 과정; 그 수업 **6** 간단 솔직한 말 **7** (영국식 마무리의) 광택 종이
Give me the ~ of it. 쉬운 말로 말해 주게. ***in plain ~*** 쉽게[잘라] 말하면 ***Middle ~*** 중기 영어《1150-1500년》 ***Modern ~*** 근대 영어《1500년 이후》 ***not ~*** 참다운 영어식 표현이 아닌 ***Old ~*** 고대 영어《대략 700-1150년》 ***standard ~*** 표준 영어 (***the***) ***King's***[***Queen's***] ***~*** 정통 영어, 표준 영어
—*vt.* [때로 **e~**] **1** 영어로 번역하다 **2** 〈발음·철자 등을〉 영어식으로 하다, 〈외국어를〉 영어화하다 **3** (미) (당구 등에서) 공을 틀어치다
▷ England *n.*

Énglish bónd 〖석공〗 벽돌 쌓는 방식의 하나

Énglish bréakfast 영국식 조반《보통 베이컨, 계란, 마멀레이드, 토스트, 홍차로 이루어지는; cf. CONTINENTAL BREAKFAST》

Énglish Canádian **1** 영국계 캐나다 사람 **2** 영어를 사용하는 캐나다 사람

Énglish Chánnel [the ~] 영국[영불] 해협《영국과 프랑스를 분리함; 길이 565km, 폭 30-160km; the Channel이라고도 함》

Énglish Cívil Wár [the ~] 〖영국사〗 국내 전쟁, 영국 대내란

Énglish dáisy 〖식물〗 데이지

Énglish diséase 영국병《노동자의 태업에 의한 생산 저하 등의 사회적 병폐》

Eng·lish·er [íŋgliʃər, íŋliʃ-] *n.* **1** 영국 국민 **2** (외국어의) 영역자

Énglish flúte 〖음악〗 =RECORDER 5

Énglish for Ácademic Púrposes 학문을 위한 영어 교수법《略 EAP》

Énglish hórn 〖음악〗 잉글리시 호른(cor anglais)《oboe 계통의 목관 악기》

English horn

Eng·lish·ism [íŋgliʃìzm, íŋliʃ-] *n.* Ⓤ **1** 영국식 어법(Briticism) (opp. *Americanism*) **2** 영국풍[식] **3** 영국주의

Énglish ívy 〖식물〗 서양담쟁이덩굴

‡**Eng·lish·man** [íŋgliʃmən, íŋliʃ-] *n.* (*pl.* **-men** [-mən]) **1** 잉글랜드 사람, 영국인 (남자) **2** 영국선(船)

Énglish múffin 영국식 머핀《이스트를 넣은》

Eng·lish·ness [íŋgliʃnis, íŋliʃ-] *n.* 영국 (사람)다움, 영국 (사람)식

Énglish Revolútion [the ~] 〖영국사〗 영국 혁명, 명예[무혈] 혁명(1688-89)(the Glorious[Bloodless] Revolution)《Stuart 왕가의 James 2세를 추방하고, William과 Mary를 왕·여왕으로 추대한 혁명》

Énglish róse (하얀 피부의 전형적인) 영국 주민

Eng·lish·ry [íŋgliʃri, íŋliʃ-] *n.* Ⓤ **1** 영국 태생임; 영국풍 **2** [집합적] (아일랜드의) 잉글랜드계 주민

Énglish sáddle 잉글리시 새들《승마자의 등의 선과 일치하게 짜인 안장틀과 두툼한 가죽 방석에 뿔 없는 안미(鞍尾)와 쇠붙이의 안장 앞머리를 한 안장》

Énglish sétter 영국종 사냥개

Énglish síckness =ENGLISH DISEASE

Énglish sónnet 영국풍 14행시

Énglish spárrow 〖조류〗 집참새(house sparrow)

thesaurus **engrave** *v.* carve, etch, inscribe, cut, chisel, imprint, mark, impress
enhance *v.* **1** 강화하다 add to, increase, heighten,

Eng·lish-speak·ing [íŋgliʃspíːkiŋ, íŋliʃ-] *a.* Ⓐ 영어를 말하는: ~ peoples 영어권 국민 《영국·미국·캐나다·호주·뉴질랜드 사람들》/ ~ world (세계의) 영어권(圈)

Énglish springer spániel 영국종 사냥개

Énglish wálnut 〖식물〗 서양호두나무; 그 열매

Eng·lish·wom·an [-wùmən] *n.* (*pl.* **-wom·en** [íŋgliʃwìmin]) 잉글랜드 여자; 영국 여자

en·gorge [ingɔ́ːrdʒ, en-] *vt.* **1** 마구 먹다; 게걸스레 먹다 **2** [보통 수동형으로] 〖병리〗 충혈시키다: *~d* with blood 충혈[울혈]된

~·ment *n.* Ⓤ 탐식(貪食); 〖병리〗 충혈

engr. engineer; engineering; engraved; engraver; engraving

en·graft [ingrǽft, en-|-grɑ́ːft] *vt.* **1** 접목(接木)하다, 접붙이다(insert) 《*into, on, upon*》: 《~+목+전+명》 ~ a peach *on* a plum 복숭아를 서양오얏나무에 접목하다 **2** 〈사상·주의·덕(德) 등을〉 뿌리박게 하다, 불어넣다(implant) 《*into*》: 《~+목+전+명》 ~ patriotism *into* a person's soul …에게 애국심을 주입하다 **3** 합치다; 혼합[융합]하다(incorporate) 《*into*》; 부가시키다 《*on, upon*》 **~·ment** *n.*

en·grail [ingréil, en-] *vt.* 깔쭉깔쭉하게 하다, 가장자리를 톱니 모양으로 하다

en·grain [ingréin, en-] *vt.* =INGRAIN

en·grained [ingréind, en-] *a.* =INGRAINED

en·gram [éngræm] *n.* **1** 〖심리〗 기억 심상(心像) **2** 〖생물〗 기억 흔적 《세포 내에 형성된다고 여겨지는》

*__en·grave__ [ingréiv, en-] *vt.* **1** (금속·돌 등에) 〈문자·도안 등을〉 **새기다** 《*on*》; (문자·도안 등을 새겨서) 장식하다, …에 조각을 하다 《*with*》: 《~+목+전+명》 ~ an inscription *on* a tablet = ~ a tablet *with* an inscription 명판(銘板)에 명을 새기다 / watches *~d* with their initials 그들의 이니셜이 새겨진 시계 **2** 〈판 등에 새긴 문자·도안 등을〉 인쇄하다, 조각판으로 인쇄하다 **3** 〈마음에〉 새겨 두다, …에게 감명을 주다: 《~+목+전+명》 His mother's face is *~d on* his memory. 어머니의 얼굴이 그의 기억에 새겨져 있다. ***Do you want an ~d invitation?*** 초대장을 보내주어야만 되겠는가?, (체면차리지 말고) 가벼운 마음으로 와.

en·grav·er [ingréivər, en-] *n.* 조각사, 조판공

*__en·grav·ing__ [ingréiviŋ, en-] *n.* **1** Ⓤ **조각(술)**, 조판술 **2** (동판·목판 등의) 조판(彫版); 판화

*__en·gross__ [ingróus, en-] *vt.* **1** 〈주의·시간을〉 **집중시키다, 몰두[열중]시키다,** 〈마음을〉 빼앗다(absorb) (⇨ engrossed): This business *~es* my whole time and attention. 이 일에 나는 모든 시간과 주의력을 쏟고 있다. **2** 〈문서를〉 큰 글씨로 쓰다, 정서하다 **3** 〈시장을〉 독점하다, 〈상품을〉 매점(買占)하다, 〈권력을〉 독점하다(monopolize) **~·er** *n.*

▷ engróssment *n.*

*__en·grossed__ [ingróust, en-] *a.* 열중[몰두]하고 있는, 넋을 잃고 있는 《*in*》: He was ~ *in* the subject. 그는 그 문제에 몰두하고 있었다.

-gróss·ed·ly [-gróusidli] *ad.*

engróssed bill (미) 〖정치〗 상하 양원 중 한 원을 통과한 법안(cf. ENROLLED BILL)

en·gross·ing [ingróusiŋ, en-|in-] *a.* 마음을 사로잡는, 전념[몰두]케 하는 **~·ly** *ad.*

en·gross·ment [ingróusmənt, en-] *n.* Ⓤ **1** 전념, 몰두 **2** 정식 자체(字體)로 크게 씀, 정서(淨書); Ⓒ 정서한 것 **3** 독점, 매점(買占)

engrs. engineers

en·gulf [ingʌ́lf, en-] *vt.* (심연·소용돌이 등에) …을 빨아들이다, 던져 넣다, 삼키다, 들이켜다(swallow up); 완전히 뒤덮다, 감싸다 **~·ment** *n.*

stress, emphasize, improve, augment, boost, intensify, reinforce, enrich, amplify **2** 올리다 raise, lift, escalate, elevate, swell

en·ha·lo [inhéilou, en-] *vt.* 후광으로 에워싸다; …에게 영광을 주다

*__en·hance__ [inhǽns, en-|-hɑ́ːns] [L 「높게 하다」의 뜻에서] *vt.* 〈질·능력 등을〉 **높이다,** 강화하다; 〈가격을〉 올리다; (컴퓨터 처리로) 〈사진의〉 화질을 높이다

en·hanced [inhǽnst, en-|-hɑ́ːnst] *a.* (정도·가치·질 등을) 증대한; 높인, 강화한

enhánced radiátion 〖물리〗 강화 방사선

enhánced radiátion wèapon 〖군사〗 강화 방사선 무기

enhánced recóvery =TERTIARY RECOVERY

en·hance·ment [inhǽnsmənt, en-|-hɑ́ːns-] *n.* ⓊⒸ (가격·매력·가치 등의) 상승, 등귀; 향상, 증대

en·hanc·er [inhǽnsər] *n.* 강화 물질[장치]

en·har·mon·ic [ènhɑːrmɑ́nik|-mɔ́n-] *a.* 〖음악〗 **1** (조바꿈에 의한) 이명 동음(異名同音)의 《C♯D♭ 와 같은》 **2** 4분음의 **-i·cal·ly** *ad.*

en·heart·en [inhɑ́ːrtn, en-] *vt.* 격려[고무]하다

en·i·ac, ENIAC [éniæ̀k, íːni-] [*E*lectronic *N*umerical *I*ntegrator *A*nd *C*omputer] *n.* 에니악 《미국에서 만들어진 진공관식 컴퓨터; 상표명》

E·nid [íːnid] *n.* 여자 이름

e·nig·ma [ənígmə] *n.* (*pl.* **~s, ~·ta** [-tə]) 수수께끼(riddle); 수수께끼 같은 인물, 불가해한 사물; (수수께끼 같은) 말, 질문, 그림

en·ig·mat·ic, -i·cal [ènigmǽtik(əl)] *a.* 수수께끼의[같은], 알기 어려운; 〈인물이〉 정체 모를, 불가사의한 **-i·cal·ly** *ad.*

e·nig·ma·tize [inígmətàiz] *vt., vi.* 수수께끼로 만들다, 이해할 수 없게 하다

en·isle [ináil, en-] *vt.* (시어) 섬으로 만들다; 고도(孤島)에 두다; 고립시키다

En·i·we·tok [ènəwíːtɑk|èniwíːtɔk] *n.* 에니웨톡 환초 《태평양 마셜 제도 중의 환초(環礁); 미국 핵무기 실험지(1948-54)》

en·jamb(e)·ment [indʒǽmmənt, -dʒǽmb-] *n.* Ⓤ 〖운율〗 구(句)걸치기 《시의 1행의 뜻·구문이 다음 행에 걸쳐서 이어지는 일》

*__en·join__ [indʒɔ́in, en-] [L 「부과시키다」의 뜻에서] *vt.* **1** 〈침묵·순종 등을〉 **명하다**(demand); (의무로서) 과하다 《*upon, on*》; (권위를 갖고) 명령을 내리다(order), 요구하다(require): 《~+목+전+명》 The teacher *~ed* silence *on* the class. 교사는 반 학생들에게 조용히 하도록 명했다. // 《~+목+***to*** do》 He *~ed* his son *to* be diligent in his studies. 그는 아들에게 부지런히 공부하라고 일렀다. **2** 〖미국법〗 (…을) 금하다(prohibit) 《*from*》: 《~+목+전+명》 ~ a company *from* us*ing* the dazzling advertisements 회사에 대하여 과장 광고를 금하다

⁑**en·joy** [indʒɔ́i, en-] *v.*

> 「…을 즐기다」→(…의 이점[혜택]을 즐기다) (…의 혜택을 받다)→「가지다」, 「향유하다」, 「누리다」

— *vt.* **1 즐기다,** 향락하다, 재미를 보다; 즐겁게 …하다: ~ life 인생을 즐기다 / ~ one's dinner 즐겁게 식사를 하다 / How did you ~ your excursion? 여행 재미는 어떠하였소? // 《~+***-ing***》 ~ read*ing* [walk*ing*] 독서[산책]를 즐기다 / We have *~ed* talk*ing* over our school days. 우리는 학생 시절의 이야기를 하며 즐겁게 지냈다. **2** 〈좋은 것을〉 **갖고 있다, 향수[향유]하다,** 누리다: ~ good health 건강을 누리다 / ~ the confidence of one's friends 친구들의 신뢰를 받다 **3** [~ one*self* 로] 즐겁게 시간을 보내다: He *~ed himself* over his whiskey. 그는 위스키를 마시며 즐겁게 지냈다.

— *vi.* (구어) 즐기다 **~·er** *n.*

▷ enjóyment *n.*

en·joy·a·ble [indʒɔ́iəbl, en-] *a.* 재미있는, 즐거운, 유쾌한; 누릴[향수(享受)할] 수 있는, 즐길 수 있는 **~·ness** *n.* **-bly** *ad.*

*__en·joy·ment__ [indʒɔ́imənt, en-] *n.* **1** Ⓤ 향유, 향수 《*of*》 **2** Ⓤ 향락; 유쾌(delight) **3** ⓊⒸ 기쁨, 유쾌하게 하는 것, 낙 **4** Ⓤ 〖법〗 (권리의) 보유 ***take ~ in*** …을 즐기다 ▷ enjóy *v.*
en·keph·a·lin [enkéfəlin] *n.* 〖생화학〗 엔케팔린 《신경 펩티드의 일종》
en·kin·dle [inkíndl, en-] *vt.* **1** 〈불이〉 타오르게 하다(kindle) **2** 〈정열·정욕을〉 불러일으키다, 자극하다(inflame) **3** 〈전쟁 등을〉 일으키다
enl. enlarge(d); enlisted
en·lace [inléis, en-] *vt.* 레이스로 장식하다; 단단히 동이다[감다]; 에워싸다; 얽히게 하다 **~·ment** *n.*
‡__en·large__ [inlɑ́:rdʒ, en-] *vt.* **1** 크게 하다(⇨ increase 유의어); 〈건물 등을〉 넓히다; 〈책을〉 증보하다; 〈사진을〉 확대하다: an *~d* photograph 확대 사진/a revised and *~d* edition 개정 증보판 **2** 〈사업 등을〉 확장하다(expand); 〈마음·견해 등을〉 넓히다: Knowledge *~s* the mind. 지식은 마음을 넓힌다. **3** 《미·고어》 석방하다
— *vi.* **1** 커지다, 넓어지다; 〈사진이〉 확대되다 **2** 상세하게 설명하다 《*on, upon*》: 《~+전+명》 I need not ~ *upon* this point. 이 점에 대해서는 상세히 설명할 필요가 없다. **~·a·ble** *a.* ▷ enlárgement *n.*
*__en·large·ment__ [inlɑ́:rdʒmənt, en-] *n.* Ⓤ **1** 확대, 증대, 확장 **2** (책의) 증보; 증축; (사진의) 확대 **3** 상술(詳述)
en·larg·er [inlɑ́:rdʒər, en-] *n.* 〖사진〗 확대기
‡__en·light·en__ [inláitn, en-] *vt.* **1** 계몽하다, 교화하다(instruct): ~ the ignorant 무지한 사람들을 교화하다 **2** 〈뜻 등을〉 밝히다, 설명하다; 가르치다: 《~+목+전+명》 Please ~ me *on* this point. 이 점에 대해 설명하여 주십시오. **3** 《고어·시어》 빛을 비추다(illuminate) **~·er** *n.* ▷ enlíghtenment *n.*
en·light·ened [inláitnd, en-] *a.* **1** 계몽된; 개화된, 문명의 **2** 밝은, 훤히 통달한: be ~ *upon* the question 그 문제에 관해서는 잘 알고 있다
en·light·en·ing [inláitəniŋ, en-] *a.* 계몽적인, 밝혀 주는, 깨우치는: The editorial page is ~. 사설란은 계몽적이다.
*__en·light·en·ment__ [inláitnmənt, en-] *n.* Ⓤ **1** 계발(啓發), 교화; 개명(開明), 개화: the age of ~ 개화 시대 **2** [the E~] 〖철학〗 계몽 운동 《18세기의 유럽, 특히 프랑스에서의 합리주의적》 **3** [보통 **E~**] (불교의) 깨달음; 반야(般若)
en·link [inlíŋk, en-] *vt.* 연결하다 《*with, to*》
*__en·list__ [inlíst, en-] *vt.* **1** 병적에 넣다; 모병[징병]하다, 입대시키다 《*for, in*》: 《~+목+전+명》 ~ a person *for* military service …을 병적에 올리다/~ a person *in* the army …을 육군에 입대시키다 **2** …의 찬조[협력, 지지]를 얻다 《*in*》: 《~+목+전+명》 ~ a person's aid[sympathy] *in* a cause 운동에 …의 원조[찬동]를 얻다
— *vi.* **1** 징병에 응하다, 입대하다 《*in, for*》: 《~+전+명》 ~ *in* the army 육군에 입대하다/~ *for* a soldier 징병에 응하다 **2** (주의·사업 등에) 적극적으로 협력[참여]하다: 《~+전+명》 ~ *in* the cause of charity 자선 운동에 협력하다/~ *under* the banner of …의 기치 아래 참여하다
en·list·ed [inlístid, en-] *a.* 사병(士兵)의[에 관한]
enlísted màn 《미》 사병(士兵), 지원병 《略 EM, E.M.》
enlísted wòman 《미》 여군 사병
en·list·ee [inlistí:, en-] *n.* 지원병; 사병
en·list·er [inlístər, en-] *n.* **1** 징병관, 모병관 **2** (사업·운동 등의) 협력자, 지지자
en·list·ment [inlístmənt, en-] *n.* **1** Ⓤ 병적 편입; 모병; 응소(應召), 입대 **2** 병적 기간
*__en·liv·en__ [inláivən, en-] *vt.* **1** 활기 있게 만들다, 생기를 주다(cheer up) **2** 〈광경·담화 등을〉 유쾌하게[흥겹게] 하다: Entertainment *~ed* the meeting. 여흥으로 그 모임의 분위기가 흥겨워졌다. **3** 〈거래·시장을〉 활발하게[호황으로] 하다 **~·ment** *n.*
en masse [ɑ:ŋ-mǽs] [F =in a mass] *ad.* 《문어》 한 묶음으로, 통틀어서
en·mesh [inméʃ, en-] *vt.* **1** 그물로 잡다, 그물에 걸리게 하다 **2** 〈사람을 곤란 등에〉 빠뜨리다, 말려들게 하다: 《~+목+전+명》 ~ a person *in* difficulties …을 곤란에 빠뜨리다 **~·ment** *n.*
*__en·mi·ty__ [énməti] *n.* (*pl.* **-ties**) ⓊⒸ 적의(敵意), 적개심, 악의(ill will), 원한; 대립(antagonism)
at ~ with …와 반목하여 ***have*** [***harbor***] ***~ against*** …에 대하여 앙심을 품다
en·ne·ad [éniæ̀d] [Gk =nine] *n.* 9인조; 아홉 개로 이루어진 한 벌; (서적·논문·시 등의) 아홉 편 한 묶음
en·ne·a·gon [éniəgɑ̀n | -gən] *n.* 〖수학〗 9각형, 9변형(nonagon)
en·ne·a·he·dron [èniəhí:drən | -héd-] *n.* (*pl.* **-dra** [-drə]) 〖수학〗 9면체(面體)
*__en·no·ble__ [inóubl, en-] *vt.* **1** 고상하게 하다, 기품 있게 하다 **2** 작위를 내리다, 귀족으로 만들다 **3** 〖화학〗 귀금속[부식하지 않는 금속]으로 만들다 **~·ment** *n.*
en·nui [ɑ:ŋwí:] [F = in dislike] *n.* Ⓤ 권태, 따분함, 무료함(boredom)
en·nuy·é [ɑ̀:ŋnwi:jéi] [F = wearied] *a., n.* (*pl.* **~s** [~]) 권태를 느끼고 있는 (사람), 싫증난 (사람)
E·noch [í:nək | -nɔk] *n.* **1** 남자 이름 **2** 〖성서〗 에녹 《(1) Methuselah의 아버지; 창세기 5:18-24 (2) Cain의 장남; 창세기 4:17-18》
e·nol [í:nɑl, í:nɔ:l | -nɔl] *n.* 〖화학〗 에놀 《수산기(水酸基)를 함유한 유기 화합물의 총칭》
E·no·la Gay [inóulə-gèi] 에놀라 게이 《1945년 8월 6일 히로시마에 원폭을 투하한 미국 B-29 폭격기의 애칭》
e·nol·o·gy, oe·nol- [i:nɑ́lədʒi | -nɔ́l-] *n.* 《미》 포도주(양조)학[연구] **è·no·lóg·i·cal** *a.*
e·no·phile [í:nəfail] *n.* = OENOPHILE
e·nor·mi·ty [inɔ́:rməti] *n.* (*pl.* **-ties**) **1** Ⓤ 악독, 극악무도; Ⓒ [보통 *pl.*] 범죄 행위, 대죄 **2** Ⓤ 거대함, 터무니없음
‡__e·nor·mous__ [inɔ́:rməs, e-] [L 「유별난」의 뜻에서] *a.* **1** 거대한, 막대한, 엄청난(⇨ huge 유의어): an ~ difference 엄청난 차이 **2** 《고어》 비정상의, 극악한(outrageous) **~·ness** *n.* ▷ enórmity *n.*
*__e·nor·mous·ly__ [inɔ́:rməsli, e-] *ad.* 막대하게, 엄청나게, 터무니없이
E·nos [í:nəs | í:nɔs] *n.* **1** 남자 이름 **2** 〖성서〗 에노스 《Seth의 아들; 창세기 4:26, 5:6》
e·no·sis [inóusis, i:n- | énou-] [Gk 「통합」의 뜻에서] *n.* **1** 병합(併合), 동맹 **2** [종종 **E~**] 에노시스 《키프로스와 그리스의 정치적 합병》
‡__e·nough__ [inʌ́f] *a.* **1** 충분한, 필요한 만큼의(sufficient): Thank you, that's ~. 고맙습니다, 그것으로 충분합니다./~ eggs[butter, money] =eggs[butter, money] ~ 충분한 달걀[버터, 돈] ★ 명사 앞에도 뒤에도 올 수 있지만 앞에 있을 때가 뜻이 더 강함.

유의어 **enough**나 **sufficient** 다 같이 「어떤 특정한 필요나 목적을 충족시키기에 충분한」의 뜻을 나타내지만 sufficient 쪽이 좀 딱딱한 말로서 정도를 나타내는 데 쓰인다: *enough* food for a week 일주일 동안의 충분한 음식/A word to the wise is *sufficient*. 현명한 자에게는 한 마디로 족하다. **adequate** 「최저의 필요를 충족시키기에 족한」의 뜻으로서 수·양 외에 성질·자격 등에 대해서도 쓰인다: *adequate* grounds for a lawsuit 소송을 위한 충분한 근거

thesaurus **enjoyment** *n.* **1** 기쁨 amusement, entertainment, fun, joy, pleasure, happiness, gladness **2** 향유 possession, use, benefit, advantage
enlighten *v.* teach, educate, civilize, cultivate

2 (…하기에) 족한, (…에) 부족이 없는, (…할) 만큼의: time ~ *for* the purpose 그 목적을 위하여 충분한 시간 // (~+*to* do) He hasn't ~ sense[sense ~] *to* realize his mistakes. 그는 자기 잘못을 깨달을 만한 지각이 없다.
— *ad.* [형용사·부사 뒤에서] **1 필요한 만큼,** (…하기에) 족할 만큼: Is it large ~? 그 크기면 되겠느냐? / It is good ~ for me. 나에게는 그만 하면 됐습니다. / It isn't good ~. 이것으로는 안 된다. / The meat is done ~. 고기가 잘 구워졌다. / a small ~ sum[sum ~] 아주 적은 돈[금액] **2 충분히**(fully): You know well ~ what I mean. 내 의도는 잘 알겠지. **3** 그런대로, 꽤(passably): She sings well ~. 그 여자는 노래를 꽤 잘한다.
be kind [***good***] ***~ to*** 친절하게도 …하다: *Be good ~ to* lend me the book. 그 책을 좀 빌려 주시오. ***be old ~ to*** do …하여도 좋을 나이이다, 충분히 …할 만한 나이이다 ***cannot*** [***can never***] ***… ~*** 아무리 …해도 부족하다: I *can never* thank you ~. 감사의 말씀을 이루 다 드릴 길이 없습니다. ***have had ~*** (***of***) (…은) 이미 충분하다[넌더리나다] ***oddly*** [***strange*(*ly*)**] ***~*** 참 이상하게도 ***sure ~*** 과연, 어김없이(certainly) ***well ~*** 어지간히 잘, 참 훌륭하게
— *pron.* Ⓤ **1 충분**(**한 수·양**): (…에) 족한 양[수] (*for*); (…할) 만큼의 양[수] (*to* do): There is ~ *for* everybody. 모든 사람에게 돌아갈 만큼 양이[수가] 충분하다. / He earns just ~ *to* live on. 그는 먹고 살 만큼은 번다. / Five men are[is] ~. 다섯 명으로 충분하다. / *E~* is as good as a feast. 《속담》 배가 부르면 진수성찬이나 마찬가지. 《부족하지 않으면 충분한 것과 같다》 **2** 실컷(too much), (진저리가 날 정도로) 충분한…: I have had quite[about] ~ of …은 이젠 충분하다[물렸다, 참지 못하겠다] / *E~* of that! 그만하면 됐다, 이젠 그만두어라!
cry '~' 「항복」이라고 말하다, 패배를 자인하다 ***~ and to spare*** 넘칠[남을] 만큼의 (것) ***E~ is ~.*** 이 정도로 충분하다(이젠 그만두자). ***E~ said.*** 잘 알았다, 더 말 안 해도 알겠다. ***have ~ to*** do …하는 것이 고작이다, 몹시 고생하여 …하다 ***more than ~*** 충분하고도 남게 ***That's ~.*** 이제 됐다.[그만해라]
— *int.* 이젠 그만(No more!), 손들었다: *E~*, already! 《구어》 그만하면 됐다!, 집어 치워! / *E~* of it! 이젠 됐어!

e·nounce [ináuns] *vt.* **1** 성명하다; 〈의견 등을〉 표명하다 **2** 발음하다(utter) **~·ment** *n.*

e·now [ináu] *a., ad.* 《고어·시어》 = ENOUGH

en pan·tou·fles [ɑ̀:ŋ-pɑ:ntú:fl] [F = in slippers] *ad.* 슬리퍼를 신고, 마음 편히, 홀가분하게

en pas·sant [ɑ̀:ŋ-pæsɑ́:nt] [F = in passing] *ad.* **1** …하는 김에(by the way), 참 그런데 **2** 〖체스〗 통과 포획으로: take a pawn ~ 통과 포획으로 졸을 잡다

en pen·sion [ɑ:ŋ-pɑ:nsió:ŋ] [F = in lodging] *ad., a.* 식사가 따르는 숙박 조건으로 (된)

en·phy·tot·ic [ènfaitátik | -tɔ́t-] *a.* 〖식물〗 〈병이〉 어떤 지역의 식물에 주기적으로 감염하는, 풍토병의

en·plane [inpléin, en-] *vi.* 비행기를 타다(opp. *deplane*)

en poste [ɑ:ŋ-pɔ́:st] [F =in an official position] *a.* 〈외교관이〉 부임[주재]하여

en prise [ɑ̀:ŋ-prí:z] *a., ad.* 〖체스〗 잡힐 위치에

én quàd [én-] 〖인쇄〗 **1** 반각(半角), 2분 《n 자폭의 스페이스》 **2** 반각[2분] 공목(空目)

en·quête [ɑ:ŋkét] [F =inquiry] *n.* 앙케트, 여론 조사

***en·quire** [inkwáiər, en-] *vt., vi.* = INQUIRE

en·quir·y [inkwáiəri, en- | -kwáiəri] *n.* (*pl.* **-quir·ies**) = INQUIRY

***en·rage** [inréidʒ, en-] *vt.* **몹시 성나게[화나게] 하다,** 격노시키다; [수동형으로] …에 격분하다 (*at, by, with*): The lies said about him ~*d* him. 그에 관해서 한 거짓말들이 그를 격분하게 했다.
be ~d at [***with, by***] …에 몹시 화내다: Many readers *were ~d by* her article. 많은 독자들이 그녀의 기사를 보고 격분했다.
~·ment *n.* Ⓤ 격노, 분노, 분격 ▷ ráge *n.*

en rap·port [ɑ:ŋ-ræpɔ́:r] [F =on rapport with] *ad.* 일치[조화]하여, 마음이 맞아, 공명(共鳴)하여 (*with*)

en·rapt [inrǽpt, en-] *a.* 도취된, 황홀해진

en·rap·ture [inrǽptʃər, en-] *vt.* 황홀하게 하다, 기뻐서 어쩔 줄 모르게 하다(⇨ enraptured)

en·rap·tured [inrǽptʃərd, en-] *a.* **1** 황홀한, 도취된: an ~ look 황홀한 얼굴 표정 **2** Ⓟ 황홀하여, 기쁨에 들떠 (*at, by*): They were ~ *at* the scene. 그들은 그 광경에 넋을 잃었다. **~·ly** *ad.*

en·rav·ish [inrǽviʃ, en-] *vt.* = ENRAPTURE

en·reg·i·ment [inrédʒəmənt, en-] *vt.* 연대로 편성하다

en·reg·is·ter [inrédʒistər, en-] *vt.* 등록[등기, 기록]하다(register)

en rè·gle [ɑ:ŋ-réigl] [F =in order] *ad., a.* 정식대로(의), 규칙대로(의)

‡en·rich [inrítʃ, en-] *vt.* **1 부유하게 하다,** 부자가 되게 하다: ~ a nation by trade 무역으로 나라를 부유하게 하다 **2 풍성[풍부]하게 하다:** Education can ~ your life. 교육은 삶을 풍성하게 할 수 있다. **3** 〈내용·질·가치 등을〉 높이다; 〈맛·향기·빛깔 등을〉 진하게[짙게] 하다; 〈토지를〉 비옥하게 하다: (~+목+전+명) ~ a book *with* notes 주석으로 책의 가치를 높이다 / ~ soil (*with* phosphate) (인산 비료로) 토지를 비옥하게 하다 **4** 장식하다(adorn) **5** 〖원자력〗 〈동위 원소 등을〉 농축하다 **6** 〈식품을〉 (영양소를 가하여) 강화[보강]하다, …의 영양가를 높이다
~ one*self* by trade (장사로) 부자가 되다
~·ing·ly *ad.* **~·ment** *n.* Ⓤ 풍부하게 함; 농축; 강화; 비옥화 ▷ rích *a.*

en·ríched fóod [inrítʃt-] 강화(强化)식품 《인공적으로 영양가를 높인》

enríched uránium 〖화학〗 농축 우라늄

en·robe [inróub, en-] *vt.* 의복을 입히다

***en·roll | -rol** [inróul, en-] *vt.* (**-rolled**; **-rolling**) **1** 〈이름을〉 **명부에 올리다,** 입학[입회]시키다, 등록하다(register): ~ a voter 선거인을 등록하다 // (~+목+전+명) ~ a student *in* a college 학생을 대학의 학적에 올리다 / ~ a person *on* the list of …을 …의 명부에 올리다 **2** 병적에 넣다(enlist): ~ oneself 병적에 들다 // (~+목+전+명) ~ men *for* the army 장정들을 병적에 넣다 **3** 기록하다, 기재하다(record) **4** 《드물게》 싸다(wrap up), 감다(roll up): (~+목+전+명) ~ an apple *in* paper 종이로 사과를 싸다
— *vi.* 입학[입대] 절차를 밟다; 등록하다, 입학하다; 병적에 오르다, 입대하다: ~ *in* college 대학 입학 절차를 밟다 / ~ *in* the army 육군에 입대하다
▷ róll, enróllment *n.*

en·rólled bíll [inróuld-, en-] 《미》 〖정치〗 등록 법안 《상·하원을 모두 통과한 법안의 최종안》

Enrólled Núrse = STATE ENROLLED NURSE

en·roll·ee [inroulí:, en-] *n.* 등록자

***en·roll·ment** [inróulmənt, en-] *n.* UC **1 등록,** 기재; 입학, 입대 **2** 《미》 등록[재적]자 수: The university has an ~ of 13,000. 그 대학 재학생 수는 13,000명이다.

en·root [inrú:t, en-] *vt.* [보통 수동형으로] **1** 뿌리내리게 하다, 심다 **2** 단단히 설치하다, 고정하다; (마음에) 강하게 품다 (*in*)

en route [ɑ:n-rú:t] [F =on (the) route] *ad.* 도

---

enormous *a.* massive, huge, vast, immense, gigantic, excessive (opp. *minute, tiny*)
enrage *v.* annoy, anger, infuriate, irritate, madden, exasperate, provoke (opp. *pacify, appease*)

중에(on the way) 《*to, for*》

ens [énz] [L = being] *n.* (*pl.* **en·ti·a** [énʃiə]) 〖철학〗 존재물, 실재물; (추상적) 존재

Ens. Ensign

en·sam·ple [insǽmpl | ensáːm-] *n.* (고어) = EXAMPLE

en·san·guine [insǽŋgwin, en-] *vt.* 피로 물들이다, 피투성이가 되게 하다 《*with*》

en·sconce [inskáns, en- | -skɔ́ns] *vt.* **1** 감추다, 숨기다 **2** 편히 앉히다, 안치하다 《*on, in, among*》 ~ **oneself in** 〈안락의자 등에〉 푹석[편히] 앉다

en se·condes noces [ɑːn-səgɔ́ːnd-nóus] [F = by a second marriage] *ad.* 재혼하여[으로]

***en·sem·ble** [ɑːnsáːmbl-] [F = together] *n.* **1** [보통 the ~] **전체**; 전체적 효과 **2** 〖음악〗 **앙상블** 《중창과 합창을 섞은 대합창》, 합주곡 (연주자들): the Mozart ~ 모차르트 협주곡 **3 앙상블** 《조화가 잡힌 한 벌의 여성복》; 가구 한 세트 **4** (주연 이외의) 공연자들 — *ad.* 모두 함께, 일제히; 동시에

ensémble ácting 앙상블 연기[연출] 《스타 중심이 아닌 전체 배우의 종합적 효과를 노리는》

en·serf [insə́ːrf, en-] *vt.* 〈사람을〉 농노로 삼다, 노예의 처지에 두다 **~·ment** *n.*

en·sheathe [inʃíːð, en-] *vt.* 칼집에 넣다

en·shrine [inʃráin, en-] *vt.* **1** 사당[신전]에 모시다[안치하다] 《*in, among*》: (~+목+전+명) The sacred treasures are ~*d in* this temple. 이 신전에는 성물(聖物)이 안치되어 있다. **2** 〈기억 등을〉 간직하다, 소중히 지니다 《*in*》: (~+목+전+명) Her memory is ~*d in* his heart. 그녀에 대한 추억이 그의 가슴 속에 남아 있다. **~·ment** *n.*

en·shri·nee [inʃráiniː, -ʃrainíː, en-] *n.* (미) 명예의 전당에 모셔진 사람

en·shroud [inʃráud, en-] *vt.* **1** 수의(壽衣)를 입히다 **2** 싸다, 뒤덮다(envelop) 《*in, by*》

en·si·form [énsəfɔ̀ːrm] *a.* 〖생물〗 칼 모양의(xiphoid)

en·sign** [énsain; 〖해군〗 énsn] *n.* **1** 기(旗) 《선박 등이 국적을 나타내기 위해 올리는》(⇨ flag¹ 유의어); 〖해군〗 군기 **2** 〖군사〗 기수(旗手); 〖미해군〗 소위 **3** 기장(記章)(badge) **4** 표시, 상징 ***blue ~ (영국 해군의) 예비 함기(豫備艦旗) ***national*** ~ 국기 ***red*** ~ 영국 상선기 ***St. George's*** [***white***] ~ 영국 군함기

en·sign·cy [énsainsi], **en·sign·ship** [énsainʃip] *n.* Ⓤ 기수의 역할[지위]

en·si·lage [énsəlidʒ] *n.* Ⓤ **1** 목초의 신선 보존법 《사일로(silo) 등에 넣음》 **2** (신선하게 저장된) 목초, 저장 목초 — *vt.* = ENSILE

en·sile [insáil | en-] *vt.* 〈목초를〉 사일로(silo)에 저장하다

en·sky [inskái, en-] *vt.* (**-skied, ~ed**) **1** 천국에 가게 하다; 천국에 있는 듯한 기분이 들게 하다 **2** 하늘까지 올리다

***en·slave** [insléiv, en-] *vt.* **노예로 만들다**; 사로잡다: be ~*d* by passions 격정에 사로잡히다 // (~+목+전+명) ~ a person *to* superstition …을 미신에 사로잡히게 만들다 **~·ment** *n.* Ⓤ 노예화; 노예 상태 ▷ sláve *n.*

en·slav·er [insléivər, en-] *n.* 매혹시키는 사람[것]; 남자의 마음을 사로잡는 여자, 요녀

en·snare [insnέər, en-] *vt.* **1** 덫에 걸리게 하다; 함정에 빠뜨리다 《*in, into*》 **2** 유혹하다(allure) 《*by*》 **~·ment** *n.*

en·snarl [insnáːrl, en-] *vt.* **1** 뒤얽히게 하다, 혼란[분규]시키다 **2** 〈담쟁이덩굴 등이〉 얽히다

en·sor·cel(l) [insɔ́ːrsəl, en-] *vt.* …에게 요술을 걸다; 매혹시키다 **en·sór·cell·ment** *n.*

en·soul [insóul, en-] *vt.* **1** 혼을 불어넣다 **2** 마음에 담아 두다

en·sphere [insfíər] *vt.* **1** (둥글게) 싸다, 둘러싸다 **2** 구형(球形)으로 하다

en·sue** [insúː | -sjúː] [L 「뒤를 잇다」의 뜻에서] *vi.* (문어) **1 뒤이어 일어나다**, 후에 일어나다, 계속되다: No applause ~*d.* 박수는 터지지 않았다. **2** …의 결과로서 일어나다(result) 《*from, on*》: Heated discussions ~*d.* 격론이 벌어졌다. // (~+전+명) What do you think will ~ *on*[*from*] this? 이 결과 어떤 일이 일어날 것으로 생각합니까? ***as the days ~d 날이 감에 따라

— *vt.* (폐어) 찾다[구하다]

en·su·ing [insúːiŋ | -sjúː-] *a.* Ⓐ (문어) **1** 다음의, 뒤이은(following): ~ months 그 후의 수개월 **2** 뒤이어 일어나는, 결과로서 따르는: the war and the ~ disorder 전쟁과 그에 뒤따르는 혼란

en suite [ɑːŋ-swíːt] [F = in sequence] *ad.* 연달아, 계속해서

en·sure** [inʃúər, en-] *vt.* **1 안전하게 하다**, 지키다(guard) 《*against, from*》: (~+목+전+명) ~ a person *against* danger 위험으로부터 …을 지키다 / ~ oneself *from* harm 위해로부터 몸을 지키다 **2** 〈성공 등을〉 확실하게 하다, 보증하다, 〈지위 등을〉 확보하다: It will ~ your success. 그것으로 너의 성공은 확실하다. // (~+목+목) (~+목+전+명) ~ a person a post = ~ a post *for*[*to*] a person …에게 지위를 보증하다 // (~+that*** 절) I cannot ~ *that* he will keep his word. 그가 약속을 지킬 것이라고 보증할 수 없다. **3** 보험에 들다(insure) ▷ súre *a.*

en·swathe [inswáð | -swéið] *vt.* 싸다, 붕대를 감다 《*in*》

ENT ear, nose, and throat 이비인후(과)

ent- [ent], **ento-** [éntou, -tə] 《연결형》 「안, 내부」의 뜻 《모음 앞에서는 ent-》

-ent [ənt] *suf.* **1** 행위자(agent)를 나타내는 명사 어미: presid*ent* **2** 성질·상태를 나타내는 형용사 어미: preval*ent*

en·tab·la·ture [entǽblətʃùər | -tʃə] *n.* 〖건축〗 엔태블러처 《기둥(columns) 위에 걸쳐 놓은 수평 부분으로서 위로부터 cornice, frieze, architrave의 3부분으로 됨》

en·ta·ble·ment [intéiblmənt | en-] *n.* 〖건축〗 **1** = ENTABLATURE **2** 상대(像臺) 《기둥뿌리 위에서 입상(立像)을 받치는 대(臺)》

***en·tail** [intéil, en-] *vt.* **1** 〈폐단 등을〉 남기다, (필연적 결과로서) **수반하다**(involve), 일으키다: (~+목+전+명) The loss ~*ed* no regret *on*[*upon*] him. 그는 손실을 아깝게 여기지 않았다. **2** 〈노력·비용 등을〉 들게 하다, 부과하다(impose): if this would ~ additional costs 추가 비용이 들 경우에는 / His way of living ~*s* great expense. 그의 생활 방식에는 큰 비용이 든다. **3** 〖법〗 상속인을 한정하여 양도하다: (~+목+전+명) ~ one's property *on* one's eldest son 장남을 재산 상속인으로 하다 **4** 〖논리〗 (논리적 필연으로서) 의미하다

— *n.* **1** (성질·신념 등의) 숙명적인 유전[계승]; 반드시 전해지는 것; 필연적 결과 **2** Ⓤ 〖법〗 한사 상속(限嗣相續), 계사 한정(繼嗣限定); Ⓒ 한사 상속 재산 **3** Ⓤ (관직 등의) 계승 예정 순위 ***cut off the*** ~ 한사 상속의 제한을 해제하다

~·er *n.* **~·ment** *n.* 〖법〗 Ⓤ 계사 한정; Ⓒ 세습 재산

ent·a·m(o)e·ba [èntəmíːbə] *n.* 엔트아메바 《척추동물에 기생하는 원생동물의 총칭》

***en·tan·gle** [intǽŋgl, en-] *vt.* **1** [종종 수동형으로] 〈실·망 등을〉 **뒤얽히게 하다**; 얽어 감다, 걸리게 하다(catch): A long thread is easily ~*d.* 긴 실은 얽히기 쉽다. // (~+목+전+명) The fishing line *got* ~*d in* bushes. 덤불에 낚싯줄이 걸렸다. **2** 분규를 일으키게 하다, 혼란시키다(confuse): The question is ~*d.* 그 문제는 분규를 일으키고 있다. **3** 〈함정·곤란 등에〉 빠뜨리다, 휩쓸어 넣다(entrap), 관계를 맺게 하다 《*in, with*》: He is easily ~*d* by insincere

thesaurus **entangle** *v.* twist, knot, intertwine
enterprising *a.* entrepreneurial, spirited, eager,

praise. 그는 아첨하는 말에 걸려 들기 쉽다.// (~+목+전+명) ~ a person *in* a conspiracy …을 음모에 끌어넣다 / become *~d with* a bad person 나쁜 사람과 관계를 맺게 되다 **~ oneself** in debt (부채로) 꼼짝 못하게 되다 **-gler** *n.*
▷ tángle *n., v.*; entánglement *n.*

en·tan·gle·ment [intǽŋglmənt, en-] *n.* **1** Ⓤ 얽히게 함; 얽힘; (사태의) 분규; 연루 **2** 〖군사〗 녹채(鹿砦); [*pl.*] 철조망 **3** 혼란시키는[복잡해진] 것

en·ta·sia [entéiʒə] *n.* =ENTASIS 2

en·ta·sis [éntəsis] *n.* (*pl.* **-ses** [-sì:z]) ⓊⒸ **1** 〖건축〗 엔타시스 《고대 그리스·로마에서 볼 수 있는 기둥 중간의 불룩 나온 부분》 **2** 〖생리〗 긴장성[강직성] 경련

ÉNT dóctor (미·속어) 이비인후과 의사(cf. ENT)

En·teb·be [entébə] *n.* 엔테베 《우간다 남부 Victoria 호반의 도시; 1976년 팔레스타인 게릴라가 납치한 비행기를 급습하여 이스라엘군이 인질을 구출한 곳》

en·tel·e·chy [entéləki] *n.* (*pl.* **-chies**) **1** (아리스토텔레스 철학에서) 잠재성에 대한 현실성 **2** (생기론(生氣論)에서) 생명력, 활력

en·tente [ɑ:ntɑ́:nt] [F 「이해」의 뜻에서] *n.* **1** (정부 간의) 협약, 협상 ★ 조약처럼 정식은 아님. **2** Ⓤ [집합적] 협상국

entente cor·diale [-kɔ:rdjɑ́:l] [F =cordial understanding] **1** 화친[우호] 협약 **2** [the E- C-] 영불 협약 《1904년 체결》

‡en·ter [éntər] [L 「안으로 가다」의 뜻에서] *vt.* **1** …에 들어가다: ~ a room 방에 들어가다 **2** 〈가시·탄알 등이 몸 속 등에〉 박히다; 넣다, 꽂아[끼워] 넣다 (insert): The bullets *~ed* the wall. 총탄이 벽에 박혔다.// (~+목+전+명) ~ a nail *in* a pillar 기둥에 못을 박다 **3** 〈생각 등이 머리에〉 떠오르다(occur to): A good idea *~ed* his head. 좋은 생각이 그의 머리에 떠올랐다. **4** 입학[입회]하다, …에 참가하다 (join); 〈병원에〉 들다: ~ a college 대학에 입학하다 《★ go to college, get into a college가 일반적》/ ~ a club 클럽에 가입하다 / ~ (the) hospital 입원하다 **5** 입학[입회]시키다, (경기 등에) 참가시키다 《*for, in*》: (~+목+전+명) ~ a horse *in*[*for*] a race 자기 말을 경마에 참가시키다 **6** 〈새 시대·새 생활·새 직업 등에〉 들어가다, 시작하다(start), …에 착수하다: ~ the medical profession 의사가 되다 **7** (직관적으로) 이해하다(understand), 〈뜻·감정 등을〉 알아차리다 **8** 〈이름·날짜 등을〉 기입하다; 기록[등록]하다(record, register): ~ a name[date] 이름[날짜]을 기입하다// (~+목+전+명) ~ the sum *in* a ledger 원부에 그 금액을 기입하다 **9** 〖법〗 〈소송을〉 제기하다 《*against*》: (~+목+전+명) ~ an action *against* a person …을 고소하다 **10** 〈개·말을〉 훈련시키다, 길들이다 **11** 〈배·뱃짐을 세관에〉 신고하다

— *vi.* **1** 들어가다, 들다 《*at, by, through*》: May I ~? 들어가도 좋습니까?// (~+전+명) ~ *at* the front gate 정문으로 들어가다 / ~ *by* a secret door 비밀문으로 들어가다 **2** 〖연극〗 [3인칭 명령법] 등장하라: *E~* Hamlet. 햄릿 등장. **3** (경기 등에) 참가[가입]하다 《*for, in*》: (~+전+명) ~ *for* an examination 시험에 응시하다 **4** 시작하다, 착수하다 《*on, upon*》; (동작·상태 등에) 들어가다 《*into*》

~ an appearance 출두하다 ***~ a protest*** (영) 〖의회〗 항의를 제출하다; 《일반적으로》 항의를 제기하다 **~ *for*** 〈경기 등에〉 참가하다 **~ *into*** (1) 〈일·담화·교섭 등을〉 시작하다; 종사하다 (2) (세밀히) 관여하다, 취급하다; 〈관계·협약 등을〉 맺다; 〈계산·계획 등의〉 속에 들어가다, …에 가담하다; …의 일부[성분]가 되다 (3) 〈감정·생각 등에〉 공감하다, 공명하다; 〈재미 등을〉 알다, 이해하다 **~ *on*[*upon*]** …의 소유권을 얻다; 시작하다(begin); 〈새 생활 등을〉 시작하다; 〈문제를 연구 대상으로〉 채택하다, 문제로 삼다 **~ one*self for*** an examination (시험에) 응시하다 ***~ the army*** [***church***] 군인[목사]이 되다 ***~ the lists against*** ⇨ list² **~ *up*** 〈장부에〉 기입을 끝내다; 〖법〗 (재판) 기록에 기재하다 **~ *upon* one*'s duties*** 취임하다
▷ éntrance¹, éntry *n.*

en·ter·al [éntərəl] *a.* =ENTERIC **~·ly** *ad.*

en·ter·ic [entérik] *a.* 장(腸)의
— *n.* =ENTERIC FEVER

entéric féver 장티푸스(typhoid fever)

en·ter·i·tis [èntəráitis] *n.* Ⓤ 〖병리〗 장염(腸炎)

énter kèy 〖컴퓨터〗 실행 키, 엔터 키

entero- [éntərou, -tərə] 《연결형》 「장(腸)」의 뜻

en·ter·o·bac·te·ri·a [èntəroubæktí:riə] *n. pl.* (*sing.* **-te·ri·um** [-tí:riəm]) 장내(腸內) 세균

en·ter·o·bi·a·sis [èntəroubáiəsis] *n.* 〖병리〗 요충증(症), 요충 기생성 질환

en·ter·o·co·li·tis [èntəroukouláitis, -kə-] *n.* 〖병리〗 전장염(全腸炎)

en·ter·o·gas·trone [èntərougǽstroun] *n.* 〖생화학〗 엔테로가스트론 《위 분비액 억제 호르몬》

en·ter·o·ki·nase [èntəroukáineis, -kíneis] *n.* Ⓤ 〖생화학〗 엔테로키나아제 《장내 효소의 일종》

en·ter·ol·o·gy [èntərɑ́lədʒi | -rɔ́l-] *n.* 장관학(腸管學)

en·ter·on [éntərɑ̀n | -ɔ̀n] [Gk =intestine] *n.* (*pl.* **-ter·a** [-tərə], **~s**) 〖동물·해부〗 (특히 배(胚)·태아의) 소화관(消化管), 장관(腸管)

en·ter·o·path·o·gen·ic [èntəroupæ̀θədʒénik] *a.* 장의 질환을 일으키는

en·ter·op·a·thy [èntərɑ́pəθi | -rɔ́p-] *n.* 〖병리〗 장질환

en·ter·os·to·my [èntərɑ́stəmi | -rɔ́s-] *n.* 〖외과〗 장절개(술) **-to·mal** *a.*

en·ter·o·tox·in [èntəroutɑ́ksin | -tɔ́k-] *n.* 〖약학〗 장독소(腸毒素)

en·ter·o·vi·rus [èntərouváiərəs] *n.* 〖병리〗 장내 바이러스 **-ví·ral** *a.*

‡en·ter·prise [éntərpràiz] *n.*

> 「기획」─┌(기획을 실행하는 것) 「기업」, 「회사」
> └(기획을 행하는 의욕) 「모험심」

1 기획; 계획; 《특히》 모험적인[중요한] 사업: start a new ~ 새로운 사업을 시작하다 **2** 기업(체), 회사: a government[private] ~ 관영[민영] 기업 **3** Ⓤ 기업열, 기업심, 모험심, 적극성: a spirit of ~ 진취적인 기상 **4** (사업·기업에의) 참가, 종사; 기업 경영 **5** [E~] 엔터프라이즈 **a** 미국 최초의 우주 왕복선 《실험용》 **b** 미국 최초의 원자력 추진 항공모함

énterprise cùlture (주로 영) 기업 문화 《기업 활동 및 독창적 기업심이 강조·존중되는 자본주의 사회의 문화》

en·ter·pris·er [éntərpràizər] *n.* 기업가, 사업가

énterprise zòne (영) 〖행정〗 사업 지역, 기업 지구

***en·ter·pris·ing** [éntərpràiziŋ] *a.* **1** 〈사람이〉 기업적인, 기업열[진취적인 기상]이 강한: an ~ merchant 기업심이 왕성한 상인 **2** 〈행동이〉 진취적인, 모험적인 **~·ly** *ad.*

‡en·ter·tain [èntərtéin] *v.*

> 원래는 「유지하다」의 뜻. (가지다) → 「마음에 간직하다」 → (받아들이다) → 「대접하다」 → 「즐겁게 하다」

— *vt.* **1** 즐겁게 하다, 즐기게 하다, 위안하다(amuse): (~+목+전+명) ~ the company *with* music[*by* tricks] 음악[요술]으로 좌중을 즐겁게 하다 **2** 대접하다, 환대하다 《*with, at,* (영) *to*》: (~+목+전+명) ~ one's friends *at*[*to*] a garden party 가든 파티에 친구들을 초청하여 대접하다 / We were *~ed with* refreshments. 다과를 대접받았다. **3** 〈요청 등을〉 호의로써 받아들이다, 들어주다 **4** 〈감정·의견·희망 등을〉 간직하다, 지니다 **5** (고어) 유지하다 **6** (폐어) 받아들이다

---

keen, zealous, ambitious, resourceful, imaginative
entertain *v.* delight, please, charm, cheer, interest, amuse, divert, beguile

— *vi.* 대접하다, 환대하다 ▷ entertáinment *n.*

*__en·ter·tain·er__ [èntərtéinər] *n.* (흥을 돋우는) **연예인**((가수·무용가·코미디언 등)); 환대하는 사람

en·ter·tain·ing [èntərtéiniŋ] *a.* 재미있는, 유쾌한

en·ter·tain·ing·ly [èntərtéiniŋli] *ad.* 재미있게, 유쾌하게, 즐겁게

‡**en·ter·tain·ment** [èntərtéinmənt] *n.* **1** UC 환대, 대접(hospitality): ~ expenses 접대비 **2** 주연, 연회 **3** U 오락(amusement), 기분 전환; C **연예**, 여흥: a dramatic[theatrical] ~ 연예, 연극 / a musical ~ 음악회, 음악의 여흥 **4** (만화·모험 소설 등의) 읽을거리 **5** (의견 등을) 고려하는 것 **6** (폐어) 직업; 급여 ***give ~s to*** …을 환대하다, …을 위하여 잔치를 베풀다, 대접하다 ***house of ~*** 여관(inn); (선)술집(public house) ***much to one's ~*** 아주 재미있게도 ▷ entertáin *v.*

entertáinment allòwance 접대비, 교제비

entertáinment compùter 오락용 컴퓨터

entertáinment tàx (영) 흥행세

en·thal·pi·met·ry [enθælpəmétri, -pímət-] *n.* 〖화학〗 엔탈피 계측(법)

en·thal·py [énθælpi, ─́─] *n.* 〖물리〗 엔탈피(total heat) ((열역학 특성 함수의 하나))

en·thral(l) [inθrɔ́:l, en-] *vt.* (**-thralled**; **-thralling**) **1** 노예(상태)로 만들다(enslave) **2** …의 마음을 사로잡다, 매혹시키다, 홀리게 하다

en·thrall·ing [inθrɔ́:liŋ] *a.* 마음을 사로잡는, 아주 재미있는: an ~ story 아주 재미있는 이야기

en·thrall·ment [inθrɔ́:lmənt] *n.* U **1** 노예화; 노예 상태 **2** 마음을 사로잡음, 매혹

*__en·throne__ [inθróun, en-] *vt.* **1 왕위에 올리다**, 즉위시키다; …에게 군주[주교]의 권위를 부여하다 **2** 경애하다, 떠받들다 ▷ thróne, enthrónement *n.*

en·throne·ment [inθróunmənt, en-] *n.* UC **1** 즉위(식); 주교 추대[취임, 착좌(着座)](식) **2** 존경

en·thron·i·za·tion [inθròunizéiʃən | -nai-] *n.* = ENTHRONEMENT

en·thuse [inθú:z, en- | -θjú:z] *vi.*, *vt.* (미·구어) 열중[열광, 감격]하다[시키다]

‡**en·thu·si·asm** [inθú:ziæ̀zm, en- | -θjú:-] [Gk 「신들린 (상태)」의 뜻에서] *n.* **1** U **열광**, 감격; 열중; 열의, 의욕 ((*for*, *about*))(⇨ feeling 유의어): He shares your ~ *for* jazz. 그는 재즈에 너처럼 열광한다. **2** 열중시키는 것 **3** U (고어) 종교적 열광, 광신 ▷ enthusiástic *a.*; enthúse *v.*

en·thu·si·ast [inθú:ziæ̀st, en- | -θjú:-] *n.* 열성적인 사람, 열광자, …팬(fan), …광(狂) ((*about*, *for*)); (고어) 광신자

‡**en·thu·si·as·tic, -ti·cal** [inθù:ziǽstik(əl), en- | -θjù:-] *a.* **1 열렬한**, 열광적인, 열중한 ((*about*, *over*)) **2** (고어) 광신적인 ▷ enthúsiasm *n.*; enthúse *v.*

*__en·thu·si·as·ti·cal·ly__ [inθù:ziǽstikəli, en-] *ad.* **열광적으로**(ardently), 열중하여, 매우 열심히

en·thy·meme [énθəmì:m] *n.* U 〖논리〗 생략 삼단 논법, 생략 추리법

*__en·tice__ [intáis, en-] [L 「불을 붙이다」의 뜻에서] *vt.* 꾀다, 유혹[유인]하다; 부추기다; 꾀어서 …시키다: ((~+목+전+명)) He ~*d* me *into* a trap. 그는 나를 꾀어 함정에 빠뜨렸다. // ((~+목+부)) He ~*d* a girl *away* from home. 그는 소녀를 집에서 꾀어냈다[유괴했다]. // ((~+목+*to* do)) He was ~*d to* steal the money. 그는 부추김을 받아 그 돈을 훔쳤다.

~ ***in*** 꾀어 넣다, 유인하다 ~ a person ***into*** do***ing*** = ~ a person ***to*** do …을 부추겨 …시키다

~·ment *n.* U 유혹, 꾐; C 유혹하는 것, 미끼; U 매력

en·tic·ing [intáisiŋ, en-] *a.* 마음을 끄는[끌 만한], 유혹적인(tempting) **~·ly** *ad.*

‡**en·tire** [intáiər, en-] [L 「손상되지 않은」의 뜻에서] *a.* **1 전체의**(⇨ whole 유의어): the ~ staff 직원 전체 / an ~ day 꼬박 하루 **2 완전한**(complete): ~ freedom 완전한 자유 / ~ confidence 전폭적인 지지 **3** 〈품질 등이〉 **흠이 없는 4** 〈한 벌로 된 것이〉 **빠짐없이 갖추어진**; 시종일관한, 연속한: an ~ set of silverware 온전한 은식기 한 세트 **5** 〖식물〗 〈잎이〉 전연(全緣)의 **6** 거세하지 않은 〈수말〉

— *n.* **1** [the ~] ((드물게)) 전부, 전체 **2** 거세하지 않은 말, 종마(種馬) **~·ness** *n.*

▷ entírety *n.*

‡**en·tire·ly** [intáiərli, en-] *ad.* **1 완전히**, **아주**(completely), 전적으로, 전혀: an ~ different matter 전혀 다른 문제 **2** 오로지, 한결같이

not ~ [부분 부정] 전적으로 …인 것은 아니다: He was *not* ~ ignorant of the matter. 그는 그 일을 전혀 몰랐던 것은 아니었다.

en·tire·ty [intáiərti, en-, -táirəti | -táiərəti] *n.* (*pl.* **-ties**) (문어) **1** U 완전, 온전함[한 상태] **2** [the ~] 전체, 전액 ((*of*)) ***in its ~*** 온전히 그대로, 완전히: '*Hamlet*' *in its* ~ 「햄릿」 전막 (상연)

en·ti·sol [éntisɔ̀:l, -sɑ̀l | -sɔ̀l] *n.* 〖지질〗 엔티솔 ((층위가 거의 없거나 전혀 볼 수 없는 토양))

‡**en·ti·tle** [intáitl, en-] *vt.* **1** …의 **칭호를 주다**, (…라고) 칭하다; (…라고) 표제를 붙이다: ((~+목+보)) They ~*d* him Sultan. 그들은 그에게 술탄[터키 황제]의 칭호를 주었다. / The book was ~*d* "*The Wealth of Nations*". 그 책은 「국부론」이란 표제가 붙여졌다. **2** [종종 수동형으로] **권리[자격]를 주다** ((*to*)): ((~+목+전+명)) He *is* ~*d to* a pension. 그는 연금을 받을 자격이 있다. // ((~+목+*to* do)) At the age of 20 we *are* ~*d to* vote. 20세에 우리는 투표권이 부여된다.

en·ti·tle·ment [intáitlmənt] *n.* **1** 권리[자격] (부여) **2** (미) (사회 보장·실직 수당 따위의) 수급권, 수혜권(= ~ **prògram**)

en·ti·ty [éntəti] *n.* (*pl.* **-ties**) **1** U 실재(實在), 존재 **2** 본체, 실체(實體), 실재물; 자주 독립체

ento- [éntou, -tə] ((연결형)) = ENT-

en·to·derm [éntədə̀:rm] *n.* = ENDODERM

en·toil [intɔ́il, en-] *vt.* (고어) 덫으로 잡다(ensnare)

en·tomb [intú:m, en-] *vt.* (문어) **1** 무덤에 파묻다; 매장하다(⇨ bury 유의어) **2** …의 묘[비석]가 되다 **~·ment** *n.* U 매장; 매몰(埋沒) ▷ tómb *n.*

en·tom·ic [entɑ́mik, in- | -tɔ́m-] *a.* 곤충의[에 관한]

entomo- [éntəmou, -mə] ((연결형)) 「곤충」의 뜻

en·to·mo·fau·na [èntəmoufɔ́:nə] *n.* [단수·복수 취급] (일정한 지역의) 곤충, 곤충상(相)

entom(ol). entomological; entomology

en·to·mo·log·i·cal [èntəmələ́dʒikəl | -lɔ́dʒ-] *a.* 곤충학적인[상의] **-i·cal·ly** *ad.*

en·to·mol·o·gist [èntəmɑ́lədʒist | -mɔ́l-] *n.* 곤충학자

en·to·mol·o·gize [èntəmɑ́lədʒàiz | -mɔ́l-] *vi.* 곤충학을 연구하다; 곤충을 채집하다

en·to·mol·o·gy [èntəmɑ́lədʒi | -mɔ́l-] *n.* U 곤충학 ((略 entom))

en·to·moph·a·gous [èntəmɑ́fəgəs | -mɔ́f-] *a.* 식충성의, 곤충을 먹이로 하는(insectivorous)

en·to·moph·i·lous [èntəmɑ́fələs | -mɔ́f-] *a.* 〖식물〗 충매(蟲媒)의(cf. ANEMOPHILOUS)

en·to·proct [éntəprɑ̀kt | -prɔ̀kt] *n.* 〖동물〗 내항(內肛) 동물 — *a.* 내항 동물(문)의

en·tou·rage [ɑ̀:nturɑ́:ʒ | ɔ̀n-] [F 「둘러싸다」의 뜻에서] *n.* **1** [집합적] 측근자(attendants), 주위 사람들 **2** 주위, 환경

en-tout-cas [ɑ̃:ntu:kɑ́:] [F = in any case] *n.* **1** 우산 겸용 양산 **2** [**En-Tout-Cas**] 전천후용 테니스 코트 ((벽돌 가루 등을 깔아 배수를 좋게 한 코트; 상표명))

en·to·zo·on [èntəzóuɑn | -ɔn] *n.* (*pl.* **-zo·a**

thesaurus **enthusiastic** *a.* eager, keen, ardent, fervent, passionate, excited, committed, devoted, earnest, fascinated, willing (opp. *apa-*

[-zóuə]) [종종 **E~**] 체내 기생충 《회충 등》
en·tr'acte, en·tracte [ɑːntrǽkt, ⌐-|ɔ́n-trækt] [F = between act] *n.* **1** 막간 **2** 막간극; 간주곡(interlude)
en·trails [éntreilz] *n. pl.* **1** 내장, 창자(bowels); 장(intestines) **2** 《문어》 내부(inner parts)
en·train[1] [intréin, en-] *vt., vi.* 〈특히 군대 등〉 기차에 태우다[타다] **~·ment** *n.*
entrain[2] *vt.* 끌고 가다; 〖화학〗 〈증기 등이〉 비말(飛沫) 동반하다; 〖생물〗 …의 생물학적 사이클을 바꾸다; 〈액체가 거품을〉 흡수해서 없애다; 〈기포를〉 콘크리트에 혼입하다 **~·ment** *n.*
en·tram·mel [intrǽməl, en-] *vt.* (**~ed**; **~·ing** | **~led**; **~·ling**) **1** 그물로 잡다 **2** 속박하다, 방해하다
‡**en·trance**[1] [éntrəns] *n.* **1** UC 들어감; 입장, 입항; (배우의) 등장 《*to, into*》 **2** 입학, 입사, 입회; (새 생활·직업 등에) 들어섬, 취임, 취업 《*into, upon*》 **3** 입구; 문간, 현관 《*to, of*》: an ~ hall 현관 안의 넓은 홀 《특히 큰 건물의》/the ~ *to* a tunnel 터널 입구 **4** UC 들어갈 기회[권리]; 입장권 **5** 〖연극〗 (대본에서) 배우가 등장하는 때[장소] **6** 〖음악〗 (악보에서) 특정 목소리[악기]가 앙상블로 첨가되는 곳 **7** 들어오는 방식; 등장 방식 ***E~ free.*** 《게시》 입장 자유[무료] ***find*** [***gain, obtain, secure***] ***~ into*** …로 들어가다 ***force an ~ into*** …에 밀고 들어가다, 강제로 들어가다 ***have free ~ to*** …에 자유로이 들어갈 수가 있다 ***make an ~*** (흔히 극적으로) 등장하다, 나타나다 ***make*** [***effect***] one***'s ~*** 들어가다, 들어가는 데 성공하다 ***No ~.*** 《게시》 출입 금지, 입장 사절 ▷ énter *v.*
en·trance[2] [intrǽns, en-|-trɑ́ːns] *vt.* 넋을 잃게 하다, 무아경에 이르게 하다, 황홀하게 하다; 기뻐 어쩔 줄 모르게 하다(enrapture) 《*with*》 ▷ tránce *n.*
éntrance examinátion 입학[입사] 시험
éntrance fée [éntrəns-] 입장료; 입회[입학]금
éntrance hàll 《특히 영》 (대형 건물의) 입구 홀
en·trance·ment [intrǽnsmənt, en-|-trɑ́ːns-] *n.* **1** U 실신 상태, 무아경, 황홀의 경지, 광희(狂喜) **2** 황홀하게 하는 것
en·trance·way [éntrənswèi] *n.* = ENTRYWAY
en·tranc·ing [intrǽnsiŋ, en-|-trɑ́ːns-] *a.* 넋을 빼앗아 가는, 황홀하게 하는 **~·ly** *ad.*
en·trant [éntrənt] *n.* **1** 들어가는 사람; 신입자[생], 신입 회원 **2** (콘테스트 등의) 참가자[동물]
en·trap [intrǽp, en-] *vt.* (**~ped**; **~·ping**) 《문어》 **1** 덫에 걸리게 하다, 함정에 빠뜨리다, 덫으로 잡다(ensnare) **2** 〈사람을〉 (곤란·위험 등에) 빠뜨리다, 모함하다: (~+목+전+명) ~ a person *to* destruction …을 모함하여 파멸하게 하다 **3** 속이다, 속여서 …시키다 《*into*》: (~+목+전+명) He ~*ped* her *into* making confession. 그는 그녀를 유도하여 자백시켰다. **~·ment** *n.* **~·per** *n.* **~·ping·ly** *ad.*
‡**en·treat** [intríːt, en-] *vt.* 《문어》 간청[탄원]하다: (~+목+***to*** do) I ~ you *to* let me go. 제발 가게 해 주십시오. // (~+목+전+명) ~ a person *for* mercy …에게 자비[동정]를 애원[간청]하다/I ~ this favor *of* you. 제발 이 청을 들어 주십시오.
— *vi.* 탄원[간청]하다 《*for*》
~·ment *n.* ▷ entréaty *n.*
en·treat·ing [intríːtiŋ, en-] *a.* 간청의, 탄원의
~·ly *ad.* 애원하다시피, 간청하듯이, 간절히
‡**en·treat·y** [intríːti, en-] *n.* (*pl.* **-treat·ies**) UC 간청, 탄원, 애원 ▷ entréat *v.*
en·tre·chat [ɑ̀ːŋtrəʃɑ́ː] [F] *n.* (*pl.* **~s** [~]) U 〖발레〗 앙트르샤 《뛰어오른 동안에 발뒤축을 여러 번 교차시키는 동작》
en·tre·côte, -cote [ɑ̀ːŋtrəkóut|ɔ́ntrəkòut] [F = between rib] *n.* 〖요리〗 스테이크용 갈빗살
en·trée, en·tree [ɑ́ːntrei|ɔ́n-] [F = entry] *n.* **1** UC 입장 (허가); 입장권(入場權) **2** 〖요리〗 앙트레 《생선과 고기 사이에 나오는 요리》; 《미》 (스테이크 이외의) 주요 요리 **3** 〖음악〗 (행진곡·무도곡의) 서주곡(prelude) **4** 입장[입회, 가입, 참가]의 수단
have the ~ of a house (집에) 자유로이 출입할 수 있다, 출입할 권리를 갖다
en·tre·mets [ɑ́ːŋtrəmèi|ɔ́n-] [F = between dish] *n.* (*pl.* ~ [-z]) 〖요리〗 앙트르메 《(1) 주요리 사이에 나오는 간단한 요리 (2) 곁들이는 요리》
en·trench [intréntʃ, en-] *vt.* **1** 〈도시·진지 등을〉 참호로 에워싸다 **2** [수동형으로 또는 ~ one*self* 로] 자기 몸을 지키다; 자기 입장을 굳히다 — *vi.* **1** 참호를 파다 **2** (타인의 권리·영역을) 침해하다 《*on, upon*》 ▷ trénch *n.*
en·trench·ment [intréntʃmənt, en-] *n.* **1** U 참호 구축 작업 **2** 참호로 굳힌 보루 **3** U (권리의) 침해
en·tre nous [ɑ̀ːntrə-núː] [F = between ourselves] *ad.* 우리끼리의 이야기지만
en·tre·pôt [éntrəpòu, ɑ́ːn-|ɔ́n-] [F = interpose] *n.* **1** 창고 **2** (항구가 있는) 화물 집산지, 화물 통과항
éntrepôt tràde 중계 무역
en·tre·pre·neur [ɑ̀ːŋtrəprənə́ːr|ɔ̀n-] [F = enterprise] *n.* **1** 기업가(enterpriser) **2** 《특히》 가극의 흥행주 **3** 중개업자 ★ 특정 사업의 기획·실행자는 UNDERTAKER. — *vt., vi.* entrepreneur의 역[임무]을 맡다 **~·i·al** *a.* **~·ship** *n.*
en·tre·sol [entrəsɑ̀l, ɑ́ːn-|ɔ́ntrəsɔ̀l] [F = between floor] *n.* = MEZZANINE
en·tro·py [éntrəpi] *n.* U **1** 〖열역학〗 엔트로피 《어떤 계통의 온도·압력·밀도의 함수로서 표시된 양의 단위》 **2** 《일반적으로》 엔트로피 《어떤 계통 안에서 일어나는 사상(事象)의 빈도를 나타내는 척도》 **3** 동일성[유사성]의 정도 **4** 동질성, 동일성; 무차별
***en·trust** [intrʌ́st, en-] *vt.* 〈책임·임무 등을〉 맡기다, 위임하다(confide) 《*to*》; 〈금전 등을〉 맡기다, 위탁하다 《*with*》: (~+목+전+명) ~ a person *with* a task = ~ a task *to* a person 임무를 …에게 위임하다 **~·ment** *n.* ▷ trúst *n.*
‡**en·try** [éntri] *n.* (*pl.* **-tries**) **1 a** 들어감, 입장(entrance), 가입, 입회; (배우의) 등장: a developing nation's ~ into the UN 개발 도상국의 유엔 가입 **b** 입장권(權), 입장 허가 **2** 《미》 입구(entrance); 들어가는 길(approach); 《특히》 현관 **3** CU (사전 등의) 표제어, 수록어 **4** (경주·경기 등의) 참가자; 참가 등록, 출장: an ~ for a speech contest 웅변 대회에의 참가 **5** CU 기입; 등록, 기장(記帳), 등기; 기재 사항(cf. BOOK-KEEPING): ⇨ double[single] entry **6** UC 〖법〗 (토지·가옥의) 점유(占有), 침입 **7** UC (세관 등의) 통관 수속 **8** 〖컴퓨터〗 (정보의) 입력
author [***subject***] ***entries*** (도서관의) 저자명[주제] 목록 ***force an ~*** 강제로 들어가다 ***make an ~ of*** an item (사항을) 기입[등록]하다 ***sign and seal an ~*** 기재 사항에 서명 날인하다 ▷ énter *v.*
éntry fòrm[(미) **blànk**] 참가 신청서
en·try·ism [éntriìzm] *n.* 위장 가맹[잠입] 《조직을 내부에서 파괴할 목적으로 하는》
en·try-lev·el [éntrilèvəl] *a.* 〈직업이〉 초보적인, 견습적인; 〈상품 등이〉 초심자용의, 초보적이고 값싼
éntry pèrmit 입국 허가
éntry phòne 현관 인터폰
éntry vìsa 입국 사증[비자]
en·try·way [éntriwèi] *n.* (건물) 입구의 통로
éntry wòrd (사전·백과 사전 등의) 표제어(headword)
Ent. Sta. Hall Entered at Stationers' Hall 판권 등록필
en·twine [intwáin, en-] *vt.* **1** 엉키게 하다; 얽히게 하다, 감게 하다(wreathe) 《*about, round, with*》 **2** 〈생각 등을〉 혼란시키다, 착각케 하다 **3** 〈화환 등을〉

---

thetic, uninterested, indifferent)
entice *v.* lure, tempt, seduce, beguile, coax
entreaty *n.* appeal, plea, beseeching, pleading

엮다; 껴안다(embrace) —vi. 얽혀 있다
en·twist [intwíst, en-] vt. 꼬다, 꼬아 합치다: (~+목+전+명) ~ a thing *with* another …을 …와 한데 엮어 꼬다
e·nu·cle·ate [injú:klièit | injú:-] vt. **1** [외과] 〈종양 등을〉 떼어 내다, 적출(摘出)하다; [생물] …에서 세포핵을 빼내다 **2** (고어) 밝히다 — [injú:kliət, -èit | injú:-] a. 심이 없는; 〈세포가〉 핵이 없는
e·nu·cle·a·tion [injù:kliéiʃən | injù:-] n. Ⓤ [생물] 핵의 제거; [외과] 적출
É nùmber (EC의 규정에 의한) 식품 첨가물을 나타내는 코드 번호 (E와 숫자로 되어 있음)
*__e·nu·mer·ate__ [injú:mərèit | injú:-] [L 「세기 시작하다」의 뜻에서] vt. 열거하다; 낱낱이 세다; 계산하다 ▷ enumerátion n.; enúmerative a.
e·nu·mer·a·tion [injù:məréiʃən | injù:-] n. **1** Ⓤ (하나하나) 셈, 계산, 열거 **2** 목록, 일람표
e·nu·mer·a·tive [injú:mərèitiv, -rət- | injú:mərət-] a. 열거하는; 계산[계수(計數)]상의
e·nu·mer·a·tor [injú:mərèitər | injú:-] n. (통계 등의) 계산자, 계수자; 열거자
e·nun·ci·ate [inʌ́nsièit, -ʃi-] [L 「분명히 말하다」의 뜻에서] vt. **1** 〈목적·제안 등을〉 선언하다(declare), 발표하다 **2** 〈단어를〉 똑똑히 발음하다 **3** 〈이론 등을〉 명확히 진술하다 —vi. (단어를) 발음하다
e·nun·ci·a·tion [inʌ̀nsiéiʃən, -ʃi-] n. ⓊⒸ **1** 발음 (방법); 똑똑한 말투 **2** 언명, 선언 **3** (이론 등의) 명확한[체계적인] 진술
e·nun·ci·a·tive [inʌ́nsièitiv, -ʃi-] a. **1** 언명[선언]적인 **2** 발음(상)의 **~·ly** ad.
e·nun·ci·a·tor [inʌ́nsièitər, -ʃi-] n. 선언자; 발음자
e·nun·ci·a·to·ry [inʌ́nsiətɔ̀:ri, -ʃi- | -təri] a. = ENUNCIATIVE
en·ure [injúər | injúə] vt., vt. = INURE
en·u·re·sis [ènjuərí:sis] n. Ⓤ [병리] 유뇨(遺尿)(증): nocturnal ~ 야뇨증 **èn·u·rét·ic** a.
env. envelope
‡**en·vel·op** [invéləp, en-] vt. **1** (문어) 싸다(wrap); 봉하다, 덮어싸다; 감추다(hide, conceal) (*in*): The long cape ~*ed* the baby completely. 긴 케이프로 아기를 폭 쌌다. // (~+목+전+명) ~ oneself *in* a blanket 담요를 두르다 / be ~*ed in* flames[mystery] 불꽃[신비]에 싸이다 **2** [군사] 〈적을〉 포위하다(surround); 공격하다
—n. = ENVELOPE **~·er** n.
▷ envélopment, énvelope n.
‡**en·ve·lope** [énvəlòup, ɑ́:n- | én-, ɔ́n-] n. **1** 봉투 **2** 싸개, 씌우개; 외피(外皮) **3** (기구의) 기낭(氣囊)(gasbag); 기낭 외피; [전자] 진공관을 싸는 기밀(氣密)의 금속 또는 유리 **4** (속어) 콘돔 **5** [기하] 포락선(包絡線) ***push the ~*** (어떤 분야에서) 인간 위업의 한계를 넓히다 ▷ envélop v.
en·vel·op·ment [invéləpmənt, en-] n. **1** Ⓤ 봉함, 싸기; 포위 **2** 싸개, 포장지
en·ven·om [invénəm, en-] vt. **1** (문어) …에 독을 넣다[바르다] **2** 독기 띠게 하다(embitter): an ~*ed* tongue 독설(毒舌)
en·ven·om·ate [invénəmèit, en-] vt. (물거나 하여) 독물[독액]을 주입하다 **en·vèn·om·á·tion** n.
en·ven·om·i·za·tion [invènəmizéiʃən, en- | -mai-] n. (뱀 등이) 물어서 생기는 중독
Env. Ext. Envoy Extraordinary
en·vi·a·ble [énviəbl] a. 샘나는, 부러운, 부러워하는 **~·ness** n. **-bly** ad.
en·vi·er [énviər] n. 부러워하는 사람
‡**en·vi·ous** [énviəs] a. 시기심이 강한; 부러워하는, 질투하는, 샘내는: an ~ look 부러워하는 눈초리 ***be ~ of*** another's luck (남의 행운)을 시기하다
~·ly ad. **~·ness** n. ▷ énvy n.
en·vi·ro [enváirə] n. (pl. **~s**) (미·속어) [정치] 의회 로비 활동을 하는 환경(보호)론자
*__en·vi·ron__ [inváiərən] vt. (문어) 둘러싸다, 포위하다; 두르다 (*by, with*): (~+목+전+명) the village ~*ed by* the mountains 산으로 둘러싸인 마을 ▷ envíronment, envírons n.
environ. environment; environmental; environmentalism
en·vi·ron·ics [invàiərɑ́niks | -rɔ́n-] n. pl. [단수 취급] 환경 관리학
‡**en·vi·ron·ment** [inváiərənmənt, en-] n. **1** Ⓤ 환경, 주위; 주위의 상황: social ~ 사회적 환경

> 유의어 **environment** 사회적·문화적·정신적으로 영향력이 있는 환경: *environment* that produces juvenile delinquents 비행 청소년을 양산하는 환경 **surroundings** 사람을 둘러싼 장소: unhealthy *surroundings* 건강에 좋지 않은 환경

2 ⓊⒸ 포위; 위요(圍繞); 둘러싸고 있어 영향을 주는 것 **3** [the ~] 자연환경 **4** [컴퓨터] 환경 (하드웨어나 소프트웨어의 구성) **5** 환경 예술 작품
▷ envíron v.; environméntal a.
*__en·vi·ron·men·tal__ [invàiərənméntl, en-] a. 환경의, 주위의: ~ preservation 환경 보전 / ~ disruption 환경 파괴 **~·ly** ad.
environméntal árt 환경 예술 (관객을 포함하여 환경을 구상하는 예술)
environméntal asséssment = ENVIRONMENTAL IMPACT ASSESSMENT
environméntal biólogy 환경 생물학; 생태학
environméntal desígn 환경 설계
environméntal engineér 환경 공학자 (환경 악화의 방지·개선을 하는 전문 기술자)
environméntal engineéring 환경 공학
environméntal ímpact assèssment 환경 영향 평가
environméntal ímpact stàtement 환경 영향 평가 보고서
en·vi·ron·men·tal·ism [invàiərənméntəlìzm, en-] n. Ⓤ **1** 환경 결정론 (인간 형성에 있어서 유전보다 환경을 중하게 봄) **2** 환경 보호주의
en·vi·ron·men·tal·ist [invàiərənméntəlist, en-] n. **1** 환경 결정론자 **2** 환경(보호)론자 **3** 환경 예술가
envíronmentally[envíronmental] fríendly = ENVIRONMENT-FRIENDLY
environméntal pollútion 환경오염
Environméntal Protéction Àgency [the ~] (미) 환경 보호국 (略 EPA)
environméntal resístance [생태] 환경 저항
environméntal scíence 환경 과학
en·vi·ron·ment-friend·ly [-fréndli] a. 환경친화적인, 환경에 해를 주지 않는(eco-friendly)
en·vi·ron·men·tol·o·gy [invàiərənmentɑ́lədʒi, en- | -tɔ́l-] n. 환경학
envíronment vàriable [컴퓨터] 환경 변수 (MS-DOS나 Windows-OS에서 응용 프로그램에 환경 정보를 넘겨 주기 위한 변수)
en·vi·ron·pol·i·tics [inváiərənpɑ̀lətiks | -pɔ̀l-] n. 환경 보호[보전] 정책
en·vi·rons [inváiərənz, en-] n. pl. **1** (도시의) 주위, 근교, 교외: London and its ~ 런던과 그 근교 **2** 환경
en·vis·age [invízidʒ, en-] vt. **1** (어떤 관점에서) 관찰하다; 마음에 그리다, 상상하다(visualize), 파악하다 **2** (고어) 직시하다, 직면하다 **~·ment** n.
en·vi·sion [invíʒən, en-] vt. 〈장래의 일 등을〉 마음에 그리다(visualize), 상상하다, 구상하다, 계획하다(contemplate)

thesaurus **envelop** v. enfold, cover, wrap, surround, encircle, cloak, conceal
envious a. jealous, covetous, desirous, green-eyed

en·voi [énvɔi] *n.* **1** ＝ENVOY[2] **2** 이별할[끝마칠] 때 하는 말[일]

*__en·voy__[1] [énvɔi, ɑ́:n-|én-] [F「내보내다」의 뜻에서] *n.* **1** 사절(使節): an Imperial ~ 칙사/a cultural[goodwill] ~ 문화[친선] 사절 **2** 공사; 《특히》 전권 공사: an ~ extraordinary (and minister plenipotentiary) 특명 전권 공사 **3** 외교관

envoy[2] *n.* (시의) 결구(結句); 발문(跋文)

‡**en·vy** [énvi] [F「곁눈으로 보다」의 뜻에서] *n.* (*pl.* **-vies**) **1** Ⓤ [때로 *pl.*] 질투, 선망, 시기(⇨ jealousy 유의어); Ⓒ 선망의 대상, 부러워하는 것[근거] **2** 《폐어》 악의 ***be green with ~*** (안색이 바뀔 정도로) 몹시 부러워하다 ***I feel no ~ at[of]*** your success. (너의 성공)은 조금도 부럽지 않다. ***in ~ of*** …을 부러워하여 ***out of[through] ~*** 시기심에서, 샘하여, 질투한[부러운] 나머지
— *vt.* (**-vied**) **1** 부러워하다: I ~ you. 네가 부럽다.//(~+목+목) (~+목+전+명) I ~ you your success. 너의 성공이 부럽다.//I ~ him (*for*) his good fortune. 나는 그의 행운이 부럽다. **2** 시기하다, 질투하다 **~·ing·ly** *ad.* ▷ énviable, énvious *a.*

en·weave [inwí:v, en-] *vt.* ＝INWEAVE

en·wheel [in*h*wí:l, en-|-wí:l] *vt.* 《폐어》 에워싸다(encircle)

en·wind [inwáind, en-] *vt.* (**-wound** [-wáund]) …에 얽히다, 감겨들다

en·womb [inwú:m, en-] *vt.* 태내(胎內)에 배다; 싸다; 깊숙이 묻다[감추다]

en·wrap [inrǽp, en-] *vt.* (**~ped**; **~·ping**) 싸다, 휘말다, 감싸다 《*in*》; 열중시키다(absorb)

en·wreathe [inrí:ð, en-] *vt.* 《문어》 화환으로 휘감다, 화환처럼 두르다; 얽다, 엮다

En·zed [enzéd] *n.* 《호주·뉴질·구어》 ＝NEW ZEALAND(ER)

en·zo·ot·ic [ènzouɑ́tik|-ɔ́t-] *a.* 〈동물의 병이〉 지방[풍토]성의(cf. EPIZOOTIC) — *n.* (동물의) 지방[풍토]병 **-i·cal·ly** *ad.*

en·zy·mat·ic [ènzimǽtik, -zai-], **en·zy·mic** [enzáimik, -zím-] *a.* 효소의[에 의한] **-mát·i·cal·ly, -zý·mi·cal·ly** *ad.*

en·zyme [énzaim] [Gk ＝in leaven] *n.* 〖생화학〗 효소(cf. YEAST)

énzyme detérgent 〖화학〗 효소 세제

énzyme engineèring 효소 공학 《효소(작용)의 농공업에의 응용》

en·zy·mol·o·gy [ènzimɑ́lədʒi, -zai-|-mɔ́l-] *n.* Ⓤ 효소학 **-gist** *n.* 효소학자

EO Education Officer; Engineering Office 토목국; Executive Order

eo- [í:ou, í:ə] 《연결형》「초기의, 최고(最古)의」의 뜻

e.o. ex officio 직권상

E·o·cene [í:əsi:n] *n.*, *a.* 〖지질〗 (제3기(紀)의) 시신세(始新世)(의)

EOD explosive ordnance disposal 폭발물 처리

EOE equal-opportunity employer **EOF** end-of-file 〖컴퓨터〗 파일 끝 《파일의 데이터 끝을 나타내는 코드 혹은 신호》

e·o·hip·pus [ì:ouhípəs] *n.* 에오히푸스 《미국 서부에서 발굴된 시신세(始新世) 전기의 화석마(化石馬)》

E·o·li·an [i:óuliən] *a.*, *n.* ＝AEOLIAN

E·ol·ic [i:ɑ́lik|i:ɔ́l-] *a.*, *n.* ＝AEOLIC

e·o·lith [í:əlìθ] *n.* 〖고고학〗 원시 석기

E·o·lith·ic [ì:əlíθik] *a.* 〖고고학〗 원시 석기 시대의 (cf. PALEOLITHIC)

e.o.m., E.O.M. end of (the) month 《주로 상업에서》

e·on [í:ən] *n.* ＝AEON

envoy[1] *n.* emissary, courier, delegate, representative, intermediary, deputy, agent, mediator
envy *n.* jealousy, desire, enviousness

e·o·ni·an [i:óuniən] *a.* ＝AEONIAN

e·on·ism [í:ənìzm] *n.* Ⓤ 〖심리〗 남자의 여성 모방벽, 복장 도착(倒錯)

e·ons-old [í:ənzòuld] *a.* 아주 먼 옛날부터의, 머나먼 옛날의

E·os [í:ɑs|í:ɔs] *n.* 〖그리스신화〗 에오스 《여명의 여신; 로마 신화의 Aurora에 해당》

e·o·sin [í:əsin], **e·o·sine** [-sin, -sì:n] *n.* Ⓤ 〖화학〗 에오신 《선명한 붉은 색의 산성 색소(酸性色素); 세포질의 염색 등에 쓰임》

e·o·sin·o·phile [ì:əsínəfàil], **-phil** [-fil] *n.* 〖해부〗 호산(好酸) 백혈구; 호산성 물질
— *a.* ＝EOSINOPHILIC

e·o·sin·o·phil·i·a [ì:əsìnəfíliə, -fí:ljə] *n.* 〖병리〗 호산(好酸) 백혈구 증가증

e·o·sin·o·phil·ic [ì:əsìnəfílik] *a.* **1** 〖생물〗 호산성(好酸性)의 **2** 〖병리〗 호산 백혈구 증가증의

-eous [iəs] *suf.*「…와 같은; …비슷한」의 뜻 《형용사 어미 -ous의 변형》

E·o·zo·ic [ì:əzóuik] *n.*, *a.* 〖지질〗 **1** ＝PRECAMBRIAN **2** ＝PROTEROZOIC

EP [í:pí:] [*e*xtended *p*lay] *n.* 이피반 레코드 《매분 45회전; cf. LP》 — *a.* 이피반의: an ~ record 이피 음반

ep- [ep, ip], **epi-** [épi, épə] *pref.*「위(上); 더하여; 외(外)」의 뜻 《모음 앞에서는 ep-》: *ep*ode, *epi*cycle

EP estimated position; European Plan; extended play **Ep.** Epistle **E.P.** electroplate **EPA** eicosapentaenoic acid; Environmental Protection Agency 《미》 환경 보호국

e·pact [í:pækt] *n.* 〖천문〗 **1** 태양력의 1년이 태음력보다 초과하는 날짜 수 《약 11일》 **2** 1월 1일의 월령(月齡)

e-pal, e·pal [í:pæl] *n.* 이메일 친구

E·pam·i·non·das [ipæ̀mənɑ́ndəs|epæ̀minɔ́ndæs] *n.* 에파미논다스 (418?-362 B.C.) 《그리스 Thebes의 정치가·군인》

ep·arch [épɑ:rk] *n.* **1** (고대 그리스의) 주지사(州知事) **2** (그리스 정교의) 대주교, 주교

ep·ar·chy [épɑ:rki] *n.* (*pl.* **-chies**) **1** (고대 그리스의) 주(州); (근대 그리스의) 군(郡) **2** (그리스 정교의) 주교구(主教區), 대교구

ep·au·let(te) [èpəlét, ⏑-⏑] *n.* (장교 정복의) 견장(肩章); (여성복의) 어깨 장식
win** one's **epaulets 〈하사관이〉 장교로 승진하다

epaulet(te)

ep·a·zote [épəzòut] *n.* 〖식물〗 명아주의 일종 《잎은 향료·의료용으로 쓰임》

E.P.B. 《영》 Environmental Protection Board

Ép·cot Cènter [épkɑt-] 엡콧 센터 《미국 Florida 주에 있는 디즈니월드(Disney World) 안의 미래 도시》

E.P.D. Excess Profits Duty 초과 이득세; Export Promotion Department

é·pée [épei, eipéi] [F「칼」의 뜻에서] *n.* 〖펜싱〗 에페 《끝이 뾰족한 경기용 칼》; 에페를 사용한 경기

é·pée·ist [épeiist, eipéiist] [F] *n.* 〖펜싱〗 에페 경기자

ep·ei·rog·e·ny [èpaiərɑ́dʒəni|-rɔ́dʒ-] *n.* 〖지질〗 조륙(造陸) 운동[작용]

E·pei·rus [ipáirəs] *n.* ＝EPIRUS

ep·en·the·sis [əpénθəsis, epén-|epén-] *n.* (*pl.* **-ses** [-sì:z]) 〖언어·음성〗 삽입 문자; 삽입음(音) 《elm [éləm]의 [ə] 같은 것》

e·pergne [ipə́:rn, eip-|ipə́:n] *n.* 식탁 중앙에 놓는 장식품 《접시·과일·꽃 등을 얹어 둠》

ep·ex·e·ge·sis [epèksədʒí:sis] *n.* (*pl.* **-ses** [-si:z]) 〖수사학〗 설명적 보족(어)(補足(語))

eph- [ef, if] *pref.* ＝EP-: *eph*emeral

Eph. Ephesians
e·phah [íːfə] *n.* 에파 《고대 히브리의 건량 단위; 40.52 *l*》
e·phebe [ifíːb, éfiːb] *n.* **1** 청년 **2** = EPHEBUS
e·phe·bus [ifíːbəs] *n.* (*pl.* **-bi** [-bai]) (고대 그리스의) 막 성인이 된 청년
e·phed·ra [ifédrə, éfidrə] *n.* (*pl.* **~s**) 〖식물〗 마황(麻黃)
e·phed·rine [ifédrin, éfədrìːn] *n.* Ⓤ 〖화학〗 에페드린 《감기·천식 치료제》
e·phem·er·a [iféməra] *n.* (*pl.* **~s, -er·ae** [-ərìː]) **1** 〖곤충〗 하루살이(ephemerid) **2** (하루살이처럼) 몹시 명이 짧은 것
e·phem·er·al [ifémərəl] [Gk 「(하루살이처럼) 명이 짧은 벌레의」의 뜻에서] *a.* **1** 하루살이 목숨의, 하루[며칠]밖에 살지 못하는 〈곤충·풀 등〉; 명이 짧은(short-lived) **2** 순식간의, 덧없는
— *n.* 덧없는 존재, 단명한 것 《곤충 등》 **~·ly** *ad.*
e·phem·er·al·i·ty [ifèmərǽləti] *n.* (*pl.* **-ties**) Ⓤ 단명(短命); 덧없음; Ⓒ [*pl.*] 덧없는 일[것]
e·phem·er·al·i·za·tion [ifèmərəlizéiʃən | -lai-] *n.* 단기 소모 상품 제조, (상품의) 단명화
e·phem·er·id [ifémərid] *n.* 〖곤충〗 하루살이
e·phem·er·is [ifémaris] *n.* (*pl.* **eph·e·mer·i·des** [èfəmérədìːz]) **1** 〖천문〗 (천체의) 추산 위치표; 천문력(天文曆) **2** 《고어》 달력; 일지
ephémeris tìme 〖천문〗 역표시(曆表時) 《지구·달·행성의 공전 운동을 기준으로 하는》
e·phem·er·on [ifémərɑ̀n, -rən | -rɔ̀n] *n.* (*pl.* **-er·a** [-mərə], **~s**) = EPHEMERA
Ephes. 〖성서〗 Ephesians
E·phe·sian [ifíːʒən] *a.* EPHESUS의
— *n.* 에베소 사람[주민]
E·phe·sians [ifíːʒənz] *n. pl.* [단수 취급] 〖성서〗 에베소서(書) 《略 Eph., Ephes., Ephs.》
Eph·e·sus [éfəsəs] *n.* 에베소 《소아시아 서부의 옛 도시; Artemis[Diana] 신전(神殿)의 소재지》
eph·od [éfɑd, íːf- | íːfɔd] *n.* 유대 제사장의 제의(祭衣)
eph·or [éfər, éfɔːr | éfɔː] *n.* (*pl.* **~s, -o·ri** [-ərài]) 〖고대그리스〗 민선 장관(民選長官) 《스파르타 등의 민선 5장관의 한 사람》; (근대 그리스의) 관리, 《특히》 공공 사업 감독관
E·phra·im [íːfriəm | íːfreiim] *n.* **1** 남자 이름 **2** 〖성서〗 에브라임 《Joseph의 차남; 창세기 41: 52》 **3** 에브라임족 《이스라엘 부족의 하나》 **4** 북왕국 이스라엘
E·phra·im·ite [íːfriəmàit, íːfrəmit | íːfreiimàit] *n.* **1** 에브라임의 자손 **2** 이스라엘 왕국의 주민
— *a.* 에브라임족의; 이스라엘 왕국 주민의
epi- [épi, épə] *pref.* = EP-
ep·i·ben·thos [èpəbénθɑs | -θɔs] *n.* 〖생물〗 해저(海底) 생물
ep·i·blast [épəblæ̀st] *n.* 〖생물〗 낭배(囊胚)의 외피(外皮) 《외배엽이 됨》 **èp·i·blás·tic** *a.*
e·pib·o·ly [ipíbəli] *n.* (*pl.* **-lies**) 〖생물〗 (배(胚)의) 피포(被包), 피복(被覆) **èp·i·ból·ic** *a.*
∗**ep·ic** [épik] [Gk 「노래」의 뜻에서] *n.* **1** 서사시(敍事詩), 사시(史詩) 《영웅의 모험·업적 또는 민족의 역사 등을 읊은 시; cf. LYRIC》 **2** (소설·극·영화 등의) 서사시적 작품, 대작
— *a.* 서사시의; 서사시적인; 웅장한; 대규모의, 광범위한: an ~ film 서사 영화
ep·i·cal [épikəl] *a.* = EPIC
~·ly *ad.* 서사시적으로; 서사체(體)로
ep·i·ca·lyx [èpikéiliks, -kǽl-] *n.* (*pl.* **~·es, -ly·ces** [-lisìːz]) 〖식물〗 악상총포(萼狀總苞)
ep·i·cán·thic fóld [èpikǽnθik-] 〖해부〗 내안각췌피(內眼角贅皮), 몽고주름
ep·i·can·thus [èpikǽnθəs] *n.* (*pl.* **-thi** [-θai, -θi]) = EPICANTHIC FOLD
ep·i·car·di·um [èpikɑ́ːrdiəm] *n.* (*pl.* **-di·a** [-diə]) 〖해부〗 외심막(外心膜)
ep·i·carp [épəkɑ̀ːrp] *n.* 〖식물〗 외과피(外果皮)
épic dràma 에픽 드라마, 서사 희곡 《관객의 비판적 사고를 촉구하는 서사극》
ep·i·ce·di·um [èpəsíːdiəm, -sidáiəm | -síːdiəm], **ep·i·cede** [épəsìːd] *n.* (*pl.* **-di·a** [-diə]; **-ce·des** [-diːz]) 장송가, 애가(哀歌)
ep·i·cene [épəsìːn] *a.* **1** 양성에 공통인; 중성적인 **2** 연약한, 유약한 **3** 남자답지 않은, 계집애 같은 **4** 〖라틴·그리스 문법〗 통성(通性)(common gender)의; 남녀 양성을 함께 가진 **—** *n.* **1** 남녀추니, 남녀 양성을 갖춘 사람 **2** 〖문법〗 통성어
ep·i·cen·ter | **-tre** [épəsèntər] *n.* **1** (지진의) 진원지(震源地), 진앙(震央) **2** 《미》 (활동의) 중심점; (문제의) 핵심 **3** (폭탄의) 낙하점
ep·i·cen·tral [èpəséntrəl] *a.* 진앙의
ep·i·cen·trum [èpəséntrəm] *n.* (*pl.* **~s, -tra** [-trə]) 《영》 = EPICENTER
ep·i·cist [épəsist] *n.* 서사 시인
ep·i·cle·sis, -kle- [èpəklíːsis] *n.* (*pl.* **-ses** [-siːz]) 〖그리스정교〗 에피클레시스 《성령 강림을 희구하는 기도》
ep·i·con·ti·nen·tal [èpikɑntənéntl | -kɔn-] *a.* 대륙붕[지각] 위에 있는, 대륙에서 발견되는
ep·i·cot·yl [èpəkɑ́təl, ∠-∸- | épikɔ̀til] *n.* 〖식물〗 상배축(上胚軸)
e·pic·ri·sis[1] [ipíkrəsis] *n.* (특히 의학상의) 비판적 연구[평가]
ep·i·cri·sis[2] [épikràisis] *n.* 〖의학〗 2차적 분리(分利)
ep·i·crit·ic [èpəkrítik] *a.* 〖생리〗 〈피부 감각 등이〉 (정밀) 식별[판별]성의
épic símile 서사시적 비유 《주제의 장엄함에 알맞은 느낌을 표현하기 위해 쓰는 직유 표현》
Ep·ic·te·tus [èpiktíːtəs] *n.* 에픽테토스(A.D. 55?-135?) 《그리스의 스토아학파 철학자》
épic théater 서사 연극
ep·i·cure [épikjùər] [Epicurus에서] *n.* 《특히》 식도락가, 미식가; 《고어》 향락주의자
ep·i·cu·re·an [èpikjuəríːən] *a.* **1** 향락 취미의; 식도락의, 미식가적인 **2** [**E~**] 에피쿠로스(파)의 **—** *n.* **1** 미식가(epicure) **2** [**E~**] 에피쿠로스 학파의 사람
Ep·i·cu·re·an·ism [èpikjuəríːənìzm] *n.* Ⓤ **1** 〖철학〗 에피쿠로스의 철학 **2** [**e~**] 식도락, 미식주의; 향락주의, 쾌락주의
Ep·i·cur·ism [épikjuərìzm] *n.* = EPICUREANISM
Ep·i·cu·rus [èpikjúərəs] *n.* 에피쿠로스(342?-270 B.C.) 《그리스의 철학자; 에피쿠로스파의 시조》
ep·i·cu·ti·cle [èpikjúːtikl] *n.* 에피큐티클 《곤충의 외골격의 제일 바깥층》 **èp·i·cu·tíc·u·lar** *a.*
ep·i·cy·cle [épəsàikl] *n.* 〖천문·수학〗 주전원(周轉圓)
ep·i·cy·clic [èpəsáiklik, -sík-] *a.* 주전원의
epicýclic tráin 〖기계〗 외전(外轉) 사이클로이드 톱니바퀴 장치(planetary gear train)
ep·i·cy·cloid [èpəsáiklɔid] *n.* 〖수학〗 외(外)사이클로이드, 외파선(外擺線) **èp·i·cy·clói·dal** *a.*
∗**ep·i·dem·ic** [èpədémik] [Gk 「사람 사이에 유행하는」의 뜻에서] *a.* **1** 〈병 등이〉 유행[전염]성의(cf. ENDEMIC) **2** 〈사상·풍속 등이〉 유행하고 있는
— *n.* 유행[전염]병; (사상 등의) 보급, 유행: a flu ~ 유행성 독감 / an ~ of terrorism 다발하는 테러 행위
ep·i·dem·i·cal [èpədémikəl] *a.* = EPIDEMIC
epidémic encephalítis 〖병리〗 유행성 뇌염
ep·i·de·mi·ol·o·gy [èpədìːmiɑ́lədʒi | -ɔ́l-] *n.* Ⓤ 유행[전염]병학 **-gist** *n.*
ep·i·der·mal [èpədə́ːrməl], **-mic** [-mik] *a.* 상피(上皮)[표피(表皮)]의
ep·i·der·min [èpədə́ːrmən] *n.* 〖생물〗 에피더민 《동식물 표피의 주 구성 요소인 섬유상 단백질》

thesaurus **epic** *n.* narrative poem, saga, legend
epidemic *a.* rampant, wide-ranging, extensive,

ep·i·der·mis [èpədə́ːrmis] *n.* 〖해부·동물·식물〗 표피, 외피; 세포성 표피(表皮)
ep·i·der·moid [èpədə́ːrmɔid], **-der·moi·dal** [-dərmɔ́idl] *a.* 〖해부·동물·식물〗 표피 비슷한, 표피 모양의
ep·i·di·a·scope [èpədáiəskòup] *n.* 〖광학〗 반사 실물 투영기《불투명체의 화상을 투영하는》
ep·i·did·y·mis [èpədídəmis] *n.* (*pl.* **-mi·des** [-mədìːz]) 〖해부〗 부고환, 정소 상체
ep·i·du·ral [èpidjúərəl | -djúə-] *a.* 〖해부〗 경막(硬膜) 밖의 **—** *n.* 〖의학〗 경막외(外) 마취《특히 분만 때 놓는》(=∠ **anesthésia**)
ep·i·gas·tric [èpəgǽstrik] *a.* 〖해부〗 상복부(上腹部)의
ep·i·gas·tri·um [èpəgǽstriəm] *n.* (*pl.* **-tri·a** [-triə]) 〖해부〗 상복부《위(胃)의 위쪽》
ep·i·ge·al [èpədʒíːəl] *a.* **1** 〖곤충〗 지표(가까이)에 서식하는, 지상의 **2** 〖식물〗 =EPIGEOUS
ep·i·gene [épədʒìːn] *a.* 〖지질〗 〈암석이〉 표면에서 생성된, 외력적인, 표성(表成)의(cf. HYPOGENE)
ep·i·gen·e·sis [èpədʒénəsis] *n.* Ⓤ **1** 〖생물〗 후성설(後成說)《생물의 발생은 점차적 분화에 의한다는 설; opp. *preformation*》 **2** 〖지질〗 후생(後生)(cf. SYNGENESIS)
e·pig·e·nous [ipídʒənəs] *a.* 〖식물〗 표면에 생기는, 잎의 표면에 발생하는
ep·i·ge·ous [èpidʒíːəs] *a.* 〖식물〗 **1** 지표 (가까이)에 자라는 **2** (발아 때) 〈떡잎이〉 지상에 나타나는
ep·i·glot·tis [èpəglɑ́tis | -glɔ́t-] *n.* 〖해부〗 후두개(喉頭蓋), 회염 연골(會厭軟骨)
èp·i·glót·tal, èp·i·glót·tic *a.*
ep·i·gone [épəgòun], **-gon** [-gɑ̀n | -gɔ̀n] *n.* **1** (조상보다 못한) 자손 **2** 〖문예〗 (일류 예술가·사상가 등의) 모방[추종]자, 아류(亞流) **ep·i·gon·ic** [èpəgɑ́nik | -gɔ́n-], **e·pig·o·nous** [ipígənəs] *a.*
e·pig·o·nism [ipígənìzm | epígə-] *n.* 열등 모방
*__ep·i·gram__ [épəgræ̀m] *n.* **1 경구**(警句) **2** (짧고 날카로운) **풍자시 3** 경구적 표현
▷ epigrammátic *a.*; epigrámmatize *v.*
ep·i·gram·mat·ic, -i·cal [èpəgrəmǽtik(əl)] *a.* 경구적인; 풍자시(적)인; 경구를 좋아하는
-i·cal·ly *ad.* 경구적으로, 짧고 날카롭게
ep·i·gram·ma·tist [èpəgrǽmətist] *n.* 경구가; 풍자 시인
ep·i·gram·ma·tize [èpəgrǽmətàiz] *vi.* 경구를 말하다; 풍자시를 짓다 **—** *vt.* 경구[풍자시]로 표현하다; …에게 경구를 말하다
ep·i·graph [épəgræ̀f | -grɑ̀ːf] *n.* **1** 제명(題銘), 비명(碑銘), 비문(inscription) **2** (책머리·장(章)의) 제사(題辭), 표어(motto)
e·pig·ra·pher [ipígrəfər] *n.* =EPIGRAPHIST
ep·i·graph·ic, -i·cal [èpəgrǽfik(əl)] *a.* epigraphist의; epigraphy의
e·pig·ra·phist [ipígrəfist] *n.* 비명학자, 금석학자
e·pig·ra·phy [ipígrəfi] *n.* Ⓤ **1** 비명(碑銘)학, 금석학(金石學) **2** [집합적] 비명, 비문
e·pig·y·nous [ipídʒənəs] *a.* 〖식물〗 〈꽃이〉 씨방 상생(上生)의 **e·píg·y·ny** *n.*
epil. epilepsy; epileptic; epilog(ue)
ep·i·late [épəlèit] *vt.* 탈모[제모]하다, 털을 제거하다(depilate)
ep·i·la·tion [èpəléiʃən] *n.* 탈모(脫毛) (depilation)
ep·i·lep·sy [épəlèpsi] *n.* Ⓤ 〖병리〗 간질
ep·i·lep·tic [èpəléptik] 〖병리〗 *a.* 간질(성)의; 간질병의 **—** *n.* 간질 환자 **-ti·cal·ly** *ad.*
ep·i·lim·ni·on [èpəlímniɑ̀n, -niən | -niɔ̀n] *n.* (*pl.* **-ni·a** [-niə]) 표수층(表水層)
e·pil·o·gist [ipílədʒist] *n.* epilog(ue)의 작자(作者) [낭독자]

wide-spread, prevalent, predominant, sweeping
episode *n.* incident, experience, occasion

*__ep·i·logue, -log__ [épəlɔ̀ːg, -lɑ̀g | -lɔ̀g] [Gk 「매듭」의 뜻에서] *n.* **1** (문예 작품의) **발문**(跋文), 후기(後記) **2** 〖연극〗 **끝말**《보통 운문(韻文)》; 끝말을 하는 배우 **3** 〖음악〗 종곡(終曲), 후주(後奏)(opp. *prolog(ue)*)
ep·i·my·si·um [èpəmíziəm, -míʒ- | -míz-] *n.* (*pl.* **-si·a** [-ziə, -ʒiə | -ziə]) 〖해부〗 근외막(筋外膜), 근상막(筋上膜)
ep·i·nas·ty [épənæ̀sti] *n.* 〖식물〗 상위생장성(上位生長性)
epi·neph·rine [èpənéfri(ː)n] *n.* Ⓤ **1** 〖생화학〗 에피네프린《부신 호르몬》 **2** 〖약학〗 아드레날린제(劑)
ep·i·neu·ri·um [èpənjúəriəm | -njúə-] *n.* (*pl.* **-ri·a** [-riə]) 〖해부〗 신경상막(神經上膜)
ep·i·pe·lag·ic [èpəpəlǽdʒik] *a.* 표해수층(表海水層)의《광합성에 충분한 빛이 침투하는 약 100m까지의 층》
Epiph. Epiphany
e·piph·a·ny [ipífəni] [Gk 「나타나다」의 뜻에서] *n.* (*pl.* **-nies**) **1** 〖그리스도교〗 **a** [the E~] (동방의 세 박사의 베들레헴 내방이 상징하는) 예수 공현 **b** 예수 공현 축일(Twelfth Day)《1월 6일, Christmas 후 12일째 날; cf. TWELFTH NIGHT》 **2** (신의) 출현 **3** (어떤 사물이나 본질에 대한) 직관, 통찰
ep·i·phe·nom·e·nal·ism [èpifənɑ́mənlìzm] *n.* 부수 현상설(附隨現象說)《의식은 단순히 뇌의 생리적 현상에 부수된 것이라는 설》
ep·i·phe·nom·e·non [èpifənɑ́mənɑ̀n | -nɔ́minən] *n.* (*pl.* **-na** [-nə]) 부수 현상
e·piph·y·sis [ipífəsis] *n.* (*pl.* **-ses** [-sìːz]) 〖해부〗 골단(骨端)
ep·i·phyte [épəfàit] *n.* 〖식물〗 착생(着生)[기착(寄着)] 식물 **ep·i·phyt·ic** [èpəfítik] *a.*
ep·i·phy·tol·o·gy [èpəfaitɑ́lədʒi | -tɔ́l-] *n.* Ⓤ 식물 기생병학
ep·i·phy·tot·ic [èpəfaitɑ́tik | -tɔ́t-] *a.* 〈병해가〉 동시에 한 지역의 많은 식물을 말려 죽이는 **—** *n.* (위와 같은) 병해의 발생
e·piph·o·ra [ipífərə] *n.* **1** 〖병리〗 유루(流淚)(증), 누루(淚漏) **2** 〖수사학〗 =EPISTROPHE
E·pi·rus [ipáiərəs] *n.* 에피루스《그리스 북서부의 지방; 그 지역과 현재의 알바니아 남부의 고대 국가》
Epis. 〖성서〗 Epistle **Epis(c).** Episcopal; Episcopalian
e·pis·co·pa·cy [ipískəpəsi] *n.* (*pl.* **-cies**) **1** Ⓤ (교회의) 주교[감독] 제도《bishops, priests, deacons의 세 직을 포함하는 교회 정치 형식》 **2** 감독[주교]의 직[임기]; 감독 정치 **3** [the ~; 집합적] 감독[주교]단(團)
*__e·pis·co·pal__ [ipískəpəl] *a.* **1** **감독[주교]의**: ~ authority 감독의 권위 **2** [**E~**] (교회의) 감독파의
▷ episcopálian *a.*
Epíscopal Chúrch [the ~] **1** 영국 성공회(聖公會)《영국 국교》 **2** 미국 성공회(=∠ **in América**)《1976년까지는 the Protestant ~라고 하였음》
E·pis·co·pa·lian [ipìskəpéiljən] *a.* 감독 제도의 **—** *n.* 감독 교회 신도; [**e~**] 감독제[주교제]주의자
~·ìsm *n.* Ⓤ 감독제주의(主義)
e·pis·co·pal·ly [ipískəpəli] *ad.* 주교[감독]로서; 주교에 의하여
e·pis·co·pate [ipískəpət, -pèit] *n.* **1** 주교[감독]의 지위[계급, 임기] **2** [the ~; 집합적] 감독[주교]단(團) **3** 주교구(區)
ep·i·scope [épəskòup] *n.* 〖광학〗 =EPIDIASCOPE
ep·i·sem·eme [èpisémiːm] *n.* 문법 의미소(意味素)
e·pi·si·ot·o·my [ipìːziɑ́təmi | -ɔ́t-] *n.* (*pl.* **-mies**) 〖산부인과·외과〗 회음 절개술
‡__ep·i·sode__ [épəsòud] [Gk 「사이에 끼우는 것」의 뜻에서] *n.* **1** (소설·극 등의 중간의) **삽화**(插話) **2** 삽화적인 일, 에피소드: one of the saddest ~*s* in his life 그의 인생에서 가장 슬픈 일 중의 한 가지 **3** 〖고대 그리스 비극〗 (두 개의 합창 사이에 끼워 넣은) 대화(對

話); 〖음악〗 삽입곡(曲) **4** (연속 방송 프로그램·영화의) 1회분의 이야기[작품]

ep·i·sod·ic, -i·cal [èpəsɑ́dik(əl) | -sɔ́d-] *a.* 에피소드풍(風)의, 삽화적인(incidental); 삽화로 이루어진; 일시적인 **-i·cal·ly** *ad.*

ep·i·some [épəsòum] *n.* 〖생물〗 에피솜; 유전자 부체(副體)

ep·i·spas·tic [èpəspǽstik] 〖의학〗 *a.* 피부 자극성의, 발포성의 **—** *n.* 발포제(發疱劑), 피부 자극제

Epist. Epistle

e·pic·ta·sis [ipístəsis] *n.* (*pl.* **-ses** [-sì:z]) 〖유전〗 상위, 우세, 우위 《둘 다 우성(優性)이나 한 쪽의 힘이 강해서 다른 쪽을 억누르는》

ep·i·stax·is [èpəstǽksis] *n.* Ⓤ 〖의학〗 코피(가 남) (nosebleed)

ep·i·ste·me [èpəstí:mi:] [Gk =to know] *n.* 지식, 인식

ep·i·ste·mic [èpəstí:mik, -stém-] *a.* 지식[인식]의[에 관한]

e·pis·te·mo·log·i·cal [ipìstəməlɑ́dʒikəl | -lɔ́dʒ-] *a.* 인식론(상)의 **~·ly** *ad.*

e·pis·te·mol·o·gy [ipìstəmɑ́lədʒi | -mɔ́l-] *n.* Ⓤ 〖철학〗 인식론 **-gist** *n.* 인식론 학자

e·pis·tle** [ipísl] [Gk「보내는 물건」의 뜻에서] *n.* **1** 《문어》 (특히 형식을 갖춘) **서간, 편지**; (옛날의) 서간체의 시문(詩文) **2** [the E~] 〖성서〗 사도(使徒) 서간 《신약 성서 중의》; (성찬식에서 낭독하는) 사도 서간의 발췌 ***the E~ to the Romans [***Galatians***] 로마[갈라디아]서(書) ▷ epístolary *a.*

e·pis·tler [ipís*t*lər] *n.* =EPISTOLER

epístle sìde [the ~] (제단을 향해) 오른쪽 《서간(書簡)을 낭독하는 쪽》

e·pis·to·lar·y [ipístəlèri | -ləri] *a.* **1** 신서(信書)[서간, 성간(聖簡)]의; 편지에 의한 **2** 서간문에 알맞은: an ~ novel 서간체 소설

e·pis·to·ler [ipístələr] *n.* **1** (특히 신약 성서 중의) 서간의 필자(筆者) 《Paul, James, Peter, John, Jude 등》 **2** (성찬식의) 사도 서간의 낭독자(cf. GOSPELER)

e·pis·tro·phe [ipístrəfi] *n.* 〖수사학〗 결구(結句) 반복, 첩구(疊句)

ep·i·style [épəstàil] *n.* 〖건축〗 =ARCHITRAVE

epit. epitaph; epitome

***ep·i·taph** [épitæ̀f | -tɑ̀:f] [Gk「묘 위에」의 뜻에서] *n.* **1** **비명**(碑銘), **비문**(碑文): The ~ reads ... 그 비문은 …라고 씌어 있다 **2** 비명체의 시(문) **3** (사람·사물에 대한) 최종적인 판단[평가]

e·pit·a·sis [ipítəsis] *n.* (*pl.* **-ses** [-sì:z]) (그리스 고전극에서 전제부에 이은) 전개부

ep·i·tax·is [èpətǽksis] *n.* (*pl.* **-tax·es** [-si:z]) =EPITAXY

ep·i·tax·y [épətæ̀ksi] *n.* 〖물리〗 에피택시 《어떤 결정(結晶)이 다른 결정의 표면에서 특정한 방위 관계를 취하면서 성장하는 일》 **èp·i·táx·i·al** *a.*

ep·i·tha·la·mi·on [èpəθəléimiən] *n.* (*pl.* **-mi·a** [-miə]) =EPITHALAMIUM

ep·i·tha·la·mi·um [èpəθəléimiəm] *n.* (*pl.* **~s, -mi·a** [-miə]) 결혼 축가[축시](nuptial song)

ep·i·the·li·oid [èpəθí:liɔ̀id] *a.* 상피(上皮) (조직) 모양의

ep·i·the·li·o·ma [èpəθì:lióumə] *n.* (*pl.* **~s, -ma·ta** [-tə]) 〖병리〗 상피종(上皮腫)

ep·i·the·li·um [èpəθí:liəm] *n.* (*pl.* **~s, -li·a** [-liə]) (cf. ENDOTHELIUM) 〖해부·동물〗 상피(上皮); 〖식물〗 신피(新皮), 피막 조직, 상피 **-li·al** *a.*

***ep·i·thet** [épəθèt] [Gk「부가된 것」의 뜻에서] *n.* **1** (성질을 나타내는) **형용어구**, 형용사 **2** 별명, 통명, 통칭, 칭호 《보기: Richard the *Lion-Hearted*》; 모멸적인 어구, 욕: the ~ 'humanist' '인도주의자'라는 칭호

ep·i·thet·ic, -i·cal [èpəθétik(əl)] *a.* 형용하는, 형용사(辭)적인

e·pit·o·me [ipítəmi] [Gk「요약하다」의 뜻에서] *n.* **1** 발췌(拔萃), 개요; 대요, 개략 **2** 《비유》 (…의) 축도(縮圖): man, the world's ~ 세계의 축도인 인간 ***in*** **~** 요약된 형태로; 축도화되어

e·pit·o·mist [ipítəmist] *n.* 요약자

e·pit·o·mize [ipítəmàiz] *vt.* **1** …의 전형이다 **2** …의 발췌[개요]를 만들다; 요약하다

ep·i·tope [épətòup] *n.* 〖생화학〗 에피토프 《항원(抗原) 결정기(決定基)》

ep·i·zo·ic [èpəzóuik] *a.* 〖생물〗 외피 기생의, 체외 기생충의

ep·i·zo·on [èpəzóuɑn | -ɔn] *n.* (*pl.* **-zo·a** [-zóuə]) 〖생물〗 외피 기생 동물, 체외 기생충

ep·i·zo·ot·ic [èpəzouɑ́tik | -ɔ́t-] *n., a.* 가축의 유행병(의)(cf. ENZOOTIC)

e plu·ri·bus u·num [í:-plúərəbəs-jú:nəm] [L = one out of many] 여럿으로 이루어진 하나 《1955 년까지의 미국의 표어; 현재는 In God We Trust》

EPN ethyl paranitrophenyl 이피엔 《유기인(有機燐) 살충제》 **EPNdB** effective perceived noise decibels 감각 소음 효과 데시벨 **EPNS, epns** electroplated nickel silver 전기 도금 양은

‡ep·och [épək, épɑk | í:pɔk] *n.* **1** **신기원**, 신시대 《*in*》(⇨ period 유의어): move into a new ~ 새로운 시대로 들어가다 **2** **중요한 사건**, 획기적인 일 **3** (중요한 사건이 일어났던) **시대**(period) 《*of*》 **4** 〖지질〗 세(世) 《기(紀)의 하위 구분》 ***make*** [***mark, form***] ***an*** **~** 하나의 신기원을 이루다
▷ épochal *a.*

ep·och·al [épəkəl, épɑk- | épɔk-] *a.* 신기원의; 획기적인

***ep·och-mak·ing** [épəkmèikiŋ, épɑk- | í:pɔk-] *a.* **획기적인, 신기원을 이루는**

ep·ode [épоud] *n.* **1** (로마의 시인 Horace가 사용한) 고대 서정시형(形) 《장단(長短)의 행이 번갈아 나타나는》 **2** 고대 그리스 서정시의 제3단[종결부]

ep·o·nym [épənìm] *n.* 이름의 시조(始祖) 《국민·토지·건물 등의 이름의 유래가 되는 인명; 예컨대 Rome의 유래가 된 Romulus 등》

ep·on·y·mous [ipɑ́nəməs | ipɔ́n-] *a.* 이름의 시조가 된 **~·ly** *ad.*

ep·on·y·my [ipɑ́nəmi | ipɔ́n-] *n.* (지명 등이) 이름의 시조에서 유래함

ep·o·pee [épəpì: | épоupì:] *n.* 서사시: a historical ~ 사시(史詩)

ep·os [épɑs | épɔs] *n.* (구전에 의한) 원시적 서사시 (epic poetry); 서사시(epic poem)

ep·ox·ide [ipɑ́ksaid | ipɔ́k-] *n.* 〖화학〗 에폭시드 《에틸렌옥시드 고리》

ep·ox·y [ipɑ́ksi | ipɔ́k-] 〖화학〗 *a.* 에폭시(수지)의 **—** *n.* (*pl.* **-ox·ies**) 에폭시 수지(= **~ rèsin**) **—** *vt.* 에폭시 수지로 접착하다

Ép·ping Fórest [épiŋ-] 에핑 포레스트 《London의 북동쪽 Essex주에 있는 유원지》

E-prime [í:práim] [*English-prime*] *n.* be동사를 쓰지 않는 영어 《미국에서 창안》

é·pris [eiprí:] [F =in love] *a.* (…에) 반한 《*with, of*》

EPROM [í:prɑm | í:prɔm] [*e*rasable *p*rogrammable *r*ead-*o*nly *m*emory] *n.* 〖컴퓨터〗 소거(消去) 프로그램 가능 ROM

ep·si·lon [épsəlɑ̀n, -lən | epsáilən] *n.* 그리스어 알파벳의 다섯째 문자 《E, ε; 영어의 E, e에 해당》

Ep·som [épsəm] *n.* 엡섬 《영국 Surrey 주의 도시; 경마장이 있으며, Derby 및 Oaks 경마가 유명》

Épsom sàlt 〖화학〗 황산 마그네슘 《설사제》

Ép·stein-Bárr vìrus [épstainbɑ́:r-] 엡스타인바 바이러스, E-B 바이러스 《인간의 암에 관계가 있다는 설이 있음》

thesaurus **epoch** *n.* era, period, date, time
equal *a.* **1** 같은 identical, alike, like, comparable

ept [épt] *a.* 유능한, 솜씨 있는, 효율적인
EPT excess profits tax 초과 이득세
ep·ti·tude [éptət*j*ù:d | -tjù:d] [ineptitude의 역성(逆成)] *n.* 능력, 솜씨
EPU European Payment Union 유럽 결제(決濟) 동맹
e-pub·lish·ing [í:pʌ̀bliʃiŋ] *n.* Ⓤ 전자 출판(electronic publishing)
EQ emotional quotient 〖심리〗 감성 지수 **eq.** equal; equation; equivalent **E.Q., EQ** educational quotient 〖심리〗 교육 지수(cf. IQ)
eq·ua·bil·i·ty [èkwəbíləti, ì:k-] *n.* Ⓤ **1** (온도·기후 등의) 한결같음, 균등성 **2** (기분·마음의) 평안, 침착
eq·ua·ble [ékwəbl, í:k-] *a.* **1** 〈온도·기후 등이〉 한결같은, 균등한, 고른(even) **2** 〈마음이〉 고요한, 침착한(tranquil) **3** 〈법률 등이〉 (작용·효력 등에 있어서) 평등[균등]한 **~·ness** *n.* =EQUABILITY **-bly** *ad.*
‡**e·qual** [í:kwəl] *a.* **1** 〈수량·거리 등이〉 같은(equivalent) (*to*), 동등한 (*with*)(⇨ same 유의어): an ~ portion of water 동일한 비율의 물 / Twice 3 is ~ *to* 6. 3 곱하기 2는 6. **2** 감당하는, 필적하는 (*to, to doing*): He is ~ *to* anything. 그는 무슨 일이든지 해낼 수 있다. // (~+전+*-ing*) She is very weak and not ~ *to*[*to* mak*ing*] a long journey. 그녀는 몸이 약해서 장시간 여행에 견디지 못한다. **3** 〈지위·입장 등이〉 동등한, 대등한, 균등한; 서로 맞먹는; 〈법·영향력 등이〉 평등한, 공평한: ~ pay for ~ work 동일 노동에 동일 임금 **4** (고어) 〈마음이〉 침착한; (고어) 평평한; (고어) 바른, 공평한
be ~ to the occasion 그런 경우를 당하여도 당황하지 않다 ***~ protection of the laws*** 법의 평등한 보호 ***~ to*** [***worthy of***] ***the honor*** 영예를 마땅히 받을 만한 ***on ~ terms*** (***with***) (…와) 같은 조건으로, 대등하게 ***other things being ~*** 다른 것[조건]이 같다고 하고[하면]
— *n.* **1** 동등[대등]한 사람; 동배(同輩) **2** 필적하는 사람[것] **3** [*pl.*] 동등한 사물
be the ~ of one***'s word*** 약속을 지키다 ***have no ~ in*** cooking (요리에) 있어서는 당할 사람이 없다 ***without*** (***an***) ***~*** 필적할 만한 것[사람]이 없어
— *vt.* (**~ed**; **~·ing** | **~led**; **~·ling**) **1** …와 같다: Two and two ~*s* four. 2더하기 2는 4이다. // (~+목+전+명) ~ an elephant *in* size 크기가 코끼리와 같다 **2** 필적하다, …와 맞먹다; …와 대등한 것을 이룩하다: I can't possibly ~ his achievements. 나는 도저히 그의 업적을 따를 수가 없다. **3** (고어) 균등하게 하다 **4** (폐어) 보상하다
▷ equálity *n.*; équalize *v.*
e·qual-ar·e·a [í:kwəlέəriə] *a.* 〈지도가〉 등적(等積)의, 정적(正積)의
équal-área projèction 정적 도법
Équal Emplóyment Opportúnity Commìssion (미) 평등 고용 추진 위원회
e·qual·i·tar·i·an [ikwɑ̀litέəriən | -wɔ̀l-] *a.* 평등주의[론]의, 평등주의를 주창하는 — *n.* 평등주의; 평등론자[주의자] **~·ìsm** *n.*
e·qual·i·ty** [ikwɑ́ləti | ikwɔ́l-] *n.* (*pl.* **-ties**) ⓊⒸ **1** 같음, 동등 **2** 평등, 대등; 균등성: racial ~ 인종적 평등 ***on an ~ with 〈사람이〉 …와 대등하여; 〈사물이〉 …와 동등[동격]으로 ***the sign of ~*** 등호 (=) ▷ équal *a.*
Equálity Stàte [the ~] 미국 Wyoming주의 속칭 (여성 참정권을 최초로 인정한 데서)
e·qual·i·za·tion [ì:kwəlizéiʃən | -lai-] *n.* Ⓤ 동등화, 평등화, 균등화
e·qual·ize [í:kwəlàiz] *vt.* 같게 하다, 평등[동등]하게 하다, 균등하게 하다 (*to, with*) — *vi.* (경기에서 상대방과) 동점이 되다

2 균등한 even, balanced, level **3** 평등한 unbiased, impartial, fair, just

e·qual·iz·er [í:kwəlàizər] *n.* **1** 동등하게 하는 사람[것] **2** 〖항공〗 (비행기 보조 날개의) 평형(平衡) 장치; 〖전기〗 균압선(均壓線) **3** (속어) (권총·칼 등의) 무기 **4** 〖경기〗 동점이 되는 득점
‡**e·qual·ly** [í:kwəli] *ad.* **1** 똑같게, 동등하게 **2** 균등하게, 균일하게: treat ~ 차별없이 다루다 **3** [접속사적] 그와 동시에, 그럼에도 불구하고
équal opportúnity (고용의) 기회 균등
équal páy (특히 남녀의) 동일 임금
Équal Ríghts Amèndment (미) 남녀 평등 헌법 수정안 (略 ERA)
équal(s) sìgn 등호 (=)
équal tíme (미) **1** (정견 발표에서) 평등한 방송 시간 할당 **2** 평등한 발언 기회
e·qua·nim·i·ty [ì:kwənímәti, èk-] *n.* Ⓤ **1** (마음의) 평정; 침착, 태연: with ~ 침착하게 **2** 안정된 배열, 평형, 균형
e·quan·i·mous [ikwǽnəməs] *a.* 침착한, 차분한 **~·ly** *ad.* **~·ness** *n.*
e·quate [ikwéit] [L = to make equal] *vt.* **1** 〈둘을〉 동등하다고 생각하다, 서로 같음을 표시하다: (~+목+전+명) ~ A *to*[*with*] B A와 B가 같음을 표시하다 **2** 동등하게 다루다, 동등시하다 (*to, with*): (~+목+전+명) He ~*d* the possession of wealth *to*[*with*] happiness. 그는 부(富)의 소유를 행복과 동등하게 생각하고 있었다. **3** 같게 하다(equalize), 평균화하다, 균등하게 하다 **e·quát·a·ble** *a.*
▷ equátion *n.*
***e·qua·tion** [ikwéiʒən, -ʃən] *n.* Ⓤ **1** 동등하게 함; 균등화 (*of*) **2** 평형 상태 **3** Ⓒ 〖수학·화학〗 방정식, 등식; 〖천문〗 오차, 균차(均差)
chemical ~ 화학 방정식 ***~ of the first*** [***second***] ***degree*** 1[2]차 방정식 ***identical ~*** 항등식(恒等式) ***personal ~*** (관측상의) 개인 오차 ***simple ~*** 1원 1차 방정식 ***simultaneous ~s*** 연립 방정식 ***the ~ of the equinoxes*** 춘분·추분의 주야 시차(時差)
▷ equáte *v.*; equátional *a.*
e·qua·tion·al [ikwéiʒənl, -ʃənl] *a.* **1** 균등한 **2** 방정식의 **3** 〖생물〗 2차 세포 분열의 **4** 〖문법〗 등식 관계의, 주어와 보어로 이루어진 **~·ly** *ad.*
equátion of mótion 〖물리〗 운동 방정식
equátion of státe 〖물리·화학〗 상태 방정식
equátion of tíme 〖천문〗 균시차(均時差)
‡**e·qua·tor** [ikwéitər] *n.* **1** [the ~] (지구의) 적도: Singapore lies on the ~. 싱가포르는 적도에 위치해 있다. **2** 균분원(均分圓) **3** 〖천문〗 =CELESTIAL EQUATOR **4** 〖지질〗 =MAGNETIC EQUATOR **5** (세포의) 적도판(equatorial plate) ▷ equatórial *a.*
***e·qua·to·ri·al** [ì:kwətɔ́:riəl, èk-] *a.* **1** 적도의; 적도 부근의: an ~ climate 적도 기후 **2** 매우 무더운 — *n.* 적도의(赤道儀) **~·ly** *ad.* ▷ equátor *n.*
Equatórial Cóuntercurrent 적도 반류(反流)
Equatórial Cúrrent [the ~] 적도 해류
Equatórial Guínea 적도 기니 (적도 아프리카 서쪽 끝의 공화국; 수도 Malabo [mɑːlɑ́:bou])
equatórial pláne 〖천문〗 적도면(面)
equatórial pláte 〖생물〗 적도판(板) (분열 중의 세포 방추체의 중앙면)
eq·uer·ry [ékwəri, ikwéri] *n.* (*pl.* **-ries**) **1** (왕실·귀족의) 마필 관리관 **2** (영국 왕실의) 시종 무관
e·ques·tri·an [ikwéstriən] *a.* **1** 기수의; 마술(馬術)의 **2** 말에 탄 **3** 기사의, 기사로 이루어진 **4** (고대 로마의) 기병 부대(equites)의 — *n.* 승마자; 기수; 곡마사(cf. PEDESTRIAN)
e·ques·tri·an·ism [ikwéstriənìzm] *n.* Ⓤ 마술, 곡마술; 승마 연습
e·ques·tri·enne [ikwèstrién] *n.* 여자 기수, 여자 곡마사
equi- [í:kwi, ék-] (연결형) 「같은(equal)」의 뜻
e·qui·an·gu·lar [ì:kwiǽŋgjulər] *a.* 등각(等角)의
e·qui·ca·lo·ric [ì:kwikəlɔ́:rik] *a.* 〖생리〗 (신진대사

에서) 등량의 에너지를 내는
e·qui·dis·tance [ì:kwidístəns] *n.* Ⓤ 등거리
e·qui·dis·tant [ì:kwidístənt] *a.* 등거리의 《*from*》
~·ly *ad.* 같은 거리(의 곳)에
equidístant diplòmacy 등거리 외교
e·qui·grav·i·sphere [ì:kwigrǽvəsfìər] *n.* (지구와 달 사이 또는 두 천체 간의) 중력 평형권
e·qui·lat·er·al [ì:kwəlǽtərəl] *a.* 등변(等邊)의: an ~ triangle 등변 삼각형, 정삼각형 **—** *n.* 등변(형)
e·quil·i·brant [ikwíləbrənt] *n.* 〖물리〗 평형력(力)
e·quil·i·brate [ikwíləbrèit, ì:kwəláibreit] *vt.* 〈두 개의 물건을〉 평형시키다, 균형을 유지하게 하다 **—** *vi.* 평형을 유지하다(balance)
e·quil·i·bra·tion [ikwìləbréiʃən | ì:kwilai-] *n.* Ⓤ **1** 평형, 균형 **2** 평균 (상태)
e·quil·i·bra·tor [ikwíləbrèitər, ì:kwəláibreitər] *n.* **1** 균형을 유지시키는 것; 평형 장치 **2** 〖항공〗 안정 장치
e·quil·i·brist [ikwíləbrist, ì:kwəlíbrist] *n.* 줄타는 사람; 곡예사 **e·quil·i·brís·tic** *a.*
⁎**e·qui·lib·ri·um** [ì:kwəlíbriəm, èk-] *n.* (*pl.* **~s, -ri·a** [-riə]) ⓊⒸ **1 평형 상태**, 균형; (마음의) 평정 **2** (동물의) 자세의 안정, 평형 상태 **3** 〖물리·화학〗 **평형** (balance): ~ of force 힘의 평형 / ~ constant 평형 상수(常數)
equilíbrium pòint 평형점
equilíbrium prìce 균형 가격
e·qui·mul·ti·ple [ì:kwəmʌ́ltəpl] *n.* [보통 *pl.*] 등배수(等倍數); 등배량
e·quine [ékwain, í:k-] *a.* 말의, 말 같은, 말에 관한 **—** *n.* 말(horse)
e·qui·noc·tial [ì:kwənɑ́kʃəl, èk- | -nɔ́k-] *a.* **1** Ⓐ 주야 평분시(平分時)의 《춘분·추분의》 **2** 주야 평분의 **3** =EQUATORIAL 1 **4** 〖식물〗 정시(定時)에 개화하는 **—** *n.* **1** [the ~] 주야 평분선 **2** [종종 *pl.*] 춘분·추분 무렵의 모진 비바람(=~ **stórm**[**gáles**])
equinóctial círcle[**líne**] [the ~] 〖천문〗 주야 평분선
equinóctial póint [the ~] 〖천문〗 분점(分點), 주야 평분점 ***the autumnal*** [***vernal***] **~** 추[춘]분점
equinóctial yéar [the ~] 〖천문〗 분점년
⁎**e·qui·nox** [í:kwənɑ̀ks, ék- | -nɔ̀ks] [L 「똑같은 밤」의 뜻에서] *n.* **주야 평분시**, 춘[추]분; 〖천문〗 분점(分點) ***the autumnal*** [***vernal, spring***] **~** 추분[춘분]
⁑**e·quip** [ikwíp] *vt.* (**~ped**; **~·ping**) **1** 〈…에게 필요한 것을〉 **갖추어 주다**(provide) 《*with, for*》; 〈군대를〉 **장비하다**; 〈배를〉 의장(艤裝)하다(⇨ provide 유의어): ~ an army 군대를 장비하다 // (~+목+전+명) ~ a fort *with* guns 요새에 대포를 장비하다 / ~*ped with* a two-way radio 송수신 겸용 무전기를 구비한 / a laboratory ~*ped for* atomic research 원자력 연구의 설비를 갖춘 실험실 // (~+목 +***as*** 보) a building ~*ped as* a hospital 병원으로서의 시설을 갖춘 건물 **2 몸차림시키다**; [~ one*self* 로] **채비를 하다**, 몸차림하다, 차려입다 《*in, for*》: (~+목+전+명) ~ one*self for* a journey 여행의 채비를 하다 / ~ one*self in* all one's finery 잔뜩 차려입다, 성장(盛裝)하다 **3** 〈학문·지식·소양·기능 등을〉 **갖추게 하다**, 수여하다(supply), …할 능력을 기르다 《*with, for*》: (~+목+전+명) ~ one's son *with* higher education 아들에게 고등 교육을 시키다 / He was fully ~*ped for* a job. 그는 일에 필요한 지식[기능]을 충분히 갖추고 있었다. // (~+목+***to*** do) Experience has ~*ped* him *to* deal with the task. 경험을 쌓은 덕분에 그는 그 일을 처리할 수가 있다. **~ one*self*** 준비하다, 채비하다(⇨ 2)
▷ equípment *n.*
equip. equipment
eq·ui·page [ékwəpidʒ] *n.* **1** (4륜)마차 **2** (말·마부·시종으로 완전히 장비된) 마차 **3** (배·군대 등의) 장비, 장구(裝具) **4** (그릇 등) 가정용품 한 벌 **5** 장신구 한 벌 ; (개인의) 필수품 한 벌

e·quipe [eikí:p] *n.* (스포츠의) 팀과 장비
⁑**e·quip·ment** [ikwípmənt] *n.* ⓊⒸ **1** [집합적] **장비, 비품, 설비**; Ⓒ (개개의) 장치, 용품: a soldier's ~ 군인[병사]의 장비 / a factory with modern ~ 최신 설비를 갖춘 공장 **2 준비**, 채비: with elaborate ~ 공들여 준비하여 **3** (일에 필요한) 지식, 기술, 능력 **4** [집합적] 철도 차량
e·qui·poise [ékwəpɔ̀iz, í:k-] *n.* Ⓤ **1** 균형, 평형 **2** Ⓒ 평형추(錘)(counterpoise) **3** (비유) 대항 세력 **—** *vt.* 균형을 유지케 하다; 〈마음을〉 졸이게 하다; 엉거주춤한 상태로 두다
e·qui·pol·lence, -len·cy [ì:kwəpɑ́ləns(i), èk- | -pɔ́l-] *n.* Ⓤ 힘의 균등, 균세(均勢), 등치(等値)
e·qui·pol·lent [ì:kwəpɑ́lənt, èk- | -pɔ́l-] *a., n.* 힘[세력, 효력, 중량]이 같은 (것); 효과[뜻, 결과]가 같은 (것) **~·ly** *ad.*
e·qui·pon·der·ance, -an·cy [ì:kwəpɑ́ndərəns(i), èk- | -pɔ́n-] *n.* Ⓤ 무게[세력, 권력]의 균형, 평형
e·qui·pon·der·ant [ì:kwəpɑ́ndərənt, èk- | -pɔ́n-] *a., n.* 무게[세력, 권력]가 평균[평형]된 (것)
e·qui·pon·der·ate [ì:kwəpɑ́ndərèit, èk- | -pɔ́n-] *vt.* 〈무게 등을〉 평균[평형]시키다
e·qui·po·tent [ì:kwəpóutənt] *a.* 힘[효력, 능력]이 동등한
e·qui·po·ten·tial [ì:kwəpəténʃəl] *a.* 동등한 힘[잠재력]을 가진; 〖물리〗 등위(等位)의; 〖전기〗 등전위의
e·qui·prob·a·ble [ì:kwəprɑ́bəbl | -prɔ́b-] *a.* 〖논리〗 같은 정도의 개연성[확률]이 있는
eq·ui·se·tum [èkwəsí:təm] *n.* (*pl.* **~s, -ta** [-tə]) 〖식물〗 속새류의 총칭 《속새·쇠뜨기 등》
eq·ui·ta·ble [ékwətəbl] *a.* **1** 공정[공평]한; 정당한 **2** 〖법〗 형평법상(衡平法上)의; 형평법상 유효한
eq·ui·ta·bly [ékwətəbli] *ad.* 공정[정당]하게
eq·ui·ta·tion [èkwətéiʃən] *n.* Ⓤ 마술(馬術), 승마
eq·ui·tes [ékwətì:z] *n. pl.* (고대 로마의) 기사 신분; 기병 부대
éq·ui·time póint [ékwətàim-] 〖항공〗 행동[진출] 한계점
⁎**eq·ui·ty** [ékwəti] [L 「평등」의 뜻에서] *n.* (*pl.* **-ties**) **1** Ⓤ **공평**, 공정(fairness); 정당 **2** Ⓤ 〖법〗 형평법 《공정과 정의면에서 common law의 불비(不備)를 보충하는 법률》; 형평법상의 권리 **3** (미) 재산 물건(物件)의 순가(純價) 《담보·과세 등을 뺀 가격》 **4** [**E~**] (영) 배우 조합 **5** 보통주 주권; [*pl.*] 보통주 **6** (구어) 소유권, 이권
équity càpital 〖경제〗 자기 자본, 투입 자본
équity fināncing 〖경제〗 (주식 발행에 의한) 자기 자본 조달
équity secùrity 지분(持分) 증권 《특히 보통주》
équity stòck (미) (보통주·우선주를 포함한) 주식
equiv. equivalent
e·quiv·a·lence, -len·cy [ikwívələns(i)] *n.* Ⓤ **1** (가치·힘·양이) 같음, 등가, 동량 **2** 〖화학〗 (원자의) 등가, 등량 **3** (말·표현의) 등가성, 동의성(同義性) **4** 〖논리·수학〗 등가, 동치(同値) **—** *a.* 〖논리·수학〗 등가의, 동치의
equívalence prìnciple 〖물리〗 등가 원리
⁎**e·quiv·a·lent** [ikwívələnt] [L 「같은 가치의」의 뜻에서] *a.* **1 동등한**, 같은 가치[양]의; 〈말·표현이〉 같은 뜻의 《*to*》; 〖화학〗 당량(當量)의, 등가(等價)의; 〖수학〗 등적(等積)의, 같은 값의: ~ *to* an insult 모욕과 같은 **2 상당[대응]하는**, 맞먹는 《*to*》: A mile is ~ *to* about 1.6 kilometers. 1마일은 약 1.6킬로미터에 상당한다.
— *n.* **1** 동등물, 등가[등량]물; 상당하는 것 **2** 〖문법〗 상당 어구, 동의어 **3** 〖물리·화학〗 등량, 당량 **4** 〖수학〗

thesaurus **equipment** *n.* gear, tools, stuff, apparatus, accessories, facilities, supplies
eradicate *v.* get rid of, remove, wipe out, elim-

등적(等積), 동치(同値)
▷ equívalence *n.*
equívalent círcuit 〖전기〗 등가 회로
equívalent wéight 〖화학〗 당량 《대체로 그램 당량(gram equivalent)으로 나타냄》
e·quiv·o·cal [ikwívəkəl] [L 「같은 음의」의 뜻에서] *a.* **1** 두 가지 뜻으로 해석되는, 다의성(多義性)의 **2** 확실치 않은, 분명치 않은 **3** 〈인물·행동 등이〉 의심스러운, 〈말 등이〉 모호한 **~·ly** *ad.* **~·ness** *n.*
e·quiv·o·cal·i·ty [ikwìvəkǽləti] *n.* ⓊⒸ 다의성; 모호; 미심스러움; = EQUIVOQUE
e·quiv·o·cate [ikwívəkèit] *vi.* 모호한 말을 쓰다, 얼버무리다, 말끝을 흐리다; 속이다
e·quiv·o·ca·tion [ikwìvəkéiʃən] *n.* ⓊⒸ 모호한 말(을 쓰기); 얼버무림
e·quiv·o·ca·tor [ikwívəkèitər] *n.* 모호한 말을 쓰는 사람, 얼버무리는 사람
eq·ui·voque, -voke [ékwəvòuk] *n.* ⓊⒸ 모호한 말투[어구]; 재담(pun)
***er** [ə́ːr] *int.* 저어, 에에, 어어 《중단·주저하거나 말이 막힐 때에 내는 소리》: I —*er*— 나는 저어 —
Er 〖화학〗 erbium **ER** efficiency report; emergency room **E.R.** East Riding (of Yorkshire); *Edwardus Rex* 《L =King Edward》; *Elizabeth Regina* 《L =Queen Elizabeth》
-er [ər] *suf.* **1** [동사와 명사에서 동작자(動作者) 명사(agent noun)를 만듦] **a** 「…하는 것」: cutt*er*; hunt*er*; creep*er*; (gas) burn*er*, (pen)hold*er* **b** 「(어느 고장)의 사람, …거주자」: London*er*, villag*er* **c** 「…에 종사하는 사람; …제작자; …상(商); …연구자[학자]」: farm*er*, hatt*er*; fruiter*er*; geograph*er* **2** 《속어》 [원어에 관계 있는 동작 또는 물건을 표시함]: breath*er*(=time in which to breathe); din*er*(=dining car) **3** [비교급을 만듦]: narrow*er*, rich*er*, lazi*er*, likeli*er* **4** [다른 어미를 가진 명사의 속어화]: foot*er*(=football) **5** [반복을 표시하는 동사를 만듦]: flick*er*<flick, wav*er*<wave / [의성어(擬聲語)에서] chatt*er*, twitt*er*, glitt*er*
‡**e·ra** [íərə, érə | íərə] [L 「계산된 수」의 뜻에서] *n.* **1** (역사·정치상의) 연대, 시대, 시기(epoch)(⇨ period 유의어): the Victorian ~ 빅토리아 여왕 시대 / the postwar ~ 전후 시기 **2** 기원 **3** 〖지질〗 …대(代), …기(紀) **4** (신시대를 여는) 중요한 날[월, 연]; 중대 사건 ***the Christian*** ~ 서력 기원, 서기
ERA earned run average 〖야구〗 (투수의) 방어율; Educational Research Administration; Emergency Relief Administration 긴급 구제국(局); 《미》 Equal Rights Amendment
e·ra·di·ate [iréidièit] *vt., vi.* 〈광선·열 등을〉 방사(放射)하다
e·ra·di·a·tion [irèidiéiʃən] *n.* Ⓤ 방사, 발광, 발열
e·rad·i·ca·ble [irǽdəkəbl] *a.* 근절할 수 있는
e·rad·i·cant [irǽdəkənt] *n., a.* (기생 생물) 근절제(劑)(의)
***e·rad·i·cate** [irǽdəkèit] [L 「뿌리를 제거하다」의 뜻에서] *vt.* 〈병·해충·문맹 등을〉 **뿌리째 뽑다**; 박멸하다(extirpate), 근절하다; (솔벤트 등 화학 용제로) 〈얼룩 등을〉 지우다: ~ corruption 부패를 뿌리뽑다
e·rad·i·ca·tion [irædikéiʃən] *n.* Ⓤ 근절, 박멸; 소거
e·rad·i·ca·tive [irǽdikèitiv | -kə-] *a.* 근절[근치]시키는: an ~ medicine 근치약
e·rad·i·ca·tor [irǽdikèitər] *n.* **1** 근절[박멸]하는 사람[것] **2** Ⓤ 잉크 지우개, 얼룩 빼는 약 **3** 제초제[기]
e·ras·a·ble [iréisəbl | iréiz-] *a.* 지울 수 있는; 〖컴퓨터〗 소거할 수 있는 **e·ràs·a·bíl·i·ty** *n.*
erásable bònd 이레이저블 본드지(紙) 《쉽게 지울 수 있게 겉을 코팅한 본드지》
erásable stòrage 〖컴퓨터〗 소거 가능 기억 장치
***e·rase** [iréis | iréiz] [L 「깎아내다」의 뜻에서] *vt.* **1** 〈글자 등을〉 **지우다**, 문질러 없애다, 닦아서 지우다; 삭제하다; 〈자기 테이프의 녹음을〉 지우다 《*from*》: ~ a line 선을 지우다 // (~+목+전+명) ~ a problem *from* the blackboard 칠판의 문제를 지우다 **2** 〈마음 속에서 …을〉 지워 버리다, (씻은 듯이) 잊어버리다 《*from*》: (~+목+전+명) ~ a hope *from* one's mind 희망을 버리다 **3** 《속어》 죽이다(kill)
— *vi.* 쉽게 지워지다; 문자[기호]를 지우다
e·ràsed [iréist | iréizd] *a.*
▷ eráser, erásure *n.*
‡**e·ras·er** [iréisər | -zə] *n.* **1** 《미》 **고무지우개**(《영》 rubber), 칠판지우개; 잉크 지우개 **2** 지우는 사람, 말소자 **3** 〖권투〗 녹아웃[KO] (펀치)
e·ra·sion [iréiʒən, -ʃən | -ʒən] *n.* Ⓤ **1** 삭제, 말소 **2** 〖외과〗 (태아의) 소파, 제거
E·ras·mi·an [irǽzmiən] *a.* Erasmus 유파(流派)의
— *n.* 에라스무스 유파의 사람
E·ras·mus [irǽzməs] *n.* 에라스무스 **Desiderius ~** (1466?-1536) 《네덜란드의 인문학자, 문예 부흥 운동의 선각자》
E·ras·tian [irǽstʃən, -tiən | -tiən] *a.* Erastus 유파(流派)의 — *n.* 에라스투스설의 신봉자
E·ras·tian·ism [irǽstʃənìzm, -tiən- | -tiən-] *n.* Ⓤ 에라스투스설 《종교는 국가에 종속하여야 한다는 설》
E·ras·tus [irǽstəs] *n.* **1** 남자 이름 **2** 에라스투스 **Thomas ~** (1524-83) 《스위스의 의사·신학자》
e·ra·sure [iréiʃər | -ʒə] *n.* **1** Ⓤ 지워 없앰, 말소 《*of*》 **2** 삭제 부분[어구], 지운 자국 《*in*》
Er·a·to [érətòu] *n.* 〖그리스신화〗 에라토 《서정시[연애시]를 맡은 여신; the Muses의 한 사람》
er·bi·um [ə́ːrbiəm] *n.* Ⓤ 〖화학〗 에르븀 《희토류 원소; 기호 Er, 번호 68》
ere [ɛ́ər] 《고어·시어》 *prep.* 전에(before)
~ ***long*** 머지않아(erelong)
— *conj.* **1** …하기 전에, …에 앞서(before) **2** (…하는 것보다는) 오히려(rather)
Er·e·bus [érəbəs] *n.* 〖그리스신화〗 에레보스 《Earth와 Hades 사이의 암흑계》 (***as***) ***black as*** ~ 캄캄한
‡**e·rect** [irékt] *a.* **1** 똑바로 선, 직립한(upright): stand ~ 똑바로 서다 / with ears ~ 귀를 쫑긋 세우고 **2** 〈(머리)털이〉 곤두선 **3** 긴장한 **4** 〖생리〗 발기(勃起)한 **5** 〖광학〗 〈상(像)이〉 정립(正立)한
— *vt.* **1** **직립시키다**, 곤두세우다 **2** 〈건조물을〉 **세우다**, 건설[설립]하다(construct, build) **3** 〈기계를〉 조립하다(assemble) **4** 승격시키다 《*into*》: (~+목+전+명) ~ a territory *into* a state 준주(準州)를 주로 승격시키다 **5** 〖기하〗 (기선(基線) 위에) 〈선·도형을〉 그리다, 작도하다 **6** 〖광학〗 〈도립상(倒立像)을〉 정립(正立)시키다 **7** 〖생리〗 발기시키다 **8** 초래하다, 생기게 하다 ~ one***self*** 몸을 일으키다
— *vi.* 〈건물이〉 서다; …이 서다, 직립하다; 〖생리〗 발기하다 **~·a·ble** *a.* **~·ness** *n.*
▷ eréction *n.*; eréctile *a.*
e·rec·tile [iréktl | -tail] *a.* 직립할 수 있는; 〖생리〗 발기성의 **e·rec·tíl·i·ty** *n.* Ⓤ 발기력[성]
eréctile dysfúnction 〖병리〗 발기 부전
***e·rec·tion** [irékʃən] *n.* Ⓤ **1** 직립, 기립 **2 a** 건설; 조립 **b** Ⓒ 건조물, 건물 **3** 설립 **4** 〖생리〗 발기: get [have] ~ 발기하다
▷ eréct *v.*; eréctile, eréctive *a.*
e·rec·tive [iréktiv] *a.* 직립력[기립력]이 있는
e·rect·ly [iréktli] *ad.* 직립하여, 수직으로
e·rec·tor [iréktər] *n.* 건설자; 창설[설립]자
Eréctor Sèt 이렉터 세트 《어린이용 조립 완구; 상표명》
É règion E 영역 《전리층 중 고도 90-150 km의 영역으로, E층(E layer)이 포함됨》
ere·long [ɛ̀ərlɔ́ːŋ | -lɔ́ŋ] *ad.* 《고어·시어》 머지 않

---

inate, abolish, annihilate, extinguish
erase *v.* remove, obliterate, delete, cancel, efface, expunge, rub out

아 이윽고, 곧

er·e·mite [érəmàit] *n.* (특히 기독교의) 은자(隱者)

er·e·mit·ic, -i·cal [èrəmítik(əl)] *a.* 은자적인

er·e·mit·ism [érəmàitizm] *n.* Ⓤ 은자[은둔] 생활

ere·now [ɛ̀ərnáu] *ad.* 《고어》 지금까지

e-res·u·me [íːrizùːm | -zjùːm], **e-re·su·mé** [íːrezumèi | -zju-] *n.* 〖컴퓨터〗 전자 이력서

er·e·thism [érəθìzm] *n.* Ⓤ 〖병리〗 신경과민, 신경성 흥분

ere·while(s) [ɛ̀ərhwáil(z)] *ad.* 《문어》 조금 전에

erg¹ [ə́ːrg] *n.* 〖물리〗 에르그 《에너지의 단위; 1다인(dyne)의 힘이 물체에 작용하여 1센티만큼 움직이게 하는 일의 양; 기호 e》

erg² [ɛ́ərg] *n.* 〖지질〗 에르그 《모래로 뒤덮인 광대한 지역》

erg- [əːrg], **ergo-** [ə́ːrgou] 《연결형》 「일, 작업」의 뜻 《모음 앞에서는 erg-》

er·gate [ə́ːrgeit] *n.* 〖곤충〗 일개미

er·ga·tive [ə́ːrgətiv] 〖문법〗 *a.* 능동격(格)의, 능동격적인 **—** *n.* 능동격 《예: *The key* opened the door. 에서의 *The key*》

er·ga·toc·ra·cy [ə̀ːrgətɑ́krəsi | -tɔ́k-] *n.* Ⓤ 노동자 정치

-ergic [ə́ːrdʒik] 《연결형》 「(어떤 물질·현상에 의해) 활성화된, 방출하는, 감수성 있는, (…의) 효과와 비슷한」의 뜻

er·go [ə́ːrgou, ɛ́ər-] [L = therefore] *ad.* 《익살》 그런고로(therefore)

ergo-¹ [ə́ːrgou, -gə] 《연결형》 = ERG-

ergo-² 《연결형》 「맥각(麥角)」의 뜻

er·god·ic [ə̀ːrgɑ́dik | -gɔ́d-] *a.* 〖수학·통계〗 에르고드적(的)인 《상당한 기간이 지난 후, 하나의 체계가 최초의 상태와 거의 비슷한 상태로 돌아가는 조건 하에 있는》: the ~ hypothesis 에르고드 가설

er·go·graph [ə́ːrgəgræ̀f | -grɑ̀ːf] *n.* 에르고그래프, 작업 기록기 《근육의 작업 능력·피로도 등을 재는 장치》

er·gom·e·ter [əːrgɑ́mətər | -gɔ́m-] *n.* 작업계, 에르고미터 《체력·작업 능력 측정 장치》

er·go·met·ric [ə̀ːrgəmétrik] *a.*

er·gon [ə́ːrgɑn | -gɔn] [Gk = work] *n.* 〖물리〗 열의 작용으로 이루어지는 일의 양; = ERG¹

er·go·nom·ic [ə̀ːrgənɑ́mik | -nɔ́m-] *a.* 인간 환경 공학의 **-i·cal·ly** *ad.*

er·go·nom·ics [ə̀ːrgənɑ́miks | -nɔ́m-] *n. pl.* [단수·복수 취급] **1** 생물 공학 **2** 인간 공학

er·gon·o·mist [əːrgɑ́nəmist | -gɔ́n-] *n.* 인간 공학 연구자

er·go·no·vine [ə̀ːrgənóuviːn, -vin] *n.* 〖약학〗 에르고노빈 《맥각(麥角) 알칼로이드의 일종; 정상 분만이나 유산에 따르는 출혈 방지·처치에 쓰임》

er·go·sphere [ə́ːrgəsfìər] *n.* 〖천문〗 작용권(作用圈) 《블랙홀을 둘러 싼 가상(假想)의 대(帶)》

er·gos·ter·ol [əːrgɑ́stəròːl | -gɔ́stəròl] *n.* Ⓤ 〖생화학〗 에르고스테롤 《자외선을 쬐면 비타민 D로 변함》

er·got [ə́ːrgət] *n.* Ⓤ **1** 〖식물〗 맥각병(麥角病) **2** 〖약학〗 맥각 《호밀 맥각균을 건조시킨 것》

er·got·a·mine [əːrgɑ́təmìːn, -min | -gɔ́t-] *n.* 〖약학〗 에르고타민 《맥각(麥角) 알칼로이드의 하나; 자궁 근육 수축·편두통 치료에 쓰임》

er·got·ism [ə́ːrgətìzm] *n.* Ⓤ 〖의학〗 맥각 중독

Er·ic [érik] *n.* 남자 이름

ERIC Educational Resources Information Center

Er·i·ca [érikə] *n.* 여자 이름

er·i·ca·ceous [èrikéiʃəs] *a.* 〖식물〗 철쭉과(科)의

Er·ícs·son mèthod [eríksn-] [the ~] 에릭슨법 《인공 수정법의 하나》

E·rie [íəri] *n.* **Lake ~** 이리 호 《미국 동부에 있는 5대호의 하나》

Er·in [érin, íər-] *n.* 《시어》 에린 《아일랜드의 옛 이름》: sons of ~ 아일랜드 사람

E·rin·ys [írínis, iráin-] *n.* (*pl.* **E·rin·y·es** [iríniìːz]) 〖그리스신화〗 에리니에스 《복수의 여신》

E·ris [íəris | éris] *n.* 〖그리스신화〗 에리스 《불화의 여신; cf. the APPLE of discord》

ERISA [ərísə] [*E*mployee *R*etirement *I*ncome *S*ecurity *A*ct] *n.* 《미》 종업원 퇴직 소득 보장법

er·is·tic [erístik] *a.* 논쟁상의, 논쟁적인 **—** *n.* 논쟁자; Ⓤ 논쟁술

Er·i·tre·a [èritríːə | -tréiə] *n.* 에리트레아 《아프리카 북동부·홍해에 임한 공화국; 수도 Asmara》 **-tré·an** *a.*, *n.*

erk [ə́ːrk] *n.* 《영·공군속어》 보충병, 신병

Er·len·mey·er flàsk [ə́ːrlənmàiər-, ɛ́ər-] [G] 삼각 플라스크

erl·king [ə́ːrlkiŋ] *n.* 〖북유럽신화〗 요정(妖精)의 왕 《아이를 죽음의 나라로 유인하는》

erm [ə́ːrm] *int.* 《영》 저, 에에, 어어 《망설이거나 말이 막힐 때 내는 소리》(er): Shall we go?—*E*~, yes, let's. 우리 갈까?—어, 그래, 가자.

er·mine [ə́ːrmin] *n.* **1** (*pl.* **~s,** [집합적] **~**) 〖동물〗 어민, 흰담비, 산족제비 **2** Ⓤ 어민의 털가죽; 어민 털가죽의 겉옷 《귀족·판사용》 **3** [the ~] 왕[귀족, 판사]의 직위[신분]: wear[assume] *the* ~ 판사직에 취임하다 **4** [형용사적] 《시어》 순백(純白)의

er·mined [ə́ːrmind] *a.* 어민의 털로 장식한; 어민 모피를 입은

-ern [ərn] *suf.* 「…쪽의」의 뜻: east*ern*

erne [ə́ːrn] *n.* 〖조류〗 흰꼬리수리(sea eagle)

Er·nest [ə́ːrnist] *n.* 남자 이름

Er·nes·tine [ə́ːrnəstìːn] *n.* 여자 이름

Er·nie¹ [ə́ːrni] *n.* 남자 이름 《Ernest의 애칭》

Ernie² [*e*lectronic *r*andom *n*umber *i*ndicator *e*quipment] *n.* 《영》 프리미엄이 붙는 채권 당첨 번호 추첨 컴퓨터

e·rode [iróud] *vt.* **1** 〈바닷물·바람 등이〉 침식하다 《*away*》; 〈산이〉 부식시키다 《*away*》 **2** 〈병 등이〉 좀먹다 《*away*》; 〈신경·마음 등을〉 서서히 손상시키다 **—** *vi.* 부식[침식]되다 《*away*》

e·rod·i·ble [iróudəbl] *a.* 침식 가능한

e·rog·e·nous [irɑ́dʒənəs | irɔ́dʒ-] *a.* 〖의학〗 성욕을 자극하는; 성적으로 민감한

erógenous zòne (신체의) 성감대

E·ros [érɑs, íər- | íərɔs] *n.* **1** 〖그리스신화〗 에로스 《Aphrodite의 아들로서 연애의 신; 로마 신화의 Cupid에 해당》 **2** [**e~**] 성애(性愛) **3** 〖정신의학〗 리비도(libido); 자기 보존 본능

e·rose [iróus] *a.* **1** 고르지 않은, 울퉁불퉁한(uneven) **2** 〖식물〗 〈잎의 가장자리가〉 들쭉날쭉한

***e·ro·sion** [iróuʒən] *n.* ⓊⒸ **1** 부식; 침식: wind ~ 풍식(風蝕) (작용) **2** 〖의학〗 미란(靡爛), 짓무름 ▷ eróde *v.*

erósion sùrface 〖지질〗 침식면(面)

ero·sive [iróusiv] *a.* 부식성의, 침식적인

***e·rot·ic** [irɑ́tik | irɔ́t-] *a.* **1** 성애의, 애욕을 다룬 **2** 〈영화 등이〉 성욕을 자극하는 **3** 색정의, 호색의 **—** *n.* 연애시; 호색가 **-i·cal·ly** *ad.*

e·rot·i·ca [irɑ́tikə | irɔ́t-] *n. pl.* [단수·복수 취급] 성애(性愛)를 다룬 문학[예술]; 춘화도(春畫圖)

e·rot·i·cal [irɑ́tikəl | irɔ́t-] *a.* = EROTIC

e·rot·i·cism [irɑ́təsìzm | irɔ́t-] *n.* Ⓤ **1** 에로티시즘, 호색성 **2** 성욕; 〖정신의학〗 이상 성욕 **3** 성적 흥분

e·rot·i·cist [irɑ́təsist | irɔ́t-] *n.* 성욕이 강한 사람; 에로 작가[배우]

e·rot·i·cize [irɑ́təsàiz | irɔ́t-] *vt.* 춘화화(春畫化)하다; 성적으로 자극하다, 에로틱하게 하다 **e·ròt·i·ci·zá·tion** *n.*

er·o·tism [érətìzm] *n.* Ⓤ 〖의학〗 = EROTICISM

eroto- [iróutou, -tə, irɑ́t- | iróutou, -tə, irɔ́t-] 《연결형》 「성욕(sexual desire)」의 뜻

thesaurus **erotic** *a.* seductive, sensual, carnal, pornographic, amatory, erogenous

e·ro·to·gen·ic [iròutədʒénik] *a.* = EROGENOUS
er·o·tol·o·gy [èrətɑ́lədʒi | -tɔ́l-] *n.* Ⓤ 성애학; 호색 문학[예술] **-gist** *n.* **er·o·to·log·i·cal** [èrətəlɑ́dʒikəl | -lɔ́dʒ-] *a.*
e·ro·to·ma·ni·a [iròutəméiniə, irɑ̀tə-] *n.* Ⓤ 〖정신의학〗 성욕 이상, 색정광(色情狂)
e·rot·o·pho·bi·a [irɑ̀təfóubiə | -rɔ̀t-] *n.* 성애(性愛) 공포(증)
ERP European Recovery Program
‡**err** [ə́:r, έər | ə́:] [L 「헤매다」의 뜻에서] *vi.* 《문어》 **1** 잘못하다, 틀리다: My aim cannot ~. 내 목표에는 절대 틀림이 없다. // 《~+젠+명》 ~ *from* the truth 진리를 잘못 알다 / ~ *in* believing (that ...) (…을) 그릇되게 믿다 / It is best to ~ *on* the safe side. 잘못되더라도 큰 탈이 나지 않게 조심하는 게 제일이다. **2** 도덕[종교적 신조]에 어긋나다, 죄를 범하다(sin) 《*from*》: 《~+젠+명》 ~ *from* the right path 정도(正道)에서 벗어나다 ~ ***on the side of*** …에 치우치다: He ~*ed on the side of* mercy[severity]. 그는 지나치게 관대[엄격]하다. ***To ~ is human, to forgive divine.*** 과오는 인지상사요, 용서는 신의 본성이니라. 《영국 시인 Pope의 말》
▷ érror *n.*; erróneous *a.*
er·ran·cy [érənsi] *n.* (*pl.* **-cies**) **1** (판단 등의) 잘못; 상규를 벗어남 **2** 실수하기 쉬움, 경솔, 변덕
‡**er·rand** [érənd] [OE 「전언(傳言)」의 뜻에서] *n.* **1** 심부름, 심부름 가기: an ~ boy[girl] 심부름하는 소년[소녀] **2** (심부름의) 내용, 용건; 사명, 임무: tell one's ~ 용무를 말하다
fool's [***gawk's***] ~ 쓸데없는 심부름 ***go*** (***on***) ~***s*** = ***run*** (***on***) ~***s*** 심부름 가다 ***on an ~ of*** …의 사명을 띠고 ***send*** a person ***on an*** ~ …을 심부름 보내다
er·rant [érənt] [OF 「헤매다」의 뜻에서] *a.* **1** (여러 나라를) 돌아다니는; (무예를 닦기 위한) 모험적 편력(遍歷)의 **2** 〈생각이〉 잘못된, 〈행위가〉 그릇된
er·rant·ry [érəntri] *n.* ⓊⒸ (중세 기사의) 편력, 방랑
er·ra·ta [irɑ́:tə, iréi- | erɑ́:-] *n.* **1** ERRATUM의 복수 **2** [단수 취급] 정오표(正誤表)
er·rat·ic [irǽtik] *a.* **1** 〈마음이〉 산만한, 변덕스러운; 엉뚱한: an ~ behavior 엉뚱한 행위 **2** 〖지질〗 〈돌이〉 표이성(漂移性)의: an ~ boulder[block] 표석(漂石) **—** *n.* **1** 기인(奇人), 이상한 사람 **2** 〖지질〗 표석
-i·cal·ly *ad.* **-i·cism** *n.*
er·rat·i·cal [irǽtikəl] *a.* = ERRATIC
er·ra·tum [irɑ́:təm, iréi- | erɑ́:-] *n.* (*pl.* **-ra·ta** [-tə]) **1** (고쳐야 할) 오류, 오자(誤字), 오식, 오사(誤寫) **2** [*pl.*; 단수 취급] 정오표
err·ing [ə́:riŋ, έər- | ə́:r-] *a.* **1** 잘못되어 있는, 몸을 그르치는 **2** 죄를 범하고 있는, 부정한: an ~ wife 부정한 아내 **~·ly** *ad.*
erron. erroneous(ly)
∗**er·ro·ne·ous** [iróuniəs] *a.* 《문어》 잘못된, 틀린; 《고어》 정도를 벗어난, 일탈한 **~·ly** *ad.* **~·ness** *n.*
▷ érr *v.*; érror *n.*
‡**er·ror** [érər] *n.* **1** 잘못, 실수, 틀림(mistake) 《*in, of*》: Correct ~*s*, if any. 틀린 데가 있으면 고치시오.

> 유의어 **error** 잘못·실수를 나타내는 일반적인 말로서 도덕적인 잘못을 가리킬 때도 있다: an *error* in judgment 판단의 잘못[착오] **mistake** 기준이나 정해(正解)에서 벗어난 오류, 또는 판단의 잘못: a spelling *mistake* 철자의 잘못 **blunder** 「(큰) 실수」로서 비난의 뜻이 들어 있다: His *blunder* costed us the victory. 그의 큰 실수로 우리는 승리를 놓쳤다. **slip** 부주의에 의한 가벼운 실수: a *slip* of tongue 잘못 말함, 실언

2 Ⓤ 그릇된 생각(delusion) **3** 과실, 죄(sin) **4** 〖야구〗 에러, 실책, 범실 《패스트 볼·투수의 와일드 피치는 제외》 **5** 〖수학·통계〗 오차; 〖법〗 착오; 오심 **6** 〖컴퓨터〗 오류, 에러 **7** (우표 수집에서) 잘못 만들어진 우표
and no ~ 틀림없이, 확실히 ***be*** [***stand***] ***in*** ~ 〈생각이〉 틀려 있다 ***catch*** a person ***in*** ~ …의 잘못을 찾아내다 ***clerical*** ~ 잘못 씀, 잘못 베낌 ***commit*** [***make***] ***an*** ~ 실수하다 ~***s of commission*** [***omission***] 과실[태만]의 죄 ***fall into an*** ~ 잘못을 저지르다; 잘못 짐작하다 ***personal*** ~ 개인(오)차 ***printer's*** ~ 오식(誤植) ***see*** [***realize***] ***the*** ~ ***of*** one***'s way*** 《문어》 잘못을 뉘우치다, 반성하다 ***writ of*** ~ 〖법〗 오심[재심] 명령
▷ erróneous *a.*; érr *v.*
érror anàlysis 〖언어〗 오답(誤答) 분석 《제2 언어의 습득 과정에서 생기는 오류의 연구》
érror bàr 〖수학〗 에러 바 《그래프상의 오차를 나타내는 선》
érror catàstrophe 〖생화학〗 에러 카타스트로피 《노화 현상 이론의 하나》
érror contròl 〖컴퓨터〗 오류 제어
érror corrèction 〖컴퓨터〗 (자동) 오류 정정(訂正)
érror mèssage 〖컴퓨터〗 에러 메시지 《프로그램에 잘못이 있을 때 출력되는 메시지》
érror of clósure 〖측량〗 폐색[폐합] 오차(closing error)
er·satz [έərzɑ:ts | έəzæts] [G 「대용」의 뜻에서] *n.* 대용품 **—** *a.* 대용의(substitute)
Erse [ə́:rs] *n.* Ⓤ 어스어(語) 《스코틀랜드 고지의 게일릭어》 **—** *a.* **1** (스코틀랜드 고지 등의) 켈트족의 **2** 어스어(語)의
erst [ə́:rst] *ad.* 《고어·문어》 이전에, 옛날에
erst·while [ə́:rsthwàil] *ad.* 《고어》 이전에, 옛날에 **—** *a.* 이전의, 옛날에
ERTS [ə́:rts] [*E*arth *R*esources *T*echnology *S*atellite] *n.* 어츠 《지구 자원 탐사 위성 제1호; 뒤에 Landsat로 개칭》
er·u·bes·cent [èrubésnt] *a.* 〈피부가〉 붉은 빛을 띤, 붉어지는 **-cence** *n.*
e·ruct [irʌ́kt], **e·ruc·tate** [irʌ́kteit] *vt., vi.* **1** 《문어》 트림을 하다 **2** 〈화산 등이〉 분출하다
e·ruc·ta·tion [irʌktéiʃən, ì:-] *n.* Ⓤ **1** 트림(belching) **2** (화산의) 분출(물)
e·ruc·ta·tive [irʌ́ktətiv] *a.* **1** 트림이 나는 **2** (화산) 분출의[에 관한]
er·u·dite [érjudàit | éru:-] [L 「조잡하지 않은」의 뜻에서] *a.* 《문어》 **1** 학식 있는, 박학한 **2** 〈저작 등이〉 학식의 깊이를 나타내는 **—** *n.* 박식[박학]한 사람
~·ly *ad.* **~·ness** *n.*
er·u·di·tion [èrjudíʃən | èru:-] *n.* Ⓤ 박학, 박식; 학식
e·rum·pent [irʌ́mpənt] *a.* **1** 돌파해서 나오는[나타나는] **2** 〖식물〗 〈균류 등의 싹이〉 돋아난
e·rupt [irʌ́pt] [L 「파열하다」의 뜻에서] *vi.* **1** 〈화산재·간헐천(間歇泉) 등이〉 분출하다 **2** 〈화산이〉 폭발하다, 분화하다 **3** 〈이가〉 나다 **4** 〈피부가〉 발진(發疹)하다 **5** 〈울적한 감정이〉 용솟음치다, 〈말 등이〉 쏟아져 나오다 **—** *vt.* **1** 〈울적한 감정 등을〉 분출시키다 **2** 〈화산·간헐천 등이〉 〈용암 등을〉 분출하다 **~·i·ble** *a.*
∗**e·rup·tion** [irʌ́pʃən] *n.* ⓊⒸ **1** (화산의) 폭발, 분화 **2** (용암·간헐천 등의) 분출; (화산의) 분출물 **3** (분노·웃음 등의) 폭발; (병·전쟁 등의) 발생 **4** 〖병리〗 발진 **5** Ⓤ 이가 남 ▷ erúpt *v.*; erúptive *a.*
e·rup·tion·al [irʌ́pʃənl] *a.* 분화의, 폭발의
e·rup·tive [irʌ́ptiv] *a.* **1** 폭발적인, 폭발성의; 분화에 의한, 분출성의: ~ rocks 분출암, 화성암 **2** 〖병리〗 발진성(發疹性)의: ~ fever 발진열 **—** *n.* 분출암, 화성암 **~·ly** *ad.*
er·uv [éruv] *n.* (*pl.* **~·im** [-im]) (유대인의) 안식일 규범이 면제되는 지역
E.R.V. English Revised Version (of the Bible)
ERW enhanced radiation weapon

errand *n.* commission, task, job
eruption *n.* outburst, outbreak, explosion

Er·win [ə́:rwin] *n.* 남자 이름
-ery [əri] *suf.* **1** 「성질; 행색; 습관」의 뜻: brav*ery*, fool*ery* **2** 「…상(商); …업(業); …술(術)」의 뜻: pott*ery*, arch*ery* **3** 「…제조소; …점(店)」의 뜻: bak*ery*, brew*ery*, groc*ery* **4** 「…류」의 뜻: drap*ery*, jewell*ery*, machin*ery*
er·y·sip·e·las [èrəsípələs] *n.* Ⓤ 〖병리〗 단독(丹毒)
er·y·the·ma [èrəθí:mə] *n.* (*pl.* **~·ta** [-tə]) 〖병리〗 홍진(紅疹), 홍반(紅斑) **-thém·a·tous** *a.*
er·y·thor·bate [èrəθɔ́:rbeit] *n.* 〖화학·약학〗 에리소르빈신염 《식품의 산화 방지제》
er·y·thór·bic ácid [èrəθɔ́:rbik-] 〖화학〗 에리소르빈산(酸) 《아스코르빈산의 입체 이성체(立體異性體)》
erythr- [iríθr], **erythro-** [iríθrə, -ou] 《연결형》 「적(赤); 적혈구」의 뜻 《모음 앞에서는 erythr-》
er·y·thrism [iríθrizm, érəθrìzm | iríθrizm] *n.* 적발증(赤髮症), 적우증(赤羽症) 《모발·새의 깃털 따위가 이상하게 붉은 것》
e·ryth·ro·blast [iríθrəblæ̀st] *n.* 〖해부〗 적아(赤芽) 세포, 적아구(球)
e·ryth·ro·blas·to·sis [irìθroublæstóusis] *n.* 〖병리〗 **1** 적아(赤芽) 세포증(症), 적아구(球)증 **2** 태아 적아구증, 신생아 적아구증
e·ryth·ro·cyte [iríθrəsàit] *n.* 〖해부〗 적혈구
er·y·throid [iríθrɔid, érəθrɔ̀id] *a.* 〖해부〗 적혈구의[를 만드는]
e·ryth·ro·leu·ke·mi·a [irìθroulu:kí:miə] *n.* 〖병리〗 적백혈병
e·ryth·ro·my·cin [irìθrəmáisn | -sin] *n.* Ⓤ 〖약학〗 에리트로마이신 《항생 물질의 하나》
er·y·thron [érəθrɑ̀n | -θrɔ̀n] *n.* 〖생리〗 에리트론, 적혈구계 세포
e·ryth·ro·pho·bi·a [irìθrəfóubiə] *n.* Ⓤ 〖정신의학〗 적면(赤面) 공포증, 적색 공포증
e·ryth·ro·poi·e·sis [irìθroupɔií:sis] *n.* 〖생화학〗 (골수에서의) 적혈구 생성(生成) **-poi·ét·ic** *a.*
e·ryth·ro·poi·e·tin [irìθroupɔ́iətn | -tin] *n.* 〖생화학〗 에리스로포이에틴 《적혈구 생성 촉진 인자》
es- [is, es] *pref.* ＝EX-의 변형: *es*cheat, *es*cape
-es, -s [([s, z, ʃ, ʒ, tʃ, dʒ]의 뒤) iz, əz; (그 밖의 유성음의 뒤) z; (그 밖의 무성음의 뒤) s] *suf.* **1** 명사의 복수 어미: box*es*, match*es* **2** 동사의 제3인칭·단수·현재형의 어미: go*es*, do*es*
Es 〖화학〗 einsteinium **E.S.** engine-sized **ESA** European Space Agency
E·sau [í:sɔ:] *n.* 〖성서〗 에서 《Isaac의 맏아들; 죽 한 그릇 때문에 아우 Jacob에게 상속권을 팔았음》
ESB electrical stimulation of the brain 뇌의 전기 자극
es·bat [ésbæt] *n.* 마녀의 집회
Esc escudo(s) **ESC** Economic and Social Council (of the United Nations); 〖컴퓨터〗 escape
es·ca·drille [èskədríl, ⌐-⌐] *n.* (보통 6대 편성의) 비행대; 《폐어》 (8척 편성의) 소함대
es·ca·lade [èskəléid, -lɑ́:d | -léid] *n.* 〖군사〗 (요새·성벽 등을) 사다리로 기어 오르기
— *vt.* 〈성벽을〉 사다리로 기어 오르다 **-lád·er** *n.*
***es·ca·late** [éskəlèit] *vi.* **1** 〈전쟁 등이〉 단계적으로 확대되다 《*into*》 **2** 〈임금·물가가〉 차츰 오르다
— *vt.* **1** 〈전쟁 등을〉 **단계적으로 확대하다** **2** 〈임금·물가 등을〉 차츰 올리다
es·ca·la·tion [èskəléiʃən] *n.* Ⓤ (임금·물가·전쟁 등의) 단계적 확대, 에스컬레이션 《*of*》(opp. *de-escalation*)
‡**es·ca·la·tor** [éskəlèitər] *n.* **1 에스컬레이터,** 자동계단(moving staircase): get on the ~ 에스컬레이터를 타다 **2** (에스컬레이터 같은) 단계적 증감; (안락한) 출세 코스 **3** ＝ESCALATOR CLAUSE
— *a.* 에스컬레이터 조항의[에 의한]
éscalator clàuse 〖경제〗 신축 조항, 에스컬레이터 조항 《단체 협약 중에서 경제 사정 변화에 따라 임금의 증감을 인정하는 규정; cf. SLIDING SCALE》
éscalator scàle 에스컬레이터 조항에 의한 임금 체계
es·ca·la·to·ry [éskələtɔ̀:ri | -lèitəri] *a.* (특히 전쟁의) 규모 확대에 연계되는
es·cal·lop [eskɑ́ləp | -kɔ́l-] *n.*, *vt.* ＝SCALLOP
es·ca·lope [èskəlóup] *n.* (기름으로 튀긴) 얇게 썬 돼지고기, 쇠고기[송아지 고기] 요리
ESCAP [éskæ̀p] [*E*conomic and *S*ocial *C*ommission for *A*sia and *P*acific] *n.* (유엔) 아시아 태평양 경제 사회 위원회
es·cap·a·ble [iskéipəbl, es-] *a.* 도망칠 수 있는, 피할 수 있는
es·ca·pade [éskəpèid, ⌐-⌐] *n.* ⓊⒸ 탈선 행위; 엉뚱한 행위, 장난(prank)
‡**es·cape** [iskéip, es-] *v.*, *n.*, *a.*

「달아나다」 → (밖으로 나가다) → 「새다」

— *vi.* **1 달아나다,** 도망하다, 탈출하다 《*from, out of*》, 도피하다 《*from*》(⇨ escaped): Two were killed, but he ~*d.* 두 사람은 살해되었지만 그는 탈출했다. // 《~+전+명》 ~ *from* (a) prison 탈옥하다 **2** (위험·죄·병 등에서) **벗어나다,** 헤어나다 《*from*》: 《~+전+명》 ~ *from* injury[being injured] 부상을 면하다 / ~ *with* bare life 겨우 목숨을 부지하여 벗어나다 **3** 〈액체·가스 등이〉 **새(나가)다**(leak) 《*from, out of*》; 〈머리털이〉 (모자 등에서) 비어져 나오다 《*from, out of*》: 《~+전+명》 Gas is *escaping from* the burner. 가스가 버너에서 새어 나오고 있다. **4** 〈기억이〉 흐려지다(fade) **5** 〈재배 식물이〉 야생으로 돌아가다
— *vt.* **1** 〈추적·위험·재난 등을〉 (미연에) **벗어나다,** 면하다, 잘 피하다(avoid): 《~+*-ing*》 ~ punishment 벌을 면하다 / narrowly ~ death[be*ing* killed] 간신히 죽음을 면하다

> 유의어 **escape** 위험이나 속박 등을 피해 달아나다: *escape* criticism 비판을 면하다 **avoid** 위험하거나 불쾌할 염려가 있는 것에서 의식적·적극적으로 멀어지다: *avoid* crowds during flue epidemic 독감 유행 기간에 군중을 피하다 **evade** avoid보다 더욱 적극적으로 무언가의 수단을 써서 회피하다: *evade* pursuit 추적을 피하다 **elude** 절박한 장면에서 상대방의 의표를 찌르고 달아나다: The criminal *eluded* the police. 그 범인은 경찰을 따돌렸다.

2 〈기억에서〉 **잊혀지다,** 사라지다; 〈물건이 사람의 주의 등을〉 벗어나다: His name ~*s* me[my memory]. 그의 이름이 생각나지 않는다. / Nothing ~*s* your eyes! 당신 눈은 어떤 일도 놓치는 일이 없군요! **3** 〈책임 등을〉 벗어나게 하다 **4** 〈말·미소·탄식 등이〉 …에서 새어 나오다
— *n.* **1** ⒸⓊ **탈출, 도망,** 도피; (죄·재난 등의) 모면, 벗어남 《*from, out of*》 **2** 벗어나는 수단; 피난 장치; 도주로; 배출구; 비상구 **3** (가스·물 등의) 샘, 누출(leakage) 《*from, out of*》 **4** [an ~] 현실 도피 **5** 〖식물〗 재배 식물이 야생화한 것 **6** 〖컴퓨터〗 에스케이프(키) 《명령을 중단하거나 프로그램의 한 부분을 다른 부분으로 변경할 때 이용》
have a narrow [***hairbreadth***] **~** 구사일생하다 ***have an*** **~** 달아나다, 빠져나가다 ***make*** (***good***) ***one's*** **~** 무사히 도망하다 《*from*》 ***There is no*** **~** (from the enemies). (적으로부터) 도망할 길이 없다.
— *a.* 도피의; 현실 도피의 **es·cáp·er** *n.*
escápe àrtist 동아줄 등을 빠져나가는 곡예사[마술사]; 탈옥의 명수
escápe clàuse 면책[도피] 조항; 제외 조항

thesaurus **escalate** *v.* **1** 확대되다 increase, heighten, intensify, accelerate **2** 오르다 go up, mount, soar, climb, spiral

es·caped [iskéipt] *a.* 탈주한, 도망한
es·cap·ee [iskèipí:, es-] *n.* 도피자; 망명자; 탈옥수
escápe hàtch **1** (배·항공기·승강기 등의) 피난용 비상구 **2** (곤란한 사태에서의) 도피구[수단]
escápe lìterature 도피 문학
escápe mèchanism 〖심리〗 도피 기제(機制)
es·cape·ment [iskéipmənt, es-] *n.* **1** (시계의) 탈진기(脫進機) 《기어의 회전 속도를 고르게 하는 장치》 **2** 도피구; 누출구 **3** (타자기의) 문자 이동 장치 **4** 에스케이프먼트 《피아노의 해머를 되돌아오게 하는 장치》
escápe pìpe (escape valve에서 배출되는 액체·증기의) 배출관
escápe ròad 긴급 피난 도로 《자동차 경주로에서 운전 불능차를 세우기 위해 모래를 쌓아 올린 도로》
escápe vàlve 〖기계〗 배기판 《안전판의 일종》
escápe velòcity 〖물리〗 (로켓의 중력권) 탈출 속도
es·cape·way [iskéipwèi] *n.* **1** 탈출구 **2** =FIRE ESCAPE
escápe whèel (시계 톱니바퀴의) 방탈(防脫) 장치
es·cap·ism [iskéipizm, es-] *n.* Ⓤ 현실 도피
es·cap·ist [iskéipist] *n.* 현실 도피주의자
— *a.* 현실 도피(주의)의
es·cap·ol·o·gist [iskèipálədʒist | -pɔ́l-] *n.* 동아줄[바구니]을 빠져 나가는 곡예사
es·cap·ol·o·gy [iskèipálədʒi | -pɔ́l-] *n.* Ⓤ 동아줄[바구니]을 빠져 나가는 곡예[기술]; 탈주법, 탈출술
es·car·got [èskɑ:rgóu] [F] *n.* (*pl.* **~s** [-z]) 식용 달팽이
es·ca·role [éskəròul] *n.* 《영》 〖식물〗 꽃상추의 일종 《샐러드용》
es·carp [iskɑ́:rp] *n., vt.* =SCARP
es·carp·ment [iskɑ́:rpmənt] *n.* **1** 〖축성〗 (내안(內岸)의) 급경사지 **2** 절벽, 급경사면 **3** 〖지리〗 단층애(斷層崖); 해저애(海底崖)
-esce [és] *suf.* 「…하기 시작하다; …으로 되다, …으로 화(化)하다」의 뜻: coal*esce*, efferv*esce*
ES cèll [ì:és-] [*e*mbryonic *s*tem *cell*] 〖생물〗 배아 줄기세포
-escence [ésns] *suf.* 「…하는 작용, 경과, 과정, 변화; …상태」의 뜻: efferv*escence*
-escent [ésnt] *suf.* 「…기(期)의, …성(性)의」의 뜻: adol*escent*, conval*escent*
esch·a·lot [éʃəlɑ̀t, ∸∸ | éʃəlɔ̀t] *n.* 〖식물〗 =SHALLOT
es·char [éskɑ:r, -kər | -kɑ:] *n.* 〖병리〗 (화상 자국 등에 생기는) 딱지
es·cha·rot·ic [èskərɑ́tik | -rɔ́t-] 〖의학〗 *a.* 〈의약제 등이〉 부식성의(caustic) — *n.* 부식제[약]
es·cha·to·log·i·cal [èskətəlɑ́dʒikəl, eskæ̀t- | -lɔ́dʒ-] *a.* 〖신학〗 종말론의 **~·ly** *ad.*
es·cha·tol·o·gy [èskətɑ́lədʒi | -tɔ́l-] [Gk 「최후에 관한 학문」의 뜻에서] *n.* Ⓤ 〖신학〗 종말론 《세계의 종말·신의 심판·천국·지옥의 4가지를 논하는》
-gist *n.* 종말론자
es·cha·ton [éskətn] *n.* 〖신학〗 [the ~] 종말
es·cheat [istʃí:t] 〖법〗 *n.* **1** Ⓤ (부동산) 복귀 《상속인 없는 재산이 국왕·영주에게 귀속되는 것》 **2** 복귀 재산 **3** (토지·재산의) 복귀[몰수]권 — *vt.* 〈재산을〉 몰수하다 — *vi.* 〈재산이〉 복귀하다, 귀속하다 **~·a·ble** *a.*
es·cheat·age [istʃí:tidʒ] *n.* Ⓤ 〖법〗 (부동산) 복귀권
es·chea·tor [istʃí:tər] *n.* 〖법〗 몰수[복귀]지 관리자
Esch·e·rích·i·a cóli [èʃəríkiə-] 〖세균〗 대장균
es·chew [istʃú:] *vt.* 〈좋지 않은 일을〉 (의도적으로) 피하다(avoid), 삼가다 **~·al** *n.*
esch·scholt·zi·a [eʃóultsiə | iskɔ́lʃə] *n.* 〖식물〗 금영화(金英花)(California poppy)
Es·co·ri·al [eskɔ́:riəl | èskɔriɑ́:l] *n.* [the ~] 에스코리알 《Madrid 근교에 있는 건축물; 왕궁·역대 왕의 묘소·예배당·수도원 등이 있음》

es·cort** [éskɔ:rt] *n.* **1** 호위자[대], 호송자[대]; 경호선, 호송선[함] **2** Ⓤ 호위, 호송 **3** (여성에 대한) 남성 동반자; (사교장의) 여성 파트너 **4** 《미》 매춘부 ***under the ~ of …의 호위하에
— [iskɔ́:rt] *vt.* **1** 〈군함 등을〉 호위[경호]하다; 호송하다 **2** 〈여성과〉 동행하다, 수행하다; 바래다 주다: (~+목+부) George offered to ~ Mrs. Green (*home*). 조지는 그린 부인을 (집까지) 바래다 드리겠다고 제의했다. // (~+목+전+명) She *~ed* the guests *to* the table. 그녀는 손님들을 식탁으로 모셨다. / He *~ed* her *to* the station. 그는 그녀를 정거장까지 바래다 주었다.
éscort àgency 사교장 등에 동반할 남녀를 소개하는 알선소
éscort càrrier 호위용 소형 항공 모함
éscort fìghter (폭격기의) 호위 전투기
escribe [iskráib] *vt.* 〖수학〗 〈원을〉 방접(傍接)시키다
es·cri·toire [èskritwɑ́:r] [F] *n.* (서류 분류함과 서랍이 달린) 접는 책상
es·crow [éskrou, iskróu] *n.* 〖법〗 조건부 날인 증서 《어떤 조건이 성립될 때까지 제3자에게 보관해 둠》 ***in ~*** 〈증서가〉 제3자에게 보관되어서
— *vt.* 조건부 날인 증서로 두다
es·cu·do [eskú:dou] *n.* (*pl.* **~s**) 에스쿠도 《포르투갈의 화폐 단위; 기호 Esc, $; = 100 centavos》
es·cu·lent [éskjulənt] *a., n.* =EDIBLE
es·cutch·eon [iskʌ́tʃən] *n.* **1** 가문(家紋)이 그려진 방패; 방패 모양의 가문 바탕 **2** 방패꼴의 물건 **3** 〖항해〗 배의 명판(名板) ***a*** (***dark***) ***blot on*** one***'s*** [***the***] ***~*** 불명예, 오명

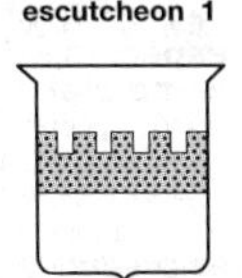
escutcheon 1

Esd. 〖성서〗 Esdras
Es·dras [ézdrəs | -dræs] *n.* 경외(經外) 성서(Apocrypha)의 처음 두 권 중의 하나
-ese [í:z, í:s] *suf.* **1** [지명에 붙여서] 「…의; …말(의), …사람(의)」의 뜻: Chin*ese*<China; Portugu*ese*<Portugal; London*ese*<London **2** [작가·단체 이름에 붙여서] 「…풍의, …에 특유한 (문체)」의 뜻 ★ 종종 경멸의 뜻이 포함되기도 함: Carlyl*ese*, Johnson*ese*
ESE, E.S.E. east-southeast
es·em·plas·tic [èsemplǽstik, èsəm-] *a.* (여러 가지 요소·개념을) 통합하는 힘이 있는
e-sig·na·ture [í:sìgnətʃər] *n.* 〖컴퓨터〗 전자 서명
Esk. Eskimo
es·ker [éskər] *n.* 〖지질〗 에스카 《돌과 모래가 퇴적하여 생긴, 제방 모양의 지형》
‡**Es·ki·mo** [éskəmòu] *n.* (*pl.* **~, ~s**) 에스키모 사람; 에스키모종의 개; Ⓤ 에스키모 말
— *a.* 에스키모의; 에스키모 사람[말]의
Ès·ki·mó·an, És·ki·mòid *a.* 에스키모 사람[말]의
Es·ki·mo-Al·eut [éskəmòuəlú:t, -ǽliù:t] *n., a.* 에스키모·알류트 어족(의)
Éskimo dòg 에스키모개 《썰매 개》
Éskimo ròll 〖카누〗 수중 1회전
Es·ky [éski] *n.* 《호주》 에스키 《찬 음료를 담는 휴대용기; 상표명》
ESL [ésəl, í:èsél] [*E*nglish as a *s*econd *l*anguage] *n.* 제2 언어로서의 영어(cf. EFL)
ESN electronic serial number (휴대 전화 단말기의) 전자 일련번호
es·ne [ézni] *n.* (앵글로색슨 시대의 영국에서) 최하층의 사람, 노동자(laborer)
ESOL [í:sɔ:l, ésəl] [*E*nglish for *S*peakers of *O*ther *L*anguages] *n.* 《미·캐나다》 외국어로서의 영어
ESOP [í:sɑp | í:sɔp] [*E*mployee *S*tock *O*wnership *P*lan] *n.* 종업원 지주(持株) 제도

---

escape *v.* avoid, evade, elude, dodge
escort *v.* accompany, guide, conduct, lead, guard, protect, defend, convoy, usher

e·soph·a·ge·al [isɑ̀fədʒíːəl | iːsɔ̀f-] *a.* 식도(食道)의

e·soph·a·go·scope [isɑ́fəgəskòup | iːsɔ́f-] *n.* 〖의학〗 식도경(食道鏡)

e·soph·a·gus [isɑ́fəgəs | iːsɔ́f-] *n.* (*pl.* **-gi** [-gài, -dʒài]) 〖해부·동물〗 식도(gullet)

es·o·ter·ic [èsətérik | èsou-] [Gk 「내부의」의 뜻에서] *a.* **1** (선택된 소수에게만 전해지는) 비전(秘傳)의; 비법을 이어받은; 비교(秘敎)의: ~ Buddhism 밀교(密敎) **2** 비밀의(secret); 심원한, 난해한(opp. *exoteric*) **—** *n.* 비교(秘敎)[진수]에 통달한 사람

es·o·ter·i·ca [èsətérikə] *n. pl.* (특수한 지식·관심을 가진 소수만이 알 수 있는) 심원한 것, 난해한 것, 비사(秘事), 비전

es·o·ter·i·cal [èsətérikəl | èsou-] *a.* = ESOTERIC **~·ly** *ad.*

ESP extrasensory perception 〖심리〗 초감각적 감지(感知), 영감(靈感); English for Special Purpose

esp. especially

es·pa·drille [éspədrìl] *n.* 에스파드리유 《끈을 발목에 감고 신는 캔버스화》

es·pal·ier [ispǽljər, -ljei] [It. 「지주(支柱)」의 뜻에서] *n.* 과수(果樹) 시렁으로 받친 나무; 과수로 된 울타리(trellis) **—** *vt.* 과수 울타리[시렁]를 만들다

Es·pa·ña [espɑ́ːnjə] *n.* 에스파냐 《스페인의 스페인어명》

es·pa·ñol [espɑːnjɔ́ːl] *n.* (*pl.* **-ño·les** [-njɔ́ːleis]) 에스파냐 말[사람] **—** *a.* 에스파냐(사람[말])의

es·par·to [ispɑ́ːrtou | es-] *n.* 〖식물〗 아프리카 수염새(= **~ gràss**) 《스페인 및 북아프리카에서 나는 풀로 밧줄·바구니·구두·종이 등의 원료임》

espec. especially

‡**es·pe·cial** [ispéʃəl, es-] [L = of a particular kind; special과 같은 어원] *a.* Ⓐ (문어) **특별한**, 각별한; 특수한(particular)(opp. *ordinary*); 특히 이 경우에 한한 ★ 지금은 special쪽이 일반적임: a thing of ~ importance 특히 중대한 일 ***in* ~** 유달리, 특히

‡**es·pe·cial·ly** [ispéʃəli, es-] *ad.* **특히**, 유달리, 유별나게, 각별히, 주로: He is good at all subjects, ~ at English. 그는 전과목을 잘하지만 특히 영어를 잘한다.

> 유의어 **especially** 다른 것과 비교하여 그것보다도 훨씬 정도가 높고 우수함을 나타낸다: People catch cold, *especially* in winter. 사람들은 특히 겨울에 감기에 걸린다. **specially** 어떤 특별한 용도·목적 때문에 「특히」라는 뜻이다: a *specially* designed costume 특별히 디자인된 의상 **particularly** 여러 개의 같은 종류의 것 중에서 특정한 것을 골라서 「특히」라고 특정화한다: He *particularly* likes math. 그는 특히 수학을 좋아한다.

es·per·ance [éspərəns] *n.* (폐어) 희망

Es·pe·ran·tist [èspərǽntist, -rɑ́ːn-] *n.*, *a.* 에스페란토어 학자[사용자](의) **-tism** *n.* 에스페란토어 사용[채용]

Es·pe·ran·to [èspərǽntou, -rɑ́ːn-] [창안자의 필명; 「희망하는 사람」의 뜻에서] *n.* Ⓤ 에스페란토 《폴란드 사람 Zamenhof가 창안한 국제어》; ⓊⒸ 국제어

es·pi·al [ispáiəl] *n.* Ⓤ 탐정 행위; 정찰, 감시, 관찰; 발견

es·piè·gle [espjégl] [F] *a.* 장난을 하는, 장난꾸러기의, 익살맞은

es·pi·o·nage [éspiənɑ̀ːʒ, -nidʒ] [F = spying] *n.* Ⓤ (특히 다른 나라·기업에 대한) 스파이 활동, 정탐; 간첩망[조직]

es·pla·nade [ésplənɑ̀ːd, -nèid, ⌐-⌐ | ⌐-⌐] [Sp. = leveled place] *n.* (특히 해안이나 호숫가의) 산책길(promenade), 드라이브 길; 〖축성〗 (성 밖 해자(垓字) 바깥쪽의) 경사진 둑

ESPN Entertainment and Sports Programming Network 《미국의 오락·스포츠 전문의 유료 유선 텔레비전망》

es·pous·al [ispáuzəl, -səl | -zəl] *n.* (문어) **1** Ⓤ (주의·주장 등의) 지지, 옹호 《*of*》 **2** [보통 *pl.*] (고어) 약혼(식)(betrothal); 결혼(식)(wedding)

es·pouse [ispáuz, -páus] *vt.* **1** 처로 삼다, 장가들다 **2** 〈딸을〉 시집보내다 **3** 〈주의·주장을〉 신봉하다, 지지하다 **es·póus·er** *n.* ▷ espóusal *n.*

es·pres·so [esprésou] [It. = pressed-out (coffee)] *n.* (*pl.* **~s**) Ⓤ 에스프레소 커피 《분말에 스팀을 통과시켜 만듦》; Ⓒ 에스프레소 커피점 《일종의 사교장》

esprésso sèx (영·속어) 친하지 않은 파트너와 가지는 짧은 섹스

es·prit [espríː] [F = spirit] *n.* Ⓤ 정신; 재치, 기지

ESPRIT [espríː] [*E*uropean *S*trategic *P*rogram for *R*esearch and Development in *I*nformation *T*echnology] *n.* 유럽 정보 기술 연구 개발 전략 계획 《EU에 의한 제5 세대 컴퓨터 개발 계획》

es·prit de corps [espríː-də-kɔ́ːr] [F] 단체 정신, 단결심 《군대 정신·애교심·애당심 등》

esprit fort [espríː-fɔ́ːr] [F] 의지가 강한 사람; 자유 사상가

***es·py** [ispái] *vt.* (**-pied**) (문어) 〈보통 먼 곳의 보기 힘든 것을〉 **발견하다**; 〈결점 등을〉 찾아내다

Esq., Esqr. Esquire

-esque [ésk] *suf.* 「…식의, …모양의」의 뜻: arab*esque*, pictur*esque*

Es·qui·mau [éskəmòu] [F] *n.* (*pl.* **~x** [~, -z]) = ESKIMO

***es·quire** [éskwaiər | iskwáiə] *n.* **1** [**E~**] (영) 씨, 님, 귀하 ★ 편지에서 수취인 성명 뒤에 붙이는 경칭으로, 공문서 이외에는 보통 Esq., Esqr. 등으로 줄여 씀; 미국에서는 변호사 외에는 보통 Mr.를 씀: (영) Thomas Jones, *Esq.* = (미) *Mr.* Thomas Jones **2** (고어) = SQUIRE **3** (영) 향사(鄕士) 《기사 다음의 신분》; (중세의) 기사 지원자

ESR electron spin resonance **ESRANGE** European Sounding Rocket Launching Range

ESRO [ézrou] [*E*uropean *S*pace *R*esearch *O*rganization] *n.* 유럽 우주 연구 기구

ess [és] *n.* S자; S자꼴의 것

-ess[1] [is] *suf.* 여성 명사를 만듦(cf. -ER, -OR[2]): actr*ess*, princ*ess*

-ess[2] *suf.* 형용사에서 추상 명사를 만듦: larg*ess*, dur*ess*

ESSA Environmental Science Services Administration 미국 환경 과학 업무국; 그곳에서 발사하는 기상 위성

‡**es·say** [ései, -⌐] *n.* **1** [⌐-] **수필**, 에세이 《*on*, *upon*》; 소론(小論), 시론(試論); 평론: write an ~ about the Romantic novel 낭만주의 소설에 대한 평론을 쓰다 **2** (문어) 기도, 시도(attempt) 《*at*, *in*》 **3** 채택이 안 된 수표·지폐 도안의 시험쇄
— [-⌐] *vt.* (문어) **1** 시도하다, 기도하다(try, attempt); 시험하다: ~ one's power 자기 힘을 시험해 보다 / He ~*ed* escape[a high jump]. 그는 도주[높이뛰기]를 시도했다. **2** …하려고 하다: (~+***to*** do) I ~*ed to* speak, but his gesture choked me. 나는 말을 하려고 했지만 그는 몸짓으로 내 말을 막았다. **~·er** *n.*

éssay examinátion[tést] 논문[논술] 시험

***es·say·ist** [éseiist] *n.* **수필가**; 평론가

es·say·is·tic [èseiístik] *a.* 수필(가)의; 수필조의; 설명적인; 개인 색채가 짙은

éssay quèstion 논문식 (시험) 문제

es·se [ési, ései] [L] *n.* 〖철학〗 존재(being), 실재

thesaurus **especially** *ad.* exceptionally, extraordinarily, mainly, chiefly, uncommonly, unusually, remarkably, notably
essential *a.* basic, primary, quintessential, imperative, required, indispensable

in ~ 실재하여

‡**es·sence** [ésns] [L 「존재함」의 뜻에서] *n.* **1** Ⓤ (사물의) **본질, 정수**(精髓), 진수, (본질 구성의) 요소(element): He is the ~ of goodness. 그는 다시없이 선량하다. **2** ⓊⒸ 정(精), 엑스(extract) ((*of*)); 정유(精油); 에센스 ((식물성 정유의 알코올 용액)); 향수(perfume): ~ *of* lemon 레몬 엑스 **3** Ⓒ 〔철학〕 실재, 실체; 영적 존재: God is an ~. 신(神)은 실재이다. ***in*** ~ 본질에 있어서, 본질적으로(essentially) ***of the*** ~ (*of*) (…에) 없어서는 안 될, 가장 중요한 ▷ esséntial *a.*

Es·sene [ési:n, ─´] *n.* 에세네파의 신도 ((고대 유대의 금욕·신비주의의 한 파))

‡**es·sen·tial** [isénʃəl, es-] *a.* **1** Ⓐ **본질적인**(intrinsic), 본질의; 없어서는 안 될, **필수적인**(indispensable), 가장 중요한 ((*to*))(⇨ necessary 유의어): an ~ being 실재물/the ~ character 〔생물〕 본질적 형질 **2** 정수[엑스]의, 정수를 모은 **3** 〔음악〕 악곡의 화성 진행 구성에 필요한: ~ harmonies 주요 화음 **4** 〔병리〕 본태성의, 특발성의
— *n.* **1** [보통 *pl.*] 본질적 요소; 주요점: be the same in ~(*s*) 요점은 같다/*E*~*s* of English Grammar 영문법 적요 ((책 이름)) **2** 필요 불가결한 것
~·**ness** *n.* ▷ éssence, essentiálity *n.*

esséntial amíno ácid 〔화학〕 필수 아미노산

esséntial élement 〔생화학〕 필수 원소

esséntial fátty ácid 〔생화학〕 필수 지방산

esséntial hypertension 〔병리〕 본태성 고혈압

es·sen·tial·ism [isénʃəlìzm, es-] *n.* **1** ((미)) 〔교육〕 본질주의 **2** 〔철학〕 실재론, 본질주의 **-ist** *n.*

es·sen·ti·al·i·ty [isènʃiǽləti, es-] *n.* (*pl.* **-ties**) ⓊⒸ **1** 본성, 본질 **2** [*pl.*] 요점; 골자

es·sen·tial·ize [isénʃəlàiz, es-] *vt.* **1** 정수[엑스]를 추출하다 **2** 요점을 말하다

*__es·sen·tial·ly__ [isénʃəli] *ad.* **본질적으로**, 본질상; 본래

esséntial óil (식물성) 정유, 방향유 ((향수의 원료))

es·sen·tic [eséntik] *a.* 감정을 밖으로 나타내는

Es·sex [ésiks] [OE 「East Saxons」의 뜻에서] *n.* 에섹스 ((잉글랜드 남동부의 주))

Éssex gìrl ((영·속어·경멸)) 에섹스 여자 ((천박하고 문란한 젊은 여자))

Éssex mán ((영·속어·경멸)) 에섹스 사내 ((돈은 있지만 교양이 없고 취미가 저급한 보수적인 남자; Essex 주에 많았음))

Es·sie [ési] *n.* 여자 이름 ((Esther의 애칭))

es·soin [isɔ́in] *n.* 〔영국법〕 (소환일에 재판소에 출두하지 않는) 정당한 이유

es·so·nite [ésənàit] *n.* 〔광물〕 에소나이트

est, EST [ést] [*E*rhard *S*eminars *T*raining] *n.* 심신 통일 훈련 ((집단 감수성 훈련의 하나))

EST, E.S.T. Eastern standard time ((미)) 동부 표준시; electroshock therapy **est.** established; estate; estimated; estuary

-est [ist, əst], **-st** [st] *suf.* **1** 형용사·부사의 최상급 어미: hard*est*, clever*est* **2** ((고어)) thou에 수반하는 동사(제2인칭·단수·현재 및 과거)의 어미: thou sing*est*, did*st*, can*st*

estab. established

‡**es·tab·lish** [istǽbliʃ, es-] [L 「공고히 하다」의 뜻에서] *vt.* **1** 〈국가·학교·기업 등을〉 **설립하다**, 개설[창립]하다; 〈관계 등을〉 성립시키다, 수립하다(⇨ found[2] 유의어): ~ a republic 공화국을 수립하다/~ diplomatic relations with …와 외교 관계를 수립하다 **2** 〈제도·법률 등을〉 **제정하다**: be ~*ed* by law 법으로 제정되다 **3** 〈사람을〉 (장소·직위·직업에) 취임[종사]시키다, 앉히다(install), 자리 잡게 하다, 안정시키다 (⇨ established 3): (~+목+전+명) ~ oneself *in* the country 시골에 정착하다/He ~*ed* his eldest son *in* business. 그는 장남을 사업에 종사하게 했다.// (~+목+***as*** 보) ~ a person *as* governor …을 지사로 취임시키다 **4** 〈선례·습관·학설·기록·명성 등을〉 **수립[확립]하다**; 정하다(settle): ~ one's credit 신용(의 기초)을 굳히다 **5** 〈사실 등을〉 확증[입증]하다: ~ a person's identity …의 신원을 확인하다/~ that he is innocent 그가 무죄임을 증명하다 **6** 〈교회를〉 국교회(國敎會)로 하다 **7** 〔카드〕 〈어떤 종류의 패를〉 꼭 딸 수 있게 하다 ~ ***oneself*** 자리 잡다, 들어앉다 ((*in*)); (…로서) 입신하다, 개업하다 ((*as*)): ~ one*self as* a lawyer 변호사 개업을 하다
▷ estáblishment *n.*

*__es·tab·lished__ [istǽbliʃt, es-|is-] *a.* **1** 확립된, 확정된: an ~ fact 기정 사실/an old ~ shop 오랜 점포/(a person of) ~ reputation 정평(이 있는 사람)/~ usage 확립된 관용법 **2** 국립의, 국교(國敎)의 **3** (장소·직업·지위 등에) 정착하여, 안정되어: the ~ inhabitants 정착 주민 **4** 만성의: an ~ invalid 불치의 병자 **5** 상비의, 장기 고용의

Estáblished Chúrch [the ~] 영국 국교회(the church of England); (**e- c-**) (한 나라의) 국교회(state church)

‡**es·tab·lish·ment** [istǽbliʃmənt, es-|is-] *n.* **1** Ⓤ (국가·학교·기업 등의) **설립, 창설** ((*of*)); 확립, 수립; 입증; 제정 ((*of*)) **2** 제도, 법규 **3** [the E~] 기성의 권력 조직[체제]; 기성 사회; 주류파 **4** (학교·협회 등의) 당국자; 지도자 계급(의 사상) **5** 가정, 세대(household); 사는 집 **6** Ⓤ 상비 편제[병력]; 정원: peace [war] ~ 평시[전시] 편제 **7** (공공시설의) 설립물, 시설 ((학교·병원·회사·영업소·호텔·가게 등)) **8** Ⓤ (교회의) 국립, 국정; [the E~] ((영)) 국교회 **9** ((고어)) 고정된 수입 ***be on the*** ~ 고용되어 있다 ***keep a large*** ~ 대가족을 거느리고 있다, 큰 공장[회사]을 가지고 있다 ***keep a second*** [***separate***] ~ ((완곡)) 소실을 두고 있다 ▷ estáblish *v.*

es·tab·lish·men·tar·i·an [istæ̀bliʃməntέəriən] *a.* ((영국)) 국교주의의; 체제 지지의 — *n.* 국교 신봉자, 국교주의 지지자; 체제 지지자 ~·**ism** *n.*

es·ta·mi·net [èstæminéi|─´─´] [F = tavern] *n.* (*pl.* ~**s** [-z]) 작은 술집(bar), 작은 카페

‡**es·tate** [istéit, es-|is-] [L 「상태」의 뜻에서] *n.* **1** 소유지, (별장·정원 등이 있는) 사유지: buy an ~ 땅을 사다 **2** ((영)) (일정 규격의) 단지: a housing ~ 주택 단지(((미)) housing development) **3** Ⓤ 〔법〕 재산, 유산; 재산권, 부동산권, 물권: real ~ 부동산/personal ~ 동산/wind up an ~ 죽은 자[파산자]의 재산을 정리하다 **4** Ⓤ ((문어·고어)) (인생의) 시기: reach man's[woman's] ~ 성년기에 달하다 **5** Ⓤ ((고어)) 생활 상태, 정황: suffer in one's ~ 살림살이가 어렵다 **6** (정치·사회상의) 계급 ((특히 프랑스 혁명 이전의 성직자·귀족·평민의 3계급)) **7** Ⓤ ((고어)) 지위, 신분, 지체 **8** ((폐어)) 높은 사회적 지위
the fourth ~ ((익살)) 제4 계급, 언론계, 신문 기자단(the press) ***the*** (***holy***) ~ ***of matrimony*** 남편[아내]이 있는 몸 ***the third*** ~ 제3 계급 ((평민)); 프랑스 혁명 전의 중산 계급 ***the Three E~s*** (***of the Realm***) (대혁명 전 프랑스 등의) 귀족과 성직자와 평민; ((영)) 상원의 고위 성직 의원(Lords Spiritual)과 귀족 의원(Lords Temporal)과 하원 의원(Commons)의 세 계급

estáte àgency ((영)) 부동산업

estáte àgent ((영)) 부동산 중개업자(((미)) real estate agent); 부동산 관리인

estáte càr ((영)) = STATION WAGON

es·tat·ed [istéitid] *a.* 재산이 있는

estáte sàle ((미)) 다른 곳으로 이사갔거나 사망한 사람의 살림살이 판매(cf. GARAGE SALE)

---

establish *v.* set up, form, found, institute, start, begin, create, organize, build, construct, install

established *a.* accepted, conventional, traditional, official, proven, settled, fixed

estate *n.* property, landholding, domain, lands

Estátes Géneral [the ~] 〖프랑스사〗 = STATES GENERAL
estáte tàx 《미》 유산세(death tax)
‡**es·teem** [istíːm, es- | is-] 〚L 「평가하다」의 뜻에서〛 *vt.* 《문어》 **1** 〈사람을〉 **존경[존중]하다**; 〈물건을〉 중하게 여기다(⇨ respect 유의어): your *~ed* letter 귀한(貴翰) / I ~ your advice highly. 당신의 충고를 크게 존중합니다. // 《~+목+전+명》 I ~ him *for* his diligence. 나는 그의 부지런함을 존경한다. **2** 〈…을 …라고〉 **생각하다, 여기다**(consider): 《~+목+(**as**) 보》 I should ~ it (*as*) a favor if ... …해 주시면 고맙겠습니다 **3** 《고어》 평가하다(estimate)
— *n.* Ⓤ **존중**, 존경(regard, respect), 호의적 의견[판단]; 《고어》 평가 ***hold*** a person ***in*** (***high***) ~ 《문어》 …을 (대단히) 존중[존경]하다 ***in my*** ~ 내 생각으로는 ▷ éstimable *a.*
es·ter [éstər] *n.* Ⓤ 〖화학〗 에스테르
es·ter·ase [éstərèis, -rèiz] *n.* 〖생화학〗 에스테라아제
es·ter·i·fy [estérəfài] *vt., vi.* 〖화학〗 에스테르화(化)하다 **es·tèr·i·fi·cá·tion** *n.*
Esth. 〖성서〗 Esther; Esthonia
Es·ther [éstər] *n.* **1** 여자 이름 **2** 〖성서〗 에스더 《자기 종족을 학살로부터 구한 유대 여자; 페르시아왕 아하수에로의 왕후》 **3** 〖성서〗 에스더서(書) 《구약 성서의 1서》
es·the·sia [esθíːʒə, -ʒiə, -ziə] *n.* Ⓤ 감각, 지각(력), 감수성
es·the·si·o·phys·i·ol·o·gy [esθìːzioufiziάlədʒi | -ɔ́l-] *n.* 감각 생리학
es·the·sis [esθíːsis] *n.* 감각, 지각, 느낌
es·thete [ésθiːt | íːs-], **es·thet·ic, -i·cal** [esθétik(əl) | iːs-], **es·the·ti·cism** [esθétəsìzm | iːs-], **es·thet·ics** [esθétiks | iːs-] = AESTHETE, AESTHETIC, etc.
Es·tho·ni·a(n) [estóuniə(n), -θóu-] *n., a.* = ESTONIA(N)
es·ti·ma·ble [éstəməbl] *a.* **1** 〈사람·행동이〉 존중[존경]할 만한, 경의를 표할 만한 **2** 어림[평가]할 수 있는 **~·ness** *n.* **-bly** *ad.* ▷ estéem *v.*
‡**es·ti·mate** [éstəmət, -mèit] 〚L 「평가하다」의 뜻에서〛 *n.* **1 견적**, 어림, 개산(概算), 추정: a written ~ 견적서 / at a moderate ~ 줄잡아, 어림하여 / exceed ~ 예산을 초과하다 **2** (인물 등의) **평가**, 가치 판단(judgment, opinion) **3** [종종 *pl.*] 견적서 **4** [the E~s] 《영》 (의회에 제출하는) 세출 세입 예산 ***by*** ~ 개산으로 ***make*** [***form***] ***an*** ~ ***of*** …의 견적을 내다; …을 평가하다
— [-mèit] *vt.* **1 평가하다**, 견적하다, 어림하다, 추정하다: ~ the value of one's property 재산의 가치를 견적하다 // 《~+목+전+명》 ~ one's losses *at* 200 million won 손실을 2억원으로 견적하다 // 《~+***that*** 절》 I ~ *that* it would take two weeks to finish this work. 나는 이 일을 끝내는 데 2주일 걸릴 것으로 어림잡고 있다. // 《~+목+***to*** do》 I *~d* the room *to* be 20 feet long. 나는 그 방의 길이를 20피트로 어림잡았다.

> 유의어 **estimate** 「가치·수량 등을 개인적 판단으로 어림잡다」의 뜻으로 심사숙고한 결과의 것이든, 가볍게 생각한 정도의 것이든 다 포함된다: *estimate* the crowd at two hundred 군중을 200명으로 어림잡다 **appraise** 특히 금전상의 가치를 전문적인 입장에서 평가함을 나타내는데, 일반적인 뜻으로의 「평가」에도 쓰인다: have one's house *appraised* 자기 집을 감정시키다 **evaluate** 사물이나 사람의 가치를 평가하나, 금전상의 평가에는 쓰이지 않는다: *evaluate* a student's work 학생 작품을 평가하다

2 [부사와 함께] 〈인물 등을〉 평가하다, 판단하다(judge): 《~+목+부》 You ~ his intellect too *highly.* 당신은 그의 지력을 과대평가하고 있다.
— *vi.* 개산(概算)하다, 견적서를 만들다: 《~+전+명》 ~ *for* repairing expenses 수리비를 견적하다
es·ti·mat·ed [éstəmèitid] *a.* Ⓐ 견적의, 추측의: an ~ sum 견적액 / the ~ crop for ... (…년도)의 예상 수확고
*__es·ti·ma·tion__ [èstəméiʃən] *n.* **1** Ⓤ (가치의) **판단**(judgment), 평가, 의견(opinion): in my ~ 내가 보기에는 / in the ~ of the law 법률상의 견해로는 **2** 견적, 추정, 추산; 평가 가치, 견적액, 추정치 **3** Ⓤ 《고어》 (…에 대한) 존중, 존경(respect) ***fall*** [***rise***] ***in the ~ of*** …에게 낮게[높게] 평가되다 ***hold in*** (***high***) ~ (매우) 존중하다 ***stand high in*** ~ 매우 존경받다, 높이 평가되다
es·ti·ma·tive [éstəmèitiv | -mət-] *a.* 평가할 수 있는; 평가의; 견적의
es·ti·ma·tor [éstəmèitər] *n.* 평가자, 견적인
es·ti·val [éstəvəl, estái- | iːstái-], **es·ti·vate** [éstəvèit | íːs-], **es·ti·va·tion** [èstəvéiʃən | ìːs-] = AESTIVAL, etc.
Es·to·ni·a [estóuniə] *n.* 에스토니아 《발트 해 연안의 구소련 공화국의 하나; 수도 Tallinn》
Es·to·ni·an [estóuniən] *a.* 에스토니아(사람[말])의
— *n.* 에스토니아 사람; Ⓤ 에스토니아 말
es·top [estάp | istɔ́p] *vt.* (**~ped**; **~·ping**) 〖법〗 금반언(estoppel)으로 금지하다 《*from*》; 《고어》 막다, 멈추다
es·top·page [estάpidʒ | istɔ́p-] *n.* 〖법〗 금반언에 의한 저지
es·top·pel [estάpəl | istɔ́p-] *n.* 〖법〗 금반언(禁反言) 《먼저 한 주장에 반대되는 진술을 뒤에 하는 것을 금지함》
es·to·vers [estóuvərz] *n. pl.* 〖법〗 필요물 《차지인(借地人)이 그 땅에서 채취하는 장작·가옥 수선용 재목 등》; 별거 수당
es·trade [estrάːd] *n.* 대(臺), 단(壇)(dais)
es·tra·di·ol [èstrədáiɔːl, -ɑl | iːstrədáiɔl] *n.* 〖생화학〗 에스트라디올 《난소 호르몬의 일종》
es·trange [istréindʒ, es-] 〚L 「낯선 사람(stranger)으로 대하다」의 뜻에서〛 *vt.* **1** 〈사람을〉 (친구·가족 등에게서) 떼어 놓다; 사이를 멀어지게 하다, 이간하다(alienate); 〈사람을〉 소원하게 하다, 멀리하다 《*from*》 (⇨ estranged): His impolite behavior *~d* his friends. 그의 무례한 행동으로 친구들이 그에게서 떠나 버렸다. **2** 〈사람을〉 (평상시의 환경에서) 멀리하다 《*from*》: ~ a person *from* city life …을 도시 생활에서 멀리하다 ~ one***self from*** politics (정치를) 멀리하다 ▷ estrángement *n.*
es·tranged [istréindʒd, es-] *a.* 소원해진, 사이가 틀어진 ***be*** [***become***] ~ ***from*** …와 소원하게 되다, 사이가 멀어지다
es·trange·ment [istréindʒmənt, es-] *n.* ⓊⒸ 소원(疎遠), 이간, 불화 《*from, between, with*》; 소외
es·tray [istréi, es-] *n.* 〖법〗 (주인을 알 수 없는) 길 잃은 가축 《말·양 등》; 헤매고 있는 것 《*from*》
— *vi.* 《고어》 헤매다(stray)
es·treat [istríːt, es-] 〖영국법〗 *n.* (벌금·과료 선고 등의) 재판 기록의 부본[초본] — *vt.* **1** (고발하기 위하여) 부본[초본]을 떼다 **2** 〈벌금 등을〉 징수하다
es·tri·ol [éstriɔ̀ːl, -ɑ̀l, -trai- | íːstriɔ̀l] *n.* Ⓤ 〖생화학〗 에스트리올 《성(性)호르몬의 일종》
es·tro·gen [éstrədʒən] *n.* Ⓤ 〖생화학〗 발정(發精) 호르몬, 에스트로겐 《여성 호르몬의 일종》
es·tro·gen·ic [èstrədʒénik] *a.* 〖생화학〗 발정을 촉진하는, 발정성의 **-i·cal·ly** *ad.*
éstrogen replàcement thèrapy 난소 호르몬 투약 요법 《폐경기의 여성에게 주로 행하며 골다공증·콜레스테롤을 낮추는 데 사용》

thesaurus **eternal** *a.* **1 영원한** endless, immortal, infinite, deathless, permanent, never-ending

Es·tron [éstrɑn] *n.* 에스트론 《초산 섬유소 에스테르로 만드는 반합성 섬유; 상표명》
es·trone [éstroun | íːs-, és-] *n.* Ⓤ 〔생화학〕 에스트론 《발정 호르몬의 일종》
es·trous [éstrəs | íːs-, és-] *a.* 〔동물〕 발정(기)의
éstrous cỳcle 〔동물〕 발정 주기
es·trus [éstrəs], **-trum** [-trəm] *n.* Ⓤ 〔동물〕 (암컷의) 발정(현상); 발정기
es·tu·a·rine [éstʃuəràin | íːs-, és-] *a.* 강어귀(지역)의; 하구에 형성된; 하구(지역)에 알맞은
***es·tu·ar·y** [éstʃuèri | -əri] [L 「조수의 출입구」의 뜻에서] *n.* (*pl.* **-ar·ies**) (조수가 드나드는 넓은) 강어귀; 후미(inlet)
Éstuary Énglish 《영》 하구(河口) 영어 《영국의 젊은이들이 쓰는 구어체 영어; Thames 강 하구 일대에서 각지로 퍼진 영국 표준 영어의 일종》
esu, ESU electrostatic unit(s) 정전(靜電) 단위
e·su·ri·ence [isúəriəns | isjúər-] *n.* Ⓤ 굶주림; 게걸, 탐욕
e·su·ri·ent [isúəriənt | isjúər-] *a.* 《고어》 게걸스러운, 탐욕스러운(greedy)
ESV experimental safety vehicle 안전 실험차 **Et** 〔화학〕 ethyl **ET, E.T.** Eastern Time; Easter term; extraterrestrial
-et [it] *suf.* 주로 프랑스 어계의 지소(指小) 어미: bull*et*, fill*et*, sonn*et*
e·ta [éitə, íːtə | íː-] *n.* 그리스 문자의 제7자 《H, η》
ETA [étə] [*E*uskadi*t*a *A*zkatasuna] *n.* 자유 조국 바스크(Basque Fatherland and Liberty) 《바스크 지방의 분리 독립을 주장하는 무장 테러 집단》
ETA, E.T.A. estimated time of arrival 도착 예정 시각
é·ta·gère, e·ta·gere [èitɑːʒέər, èitə-] *n.* [F] (골동품 등을 장식하는) 장식 선반, 스탠드
e-tail·er [íːtèilər] *n.* 〔컴퓨터〕 전자 소매업자
e-tail·ing [íːtèiliŋ] *n.* 전자 소매 거래
et al. [et-ǽl, -ɑ́ːl, -ɔ́ːl] **1** [L *et alii*] 그리고 다른 사람들(and others) **2** [L *et alibi*] 그리고 다른 곳에서(and elsewhere) ★ 보통 논문이나 법률 문서에서 사용함.
éta mèson 〔물리〕 에타 중간자, η 중간자
et·a·mine [étəmìːn, éi- | ét-] *n.* 에타민 《그물코가 굵은 면 또는 소모사의 가벼운 평직물》
e·tat·ism [eitɑ́ːtizm] *n.* = STATE SOCIALISM
‡**etc.** [etsétərə, it-] = ET CETERA ★ 《미》에서는 보통 and so forth [ən*d*sóufɔ̀ː*r*θ]로 읽음.
***et cet·er·a** [et-sétərəː | it-sétrə] [L = and the rest] *ad.* 기타, …따위, …등등(and so forth[on]) 《略 etc., &c.》 ★ 보통 약어로 쓰며, 주로 참고 서적이나 상업문에 씀; 나열되는 것이 둘 이상일 때는 앞에 콤마를 찍으며, and를 쓰지 않음.
et·cet·er·a [etsétərə | itsétrə] *n.* (*pl.* **~s**) **1** 기타 여러 가지[사람], 기타 등등 **2** [*pl.*] 잡동사니, 자잘한 것
etch [étʃ] *vt.* **1** 〈동판 등에〉 식각(蝕刻)[에칭]하다 **2** 선명하게 그리다, 마음에 새기다
— *vi.* 에칭[동판화]을 만들다
etch·er [étʃər] *n.* (에칭에 의한) 동판 화공; 에칭[동판] 화가
etch·ing [étʃiŋ] *n.* Ⓤ 에칭, 부식 동판술; Ⓒ 식각 판화, 부식 동판쇄(刷)
étching nèedle[pòint] 에칭용 조각침
étch pit 〔천문〕 에치 피트 《화성 표면에 보이는 조그마한 구덩이》
ETD, E.T.D. estimated time of departure 출발 예정 시각
E·te·o·cles [itíːəklìːz] *n.* 〔그리스신화〕 에테오클레스 《Oedipus의 아들》

2 끊임없는 ceaseless, constant, continuous, unbroken, persistent, incessant

‡**e·ter·nal** [itə́ːrnl] [L 「(긴) 세월의」의 뜻에서] *a.* **1** 영원[영구]한(everlasting)(opp. *temporal*); 불후의, 불변의(immutable): ~ truth 영원한 진리 / ~ life 영원한 생명 **2** 《구어》 끝없는, 끊임없는(incessant): ~ chatter 끝없는 지껄임 **3** 불변의, 불역의 **4** 《형이상학에서》 초시간적인, 영원불변의
— *n.* **1** [the ~] 영원한 것 **2** [the E~] 하느님(God) **~·ness** *n.*
▷ etérnity *n.*; etérnize *v.*
etérnal chéckout 《구어·비유·완곡》 [the ~] 죽음(death)
Etérnal Cíty [the ~] 영원한 도시 《Rome의 별칭》
e·ter·nal·ize [itə́ːrnəlàiz] *vt.* = ETERNIZE
***e·ter·nal·ly** [itə́ːrnəli] *ad.* **1** 영원[영구]히(forever); 영원히 변치 않고 **2** 《구어》 끝없이, 끊임없이(constantly)
etérnal recúrrence 〔철학〕 (니체 철학의) 영겁회귀(永劫回歸)
etérnal tríangle [the ~] (남녀의) 삼각관계
etérnal vérity 《문어》 근본적 도의
e·terne [itə́ːrn] *a.* 《고어》 = ETERNAL
***e·ter·ni·ty** [itə́ːrnəti] *n.* (*pl.* **-ties**) **1** Ⓤ 영원, 영구, 영겁; 무한한 과거[미래]: through all ~ 영원무궁토록 **2** ⓊⒸ 영원한 존재, 불멸 **3** Ⓤ (사후에 시작되는) 영원의 세계, 내세, 영세: between this life and ~ 이승과 저승 사이[생사의 경계]에 **4** [an ~] (끝없는 것 같은) 오랜 시간: It seemed *an* ~ before she appeared. 그녀가 나타나기까지 하루가 3년 같았다. **5** [the eternities] 영원한 진리[진실]
▷ etérnal *a.*; etérnize *v.*
etérnity rìng 이터니티 링 《보석을 돌아가며 틈 없이 박은 반지; 영원을 상징》
e·ter·nize [itə́ːrnaiz] *vt.* 영원성을 부여하다; 불후(不朽)하게 하다, 영원히 전하다 **e·tèr·ni·zá·tion** *n.*
e·te·sian [itíːʒən] *a.* 〈지중해 동부의 바람이〉 해마다의(annual), 계절적으로 부는 — *n.* [보통 *pl.*] = ETESIAN WINDS
Etésian wínds 계절풍 《지중해 동부에서 해마다 여름철이면 약 40일 동안 부는 건조한 북서풍》
eth [éð] *n.* = EDH
eth. ethical; ethics **Eth.** Ethiopia
-eth [iθ], **-th** [θ] *suf.* 《고어》 동사의 제3인칭·단수·현재형의 어미 《현대 영어의 -s, -es에 상당》: go*eth*, think*eth*, ha*th*, sai*th*
eth·a·crýn·ic ácid [èθəkrínik-] 〔약학〕 에타크린산 《수종(水腫) 치료용 이뇨제》
eth·am·bu·tol [eθǽmbjutɔ̀ːl, -tɑ̀l | -tɔ̀l] *n.* Ⓤ 〔약학〕 에탐부톨 《합성 항결핵약》
eth·ane [éθein] *n.* Ⓤ 〔화학〕 에탄 《무색·무취·가연성의 가스》
eth·a·nol [éθənɔ̀ːl, -nɑ̀l | -nɔ̀l] *n.* Ⓤ 〔화학〕 에탄올(alcohol)
Eth·el [éθəl] *n.* 여자 이름
Eth·el·bert [éθəlbə̀ːrt] *n.* 남자 이름
eth·ene [éθiːn] *n.* = ETHYLENE
eth·e·phon [éθəfɑ̀n | -fɔ̀n] *n.* 에테폰 《식물 생장 조절제》
***e·ther** [íːθər] *n.* Ⓤ **1** 〔물리〕 에테르 《빛·열·전자기의 복사 현상의 가상적 매체》; 〔화학〕 에테르 《유기 화합물; 마취제》 **2** 《시어·문어》 하늘, 창공, 창천; [종종 the ~] (옛 사람들이 상상한) 대기 밖의 정기(精氣), 영기(靈氣) **3** [the ~] 《구어》 라디오
▷ ethéreal *a.*; ethérify, étherize *v.*
e·the·re·al [iθíəriəl] *a.* **1** 공기 같은(airy); 아주 가벼운; 희박한 **2** 미묘한, 영묘한 **3** 《시어》 천상의, 하늘의(heavenly) **4** 〔물리·화학〕 에테르의; 에테르성(性)의 **~·ly** *ad.* **~·ness** *n.*
▷ éther, ethereálity *n.*; ethérealize *v.*
e·the·re·al·i·ty [iθìəriǽləti] *n.* 에테르 같은 성질; 영묘한 것, 영성(靈性)
e·the·re·al·i·za·tion [iθìəriəlizéiʃən | -lai-] *n.*

Ⓤ 에테르화(化); 기화; 영화(靈化)
e·the·re·al·ize [iθíəriəlàiz] *vt.* 에테르로 변화시키다; 영묘하게 하다; 영기성(靈氣性)으로 만들다
ethéreal óil 정유, 휘발유
Eth·er·net [í:θərnèt] *n.* 〖컴퓨터〗 이더넷 《근거리 통신망(LAN)의 하나》
e·the·ri·al [iθíəriəl] *a.* =ETHEREAL
e·ther·i·fy [iθérəfài, í:θər-] *vt.* (**-fied**) 〈알코올 등을〉 에테르화하다 **e·thèr·i·fi·cá·tion** *n.*
e·ther·i·za·tion [ì:θərizéiʃən | -raiz-] *n.* Ⓤ 〖의학〗 에테르 마취(법[상태])
e·ther·ize [í:θəràiz] *vt.* **1** 〖의학〗 에테르로 마취하다; 에테르로 처리하다 **2** 무감각하게 하다
eth·ic [éθik] *a.* =ETHICAL
— *n.* 윤리, 도덕, 가치 체계(cf. ETHICS)
*__eth·i·cal__ [éθikəl] *a.* **1** 도덕상의, 윤리적인(⇨ moral 유의어): an ~ movement 윤리[도덕]화 운동 **2** 윤리학적인, 윤리학상의 **3** 도덕적인 **4** 〈약품이〉 인정 기준에 따라 제조된; 〈약품이〉 의사의 처방 없이 판매할 수 없는 **èth·i·cál·i·ty** *n.* **~·ness** *n.* ▷ éthics *n.*
éthical áudit (회사의) 윤리 감사 《종업원 대우와 환경 대처 등에 관한》(social audit)
Éthical Cúlture 윤리 협회 운동
éthical dátive 〖문법〗 심성적 여격 《감정을 강조하기 위하여 덧붙이는 여격으로 'me' 또는 'you': "Knock *me* at the door." 노크 좀 하시오.》
èthical invéstment (고객의) 기업에 대한 기업관·사회적 견해를 참작한 투자
eth·i·cal·ly [éθikəli] *ad.* **1** 윤리(학)적으로 **2** [문장 전체를 수식하여] 윤리적으로는, 윤리적으로 말하면
eth·i·cist [éθəsist], **e·thi·cian** [eθíʃən] *n.* 윤리학자, 도학자, 도덕가
eth·i·cize [éθəsàiz] *vt.* 윤리적이 되게 하다; …에 윤리성을 부여하다
*__eth·ics__ [éθiks] *n. pl.* **1** [단수 취급] 윤리학: practical ~ 실천 윤리학 **2** (개인·특정 사회·직업의) 도덕 원리, 윤리, 도의, 덕의: political ~ 정치 윤리 ▷ éthical *a.*
E·thi·op [í:θiàp | -ɔ̀p], **-ope** [-òup] *n.*, *a.* 《고어》 =ETHIOPIAN
*__E·thi·o·pi·a__ [ì:θióupiə] *n.* 에티오피아 《이집트 남쪽의 공화국; 略 Eth.; 수도 Addis Ababa; cf. ABYSSINIA》 ▷ Ethiópian, Ethiópic *a.*
E·thi·o·pi·an [ì:θióupiən] *a.* **1** (고대) 에티오피아의; (고대) 에티오피아 사람의 **2** 적도 이남의 아프리카의 **3** 〖동물지리〗 에티오피아구(區)의 **4** 《고어》 아프리카 흑인의 — *n.* (고대) 에티오피아 사람; 《고어》 (아프리카의) 흑인
E·thi·o·pic [ì:θiápik, -óup- | -ɔ́p-] *a.* (고대) 에티오피아의 — *n.* Ⓤ (고대) 에티오피아 말(Semitic)
eth·moid [éθmɔid] *n.*, *a.* 〖해부〗 사골(篩骨)(의)
eth·mói·dal *a.*
ethn. ethnology
eth·narch [éθnɑ:rk] *n.* 〖역사〗 (비잔틴 제국 등 한 지방[민족]의) 행정 장관 **eth·nar·chy** [éθnɑ:rki] *n.* Ⓤ ethnarch의 통치[지위, 직권]
eth·nic [éθnik] [Gk 「민족의」의 뜻에서] *a.* **1** 인종의, 민족의; 인종[민족]학의(ethnological) **2** 민족 특유의: ~ music 민족 특유의 음악 **3** 소수 민족[인종]의; 《미》 소수파 민족의: ~ Koreans in Los Angeles L.A.의 한국계 소수 민족 **4** 《폐어》 이방인의, 이교도의(opp. *Jewish, Christian*) ★ ethnic(al)은 언어·습관상으로, racial은 피부나 눈색깔·골격 등의 관점에서 보는 경우에 쓰임.
— *n.* 소수 민족의 사람
eth·ni·cal [éθnikəl] *a.* =ETHNIC
eth·ni·cal·ly [éθnikəli] *ad.* **1** 민족(학)적으로 **2** [문장 전체를 수식하여] 민족(학)적으로는[으로 말하면]
éthnic cléansing 소수 민족 추방[학살], 인종 청소
éthnic gróup 〖사회〗 인종 집단(ethnos)
eth·ni·cism [éθnəsìzm] *n.* 민족성 중시주의, 민족 분리주의
eth·nic·i·ty [eθnísəti:] *n.* 민족성
éthnic minórity 소수 민족
eth·ni·con [éθnəkàn | -kɔ̀n] *n.* (*pl.* **-ca** [-kə]) 종족[부족, 인종, 민족, 국민]의 명칭 《Hopi, Ethiopian 등》
éthnic pòp[ròck] 전통적인 음악과 서구의 음악을 융합한 팝[록] 음악
éthnic púrity (지역·집단 내의 소수 민족의) 민족적 순수성
eth·nics [éθniks] *n. pl.* =ETHNOLOGY
ethno- [éθnou, -nə] 《연결형》 「인종(race), 민족(nation)」의 뜻
eth·no·ar·ch(a)e·ol·o·gy [èθnouɑ:rkiálədʒi | -ɔ́l-] *n.* 민족 고고학 **-gist** *n.*
eth·no·bot·a·ny [èθnoubátəni | -bɔ́t-] *n.* **1** 식물 민속 **2** 〖인류〗 민속 식물학 **-a·nist** *n.*
eth·no·cen·tric [èθnouséntrik] *a.* 자기 민족 중심주의의 **-cen·tríc·i·ty** *n.*
eth·no·cen·trism [èθnouséntrizm] *n.* Ⓤ 〖사회〗 자기 민족 중심주의 《타민족에 대하여 배타적·멸시적인; cf. NATIONALISM》
eth·no·cide [éθnəsàid] *n.* (문화적 동화 정책으로서) 특정 민족 집단의 문화 파괴[말살]
ethnog. ethnography
eth·no·gen·e·sis [èθnədʒénəsis] *n.* 〖사회〗 민족 집단 형성
eth·nog·e·ny [eθnádʒəni] *n.* Ⓤ 인종 기원학, 민족 발생학
eth·nog·ra·pher [eθnágrəfər | -nɔ́g-] *n.* 민족지(誌)학자
eth·no·graph·ic, -i·cal [èθnəgrǽfik(əl)] *a.* 민족지(誌)적인, 민족지학상의 **-i·cal·ly** *ad.*
eth·nog·ra·phy [eθnágrəfi | -nɔ́g-] *n.* Ⓤ 기술(記述) 민족학, 민족지(誌)학
eth·no·his·to·ry [èθnouhístəri] *n.* 민족 역사학 《특히 구비(口碑)나 문헌의 조사 및 관련 문화권과의 비교, 연대기 등의 분석에 의한 인류학 연구》
ethnol. ethnologic(al); ethnology
eth·no·lin·guis·tics [èθnouliŋgwístiks] *n. pl.* [단수 취급] 민족 언어학
eth·no·log·ic, -i·cal [èθnəládʒik(əl) | -lɔ́dʒ-] *a.* 민족학의, 인종학적인 **-i·cal·ly** *ad.*
eth·nol·o·gy [eθnálədʒi | -nɔ́l-] *n.* Ⓤ 민족학; 인종학 **-gist** *n.* 민족학자
eth·no·mu·si·col·o·gy [èθnoumjù:zikálədʒi | -kɔ́l-] *n.* Ⓤ 민족 음악학; 음악 인류학
eth·no·nym [éθnounìm] *n.* 인종[민족] 이름
eth·no·phar·ma·col·o·gy [èθnoufɑ̀:rməkálədʒi | -kɔ́l-] *n.* 민족 약학[의학] 《특히 타민족이나 문화 집단에 의한 특정 민족의 민간 요법 등에 사용된 것들에 대한 과학적 연구》
eth·no·psy·chol·o·gy [èθnousaikálədʒi | -kɔ́l-] *n.* Ⓤ 민족 심리학
eth·nos [éθnɑs | -nɔs] *n.* =ETHNIC GROUP
eth·no·sci·ence [èθnousáiəns] *n.* 민족 과학, 민족지(誌)학
e·tho·gram [í:θəgræ̀m] *n.* 에소그램 《어떤 동물의 행동 양태에 대한 상세한 그림 조사 기록》
e·thol·o·gy [i(:)θálədʒi | -θɔ́l-] *n.* Ⓤ 인성학(人性學); 품성론; 행동 생물학, (동물) 행동학 **-gist** *n.*
e·thos [í:θɑs, í:θous, éθ- | í:θɔs] [Gk 「특질」의 뜻에서] *n.* **1** (한 국민·사회·제도 등의) 기풍, 정신, 민족[사회] 정신, 사조 **2** (개인의 지속적인) 기질, 성품, 인격 **3** 〖문학〗 (등장 인물의 행위를 결정하는) 도덕적 특질, 윤리적 기품
eth·yl [éθəl] *n.* Ⓤ 〖화학〗 에틸(기); [**E~**] 앤티노크제(劑)의 일종(을 섞은 휘발유) 《상표명》

thesaurus **ethical** *a.* moral, upright, honest, virtuous, good, humane

éthyl ácetate 〖화학〗 초산 에틸
éthyl álcohol 〖화학〗 에틸 알코올 《보통의 알코올》
eth·yl·ate [éθəlèit] 〖화학〗 *n.* 에틸레이트 《에틸 알코올의 금속 유도체》 **—** *vt., vi.* 에틸화하다
eth·yl·a·tion [èθəléiʃən] *n.* 〖화학〗 에틸화
eth·yl·ene [éθəlìːn] *n.* Ⓤ 〖화학〗 에틸렌 《탄화 수소》
éthylene dichlóride 〖화학〗 2염화(鹽化) 에틸렌 《용제·염화비닐 합성용》
éthylene glýcol 〖화학〗 에틸렌 글리콜 《부동액으로 쓰임》
eth·yne [éθain, —ˊ] *n.* 〖화학〗 에틴, 아세틸렌(acetylene)
et·ic [étik] *a.* 에틱한 《언어·행동의 기술에서 기능면을 문제 삼지 않는 관점에 대해 말함; cf. EMIC》
-etic [étik] *suf.* 형용사·명사를 만드는 어미
e-tick·et [íːtìkit] *n.* 〖컴퓨터〗 전자 항공권(electronic ticket)
e·ti·o·late [íːtiəlèit] *vt.* 〈식물 등을〉 (일광을 차단하여) 누렇게 뜨게 하다; 〈얼굴 등을〉 창백하게 하다 **—** *vi.* 〈식물 등이〉 (암소(暗所) 재배로) 누렇게 뜨다; 〈얼굴 등이〉 창백해지다 **-lát·ed** *a.*
e·ti·o·la·tion [ìːtiəléiʃən] *n.* Ⓤ 〖식물〗 (광선 부족에 의한) 황화(黃化); 〈피부 등이〉 창백해지기
e·ti·o·log·ic, -i·cal [ìːtiəlɑ́dʒik(əl) | -lɔ́dʒ-] *a.* **1** 원인을 밝히는; 인과 관계학의 **2** 병인(病因)학의
e·ti·ol·o·gy [ìːtiɑ́lədʒi | -ɔ́l-] *n.* (*pl.* **-gies**) ⓊⒸ **1** 원인의 추구; 인과 관계학, 원인론 **2** 〖의학〗 병인(病因)(학)
e·ti·o·path·o·gen·e·sis [ìːtioupæ̀θədʒénəsis] *n.* 〖의학〗 원인 병리론
⁑**et·i·quette** [étikit, -kèt | étikèt] [F = ticket] *n.* Ⓤ **1** 예의(범절), 예법, 에티켓: a breach[lapse] of ~ 실례 **2** (동업자 간의) 불문율, 예의, 의리 **3** (궁정·공적·외교상의) 의식, 예식, 전례
Et·na [étnə] *n.* **1** [Mount ~] 에트나 산 《이탈리아 Sicily 섬의 활화산》 **2** [**e~**] 알코올로 물을 끓이는 기구
ETO, E.T.O. European Theater of Operations
E·ton [íːtn] *n.* **1** 이튼 《런던 서남방의 도시; Eton College 소재지》 **2** 이튼교(= ~ College); [*pl.*] 이튼교의 제복(=ˊ~ **clóthes**): go into ~*s* 처음으로 이튼교의 제복을 입다, 이튼교에 입학하다 ▷ Etónian *a.*
Éton blúe 밝은 청록색
Éton cóllar (윗옷의 깃에 다는) 폭 넓은 칼라
Éton Cóllege 이튼교 《1440년에 설립된, 영국의 전통 있는 public school》
Éton cróp (여자 머리의) 치켜 깎은 단발
E·to·ni·an [itóuniən] *a.* 이튼(교)의 **—** *n.* 이튼교 학생[졸업생]: an old ~ 이튼교 동문
Éton jácket[**cóat**] 이튼교(식)의 짧은 웃옷 《연미복과 비슷하나 꼬리가 없음》
é·tran·ger [eitrɑːŋʒéi] [F] *n.* 외국인, 이방인, 에트랑제
é·tri·er [èitriéi] [F] *n.* 에트리에 《등반용 짧은 줄사다리》
E·trog [iːtrɑ́g | itrɔ́g] *n.* [the ~] 이트로그상(賞) 《캐나다의 영화상》
E·tru·ri·a [itrúəriə] *n.* 에트루리아 《이탈리아 중서부에 있던 옛 나라》 **-ri·an** *a., n.* = ETRUSCAN
E·trus·can [itrʌ́skən] *a.* 에트루리아의; 에트루리아 사람[말]의 **—** *n.* 에트루리아 사람; Ⓤ 에트루리아 말
ETS [ìːtìːés] [*E*stimated *T*ime of *S*eparation] *vi.* (미·군대속어) 만기 제대하다
ETS (미) Educational Testing Service (미) 교육평가원 《SAT, TOEFL, TOEIC 등의 주관 기관》 **et seq., et sq.** *et sequens* 《L = and the following》 …이하 참조 **et seqq., et sqq.** *et sequentes*[*sequentia*] 《L = and those[that] following》
Et·ta [étə] *n.* 여자 이름
-ette [ét] *suf.* **1** 지소(指小) 어미: cigar*ette*, statu*ette* **2** 여성형 명사 어미: suffrag*ette* **3** 〖상업〗 「모조…, …대용품」의 뜻: Leather*ette*
E.T.U. Electrical Trades Union
é·tude [éitjuːd, —ˊ | éitjuːd] [F] *n.* (그림·조각 등의) 습작, 에튀드; 〖음악〗 연습곡
e·tui, e·twee [eitwíː, étwi | etwíː] *n.* 방물 상자, 손그릇 《바늘·이쑤시개·화장품 등을 넣는》
ETV educational television **ETX** 〖컴퓨터〗 end of text 텍스트 끝 **ety.** etymology **etym., etymol.** etymological; etymology
et·y·mo·log·ic, -i·cal [ètəməlɑ́dʒik(əl) | -lɔ́dʒ-] *a.* 어원의, 어원(학)상의 **-i·cal·ly** *ad.*
et·y·mol·o·gist [ètəmɑ́lədʒist | -mɔ́l-] *n.* 어원학자, 어원 연구가
et·y·mol·o·gize [ètəmɑ́lədʒàiz | -mɔ́l-] *vt.* …의 어원을 조사하다[나타내다] **—** *vi.* 어원(학)을 연구하다; 어원적으로 정의[설명]하다
*__et·y·mol·o·gy__ [ètəmɑ́lədʒi | -mɔ́l-] [Gk 「말의 본래의 뜻에 관한 학문」의 뜻에서] *n.* (*pl.* **-gies**) **1** (어떤 말의) 어원, 어원의 설명[추정] **2** Ⓤ 어원 연구; 어원학; 〖문법〗 품사론
▷ etymológical *a.*; etymólogize *v.*
et·y·mon [étəmɑ̀n | -mɔ̀n] *n.* (*pl.* **~s, -ma** [-mə]) 말의 원형, 어근(root); 외래어의 원어
eu- [juː] 《연결형》 「좋은 《良·好·善》…」의 뜻(opp. *dys-*)
Eu 〖화학〗 europium **EU** European Union **E.U.** Evangelical Union
eu·caine [juːkéin, ˊ—] *n.* Ⓤ 〖화학〗 오이카인 《국부 마취제》
eu·ca·lyp·tus [jùːkəlíptəs] *n.* (*pl.* **~·es, -ti** [-tai]) 〖식물〗 유칼리나무 《상록 거목》
eucalýptus òil 유칼리 기름 《의약·향수용》
eu·car·y·ote [juːkǽriòut, -ət] *n.* 〖생물〗 = EUKARYOTE
Eu·cha·rist [júːkərist] [Gk 「감사」의 뜻에서] *n.* 〖그리스도교〗 **1** [the ~] 성만찬(the Lord's Supper) **2** [the ~] 성체(聖體); 성체 성사 **3** 성찬[성체]용 빵과 포도주
Eu·cha·ris·tic, -ti·cal [jùːkərístik(əl)] *a.* 성만찬의; 성체의; [**e~**] 감사의
eu·chlo·rine [juːklɔ́ːriːn], **-rin** [-rin] *n.* Ⓤ 〖화학〗 유클로린 《염소와 이산화염소의 폭발성 혼합 기체》
eu·chre [júːkər] *n.* Ⓤ 유커 《미국 및 호주에서 널리 보급된 카드놀이의 일종》 **—** *vt.* **1** (유커에서) 상대편의 실수를 이용하여 이기다 **2** 《구어》 계략을 써서 앞지르다(outwit) 《*out*》
eu·chro·ma·tin [juːkróumətin] *n.* 〖생물〗 진정 염색질(染色質) **èu·chro·mát·ic** *a.*
eu·chro·mo·some [juːkróuməsòum] *n.* 〖생물〗 = AUTOSOME
*__Eu·clid__ [júːklid] *n.* **1** 유클리드 《기원전 300년경의 알렉산드리아의 기하학자》: ~*'s* Elements 유클리드 초등 기하학 **2** Ⓤ 유클리드 기하학 **3** Ⓤ 《속어》 기하학 ▷ Euclídean *a.*
Eu·clid·e·an, -i·an [juːklídiən] *a.* 유클리드의; (유클리드) 기하학의
Euclídean geómetry 유클리드 기하학
Euclídean spáce 〖수학〗 유클리드 공간
eu·d(a)e·mon [juːdíːmən] *n.* 착한 귀신, 선령
eu·d(a)e·mo·ni·a [jùːdiːmóuniə] *n.* Ⓤ 행복, 복리(happiness, welfare)
eu·d(a)e·mon·ics [jùːdiːmɑ́niks | -mɔ́n-] *n. pl.* [단수·복수 취급] **1** 행복론 **2** = EUD(A)EMONISM
eu·d(a)e·mon·ism [juːdíːmənìzm] *n.* Ⓤ 〖철학·논리〗 행복주의, 행복설
eu·di·om·e·ter [jùːdiɑ́mətər | -ɔ́m-] *n.* 〖화학〗 유디오미터 《공중 산소량 측정기》
Eu·gene [juːdʒíːn | -ʒéin] *n.* 남자 이름 《애칭 Gene》
eu·gen·ic, -i·cal [juːdʒénik(əl)] *a.* **1** Ⓐ 〖생물〗 우생(학)의 **2** 우수한 자손을 만드는, 인종 개량상의, 우생학적인(opp. *dysgenic*): a ~ marriage 우생 결혼

---

etiquette *n.* manners, protocol, form, courtesy, decorum, code of conduct

-i·cal·ly *ad.* 우생학적으로
eu·gen·i·cist [ju:dʒénəsist], **eu·gen·ist** [jú:dʒənist] *n.* 우생학자
eu·gen·ics [ju:dʒéniks] [Gk 「좋은 태생의」의 뜻에서] *n. pl.* [단수 취급] 우생학(opp. *dysgenics*); 인종 개량법
eu·gle·na [ju:glí:nə] *n.* 《동물》 유글레나, 연두벌레
eu·gle·noid [ju:glí:nɔid] *n., a.* 《생물》 유글레나 무리(의) 《각종 편모충》
eu·kar·y·ote [ju:kǽriòut, -ət] *n.* 《생물》 진핵(眞核) 생물 **eu·kàr·y·ót·ic** *a.*
eu·lo·gi·a [ju:lóudʒiə] *n.* **1** 《그리스도교》 축복받은 성스러운 빵(holy bread) **2** (고어) 《그리스정교》 축복
eu·lo·gist [jú:lədʒist] *n.* 찬사를 올리는 사람, 찬미자, 예찬자, 칭찬자
eu·lo·gis·tic, -ti·cal [jù:lədʒístik(əl)] *a.* 찬미의, 찬양하는 **-ti·cal·ly** *ad.*
eu·lo·gi·um [ju:lóudʒiəm] *n.* (*pl.* **~s, -gi·a** [-dʒiə]) = EULOGY
eu·lo·gize [jú:lədʒàiz] *vt.* 찬양하다, 칭송하다
-giz·er *n.* = EULOGIST
eu·lo·gy [jú:lədʒi] [Gk 「좋은 말씨」의 뜻에서] *n.* **1** Ⓤ 찬미(praise), 칭송, 찬양 《*of, on*》: chant the ~ *of* …을 찬양하다 **2** 찬사 《*of, on*》; 《미》 (고인에 대한) 송덕문
Eu·men·i·des [ju:ménidì:z] *n. pl.* 《그리스신화》 = FURIES
Eu·nice [jú:nis] *n.* 여자 이름
eu·nuch [jú:nək] *n.* **1** 거세된 남자, (특히 옛날 동양의) 환관(宦官), 내시 **2** 유약한 남자 **~·ìsm** *n.*
eu·nuch·oid [jú:nəkɔ̀id] *a.* 유사(類似) 환관증(宦官症)의 **—** *n.* 유사 환관증 환자
eu·pep·sia [ju:pépʃə, -siə | -siə] *n.* Ⓤ 《의학》 소화 정상[양호](opp. *dyspepsia*)
eu·pep·tic [ju:péptik] *a.* 정상 소화의; 낙천적인
euphem. euphemism; euphemistic(ally)
Eu·phe·mi·a [ju:fí:miə] *n.* 여자 이름
eu·phe·mism [jú:fəmìzm] [Gk 「좋은 표현법」의 뜻에서] *n.* **1** Ⓤ 《수사학》 완곡 어법 **2** 완곡 어구: 'Be no more' is a ~ for 'be dead'. 「이제는 없다」는 「죽었다」를 완곡하게 한 말이다.
eu·phe·mist [jú:fəmist] *n.* 완곡한 말을 (잘) 쓰는 사람
eu·phe·mis·tic, -ti·cal [jù:fəmístik(əl)] *a.* 완곡 어법의; 완곡한 **-ti·cal·ly** *ad.*
eu·phe·mize [jú:fəmàiz] *vt., vi.* 완곡하게 표현하다[말하다, 쓰다]
eu·phen·ics [ju:féniks] *n. pl.* [단수 취급] 인간 개조학
eu·pho·bi·a [ju:fóubiə] *n.* (익살) 길보[낭보] 공포증 《뒤따라 흉보가 온다고 해서》
eu·phon·ic, -i·cal [ju:fánik(əl) | -fɔ́n-] *a.* **1** 음조가 좋은 **2** 음조에 의한, 음운 변화상의: ~ changes 음운 변화 **-i·cal·ly** *ad.*
eu·pho·ni·ous [ju:fóuniəs] *a.* 음조가 좋은, 듣기 좋은 **~·ly** *ad.*
eu·pho·ni·um [ju:fóuniəm] *n.* 유포늄 《튜바(tuba) 비슷한 금관 악기》
eu·pho·nize [jú:fənàiz] *vt.* 음조[어조]를 좋게 하다
eu·pho·ny [jú:fəni] [Gk 「아름다운 목소리」의 뜻에서] *n.* (*pl.* **-nies**) 듣기 좋은 음조(opp. *cacophony*); 《언어》 활(滑)음조, 음운 변화
eu·phor·bi·a [ju:fɔ́:rbiə] *n.* 《식물》 등대풀속(屬) 《spurge 등》
eu·pho·ri·a [ju:fɔ́:riə] *n.* Ⓤ 행복감; 《정신의학》 다행증(多幸症); (속어) (마약에 의한) 도취감
eu·phor·ic [ju:fɔ́:rik] *a.*
eu·pho·ri·ant [ju:fɔ́:riənt] *a.* 〈약이〉 병적인 행복감[다행증]을 일으키는 **—** *n.* 《약학》 도취약
eu·pho·ri·gen·ic [ju:fɔ̀:ridʒénik] *a.* 행복감[도취감]을 일으키는
eu·pho·ry [jú:fəri] *n.* = EUPHORIA
eu·pho·tic [ju:fóutik] *a.* 〈해저층(海底層)이〉 수표면으로부터 광합성이 일어날 수 있는 수층(水層)의[에 관한]; 진광층(眞光層)의
eu·phra·sy [jú:frəsi] *n.* (*pl.* **-sies**) 《식물》 좁쌀풀
***Eu·phra·tes** [ju:fréiti:z] *n.* [the ~] 유프라테스 강 《서부 아시아의 강; 유역의 Mesopotamia는 고대 문명의 발상지》
Eu·phros·y·ne [ju:frásənì: | -frɔ́z-] *n.* 《그리스신화》 기쁨의 여신 《미의 3여신(the Graces)의 하나》
eu·phu·ism [jú:fjuìzm] [16세기 영국인 John Lyly의 소설 *Euphues*에서] *n.* Ⓤ (16-17세기에 영국에서 유행한) 과식체(誇飾體), 화려하게 꾸민 문체; 미사여구 **-ist** *n.* John Lyly의 문체를 모방하는 사람; 미사여구를 좋아하는 문장가
eu·phu·is·tic, -ti·cal [jù:fjuístik(əl)] *a.* 미사여구를 좋아하는, 과식체의: ~ phrases 미사여구
-ti·cal·ly *ad.*
eu·ploid [jú:plɔid] 《생물》 *n.* 정배수성(正倍數性) 《염색체수가 기본수의 완전한 배수가 되는 개체》
— *a.* 정배수체의(cf. ANEUPLOID)
eup·n(o)ea [jú:pniə] *n.* 《병리》 정상 호흡
Eur. Europe; European
Eur- [juər, jər | juər], **Euro-** [júərou, -rə, jə́:r- | júər-] 《연결형》 **1** 「유럽의, 유럽과 …의」의 뜻: *Euro*-Russian **2** 「유럽 금융 시장의」의 뜻: *Euro*dollar **3** 「유럽 경제 공동체의」의 뜻: *Euro*crat 《모음 앞에서는 Eur-》
-eur [ə:r] *suf.* 동사·형용사에서 파생한 명사를 만드는 어미
Eur·af·ri·can [juərǽfrikən, jər- | juər-] *a.* 유럽과 아프리카의; 유럽 아프리카 혼혈의
— *n.* 유럽 사람과 아프리카 사람과의 혼혈아
Eu·rail·pass [juəréilpæ̀s, -pɑ̀:s, jər- | júəreilpɑ̀:s] [*Eu*ropean *rail*road *pass*] *n.* 유레일패스 《유럽 전체 철도·항로에 통용되는 할인권》
Eur·a·mer·i·can [jùərəmérikən, jə̀:r- | jùər-] *a.* 구미(歐美)의
***Eur·a·sia** [juəréiʒə, -ʃə, jər- | juər-] *n.* 유라시아, 구아(歐亞)(대륙)
Eur·a·sian [juəréiʒən, -ʃən, jər- | juər-] *a.* **1** 유라시아의: the ~ Continent 유라시아 대륙 **2** 유라시아 혼혈(종)의 **—** *n.* 유라시아 혼혈아
Eur·at·om [juərǽtəm, jər- | juərǽt-] [*Euro*pean *At*omic Energy Community] *n.* 유럽 원자력 공동체, 유라톰 《1957년 결성》
EURCO [júərəkòu] [European Composite Unit] *n.* 유럽 계산 단위
eu·re·ka [juərí:kə, jər- | juər-] [Gk = I have found (it)] *int.* (익살) 알았다, 됐다 ★ 미국 California주의 표어; 아르키메데스가 왕관의 금(金) 순도 측정법을 발견했을 때 지른 소리
Eu·re·ka [juərí:kə, jər- | juər-] *n.* 유레카 《프랑스가 제창한 유럽 첨단 기술 개발 공동체》
euréka mòment 무엇에 대한 해답을 찾거나 깨달은 순간
eu·rhyth·mic [ju:ríðmik, jər- | ju:r-], **eu·rhyth·mics** [-miks], **eu·rhyth·my** [-mi] *a.* = EURYTHMIC, etc.
Eu·rip·i·des [juərípidì:z, jər- | juər-] *n.* 에우리피데스 《그리스의 비극 시인; 480-406 B.C.》
eu·ro [júərou] *n.* (*pl.* **~s, ~**) **1** [종종 E~] 유로화 **2** = WALLAROO
Eu·ro [júərou, jə́:r- | júər-] [*Euro*pe] *n.* (*pl.* **~s, ~**) **1** 유로(화) 《유럽 연합(EU)의 통합 화폐 단위; 1999년부터 시행; 기호€》 **2** 유럽 사람
— *a.* (구어) 유럽 연합의, 유로의: ~ rules 유럽 연합의 규정
Euro- [júərou, -rə, jə́:r- | júər-] 《연결형》 = EUR-
Eu·ro-A·mer·i·can [jùərouəmérikən, jə̀:r- | jùər-] *a.* = EURAMERICAN

Eu·ro·bank [júəroubæ̀ŋk, -rə, jə́:r- | júər-] *n.* 유러뱅크 《유럽 시장에서 거래하는 유럽의 국제은행》 **~·er** *n.* 유러뱅크 은행가[은행]
Eu·ro·bond [júəroubɑ̀nd, jə́:r- | júəroubɔ̀nd] *n.* 유러채권
éuro cènt 유로센트 (1/100 euro)
Eu·ro·cen·tric [jùərəséntrik, jə̀:r- | jùər-] *a.* 유럽(인) 중심의 **-cen·trism** *n.*
Eu·ro·cheque [júəroutʃèk, jə́:r- | júər-] *n.* 《영》 유러체크 《유럽에서 통용되는 신용 카드》
Eu·ro·clear [júərouklìər, jə́:r- | júər-] *n.* 유럽 시장의 어음 교환소
Eu·ro·com·mu·nism [jùəroukɑ́mjunizm, jə̀:r- | jùəroukɔ́m-] *n.* Ⓤ 유러코뮤니즘 《서유럽 공산당의 자주·자유·민주 노선》 **-nist** *n.*
Eu·roc·ra·cy [juərɑ́krəsi, jər- | juərɔ́k-] *n.* [집합적] 유럽 공동 시장 행정관(Eurocrats)
Eu·ro·crat [júərəkræ̀t, jə́:r- | júər-] *n.* 유럽 공동체의 행정관[사무국원]
Eu·ro·cred·it [júəroukrèdit, jə́:r- | júər-] *n.* 유러크레디트 《유러뱅크에 의한 대출》
Eu·ro·cur·ren·cy [júəroukə̀:rənsi, jə́:r- | júəroukʌ̀r-] *n.* 〖경제〗 유러 통화, 유러머니 (Euromoney) 《유럽 시장에서 쓰이는 각국의 통화》: the ~ market 유러통화 시장
Eu·ro·dol·lar [júəroudɑ̀lər, jə́:r- | júəroudɔ̀lə] *n.* 〖경제〗 유러달러 《유럽 은행에 예금되어 있는 미국 달러》
Eu·ro·group [júərougrù:p, jə́:r- | júər-] *n.* 유러그룹 《프랑스와 아이슬란드를 제외한 NATO 가맹국 국방 장관 그룹》
Eu·ro·land [júəroulæ̀nd, jə́:r- | júər-] *n.* 유로화를 사용하는 유럽 국가
Eu·ro·mar·ket [júəroumɑ̀:rkit, jə́:r- | júər-], **-mart** [-mɑ̀:rt] *n.* [the ~] = COMMON MARKET
Eu·ro·mon·ey [júəroumʌ̀ni, jə́:r- | júər-] *n.* 〖경제〗 = EUROCURRENCY
Eu·ro·net [júərounèt, jə́:r- | júər-] *n.* 유러네트 《EEC의 과학 기술 정보 통신망》
Eu·ro·pa [juəróupə, jə:r- | juər-] *n.* 〖그리스신화〗 유러파 《Zeus의 사랑을 받은 Phoenicia의 왕녀》; 〖천문〗 목성의 위성 중 하나
Eu·ro·pa·bus [juəróupəbʌ̀s, jə:r- | juər-] *n.* 유러파버스 《유럽 도시 간의 장거리 버스》
‡Eu·rope [júərəp, jə́:r- | júər-] *n.* **유럽**, 구라파; (영국과 구별하여) 유럽 대륙; 유럽 공동 시장
‡Eu·ro·pe·an [jùərəpí:ən, jə̀:r- | jùər-] *a.* **1** 유럽의 **2** 전 유럽적인: a ~ reputation 전 유럽에 떨친 명성 **3** 《영》 백인의
— *n.* **유럽 사람**; 유럽 공동 시장주의자[가맹국]; (동아프리카·아시아에서) 백인
Européan Commíssion [the ~] 유럽 위원회 《EU의 경제 통화 동맹》
Européan Cómmon Márket [the ~] 유럽 공동 시장
Européan Commúnity [the ~] 유럽 공동체 《EEC, Euratom 등이 1967년에 통합된 것; 略 EC》
Européan Económic Commúnity [the ~] 유럽 경제 공동체 《the Common Market의 공식 명칭; 略 EEC》
Européan Frée Tráde Associàtion [the ~] 유럽 자유 무역 연합체 《EEC에 대항하여 조직된 무역 블록; 略 EFTA》
Eu·ro·pe·an·ism [jùərəpí:ənìzm, jə̀:r- | jùər-] *n.* Ⓤ 유럽주의; 유럽 정신; (풍습 등의) 유럽풍; 유럽 공동 시장주의[운동] **-ist** *a.*, *n.* 유럽 공동 시장주의의[운동을 지지하는] (사람)
Eu·ro·pe·an·i·za·tion [jùərəpì:ənizéiʃən, jə̀:r- | jùərpì:ənai-] *n.* Ⓤ 유럽화
Eu·ro·pe·an·ize [jùərəpí:ənàiz, jə̀:r- | jùər-] *vt.* 유럽식으로 만들다, 유럽화시키다; 〈경제 등을〉 유럽 공동체의 관리하에 두다
Européan Mónetary Sỳstem 유럽 통화 제도 《略 EMS》
Européan Párliament [the ~] 유럽 의회 《EC 각국 국민이 직접 선출한 의원으로 구성》
Européan plàn [the ~] 《미》 유럽 방식 《호텔에서 방세와 식비를 따로 계산함; cf. AMERICAN PLAN》
Européan Recóvery Prògram [the ~] 유럽 부흥 계획(Marshall Plan) 《略 ERP》
Européan réd míte 〖동물〗 사과나뭇잎 진드기 《과수의 잎을 갉아 먹음》
Européan Spáce Àgency 유럽 우주 기관 《略 ESA》
Européan Únion [the ~] 유럽 연합 《European Community(EC)의 후신으로 1993년 발족; 略 EU》 (cf. MAASTRICHT TREATY)
eu·ro·pi·um [juəróupiəm, jər- | juər-] *n.* Ⓤ 〖화학〗 유로퓸 《금속 원소; 기호 Eu; 번호 63》
Eu·ro·plug [júərouplʌ̀g, jə́:r- | júər-] *n.* 〖전기〗 유러플러그 《유럽 각국의 각종 소켓에 통용되는 플러그》
Eu·ro·po·cen·tric [juəròupəséntrik, jùərəpə-] *a.* 유럽(인) 중심(주의)의 **-cén·trìsm** *n.*
Eu·ro·port [júərəpɔ̀:rt, jə́:r- | júər-] *n.* 유러포트 《유럽 공동체의 수출입항》
Eu·ro·ra·di·o [jùərəréidiou] *n.* 유러라디오 《서유럽 국가 공동 경영의 라디오 방송국》
Eu·ro·skep·tic | **-scep·tic** [júərouskèptik] *n.*, *a.* [때로 **e~**] 유럽 연합(EU)의 강대화에 회의적인 (사람[정치가]) 《영국의 참가에 소극적인 정치가 등》
Eu·ro·space [júərəspèis] *n.* 유럽 우주 산업 연합회 《비영리 단체》
Eu·ro·star [júərəstɑ̀:r] *n.* 유로스타 《영국·프랑스·벨기에 세 나라에 의해 공동 운영되는 고속 열차》
Eu·ro·trash [júəroutræ̀ʃ, jə́r- | juər-] *n.* 《구어·경멸》 유럽의 초유한족(超有閑族) 《세계를 유람하여 놀고 지내는 부자들》
Eu·ro·vi·sion [júərouvìʒən, jə́:r- | júər-] *n.* 〖TV〗 유로비전 《서유럽 텔레비전 방송망》
Eu·ro·zone [júərouzòun] *n.* [the ~] 유로화 지역: trade among the countries of *the* ~ 유로화 지역 국가간의 무역
eury- [júəri, jə́ri | júəri] 《연결형》 넓은(broad, wide)
eu·ry·bath·ic [jùərəbǽθik, jə̀:r- | jùər-] *a.* 〖생태〗 〈생물이〉 광심성(廣深性)의
Eu·ryd·i·ce [juərídəsi:, jə- | juə-] *n.* 〖그리스신화〗 에우리디케 《Orpheus의 아내》
eu·ryp·ter·id [juəríptərid, jə- | juə-] *n.* 광익류(廣翼類) 동물
eu·ryth·mic, -rhyth- [ju:ríðmik, jə- | ju-] *a.* 〈음악·무용이〉 경쾌한 리듬의; 율동적인
eu·ryth·mics, -rhyth- [ju:ríðmiks, jə- | ju-] *n. pl.* [단수 취급] 율동 체조
eu·ryth·my, -rhyth- [ju:ríðmi, jə- | ju-] *n.* Ⓤ 율동적인 운동; 조화된[균형 잡힌] 동작
eu·sol [jú:sɔ:l, -sɑl | -sɔl] *n.* Ⓤ 〖약학〗 유솔 《표백분과 붕산을 섞은 외상 소독액》
Eus·tace [jú:stəs] *n.* 남자 이름
Eu·stá·chian tùbe [ju:stéiʃən-, -kiən-] [이탈리아의 해부학자 이름에서] [종종 **e~**] 〖해부〗 (귀의) 유스타키오관(管), 이관(耳管)
eu·sta·sy [jú:stəsi] *n.* (*pl.* **-sies**) 〖지질〗 유스타시 《세계적 규모의 해수면 변동》 **eu·stát·ic** *a.*
eu·stele [jú:sti:l, ju:stí:li | justí:li:, -li] *n.* 〖식물〗 섬유관 다발이 고리 모양으로 늘어서 있는 내피로 싸인 중심주(柱)
eu·tax·y [jú:tæksi] *n.* 질서, 규율(opp. *ataxy*)
eu·tec·tic [ju:téktik] *a.* 〖화학·야금〗 〈합금·용액이〉 최저 온도에서 융해하는, 공융(共融)의: a ~ mixture 공융 혼합물 / the ~ point 공융점 / the ~ temperature 융해[공융] 온도 / ~ welding 저온 용접
— *n.* 공융 혼합물; 공융점

eu·tec·toid [juːtéktoid] *a.* 아공융(亞共融)의
— *n.* 아공융 합금

Eu·ter·pe [juːtə́ːrpi] *n.* 〖그리스신화〗 에우테르페 《음악·서정시를 다스리는 nine MUSES의 하나》
~·an *a.* 에우테르페의; 음악의

eu·tha·na·sia [jùːθənéiʒə, -ʒiə, -ziə] [Gk] *n.* Ⓤ 안락사(安樂死)(mercy killing); 〖의학〗 안락사술(術)

eu·tha·nize [júːθənàiz] *vt.* 안락사시키다

eu·then·ics [juːθéniks] *n. pl.* [단수 취급] 생활 개선학, 환경 우생학

eu·to·ci·a [juːtóuʃiə] *n.* 〖의학〗 정상 분만

eu·troph·ic [juːtráfik, -tróuf- | -trɔ́f-] *a.* **1** 〖의학〗 영양 상태가 좋은 **2** 〖생태〗 〈호수·하천이〉 부영양(富營養)의

eu·troph·i·cate [juːtráfikèit | -trɔ́f-] *vi.* 〖생태〗 〈호수 등이〉 부영양화(富營養化)되다

eu·troph·i·ca·tion [juːtràfikéiʃən | -trɔ̀f-] *n.* Ⓤ (호수의) 부영양화(富營養化)

eu·tro·phy [júːtrəfi] *n.* Ⓤ 〖의학〗 영양 양호; 〖생태〗 (호수·소하천의) 부영양(富營養)(형)

eV, ev electronvolt **E.V.** English Version

E·va [íːvə] *n.* 여자 이름

EVA extravehicular activity **evac.** evacuation

e·vac·u·ant [ivǽkjuənt] 〖의학〗 *a.* 배설을 촉진하는 **—** *n.* 배설 촉진제, 하제(下劑)

***e·vac·u·ate** [ivǽkjuèit] [L 「비우다」의 뜻에서] *vt.* **1** 〈장소·집 등을〉 **비우다**, 명도(明渡)하다(vacate); (위험 지역 등에서) 소개(疏開)시키다, 피난[대피]시키다: The whole building has been ~*d.* 빌딩 전체가 소개되었다. **2** 〈군대를〉 **철수시키다**; 〈부상병 등을〉 후송시키다: ~ the wounded 부상병을 후송하다 **3** 《문어》 〈위·장 등을〉 비우다; 〈대소변 등을〉 배설하다; 〈고름 등을〉 짜내다; 〈공기·가스 등을〉 빼다 《*of*》: ~ the bowels 배변하다 / ~ a vessel *of* air 용기를 진공으로 만들다
— *vi.* 소개[피난]하다; 철수하다; 배설하다, 《특히》 배변하다 **-à·tive** *a.*

***e·vac·u·a·tion** [ivæ̀kjuéiʃən] *n.* ⓊⒸ **1** 비우기, 명도(明渡) **2** 소개(疏開), 피난, 대피; 〖군사〗 철수; 후송 **3** 배설, 배출, 배변; 배설물

e·vac·u·a·tor [ivǽkjuèitər] *n.* 비우는[게 하는] 사람; 제거자; 〖의학〗 (관장용) 흡인기(吸引器)

e·vac·u·ee [ivæ̀kjuíː] *n.* (공습 등의) 피난자, 소개자; (전투 지대로부터의) 철수자(cf. REPATRIATE)

***e·vade** [ivéid] [L 「밖으로 가다」의 뜻에서] *vt.* **1** 〈적·공격·장애 등을〉 (교묘하게) **피하다**, 면하다, 모면하다(elude)(⇨ escape 유의어): ~ one's pursuer 추적자를 따돌리다 **2** 〈질문 등을〉 회피하다(dodge); 〈의무·지불 등을〉 회피[기피]하다; 〈법률·규칙을〉 빠져나가다: ~ (military) service 병역을 기피하다 // (~+*-ing*) ~ (pay*ing*) taxes 탈세하다 **3** 〈사물이 노력 등을〉 헛되게 하다(baffle): a term that ~*s* definition 정의하기 곤란한 술어
— *vi.* 회피하다, 빠져나가다
e·vád·a·ble *a.* **e·vád·er** *n.*
▷ evásion *n.*; evásive *a.*

e·vag·i·nate [ivǽdʒənèit] *vt.* 뒤집다, 외반(外反)시키다, 외전(外轉)하다

***e·val·u·ate** [ivǽljuèit] *vt.* **평가하다**, 사정하다, 어림하다(⇨ estimate 유의어); 〖수학〗 …의 값을 구하다: ~ the cost of the damage 손해액을 사정하다
-à·tive *a.* **-à·tor** *n.*

***e·val·u·a·tion** [ivæ̀ljuéiʃən] *n.* Ⓤ **평가**, 사정(valuation); 〖수학〗 값을 구함

ev·a·nesce [èvənés, ㅡㅡㅅ | ìːvənés] *vi.* (점점) 사라져 가다, 소실되다

ev·a·nes·cence [èvənésns | ìːv-] *n.* Ⓤ 《문어》 소실; 덧없음

ev·a·nes·cent [èvənésnt | ìːv-] *a.* **1** 《문어》 (점점) 사라져 가는; 순간의, 덧없는(transitory) **2** 지극히 미미한 **3** 〖식물〗 곧 시들어 떨어지는; 〖수학〗 무한소(無限小)의

Evang. Evangelical

e·van·gel [ivǽndʒəl | -dʒel] *n.* **1** 복음(gospel); [보통 **E~**] 〖성서〗 (신약 성서 중의) 복음서; [the E~s] 〖성서〗 4복음서 《Matthew, Mark, Luke, John의 4서》 **2** (복음 같은) 희소식 **3** (정치 등의) 기본적 지도 원리 강령(綱領) **4** 복음 전도자(evangelist)

e·van·gel·ic [ìːvændʒélik] *a.* = EVANGELICAL 2

e·van·gel·i·cal [ìːvændʒélikəl] *a.* **1** 복음(서)의, 복음 전도의 **2** 복음주의의 《영국에서는 Low Church 「저(低)교회파」를, 미국에서는 「신교 정통파」를 말함》 **3** = EVANGELISTIC 3
— *n.* 복음주의자, 복음파의 사람 《특히 영국의 「저교회파의 사람」, 독일의 「루터 교회 신도」》 **~·ly** *ad.*

e·van·gel·i·cal·ism [ìːvændʒélikəlìzm] *n.* Ⓤ 복음주의 (신앙)

E·van·ge·line [ivǽndʒəlin | -lìːn] *n.* 여자 이름

e·van·ge·lism [ivǽndʒəlìzm] *n.* Ⓤ **1** 복음 전도 (에 전념함) **2** 복음주의 《프로테스탄트의 일파로서 형식보다 신앙에 치중함》

e·van·ge·list [ivǽndʒəlist] *n.* **1** 복음서 저자 《Matthew, Mark, Luke, John》 **2** 복음 전도자 **3** 순회 설교자

e·van·ge·lis·tic [ivæ̀ndʒəlístik] *a.* **1** [**E~**] 복음서 저자의 **2** 복음 전도자의, 전도하는 **3** (복음) 전도적 열의에 불타는; 열렬한 **-ti·cal·ly** *ad.*

e·van·ge·li·za·tion [ivæ̀ndʒəlizéiʃən | -lai-] *n.* Ⓤ 복음 전도

e·van·ge·lize [ivǽndʒəlàiz] *vt.* 복음을 설교하다; 전도하다 **—** *vi.* 복음을 전하다; 전도하다 **-lìz·er** *n.*

e·van·ish [ivǽniʃ] *vi.* 《문어·시어》 소실[소멸]하다 (disappear) **~·ment** *n.*

e·vap·o·ra·ble [ivǽpərəbl] *a.* 증발하기 쉬운

***e·vap·o·rate** [ivǽpərèit] [L 「증기(vapor)를 내다」의 뜻에서] *vt.* **1** 〈물 등을〉 **증발시키다**; (열 등으로 우유·야채·과일 등의) 수분을 빼다, 탈수하다 **2** 〈희망 등을〉 소산(消散)시키다
— *vi.* **1** 증발하다 **2** 〈희망·열의 등이〉 사라지다, 소산하다(disappear) **3** 《익살》 〈사람이〉 사라지다, 죽다
▷ evaporátion *n.*; eváporative *a.*

e·váp·o·rat·ed mílk [ivǽpərèitid-] 무가당 연유

e·váp·o·rat·ing dìsh[bàsin] [ivǽpərèitiŋ-] 〖화학〗 증발 접시

***e·vap·o·ra·tion** [ivæ̀pəréiʃən] *n.* Ⓤ **1** 증발 (작용); 발산 **2** 증발 탈수법, 증발 건조 **3** (희망 등의) 소멸, 소산 ▷ eváporate *v.*

e·vap·o·ra·tive [ivǽpərèitiv | -rətiv] *a.* 증발의, 증발을 일으키는, 증발에 의한

e·vap·o·ra·tor [ivǽpərèitər] *n.* 증발기; (과실 등의) 증발 건조기; (도자기의) 증발 건조 가마

e·vap·o·rim·e·ter [ivæ̀pərímətər] *n.* 증발계(計)

e·vap·o·rite [ivǽpəràit] *n.* 〖지질〗 증발 잔류암(殘留岩) 《뭍에 갇힌 해수가 증발할 때 생긴 침전물에 의해 만들어진 퇴적암(堆積岩)의 총칭》

e·vap·o·tran·spi·ra·tion [ivæ̀poutrænspəréiʃən] *n.* 〖기상〗 증발산(蒸發散)

e·va·sion [ivéiʒən] *n.* ⓊⒸ **1** (책임·의무 등의) 회피, 기피; (법망을) 빠져나가기, 《특히》 탈세 **2** 탈출(escape) **3** (대답을) 얼버무리기, 둘러대기; 핑계, 둔사(遁辭): take shelter in ~*s* 핑계를 대고 피하다 **~·al** *a.*

e·va·sive [ivéisiv] *a.* **1** 회피적인 **2** 파악하기 어려운(elusive), 애매한 **3** 〈대답 등을〉 둘러대는, 속임수의 **4** 〈시선 등을〉 똑바로 보려고 하지 않는; 교활한

e·va·sive·ly [ivéisivli] *ad.* 회피적으로, 얼버무려

e·va·sive·ness [ivéisivnis] *n.* Ⓤ 회피적임; 파악

thesaurus **evacuate** *v.* abandon, leave, withdraw from, flee, depart from, desert, forsake
evade *v.* avoid, dodge, escape from, elude
evaluate *v.* assess, appraise, gauge, judge, rate, rank, estimate, calculate, reckon, measure

하기 어려움, 애매함

‡eve [íːv] [even²의 단축형] *n.* **1** 《고어·시어》 **저녁** (evening), 밤 **2** 《축제일의》 **전날 밤, 전날**: Christmas *E*~ 크리스마스 전야 《12월 24일》/ on New Year's *E*~ 섣달 그믐날에 **3** 《중요 사건·행사 등의》 직전 《*of*》: on the ~ *of* victory 승리 직전에

∗Eve [íːv] *n.* **1** 여자 이름 《애칭 Evie》 **2** 〖성서〗 이브, 하와 《ADAM의 아내; 하느님이 창조한 최초의 여자》 ***a daughter of ~*** 《이브의 약점을 이어받아 호기심이 강한》 여자

e·vec·tion [ivékʃən] *n.* Ⓤ 〖천문〗 출차(出差) 《태양 인력에 의한 달 운행의 주기적 차이》 **~·al** *a.*

Ev·e·li·na [èvəláinə | -líː-] *n.* 여자 이름

Ev·e·line [évəlàin | íːvlin] *n.* 여자 이름

Eve·lyn [íːvlin, év-] *n.* 여자 이름; 남자 이름

‡e·ven¹ ⇨ even (p. 850)
▷ évenly *ad.*

e·ven² [íːvən] *n.* 《고어·시어》 저녁, 밤(evening)

e·ven-aged [íːvənéidʒd] *a.* 〖임업〗 〈삼림이〉 거의 같은 수령의 나무들로 이루어진

é·vé·ne·ment [evɛnmɑːŋ] [F] *n.* 사건; 《특히》 사회적·정치적 대사건

e·ven·fall [íːvənfɔ̀ːl] *n.* Ⓤ 《시어》 해질녘, 황혼

e·ven·hand·ed [íːvənhǽndid] *a.* 공평한, 공명정대한(impartial): ~ justice 공평한 재판[심판]
~·ly *ad.* **~·ness** *n.*

‡eve·ning [íːvniŋ] *n.* ⒸⓊ **1 저녁(때), 밤** 《일몰부터 잘 때까지》: early in the ~ 저녁 일찍 ★ 이것이 in the early[late] ~보다도 보통임 / on the ~ of the 3rd 3일 저녁에 ★ 특정한 날의 경우, 전치사는 on을 사용 / on Sunday ~ 일요일 밤에 ★ 요일 등이 붙으면 무관사. **2** [보통 수식어와 함께] …의 밤, 야회(soirée): a musical ~ 음악의 밤 **3** [the ~] 만년, 말로, 쇠퇴기 《*of*》 **4** 《미남부·영·방언》 오후 《정오부터 일몰까지》 **~ *after* [*by*] ~** 밤이면 밤마다, 매일 밤 ***good ~*** ⇨ good evening. ***make an ~ of it*** 하룻밤 유쾌히 지내다, 밤새 마시다 ***of an ~*** 《고어》 저녁이면 흔히 ***the next* [*following*] ~** 다음날 저녁 ***this* [*yesterday, tomorrow*] ~** 오늘[어제, 내일] 저녁 ***toward ~*** 저녁 무렵에
— *a.* Ⓐ 저녁의, 저녁에 하는; 저녁용의, 밤에 일어나는: an ~ bell 만종

évening bàg 이브닝 백, 야회용 핸드백

évening clàss 야간 학급[수업]; 야학

évening drèss[clòthes] **1** 이브닝드레스(evening gown) 《여자용 야회복》 **2** 《남자 또는 여자의》 야회용 예복, 야회복

évening glòw 저녁놀

évening gòwn 《여성용》 야회복

évening pàper[edìtion] 석간

évening párty 야회(夜會)

évening práyer [종종 **E- P-**] 〖영국국교〗 저녁 기도(evensong)

évening prímrose 〖식물〗 달맞이꽃

eve·nings [íːvniŋz] *ad.* 《미·방언》 저녁에는 《대개》, 매일 저녁(cf. AFTERNOONS)

évening schòol 야간 학교: attend[go to] ~ 야간 학교에 다니다

évening stár **1** [the ~] 개밥바라기, 금성 《해진 뒤 서쪽에 보이는 행성, 보통 Venus》(cf. MORNING STAR) **2** 〖식물〗 달래꽃무릇

∗e·ven·ly [íːvənli] *ad.* **1 고르게, 평탄하게 2 평등하게; 공평하게**

e·ven-mind·ed [íːvənmáindid] *a.* 마음이 평온한, 차분한(calm)

éven móney **1** 《도박 등에서 거는》 대등한 금액의 돈 **2** 《비유》 동등한 가능성; 반반

e·ven·ness [íːvənnis] *n.* Ⓤ 반반함; 평등, 균등성; 공평; 침착

éven ódds 반반[50대 50]의 승산[가능성]

éven permutátion 〖수학〗 짝순열

e·vens [íːvənz] 《영·구어》 *ad., a.* 평등[동등]하게[한] **—** *n. pl.* [단수 취급] = EVEN MONEY

e·ven·song [íːvənsɔ̀ːŋ | -sɔ̀ŋ] *n.* ⒸⓊ **1** [종종 **E~**] 〖영국국교〗 저녁 기도 **2** [종종 **E~**] 〖가톨릭〗 저녁 기도(vespers) **3** 《고어》 기도 시간, 저녁 때

e·ven-ste·ven, -Ste·ven [-stíːvən] *a.* 《구어》 대등한; 동점인

‡e·vent [ivént] [L 「밖으로 나오다, 나타나다」의 뜻에서] *n.* **1** 《중요한》 **사건, 일어난 일, 행사**(⇨ incident 유의어); [(quite) an ~] 《구어》 대사건, 뜻밖의[기쁜] 사건: school ~*s* 학교 행사 / It was *quite an* ~. 정말 큰 사건[대소동]이었다. / Coming ~*s* cast their shadows before. 《속담》 일이 생기려면 조짐이 나타나는 법이다. **2** 《원자로·발전소 등의》 사고, 고장 **3** 《문어》 사상(事象) **4** 결과, 성과 **5** 〖경기〗 종목, 《경기 순서 중의》 한 게임, 한 판: a main ~ 주요한 시합[경기] / a sporting ~ 스포츠계의 행사
at all ~s* = *in any ~ 좌우간, 여하튼 간에 ***in either ~*** 여하간에 ***in that ~*** 그 경우에는, 그렇게 된다면 ***in the ~*** 결과적으로, 결국, 마침내(finally) ***in the ~ of*** = 《드물게》 ***in ~ of*** 만일 …의 경우에는: *in the ~ of* power failure 전력 공급이 중단될 경우에 ***in the ~* (*that*) *... happens*** 《미》 《만약에》 …할 경우에는 《if ...가 일반적임》 ***pull off the ~*** 상을 타다
▷ evéntful, evéntual *a.*

e·ven-tem·pered [íːvəntémpərd] *a.* 마음이 안정된, 온화한 성질의, 침착한

e·vent·er [ivéntər] *n.* 《영》 종합 마술(馬術)에 참가하는 사람[말]

e·vent·ful [ivéntfəl] *a.* **1** 사건[파란] 많은, 다사한 **2** 〈사건 등이〉 중대한: an ~ affair 중대 사건
~·ly *ad.* **~·ness** *n.*

evént horìzon 〖천문〗 사상(事象)의 지평선 《black-hole의 바깥 경계》

e·ven·tide [íːvəntàid] *n.* Ⓤ 《시어》 황혼, 저녁 무렵

éventide hòme 《영》 노인의 집 《원래는 구세군이 운영》

e·vent·ing [ivéntiŋ] *n.* 종합 마술(馬術)(에의 참가)

e·vent·less [ivéntlis] *a.* 사건 없는, 평온한

∗e·ven·tu·al [ivéntʃuəl] *a.* **1 최후의, 결과로서[언젠가는] 일어나는 2** 《고어》 《경우에 따라》 어쩌면 일어날 수도 있는

e·ven·tu·al·i·ty [ivèntʃuǽləti] *n.* (*pl.* **-ties**) **1** 예측 못할 사건, 일어날 수 있는 《좋지 않은》 사태 **2** Ⓤ 궁극, 결말

‡e·ven·tu·al·ly [ivéntʃuəli] *ad.* **결국,** 드디어, 마침내(finally): It will ~ need to be modernized 결국 현대화 될 필요가 있을 것이다.

e·ven·tu·ate [ivéntʃuèit] *vi.* 《문어》 **1** 《좋은·나쁜》 결과가 되다; 결국 …으로 끝나다(end) 《*in*》: ~ well[ill] 좋은[나쁜] 결과로 끝나다 **2** …에서 생기다, 일어나다(happen) 《*from*》

‡ev·er ⇨ ever (p. 851)

Ev·er·ard [évərɑ̀ːrd] *n.* 남자 이름

ev·er·bloom·ing [évərblúːmiŋ] *a.* 〈식물이〉 사계절 피는

∗Ev·er·est [évərist] [영국의 측량 기사 Sir George Everest(1790-1866)의 이름에서] *n.* **Mount ~** 에베레스트 산 《히말라야 산맥(Himalayas) 중의 세계 최고봉; 8,850 m》

Ev·er·ett [évərit] *n.* 남자 이름

ev·er·glade [évərglèid] *n.* **1** 《미》 습지, 소택지 **2** [the E~s] 에버글레이즈 《미국 Florida주 남부의 큰 소택지; 국립 공원》

---

evaporate *v.* vaporize, dry, dehydrate, sear
even¹ *a.* **1 평평한** smooth, level, flat, plane **2 한결같은** uniform, steady, stable, unvarying, consistent, unchanging, regular **3 같은** equal, the same, identical, like, alike, similar, comparable

even

even은 부사, 형용사, 동사로 쓰이지만 부사의 용법이 특히 중요한데 이를 요약해 보면,
1 보통 수식하는 단어 앞에 놓이는데 다른 부사들과는 달리 명사·대명사도 수식한다.
2 「…조차」의 뜻이 걸리는 단어·구에 강세가 온다.
3 비교급을 강조하여 「더욱(still)」의 뜻이 된다.
4 놓이는 위치에 따라 글의 뜻이 달라지는 것은 only의 경우와 흡사하지만 절대적인 것은 아니다.

‡e·ven[1] [íːvən] *ad., a., v.*

기본적으로는 「강조」를 나타낸다.	
① …조차(도)	부 **2 a**
② 더욱(더)	부 **1**
③ (그러기는커녕) 오히려	부 **2 b**

— *ad.* **1** [비교급을 강조하여] **한층** (더), **더욱** (더): This book is ~ *better* than that. 이 책은 저 책보다 한결 좋다. / She is ~ *more* beautiful than her sister. 그녀는 동생[언니]보다 더 미인이다.
2 [일반적으로 수식하는 어구 앞에서] **a** [사실·극단적인 사례 등을 강조하여] …**까지도**, …**조차**(도), …마저: *E*~ now it's not too late. 지금이라도 너무 늦지 않다. / It is cold here ~ in May. 이곳은 5월인데도 춥다. / *E*~ a child can answer it. 어린애라도 대답할 수 있다. / I had never ~ heard of it. 나는 그것을 들어 본 일조차 없었다. / *E*~ the slightest noise disturbs him. 아주 경미한 소리조차도 그에게 방해가 된다. **b** (그러기는커녕) **오히려, 정말로**: I am willing, ~ eager, to help. 기꺼이, 아니 열심히 도와드리겠습니다.
~ as … 《문어》 마침[바로] …할 때에[…한 대로]: It happened ~ *as* I expected. 그것은 바로 예기한 대로 일어났다. / *E*~ *as* he came, it began to rain. 마침 그가 왔을 때에 비가 내리기 시작했다.
~ if … 비록 …할지라도, 비록 …라(고) 하더라도: I won't mind ~ *if* she doesn't come. 그녀가 오지 않더라도 나는 개의치 않겠다.
~ now (1) ⇨ 2 a (2) 《시어》 바로 지금
~ so (1) 비록 그렇다 하더라도: We worked for 10 hours, but ~ *so* we couldn't finish the job. 우리는 10시간 동안이나 일했지만 그래도 그 일을 끝낼 수 없었다. (2) 《고어》 정확히 그러하여; 바로 맞아
~ then (1) 심지어 그때에도, 그때라 할지라도 (2) 그렇다 하더라도, 그래도: I apologized, but ~ *then* she wouldn't speak to me. 사과했지만 그래도 그녀는 내게 말을 하려 하지 않았다.
~ though … (1) [though의 강조형] …인[하는]데도: Mike married Peggie ~ *though* he didn't like her very much. 마이크는 페기를 그다지 좋아하지 않는데도 결혼했다. (2) 《문어》 =EVEN if: *E*~ *though* you may fail this time, you can try again. 비록 이번에 실패하더라도 한 번 더 시도할 수 있다.
not ~ …조차 않다
— *a.* (**~·er**; **~·est**)

평평한	(복수의 것이) 「같은 높이의」 → 「같은」 → 「동등한」 (하나의 것이 들쭉날쭉함과 높낮이가 없이) 고른

1 a 〈면이〉 **평평한, 평탄한**(⇨ level 유의어): ~ ground 평지 / an ~ road 평탄한 도로 / an ~ surface 반반한 표면 / She has ~ teeth. 그녀는 치열이 가지런하다. **b** 〈선·해안선 등이〉 **들쭉날쭉하지 않은**, 요철(凹凸)이 없는, 끊긴 데가 없는, 매끈한: an ~ coastline 드나듦이 없는[쭉 뻗은] 해안선
2 (…와) **같은 높이로**, 평행해서 《*with*》: (~+전+명) ~ *with* the ground 땅바닥과 평행하게 / The snow was ~ *with* my knees. 눈은 내 무릎 높이까지 쌓여 있었다.
3 a 〈동작이〉 **규칙적인**, 한결같은, 정연한: an ~ tempo 한결같은 템포 / an ~ pulse 규칙적인 맥박 **b** 〈색 등이〉 **한결같은**, 고른: an ~ color 한결같이 고른 빛깔 **c** 〈마음·기질 등이〉 한결같은, 차분한: an ~ temper 차분한 기질 **d** 〈음(音)·생활 등이〉 단조로운, 평범한: an ~ tenor of life 단조로운 나날의 생활
4 《비교 없음》 **a 짝수의**, 우수(偶數)의(opp. *odd*): an ~ number 짝수 / an ~ page 짝수 페이지 **b** 〈수·금액 등이〉 우수리 없는, 딱[꼭] (맞는): an ~ hundred 꼭 100
5 a 〈수량·득점 등이〉 **같은**, 동일한: an ~ score 동점 / three ~ parts 3등분 / of ~ date 〈서면이〉 동일 날짜의 **b** 균형 잡힌, (…와) 대등[동등]한, 막상막하의, 호각의: on ~ ground 대등하게, 대등한 입장에서[으로] / give a person an ~ chance 사람에게 균등한 기회를 주다 / This will make (us) all ~. 이로써 우리는 줄 것도 받을 것도 없어진다. / We are ~ now. 이것으로 피장파장이다. / It's ~ chances that he will win the match. 그가 경기에 이길 가망은 반반이다. **c** 〈거래·심판 등이〉 공평한, 공정한(fair): an ~ bargain (쌍방이 대등한 이익을 얻는) 공평한 거래 / an ~ decision 공평한 결정
break ~ 득실이 없다, 본전치기이다
get [***be***] ***~*** (***with***) ***…*** (1) (…에게) 보복[대갚음]하다: *get* ~ for the insult 모욕에 대한 보복을 하다 (2) 《미》 …에게 빚이 없어지다
have an ~ chance (***of***) (…할) 승산은 반반이다
give [***get***] ***an ~ break*** 공정한 대우를 하다[받다]
on (***an***) ***~ keel*** ⇨ keel
— *vt.* **1** 〈…을〉 평평하게 하다, 고르다 《*out, off*》: (~+목(+부)) I worked all day to ~ the pavement. 포장도로를 고르기 위해 하루 종일 일했다.
2 〈…을〉 평등[동등]하게 하다, 평형(平衡)하게 하다 《*up, out*》: (~+목(+부)) That will ~ things *up*. 그것으로 일의 균형이 잡힌다.
— *vi.* **1** 평평하게 되다 《*out, off*》: ~ (*out*) the ground 땅을 고르다 **2** 백중해지다, 호각이 되다, 균등해지다 《*up, out*》: I am optimistic that the situation would eventually ~ *out*. 상황이 결국에는 균형이 잡힐 것이라고 낙관적으로 본다.
~ (***up***) ***accounts*** 대차(貸借)를 없애다, 셈을 청산하다
~ up on [***with***] ***…*** 《미·구어》 〈남(의 친절·호의)〉에 대해 보답하다, 답례를 하다: I'll ~ *up with* you later. 후에 답례하겠습니다.
~ the score 대갚음하다, 보복하다

Éverglade Stàte [the ~] 미국 Florida주의 속칭
***ev·er·green** [évərgrìːn] *a.* **상록의**(opp. *deciduous*); 항상 신선한; 불후의 〈작품〉
— *n.* **1** 상록수, 늘푸른나무 **2** [*pl.*] 상록수의 가지 《장식용》 **3** 언제까지나 신선한 것 《명작·명화·명곡 등》

Évergreen Stàte [the ~] 미국 Washington주의 속칭
‡ev·er·last·ing [èvərlǽstiŋ, -lɑ́ːst- | -lɑ́ːst-] *a.* **1 영원히 계속되는**, 불후의, 영원한: ~ fame 불후의 명성 **2** 영속성의, 내구성 있는(durable) **3** 끝없는, 지

ever

어떤 행위를 하는지 또는 했는지의 여부 등 행위의 유무에 관해서 말하는 부사로서, 의문문·조건문·부정문에 많이 쓴다.
'Have you ~+과거분사?'와 'Did you ~?'의 구문은 거의 같이 쓰이지만, 과거를 나타내는 종속절이 뒤따를 때에는 'Did you ~?'의 구문을 써야만 한다: Did you ~ see the Louvre when you were in Paris? 파리에 있을 때 루브르 박물관을 구경한 적이 있는가? ⇨ 1

‡**ev·er** [évər] *ad.*

기본적으로는 「언제나」의 뜻에서
① [의문문에서] 지금까지(에) **1**
② [부정어와 함께] 전혀 (…않다) **2**
③ [조건을 나타내어] 언젠가 **3**
④ [최상급·비교급과 함께] 이제까지 **4**
⑤ [의문사를 강조하여] 도대체 **6**

1 [의문문에서] **언젠가**; **일찍이**; 이제[지금]까지(에): Have you ~ seen a panda? 판다를 본 일이 있습니까? 《이 물음에 대한 대답은 Yes, I have (once). 또는 No, I have not. 또는 No, I never have.》/ Did you ~ see Venice while you were in Italy? 이탈리아에 있는 동안에 베니스를 보았습니까? / Shall we ~ meet again? 또 언젠가 우리 만날 일이 있을까? **2** [부정문에서] **결코** (…않다); **전혀** (…하는 일이 없다) 《not ever로 never의 뜻이 됨》: *Nobody* ~ comes to this part of the country. 이 지방에는 아무도 오는 사람이 없다. / He *scarcely* ~ goes to the theater. 그는 극장에 가는 일이 좀처럼 없다. / I *won't* ~ forget hearing the pianist play Chopin. 그 피아니스트가 쇼팽을 연주하는 것을 들었던 일을 결코 잊지 못할 것이다. **3** [조건문에서] **언젠가**, 앞으로: If you ~ visit Seoul, please call at my office. 언젠가 서울에 오시게 되면 제 사무실을 찾아주십시오. / If I ~ have another chance! 언젠가 한번 더 기회가 있기만 하면! **4** [비교급·최상급 뒤에서 그 말을 강조하여] **이제까지**, 지금까지: He is the *best* student I've ~ taught. 그는 내가 지금까지 가르친 학생 중에서 가장 우수한 학생이다. / You're looking *lovelier* than ~. 이렇게 아름다운 당신을 여태까지 본 적이 없소. **5 a** [긍정문에서] **언제나**, 항상, 늘, 줄곧 ★ ~ since, ~ after, ~ the same 등 이외는 《고어》; 현재는 always가 일반적; 평서문의 현재완료형에는 사용하지 않음: He is ~ quick to respond. 그는 언제나 응답이 빠르다. / They lived happily ~ after[afterward]. 그 후 내내 행복하게 살았다고 합니다. 《해피엔드로 끝나는 동화의 맺는 말; cf. ONCE upon a time》 **b** [복합어를 이루어] 언제나, 항상: ~-present danger 항상 존재하는 위험 / the ~-increasing costs of living 늘어가기만 하는 생활비 **c** [형용사·명사 앞에서] 항상 그렇듯이, 여느 때처럼: *E~* optimistic, he thinks he will pass the exam. 여느 때처럼 낙관적인 그는 시험에 합격한다고 생각한다. **6** [강의어(強意語)로서] **a** [의문사를 강조하여] **도대체** 《의문사에 붙어서 한 단어가 되는 경우가 있음》: *What* ~ can it be? 그것은 도대체 무엇일까? / *Who* ~ is that gentleman? 도대체 저 신사는 누구일까? / *Why* ~ did you not say so? 도대체 왜 그렇게 말하지 않았느냐? / *When* ~ did you see him? 그를 만났다는 것은 도대체 언제입니까? **b** [의문문의 형태로 감탄문에 써서] 《미·구어》 매우, 참으로: Was she ~ mad at Michael! 그녀는 마이클에 대해 이만저만 화낸 것이 아니었어! **c** 《구어》 [never 다음에 놓아] 절대로: He *never* ~ tells a lie. 그는 절대로 거짓말을 안 한다. 《비표준적이라고 하는 사람도 있음》
as ... as ~ 여전히…, 여느 때처럼: She was *as* lovely *as* ~. 그녀는 여전히 아름다웠다.
as ... as ~ ... can 될 수 있는 대로: Be *as* quick *as* ~ you *can*! 될 수 있는 대로 서둘러라!
as ... as ~ lived [***was***] 지금까지 없었던 만큼, 아주 …한: He is *as* great a scientist *as* ~ *lived*. 그는 여태까지 없었던 위대한 과학자이다.
as ~ 여전히, 여느 때처럼, 늘 그렇듯이
Did you ~! 《구어》 금시초문이다, 정말인가, 별일 다 있군. 《Did you ever see[hear] the like?의 준말》
~ after [***afterward***] ⇨ 5 a
~ and again = 《시어》 ***~ and anon*** 가끔, 이따금, 때때로
~ since ⇨ since *prep.* 1 a, *conj.* 1 a, *ad.* 1 a
~ so [***such a***] (1) 매우: Thank you ~ *so* much. 대단히 고맙습니다. / They were ~ *so* kind to me. 그들은 내게 그지없이 친절했다. / She's ~ *such a* nice woman. 그녀는 정말 좋은 여자이다. (2) [양보절에서] 《문어》 (제)아무리 (…할지라도): Home is home, be it ~ *so* humble. 아무리 초라할지라도 내 집보다 더 좋은 곳은 없다.
~ so often 《구어》 (1) 여러 차례, 몇 번이고, 줄곧 (2) 이따금
~ such ... 매우[아주] …한: He is ~ *such* a nice boy. 그는 아주 좋은 소년이다.
E~ yours = ***Yours ~*** 언제나 당신의 친구인 (아무개) 《친한 사이에서 사용하는 편지의 맺는 말; cf. YOURS》
for ~ (1) 영원히 《《미》에서는 forever와 같이 한 단어로 적음》: I wish I could live here *for* ~. 언제까지나 여기에서 살 수 있다면 좋겠는데. (2) 언제나, 끊임없이 《《미·영》 다같이 forever로 철자하기도 함》: He is *for* ~ forgetting his umbrella. 그는 노상 우산을 잊어버리고 온다.
for ~ and ~ = ***for ~ and a day*** 영원히, 언제까지나
hardly [***scarcely***] ***~*** 좀처럼[거의] …않다: He *hardly* ~ smiles. 그는 좀처럼 웃지 않는다.
If ~! 《구어》 = Did you EVER!
if ~ there was one 《구어》 확실히, 틀림없이
never ~ ⇨ 6 c
rarely [***seldom***] ***if ~*** (비록 있다고 해도) 매우 드물게: My father *rarely if* ~ smokes. 아버지는 담배를 피우시는 일이 있다고 해도 극히 드물다, 아버지는 담배를 거의 피우시지 않는다.
Was there ~? 《구어》 = Did you EVER!
Who'd ~? 《구어》 = Did you EVER!

루한(tiresome): ~ jokes 지루한 농담
—*n.* **1** Ⓤ 영구, 영원(eternity): for ~ 영구히 / from ~ to ~ 영원히, 영원무궁토록 **2** 〖식물〗 떡쑥, 보릿대국화 《등》 **3** [the E~] 영원한 존재, 신(God) **4** 튼튼한 나사(羅紗) **~·ness** *n.*

everlásting flòwer 〖식물〗 떡쑥 무리

ev·er·last·ing·ly [èvərlǽstiŋli, -lɑ́:st- | -lɑ́:st-] *ad.* 영구히; 끝없이

ev·er·more** [èvərmɔ́:r] *ad.* **항상**, 늘, 언제나(always); 영원토록, 영구히(forever) ***for ~ (1) [진행형과 함께; 보통 나쁜 의미로] 언제나, 항시 (2) 영구히

ev·er·pres·ent [èvərpréznt] *a.* 항상 존재하는

ev·er-read·y [-rédi] *a.* 항상 준비되어 있는
— *n.* 상비군
e·ver·si·ble [ivə́:rsəbl] *a.* (밖으로) 뒤집을 수 있는; 〈기관(器官) 등을〉 외번(外翻)할 수 있는
e·ver·sion [ivə́:rʒən | -ʃən] *n.* Ⓤ 〖의학〗 (눈꺼풀 등의) 외전(外轉), 밖으로 뒤집기; (기관의) 외번(外翻)
e·vert [ivə́:rt] *vt.* 〈눈꺼풀 등을〉 뒤집다; 〈기관을〉 외번(外翻)하다
e·ver·tor [ivə́:rtər] *n.* 〖해부〗 외전근(外轉筋)
‡**ev·e·ry** ⇨ every (p. 853)
‡**ev·e·ry·bod·y** [évribὰdi, -bʌ̀di | -bɔ̀di] *pron.*

① 각자 모두	1
② [부정문에서] 누구나 다 …한 것은 아니다	2

1 각자 모두, 누구든지 (모두): ~ else 다른 모든 사람 / *E*~ has his duty. 누구든지 저마다 할 일이 있다. 《(구어)에서는 their duty가 되는 수도 있음》 **2** [not과 함께 부분 부정을 나타내어] 누구나 다 …한 것은 아니다: *Not* ~ can be a hero. = *E*~ can*not* be a hero. 누구나 다 영웅이 될 수 있는 것은 아니다. 《앞의 구문이 선호됨》
USAGE 문법적으로는 단수이나 《구어》에서는 복수 대명사로 받는 경우가 많음; everyone보다 구어적
‡**ev·e·ry·day** [évridèi] *a.* **1** 매일의, 나날의(daily) **2** 일상의, 평상시의(usual); 흔히 있는, 평범한(commonplace): an ~ occurrence 예사로운 일 / ~ affairs 일상적인[사소한] 일 / ~ clothes[wear] 평상복(cf. SUNDAY CLOTHES) / ~ English 일상 영어 / ~ words 상용어 / the ~ world 실(實)세계, 속세
~·ness *n.*
ev·e·ry·man [-mæ̀n] *n.* 보통 사람 《15세기 영국의 권선징악극 *Everyman*의 주인공에서》: Mr. ~ 평범한 사람 **—** *pron.* = EVERYBODY
‡**ev·e·ry·one** [évriwʌ̀n, -wən] *pron.* = EVERYBODY
USAGE **everyone**은 **everybody**와 같은 뜻일 때에는 1어로, 개개(each person[thing])에 중점을 둘 때에는 every one과 같이 2어로 떼어 쓴다(⇨ EVERY one): Those familiar words are in the mouth of *every one*. 그런 흔한 말은 누구나 쓰고 있다. 특히 one 다음에 「부분」의 뜻의 of가 계속될 때는 one은 수사(數詞)의 뜻을 다분히 가지며 언제나 every one으로 쓴다. 그리고 이 경우에는 「사람」뿐 아니라 「물건」에도 쓴다. *Every one* of the twelve jurors knew he was right. 12인의 배심원 전원이 그가 옳다는 것을 알고 있었다. / *Every one* of the things was in its right place. 그것들은 전부 제자리에 있었다.
ev·e·ry·place [-plèis] *ad.* 《미》 = EVERYWHERE
‡**ev·e·ry·thing** [évriθìŋ] *pron., n.*

① 무엇이든지, 모두	1
② [부정문에서] 무엇이든지 …한 것은 아니다	2

— *pron.* **1** 무엇이든지, 모두, 매사, 만사: I will do ~ in my power to assist you. 힘이 닿는 한 무엇이든지 도와드리지요. **2** [not과 함께 부분부정을 나타내어] 무엇이든지 …한 것은 아니다: *E*~ is not pleasant in life. 인생에서는 무엇이든지 즐거운 것은 아니다. **3** (사람에게 있어서) 상당히 중요한 일[사람] 《*to*》: This news means ~ *to* us. 이 소식은 우리들에게 있어서 중요한 의미를 갖는다.
— *n.* [be의 보어 또는 mean의 목적어로서] 가장 중요[소중]한 것[일], 가장 긴요한[핵심적인] 것: You are[mean] ~ to me. 당신은 나의 전부다. / Money is not ~. 돈이 다는 아니다.
above ~ (else) 무엇보다도 먼저, 우선 첫째로 ***and ~*** 《구어》 그 밖에 이것저것 ***before ~*** 모든 것을 제쳐놓고, 무엇보다도 ***~ but kitchen sink*** 실질적인 (상상 가능한) 모든 것 ***~ from soup to nuts*** 《미·속어》 생각해낼 수 있는 모든 것, 이것저것 모두 ***E~ has its drawback.*** 무엇이든지 결점이 없는 것은 없다. ***like ~*** 《미·구어》 전력을 다하여, 맹렬히
ev·e·ry·way [évriwèi] *ad.* 어느 모로 보나, 모든 점에서
ev·e·ry·when [évrihwèn] *ad.* 《드물게》 언제나
‡**ev·e·ry·where** [évrihwὲər | -wὲə] *ad.* **1** 어디에나, 도처에 **2** [접속사적으로] 어디에 …라도: *E*~ we go, people are much the same. 어디를 가든지 인간은 별 차이가 없다.
— *n.* Ⓤ 《구어》 모든 곳
ev·e·ry·where-dense [évrihwərdéns] *a.* 〖수학〗 (위상(位相) 공간 집합이) 조밀한
ev·e·ry·wom·an [évriwùmən] *n.* 전형적인 여성, 여자다운 여자(cf. EVERYMAN)
Éve's púdding 맨 밑층이 과일로 되어 있는 스펀지 케이크
evg. evening
Ev·ge·ni [ivgéni, -géi-] [Russ.] *n.* 남자 이름
e·vict [ivíkt] *vt.* **1** 〈소작인을〉 (법적 수속에 의해) 퇴거시키다; 《일반적으로》 축출하다(expel) 《*from*》 (~+목+전+명) ~ a person *from* the land 그 땅에서 …을 쫓아내다 **2** 점유(占有)를 회복하다, 〈토지·물권을〉 (법적 수속에 의해) 도로 찾다(recover): (~+목+전+명) ~ the property *of*[*from*] a person …으로부터 재산을 되찾다
e·vict·ee [iviktí:] *n.* 퇴거당한 사람
e·vic·tion [ivíkʃən] *n.* ⓊⒸ 축출, 쫓아냄; 되찾음
evíction òrder 퇴거 명령
e·vic·tor [ivíktər] *n.* 퇴거시키는 사람
‡**ev·i·dence** [évədəns] [L 「눈에 분명히 보이는 것」의 뜻에서] *n.* **1** Ⓤ 증거, 물증 《*for, of*》; 〖법〗 증언; Ⓒ 증거 물건; 증인(⇨ proof 유의어): Is there any ~ *of*[*for*] this? 이에 대한 무슨 증거가 있는가? // (~+***to*** do) There was not enough ~ *to* show the cause of his death. 그의 사인을 입증할 만한 충분한 증거가 없었다. // (~+***that*** 절) (~+전+-*ing*) There is no ~ *that* he is guilty[no ~ *of* his be*ing* guilty]. 그가 범인이라는 증거가 없다. **2** Ⓤ 《고어》 명백, 명료 **3** 흔적, 징표(sign) 《*of*》
call* a person *in ~ …을 증인으로서 소환하다 ***give ~*** 증거 사실을 대다 《*against, for*》 ***give* [*bear, show*] *~(s) of*** …의 흔적이 있다 ***in ~*** 뚜렷이; 눈에 띄어; 증거로서 ***on ~*** 증거가 있어서 ***take ~*** 증인을 조사하다 ***the E~s of Christianity*** 〖신학〗 증험론(證驗論) ***turn King's* [*Queen's,* 《미》 *State's*] *~*** 공범자에게 불리한 증언을 하다 ***verbal ~*** ⇨ verbal
— *vt.* 《드물게》 **1** (증거로써) 증명하다 **2** 명시하다(show clearly); …의 증거가 되다; (감정 등을) 겉으로 나타내다
▷ évident, evidéntial *a.*
‡**ev·i·dent** [évədənt] [L 「분명히 보이는」의 뜻에서] *a.* **1** 분명한(plain), 명백한: with ~ satisfaction 사뭇 만족한 듯이 / Despite his ~ distress, he went on working. 그는 분명히 피로한데도 불구하고 일을 계속했다.

> 유의어 **evident** 외적 증거로서 명백한: with *evident* disappointment 실망의 빛을 드러내어 **obvious** 의문의 여지가 없을 정도로 분명한: His fatigue was *obvious.* 그가 지쳤음이 분명했다. **apparent** 한 번 보아 그것이라고 알 수 있을 정도로 분명한: It's *apparent* he'll win. 그가 이길 것이 뻔하다. **manifest** 직감적으로 이해할 수 있을 정도로 분명히 나타난: *manifest* to everyone's eye 누가 보아도 분명한 **clear** 틀림 여지가 없을 정도로 분명한: *clear* proof 분명한 증거 **plain** 단순 명쾌하고 분명한: the *plain* facts 명백한 사실

2 Ⓟ 분명히 나타난: It was ~ (to everyone) that the game was canceled. 그 시합이 취소된 것은 모

every

every를 each나 all 등과 비교해서 살펴보면:
1 each는 전체와는 관계없이 낱낱의 구성 요소를 생각하는 데 대해, every는 구성원을 개별적으로 보면서 동시에 전체로서 취급한다. 따라서 each나 all보다 뜻이 강하다.
또한 불특정 다수의 구성원에 대해서는 each(각각의)보다 개별성이 약한 every(모든)가 쓰인다: *every* college in the country 국내의 어느 대학이나
2 부정어와 함께 쓰이면, all과 마찬가지로 every도 보통은 부분부정이 된다. ⇨ 1b
3 every는 (대)명사의 소유격이 앞에 올 수 있지만, all, each에는 앞세울 수 없다. 가령 his every book(그의 책은 모두)은 각각 all his books 또는 each of his books로 된다. ⇨ 1a
4 every 뒤에 2개의 명사가 와도 단수로 취급한다: *Every man* and *woman* likes it. 남녀가 모두 그것을 좋아한다.
5 약식 영어에서 「every+단수명사」를 복수 대명사로 받는 일이 있다: *Every* candidate must write *their* name in full. 모든 수험자는 이름을 정식으로 써야 한다. ((딱딱하게 쓰면 *his or her* name ...로 된다))
6 each, all, any에는 형용사 용법 외에 대명사 용법이 있으나 every에는 형용사 용법밖에 없다.

‡eve·ry [évri] *a.* Ⓐ

① 어느 …이나 다	**1 a**
② 매…, …마다	**3 a**
③ [부정문에서] 모두가 …인 것은 아니다	**1 b**

1 [단수 가산명사와 함께 무관사로] **a** 어느 …이나 다, 모든, 모두(의): *E*~ boy likes it. 어느 소년이나 다 그것을 좋아한다. ((every …는 단수 구문을 취하나 all …은 복수 구문을 취함; All boys like it.)) / *E*~ dog has his day. ((속담)) 쥐구멍에도 볕들 날이 있다. / Forget ~ word he said. 그가 한 말은 모두 잊어버려라. / I enjoyed ~ minute of my stay in Rome. 내가 로마에 머무르는 동안 순간순간이 즐거웠다. / The students listened to his ~ word. 학생들은 그의 말 한 마디 한 마디에 귀를 기울였다. ((every 앞에 관사는 쓰지 않으나, 소유격 대명사는 쓰임)) **b** [not과 함께 부분부정을 나타내어] 모두가 다 …인 것은 아니다: *Not* ~ one of you can be a winner. = *E*~ one of you can*not* be a winner. 너희들 모두가 승자가 될 수 있는 것은 아니다.
2 [추상명사와 함께] 가능한 한의, 온갖, 충분한: They showed me ~ kindness. 그들은 나에게 온갖 친절을 다 베풀어 주었다. / There's ~ chance that he will succeed. 그가 성공할 가망은 충분히 있다. / I wish you ~ success. 당신의 성공을 빕니다.
3 a [Ⓒ의 단수명사와 함께 무관사로] 매…, …마다 ((종종 부사구로 쓰임)): ~ day[week, year] 매일[주, 년] / ~ day[week, year] or two 1, 2일[주, 년]마다 / ~ morning[afternoon, night] 매일 아침[오후, 밤] **b** [뒤에 '서수+단수명사' 또는 '기수 (또는 few 등)+복수명사'와 함께] …걸러, …간격으로, …마다 ((종종 부사구로 쓰임)): ~ *second* week 1주일 걸러, 2주마다 / ~ *fifth* day = ~ *five* days 매 5일마다, 4일 걸러 / ~ *few* days[years] 수일[년]마다 / ⇨ EVERY other (2) / *E*~ *third* family has a car. 세 집 중 한 집은 차를 가지고 있다. / The Olympic Games take place ~ *four* years. 올림픽 대회는 4년마다 개최된다.
at ~ turn 방향을 바꿀 때마다; 도처에서, 어딜가나
~ bit ⇨ bit[2]
~ here and there ⇨ here
~ inch ⇨ inch[1]
~ last ... (마지막 하나까지) 모두, 남김없이: You must eat ~ *last* bit of bread. 빵 한 조각까지 다 먹어야 돼.
E~ little bit helps. 동전 한 닢도 도움이 된다.
~ man Jack ⇨ jack[1]
~ moment[minute] 시시각각으로, 순간마다: I expect him ~ *minute.* 이제나 저제나 하고 그를 기다리고 있다.
~ mother's son of them ((익살)) 한 사람 남기지 않고, 누구나 다, 모두
~ now and then[again] = ***~ once in a while[way]*** 때때로, 이따금
~ one (1) [évriwʌ̀n] 모두, 누구나 ((이 뜻으로는, 보통 everyone처럼 한 단어로 씀)) (2) [èvriwʌ́n] [특히 one의 뜻을 강조하여] 이것저것 모두, 어느 것이나 다: They were killed, ~ *one* of them. 그들은 한 사람도 남김없이 다 살해되었다. / You may take ~ *one* on the shelf. 선반 위에 있는 것은 어느 것이나 다 가져도 좋다.
~ other (1) 그 밖의 모든: He was absent; ~ *other* boy was present. 그는 결석하였으나, 그 밖의 학생들은 다 출석하였다. (2) 하나 걸러(cf. 3 b): on ~ *other* line 한 줄 걸러 / ~ *other* day 격일로, 하루 걸러
~ single (최후의) 단 하나의 …도
~ so often = EVERY now and then
~ time (1) [접속사적] (…할) 때마다: *E*~ *time* I looked at him, he was yawning. 그를 볼 때마다 그는 하품을 하고 있었다. (2) ((구어)) 언제고, 매번, 예외없이: win ~ *time* 매번 이기다
~ Tom, Dick, and Harry 보통 사람들 모두
~ which ((미·구어)) 모든, 어느 …도: from ~ *which* direction 모든 방향으로부터
~ which way ((미·구어)) (1) 사방으로, 무질서하게: The boys ran off ~ *which way.* 소년들은 사방팔방으로 도망쳤다. / The cards were scattered ~ *which way.* 카드는 난잡하게 흩어져 있었다. (2) ((영)) 가능한 모든 방법
(in) ~ way 모든 점[면]에서; 어느 모로 보아도; 아주, 순전히(quite)
nearly ~ 대개의: *Nearly* ~ student speaks some English. 대개의 학생은 다소 영어를 말한다.

두 알 수 있을 정도로 분명했다. **~·ness** *n.*
▷ évidence *n.*; évidently *ad.*

ev·i·den·tial [èvədénʃəl] *a.* 증거의; 증거가 되는; 증거에 근거한, …을 입증하는 ((*of*))
~·ly *ad.* 증거로서[에 의해]

ev·i·den·tia·ry [èvədénʃəri] *a.* **1** = EVIDENTIAL **2** 〖법〗 증거의 구성 요소를 갖춘; 증거를 구성하는

‡ev·i·dent·ly [évədəntli, -dènt-] *ad.* **1** [문장 전체를 수식하여] 분명히, 명백히: *E*~ he has made a mistake. 그가 실수한 것은 분명하다. **2** 아무래도 (…듯하다): He has ~ mistaken me. 그는 아무래도 내 말을 오해한 것 같다.

‡e·vil [íːvəl] *a.* (**more ~, most ~**; 때로 **~·(l)er**; **~·(l)est**) **1** (도덕적으로) 나쁜(bad), 사악한, 부도덕

한, 흉악한(wicked)(⇨ bad[1] 유의어): an ~ countenance 흉악한 얼굴 / an ~ life 부도덕한 생활 / an ~ tongue 독설; 험담을 잘하는 사람 / ~ devices 간계(奸計) **2** **불길한**, 운이 나쁜, 재앙의, 흉한: ~ news 흉보 **3** 〈평판 등이〉 좋지 않은: an ~ reputation 악평 **4** 〈기질·성질이〉 화를 잘 내는, 성마른: an ~ disposition 성을 잘 내는 기질 **5** 고약한, 불쾌한: an ~ odor 고약한 냄새 **6** 《속어》 (강한 매력에) 황홀한, 넋을 잃을 것 같은, 멋진

fall on ~ days 불우한 때를 만나다 ***in an ~ hour*** [***day***] 운수 사납게, 불행히도 ***put off the ~ day*** [***hour***] 싫은 일을 뒤로 미루다

— *n.* **1** Ⓤ 악, 불선(不善), 사악(wickedness), 악의(惡意); 죄악(sin): a necessary ~ 필요악 / good and ~ 선악 / do ~ 악한 일을 하다 / return good for ~ 악을 선으로 갚다 **2** 재난(disaster); 불운, 불행(ill luck); 나쁜 병 **3** (인간 본성의) 마성; 사악한 부분; 악한 짓, 해악, 악폐

the king's ~ 《고어》 연주창 ***the social ~*** 사회악, 매음

— *ad.* 나쁘게(ill): speak ~ of …의 욕을 하다 / It went ~ with him. 그는 혼이 났다.

e·vil-dis·posed [íːvəldispóuzd] *a.* 악한 기질을 가진, 질이 나쁜

e·vil·do·er [íːvəldùːər] *n.* 악행자, 악인(opp. *well-doer*)

e·vil·do·ing [íːvəldùːiŋ] *n.* Ⓤ 나쁜 짓, 악(opp. *well-doing*)

évil éye 악의에 찬 눈초리; [보통 the ~] 흉안(凶眼)(을 가진 사람), 흉안의 마력 《노려보면 재난이 온다고 하는》

e·vil-eyed [-áid] *a.* 악마의 눈을 한, 독기 서린 눈의

e·vil-look·ing [-lúkiŋ] *a.* 인상이 나쁜

e·vil·ly [íːvəlli] *ad.* 간악하게, 흉악하게: be ~ disposed 악의를 가지고 있다

e·vil-mind·ed [ìːvəlmáindid] *a.* 심사가 나쁜, 속 검은, 심술궂은(malicious); 악의로 해석하는; 호색의 **~·ly** *ad.* **~·ness** *n.*

e·vil·ness [íːvəlnis] *n.* Ⓤ 악, 불선(不善), 사악

Évil Óne [the ~] 악마, 사탄(the Devil)

e·vil-starred [íːvəlstáːrd] *a.* 운수 나쁜, 불행한(ill-starred)

e·vil-tem·pered [-témpərd] *a.* 몹시 언짢은

e·vince [ivíns] *vt.* 《문어》 **1** 명시하다; 〈감정·지식·기량 등을〉 나타내다, 밝히다 **2** 〈반응 등을〉 불러 일으키다, 이끌어 내다 **e·vín·ci·ble** *a.*

e·vin·cive [ivínsiv] *a.* 명시적인; 증명하는 《*of*》

e·vi·rate [évərèit, íːv-] *vt.* 거세하다(castrate); 연약하게 하다(emasculate)

e·vis·cer·ate [ivísərèit] *vt.* **1** 《외과》 창자[내장]를 빼내다 **2** 〈의논 등의〉 골자를 빼버리다 — *vi.* 《외과》 〈내장이〉 절개부에서 튀어나오다

— [ivísərət, -rèit] *a.* 내장을 들어낸

▷ evisceráti on *n.*

e·vis·cer·a·tion [ivìsəréiʃən] *n.* Ⓤ 내장 적출(摘出); 골자를 빼버림

E·vi·ta [evíːtə, -tɑː] *n.* **1** 여자 이름 《Eva의 스페인어명》 **2** Eva Perón의 애칭

ev·i·ta·ble [évətəbl] *a.* 피할 수 있는

ev·o·ca·ble [évəkəbl, ivóuk-] *a.* 일깨울 수 있는, 환기시킬 수 있는

ev·o·ca·tion [ìːvoukéiʃən, èvə-] *n.* ⓊⒸ (강신(降神)·영혼의) 불러냄, 초혼(招魂); (기억 등의) 환기; 《법》 (상급 법원으로의) 소권(訴權) 이송; 《발생》 환기인자(因子)의 작용

e·voc·a·tive [ivάkətiv, ivóuk- | ivɔ́k-] *a.* Ⓟ 〈…을〉 환기시키는 《*of*》: perfume ~ *of* spring 봄을 연상시키는 향기 **~·ly** *ad.* **~·ness** *n.*

ev·o·ca·tor [íːvoukèitər, évə-] *n.* 불러 일으키는 사람; 《특히》 영혼을 불러내는 사람; 《발생》 환기 인자(喚起因子)

evoc·a·to·ry [ivάkətɔ̀ːri | -t(ə)ri] *a.* = EVOCATIVE

*__e·voke__ [ivóuk] [L 「부르다」의 뜻에서] *vt.* **1** 〈감정·기억 등을〉 **일깨우다**, 환기시키다 **2** 〈웃음·갈채 등을〉 자아내다 **3** 〈죽은 사람의 영혼 등을〉 불러내다: ~ spirits from the other world 영혼을 저승에서 불러내다 **4** (상상에 의해) …을 다양하게 재현하다 **5** 원용(援用)하다 **6** 《법》 〈소송을 상급 법원으로〉 이송하다

e·vók·er *n.*

e·vóked poténtial [ivóukt-] 《생리》 유발 전위 《외부 자극에 의하여 신경 세포에 발생하는 활동 전위》

ev·o·lute [évəlùːt | íːvə-, évə-] *a.* **1** 《수학》 축폐(縮閉)한 **2** 《식물》 뒤쪽으로 젖혀진, 벌어진 — *n.* 《수학》 축폐선(線)(opp. *involute*)

— *vi.*, *vt.* 진화[발전]하다[시키다]

‡**ev·o·lu·tion** [èvəlúːʃən, ìːvə- | ìːvə-, èvə-] *n.* **1** Ⓤ **발달**, 발전, 전개: the ~ of a drama 극의 전개 **2** Ⓤ 《생물·천문》 **진화**(cf. DEVOLUTION), 진화론(cf. DARWINISM): the theory of ~ 진화론 **3** 발달[진화]의 산물[결과] **4** (댄스·스케이트 등의) 전개 동작, 선회(旋回) **5** Ⓤ (열·빛 등의) 방출, 발생 **6** 《수학》 개방(開方)(cf. INVOLUTION): the ~ of an argument 논의의 전개 **7** (육해군의) 기동 연습

▷ evólve *v.*; evolútional, evolútionary, evolútive *a.*

ev·o·lu·tion·al [èvəlúːʃənl, ìːvə-] *a.* = EVOLUTIONARY **~·ly** *ad.*

*__ev·o·lu·tion·ar·y__ [èvəlúːʃənèri, ìːvə- | ìːvəlúːʃənəri, èvə-] *a.* **1** **진화(론)적인** **2** 전개[진전]적인; 진화적인 **-ar·i·ly** *ad.*

evolútionary biólogy 진화 생물학

ev·o·lu·tion·ism [èvəlúːʃənìzm, ìːvə-] *n.* Ⓤ 진화론(cf. CREATIONISM)

ev·o·lu·tion·ist [èvəlúːʃənist, ìːvə-] *n.* **1** (특히 생물학의) 진화론자 **2** 사회 진화론자

— *a.* **1** 진화의; 진화론자의 **2** 진화론을 지지하는[믿는]

ev·o·lu·tion·is·tic [èvəlùːʃənístik, ìːvə-] *a.* = EVOLUTIONIST **-ti·cal·ly** *ad.*

ev·o·lu·tive [évəlùːtiv, íːvə-] *a.* **1** 진화의, 발전의; 진화[발전]를 촉진하는 **2** 진화의 경향이 있는, 발전적인

*__e·volve__ [ivάlv | ivɔ́lv] [L 「회전하며 나오다[열리다]」의 뜻에서] *vt.* **1** 〈논리·의견·계획 등을〉 **서서히 발전[전개]시키다**; 〈결론·법칙 등을〉 끌어내다: ~ a scheme 계획을 서서히 전개시키다 **2** 《생물》 **진화[발달]시키다** **3** 〈냄새·증기 등을〉 발하다, 방출하다

— *vi.* **1** 서서히 발전[전개]하다; 점진적으로 변화하다 **2** 《생물》 진화하다: 《~+전+명》 ~ *into* …으로 진화하다 / ~ *from*[*out of*] …에서 진화[발달]하다

e·vólv·a·ble *a.* **~·ment** *n.* Ⓤ 전개, 진전; 진화

▷ evolútion *n.*

EVP executive vice president 전무 이사 **EVR** electronic video recorder[recording]

e·vulse [ivʌ́ls] *vt.* 강하게[힘주어] 뽑아내다: ~ an infected molar 충치를 뽑다

e·vul·sion [ivʌ́lʃən] *n.* Ⓤ 빼냄, 뽑아냄

ev·zone [évzoun] *n.* (그리스의) 정예 보병

EW electronic warfare; enlisted woman[women]

*__ewe__ [júː] *n.* (성장한) **암양**(⇨ sheep 관련)

one***'s ~ lamb*** 《성서》 (가난한 사람에게 있어) 가장 소중히 여기는 것

ewe-neck [júːnèk] *n.* (말·개 등의) 가늘고 움푹 들어간 목

ewe-necked [júːnèkt] *a.* 목이 잘록하고 가늘게 생긴 〈말·개〉

thesaurus **evoke** *v.* **1** 일깨우다 summon, invoke, raise, recall **2** 자아내다 cause, induce, arouse, awaken, stimulate, bring about

evolution *n.* evolvement, development, progress

exact *a.* precise, accurate, correct, just

ew·er [jú:ər] *n.* (주둥이가 넓은 세안용) 물병, 물주전자(pitcher)

ewer

ewer

basin

ewig·keit [éivikkàit] [G] *n.* 영원 ***into*** [***in***] ***the*** ~ 《익살》 간데없이, 허공으로

E.W.O. Essential Work Order 《영》 주요 근무령; Educational Welfare Officer 《영》 교육 복지장

ex[1] [eks, éks] [L=from, out of] *prep.* **1** …으로부터 《*from*》 《라틴어의 구(句)》 **2 a** 〖상업〗 …에서 인도(引渡)하는: ~ bond 보세 창고 인도 / ~ pier 잔교(棧橋) 인도 / ~ quay[wharf] 부두 인도 / ~ rail 철도 인도 / ~ ship 본선 인도 / ~ warehouse 창고 인도 **b** 〖증권〗 …락(落), …없이(opp. *cum*): ~ interest 이자락(利子落) / ⇨ ex dividend **3** 《미》 (대학에서) …년도 중퇴의: ~ 1983 1983년도 중퇴의

ex[2] *n.* X[x]자; X형의 것

ex[3] 《구어》 *a.* 전의, 그전의
— *n.* 전에 어떤 지위[신분]에 있던 자; 전남편, 전처

ex-[1] [iks, eks] *pref.* 「전의; 전…」(former)의 뜻: *ex*-president 전 대통령[총재, 학장 《등》]

ex-[2] *pref.* 「…으로부터; 밖으로; 전적으로」의 뜻: *ex*clude, *ex*it, *ex*terminate

ex. examination; examined; example; except; exception; exchange; excursion; executed **Ex.** Exodus

exa- [éksə, égzə] 《연결형》 10^{18}; 기호 E

ex·ac·er·bate [igzǽsərbèit, eksǽs-] *vt.* 〈고통·병·원한 등을〉 더욱 심하게 하다, 악화시키다; 〈사람을〉 격분시키다

ex·ac·er·ba·tion [igzæ̀sərbéiʃən] *n.* Ⓤ 격화, 악화; 분노

⁑**ex·act** [igzǽkt] *a.* **1** 정확[적확]한(accurate)(⇨ correct 유의어): the ~ time 정확한 시간 **2** 엄중한, 엄격한: ~ discipline 엄격한 규율 **3** 정밀한, 엄밀한(precise): an ~ account 정밀한 기술(記述) / an ~ instrument 정밀 기계 **4** 꼼꼼한(strict) 《*in*》: be ~ *in* one's work 일에 꼼꼼하다
~ to the letter 아주 정확한 ***~ to the life*** 실물과 똑같은 ***to be ~*** 엄밀히 말하면
— *vt.* **1** 〈복종 등을〉 강요하다, 무리하게 요구하다; 〈세금 등을〉 가차없이 거두다(extort): 《~+목+전+명》 ~ obedience *from* the students 학생들을 억지로 복종시키다 / ~ money[taxes] *from* a person …에게서 돈[세금]을 가차없이 거두다 **2** 〈항복·실행 등을〉 (권력 등에 의하여) 강요하다, 부득이 …하게 하다
~·er *n.* **~·ness** *n.* =EXACTITUDE
▷ exáctitude, exáction *n.*

ex·ac·ta [igzǽktə] *n.* 《미》 연승 단식 《경마의 1, 2착을 도착 순서대로 맞히는 내기》

ex·act·a·ble [igzǽktəbl] *a.* 강요할 수 있는, 강제로 거두어들일 수 있는

exáct differéntial 〖수학〗 완전 미분

ex·act·ing [igzǽktiŋ] *a.* **1** 〈사람이〉 힘든 일을 요구하는; 가혹한, 엄격한(severe): an ~ teacher 엄격한 교사 **2** 〈일이〉 고된, 힘드는, 쓰라린(arduous): ~ labor 고된 노동 **3** 강요적인 **~·ly** *ad.* **~·ness** *n.*

ex·ac·tion [igzǽkʃən] *n.* **1** Ⓤ 강청(强請), 강요, 강제 징수; 부당한 요구 **2** 강제 징수금, 과세; 〖법〗 (공무원의) 부당 보수 청구죄

ex·ac·ti·tude [igzǽktət*j*ù:d | -tjù:d] *n.* ⓊⒸ 정확성, 정밀도; 엄정; 엄격

⁑**ex·act·ly** [igzǽktli] *ad.* **1** 정확하게(는), 엄밀하게(는)(precisely): Repeat ~ what he said. 그가 한 말을 그대로 되풀이해 보시오. **2** 꼭, 바로, 조금도 틀림없이(just, quite): at ~ six (o'clock) 정각 6시에 **3** [yes의 대용] 그렇소, 바로 그렇습니다(quite so)
not ~ 반드시 그렇지는 않다, 조금 틀리다

ex·ac·tor [igzǽktər] *n.* 강요하는 사람; 《특히》 가혹하게 징수하는 사람[수세리(收稅吏)]

exáct scíence 정밀 과학 《수학·물리학 등》

⁑**ex·ag·ger·ate** [igzǽdʒərèit] [L 「쌓아올리다」의 뜻에서] *vt.* **1** 과장하다(overstate), 침소봉대하여 말하다; 지나치게 강조하다: ~ one's trouble 자기의 고민거리를 과장해서 말하다 **2** 과대시하다: ~ one's own importance 자만하다 **3** 〈병 등을〉 악화시키다
— *vi.* 과장해서 말하다
▷ exaggerátion *n.*; exággerative *a.*

∗**ex·ag·ger·at·ed** [igzǽdʒərèitid] *a.* **1** 과장된, 떠벌린; 비정상적으로 확장된 **2** 〈기관(器官) 등이〉 비정상적으로 커진, 비대해진 **~·ly** *ad.* **~·ness** *n.*

∗**ex·ag·ger·a·tion** [igzæ̀dʒəréiʃən] *n.* Ⓤ 과장; 과대시; Ⓒ 과장된 표현
▷ exággerate *v.*; exággerative *a.*

ex·ag·ger·a·tive [igzǽdʒərèitiv, -rət-], **-to·ry** [-rətɔ̀:ri | -təri] *a.* 과장적인, 침소봉대의 **~·ly** *ad.*

ex·ag·ger·a·tor [igzǽdʒərèitər] *n.* 과장해서 말하는 사람; 과장적인 것

ex-all [éksɔ́:l] *ad.*, *a.* 〖증권〗 전(全)권리락(落)으로[의] 《배당 등의 수익권이 전혀 없는》

∗**ex·alt** [igzɔ́:lt] [L 「들어올리다」의 뜻에서] *vt.* **1** 《문어》 〈신분·지위·권력 등을〉 높이다, 올리다, 승진시키다(promote); 고상[고귀]하게 하다(ennoble): 《~+목+전+명》 ~ a person *to* a high office …을 높은 관직으로 승진시키다 **2** 칭찬[찬양]하다(extol) **3** 〈상상력 등을〉 자극하다, 높이다 **4** 〈어조·색조 등을〉 강하게 하다 ***~ a person to the skies*** …을 극구 칭찬하다 **~·er** *n.* ▷ exaltátion *n.*

ex·al·ta·tion [ègzɔ:ltéiʃən, èksɔ:l-] *n.* Ⓤ **1** (명예·지위·권력·질 등을) 높임, 고양(高揚)(elevation); 승진(promotion); 칭찬, 찬미 **2** (때때로 이상·병적인 감정의) 고양, 기고만장, 의기양양; 열광적인 기쁨 **3** 〖의학〗 (기능의) 항진(亢進)

ex·al·té [egza:ltéi] [F] *n.* 의기양양한 사람

∗**ex·alt·ed** [igzɔ́:ltid] *a.* **1** 고귀한, 지위[신분]가 높은: a person of ~ rank 고위직의 사람, 귀인 **2** 고양된, 고상한, 숭고한 **3** 기뻐 날뛰는, 의기양양한
~·ly *ad.* **~·ness** *n.*

ex·am [igzǽm] [*exam*ination] *n.* 《구어》 시험

exam. examination; examined; examinee; examiner

ex·a·men [igzéimən | -men] *n.* **1** 〖그리스도교〗 (양심 등의) 규명 **2** (특히 가치와 상태를 구명(究明)하기 위한) 시험, 조사, 검사 **3** (작가 등의) 비평적 연구

ex·am·i·nant [igzǽmənənt] *n.* **1** 시험관, 검사관, 심사원(examiner) **2** 심사받는 사람 《재판의 증인 등》

⁑**ex·am·i·na·tion** [igzæ̀mənéiʃən] *n.* **1** ⓊⒸ 조사, 검사, 심사(함); (학설·문제의) 고찰, 검토; 진찰: a medical ~ 진찰 / a physical ~ 건강 진단 **2** 시험, (성적) 고사(test) 《*in*》: an ~ *in* English = an English ~ 영어 시험 / an oral[a written] ~ 구두[필기] 시험 관련 중간 시험은 midterm examination 또는 midyears, 기말 시험은 finals, 비정기적인 간단한 시험은 quiz라고 한다. **3** ⒸⓊ 〖법〗 (증인) 심문 《*of*》; 심리: a preliminary ~ 예비 심문 / the ~ of a witness 증인의 심문; 심문 기록
~ in chief 〖법〗 직접 심문 ***go in***[***up***] ***for*** one***'s ~*** 시험을 보다 ***make an ~ of*** …을 검사[심사]하다 ***on ~*** 검사[조사]한 후에; 조사해 본즉 ***pass***[***fail***] ***an ~*** 시험에 합격[낙제]하다 ***sit for***[***take***] ***an ~*** 시험을 치르다 ***under ~*** 검사[조사] 중의[에] **~·al** *a.* 시험[심문]의; 검사의

---

exaggerate *v.* overestimate, overstate, magnify, overstress, amplify (opp. *understate, minimize*)
exalt *v.* **1** 높이다 elevate, promote, advance, raise, upgrade, ennoble, aggrandize **2** 칭찬하다 praise, glorify, extol, acclaim

▷ exámine *v.*; examinatórial *a.*
examinátion pàper 시험 문제지; 시험 답안지
ex·am·i·na·to·ri·al [igzæ̀mənətɔ́:riəl] *a.* 시험관의, 고시 위원의; 심사원의
‡**ex·am·ine** [igzǽmin] [L 「(무게를) 측정하다」의 뜻에서] *vt.* **1 검사[조사, 심사]하다,** 검토[검열]하다(inspect, investigate); 고찰하다: ~ a proposal 제안을 검토하다 / ~ oneself 내성(內省)하다 // (~+***wh.*** 절) ~ *whether* something is good or bad 어떤 일이 선(善)인지 악(惡)인지 검토하다

> 유의어 **examine** 엄밀하게 관찰하고 시험해 보며 조사·음미하다: *examine* the specimens 견본을 검사하다 **research** 새로운 사실·과학적 법칙 등을 발견할 목적으로 고도의 지식을 갖고 면밀·주도한 조사를 하다: *research* into the side effects of the drug 그 약의 부작용에 대해 연구하다 **investigate** 조직적인 조사로 사실을 알아내다: The police *investigated* the cause of his death. 경찰은 그의 사인을 조사했다.

2 진찰하다: have one's health *~d* 건강 진단을 받다 **3 시험하다,** (구두) 시문(試問)하다(test) 《*in, on*》: (~+목+전+명) ~ the students *in* English 학생들에게 영어 시험을 보이다 / ~ a person *on* the knowledge of physics …에게 물리 지식에 대한 시험을 보이다 **4** 〖법〗 〈증인을〉 심문하다, 심리하다
—*vi.* 조사[심리, 검토]하다(inquire) 《*into*》: (~+전+명) ~ *into* details 상세히 조사하다 **-in·a·ble** *a.*
▷ examinátion, exáminer *n.*; examinatórial *a.*
ex·am·in·ee [igzæ̀məní:] *n.* 수험자, 피험자; 심리를 받는 사람
ex·am·ine-in-chief [igzǽminìntʃí:f] *vt.* 〖법〗 〈증인을〉 직접 심문하다
***ex·am·in·er** [igzǽmənər] *n.* **시험관; 검사관,** 국세 심사관, 조사관, 심사원; 〖법〗 증인 심문관
satisfy the ~(s) (대학 시험에서) 합격점을 따다 《honours가 아니고 pass를 따다》
‡**ex·am·ple** [igzǽmpl, -zɑ́:m- | -zɑ́:m-] [L 「집어낸 것」의 뜻에서] *n.* **1 보기, 예, 실례,** 용례(⇨ instance 유의어); 〖수학〗 예제: give an ~ 예를 들다 / *E*~ is better than precept. 실례[시범]는 교훈보다 낫다. **2 모범**(model), 본보기; **견본, 표본**(specimen, sample): an ~ for the class 반의 모범 / an ~ of his work 그의 작품의 한 예 **3** 본보기(로서의 벌), 경고(warning): Let this be an ~ to you. 이것을 너의 교훈으로 삼아라. **4** 전례, 선례(precedent)
as an ~ = by way of ~ 예증으로서, 한 예로서 ***be beyond*** [***without***] ***~*** 전례가 없다 ***follow the ~ of*** a person = ***follow*** a person***'s ~*** …을 본받다 ***for ~*** 예컨대, 이를테면(for instance) ***make an ~ of*** a person …을 본보기로 징계하다 ***set*** [***give***] ***a good ~ to*** …에게 좋은 본을 보이다 ***take ~ by*** a person …을 본받다, …의 예를 따르다 ***to give*** [(영) ***take***] ***an ~*** 일례를 들면
—*vt.* [보통 수동형으로] 실례가 되다, 본보기가 되다
ex·an·i·mate [igzǽnəmət, -mèit] *a.* **1** 생명이 없는, 죽은 **2** 죽어 있는 것 같은, 활기가 없는, 낙담한
ex ani·mo [eks-ǽnəmòu] [L] *ad., a.* 충심으로부터(의), 성심성의로[의]
ex an·te [eks-ǽnti] [L] *a.* 〖경제〗 사전적(事前的)인, 어림짐작의
ex·an·them [igzǽnθəm, eksǽn-] *n.* (*pl.* **~s**) 〖병리〗 발진(發疹)
ex·an·the·ma [ègzænθí:mə, èks- | èks-] *n.* (*pl.* **-them·a·ta** [-θémətə, -θí:-]) = EXANTHEM
ex·arch[1] [éksɑ:rk] *n.* **1** 〖그리스정교〗 총주교 (대리) **2** (비잔틴 제국의) 지방 태수(太守); 총독
ex·ár·chal *a.* **éx·ar·chy** *n.*
exarch[2] *a.* 〖식물〗 외원형(外原型)의 《외측에 형성층이 있어서 목질의 형성이 안쪽으로 향하여 가는》

ex·arch·ate [éksɑ:rkèit, -kət | éksɑ:kèit] *n.* U.C EXARCH[1]의 직[권한, 지위]; 그 관할구
ex·as·per·ate** [igzǽspərèit | -zǽs-, -zɑ́:s-] [L 「거칠게 하다」의 뜻에서] *vt.* **1 성나게 하다,** 격분시키다 (⇨ exasperated) **2** 화나게 하여 …하게 하다(provoke) 《*to*》: (~+목+전+명) ~ a person *to* desperation …을 화나게 하여 자포자기하게 하다 // (~+목+to*** do) ~ the workers *to* go on strike 노동자를 성나게 하여 파업에 몰아넣다 **3** (드물게) 〈감정·병 등을〉 악화시키다 **-àt·er** *n.*
▷ exasperátion *n.*
ex·as·per·at·ed [igzǽspərèitid | -zǽs-, -zɑ́:s-] *a.* 화가 치민, 짜증스러운 《*against, at, by*》: an ~ voice 화가 치민 목소리 / be ~ *against* a person …에 대해 화내다 / be ~ *at*[*by*] a person's dishonesty …의 부정직에 화를 내다 **-àt·ed·ly** [-tidli] *n.*
ex·as·per·at·ing [igzǽspərèitiŋ | -zɑ́:s-] *a.* 분통이 터지는, 화가 나는
ex·as·per·at·ing·ly [igzǽspərèitiŋli | -zɑ́:s-] *ad.* 분통이 터지게, 화가 나게
ex·as·per·a·tion [igzæ̀spəréiʃən | -zæ̀s-, -zɑ̀:s-] *n.* U 격분, 분노; 격화, 악화 ***in ~*** 격노하여
exc. excursion; except(ed) **Exc.** Excellency
Ex·cal·i·bur [ekskǽləbər] *n.* 엑스칼리버 《Arthur 왕의 마법의 검(劍)》
ex·car·di·na·tion [ekskɑ̀:rdənéiʃən] *n.* 교구(教區) 이전
ex ca·the·dra [èks-kəθí:drə, -kǽθi-] [L = from the chair] *ad., a.* 권위의 좌(座)로부터, 권위를 가지고 **—** *n.* 〖가톨릭〗 (교황의) 성좌 선언
ex·ca·vate [ékskəvèit] [L 「굴(cave)을 파다」의 뜻에서] *vt.* 〈굴·구멍을〉 파다, 굴착하다, 개착(開鑿)하다; 〈묻힌 것을〉 발굴하다
***ex·ca·va·tion** [èkskəvéiʃən] *n.* **1 굴,** 구덩이; 개착로(開鑿路) **2** U **굴착,** (구멍·굴·구덩이를) **파기,** 개착; (기초 공사의) 땅 파기 **3** 〖고고학〗 **발굴;** C 발굴물, 유적 **4** 〖치과〗 함요(陷凹) **~·al** *a.* ▷ éxcavate *v.*
ex·ca·va·tor [ékskəvèitər] *n.* **1** 발굴자 **2** 굴착자[기] **3** 〖치과〗 엑스커베이터 《긁어내는 기구》
‡**ex·ceed** [iksí:d] [L 「넘어가다」의 뜻에서] *vt.* **1** 〈수·양·정도를〉 **넘다,** 상회하다: The task ~*s* his ability. 그 일은 그의 능력으로는 할 수 없다. **2** 〈…의 한도를〉 넘다: ~ one's authority 월권 행위를 하다 **3 a** …보다 크다, 〈…만큼〉 초과하다 《*by*》: (~+목+전+명) U.S. exports ~*ed* imports *by* $2 billion in October. 10월에 미국의 수출액은 수입액을 20억 달러 초과했다. **b** 우월하다, 능가하다(surpass) 《*in*》: (~+목+전+명) Gold ~*s* silver *in* value. 금은 은보다 값어치가 있다.
—*vi.* **1** 〈수량·정도가〉 도를 넘다, 지나치다 《*in*》: (~+전+명) ~ *in* eating 과식하다 **2** 탁월하다, 남보다 뛰어나다 《*in*》: (~+전+명) ~ *in* number 수에 있어서 능가하다
▷ excéss *n.*; excéssive *a.*
***ex·ceed·ing** [iksí:diŋ] *a.* **엄청난;** 대단한, 굉장한
‡**ex·ceed·ing·ly** [iksí:diŋli] *ad.* **대단히,** 매우, 굉장히, 엄청나게(extremely): an ~ difficult language 대단히 어려운 언어
‡**ex·cel** [iksél] [L 「위에 서다」의 뜻에서] *v.* (**~led**; **~·ling**) *vt.* 〈남을〉 **능가하다,** …보다 낫다 《*in, at*》 ★ 진행형 없음.: (~+목+전+명) He ~*s* others *in* character[*at* sports]. 그는 인격이[운동에서] 남보다 뛰어나다.
—*vi.* **빼어나다,** 탁월하다 《*in, at*》: (~+전+명) ~ *in* biology[*at* chess] 생물학[체스]에서 뛰어나다 //

> **thesaurus** **exasperate** *v.* anger, annoy, infuriate, irritate, incense, madden, enrage, provoke, vex, irk, gall, pique
> **excellent** *a.* first-class, first-rate, great, distinguished, superior, outstanding, marvelous, bril-

(~+*as* 보) ~ *as* an orator 웅변가로서 탁월하다
▷ excéllence, éxcellency *n.*; éxcellent *a.*

∗**ex·cel·lence** [éksələns] *n.* **1** Ⓤ 우수, 탁월(성) ((*at, in*)): a prize for ~ *in* the arts 인문 과학 우등상 **2** ((드물게)) 장점, 미점, 미덕: a moral ~ 도덕상의 미점 ***by*** ~ 빼어나게, 유달리
▷ excél *v.*; éxcellent *a.*

∗**ex·cel·len·cy** [éksələnsi] *n.* (*pl.* **-cies**) **1** [보통 **E~**] 각하 ((장관·대사 등에 대한 존칭)): His[Her] *E~* 각하[각하 부인] ((간접 호칭)) ★ 복수형은 Their *Excellencies* / Your *E~* 각하 (부인) ((직접 호칭)) ★ 이 때 동사는 3인칭 단수를 씀; 복수형은 Your *Excellencies.* **2** = EXCELLENCE

‡**ex·cel·lent** [éksələnt] *a.* 우수한, 아주 훌륭한, 뛰어난; 〈성적이〉 수의: an ~ choice 특산품 / an ~ secretary 우수한 비서 / Mother's health is ~. 어머님의 건강은 아주 좋습니다. ***be ~ in***[***at***] …을 뛰어나게 잘하다 **~·ly** *ad.*

USAGE excellent는 칭찬·찬동을 나타내는 말이며 예컨대 책을 읽은 뒤에 This book is *excellent.* (이 책은 훌륭하다.)라고는 할 수 있어도 Lend me an *excellent* book.이라든가 부정으로 This book is not *excellent.*라고는 할 수 없으며 이 두 경우에는 good이라고 한다.

▷ excél *v.*; éxcellence *n.*

ex·cel·si·or[1] [iksélsiər, ek- | eksélsiɔ̀ː] *n.* ((미)) Ⓤ **1** 대팻밥 ((상자 속에 포장용으로 넣는; 상표명)) **2** ((인쇄)) 3포인트 활자 (***as***) ***dry as*** ~ 바싹 말라

ex·cel·si·or[2] [iksélsiɔ̀ːr, ek- | ek-] [L = higher] *ad.* 더욱 더 높이 ((미국 New York주의 표어))

Excélsior Státe [the ~] New York주의 속칭 ((표어에서 유래))

ex·cen·tric [ikséntrik] *a.* = ECCENTRIC

‡**ex·cept** [iksépt] [L 「집어내다」의 뜻에서] *prep.* …을 제하고는, …외에는(but): Everyone is ready ~ you. 너 말고는 다 준비되어 있다.
~ for …을 제하고는; …이 없다면; …은 있지만 (그 이외는): a charming book ~ *for* a few blunders 사소한 잘못이 더러 있기는 하지만 재미있는 책 ***~ that*** …인 것 외에는[말고는]: That will do ~ *that* it is too long. 너무 긴 것이 흠이지만 그냥 쓸 만하다.
— *conj.* **1** ((구어)) 다만(only), …을 제외하고: I would go ~ it's too far. 가고 싶지만 (유감스럽게도) 너무 멀다. / I know nothing, ~ that she was there. 그녀가 거기에 있었다는 것 이외에는 아무것도 모른다. **2** [부사구나 절을 수반하여] …을 제외하고, …이외에는: ~ by agreement 협정에 의한 것을 제외하고는 / He did not greet her ~ by rising. 그는 그녀에 대한 인사로 자리에서 일어섰을 뿐이었다. **3** ((고어)) …이 아니면(unless)
— *vt.* …을 빼다, 제외하다(exclude) ((*from*))(⇨ excepted): I ~ foreigners. 외국인은 예외입니다. // (~+목+전+명) ~ a person *from* a group …을 그룹에서 빼다
— *vi.* 이의(異議)를 내세우다, …에 반대하다(object) ((*against, to*)): (~+전+명) ~ *against* a matter 어떤 일에 반대하다 **~·a·ble** *a.*

ex·cept·ed [ikséptid] *a.* Ⓟ [명사 뒤에서] 제외되어, 예외인: nobody ~ 한 사람의 예외도 없이 / the present company ~ 여기 계신 여러분은 제외하고

ex·cept·ing [ikséptiŋ, eks-] *prep.* [대개 문두, 또는 not나 without 뒤에서] …을 빼고, …말고는, …이외에는, …을 제외하면: We must all obey the law, *not* ~ the king. 우리는 모두 법을 지켜야 한다, 국왕이라도 예외일 수 없다. ***always ~*** ((영)) …을 제외하고(는); ((법)) 다만 …은 차한(此限)에 부재(不在)로 하고

‡**ex·cep·tion** [iksépʃən] *n.* Ⓤ **1** 제외(exclusion) **2** Ⓒ 예외, 이례, 특례 ((*to*)): with very few ~*s* 거의 예외없이 / There is no ~ *to* this rule. 이 규칙에는 예외가 없다. / The ~ proves the rule. ((속담)) 예외가 있다는 것은 곧 규칙이 있다는 증거이다. **3** 반대, 불복, 이의(objection) **4** ((법)) 이의 신청: "*Exception!*" 이의 있습니다!
above[***beyond***] ~ 비난[의심]의 여지가 없는 ***by way of*** ~ 예외로서 ***make an ~ of*** your case (너는) 예외로 하다, 특별 취급하다 ***make no ~***(***s***) 예외 취급을 하지 않다 ***take ~*** 이의를 말하다, 불복이라고 말하다 ((*to, against*)); 화를 내다 ((*at*)) ***without ~*** 예외 없이: No rule *without* ~. 예외 없는 규칙은 없다. ***with the ~ of***[***that ...***] …을 제외하고는, …외에는(except)
▷ excépt *v.*; excéptional *a.*

ex·cep·tion·a·ble [iksépʃənəbl] *a.* [보통 부정문] ((문어)) 이의(異議)를 말할 수 있는, 비난의 여지가 있는, 바람직하지 않은
ex·cèp·tion·a·bíl·i·ty *n.* **-bly** *ad.*

∗**ex·cep·tion·al** [iksépʃənl] *a.* **1** 예외적인 **2** 특별한, 보통을 벗어난, 드문(unusual, rare); 비범한, 뛰어난: an ~ promotion 이례적인 승진
ex·cèp·tion·ál·i·ty *n.* **~·ness** *n.*

excéptional chíld ((교육)) 특수 아동 ((비범하거나 심신 장애로 특수 교육이 필요한))

∗**ex·cep·tion·al·ly** [iksépʃənəli] *ad.* 예외적으로, 특별히, 유난히, 매우: an ~ beautiful girl 뛰어나게 아름다운 소녀

ex·cep·tion·less [iksépʃənlis] *a.* 예외[이의] 없는

ex·cep·tive [ikséptiv] *a.* 제외의, 예외적인: an ~ clause 예외 조항 / ~ conjunctions 제외 접속사 ((unless 등))

∗**ex·cerpt** [éksəːrpt] *n.* (*pl.* **~s, -cerp·ta** [eksə́ːrptə]) 발췌록, 발췌, 초록(抄錄), 인용구; (논문 등의) 발췌 인쇄(offprint)
— [iksə́ːrpt, éksəːrpt] *vt.* 발췌하다, 인용하다 (quote) ((*from*))
ex·cérpt·er, ex·cérp·tor *n.* **ex·cérpt·i·ble** *a.*
ex·cérp·tion *n.* Ⓤ 발췌, 발췌록

‡**ex·cess** [iksés, ékses] *n.* **1** Ⓒ 초과, 초과량[액], 여분; Ⓤ 과다, 과잉 ((*of*)): an ~ *of* exports (over imports) 수출 초과액[량] / ~ *of* blood 다혈, 일혈(溢血) **2** Ⓤ 지나침, 월권; 과도 **3** Ⓤ 무절제(intemperance) ((*in*)); [*pl.*] 폭음, 폭식; [보통 *pl.*] 지나친 행위, 난폭 **4** ((주로 영)) ((보험)) 보유 초과 금액
carry a thing ***to ~*** …을 지나치게 하다 ***go***[***run***] ***to ~*** 극단적으로 하다, 지나치게 하다 ***in ~ of*** …을 초과하여 drink ***to***[***in***] ***~*** 지나치게 (마시다)
— [ékses, iksés] *a.* Ⓐ 여분의, 초과한
— [iksés] *vt.* 〈공무원을〉 휴직시키다
▷ excéed *v.*; excéssive *a.*

éxcess bággage 제한 초과 수하물
éxcess capácity 과잉 설비
éxcess chàrge 주차 시간 초과 요금
éxcess demánd ((경제)) 수요 초과, 수요 과잉
excéss demánd inflátion ((경제)) 수요 인플레이션
éxcess fàre (철도의) 구간 초과 요금; (상등 칸으로 옮길 때의) 부족 요금

‡**ex·ces·sive** [iksésiv] *a.* 과도한, 지나친, 과대한, 엄청난 **~·ly** *ad.* **~·ness** *n.* Ⓤ 과도
▷ excéed *v.*; excéss *n.*

éxcess lúggage = EXCESS BAGGAGE
éxcess póstage 우표 부족 요금
éx·cess-próf·its tàx [éksesprάfits- | -prɔ́f-] 초과 이득세
éxcess resèrves ((금융)) 초과 준비금
éxcess supplý ((경제)) 공급 초과[과잉]

---

liant (opp. *poor, inferior, imperfect*)
exceptional *a.* uncommon, abnormal, odd, peculiar, extraordinary, remarkable, outstanding, special (opp. *usual, normal, average*)
excerpt *n.* quotation, citation, extract

exch. exchange(d); exchequer

‡**ex·change** [ikstʃéindʒ] *vt.* **1 a** 교환하다; 환전하다 《*for*》: ~ a thing 물건을 바꾸다 // 《~+목+전+명》 ~ pounds *for* dollars 파운드를 달러로 환전하다 **b** 교역하다(barter) 《*with*》: 《~+목+전+명》 ~ goods *with* foreign countries 외국과 상품을 교역하다 **2** 주고받다(interchange) 《*with*》: ~ blows 서로 때리다 / ~ greetings 인사를 주고받다 // 《~+목+전+명》 Will you ~ seats *with* me? 자리를 바꿔 주시겠습니까? **3** …을 버리고 (…을) 취하다(leave) 《*for*》, 양도하다: 《~+목+전+명》 ~ honor *for* wealth 명예를 버리고 부를 취하다 **4** 〖체스〗 (교환하여) 〈적의 말을〉 잡다

— *vi.* 교환하다; 교체하다 《*from* A *into* B》; 환전되다 《*for*》: 《~+전+명》 A dollar ~*s for* less than 1,300 won. 1달러는 1,300원 이하로 환전된다. / The honey ~*d for* a bag of corn. 꿀은 옥수수 한 자루와 교환되었다. **~ *contracts*** 《영》 가옥 매매 계약을 하다

— *n.* **1** ⓊⒸ 교환; 주고받음, 교역: ~ of gold for silver 금과 은의 교환 / *E*~ is no robbery. 《익살》 교환은 강탈이 아니다. 《부당한 교환을 강요할 때의 변명》 **2** 바꾼 것, 교환물 **3** Ⓤ 환금; 환(換); 환시세 **4** [보통 **E~**] 거래소(Change); (전화의) 교환국(《미》 central): the Stock[Corn] *E*~ 증권[곡물] 거래소 ***bill of ~*** 환어음 ***domestic*** [***internal***] **~** 내국환 ***first*** [***second, third***] ***of*** **~** 제1[제2, 제3] 어음 《분실·미착 등에 대비하여 발행하는 등본 어음의 일종》 ***foreign*** **~** 외국환 ***in*** **~** (***for***) (…와) 교환으로 ***make an*** **~** 교환하다 ***par of*** **~** (환의) 법정 평가 ***set of*** **~** 등본 어음 《정·부 2통 또는 3통을 발행하여 지불인은 그 한 통에 대해서만 지불》 ***the rate of*** **~** 외환 시세, 환율(exchange rate)

ex·change·a·bil·i·ty [ikstʃèindʒəbíləti] *n.* Ⓤ 교환[교역]할 수 있음; 교환 가치

ex·change·a·ble [ikstʃéindʒəbl] *a.* 교환[교역]할 수 있는: ~ value 교환 가치

exchánge bànk 외환 은행

exchánge contròl 외환 관리

exchánge còunter (백화점 등의) 상품 교환 카운터

ex·chang·ee [ikstʃeindʒíː, -tʃéindʒiː | èkstʃeindʒíː] *n.* 교환 학생[교수], 교환 포로

exchánge fòrce 〖물리〗 교환력

exchánge màrket 외환 시장

exchánge òrder 항공표 인환증 《항공사가 발행하는》

exchánge pàrity 외환 평가(平價)

exchánge profèssor 교환 교수

ex·chang·er [ikstʃéindʒər] *n.* **1** 교환해 주는 것[사람, 장치]; 환전상 **2** 〖물리〗 교환기, 이온 교환체, 열교환기(heat exchanger)

exchánge ràte [the ~] 외환 시세; 환율

exchánge reàction 〖물리〗 교환 반응

exchánge stùdent 교환 학생

exchánge tìcket (뉴욕 증권 거래소의) 매매 주식 확인표

exchánge transfùsion 〖의학〗 교환 수혈 《환자의 피를 채혈하면서 동시에 건강한 피를 수혈하는 것》

exchánge vàlue 〖경제〗 교환 가치

ex·che·quer [ékstʃekər, ikstʃékər | ikstʃék-] *n.* **1** 국고(national treasury); Ⓤ 《영·구어》 (개인·회사 등의) 자금, 재원, 재력, 자력: My ~ is low. 재정 상태가 어렵다. **2** [the E~] 《영》 재무부: the Chancellor of *the E*~ 재무부 장관

exchéquer bìll 《영》 (이전의) 재무부 증권

exchéquer bònd 《영》 국고 채권

ex·cide [iksáid] *vt.* 잘라내다, 절제하다; 〈문장 등을〉 삭제하다

ex·ci·mer [éksəmər] *n.* 〖화학〗 엑시머 《들뜬 상태에서 존재하는 이량체(二量體)》

ex·cip·i·ent [iksípiənt] *n.* 〖약학〗 첨가제[물]

ex·cis·a·ble[1] [éksaizəbl, iksáiz- | iksáiz-, ek-] *a.* 소비세의 대상이 되는

ex·cis·a·ble[2] [iksáizəbl | ik-, ek-] *a.* 절제(切除)할 수 있는

ex·cise[1] [éksaiz, -sais | éksaiz, iksáiz] *n.* **1** 소비세(=~ **tàx**[**dùty**]) 《*on*》: an ~ *on* tobacco 담배의 소비세 **2** (유흥업 등에 부과되는) 면허세 **3** [the E~] 《영》 간접 세무국 《지금은 Board of Customs and E~》 — *vt.* …에 소비세를 과하다, 과세하다, 《특히》 중과세하다

ex·cise[2] [iksáiz | ik-, ek-] *vt.* **1** 《문어》 〈문장·구 등을〉 삭제하다 《*from*》 **2** 〈종기 등을〉 절제(切除)[절개]하다

éxcise làws [the ~] 《미》 주류 제조 판매 규제법; 소비세법

ex·cise·man [éksaizmən, -sais-, -mæ̀n | éksaizmæ̀n] *n.* (*pl.* **-men** [-mən]) 《영》 소비세 징수원[담당관]

ex·ci·sion [eksíʒən, ik- | ek-] *n.* Ⓤ **1** 삭제, 제거 **2** 〖외과〗 (이물질·조직의) 절단, 절제(술) **3** (교회로부터의) 파문(破門), 제명 **~·al** *a.*

excísion repàir 〖생화학〗 (DNA의) 절제[제거] 수복(修復) 《DNA 이중 나선의 손상 또는 변이 부분을 절제한 후 교체하는 것》

ex·cit·a·bil·i·ty [iksàitəbíləti] *n.* Ⓤ **1** 격하기 쉬운 성질; (자극에 대한) 민감 **2** 〖생리〗 (조직·기관의) 흥분성; 감수성, 피자극성(irritability)

⁎**ex·cit·a·ble** [iksáitəbl] *a.* **1** 격하기 쉬운, 흥분하기 쉬운 **2** 〈기관·조직이〉 (자극에 대하여) 흥분하는, 반응성의, 흥분성의 **-bly** *ad.* **~·ness** *n.*

ex·ci·tant [iksáitənt, éksətənt] *a.* 흥분성의, 자극성의 — *n.* 자극물, 흥분제(stimulant)

ex·ci·ta·tion [èksaitéiʃən, -sə- | -si-] *n.* Ⓤ 자극; 〖전기〗 여자(勵磁); 〖물리〗 여기(勵起)

ex·cit·a·tive [iksáitətiv | ik-, ek-], **-a·to·ry** [-tɔ̀ːri | -təri] *a.* 흥분성의, 자극적인

‡**ex·cite** [iksáit] [L 「불러내다」의 뜻에서] *vt.* **1** 흥분시키다, 자극하다(stimulate)(⇨ excited 1); 《특히》 성적으로 흥분시키다: The movie ~*d* us. 그 영화는 우리를 흥분시켰다. // 《~+목+전+명》 ~ a person *to* anger …을 화나게 하다 / ~ a person *to* greater endeavor 한층 더 노력하도록 …을 격려하다 **2** 〈감정 등을〉 일으키다; 〈주의 등을〉 환기하다, 〈흥미·호기심을〉 일깨우다: ~ curiosity 호기심을 일으키다 // 《~+목+전+명》 The news ~*d* envy *in* him. =The news ~*d* him *to* envy. 그 소식은 그에게 부러운 마음을 일으켰다. **3** 분기시키다; 〈폭동 등을〉 선동하다, 야기하다: ~ a riot 폭동을 일으키다 **4** 〖생리〗 〈기관·조직을〉 자극하다 **5** 〖전기〗 〈장치를〉 여자(勵磁)하다, 〈전류를〉 일으키다; 〖물리〗 〈원자·분자를〉 여기(勵起)시키다 ***Don't ~!*** 침착해라. **~ one*self*** 흥분하다 ▷ excítement *n.*

⁎**ex·cit·ed** [iksáitid] *a.* **1** 흥분한, 자극받은 《*at, by, about*》; 활발한: an ~ mob 흥분한 군중 / get[be] ~ *at* …에 흥분하다[해 있다] // 《~+**to** do》 He was ~ *to* hear the news. 그는 그 소식을 듣고 흥분했다. **2** 〈시황·장사 등이〉 활발한, 활기를 띤: an ~ buying and selling of stocks 활발한 주식 매매 **3** 〖물리〗 여기(勵起) 상태의: ~ atom[molecule] 여기(勵起) 원자[분자] **~·ness** *n.*

⁎**ex·cit·ed·ly** [iksáitidli] *ad.* 흥분[격분]하여, 기를 쓰고: She ran ~ outside to greet her cousins. 그녀는 사촌들을 맞이하려고 들뜬 기분으로 밖으로 달려 나갔다.

thesaurus **exchange** *v.* barter, trade, swap, interchange, substitute, transfer, replace

exciting *a.* thrilling, stimulating, invigorating, moving, inspiring, animating, provocative, arousing (opp. *uninteresting, boring, flat*)

exclaim *v.* call out, cry out, shout, yell, roar, shriek, ejaculate, utter, proclaim

excíted státe 〖물리〗 여기(勵起) 상태

‡ex·cite·ment [iksáitmənt] *n.* **1** Ⓤ **흥분(상태)**; ⓊⒸ (기쁨의) 소동, (인심의) 동요(agitation): cause great ~ 몹시 흥분시키다 **2** 자극(하는 것) ((*of*)): the ~*s of* city life 도시 생활의 자극 ***in*** **~** 흥분하여, 기를 쓰고

ex·cit·er [iksáitər] *n.* 자극하는 사람[것]; 〖전기〗 여자기(勵磁機); 〖의학〗 자극[흥분]제; 〖전자〗 여진기(勵振器)

‡ex·cit·ing [iksáitiŋ] *a.* **1 흥분시키는,** 자극적인, 손에 땀을 쥐게 하는, 피 끓는; 약동하는; 호기심을 불러일으키는: an ~ story 신나게 재미있는 이야기[소설] **2** 〖전기〗 여자(勵磁)의; 〖물리〗 여기(勵起)하는 **3** 〈병원(病原)·원인 등이〉 직접적인, 가까운(opp. *remote*) **~·ly** *ad.*

ex·ci·ton [iksáitɑn, éksitɑ̀n | éksitɔ̀n] *n.* 〖물리〗 여기자(勵起子) **èx·ci·tón·ic** *a.*

ex·ci·tor [iksáitər, -tɔːr] *n.* 〖생리〗 자극[흥분] 신경

excl. exclamation; exclamatory; excluded; excluding; exclusive(ly)

‡ex·claim [ikskléim] [L 「바깥을 향해 소리 지르다」의 뜻에서] *vi.* **외치다,** 소리[고함]치다, 고함지르다; 감탄하며 외치다(⇨ cry 유의어): (~+전+명) ~ *at* the extraordinary price 엄청난 값에 놀라서 소리지르다 / ~ *against* interference 간섭에 대해 큰소리로 반대하다

— *vt.* …이라고 큰 소리로 말하다, 외치다: "You fool!" he ~*ed.* 「바보야!」라고 그는 소리쳤다. // (~+***that*** 절) He ~*ed that* I should not touch that gun. 그는 그 총을 만지지 말라고 내게 큰 소리로 말했다. // (~+***wh.*** 절) She ~*ed what* a beautiful lake it was. 어쩜 이토록 아름다운 호수가 있나 하고 그녀는 소리쳤다. **~·er** *n.*

▷ exclamátion *n.*; exclámatory *a.*

exclam. exclamation; exclamatory

‡ex·cla·ma·tion [èkskləméiʃən] *n.* **1** Ⓤ **외침,** 절규 **2** Ⓒ 외치는 소리; 감탄의 말: He gave an ~ of joy. 그는 기쁨의 탄성을 질렀다. **3 감탄,** 영탄: the note[point] of ~ 감탄 부호 **4** Ⓒ 〖문법〗 감탄사, 감탄문 ▷ excláim *v.*; exclámatory *a.*

exclamátion màrk[((미)) **pòint**] 느낌표, 감탄 부호 ((!))

∗ex·clam·a·to·ry [iksklǽmətɔ̀ːri | -mətəri, ek-] *a.* **1** 감탄조의, 감탄의, 감탄을 나타내는: an ~ sentence 〖문법〗 감탄문 **2** 사람의 눈을 끄는

ex·claus·tra·tion [èksklɔːstréiʃən] *n.* Ⓤ (수도 생활로부터의) 환속(還俗)

ex·clave [ékskleiv] *n.* 고립 영토 ((본국에서 떨어져서 다른 나라의 영토에 둘러싸인))

ex·clo·sure [iksklóuʒər] *n.* 울타리로 둘러싼 곳 ((가축 등의 침입을 막음))

‡ex·clude [iksklúːd] [L 「못 들어오게 하다」의 뜻에서] *vt.* **1 못 들어오[가]게 하다,** 들이지 않다, 차단하다; **제외하다,** 배제하다(expel) ((*from*))(opp. *include*): Shutters ~ light. 셔터는 빛을 차단한다. // (~+목+전+명) ~ foreign ships *from* a port 외국 배를 항구에 들이지 않다 **2 쫓아내다,** 제명하다, 몰아내다, 추방하다(expel): (~+목+전+명) ~ a person *out of*[*from*] a club 클럽에서 …을 추방[제명]하다 **3** 〈증거 등을〉 채택하지 않다, 물리치다(reject) **4** 〈가능성·의혹의〉 여지를 전혀 주지 않다, 불가능하게 하다 ▷ exclúsion *n.*; exclúsive *a.*

ex·clud·ing [iksklúːdiŋ] *prep.* …을 제외하고[한]

---

exclude *v.* bar, keep out, prohibit, forbid, prevent, disallow, refuse, ban, veto

exclusive *a.* **1 배타적인** selective, restricted, restrictive, closed, private, limited, snobbish, high-class, aristocratic (opp. *open, inclusive*) **2 유일의** sole, only, unique, individual, single

excommunicate *v.* expel, banish, oust, damn

∗ex·clu·sion [iksklúːʒən] *n.* ⓊⒸ **1 제외,** 배제, 추방: the ~ of women from some jobs 몇몇 직업에서의 여성 배제 **2** (출입국 관리 당국에 의한) 입국 거부 ***the Method of E~(s)*** 〖논리〗 배타법(排他法) ***to the ~ of*** …을 제외할 만큼 **~·ist** *a., n.*

ex·clu·sion·ar·y [iksklúːʒənèri | -ʒənəri] *a.* ((문어)) 배제의, 제외의

exclúsionary rúle [the ~] 〖미국법〗 (위법 수집 증거) 배제의 원칙

exclúsion clàuse 〖보험〗 제외 조항

ex·clu·sion·ism [iksklúːʒənìzm] *n.* Ⓤ 배타주의

exclúsion òrder 〖영국법〗 (테러 활동을 하는 자에 대한) 입국 금지 명령

exclúsion prìnciple 〖물리〗 배타율(律), 파울(Pauli)의 원리

exclúsion zòne (보안상의) 출입 금지 구역

‡ex·clu·sive [iksklúːsiv, -ziv] *a.* **1 배타[배제]적인**; 양립할 수 없는: mutually ~ ideas 서로 용납되지 않는 생각 **2 독점적인**; 〈기사가〉 특종의; 한정적인, 한정된; 〈상품 등이〉 다른 곳에서는 살 수 없는 ((*to*)): ~ rights 독점권 / an ~ contract 독점 계약 / an ~ story 독점 기사, 특종 **3** (…을) 제외하고, 계산에 넣지 않고 ((*of*)): a profit of twenty percent, ~ *of* taxes 세금 빼고 20%의 이익 **4** 유행의 (첨단을 걷는), 유행에 맞는; 고가의 **5** 유일의, 하나밖에 없는, 오직 한 사람의 **6** 비개방적인, 폐쇄적인 **7** 〈호텔·상점 등이〉 회원[고객]을 엄선하는, 상류의, 고급의: an ~ club 회원제 고급 클럽 / an ~ residential area 고급 주택 지역 **8** 〖논술〗 배반적인, 배타적인: an ~ proposition 배타적 명제

— *n.* 배타적인 사람; (신문 등의) 독점 기사, 특종, 보도 독점권; 독점적 권리 ((전매권 등))

~·ness, ex·clu·siv·i·ty [èksklu:sívəti] *n.*

▷ exclúde *v.*; exclúsion *n.*

exclúsive distribútion 독점적 유통

exclúsive económic zòne 배타적 경제 수역 ((해안선에서 200 해리 안의 경제 수역; 略 EEZ))(economic zone)

exclúsive físhing zòne 어업 전관(專管) 수역

exclúsive ínterview 단독 회견

exclúsive lìne 전용 회선

∗ex·clu·sive·ly [iksklúːsivli] *ad.* **배타적으로; 독점적으로;** 오로지, 오직 …뿐(solely): We shop ~ at Macy's. 오로지 메이시 백화점에서만 쇼핑을 한다.

exclúsive ÓR cìrcuit[**gàte**] 〖컴퓨터〗 배타적 논리합 회로[게이트]

exclúsive representátion 〖노동〗 배타적 대표권 ((노조가 비조합원을 포함하여 피고용자 전체를 대표하는 권리))

ex·clu·siv·ism [iksklúːsəvìzm, -zəv-] *n.* Ⓤ 배타[독점]주의, 당파주의 **-ist** *n., a.*

ex·cog·i·tate [ekskɑ́dʒətèit | -kɔ́dʒ-] *vt.* **1** 생각해 내다, 고안해 내다 **2** 숙고하다, 충분히 연구하다 **-tà·tive** *a.*

ex·cog·i·ta·tion [ekskɑ̀dʒətéiʃən | -kɔ̀dʒ-] *n.* ⓊⒸ 생각해 냄, 안출; 고안(물)

ex·com·mu·ni·cate [èkskəmjúːnəkèit] *vt.* **1** 〈교회가〉 제명하다, 파문하다 **2** 추방하다, 쫓아내다

— [-kət, -kèit] *a., n.* (교회 등에서) 파문[추방]당한 (사람), 제명당한 (사람)

ex·com·mu·ni·ca·tion [èkskəmjùːnəkéiʃən] *n.* ⓊⒸ **1** (종교상의 형벌로의) 파문 (선언), 제명: major [greater] ~ 대파문 ((교회에서 완전 추방)) / minor [lesser] ~ 소파문 ((성찬 참가 정지)) **2** 제명당한 신분

ex·com·mu·ni·ca·tive [èkskəmjúːnəkèitiv, -kət- | -kət-, -keit-] *a.* 파문의; 파문 선고의

ex·com·mu·ni·ca·tor [èkskəmjúːnəkèitər] *n.* 파문시키는 사람; 파문 선고자

ex·com·mu·ni·ca·to·ry [èkskəmjúːnəkətɔ̀ːri | -təri] *a.* 파문의, 파문을 선고하는; 파문의 원인이 되는

ex-con [ékskɑ́n] *n.* ((속어)) = EX-CONVICT

ex·con·vict [èkskάnvikt | -kɔ́n-] *n.* 전과자
ex·co·ri·ate [ikskɔ́:rièit] *vt.* 《문어》 **1** 심하게[격렬히] 비난하다 **2** …의 피부를 벗기다; 〈가죽을〉 벗기다
— [-ət, -èit] *a.* 〈피부가〉 벗겨진; 〈표피가〉 떨어진
ex·co·ri·a·tion [ikskɔ̀:riéiʃən] *n.* **1** Ⓤ (피부를) 벗기는 것[일]; 찰과(상) **2** Ⓤ 격렬한 비난
ex·cre·ment [ékskrəmənt] *n.* Ⓤ 《문어》 배설물; [종종 *pl.*] 대변 **èx·cre·mén·tal** *a.*
ex·cre·men·ti·tious [èkskrəmentíʃəs] *a.* 배설물이; 대변의
ex·cres·cence, -cen·cy [ikskrésns(i)] *n.* (*pl.* **~s**; **-cies**) **1** (동·식물체에 발생하는 무해한) 이상 생성물 《사마귀·혹 등》 **2** 《드물게》 (모발·손톱 등의) 정상 생성물 **3** 쓸데없는 것, 무용지물 **4** 이상 성장[증식]
ex·cres·cent [ikskrésnt] *a.* (병적으로) 불거져 나온, 이상 생장한; 군더더기의, 혹의; 쓸데없는; 〖음성〗 잉음(剩音)의
ex·cre·ta [ikskrí:tə] *n. pl.* 〖생리〗 [보통 단수 취급] 배설물, 노폐물 《대변·소변·땀 등》, 노폐물 **-tal** *a.*
ex·crete [ikskrí:t] *vt.* **1** 〖생리〗 〈노폐물을〉 배설하다; 분비하다(cf. SECRETE[1]) **2** 〈사용이 끝난 부적당한 것을〉 방출하다 **ex·crét·er** *n.*
ex·cre·tion [ikskrí:ʃən] *n.* ⓊⒸ 〖생리〗 **1** 배설[배출, 분비] (작용)(cf. SECRETION[1]) **2** 배설[배출, 분비]물
ex·cre·tive [ikskrí:tiv] *a.* 배설(촉진)적인, 배설 작용을 하는
ex·cre·to·ry [ékskritɔ̀:ri, ikskrí:təri | ikskrí:tə-ri] *a.* 배설의: an ~ organ 배설[배출] 기관
— *n.* 배설 기관
ex·cru·ci·ate [ikskrú:ʃièit] *vt.* (육체적·정신적으로) 몹시 괴롭히다; 고문하다
ex·cru·ci·at·ing [ikskrú:ʃièitiŋ] *a.* **1** 고문받는 것 같은, 극심한 고통을 주는; 몹시 괴로운, (괴로워) 견딜 수 없는: an ~ headache 극심한 두통 **2** 맹렬한, 대단한, 극도의 **~·ly** *ad.* 견딜 수 없이, 극심하게
ex·cru·ci·a·tion [ikskrù:ʃiéiʃən] *n.* Ⓤ **1** 극도로 괴롭히는 일, 고문 **2** (극도의) 고통, 고뇌, 고민, 괴로움
ex·cul·pate [ékskʌlpèit, ikskʌ́lpeit] *vt.* 《문어》 **1** 무죄로 하다; (죄·책임으로부터) 면하게 해 주다 《*from*》: 《~+목+전+명》 ~ a person *from* a charge …의 억울한 죄[혐의]를 벗겨주다 **2** 〈증거·사실 등이〉 죄를 면하게 하다, 변명이 되다 ~ one*self* 자신의 결백을 입증하다 《*from*》
ex·cul·pa·tion [èkskʌlpéiʃən] *n.* Ⓤ 변명, 변호
ex·cul·pa·to·ry [ikskʌ́lpətɔ̀:ri | -təri] *a.* 무죄를 증명하는, 변명의: an ~ statement 변명
ex·cur·rent [ikskɔ́:rənt, -kʌ́r- | -kʌ́r-] *a.* **1** 유출하는, 흘러나오는 **2** 〖동물〗 유출성(流出性)의; 심장에서 흘러나오는 **3** 〖식물〗 외출기의; 〈잎맥 등이〉 연출(延出)하는
ex·curse [ekskɔ́:rs] *vi.* **1** 슬슬 거닐다, 헤매다 **2** 잠깐 여행하다, 소풍가다
‡ex·cur·sion [ikskɔ́:rʒən, -ʃən | -ʃən] [L 「밖으로 뛰어나가다」의 뜻에서] *n.* **1** 소풍, 짧은 여행, 유람(⇨ travel 유의어); (특별 할인의) 왕복[일주] 여행 **2** [집합적] 여행[소풍] 단체 **3** (이야기·생각 등의) 옆길로 벗어남, 탈선 **4** 〖물리〗 편위(偏位) (운동) **5** 〖기계〗 왕복운동[행정], 진폭(振幅) ***go on*** [***for***] ***an ~*** 소풍 가다 ***make*** [***take***] ***an ~ to*** [***into***] …로 소풍 가다
~·ist *n.* 소풍 가는 사람; 유람 여행자
excúrsion tìcket (할인) 유람표
excúrsion tràin 유람 열차
ex·cur·sive [ikskɔ́:rsiv] *a.* **1** 〈이야기·생각 등이〉 본론에서 벗어난, 산만한, 탈선적인: ~ reading 난독(亂讀) **2** 돌아다니는, 방랑적인
~·ly *ad.* 산만하게 **~·ness** *n.*
ex·cur·sus [ekskɔ́:rsəs] *n.* (*pl.* **~, ~·es**) **1** (책 뒤에 붙인) 여적(餘滴), 여록, 부설(附說) **2** (이야기 등의) 여담
ex·cus·a·ble [ikskjú:zəbl] *a.* 용서할 수 있는, 변명이 서는 **~·ness** *n.* **-bly** *ad.*
ex·cu·sa·to·ry [ikskjú:zətɔ̀:ri | -təri] *a.* 변명의
‡ex·cuse [ikskjú:z] *v., n.*

> L 「비난을 없애다」의 뜻에서
> 「용서하다」 **1**, 「면제하다」 **4** →(사물이 사람의 행위를 용서할 근거가 되다) 「구실이 되다」 → 「변명하다」 **2**

— *vt.* **1** 용서하다, 참아주다, (너그러이) 봐주다(⇨ forgive 유의어): ~ a fault 실수를 용서하다 // 《~+목+전+명》 ~ a person *for* his[her] fault …의 실수를 용서하다 / I'd like to be *~d.* 저는 빠져야겠습니다 / *E~* me *for* not having answered your letter sooner. 답장이 늦어 죄송합니다. **2** 변명하다(apologize for), 핑계를 대다; [보통 부정어와 함께 쓰여서] 〈사정이〉 …의 변명이 되다(justify): Ignorance of the law *~s no* one. 법을 몰랐다고 해서 죄를 면할 수는 없다. **3** 용서를 빌다, 용서를 구하다, 사과하다, 변명하다 **4** 〈의무·빚·출석 등을〉 면제하다, (의무·계약 등으로부터) 〈사람을〉 면제하다(release): We will ~ your presence. 너는 출석하지 않아도 좋다. // 《~+목+전+명》 We will ~ you *from* the test. 너의 시험을 면제해 주겠다. / *E~* me *from* work tomorrow. 내일은 일을 쉬게 해 주십시오. **5** 〈지불·세금 등의 징수를〉 좀 적게 취하다 **6** 《미》 떠나게 하다, 물러남을 허락하다
— *vi.* 용서를 빌다[해 주다]; 〈사정 등이〉 변명이 되다
E~ me. [종종 skjú:z-mi:] 미안합니다, 실례합니다: *E~ me,* (but) ... 죄송합니다만 …; [E~ mé. 로] [상대편이 *E~* me.라고 말한 데 대해] 저야말로 (미안합니다). USAGE *E~* me.에 대한 응답은 That's all right.[O.K.] (천만의 말씀), E~ me.(저야말로), Certainly, Of course, Sure, Surely, Yes 등이 있는데, 아무 말도 하지 않는 경우도 많다. ***E~ me?*** 《미》 뭐라고 하셨습니까? ~ one***self*** 변명하다 《*for*》; 사양하다, 면하여 주기를 바라다 《*from*》; 양해를 구하고 자리를 뜨다 《*from*》 ***E~ us.*** 우리끼리만 아는 걸로 합시다; [부부 등 복수의 사람이 써서] (파티 등의 도중에서) 이만 실례하겠습니다. ***If you'll kindly ~ me, ...*** 대단히 죄송합니다만 … ***May I be ~d?*** (학교에서 학생이) 화장실에 가도 되겠습니까?
— [ikskjú:s] *n.* ⒸⓊ **1** (부적합한 행위 등에 대한) 변명, 해명: an adequate ~ 충분한 해명 **2** 이유, 근거 《*for*》; 구실, 핑계: 《~+*to* do》 a mere ~ *to* avoid a person 단순히 …을 피하기 위한 핑계 / I have no ~ *for* coming late. 늦게 와서 미안합니다. / What is your ~ this time? 이번에는 무슨 변명을 하려고? **3** [보통 *pl.*] 사죄, 사과 《apology보다 구어적임》 《*for, to*》 **4** 《구어》 좋지 않은 표본, 서툰 예 **5** 용서; (의무 등의) 면제 《*from*》
a poor [***bad***] ***~*** 《구어》 명목[이름]뿐인 것 《*for*》: *a poor ~ for* a house 명색뿐인 볼품없는 집 ***in ~ of*** …의 변명으로서 ***make an ~*** (***for ...***) (…의) 변명을 하다 ***no ~*** 이유가 되지 않는: That is *no ~* for your conduct. 그것으로 너의 행위가 정당화되는 것은 아니다. ***without ~*** 이유 없이 ▷ excúsatory *a.*
ex·cuse-me [ikskjú:zmì:] *n.* 《영》 파트너를 바꾸어도 되는 댄스(=∠ **dànce**)
ex·cus·er [ikskjú:zər] *n.* 용서하는 사람; 변명자
ex-di·rec·to·ry [èksdiréktəri] *a.* 《영》 〈전화번호가〉 전화번호부에 실리지 않은(《미》 unlisted)
ex div. ex dividend
èx dívidend 〖증권〗 배당락(配當落) 《略 ex div., ed.; opp. *cum dividend*》
ex·e·at [éksiæ̀t] [L =let him go out] *n.* **1** (사제에게 주는) 교구 이전 허가서 **2** 《영》 (학기 중에 주는)

thesaurus **excuse** *v.* pardon, forgive, exonerate, absolve, acquit, bear with, tolerate, justify, discharge (opp. *punish, condemn*)
execute *v.* carry out, accomplish, perform,

단기 휴가, 외박 허가
ex·ec [igzék] *n.* 《구어》 (기업의) 간부(executive)
EXEC 〖컴퓨터〗 executive control program
exec. executed; execution; executive; executor
ex·e·cra·ble [éksikrəbl] *a.* **1** 저주할, 혐오할, 증오스러운, 지긋지긋한 **2** 형편없는, 아주 서투른 **~·ness** *n.* **-bly** *ad.*
ex·e·crate [éksəkrèit] *vt., vi.* **1** 굉장히 싫어하다, 증오하다 **2** 맹렬히 비난하다 **3** 《고어》 저주하다, 저주의 주문을 걸다 **-crà·tor** *n.*
ex·e·cra·tion [èksəkréiʃən] *n.* **1** 증오, 몹시 싫어함 **2** Ⓤ 저주; 주문(呪文), 저주의 말 **3** 매도; 저주받은 사람[것], 몹시 싫은 것
ex·e·cra·to·ry [éksəkrətɔ̀:ri | -krèitəri], **-cra·tive** [-krèitiv] *a.* 저주의
ex·e·cut·a·ble [éksəkjù:təbl] *a.* 실행[수행, 집행] 가능한
executable file 〖컴퓨터〗 실행 파일
ex·ec·u·tant [igzékjutənt] *n.* 실행자; 집행자; 연기자; 연주자(performer) **—** *a.* **1** 실행[집행]자의; 연기자의, 《특히》 연주자의 **2** 실행[집행]하는; (특히 청중 앞에서) 연주하는
ex·ec·u·tar·y [igzékjutèri | -təri] [*execu*tive+secre*tary*] *n.* 관리 비서 《일반 비서보다 책임이 중하고 고액을 받는》
‡**ex·e·cute** [éksikjù:t] [L 「바깥까지 좇다」의 뜻에서] *vt.* **1** 〈직무·계획·명령 등을〉 **실행**[수행, 달성]하다: He is in charge of *executing* the plan. 그는 그 계획을 실행하는 책임자이다. **2** 〈법률·판결·유언 등을〉 **집행하다,** 〈행동 등을〉 행하다 **3 사형에 처하다,** 처형하다, 〈사람을〉 죽이다: (~+목+전+명) ~ a person *for* murder …을 살인죄로 처형하다 // (~+목+*as* 보) ~ a person *as* a murderer …을 살인자로 처형하다 **4** 〈미술품 등을〉 완성하다, 제작하다; 〈배역을〉 연기하다; 〈악곡을〉 연주하다 **5** 〖법〗 **a** 〈법률·판결 등을〉 발효시키다, 집행하다; 〈계약 등을〉 이행하다 **b** 〈증서·계약서 등을〉 작성[완성]하다; 《영》 〈재산을〉 양도하다 **6** 〖컴퓨터〗 〈프로그램 명령 등을〉 실행하다 ▷ execútion *n.*; exécutive *a.*
⁎**ex·e·cu·tion** [èksikjú:ʃən] *n.* Ⓤ **1** (직무·재판·처분·유언 등의) **실행, 집행**(enforcement): in ~ of (one's duty) (직무) 수행 중에 **2 사형 집행,** 처형; 《특히》 강제 집행[처분]: forcible ~ 강제 집행 / a stay of ~ 사형 집행 유예 **3** (미술 작품의) 제작, 수법; (배우의) 연기; 〖음악〗 연주(performance), 연주 솜씨 **4** 주효(奏效); (특히 무기 또는 여성의 매력의) 효과 **5** 〖법〗 **a** 강제 집행 **b** (계약서·유언장 등의) 작성; (계약 의무 등의) 이행 **6** 〖컴퓨터〗 (프로그램 명령 등의) 실행 ***carry into*** [***put in***(***to***)] ~ 실행하다 ***do*** ~ 위력을 발휘하다 **~·al** *a.* ▷ éxecute *v.*; exécutive *a.*
Execútion Dòck [the ~] 〖영국사〗 해적 처형장 《템스 강변 Wapping 부근에 있었음》
ex·e·cu·tion·er [èksikjú:ʃənər] *n.* **1** 실행자 **2** 사형 집행인 **3** (결사·조직 등의 명을 받은) 암살자
‡**ex·ec·u·tive** [igzékjutiv] *a.* Ⓐ **1 실행**[**수행, 집행**]**의,** 집행력이 있는 **2 행정적인,** 공무 집행상의, 행정상의: an ~ committee 실행[집행] 위원회 / the ~ branch of the legislature 입법 의회의 행정부 관련 administrative(행정의), judicial(사법의), legislative(입법의)
3 관리의, 경영의, 관리직의, 중역[이사]의; 경영자다운: ~ talents 관리의 수완 / an ~ director 전무 이사 ~ [***non*** ~] ***branch*** (군함의) 전투[비전투]부(部)
— *n.* 《略 exec., ex.》 **1** (기업의) **임원, 관리직**(**원**), 경영진, 중역: chief ~ 사장 / subordinate ~ 종속 간부 《부사장 등》 **2 a** (관청의) **행정관 b** [the E~] 《미》 행정 장관 《대통령·주지사·시장 등》: the Chief *E*~ 《미》 대통령 **3 a** [the ~] (정부의) 행정부 **b** 실행 위원회, 집행부 **~·ly** *ad.* ▷ éxecute *v.*; execútion *n.*
exécutive agréement 《미》 행정 협정
exécutive clémency 《미》 (대통령·주지사에 의한) 사면(권)
exécutive còuncil 《영》 행정 위원회, 최고 집행 위원회; 《호주》 [**E- C-**] 행정 평의회
Exécutive Mánsion [the ~] 《미》 **1** 대통령 관저(the White House) **2** 주지사 관저
Exécutive Óffice Buílding 《미》 행정부 청사
exécutive ófficer 행정관; 〖군사〗 선임 참모, (군함의) 부장(副長); (단체의) 임원
exécutive órder 행정 명령; [보통 **E- O-**] 《미》 대통령 명령
exécutive prívilege 《미》 (기밀 유지에 대한) 행정부[대통령]특권
exécutive sécretary 비서실장; 사무국장[총장]
exécutive séssion 《미》 (의회 지도자의) 비밀 회의, (비공개) 간부 회의
⁎**ex·ec·u·tor** [igzékjutər] *n.* (*fem.* **-trix** [-trìks]) **1** 〖법〗 (지정) **유언 집행인**: a literary ~ (고인의 유언에 의한) 유저(遺著)의 관리자 **2** [éksikjù:tər] 집행자 **~·ship** *n.* Ⓤ 유언 집행인의 자격[직무]
ex·ec·u·to·ri·al [igzèkjutɔ́:riəl] *a.* 집행인의
ex·ec·u·to·ry [igzékjutɔ̀:ri | -təri] *a.* **1** = EXECUTIVE **2** 〖법〗 〈계약·유언 등이〉 불이행(不履行)의, 미확정의
ex·ec·u·trix [igzékjutriks] *n.* (*pl.* **-tri·ces** [igzèkjutráisi:z], **~·es**) 〖법〗 여자 지정 유언 집행인
ex·ed·ra [éksidrə, eksí:-] *n.* (*pl.* **-drae** [éksidrì:, eksí:dri:]) **1** (고대 그리스·로마의) 한쪽이 개방된 담화실 **2** (반원형으로 등쪽이 높은) 실외 벤치
ex·e·ge·sis [èksidʒí:sis] *n.* (*pl.* **-ses** [-si:z]) (특히 성경의) 주해, 해석
ex·e·gete [éksədʒì:t] *n.* 번역학자, (특히 성서의) 해석자
ex·e·get·ic, -i·cal [èksədʒétik(əl)] *a.* (성서의) 해석(상)의 **-i·cal·ly** *ad.*
ex·e·get·ics [èksədʒétiks] *n. pl.* [단수 취급] 성경 해석학
ex·em·plar [igzémplər, -plɑ:r] *n.* **1** 모범, 본 **2** 견본, 표본, 전형 **3** 원본; 〖철학〗 원형, 범형 **4** (책의) 부(部)(copy)
ex·em·pla·ry [igzémpləri, égzəmplèri] *a.* 본이 되는, 모범적인; 훌륭한; 징계적인; 전형적인, 대표적인 **-plar·i·ly** *ad.* **-ri·ness** *n.* **ex·em·plar·i·ty** [igzèmplǽrəti] *n.*
exémplary dámages = PUNITIVE DAMAGES
ex·em·pli·fi·ca·tion [igzèmpləfikéiʃən] *n.* **1** ⓊⒸ 예증(例證), 실증, 예시 **2** 실례가 되는 것, 사례, 적례, 범례 **3** 〖법〗 (공증된) 등본, 인증 등본
⁎**ex·em·pli·fy** [igzémpləfài] [L 「예(example)를 만들다」의 뜻에서] *vt.* (**-fied**) **1 예시**[**예증, 실증**]**하다 2** 〈일이〉 …의 좋은 예가 되다 **3** 〖법〗 〈원본·원문서를〉 복사하다; …의 인증 등본을 작성하다
ex·em·pli gra·ti·a [egzémplai-gréiʃiə, -grɑ́:tiɑ̀:, -zémpli-] [L = for example] *ad.* 예컨대 《略 e.g.》
ex·em·plum [igzémpləm] *n.* (*pl.* **-pla** [-plə]) **1** 예, 모범, 범례 **2** (중세의 설교 등의) 도덕적[교훈적] 일화, 훈화
⁎**ex·empt** [igzémpt] [L 「집어내다」의 뜻에서] *vt.* 〈의무 등을〉 **면제하다**(release); 〈고통 등을〉 없애 주다 《*from*》: (~+목+전+명) ~ a man *from* military service …의 병역을 면제하다
— *a.* 〈의무 등이〉 면제된(free) 《*from*》: goods ~ *from* taxes 면세품
— *n.* (의무·책임 등을) 면제받은 사람; 《특히》 면세자 **~·i·ble** *a.* ▷ exémption *n.*
⁎**ex·emp·tion** [igzémpʃən] *n.* Ⓤ **1** (세금의) **공제;**

---

implement, effect, achieve, complete, fulfill, enact, enforce, attain, realize
exemption *n.* immunity, indemnity, dispensation, freedom, exclusion, release, privilege

…의 면제 ((*from*)): ~ *from* military service 병역 면제 **2** (소득세의) 공제 대상 항목 ((부양 가족, 필요 경비 등)); 공제액: a tax ~ 세금 공제액 **3** 면세품
ex·e·qua·tur [èksikwéitər, -kwɑ́t- | -kwéit-] [L =he may perform (his duties)] *n.* (주재국 정부에서 타국의 영사 등에게 주는) 인가장
ex·e·quy [éksəkwi] *n.* (*pl.* **-quies**) **1** [보통 *pl.*] 장례(식) **2** 장례 행렬
ex·er·cis·a·ble [éksərsàizəbl] *a.* 행사[운용]할 수 있는
‡ex·er·cise [éksərsàiz] *n.*, *v.*

> L 「가축을 우리에서 몰아내어 (일 시키다)」의 뜻
> 「행사」 **4** → 「운동」 **1** → (능력 향상을 위한 운동)
> 「연습」 **2** → 「연습 문제」 **3**

— *n.* **1** (몸의) **운동**; 체조: lack of ~ 운동 부족 / take ~ 운동하다 ((★ 「운동하다」는 take ~가 일반적이나 때로 do ~를 쓰기도 한다: do 30 minutes' ~ 30분간 운동하다 / do aerobic ~ 에어로빅을 하다)) **2** (습득한 기능을 닦는) **연습**, 실습; 습작; [*pl.*] (군대의) 교련, 훈련: military ~*s* 군사 훈련 / ~*s* in debate 토론 연습 / ~*s* on the flute 피리 부는 연습 / five-finger ~(*s*) (피아노의) 5지(指)연습 / an ~ in articulation 발음 연습 / spelling ~ 철자 연습

> 유의어 **exercise** 심신의 단련·훈련·연습 등을 의미하는 일반어 **practice** 기능·기술을 습득하기 위해 규칙적으로 반복하는 연습: daily piano *practice* 매일의 피아노 연습 **drill** 일정한 훈련을 혹독하게 반복하는 것으로, 지도자 밑에서 규칙적으로 행하는 집단의 훈련: *drill* in English sentence patterns 영어 문형의 연습

3 연습 문제, 과제 ((*in*)): ~*s in* composition[grammar] 작문[문법]의 연습 문제 / a Latin ~ 라틴어의 연습 문제 **4** [종종 the ~] (정신력 등을) **활동시킴**, 사용 ((*of*)); (능력·권리의) **행사**(行使), 집행 ((*of*)); (미덕 등의) 실행(practice) ((*of*)): *the* ~ *of* power[influence, authority] 권력[영향력, 권위]의 행사 **5** [*pl.*] ((미)) 식, 의식, (학위) 수여식: graduation[opening] ~*s* 졸업[개회]식 **6** 종교적인 의식, 예배(= ~*s* of devotion) **7** [*pl.*] (학위 청구에 필요한) 수업 과정 **8** 행사(行事): a school ~ 학교 행사 **9** 〚미군〛 레이더 양동(陽動) 관측 ((거짓 전파를 발사하여 반응을 관측함))
an ~ in futility 도로아미타불, 헛고생 ***do*** one***'s ~*** 〈학생이〉 학과를 공부하다
— *vt.* **1** 〈사람·말·개 등을〉 **운동시키다**, 연습시키다; 훈련하다; 〈손·발을〉 움직이다: ~ troops 군대를 훈련시키다 // (~+목+전+명) ~ boys *in* swimming 소년들에게 수영 연습을 시키다 **2** 〈힘·능력·지력 등을〉 작용시키다, 사용하다, 발휘하다 **3** 〈권력 등을〉 **행사하다**, 〈위력 등을〉 휘두르다; 〈맡은 일을〉 다하다(discharge); 〈좋은 일 등을〉 행하다(practice) **4** 〈기능·직무 등을〉 완수하다, 수행하다; 〈선행 등을〉 행하다 **5** 〈영향·감화 등을〉 미치다 ((*on, over*)): (~+목+전+명) ~ great influence *on* a person …에게 큰 영향을 미치다 **6** [보통 수동형으로] (…에 대하여) 걱정하다, 고민하다, 신경 쓰다 ((*about, over, by*)): *be* much ~*d about* one's health 건강을 크게 염려하다
~ one*self in* …의 연습을 하다 **~ one*self over* [*about*]** …으로 괴로워하다, 애태우다
— *vi.* **1** 연습하다; 운동하다 **2** 예배드리다
éxercise bàll 운동용 볼(swiss ball)
éxercise bìcycle[bìke] 실내 운동용 자전거 ((고정된 것))
éxercise bòok 연습장(notebook); 연습 문제집
éxercise prìce 〚금융〛 = STRIKING PRICE
ex·er·cis·er [éksərsàizər] *n.* **1** 운동[연습, 실행]하는 사람 **2** 운동 기구 **3** (말의) 조교사(調教師)
éxercise wàlking 운동을 위한 걷기, 걷기 운동
éxercise yàrd (교도소 내의) 운동장
ex·er·ci·ta·tion [igzə̀ːrsətéiʃən] *n.* **1** (신체적·정신적 능력 등의) 행사, 발휘 **2** 단련, 훈련, 연습 **3** 종교적 의식의 거행; 참배, 예배 **4** 웅변; 논의; 강연; 논문
Ex·er·cy·cle [éksərsàikl] *n.* 엑서사이클 ((페달만 밟게 되어 있는 실내 운동 기구; 상표명))
ex·er·gon·ic [èksərgɑ́nik | -gɔ́n-] *a.* 〚생화학〛 에너지 방출성의 ((생화학 반응에서 외부에 에너지를 방출하는 성질))
ex·ergue [igzə́ːrg, éksəːrg] *n.* (옛날의 화폐·메달 뒷면의) 도형의 하부와 가장자리 사이 ((연월일·제조소 등을 새긴 곳))
‡ex·ert [igzə́ːrt] [L 「뻗치다」의 뜻에서] *vt.* **1** 〈힘·능력·지력 등을〉 **쓰다**, 행사하다(exercise); [~ one*self* 로] 노력하다, 진력하다 ((*for*)): ~ intelligence 지력을 쓰다 // (~+목+**to** do) He ~*ed himself to* win the race. 그는 경주에 이기기 위해 노력했다. **2** 〈지도력 등을〉 발휘하다, 〈압력을〉 가하다, 〈감화를〉 미치다: (~+목+전+명) ~ a favorable influence *on* a person …에게 좋은 영향을 끼치다
▷ exértion *n.*; exértive *a.*
ex·er·tion** [igzə́ːrʃən] *n.* **1** 노력, 진력, 분발 (endeavor): use[make, put forth] ~*s* 진력[노력]하다, 힘쓰다 **2** (권력의) 행사(行使) ((*of*)) **3** (육체와 정신의) 격심한 활동; 매우 힘든 일: Too much ~ may lead to serious injuries. 너무 과도한 운동은 심각한 부상으로 이어질 수 있다 // (~+for***+명+***to*** do) It would be an ~ *for* me *to* climb a mountain. 등산은 나에게는 매우 힘든 일이다. ▷ exért *v.*
ex·er·tive [igzə́ːrtiv] *a.* 노력하는
ex·es [éksiz] *n. pl.* ((영·속어)) 비용(expenses)
Ex·e·ter [éksitər] *n.* 엑세터 ((잉글랜드 남서부 Devonshire주(州)의 주도; 대성당이 있음))
ex·e·unt [éksiənt, -ʌnt] [L =they go out] *vi.* 〚연극〛 퇴장하다: *E*~ Tom and John. 톰과 존 퇴장. ((극본에서의 지시))
exeunt om·nes [-ɑ́mniːz | -ɔ́m-] [L] 〚연극〛 전원 퇴장(cf. EXIT[2])
èx fáctory 공장도(渡)
ex·fil·trate [eksfíltreit, ⌐-⌐] *vi.*, *vt.* ((미·군대속어)) 적진에서 탈출하다[시키다]
ex·fo·li·ate [eksfóulièit] *vi.*, *vt.* 〈암석·나무껍질 등이〉 벗겨지다, 벗겨져 떨어지다, 벗기다
ex·fò·li·á·tion *n.* 벗겨짐; 박락물(剝落物) **-à·tive** *a.*
ex.g. exempli gratia
ex gra·ti·a [eks-gréiʃiə] [L =out of grace] *ad.*, *a.* 호의로서(의), 친절에서(의)
ex·hal·ant, -ent [ekshéilənt] *a.* 토해내는, 방출하는, 뿜어내는 — *n.* (연체동물의) 출수관
ex·ha·la·tion [èkshəléiʃən] *n.* **1** Ⓤ 발산, 증발, 숨을 내쉼(opp. *inhalation*) **2** ⓊⒸ 증발기(氣) ((수증기·안개 등)); (향기·취기 등의) 발산물, 호기(呼氣) **3** Ⓤ (노염 등의) 폭발
***ex·hale** [ekshéil | -héil] [L 「숨을 내쉬다」의 뜻에서] *vt.* **1** 〈숨 등을〉 **내쉬다**(opp. *inhale*): ~ a cloud of smoke 자욱한 담배 연기를 내쉬다 **2** 〈증기·향기 등을〉 발산[방출]하다 ((*from, out of*)) **3** 〚병리〛 〈피 등을〉 침출시키다
— *vi.* **1** 숨을 내쉬다 **2** 발산[증발]하다
‡ex·haust [igzɔ́ːst] [L 「물을 퍼내다」의 뜻에서] *vt.* **1** 다 써버리다; 〈용기(容器) 등을〉 비우다(empty); 내용물을 비우다: (~+목+전+명) ~ a cask *of* liquor 술통을 비우다 **2** [종종 수동형으로] 〈자원·국고를〉 **소진시키다**, 고갈시키다; 〈체력·인내력 등을〉 소모하다 (consume): My energy *is* ~*ed*. 힘이 소진되었다. **3** 〈국가·사람을〉 **피폐시키다**(⇨ exhausted 2): ~

thesaurus **exertion** *n.* **1** 노력 effort, exercise, work, struggle, toil, labor **2** 실행 exercise, use, employment, expenditure, utilization
exhausted *a.* **1** 다 써버린 used up, consumed, fin-

oneself 지칠 대로 지치다, 기진맥진해지다 **4** 〈연구·과제 등을〉 철저히 규명하다[말하다] **5** 〈공기·가스 등을〉 배출하다; 진공으로 만들다 **6** (용매를 사용하여) 〈약 등의 성분을〉 모두 뽑아내다 **7** (경작을 너무 많이 하여) 〈토지를〉 불모지화하다
—*n.* **1** Ⓤ,Ⓒ (기체의) 배출; 배기가스(=~ fumes); 배기 장치, 배기관(=~ pipe): auto ~*s* 자동차의 배기가스/~ control 배기가스 규제 **2** 고갈
~·er *n.* ▷ exháustion *n.*; exháustive *a.*

*__ex·haust·ed__ [igzɔ́:stid] *a.* **1** 다 써버린, 소모된, 고갈된; 다 퍼버린, 〈우물 등이〉 물이 마른 **2** 지칠 대로 지친: look quite ~ 아주 지친 것 같다
be ~ 다하다; 지쳐버리다

exháust fàn 배기 송풍기[팬]

*__exháust gàs[fùmes]__ (자동차의) 배기가스

ex·haust·i·bil·i·ty [igzɔ̀:stəbíləti] *n.* Ⓤ 고갈시킬 수 있음, 다 사용할 수 있는 가능성

ex·haust·i·ble [igzɔ́:stəbl] *a.* 고갈시킬 수 있는, 다 사용할 수 있는

ex·haust·ing [igzɔ́:stiŋ] *a.* 소모적인; (심신을) 피로하게 하는(fatiguing) **~·ly** *ad.*

*__ex·haus·tion__ [igzɔ́:stʃən] *n.* Ⓤ **1** (자원·힘 등을) 다 써버림, 소모, 고갈; (증기·가스 등의) 방출, 배기; (용기 등의 내용물을) 비우는 것 《*of*》: an ~ *of* natural resources 천연자원의 고갈 **2** (문제 등의) 철저한 검토 **3** (자원·토지·재산 등의) 고갈, 피폐, 궁핍 《*of*》 **4** 〖물리〗 배기(排氣) **5** (극도의) 피로, 기진(맥진)
▷ exháust *v.*; exháustive *a.*

*__ex·haus·tive__ [igzɔ́:stiv] *a.* **1** 철저한, 속속들이 규명해 내는, 남김없는(thoroughgoing): make an ~ study into …에 관하여 철저한 연구를 하다 **2** 고갈시키는, 소모적인 **~·ness** *n.* **ex·hàus·tív·i·ty** *n.*
▷ exháust *v.*; exháustion *n.*

ex·haus·tive·ly [igzɔ́:stivli] *ad.* 철저하게, 남김없이, 속속들이

ex·haust·less [igzɔ́:stlis] *a.* 다함이 없는, 무진장의; 지칠 줄 모르는(inexhaustible)
~·ly *ad.* **~·ness** *n.*

exháust mànifold (내연 기관의) 배기 매니폴드

exháust pìpe (엔진의) 배기관(《미》 tailpipe)

exháust sỳstem (엔진의) 배기 장치

exháust vàlve 배기판(排氣瓣)

exháust velòcity 〖우주과학〗 배기[분출] 속도

exhbn. exhibition

‡**ex·hib·it** [igzíbit] [L 「내놓다」의 뜻에서] *vt.* **1** 〈작품·상품을〉 전시[전람]하다, 출품[진열, 공개]하다(⇨ show 유의어); 과시하다: ~ some of Monet's paintings 모네의 그림 일부를 전시하다 **2** 〈감정·관심 등을〉 나타내다, 보이다, 표시하다(opp. *conceal*): ~ aggressive and violent behavior 공격적이고 난폭한 행동을 나타내다 **3** (그림·표 등의 시각적 방법에 의하여) 나타내다, 표시하다 **4** (검사·점검 등을 위해) 제시[제출]하다 **5** 〖법〗 (법정에서) 〈증거 물건·증거 서류 등을〉 제시[제출]하다(submit)
—*vi.* 전람회를 열다; 전시하다, 출품하다
—*n.* **1** 전시, 전람, 진열, 공개, 제출, 제시; 전람회, 전시회 **2** 전시품, 진열품 **3** 〖법〗 증거물 ***on*** ~ 진열되어 **~·a·ble** *a.* **~·er** *n.*
▷ exhibítion *n.*

‡**ex·hi·bi·tion** [èksəbíʃən] *n.* **1** Ⓤ,Ⓒ 전람, 공개, 전시, 진열; (감정·능력 등의) 표출, 발휘: articles on ~ 전시물, 진열품/an ~ of sympathy 동정의 표출 **2** 전람회, 전시회, 박람회(cf. EXHIBIT *n.*) (★ 약식은 show, 대규모의 것은 exposition); 구경거리: a competitive ~ 공진회(共進會) **3** 출품물, 진열품(exhibits) **4** 《영》 장학금(cf. SCHOLARSHIP) **5** Ⓤ 〖의학〗 투약 **6** Ⓤ 〖법〗 증거물 **7** 시범 경기(=~ gàme[màtch]) **8** (학교·대학의) 공개 시험; 《미》 학예회 ***make an*** [***a regular***] ~ ***of*** one***self*** (어리석은 짓을 하여) 웃음거리가 되다 ***on*** ~ =on EXHIBIT
▷ exhíbit *v.*

ex·hi·bi·tion·er [èksəbíʃənər] *n.* **1** 《영》 장학생 **2** =EXHIBITOR

ex·hi·bi·tion·ism [èksəbíʃənìzm] *n.* **1** (능력 등의) 과시벽 **2** 〖정신의학〗 노출증; 노출 행위
-ist *n.* **èx·hi·bì·tion·ís·tic** *a.*

ex·hib·i·tive [igzíbitiv] *a.* (…을) 나타내는, 표시하는 《*of*》

ex·hib·i·tor [igzíbitər] *n.* **1** 출품자 **2** 《미》 영화관 경영자

ex·hib·i·to·ry [igzíbətɔ̀:ri | -təri] *a.* 전시(용)의

ex·hil·a·rant [igzílərənt] *a.* 기분이 들뜨는 (것 같은) —*n.* 기분을 상쾌하게 하는 것, 흥분제

ex·hil·a·rate [igzílərèit] *vt.* …의 기분을 들뜨게 하다, 유쾌[쾌활]하게 하다 ***be ~d by*** [***at***] …으로 기분이 들뜨다, 명랑해지다

ex·hil·a·rat·ing [igzílərèitiŋ] *a.* 기분을 돋우는, 상쾌한: an ~ drink 흥분성 음료 《술 등》 **~·ly** *ad.*

ex·hil·a·ra·tion [igzìləréiʃən] *n.* Ⓤ 기분을 돋움; 유쾌한 기분, 들뜸; 흥분

ex·hil·a·ra·tive [igzílərèitiv, -rət- | -rət-, -rèit-] *a.* 기운나게 하는, 상쾌하게 하는

*__ex·hort__ [igzɔ́:rt] *vt.* 《문어》 간곡히 타이르다, 권하다(urge); 훈계[권고]하다(admonish): 《~+목+***to*** do》 ~ a person *to* repent …에게 회개하도록 간곡히 타이르다 // 《~+목+전+명》 ~ a person *to* good deeds …에게 착한 일을 하도록 권고하다
—*vi.* 훈계[권고]하다 **~·er** *n.*
▷ exhortátion *n.*; exhórtative, exhórtatory *a.*

*__ex·hor·ta·tion__ [ègzɔ:rtéiʃən, èks-] *n.* Ⓤ 간곡한 권고, 장려; 경고, 훈계
▷ exhórt *v.*; exhórtative, exhórtatory *a.*

ex·hor·ta·tive [igzɔ́:rtətiv] *a.* 권고[훈계]적인

ex·hor·ta·to·ry [igzɔ́:rtətɔ̀:ri | -təri] *a.* =EXHORTATIVE

ex·hu·ma·tion [èks*h*juméiʃən | èks*h*ju:-] *n.* Ⓤ,Ⓒ (매장물 등의) 발굴(發掘), 시체[묘지] 발굴

ex·hume [igzjú:m, ekshjú:m] [L 「땅을 파내다」의 뜻에서] *vt.* 〈시체를〉 발굴하다; 〈무덤을〉 파내다; 〈묻힌 명작 등을〉 햇빛을 보게 하다, 발견[발굴]하다
ex·húm·er *n.*

ex·hus·band [ékshʌ́zbənd] *n.* 전 남편(《구어》 ex)

ex·i·gen·cy [éksədʒənsi, igzídʒ-], **-gence** [-dʒəns] *n.* (*pl.* **-cies**; **-genc·es**) Ⓤ,Ⓒ **1** 급박, 위급, 긴박(한 때)(emergency) **2** [보통 **-cies**] (사정·상황 등의 본질적인) 요구, 요건 **3** 긴급 사태, 위기의 사정 ***in this ~*** 이 위급한 때에 ***meet the exigencies of the moment*** 급박한 사태에 대처하다

ex·i·gent [éksədʒənt] *a.* **1** 위급한(critical), 급박한(pressing) **2** 자꾸 요구하는 《*of*》 **~·ly** *ad.*

ex·i·gi·ble [éksədʒəbl] *a.* 강요[요구, 청구]할 수 있는 《*against, from*》

ex·i·gu·i·ty [èksigjú:əti, ègzi-] *n.* Ⓤ 미소(微小), 근소(smallness, scantiness)

ex·ig·u·ous [igzígjuəs, iksíg-] *a.* 《문어》 근소한, 얼마 안 되는 **~·ly** *ad.*

*__ex·ile__ [égzail, éks- | éks-, égz-] *n.* **1** Ⓤ [또는 an ~] 국외 추방, 유형(流刑), 유배; 망명, 국외 방랑, 유랑, 이향(離鄕)(⇨ expel 유의어): live in ~ 망명 생활을 하다/after *an* ~ of ten years 10년의 방랑[유랑] 끝에 **2** 망명자, 추방인, 유배자; 유랑자 **3** [the E~] (유대인의) 바빌론 유수(幽囚)(the Babylonian captivity)
—*vt.* 추방하다(banish), 유배에 처하다: 《~+목+전+명》 ~ a person *from* his country …을 고국에서 추방하다 ***go into ~*** 추방당한[유랑의] 몸이 되다 ~ one***self*** 망명하다 ▷ exílic *a.*

---

ished, depleted, empty, drained, dry **2** 지친 tired out, worn out, fatigued, weary, weak, faint
exhibition *n.* show, display, fair, demonstration, presentation, exposition, spectacle

ex·iled [égzaild, éks-] *a.* Ⓐ (본국에서) 추방당한
ex·il·ic [egzílik, eksíl-], **ex·il·i·an** [egzíliən, eks-] *a.* 추방된, 유랑(민)의; 《특히》 바빌론 유수의
ex·il·i·ty [egzíləti, eks-] *n.* Ⓤ 미세; 미묘
Ex-Im [éksìm] *n.* 《구어》 =EXIMBANK
Ex·im·bank, Ex-Im Bank [éksimbæ̀ŋk] *n.* 미국 수출입 은행(Export-Import Bank)
ex·im·i·ous [egzímiəs] *a.* 저명한, 우수한, 탁월한
ex·ine [éksi:n, -sain] *n.* 〖식물〗 외막, 외피, 외벽
èx ínterest *a.* 〖증권〗 이자락(落)의
‡**ex·ist** [igzíst] [L 「마깥에 서다」의 뜻에서] *vi.* **1** [명령형·진행형 없음] **존재하다**, 현존하다, 실존하다: cease to ~ 소멸[절멸]하다 **2** (특수한 조건 또는 장소에) 있다, 존재하다, 나타나다(be, occur): 《~+전+명》 Salt ~*s in* the sea. 소금은 바닷물 속에 있다. **3** (음식·급료 등에 의하여) **생존하다**, 살아 있다, 살아가다 《*on*》: 《~+전+명》 ~ *on* a meager salary 박봉으로 살아가다 / Man cannot ~ *without* air. 인간은 공기 없이는 살아갈 수 없다. **4** 〖철학〗 실존하다
~ *as* …로서[의 형태로] 존재하다
‡**ex·is·tence** [igzístəns] *n.* **1** Ⓤ **존재**, 실재, 현존(being): prove the ~ of God 신의 존재를 증명하다 **2** 존속, 생존(life) **3** [an ~] 생존[생활] 양식, 생활: lead *a* happy[dangerous] ~ 행복한[위험한] 생활을 하다 **4** 존재물, 실재물, 실체(實體) **5** 〖철학〗 실존 ***bring*** [***call***] ***into*** ~ 생기게 하다, 낳다; 성립시키다 ***come into*** ~ 《문어》 생기다; 성립하다 ***go*** [***pass***] ***out of*** ~ 소멸하다, 없어지다 ***in*** ~ 현존의, 존재하는(existing) ***put … out of*** ~ 절멸시키다, 죽이다
***ex·is·tent** [igzístənt] *a.* **1** 현존하는; 현행의, 목하의(current): the ~ circumstances 현재 상황 **2** 실재[존재, 생존]하는(existing)
— *n.* 존재하는 것[사람]
ex·is·ten·tial [ègzisténʃəl, èks- | ègz-] *a.* **1** 존재의, 존재에 관한 **2** 실체론의; 실존(주의)의 **3** 경험에 근거한(empirical) **~·ly** *ad.*
ex·is·ten·tial·ism [ègzisténʃəlìzm, èksis- | ègzis-] *n.* Ⓤ 〖철학〗 실존주의 **-ist** *a., n.*
èx·is·tèn·tial·ís·tic *a.* **-ís·tical·ly** *ad.*
existéntial psychólogy 〖심리〗 실존(주의) 심리학
existéntial quántifier 〖논리〗 존재 기호
ex·ist·ing [igzístiŋ] *a.* 현존하는, 현재 있는; 현행의, 현재의
***ex·it**[1] [égzit, éksit] *n.* **1** (공공건물의) **출구** 《건물의 출구 표시는 보통 (미) Exit, (영) Way Out임》(opp. *entrance*): We made for the nearest ~. 우리는 가장 가까운 출구로 향했다. **2** (고속도로의) 출구 램프, 출구(=**fréeway** ~)(opp. *access*) **3** 퇴출, 퇴거; (배우의) 퇴장; (정치가의) 퇴진; 사망(death): make one's ~ 퇴거[퇴장]하다; 죽다 **4** 〖컴퓨터〗 (프로그램의) 종료, 출구
— *vi.* **1** 퇴거하다, 나가다; 세상을 떠나다, 죽다 **2** 〖컴퓨터〗 (시스템·프로그램에서) 빠지다, 종료하다
— *vt.* **1** 〈장소에서〉 퇴장하다 **2** 〖컴퓨터〗 〈프로그램 등을〉 종료하다
exit[2] [L =he[she] goes out] *vi.* 〖연극〗 퇴장하다 (opp. *enter*; cf. EXEUNT)
éxit exàm 《특히 미》 졸업 시험: have ~*s* 졸업 시험을 치르다
éxit ìnterview 퇴직자 면접
éxit pèrmit 출국 허가(증)
éxit pòll[**pòlling**] 출구 조사 《투표를 마친 사람의》
éxit stràtegy 출구 전략, 퇴출 전략
éxit tàx (구소련에서 출국 이주자의) 출국세
éxit vìsa 출국 사증[비자](opp. *entry visa*)
ex lib. ex libris
ex li·bris [eks-lí:bris, -lái-] [L =from the library] *n.* (*pl.* ~) 장서표(藏書票) 《略 ex lib.》
— *ad., a.* …의 장서에서(의)
ex-li·brist [ekslí:brist | -láib-] *n.* 장서표 수집자
èx néw *ad., a.* 《영》 〖증권〗 신주락(新株落)으로[의]

ex ni·hi·lo [eks-ní:hilòu] [L = out of nothing] *ad., a.* 무(無)에서(의)
exo- [eksou, -sə] [Gk] 《연결형》 「바깥, 외부」의 뜻 (opp. *endo-*): *exo*carp
ex·o·at·mos·phere [èksouǽtməsfiər] *n.* 외기권 (exosphere)
ex·o·bi·ol·o·gy [èksoubaiáləd3i | -ɔ́l-] *n.* Ⓤ 우주 생물학 **èx·o·bi·o·lóg·i·cal** *a.* **-gist** *n.*
ex·o·bi·o·ta [èksoubaióutə] *n.* 우주 생물, 지구 외(外) 생물
ex·o·carp [éksoukà:rp] *n.* 〖식물〗 =EPICARP
ex·o·cen·tric [èksouséntrik] *a.* 〖언어〗 외심적인 (opp. *endocentric*): ~ construction 외심 구조
Ex·o·cet [éksousèt] [F] *n.* **1** 〖군사〗 엑조세 《프랑스제 대함(對艦) 미사일》 **2** [*e*~] 폭탄, 포탄 **3** [*e*~] 사람을 놀라게 하는 것
— *vt.* 〈사람에게〉 치명적 타격을 주다 — *vi.* 날쌔게 움직이다, 일직선으로 날다
ex·o·crine [éksəkrin, -kràin, -krì:n] 〖생리〗 *a.* **1** 외분비(성)의 **2** 외분비선의; 외분비액의
— *n.* **1** 외분비물[액] **2** =EXOCRINE GLAND
éxocrine glànd (한선(汗腺)·타액선 등) 외분비선
ex·o·cri·nol·o·gy [èksoukrənáləd3i, -krai- | -nɔ́l-] *n.* Ⓤ 외분비학
ex·o·cy·to·sis [èksousaitóusis] *n.* (*pl.* **-ses** [-si:z]) 〖생물〗 엑소사이토시스, 토(吐)세포 현상 《세포 안에 소포(小胞)를 만들어 밖으로 방출·분비하는 작용》
Exod. Exodus
ex·o·don·tia [èksədánʃə, -ʃiə | -dɔ́nʃjə] *n.* Ⓤ 〖치과〗 발치술(拔齒術)(cf. ORTHODONTIA) **-tist** *n.*
ex·o·don·tics [èksədántiks | -dɔ́n-] *n. pl.* [단수 취급] =EXODONTIA
ex·o·dus [éksədəs] [Gk 「밖으로 나가다」의 뜻에서] *n.* **1** (많은 사람의) 이동; (이민 등의) 출국, 이주 《*of, from*》 **2** [the E~] (이스라엘 사람의) 이집트 출국[퇴거] **3** [**E~**] 〖성서〗 출애굽기 《구약 성서 중의 한 책; 略 Exod.》
ex·o·e·lec·tron [èksouiléktran | -trɔn] *n.* 〖물리〗 엑소 전자 《응력(應力) 하에서 금속 표면으로부터 방출되는 전자》
ex of·fi·ci·o [èks-əfíʃiòu] [L =from office] *ad., a.* 직권[직무]상의[으로]; 직권에 의해[한] 《略 e. o.》
ex·og·a·mous [ekságəməs | -sɔ́g-], **ex·o·gam·ic** [èksəgǽmik] *a.* 〖사회〗 이족(異族) 결혼의; 〖생물〗 이계(異系) 교배의
ex·og·a·my [ekságəmi | -sɔ́g-] *n.* Ⓤ **1** 〖사회〗 족외(族外) 결혼 (제도), 이족 결혼(cf. ENDOGAMY) **2** 〖생물〗 =OUTBREEDING 1
ex·o·gen [éksəd3ən] *n.* 〖식물〗 외생 식물
ex·og·e·nous [eksád3ənəs | -ɔ́d3-] *a.* (cf. ENDOGENOUS) **1** 〖생물〗 외인성(外因性)의; 〖식물〗 외생(外生)의 **2** 〖지질〗 외성(外成)의 **~·ly** *ad.*
ex·o·glos·sic [èksouglá:sik | -glɔ́s-] *a.* 〖언어〗 (한 나라·지역 내에서 쓰이는) 외국어의, 제2언어의(cf. ENDOGLOSSIC)
ex·on[1] [éksan | -ɔn] *n.* (영국 왕실의 4명의) 친위병장, 근위 하사 《상관 부재시에는 교대로 지휘를 맡음》
exon[2] *n.* 〖생화학〗 엑손 《진핵(眞核) 생물의 mRNA의 정보 배열》
ex·on·er·ate [igzánərèit | -zɔ́n-] *vt.* **1** 〈비난에서〉 해방시키다, 무죄가 되게 하다(free), 〈…의 혐의 등이〉 무고함을 밝히다, 무죄임을 입증하다(exculpate): 《~+목+전+명》 We ~*d* him *from*[*of*] an accusation. 우리는 그의 결백을 입증했다. **2** 〈사람을〉 (의무 등에서) 면제하다(release): 《~+목+전+명》 ~ a person *from* payment …에게 지불을 면제하다
ex·on·er·a·tion [igzànəréiʃən | -zɔ̀n-] *n.* Ⓤ (원죄(寃罪)에서) 구하기, 면죄(免罪); (의무의) 면제, 책

thesaurus **exotic** *a.* **1** 외국산의 imported, non-native, tropical, introduced, alien, external,

임의 해제

ex·on·er·a·tive [igzánərèitiv, -rət- | -zɔ́n-] *a.* 면죄의; 의무 면제의

ex·o·nor·ma·tive [èksounɔ́:rmətiv] *a.* 〚언어〛 (한 나라의 외래어 방식으로 쓰이는) 제2언어의(cf. ENDONORMATIVE)

ex·o·nu·mi·a [èksənjú:miə | -njú:-] *n. pl.* (화폐 이외의) 메달·라벨 등의 수집품 **-mist** *n.*

ex·o·nym [éksənìm] *n.* 외국어 지명 《한 지명에 대해 각국에서 부르는 다른 이름》

ex·oph·thal·mos, -mus [èksɑfθǽlməs | -sɔf-], **-mi·a** [-miə] *n.* Ⓤ 〚병리〛 안구(眼球) 돌출(증) **èx·oph·thál·mic** *a.*

ex·o·plasm [éksouplæ̀zm] *n.* = ECTOPLASM

ex·or·bi·tance, (고어) **-tan·cy** [igzɔ́:rbətəns(i)] *n.* Ⓤ 엄청남, 과대, 과도

ex·or·bi·tant [igzɔ́:rbətənt] [L 「궤도(orbit)를 벗어나다」의 뜻에서] *a.* 〈욕망·요구·값 등이〉 엄청난, 터무니없는, 과대한(excessive) 《*in*》 **~·ly** *ad.*

ex·or·cise [éksɔ:rsàiz, -sər-] *vt.* **1** (기도·의식·주문 따위로) 〈귀신을〉 내쫓다; (사람·장소에서) 〈귀신을〉 몰아내다 《*from, out of*》; 〈사람·장소를〉 (귀신으로부터) 정화하다, 구마(驅魔)하다, 액막이 하다 《*of*》: 《~+목+전+명》 ~ an evil spirit *out of*[*from*] a house = ~ a house *of* an evil spirit 집에서 악령을 몰아내다 **2** 〈나쁜 생각 등을〉 몰아내다, 떨쳐버리다 **-cìs·er** *n.*

ex·or·cism [éksɔ:rsìzm, -sər-] *n.* Ⓤ 귀신 쫓아내기, 구마(驅魔); Ⓒ 구마 주문(呪文)[의식] **-cist** *n.* 귀신을 쫓아내는 사람, 무당

ex·or·cize [éksɔ:rsàiz] *vt.* = EXORCISE

ex·or·di·um [igzɔ́:rdiəm, iksɔ́:r- | eksɔ́:-] [L = beginning] *n.* (*pl.* **~s, -di·a** [-diə]) **1** (사물의) 처음 **2** (강연 등의) 서론, 두서 **-di·al** *a.*

ex·o·skel·e·ton [èksouskélətn] *n.* 〚동물〛 외골격(外骨格) **èx·o·skél·e·tal** *a.*

ex·os·mo·sis [èksɑsmóusis, -sɑz- | -sɔz-, -sɔs-] *n.* (*pl.* **-ses** [-si:z]) 외침투(opp. *endosmosis*)

ex·o·sphere [éksousfìər] *n.* 〚기상〛 외기권 《대기권 중 고도 약 1,000 km 이상》 **èx·o·sphér·ic** *a.*

ex·o·spore [éksouspɔ̀:r] *n.* 〚균류〛 외생 포자

ex·o·ter·ic, -i·cal [èksətérik(əl)] *a.* **1** 대중적인 **2** (종교적 교리·철학적 학설 등이 문외한에게) 개방적인 (cf. ESOTERIC(AL)) **3** 공개적인; 통속적인(popular); 평범한(simple) **4** 외부의, 외적인 **-i·cal·ly** *ad.*

ex·o·ther·mic [èksouθə́:rmik] *a.* 〚화학〛 발열(성)의 **-thér·mi·cal·ly** *ad.* **èx·o·ther·mí·ci·ty** *n.*

***ex·ot·ic** [igzátik | -zɔ́t-] [Gk 「외국의」의 뜻에서] *a.* **1** 이국적인, 이국 정서의; 색다른, 낭만적인: an ~ hairstyle 별난 헤어스타일 **2** 〈동식물 등이〉 외국산의, 외래의(foreign) 《종종 열대산(産)을 말함; opp. *indigenous*》: ~ plants 외래 식물 **3** 신종의, 실험적인: ~ weapons 신형 무기
—*n.* 외래 식물; 이국적인 취미, 외래어
-i·cal·ly *ad.* **~·ness** *n.* ▷ exóticism *n.*

ex·ot·i·ca [igzátikə | -zɔ́t-] *n. pl.* 이국풍의 것; 이국 취미의 작품; 별난 습속

exótic dáncer 스트리퍼, 벨리 댄서

ex·ot·i·cism [igzátəsìzm | -zɔ́t-] *n.* Ⓤ **1** 이국 취미; 이국 정서, 이국풍, 외국풍 **2** 외국식 어법

ex·o·tox·in [èksoutáksin | -tɔ́ks-] *n.* 〚생화학〛 (균체(菌體)) 외(外)독소(opp. *endotoxin*)

ex·o·tro·pi·a [èksətróupiə] *n.* 〚안과〛 외사시(外斜視) 《안구의 한쪽 또는 양쪽이 밖을 향해 있는 사시》 ★ walleye라고도 함.

exp. expense(s); expired; exportation; export(ed); exporter; express

‡**ex·pand** [ikspǽnd] [L 「밖으로 확대하다」의 뜻에서] *vt.* **1** 〈정도·크기·용적 등을〉 넓히다, 펼치다 **2** 〈부피 등을〉 팽창시키다(opp. *contract*) **3** 〈범위 등을〉 확장하다, 확대하다(enlarge) 《*into*》; 〈토론 등을〉 전개시키다(develop) 《*into*》; 〚수학〛 전개하다: He was trying to ~ his business. 그는 사업을 확장하려 하고 있었다. // 《~+목+전+명》 *E*~ this one sentence *into* a paragraph. 이 한 문장을 한 단락으로 늘여라. **4** 〈마음을〉 넓게 하다, 크게 하다
—*vi.* **1** 퍼지다, 넓어지다; 팽창하다(opp. *contract*); 〈봉오리·꽃이〉 벌어지다, 피다: 《~+전+명》 Mercury *~s with* heat. 수은은 가열하면 팽창한다.

> 유의어 **expand** 「크기나 양 등이 내부의 힘으로 커지다」란 뜻의 가장 일반적인 말. **extend** 특히 길이가 길어지다: My visit *~ed* into the dinner hour. 내 방문은 식사 때가 되도록 길어졌다. **swell** 내부 압력 등으로 인하여 부피·양이 크게 증대하다: A tire *~s* as it is filled with air. 타이어는 바람을 넣으면 부풀어 오른다.

2 발전하다(develop) 《*into*》: 《~+전+명》 The small college has *~ed into* a big university. 그 조그만 단과 대학은 큰 종합 대학으로 발전하였다. **3** 〈마음이〉 넓어지다; 마음을 터놓다; (얼굴에) 활짝 웃음짓다: 《~+전+명》 He said so with his face *~ing in* a bland smile. 얼굴에 부드러운 미소를 띄우며 그가 그렇게 말했다. **4** 자세히 말하다, 부연하다(expatiate) 《*on, upon*》: 《~+전+명》 ~ *on* one's idea 자기 생각을 자세히 말하다
ex·pànd·a·bíl·i·ty *n.*
▷ expánsion, expánse *n.*; expánsive *a.*

ex·pand·a·ble [ikspǽndəbl] *a.* 펼칠[늘릴] 수 있는, 확장할 수 있는《*to*》

***ex·pand·ed** [ikspǽndid] *a.* 넓어진, 확대된, 확장된, 열린; 〚인쇄〛 (활자의) 폭이 넓은

expánded cínema = INTERMEDIA

expánded métal 망상 전신(網狀展伸) 금속판 《건축 내강재》

expánded plástic 발포(發泡) 플라스틱(foamed plastic)

expánded polystýrene 발포 폴리스티렌, 스티로폼((미) Styrofoam)

expánded ténse 〚문법〛 확충(擴充) 시제, 진행형 (progressive form)

ex·pand·er [ikspǽndər] *n.* 확대시키는 사람[장치]; 〚전자〛 신장기(伸張器)

ex·pánd·ing úniverse [ikspǽndiŋ-] 〚천문〛 팽창 우주: ~ theory 〚천문〛 팽창 우주론

***ex·panse** [ikspǽns] *n.* **1** [종종 *pl.*] 넓게 퍼진 공간[장소]; 넓은 구역 《*of*》: an ~ *of* water[snow] 넓디넓은 수면[설원] / the boundless ~ *of* the Pacific 한없이 넓은 태평양 / the blue ~ 푸른 하늘, 창공 **2** 팽창, 확장, 증대

ex·pan·si·ble [ikspǽnsəbl] *a.* 신장할 수 있는; 팽창할 수 있는[하기 쉬운]; 발전성 있는
ex·pàn·si·bíl·i·ty *n.* Ⓤ 신장력[성]; 팽창력; 발전성

ex·pan·sile [ikspǽnsil, -sail | -sail] *a.* 신장[확대]의, 확장[확대]할 수 있는, 팽창성의

‡**ex·pan·sion** [ikspǽnʃən] *n.* **1** Ⓤ 확장; (비유) 발전(development) 《*of*》; 확대(enlargement); 〚상업〛 거래의 확장; (미) 영토 확장: the ~ *of* armaments 군비 확장 **2** Ⓤ 팽창; 신장(伸長), 전개: the ~ of a bird's wings 새가 날개를 펴기 **3** 넓음, 널찍한 표면 《expanse쪽이 일반적임》 **4** 〚수학〛 전개(식) **5** 〚병리〛 (종양 등의) 증식 (***triple-***)**~ *engine*** (3단) 팽창 기관 **~·al** *a.* ▷ expánd *v.*; expánsive *a.*

ex·pan·sion·ar·y [ikspǽnʃənèri | -nəri] *a.* 확장[발전, 팽창]성의: an ~ economy 팽창 경제

expánsion càrd[**bòard**] 〚컴퓨터〛 확장 카드[기판] 《주 기판의 확장 슬롯에 꽂는 회로 기판》

ex·pan·sion·ism [ikspǽnʃənìzm] *n.* (영토 등의)

---

extraneous, extrinsic **2** 색다른 strange, bizarre, peculiar, unusual, fascinating, striking

확장 정책, 확장주의; (통화 등의) 팽창 정책
-ist *n.*, *a.* **ex·pàn·sion·ís·tic** *a.*
expánsion slòt 〖컴퓨터〗 확장 슬롯 《컴퓨터의 성능을 늘이기 위해 회로판을 삽입하는 곳》
ex·pan·sive [ikspǽnsiv] *a.* **1** 팽창력 있는, 팽창성의; 확장적인; 전개적인 **2** 널찍한, 광대한(broad): an ~ review of a topic 문제에 대한 포괄적 검토/an ~ view 탁 트인 전망 **3** 마음이 넓은, 포용력이 큰; 활달한, 개방적인(unreserved) **4** 〖정신의학〗 과대망상적인 **~·ly** *ad.* **~·ness** *n.* ▷ expánd *v.*
ex·pan·siv·i·ty [èkspænsívəti] *n.* **1** expansive한 성질[상태]; 팽창력 **2** 〖물리〗 팽창 계수(coefficient of expansion)
ex par·te [eks-pɑ́:rti] 〔L〕 *ad.*, *a.* 〖법〗 당사자 한쪽에 치우쳐[친], 일방적으로[인]
ex·pa·ti·ate [ikspéiʃièit] *vi.* 상세히 설명하다[말하다] 《*on*, *upon*》
ex·pa·ti·a·tion [ikspèiʃiéiʃən] *n.* ⓊⒸ 상세한 설명, 부연(敷衍)
ex·pa·ti·a·to·ry [ekspéiʃiətɔ̀:ri | -təri] *a.* 자세히[장황하게] 설명하는
ex·pa·tri·ate [ekspéitrièit | -pǽt-] *vt.* 국외로 추방하다(⇨ expel 유의어) ~ one***self*** 고국을 떠나다, (외국으로) 이주하다(emigrate); (특히 귀화하기 위해) 원래의 국적을 버리다
— [-ət, -eit] *a.*, *n.* 국외로 추방된 (사람), 국적을 상실한 (사람)
ex·pa·tri·a·tion [ekspèitriéiʃən | -pæ̀t-] *n.* ⓊⒸ 국외 추방; 본국 퇴거, 국외 거주; 〖법〗 국적 이탈
‡**ex·pect** [ikspékt] 〔L 「밖을 보다, 기대하다」의 뜻에서〕 *vt.* **1 기대하다**, 예상[예기]하다, 기다리다(⇨ want 유의어); …할 작정이다: I shall ~ you (next week). (내주에) 기다리고 있겠습니다. / I shall not ~ you till I see you. 오고 싶을 때 오십시오. // (~+***to*** do) I ~ *to* succeed[do it]. 나는 성공할 것이다[그것을 할 작정이다]. // (~+목+***to*** do) (~+***that*** 절) I *~ed* him *to* come. =I *~ed that* he would come. 그가 와 주리라고 기대하고 있었다. ★ expect되는 것은 반드시 좋은 것만은 아님: ~ the worst 최악의 경우를 예상하다 **2** (당연한 일로서) **기대하다**, (…하기를) 바라다, 요구하다 《*of*, *from*》: (~+목+***to*** do) (~+ ***that*** 절) I ~ your obedience. =I ~ you *to* obey. =I ~ *that* you will obey. 자네는 말을 잘 들으리라 생각한다. // (~+목+전+명) I ~ nothing *from* such people. 그런 사람들에게서 나는 아무것도 기대하지[바라지] 않는다. **3** (구어) (…라고) **생각하다**, 추측하다(think, suppose): Will he come today? —I ~[don't ~] so. 그가 오늘 올까요? — 올[안 올] 것입니다. // (~+(***that***) 절) Who ate all the cakes? —Oh, I ~ (*that*) Tom did. 누가 케이크를 모두 먹어 버렸니? —음, 톰이 그랬을 거야. **4** [진행형으로] (구어) 〈아기를〉 배고 있다: She *is ~ing* a baby. 임신 중이다.
— *vi.* **1** [진행형으로] (구어) 임신 중이다 《be pregnant의 완곡한 말》, 출산 예정이다: His wife *is ~ing* next month. 그의 아내는 다음 달 출산 예정이다. **2** (구어) (아마 그렇다고) 생각하다
as might be ~ed 예기되는 바와 같이, 역시, 과연: *As might be ~ed* of a gentleman, he was as good as his word. 과연 신사답게 그는 약속을 지켰다. ***as was***[***had been***] ***~ed*** (문어) 예기한 대로 ***be*** (***only***) ***to be ~ed*** 일어날 수 있는 일이다, 이상한 일이 아니다 ***E~ me when you see me.*** (구어) 돌아올 때가 되면 오겠다, 언제 돌아올지 모르겠다. ***What*** (***else***) ***can***[***do***] ***you ~?*** (구어) 〈상황·사람의 행동이〉 당연하다, 놀랄 일이 못 된다.
~·a·ble *a.* **~·ing·ly** *ad.* **~·er** *n.*
▷ expectátion *n.*; expéctant *a.*
*__ex·pect·an·cy__ [ikspéktənsi], **-ance** [-əns] *n.* (*pl.* **-cies**; **-anc·es**) ⓊⒸ **1** 기대; 대망(待望) 《*of*》: with a look of ~ 기대하는 표정으로/with a feeling of ~ 기대감으로/in eager ~ 열망하여 **2** (장래 소유의) 예상, 예기 **3** 기대의 대상 **4** 〖통계〗 기대 가능한 수량
*__ex·pect·ant__ [ikspéktənt] *a.* **1 기다리는**, 기대하는, 바라는 《*of*》 **2** Ⓐ 임신한 《pregnant의 완곡한 말》, 출산을 앞둔: an ~ mother 임신부 **3** 관망하는: an ~ policy 기회주의 정책/an ~ attitude 방관적 태도/an ~ method 〖의학〗 기대[자연] 요법 **4** 〖법〗 추정 상속의, 재산 입수[소유]의 가능성이 있는: an ~ heir 추정 상속인
— *n.* **1** 기대하는 사람, 예기하는 사람; 대망자(待望者); (관직 등의) 채용 예정자 **2** 〖법〗 추정 상속인 **3** 임산부 **~·ly** *ad.* 예기하여, 기대하여
▷ expéctancy *n.*
‡**ex·pec·ta·tion** [èkspektéiʃən] *n.* **1** Ⓤ **기대**, 예상, 예기 **2** [*pl.*] **기대[예상]되는 것**, 바라는 목표; 장래의 희망, 《특히》 유산 상속의 가망성: have brilliant ~*s* 굉장히 좋은 일이 있을 것 같다/have great ~*s* 굉장한 유산이 굴러 들어올 것 같다 **3** 가능성(probability) **4** 〖통계〗 기대값
according to ~ 예상대로, 기대한 대로 ***against***[***contrary to***] ***~*** 예상과 달리, 기대에 어긋나게 ***beyond*** (one***'s***[***all***]) ~(***s***) 예상 외로 ***~ of life*** = LIFE EXPECTANCY. ***in ~*** 가망이 있는, 예상되는 ***in ~ of*** …을 기대하여 ***meet***[***come up to***] a person***'s ~s*** …의 기대에 부응하다, …의 예상대로 되다
~·al *a.* ▷ expéct *v.*; expéctative *a.*
Expectátion Súnday 기대의 일요일 《승천 축일(Ascension Day)과 성령 강림일(Whitsunday) 사이의 일요일》
ex·pect·a·tive [ikspéktətiv] *a.* 바라는, 기대하는 (대상의) — *n.* 기대[예상]되는 것
ex·pect·ed [ikspéktid] *a.* 예기[기대]된: I will do what is ~ of me[my duty]. 기대에 어긋나지 않겠습니다[본분을 다하겠습니다].
~·ly *ad.* **~·ness** *n.*
expécted válue 〖통계〗 기대값
ex·pect·ing [ikspéktiŋ] *a.* (완곡) 임신한(pregnant): My wife is ~ again. 아내는 또 임신했다.
ex·pec·to·rant [ikspéktərənt] 〖약학〗 *a.* 가래를 나오게 하는 — *n.* 거담제(祛痰劑)
ex·pec·to·rate [ikspéktərèit] 〔L 「가슴에서 내다」의 뜻에서〕 *vt.*, *vi.* 〈가래·혈담을〉 뱉다; (미) 침을 뱉다 《spit의 문어적인 말》
ex·pec·to·ra·tion [ikspèktəréiʃən] *n.* Ⓤ 가래[침] 뱉음; Ⓒ 뱉은 것
ex·pe·di·en·cy, -ence [ikspí:diəns(i)] *n.* (*pl.* **-cies**; **-enc·es**) ⓊⒸ 편의, 형편 좋음; 방편, 편리한 방법; 〖윤리〗 편의주의; (악착같은) 사리(私利) 추구
*__ex·pe·di·ent__ [ikspí:diənt] *a.* **1 쓸모있는**, 적절한, 적당한: (~+***that*** 절) It is ~ *that* you (should) change the plan. 그 계획을 바꾸는 것이 상책이다. **2** 편의(주의)적인, 정략적인; 〈사람이〉 자기 형편에 따라 하는, 이기적인
— *n.* 수단, 방편, 편법, (변통의) 조치: temporary ~ 임시 방편, 미봉책/resort to an ~ 편법을 강구하다[쓰다] **~·ly** *ad.* 편의상, 방편으로
▷ expédience *n.*; expediéntial *a.*
ex·pe·di·en·tial [ikspì:diénʃəl] *a.* 편법의, 편리주의의, 방편적인
ex·pe·dite [ékspədàit] 〔L 「발을 (족쇄에서) 벗기다」의 뜻에서〕 *vt.* **1** (문어) …의 과정을 빠르게 진척시키다, 촉진시키다 **2** 〈사무 등을〉 신속히 처리하다(dispatch) **3** 〈문서·짐 등을〉 발송하다, 급히 보내다
— *a.* (폐어) **1** 〈도로·장소가〉 장애 없는 **2** 신속한

thesaurus **expect** *v.* **1** 기대하다 anticipate, await, look forward to, hope for, count on **2** 요구하다 require, demand, insist on, call for, wish **3** 추측하다 assume, think, believe, imagine, presume, suppose, conjecture

-dìt·er, -dì·tor *n.* 원료 공급 담당자; 홍보 담당자; (공사 등의) 촉진자
éxpedite bággage = RUSH BAGGAGE
‡**ex·pe·di·tion** [èkspədíʃən] *n.* **1 a** **원정**(遠征); (탐험 등의) **여행**: an exploring ~ 탐험 여행/go on an ~ 탐험[원정] 여행을 떠나다 **b** 원정대, 탐험대 **2** Ⓤ (문어) 급속, 신속
make an ~ 원정하다; 탐험 여행을 하다 ***use ~*** 신속히 처리하다 ***with ~*** 신속히, 빨리
▷ éxpedite *v.*; expedítionary, expedítious *a.*
ex·pe·di·tion·ar·y [èkspədíʃənèri | -ʃənəri] *a.* Ⓐ 원정의, 탐험의: an ~ force 원정군, 파견군
ex·pe·di·tious [èkspədíʃəs] *a.* 급속한, 신속한 (prompt): an ~ messenger 급사(急使)
~·ly *ad.* **~·ness** *n.*
***ex·pel** [ikspél] [L 「밖으로 밀어내다」의 뜻에서] *vt.* (**~led**; **~·ling**) **1** **내쫓다,** 좇아버리다, 구축하다; 〈해충 등을〉 구제(驅除)하다 (*from*): (~+목+전+명) ~ invaders *from* one's country 자기 나라에서 침략자를 몰아내다

> 유의어 **expel** 권리·자격을 박탈하여 좇아내다: *expel* a student from a college 학생을 대학에서 퇴학시키다 **exile** 정치적 이유로 국외로 추방하다: a writer who *exiled* himself for political reasons 정치적 이유로 망명한 작가 **deport** 체류 권한이 없는 외국인을 국외로 추방하다: Illegal aliens will be *deported*. 불법 외국인은 추방된다. **expatriate** 권력·법의 힘으로 모국에서 추방하다 **banish** 벌로서 국외로 추방하다: be *banished* for seditious activities 반정부 선동 활동 죄로 추방당하다

2 면직시키다(dismiss), 추방하다, 제명하다 (*from*): (~+목+전+명) He was *~led from* the school. 그는 퇴학 처분을 받았다. **3** (…에서) 〈가스 등을〉 방출[배출]하다, 〈탄환을〉 발사하다(discharge) (*from*): (~+목+전+명) ~ air *from* the lungs 폐에서 공기를 토해 내다 **~·la·ble** *a.* **~·ler** *n.*
▷ expúlsion *n.*; expúlsive *a.*
ex·pel·lant, -lent [ikspélənt] *a.* 내쫓는 힘이 있는; 구제력 있는 — *n.* 구충제, 구제약(驅除藥)
ex·pel·lee [èkspelíː] *n.* (국외로) 추방된 사람
***ex·pend** [ikspénd] [L 「무게를 재어 (지불하다)」의 뜻에서] *vt.* **1** 〈시간·노력 등을〉 **들이다,** 소비하다, 쓰다 (*on, upon, in*): (~+목+전+명) ~ time and effort *on* an experiment 실험에 시간과 노력을 들이다/~ one's energy *in* doing it 그것을 하는 데 정력을 소비하다 **2** 〈금전을〉 지출하다 ★ 이 뜻에서는 spend가 보통임. **3** 다 써버리다, 소진하다 **4** 〔항해〕 〈예비 밧줄을〉 둥근 기둥 따위에 감다
— *vi.* (드물게) 돈을 쓰다 **~·er** *n.*
▷ expénditure, expénse *n.*; expénsive *a.*
ex·pend·a·ble [ikspéndəbl] *a.* 소비되는; 〔군사〕 〈병력·자재 등이〉 희생될 수 있는, 소모성의: ~ office supplies 사무용 소모품 — *n.* [보통 *pl.*; 집합적] 소모품 (자재·병력)
ex·pènd·a·bíl·i·ty *n.*
‡**ex·pen·di·ture** [ikspénditʃər] *n.* ⓊⒸ **지출; 지불,** 소비; 비용 (expense보다 딱딱한 말); 소비량: annual ~ 세출/current[extraordinary] ~ 경상[임시]비/a large ~ of money on armaments 다액의 군사비/revenue and ~ 세입과 세출 ▷ expénd *v.*
‡**ex·pense** [ikspéns] [L 「지불된 (돈)」의 뜻에서] *n.* **1** **지출, 비용**: spare no ~ 비용을 아끼지 않다 **2** 지출의 원인[이유] **3** [an ~] 비용[돈]이 드는 일: Repairing a house is *an* ~. 집 수리에는 돈이 많이 든다. **4** [보통 *pl.*] **a** (소요) **경비,** …비; 수당: school ~*s* 학비/traveling ~*s* 여비/an ~ report (사원 개인의) 경비 보고서 **b** = EXPENSE ACCOUNT **5** 손실
at any ~ 아무리 비용이 들더라도, 어떤 희생을 치르더라도 ***at*** one***'s*** (***own***) ***~*** 자비로; 자기를 희생시켜 ***at the ~ of*** = ***at*** a person***'s ~*** …의 비용으로; …에게 손해[폐]를 끼쳐, …을 희생하여: He did it *at the ~ of* his health. 그는 건강을 희생하여 그것을 했다. ***Blow the ~!*** (속어) 비용 등은 문제가 아니다. ***go to a lot of ~*** 많은 돈을 쓰다 ***go to the ~ of*** (do***ing***) …하는 데 돈을 쓰다 ***meet*** one***'s ~*** 수지를 맞추다 ***put*** a person ***to ~*** …에게 비용을 부담시키다 **~·less** *a.* ▷ expénd *v.*; expénsive *a.*
expénse accòunt (회사의) 소요 경비 (계정), 접대비, 출장비
ex·pense-ac·count [ikspénsəkàunt] *a.* Ⓐ 비용 계정의, 접대비의
‡**ex·pen·sive** [ikspénsiv] *a.* **값비싼,** 비용이 많이 드는, 고가의, 사치스러운(opp. *inexpensive, cheap*): an ~ automobile 고급차/She always wears ~ clothes. 그녀는 늘 비싼 옷만 입는다.

> 유의어 **expensive** 물건의 품질치고는 또는 구매자의 재력에 비해 비싼: an *expensive* hobby 돈이 많이 드는 취미 **costly** 물건이 좋고 귀하기 때문에 비싼: *costly* gems 값비싼 보석

come ~ 비용이 많이 들다 **~·ly** *ad.* 비용을 들여, 비싸게 **~·ness** *n.* ▷ expénd *v.*; expénse *n.*
‡**ex·pe·ri·ence** [L 「시험해 보기」의 뜻에서] *n.* [ikspíəriəns] **1** Ⓤ **경험,** 체험: learn by[from] ~ 경험에 의하여 배우다/*E*~ teaches. 경험은 사람을 영리하게 한다. **2** Ⓤ 경험 내용 (경험으로 얻은 지식·능력·기능): a man of ripe ~ 경험이 풍부한 사람 **3** **경험[체험]한 일**: have a pleasant[trying] ~ 즐거운[쓰라린] 경험을 하다 **4** [*pl.*] 경험담; 종교적 체험(담) **5** 〔철학〕 경험 **6** (속어) 마약의 체험
— *vt.* **1** **경험하다,** 체험하다: ~ both joy and sorrow 기쁨과 슬픔도 경험하다

> 유의어 **experience** 좋은 일이건 나쁜 일이건 널리 몸소 체험하다 **undergo** 괴롭고 위험한 일을 경험하다: ~ great disappointment 큰 실망을 체험하다

2 경험하여 알다 (*how, that* ...) ***~ religion*** 신앙심이 생기다 **~·a·ble** *a.* ▷ experiéntial *a.*
***ex·pe·ri·enced** [ikspíəriənst] *a.* **경험 있는,** 경험을 쌓은; 노련한, 숙련된: an ~ teacher 노련한 교사/a man ~ in teaching 교직 경험이 있는 사람/have an ~ eye 안목이 있다, 안식이 높다
be ~ at[***in***] …에 경험이 있다
expérience mèeting (교회의) 신앙 좌담회
expérience tàble 〔보험〕 경험표, 사망표
ex·pe·ri·en·tial [ikspìəriénʃəl] *a.* 경험(상)의, 경험에 의한, 경험적인(empirical): ~ philosophy 경험 철학 **~·ly** *ad.*
ex·pe·ri·en·tial·ism [ikspìəriénʃəlìzm] *n.* Ⓤ 〔철학〕 경험주의 (모든 지식은 경험으로부터 얻어진다는 인식론) **-ist** *n.*
‡**ex·per·i·ment** [ikspérəmənt] [L 「시험해 보기」의 뜻에서] *n.* **1** (과학상의) **실험** (*in, on, with*); (실지로) 해봄(test): a chemical ~ 화학 실험/a new ~ in education 교육상의 새로운 시도 **2** 실험 장치
make[***carry out***] ***an ~ on***[***in, with***] …의[에 관하여] 실험을 하다
— *vi.* [ekspérəmènt, iks- | iks-] **실험하다** (*on, upon, with*): (~+전+명) ~ *on* animals with a new medicine 신약을 갖고 동물 실험을 하다

---

expense *n.* cost, price, charge, fee, amount
expensive *a.* high-priced, costly, extravagant
experienced *a.* practiced, accomplished, skillful, proficient, trained, expert, competent, capable, knowledgeable, qualified, professional

~·er, -mèn·tor *n.* 실험자 ▷ experimental *a.*
*__ex·per·i·men·tal__ [ikspèrəméntl] *a.* **1** 실험의, 실험에 의한: an ~ science 실험 과학 **2** 실험적인, 시험적인: ~ flights 시험 비행 / an ~ farm 실험 농장 **3** 실험[시험]용의: ~ animals 실험용 동물 **4** 경험에 의한, 경험적인 **~·ly** *ad.* 실험적으로, 실험상 ▷ expériment *n.*; experiméntalize *v.*
ex·per·i·men·tal·ism [ikspèrəméntəlìzm] *n.* 실험주의, 경험주의《인식의 원천을 경험에서 구한다는 학설》 **-ist** *n., a.*
ex·per·i·men·tal·ize [ikspèrəméntəlaiz] *vi.* 실험을 하다
experiméntal psychólogy 실험 심리학
*__ex·per·i·men·ta·tion__ [ikspèrəmentéiʃən] *n.* Ⓤ 실험; 실험법
expérimenter efféct 〖심리〗 실험자 효과《실험자의 속성·예견 등이 실험 결과에 미치는 영향》
expériment fàrm 실험 농장
expériment stàtion (농업·공업 등의) 시험[실험]장
‡**ex·pert** [ékspəːrt] *n.* 숙련가, 달인(opp. *amateur*); 전문가(specialist), 권위자, 대가(authority) 《*in, at, on*》; 〖미군〗 상급 사수(射手): a mining ~ 광산 기사 / an ~ *in* economics 경제학의 전문가
— [ékspəːrt, ikspə́ːrt] *a.* **1** 숙련된, 노련한(skillful) 《*in, at, on*》: be ~ *in*[*at*] driving a car 차를 운전하는 데 능숙하다 **2** 전문가인, 전문가에 의한: an ~ surgeon 외과 전문 의사 / ~ evidence 감정가의 증언
— *vt.* 전문으로 하다; 《구어》 전문가로서 연구하다
— *vi.* 전문가이다[로서 활동하다] 《*at, on*》
~·ly *ad.* 훌륭하게, 전문적으로 **~·ness** *n.* Ⓤ 숙달
ex·per·tise [èkspərtíːz] *n.* Ⓤ **1** 전문적 기술[지식]: bring customers ~ 고객들에게 전문적 조언을 주다 **2** 전문가의 감정서
ex·pert·ism [ékspərtìzm] *n.* Ⓤ 전문 기술[지식]; 숙달, 기량, 숙련
ex·pert·ize [ékspərtàiz] *vi.* 전문적 의견을 말하다 《*on*》 — *vt.* …에 전문적 의견을 말하다
éxpert sýstem 〖컴퓨터〗 전문가 시스템《특정 분야, 특히 문제 진단 등 논리적 사고 기능이 인간의 두뇌 기능과 유사한 작용을 하는 컴퓨터 프로그램》
éxpert wítness 〖법〗 전문가 증인, 감정인《법정 심리 때 전문가의 입장에서 감정·증언을 하는 사람》
ex·pi·a·ble [ékspiəbl] *a.* 보상할 수 있는
ex·pi·ate [ékspièit] *vt.* 〈죄를〉 갚다, 속죄하다
~ one***self*** 속죄하다
ex·pi·a·tion [èkspiéiʃən] *n.* Ⓤ 속죄; (죄를) 선행으로 갚음, 보상 ***in ~ of*** one***'s sin***[***crime***] 속죄하는 뜻에서
ex·pi·a·tor [ékspièitər] *n.* 속죄자
ex·pi·a·to·ry [ékspiətɔ̀ːri | -piətəri, -pièit-] *a.* 속죄의; 보상의
ex·pi·ra·tion [èkspəréiʃən] *n.* Ⓤ **1** (기간·임기 등의) 만료, 만기, 종결(termination) 《*of*》 **2** 숨을 내쉼, 내쉬는 숨(동작)(opp. *inspiration*) ***at the ~ of*** …의 만료 때에
expirátion dàte (약·식품 등의) 유효 기한《라벨·용기 등에 표시》
ex·pir·a·to·ry [ikspáiərətɔ̀ːri | -təri] *a.* 내쉬는 숨의, 숨을 내쉬는
*__ex·pire__ [ikspáiər] [L 「(숨을) 내쉬다」의 뜻에서] *vi.* **1** 〈계약·보증 등이〉 만기가 되다, 〈기간이〉 끝나다; 〈자격 등이〉 소멸하다: My driver's license ~*s* next month. 나의 운전면허증은 다음 달이 만기이다. **2** 《문어》 숨을 거두다, 죽다; 〈등불 등이〉 꺼지다 **3** 숨을 내쉬다(opp. *inspire*)
— *vt.* 〈숨을〉 내쉬다; 배출하다 **ex·pír·er** *n.*
▷ expirátion *n.*; expíratory *a.*
ex·pi·ry [ikspáiəri, ékspəri | ikspáiəri] *n.* Ⓤ **1** 숨을 내쉼 **2** 죽음, 절명; 소실, 소멸(extinction); (계약·보증 기한 등의) 만료, 만기, 종료, 종결: at the ~ of the term 만기가 되는 때에

expíry dàte 《영》 유효 기한[기일](《미》 expiration date)
‡**ex·plain** [ikspléin] [L 「평평(plain)하게 하다」의 뜻에서] *vt.* **1** 〈사실·입장 등을〉 설명하다: ~ a process of making paper 종이의 제조 과정을 설명하다 // (~+목+전+명) Will you ~ the rule *to* me? 그 규칙을 내게 설명해 주겠소? // (~+***wh. to*** do) ~ *where to* begin and *how to* do something 어떤 일을 어디서부터 시작하여 어떻게 하는가를 설명하다 // (~(+전+명)+***that*** 절) He ~*ed* (*to* me) *that* they should go right away. 그들이 즉시 가야 할 것이라고 그가 (나에게) 설명했다.

> 유의어 **explain** 「설명하다」의 뜻의 가장 일반적인 말이다: *explain* rules 규칙을 설명하다 **expound** 전문가가 계통을 세워서 해설하다: *expound* a scientific theory 과학적 이론을 자세히 설명하다 **explicate** 학문적으로 상세히 설명하는 것으로서 expound보다 딱딱한 말이다: *explicate* a poem 시를 분석 설명하다

2 명백하게 하다, 확실히 하다; 알기 쉽게 하다 **3** 〈문구 등을〉 해석하다(interpret) **4** 〈행위 등을〉 해명하다, 변명하다: *E*~ your stupid conduct. 네 어리석은 행위를 해명해 보아라. // (~+***wh.*** 절) *E*~ *why* you were late. 지각한 이유를 말해 보아라. **5** 〈사람이〉 …의 원인[이유]을 확실히 밝히다; 〈사실이〉 …의 원인을 설명하다
— *vi.* 설명[변명]하다, 해석하다
~ ***away*** 〈곤란한 입장 등을〉 잘 설명하다, 해명하여 빠져나가다 ~ one***self*** 자기의 말뜻을 알아듣게 설명하다; 자기 행위의 이유를 해명하다, …을 털어놓다
~·er *n.* 설명[변명]하는 사람
▷ explanátion *n.*; explánatory *a.*
ex·plain·a·ble [ikspléinəbl] *a.* 설명[해석, 해명]할 수 있는
‡**ex·pla·na·tion** [èksplənéiʃən] *n.* ⓊⒸ **1** 설명; 해석; 해명, 변명; 설명이 되는 말[사실, 사정]: give an ~ for[of] one's resignation 사임의 이유를 설명하다 **2** (설명으로 밝혀진) 뜻, 의미: give an ~ for[of] …의 이유를 설명하다 **3** (오해나 견해 차이를 풀기 위한) 의견 나누기; 화해 ***by way of ~*** 설명으로서 ***in ~ of*** …의 설명[해명]으로서
▷ expláin *v.*; explánatory *a.*
ex·plan·a·tive [iksplǽnətiv] *a.* = EXPLANATORY **~·ly** *ad.*
ex·pla·na·tor [éksplənèitər] *n.* 설명하는 사람(explainer)
*__ex·plan·a·to·ry__ [iksplǽnətɔ̀ːri | -təri] *a.* [보통 Ⓐ] 설명적인, 해석상의; 〈말투가〉 해명적인: ~ notes 주석(註釋) / an ~ title (영화의) 자막 ***~ of*** …의 설명에 도움이 되는, …을 설명해 주는
ex·plàn·a·tó·ri·ly *ad.*
ex·plant [eksplǽnt, -plɑ́ːnt | -plɑ́ːnt] 〖생물〗 *vt.* 〈생체 일부를〉 외식(外植)하다 — [ㅅㅅ] *n.* 외식편(片)
èx·plan·tá·tion *n.*
ex·ple·tive [éksplətiv | iksplíːt-, eks-] *a.* 단순히 부가적인, 덧붙이기의 — *n.* **1** 조사(助辭), 허사(虛辭) 《it rains의 *it*, there is no doubt의 *there* 등》 **2** 무의미한 감탄사《O dear! 등》, 저주의 말, 비속어, 외설어《damned 등》
éxpletive deléted 《미》 비속어 삭제
ex·ple·to·ry [éksplətɔ̀ːri | -təri] *a.* = EXPLETIVE
ex·pli·ca·ble [éksplikəbl, iksplík-] *a.* 설명할 수 있는(opp. *inexplicable*) **-bly** *ad.*
ex·pli·cate [éksplәkèit] [L 「밖으로 열다」의 뜻에서] *vt.* **1** 확실히 하다, 해명하다; 해석하다; 상술하다,

thesaurus **explicit** *a.* direct, plain, obvious, precise, definite, sure, clear, express
exploit[1] *n.* feat, deed, adventure, achievement

〈문학 작품 등을〉 자세히 설명하다(⇨ explain 유의어) 2 〈가설 등을〉 전개하다 **-cà·tor** *n.*

ex·pli·ca·tion [èkspləkéiʃən] *n.* UC 설명, 해설; 전개

ex·pli·ca·tion de texte [eksplikɑ:sjɔ(:)n-də-tékst] [F] (*pl.* **ex·pli·ca·tions de texte** [~]) 설명적 문학 비평, 해명 문학 비평《작품 원전과 언어·문체·내용의 상호 관계를 구명하는》

ex·pli·ca·tive [ékspləkèitiv, iksplíkət- | eks-plíkət-] *a.* 설명이 되는, 해설적인(explanatory) — *n.* 설명적 표현 **~·ly** *ad.*

ex·pli·ca·to·ry [ékspIikətɔ̀:ri, iksplíkə- | eks-plíkətəri, èksplikéit-] *a.* = EXPLICATIVE

∗**ex·plic·it** [iksplísit] *a.* **1** 〈진술 등이〉 **명백한**, 뚜렷한(clear), 명시적인 **2** 〈사람이〉 숨김없는, 솔직한 **3** 〈책·영화 등이〉 노골적인 **4** 〖수학〗 〈함수가〉 양(陽)의, 양함수 표시의 **~·ly** *ad.* 명쾌하게 **~·ness** *n.*

explícit fáith[belíef] (교리 등을 이해한 다음의) 명시적 신앙

explícit fúnction 〖수학〗 양(陽)함수(opp. *implicit function*)

⁑**ex·plode** [iksplóud] *vi.* **1 폭발하다**, 파열하다(opp. *implode*): The gas main *~d.* 가스 본관이 폭발했다. **2** 〈감정이〉 **격발하다**: (~+전+명) ~ *with*[*into*] laughter 와 하고 웃음을 터뜨리다 / ~ *with*[*in*] rage 화를 버럭 내다 **3** 〈인구 등이〉 폭발적으로 증가하다 **4** 〖음성〗 파열음으로 발음되다 **5** 사정(射精)하다 —*vt.* **1** 〈폭탄 등을〉 **폭발시키다**, 파열시키다: ~ a bomb 폭탄을 폭발시키다 **2** 〈미신을〉 타파하다; 〈학설을〉 논파하다 **3** 〖음성〗 파열음으로 발음하다

~ a bombshell ⇨ bombshell

▷ explósion *n.*; explósive *a.*

ex·plod·ed [iksplóudid] *a.* **1** 폭발[파열]한 **2** 논파[타파]된 **3** 〈모형·그림이〉 기계를 분해하여 부품의 상호 관계를 나타내는

explóded díagram[víew] (기계 장치의) 분해 조립도(圖)

ex·plod·er [iksplóudər] *n.* 폭발 장치, 뇌관

∗**ex·ploit**¹ [éksplɔit, iksplɔ́it | éksplɔit] *n.* 공훈, 공적, 위업: the *~s* of Alexander the Great 알렉산더 대왕의 위업 / perform a heroic ~ 영웅적인 행위를 하다

∗**ex·ploit**² [iksplɔ́it] [L 「열다」의 뜻에서] *vt.* **1** 〈산야 등을〉 **개척하다**, 〈자원을〉 **개발하다**, 활용[이용]하다: ~ mineral resources 광물 자원을 개발하다 **2** 〈남을〉 (부당하게) **이용하다**; 〈노동력을〉 **착취하다**, 등쳐먹다: ~ one's subordinates 자기 부하를 이용해 먹다 **3** 〖광고〗 선전하다, (선전하여) 판촉하다

~·a·ble *a.* 개발[개척]할 수 있는; 이용할 수 있는

~·er *n.* (이기적인) 이용자, 착취자

▷ exploitátion *n.*

ex·ploit·age [iksplɔ́itidʒ] *n.* = EXPLOITATION

∗**ex·ploi·ta·tion** [èksplɔitéiʃən] *n.* UC **1** (산야·삼림·광산 등의) **개척**, **개발**; 이용; (시장) 개척, (판매) 촉진, 판촉: the ~ of ocean resources 해양 자원의 개발 **2 이기적 이용**; (노동력의) **착취**: the capitalist ~ of child labor 자본가에 의한 미성년 노동력의 착취

ex·ploit·a·tive [iksplɔ́itətiv] *a.* 자원 개발의; 착취적인 **~·ly** *ad.*

ex·ploit·ive [iksplɔ́itiv] *a.* = EXPLOITATIVE

⁑**ex·plo·ra·tion** [èkspləréiʃən] *n.* UC **1** (실지) 답사, 탐험 (여행); (우주의) 개발 (*of*): oil ~ 석유 탐사 / a voyage of ~ 탐험 여행 / an Antarctic ~ 남극 탐험 / space *~s* 우주 탐험 **2** (문제 등의) **탐구**, 조사(inquiry) (*of, into*): ~ *into* the mind of men 인간 마음의 탐구 **3** 〖의학〗 진찰, 검사, 검진

~·al *a.* **~·ist** *n.* 지하 자원 탐사 기사; 지질 학자

explore *v.* **1 탐험하다** travel, tour, survey, scout, prospect, reconnoiter **2 조사하다** investigate, look into, research, scrutinize, study

▷ explóre *v.*; explóratory, explórative *a.*

ex·plor·a·tive [iksplɔ́:rətiv] *a.* = EXPLORATORY **~·ly** *ad.*

ex·plor·a·to·ry [iksplɔ́:rətɔ̀:ri | -təri] *a.* **1** (실지) 답사의, 탐험(상)의; 탐구를 위한 **2** 캐기 좋아하는 **3** 예비적인, 입문적인

⁑**ex·plore** [iksplɔ́:r] [L 「(사냥감을 발견하여) 소리지르다」 → 「찾아내다」의 뜻에서] *vt.* **1 탐험[답사]하다**: ~ the Antarctic Continent 남극 대륙을 탐험하다 **2** 〈문제 등을〉 **탐구하다**, 조사하다(examine): ~ the possibilities for improvement 개선의 가능성을 검토하다 **3** 〖의학〗 〈상처를〉 검진하다(probe) —*vi.* **1** 탐험하다, 탐험하러 가다 (*to*) **2** 탐사하다 (*for*) ▷ explorátion *n.*; explóratory *a.*

⁑**ex·plor·er** [iksplɔ́:rər] *n.* **1 탐험가 2** 조사자, 검사자; 검사 기계[장치] **3** 탐침(探針) **4** [**E~**] 익스플로러 《미국의 초기의 인공위성 이름》

Explórer Scòut (미) (보이스카우트의) 18세 이상의 소년 단원((영) Venture Scout)

ex·plo·si·ble [iksplóuzəbl, -sə-] *a.* 폭발시킬 수 있는, 폭발성의 **ex·plò·si·bíl·i·ty** *n.*

⁑**ex·plo·sion** [iksplóuʒən] *n.* UC **1 폭발**, 파열(cf. IMPLOSION); 폭음, 폭발음: a gas ~ 가스 폭발 / an atomic ~ 핵 폭발 / the ~ of a bomb 폭탄의 폭발 **2** (분노·웃음 등의) 격발, 폭발: an ~ of laughter 폭소 **3** 〖음성〗 (폐쇄음의) 파열(plosion) **4** 폭발적 증가, 격증, 급증 **5** 급속 연소

▷ explóde *v.*; explósive *n.*

explósion shòt 〖골프〗 익스플로전 샷 《벙커에서 모래와 함께 쳐내는 타구법》

∗**ex·plo·sive** [iksplóusiv] *a.* **1 폭발(성)의**: highly ~ 폭발성이 강한 / an ~ substance 폭발물 **2** 폭발적인: an ~ increase 폭발적인 증가 **3** 〈사람이〉 감정이 격하기 쉬운, 격정적인 **4** 〈문제 등이〉 논쟁을 일으키는 **5** 〖음성〗 파열음의

—*n.* UC **1 폭발물**, 폭약: a high ~ 고성능 폭약 / detonate *~s* 폭발물을 폭발시키다 **2** 〖음성〗 파열음

~·ly *ad.* 폭발적으로 **~·ness** *n.* U 폭발성

▷ explóde *v.*; explósion *n.*

ex·po [ékspou] [*expo*sition] *n.* (*pl.* **~s**) 전람회, 박람회; [보통 **E~**] 만국 박람회

∗**ex·po·nent** [ikspóunənt] *n.* **1 해설자**, 설명자; (음악의) 연주자 **2** (전형적인) 대표자, 옹호자 **3** 〖수학〗 x^n 에 대한 누승(累乘) 지수, 멱(冪)지수

—*a.* 설명적인, 해석적인(explaining)

ex·po·nen·tial [èkspounénʃəl, -pə-] *a.* **1** 설명자의, 해설자의; 대표적 인물의, 전형의 **2** 〖수학〗 지수의 **3** 〈증가 등이〉 기하급수적인, 급격한: ~ growth (미생물·인구의) 급격한[기하급수적인] 증가

—*n.* = EXPONENTIAL FUNCTION **~·ly** *ad.*

exponéntial cúrve 지수 곡선

exponéntial distribútion 〖통계〗 지수 분포 《수명 일람표 따위에 쓰는 일차원 절대 연속 분포》

exponéntial fúnction 〖수학〗 지수 함수

ex·po·nen·ti·a·tion [èkspounènʃiéiʃən] *n.* 〖수학〗 누승법(累乘法), 멱법(冪法)

ex·po·ni·ble [ikspóunəbl] *a.* **1** 〖논리〗 설명을 요하는 《명제의 불명확성을 없애기 위해》 **2** 설명 가능한 —*n.* 〖논리〗 설명을 요하는 명제

⁑**ex·port** [ikspɔ́:rt | ékspɔ:rt] [L 「밖으로 실어내다」의 뜻에서] *vt., vi.* **1 수출하다**(opp. *import*) (*to*); 〈사상 등을〉 밖으로 전하다: (~+목+전+명) ~ cars *to* foreign countries 자동차를 외국에 수출하다 **2** 〖컴퓨터〗 〈정보를〉 익스포트하다, (다른 시스템용으로) 이출(移出)하다

— [ékspɔ:rt] *n.* **1** U **수출**(exportation): ⇨ invisible exports **2** 수출품; [보통 *pl.*] 수출액

— [ékspɔ:rt] *a.* A **1** 수출의[에 관한]: ~ trade [business] 수출 무역[업] / an ~ duty 수출세 / an ~ bill 수출 어음 / an ~ bounty 수출 장려금 **2** 수출용의 **~·a·ble** *a.* 수출할 수 있는 **~·er** *n.* 수출업자, 수출

국 ▷ exportátion *n.*
ex·por·ta·tion [èkspɔːrtéiʃən] *n.* (opp. *importation*) **1** Ⓤ 수출 **2** 수출품 **3** 〖논리〗 이출법
éx·port-ím·port bànk [ékspɔːrtímpɔːrt-] 수출입 은행; [the Export-Import Bank] 《미》 미국 수출입 은행
éxport rèject 수출 기준 불합격품
éxport sùrplus 수출 초과
‡**ex·pose** [ikspóuz] 〖L 「바깥에 놓다」의 뜻에서〗 *vt.* **1** 〈공격·위험·조소·비난 등에〉 〈몸을〉 **드러내다** 《*to*》: 《~+목+전+명》 ~ a person *to* danger …을 위험에 드러내 놓다 / You must not ~ yourself *to* ridicule. 남의 비웃음을 받는 짓을 해서는 안 된다. **2** 〈작용·영향 등을〉 접하게[받게] 하다 《*to*》: 《~+목+전+명》 ~ children *to* good books 어린이를 양서에 접하게 하다 **3** 〈햇볕·비바람 등에〉 **쐬다,** 드러내다, 노출시키다 《*to*》: 《~+목+전+명》 ~ a plant *to* sunlight 식물이 햇빛을 받게 하다 / a situation *~d to* every wind 바람받이의 위치 **4** 〈팔 물건을〉 **내놓다, 진열하다**(exhibit) 《*for*》: ~ goods *for* sale 상품을 팔려고 진열하다 **5** 〈비밀 등을〉 **폭로하다**(disclose), 까발리다(⇨ show 유의어): 《~+목+전+명》 ~ a plot *to* the police 경찰에 음모를 알려주다 **6** 〈과오·어리석은 행동 등을〉 웃음거리로 만들다 **7** 〈어린애 등을〉 버리다 **8** 〖사진〗 노출하다 **9** 〖카드〗 〈패를〉 보이다, 젖히다
be ~d to 〈집이〉 …을 향하고 있다(face) **~ one*self*** 〈노출증 환자가〉 음부를 내보이다 **ex·pós·er** *n.*
▷ exposítion, expósure *n.*
ex·po·sé [èkspouzéi | ekspóuzei] 〖F =exposure〗 *n.* **1** 〈추문 등의〉 폭로, 적발; 폭로 기사 **2** 진술, 해설
⁎**ex·posed** [ikspóuzd] *a.* **1** 〈위험 등에〉 **드러난,** 노출된; 비바람을 맞는 **2** 〈필름 등이〉 노출된 **3** 공격을 받기 쉬운 **4** 손실의 위험이 있는
ex·pos·it [ikspɑ́zit | -pɔ́z-] *vt.* 〈논리·주지 등을〉 상술[해설]하다
⁎**ex·po·si·tion** [èkspəzíʃən] *n.* ⓊⒸ **1** Ⓒ **박람회** (exhibition), 전람회; Ⓤ 공개, 현시(顯示) **2** 설명, 해설, 주해(explanation) **3** 전시, 진열, 〈기술 등의〉 발휘 **4** 〈어린애의〉 유기 **5** 〖연극〗 서설적(序說的) 설명부 《등장인물·배경을 설명하는 부분》 **6** 〖음악〗 〈소나타·푸가 등의〉 주제 제시부 **~·al** *a.*
▷ expósitory, expósitive *a.*
ex·pos·i·tive [ikspɑ́zitiv | -pɔ́z-] *a.* =EXPOSITORY
ex·pos·i·tor [ikspɑ́zitər | -pɔ́z-] *n.* 설명자, 해설자
ex·pos·i·to·ry [ikspɑ́zətɔ̀ːri | -pɔ́zitəri] *a.* 설명적인, 해설적인: an ~ essay 설명적 논문 / ~ writing 설명문
ex post [eks-póust] 〖L =from (what lies) behind〗 *a.* 〖경제〗 사후의
ex post fac·to [éks-pòust-fǽktou] 〖L =from what is done afterwards〗 *a., ad.* 〖법〗 사후의[에], 과거로 소급한[하여]: an ~ law 소급 입법
ex·pos·tu·late [ikspɑ́stʃulèit | -pɔ́s-] *vi.* 《문어》 간언(諫言)하다; 타이르다, 충고[훈계]하다 《*with*》: 《~+전+명》 ~ *with* a person *on*[*about, for*] his[her] dishonesty …에게 부정직을 고치도록 타이르다 **-la·tor** *n.*
ex·pos·tu·lat·ing·ly [ikspɑ́stʃulèitiŋli | -pɔ́s-] *ad.* 타이르듯이, 간언하여
ex·pos·tu·la·tion [ikspɑ̀stʃuléiʃən | -pɔ̀s-] *n.* Ⓤ 충고; [종종 *pl.*] 충언, 충고(의 말)
ex·pos·tu·la·to·ry [ikspɑ́stʃulətɔ̀ːri | -pɔ́stʃulətəri] *a.* 타이르는, 충고의
‡**ex·po·sure** [ikspóuʒər] *n.* Ⓤ **1** 〈햇볕·비바람 등에〉 **드러내 놓음, 드러남,** 쐼, 맞음: Skin cancer is often caused by too much ~ to the sun. 피부암은 햇볕을 지나치게 쐼으로써 일어나는 일이 많다. **2 a** 〈위험·공격 등에〉 몸을 드러냄 **b** 〈작용·영향 등에〉 접(하게)함, 직접 체험하게 함 《*to*》 **c** 〈비밀·범죄·나쁜 일 등의〉 **탄로, 폭로,** 발각, 적발 《*of*》 **3** Ⓒ 〈집·방의〉 방위: a house with a southern ~ 남향 집 **4** 공개석상에 나타남, 출연[출장]하기; 광고[선전]하기: ~ on TV 텔레비전 출연 **5** 〈어린이의〉 유기 **6 a** 〈상품의〉 진열 **b** 〈음부〉 노출 **c** 〖카드〗 패를 보임 **d** 노출면 **7** 〖사진〗 노출 (시간); 노출량; 〈필름의〉 한 통
▷ expóse *v.*
expósure àge 〖천문〗 조사(照射) 연대
expósure dòse 〖물리〗 조사선량(照射線量)
expósure ìndex 〖사진〗 노출 지수
expósure mèter 〖사진〗 노출계
expósure tìme **1** 〖사진〗 노출 시간 **2** 〖토목〗 노출 기간
⁎**ex·pound** [ikspáund] 〖L 「밖에 놓다」의 뜻에서〗 *vt.* 〈학설 등을〉 **상세히 설명하다;** 〈경전 등을〉 설명하다, 해석하다, 해설하다(interpret)(⇨ explain 유의어): 《~+목+전+명》 ~ one's views *on* environmental issues 환경 문제에 대해 자신의 견해를 상세히 설명하다
— *vi.* 상세히 설명하다 《*on*》 **~·er** *n.* 해설자
ex-pres·i·dent [èksprézidənt] *n.* 〈생존하는〉 전직 대통령[회장, 사장, 총재 《등》]
‡**ex·press** [iksprés] *v., a., n., ad.*

「분명히 표현하다」 타 **1** →「명백한」 형 **1** →(목적이 분명한) 「특별한」 형 **2** →(열차가 특별히 마련된) 「급행의」 형 **5**

— *vt.* **1** 〈감정·생각 등을〉 **표현[표명]하다**(show); 〈사상 등을〉 표현하다: ~ regret 유감의 뜻을 나타내다 / Words cannot ~ it. 말로는 표현할 수 없다. // 《~+*wh.* 절》 I cannot ~ *how* happy I was then. 그때 내가 얼마나 행복했는지 말로 표현할 수가 없다. **2** [~ one*self* 로] **자기가 생각하는 바를 말하다;** 자기를 표현하다, 묘사하다 《문학·음악·미술 등에서》: ~ *oneself* satisfied 만족의 뜻을 표시하다 / ~ *oneself* in good English 영어로 자기 생각을 능숙하게 말하다 **3 a** 〈기호·숫자 등으로〉 **나타내다,** 상징하다 (represent): The sign + *~es* addition. + 기호는 덧셈을 나타낸다. // 《~+목+***as*** 보》 ~ water *as* H_2O 물을 H_2O로 표시하다 **b** 〈사람·작품이〉 〈감정·인상을〉 나타내다: The work *~es* the artist's love for life. 그 작품은 작가의 인생에 대한 사랑을 나타내고 있다. **4** 《미》 〈물건을〉 (지급) 운송편으로 부치다; 《영》 〈편지 등을〉 속달로 부치다 **5** 〈즙·우유를〉 짜내다 《*from, out of*》: 《~+목+전+명》 ~ the juice *from*[*out of*] oranges 오렌지의 즙을 짜내다 / ~ grapes *for* juice 주스용으로 포도를 짜다 **6** 〈액체·분비물 등을〉 배어나오게 하다, 〈향기 등을〉 발산하다[하게 하다] **7** [보통 수동형으로] (유전자의 활동에 의해) 〈형질(形質)을〉 표현[발현]시키다
— *vi.* 급행(열차)로 가다
— *a.* Ⓐ **1 명시된**(expressed); 명확한(definite), 뚜렷한, 명백한(clear)(opp. *implied*): an ~ command 명시된 명령 / an ~ consent 명백한 승낙 **2** 특별히 명시된, 특별한, 특수한 **3** 《미》 (지급) **운송편의** **4** 《영》 속달편의 **5** 〈열차·버스 등이〉 **급행의**(cf. LOCAL): an ~ message[messenger] 급보[특사] / ~ charges 지급 운송료 / an ~ company 《미》 운송 회사 / an ~ elevator 급행 승강기 / ~ mail[post] 빠른우편 / an ~ ticket 급행(승차)권 / an ~ highway 고속도로 **6** 속사(용)총의 **7** 꼭 그대로의, 정확한(exact): He is the ~ copy of his father. 그는 아버지를 쏙 빼다.
for the ~ purpose of …을 위하여 특별히[일부러]
— *n.* **1** Ⓤ 《미》 (지급) **운송편,** 택배편(宅配便): send a package by ~ 지급 운송편으로 소포를 보내다 **2** 《영》 속달 **3** 〈기차·버스·승강기 등의〉 **급행,** 급행열차[버스]: travel by ~ 급행으로 여행하다

thesaurus **expose** *v.* **1** 드러내다 uncover, reveal, bare, strip, denude **2** 폭로하다 disclose, reveal, show, display, unveil, make known, exhibit, unmask (opp. *cover, protect, conceal*)

— *ad.* **1** ((미)) (지급) 운송편으로 **2** ((영)) 속달로 **3** 급행으로: travel ~ 급행으로 여행하다 **4** ((폐어)) 특별히(specially), 일부러
▷ expréssion *n.*; expréssive *a.*
ex·press·age [iksprésidʒ] *n.* Ⓤ ((미)) **1** 지급편 취급(업) **2** 지급료, 특별 배달료
expréss càr 급행 화물 차량
expréss delívery ((영)) 빠른우편(((미)) special delivery); ((미)) (운송 회사의) 지급 배달 (운송)
ex·press·er [iksprésər] *n.* **1** 〈의견 등을〉 말하는 사람 **2** 표현력이 뛰어난 사람
ex·press·i·ble [iksprésəbl] *a.* 표현할 수 있는; 짜낼 수 있는
‡**ex·pres·sion** [ikspréʃən] *n.* **1** Ⓤ **표현**: poetic ~ 시적 표현 **2** (언어의) **표현법**, 표현력, 어법; 말씨, 어구: a happy ~ 멋진 표현 **3** ⓊⒸ **표정**, 감정 표출, (얼굴 등의) 안색 ((*of*)): a bored ~ 지루한 표정 **4** Ⓤ (음성의) 가락, 음조, 억양; 〖음악〗 발상(發想), 표현; 〖유전〗 (형질) 발현, 표현 ((유전자 단백질 합성)) **5 a** 〖논리〗 (기호로 내용을 전하는) 표식 **b** 〖수학〗 식 **6** Ⓤ 압착, 짜냄 ***beyond*** [***past***] ~ 말할 수 없이 ***find ~ in*** …에 나타나다 ***give ~ to*** one***'s*** feelings (감정)을 표현하다 ▷ expréss *v.*; expréssive *a.*
ex·pres·sion·al [ikspréʃənl] *a.* 표현의; 표정의: ~ arts 표현 예술 ((음악·극 등))
ex·pres·sion·ism [ikspréʃənìzm] *n.* Ⓤ 표현주의 **-ist** *n.* 표현주의자, 표현파 사람
ex·pres·sion·is·tic [ikspréʃənístik] *a.* 표현주의적인 **-i·cal·ly** *ad.*
ex·pres·sion·less [ikspréʃənlis] *a.* 무표정한, 표정이 없는(opp. *expressive*) **~·ly** *ad.* 무표정하게
expréssion màrk 〖음악〗 나타냄표, 발상 기호
*****ex·pres·sive** [iksprésiv] *a.* **1 표현적인**: the ~ function of language 언어의 표현 기능 **2** Ⓟ (감정 등을) 나타내는(expressing) ((*of*)): be ~ *of* feeling 감정을 나타내다 **3** 표현[표정]이 풍부한(opp. *expressionless*); 의미심장한: an ~ look 의미심장한 표정 **4** 〖사회〗 〈군중이〉 현시적인, 자기 표출적인
~·ly *ad.* **~·ness** *n.* ▷ expréss *v.*; expréssion *n.*
ex·pres·siv·i·ty [èkspresívəti] *n.* Ⓤ **1** 표현성, 표현 능력, 표현의 풍부함 **2** 〖유전〗 (유전자의) 표현도
expréss làne 추월 차선, 고속 차선(fast lane)
expréss létter ((영)) 빠른 편지(((미)) special-delivery letter)
ex·press·ly [iksprésli] *ad.* **1** 특별히, 일부러 **2** 명백히(definitely), 확실히
Expréss Màil (미국 우편 공사의) 속달 우편 서비스
ex·press·man [iksprésmæ̀n, -mən] *n.* (*pl.* **-men** [-mèn, -mən]) ((미)) 지급편 화물 집배원 ((특히 운전사))
ex·pres·so [iksprésou] *n.* (*pl.* **~s**) = ESPRESSO
expréss rìfle (사냥용) 고속총
expréss tràin 급행열차
expréss wàgon (대형) 운송 화물차
expréss wárranty 명시의 보증, 명시 담보
ex·press·way [ikspréswèi] *n.* ((미)) 고속도로 ((주로 유료의))(((영)) motorway)
ex·pro·bra·tion [èksproubréiʃən] *n.* ⓊⒸ 비난(censure), 책망
ex·pro·pri·ate [ekspróuprièit] *vt.* **1** 〈토지 등을〉 수용(收用)[징발]하다(dispossess) **2** 〈재산을〉 몰수하다 ((*from*)): (~+목+전+명) ~ a person *from* his[her] estate …에게서 토지를 몰수하다 **3** 〈타인의 것을〉 빼앗다, 훔치다, 도용하다 **-à·tor** *n.*
ex·pro·pri·a·tion [ekspròupriéiʃən] *n.* ⓊⒸ (토지 등의) 수용, 징발; 몰수

expression *n.* **1 표현** statement, utterance, pronouncement, proclamation **2 표시** indication, demonstration, show, communication, illustration **3 표정** look, appearance, air, countenance, aspect

expt. experiment **exptl.** experimental
ex·pugn·a·ble [ekspjú:nəbl, -pʌ́gn- | -pʌ́gn-] *a.* (공격 등에) 취약한, 쉽게 정복되는
ex·pulse [ikspʌ́ls] *vt.* ((폐어)) = EXPEL
*****ex·pul·sion** [ikspʌ́lʃən] *n.* ⓊⒸ **배제**, **구축**(驅逐); **제명**(dismissal), 제적; 추방: the ~ of a member from a society 회원의 제명
expúlsion fùse 〖전기〗 방출 퓨즈
expúlsion òrder (외국인의) 국외 퇴거 명령
ex·pul·sive [ikspʌ́lsiv] *a.* 구축력이 있는; 배제성(性)의, 추방하는
ex·punc·tion [ikspʌ́ŋkʃən] *n.* Ⓤ 말소, 삭제, 제거
ex·punge [ikspʌ́ndʒ] *vt.* ((문어)) **1** 〈기록·흔적·기억 등을〉 지우다, 삭제하다, 말살하다 ((*from*)); 〈죄 등을〉 씻다 **2** 파괴하다 **ex·púng·er** *n.*
ex·pur·gate [ékspərgèit] *vt.* **1** 〈책·영화 등의〉 불온한[외설적인] 부분을 삭제하다: an ~*d* edition 삭제판(版) **2** 〈부도덕한 것을〉 정화하다
ex·pur·ga·tion [èkspərgéiʃən] *n.* **éx·pur·gà·tor** *n.*
ex·pur·ga·to·ri·al [ikspə̀:rgətɔ́:riəl | eks-] *a.* 삭제(자)의; 정화(자)의
ex·pur·ga·to·ry [ikspə́:rgətɔ̀:ri | ekspə́:gətəri] *a.* 불온한[외설적인] 부분을 삭제하는; 부도덕한 것을 정화하는
expy expressway
‡**ex·quis·ite** [ikskwízit, ékskwizit] [L 「찾아내어 진」의 뜻에서] *a.* **1** 아주 **아름다운**; 더없이 훌륭한[맛있는], 최고의, **절묘한**: an ~ piece of music 절묘한 음악 **2 정교한**(⇨ delicate 유의어); 우아한, 섬세한(nice): a man of ~ taste 섬세한 취미를 가진 사람 **3** 예민한(keen); 격렬한(acute): a man of ~ sensitivity 아주 민감한 사람 / ~ pain[pleasure] 격렬한 고통[쾌감] **4** 〈태도 등이〉 세련된 **5** 적절한, 효과적인 **6** ((고어)) 정확한
— *n.* 별나게 멋부리는 남자, 멋쟁이(dandy)
~·ly *ad.* 아주 아름답게, 절묘하게; 정교하게, 우아하게 **~·ness** *n.*
exr. executor
éx ríghts *ad.*, *a.* 〖증권〗 권리락(落)으로(의) ((신주 인수권이 없음))
exrx. executrix
exs. examples; expenses
ex·san·gui·nate [ekssǽŋgwənèit] *vt.* …에게서 피를 뽑다, 방혈(放血)하다 — *vi.* 출혈로 죽다
ex·sàn·gui·ná·tion *n.*
ex·san·guine [ekssǽŋgwin] *a.* 핏기 없는, 피가 모자라는, 빈혈의(anemic) **èx·san·guín·i·ty** *n.*
ex·scind [eksínd] *vt.* ((문어)) 잘라내다, 절제하다
ex·sect [eksékt] *vt.* 잘라내다, 절제하다(excise)
ex·sec·tion [eksékʃən] *n.* Ⓤ 절제(술)
ex·sert [eksə́:rt] *vt.* 〖생물〗 쑥 내밀다, 돌출시키다
— *a.* 돌출한, 쑥 내민
ex·sert·ed [eksə́:rtid] *a.* 〖생물〗 〈수술 등이〉 (꽃부리 밖으로) 돌출한, 내민
ex·ser·tile [eksə́:rtl, -tail, -til | -tail] *a.* 〖생물〗 내밀 수 있는
ex·ser·tion [eksə́:rʃən] *n.* Ⓤ 돌출
ex-ser·vice [èkssə́:rvis] *a.* Ⓐ ((영)) **1** 〈군인이〉 퇴역한, 제대한; 〈물자가〉 군에서 불하된 **2** 퇴역 군인의
ex-ser·vice·man [èkssə́:rvismən] *n.* (*pl.* **-men** [-mən]) ((영)) 제대 군인(((미)) veteran) ★ 여성형 ex-servicewoman
éx shíp 〖상업〗 선측(船側) 인도
ex·sic·cate [éksikèit] *vt.* **1** 바싹 말리다, 건조시키다 **2** 습기를 제거하다 — *vi.* 바싹 마르다
èx·sic·cá·tion *n.* **-cà·tor** *n.*
ex·sic·ca·tive [éksikèitiv | -kət-] *a.* 건조시키는
— *n.* 건조제
ex·sic·ca·tum [èksikéitəm] *n.* (*pl.* **~s, -ta** [-tə]) 〖식물·균류〗 전시용 건조 표본
ex·stip·u·late [eksstípjulət, -leit] *a.* 〖식물〗 턱잎

이 없는
éx stóre 〖상업〗 점두(店頭) 인도
ex·stro·phy [ékstrəfi] *n.* (*pl.* **-phies**) 〖병리〗 외반증
ext. extension; extent; exterior; external(ly); extinct; extra; extract
ex·tant [ékstənt, ikstǽnt | ekstǽnt] *a.* 〈서류·건물·습관 등이〉 지금도 남아 있는, 현존하는
ex·tem·po·ral [ikstémpərəl] *a.* 《고어》 = EXTEMPORANEOUS **~·ly** *ad.*
ex·tem·po·ra·ne·ous [ekstèmpəréiniəs, ikst-] *a.* 〈연설·연기·연주 등이〉 즉석의; 준비 없이 하는; 미봉책의, 임시변통의(makeshift)
~·ly *ad.* **~·ness** *n.*
ex·tem·po·rar·i·ly [ikstèmpərérəli | -témpərərəli] *ad.* 즉석에서, 임시변통으로
ex·tem·po·rar·y [ikstémpərèri | -pərəri] *a.* **1** 즉석의, 즉흥적인(impromptu) **2** 《폐어》 돌연의
ex·tem·po·re [ikstémpəri] *ad., a.* 〈연설 등이〉 준비 없이[없는], 즉석에서(의), 즉흥적으로[인]; 임시변통으로[의]
ex·tem·po·ri·za·tion [ekstèmpərizéiʃən | -rai-] *n.* **1** Ⓤ 즉석에서 만듦, 즉흥 **2** 즉흥적 작품; 즉석에서 노래 부름, 즉석 연주
ex·tem·po·rize [ikstémpəràiz] *vt., vi.* 즉석에서 만들다; 즉석에서 연설[작곡, 연주, 노래]하다, 임시변통을 하다 **-rìz·er** *n.*
ex·ten·ci·sor [eksténsaizər] *n.* 손가락·손목 강화 기구, 악력(握力) 강화기
‡**ex·tend** [iksténd] [L 「밖으로 펴다」의 뜻에서] *vt.* **1** 〈손·발 등을〉 **뻗다**, 뻗치다, 내밀다; 〈밧줄·철사 등을〉 치다(stretch): (~+목+전+명) ~ a wire *between* two posts 두 기둥 사이에 철사를 치다 / ~ a rope *from* tree *to* tree 나무에서 나무로 밧줄을 치다 **2** 〈철도·도로 등을〉 **연장하다**; 〈기간을〉 **늘이다**, 연기하다(prolong): ~ one's visa 비자를 연장하다 // (~+목+전+명) ~ a road *to* the next city 옆 도시까지 도로를 연장하다 / ~ one's visit *for* two more days 방문을 2일 더 연장하다 **3** 〈범위·영토 등을〉 **넓히다**, 확장하다(enlarge); 〈뜻을〉 **확대 해석하다**, 부연하다(broaden): (~+목+전+명) ~ one's domains *to* the sea[*across* the ocean] 영토를 바다[대양 저편]까지 넓히다 **4** 〈은혜·친절 등을〉 **베풀다**, **제공하다**; 〈환영·동정 등을〉 나타내다 《*to*》: ~ a helping hand 구원의 손길을 뻗치다 // (~+목+전+명) ~ sympathy *to* a person …에게 동정을 베풀다 **5** 〈축하 인사를〉 하다; 〈초대장을〉 보내다, 내다 《*to*》: (~+목+전+명) ~ congratulations *to* a person …에게 축하 인사를 하다 **6** (싼[나쁜] 재료를 섞어) …의 양을 늘리다, 희석하다 **7** 〖회계〗 〈숫자를〉 다음 난으로 옮기다 **8** 《영국법》 〈토지 등을〉 평가하다(assess); 〈토지 등을〉 압류하다 **9 a** [보통 수동형으로] 〈말·경기자가〉 전력을 다하다 **b** [~ one*self* 로] 〈사람·말이〉 크게 분발[노력]하다 **10** 〈메모 등을〉 자세히 다시 쓰다; 〈속기를〉 보통 문자로 정서하다
— *vi.* **1** 넓어지다, 퍼지다, 뻗다(stretch) 《*over, across*》; 이르다, 달하다(reach); 〈범위·관심 등이〉 (…에) 미치다 《*into, to*》(⇨ expand 유의어): (~+부) (~+전+명) The desert *~s southward to* the Sudan. 사막은 남쪽으로 수단까지 미치고 있다. **2** 〈시간이〉 계속되다, 〈…까지〉 걸치다(last) 《*to, into*》: (~+전+명) His absence *~s to* five days. 그의 결석이 5일째에 이른다. / The conference *~ed into* Saturday. 그 회의는 토요일까지 계속되었다. **3** (…로부터) 돌출하다, 내뻗다 **4** 〈말이〉 전력을 다하다 **5** (사람·행동 등에) 영향을 주다
ex·tènd·a·bíl·i·ty *n.* **~·a·ble** *a.*
▷ exténsion, extént *n.*; exténsive, exténsile *a.*
***ex·tend·ed** [iksténdid] *a.* **1 펼친**, 쭉 뻗은, 내민 **2** 〈기간 등을〉 연장한, 장기간에 걸친: an ~ discussion 장시간에 걸친 토론 / go on an ~ holiday 장기간 휴가를 가다 **3** 넓은, 광대한; 광범위에 걸친 **4** 〈책 등이〉 증보된; 〈어의 등이〉 파생적인, 2차적인 **5** 〈학습 과정이〉 집중적인, 철저한; 공개 강좌의
~·ly *ad.* **~·ness** *n.*
exténded cáre 연장[재택] 치료
exténded cómplex pláne 〖수학〗 확장된 복소(複素) 평면
exténded cóverage 〖보험〗 확장 담보
exténded fámily 〖사회〗 **1** 확대 가족 《근친을 포함한 것; opp. *nuclear family*》 **2** 가족 같은 사람들
exténded fórecast 〖기상〗 연장 예보, 중장기 예보 《1주일 내지 10일 앞 일기의 예보》
exténded mémory 〖컴퓨터〗 확장 메모리
exténded mémory bòard 〖컴퓨터〗 확장 메모리 보드 《컴퓨터에 메모리를 증설하기 위한 확장 기판》
exténded órder 〖군사〗 산개 대형(散開隊形)(cf. CLOSE ORDER)
exténded pláy EP반, 45회전 레코드 《略 EP》
exténded precísion 〖컴퓨터〗 확장 정밀도
exténded slót 〖컴퓨터〗 확장 슬롯 《확장용 보드를 삽입하는 구멍》
exténded térm insùrance 연장 보험
ex·tend·er [iksténdər] *n.* **1** 늘이는 사람[것] **2** 증량제(增量劑), 희석제; 체질 안료(體質顔料) **3** 〖사진〗 망원 렌즈 **4** 《영》 (대학 공개 강좌의) 교수
ex·tend·i·ble [iksténdəbl] *a.* = EXTENSIBLE
ex·ten·si·bil·i·ty [ikstènsəbíləti] *n.* Ⓤ 신장성(伸長性), 연장성, 확장 가능성
ex·ten·si·ble [iksténsəbl] *a.* 펼 수 있는, 늘일 수 있는, 신장성이 있는
ex·ten·sile [iksténsəl | -sail] *a.* 쑥 내밀 수 있는, 신장성의
ex·ten·sim·e·ter [èkstensímətər] *n.* = EXTENSOMETER
‡**ex·ten·sion** [iksténʃən] *n.* **1** Ⓤ **신장**(伸長), 뻗음 《*of*》; **확장**(enlargement) 《*of*》: the ~ *of* the expressway 고속도로의 확장 **2 신장**[**연장**, **확장**] 부분; 연장[확장]의 범위; 《미》 증축, 증축한 부분; (선로·전화의) 연장선, 내선(內線), **구내전화**: May I have ~ 150, please? 구내 150번을 부탁합니다. **3** 신장량[도], 신장력 **4** 〖상업〗 채무 상환 연기 승인 **5** Ⓤ 〖물리〗 전충성(塡充性) 《물체가 공간을 점유하는 성질》; 〖생물〗 신장 **6** 〖해부〗 (손발의) 신장 **7** 〖의학〗 견인 요법 **8** 〖수학〗 외연(外延) **9** Ⓤ (말뜻·문법 등의) 확충, 부연; 〖논리〗 외연(外延)(denotation)(opp. *intension*) **10** (날짜의) 연기, 연장 **11** (대학의) 공개 강좌(= university ~) **12** 〖컴퓨터〗 확장자; 확장 기능 **13** 《미》 = EXTENSION LEAD
by* ~** 확대하면, 확대 해석하면 ***put an* ~ *to …에 이어 붙이다, 덧붙이다
— *a.* Ⓐ **1** 이어 붙이는; 신축 자재의; 확장의 **2** 내선의, 구내전화의 ▷ extend *v.*; extensive *a.*
exténsion àgent = COUNTY AGENT
ex·ten·sion·al [iksténʃənl] *a.* **1** 신장의, 확장의, 확대의 **2** 〖논리〗 외연(外延)의 **3** 현실적인
ex·tèn·sion·ál·i·ty *n.* **~·ly** *ad.*
exténsion bòlt (자물쇠의) 연장 볼트
exténsion còrd 《미》 (전기 기구용) 연장 코드
exténsion còurse (대학) 공개 강좌
exténsion field 〖수학〗 확대체
exténsion làdder 신축 사닥다리 《소방용 등》
exténsion lèad 《영》 = EXTENSION CORD
exténsion lécture 대학 공개 강의
exténsion líbrary sèrvice 도서관 외에서의 도서 자료나 서비스 제공

thesaurus **extensive** *a.* **1** 광대한 large, sizable, substantial, considerable, capacious, vast, immense, commodious **2** 광범위한 comprehensive, thorough, broad, wide, wide-ranging, all-inclusive, boundless, complete

exténsion rùle 신축 자
exténsion tàble 신축 테이블
ex·ten·si·ty [iksténsəti] *n.* Ⓤ 신장성; 넓이, 범위; 〖심리〗 공간[연장]성
‡**ex·ten·sive** [iksténsiv] *a.* (opp. *intensive*) **1** 넓은, 광대한(spacious): an ~ area 광대한 지역 **2** 넓은 범위에 걸친, 광범한, 대규모의(far-reaching): an ~ order 대량 주문 / ~ reading 다독(多讀) / ~ knowledge 해박한 지식 / an ~ fortune 거액의 재산 **3** 〖농업〗 조방(粗放)의(opp. *intensive*): ~ agriculture[farming] 조방 농업[농법] **4** 〖논리〗 외연적인 **~·ness** *n.* Ⓤ 광대; 대규모
▷ exténd *v.*; exténsion *n.*
*__ex·ten·sive·ly__ [iksténsivli] *ad.* 널리, 광범위하게: The house was ~ rebuilt after the fire. 그 집은 화재 후에 대규모로 재건축을 하였다.
ex·ten·som·e·ter [èkstensámətər | -sɔ́m-] *n.* 〖기계〗 신장계(伸長計) 《신축·왜곡을 측정하는》
ex·ten·sor [iksténsər] *n.* 〖해부〗 신근(伸筋)(cf. FLEXOR)
‡**ex·tent** [ikstént] *n.* **1** Ⓤ 넓이, 크기(size), 길이, 양; Ⓒ (넓은) 지역 《*of*》 《길이에 중점을 둔 말; 평면적 넓이를 강조하는 말은 expanse》: a vast ~ *of* land 광대한 토지 / across the whole ~ *of* Korea 한국 전 국토에 걸쳐 **2** 범위(scope), 정도(degree), 한도(limit) 《*of*》: the ~ *of* one's knowledge 지식의 범위 **3** (미) 토지 강제 관리 영장 **4** (영) (국왕 채권의) 압류 영장
in* ~** 크기[넓이]는 ***to a great* ~** 대부분은, 크게 ***to some* [*a certain*] ~** 어느 정도까지는, 다소 ***to the* ~ *of …정도[범위]까지 ***to the full* [*utmost*] ~ *of* one's *power*** 힘껏, 전력을 다하여 ***to the* ~ *that* …** …인 정도까지, …이라는 점에서; …인 한[바]에는
▷ exténd *v.*
ex·ten·u·ate [iksténjuèit] *vt.* **1** 〈죄 등을〉 경감하다, 정상을 참작하다 **2** (경감하려고) 변명하다; 〈정상을〉 참작할 여지가 있다 **3** 얕보다 **4** (고어) 여위게 하다 **5** (고어) 〈법 등의〉 효력을 약하게 하다 **-à·tor** *n.*
ex·ten·u·at·ing [iksténjuèitiŋ] *a.* 정상을 참작할 만한, 〈죄 등을〉 가볍게 할 수 있는: ~ circumstances 참작할 수 있는 정상, 경감 사유 **~·ly** *ad.*
ex·ten·u·a·tion [ikstènjuéiʃən] *n.* Ⓤ 정상 참작, (죄의) 경감; Ⓒ 참작할 점[사정]
in* ~ *of …의 정상을 참작하여
ex·ten·u·a·to·ry [iksténjuətɔ̀:ri | -təri], **-a·tive** [-èitiv] *a.* 〈사정 등이〉 참작 사유가 되는
*__ex·te·ri·or__ [ikstíəriər] [L 「밖의」란 뜻의 비교급에서] *a.* **1** 외부의, 밖의, 옥외용의(opp. *interior*)(⇨ external 유의어): the ~ covering 외피(外皮) **2** 외면[외관상]의 **3** 대외적인, 외교적인, 외부로부터의: an ~ policy 대외 정책 **4** (…와) 관계없는, 동떨어진 《*to*》: ~ *to* one's real character 본성과는 관계없는
—*n.* **1** [보통 the ~] 외부, 외면(outside) 《*of*》 **2** 외모, 외관: a good man with a rough ~ 보기에는 거칠지만 마음은 착한 사람 **3** (영화·연극 등의) 옥외 세트[장면] **4** 〖수학〗 외부
▷ exterióriity *n.*; extériorize *v.*
extérior ángle 〖수학〗 외각(外角)
ex·te·ri·or·i·ty [ikstìəriɔ́:rəti, -ár- | -ɔ́r-] *n.* Ⓤ 외면성, 외존성
ex·te·ri·or·ize [ikstíəriəràiz] *vt.* 외면화하다, 구체화하다, 객관화하다; 〖의학〗 (수술을 위해) 〈조직을〉 몸 밖으로 내다 **ex·tè·ri·or·i·zá·tion** *n.*
ex·te·ri·or·ly [ikstíəriərli] *ad.* 외부에, 외면적으로, 대외용으로

---

exterior *a.* outer, outside, outward, superficial
exterminate *v.* kill, destroy, eradicate, eliminate, abolish, annihilate
external *a.* **1** 외부의 exterior, outer, outside, foreign **2** 외국의 international, overseas, alien

ex·ter·mi·na·ble [ikstə́:rmənəbl] *a.* 근절할 수 있는
*__ex·ter·mi·nate__ [ikstə́:rmənèit] *vt.* 근절[절멸]하다, 몰살하다, 모조리 없애버리다: ~ cockroaches 바퀴벌레를 근절하다
ex·ter·mi·na·tion [ikstə̀:rmənéiʃən] *n.* ⓊⒸ 근절, 절멸, 몰살, 멸종; 구제(驅除)
-na·tive [-nèitiv | -nət-] *a.* = EXTERMINATORY
ex·ter·mi·na·tor [ikstə́:rmənèitər] *n.* 근절자, 몰살자; (해충 등의) 구제약, 해충 구제업자
ex·ter·mi·na·to·ry [ikstə́:rmənətɔ̀:ri | -təri] *a.* 근절적인
ex·ter·mine [ikstə́:rmin] *vt.* = EXTERMINATE
ex·tern, ex·terne [ékstə:rn | ékstə:n] *n.* 통근자; 통학생; 외래 환자; 통근 의사[수련의](cf. INTERN)
‡**ex·ter·nal** [ikstə́:rnl] *a.* **1** 외부의, 밖의, 외면의, 외면적인(opp. *internal*); 외용(外用)의; 〖의학〗 피부용의: an ~ surface 외면(外面) / ~ evidence 외적 증거, 외증(外證) / a medicine for ~ use[application] 외용약

> 유의어 **external** 내부(internal)와 대비하여 밖에서 본 「외부의」: the *external* appearance of the house 그 집의 외관 **exterior** 내부(interior)와 대비하여 물건의 「바깥쪽의」 「바깥면의」의 뜻. 그것이 전체의 일부를 이룸을 뜻함: the *exterior* walls (건물의 일부로서의) 외벽

2 외부에서 작용하는, 외인(外因)적인 **3** 외국의, 대외적인: ~ trade 대외 무역 / an ~ loan[debt] 외채 / the ~ affairs of a country 일국의 외교 문제 **4** 〖철학〗 외계의, 현상[객관]계의; 〖종교〗 형식상의: ~ objects 외물(外物) 《외계에 존재하는 것》 / the ~ world 외계 《객관적 세계》 **5** (…와) 무관한 《*to*》 **6** 우연한, 부수적인
—*n.* **1** 외부, 외측, 외면(outside) **2** [*pl.*] 외관, 외형, 외모; 외부 사정: judge by ~*s* 외관으로 판단하다
~·ism *n.* Ⓤ 외형주의; (특히 종교상의) 형식 존중주의; 〖철학〗 실재론, 현상론 **~·ist** *n.* 형식 존중주의자; 현상론자 **~·ly** *ad.* 외부적으로, 외부에서; 외면적으로(는) ▷ externálity *n.*; extérnalize *v.*
extérnal ángle = EXTERIOR ANGLE
extérnal áuditory méatus 〖해부〗 외이도(外耳道) 《귓구멍에서 고막으로 통하는 관; cf. INTERNAL AUDITORY MEATUS》
ex·ter·nal-com·bus·tion [ekstə́:rnlkəmbʌ́stʃən] *a.* 〖기계〗 외연(外燃)의(opp. *internal-combustion*): an ~ engine 외연 기관[엔진]
extérnal degrée 대학 외(外) (취득) 학위
extérnal éar 〖해부〗 외이(外耳)
extérnal examinátion 학외(學外) 당국자 출제 시험
extérnal fertilizátion 체외 수정(體外受精)
extérnal gálaxy 〖천문〗 은하계 외 성운
extérnal hémorrhoid 〖병리〗 외치핵(外痔核)
ex·ter·nal·i·ty [èkstə:rnǽləti] *n.* (*pl.* **-ties**) ⒸⓊ **1** 외부[외면]적 성질 **2** 외계; 외형, 외관 **3** 형식주의 **4** (예측·의도되지 않은) 외적 영향[결과]
ex·ter·nal·i·za·tion [ikstə̀:rnəlizéiʃən | -lai-] *n.* Ⓤ **1** 외적 표현, 객관화, 구체화 **2** 외면성, 객관성, 구체성 **3** 〖심리〗 외재화
ex·ter·nal·ize [ikstə́:rnəlàiz] *vt.* **1** 〈내적인 것을〉 외면화하다, 〈사상 등을〉 구체화하다 **2** 외적 원인으로 돌리다 **3** 〈사람·성격을〉 사교적[외향적]으로 만들다
extérnal mémory 〖컴퓨터〗 외부 기억 장치
extérnal prémises (기업의 사업에 영향을 미치는) 외부 요인[조건]
extérnal respirátion 〖생리〗 외호흡
extérnal scréw 〖기계〗 수나사(male screw)
extérnal stórage 〖컴퓨터〗 외부 기억 장치(cf. SECONDARY STORAGE)
extérnal stúdent (학외의) 특별 학위 심사를 받는 학생

ex·tern·ship [ékstərnʃìp] *n.* Ⓤ 학외(學外) 연수

ex·ter·o·cep·tive [èkstərəséptiv] *a.* 〖생리〗 외수용성의

ex·ter·o·cep·tor [èkstərəséptər] *n.* 〖생리〗 외부수용기 《눈·귀·코·피부 등》(cf. INTEROCEPTOR)

ex·ter·ri·to·ri·al [èksteritɔ́:riəl] *a.* =EXTRATERRITORIAL

ex·ter·ri·to·ri·al·i·ty [ekstèritɔ̀:riǽləti] *n.* Ⓤ 치외 법권(extraterritoriality)

extg. extracting

*__ex·tinct__ [ikstíŋkt] *a.* **1** 〈불 등이〉 **꺼진**(extinguished); 〈희망 등이〉 **끊어진**; **사라진**; 〈화산 등이〉 활동을 멈춘: an ~ volcano 사화산; 《비유》 활동을 중지한 사람 **2** 〈생명·생물이〉 **멸종된**, 절멸한: ~ species 〖생물〗 절멸종(種) **3** 〈가계 등이〉 단절된; 소멸된; 〈제도·관직 등이〉 폐지된
▷ extínction *n.*; extínctive *a.*

*__ex·tinc·tion__ [ikstíŋkʃən] *n.* Ⓤ Ⓒ **1** 소화(消火), 진화 **2** 〖생물〗 **멸종**, 절멸; (종족의) 단절; 〖법〗 (권리 등의) 소멸: the ~ of species 종의 멸종/be threatened with ~ 멸종 위험에 처하다 **3** 폐지, 정지, 종결
▷ extínct, extínctive *a.*

ex·tinc·tive [ikstíŋktiv] *a.* 소멸적인, 소멸성의: ~ prescription 〖법〗 소멸 시효

ex·tine [ékstiːn, -tain] *n.* 〖식물〗 =EXINE

‡**ex·tin·guish** [ikstíŋgwiʃ] *vt.* **1** 〈불·빛 등을〉 **끄다**, 진화하다: ~ a candle 촛불을 끄다 **2** 〈정열·희망 등을〉 잃게 하다: All hope was almost *~ed*. 모든 희망이 거의 사라졌다. **3** 〈사람을〉 압도하다, 〈반대자 등을〉 침묵시키다(silence) **4** 〈가계 등을〉 절멸[단절]시키다: ~ a race 민족을 절멸시키다 **5** 〖법〗 〈부채를〉 상각시키다; 〈권리 등을〉 소멸시키다
~·a·ble *a.* 끌 수 있는; 절멸시킬 수 있는 **~·ment** *n.* Ⓤ 소화, 소등; 절멸; 〖법〗 (권리 등의) 소멸

ex·tin·guish·ant [ikstíŋgwiʃənt] *n.* 소화물(消火物) 《물·소화제(劑) 등》

ex·tin·guish·er [ikstíŋgwiʃər] *n.* 불을 끄는 사람[기구], 소화기(消火器); 촛불 끄는 기구, (남포의) 소등기(消燈器) 《모자 모양의》

ex·tir·pate [ékstərpèit, ikstə́:rpeit | ékstəpèit, -tə:-] *vt.* 《문어》 〈해충 등을〉 근절[절멸]하다; 〖의학〗 〈기관·종양 등을〉 적출(摘出)하다 **-pà·tor** *n.*

ex·tir·pa·tion [èkstərpéiʃən] *n.* Ⓤ Ⓒ 근절; 절멸; 〖의학〗 적출술

ex·tir·pa·tive [ékstərpèitiv] *a.* 근절하는

*__ex·tol, -toll__ [ikstóul, -tɑl | -tóul] *vt.* (**-tolled**; **-tol·ling**) 《문어》 **크게 칭찬[찬양]하다**, 격찬하다 ~ a person ***to the skies*** …을 극구 칭찬하다
ex·tól·ler *n.* **ex·tól(l)·ment** *n.* Ⓤ 격찬

ex·tort [ikstɔ́:rt] [L 「비틀어 내다」의 뜻에서] *vt.* **1** 강제로 탈취하다(exact) 《*from*》; 〈약속·자백 등을〉 무리하게 강요하다; (직권을 이용하여) 부당하게 취득하다 《*from*》 **2** 〈의미 등을〉 억지로 해석하다(force): ~ a meaning *from* a word 말에 무리한 해석을 하다 **~·er** *n.* 강청[강탈]하는 사람 **ex·tór·tive** *a.*
▷ extórtion *n.*

*__ex·tor·tion__ [ikstɔ́:rʃən] *n.* Ⓤ Ⓒ **1 강요**, 강탈, 강청; 〖법〗 (관리의) 직무상의 부당 취득, 재물 강요(죄) 《금전·유가물의》 **2** 터무니없는 에누리, 〈부당한 가격·이자 등의〉 착취 **3** 강탈한[당한] 금품
~·er, ~·ist *n.* 강탈[강청]하는 사람; 착취자

ex·tor·tion·ar·y [ikstɔ́:rʃənèri | -ʃənəri] *a.* 《고어》 =EXTORTIONATE 1

ex·tor·tion·ate [ikstɔ́:rʃənət] *a.* **1** 강요[강탈]하는 **2** 〈가격·요구 등이〉 엄청난, 폭리의, 착취적인, 터무니없는 **~·ly** *ad.*

‡**ex·tra** [ékstrə] [*extra*ordinary] *a.* **1** Ⓐ **여분의, 추가의**, 가외의 《additional쪽이 일반적임》, 임시의: ~ cost 추가 비용/an ~ train[bus] 임시[증편(增便)] 열차[버스]/~ news 호외/an ~ edition 임시 증간호, 특별호/~ freight 할증 운임 **2** Ⓐ **특별한**, 규정 외의, 규격보다 큰, 특별 고급의: ~ binding 특별 장정 **3** Ⓟ [또는 명사 뒤에서] 별도 계산의: Dinner (is) $20, and wine ~. 저녁 식사 20달러에 포도주는 별도 계산(입니다). **4** 《미·호주》 훌륭한, 멋진
— *n.* **1** 가외의[특별한] 것; 경품; 번외 **2 할증 요금**, 추가 요금 **3** (신문의) 호외; (잡지의) 증간호; 특별 프로 **4** 임시 고용 노동자, (영화의) 보조 출연자 **5** 극상품, 특별 우량 제품
— *ad.* **1 여분으로**, 별도로, 가외로: pay ~ 별도로 돈을 치르다 **2** 《구어》 **특별히**, 각별히(specially): ~ good wine 최고급 포도주/try ~ hard 특히 열심히 해보다

extra- [ékstrə] *pref.* 「…외의; …이상[이외]의; …의 범위 외의」의 뜻: *extra*mural; *extra*judicial

ex·tra·at·mo·spher·ic [èkstrəætməsférik] *a.* 대기권 외의

éx·tra-báse hít [ékstrəbéis-] 〖야구〗 장타 《2루타 이상의 안타》

ex·tra·bold [ékstrəbóuld] *n.* 〖인쇄〗 글씨체가 굵은 글자

ex·tra·bud·get·ar·y [èkstrəbʌ́dʒitèri | -təri] *a.* 예산 밖의

ex·tra·ca·non·i·cal [èkstrəkənɑ́nikəl | -nɔ́n-] *a.* 〖교회〗 성서 정전(正典) 외의

ex·tra·cap·su·lar [èkstrəkǽpsələr | -sju-] *a.* 〖해부〗 피막(皮膜) 밖의

ex·tra·cel·lu·lar [èkstrəséljulər] *a.* 〖생물〗 세포 밖의 **~·ly** *ad.*

ex·tra·chro·mo·som·al [èkstrəkròuməsóuməl] *a.* 〖생물〗 염색체 외(外)의

ex·tra·cor·po·re·al [èkstrəkɔ:rpɔ́:riəl] *a.* 〖해부〗 체외의 **~·ly** *ad.*

ex·tra·cos·mi·cal [èkstrəkɑ́zmikəl | -kɔ́z-] *a.* 우주 밖의

‡**ex·tract** [ikstrǽkt, eks-] [L 「밖으로 끌어내다」의 뜻에서] *vt.* **1** 〈이빨·총알 등을〉 **뽑다, 뽑아내다** 《*from*》: ~ a tooth 이를 뽑다 // (~+목+전+명) ~ the cork *from* a bottle 병의 코르크 마개를 뽑다 **2** 〈정수(精粹) 등을〉 **추출하다**, 증류해 내다, 짜내다: (~+목+전+명) ~ the juice *from* a fruit 과일에서 즙을 짜내다 **3** 〈정보·돈 등을〉 **받아내다**, 끌어내다: ~ a confession 자백을 받아내다 // (~+목+전+명) I *~ed* a promise *from* him. 나는 그에게서 약속을 받아냈다. **4** 《영·고어》 〈원리·해석 등을〉 추론하다, 끌어내다; 〈쾌락·위로를〉 얻다 《*from*》: (~+목+전+명) ~ a principle *from* a collection of facts 수집된 사실에서 법칙을 끌어내다/~ pleasure *from* rural life 전원생활에서 즐거움을 얻다 **5 a** 〈글귀를〉 **발췌하다**, 인용하다 《주로 신문 용어》: (~+목+전+명) ~ an adequate passage *from* a book 책에서 적절한 구절을 하나 발췌하다 **b** 〈문서의〉 초본을 만들다 **6** 〖수학〗 〈근을〉 구하다
— [ékstrækt] *n.* **1** Ⓤ Ⓒ **추출물**; Ⓤ 달여낸 즙, 엑스, 정제(精劑): ~ of beef 쇠고기 엑스 **2** 발췌, 인용구; 초본
ex·tràct·a·bíl·i·ty *n.* **~·a·ble, ~·i·ble** *a.*
▷ extráction *n.*; extráctive *a.*

ex·tract·ant [ikstrǽktənt, eks-] *n.* 〖화학〗 추출용 용제(溶劑)[용매(溶媒)]

ex·tract·ed [ikstrǽktid, eks-] *a.* 추출한

*__ex·trac·tion__ [ikstrǽkʃən, eks-] *n.* Ⓤ Ⓒ **1** 뽑아냄, 빼어냄; 〖치과〗 뽑아냄, 뽑아낸 이; 적출(摘出) (법) **2** 〖화학〗 추출; (약 등의) 달여냄; (즙·기름 등의) 짜냄; 채취; 달여낸[뽑아낸] 것, 엑스; 발췌 **3** 혈통,

thesaurus **extinct** *a.* **1** 꺼진 extinguished, quenched, put out **2** 멸종한 died-out, defunct, vanished, wiped-out, gone, lost, terminated, lapsed, ended (opp. *extant, alive*)
extra *a.* **1** 추가의 more, further, supplementary, added, subsidiary, accessory **2** 여분의 spare, sur-

계통: a family of ancient ~ 오래된 가문의 가족/an American of Korean ~ 한국계 미국인 **4** 〖수학〗 근풀이

ex·trac·tive [ikstrǽktiv, eks-] *a.* 발췌적인; 추출할 수 있는, 추출성[엑스성]의, 적출의, 추출한: ~ industries 채취 산업 《공업·농업·어업 등》
— *n.* 추출물, 엑스, (엑스 중) 불용성(不溶性) 부분

ex·trac·tor [ikstrǽktər, eks-] *n.* **1** 추출자; 발췌자 **2** 추출 장치; 뽑아내는 기구; 환기팬(=~ **fàn**)

ex·tra·cur·ric·u·lar [èkstrəkəríkjələr], **-lum** [-ləm] *a.* **1** 과외의 **2** 일과[본업] 이외의, 정규 과목 이외의 **3** 《구어》 불륜의, 사도(邪道)의

extracurrícular actívity **1** 과외 활동 **2** 《속어》 부정[부도덕] 행위, 외도

ex·tra·dit·a·ble [ékstrədàitəbl] *a.* 〈도주범이〉 인도되어야 할, 〈범죄가〉 인도 처분에 해당하는

ex·tra·dite [ékstrədàit] *vt.* **1** 〈외국의 도주 범인을 본국에〉 넘겨주다, 송환하다 **2** 넘겨받다, 인수하다

ex·tra·di·tion [èkstrədíʃən] *n.* Ⓤ 〖법〗 (어떤 나라로) 외국 범인의 인도, 본국 송환; 〖심리〗 감각의 사출(射出)

éxtra dívidend 〖증권〗 특별 배당

ex·tra·dos [ékstrədɑ̀s, -dòus | ekstréidɔs] *n.* (*pl.* **~, ~·es**) 〖건축〗 (아치의) 겉둘레, 외호면(外弧面)

ex·tra·dosed [ekstréidɑst | -dɔst] *a.* (아치의) 내호(內弧)와 외호(外弧)가 평행한

éxtra drý 〈음료 등이〉 단맛이 거의 없는(extra sec)

éxtra dúck 《영·속어》 임시 웨이트리스

ex·tra·em·bry·on·ic [èkstrəembriɑ́nik | -ɔ́n-] *a.* 배(胚) 밖의, 배외(胚外) 구조의

extraembryónic mémbrane 〖생물〗 배체(胚體) 외막

ex·tra·es·sen·tial [èkstrəisénʃəl] *a.* 본질 외의; 주요하지 않은

ex·tra·flo·ral [èkstrəflɔ́:rəl] *a.* 〖식물〗 꽃 밖의

ex·tra·ga·lac·tic [èkstrəgəlǽktik] *a.* 〖천문〗 은하계 밖의

ex·tra·he·pat·ic [èkstrəhipǽtik] *a.* 간장(肝臟) 밖의

ex·tra·il·lus·trate [èkstrəíləstrèit] *vt.* 〈책 등에〉 다른 자료의 삽화를 쓰다

ex·tra·ju·di·cial [èkstrədʒu:díʃəl] *a.* 사법 관할 밖의; 사법 수속에 의하지 않는; 재판(사항) 밖의

ex·tra-large [èkstrəlɑ́:rdʒ] *a.* 특대의

ex·tra·le·gal [èkstrəlí:gəl] *a.* 법의 영역[권한] 밖의 **~·ly** *ad.*

ex·tra·lim·it·al [èkstrəlímitl] *a.* 〈생물이〉 그 지역에서는 볼 수 없는

ex·tra·lin·guis·tic [ékstrəliŋgwístik] *a.* 언어(학) 외의 **-ti·cal·ly** *ad.*

ex·tra·lit·er·ar·y [èkstrəlítərèri | -lítərəri] *a.* 문학 밖의

ex·tral·i·ty [ekstrǽləti] *n.* 《구어》 = EXTRATERRITORIALITY 1

ex·tra·lu·nar [èkstrəlú:nər] *a.* 달 밖의[에 있는]

ex·tra·mar·i·tal [èkstrəmǽrətl] *a.* Ⓐ 혼외(婚外)의; 불륜의: ~ intercourse 혼외 정사

ex·tra·mun·dane [èkstrəmʌndéin] *a.* 지구 밖의; 우주[물질 세계] 밖의

ex·tra·mu·ral [èkstrəmjúərəl] *a.* Ⓐ (opp. *intramural*) **1** (도시의) 성벽[성문] 밖의 **2** 대학 구외(構外)의, 〈강연·강좌 등이〉 교외(校外)의 **3** 2개 이상의 학교 대표가 참가하는 **~·ly** *ad.*

ex·tra·mu·si·cal [èkstrəmjú:zikəl] *a.* 음악 밖의

plus, leftover, redundant, reserve
extract *v.* pull out, remove, pluck, withdraw
extradition *n.* banishment, deportation, exile
extraordinary *a.* abnormal, amazing, unusual, uncommon, rare, unique, outstanding, striking, remarkable, marvelous

ex·tra·ne·ous [ikstréiniəs] *a.* **1** (고유한 것이 아니고) 외래의; 외부에 발생한; 이질적인 **2** 관계없는 《*to*》 **~·ly** *ad.* **~·ness** *n.*

ex·tra·net [ékstrənèt] *n.* 〖컴퓨터〗 엑스트라넷 《회사와 고객 사이의 통신을 개선한, 인터넷과 인트라넷을 결합시킨 시스템; cf. INTRANET》

ex·tra·nu·cle·ar [èkstrənjú:kliər | -njú:-] *a.* (세포·원자의) 핵 밖의

ex·tra·or·di·naire [ikstrɔ̀:rdənέər] [F] *a.* 극히 이례적인; 비범한, 출중한, 기묘한

***ex·tra·or·di·nar·i·ly** [ikstrɔ̀:rdənérəli, èkstrə-ɔ̀:r- | ikstrɔ́:dənər-, èkstrəɔ́:d-] *ad.* 비상하게, 엄청나게, 유별나게, 이례적으로: an ~ loud voice 유별나게 큰 목소리/an ~ beautiful woman 절세의 미인

‡**ex·tra·or·di·nar·y** [ikstrɔ́:rdənèri, èkstrəɔ́:r- | ikstrɔ́:dənəri, èkstrəɔ́:d-] [*extra-*+*ordinary*] *a.* **1** 비상한(exceptional), 비범한, 예사롭지 않은; 〈풍채 등이〉 색다른(peculiar), 괴상한(eccentric), 드문, 놀랄 만한, 현저한, 훌륭한, 멋진 **2 a** Ⓐ 임시의(additional): ~ expenditure[revenue] 임시 세출[세입]/an ~ general meeting 임시 총회 **b** [대개 명사 뒤에서] 특파의, 특명의, 정원 외의, 특별 채용의: an ambassador ~ 특명 대사
— *n.* (*pl.* **-nar·ies**) 《영·고어》 〖군사〗 특별 수당
-nàr·i·ness *n.* Ⓤ 엄청남, 비범함, 보통이 아님, 비상함

extraórdinary rày 〖물리〗 이상(異常) 광선

extráordinary rendítion = RENDITION

extraórdinary wàve 〖통신〗 이상파(異常波)

ex·tra·par·lia·men·ta·ry [èkstrəpɑ̀:rləméntəri] *a.* 국회 밖의

ex·tra·pa·ro·chi·al [èkstrəpəróukiəl] *a.* 교구 밖의; 교구 관할 외의

ex·tra·phys·i·cal [èkstrəfízikəl] *a.* 물질 외의

ex·tra·plan·e·tar·y [èkstrəplǽnətèri | -təri] *a.* 태양계 밖의

ex·tra·po·la·bil·i·ty [ikstræ̀pələbíləti] *n.* Ⓤ (자료에 의거한) 추정 가능성

ex·trap·o·late [ikstrǽpəlèit] *vt.* 〖통계〗 **1** 〈미지의 수량·관계를〉 외삽법(外插法)에 의해 추정[추론]하다; 《비유》 〈미지의 사항을〉 기지의 자료에 의거하여 추정하다(conjecture) **2** 〖통계·수학〗 외삽(外插)[보외(補外)]하다 **—** *vi.* 〖통계〗 외삽[보외(補外)]법을 행하다 (opp. *interpolate*) **-là·tive** *a.* **-là·tor** *n.*

ex·trap·o·la·tion [ikstræ̀pəléiʃən] *n.* ⓊⒸ **1** 〖통계〗 외삽법, 보외법 **2** (기지의 사실에서의) 추정 《*from*》

ex·tra·pose [èkstrəpóuz] *vt.* 〖언어〗 〈통어(統語)적인 구조를〉 외치(外置)하다; 〈절·구를〉 본래 위치에서 문장 끝으로 이동하다

ex·tra·po·si·tion [èkstrəpəzíʃən] *n.* **1** 밖으로 놓음 **2** 〖언어〗 외치 변형(外置變形)

ex·tra·pro·fes·sion·al [èkstrəprəféʃənl] *a.* 전문 밖의, 본직 이외의

ex·tra·pu·ni·tive [èkstrəpjú:nətiv] *a.* 〖심리〗 외벌(外罰)형의

ex·tra·py·ram·i·dal [èkstrəpirǽmədl] *a.* 원뿔[피라미드] 바깥쪽의

éxtra séc 〈샴페인이〉 쌉쌀한, 단맛이 거의 없는 《1.5-3%의 당분을 함유한》

ex·tra·sen·so·ry [èkstrəsénsəri] *a.* 지각(知覺)을 넘어선, 초감각적인: ~ perception 〖심리〗 초감각적 감지[지각], 텔레파시, 제육감 《略 ESP》

éxtra síze 특대 사이즈의 것[사람]

ex·tra·so·lar [èkstrəsóulər] *a.* 태양계 밖의

éxtra spécial *a.* 《구어》 극상(極上)의, 특상의

ex·tra-strength [ékstrəstréŋkθ] *a.* 〈약 등이〉 강력한

ex·tra·sys·to·le [èkstrəsístəli] *n.* 〖병리〗 (심장의) 기외(期外) 수축

ex·tra·ter·res·tri·al [èkstrətəréstriəl] *a.* 지구 밖의, 지구 대기권 밖의 **—** *n.* 지구 밖의 생물, 우주인 《略 ET》

ex·tra·ter·ri·to·ri·al [èkstrətèrətɔ́:riəl] *a.* **1** 치외 법권의(exterritorial) **2** 치외 법권 소유자의 **3** 〈법률 등이〉 역외 적용의

ex·tra·ter·ri·to·ri·al·i·ty [èkstrətèrətɔ̀:riǽləti] *n.* Ⓤ **1** 치외 법권(exterritoriality) **2** 역외성(域外性), 역외 적용

éxtra tíme (주로 영) 〖스포츠〗 (로스 타임을 보충하기 위한) 연장 시간(《미》 overtime)

ex·tra·tróp·i·cal cýclone [èkstrətrápikəl- | -trɔ́p] 온대 저기압

ex·tra·u·ter·ine [èkstrəjú:tərain] *a.* 자궁 외의: ~ pregnancy 자궁 외임신

*__ex·trav·a·gance, -gan·cy__ [ikstrǽvəgəns(i)] *n.* (*pl.* **-ganc·es**; **-cies**) **1** Ⓤⓒ 사치(품), 낭비; 무절제, 방종 《*in*》: a needless ~ 불필요한 사치품 **2** 터무니없는 생각[언행], 방종한 언행
▷ extrávagant *a.*

*__ex·trav·a·gant__ [ikstrǽvəgənt, -vi-] [L 「헤매어 나오다」, 「도를 지나치다」의 뜻에서] *a.* **1** 낭비하는, 사치스러운: an ~ meal 사치스러운 음식 / She is ~ with her money. 그녀는 돈 씀씀이가 헤프다. **2** 기발한, 엄청난(excessive); 〈요구·대가 등이〉 터무니없는, 지나친(exorbitant): an ~ price 터무니없는 가격 **~·ly** *ad.* 사치스럽게, 낭비하여; 터무니없이
▷ extrávagance *n.*

ex·trav·a·gan·za [ikstræ̀vəgǽnzə] [It. = extravagance] *n.* Ⓤⓒ **1** 광시문(狂詩文), 광상곡, 희가극 **2** 괴이한 이야기, 광태 **3** 호화찬란한 쇼 **4** 화려한 의상[액세서리] **5** 엉뚱한 언동(言動)

ex·trav·a·gate [ikstrǽvəgèit] *vt.* (고어) **1** 방황하다 **2** (타당성·논리의) 범위를 넘다

ex·trav·a·sate [ikstrǽvəsèit] *vt., vi.* **1** 〈혈액·임파액 등을〉 관외로 흘러나오게 하다 **2** 넘쳐 나오다, 스며나오다, 분출하다
— *n.* **1** 〖병리〗 침출물 **2** 〖지질〗 분출물

ex·trav·a·sa·tion [ikstræ̀vəséiʃən] *n.* Ⓤ (혈액·임파액 등의) 넘쳐 흐름, 분출(물)

ex·tra·vas·cu·lar [èkstrəvǽskjulər] *a.* 〖해부〗 혈관 밖의

ex·tra·ve·hic·u·lar [èkstrəvi(:)híkjulər] *a.* 〖항공〗 (우주선의) 선외(船外)(용)의

extravehícular actívity (우주인의) 선외(船外) 활동 《略 EVA》

extravehícular mobílity ùnit 〖우주과학〗 선외(船外) 활동용 우주복 《略 EMU》

ex·tra-vir·gin [èkstrəvə́:rdʒin] *a.* 엑스트라버진의 《맨 처음 추출해 낸 올리브유》: ~ olive oil 엑스트라버진의 올리브유

ex·tra·ver·sion [èkstrəvə́:rʒən | -ʃən] *n.* 〖심리〗 = EXTROVERSION

ex·tra·vert [ékstrəvə̀:rt] *n., a., vt.* = EXTROVERT

‡**ex·treme** [ikstrí:m] [L 「가장 바깥의」의 뜻에서] *a.* Ⓐ **1** 극도의, 극심한(utmost): ~ poverty 극빈 / ~ penalty 극형 **2** 과격한, 극단적인, 몹시 급격한(opp. *moderate*): take ~ action[measures] 과격한 수단을 취하다 / the ~ Left[Right] 극좌[우]파 / an ~ case 극단적인 예 **3** 맨 끝의, 맨 가장자리의, 앞끝[뒤끝]의(endmost): the girl on the ~ right 오른쪽 끝의 여자 **4** 〈유행 등이〉 지나친, 비정상인: ~ fashions 지나친 유행 **5** (고어) 마지막의, 최후의(last)
~ and mean ratio 〖수학〗 외중비(外中比), 황금비(黃金比)
— *n.* **1** 극단; 극도; [the ~] 양극단의 한쪽; [*pl.*] 양극단(을 이루는 사물): *the ~s* of joy and grief 기쁨과 슬픔의 양극단 / *E~s* meet. 《속담》 양극단은 일치한다. **2** [보통 *pl.*] 극단적인 것; 극단적인[과격한] 수단 **3** [보통 *pl.*] 극단적인 상태, 곤경, 궁지 **4** 〖수학〗 외항(外項) 《초항(初項) 또는 말항(末項)》; 〖논리〗 (명제의) 주사(主辭) 또는 빈사(賓辭)
carry* something *(in)to ~s* [*an ~*] = *take something ***to ~s*** 극단적으로 하다 ***go* [*be driven*] *to ~s* = *run to an ~*** 극단으로 치우치다[나가다] ***go to the ~ of*** a lockout (공장 폐쇄)라는 극단적 수단에 의존하다 ***in the ~* = *to an ~*** 극단적으로, 극도로 **~·ness** *n.* Ⓤ 극단적임, 극단성, 과격
▷ extrémity *n.*; extrémely *ad.*

extréme fíghting 〖스포츠〗 익스트림 파이팅 《킥복싱 비슷하나 규칙이 거의 없는 경기; 일부 국가나 미국의 일부 주(州)에서 금지되어 있음》

‡**ex·treme·ly** [ikstrí:mli] *ad.* **1** 극단적으로, 극히, 극심하게: It pains me ~ to have to leave you. 당신과 이별해야 한다는 것은 매우 가슴 아픈 일입니다. **2** [강의적] (구어) 매우, 몹시(very), 정말로: I'm ~ sorry. 정말로 미안하게 됐습니다. / It was an ~ fine day in May. 그날은 무척 맑은 5월의 어느 날이었다.

extrémely hígh fréquency 〖통신〗 극고주파(極高周波) 《30-300 gigahertz; 略 EHF》

extrémely lów fréquency 〖통신〗 극저주파(極低周波) 《30-300 hertz; 略 ELF》

extréme spórts 극한 스포츠 《스카이다이빙, 빙벽타기 등》

extréme únction [종종 **E- U-**] 〖가톨릭〗 종부성사 《지금은 보통 「병자 성사」(the Anointing of the Sick)라 함》

ex·trem·ism [ikstrí:mizm] *n.* Ⓤ **1** 극단성; 과격 **2** (특히 정치적으로) 극단론[주의]; 과격주의

ex·trem·ist [ikstrí:mist] *n.* 극단[과격]론자, 극단적인 사람 — *a.* 극단[과격]론(자)의, 과격한: ~ students 과격파 학생

*__ex·trem·i·ty__ [ikstréməti] *n.* (*pl.* **-ties**) **1** 말단, 첨단: at the eastern ~ of …의 동쪽 끝에 **2** [*pl.*] 사지(四肢), 팔다리 **3** [때로 *pl.*] 곤경, 난국, 궁지: be driven[reduced] to ~[*extremities*] 궁지에 몰리다 / be in a dire ~ 비참한 처지에 있다 **4** [an ~] 극도, 극치 《*of*》 **5** [보통 *pl.*] 극단책, 비상수단: proceed[go, resort] to *extremities* 최후의 수단에 호소하다 **6** 극단성, 과격성 **7** 한계, 한도 ***in extremities*** 극도의 곤경에 빠져, 최후의 순간에; 파산 직전의
▷ extréme *a.*

ex·tre·mum [ikstrí:məm] *n.* (*pl.* **-ma** [-mə]) 〖수학〗 극(極)값

ex·tri·ca·ble [ékstrikəbl, ikstrík-] *a.* 구출[해방]할 수 있는

ex·tri·cate [ékstrəkèit] *vt.* **1** (위험·곤란에서) 구해내다, 탈출시키다 《*from, out of*》: (~+목+전+명) ~ a person *from*[*out of*] dangers …을 위험에서 구해내다 / ~ oneself *from* difficulties 곤경을 벗어나다 **2** 〖화학〗 유리(遊離)시키다 **3** (…와) 구별하다 《*from*》 ▷ extricátion *n.*

ex·tri·ca·tion [èkstrikéiʃən] *n.* Ⓤ **1** 구출, 탈출 **2** 〖화학〗 유리(遊離)

ex·trin·sic [ikstrínsik, -zik | ek-] *a.* **1** 외래의, 부대적인, 비본질적인 **2** 외부(로부터)의(external) **3** 〖해부〗 〈근육·신경 등이〉 외인성(外因性)의, 본체 외에서 유래하는(extrinsical) ***~ to*** …와 관계없는 **-si·cal·ly** *ad.*

extrínsic semicondúctor 〖전자〗 외인성(外因性)[비고유] 반도체

extro- [ékstrou, -trə] *pref.* 「바깥으로」의 뜻(opp. *intro-*)

ex·trorse [ekstrɔ́:rs, ⌐– | –⌐] *a.* 〖식물〗 〈꽃밥이〉 밖으로 향하는, 외향(外向)의(opp. *introrse*) **~·ly** *ad.*

ex·tro·spec·tion [èkstrəspékʃən] *n.* 외계 관찰(opp. *introspection*)

---

thesaurus **extravagant** *a.* spendthrift, squandering, thriftless, wasteful, lavish, reckless
extreme *a.* **1** 극도의 uttermost, maximum, supreme, greatest, intense, severe, highest, ultimate **2** 과격한 drastic, unrelenting, relentless,

ex·tro·ver·sion, -tra- [èkstrəvə́ːrʒən, -ʃən, -trou- | -ʃən, -ʒən] *n.* Ⓤ 외전(外轉); 〖의학〗 외번(外翻); 〖심리〗 외향성(opp. *introversion*)

ex·tro·vert, -tra- [ékstrəvə̀ːrt, -trou-] 〖심리〗 *n.* **1** 외향적인 사람, 사교적인 사람(opp. *introvert*) **2** 외향성 **—** *a.* 외향적인
— *vt.* 〖심리〗 〈흥미·관심 등을〉 밖으로 향하게 하다

ex·tro·vert·ed, -tra- [ékstrəvə̀ːrtid] *a.* = EXTROVERT

*__ex·trude__ [ikstrúːd] *vt.* **1** 밀어내다; 몰아내다, 추방하다(expel): (~+목+전+명) ~ toothpaste *from* the tube 치약을 튜브에서 짜내다 **2** 〈금속·플라스틱 등을〉 압출 성형하다: ~*d* aluminium rods 압출 성형한 알루미늄 막대기들
— *vi.* 밀려[쫓겨]나다; 〈용암이〉 분출하다; 압출 성형되다 **ex·trùd·a·bíl·i·ty** *n.* **ex·trúd·a·ble** *a.* **ex·trúd·er** *n.* 〖기계〗 압출 (성형)기

ex·tru·sion [ikstrúːʒən] *n.* Ⓤ 밀어냄, 내밈; 분출, 추방; 구축(opp. *intrusion*); 압출 성형(한 제품); 돌출된 부분, 지표면의 유출물 《용암·토사 등》

ex·tru·sive [ikstrúːsiv, -ziv | -siv] *a.* 밀어내는, 내미는; 〖지질〗 (화산에서) 분출한: ~ rocks 분출암
— *n.* 〖지질〗 분출암, 화산암

ex·u·ber·ance, -an·cy [igzúːbərəns(i) | -zjúː-] *n.* Ⓤ 풍부, 충일(充溢); 무성함, 윤택

ex·u·ber·ant [igzúːbərənt | -zjúː-] *a.* **1** 열광적인, 열의가 넘치는: an ~ welcome 열광적인 환영 **2** 무성한, 우거진(luxuriant) **3** 원기 왕성한; 〈기력·건강 등이〉 넘쳐흐르는(overflowing) **4** 〈부·상상력·재능 등이〉 풍부한; 〈문체가〉 화려한: ~ imagination 풍부한 상상력 **~·ly** *ad.* ▷ exúberance *n.*

ex·u·ber·ate [igzúːbərèit | -zjúː-] *vi.* **1** (…이) 무성하다; 풍부하다 《*in, with*》 **2** (…에) 빠지다, 열광하다 《*in, over*》

ex·u·date [éksjudèit, éksə-, égzə- | éksju-, égzju-] *n.* 삼출물(滲出物)[액]

ex·u·da·tion [èksjudéiʃən, èksə-, ègzə- | èksju-, ègzju-] *n.* Ⓤ 스며나옴, 삼출(작용); 배출(discharge); Ⓒ 삼출물[액], 삼출

ex·ude [igzúːd, iksúːd | igzjúːd] *vi.* 스며나오다, 삼출하다 **—** *vt.* 스며나오게 하다; 발산하다, 넘치다

*__ex·ult__ [igzʌ́lt] [L 「뛰면서 (승리를) 기뻐하다」의 뜻에서] *vi.* (문어) **크게 기뻐하다,** 기뻐 날뛰다 《*at, in, over*》; 의기양양해하다, 승리를 뽐내다(triumph) 《*over*》: (~+전+명) ~ *at*[*in*] one's victory 승리에 기뻐 날뛰다 / ~ *over* one's success 자기의 성공을 뻐기다 // (~+**to** do) ~ *to* find that ... …라는 것을 알고 크게 기뻐하다
— *vt.* (…임을) 크게 기뻐하다 《*that* ...》; [직접 화법에서] 크게 기뻐하여 …라고 말하다
ex·úl·tan·cy, -tance *n.* = EXULTATION **~·ing·ly** *ad.* 크게 기뻐하여 ▷ exultátion *n.*

ex·ul·tant [igzʌ́ltənt] *a.* 크게 기뻐하는; 환희의; 승리하여 의기양양한, 승리를 뽐내는 **~·ly** *ad.*

*__ex·ul·ta·tion__ [ègzʌltéiʃən, èksʌl-] *n.* ⓊⒸ **1** 크게 기뻐함, 환희, 광희(狂喜), 열광 《*at*》; 승리하여 의기양양해함, 승리를 뽐냄 《*over*》: Everyone joined in the ~ at his release. 모두가 그의 석방에 벅찬 기쁨을 함께 나누었다. **2** [*pl.*] 환성
▷ exúlt *v.*; exúltant *a.*

ex·urb [éksəːrb, égzəːrb | éksəːb] [*ex*+sub*urb*] *n.* (미) 준(準)교외 《교외보다 더 떨어진 반전원의 고급 주택지》 **ex·úr·ban** [-ən] *a.*

ex·ur·ban·ite [eksə́ːrbənàit, egzə́ːr- | eksə́ː-] *n.* (미) 준(準)교외 거주자

unbending, unyielding, radical, harsh, stern
extremely *ad.* very, exceedingly, exceptionally, intensely, greatly, excessively, extraordinarily
exultation *n.* rejoicing, joy, jubilation, elation, exhilaration, delight, ecstasy, glee, rapture

ex·ur·bi·a [eksə́ːrbiə, egzə́ːr- | eksə́ː-] *n.* Ⓤ (미) [집합적] 준(準)교외 주택 지역

ex·u·vi·ae [igzúːviìː, iksúː- | igzjúː-] *n. pl.* **1** 허물 《매미·뱀 등의》 **2** 잔해, 유물 **-vi·al** *a.*

ex·u·vi·ate [igzúːvièit, iksúː- | igzjúː-] *vt., vi.* 〖동물〗 탈피(脫皮)하다, 허물(을) 벗다

ex·u·vi·a·tion [igzùːviéiʃən, iksùː- | igzjùː-] *n.* Ⓤ 탈피

ex-vo·to [eksvóutou] [L = according to a vow] *n.* (*pl.* **~s**) 봉납[봉헌]물 **—** *a.* 봉납[봉헌]하는(votive)

ex-works [ékswə̀ːrks] *ad., a.* (영) 공장도(渡)로[의]: the ~ price 공장도 가격

exx examples; executrix

ey·as [áiəs] *n.* 새 새끼(nestling); 매 새끼

⁑**eye** [ái] *n.* (*pl.* **~s,** (고어) **ey·en** [áiən]) **1 눈** 《눈동자·홍채·눈가도 뜻함》: a glass[an artificial] ~ 의안(義眼) / the naked ~ 육안(肉眼) / protuberant ~*s* 퉁방울눈 / a black ~ (얻어맞아) 멍든 눈 / the compound ~*s* (곤충의) 복안, 겹눈 / a girl with blue ~*s* 푸른 눈의 소녀 / in the[a] twinkling of an ~ 눈 깜짝할 사이에 / roll one's ~*s* 눈을 굴리다 / His ~*s* are bigger than his belly. 다 먹지도 못하면서 식탐을 내다. **2 시력,** 시각(eyesight); **관찰력,** 안식(discernment) 《*for*》: have sharp[weak] ~*s* 시력이 예민하다[약하다] / lose one's ~*s* 시력을 잃다 / lose (the sight of) one[an] ~ 한쪽 눈이 멀다 / have the ~ of a painter 화가의 안식을 가지다 **3** [종종 *pl.*] **눈의 표정,** 눈매, 눈빛, 눈초리(look): with a tranquil[jealous] ~ 차분한[질투의] 눈빛으로 **4** [종종 *pl.*] **눈길, 주목,** 주시(gaze), 감시의 눈(watch): This letter is for your ~*s* only. 이 편지는 오로지 당신만 보십시오. **5** [종종 *pl.*] 견지, 견해, 판단(point of view): in my ~*s* 내가 보기에는 **6** 싹, 눈 《감자 등의》; 둥근 무늬 《공작·나비 등의》; 바늘귀, 구멍 《훅 단추를 끼우는》, (카메라의) 렌즈 구멍, 단춧구멍, 작은 고리(loop) 《밧줄 등의 끝에 있는》; 중심 《꽃·소용돌이 무늬 또는 돌아가는 물건의》; 〖기상〗 (태풍의) 눈 《중심부》; (빛·지성(知性)·문제 등의) 중심, 핵심; (안경의) 알; (과녁의) 중심(bull's-eye); 〖전자〗 눈 《식별·감시하는 전자 장치》 **7** 탐정(detective): a private ~ 사설 탐정 **8** (미·군대속어) 레이더 수상 장치; (미·속어) 텔레비전 **9** [an ~] 유의, 고려, 의도, 목적 **10** (미·속어) (철도의) 신호등 **11** (미·속어) [*pl.*] 유방, 유두
All my ~ (and Betty Martin)! = ***That's all my ~!*** (영·속어) 어림없는 말 마라!, 어처구니없는 소리! ***an ~ for an ~*** 〖성서〗 눈에는 눈으로, 같은 수단[방법]에 의한 보복 ***apply the blind ~*** 자기에게 불리한 것은 보이지 않는 체하다 ***be all ~s*** (온몸이 눈이 되어) 열심히 주시하다; 눈을 똑바로 뜨고 보다 ***before*[*in front of*]** one***'s* (*very*) *~s*** (바로) 눈앞에서 ***be unable to take*** one***'s ~s off*** …에서 눈을 뗄 수가 없다 《매력에 끌리거나, 감탄한 나머지》 ***by* (*the*[*one's*]) ~** 눈어림[대중]으로 ***cannot believe*** one***'s ~s*** 자기 눈을 의심하다 ***cast an*[*one's*] *~ over*** = run an EYE over. ***cast sheep's ~s at*** ⇨ sheep. ***catch*** a person***'s ~*(s)*** …의 눈을 끌다; 〈사람이〉 남의 눈에 띄다 ***catch*[*strike*] *the ~*** 〈…이〉 눈에 띄다 ***catch the Speaker's ~*** ⇨ catch. ***clap* [*lay, set*] *~s on*** …을 보다(see) ***close*** one***'s ~s*** 죽다 ***close*** one***'s ~s to*** …을 눈감아 주다, 불문에 부치다 ***cry*** one***'s ~s out*** 울어서 눈이 붓다 ***do*** (a person) ***in the ~*** (영·속어) 속이다(cheat) ***drop*** one***'s ~s*** (염치를 알고) 시선을 떨어뜨리다 ***easy on the ~s*** 보기 좋은; 매력적인 ***~s and no ~s*** 보는 눈과 보지 못한 눈 《관찰력이 둔한 사람에 대해; 자연 관찰의 책명 등에 씀》 ***E~s down!*** 주목! 《bingo의 출발 신호에서》 ***E~s front!*** (구령) 바로! ***Eyes left*[*right*]*!*** (구령) 좌로[우로] 봐! ***~s like pissholes in the snow*** (미·속어) (특히 숙취로 인해) 개개풀어진 눈 ***~s on stalks*** (구어) (놀람 등으로) 눈알이 튀어나오도록 ***~s to cool***

it ⟪미·속어⟫ 느긋한 기분이 되고 싶은 바람 ***feast*** one***'s ~ on*** …을 눈요기하다, 탄복의 눈으로 바라보다 ***fix*** one***'s ~ on*** …을 주목하다, 찬찬히 보다 ***for*** a person***'s ~s only*** 〈기밀 문서가〉 대외비(對外秘)의, 일급 기밀의, …이외에는 비밀인 ***get an ~ to*** …을 주목하다; …을 돌보다 ***get*** one***'s ~ in*** ⟪영⟫ (테니스·크리켓 등에서 공을 보는) 눈을 기르다, 공에 대해 눈을 익히다 ***get the ~*** ⟪구어⟫ 주목 받다, 차가운 시선을 받다 ***give*** one***'s ~s for*** …때문이라면 무슨 일도 하다 ***give the big ~*** = make EYES at ***give*** a person ***the ~*** ⟪속어⟫ …을 넋을 잃고 바라보다; …에게 추파를 던지다 ***have all*** one***'s ~s about*** one 신변을 경계하다 ***have an ~ for*** …을 보는 눈이 있다 ***have an ~ in*** one***'s head*** 안목이 있다; 빈틈이 없다 ***have an ~ to*** …을 유의해서 보고 있다; …을 돌보다 ***have an ~ to***[***on***] ***the main chance*** 사리(私利)를 꾀하다 ***have an ~ upon*** …에서 눈을 떼지 않고[경계하고] 있다 ***have ~s at the back of*** one***'s head*** 몹시 경계하고 있다, 뒤든지 꿰뚫어 보고 있다 ***have ~s only for*** …만 보고[바라고, 관심이] 있다 ***have … in*** one***'s ~*** 안중에 두다, 마음에 그리다; 계획하고 있다 ***have one***[***half an***] ***~ on*** (어떤 일에 전념하면서도) …에도 주의를 게을리하지 않다, 잊지 않고 관심을 기울이다 ***have*** one***'s ~ on*** (1) =keep an EYE on. (2) …을 눈여겨 보다, 원하고 있다. ***hit*** a person (right) ***between the ~s*** ⟪구어⟫ 크게 놀라게 하다; 강력한 인상을 주다 ***hit*** a person ***in the ~*** 눈언저리를 한 대 갈기다; 거절하다; 명약관화하다, 눈을 끌다 ***if*** a person ***had half an ~*** ⟪구어⟫ …가 좀 더 영리하다면 ***in a pig's ~*** ⟪속어⟫ 결코 …하지 않는(never) ***in*** one***'s mind's ~*** …의 심안(心眼)[마음속]에, 상상에서 ***in the ~ of the wind***=***in the wind's ~*** 〖항해〗 바람을 안고 ***in the ~s of*** …이 보는 바로는 ***in the ~s of*** (***the***) ***law*** 법률상으로는 ***in the public ~*** 사회의 주목을 받고, 널리 알려져 ***keep an***[one***'s***] ***~ on*** …을 감시하다, …에 유의하다 ***keep an ~ out for*** 망보고 있다 ***keep both***[one***'s***] ***~s wide open*** 정신을 바짝 차리고 경계하고 있다 ***keep*** one***'s ~ in*** (연습을 계속하여 공 등을 보는) 눈이 둔해지지 않게 하다 ***keep*** one***'s ~ on the ball*** 방심하지 않다 ***keep*** one***'s ~s off*** …을 보지 않고 있다; [보통 can't와 함께] …에 매혹되다 ***keep*** one***'s ~s peeled***[***skinned***] 늘 경계하고 있다, 충분히 주의를 기울이고 있다 ***leap***[***jump***] ***to the ~***(***s***) ⇨ leap. ***look*** a person ***in the ~***(***s***) [보통 부정문으로] 남을 똑바로[정면으로] 보다 ***look*** a person ***straight***[***right***] ***in the ~***(***s***) …을 똑바로 쳐다보다 ***make ~s at*** …에게 추파를 보내다 ***make*** a person ***open his***[***her***] ***~s*** …을 놀라서 눈이 휘둥그레지게 만들다, 깜짝 놀라게 하다 ***meet the***[a person***'s***] ***~*** 눈에 띄다[보이다] ***Mind your ~.*** ⟪속어⟫ 정신 차려.(Be careful.) ***Oh my ~!***=***My ~***(***s***)***!*** ⟪속어⟫ 수상한데; 어머나 (깜짝이야), 설마. ***one in the ~*** ⟪구어⟫ 실망, 낙담, 실패, 타격, 쇼크 (*for*) ***open*** a person***'s ~s to*** the truth (사실)에 대하여 …의 눈을 뜨게 하다[깨우쳐 주다, 알게 하다] ***pipe*** one***'s ~*** = ***put*** one***'s finger in*** one***'s ~*** 울다 ***pull the wool over*** a person***'s ~*** (거짓말을 하여) …을 속이다 ***run***[***cast***] ***an***[one***'s***] ***~ over*** …을 대강 훑어보다 ***see ~ to ~*** (***with*** a person) [종종 부정문에서] (…와) 견해가 완전히 일치하다 ***see***[***tell***] a thing ***with half an ~*** …을 슬쩍 보다, 쉽사리 봐서 알다 ***set*** one***'s ~s by*** …을 존중하다, 귀여워하다 A person***'s ~s are bigger than his***[***her***] ***stomach***[***belly***]. ⟪구어⟫ 다 먹지도 못하면서 욕심을 내다, 식탐을 하다 ***shut*** one***'s ~s to*** = close one's EYES to. one***'s mind's ~*** 마음의 눈, 상상력 ***the ~ of the day***[***heaven, morning***] ⟪시어⟫ 태양 ***the ~s of night***[***heaven***] ⟪시어⟫ 별(star) ***the glad ~*** 추파 ***the green ~*** 질투의 눈 ***throw dust in the ~s of*** …의 눈을 현혹하다, …을 속이다 ***to the ~*** 표면상으로는 ***turn a blind ~ to*** …을 못 본 체하다, 눈감아 주다 ***under*** one***'s*** (***very***) ***~s*** = before one's (very) EYES. ***up to*** one***'s***[***the***] ***~s*** 〈일에〉 몰두하여 (*in*); 〈빚에〉 꼼짝 못하여 (*in*) ***Where are your ~s?*** 눈이 없느냐? (잘 보아라) ***wipe the ~ of*** (a shooter) 코를 납작하게 하다 (사냥에서 다른 포수가 놓친 짐승을 쏘아 맞히는 데서) ***with an ~ to*** …을 목적하고, …을 계획해서 ***with dry ~s*** 눈물 한 방울도 흘리지 않고, 태연하게, 천연스럽게 ***with half an ~*** 슬쩍; 쉽게 ***with*** one***'s ~s closed***[***shut***] 눈을 감고서도, 손쉽게 ***with*** one***'s ~s open*** 눈을 뜨고; (사정을) 알면서, 고의로

— *vt.* (**~d**; **ey**(**e**)**·ing**) **1** 훑어[눈여겨, 주의 깊게] 보다, 주목하다, 관찰하다: He *~d* me suspiciously. 그는 나를 의심스러운 듯이 보았다. **2** 〈바늘 등에〉 구멍을 내다; 〈감자의〉 눈을 따다

— *vi.* ⟪폐어⟫ 보이다, 나타나다, 드러나다 **~·like** *a.*

éye appèal ⟪미·구어⟫ 남의 눈을 끌기, 매력

eye-ap·peal·ing [áiəpì:liŋ] *a.* ⟪미·구어⟫ 남의 눈을 끄는, 매력적인

eye·ball [áibɔ̀:l] *n.* **1** 눈알, 안구(眼球); 눈망울 **2** ⟪영·속어⟫ (경찰의) 감시 활동 ***~ to ~*** ⟪구어⟫ (험악한 눈초리로) 얼굴을 맞대고

— *vt.* ⟪미·구어⟫ **1** 날카롭게[지그시] 쳐다보다, 노려보다 **2** 눈대중[어림]잡다

eye·ball-to-eye·ball [áibɔ̀:ltəáibɔ̀:l] *a.* ⟪구어·익살⟫ =FACE-TO-FACE

éye bànk 안구[각막] 은행

eye·bar [áibɑ̀:r] *n.* 〖기계·건축〗 양끝에 구멍이 뚫린 강철봉

éye bàth ⟪영⟫ =EYECUP

eye·beam [-bì:m] *n.* 눈빛의 번득임, 일별, 언뜻 봄

eye·black [áiblæ̀k] *n.* 마스카라(mascara)

eye·bolt [áibòult] *n.* 〖기계〗 아이볼트, 고리 볼트

eye·bright [áibràit] *n.* 〖식물〗 좁쌀풀 무리

***eye·brow** [áibràu] *n.* **1** 눈썹 **2** 〖건축〗 눈썹꼴 쇠시리; 눈썹꼴 지붕창

knit the[one***'s***] ***~s*** 눈살을 찌푸리다 ***raise ~s*** 사람들을 놀라게 하다, 사람들의 경멸[비난]을 초래하다 ***raise*** one***'s ~s***[***an ~***] (놀람·의심으로) 눈썹을 치켜올리다 ***up to the***[one***'s***] ***~s*** 몰두하고 (*in*); (빚 등에) 꼼짝 못하고 (*in*)

éyebrow pèncil 눈썹 연필 (화장품)

éye càndy ⟪속어⟫ 보기는 좋지만 가치가 없는 사람이나 물건

eye-catch·er [áikæ̀tʃər] *n.* 눈길을 끄는 것[사람]; 젊고 매력 있는 여자

eye-catch·ing [-kæ̀tʃiŋ] *a.* 눈길을 끄는

éye chàrt 시력 검사표

éye cóntact **1** 시선을 마주침 **NOTE** 미국이나 유럽에서는 상대편과 대화를 하면서 시선을 마주치는 것을 예의바르다고 생각하며, 시선을 피하는 것은 부정직하기 때문이라고 생각함. **2** 〖심리〗 시선 교차

eye·cup [áikʌ̀p] *n.* 세안(洗眼) 컵(optic cup)

eyed [áid] *a.* **1** [복합어를 이루어] (…의) 눈을 한: blue-*eyed* 파란 눈을 한 **2** 눈이 있는, 눈구멍이 달린; 눈 모양의 얼룩이 있는 **~·ness** *n.*

éye dìalect 시각 사투리 (*women*을 wimmin으로, says를 sez와 같이 발음나는 대로 써서 말하는 사람의 무식함을 나타냄)

éye dòctor ⟪구어⟫ 안과 의사; 검안사(檢眼士)

eye·drop [áidrɑ̀p | -drɔ̀p] *n.* 눈물(tear)

eye·drop·per [áidrɑ̀pər | -drɔ̀pər] *n.* 점안기(點眼器)

éye dròps 안약, 점안약(點眼藥)

eye-fill·ing [áifìliŋ] *a.* ⟪미·구어⟫ (보기에) 굉장한, 아름다운

eye·fold [áifould] *n.* =EPICANTHUS

eye·fuck [áifʌ̀k] *vt.* ⟪비어⟫ 음탕한 눈으로 보다 **~·er** *n.*

eye·ful [áifùl] *n.* 《구어》 충분히 봄; 《속어》 눈을 끄는 사람[것]; 미모, 아리따운 여자[아가씨] ***get an ~*** 《미·구어》 실컷 보다, 눈요기하다
eye·glass [áiglæ̀s | -glɑ̀:s] *n.* **1** 안경의 알 **2** 외알 안경(monocle); [*pl.*] 안경(spectacles) **3** 접안렌즈 (cf. OBJECT GLASS) **4** 《영》 세안(洗眼) 컵
eye-grab·ber [áigræ̀bər] *n.* 《속어》 아주 강하게[크게] 눈길을 끄는 것
eye·ground [áigràund] *n.* 안저(眼底)
eye·hole [áihòul] *n.* **1** 눈구멍, 안와(眼窩)(orbit) **2** 들여다보는 구멍; 바늘귀
eye-in-the-sky [áiinðəskái] *n.* 공중 전자 감시 장치 《항공기·인공위성에 장치한 것》
éye lànguage 눈으로 하는 대화[의사 소통]
eye·lash [áilæ̀ʃ] *n.* **1** 속눈썹 《하나》 **2** [종종 *pl.*; 집합적] 속눈썹 ***by an ~*** 근소한 차로 ***flutter*** one***'s ~es at ...*** 〈여자가〉 …에게 윙크하다
éye lèns 접안[대안]렌즈
eye·less [áilis] *a.* 눈이 없는, 장님인; 맹목적인
éyeless síght 무안(無眼) 시각, 촉(觸) 시각 《손가락에 의한 빛깔·문자 식별 능력》
eye·let [áilit] *n.* **1** (천의) 작은 구멍, (돛·구두 등의 끈·고리·줄 등을 꿰는) 작은 구멍; 그 구멍에 박은 금속 고리(=**métal** ~) **2** 들여다보는 구멍; 총안(銃眼) **3** 작은 눈(같은 모양)
— *vt.* (~·(**t**)**ed**; ~·(**t**)**ing**) …에 작은 구멍을 뚫다
eye·let·eer [àilitíər] *n.* (끈을 꿸 구멍 뚫는) 송곳
éye lèvel 눈 높이
eye-lev·el [áilèvəl] *a.* Ⓐ 눈 높이의
∗**eye·lid** [áilìd] *n.* [보통 *pl.*] 눈꺼풀(lid): double-edged ~*s* 쌍꺼풀 ***hang on by the*** [one***'s***] ***~s*** 《영·구어》 겨우 매달리고 있다, 위험한 처지에 있다 ***not bat an ~*** 《구어》 눈 하나 깜짝하지 않다, 태연하다
eye·lift [áilìft] *n.* (미용으로 하는) 안검형성(眼瞼形成)(술)
eye·line [áilain] *n.* 시선 방향
eye·lin·er [áilàinər] *n.* Ⓤ (눈에 선을 긋는) 아이라이너 《화장품》
éye lòtion 안약, 점안액
éye màsk 아이 마스크 《안약을 적셔 눈을 덮는 것》
éye mèasure 눈어림, 눈대중
eye-mind·ed [áimáindid] *a.* 〈사람이〉 (인상을) 눈으로 기억하는, 시각형의, 시각 기억의
ey·en [áiən] *n.* 《고어·방언》 eye의 복수형
eye-o·pen·er [áiòupənər] *n.* 《구어》 **1** 눈이 휘둥그레질 만한 것[짓, 미인]; 진상을 밝히는 새 사실[사람] **2** 해장술; 《일반적으로》 자극적인 음료
eye-o·pen·ing [-òupəniŋ] *a.* **1** 괄목할 만한, 놀랄 만한 **2** 〈음료 등이〉 잠을 깨우는
eye·patch [áipæ̀tʃ] *n.* 안대(眼帶)
eye·piece [áipì:s] *n.* 접안[대안]렌즈, 접안경
eye·pit [áipìt] *n.* =EYE SOCKET
eye·pop·per [áipɑ̀pər | -pɔ̀pə] *n.* 《미·구어》 **1** 깜짝 놀라게 하는 것; 굉장한 것, 흥분시키는 것 **2** 굉장한 미인
eye·pop·ping [áipɑ̀piŋ | -pɔ̀p-] *a.* (눈이 튀어나오도록) 깜짝 놀라게 하는, 굉장한, 흥분시키는
eye·print [áiprìnt] *n.* 안문(眼紋) 《사람마다 다른 망막의 혈관 패턴》
ey·er [áiər] *n.* 보는 사람, 관찰자
eye·reach [áirì:tʃ] *n.* 시계(視界), 시야
éye rhỳme 〘시학〙 시각운 《발음은 틀리나 철자로는 운이 맞는 것처럼 보이는 것: move, love 등》
eye·ser·vant [áisə̀:rvənt] *n.* 주인 눈앞에서만 알랑거리는 고용인
eye·ser·vice [áisə̀:rvis] *n.* Ⓤ 주인 눈앞에서만 일함, 표리부동한 근무 태도(cf. LIP SERVICE); 칭찬[숭배]의 눈짓[시선]
eye·shade [áiʃèid] *n.* 보안용 챙, 차양 《테니스 칠 때나 전등 아래에서 독서할 때 등에 쓰는》
éye shàdow 아이섀도 《눈꺼풀에 바르는 화장품》
eye·shot [áiʃɑ̀t | -ʃɔ̀t] *n.* Ⓤ **1** 눈에 보이는 범위, 시야, 시계 **2** 《고어》 언뜻 봄 ***beyond*** [***out of***] ~ (***of*** [***from***]) (…에서) 보이지 않는 곳에 ***in*** [***within***] ~ (***of***) (…에서) 보이는 곳에
∗**eye·sight** [áisàit] *n.* Ⓤ **1** 시력, 시각; 바라봄, 관찰: a person with good[poor] ~ 시력이 좋은[나쁜] 사람 **2** 시야, 시계 ***lose*** one***'s ~*** 실명하다 ***within ~*** 시계 내에
éye sòcket 눈구멍, 안와(眼窩)(eyepit)
éyes ónly, eyes-on·ly [áiz-óunli] *a.* 《미》 〈정보·문서 등이〉 최고 기밀의, 묵독만 하는 《낭독·복사 등이 엄금된》
eye·sore [áisɔ̀:r] *n.* 눈에 거슬리는 것, 보기 흉한 것
éye splìce 〘항해〙 삭안(索眼) 《밧줄의 끝을 풀어 잇대어 고리 모양으로 한 부분》
eye·spot [áispɑ̀t | -spɔ̀t] *n.* 안점(眼點) 《하등 동물의 시각 기관》; 눈꼴무늬 《공작의 꼬리에 있는》
eye·stalk [-stɔ́:k] *n.* 〘동물〙 눈자루 《새우, 게 등의》
eye·strain [áistrèin] *n.* Ⓤ 눈의 피로
eye·strings [áistrìŋz] *n. pl.* 《고어》 안근(眼筋)
eye·tooth [áitù:θ] *n.* (*pl.* **-teeth** [-tì:θ]) **1** 송곳니, 견치(canine tooth) 《특히 윗니의》 **2** 가장 중요한 것 ***cut*** one***'s eyeteeth*** (1) 세상 물정을 알게 되다, 어른이 되다, 경험을 쌓다 (2) 〈학문·기능 등을〉 처음으로 배우다 ***give*** one***'s eyeteeth for*** …을 얻기 위해서라면 어떤 희생이라도 치르다
éye tùck =EYELIFT
eye·wall [áiwɔ̀:l] *n.* 〘기상〙 태풍의 눈[중심부] 주위의 구름 벽(wall cloud), 난층운(亂層雲)
eye·wash [áiwɔ̀:ʃ | -wɔ̀ʃ] *n.* **1** 안약, 세안수(洗眼水) **2** 《구어》 눈속임, 엉터리 **3** 《미·속어》 술
eye·wa·ter [áiwɔ̀:tər] *n.* Ⓤ 안약; 〘해부〙 (눈의) 수양액(水樣液); 《고어》 눈물
eye·wear [áiwɛ̀ər] *n.* Ⓤ 안경류(spectacles) 《안경·콘택트렌즈·고글 등》
eye·wink [áiwìŋk] *n.* 눈 깜짝임; 일순간
eye·wink·er [áiwìŋkər] *n.* =EYELASH
eye·wit·ness [áiwìtnis] *n.* 목격자, 목격 증인
— *vt.* 목격하다
ey·ot [áiət, éit | éit] *n.* 《영·방언》 =AIT
EYP Electronic Yellow Pages 전자식 직업 전화 번호부
eyre [ɛ́ər] *n.* Ⓤ 《영》 (옛날 재판관의) 순회(circuit), 순찰; 순회 재판(소): justices in ~ 순회 재판관
ey·rie, ey·ry [ɛ́əri, íəri | áiəri, íəri] *n.* (*pl.* **-ries**) = AERIE
ey·rir [éiriər] *n.* (*pl.* **au·rar** [ɔ́irɑ:r]) 에이리르 《아이슬란드의 화폐 단위; 1/100 크로나(krona)》
Ez, Ezr. 〘성서〙 Ezra **Ezek.** 〘성서〙 Ezekiel
Eze·kiel [izí:kiəl] *n.* **1** 에스겔 《기원전 6세기경 유대의 예언자》 **2** 〘성서〙 에스겔서 《구약 성서 중의 한 책; 略 Ezek.》 **3** 남자 이름
e-zine [í:zi:n] [*e*lectronic maga*zine*] *n.* (Web상의) 전자 잡지
Ez·ra [ézrə] *n.* **1** 에스라 《기원전 5세기경 유대의 율법학자》 **2** 〘성서〙 에스라서 《구약 성서 중의 한 책; 略 Ezr., Ez.》

F f

f, F[1] [éf] *n.* (*pl.* **f's, fs, F's, Fs** [-s]) **1** UC 에프《영어 알파벳의 제6자》 **2** U (연속된 것의) 제 여섯 번째 **3** [종종 **f**] 로마 숫자의 40
F[2] *n.* (*pl.* **F's, Fs** [-s]) **1** F자 모양(의 것) **2** 〖음악〗 F[바]음, F[바]조: *F* sharp 올림 F[바]음《기호: F#》 **3** 《미》 (학업 성적에서) 불가(不可), 낙제(failure) **4** 〖컴퓨터〗 (16진수의) F《10진법에서 15》
F fine 심이 가는《연필의》; 〖화학〗 fluorine; 〖물리〗 force **f.** farthing; fathom; feet; female; feminine; field; filly; folio; following; foot; 〖야구〗 foul(s); franc(s); frequency; from; 〖수학〗 function **f.** *forte* 《It. =loud》 ***f*** **/** 〖사진〗 f-number **F.** Fahrenheit; farad; February; Fellow; France; French; Friday **F-** fighter (plane) 전투기의 약칭: *F*-15 F-15 전투기
fa [fɑ́:] *n.* 〖음악〗 파《장음계의 제4음》
FA Fanny Adams; field artillery; Fine Arts; 《영》 Football Association **FAA** Federal Aviation Administration; 《영》 Fleet Air Arm; free of all average 〖해상보험〗 전손(全損) 담보 **FAAAS** Fellow of the American Academy of Arts and Sciences 미국 예술 과학 협회 회원; Fellow of the American Association for the Advancement of Science 미국 과학 진흥회 회원
fab[1] [fǽb] *a.* 《영·속어》 =FABULOUS
fab[2] *n.* (특히 반도체 산업의) 제조(공장)(cf. FABLESS)
fab·bo [fǽbou], **fab·by** [fǽbi] *a.* 《영·구어》 매우 근사한, 아주 훌륭한(fabulous)
Fa·bi·an [féibiən] [지구전(持久戰)을 쓴 고대 로마의 장군 Fabius의 이름에서] *a.* Fabius식(전략)의 《지구전으로 적의 자멸을 기다림》, 지구적인; 점진적인; (개혁·진보에) 신중한; 페이비언 협회의: ~ policy 지구책(持久策) / ~ tactics 지구전술
— *n.* 페이비언 협회 회원 **~·ìsm** *n.* U 페이비언주의; 점진주의 **~·ist** *n.* 페이비언주의자
Fábian Socìety [the ~] 페이비언 협회《1884년 Sidney Webb, G.B. Shaw 등이 창립한 영국의 점진적 사회주의 사상 단체》
‡**fa·ble** [féibl] [L 「이야기」의 뜻에서] *n.* **1** 우화(寓話): Aesop's *F~s* 이솝 이야기

> 유의어 **fable** 동물 등을 의인화하고 교훈이 담긴 우화 **fairy tale[story]** 아이들을 위한 요정·마법 등의 이야기: an author of *fairy tales* 동화 작가

2 UC [집합적] 전설(legend), 신화(myths)(opp. *fact*): the ~*s* of gods and heroes 신과 영웅들의 신화 **3** 꾸며낸[지어낸] 이야기(fiction), 거짓말(opp. *fact*); 객쩍은 이야기: a wild ~ 황당무계한 이야기 / old wives' ~*s* 실없는 이야기
— *vt.* 꾸며낸 이야기를 하다[쓰다]; 〈이야기를〉 꾸며내다
fa·bled [féibld] *a.* **1** 이야기[전설]로 유명한; 전설적인: Babe Ruth, the ~ home-run king 전설적인 홈런왕 베이브 루스 **2** 꾸며낸 이야기의; 허구(虛構)의; 가공의
fa·bler [féiblər] *n.* 우화 작가; 거짓말쟁이
fab·less [fǽblis] *a.* 공장을 갖지 않는《제조 회사가 대규모의 제조 시설을 갖지 않는》, 반도체 칩을 설계만 하고 생산은 하지 않는
fab·li·au [fǽbliòu] [F] *n.* (*pl.* **~x** [-z]) (중세 프랑스의) 우스꽝스럽고 점잖지 못한 우화시
Fa·bre [fɑ́:bər] *n.* 파브르 **Jean Henri ~** (1823-1915)《프랑스의 곤충학자》
‡**fab·ric** [fǽbrik] [L 「작업장」의 뜻에서] *n.* CU **1** 직물, 피륙, 천《cloth보다 딱딱한 말》, 편물; (직물의) 짜임새, 바탕(texture): silk[cotton, woolen] ~*s* 견[면, 모]직물 / weave a ~ 직물을 짜다 **2** U 구조, 체제, 조직, 구성(structure): the ~ of society 사회 조직[기구] **3** 구조물, 건물(building); 기초 구조 **4** 구성[건조]법 ▷ fábricate *vt.*
fab·ri·ca·ble [fǽbrikəbl] *a.* 만들[구성할] 수 있는
fab·ri·cant [fǽbrikənt] *n.* 제조(업)자
fab·ri·cate [fǽbrikèit] *vt.* **1** 만들다, 제작하다; 조립하다; 〈부품을〉 규격대로 만들다; 〈원료를〉 제품으로 가공하다 **2** 〈전설·거짓말 등을〉 꾸며내다; 〈문서를〉 위조하다(forge): ~ an alibi 알리바이를 조작하다 **-cà·tor** *n.*
fáb·ri·cat·ed fóod [fǽbrikèitid-] 합성 가공 식품
fab·ri·ca·tion [fæ̀brikéiʃən] *n.* **1** U 제작, 제조, 구성; 조립; 구조물 **2** 꾸며낸 것, 거짓말; 위조(물), 위조 문서(forgery): a pure[total] ~ 새빨간 거짓말
Fab·ri·koid, -coid [fǽbrikɔ̀id] *n.* 방수 모조 피혁《상표명》
Fá·bry's disèase [fɑ́:briz-] [독일의 의사 이름에서] 〖의학〗 파브리병《선천성 지질(脂質) 대사 이상증》
fab·u·lar [fǽbjulər] *a.* 우화의, 우화적인
fab·u·la·tion [fæ̀bjuléiʃən] *n.* U 우화적 소설화
fab·u·la·tor [fæ̀bjuléitər] *n.* 우화적 소설가
fab·u·list [fǽbjulist] *n.* 우화 작가; 거짓말쟁이
fab·u·los·i·ty [fæ̀bjulɑ́səti | -lɔ́-] *n.* **1** U 전설적 성질, 가공성(架空性) **2** 《고어》 우화, 꾸며낸 이야기
*__fab·u·lous__ [fǽbjuləs] *a.* **1** 믿어지지 않는, 거짓말 같은, 터무니없는(absurd) **2** 《구어》 굉장한, 멋진: a ~ party 멋진 파티 **3** 전설상의, 전설적인(legendary), 비사실적인: a ~ hero 전설상의 영웅
— *ad.* 믿을 수 없게 **~·ly** *ad.* 우화(寓話)[전설]적으로, 거짓말같이; 놀랄 만큼, 굉장히 **~·ness** *n.*
FAC Fast Attack Craft 〖군사〗 급습정(急襲艇); forward air controller 전방[저공] 공중 정찰자[기(機)] **fac.** facade; facial; facility; faculty; facsimile; factor; factory
*__fa·cade, -çade__ [fəsɑ́:d, fæ-] [F] *n.* (건물의) 정면(front), (길에 접해 있는) 앞면; 겉보기, 외관, 허울: an impressive ~ 당당한 외양[외관] ***put up a ~*** 외관을 바로잡다

facade

‡**face** [féis] *n.* **1** 얼굴, 얼굴 생김새(look); 안색, 표정; 《구어》 화장(품): a broad ~ 넓적한 얼굴 / a sad ~ 슬픈 얼굴 / do[put] one's ~ on 화장하다 / take off one's ~ 화장을 지우다

> 유의어 **face** 얼굴을 뜻하는 일반적인 말: a lovely round *face* 귀엽고 둥근 얼굴 **countenance** 종종 얼굴 표정을 의미: her happy *countenance* 그녀의 기뻐하는 얼굴 **feature** 이목구비 등의 얼굴의 생김새의 하나: a man of fine *features* 용모가 단정한 남자 **visage** 진지하거나 엄숙한 얼굴 표정

2 [종종 *pl.*] 찌푸린 얼굴(grimace) **3** 표면(surface),

thesaurus **fabulous** *a.* **1** 믿어지지 않는 incredible, unbelievable, inconceivable, unimaginable,

(물건의) 면, 겉(right side); (화폐·메달·카드 등의) 앞면; (시계 등의) 문자반; (책의) 겉장: the ~ of the earth 지표(地表)/the ~ of the water(s) 수면/the ~ of a playing card 카드의 앞면/A cube has six *~s.* 정육면체는 6면이다. **4** 〖상업〗 권면(券面), 액면 **5** 〖인쇄〗 활자면; 인쇄면; 서체, 글자체 **6** 〖광산〗 막장, 채광 현장 《광석·석탄 채굴장의》 **7** (기구 등의) 쓰는 쪽, (망치·골프 클럽의) 치는 쪽 **8** (건물 등의) 정면(front) **9 겉모양**, 외관, 겉보기; 지세, 지형; 형세, 국면: adopt a ~ of …의 외관을 꾸미다 **10** Ⓤ [the ~] 《구어》 태연한[뻔뻔스러운] 얼굴(effrontery); 뻔뻔스러움; [종종 a ~] 자신, 확신: (~+*to* do) How can you have *the ~ to* say such a thing? 어쩌면 너는 뻔뻔스럽게도 그런 말을 할 수 있는가? **11** Ⓤ 면목, 체면: gain[get] ~ 면목을 세우다 **12** 《미·방언》 입 **13 a** 〖기하〗 면 **b** 〖결정〗 면: a crystal ~ 결정면 **14** 《미·속어》 모욕 **15 a** 유명인, 저명인 **b** 《속어》 녀석, 놈: He's a bad ~. 그는 나쁜 놈이다.

at*[*in, on*] *the first ~ 얼른 보기에는 ***~ and fill*** 〈야채·과일 등을〉 표면만 보기 좋게 담기 ***~ down*** 얼굴을 숙이고, 겉을 밑으로 하여 ***~ on*** 얼굴을 그 쪽으로 향하여; 엎어져 《쓰러지는 등》 ***~ to ~*** 대면하여, 마주보고; …와 충돌해서; 직면하여 《*with*》: ~ *to* ~ *with* death 죽음에 직면해서 ***~ up*** 얼굴을 들고; 표면을 위로 하여 ***fall* (*flat*) *on*** one***'s ~*** 푹 엎드러지다; 〈계획 등이〉 실패하다; 면목을 잃다 ***feed*** one***'s ~*** 《속어》 식사하다, 게걸스레 먹다 ***fly in the ~ of*** ⇨ fly². ***Get out of my ~!*** 《구어》 내 앞에서 꺼져! ***have*** one***'s ~ lifted*** 얼굴의 주름을 없애다, 미용 수술을 받다 ***have the wind in*** one***'s ~*** 바람을 정면에 받다 ***have two ~s*** 표리가 있다, 딴마음을 가지다; 〈말의 뜻이〉 두 가지로 해석되다 ***in*** one***'s ~*** 정면으로; 눈앞에서, 공공연하게: She slammed the door *in my ~.* 그녀는 내 눈앞에서 쾅하고 문을 닫았다. ***in* (*the*) *~ of*** …의 정면에서; …와 마주 대하여; …에도 불구하고(in spite of): *in the ~ of* the world 체면 불구하고 ***in the* (*very*) *~ of day*[*the sun*]** 공공연하게 ***keep*** one***'s ~ straight*** = ***keep a straight ~*** ⇨ straight. ***lie on its ~*** 〈카드가〉 뒤집혀 있다 ***lie*[*fall*] *on*** one***'s ~*** 엎드리다, 엎드러지다 ***look*** a person ***in the ~*** = ***look in*** a person***'s ~*** 똑바로[부끄러움 없이] …의 얼굴을 바라보다 ***lose*** (one***'s***) ***~*** 체면을 잃다, 망신을 당하다: It is impossible to apologize publicly without *losing ~.* 공공연하게 사과하는 것은 면목을 잃는 일이다. ***make*[*pull*] *~s*[*a ~*]** 얼굴을 찌푸리다 《*at*》 ***make*** a person***'s ~ fall*** …을 실망시키다 ***on*** one***'s ~*** 엎드려서 ***on the* (*mere*) *~ of it*** 겉으로만 보아도, 언뜻 보기에는, 표면상 ***open*** one***'s ~*** 《미·속어》 입을 떼다, 이야기하다(speak) ***pull*[*put on, have, make, wear*] *a long ~*** 침울한[심각한, 슬픈] 얼굴을 하다 ***put a bold*[*brave, good*] *~ on*** …을 대담하게 해내다, …을 태연한 얼굴을 하고 대하다 ***put a new ~ on*** …의 국면을 새롭게 하다 ***save*** (one***'s***) ***~*** 체면을 지키다, 체면이 서다(cf. FACE-SAVING) ***set*[*put*]** one***'s ~ against*** …에 단호하게 반항하다: My father has *set his ~ against* my becoming an actor. 아버지는 내가 배우가 되는 것에 강하게 반대하셨다. ***set*** one***'s ~ to*[*toward*(*s*)]** …쪽을 향하다; …을 목표로 삼다, …을 의도하다; …에 착수하다 ***show*** one***'s ~*** 얼굴을 드러내다, 나타나다: Just *show your ~* at the party. 파티에 잠깐 얼굴을 보여라. ***shut*** one***'s ~*** 《미·속어》 잠자코 있다 《특히 명령형으로》 ***smash*[*put*]** a person***'s ~ in*** 《구어》 …을 호되게 후려갈기다 ***throw*[*thrust*] ... *in*** a person***'s ~*** …을 …의 코앞에 던지다 ***to*** a person***'s ~*** 맞대놓고, 눈앞에서(opp. *behind* a person*'s back*), 뻔뻔스럽게도: Tell her *to her ~* that she's a liar. 그녀에게 맞대놓고 거짓말쟁이라고 말해라. ***turn ~ about*** 홱 얼굴을 돌리다 ***turn*** one***'s ~ to the wall*** 죽을 때가 다 되었음을 알다 ***Was my ~ red!*** 《구어》 창피해서 홍당무가 되었다!

— *vt.* **1** 〈사람·건물이〉 **향하다,** …에 **면하다**(look toward(s)): ~ the light 밝은 쪽으로 향하다/The building *~s* the square. 그 건물은 광장에 면하고 있다. **2** 〈위험·재난 등에〉 **정면으로 대하다,** 대항하다(confront); 용감하게 맞서다(brave): ~ the future 미래에 맞서다/~ fearful odds 두려운 위험과 맞서다 **3** 〈사실 등에〉 **직면하다,** 직시하다; 마주 보게 하다; [종종 수동형으로] 〈곤란·문제 등이〉 …에게 다가오다 《*with*》: (~+목+전+명) *be ~d with*[*by*] a problem 문제에 직면하다 **4** 〖군사〗 〈병사를〉 방향 전환시키다 《*about*》: (~+목+부) ~ one's men *about* 자기 병사들을 돌게 하다 **5** 〈카드를〉 까놓다 **6** [종종 수동형으로] 〈벽 등에〉 겉칠을 하다, 겉치장을 하다; 〈석재(石材) 등을〉 닦다, 마무르다: (~+목+전+명) The wall is *~d with* tiles. 벽면은 타일로 되어 있다. **7** 〈옷에〉 단을 대다, 〈옷단에〉 장식을 하다: (~+목+전+명) The tailor *~d* a uniform *with* gold braid. 재단사는 제복에 금몰을 달았다. **8** 〈술·차(茶) 등에〉 물들이다, 착색하다 《*up*》 **9** 〖아이스하키〗 〈심판이〉 〈puck을〉 마주 선 두 경기자 사이에 쳐서 넣다 《*off*》 《시합 「개시」의 신호; cf. FACE-OFF》; 〖골프〗 〈공을〉 클럽의 타구면(打球面) 복판으로 때리다 **10** …의 가능성[위험성]이 있다

— *vi.* **1** 〈건물이〉 (어느 방향을) **향하다, 면하다**(look) 《*on, onto, to, toward*》: (~+부) (~+전+명) It *~s north*[*to*[*toward*] the north]. 북향입니다./She *~d toward* the sea. 그녀는 바다 쪽을 향했다. **2** 〖군사〗 방향 전환하다

About ~! 《구령》 뒤로돌아! ***~ about*** 〖군사〗 뒤로 돌아를 하다; 뒤로 (되)돌다 ***~*** a person ***down*** …을 위협하다, 위압하다 ***~ it*** 현실을 직시하다 ***~ it out*** 〈비난·적의 등을〉 무시하다, 아무렇지 않게 여기다 ***~ off*** (1) 〖아이스하키〗 경기가 시작되다(cf. *vt.* 9) (2) 대결하다 ***~ out*** 일을 대담하게 처리하다, 끝까지 견디다 ***~ the fact*** (나쁜) 사실을 받아들이다 ***~ the music*** 《구어》 ⇨ music. ***~ up to*** …을 인정하고 대처하다; …에 정면으로 대들다, 감연히 맞서다 ***Left*[*Right*] *~!*** 《구령》 좌향좌[우향우]!

face-ache [féisèik] *n.* **1** 〖병리〗 안면 신경통(facial neuralgia) **2** 《영·속어》 몹시 슬픈 얼굴을 한 사람

fáce àngle 〖기하〗 면각(面角)

Face·book [féisbùk] *n.* 페이스북 《2004년 4월 설립된 소셜 네트워크 서비스의 하나; 상표명》
— *vt.* [f~] 〈친구를〉 페이스북에서 검색하다

fáce brìck 외장(外裝) 벽돌

fáce càrd 《미》 〖카드〗 그림카드(《영》 court card) 《king, queen, knave[jack]의 3종》; 《미·속어》 중요 인물

face·cloth [-klɔ̀:θ | -klɔ̀θ] *n.* **1** = WASHCLOTH **2** 시체의 얼굴을 덮는 천

face-cream [-krì:m] *n.* Ⓤ 얼굴 화장 크림

faced [féist] *a.* [복합어를 이루어] **1** …한 얼굴을 한: sad-~ 슬픈 얼굴을 한/a sweet-~ child 귀여운 얼굴을 한 아이 **2** (물건의) 표면이 …한, 표면 가공한: rough-~ 표면이 거친

face·down [féisdáun] *ad.* 얼굴을 숙이고; 겉을 아래로 하고 — [스] *n.* 《미》 결정적 대결(showdown)

fáce flànnel 《영》 = WASHCLOTH

fáce flỳ 〖곤충〗 가축의 안면에 꾀는 집파리의 일종

face·fun·gus [-fʌ̀ŋgəs] *n.* 《영·구어》 턱수염(beard)

fáce guàrd (용접공·펜싱·미식축구 선수 등의) 얼굴 가리개, 마스크

face-hard·en [-hɑ̀:rdn] *vt.* 〖야금〗 〈강철 등에〉 표면 경화 처리를 하다

face·less [féislis] *a.* **1** 얼굴이 없는; 개성[주체성]이 없는; 익명의; 정체불명의: a ~ kidnapper 정체

---

astounding, amazing, astonishing, remarkable **2** 굉장한 marvelous, wonderful, great, superb

F

불명의 유괴범/a ~ mob 누가누군지 알 수 없는 군중 **2** 〈화폐 등이〉 면이 닳아 없어진; 〈시계가〉 문자반이 없는 **~·ness** *n.*

face-lift [féislìft] *n.* =FACE-LIFTING
— *vt.* …에 face-lifting을 하다

face-lift·ing [-lìftiŋ] *n.* [U,C] (얼굴의) 주름 펴는 성형 수술; (건물의) 외부 개장(改裝), (자동차 등의) 소규모의 모델[디자인] 변경

face·man [-mən] *n.* (*pl.* **-men** [-mən, -mèn]) (광산의) 막장 작업원

fáce màsk (스포츠·위험한 활동시에 쓰는) 안면 보호구, 얼굴 가리개 《헬멧이 딸린 것이 보통》

fáce massàge 안면[얼굴] 마사지

face-nail [-nèil] *vt.* 못을 수직으로 박아 고정시키다

face-off [-ɔ̀:f | -ɔ̀f] *n.* **1** 〖아이스하키〗 시합 개시 **2** 《미·구어》 대결 《*with*》

face-pack [-pæ̀k] *n.* 미용 팩

fáce pèel(ing) 〖미용〗 얼굴 피부 박피(술)

face·plate [-plèit] *n.* (선반(旋盤)의) 면판(面板); (브라운관의) 화면 《앞면 유리》; (잠수원 등의) 안면 보호용 금속[유리]판; (스위치 등의) 보호용 덮개

fáce pòwder (화장) 분

face·print [-print] *n.* 페이스프린트 《신원 확인을 위해 데이터베이스화한 사람 얼굴의 디지털 사진》

face·print·ing [-prìntiŋ] *n.* 페이스프린팅 《범죄 용의자의 신원을 밝히기 위해 페이스프린트를 만들어 조회하기》

fac·er [féisər] *n.* **1** 화장 마무리하는 사람[물건] **2** 《영·구어》 (권투 등의) 안면 펀치 **3** 《구어》 난처하게 하는 일, 뜻하지 않은 곤란[장애]; 예상하지 못한 패배

face-sav·er [féissèivər] *n.* 체면 유지 수단

face-sav·ing [-sèiviŋ] *n.* [U] 체면 세움; [C] 체면을 세워주는 것 — *a.* 체면을 세우는[세워주는]: in a ~ way 체면을 손상치 않고

fac·et [fǽsit] [F 「작은 얼굴」의 뜻에서] *n.* **1** (다면체, 특히 보석의) 한 면(面); (cut glass의) 간[깎은, 자른] 면 **2** (사물의) 면, 상(aspect), 국면(⇨ phase [유의어]) **3** 〖곤충〗 홑눈, 낱눈
— *vt.* (**~·ed, ~·ing** | **~·ted, ~·ting**) 〈보석 등을〉 깎아서 작은 면을 내다

fa·cete [fəsí:t] *a.* 《고어》 =FACETIOUS

fac·et·ed, fac·et·ted [fǽsitid] *a.* **1** 작은[깎은] 면이 있는 **2** [복합어를 이루어] …면체의

fa·ce·ti·ae [fəsí:ʃiì:] [L] *n. pl.* 재담, 해학, 농담(witty remarks); 우스운 책; 음서, 외설책

fáce tìme 《미》 **1** (직장에서 상사와) 대면하면서 보내는 시간 **2** (전화나 메일로만 알던 사람과의) 면담(시간), 요인과의 (단시간의) 면담 (시간)

fa·ce·tious [fəsí:ʃəs] *a.* 우스운, 익살맞은 《funny보다 딱딱한 말》, 허튼소리의 **~·ly** *ad.* **~·ness** *n.*

face-to-face [féistəféis] *ad.* 정면으로 맞서서, 직면하여 《*with*》 — *a.* [A] 정면으로 마주보는, 직면의; 〖컴퓨터〗 (PC 통신 상대가) 서로 만나는 사이인: a ~ confrontation 정면 대결 **~·ness** *n.*

fáce-to-fáce gròup 〖사회〗 대면 집단

fáce-to-fáce tálks 대좌(對座) 회담[담판]

fáce tòwel 세수 수건

face·up [féisʌ́p] *ad.* 얼굴을 위로 하여, 얼굴을 들고; 겉을 위로하여

fáce valídity 〖심리〗 (테스트 등의) 표면적 타당성

fáce vàlue 액면가(격), 권면액(券面額); 표면상의 가치[의미] ***take*** a person***'s*** promise ***at*** ~ (…의 약속)을 액면대로[그대로] 믿다

fáce wàll =BREAST WALL

face-work [-wə̀:rk] *n.* [U] 체면을 유지함, 체면 유지를 위한 상호 작용

face·work·er [-wə̀:rkər] *n.* (탄광의) 막장 작업원

fa·cia [féiʃə] *n.* =FASCIA

*__fa·cial__ [féiʃəl] *a.* **얼굴의,** 안면의; 얼굴에 사용하는, 표면상의: ~ cream 화장 크림/~ expression 얼굴의 표정
— *n.* [U,C] 《미·구어》 얼굴 마사지, 미안술
~·ly *ad.* ▷ fáce *n.*

fácial àngle 〖결정〗 면각(面角); 〖인류〗 안면각(顔面角)

fácial ìndex 〖인류〗 안면 계수(係數) 《안면의 넓이와 길이와의 백분율》

fácial nèrve 〖해부〗 안면 신경

fácial neurálgia 〖병리〗 안면 신경통

fácial prófiling 《미》 안면 분석·판단 (작업) 《범죄 용의자의 신원을 밝히는 방법이 됨》

fácial tìssue 고급 화장지

-facient [féiʃənt] 《연결형》 「…화(化)하는; …작용을 야기하는; …성(性)의」의 뜻: cale*facient*, somni*facient*

fa·cies [féiʃiì:z, -ʃi:z | -ʃiì:z] *n.* (*pl.* ~) 〖의학〗 (증상을 나타내는) 안색; 〖지질〗 상(相) 《퇴적층의 전체적 특색》; 〖생태〗 (동식물 개체(군)의) 외관, 외견

fac·ile [fǽsil | -sail] *a.* 《문어》 **1** [A] 손쉬운(easy), 힘들지 않는, 쉽사리 얻을 수 있는: a ~ victory 낙승/a ~ method 손쉬운 방법 **2** [A] 쉽게 이해되는, 쓰기 편리한; 경묘한, 유창한(fluent), 〈혀·펜이〉 잘 돌아가는, 잘 지껄이는: a ~ style (알기) 쉬운 문체/a ~ mind 잘 돌아가는 머리/a ~ pen 휘갈겨쓴 솜씨 좋은 글씨 **3** 경솔한(hasty), 겉핥기의 **4** 《고어》 고분고분한; 양순한 **~·ly** *ad.* **~·ness** *n.*
▷ facílitate *v.*; facílity *n.*

fa·ci·le prin·ceps [fǽsəli-prínseps] [L =easily first] *a., n.* 쉽게 일등이 된 (사람); 탁월한 (지도자)

*__fa·cil·i·tate__ [fəsílətèit] *vt.* 〈사정이〉 〈일을〉 **용이하게 하다;** 쉽게 하다; 〈행동·과정 등을〉 촉진[조장]하다: Careful planning ~*s* any kind of work. 신중한 계획이 있으면 어떤 일이라도 순조롭게 진행된다. ★ 사람이 주어로 쓰이지 않음. **fa·cíl·i·tà·tive** *a.*
▷ fácile *a.*; facílity, facilitátion *n.*

fa·cil·i·ta·tion [fəsìlətéiʃən] *n.* [U] 용이[간편]하게 함, 편리[간이]화; 〖심리〗 촉진, 조장(opp. *inhibition*)

fa·cil·i·ta·tor [fəsílətèitər] *n.* **1** 퍼실리테이터 《교육 과정·워크숍 시행에 있어 촉진자》 **2** 용이하게 하는 사람[것]

‡**fa·cil·i·ty** [fəsíləti] *n.* (*pl.* **-ties**) [U,C] **1 a** [보통 *pl.*] **설비, 시설;** 〖군사〗 (보급) 기지; **편의,** 편익, 편리함: a new research ~ 새로운 연구 설비/educational[public] *facilities* 교육[공공] 시설/*facilities* of civilization 문명의 이기(利器)/transportation *facilities* 운송 기관/monetary *facilities* 금융 기관 **b** [보통 *pl.*] 《구어》 화장실 《lavatory의 완곡한 말》 **2** 쉬움(ease)(opp. *difficulty*): with ~ 수월하게 **3** (쉽게 배우거나 행하는) 재주, 재능, 재간(dexterity), 솜씨(skill), 유창함(fluency) 《*in, for*》: have ~ *in* speaking[writing] 말솜씨[글재주]가 있다/have a[no] ~ *for* language 어학에 소질이 있다[없다]/Practice gives ~. 연습을 하면 솜씨가 좋아진다. **4** 사람이 좋음, 다루기 쉬움 **5** 융통성, 유연함 **6** (문체 등의) 유려함 **7** 〖컴퓨터〗 기능, 설비
give [***afford***] ***every ~ for*** …에게 온갖 편의를 제공하다 ▷ fácile *a.*; facílitate *v.*

facílity mánagement 〖컴퓨터〗 설비 관리 운영 위탁 《컴퓨터는 자사에서 소유하고, 그 시스템 개발·관리·운영은 외부 전문 회사에 위탁하는 일; 略 FM》

facílity trìp 《영》 관비[공비(公費)] 여행

*__fac·ing__ [féisiŋ] *n.* **1** [U] **직면, 면함,** (집의) …향(向) **2** 〖건축〗 (외벽 등의) **겉단장,** 외장(外裝), 미장(美裝); 마무리 치장된 면; 외장재 **3** [U] (의복의) 깃[끝동, 섶, 단] 달기; [*pl.*] (군복의 병과를 표시하는) 금장(襟章)과 수장(袖章) **4** [U] (차·커피의) 착색(着色) **5** [*pl.*] 〖군

thesaurus **facilitate** *v.* ease, smooth, assist, help, aid, promote, encourage, further, advance (opp. *hinder, avoid, obstruct*)
facility *n.* **1** 설비, 시설 establishment, structure, building, system **2** 쉬움 ease, effortlessness,

사] (우향우 등의) 방향 전환
go through** one**'s ~s (고어) 솜씨를 시험받다, 훈련 받다 ***put*** a person ***through*** his[her] ***~s*** (고어) …의 솜씨를 시험하다, 교육하다, 훈련하다
fácing brìck =FACE BRICK
fack [fǽk] *vi.* (미·흑인속어) 사실[진실]을 말하다 **—** *n.* 사실
fa·çon de par·ler [fæsɔ́:ŋ-də-pɑ:rléi] [F] 말솜씨, 말투; 상투어
FACP Fellow of the American College of Physicians **FACS** Fellow of the American College of Surgeons
facsim. facsimile
fac·sim·i·le [fæksíməli] *n.* **1** (필적·그림 등의 원본대로의) 복사, 모사, 복제: make a ~ of …을 복사[복제]하다/reproduce in ~ 원본대로 복사하다 **2** [통신] 사진 전송, 팩시밀리 ***in ~*** 꼭 그대로, 원본대로 **—** *vt.* 복사[모사]하다; [통신] 팩시밀리로 보내다(fax) **—** *a.* 복제[복사, 모사]의; [통신] 팩시밀리의
facsímile tèlegraph 복사 전송기
facsímile transmìssion 팩시밀리 전송
‡fact [fǽkt] [L 「이루어진 일, 행위」의 뜻에서] *n.* **1 a** (실제로 일어난[일어나고 있는]) **사실,** (실제의) 일: an established ~ 움직일 수 없는 사실/a straight ~ 틀림없는 사실 **b** Ⓤ (이론·의견·상상 등과 대비하여) **사실, 실제,** 현실, 진상(cf. TRUTH): a story founded on ~ 사실에 근거를 둔 이야기/*F*~ is stranger than fiction. 사실은 소설보다도 진기하다./Your fears have no basis in ~. 네가 두려워하는 것은 당치않은 것이다./The ~ (of the matter) is (that) ... 사실[일의 진상]은 …이다 **c** [보통 the ~] (…이라는) 사실: (~+***that*** 절) due to *the* ~ *that* ... …이라는 사실로 인하여

> 유의어 **fact** 실제로 일어났거나 일어나고 있는 사실: hard *facts* 확고한 사실 **truth** 진실이거나 진실이라고 믿어지고 있는 것: tell the *truth* 진실을 말하다

2 [the ~, 종종 *pl.*] [법] (범죄 등의) 사실, 범행, 현행, 사건: confess *the* ~ 범행을 자백하다 **3** [종종 *pl.*] 진술한 사실: We doubt his ~*s.* 그의 진술은 의심스럽다. **4** [철학] 사실
after [***before***] ***the ~*** 범행 후[전]에, 사후[사전]에 (***and***) ***that's a ~*** 그런데 그것은 사실이다 ***as a matter of ~*** = ***in*** (***actual***) ***~*** = ***in point of ~*** 사실상, 실제로, 사실은: They are, *in* ~, great patriots. 그들은 사실상 위대한 애국자들이다. ***~s and figures*** 정확한 사실[정보] ***for a ~*** 사실로서 ***get the ~s*** 진상을 알아내다
▷ fáctual *a.*
fáct fìnder (정부측의) 진상 조사원, (사태 개선의) 조정자; 정보 제공용 소책자
fact-find·ing [fǽktfàindiŋ] *n.* Ⓤ, *a.* 진상[현지] 조사(의): a ~ committee 진상 조사 위원회
***fac·tion¹** [fǽkʃən] [L 「행위, 당파를 짓는 일」의 뜻에서] *n.* **1** Ⓒ (정당 내의) **당파,** 파벌, 분파, (불만을 가진) 도당: an extremist ~ 과격파

> 유의어 **faction** 정당 내의 당파 **clique** 밀접한 연대 의식을 가진 적은 인원의 그룹

2 Ⓤ **당쟁,** 파벌 싸움, 내분; 당파심
▷ fáctious *a.*
faction² *n.* **1** 실록 소설, 실화 소설 **2** 1의 소설 기법

smoothness **3** 재능 skill, adeptness, aptitude, talent
fact *n.* actuality, reality, certainty, truth
faction¹ *n.* sector, section, group, side, party
factor *n.* element, part, component, ingredient, constituent, item, aspect, feature, circumstance

-faction [fǽkʃən] (연결형) [-fy로 끝나는 동사의 명사형을 만듦] 「작용」의 뜻: satisfy>satis*faction*
fac·tion·al [fǽkʃənl] *a.* 도당의, 당파적인, 파벌의, 이기적인 **~·ìsm** *n.* Ⓤ 파벌주의, 당파심; 파벌 싸움 **~·ist** *n.* 당파에 속하는 사람 **~·ly** *ad.*
fac·tion·al·ize [fǽkʃənəlàiz] *vt.* 〈정당 등을〉 파벌화하다 **—** *vi.* 파벌로 나뉘다
fac·tion·ary [fǽkʃənèri | -ʃənəri] *n.* 당파의 일원
fac·tious [fǽkʃəs] *a.* 당파적인; 당파심이 강한, 당파 본위의; 당쟁을 일삼는: ~ quarrels 파벌 싸움 **~·ly** *ad.* **~·ness** *n.*
fac·ti·tious [fæktíʃəs] *a.* 인위[인공]적인(artificial); 부자연스러운(opp. *natural*); 만들어[꾸며]낸, 허울뿐인, 가짜의

> 유의어 **factitious** 「인위적인」(artificial): *factitious* rancor 인위적인 원한 (자연히 생긴 것이 아니고 일부러 만들어낸) **fictitious** 「허구에 입각한」의 뜻: *fictitious* rancor 상상적 원한 (실재하지 않는)

~·ly *ad.* **~·ness** *n.*
factítious disórder [정신의학] 꾀병
fac·ti·tive [fǽktətiv] *a.* [문법] 〈동사·형용사가〉 작위(作爲)의: ~ verbs 작위 동사 (V+O+C형의 make, cause, think, call 등) **—** *n.* 작위 동사 **~·ly** *ad.* **~·ness** *n.*
fac·tive [fǽktiv] [문법] *a.* 사실적 (종속절의 내용이 사실이라고 전제되고 있는 것을 말함; Mary doesn't regret that she refused the offer.의 regret 따위): a ~ verb 사실성 (전제) 동사/a ~ clause 사실절 **—** *n.* 사실적 (전제) 표현
-factive [fǽktiv] (연결형) 「만드는, 원인이 되는」의 뜻: putre*factive*
fáct of lífe **1** 피할 수 없는 인생의 현실: Old age is a ~. 나이가 드는 것은 피할 수 없는 인생의 현실이다. **2** [the facts of life로] (어린이에게 가르치는) 인생의 사실 (성(性)·생식에 관한 사실; the facts about sex라고도 함)
fac·toid [fǽktɔid] *n.* (활자화됨으로써) 사실로서 받아들여지고 있는 일[이야기], 유사[허구] 사실 **—** *a.* 유사 사실의
‡fac·tor [fǽktər] [L 「만드는[이루는]사람」의 뜻에서] *n.* **1** (어떤 현상의) **요인,** 요소, 원인 (*of, in*): a ~ *of* happiness 행복의 요인(⇨ element 유의어)/a basic ~ 기초적 요소/a principal ~ 주요인 **2** [수학] 인수, 인자(因子); [기계] 계수(係數), 율(率); [생물] 인자, 유전 인자(gene): a common ~ 공통 인수, 공약수/a prime ~ 소인수(素因數)/the ~ of safety 안전율(=safety ~) **3** 대리상, 도매상, 중매인; (스코) 토지 관리인, 마름(land steward): a corn ~ 곡물 도매상 **4** 금융업자, 금융 회사 **5** [미국법] (일부 주에서) 제3의 채무자(garnishee) increase[decrease] ***by a ~ of*** ten (10)배로 (증가[감소]하다) ***resolution into ~s*** 인수 분해
— *vt.* [수학] 인수 분해하다
— *vi.* 채권을 싸게 매입하다; 대리상(商)으로 일하다
~ in [***into***] …을 계산에 넣다, …을 하나의 요인으로 포함하다 ***~ out*** …을 계산에 넣지 않다, 제외하다
~·a·ble *a.* **~·shìp** *n.* Ⓤ 도매업, 대리업
▷ factórial *a.*; fáctorize *v.*
fac·tor·age [fǽktəridʒ] *n.* Ⓤ 대리업, 도매업; 중매 수수료, 도매상이 받는 구전
fáctor anàlysis [통계] 인자 분석(因子分析)
fáctor còst [경제] 요인[요소] 비용 (토지·노동·자본 등 생산 요소를 사용하는 데 필요한 비용)
fáctor VIII[**éight**] [생화학] 제8인자, 항(抗)혈우병 인자
fáctor gròup [수학] =QUOTIENT GROUP
fac·to·ri·al [fæktɔ́:riəl] *a.* **1** [수학] 계승(階乘)의: a ~ expression 계승식 **2** 대리상의, 도매상의 **3** 요인

적인 **4** 공장의 **—***n.* 〖수학〗 계승
fac·tor·ing [fǽktəriŋ] *n.* Ⓤ **1** 〖수학〗 인수 분해 **2** 〖상업〗 (매입) 대리업, 채권 매입업
fac·tor·i·za·tion [fæ̀ktərizéiʃən | -tərai-] *n.* **1** Ⓤ 〖수학〗 인수 분해 **2** 〖법〗 채권 차압[압류] 통고
fac·tor·ize [fǽktəràiz] *vt.* **1** 〖수학〗 인수 분해하다 **2** 〖법〗 …에게 채권 압류의 통지를 하다
—*vi.* 〖수학〗 인수 분해할 수 있다
‡fac·to·ry [fǽktəri] [L 「만들다」의 뜻에서] *n.* (*pl.* **-ries**) **1 a** 공장, 제조소(works): an iron ~ 철공소 / operate[work] a ~ 공장을 경영하다 ★ 소규모의 것은 workshop이라고 함. **b** =FACTORY SHIP

유의어 **factory** 제품이 특히 기계로 대량 생산되는 공장: an auto *factory* 자동차 공장 **shop** 물건을 만들거나 수리하는 장소: a repair *shop* 수리 공장 **mill** 주로 제분·제재·제지·방적 등의 원자재 가공 공장: a paper *mill* 제지 공장 **works** 제작소 (주로 복합어로 씀): iron*works* 제철소 / close *works* 공장을 폐쇄하다 **plant** 현대식 설비를 갖춘 대규모의 제조 공장: an automobile *plant* 자동차 공장

2 (구어·경멸) 획일적인 사물·사람을 만들어내는 곳 (학교 등); (악의) 온상 **3** 해외 대리점; (원래) 재외(在外) 상관(cf. FACTOR *n.* 3) **4** (영·속어) 교도소, 경찰서
—*a.* 공장의: a ~ girl 여공, 여직공 / a ~ hand 공원, 직공 **~·lìke** *a.*
Fáctory Àcts [the ~] 〖영국사〗 공장법
fáctory automàtion 공장 자동화 (略 FA)
fáctory fàrm 공장식 농장[사육장, 양식장]
fáctory flòor 공장의 작업장, (거기에서 일하는) 일반 공원들
fác·to·ry-gate chàrge[prìce] [-gèit-] 〖상업〗 공장도 가격
fáctory òutlet[shòp] 공장 직판장[직매점]
fáctory prìce 공장도 가격
fáctory shìp **1** 포경선, 고래 공선 **2** (영) 공선(工船) (포획한 어류를 가공·냉동하는 장치를 가진 어선)
fáctory sỳstem 공장 제도
fac·to·tum [fæktóutəm] *n.* **1** 잡역부, 막일꾼 **2** (인쇄용의) 대형 장식 문자
fáct shèet (특정 문제에 관한) 간단한 보고서
***fac·tu·al** [fǽktʃuəl] *a.* 사실의, 실제의, 사실에 입각한[관한]: a ~ report 사실에 근거한 보고 / ~ accuracy 사실의 정확함
fàc·tu·ál·i·ty *n.* **~·ly** *ad.* **~·ness** *n.*
fac·tu·al·ism [fǽktʃuəlìzm] *n.* Ⓤ 사실 존중(주의) **-ist** *n.* **fàc·tu·al·ís·tic** *a.*
fac·tum [fǽktəm] [L =fact] *n.* (*pl.* **fac·ta** [-tə], **~s**) 〖법〗 사실, 행위; (유언장) 작성; (사실의) 진술서
fac·ture [fǽktʃər] *n.* 제작(법), 수법; 제작물, 작품; (작품의) 질; 〖미술〗 캔버스 위에 칠한 그림 물감의 층의 형태[구조]; 〖상업〗 송장(invoice)
fac·u·la [fǽkjulə] *n.* (*pl.* **-lae** [-lìː, -lài]) 〖천문〗 (태양의) 흰 반점(cf. MACULA)
-lar [-lər] *a.* **-lous** [-ləs] *a.*
fac·ul·ta·tive [fǽkəltèitiv] *a.* **1** 특권[허가, 권한]을 주는: a ~ enactment 권한을 주는 법규 **2** 수의의, 임의의(opp. *compulsory*), 선택적인; 우발적인 **3** 기능의, 능력의 **4** 〖생물〗 〈기생충 등이〉 다른 환경에서도 살 수 있는(opp. *obligate*) **~·ly** *ad.*
‡fac·ul·ty [fǽkəlti] *n.* (*pl.* **-ties**)

「능력」 **1**, 「기능」 **3** →(능력·재능의 한 분야)→(학문의 한 분야)→(대학의)「학부」, (학부의 조직)「교원 (전체)」 **4**

1 ⒸⓊ 능력, 재능(⇨ ability 유의어); (미·구어) 수완(skill), 재산; 자력(資力): a ~ for making friends 친구를 사귀는 재주 / one's ~ of observation 관찰력 **2** 정신적[지적] 능력: the ~ of memory 기억력 **3** (신체·정신의) 기능(function): the ~ of hearing[speech] 청각[언어] 능력 **4** (대학의) 학부; 학부의 교수단; (미) 〖집합적〗 대학·고교의 전교직원((영) staff): the ~ of law 법학부 / a ~ meeting (학부) 교수회 / The ~ are meeting today. 오늘은 교수 회의[직원 회의]가 있다. **5** (의사·변호사 등의) 동업자 단체; [the ~] (영·구어) 의사들: the medical ~ 의사단 / the legal ~ 변호사단 **6** 〖법〗 특허; 〖영국국교〗 (교회법상의) 허가 **7** 권한, 특권 ***the four faculties*** (중세 대학의) 4학부 (신학·법학·의학·문학)
FA Cùp [the ~] (영) FA컵 (잉글랜드와 웨일스에서 FA에 속하는 프로와 아마가 겨루는 축구 경기)
***fad** [fǽd] *n.* 변덕; 일시적 유행; 일시적 열중, 유별난 취미; (영) (음식물 등에) 까다로움: ~ words 유행어 / the latest ~*s* 최신 유행 / go in ~*s* (일시적으로) 유행하다 / have a ~ for …에 열중하다 **~·lìke** *a.*
fad·a·yee [fæ̀dəjíː] *n.* (*pl.* **-yeen** [-jíːn]) = FEDAYEE
fad·dish [fǽdiʃ] *a.* 변덕스러운, 일시적 유행의; 별난 것을 좋아하는; 일시적 유행을 좇는
~·ly *ad.* **~·ness** *n.*
fad·dism [fǽdizm] *n.* Ⓤ 일시적인 유행을 따름, 별난 것을 좋아함
fad·dist [fǽdist] *n.* 변덕쟁이, 일시적인 유행을 따르는사람; (영) 까다로운 사람
fad·dy [fǽdi] *a.* (**-di·er**; **-di·est**) = FADDISH
‡fade [féid] [OF 「희미한, 뚜렷하지 않은」의 뜻에서] *vi.* **1** 〈빛깔이〉 바래다; 〈소리가〉 사라지다(⇨ vanish 유의어); 〈안색이〉 나빠지다; 〈꽃이〉 시들다(wither), 쭈그러들다; 〈기력이〉 쇠퇴하다(droop); 〈기억·감정 등이〉 희미해지다, 꺼져가다 (*away, out*): His eyesight ~*d*. 그의 시력이 약해졌다. / The tulips have ~*d*. 튤립이 시들었다. // (~+副) His anger ~*d away*. 그의 노여움은 점점 약해졌다. // (~+前+名) The idea has ~*d* (*away*) *from* my memory. 그러한 생각은 내게서 서서히 사라져 갔다. **2** (미) 〈사람이〉 자취를 감추다, 어딘가로 가버리다; 〈물건이〉 차츰 안 보이게 되다; 〈희망이〉 사라지다 (*away, out*) **3** 〈골프공이〉 코스에서 벗어나다, 페이드하다; (자동차의) 브레이크가 차츰 말을 안 듣다
—*vt.* **1** 시들게 하다, 쭈그러들게 하다, 노쇠케 하다 **2** 색깔이 바래게 하다: Sunshine ~*d* the drapes. 햇빛이 커튼을 바래게 했다. **3** 〈골프공을〉 페이드시키다 **4** (속어) (주사위 노름에서) …의 내기에 응하다, …와 같은 액수를 걸다 **~ *away*** (희미해져) 사라지다; (구령) 나가라! **~ *in*[*out*]** 〖영화〗 차차 밝아[어두워]지다, 차차 밝게[어둡게] 하다, 용명(溶明)[용암(溶暗)]하다; 〖라디오·TV〗 수신[수상]기의 음량[영상]이 점차 뚜렷해[희미해]지다; 음향[영상]을 점점 뚜렷하게[희미하게] 하다 **~ *up*** = FADE in.
—*n.* **1** =FADE-IN; =FADE-OUT **2** 사라져 감 **3** (미·흑인 속어) 백인(을 좋아하는 사람) ***do a ~*** (속어) 자취를 감추다, 사라지다
fade·a·way [féidəwèi] *n.* ⓊⒸ **1** 사라져 버림, 소실, 쇠약 **2** 〖야구〗 =SCREWBALL; =HOOK SLIDE
fad·ed [féidid] *a.* 시든, 빛깔이 바랜; 쇠퇴한
~·ly *ad.* **~·ness** *n.*
fade-in [féidìn] *n.* ⓊⒸ 〖영화·TV〗 페이드인, 용명(溶明) (음량·영상이 차차 분명해짐)(opp. *fade-out*); 〖라디오〗 (소리가) 차차 뚜렷해짐
fade·less [féidlis] *a.* 시들지 않는, 빛깔이 바래지 않는; 쇠퇴하지 않는, 불변의 **~·ly** *ad.*
fade-out [féidàut] *n.* ⓊⒸ **1** 〖영화·TV〗 페이드아웃, 용암(溶暗) (음량·영상이 차차 흐려짐)(opp. *fade-in*); 〖라디오〗 (소리가) 차차 흐려짐 **2** 점점 보이지 않게 됨: take ~*s* 자취를 점점 감추다 **3** 퇴장

thesaurus **faculty** *n.* **1** 능력 power, capability, capacity, attribute, property **2** 재능 aptitude, ability, gift, talent, proficiency, readiness, skill, dex-

fad·er [féidər] *n.* 〖영화〗 (토키의) 음량 조절기; (필름 현상의) 광량(光量) 조절기; 〖전자〗 페이더 《음성[영상] 신호의 출력 조절기》
fade-up [féidʌ̀p] *n.* =FADE-IN
fadge [fǽdʒ] *n.* 《호주》 양모를 느슨하게 채운 곤포(梱包)
fad·ing [féidiŋ] *n.* Ⓤ **1** 〖통신〗 페이딩 《전파의 강도가 시간적으로 변동하는 현상》 **2** 색이 바래는 것; 신선도[활력]의 쇠퇴
F.Adm., FADM Fleet Admiral 《미》 해군 원수
fa·do [fɑ́:dou] *n.* (*pl.* **~s**) 파두 《포르투갈의 대표적인 민요·춤》
fa·do·me·ter [fədɑ́mitər | -dɔ́-] *n.* 〖화학〗 퇴색(退色) 시험기
FAE fuel air explosive
fae·cal [fí:kəl] *a.* =FECAL
fae·ces [fí:si:z] *n. pl.* =FECES
fa·e·na [fɑ:éinə] [Sp. =task] *n.* 〖투우〗 파에나 《투우의 최종 단계; 투우사의 기술을 과시하기 위하여 죽기 직전의 소를 연속해서 찌르는 일》
fa·er·ie, fa·ery [féiəri, fέəri] *n.* (*pl.* **-er·ies**) **1** 《고어·시어》 요정의 나라(fairyland); 요정; 몽환경, 선경(仙境) **2** [집합적] 선녀들 **3** 마법, 매혹 **—*a.*** 요정의, 요정 같은; 몽환적인 ★ FAIRY와 구별할 것.
Fáer·oe Íslands [fέərou-] [the ~] 페로스 제도 《영국과 아이슬란드의 중간에 있는 군도》
Faer·o·ese [fὲərouí:z, -í:s | -í:z] *n.* **1** (*pl.* **~**) 페로스 제도 태생의 사람[주민] **2** Ⓤ 페로스 어(語)
FAF free at field 〖상업〗 항공기 인도 조건
faff [fǽf] 《영·구어》 *vi.* 공연한 법석을 떨다; 빈둥빈둥 지내다 **—*n.*** 공연한 법석
Faf·nir [fɑ́:vniər, fɔ́:v- | fǽfniə, fǽv-] *n.* 〖북유럽신화〗 파브니르 《황금을 지킨 용; Sigurd에게 피살》
fag[1] [fǽg] *v.* (**~ged**; **~·ging**) *vi.* **1** 열심히 일하다(toil) 《*at*》, 피곤하다 **2** 《영》 (public school에서) 〈하급생이 상급생의〉 심부름꾼 노릇을 하다 《*for*》 **3** 《미·속어》 담배 피우다 **—*vt.*** **1** [보통 수동형으로] 〈일이 사람을〉 피곤하게 하다, 혹사하다 《*out*》: (~+목+부) The long climb *~ged* him *out.* 장시간의 등산이 그를 피곤하게 했다. **2** 《영》 (public school에서) 〈하급생을〉 심부름꾼으로 부리다 **3** 《미·속어》 …에게 담배를 주다; 〈담배를〉 피우다 **~ one*self to death*** 기진맥진하도록 일하다 **~ *out*** 〖크리켓〗 외야수를 맡다
—*n.* **1** Ⓤ 《영·구어》 고역(苦役), 노역(勞役)(drudgery); 피로(fatigue): What a ~! 참으로 지긋지긋한 일이다! **2** 《영》 상급생 시중드는 하급생 **3** 《영·구어》 궐련
fag[2] *n., a.* 《속어·경멸》 (남성) 동성애자(의)
fa·ga·ceous [fəgéiʃəs] *a.* 〖식물〗 너도밤나뭇과(科)의
fág ènd **1** 도려낸 끝 조각, 말단: the ~ of a rope 로프의 끝 **2** 남은 허섭스레기(remnant); 《영·구어》 담배꽁초 **3** (직물의) 토끝; 새끼의 꼬지 않은 끄트머리
fagged [fǽgd] *a.* Ⓟ 《영·구어》 녹초가 된, 아주 지친, 기진맥진한 (=∼ **óut**)
fag·got [fǽgət] *n., v.* 《영》 =FAGOT
fag·got·ry [fǽgətri] *n.* Ⓤ 《속어》 (남성) 동성애
fag·got·y, fag·got·ty [fǽgəti], **fag·gy** [fǽgi] *a.* 《속어》 (남성) 동성애의; 남자답지 않은
fág hàg 《속어》 남성 동성애자만 사귀는 여자, 남성 동성애자를 좋아하는 여자
Fa·gin [féigin] *n.* (어린이를 소매치기·도둑질의 앞잡이로 만드는) 나쁜 노인 《Dickens의 *Oliver Twist*에 등장》
fag·ot | **fag·got** [fǽgət] *n.* **1 a** 장작뭇[단], 삭정이단 **b** 〖야금〗 (가공용의) 쇠막대 다발; 지금(地金) 뭉치; 《일반적으로》 다발, 묶음 **2** [보통 *pl.*] (수집물의) 한 묶음(collection) **3** 《영》 [보통 *pl.*] 간(肝) 요리의 하나 《고기만두의 일종》 **4** 《속어·경멸》 남성 동성애자 **5** 《영》 싫은 여자, 아줌마, 미운 녀석: an old ~ 싫은 놈 **—*vt.*** **1** 단으로 묶다, 다발로 만들다 **2** 〈직물을〉 fagoting으로 장식하다 **—*vi.*** 다발 짓다
fag·ot·ing [fǽgətiŋ] *n.* ⓊⒸ 패거팅 《천이나 레이스의 씨실을 날실과 합쳐 다발 모양으로 얽는 매듭 자수 혹은 두 천을 새발뜨기로 연결하기》
fa·got·to [fəgɑ́tou | -gɔ́-] [It.] *n.* (*pl.* **-got·ti** [-ti:]) 〖음악〗 =BASSOON
fágot vòte 〖영국사〗 (재산의 일시적 양도로 선거 자격을 얻은 사람의) 긁어 모으기 투표
Fah., Fahr. Fahrenheit
fah-fee [fɑ́:fi:] *n.* Ⓤ 《남아공》 특정 숫자에 돈을 거는 불법 도박의 일종
***Fahr·en·heit** [fǽrənhàit] [독일의 물리학자 이름에서] *a.* 화씨의 《略 F., Fah., Fahr.》: 32° *F.* = thirty-two degrees *F.* 화씨 32도(cf. CENTIGRADE)
NOTE 영·미에서는 일상 생활에 보통 화씨를 쓰므로, 특별한 표시가 없을 때의 온도는 F.
—*n.* 화씨 온도계, 화씨 눈금(=∼ **scàle**) 《어는점 32°, 끓는점 212°》
Fáhrenheit thermómeter 화씨 온도계: 95 degrees by the ~ 화씨 95도
FAI [F] Fédération Aéronautique Internationale 국제 항공 연맹 **FAIA** Fellow of the American Institute of Architects
fa·ience, fa·ïence [faiɑ́:ns, fei-] [F] *n.* ⓊⒸ 파양스 도자기 《프랑스의 채색 도자기》
‡**fail** [féil] *v., n.*

> 「기준에 못 미쳐 기대를 저버리다」의 뜻에서
> → (역부족으로 끝나다) → 「실패하다」 자 **1** →
> 「낙제시키다」 타 **2**
> → (기대에 어긋나다) → 「게을리하다」 자 **2**
> → 「작동하지 않다」 자 **6**
> → 「도움이 되지 않다」 타 **1**

—*vi.* **1** 실패하다, 실수하다; 낙제하다 《*in*》(opp. *succeed*); (목적을) 이루지 못하다 《*of*》: (~+전+명) ~ *in* the exam 낙제하다 **2** (…하지) 못하다[않다], 게을리하다(neglect); [not과 함께] 꼭 …하다: (~+***to*** do) ~ *to* keep one's word 약속을 안 지키다 / I ~ *to* see. 나는 모르겠다. / He *~ed in* his duty. 그는 직무를 게을리하였다. / *Don't* ~ *to* let me know. 꼭 알려 주게. **3** 〈공급 등이〉 부족하다, 끊어지다; 〈작물이〉 흉작이 되다: The crops *~ed.* 흉작이 되었다. / Our water supply *~ed.* 물이 끊어졌다. **4** 〈건강·시력·힘 등이〉 약해지다; 〈식물이〉 시들다, 〈바람이〉 약해지다: His health *~ed.* 그의 건강이 쇠해졌다. **5** 〈덕성 등이〉 모자라다, 없다(be wanting) 《*in*》: (~+전+명) ~ *in* care 주의가 모자라다 / ~ *in* respect 존경하는 마음이 없다 **6** 〈기계 등이〉 작동하지 않다, 고장나다: (~+부) The engine *~ed* suddenly. 갑자기 엔진이 꺼졌다. // (~+전+명) The electricity *~ed during* the storm. 폭풍중에 정전되었다. **7** 〈은행·회사 등이〉 파산하다
—*vt.* **1** (정작 긴요할 때에) …의 도움이 되지 않다, …의 기대에 어긋나다; 저버리다, 실망시키다; 갑자기 나오지[작동하지] 않아 사람을 난처하게 만들다: He *~ed* me at the last minute. 그는 마지막 순간에 나를 저버렸다. / Words *~ed* me. 나는 말이 나오질 않았다. / His courage *~ed* him. 그는 정작 중요한 고비에서 용기가 나질 않았다. / His friends *~ed* him. 그의 친구는 그를 저버렸다. **2** 《구어》 (시험에서) 〈교사가〉 〈학생을〉 낙제시키다, 〈학생에게〉 낙제점을 매기다: (~+목+전+명) The professor *~ed* her *in* history. 교수는 역사 과목에서 그녀에게 낙제점을 주었다. **3** 〈시험·학과에서〉 낙제 점수를 따다: He *~ed* history[his examination]. 그는 역사가 낙제 점수였다[시험에서 낙제했다]. ***be unable to*** ~ 실수할 리가 없

---

terity **3** 교직원 teaching staff, teachers, professors
fad *n.* craze, rage, mania, enthusiasm, trend, mode, fancy, fashion, vogue, whim

다, 꼭 성공하다 ~ ***safe*** (만약의 실수·고장에 대비하여) 안전장치를 하다(cf. FAIL-SAFE) ***never*** [***not***] ~ ***to*** do 반드시 …하다
— *n.* **1** (시험의) 낙제 **2** (증권의) 양도 불이행 **3** 《폐어》 실패 ★ 다음 성구로.
without ~ 틀림없이, 반드시, 꼭: I will visit you tomorrow *without* ~. 내일 꼭 찾아뵙겠습니다.
fáiled [féild] *a.* 실패한; 파산한 ▷ fáilure *n.*

fáiled státe 파탄 국가 《정부가 통치 능력을 상실하여 국가로서 일체성을 유지하기가 힘든 국가》

✱**fail·ing** [féiliŋ] *n.* UC **1** 실패(failure); 낙제; 쇠약, 파산 **2** 결점, 단점, 약점(fault, weakness), 부족 (⇨ fault 유의어): Your lack of knowledge is a grave ~. 지식 부족이 너의 중대한 결점이다.
— *prep.* **1** …이 없어서(lacking): *F*~ a purchaser, he rented the farm. 살 사람이 없어서 그는 농장을 세주었다. **2** …이 없을 경우에는(in default of): ~ an answer by tomorrow 내일까지 대답이 없을 경우에는/*F*~ payment, we shall sue. 지불하지 않을 경우에는 소송을 하겠다.
~ ***all else*** 하는 수 없이 ***whom*** ~ = ~ ***whom*** 당사자가 지장이 있을 경우에는
— *a.* 약해 가는, 쇠한 **~·ly** *ad.* **~·ness** *n.*

faille [fáil, féil | féil] [F] *n.* UC 파유 《물결 무늬 비단》

fail·over [féilòuvər] *n.* 〖컴퓨터〗 시스템 대체 작동 《주 시스템의 작동이 정지되면 예비 장치가 자동으로 대체 작동함》

fail-safe [féilsèif] *n.* **1** [때로 **F~**] (핵폭격기가 별도 지시 없이는 넘을 수 없는) 한계선 **2** 〖전자〗 (그릇된 동작·조작에 대한) 비상[이중] 안전 장치 — *a.* **1** 〖전자〗 (고장에 대비하여) 비상[이중] 안전 장치를 한 **2** [때로 **F~**] (핵폭격기의 오폭에 대비한) 제어 장치의 **3** 절대 확실한: ~ business 안전한 사업
— *vt., vi.* 비상[이중] 안전 장치를 작동하다; 비상[이중] 안전 장치가 작동하다

fáil sòft 〖컴퓨터〗 페일 소프트 《고장이나 일부 기능이 저하되어도 주기능을 유지시켜 작동하도록 짠 프로그램; cf. FALLBACK》

fail·te [fɔ́iltə] 《스코·아일》 *int.* 환영합니다.
— *n.* 환영하는 행동

‡**fail·ure** [féiljər] *n.* **1** U **a** 실패, 실수 《*in, of*》 (opp. *success*): a business ~ 사업의 실패 **b** 낙제, 낙선; C 낙제점(cf. F) **2** [보통 a ~] 실패자, 낙제자, 낙선자; 잘못된 것, 실패한 계획: He was *a* ~ as a teacher. 그는 교사로서는 실패자였다. **3** 태만, 불이행 《*in*》: a ~ *in* duty 직무 태만 // (~+*to* do) a ~ *to* keep a promise 약속 불이행/a ~ *to* appear 모습을 보이지 않음, 결석, 결근 **4** UC 부족, 불충분, 결핍, 부재(不在) 《*of*》: a ~ *of* crops = crop ~*s* 흉작 **5** UC (힘 등의) 감퇴, 쇠약, 쇠퇴(falling-off), (신체 기관의) 기능 부전; 〖기계〗 정지, 고장 《*in, of*》: a ~ *in* health 건강의 쇠퇴/a heart ~ 심장 쇠약[심부전(心不全)]/an engine[a mechanical] ~ 엔진[기계]의 고장 **6** UC 지불 정지; 파산, 도산: the ~ of a bank = a bank ~ 은행의 도산 ***end in*** [***meet with***] ~ 실패로 돌아가다 ~ ***of issue*** 자손이 없음

fain[1] [féin] 《고어·문어》 *ad.* [would ~으로] 기꺼이, 쾌히(gladly): I *would* ~ help you. 기꺼이 도와드리고 싶습니다(만). — *a.* P [부정사와 함께] **1** 기꺼이 …하는(glad): He was ~ *to* go. 그는 기꺼이 갔다. **2** 어쩔 수 없이 …하는(obliged) **3** …하기를 바라는, …하고 싶어하는(eager)

fain[2], **fains** [féin(z)], **fen**(**s**) [fén(z)] *vt.* 《영·속어》 …은 싫다: *F*~(*s*) I fielding. 수비 같은 것은 싫어. 《야구 등에서》

fai·né·ant [féiniənt] [F] *n.* (*pl.* **~s** [-ənts]) 게으름뱅이 — *a.* 게으른, 나태한

‡**faint** [féint] [OF 「꾸민, 가짜의」의 뜻에서; feign과 같은 어원] *a.* **1 a** 〈색·소리·빛 등이〉 희미한, 가냘픈, 약한, 엷은: a ~ light 희미한 빛/~ lines 엷은 괘선(罫線) **b** 〈생각·기억 등이〉 어렴풋한, 〈희망 등이〉 실날 같은: a ~ hope[chance] 실날 같은 희망[가망]/There is not the ~*est* hope. 한 가닥 희망도 없다./I haven't the ~*est* idea. 전혀 짐작이 가지 않는다. **2** 힘없는(weak), 연약한; 내키지 않는: ~ breathing 금시 끊어질 듯한 숨결/a ~ effort 내키지 않는 노력 **3** 활기[용기] 없는, 소심한, 겁약한(timid): a ~ resistance 무기력한 저항/*F*~ heart never won fair maid. 《속담》 용기없는 사람이 미인을 손에 넣은 예는 없다. **4** P 어질어질한(dizzy), 인사불성이 된: be ~ with fatigue 피로해서 어질어질하다/feel ~ 현기증이 나다 **5** 〖법〗 근거 없는, 허구의
— *vi.* **1** 졸도하다, 혼절하다, 기절하다(swoon) 《*away*》: (~+전+명) I ~*ed from* the heat. 나는 더위 때문에 기절했다. **2** 《고어》 희미해지다, 약해지다
— *n.* [보통 a ~] 기절; 졸도, 실신: in *a* dead ~ 기절하여/fall into *a* ~ 기절하다

faint·heart [féinthὰːrt] *n.* 겁쟁이(coward)

faint·heart·ed [-hάːrtid] *a.* 소심한, 용기 없는, 겁 많은, 뱃심 없는 **~·ly** *ad.* **~·ness** *n.*

faint·ing [féintiŋ] *n.* U 기절, 졸도, 실신; 의기소침
— *a.* 졸도하는, 기절의: a ~ fit[spell] 졸도, 기절 **~·ly** *ad.* 인사불성이 되어

faint·ish [féintiʃ] *a.* **1** 기절할 것 같은, 아찔한 **2** 좀 희미한; 어렴풋한 **~·ness** *n.*

‡**faint·ly** [féintli] *ad.* 희미하게, 어렴풋이; 힘없이, 가냘프게; 소심하게

faint·ness [féintnis] *n.* U 약함, 연약함; 희미함, 미약; 심약함; 실신

faint-ruled [féintrúːld] *a.* 〈편지지 등이〉 엷은 괘선이 쳐진

faints [féints] *n. pl.* (위스키 증류 때 처음과 마지막에 생기는) 불순한 알코올

‡**fair**[1] [fɛ́ər] *a., ad., n., v.*

> OE 「아름다운」의 뜻에서
> (밝은) → (하늘이) 「갠, 맑은」 **7**
> (밝은) → (사람이) 「금발의」; 「살갗이 흰」 **6**
> (깨끗한, 맑은) → 「공정한」 **1** → 「규칙에 맞는」 **2**
> (깨끗한, 맑은) → (바람직한) → 「꽤 많은」 **3**

— *a.* **1** 공정한(just), 공평한, 올바른; 〈임금·가격 등이〉 온당한, 적정한, 적당한: a ~ decision[share] 공정한 결정[몫]/a ~ deal 공정한 취급[거래]/~ wages 적정한 임금/by ~ means 올바른 수단으로/All's ~ in love and war. 《속담》 연애와 전쟁에서는 수단 방법을 가리지 않는다.

> 유의어 **fair** 자기 감정·편견·욕망 등에 좌우되지 않고 공평한; 특히 재판소에서의 판결 등이 공정한: The game was not *fair.* 그 경기는 공평하지 못했다. **impartial** 편파적이거나 편견없이 공평한: An umpire must be *impartial.* 심판은 공평해야 한다. **just** 자기 기분이나 개인의 이해에 영향받지 않고 바른 규준에 충실히 따르는: a *just* decision 공정한 판결

2 (경기에서) 규칙에 따른, 공명정대한(opp. *foul*); 〖야구〗 〈타구가〉 페어의: a ~ blow[tackle] 정당한 타격[태클]/a ~ fight 정정당당한 싸움/⇨ fair ball **3** 꽤 많은, 상당한; 대단한; 《구어》 철저한, 완전한; (성적의 5단계 평가에서) 미(美)의, C의: a ~ number of 상당수의 …/a ~ income 상당한 수입 **4** 그저 그

thesaurus **failure** *n.* **1** 실패 nonsuccess, miscarriage, defeat, frustration, collapse **2** 태만 omission, neglect, negligence, delinquency **3** 부족 deficiency, insufficiency, lack, scarcity, shortfall
faint *a.* **1** 희미한 indistinct, unclear, dim, obscure, pale, faded, vague, whispered, feeble **2** 실날 같은 slight, small, remote, minimal

런, 어지간한, 무던한: merely ~ 그저그런 정도의 **5** 〖항해〗 〈바람이〉 순조로운, 알맞은(favorable): a ~ wind 순풍(opp. *a foul wind*) **6 살결이 흰, 금발의** (opp. *dark*): ~ hair 금발/a ~ woman 블론드의 여성/a ~ complexion 흰 살결/a ~ man 살결이 희고 금발인 남자 **7** 〈하늘이〉 **맑은,** 갠(opp. *foul*): ~ weather 갠 날씨 **8** 《문어》 여성의: the ~ readers 여성 독자 **9** 《문어》 〈주로 여자가〉 아름다운(beautiful), 매력적인: a ~ one 미인/a ~ young maiden 아름다운 처녀 **10** 정중한(courteous); 정말 그럴싸한, 그럴듯한(plausible): ~ words 그럴듯한 말, 교언(巧言) **11** 깨끗한(clear), 흠없는, 결점 없는: a ~ name 명성/~ handwriting 읽기 쉬운 필체 **12** 평평한, 평탄한, 장애물이 없는, 〈표면 등이〉 매끄러운: a ~ surface 매끄러운 표면/a ~ view 탁 트인 전망 **13** 유망한, 가망이 있는

a ~ field and no favor 공명정대, 치우치지 않음 ***a ~ treat*** 《구어》 멋진 것[사람] ***be ~ game*** 좋은 목표[대상]이다 ***be ~ with*** a person …에 대하여 공평하다, 편파적이 아니다 ***be in a ~ way to*** do …할 듯하다, …할 가망이 있다: He *is in a ~ way to* make money. 그는 돈을 벌 듯하다. ***by ~ means or foul*** 수단을 가리지 않고, 무슨 일이 있어도 ***~ and square*** 《구어》 공명정대한, 올바른, 정정당당한 ***F~ dos*** [***do's***]. =***F~'s ~.*** 《영·구어》 공평히 합시다! ***F~ enough!*** 《구어》 (제안에 대하여) 됐어! ***~ to middling*** 《미·구어》 〈용모 등이〉 그저그만한, 어지간한, 좋지도 나쁘지도 않은(so-so) ***It is only ~ to*** (do) …하는 것은 아주 당연하다

— *ad.* **1** [play, fight, act 등의 동사와 함께] **공명정대하게, 정정당당하게** **2** 깨끗하게, 말쑥히, 훌륭히: copy[write out] ~ 정서(淨書)하다(cf. FAIR COPY) **3** 얌전하게, 정중하게 **4** 바로, 똑바로, 정통으로; 《구어》 정말로: hit him ~ in the head 그의 머리에 정통으로 맞다 **5** 순조롭게, 유망하게, 잘 **6** 《영·호주》 완전히, 확실히 **7** 《방언》 간신히, 겨우

bid ~ to do …할 가망이 충분히 있다: This entry *bids ~ to* win first prize. 이 출품작이 1등을 차지할 듯하다./Our plan *bids ~ to* succeed. 우리 계획은 성공할 듯하다. ***~ and soft*** (***ly***) 온화하게, '그리 덤비지 말고 좀 천천히' 《남에게 주의주는 말》 ***~ and square*** 《구어》 (1) 공명정대하게, 올바르게, 정정당당하게 (2) 정면으로, 똑바로 ***fight ~*** 정정당당하게 싸우다 ***play ~*** 공정히[정정당당하게] 겨루다[처신하다] ***speak*** a person ***~*** 《고어》 …에게 정중히 말하다

— *n.* **1** [the ~] 여성 **2** [a ~] 《고어》 연인, 애인 ***F~'s ~.*** 《구어》 (서로) 공평하게 하자. ***for ~*** 《미·속어》 아주, 전혀, 완전히 ***no ~*** 규칙에 어긋나는 일, 규칙 위반 ***through ~ and foul*** ⇨ foul

— *vt.* **1** 바로 하다, 평평히 하다, 〈문서를〉 정서하다 **2** 〈항공기·선박을〉 유선형으로 정형(整形)하다 《*up, off*》 **3** 〈재목 등을〉 반반하게 하다

— *vi.* 《방언》 〈날씨가〉 개다: (~+副) The weather has *~ed off*[*up*]. 날씨가 개었다.

▷ fáirly *ad.*; fáirish *a.*; fáirness *n.*

‡fair² [fέər] *n.* **1** 《미》 (농·축산물 등의) **품평회,** 공진회(共進會) **2** 《영》 정기시(定期市), 축제일 겸 장날: a horse ~ 말 시장 **3 박람회,** 견본시, 전시회: a world('s) ~ 만국 박람회/an international trade ~ 국제 견본시/an industrial ~ 산업 박람회 **4** 자선시, 바자회(bazaar): a church ~ 교회 바자회 **5** 설명회: a job ~ 취업 설명회 **6** 《영》 유원지(funfair)

a day after the ~ 《구어》 한 발 늦어

---

fair¹ *a.* **1** 공정한 just, impartial, unbiased, unprejudiced, objective, lawful, legal, square **2** 보통 정도의 reasonable, passable, tolerable, satisfactory, moderate, so-so, average, not bad, pretty good **3** (날씨가) 맑은 bright, clear, cloudless, fine, sunny **4** 아름다운 beautiful, pretty, lovely

fair² *n.* exposition, display, show, exhibition

fáir báll 〖야구〗 페어 볼(opp. *foul ball*)

fáir cátch 〖미식축구〗 페어 캐치 《찬 공을 상대방이 받기》

fáir cópy 정서(淨書); 정확한 사본: make a ~ 정서하다

Fáir Déal [the ~] 공정 정책 《미국의 Truman 대통령이 1949년에 제창한 대내 정책》

fáir dín·kum [-díŋkəm] *a., ad.* 《호주·구어》 정직한[정직하게]; 진짜인[진짜로](real(ly)); 그대로인[그대로]

fáir emplóyment (종교·인종·성별에 의한 차별을 하지 않는) 공평 고용

fáir·er sèx [fέərər-] [the ~] = FAIR SEX

fair-faced [fέərféist] *a.* **1** 피부가 흰, 미모의 **2** 《영》 〈벽돌벽이〉 회를 바르지 않은 **3** 그럴싸한

Fair·field [fέərfì:ld] *n.* **1** 미국 California 주의 중부 도시 《Travis 공군 기지가 있음》 **2** 미국 Connecticut 주 남서부의 도시 **3** 미국 Ohio 주 중부의 도시

fáir gáme **1** (공격·조소의) 좋은 목표, 웃음거리; 《비유》 '봉' 《*for*》 **2** 〖수렵〗 해금된 사냥감

fáir grèen 〖골프〗 = FAIRWAY 2

fair·ground [fέərgràund] *n.* [종종 *pl.*] 정기 장터, 박람회·공진회 등이 열리는 장소

fair-haired [-hὲərd] *a.* **1** 금발의 **2** 《구어》 마음에 드는, 총애받는(favorite)

fáir-haired bóy 《구어》 (윗사람에게) 총애받는 청년; 후임자로 지목받는 청년: the ~ of the family 귀염둥이 아들

fáir hóusing 《미》 공정 주택 거래(open housing)

fair·i·ly [fέərəli] *ad.* 요정(妖精)같이, 우아하게

fair·ing¹ [fέəriŋ] *n.* 《영》 시장에서 산 선물

fairing² *n.* Ⓤ 유선형으로 함, 정형(整形) 《비행기의》; Ⓒ 유선형의 구조[부분]

fair·ish [fέəriʃ] *a.* 어지간한, 상당한; 피부가 흰편인, 금발에 가까운 **~·ly** *ad.*

Fáir Ísle **1** Fair 섬 《스코틀랜드 Shetland 섬군 중의 최남단》 **2** [생산지 이름에서] 《영》 페어아일식 스웨터(= ~ **swéater**[**púllover**])

fair·lead [fέərlì:d] *n.* **1** 〖항해〗 도삭기(導索器) (fairleader) **2** 〖항공〗 안테나를 기체 안으로 이끄는 절연 부품; 조종삭(操縱索)의 마모 방지 부품 **~·er** *n.*

fair·light [-làit] *n.* 《영》 = TRANSOM window

‡fair·ly [fέərli] *ad.* **1 공정**[**공평**]**히**: fight ~ 공명정대하게 싸우다 **2 꽤,** 어지간히, 상당히(tolerably); 그저 그렇게(moderately): ~ good 꽤[그만하면] 좋은/a ~ heavy rain 꽤 큰 비 ★ fairly는 보통 좋은 뜻으로, rather는 좋지 않은 뜻으로 씀. **3** 《구어》 **아주,** 완전히(completely); 정말로(actually), 사실상: I'm ~ worn out. 나는 정말 지쳐 있다. **4** 멋들어지게(handsomely), 적절히(properly), 적당하게, 정당하게, 합법적으로: a claim ~ made 이치에 맞는 청구 **5** 〈필적이〉 명료하게, 뚜렷이(clearly), 확실히, 명백히: It was ~ written. 그것은 확실하게 쓰여졌다.

~ and squarely = FAIR¹ and square

fáir márket prìce[**vàlue**] (판매자와 구입자간의) 흥정이 맞아 떨어지는 가격, 공정 시장 가격

fair-mind·ed [fέərmáindid] *a.* 공정[공평]한, 편견을 갖지 않은; 기탄없는

∗fair·ness [fέərnis] *n.* Ⓤ **1 공평,** 공명정대 **2 살결이 흼;** 예쁨; (머리칼의) 금빛 **3** 《고어》 청명(淸明), 순조 ***in*** (***all***) ***~*** 《미·구어》 공평하게 말하면

fáirness dòctrine 〖방송〗 (사회적으로 중요한 문제에 관한 여러 가지 견해를 표명하는 방송의) 기회 공평의 원칙, 공정의 원칙

∗fáir pláy **1 정정당당한 경기 태도,** 페어플레이; 공명정대한 행동 **2** 공정한 취급

fáir sèx [the ~; 집합적] 여성, 부인(women)

fáir shàke 《속어》 공평한 기회, 공정한 조처

fair-sized [fέərsáizd] *a.* 꽤 큰, 중간 크기의

fair-spo·ken [-spóukən] *a.* 정중한(polite), 상냥한; 구변이 좋은 **~·ness** *n.*

fair-to-mid·dling [-təmídliŋ] *a.* 평균보다 조금

나은, 웬만한, 그저그런
fáir tráde 〖경제〗 공정 거래, 호혜 무역
fair-trade [-tréid] 〖경제〗 *a.* 공정 거래의: ~ prices 공정 거래 가격 **—** *vt.* 공정 거래[호혜 무역] 협정의 규정에 따라 팔다, 공정 거래하다
fáir-tráde agrèement 〖경제〗 공정 거래[호혜 무역] 협정
fáir tráder 〖경제〗 공정 거래[호혜 무역]업자
fair·wa·ter [-wɔ̀:tər, -wɑ̀-] *n.* 〖항해〗 페어워터 《선체의 물의 저항을 줄이기 위한 유선형 구조》
fair·way [-wèi] *n.* **1** (강·만 등의) 항로, 안전한 뱃길[통로] **2** 〖골프〗 페어웨이 《tee와 putting green 사이의 잔디밭》
fair-weath·er [-wèðər] *a.* Ⓐ 날씨가 좋을 때만의, 유리할 때만의: a ~ friend 정작 어려운 때는 믿지 못할 친구
⁑**fair·y** [fέəri] *n.* (*pl.* **fair·ies**) 요정(妖精), 선녀; 《경멸》 남성 동성애자(gay)
— *a.* **1** 요정의, 요정에 관한: the ~ queen 요정의 여왕 **2** 요정 같은, 선녀 같은(fairylike); 우미(優美)한: a ~ shape 우아한 모양 **3** 가공의, 상상의(imaginary) ▷ fáirily *ad.*
fáiry càke (영) 당의(糖衣)를 입힌 작은 카스텔라
fair·y-cir·cle [fέərisə̀:rkl] *n.* =FAIRY RING; 요정[선녀]의 춤
fáiry cỳcle 어린이용 자전거
fair·y·dom [fέəridəm] *n.* =FAIRYLAND
fáiry gódmother **1** (옛날 이야기에서) 주인공을 돕는 요정 **2** [one's ~로] (곤란할 때 갑자기 나타나는) 친절한 사람[아주머니]
fáiry gréen 노란색을 띤 녹색, 황록색
fair·y·hood [fέərihùd] *n.* Ⓤ 요정임, 마성(魔性); [집합적] 요정(fairies)
fair·y·ism [fέəriìzm] *n.* Ⓤ **1** 요정다움, 마성(魔性) **2** 요정 실재설(實在說)
fáiry làdy (속어) 여자역의 레즈비언
fáiry làmp[lìght] (빛깔 있는 장식용) 꼬마 전구
*⁎***fair·y·land** [fέərilæ̀nd] *n.* **1** Ⓤ 요정[동화]의 나라, 선경(仙境) **2** Ⓒ 더할 나위 없이 아름다운 곳, 신기한 세계, 도원경
fair·y·like [fέərilàik] *a.* 요정 같은
fáiry mòney 요정에게서 받은 돈; 주운 돈
fáiry rìng 요정의 고리 《풀밭에 버섯이 둥그렇게 나서 생긴 검푸른 부분; 요정들이 춤춘 자국이라고 믿었음》
fáiry shrìmp 〖동물〗 무갑류(無甲類)의 새우 《투명한 민물 새우》
⁑**fáiry tàle[stòry]** 동화, 옛날 이야기; 꾸민 이야기 (⇨ fable 유의어): be just a ~ 전적으로 비현실적인 이야기이다
fair·y-tale [fέəritèil] *a.* Ⓐ 동화 같은; 믿을 수 없을 정도로 아름다운: a ~ landscape 믿을 수 없을 정도로 아름다운 경치
fai·san·dé [fèizɑ:ndéi] [F] *a.* 젠체하는, 부자연스러운, 꾸민 듯한
fait ac·com·pli [féit-əkɑmplí: | -kɔ́mpli:] [F] (*pl.* **-s -s** [-z]) 기정 사실(accomplished fact)
faites vos jeux [fét-vou-ʒə́:] [F] *int.* 돈을 거십시오 《룰렛에서 croupier가 도박 손님에게 하는 말》
⁑**faith** [féiθ] [L 「신뢰」의 뜻에서] *n.* **1** Ⓤ **신뢰**, 신용, 믿음(trust, confidence) 《*in*》: put one's ~ *in* …을 믿다/Children usually have ~ *in* their parents. 어린이들은 보통 부모들을 전적으로 믿고 있다. **2** Ⓤ **신념**(belief), **확신** 《*in*》: I have ~ *in* my (own) future. 나는 나 (자신)의 장래를 확신하고 있다. **3 a** Ⓤ **신앙**, 신앙심 **b** [the ~] 참된 신앙; 그리스도교 (신앙) **c** Ⓒ 신조, 교지(教旨), 교의(教義)(doctrine); 교(教): the Christian [Jewish] ~ 그리스도[유대]교 **4** Ⓤ 신의, 성실(honesty), 준수, 충성: act in good[bad] ~ 성실하게[불성실하게] 행동하다 **5** Ⓤ 약속, 서약(promise)
by one's ~ 맹세코, 단연코 ***by the ~ of*** …앞에 맹세코 ***~, hope, and charity*** 믿음·소망·사랑 《그리스도의 세 가지 기본 덕》 ***give*** [***engage, pledge, plight***] ***one's ~ to*** …에게 맹세하다, 굳게 약속하다 ***have ~ in*** …을 믿고 있다[신앙하다] ***in ~*** (고어) 정말, 참, 실로: *In* ~, he is a fine lad. 정말로 그는 훌륭한 젊은이다. ***keep*** [***break***] ***~ with*** …에 대한 맹세를 지키다[깨뜨리다] ***keep the ~*** (구어) 신념을 끝까지 지키다; (미·속어) [감탄사적] 힘을 내라, 정신차려라 ***on the ~ of*** …을 믿고, …의 보증으로 ***Punic ~*** 배신
— *int.* 정말, 참(cf. in FAITH) ▷ fáithful *a.*
fáith commùnity (완곡) 교회, 사원
fáith cùre (기도에 의한) 신앙 요법, 신앙 치료
fáith cùrer 신앙 요법을 베푸는 사람
⁑**faith·ful** [féiθfəl] *a.* **1 충실한**, 신의가 두터운, 성실한, 헌신적인, 열심인, (서약 등을) 충실히 지키는; 정숙한 《*to*》: a ~ worker 성실한 일꾼/be ~ *to* one's promise 약속을 충실히 지키다 **2 사실대로의**, 원본에 충실한(true), 정확한; 신뢰할 만한: a ~ copy 원본에 충실한 사본/a very ~ source 믿을 만한 출처 **3** [the ~; 명사적; 복수 취급] 충실한 신도들(true believers); 《특히》 그리스도교도, 이슬람교도(Mohammedans); 충실한 지지자들(loyal followers): the Father of *the F*~ 신도의 아버지 《〖성서〗 Abraham을 일컬음》; (이슬람교에서) Caliph의 칭호
⁑**faith·ful·ly** [féiθfəli] *ad.* **1 충실히**, 성실하게, 정숙하게 **2** 정확하게 **3** 단단히 보증하여, 굳게: promise ~ (구어) 단단히[분명히] 약속하다 ***deal ~ with*** …을 성실히 다루다; …을 엄하게 다루다, 벌하다 ***Yours ~*** = ***F~ yours*** 재배(再拜) 《그다지 친하지 않은 사람에게 내는 편지의 맺음말; cf. AFFECTIONATELY, TRULY, SINCERELY》
fáith hèaler =FAITH CURER
fáith hèaling =FAITH CURE
*⁎***faith·less** [féiθlis] *a.* **1** 신의가 없는, 불성실한, 부정(不貞)한: a ~ servant 불성실한 하인 **2** 믿지 못할(unreliable): a ~ friend 믿을 수 없는 친구 **3** 〖그리스도교〗 신앙이 없는 **4** 신념 없는, 회의적인
~·ly *ad.* **~·ness** *n.*
fai·tour [féitər] *n.* (고어) 사기꾼, 야바위꾼
faits di·vers [féi-di:vέər] [F] *pl.* 신문 기사 거리; 잡보; 사소한 사건
fa·ji·tas [fəhí:təz] *n. pl.* [단수·복수 취급] 파히타스 《양파, 고추, 닭고기 등으로 조리하여 tortilla와 함께 먹는 멕시코 음식》
*⁎***fake**[1] [féik] *vt.* (구어) **1 위조하다**(counterfeit); (되는 대로) 꾸며내다, **날조하다**(fabricate) 《*up*》: (~+目+副) ~ (*up*) news 기사를 날조하다 **2 속이다**(deceive); 좀도둑질하다, 훔치다; 윤색하다 **3** …인 체하다, 가장하다(pretend): ~ illness 꾀병 부리다/~ surprise 놀란 체하다 **4** 〖스포츠〗 페인트하다 《*out*》 **5** 〖재즈〗 즉흥 연주하다(improvise)
— *vi.* **1** 위조하다; 속이다 **2** 〖스포츠〗 페인트하다 **3** 꾀병 부리다 **4** 〖재즈〗 즉흥으로 연주하다 ***~ it*** 알고[할 수] 있는 체하다, 허세부리다; 즉흥 연주하다 ***~ off*** (미·속어) 꾀피우다 ***~ out*** (속어) 속이다
— *n.* **1 모조품**, 위조품, 가짜(sham); 사기; 맹랑한 거짓말, 헛소문 **2** (미) 사기꾼(swindler) **3** 〖스포츠〗 페인트(feint) **4** 즉흥 연주
— *a.* 가짜의, 모조의, 위조의: ~ money 위조지폐
fake[2] 〖항해〗 *vt.* 〈밧줄을〉 첩첩이 사리다
— *n.* (첩첩으로 사려 놓은) 밧줄의 한 사리
fáke bàke (미·구어) 선탠 살롱(에서 태운 피부); 인공 선탠
fáke bòok (미) (해적판) 대중 가요 악보집
fa·keer [fəkíər] *n.* =FAKIR
fake·ment [féikmənt] *n.* 사기, 협잡; 가짜
fak·er [féikər] *n.* (구어) 위조자, 《특히》 사기꾼;

thesaurus **faithful** *a.* loyal, devoted, dependable, reliable, true, trusty, trustworthy, dedicated, committed (opp. *disloyal, unfaithful*)

《미》 노점 상인, 행상인
fak·er·y [féikəri] *n.* (*pl.* **-er·ies**) 속임수, 사기; 가짜, 모조품, 위조품
fak·ie [féiki] *n.* 《구어》 (스케이트보드나 스노보드에서) 반대 방향으로의 전환 동작
fa·kir, -quir [fəkíər | féikiə] *n.* (이슬람교·바라문교 등의) 고행자(苦行者), 탁발승(mendicant)
fa la, fa-la [fɑ:-lɑ́:] 16·17세기에 유행한 마드리갈(madrigal)
fa·la·fel [fəlɑ́:fəl] *n.* (*pl.* ~) 팔라펠 《중동의 야채 샌드위치》
Fa·lange [féilændʒ | fəlǽndʒ, fǽlændʒ] *n.* [the ~] 팔랑헤당 《스페인의 파시스트 정당》
Fa·lán·gism *n.* Ⓤ 팔랑헤주의 **-gist** *n.*
Fa·la·sha [fɑ:lɑ́:ʃə, fə- | fəlǽʃə] *n.* (*pl.* ~, **~s**) 팔라샤 인(人) 《에티오피아에 사는, 유대교를 신봉하는 햄(Ham) 족》
fal·ba·la [fǽlbələ] *n.* (여성복의) 옷자락 장식, 옷자락 주름(flounce)
fal·cate [fǽlkeit] *a.* 〖해부·식물·동물〗 낫 모양의, 갈고리 모양의
fal·chion [fɔ́:ltʃən, -ʃən] *n.* **1** 언월도(偃月刀) 《중세기의 칼날 폭이 넓고 휜 칼》; 청룡도 **2** 《시어》 칼, 검
fal·ci·form [fǽlsəfɔ̀:rm] *a.* =FALCATE
*__fal·con__ [fɔ́:lkən, fǽl-, fɔ́:kən | fɔ́:lkən, fɔ́:kən] *n.* **1** (매사냥에 쓰는) 매, **송골매**, 새매 《고귀·긍지 등의 상징; cf. HAWK》 **2** 〖역사〗 (15-17세기의) 경포(輕砲) **3** [**F~**] 〖군사〗 미공군의 공대공 미사일의 일종
— *vi.* 매사냥을 하다 **~·er** *n.* 매사냥꾼, 매부리
fal·con·et [fɔ́:lkənèt, fǽl- | fɔ́:lkənèt, fɔ́:k-] *n.* 작은 매; 〖역사〗 경포(輕砲)
fal·con-gen·tle [fɔ́:lkəndʒéntl, fǽl- | fɔ́:lkən-] *n.* 매의 암컷, 익더귀
fal·con·ry [fɔ́:lkənri, fǽl-, fɔ́:k- | fɔ́:lk-, fɔ́:k-] *n.* Ⓤ 매 훈련법; 매사냥
fal·de·ral [fǽldəræ̀l], **-rol** [-rɑ̀l | -rɔ̀l] *n.* =FOLDEROL
fald·stool [fɔ́:ldstù:l] *n.* 〖가톨릭〗 (bishop이 앉는) 팔걸이 없는 의자; 예배용 접의자; 〖영국국교〗 연도대(連禱臺)
Fa·ler·ni·an [fələ́:rniən] *n.* Ⓤ 팔레르노 포도주 《이탈리아 Falerno 산(産)》
Fálk·land Íslands [fɔ́:klənd-] [the ~] 포클랜드 제도 《남미에 있는 영국 식민지; 1982년 영국·아르헨티나간에 군사 분쟁이 일어남》
‡**fall** [fɔ́:l] *v., n., a.*

> 「떨어지다」 **1**, 「떨어짐」, 「낙하」 **1**
> → (잎이 떨어짐) → 「가을」 **11**
> → (물이 떨어짐) → 「폭포」 **3**
> → 「내려가다」 **2**, 「저하」 **7** → (위에서 아래로)
> → 「드리워지다」 **6**
> → 「넘어지다」 **7**, 「전도」 **4 a**, 「몰락」 **4 b**
> → (어떤 상태가 빠지다) → 「…이 되다」 **19**

— *vi.* (**fell** [fél]; **fall·en** [fɔ́:lən]) **1 떨어지다,** 〈눈·비가〉 내리다, 〈꽃·잎이〉 지다, 낙하하다, 추락하다; 〈머리털 등이〉 빠지다; 〈눈물이〉 흐르다; 〈옷이〉 벗겨지다: 《~+副》 The snow *~s fast.* 눈이 펑펑 쏟아진다. // 《~+前+名》 *~ out of* a car 차에서 떨어지다 / Ripe apples *fell off* the tree. 익은 사과가 나무에서 떨어졌다. **2** 〈가치·온도·기록 등이〉 **내려가다,** 떨어지다, 하락하다(opp. *rise*), 〈수량 등이〉 감소하다, 줄다: The glass[temperature] has *fallen.* 온도계[온도]가 내려갔다. **3** 〈토지가〉 경사지다(slope), 낮아지다: 《~+前+名》 The field *~s* gently *to* the river. 밭은 완만하게 강을 향해 경사져 있다. **4** 〈하천이〉 흘러내리다, 흘러들어가다(flow) 《*into*》: 《~+前+名》 The river *~s into* the southern sea. 그 강은 남쪽 바다로 흘러든다. **5** 부상하여 쓰러지다; (전투 등으로) 전사하다, 죽다: 《~+前+名》 ~ *in* battle 전사하다 / ~ *of* hunger 아사하다 / ~ *on* one's sword 칼로 자결하다 // 《~+補》 The horse *fell* dead. 말은 죽어 넘어졌다. **6** 〈머리털·옷 등이〉 **드리워지다**(hang down), 흘러내리다; 〈어둠 등이〉 내려 깔리다, 깃들다: 《~+副》 Evening is *~ing fast.* 밤이 빨리 어두워지고 있다. // 《~+前+名》 Darkness *fell upon* the village. 어둠이 마을을 덮었다. / Her hair *~s* loosely *to* her shoulders. 그녀의 머리는 어깨까지 축 드리워져 있다. **7** (걸려) **넘어지다,** 구르다, 뒹굴다, 전락(轉落)하다; 납죽 엎드리다: The child stumbled and *fell.* 아이는 걸려 넘어졌다. // 《~+副》 ~ *downstairs* 위층에서 굴러 떨어지다 // 《~+前+名》 ~ *at* a person's feet …의 발 아래 엎드리다 / ~ *on* one's face 엎드러지다; 완전히 실패하다 / ~ *on* one's knees 무릎을 꿇다 **8** 〈건물 등이〉 **무너지다,** 붕괴하다, 도괴(倒壞)하다; 〈계획 등이〉 못쓰게 되다; 안절부절못하다: 《~+前+名》 ~ *to* pieces 산산조각이 나다 / The old tower *fell under* its own weight. 오래된 탑이 그 자체의 무게로 인해 붕괴되었다. **9** 〈요새·도시 등이〉 **함락되다:** 《~+前+名》 Berlin *fell to* the Allies. 베를린은 연합군 측에 함락되었다. **10** 〈국가·정부 등이〉 쓰러지다, 전복되다 (높은 지위·신분에서) 떨어지다, 몰락하다, 실각(失脚)하다; 〈품위 등이〉 떨어지다, 하락하다: 《~+前+名》 ~ *from* power 권좌에서 실각하다 / The president *fell from* the people's favor. 대통령은 인기가 떨어졌다. **11** (유혹 등에) 넘어가다, 타락하다; (죄를) 범하다; 〈여자가〉 정조를 잃다; 임신하다: 《~+前+名》 ~ *into* temptation 유혹에 넘어가다 **12** 정도가 약해지다, 〈불이〉 꺼지다, 〈바람이〉 약해지다, 자다(subside), 〈물 등이〉 빠지다, 〈조수가〉 나가다, 〈힘이〉 없어지다, 〈대화가〉 단절되다, 〈주장 등이〉 무효가 되다, 근거를 잃다: The wind has *fallen.* 바람이 약해졌다. **13** 〈마음이〉 진정되다, 가라앉다 **14** 〈값이〉 내리다, 〈수요가〉 줄다, 〈목소리가〉 낮아지다: His voice *fell* (to whisper). 그는 목소리를 낮추었다. **15** 나빠지다, 악화하다 **16** (떨어져 내려오듯이) 다가오다; 〈졸음 등이〉 덮치다: 《~+前+名》 Sleep *fell* suddenly *upon* them. 졸음이 갑자기 그들을 엄습했다. **17** 〈사건이〉 일어나다(occur); 이르다, 닿다(arrive), 〈재난·불운 등이〉 닥치다; (어떤 시대에) 태어나다; 〈특정한 어느 날·계절이〉 오다, 되다; (도적 등을) 만나다, 포위되다 《*among*》; 〈악센트가〉 …에 있다: 《~+前+名》 The traveler *fell among* thieves on a mountain path. 길손은 산길에서 도둑들을 만났다. / Christmas *~s on* Tuesday this year. 올해 크리스마스는 화요일이다. / The accent *~s on* the last syllable. 악센트는 끝 음절에 온다. **18** 〈눈·시선이〉 아래를 향하다; 어두운 표정이 되다; 〈기가〉 꺾이다: 《~+前+名》 His eyes *fell on* me. 그의 시선이 내게 쏠렸다. // His face *fell* when he heard the news. 그 소식을 듣고 그의 안색은 어두워졌다. **19** 〈어떤 상태로〉 되다: 《~+補》 ~ asleep 잠들다 / ~ ill 병이 나다 / It *~s* calm. 바람이 잠잠해진다[잔다]. // 《~+前+名》 ~ *into* a bad habit 나쁜 버릇이 들다 / ~ *into* a rage 울컥 화를 내다 / ~ *in* love with …을 사랑하게 되다, …에게 반하다 **20** 〈명예·유산 등이〉 …의 것이 되다; 〈선택·배당 등이〉 …에게 돌아가다; 〈부담·의무가〉 …의 어깨에 걸리다 《*on, to*》: 《~+前+名》 The inheritance *fell to* the only living relative. 유산은 혼자 남은 친족이 상속했다. / Their choice *fell on* him. 그들은 그를 뽑았다. / The lot *fell upon* him. 그가 당첨되었다. / The expenses *fell on* me. 경비는 나의 부담이 되었다. **21** 〈동물의 새끼가〉 태어나다 **22** 〈음성·말이〉 새어 나오다: 《~+前+名》 The news *fell from* his lips. 그 소식은 그의 입에서 나왔다. **23** 분류되다, 나뉘다: 《~+前+名》 The plays of

---

fake[1] *n.* counterfeit, forgery, copy, imitation
fall *v.* **1** 떨어지다 drop, descend, sink, plummet **2** 넘어지다 trip over, stumble

Shakespeare ~ distinctly *into* four periods. 셰익스피어의 희곡은 뚜렷이 4기(期)로 나뉜다.
— *vt.* **1** 《고어》 쓰러뜨리다; 〈나무를〉 베어내다, 벌채하다; 〈짐승을〉 죽이다 **2** 《고어》 〈눈물을〉 흘리다: 〈무기를〉 버리다 **3** 《폐어》 〈지분·배당 등을〉 받다, 획득하다
~ aboard (**of**) a ship 〚항해〛 (다른 배의 뱃전에) 충돌하다 **~ about** 《구어》 포복절도하다, 몹시 웃다 **~ about laughing** [**with laughter**] =FALL about. **~ about** a person**'s ears** 〈새 계획 등이〉 완전히 못쓰게 되다[틀어지다] **~ across** …와 우연히 마주치나 **~** (**a**)do**ing** …하기 시작하다: ~ *a*-weep*ing* 울기 시작하다 《a-가 붙은 형태는 《고어·방언》》 **~ all over** 아부하다, 추어올리며 비위를 맞추다 **~ all over** one**self** 열심히 애쓰다, 열성적이다 **~ apart** 산산조각나다, 부서지다; 《구어》 실패로 끝나다; 《구어》 〈사람·부부 등이〉 갈라서다, 헤어지다 **~ a prey** [**victim, sacrifice**] **to** …의 먹이[희생]가 되다 **~ asleep at the switch** 예정된 일을 놓고 되부리다 **~ astern** 다른 배에 뒤처지다[앞질리다] **~ away** (1) 멀어지다, 떨어져가다, 변절하다, 배반하다, 〈지지자 등이〉 …을 저버리다 《*from*》 (2) 쇠약해지다, 여위다: ~ *away* in flesh 살이 빠지다 (3) 〈배가〉 침로에서 벗어나다 (4) 〈인원수·수요·생산 등이〉 …까지 감소하다, 뚝 떨어지다, 줄다 《*to*》; 사라지다 《*to, into*》 (5) 〈지면이〉 갑자기 꺼지다[내려앉다]; 〈땅이〉 …쪽으로 (급)경사져 있다 《*to*》 **~ back** 후퇴하다, 물러나다, 겁이 나서 주춤하다; 〈물 등이〉 줄어들다(recede); 약속을 어기다 **~ back on** [**upon**] …에 의지하다; 〚군사〛 후퇴하여 …을 거점으로 하다: He had no saving to ~ *back on.* 그에게는 의지할 만한 저축이 없었다. **~ behind** 뒤지다, 뒤떨어지다; 추월당하다; 〈지불·일이〉 늦어지다, 〈세금 등을〉 체납하다 《*with, in*》: We are *~ing behind in* our work. 우리는 일이 늦어지고 있다. **~ by the wayside** (1) 중도 포기하다 (2) 패배하다 **~ down** 넘어지다; 엎드리다; 병들어 눕다; 흘러 내리다; …에서 굴러 떨어지다; 《미·속어》 …에 실패하다 《*on*》: ~ *down* a cliff 절벽에서 떨어지다 **~ down and go boom** 〈사람이〉 꽈당 넘어지다, 〈남 앞에서〉 창피당하다 **~ down on the job** 제대로 하지 못하다 **~ due** 〈어음이〉 만기가 되다 **~ flat** 실패하다, 인기를 얻지 못하다 **~ flat on** one**'s face** 《비유》 푹 고꾸라지다[엎어지다]; 완전히 실패하다 **~ for** 《미·속어》 …에 홀딱 반하다, 매혹되다; 속다: ~ *for* an old trick 상투적인 수법에 속다 **~ foul** [**afoul**] **of** 〚항해〛 〈다른 배와〉 충돌하다; …와 옥신각신하다 **~ from** …에서 전락(轉落)하다; …을 배반하다 **~ from favor** [**grace**] 신의 은총을 잃다, 타락하다, 종교상의 죄를 범하다(sin) **~ home** 〈목재 등이〉 안쪽으로 휘다 **~ in** (1) 〈지붕 등이〉 내려앉다; 〈땅바닥이〉 움푹 들어가다; 〈볼 등이〉 쑥 들어가다 (2) 〚군사〛 정렬하다[시키다]; 《구령》 집합!, 정렬! (3) 차용(借用) 기한이 차다 (4) 마주치다 (5) 동의하다 **~ in alongside** [**beside**] (먼저 걷고 있는 사람과) 합류하여 걷다 **~ in for** 〈혜택 등을〉 받다; 〈피해 등을〉 입다 **~** do**ing** …하기 시작하다 **~ in line** (주저하다가) 협조하다 **~ into** …이 되다, …에 빠지다; …하기 시작하다(begin): ~ *into* conversation with …와 대화를 시작하다 **~ into line** 대열에 들어서다; (남과) 행동을 같이하다 《*with*》 **~ into place** 〈주장·이야기 등이〉 앞뒤가 맞다 **~ into step** …와 보조를 맞추어 걷기 시작하다, …에 동조하다 《*with*》 **~ into the hands of** …의 수중에 들어가다, …의 손에 맡겨지다 **~ in with** …와 우연히 마주치다; …와 일치하다; …에 동의하다; …에 참가하다; …와 조화하다; 〈점·때가〉 …와 부합되다: ~ *in with* a person's plans …와 계획이 일치하다 **~ off** 떨어져 내려오다; 〈친구 등이〉 떨어지다; 이반(離反)하다; 〈출석자 수 등이〉 줄다; 〈건강 등이〉 쇠퇴하다; 타락하다; 〚항해〛 (바람 불어가는 쪽으로) 배를 돌리다, 침로(針路)에서 벗어나다: ~ *off* a ladder 사다리에서 떨어지다 **~ on** [**upon**] …을 습격하다(attack); 〈행동을〉 시작하다; …와 마주치다; 〈축제일·일요일 등에〉 해당하다; 〈재난 등이〉 들이닥치다; 싸움에 참가하다; 먹기 시작하다: The enemy *fell on* them from the rear. 적이 배후에서 습격해 왔다. / The first of March *~s on* Monday this year. 3.1절은 금년에 월요일이다. **~ on hard times** [**evil days**] 불운[불황]을 만나다, 영락하다 **~ on** [**upon**] one**'s feet** [**legs**] 무사히 재난을 면하다; 운이 좋다 **~ out** 싸우다, 사이가 틀어지다 《*with*》; 일어나다, …이라고 판명되다, …한 결과가 되다(turn out) 《*that* ..., *to* be ...》; 〚군사〛 대열을 떠나다, 낙오하다: Things *fell out* well. 결과는 아주 좋았다. **~ out of** 〈습관을〉 버리다 **~ out of bed** 침대에서 떨어지다; 〈물가 등이〉 갑자기 내리다: The President's approval ratings *fell out of bed* this year. 대통령의 지지율은 올해 급락했다. **~ over** …의 위에 엎어지다; …너머에 떨어지다; 〈머리털이〉 축 드리워지다 **~ overboard** 배에서 물속으로 떨어지다 **~ over one another** [**each other**] 《미·구어》 경쟁하다 **~ over** one**self** [**backward**] = **~ all over** one**self** 《미》 열을 올리다, (…하려고) 기를 쓰다 **~ prey to** 피해를 입다 **~ short** 부족하다; 미달하다, 모자라다 《*of*》 **~ through** 실패로 끝나다, 수포로 돌아가다: His deal *fell through.* 그의 거래는 실패로 끝났다. **~ to** 〈일을〉 (열심히) 하기 시작하다; 주먹질을 시작하다; 먹기 시작하다; 〈문 등이〉 자동적으로 닫히다; 《문어》 정복당하다, 함락되다: ~ *to* work 일을 시작하다 **~ to the ground** 〈계획 등이〉 완전히 실패해 버리다 **~ under** …의 부류에 들다, …에 해당하다; 〈주목 등을〉 받다: ~ *under* a person's notice …의 눈에 띄다 **~ up** 《속어》 방문하다 **~ wide of** 빗나가다 **~ within** …이내에 있다, …의 속에 포함되다 **let ~** 떨어뜨리다; 쓰러뜨리다; (일부러) 입 밖에 내다
— *n.* **1** 낙하, 추락, 낙하물: a ~ from a horse 낙마(落馬) / the ~ of leaves 낙엽 **2** 강우(량), 강설(량): a heavy ~ of rain 폭우 / a six-inch ~ of snow 6인치의 적설량 **3** [보통 *pl.*; 고유 명사로서는 단수 취급] 폭포(waterfall): The *~s* are 30ft high. 그 폭포수는 높이가 30피트다. / (The) Niagara *F~s* is receding. 나이아가라 폭포는 수량(水量)이 줄어들고 있다. **4 a** 전도(轉倒), 도괴(倒壞), 붕괴, 전사: have a bad ~ on the ice 빙판에서 넘어져 다치다 **b** 와해(瓦解); 함락; 항복, 쇠망, 몰락, 실각: the ~ of the Roman Empire 로마 제국의 멸망 **5** 타락; 악화; 실추; 죄에 빠짐: the *F~* of Man 인류의 타락 《Adam과 Eve의 원죄; cf. ORIGINAL SIN》 **6** 〈악센트가〉 있어야 할 곳: the ~ of an accent on a syllable 한 음절에 오는 강세의 위치 **7** 〈온도의〉 내림, 저하, 〈가격 등의〉 하락; 강하, 침강, 낙차(落差); 감퇴, 감소 **8** 〚지질〛 경사, 낙차, 비탈, 기울기: the gentle rise and ~ of the meadow 목초지의 완만한 기복 **9** 〈도르래의〉 고팻줄 **10** 함정(fall-trap) **11** 《주로 미》 가을(autumn) 《낙엽기(期)라는 뜻에서》: in the ~ of life 만년에 **12** 드리워지기; 축 늘어진 옷깃; 헐렁하게 드리워진 베일, 드리워진 머리: a ~ of long hair 드리워진 긴 머리 **13** 〚레슬링〛 폴, 한판 (승부) **14** 벌채(량) **15** 《미·속어》 체포(arrest), 유치, 형기 **16** 〈동물의〉 출산, 한 배의 새끼 **17** 《스코》 운명, 운
at the ~ of day [**year**] 해질 녘[연말]에 **be headed for a ~** 몰락 도상에 있다 **ride for a ~** ⇨ ride. **take a ~** 《미·속어》 유죄 판결을 받다; 〚권투〛 녹다운당한 체하다 **take** [**get**] **a ~ out of** a person …을 패배시키다 **try a ~** 〚레슬링〛 폴을 시도하다; 한판 해 보다, 싸우다, 승부하다 《*with*》
— *a.* 가을의; 가을에 뿌리는; 가을에 여무는; 가을용

thesaurus **fallacy** *n.* misbelief, misconception, error, mistake, untruth, illusion, deceit
fallen *a.* **1** 죽은 dead, killed, slain, lost, perished, slaughtered **2** 부도덕한 immoral, shamed, disgraced, dishonored, sinful, unchaste
false *a.* **1** 틀린 untrue, incorrect, wrong, erro-

의: ~ goods 가을 용품 / ~ crops 가을에 여무는 농작물 / brisk ~ days 상쾌한 가을의 나날
fal·la·cious [fəléiʃəs] *a.* **1** 그릇된; 논리적 오류가 있는; 불합리한: ~ arguments 논리적으로 잘못된 논증 **2** 사람을 현혹시키는, 믿을 수 없는: ~ testimony 믿을 수 없는 증언 **3** 남의 눈을 속이는, 허위의: a ~ peace 거짓 평화 **4** 기대에 어긋난, 환멸적인: a ~ peace 거짓 평화 **~·ly** *ad.* 오류에 빠져, 허위적으로 **~·ness** *n.*
*****fal·la·cy** [fǽləsi] [L 「사기」의 뜻에서; false와 같은 어원] *n.* (*pl.* **-cies**) ⓊⒸ **그릇된 생각**[의견, 신념, 믿음]; 〖논리〗 허위(성), 착오, 기만성: a popular ~ 흔히 있는 오류
fal-lal, fal·lal [fællǽl] *n.* [보통 *pl.*] 《고어》 (허울만 좋은) 화려한 장신구[장식품], 싸고 번지르르한 물건
fal·lal·(l)er·y [fællǽləri] *n.* [집합적] 《고어》 (허울만 좋은) 화려한 장신구[장식품]
fall·back [fɔ́:lbæ̀k] *n.* **1** 후퇴(retreat) **2** 의지(가 되는 것), 여축(餘蓄), 예비물[금]; 〖컴퓨터〗 (고장시의) 대체 시스템 **—** *a.* 만일을 위해 대비한: a ~ plan 만일을 대비한 계획
⁑**fall·en** [fɔ́:lən] *v.* FALL의 과거분사
— *a.* **1** 떨어진, 추락한: ~ leaves 낙엽 **2** (싸움터에서) **쓰러진**, 죽은(dead); [the ~; 집합적; 복수취급] 전몰자(戰歿者): ~ troops 전사한 병사들 **3** 《고어》 타락한, 부도덕한: a ~ woman 타락한 여자, 매춘부 **4** 전복된, 함락된; 파괴된, 파멸된: a ~ city 함락된 도시 **5** 〈볼 등이〉 움푹 패인, 쑥 들어간
fállen ángel **1** (천국에서 쫓겨난) 타락한 천사 **2** 《구어》 〖증권〗 (가격 상승을 기대하고 사들이는) 가격 하락 주식
fállen árch [보통 *pl.*] 편평족(扁平足), 평발
fall·er [fɔ́:lər] *n.* 넘어지는 사람; 떨어지는[낙하하는] 물건; (신앙 등에서의) 탈락자
fall·fish [fɔ́:lfiʃ] *n.* (*pl.* **~, ~·es**) 〖어류〗 (미국 동부산(産)의) 잉엇과(科)의 민물고기
fáll frónt = DROP FRONT
fáll gùy 《미·속어》 **1** 잘 속는 사람, 봉 **2** (돈을 받고) 남의 죄를 뒤집어 쓰는 사람, 희생양(scapegoat)
fal·li·bil·i·ty [fæ̀ləbíləti] *n.* Ⓤ 오류를 범하기 쉬움 (opp. *infallibility*)
fal·li·ble [fǽləbl] *a.* 오류에 빠지기 쉬운, 틀리기 쉬운; 〈규칙 등이〉 오류를 면치 못하는, 정확하지 않은: ~ information 믿을 수 없는 정보
-bly *ad.* **~·ness** *n.*
fall-in [fɔ́:lin] *n.* 〖군사〗 정렬(整列)
fall·ing [fɔ́:liŋ] *n.* Ⓤ **1** 낙하, 추락; 강하, 하락 **2** 전도(顚倒); 함락; (암석의) 붕괴 **3** 타락
— *a.* **1** 떨어지는; 내리는, 하락하는; 감퇴하는: a ~ body 낙체(落體) / ~ market 하락 시세 / a ~ tide [water] 썰물 **2** 《미·방언》 〈날씨가〉 눈[비]이 (금방) 올 듯한 **3** 〈어조 등이〉 말끝을 낮추는
fálling bànd 17세기에 유럽에서 남자들이 입었던 폭 넓고 호화로운 옷깃[칼라]
fálling díphthong 〖음성〗 하강(下降) 이중 모음 《제1요소에 제2요소보다 강한 강세를 두는 [ái], [áu], [óu] 같은 이중 모음》
fálling dóor = FLAP DOOR
fálling léaf 〖항공〗 낙엽식 강하 비행술
fall·ing-off [fɔ́:liŋɔ́:f | -ɔ́f] *n.* = FALLOFF
fall·ing-out [fɔ́:liŋáut] *n.* (*pl.* **fall·ings-, ~s**) 싸움, 불화, 충돌: have ~ 사이가 틀어지다
fálling rhýthm 〖운율〗 하강 운율
fálling sìckness 《고어》 간질(epilepsy)

---

neous, faulty, invalid, inaccurate, inexact, imprecise, flawed **2** 가짜의 fake, artificial, imitation, sham, mock, bogus, counterfeit, feigned (opp. *genuine*) **3** 불성실한 faithless, treacherous, unfaithful, disloyal, dishonest, untrustworthy, deceitful, unreliable (opp. *faithful, true, loyal*)

fálling stár 유성, 별똥별(meteor)
fálling stóne 운석, 별똥
fálling wèather 《미중부》 (눈·비 등의) 악천후
fáll lìne 《미》 **1** 폭포선 **2** [**F- L-**] 미동부 Piedmont 고원과 해안 평야와의 경계선 **3** 〖스키〗 최대 경사선
fall·off [fɔ́:lɔ̀:f | -ɔ̀f] *n.* 저하, 쇠퇴, 감소, 감퇴
Fal·ló·pi·an túbe [fəlóupiən-] [이탈리아의 해부학자 이름에서] 〖해부〗 나팔관, 수란관(oviduct)
fall·out, fall-out [fɔ́:làut] *n.* Ⓤ **1** 방사성 낙진, 죽음의 재; (방사성 물질 등의) 강하 **2** 《구어》 (예기치 않은) 부산물, 결과, 악영향: the psychological ~ of divorce 이혼이 미치는 심리적 영향
fállout shélter 방사성 낙진 지하 대피소
fal·low[1] [fǽlou] *a.* **1** 묵히고 있는 《밭 등》, 휴한(休閑) 중인; 미개간의; (이용 가치가 있는데도) 사용하지 않는: ~ ground 휴경지 / leave land ~ 땅을 놀리다 **2** 수양을 쌓지 않은, 교양 없는 **3** 〈암퇘지가〉 새끼를 배지 않은 ***lie ~*** 〈땅이〉 묵고 있다; 〈재능 따위가〉 잠자고 있다 **—** *n.* Ⓤ 휴한지(休閑地); 휴경, 휴작(休作)
land in ~ 휴한지, 휴경지
— *vt.* 〈땅을〉 갈아만 놓고 놀리다, 묵혀 두다 **~·ness** *n.*
fallow[2] *n., a.* 연한 황갈색(의); 연한 회갈색(의)
fállow déer 〖동물〗 다마사슴 《유럽·소아시아산(産)의 담황갈색의 사슴; 여름에는 흰 얼룩이 생김》
fall-pipe [fɔ́:lpàip] *n.* 수직 배수관, 낙수 홈통
fall-sown [fɔ́:lsóun] *a.* 가을 파종의: ~ crops 가을 파종 작물
fall-trap [-træ̀p] *n.* 함정
FALN [Sp.] *Fuerzas Armadas de Liberación Nacional* (푸에르토리코의) 민족 해방군
⁑**false** [fɔ́:ls] *a.* **1 그릇된** 《★ wrong과는 달리 남을 속이려는 의도가 있음을 암시함》, 잘못된, 틀린: a ~ account 그릇된 계산[보고] / give a ~ impression 그릇된 인상을 주다 / a ~ notion 잘못된 생각 **2 거짓의**, 허위의(opp. *true*), 가장된: a ~ charge 〖법〗 무고(誣告) / a ~ witness 허위의 진술을 하는 증인 / a ~ attack 양동(陽動)[위장] 공격 **3 가짜의**, 위조의; **인조의**, 인공의, 모조의; 부정의, 사기의, 불법의: a ~ balance 부정 저울 / a ~ coin 가짜 동전 / a ~ eye 의안(義眼) / ~ hair 가발 / a ~ god 사신(邪神) **4** 임시의, 일시적인; 보조의(subsidiary): a ~ deck 보조 갑판 / ~ supports for a bridge 임시 교각 **5** 〖음악〗 가락이 맞지 않는; 반음 감소한: a ~ note 가락이 맞지 않는 음 **6 불성실한**, 부정(不貞)한: a ~ friend 믿지 못할 친구 / a ~ wife 부정한 아내 / be ~ of heart 불성실하다 / be ~ to …을 배반하다, …에 대하여 불성실[부정(不貞)]하다 **7** 〈행동 등이〉 **겉꾸민**, 어색한; 부자연스런: ~ modesty 짐짓 꾸민 겸손 **8** 〖식물〗 유사한, 의사(擬似)의 **9** 〖의학〗 가성(假性)[의사]의: a ~ cholera 의사 콜레라 **10** 근거없는, 무분별한: ~ pride 그릇된 긍지, 어리석은 자존심
bear ~ witness 위증하다 ***make a ~ move*** (중요한 때에) 서투른 짓을 하다, 작전[일]을 그르치다
— *ad.* 거짓으로, 부실하게, 부정하게, 불성실하게
play a person ***~*** …을 속이다, 배반하다: Events *played* him ~. 일의 추세는 그의 기대에 어긋났다.
ring ~ 〈이야기가〉 참말 같지 않다, 거짓말로 들리다
▷ fálsehood, fálsity *n.*; fálsify *v.*
fálse acácia 〖식물〗 아카시아(의 일종)
fàlse accóunting 《영》 허위 기장[회계]
fálse alárm 허위[잘못된] 화재 신고; 《구어》 (근거 없는) 헛 위기[경고], 허보
fálse arrést 〖법〗 불법 체포
fálse beginner (언어 학습에 있어) 위장 초보자 《기본 지식을 알면서도 처음부터 시작하는》
fálse bóttom (트렁크·상자 등의 밑바닥 위에 댄) 덧바닥, (비밀을 위한) 이중 바닥 **fálse-bòt·tomed** *a.*
fálse cárd 〖카드〗 속임수패
fálse cógnate 〖언어〗 허위 동족 언어
fálse cólor 적외선 사진 (촬영), 의사(擬似) 색채법

fálse-cól·or *a.*
fálse cólors 1 가짜 국기; 정체를 숨기는 것 2 기만, 허위 진술 ***sail under*** ~ 〈배가〉 가짜 국기를 달고[국적을 감추고] 항해하다; 정체를 숨기다
fálse cóncord 〖문법〗 (성·수·격 등의) 불일치
fálse dáwn 먼동의 미광; 헛된 기대; 〖천문〗 황도광(黃道光)
fálse fáce 탈, 가면
false-heart·ed [fɔ́:lshɑ́:rtid] *a.* 성실하지 않은, 신의가 없는, 배신의 **~·ly** *ad.* **~·ness** *n.*
∗**false·hood** [fɔ́:lshùd] *n.* 1 Ⓤ 허위; 틀린 생각 2 Ⓒ 거짓말(opp. *truth*)(⇨ lie¹ 유의어). tell a ~ 거짓말하다
fálse imprísonment 〖법〗 불법 감금
fálse kéel 〖항해〗 가용골(假龍骨), 붙임 용골
fálse kéy 대용 열쇠, 여벌 열쇠
fálse lábor 〖의학〗 가성(假性) 진통
false·ly [fɔ́:lsli] *ad.* 거짓으로, 속여서; 잘못하여; 부정하게; 불성실하게
fálse mémory 〖심리〗 (실재하지 않는) 허위 기억
fálse-mém·o·ry sỳndrome [-méməri-] 〖심리〗 허위 기억 증후군 《실제로 일어나지 않은 일을 기억에 있는 것으로 믿어 버리는 상태》
fálse móve 잘못된[경솔한] 동작 ***make a*** [***one***] ~ 실수를 하다; 금지되고 있는 일을 하다
false·ness [fɔ́:lsnis] *n.* Ⓤ 잘못; 허위; 불성실; 배반
fálse posítion 오해받기 쉬운 입장, 귀찮은[자기 의도에 반대되는] 입장: put a person in a ~ …을 오해받기 쉬운 입장에 빠뜨리다
fálse prégnancy 〖병리〗 상상 임신
fálse preténses[《영》 **preténces**] 〖법〗 사기죄; 사취죄 《사취 목적의 거짓 진술》
fálse quántity 〖시학〗 모음 장단에 관한 발음의 잘못
fálse relátion 〖음악〗 대사(對斜)
fálse retúrn (납세 등의) 부정 신고
fálse ríb 〖해부〗 가(假)늑골; (기익(機翼)의) 보조 소골(小骨)
fálse stárt (경주에서) 부정 스타트; 그릇된 출발[첫발]; 서두른 착수
fálse stép 헛디딤; 실수, 실책, 차질 ***make*** [***take***] ***a*** ~ 발을 헛디디다; 실수[착오]하다
fálse téeth 의치, 《특히》 틀니
fálse tópaz = CITRINE
fal·set·tist [fɔ:lsétist] *n.* 가성(假聲)을 쓰는 가수[이야기꾼]
fal·set·to [fɔ:lsétou] [It. = false] *n.* (*pl.* **~s**) 가성 《본 음성에 대한 꾸민 음성》, 가성 가수(falsettist)
— *a.*, *ad.* 가성의[으로]
fálse wíndow 〖건축〗 봉창, 붙박이창
false·work [fɔ́:lswə̀:rk] *n.* Ⓤ 〖토목〗 비계, 발판; 가설물
fals·ies [fɔ́:lsiz] *n. pl.* 《구어》 (유방을 크게 보이기 위한) 여성용 가슴받이, 유방 패드; (남자의) 가짜 수염
fal·si·fi·ca·tion [fɔ̀:lsəfikéiʃən] *n.* ⓊⒸ 위조, 변조; (사실의) 곡해; 허위임을 입증하기, 반증, 논파(論破); 〖법〗 문서 위조, 위증
fal·si·fi·er [fɔ́:lsəfàiər] *n.* 위조자; 거짓말쟁이; 곡해자
fal·si·fy [fɔ́:lsəfài] *v.* (**-fied**) *vt.* 1 〈서류 등을〉 위조하다(forge); 〈사실을〉 속이다, 왜곡하다, 곡필하다: ~ a signature 서명을 위조하다 / ~ income-tax report 소득세를 부정 신고하다 2 …의 거짓[잘못]임을 입증하다, 논파하다 3 (결과가 기대 등에) 어긋나다; 〈기대를〉 저버리다, 배신하다 **—** *vi.* 거짓말하다, 그릇되게 전하다
fal·si·ty [fɔ́:lsəti] *n.* (*pl.* **-ties**) ⓊⒸ 사실에 어긋남; 허위; 배반; 잘못 《falseness보다 딱딱한 말》
Fal·staff [fɔ́:lstæf, -stɑ:f | -stɑ:f] *n.* 폴스타프 **Sir John** ~ 《Shakespeare의 *Henry IV*와 *The Merry Wives of Windsor*에 등장하는 쾌활하고 재치 있는 허풍쟁이 뚱뚱보 기사》 **Fal·stáff·i·an** *a.*

falt·boat [fɑ́:ltbòut] *n.* 《미》 (고무천으로 만든) 접게 된 보트(foldboat) 《kayak 비슷하고 운반이 간편함》
∗**fal·ter** [fɔ́:ltər] *vi.* 1 비틀거리다, (걸려) 넘어지다 2 말을 더듬다, 중얼거리다: (~+전+명) She *~ed in* her speech. 그녀는 더듬으면서 말했다. 3 주춤하다, 머뭇거리다, 멈칫[움찔]하다; 기가 죽다[꺾이다](⇨ hesitate 유의어): (~+전+*-ing*) Never ~ *in* do*ing* good. 선을 행하는 데 주저하지 마라. 4 〈기력·효력 등이〉 약해지다: (~+전+명) ~ *in* one's determination 결심이 흔들리다
— *vt.* 더듬거리며 말하다 《*out*, *forth*》: ~ an apology 더듬거리며 사과하다 // (~+목+부) ~ *out* an excuse 더듬거리면서 변명하다
— *n.* 비틀거림; 주춤[머뭇]거림; 말더듬기, 중얼거림; (목소리 등의) 떨림 **~·er** *n.*
fal·ter·ing [fɔ́:ltəriŋ] *a.* 비틀거리는; 더듬거리는 **~·ly** *ad.* 비틀거리며; 말을 더듬거리며
FAM Free and Accepted Masons **fam.** familiar; family
⁑**fame** [féim] [L 「목소리, 소문」의 뜻에서] *n.* Ⓤ 1 명성, 고명, 명망(cf. NOTORIETY): attain ~ 유명해지다 2 평판, 세평(世評): good ~ 호평 / ill ~ 오명, 악명 3 《드물게》 소문, 풍문(rumor)
a house [***woman***] ***of ill*** ~ 매춘굴[창녀] ***come to*** ~ = ***win*** [***achieve***] ~ 유명해지다
— *vt.* [보통 수동형으로] 유명하게 하다, …의 명성을 높이다(⇨ famed) **~·less** *a.* ▷ fámous *a.*
∗**famed** [féimd] *a.* 1 유명한, 이름이 난(famous): Korea's most ~ tourist spot 한국의 가장 유명한 관광지 2 Ⓟ …으로 유명하여 《*for*》: He is ~ *for* his cruelty. 그는 잔인하기로 유명하다. 《신문·잡지의 문장에서 잘 사용함》
fa·mil·ial [fəmíljəl, -liəl] *a.* 가족의; 〖유전〗 가족성(家族性)의, 〈병이〉 가족 특유의: a ~ disease 가족에 유전하는 병
⁑**fa·mil·iar** [fəmíljər] [L 「가족의, 친절한」의 뜻에서] *a.* 1 (자주 여러 번 경험하여) 잘 알려진, 낯[귀]익은, 익숙한 《*to*》; 통속적인, 일상의, 드물지 않은, 흔히 있는, 보통의(common): a ~ sight 눈에 익은 풍경 / a ~ voice 귀에 익은 목소리 2 잘 아는, 정통한 《*with*》: He is ~ *with* the subject. = The subject is ~ *to* him. 그는 그 문제에 정통하다. 3 친한, 친밀한, 허물없는, 스스럼없는(intimate) 《*with*》: a ~ friend 친한 친구

> 유의어 **familiar** 가족이나 오랜 친지이므로 허물없는, 자주 만나는: a *familiar* family friend 친한 가족 친구 **intimate** 상호 깊은 이해를 갖고 같은 생각이나 감정을 갖는의 뜻으로서, 남녀간에 사용하면 성 관계가 있음을 뜻한다: an *intimate* friendship 친교

4 〈문체 등이〉 격식을 차리지 않는: ~ letters 일용[사교]문 《상용문·공문에 대하여》 / write in a ~ style 격식을 차리지 않고 쓰다 5 정도 이상으로 스스럼없이 구는, 뻔뻔스러운 《*with*》: You're too ~ *with* me. 너는 내게 너무 허물없이 군다. 6 (성(性)적으로) 관계가 있는 《*with*》 7 〈동물 등이〉 길들여진(domesticated) ***be on ~ terms with*** …와 친한 사이이다 ***make oneself ~ with*** …에 정통하다; …와 친해지다, …에 허물없이 굴다; …에 밝아지다
— *n.* 1 친구, 친한 사람 2 = FAMILIAR SPIRIT 3 〖가톨릭〗 (로마 교황·주교의) 심부름꾼, (종교 재판소의) 포리(捕吏) 4 (어떤 일에) 정통한 사람, (어떤 곳을) 자주 방문하는 사람 **~·ness** *n.*
▷ familiárity *n.*; famíliarize *v.*
famíliar ángel 수호신

thesaurus **familiar** *a.* recognized, customary, accustomed, everyday, ordinary, usual
famine *n.* starvation, hunger, lack of food

∗**fa·mil·i·ar·i·ty** [fəmìliǽrəti, -ljǽ- | -liǽ-] *n.* (*pl.* **-ties**) Ⓤ **1 잘 앎; 정통**(精通), 익히 앎 (*with*): She admires his ~ *with* so many languages. 그녀는 그가 그렇게 많은 외국어에 정통하고 있는 데 탄복한다. **2 친함, 친밀**, 친교, 친우 관계 **3 허물없음**, 무간함, 스스럼없음; 치근치근함, 무엄함, 뻔뻔함, 무례: *F*~ breeds contempt. (속담) 지나치게 허물없이 굴면 멸시받게 된다. **4** [보통 *pl.*] 허물없는 언행, (지나치게) 치근치근[무엄]하게 구는 짓; [*pl.*] 성적 관계, 애무(caresses) ▷ famíliar *a.*

fa·mil·iar·i·za·tion [fəmìljərizéiʃən | -rai-] *n.* Ⓤ 친하게 함, 익숙하게 함, 정통케 함

fa·mil·iar·ize [fəmíljəràiz | -ljə-, -liə-] *vt.* 친하게 하다; 익숙하게 하다, 정통하게 하다 (*with*); 통속화하다, (세상에) 널리 알리다, 보급[주지]시키다, 일반화하다 (*to*): (~+목+전+명) ~ a person *with* a job …을 일에 익숙케 하다 **~ one*self with*** …에 정통하다, …에 익숙하다

fa·mil·iar·ly [fəmíljərli] *ad.* 친하게, 허물없이, 스스럼없이; 무엄[치근치근]하게

famíliar spírit 부리는 마귀 (사람·마법사 등을 섬기는 귀신), (죽은 사람의) 영혼

fam·i·lism [fǽməlìzm] *n.* Ⓤ 가족주의

fa·mille rose [fəmí:-] [F] 핑크색을 바탕으로 한 중국의 연채(軟彩) 자기

famille verte [-vέrt] [F] 녹색을 바탕으로 한 중국의 연채(軟彩) 자기

⁑**fam·i·ly** [fǽməli] [L 「(가족의) 심부름꾼」의 뜻에서] *n.* (*pl.* **-lies**) **1** [집합적] **가족**, 가정 (부부와 그 자녀), 가구(家口) (때로는 하인들도 포함) ★집합체로 생각할 때는 단수, 구성원을 생각할 때는 복수 취급: a ~ of five 5인 가족 / five *families* 5가구 / a sense of ~ 가족 의식 / How is your ~? 가족은 다들 안녕하십니까? ((영)에서는 are를 쓰기도 함) / My ~ are all very well. 가족 모두 잘 있습니다. **2 a** [집합적] (한 가정의) **아이들**, 자녀: He has a large ~. 그는 아이들이 많다. / Does he have any ~? 그는 아이가 있는가? **b** 배우자와 자녀: I'm taking the ~ on vacation next week. 다음 주에 가족을 데리고 휴가를 갈 예정이다. **3** 종족, 민족(race), 인종 **4 일족**(一族), 친척, 일가, 집안; Ⓤ (영) [보통 good ~] **가문**, 문벌, 명문(名門): a man of (good) ~ 명문 출신 / a man of no special ~ 이렇다 할 가문이 아닌 사람 **5** 〖언어〗 **어족**(語族); 〖동물·식물〗 과(科) (목(order)과 속(genus)의 중간; cf. CLASSIFICATION): Indo-European ~ (of languages) 인도유럽 어족 / the cat ~ 고양잇과(科) **6** [종종 **F~**] (마피아 등의) (활동) 조직 단위 **7** (관청의) 스태프(staff), (하급) 관리: the office ~ 관청 직원 ***run in a*** [***the,*** **one's**] **~** ⇨ run. ***start a* ~** 맏아이를 보다 ***the Holy F~*** (어린 예수, 성모 마리아와 성 요셉의) 성(聖) 가족

— *a.* Ⓐ **가족의**, 가정의, 가족적인, 가족에 알맞은, 가정용의: a ~ automobile[car] 패밀리 카 / a ~ butcher 단골 정육점 주인 / ~ life 가정 생활 / a ~ council 친족 회의 / a ~ friend 온 가족의 친구 / a ~ trait 가족의 특징 ***in a* ~ *way*** 허물없이, 거리낌없이; (구어) 임신하여 ***in the* ~ *way*** (구어) 임신하여

fámily allówance 가족 수당; (영) 아동 수당(child benefit)의 구칭

fámily Bíble 가정용 성경 (출생·사망·혼인 등을 기록할 여백 페이지가 달린 큰 성경)

fámily búsiness 가업

fámily círcle [보통 the ~; 집합적] 집안 (사람들), 일가; (미) (극장 등의) 가족석

fámily cóurt 가정 법원

fámily crédit (영) 저소득 가구 대여금

Fámily Divísion (영) (고등 법원(High Court)의) 가정[가사]부(部) (입양·이혼 등을 다룸)

fámily dóctor 가정의(醫)(family physician)

fámily gáng·ing [-gǽŋiŋ] (미) 환자의 가족까지 진찰하여 의료 보험료를 청구하는 부정 진료 행위

fam·i·ly·gram [fǽməligræ̀m] *n.* (미) (항해 중인 해군 병사에게 오는) 가족 전보

fámily gróuping 패밀리 그루핑 (연령이 다른 아동을 하나의 학습 그룹에 편성하는 방식)

fámily hotél 가족용 할인 호텔

fámily hòur 〖TV〗 가족 시청 시간(대) (폭력·섹스를 다룬 프로를 방영하지 않음; 보통 오후 6-9시)

fámily íncome sùpplement (영) 극빈 가족에 대한 국가 보조금

fámily jéwels (미·비어) [the ~] 고환(testicles); (미·속어) 집안의 수치스런 비밀; CIA의 비합법 비밀 공작 활동

fámily léave 육아·간호 휴가 (무급)

fámily lífe cỳcle 〖사회〗 가족 생활 주기 (결혼에서 사망까지의 가족의 생활 주기)

fámily líkeness 가족끼리의 닮은 점

fámily màn 가족을 거느린 사람; 가정적인 사람

fámily médicine 가족 의료(community medicine)

fámily nàme 1 성(姓)(surname)(cf. CHRISTIAN NAME) **2** 어떤 가계(家系)에서 즐겨 쓰는 세례명; (가정 안에서 쓰이는) 이름

fámily physícian = FAMILY DOCTOR

fámily plàn 가족 운임 할인 (항공 요금 등에서, 세대주가 규정 요금으로 표를 구입하면 특정한 날에 한해서 동반 가족의 요금을 할인해 주는 일)

fámily plánning 가족 계획

fámily práctice = FAMILY MEDICINE

fámily practítioner = FAMILY DOCTOR

fámily régister 호적

fámily ròom (미) 가정의 오락실, 거실

fam·i·ly-size [-sáiz] *a.* (가족 전원이 쓸 수 있는) 대형의: a ~ car 대형 가족용 차 / a ~ tube of toothpaste 대형 사이즈의[덕용(德用)] 치약

fámily skéleton (남의 이목을 꺼리는) 집안의 비밀 ⇨ a SKELETON in the closet

fámily stỳle *n., a., ad.* (담아 놓은 음식을 각자가 자기 접시에 덜어 먹는) 가족 방식(의[으로])

fámily thérapy 〖정신의학〗 (환자의 가족을 포함하여 행하는) 가족 요법 **fámily thérapist** *n.*

fámily trée 가계도(家系圖), 족보, 계보

fámily vàlue (전통적) 가족의 가치

⁑**fam·ine** [fǽmin] [L 「굶주림」의 뜻에서] *n.* ⓊⒸ **1** 기근: a region ravaged by ~ 기근에 휩싸인 지방 **2 굶주림**, 배고픔, 기아: die of ~ 굶어 죽다 **3** (물자의) 고갈, 결핍, 품귀, 태부족: a water ~ = a ~ of water 물 기근 ▷ fámish *v.*

fámine príces (품귀로 인한) 터무니없는 시세

∗**fam·ish** [fǽmiʃ] *vt.* [보통 수동형으로] **굶주리게 하다**(starve); (고어) 아사시키다: *be ~ed* to death 아사하다 ***be ~ing*** [***~ed***] (구어) 배고파 죽을 지경이다
— *vi.* 굶다; (고어) 아사하다 **~·ment** *n.*
▷ fámine *n.*

fam·ished [fǽmiʃt] *a.* 굶주린, 몹시 배고픈

⁑**fa·mous** [féiməs] *a.* **1 유명한**, 고명한, 이름난(well-known) (*for*): a ~ writer 유명한 작가 / be ~ *for* scenery 경치로 유명하다

> 유의어 **famous** 좋은 뜻으로 유명한: a *famous* actress 유명한 여배우 **notorious** 나쁜 뜻으로 유명한: a *notorious* gangster 악명 높은 악한 **noted** 어떤 특정한 분야에서 유명한: the *noted* mystery writer 저명한 추리 작가 **well-known** 사람들에게 널리 알려져 유명한, famous와 같은 뜻: McDonald's is a *well-known* chain of fast-food restaurants. 맥도널드는 유명한 패스트푸드 식당 체인점이다.

---

famous *a.* well-known, renowned, celebrated, famed, prominent, notable, eminent, distinguished, remarkable (opp. *unknown, obscure*)

2 《구어》 멋진, 훌륭한, 뛰어난(excellent): a ~ performance 멋진 연기[연주]/have a ~ appetite 식욕이 왕성하다 **~ *last words*** 《비꼼》 그렇고말고
~·ness *n.* ▷ fáme *n.*; fámously *ad.*

fa·mous·ly [féiməsli] *ad.* **1** 유명하게, 이름 높게 **2** 《구어》 뛰어나게, 훌륭하게: He is getting on ~ with his work. 그의 일은 아주 잘 되어 가고 있다.

fam·u·lus [fǽmjuləs] [L =servant] *n.* (*pl.* **-li** [-lài]) 《마술사·학자의》 제자, 조수

‡**fan¹** [fǽn] *n.* **1 부채; 선풍기;** 환풍기, 송풍기: an electric ~ 선풍기/an extractor ~ 환기팬, 환풍기/a folding ~ 접부채, 접선(摺扇)/a ventilating ~ 환풍기 **2** 부채꼴의 물건 《추진기의 날개·풍차의 날개·새의 꽁지 등》 **3** 《곡식을 고르는》 키; 풍구(winnowing fan) **4** 〖야구〗 삼진(三振) **5** 〖지리〗 선상지(扇狀地) ***hit the ~*** 《미·속어》 혼란 상태가 되다
—*v.* (**~ned**; **~·ning**) *vt.* **1** 〈얼굴 등을〉 (부채 등으로) 부치다; 〈바람을〉 (부채 등으로) 보내다; 〈바람이〉 …에 솔솔 불다; 〈얼굴을〉 만지다: 《~+목+전+명》 ~ one's face *with* a notebook 노트로 얼굴을 부치다 // A cool breeze *~ned* the shore. 시원한 산들바람이 바닷가를 불어 갔다. **2** 〈감정을〉 부채질하다, 선동하다, 부추기다: ~ emotions 감정을 부추기다 // 《~+목+전+명》 Bad treatment *~ned* their dislike *into* hate. 대우가 나빠서 그들의 혐오는 증오로 변했다. **3** 부채꼴로 펴다 《*out*》: 《~+목+부》 He *~ned out* the cards on the table. 그는 카드를 테이블 위에 부채꼴로 펼쳤다. **4** 《키로》 〈곡식을〉 까부르다 **5** 〈파리 등을〉 부채로 쫓다 《*away*》: 《~+목+부》 She *~ned away* a mosquito from the sleeping child. 그녀는 부채로 잠자는 아이에게서 모기를 쫓았다. **6** 〖야구〗 삼진(三振)시키다 **7** 《미·속어》 손바닥으로 (찰싹) 때리다 **8** 〈총을〉 속사[연사]하다
—*vi.* **1** 《부채꼴로》 펼쳐지다 《*out*》: 《~+부》 The forest fire *~ned out* in all directions. 산불이 사방팔방으로 번졌다. **2** 〖야구〗 삼진당하다 **~ *out*** 〖군사〗 산개(散開)하다, 사방으로 흩어지다 **~·like** *a.*

‡**fan²** [fǽn] [fanatic *n.*의 단축형] *n.* 《구어》 《영화·스포츠 등의》 **팬, …광(狂)**: a baseball[film] ~ 야구[영화] 팬/a Presley ~ 프레슬리 팬 《★ 클래식 음악 등의 팬은 admirer: a Mozart *admirer* 모차르트 팬》

fan³ *n.* 《속어》 여성 성기

⁎**fa·nat·ic** [fənǽtik] *a.* =FANATICAL
—*n.* **광신자, 열광자** 《특히 종교적·정치적인》: a religious ~ 종교적 광신자/a surfing ~ 서핑광

⁎**fa·nat·i·cal** [fənǽtikəl] *a.* **광신[열광]적인**
~·ly *ad.* 열광하여, 광신적으로 **~·ness** *n.*

fa·nat·i·cism [fənǽtəsìzm] *n.* Ⓤ 광신, 열광, 광신적임; Ⓒ 광신적[열광적] 행위

fa·nat·i·cize [fənǽtəsàiz] *vt., vi.* 광신적으로 만들다[되다]; 열광시키다[하다]

fan·back [fǽnbæ̀k] *a.* 〈의자가〉 부채꼴 등이 있는

fán bèlt 〖기계〗 《자동차의》 팬 벨트

fan·boy [fǽnbɔi] *n.* 팬보이 《만화·영화·SF·게임 등에 광적으로 집착하는 남성팬》

fan·ci·a·ble [fǽnsiəbəl] *a.* 《구어》 성적 매력이 있는

fan·cied [fǽnsid] *a.* **1** 상상의, 공상의, 가공의: ~ grievances 근거없는 불평 **2** 마음에 든 **3** 이길[잘 될] 듯 싶은: a ~ horse 《경마에서》 이길 듯한 말

fan·ci·er [fǽnsiər] *n.* **1** 《꽃·새·개 등의》 애호가, 매니아, …광; 《품종 개량을 목적으로 하는》 사육자, 재배자: a bird ~ 새장수; 애조가 **2** 공상가(dreamer)

⁎**fan·ci·ful** [fǽnsifəl] *a.* **1 공상에 잠기는,** 상상력이 풍부한; 비현실적인, 공상의, 가공의, 공상적인; 변덕스러운(whimsical): a ~ scheme 공상적인 계획/~ lands of romance 상상 속의 로맨스의 나라/a ~ mind 변덕스러운 마음 **2** 기상천외한; 〈고안 등이〉 기발한: a ~ design 기발한 디자인 **~·ly** *ad.* **~·ness** *n.*

fan·ci·fy [fǽnsəfài] *vt.* 장식하다, 윤색하다
—*vi.* 공상에 빠지다

fan·ci·less [fǽnsilis] *a.* 상상[공상](력)이 없는; 무미건조한, 현실적인, 꿈이 없는

fan·ci·ness [fǽnsinis] *n.* Ⓤ 《지나친》 장식성 《문체 등의》

fán clùb 《가수·배우 등의》 후원회, 팬 클럽

Fan·có·ni's anémia [fɑːnkóuniz-] [스위스의 의사 이름에서] 〖병리〗 판코니 빈혈 《어린아이의 체질성 빈혈》

‡**fan·cy** [fǽnsi] *n.* (*pl.* **-cies**) **1** ⓊⒸ **공상,** 몽상, 상상(력); 심상, 이미지, 기상(奇想), 환상(illusion): happy *fancies* of being famous 유명하게 되리라는 행복한 상상

> 유의어 **fancy** 멋대로의 공상: Fairies are creatures of *fancy.* 요정은 공상의 산물이다. **fantasy** 터무니없는 공상: a *fantasy* fiction 공상 소설 **imagination** 근거 있는 창조적 상상: His writings are full of *imagination.* 그의 작품은 상상력이 넘치고 있다.

2 ⓊⒸ **홀연히 내킨 생각; 변덕**(whim), 일시적 기분; 추측, 예상, 억측, 가정: a passing ~ 일시적인 생각, 변덕 // 《~+***that*** 절》 I have a ~ *that* he will not come. 그가 올 것 같지 않은 예감이 든다. **3** [a ~] **기호,** 선호, 좋아함, 애호 **4** 취미, 도락(hobby); 심미안, 감상력 **5** [the ~] 호사가들, 《특히》 권투 애호가들; 동물 애호가들 **6** 반점 있는 꽃; 그 꽃이 있는 식물 **7** 〖음악〗 팬시 《16-17세기 영국의 대위법을 이용한 기악곡》
after*[*to*]** a person**'s ~** …의 마음에 드는 ***as the ~ takes 하고 싶은 대로 ***catch*[*strike, please, suit, take*] *the ~ of*** …의 마음에 들다 ***have a ~ for*** …을 좋아하다 ***take a ~ to*[*for*]** …을 좋아하게 되다
—*v.* (**-cied**) *vt.* **1** [종종 부정문·의문문으로] **공상하다,** 상상하다, 마음에 그리다(imagine); [명령형으로] 생각해 보라 《놀람을 나타내거나 주의를 촉구하는 감탄사로 쓰임》: *F~* his doing a thing like that! 원 그 사람이 그런 짓을 하다니! // 《~+목+(***to be***) 보》 He *fancied* himself (*to be*) still young. 그는 자기가 아직 젊다고 생각하고 있었다. // 《~+목+***as*** 보》 I can't ~ him *as* a priest. 그가 성직자라고는 생각되지 않는다./Can you ~ her *as* an actress? 배우인 그녀를 상상할 수 있습니까? // 《~+목+***-ing***》 *F~* her driv*ing* a car; I should never have believed it. 생각해 보게나, 그녀가 차를 몰다니 나는 믿을 수가 없단 말이야. **2** (까닭없이 …하다고) 생각하다, …이라고 믿다: 《~+***that*** 절》 I *fancied that* I heard a noise. 무슨 소리가 들린 듯했다./I ~ you are my new neighbor. 새 이웃이시군요./I ~ she's about forty. 나는 그녀가 40세 정도라고 생각해. **3** [~ one*self*로] (…라고) 자부하다, 자만하다: 《~+목+(***to be***) 보》 She *fancies herself* (*to be*) beautiful. 그녀는 자기가 미인이라고 자부하고 있다. // 《~+목+***as*** 보》 He *fancies himself as* a golfer. 그는 자기가 어엿한 골퍼라고 자부하고 있다. **4** 애호하다, 좋아하다, 마음에 들다(take a fancy to): Don't you ~ anything? 무엇 먹고 싶은 것은 없니? 《환자 등에게》/She *fancies* this red blouse. 그녀는 이 빨간 블라우스를 좋아한다. **5** 《변종을 만들기 위해》 〈동물을〉 사육하다, 〈식물을〉 재배하다
—*vi.* 공상[상상]하다; [명령형으로] 《구어》 상상[생각]해 보라 ***F~* (*that*)! = *Just ~!*** 상상 좀 해 봐, 놀랐어! **~ *up*** 겉만 치장하다
—*a.* (**-ci·er**; **-ci·est**) **1 장식적인,** 화려한, 의장(意匠)에 공들인(opp. *plain*): a ~ button 장식 단추 **2** Ⓐ 《미》 고급의; 극상(極上)의, 특선의(choice) **3** 〈꽃 등이〉 여러 색으로 된; 〈동물 등이〉 변종의, 진종(珍種)의: a ~ cat 진종의 고양이 **4** 〈가격 등이〉 터무니없는, 엄청난(extravagant): at a ~ price 엄청난 값으로

thesaurus **fan²** *n.* admirer, lover, enthusiast, devotee, addict, follower, supporter, backer
fantastic *a.* **1 환상적인** fanciful, imaginary,

5 상상의, 공상적인; 엉뚱한: a ~ conception of time 상식을 뛰어넘는 시간의 관념 / a ~ picture 상상화[도] **6** 〈행동이〉 변덕스러운 **7** 〈스포츠의 기술 등이〉 고등 기술의, 곡예 기술의: a ~ flier 곡예 비행가 / ~ skating 곡예 스케이팅 **8** 〔인쇄〕 팬시체 활자의 **9** 액세서리를 파는, 장신구의: a ~ shop 장신구 가게
fán·ci·ly *ad.* ▷ fánciful *a.*
fáncy bàll 가장 무도회
fáncy cáke 데코레이션 케이크
fáncy Dán[**dán**] 《미·구어》 멋쟁이; 기교파 권투 선수
fáncy díving 곡예 다이빙 (경기)
fáncy dréss 가장복; 가장 무도회의 의상, 색다른 옷; 《미·속어》 멋있는 옷
fáncy drèss báll 가장 무도회
fáncy fáir 《영》 (수예품 등을 파는) 자선시(市), 잡화 시장
fan·cy-free [fǽnsifríː] *a.* 자유분방한; 구애됨이 없는, 상상력이 풍부한, 한 가지 일에 집착하지 않는
fáncy góods 잡화, 장신구
fáncy màn 《속어》 애인 《남자》; 매춘부의 기둥서방; 도박사, 《특히》 경마[권투] 도박사
fáncy pànts 《미》 멋쟁이
fáncy pìece 《속어》 마음에 드는 여자, 애인
fan·cy·sick [-sìk] *a.* 사랑에 고민하는(lovesick)
fáncy wòman[**làdy, gìrl**] 《속어》 정부, 첩; 창녀, 매춘부
fan·cy·work [-wə̀ːrk] *n.* Ⓤ 수예(품), 편물, 자수
F & A fore and aft
fán dànce 나체로 추는 부채춤 **fán dàncer** *n.*
fan·dan·gle [fændǽŋgl, ⌐—] *n.* 기발한 장식; 어리석은 짓(nonsense); 《미·구어》 기계 기구
fan·dan·go [fændǽŋgou] [Sp.] *n.* (*pl.* **~s**) **1** 3박자의 스페인 무용의 일종; 그 무곡 **2** 《미·속어》 무도회 **3** (중대 결과를 초래케 하는) 바보 같은 짓, 유치한 [하찮은] 행위[이야기, 강연, 질의응답]
F. & d. freight and demurrage 〔해운〕 운임 및 체선료(滯船料)
fán délta 〔지리〕 부채꼴 삼각지
F and F fixtures and fittings
fan·dom [fǽndəm] *n.* [집합적] (스포츠·영화 등의) 팬 층, 팬들
f. & t. 〔보험〕 fire and theft
fane [féin] *n.* 《고어·시어》 신전(神殿), 사원; 교회당: a holy ~ 성당, 성전
fan·fare [fǽnfɛər] [F 「트럼펫을 불다」의 뜻에서] *n.* Ⓤ **1** 〔음악〕 화려한 트럼펫 등의 취주, 팡파르 **2** (화려한) 과시(showy display), 허세; 선전, 광고
fan·far·o·nade [fæ̀nfərənéid | -nɑ́ːd, -néid] *n.* **1** 허세, 허풍 **2** 〔음악〕 = FANFARE 1
fán fiction 팬 픽션 《소설·영화 등 대중적으로 인기를 끄는 작품을 대상으로 팬들이 재창작한 작품》
fan·fold [fǽnfòuld] *n.* **1** 복사장(帳) 《용지와 카본지를 번갈아 끼워서 철한 것》 **2** 연속 용지
— *a.* 복사식의, 연속 용지의
fang [fǽŋ] *n.* **1** (육식 동물의) 송곳니(canine tooth), 엄니, 엄니 모양의 것

> 유의어 **fang** 늑대·개 등의 엄니 **tusk** 코끼리·멧돼지 등의 엄니

2 (뱀의) 독아(毒牙), (독거미의) 이 **3** 이뿌리; [종종 *pl.*] 《구어》 이 **4** (칼·창 등의) 슴베(tang)
— *vt.* **1** (엄니로) 물다 **2** 〈펌프에〉 마중물을 붓다(prime) **fánged** *a.* **~·less** *a.* **~·lìke** *a.*
fan·gle [fǽŋgl] *n.* 유행(fashion): new *~s* of hats 모자의 새 유행

F̀ àngles = CORRESPONDING ANGLES
fán héater 송풍식 전기스토브, 온풍기
fan·i·mal [fǽniməl] [*fan*+*animal*] *n.* 《속어》 경기장에서 폭력을 휘두르는 팬
fan·ion [fǽnjən] *n.* (군인·측량 기사 등의) 위치 표시기(旗)
fan-jet [fǽndʒèt] *n.* 〔항공〕 팬제트, 터보팬 《송풍기가 달린 제트 엔진》; fan-jet 엔진을 장착한 비행기
fán lètter 팬 레터
fan·light [-làit] *n.* 《영》 부채꼴 채광창(《미》 transom) 《창문·출입문의 위쪽에 있는》

fanlight

fán magazìne 예능[스포츠] 잡지 《유명인사에 대한 정보·가십 등을 다룬 잡지》
fán màil [집합적; 단수·복수 취급] 팬 레터(fan letters)
fán màrker 〔항공〕 부채꼴 위치 표지 《전파로 비행기를 유도》
fan·ner [fǽnər] *n.* 부채질하는 사람; 키, 풍구(winnowing fan); 송풍기, 선풍기
Fan·nie, Fan·ny [fǽni] *n.* 여자 이름 《Frances의 애칭》
Fánnie Máe[**Máy**] 《미》 연방 저당권 협회(Federal National Mortgage Association)의 통칭; (이 협회가 발행하는) 저당 증권
fán·ning mìll [fǽniŋ-] 〔농업〕 풍구
fan·ny[1] [fǽni] *n.* (*pl.* **-nies**) 《미·속어》 엉덩이 (buttocks); 《영·속어》 여성의 성기
fanny[2] *n., vt.* 《속어》 그럴듯한 이야기(로 구슬리다)
Fánny Ádams 《영·속어》 **1** [때로 **f- a-**] 〔항해〕 통조림 고기, 스튜 **2** [종종 Sweet ~] 전혀 없음, 전무 (nothing at all) 《略 F.A.》 **3** 아주 조금
fan·ny-dip·per [-dìpər] *n.* 《미·속어》 (surfer와 구별해서) 해수욕하는 사람
fánny pàck (주로 미) (허리의 belt에 매는) 지퍼달린 작은 주머니(cf. BUM BAG)
fan·out [fǽnàut] *n.* 〔군사〕 전개, 산개
fán pàlm 〔식물〕 잎이 부채꼴인 야자수(cf. FEATHER PALM)
fan-shaped [fǽnʃèipt] *a.* 부채꼴의
fan·tab·u·lous [fæntǽbjuləs] *a.* 《속어》 믿을 수 없을 만큼 훌륭한, 최고의
fan·tad [fǽntæd] *n.* = FANTOD
fan·tail [fǽntèil] *n.* **1** 부채 모양의 꼬리 **2** 〔조류〕 공작비둘기 **3** 〔목공〕 장부, 사개(cf. DOVETAIL) **4** 《영》 부채꼴 모자(sou'wester)
fan-tan [fǽntæ̀n] [Chin.] *n.* Ⓤ 팬탠(番攤) 《중국 도박의 일종》; 카드놀이의 일종(sevens)
fan·ta·sia [fæntéiʒə, -ʒiə, fæ̀ntəzíːə | fæntéiziə, fæ̀ntəzíə] *n.* **1** 〔음악〕 환상곡; (잘 알려진 곡의) 접속곡; 환상적 문학 작품 **2** 환상적인 것
fan·ta·sied [fǽntəsid] *a.* **1** 가공의, 상상의, 공상의 **2** 동경의, 대망의, 꿈에 그리는
fan·ta·sist [fǽntəsist, -zist] *n.* 환상곡[환상적 작품]을 쓰는 작곡가[작가]; 몽상가
fan·ta·size [fǽntəsàiz] *vt.* 꿈에 그리다, 공상하다: ~ a trip through space 우주 여행을 꿈꾸다
— *vi.* 몽상하다, 공상에 잠기다 **-sìz·er** *n.*
fan·tasm [fǽntæzm] *n.* = PHANTASM
fan·tas·mo [fæntǽzmou] *a.* 《구어》 매우 이상한, 기발한; 기막히게 훌륭한[빠른, 높은]
fan·tast [fǽntæst] *n.* 환상가, 몽상가(dreamer)
‡fan·tas·tic [fæntǽstik] *a.* **1** 공상적인, 환상적인: ~ designs 기상천외한 디자인 **2** 터무니없는; 〈금액 등이〉 엄청난: ~ sums of money 엄청나게 큰 돈 / earn a ~ salary 엄청난 봉급을 벌다 **3** 《구어》 굉장한, 멋진: a ~ view 굉장한 경관 **4** 변덕스러운 **5** 별난, 색다른, 괴상한, 기이한 **6** 〈사물이〉 상상적인, 근거 없는(unreal), 불합리한, 이유 없는: ~ fears 근거 없는 공포 **7** [감탄사적으로] 굉장하군, 훌륭하다, 멋지다

romantic, unreal, illusory, wild, mad, absurd, **2** 엄청난 tremendous, enormous, huge, very great **3** 멋진 wonderful, marvelous, excellent, brilliant

—*n.* 공상가 ▷ fántasy *n.*

fan·tas·ti·cal [fæntǽstikəl] *a.* =FANTASTIC ~·ly *ad.* ~·ness *n.*

fan·tas·ti·cal·i·ty [fæntæ̀stikǽləti] *n.* (*pl.* **-ties**) ⓊⒸ 공상적임; 기이, 괴기(한 것); 광상(狂想)

fan·tas·ti·cate [fæntǽstikèit] *vt.* 환상적으로 하다 **fan·tàs·ti·cá·tion** *n.*

fan·tas·ti·cism [fæntǽstəsìzm] *n.* Ⓤ 괴기[기이]함을 좋아하는 마음; 색다름, 야릇함

*__fan·ta·sy__ [fǽntəsi, -zi] [Gk 「환상」의 뜻에서] *n.* (*pl.* **-sies**) **1** ⓊⒸ (터무니없는) 상상, 공상, 몽상, 환상, 환각(⇨ fancy 유의어); 변덕, 일시적 기분(whim): live in a ~ world 상상의 세계에 살다 / have fantasies about …에 대한 환상을 갖다 **2** 공상 문학 작품 **3** 〖심리〗 백일몽 **4** 〖음악〗 환상곡(fantasia)

—*vt., vi.* (**-sied**) 공상[상상]하다 ▷ fantástic *a.*

fántasy fóotball 팬터지 풋볼 《실제의 축구 선수를 택해서 가상팀을 만들어, 실제의 득점 성적에 따라서 경쟁하는 게임》

fan·ta·sy·land [fǽntəsilæ̀nd, -zi-] *n.* **1** 환상[상상]의 나라; 꿈의 나라 **2** (「동화의 나라」 등의 테마로 통일된) 유원지(theme park)

Fan·ti [fǽnti, fɑ́:n-] *n.* [집합적] **1** 판티 족(族) 《아프리카 Ghana 지방의 부족》 **2** Ⓤ 판티 어(語)

fan·toc·ci·ni [fæ̀ntətʃí:ni] [It.] *n. pl.* 꼭두각시; 인형극

fan·tod [fǽntɑd | -tɔd], **-tad** [-tæd] *n.* [보통 *pl.*] 안절부절못함, 정서 불안정, 심한 근심[고뇌]; (만성의) 육체[정신]적 장애; 감정의 폭발 《초조감 등》

fan·tom [fǽntəm] *n.* =PHANTOM

fán tràcery 〖건축〗 부채꼴 둥근 천장의 창 장식

fán vàult 〖건축〗 부채꼴 둥근 천장

fán wìndow 〖건축〗 부채꼴 창

fan·wise [fǽnwàiz] *ad., a.* 부채꼴로[의]: hold cards ~ 카드를 부채꼴 모양으로 펴들다

fan·wort [fǽnwə̀:rt, -wɔ̀:rt | -wə̀:t] *n.* 〖식물〗 수련과(科) 카봄바(Cabomba) 속(屬)의 수생 식물

FANY First Aid Nursing Yeomanry 《영》 응급 간호사 부대

fan·zine [fænzí:n, ⌐– | ⌐–] [*fan*[*fan*tasy], maga*zine*] *n.* (SF 등의) 팬 대상 잡지

fao for the attention of 《영》 …앞, 수신자 《편지나 서류에서 수신자 이름 앞에 씀》 **FAO** Food and Agriculture Organization

Fa·pi [fɑ:pí:] [Chin.] *n.* 법폐 《중국의 옛 통화》

FAQ frequently asked questions (and answers)

f.a.q., FAQ fair average quality 〖상업〗 중등품(中等品)

fa·quir [fəkíər, féikər | féikiə] *n.* =FAKIR

‡**far** ⇨ far (p. 897) ▷ afár *ad.*

FAR Federal Aviation Regulations; Federation of Arab Republics **far.** farad; farthing

far·ad [fǽrəd, -ræd] *n.* 〖전기〗 패럿 《정전 용량(靜電容量)의 단위》

Far·a·day [fǽrədi, -dèi] *n.* **1** 패러데이 **Michael** ~ (1791-1867) 《영국의 물리학자·화학자》 **2** [**f~**] 〖전기〗 패러데이 《전기 분해에 쓰이는 전기량의 단위; 기호 F》

Fáraday càge 〖물리〗 패러데이 상자 《외부 정전계(靜電界)의 영향을 차단함》

Fáraday cùp 〖물리〗 패러데이 컵 《하전(荷電) 입자를 포착하여 그 종류·하전량·방향을 결정하는 장치》

Fáraday effèct 〖물리〗 패러데이 효과

fa·rad·ic [fərǽdik] *a.* 〖전기〗 유도[감응] 전류의

far·a·dism [fǽrədìzm] *n.* Ⓤ 〖전기〗 유도 전류

far·a·dize [fǽrədàiz] *vt.* 〖의학〗 감응 전류로 자극[치료]하다 **fàr·a·di·zá·tion** *n.* **-dìz·er** *n.*

far·an·dole [fǽrəndoul] *n.* 프랑스 프로방스 지방의 춤(곡)

*__far·a·way__ [fɑ́:rəwéi] *a.* **1** 먼, 멀리의(distant); 먼 옛날의; 〈소리 등이〉 멀리서 들리는: the ~ future 먼 장래 / a ~ sound 멀리서 들리는 소리 **2** 〈얼굴·눈이〉 멍한, 꿈꾸는 듯한(dreamy): a ~ look 멍한 눈길

*__farce__ [fɑ́:rs] [L 「쑤셔 넣다」의 뜻에서] *n.* **1** ⓊⒸ 소극(笑劇), 익살 광대극(cf. COMEDY) **2** Ⓤ 익살, 웃기는 짓[것], 우스개 **3** 어리석은 짓거리, (나쁜 의미의) 연극 **4** 〖요리〗 =FORCEMEAT

—*vt.* **1** …에 익살[기지]을 섞다, 흥미를 돋우다: (~+목+전+명) ~ a speech *with* wit 연설에 기지를 섞다 **2** (폐어) 〈새에〉 (다진 고기·향미료 등으로) 소를 넣다(stuff) ▷ fárcical *a.*

far·ceur [fɑ:rsə́:r] [F] *n.* 광대; 소극(笑劇) 작가[배우]; 익살꾼

far·ci·cal [fɑ́:rsikəl] *a.* 익살맞은; 웃기는; 익살극의, 시시한, 터무니없는: ~ play 소극(笑劇) ~·ly *ad.* ~·ness *n.*

far·ci·cal·i·ty [fɑ̀:rsəkǽləti] *n.* Ⓤ 익살스러움

fár córner 〖야구〗 3루

far·cy [fɑ́:rsi] *n.* Ⓤ 〖수의학〗 마비저(馬鼻疽); (소의) 치명적 만성 방선균병(放線菌病)

fard [fɑ́:rd] (고어) *n.* 얼굴 화장품 —*vt.* [보통 과거 분사로] 〈얼굴에〉 화장품을 바르다

far·del [fɑ́:rdl] *n.* 《영·고어》 다발; 무거운 짐, 부담

‡**fare** [féər] *n., vi.*

「가다」 ┬→(가기 위한 요금) 「운임」 **1**
　　　 ├ →(운임을 내는 사람) 「승객」 **2**
　　　 └→(살아가다) → (먹다) → 「식사」 **3**

—*n.* **1** (기차·전차·버스·배 등의) 운임, 요금, 통행료(⇨ price 유의어): a railway[taxi] ~ 철도 운임[택시 요금] / a single[double, round-trip] ~ 편도[왕복] 요금 / Children under 10 travels (at) half ~. 10세 미만의 어린이는 반값에 갈 수 있습니다. **2** (기차·버스·택시 등의 유료) 승객(passenger) **3** Ⓤ 음식물, 식사(food): good[coarse] ~ 훌륭한[형편없는] 음식 / hearty ~ 풍부한 식사 **4** (고어) (사물의) 상태, 추세, 사태; 운명 **5** (극장 등의) 상연물, (텔레비전의) 프로: literary ~ 문예물 ***bill of ~*** 메뉴

—*vi.* **1** (시어) 가다(go), 여행하다(travel): (~+부) ~ *forth* on one's journey 여행길을 떠나다 **2** (문어) 지내다, 살아가다(get on): (~+부) He ~*s well* in his new position. 그는 새 일자리에서 잘 해나가고 있다. **3** [비인칭 주어 it을 써서] (문어) 일이 되어가다, 진척되다(turn out): (~+부) *How ~s it* with you? 어떻게 지내십니까; 별일 없으십니까? / *It* has ~*d ill* with him. 그는 일이 여의치 않았다. **4** 먹다; 음식 대접을 받다(be entertained)

~ ill [***well***] 고된[편한] 생활을 하다; 잘못[잘]되다; 운이 나쁘다[좋다], 실패[성공]하다; 형편없는[훌륭한] 음식을 먹다 ***F~ you well!*** (고어) =FAREWELL!

Fár Éast [the ~] 극동 《원래 영국에서 보아 한국·중국·일본·타이완 등 아시아 동부의 여러 나라》

Fár Éastern 극동의

fare·beat·er [féərbì:tər] *n.* 《미》 무임 승차자

fare·box [-bɑ̀ks | -bɔ̀ks] *n.* (버스 등의) 요금 상자

far·er [féərər] *n.* [보통 복합어를 이루어] 여행자, 길손: a sea~ 선원, 뱃사람 / a way~ 길손, 나그네

fáre stàge (버스 등의) 동일 요금 구간(의 종점)

fare-thee-well [fέərði:wèl], **fare-you-well** [-ju-], **-ye-** [-jə-] *n.* 《미·구어》 [다음 성구로]

to a ~ 완벽하게, 최고도로, 철저히; 최대한으로, 최고로: She played each scene *to a* ~. 그녀는 각 장면을 완벽하게 연기했다.

‡**fare·well** [fὲərwél, ⌐⌐] [fare well의 명령법에서] *int.* 안녕!, 잘 가시오!(Goodbye!) 《오랫동안 헤어질 때 씀》: *F~* to arms! 무기여 잘 있거라!

—*n.* **1** 작별(leave-taking), 고별, 헤어짐: a friendly ~ 다정한 작별 **2** 작별 인사

bid ~ to = ***take*** one***'s ~ of*** …에게 작별을 고하

thesaurus **far** *a.* faraway, afar, far-off, distant, remote, outlying, inaccessible, far-flung,

far

far는 부사 용법이 가장 중요하다.
1 「멀리, 멀리에, 멀리로」의 뜻으로는 의문문·부정문에 많이 쓰인다.
2 구어적 긍정의 평서문에는 far 대신에 a long way를 많이 쓴다. (⇨ 1 b)
3 far는 「훨씬」이라는 뜻으로 very와 달리 비교급을 강조할 수도 있다.

‡far [fάːr] *ad.*, *a.*, *n.*

기본적으로는 「멀리(에)」의 뜻.
① (거리·공간이) 멀리(에) 부 **1**
② (시간·정도가) 아득히; 훨씬 부 **2, 3**

— *ad.* (**far·ther, fur·ther**; **far·thest, fur·thest**; ⇨ 각 표제어 참조) **1** [거리·공간] **a** [away 등의 부사 또는 전치사구와 함께] 멀리(에), 아득히, 먼 곳으로: ~ *away*[*off*] 멀리 떨어진 곳에 / We sailed ~ *ahead* of the fleet. 우리는 선단의 훨씬 앞쪽을 향해했다. **b** [대개 의문문·부정문에서 단독적으로] 멀리 《구어적인 긍정문에서는 대신에 a long way를 씀》: How ~ is it from here? 여기서 얼마나 멉니까? / He does*n't* go so ~. 그는 그다지 멀리 가 있지 않다. 《긍정문에서는 He goes *a long way.*가 됨》 **2** [시간] [대개 부사 또는 into 등의 전치사구와 함께] 멀리: ~ *back* in the past 아득한 옛날에 / ~ *into* the future 먼 장래에 / They stayed up talking ~ *into* the night. 그들은 밤이 으슥하도록 이야기하면서 자지 않고 있었다. **3** [정도] **a** 훨씬, 무척, 대단히, 아주, 너무, 크게: ~ different 크게 다른 / ~ distant 훨씬[아득히] 먼 / ~ too expensive for typical customers 일반 고객에게는 대단히 비싼 / He is ~ too polite. 그는 너무나 지나치게 예의바르다. **b** [비교급, 때로 최상급의 형용사·부사를 수식하여] 훨씬, 단연: This is ~ better (than it was). 이 편이 (이전보다) 훨씬 낫다. / I need ~ more time. 훨씬 더 많은 시간이 필요하다.

as ~ as ... (1) [전치사적으로] …까지 《부정문에서는 보통 so ~ as를 씀》: He went *as* ~ *as* Chicago. 그는 시카고까지 갔다. (2) [접속사적으로] …하는 한 멀리까지; …하는 한은[에서는]; 《구어》 …에 관해서는: I swam *as* ~ *as* I could. 될 수 있는 대로 멀리까지 헤엄쳤다. / *As* ~ *as* I know, she is trustworthy. 내가 아는 한 그녀는 믿음이 가는 사람이다. / *as* ~ *as* the eye can reach 눈길이 미치는 한 / *as*[*so*] ~ *as* he is concerned 그에 관한 한
as ~ as it goes 그 나름대로(는), 그것에 관한 한
by ~ (1) 대단히, 아주: too difficult *by* ~ 아주 어려운 / too expensive *by* ~ 너무 비싼 (2) [최상급, 때로 비교급을 강조하여] 훨씬, 단연, 월등히: better *by* ~ 훨씬 좋은 / *by* ~ the best 월등히 좋은, 출중한 / He was *by* ~ the handsomest man she had ever seen. 그는 그녀가 여태까지 보아왔던 사람 중에서 단연 잘 생긴 남자였다.
carry ... too ~ = take ... too FAR
~ ahead 멀리 앞쪽에(⇨ 1 a); 먼 앞날[장래]에
~ and away 훨씬, 단연코: He is ~ *and away* the tallest boy in the class. 그는 단연코 반에서 키가 제일 큰 소년이다.
~ and wide[***near***] 도처에[를], 널리 두루: travel ~ *and wide* 온데를 두루 여행하다 / The rescue party searched for him ~ *and wide.* 구조대는 그를 사방으로 샅샅이 수색했다.
~ apart 멀리 떨어져
~ back 멀리 뒤쪽에; 먼 옛날에(cf. *ad.* 2)
F~ be it from me to do …하려는 생각 따위는 내게는 전혀 없다 ★ be는 소원을 나타내는 가정법: *F~ be it from me to* complain, but it's hot here. 불평할 생각은 없지만 여기는 너무 덥다.
~ between = FEW and far between
~ from ... (1) …에서 멀리(에) ⇨ 1 a (2) 조금도 …않다: He is ~ *from* sad. 그는 조금도 슬프지 않다. (3) …이기는커녕 (전혀 반대로)(cf. SO[1] far from doing): *F~ from* studying hard, he did not even open the book. 그는 열심히 공부하기는커녕 책도 펴 보지 않았다.
F~ from it! 그런 일은 절대로 없다, 어림도 없다
~ off ⇨ *ad.* 1 a
~ out 멀리 밖에; 《속어》 보통이 아닌, 파격적인; 〈견해 등이〉 과격한, 극단적인: His sense of humor is ~ *out.* 그의 유머 감각은 파격적이다.
few and ~ between ⇨ few *a.*
go as[***so***] ***~ as*** do***ing***[***to*** do] …까지도 하다, …할 정도로 극단에 흐르다
go ~ ⇨ go
go too ~ ⇨ go
How ~ (...)? ⇨ how
in so[***as***] ***~ as ...*** = INSOFAR as
not ~ off[***out, wrong, short***] 대체로 올바른
so ~ (1) 여태[지금]까지: He has written only one novel *so* ~. 그는 여태까지 단지 한 권의 소설만을 썼다. / *So* ~(,) so good. 여태까지는 그런대로 잘됐다. (2) [장소·정도를 나타내어] 여기까지, 이 정도까지: *So* ~ this week. 금주는 여기까지(로 한다).
so ~ as ... = as FAR as: *so* ~ *as* I know 내가 알고 있는 한에서는
so ~ from do***ing*** = FAR from (3)
take ... too ~ …의 도를 지나치다, 과도하다: You are *taking* your joke *too* ~. 자네 농담은 너무 지나치다.
thus ~ = SO FAR

— *a.* Ⓐ (비교 변화는 *ad.*와 같음) **1** 《문어》 **a** (거리적으로) 먼, 멀리 떨어진(⇨ distant 유의어; opp. *near*) ★ It is two miles *far.*는 잘못된 표현이며, 수사를 명시하는 경우에는 distant를 씀: a ~ country 먼 나라 / The office is not ~ *from* here. 사무실은 이곳에서 멀지 않다. **b** (시간적으로) 먼, 아득한: the ~ future 먼 장래 **c** 장거리[장시간]의 (long): a ~ journey 먼[긴] 여행 **2** [보통 the ~] (둘 중에서) 먼 쪽의, 저쪽의: The window is in *the* ~ corner. 창문은 저쪽 코너에 있다. **3** (정치적으로) 극단적인: the ~ right[left] 극우[극좌]
a ~ cry ⇨ cry *n.*

— *n.* 먼 곳: from ~ and near 도처로부터(cf. FAR and near) / come from ~ 먼 데에서 오다

다 ***make one's ~s*** 작별 인사를 하다
— *a.* 고별의, 송별의, 작별의: a ~ address 고별 연설 / a ~ performance 고별 공연 / a ~ dinner [party] 송별연[회] / a ~ present 전별품
— *vt.*, *vi.* 작별 인사를 하다

far-famed [fάːrféimd] *a.* 널리 알려진, 유명한

far·fetched, far-fetched [-fétʃt] *a.* 에두른, 빙 둘러서 말하는; 무리한(forced); 부자연한, 억지의 《해석·비유·비교·변명·알리바이 등》: a ~ joke 부자연스

---

out of the way (opp. *near, neighboring*)
fare *n.* price, cost, charge, fee, expense

러운 익살 / a ~ excuse for being late 지각한 데 대한 억지스러운 변명 **~·ness** *n.*

far-flung [-flʌ́ŋ] *a.* 광범위한, 널리 퍼진; 간격이 넓은, 멀리 떨어진: the ~ mountain ranges of the West 서부의 광대한 산맥

far-forth [-fɔ́ːrθ] *ad.* 아득히 멀리; 극도로

far-gone [-gɔ́ːn | -gɔ́n] *a.* 먼, 먼 곳의; 〈병세 등이〉 꽤 진전된[심한]; 몹시 취한; 빚이 누적된

fa·ri·na [fəríːnə] *n.* Ⓤ **1** 곡식 가루(flour) **2** (특히 감자의) 전분, 녹말(starch) **3** 〖식물〗 꽃가루(pollen)

far·i·na·ceous [fæ̀rənéiʃəs] *a.* 녹말질의; 곡식 가루의; 가루를 내는; 가루 같은

far·i·nose [fǽrənòus] *a.* 가루 모양의, 가루를 내는; 가루투성이의, 전분질의; 〖식물〗 흰 가루로 덮인

far·kle·ber·ry [fɑ́ːrklbèri | -bəri] *n.* (*pl.* **-ries**) 〖식물〗 월귤나무의 일종 《미국 남동부산(産)》

farl(e) [fɑ́ːrl] *n.* 《스코》 연맥·밀가루로 살짝 구워 만든 둥근 케이크

‡**farm** [fɑ́ːrm] [F 「소작 계약, 소작지」의 뜻에서] *n.* **1 농장**, 농지, 농원(cf. RANCH): a dairy ~ 낙농장 / a home ~ 지주의 자작 농원 / work on the ~ 농장에서 일하다 / run[keep] a ~ 농장을 경영하다 **2 사육장**, 양식장: a chicken[poultry] ~ 양계장 / an oyster[a pearl] ~ 굴[진주] 양식장 / a fish ~ 양어장 / a pig ~ 양돈장 **3** 농가, 농장의 집 **4** Ⓤ 〖역사〗 조세 징수 도급 제도; (그 제도에서) 도급 지역 **5** 탁아소(cf. BABY FARM) **6** 〖야구〗 메이저 리그 소속의 2군 팀(= ~ **tèam**) **7** (시골의) 요양소 ***bet the ~*** 《미·속어》 농장[전재산]을 걸다, 절대 확신하다 ***buy the ~*** 《미·속어》 전사하다, 죽다

— *vt.* **1** 〈토지를〉 **경작하다**(cultivate); 〈농지·점포를〉 임대차하다; 소작하다; 사육[양식]하다 **2** 〈조세·요금 등의 징수를〉 청부 맡다, 〈단체·시설 등의〉 관리를 청부 맡다: a county that ~*s* its poor 빈민 관리를 맡는 군(郡) **3** 〈노동력을〉 돈 받고 빌려주다 **4** 〈어린이 등을〉 요금을 받고 맡다: ~ a baby 아기를 맡다

— *vi.* 경작하다, 농사짓다, 농장을 경영하다

~ ***out*** (1) 〈토지·시설 등을〉 빌려주다; 〈조세·요금의 징수를〉 도급주다; 〈일을〉 본점[원 공장] 등에서 도급주다, 하청시키다 (2) 〈어린이 등을〉 돈을 주고 맡기다: ~ *out* children to …에게 어린이를 맡기다 (3) 〖야구〗 〈1군의 선수를〉 2군 팀에 맡기다 **~·a·ble** *a.*

fárm bèlt **1** 농업 지대 **2** 미국 중서부 여러 주의 대규모 농업 지대

fárm blòc 농민 이익 대표단 《미국 상·하원의 각 정당 의원으로 구성》

fárm chèese = FARMER CHEESE

‡**farm·er** [fɑ́ːrmər] [OF 「소작인」의 뜻에서] *n.* **1 농부**, 농장주, 농장 경영자(cf. PEASANT): a landed [tenant] ~ 자작[소작]농 **2** 아기 등을 맡는 사람 **3** 세금 징수 도급인 **4** 시골 사람; 바보

fármer chèese 파머 치즈(farm cheese) 《전유(全乳) 또는 일부 탈지한 고형(固形) 치즈》(cf. COTTAGE CHEESE)

farm·er·ette [fɑ̀ːrmərét] *n.* 《미·구어》 농장에서 일하는 여자

fármers coóperative 농업 협동 조합

fármer's márket 농산물 직판장

farm·er·y [fɑ́ːrməri] *n.* (*pl.* **-er·ies**) 《영》 농장 시설

farm-fresh [fɑ́ːrmfréʃ] *a.* 〈농산물이〉 농장[산지] 직송의

farm·hand [-hæ̀nd] *n.* **1** 농장 노동자, 머슴 **2** 〖야구〗 신인 선수(rookie), 2군 선수

*****farm·house** [fɑ́ːrmhàus] *n.* (*pl.* **-hous·es** [-hàuziz]) **농가**; 농장 내의 주택 《보통 본채를 말하나 창고 등 부속 건물을 포함할 때도 있음》

*****farm·ing** [fɑ́ːrmiŋ] *n.* Ⓤ **1 농업**, 농작, 농장 경영 《agriculture보다 구어적인 말》; 사육; 양식: organic ~ 유기 농업 **2** 〖역사〗 (세금의) 징수 도급

— *a.* 농업의; 농장의, 농업용의: ~ implements 농기구 / ~ land 농지

fárm làborer = FARMHAND 1

*****farm·land** [fɑ́ːrmlæ̀nd] *n.* Ⓤ **농지**, 농토, 경지

fárm mànagement 농업[농장] 경영

far·most [fɑ́ːrmòust] *a.* 가장 먼(farthest)

farm·out [fɑ́ːrmàut] *n.* (석유·가스 채굴권 등의) 임대, 리스; 임대물

fárm pròduce 농산물, 농작물

farm·stead(·ing) [-stèd(iŋ)] *n.* 《영》 농장 《부속 건물도 포함》

fárm stòck 농장 자산 《가축·농기구·작물 등》

fárm sỳstem 〖야구〗 제 2군 리그 합동 운영제(cf. FARM *n.* 6)

*****farm·yard** [fɑ́ːrmjɑ̀ːrd] *n.* (주택·창고·우사 등에 둘러싸인) **농장 구내**, 농가의 마당

Fár Nórth [the ~] 극북

far·o [fέərou] *n.* (*pl.* **far·os**) 〖카드〗 은행 《내기 카드놀이의 일종》

Fár·oe Íslands [fέərou-] [the ~] = FAEROE ISLANDS

Far·o·ese [fὲərouíːz, -íːs] *n.* (*pl.* ~) = FAEROESE

*****far-off** [fɑ́ːrɔ́ːf | -ɔ́f] *a.* Ⓐ 〈시간·거리·관계가〉 먼, 아득한(faraway): the ~ days 먼 옛날

— *ad.* 멀리서

fa·rouche [fərúːʃ] [F] *a.* 뚱한, 무뚝뚝한, 시무룩한; 수줍은; 격렬한, 난폭한, 거친, 사나운

far-out [fɑ́ːráut] *a.* **1** 《영》 먼 **2** 《구어》 〈음악 등이〉 참신한, 전위적인, 파격적인; 《구어》 극단적인; 과격한; 난해한; 멋진; 열중해 있는

far-out·er [-áutər] *n.* 《구어》 파격적인 사람, 인습에 구애되지 않는 사람

fár pòint 〖안과〗 (눈의) 원점(遠點)

far·rag·i·nous [fərǽdʒənəs | -réidʒ-, -rǽdʒ-] *a.* 긁어 모은, 뒤섞인

far·ra·go [fərɑ́ːgou, -réi-] [L] *n.* (*pl.* **~(e)s**) 뒤섞어 놓은 것, 잡동사니(mixture) 《*of*》

far-rang·ing [fɑ́ːréindʒiŋ] *a.* 광범위한, 장거리에 걸친, 스케일이 큰

*****far-reach·ing** [fɑ́ːríːtʃiŋ] *a.* 〈효과·영향 등이〉 멀리까지 미치는; 〈계획 등이〉 원대한; 중요한: the ~ effect of his speech 그의 연설의 폭넓은 영향

far-red [-réd] *a.* 〖물리〗 원적외(遠赤外)의

far·ri·er [fǽriər] *n.* **1** 《영》 편자공 **2** 《영》 (말의) 수의사 **3** 〖군사〗 (기병대의) 군마(軍馬) 담당 하사관

far·ri·er·y [fǽriəri] *n.* Ⓤ 편자술(術); 수의(獸醫)외과

far·row[1] [fǽrou] *n.* (돼지의) 분만; 한 배의 돼지 새끼 — *vt.* 〈돼지 새끼를〉 낳다 — *vi.* 〈돼지가〉 새끼를 낳다 《*down*》

farrow[2] *a.* 〈암소가〉 새끼를 배지 않은

far·ru·ca [fərúːkə] [Sp.] *n.* 파루카 《플라멩코의 일종》

far·see·ing [fɑ́ːrsíːiŋ] *a.* 선견지명이 있는, 통찰력 있는; 먼 데를 잘 보는(farsighted)

Fay·si, Far·see [fɑ́ːrsi] *n.* Ⓤ = PERSIAN

fár síde [the ~] 먼 쪽, 저편, 저쪽, 건너편: on *the* ~ of …의 저편에; …살이 넘어(beyond) 《나이에서》

far·sight·ed [-sáitid] *a.* **1** 먼 데를 잘 보는; 〖병리〗 원시안의(opp. *nearsighted*) **2** 선견지명이 있는, 현명한 **~·ly** *ad.* **~·ness** *n.*

fart [fɑ́ːrt] 《속어》 *n.* **1** 방귀 **2** 바보, 등신같은 녀석 **3** [주로 a ~; 부정문에서] 조금도 (…않다): I do*n't* give[care] *a* ~ about it. 나는 그것을 아무렇지도 않게 여긴다. ***crack***[***lay***] ***a ~*** 방귀 뀌다

— *vi.* 방귀 뀌다 **~ *about***[***around***] 바보 같은 짓을 하다; 빈둥빈둥 놀다

‡**far·ther** [fɑ́ːrðər] *ad.* [FAR의 비교급] **1** (거리·공간·시간이) **더 멀리**, 더 앞으로, 더 오래; (정도가) 더 나아가, 그 이상: I can go no ~. 이 이상 더는 갈 수

thesaurus **farm** *n.* farmland, land, homestead, ranch, plantation, grange

fascinate *v.* bewitch, captivate, beguile, enthrall, enrapture, charm, enchant, allure, lure, entice,

없다. / The application of the law was extended ~. 법의 적용 범위는 더 확대되었다. **2** 더욱이, 또한 게다가(moreover) ★ 현재는 보통 further를 씀.
~ back 더 뒤에[로], 더 오래 전에 ***~ on*** 더 나아가서[멀리], 더 앞[뒤]에: He is ~ *on* than you. 그는 당신보다 앞서 있다. ***go ~ and fare worse*** 지나쳐서 오히려 잘 안 되다 ***I'll see you ~*** [***further***] ***first.*** 그건 안 되겠다. 《그런 소리 들으려면 더 안 만나겠다》 ***No ~!*** 이제 됐어, 이제 그만! ***wish*** a person [thing] …이 그 곳에 없으면 좋겠다고 생각하다
—*a.* [FAR의 비교급] **1** (거리상으로) 더 먼[앞의]; (시간상으로) 더 뒤[나중]의: the ~ shore 건너편 기슭 / the ~ side of the mountain 산의 저쪽[건너쪽] **2** (정도가) 더 앞선(more advanced): ~ news 후보(後報), 속보 **3** 그 위의, 그 이상의(additional, more) ★ 정식으로는 farther는 '거리'에, further는 '정도 또는 양(量)'에 쓰지만 구어에서는 어느 경우건 further를 쓰는 경향이 있음: a ~ stage of development 더 발달된 단계 / make no ~ objection 더 이상 반대하지 않다 / Have you anything ~ to say? 더 할 말이 있습니까?
until ~ notice = until FURTHER notice

far·ther·most [fɑ́ːrðərmòust] *a.* 가장 먼

⁑**far·thest** [fɑ́ːrðist] *a.* [FAR의 최상급] 가장 먼, 최장의, 최대한의 ***at*** (***the***) ***~*** 늦어도; 고작해야
—*ad.* 가장 멀리(에); 가장(most)

*****far·thing** [fɑ́ːrðiŋ] [OE 「1/4(fourth)」의 뜻에서] *n.* **1** 《영》 파딩 《영국의 옛 화폐; 1/4 penny; 1961년 폐지》 **2** [부정문으로] 조금도 ***be not worth a*** (***brass***) ***~*** 동전 한 푼어치의 가치도 없다 ***don't care a ~*** 조금도 개의치 않다

far·thin·gale [fɑ́ːrðiŋgèil] *n.* 파딩게일 《16-17세기에 스커트를 불룩하게 하는 데 썼던 버팀살》; 버팀살로 부풀린 스커트

fart·lek [fɑ́ːrtlek] [Swed. =speed play] *n.* 파틀렉 《자연 환경 속에서 급주(急走)와 완주(緩走)를 되풀이하는 트레이닝》

Fár Wést [the ~] 극서부 지방 《미국 로키 산맥 서쪽 태평양 연안 일대》

FAS fetal alcohol syndrome; Foreign Agricultural Service **f.a.s., FAS** firsts and seconds; free alongside ship 〖상업〗 선측 인도 **fasc.** fascicle

fas·ces [fǽsiːz] *n. pl.* (*sing.* **fas·cis** [fǽsis]) [때로 단수 취급] 〖고대로마〗 막대기 다발 속에 도끼를 끼운 집정관의 권위 표지 《후에 이탈리아 파시스트 당의 상징이 됨》; 이것이 상징하는 관직[직위]

fasces

Fa·sching [fɑ́ːʃiŋ] *n.* (특히 남부 독일·오스트리아의) 사육제 (주간), 카니발

fas·ci·a [fǽʃiə | féiʃə] *n.* (*pl.* **~s, -ci·ae** [-ʃiìː]) **1** (머리를 묶는) 끈, 띠 **2** 〖건축〗 (처마 밑의) 띠 모양의 벽면 **3** 〖해부〗 근막(筋膜); 〖동물〗 색대(色帶); 〖의학〗 붕대 **4** (가게의 정면 상부의) 간판(facia) **5** 《영》 자동차의 계기반(= **~ bòard**)
fás·cial *a.*

fas·ci·ate, -at·ed [fǽʃièit(id), -ʃiət(id)] *a.* 띠로 묶은, 동여맨; 〖식물〗 〈줄기·가지가〉 이상 발육으로 넓적해진; 〖동물〗 띠 모양의 줄무늬가 있는; 색대(色帶)가 있는

fas·ci·a·tion [fæ̀ʃiéiʃən] *n.* Ⓤ 붕대 감기, 결속; 〖식물〗 (이상 발육에 의한) 대화(帶化) 현상

fas·ci·cle [fǽsikl] *n.* **1** 작은 다발 **2** 분책 《계속적으로 간행되는 책의》 **3** 〖식물〗 밀산 화서(密繖花序); (꽃·잎 등의) 총생(叢生) **4** 〖해부〗 섬유속(束)

fas·cic·u·lar [fəsíkjulər] *a.* 〖식물〗 총생의; 〖해부〗 섬유속으로 이루어진 **~·ly** *ad.*

fas·cic·u·late [fəsíkjulət, -lèit], **-lat·ed** [-lèitid] *a.* 〖식물〗 총생의; 밀산(密繖)의; 〖해부〗 섬유속의

fas·ci·cule [fǽsikjùːl] *n.* = FASCICLE 2

fas·cic·u·lus [fəsíkjuləs] *n.* (*pl.* **-li** [-lài]) = FASCICLE 2, 4

fas·ci·i·tis [fæ̀ʃiáitis] *n.* 〖병리〗 근막염(筋膜炎)

*****fas·ci·nate** [fǽsənèit] [L 「요술로 호리다」의 뜻에서] *vt.* **1** 매혹하다, 반하게 하다, 황홀하게 하다(charm): Ancient Egypt has always ~*d* me. 고대 이집트는 언제나 나를 매혹했다. **2** 〈뱀이〉 〈개구리 등을〉 노려보아 꼼짝 못하게 하다 **3** 《폐어》 마법으로 꼼짝 못하게 하다
—*vi.* 주의를 끌다, 마음을 빼앗다 ▷ fascinátion *n.*

*****fas·ci·nat·ed** [fǽsənèitid] *a.* 매혹[매료]된, 마음을 빼앗긴 《*by, with*》: He was absolutely [utterly] ~ *by* her beauty. 그는 그녀의 아름다움에 완전히 마음을 빼앗겼다. **~·ly** *ad.*

*****fas·ci·nat·ing** [fǽsənèitiŋ] *a.* 매혹적인, 황홀한, 반하게 만드는; 아주 재미있는: The museum has a ~ collection. 그 박물관에는 흥미진진한 컬렉션이 있다. **~·ly** *ad.* 매혹적으로, 반하게 할 만큼

*****fas·ci·na·tion** [fæ̀sənéiʃən] *n.* **1** Ⓤ 매혹, 매료, 마음이 홀린 상태; (뱀의) 노려봄; Ⓒ 매력, 요염; (최면술의) 감응: They watched in ~. 그들은 넋을 잃고 바라보았다. **2** 매력 있는 것 **3** 매혹하는 힘
▷ fáscinate *v.*

fas·ci·na·tor [fǽsənèitər] *n.* 매혹하는 사람[것]; 마법사; 매혹적인 여자; (옛날 여자들이 머리에 쓴) 레이스 두건

fas·cine [fæsíːn, fə-] *n.* 장작단(fagot); 〖축성〗 막대기 다발 《참호벽 등의 보강용》: ~ dwelling 유사(有史) 이전의 호상(湖上) 가옥

fas·cism [fǽʃizm] [L 「다발」, It. 「집단」의 뜻에서] *n.* Ⓤ [종종 **F~**] 파시즘, 독재적 국가 사회주의 《Mussolini를 당수로 한 이탈리아 국수당의 주의; cf. NAZISM》

fa·scis·mo [fɑːʃíːzmou] [It.] *n.* (*pl.* **~s**) = FASCISM

fas·cist [fǽʃist] *n.* [종종 **F~**] (이탈리아의) 파시스트 당원; 파시즘 신봉자, 국수주의자, 파쇼; 독재자
— *a.* 파시즘의, 파시즘을 신봉하는; [종종 **F~**] 파시스트당(원)의

Fa·sci·sta [fəʃístə] *n.* (*pl.* **-sti** [-stiː]) (이탈리아의) 파시스트당원(Fascist); [*pl.*] 파시스트당

fa·scis·tize [fǽʃistàiz] *vt.* 파쇼[파시즘]화하다
fà·scis·ti·zá·tion *n.* Ⓤ 파쇼화(化)

FASE [féis] [*f*undamentally *a*nalyzable *s*implified *E*nglish] *n.* 〖컴퓨터〗 간이 영어

fash [fǽʃ] 《스코》 *vt.* 괴롭히다 **~ one*self*** 괴로워하다 **—** *n.* Ⓤ 괴로움, 고민, 고뇌

⁂**fash·ion** [fǽʃən] [L 「만들기, 하기」의 뜻에서; faction과 같은 어원] *n.* **1** [*sing.*] ⓊⒸ 방법, 방식, …하는 식[투](manner), …풍(風); [선행하는 명사·형용사와 복합어를 이루어; 부사적] …처럼, …식으로: the ~ of his speech 그의 말투 / in a warlike ~ 호전적으로 / do a thing in one's own ~ 자기 식으로 하다 / walk crab-~ 게처럼 걷다, 모로 움직이다 **2** ⓊⒸ 유행(vogue), (여성복의) 패션; 풍조, 시류: the latest ~ in boots 부츠의 최신 유행형 / It is the ~ to …하는 것이 지금 유행이다 **3** [the ~] 유행하는 사람[물건], 인기 있는 사람[물건]: He is *the* ~. 그는 요즈음 한창 인기다. **4** 만듦새; 양식, 형, 스타일(style, shape); 종류 **5** [the ~; 집합적] 상류 사회(의 사람들), 사교계(의 사람들): All *the* ~ of the town were present. 사교계 인사들이 모두 참석했다.
after [***in***] ***a ~*** 어느 정도, 그럭저럭, 그런대로 ***after*** [***in***] ***the ~ of*** …을 본따서, …식으로 ***be all the ~*** 아주 인기가 있다, 대유행이다 ***bring*** [***come***] ***into ~*** 유행시키다[유행하기 시작하다] ***follow the ~*** 유행

---

tempt, attract, draw, tantalize (opp. *repel, bore*)
fashion *n.* **1** 방식 manner, way, style, mode, method, approach **2** 유행 style, current style, trend, vogue, craze, rage, fad, latest thing

을 좇다 ***go out of ~*** 유행하지 않게 되다, 한물가다 ***in*** (***the***) ~ 유행하고 있는; 현대식으로 ***in the latest ~*** 최신형의 ***lead the ~*** 유행의 앞장을 서다 spend money ***like***[***as if***] ***it's going out of ~*** 《구어》 분별없이[마구잡이로] (돈을 쓰다) ***of ~*** 상류 사회[사교계]의: a man[woman] *of* ~ 상류 사회[사교계]의 남성[여성] ***set the ~*** 유행을 만들어 내다

— *vt.* **1** (재료를 써서 어떤 모양으로) 만들어내다; 〈성격 등을〉 형성하다 《*into*》: (~+목+전+명) ~ clay *into* a vase 진흙으로 꽃병을 만들다 / ~ a pipe *from* clay 진흙으로 파이프를 만들다 / The war ~*ed* him *into* a pacifist. 그 전쟁이 그로 하여금 평화주의자로 만들었다. **2** 맞추다, 적합[적응]시키다(fit) 《*to*》: (~+목+전+명) ~ a theory *to* general understanding 모두 이해할 수 있도록 이론을 펴다

fash·ion·a·ble [fǽʃənəbl] *a.* **1 최신 유행의**, 유행하는, 유행에 따르는: a ~ dress 유행하는 여성복 **2 사교계의**; 상류 사회의; 상류 인사가 모이는[이용하는]; 일류의: the ~ world 유행의 세계, 사교계 / a ~ society 상류 사회 / a ~ dressmaker 일류 양재사

— *n.* 유행을 좇는 사람, 상류 사회의 사람

fàsh·ion·a·bíl·i·ty *n.* **~·ness** *n.* **-bly** *ad.* 최신 유행대로, 멋지게

fáshion bòok 유행[복장] 견본집

fash·ion-con·scious [fǽʃənkɑ̀nʃəs | -kɔ̀n-] *a.* 유행에 민감한

fáshion coòrdinator 패션 코디네이터 《백화점 등에서 패션 관계 활동을 진행·조정하는 사람》

fáshion desìgner 패션 디자이너

fáshion displày 최신 유행의 의상 전시회

fash·ioned [fǽʃənd] *a.* [복합어를 이루어] …식[류, 풍]의: old-~ 구식의, 케케묵은

fash·ion·er [fǽʃənər] *n.* 형태를 만드는 사람; 양재사, 재봉사(tailor)

fash·ion·ese [fæ̀ʃəníːz, -níːs | -níːz] *n.* Ⓤ 패션계 용어

fash·ion-for·ward [-fɔ̀ːrwərd] *a.* 패션을 이끄는[앞서가는]

fáshion hòuse 고급 양장점

fash·ion·ist·a [fæ̀ʃəníːstə] *n.* 《구어》 패션에 관심이 많고 최신 스타일을 선호하는 사람

fáshion mòdel 패션모델

fash·ion·mon·ger [fǽʃənmʌ̀ŋgər] *n.* 유행을 따르는 사람, 패션 연구가

fáshion plàte 유행복의 본; 《구어》 최신 유행의 옷을 입는 사람

fáshion shòw 패션쇼

fáshion stàtement 자신의 라이프 스타일을 과시하는 복장[소지품]

fáshion vìctim 《구어》 맹목적으로 유행을 좇는 사람; 유행이 어울리지 않는 사람

‡**fast**[1] [fǽst, fɑ́ːst | fɑ́ːst] [OF 「굳은, 단단한」의 뜻에서] *a.* (**~·er**; **~·est**) **1 빠른, 급속한**(opp. *slow*) (⇨ quick 유의어): a ~ train 급행열차 / a ~ horse 준마 **2 날랜**, 민첩한; 빨리 되는, 단시간의, 속성의; 속구를 던지는: a ~ reader 속독가 / a ~ pitcher 속구투수 / a ~ race 단시간의 레이스 / ~ work 재빠른 작업 **3** Ⓟ 〈시계가〉 **빠른**, 빨리 가는: My watch is five minutes ~. 내 시계는 5분 빠르다. **4** Ⓐ 빠른 운동에 적합한, 고속용의, 급주용(急走用)의: a ~ highway 고속도로 / a ~ race track 급주로(路) / a hull with ~ lines 고속에 적합한 선체(船體) **5** 〈당구대·테니스장 등이〉 공이 잘 튀는, 탄력이 있는: a ~ tennis court 공이 잘 튀는 테니스장 **6** Ⓐ 〖사진〗 〈렌즈가〉 고속 촬영(용)의; 〈필름이〉 고감도의 **7** 《구어》 말을 잘하는 **8** 환락을 좇는, 행실[품행]이 나쁜: a ~ liver 방탕한 사람 / a ~ woman 행실이 좋지 않은 여자 / lead a ~ life 방탕한 생활을 하다 **9** 〈계량기가〉 실제보다 큰 값을 나타내는 **10 고정된**, 고착한, **견고한**, 단단히 붙은, 흔들거리지 않는(opp. *loose*): a stake ~ in the ground 땅에 단단히 두드려 박은 말뚝 **11** 〈매듭·주먹쥐기 등이〉 단단한, 굳게 닫힌, 단단히 붙들어 맨: make a door ~ 문을 굳게 닫다 / make a boat ~ 배를 꽉 잡아매다 / take (a) ~ hold on a rope 밧줄을 단단히 붙잡다 / an animal ~ in a trap 덫에 단단히 붙잡힌 동물 **12** 마음이 한결같은(constant), 충실한: a ~ friend 친한 친구 / ~ friendship 변하지 않는 우정 **13** 〈빛깔이〉 바래지 않는: a ~ color 불변색 **14** 〈잠이〉 깊이 든: a ~ sleep 숙면 **15** (약품에 대하여) 내성[저항력]이 있는: acid-~ 내산성(耐酸性)의 **16** 〖경마〗 〈경주로가〉 마른, 단단한 **17** 《구어》 **a** 〈돈·이익 등이〉 쉽게[빨리] 벌리는 **b** 〈돈벌이에〉 재빠른: a ~ operator (돈벌이에) 재빠른 사람

~ and furious 〈경기가〉 한창 무르익어 ***hard and ~ rule*** 엄격한 규칙 ***make ... ~*** …을 고정시키다; 〈배를〉 잡아매다; 〈문 등을〉 꼭 닫다 ***on the ~ track*** 고속 승진하는, 출셋길에 있는

— *ad.* **1 빨리**(⇨ early 유의어), 급속히(rapidly), 급히(hurriedly): Light travels ~*er* than sound. 빛은 소리보다 빨리 이동한다. **2 끊임없이**, 줄곧, 연달아: Event followed ~ upon one another. 계속해서 사건이 일어났다. / Her tears fell ~. 그 여자는 눈물이 자꾸 흘렀다. **3 단단히, 굳게**: a door ~ shut = a door shut ~ 꼭 닫혀 있는 문 / hold ~ to a rail 난간을 꼭 잡다 / hold ~ to one's faith 신념을 굳게 지키다 **4** 〈잠이〉 푹, 깊이: ~ asleep 깊이 잠들어 **5** 방탕하게 **6** 《고어》 임박하여, 가까이 《*by*》

as ~ as = 《미》 as SOON as. ***F~ bind, ~ find.*** 《속담》 단속을 잘 하면 잃는 법이 없다. ***lay*** a person ***~*** …를 속박하다 ***live ~*** 방탕한 생활을 하다 ***play ~ and loose*** 태도가 확고하지 못해 믿을 수 없다; 언행이 일치하지 않다; 농락하다 《*with*》 ***pull a ~ one*** 감쪽같이 속이다 ***sleep ~*** 숙면하다 ***stand ~*** 딱 버티고 서다; 고수하다 ***stick ~*** 착 들러붙다, 점착하다

— *n.* (문·창 등의) 잠금쇠

▷ fásten *v.*; fástness *n.*

*__fast__[2] [fǽst, fɑ́ːst | fɑ́ːst] *vi.* **1 단식하다,** 절식하다; 금식하다: I have been ~*ing* all day. 오늘 하루종일 아무것도 먹지 않았다. **2** (종교적 수행을 위해) 정진(精進)하다 《*on*》: (~+전+명) ~ *on* bread and water 빵과 물만 먹고 정진하다 ***~ off*** 단식하여 〈병을〉 고치다: ~ an illness *off* 단식으로 병을 고치다

— *vt.* 단식시키다: ~ a patient before surgery 수술 전에 환자를 단식시키다

— *n.* 단식, 절식; 금식; 정진(精進); 단식일; 단식 기간; 〖가톨릭〗 재일(齋日): go on a ~ of five days 5일간의 단식을 시작하다 ***break*** one***'s ~*** 단식을 중지하다; 아침 식사를 하다 **~·er** *n.*

fast[3] *n.* 배의 계류(繫留) 밧줄

fast·back [fǽstbæ̀k | fɑ́ːst-] *n.* 《미》 패스트백 《지붕에서 뒤끝까지 유선형으로 된 구조(의 자동차)》

fast·ball [-bɔ̀ːl] *n.* 〖야구〗 (변화 없는) 속구; 《캐나다》 패스트볼 《소프트볼의 일종》

fast·ball·er [-bɔ̀ːlər] *n.* 〖야구〗 속구 투수

fást bówler 〖크리켓〗 속구 투수(pace bowler)

fást bréak (특히 농구의) 속공(速攻) 《상대팀이 방어 태세를 갖추기 전에 볼을 코트 끝에서 끝으로 재빠르게 패스해서 공격하는 방법》 **fást-bréak** *vi.*

fást bréeder, fást-bréed·er reàctor [-bríːdər-] 〖물리〗 고속 증식로(增殖爐)

fást búck (미·속어) 쉽게 번[벌리는] 돈 ***make a ~*** (종종 부정한 방법으로) 단번에 한탕하다[한몫 잡다]

fást dày 〖종교〗 단식일

‡**fas·ten** [fǽsn, fɑ́ːsn | fɑ́ːsn] *vt.* **1 묶다,** 단단히 고착[고정]시키다, 동여매다: (~+목+전+명) ~ a

thesaurus **fashionable** *a.* stylish, in fashion, up-to-date, modern, in vogue, popular, latest, chic, elegant, smart, all the rage, modish

fast[1] *a.* quick, rapid, swift, hasty, hurried, speedy, brisk, accelerated, flying, express

fasten *v.* **1** 고정시키다 attach, fix, affix, clip, pin,

boat *to* a tree by a rope 배를 밧줄로 나무에 붙들어매다 / ~ a label *on* a bottle 병에 라벨을 붙이다 // (~+목+부) ~ *down* lifeboats on deck 구명보트를 갑판에 붙들어매다 **2** 〈지퍼·단추·클립·핀 등을〉 죄다, 잠그다, 채우다 ((*with, down, together*)), 〈빗장 등을〉 지르다: ~ a glove 장갑의 단추를 채우다 / Please ~ your seat belt. 좌석[안전] 벨트를 매 주세요. // (~+목+전+명) ~ a door *with* a bolt 문에 빗장을 지르다 **3** 〈눈·시선을〉 …에 멈추다; 〈주의를〉 쏟다; 〈희망을〉 걸다 ((*on, upon*)): (~+목+전+명) The child ~*ed* his eyes *on* the stranger. 그 어린아이는 낯선 사람을 뚫어지게 바라보았다. **4** 〈별명을〉 붙이다; 〈누명·죄를〉 씌우다: (~+목+전+명) ~ a nickname[crime, quarrel] *on* a person …에게 별명을 붙이다[죄를 씌우다, 싸움을 걸다] **5** 가두다: (~+목+부) ~ a dog *in* 개를 가두다

—*vi.* **1** 〈문 등이〉 닫히다; 〈자물쇠 등이〉 잠기다; 고정되다: This window will not ~. 이 창문은 도무지 안 닫힌다. **2** 붙잡다, 꽉 매달리다, 달려들다 ((*on, upon*)): (~+전+명) ~ *on* the idea 그 생각에 매달리다 / She ~*ed on* my arm. 그녀는 내 팔에 꽉 매달렸다. **3** 주의를 집중하다; …에 주목하다 ((*on, upon*)): (~+전+명) His gaze ~*ed on* the jewels. 그의 시선은 그 보석류에 집중되었다.

~ down 〈상자 뚜껑 등을〉 못질하여 박다; 〈의미 등을〉 확정시키다 ***~ in*** …을 가두다 ***~ off*** 실을 걸어 매다 ((매듭을 짓거나 하여)) ***~ on***[***upon***] …을 붙잡다, …에 매달리다; 〈구실 등을〉 잡다; 눈독 들이다 ((공격 등을 위하여)) ***~*** one***self on***[***upon***] …을 귀찮게 굴다 ***~ up*** 동여매다; 걸어 매다; 못질해 붙이다

▷ fást *a., ad.*

fas·ten·er [fǽsnər, fɑ́:s- | fɑ́:s-] *n.* 잠그는 사람[물건]; 죄는[잠그는] 금속 기구; 지퍼(zipper), 클립(clip), 단추, 스냅; 탈색 방지제

fas·ten·ing [fǽsniŋ, fɑ́:s- | fɑ́:s-] *n.* **1** Ⓤ 죔, 잠금, 닫음, 붙임 **2** Ⓒ 채우는[걸어 매는] (금속) 기구 ((볼트·빗장·걸쇠·자물쇠·단추·혹·핀 등))

Fást Éthernet 〖통신·컴퓨터〗 고속 이더넷 ((전송 매체상의 데이터 전송 속도를 100Mbps로 고속화한 LAN))

fást fílm 고감도 필름

fást fóod (미) (햄버거·통닭구이 등 즉석에서 나오는) 패스트푸드, 즉석 음식

NOTE 미국에서 발달한 fast food 산업은 전세계적인 규모가 되어 그 대표적인 것은 McDonald's, Burger King, Pizza Hut, Wendy's 등이다.

fast-food [fǽstfú:d] *a.* Ⓐ **1** (미) 〈식당 등이〉 패스트푸드 전문의: a ~ restaurant 패스트 푸드 식당 ((McDonald's 등)) **2** (속어) 〈마약 따위가〉 만들기[입수하기, 사용하기] 쉬운; 〈예술 작품 등이〉 이해하기 쉬운

fast-for·ward [-fɔ́:rwərd] *n.* (녹음기·비디오 등의) 고속 감기 (버튼)

fast-grow·ing [-gróuiŋ] *a.* 빨리 성장하는

fást íce (남극의) 정착빙(定着氷)

fas·tid·i·ous [fæstídiəs, fəs-] *a.* **1** 까다로운; 괴팍스러운, 가리는 ((*in, about*)): be ~ *about* one's food[clothes] 음식[옷]에 까다롭다 / a ~ eater 음식에 까다로운 사람 **2** 〈세균이〉 배양 조건이 까다로운; 세심한, 정성들인 **~·ly** *ad.* **~·ness** *n.*

fas·tig·i·ate [fæstídʒiət, -dʒèit], **-at·ed** [-èitid] *a.* 끝이 원뿔꼴로 뾰족한; 〖식물·동물〗 원추 묶음 모양의

fas·tig·i·um [fæstídʒiəm] *n.* (*pl.* **~s, -i·a** [-iə]) 〖의학〗 극기(極期) ((증상이 가장 현저해지는 시기)); 〖해부〗 (제 4 뇌실의) 뇌실정(腦室頂)

---

tie, bind, tether, anchor **2** 잠그다 bolt, lock, secure, chain, seal (opp. *unfasten, open, unlock*)

fat *a.* **1** 뚱뚱한 plump, stout, obese, overweight, heavy, large, chubby, tubby, gross (opp. *thin, lean, skinny*) **2** 기름기 많은 oily, fatty, greasy **3** 비옥한 fertile, productive, rich, fruitful, flourishing

fast·ing [fǽstiŋ, fɑ́:s- | fɑ́:s-] *n.* Ⓤ 단식, 금식, 절식 **—** *a.* 단식의, 금식의: a ~ cure 단식 요법 / a ~ day 단식일(fast day)

fast·ish [fǽstiʃ, fɑ́:s- | fɑ́:s-] *a.* 꽤 빠른

fást láne (도로의) 추월 차선, 고속 차선 ***life in the ~*** 고속 경쟁 생활, 먹느냐 먹히느냐의 사회

fást mótion 〖영화〗 저속도 촬영에 의한 움직임[동작] ((실제보다 빨라 보임))

fast-moving [-mú:viŋ] *a.* 고속의; 〈연극·소설 등이〉 전개가 빠른

fast·ness [fǽstnis, fɑ́:st- | fɑ́:st-] *n.* **1** Ⓒ 요새, 성채(stronghold): a mountain ~ (산적 등의) 산채(山砦) **2** Ⓤ 고착, 고정; (빛깔의) 정착(定着) **3** Ⓤ 신속, 빠름 **4** Ⓤ 난봉, 방탕

fást néutron 〖물리〗 고속 중성자

fást òne (속어) [보통 a ~] 협잡, 사기, (경기 등에서의) 속임수: pull *a* ~ 보기 좋게 속이다 ((*on*))

fast-paced [fǽstpéist] *a.* 〈이야기 등이〉 빨리 진행되는: ~ fiction 이야기가 빨리 진행되는 소설

fást reáctor 고속 (중성자)로

fast-talk [fǽsttɔ́:k | fɑ́:st-] *vt.* (미·구어) 허튼 수작[유창한 말]으로 구슬리다

fást tálker (미·구어) 사기꾼; 말재주가 좋은 사람

fást tìme (미·구어) = DAYLIGHT SAVING TIME

fást tráck 출세 가도; 〖철도〗 급행 열차용 선로: an executive on the ~ 출세 가도를 달리는 간부

fast-track [fǽsttræ̀k, fɑ́:st-] *a.* 승진이 빠른; 신속한, 급행의; 〖건축〗 조기 착공의

— *vt.* 빠르게 승진시키다; 서둘러 하다 **~·er** *n.*

fas·tu·ous [fǽstʃuəs] *a.* 오만한, 허세부리는

fást wórker (구어) **1** (이익을 얻기 위해) 빈틈이 없이 처신하는 사람; 설득에 능한 사람 **2** 이성을 쉽게 매혹하는 사람

‡**fat** [fǽt] *a.* (**~·ter**; **~·test**) **1** 살찐, 뚱뚱한, 비만[비대]한(opp. *lean, thin*): a ~ man 뚱뚱한 남자 / get[grow] ~ 뚱뚱해지다 / Laugh and grow ~. (속담) 소문만복래(笑門萬福來).

> 유의어 **fat** 「뚱뚱한」의 뜻을 나타내는 가장 일반적인 말로서 살쪄서 보기 싫게 뚱뚱함을 뜻하므로 쓰지 않는 것이 좋다 **overweight** fat를 뜻하는 완곡한 말: an *overweight* person 지나치게 몸이 난 사람 **stout** fat를 나타내는 완곡한 말로서 나이 지긋한 사람에 대해 쓰는 경우가 많다: a *stout*, middle-aged man 뚱뚱한 중년 남자 **plump** 좋은 뜻으로 포동포동하게 살찐 것을 나타내며 주로 어린아이나 젊은 여성에 대해 쓴다: a *plump* woman 포동포동한 여자

2 〈식육용 가축이〉 (시장용으로) 특별히 살찌운(fatted): a ~ ox[sow] 살찌운 소[돼지] **3** 〈고기가〉 지방이[비계가] 많은(opp. *lean*): ~ meat 지방이 많은 고기 **4** 〈요리 등이〉 기름기 많은: ~ soup 기름진 수프 / a ~ diet 기름진 식사 **5** 〈손가락 등이〉 굵은, 땅딸막한(stumpy), 불룩한, 두꺼운; 〈활자 등이〉 획이 굵은 **6** 두둑한; 풍부한, 가득한, 양이 많은, 막대한; 돈이 있는: a ~ supply of food 식량의 풍부한 공급 / a ~ purse[pocketbook] 돈이 가득 들어 있는 지갑 **7** 〈땅이〉 기름진, 비옥한(fertile): ~ soil 옥토 / a ~ year 풍년 **8** 수입이 좋은, 벌이가 잘 되는, 유리한: a ~ job[office] 수입이 좋은 일[직무] / a ~ business contract 이익이 되는 계약 / a ~ salary 고급(高給) **9** (어떤 성분을) 많이 함유한, 〈목재가〉 진이 많은: ~ clay 가소성(可塑性) 점토 / a ~ pine 송진이 많은 소나무 / ~ paint 기름이 진한 그림물감 **10** 우둔한, 둔한(dull)(cf. FATHEAD) **11** (미·속어) 최고의, 매력적인, 멋진 (스타일의)

(***a***) ***~ chance*** (속어·반어) 희박한 가망[전망] ***a ~ check*** 고액 수표 ***a ~ lot*** (속어) 두둑이, 많이; [반어적] 조금도 …않다(not at all): *A ~ lot* you care! 조금도 개의치 않는군! ***cut it*** (***too***) ***~*** (속어)

드러내 보이다 ***cut up*** **~** 《속어》 많은 재산을 남기고 죽다 ***It's not over until the ~ lady signs.*** 《구어》 아직 완전히 끝난것은 아니다.

— *n.* Ⓤ **1 지방**, 비계, 기름기, 지방 조직, 지방질, 유지(油脂)(opp. *lean*); 《요리용》 기름(cf. LARD): animal[vegetable] ~ 동물[식물]성 지방 **2** [the ~] 가장 좋은[양분이 많은] 부분: live on[off] *the* ~ of the land 『성서』 나라의 기름진 것을 먹다, 호사스러운 생활을 하다 **3** 『연극』 배우가 재능을 충분히 나타낼 수 있는 장면 또는 대사 **4** 비만, 군살; [*pl.*] 《호주》 살찐 소[양]: run to ~ 살이 너무 찌다 **5** 『인쇄』 인쇄하기 쉬운 것 **6** 윤택, 풍부 **7** 여분의 것: a budget without ~ 여유 없는 예산

a bit of ~ 《구어》 뜻밖의 행운 ***chew the ~*** 《미·구어》 장황하게 이야기하다 ***live on*** one***'s*** (***own***) **~** 무위도식하다 ***The ~ is in the fire.*** 큰 실수를 하였다 《무사하지는 못할 것이다》.

— *vt., vi.* (**~·ted**; **~·ting**) 살찌게 하다, 살찌다(fatten) **~** ***off*** 살찌우다 《팔거나 식용으로 하기 위하여》 **~** ***up*** (충분히) 살찌우다; 살찌다 **~·less** *a.* **~·lìke** *a.* ▷ fátten *v.*

FAT file allocation table 『컴퓨터』 파일 할당표 《일종의 파일 배치표》

‡**fa·tal** [féitl] *a.* **1 치명적인**(mortal) 《*to*》; 파멸적인, 불행[실패]을 초래하는: a ~ disease 불치병, 죽을 병/a ~ wound 치명상/a ~ dose 치사량

> 유의어 **fatal** 「죽음의 원인이 되는」의 뜻으로서, 죽음이 불가피함을 암시한다: *fatal* consequences 치명적인 결과 **mortal** 죽음을 가져오는, 실제로 죽음의 원인이 된: receive a *mortal* blow 치명적인 타격을 받다 **deadly** 아마도 죽음을 가져올 것 같은: a *deadly* weapon 흉기

2 운명의, 운명을 결정짓는; 중대한, 결정적인: the ~ day 운명의 날/a ~ prophecy 결정적인 예언/The ~ hour was near. 운명의 시간이 가까워졌다. **3** 숙명적인, 불가피한, 피할 수 없는: a ~ series of event 피할 수 없는 일련의 사건

prove ~ 치명상이 되다 ***take the ~ step***[***leap, plunge***] 《미·익살》 결혼하다 ***the ~ shears*** 『그리스신화』 죽음 《운명의 여신 중의 하나가 든 가위에서》 ***the ~ sisters*** 『그리스신화』 운명의 3여신(the Fates) ***the ~ thread*** 『그리스신화』 (인간의) 수명 《운명의 여신이 쥐고 있는 실》

— *n.* 치명적인 결말, 《특히》 사고사(死) **~·ness** *n.* ▷ fatálity, fáte *n.*; fátally *ad.*

fa·tal·ism [féitəlìzm] *n.* Ⓤ **1** 『철학』 운명론, 숙명론 **2** 숙명관(宿命觀), 체념

fa·tal·ist [féitəlist] *n.* 운명[숙명]론자

fa·tal·is·tic [fèitəlístik] *a.* 숙명(론)적인, 숙명론자의; 운명론에 입각한 **-ti·cal·ly** *ad.*

∗**fa·tal·i·ty** [feitǽləti, fə-|fə-, fei-] *n.* (*pl.* **-ties**) ⓊⒸ **1 재난, 참사**(disaster); 불운, 불행(misfortune) **2** (사고·전쟁 등에 의한) **죽음**(death), 사망자(수): a rise in highway *fatalities* 고속도로 사망건수의 증가/Traffic accidents cause many *fatalities*. 교통사고로 죽는 자가 많다. **3 숙명**, 운명, 비운, 인연; 숙명론, (운명적인) 필연성; 치명적인 영향[것] **4** Ⓤ (병 등의) 치사성, 불치 《*of*》: reduce the ~ *of* cancer 암으로 인한 치사율을 줄이다

fatálity ràte 사망률

∗**fa·tal·ly** [féitəli] *ad.* **치명적으로**, 비참하게; 숙명적으로, 필연적으로, 불운하게도: She was ~ wounded. 그녀는 치명상을 입었다

Fa·ta Mor·ga·na [fɑ́:tɑ-mɔrgɑ́:nɑ] [It.] **1** = MORGAN LE FAY **2** [**f- m-**] 신기루 《특히 이탈리아 남단 Messina 해협에 나타나는 것》

fat·back [fǽtbæ̀k] *n.* **1** 돼지의 옆구리 위쪽의 비계살 《보통 소금을 쳐서 말림》 **2** 『어류』 = MENHADEN

fát cámp 패트 캠프 《비만 어린이의 감량을 위해 몇 주일간 입주하는 캠프》

fát cát 《미·속어》 정치 자금을 많이 바치는 부자; 세력가, 유명인, 특권의 혜택을 입은 부자

fát cèll 『해부』 지방 세포(adipocyte)

fát cíty 《미·속어》 더할 수 없이 좋은 상태[상황, 전망]: I'm in ~. 기분 최고다.

‡**fate** [féit] [L 「(신께서) 말씀하신 (것)」의 뜻에서] *n.* **1 운명**, 숙명, 운: accept one's ~ 운에 맡기다; 단념하다/decide[fix, seal] one's ~ 운명을 결정짓다

> 유의어 **fate** 인간의 힘으로 어찌할 수 없는, 불가피한 운명으로서 보통 불운한 숙명 **destiny** 정해진, 피할 수 없는 운명으로서 위대한 결말을 암시한다: It was her *destiny* to become famous. 유명해지는 것이 그녀의 숙명이었다. **doom** 불행한 또는 비참한 운명: His *doom* is inevitable. 그의 비참한 운명은 피할 수 없다.

2 죽음(death), 비운(doom); 파멸; 종말, 최후의 결말, 말로: go to one's ~ 비운으로[파멸로] 향하다 **3** [the F~s] 『그리스신화』 운명의 3여신 《인간의 생명의 실을 잣는 Clotho, 그 실의 길이를 정하는 Lachesis, 그 실을 끊는 Atropos의 세 여신》 **4** (개인·국가 등의, 종종 불운한) 운명, 운 **5** 예언

a ~ worse than death 지독한 재난; 순결의 상실 ***as ~ would have it*** 재수 없게 (***as***) ***sure as ~*** 틀림없는(quite certain) ***meet*** one***'s ~*** 최후를 마치다, 죽다; 자기 아내가 될 여자를 만나다 ***the master of*** one***'s ~*** 자기 운명을 개척하는 사람 ***the will of F~*** 운명의 장난

— *vt.* [보통 수동형으로] …할 운명이다; 운명지우다 (⇨ fated) ▷ fátal, fáteful *a.*

fat·ed [féitid] *a.* 운명이 정해진, …할 운명인; 운이 다 된: one's ~ lot 숙명 ∥ 《~+*to* do》 a person who was ~ *to* lead the country 나라를 이끌 운명을 진 사람/He was ~ *to* be unhappy. 그는 불행하게 될 운명이었다.

fate·ful [féitfəl] *a.* **1** 숙명적인; 결정적인: a ~ encounter 숙명적인 만남 **2** (불길한) 운명을 안고 있는 **3** 예언적인; 불길한 **4** 중대한; 치명적인(fatal), 파멸적인 **~·ly** *ad.* **~·ness** *n.*

fáte màp 『생물』 원기 분포도(原基分布圖) 《배(胚)의 각 영역과 그것이 장차 형성하는 기관 원기(原基)와의 대응을 나타내는 모형도》

fát fàrm 《미·속어》 = HEALTH SPA

fat-free [fǽtfrí:] *a.* 무(無) 지방의

fát grám [보통 *pl.*] (식품의) 지방분 함유 그램

fath, fath. fathom

fat·head [fǽthèd] *n.* 《구어》 멍텅구리, 얼간이

fat·head·ed [-hèdid] *a.* 우둔한, 얼뜬

‡**fa·ther** [fɑ́:ðər] *n.* **1 아버지**, 부친; 부성애; [**F~**; 호칭으로서] 아버지; 《구어》 시아버지, 장인; 의부, 계부, 양부: Like ~, like son. 《속담》 그 아버지에 그 아들, 부전자전/The child is ~ of[to] the man. 《속담》 어린이는 어른의 아버지/The wish is ~ to the thought. 《속담》 그렇게 되기를 바라면 그렇다고 믿게 된다. **2** 아버지로 숭상받는 사람, 보호자, 후견인: the ~ of his country 국부/a ~ to the poor 빈민의 아버지 **3** [종종 **F~s**] (초기 그리스도교의) 교부(教父) **4** [the F~] 하느님 아버지, 천주(God) **5** [보통 *pl.*] 조상, 선조(forefather): sleep with one's ~*s* 죽어 있다(be dead) **6 시조**, 창시자, 발명자, 원조(founder); [종종 관사 없이] 본원, 원형; [the F~s] 《미》 미국 헌법 제정자들: the *F~* of His Country 《미》 건국의 아버지 《George Washington을 일컬음》/the *F~* of the Constitution 《미》 헌법의 아버지

thesaurus **fatal** *a.* **1** 치명적인 deadly, mortal, lethal, killing, final (opp. *harmless, beneficial*) **2** 파멸적인 ruinous, destructive, disastrous, catastrophic, calamitous **3** 결정적인 fateful, critical,

《James Madison을 일컬음》/ the *F*~ of the Faithful 〖성서〗 믿음의 조상 《Abraham을 일컬음》; 〖이슬람교〗 신도의 아버지 《caliph의 칭호》/ the *F*~ of lies 거짓말의 아버지 《악마(Satan)를 일컬음》 **7** [존칭으로서] 신부(神父), 수도원장, 고해 신부; …옹; [*pl.*] 지도적 인물, (시읍면 의회 등의) 최연장자; 원로, 고참자: the *F~s* of the House (of Commons) 최고참의 (하원) 의원들 / the *~s* of a city 시의 장로들(city fathers) / Most Reverend *F*~ in God ARCHBISHOP의 존칭 / Right Reverend *F*~ in God BISHOP의 존칭 / the Holy *F*~ 로마 교황 ***be a ~ to*** …에게 아버지처럼 대하다 ***be gathered to*** one***'s ~s*** 죽다(die) ***from ~ to son*** 선조 대대로 ***the ~*** (***and mother***) ***of a*** = ***the mother and ~ of a*** 《구어》 굉장한, 심한, 지독한; 훌륭한
— *vt.* **1** …의 아버지가 되다; (아버지로서) 〈자식을〉 보다(beget); …에게 아버지 노릇을 하다, 보호자가 되다: He *~ed* two children. 그는 두 아이의 아버지가 되었다. **2** 일으키다; 창시하다, 〈계획 등을〉 시작하다: ~ a plan 계획을 만들다 **3** …의 아버지[작자]라고 나서다; 〈저작물을〉 …의 작품이라고 하다, 저작의 책임을 …에게 지우다; …의 아버지[작자, 책임자]임을 인정하다 《*on, upon*》: 《~+목+전+명》 ~ the child *on* him 그를 아이의 아버지로 판정하다
— *vi.* 아버지로서 행동하다, 부친의 책임을 다하다

Fáther Chrístmas 《영》 = SANTA CLAUS

fáther conféssor 〖가톨릭〗 고해 신부(confessor); 속사정을 털어놓을 수 있는 사람

fáther fígure[**ímage**] 아버지 같은 사람, 부친과 같은 존재, 이상적인 부친상; 신뢰할 만한 지도자

fa·ther·hood [fɑ́:ðərhùd] *n.* Ⓤ 아버지임, 아버지의 자격, 부권(父權)

∗**fa·ther-in-law** [fɑ́:ðərinlɔ̀:] *n.* (*pl.* **fathers-**) 시아버지, 장인; 《구어·드물게》 = STEPFATHER

fa·ther·land [fɑ́:ðərlæ̀nd] *n.* **1** 조국 《★ 유의어로서 motherland(모국) 쪽이 일반적임》 **2** 조상의 땅

fa·ther·less [fɑ́:ðərlis] *a.* **1** 아버지가 없는, 아버지를 모르는, 서출의: a ~ child 아버지를 잃은 아이, 아버지를 모르는 사생아 **2** 작자 미상의

fa·ther·like [fɑ́:ðərlàik] *a., ad.* = FATHERLY

fa·ther·li·ness [fɑ́:ðərlinis] *n.* Ⓤ 아버지다움; 아버지의 자애(paternal care), 부성애

fa·ther·ly [fɑ́:ðərli] *a.* 아버지(로서)의; 아버지다운; 자애 깊은, 자부(慈父) 같은(cf. PATERNAL)
— *ad.* 아버지 같이, 아버지답게

Fáther's Dày 《미》 아버지 날 《6월의 셋째 일요일》

fa·ther·ship [fɑ́:ðərʃìp] *n.* Ⓤ **1** 아버지의 신분[자격] **2** (동업 조합 등의) 원로의 지위; (영국 의회의) 최고참 의원의 지위

fáther sùbstitute 〖심리〗 부친 대리 《아버지가 없을 때 아버지 대신 애착의 대상이 되는 남성》

Fáther Thámes [의인화하여] 템스 강

Fáther Tíme [의인화하여] 시간 할아버지 《대머리에 긴 수염을 기르고, 손에 큰 낫과 모래시계를 든 노인》

∗**fath·om** [fǽðəm] [OE 「두 팔을 벌린 길이」의 뜻에서] *n.* (*pl.* **~s,** [집합적] **~**) **1** 길, 패덤 《주로 수심을 측정하는 데 사용되는 단위; 6피트; 1.83m; 略 fm., fath.》; 《영》 패덤 《단면 6평방 피트의 목재의 양》 **2** 이해, 통찰
— *vt.* **1** [보통 부정문에서] 〈사람의 마음 등을〉 추측[간파]하다, 통찰[이해]하다: I can*not* ~ what you mean. 무슨 뜻인지 짐작도 못하겠다. **2** …의 수심을 재다 《sound 쪽이 일반적임》

fath·om·a·ble [fǽðəməbl] *a.* 잴[추측할] 수 있는

Fa·thom·e·ter [fæðɑ́mətər | fəðɔ́-] *n.* 〖항해〗 음향 측심기(測深器) 《상표명》(sonic depth finder)

fath·om·less [fǽðəmlis] *a.* 잴 수 없는, 깊이를 알 수 없는; 불가해한 **~·ly** *ad.* **~·ness** *n.*

fáthom lìne 〖항해〗 측연선(測鉛線)

fa·tid·ic, -i·cal [feitídik(əl), fə-] *a.* 예언의, 예언적인

fa·ti·ga·ble [fǽtigəbl, fətí:-] *a.* 곧 피로해지는

‡**fa·tigue** [fətí:g] *n.* **1** Ⓤ 피로, 피곤: physical ~ 육체의 피로 **2** [종종 *pl.*] (피로하게 하는) 노동, 노고, 노역(toil) **3** Ⓤ 〖기계〗 (금속 재료의) 약화, 피로: metal ~ 금속 피로 **4** 〖군사〗 작업, 사역, 잡역; 작업반; [*pl.*] 작업복(= ~ clothes): on ~ 잡역중에
— *a.* 〖군사〗 사역[작업]의, 작업복의: a ~ cap 작업모
— *vt.* 피곤하게 하다; 약화시키다
— *vi.* 〈재료가〉 피로하다; 〖군사〗 잡역을 하다

fatígue clòthes[**drèss**] 〖군사〗 작업복

fa·tigued [fətí:gd] *a.* 지친 ***be ~ with*** …으로 지치다: I *was* ~ *with* my work. 나는 일로 지쳐 있었다.

fatígue dùty 〖군사〗 (근무 외의) 사역, 작업, 잡역

fatígue jàcket 〖군사〗 잡역(雜役)용 재킷

fa·tigue·less [fətí:glis] *a.* 지치지 않는, 피로를 모르는

fatígue lìfe (금속의) 피로 수명

fatígue pàrty 〖군사〗 작업반

fatígue tèst 〖물리〗 (재료의) 피로 시험

fa·ti·guing [fətí:giŋ] *a.* 피로하게 하는; 고된 **~·ly** *ad.*

fát lámb 《호주·뉴질》 (수출용) 냉동육용 어린 양

fát líme 부석회(富石灰)

fat·ling [fǽtliŋ] *n.* 살찌운 가축 《식용으로 살찌운 송아지·어린 염소[돼지] 등》

fát líp (얻어맞아서) 부어오른 입술

fat·ly [fǽtli] *ad.* 살쪄서; 서투르게; 크게, 듬뿍, 풍부하게(richly)

fat-mouth [fǽtmàuð] *vi.* 《미·속어》 (행동은 하지 않고) 말만 하다

fat·ness [fǽtnis] *n.* Ⓤ 뚱뚱함, 비만; 기름기가 많음; 비옥 《땅의》

fat·so [fǽtsou] *n.* (*pl.* **~**(**e**)**s**) 《속어·경멸》 뚱뚱보

fat-sol·u·ble [fǽtsɑ̀ljəbl | -sɔ̀-] *a.* 〖화학〗 〈비타민 등이〉 유지에 용해되는, 지용성(脂溶性)의

fat·stock [fǽtstɑ̀k | -stɔ̀k] *n.* 《영》 (식육용의) 비육 가축

fat·ted [fǽtid] *a.* 살찌운 ***kill the ~ calf*** ⇨ calf[1] *n.*

∗**fat·ten** [fǽtn] *vt.* (식용용으로) 〈가축을〉 살찌우다; 〈땅을〉 기름지게 하다; 풍부하게 하다, 크게 하다, 늘리다: ~ one's pocket 수입을 늘리다
— *vi.* 살찌다; 비옥해지다; 크게 되다
~·er *n.* ▷ fát *n.*

fat·ten·ing [fǽtniŋ] *a.* Ⓤ 〈음식이〉 살찌게 하는

fat·ti·ness [fǽtinis] *n.* Ⓤ 지방질; 기름기가 많음; 지방 과다(성)

fat·tish [fǽtiʃ] *a.* 좀 살찐[뚱뚱한] **~·ness** *n.*

fat·tism [fǽtizm] *n.* Ⓤ 뚱뚱보[비만] 차별주의

fat·ty [fǽti] *a.* (**-ti·er**; **-ti·est**) 지방질의; 지방이 많은, 기름진; 지방 과다(증)의; 〖화학〗 지방성(性)의: ~ tissue 지방 조직 — *n.* (*pl.* **-ties**) 《구어·경멸》 뚱보 **fát·ti·ly** *ad.*

fátty ácid 〖화학〗 지방산

fátty degenerátion 〖병리〗 (세포의) 지방 변질

fat·ty·geus, -gews [fǽtigju:z] *n. pl.* 《미·속어》 작업복

fa·tu·i·ty [fətjú:əti | -tjú:-] *n.* (*pl.* **-ties**) **1** Ⓤ 어리석음, 우둔 **2** 어리석은 짓[말]

fat·u·ous [fǽtʃuəs | -tju-] *a.* **1** 얼빠진, 우둔한, 어리석은 **2** 바보의, 천치의 **3** 《드물게》 실체가 없는, 공허한: a ~ fire 도깨비불(ignis fatuus) **~·ly** *ad.* 멍청하게, 얼빠진 듯이 **~·ness** *n.*

fat·wa [fǽtwɑ:] *n.* (이슬람교 지도자에 의한) 율법적 결정

fat-wit·ted [fǽtwítid] *a.* 우둔한, 얼빠진, 멍청한

fau·bourg [fóubuər, -buərg | -buəg] [F] *n.* 교외, (특히 파리의) 근교(suburb); (도시의) 지구

---

crucial, decisive, determining, momentous
fate *n.* destiny, providence, kismet
fatigue *n.* tiredness, weariness, exhaustion, prostration, lassitude, enervation, lethargy

fau·cal [fɔ́:kəl] *a.* 인후의, 목구멍의; 〖음성〗 후두음의 ―*n.* 〖음성〗 후두음

fau·ces [fɔ́:si:z] *n. pl.* [보통 단수 취급] 〖해부〗 목구멍, 인후, 후두

fau·cet [fɔ́:sit] *n.* 《미》 (수도·통의) 물꼭지, 물주둥이(tap, cock)

fau·cial [fɔ́:ʃəl] *a.* 〖해부〗 목구멍의, 구개(口蓋)의

faugh [pf, fɔ́:] *int.* 피이, 체, 흥, 푸 《혐오·경멸을 나타내는 소리》

Faulk·ner [fɔ́:knər] *n.* 포크너 **William ~** (1897-1962) 《미국의 소설가; 1950년 노벨상 수상》

⁑**fault** [fɔ́:lt] [L 「실수하다, 속이다」의 뜻에서] *n.* **1** 결점, 흠, 단점, 결함(defect): a ~ in a person's character …의 성격(상)의 결함 / a man with[of] many ~*s* 결점이 많은 사람

> 유의어 **fault** 성격·행동·습관 등의 결점으로서 반드시 남에게 비난받을 정도로 큰 것은 아님: Her only *fault* is stubbornness. 그녀의 유일한 결점은 고집이 센 점이다. **failing** 성질면의 작은 결점: Being late is a *failing* of mine. 지각하는 것이 내 결점이다.

2 과실, 잘못, 허물, 실책, 실수; 비행; 위반: ~*s* of[in] grammar 문법상의 잘못 / commit a ~ 잘못을 저지르다: acknowledge *one's* ~ 자기 잘못을 시인하다 **3** [보통 one's ~, the ~] (과실의) 책임, 탓, 원인, 죄: It's *my* ~ that we were late. 우리가 늦은 것은 나의 탓이다. **4** Ⓤ 〖수렵〗 (사냥감의) 냄새 자취를 잃음 **5** 〖지질〗 단층; 〖전기·컴퓨터〗 장애, 고장; 누전(leakage): a ~ current 누전 **6** 〖테니스〗 폴트 《서브의 실패[무효]》 **7** 《폐어》 부족, 결핍

at **~** 〈사냥개가〉 냄새 자취를 잃어; 어찌할 바를 모르고, 얼떨떨하여; 틀려, 잘못하여, 죄가 있어(in fault) ***find*** **~** 흠을 잡다 《*in*》 ***find ~ with*** …의 흠을 찾다, …을 비난하다 ***in*** **~** 잘못하여, 죄가 있어; 틀려: Who is *in* ~? 누구의 잘못인가? (=Whose ~ is it?) ***to a*** **~** 결점이라고 할 만큼, 극단적으로: She is generous *to a* ~. 그녀는 지나치게 관대하다. ***with all ~s*** 〖상업〗 손상의 보증 없이, 일체를 사는 사람의 책임으로 《표기 용어》 ***without*** **~** 확실히, 틀림없이

―*vt.* **1** [보통 수동형으로] 〖지질〗 단층이 생기게 하다 **2** [보통 부정문·의문문으로] …의 흠을 찾다; 비난하다

―*vi.* **1** 〖지질〗 단층이 생기다 **2** 〖테니스〗 서브에 실패하다 **3** 잘못을 저지르다, 실패하다

fáult blòck 〖지질〗 단층 지괴(斷層地塊)

fault·find·er [fɔ́:ltfàindər] *n.* 흠잡는[탓하는] 사람, 잔소리꾼; 〖전기〗 (회로 등의) 장애점 측정기

fault·find·ing [-fàindiŋ] *n.* Ⓤ, *a.* 흠잡기[탓하기](를 일삼는)

fault·i·ly [fɔ́:ltili] *ad.* 불완전하게; 잘못하여

fault·i·ness [fɔ́:ltinis] *n.* Ⓤ 결점[흠]이 있음; 불완전; 비난할 만함

*__fault·less__ [fɔ́:ltlis] *a.* 과실[결점]이 없는, 나무랄 데 없는, 완벽한; (테니스 등에서) 폴트가 없는
~·ly *ad.* **~·ness** *n.* Ⓤ 결함 없음

fáult lìne 〖지질〗 단층선(斷層線)

fáult plàne **1** 〖지질〗 단층면, 단층 지대 **2** 단절, 분열; 〖사회〗 (계층간의) 단층선

fáult tòlerance 〖컴퓨터〗 내고장성(耐故障性), 고장 허용 범위 《일부 회로가 고장나도 자동적으로 수정하여 시스템 전체에는 영향을 주지 않도록 하는》

fault-tol·er·ant [fɔ́:lttɑ́lərənt | -tɔ́-] *a.* 〖컴퓨터〗 고장 방지의 《컴퓨터 부품이 고장나도 프로그램이나 시스템이 제대로 작동하는》

fáult-tólerant sỳstem 〖컴퓨터〗 고장 허용[내고장] 시스템

fáult trèe (핵처리 장치·발전 설비 등에서의) 사고[고장] 결과 예상 계통도

*__fault·y__ [fɔ́:lti] *a.* (**fault·i·er**; **-i·est**) 결점이 있는, 불완전한; 비난할 만한; 그릇된; 죄 많은; 부적절한: ~ reasoning 잘못된 추론 / ~ brakes 결함 브레이크

faun [fɔ́:n] *n.* 〖로마신화〗 파우니 《반인 반양(半人半羊)의 숲·들·목축의 신; 그리스신화의 satyr에 해당》

faun

fáun·lìke *a.*

fau·na [fɔ́:nə] *n.* (*pl.* **~s, -nae** [-ni:]) [보통 the ~; 집합적] (한 지역 또는 한 시대의) 동물군(群)[상(相)], (분포상의) 동물 구계(區系); 동물지(誌)(cf. FLORA)

fau·nal [fɔ́:nl] *a.* 동물지(誌)의

fau·nist [fɔ́:nist] *n.* 동물상(相)[구계(區系)] 연구자

fau·nis·tic, -ti·cal [fɔ:nístik(əl)] *a.* 동물 지리학상의; 동물상(相)[지(誌)]의

Fau·nus [fɔ́:nəs] *n.* 〖로마신화〗 파우누스 《동물·농경을 수호하는 숲의 신; 그리스신화의 Pan에 해당》

Faust [fáust] *n.* 파우스트 《16세기 독일의 전설적인 인물; 전지전능을 원하여 Mephistopheles에게 혼을 팔았음; Marlowe나 Goethe의 작품의 주인공》

Faus·ti·an [fáustiən] *a.* 파우스트적인; (물질적 이익을 위해) 정신적 가치를 파는, 혼을 파는, 만족을 모르는 정신의: a ~ novel 파우스트를 취급한 소설

faute de mieux [fóut-də-mjə́:] [F] *ad.*, *a.* 달리 더 좋은 것이 없어서 (채택된), 어쩔 수 없이

fau·teuil [fóutil, foutə́:i | fóutə:i, ―́] [F] *n.* (*pl.* **~s** [-z]) 팔걸이[안락] 의자(armchair); 《영》 (극장 1층의) 1등석(stall)

fauve [fóuv] [F] *n.* [종종 **F~**] 〖미술〗 야수파 화가 ―*a.* 야수파의

fau·vism [fóuvizm] *n.* Ⓤ [종종 **F~**] 〖미술〗 야수파[주의] 《20세기 초의 프랑스의 미술 운동》

fáu·vist *n.*, *a.* 야수파 화가(의)

faux [fóu] *a.* 인조[모조, 위조]의, 가짜의(fake): ~ pearls 모조 진주들

faux bon·homme [fóu-bɔ:nɔ́:m] [F] 선량해 보이지만 교활한 사람

fáux fúr 인조 모피

faux·man·ce [fóumæ̀ns] [*faux*+*romance*] *n.* 유명 인사들이 관심을 끌려 벌이는 거짓 연애 행각

faux-na·ïf [fóunɑ:í:f] [F] *a.*, *n.* 순진[소박]한 체하는 (사람), 새침데기, 내숭

faux pas [fóu-pɑ́:] [F =false step] (*pl.* ~ [-z]) 잘못, 과실, 실책, 무례

fa·va bean [fɑ́:və-bì:n] =BROAD BEAN

fave [féiv] *n.* 《속어》 =FAVORITE 1

fa·ve·la [fəvélə] [Port.] *n.* (브라질의) 빈민가

fa·ve·la·do [fɑ:vəlɑ́:dou] [Port.] *n.* 빈민가 사람

fa·ve·o·late [fəví:əleit] *a.* 벌집 모양의, 기포가 있는

fáve ràve 《구어》 인기 탤런트[가수], 좋아하는 것 《영화·노래 등》

fa·vism [fɑ́:vizm] *n.* 〖의학〗 잠두(蠶豆) 중독증 《잠두를 먹거나 그 꽃가루를 들이마셔 일어나는 급성 용혈성(溶血性) 빈혈》

fa·vo·ni·an [fəvóuniən] *a.* 서풍(西風)의[같은]; 《시어》 온화[온후]한, 징조가 좋은

Fa·vo·ni·us [fəvóuniəs] *n.* 〖로마신화〗 페보니우스 《의인화된 서풍(西風) 이름》

⁑**fa·vor** | **fa·vour** [féivər] *n.*, *vt.*

> 「호의」 **1** →(호의의 표현) 「친절한 행위」 **2** →(적극적인 호의) 「후원」 **3** →(편파적인 돌봄) 「역성, 편애」 **4**

―*n.* **1** Ⓤ **호의**, 친절: treat a person with ~

thesaurus **fault** *n.* **1** 결점 defect, imperfection, flaw, blemish, weakness, shortcoming, weak point, lack, deficiency **2** 과실 error, mistake, inaccuracy, blunder, oversight **3** 비행 misdeed, wrongdoing, offense, misdemeanor, misconduct

…을 호의적으로 다루다 **2** **친절한 행위**, 은혜, 은전; 청, 부탁: return the ~ 은혜를 갚다 **3** Ⓤ **a** **후원**, 애고(愛顧), 총애; 지원(support), 지지, 찬성; 허가: in ~ with a person …의 마음에 들어 / lose ~ in a person's eyes = lose ~ with a person …의 눈 밖에 나다 / out of ~ with a person …의 눈 밖에 나, …의 미움을 사서(not liked by) / stand high in a person's ~ …의 총애를 크게 받고 있다, 아주 …의 마음에 들어 있다 / win a person's ~ …의 마음에 들다 **b** 인기, 평판, 유행: an athlete who enjoys great ~ 큰 인기를 누리는 선수 / styles that are now in ~ 지금 인기있는 스타일 **4** Ⓤ 편애, 역성; 우세, 우위; 유리, 이익 **5** 〈호의·애정을 나타내는〉 선물; 기념품; 〈회·클럽 등의〉 회원장(章) 《배지, 리본 등》 **6** 특권, 권리; [*pl.*] 《문어·완곡》 〈여성이〉 몸을 허락하는 것: bestow her ~*s* on her lover 〈여자가〉 애인에게 몸을 허락하다 **7** 《고어》 〖상업〗 서한: your ~ of April 24 4월 24일자 귀하의 서한

ask a ~ of a person …에게 부탁하다, 청탁하다: May I *ask a* ~ *of* you? 부탁 좀 드려도 될까요? (= I have a ~ to ask (*of*) you.) ***ask the ~ of*** …을 요청하다 ***be looked upon with ~*** 《문어》 승인[지지]을 받다 ***by ~*** 편파적으로 ***by*** [***with***] ***~ of*** (Mr. A) (A씨) 편에 《겉봉에 쓰는 말》 ***by your ~*** 미안합니다만, 죄송하오나 ***curry ~ with*** a person = ***curry*** a person***'s ~*** …에게 알랑거리다 ***do*** a person ***a ~*** = ***do a ~ for*** a person …을 위하여 힘[애]쓰다, …의 청을 들어 주다, …에게 은혜를 베풀다 ***find ~ in*** a person***'s eyes*** = ***find ~ with*** a person …의 총애를 받다, …의 눈에 들다 ***in ~ of*** (1) …에 찬성하여, …에 편들어 《*for*》(opp. *against*): be *in* ~ *of* reduced taxation 감세(減稅)를 지지하다 (2) …의 이익이 되도록, …을 위하여 (3) 〈수표 등이〉 …에게 지불되도록: write a check *in* ~ *of* the bank 그 은행을 수취인으로 하여 수표를 쓰다 ***in*** a person***'s ~*** …의 마음에 들어; …에게 유리하게 〈말하다 《등》〉 ***look with ~ on*** a person[a plan] 사람[계획]에 찬의를 표하다 ***seek ~ with*** (…에게) 인정받으려고 애쓰다 ***the last ~*** (여자의) 최후의 허락 《몸을 허락함》 ***under ~*** = by your FAVOR. ***under ~ of*** …을 이용하여: *under* ~ *of* the darkness 어둠을 틈타 ***without fear or ~*** ⇨ fear

—*vt.* **1** 〈계획·제안 등에〉 **호의를 보이다, 찬성하다**: ~ a proposal 제안에 찬성하다 **2** …에 편들다; 장려하다; 조력하다, 돕다, 지지하다 **3** …의 **영광을 주다**; 베풀다, 주다(⇨ favored 2) 《*with*》: 〈~+목+전+명〉 Will you ~ us *with* a song? 노래를 들려 주시지 않겠습니까? **4** **편애하다, 역성들다, 총애하다**: Our teacher ~*s* Mary. 선생님은 메리를 봐준다. / Which color do you ~? 어떤 색깔을 좋아하십니까? **5** 〈신체의 일부 등을〉 소중히 다루다, 돌보다: ~ a sore wrist 아픈 손목을 돌보다 **6** 〈날씨·사정 등이〉 …에게 유리하다, 쉽게 하다, 촉진하다: Rain ~*ed* his escape. 비가 와서 그는 도주하기가 쉬웠다. **7** 〈사실이〉 〈이론 등을〉 뒷받침하다, 확증하다; …의 가능성을 예상케 하다: Every indication ~*s* rain. 아무래도 비가 올 것 같다 **8** 《구어》 …와 얼굴이 닮다(look like): ~ one's mother's family 외가 쪽을 닮다, 외탁하다 **9** 《미·방언》 …에게 아첨하다 ***~ed by*** 〈편지를〉 …편에 부쳐 ▷ fávorable, fávorite *a.*

‡**fa·vor·a·ble** [féivərəbl] *a.* **1** **호의적인, 호의를 보이는**; 찬성[승인]하는(approving), 승낙의 《*to*》: a ~ report 호의적인 보고 / a ~ impression 좋은 인상 / a ~ answer 찬성하는 회답 / a ~ comment 호평 / He is ~ *to* our plan. 그는 우리의 계획에 찬성이다. **2** **유리한**, 형편에 알맞은(suitable), 편리한, 좋은 《*for, to*》; 순조로운; 유망한; 〈무역이〉 수출 초과의: a ~ position 유리한 입장 / soil ~ *to* roses 장미에 적합한 흙 / a ~ opportunity 호기(好機) / ~ wind 순풍 / take a ~ turn 호전되다 **~·ness** *n.* ▷ fávor *n.*; fávorably *ad.*

***fa·vor·a·bly** [féivərəbli] *ad.* **1** **호의적으로, 호의를** 가지고(with favor) **2** **유리하게, 순조롭게,** (마침) 알맞게, 유망하게: be ~ impressed by a person …에게서 좋은 인상을 받다 / compare ~ with …에 필적하다

***fa·vored** [féivərd] *a.* **1** **호의[호감]를 사고 있는,** 편애받고 있는, 인기있는: a ~ child 귀염받는 아이 **2** 혜택을 받고 있는; 특성·재능을 타고난 《*with*》: the most ~ nation clause 최혜국 조항 / the ~ classes 특권 계급 / I am ~ *with* excellent sight. 나는 뛰어난 시력을 가졌다. **3** [복합어를 이루어] 얼굴이 …한: ill-[well-]~ 못[잘]생긴

fa·vor·er [féivərər] *n.* 호의를 베푸는 사람; 보호자, 지원자; 찬성자

fa·vor·ing [féivəriŋ] *a.* 형편에 맞는, 유리한, 순조로운 **~·ly** *ad.*

‡**fa·vor·ite** [féivərit] *a.* Ⓐ **1** **마음에 드는**, 매우 좋아하는, 총애하는: my ~ movie star 내가 좋아하는 영화배우 / one's ~ subject 좋아하는[잘하는] 학과 **2** 특히 잘하는, 장기인: one's ~ song 가장 잘하는 노래

—*n.* **1** **좋아하는 사람**, 인기 있는 사람; 총아; 〈궁정의〉 총신: ~*s* at the court 궁정의 총신들 / a fortune's ~ 행운아 **2** 특히 좋아하는 물건 **3** [the ~] 〈경마에서〉 인기 있는 말; 〈경기에서〉 인기 끄는 사람, 우승 후보; 〖증권〗 인기주(株) ***be a ~ with*** …의 총아이다, …에게 인기가 있다 ▷ fávor *n.*

fávorite séntence 〖언어〗 애용문 《어떤 언어에서 가장 즐겨 쓰이는 문형》

fávorite són 《미》 〈당의 대통령 후보 지명 대회에서〉 자기 주의 대의원의 지지를 받는 후보자

fa·vor·it·ism [féivəritìzm] *n.* Ⓤ 편애, 편파, 정실(unfair partiality): show ~ toward one's oldest child 장남을 편애하다

fa·vus [féivəs] *n.* Ⓤ 〖병리〗 황선(黃癬), 기계총

fawn**[1] [fɔ́ːn] *n.* **1** Ⓒ 〈특히 한 살 이하의〉 새끼[어린] 사슴 **2** 어린 염소(kid) **3** Ⓤ 엷은 황갈색(= **~ brówn**) ***in ~ 새끼를 배어

—*a.* 엷은 황갈색의

—*vi., vt.* 〈사슴이〉 새끼를 낳다 **~·lìke** *a.*

fawn[2] *vi.* 〈개가〉 〈꼬리를 치며〉 아양떨다; 〈사람이〉 〈비굴한 태도로〉 비위를 맞추다, 아첨하다 《*on, upon, over*》: 〈~+전+명〉 The courtiers ~*ed over* the king. 신하들은 왕에게 아첨했다. **~·er** *n.*

fawn-col·ored [fɔ́ːnkʌ̀lərd] *a.* 엷은 황갈색의

fawn·ing [fɔ́ːniŋ] *a.* 아양부리는; 알랑거리는, 아첨하는 **~·ly** *ad.*

fawn·y [fɔ́ːni] *a.* 엷은 황갈색의

***fax**[1] [fǽks] [facsimile의 단축형] *n.* Ⓤ **팩스** (송신); Ⓒ 팩스 문서[화상]; Ⓒ 〈기계 장치로서의〉 팩스 (=~ machine), 전송 사진 (장치)(facsimile)

—*vt.* 〈서류 등을〉 팩스로 보내다: 〈~+목+목〉 Please ~ me the reply. 회답은 팩스로 보내 주시오.

fax[2] *n.* 《구어》 사실(facts), 정보

fáx machìne 팩시밀리 송수신기

fáx mòdem 〖컴퓨터〗 팩스 모뎀 《컴퓨터로 팩스의 송수신을 할 수 있도록 하는 장치》

fáx sèrver 〖컴퓨터〗 팩스 서버 《팩스 모뎀을 가지고 팩스를 주고 받을 수 있는 서버》

fay[1] [féi] *n.* 《시어》 요정(fairy); 《미·속어》 남성 동성애자 **—** *a.* 요정 같은

fay[2] *vt., vi.* 〖조선〗 접합[밀착]시키다[하다]

fay[3] *n.* 《미·흑인속어·경멸》 백인(ofay)

Fay, Faye [féi] *n.* 여자 이름 《Faith의 별칭》

faze [féiz] *vt.* [보통 부정문에서] 《미·구어》 …의 마음을 어수선하게 하다, 당황케 하다, 어지럽히다:

---

favorable *a.* **1** 호의적인 good, approving, commendatory, praising, affirmative, positive, encouraging **2** 유리한 advantageous, beneficial, helpful, hopeful, promising, opportune, timely

favorite *a.* dearest, preferred, chosen, treasured

Nothing they say could ~ me. 그들이 뭐라 해도 나는 개의치 않겠다.

fa·zen·da [fəzéndə] *n.* (브라질의) 대농장, 대농원

fb, f.b. fullback **FB** fire brigade; fishery board; flat bottom **f.b.** flat bar; fog bell; foreign body; freight bill 운임 청구서 **F.B.A.** 《미》 Federal Bar Association; Fellow of the British Academy 영국 학술원 특별 회원 **FBI** Federal Bureau of Investigation 《미》 연방 수사국 **fbm** feet board measure **FBM** 〖군사〗 fleet ballistic missile **FBOA** Fellow of the British Optical Association **FBR** fast-breeder reactor 고속 증식로 **FBS** 〖군사〗 forward-based system **FBW** 〖항공〗 fly-by-wire **fc** foot-candle; franc(s); 〖야구〗 fielder's choice; fire control; 〖인쇄〗 follow copy 《원고대로 하라는 지시》 **FC** fencing club; Football Club; Free Church **FCA** Farm Credit Administration 《미》 농업 금융국; 《영》 Fellow of the Institute of Chartered Accountants **fcap., fcp.** foolscap **FCC** Federal Communications Commission 《미》 연방 통신 위원회 **FCE** First Certificate in English 《영》 외국어로서의 영어 말하기·쓰기 능력 시험 **FCII** 《영》 Fellow of the Chartered Insurance Institute **FCIS** Fellow of the Chartered Institute of Secretaries

F clèf 〖음악〗 바음 기호 《저음부 기호》(bass clef)

FCO 《영》 Foreign & Commonwealth Office

FCS 《영》 Fellow of the Chemical Society; 〖군사〗 fire control system **fcy** fancy **FD** *Fidei Defensor* 《L =Defender of the Faith》 영국왕의 칭호의 하나; Fire Department **FDA** Food and Drug Administration 《미》 식품 의약국 **FDC** Fire Direction Center 사격 지휘소 **FDD** floppy disc drive **FDDI** fiber distributed data interface 〖컴퓨터〗 광섬유 분산 데이터 인터페이스 **FDF** 〖우주과학〗 flight data file **FDIC** Federal Deposit Insurance Corporation 《미》 연방 예금 보험 공사 **FDM, fdm** frequency division multiplex 전파수 분할 다중 방식 **FDR** Franklin Delano Roosevelt **FDX** 〖통신〗 full duplex **Fe** 〖화학〗 *ferrum* 《L =iron》

FEAF [fi:f] Far Eastern Air Force (미국) 극동 공군

feal [fí:l] *a.* 《고어》 충실한, 성실한(faithful)

fe·al·ty [fí:əlti] *n.* Ⓤ (영주에 대한) 충성의 의무; 충성(의 맹서); 《고어·시어》 신의, 성실, 충실

‡fear [fíər] [OE 「갑작스런 재난, 위험」의 뜻에서] *n.* **1** Ⓤ 무서움, 두려움, 공포(심), 공포감: with ~ 무서워하며/a ~ of heights 고소 공포증/feel no ~ 무서움을 모르다, 겁이 없다/I have a ~ of dogs. 나는 개를 무서워한다.

> 유의어 **fear** 「공포」를 나타내는 가장 일반적인 말로서, 마음이 불안하거나 또는 용기가 없음을 나타낸다: *fear* of the unknown 미지의 것에 대한 두려움 **dread** 거리낌과 혐오의 감정을 나타내는 외에 사람·일에 직면하는 것에 대한 극도의 공포를 나타낸다: live in *dread* of poverty 가난에 떨면서 살다 **fright** 별안간 소스라쳐 놀랄 만한 일시적인 공포: The mouse gave her *fright*. 생쥐가 그녀를 깜짝 놀라게 했다. **terror** 극도의 공포: be immobilized with *terror* 공포로 몸이 굳어버리다 **horror** 혐오감이나 반감을 수반한 공포: draw back in *horror* 무서워서 뒷걸음치다

2 Ⓤ 불안, 근심, 걱정(anxiety; opp. *hope*); (나쁜 일이 일어날) 가능성, 우려, 염려 《*for, of, about*》; Ⓒ 걱정거리: a ~ *for* a person's safety …의 안부에 대한 걱정/hopes and ~*s* 기대와 불안/There is not the slightest ~ *of* rain today. 오늘은 비가 올 염려가 조금도 없다.// (~+*that* 절) My ~*s that* he might fail proved to be unfounded. 그가 실패하지나 않을까 하는 내 불안은 쓸데없는 기우였다. **3** Ⓤ 《특히》 신에 대한 두려움, 경외(awe): The ~ of the Lord is the beginning of wisdom. 주(主)를 경외함이 곧 지혜의 근본이다.

for ~ of …이 두려워; …을 하지 않도록, …이 없도록 ***for ~ (that [lest])*** …하지 않도록; …해서는 안 되겠다고 생각하여 ***hold no ~s for*** 〈일이〉 〈사람에게〉 아무런 공포[불안]도 주지 않다 ***in ~ and trembling*** 무서워 떨면서 ***in ~ of*** …을 무서워하여; …을 걱정[염려]하여: be[stand] *in ~ of* one's life 생명의 위험을 느끼고 있다/stand *in ~ of* dismissal 해고당할 것을 걱정하다 ***No ~!*** 《속어》 걱정할 것 없어!, 염려 없어! ***put the ~ of God into [in, up]*** a person …을 몹시 겁주다, 위협하다 ***without ~ or favor*** 공평하게, 편벽됨이 없이

— *vt.* **1** 무서워하다, 두려워하다, 겁내다(《구어》 be afraid of): ~ the unknown 미지(未知)의 것을 두려워하다// (~+*to* do) Man ~*s to* die. 사람은 죽는 것을 두려워한다.// (~+*-ing*) I ~ do*ing* it. 나는 그것을 하기가 두렵다. **2** 걱정하다, 근심하다, 염려하다 (opp. *hope*): (~+(*that*) 절) I ~ (*that*) we are too late. 아무래도 많이 늦을 것 같다./I ~ (*that*) I'm going to fail the test. 시험에 실패할 것 같아 걱정이다. **3** 망설이다, 머뭇거리다: (~+*to* do) I ~ *to* speak in his presence. 그분 앞에서는 주눅이 들어 말하기 두렵다. **4** 경외하다: ~ God 신을 경외하다

— *vi.* 걱정하다, 염려하다 《*for*》: (~+전+명) I ~*ed for* your safety. 나는 당신의 안부를 걱정했다.

Never ~! = ***Don't you ~!*** 걱정마라! 괜찮아!

▷ féarful, féarsome *a.*

‡fear·ful [fíərfəl] *a.* **1** 무서운, 두려운, 무시무시한 (terrible): a ~ blizzard 무서운 눈보라 **2** Ⓟ 두려워, 걱정[염려]하여(afraid) 《*of, to* do; *that*[*lest*]... *should*》(⇨ afraid 유의어): (~+*of*+명) He was ~ *of* making a mistake. 그는 실수를 할까 걱정하고 있었다.// (~+*to* do) She was ~ *to* go. 그녀는 가기를 두려워했다. **3** 신을 두려워하는, 경건한: (~+*of*+명) be ~ *of* God 신에게 경건하다 **4** 《구어》 심한, 대단한: ~ poverty 지독한 가난/What a ~ mistake! 큰 실수를 했구나! **5** 두려워하는, 겁내는, 소심한: ~ behavior 두려워하는 행동

~·ness *n.* Ⓤ 무서움 ▷ féarfully *ad.*

***fear·ful·ly** [fíərfəli] *ad.* **1** 무서워하며, 걱정스럽게 **2** 《구어》 몹시(very), 굉장히, 지독하게: ~ rude 몹시 무례한/I'm ~ tired. 몹시 피로하다.

‡fear·less [fíərlis] *a.* 무서워하지 않는 《*of*》; 대담무쌍한, 겁없는, 용감한: be ~ *of* danger 위험을 겁내지 않다 **~·ly** *ad.* **~·ness** *n.*

fear·nought, -naught [fíərnɔ̀:t] *n.* Ⓤ 두껍고 질긴 모직물; Ⓒ 그것으로 만든 윗옷[외투](dreadnought)

fear·some [fíərsəm] *a.* 《익살》 〈얼굴 등이〉 무시무시한(terrible); 무서워하는, 오싹한; 겁 많은(timid); 《구어》 대단한: a ~ noise 무시무시한 소리/a ~ intelligence 대단한 지성 **~·ly** *ad.*

fea·sance [fí:zns] *n.* Ⓤ 〖법〗 (약정·의무·채무 등의) 이행

fea·si·bil·i·ty [fì:zəbíləti] *n.* Ⓤ 실행할 수 있음, (실행) 가능성

feasibílity stùdy (개발 계획 등의 실현 가능성을 조사하는) 예비 조사, 타당성 조사

***fea·si·ble** [fí:zəbl] *a.* **1** 실행할 수 있는(practicable); 가능한(possible): a ~ plan 실행 가능한 계획 **2** 그럴싸한, 있음직한(likely): a ~ excuse 그럴듯한 구실/a ~ theory 그럴듯한 이론/It's ~ that it will rain. 비가 올 것 같다. **3** 알맞은(suitable), 적합

thesaurus **fearful** *a.* **1** 무시무시한 terrible, dreadful, appalling, frightful, ghastly, horrific, horrible, shocking, awful, hideous **2** 두려워하는 afraid, frightened, scared, terrified, alarmed, nervous, timorous, intimidated

한, 어울리는, 편리한 《*for*》: a road ~ *for* travel 여행에 적합한 도로 **-bly** *ad.* 실행할 수 있게, (실제로) 쓸 수 있게 **~·ness** *n.*

‡**feast** [fíːst] [L 「축제」의 뜻에서] *n.* **1** 축하연, 향연, 잔치, 연회 《banquet는 공식적인 축하연》: a wedding ~ 결혼 피로연 / give[make] a ~ 잔치를 베풀다 **2** (눈·귀를) 즐겁게 하는 것, (…의) 기쁨[즐거움], 눈요기, 낙, 재미 《*for, to*》: a ~ *for*[*to*] the eyes 눈요깃거리 **3** 대접; 진수성찬 **4** 축제(일)(festival), (종교상의) 축전: ⇨ movable FEAST
a ~ of reason 유익한 이야기, 명론탁설(名論卓說)(intellectual talk) ***a ~ or a famine*** 풍요로움이냐 궁핍이냐의 양극단, 흥하느냐 망하느냐의 승부 ***make a ~ of*** …을 맛있게 먹다 ***movable*** [***immovable***] ~ 이동[고정] 축제일 《Christmas는 날짜가 고정된 축제일, Easter는 이동 축제일》
— *vt.* **1** 대접하다, 잔치를 베풀다: ~ one's guests 손님을 접대하다 // 《~+목+전+명》 ~ a person *on* duck …에게 오리 요리를 대접하다 **2** 〈눈·귀를〉 기쁘게 하다, 즐겁게 하다: 《~+목+전+명》 ~ one's ears *with* music 음악을 들어 귀를 즐겁게 하다 / *F*~ your eyes *on* a fine display of mums. 훌륭한 국화 전시를 구경하며 즐기시오.
— *vi.* **1** 잔치를 베풀다 **2** 잔치에 참석하다; 음식 대접을 받다, 실컷 먹다 **3** 마음껏 즐기다, 구경하다 《*on*》: 《~+전+명》 ~ *on* a novel 소설을 읽고 즐기다
~ ***away*** 〈밤 등을〉 잔치로 보내다 **féast·er** *n.*
▷ féstal *a.*

féast dày (종교적) 축제일; 잔칫날

Féast of Bóoths [the ~] = SUKKOTH

Féast of Dedicátion [the ~] = HANUKKAH

Féast of Lóts [the ~] = PURIM

Féast of Tábernacles [the ~] = SUKKOTH

Féast of Wéeks [the ~] = PENTECOST

feat**[1] [fíːt] *n.* **1** 위업(偉業); 공(적), 공훈(exploit) **2** 묘기, 재주, 곡예, 기술(奇術): a ~ of agility 날쌘 재주 ***a ~ of arms [***valor***] 무공, 무훈

feat[2] *a.* 《고어·방언》 적당한(fitting); 교묘한, 능숙한, 어울리는, 솜씨좋은(skillful)

‡**feath·er** [féðər] *n.* **1** [집합적] 깃털, 깃(plume, plumage); (모자 등의) 깃털 장식; [*pl.*] 의상: pluck ~*s* from a chicken 닭털을 뽑다 / Fine ~*s* make fine birds. 《속담》 옷이 날개다. **2** Ⓤ [집합적] 조류(birds); 엽조: fur and ~ 조수(鳥獸) **3** (개·말 등의) 북슬북슬한 털, 푸하게 일어선 털; (보석·유리의) 깃 모양의 흠, 깃 비슷한 것; (깃털처럼) 가벼운[보잘것없는, 하찮은, 작은] 물건: not care a ~ 조금도 개의치 않다 **4** 〖양궁〗 (화살의) 살깃 **5** Ⓤ 〖조정〗 노깃을 수평으로 젓기 **6** 종류; 같은 털 빛: two boys of the same ~ 같은 부류의 두 소년 / Birds of a ~ flock together. 《속담》 유유상종 **7** Ⓤ (건강의) 상태, 기분: in fine[good, high] ~ 신바람이 나서, 의기양양하여; 건강하여, 원기 왕성하여 **8** (잠망경이 남긴) 항적
a ~ in one***'s cap*** [***hat***] 공적, 명예, 자랑거리 (***as***) ***light as a ~*** 매우 가벼운 ***crop*** a person***'s ~s*** …에게 무안[창피]을 주다 ***cut a ~*** 〈배가〉 물보라를 일으키며 나아가다; 《구어》 자기를 돋보이게 하려 하다 ***in ~*** 깃이 있는, 깃으로 덮인 ***in full ~*** 〈새 새끼 등이〉 깃털이 완전히 난; 성장(盛裝)하여; 기가 나서 ***make the ~s fly*** 큰 소동을 일으키다 ***ruffle*** (***up***) a person***'s ~s*** 화나게 하다, 거슬리게 하다 ***show the white ~*** 겁내는 티를 보이다, 꽁무니를 빼다 ***smooth*** one***'s ruffled*** [***rumpled***] ***~s*** 마음의 평정을 되찾다 ***You could*** [***might***] ***have knocked me*** [***him, her***] ***down with a ~.*** 깜짝 놀랐다[놀라게 했다].

— *vt.* **1** [보통 수동형으로] 깃털로 덮다 **2** 〈모자 등에〉 깃털 장식을 달다; 〈화살에〉 살깃을 붙이다 **3** 수북하게 덮다: hills ~*ed* with oaks 떡갈나무로 덮인 언덕 **4** 〖조정〗 〈노깃을〉 수평으로 젓다 《공기 저항을 덜 받게》; 〖수렵〗 〈새를〉 (죽지 않도록) 날개를 쏘아 떨어뜨리다 **5** 〈새가〉 〈바람을〉 날개로 헤쳐 나아가다
— *vi.* **1** 깃털이 나다, 깃이 자라다 《*out*》 **2** 깃털처럼 움직이다[퍼지다]; 깃 모양을 이루다 **3** 〖조정〗 노깃을 수평으로 젓다 **4** 〖수렵〗 〈사냥개가〉 (냄새 자취를 찾으며) 털을 세우고 몸을 떨다 **5** 〈잉크 등이〉 번지다
~ ***out*** 《미》 (인플레가) 차츰 안정되다 ~ one***'s nest*** 사복(私腹)을 채우다, 착복하다 ~ ***up to*** a person 《속어》 …에게 구애하다 ***tar and ~*** ⇨ tar[1]
~·lìke *a.* ▷ féathery *a.*

féather béd 깃털 침대[요]; 안락한 처지

feath·er·bed [féðərbèd] *a.* 과잉 고용의
— *v.* (**~·ded**; **~·ding**) *vt.* **1** 〈일을〉 과잉 고용으로 하다 **2** 〈산업·경제 등을〉 정부 보조금으로 원조하다 **3** (이익·편의를 제공하여) …의 응석을 받아주다(pamper) — *vi.* 과잉 고용을 요구하다; 생산을 제한하다

féatherbed cóntract 과잉 고용 협약

feath·er·bed·ding [-bèdiŋ] *n.* Ⓤ 과잉 고용 요구, 생산 제한 행위 《실업을 피하기 위한 노동 조합의 관행》

féatherbed índustry 정부의 보호 육성을 받는 산업

féather bóa (예전의) 여자용 깃털 목도리

feath·er·bone [-bòun] *n.* 깃뼈 《깃가지로 만든 '고래수염(whalebone)'의 대용품》

feath·er·brain [-brèin] *n.* 얼간이, 바보
-bràined *a.* 어리석은, 경망스러운

feath·er·cut [-kʌ̀t] *n.* 페더커트 《컬이 깃처럼 보이는 여성의 머리 모양》

féather dúster 깃털 총채

feath·ered [féðərd] *a.* 깃털이 난[있는]; 깃이 달린; 깃털 장식이 있는; 깃 모양의; 날개가 있는; 빠른; [복합어를 이루어] …의 털을 한: ~ feet 준족(俊足)
our ~ friends 《익살》 조류, 새

feath·er·edge [féðərèdʒ] *n.* 〖건축〗 (판자의) 얇게 깎은 쪽의 가장자리; 페더에지 《미장 연장의 하나》; 아주 얇은 날 — *vt.* 〈판자의〉 가장자리를 얇게 깎다
-èdged *a.* 가장자리를 얇게 깎은

feath·er-foot·ed [-fùtid] *a.* 소리 없이 잽싸게 움직이는

féather gràss 〖식물〗 나래새

feath·er·head [-hèd] *n.* = FEATHERBRAIN
-hèad·ed *a.*

feath·er·i·ness [féðərinis] *n.* Ⓤ 깃털 모양; 깃털처럼 가벼움; 경박

feath·er·ing [féðəriŋ] *n.* Ⓤ **1** [집합적] 깃털, 깃(plumage) **2** 화살깃; 깃털 모양의 것; (개 다리 등의) 깃털같이 수북한 털; 〖건축〗 (창 장식의) 두 곡선이 만나는 돌출점 **3** 〖조정〗 페더링 《노깃을 수면과 평행이 되게 올림》; 〖음악〗 페더링 《가볍고 미묘한 운궁법(運弓法)》

feath·er·less [féðərlis] *a.* 깃털 없는 **~·ness** *n.*

feath·er·light [féðərláit] *a.* 매우[깃털처럼] 가벼운

féather mèrchant 《미·속어》 **1** 책임 회피자(slacker); 병역 기피자(draft dodger); 게으름뱅이(loafer) **2** 《미·해군속어》 예비역 장교

féather pàlm 〖식물〗 깃 모양의 잎을 가진 야자수(cf. FAN PALM)

feath·er·pate [féðərpèit] *n.* = FEATHERBRAIN
-pàt·ed [-pèitid] *a.*

féather stàr 〖동물〗 갯고사리

feath·er·stitch [-stìtʃ] *n.* 갈지자 수놓기, 갈지자 수 — *vt., vi.* 갈지자 수를 놓다, 갈지자 수로 꾸미다

feath·er-veined [-vèind] *a.* 〖식물〗 〈잎이〉 잎맥이 깃 모양인

feath·er·weight [-wèit] *n.* **1** [a ~] 매우 가벼운 물건[사람]; [a ~] 하찮은 사람[물건] **2** 〖권투·레슬링〗 페더급(의 선수); 〖경마〗 최경량 핸디캡; 최경량 기수 **3** = FEATHERBRAIN — *a.* **1** 〖권투·레슬링〗 페더급의

---

feasible *a.* practicable, available, workable, achievable, possible, attainable, doable, realizable, likely (opp. *impractical, impossible*)

feat[1] *n.* deed, act, exploit, performance, achievement, attainment, accomplishment

2 매우 가벼운; 하찮은, 사소한, 시시한
feath·er·y [féðəri] *a.* 깃이 난, 깃털로 덮인, 깃털이 있는; 〈눈송이 등이〉 깃털 같은; 가벼운, 경박한: ~ clouds 깃털 모양의 구름
feat·ly [fíːtli] *ad.* 적절히, 알맞게; 솜씨 있게, 훌륭하게; 명쾌하게, 말끔하게, 말쑥하게
— *a.* 우아한, 품위 있는; 〈옷이〉 꼭 맞는
‡**fea·ture** [fíːtʃər] *n., v.*

L「만들어진 것」의 뜻에서
「얼굴 생김새」, 「용모」 **2** → (물건이) 「특징」 **1** → (딴것보다 두드러진 것) → 「인기 있는 것[프로]」 **4**

— *n.* **1** (두드러진) **특징**, 특색; 주안점: a notable ~ 현저한 특징 / The best ~ of the house is the sun porch. 그 집의 가장 큰 특징은 일광욕실이다. **2 얼굴 생김새**, 이목구비; 얼굴의 어느 한 부분 《눈·코·입·귀·이마·턱 등》(⇨ face 유의어); [*pl.*] **용모**, 얼굴: Her smile is her best ~. 그녀는 웃는 얼굴이 가장 아름답다. / a man of fine ~*s* 용모가 잘 생긴 남자, 미남자 **3** (신문·잡지 등의) 연재 기사, 연재물, 특별 기사, 특집 기사(= ~ story) 《뉴스 이외의 기사·소논문·수필·연재 만화 등》: do a ~ on Korea 한국 특집을 하다 **4** (영화·연예 등의) 인기 있는 것[프로], 특별 프로, 주요 작품; 볼거리; 장편 영화(= ~ film): a double ~ program 특작 영화 2편 동시 상영 (프로) **5** (산천 등의) 지세, 지형 ***make a ~ of*** …을 볼거리로 삼다, …을 주요 프로[특색]로 삼다
— *vt.* **1 특색[주요 프로]으로 삼다**, 특집하다; 〈배우를〉 주연시키다; 〈사건을〉 대서특필하다: a magazine *featuring* the accident 그 사고를 크게 다룬 잡지 **2** …의 특색을 이루다; …의 특징을 그리다 **3** 《구어·방언》 …와 닮다 **4** 《미·구어》 상상하다
— *vi.* 특색이 되다; 중요 임무를 다하다; 주연하다: (~+전+명) He didn't ~ *in* that movie. 그는 그 영화에서 주연을 하지 않았다.
fea·tured [fíːtʃərd] *a.* 《미》 특색으로 한, 주요 프로로 하는; 주연의; [복합어를 이루어] …한 용모를 가진: a ~ actor 주연 배우 / a ~ article 특집 기사 / pleasant-~ 호감이 가는 얼굴의
féature film[pìcture] 장편 특작 영화; (동시 상영물 중의) 본편
fea·ture-length [fíːtʃərléŋkθ] *a.* 《미》 〈영화·기사 등이〉 장편의(full-length): a ~ story[film] 장편 소설[영화]
fea·ture·less [fíːtʃərlis] *a.* **1** 특색이 없는; 아무 재미 없는, 평범한, 단조로운 **2** 〖경제〗 가격 변동 없는
féature prògram (TV·라디오의) 특별 프로
féature sìze 〖전자〗 (LSI의) 최소 배선폭(配線幅) 《설계 및 제조의 기준이 되는 치수》
féature stóry 1 (신문·잡지의) 특집 기사 **2** (잡지의) 주요 읽을거리
fea·tur·ette [fìːtʃərét] *n.* 특작 단편 영화
feaze[1] [fíːz] *vt., vi.* 〈밧줄 끝을〉 풀다(unravel); 〈밧줄 끝이〉 풀리다(unravel)
feaze[2] [fíːz, féiz] *n., vt., vi* = FEEZE
Feb. February
fe·bric·i·ty [fibrísəti] *n.* Ⓤ 열이 있는[발열] 상태 (feverishness)
fe·bric·u·la [fibríkjulə] *n.* 〖의학〗 미열(微熱)
fe·brif·ic [fibrífik] *a.* 열이 나는, 열이 있는
feb·ri·fuge [fébrifjùːdʒ] *a.* 열을 내리는; 해열(성)의 — *n.* 해열제; 청량음료
fe·brif·u·gal [fibrífjugəl] *a.*
fe·brile [fíːbrail, féb-] *a.* 열병의; 열로 생기는, 발열의, 열이 있는(feverish); 열광적인
fe·bril·i·ty [fibríləti] *n.* Ⓤ 발열(發熱)
feb·ris [fébris] *n.* 《처방전에서》 열병, 열
‡**Feb·ru·ar·y** [fébruèri, fébju- | fébruəri, fébrəri] [L「정화(淨化)의 달」의 뜻에서; 이 의식이 이달 15일에 거행된 데서] *n.* (*pl.* **-ar·ies,** **~s**) 2월 《略 Feb.》: ~ has 29 days in a leap year. 윤년에는 2월이 29일 있다.
Fébruary fíll-dike ⇨ fill-dike.
Fébruary Revolútion = RUSSIAN REVOLUTION
FEC Federal Election Commission **fec.** *fecit*
fe·cal [fíːkəl] *a.* 찌끼(dregs)의; 똥의, 배설물의
fe·ces [fíːsiːz] *n. pl.* 찌끼(dregs); 똥, 배설물; 침전물
fe·cit [fíːsit] [L = he[she] made (it)] *v.* …작(作), …필, …그림 《전에 화가 등이 작품의 서명에 덧붙여 썼음; 略 fec.》
feck [fék] *vi., vt.* 훔치다; 무단 차용하다
feck·less [féklis] *a.* 허약한; 무능한, 무기력한; 쓸모없는, 가치 없는; 경솔한, 무책임한, 나태한, 무관심한 **~·ly** *ad.* **~·ness** *n.*
fec·u·la [fékjulə] *n.* (*pl.* **-lae** [-lìː]) 전분, 녹말; (곤충의) 똥; 《일반적으로》 오물
fe·cu·lence [fékjuləns] *n.* Ⓤ 더러움; 오물(filth); 찌끼(dregs)
fec·u·lent [fékjulənt] *a.* 더러운, 불결한; 탁한
fe·cund [fíːkənd, fé-] *a.* 다산의(prolific); 〈땅이〉 기름진, 비옥한(fertile), 풍성한; 창조력이 풍부한
fe·cun·date [fíːkəndèit, fé-] *vt.* **1** 다산하게 하다; 〈땅을〉 비옥하게 하다 **2** 〖생물〗 수태[수정]시키다 (impregnate)
fe·cun·da·tion [fìːkəndéiʃən, fè-] *n.* Ⓤ 〖생물〗 수태 작용; 수태, 수정
fe·cun·di·ty [fikʌ́ndəti] *n.* Ⓤ 생산력, (동물의 암컷의) 생식력; 다산; 비옥; 풍부한 창조력[상상력]
‡**fed**[1] [féd] *v.* FEED의 과거·과거분사
— *a.* **1** 〈가축이〉 (시장용으로) 비육된: ~ pigs 비육돈 **2** Ⓟ 《속어》 …에 진저리 난 《*with*》 ***be ~ to death*** [***the gills, the teeth***] 《속어》 아주 진저리나다[물리다] ***be ~ up*** 싫증나다, 물리다
fed[2] *n.* [종종 **F~**] 《미·구어》 연방 정부의 관리, 《특히》 연방 수사국(FBI)의 수사관; [the F~] 연방 정부; 연방 준비 제도 (이사회)(Federal Reserve Board)
fed. federal; federated; federation
fe·da·yee [fedɑːjíː | fədɑ́ːjiː], **fed·ai** [fèdɑːíː] *n.* (*pl.* **-yeen** [-jíːn], **-yin** [-jíːn]) 페다이, (반이스라엘의) 아랍 무장 게릴라 조직의 하나
fed·er·a·cy [fédərəsi] *n.* (*pl.* **-cies**) 연합, 동맹
‡**fed·er·al** [fédərəl] [L「맹약, 동맹」의 뜻에서] *a.* **1** 연방의, 연방제의; 연방[중앙] 정부의: a ~ state 연방 국가 / ~ troops 연방 병력[군] / ~ offices 연방 정부 기관 **2** [보통 **F~**] 《미》 **연방 정부의**, 합중국의(cf. STATE); 〖미국사〗 (남북 전쟁 시대의) 연방 정부 지지의, 북군의, 북부 연방 동맹의(opp. *Confederate*); 연방당의: the *F*~ Government (of the U.S.) (각 주의 state government에 대한) 미국 연방 정부[중앙 정부] / the *F*~ Law 연방법 / the *F*~ army 북부 연방 동맹군, 북군 **3** 《고어》 (국가간의) 연합의, 동맹의: a ~ union 국가 연합 **4** 〖신학〗 신인 맹약 (神人盟約)의, 성약설(聖約說)의
— *n.* 연방주의자(federalist); [**F~**] 〖미국사〗 (남북 전쟁 당시의) 북부 연방 지지자, 북군 병사(opp. *Confederate*); 연방 정부의 관리; 〖신학〗 성약설
F~ prose 《미》 완곡한 관청 용어, 정부 용어 ***~ question*** 연방에 관련된 문제 ***the F~ Aviation Administration*** 《미》 연방 항공국 《운수성의 1국; 略 FAA》 ***the F~ Bureau of Investigation*** 《미》 연방 수사국 《略 FBI》 ***the F~ City*** 연방 도시 《Washington(市)의 속칭》 ***the F~ Communications Commission*** 《미》 연방 통신 위원회 《略 FCC》 ***the F~ Constitution*** 미국 헌법 ***the F~***

thesaurus **feature** *n.* **1 특징** aspect, characteristic, facet, side, point, attribute, quality, trait, mark, peculiarity, hallmark, trademark **2 특집 기사** article, item, report, story, column, piece
federation *n.* confederation, confederacy,

Deposit Insurance Corporation (미) 연방 예금 보험 공사 (略 FDIC) ***the F~ Election Commission*** (미) 연방 선거 위원회 ***the F~ Energy Regulatory Commission*** (미) 연방 에너지 규제 위원회 (略 FERC) ***the F~ Highway Administration*** (미) 연방 간선 도로국 ***the F~ Land Bank*** (미) 연방 토지 은행 (농업 경영자에게 장기·저리(低利) 융자를 해줌) ***the F~ Mediation and Conciliation Service*** 연방 조정 화해국 (노사 간의 쟁의 중재 기관) ***the F~ Open Market Committee*** (미) 연방 공개 시장 위원회 (略 FOMC) ***the F~ Republic of Germany*** 독일 연방 공화국 (구서독 및 통일 후의 독일 공식명; 수도 Berlin) ***the F~ Reserve Bank*** (미) 연방 준비 은행 (略 FRB) ***the F~ Reserve Board*** (미) 연방 준비 제도 이사회 (略 FRB) ***the F~ Reserve System*** (미) 연방 준비 제도 (略 FRS) ***the F~ Security Agency*** (미) 연방 안정국 ***the F~ States*** 〖미국사〗 (남북 전쟁 시대의) 북부 연방의 여러 주(cf. CONFEDERATE STATES (OF) AMERICA) ***the F~ Trade Commission*** (미) 연방 거래 위원회 (略 FTC) **~·ly** *ad.*
▷ féderacy *n.*; féderalize *v.*

féderal cáse 〖법〗 연방 법원 관할 사건; (구어) 대수로운 일, 별것(big deal)

féderal cóurt 연방 법원

féderal diplóma (미·구어) 은행권, 미달러 지폐

féderal dístrict [the ~] 연방구 (연방 정부가 있는 특별 행정 지구; 미국에서는 Washington, D.C.)

Fe·de·ral·es [fèdərǽleiz, -li:z] [Mex. Sp.] *n. pl.* (*sing.* **Fe·de·ral** [fèdərǽl]) [때로 단수 취급] (멕시코의) 연방 정부군

fed·er·al·ese [fèdərəlí:z, -lí:s] *n.* (미) 연방 정부 용어

Féderal Expréss 페더럴 익스프레스(사(社)) (미국의 택배 회사; 略 FedEx)

féderal fùnd ráte 〖경제〗 미국 연방 자금 금리 (연방 자금에 대한 단기 지불 이자율로 미연방 정부의 통화 정책 방향을 나타내는 지표; 略 FFR)

féderal fùnds (미) (연방 준비 은행의) 준비금

fed·er·al·ism [fédərəlìzm] *n.* Ⓤ **1** 연방주의[제도]; [**F~**] 〖미국사〗 연방당(the Federalist Party)의 주의[주장] **2** [**F~**] 〖신학〗 성약설(聖約說)

fed·er·al·ist [fédərəlist] *n., a.* 연방주의자(의); [**F~**] 〖미국사〗 북부 연맹 지지자(의), 연방당원(의); 세계 연방주의자(의) **fèd·er·al·ís·tic** *a.*

Féderalist Pàrty [the ~] = FEDERAL PARTY

fed·er·al·i·za·tion [fèdərəlizéiʃən | -lai-] *n.* Ⓤ 연방화

fed·er·al·ize [fédərəlàiz] *vt.* 연방화하다, 연합시키다, 연방 정부의 지배하에 두다

Féderal Pàrty [the ~] 〖미국사〗 연방당 (독립 전쟁 후 헌법 제정을 주장하고, 강력한 중앙 정부를 창도한 최초의 전국적 정당 (1789~1816))

féderal térritory = FEDERAL DISTRICT

fed·er·ate [fédərət] *a.* 연합의; 연방 제도의; 연합[연방화]한: ~ nations 연방 국가
— *v.* [fédərèit] *vt.* 〈독립 제주(諸州)를〉 중앙 정부 밑에 연합시키다; …에 연방제를 펴다; 연방화하다
— *vi.* 연방[연합]에 가입하다

Féd·er·at·ed Málay Stàtes [fédərèitid-] [the ~] Malay 연합주 (Negri Sembilan, Pahang, Perak, Selangor의 4토후국(土侯國)으로 구성된 본래 영국령의 연합체; 현재는 말레이시아의 일부)

*__fed·er·a·tion__ [fèdəréiʃən] *n.* ⓊⒸ 연합, 동맹, 연맹; 연방 정부[제도] **~·ist** *n.* ▷ féderate *v., a.*

---

league, alliance, coalition, union, association, amalgamation, combination, society
fee *n.* charge, price, cost, payment
feeble *a.* weak, frail, infirm, slight, delicate, sickly, helpless, powerless (opp. *strong, robust*)

---

fed·er·a·tive [fédərèitiv, fédərə- | fédərə-] *a.* 연합[연맹]의; 연방의 **~·ly** *ad.*

fed·ex [fédèks] *vt.* (구어) Federal Express (택배)로 부치다 **—** *n.* fedex로 배달된 편지[소포]

FedEx [fédèks] *n.* (미) Federal Express(의 상표명)

fedn federation

fe·do·ra [fidɔ́:rə] *n.* 펠트제(製) 중절모

Fed. Res. Bd. Federal Reserve Board **Fed. Res. Bk.** Federal Reserve Bank

‡**fee** [fí:] *n.* **1** 보수, 사례금 (의사·변호사·가정교사 등 전문직에 대한)(⇨ pay[1] 유의어); 수수료, 납부금, 요금; 수업료; 수험료; 입회금, 입장료; 공공요금: school [tuition] ~*s* 수업료 / an admission ~ 입장료 / a ~ for consultation (의사의) 진료비, (변호사의) 상담료 / an examination ~ 수험료 / a membership ~ 회비 / a club ~ 클럽 입회비 / an insurance ~ 보험료 / a patent ~ 특허료, 특허 비용 **2** 팁(tip), 행하(行下) **3** ⓊⒸ = FIEF **4** ⓊⒸ 〖법〗 세습지(地), 상속 재산 (특히 부동산) ***at a pin's ~*** [보통 부정적] 핀만큼(의 가치)도, 정말 얼마 안 되는 가치도 ***hold in ~ (simple)*** 〈토지를〉 무조건 상속[세습]지로서 보유하다: an estate *held in* ~ 무조건 상속[세습]지로 보유한 땅
— *vt.* (**~d, ~'d; ~·ing**) **1** …에(게) 요금을 치르다, 사례하다, 팁을 주다 **2** (스코) 고용하다

feeb [fí:b] *n.* (미·속어·경멸) 저능아, 바보, 정신박약자; [**F~**] = FEEBIE

Fee·bie [fí:bi:] *n.* (미·속어) 연방 수사국원, FBI 요원

‡**fee·ble** [fí:bl] [L 「울고 있는」의 뜻에서] *a.* (**-bler; -blest**) **1** 〈몸이〉 연약한, 허약한(⇨ weak 유의어): a ~ old man 허약한 노인 **2** 〈빛·목소리 등이〉 희미한, 미약한: ~ light 희미한 빛 **3** 의지가 박약한, 나약한; 저능한: a ~ mind 정신박약 **4** 내용이 부족한, 시시한: ~ arguments 설득력 없는 의논
fée·bly *ad.* 약하게; 힘없이; 희미하게

fee·ble·mind·ed [fì:blmáindid] *a.* **1** 정신박약의, 저능한; 어리석은 (foolish의 완곡한 말): ~ remarks 어리석은 말 **2** (고어) 의지가 약한
~·ly *ad.* **~·ness** *n.*

fee·ble·ness [fí:blnis] *n.* Ⓤ 약함, 무력함; 미약함; 희미함

fee·blish [fí:bliʃ] *a.* 약한 듯한, 힘없어 보이는

‡**feed**[1] [fí:d] *v., n.*

> ㊀ 「먹을 것을 주다」 **1**
> ┌ (영양분을 주다) → (필요 불가결한 것을) 「보급하다」, 「공급하다」 **2**
> └ (식욕을 만족시키다) → (요구·필요를) 「만족시키다」, 「즐겁게 하다」 **3**

— *v.* (**fed** [féd]) *vt.* **1** 〈동물 등에〉 먹이[모이]를 주다; 〈어린이·환자 등에게〉 음식을 먹이다; 〈아기에게〉 젖을 주다; 양육하다, 〈가족 등을〉 부양하다; 함양하다; 기르다, 치다; …의 먹이가 되다; 〈토지가〉 …에게 식량을 공급하다: ~ a baby 아기에게 젖을 주다 / ~ a family 가족을 부양하다 // (~+목+전+명) ~ bread crumbs *to* pigeons 비둘기에게 빵부스러기를 주다 / ~ horses *on* oats = ~ oats *to* horses 말에 귀리를 먹이다 **2** 〈연료를〉 공급하다(supply); 〈램프에〉 기름을 넣다; 〈보일러에〉 급수하다; 〈기계에〉 원료를 대다; 〈강·호수 등이〉 〈댐 등에〉 물을 공급하다, …에 흘러들다: ~ a stove 난로에 연료를 넣다 // (~+목+전+명) ~ a stove *with* coal = ~ coal *to* a stove 난로에 석탄을 넣다 / ~ a press *with* paper = ~ paper *into* a press 인쇄기에 종이를 넣다 / ~ paper *into* a photocopier 복사기에 종이를 넣다 // streams that ~ a river 강으로 흘러드는 개울 **3** 〈귀나 눈 등을〉 즐겁게 하다, 〈허영심 등을〉 만족시키다(gratify) (*with*); 〈화 등을〉 돋우다 (*with*): ~ one's eyes 눈을 즐겁게 하다 / ~ one's vanity 허영심을 만족시키다 // (~+목+

전+명) She *fed* her anger *with* thoughts of revenge. 그녀는 복수심으로 노여움을 불태웠다. **4** (구어) 〖연극〗 〈상대 배우에게〉 대사의 실마리[큐]를 주다 (prompt) **5** 〖경기〗 〈골을 넣으려는 자기편 선수에게〉 패스하다; 〖아이스하키〗 퍽을 패스하다 **6** 〈토지를〉 목장으로 사용하다; 〈목초를〉 가축에게 먹이다

— *vi.* **1** 〈동물이〉 먹이를 먹다, 사료를 먹다; (구어·익살) 〈사람이〉 식사를 하다 **2** 〈동물이〉 (…을) 먹이로 하다 (*on*): (~+전+명) The lion ~*s on* flesh. 사자는 육식을 한다. **3** 〈정보 따위가〉 (컴퓨터 등에) 들어가다; 〈원료·연료 등이〉 (기계 등에 흐르듯) 공급되다, (흘러) 들어가다; 〈탄환이〉 (총에) 장전되다 (*into*): (~+전+명) Bullets *fed into* a machine gun. 기관총에 탄환이 장전되었다. / Fuel ~*s into* the engine. 연료는 엔진으로 들어간다.

~ ***a cold*** 감기가 들었을 때 많이 먹다, 감기를 먹어서 이기다: *F~ a cold* and starve a fever. (속담) 감기에는 먹고 열병에는 굶는 게 좋다. ~ ***at the high table*** = ~ ***high*** [***well***] 미식(美食)하다 ~ ***back*** [보통 수동형으로] 〖컴퓨터〗 〈출력·신호·정보 등을〉 (…로) 피드백하다 (*into, to*); 〈청중의 반응 등이〉 되돌아오다 ~ ***down*** …을 먹어치우다 ~ ***off*** 목초를 다 먹어치우다; …을 정보원(源)[식료, 연료]으로 이용하다 ~ ***on*** [***upon***] 〈짐승·새 등이〉 …을 먹이로 하다; …을 먹고 살다(cf. LIVE[1] on); (비유) …으로 살고 있다; 〈짐승·새 등을〉 …으로 기르다, …으로 키우다 ~ ***out of*** a person***'s hands*** …의 손에서 모이를 먹다; …에게 순종하다 ~ one***self*** (남의 손을 빌지 않고) 혼자 먹다 ~ one***'s face*** (속어) 잔뜩 먹다 ~ ***the bears*** (미·속어) 교통 위반 딱지를 받다, 범칙금을 물다 ~ ***the fishes*** ⇨ fish[1]. ~ ***the flame*** (질투 등의) 불길을 부채질하다 ~ ***up*** 맛있는 것을 먹이다; 살찌우다, 물리도록 먹이다; [보통 수동형으로] (구어) 싫증나게 하다, 물리게 하다 (*with*)

— *n.* **1** Ⓤ 먹이, 사료(fodder), 여물; Ⓒ 여물의 1회분: at one ~ 한 끼에 **2** (구어) 식사(meal); 진수성찬: have a good ~ (속어) 맛있는 음식을 양껏 먹다 **3** 식량 공급, 사육(飼育) **4** 〖기계〗 급송(給送) (장치), 공급 재료; 공급, 급수 **5** (구어) 〖연극〗 대사를 시작할 계기를 만들어 주는 사람(feeder) (특히 코미디언의 상대역); 어떤 계기가 되는 대사 ***be off*** one***'s*** ~ (속어) 〈마소가〉 식욕이 없다; 탈이 나 있다 (지금은 사람에게도 씀) ***be on the*** ~ 〈물고기가〉 미끼를 물고[먹고] 있다 ***be out at*** ~ 〈소 등이〉 목장에 나가 풀을 먹고 있다

feed[2], fee'd [fíːd] *v.* FEE의 과거·과거분사

***feed·back** [fíːdbæ̀k] *n.* ⓊⒸ **1** (정보·질문·서비스 등을 받는 측의) 반응, 의견, 감상: consumer ~ 소비자로부터의 반응[의견] / through ~ from one's family members 가족들의 의견을 통해서 **2** (질문·앙케이트 조사 등으로 얻은) 조사 결과, 평가 정보: use the ~ from an audience survey 시청자 조사의 결과를 이용하다 **3** 〖전기〗 피드백, 귀환(歸還) (출력 에너지의 일부를 입력측에 되돌리는 조작) **4** 〖생물·심리·사회〗 피드백, 송환 **5** 〖컴퓨터〗 피드백 (출력 신호를 제어·수정의 목적으로 입력측에 돌리기)

— *a.* 귀환의, 재생의

féedback inhibítion 〖생화학〗 피드백 제어[억제] (생체 반응의 자동 제어 체제)

féed bàg 꼴망태 (사료를 넣어서 말 목에 거는 것) ***put on the*** ~ (미·속어) 식사하다, 먹다

feed·box [-bɑ̀ks | -bɔ̀ks] *n.* 사료통

féedbox informàtion (미·속어) 경마 정보

***feed·er** [fíːdər] *n.* **1** 먹는 사람[동물]: a large [gross] ~ 대식가 / a quick ~ 빨리 먹는 사람 **2** 사육자; 가축 사육자; (미) 비육용 가축 **3** 여물통, 모이통; 젖병(feeding bottle) **4** (영) 턱받이(bib) **5** (강의) 지류(支流)(tributary); (철도·버스·항공로 등의) 지선(支線), 지선 도로(=~ road); (광산의) 지맥(支脈); 〖전기〗 급전선, 송전선 **6** 〖기계〗 공급기[장치]; 〖광산〗 급광기(給鑛器); 급수[급유]기; 〖인쇄〗 자동 급지기(給紙機): paper ~ 용지 공급기

féeder lìne (항공로·철도의) 지선

feed·er·lin·er [fíːdərlàinər] *n.* 지선 운항 여객기

féeder ròad 지선 도로

féeder schòol (영) 피더스쿨 (졸업 후 특히 지역 내 상위 학교로 진학함)

feed·for·ward [fíːdfɔ́ːrwərd] *n.* 피드포워드 (실행 전에 결함을 예측하고 행하는 피드백 과정의 제어)

féed gràin 사료용 곡물

feed-in [-ìn] *n.* 무료 급식회

feed·ing [fíːdiŋ] *a.* **1** 음식물을 섭취하는; 급식의, 사료를 주는: a ~ flock 풀을 뜯고 있는 양떼 **2** 〖기계〗 급송(給送)하는; 급수의, 급전(給電)의: a ~ stream 수원(水源)이 되는 시내 **3** 〈비·바람 등이〉 (점점) 거세지는, 차츰 심해지는: a ~ storm 점점 거세지는 폭풍우 — *n.* Ⓤ **1** 음식 섭취, 급식; 사육 **2** 〖기계〗 급송; 급수; 급전

féeding bòttle 젖병(feeder)

féeding cùp (환자·아기용의) 빨아마시는 그릇(spout cup)

féeding frènzy (속어) (특히 매스미디어에 의한) 무자비한 공격, 이기적 이용

féeding gròund (동물의) 먹이 먹는 곳

Féeding of the Fíve Thòusand [the ~] 〖성서〗 오병이어(五餠二魚)의 기적과 같은 일, 많은 사람들에게 음식을 제공하기

feed·ing·stuff [fíːdiŋstʌ̀f] *n.* = FEEDSTUFF

féeding tìme (동물에게) 먹이 주는 시간

feed·lot [fíːdlɑ̀t | -lɔ̀t] *n.* 가축 사육장

féed pìpe 급수관

féed pùmp (보일러의) 급수 펌프

feed·stock [-stɑ̀k | -stɔ̀k] *n.* 공급 원료

feed·store [-stɔ̀ːr] *n.* (미) 사료 가게

feed·stuff [-stʌ̀f] *n.* (가축의) 사료(feeding stuff)

féed tànk 급수 탱크; (음료용) 저수조(槽)

féed tròugh (길쭉한) 여물통

feed·wa·ter [fíːdwɔ̀ːtər, -wɑ̀-] *n.* (탱크 따위에서 보일러로) 급수되는 물

fee-faw-fum [fíːfɔ̀ːfʌ́m] *int.* 으르렁!, 아웅!, 잡아먹자! (동화 속의 귀신이 지르는 소리)

— *n.* (어린아이를 놀라게 하기 위한) 의미 없는 위협의 말; 식인귀, 도깨비

fee-for-ser·vice [fíːfɔ̀ːrsɔ́ːrvis] *n.* [종종 형용사적으로] (의료비의) 행위별 수가: the ~ system (의료비의) 행위별 수가제

‡**feel** [fíːl] *v., n.*

(손으로) 「만지다」 **1**, (만져서) 「느끼다」 **3**	→「더듬어 찾다」 타 **2**, 자 **4** →(마음으로) 「느끼다」, 「생각하다」 **6, 7** →(물건이) …한 느낌이 들다 자 **1 a**

— *v.* (**felt** [félt]) *vt.* **1** 만져 보다; 손대(어 보)다; [if, whether, how절과 함께 쓰여서] 만져서 조사하다: ~ a patient's pulse 환자의 맥을 짚다 // (~+***wh.*** 절) *F~ whether* it is hot. 그것이 뜨거운지 만져 보아라. **2 a** (손으로) 더듬다, 더듬어 찾다(grope); 일을 신중히 진행시키다 **b** 〈적의〉 세력[상황]을 살피다, 정찰하다 **3** (신체적으로) 느끼다, 감지하다, 지각하다 (*do, doing, done*) ★ do는 동작의 완결, doing은 미완료를 나타냄. 또 수동태에서 do는 to do가 되고, doing은 그대로 사용된다: ~ hunger[pain] 허기[고통]를 느끼다 / An earthquake was *felt* last night. 간밤에 지진이 있었다. **4** 〈영향·불편 등을〉 받다, 당하다; …의 작용을 받다: (~+목+부) She ~*s* the cold badly in winter. 그녀는 겨울에 몹시 추위

thesaurus **feel** *n.* **1** 손대다 touch, stroke, caress, handle **2** 더듬어 찾다 grope, fumble, explore, poke **3** 감지하다 notice, observe, per-

를 탄다. **5** 〈중요성·아름다움 등을〉 깨닫다, 〈입장 등을〉 자각하다: ~ pride 자긍심을 가지다 **6** 〈희로애락을〉 느끼다; 절실히 느끼다: ~ pity for …을 불쌍히 여기다 **7** 〈…하다고〉 느끼다, 어쩐지 〈…이라는〉 느낌[생각]이 들다: (~+***that*** 절) I ~ *that* some disaster is impending. 재난이 임박한 것 같은 예감이 든다. **8** 〈무생물이〉 …의 영향을 받다; 〈배 등이〉 …에 느끼는 듯이 움직이다: The ship ~*s* the helm. 키가 말을 듣는다. **9** 《미·방언》 …하고 싶다고 생각하다: (~+***to*** do) I ~ *to* work. 일할 마음이 생긴다.

— *vi.* **1** [보어와 함께] **a** 〈사람이〉 …**한 느낌[기분]이 들다**: (~+보) ~ cold[hot] 춥다[덥다] / ~ comfortable[ill] 편하게[편찮게] 느끼다 / ~ good 기분이 좋다 / ~ well 건강 상태가 좋다 **b** 〈사람이〉 …하게 느끼다, …하게 생각하다: (~+보) I ~ certain[doubtful]. 틀림없다[의심스럽다]고 생각한다. **c** 〈사물이〉 …한 감을 주다, 만져 보면 …한 느낌이 들다: (~+보) Velvet ~*s* soft. 벨벳은 촉감이 보드랍다. **2 동정하다**, 공감하다 (*for, with*) **3** [양태의 부사와 함께] (…에 대하여 찬·부 등의) 의견을 가지다, 어떤 견해를 가지다 (*about, on, toward*): (~+부) ~ differently 다르게 생각하다 // (~+전+명) ~ strongly *about* equal rights for women 남녀 동등권에 대해 확고한 견해를 갖다 **4** 더듬어 찾다; 동정을 살피다 (*after, for*) **5** 감각[느낌]이 있다; 느끼는 힘이 있다

~ about 여기저기 더듬어 찾다 ***~ around*** 여기저기 더듬거리다 ***~ as if***[***though***] …처럼 느껴지다, …같은 느낌이 들다 ***~ bad***(***ly***) ***about*** …으로 기분을 상하다, …을 후회하다 ***~ certain*** …을 확신하다 (*of, that*) ***~ free to***[보통 명령법으로] 마음대로 …해도 좋다 ***~ good*** 기분이 좋다 ***~ … in one's bones*** ⇨ bone. ***~ like*** (1) 어쩐지 …할 것 같다: It ~*s like* rain. 어쩐지 비가 올 것 같다. (2) …이 요망되다, …을 하고 싶다 (*doing*): I ~ *like* a cup of coffee. 커피를 한 잔 마시고 싶다. / I don't ~ *like* going out tonight. 오늘 밤엔 외출할 기분이 나질 않는다. ~ (***like***) one***self*** = ~ (***quite***) one***self*** 기분이 좋다, 심신의 상태가 정상적이다 ***~ of*** 《미》 …을 손으로 만져 보다 ~ a person ***out*** (1) …의 의향 등을 넌지시 떠보다, 타진하다 (2) 〈이론 등을〉 시험해보다 ***~ one's legs***[***feet,*** 《드물게》 ***wings***] 자신이 생기다; 마음이 편안하다 ***~ sure*** …을 확신하다 (*of, that*) ***~ one's way*** (1) (손으로 더듬으며) 조심스럽게 나아가다 (2) (상황을 보아 가며) 신중히 행동하다 (*towards*) ***~ up*** 《속어》 《특히》 〈여자의〉 국부 (언저리)에 손을 대다 ***~ up to*** [보통 부정 구문에서] …을 해낼 수 있을 것 같다 ***make*** one***self***[one***'s presence***] ***felt*** 남에게 자기의 존재[영향력]를 인식시키다

— *n.* **1 감촉**, 촉감, 만진 느낌, 피부[손]에 닿는 느낌; 《구어》 만지는 행위: the soft ~ of cotton 목화의 부드러운 촉감 **2** 느낌, 기미, 낌새, 분위기: a ~ of summer 여름 분위기 **3** 《구어》 직감, 육감; 센스 (*for*) ***by the ~*** (***of it***) (만져본) 느낌으로 (판단하여) ***get the ~ of*** 〈사물의〉 감각을 익히다, …에 익숙해지다 ***have a ~ for*** …에 감각이 예민하다, …에 타고난 지식이 있다 ***to the ~*** 촉감이: It is soft *to the* ~. 촉감이 부드럽다.

féel-bad fáctor [fí:lbæ̀d-] (경제의) 불황 체감 요인 《저널리즘 용어》

feel·er [fí:lər] *n.* **1 a** 만져보는 사람, 느끼는 사람 **b** 〖군사〗 척후(병), 염탐꾼, 첨자 **2** 〖동물〗 더듬이, 촉각, 촉모(觸毛), 촉수(觸鬚) **3** 떠보기, 타진 《떠보는 질문 등》 ***put out ~s*** 떠보다

feel·good [fí:lgùd] *n.* 《경멸》 시름없는 행복한 상태, 완전한 만족

feel-good [fí:lgùd] *a.* 《구어》 만족[행복]한 기분으로 만들어 주는: a ~ film 마음이 따뜻해지는 영화

---

ceive, be aware of **4 당하다,** 받다 experience, know, undergo, bear, suffer **5** …하다고 느끼다 think, believe, consider, deem, judge

féel-good fàctor [the ~] 《주로 영》 (사람들이 느끼는) 행복감, 만족감; (시장 여론 등에 대한) 낙관적 요소

feel·ie [fí:li] *n.* 감각 미술품 《시각·촉각·후각·청각에 호소하는 예술 작품[매체]》

⁑**feel·ing** [fí:liŋ] *n.* **1** UC **감각**; 촉감; 지각: lose all ~ in one's legs 다리의 감각을 완전히 잃어버리다 **2 a** UC **느낌**; 인상: a ~ of warmth = a warm ~ 따뜻한 느낌 **b** (직감적인) **의견**, 생각; 예감 (*of*): What's your ~ toward[about] the matter? 그 문제에 대해 어떻게 생각하십니까? **3** [*pl.*] **감정,** 기분: hurt a person's ~*s* …의 감정을 해치다

> 유의어 **feeling** 주관적인 감각이나 감정을 나타내는 가장 일반적인 말: I can't trust my own *feelings.* 내 자신의 감정을 믿을 수가 없다. **emotion** 노여움·사랑·미움 등을 강하게 나타내는 감정: weep with *emotion* 감정에 복받쳐 울다 **sentiment** 이성적인 사고에 입각한 감정: What are your *sentiments* in this matter? 이 건에 대한 당신의 느낌은 어떻소? **passion** 이성적인 판단을 압도하는 강렬한 감정: Revenge became his ruling *passion.* 복수심이 그의 지배적인 감정이 되었다. **fervor** 뜨거운, 불타는 듯한 (영속적인) 감정 **enthusiasm** 어떤 주의·행동·제안 등에 대한 정열: arouse strong *enthusiasm* in a person 남의 마음에 강한 열정을 환기시키다

4 U 동정, 배려, 친절 (*for*): a woman without any ~(*s*) 인정미 없는 여성 / have no ~ (*for* …) (…에 대해) 조금도 인정[동정심]이 없다 **5** U [또는 a~] 감수성; (예술 등에 대한) 센스, 적성 (*for*): have *a* ~ *for* painting 회화(繪畫)에 대한 센스가 있다 **6** U 격정; 흥분; 반감, 적의: a man of ~ 감정적인 사람 **7** U 감동; 정서; 정조(情操); 분위기

enter into a person***'s ~s*** …의 감정을 헤아리다 ***give a ~ of***[***that***] …이라는 느낌을 주다 ***good***[***ill, bad***] ~ 호감[반감, 악감정] ***have***[***get***] ***a ~*** …한 예감이 들다 ***No hard ~s.*** 나쁘게 생각 말게. ***speak with ~*** 감동하여[다감하게] 이야기하다

— *a.* **1** 감각이 있는 **2** 감수성이 예민한, 다감한 **3** 동정심[인정] 있는: a ~ heart 남을 배려할 줄 아는 마음, 동정심 **4** 감정적인, 감정 서린: a ~ reply to the charge 비난에 대한 감정적인 응수 **~·ness** *n.*

feel·ing·ly [fí:liŋli] *ad.* 감정을 담아, 다감하게, 실감나게

feel·thy [fí:lθi] *a.* 《속어》 외설한(filthy)

fee-pay·ing [fí:pèiiŋ] *a.* 회비[사례비]를 치르는, 수업료가 필요한: a ~ student 수업료를 내는 학생

fée símple 〖법〗 무조건 토지 상속권; 단순 봉토권(封土權)

fée splìtting (의사·변호사가 환자·의뢰인을 소개해 준 동업자에게 주는) 구전

⁑**feet** [fí:t] *n.* FOOT의 복수

fée táil 〖법〗 정사(定嗣) 상속 재산권

feet·first [fí:tfə́:rst] *ad.* 발부터 먼저: He jumped into the river ~. 그는 발부터 먼저 강으로 뛰어들었다.

féet of cláy 감춰진 약점, 숨겨진 결점; 《일반적으로》 예상 외의 결점, 결정적인 약점

feet people 도보(徒步) 난민

fee-TV [fí:tì:ví:] *n.* U 유료 텔레비전 (방송)

feeze [fí:z, féiz] *vt.* 《방언》 징계하다, 쫓아내다; 《미·방언》 겁주다, 동요하게 하다

— *vi.* 《방언·구어》 안달하다, 마음 졸이다

— *n.* 《방언》 격돌; 《미·구어》 놀람, 동요, 흥분

fe·ge·lah [féigələ] *n.* 《속어》 남성 동성애자, 호모

Féh·ling('s) solùtion [féiliŋ(z)-] [독일의 화학자 이름에서] 〖화학〗 펠링액(液) 《당(糖)의 검출 시약》

*__feign__ [féin] [L 「형성하다」의 뜻에서] *vt.* **1** …인 체하다, 가장하다(pretend): ~ ignorance 모른 체하다 // (~+***to*** do) ~ *to* be sick 아픈 체하다 // (~+***that***

절) (~+목+(*to* be) 보) He *~ed that* he was mad. =He *~ed* himself (*to be*) mad. 그는 미친 체 했다. **2** 《고어》 〈구실 등을〉 꾸며대다; 〈목소리 등을〉 꾸미다, 흉내내다: ~ an excuse 구실을 만들다
— *vi.* 가장하다, 꾸미다, …인 체하다, 속이다; 〈작가 등이〉 이야기를 지어내다 **~·er** *n.* ▷ féint *n.*

feigned [féind] *a.* **1** 거짓의, 허위의; 꾸민: a ~ illness 꾀병 / a ~ name 가명 **2** 가공의, 상상의 **féign·ed·ly** [-idli] *ad.*

feint[1] [féint] *n.* **1** 가장, 시늉 **2** (권투·펜싱 등에서의) 페인트, 견제 행동 **3** 〖군사〗 양동 작전 ***make a ~ of*** do*ing* …하는 시늉을 하다, …하는 체하다
— *vi.* 공격하는 체하다, 거짓 공격을 하다, 페인트하다 (*at, upon, against*)

feint[2] *a.* 〖인쇄〗 〈괘선이〉 가늘고 색이 엷은(⇨ faint *a.* 1) ***~ lines*** 엷은 괘선 ***ruled ~*** = ***~ ruled*** 엷은 괘선을 친

F.E.I.S. Fellow of the Educational Institute of Scotland

feist [fáist] *n.* **1** 《미·방언》 잡종 강아지 **2** 화를 잘 내는 사람; 도움 안되는 사람

feist·y [fáisti] *a.* (**feist·i·er**; **-i·est**) 《미·구어》 **1** 기운 찬; 성마른, 싸우기 좋아하는 **2** 뻔뻔한, 교만한 **féist·i·ly** *ad.* **féist·i·ness** *n.*

fe·la·fel [fəlɑ́:fəl] *n.* =FALAFEL

feld·spar [féldspɑ̀:r] *n.* ⓊⒸ 〖광물〗 장석(長石)

feld·spath·ic [feldspǽθik] *a.* 장석의[을 함유한]

feld·spath·oid [féldspæθɔ̀id] *n., a.* 〖광물〗 준장석(準長石)(의)

Fe·li·cia [fəlíʃiə | -siə] *n.* 여자 이름

fe·li·cif·ic [fi:ləsífik] *a.* **1** 행복을 가져오는, 행복하게 하는: a ~ marriage 행복한 결혼 **2** 행복을 가치 기준으로 하는

fe·lic·i·tate [filísətèit] *vt.* 축하하다; 행운으로 생각하다 (*on, upon*): ~ a person *on* his success …의 성공을 축하하다 ★ congratulate보다 문어적임.

fe·lic·i·ta·tion [filìsətéiʃən] *n.* [보통 *pl.*] 축사 (*on, upon*); [감탄사적으로] 축하합니다

fe·lic·i·tous [filísətəs] *a.* **1** 〈말·표현이〉 교묘한, 적절한 **2** 〈사람이〉 표현을 잘하는 **3** 《드물게》 경사스러운, 행복한 **~·ly** *ad.* **~·ness** *n.*

*__fe·lic·i·ty__ [filísəti] *n.* (*pl.* **-ties**) ⓊⒸ **1** 지복(至福)(bliss); 경사 **2** (말·표현의) 적절, 교묘함; 적절한 표현, 명문구 ***with ~*** 적절하게, 솜씨 있게 ▷ felícitate *v.*; felícitous *a.*

fe·lid [fí:lid] *a., n.* 고양잇과(科)(Felidae)의 (동물)

fe·line [fí:lain] *a.* **1** 고양잇과(科)의 **2** 고양이 같은; 교활한; 음흉한: ~ amenities 악의를 품고 하는 감언
— *n.* 고양잇과(科)의 동물 《고양이·호랑이·사자·표범 등》 **~·ly** *ad.* **~·ness** *n.*

féline distémper =DISTEMPER[1] *n.* 1

fe·lin·i·ty [filínəti] *n.* Ⓤ 고양이 성질; 교활함; 잔인함, 음흉함

Fe·lix [fí:liks] *n.* 남자 이름

‡**fell**[1] [fél] *v.* FALL의 과거

fell[2] [fall *v.*과 같은 어원] *vt.* **1** 〈나무를〉 베어 넘어뜨리다; 〈사람을〉 쳐서 넘어뜨리다, 쓰러뜨리다; 죽이다 **2** 공그르다 **—** *n.* **1** 《미·캐나다》 (한 철의) 벌목량 **2** 공그르기 **~·a·ble** *a.*

fell[3] *a.* **1** 《시어·문어》 잔인한, 사나운(fierce), 무시무시한(terrible): with one's ~ look 섬뜩한 형상으로 **2** 《고어·문어》 치명적인, 파괴적인: ~ poison 맹독 ***at*** [***in***] ***one ~ swoop*** 단번에, 일거에 **~·ness** *n.*

fell[4] *n.* **1** 수피(獸皮), 모피; (사람의) 피부 **2** (텁수룩한) 머리털: one's ~ of hair 텁수룩한 머리털

fell[5] *n.* **1** 《스코·북잉글》 언덕진 황야(moor), 고원 지대 **2** 《북잉글》 [지명에 사용하여] …산(山)(hill): Bow *F*~ 보 산

fel·la, fel·lah[1] [félə] *n.* 《구어》 =FELLOW

fel·lah[2] [félə] *n.* (*pl.* **~s, -la·hin, -la·heen** [fèləhí:n]) (이집트·아랍 제국의) 농부, 노동자

fel·late [fəléit, fe-] *vi., vt.* (…에) 펠라티오(fellatio)하다 **fel·lá·tor** *n.*

fel·la·tio [fəléiʃiòu, -lɑ́:tiòu | feléiʃiòu] *n.* Ⓤ 펠라티오 《음경에 대한 구강 애무》

fell·er[1] [félər] *n.* **1** 벌채자; 벌목기 **2** 공그르는 사람; (재봉틀에 부속된) 공그르는 기구

feller[2] *n.* 《구어》 =FELLOW

fell·mon·ger [félmʌ̀ŋgər] *n.* 《주로 영》 모피의 털 뽑는 직공; 수피[모피]상, 《특히》 양피상(羊皮商) **-gered** *a.* **~·ing** *n.* **-gery** [-ri] *n.* 모피점(店)

fel·loe [félou] *n.* =FELLY[1]

‡**fel·low** [félou] *n.* **1** 《구어》 [보통 형용사와 함께] 사나이, 사람, 소년, 녀석, 놈 《★ 친밀감·경멸감을 갖고 man, boy의 뜻으로 쓰임; 호칭으로도 씀》: a stupid ~ 바보 같은 녀석 **2** 《구어》 구애자(suitor), 애인(beau) 《남자》 **3** [a ~] 《일반적으로》 사람(person), 누구든지(one); (말하는) 나(I): *A* ~ must eat. 사람은 먹어야 한다. **4** [the ~] 《경멸》 녀석, 그놈 **5** [보통 *pl.*] (나쁜 일의) 한패(companion), 패거리, 동아리(accomplice); 동료, 동지, 동배(comrade): *~s* in arm 전우 / *~s* in crime 공범자 / *~s* at school 학우, 동창[동급, 동기]생 **6** 동업자; 동시대 사람(contemporary): *the* ~s of Milton 밀턴과 동시대의 사람들 **7** (한 쌍의 물건의) 한 쪽; 필적자, 맞상대: the ~ of a shoe[glove] 구두[장갑]의 한 짝 **8** (졸업자 중에서 선발되는 대학의) 평의원; (미국 대학의) 장학금 급비 연구원; (Oxford, Cambridge 대학의) 특별[명예] 교우; (대학의) 특별 연구원, 펠로 《연구비를 지급받으며 교사를 겸함》 **9** [보통 **F**~] (학술 단체의) 특별 회원 《보통 평회원(member)보다 높은 회원》: a *F*~ of the British Academy 영국 학사원 특별 회원 《略 FBA》 ***be hail ~ well met with*** 서로 마음이 맞는 친구이다, …와 극히 친하다 ***my dear***[***good***] ***~*** 여보게 자네 ***poor ~!*** 불쌍한 놈!, 가엾어라!
— *a.* **1** 동료의, 동배의, 친구의, 동업의: a ~ citizen 같은 시민 / a ~ countryman 동포, 동국인 / a ~ lodger 동숙자 / a ~ soldier 전우 / ~ students 학교 동무 **2** 동행하는: a ~ passenger 동승자, 동선자

féllow créature 같은 인간, 동포; 같은 종류(의 동물)

féllow féeling **1** 동정, 공감 (*for, with*): have ~ *for* the unfortunate 불행한 사람들을 동정하다 **2** 상호 이해; 동료 의식

*__fel·low·man__ [féloumǽn] *n.* (*pl.* **-men** [-mén]) [one's ~] (같은) 인간, 동포

féllow sérvant 〖법〗 (같은 주인 밑에서 일하는) 동료 고용인

*__fel·low·ship__ [félouʃìp] *n.* **1** Ⓤ 동료 의식, 연대감, 동료 간임; 친교, 친목: enjoy good ~ with one's friends 친구들과 정답게 지내다 **2** Ⓤ (이해 등을) 같이하기; 공동, 협력(participation) (*in, of*): ~ *in* misfortune 불행을 함께 하는 것 **3** 단체, 협회, 조합; 취미 모임 **4** 대학의 특별 연구원의 지위[연구비]; (미국 대학의) 장학금 급비 연구원의 지위[연구비]; (영국 대학의) 《영》 대학 평의원의 지위; (학회 등의)특별 회원의 지위: go abroad on a ~ 장학금을 받아 해외로 나가다 ***give*** a person ***the right hand of ~*** …와 악수하여 친구[회원]로 받아들이다, …와 친분을 맺다
— *vt., vi.* (**~ed**; **~·ing** | **~ped**; **~·ping**) 《미》 (종교 단체 등의) 회원으로 가입시키다, (종교 단체 등의) 회원이 되다

féllow tráveler 길동무; (특히 공산당의) 동조자(sympathizer), 지지자 **fél·low·tráv·el·ing** *a.*

fel·ly[1] [féli] *n.* (*pl.* **-lies**) (차 바퀴의) 겉 테, 바퀴 테

felly[2] *ad.* 《고어》 맹렬히; 잔인하게, 가차없이(fiercely)

fe·lo-de-se [féloudəsí:, -séi] [L] *n.* (*pl.*

thesaurus **feign** *v.* simulate, invent, fake, sham, affect, pretend, act, fabricate
fellowship *n.* **1** 동료 의식 companionship, sociability, comradeship, fraternization, friendship, inti-

fe·lo·nes-de-se [félənì:zdəsí:, -séi], **fe·los-** [félouz-]) ⓊⒸ 〖법〗 자살자; 자살
fel·on[1] [félən] *n.* 〖법〗 중죄 범인; (고어) 악한 —*a.* (고어·시어) 흉악한(wicked), 잔인한(cruel)
felon[2] *n.* Ⓤ 〖병리〗 표저(瘭疽)(whitlow)
fe·lo·ni·ous [fəlóuniəs] *a.* **1** 〖법〗 중죄(범)의: ~ homicide 살인죄 **2** (고어·시어) 극악한, 흉악한 **~·ly** *ad.* 범의(犯意)를 가지고; 흉악하게 **~·ness** *n.*
fel·on·ry [félənri] *n.* Ⓤ [집합적] 중죄인; (유형지의) 죄수단(團)
fel·o·ny [féləni] *n.* (*pl.* **-nies**) ⓊⒸ 〖법〗 중죄 《살인·방화·강도 등; cf. MISDEMEANOR》: commit a ~ 중죄를 범하다 ***compound the*** **~** 사태를 보다 나쁘게[곤란하게] 하다
félony múrder 〖법〗 중죄 모살(謀殺) 《강도 등 중죄를 범한 순간, 살의(殺意) 없이 범한 살인》
fel·site [félsait] *n.* Ⓤ 〖광물〗 규장석(珪長石)
fel·sit·ic [felsítik] *a.*
fel·spar [félspɑ̀:r] *n.* (영) =FELDSPAR
fel·stone [félstòun] *n.* (영) =FELSITE
‡**felt**[1] [félt] *v.* FEEL의 과거·과거분사 —*a.* (절실히) 느껴지는: a ~ want 절실한 결핍
felt[2] *n.* Ⓤ 펠트, 모전(毛氈); Ⓒ 펠트 제품: a ~ hat 펠트 모자, 중절모 —*a.* 펠트의; 펠트제의 —*vt.* 펠트로 만들다; 모전으로 덮다[씌우다] —*vi.* 펠트감이 되다 《*up*》 **félt·y** *a.*
felt·ing [féltiŋ] *n.* Ⓤ 펠트 제법; 펠트감, 모전류; 펠트 제품
félt-tìp(ped) pén [-tìp(t)-], **félt pén[típ]** 펠트펜 《펠트를 심으로 꽂아 쓰는 펜》
fe·luc·ca [fəlʌ́kə, -lú:kə | felʌ́kə] *n.* 펠러커 배 《지중해 연안의 삼각 돛을 단 소형 범선》
FeLV feline leukemia virus 고양이 백혈병 바이러스
fem [fém] (미·속어) *a.* 여자 같은, 여성적인; 여자용의, 여자의 —*n.* 여자, 여자 같은 남자
fem. female; feminine **FEMA** Federal Emergency Management Agency
‡**fe·male** [fí:meil] [L 「젊은 여자」의 뜻에서] *n.* **1** (남성과 대비하여) 여성, 여자 **2** (경멸) 계집; 아녀자 **3** (동물의) 암컷; 〖식물〗 자성 식물 ★ 인간에 대해서는 과학·통계상 용어로 성별을 나타내기 위해서 쓰는 외에는 경멸·익살의 뜻을 가지므로 사용하지 않는 것이 바람직하며 대신에 woman을 사용함: A young ~ has called. 계집애가 찾아왔더군.
—*a.* **1** 여성의, 여자의(opp. *male*): the ~ sex 여성/a ~ child 여자 아이/a ~ dress 여성복 **2** 여자로 이루어진, 여자만의; 여자다운, 여성적인 **3** 암컷의; 〖식물〗 자성(雌性)의, 암술만 있는: a ~ flower 암꽃 **4** 〖기계〗 〈부품이〉 암의; 〈보석이〉 빛이 여린: a ~ screw 암나사 **~·ness** *n.*
fémale cháuvinism 여성 우월주의
fémale cháuvinist píg (경멸·익살) (광신적) 여성 우월 주의자
fémale circumcísion 여성 할례 《음핵(과 때로는 음순)의 절제(술)》
fémale cóndom 여성용 콘돔
fémale impérsonator 여장 남우(男優)
fe·male-in·ten·sive [-inténsiv] *a.* 〈직업이〉 여성으로 이루어지는, 여성에게 알맞은
fémale súffrage (미) =WOMAN SUFFRAGE
fémale tróuble (완곡) 부인병
fem·cee [fémsì:] [*fe*male+em*cee*] *n.* (특히 라디오·텔레비전 프로그램의) 여성 사회자(cf. EMCEE)
feme [fém, fí:m] *n.* 〖법〗 여자, 《특히》 아내
féme cóvert 〖법〗 (현재 혼인 관계에 있는) 기혼 부인, 유부녀

macy, **2** 협회, 단체 association, society, club, league, union, affiliation, guild, corporation
fence *n.* enclosure, wall, rail, barrier, hedge, railing, barricade —*v.* surround, enclose, encircle

féme sóle 〖법〗 **1** 미혼 부인 《과부·이혼녀 포함》 **2** 독립 부인 《독립적인 재산권을 가진 처》
fem·i·na·cy [fémənəsi] *n.* Ⓤ (드물게) 여자다운 성질, 여자다움
fem·i·nal [fémənl] *a.* 여자다운 —*n.* 여성적인 남자
fem·i·nal·i·ty [fèmənǽləti] *n.* (*pl.* **-ties**) Ⓤ 여성다움; 여자의 특성; [*pl.*] 여자의 소지품
fem·i·ne·i·ty [fèməní:əti] *n.* Ⓤ 여성다움(womanliness); 여자의 특성
***fem·i·nine** [fémənin] [L 「여자의」의 뜻에서] (opp. *masculine*) *a.* **1** 여자의, 여성의; 여성다운 (womanly); 상냥한, 연약한: ~ beauty 여성미/~ dress 부인복 **2** (경멸) 〈남자가〉 여자 같은, 나약한 (womanish): a man with a ~ walk 여자같이 걷는 남자 **3** 〖문법〗 여성의(cf. MASCULINE, NEUTER): the ~ gender 여성/a ~ noun 여성 명사 **4** 〖운율〗 여성 행말(行末)의, 여성운(韻)의
—*n.* 〖문법〗 여성; 여성형 **~·ly** *ad.* **~·ness** *n.* ▷ feminéity, feminínity *n.*; féminize *v.*
féminine énding **1** 〖운율〗 여성 행말(行末)(opp. *masculine ending*) **2** 〖문법〗 여성 어미 《host*ess*, hero*ine*, comedi*enne* 등》
féminine rhýme 〖운율〗 여성운(韻)
fem·i·nin·ism [fémənìnizm] *n.* Ⓤ 연약한 경향; Ⓒ 여자 특유의 말씨
fem·i·nin·i·ty [fèmənínəti] *n.* Ⓤ **1** 여자임, 여성의 특성(woman nature); 여성다움 **2** [집합적] 여성 (women) **3** 여자같이 나약함
fem·i·nism [fémənìzm] *n.* Ⓤ 페미니즘, 남녀 동권주의, 여권 확장 운동, 여성 해방론
***fem·i·nist** [fémənist] *n.* 남녀 동권주의자, 페미니스트, 여권 주장자, 여권 확장론자 —*a.* feminism의: the ~ movement 여성 해방 운동 **fèm·i·nís·tic** *a.*
fe·min·i·ty [femínəti] *n.* =FEMININITY
fem·i·ni·za·tion [fèmənaizéiʃən] *n.* Ⓤ 여성화
fem·i·nize [fémənàiz] *vt.*, *vi.* 여성화하다; 〖생물〗 자성화(雌性化)하다(opp. *masculinize*)
Fem Lib, Fem·lib, fem lib, fem·lib [fémlìb] (구어) 여성 해방 운동(women's lib)
femme [fém] [F] *n.* 여자(woman); 아내(wife); (미·구어) 여자[남자] 동성애의 여자역
femme de cham·bre [fém-də-ʃɑ́:mbrə] [F] (귀부인의) 시녀(lady's maid); (호텔의) 객실 담당 여종업원(chambermaid)
femme fa·tale [fém-fətǽl, -tɑ́:l] [F] (*pl.* **-s -s** [-z]) 요부(seductive woman)
fem·o·ral [fémərəl] *a.* 〖해부〗 대퇴부(大腿部)의
femto- [fémtou, -tə] 《연결형》 「1,000조(兆)분의 1; 10^{-15}」의 뜻 《기호 f》
fem·to·me·ter [fémtoumì:tər] *n.* 펨토미터 ($=10^{-15}$m)
fe·mur [fí:mər] *n.* (*pl.* **~s, fem·o·ra** [fémərə]) 〖해부〗 대퇴골; 대퇴부, 넓적다리(thigh); 〖곤충〗 퇴절(腿節)
fen[1] [fén], **fens** [fénz] *vt.* =FAIN[2]
fen[2] *n.* **1** 늪 (지대), 소택지 **2** [the F~s] 잉글랜드 동부의 소택 지대
fen[3] *n.* (*pl.* ~) 펜(分) 《중국의 화폐 단위; =1/100원(元)(yuan)》
fen[4] *n.* (미·마약속어) 강력한 진통제, 펜타닐(fentanyl)
FEN Far East Network (미군의) 극동 방송(망) 《지금은 AFN》
fe·na·gle [finéigl] *vt.*, *vi.* (구어) =FINAGLE
fen·ber·ry [fénbèri, -bəri | -bəri] *n.* =CRANBERRY
‡**fence** [féns] [ME defense의 두음 소실(頭音消失)에서] *n.* **1** (대지 등을 구획하는) 울, 둘러막는 것, (영) (목제 등의) 울타리; (미) (벽돌·돌·철제의) 담(cf.

HEDGE, PALING): put a high ~ around …을 높은 담으로 두르다

> 유의어 **fence** 목제·금속·철망 등으로 만든 울타리 **wall** 돌·벽돌 등의 담: a stone[brick] *wall* 돌[벽돌]담 **hedge** 관목 등을 심어서 만든 산울타리: They planted a *hedge* between two yards. 두 뜰 사이에 산울타리를 심었다.

2 (마술(馬術) 경기 등의) 장애물(hurdle): put a horse at[to] the ~ 말에 박차를 가해 장애물을 뛰어넘게 하다 **3** (속어) 장물아비, 장물[훔친 물건]을 매매하는 사람 **4** Ⓤ 검술, 펜싱 **5** Ⓤ 능숙한 변론[답변]의 재주 **6** (기계의) 유도 장치(guide), 차폐부(遮蔽部)(guard) **7** (고어) 방어, 방벽 《*against*》 **8** [보통 *pl.*] (미) 정치적 기반(political interest) **9** (미·구어) (정책 등에 있어서의) 중립, 중도
a master of ~ 검술[펜싱]의 달인[사범]; 토론의 명수, 응답에 능숙한 사람 ***be on*** a person***'s side of the ~*** (미·구어) …의 편을 들다 ***be on the other side of the ~*** (미·구어) 반대편이다 ***come down on one side of the ~ or the other*** (토론에서) 어떤 편을 들다 ***come down on the right side of the ~*** (형세를 보아서) 우세한 쪽에 붙다 ***go for the ~s*** (야구속어) 장타를 노리다 ***mend*** [***repair, look after, look to***] one***'s ~s*** (1) 화해하다 (2) (미) 〈국회의원이〉 선거구의 기반을 강화하다 ((영) nurse one's CONSTITUENCY) ***over the ~*** (호주·뉴질·구어) 불합리한, 불공평한; 인정할 수 없는 ***rush*** one***'s ~s*** (영·구어) 경솔히 행동하다 ***sit*** [***be, stand***] ***on the ~*** [보통 나쁜 뜻으로] 형세를 관망하다, 중립적인 태도를 취하다
— *vt.* **1** …에 울타리[담]를 치다, 둘러막다 《*around, round*》; 담[울타리]으로 분리하다 《*in, off*》 **2** 막다, 방호하다(protect) 《*from, against*》: (~+목+전+명) ~ a garden *from* the children 아이들이 못 들어오게 정원에 울타리를 두르다 / ~ one's house *from* the north wind 집에 북풍이 못 치게 막다 **3** 〈장물을〉 매매하다, 고매(故買)하다
— *vi.* **1** 펜싱하다, 검술을 하다 **2** (잘) 얼버무리다, 잘 받아넘기다(parry) 《*with*》: (~+전+명) ~ *with* a question 질문을 받아넘기다 **3** 〈말이〉 울타리를 뛰어넘다 **4** 장물을 매매하다 **5** 담[울타리]을 만들다
~ around [***about***] 울타리를 두르다; (방벽 등으로) 공고히 하다 ***~ for*** …을 얻기 위해 상대와 경쟁하다 ***~ in*** (울로) 둘러싸다, 가두다; (…의) 자유를 제약하다, 속박하다: The mountains ~ *in* the valley. 산들이 그 골짜기를 에워싸고 있다. ***~ off*** (1) (울로) 〈토지를〉 구획하다 (2) (교묘하게) 받아넘기다(parry) ***~ out*** (교묘하게) 받아넘기다 ***~ round*** 〈질문 등을〉 받아넘기다; = FENCE about. ***~ up*** 울을 두르다
▷ fénd *v.*; féncing *n.*

fénce bùster 〖야구〗 장타자, 강타자

fence-hang·er [-hæ̀ŋər] *n.* (속어) 우유부단한 사람; 떠도는 소문

fence·less [fénslis] *a.* 울타리가 없는; (고어·시어) 무방비의 **~·ness** *n.*

fence-mend·ing [fénsmèndiŋ] *n.* Ⓤ (미·구어) (외국 등과의) 관계 회복[개선]; (국회의원의) 기반 굳히기(cf. mend one's FENCES) — *a.* 관계 회복의

fénce mònth (영) (사슴의) 금렵기(禁獵期)(close season) 《6월 중순-7월 중순의 출산기》

fence-off [-ɔ̀ːf, -ɑ̀f | -ɔ̀f] *n.* 〖펜싱〗 (개인전이나 단체전의) 우승 결정전

fenc·er [fénsər] *n.* **1** 검객, 검술가(swordsman) **2** 울타리를 뛰어넘는 말 **3** (호주·뉴질) 담[울타리]을 만드는 사람

fence-sit·ter [-sìtər] *n.* 형세를 관망하는 사람, 중립적 태도를 취하는 사람, 기회주의자

fence-sit·ting [-sìtiŋ] *n.* Ⓤ, *a.* 형세 관망(의), 중립(의)

fence-strad·dler [-stræ̀dlər] *n.* (미·구어) (논쟁 등에서) 양쪽 편을 다 드는 사람

fen·ci·ble [fénsəbl] *a.* 국방병의; (스코) 막을 수 있는 — *n.* [보통 *pl.*] (18세기 후반-19세기 전반의 영미의) 국방병

‡**fenc·ing** [fénsiŋ] *n.* Ⓤ **1** 펜싱, 검술: a ~ foil (연습용) 펜싱검 / a ~ master 펜싱 교사[사범] / a ~ school 펜싱 학교[도장] **2** (질문 등을) 교묘히 받아넘기기: political ~ on important issues 중요 문제를 정치적으로 능숙하게 돌리기 **3** 울타리[담]의 재료; [집합적] 울타리, 담 **4** 장물 매매, 장물 취득: a ~ cully (영) 장물 은닉사 / a ~ ken (영) 장물 은닉처

fend [fénd] [defend의 두음 소실(頭音消失)에서] *vt.* 〈타격·질문 등을〉 받아넘기다, 피하다, 다가서지 못하게 하다 《*off*》 — *vi.* **1** 저항하다: (~+전+명) ~ *against* poverty 빈곤과 싸우다 **2** 꾸려가다; 부양하다 《*for*》 **3** (스코) 고투(苦鬪)하다, 노력하다 ***~ for*** one***self*** (구어) 자활하다, 혼자 힘으로 꾸려나가다

***fend·er** [féndər] *n.* **1** (미) (자동차·오토바이 등의) 펜더, 흙받기(mudguard; (영) wing) **2** (벽난로(hearth) 앞에 두는) 난로 울; (스토브 주위에 두르는) 펜더 **3** (기관차·전차 등의) 완충 장치(cowcatcher); 〖항해〗 (배의) 방현물(防舷物); 방현재(防舷材)

fénder bèam 〖항해〗 (뱃전에 매다는) 방현재

fénder bènder (미·캐나다·속어) 경미한 자동차 사고(에 관계된 운전자)

fénder stòol (영) (벽난로 펜더 앞의) 발 얹는 판

fen·es·tel·la [fènəstélə] *n.* (*pl.* **-lae** [-liː]) **1** 작은 창문 **2** (제단(祭壇) 오른편의) 작은 창문 모양의 벽장

fe·nes·tra [finéstrə] *n.* (*pl.* **-trae** [-triː]) **1** 〖해부·동물〗 (뼈 등의) 천공 **2** 〖곤충〗 명반(明斑) 《나비·나방의 날개의 반점》 **3** 〖건축〗 (채광을 위한) 개구부, 창 **4** 〖외과〗 (내이 개창술(內耳開窓術)의) 창 **-tral** *a.*

fe·nes·trate [finéstreit] *a.* 〖건축〗 창문이 있는; 〖해부·식물·동물〗 창문 모양의 작은 구멍이 있는

fen·es·tra·tion [fènəstréiʃən] *n.* Ⓤ **1** 〖건축〗 창문 내기; 〖해부·동물〗 창문 모양의 구멍이 있음 **2** 〖외과〗 천공(술)

fén fìre 도깨비불 《소택지의 인화(燐火)》

fen·flu·ra·mine [fenflúərəmìːn] *n.* Ⓤ 〖약학〗 펜플루라민 《식욕 감퇴제》

feng·shui [fʌ́ŋʃwéi | féŋʃúːi] [chin.] *n.* (중국의) 풍수(風水) — *vt.* 〈방·집에〉 가구 등을 풍수설에 따라 배치하다

Fe·ni·an [fíːniən, -njən] *n.* 페니아 회원 《아일랜드 독립을 목적으로, 주로 재미(在美) 아일랜드 사람들로 이루어진 비밀 결사》 — *a.* 페니아회(원)의; 페니아회주의의 **~·ism** *n.*

fe·nit·ro·thi·on [fənìtrouθáiən] *n.* 〖약학〗 페니트로티온 《사과 등의 과수용 살충제》

fenks [féŋks] *n. pl.* 고래 기름의 찌꺼기

fen·land [fénlæ̀nd, -lənd] *n.* ⓊⒸ [종종 *pl.*] (영) 습지, 소택지

fen·man [-mən] *n.* (*pl.* **-men** [-mən, -mèn]) (영) 소택 지방 사람

fen·nec [fének] *n.* 〖동물〗 아프리카여우 《귀가 큰 북부 아프리카산(産)》

fen·nel [fénl] *n.* **1** 〖식물〗 회향(茴香)(의 열매) 《열매는 향미료·약용》 **2** (미·속어) 마리화나

fen·nel·flow·er [fénlflàuər] *n.* 〖식물〗 니겔라(의 열매)

fénnel òil 회향유

fen·ny [féni] *a.* **1** 소택지의; 소택이 많은 **2** (고어) 소택지산(産)의, 소택성의

fen-phen [fénfèn] [(dex)*fen*fluramine+*phen*termin] *n.* 펜펜 《식욕 억제와 열량 소비 촉진을 통해

thesaurus **ferocious** *a.* **1** 사나운 fierce, savage, wild, untamed, predatory, rapacious (opp. *tame*) **2** 잔인한 cruel, ruthless, brutal, pitiless,

살을 빼는 약》
fen-reeve [fénrìːv] *n.* 《영》 소택 지방 감독관
fen-run·ners [-rʌ̀nərz] *n. pl.* 소택 지방에서 쓰는 스케이트
fens [fénz] *vt.* 《영》 = FAIN²
fen·ta·nyl [féntənil] *n.* Ⓤ 〖약학〗 펜타닐 《진통제》
fen·thi·on [fenθáiən] *n.* Ⓤ 〖약학〗 펜티온 《살충제》
fen·u·greek [fénjugrìːk | -nju-] *n.* ⒸⓊ 〖식물〗 호로파 《콩과(科) 식물》
feoff [féf, fíːf] *n.* 봉토(封土), 영지(fief)
— *vt.* …에게 영지를 주다(enfeoff)
feoff·ee [féfiː, fiːfíː] *n.* 봉토[영지] 수령자; (자선 사업 등을 위한) 공공 부동산 관리인
feof·fer [féfər, fíː-] *n.* = FEOFFOR
feoff·ment [féfmənt, fíːf-] *n.* Ⓤ 영지[봉토] 공시양도(公示讓渡)
feof·for [féfər, fíː-] *n.* 영지 양도인
FEPA Fair Employment Practices Act **FEPC** Fair Employment Practices Commission 적정 고용 실시 위원회 **FERA** Federal Emergency Relief Administration
fe·ra·cious [fəréiʃəs] *a.* 《드물게》 다산의
fe·rac·i·ty [fərǽsəti] *n.* Ⓤ 《드물게》 비옥, 다산
fe·rae na·tu·rae [fíəriː-nətjúəriː | -tjúər-] [L] *a.* 〈동물이〉 야생의, 야생 상태의
fe·ral¹ [fíərəl, fé-] *a.* **1** 〈동·식물이〉 야생의(wild); 야생으로 돌아간 **2** 〈사람·성격 등이〉 야성적인; 흉포한(brutal)
feral² *a.* **1** 죽음을 초래하는, 치명적인 **2** 장례의; 음산한, 우울한
fer·ber·ite [fə́ːrbəràit] *n.* Ⓤ 〖광물〗 철중석 《텅스텐 원광》
FERC Federal Energy Regulatory Commission
fer-de-lance [fɛ̀ərdəlǽns | -láːns] [F] *n.* 〖동물〗 큰삼각머리독사 《중미 및 남미산(産)》
Fer·di·nand [fə́ːrdənæ̀nd | -nənd] *n.* 남자 이름
fer·e·to·ry [férətɔ̀ːri | -təri] *n.* (*pl.* **-ries**) **1** (성인(saint)의 유골을 담아 두는) 성골함, 성유물(聖遺物)함; (성당 내의) 성골함 안치소 **2** 《영》 관가(棺架)(bier)
Fer·gus [fə́ːrgəs] *n.* 남자 이름
fe·ri·a [fíəriə] *n.* (*pl.* **-ri·ae** [-riìː], **~s**) 〖교회〗 (축제일도 주일도 아닌) 평일; [*pl.*] (고대 로마의) 축제일
fe·ri·al [fíəriəl] *a.* 〖교회〗 평일의; 《고어》 휴일의
fe·rine [fíərain, -rin | -rain] *a.* = FERAL
Fe·rin·ghee, -gi [fəríŋgi] *n.* 《인도·경멸》 유럽 사람, 《특히》 인도인과 혼혈인 포르투갈 사람, 유럽·아시아 혼혈인(Eurasian)
fer·i·ty [férəti] *n.* Ⓤ 야생 (상태); 흉포
Fer·man·agh [fərmǽnə] *n.* 퍼매너 《북아일랜드 남서부의 주》
fer·ma·ta [fɛərmáːtə] [It.] *n.* (*pl.* **~s, -te** [-ti]) 〖음악〗 연음 (기호), 늘임표
***fer·ment** [fərmént] [L 「효모」의 뜻에서] *vt.* **1** 〈술 등을〉 발효시키다: *~ed* drinks[beverages] 발효 음료 **2** 〈감정 등을〉 끓어오르게 하다, 자극하다; 〈정치적 동란을〉 불러일으키다(stir up)
— *vi.* **1** 발효하다 **2** 〈감정이〉 끓어오르다; 흥분하다
— [fə́ːrment] *n.* **1** 효모, 효소, 발효체; Ⓤ 발효 **2** 들끓는 소란, 소요(commotion), 흥분 ***in a ~*** 대소동이 나서, 동요하여 **~·a·ble** *a.* **fer·mén·ter** *n.* 발효조(發酵槽) ▷ fermentátion *n.*
***fer·men·ta·tion** [fə̀ːrmentéiʃən] *n.* Ⓤ **1** 발효 (작용) **2** 소동, 인심의 동요, 흥분
fermentátion lòck 발효전(栓) 《와인이 발효할 때 생기는 가스를 배출시키는 데 사용하는 밸브》
fer·men·ta·tive [fərméntətiv] *a.* 발효성의, 발효력이 있는, 발효에 의한 **~·ness** *n.*

merciless, vicious, violent, barbarous, inhumane, bloodthirsty, murderous (opp. *gentle, mild*) **3** 맹렬한 intense, extreme, acute

fer·mi [féərmi, fə́ːr-] *n.* 〖물리〗 페르미 《핵물리학의 길이 단위; 10^{-15}m》
Fer·mi [féərmi] *n.* 페르미 **Enrico ~** (1901-54) 《이탈리아 태생의 미국 원자 물리학자; 노벨 물리학상 수상(1938)》
Fer·mi·ol·o·gy [fɛ̀ərmiálədʒi, fə̀ːr- | -ɔ́l-] *n.* Ⓤ 〖물리〗 페르미올로지 《양자 역학과 Enrico Fermi의 이론에 기초하여 물리 현상을 연구하는 분야》
fer·mi·on [féərmiàn, fə́ːr- | -ɔ̀n] *n.* 〖물리〗 페르미 입자, 페르미온
fer·mi·um [féərmiəm, fə́ːr-] *n.* Ⓤ 〖화학·물리〗 페르뮴 《인공 방사성 원소; 기호 Fm, 번호 100》
***fern** [fə́ːrn] *n.* ⓊⒸ 〖식물〗 **양치류**(의 식물): the royal ~ 고비 **~·like** *a.* ▷ férny *a.*
Fer·nan·da [fərnǽndə] *n.* 여자 이름
férn bàr 고사리 등 관엽식물로 실내 장식한 바[식당]
fern·brack·en [fə́ːrnbræ̀kən], **-brake** [-brèik] *n.* 양치식물의 덤불
fern·er·y [fə́ːrnəri] *n.* (*pl.* **-er·ies**) 양치식물 재배지; 군생한 양치식물; 양치식물 재배 케이스 《장식용》
férn òwl 〖조류〗 쏙독새(nightjar)
férn sèed 양치식물의 포자(胞子) 《옛날 이것을 지닌 사람은 그 모습이 보이지 않는다고 믿었음》
fern·y [fə́ːrni] *a.* (**fern·i·er; -i·est**) **1** 양치식물이 무성한 **2** 양치식물 모양의
***fe·ro·cious** [fəróuʃəs] *a.* **1** 사나운, 흉포한; 잔인한: a ~ animal 맹수 / The storm grew ~. 폭풍이 거세졌다. **2** 《구어》 지독한, 굉장한, 맹렬한: a ~ appetite 굉장한 식욕 / ~ criticism 혹독한 비판 **~·ly** *ad.* **~·ness** *n.* ▷ ferócity *n.*
***fe·roc·i·ty** [fərásəti | -rɔ́-] *n.* Ⓤ (몹시) **사나움, 잔인[흉악]성**(fierceness); Ⓒ 광포한 행위, 만행 ▷ ferócious *a.*
-ferous [fərəs] 《연결형》 「…을 함유한, …을 내는」의 뜻: auri*ferous*
fer·ox [féraks | -rɔks] *n.* 〖어류〗 스코틀랜드 호수에서 나는 큰 송어(= ∠ **tròut**)
Fer·ra·ri [fəráːri] *n.* 페라리 《이탈리아의 고급 스포츠카 제조 회사(의 제품)》
fer·rate [féreit] *n.* ⒸⓊ 〖화학〗 철산염(鐵酸鹽)
fer·re·dox·in [fèrədáksin | -dɔ́k-] *n.* 〖생화학〗 페레독신 《엽록체에서 검출되는 철·유황을 함유한 단백질》
fer·re·ous [fériəs] *a.* 〖화학〗 철의; 철색의; 철분을 함유한: a ~ alloy 철 합금
fer·ret¹ [férit] *n.* **1** 〖동물〗 흰족제비 《polecat의 변종으로 토끼·쥐 등을 굴에서 몰아내는 데 쓰기 위해 기름》 **2** 극성스러운 수색자, 탐정
— *vt.* **1** 흰족제비를 써서 〈토끼·쥐를〉 사냥하다[몰아내다] 《*out, away*》 **2** 〈비밀·범인 등을〉 찾아내다, 색출하다 《*out*》: (~+목+부) ~ *out* a criminal 범인을 찾아내다 — *vi.* **1** 찾아다니다 《*about, around*》: (~+부) ~ *about* in the drawers 서랍 속을 여기저기 뒤지다 **2** 흰족제비를 써서 사냥하다 **~·er** *n.*
ferret², fer·ret·ing [féritiŋ] *n.* (무명 또는 명주로 만든) 가는 리본[테이프]
fer·ret·y [fériti] *a.* 흰족제비 같은, 교활한
ferri- [férai, -ri] 《연결형》 〖화학〗 「제2철의」의 뜻 (cf. FERRO-)
fer·ri·age, 《미》 **-ry-** [fériidʒ] *n.* Ⓤ 도선(渡船)(업); 도선료(料), 나룻배 삯
fer·ric [férik] *a.* **1** 철질(鐵質)의, 철분을 함유한, 철의 **2** 〖화학〗 제2철의 (cf. FERROUS)
férric chlóride 〖화학〗 염화 제2철
férric óxide 〖화학〗 산화 제2철
férric súlfate 〖화학〗 황산 제2철
fer·ri·cy·a·nide [fèraisáiənàid, fèri-] *n.* Ⓤ 〖화학〗 페리시안 화합물
fer·rif·er·ous [fərífərəs] *a.* 철이 나는, 철을 함유한: ~ rock 철광석
fer·ri·mag·ne·tism [fèraimǽgnətìzm] *n.* Ⓤ 〖물리〗 페리 자성(磁性)

Fér·ris whèel [féris-] [미국의 발명자 이름에서] 페리스 대회전(大回轉)식 관람차(cf. CAROUSEL, ROLLER COASTER)

Ferris wheel

fer·rite [férait] *n.* **1** 〖화학〗 아철산염 **2** 〖광물·야금〗 페라이트
fer·rit·ic [ferítik] *a.*

fer·ri·tin [férətn] *n.* 〖생화학〗 페리틴 《결정성 단백질》

ferro- [férou, -rə] 《연결형》「철분을 함유한, 철의; 〖화학〗 제1철의」의 뜻(cf. FERRI-)

fer·ro·al·loy [fèrouǽlɔi] *n.* 〖야금〗 합금철(合金鐵)

fer·ro·cal·cite [fèroukǽlsait] *n.* Ⓤ 〖광물〗 철방해석(鐵方解石)

fer·ro·chrome [féroukròum] *n.* = FERROCHROMIUM

fer·ro·chro·mi·um [fèroukróumiəm] *n.* Ⓤ 〖화학〗 크롬철, 페로크롬

fer·ro·con·crete [fèroukánkri:t | -kɔ́n-] *n.* Ⓤ, *a.* 철근 콘크리트(제의)

fer·ro·cy·a·nide [fèrousáiənaid] *n.* Ⓤ 〖화학〗 페로시안 화합물

fer·ro·e·lec·tric [fèrouiléktrik] 〖물리〗 *a.* 강유전성의 **—** *n.* 강유전체(强誘電體) **-è·lec·tríc·i·ty** *n.*

fer·ro·mag·ne·sian [fèroumæɡní:ʃən] 〖광물〗 *a.* 철고토질(鐵苦土質)의 **—** *n.* Ⓤ 철고토질 광물

fer·ro·mag·net [fèroumǽɡnit] *n.* 〖물리〗 **1** = FERROMAGNETIC **2** 강(强)자성체의 자석

fer·ro·mag·net·ic [fèroumæɡnétik] 〖물리〗 *a.* 강(强)자성의(cf. DIAMAGNETIC) **—** *n.* 강자성체

fer·ro·mag·ne·tism [fèroumǽɡnətìzm] *n.* Ⓤ 〖물리〗 강(强)자성

fer·ro·man·ga·nese [fèroumǽŋɡəni:z] *n.* Ⓤ 〖야금〗 망간철, 페로망간

fer·ro·pseu·do·brook·ite [fèrousù:doubrúkait] *n.* 철위판(鐵僞板) 티탄석 《달의 암석의 하나》

fer·ro·sil·i·con [fèrousílikən] *n.* Ⓤ 〖야금〗 규소철, 페로실리콘

fer·ro·tung·sten [fèroutʌ́ŋstən] *n.* Ⓤ 텅스텐철 《텅스텐 80% 이상을 함유》

fer·ro·type [férətàip] 〖사진〗 *n.* **1** 페로타이프 《광택 인화법》 **2** 광택 사진
— *vt.* 〈인화를〉 페로타이프하다

férrotype plàte[tìn] 〖사진〗 페로타이프판(板) 《광택 인화용》

fer·rous [férəs] *a.* **1** 《일반적으로》 철을 함유한 **2** 〖화학〗 제1철의(cf. FERRIC) ***~ and non-~ metals*** 철금속과 비철금속

férrous chlóride 〖화학〗 염화 제1철

férrous óxide 〖화학〗 산화 제1철

férrous súlfate 〖화학〗 황산 제1철

fer·ru·gi·nous [fərú:dʒənəs] *a.* 〖지질〗 철분을 함유하는, 철질의; 쇠녹(빛)의, 적갈색의: a ~ spring 함철(含鐵) 온천, 철천(鐵泉)

fer·rule [férəl, -ru:l] *n.* **1** (지팡이·우산 등의) 물미 **2** 쇠테, 페룰 《파이프 등의 접합·보강용》, 쇠고리
— *vt.* …에 페룰을 달다
fér·ruled *a.* 물미를 씌운, 쇠고리가 달린

:fer·ry [féri] [OE 「나르다」의 뜻에서] *n.* (*pl.* **-ries**) **1** 카페리(car ferry), 연락선; 나룻배; Ⓤ 나룻배 영업권: by[on a] ~ 카페리로 **2** 도선장(渡船場), 선착장, 나루터: cross the ~ 도선장을 건너다 **3** (사람·차량을 위한) 도선(渡船) 업무 **4** (새로 만든 비행기가 공장에서 현지까지 가는) 자력(自力) 현지 수송; 정기 공수(空輸) ***take the* (*stygian*) *~*** 《익살》 삼도(三途)내를 건너다, 죽다
— *v.* (**-ried**) *vt.* **1** 〈사람·자동차·화물 등을〉 카페리로 건네다; 〈사람 등을〉 자동차로 나르다: 《~+목+전+명》 ~ people *across* a river 사람들을 카페리에 태워 강을 건너다 **2** 〈새 비행기를〉 (승객·화물을 태우지 않고) 현지까지 수송하다; 공수하다
— *vi.* 카페리[나룻배]로 건너다; 〈카페리가〉 다니다

fer·ry·age [fériidʒ] *n.* = FERRIAGE

∗fer·ry·boat [féribòut] *n.* 연락선; 나룻배

férry brìdge 열차 운반용 연락선; 페리 승강용 배다리

fer·ry·man [-mən, -mæ̀n] *n.* (*pl.* **-men**[-mən, -mèn]) 카페리 업자; 나룻배 사공

fer·ry·house [-hàus] *n.* 도선업자의 집; 페리 발착장

férry pìlot (새로 만든 비행기의) 현지 수송 조종사

férry stèamer 연락 기선

:fer·tile [fə́:rtl | -tail] *a.* **1** 〈토지가〉 기름진, 비옥한 (opp. *sterile*): ~ soil 비옥한 토양 **2** 다산(多産)인; 풍작을 가져오는: ~ rains 단비 **3** 〈정신 등이〉 창의력이 풍부한; 〈사람이〉 (상상력·창의력이) 풍부한 《*in, of*》: a ~ mind 창의성이 풍부한 마음 **4** 〖생물〗 〈사람·동물이〉 새끼를 가질 수 있는, 〈종자·알 등이〉 번식 능력이 있는; 〈알·난자 등이〉 수정(受精)한: ~ women 가임 여성 / ~ eggs 수정란 **5** 〖물리〗 핵분열 물질로 변환될 수 있는, 핵연료의 원료가 되는: ~ material 핵연료의 원료 물질 **~·ly** *ad.* **~·ness** *n.*
▷ fertílity *n.*; fértilize *v.*

Fértile Créscent [the ~] 비옥한 초승달 지대 《Nile강과 Tigris강과 페르시아만을 연결하는 고대 농업 지대》

∗fer·til·i·ty [fərtíləti] *n.* (opp. *sterility*) Ⓤ **1** 비옥; 다산; 풍부: a writer of great ~ 비상하게 다작한 작가 **2** 〖생물〗 수정(受精) 능력, 번식력 **3** 출생률 **4** (토지의) 산출력 ▷ fértile *a.*

fertílity cùlt (농경 사회의) 풍요신(神) 숭배(의 의식); 그 의식을 행하는 단체

fertílity drùg 임신 촉진제

fertílity pìll 배란 유발형 피임정(錠) 《배란일을 조절함》

fertílity sỳmbol 풍요신(神)의 상징 《특히 남근(男根)》

fer·ti·liz·a·ble [fə́:rtəlàizəbl] *a.* 비옥하게 할 수 있는; 〖생물〗 수정[수태] 가능한

fer·ti·li·za·tion [fə̀:rtəlizéiʃən | -lai-] *n.* Ⓤ (토질을) 기름지게 함[하는 법], 비옥화; 다산화(化); 시비(施肥); 〖생리·생물〗 수정, 수태 ▷ fértilize *v.*

∗fer·ti·lize [fə́:rtəlàiz] *vt.* **1** 〈토지를〉 비옥하게 하다, 기름지게 하다; 〈토지에〉 비료를 주다, 시비하다 **2** 〖생리·생물〗 수정시키다, 수태시키다 **3** 〈정신 등을〉 풍요하게 하다: ~ the mind 마음을 풍요롭게 하다
▷ fertilizátion *n.*

∗fer·ti·liz·er [fə́:rtəlàizər] *n.* **1** ⓊⒸ 비료, 《특히》 화학 비료(cf. MANURE) **2** Ⓒ 수정 매개물 《벌·나비 등》

fer·u·la [férjulə] *n.* (*pl.* **~s, -lae** [-lì:]) **1** 〖식물〗 아위속(屬) **2** = FERULE[1]

fer·ule[1] [férəl, -ru:l] *n.* **1** 나무막대기, 매 《체벌용, 특히 아이들의 손바닥을 때리는 데 쓰이는 자막대기 같은 것》 **2** 엄격한 학교 훈육: be under the ~ (학교에서) 엄격하게 교육받다 **—** *vt.* 매로 때려 벌주다

ferule[2] *n., vt.* = FERRULE

fer·ven·cy [fə́:rvənsi] *n.* Ⓤ 열렬, 열성, 열정(fervor)

∗fer·vent [fə́:rvənt] *a.* **1** 열렬한, 강렬한: a ~ desire 열망 **2** 뜨거운, 타는, 타오르는
~·ly *ad.* **~·ness** *n.* ▷ férvor *n.*

fer·vid [fə́:rvid] *a.* 타오르는 듯한, 열렬한, 열정적인 (ardent) **~·ly** *ad.* **~·ness** *n.*

fer·vid·i·ty [fə:rvídəti] *n.* Ⓤ 열렬, 열심

∗fer·vor | fer·vour [fə́:rvər] [L 「비등(沸騰), 열화(熱火)」의 뜻에서] *n.* Ⓤ **1** 열렬, 열정(⇨ feeling

thesaurus **fertile** *a.* **1** 비옥한 fruitful, rich, productive (opp. *infertile, barren*) **2** 번식 능력이 있는 potent, reproductive **3** 창의력이 풍부한 inventive, original, ingenious, resourceful, creative, visionary
fertilizer *n.* plant food, manure, dung, compost, dressing, top dressing, bonemeal, guano

유의어): religious ~ 종교적 열정 / speak with great ~ 열변하다 **2** 백열(白熱) (상태); 염열(炎熱)
▷ férvent, férvid *a.*

fes·cue [féskju:] *n.* **1** 〖식물〗 김의털 《볏과(科)의 다년초》(= ~ **gràss**) **2** 《드물게》 교편(敎鞭) 《옛날에 아이들에게 글자를 가르칠 때 썼음》

fess¹, 'fess [fés] [confess의 두음 소실] *vi.* 《미·구어》 고백하다, 자백하다 《*up*》

fess², fesse [fés] *n.* (문장(紋章)의) 가운데 띠 《방패의 한가운데를 가로지르는 굵은 선》

féss pòint (문장(紋章)의 방패 모양의) 중심점

-fest [fèst] 《연결형》 《미·구어》 「비공식 회합」의 뜻: song*fest*, peace*fest*

fes·ta [féstə] [It.] *n.* 축제일; 축제

fes·tal [féstl] *a.* **1** 축제의: in a ~ mood 축제 분위기에서 **2** 유쾌한(gay), 즐거운 **~·ly** *ad.*

fes·ter [féstər] *vi.* **1** 〈상처 등이〉 곪다 **2** 〈체내의 이물 등이〉 궤양을 형성하다 **3** 부패하다 **4** 〈분노 등이〉 마음에 맺히다 **5** 〈문제 등이〉 악화되다 **—***vt.* **1** 〈상처를〉 곪게 하다 **2** 〈마음을〉 아프게 하다, 괴롭히다
—*n.* 궤양(潰瘍); 농포(膿疱); 고름

fes·ti·na len·te [festí:nə-léntei] [L] 천천히 서둘러라, 급할수록 돌아가라

fes·ti·nate [féstənət, -nèit] *a.* 《드물게》 급속한, 성급한 **—** [-nèit] *vi.* 몹시 빨라지다; 〈걸음걸이가〉 병적으로 빨라지다 **~·ly** *ad.*

fes·ti·na·tion [fèstənéiʃən] *n.* 빨라짐, 가속; (신경성 질환에 의한) 가속 보행

‡fes·ti·val [féstəvəl] [L 「쾌활한, 즐거운」의 뜻에서] *n.* **1** UC **축제,** 축전(祝典), 제전, 축하: the ~ of Christmas 크리스마스 축제 **2** 축일, 축제일 **3** [종종 F~; 보통 수식어와 함께] (정기적인) 축제 행사, …제: the Bach ~ 바흐 기념 축제 **4 잔치,** 향연: hold [keep, make] a ~ 향연[잔치]을 베풀다
—*a.* 축제[축일, 축하]의; 즐거운
▷ féstive *a.*

fes·ti·val·go·er [féstəvəlgòuər] *n.* 축제에 가는[참가하는] 사람

Féstival of Líghts [the ~] 〖유대교〗 = HANUKKAH

féstival séating 선착순으로 자리에 앉을 수 있음 (general seating)

***fes·tive** [féstiv] *a.* 축제의, 경축의; 명절 기분의, 즐거운: a ~ mood 명절 기분 / a ~ season 명절, 축제 계절 《Christmas 등》 **~·ly** *ad.* **~·ness** *n.*
▷ féstival, festívity *n.*

***fes·tiv·i·ty** [festívəti] *n.* (*pl.* **-ties**) **1** UC **축제, 제전, 잔치** **2** [*pl.*] 경축 행사; 축제 소동: wedding *festivities* 결혼 피로연 **3** 잔치 기분, 축제 분위기

fes·ti·vous [féstəvəs] *a.* 축제의(festive)

fes·toon [festú:n] *n.* **1** 꽃줄 **2** 〖건축〗 꽃줄 장식 **—***vt.* (꽃줄로) 장식하다 《*with*》; 꽃줄을 만들다: ~ flowers and leaves 꽃과 잎으로 꽃줄을 만들다 // (~+목+전+명) ~ a Christmas tree *with* tinsel 크리스마스 트리를 번쩍거리는 금속 조각 장식물로 장식하다

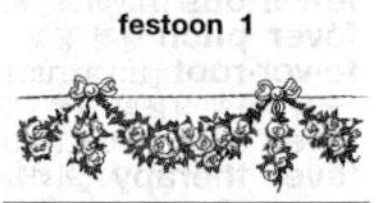
festoon 1

festóon blínd 《영》 (위로 당겨 올리는) 주름 장식이 달린 천으로 된 블라인드

fes·toon·er·y [festú:nəri] *n.* UC (*pl.* **-er·ies**) [집합적] 〖건축·가구〗 꽃줄 (장식)(festoons)

Fest·schrift [féstʃrìft] [G] *n.* (*pl.* **-schrif·ten** [-ʃrìftən], **~s**) (학술) 기념 논문집

FET Federal Excise Tax 《미》 연방 소비세; field-effect transistor

fe·ta [fétə] *n.* 페타 치즈 《양이나 염소의 젖으로 만드는 흰색의 부드러운 그리스 치즈》(= ~ **chèeze**)

fe·tal [fí:tl] *a.* 태아(胎兒)의, 태아의 상태[단계]의

fétal álcohol sỳndrome 〖의학〗 태아기 알코올 증후군 《임산부의 과음으로 인한 신생아의 기형·지능 장애 등; 略 FAS》

fétal hémoglobin 〖의학〗 태아성 혈색소, 태아성 헤모글로빈

fe·tal·i·za·tion [fì:təlizéiʃən | -lai-] *n.* U 〖동물〗 태아화(化), 태형(胎形) 보유

fétal posìtion 〖정신의학〗 (정신 퇴행에 나타나는) 태아형 자세

fe·ta·tion [fi:téiʃən] *n.* U 〖발생〗 태아 형성; 임신

‡fetch¹ [fétʃ] *vt.* **1** (가서) **가지고[데리고, 불러] 오다** (⇨ bring 유의어): *F*~ a doctor at once. 어서 의사를 불러오게.
USAGE 뜻이 go and get[bring]이므로, go and fetch는 의미상 중복되므로 피하는 편이 좋다는 의견도 있으나 실제의 용법에서는 go and fetch도 종종 쓰인다.
2 〈사람의〉 의식을 회복시키다 《*to, around*》; 〈사람을〉 설득하다 《*around*》 **3** 〈물·눈물·피 등을〉 나오게 하다, 자아내다: ~ a pump 펌프에 마중물을 부어 물이 나오게 하다 **4** 〈상품이〉 〈어떤 가격에〉 팔리다, 〈어떤 가격을〉 부르다: (~+목+목) This will ~ (you) much. 이것은 좋은 값에 팔릴 것이다. **5** 《구어》 …의 마음을 사로잡다, 매혹하다, 〈청중의〉 인기를 끌다: ~ the public 일반 사람들의 호평을 얻다 **6** 〈숨을〉 내쉬다, 〈고함·신음 소리 등을〉 내다: ~ a sneeze 재채기하다 **7** 추론하다 **8** 《구어》 …에게 〈일격을〉 가하다: (~+목+목) ~ a person a box on the ears 따귀를 한 대 갈기다 **9** 《주로 방언》 〈급격한 동작을〉 해내다 **10** 〖항해〗 〈항구에〉 도달하다; …에 도착하다(reach) **11** 〖컴퓨터〗 명령을 꺼내다
—*vi.* **1** 가서 물건을 가지고 오다 **2** 〈사냥개가〉 잡은 것을 물어 오다 **3** 돌아서 가다, 우회하다 **4** 의식[체력, 체중]을 회복하다 《*up*》 **5** 〖항해〗 (어느 방향으로) 진로를 잡다, 항진(航進)하다; 진로를 돌리다(veer): (~+부) ~ headway[sternway] 전진[후진]하다
~ *about* 멀리 돌아가다 **~ *a compass*** 돌아서 가다, 우회하다 **~** a person ***a crash*** 《영》 …을 때리다 **~ *along*** (1) 가져오다 (2) 좋게 하다 **~ *and carry*** (1) 〈소문 등을〉 퍼뜨리고 다니다 (2) 바쁘게 심부름하고 다니다, 허드렛일을 하다 《*for*》 **~ *away*** [***way***] 〖항해〗 (배의 진동으로) 〈배 안에 있는 물건이〉 흔들려 움직이다 **~ *down*** 쏘아 떨어뜨리다; 〈시세를〉 내리다 **~ *in*** (1) 둘러싸다 (2) (안으로) 들여놓다 (3) 끌어들이다 **~ *out*** 끌어내다; 〈광택 등을〉 내다, 나타내다 **~ *over*** (1) 〈사람을〉 (집으로) 데리고 오다 (2) 의견을 바꾸도록 설득하다 **~ *through*** 곤란 등을 극복하다; 목적을 달성하다 **~ *to*** 피어나게 하다, 소생시키다 **~ *up*** (1) 《속어》 게우다, 토하다(vomit) (2) 상기하다 (3) 〈잃은 것을〉 회복하다 (4) 《방언》 기르다(bring up) (5) 〖항해〗 …에 닿다(reach) (6) 갑자기 멈추다
—*n.* **1** U (가서) 가져옴, 데려옴 **2** 팔을 쭉 뻗기 **3** (상상력 등이 미치는) 범위; U 대안 거리(對岸距離) **4** 술책, 책략(trick) **5** 〖컴퓨터〗 페치 《중앙 처리 장치(CPU)가 기억 장치에 들어 있는 기계어 명령이나 자료를 수행시키기 위해 가져오는 일》

fetch² *n.* **1** (사람이 죽기 직전에 나타난다고 하는) 생령(生靈) **2** 아주 많이 닮은 것

fetch·er [fétʃər] *n.* 가서 가져오는 사람

fetch·ing [fétʃiŋ] *a.* 《구어》 사람의 눈을 끄는, 매혹적인(attractive): a ~ smile 매력적인 미소 **~·ly** *ad.*

fete, fête [féit, fét | féit] [F = feast] *n.* **1** 축제 **2** 축일, 제일, 휴일(holiday): a national ~ 국경일 **3** (옥외에서 모금 목적으로 베푸는) 축연, 향연, 잔치; 《카리브·구어》 야외 (댄스) 파티: a garden[lawn] ~ 《미》 원유회(園遊會) **4** 〖가톨릭〗 영명 축일(靈名祝日)

---

fervent *a.* passionate, ardent, impassioned, intense, emotional, sincere, earnest, zealous, eager, enthusiastic (opp. *apathetic, unemotional*)

festival *n.* holy day, saint's day, feast day, holiday, anniversary, commemoration, rite, ritual

fetch¹ *v.* bring, get, carry, deliver

《자기와 같은 이름의 성자(聖者)의 축제일; 생일처럼 축하함》 **—** *vt.* (…을 위하여) 잔치를 베풀어 경축하다, (식을 올려) 축하하다 **—** *vi.* 《카리브·구어》 야외 (댄스) 파티에 참가하다
fête cham·pê·tre [féit-ʃɑ:mpétrə] [F] *n.* (*pl.* **fêtes cham·pê·tres** [~]) 야외의 축제; 원유회
fête dày **1** 축일, 축제일 **2** 〖가톨릭〗 영명(靈名) 축일
fet·e·ri·ta [fètərí:tə] *n.* 〖식물〗 (식량이나 사료용으로 재배되는) 수수의 일종
feti-, foeti- [fí:ti, -tə], **feto-, foeto-** [fí:tou, -tə] 《연결형》 「태아(fetus)」의 뜻
fe·tial [fí:ʃəl] *a.* 국제 문제를 다루는, 선전 포고[화평]에 관한; 외교의: ~ law 선전 포고와 평화에 관한 법
fe·tich [fétiʃ, fí:-] *n.* = FETISH
fe·ti·cide, foe- [fí:təsàid] *n.* Ⓤ 태아 살해, 낙태
fet·id, foet- [fétid, fí:t-] *a.* 악취가 나는, 구린
~·ly *ad.* **~·ness** *n.*
fe·tip·a·rous, foe- [fi:típərəs] *a.* 미숙한 새끼를 낳는 (동물의) 《유대(有袋)동물 등》
fet·ish [fétiʃ, fí:t-] *n.* **1** 주물(呪物), 물신(物神) 《야만인이 영험한 힘이 있다고 숭배하는 것; 나뭇조각·돌·동물 따위》 **2** 미신의 대상, 맹목적 숭배물; 맹목적 애호, 광신 **3** 〖정신의학〗 성적(性的) 감정을 일으키는 대상물 《이성의 신발·장갑 등》 ***make a ~ of*** …을 맹목적으로 숭배하다, …에 열광하다
fet·ish·ism, -ich- [fétiʃìzm, fí:t-] *n.* Ⓤ **1** 주물[물신] 숭배 **2** 〖정신의학〗 성욕 도착 《이성의 몸의 일부·옷가지 등으로 성적 만족을 얻음》 **3** 맹목적 숭배
-ist *n.*
fet·ish·is·tic [fètiʃístik, fì:t-] *a.* 물신 숭배의; 미신적인 **-ti·cal·ly** *ad.*
fet·ish·ize [fétiʃàiz] *vt.* 맹목적으로 숭배하다
fet·lock [fétlɑ̀k | -lɔ̀k] *n.* 구절(球節) 《말굽의 뒤쪽 위에 털이 난 부분》; 그 털
fe·tol·o·gy [fi:tɑ́lədʒi | -tɔ́-] *n.* Ⓤ 〖의학〗 태아학
-gist *n.*
fe·to·pro·tein [fi:toupróuti:n] *n.* 〖생화학〗 태아 단백질 《정상 태아의 혈청 중에 있는 단백질》
fe·tor, foe- [fí:tər] *n.* 강한 악취(stench)
fe·to·scope [fí:təskòup] *n.* 〖의학〗 태아경 《자궁내 태아를 직접 관찰하는 광학 기계》
fe·tos·co·py [fi:tɑ́skəpi | -tɔ́s-] *n.* (*pl.* **-pies**) 〖의학〗 (태아경에 의한) 태아의 직접 관찰[검사](법)
fet·ter** [fétər] *n.* [보통 *pl.*] **족쇄,** 차꼬(shackle); [보통 *pl.*] 속박, 구속 ***in ~s 차꼬[족쇄]가 채워져; 죄수의 몸으로; 속박[구속]되어
— *vt.* **족쇄를 채우다**; 속박[구속]하다, 무력하게 하다: be *~ed* by tradition 인습에 사로잡혀 있다
fet·ter·less [fétərlis] *a.* 족쇄[속박]가 없는
fet·ter·lock [fétərlɑ̀k | -lɔ̀k] *n.* **1** (말의) D자 꼴의 족쇄; D자 꼴 족쇄의 문장(紋章) **2** = FETLOCK
fet·tle [fétl] *n.* Ⓤ (심신의) 상태 ***in fine***[***good***] **~** 원기 왕성하여, 매우 건강하여
fet·tuc·ci·ne, -ni [fètətʃí:ni] [It.] *n.* 리본 모양의 파스타; 이것을 주재료로 한 요리
fettuccine Al·fre·do [-ælfréidou] 페투치니를 버터·치즈·크림에 버무려 맛을 낸 이탈리아 요리
fe·tus, foe- [fí:təs] *n.* (임신 9주 후의) 태아(cf. EMBRYO)
feu[1] [fjú:] *n.* Ⓤ 〖스코법〗 영대 조차(지)(永代租借(地)), 영지, 봉토(封土)(feud)
feu[2] [fə́:] [F] *a.* 고(故) …(late) 《여성형은 feue》
feu·ar [fjú:ər] *n.* 〖스코법〗 영대 조차자(永代租借者)
***feud**[1] [fjú:d] *n.* ⓊⒸ (두 집안 사이의 또는 여러 대에 걸친) **불화,** 숙원(宿怨), 앙숙, 반목; 다툼
at ~ with …와 반목하여 ***deadly ~*** 불구대천의 원한 ***keep up a ~ over*** …에 대해 계속해서 다투다
— *vi.* 〈두 집안이〉 반목하다; 서로 다투다 《*with*》
feud[2] *n.* 〖법〗 (봉건 시대의) 영지, 봉토(fee)
feud. feudal
***feu·dal** [fjú:dl] *a.* **1** 영지[봉토]의 **2** 봉건 (제도)의: the ~ age 봉건 시대
▷ féud[2], feudálity *n.*; féudalize *v.*
***feu·dal·ism** [fjú:dəlìzm] *n.* Ⓤ **봉건 제도**
-ist *n.* 봉건제 옹호자, 봉건주의자
feu·dal·is·tic [fjù:dəlístik] *a.* 봉건 제도[주의]의
feu·dal·i·ty [fju:dǽləti] *n.* (*pl.* **-ties**) **1** Ⓤ 봉건 제도; 봉건주의 **2** 영지, 봉토(fief) **3** [집합적] 귀족, 봉건적 지배 계급
feu·dal·i·za·tion [fjù:dəlizéiʃən | -dəlai-] *n.* Ⓤ 봉건화(化)
feu·dal·ize [fjú:dəlàiz] *vt.* …에 봉건 제도를 실시하다, 봉건화하다
féudal lòrd 영주(領主)
feu·dal·ly [fjú:dli] *ad.* 봉건적으로
féudal sỳstem 봉건 제도(feudalism)
feu·da·to·ry [fjú:dətɔ̀:ri | -təri] *a.* **1** 봉건의 **2** 영지[봉토]를 받은; 가신(家臣)의 **—** *n.* (*pl.* **-ries**) **1** (봉건) 가신; 봉토에 의한 토지 보유자 **2** 영지, 봉토
feu de joie [fə́:-də-ʒwɑ́:] [F = fire of joy] 축포(祝砲)(bonfire); 축화(祝火)
feud·ist[1] [fjú:dist] *n.* 《미》 앙숙으로 다투는 사람
feudist[2] *n.* 〖법〗 봉건법 학자
feuil·le·ton [fɔ́iitn] [F] *n.* (프랑스 신문의) 문예란; 문예란의 기사 《소품·비평·소설 등》
~·ism *n.* **~·ist** *n.*
Féul·gen reàction [fɔ́ilgən-] [독일의 생화학자 이름에서] 〖생화학〗 포일겐[핵염색] 반응 《DNA 검출의 세포 화학 반응》
‡**fe·ver** [fí:vər] *n.* **1** ⓊⒸ (병으로 인한) **열,** 신열, 발열: an attack of ~ 발열 / a ~ of 38 degrees 38도의 열 / have a slight[high] ~ 미열[고열]이 있다
USAGE 「'열'을 재다」의 뜻으로는 fever를 쓰지 않고, check[take] one's temperature라 함.
2 Ⓤ **열병**: scarlet ~ 성홍열 / yellow ~ 황열(黃熱) / intermittent ~ 간헐열 / typhoid ~ 장티푸스
3 [a ~] **흥분** (상태); 열광 ***in a ~*** 열이 올라; 열광하여 ***run a ~*** 발열하다, 열이 있다
— *vt., vi.* 열병에 걸리게 하다[걸리다], 발열시키다[하다]; 흥분[열광]시키다[하다]; 열망하다 《*for*》
~·less *a.* ▷ féverish *a.*
féver blìster 〖병리〗 단순 포진(cold sore)
fe·vered [fí:vərd] *a.* Ⓐ **1** (병적인) 열이 있는; 열병에 걸린 **2** 몹시 흥분한
fe·ver·few [fí:vərfjù:] *n.* 〖식물〗 화란국화 《예전의 해열제》
féver hèat **1** (37℃ 이상의) 병적인 높은 체온 **2** 병적인 흥분, 열광
***fe·ver·ish** [fí:vəriʃ] *a.* **1** **열이 있는,** 열띤; 열병의 **2** 〈지방 등이〉 열병이 많은[유행하는] **3** 열광적인: a ~ excitement 열광 **~·ly** *ad.* **~·ness** *n.* ▷ féver *n.*
fe·ver·ous [fí:vərəs] *a.* = FEVERISH **~·ly** *ad.*
féver pítch 병적 흥분; 열광 ***at ~*** 열광[흥분]하여
fe·ver·root [fí:vərrù:t] *n.* 〖식물〗 (미국산) 인동덩굴과(科)의 식물의 일종 《뿌리는 약용》
féver sòre = COLD SORE
féver thèrapy 〖의학〗 발열 요법
‡**few** ⇨ few (p. 919)
few·er [fjú:ər] *a.* [few의 비교급] 보다 소수의[적은]: ~ words and more action 말보다 실행 ★ 불가산 명사를 수식하는 데는 less.
— *pron.* [복수 취급] 보다 소수의 사람들[것들]
few·ness [fjú:nis] *n.* Ⓤ 소수, 근소, 약간
-fex [feks] 《연결형》 「만드는 것[사람]의」 뜻: spini*fex*
fey [féi] *a.* **1** (고어·스코) 죽을 운명의; 죽어가는, 임종의 **2** (임종이 가까운 사람처럼) 흥분한, 주문(呪文)에 홀린 듯한 **3** 〈사람·행동이〉 이상한; 머리가 돈, 변덕스러운 **4** 초자연적인, 비현실적인, 마력을 가진
~·ly *ad.* **~·ness** *n.*
Féyn·man dìagram [fáinmən-] [미국의 물리학자 이름에서] 〖물리〗 파인만 도표 《소립자간 등의 상호

few

few는 「수가 적은」의 뜻임에 반해 little은 「양이 적은」의 뜻이다. 따라서 few의 반대되는 말은 many이며 little의 반대되는 말은 much이다.
few의 용법에서 특히 유의할 점은, 부정관사 a가 붙고 안 붙고에 따라 긍정적인 뜻도 되고 부정적인 뜻도 된다는 것이다. 그러나 어느 쪽이든 「소수」의 뜻을 나타내기는 마찬가지다. ⇨ *a.* USAGE

‡few [fjúː] *a., pron. n*

기본적으로는 「다소의」 뜻.	
① [a를 붙이지 않고] …은 거의 없다	형 **1** 대 **1**
② [a를 붙여서] 적지만 …(있다)	형 **2** 대 **2**

— *a.* (**~·er**; **~·est**) [Ⓒ의 명사에 붙여서] **1** [a를 붙이지 않은 부정적 용법으로] **거의 없는,** 조금[소수]밖에 없는(opp. *many*; cf. LITTLE *a.* B 2): a man of ~ words 말수가 적은 사람 / a rule that has ~ exceptions 예외가 거의 없는 규칙 / *F*~ artists live luxuriously. 사치스럽게 사는 예술가는 거의 없다. / He has (very) ~ friends. 그에게는 친구가 거의 없다. / There were ~ passengers in the bus. 버스에는 승객이 거의 없었다.
2 [a ~; 긍정적 용법으로] **조금은 있는,** 다소의, 약간의(some)(opp. *no, none*; cf. LITTLE *a.* B 1): He has *a* ~ friends. 그에게는 친구가 더러[몇이] 있다. / They will come back home in *a* ~ days. 그들은 며칠 있으면 집에 돌아올 것이다. ★ a few days는 3, 4일에서 10일 정도를 말하는 것이 보통임. / one of *the* ~ friends (that) she has 그녀의 소수의 친구 중의 한 사람 ★ 특정한 것[사람]을 가리킬 때는 a가 the나 one's로 변함.
3 a Ⓟ 수가 적은, 소수인 (《구어》에서는 드물게 씀): We are always complaining that our days are ~. 우리는 우리 생애가 얼마 되지 않는다고 항상 불평한다. **b** [the ~; 명사적; 복수 취급] (다수에 대하여) 소수의 사람; 소수파; (선택된) 소수자(opp. *the many*) (★ 명사로 간주되기도 하여 few 앞에 형용사가 붙는 일이 있음): for *the* ~ 소수자를 위하여 / to *the* happy ~ 행복한 소수자에게
USAGE (1) few는 수에 관해서 쓰고, 양에 관해서는 little을 쓴다. (2) 비교급에서 fewer는 수에, less는 양에 쓴다; 또 fewer number(s)보다 smaller number(s) 쪽이 낫다고 되어 있다. (3) 부정관사가 있고 없음에 따라 「조금은 있는; 거의 없는」은 주관적인 생각의 문제이며, 반드시 수량의 많고 적음에 의한 것은 아니다.(cf. LITTLE *a.* B USAGE)
a **~** (1) ⇨ *a.* 2 (2) 《속어》 크게, 많이
a good **~** 《영·구어》 꽤 많은, 상당한 수의(cf. a good MANY): He has *a good* ~ books. 그는 책을 상당히 많이 가지고 있다.
as **~** ***as ...*** 겨우…, …뿐
at (***the***) **~*est*** 적어도
but **~** 《문어》 = only a FEW
every **~** ***days*** 며칠마다(⇨ EVERY 3 b)
~ ***and far between*** 아주 드문, 극히 적은: Although many novels are published every year, true masterpieces are ~ *and far between.* 해마다 많은 소설이 출간되지만 진정한 걸작은 극히 드물다.
~ ***or no*** 거의 없는, 없는 거나 진배없는: We had ~ *or no* opportunities. 우리에게는 기회가 거의 없었다.
no **~*er*** ***than ...*** …(만큼)이나(as many as) ★ 수가 의외로 많은 것을 강조(cf. no LESS than): There were *no ~er than* fifty persons present. 50명이나 참석하였다.
not a **~** 적지 않은, 꽤 많은, 상당한 수의: *Not a* ~ students have gone home. 적지 않은 학생이 귀가해 버렸다.
not **~*er*** ***than ...*** …이상의, 적어도 …만큼의: There were *not ~er than* sixty people present. 60명 이상의[적어도 60명의] 참석자가 있었다.
only a **~** 극히[불과] 소수의, 근소한: *Only a* ~ people came here. 불과 소수의 사람만이 여기 왔다.
quite a **~** 《구어》 꽤 많은, 상당한 수의(cf. quite a LITTLE): He had *quite a* ~ girlfriends. 그에게는 여자 친구가 꽤 많았다.
some **~** 소수의, 약간의, 다소의: There were *some* ~ houses along the road. 도로를 끼고 집이 더러 있었다.
— *pron.* [복수 취급] **1** [a를 붙이지 않은 부정적 용법으로] (수가) **소수**(밖에 …않다): Very ~ have seen it. 그것을 본 사람은 거의 없다. / Many are called but ~ are chosen. 《성서》 초대되는 자는 많으나 선택되는 자는 적다. 《마태복음 22: 14》(⇨ little *n.* 1 USAGE)
2 [a ~; 긍정적 용법으로] **소수의 사람[것]** (*of*): *A* ~ *of* them know it. 그들 중의 몇몇은 그것을 알고 있다.
— *n.* [the ~] (다수에 대하여) 소수(의 사람); 소수파; (선택된) 소수자 ⇨ *a.* 3 b
have a **~** (***in***) 《구어》 술을 몇 잔 마시다: have *had* a ~ 취할 만큼 마셨다
not a **~** 꽤 많은 수, 상당수 (*of*): *Not a* ~ *of* the members were present. 꽤 많은 회원이 참석했다.
only a **~** 불과[극히] 소수만 (*of*): *Only a* ~ visited us. 불과 소수의 사람만이 우리를 방문해 주었다.
quite a **~** 《구어》 꽤 많은 수 (*of*): *Quite a* ~ *of* them agreed. 그들 중 꽤 많은 사람들이 찬성했다.
some **~** 소수 (*of*): *Some* ~ *of* those present objected to our proposal. 참석자 중 소수의 사람만이 우리의 제안에 반대했다.

작용을 나타내는 도표》
fez [féz] *n.* (*pl.* **~·(z)es**) 페즈모(帽), 터키모 《붉은 색에 검은 술이 달려 있음》 **fézzed** *a.*

fez

ff 《음악》 fortissimo **ff.** folios; (and the) following (pages, lines, verses, etc.); and what follows **f.f.** fixed focus **FFA** Future Farmers of America **f.f.a.** free from alongside (ship) 《상업》 선측(船側) 인도
F factor 《세균》 F인자, 염성(稔性) 인자 《대장균의 성(性) 결정 인자》
FFC Foreign Funds Control; free from chlorine **fff** 《음악》 fortississimo **FFV** First Families of Virginia 버지니아 개척 시대부터의 구가문(舊家門); 《미·속어》 엘리트층 **FG** Federal Government; Fire Guards; Foot Guards **f.g.** fine grain; fully good **FGA, f.g.a.** 《해상보험》 free of general average **FGCM** Field General Court Martial **Fg Off.** 《영》 Flying Officer **FGS** Fellow of the Geographical[Geological] Society; 《의학》 fiber gastroscope **FGT** Federal gift tax **FH** Field Hospital; fire hydrant **FHA** Federal Housing Administration 《미》 연방 주택 관리국

f-hole [éfhòul] *n.* f자형의 구멍《바이올린·첼로 따위의 표면에 있는 f자형의 통기공(通氣孔)》
fhp friction horsepower 감마(減摩) 마력 **FHWA** 《미》 Federal Highway Administration **f.i.** for instance(cf. E.G.) **FI** Falkland Islands **FIA** *Fédération Internationale de l'Automobile* 국제 자동차 연맹; 《영》 Fellow of the Institute of Actuaries
fi·a·cre [fiɑ́:kər] [F] *n.* (*pl.* **~s** [-z]) 소형 4륜 합승 마차
fi·an·cé [fì:ɑ:nséi | fiɑ́nsei] [F] *n.* [one's ~] 약혼자《남자》
fi·an·cée [fì:ɑ:nséi | fiɑ́:nsei] [F] *n.* [one's ~] 약혼녀[자]《여자》
fi·as·co [fiǽskou] *n.* (*pl.* **~(e)s**) (연극·연주·야심찬 기획 등에서의) 큰 실수, 대실패: The effort was a ~[ended in ~]. 그 노력은 대실패로 끝났다.
fi·at [fí:ɑ:t, fáiət | fáiæt] *n.* **1** (권위에 의한) 명령, 엄명(decree): a royal ~ 국왕의 명령 **2** Ⓤ 인가, 허가 **3** (의지 등의) 결단, 결정 ***by*** **~** (절대) 명령에 의해
Fi·at [fí:ɑt, fíət | fíət] *n.* (이탈리아의) 피아트 회사제 자동차《상표명》
fi·at lux [fí:ɑ:t-lʌ́ks, fáiət-] [L = Let there be light] 〖성서〗 빛이 있으라
fíat mòney 《미》 (정화(正貨) 준비가 없는) 법정 불환(不換) 지폐
fib[1] [fíb] *n.* 사소한[악의 없는] 거짓말(⇨ lie[1] 유의어) — *vi.* (**~bed**; **~·bing**) 악의 없는 거짓말을 하다
fib[2] 《영·속어》 *vt.* (**~bed**; **~·bing**) (권투 등에서) 치다 — *n.* 일격
FIB Fellow of the Institute of Bankers 은행 협회 특별 회원
fib·ber [fíbər] *n.* 하찮은 거짓말을 하는 사람
‡fi·ber | **fi·bre** [fáibər] *n.* **1** ⓊⒸ 섬유; 섬유질, 섬유 조직; 〖식물〗 수염뿌리 **2** Ⓤ 소질, 성질, 기질, 성격; 근성, 정신력: people of strong moral ~ 도덕심이 견고한 사람들 **3** Ⓤ 강도(strength), 내구성 **4** ⓊⒸ 〖동물·해부〗 (신경·근(筋) 등의) 섬유: muscle [nerve] ~ 근[신경] 섬유 / collagen ~ 콜라겐 섬유 **5** 〖영양〗 식물 섬유; 섬유질 식품(= dietary ~) ***be shocked to the very ~ of*** one**'s** ***being*** 몹시 충격을 받다
fíber àrt 〖미술〗 파이버 아트《특수한 틀에 천연 섬유·합성 섬유를 감거나 하여 입체적 구성물을 만들어내는 예술》
fi·ber·board [fáibərbɔ̀:rd] *n.* 섬유판(板)《건축 재료》
fi·bered [fáibərd] *a.* 섬유질의; [복합어를 이루어] …의 섬유로 된; …한 기질의
fi·ber·fill [fáibərfìl] *n.* Ⓤ (쿠션·안락의자 등의 속을 채우는) 인조 섬유 솜
Fi·ber·glas [fáibərglæ̀s | -glɑ̀:s] *n.* = FIBERGLASS《상표명》
fi·ber·glass [fáibərglæ̀s | -glɑ̀:s] *n.* Ⓤ 섬유 유리 (cf. GLASS FIBER)
fi·ber·less [fáibərlis] *a.* **1** 섬유가 없는 **2** 성격이 약한, 대가 약한
fíber óptics 1 광섬유《내시경이나 위 카메라 등에 사용함》 **2** [단수 취급] 섬유 광학 **fí·ber-òp·tic** *a.* 섬유 광학의; 광섬유의[를 사용한]
fi·ber·scope [fáibərskòup] *n.* 〖광학〗 파이버스코프《유리 섬유에 의한 위 내시경·방광경 등》
fí·ber-tip pén [-tìp-] 펠트펜 (felt-tipped pen)

fiber-tip pen

Fi·bo·nác·ci nùmbers[**sè·ries, sèquence**] [fibənɑ́:tʃi-] 〖수학〗 피보나치 수열《앞선 두 수의 합이 다음 항의 수가 되는 특수한 수열; 예 1, 1, 2, 3, 5, 8, 13》
fibr- [fáibr], **fibro** [fáibrou, fíb-, -brə | fái-] 《연결형》「섬유, 섬유 조직, 섬유소, 섬유종(腫)」의 뜻《모음 앞에서는 fibr-》
fi·bri·form [fáibrəfɔ̀:rm] *a.* 섬유 모양의
fi·bril [fáibrəl] *n.* **1** 소(小)섬유, 원(原)섬유 **2** 〖식물〗 근모(根毛), 수염뿌리 **~·lar** *a.*
fi·bril·lary [fáibrəlèri | -ləri] *a.* 소섬유의; 근모의; 원섬유(성)의: ~ contraction 섬유성 수축
fi·bril·late, -lat·ed [fáibrəlèit(id)] *a.* 소섬유가 있는
fi·bril·la·tion [fàibrəléiʃən] *n.* Ⓤ **1** 〖병리〗 (심장 질환에 의한) 섬유성 연축(攣縮) **2** 소섬유 형성
fi·brin [fáibrin] *n.* ⓊⒸ 〖생화학〗 섬유소, 피브린; 〖식물〗 부질(麩質)
fi·brin·o·gen [faibrínədʒən] *n.* Ⓤ 〖생화학〗 피브리노겐, 섬유소원(原)《혈액을 엉기게 하는 단백질》
fi·bri·noid [fáibrənɔ̀id, fíbrə-] *a.* 〖생리〗 섬유소 모양의 — *n.* 피브리노이드
fi·bri·no·ly·sin [fàibrənɑ́ləisin | -nɔ́-] *n.* 〖생화학〗 피브리놀리신, 섬유소 용해소(plasmin)
fi·bri·no·ly·sis [fàibrənɑ́ləsis | -nɔ́-] *n.* 〖생화학〗 (특히 효소의 작용에 의한) 섬유소 분해
fi·bri·no·lýt·ic *a.*
fi·bri·nous [fáibrinəs] *a.* 섬유소(성)의
fi·bro [fáibrou] *n.* 《호주》 **1** = FIBROCEMENT **2** fibrocement로 지은 집
fi·bro·blast [fáibrəblæ̀st] *n.* 〖해부〗 섬유아(芽) 세포《육아(肉芽) 조직의 기본 구성 성분》
fi·bro·blás·tic *a.*
fi·bro·ce·ment [fàibrousimént] *n.* 〖건축〗 = ASBESTOS CEMENT
fi·bro·gen·e·sis [fàibroudʒénəsis] *n.* 〖생물〗 섬유 조직의 성장
fi·broid [fáibrɔid] *a.* 섬유성의
— *n.* 〖병리〗 유섬유(종)(類纖維(腫))
fi·bro·in [fáibrouin] *n.* Ⓤ 〖생화학〗 피브로인; 견섬유(絹纖維)
fi·bro·ma [faibróumə] *n.* (*pl.* **~s, ~·ta** [-tə]) 〖병리〗 섬유종(腫) **fi·bró·ma·tous** *a.*
fi·bro·pla·sia [fàibrəpléiʒə, -ʒiə] *n.* 〖의학〗 (상처 치료 등에서) 섬유 조직 형성, 섬유 증식증
fi·bro·plás·tic *a.*
fi·bro·sis [faibróusis] *n.* Ⓤ 〖병리〗 섬유증; 섬유 형성 **fi·brót·ic** [-brɑ́tik | -brɔ́-] *a.*
fi·bro·si·tis [fàibrəsáitis] *n.* Ⓤ 〖의학〗 결합 조직염(組織炎)
fi·brous [fáibrəs] *a.* 섬유의[가 많은], 섬유질의; 섬유 모양의; 강인한: a ~ tumor 섬유종
~·ly *ad.* **~·ness** *n.*
fíbrous róot 〖식물〗 실뿌리, 수염뿌리
fi·bro·vas·cu·lar [fàibrouvǽskjulər] *a.* 〖식물〗 유관속(維管束)의, 관다발의
fib·ster [fíbstər] *n.* 《구어》 하찮은 거짓말을 하는 사람(fibber)
fib·u·la [fíbjulə] *n.* (*pl.* **-lae** [-lì:], **~s**) **1** 〖해부〗 비골(腓骨) **2** 〖고대 그리스〗 (옷을 어깨에 고정시키는) 브로치, (장식) 핀
fib·u·lar [fíbjulər] *a.* 〖해부〗 비골(부)의
-fic [fik] *suf.* 「…로 하는, …화(化)하는」의 뜻: ter*rific*
FICA Federal Insurance Contributions Act
-fication [fikéiʃən] *suf.* -fy로 끝나는 동사의 명사형으로 「…화하기」의 뜻: puri*fication* < purify
fice [fáis] *n.* = FEIST
fiche [fí(:)ʃ] *n.* (마이크로)피시(microfiche) 《정보 처리용 마이크로카드나 필름류(類)》
Fich·te [fíktə] *n.* 피히테 **Johann Gottlieb ~** (1762-1814) 《독일 관념론의 대표적 철학자》

thesaurus **fickle** *a.* capricious, changeable, variable, unpredictable, inconstant, volatile, unstable, unsteady (opp. *constant*, *stable*)

fi·chu [fí(:)ʃu:] [F] *n.* 피쉬 《여자용 삼각형 숄》

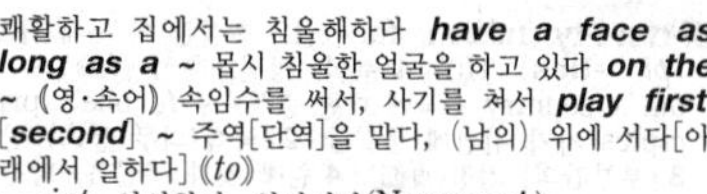
fichu

∗**fick·le** [fíkl] [OE 「사람을 속이다」의 뜻에서] *a.* 변하기 쉬운; 마음이 잘 변하는, 변덕스러운: a ~ lover 변덕스러운 연인 / The weather here is notoriously ~. 이곳 날씨는 변덕스럽기로 유명하다. ***(as) ~ as fortune*** 몹시 변덕스러운 ***Fortune's ~ wheel*** 변하기 쉬운 운명의 수레바퀴 ***the ~ finger of fate*** 《속어》 가혹한 운명의 장난
~·ness *n.* **~·ly** *ad.*

fick·le-mind·ed [fíklmáindid] *a.* 마음이 변하기 쉬운, 바람둥이인

fict. fiction(al); fictitious

fic·tile [fíktl | -tail] *a.* **1** 가소성(可塑性)의, 모양 지을 수 있는 **2** 찰흙으로 만든, 도제(陶製)의, 도자기의 **3** 〈사람·군중 등이〉 부화뇌동하는

‡**fic·tion** [fíkʃən] [L 「만들기, 만들어진 것」의 뜻에서] *n.* **1** [집합적] Ⓤ 소설(novels), 창작(cf. DRAMA, POETRY, NONFICTION): several pieces of science ~ 몇 권의 공상 과학 소설

> 유의어 **fiction** 상상력이 만든 허구로서의 소설로 stories, novels를 총칭하기도 한다. **story** 장편·단편을 가리지 않는 소설: a detective *story* 추리 소설 **novel** 주로 장편 소설: a *novel* with little story 줄거리라고는 거의 없는 소설

2 꾸민 이야기[것], 허구(虛構), 날조 **3** 〖법〗 (법률상의) 의제(擬制), 가설
▷ fíctional, fictítious, fíctive *a.*

∗**fic·tion·al** [fíkʃənl] *a.* **1** 꾸며낸, 허구의 **2** 소설의, 소설적인 **~·ly** *ad.*

fic·tion·al·ize [fíkʃənəlàiz] *vt.* 소설화하다; 각색[윤색]하다 **fic·tion·al·i·zá·tion** *n.*

fic·tion·eer [fìkʃəníər] *n.* 다작[양산(量産)]하는 (2류) 작가 **~·ing** *n.* Ⓤ 소설 쓰기, 《특히》 다작

fíction exècutive (잡지사의) 편집장

fic·tion·ist [fíkʃənist] *n.* 창작자, 《특히》 소설가

fic·tion·ize [fíkʃənaìz] *vt.* = FICTIONALIZE

∗**fic·ti·tious** [fiktíʃəs] *a.* **1** 가공의, 가상의, 상상의(imaginary); 창작적인, 소설적인: a ~ character 가공인물 **2** 거짓의, 허구의, 허위의(false, sham)(⇨ factitious 유의어): a ~ name 가명 **3** 〖법〗 의제의, 가설의 **~·ly** *ad.* **~·ness** *n.* ▷ fíction *n.*

fictítious bìll[pàper] 〖상업〗 공(空)어음

fictítious fórce 〖물리〗 관성력(慣性力)

fictítious pérson 〖법〗 법인

fictítious transàctions 공(空)거래

fic·tive [fíktiv] *a.* **1** 상상의, 가공적인; 꾸며낸: ~ tears 거짓 눈물 **2** 소설을 창작하는, 창작상의: a ~ art 창작 예술 **~·ly** *ad.* **~·ness** *n.*

fid [fíd] *n.* **1** 쐐기 모양의 꼭지 **2** 〖항해〗 버팀대, 돛대 버팀목; (꼬인 밧줄을 푸는 데 쓰는) 원뿔 모양의 나무못 **3** 《영》 덩어리

fid. fidelity; fiduciary **Fid. Def.** *Fidei Defensor* 《L = Defender of the Faith》

∗**fid·dle** [fídl] *n.* **1** 《구어·경멸》 바이올린(violin) 《특히 재즈나 컨트리 뮤직에 쓰는 것》; 바이올린속의 현악기 《비올라·첼로 등》 **2** 〖항해〗 (식탁에서 물건이 떨어지는 것을 막는) 그릇받이, 테두리틀 **3** 《영·구어》 사기, 협잡: a cop on the ~ 악덕 경찰 **4** 시시한[하찮은] 일
(as) fit as a ~ 건강하여, 원기 왕성하여 ***hang up one's ~*** 《구어》 사업 등을 그만두다; 은퇴하다 ***hang up one's ~ when one comes home*** 밖에서는 쾌활하고 집에서는 침울해하다 ***have a face as long as a ~*** 몹시 침울한 얼굴을 하고 있다 ***on the ~*** 《영·속어》 속임수를 써서, 사기를 쳐서 ***play first [second] ~*** 주역[단역]을 맡다, (남의) 위에 서다[아래에서 일하다] 《*to*》
—*int.* 시시하다, 엉터리다(Nonsense!)
—*vi.* **1** 《구어》 바이올린을 켜다 **2** 〈어린아이 등이〉 손장난하다, 가지고 놀다; (손가락 등으로) 무의미하게 움직이다; 만지작거리다 《*about, around, with, at*》: (~+전+명) ~ *with* a knife 칼을 만지작거리다 **3** 빈들빈들 시간을 보내다 《*about, around*》: (~+부) ~ *about* doing nothing 아무 일도 하지 않고 빈둥거리고 지내다 / ~ *around* 빈둥거리다 **4** 《영·구어》 사기치다, 사취하다
—*vt.* **1** 《구어》 〈곡을〉 바이올린으로 켜다: ~ a tune 바이올린으로 한 곡 켜다 **2** 〈시간을〉 빈들빈들 보내다 《*away*》: (~+목+부) ~ the day *away* 빈둥빈둥 하루를 보내다 **3** 《속어》 〈사람을〉 속이다(cheat); 〈숫자 따위를〉 속이다

fid·dle·back [fídlbæ̀k] *n.* **1** 등이 바이올린 모양인 의자(= ∠ **cháir**) **2** 가늘고 검은 줄무늬의 판 모양
— *a.* **1** 바이올린 모양의 **2** 〈합판 무늬가〉 가는줄이 있는

fíddle blòck 〖항해〗 피들 도르래

fíddle bòw [-bòu] 바이올린 활

fíddle càse 바이올린 케이스

fid·dle·de(e)·dee [fìdldi:dí:] *int.* 당찮은, 엉터리, 시시해(Nonsense!) **—** *n.* 당찮은[시시한] 일

fid·dle-fad·dle [fídlfæ̀dl] 《구어》 *vi.* 시시한 짓을 하다(trifle); 하찮은 일로 법석대다(fuss)
— *n.* Ⓤ 실없는 짓; [*pl.*] 시시한 것; Ⓒ 빈둥거리는 사람 **—** *a.* 시시한; 실없는
— *int.* 엉터리다, 시시해(Bosh!)

fid·dle-foot·ed [-fùtid] *a.* 《구어》 안절부절못하는; 방랑벽이 있는

fid·dle·head [-hèd] *n.* **1** 〖항해〗 이물 양쪽의 소용돌이 꼴 장식 《바이올린의 두부(頭部) 장식과 비슷함》 **2** (식용으로 쓰는) 돌돌 말린 어린 잎

fíddle pàttern (포크나 나이프 손잡이의) 소용돌이 꼴 장식

∗**fid·dler** [fídlər] *n.* **1** 바이올리니스트 **2** 《속어》 사기꾼, 협잡꾼 **3** = FIDDLER CRAB
(as) drunk as a ~ 《미》 몹시 취하여 ***pay the ~*** ⇨ pay the PIPER[1]

fíddler cràb 〖동물〗 농게 《한쪽 집게발이 훨씬 큼》

Fíddler's Gréen [바이올린 소리가 그치지 않는 데서] 선원의 낙원 《선원들이 사후에 가게 된다는 술·여자·노래의 천국》

fid·dle·stick [fídlstìk] *n.* 《구어》 **1** 바이올린 활 **2** [보통 *pl.*] 《경멸》 시시한 일; [감탄사적으로] 시시하다, 당찮은, 웃기지 마 **3** [보통 a ~; 부정어와 함께] 조금도(a little): I do*n't* care *a* ~ for what he says. 그가 말하는 것에 대해 조금도 개의치 않는다.

fíddle strìng 《구어》 바이올린 줄

fid·dle·wood [-wùd] *n.* Ⓤ 〖식물〗 피들우드 《서인도제도산(産); 재목은 무겁고 단단함》

fid·dling [fídliŋ] *a.* **1** 시시한(petty), 실없는 **2** 바이올린을 켜는

fid·dly [fídli] *a.* 《구어》 〈일 등이〉 (미세하여) 다루기 힘든, 품[시간]이 드는, 귀찮은, 지겨운

Fi·dei De·fen·sor [fí:deii:-defénsɔ:r] [L] 신앙의 옹호자(Defender of the Faith) 《영국왕의 칭호》

fi·de·ism [fí:deiìzm] *n.* Ⓤ 신앙주의 《종교적 진리는 이성이 아니라, 믿음에 의해서만 파악된다는 입장》
-ist *n.* **fi·de·ís·tic** *a.*

Fi·del [fidél] *n.* 남자 이름

Fi·de·lia [fidí:ljə] [L = faithful (*fem.*)] *n.* 여자 이름

Fi·del·is·mo [fì:delí:zmou], **Fi·del·ism** [fidélizm] *n.* [때로 **f~**] Ⓤ 카스트로주의 (운동) 《Fidel Castro가 지도하는 쿠바·중남미의 공산 혁명 운동》

Fi·del·is·ta [fì:delí:stə], **Fi·del·ist** [fidélist] *n.* [때로 **f~**] 카스트로주의자 **—** *a.* 카스트로주의의

---

fiction *n.* romance, fable, fantasy, legend
fictional *a.* made up, fictitious, imaginary, unreal, nonexistent (opp. *actual*)

***fi·del·i·ty** [fidéləti, fai-] [L「충실한」의 뜻에서] *n.* (*pl.* **-ties**) ⓊⒸ **1** **충실**, 성실, **충성** (*to*): ~ *to* one's country 조국에 대한 충성/~ *to* one's principles 자기 신념에 충실함 **2** (약속·의무 등의) 엄수 **3** (부부간의) 정절(貞節) **4** 원래 것과 똑같음, 박진성(迫眞性): reproduce with complete ~ 원물[원음] 그대로 복제[재생]하다 **5** 〖통신〗 (재생음의) 충실도: a high-~ receiver 고성능 수신기(cf. HI-FI) **6** 〖생태〗 (군락) 적합도

fidélity insùrance 〖보험〗 신용 보험 《고용주가 종업원으로부터 받는 손해에 대해 드는 보험》

fidg·et [fídʒit] *vi.* **1** 안절부절못하다; 안달하다 (*about*); 조바심하다(worry) **2** 만지작거리다 (*with*)
— *vt.* 안절부절못하게 하다, 안달[조바심]하게 하다
— *n.* **1** [종종 *pl.*] 안절부절못함, 안달부리기 **2** [you ~로; 보통 어린아이를 부를 때도 씀] 침착하지 못한 사람 ***be in a ~*** 안절부절못하고 있다 ***give*** [***have***] ***the ~s*** (영·구어) 안달나게 하다[안달하다]

fidg·et·y [fídʒiti] *a.* (구어) 안절부절못하는, 조바심하는, 안달하는; 성미 까다로운 **fídg·et·i·ness** *n.*

fid·i·bus [fídəbəs] *n.* Ⓤ (양초 등에) 불붙이는 종이 심지, 점화지

fi·do [fáidou] [*f*reaks+*i*rregulars+*d*efects+*o*ddities] *n.* (*pl.* **~s**) (주조상의) 결함 주화

FIDO[1], **Fi·do**[1] [fáidou] [*F*og *I*nvestigation *D*ispersal *O*perations] *n.* 〖항공〗 파이도 《활주로 근처에서 기름 등을 태워 안개를 없애는 방법》

FIDO[2], **Fido**[2] [*f*light *d*ynamics *o*fficer] *n.* (*pl.* **~s**) 〖우주과학〗 우주선 조종관[조종 기사]

fi·du·cial [fidjú:ʃəl | -djú:ʃiəl] *a.* **1** 〖천문·측량〗 기점(起點)의, 기준의: a ~ line[point] (눈금의) 기선(起線)[기점], 기준선[점]/a ~ temperature 기준 온도 **2** 신앙에 바탕을 둔, (신을) 믿어 의심치 않는; 신탁(信託)의(fiduciary) **~·ly** *ad.*

fi·du·ci·ar·y [fidjú:ʃièri | -djú:ʃiəri] *a.* **1** 〖법〗 신탁에 근거한; 신탁 받은; 수탁자의: a ~ capacity 수탁자의 자격 **2** 신용상의; 신탁의: ~ work 신탁 업무/~ contract 신용 계약 **3** 〈지폐 등이〉 신용 발행의: a ~ loan (담보 없는) 신용 대부금/~ notes[paper currency] (무준비(無準備) 발행의) 신용 지폐 **4** (공무 따위에서) 신뢰를 바탕으로 하는, 비밀 수호의
— *n.* (*pl.* **-ar·ies**) 〖법〗 수탁자, 피신탁자(trustee)
fi·dú·ci·àr·i·ly [-rəli] *ad.*

fidúciary bònd 〖보험〗 수탁자(受託者) 보증

fidúciary ìssue (금(金)의 준비가 없는 은행권의) 보증 발행

fi·dus A·cha·tes [fáidəs-əkéiti:z] [L] 충실한 아카테스 《Aeneas의 신의 있는 친구》(cf. ACHATES)

fie [fái] *int.* (고어) 저런, 에잇, 쳇 《경멸·불쾌·비난을 나타냄》: *F*~, for shame! 창피하지도 않니! 《어린애를 꾸짖을 때》/*F*~ upon you! 너는 싫어!

fief [fí:f] *n.* (봉건 시대의) 봉토, 영지(feud)

fie-fie [fáifài] *a.* 그릇된, 언어도단의

‡**field** [fí:ld] *n.*, *a.*, *v.*

> 「들판」 **1** →(구획된 토지)
> ┌(농업용의) 밭 **3**
> ├(특정의 구획) 「사용지」 **5**; 「경기장」 **12**
> └(비유적으로, 구획된 영역) 「분야」 **7**

— *n.* **1** [보통 *pl.*] (수풀·건물이 없는) 들판, 벌판, 들, 벌 **2** [보통 *pl.*] (도시 주변의) 들판 **3** (생울타리·도랑·둑 등으로 구획된) 밭, 논밭, 목초지, 풀밭: a ~ of barley 보리밭 **4** (바다·눈·얼음 등의) 넓게 펼쳐진 곳: a ~ of snow[ice] 설원[빙원] **5** [보통 복합어를 이루어] (어떤 용도에 맞춘) 사용지, 지면(地面), 광장; 건조장: an air ~ 비행장(의 활주로) **6** (광물의) 산지, 매장 지대: a coal ~ 탄전/a gold ~ 금광 지대 **7** (활동·연구의) 분야(sphere), (활동) 범위, 방면; (일·사업의) 현장, 현지: the ~ of teaching 교육 분야 **8 a** 싸움터, 전장(battlefield); 경쟁하는 마당; (구어) (미육군에서) 워싱턴 이외의 군대 소재지: fall[be killed] in the ~ 전장에서 사망하다 **b** 싸움, 전투(battle) (★ 다음 구 외에는 드묾): a hard-fought [hard-won] ~ 격전 **9** (그림·기(旗)·화폐 등의) 바탕(groundwork); (문장(紋章)의) 문지(紋地) **10** 〖물리·심리〗 장(場); 〖전기〗 계(界); 〖컴퓨터〗 필드 《데이터베이스의 최소한의 데이터의 집합》: a magnetic ~ 자장 **11** 〖광학〗 (카메라·현미경·망원경·텔레비전 등의) 시야, 시역(視域); 〖TV〗 영상면; 〖수학〗 체(體): the ~ of a telescope 망원경의 시야 **12** **경기장**; (트랙 안쪽의) 필드(opp. *track*); 〖크리켓·야구〗 [the ~] 외야; (넓은 뜻으로) 내·외야, 수비측, 야수(fieldsman): a football ~ 축구장 **13** [the ~; 집합적] 전(全)경기자; 〖경마〗 (인기마 이외의) 출전하는 모든 말; 〖수렵〗 사냥 참가자

a fair ~ and no favor (경기 등에서) 공평무사, 공정 ***hold the ~*** 유리한 위치를 차지하다; 한 발도 물러서지 않다 (*against*) ***in the ~*** (1) 출정[종군]중에, 현역으로 (2) 경기에 참가하여; 수비 위치에 (3) 현지[현장]에 ***keep the ~*** 진지[전선]를 유지하다, 작전[활동]을 계속하다 ***lead the ~*** 사냥에서 일등이 되다, 선두에 서다 ***leave*** a person ***the ~*** …와의 토론[경기]을 그만두다 ***lose the ~*** 진지를 빼앗기다, 패전하다 ***play against the ~*** 〖경마〗 인기 말에 걸다 ***play the ~*** (1) 〖경마〗 (인기 말 이외의) 출전마 전부에 걸다 (2) (구어) 이것저것 널리 손을 대다 (3) (구어) 여러 이성과 교제하다(opp. *go steady*) ***sweep the ~*** 전승하다, 전종목에 걸쳐 승리하다 ***take the ~*** 전투[경기]를 시작하다; 출전하다 ***take to the ~*** (구기 종목에서) 수비에 임하다

— *a.* Ⓐ **1** 〖경기〗 (트랙에 대하여) 필드의 **2** 〖군사〗 야전의: ~ operations 야전, 야외 작전/~ soldiers 야전병 **3** 들의, 들판의; 야생의; 야외(에서)의: ~ flowers 들꽃 **4** 현장의, 현지의: a ~ survey 실지 답사
— *vi.* **1** 〖크리켓·야구〗 야수를 맡아하다; ((외)야수로서) 수비하다 **2** 〖경마〗 (인기마 이외의) 출전마에 걸다
— *vt.* **1** 〈팀 등을〉 수비에 세우다; 경기에 참가시키다; 전투 배치시키다 **2** 〈타구를〉 받아서 던지다, 잘 처리하다; 〈질문을〉 재치있게 받아넘기다 **3** (구어) 〈신제품 등을〉 실제로 테스트하다(field-test) ▷ afíeld *ad.*

fíeld allòwance 〖군사〗 출정 수당

fíeld àmbulance 〖군사〗 (야외) 구급차; (영) 야전 구급 부대

fíeld àrchery 〖스포츠〗 야외 양궁 《사냥 장면을 가상하여 코스·표적을 마련하여 겨루는 양궁》

fíeld àrmy 〖군사〗 야전군 《2개 군단 이상으로 편성; ⇨ army 관련》

fíeld artìllery [집합적] 야포, 야전 포병; [**F- A-**] 미국 야전 포병대

fíeld bàg =MUSETTE (BAG)

fíeld bàttery 〖군사〗 야포대, 야전 포병 중대

fíeld bèd 야전 침대

fíeld bòok (측량용) 야외 수첩, 현장용 수첩; (동식물의) 야외 표본 노트

fíeld bòot 무릎까지 오는 군화

fíeld capàcity 농포 용수량(農圃容水量)

fíeld càptain 〖미식축구〗 주장 선수

fíeld clùb 야외 자연 연구회

fíeld còil 〖전기〗 계자(界磁) 코일

fíeld còlors 야영기(旗)

fíeld còrn (미) 옥수수 《가축 사료용》

field-cor·net [fí:ldkɔ:rnét] *n.* (남아공) Cape 주(州)의 민병대장; (중앙 파견의) 하급 지방 행정관

fíeld còurt 〖군사〗 약식 군법 회의

field·craft [fí:ldkræ̀ft, -krɑ̀:ft] *n.* 전장(戰場)에 필요한 기술; 야외 생활에 필요한 기술

thesaurus **fidelity** *n.* loyalty, faithfulness, devotion, reliability, commitment
fierce *a.* **1** 사나운 ferocious, savage, wild, vicious, untamed, cruel, brutal, murderous, threatening

field cùrrent 〖전기〗 계자(界磁) 전류
field dày 1 〖군사〗 야외 훈련일 2 (미) 야외 활동[조사]의 날 3 야외 행사 《피크닉 등》, (미) 운동회날; (영) 사냥 날 4 신나는 일이 있는 날 ***have a ~*** 크게[신나게] 즐기다; 크게[마음껏] 활동하다
field dòg 사냥개
field drèssing (전장에서의) 응급 치료
field drìver (미) (초기 New England에서) 주인 불명의 가축류를 몰수하는 관리
field-ef·fect [-ifèkt] *a.* 〖전자〗 전계(電界) 효과의, 전계 효과를 이용한
field-effèct transìstor 〖전자〗 전계 효과 트랜지스터 《略 FET》
field emìssion 〖물리〗 전계 방출[방사]
*__field·er__ [fíːldər] *n.* 〖크리켓〗 **야수**(fieldsman); 〖야구〗 야수, 《특히》 **외야수**(outfielder)
fielder's chóice 〖야구〗 야수 선택
field evènt 필드 경기[종목] 《창던지기·원반던지기·포환던지기 등; cf. TRACK EVENT》
field èxercise 〖군사〗 기동 연습
field·fare [fíːldfɛ̀ər] *n.* 〖조류〗 개똥지빠귀의 일종
field glàss 1 [보통 *pl.*] (야외용의 휴대) 쌍안경 2 소형 망원경
field gòal 1 〖미식축구〗 필드 골 《필드에서 킥하여 얻은 골》 2 〖농구〗 야투(野投)
field gràde 〖육군〗 영관(領官)급
field gráy 암회색; (독일군의 암회색) 군복, 독일병
field guìde (식물·조류 등의) 휴대용 도감
field gùn 〖군사〗 야포, 야전포
field hànd (미) 농장 노동자
field hòckey (미) (아이스하키와 구별하여) 필드하키
field hòspital 〖군사〗 야전 병원
field hòuse 1 (미) 경기장 부속 건물 《탈의실·창고 등》 2 (육상 경기 등을 하는) 실내 경기장
field ìce 빙원(氷原), 야빙(野氷)
field·ing [fíːldiŋ] *n.* Ⓤ 〖야구〗 수비; 〖컴퓨터〗 (문자의) 배치
fielding àverage 〖야구〗 (야수의) 수비율 《실책 횟수를 볼의 처리 수로 나눈 것》
field intènsity 〖물리〗 ＝FIELD STRENGTH; 〖통신〗 전계(電界) 강도
field-ì·on mìcroscope [-àiən-] 장[전계] 이온 현미경 《略 FIM》
field jàcket 〖군사〗 야전용 재킷
field jùdge 1 〖육상〗 (투척·도약 등의) 필드 심판 2 〖미식축구〗 필드 저지, 계심(計審) 《레퍼리를 보좌하는 심판원의 하나》
field kìtchen 〖군사〗 야외[야전] 취사장
field làrk (미·방언) ＝MEADOWLARK
field lèns (망원경·현미경의) 대물(對物) 렌즈
field lìne 〖물리〗 ＝LINE OF FORCE
field màgnet 〖전기〗 계자(界磁), 장자석(場磁石)
field mànager 〖야구〗 감독
field márshal 〖군사〗 (영국·독일·프랑스의) 육군 원수 《略 FM》
field mèthod 야외 연구[조사]법
field mòuse 〖동물〗 들쥐
field mùsic 〖군사〗 군악대; (군악대용) 행진곡
field nìght 중요 사건 토의(의 날)
field òfficer 〖육군〗 영관(領官)(급의 장교) 《colonel, lieutenant colonel 및 major; 略 FO》
field of fíre 사계(射界) 《화기가 소정의 지점에서 사격을 행할 수 있는 범위》
field of fórce 〖물리〗 역장(力場), 힘의 장
field of hónor 결투장; 전장(戰場)
field of víew 〖광학〗 시야, 시계(視界)

---

2 격렬한 intense, ardent, passionate, impassioned, fervent, fiery, uncontrolled **3 거센** violent, strong, stormy, gusty, raging, furious, turbulent **4 지독한** very bad, grave, awful, dreadful

field of vísion 시야(視野), 시계(視界)(visual field)
field·piece [fíːldpìːs] *n.* 〖군사〗 야포(field gun)
field prèacher 야외 전도사[설교사]
field pùnishment 〖군사〗 전지(戰地)[야전] 형벌
field rànk 〖군사〗 영관급
field ràtion 〖미육군〗 (야전용) 휴대 식량
field sècretary (미) 외근 직원, 지방 연락원
field sèrvice 〖군사〗 야외[야전] 근무
fields·man [fíːldzmən] *n.* (*pl.* **-men** [-mən]) 〖크리켓·야구〗 야수(fielder)
field spàniel 필드 스패니얼 《영국산(産) 사냥개》
field spòrts 1 야외 스포츠(outdoor sports), 《특히》 수렵, 총렵, 천렵 2 (트랙 경기와 대비해) 필드 경기
Fíelds prìze [fíːldz-] [기금을 기부한 캐나다 수학자 이름에서] 필즈상(賞) 《수학 분야에서의 최고상; 4년에 1회씩 국제 수학자 회의에서 선정》
field·stone [fíːldstòun] *n.* ⓊⒸ (건축재로서의) 자연석
field stòp 〖광학〗 (렌즈의) 시야 조리개
field strèngth 〖물리〗 장(場)의 세기(field intensity); 〖통신〗 전계(電界) 강도
field-strip [-strìp] *vt.* (**~ped**, (드물게) **-stript** [-strìpt]; **~·ping**) 1 〖미군〗 〈무기를〉 보통 분해하다 2 〈담배꽁초를〉 까고 비벼서 흩어 버리다
field stùdy ＝FIELDWORK
field tèlegraph 〖군사〗 야전용 휴대 전신기
field tèst 실지 시험[실험]
field-test [-tèst] *vt.* 〈신제품 등을〉 실지 시험[실험]하다
field thèory 〖물리·심리〗 장(場)의 이론(理論)
field trìal 1 (사냥개 등의) 야외 실지 시용(試用)(cf. BENCH SHOW) 2 (신제품 등의) 실지 시험
field trìp 1 (학생의) 실지 견학 (여행) 2 (연구 조사를 위한) 야외 연구 여행 3 (업무상의) 현지 출장
field ùmpire 〖야구〗 누심(壘審)
field·ward(s) [fíːldwərd(z)] *ad.* 들 쪽에[으로]
field wìnding 〖전기〗 계자 권선(界磁捲線)
field·work [fíːldwə̀ːrk] *n.* 1 Ⓤ (인류학·사회학 등의) 현지[실지] 조사; (학생 등의) 현장 견학[답사] 연구; 야외 채집; 현장 방문 2 [보통 *pl.*] 〖군사〗 (임시로 흙을 쌓아 만든) 보루(堡壘) **~·er** *n.*
*__fiend__ [fíːnd] [OE 「증오하는 사람, 적」의 뜻에서] *n.* 1 악마, 마귀, 귀신(demon); [the F~] 마왕(the Devil, Satan) 2 마귀 같은 사람, 잔인무도한 사람: You ~! 이 악마 같은 놈아! 3 (구어) …에 미친 사람, …광(狂); (기술·학문 등의) 달인, 명수 (*at*): an opium ~ 아편쟁이/a cigarette ~ 골초/a film ~ 영화광/He is a ~ *at* tennis. 그는 테니스의 명수이다. **~·like** *a.* ▷ fiendish *a.*
fiend·ish [fíːndiʃ] *a.* 1 악마[귀신] 같은, 마성(魔性)의; 극악한 2 (구어) 〈행동·계획 등이〉 매우 어려운; 대단한 3 (구어) 〈날씨 등이〉 불쾌한, 험악한: ~ weather 지독한 날씨 **~·ness** *n.*
fiend·ish·ly [fíːndiʃli] *ad.* 1 악마같이; 잔인하게 2 (구어) 지독하게, 매우: a ~ difficult problem 몹시 난해한 문제
‡**fierce** [fíərs] [L 「몹시 사나운」의 뜻에서] *a.* (**fierc·er**; **-est**) 1 사나운, 흉포한: a ~ tiger 맹호/a ~ animal 맹수/He looked so ~. 그는 무척 화가 나 보였다. 2 〈열·감정 등이〉 **격렬한**, 맹렬한; 〈비·바람 등이〉 거센; 〈경쟁이〉 치열한: ~ heat[cold] 혹서[혹한]/~ pain 격통/~ debate 열띤 논쟁 3 (구어) 지독한, 불쾌한: a ~ cold 지독한 감기
‡**fierce·ly** [fíərsli] *ad.* 사납게, 맹렬하게; 지독하게
*__fierce·ness__ [fíərsnis] *n.* Ⓤ 사나움(ferocity); 맹렬
fi·e·ri fa·ci·as [fáiərài-féiʃiæ̀s] [L] 〖법〗 강제 집행 영장 《略 fi. fa.》
fi·er·i·ly [fáiərəli] *ad.* 불같이; 열렬히, 격렬히
‡**fier·y** [fáiəri] *a.* (**fi·er·i·er**; **-i·est**) 1 **불의**, 맹화(猛火)의, 화염의; 불타는: a volcano's ~ discharge 화산의 분화 2 **불 같은**; 타는 듯한; 작열(灼熱)하는:

~ desert sands 사막의 타는 듯한 모래 **3** 〈조미료·맛 등이〉 얼얼한: a ~ taste 혀가 얼얼할 정도의 (매운) 맛 **4** 성미가 사나운, 성격이 거센, 열렬한, 성급한, 격하기 쉬운: a ~ speech 불을 뿜는 듯한 열변/a ~ steed 사나운 말 **5** 염증을 일으킨(inflamed): a ~ face (단독(丹毒)에 걸린) 빨간 얼굴 **6** 〈가스·탄층(炭層) 등이〉 인화[폭발]하기 쉬운 **fíer·i·ness** *n.* ▷ fíre *n.*

fíery cróss 1 〔역사〕 혈화(血火)의 십자(가)(fire cross) **2** 《미》 불의 십자(가) 《the Ku Klux Klan 등의 표장》

fi·es·ta [fiéstə] [Sp = feast] *n.* (스페인·라틴아메리카의 종교상의) 축제, 성일(聖日)(saint's day); 《일반적으로》 축제, 휴일(holiday)

Fi·és·ta wàre [fi:éstə-] (불투명 유약을 입힌) 주물(鑄物) 오지그릇 《1936-69년 사이에 갖가지 색으로 만들어짐》

FIFA [fí:fə] [F] *Fédération Internationale de Football Association* 국제 축구 연맹

fi. fa. [fái-féi] 〔법〕 fieri facias

fife [fáif] [G 「피리」의 뜻에서] *n.* **1** (주로 군악대의) 저, 횡적: a drum and ~ band 고적대 **2** 저를 부는 사람(fifer)
— *vi.* 저를 불다 **—** *vt.* 저로 〈곡을〉 불다

fife

Fife [fáif] *n.* 파이프 《영국 스코틀랜드 동부의 주(region)》

fif·er [fáifər] *n.* 저를 부는 사람

fífe ràil 〔항해〕 큰 돛대의 밧줄 매는 난간

Fi·fi [fí:fi] *n.* 여자 이름

fi·fo, FIFO [fáifou] *n.* Ⓤ 〔회계·컴퓨터〕 선입선출(先入先出)(first-in, first-out)

‡**fif·teen** [fiftí:n] *a.* **1** Ⓐ **15**의, 15개[사람]의: ~ years 15년/the early ~ hundreds 1500년대의 초기 **2** Ⓟ 15세의: He is ~. 그는 15세이다.
— *pron.* [복수 취급] 15개[사람]
— *n.* **1 15 2** 15세; 15달러[파운드, 센트, 펜스] **3** 15의 글자[기호] 《15, XV》 **4** 〔럭비〕 (15인의) 팀 **5** 〔테니스〕 1점: ~ love[forty] 1대 0[3] 《서브측 1점 리시브측 0[3]점 **6** [the F~] 〔영국사〕 15년의 난(亂) 《1715년에 Jacobite가 일으킨 반란》

fif·teen·fold [fiftí:nfòuld] *a., ad.* 15배의[로]

*****fif·teenth** [fiftí:nθ] *a.* **1** [보통 the ~] **제15의, 15번째의 2** 15분의 1의
— *n.* **1** [보통 the ~] (서수의) **제15** 《略 15th》, 15번째의 것; (달의) **15일 2** [a ~, one ~] 15분의 1 **3** 〔음악〕 15도 (음정)
— *pron.* [보통 the ~] 제15번째의 사람[것]

‡**fifth** [fífθ] [five(5)와 -th(서수를 만드는 접미사)에서] *a.* **1 제5의, 5번째의 2 5분의 1의** ***dig*** [***hit***] ***under the ~ rib*** (구어) 급소를 찌르다, 깜짝 놀라게 하다 ***smite*** a person ***under the ~ rib*** 급소를 찔러 죽이다 ***the ~ act*** 제5막; 종막; 노경(老境)
— *ad.* 다섯 번째로
— *n.* **1** [보통 the ~] (서수의) **제5**, 5번째; 5번째의 것; 5번; (달의) **5일 2** [*pl.*] 〔상업〕 5등품 **3** [a ~, one ~] 5분의 1 **4** 《미》 5분의 1갤런 《주류 용량 단위》; 5분의 1갤런들이 병[그릇] **5** 〔음악〕 5도 (음정)
take [***plead***] ***the F~*** (미·구어) 헌법 수정 제5조에 따라 자기에게 불리한 증언을 거부하다, 묵비권을 행사하다(cf. FIFTH AMENDMENT); 《일반적으로》 답변을 거부하다; …에 대해 증언을 거부하다 《*on*》
— *pron.* [the ~] 다섯 번째의 사람[것]
~·ly *ad.* 제5로, 5번째로(서)

Fífth Améndment [the ~] 《미》 헌법 수정 제5조 《자기에게 불리한 증언의 거부, 자유·재산권의 보장 등이 규정된 미국의 헌법 조항》 ***take*** [***plead***] ***the ~*** = take the FIFTH

Fífth Ávenue [the ~] 5번가(街) 《미국 New York 시의 번화가》

fífth cólumn 제5열, 제5부대 《전시에 후방 교란·간첩 행위 등으로 적국의 진격을 돕는 자》

fífth cólumnist 제5열분자, 제5부대원; 배반자

Fífth Commándment 〔성서〕 십계명의 5번째 계명

Fífth Estáte [the ~] 제5계급 《노동조합 등》

fífth generátion *a.* 〔컴퓨터〕 제5세대의: the ~ computer 제5세대 컴퓨터 《인공 지능 탑재》

Fífth Mónarchy [the ~] 〔성서〕 제5왕국 《Daniel이 예언한 5대 왕국의 마지막 나라》

Fífth Mónarchy Mèn 〔영국사〕 제5왕국파 《Cromwell시대의 급진적 과격 좌파》

Fífth Repúblic [the ~] 제5공화국 《1958년 드골의 개정 헌법하에서 발족된 현재의 프랑스 정치 체제》

fífth whéel 1 (4륜마차의) 전향륜(轉向輪); 예비 바퀴 **2** 좀처럼 쓰지 않는 것, 무용지물

*****fif·ti·eth** [fíftiiθ] *a.* **1** [보통 the ~] **제50의, 50번째의 2** 50분의 1의: a ~ part 50분의 1
— *n.* **1** [보통 the ~] (서수의) 제50, 50번째; 50번째의 것 **2** [a ~, one ~] 50분의 1
— *pron.* [보통 the ~] 50번째의 사람[것]

‡**fif·ty** [fífti] *a.* **1** Ⓐ **50**의, 50개[사람]의 **2** Ⓟ 50세의: He is ~. 그는 50세이다. **3** (막연히) 수많은: I have ~ things to tell you. 할 이야기가 태산 같다.
— *n.* (*pl.* **-ties**) **1 50**; 50의 수[기호] 《50, l, L》 **2 a** 50세; 50달러[파운드, 센트, 펜스] **b** [the fifties] (세기의) 50년대, (나이의) 50대
— *pron.* [복수 취급] 50개, 50사람

fif·ty-fif·ty [fíftifífti] *a., ad.* (구어) 50대(對) 50의[으로]; 반반의[으로]: a ~ chance to live 살 가망은 반반 ***go ~*** (***with*** a person) (…와) 절반씩 나누다, 반반으로 하다 ***on a ~ basis*** 반반의 조건으로
— *n.* 절반, 등분, 반반

fif·ty·fold [fíftifòuld] *a., ad.* 50배의[로]

fífty pénce (**pìece**), **50p** [fíftipí:] (영국의) 50펜스 동전

*****fig**[1] [fíg] *n.* **1** 〔식물〕 무화과 (열매); 무화과나무(= **~ trèe**): green ~*s* 싱싱한 무화과 《말리지 않은 것》 **2** [a ~; 감탄사적으로] 하찮은 것, 시시한 것; [a ~; 부정문에서 부사적으로] 조금도 **3** 두 손가락 사이에 엄지손가락을 끼워 넣는 상스러운 손짓
A ~ for …! 체 …이 뭐야, 시시하다! ***don't*** [***would not***] ***care*** [***give***] ***a ~*** [***~'s end***] ***for*** …같은 것은 조금도 개의치 않다 ***not worth a ~*** 보잘것없는

fig[2] *n.* Ⓤ (구어) **1** 복장, 옷차림 **2** 모양, 건강 상태, 의기(意氣) ***in full ~*** (구어) 성장(盛裝)하고 ***in good ~*** 원기 왕성하여
— *vt.* (**~ged**; **~ging**) **1** 성장(盛裝)시키다(dress) 《*out, up*》 **2** 〈말의〉 원기를 돋우다

fig. figurative(ly); figure(s)

Fig·a·ro [fígəròu] *n.* 피가로 《「세비야의 이발사」 등에 나오는 재치 있는 이발사》; [Le ~] 파리에서 발행되는 일간 신문

fig·eat·er [fígì:tər] *n.* 〔곤충〕 아메리카꽃풍뎅이 《미국 남동부산(産)》

‡**fight** [fáit] *n.* **1** (전쟁의) **싸움, 전투, 회전(會戰)**: a street ~ 시가전/a running ~ 추격전 **2** (어떤 목적을 위한) **투쟁**, 쟁투(battle) 《*for, against*》; **격투**, (치고받는) 싸움(combat; ⇨ quarrel[1] 유의어); 《특히》 권투 시합; 승부, 경쟁, 분투: a ~ *for* higher wages 임금 인상 투쟁/a ~ *for* existence 생존 경쟁/a ~ *against* (a) disease 투병/a free ~ 난투/a snowball ~ 눈싸움 **3** 언쟁, 논쟁, 격론 《*with, over*》: a ~ *over* the issue 그 문제를 둘러싼 논쟁 **4** Ⓤ 전투력; 투지, 전의 **5** (사회) 운동
a ~ to the finish 끝장을 보고야 마는 싸움 ***give*** [***make***] ***a ~*** 한바탕 싸우다 ***have plenty of ~ in***

thesaurus **fight** *n.* battle, engagement, action, clash, conflict, combat, contest, encounter
figurative *a.* metaphorical, allegorical, representative, symbolic, nonliteral, emblematic

one 투지 만만하다 ***pick a ~*** (…에게) 싸움을 걸다 《*with*》 ***put up a good ~*** 선전(善戰)하다 ***show ~*** 전의[투지]를 보이다, 저항하다 ***take ~ out of*** …에게서 투지를 빼앗다, 기를 꺾다 ***the ~ of*** one***'s life*** (강적과의) 고전

— *v.* (**fought** [fɔ́:t]) *vi.* **1 싸우다,** 전투하다, 격투하다; …와 싸우다, 싸움을 하다 《*with, against*》; …을 위해 싸우다 《*for*》: (~+전+명) ~ *with* [*against*] an enemy 적군과 싸우다 / ~ *for* liberty 자유를 위해 싸우다 / ~ *against* temptation 유혹과 싸우다 **2** 논쟁하다, 격론하다; 우열을 다투다 《*for*》

— *vt.* **1** …와 **싸우다;** 〈싸움을〉 하다: ~ an enemy 적과 싸우다 / ~ a battle 한바탕 전투하다 **2** 싸워서 …을 얻다, …을 얻기 위해 싸우다[겨루다]; 〈소송·사건 등을〉 변호하다: ~ a prize 상을 놓고 겨루다 **3** 〈권투 선수·투계·개 등을〉 싸움을 시키다: ~ cocks[dogs] 닭[개] 싸움을 붙이다 **4** 〈병사·군함·대포를〉 지휘 조종하다: ~ a gun 포격을 지휘하다

~ a bottle 《미·속어》 (정도를 넘어서) 술을 마시다 ***~ a losing battle*** 승산 없는 싸움을 하다 ***~ back*** (1) 저항하다, 공격을 저지하다 (2) 〈웃음·눈물·감정 등을〉 억제하다 (hold back) ***~ down*** (1) 싸워서 압도하다 (2) 〈감정·재채기 등을〉 억제하다 ***~ it out*** 《구어》 끝까지 싸우다, 결판을 내다 ***~ like a tiger*** (1) 격렬하게 싸우다 (2) 맹렬히 노력하다 ***~ off*** 싸워서 격퇴하다; …을 퇴치하다; …에서 손을 떼려고 애쓰다 ***~ on*** 계속해 싸우다 ***~ out*** (1) …와 끝까지 싸우다 (2) 〈문제·불화 등을〉 싸워서 해결하다 ***~ shy of*** ⇨ SHY[1]. ***~ one's way*** 분투하여 활로를 개척하다 ***~ through*** 싸워서 …에서 헤어나다[벗어나다] ***~ together*** 합세하여 싸우다 ***~ tooth and nail*** 철저하게 싸우다 ***~ to the finish***[***death***] 결판이 날 때까지[최후까지] 싸우다 ***~ up against*** …에 대항하여 분전하다

fight·back [fáitbæ̀k] *n.* 《영》 반격, 반공(反攻) (return attack)

*__fight·er__ [fáitər] *n.* **1** 〚군사〛 **전투기**(=**~ plàne**): a ~ pilot 전투기 조종사 **2 전사,** 투사, 무사(warrior) **3** 프로 권투 선수(prizefighter)

fight·er-bomb·er [fáitərbɑ́mər | -bɔ́m-] *n.* 〚군사〛 전투 폭격기

fight·er-in·ter·cep·tor [-intərséptər] *n.* 〚군사〛 전투 요격기

‡**fight·ing** [fáitiŋ] *a.* Ⓐ **싸우는;** 호전적인, 무(武)를 숭상하는, 투지 있는; **전투의,** 전투에 적합한, 교전 중인, 전쟁의: ~ forces[units] 전투 부대 / a ~ ship 군함 / a ~ field 싸움터 / ~ men 전투원, 전사들, 투사들 / a ~ spirit 투지

— *n.* UC **싸움, 전투,** 교전, 회전(會戰); 논쟁; 격투, 투쟁: street ~ 시가전

fíghting chàir 《미》 〚낚시〛 갑판에 고정시킨 회전 의자 《큰 고기를 낚기 위한 것》

fíghting chánce (노력 여하로 얻을 수 있을지도 모를) 성공의 가능성, 희박한 가망; 성공할 수 있는 기회

fíghting cóck 1 싸움닭, 투계(gamecock) **2** 《구어》 싸우기 좋아하는 사람 ***feel like a ~*** 투지에 불타다 ***live like a ~*** 《영·구어》 호화롭게 살다, 호식하다

fight·ing-drunk [fáitiŋdrʌ̀ŋk] *a.* 술김에 싸우려고 하는

fíghting físh 〚어류〛 투어, 버들붕어 《타이산(産)》

fight·ing-fit [-fít] *a.* 전투 능력이 있는

Fíghting Frènch 싸우는 프랑스인 《1940년의 휴전 협정 후 드골 지휘하에 대 나치스 투쟁을 계속함》

fíghting fùnd 군자금

fíghting màd *a.* 격노한, 격앙된

fíghting tòp 전함 돛대 위의 둥근 포상(砲床)

---

figure *n.* **1** 숫자 number, digit, numeral **2** 값, 합계 cost, price, amount, value, sum, total, aggregate **3** 몸 body, physique, build, frame, torso **4** 도해 diagram, picture, drawing, sketch, chart

fíghting wòrds[**tàlk**] 《구어》 도전적인[트집 잡는] 말

fíght-or-flíght reàction [fáitɔ:rfláit-] 〚심리〛 투쟁 도주 반응 《갑작스런 자극에 대하여 투쟁할 것인가 도주할 것인가의 본능적 반응》

fíg lèaf 1 무화과 잎 **2** (조각·회화에서 국부를 가리는) 무화과 잎 모양의 것 **3** 악취나는 것을 덮는 뚜껑

fig·ment [fígmənt] *n.* 꾸며낸 것, 허구(虛構), 가공의 일: a ~ of one's imagination 상상의 산물

fig·u·line [fígjulàin] *a.* 도기의; 가역성의

— *n.* 도기(陶器)

fig·ur·al [fígjurəl, -gə-] *a.* 〚음악〛 수식적인; 〈구도 등이〉 인간[동물]의 형상을 주로 한

fig·u·rant [fígjurɑ̀:nt] [F] *n.* (*pl.* **~s** [-s]) **1** 오페라나 발레의 남자 무용수 **2** 〚연극〛 (대사를 말하지 않는) 단역(端役)

fig·u·rante [fígjurɑ̀:nt | ∸−∸] [F] *n.* (*pl.* **~s** [-s]) FIGURANT의 여성형

fig·u·rate [fígjurət] *a.* 일정한 형의; 〚음악〛 화려한

fígurate nùmber 〚수학〛 다각수(多角數)

fig·u·ra·tion [fìgjuréiʃən] *n.* UC **1** 형체 부여; 성형(成形) **2** 형상(形狀), 형태, 형상(形象), 외형(form) **3** 비유적 표현, 상징(화): allegorical *~s* 비유적 표현 **4** (도안 등에 의한) 장식 **5** 〚음악〛 (음·선율의) 수식

*__fig·u·ra·tive__ [fígjurətiv] *a.* **1 비유적인,** 전의(轉義)의: in a ~ sense 비유적인 의미에서 **2** 비유가 많은, 수식 문구가 많은, 화려한 **3 표상[상징]적인**(symbolic) **4** 회화[조소]적 표현의: the ~ arts 조형 미술 《회화·조각》 **~·ly** *ad.* 비유적으로, 상징적으로 **~·ness** *n.*

‡**fig·ure** [fígjər | -gə] *n., a., v.*

> L 「만들어진 것」의 뜻에서
> (모양) ┬(사람 모양)→「모습」 **4**→「인물」 **6**
> └「도형」, 「그림」 **7**→(기호)→「숫자」 **1**

— *n.* **1** (아라비아) **숫자;** (숫자의) 자리; [보통 수식어와 함께] 합계수, 액수, 값: the ~ 3 숫자 3 / double[three] *~s* 두[세] 자리(의 수) / get ... at a low ~ …을 싼 값으로 구입하다 / a casualty ~ 사상자 수 **2** [*pl.*] (숫자) **계산**: be a poor hand at *~s* 계산이 서투르다 **3** (윤곽이 뚜렷한) **꼴**(shape), **형태, 형상**(形象), 형상(形狀): be square in ~ 형태가 사각형이다

> 유의어 **figure** 내부 구조와 외형의 양쪽을 나타낸다: be round in *figure* 형태가 둥글다 **outline** 선이나 윤곽에 의해 나타낸 외형: the *outline* of a hill 언덕의 능선 **form** 내용이나 색깔로 구별한 것의 외형·모양: the *form* of a cross 십자가 꼴 **shape** figure와 마찬가지로 외형을 나타내지만 내부가 차 있음을 강하게 나타낸다: be oval in *shape* 달걀꼴이다

4 (사람의) **모습,** 사람 그림자, 풍모, 풍채, 외관, 몸매; 눈에 띄는 모습, 이채: a ~ on the horizon 지평선상에 있는 사람의 모습 / a fine ~ of a man 풍채가 당당한 남자 / She has a slender[slim, trim] ~. 그녀는 몸매가 날씬하다. **5** (회화·조각 등의) **인물상,** 화상(畫像), 초상; 반신상(半身像), 나체상: a ~ in bronze 동상 / a ~ of an angel 천사의 상 **6** [보통 수식어와 함께] (중요한) **인물;** 명사(名士): a prominent ~ 거물 / a national ~ 전국적으로 유명한 인물 **7 그림,** 도해, 삽화(illustration); **도형;** 도안, 무늬(design): a plane ~ 평면 도형 **8** 표상, 상징(emblem) 《*of*》: The dove is a ~ *of* peace. 비둘기는 평화의 상징이다. **9** 〚무용〛 피겨 《선회 운동(evolution)의 한 가지》; 1선회; 〚스케이트〛 피겨 《스케이트로 지치며 그리는 도형》 **10** 〚수사학〛 말의 수사(修辭); 비유; 〚문법〛 수식상의 변칙[파격] **11** 〚음악〛 음의 수사(修辭) **12** 〚논리〛 (삼단 논법의) 격(格), 도식(圖式) **13** 〚점성술〛 천궁도(天宮圖)(horoscope)

a man of ~ 지위가 높은 사람, 명사 ***cut***[***make***]

a brilliant[***conspicuous***] ~ 이채를 띠다, 두각을 나타내다 ***cut***[***make***] ***a poor***[***sorry***] ~ 초라하게 보이다 ***cut***[***make***] ***no ~ in the world*** 세상에 이름이 나지 않다[문제되지 않다] ***do ~s*** 계산하다 ~ ***of eight*** 아라비아 숫자의 8을 닮은 도형; 〖스케이트〗 8자형 활주 ***give***[***cite***] ***~s*** 숫자를 들어 설명하다 ***go***[***come***] ***the big*** ~ (미·구어) 크게 허세를 부리다 ***go the whole*** ~ (미) 철저히 하다, 성실히 하다 ***keep*** one***'s*** ~ 모습이 날씬하다 ***miss a*** ~ (미·구어) 크게 틀리다, 실수하다 ***on the big*** ~ (미) 대규모로, 거창하게 ***put a ~ on*** …의 정확한 수치를 말하다 ***reach three ~s*** 〖크리켓〗 100점을 얻다 ***significant ~s*** 유효 숫자

—*a.* Ⓐ [숫자와 함께 복합어를 이루어] …자리의: 6-~ gains 6자리 수익 (예컨대 100,000에서 999,999 달러[파운드 등]까지의 수익)

—*vt.* **1** 숫자로 나타내다; 계산하다(calculate) (*up*); 어림하다(estimate): (~+목+부) ~ *up* a sum 총계를 내다 **2** 본뜨다; 조상·그림 등으로 나타내다; 도형으로 나타내다; 묘사하다 **3** …에 무늬를 넣다, 무늬로 장식하다 **4** 상상하다, 마음에 그리다: (~+목+전+명) ~ something *to* oneself …을 마음에 그리다 **5** (미·구어) (…라고) 생각하다, 여기다, 판단하다: (~+목+(***to be***) 보) (~+(***that***) 절) ~ oneself a hero 자신을 영웅이라고 생각하다 / I ~*d* him *to be* about fifty. = I ~*d* (*that*) he was about fifty. 나는 그를 대략 50세쯤으로 보았다. **6** 〖음악〗 …에 반주 화음을 넣다, 수식하다 **7** 비유로 나타내다, 상징[표상]하다(symbolize) **8** …의 행동을 이해하다

—*vi.* **1** (어떤 인물로서) 나타나다, 통하다, …역을 연기하다(appear) (*as*); 두드러지다, 두각을 나타내다: (~+***as*** 보) He ~*d as* a king in the play. 그 연극에서 그는 왕으로 나왔다. **2** 계산하다; (미·구어) 궁리하다, 계획하다 (*for*): (~+전+명) ~ *for* an election 선거의 대책을 강구하다 **3** (미·구어) 고려하다, 의지하다(rely) (*on, upon*) **4** (구어) 사리에 합당하다, 조리가 서다, 말이 되다, 당연하다 **5** 〖무용·스케이트〗 피겨를 하다

~ ***in*** (1) (미·구어) 계산에 넣다 (2) 등장하다 ~ ***on*** (미·구어) 계산[고려]에 넣다; 믿다, 기대하다(rely on); 계획하다(plan) ~ ***out*** (1) 계산해서 합계를 내다, 총계가 …이 되다 (2) (미) 이해하다 (3) 해결하다 ~ ***up*** 합계하다 ***That***[***It***] ***~s.*** (미·구어) 그것은 당연하다, 생각한 대로이다.

fig·ured [fígjərd | -gəd] *a.* **1** 무늬가 있는, 무늬를 박은: a ~ mat 화문석 / ~ satin 무늬 공단 / ~ silk 무늬 비단 **2** 그림[도식]으로 표시한 **3** 수식이 많은(figurative), 비유가 풍부한 **4** 〖음악〗 코드[화음]를 나타내는 숫자가 있는, 수식된 **~·ly** *ad.*

fígured báss [-béis] 〖음악〗 통주(通奏) 저음(continuo), (특히) 숫자가 붙은 저음

fígure éight **1** 8자 모양의 도형 **2** 〖항공〗 8자형 비행 **3** (로프의) 8자형 매듭

fig·ure·head [fígjərhèd | -gə-] *n.* **1** 〖항해〗 이물에 장식한 조상(彫像) **2** (익살) 얼굴 **3** 명목상의 두목, 표면상의 대표

figurehead 1

fig·ure-hug·ging [-hʌ̀giŋ] *a.* Ⓐ 〈옷이〉 몸매가 드러날 정도로 꼭 맞는

fígure of fún (구어) 재미있는[익살맞은] 인물

fígure of mérit 〖전자〗 (회로 등의) 성능 지수

fígure of spéech **1** 〖수사학〗 수사적 표현 (simile, metaphor 등) **2** 말의 수식, 비유적 표현 **3** 과장; (익살) 거짓말

fig·ur·er [fígjərər | -gə-] *n.* **1** (본을 떠서 도기에) 무늬를 박는 사람 **2** figure skating을 하는 사람

fígure skàte 피겨 스케이트화(靴)

fígure skàter 피겨 스케이팅 선수

fígure skàting 피겨 스케이팅 (얼음 위에 정확한 도형을 그리며 타는 스케이팅)

fig·u·rine [fìgjuríːn | ⌐-⌐] *n.* (금속·도토(陶土) 등으로 만든) 작은 입상(立像)(statuette)

fig·wort [fígwəːrt] *n.* 〖식물〗 현삼(玄蔘)

Fi·ji [fíːdʒiː] *n.* **1** 피지 (남태평양의 독립국; 수도 Suva) **2** = FIJIAN

Fi·ji·an [fíːdʒiːən | -⌐-] *a.* 피지 제도의

—*n.* 피지 제도 사람; Ⓤ 피지 말

Fíji Íslands [the ~] 피지 제도 (피지 나라의 대부분을 이루는 섬들)

fil·a·gree [fíləgrìː] *n., a., vt.* = FILIGREE

⁎**fil·a·ment** [fíləmənt] [L 「실을 잣다」의 뜻에서] *n.* **1** 〖전기〗 (전구·진공관의) 필라멘트 **2** 단섬유, 필라멘트 (방직섬유) **3** 가는 실; 섬사(纖絲); 〖식물〗 꽃실 **~·ed** [-id] *a.* ▷ filaméntary, filaméntous *a.*

fil·a·men·ta·ry [fìləméntəri] *a.* 필라멘트의, 단섬유의; 〖식물〗 꽃실 (모양)의

fil·a·men·tous [fìləméntəs] *a.* 실 모양의; 섬질(纖質)의

filaméntous vìrus 〖세균〗 섬사상(纖絲狀) 바이러스

fi·lar [fáilər] *a.* 실[선]의; 실 모양의; 〈망원경 등이〉 (시야 내에) 실[선]이 있는

fi·lar·i·a [filέəriə] *n.* (*pl.* **-i·ae** [-iìː]) 〖동물〗 사상충(絲狀蟲), 필라리아 (필라리아병·상피병(象皮病) 등의 원인이 됨)

fi·lar·i·al [filέəriəl] *a.* 〖동물·수의학〗 사상충(絲狀蟲) [필라리아]의, 사상충 감염에 의한; 사상충을 지닌 **~·ly** *ad.* **~·ness** *n.*

fil·a·ri·a·sis [fìləráiəsis] *n.* (*pl.* **-ses** [-sìːz]) ⓊⒸ 〖수의학〗 필라리아병

fi·late [fáileit] *a.* 〖동물〗 실의, 실로 된, 실 모양의

fil·a·ture [fílətʃər, -tʃùər] *n.* **1** Ⓤ (고치로부터의) 실뽑기, 제사(製絲) **2** Ⓒ 제사기 **3** 제사 공장

fil·bert [fílbərt] *n.* 〖식물〗 개암나무; 개암 (열매)

filch [fíltʃ] *vt.* 좀도둑질하다, 쓱싹하다, 훔치다 (*from, of*) (★ steal의 완곡어) **~·ing** *n.*

filch·er [fíltʃər] *n.* 좀도둑(petty thief)

⁑**file**[1] [fáil] [L 「실」의 뜻에서] *n.* **1** 서류철, 문서를 철하는 기구; 철해 둔 문서; 서류 보관 케이스; (서류 등의) 철끈: a ~ of The Times 더 타임스 철 **2** (항목별로 정리된) 자료철, 서류, 기록 (*on*) **3** 〖컴퓨터〗 파일 (한 단위로 다루어지는 관련 기록) ***keep in***[***on***] ***a*** ~ 철해 두다 ***on*** ~ (1) 철해져 (2) 정리[기록] 보관되어

—*vt.* **1** (항목별로) 철하다; 철하여 정리 보관하다 (*away*): (~+목+부) ~ letters *away* 편지를 정리 보존하다 **2** 〖법〗 〈고소 등을〉 제기하다 (*against*); 〈증서·서류를〉 정식으로 제출하다: ~ a suit[charge] 고소하다 // (~+목+전+명) ~ a protest *against* …에 이의를 신청하다 **3 a** 〈원고를〉 (송신하기 위해) 정리하다 **b** 〈원고를〉 (전신·전화 등으로) 보내다 **4** 〖컴퓨터〗 〈데이터를〉 파일에 보존하다

—*vi.* **1** 신청하다 (*for*): (~+전+명) ~ *for* bankruptcy 파산 신청을 하다 / ~ *for* divorce 이혼 소송을 제기하다 / ~ *for* a civil service job 공무원직에 원서를 내다 **2** (미) (특히 예비 선거에서) 후보자로 등록하다 (*for*): ~ *for* Congress 국회의원 선거에 후보로 등록하다

⁎**file**[2] [fáil] *n.* **1** (세로 선) 줄, 열; 〖군사〗 오(伍), 종렬(縱列)(cf. RANK[1]) **2** (체스판의) 세로줄(cf. RANK[1]) ***a blank*** ~ 결오(缺伍) (후열이 없는 자리) ***double the ~s*** 오를 겹치다 ~ ***by*** ~ 줄줄이; 잇달아 ***in*** ~ 대오를 지어서; 2열 종대로; 잇따라, 계속하여 ***in Indian***[***single***] ~ 1열 종대로

—*vi.* 열을 지어 행진하다 (*with*); 조(組)를 지어 나아가다; 종렬로 나아가다 ~ ***away***[***off***] (1열 종대로) 분열 행진하다 ~ ***in***[***out***] 줄을 지어 행진해 들어오다[나가다] ***F~ left***[***right***]***!*** (구령) 줄줄이 좌[우]로!

⁎**file**[3] [fáil] *n.* **1** (쇠붙이·손톱 가는) 줄; [the ~] 마무리, 끝손질, (문장 등의) 퇴고(推敲), 다듬기; 손톱 다듬

기 **2** 《영·속어》 빈틈없는[약은] 사람; 녀석: a close ~ 구두쇠/an old[a deep] ~ 능글맞고 교활한 놈/bite[gnaw] a ~ 헛수고하다
—*vt.* **1** 줄로 자르다; …에 줄질하다, 줄로 쓸다[깎다, 갈다]: ~ one's fingernails 손톱에 줄질하다 // 《~+목+보》 ~ a thing smooth …을 줄질하여 매끈하게 하다 // 《~+목+전+명》 ~ an iron bar *in* two 줄로 철봉을 둘로 자르다 **2** 〈인격 등을〉 도야하다; 〈문장 등을〉 퇴고하다, 다듬다 **~ *away*** [***down, off***] 〈녹 등을〉 줄로 쓸어 버리다
file[4] *vt.* 《고어·방언》 더럽히다(defile)
fíle càbinet = FILING CABINET
fíle clèrk 《미》 문서 정리원(《영》 filing clerk)
fíle extènsion 〖컴퓨터〗 파일 확장자
file·fish [fáilfìʃ] *n.* (*pl.* **~, ~·es**) 〖어류〗 쥐치
fíle fòotage 〖TV〗 정리된 필름 (피트 수); 자료 영상
fíle nàme 〖컴퓨터〗 (각 파일의) 파일명(名)
fíle phòto (신문사 등의) 보관[자료] 사진
file·punch [fáilpʌ̀ntʃ] *n.* 파일용 펀치[천공기]
fil·er[1] [fáilər] *n.* = FILE CLERK
filer[2] *n.* 줄질하는 사람
fíle sèrver 〖컴퓨터〗 파일 서버 《네트워크에서의 파일 관리 시스템》
fíle shàring 〖컴퓨터〗 (LAN에서의) 파일 공유
fi·let [filéi, ㅅ-|fílit] [F] *n.* **1** Ⓤ (그물눈 모양의) 레이스 **2** 〖요리〗 = FILLET 2
fi·let mi·gnon [filéi-minjɑ́n|fílei-mí:njən] [F] (*pl.* **-s -s** [~]) 소의 두터운 허리 고기, 필레 살
fíle trànsfer prótocol 〖컴퓨터〗 (컴퓨터 사이의) 파일 전송 규약 《略 FTP》
∗**fil·i·al** [fíliəl] *a.* **1** 자식(으로서)의: ~ affection [duty] 자식으로서의 애정[의무]/~ piety 효도 **2** 〖생물〗 (어버이로부터) 제…세대의 《略 F》 **~·ly** *ad.*
▷ fíliate *v.*; filiátion *n.*
fil·iale [filiɑ́:l, fíliəl] [F] *n.* (프랑스 국내에 있는 외국의) 자회사(subsidiary company)
fílial generátion 〖생물〗 후대(後代) 《교잡(交雜)에 의해 생긴 자손》: first[second] ~ 잡종 제1[2]대 《F_1[F_2]》
fil·i·ate [fílièit] *vt.* 〖법〗 〈사생아의〉 아버지를 재판으로 결정하다(affiliate)
fil·i·a·tion [filiéiʃən] *n.* ⓊⒸ **1** (어떤 사람의) 자식임, 친자 관계 **2** 계통, 유래; (언어·문화 등의) 분파, 분기, 파생 **3** 〖법〗 사생아 인지(認知)(affiliation)
fil·i·beg [fíləbèg] *n.* = KILT
fil·i·bus·ter [fíləbʌ̀stər] *n.* **1** ⓊⒸ 《미》 의사 진행 방해; Ⓒ 의사 진행 방해자 **2** 불법 전사(戰士) 《외국을 침해하는 비정규병》 **3** (17세기경의) 해적
—*vi.* **1** 《미》 (긴 연설 등으로) 의사 진행을 방해하다 **2** 외국에 침입하다; 약탈을 일삼다 —*vt.* 《미》 (긴 연설 등으로) 〈법안의〉 통과를 방해하다
~·er *n.* 《미》 의사 방해 연설자
fil·i·bus·ter·ism [fíləbʌ̀stərìzm] *n.* Ⓤ 《미》 의사 진행 방해 (연설)
fil·i·cide [fíləsàid] *n.* Ⓤ 자식 살해 《범행》; Ⓒ 자식 살해자(cf. PARRICIDE) **fil·i·cíd·al** *a.*
fi·lic·i·form [filísifɔ̀:rm] *a.* 고사리 모양의
fi·li·cite [fíləsàit] *n.* 양치류의 화석
fil·i·coid [fíləkɔ̀id] *a.* 고사리 모양의
—*n.* 고사리 비슷한 식물
fi·li·form [fíləfɔ̀:rm, fái-] *a.* 실[섬유] 모양의
fil·i·gree [fíləgrì:] *n.* Ⓤ (금·은 등의) 선조(線條) 세공; 맞비치게 한 금속 세공; 파손되기 쉬운 장식물
—*a.* 선조 세공의, 맞비침 세공을 한
—*vt.* 선조 세공으로 (장식)하다 **-grèed** [-d] *a.*
fil·ing[1] [fáiliŋ] *n.* ⓊⒸ (서류 등의) 철하기, 서류 정리
filing[2] *n.* Ⓤ 줄질, 줄로 다듬기; [보통 *pl.*] 줄밥
fíling càbinet 서류 정리용 캐비닛
fíling clèrk 《영》 (사무실의) 문서 정리원
fil·i·o·pi·e·tis·tic [filioupàiətístik] *a.* 지나치게 조상[전통]을 숭배하는

Fil·i·pine [fíləpì:n] *a.* = PHILIPPINE
Fil·i·pi·no [fìləpí:nou] *n.* (*pl.* **~s**; *fem.* **-na** [-nə]) 필리핀 사람 —*a.* = PHILIPPINE
‡**fill** [fíl] *vt.* **1** 채우다; (잔뜩) 채워 넣다; 가득 부어 넣다, 채워 담다: 《~+목+전+명》 ~ a glass *with* water 잔에 물을 가득 따르다/~ a house *with* furniture 집안에 가구를 가득 채워 두다 **2** 〈장소·공간을〉 차지하다, 메우다; 〈연기·냄새 등이〉 〈장소에〉 가득 차다, 충만하다: Fish *~ed* the river. 그 강에는 물고기가 가득 있다. **3** …의 마음을 (감정으로) 가득 채우다: 《~+목+전+명》 The sight *~ed* his heart *with* anger. 그 광경을 보자 그는 화가 치밀었다. **4** 〈마음을〉 흡족하게 하다; (충분히) 만족시키다; …의 배를[마음을] 충족시키다: ~ oneself with food 배부르게 먹다 **5** 〈구멍·빈 자리를〉 채우다, 메우다, 틀어막다, 충전하다; 〈충치에〉 봉박다: ~ a vacant post 결원을 보충하다 // 《~+목+전+명》 ~ an ear *with* cotton 솜으로 귀를 막다 **6** 《미》 〈요구·직무 등을〉 충족시키다; 〈수요에〉 응하다; 〈약속 등을〉 이행하다: ~ one's office satisfactorily 훌륭하게 직무를 이행하다 **7** 《미》 〖약학〗 〈처방약을〉 조제하다 **8** …에 (불순물 등을) 섞어 넣다, 섞음질하다 《*with*》 **9** 〖항해〗 〈바람이〉 〈돛을〉 팽팽하게 하다; 〈돛에〉 바람을 가득 받게 하다, (돛이 바람을 가득 받게) 〈활대를〉 돌리다 **10** 〖토목〗 〈낮은 데를〉 흙으로 돋우다
—*vi.* **1** …으로 가득 차다, 충만하다 《*with*》: 《~+전+명》 Her eyes *~ed with* tears. 그녀는 눈물이 글썽했다. **2** 기압이 늘다; 저기압이 약해지다 **3** 〈돛이〉 바람을 가득 받다 **4** 가득 붓다[따르다]
~ *away* 〖항해〗 돛이 바람을 가득 받도록 활대를 돌리다 **~ *in*** (1) 〈구멍·빈 곳을〉 메우다, 채우다; 충전하다 (2) 〈어음·문서 등에〉 필요한 항목을 써넣다; 삽입하다: ~ *in* an application 지원서에 필요한 사항을 써넣다 (3) 《구어》 …에게 (…에 관하여) 자세히 알리다[설명하다] 《*on*》 (4) 막히다 (5) 《구어》 (…의) 대리[대역]를 하다 《*for*》 **~ *in time*** 《구어》 (아르바이트 등을 하여) 여가를 메우다 **~ *out*** (1) 〈바람이〉 〈돛을〉 불룩하게 하다 (2) 〈술을〉 가득 따르다 (3) 〈문서 등의〉 여백을 메우다 (4) 〈돛이〉 불룩해지다 (5) 살찌다; 〈얼굴 등이〉 (살이 붙어서) 둥글게 되다 **~ *up*** (1) 충만시키다 (2) 〈자동차에〉 기름[가스]을 가득 채우다 (3) 잔뜩 틀어넣다[채우다] (4) 〈연못 등을〉 메우다, 〈바닥이〉 얕아지다 (5) 《영》 〈서식 등의〉 빈 곳을 채우다, 〈여백에〉 써넣다 (6) 만원이 되다 (7) 〈해저가〉 얕아지다
—*n.* **1** [a ~] (그릇에) 가득 찬 양 《*of*》: *a* ~ *of* tobacco 담배 한 대 분 **2** [one's ~] 원하는 만큼의 양, 배부를 만큼의 양: drink[eat, have, take] *one's* ~ 잔뜩 마시다[먹다] **3** (둑 등의) 돋운 흙 ***grumble*** one***'s ~*** 마구 불평하다 ***have*** one***'s ~ of sorrow*** 슬픔을 한껏 맛보다 ***take*** one***'s ~ of rest*** 충분히 쉬다 ***weep*** one***'s ~*** 실컷 울다 **~·a·ble** *a.*
▷ fúll *a.*
fill-dike [fíldàik] *n.* (비·눈이 녹아) 개울물이 넘치는 시기 《특히 2월; = February ~》
fille [fí:jə] [F] *n.* (*pl.* **~s** [~]) 딸, 소녀, 처녀; 하녀(maid); 미혼녀, 독신녀; 매춘부
fil·le·beg [fíləbèg] *n.* = KILT
fille de joie [fí:jə-də-ʒwɑ́:] [F] 매춘부
fílled góld [fíld-] 피복(被覆)용 금(rolled gold) 《주원료는 놋쇠, 금은 최저 1/20 정도 함유》
fílled mílk 치환유(置換乳) 《탈지유에 식물성 지방을 첨가한 것》
fill·er[1] [fílər] *n.* **1** 채우는[메우는] 사람[물건] **2** 주입기, 충전기, 깔때기 **3** (판자의 구멍 등을) 메우는 나무, 충전재(充塡材); (엽궐련 등의) 속; (틈 등을 메우는) 초벌칠; (양을 늘리기 위한) 혼합물 **4** (신문·잡지의) 여백 메움 기사; (시간을 채우기 위한) 단편 영화
filler[2], **fil·lér** [fí(:)lɛər] [Hung.] *n.* (*pl.* **~s, ~**) 필레르 《헝가리의 화폐 단위; = 1/100포린트(forint)》; 1필레르 동화
fíller càp (자동차의) 연료 주입구 뚜껑[캡]

***fil·let** [fílit] *n.* **1** (머리를 매는) 끈, 리본, 머리띠; (끈 모양의) 가는 띠 **2** [filéi | fílit] 〖요리〗 필레 살 《소·돼지는 연한 허리 살(tenderloin), 양은 넓적다리 살》; (가시를 발라낸) 생선 토막 **3** (목재·금속 등의) 가는 조각 **4** 〖제본〗 (표지) 윤곽선; 윤곽선을 찍어내는 기구 **5** 〖건축〗 (두 쇠시리 사이의) 두둑 **6** 〖해부〗 (띠 모양의) 섬유속(束), 근초(筋鞘); [*pl.*] (말 등의) 허리 부분 **7** 〖기계〗 나사; (포구(砲口) 등의) 고리 모양의 띠 **8** (문장(紋章)의) 방패 하부에 가로 그은 줄

fillet *n.* **1**

— *vt.* **1** [filéi | fílit] 〈생선의〉 살을 발라내다; 〈소 등에서〉 필레 살을 베어내다 **2** 리본 등으로 동이다, 〈머리를〉 끈으로 매다 **3** 〖제본〗 …에 윤곽선을 찍다

fill-in [fílìn] *n.* **1** 대리, 보결, 빈 자리를 메우는 사람[것]; 대용품; 여백을 메우는 기사; (서식 등의) 기입 **2** (미·구어) 개요 설명[보고]

***fill·ing** [fíliŋ] *n.* **1** (음식물의) 소, 속 **2** 속에 넣는 것, 속 채우는 것 **3** (치과의) 충전재(材) 《금 등》; (피륙의) 씨, 씨실(woof) **4** (도로·둑의) 쌓아 올린 흙
— *a.* 〈음식물 등이〉 배부른, 배부르게 하는

fílling stàtion 주유소(cf. GAS STATION); (미·속어) 소도시; (미·속어) 술집

fil·lip [fíləp] *vt.* **1** 손가락으로 튀기다; 튀겨 날리다; 탁 때리다: (~+목+부) ~ *off* a marble 구슬을 튀기다 **2** 자극하다, 촉구하다, 환기시키다: ~ one's memory 기억을 일깨우다 — *vi.* 손가락으로 튀기다
— *n.* **1** 손가락 끝[손톱]으로 튀기기: make a ~ 손가락으로 튀기다 **2** (구어) 자극 **3** 하찮은 것

fil·lis [fíləs] *n.* 〖원예〗 (삼 따위를) 느슨하게 꼰 끈

fil·lis·ter [fíləstər] *n.* 〖목공〗 개탕 대패; 개탕으로 파낸 홈

fíllister hèad 원통형 나사의 대가리

Fill·more [fílmɔːr] *n.* 필모어 **Millard** ~ (1800-74) 《미국 제13대 대통령(1850-53)》

fill-up [fílʌ̀p] *n.* 가득 채우는 일[물건], (차에) 기름을 가득 채우는 것

fil·ly [fíli] *n.* (*pl.* **-lies**) **1** (4세 미만의) 암망아지(cf. COLT)(⇨ horse 관련) **2** (구어) 말괄량이, (발랄한) 젊은 아가씨

‡film [film] *n., a., v.*

> 「엷은 막」 **1**→(필름의 엷은 막)→「필름」 **4**→(사진)→「영화」 **5**

— *n.* **1** [보통 a ~] (표면에 생기는) 엷은 막, 박막, 엷은 껍질; 엷은 잎; 피막(被膜): *a* ~ of dust 엷게 앉은 먼지/There was *a* ~ of oil on the water. 수면에 유막(油膜)이 있었다. **2** 가는 실; (공중의) 거미줄 **3** (눈의) 침침함, 흐림; 엷은 안개 **4** UC 〖사진〗 필름, 감광막, 건판: a roll of ~ 필름 한 통/develop ~*s* 필름을 현상하다/catch birds on ~ 새를 필름에 담다 **5** (영) 영화((미) movie); [the ~s] [집합적] 영화 산업, 영화계: a silent ~ 무성 영화/a sound ~ 발성 영화 《반주를 주로 함》/a talkie ~ 발성 영화 《회화를 주로 함》/shoot[take] a ~ 영화를 촬영하다 **6** 〖병리〗 (눈병으로 생기는) 불투명 피막
— *a.* Ⓐ 영화의: a ~ actor 영화 배우/a ~ fan 영화 팬/a ~ version (소설 등의) 영화화된 것
— *vt.* **1** 엷은 껍질로[막으로] 덮다 **2** 〖사진〗 필름에 찍다[담다] **3** 〖영화〗 촬영하다; 〈소설 등을〉 영화화하다
— *vi.* **1** 엷은 껍질로[막으로] 덮이다; 엷은 막이 생기다 《*over*》; 흐릿해지다, 부옇게 되다: (~+전+명) Her eyes ~*ed with* tears. 그녀의 눈은 눈물로 흐려졌다. **2** 영화를 제작하다; 영화화되다; 〈사람·작품 등이〉 영화에 맞다: (~+부) ~ *well*[*ill*] 영화에 알맞다[맞지 않다]/The story ~s easily. 그 이야기는 영화로 만들기 쉽다. ▷ fílmy *a.*

film·a·ble [fílməbl] *a.* 〈이야기·소설 등이〉 영화에 적합한, 필름에 담을 수 있는

fílm bàdge 필름 배지 《방사선 피폭량 측정기의 일종》

film·card [fílmkɑ̀ːrd] *n.* = MICROFICHE

fílm clìp 〖TV〗 (특히 생방송 사이에 삽입되는) 방송용 영화 필름

film·dom [fílmdəm] *n.* UC 영화계, 영화 산업; C 영화계 사람들, 영화인

fílm fèstival 영화제

film·go·er [fílmgòuər] *n.* 자주 영화 구경 가는 사람, 영화팬

fil·mi [fílmi] *n.* 필미 《시타르(sitar)와 타블라(tabla) 반주가 따르는 인도의 팝송》

film·ic [fílmik] *a.* 영화의, 영화 같은: a ~ adaptation of novel 소설의 영화화 **-i·cal·ly** *ad.*

film·i·za·tion [fìlmizéiʃən | -maiz-] *n.* U (소설·연극 등의) 영화화하기, 영화용 각색

film·ize [fílmàiz] *vt.* 영화화하다(cinematize)

film·land [fílmlæ̀nd] *n.* 영화계(filmdom)

film·let [fílmlit] *n.* 단편 영화

fílm lìbrary 영화 도서관; 필름 대출소

film·mak·er [fílmmèikər] *n.* 영화 제작자, 영화 회사

film·mak·ing [-mèikiŋ] *n.* U 영화 제작

fílm nóir [-nwɑ́ːr] [F] 〖영화〗 필름 누아르, 암흑영화 《대도시를 배경으로 범죄·미스터리·독직 등을 다룬 영화》

film·og·ra·phy [filmɑ́grəfi | -mɔ́g-] *n.* (*pl.* **-phies**) UC 특정 배우·감독의 작품 리스트; 영화 관계 문헌

fílm pàck 〖사진〗 필름 팩, 갑에 든 필름

fílm premìère (신작 영화의) 개봉

fílm projèctor 영사기

fílm ràting 〖영화〗 관객 연령 제한 (표시)
NOTE (미) X(17세 미만 입장 금지, 1991년 폐지), NC-17(17세 미만 입장 금지, 1990년 신설), R(17세 미만 보호자 동반 요), PG(보호자 동반 요), PG-13(13세 미만 보호자 동반 요), G(일반용 영화); (영) 18(18세 미만 입장 금지), 15(15세 입장 허용), 12(12세 미만 입장 금지), PG(보호자 동반 요), U(일반용 영화)

fílm recòrder 영화용 녹음기

film·script [fílmskrìpt] *n.* 영화 각본, 시나리오

film·set [-sèt] *a.* 〖인쇄〗 사진 식자의
— *vt.* (~; **~·ting**) 〖인쇄〗 사진 식자하다
— *n.* 영화 촬영용 세트 **~·ter** *n.*

film·set·ting [-sètiŋ] *n.* 〖인쇄〗 사진 식자, 사식(寫植)(photocomposition)

film·slide [-slàid] *n.* 슬라이드 《환등용》

fílm stàr 영화 스타((미) movie star)

fílm stòck 미(未)사용의 영화 필름

film·strip [-strìp] *n.* 영사(映寫) 슬라이드

fílm stùdio 영화 촬영소

fílm tèst (영화 배우 지원자의) 카메라 테스트

film·y [fílmi] *a.* (**film·i·er**; **-i·est**) **1** 얇은 껍질 (모양)의, 얇은 막 (모양)의; 〈천 등이〉 아주 얇은; 가는 실 같은: ~ ice 얇은 얼음 **2** 엷은 안개 같은, 흐린(misty) **fílm·i·ly** *ad.* **fílm·i·ness** *n.*

fi·lo [fíːlou, fái-] *n.* (*pl.* **~s**) 얇은 파이의 일종 《여러 층이 있는》

FILO [fáilou] [*f*irst *i*n, *l*ast *o*ut] *n.* 〖컴퓨터〗 선입후출(先入後出) 《먼저 입력한 자료가 나중에 출력되는 방식》(cf. LIFO)

Fi·lo·fax [fáiləfæ̀ks] *n.* 속지를 넣거나 뺄 수 있는 시스템 수첩 《상표명》

fílo pástry = FILO

fi·lose [fáilous] *a.* 실 모양의(threadlike); 끝이 실 같은, 끝이 실 모양으로 된

thesaurus **filthy** *a.* dirty, muddy, unclean, foul, nasty, polluted, contaminated, rotten, decaying, mucky, putrid, squalid, smelly
final *a.* **1** 최후의 last, closing, concluding, finish-

fil·o·selle [fìləsél, -zél] [F] *n.* ⓊⒸ 풀솜(floss); 풀솜으로 만든 자수실
fils [fí:ls] *n.* 필스 《이라크·요르단·쿠웨이트 등의 화폐 단위; = 1/1000 dinar》
fils [fí:s] [F =son] *n.* (*pl.* ~) 아들 《부자(父子)가 이름이 같을 경우, 구별하기 위하여 아들 이름에 붙임》: Dumas ~ 소(小) 뒤마(opp. *père*; cf. JR.)
***fil·ter** [fíltər] [L 「펠트」의 뜻에서; 펠트가 여과에 쓰인 데서] *n.* **1** (액체·가스 등의) 여과기(濾過器)[장치], 거름종이, 물거르개 **2** 여과용 다공성(多孔性) 물질 《여과 작용을 하는 베·숯·자갈 등》 **3** 〖사진·광학〗 필터, 여광기; 〖전기〗 여파기(濾波器) **4** (영) (교차점에서 특정 방향으로의 진행을 허락하는) 화살표 신호, 보조 신호
— *vt.* **1** 거르다, 여과하다 **2** 여과하여 제거하다 《*off, out*》: ~*ed* tap water 여과 수돗물 // (~+목+부) ~ *off* impurities 여과하여 불순물을 제거하다
— *vi.* **1** 여과되다 《*through*》; 〈액체·사상 등이〉 스며들다, 통과하다 《*through, into*》; 〈빛·소문 등이〉 새(어 나오)다 《*out, through*》: (~+전+명) Water ~*s through* the sandy soil. 물은 모래땅에 스며든다. / The secret ~*ed into* the town. 그 비밀은 온 마을에 새어나왔다. **2** (영) 〈자동차가〉 (교차점에서 직진 방향 적신호시) 녹색 화살표 신호에 따라 좌[우]회전하다 **~ *out*** (필터로) 걸러내다
▷ fíltrate *v.*; filtrátion *n.*
fil·ter·a·ble [fíltərəbl] *a.* 여과할 수 있는; 여과성의
fílterable vírus 여과성 바이러스[병원체]
fílter bèd 여과상(床); 여과지(池), 물 거르는 탱크
fílter cènter 〖군사〗 대공(對空) 정보 본부
fílter cigarètte 필터 담배 《filter-tip(ped) cigarette라고도 함》
fílter còffee 필터 커피(drip coffee)
fílter fàctor 〖사진〗 필터 계수
fílter pàper 거름종이, 여과지(紙)
fil·ter-pass·er [fíltərpæ̀sər] *n.* 여과성 병원체
fílter prèss 압착식 여과기, 생선 기름 짜는 기계
fílter sìgn (영) = FILTER 4
fílter tìp 담배의 필터, 필터 담배
fil·ter-tip(ped) [-tìp(t)] *a.* 〈담배가〉 필터 달린
***filth** [fílθ] *n.* Ⓤ **1** 오물, 쓰레기, 때; 불결, 더러움 **2** 도덕적 타락 **3** 음담패설, 음탕한 생각[마음]
▷ fílthy *a.*
***filth·y** [fílθi] *a.* (**filth·i·er**; **-i·est**) **1** 불결한, 더럽혀진, 더러운; 부정(不淨)한, 추악한: a ~ street 지저분한 길 **2** 음탕한, 외설한(obscene): a ~ joke 음란한 농담 **3** (미·속어) (돈이) 무진장 많은(rich) 《*with*》 **4** (영·구어) 불쾌하기 짝이 없는, 〈날씨 등이〉 지독한
— *ad.* (미·구어) 대단히, 매우: ~ rich 대단히 부유한
— *n.* [the ~] (미·속어) 돈
fílth·i·ly *ad.* **fílth·i·ness** *n.* ▷ fílth *n.*
fílthy lúcre (구어) 부정한 돈; (익살) 돈, 금전
fil·tra·ble [fíltrəbl] *a.* = FILTERABLE
fil·trate [fíltreit] *vt., vi.* 여과하다
— *n.* Ⓤ 여과액[수]
fil·tra·tion [filtréiʃən] *n.* Ⓤ 여과법[작용]
filtrátion plànt 정수장(淨水場)
fi·lum [fáiləm] *n.* (*pl.* **-la** [-lə]) 섬사(纖絲) 조직, 섬조(纖條), 필라멘트
FIM field-ion microscope **FIMBRA** Financial Intermediaries, Managers and Brokers Regulatory Association (영) 금융 중개업자 규제 협회
fim·bri·a [fímbriə] *n.* (*pl.* **-bri·ae** [-briì:]) [종종 *pl.*] 〖동물·식물〗 술 모양의 가장자리, 주름 모양의 돌기, (긴) 털이 난 가장자리
fim·bri·ate [fímbriət, -brièit], **-at·ed** [-èitid] *a.* **1** 〖동물·식물〗 (가장자리가) 술 모양으로 깊이 들쭉날쭉한, 가장자리에 (긴) 털이 난 **2** (문장(紋章)에서 다른 색의) 가는 띠 모양의 선으로 두른
fim·bril·late [fimbrílət, -leit] *a.* 〖동물·식물〗 가장자리에 잔털이 난
***fin** [fín] *n.* **1** (물고기의) 지느러미: the dorsal[pectoral, ventral] ~ 등[가슴, 배] 지느러미 **2** (바다표범·펭귄 등의) 지느러미 모양의 기관(器官) **3** (잠수용) 물갈퀴 **4** (기계 등의) 지느러미 모양의 부분; 〖항공〗 수직 안정판(安定板); 〖항해〗 (잠수함 등의) 수평타(舵) **5** (속어) 손(hand), 팔 **6** 주형(鑄型)의 지느러미 모양으로 돌출한 부분 **7** (미·속어) 5달러짜리 지폐
~, *fur, and feather*(*s*) 어류, 수류, 조류 ***Tip* [*Give*] *us your* ~.** (속어) 자, 악수하세.
~·less *a.* **~·lìke** *a.* ▷ fínny *a.*
fin. *ad finem* (L = at the end); finance; financial; finished **Fin.** Finland; Finnish **FINA** [F] *Fédération Internationale de Natation Amateur* 국제 아마추어 수영 연맹
fin·a·ble[1]**, fine-** [fáinəbl] *a.* 〈행위·죄 등이〉 과료[벌금]에 처할 수 있는
finable[2] *a.* 깨끗하게 할 수 있는, 세련되게 할 수 있는
fi·na·gle [finéigl] *vt.* (구어) 속이다, 속임수 쓰다; 속여서 빼앗다 《*out of*》 — *vi.* 사기치다 **-gler** *n.*
‡**fi·nal** [fáinl] [L 「최후의」의 뜻에서] *a.* **1** Ⓐ 마지막[최후]의, 결국의(last)(⇨ last[1] 유의어): the ~ round (경기 시합의) 최종회, 결승 / one ~ word [thing] (구어) (충고 등의) 최후의 한마디 **2** 결정적인, 최종적인, 궁극적인: the ~ aim 궁극적인 목적 / the ~ ballot 결선 투표 / the ~ defense line 〖군사〗 최후 방어선 **3** 〖문법〗 목적을 나타내는: a ~ clause 목적절 **4** 〖법〗 최종의, 종국의: a ~ judgment[decree] 최종 판결 **5** 〖음성〗 말끝의, 음성끝의
— *n.* **1** 마지막 것; 낱말의 끝 문자; 신문의 그날의 최종판(版) **2** [종종 *pl.*] (경기 등의) 결승전, 파이널: run[play] in the ~*s* 결승전까지 올라가다 **3** [보통 *pl.*] (구어) (대학 등의) 최종[기말] 시험(⇨ examination 관련) ▷ finálity *n.*; fínally *ad.*; fínalize *v.*
fínal cáuse 〖철학〗 목적인(目的因), 궁극인(因)(cf. FORMAL CAUSE)
fínal cút 〖영화〗 (촬영 필름의) 마무리[최종] 편집
fínal dríve (자동차의) 최종 구동 장치
***fi·na·le** [finǽli, -ná:li | -ná:li] [It.] *n.* **1** 〖음악〗 종악장, 종곡, 피날레, (오페라의) 최종 장면 **2** 〖연극〗 최후의 막, 끝장 **3** 종국; 대단원
fi·nal·ism [fáinəlìzm] *n.* Ⓤ 〖철학〗 목적 원인론
fi·nal·ist [fáinəlist] *n.* 결승전 출장 선수; 〖철학〗 목적 원인론자; (영) 대학 졸업 시험 수험자
fi·nal·i·ty [fainǽləti] *n.* (*pl.* **-ties**) **1** Ⓤ 최후적임, 최종적임; 결정적임; 종국(終局); 결국, 결말 **2** ⓊⒸ 최종적인 사물, 최후의 언행: with an air of ~ 단호한 태도로 / speak with ~ 단호하게 말하다 **3** Ⓤ 〖철학〗 궁극성, 합목적성 ▷ fínal *a.*
fi·na·lize [fáinəlàiz] *vt.* 〈계획 등을〉 완성하다, 끝내다; …에 결말을 짓다; 최종적으로 승인하다
fi·na·li·zá·tion *n.* **-lìz·er** *n.*
‡**fi·nal·ly** [fáinəli] *ad.* **1** [보통 문두에 와서] (차례로서) 최후로[에], 마지막으로: *F*~, I'd like to thank you all. 끝으로 여러분 모두에게 감사하고자 합니다. **2** [보통 문두에 와서] (긴 시간 후) 드디어, 마침내, 종내(lastly), 결국: *F*~ justice triumphed. 드디어 정의가 이겼다. **3** 최종적으로, 결정적으로: The matter is not yet ~ settled. 그 문제는 아직 끝장나지 않았다.
fínal solútion **1** [the F- S-] 최종적 해결 《나치스 독일에 의한 유대인의 계획적 말살》 **2** 집단 학살, 민족 말살
fínal stráw = LAST STRAW
‡**fi·nance** [finǽns, fáinæns] [OF 「지불하다」의 뜻에서] *n.* **1** Ⓤ (특히 공적인) 재정(財政), 재무; 재정학: public ~ 국가 재정 / the Minister of *F*~ 재무부 장관 / an expert in ~ 재정 전문가 **2** Ⓤ 자금 (조달), 융자: equity[debt] ~ 주식 발행[채권 발행, 차

---

ing, ending, terminal, ultimate, eventual **2** 결정적인 decisive, conclusive, definite, determinate
finally *ad.* in the end, at last, ultimately, eventually, at length, in the long run, in conclusion

입]에 의한 자금 조달 **3** [*pl.*] **재원**(財源), 재력, 세입: household[family] ~*s* 가계 / adjust[order] ~*s* 재정을 관리하다
— *vt.* …에 돈을 융통하다, 융자하다, 자금을 조달[공급]하다: (~+목+전+명) ~ a daughter *through* college 딸의 대학 학자금을 대다
— *vi.* 재정을 처리하다, 자금을 조달하다
▷ fináncial *a.*

fináncе bìll 재정 법안; (미) 금융 어음

fináncе cómpany[hòuse] (할부) 금융 회사

fináncе dirèctor 재무 담당 이사

‡fi·nan·cial [finǽnʃəl, fai-] *a.* **재정(상)의**, 재무의; 재계의; 금융(상)의; 금융 관계자의: ~ ability 재력(財力) / ~ adjustment 재정 정리 / the ~ condition [situation] 재정 상태 / ~ difficulties 재정난 / ~ resources 재원 / ~ circles = the ~ world 재계 / a ~ crisis 금융 공황 ▷ fináncе *n.*

fináncial accóunting 재무 회계

fináncial áid (미) (대학의) 학비 지원[보조]

fináncial fútures cóntract 〖금융〗 금융 선물(先物) 거래

fináncial innovátion (미) 금융 혁신

fináncial institútion 금융 기관

fi·nan·cial·ly** [finǽnʃəli, fai-] *ad.* **재정적으로**, 재정상 ~ ***embarrassed (구어·익살) 파산한, 무일푼의

fináncial márket 금융 시장

fináncial plánning 재무 계획의 입안 (업무)

fináncial sérvice 투자 정보 서비스 기관

fináncial státements 재무 제표

Fináncial Tímes [the ~] 파이낸셜 타임스 《영국의 경제 정보를 중심으로 하는 일간지; 略 FT》

Fináncial Tímes índex = FT SHARE INDEX

fináncial yéar (영) 회계[사업] 연도 《3월 31일에 끝남》((미) fiscal year)

***fin·an·cier** [fìnənsíər, fàinən- | fainǽnsiə, fi-] *n.* **재정가**; 재무관; 금융업자, 자본가(capitalist): an able ~ 유능한 재무가
— *vi.* (종종 비정한 방법으로) 금융업을 하다

fi·nanc·ing [finǽnsiŋ, fáinæn-] *n.* Ⓤ 자금 조달, 융자, 조달 자금

fin·back [fínbæ̀k] *n.* 〖동물〗 긴수염고래

fin·ca [fíŋkə] [Sp.] *n.* (스페인이나 스페인어권 중남미의) 대농원(大農園)

finch [fíntʃ] *n.* 〖조류〗 되새류 《콩새·멋쟁이새 등》

‡find [fáind] *v.*, *n.*

① 「우연히 발견하다」	**1**
② 「찾아내다」, 「발견하다」	**2**
③ (노력해서) 「알다」, 「발견하다」	**3**
④ (경험해서) 「알다」, 「깨닫다」	**4**

— *v.* (**found** [fáund]) *vt.* **1** **우연히 발견하다**(⇨ discover 유의어); 우연히 만나다: ~ a coin on the street 길에서 동전을 발견하다 // (~+목+보) He was *found* dead. 그는 죽어 있었다. // (~+목+***done***) The boy was *found* seriously *wounded.* 소년은 중상을 입고 있었다. // (~+목+***-ing***) I *found* him doz*ing*. 그가 졸고 있는 것을 발견했다. **2** (찾아서) **발견하다**, **찾아내다**, 구하여 얻다: (~+목+전+명) ~ favor *with* a person …의 호의를 사다 // (~+목+목) (~+목+전+명) Will you ~ me a good one? = Will you ~ a good one *for* me? 내게 좋은 것을 찾아 주지 않겠습니까? **3** (연구·조사·계산하여) **알다**, **발견하다**; 확인하다 ★ 이 뜻으로는 보통 find out을 씀: (~+***that*** 절) The doctor *found that* the patient had throat cancer. 의사는 그 환자에게 인후암이 있다는 것을 발견했다. // (~+목) *F*~ the cube root of 71. 71의 세제곱근을 구하여라. **4** (경험하여) **알다**, **깨닫다**, 인지(認知)하다, (시험해 보고) 알다: (~+목+(***to be***)보) ~ ... *to be* true …이 진실이라는 것을 깨닫다 / I ~ them (*to be*) fool. 나는 그들이 바보 같다고 생각한다. // (~+목+보) We *found* it difficult to do so. 그렇게 하는 것은 곤란하다는 것을 알았다. // (~+목+***done***) I *found* my purse *gone.* 지갑이 없어진 것을 알았다. // (~+목+***to*** do) She *found* the box *to* contain nothing. 그녀가 상자를 열어 보니 아무것도 들어 있지 않았다. // (~+목+***do***) They *found* the business *pay*. 그 장사는 수지가 맞음을 알았다. // (~+***that*** 절) He *found that* he was mistaken. 그는 자기가 잘못했음을 알았다. // (~+***wh. to*** do) Will you ~ *how to* get there? 그곳에 어떻게 가는지 알고 있습니까? // (~+***wh.*** 절) Can you ~ *where* he has gone? 그가 어디에 갔는지 알고 있습니까? // (~+목+전+명) I *found* a warm cooperator *in* him. 그는 친절한 협력자임을 알았다. **5** (찾으면) **발견할 수 있다**; (…에) **있다**, **존재하다**: (~+목+전+명) You can ~ hares[Hares are *found*] *in* the wood. 산토끼는 숲 속에 있다. **6** (문어) 〈년·월·일 등이 사람을〉 (…에서) 발견하다: Two days later *found* me *at* Rome. 이틀 후에 나는 로마에 있었다. **7** 〈필요한 것을〉 **얻다**, **입수하다**; 〈시간·돈을〉 찾아내다, 마련하다; 〈용기 등을〉 불러 일으키다: (~+목+전+명) ~ the capital *for* a new business 새 사업을 위한 자금을 마련하다 **8** 〈기관의〉 기능을 회복하다: ~ one's tongue[voice] 다시 말할 수 있게 되다 **9** 〈목표 등에〉 도달하다, 맞다: The arrow *found* its target. 화살이 표적에 맞았다. **10** 〈수단을〉 제공하다, 〈의식(衣食) 등을〉 공급하다; …에 비치하다, 지급하다, 주다 (*in*): That hotel does not ~ breakfast. 저 호텔에서는 조반을 내주지 않는다. // (~+목+전+명) ~ food *for* workmen 노동자에게 식사를 제공하다 / ~ soldiers *in* uniforms 병사에게 제복을 지급하다 **11** 〖법〗 〈배심(陪審)이〉 평결하다, 판정하다; 〈평결 등을〉 선고하다 (*for*, *against*): (~+목+보) ~ a person guilty …을 유죄라고 평결하다 // (~+***that*** 절) The jury *found that* the man was innocent. 배심은 그가 무죄라고 평결을 내렸다. **12** 〈호의 등을〉 받다; 〈희망 등을〉 얻다: The book *found* a wide audience. 그 책은 다수의 독자를 얻었다.
— *vi.* **1** 〖법〗 〈배심이〉 평결하다: (~+전+명) The jury *found for*[*against*] the plaintiff. 배심은 원고에게 유리[불리]한 평결을 내렸다. **2** 찾아내다 **3** 〈사냥개가〉 사냥감을 찾아내다

all [***everything***] ***found*** (급료 이외에 의식주 등의) 일체를 지급받고 ***be well found in*** 〈설비·공급·소양이〉 충분하다 ***~ a ship's trim*** 의장(艤裝)이 갖춰져 있다 ***~ Christ*** 예수를 발견하다 《그리스도교의 진리를 영적으로 체험하다》 ***~ herself*** 〖항해〗 〈새로 만든 배가〉 출항할 수 있게 되다 ***~ it in*** one***'s heart to*** do …할 마음이 나다, …하고 싶어하다 ***~ it*** (***to***) ***pay*** = ***~*** (***that***) ***it pays*** (해보니) 수지가 맞다 ***~ mercy in*** …에게서 동정을 받다, 혜택을 입다 ***~ out*** (1) (조사하여) 발견하다, 생각해 내다; 〈해답을〉 얻어내다; 〈수수께끼를〉 풀다: ~ *out* a riddle 수수께끼의 답을 풀다 (2) …임을 알아내다, 발견하다 (3) …의 정체[진의]를 간파하다; 〈범인을〉 찾아내다; 〈부정·죄를〉 간파하다 (4) 〈죄 등이〉 그 본인을 폭로하다 (5) (미) 〈친척 등을〉 찾아내다 (6) …에 대해 진상을 알다 (*about*) ***~ oneself*** (1) 자기가 〈어떤 장소·상태에〉 있음을 알다; 〈어떠한〉 기분이다: I *found myself* lying in my bedroom. 정신을 차려 보니 나는 내 침실에서 자고 있었다. / How do you ~ *yourself* this morning? 오늘 아침 기분은 어떻습니까? (2) 자기의 재능·적성 등을 깨닫다, 천직을 얻다 (3) 의식주를 자기가 부담하다 ***~ up*** 찾아내다 ***take ... as*** one ***~s them*** [***it etc.***] …을 있는 그대로 받아들이다

— *n.* **1** (보물·광천(鑛泉) 등의) 발견(discovery);

thesaurus **find** *v.* **1** 발견하다 come across, discover, encounter **2** 찾아내다 get back, recover, retrieve, regain, repossess; get, obtain, acquire,

〖수렵〗 여우의 발견; 《미·속어》 대발견: have[make] a great ~ 희한한 것을 뜻밖에 찾아내다 **2** 발견물, 발굴해낸 것; 주목되는 사람 ***a sure ~*** (사냥감, 특히 여우가) 틀림없이 있는 곳; 《구어》 (찾아가면) 반드시 있는 사람 **~·a·ble** *a.* 발견할 수 있는

find·er [fáindər] *n.* **1** [종종 복합어로] 발견자, 습득자 《*of*》; (세관의) 밀수출입품 검사원: *F*~*s* (are) keepers. 《구어》 발견한 사람이 임자다. **2** 〖사진〗 (카메라·망원경의) 파인더 **3** (방향·거리의) 탐지기; 측정기 **4** 《미》 중개업자

fínder's fèe 중개(인) 수수료 《특히 금융 거래의 중개인에게 지불되는 구전》

fin de siè·cle [fǽŋ-də-sjékl] 〚F =end of the century〛 [the ~] (프랑스 등에서 문예 방면에 퇴폐적 경향이 강하게 나타난) (19)세기말(cf. NINETY)

fin-de-siècle *a.* (19)세기말의; 퇴폐적인

∗**find·ing** [fáindiŋ] *n.* UC **1** [종종 *pl.*] **발견**(물), 습득물; 조사[연구] 결과 **2** 〖법〗 (법원의) 사실 인정; (배심의) 평결(評決), (위원회 등의) 답신(答申) **3** [*pl.*] 《미》 (직업용의) 여러 가지 도구 및 재료; 부속품류: shoemaker's ~*s* 구둣방 재료

fínding lìst 탐색 목록 《간결화된 도서 목록 따위》

find·spot [fáindspɑ̀t | -spɔ̀t] *n.* 〖고고학〗 (유물 등의) 발견지(점), 출토지(점)

‡**fine**[1] [fáin] *a., n., ad., v.*

> finish와 같은 어원이며 「완성된」의 뜻으로
> 「훌륭한」 **1** → 「우수한」 **2**
> → (몸 상태가 좋은) → 「건강한」 **4**
> → (상황이 좋은) → 「(날이) 갠」 **3**
> → (알갱이가) → 「자디잔」 **5**

—*a.* **1** Ⓐ **훌륭한**, 멋진, 참한, 좋은: a ~ specimen 훌륭한 표본 / a ~ sermon 훌륭한 설교 / We have had a ~ time. 참으로 유쾌하였다. ★ 종종 반어적으로 쓰임: *F*~ things! 지독하군! **2** 〈사람·작품이〉 **우수한**, 뛰어난: a ~ poet 뛰어난 시인 / ~ works of art 우수한 예술 작품 **3** 〈날씨가〉 갠, 맑은, 쾌청한: a ~ morning 청명한 아침 **4** Ⓟ 건강한, 기분 좋은; 〈집·환경 등이〉 쾌적한, 건강에 좋은(healthy): I'm ~. 건강합니다. / This house is ~ for us. 이 집은 우리에게 쾌적합니다. **5** Ⓐ 〈알갱이 등이〉 **자디잔**, 미세한, 고운; 〈실 등이〉 **가는**; 〈천·살갗이〉 고운: ~ sand [powder] 고운 모래[가루] / ~ rain[snow] 가랑비[눈] / ~ thread[wire] 가느다란 실[철사] **6** 〈기체가〉 희박한(rare): ~ gas 희박한 가스 **7** 〈끝이〉 날카로운(sharp): a ~ edge[point] 날카로운 날[끝] **8 예민한**(keen): a ~ ear 밝은 귀 **9 더할 나위 없는**(perfect), (더없이) 좋은: "How about going fishing tomorrow?"—"That's ~." 내일 낚시하러 갈까?—좋아. **10** 세련된, 고상한: a ~ play 미기(美技) / She has ~ manners. 그녀는 거동이 세련되어 있다. **11** 〈감정 등이〉 섬세한; 〈구별·조작 등이〉 미세한, 미묘한(delicate): a ~ distinction 미세한 구별 / a ~ sense of humor 섬세한 유머 감각 **12** 〈옷차림이〉 훌륭한; 〈사람이〉 아름다운(handsome), 우아한; 〈문체 등이〉 화려한: ~ clothes 아름다운 옷 / a ~ lady 우아한 숙녀 / ~ writing 미문(美文) **13** 〈세공 등이〉 정교한, 정묘한(elaborate): a ~ device 정교한 장치 / ~ china 정묘한 도자기 **14** 〈외관·형상 등이〉 크고 훌륭한, 우람한, 웅장한 **15** 〈품질이〉 고급의; 정제(精製)한; 〈귀금속이〉 순도 높은, 순수한(refined): ~ sugar 정제당 / ~ gold 순금

a ~ gentleman [***lady***] [반어적] (근로를 천시하는) 멋쟁이 신사[숙녀] ***all very ~*** ⇨ all *ad.* ***~ and*** [다음의 형용사를 강조하여] 매우, 아주 ***~ and dandy*** 《구어》 아주 훌륭한, 아주 멋진 ***not to put too ~ a point on*** [***upon***] ***it*** 노골적으로 말하자면 ***one*** [***some***] ***~ day*** [***morning***] 어느 날[날 아침] 《날씨와는 무관계》 ***one of these ~ days*** 일간[근간]에, 조만간에 ***say ~ things*** (상대방에게) 듣기 좋은 말을 하다 《*about*》

—*n.* **1** Ⓤ 갠 날, 맑은 날씨: get home in the ~ 날이 개어 있을 때 귀가하다 / in rain or ~ 비가 오든 날이 개든, 날씨에 관계없이 **2** [*pl.*] 잔 알갱이, 고운 가루; 미립자: in ~*s* 자디잘게

—*ad.* **1** 《구어》 **훌륭하게**, 멋지게(very well, excellently): talk ~ 그럴 듯하게 말하다 / That will suit me ~. 그것은 나에게는 안성맞춤이다. / It worked ~. 《미·구어》 그것은 잘 되었다. **2** 잘게, 미세하게 **3** 〖당구〗 친 공이 맞힐 공을 살짝 스치게

cut [***run***] ***it ~*** 《구어》 〈시간·돈 등을〉 빠듯하게 어림하다[줄이다]

—*vt.* **1** 가늘게 하다, 잘게 하다 《*down*》 **2** 〈금속 등을〉 정제하다; 〈문장·계획 등을〉 더욱 정확하게 하다 《*down*》 **3** 〈사이즈·용적 등을〉 감소시키다, 축소하다

—*vi.* 가늘어지다, 잘아지다; 점차 작아지다 《*down*》

~ away [***down, off***] 점점 가늘게[잘게, 깨끗하게, 맑게] 하다[되다]; 사라져 없어지다

▷ fíneness, fínery *n.*; fínical *a.*

‡**fine**[2] [fáin] 〚L 「종말」의 뜻에서〛 *n.* **1 벌금**, 과료(科料); (도서관의) 연체료; 〖법〗 (소작인이 지주(地主)에게 바치는) 부담금: a parking ~ 주차 위반 벌금 / subject to a substantial ~ 상당한 벌금이 부과되는 **2** Ⓤ 《고어》 끝, 종말 ★ 다음 성구로만 쓰임. ***in ~*** 《문어》 결국; 요컨대

—*vt.* …에게 **벌금을 과하다**, 과료에 처하다: (~+목+목) He was ~*d* 100 dollars for a parking fine. 그는 주차 위반으로 100달러의 벌금에 처해졌다.

fi·ne[3] [fí:nei] 〚It.〛 *n.* 〖음악〗 (악곡의) 종지

fine·a·ble [fáinəbl] *a.* =FINABLE

fíne árt **1** [집합적] 미술품 **2** [the ~s] 미술 《회화·조각·공예·건축 등》 **3** [the ~s] (광의의) 예술 《문학·음악·연극·무용 등》 ***have*** [***get***] ***… down to a ~*** …을 완벽하게 해낼 수 있다

fíne cerámics 파인 세라믹스 《의료·전자(電磁)·광학 기기용의 상질(上質)의 소성 소재(燒成素材)》

fine cham·pagne [fí:n-ʃɑ:mpɑ́:njə, -ʃɔ:m-] 〚F〛 핀샹파뉴 《프랑스 Champagne산(産)의 고급 브랜디》

fíne chémical [종종 *pl.*] 정제 화학 제품, 정약품 (cf. HEAVY CHEMICAL)

fine-comb [fáinkóum] *vt.* 참빗으로 빗다; 샅샅이 뒤지다

fíne cút 가늘게 썬 담배

fine-cut [fáinkʌ́t] *a.* 〈담배 등이〉 가늘게 썬(opp. *rough-cut*)

fine-draw [-drɔ́:] *vt.* (**-drew** [-drú:]; **-drawn** [-drɔ́:n]) **1** 솔기가 보이지 않게 꿰매다, 감쪽같이 꿰매다 **2** 〈금속·철사 등을〉 가늘게 늘이다 **~·er** *n.*

fine-drawn [-drɔ́:n] *a.* **1** 감쪽같이 꿰맨 **2** 아주 가늘게 늘인 **3** 〈논의·구별 등이〉 아주 자세한, 지나치게 세밀한 **4** 〈선수 등이〉 (과도한 훈련으로) 체중이 준

Fí·ne Gáel [fínə-] 통일 아일랜드당 《아일랜드 공화국 2대 정당 중의 하나》

fine-grain [fáingréin] *a.* 〖사진〗 〈화상·현상액·유제 등이〉 미립자의

fine-grained [-gréind] *a.* **1** 〈석재·목재 등이〉 결이 고운 **2** 〖사진〗 =FINE-GRAIN

∗**fine·ly** [fáinli] *ad.* **1 훌륭하게**, 아름답게, 멋지게 **2** 미세하게; 정교(精巧)하게, 세밀하게 **3** 잘게, 가늘게

fíne nàil 길이 1-1.5인치의 강철 마무리못

∗**fine·ness** [fáinnis] *n.* Ⓤ **1** (모양 등의) **훌륭함**, 절묘, 아름다움 **2** (품질의) 우량 **3** 가느다람, (결의) 고움, 섬세함; 분말도(度) **4** (합금 중의 금·은의) 순도, 공차(公差) **5** (정신 등의) 섬세, 세밀, 예민함, 정확함

fíne prínt **1** 작은 활자(의 인쇄물) **2** [the ~] (계약서 등의) 작은 글자 부분 《특히 계약자에게 불리한 조건 등을 기록한 주의 사항》

---

procure, gain, attain, win **3** 알게 되다 realize, learn, note, detect, observe, notice, perceive **4** 생각하다 consider, think, judge

fin·er·y[1] [fáinəri] *n.* (*pl.* **-er·ies**) ⓊⒸ **1** [집합적] 아름다운 옷[장식품] **2** 《드물게》 훌륭함, 화려 ▷ fíne[1] *a.*
finery[2] *n.* 『야금』 정련로(精鍊爐)(refinery)
fines [fáinz] *n. pl.* ⇨ fine[1] *n.* 2
fines herbes [fí:n-ɛ́ərb] [F] 『요리』 핀제르브 《파슬리·골파 등의 식물을 잘게 썬 것으로, 소스·수프의 향미료》
fine·spun [fáinspʌ́n] *a.* **1** (아주) 가늘게 자아낸; 섬세한: a ~ novel 치밀한 구성의 소설 **2** 〈학설·논의 등이〉 지나치게 세밀한, 지나치게 정밀하여 비실용적인
fi·nesse [finés] [F=fineness] *n.* ⓊⒸ **1** 교묘한 처리, 기교, 솜씨: the ~ of love 사랑의 기교 / exceptional diplomatic ~ 뛰어난 외교 수완 **2** 술책, 책략(cunning) **3** 『카드』 피네스 《높은 패를 두고 낮은 패로 판에 깔린 패를 따려 하기》
— *vt., vi.* 수완을 부리다, 술책을 쓰다 《*away, into*》; 교묘히 처리하나; 『카드』 〈상대방의 점수 높은 패를〉 피네스하다
fin·est [fáinist] *n.* [the ~; 집합적] 《미·구어》 (특히 시(city)의) 경찰, 경관들
fíne strùcture 『생물·물리』 (생물체의 또는 스펙트럼선의) 미세 구조
fíne-tooth(ed) cómb [fáintù:θ(t)-] 가늘고 촘촘한 빗, 참빗 ***go over ... with a ~*** …을 면밀하게 조사[음미, 수사]하다
fine-tune [-tjú:n | -tjú:n] *vt.* 〈라디오·텔레비전 등을〉 미(微)조정하다; 〈경제를〉 미조정하다
fíne-tún·er *n.* **fíne-tún·ing** *n.*
fin·fish [fínfìʃ] *n.* (shellfish와 구별하여) 물고기
‡**fin·ger** [fíŋgər] *n.* **1** 손가락 《보통 엄지손가락은 제외; 「발가락」은 toe; cf. THUMB》: the index ~ 집게손가락(forefinger) / the middle ~ 가운뎃손가락 / the ring[third] ~ 약손가락 / the little ~ 새끼손가락 / He has more wit in his little ~ than in your whole body. 그는 매우 지혜로운 사람이다. **2** (장갑의) 손가락; 『야구』 글러브의 손가락 **3** 손가락폭(幅) 《액체 등의 깊이를 재는 단위; 약 3/4인치》; 가운뎃손가락의 길이 《약 4 1/2인치》 **4** 손가락 모양의 것; 손가락 모양의 조각 《과자 등》; (기계 등의) 손가락 모양으로 돌기한 부분; 지시물, (시계 등의) 지침(指針)(pointer) **5** =FINGER MAN
burn* one's *~s = ***have*[*get*] one's *~s burnt*** (쓸데없이 참견하여) 혼나다 ***by a ~'s breadth*** 아슬아슬하게, 간신히 ***crook* one's (*little*) *~*** 《구어》 집게손가락을 구부려 사람을 부르다; 《속어》 (과도하게) 술을 마시다 ***cross* one's *~s*** (액막이로 또는 행운·성공을 빌어) 집게손가락 위에 가운뎃손가락을 포개다 ***feel* one's *~s itch*** 《구어》 (하면 안 되는 것을) 하고 싶어서 좀이 쑤시다 ***give*** a person ***the ~*** (비속한 행동으로) 가운뎃손가락만 세워 모욕[조롱]하다 ***have a ~ in the pie*** (사건에) 손을 대다, 관계하다, 간섭하다 ***have ... at* one's *~(s') ends*** = have ... at one's FINGERTIPS. ***have*[*keep*] one's *~ on the pulse*** ⇨ pulse[1] ***have* one's *~s in the till*** 《구어》 자기가 일하고 있는 가게의 돈을 훔치다 ***keep* one's *~s crossed*** 행운을 빌다 ***lay*[*put*] *a*[one's] *~ on*** (1) …을 (적의를 갖고) 손대다 (2) 〈원인 등을〉 정확히 지적하다 (3) 발견하다 ***let ... slip through* one's *~s*** …을 손에서 놓치다 ***look through* one's *~s at*** …을 슬쩍 엿보다, 보고도 못 본 체하다 ***not lay*[*put*] *a ~ on*** …에게 쓸데없는 참견을 하지 않다 ***not lift*[*raise, stir*] *a ~*** 손가락 하나 까딱하지 않다, 조금도 노력하지 않다 ***point the*[*a*] *~ at*** …을 비난하다, 지탄하다 ***pull*[*take, get*] one's *~ out*** 《속어》 (다시 한번) 열심히 일하기 시작하다 ***put* one's *~ on*** …을 확실히[분명히] 지적하다 ***put the ~ on*** (1) 《미·속어》 …을 (경찰 등에) 밀고하다 (2) 〈쏘아 죽일 상대·도둑질할 장소 등을〉 지시하다 ***run* one's *~s through* one's *hair*** 손가락으로 머리를 빗질하듯 하다 《긴장·당황 등의 손짓》 ***shake*[*wag*] one's *~ at*** …을 보고 집게손가락을 세어 두세 번 흔들다 《비난·경고의 손짓》 ***slip through* one's *~s*** 기회가 사라지다 ***snap* one's *~s*** (1) (손가락으로 딱 소리내어) 사람[급사 《등》]의 주의를 끌다 (2) …을 경멸하다, 무시하다 《*at*》 ***the ~ of God*** 신의 거룩한 손길[솜씨] ***to the end of* one's *little ~*** 새끼손가락 끝까지, 완전히 ***twist*[*turn*]** a person ***around*[*round*] one's (*little*) ~*** …을 마음대로 조종하다 ***with a wet ~*** 손쉽게, 수월하게 ***work* one's *~s to the bone*** 《구어》 몸을 아끼지 않고 일하다
— *vt.* **1** …에 손가락을 대다, 손가락으로 만지다; 만지작거리다: Don't ~ the vegetables. 야채를 손으로 만지작거리지 마라. **2** 〈뇌물 등을〉 받다; 좀도둑질하다(pilfer): ~ a bribe 뇌물을 받다 **3** 『음악』 〈악기를〉 손가락으로 타다; 〈악보에〉 부호를 달아 운지법(運指法)을 나타내다 **4** 《미·속어》 (…이라고) 지적하다 《*as*》 **5** 《미·속어》 밀고하다; 미행하다
— *vi.* **1** 손가락으로 만지다, 만지작거리다 《*with*》 **2** 손가락으로 젖히다[넘기다] 《*through*》 **3** 악기가 손가락으로 연주되다
fínger àlphabet =MANUAL ALPHABET
fin·ger·board [fíŋgərbɔ̀:rd] *n.* (바이올린 등의) 지판(指板); (피아노 등의) 건반(keyboard)
fínger bòwl (dessert 후에 물을 담아 내놓는) 손가락 씻는 그릇

finger bowl

fin·ger·breadth [-brèdθ] *n.* 지폭(指幅), 손가락 넓이 《약 3/4인치》
fínger bùffet (샌드위치 등과 같이) 손으로 집어 먹을 수 있는 음식이 나오는 경식당
fin·ger-dry [-drài] *vt., vi.* (머리털을) (드라이어 등을 사용하지 않고) 손가락으로 빗질하며 말리다
fin·gered [fíŋgərd] *a.* **1** [보통 복합어를 이루어] …손가락의; 손가락이 …인: light-~ 손재주 있는; 손버릇이 나쁜 **2** 〈가구 등이〉 손가락 자국이 난 **3** 『식물』 〈과실·뿌리 등이〉 손가락 모양의, 〈잎 등이〉 손바닥 모양의 **4** 『음악』 〈악보가〉 운지(運指) 기호가 표시된
fin·ger·fish [fíŋgərfìʃ] *n.* 『동물』 불가사리(starfish)
fínger fòod 손으로 집어 먹는 음식 《샌드위치 등》
fin·ger·fuck [-fʌ̀k] *vt., vi.* 《비어》 (…의) 성기[항문]를 손으로 애무하다 — *n.* (여자의) 자위
fínger glàss 손가락 씻는 유리 그릇(finger bowl)
fínger hòle (목관 악기의) 바람 구멍; 전화기의 다이얼 구멍; 볼링공의 손가락 구멍
fin·ger·ing[1] [fíŋgəriŋ] *n.* Ⓤ **1** 손가락으로 만지작거림 **2** 『음악』 운지법(運指法); 운지 기호
fingering[2] *n.* (뜨개질용의) 가는 털실(=~ yàrn)
fínger lànguage **1** (농아자의) 지화(指話), 수화 언어 **2** =FINGER ALPHABET
fin·ger·less [fíŋgərlis] *a.* 손가락 없는[잃은]
fin·ger·ling [fíŋgərliŋ] *n.* **1** 《영》 작은 물고기 《특히 연어나 송어 새끼》, 잔챙이 **2** 매우 작은 것
fínger màn 《미·속어》 밀고자(informer)
fínger màrk (때묻은) 손가락 자국
fin·ger-marked [fíŋgərmɑ̀:rkt] *a.* 손가락 자국이 있는, 손가락 때가 묻은
fin·ger·math [-mæ̀θ] *n.* 지산(指算) 《손가락으로 하는 셈》
fínger mòb 《속어》 밀고한 대가로 경찰의 보호를 받는 범죄자 그룹
fin·ger·nail [-nèil] *n.* 손톱(⇨ nail 유의어)
hold*[*hang*] *on* (*to ...*) *by* one's *~s [종종 진행형으로] (일 등에) 필사적으로[끝까지] 매달리다 ***to the ~s*** 철저히, 완전히(completely)
fínger nùt =THUMB NUT
fínger pàint 젤리 모양의 지두화용(指頭畫用) 물감

thesaurus **finger** *v.* touch, feel, handle, stroke, caress, toy[fiddle] with

fínger pàinting **1** 지두화법(指頭畫法) **2** 손가락으로 그린 그림
fin·ger·peck [-pèk] *vt.* 〈원고 등을〉 손가락으로 토닥토닥 타자치다(hunt and peck)
fínger plàte 지판(指板) 《손가락 자국이 나지 않게 문의 손잡이 주위에 댄 금속[도기(陶器)]판》
fin·ger-point·ing [-pɔ̀intiŋ] *n.* (부당한) 고발; 지탄, 비난
fínger pòpper 《미·속어》 (연주에 맞춰) 손가락으로 소리내는 사람; 재즈광(狂)
fin·ger·post [-pòust] *n.* **1** (손가락 모양의) 도표(道標)(guidepost) **2** 안내서, 입문서
fin·ger·print [-prìnt] *n.* 지문(指紋)
— *vt.* …의 지문을 채취하다 **-prìnt·ing** *n.* Ⓤ
fínger rèading (맹인의 손가락으로) 점자 읽기(cf. BRAILLE)
fínger rìng 반지, 가락지
fin·ger-shaped [-ʃéipt] *a.* 손가락 모양의
fin·ger·spell·ing [-spèliŋ] *n.* (손가락 알파벳으로의) 손짓 대화[의사 전달]; 지문자(指文字), 지화(指話)
fin·ger·stall [-stɔ̀:l] *n.* (가죽·고무의) 손가락 싸개 《상처 보호·수공예용》
fínger sỳstem 〖야구〗 손가락 사인 시스템 《포수가 투수에게 알리는》
fin·ger-tight [-táit] *a.* 손(가락)으로 단단히 죈
fin·ger·tip [-tìp] *n.* 손가락 끝 ***have ... at*** one***'s ~s*** (1) …을 당장 이용할 수 있다, 곧 입수할 수 있다 (2) …에 정통하다, …을 훤히 알고 있다 ***to*** one***'s*** [***the***] ***~s*** 완전히, 철저히 **—** *a.* **1** Ⓐ 쉽게 사용할 수 있는 **2** 〈옷이〉 어깨에서 (늘어뜨린) 손가락 끝까지의 《허벅다리 중간쯤의》 **3** 쉽게 입수할 수 있는
fíngertip contròl 〖자동차〗 버튼 조종 (장치) 《시동 장치의 조작·자동 도어 개폐 등》
fínger tróuble 〖컴퓨터〗 핑거 트러블 《타이프 미스 등 키 입력에 관련된 에러》
fínger wàve 손가락 웨이브 《기름을 바른 머리를 손가락으로 눌러서 만드는 웨이브》
fin·i·al [fíniəl, fáin- | fáin-] *n.* (침대 기둥·램프의 갓 등의) 꼭대기 장식; 〖건축〗 용마루 널장식, 정식(頂飾) 《배·첨탑(尖塔) 등의 꼭대기 장식》 **-aled** *a.*
fin·i·cal [fínikəl] *a.* = FINICKY **~·ly** *ad.* 몹시 까다롭게 **~·ness** *n.*
fin·ick·ing [fínikiŋ], **fin·i·kin** [fínikin] *a.* = FINICKY
fin·ick·y, fin·nick·y [fíniki] *a.* (외양 등에) 몹시 신경을 쓰는, 몹시 까다로운(overfastidious) 《*about*》; 〈일 등이〉 세밀한 (주의가 필요한)
fin·ing [fáiniŋ] *n.* 〖요업·양조〗 (유리액·포도주 등의) 청징(법)(淸澄(法)); [종종 *pl.*] 청징제(劑)
fin·is [fínis, fáinis] [L =end] *n.* **1** (책·영화 등의) 끝, 결미 **2** 최후, 죽음
‡fin·ish¹ [fíniʃ] [L 「끝나다」의 뜻에서] *vt.* **1 a** 〈일 등을〉 끝내다, 끝마치다, 완료[완성]하다: (~+*-ing*) ~ writ*ing* a letter 편지를 다 쓰다 // (~+목+부) ~ *up* the work 일을 끝내다 **b** 〈과정·시기 등을〉 마치다, 끝내다, 종료하다: ~ school 학업을 마치다

> 유의어 **finish** 잘 마무리하여 끝내다: *finish* a painting 그림을 마무리하다 **complete** 처음부터 끝까지 완전히 끝내다: The harvest was *completed* in October. 추수는 10월에 다 끝났다. **end** 행해지고 있던 일을 종료하다: Let's *end* this argument. 이 논쟁을 끝내도록 하자. **conclude** 결말·결과를 내고, 또는 예정대로 끝내다: *conclude* a speech with a quotation from the Bible 성경의 인용구로 연설을 끝맺다

2 〈음식을〉 다 먹어[마셔] 버리다; 〈책·편지를〉 다 읽다 [쓰다]; 〈물건을〉 다 써버리다 《*up, off*》: ~ all the meat 고기를 다 먹어치우다 **3** 마무르다, 마무리하다, 끝손질하다 《*off*》; 다듬어 끝내다: (~+목+전+명) ~ the edge *with* a file 가장자리를 줄로 끝손질하다 **4** 〈상대를〉 해치우다, 없애버리다, 죽이다 《*off*》; 《구어》 기진맥진하게 만들다 《*off*》
— *vi.* **1** 끝나다, 그치다, 끝장나다: The concert *~ed* at 9. 연주회는 9시에 끝났다. **2** 《구어》 [보통 완료형으로] 〈물건을〉 다 써버리다; 끝내다, 그만두다 《*with*》: (~+전+명) Have you *~ed with* this book? 이 책은 다 읽었습니까? / I have[am] *~ed with* this foolishness. 이런 바보 같은 짓은 이제 그만하겠다. **3** (경기에서) 골인하다, 결승점에 닿다: (~+보) ~ second 2등이 되다 **4** 〈가축이〉 (사료 조정으로) 시장에 내보낼 수 있는 체중이 되다
~ by do***ing*** …하고 끝나다, 마침내 …하다 ***~ it off*** 《속어》 사정(射精)하다 ***~ off*** 〈일 등을〉 끝내다, 완료하다; 해치우다, 죽이다 ***~ up*** (1) 〈일을〉 끝마치다, 마무르다 (2) 〈음식물을〉 먹어 치우다; 〈물건을〉 다 써버리다 ***~ up with*** …으로 끝장이 나다 ***~ with*** …으로 끝내다, 일단락짓다; …와 관계를 끊다
— *n.* **1** 끝, 마지막, 종결, 최후; 종국, 최후의 장면; 완결, 완성; (경주의) 결승점, 골(finish line): fight to a ~ 최후까지 싸우다 **2** 끝손질, 마무리; (벽 등의) 마무리 칠, 겉칠; 윤내기 **3** (태도의) 세련, 교양 **4** 〖축산〗 가축의 지방 조직 ***be in at the ~*** (여우 사냥에서) 여우의 최후[죽음]를 보다; 최후 장면에 참여[입회]하다 ***close ~*** 아슬아슬하게 승부가 난 (경기의) 종료
▷ fínite *a.*
fin·ish² [fáiniʃ] *a.* 우수한, 질이 좋은; 가느다란; 매우 섬세한
fínish còat [fíniʃ-] 마무리 칠
***fin·ished** [fíniʃt] *a.* **1** Ⓐ 〈일·제품 등을〉 끝마친, 완료한, 완성된; Ⓟ 《구어》 (사람과의 관계가) 끝난, 절교한 **2** 〈교양 등이〉 완전한, 말할 나위 없는(accomplished); 세련된 **3** 《구어》 죽어[사라져] 가는, 몰락한; 희망이 끊긴: I am ~. 나는 이제 글렀다.
fínished góods 완제품, 완성품
fin·ish·er [fíniʃər] *n.* **1** 완성자; 마무리하는 직공; 마무리 기계 **2** 《구어》 치명적 타격, 결정적인 사건
***fin·ish·ing** [fíniʃiŋ] *a.* 최후의; 끝손질의, 마무리의: a ~ coat 마무리 칠 / the ~ touch[stroke] (그림 등의) 끝손질 / a ~ blow 마지막 일격, 결정타
— *n.* **1** 끝손질, 마무리 손질 **2** [*pl.*] 〖건축〗 마무리 일; 건물의 설비품 《전등·연관(鉛管) 등》 **3** 〖축구〗 (골을 넣어) 득점함; 득점하는 기술
fínishing lìne 《영》 = FINISH LINE
fínishing schòol 교양 학교 《젊은 여성의 사교계 진출 준비 학교》
fínish lìne 《미》 결승선(決勝線), 골 (라인)
***fi·nite** [fáinait] [L 「한정된」의 뜻에서] *a.* **1** 한정[제한]된; 유한(有限)의(opp. *infinite*): ~ resources 한정된 자원 **2** 〖문법〗 〈동사가〉 정형(定形)의
— *n.* [the ~] 유한(성) **~·ly** *ad.* **~·ness** *n.*
fínite cláuse 〖문법〗 (정형 동사를 술어로 하는) 정동사절(定動詞節)
fínite vérb 〖문법〗 정(定)(형)동사 《주어의 수·인칭·시제·법에 의해 한정되는 동사의 형》
fi·nit·ism [fáinaitìzm] *n.* Ⓤ 〖철학〗 유한론, 유한주의
fi·ni·to [finí:tou] [It.] *a.* 《구어》 끝난, 완료된
fi·ni·tude [fáinətjù:d, fín- | fáinitjù:d] *n.* Ⓤ 유한성(有限性)
fink [fíŋk] *n.* 《미·속어》 **1** 마음에 안드는 놈 《젊은이끼리 쓰는 말》 **2** (경찰의) 밀고자 **3** (노동자의) 파업 파괴자; 노동 스파이 **4** 경찰관, 형사, 탐정
— *vi.* (경찰에) 밀고하다, 폭로하다, 배반하다; 파업을 깨뜨리다 ***~ out*** (활동 등에서) 손을 떼다; 믿을 수 없게 되다; 완전실패하다
fín kéel 〖항해〗 (요트의) 철기 용골(鐵鰭龍骨)
fink-out [fíŋkàut] *n.* 《미·속어》 탈퇴, 발빼기, 배신
Fin·land [fínlənd] *n.* 핀란드 《북유럽의 공화국; 수

---

finite *a.* limited, restricted, bounded, terminable, demarcated, delimited, measurable, calculable

도 Helsinki) **~·er** *n.* 핀란드 사람
[관련] Finn(핀란드 사람), Finnish(핀란드 말; 핀란드(사람, 말)의)

Fin·land·i·za·tion [fìnləndizéiʃən] *n.* Ⓤ 핀란드화(化) 《유럽의 비공산국들이 구소련에 대하여 취했던 유화적 외교 정책》

Fin·land·ize [fínləndàiz] *vt.* 〈구소련이〉〈다른 나라들을〉 핀란드화(化)하다, 대소(對蘇) 유화 정책을 취하게 하다

fin·let [fínlit] *n.* 작은 지느러미

*__Finn__ [fín] *n.* **1** 핀란드 사람 **2** 핀 사람 《핀란드 및 북서 러시아 부근의 민속》

Finn. Finnish

fin·nan (had·die) [fínən(-hǽdi)] 훈제(燻製)한 대구의 일종

fínnan háddock =FINNAN HADDIE

finned [fínd] *a.* 지느러미를 가진; [복합어를 이루어] …한 지느러미가 있는: long-[short-]~ 지느러미가 긴[짧은]

fin·ner [fínər] *n.* =FINBACK

fin·nes·ko [fíneskou] *n.* (*pl.* ~) 피네스코 《순록의 가죽으로 만든 부츠의 일종, 겉쪽이 모피》

Finn·ic [fínik] *a.* 핀 족(族)의; 핀 어(語)(족)의
— *n.* Ⓤ 핀 어족

Finn·ish [fíniʃ] *a.* **1** 핀란드의; 핀란드 사람[말]의 **2** =FINNIC — *n.* Ⓤ 핀란드 말

Fin·no-U·gri·an [fìnouјú:griən | -jú:-] *a.* 핀 사람과 우그리아 사람의
— *n.* =FINNO-UGRIC

Fin·no-U·gric [-jú:grik | -jú:-] *n.* Ⓤ, *a.* 피노우그리아 어족(語族)(의)

fin·ny [fíni] *a.* (**-ni·er**; **-ni·est**) **1** 지느러미 모양의; 지느러미가 있는(finned) **2** 《시어》 물고기의; 물고기가 많은: the ~ tribes 어족(魚族)

fín rày 〖어류〗 지느러미줄

Fin. Sec. Financial Secretary

Fín·sen líght [fínsən-] 〖의학〗 핀센광(光)[램프] 《피부병 치료용》

fin·ski [fínski] *n.* 《미·속어》 5달러 지폐(fin)

F. Inst. P. 《영》 Fellow of the Institute of Physics

fín whàle =FINBACK

FIO 〖해군〗 free in and out

fiord [fjɔ́:rd] *n.* =FJORD

fip·pence [fípəns] *n.* 《영·구어》 =FIVEPENCE

fip·ple [fípl] *n.* 〖음악〗 (recorder 등의) 취구(吹口) 조절 마개

fípple flùte 〖음악〗 취구 조절 마개가 달린 종적(縱笛)

*__fir__ [fə́:r] *n.* Ⓒ 〖식물〗 (서양) 전나무(=~ **trèe**); Ⓤ 그 재목 ▷ fírry *a.*

FIR 〖컴퓨터〗 Fast Infrared; 〖항공〗 flight information region **fir.** firkin(s)

fír còne (솔방울 모양의) 전나무 열매

‡**fire** [fáiər] *n.* **1** Ⓤ 불, 화염, 불꽃(flame); 연소(combustion): a bright[blazing] ~ 빨갛게 타오르는 불꽃 **2 a** (난방·요리용) 불, 화덕불, 숯불, 모닥불; 화톳불: build[make] a ~ 불을 피우다 / light[kindle] a ~ 불을 지피다 / put a pan on the ~ 냄비를 불에 올려 놓다 **b** 《영》 난방기, 히터: an electric[a gas] ~ 전기[가스] 히터 **3** ⒸⓊ 화재, 불(cf. CONFLAGRATION): a forest ~ 산불 / ~ prevention 화재 예방 / ~ equipment 방화(防火) 용구 / insure against ~ 화재 보험에 들다 / A ~ broke out last night. 어젯밤에 화재가 났다. **4** Ⓤ 불빛, 번쩍임, 광휘, 광채, 화끈거림(glow); 열, 열화, 초열(焦熱)(burning heat): a diamond's ~ 다이아몬드의 광채 / the ~ of lightning 번갯불의 번쩍임 **5** Ⓤ **a** 정화(情火), 정염(情炎), 정열; 열렬(ardor); 흥분; 격노; 활기(animation): the ~ of love 불 같은 사랑 / a speech lacking ~ 열의 없는 연설 **b** 활발한 상상력; 시적 영감 **6** Ⓤ (병의) (발)열, 열병; 염증(inflammation) **7** [the ~] 불고문, 화형(火刑); [종종 *pl.*] 시련, 고난: a trial by ~ 고난, 매서운 시련 **8** ⓊⒸ (총포의) 발사, 사격, 포화; 폭파: a covering ~ 엄호[지원] 사격 / random ~ 난사(亂射) **9** 《비유》 (비난·질문 등을) 퍼붓기: running ~ (총·비난·질문 등의) 연발(連發)

a line of ~ 탄도(彈道), 사격 방향 ***between two ~s*** 앞뒤에 적의 포화를 받아; 협공당하여 ***catch*** ~ (1) 불붙다 (2) 흥분하다, 열광하다 ***cease*** ~ 사격을 중지하다; 《구령》 사격 중지! (cf. CEASE-FIRE) ***Commence ~!*** 《구령》 사격 개시! ***draw the***[one'***s***] ~ ***of*** …의 공격[비판]을 초래하다 ***fight ~ with ~*** 상대와 같은 전법을 사용하다 ***~ and faggot*** (이교도에 대한) 화형(火刑) ***~ and sword*** 전화(戰禍) ***go through ~ and water*** 물불을 가리지 않다, 온갖 위험을 무릅쓰다 ***hang***[***hold***] ~ (1) 〈화기(火器)가〉 늦게 발사되다 (2) 〈일이〉 시간이 걸리다, 더디다 ***have ~ in*** one'***s eye*** 눈에 노기를 띠다, 화나다 ***have ~ in the belly*** 야망이 강하다 ***hold*** one'***s*** ~ 발포를 삼가다; 때를 기다리다; 사실을 감추다 ***lay a*** ~ 불을 피울 준비를 하다 ***miss*** ~ 〈총포가〉 불발(不發)이 되다; 실패하다 ***on*** ~ (1) 화재가 나서, 불타고 (2) 흥분하여 (3) 《미·속어》 얼굴을 빨갛게 하여, 부끄러워서 ***on the*** ~ 《미·구어》 준비 중인; 집필 중인 ***open*** ~ (1) 사격을 개시하다 (2) (일을) 시작하다 ***play with*** ~ (1) 불장난하다 (2) 위험한 짓을 하다 ***pull ... out of the*** ~ 〈승부 등의〉 실패를 성공으로 전환시키다 ***set a ~ under*** a person 독려하다, 자극하다 ***set on*** ~ =***set ~ to*** (1) …에 불을 지르다 (2) 흥분시키다, 격분시키다 ***set the Thames***[***the world, river***] ***on*** ~ 《영》 (눈부신 일을 하여) 세상을 깜짝 놀라게 하다, 이름을 떨치다 ***stir the*** ~ 불을 쑤셔서 잘 타게 하다 ***strike*** ~ (성냥·부싯돌 등으로) 불을 켜다 ***take*** ~ (1) 불이 붙다, 발화하다 (2) 《구어》 흥분하다, 격하다 ***under*** ~ (1) 포화를 받고 (2) 비난[공격]을 받고 ***Where is the ~?*** 《구어》 어딜 그렇게 급하게 가는 거야?, 무슨 급한 일이 있는 거니?

— *vt.* **1** …에 **불을 지르다**, 방화하다; 새빨갛게 하다; 빛나게 하다: ~ a house 집에 불을 지르다 **2** …에 불을 때다, 불을 넣다 **3** 불에 쬐다, 불에 굽다, 불에 말리다: ~ bricks 벽돌을 굽다 / ~ tea 차를 볶다 **4** 〈감정을〉 불타게 하다, 〈상상력을〉 자극하다; 열중시키다: (~+목+전+명) ~ a person *with* indignation …을 격분케 하다 **5** 〈총포·탄환·미사일 등을〉 **발사하다**, 발포하다; 〈폭약 등을〉 폭발시키다: ~ a shot 한 방 쏘다 / ~ a salute 예포를 쏘다 // (~+목+전+명) The hunter ~*d* small shot *at* the birds. 사냥꾼은 새에 산탄을 발사했다. **6** 〈질문·비난 등을〉 퍼붓다 (*at*): ~ questions *at* a person …에게 질문 공세를 퍼붓다 **7** 《구어》 **해고하다**, 파면하다, …의 모가지를 자르다(⇨ dismiss [유의어]): (~+목+전+명) He was ~*d from* his job. 그는 직장에서 해고당했다. **8** 《구어》 〈돌 등을〉 던지다 (*at*)

— *vi.* **1 발포[사격]하다** (*at, into, on*); 〈총포가〉 발화하다: (~+전+명) The soldiers ~*d at* the fleeing enemy. 병사들은 도망치는 적에게 발포했다. **2** 〈폭약 등이〉 불붙다; 〈내연 기관이〉 발화하다, 시동하다 **3** 번쩍이다, 빛나다, 빨개지다 **4** 열을 올리다, 흥분하다; 새빨개지다

be ~d up 《구어》 열정적이 되다, 고무되다 ***~ at*** …을 저격(狙擊)하다 ***~ away*** (1) 〈탄약을〉 다 써버리다 (2) 《구어》 〈질문·일 등을〉 서슴없이 시작하다 (3) (적에게) 계속 발포하다 (*at*) (4) …에게 질문을 퍼붓다 (*at*) ***~ from the hip*** 〈권총을〉 재빨리 쏘다 ***~ off*** (1) 〈탄환을〉 발사하다 (2) 〈우편·전보 등을〉 발송하다; 〈말을〉 하다 (3) 〈일련의 질문을〉 시작하다 (4) 〈화톳불을〉 끄다 ***~ out*** 《미·구어》 해고하다 (discharge) ***~ up*** (1) 〈보일러에〉 불을 때다 (2) 격분

thesaurus **fire** *v.* **1** 불을 지르다 set fire to, set ablaze, ignite, kindle **2** 자극하다 excite, inflame,

하다, 화를 불끈 내다 (3) 《속어》 파이프[담뱃대]에 불을 붙이다 ▷ fíery *a.*; afíre *ad.*
fíre alárm **1** 화재 경보 **2** 화재 경보기
fíre and brímstone 불과 유황, 지옥의 고통, 천벌
fire-and-brim·stone [-ənbrímstoun] *a.* 〈설교 따위가〉 지옥의 불을 연상케 하는
fíre ànt 〖곤충〗 쏘는 침을 가진 개미
fíre apparàtus 소화(消火) 장비
fíre àrea 방화 구역
*__fire·arm__ [fáiərὰ:rm] *n.* [보통 *pl.*] 화기, 《특히》 소화기(小火器) 《rifle, pistol 등》
fire·back [-bæ̀k] *n.* **1** (불기를 반사시키는) 난로의 뒷벽 **2** 〖조류〗 꿩의 일종 《동남아시아산(産)》
fire·ball [-bɔ̀:l] *n.* **1** 불덩어리, 번개; 〖천문〗 큰 유성(流星); 태양 **2** (핵 폭발시에 생기는) 화구(火球) **3** (옛날의) 소이탄 **4** 《구어》 지칠 줄 모르는 정력가 **5** 〖야구〗 속구(速球) **~·er** *n.* 〖야구〗 속구 투수
fíre ballòon **1** 열기구(熱氣球) **2** 꽃불 기구(氣球)
fire·base [-bèis] *n.* 〖군사〗 중포(重砲) 기지
fíre bàsket (횃불 등을 담아 피우는) 쇠바구니
fíre bèll 화재 경종
fíre bèlt 방화대(防火帶)
fire·bird [-bə̀:rd] *n.* 〖조류〗 (미국산) 꾀꼬리의 일종
fíre blànket 방화용 모포
fíre blàst 〖식물〗 (hop 등의) 고사병(枯死病)
fíre blìght 〖식물〗 (서양 배·사과 등의) 부란병(腐爛病)
fíre blòcks 화재 방색판(防塞板)
fire·board [-bɔ̀:rd] *n.* **1** 벽난로 덮개 **2** 《미남부》 = MENTEL
fire·boat [-bòut] *n.* 《미》 소방선(消防船)
fire·bomb [-bὰm | -bɔ̀m] *n.* 소이탄(incendiary bomb), 화염병 **—** *vt.*, *vi.* 소이탄[화염병]으로 공격하다
fíre bòmber 소화용 비행기
fíre bòwl 화로
fire·box [-bὰks | -bɔ̀ks] *n.* **1** (보일러·기관의) 화실(火室) **2** 화재경보기
fire·brand [-bræ̀nd] *n.* **1** 횃불; 불붙은 관솔, 불타는 나뭇조각 **2** (파업 등의) 선동자; 말썽꾼
fire·brat [-bræ̀t] *n.* 〖곤충〗 얼룩좀 《보일러·스팀 파이프 주위에 서식함》
fire·break [-brèik] *n.* (삼림·초원 등의) 방화대(防火帶), 방화선; 〖군사〗 재래식 무기전에서 핵무기전으로의 이행을 방지하기 위한 경계(선)
fire·brick [-brìk] *n.* 내화(耐火) 벽돌
fíre brigàde **1** 《영》 소방대(《미》 fire department) **2** 《속어》 긴급 기동 부대
fíre bùcket 비상용 소화 양동이
fire·bug [-bʌ̀g] *n.* **1** 《미·방언》 개똥벌레(firefly) **2** 《미·구어》 방화광[범](incendiary)
fíre chìef 《미》 소방서장, 소방부장
fire·clay [-klèi] *n.* Ⓤ 내화 점토 《내화 벽돌의 원료》
fíre còmpany **1** 《영》 화재 보험 회사 **2** 《미》 소방대(《영》 fire brigade)
fíre contról **1** 방화(防火), 소화 **2** 〖군사〗 사격 통제
fíre contról ràdar 〖군사〗 화기(火器) 관제 레이더(cf. RADAR)
fíre-con·tról sỳstem [-kəntróul-] 〖군사〗 사격 통제 장치 《略 FCS》
fire·crack·er [-kræ̀kər] *n.* **1** 《미》 폭죽(爆竹), 딱총 **2** 《미·속어》 폭탄, 어뢰
fíre cròss = FIERY CROSS
fire-cure [-kjùər] *vt.* 〈담뱃잎을〉 모닥불 연기에 쐬어 건조 처리하다
fíre cùrtain 방화막, 내화(耐火) 커튼
fire·damp [-dæ̀mp] *n.* Ⓤ (탄갱 안의) 폭발성 가스
fíre depàrtment 《미》 **1** 소방국, 소방서 **2** [집합적] 소방대원

inspire, stimulate **3** 발사하다 launch, shoot, let off, discharge, trigger **4** 해고하다 dismiss, oust

fire·dog [-dɔ̀:g | -dɔ̀g] *n.* = ANDIRON
fíre dòor (보일러·난로 등의) 연료 주입구, 점화구; (자동) 방화문
fire·drake [-drèik], **-drag·on** [-dræ̀gən] *n.* (게르만 신화의) 불을 뿜는 용
fíre drìll 소방 연습; 방화[피난] 훈련
fire-eat·er [-ì:tər] *n.* **1** 불을 먹는 요술쟁이 **2** 싸우기 좋아하는 사람, 객기 부리는 사람 **3** 《구어》 〖미국사〗 (남북 전쟁 이전의 남부의) 열렬한 노예 제도 지지자 **4** 《미·구어》 = FIRE FIGHTER
fire-eat·ing [-ì:tiŋ] *a.* 혈기에 날뛰는, 전투적인 **—** *n.* Ⓤ 불을 먹는 요술
*__fíre èngine__ 소방차; 소방 펌프
fíre escàpe 화재 피난 장치 《비상계단·사닥다리 등》
fíre èxit 비상구, 화재 대피구
fíre extìnguisher 소화기(消火器)
fire-eyed [-áid] *a.* 《고어》 눈이 빛나는[번쩍이는]
fire·fight [-fàit] *n.* 〖군사〗 포격전 《육박전에 대하여》
fíre fìghter 《미》 소방수, 소방관(fireman)
fíre fìghting 소방 (활동)
*__fire·fly__ [fáiərflài] *n.* (*pl.* **-flies**) 〖곤충〗 **1** 반딧불이, 개똥벌레 **2** 발광(發光)하면서 비행하는 곤충의 총칭
fíre gràte 난로의 쇠살대
fire·guard [-gὰ:rd] *n.* **1** 난로 울(fender) **2** 《미서부》 (삼림·초원의) 방화 지대(firebreak) **3** 화재 감시인
fíre hàt 소방관용 헬멧
fíre hòok 소화 갈고리
fire·horse [-hɔ̀:rs] *n.* (옛날의) 소방차용 말
fíre hòse 소방용 호스
fire·house [-hàus] *n.* (*pl.* **-hous·es** [-hàuziz]) 《미》 소방 기구고(庫); 소방서(fire station)
fíre hùnt 《미》 야간에 불을 켜고 하는 사냥
fíre hỳdrant 《미》 소화전(消火栓)
fíre insùrance 화재 보험
fíre ìrons 난로용 철물 《tongs, poker, shovel 등》
fíre làdder 비상[소방] 사닥다리
fire·less [fáiərlis] *a.* **1** 불이 없는 **2** 활기가 없는
fíreless cóoker 축열(蓄熱) 요리기
fire·light [fáiərlàit] *n.* Ⓤ 불빛; 난로 불빛
fire·light·er [-làitər] *n.* 불쏘시개
fíre lìne **1** (삼림 지대의) 방화선 《나무를 벌목한 지대》 **2** [보통 *pl.*] (화재 현장의) 소방 비상선
fire·lock [-lὰk | -lɔ̀k] *n.* 화승총(火繩銃)
*__fire·man__ [fáiərmən] *n.* (*pl.* **-men** [-mən]) **1** 소방수, 소방대원 《★ 성차별을 피하기 위해 공식적으로는 fire fighter가 사용됨》 **2** (용광로·보일러의) 화부(火夫)(stoker) **3** 《미·속어》 〖야구〗 구원 투수(relief pitcher) **~ *of the year*** 〖야구〗 연간 최우수 구원 투수
fíre màrshal 《미》 **1** (주(州)·시의) 소방국장 **2** (공장·회사 등의) 방화(防火) 관리[책임]자
fire-new [-njú: | -njú:] *a.* 《고어》 신품의
Fi·ren·ze [fi:réntsei] *n.* 피렌체 《Florence의 이탈리아명》
fíre òffice 《영》 화재 보험 회사 (사무소)
fíre òpal 〖광물〗 화단백석(火蛋白石)
fire·pan [fáiərpæ̀n] *n.* 《영》 부삽; 화로
*__fire·place__ [fáiərplèis] *n.* **1** (벽)난로; 노상(爐床)(hearth): sit in front of the ~ 벽난로 앞에 앉다 **2** 난로 앞, 노변 **3** 야외[옥외] 취사장
fire·plug [-plʌ̀g] *n.* 소화전(fire hydrant) 《略 FP》
fíre pòint [the ~] 연소점, 발화점
fíre pòlicy 화재 보험 증서
fire·pot [-pὰt | -pɔ̀t] *n.* 화실(火室), 아궁이 《난로·용광로 등의 연료가 타는 부분》
fire·pow·er [-pàuər] *n.* **1** Ⓤ 〖군사〗 (부대·무기의) 화력, 사격 능력 **2** (활동) 능력, (팀의) 득점력, 득점 행위
fíre pràctice 소방 연습, 방화 훈련(fire drill)
*__fire·proof__ [fáiərprù:f] *a.* 내화성(耐火性)의, 방화(防火)의; 불연성의
— *vt.* 내화[불연]성으로 만들다[하다]
fire·proof·ing [-prù:fiŋ] *n.* Ⓤ **1** 내화성화(化),

방화(防火) 시공(施工) **2** 내화 재료

fir·er [fáiərər] *n.* **1** 점화물; 점화 장치, 발화기(發火器) **2** [보통 복합어를 이루어] 총포: a quick-[rapid-] ~ 속사포 **3** 발화[발포]자 **4** 방화자(incendiary)

fire-rais·er [-rèizər] *n.* 《영》 방화범(arsonist)

fire-rais·ing [fáiərèiziŋ] *n.* Ⓤ 《영》 방화죄(放火罪)(arson)

fíre rèel 《캐나다》 소방(자동)차(fire engine)

fíre resìstance 내화성[도]

fire-re·sis·tant [-rizìstənt] *a.* 내화성의

fire-re·tar·dant [-ritɑ́:rdnt] *n.* 방화(防火) 재료 — *a.* 방화 효력이 있는, 연소 방지의

fire-re·tard·ed [-ritɑ́:rdid] *a.* 방화 재료로 보호된

fíre rìsk 〖보험〗 **1** 화재 위험(이 있는 것) **2** (화재 보험 계약에 의한) 피보험 재산 물건

fire·room [-rù:m] *n.* (기선의) 기관실, 보일러실

fire·safe [fáiərsèif] *a.* 내화성의

fíre sàle 〖상업〗 타다 남은 물건의 방매[특매]

fíre-sale prìce [-sèil-] 특가, 싼 값

fíre scrèen (난로의) 화열(火熱) 가리개

Fíre Sèrvice 《영》 소방대(fire brigade)

fíre shìp 화선(火船), 화공선(火攻船) 《폭발물 등을 가득 싣고 불을 질러서 적선 사이에 띄워 보냄》

fíre shòvel 석탄삽; 부삽

*__fire·side__ [fáiərsàid] *n.* [보통 the ~] **1** 난롯가, 노변(爐邊) 《단란한 가정 생활을 상징하는 곳》: be seated by *the* ~ 난롯가에 앉아 있다 **2** 가정(home); 가정생활, 한 가족의 단란
— *a.* Ⓐ 난롯가의, 노변의; 가정적인 *~ chat* 노변한담 《특히 미국 대통령 F.D. Roosevelt의》

fire·start·er [-stɑ̀:rtər] *n.* 《미》 **1** 점화 도구 **2** = FIRELIGHTER **3** 방화범

fíre stàtion 소방서

fíre stèp 〖군사〗 (참호 안의) 발판, 디딤판 《사격·적정 관측용》

fíre stìck **1** (미개인의) 불을 일으키는 막대기; 불쏘시개 **2** [*pl.*] (원시적인) 부젓가락 **3** 《미·속어》 총

fire·stone [-stòun] *n.* Ⓤ,Ⓒ **1** 내화 석재(石材) 《난로·용광로용》 **2** 부싯돌

fire·stop [-stɑ̀p | -stɔ̀p] *n.* (건물의) 방화 칸막이, 방화 충전재(充塡材)

fire·storm [-stɔ̀:rm] *n.* **1** (원폭 폭발 등의) 불바람; 화재 폭풍 **2** 《미》 (감정 등의) 폭발; (항의 등의) 격렬한 회오리 바람

fíre tèazer 《영》 화부(火夫), 기관사

fire·thorn [-θɔ̀:rn] *n.* 〖식물〗 피라칸다, 울산사 《장미과(科) 울산사속(屬)의 관목》

fíre tòngs 부집게, 부젓가락

fíre tòwer **1** 작은 등대 **2** (산꼭대기 등에 설치된) 화재 감시 망루(望樓)

fire·trap [-træ̀p] *n.* 화재 때 비상구가 없는 건물[장소]

fíre trùck 《미》 소방(자동)차

fíre-tube bòiler [-tjù:b- | -tjù:b-] 연관 보일러

fíre wàlker 불 속 또는 달군 돌 위를 맨발로 걷는 사람(cf. FIRE WALK(ING))

fíre wàlk(ing) 불 속 걷기 《불에 달군 돌 위를 맨발로 걸음; 종교 의식 또는 재판용》

fíre wàll[1] 〖컴퓨터〗 방화벽(防火壁) 《컴퓨터망 보안 시스템의 일종》

fíre wàll[2] 〖건축〗 방화벽

fíre wàrd 《고어》 = FIRE WARDEN

fíre wàrden 《미》 (삼림지의) 방화(防火) 담당관, 소방 감독관; (캠프의) 불 지키는 사람

fire-watch·er [-wɑ̀tʃər | -wɔ̀tʃər] *n.* 《영》 (공습) 화재 감시인

fire·wa·ter [-wɔ̀:tər] *n.* Ⓤ 《구어·익살》 화주(火酒), 독주 《위스키·진·럼 등》

fire·weed [-wì:d] *n.* 불탄 자리에 나는 잡초

fíre wìndow 내화창(耐火窓)

Fire·Wire [fáiərwàiər] *n.* 〖컴퓨터〗 파이어와이어 《미국 Apple사와 Texas Instrument사가 제창한 고속 직렬 데이터 버스 규격》

fire·wom·an [-wùmən] *n.* 여자 소방대원

*__fire·wood__ [fáiərwùd] *n.* Ⓤ **장작, 땔나무**

*__fire·work__ [fáiərwə̀:rk] *n.* **1 불꽃**; [*pl.*] 불꽃놀이(대회); [종종 *pl.*] 봉화: let[set] off a ~ 불꽃을 쏘아 올리다 **2** 감정[정열]의 격발 **3** [*pl.*; 때로 단수 취급] 기지(機智)[재기]의 번득임 **4** [*pl.*] 《미·속어》 흥분(시키는 것) **5** 《구어》 〖군사〗 대공 포화, 포격

firework(s) dìsplay 불꽃놀이 대회

fíre wòrship 배화; 배화교

fíre worshiper 배화교도

*__fir·ing__ [fáiəriŋ] *n.* **1 발포, 발사**; 발화, 점화: ~ practice 사격 연습 **2** Ⓤ 불에 쬠; (도자기 등의) 굽기; (차를) 볶음 **3** Ⓤ 불을 땜; 연료, 장작, 땔감 **4** 해고

fíring bàttery 〖군사〗 사격 중대; 야포대

fíring chàrge 〖군사〗 장약(裝藥), 발사약 《총포탄을 발사하기 위한 화약》

fíring ìron 낙철(烙鐵), 소락침(燒烙針) 《수의용(獸醫用)》

fíring lìne [the ~] **1** 〖군사〗 사선(射線), 포열선(砲列線)(의 병사); 사선 부대 **2** (활동의) 제일선, 최선봉 ***on*** [《영》 ***in***] ***the ~*** (공격·비난 등의) 제일선에서

fíring òrder (내연 기관의) 점화 순서

fíring pìn (총포의) 공이, 격침(擊針)

fíring pòint (가연성 기름의) 발화점; 〖약학〗 연소점; 〖군사〗 (사격 훈련 때의) 사격 위치

fíring rànge 사격 훈련[연습]장

fíring squàd[pàrty] (군대 장례의) 조총(弔銃) 발사(부)대; 총살(형) 집행(부)대

fíring stèp = FIRE STEP

fir·kin [fə́:rkin] *n.* **1** 영국의 용량 단위 《$^{1}/_{4}$배럴》 **2** (버터 등을 넣는) 작은 나무통 《8-9 갤런들이》

‡**firm**[1] [fə́:rm] [L 「견고한, 강한」의 뜻에서] *a.* (**~·er**; **~·est**) **1** 굳은, 단단한, 견고한(solid): ~ ground 견고한 땅, 대지 / ~ muscles 단단한 근육 **2** 빈틈없이 꽉 짜인, 탄탄한(compact) **3 확고한**, 견실한, 흔들리지 않는, 〈신념 등이〉 변치않는(constant): a ~ foundation 흔들리지 않는 기반[토대] / ~ friendship 변치않는 우정 **4** 단호한, 과단성 있는(resolute), 강경한: a ~ decree 엄명 **5** 〖상업〗 〈시세가〉 변동 없는; 〈시장 경기가〉 안정된 **6** 확실한; 충분한: ~ evidence 확실한 증거 ***(as) ~ as a rock*** 반석 같은 ***be ~ on*** one***'s legs*** 든든하게 (자기 발로) 서 있다 ***be on ~ ground*** 확고한 기초에 입각하고 있다
— *ad.* 단단히, 굳건히(firmly) ***hold ~ (to)*** 꽉 붙잡고 놓지 않다; 끝까지 고수하다 ***stand ~*** 꿋꿋이[굳건히] 서다; 단호한 태도로 양보하지 않다
— *vt., vi.* 단단하게 하다[되다] 《*up*》; 안정시키다[되다] 《*up*》 ▷ fírmly *ad.*; fírmness *n.*

‡**firm**[2] [fə́:rm] [It. 「(상업의) 확인」의 뜻에서] *n.* **1** 상회, 상사(商社) 《2인 이상의 합자로 경영되는》, **회사**(⇨ company 유의어) **2** [집합적] (병원의) 의료팀 **3** 《속어》 **a** 《영》 (범죄자·악한의) 무리, 집단 **b** 공적 비밀 기관 ***a long ~*** 《영》 (물품을 수령하고 대금을 지불하지 않는) 엉터리 회사, 사기[유령] 회사

*__fir·ma·ment__ [fə́:rməmənt] [L 「받침」의 뜻에서] *n.* [the ~] 《문어》 **창공**, 하늘(sky)

fir·ma·men·tal [fə̀:rməméntl] *a.*

fir·man [fərmɑ́:n, fə́:rmən] *n.* (*pl.* **~s**) (옛 터키 황제의) 칙령(勅令); 면허장; 여행 허가증

fírm bànking 펌 뱅킹 《기업과 은행의 컴퓨터를 통한 자금의 종합 관리 시스템》

fir·mer [fə́:rmər] *n.* 〖목공〗 날이 얇은 끌

fírmer chìsel 〖목공〗 = FIRMER

firm friends 절친한 친구, 죽마고우

fírmer gòuge 〖목공〗 얇은 날의 둥근 끌

‡**firm·ly** [fə́:rmli] *ad.* 단단하게, 견고하게, 굳게; 확고

thesaurus **firm**[1] *a.* **1** 견고한, 굳은 hard, stiff, rigid, inflexible, inelastic, solid, frozen, fixed, secure **2** 빈틈없이 꽉 짜인 compacted, compressed,

하게, 단호하게
***firm·ness** [fə́ːrmnis] *n.* Ⓤ 견고, 단단함, 견실; 확고부동, 결의가 굳음
firm·ware [fə́ːrmwɛ̀ər] *n.* Ⓤ 〖컴퓨터〗 펌웨어 《hardware도 software도 아닌 데이터 보존 부분; ROM에 격납된 microprogram 등》
firn [fíərn] *n.* Ⓤ 〖지질〗 (높은 산봉우리의) 만년설, (빙하 위쪽의) 싸라기눈(= ∠ **snòw**)
fír nèedle 전나무 잎
fir·ry [fə́ːri] *a.* (**-ri·er**; **-ri·est**) 전나무의, 전나무 재목의; 전나무가 많은
*****first** ⇨ first (p. 938)
first áid 응급 치료[처치], 구급 치료
first-aid [fə́ːrstéid] *a.* 응급 치료의: a ~ kit[case] 구급 상자 / a ~ treatment 응급 조처
first áider 《영》 응급[구급] 처치 요원
Fírst Améndment [the ~] 《미》 헌법 수정 제1항 《언론·신문·종교의 자유를 보장한 조항》
first bálcony 《미》 (극장의) 특등석(《영》 dress circle)
first báse 1 [보통 관사 없이] 〖야구〗 1루(first); 1루의 위치[수비] **2** 《일반적으로》 제1단계 ***get to*** [***reach, make***] ~ (1) 〖야구〗 1루에 나가다 (2) 《미·구어》 [보통 부정문에서] 조금 진보하다, (계획 등의) 제1보를 성취하다 (3) 《비유》 데이트에서 키스하다
first báseman 〖야구〗 1루수(first)
first blóod (권투 시합 등에서) 최초로 출혈시키기; (상대에 대한) 초반의 우세
first·born [-bɔ́ːrn] *a.* Ⓐ 최초로 태어난 《second-born, thirdborn 등의 말은 없음》
— *n.* 《주로 문어》 첫 아이, 맏이, 《특히》 장남
first cáll 1 (집합 시간 전의) 제1 나팔 **2** 제1회 불입(拂入) **3** (증권 시장의) 전장(前場)
first cáuse 1 〖철학〗 제1 원인 《아리스토텔레스의 철학에서》 **2** [the F- C-] 조물주(the Creator) **3** 《일반적으로》 활동의 근원, 활동력
first-cáuse àrgument [-kɔ́ːz-] 〖철학〗 제1원인론 《신을 제1원인으로 생각하는 설》
Fírst Chíldren [the ~] 《미》 대통령의 자녀들(the children of a U.S. President)
first-chop [-tʃɑ́p | -tʃɔ́p] *a.* 《영·구어》 최고급의, 최상의(first-class)
***first cláss 1** 1급, 제1류; (기차·배 등의) 1등(cf. SECOND CLASS, CABIN CLASS, TOURIST CLASS) **2** (우편의) 제1종 **3** 《영》 (대학의 우등 시험에서) 제1[최상]급(cf. FIRST *n.* 6)
—*ad.* = FIRST-CLASS
***first-class** [fə́ːrstklǽs | -klɑ́ːs] *a.* **1** 최고급의, 일류의, 최상의; 《구어》 굉장히 좋은, 아주 훌륭한, 뛰어난: a ~ hotel 일류 호텔 / a ~ movie 일급 영화 / feel ~ 기분이 최고다 **2** 〈기차·배·비행기 등이〉 1등의; 〈우편이〉 제1종의: a ~ carriage 1등차 / ~ mail [matter] 제1종 우편[우편물] **3** 《구어》 심한, 지독한
—*ad.* **1** 1등으로: travel ~ 1등을 타고 여행하다(travel first) **2** 《미》 제1종 우편으로; 《영》 다음날 배달로 **3** 《구어》 뛰어나게(excellently): He plays ~. 그의 연기는 아주 훌륭하다.
first clássman 《미》 (육군[해군] 사관학교의) 4학년생
first cóat (페인트의) 초벌칠, 밑칠; 초벽 (바르기) (scratch coat)
first-come-fírst-serve(d) bàsis [fə́ːrstkʌ̀m-fə́ːrstsə́ːrv(d)-] 선착순
first·com·er [fə́ːrstkʌ́mər] *n.* 맨 먼저 오는 손님, 선착자(先着者)
Fírst Commándment (십계명의) 제1계명
Fírst Cómmoner 《영》 제1평민 《1919년까지는 하원 의장(the Speaker), 지금은 추밀원 의장(Lord President of the Council)》
first cónsonant shìft 제1자음 추이 《게르만 어와 다른 인도 유럽어를 구별하는 폐쇄 자음의 음운 변화》
first cóst 《영》 〖경제〗 (구입) 원가(prime cost)
Fírst Cóuple [the ~] 《미》 대통령 부처
first cóusin 1 사촌(cousin), 종형제, 종자매(cf. COUSIN) **2** 매우 가까운[관계가 깊은, 흡사한] 사람[물건], 근친《*to*》
first còver [the ~] (잡지의) 표지
first dày 1 [**F- d-**] 일요일 《퀘이커 교도의 용어》 **2** (우표 발행의) 초일(初日) **3** = FIRST-DAY COVER
first-day cóver [-dèi-] 초일(初日) 커버 《발행 첫날의 소인이 찍힌 우표가 붙은 봉투》
first-de·gree [-digríː] *a.* Ⓐ **1** 〈화상이〉 가장 낮은[가벼운], 제1도의: ~ burn 〖의학〗 제1도 화상 **2** 〈죄상(罪狀) 등이〉 제1급의, 최고의: ~ murder 제1급 살인
first dówn 〖미식축구〗 퍼스트 다운 《1회의 공격권을 구성하는 4회 공격의 첫번째》
first edítion (책의) 초판, 초판본; (신문의) 제1판
Fírst Émpire [the ~] 프랑스의 제1 제정(帝政) 《Napoleon I 치하(1804-14)》
first estáte [종종 **F- E-**] 제1 신분 《중세 유럽의 3신분(the three estates) 중의 성직족(族)》; 《영국 상원의》 고위 성직 의원(Lords Spiritual) 《프랑스에서는 clergy; cf. ESTATE 6》
first-ever [-évər] *a.* Ⓐ 최초의, 처음의 전례가 없는: my ~ visit to Tokyo 내 생애 최초의 도쿄 방문
first fámily 1 [the ~] (사회적으로) 최고 지위에 있는 집안 **2** [종종 the F- F-] 《미》 대통령[주지사]의 가족 **3** [the ~] (식민지 시대부터의) 명문, 구가(舊家)
first fínger 집게손가락(forefinger)
first flóor [the ~] **1** 《영》 2층(cf. GROUND FLOOR); 《미》 1층 《★ 미국에서도 호텔 등에서는 영국식으로 2층의 뜻으로 쓰이는 수가 있음.》 **2** [집합적] 《영·구어》 2층의 주인
first-foot [-fút] 《스코》 *n.* 정월 초하루의 맨 처음 손님; (결혼식·세례식 등에 가는 길에) 맨 처음 만난 사람
— *vt.* 설날에 맨 먼저 방문하다; [~ it] 설날의 첫손님이 되다 **—** *vi.* 설날의 첫손님이 되려고 돌아다니다
first·fruits [-frúːts] *n. pl.* (신에 바치는) 첫 수확물, 햇것, 맏물; 최초의 성과
first géar 《영》 최저속(最低速) 기어(first)
first-gen·er·a·tion [-dʒènəréiʃən] *a.* 《미》 **1** 이민[귀화민]의 자녀로 태어난; 이민 후 최초 세대의; (특히 미국 태생의) 2세의 **2** 외국으로부터 이민한, (특히 미국으로 이주[귀화]한) 1세의
first generátion compùter [the ~] 〖컴퓨터〗 제1세대 컴퓨터
first hálf 1 (일 년을 둘로 나눈) 상반기, 전반기 **2** (구기 경기 등의) 전반(전); (두 시즌제(制)의) 전기
***first·hand** [fə́ːrsthǽnd] *ad.* 직접(으로), 바로(at first hand); 직접 체험으로
—*a.* 직접의(direct); 직접 (체험에 의해서) 얻은, 직접 구입한: ~ information 직접 얻은 정보 / ~ vegetables 직접 구입한 야채
first-in, first-out [-ínfə́ːrstáut] 〖회계〗 선입 선출법 《자산을 평가하는 회계상의 방법; 먼저 들어온 물건이 제일 먼저 나간다고 가정함; 略 FIFO》
Fírst Internátional [the ~] 제1 인터내셔널(cf. INTERNATIONAL)
first lády [종종 the F- L-] 《미》 **1** 대통령[주(州)지사] 영부인 **2** (각국의) 수상 부인 **3** (예술·직업 등 각계를 대표하는) 지도적 입장의 여성
first lánguage 제1 언어, 모국어
first lieuténant 1 〖미육군〗 중위 **2** 〖미해군〗 갑판사관 **3** 〖영국해군〗 (소형선의) 부장
first líght 《미》 새벽녘, 동트는 시각(time of dawn)
first-line [-láin] *a.* **1** (제)일선의, 전선(前線)의: ~ troops 일선 부대 **2** 최우량의, 가장 중요한
first·ling [fə́ːrstliŋ] *n.* [보통 *pl.*] 《문어》 **1** 햇것, 맏

---

condensed, dense **3** 확고한 settled, definite, established, unchangeable **4** 단호한 resolute, determined, decided, resolved, unwavering, stubborn

first

first는 적어도 네 가지 다른 의미를 가지고 있다. first가 지니는 각 뜻이 어떤 어구와 상대적으로 대조되어 있는가를 생각해 보면 뜻이 명백해진다.

1. for the second time, for the third time 등의 계열에서 쓰이는 first는 for the first time(처음으로)의 뜻이다: When did you *first* see him? 그와 처음으로 만난 것은 언제냐?
2. secondly, thirdly 또는 in the second place, in the third place 등과 대조적으로 쓰이는 first는 in the first place(우선, 첫째로)의 뜻이다.
3. second, third의 대조될 때의 first는 형용사적으로도 부사적으로도 「(때·순위 등에 있어서) 맨먼저의, 첫째의」의 뜻으로 일반적으로 쓰인다: the *first* chapter 제1장 / the *first* month of the year 1월 / *first* of all 제일 먼저 / Which horse came in *first*? 어느 말이 1착을 했느냐? / Women and children *first*. 여자와 어린이 우선.
4. 다음으로 soon 또는 (soon) afterwards 등의 말을 예상시키는 경우, 혹은 이 말들과 대조적으로 쓰이는 경우, first는 at first의 뜻이지만, 이 용법의 first는 특히 애매하여 현재는 별로 쓰이지 않는다. 대신 at first를 쓰면 된다: I found it difficult *at first*, but soon got used to it. 처음에는 어렵게 생각했지만 곧 익숙해졌다.

‡**first** [fə́ːrst] *a., ad., n., pron.* [fore의 최상급에서; cf. FOREMOST]
— *a.* **1** [대개 the ~, one's ~] **첫째의, 첫번째의**; 최초의, 맨 처음[먼저]의(opp. *last*): *the* ~ snow of the season 첫눈 / ⇨ first base, first floor / *the* ~ chapter 제1장(章) / *the* ~ impression 첫인상; 제1쇄(刷) / her ~ book 그녀의 처녀작; 그녀가 처음으로 가진[읽은] 책 / *the* ~ two[three, four] years 처음의 2[3, 4]년 (《USAGE》 숫자와 함께 쓸 때는 숫자 앞에 놓음; 단, 수사가 적은 수인 때는 후치도 됨) / love at ~ sight 첫눈에 반하다 / take *the* ~ opportunity *of doing* ... 기회가 생기는 대로 …하다 / I was *the* ~ guest to arrive. 내가 첫번째로 도착한 손님이다. / This is my ~ visit to Paris. 이번이 첫번째 파리 방문입니다.
2 [시간적으로] 가장 빠른, (어떤 일의 다음에) 최초의, 바로 다음의: the ~ train 시발 열차; 맨 먼저 떠나는 열차 / the ~ years of life 어렸을 때
3 〈순위·계급·중요도 등이〉 **수위의, 1등의,** 1급의; 으뜸의, 최고의, 일류의; (관직명 따위에서) 제1의, 수석의: win (the) ~ prize 1등상을 타다 / the ~ hotel in the city 그 도시에서 최고의 호텔 / Mary was ~ in class, and I was second. 반에서 메리가 일등이고 나는 이등이었다. / ⇨ first lady / goods of (the) ~ grade 1급품
4 [the ~; 부정문에 써서] 조금의 (…도 없다): I do*n't* know *the* ~ thing about it. 나는 그것에 대해서 조금도 아는 것이 없다.
5 〚음악〛 〈오케스트라·합창의 동일 악기와 성부 등이〉 최고음의: the ~ alto[horn] 제1알토[호른]
6 〚자동차〛 제1단의, 최저속의
at ~ glance 얼핏 보기에, 겉으로 보기에
at ~ hand 직접, 바로 ⇨ firsthand
at ~ sight ⇨ sight
at the ~ opportunity 기회가 나는 대로
~ things ~ 중요한 일부터 우선 먼저, 우선 첫째로: Let's discuss ~ *things* ~. 우선 첫째로 중요한 일부터 토의하자.
for the ~ time ⇨ time
in ~ place 1등의, 우승의
in the ~ place ⇨ place
of the ~ water ⇨ water
on the ~ fine day 날씨가 개는 대로[즉시]
(the) ~ thing 우선 첫째로; 중요한 것부터 먼저: I'll come to see you ~ *thing* tomorrow. 나는 내일 우선 첫째로 너를 보러 올 것이다.
(the) ~ time ⇨ time
— *ad.* **1 a** 〈때·순위·계급 등이〉 **첫째로,** 수위에, 1등에, (다른 사람·것보다) 먼저: stand ~ 선두에 서다 / rank ~ 제1위에 있다 / *F*~ come, ~ served. (속담) 먼저 온 사람이 먼저 대접받는다, 선착자 우선. **b** **1등으로**: travel ~ 1등으로 여행하다
2 (만사 제쳐놓고) **우선**: When I arrive home I must ~ take a bath. 집에 도착하면 우선 목욕을 해야 한다.
3 [대개 동사 앞에 써서] **처음으로** 《for the second [third] time (두[세]번째로)과 대조적으로》: when I ~ visited Gyeongju 처음으로 경주를 방문했을 때
4 [secondly, thirdly (둘[셋]째로)라고 열거할 때 문두에 써서] **우선 첫째로,** 맨 먼저
5 [대개 동사 앞에 써서] 《미》 처음 무렵에는: When I ~ arrived in Korea I didn't speak any Korean. 한국에 갓 도착했을 당시에는 한국어를 한마디도 못했다.
6 [would, will과 함께 써서] (…할 바에는) 먼저 (…하다), 오히려 (…쪽을 택하다), 차라리 (…편이 낫다): I *would* shoot myself ~. (그런 짓을 하느니) 총을 쏴서 자살하는 편이 낫다. / I'*ll* see you in hell ~. 《구어》 그 따위 짓을 누가 한담. 《제법 강한 어조로 말하는 도전적인 거절》
come in ~ (경주에서) 1등이 되다
~ and foremost 맨 먼저, 무엇보다 먼저: He directed some movies, but ~ *and foremost* he's an actor. 그는 몇몇 영화를 감독했지만 무엇보다도 먼저 그는 배우이다.
~ and last 전체를 통하여, 대체적으로, 일반적으로; 모든점에서, 순전히: Quality is ~ *and last*, the only requirement. 질이 좋아야 하는 것이 전체를 통하여 유일한 필수 조건이다.
~ and most important(ly) 우선 가장 중요한 것은
~, last, and always [***all the time***] 《미》 시종일관하여: Safety is important ~, *last and all the time*. 시종일관하여 안전이 중요하다.
~ of all 우선 첫째로, 무엇보다도: *F*~ *of all* let me apologize for being late. 우선 첫째로 늦어서 죄송하다는 사과를 하겠습니다.
~ off 《구어》 (1) 우선, 첫째로: *F*~ *off* I'd like to introduce my friend. 우선 내 친구를 소개해 드리겠습니다. (2) 곧
~ or last 조만간에
~ up 《호주》 무엇보다 먼저, 최초는
put ... ~ 〈사람·물건을〉 최우선하다
— *n.* **1** Ⓤ [대개 the ~] **a** (서수(序數)의) **제1** 《略 1st》; 제1위, **1등,** 1착, 우승, 수석; 제1호; 제1부; 제1세, 첫째: Edward *the F*~ 에드워드 1세 《Edward I라고도 씀》 **b** (달의) **1일,** 초하루: *the* ~ of May = May (*the*) 1[(*the*) 1st] [méi-(ðə)-fə́ːrst] 5월 1일 《대개 1st를 씀》
2 [the ~] 처음, 시초: about *the* ~ of the year 연초 무렵
3 〚음악〛 **a** (오케스트라·합창의) 최고음부 **b** 수석 주자; a를 연주하는 사람 **c** 일도(一度), 동음(同音)
4 Ⓤ 〚자동차〛 제1단, 최저속 (기어)(low gear): in ~ 제1단으로 / shift into ~ 저속 기어를 넣다

5 [무관사] 〚야구〛 1루(=~ base); 1루수
6 《영》 (대학의) 제1급, 최우수; 수석 학생: get[take] a ~ in mathematics 수학에서 제1급의 성적을 따다
7 [*pl.*] 〚상업〛 (밀가루 등의) 1등품, 최고급품
8 [the F~] 《영》 9월 1일
at **~** 처음에는, 최초에는
be the **~** ***to*** *do* 제일 먼저 …하다
from **~** ***to last*** 처음부터 끝까지, 시종, 내내: *From* ~ *to last* his interest never flagged. 그의 관심은 시종 시들해지지 않았다.
from the (***very***) **~** 처음부터
get [***take***] ***a*** **~** ⇨ *n.* 6
—*pron.* [the ~] (…하는) **최초의 사람[것],** 맨 먼저 (…하는) 사람[것]: (~+***to*** do) She was *the* ~ *to* pass the test. 그녀는 그 시험에 통과한 최초의 사람이었다.

물; (가축의) 첫배(first offspring) **2** 최초의 산물[결과] **3** (동류의 사이에서) 최우량의 것
Fírst Lórd 《영》 장관, 총재, 대신: the ~ of the Admiralty 해군 장관 / the ~ of the Treasury 《영》 국가 재무 위원장 《수상 겸임》
∗**first·ly** [fə́ːrstli] *ad.* **(우선) 첫째로**
USAGE 여러 개를 열거할 때에 쓴다. 그러나 이 경우에도 first, second(ly), third(ly), ... last(ly)와 같이 firstly보다는 first를 쓰는 일이 많다.
fírst máte 〚항해〛 (상선의) 1등 항해사(chief mate, chief officer, first officer)
fírst mínister [종종 **F- M-**] (스코틀랜드 등의) 수상
fírst mórtgage 제1 (순위) 저당
fírst nàme (성(姓)과 대비한) 이름, 세례명(Christian name)
first-name [fə́ːrstnèim] *vt.* 세례명(Christian name)으로 부르다 **—*a.*** Ⓐ (세례명으로 서로 부를 정도로) 친한, 친밀한: be on a ~ basis[on ~ terms] with a person …와 친숙한 사이이다
Fírst Nátions 《캐나다》 (이뉴잇 족과 메티스 족을 제외한) 캐나다 토착민[원주민]
fírst níght 1 (연극 공연의) 첫날(opening night) **2** 《미》 새해 전야 공식 축제
first-night·er [-náitər] *n.* (연극의) 첫공연을 빼지 않고 보는 사람, 첫공연의 단골 손님
fírst offénder 〚법〛 초범자
fírst offénse 〚법〛 초범(初犯)
fírst ófficer 1 =FIRST MATE **2** (항공기의) 부조종사(copilot)
fírst pápers 《미·구어》 제1서류, 시민권 신청서 《미국에 귀화(歸化)할 의사를 밝히는 서류, 1952년 이후 폐지; cf. SECOND PAPERS, CITIZENSHIP PAPERS》
first-past-the-post [fə́ːrstpæ̀stðəpóust] *a.* 《특히 영》 각 선거구에서 최대 표수를 획득한 사람이 국회의원으로 선출되는 선거 제도(cf. PROPORTIONAL REPRESENTATION)
fírst pérson [the ~] **1** 〚문법〛 1인칭 **2** 1인칭 문체: a novel written in *the* ~ 1인칭 소설
fírst príncíples 〚철학〛 제1원리, 근본 가설 《철학·논리학·수학 등의 가장 보편적인 공리·법칙 등》
fírst póst 〚영국군〛 취침 예비 나팔 (cf. LAST POST)
fírst quárter 1 〚천문〛 (달의) 상현(上弦); 상현달; 그 기간 **2** 제1 사분기; 〚스포츠〛 제1 쿼터
∗**first-rate** [fə́ːrstréit] *a.* **1 제1급의,** 일류의, 최상의: a ~ restaurant 1류 레스토랑 **2** 《구어》 굉장한, 훌륭한(excellent)
—*ad.* 《구어》 굉장히, 아주 잘: feeling ~ 매우 기분이 좋아서 **~·er** *n.* 제1급의 사람[물건]
fírst réading 〚의회〛 제1독회 《의안이 처음으로 입법청에서 제출되는 때의 독회》
fírst refúsal (가옥·상품 등의) 제1선매권(先買權)
Fírst Repúblic [the ~] (프랑스의) 제1공화국 (1792-1804)
fírst respónder 《특히 미》 현장 응급 처치자 《경찰·소방관 등의 전문 요원》
fírst rún (영화의) 개봉(release), 최초의 흥행 기간
first-run [-rʌ́n] *a.* 〈영화(관)이〉 개봉하는, 개봉의: a ~ theater 개봉관
fírst sàcker 《미·야구속어》 1루수
fírst schóol 《영》 초등학교
Fírst Séa Lórd 《영》 (해군 본부 위원회의) 제1군사 위원 《미국의 Chief of Naval Operations에 해당》
Fírst Sécretary (공산당 등 사회주의 정당의) 제1서기 《사실상 최고 수뇌자》
fírst sérgeant 〚미육군〛 상사, 선임 하사관 《중대·대대(大隊) 등의 인사·관리를 담당하는 고참 하사관; 略 1SG; cf. MASTER SERGEANT》
fírst spéed (자동차 등의) 전진 제1단(low gear)
fírst stríke 〚군사〛 제1격, 선제 공격
first-strike [-stráik] *a.* 〚군사〛 (핵무기 등의) 선제 공격의, 제1격의
fírst-stríke capabìlity (핵전쟁에서의) 선제[기습] 공격 능력
first-string [-stríŋ] *a.* **1** 《미》 〈팀 등이〉 일군(一軍)의(opp. *substitute*): the ~ team 일군 팀 / a ~ quarterback 일군 쿼터백 **2** 1급[1류]의, 우수한, 뛰어난
first-time [-táim] *a.* (등장·출장·경험 등이) 처음의, 첫번째의
first-tim·er [-táimər] *n.* 《구어》 처음 하는[가는] 사람, 초심자
fírst úse 〚군사〛 선제(先制) 사용 《적보다 먼저 어떤 무기를 사용하기》
fírst wáter (보석류의) 최우량질; 《일반적으로》 최우수, 1류[급]: a diamond of the ~ 최고급 다이아
Fírst Wórld [the ~; 종종 **f- w-**] 제1세계, 비공산 선진 공업국들 《서유럽 여러 나라·미국·일본 등; cf. SECOND WORLD, THIRD WORLD, FOURTH WORLD》
Fírst Wórld Wár [the ~] = WORLD WAR I
firth [fə́ːrθ] *n.* 《주로 스코》 후미, 강어귀(estuary)
FIS *Fédération Internationale de Ski* 국제 스키 연맹; 《영》 family income supplement 저소득 세대에 대한 보조(금); Foreign Industrial Standard 해외 공업 규격
fisc [físk] *n.* 《드물게》 국고(國庫)
fisc. fiscal
∗**fis·cal** [fískəl] *a.* Ⓐ **1 국고의,** 국가 세입의: a ~ stamp 수입 인지 **2 재정상의,** 회계의: ~ policy 재정 정책 / ~ crisis 재정 위기 / ~ law 회계법
—*n.* 1 (이탈리아·스페인 등의) 검찰관, 검사; 《스코》 지방 검찰관 **2** 수입 인지(revenue stamp) **~·ly** *ad.* 국고 수입상; 재정[회계]상
físcal ágent 〚금융〛 재무(財務) 대리인[기관]
físcal drág 〚경제〛 재정적 장애 《세수 초과 등이 경제 성장에 미치는 억제 효과》
fis·cal·i·ty [fiskǽləti] *n.* (*pl.* **-ties**) 재정 중시; [*pl.*] 재정 문제
físcal yéar 1 《미》 회계 연도 《미국 정부에서는 9월 30일, 영국 정부에서는 3월 31일에 끝남》(《영》 financial year) **2** 《영》 과세 연도 《4월 6일 부터 다음해 4월 5일까지》(tax year)
‡**fish**[1] [fíʃ] *n.* (*pl.* **~, ~·es**) **1 물고기,** 어류: deep-sea ~ 심해어 / freshwater[saltwater] ~ 민물[바닷물] 고기 / catch a lot of ~ 고기를 많이 잡다[낚다] / take ~ in a net 그물로 물고기를 잡다 / All is ~ that comes to his net. 《속담》 그는 무엇이든지 이용한다, 어떤 경우에도 자기 잇속은 차린다. / The best ~ smell when they are three days old. 《속담》 아무리 좋은 물고기라도 사흘이면 냄새난다.; 귀한 손님도 사흘이면 귀찮다. / There are as good ~ in the sea as ever came out of it. = There are plenty more ~ in the sea. 《속담》 물고기는 바다에 얼마든지 있다.; 좋은 기회는 한 번만 있는 것은 아니다.

USAGE (1) three fish(세 마리의 물고기)라 하면 종류가 같거나 달라도 상관없이 씀. (2) 특히 복수의 종류를 말할 경우에는 보통 three ~es라 하기보다 three kinds of ~를 씀.

2 [보통 복합어를 이루어] 수산 동물, 어패류: shell~ 조개/jelly~ 해파리 **3** Ⓤ 어육(魚肉), 생선(cf. MEAT): slices of raw ~ 생선회/eat ~ on Fridays 금요일[금육재일(禁肉齋日)]에 (고기 대신) 생선을 먹다 **4** [the F~(es); 복수 취급] 〖천문〗 물고기자리, 쌍어궁(雙魚宮)(Pisces) **5** [보통 수식어와 함께] 《구어·경멸》 (특별한) 사람, 녀석; 길 속는 사람, 봉: an odd[a queer] ~ 이상한 녀석, 괴짜/a cold ~ 냉정한[냉담한] 사람/The poor ~ was taken in easily. 그 녀석은 불쌍하게도 곧 속아 넘어갔다. **6** 《미·속어》 달러(dollar) **7** 《미·속어》 신참자 **8** 《미·속어》 매춘부 **9** (댄스에서) 파트너와 함께 껴안고 추는 춤 ***a big ~ in a little pond*** 《구어》 적은 동아리 속에서[좁은 세계에서] 뽐내고 있는 사람, 우물 안 개구리 ***a ~ out of water*** 물을 떠난 물고기 《자기 분야가 아니기 때문에 실력을 발휘 못하는 사람》 ***a pretty [fine, nice] kettle of ~*** 뒤죽박죽, 혼란 ***(as) drunk as a ~*** 곤드레만드레 취하여 ***cry stinking ~*** 자기(의 일[노력, 가족])를 스스로 헐뜯다 ***drink like a ~*** 술을 벌컥벌컥 마시다, 폭음하다 ***feed the ~es*** 물고기밥이 되다, 익사하다; 뱃멀미로 토하다(be seasick) ***F~ and Game Warden*** 《미》 (주(州)의) 수렵 감시관 《수렵 허가·금렵 기간의 설정과 감시 등을 행함》 ***have other [bigger, better, more important] ~ to fry*** 《구어》 해야 할 다른 중대한 일이 있다 ***land*** one***'s ~*** 잡은 물고기를 끌어올리다; 마음먹은 목적물을 손에 넣다 ***loaves and ~es*** ⇨ loaf[1]. ***make ~ of one and flesh [fowl] of another*** 차별 대우하다, 부당하게 차별하다 ***mute as a ~*** 전혀 말 없이, 묵묵히 ***neither ~, flesh, nor fowl*** = ***neither ~, flesh, fowl, nor good red herring*** 정체 불명의, 알쏭달쏭한; 확실한 성격과 신념을 갖지 않은, 대책 없는

— *vi.* **1** 낚시질하다; (그물 등으로) 물고기를 잡다, 고기잡이하다: ~ in the river 강에서 낚시질하다 **2** (물[개펄, 호주머니] 속을) 찾다, 뒤지다 《*for*》: (~+전+명) ~ *for* pearls 진주를 채취하다 **3** 〈강 등에서〉 물고기가 낚이다: (~+부) This stream ~*es well.* 이 개울은 고기가 잘 낚인다. **4** 《구어》 (넌지시 비추어) 이끌어내다, (술책을 써서) (정보를) 낚아내다 《*for*》; (은연중) 손에 넣으려고 하다 《*for*》: (~+전+명) ~ *for* information 정보를 끌어내다

— *vt.* **1** 〈물고기를〉 낚다, 잡다: ~ salmon 연어를 낚다 **2** 〈강 등에서〉 낚시질하다: ~ a pond 연못에서 낚시질하다 **3** (물·호주머니 속 등에서) 끌어올리다, 꺼내다, 찾아내다 《*up, out, out of, from*》: ~ the anchor 〖항해〗 닻을 끌어올려 뱃전에 두다 // (~+목+부) (~+목+전+명) They ~*ed up* the dead man *from* the water. 그들은 물속에서 시체를 인양했다. /He ~*ed* some cigarettes *out of* his shirt pocket. 그는 셔츠 주머니에서 담배를 몇 개비 꺼냈다. **4** 〈어떤 장소를〉 뒤지다 《*for*》; 〈인물·사물을〉 …부터 찾아내다 《*out of, from*》; 〈사실·의견·비밀을〉 찾아내다 《*out*》 **5** 《야일》 차별하다

~ for compliments 칭찬받으려고 유도하다 ***~ in troubled [muddy] waters*** (1) 혼란한 틈을 타서 이득을 보다, 불난 틈에 도둑질하다; 어부지리를 얻다; 도리에 어긋나는 짓을 하다 (2) 《고어》 불쾌한[골치 아픈] 문제에 관계하다 ***~ or cut bait*** 《미·구어》 어느 쪽을 택할지를 분명히 정하다, 거취를 명백히 하다; (어떤 활동에) 참가 여부를 정하다 ***~ out [up]*** …에서 물고기를 모조리 잡다; (물속·주머니 속에서) 끄집어내다, 집어내다; 〈정보·비밀 등을〉 염탐해 내다

— *a.* 물고기의, 어업의, 생선 장사의

fish² *n.* **1** 〖항해〗 돛대의 보강재(補强材) 《돛대·돛의 활대를 고정하는 쇳조각》; 〖건축〗 이음자리 접속판 《쇠나 나무로 철로나 교량 등을 잇는 데 씀》(cf. FISH-PLATE) **2** 상아(象牙)로 만든 놀이용 산가지

— *vt.* 〈돛대·돛 등을〉 부목을 붙여서 보강하다; 〈레일 등을〉 접속판으로 보강하다

fish·a·ble [fíʃəbl] *a.* 고기잡이에 알맞은; 물고기를 낚을[잡을] 가능성이 많은; 어획[낚시질]이 인정된: a lake that is ~ only with a permit 허가증 없이는 낚시를 할 수 없는 호수 **fish·a·bíl·i·ty** *n.*

físh and chíps 《영》 **1** 생선 튀김에 감자 튀김을 곁들인 대중 요리 **2** 1을 파는 상점

físh bàll = FISH CAKE

fish·bolt [fíʃbòult] *n* 《영》 (레일의 접민에 쓰는) 집합 볼트

fish·bone [-bòun] *n.* 물고기 뼈[가시]

fish·bowl [-bòul] *n.* **1** (유리) 어항 **2** 사방에서 빤히 보이는 것, 프라이버시가 전혀 없는 장소[상태] **3** 《미·속어》 유치장

fish·bur·ger [-bə̀ːrgər] *n.* 《미》 피시버거 《고기 대신 생선 프라이를 쓴 햄버거》

físh càke 어육 완자 (요리)

fish-carv·er [-kɑ̀ːrvər] *n.* (식탁용의) 생선 베는 칼(fish slice); [*pl.*] 생선용 나이프와 포크 《주로 주인이 손님에게 생선을 잘라 권할 때 사용》

físh cròw 〖조류〗 고기잡이 까마귀 《북미 대서양 연안에 서식》

físh cùlture 양어(법)(pisciculture), 수산 양식

físh dàvit 〖선박〗 닻 기둥

físh dày 〖가톨릭〗 금육재일(禁肉齋日)

físh dùck 〖조류〗 비오리(merganser)

físh èagle 〖조류〗 물수리(osprey)

fish·eat·er [-ìːtər] *n.* **1** 생선 먹는 사람 **2** 《미·속어》 가톨릭교도 **3** [*pl.*] 《영》 생선 요리용 나이프와 포크

fish·er [fíʃər] *n.* **1** 포어성(捕魚性) 동물; 〖동물〗 아메리카담비 《북미산(産)》; Ⓤ 그 가죽 **2** 《고어》 어부(fisherman) ***a ~ of men*** 〖성서〗 사람을 낚는 어부, 복음 전도자

fish·er·boat [-bòut] *n.* 어선, 고기잡이 배

fish·er·boy [-bɔ̀i] *n.* 고기잡이 소년

‡**fish·er·man** [fíʃərmən] *n.* (*pl.* **-men** [-mən]) 어부, 어민, 낚시꾼 《★ 성차별을 피하기 위해 fisher(어부) 또는 angler(낚시꾼)가 사용됨》; 어선

físherman's bénd 닻줄(anchor bend)

Físherman's Whárf 피셔맨즈 워프 《미국 샌프란시스코 어항의 선창가; 관광지》

fish·er·wom·an [-wùmən] *n.* (*pl.* **-wom·en** [-wìmin]) 여자 고기잡이[낚시꾼]

*****fish·er·y** [fíʃəri] *n.* (*pl.* **-er·ies**) **1** [보통 *pl.*] 어장; 양어장, (어류·진주의) 양식장: a pearl[oyster] ~ 진주[굴] 양식장 **2** 어업, 수산업 **3** 〖법〗 어업권 **4** [보통 *pl.*] 수산학; 어업[수산] 기술 ***common ~*** 〖법〗 공동 어업권

físhery zòne 〖항해〗 어업 전관 수역 《연안국(沿岸國)만이 어업권을 가짐》

fish·eye [-ài] *n.* **1** 어안(魚眼) **2** 〖광물〗 월장석(月長石): a ~ stone 어안석 **3** [the ~] 《미·속어》 무표정한[냉담한, 의혹의] 눈초리

fish-eye [fíʃài] *a.* 〖사진〗 어안(魚眼)의, 어안 렌즈를 사용한: a ~ lens 어안 렌즈

físh fàctory 수산물 가공 공장 《주로 어유(魚油)·어분(魚粉) 제조》

físh fàrm 양어장(養魚場); 어장

fish-farm·ing [-fɑ̀ːrmiŋ] *n.* Ⓤ 양어(법)

fish·find·er [-fàindər] *n.* 어군 탐지기

físh fínger 《영》 = FISH STICK

físh flàke 《미·캐나다》 생선 말리는 덕[시렁]

físh flòur 어분(魚粉) 《분말 단백 식품》

físh fòrk **1** 생선용 포크 《보통 끝이 세 가닥 난 대형 포크》 **2** 생선 갈고리 《어부나 생선 가게용》

fish·garth [-gɑ̀ːrθ] *n.* (물고기 잡는) 어살

fish·gig [-gìg] *n.* (물고기 찌르는) 작살(fizgig)

físh glòbe (유리로 만든 둥근) 양어기(養魚器), 어항

físh glùe 생선 아교, 어교(魚膠), 부레풀(isinglass)

físh hàtchery 물고기 부화장

fish hàwk 〖조류〗 물수리(osprey)
fish·hook [-hùk] *n.* **1** 낚시, 낚시바늘 **2** 〖항해〗 (이물의) 닻걸이 **3** [*pl.*] ((속어)) 손가락 ((전체))
fish·i·fy [fíʃəfài] *vt.* (**-fied**) **1** 〈고기를〉 어육으로 바꾸다 **2** 〈연못 등에〉 물고기를 놓아 주다
⁑**fish·ing** [fíʃiŋ] *n.* **1** Ⓤ 낚시질; 어업, 고기잡이: night ~ 밤낚시 / do ~ 낚시질하다, 고기를 잡다 **2** 낚시터, 어장 **3** Ⓤ 어획; 〖법〗 어업권 **4** [형용사적으로] 낚시질(용)의, 어업(용)의 ***take a ~ trip*** ((야구속어)) 삼진(三振)당하다
fishing bànks (바다의) 어초(魚礁); 대서양의 어장
fishing bòat 낚싯배, 어선
fishing bòundary 어업 전관 수역
fishing expedìtion ((구어)) **1** 〖법〗 법적 신문(訊問) **2** (유리한 정보를 찾기 위한) 조사 ***be on a ~*** ((미)) (비밀 등을) 캐내려고 하고 있다
fishing gròund 어장
fishing lìne 낚싯줄((fish)line)
fishing nèt 고기잡이 그물, 어망
fishing pòle (끝에 직접 줄을 단) 낚싯대
fishing rìghts 어업권
fishing ròd (릴 낚시용의) 낚싯대
fishing smàck (활어조(活魚槽)가 있는) 세로돛의 소형 어선
fishing stòry 터무니없는 이야기, 허풍(fish story)
fishing tàckle [집합적] 낚시 도구 ((낚시·낚싯줄·낚싯대·릴 등))
fishing trìp = FISHING EXPEDITION
fishing wòrm = FISHWORM
fish jòint 〖토목〗 (레일 등의) 이음매 판
fish kèttle 생선을 통째로 찌는 타원형의 냄비
fish·kill [fíʃkìl] *n.* (수질 오염에 의한) 어류의 떼죽음
fish-kiss [-kìs] ((미·속어)) *vt., vi.* 입을 오므려 키스하다 **—** *n.* 입을 오므리고 하는 키스
fish knìfe (식탁용) 생선 나이프
fish làdder 어제(魚梯) ((물고기가 상류로 거슬러 올라가게 만든 층층대식의 어도(魚道)))
fish·like [-làik] *a.* 물고기 같은, 물고기를 닮은
fish·line [-làin] *n.* ((미)) 낚싯줄(((영)) fishing line)
fish màrket 어시장
fish méal 어분(魚粉) ((말린 생선의 가루로서 비료·사료 등에 씀))
fish·mon·ger [-mʌ̀ŋgər, -màŋ-] *n.* ((영)) 생선 장수, 생선 가게
fish·net [-nèt] *n.* 어망(fishing net)
fish òil 어유(魚油) ((경유(鯨油)·간유 등))
fish pàste 어육 페이스트 ((어육을 으깨어 만든 식품; 어묵 등))
fish·plate [-plèit] 〖토목〗 *n.* (레일의) 이음매 판

fishplate

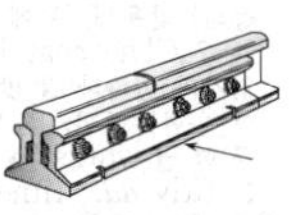

fish pòle = FISHING POLE
fish·pond [-pànd | -pɔ̀nd] *n.* **1** 양어지(養魚池) **2** ((익살)) 바다(sea)
fish pòt (바구니 모양의) 통발 ((뱀장어·새우·게 등을 잡는 고기잡이 기구))
fish·pound [-pàund] *n.* ((미)) 어살(weir)
fish pròtein cóncentrate 어육 농축 단백 ((무미·무취·무색의 식용 어분; 略 FPC))
fish sáuce 생선용 (흰) 소스; 생선으로 만든 소스
fish·skin [-skìn] *n.* **1** 물고기 껍질, ((특히)) 상어 가죽 ((사포처럼 씀)) **2** ((미·속어)) 콘돔(condom); 달러 지폐
fishskin disèase 〖병리〗 어린선(魚鱗癬)
fish slìce **1** 생선 뒤치개 ((냄비 속의 생선을 뒤치는 데 씀)) **2** ((영)) (식탁용) 생선 칼 ((주인이 생선을 베어 손님에게 권할 때 씀))
fish sòund 물고기의 부레
fish spèar 작살 ((물고기를 찌르는 도구))
fish stìck 피시 스틱 ((가늘고 긴 생선 토막 튀김))
fish stòry ((구어)) 터무니없는 이야기, 허풍
fish·tail [-tèil] *a.* 물고기 꼬리 모양의, 어미형(魚尾形)의 **—** *vi.* **1** 〈비행기가〉 (착륙 때 속력을 늦추기 위해) 미익(尾翼)을 좌우로 흔들다 **2** 〈차의 뒷부분 등이〉 좌우로 미끄러지다 **—** *n.* (착륙 때의) 꼬리치기 활공
fishtail bùrner 어미(魚尾)형 버너, 확염기
fishtail wìnd 어미풍, 부정풍(不定風) ((사격 때 탄도(彈道)가 틀어지게 하는 바람))
fish·tank [-tæ̀ŋk] *n.* **1** (물고기·수생 동물의) 수조 **2** ((속어)) 유치장, 교도소
fish torpèdo 어뢰
fish wàrden ((미)) 어업[어장] 감독관
fish·way [-wèi] *n.* = FISH LADDER
fish·weir [-wìər] *n.* 어살(fishpound)
fish·wife [-wàif] *n.* (*pl.* **-wives** [-wàivz]) **1** ((영)) 여자 생선 장수 **2** 입이 사나운[건] 여자 **3** ((미·속어)) 동성애 남자의 법률상의 아내
fish·worm [-wə̀ːrm] *n.* ((미)) 지렁이 ((낚시용))
fish·y [fíʃi] *a.* (**fish·i·er**; **-i·est**) **1** 물고기의; 물고기 같은: a ~ smell 비린내 **2** 물고기가 많은; 물고기로 된: a ~ repast 생선 요리의 식사 **3** ((구어)) 〈이야기 등이〉 수상한, 의심스러운(questionable) **4** 〈눈이〉 (생선 눈처럼) 흐릿한, 무표정한; 〈보석이〉 희미한 색의 ***be ~ about*** [***around***] ***the gills*** (병·공포 등으로) 혈색[안색]이 나쁘다 ***smell ~*** 어딘가[좀] 수상하다
físh·i·ly *ad.* **físh·i·ness** *n.*
fish·y·back [fíʃibæ̀k] *n.* ((미)) 피시백식 수송 ((화물 트레일러·철도화차·콘테이너 차 등의 선박 수송))
fisk [físk] *n.* = FISC
fis·sile [físəl | -sail] *a.* **1** 갈라지기[분열하기] 쉬운 **2** 〖물리〗 핵분열성의(fissionable): ~ material 핵분열성 물질
fis·sil·i·ty [fisíləti] *n.* Ⓤ 분열하기 쉬운 성질, 열개성(裂開性)
fis·sion [fíʃən] *n.* ⓊⒸ **1** 열개(裂開), 분열 **2** 〖생물〗 분열, 분체(分體); 〖물리〗 (원자의) 핵분열(nuclear fission)(opp. *fusion*): atomic ~ 원자 핵분열 **—** *vi., vt.* **1** 핵분열하다[시키다] **2** 분열하다[시키다]
fis·sion·a·ble [fíʃənəbl] *a.* **1** 〖물리〗 핵분열하는, 핵분열성의: ~ material 핵분열 물질 / a ~ nucleus 핵분열성 원자핵 **2** 분열하기 쉬운(fissile) **—** *n.* [보통 *pl.*] 핵분열 물질
fis·sion·a·bíl·i·ty *n.*
físsion bòmb 핵분열 폭탄, 원자 폭탄(cf. FUSION BOMB)
físsion càpture 〖물리〗 핵분열(을 수반하는) 포획(捕獲)
físsion cháin reàction 〖물리〗 핵분열 연쇄 반응
físsion fràgment 〖물리〗 핵분열의 파편
físsion pròduct 〖물리〗 핵분열 생성물
fís·sion-tràck dáting [fíʃəntræ̀k-] 〖물리〗 핵분열 비적(飛跡) 연대 측정법 ((지층의 형성 연대를 측정하는 방법))
fis·sip·a·rous [fisípərəs] *a.* 〖생물〗 분열 번식의, 분체(分體) 생식의 **~·ness** *n.*
fis·si·ped [físəpèd] 〖동물〗 *a.* 분지(分趾)의; 열각류(裂脚類)의 **—** *n.* 열각류의 동물 ((개·고양이·곰 등))
fis·si·ros·tral [fìsərástrəl | -rɔ́s-] *a.* 〖조류〗 〈제비·쏙독새 등이〉 깊게 갈라진 주둥이를 가진, 〈주둥이가〉 깊이 갈라진
fis·sure [fíʃər] *n.* **1** 갈라진[찢어진, 쪼개진] 틈[금] **2** 〖해부〗 열구(裂溝); 〖병리〗 열창(裂瘡) **—** *vt., vi.* 터지게 하다[되다], 금가게 하다[되다], 갈라지게 하다[되다] **~·less** *a.* **~·ness** *n.*
⁑**fist** [físt] *n.* **1** 주먹, 철권(鐵拳): strike one's ~ on the table 주먹으로 탁자를 치다 **2** ((구어)) 손: Give us your ~. 악수하자(손 내놓으시오). **3** ((꽉)) 움켜쥠; 파악(grasp) **4** ((구어)) 필적: write a good[an ugly] ~ 필적이 좋다[형편없다] **5** 〖인쇄〗 손(가락)표(index) ((☞)) **6** 시도, 계획
grease [***cross, oil***] *a person's* **~** = grease a person's PALM[1]. ***hand over ~*** (1) = HAND over

hand (2) 대량으로, 점점 더 ***make a good*** [***bad, poor***] ***~ at*** [***of***] 《구어》 …을 잘[서투르게] 하다 ***shake*** one'***s ~*** (화를 드러내며) 주먹을 쥐고 흔들다[떨다] ***the*** [***an***] ***iron ~ in the*** [***a***] ***velvet glove*** 표면만 부드러움, 외유내강
— *vt.* **1** 〈손을〉 주먹 쥐다 **2** 주먹으로 치다[때리다] **3** (손에) 쥐다 **4** 〖항해〗 〈돛 등을〉 조종하다

-fisted [fístid] 《연결형》 「주먹이 …한」의 뜻: close~ 주먹을 꽉 쥔; 인색한

fist·fight [fístfàit] *n.* 주먹다짐, 주먹 싸움

fist·ful [fístfùl] *n.* **1** 한 주먹(handful), 한 줌(의 분량) 《*of*》 **2** 다수, 대량 《*of*》 **3** (미·속어) 많은 돈

fist·ic, -i·cal [fístik(əl)] *a.* 《익살》 권투의, 복싱의; 주먹다짐의, 주먹 싸움의

fist·i·cuff [fístikʌ̀f] *n.* [보통 *pl.*] 주먹 싸움, 난투 ***come to ~s*** 주먹 싸움이 되다
— *vi., vt.* 주먹 싸움을 하다 **~·er** *n.*

físt làw 강자의 압제, 약육강식

fist·note [fístnòut] *n.* 손가락표 주(註) 《☞로 표시됨》

fis·tu·la [fístʃulə | -tju-] *n.* (*pl.* **~s, -lae** [-lìː]) **1** (곤충 등의) 관(管) 모양의 기관(器官), (고래의) 기공(氣孔) **2** 〖의학·수의학〗 누(瘻), 누관(瘻管) 《궤양·상처 등으로 생긴 구멍》: anal ~ 치루(痔瘻)

fis·tu·lous [fístʃuləs | -tju-], **-lar** [-lər] *a.* **1** (빈) 관(管) 모양의, 속이 빈 **2** 〖병리〗 누관(瘻管)의, 누성(瘻性)의 **3** 관(의 부분)을 가진

‡fit¹ [fít] *v., a., n.*

> 「…에 맞다」 **1, 2**→「맞게 하다」 **3**→(맞는 것을 달다)→「설비하다」 **6**

— *v.* (**~·ted, ~; ~·ting**) *vt.* **1** 〈의지·목적·시기 등에〉 (꼭) **맞다, 적합하다**: The music ~*s* the sense of the words like a glove. 그 음악은 가사의 의미에 꼭 맞는다. **2** 〈의복 등이〉 …**에** (알)**맞다**, 꼭 맞다: This coat doesn't ~ me. 이 웃옷은 나에게는 맞지 않는다. ★ 색상, 무늬 등에는 become, suit를 씀 **3 맞게 하다**, 일치시키다《*in, into, to, on, onto*》; 적응시키다(adapt); (치수·목적 등에) 맞추다(make fit); (치수를 맞추기 위해) 〈의복을〉 입혀 보다: (~+목+전+명) ~ action *to* the words 언행을 일치시키다 / ~ a coat *on* a person 웃옷을 …의 치수에 맞추다 // (~+목+***to*** do) You should ~ your plan *to* suit others. 다른 사람들의 형편에 알맞게 계획을 맞춰야 한다. **4** 〈사람을〉 (임무·일에) 적합하도록 하다 《*for, to*》: (~+목+전+명) qualities that ~ one *for* leadership 지도자에게 필요한 소질 **5** (물건·장소에) 끼워 **맞추다**, 끼우다 《*in, into, to*》: (~+목+전+명) ~ a key *in*[*into*] a lock 열쇠를 자물쇠에 끼우다 **6** 〈기구 등을〉 (…에) **달다, 설비하다** 《*to*》; 〈장소에〉 (적당한 물건을) 달다, 설비하다 《*with*》(⇨ fitted 2): (~+목+전+명) ~ new tires *to* a car = ~ a car *with* new tires 자동차에 새 타이어를 달다 **7** …에게 자격을 주다, 힘을 넣어 주다; 《미》 (입학) 준비를 시키다(prepare): (~+목+전+명) ~ oneself *for* a post 어떤 지위에 필요한 자격[지식, 기능]을 얻다 / This school ~*s* students *for* college. 이 학교는 대학 입학 준비 교육을 하고 있다. // (~+목+***to*** do) The training ~*ted* us *to* swim across the river. 그 훈련 덕분으로 강을 헤엄쳐 건너갈 수 있게 되었다.
— *vi.* **1** 〈의복 등이〉 (꼭) **맞다**, 어울리다; 적합[일치]하다; (환경 등에) 조화하다 《*in, into, with*》: (~+부) Your new dress ~*s well.* 당신의 새 드레스는 아주 잘 맞습니다. // (~+전+명) They ~*ted into* the new life without giving up the old ways. 그들은 옛 풍습을 버리지 않고 새로운 생활에 적응했다. **2** 《미》 수험 준비를 하다 《*for*》
~ in (1) (사이에) 잘 끼워넣다; 꼭 맞다; (…와) 들어맞다, 적합하다 《*with*》; (…와) 조화[일치]하다 《*with*》 (2) (…에게) 시간을 내주다 ***~ into*** …와 조화하다 ***~ on*** (1) 〈물건을〉 설비하다, 〈뚜껑 등이〉 잘 맞다 (2) 〈옷을〉 입어[입혀] 보다 ***~ out*** (1) 〈배를〉 의장(艤裝)하다; 장비하다 (2) 필요한 물품을 갖추어[마련해] 주다, 조달하다 ***~ round*** …을 붙잡다, 움켜쥐다 ***~ the bill*** 만족시키다, 딱 필요한 것을 공급하다 ***~ the case*** 그 경우에 적합하다[들어맞다], 적례(適例)이다 ***~ to a T*** [***turn***] 《구어》 〈물건이〉 꼭 맞다 ***~ up*** (1) (부속품·비품 등을) …에 비치[설비]하다 《*with*》 (2) 준비하다, 채비하다
— *a.* (**~·ter; ~·test**) **1** (…하기에) **적당한**(opp. *unfit*) 《*to* do, *for* doing》, (목적에) **꼭 맞는**(suitable): a dinner ~ *for* a king 굉장한 성찬 // (~+***to*** do) I am not ~ *to* be seen. 이대로는 사람 앞에 못 나간다. // (~+전+***-ing***) These old railway carriages are only ~ *for* break*ing* up. 이들 고물 객차는 헐어 버릴 수 밖에 도리가 없다.

> 유의어 **fit** 조건·목적·요구 등에 대한 적응성이 있고, 특히 사용·행동에 준비가 되어 있음을 나타낸다: *fit* for battle 전투에 적합한 **suitable** 요구·목적·조건 등에 합치되어 있는: *suitable* for birthday gift 생일 선물로 적합한 **appropriate** 조건·목적 등에 꼭 들어맞는: an *appropriate* adjective 적절한 형용사

2 〈행위·복장 등이〉 (…의 장면·상황·인물 등에) 맞는, 적절한 《*for*》, (…하는 것이) 어울리는, 적절한 《*to* do, *that* 절》: ~ behavior 어울리는 행동 **3** (일·직위를) 감당해 낼 수 있는, 적임(適任)의 《*for, to* do》: (~+***to*** do) Is he ~ *to* do the job? 그가 그 일을 감당할까? **4** (언제나 …할) 준비가 된 《*for, to* do》 **5** 《구어》 좋은 건강 상태인, 〈운동 선수·경주 등이〉 컨디션이 좋은 《*for, to* do》: feel ~ (몸 컨디션이) 매우 좋다 // (~+***to*** do) I am now well and ~ *to* travel. 나는 이제 건강해서 여행도 할 수 있다. **6** 《구어》 …할 것 같은, 당장이라도 …할 듯한: (~+***to*** do) She cried ~ *to* break her heart. 그녀는 가슴이 터질 듯이 울었다. **7** [보통 부정문에 써서] 온당한(proper), 올바른: It is *not* ~ for him to say so. 그가 그렇게 말하는 것은 온당치 않다.
(***as***) ***~ as a fiddle*** [***a flea***] 매우 건강한[싱싱한] ***be ~ to drop*** (기진하여) 금새 쓰러질 것 같다 ***~ to be tied*** 《구어》 노발대발하여(wild with rage) ***~ to burst*** [***bust***] 터질 정도로; 몹시 ***~ to kill*** 《미·구어》 극도로 ***~ to wake the dead*** 《미·속어》 엄청나게 큰 소리로 ***keep ~*** 건강을 유지하다, 건강하게 있다 ***not ~ to turn a dog out*** [***in***] 《미·속어》 아주 나쁜 날씨의 ***the survival of the fittest*** 〖생물〗 적자생존(適者生存) ***think*** [***see***] ***~ to do*** …함이 적당하다고 생각하다, …하기로 결정하다
— *n.* **1** UC **적합**[순응, 적응](성(性), 상태); C (옷 등의) 맞음새, 몸에 맞는 옷: a perfect ~ 몸에 꼭 맞는 옷 / The coat is an easy[a poor] ~. 그 웃옷은 입기가 편하다[잘 맞지 않는다]. **2** 《미·속어》 (…의) 진학[수험] 준비, 훈련 《*for*》 **3** 《미·속어》 마약 주사 기구 한 벌(works) **4** 〖통계〗 적합도
▷ fítly *ad.*; fítness *n.*

‡fit² [fít] [OE =conflict] *n.* **1** (병의) **발작**; 경련 **2** (감정·행동의) **격발**(激發) 《*of*》 **3** 일시적인 흥분; 변덕 ***beat*** [***knock***] a person ***into ~s*** …을 흠뻑 두들겨[때려]주다 ***burst into a ~ of laughter*** 웃음을 터뜨리다, 폭소하다 ***by*** [***in***] ***~s and starts*** [***snatches***] 발작적으로, 때때로 생각난 듯이 ***give*** a person ***a ~*** 《구어》 …을 깜짝 놀라게 하다; 화나게 하다 ***give*** a person ***~s*** 《구어》 (1) …을 호되게 욱지르다 (2) 《미》 …을 몹시 나무라다[꾸짖다] ***go into ~s***

thesaurus **fit¹** *a.* **1** 적당한 suitable, proper, fitting, decorous, decent, right, correct, apt, appropriate, convenient, relevant (opp. *unfit, inappropriate*) **2** 좋은 건강 상태인 well, healthy, in shape, strong, vigorous — *v.* **1** 적합하다 agree

졸도[기절]하다 ***have*** [***throw***] ***a*** ~ (1) 발작[경련]을 일으키다, 졸도하다 (2) 《구어》 노발대발하다; 깜짝 놀라다 ***in a ~ of anger*** 홧김에, 벌컥 화가 나서 ***throw a ~*** = have a FIT[2] (2)

— *vi.* (~·**ted**; ~·**ting**) 《영》 발작을 일으키다, 졸도하다 **fít·ting** *n.* Ⓤ 발작, 경련, 졸도 ▷ fítful *a.*

fit[3] *n.* 《고어》 노래(song); (노래의) 한 구절

FITA *Fédération Internationale de Tir à l'Arc* 《L = International Archery Federation》 국제 양궁 협회

fitch [fítʃ] *n.* **1** 〖동물〗 긴털족제비 《유럽산(産)》; Ⓤ 그 털가죽 **2** (그 털로 만든) 화필(畫筆)(= ~ **brúsh**)

fitch·et [fítʃit] *n.* = FITCH

fitch·ew [fítʃuː] *n.* = FITCH

fit·ful [fítfəl] *a.* 발작적인; 단속적인; 〈성격 등이〉 변하기 쉬운, 변덕스러운: a ~ wind 변덕스러운 바람 ~·**ly** *ad.* 발작[단속]적으로 ~·**ness** *n.*

fit·ly [fítli] *ad.* **1** 적당히, 적절히, 알맞게 **2** 시기에 맞게

fit·ment [fítmənt] *n.* **1** Ⓤ 《영》 비품, 가구; [*pl.*] 내부 시설[장치](fittings) **2** 〖기계〗 부속품, 액세서리

⁎**fit·ness** [fítnis] *n.* Ⓤ **1 건강함,** (몸의) 좋은 컨디션, (스포츠를 해낼 수 있는) 체력: a ~ test 체력 테스트 **2** 적성, (…에 대하여) 적합, 적절 《*for*》: one's ~ *for* the job 일에 대한 적성 **3** 〖생물〗 적응도, 다윈 적응도 ***the*** (***eternal***) ***~ of things*** 사물 본래의 합목적성, 사물의 합리성

fítness cènter 《미》 피트니스 센터, 헬스클럽

fit·out [fítàut] *n.* 《구어》 (여행 등의) 채비, 준비

fit·ted [fítid] *a.* **1** Ⓐ 〈의복 등이〉 (몸·형태에) 꼭 맞게 만들어진 《*for, to*》: ~ clothes 몸에 꼭 맞는 옷 **2** Ⓟ (…을) 갖추어, 장비하여 《*with*》: The steamer is ~ *with* wireless. 그 기선에는 무전 장치가 있다. **3** (일 등에) 적합한 《*for, to*》

fítted cárpet 방 전체에 깔린 카펫(cf. WALL-TO-WALL)

fit·ter [fítər] *n.* **1** 적합한 사람[물건] **2** (의복의) 가봉을 하는 사람 **3** 맞추는[설비하는] 사람, (기계·부속품 등의) 조립공; 정비공 **4** (가구·비품 등의) 공급자 **5** 장신구[여행용품] 장수

⁎**fit·ting** [fítiŋ] *a.* **적당한,** 적절한, 알맞은(suitable); 어울리는; 〈옷 등이〉 꼭 맞는

— *n.* **1** 조정, 정비, 맞춤; 장치 **2** [a ~] 입어보기, 가봉 **3** [보통 *pl.*] **부속품,** (이동 가능한) 비품; 부속 기구류 《세탁기·레인지 등》, 가구류(furniture)(cf. FIXTURE): gas ~*s* 가스용 기구 **4** 《영》 (옷의) 형(型), 크기(size) ~·**ly** *ad.* 적당하게, 알맞게 ~·**ness** *n.*

fítting ròom (양복점 등의) 가봉실, (상점 등의) 시착실(試着室); (운동 선수들의) 탈의실

fítting shòp (기계의) 조립(組立) 공장, 작업장

fit-up [fítʌ̀p] *n.* 《영·속어》 **1** 임시 극장; 임시[휴대용, 가설] 무대 (장치) **2** 지방 순회 극단(= ~ **còmpany**)

Fitz- [fits] *pref.* 「…의 아들(the son of)」의 뜻(cf. MAC-, O'): *Fitz*Gerald, *Fitz*roy

Fitz·ger·ald [fitsdʒérəld] *n.* 피츠제럴드 **F**(**rancis**) **Scott** (**Key**) ~ (1896-1940) 《미국의 소설가》

Fitz·Ger·ald [fitsdʒérəld] *n.* 피츠제럴드 **1 Edward** ~ (1809-83) 《영국의 시인·번역가》 **2 George Francis** ~ (1851-1901) 《아일랜드의 물리학자》

⁑**five** [fáiv] *a.* **1** Ⓐ **5의,** 다섯 개[사람]의 **2** Ⓟ 다섯 살의

— *pron.* [복수 취급] **다섯,** 다섯 개[사람]

— *n.* **1** (기수의) **5**; Ⓤ 다섯 시, 5분; Ⓤ 다섯 살: I'll be back by ~. 다섯 시까지 돌아올게. **2** 다섯의 글자[기호] 《5, Ⅴ》 **3** [복수 취급] 다섯 개 한 벌; 5인조; 농구 팀; (트럼프·주사위 등의) 5; 〖크리켓〗 5타점 **4** 《영》 5파운드 지폐(fiver); 《미·구어》 5달러 지폐 **5** [*pl.*] (장갑·신발 등의) 5호 사이즈(의 것) **6** [*pl.*] 《구어》 다섯 손가락, 주먹; 싸움: use one's ~*s* 주먹다짐하다

a bunch of ~s 《속어》 손, 주먹 ***~ of clubs*** 《미·속어》 주먹 ***give*** a person ***~*** 《미·속어》 (1) …와 악수하다, (상대의 손을) 탁 치다 (2) 《드물게》 도와주다 ***slap*** a person ***~*** 《미·속어》 = give a person FIVE (2). ***slip*** a person ***~*** 《미·속어》 …와 악수하다 ***take*** (***a***) ***~*** 《구어》 5분 쉬다, 한숨 쉬다

five-and-dime [fáivəndáim] *n.* 《미》 = FIVE-AND-TEN

five-and-ten [fáivəntén], **fíve-and-tén-cènt stòre** [fáivənténsènt-] *n.* 《미·구어》 싸구려 잡화점

five-a-side [fáivəsàid] *n.* Ⓤ 실내 축구의 일종 《각 팀 선수는 다섯 명》

five-by-five [fáivbaifáiv] *a., n.* 《미·속어》 땅딸막하고 뚱뚱한 (사람)

fíve-case nóte [-kèis-] 《미·속어》 5달러 지폐

fíve-day wéek [-dèi-] 1주 5일 노동제

five-fin·ger [-fìŋgər] *n.* **1** 〖동물〗 불가사리; 〖식물〗 다섯 손가락 모양으로 갈라진 잎이나 꽃자루를 가진 식물 **2** [종종 *pl.*] 《미·속어》 도둑(thief) ***give ~s to*** a person 《미·속어》 …을 깔보다

— *a.* 다섯 손가락의: ~ exercise (피아노의) 다섯 손가락 연습; 쉬운 일

fíve-finger díscount 《미·속어》 들치기, 절도

5-flu·o·ro·u·ra·cil [-flùrəjúrəsil] *n.* 〖약학〗 피리미딘 대사 길항제(拮抗劑) 《항암제의 하나; 略 5-Fu》

five·fold [fáivfòuld] *a.* **1** 5배의, 5겹의 **2** 5부분[요소]이 있는 — *ad.* 5배로, 5겹으로

5-Fu = 5-FLUOROURACIL

fíve húndred 카드 게임의 하나 《500점을 만드는 놀이》

Fíve Nátions [the ~] 〖미국사〗 (북미 인디언 Iroquois족의) 5부족 연합

fíve-o'clòck shádow [-əklάk- | -əklɔ́k-] (아침에 깎은 것이) 오후 5시경에 거무스름해 보이는 수염

fíve-o'clòck téa 《영》 5시[오후]에 마시는 차 (afternoon tea)

five·pence [fáivpəns, -pèns | fáifpəns, fáiv-] *n.* (*pl.* ~, ~**s**) 《영》 5펜스 《속칭 fippence》; 《미》 5센트 (백통전)(nickel)

five·pen·ny [fáivpèni | fáifpəni, fáiv-] *a.* **1** 〖목공〗 〈못이〉 $1^{3}/_{4}$인치의 《기호: 5d》 **2** 《영》 5펜스의 (가치가 있는)

five-per·cent·er [fáivpərsèntər] *n.* 《미》 5퍼센트의 수수료를 받고 관청과의 계약을 알선하는 사람

five-per·cents [-pərsènts] *n. pl.* 5퍼센트의 이익이 붙는 것; 5퍼센트 배당 주권(株券)

fíve póinter 《미·속어》 우수한 학생; 우수한 성적

fiv·er [fáivər] *n.* 《구어》 **1** 《영》 5파운드 지폐; 《미》 5달러 지폐 **2** 5점 득점자; 〖크리켓〗 5점타(點打)

fives [fáivz] *n. pl.* [단수 취급] 《영》 두 사람 또는 네 사람이 하는 핸드볼 비슷한 구기(球技): a ~ court 파이브즈 구장(球場)

fíve sénses 오감(五感)

fíve-sid·ed púzzle pálace [-sàidid-] 《미·속어》 5면(面)의 미궁, 미국 국방부(the Pentagon)

five-speed [-spìːd] *a.* 5단 기어[변속]의: a ~ bike 5단 변속의 오토바이

five-spice [-spàis] *n.* Ⓤ (중국 요리에 쓰이는) 다섯 가지 향신료 가루

five-spot [-spὰt | -spɔ̀t] *n.* **1** (카드의) 5점패; (주사위의) 5점눈, 한쪽에 5개의 점이 있는 도미노패 **2** 《속어》 5달러 지폐

fíve squàre 《미·속어》 (무선의 수신 상태가) 양호한, 명료한

five-star [-stάːr] *a.* **1** 《미》 별 다섯인, 오성(五星)의 《군대 계급을 표시》: a ~ general 육군 원수 **2** 〈호텔·식당 등이〉 별 5개의, 일류의, 최고의: a ~ brandy 최

---

with, concur with, correspond with, suit, go with **2** 적합하도록 하다 adjust, adapt, modify, alter, accommodate, regulate

fit[2] *n.* convulsion, spasm, attack, spell, outbreak

fitful *a.* irregular, uneven, disturbed

고급 브랜디 **3** 《일반적으로》 일류의, 최고의

five·stones [-stòunz] *n. pl.* [단수 취급] 《영》 다섯 개의 작은 돌을 사용하는 공기 놀이

Fíve Ẃ's [-dʌ́blju:z] [the ~] 다섯 개의 W 《뉴스의 서문에 담아야 할 5가지 요소로서의 who, what, when, where, why》

Fíve-Year Plán [-jìər- | -jə̀:-] [때때로 **five-year plan**] (경제 개발) 5개년 계획

⁑**fix** [fíks] *v., n.*

「고정시키다」 **1**
┌(시일·장소를) 「정하다」 **4** →(움직이지 않다)
├ →(마음에) 「두다」; (시선을) 「집중시키다」 **3**
└(제대로 하다) ─┬「수리하다」 **6**
　　　　　　　　└「준비하다」 **7**

—*vt.* **1 고착[고정]시키다**, 갖다 붙이다[매다]: ~ a mosquito net 모기장을 치다 // (~+목+전+명) ~ a mirror *to* a wall 거울을 벽에 고정시키다 / ~ a poster *to* a wall 벽에 포스터를 붙이다 **2** 〈생각·습관·제도 등을〉 **확립하다**; 〈의미·특징 등을〉 명확하게 하다; (마음·기억에) **새겨 두다**, 유의하다 《*in*》: a custom *~ed* by the tradition 전통으로 확립된 습관 // (~+목+전+명) *F~* these words *in* your mind. 이 말을 꼭 마음에 새겨 두게. **3** 〈시선·주의 등을〉 (…에) **집중시키다**, 쏟다, 모으다, 기울이다; 〈얼굴 등을〉 (감정으로) 굳어지게[뻣뻣해지게] 하다; 〈사람을〉 (감정으로) 꼼짝 못하게 하다 《*in, with*》; 〈사물이〉 〈사람의 주의 등을〉 끌다: The object *~ed* my attention. 그 물체가 내 주의를 끌었다. // (~+목+전+명) He *~ed* his eyes *on* the ground. 그는 땅 위를 가만히 지켜보았다. **4** 〈시일·장소 등을〉 **결정하다**, 정하다 《*up*》; 〈주소 등을〉 정하다; 확정하다; 〈사람을〉 (어떤 장소·지위에) 있게 하다 《*in, at*》; 〈범위·가격 등을〉 정하다: ~ a price 가격을 결정하다 // (~+목+전+명) ~ the date [place] *for*[*of*] a wedding 결혼식의 날짜[장소]를 정하다 / ~ one's residence *at*[*in*] …에 주거를 정하다 **5** 〈죄·책임 등을〉 …에게 **지우다**, 씌우다, 돌리다 (place) 《*on, upon*》: (~+목+전+명) He *~ed* the responsibility *on* the leader. 그는 책임을 지도자에게 씌웠다. **6** 《미》 **수리하다**, 수선하다, 고치다(mend, repair): ~ a machine 기계를 수리하다 / have one's watch *~ed* 시계를 수선시키다 **7** 《미》 〈식사 등을〉 **마련[준비]하다**, 〈음식물을〉 조리하다; 《미·속어》 …에 마약을 주다; 〈머리·얼굴을〉 매만지다, 화장하다; 조정하다, 정리 정돈하다: ~ a meal 식사 준비를 하다 // (~+목+전+명) ~ a table *for* the family dinner 가족의 만찬상을 마련하다 **8** 《구어》 매수하다, (뇌물 등을 써서) 부정(不正)을 하다 **9** 《구어》 정리하다; 죽이다; …에게 복수하다 **10** 《구어》 〈동물 특히 고양이를〉 거세하다, 불까다 **11** 〖화학〗 〈유동체를〉 응고시키다, (불휘발성으로) 만들다; 〈질소를〉 고정시키다; 〈염색 등을〉 고착시키다, 변색되지 않게 하다; 〖사진〗 정착(定着)시키다; 〖생물〗 〈표본을〉 고정시키다 **12** 《미·구어》 〈상처·신체 부위를〉 치료하다, 고치다

—*vi.* **1** 〈사람·물건이〉 **고정[고착]하다** 《*on*》; 〈표정이〉 굳어지다; 경화(硬化)하다; 〈눈이〉 동요하지 않다: Why do you ~ *on* Mother all the time? 왜 항상 엄마만 생각하고 있습니까? **2** 〈시선·주의가〉 (…에) 집중되다, 멈춰지다 《*on, to*》 **3** 정주(定住)하다 《*in*》 **4** 결정하다(decide) 《*on, upon*》: (~+전+명) ~ *on* a date for a journey 여행 날짜를 정하다 **5** 《미·구어·방언》 [주로 진행형으로] (…할) 준비를 하다(prepare), (…할) 작정이다, (…할) 참이다, (…하려고) 하다: (~+***to*** do) I'm *~ing to* go hunting. 사냥 갈 예정[작정]이다. **6** 《미·속어》 마약을 주사하다, 약을 넣다 **7** 〈사람·물건이〉 (…하도록) 수배하다, 예정을 세우다 《*on, out*; *for, to* do》 ***any way you can ~ it*** 어떻게 해서든지 ***be ~ed for*** (1) …을 얻기로[에 찬성하기로] 단단히 정하고 있다 (2) 《미·구어》 공급받고 있다(be supplied with), 가지고 있다 ***~ it*** 《구어》 정리[처리]하다 ***~ it*** [***things***] ***up*** 《미》 일을 처리[해결, 결정]하다 《*with*》 ***~ on*** [***upon***] 〈일시·장소 등을〉 …으로 결정[선정]하다, …으로 정하다 ***~ out*** (1) 채비[준비]하다; 장비하다 (2) 〖항해〗 의장(艤裝)하다 ***~ over*** 《미》 〈엔진 등을〉 고치다; …을 다시 만들다, 〈옷을〉 고쳐 짓다(alter) ***~ a person's flint*** …을 혼내주다 ***~ up*** (1) …을 짓다, 고정시키다 (2) 〈회합·약속·날짜 등을〉 정하다, 결정하다: ~ *up* a date (데이트) 날짜를 정하다 (3) 《미·구어》 〈방 등을〉 정리하다, 청소하다; 〈방 등에〉 (…을) 설비하다 《*with*》 (4) …에게 〈필요한 것들〉 마련해 주다 《*with*》; …에 숙박시키다 《*in*》 (5) 조직[편성]하다 (6) 《구어》 〈분쟁 등을〉 해결하다 (7) 《미·구어》 수리하다, 손질하다, 개조하다: have gadgets *~ed up* 도구를 수리시키다 (8) 《미·구어》 …의 병을 고쳐주다 (9) 〈식사를〉 마련하다 (10) 《미·구어》 몸차림을 하다, 채비를 갖추다

—*n.* **1** [보통 a ~] 《구어》 곤경, 궁지(⇨ predicament 유의어): You'll be in a ~. 궁지에 몰리게 될 거다. **2** 《구어》 수리, 조정, 조절, 해결(법); (사회악에 대한) 치료 **3** (선박·비행기 등의) 위치(position); 위치의 결정 **4** [a ~] 《구어》 매수(買收), 매수될 수 있는 사람[것]; 서로 짜고 하는[속임수] 시합; 뇌물 **5** 《구어》 마약 주사 **6** 《미·속어》 (컴퓨터 프로그램의) 수정 ***be out of ~*** 〈시계 등이〉 잘 가지 않다; 〈몸이〉 편치 않다 ***blow a ~*** 《구어》 마약 주사를 잘못 놓다 ***get a ~ on*** (레이더 등으로) …의 위치를 확인하다; …에 분명한 태도를 취하다; …(의 정체)를 알아내다 ***get oneself into a ~*** 《구어》 곤경에 빠지다 **~·a·ble** *a.*

fix·ate [fíkseit] *vt.* **1** 정착[고정]시키다 **2** 응시하다 **3** 〖정신분석〗 〈리비도를〉 고착시키다 **4** 〖심리〗 〈물체에〉 시선이 고정되다 **5** 《구어》 (…에) 병적으로 집착하게 하다 《*on, upon*》 **—***vi.* **1** 정착하다, 고정하다; 응시하다 **2** 〖정신분석〗 고착하다 **3** 《미》 주의를 집중하다

fix·at·ed [fíkseitid] *a.* Ⓟ 《구어》 (…에) 집착한 《*on, by, with*》

fix·a·tion [fikséiʃən] *n.* ⓊⒸ **1** 정착, 고착, 고정; 갖다 붙임 **2** 〖화학〗 응고, 불휘발성화(不揮發性化); 〖사진〗 정착; 〖염색〗 (염료) 고정(법) **3** 응시, 주시 **4** 〖정신분석〗 고착 《리비도의 대상에 대한》; 병적인 집착, 고집 《*on, about*》 **5** 〖심리〗 고착, 고정

fix·a·tive [fíksətiv] *n.* **1** (염색의) 염료 고정제, 고정액 **2** 〖사진〗 정착액(fixer) **3** (향수 등의) 휘발 보유제 **—***a.* 고정성의, 정착성의, 고착력이 있는

fix·a·ture [fíksətʃər] *n.* 모발 정조제(整調劑) 《머릿기름 등》

⁑**fixed** [fíkst] *v.* FIX의 과거·과거분사

—*a.* **1** 〈물건 등이〉 **고정된**, 정착된, 갖다 붙인, 잡아맨: ~ blocks 고정 도르래 **2** 〈색 등이〉 고정된, 변색하지 않는: a ~ color 불변색 **3** 〈시선이〉 움직이지 않는(immovable): look at a person with a ~ gaze …의 얼굴을 뚫어지게 바라보다 **4** 〈자본·사업·정책 등이〉 불변의, 일정한, 확립된: a ~ salary 고정급 / a ~ deposit 정기 예금 / a ~ policy 부동의 정책 **5** 〈관념·결심 등이〉 확고한: a ~ purpose 확고한 목적 **6** 정리된, 정돈된 **7** 〖화학〗 응고한, 불휘발성의(nonvolatile): a ~ acid 불휘발산(酸) **8** 《미·구어》 내밀히[부정하게] 결정된, 매수된; 속임수의 **9** Ⓟ 《미·구어》 (필요한 돈·시간 등이) 충분히 지급되어[마련되어] 《*for*》: How are you ~ *for* cash? 현금은 얼마나 준비됐니?

fíxed ammunítion 〖군사〗 약협식(藥莢式) (총)포탄

fíxed ássets 〖회계〗 고정 자산(capital assets) (opp. *current assets*)

fíxed cápital 〖경제〗 고정 자본(opp. *circulating capital*)

fíxed chárge 〖회계〗 **1** 고정비; 확정 부채 **2** [*pl.*] 고정 간접비, 세금·사채의 이자

thesaurus **fix** *v.* **1 고정시키다** fasten, secure, attach, connect, join; stick, glue, cement, pin, nail, screw, bolt, bind, tie, plant, install, posi-

fíxed cóst [보통 *pl.*] 〖회계〗 고정비, 고정 원가
fíxed dísk 〖컴퓨터〗 고정 (자기) 디스크
fíxed-dó sỳstem [-dóu-] 〖음악〗 고정 도(do) 방식[창법] 《C를 언제나 도(do)로 하여 노래하는 창법》
fíxed exchánge ràte 고정 환율
fíxed fócus (사진기의) 고정 초점
fixed-fo·cus [-fóukəs] *a.* 고정 초점의: a ~ camera 고정 초점 카메라
fíxed-géar bìcycle [-gíər-] 페달이 뒷바퀴와 연결된 싱글 기어 자전거(fixie)
fíxed-héad dìsk [-héd-] 〖컴퓨터〗 고정 헤드 디스크
fíxed idéa 고정관념; 〖정신의학〗 고착 관념
fíxed íncome 고정 수입, 정액 소득
fixed-in·come [-ìnkʌm] *a.* 고정 수입의
fíxed ínterest ràte 고정 이율
fíxed invéstment trùst 고정형 투자 신탁
fíxed-léngth rècord [-léŋkθ-] 〖컴퓨터〗 고정 길이 레코드
fíxed liabílity 고정 부채(負債)
fix·ed·ly [fíksidli, fíkstli] *ad.* 정착[고정, 안정]하여; 확고하게; 뚫어지게 〈보다 《등》〉; 단호하게: stare ~ into space 가만히 허공을 쳐다보다
fix·ed·ness [fíksidnis] *n.* Ⓤ 정착, 고착, 고정; 정착성, 응고성; 불휘발성
fíxed ódds (내기의) 고정 승률[수익률] 《배당률이 미리 결정된》
fíxed óil 〖화학〗 고정유, 불휘발성유
fíxed póint **1** 고정점; 〖물리〗 정점(定點) **2** 파출소, 지서 **3** 〖컴퓨터〗 고정 소수점(cf. FLOATING POINT)
fíxed príce **1** 고정[정찰] 가격, 정가; 공정[협정] 가격 **2** (식당의) 정식 가격
fíxed próperty 고정 자산, 부동산
fíxed ráte 고정 금리; (공공요금 등의) 고정 요율
fíxed rátio 〖경영〗 고정 비율
fíxed sátellite 〖우주과학〗 고정[정지] 위성
fíxed-sé·quence róbot [fíkstsí:kwəns-] 고정 연속 동작 로봇
fíxed stár 〖천문〗 항성(恒星)(cf. PLANET)
fíxed státion 〖무선〗 고정 교신국
fixed-term [fíksttə́:rm] *a.* Ⓐ (계약 등이) 확정 기간이 있는, 특정 기한부의
fíxed-term cóntract 기한부 고용 계약
fíxed trúst 〖경제〗 특정 투자 신탁
fíxed vírus 〖의학〗 고정 바이러스, 고정독(毒)
fixed-wing [-wíŋ] *a.* 〖항공〗 고정익(翼)의: ~ aircraft 고정익기
fix·er [fíksər] *n.* **1** 설치[설비]하는 사람[물건] **2** 《구어》 (사건 등을 매수로 해결하는) 중개인, 매수자; 조정자; 마약 밀매인 **3** 정착제(劑); 염료 고정제
fix·er-up·per [-ʌ́pər] *n.* 《미·구어》 (수리 후 고가에 팔 수 있는) 싸구려 주택
fix·ie [fíksi] *n.* (*pl.* **~s**) 《구어》 =FIXED-GEAR BICYCLE
fix·ing [fíksiŋ] *n.* Ⓤ **1** 고정, 고착; 응고; 〖사진〗 정착: ~ solution 정착액 **2** 설치, 설비 **3** 조정, 수리 **4** [*pl.*] 《미·구어》 (실내 등의) 설비, 기구, 비품; 요리에 곁들인 음식; 장식품; 장신구 **5** 〖항공〗 (무선 항법의) 위치 결정
fix-it [fíksìt] *a.* 《미·구어》 (간단한) 수리의[를 하는]: a ~ shop 수리점 / a ~ man 수리하는 사람
fix·i·ty [fíksəti] *n.* (**-ties**) **1** Ⓤ 정착, 고정, 안정; 영속성, 불변성, (시선 등의) 부동성: ~ of God 신의 영구성 **2** [*pl.*] 고정물
fixt [fíkst] *v.* 《시어》 FIX의 과거·과거 분사
***fix·ture** [fíkstʃər] *n.* **1** (집·아파트 등의) **정착[고정]물,** (붙박이) 설치물; 설비한 물건, 비품 《움직이지 못하는 것》: kitchen ~*s* 부엌 설비 / The price of the house includes ~*s* and fittings. 그 집의 가격에는 모든 설비와 가구가 포함되어 있습니다. **2** 《구어》 (일정한 직업이나 장소에) 늘 붙어 있는[오래 있는] 사람, 터줏대감: Professor Kim is now a ~ at Oxford. 김 교수는 이제는 옥스퍼드에 정착해 있다. **3** [*pl.*] 〖법〗 부동산 정착물 《토지 또는 가옥에 부속된 동산》 **4** 《영》 (기일이 확정된) 대회, 경기 종목[프로]; 개최일: a home ~ 홈 경기 **5** 〖상업〗 정기 대부금 ▷ fíx *v.*

tion **2** 결정하다 decide on, settle, set, agree on, arrange, determine, establish, define **3** 수리하다 repair, mend, restore, remedy, rectify, adjust

fix-up [fíksʌ̀p] *n.* **1** 수리, 개량 **2** 《미·속어》 (금단 증세를 완화하는) 마약 1회분
fiz·gig [fízgìg] *n.* **1** 채찍으로 돌리는 팽이 《장난감》; 쉿쉿 소리내는 불꽃; 허울만 좋은 것, 싸구려 **2** 작살(fish spear) **3** 《호주》 경찰에 밀고하는 자 **4** 바람둥이 여자[계집애] **—** *a.* 경박한, 바람기 있는
fizz, fiz [fíz] *vi.* 쉿하고 소리나다(hiss), 쉿하고 거품이 일다; 활기띠다, 흥분하여 들뜨다
— *n.* **1** [a ~] 쉿하는 소리 **2** 《구어》 거품 이는 음료, 발포성(發泡性) 음료; 《영·속어》 샴페인 **3** 활기 **4** 《속어》 실패(fizzle) ***full of*** ~ 《구어》 흥분한, 활발한
fizz·er [fízər] *n.* **1** 쉿하고 소리를 내는 것[사람] **2** 〖크리켓〗 쾌속구 **3** 《영·속어》 1급품 **4** 《호주》 불발의 불꽃[폭죽]; 대실패
fiz·zle [fízl] *vi.* **1** 약하게 쉿 소리나다 **2** 《구어》 실패하다 ~ ***out*** (1) 〈눅눅한 화약 등이〉 쉿하며 꺼지다 (2) 《구어》 실패하다; 용두사미로 끝나다, 잠깐 좋았다 말다
— *n.* 쉿 (소리); 《구어》 실패
fizz·wa·ter [fízwɔ̀:tər] *n.* 소다수; 발포성 음료
fizz·y [fízi] *a.* (**fizz·i·er**; **-i·est**) 〈음료가〉 쉿쉿 거품이는, 발포성의: ~ waters 소다수(水), 탄산수
fízz·i·ly *ad.* **-i·ness** *n.*
fízzy lemonáde 《영》 탄산이 든 레모네이드
fjord [fjɔ́:rd] *n.* 피오르드 《높은 절벽 사이에 깊숙이 들어간 협만(峽灣)》 **~·ic** *a.*
fl fluid **Fl** 〖화학〗 fluorine **fL** foot-lambert(s) **FL** Flight Lieutenant; 〖미국우편〗 Florida; foreign language **fl.** floor; florin; *floruit* 《L =he[she] flourished》; fluid **Fl.** Flanders; Flemish **f.l.** *falsa lectio* 《L =false reading》 **Fla.** Florida
flab [flǽb] [flabby의 역성(逆成)] *n.* (지방으로) 뚱뚱함; 군살: tight the ~ 느슨한 살을 탄탄하게 만들다
flab·ber·gast [flǽbərgæ̀st | -gɑ̀:st] *vt.* 《구어》 깜짝 놀라게 하다, 어리둥절하게 하다 《*by, at*》
~·er *n.* **~·ing·ly** *ad.*
flab·ber·gast·ed [flǽbərgæ̀stid | -gɑ̀:stid] *a.* [보통 Ⓟ] 《구어》 깜짝 놀란, 어리둥절한 《*by, at*》
flab·by [flǽbi] *a.* (**-bi·er**; **-bi·est**) **1** 〈근육 등이〉 흐느적흐느적한, 축 늘어진 **2** 〈사람·성격·말·의지 등이〉 연약한, 맥[기력]이 없는, 의지박약한
fláb·bi·ly *ad.* **fláb·bi·ness** *n.*
fla·bel·late [fləbélət, -lèit], **fla·bel·li·form** [fləbéləfɔ̀:rm] *a.* 〖식물·동물〗 부채꼴의
fla·bel·lum [fləbéləm] *n.* (*pl.* **-la** [-lə]) **1** 〖가톨릭〗 (의식 때 교황 앞에 받드는) 성선(聖扇) **2** 〖생물〗 부채꼴 부분; 부채꼴 기관(器官)
flac·cid [flǽksid, flǽsid] *a.* **1** 〈근육·사람 등이〉 흐느적흐느적한, 축 늘어진(limp) **2** 〈정신 등이〉 이완된, 연약한 **3** 〈식물이〉 시든 **~·ly** *ad.* **~·ness** *n.*
flac·cid·i·ty [flæksídəti] *n.* Ⓤ 연약, 맥없음, 무기력
flack[1] [flǽk] 《미·속어》 *n.* 선전, 홍보; 선전[홍보] 담당자(press agent) **—** *vi.* 신문[홍보] 담당자로 일하다; 광고[홍보]를 담당하다: (~+전+명) ~ *for* a new rock group 새로운 록 그룹의 홍보원으로 일하다
flack[2] *vi.* 《미·속어》 [다음 성구로]
~ ***out*** 잠들다, 의식을 잃다, 죽다, 지치다
flack[3] *n.* =FLAK
flack·er·y [flǽkəri] *n.* Ⓤ 《미·속어》 선전, 홍보
flac·on [flǽkən] [F] *n.* (향수 등의) 작은 병
fladge [flǽdʒ] *n.* 《미·속어》 (성적 도착 행위로서의) 채찍질
‡flag[1] [flǽg] *n.* **1** (국가·조직·소속 단체의) **기(旗)** 《애

국심·승리·자기 주장의 상징》; 〖해군〗 기함기(旗艦旗), 사령기(司令旗): the national ~ of Korea 한국 국기 / a yellow ~ 황색기; 검역기(檢疫旗) / fly a ~ 기를 게양하다 / raise[hoist] a ~ 기를 올리다 / lower a ~ 기를 내리다 / wave a ~ 기를 흔들다

> 유의어 **flag** 「기」를 뜻하는 일반적인 말이다 **banner** 주의·주장 등을 쓴 기 **pennant** 선박이 표지·신호용으로 쓰는 기다랗고 끝이 뾰족한 기 **ensign** 선박이 국적을 나타내기 위해 게양하는 기 **standard** 의식용의 기·군기

2 〖야구〗 메이저 리그의 우승기 **3** (세터종(種) 또는 Newfoundland종(種) 개의) 털이 북실북실한 꼬리 **4 a** (신문의 제1면 상단에 있는) 신문명 **b** (사설면에 있는) 신문명 **5** 〖TV〗 카메라의 차광포(遮光布) **6** 《영》 (택시의 'For Hire'라고 적힌) 빈차 표지판 **7** 〖컴퓨터〗 플래그; 표시 문자 **8** 〖인쇄〗 (정정 등의 행간에 끼우는) 종이; (기억을 위한) 부전, 서표

a ~ to die for 대의명분(cause) ***dip the ~*** 기를 조금 내려 경의를 표하다 《상선이 군함을 만났을 때》 ***drop the ~*** (스포츠에서) 시작과 끝에 기를 내리는 것 ***fly the ~*** (1) 국기를 게양하다 (2) 〖야구〗 리그 우승을 하다 ***hang out*** [***hoist***] ***a ~ halfmast high*** 반기(半旗)를 올려 조의(弔意)를 표하다 ***hang out*** [***show***] ***the white ~*** 흰 기를 올리다; 항복하다 ***hoist** one**'s ~*** 사령기를 올리다; 함대 사령관이 취임하다, 지휘하다 ***keep the ~ flying*** 《구어》 기를 내리려고 들지 않다, 항복하지 않다, 계속 싸우다 ***lower*** [***strike***] one***'s*** [***the***] ***~*** (1) 기를 내리다 《경례·항복의 표시로》; 항복하다 (2) 사령관의 직위를 떠나다 ***put*** [***hang***] ***the ~ out*** 승리를 기원하다 ***show the ~*** (1) 〈군함이〉 외국의 항구를 공식 방문하다 (2) (군대의 파견 등으로) 권리를 주장하다 (3) 《구어》 (모임에) 잠시 얼굴을 내밀다 ***under the ~ of*** …의 깃발 아래 (모여들어): fight *under the ~ of* freedom 자유의 깃발 아래 싸우다 ***wave the ~*** 애국심을 북돋우다 ***with ~s flying*** 《비유》 의기양양하게

— *vt.* (**~ged**; **~·ging**) **1** 〈장소에〉 기를 올리다; 기로 장식하다: ~ a building 건물에 기를 올리다 **2** 〈기차 등을〉 신호로 정지시키다 《*down, in*》: ~ a taxi 손을 들어 택시를 잡다 **3** 기로 신호하다[알리다]: 《~+목+전+명》 ~ an order *to* vessels at a distance 멀리 있는 배에 수기로 명령을 전하다 **4** 〈사냥감을〉 기(旗) 등으로 꾀어 들이다 **5** 《미·속어》 〈사람을〉 거부하다 ***~ down*** 〈기차·자동차·운전자 등을〉 (신호하여) 정지시키다 ***~ it*** 《미·속어》 시험[학과목]에 떨어지게 하다

flag[2] *n.* 〖식물〗 **1** 붓꽃 무리 《제비붓꽃·참붓꽃 등》 **2** 부들(cattail, sweet flag) **3** 칼 모양의 잎사귀

flag[3] *vi.* (**~ged**; **~·ging**) **1** 〈활력·활동·흥미·기력 등이〉 떨어지다, 풀리다; 시들해지다 **2** 〈돛 등이〉 축 늘어지다; 〈초목이〉 시들다

flag[4] *n.* **1** (길에) 까는 돌(flagstone), 포석(鋪石) **2** [*pl.*] 포석 도로 — *vt.* (**~ged**; **~·ging**) …에 포석을 깔다; 포석으로 포장하다 **~·less** *a.*

flág bèarer 기수(旗手)

flág bòat 기정(旗艇) 《보트 경기의 목표 보트》

flág càptain 〖해군〗 기함(旗艦)의 함장

flág càrrier 나라를 대표하는 항공[선박] 회사

flág dày 《영》 기(旗)의 날(《미》 tag day) 《길에서 자선 사업 기금을 모집하는 날로, 기부자에게는 기념으로 작은 기를 달아 줌》; [**F- D-**] 《미》 국기의 날 《국기 제정(1777년) 기념일; 6월 14일》

fla·gel·lant [flǽdʒələnt, flədʒél-] *a.* 채찍질의[을 좋아하는]; 호되게 비난하는 — *n.* **1** 채찍질하는 사람; 자기를 채찍질하는 고행자 **2** 채찍질을 좋아하는 성적 도착자 **~·ìsm** *n.*

fla·gel·lar [flədʒélər, flǽdʒə-] *a.* 〖생물〗 편모의

flag·el·late [flǽdʒəlèit] *vt.* (죄의 반성·성적 흥분을 위해) 채찍질하다; 힐난[질책]하다

— [-lət, -lèit] *a.* 〖생물〗 편모(鞭毛)가 있는; 〖식물〗 포복지(匍匐枝)가 있는

— [-lət, -lèit] *n.* 〖동물〗 편모충(蟲)

flag·el·la·tion [flæ̀dʒəléiʃən] *n.* **1** Ⓤ 채찍질, 태형(笞刑) **2** 채찍질로 인해 성적 흥분을 느끼는 성적 도착자 **3** Ⓤ 〖생물〗 편모 (발생)

flag·el·la·tor [flǽdʒəlèitər] *n.* = FLAGELLANT

fla·gel·li·form [flədʒéləfɔ̀ːrm] *a.* 〖생물〗 편모상(鞭毛狀)의; 휘청[낭창]거리는

fla·gel·lum [flədʒéləm] *n.* (*pl.* **-la** [-lə], **~s**) **1** 〖동물〗 편모(鞭毛) **2** 〖식물〗 기는 가지 **3** (익살) 채찍

flag·eo·let[1] [flæ̀dʒəlét, -léi | -lét] *n.* 〖음악〗 플래절렛 《6개의 소리 구멍이 있는 일종의 은(銀) 피리》; (파이프 오르간의) 플래절렛 음전(音栓)

fla·geo·let[2] [flæ̀dʒouléi] [F] *n.* 〖식물〗 제비콩의 일종(lima bean)

flág fóotball 〖스포츠〗 플래그 풋볼 《경기자는 태클 대신 볼을 가진 자가 달고 있는 기를 뽑아서 시합을 중단시키는 touch football의 일종》

flagged [flǽgd] *a.* 포석(鋪石)을 깐

flag·ging[1] [flǽgiŋ] *a.* 〈정력·결심 등이〉 축 늘어지는, 맥이 빠지는; 줄어드는, 쇠약해 가는 **~·ly** *ad.*

flagging[2] *n.* **1** Ⓤ (판석을 깐) 포장(鋪裝); [집합적] 판석류(板石類)(flagstones) **2** 판석 포장도로

flag·gy[1] [flǽgi] *a.* 붓꽃[창포]이 많은, 창포 모양의

flaggy[2] *a.* 판석 모양의, (판석 같이) 조개낼 수 있는

flaggy[3] *a.* (**-gi·er**; **-gi·est**) 〈정력·결심 등이〉 축 늘어지는, 처지는; 무기력한; 흐느적거리는

fla·gi·tious [flədʒíʃəs] *a.* 《문어》 〈사람·행동·시대 등이〉 극악무도한, 흉악한; 파렴치한, 무법한, 악명 높은 **~·ly** *ad.* **~·ness** *n.*

flág lieuténant 〖해군〗 (제독·사령관의) 부관; 참모

flág lìst 〖해군〗 현역 장성 명부

flag·man [flǽgmən] *n.* (*pl.* **-men** [-mən]) **1** 신호 기수; 《미》 (철도의) 신호수, 건널목지기 **2** (레이스의) 기수

flág of convénience 《미》 (편의상 게양하는) 선적 등록국의 국기 《세금 등의 편의 때문에 선박을 등록한 타국의 국기》

flág of distréss (배의) 조난 신호기

flág òfficer 〖해군〗 장성 《탑승한 군함에 장성기(旗)를 올림》; (함대) 사령관

flág of trúce 〖군사〗 휴전기 《전장에서 협상을 청하는 백기》

flag·on [flǽgən] *n.* **1** 목이 가는 포도주 병 《식탁·성찬용》; 큰 포도주 병 **2** 그 한 병분의 용량 《*of*》

flag·pole [flǽgpòul] *n.* **1** 깃대 **2** = RANGE POLE ***run … up the ~*** (***and see if anybody salutes***) …에 대한 반응을 살피다, 관측 기구를 띄우다

fla·gran·cy, -grance [fléigrəns(i)] *n.* Ⓤ 악명(notoriety); 극악(極惡)

flág rànk 〖해군〗 장성의 계급(cf. FLAG OFFICER)

fla·grant [fléigrənt] *a.* **1** 〈거짓말·실수 등이〉 명백한: a ~ lie 새빨간 거짓말 / a ~ error 명백한[큰] 실수 **2** 악명 높은, 이름난(notorious), 극악한: a ~ crime 극악무도한 범죄 **~·ly** *ad.*

fla·gran·te de·lic·to [fləgrǽnti-dilíktou] [L= in the blazing of the crime] *ad.* 〖법〗 (성범죄의) 현행범으로: be caught ~ 현행범으로 체포되다

flag·ship [flǽgʃìp] *n.* **1** 기함(旗艦) **2** (선박 회사·항공사의) 최고급 선박[비행기] **3** (그룹·시스템에서) 가장 중요한[최고인] 것 **4** 본점, 본사, 본교 — *a.* flagship의; 중요한 것의: a ~ product 중요 제품

flag·staff [-stæ̀f | -stɑ̀ːf] *n.* (*pl.* **~s, -staves** [-stæ̀vz | -stèivs]) 깃대(flagpole)

flág stàtion 〖철도〗 (기(旗)의 신호가 있을 때만 열차가 서는) 신호 정차역(cf. FLAG STOP)

flag·stick [-stìk] *n.* 〖골프〗 홀에 세우는 깃대, 핀(pin)

flag·stone [-stòun] *n.* **1** ⓊⒸ (포장용) 판석(板石),

thesaurus **flame** *n.* **1** 화염 blaze, conflagration, fire **2** 광채 brightness, brilliant light, glow,

포석(鋪石), 까는 돌(flag) **2** [*pl.*] 판석 포장도로
flág stòp (기(旗)의 신호가 있을 때만 버스·열차가 서는) 임시 정차 지점(cf. FLAG STATION)
flag-up [-ʌ̀p] *a.* 《미·속어》 (요금을 더 받기 위해) 택시 미터를 꺾지 않고 손님을 태우는
flag-wag·ging [-wæ̀giŋ] *n.* Ⓤ **1** 애국적 과시[열의] **2** 《항해속어》 수기(手旗) 신호
flag-wav·er [-wèivər] *n.* **1** 신호 기수, 수기(手旗) 신호수 **2** 선동자(agitator); 광신적인 애국자; 애국심을 끓게 하는 것 **3** 배타적 맹신자
flag-wav·ing [-wèiviŋ] *n.* Ⓤ 애국심을 끓게 하는 활동, 애국적[당파적] 선동
flail [fléil] *n.* 도리깨
— *vt.* **1** 〈곡물을〉 도리깨질하다; 〈물건을〉 때리다 **2** 〈팔 등을〉 휘두르다 **3** 《미·속어》 〈시험 과목을〉 낙제하다 — *vi.* **1** 도리깨질하다 **2** (도리깨질하듯이) 격렬하게 움직이다 **3** 《미·속어》 실패하다, 불합격하다
fláil tànk 대지뢰(對地雷) 전차 《앞부분에 지뢰 폭파 장치가 있는 특수 전차》
flair [flέər] *n.* **1** Ⓤ [때로 a ~] 예민한 직감; (천부적인) 재능, 능력 《*for*》: *a* ~ *for* writing poems 천부적인 시작 능력 **2** Ⓤ [때로 a ~] 경향, 성향 《*for*》 **3** Ⓤ (스타일 등이) 세련됨, 빈틈이 없음
flak, flack [flǽk] [G *Fl*ieger*a*bwehr*k*anone = antiaircraft cannon] *n.* (*pl.* ~) **1** 대공포[포화], 고사포화, 고사포의 작렬탄 **2** 잇단[격렬한] 비난, 혹평; 격렬한 논쟁
‡**flake**[1] [fléik] *n.* **1** (단단한 것의 벗겨져 떨어지는) 얇은 조각, 박편(薄片), 파편: ~*s* of stone 돌의 박편(剝片) **2** (눈·구름·깃털 등의) 한 조각; 불티: ~ of snow 눈송이(snowflakes) **3** [*pl.*] 플레이크 《낟알을 얇게 으깬 식품》: corn ~*s* 콘플레이크/cereal ~*s* 곡물 플레이크 **4** 《미·속어》 매우 특이한 개성(을 가진 사람[선수]), 괴짜, 기인(奇人) **5** (경찰관의 할당 건수 달성을 위한) 체포 ***fall in ~s*** 엷은 조각이 되어 벗겨지다; 〈눈이〉 펄펄 내리다
— *vi.* **1** 〈페인트 등이〉 엷은 조각으로 벗겨지다 《*away, off*》; 조각조각으로 떨어지다 **2** 〈눈이〉 펄펄 내리다 **3** 약속을 못지키다 《*on*》
— *vt.* **1** 엷은 조각으로 벗기다[떼어내다]; 얇게 자르다(chip) **2** 엷은 조각으로 덮다 **3** 《미·속어》 …에게 누명을 씌우다; 날조한 혐의로 체포하다
flák·er *n.* ▷ fláky *a.*
flake[2] *n.* **1** 물고기 말리는 덕 **2** (식료품 등의) 저장 시렁[선반] **3** 〖항해〗 (작업용의) 현측(舷側) 비계
flake[3] *n., vt.* = FAKE[2]
flake[4] *vi.* = FLAKE out (1) ~ ***down*** 《미·속어》 잠자리에 들다 ~ ***off*** 《미·속어》 떠나다 ~ ***out*** 《미·속어》 (1) (피곤하여·마약을 맞고) 잠들다, 졸도하다 (2) 《속어》 떠나다; 《속어》 실패하다 (3) 《속어》 약속을 잊어버리다, 기이하게 행동하다 (4) 《미·구어》 (…에게) 이상한[엉뚱한] 짓을 하다 《*on*》
flake[5] *n.* 《영》 (식용으로서의) 돔방상어(dogfish)
flake·board [fléikbɔ̀:rd] *n.* 플레이크 보드 《얇은 나뭇조각을 합성수지로 잇댄 판자》
flaked-out [fléiktáut] *a.* **1** 《속어》 (피곤해서) 잠든 **2** (술·마약으로) 의식을 잃은 **3** 지친, 녹초가 된
flake-out [fléikàut] *n.* 《미·속어》 대실패; 바보짓
flak·ers [fléikərz] *a.* 《영·속어》 지친, 기진맥진한
fláke tòol 〖고고학〗 (구석기의) 박편(剝片) 석기
fláke whíte 연백(鉛白) 《얇은 조각으로 된 안료》
flak·ey [fléiki] *a.* 《미·속어》 〈행동 따위가〉 파격적인; 제정신이 아닌, 미친; 〈머리가〉 혼란한; 마약을 상용하는
flák jàcket 방탄조끼
fla·ko [fléikou] *a.* 《미·속어》 술 취한
flák sùit 〖미공군〗 방탄복
flák vèst 〖미공군〗 = FLAK JACKET

---

gleam — *v.* **1** 타오르다 burn, blaze, flare up **2** 빛나다 glow, shine, flash, beam, glare, sparkle

flak·y [fléiki] *a.* (**flak·i·er**; **-i·est**) **1** 벗겨지기 쉬운 **2** 엷은 조각 모양의, 조각조각의 **3** 《미·속어》 색다른, 별난, 괴짜의 **flák·i·ly** *ad.* **flák·i·ness** *n.*
flam [flǽm] *n.* ⓊⒸ 꾸며낸 이야기, 거짓; 기만(deception), 야바위 — *vt., vi.* (**~med**; **~·ming**) 속이다, 기만하다
flam·age [fləmά:dʒ] *n.* Ⓤ 엉터리, 허풍
flam·bé [flɑ:mbéi] [F = be blazed[singed]] *a., n.* [보통 명사 뒤에서] (고기·생선에 브랜디 등을 붓고) 불을 붙여 눈게 한 (요리[디저트]) — *vt.* (**-béed, -bé·ing**) 〈요리·과자에〉 술을 붓고 불을 붙이다
flam·beau [flǽmbou] [F = flame] *n.* (*pl.* **~x** [-z], **~s**) 횃불; 장식을 한 큰 촛대
flam·boy·ance, -an·cy [flæmbɔ́iəns(i)] *n.* Ⓤ 화려[현란]함, 야함
flam·boy·ant [flæmbɔ́iənt] [F 「불꽃」의 뜻에서] *a.* **1** 〈색채 등이〉 타는 듯한, 현란한 **2** 〈사람·행동 등이〉 눈부신, 이채를 띤 **3** 〈문체 등이〉 화려한: a ~ verse 화려한 시/~ speeches 미사여구를 구사한 연설 **4** 〖건축〗 (15-16세기 경 프랑스에서 유행한) 플랑부아 양식(樣式)의, 불꽃 모양의 — *n.* 〖식물〗 봉황목(鳳凰木) 《나비 모양의 붉은 꽃이 핌》 **~·ly** *ad.*
‡**flame** [fléim] [L 「타는 것, 불꽃」의 뜻에서] *n.* ⒸⓊ **1** [종종 *pl.*] 불꽃, 불길, 화염: the Olympic ~ 올림픽 성화/commit a thing to the ~*s* …을 소각하다 **2** 불꽃 같은 번쩍임; 불타는 듯한 광채(brilliant coloring): the ~*s* of sunset 붉게 물든 저녁노을 **3** 정열, 타오르는 듯한 감정, 격정: ~*s* of anger 불길 같은 노여움 **4** Ⓒ [보통 old ~으로] 《구어》 애인(sweetheart): an *old* ~ of his 그의 옛날 애인
burst into* ~(*s*)** 확 타오르다 ***fan the* ~** 정열을 돋우다, 생각을 간절하게 하다, 싸움 등에 부채질하다 ***go down in ~s 완전히 실패하다, 폭삭 망하다 ***go up in ~s*** 〈건물이〉 타오르다 ***in ~s*** 불꽃이 되어, 불타올라
— *vi.* **1** 타오르다; 화염[불길]을 내다[뿜다] 《*away, out, up*》 **2** 불꽃같이 (빨갛게·선명하게) 빛나다 《*with*》; 〈얼굴이〉 확 붉어지다 《*up*》; 〈태양이〉 이글이글 빛나다: 《~+전+명》 The hill ~*s with* azaleas. 언덕은 진달래로 불타는 듯하다. **3** 〈정열 등이〉 타오르다 《*out*》; 불끈 화를 내다 《*up*》: 《~+부》 His anger ~*d out*. 그의 분노가 폭발하였다. **4** 〖컴퓨터〗 (전자 우편 등으로) 욕설하다 **5** 《시어》 불꽃같이 흔들리다
— *vt.* **1** (살균을 위해) 불에 갖다 대다; 〈음식물에〉 브랜디를 부어 불을 붙이다; (화염 방사기로) 〈잡초를〉 불태우다 **2** 〈신호 등을〉 화염으로 전하다 **3** 〖컴퓨터〗 〈상대에게〉 욕설 메일을 보내다, 전자 메일로 욕설하다 《고래고래 소리 지르는 인상을 주기 위해 대문자로 표현함》 **4** 《시어》 〈감정을〉 타오르게 하다, 화나게 하다
~ ***out*** (1) ⇨ *vi.* 1, 3 (2) 〈제트 엔진이〉 연소 정지를 일으키다 **flám·er** *n.* **~·less** *a.* **~·lìke** *a.*
▷ flámy *a.*; afláme *ad., a.*
fláme cèll 〖동물〗 (디스토마 등의) 불꽃 세포
flame-col·ored [fléimkʌ̀lərd] *a.* 불꽃 같은 빛깔의
fláme gùn 〖농업〗 화염 제초기
fla·men [fléimən] *n.* (*pl.* **~s, flam·i·nes** [flǽmənì:z]) 〖고대 로마〗 사제(司祭)
fla·men·co [fləméŋkou] *n.* (*pl.* **~s**) 플라멩코 《스페인 Andalusia 지방의 집시춤》; 그 곡 — *a.* 플라멩코풍의(flamencan): ~ rhythms 플라멩코조의 리듬
flame·out [fléimàut] *n.* 《미》 **1** 〖항공〗 (제트 엔진의 갑작스런) 연소 정지(blowout) **2** 좌절, (정력·재능 등의) 소멸; 파멸; 좌절한 사람, 실망으로 끝난 일
fláme projèctor = FLAMETHROWER
flame·proof [-prú:f] *a.* 내화성의, 불타지 않는
— *vt.* 내화성으로 하다 **~·er** *n.*
fláme retàrdant 내연제(耐燃劑)
flame-re·tar·dant [-ritά:rdnt] *a.* 불이 잘 붙지 않는, 내염성(耐炎性)의
fláme sèssion 공리공론의 회의[의론]
fláme stìtch 불꽃무늬 자수 기법
fláme tèst 〖화학〗 불꽃 시험

flame·throw·er [-θròuər] [G Flammenwerfer에서] *n.* **1** 화염 방사기 **2** 농업용 살충기 **3** (미·속어) 제트기 **4** (야구속어) 강속구 투수
flame-throw·ing [-θròuiŋ] *a.* (야구속어) (강)속구를 던지는
fláme tràp (버너의 노즐에 있는) 화염 역행 방지 장치 《화재 예방 장치》
fláme wàr 〖컴퓨터〗 (PC 통신상의) 상호 공격[비난, 중상]
*__flam·ing__ [fléimiŋ] *a.* Ⓐ **1** 불타는, 불을 뿜는 **2** 〈빛깔이〉 타는 듯한; 타는 듯이 붉은: a ~ red dress 타는 듯한 붉은 드레스 **3** 열정에 불타는, 열렬한; 눈이 이글이글 빛나는: a ~ youth 열정적인 젊음 **4** 과장된; 현란한(flagrant) **5** [강조어로 써서] (영·속어) 괘씸한, 지독한 《bloody의 완곡어》: a ~ fool 천치
~·ly *ad.* 불타올라; 타는 듯이
fla·min·go [fləmíŋgou] [Port.에서; L 「불꽃」의 뜻에서] *n.* (*pl.* **~(e)s**) **1** 〖조류〗 플라밍고, 홍학(紅鶴) **2** 불그스름한 오렌지색
Fla·mín·i·an Wáy [fləmíniən-] [the ~] 플라미니아 가도 《로마에서 시작하여 아드리아 해의 Rimini에 이르는 고대 로마의 도로》
flam·ma·bil·i·ty [flæ̀məbíləti] *n.* Ⓤ 타기 쉬움; 가연성, 인화성(inflammability)
flam·ma·ble [flǽməbl] *a., n.* 가연성(可燃性)의 (물건), 타기 쉬운 (것) 《inflammable보다 선호되는 말》 (opp. *nonflammable*): *F~s* (게시) 인화물 주의, 화기 엄금.
flam·y [fléimi] *a.* (**flam·i·er**; **-i·est**) 불꽃의[같은]; 불타는 듯한
flan [flǽn] *n.* **1** (커스터드) 푸딩 **2** (영) tart류의 과자 **3** 주화(鑄貨)를 만드는 지금(地金)
Flan·a·gan [flǽnəgən] *n.* 플래너건 **Edward Joseph ~** (1886-1948) 《아일랜드 태생의 미국의 가톨릭 성직자; 소년의 마을(Boys Town)을 창설》
Flan·ders [flǽndərz | flɑ́:n-] *n.* 플랑드르 《벨기에, 네덜란드 남부, 프랑스 북부에 걸친 중세의 나라》
Flánders póppy **1** 〖식물〗 개양귀비 《제1차 대전의 영국군 전몰자에게 바쳐진 꽃》 **2** (휴전 기념일(Poppy Day)에 옷에 다는) 조화(造花) 양귀비
flâ·ne·rie [flɑ̀:nərí:] [F] *n.* 산보; 빈둥거림, 나태함
flâ·neur [flɑ:nə́:r] [F] *n.* (*pl.* **~s** [-z]) 게으름뱅이(idler), 놈팡이, 한량
flange [flǽndʒ] *n.* **1** 플랜지, 이음매 테두리 **2** (수레바퀴의) 테두리 가장자리 **3** 플랜지 제작기 **4** (철도 레일의) 나온 귀 **5** (철판 끝의) 테두리, 귀
— *vt.* …에 플랜지를 붙이다
— *vi.* (플랜지를 붙인 것처럼) 폭이 넓어지다 《*out*》 **~·less** *a.*

flange 2

flang·er [flǽndʒər] *n.* **1** 플랜지 제작기 **2** (철도의) 제설판(除雪板)
*__flank__ [flǽŋk] *n.* **1** 옆구리; (소 등의) 옆구리 살: a ~ of beef 소의 옆구리 살 **2** (건물·산 등의) 측면; 〖군사〗 대열의 측면, (좌우)익(翼)(wing); 측보(側堡): a ~ attack 측면 공격 **3** (미) (가축 순서의) 3번째
cover the ~s 〖군사〗 측면을 엄호하다 ***in ~*** 〖군사〗 측면에[에서] ***take in ~*** 〖군사〗 측면을 공격하다 ***turn the*** enemy***'s ~*** [***the ~ of*** the enemy] (적)의 측면을 돌아 적의 뒤로 나오다
— *vt.* **1** …의 측면에 서다 《*with, by*》; …의 측면을 지키다[방어하다] **2** 〖군사〗 〈적의〉 측면을 공격하다
— *vi.* **1** 측면에 위치하다; 〈보루(堡壘) 등이〉 (…와) 측면을 접하다 《*on, upon*》 **2** 측면을 보이다
flan·ken [flɑ́:ŋkən] *n. pl.* **1** 소옆구리살 **2** 〖요리〗 유대식(式) 쇠갈비 요리의 일종
flank·er [flǽŋkər] *n.* **1** 측면 보루[포대(砲臺)], 측보(側堡) **2** (건물의) 측면에 붙인 부분 **3** 〖군사〗 측면 방위병; [*pl.*] 측면 방위 부대 **4** 〖미식축구〗 좌[우]측면에 있는 선수[하프백](= ~ **bàck**) **5** (속어) 속임수
flánk spèed (선박의) 최대 규정 속도, 전속력
*__flan·nel__ [flǽnl] [Welsh 「모직물」의 뜻에서] *n.* Ⓤ **1** 플란넬; (미) 면(綿) 플란넬 **2** [*pl.*] 플란넬 제품 《붕대·속옷, 특히 경기[크리켓]용 바지》; (구어) 두꺼운 털내의 **3** Ⓒ 플란넬제(製) 헝겊[타월, 걸레 《등》] **4** (영·구어) 허튼소리, 허풍; 아첨 ***win*** one***'s ~s*** 선수가 되다(cf. get one's CAP[1])
— *a.* Ⓐ 플란넬로 만든
— *v.* (**~ed**; **~·ing** | **~led**; **~·ling**) *vt.* **1** 플란넬 천으로 닦다[문지르다]; …에게 플란넬 옷을 입히다 **2** (영·속어) …에게 간살부리다; 아첨하다
— *vi.* 알랑거리는 말을 하다 ~ ***through*** (구어) 〈곤란 따위를〉 용케 둘러대어 벗어나다 ▷ flánnelly *a.*
flánnel càke (미) 플란넬 케이크 《말랑말랑하고 얇은 일종의 팬케이크》
flan·nel·et(te) [flæ̀nəlét] *n.* Ⓤ 면(綿) 플란넬 《주로 속옷용》
flan·nel·led [flǽnld] *a.* (영) 플란넬 옷을 입은
flan·nel·ly [flǽnəli] *a.* **1** 플란넬제의, 플란넬과 유사한 **2** 〈목소리가〉 또렷하지 않은
flan·nel·mouth [flǽnlmàuθ] *n.* **1** 말이 불분명한 사람, 우물우물 말하는 사람 **2** (미) 아첨꾼, 허풍선이
flan·nel·mouthed [-máuðd, -máuθt] *a.* **1** (말을) 우물거리는, 〈발음이〉 분명하지 않은 **2** 입에 발린 말을 잘하는
*__flap__ [flǽp] *v.* (**~ped**; **~·ping**) *vi.* **1** 〈기·커튼 등이〉 펄럭이다, 휘날리다, 나부끼다; (…에 부딪치며) 펄럭펄럭 움직이다 《*against*》 **2** 〈새가〉 날개를 치다, 퍼덕거리다; 날개를 치며 날아가 버리다 《*away, off*》: (~+㊋) The pigeon *~ped away.* 비둘기는 날개치며 날아가 버렸다. **3** 〈모자의 챙 등이〉 처지다, 늘어지다 **4** (구어) 안절부절못하다, 조마조마해하다 **5** (영·구어) 〈귀가〉 쫑긋 서다: have one's ears *~ping* 귀를 기울이다, 열심히 듣다
— *vt.* **1** 〈날개·팔 등을〉 퍼덕거리다, 〈기(旗)를〉 펄럭이게 하다 **2** (손바닥·부채 등으로) 찰싹 때리다; (납작한 물건으로) (…을) 딱 때리다 《*at*》: (~+㊌+㊍+㊐) ~ a person *on* the face …의 얼굴을 철썩 때리다 **3** 〈파리 등을〉 (납작한 물건으로) 때려 쫓아 버리다 《*away, off*》: (~+㊌+㊋) ~ flies *away* 파리를 때려 쫓아 버리다 **4** 탁 소리를 내며 던지다, 탁 닫다
~ about 쓸데없는 이야기를 하다, 재잘대고만 있다 ***~ away*** [***off***] 두드려 쫓다; 떨어 치우다; 날개를 퍼덕이며 날아가다 ***~ out*** 〈등불을〉 부채질하여 끄다 ***~*** one***'s chops*** [***jowls, jaw, lip***] (미·속어) 잡담하다, 지껄여대다, 수다떨다; 언쟁하다
— *n.* **1** 찰싹 치기, 철썩 때리는 소리(slap); (새의) 날개침, 날개치는 소리; (돛·깃발 등의) 펄럭임, 펄럭이는 소리: a ~ in the face 뺨따귀를 때리기 / the ~ of the oars on the water 물을 찰싹거리며 노젓는 소리 **2** (너불대는) 축 늘어진 물건, (호주머니의) 뚜껑; 용수철 달린 뚜껑, 뚜껑문; 밸브의 뾰족한 가장자리; (모자의) 늘어진 챙; (경첩의) 반쪽; (물고기의) 아감딱지; (봉투의) 뚜껑; (안장의) 처진 가죽; 살이나 피부의 부분 《수술할 때 잇닿은 조직으로부터 부분적으로 분리해서 남겨 둔 부분》; (개 등의) 늘어진 귀; (방한용) 귀싸개 **3** 파리채(flyflap) **4** 〖항공〗 (비행기의) 플랩, 고양력(高揚力) 장치 **5** (버섯류(類)의) 벌어진 갓 **6** [a ~] (구어) 안절부절못함, 흥분; 공황(恐慌), 대소동 **7** 위기(crisis); 공습(경보) **8** 〖음성〗 단전음(單顫音) ***in a ~*** 안절부절못하여, 갈팡질팡하여, 흥분하여
flap·doo·dle [flǽpdù:dl] *n.* ⓊⒸ (구어) 터무니없는 말, 허튼소리, 군소리(nonsense); (속어) 소동
fláp dòor 아래로 여는 문(falling door); 위로 젖히는 문, 널빤지 덧문

thesaurus **flap** *v.* flutter, sway, wave, agitate, vibrate, wag, waggle, shake, swing, beat
flash *n.* **1** 번쩍임 blaze, burst, flare, gleam, glare,

flap·drag·on [-drӕ̀gən] *n.* =SNAPDRAGON 2

flap-eared [-ìərd] *a.* **1** 〈개 등이〉 귀가 늘어진 **2** 〈사람이〉 귀가 크고 튀어나온

flap·jack [-dʒӕ̀k] *n.* **1 a** 《미》 핫케이크, 팬케이크 **b** 《영》 쿠키의 한 종류 **2** 《주로 영》 콤팩트 《화장용》

flap·jaw [-dʒɔ̀ː] *n.* 《미·속어》 수다; 수다쟁이

flap·pa·ble [flǽpəbl] *a.* 《속어》 (위기에 처했을 때) 흥분[동요]하기 쉬운, 안절부절못하는, 갈팡질팡하는

flap·per [flǽpər] *n.* **1** 가볍게[톡] 치는 사람[물건] **2** 파리채(flyflap); (새 쫓는) 딱따기(clapper); (도리깨의) 열; 펄럭이는 늘어진 물건, (경첩 달린) 문짝; (물고기의) 폭 넓은 지느러미; (바다 짐승의) 지느러미 모양의 앞다리(flipper); (새우 등의) 넓적한 꼬리; 날개를 펄럭이는 새끼새; 《속어》 (사람의) 손 **3** 동요하기 쉬운 사람 **4** 《구어》 (1920년대의 자유분방한) 아가씨, 왈가닥 **5** 기억·주의 등을 환기시키는 사람[물건] 《*Gulliver's Travels* 중의 관리 Flapper에서》

— *vi.* **1** 탁탁 움직이다 **2** 《미·속어》 불안해지다

flap·ping [flǽpiŋ] *n.* Ⓤ 〖항공〗 (헬리콥터의 관절식 회전 날개의) 상하 방향의 회전 운동

flap·py [flǽpi] *a.* 느슨한; 헐렁한; 동요한

flaps [flǽps] *n. pl.* [단수 취급] (말의) 입술 부종(浮腫)

fláp vàlve =CLACK VALVE

***flare** [flέər] *vi.* **1** 〈불길이〉 **너울거리다** 《*out, away*》, 〈불이〉 확 타오르다 《*up, out*》; 번쩍이다; 〈하늘 등이〉 붉게 빛나다 《*down*》 **2** 〈싸움·병 등이〉 격발하다, 돌발하다 《*out, up*》 **3** 〈스커트·바지·트럼펫 등이〉 나팔[깔대기] 모양으로 벌어지다, 플레어로 되다; 〖항해〗 〈뱃머리·뱃전 등이〉 위로[밖으로] 불쑥 나오다 《*out*》

— *vt.* **1** 〈바람 등이〉 〈불꽃을〉 너울거리게 하다, 확 타오르게 하다 **2** 섬광으로 신호하다 **3** 〈스커트·바지·트럼펫 등을〉 나팔[깔대기] 모양으로 벌리다, 플레어로 하다 **4** 〈물건·재능 등을〉 과시하다

~ ***out***[***up***] (1) 갑자기 확 타오르다 (2) 갑자기 기세를 더하다 (3) 불끈 화내다; 격렬해지다

— *n.* **1** Ⓤ 너울거리는 불길, 흔들거리는 불[빛] **2** Ⓤ 확 타오름 **3** (해상 등에서 쓰는) 발광 신호, 조명탄(=~ **bòmb**); 조명 장치 **4** [a ~] (감정·분노·소리 등의) 폭발 **5** (스커트 등의) 플레어, 나팔[깔대기] 모양으로 벌어짐; [*pl.*] 나팔바지; 〖항해〗 (뱃전·뱃머리의) 불쑥 나옴 **6** 〖사진〗 광반(光斑), 플레어 **7** 〖천문〗 플레어 《태양·별 등이 순간적으로 밝아지는 것》

flare·back [flέərbӕ̀k] *n.* **1** 후염(後炎) 《발포 후 대포나 야포의 열려진 포미(砲尾)에서 나오는 화염》 **2** (추위 등의) 다시 심해짐, 되닥침: a ~ of winter in May 5월이 되서도 겨울 같은 추위 **3** (비평에 대한) 반론

flared [flέərd] *a.* 〈바지·스커트 따위가〉 플레어의

flare-out [flέəràut] *n.* 〖항공〗 (착지전의) 수평 (자세)

fláre pàth (비행기의 이착륙을 위한) 조명 활주로

fláre stàr 〖천문〗 섬광성(閃光星) 《때때로 섬광적으로 빛이 밝아지는 변광성(變光星)》(UV Ceti star)

flare-up [-ʌ̀p] *n.* **1** 번쩍 빛남, 확 타오름, (신호의) 섬광 **2** 《구어》 (감정의) 격발, 불끈 화를 냄 **3** (문제·분쟁 등의) 급격한 재발[표면화]; (병 등의) 재발 **4** 일시적인 인기; 떠들썩한 잔치놀이

flar·ing [flέəriŋ] *a.* **1** 너울너울[활활] 타는, 번쩍번쩍 빛나는 **2** 〈외관이〉 화려한, 요란한 **3** 나팔꽃 모양의; 〈스커트가〉 플레어로 된 **~·ly** *ad.*

****flash** [flǽʃ] *n.* **1** **번쩍임; 번쩍하는 빛**, 섬광 《*of*》: a ~ *of* lightning 번갯불의 번쩍임 **2** (감흥·기지 등의) 번득임 《*of*》: a ~ *of* hope (번득이는) 희망의 빛 / a ~ *of* wit[intuition] 번득이는 기지(機智)[직감] / have a sudden ~ *of* memory 문득 기억이 나다 **3** [a ~] 순간(instant): for *a* ~ 일순간 **4** 《구어》 흘끗 봄, 일별; 미소: catch a ~ of …을 흘끗 보다 **5** (신문사·방송국에 전송되어 오는) 뉴스 속보 **6 a** 〖사진〗 플래시; 〖영화〗 플래시 《순간 장면》(cf. FLASHBACK): use (a) ~ 플래시를 쓰다 **b** =FLASH LAMP **c** =FLASHBULB **d** =ELECTRONIC FLASH **7** Ⓤ 야함, 화려함, 과시(display), 겉치레 **8** 《속어》 (마약 사용 후의) 쾌감, 고양감(rush) **9** 《속어》 성기[유방]의 노출 **10** (액체의) 빠른 증발 **11** 《속어》 우수 선수 ***a ~ in the pan*** 일시적으로 성공하는 기도(企圖)(를 하는 사람), 용두사미(로 끝마치는 사람) ***in***[***like***] ***a ~*** 순식간에, 눈 깜짝할 사이에: I'll be back *in a* ~. 금방 돌아오겠습니다.

— *a.* **1** Ⓐ 돌발적인, 순간의; 〈건조·냉동이〉 순간적인: ~ freezing 순간 냉동 **2** 값싼, 야하게 화려한, 번지르르한 **3** 뽐내는, 젠체하는 **4** 불량배 사회[패거리]의: ~ language 불량배 사이의 은어(cant)

— *vt.* **1** **번쩍거리게 하다**; 〈빛을〉 번쩍 비추다; 〈화약 등을〉 확 발화시키다; 〈칼·눈 등을〉 번쩍이다; 〈눈이〉 〈감정 등을〉 나타내다; 〈시선·미소 등을〉 흘끗 보내다 《*at*》: His eyes ~*ed* defiance. 그의 눈은 반항의 빛을 드러냈다. // 《~+목+전+명》 He ~*ed* a smile [glance] *at* her. 그는 그녀에게 재빨리 미소[시선]를 보냈다. **2** 〈정보 등을〉 순식간에 전하다: The news was ~*ed* over Korea. 그 소식은 순식간에 한국 전체에 퍼졌다. **3** (빛 등으로) 〈신호를〉 휙 보내다 **4** 〈물건을〉 (사람에게) 살짝[재빨리] 보이다 《*at*》: 《~+목+전+명》 He ~*ed* his ID card *at* the guard. 그는 수위에게 신분증을 재빨리 보였다. **5** 〈액체를〉 갑자기 증발하게 하다 **6** 수문을 터서 〈배를〉 떠내려 보내다 **7** 《구어》 뽐내 보이다, 과시하다: ~ a roll of bills 돈다발을 자랑해 보이다

— *vi.* **1** **번쩍 비치다, 번쩍거리다**(⇨ shine 유의어) 《*out*》; 〈화약 등이〉 확 발화하다; 〈눈 등이〉 번득이다, (화가 나서) 이글거리다 《*with*》: 《~+전+명》 His eyes ~*ed with* anger[excitement]. 그의 눈은 분노[흥분]로 번득였다. **2** 〈기지 등이〉 **문득 떠오르다** 《*into, across, through, on, upon*》: 《~+전+명》 A happy idea ~*ed on* me. 좋은 생각이 문득 떠올랐다. **3** 휙 지나가다, 급히 통과하다 《*by, past, along, through*》: 《~+전+명》 ~ *past*[*through*] a station 정거장을 휙 통과하다 **4** 《속어》 (사람 앞에서) 성기[유방]를 얼른[살짝] 보이다 **5** 〈액체가〉 갑자기 증발하다 《*into*》

~ *across* ... 〈생각이〉 떠오르다; 〈표정이〉 확 나타나다 **~ *and trash*** (텔레비전에서) 섹스와 폭력 장면을 방영하다 **~ *back*** 〈빛이〉 되비치다; 〈기억·영화 등이〉 갑자기 과거로 되돌아가다; 〈빛을〉 되비추다; 눈을 부릅뜨고 되노려보다 **~ *forward*** 〈영화가〉 미래[뒤]의 장면으로 급히 건너뛰다 **~** a lantern ***in*** a person***'s face*** 정면으로 (등불을) 휙 내비치다 **~ *in the pan*** 일순간의 성공으로 끝나다, 용두사미로 끝나다 **~ *on*** 《속어》 …을 문득[불현듯] 이해하다 **~ *over*** = FLASHOVER. **~ *up*** 〈빛·불 등이〉 번쩍 빛나다, 확 타다; …을 살짝 보이다

flash·back [flǽʃbӕ̀k] *n.* ⓊⒸ **1** 〖영화·TV·문예〗 플래시백 《과거 장면으로의 순간적 전환》(=~ **hallu·cinósis**) **2** 똑똑하게 회상되는 과거사 **3** 환각의 재발 《환각제 사용 중지 후에 경험하는》 **4** 화염의 역류

flash·board [-bɔ̀ːrd] *n.* 〖토목〗 저수량 조절용 판자

flásh bòiler 플래시 보일러 《물을 내부로 분무시켜 즉각 증기를 만드는 보일러》

flash·bulb [-bʌ̀lb] *n.* 〖사진〗 섬광 전구(閃光電球)

flásh bùrn (방사능에 의한) 섬광 화상(火傷)

flásh campáign 플래시 캠페인 《인터넷을 통해 동시에 많은 양의 항의 메시지를 보내는 운동》

flásh càrd **1** 플래시 카드 《수업중 교사가 단어·숫자·그림 등을 순간적으로 보여주는 순간 파악 연습용의 카드》 **2** 〖스포츠〗 (체조 등의) 채점 카드

flash-cook [-kùk] *vt.* (적외선 등으로) 최단 시간 내에 조리하다; (짧은 시간 동안 증기를 쐬어) 살균하다

flash·cube [-kjùːb] *n.* 〖사진〗 플래시큐브 《섬광 전구 4개가 차례로 발광하는 장치》

flásh drìve 플래시 드라이브 《휴대용 소형 저장 장치의 일종; USB[pen, thumb] drive라고도 함》

flash·er [flǽʃər] *n.* **1** 섬광을 내는 것 **2** 자동 점멸 장치; 자동 점멸 신호; (자동차의) 방향 지시기, 깜박이

---

ray, streak, sparkle, flicker, shimmer, twinkle, glimmer **2** (기지의) 번득임 outburst, burst **3** 순간 instant, moment, second, minute, twinkling

(cf. TURN SIGNAL (LIGHT)); (순찰차·구급차 등의 빙빙 도는) 회전등 **3** =FLASH BOILER **4** 《속어》 (성기) 노출광(狂)(exhibitionist)(cf. FLASHING 3)

flásh fíre 돌발적인 화재

flásh flóod (호우 등으로 인한 협곡 등의) 돌발 홍수

flash-for·ward [flǽʃfɔ̀:rwərd] *n.* ⓊⒸ 〚문학·영화〛 이야기 도중에 미래의 한 장면을 삽입하는 표현 기법; 그 장면

flash-freeze [-frí:z] *vt.* (**-froze**, **-frozen**; **-freez·ing**) 급속 냉동하다(quick-freeze)

flash·gun [-gʌ̀n] *n.* 〚사진〛 플래시건 《카메라의 섬광 장치》; 동조(同調) 발광 장치

flash·i·ly [flǽʃili] *ad.* 지나치도록 화려하게, 저속하고 번지르르하게

flash·ing [flǽʃiŋ] *n.* ⓊⒸ **1** 섬광, 섬발(閃發) (작용) **2** (하수 청소 등을 위해) 물을 좍 붓는 것; 〚건축〛 (지붕의 틈이나 귀마루에 대는) 방수용 철판 **3** 〈노출광이〉 성기를 살짝 보이기 **—** *a.* 번쩍이는, 번쩍번쩍 빛나는; 점멸하는: a ~ lantern 발광 신호등 《야간용》

flásh làmp 섬광등(閃光燈)(strobe lamp)

***flash·light** [flǽʃlàit] *n.* **1** 《미》 **손전등**, 회중 전등 (《영》 electric torch) **2** Ⓤ (등대·신호 등의) 섬광; Ⓒ 회전등 **3** 〚사진〛 플래시(flashbulb), 섬광 (전구); 섬광 촬영 사진

fláshlight fish 〚어류〛 발광눈금돔 《빛을 명멸시키는 발광(發光) 기관이 있음》

flásh mèmory 〚컴퓨터〛 플래시메모리 《전원이 꺼져도 저장된 정보가 사라지지 않는 메모리의 일종》

flash·mob [flǽʃmɑ̀:b | -mɔ̀b] *n.* 《특히 미·구어》 플래시몹 《정해진 시간과 장소에 모여 주어진 행동을 하고 곧바로 흩어지는 다수의 군중》 **~·ber** *n.* **~·bing** *n.* Ⓤ

flash·o·ver [-òuvər] *n.* 〚전기〛 섬락(閃絡), 플래시오버 《고체 또는 액체 절연체의 표면의 방전(放電)》 **—** *vi.* 플래시오버하다

flásh pàck 《영》 (슈퍼마켓 등의) 할인 가격 표시 제품

flásh photògraphy 섬광 전구[플래시] 사용의 촬영 사진(술)

flásh photólysis 〚화학〛 섬광 광분해(光分解)

flásh pìcture 섬광 촬영[플래시] 사진

flásh pòint **1** 〚물리·화학〛 인화점 **2** (사건이 일어나는) 발화점, 일촉즉발의 위기 (지역); (분노의) 폭발점

flásh ròll 《미·속어》 (돈이 있다는 증거로) 슬쩍 내보이는 돈다발

flásh sùit 방열복(防熱服)

flash·tube [-tjù:b | -tjù:b] *n.* 〚사진〛 섬광 전구 (electronic flash)

flásh wèlding 플래시 용접, 불꽃 용접

flash·y [flǽʃi] *a.* (**flash·i·er**; **-i·est**) **1** 일시적으로 화려한; 섬광적인: a ~ performance 한때 반짝하는 연기 **2** 속되게 번지르르한, 야한: a ~ dresser 요란한 복장을 한 사람 **3** 불 같은, 격렬한, 충동적인 **flásh·i·ness** *n.*

***flask** [flǽsk | flɑ́:sk] *n.* **1** **플라스크** 《화학 실험용》; (위스키 등의 납작한) 휴대용 병(=hip ~); 한 플라스크의 용량 《*of*》 **2** (사냥꾼이 쓰는) 탄약통(cf. POWDER FLASK) **3** (주물용) 거푸집 **4** 《영》 보온병(thermos)

flask·et [flǽskit, flɑ́:s- | flɑ́:s-] *n.* **1** 작은 플라스크 **2** 《영》 세탁물 넣는 광주리

‡**flat**[1] [flǽt] *a.*, *n.*, *ad.*, *v.*

> 「평평한」 **1** →(기복이 없는)
> ┌→(무미건조한) 「단호한」, 「쌀쌀맞은」 **5**
> └→「단조로운」, 「멋없는」 **6** →(음색이 맑지 않은)
> →「반음 내리는」 **10**

— *a.* (**~·ter**; **~·test**) **1** **평평한**(opp. *upright*, *vertical*); 평탄한(⇨ level 유의어); 〈접시 등이〉 얕은, 운두가 낮은; 〈발이〉 편평한: a ~ land 평지/a ~ dish 운두가 낮은 접시 **2** Ⓟ **납작 엎드린**, 발딱 누운; 〈건물 등이〉 납작하게 쓰러진, 무너진: The storm left the wheat ~. 폭풍이 밀을 쓰러뜨렸다. **3** Ⓟ 〈얼굴·코가〉 납작한, 〈여성의 가슴이〉 작은: a broad, ~ face 넓고 납작한 얼굴 **4** Ⓐ 〈요금·가격 등이〉 **균일한**(uniform), 고정된, 변동 없는: a ~ price[rate] 균일 가격[요금] **5** Ⓐ 〈거절 등이〉 단호한, 쌀쌀맞은, 솔직한, 전적인: give a ~ denial 단호히 부인하다 **6** 멋없는, 맥빠진, 무미건조한(insipid); 단조로운, 둔한, 시시한, 따분한, 답답한, 기운 없는(dull): a ~ lecture 재미없는 강의/a ~ joke 시시한 농담 **7** 〈타이어 등이〉 펑크난, 바람이 빠진; 〈맥주·사이다 등이〉 김빠진(stale); 〈음식이〉 맛[향미]이 없는(opp. *savory*); 〈전지·배터리가〉 떨어진, 다된; 《미·구어》 파산한, 빈털터리의: ~ beer 김빠진 맥주/~ cooking 맛없는 요리 **8** 〚상업〛 〈시장이〉 활발치 못한, 불황의(sluggish): The market is ~. 시장 경기가 활발치 못하다. **9** [a ~] 〈숫자가〉 딱 떨어지는, 꼭 맞는, 〈경주 시간 등이〉 플랫의: *a* ~ ten seconds =ten seconds ~ 10초 플랫(⇨ *ad.* 3) **10** 〚음악〛 음이 내려가는; 변음(變音)의, 반음 내리는, 내림표가 있는 《기호 ♭; cf. SHARP》; 〚음성〛 〈a 자가〉 [æ]로 발음되는 **11** 〚문법〛 (품사를 나타내는) 어미[기호]가 없는 《quick, slow 등의 부사; ⇨ flat adverb》 **12** 〚미술·사진〛 〈색조·명암이〉 단조로운, 평범한; 〈도료가〉 무광의

(**as**) **~ as a pancake** 평평한, 납작한 ***be ~ out*** 《구어》 지쳐빠지다, 녹초가 되다 ***be in a ~ spin*** 곤경에 처해 있다, 옴쭉달싹 못하다 ***fall ~*** (1) 발딱 넘어지다: *fall* ~ on one's face 앞으로 발딱 엎어지다 (2) 완전히 실패하다; 조금도 효과가 없다, 아무런 반응도 없다 《이 경우의 flat은 부사로도 이해됨》 ***feel ~*** 따분하다, 속상하다 ***~ on** one**'s ass*** 《미·속어》 (1) 엉덩방아를 찧어; 무일푼의 (2) 〚육군〛 무능한 ***~ on** one**'s back*** 벌렁 드러누워; 앓아누워 ***in nothing ~*** 《구어》 눈 깜짝할 사이에, 순식간에 ***That's ~.*** 바로 그대로다, 과연 그렇다, 더 이상은 말하지 않겠다.

— *n.* **1** [the ~] **평면**; **편평한 부분**, 편평한 쪽, (…의) 바닥: *the* ~ of a hand 손바닥 **2** 너벅선, 평저선; 제전(祭典) 때의 꽃수레(float); =FLATCAR; (운두가 얕은) 납작한 바구니; (묘목을 기르는) 납작한 상자; 《미》 맥고모자 《여자용으로 위가 납작함》; [*pl.*] 《미·구어》 뒤축이 없는[낮은] 여자 구두; 〚건축〛 평지붕 (=~ roof); 〚항해〛 (함장실·사관실에서 나올 수 있는) 평갑판; 〚광산〛 수평층(層)[광맥]; 〚극장〛 플랫 《나무틀에 끼운 배경, 무대에 밀어 내기도 하고 밀어 올리기도 함》 **3** [종종 *pl.*] 평지, 평원(plain) **4** 편편한 모래톱, 개펄(strand); [보통 *pl.*] 물이 얕은 곳(shoal) **5** (어린이용) 너비가 크고 얇은 책: a juvenile ~ 어린이책 **6** 〚음악〛 변음 《반음 낮은 음》; 내림표 《♭; cf. SHARP》 **7** 〚미식축구〛 플랫 《공격 대형의 양 날개의 필드》 **8** [the ~] (경마의) 평지 경주(로) **9** 《미·구어》 바람 빠진 타이어: I've got a ~. 타이어가 터졌다.

draw from the ~ 평면도를 본떠 그리다 ***give the ~*** 《구어》 (구혼자를) 딱지[퇴짜]놓다 ***in the ~*** 종이[화포]에; 그림으로서 ***join the ~s*** (이야기 등의) 앞뒤를 맞추다; 조리를 세우다 《무대의 플랫을 짜맞추는 일에서》; 통일하다 ***on the ~*** 평면에; 평지에 ***on the same ~*** 동일 평면상[수준]에

— *ad.* **1** **평평하게**(levelly), 납작하게(flatly) **2** **단호하게**, 딱 잘라, 단연코: go ~ against orders 명령을 정면으로 거역하다 **3** **꼭**(exactly), 더하지도 덜하지도 않고; (시간이) …플랫으로: 3 seconds ~ 3초 플랫 《경기 기록》 **4** 전적으로, 완전히(entirely): be ~ broke 한푼 없는 빈털터리다 **5** 〚음악〛 반음 낮게: sing ~ 반음 내려서 노래하다 **6** 〚금융〛 무이자로

~ aback 혼비백산하여 ***~ out*** 《구어》 (1) 전속력으로: drive ~ *out* 전속력으로 운전하다 (2) 딱 잘라, 노골적으로: tell a person ~ *out* 딱 잘라 말하다 (3) 《영·구어》 아주 지쳐서, 기진하여 ***go ~ out*** 힘껏 일하다, 전력을 다하여 노력하다 ***lay ~*** 펄썩 넘어뜨리다 ***leave*** a person ***~*** 《구어》 〈사람을〉 두고 떠나다,

thesaurus **flat**[1] *a.* **1** **평평한** level, horizontal, leveled, even, smooth, plane, unbroken, extended (opp. *uneven, vertical*) **2** **단호한** outright, direct,

버리다; …에게서 갑자기 떠나다
— *vt.*, *vi.* (**~·ted**; **~·ting**) **1** 평평하게 하다[되다] (flatten) **2** (표면에) 광을 없애다 **3** 〖음악〗 반음 낮추다[내리다], 반음 낮게 노래[연주]하다 **4** 단조롭게 되다, 맥이 빠지다, 처지다, 늘어지다 **~ *out*** ((미·구어)) 점점 엷어지다[희미해지다]; 용두사미로 끝나다; 전속력으로 달리다 ▷ flátly *ad.*; flátten *v.*; flátness *n.*

*__flat²__ [flǽt] [OE 「마루, 집」의 뜻에서] *n.* **1** ((영)) 플랫, 아파트(((미)) apartment) ((같은 층에 있는 여러 방을 한 가족이 살 수 있도록 꾸민 집)); [*pl.*] 플랫식 공동 주택, 아파트(((미)) apartment house): a block[building] of ~*s* 아파트 **2** ((드물게)) (건물의) 층(story)
— *vi.* (**~·ted**; **~·ting**) ((호주)) 플랫에 살다 ((*with*))

flát ádverb 〖문법〗 단순형 부사 ((-ly가 붙지 않는 (go) *slow, quick* 등의 부사))

flát bàck 〖제본〗 등이 모난 제본

flat·back·er [flǽtbæ̀kər] *n.* ((미·속어)) 매춘부

flát bàg 서류 봉투 ((대형의 서류용 봉투))

flat·bed [-bèd] *n.* **1** (측면이 없는) 평상형(平床型) 트레일러[트럭] **2** = FLAT BED PRESS
— *a.* [종종 flat-bed] **1** 〈트럭 등이〉 평상형의 **2** 〖인쇄〗 〈인쇄판이〉 평상형의

flátbed scánner 〖컴퓨터〗 평판 스캐너

flát bed préss = CYLINDER PRESS

flat·boat [-bòut] *n.* 평저선(平底船) ((주로 얕은 물에 씀)) — *vt.* 평저선으로 운반하다

flat-bot·tomed [-bɑ́təmd | -bɔ́-] *a.* 〈배가〉 바닥이 평평한

flat·bread [-brèd] *n.* **1** (스칸디나비아 제국의) 얇은 웨하스 크래커 **2** [종종 flat bread] (인도·중동·이탈리아 등지의) 원 모양의 빵

flát bróke 파산 상태인, 무일푼의

flát cáp 필기용 종이 ((14×17인치))

flat·cap [-kæ̀p] *n.* 높이가 낮은 모자 ((16-17세기에 런던 시민이 착용)); flatcap을 쓴 사람 ((특히 런던 시민))

flat·car [-kɑ̀ːr] *n.* ((미)) (지붕·측면이 없는) 무개 화차, 목판차

flat-chest·ed [-tʃéstid] *a.* ((미·속어)) 〈여자가〉 가슴이 납작한

flát-coat·ed retríever [flǽtkòutid-] (영국 원산의) 새 사냥개 ((검은 털이 몸에 착 달라 붙어 있음))

flát displày 〖컴퓨터〗 평면 화면 표시 장치; 〖출판〗 평면 전시 ((책꽂이에 꽂지 않고, 여러 권을 쌓아놓은))

flat-earth·er [-ɔ́ːrθər] *n.* 지구가 평평하다고 믿는 사람; 이미 잘못이 증명된 이론을 고집하는 사람

flat-file [-fáil] *a.* 〖컴퓨터〗 (다른 file에 연결되지 않은) 독립 파일의 데이터 베이스 시스템의

flat·fish [-fìʃ] *n.* (*pl.* **~, ~·es**) 〖어류〗 가자미, 넙치류의 총칭

flat·foot [-fút] *n.* (*pl.* **-feet** [-fìːt]) **1** 〖병리〗 편평족(扁平足), 평발(splayfoot) **2** [스스] (*pl.* **~s, -feet**) ((속어)) 순경 **3** (*pl.* **~, ~s**) 보병, ((특히)) 초년병

flat-foot·ed [-fútid] *a.* **1** 편평족의, 평발의 **2** ((구어)) 〈거절 등이〉 단호한; 〈태도·신념 등이〉 분명한 (firm), 타협하지 않는: a ~ denial 단호한 거절[거부] **3** 어색한, 거북한 **4** ((영·구어)) 서투른, 둔한
— *ad.* ((구어)) 단호히; 갑자기, 불의에; 기습당하여
catch a person **~** ((구어)) 달아날 준비를 하기 전에 붙잡다, …에게 급습을 가하다, 현행범으로 체포하다
~·ly *ad.* **~·ness** *n.*

flat-four [-fɔ̀ːr] *a.* 〈엔진이〉 수평 4기통의

flat-grained [-grèind] *a.* 〈널빤지가〉 엇결인

flat-hat [-hæ̀t] *vi.* **1** = HEDGEHOP **2** 허세를 부리다 — *n.* 경관, 형사 **~·ter** *n.*

flat·head [-hèd] *a.* 머리가 납작한; 〈드라이버가〉 일자형인(cf. PHILLP HEAD) **2** ((미)) = COUNTERSUNK
— *n.* (*pl.* **~, ~s**) **1** [**F~**] 머리를 납작하게 하는 습관이 있었던 북미 인디언 ((Chinook 등)); (미국 Montana 주의) 세일리시(Salish) 인디언 **2** 〖동물〗 납작머리뱀 ((북미산(産))); 〖어류〗 = FLATHEAD CATFISH **3** ((속어)) 얼간이, 바보 **4** ((미·속어)) 팁을 주지 않는 손님

fláthead cátfish 〖어류〗 넓적머리메기의 일종 ((미국산(産)의 머리가 납작한 민물고기))

flat·head·ed [flǽthèdid] *a.* ((미·속어)) 얼간이의

flat·i·ron [-àiərn] *n.* **1** 다리미, 인두 **2** 〖지질〗 플랫아이언 ((다리미를 세운 모양의 hogback))

flát knítting 평(平)뜨개질

flát knòt = REEF KNOT

flat·land [-læ̀nd] *n.* **1** 평지, 평탄한 토지; [*pl.*] 평지 지방 **2** 2차원 공간 **~·er** *n.*

flat·let [flǽtlit] *n.* ((영)) 작은 플랫 ((침실과 안방을 겸하는 한 칸과 목욕실 및 부엌 정도의 아파트))

flat·line [flǽtlàin] *vi.* ((미·속어)) 죽다 ((심전도의 그래프가 수평이 되는 데에서)) ***be flatlining*** ((미·속어)) 죽다, 죽어가고 있다; 저조[낮은 수준]를 계속하다
— *a.* [다음 성구로] ***go ~*** 죽다

*__flat·ly__ [flǽtli] *ad.* **1** 단호하게, 딱 잘라, 사정없이 ((★ refuse, deny, oppose 등의 앞에, say, state 등의 뒤에 놓음)): He ~ rejected calls for his resignation. 그는 사임 요구를 단호히 거부했다. **2** 단조롭게; 활기 없이; 맥이 빠져서 **3** 평평하게, 납작하게 ((★ 이 뜻으로 동사를 수식할 경우는 flat을 주로 쓰고, flatly는 형용사·현재분사와 함께 쓰임))

flat·mate [-mèit] *n.* ((영)) 플랫[아파트](flat² 1)에 함께 사는 사람(cf. ROOMMATE)

flat·ness [flǽtnis] *n.* Ⓤ **1** 평탄, 편평함 **2** 평범, 지루함 **3** 단호한 태도 **4** 음(音)의 저하 **5** 불경기

flat-nosed [-nóuzd] *a.* 납작코의

flat-out [-áut] *a.* **1** 〈속도가〉 최고의(top), 전속력의; 전력을 다한: a ~ effort 총력전, 혼신의 노력 **2** 솔직한; 완전한, 순전한: a ~ lie 새빨간 거짓말
— *ad.* 최고 속도로; 갑자기 — *n.* ((미)) 실패, 좌절

flat·pack [-pæ̀k] *n.* ((영)) (운반하기 좋도록) 납작한 상자에 담은 조립식 가구(= ~ **furniture**)

flát-pláte collèctor [-pléit-] 평판식 태양열 집열기(集熱器)

flát ràce (장애물 경주[경마]에 대해) 평지 경주[경마](cf. HURDLE RACE, STEEPLECHASE)

flát ràcing 평지 경주, ((특히)) 평지 경마

flát ràte 고정[균일] 요금

flát-rate táx [-rèit-] ((미)) (누진세와 대비하여) 일률 과세

flát róof (수평에 가까운) 평평한 지붕, 평지붕

flat-roofed [-rùːft] *a.* 평지붕의

flat-screen [-skrìːn] *n.*, *a.* 평판(平板) 스크린(의) ((납작한 소형 텔레비전에 관해서))

flát sìlver ((미)) 식탁용 은식기류 ((knives, forks, spoons 등))(cf. FLATWARE, SILVERWARE)

flát spín **1** 〖항공〗 (비행기의) 수평 나선 운동 **2** ((구어)) 동요, 당황, 흥분 ***be in*** [***go into***] ***a ~*** ((구어)) 몹시 당황해 있다[당황하다], 자제심을 잃고 있다[잃다], 어지럽다[어지러워지다]

flát tàx 일률 과세[소득세]

*__flat·ten__ [flǽtn] *vt.* **1** 평평하게 하다 ((*out*)): ~ the ground 땅을 평평하게 하다 **2** 발딱 넘어뜨리다; 〈몸을〉 납작하게 엎어뜨리다 ((*on, against*)): ((~+목+전+명)) The cat ~*ed* himself *on* the ground. 고양이는 땅바닥에 납작 엎드렸다. **3** 〈자연 현상이〉 〈건물·산림 등을〉 넘어뜨리다, 쓰러뜨리다: crops ~*ed* (down) by a storm 폭우로 쓰러진 작물 **4** 단조롭게 하다, 무미건조하게 하다, 재미없게 하다; 〈도료 등의〉 광[윤]을 없애다 **5** …의 기를 꺾다; 때려 눕히다 **6** 〖음악〗 반음 낮추다[내리다](((미)) flat)
— *vi.* **1** 평평해지다 ((*out*)); 납작해지다 **2** 〈사람이〉 맥이 빠지다; 〈맥주 등이〉 김이 빠지다, 맛이 없어지다 **3** 〖음악〗 〈음조가〉 반음 낮아지다 **~ *out*** (1) (망치 등으로) 납작하게 때려 펴다 (2) (롤러 등으로) 평평하게 고르다 (3) 맥빠지게 하다 (4) 〖항공〗 (강하[상승] 위치에서)

downright, firm, straight **3** 단조로운 dull, monotonous, tedious, boring, uninteresting, insipid, vapid, bland, prosaic (opp. *exciting*)

〈비행기를[가]〉 수평으로 돌리다[돌아가다] **~·er** *n.*

‡flat·ter[1] [flǽtər] [OF 「매끈하게 하다」의 뜻에서] *vt.* **1** 아첨하다, 알랑거리다: ~ the powerful 권력자에게 아첨하다 **2** (기쁘게 하려고) 듣기 좋은 칭찬을 하다, 추켜세우다 《*on, about*》; 추켜세워서 …시키다: 《~+목+전+명》 My husband *~ed* me *about*[*on*] my housekeeping. 남편은 내가 가사를 잘한다고 추켜세웠다. // 《~+목+전+*-ing*》 They *~ed* him *into* contribut*ing* heavily to the foundation. 그들은 그를 추켜세워 재단에 거액의 기부를 하게 했다. **3** (찬사·친절 등으로) 기쁘게 하다, 〈귀·눈 등의 감각을〉 즐겁게 하다 (gratify): ~ the senses 오감을 즐겁게 하다 **4** 〈사진·초상화·화가 등이〉 〈사람을〉 실물 이상으로 좋게 나타내다; 〈옷 등이〉 〈사람을〉 돋보이게 하다: This picture *~s* her. 이 사진은 그녀의 실물보다 낫다. / That dress really *~s* your figure. 그 드레스는 너의 몸매를 정말 돋보이게 한다. **5** [~ one*self*로] 우쭐해지다, 자만하다, 자임[자부]하다: 《~+목+*that* 절》 I ~ *myself that* I'm the best swimmer in the school. 자랑은 아니지만 학교에서는 내가 수영을 제일 잘 한다고 자부한다.
— *vi.* 아첨하다, 알랑거리다
feel* (one*self* *highly*) *~ed at*[*by*]** …으로 (크게) 기뻐하다, 우쭐해지다 ***feel* (*greatly*) *~ed to do (…하여) (크게) 기뻐하다 **~·a·ble** *a.*
▷ fláttery, flátterer *n.*

flatter[2] *n.* 납작하게 만드는 사람[것]

***flat·ter·er** [flǽtərər] *n.* 아첨꾼, 알랑거리는 사람

***flat·ter·ing** [flǽtəriŋ] *a.* **1** 〈말 등이〉 아첨하는; 알랑거리는; 비위 맞추는; 기쁘게 하는: a ~ remark 비위 맞추는[추켜세우는] 말 **2** 〈전망 등이〉 유망한 **3** 실물보다 좋게 보이는 《초상 따위》: Her new dress was ~ to her figure. 새 옷이 그녀를 실물보다 좋게 보이게 했다. **~·ly** *ad.*

‡flat·ter·y [flǽtəri] *n.* (*pl.* **-ter·ies**) Ⓤ 아첨, 아부, 듣기 좋은 칭찬, 추켜세우기; Ⓒ 감언, 아첨[아부]의 말(⇨ compliment 유의어): *F*~ will get you nowhere[everywhere]. 아첨해도 소용없다[아첨하면 다 된다]. ▷ flátter *v.*

flat·tie [flǽti] *n.* (구어) **1** 굽이 낮은 구두(flatts) **2** 평저선(平底船) **3** 경찰관

flát tíme sèntence 〖미국법〗 정기(定期) 금고형 《형기가 정해져 있어서 아무도 변경 못함》

flat·ting [flǽtiŋ] *n.* **1** Ⓤ 납작하게 하기; (금속의) 평연(平延); 무광[광 지우기]칠 **2** (뉴질) (부모를 떠나) 친구와 살기

flát tíre **1** 바람 빠진 타이어 **2** (미) 재미없는[맥빠진] 사람

flat·tish [flǽtiʃ] *a.* 약간 평평한; 좀 단조로운

flat·top [flǽttɑ̀p | -tɔ̀p] *n.* (미·구어) **1** 항공모함(aircraft carrier) **2** 상고머리(crew cut) **3** 평지붕의 집

flat·ty [flǽti] *n.* = FLATTIE

flat·u·lence, -len·cy [flǽtʃuləns(i)] *n.* Ⓤ **1** 헛배부름, 고창(鼓脹) **2** 공허, 자만심, 허세(pretension)

flat·u·lent [flǽtʃulənt] *a.* **1** 〈사람이〉 (배에) 가스가 찬, 헛배부른; 〈음식이〉 가스를 발생시키는 **2** 〈이야기 등이〉 과장된, 공허한 **3** 〈사람이〉 젠체하는, 자만하는; 허세부리는 **~·ly** *ad.*

fla·tus [fléitəs] [L = blowing] *n.* ⓊⒸ (위장 속의) 가스, 고창(鼓脹); 방귀

flat·ware [flǽtwɛ̀ər] *n.* Ⓤ (얇은) 접시류(cf. HOLLOWWARE); 은식기류(flat silver)

flát wáter 정수역(靜水域) 《호수 등》

flat·ways [flǽtwèiz], **-wise** [-wàiz] *ad.* 평평하게, 평면으로

flat·woods [flǽtwùdz] *n. pl.* 저지 삼림 지대

flat·work [-wə̀ːrk] *n.* 다림질이 쉬운 판판한 빨랫감 《시트·냅킨 등》

flat·worm [-wə̀ːrm] *n.* 〖동물〗 편형(扁形) 동물, 《특히》 와충류(渦蟲類)

flát yìeld 〖금융〗 균일 이자 배당

Flau·bert [floubɛ́ər] *n.* 플로베르 **Gustave** ~ (1821-80) 《프랑스의 자연주의 소설가》

***flaunt** [flɔ́ːnt] *vt.* **1** 〈부·지식 등을〉 과시하다: ~ one's authority 권력을 휘두르다 **2** 〈기 등을〉 펄럭이게 하다 **3** (미) 〈규칙을〉 업신여기다, 무시하다
— *vi.* **1** (화려하게 꾸미고) 의기양양하게 활보하다; 과시하다 **2** 〈기 등이〉 펄럭이다
— *n.* Ⓤ 자랑하여 보임, 과시 **~·er** *n.*

flaunt·ing [flɔ́ːntiŋ] *a.* 나부끼는; 과시하는 **~·ly** *ad.*

flaunt·y [flɔ́ːnti] *a.* (**flaunt·i·er**; **-i·est**) **1** 자랑삼아 보이는, 과시하는 **2** 〈물건이〉 요란한

flau·tist [flɔ́ːtist, fláu- | flɔ́ː-] *n.* (영) = FLUTIST

fla·va [fléivə] *n.* Ⓤ (속어) (특별한) 향미(flavor); 특색

fla·ves·cent [fləvésnt] *a.* 노르스름해지는, 노르스름한

fla·vin(e) [fléivin] *n.* **1** ⓊⒸ 〖생화학〗 플라빈 《식물 조직에 분포하는 황색소 즉 비타민 B_2; 염료 및 방부제(防腐劑)·구충제로 쓰임》 **2** = QUERCETIN

flavo- [fléivou, flǽv-] 《연결형》 「황색의(yellow); 플라빈(flavin)의」의 뜻

fla·vo·dox·in [flèivoudɑ́ksən | -dɔ́k-] *n.* 〖생화학〗 플라보독신 《riboflavin을 함유한 단백질로서 박테리아 세포내에서의 산화 환원 반응에 관계함; cf. RUBREDOXIN》

fla·vo·my·cin [flèivoumáisin] *n.* Ⓤ 〖약학〗 플라보마이신 《항생 물질의 일종》

fla·vone [fléivoun] *n.* 〖화학〗 **1** 플라본 《무색·비수용성의 결정》 **2** 플라본 유도체

fla·vo·noid [fléivənɔ̀id] *n.* 〖생화학〗 플라보노이드 《식물 색소의 일종》

fla·vo·nol [fléivənɔ̀ːl] *n.* 〖화학〗 플라보놀 《플라본의 유도체》

fla·vo·pro·tein [flèivouprόutiːn, -tiən] *n.* 〖생화학〗 황색 단백질 《Vitamin B_2를 함유; 리보플라빈과 단백질이 결합된 효소》

‡fla·vor | -vour [fléivər] [OF 「냄새」의 뜻에서] *n.* ⓊⒸ **1** (독특한) 풍미, 향미, 맛(savor); Ⓒ 향미료, 조미료, 양념(flavoring): a sweet ~ 단맛 / a ~ of garlic 마늘 맛 / an artificial[a natural] ~ 인공[천연] 조미료 / What ~(*s*) of ice cream do you like? 어떤 맛의 아이스크림을 좋아합니까?

> 유의어 **flavor** 어떤 물건 특유의 맛, 향과 맛: a *flavor* of garlic 마늘 맛 **taste** 일반적인 맛: be sour to the *taste* 맛이 시다

2 멋, 운치, 정취: an autumn ~ 가을의 정취 **3** (신랄한) 맛, (비꼼 등의) 기미 《*of*》 **4** (물건·사람의) 특징, 특색: the ethnic ~ of a neighborhood 동네의 소수 민족적 특징 **5** 변종 **6** 〖물리〗 플레이버 《쿼크나 중성자를 식별하는 내부 양자수》
~ of the month*[*week, year*]** 일시적인 유행, 시대 풍조 ***give ~ to …에 맛을 더하다, 양념을 치다
— *vt.* **1** 〈음식물에〉 (…로) 풍미[향기]를 더하다, 맛을 내다 《*with*》: 《~+목+전+명》 ~ food *with* spices 음식을 양념으로 맛을 내다 **2** 〈생활·이야기 등에〉 (…로) 멋을 더하다 《*with*》
— *vi.* (…의) 맛이 나다 《*of*》
▷ flávorous, flávorless *a.*

fla·vored [fléivərd] *a.* [보통 복합어를 이루어] (…의) 맛[향기]이 나는, 풍미가 …한: lemon-~ cakes 레몬 향기가 나는 케이크

flávor enhàncer 화학 조미료 《monosodium glutamate의 통칭》

thesaurus **flattery** *n.* praise, adulation, overpraise, eulogy, puffery, fawning, cajolery, compliments, blandishments
flaw[1] *n.* **1** 흠 crack, chip, fracture, break, crevice,

fla·vor·ful [fléivərfəl] *a.* 풍미 있는, 맛좋은(tasty) **~·ly** *ad.*
fla·vor·gen [fléivərdʒən] *n.* 풍미소(風味素) 《식품에 풍미를 곁들이는 첨가제》
fla·vor·ing [fléivəriŋ] *n.* Ⓤ 맛내기, 조미(調味); ⓊⒸ 조미료, 양념, 향료: vanilla ~ 바닐라 향료
fla·vor·less [fléivərlis] *a.* 풍미 없는; 운치 없는
fla·vor·ous [fléivərəs] *a.* **1** 풍미 있는, 맛있는 **2** 〈문장 등이〉 풍취 있는
fla·vor·some [fléivərsəm] *a.* 풍미 있는, 맛좋은, 맛있는(tasty)
fla·vor·y [fléivəri] *a.* 풍미가 풍부한, 《특히》 〈홍차가〉 향기로운
*__flaw__[1] [flɔ́:] [ME 「(눈·불꽃의) 한 조각」의 뜻에서] *n.* **1** (보석·도자기 등의) 흠(crack), (갈라진) 금 **2** (성격의) 결점, 약점, 결함(fault): a character ~ 성격상의 결함 **3** (법률 절차·문서 등의) 불비한 점, 결함 《*in*》: There's a ~ *in* our new lease. 새로운 임대계약에는 불비한 점이 하나 있다.
— *vt.* …에 금이 가게 하다; 〈작품·인격 등을〉 흠가게 하다(mar); 〈협정을〉 무효화하다
— *vi.* 금이 가다
flaw[2] *n.* **1** 돌풍, 질풍(windflaw) **2** (눈이나 비를 수반하는) 잠시의 폭풍우 **~·y** [flɔ́:i] *a.*
flawed [flɔ́:d] *a.* 흠이 있는, 금이 간
flaw·less [flɔ́:lis] *a.* 흠 없는; 〈작품·사고·인격·용모 등이〉 완전한, 완벽한: ~ technique 완벽한 기술 **~·ly** *ad.* **~·ness** *n.*
*__flax__ [flǽks] *n.* Ⓤ **1** 〖식물〗 아마(亞麻) **2** 아마 섬유; 아마포, 리넨 **3** 아마색, 엷은 황갈색
— *vt.* 《미·구어》 연달아 치다
— *vi.* 《미·구어》 바쁘게 돌아다니다 《*around*》
▷ fláxen *a.*
fláx bràke 아마 벗기는 연장
fláx bùsh 〖식물〗 =FLAX LILY
fláx còmb 아마 바디(ripple) 《아마씨 훑어내는 기계》
flax·en [flǽksən] *a.* **1** 아마의; 아마로 만든 **2** 아마 같은 **3** 〈머리털이〉 아마빛[엷은 황갈색]의
flax·en-haired [flǽksənhɛ́ərd] *a.* 아마빛 머리털의 《금발의 일종》
fláx lìly 〖식물〗 뉴질랜드삼 《백합과(科)의 관상 식물》
fláx plànt 〖식물〗 아마(flax)
flax·seed [flǽkssì:d] *n.* ⓊⒸ 아마씨, 아마인(仁) (linseed), 아마자(子)
flax·y [flǽksi] *a.* (**flax·i·er**; **-i·est**) 아마 같은; 아마의[로 만든]
flay [fléi] *vt.* **1** 〈짐승의〉 가죽을 벗기다; 〈나무·과실의〉 껍질을 벗기다; 〈잔디를〉 떼어내다 **2** 〈사람에게서〉 금품 등을 빼앗다, 약탈하다; 〈사람을〉 호되게 매질하다 **3** 혹평하다 **~ *a flint*** ⇨ flint **~er** *n.*
F làyer 〖통신〗 F층 《전리층의 최상층》
flay·flint [fléiflìnt] *n.* 《고어》 지독한 구두쇠, 수전노
fld field; fluid **fl. dr.** fluid dram(s)
*__flea__ [flí:] *n.* **1** 벼룩; 벼룩처럼 뛰는 작은 벌레 **2** 《미·속어》 하찮은[귀찮은] 녀석[것]
a ~ in one's ear 듣기 싫은 소리, 따끔하게 비꼬는 말: send a person away with *a ~ in his ear* 듣기 싫은 말을 하여 …을 쫓아버리다 ***a ~ in one's nose*** 《미·속어》 별난 생각 (***as***) ***fit as a ~*** 아주 건강하여, 원기 왕성해서
flea·bag [flí:bæ̀g] *n.* 《속어》 **1** 침대, 침낭; 슬리핑백 **2** 싸구려 여관; 초라한[불결한] 공공 건물(《영》 fleapit) 《영화관 등》 **3** 능력을 다한 경주마 **4** 벼룩이 꾄 동물 **5** 《영》 지저분한 노파
flea·bane [-bèin] *n.* 〖식물〗 개망초 무리의 식물 《벼룩을 구충한다고 믿었음》

fissure, split, tear **2 결점** fault, defect, imperfection, blemish, failing, shortcoming, weakness, weak point (opp. *asset, strength*)
flee *v.* run, run away, bolt, rush, escape

fléa bèetle 〖곤충〗 뛰벼룩갑충
flea·bite [-bàit] *n.* **1** 벼룩이 문 자국; 약간의 아픔을 느끼는 고통; 사소한 일 **2** 백마의 갈색 얼룩
flea-bit·ten [-bìtn] *a.* **1** 벼룩에 물린 **2** 〈말이〉 흰 바탕에 갈색 얼룩이 있는 **3** 지저분한
fléa cìrcus 벼룩 서커스 《구경거리》
fléa cóllar (애완 동물용) 벼룩 없애는 목걸이 《목걸이 안에 벼룩약이 들어 있음》
fléa hòuse 《미·속어》 싸구려 여관(fleabag)
fleam [flí:m] *n.* 〖수의학〗 방혈침(放血針); 《미》 〖외과〗 (정맥 절개용) 랜싯(lancet)
fléa màrket (유럽 도시의) 벼룩시장
flea·pit [flí:pìt] *n.* 《영·속어》 지저분한 방[건물, 영화관](《미》 fleabag)
fléa pòwder 《미·속어》 섞음질을 한 마약, 가짜 마약
fléa tràp =FLEA HOUSE
flea·wort [-wə̀:rt, -wɔ̀:rt | -wə̀:t] *n.* 〖식물〗 질경이 무리《씨는 약용》; 금불초 무리 《벼룩약》
flèche [fléiʃ] [F] *n.* **1** 〖건축〗 (고딕식 교회당의) 작은 첨탑(steeple); 〖축성〗 돌출보(突出堡) **2** 〖펜싱〗 플레시 《날쌔게 달리며 하는 공격》
flé·chette [fleiʃét] [F] *n.* 〖군사〗 (제1차 대전 때 공중에서 투하된) 강철제 화살
fleck [flék] *n.* **1** (빛깔·광선의) 얼룩점, 반점(斑點); (피부의) 얼룩, 주근깨(freckle) **2** [종종 부정문으로] 작은 조각: *not* a ~ of dust 먼지 하나 없는 **3** 《영》 실 부스러기, 실뭉치 **—** *vt.* [보통 수동형으로] …에 얼룩점을 넣다, (…로) 얼룩덜룩하게 하다, 얼룩지게 하다 《*with*》 ▷ fléckless *a.*
flecked [flékt] *a.* 얼룩[반점]이 있는
fleck·er [flékər] *vt.* …에 얼룩무늬를 넣다, 얼룩덜룩하게 하다, 얼룩지게 하다(fleck)
fleck·ered [flékərd] *a.* 얼룩점이 있는, 얼룩덜룩한
fleck·less [fléklis] *a.* 얼룩이 없는; 오점이 없는, 결백한, 죄없는 **~·ly** *ad.*
flec·tion | **flex·ion** [flékʃən] *n.* **1** Ⓤ 굴곡, 만곡(灣曲), 휨 **2** 굽은 부분, 만곡부(curve) **3** Ⓤ 〖해부〗 (관절의) 굴곡 (작용)(cf. EXTENSION) **4** ⓊⒸ 〖문법〗 어미 변화, 굴절(inflection) **5** 〖수학〗 =FLEXURE 3 **~·al** *a.* **~·less** *a.* 〖문법〗 어미 변화가 없는
‡**fled** [fléd] *v.* FLEE의 과거·과거분사
fledge [flédʒ] *vi.* 〈새 새끼가〉 깃털이 다 나다; 보금자리에서 날아갈 수 있게 되다 《*out*》 **—** *vt.* **1** 깃털이 다 날 때까지 〈새 새끼를〉 기르다; 독립시키다 **2** 〈화살에〉 깃털을 달다; 깃털로 덮다 **~·less** *a.*
fledged [flédʒd] *a.* **1** 깃털이 다 난; 날아갈 수 있을 만큼 성장한 **2** 〈사람이〉 다 자란, 제 구실을 할 나이가 된, 성인이 된(full-fledged)
fledg·ling [flédʒliŋ] *n.* 깃털이 갓난[겨우 날 수 있게 된] 어린 새; 풋내기, 애송이
— *a.* [종종 《특히 영》 fledgeling] 풋내기의, 미숙한
‡**flee** [flí:] [OE 「날다(fly)」의 뜻에서] *v.* (**fled** [fléd])
★ 지금은 보통 FLY[2] *v.*의 문어; 그러나 과거·과거분사의 fled는 종종 쓰임.
— *vi.* **1** 달아나다, 도망치다; (위험·추적자 등에서) 벗어나다, 피하다 《*from*》, 피난하다 《*to*》: (~+전+명) ~ *from* the enemy 적에게서 달아나다 / ~ *for* refuge 피난하다 / ~ *from* temptation 유혹에서 피하다 **2 a** 〈차·구름 등이〉 빠르게 움직이다, 질주하다, 날아가듯하다; 〈안개·꿈 등이〉 사라지다, 날아가다 (vanish): (~+전+명) The smile *fled from* his face. 미소가 그의 얼굴에서 사라졌다. **b** 〈시간 등이〉 급속히 지나가다[경과하다] 《*by*》: (~+부) Their short lives *fled by.* 그들의 짧은 인생은 눈 깜짝할 사이에 지나갔다.
— *vt.* 〈사람·장소에서〉 달아나다, 도망치다; 피신[피난]하다; 〈유혹을〉 피하다; 〈나라 등을〉 버리다: ~ the police 경찰을 피해 달아나다 / ~ the country 망명하다 ▷ flíght[2] *n.*
*__fleece__ [flí:s] *n.* ⓊⒸ **1** 양털, (양·알파카 등의) 피모(被毛); 한 마리에서 한 번 깎은 양털 **2** 양털 모양의

것, 흰 구름; 송이송이 내리는 눈; 양털 같은 솜털; 보풀이 보들보들한 직물: a ~ of hair 텁수룩한 머리털
— *vt.* **1** …에게서 (사기·강도로) (돈을) 빼앗다, 속여 빼앗다, 강탈하다 ((*of*)); 〖상업〗 교묘한 수단으로 〈폭리를〉 취하다: (~+目+前+名) ~ a person *of* his[her] money …을 속여 돈을 빼앗다 **2** 〈양의〉 털을 깎다(shear) ((*with*)) **3** (시어) 양털 모양의 것으로 덮다
~·like *a.* ▷ fléecy, fléeceable *a.*

fleece·a·ble [flíːsəbl] *a.* 벗겨낼 수 있는; 속아 넘어가기 쉬운(gullible)

fleeced [flíːst] *a.* **1** [보통 복합어를 이루어] (…한) 양털이 있는: a long-~ sheep 털이 긴 양 **2** 부드러운 털이 있는

fleece-pick·er [flíːspìkər] *n.* (호주·뉴질) 양털 깎는 사람

***fleec·y** [flíːsi] *a.* (**fleec·i·er**; **-i·est**) **양털로 덮인**; **양털 같은**; 〈구름·눈 등이〉 가볍고 부드러운: ~ clouds 뭉게구름 **fléec·i·ly** *ad.* **fléec·i·ness** *n.*

fleer[1] [flíər] *vi., vt.* 비웃다, 조소하다, 조롱하다 (sneer) ((*at*)) — *n.* 비웃음, 조롱, 우롱
fléer·ing·ly *ad.*

fle·er[2] [flíːər] *n.* 도망자

‡**fleet**[1] [flíːt] [OE 「배」의 뜻에서] *n.* **1** **함대**(cf. SQUADRON 2); [the ~] (한 나라의) 전(全)함대, 해군(력) **2** (상선 등의) 선단 **3** (비행기의) 비행대, (수송차·탱크 등의) 차대(車隊) **4** (동일 회사 소유의) 전 선박[항공기, 차량]: a ~ of cabs (한 회사의) 전체 택시 ***a combined ~*** 연합 함대 ***a ~ in being*** 현존 함대 ***a mosquito ~*** 소(小)함대

***fleet**[2] [flíːt] *a.* **1** (문어) 〈동물·사람이〉 빠른, 쾌속의, 신속한(swift): ~ of foot 걸음이 빠른 **2** (시어) 잠시 동안의, 순식간의, 덧없는, 무상한(evanescent)
— *vi.* **1** (문어) 어느덧 지나가다 ((*by*)); 빨리[나는 듯이] 지나가다 ((*away*)) **2** 〖항해〗 위치를 바꾸다(shift)
— *vt.* **1** (문어) 〈때를〉 어느덧 지나치다 **2** 〖항해〗 …의 위치를 바꾸다 ▷ fléetly *ad.*; fléetness *n.*

fleet[3] *n.* **1** (영·방언) 만(灣), 내포, 후미(inlet) **2** (영·방언) 수로 **3** [the F~] 플리트 강 ((템스 강으로 흘러드는 강)) **4** [the F~] 플리트 감옥 ((옛날 Fleet 강가에 있었던 채무자를 수용하던 교도소)) (=F~ Prison)

fleet[4] (영·방언) *a.* 얕은(shallow)
— *ad.* 얕게; 표면 가까이에

fléet àdmiral (미) 해군 원수((영) ADMIRAL of the Fleet)

Fléet Áir Àrm [the ~] (이전의) 영국 해군 항공대

fléet ballístic míssile submarìne 함대 탄도 미사일 잠수함

Fléet cháplain =FLEET PARSON

fleet-foot·ed [flíːtfútid] *a.* 발이 빠른, 쾌속의

***fleet·ing** [flíːtiŋ] *a.* Ⓐ (문어) 〈시간·인생 등이〉 어느덧 지나가는; 잠깐 동안의, 무상한, 덧없는(transient): for a ~ moment 아주 잠깐 동안
~·ly *ad.* 빨리 **~·ness** *n.*

fleet·ly [flíːtli] *ad.* 신속히; 빨리

fleet·ness [flíːtnis] *n.* Ⓤ 빠름, 쾌속

fleet-owned [flíːtound] *a.* 〈택시가〉 회사 소속의

Fléet párson 〖영국사〗 플리트 감옥에서 비밀 결혼의 중매를 한 감옥 전속의 목사

Fléet Príson [the ~] =FLEET[3] 4

Fléet Strèet [the ~] **1** 런던의 신문사 거리 **2** 런던[영국]의 신문(계); [집합적] (영) 신문 기자, 신문인

flei·shig [fléiʃig, -ʃik] *a.* 〖유대교〗 (식사법에서) 살코기만으로 만들어진; 살코기 제품으로 이루어진: a ~ meal 육류 요리가 있는 식사

Flem. Flemish

Flem·ing[1] [flémiŋ] *n.* (벨기에의) 플랑드르 지방 (Flanders)의 사람; 플라망 말(Flemish)을 쓰는 벨기에 사람

Fleming[2] *n.* 플레밍 **1 Sir Alexander** ~ (1881-1955) ((스코틀랜드의 세균학자·의학자; 페니실린 발견자(1929); 노벨 생리·의학상(1945))) **2 Ian** (**Lancaster**) ~ (1908-64) ((영국의 서스펜스 소설가))

Flem·ish [flémiʃ] *a.* **1** 플랑드르[플란더스]의 **2** 플라망 사람[말]의 **3** 플랑드르 미술의
— *n.* **1** Ⓤ 플라망 말 ((네덜란드 말의 방언; 프랑스 말과 함께 벨기에의 공용어; 略 Flem.)) **2** [the ~; 집합적] 플라망[플란더스] 사람

Flémish bríck 플랑드르 벽돌 ((포장용의 노란 벽돌))

Flémish gíant 〖동물〗 (벨기에 원산의) 육용종 큰 토끼 ((흰색·회색·검은색을 함))

Flémish schóol [the ~] 〖미술〗 플랑드르파 ((14-17세기의 화파))

flense [fléns | flénz], **flench** [fléntʃ] *vt.* 〈고래·바다표범 등의〉 가죽을 벗기다, 기름을 떼다

‡**flesh** [fléʃ] *n.* Ⓤ **1** (인간·동물의) **살**(cf. BONE, SKIN); **살집**: gain[get, put on] ~ 살찌다 / lose ~ 살이 빠지다 **2** 과육(果肉), 엽육(葉肉): the ~ of a melon 멜론의 과육 **3** (식용의) 고기, 식육 ((지금은 일반적으로 meat)); (어육·새고기와 구별한) 짐승 고기, 수육(獸肉): fish, ~ and fowl 어수조육(魚獸鳥肉) / ~ and bones (요리에서) 뼈에 붙은 고기 **4** [the ~] (영혼(soul)·정신(spirit)과 구별한) 육체; (그리스도의) 육체, 성체; [one's (own) ~] 육친(kindred), 신체 (body): the ills of *the* ~ 육체적인 질병 **5** [the ~] (도덕성·정신성과 구별한) 정욕, 육욕; 수성(獸性): the needs of *the* ~ 정욕 / the sins of *the* ~ 육욕의 죄, 부정(不貞) **6** Ⓤ [집합적] 인류; 생물: all ~ 모든 생물; 인류 ((구약 성서 「창세기」에서)) **7** 피부, 살결; 피부색(=~ color) ***after the ~*** 살로써, 세속적으로, 인간답게 ***become*** [***be made***] ***one ~*** 〖성서〗 (부부로서) 일심동체가 되다, 부부가 되다 ***be made ~*** 육체로서 나타나다[구현되다] ***~ and blood*** (1) 육체 (body); 살아 있는 인간 (2) 인간성, 인정 (3) [one's own ~] 육친, 혈육 (4) [형용사적으로] 살아 있는 육신의; 현실의(actually living) ***~ and fell*** 온몸, 전신; [부사적으로] 모조리, 전적으로 ***go the way of all ~*** 〖성서〗 죽다 ***in ~*** 살이 되어서, 살이 붙어서: grow *in* ~ 살찌다, 뚱뚱해지다 ***in ~ and blood*** 육체로서 ***in the ~*** (1) 산 몸으로 되어서, 육체의 형태로; 살아서 (2) (사진·그림 등이 아니라) 실물로; 본인이 직접, 몸소: The movie star looked completely different *in the* ~. 그 영화 스타를 실물로 보니 아주 다른 사람 같았다. ***live on ~*** 육식하다 ***make*** a person***'s ~ creep*** [***crawl***] 소름 끼치게 하다 ***press the ~*** (미·구어) (유권자들을 만나) 악수하다 ***put ~ on*** …에 살을 붙이다, …을 구체화하다, 충실하게 하다 one***'s pound of ~*** 지독한 요구 ((Shakespeare작 「베니스의 상인」에서))
— *vt.* **1** 〈칼 등을〉 살에 찌르다; 〈재주 등을〉 실지로 시험해보다 **2** 〈골조·골격에〉 살을 붙이다; …에 살을 붙여 내용을 충실하게 하다; 〈공상 등을〉 구체화하다 ((*out, up*)); 〈등장 인물에게〉 현실감을 갖게 하다: (~+目+副) ~ *out* a plan with statistics 통계 자료로 계획을 더 충실하게 하다 / The playwright *~ed out* the story. 극작가는 이야기에 살을 붙였다. **3** 살찌게 하다 ((*up*)): (~+目+副) ~ a steer *up* 거세한 식용소를 살찌게 하다 **4** 〈사냥개·매 등을〉 사냥감의 고기를 맛보여 자극시키다; 〈군인 등에게〉 유혈의 맛을 알게 하다, 학살[전쟁]에 익숙하게 만들다
— *vi.* 살찌다, 뚱뚱해지다 ((*out, up*)): (~+副) He soon began to ~ *up*. 그는 곧 살찌기 시작했다.
▷ fléshless *a.*

flesh·brush [fléʃbrʌ̀ʃ] *n.* 피부 마찰용 솔; 때 미는 솔

flésh cólor (백인의) 피부색

flesh-col·ored [-kʌ̀lərd] *a.* (백인의) 피부색의

flesh-eat·er [-ìːtər] *n.* 육식을 하는 사람; 육식 동물(carnivore)

thesaurus **fleet**[2] *a.* swift, rapid, fast, quick
flexible *a.* **1** 구부리기 쉬운 bendable, pliant, pliable, elastic, plastic, supple, limber (opp. *hard, stiff, rigid*) **2** 유순한 compliant, manageable,

flesh-eat·ing [-ìːtiŋ] *a.* 육식성의
fleshed [fléʃt] *a.* [보통 복합어를 이루어] …의 살을 한; 살이 잘 붙는, 살찐: thick-~ 살이 두툼한
flesh·er [fléʃər] *n.* **1** =FLESHING KNIFE **2** (스코) 정육점 주인(butcher)
flesh·ette [fləʃét] *n.* 플레셋 ((용기가 폭발하면 사방으로 터져나가는 작은 (화)살 모양의 무기))
flésh flỳ [곤충] 쉬파리 ((동물의 날고기나 죽은 고기에 산란함))
flésh glòve 피부 마찰용 장갑 ((혈액 순환 촉진용))
flesh·hook [fléʃhùk] *n.* **1** (냄비에서) 고기를 꺼내는 데 쓰는 갈고리 **2** (푸주의) 고기 거는 갈고리
flesh·i·ness [fléʃinis] *n.* Ⓤ 살집이 좋음, 비만; (과실의) 다육성(多肉性)
flésh·ing knìfe [fléʃiŋ-] (껍질에서) 살을 벗겨내는 칼
flesh·ings [fléʃiŋz] [*flesh*+stock*ings*] *n. pl.* **1** (몸에 착 붙는) 살색 타이츠 **2** (동물의) 가죽에서 뜯어낸 살점
fléshing tòol 살을 깎아내는 도구
flesh·less [fléʃlis] *a.* 살없는; 살 빠진
flesh·li·ness [fléʃlinis] *n.* Ⓤ **1** 육체적 성질 **2** 육욕에 빠짐, 육욕성 **3** 세속적임
flesh·ly [fléʃli] *a.* (**-li·er**; **-li·est**) **1** 육체의: the ~ envelope 육체 **2** (문어) 육욕의, 육욕에 빠지는, 관능적인, 육감적인(sensual): ~ desires 육욕 **3** 세속적인(worldly): ~ outlook on life 세속적인 인생관
flésh pèddler (미·속어) **1** (관리직·탤런트·모델 등의) 알선[소개]업자 **2** 매춘부, 갈보; 뚜쟁이; 여체로 손님을 끄는 흥행주
flesh·pot [fléʃpɑ̀t | -pɔ̀t] *n.* **1** [보통 *pl.*] 환락가, 매춘가, 사창가 **2** [the ~s] [성서] 미식(美食), 사치 **3** 고기 요리용의 깊은 냄비
flesh-press·er [-prèsər] *n.* (미·구어) (flesh-pressing을 하고 돌아다니는) 정치가, 선거 후보자
flesh-press·ing [-prèsiŋ] *n.* Ⓤ (미·구어) (선거 운동에서 후보자 등의) 악수[포옹] 공세
flésh sìde 가죽의 안쪽 ((살이 붙은 쪽; opp. *grain side*))
flésh tíghts 살색 타이츠(fleshings)
flésh tìnt(s) [미술] (인체의) 살빛
flésh tràde 인신매매, 매춘업
flésh tràffic =SLAVE TRAFFIC
flésh wòrm 고기에 꾀는 구더기 ((flesh fly의 유충))
flésh wòund [-wùːnd] 얕은 상처, 경상
flesh·y [fléʃi] *a.* (**flesh·i·er**; **-i·est**) **1** 살의, 육질(肉質)의; 살집이 좋은, 꽤[너무] 살찐(plump) **2** 〈과실이〉 다육질의(pulpy); 〈잎이〉 다즙의: a ~ fruit (딸기·복숭아 등의) 다육과 ▷ fléshiness *n.*
fletch [flétʃ] *vt.* 〈화살에〉 깃을 붙이다 **~·er** *n.*
Fletch·er·ism [flétʃərìzm] *n.* Ⓤ 플레처식 식사법 ((배고플 때 소량씩 충분히 씹어 먹기))
flet·ton [flétn] *n.* [종종 **F~**] 플레톤 기와 ((반건조식 성형법으로 만든 영국식 벽돌))
fleur-de-lis [flə̀ːrdlíː, -líːs, flùər- | flə̀ː-] [F] *n.* (*pl.* **fleurs-** [-líːz]) **1** [식물] 붓꽃 **2** [종종 fleur-de-lys] 붓꽃 모양의 문장(紋章) ((1147년 이래 프랑스 왕실의 문장)) **3** 프랑스 왕실

fleur-de-lis 2

fleu·ret(te) [flərét, fluər- | flɑː-] [F] *n.* 작은 꽃무늬 ((장식))
fleu·ron [flɔ́ːrɑn, flúə- | flúərɔn, -rən, flɔ́ː-] [F] *n.* (건축·화폐 등의) 꽃무늬 장식
fleu·ry [flɔ́ːri, flúəri] *a.* 붓꽃 무늬의 문장(紋章)으로 장식한(flory)

amenable, docile, yielding **3** 융통성 있는 adaptable, adjustable, changeable, variable, open
flick¹ *v.* **1** 가볍게 치다 strike, hit, rap, tap, touch, click, flip **2** 홱 움직이다 swish, wag, waggle

‡**flew¹** [flúː] *v.* FLY²의 과거
flew² *n.* =FLUE²
flews [flúːz] *n. pl.* (사냥개 bloodhound 등의) 아래로 축 처진 윗입술
flex [fléks] [*flex*ible] *vt.* **1** (특히 준비 운동에서) 〈관절을〉 구부리다, 굽히다; 〈근육을〉 수축시키다, 움직이다 **2** [지질] 〈암석층 등을〉 습곡(褶曲)시키다 ***be ~ed out of shape*** (미·속어) 몹시 화난
— *vi.* 〈관절이〉 구부러지다, 굽다(bend)
— *n.* ⓊⒸ **1** 굽힘, 굽음, 굴성 **2** (영) [전기] 가요선(可撓線); (전기의) 코드((미) electric cord) **3** (영·속어) 탄력성[신축성] 있는 밴드
flex. flexible
flex·a·gon [fléksəgɑ̀n | -gən] *n.* 플렉사곤 ((종이를 접어 만든 다면체[6면체]))
flex·ec·u·tive [fleksékjutiv], **flex·ec** [fléksek] *n.* (영) 유연한 경영자[관리자] ((컴퓨터 분야나 미디어 산업에서 성공한 젊은이; 직장이 하나 이상이거나 자주 전직하고, 여행 등에 많은 시간을 보내는 멋쟁이))
***flex·i·bil·i·ty** [flèksəbíləti] *n.* Ⓤ **1** 구부리기[휘기] 쉬움, 굴곡성, 유연성; 나긋나긋함 **2** 다루기 쉬움, 유순함 **3** 적응성, 융통성, 탄력성
***flex·i·ble** [fléksəbl] *a.* **1** 구부리기[휘기] 쉬운, 나긋나긋한: a ~ cord 마음대로 구부러지는 코드 ((전등 코드 등)) / a ~ pipe 자재관(自在管) / a ~ machine gun 선회 기관총

> 유의어 **flexible** 구부려도 부러지지 않고 약간의 신축성이 있는: a *flexible* wire 잘 휘어지는 철선 **elastic** 구부리거나 잡아당겼다 놓아도 원형태로 되돌아가는: an *elastic* string 고무줄

2 〈사람·성격 등이〉 유순한, 다루기 쉬운, 시키는 대로 하는 **3** 융통성 있는, 적응성 있는, 탄력적인: work ~ hours 자유 근무 시간제로 일하다
-bly *ad.* 유연하게; 융통성 있게 **~·ness** *n.*
▷ fléction, fléxion *n.*
flex·ile [fléksəl | -sail] *a.* =FLEXIBLE
flex·il·i·ty [fleksíləti] *n.*
flex·ion [flékʃən] *n.* (영) =FLECTION
flex·i·time [fléksətàim] *n.* (영) =FLEXTIME
flex·og·ra·phy [fleksɑ́grəfi | -sɔ́g-] *n.* Ⓤ [인쇄] 플렉소[아닐린] 인쇄(술) **flex·o·graph·ic** [flèksəgrǽfik] *a.* **flèx·o·gráph·i·cal·ly** *ad.*
flex·or [fléksər] *n.* [해부] 굴근(屈筋)(=~ **mús·cle**; cf. EXTENSOR)
flex·time [flékstàim] [*flex*ible+*time*] *n.* Ⓤ 근무 시간 자유 선택제
flex·u·os·i·ty [flèkʃuɑ́səti | -ɔ́s-] *n.* ⓊⒸ 굴곡성, 굴곡 상태, 굴곡부(部); (물결 모양의) 굽이침
flex·u·ous [flékʃuəs], **-ose** [-òus] *a.* **1** 굴곡성의; 꾸불꾸불한, 굽이치는(winding) **2** (드물게) 물결 모양으로 움직이는; 동요하는 **3** 유연성[융통성] 있는(flexible) **~·ly** *ad.*
flex·ur·al [flékʃərəl] *a.* 굴곡의, 휘는: ~ strength [물리] 휨 강도
flex·ure [flékʃər] *n.* ⓊⒸ **1** 굴곡, 만곡; 만곡[굴곡]부 **2** [물리] 휨, 변형 **3** [수학] 만곡부 **4** [지질] (지층의) 요곡(撓曲)
flib·ber·ti·gib·bet [flíbərtidʒìbit] *n.* 수다쟁이(여자)(chatterbox); 경박한 사람 ((특히 여자)); 무책임한 사람
flic [flík] *n.* (속어) 프랑스 경찰관, 순경(cop)
***flick¹** [flík] [의성어, 또는 flicker의 역성(逆成)] *n.* **1** (매·채찍 등으로) 가볍게 치기; (손가락 끝 등으로) 튀기기; 휙휙 움직이기; 휙[딱](하는 소리): the ~ of a whip 채찍의 철썩하는 소리 **2** (물·진흙 등의) 튐(splash): a ~ of mud[paint] 진흙[페인트]의 튐 **3** (속어) =FLICK-KNIFE
give a person ***the ~*** 〈사람을〉 무시하다
— *vt.* **1** (채찍 등으로) 가볍게 치다; (손가락 끝 등으

로) 튀기다; 〈혀 등을〉 갑자기[날름] 움직이다; 〈먼지·곤충 등을〉 튀겨 날리다, 가볍게 떨어 버리다(flip) (*away, off, out, from*): ~ one's cigar 여송연의 재를 털다 // (~+목+부) ~ *away* a crumb 빵 부스러기를 튀겨 버리다 // (~+목+전+명) ~ dust *from* one's coat sleeve 윗도리 소매의 먼지를 털다 **2** 〈스위치 등을〉 탁 움직여 …하다 (*on, off*): (~+목+부) ~ *on*[*off*] the light 전등을 탁 켜다[끄다] **3** 〈물건을〉 쓱 움직여 (어떤 상태가) 되게 하다: (~+목+보) He ~*ed open* the book. 그는 책을 탁 펼쳤다.

—*vi.* **1** 홱[휙휙] 움직이다[지나가다]; 〈동물의 혀·꼬리 등이〉 쑥[날름] 나오다 (*out*): (~+부) A bird ~*ed by.* 새가 한마리 휙 날아 지나갔다. **2** (구어) (카드·페이지 등을) 휙 넘기다, 쓱 훑어보다 (*through*)

flick[2] *n.* (속어) **1** 영화 (한 편); [the ~s; 집합적] 영화: a skin ~ 포르노 영화 / go to *the* ~*s* 영화 보러 가다 **2** 영화관(flicker)

∗**flick·er**[1] [flíkər] *vi.* **1** 〈등불·희망·빛 등이〉 깜박이다, 명멸하다; 〈불·저항 등이〉 차츰 꺼져가다 (*out*): A smile ~*ed* in[on, across] his face. 그의 얼굴에 미소가 살짝 떠올랐다. **2** 〈나뭇잎·바람·뱀의 혀 등이〉 나불거리다, 나풀나풀 흔들리다 **3** 〈기 등이〉 나부끼다; 펄럭펄럭 날다(flutter) **4** 〈텔레비전의 화면이〉 깜박거리다 **5** (미·속어) 기절하다, 기절한 체하다

—*vt.* **1** 깜박이게 하다, 명멸시키다 **2** 나불거리게 하다; 나부끼게 하다

—*n.* **1** [*sing.*] (빛 등의) 깜박임, 어른거림, 명멸하는 빛[불꽃]; (나뭇잎 등의) 살랑거림, 나불거림

> 유의어 **flicker** 금방이라도 꺼질듯이 깜박거리며 타는 불이나 불꽃: the *flicker* of a candle 가물거리는 촛불 **blaze** 한창 타오르는 큰 불이나 불꽃: the *blaze* of a burning building 불타는 건물의 화염

2 [a ~] (감정 등의) 순간적인 어른거림, (희망 등의) 희미한 빛[표정] (*of*): *A* ~ *of* recognition crossed his face. 알아볼 수 있다는 빛이 그의 얼굴에 스쳐갔다. **3** [보통 *pl.*] (속어) 영화(관)(flick) **flíck·er·y** *a.*

flicker[2] *n.* 〖조류〗 (북미산(産)) 딱따구리의 일종

flick·er·ing [flíkəriŋ] *a.* **1** 깜박거리는, 명멸하는 **2** 꺼질 것 같은, 약한, 불안정한 **~·ly** *ad.*

flick·er·tail [flíkərtèil] *n.* 〖동물〗 리처드슨땅다람쥐 (미국 중북부산(産))

Flíckertail Státe [the ~] 미국 North Dakota 주의 속칭

flick-knife [flíknàif] *n.* (영) (단추를 누르면) 칼날이 튀어나오는 칼((미) switchblade (knife))

flíck ròll 〖항공〗 급횡전(急橫轉)(snap roll)

flied [fláid] *v.* FLY[2] (*vi.* 9)의 과거·과거분사

∗**fli·er** [fláiər] *n.* **1** 하늘을 나는 것 (새·물고기·곤충·비행기 등); 비행사(aviator); 비행기; 항공병(airman); 공중 곡예사(aerialist) **2** (정기적인) 여객기 승객 **3** 쾌속선[정, 차, 마(馬)]; (미) 급행 열차[버스] **4** 〖기계〗 회전 조정 바퀴; (방적기의) 플라이어 (방추(紡錘) 위에 꽂는 방사(紡絲) 유도 장치); (인쇄기의) 종이 넘기는 장치; (풍차의) 날개 **5** 〖건축〗 (직선 계단의) 한 단; [보통 *pl.*] 직선 계단(opp. *winding staircase*) **6** 높이뛰기; 도약, 비약 **7** (미·구어) (무모한) 투기, 사행, 모험 **8** (미) 전단, 광고 **9** (영·구어) 야심적인 사람; 뛰어난 사람 ***take a*** **~** 〖스키〗 (도약판에서) 도약하다; 꽝하고 떨어지다; (미·구어) 투기[모험]를 하다

fli·er·ing [fláiəriŋ] *n.* Ⓤ (나무나 건물 벽 등에) 광고 전단[포스터]을 붙이기

‡**flight**[1] [fláit] *n., v.*

> 「날기」**1** →「비행기 여행」 **2**→「항공편」 **2**
> →(떼지어 나는 것) 「새의 떼」 **3**
> →(단숨에 날아가는 것) 한 줄의 「계단」 **8**

—*n.* **1** ⓊⒸ 날기, 비행: a long-distance[non-stop] ~ 장거리[무착륙] 비행 / take[wing] one's ~ 날다, 비행하다 **2** 비행기 여행, 항공 여행; (항공 회사의) (정기) 항공편; 비행 거리: announce the departure of ~ 708 708편의 출발을 알리다 (★「708」은 [sévn-òu-éit]로 읽음) **3** (날아 가는 새의) 떼(⇨ group 유의어); 〖미공군〗 비행 중대 **4** ⓊⒸ (매의) 사냥감 추격; Ⓒ (철새·곤충 등의) 떼지은 이행(移行)(migration) **5** (비행기의) 조종법, 조종 기술 **6** Ⓤ (구름 등의) 빠른 움직임, 질주 (*of*); (시간의 급속한) 경과(lapse) (*of*): the ~ *of* time 쏜살같이 빠른 시간의 흐름 **7** ⓊⒸ (사상·야심·상상 등의) 비약, 고양(高揚), 약동, (언행의) 분방함 (*of*), (재치 등의) 넘쳐흐름 (*of*): a ~ *of* imagination[fancy] 상상의 비약 / a ~ *of* wit 번득이는 재치 **8** (계단의 방향이 변하지 않는) 한 연속; (두 층계참 사이의) 계단: a ~ of stairs (층계참 사이의) 일련의 계단 **9** (활의) 일제 사격(volley); ⓊⒸ 〖양궁〗 원시 경사(遠矢競射)(=~ shooting); 원시(=~ arrow) **10** 〖스포츠〗 **a** 경기자 능력별 그룹 **b** 〖크리켓〗 원투(遠投) 능력 **11** (경기용 허들의) 단열(段列); (경마·경주의) 장애물

in the first[***top***] **~** (영) (1) 선두에 서서; 중요한 지위를 차지하여 (2) 일류의, 우수한 ***make***[***take***] ***a*** **~** 비행하다, 비상하다

—*vt.* **1** 〈떼지어 나는 새를〉 쏘다 **2** 〈화살에〉 깃털을 붙이다(fletch) **3** 〖크리켓〗 투구의 코스와 스피드에 변화를 주다

—*vi.* 〈새가〉 떼지어 날다 ▷ fly[2] *v.*

∗**flight**[2] [fláit] *n.* ⓊⒸ 도주, 패주; 탈출: a ~ of capital 자본의 도피 / a ~ from reality 현실 도피

put[***drive***] ***to*** **~** 패주시키다 ***take*** (***to***) **~** = ***betake*** one***self to*** **~** 냅다 도망치다

▷ flée *v.*

flíght àrrow 〖양궁〗 원시(遠矢)

flíght attèndant (여객기의) 객실 승무원 (stewardess, hostess 등의 대용어로 성별을 피한 말)(cabin attendant)

flíght bàg (항공사 이름이 쓰여 있는) 항공 여행 가방

flíght càpital 〖경제〗 도피 자본(refugee capital)

flíght chàrt 항공도

flíght clàss (여객기의) 좌석 등급 (요금이 높은 순으로 first class, business class, economy class, tourist class 등이 있음)

flíght contròl 〖항공〗 **1** (이착륙용의) 항공 관제; 항공 관제소: a ~ tower 관제탑 **2** (항공 회사의) 운항 관리 **3** 비행 조종법, 조종 시스템[장치]

flíght crèw = AIRCREW

flíght (**dáta**) **recòrder** 비행 기록 장치 (略 FDR)

flíght dèck **1** (항공 모함의) 비행 갑판 **2** 〖항공〗 플라이트덱 (비행기의 조종실)

flíght enginèer (탑승하는) 항공 기관사 (略 FE)

flíght fèather 〖조류〗 날개깃, 칼깃

flíght formàtion 〖공군〗 비행 대형[편대]

flíght indicator 〖항공〗 비행 지시기

flíght informàtion règion 〖항공〗 비행 정보 구역 (略 FIR)

flíght ìnstrument 비행 계기(計器)

flíght jàcket 항공 재킷[점퍼]

flíght lèader (군용기의) 편대장

flight·less [fláitlis] *a.* 〈새·비행기가〉 날지 못하는

flíght lieutènant 〖영국공군〗 대위

flíght lìne 〖항공〗 (격납고 주변의) 비행 대기선 (주기(駐機)·정비 구역); (비행기·철새의) 비행 경로

flíght mánifest 〖우주과학〗 적하(積荷) 목록

flight-mus·cle [fláitmʌ̀sl] *n.* (새 날개의) 비상근(飛翔筋)

flight-num·ber [-nʌ̀mbər] *n.* (정기 항공)편 번호

flíght òfficer **1** (미) (제2차 세계 대전 중의) 공군 준위 **2** (영) WRAF의 장교

thesaurus **flicker**[1] *v.* twinkle, sparkle, blink, flash, glitter, glimmer, shimmer, glint, flare

flíght pàth 1 〖항공·우주과학〗 비행 경로 2 (유도탄의) 진로 3 (항공 유도 장치의) 지시 코스

flíght pày 〖미공군〗 (다달의) 비행 수당

flíght plàn (조종사가 사전에 제출하는) 비행 계획서

flíght recòrder 〖항공〗 비행 기록 장치 (cf. BLACK BOX)

flíght sèrgeant 〖영국공군〗 (일등) 상사

flíght shòoting 1 〖양궁〗 원시 경사(遠矢競射) 2 새를 사격해서 떨어뜨리는 경기

flíght sìmulator 〖항공〗 (승무원 훈련용) 모의 비행 장치

flíght strìp 〖항공〗 1 활주로(runway) 2 긴급 착륙장, 비상용 임시 활주로 3 연속 항공 사진

flíght sùit (군용기 탑승자의) 비행복

flíght sùrgeon (미) 공군 의무관, 항공 군의관

flight-test [-tèst] *vt.* 〈항공기·비행 장치의〉 비행 시험을 하다

flight·wor·thy [-wə̀ːrði] *a.* 안전 비행 가능 상태의, 내공성(耐空性)의(airworthy)

flight·y [fláiti] *a.* (**flight·i·er**; **-i·est**) 들뜬, 경솔한; 변덕스러운; 미친 듯한; 무책임한

flíght·i·ly *ad.* **flíght·i·ness** *n.*

flim·flam [flímflæ̀m] (구어) *n.* UC 엉터리, 터무니없는 소리; 속임(trick), 사기

— *vt.* (**~med**; **~·ming**) 엉터리 말을 하다, 속이다, 사기치다(cheat) **~·mer** *n.* 사기꾼 **~·mer·y** *n.*

flímflam àrtist (속어) 사기꾼

*__flim·sy__ [flímzi] *a.* (**-si·er**; **-si·est**) 1 〈피륙·종이 등이〉 얇은, 얄팍한; 여린; 연약한(frail), 부서지기 쉬운 2 〈근거·이유·이론 등이〉 박약한(weak), 빤히 들여다 보이는: a ~ excuse 속보이는 변명 3 보잘것없는 (paltry); 천박한(shallow)

— *n.* (*pl.* **-sies**) 1 (주로 영) 얇은 종이, 복사지; (탐방 기자가 쓰는) 얇은 원고지; 통신 원고; 전보 2 (속어) 지폐(film) 3 [*pl.*] 얇은 여성복, 《특히》 얇은 속옷 **flím·si·ly** *ad.* **flím·si·ness** *n.*

flinch[1] [flíntʃ] *vi.* 1 (고통·공포 등 때문에) 주춤하다, 기가 꺾이다, 위축되다 《*at*》 2 (위험·곤란·불쾌한 것으로부터) 겁내어 피하다, 움찔하다(shrink) 《*from*》

— *vt.* …에서 손을 떼다

— *n.* 1 겁내어 피함, 움찔함 2 〖카드〗 플린치 《패를 숫자 순서대로 테이블에 쌓아 올림》

~·er *n.* **~·ing·ly** *ad.*

flinch[2] *vt.* = FLENSE

flin·ders [flíndərz] *n. pl.* 파편, 부서진 조각

break [***fly***] ***in*** [***into***] **~** 산산이 부수다[흩어지다]

‡**fling** [flíŋ] *v.* (**flung** [flʌ́ŋ]) *vt.* 1 a (세차게·후딱) 던지다 《*away, around, about, down, out, off*》, 내던지다, 팽개치다, 동댕이치다(hurl)(⇨ throw 유의어): ~ a pair of dice 한 쌍의 주사위를 던지다 // (~+목+전+명) He *flung* his books *on* the desk. 그는 책상에 책을 내던졌다. b 〈욕지거리를〉 퍼붓다: (~+목+목) (~+목+전+명) ~ a person abuse = ~ abuse *at* a person …에게 욕설을 퍼붓다 2 〈사람을〉 (어떤 상태에) 빠뜨리다; 집어넣다 《*into*》: (~+목+전+명) ~ the enemy *into* confusion 적을 혼란에 빠뜨리다 / ~ a person *into* prison …을 투옥하다 // (~+목+보) ~ a door *open* 문을 왈칵 열다 3 a 〈양팔 등을〉 급히 뻗다; 〈머리 등을〉 흔들다: (~+목+전+명) ~ one's arms *round* a person's neck …의 목을 얼싸안다 // (~+목+부) ~ the head *about* 〈말이〉 머리를 요리조리 흔들다 b [~ one*self* 로] 세차게 몸을 던지다[움직이다]: (~+목+전+명) ~ *oneself into* a chair 의자에 털썩 앉다 / She *flung herself into* her mother's arms. 그녀는 어머니의 팔에 자기 몸을 던졌다. 4 (레슬링 등에서) 넘어뜨리다; 〈말이〉 〈탄 사람을〉 흔들어 떨어뜨리다 5 [~ one*self* 로] (…에) 의존하다, 매달리다 《*on, upon*》; (일 등에) 전념하다, 몰두하다 《*into, on, upon*》: (~+목+전+명) He *flung himself on* my generosity. 그는 나의 관대함에 매달렸다. / He *flung* him*self on*[*into*] the work. 그는 그 일에 몰두하였다. 6 〈군대를〉 급파하다, 투입하다; 〈무기를〉 급송하다 《*into*》: (~+목+전+명) ~ tanks *into* a battle 전차를 전투에 투입하다 7 〈사람이〉 〈인습 등을〉 버리다, 벗어던지다 《*aside, away, off*》; 〈돈 등을〉 뿌리다, 낭비하다 《*away*》

— *vi.* 1 돌진하다; 거칠게 대들다; 자리를 박차고 떠나다, 뛰어나가다 《*away, off, out* (*of*), *from*》: (~+부) ~ *away*[*off*] without a word 한마디 말도 없이 뛰어나가다 // (~+전+명) He *flung into* the room. 그는 방으로 뛰어들었다. 2 〈말 등이〉 날뛰다 《*out, about*》 3 악담하다, 욕지거리하다 《*out*; *at, against*》: (~+부) ~ *out against* one's rival 경쟁 상대에게 욕지거리를 하다

~ ***about*** 〈말 등이〉 날뛰다, 뛰어 돌아다니다; 뿌리다; 〈머리를〉 뒤흔들다 ~ ***aside*** 내던지다; 무시하다, 물리치다 ~ ***away*** 뛰어나가다; 떨쳐 버리다; 〈기회 등을〉 놓치고 말다; 낭비하다 ~ ***down*** 넘어뜨리다, 메어치다, 내팽개치다 ~ ***in*** 던져 넣다 ~ a fault ***in*** a person***'s teeth***[***face***] 〈잘못 등을〉 들이대고 면책하다 ~ ***off*** 뛰어나가다; 벗어던지다, 팽개치다 ~ ***out*** 〈말이〉 날뛰다; 〈사람이〉 욕설을 하다[퍼붓다]; 〈두 팔 등을〉 쑥 뻗다 ~ ***over*** 버리다, 못본 체하다 ~ one***'s arms***[***hands***] ***up in***[***with***] ***horror*** 〈사람이〉 무서워서 손을 들다, 몹시 놀라다 ~ one***'s clothes on*** = ~ one***self into*** one***'s clothes*** 황급히 옷을 주워입다[걸치다] ~ one***self about*** in anger (화가 나서) 날뛰다 ~ one***self at*** = THROW oneself at. ~ one***self into*** (몸을 내던져) …에 뛰어들다; 〈말 안장 등에〉 훌쩍 올라타다; 〈의자 등에〉 털썩 앉다; 〈사업 등에〉 투신하다; 전념[몰두]하다 ~ one***self on*** ⇨ *vt.* 5. ~ ***to the winds*** ⇨ wind[1]. ~ ***up*** 던져 올리다; 〈손을〉 들어 올리다[흔들다]; 〈발뒤꿈치를〉 차올리다; 〈머리·고개를〉 흔들어 대다

— *n.* 1 [a ~] 내던지기, 팽개치기: *a* ~ of the dice 주사위를 한 번 굴리기 2 (스코틀랜드의) 활발한 민속춤(= Highland ~) 3 [a ~] 약진; 돌진; (사나운 말 등의) 날뛰기 4 [a ~, one's ~] (단시간의) 자유분방, (일시적인) 외도: have one's[a bit of] ~ 자유분방하게 지내다, 마음대로 실컷 놀다 / have *a* ~ with …와 바람피우다 5 [a ~] 욕설 6 [a ~] (구어) 시도, 한번 해보기 ***at one ~*** 단숨에, 대번에 ***give a ~*** 내던지다, 동댕이치다; 걷어차다 ***have***[***take***] ***a ~ at*** …을 시도하다; …에게 악담하다, …을 조롱하다 ***have*** one***'s ~*** (마음대로) 실컷 하다, 활개치고 놀다 ***in a ~*** 불끈하여 ***in***[***at***] ***full ~*** 쏜살같이; 맹렬히, 실컷; 척척 진척되어

fling·er [flíŋər] *n.* 1 던지는 사람; (야구) 투수 2 욕설하는 사람 3 Highland fling을 추는 사람 4 차는 버릇이 있는 말

fling-wing [-wìŋ] *n.* (미·구어) 헬리콥터

*__flint__ [flínt] *n.* UC 1 부싯돌, 수석(燧石); 라이터돌: a ~ and steel 부싯돌과 부시 2 아주 딴딴한 물건; 냉혹 무정한 것: a jaw of ~ 돌처럼 단단한 턱 / a heart of ~ 비정한 마음 3 = FLINT GLASS 4 〖식물〗 = FLINT CORN (***as***) ***hard as*** (***a***) **~** 돌 같이 단단한; 완고한 ***set*** one***'s face like a ~*** 안색을 추호도 변치 아니하다, 굳게 결심하다 ***skin***[***flay***] ***a ~*** 아주 인색하게 굴다, 욕심 많은 짓을 하다(cf. FLAY-FLINT, SKINFLINT). ***wring***[***get***] ***water from a ~*** 불가능한[기적적인] 일을 하다

~·lìke *a.* 부싯돌 같은, 단단한 ▷ flínty *a.*

Flint [flínt] *n.* = FLINTSHIRE

flínt còrn 〖식물〗 낟알이 딴딴한 옥수수의 일종

flínt glàss 플린트 유리, 납유리 《렌즈·프리즘 등 광학용의 고급 유리》

flint·head [flínthèd] *n.* 1 (부싯돌로 만든) 화살촉 2 〖조류〗 = WOOD IBIS

flint·heart·ed [-hɑ́ːrtid] *a.* 냉혹한

---

flimsy *a.* shaky, fragile, frail, delicate

fling *v.* toss, throw, hurl, cast, pitch, sling

flint·i·ness [flíntinis] *n.* Ⓤ 수석질(燧石質); (극단적인) 냉혹, 무정
flint·lock [flíntlɑ̀k | -lɔ̀k] *n.* **1** 부싯돌식 발화 장치 **2** 부싯돌식 발화총, 수발총(燧發銃)
Flint·shire [flíntʃiər] *n.* 플린트셔(Flint) 《영국 웨일스 북동부의 옛 주; 지금은 Clwyd 주의 일부》
flint·y [flínti] *a.* (**flint·i·er**; **-i·est**) **1** 부싯돌 같은; 몹시 딴딴한 **2** 아주 완고한; 무정한, 냉혹한: a ~ heart 냉혹한 마음 **flínt·i·ly** *ad.*
▷ flíntiness *n.*
*__flip__[1] [flíp] [의성어] *v.* (**~ped**; **~·ping**) *vt.* **1** 〈손가락으로〉 **튀기다**, 가볍게 치다[던지다]; 〈화폐 등을〉 튀겨 올리다; 튀겨[떨어] 버리다: ~ a coin (앞뒤를 정하기 위해) 동전을 튀겨 올리다 // 《~+목+전+명》 ~ the ash *off* a cigar 여송연의 재를 톡 털어 버리다 **2** 〈기구 등의〉 **스위치를 찰칵 누르다[돌리다]**; 〈레코드·달걀 프라이 등을〉 홱 뒤집다; 〈물건을〉 홱 움직이다; 〈책장 등을〉 홱 넘기다; 〈책 등을〉 홱 움직여 (…의 상태로) 만들다: 《~+목+부》 She *~ped on*[*off*] the bedside lamp. 그녀는 침대 맡의 전등을 찰칵 켰다[껐다]. // 《~+목+보》 ~ one's fan *open*[*shut*] 부채를 홱 펴다[접다] **3** 《속어》 〈사람을〉 이성을 잃게 하다, 극도로 흥분하게 하다; 열중시키다 **4** 《속어》 〈달리는 차에〉 뛰어 올라타다
—*vi.* **1** (손가락으로) 튀기다; 홱 움직이다[튀어나가다] 《*at*》 **2** (앞뒤를 가리기 위해) 동전을 튀겨 올리다 《*up*》 **3** (채찍 등으로) 찰싹 때리다 《*at*》 **4** (책 등의) 페이지를 휙휙 넘기다; (책 등을) 후딱 훑어보다 《*through*》 **5** 《속어》 정신을 잃다 《*out*》; 열중하다, 열을 올리다 《*over*》
~ a bitch 《미·속어》 불법 유턴을 하다 ***~ out*** 미치다; 몹시 놀라다 ***~ over*** 뒤집다, 뒤집히다; 열중하다 ~[***blow***] ***one's lid***[***top, wig,*** 《미》 ***stack***] 《속어》 자제심을 잃다; 몹시 화내다, 격노하다; 갑자기 웃음보를 터뜨리다
—*n.* **1** 손가락으로 튀김; 가볍게 침, 가벼운 채찍질; 꿈틀하며 움직임: make a ~ 가볍게 치다 **2** 공중제비[회전]: do a ~ 공중제비를 하다 **3** 〔미식축구〕 빠른 패스 **4** 《속어》 단거리 비행 **5** 《속어》 부탁: Do me a ~. 한 가지 부탁이 있습니다. **6** = FLIP SIDE
flip[2] *n.* Ⓤ 플립《맥주·브랜디에 달걀·향료·설탕 등을 넣고 따뜻하게 한 음료》
flip[3] [*flip*pant] 《구어》 *a.* (**~·per**; **~·pest**) 약삭빠른; 참견 잘하는; 건방진 **—***n.* 약삭빠른 사람; 참견 잘하는 사람; 건방진 사람
flíp chárt 플립 차트《강연 등에서 한 장씩 넘겨서 사용할 수 있는 도해용 차트》
flíp chìp 〔전자〕 플립 칩《초소형 반도체 소자의 하나》
flip-flap [flípflæ̀p] *n.* **1** 퍼덕퍼덕하는 소리 **2** (유원지의) 회전 시소 **—***ad.* 퍼덕퍼덕, 달각달각
—*vi.* = FLIP-FLOP
flip-flop [flípflɑ̀p | -flɔ̀p] *n.* **1** 《미·구어》 (동향·소신·태도·방침 등의) 급변, 전환: do a ~ 급하게 변경하다 **2** 역공중제비 **3** 퍼덕퍼덕하는 소리 **4** [*pl.*] 고무 슬리퍼[샌들] **5** 〔전자〕 플립플롭 회로(= ∠ **cìrcuit**) 《교호(交互) 접속식 회로》
—*vi.* (**~ped**; **~·ping**) **1** 《구어》 태도를 돌변하다; 방향전환하다 **2** 퍼덕퍼덕[덜컥덜컥]하다; 달각달각 움직이다; 역공중제비를 하다
—*ad.* 퍼덕퍼덕하며, 덜컥덜컥하며
flip·pan·cy [flípənsi] *n.* Ⓤ Ⓒ 경솔, 경박
flip·pant [flípənt] *a.* 〈의견 등이〉 경박한, 경솔한, 까불까불한, 〈태도 등이〉 무례한: his ~ remarks 그의 경박한 의견 **~·ly** *ad.*
flip·per [flípər] *n.* **1** 지느러미 모양의 발 《바다거북의 발, 고래의 앞지느러미, 펭귄의 날개 등》 **2** [보통 *pl.*] (스킨 다이버용) 물갈퀴, 오리발 **3** 《속어》 손, 팔 **—***vi.* 물갈퀴로 나아가다 **—***vt.* **1** 물갈퀴를 신다 **2** 지느러미처럼 움직이다
flíp phòne (위로 젖혀 여는 식의) 휴대 전화
flip·ping [flípiŋ] *a.*, *ad.* 《속어》 지독한[하게], 괘씸한[하게] **—***n.* Ⓤ 《미·속어》 이자에 이자를 붙이기 《고리대금업자의 수법》
flip·py [flípi] *n.* 〔컴퓨터〕 mini floppy disk의 별명 (cf. FLOPPY DISK)
flíp sìde 《구어》 **1** (레코드의) 뒷면, B면(B-side) **2** 이면, 반대면 **3** 귀로(歸路)
flip-top [flíptɑ̀p | -tɔ̀p] *a.* **1** 뚜껑을 밀어 올려서 여는 **2** = POP-TOP
Flíp-Top táble [flíptɑ̀p- | -tɔ̀p-] (엄지손가락 등으로) 뚜껑을 밀어 올려서 여는 식의 테이블 《상표명》
FLIR [flə́ːr] [*f*orward-*l*ooking *i*nfrared *r*adar] *n.* 〔군사〕 전방(前方) 감시 적외선 암시(暗視) 장치
*__flirt__ [flə́ːrt] *vi.* **1 장난삼아 연애하다**, 불장난하다; (이성과) 시시덕거리다 《*with*》 **2** (생각 등을) 장난삼아 해보다; (…에게) 장난삼아 손을 대다 《*with*》: 《~+전+명》 ~ *with* danger[disaster] 경솔하게 위험한 짓을 하다 / He *~ed with* the idea of retiring into the countryside. 그는 시골 구석에 틀어박히는 것이 어떨까 하는 생각을 해보았다. **3** 휙휙 움직이다, 펄럭펄럭[훨훨] 날다 **4** 〈온도 등이〉 (…에) 접근하다, 육박하다 《*with*》
—*vt.* 휙 집어 던지다, 홱 내던지다(jerk); 〈꼬리 등을〉 활발하게 내흔들다(flutter); 〈부채를〉 확확 부치다
—*n.* **1** 바람둥이 여자[남자](flirter) **2** (부채 등의) 급격한 움직임; 활발한 움직임 **~·er** *n.*
▷ flirtátion *n.*; flirtátious *a.*
flir·ta·tion [fləːrtéiʃən] *n.* **1** Ⓤ (남녀의) 희롱, 시시덕거림, 연애 유희(coquetry) **2** (어떤 일에의) 일시적 흥미[관심]; 가지고 놀기 《*with*》 **~·al** *a.* **~·less** *a.*
flir·ta·tious [fləːrtéiʃəs] *a.* **1** 〈특히 여자가〉 불장난하는; 시시덕거리는(coquettish): She seems to be ~ with me. 그녀는 나에게 관심이 있는 듯하다. **2** 들뜬, 경박한(flirty, flirtish) **~·ly** *ad.* **~·ness** *n.*
flirt·ing [flə́ːrtiŋ] *a.* 희롱하는, 시시덕거리는, 장난삼아 연애하는 **~·ly** *ad.*
flirt·ish [flə́ːrtiʃ] *a.* = FLIRTATIOUS
flirt·y [flə́ːrti] *a.* (**flirt·i·er**; **-i·est**) 시시덕거리는; 들뜬, 경박한
*__flit__ [flít] [ON 「나르다」의 뜻에서] *vi.* (**~·ted**; **~·ting**) **1** 〈새·박쥐·모기 등이〉 **휙휙[훨훨] 날다**, 날아다니다(⇨ fly[2] 유의어): bees *~ting* from flower to flower 꽃에서 꽃으로 빠르게 이동하는 꿀벌 **2** 〈사람·물건이〉 가볍게 움직이다[지나가다], 오가다: 《~+전+명》 A cloud *~ted across* the moon. 한 점의 구름이 달을 스치며 지나갔다. **3** 〈시간이〉 급속히 지나가다 《*by*》; 〈환상 등이〉 머리 속을 스쳐가다: 《~+전+명》 Fancies ~ *through* his mind. 환상이 그의 마음 속을 스쳐간다. **4** 《영·구어》 야반도주하다
—*n.* **1** 날아 지나감 **2** 《영·구어》 야반도주: do a (moonlight) ~ 야반도주하다, (몰래) 이사가다
flitch [flítʃ] *n.* **1** 돼지 옆구리 고기 《베이컨의 한쪽》: a ~ of bacon 옆구리 살의 베이컨 **2** (네모지게 벤) 고래의 기름살 **3** 가자미를 엷게 저민 것 《훈제용》 **4** 《영》 죽데기(slab) ***the ~ of Dunmow*** (영국 Essex의 Dunmow[dʌ́nmou]에서) 식을 올린 후 만 1년 하루 동안 원만하게 지낸 부부에게 주는 옆구리살 베이컨 **—***vt.* (얇게) 저미다
flítch bèam [flítʃ-], **flítched bèam** [flítʃt-] 〔건축〕 겹들보, 합량(合梁)
flite, flyte [fláit] 《스코》 *vi.* 말다툼하다; 욕하다, 악담하다 **—***n.* 말다툼; 악담
flít gùn 살충제용 분무기
flit·ing [fláitiŋ] *n.* 《북잉글·스코》 언쟁, 말다툼; (시인들 사이의) 문학 논쟁
flit·ter[1] [flítər] *vi.* 〈박쥐·나비 등이〉 훨훨 날아다니다
—*vt.* 훨훨 날게 하다, 펄럭이게 하다(flutter)
—*n.* 훨훨[펄럭펄럭] 나는[날아다니는] 것

thesaurus **flirt** *v.* coquet, ogle, wink at, play with, philander, tease **—***n.* coquette, jilt
floating *a.* **1** 떠 있는 buoyant, afloat, suspended,

flitter[2] *n.* (장식용) 작은 금속 조각

flit·ter·mouse [flítərmàus] *n.* (*pl.* **-mice** [-màis]) 《고어》 박쥐(bat)

flit·ting [flí:tiŋ] *n.* 《영·구어》 야반도주

fliv [flív] 《미·속어》 *n.* 실패(한 물건); 자동차
— *vi.* 실패하다

fliv·ver [flívər] 《미·속어》 *n.* **1** (낡은) 싸구려 소형 자동차; 《익살》 자동차; (개인용) 소형 비행기; 소형함(小型艦), 《특히》 구축함 **2** 실패; 실패자, 실패한 물건
— *vi.* **1** (싸구려 자동차로) 여행하다 **2** 실패하다(fail)

flix [flíks] *n.* (토끼 따위의) 모피; [the ~] 영화(flicks)

FLN [F] *Front de Libération Nationale* (알제리) 민족 해방 전선(1954-62)

Flo [flóu] *n.* 여자 이름 《Florence의 애칭》

‡**float** [flóut] *vi.* **1** (물 위에) 뜨다, 떠오르다(opp. *sink*) 《*on, in*》: (~+전+명) a boat *~ing on* the river 강에 떠 있는 배 **2** (물위·공중에서) 떠돌다(drift), 부동(浮動)하다; (공중에) 뜨다, (허공에) 걸리다: (~+부) The balloon *~ed up* into the air. 기구는 공중으로 떠올랐다. **3** 〈사람이〉 (정처없이) 떠돌아 다니다, 유랑하다 《*about, around, round*》; 〈절조·정책 등이〉 한결같지 않다, 흔들거리다; 〈생각이〉 흔들리다, 동요하다 《*before, in, into, through*》 **4** 〈환상 등이〉 (눈앞에) 떠오르다 《*before*》; (마음 속 등에) 떠오르다 《*through, in*》; 〈소문이〉 퍼지다, 떠돌다: (~+전+명) The sight *~ed before* my eyes. 그 광경이 눈앞에 떠올랐다. **5** 〖상업〗 〈어음이〉 유통하다; 〖경제〗 〈통화가〉 변동 환율제로 되다 **6** [보통 진행형으로] 〈찾는 것 등이〉 어디 그 근처에 있다 《*about, around, round*》: (~+부) "Where's my hat?"—"It must *be ~ing about.*" 내 모자 어디 있지? —어디 그 근처에 있을 거예요.
— *vt.* **1** (물 위에) 띄우다, 뜨게 하다 《*on, in*》; 떠내려가게 하다, 표류시키다; 〈흐름·조수가〉 〈배 등을〉 밀려가게 하다: (~+목+전+명) (~+목+부) ~ a raft *down* a river[*downstream*] 뗏목을 강 아래[하류]로 떠내려 보내다 **2** 〈가스가〉 〈기구 등을〉 떠오르게 하다, 부양시키다; 〈공기·바람이〉 〈꽃향기·음악 등을〉 감돌게 하다; 불어 보내다(waft) **3** 〖상업〗 〈회사 등을〉 설립하다; 〈주식·공채 등을〉 발행하다; 〖경제〗 〈통화를〉 변동 환율제로 하다(opp. *fix*); 〖금융〗 〈융자를〉 교섭하다: ~ a bond issue 채권을 발행하다 / The company was *~ed* in 2000. 그 회사는 2000년에 설립되었다. **4** 〈소문 등을〉 퍼뜨리다 **5** 〈생각·계획 등을〉 제안하다(suggest)
be ~ing on air 《속어》 기뻐 어쩔 줄 모르다 **~ *a person a loan*** (…에게) 돈을 빌려 주다 **~ *between*** …사이에서 헤매다 《마음·기분으로》 ***~ing on (the) clouds*** 《속어》 헛된 꿈[소원]을 품고, 환상을 품고; 기뻐서 어쩔 줄 몰라 **~ *one*** 《미·속어》 수표를 현금화하다; 돈을 꾸다
— *n.* **1** 뜨는 물건, 부유물(浮遊物); 뗏목(raft); (수상 비행기의) 부주(浮舟); 부표(浮標); (물고기의) 부레; (물탱크의 수위를 조절하는) 부구(浮球), 구명대(救命帶) **2** (낚싯줄·어망에 달린) 찌 **3** (축제 때 각종 장식을 달아 끄는) 이동식 무대차 **4** [종종 *pl.*] 〖연극〗 각광(footlights) **5** (미장이의) 흙손 **6** = FLOATBOARD **7** 〖방직〗 부사(浮絲), 부사를 넣어 짜기 **8** 《영》 〖상업〗 (하루의 영업 개시 전에 마련하는) 잔돈, 소액 현금; 〖상업〗 부동 증권 《담보품으로서 은행 사이를 오가고 함》; 〖경제〗 변동 환율제 **9** 부동 투표자; 뜨내기 노동자 **10** 《미·속어》 수업이 없는 시간, 자유 시간 **11** 재고 상품 (= factory ~) **12** flotation tank 안에서의 부유(浮遊) ***on the ~*** 떠서, 떠다녀
▷ flótage, flotátion *n.*; aflóat *ad., a.*

float·a·ble [flóutəbl] *a.* **1** 뜰 수 있는, 떠오르는 성질의 **2** 〈강물이〉 (배·뗏목 등을) 띄울 수 있는

drifting, sailing, gliding, hollow, unsinkable **2** 유동하는 fluctuating, variable, unattached, moving, unsettled, wandering

float·age [flóutidʒ], **floa·ta·tion** [floutéiʃən] *n.* = FLOTAGE, FLOTATION

float·board [flóutbɔ̀:rd] *n.* (물방아의) 물받이 판자; (옛날 외륜 기선의) 물갈퀴판

flóat brìdge 《영》 부교(浮橋)(floating bridge), 뗏목다리

float·el [floutél] [*float*ing+hot*el*] *n.* (배를 고정시켜 만든) 수상 호텔

float·er [flóutər] *n.* **1** 뜨는 사람[것]; (낚시)찌; 부척(浮尺); 떼, 뗏목(raft) **2** 《구어》 주소·직업을 자주 바꾸는 사람; 뜨내기 노동자, 《미·속어》 (정규직이 아닌) 트럭 운전사 **3 a** (종교적·정치적) 신념이 없는 사람 **b** (회사 내에서) 특정한 일이 없는 종업원 **4** 《미》 이중[부정] 투표자; 부동(浮動) 투표자 **5** (회사의) 설립 발기인; 《구어》 부동(浮動) 증권; 〖보험〗 포괄 보험 **6** [*pl.*] 비문증(飛蚊症) **7** 《영·속어》 실패, 실수: make a ~ 실수를 저지르다 **8** 〖야구〗 (스핀을 주지 않은) 슬로 볼 **9** 《미·속어》 (경찰의) 퇴거 명령

float-feed [-fì:d] *a.* 〖기계〗 부구(浮球)(float)로 연료 따위의 공급을 조절하는

flóat fìshing 배 낚시질; 《영》 찌 낚시질

flóat glàss 플로트 유리 《플로트 법(float process)으로 제조되는 고급 판유리》

flóat gràss = FLOATING GRASS

flóat hòur 《미·학생속어》 자유[수업 없는] 시간

***float·ing** [flóutiŋ] *a.* **1** 떠 있는, 떠다니는: a ~ pier 떠 있는 선창 / a ~ aerodrome 《영》 수상[부유] 비행장 / a ~ body 〖물리〗 부체(浮體) **2** Ⓐ 부동(浮動)적인, 유동적인(opp. *fixed*): a ~ population 유동 인구 **3** 〖경제〗 〈자본 등이〉 고정되어 있지 않은, 유동하는; 〈통화·외환이〉 변동하는: a ~ liability 유동 채무 **4** 〈선하(船荷)가〉 해상에 있는, 양륙이 안 끝난: a ~ cargo 해상에 정박 중인 적재 화물, 미양륙 화물 **5** 〖병리〗 정착하지 않는, 유리(遊離)성의
— *n.* **1** 부유(浮遊), 부동, 부양 **2** (모르타르의) 마무리 흙손질 **3** 부유 탱크(flotation tank)에 앉기

flóating ánchor 〖항해〗 물돛(sea anchor)

flóating ássets 유동 자산(current assets)

flóating áxle 〖기계〗 부동축(浮動軸)

flóating báttery 부유 포대(砲臺); 부동 축전지; = FLOATING ISLAND

flóating bónd 단기 공채

flóating brídge 《미》 부교, 뗏목 다리(《영》 float bridge)

flóating cápital 〖경제〗 유동 자본

flóating cráne 해상 기중기, 기중기선

flóating cúrrency 〖경제〗 변동 환율제의 통화

flóating débt 〖경제〗 유동 부채

flóating (drý) dóck 부양식 독

flóating exchánge ràte sýstem 〖경제〗 변동 환율제(opp. *fixed exchange rate system*)

flóating gráss (소택지의) 부초, 부평초

flóating ísland **1** 뜬 섬 《늪 등의 부유물이 뭉쳐 섬같이 된 것》 **2** (식후에 먹는) 일종의 커스터드(custard)

flóating kídney 〖해부〗 유주신(遊走腎)

flóating léver 〖철도〗 유동 레버

flóating líght 부표등(浮標燈); 등대선(lightship); 야간 구명 부표

flóating pòint 〖컴퓨터〗 부동(浮動) 소수점(cf. FIXED POINT)

float·ing-point [-pɔ̀int] *a.* 부동 소수점의

flóating ráte **1** 자유 변동 시세; (금융의) 변동 이율: ~ system 변동 시세 제도 **2** [*pl.*] 선하세(船荷稅)

flóating ríb 〖해부〗 부동[유리(遊離)] 늑골 《앞쪽이 연결되어 있지 않은 늑골; 사람은 맨 아래 두 쌍》

flóating stóck 〖증권〗 부동주 《항상 매매 또는 투기의 대상이 되는, 중매인이 가진 것》

flóating supplý **1** 〖상업〗 (물품·증권 등의) 재고량[액], 부동적 공급 **2** 부동 증권

flóating vóte [the ~] 부동표; [집합적] 부동표층

flóating vóter 부동 투표자

float·plane [flóutplèin] *n.* 플로트[부주형] 수상 비행기(cf. FLYING BOAT)
flóat pròcess 플로트 유리의 제조 과정 《녹은 유리를 녹은 주석 위에 붓는 유리 제조법》
float·stone [-stòun] *n.* ⓊⒸ 속돌, 부석(浮石); (벽돌을 곱게 다듬을 때 쓰는) 숫돌
flóat tànk = FLOTATION TANK
float·y [flóuti] *a.* (**float·i·er**; **-i·est**) **1** 뜨는, 뜰 수 있는, 뜨기 쉬운(buoyant) **2** 〈배가〉 흘수가 얕은
floc [flák | flɔ́k] *n.* = FLOCK[2] 2
floc·cil·la·tion [flàksəléiʃən | flɔ̀k-] *n.* Ⓤ 〖병리〗 찰공모상(撮空模床) 《의식이 혼탁한 환자가 공기나 침상을 잡으려는 행동》(carphology)
floc·ci·nau·ci·ni·hi·li·pi·li·fi·ca·tion [flàksənɔ̀:sənàihiləpìləfikéiʃən | flɔ̀k-] *n.* Ⓤ 《익살》 (재물 등에 대한) 경시(輕視), 무가치[무의미]하게 여김
floc·cose [flákous | flɔ́k-] *a.* **1** 〖식물〗 수북이 털이 난[털로 덮인]; 양털 모양의 **2** = FLOCCULENT
floc·cu·lant [flákjulənt | flɔ́k-] *n.* 응집제(凝集劑)
floc·cu·late [flákjulèit | flɔ́k-] *vt., vi.* 〈구름·침전물 등을[등이]〉 양털[솜털] 뭉치 모양으로 하다[되다], 응집시키다[하다] **-là·tor** *n.*
▷ flòcculátion *n.*
floc·cu·la·tion [flàkjuléiʃən] *n.* ⓊⒸ 양털 모양의 침전, 응집
floc·cule [flákju:l | flɔ́k-] *n.* 한 뭉치의 양모 (모양의 물질); 솜 모양의 침전물
floc·cu·lent [flákjulənt | flɔ́k-] *a.* 양털[솜털]의[같은]; 유모성(柔毛性)의(flocky); 보드라운 털로 덮인 **-lence** *n.* **~·ly** *ad.*
floc·cu·lus [flákjuləs | flɔ́k-] *n.* (*pl.* **-li** [-lài]) **1** 한 뭉치의 보드라운 털(floccule) **2** 〖해부〗 (소뇌의) 소엽(小葉) **3** 〖천문〗 (태양면 사진의) 양모반(羊毛斑)
floc·cus [flákəs | flɔ́k-] *n.* (*pl.* **-ci** [fláksai, -si | flɔ́ksai]) **1** (사자 등의 꼬리 끝의) 털뭉치, 방울털; (새 새끼의) 솜털 **2** (식물 표면의) 송이 털 **3** 〖기상〗 솜털구름 **—** *a.* 〖기상〗 〈구름이〉 솜털 모양의
‡flock[1] [flák | flɔ́k] [OE 「사람의 때」의 뜻에서] *n.* **1** (양·염소·집오리·새 등의) 떼, 무리 《*of*》(⇨ group 유의어); [*pl.*] (재산으로서의) 양[염소]의 떼: ~*s* and herds 양과 소(sheep and cattle) **2** (사람의) 무리(crowd) 《*of*》; (사물의) 다수 《*of*》: a ~ *of* visitors 많은 수의 방문자 / a ~ *of* ideas 수많은 아이디어 **3** [집합적] 그리스도교회; (그리스도교회의) 신자[교우]들, 회중(congregation); (어버이·교사의 지도와 보호에 맡겨진) 자녀[학생]들 ***come in ~s*** 떼지어 오다, 몰려오다 ***the ~ of Christ*** 그리스도교 신자 ***the flower of the ~*** 군계일학
— *vi.* 떼짓다, 모이다(crowd) 《*together*》; 떼지어 오다[가다] 《*about, out, to, into*》: (~+전+명) Pilgrims ~ *to* Mecca every year. 순례자는 매년 메카에 몰려온다. **~·less** *a.*
***flock[2]** [flák | flɔ́k] *n.* **1** 한 뭉치[술]의 양털[머리털]; [*pl.*] (매트리스 속에 넣는) 털 부스러기, 솜 나부랭이, 넝마; (벽지·직물 등의 장식이나 금속 피복에 쓰이는) 분말 모양의 섬유 **2** [*pl.*] 솜 모양의 침전물
— *vt.* 〈매트리스 등에〉 털[솜] 부스러기를 채우다; 〈종이 등에〉 털[솜] 부스러기를 섞어 무늬를 만들다
flock·bed [flákbèd | flɔ́k-] *n.* 털 부스러기를 채운 침대
flock·ing [flákiŋ | flɔ́k-] *n.* Ⓤ 분말 모양의 털(flock)로 장식한 벽지
flock·mas·ter [flákmæ̀stər | flɔ́kmà:s-] *n.* 목양주(牧羊主), 목양업자, 양치기
flóck pàper 나사지(羅紗紙) 《털을 넣어 만든 벽지 등》
flock·y [fláki | flɔ́ki] *a.* (**flock·i·er**; **-i·est**) 양털 모양의, 털술[털 부스러기] 같은
floe [flóu] *n.* [종종 *pl.*] (바다 위에 떠 있는) 빙원(氷原), (큰) 부빙(浮氷), 유빙(=ice ~)(cf. ICEBERG)
***flog** [flág, flɔ́:g | flɔ́g] *vt.* (**~ged**; **~·ging**) **1** 채찍질하다 《*into*》, (매질하는) 체형을 과하다; 매질하여 …하게 하다 《*along*》: (~+목+부) ~ a donkey *along* 당나귀를 채찍질하며 몰다 // (~+목+전+명) ~ learning *into*[laziness *out of*] a boy 소년에게 매질을 하며 공부를 가르치다[게으른 버릇을 고치다] **2** 마구 쳐대다 《크리켓 등에서》 **3** 《영·속어》 이기다; 지치게하다 **4** 〈강 등에〉 낚싯줄을 몇 번이고 휘둘러 던지다 **5** 〈정부 등을〉 격하게 비난하다 **6** 《영·속어》 〈물건을〉 (부정하게) 팔다, 고매(故賣)하다
~ a dead horse 죽은 말에 채찍질하다, 헛수고를 하다 ***~ ... to death*** 《구어》 〈상품·이야기·요구 등을〉 자꾸 신선해서[되풀이해서] 지겹게 하다 **~·ger** *n.*
flog·ging [flágiŋ | flɔ́-] *n.* ⓊⒸ 채찍질, (체형으로서의) 매질, 태형
flógging chìsel 큰 끌[정]
flo·ka·ti [flouká:ti] *n.* 플로카티 《그리스산(産) 수직(手織) 양탄자》
flong [fláŋ, flɔ́:ŋ | flɔ́ŋ] *n.* 〖인쇄〗 지형(紙型) 용지[원지]
‡flood [flʌ́d] *n., v.*

> 원래는 「흐름」의 뜻 《flow와 같은 어원》 「넘쳐 흐름[흐르는 것]」 → 「홍수」 **1** → 「범람시키다」 타 **1**

— *n.* **1** [종종 *pl.*] 홍수, 큰물(inundation): ~ damage[hazard] 수해 / ~ warning 홍수 경보 / The ~*s* are out all along the valley. 그 골짜기 일대에 홍수가 났다. **2** [a ~ 또는 *pl.*] 다수[대량](의 것·사람), (엄청나게) 쏟아짐, (감정·빛 등의) 충만, 쇄도 《*of*》: *a* ~ *of* tears 마구 쏟아지는 눈물 / ~*s of* rain 억수로 쏟아지는 비 / ~*s of* words 거침없이 나오는[청산유수 같은] 말 **3** [the F~] 〖성서〗 노아의 홍수(Noah's F~, the Deluge) **4** 밀물(= ~ tide) (opp. *ebb*): ebb and ~ 썰물과 밀물 **5** 투광(投光) 조명(floodlight)
at the ~ 밀물이 되어; 알맞은 때에[가 되어] ***before the F~*** 《구어》 먼 옛날에, 태곳적에 ***~s of ink*** 엄청나게 써냄 《논쟁 등에서》 ***in ~*** 〈강이〉 넘쳐 흘러서, 홍수가 져서 ***in full ~*** 활기[힘]에 넘쳐; 열중하여
— *vt.* **1** 〈비·강 등이〉 범람시키다, 〈강 등이 지역을〉 홍수지게 하다, 물에 잠기게 하다; 넘치게 하다: The river ~*ed* our fields. 강이 범람하여 우리 논밭이 물에 잠겼다. **2** 관개하다(irrigate); …에 물을 가득 채우다 **3** 〈광선 등이〉 …에 가득차다, (광선 등을) 가득차게 하다 《*with*》 **4** …에 많이 몰려들다; …에 쇄도하다, …에 넘치다: Applicants ~*ed* the office. 지원자들이 사무실에 쇄도했다. // (~+목+전+명) The station was ~*ed with* refugees. 역에는 피난민들이 몰려들었다. / be ~*ed with* inquiries 문의가 빗발치다
— *vi.* **1** 〈강·토지가〉 범람하다, 홍수지다 《*in, into*》 **2** 〈조수가〉 밀려오다 **3** (홍수처럼) 쏟아져 들어오다 《*in, into*》; 〈감정 등이〉 넘치다: (~+전+명) Sunlight ~*ed into* the room. 햇빛이 방 안으로 환히 들이비쳤다. **4** 〈사람이〉 우 몰려가다[오다]: (~+전+명) People ~*ed into* the place. 사람들은 그곳으로 몰려갔다. **5** 〖의학〗 〈월경이〉 과도하게 나오다; (산후에) 대량 출혈하다 ***be ~ed out*** 홍수로 집을 잃다
~·a·ble *a.* **~·like** *a.* **~·er** *n.*
flóod contròl 홍수 조절, 치수(治水): a dam for ~ 치수댐
flood·ed [flʌ́did] *a.* 물에 잠긴, 침수된: ~ districts 홍수 피해지, 침수 지방
flóod fállowing 〖농업〗 관수 휴한법(冠水休閑法) 《휴작 중에 물을 채워 토양에 매개하는 병원균을 죽임》
flood·gate [flʌ́dgèit] *n.* **1** 수문(sluice); (밀물을 막는) 방조문(防潮門) **2** [the ~s] (노여움 등의) 배출구, 출구 《*of*》
flood·ing [flʌ́diŋ] *n.* ⓊⒸ **1** 홍수, 범람; 충만 **2** 월경의 유출, 산후의 많은 출혈 **3** 〖정신의학〗 정동(情動)[자극] 범람법 《공포증 환자에게 공포의 원인과 직면시켜 치료하려는 요법》
flóod làmp 투광(投光) 조명등(floodlight)

flood·light [flʌ́dlàit] *n.* [종종 *pl.*] **1** 투광 조명 《건물·인물 등에 여러 각도에서 강한 광선을 비추어 뚜렷이 드러나게 하는 조명법》 **2** 투광 조명등, 투광기, 조명 투사기(=～ projèctor)
— *vt.* (**~·ed, -lit** [-lìt]) 투광 조명으로 비추다
~·ing *n.* Ⓤ 투광 조명

floodlight 2

flood·mark [-mɑ̀ːrk] *n.* 홍수 흔적, 만조[고수]표
flood·om·e·ter [flʌdɑ́mətər | -dɔ́-] *n.* (밀물의) 수량 기록기, 홍수계, 만조계
flood·plain [flʌ́dplèin] *n.* 〚지질〛 (수위가 높을 때 물에 잠기는) 범람원(原)
flood·strick·en [-strìkən] *a.* 수해를 입은, 홍수에 시달리는: the ~ area 수해[수재] 지역
flóod tìde 1 [보통 the ~] 밀물 《★ 만조는 high tide》(opp. *ebb tide*) **2** 최고조
flóod wàll 홍수 방벽[제방]
flood·wa·ter [-wɔ̀ːtər] *n.* Ⓤ 홍수(의 물)
flood·wood [-wùd] *n.* Ⓤ 물에 떠내려오는 재목, 유목(流木)(driftwood)
***floor** [flɔːr] *n.* **1** 방바닥; 마루; [*pl.*] 마루청, 마루 까는 널판: a bare ~ (융단 등을 깔지 않은) 맨 방바닥/scour the ~ 방바닥을 닦다 **2** (건물의) 층: the upper ~(*s*) 위층/ground ~ 《영》 1층 《《미》에서는 보통 the first ~라고 함》/the first ~ 《영》 2층, 《미》 1층/the second ~ 《영》 3층, 《미》 2층 ★ 위처럼 《영》은 우리 식으로 말하는 것과 하나씩 틀림(cf. STORY², FLIGHT¹, FIRST FLOOR) **3 a** (바다·굴 등의) 바닥, 밑바닥; (바닥처럼) 평평한 곳, 길바닥, 노면(路面); 〚항해〛 화물창 속의 평평한 부분, 선상(船床); 〚조선〛 늑판(肋板); 〚광산〛 (수평 갱도의) 상층(床層): the sea ~ 해저(海低) **b** (특수한 목적의) 플로어, …장(場): a dance ~ 댄스(용) 플로어 **4** [the ~] 의원석, 의장(議場); (의원의) 발언권; (거래소의) 입회장: ask for *the* ~ 발언권을 요구하다/get[have] *the* ~ 발언권을 얻다[가지다]/*the* ~ of the exchange 거래소의 객장 **5** (가격·임금 등의) 최저 한도(opp. *ceiling*) **6** 《영·구어》 〚크리켓〛 지면(ground)
cross the* ~** (의장(議場)에서) 반대당[파]에 찬성하다, 반대당으로 넘어가다 ***from the* ~** (강사·주최측이 아니고) 일반 청중석에서 ***go through the* ~** 《구어》 〈가격이〉 바닥으로 떨어지다 ***hold the* ~** 발언권을 가지고 있다 ***mop [***wipe, sweep***] ***the* ~** [***ground***] ***with*** 《구어》 〈상대방을〉 여지없이 해치우다, 완전히 압도하다, 완패시키다 ***on the* ~** 《미》 〈영화가〉 제작 중의 ***take the* ~** (1) 《미》 (토론에서) 발언하다, 토론에 참가하다 (2) (춤추기 위해) 일어서다, 춤추기 시작하다 ***walk*** [***pace***] ***the* ~** 《미》 (걱정 등으로) 방 안에서 서성거리다
— *vt.* **1** …에 (마룻)바닥을 깔다 《*with*》; 〈돌·벽돌 등을〉 바닥에 깔다(pave): (~+목+전+명) the place ~*ed with* flat stones 판판한 돌이 깔린 곳 **2** 〈상대방을〉 마루[땅]에 쓰러뜨리다; 《구어》 여지없이 패배시키다; 〈의론·난문제 등이〉 골탕먹이다, 궁지에 빠뜨리다, 당황시키다: I was ~*ed* by the problem. 나는 그 문제로 당황했다. **3** 〈가속 페달을〉 힘껏 밟다, 〈차를〉 전속력으로 몰다(floorboard) **4** 《영·학생속어》 〈…의 문제를〉 모두 풀다; 〈음식을〉 말끔히 먹어치우다: ~ the paper 문제를 전부 풀다
~ *it* 《구어》 액셀러레이터를 힘껏 밟다, 전속력을 내다
floor·age [flɔ́ːridʒ] *n.* Ⓤ 바닥 면적, 건평(floor space)
floor·board [flɔ́ːrbɔ̀ːrd] *n.* 바닥 널, 마루청; (자동차 등의) 바닥 **—** *vi.* 전속력으로 운전하다
flóor bròker (미국 증권 거래소) 객장의 중매인
floor·cloth [-klɔ̀ːθ | -klɔ̀θ] *n.* **1** 마루 걸레 **2** 마루[바닥] 깔개 《융단 대용의 유포(油布)·리놀륨 등》 **3** = GROUND CLOTH
floor-cross·ing [-krɔ̀ːsiŋ | -krɔ̀-] *n.* (영국 의회 등에서) 반대당[파]에의 찬성 투표
-cròss·er *n.*
floor·er [flɔ́ːrər] *n.* **1** 마루청[바닥]을 까는 사람 **2** 바닥에 때려눕히는 사람; 《구어》 철저한 타격; (큰 충격을 주는) 흉보 **3** 두말 못하게 하는 발언[반박] **4** 《구어》 몹시 골치 아픈 일, 어려운 문제(poser) **5** (skittles에서) 단번에 기둥을 모두 쓰러뜨리는 투구
flóor èxercise 〚체조〛 마루 운동
floor·ing [flɔ́ːriŋ] *n.* Ⓤ **1** (마룻)바닥(floor); [집합적] 마루청(floors) **2** 바닥을 까는 재료, 플로링 판자
flóor làmp 《미》 (방바닥에 세우는) 전기 스탠드(《영》 standard lamp)

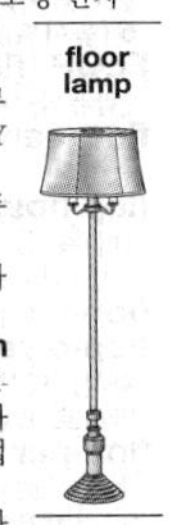
floor lamp

flóor lèader 《미》 (정당의) 원내 총무 (cf. MAJORITY LEADER, MINORITY LEADER)
floor-length [flɔ́ːrlèŋθ] *a.* 〈스커트 등이〉 마루까지 닿는, 마루에 끌리는
flóor lìght 마루 채광 《유리 블록으로 마루를 깔아 아래층에 빛이 들어오게 한 것》
floor·man [-mən] *n.* (*pl.* **-men** [-mən]) **1** 마루[바닥] 청소부 **2** = FLOORWALKER **3** (증권 거래소 객장에서 활동하는) 매매 거래원 **4** (일반적으로 접객·영업 등의) 주임, 부장
flóor mànager 《미》 **1** 회의장 지휘자[감독] 《대회에서 후보자에게 유리하도록 이끌거나, 의회에서 의안의 진행을 촉구하는 사람》 **2** (텔레비전의) 무대 감독 **3** = FLOORWALKER
flóor màt 마루 매트 《의자와 융단 사이에 까는 플라스틱[고무, 나무]판》
flóor mòdel 1 (탁상형에 대하여) 마루형; 콘솔형 **2** (상점의) 전시품 《기구·가구 등》
flóor pàrtner (미국 증권 거래소의) 플로어 파트너 《회원의 자격을 가지고 소속 증권 중매 회사를 위해 floor broker로서 일하는 사람》
flóor plàn 〚건축〛 (방·건물 등의) 평면도
flóor prìce (수출) 최저 가격(cf. RESERVE[UPSET] PRICE)
flóor sàmple 견본[점두(店頭)] 전시품 《후에 할인해서 판매됨》
floor·shift [-ʃìft] *n.* (자동차의) 플로어시프트 《바닥에 장치한 기어 변환 장치》
flóor shòw 플로어 쇼 《나이트클럽·카바레 등의 바닥에서 하는 음악·노래·댄스 등의 여흥》
flóor spàce (건물의) 바닥 면적, 건평; (가게의) 매장 면적
floor-through [-θrùː] *n., a.* 《미》 하나의 층 전체를 차지하는 아파트(의)
flóor tràder (증권 거래소의) 자기 계정을 갖고 매매를 하는 회원(cf. FLOOR BROKER)
floor·walk·er [-wɔ̀ːkər] *n.* 《미》 (백화점 등의) 매장 감독 《floor manager라고도 함》(《영》 shopwalker)
floo·zy, -zie, -sie, -sy [flúːzi] *n.* (*pl.* **-zies**; **-sies**) 《구어》 방종한 여자; 탕녀, 매춘부; 지성이 부족한 여자
***flop** [flɑ́p | flɔ́p] *v.* (**~ped**; **~·ping**) *vi.* **1** 펄썩[털썩] 쓰러지다, 털썩 주저앉다, 맥없이 자빠지다 《*down*》; 벌렁 드러눕다; 풍덩 뛰어들다: (~(+부)) ~ (*down*) into a chair 의자에 털썩 앉다 **2** 《미》 갑자기 태도를 바꾸다, 변절하다; (정치적으로) 배신하다 《*over*; *to*》: (~+부) ~ *over to* the other party 변절하여 다른 당으로 넘어가다 **3** 〈사람·사업·극 등이〉 완전히 실패하다, 망하다: The play ~*ped* dismally. 그 연극은 참담한 실패로 끝났다. **4** 퍼덕거리다, (바람에) 펄럭이다; 어슬렁어슬렁 걷다: Fish were ~*ping* on the deck. 생선들이 갑판에서 퍼덕이고 있었다. **5** 《속어》 자다: a place to ~ at night 하룻밤 묵을 곳
— *vt.* **1** 툭 치다; 〈무거운 것을〉 툭[털썩] 던지다, 툭 떨어뜨리다 《*down*》: (~+목+부) ~ *down* a sack

of corn 옥수수 자루를 털썩 내려놓다 **2** [~ one*self* 로] 털썩 주저앉다: (~+목+전+명) ~ *oneself in* a chair 의자에 털썩 주저앉다 **3** 〈날개 등을〉 퍼덕거리다 ~ ***along*** (구어) 무거운 발걸음으로 걷다 ~ ***out*** (구어) …을 때려눕히다

— *ad.* 퍽(하고), 털썩(하고), 펄썩(하고): fall ~ into the water 풍덩 물속에 떨어지다

— *n.* **1** [a ~] **펄썩[털썩] 떨어짐[쓰러짐]**; 펄썩 주저앉음: take *a* ~ 쓰러지다, 넘어지다 **2** [a ~] 툭[털썩] 떨어지는 소리(thud) **3** (구어) 실패(자)(failure), (책·연극·영화 등의) 실패작: go ~ 실패하다, 망하다 **4** (미·속어) 잠자리, (특히) 값싼 여인숙(flophouse) **5** (높이뛰기의) 배면(背面) 도약

FLOP [flɑ́p | flɔ́p] [*f*loating-point *op*eration] *n.* 〔컴퓨터〕 부동(浮動) 소수점 연산

flop-eared [flɑ́pìərd | flɔ́p-] *a.* 〈개 등이〉 귀가 축 늘어진

flop·house [-hàus] *n.* (*pl.* **-hous·es** [-hàuziz]) (미·속어) 간이 숙박소, 값싼 여인숙 (보통 남자 전용) ((영) doss house)

flop·nik [flɑ́pnik | flɔ́p-] *n.* (미·속어) 실패(한) 위성

flop·o·ver [flɑ́pòuvər | flɔ́p-] *n.* 〔TV〕 (조절이 나빠서) 영상의 아래위로 움직임; 〔영화〕 영상의 좌우가 반대로 프린트된 장면

flop·per [flɑ́pər | flɔ́-] *n.* **1** flop하는 사람 **2** (미·속어) (보험금 등을 탈 목적으로) 사건을 날조하는 사람 **3** (정치적인) 변절자

flop·py [flɑ́pi | flɔ́pi] *a.* (**-pi·er**; **-pi·est**) (구어) **1** 퍼덕퍼덕 펄럭이는; 흘게 늦은, 늘어진; 느슨한 **2** 기운 없는, 약한 **flóp·pi·ly** *ad.* **flóp·pi·ness** *n.*

flóppy dísk 〔컴퓨터〕 플로피 디스크 (컴퓨터용 데이터를 담는 플라스틱제 자기(磁氣) 원판; 略 FD)

flóppy dísk drìve 〔컴퓨터〕 플로피 디스크 드라이브 (略 FDD)

FLOPS [flɑ́ps | flɔ́ps] [*f*loating-point *o*perations *p*er *s*econd] *n.* [종종 **f~**] 〔컴퓨터〕 플롭스 (1초에 수행할 수 있는 부동(浮動) 소수점 연산의 횟수)

flóp swèat (연극속어) (무대에서 배우가 긴장[불안]으로 흘리는) 식은땀, 진땀

flóp·ti·cal dísk [flɑ́ptikəl- | flɔ́p-] 〔컴퓨터〕 (이동할 수 있는) 소형의 고용량의 자기 디스크 (상표명)

flor. *floruit*(=flourished) **Flor.** Florida

flo·ra** [flɔ́:rə] *n.* (*pl.* **~s, -rae** [-ri:]) **1** (한 지방 또는 한 시대에 특유한) **식물상(相)**, (분포상의) 식물 구계(區系)(cf. FAUNA) **2** (한 지방 또는 한 시대의) 식물지(誌) ~ ***and fauna (한 지역의) 동식물상 ▷ flóral *a.*

Flo·ra [flɔ́:rə] *n.* **1** 〔로마신화〕 플로라 (꽃의 여신) **2** 여자 이름

***flo·ral** [flɔ́:rəl] *a.* **1 꽃의**; 식물(군)의; 꽃 비슷한; 꽃무늬의: a ~ design 꽃무늬 **2** [**F~**] (꽃의 여신) Flora의 **~·ly** *ad.* 꽃처럼; 꽃무늬로

flóral clóck 꽃시계

flóral cúp 〔식물〕 꽃받침

flóral díagram 〔식물〕 화식도(花式圖)

flóral émblem (나라·주·도시·학교 등을) 상징하는 꽃(cf. STATE FLOWER)

flóral énvelope 〔식물〕 꽃덮이(perianth)

flóral léaf 〔식물〕 화엽(花葉) (잎이 꽃처럼 변한 것)

flóral tríbute 헌화(獻花)

flóral wédding 화혼식(花婚式) (결혼 7주년 기념)

flóral zóne 〔식물〕 식물대(帶), (고산의) 초본대

flo·re·at·ed [flɔ́:rièitid] *a.* =FLORIATED

***Flor·ence** [flɔ́:rəns, flɑ́- | flɔ́-] *n.* **1 플로렌스** (이탈리아 중부의 도시; 이탈리아명 Firenze) **2** 여자 이름 ▷ Flórentine *a.*

Flórence flàsk 밑바닥이 평평하고 목이 긴 둥근 플라스크 (실험실용)

Flor·en·tine [flɔ́:rəntì:n, -tàin, flɑ́- | flɔ́rəntàin] *a.* **1** Florence의 **2** 피렌체파의

— *n.* **1** 피렌체 사람 **2** [**f~**] Ⓤ 능견(綾絹)의 일종

Flórentine stítch =BARGELLO

flo·res·cence [flɔ:résns, flə- | flɔ:-] *n.* Ⓤ **1** 개화(開花) **2** 꽃철, 개화기(bloom); 한창때, 번성기 ▷ floréscent *a.*

flo·res·cent [flɔ:résnt] *a.* 꽃이 핀; 꽃이 한창인

flo·ret [flɔ́:rit] *n.* 작은 꽃; 〔식물〕 (국화과 식물의) 작은 두상화(頭狀花)

flori- [flɔ́:ri] (연결형) 「꽃」의 뜻: *flori*ferous

flo·ri·ate [flɔ́:rièit] *vt.* …에 꽃무늬 장식을 하다
— [flɔ́:riət, -èit] *a.* =FLORIATED

flo·ri·at·ed [flɔ́:rièitid] *a.* 꽃무늬의, 꽃무늬 장식을 한

flo·ri·bun·da [flɔ̀:rəbʌ́ndə] *n.* 〔식물〕 플로리번다 (중간 크기의 꽃이 피는 장미의 일종)

flo·ri·cul·tur·al [flɔ̀:rəkʌ́ltʃərəl] *a.* 화초 재배(상)의

flo·ri·cul·ture [flɔ́:rəkʌ̀ltʃər, ⌐-⌐-] *n.* Ⓤ 화초 재배(법), 화초 원예 **flò·ri·cúl·tur·ist** *n.*

flor·id [flɔ́:rid, flɑ́- | flɔ́-] [L 「꽃의, 꽃이 핀」의 뜻에서] *a.* **1** 〈안색이〉 불그스름한, 불그레한, 혈색이 좋은(rosy) **2** 〈음악·조각·건축 양식 등이〉 화려한, 화려하게 장식한, 눈부신, 현란한, 호화스런: a ~ (prose) style 미문체 / a ~ speaker 미사여구를 많이 쓰는 연설가 **~·ly** *ad.* **~·ness** *n.* =FLORIDITY

Flor·i·da** [flɔ́:ridə, flɑ́- | flɔ́-] [Sp. 「꽃의 (축제)」의 뜻에서] *n.* **플로리다** (미국 남동부 끝에 있는 주 및 그 남부의 반도; 주도 Tallahassee [tæ̀ləhǽsi(:)]; 속칭 the Everglade[Sunshine] State; 略 Fla., Flor.; 〔우편〕 FL) ***the Straits of ~ = FLORIDA STRAIT

Flórida Kéys [the ~] 플로리다키스 제도(諸島)

Flor·i·dan [flɔ́:rədn | flɔ́-], **Flo·rid·i·an** [flə:rídiən | flɔ-] *a.* 플로리다의 — *n.* 플로리다 주의 주민

Flórida Stráit [the ~] 플로리다 해협(Straits of Florida)

Flórida wáter 플로리다수 (오드콜로뉴 비슷한 향수)

flo·rid·i·ty [flɔ:rídəti] *n.* Ⓤ **1** 색깔의 화려함; 장밋빛; 혈색이 좋음, 좋은 혈색 **2** 호화로움; 야함

flo·rif·er·ous [flɔ:rífərəs] *a.* 꽃이 피는, 꽃이 많은; 화려한 **~·ly** *ad.* **~·ness** *n.*

flo·ri·gen [flɔ́:rədʒən, flɑ́- | flɔ́-] *n.* 〔생화학〕 화성소(花成素), 플로리겐 (개화(開花) (촉진) 호르몬) **flò·ri·gén·ic** *a.*

flo·ri·le·gi·um [flɔ̀:rəlí:dʒiəm] *n.* (*pl.* **-gi·a** [-dʒiə]) **1** 명시선(名詩選), 사화집(詞華集) **2** 추려서 모은 꽃, 화보(花譜)

flor·in [flɔ́:rin, flɑ́- | flɔ́-] *n.* **1** 플로린 은화 (1849년부터 1971년까지 영국에서 쓰인 2실링 은화; 지금은 10펜스 화폐로서 통용됨) **2** 〔역사〕 (Edward Ⅲ (1327~77) 당시의) 플로린 금화 (3s., 6s.의 두 가지 종류); (유럽 중세의) 피렌체 금화

flo·rist [flɔ́:rist, flɑ́- | flɔ́-] *n.* 꽃장수, 꽃가게 주인; 화초 재배자[연구가]

flo·ris·tic [flɔ:rístik] *a.* 꽃의[에 관한]; 식물상(相)[지(誌)]의 **-ti·cal·ly** *ad.*

flo·ris·tics [flɔ:rístiks] *n. pl.* [단수·복수 취급] 식물상 연구

-florous [flɔ́:rəs] (연결형) 「꽃을 가진」의 뜻: tubu*liflorous*

flo·ru·it [flɔ́:rjuit, flɑ́- | flɔ́:ruit] [L =he[she] flourished] *n.* (사람의) 존명기(存命期), 활약기 (특히, 출생·사망 연월이 불명한 경우에 씀; 略 fl., flor.: *fl.* 65-15 B.C. 기원전 65-15년에 활약)

flo·ry [flɔ́:ri] *a.* =FLEURY

flos·cule [flɑ́skju:l | flɔ́s-] *n.* 작은 꽃(floret)

flos·cu·lous [flɑ́skjuləs | flɔ́s-], **flos·cu·lar** [flɑ́skjulər | flɔ́s-] *a.* 작은 꽃으로 된; 〈작은 꽃이〉 통상(筒狀)의

floss [flɔ́:s, flɑ́s | flɔ́s] *n.* Ⓤ **1** 풀솜; 풀려 있는 명주 섬유, 명주솜; 그 섬유로 자아낸 실, 푼사 (자수용 명

thesaurus **flow** *v.* **1** 흐르다 move, run, go along, circulate, proceed, stream, roll, rush, drift,

주실)(=~ silk) **2** 풀솜 모양의 것 (옥수수의 수염 등) **3** [치과] 플로스 (치간 청소용 견사)(=dental ~)
—*vi.* 치간 청소실로 청소하다 **~·er** *n.* **~·ing** *n.*
Flos·sie [flɔ́:si, flɑ́si | flɔ́si] *n.* 여자 이름
flóss sìlk 푼사, 풀솜(floss)
floss·y [flɔ́:si, flɑ́si | flɔ́si] *a.* (**floss·i·er**; **-i·est**) **1** 풀솜 같은 **2** (미·속어) (복장 등이) 멋부린, 야한 **flóss·i·ly** *ad.*
FLOT [flɑ́t | flɔ́t] [*f*orward *l*ine of *o*wn *t*roops] *n.* 아군[자기편 부대]의 최전선
flo·tage, float·age [flóutidʒ] *n.* Ⓤ **1** 부유(浮遊), 부양(浮揚)(력), 부력(buoyancy) **2** 부유물, 표류물(flotsam) **3** [집합적] (강에 떠 있는) 배·뗏목들 **4** 건현(乾舷) (흘수선(吃水線) 위의 부분) **5** (영) 표류물 습득권 **6** (철도 차량의) 바지선 이송 요금
flo·ta·tion, float·a·tion [floutéiʃən] *n.* **1** Ⓤ 뜸, 부양(浮揚): the center of ~ [항해] 부심(浮心) (부체 중심) **2** ⓊⒸ (증권·채권 등을 발행하여) 기업의 자본금을 모으기; (회사의) 설립; 창업: the ~ of a loan 기채(起債) **3** Ⓤ 부체학(浮體學) **4** Ⓤ [광산] 부유 선광(浮遊選鑛)
flotátion cò̀llar (우주선의 착수(着水) 직후에 다는) 환상(環狀) 부양 장치
flotátion gèar **1** (수상 비행기 등의) 부양 장치 **2** (긴급 착륙시) 기체(機體)의 부양 장치; 구명조끼
flotátion tànk 부유(浮遊) 탱크 (암실에 설치한 스트레스 해소·병치료용 따뜻한 염수(鹽水) 탱크)
flotátion thèrapy flotation tank를 이용하는 스트레스·병 치료법
flo·til·la [floutílə] *n.* **1** 소함대, 소형 선대(船隊)(squadron): a destroyer ~ 구축함대 **2** (비유) 행동을 같이하는 집단
flot·sam [flɑ́tsəm | flɔ́t-] *n.* Ⓤ **1** (바다 위에 떠도는 조난선의) 표류 화물(cf. JETSAM); 잡동사니 **2** [집합적] 부랑자; 건달패 **~ *and jetsam*** (1) 표류 화물과 표착 화물 (2) 허섭스레기, 쓸모없는 것 (3) [집합적] 부랑자; 인간 쓰레기
flounce[1] [fláuns] *vi.* **1** 몸부림치다, 허우적거리다, 버둥거리다, 발버둥이치다; 튀어 나가다, 뛰어들다 (*about, away, out, off*): (~+부) He ~*d off* in a passion. 그는 잔뜩 화가 나서 뛰어나갔다. // (~+전+명) He ~*d into* the water. 그는 물속에 뛰어들었다. **2** 자기를 의식해서[눈길을 끌기 위해] 움직이다
—*n.* 버둥거림, (성이 나서) 몸부림침
flounce[2] *n.* (스커트의 층층으로 된) 주름 장식 **—***vt.* …에 주름 장식을 달다

flounce[2]

flounc·ing [fláunsiŋ] *n.* Ⓤ 주름 장식(의 재료)
*__floun·der__[1] [fláundər] *vi.* **1** 버둥거리다, 몸부림치다, 허우적거리다 (*about, along*); 발버둥이치다; 버둥거려 깊은 곳에 빠져들다 (*into*); 버둥거리며 나아가다 (*along, through, on*): (~+전+명) ~ *through* the snow 눈 속을 허덕거리며 나아가다 / ~ *in* the water 물속에서 허우적거리다 **2** 허둥대다, 실수하다; 간신히 해내다 (*through*): (~+전+명) The girl only could ~ *through* the song. 그 소녀는 간신히 노래를 부를 수 있었다.
—*n.* 버둥거림, 허우적거림; 허둥댐
▷ flóunderingly *ad.*
flounder[2] *n.* (*pl.* **~s,** [집합적] **~**) [어류] (가자밋과(科)와 넙칫과(科)의) 물고기류 (식용)
floun·der·ing·ly [fláundəriŋli] *ad.* 허둥대며, 실수를 저지르며
‡**flour** [fláuər] [ME 「flower」의 특수 용법; 「(밀의) 가장 좋은 부분」의 뜻에서] *n.* Ⓤ **1** 밀가루, 소맥분(cf. MEAL[2]): Bread is made from ~. 빵은 밀가루로 만든다. **2** 가루, 고운 가루
—*vt.* …에 가루를 뿌리다 (*with*); (미) 〈밀 등을〉 가루로 빻다: his coat ~*ed with* snow flakes 눈송이가 내려앉은 그의 코트
—*vi.* 가루가 되다 **~·less** *a.* ▷ flóury *a.*
flóur bèetle [곤충] 밀가루에 꾀는 작은 갑충(甲蟲)
flóur bòx =FLOURDREDGER
flour·dredg·er [fláuərdrèdʒər] *n.* 가루 뿌리는 기구 (요리용)
‡**flour·ish** [flə́:riʃ | flʌ́r-] [OF 「꽃이 피다」의 뜻에서] *vi.* **1** 〈장사·사업 등이〉 번창하다, 번성하다, 융성하다 (thrive); 〈문화·학문이〉 꽃피다; 〈동식물이〉 잘 자라다, 〈초목이〉 무성하게 자라다; 〈사람이〉 (어느 시대에) 활약하다, 재세(在世)하다 (*in, at*), 활동하다: He is ~*ing in* his new business. 그는 새 사업이 아주 잘되고 있다. / (~+전+명) Grass-eating animals ~ *in* this region. 이 지역에서는 초식 동물이 잘 자란다. **2** (익살) 〈사람이〉 원기 있다, 건강하다 **3** 팔[무기 등]을 휘두르다, 과장된 몸짓을 하다; 과시하다, 자랑하다 **4** (드물게) 장식체로 쓰다; 〈트럼펫이〉 팡파르를 울리다
—*vt.* **1** 〈무기·채찍 등을〉 (과시하여) 휘두르다; 〈손·수건 등을〉 (…를 향하여) 흔들다 (*at*): (~+목+부) He ~*ed* his hat *back and forth.* 그는 모자를 앞뒤로 흔들었다. **2** 과시하다, 자랑하여 보이다 **3** (장식적 도안·색으로) 장식하다, 꾸며 쓰다
—*n.* **1** (무기·팔 등을) 재빠르게 휘두르기; 화려한[과장된] 몸짓: with a ~ of welcome 야단스럽게 환영하는 몸짓으로 **2** (조각·인쇄의) 당초문 모양의 장식 곡선; (꽃 문자·서명 등의) 장식체(로 쓰기) **3** 문식(文飾), 미사여구 **4** [음악] (나팔 등의) 화려한 취주(fanfare); 장식 악구(句) **5** Ⓤ 무성, 융성, 번영 ***in full*** **~** 한창인, 원기 왕성하여, 융성하여 ***with a*** **~** 화려하게
~·er *n.* ▷ flóurishy *a.*
flour·ish·ing [flə́:riʃiŋ, flʌ́- | flʌ́-] *a.* 무성한; 번영하는, 융성한, 성대한 **~·ly** *ad.*
flour·ish·y [flə́:riʃi | flʌ́-] *a.* 화려한; 장식체의, 꾸며 쓴
flóur mill 제분기; 제분소
flour·y [fláuəri] *a.* 가루의, 가루 모양의; 가루투성이의: ~ corn 옥수수 가루
flout [fláut] *vt., vi.* 모욕하다, 업신여기다 (*at*)
—*n.* 업신여기는 말; 경멸, 조롱
~·er *n.* **~·ing·ly** *ad.* 경멸[조롱]하여
‡**flow** [flóu] *vi.* **1** 흐르다; 흘러 나오다 (*from, out*), 흘러 들다 (*to, into*): (~+전+명) tears ~*ing from* her eyes 그녀의 눈에서 흐르는 눈물 / The Han River ~*s through* Seoul from east to west. 한강은 서울 시내를 동에서 서로 흐른다. **2** 〈피·전류 등이〉 순환하다, 통하다(circulate): (~+전+명) Royal blood ~*s in* his veins. 그의 몸에는 왕족의 피가 흐르고 있다. **3** 〈피가〉 흐르다 (*out, from, out of*): Blood will ~. (사건이 해결되기까지에는) 필경 유혈 소동이 일어날 것이다. **4** (근원에서) 발하다, 샘솟다 (*from*); 〈명령·정보 등이〉 나오다; 일어나다: (~+전+명) Love ~*s from* the heart. 사랑은 가슴에서 나온다. **5 a** 〈사물·세월 등이〉 흐르듯 움직이다[지나가다]: (~+전+명) Scientific brains ~*ed into* America. 과학 두뇌가 미국으로 흘러 들어왔다. // (~+부) The years ~ *away.* 세월은 흘러간다. **b** 〈사람·차 등이〉 물 흐르듯 지나가다; 〈말 등이〉 술술 흘러 나오다: (~+전+명) Traffic ~*s along* the street all day. 거리의 교통 흐름은 종일 끊이지 않는다. **c** 〈머리털·옷 등이〉 날씬하게[치렁치렁] 드리워지다; 〈깃발 등이〉 (바람에) 나부끼다: (~+전+명) Her hair ~*ed over* her shoulders. 그녀의 머리털은 어깨 위로 드리워져 있었다. **6** 〈사물·돈 등이〉 풍부하게 있다, 넘쳐 흐르다, 범람하다(flood); (고어) 〈장소가〉 (…로) 충만하다, 풍부하다(abound) (*with*): (~+전+명) a land ~*ing with* milk and honey 젖과

swirl, whirl, trickle **2** 솟아나오다 gush, well, spout, spew, leak **—***n.* current, course, stream

꿀이 흐르는 땅《성서「출애굽기」에서》 **7** 〈조수가〉 밀려들어오다(rise)(opp. *ebb*): (~+副) The tide ~*s* *twice* a day. 조수는 하루에 두 번 밀려온다.
— *vt.* **1** 〈액체를〉 흘리다, 흘러나오게 하다 **2** 범람시키다, 넘치게 하다(flood)
~ ***away*** 〈세월이〉 흐르다, 지나가다 ~ ***down*** 흘러내리다, 〈머리털 등이〉 늘어지다 ~ ***in*** 흘러 들어가다; 〈주문 등이〉 쇄도하다《*upon*》 ~ ***like water*** (잔치에서) 〈술 등이〉 아낌없이 제공되다, 얼마든지 나오다 ~ ***out*** 흘러 나가다 ~ ***over*** 넘쳐 흐르다; 〈소란 등이〉 … 위를 그냥 지나가다
— *n.* CU **1** [a ~ 또는 the ~] 흐름, 유수(流水), 유동《*of*》: ~ velocity 유속(流速) / *the* ~ *of* a river 강의 흐름 / *the* ~ *of* water[air] 물[공기]의 흐름 **2** [a ~] (말이) 콸콸 샘솟듯 함, (거침없는) 흐름《*of*》: *a* ~ *of* conversation 거침없는 담화 **3** [보통 a ~] 유출[공급]량 **4** [the ~] 밀물(opp. *ebb*): Every ~ must have its ebb. 《속담》 밀물이 있으면 썰물도 있다, 달도 차면 기운다. **5** 범람, 홍수 **6** (의복·머리털의) 흐르듯 처짐[드리워짐] **7** 《구어》 월경(menstruation) ***go with the*** ~ 시대의 흐름에 따라가다, 대세[시류]를 따르다 ***on***[***at***] ***the*** ~ 〈조수가〉 밀려들어: The tide is *on the* ~. 조수가 밀려 들어오고 있다. ***the*** ~ ***of soul*** 교환(交歡), 스스럼없는 교제 ***the*** ~ ***of spirits*** 자유 활달한 기분
▷ flówage *n.*

flow·age [flóuidʒ] *n.* U **1** 유동(流動); 범람 **2** 유출물 **3** 【역학】 (점성 물질의) 유동

flow·back [flóubæ̀k] *n.* 환류(還流); 반환; 재분배

flow·chart [-tʃɑ̀ːrt] *n.* **1** 작업[생산] 공정도(flow sheet) **2** 【컴퓨터】 순서도

flów dìagram = FLOWCHART

‡**flow·er** [fláuər] *n.* **1** [보통 *pl.*] 꽃(cf. BLOOM, BLOSSOM); 화초: artificial ~*s* 조화 / the national ~ 나라꽃, 국화(國花)(cf. STATE FLOWER) / a bunch of ~*s* 꽃 한 다발 / grow ~*s* 화초를 기르다

> 유의어 **flower** 주로 화초의 꽃이나 화초: arrange *flowers* 꽃꽂이를 하다 **bloom** 관상 식물의 꽃: the *blooms* of tulips 튤립꽃 **blossom** 과수의 꽃: pear *blossoms* 배꽃

2 U 개화, 만발, 만개: come into ~ 꽃이 피기 시작하다 / He brought a new art form into ~. 그는 새로운 예술 양식을 개화시켰다. **3** 《비유》 (꽃처럼) 아름다운 사람 **4** [*pl.*] 사화(詞華): ~*s* of speech 미사여구, 사화 **5** [the ~] 정수(精粹), 정화(精華)(essence)《*of*》: *the* ~ *of* chivalry 기사도의 꽃[정화] **6** [the ~] (원기가) 한창 왕성할 때, 성년(盛年), 한창 때, 전성기(prime)《*of*》: *the* ~ *of* one's youth 한창 젊을 때 **7** [*pl.*; 단수 취급] 【화학】 화(華)《승화로 생긴 분말 모양의 것》: ~*s* of sulfur 황화(黃華) **8** [*pl.*] (발효의) 거품
(***as***) ***welcome as*** (***the***) ~***s in May*** 대환영을 받는; 매우 고맙게 여겨지고 있는 ***in*** ~ 꽃이 피어; 만발하여: Peonies were *in* ~. 함박꽃이 만개하고 있었다. ***in the*** ~ ***of life*** 한창 젊었을 때에 ***No*** ~***s.*** 조화 사절《부고(訃告) 문구》 ***Say it with*** ~***s.*** 꽃으로 마음을 전하세요. 《꽃가게의 선전 문구》
— *vi.* **1** 꽃이 피다; 만발하다 **2** 〈문화·예술 등이〉 꽃피다, 번영하다(flourish); 〈사람이〉 성숙하다: (~+전+명) She ~*ed into* young womanhood. 그녀는 젊은 여인으로 성장하였다.
— *vt.* 꽃피우다; 꽃으로[꽃무늬로] 장식하다
~**·ful** *a.* ▷ flóral, flówery *a.*

flow·er·age [fláuəridʒ] *n.* U [집합적] 꽃; 꽃무늬(장식); 《드물게》 개화 (상태)

flówer arràngement[**arrànging**] 꽃꽂이

flow·er-bear·ing [fláuərbɛ̀əriŋ] *a.* 꽃이 피는, 꽃을 피우는

flówer bèd 화단

flówer bònd 【증권】 플라워 본드《미국 재무부 발행의 할인채》

flówer bòx 화초 재배통, 플랜터《관상 식물을 심어서 창가 등에 놓음》(planter)

flówer bùd 【식물】 꽃눈, 꽃망울(cf. LEAF BUD)

flówer chìld 《속어》 히피《평화·사랑의 상징으로 꽃을 다는 데서》; [*pl.*] 히피족; 비현실적인 사람(cf. FLOWER POWER)

flow·er-de-luce [fláuərdəlúːs] *n.* (*pl.* **flow·ers-**) 《고어》 = FLEUR-DE-LIS

flow·ered [fláuərd] *a.* **1** 꽃으로 덮인, 꽃무늬로 장식한 **2** [보통 복합어를 이루어] …으로 (꽃이) 피는: single-[double-]~ 홑[겹]꽃이 피는

flow·er·er [fláuərər] *n.* 꽃이 피는 식물: an early [a late] ~ 일찍[늦게] 꽃이 피는 화초

flow·er·et [fláuərit] *n.* 작은 꽃(floret)

flówer gàrden 꽃밭, 화원(cf. KITCHEN GARDEN)

flówer gìrl 《영》 꽃 파는 소녀[여자]; 《미》 결혼식에서 신부에 앞서서 꽃을 들고 들어가는 소녀

flówer hèad 【식물】 두상화(頭狀花)(capitulum)

flow·er·i·ly [fláuərəli] *ad.* 꽃같이, 아름답게, 찬란하게

flow·er·i·ness [fláuərinis] *n.* U 꽃이 많음, 찬란함, 화려함

flow·er·ing [fláuəriŋ] *a.* **1** 꽃이 있는, 꽃이 피는, 꽃을 감상하기 위해 재배되는 **2** 꽃이 한창인
— *n.* U 개화; 개화기(floral season); 전성기; 꽃장식을 달기; 꽃 모양의 것[장식]

flówering dógwood 【식물】 아메리카말채나무《봄에 흰[연분홍] 꽃이 핌; 미국 Virginia 및 North Carolina 주의 주화(州花)》

flówering férn 【식물】 고비

flówering máple 【식물】 = ABUTILON

flówering plánt 꽃식물; 화훼(花卉); 종자 식물

flow·er·less [fláuərlis] *a.* 꽃이 없는, 꽃이 피지 않는; 은화(隱花)의(opp. *flowering*): a ~ plant 은화[민꽃] 식물

flow·er·let [fláuərlit] *n.* = FLORET

flow·er·like [fláuərlàik] *a.* 꽃 같은

flówer pèople [집합적] 히피족(族)(cf. FLOWER CHILD)

flówer pìece 꽃 그림, 꽃 장식

flow·er·pot [fláuərpɑ̀t | -pɔ̀t] *n.* 화분

flówer pòwer **1** 《미·속어》 히피족(의 세력) **2** 히피족의 라이프 스타일

flówer sèrvice 꽃 예배《교회를 꽃으로 꾸미고 예배한 다음 그 꽃을 병원 등에 기증함》

flówer shòp 꽃가게, 꽃집

flówer shòw 화초[화훼] 전시회[품평회]

flówer stàlk 【식물】 화경(花梗), 꽃자루

Flówer Stàte [the ~] 미국 Florida 주의 속칭

flówer vàse 꽃병

*__flow·er·y__ [fláuəri] *a.* (**-er·i·er**; **-i·est**) **1** 꽃이 많은[흐드러지게 핀], 꽃으로 뒤덮인 **2** 꽃 같은, 꽃 모양의, 꽃 향기의; 꽃으로 꾸민, 꽃무늬의: a ~ pattern 꽃무늬 **3** 〈문체가〉 화려한, 미사여구를 쓴
— *n.* 《영·속어》 (교도소의) 독방
▷ flówer *n.*

Flówery Kíngdom [the ~] 중화(中華)《중국을 미화한 칭호》

flówery lánguage 미사여구

*__flow·ing__ [flóuiŋ] *a.* **1** 흐르는, 물 흐르는 듯한; 거침없이 이어지는; 유창한(fluent): ~ water 유수(流水) / ~ language 유창한 말솜씨 **2** 조수가 밀려들어오는: the ~ tide 밀물 **3** 〈의복·머리 등이〉 미끈하게 처진: ~ locks 늘어뜨린 머릿단 **4** 넘치도록 많은, 풍부한: a land ~ with milk and honey 젖과 꿀이 넘

thesaurus **fluctuate** *v.* rise and fall, be unstable, vary, shift, change, alter, swing
fluent *a.* **1** 유창한 eloquent, articulate, smooth-

치는 땅(⇨ flow *vi.* 6) **~·ly** *ad.* **~·ness** *n.*
flówing shéet 〖항해〗 (세로돛 조종법으로) 완전히 풀어서 늘인 범각삭(帆脚索): sail with a ~ 돛줄을 느슨하게 매고[바람을 옆으로 받으며] 나아가다
flów lìne **1** =ASSEMBLY LINE **2** 〖지질〗 유문(流紋) 《화성암 유동 때에 생기는 줄무늬》
flów (lìne) prodùction 일관 작업 생산
flow·me·ter [flóumìːtər] *n.* 유량계(油量計) 《파이프 속으로 흐르는 액체·가스 등의 속도·양을 잼》
*__flown__[1] [flóun] *v.* FLY[2]의 과거분사
flown[2] *a.* 흐르는 모양의
flow-on [flóuàn | -ɔ̀n] *n.* 《호주》 (관련 부서와의) 조정[연동] 승급(昇給)
flów shèet =FLOWCHART
flow·stone [flóustòun] *n.* 〖광물〗 유석(流石), 흐름돌 《동굴 속의 벽이나 바닥을 얇게 덮은 종유석》
fl. oz. fluid ounce(s) **FLQ** *Front de Libèration du Québec* 퀘벡 해방 전선 《캐나다의 퀘벡 주 분리 독립 운동 조직》 **FLRA** Federal Labor Relations Authority 《미》 연방 노사 관계국 **FLS** Fellow of the Linnean Society **Flt Lt** 《영》 Flight Lieutenant **Flt. Off.** 《영》 Flight Officer **Flt Sgt** 《영》 Flight Sergeant
*__flu__ [flúː] [influenza의 단축형] *n.* Ⓤ [때로 the ~] 《구어》 인플루엔자, 유행성 감기, 독감: have[catch, get] (*the*) ~ 유행성 감기에 걸려 있다[걸리다]
flub [flʌ́b] 《미·구어》 *vt., vi.* (**~bed**; **~·bing**) **1** 실패하다, 실수하다 **2** 《미·속어》 〈일·임무 등을〉 게을리하다 **—** *n.* 실패, 실수
flub·dub [flʌ́bdʌ̀b] *n.* Ⓤ.Ⓒ 《미》 허세, 허풍; 호언장담; 《속어》 능력[적성] 없는 사람
fluc·tu·ant [flʌ́ktʃuənt] *a.* 〈물가 등이〉 변동하는; 파동하는, 기복 있는
*__fluc·tu·ate__ [flʌ́ktʃuèit] [L 「파도처럼 움직이다」의 뜻에서] *vi.* **1** 〈양·정도·주가 등이〉 변동하다, 오르내리다 《*between*》, 일진일퇴하다 **2** 〈의견·감정·행위 등이〉 동요하다, 흔들리다, 불안정하다 《*between*》: ~ *between* hopes and fears 희망과 두려움 사이를 오락가락하다, 일희일비(一喜一悲)하다
— *vt.* 동요시키다
fluc·tu·at·ing [flʌ́ktʃuèitiŋ] *a.* 변동이 있는, 동요하는, 오르내리는
*__fluc·tu·a·tion__ [flʌ̀ktʃuéiʃən] *n.* Ⓤ.Ⓒ **1** (방향·위치·상황의) 변동, 오르내림; 파동; (사람·마음의) 동요; [*pl.*] 성쇠, 흥망(ups and downs): barring extreme ~s in the exchange rate 급격한 환율 변동이 없으면 **2** 〖유전〗 개체 변이(cf. MUTATION)
▷ flúctuate *v.*
flu·dem·ic [fluːdémik] *n.* 악성 인플루엔자
*__flue__[1] [flúː] *n.* **1** (굴뚝의) 연통, 연도(煙道); (난방 장치의) 열기 송관(熱氣送管), 가스 도관(導管) **2** 〖음악〗 (파이프 오르간의) 순관(脣管); 순관구(口)(windway)
flue[2] *n.* 어망, 후릿그물, 저인망
flue[3] *n.* Ⓤ 보풀(nap), 털[솜] 부스러기
flue[4] *n.* 《구어》 =FLU
flue[5] *vt., vi.* 〖건축〗 〈벽면의 창틀·총안 등이〉 나팔꽃 모양으로 벌어지(게 하)다(splay)
flue[6] *n.* (큰 깃털의) 깃가지(barb); 닻혀(fluke); (창·작살의) 미늘, (화살)촉
flue-cure [flúːkjùər] *vt.* 〈담뱃잎을〉 (열기 송관을 통해서) 말리다, 건조 처리하다(cf. FIRE-CURE)
flu·ence [flúːəns] *n.* =INFLUENCE [주로 다음 성구로] ***put the ~ on*** …에게 최면술을 걸다
*__flu·en·cy__ [flúːənsi] *n.* Ⓤ (말·문체의) 유창(함), 능변, 거침없음: with ~ 유창하게, 거침없이
▷ flúent *a.*
‡**flu·ent** [flúːənt] [L 「흐르다」의 뜻에서] *a.* **1** 〈사람이〉 (영어 등을) 유창하게 말하는 《*in*》, 〈말·글이〉 유창한, 능변의, 거침없는: ~ speech 능변 / a ~ speaker[talker] 능변가 / speak ~ English 영어를 유창하게 말하다 / She's ~ *in* French. 그녀는 프랑스어를 자유자재로 구사한다. **2** 〈움직임·곡선 등이〉 완만한, 부드러운, 우아한; 유연한: ~ curves 완만한 곡선 / the ~ body of a dancer 무용수의 유연한 몸 **3** (액체·가스처럼) 유동할 수 있는, 유동성의, 일정하지 않은: ~ substances 유동성 물질
— *n.* 〖수학〗 변수, 변량(變量) **~·ly** *ad.* **~·ness** *n.*
▷ flúency *n.*

spoken, voluble **2** 완만한, 우아한 smooth, flowing, fluid, easy, graceful, natural, elegant
fluid *a.* liquid, melted, running, flowing

flúe pìpe 〖음악〗 (파이프 오르간의) 순관(脣管)
flu·er·ic [fluːérik] *a.* =FLUIDIC
flu·er·ics [fluːériks] *n. pl.* [단수 취급] =FLUIDICS
flúe stòp 〖음악〗 (파이프 오르간의) 순관 음전(音栓)
flue·work [flúːwə̀ːrk] *n.* Ⓤ [집합적] 〖음악〗 (파이프 오르간의) 순관
flue·y [flúːi] *a.* 털[솜] 부스러기 같은; 보풀 같은, 보풀보풀한(fluffy)
fluff [flʌ́f] *n.* **1** (피륙 등의) 보풀, 솜털 **2** 잔털, (얼굴의) 솜털; 갓 난 수염 **3** [the ~] 《미·속어》 시시한 일[것] **4** 《영·속어》 설 외운 대사(臺詞), 대사의 틀림 **5** 실수, 큰 실패 **6** [the ~] 《미·속어》 거절; 해고: give a person *the* ~ …을 거부[해고]하다 **7** 《구어》 젊은 여성: a (little) bit[piece] of ~ 젊은 여성, 아가씨, 섹시한 여자
— *vi.* **1** 보풀다, 보풀이 일다; 가볍게[살짝] 내려앉다 **2** 《구어》 실수하다, 틀리다; (경기에서) 실패하다 **3** 《영·속어》 대사를 틀리게 외다[잊다]
— *vt.* **1** 보풀리다, 푸하게 부풀리다 《*up, out*》 **2** 《구어》 실패하다, (경기에서) 실수하다(misplay); 〈대사를〉 잊다 ***~ off*** (1) 《미·속어》 …을 멸시하다; 해고하다 (2) 《미·군대속어》 빈둥거리다; 《영·속어》 가다
▷ flúffy *a.*
flúff stùff 《미·속어》 눈(snow)
fluff·y [flʌ́fi] *a.* (**fluff·i·er**; **-i·est**) **1** 보풀의, 솜털의; 보풀보풀[복슬복슬]한 **2** 〈물건이〉 가벼운, 폭신한 **3** 〈성격이〉 모호한, 불분명한 **4** 《영·속어》 술에 취하여 비틀거리는 **5** 《영·속어》 〈배우가〉 대사를 잘 잊어버리는
flúff·i·ly *ad.* **flúff·i·ness** *n.*
flü·gel·horn, flu- [flúːgəlhɔ̀ːrn] *n.* 〖음악〗 플뤼겔호른 《세 개의 밸브를 가지고 있으며 코넷(cornet)과 비슷한 모양의 금관 악기》
‡**flu·id** [flúːid] [fluent와 같은 어원] *a.* **1** 유동성의(liquid)(cf. SOLID): ~ substances 유동 물질 **2** 〈의견 등이〉 곧잘 변하는, 유동적인, 불안정한: a ~ situation 유동적인 사태 **3** 〈자산이〉 현금화될 수 있는: ~ assets 유동 자산 **4** 〈동작 등이〉 흐르는 듯 부드러운, 유려(流麗)한: the ballerina's ~ movements 그 발레리나의 유려한 동작
— *n.* Ⓤ.Ⓒ **1** 〖물리〗 유동체, 유체 《액체·기체의 총칭》 **2** 유동물 **3** 〖의학·동물〗 체액; 《구어》 수분, 마실 것 **4** (동·식물의) 분비액 **~·al** *a.* **~·ly** *ad.* **~·ness** *n.*
▷ fluídic *a.*; fluídity *n.*; fluídify, flúidize *v.*
flúid ámpilfier 유체 증폭기
flúid cómpass 액체[부동(浮動)] 나침반
flúid cóupling 〖기계〗 유체 커플링 《물이나 기름 같은 유체의 중개로 축의 회전을 전달하는 기계 장치》
flúid drám[dráchm] 액량 드램 《1/8 fluid ounce; 略 fl. dr.》
flúid dríve **1** (자동차 등의) 유체 구동(驅動) (장치) **2** =FLUID COUPLING
flúid dynámics [단수 취급] 유체 역학
flúid fúel 유체 연료 《액체·기체·화학 연료의 총칭》
flu·id·ic [fluːídik] *a.* 유동성의, 유체의; 유체 공학의
flu·id·ics [fluːídiks] *n. pl.* [단수 취급] 유체 공학 (fluidonics)
flu·id·i·fy [fluːídəfài] *vt., vi.* (**-fied**) 유동[유체]화하다[되다]
flu·id·i·ty [fluːídəti] *n.* **1** Ⓤ 유동성(cf. SOLIDITY); 유동질; 변하기 쉬움 **2** 인구 이동(률)

flu·id·ize [flúːədàiz] *vt.* ＝FLUIDIFY
flù·id·i·zá·tion *n.* Ⓤ 유동[유체]화 **-ìz·er** *n.*
flúid mechánics [단수 취급] 유체 역학(cf. FLUID DYNAMICS)
flu·id·on·ics [flùːidɑ́niks | -dɔ́-] *n. pl.* [단수 취급] ＝FLUIDICS
flúid óunce 액량 온스 《약제 액량의 단위; 《미》 1/16 pint, 《영》 1/20 pint; 略 fl. oz.》
flúid préssure 〖물리·역학〗 유체 압력, 유압(流壓)
flu·i·dram, -drachm [flùːidræ̀m] *n.* ＝FLUID DRAM[DRACHM]
fluke[1] [flúːk] *n.* **1** 〖항해〗 낯혀, 닻가지 **2** 《창·줄·화살 등의》 미늘(barb) **3** 고래의 갈라진 꼬리 《한 쪽》; [*pl.*] 고래 꼬리 **~·less** *a.*
fluke[2] *n.* **1** 〖당구〗 플루크 《공이 요행수로 맞음》 **2** 《구어》 요행수, 요행: win by a ~ 요행수로 이기다
— *vi., vt.* 《구어》 요행수로 맞(히)다; 요행으로 득점하다; 《미·속어》 실수하다
fluke[3] *n.* **1** 흡충(吸蟲), 디스토마(trematode) 《양 등의 간장에 기생하는 편충》 **2** 《영》 달걀 모양의 감자
flu·ki·cide [flúːkəsàid] *n.* 디스토마 구충제
fluk·y, fluk·ey [flúːki] *a.* (**fluk·i·er**; **-i·est**) 《구어》 요행(수)의(lucky), 우연히 들어맞은; 〈바람 따위가〉 변덕스러운, 변하기 쉬운(shifting) **flúk·i·ness** *n.*
flume [flúːm] *n.* **1** 《급류가 흐르는》 가파르고 좁은 골짜기 **2** 도랑; 《관개·발전 또는 목재 등을 띄워 내리는》 용수로, 인공 수로 **3** 《유원지의》 워터 슈트(water chute) ***be*** [***go, come***] ***up the*** ~ 《미·속어》 (1) 실패하다, 못쓰게 되다, 혼이 나다 (2) 죽다
— *vt.* **1** 〈재목 등을〉 수로로 운반하다 **2** 〈물을〉 수로로 끌어오다 — *vi.* 인공 수로를 만들다
flum·mer·y [flʌ́məri] *n.* (*pl.* **-mer·ies**) Ⓤ,Ⓒ **1** 《주로 영》 오트밀[밀가루]을 끓여서 만든 죽; 블랑망지(blancmange)나 커스터드류의 단 식품 **2** [보통 *pl.*] 실없는 소리, 겉치렛말
flum·mox, -mux [flʌ́məks] 《구어》 *vt.* 어리둥절하게[당혹하게] 하다 — *vi.* 〈계획·사업 등이〉 실패하다
— *n.* 실패; 당혹
flump [flʌ́mp] [의성어] 《구어》 *vt., vi.* 털썩 내던지다, 털썩 놓다; 털썩[와락] 떨어지다[넘어지다] 《*down*》
— *n.* 털썩(하는 소리)
‡**flung** [flʌ́ŋ] *v.* FLING의 과거·과거분사
flunk [flʌ́ŋk] [*fl*inch+*funk*] 《구어》 *vi.* **1** 《시험 등에》 실패하다(fail) 《*in*》; 단념하다(give up), 손을 떼다 **2** 《성적 불량으로》 그만두다, 퇴학하다 《*out, out of*》 — *vt.* **1** 〈시험 등을〉 잡치다, 실패하다: ~ math 수학에 낙제점을 받다 **2** 낙제점을 매기다, 낙제시키다 ~ ***out*** 낙제하여 퇴학하다, 성적이 나빠서 퇴학시키다
— *n.* 《시험 등의》 실패; 낙제(failure)
flúnk·er *n.* 《미》 낙제생, 퇴학자; 퇴학시키는 교사
flunk·out [flʌ́ŋkàut] *n.* 《미·속어》 낙제생
flun·ky, -key [flʌ́ŋki] *n.* (*pl.* **-kies**; **-keys**) **1** 《경멸》 제복을 입은 고용인 《수위 등》 **2** 아첨꾼, 엉터리 신사 **3** 《미·속어》 낙제생 **~·dom** *n.* [집합적] 하인배; 측근배 **~·ìsm** *n.* Ⓤ 하인 근성[기질]; 아부주의
flu·o·cin·o·lone ac·e·to·nide [flùːəsínəlòun-æ̀sətóunaid] 〖화학〗 플루오시놀론 아세토나이드 《합성 부신 피질 호르몬제》
Flu·on [flúːɑn | -ɔn] *n.* 《주로 영》 플루온 《주방용품의 오염 방지에 쓰는 플루오르 수지; 상품명》
flu·or [flúːɔːr, flúːər] *n.* ＝FLUORITE
fluor- [flúər, flɔ́ːr | flúər], **fluoro-** [flúərou, -rə, flɔ́ːr-] 《연결형》 「플루오르성의; 플루오르화…; 형광의」의 뜻 《모음 앞에서는 fluor-》
flu·o·resce [fluərés, flɔːr-] *vi.* 형광을 내다
flu·o·res·ce·in [fluərésiin, flɔːr-] *n.* 〖화학〗 플루오레세인 《용액은 녹색 형광을 내므로 해난 표지에 쓰임》
flu·o·res·cence [fluərésns, flɔːr-] *n.* Ⓤ 〖물리·화학〗 **1** 형광 발광 **2** 《물질의》 형광성 **3** 형광
flu·o·res·cent [fluərésnt, flɔːr-] *a.* 형광성의; 〈외양이〉 휘황한 — *n.* 형광등 (조명 설비)
fluoréscent lámp[**túbe, búlb**] 형광등
fluoréscent líght 형광
fluoréscent mícroscope 형광 현미경
fluoréscent scréen 〖물리〗 형광판[면]
flu·o·resc·er [fluərésər] *n.* 형광 물질
flu·or·ic [fluːɔ́ːrik, -ɑ́r- | -ɔ́r-] *a.* 〖광물〗 형석(螢石)의; 〖화학〗 플루오르의, 불소(성)의
flu·o·ri·date [flúərədèit, flɔ́ːr-] *vt.* 〈수돗물 등에〉 《충치 예방을 위해》 불소를 넣다
flu·o·ri·da·tion [flùərədéiʃən, flɔ̀ːr-] *n.* Ⓤ 불소 첨가(법)
flu·or·ide [flúəraid, flɔ́ːr-] *n.* 〖화학〗 플루오르화물, 불화물
flu·o·ri·dize [flúərədàiz, flɔ́ːr-] *vt.* 〈이(齒) 등을〉 플루오르화물로 처리[치료]하다 **-dìz·er** *n.* 《특히 섬유 가공용》 불소 처리제
flu·o·rim·e·ter [fluərímətər, flɔː-] *n.* ＝FLUOROMETER
flu·o·ri·nate [flúərənèit, flɔ́ːr- | flúər-] *vt.* 〖화학〗 플루오르를 화합시키다; 불소를 첨가하다
flu·o·rine [flúəriːn, -rin, flɔ́ːr-] *n.* Ⓤ 〖화학〗 플루오르, 불소(弗素) 《기호 F, 원자 번호 9》
flúorine dàting 불소법(法) 《화석골(骨)의 연대 측정법의 하나로 같은 장소에서 발굴된 화석골의 불소 함유량을 비교해 그 상대적 연대를 결정함》
flu·o·rite [flúərait, flɔ́ːr-] *n.* Ⓤ 〖광물〗 형석(螢石) (fluor, fluorspar)
fluoro- [flúərou, -rə, flɔ́ːr-] 《연결형》 ＝FLUOR-
flu·o·ro·car·bon [flúəroukɑ̀ːrbən] *n.* Ⓤ 〖화학〗 탄화플루오르, 플루오르화 탄소
flu·o·ro·chrome [flúərəkròum, flɔ́ːr-] *n.* 형광 색소 《생물 염색에 사용》
flu·o·rog·ra·phy [fluərɑ́grəfi, flɔː- | -rɔ́g-] *n.* Ⓤ ＝PHOTOFLUOROGRAPHY
flu·o·rom·e·ter [fluərɑ́mətər, flɔː- | -rɔ́m-] *n.* **1** 형광계(計); 형광 강도 측정기 **2** 〖의학〗 뢴트겐선량(線量) 측정기
flu·o·ro·plas·tic [flùərəplǽstik] *n.* 〖화학〗 불소 수지(樹脂)
flu·o·ro·pol·y·mer [flùərəpɑ́ləmər | -pɔ́l-] *n.* 〖화학〗 불소 중합체
fluor·o·scope [flúərəskòup, flɔ́ːr-] *n.* (X선) 형광 투시경 — *vt.* 형광 투시법으로 검사하다
fluor·o·scop·ic [flùərəskɑ́pik, flɔ̀ːr- | -skɔ́p-] *a.* (X선) 형광 투시경의; 형광 투시법의 **-i·cal·ly** *ad.*
fluo·ros·co·py [flurɑ́skəpi, flɔː- | -rɔ́s-] *n.* Ⓤ 형광 투시법, (X선) 투시 진단(법)
flu·o·ro·sis [fluəróusis, flɔː-] *n.* Ⓤ **1** 〖병리〗 불소(침착)증 **2** 〖치과〗 반상치(斑狀齒) 《이에 얼룩이 생김》
flu·o·ro·u·ra·cil [flùərəjúːrəsil, flɔ̀ːr-] *n.* 〖약학〗 플루러유러실 《암(癌) 치료용》
flu·or·spar [flúːərspɑ̀ːr | flúə-] *n.* ＝FLUORITE
flu·ox·e·tine [fluːɑ́ksətìːn | -ɔ́ks-] *n.* 〖약학〗 플루옥세틴 《항우울제》
flu·phen·a·zine [fluːfénəzìːn] *n.* 〖약학〗 플루페나진 《정신 안정제》
flu·raz·e·pam [fluərǽzəpæ̀m] *n.* 〖약학〗 플루라제팜 《진정제·최면제》
flur·ried [flə́ːrid, flʌ́r- | flʌ́r-] *a.* 혼란한(confused), 동요한(agitated), 당황한: speak in a ~ voice 흥분된 목소리로 말하다
flur·ry [flə́ːri, flʌ́ri | flʌ́ri] *n.* (*pl.* **-ries**) **1** 일진광풍, 질풍, 강풍, 돌풍(gust); 《질풍이 따른》 소나기, 눈보라 **2** 혼란, 동요 **3** 〖증권〗 《시장의》 소공황(小恐慌) **4** 단말마 《작살이 박힌 고래의》 ***in a*** ~ 허둥지둥
— *v.* (**-ried**) *vt.* 당황하게 하다, 쩔쩔매게 하다, 동요케 하다, 낭패 보게 하다 — *vi.* **1** 〈눈이〉 세차게 내리다, 몰아치다 **2** 갈팡질팡하다, 허둥거리다, 바쁘게 움

thesaurus **flush**[1] *v.* **1** 붉어지다 blush, redden, turn red, crimson, color, burn up, glow, flame up

직이다, 부산스럽다
‡flush[1] [flʌ́ʃ] *v.*, *n.*

(푸드덕 날아오르다; ⇨ flush³) → (갑자기 …하다)
→(갑자기 물이 분출하다) → 「왈칵 흘러나오다」 **2**
→(갑자기 밝아지다) → 「확 붉어지다」 **1**

— *vi.* **1** 〈얼굴·볼이〉 **확 붉어지다**, 홍조를 띠다, 〈사람이〉 얼굴을 붉히다 《*up*》; 〈피가〉 상기하다, 달아오르다; 〈색·빛이〉 빛나기 시작하다, 〈하늘이〉 장밋빛이 되다: 《~+副》 ~ *up* 〈얼굴 등이〉 빨개지다 // 《~+前+名》 He *~ed into* rage. 그는 얼굴을 붉히며 화를 냈다. // 《~+補》 Her face *~ed* red with excitement. 그녀의 얼굴은 흥분으로 홍조를 띠었다. **2** 〈물이〉 **왈칵[쏴] 흘러나오다**, 쏟아져 나오다: Pull the chain, and the water *~es.* 사슬줄을 당기면 물이 쏟아져 나온다. **3** 〈초목이〉 새싹이 트다 **4** 《미·속어》 시험에 낙제하다
— *vt.* **1** [종종 수동형으로] 〈얼굴 등을〉 **붉히다** 《*with*》 (⇨ flushed): *be ~ed with* anger[shame] 노여움[수치심]으로 새빨개지다 **2** 〈물·액체를〉 **왈칵 흘리다**, 쏟아내리다; 〈하수도·거리 등을〉 물로 씻어 내리다: ~ the toilet 화장실 물을 내리다 **3** 〈물 등이〉 〈장소를〉 흘러가다; 〈목장 등에〉 물이 넘치게 하다 **4** [보통 수동형으로] 흥분[상기]시키다, 의기양양하게 하다, 기세를 돋우다 (⇨ flushed): *be ~ed with* victory 승리로 의기양양해지다 **5** 《미·속어》 〈수업을〉 빼먹다; 《미·속어》 〈사람을〉 따돌리다
F~ it! 《미·속어》 바보 같은 소리 작작해! ***~ it in*** 《미·속어》 …에 실패하다
— *n.* **1** (볼 등의) **홍조**, 붉힘, 달아오름, 상기: with a ~ on one's face 얼굴을 붉히고 **2** (갑작스러운) 증수(增水); 물을 왈칵 쏟음; 물로 씻어 냄; (사람·주문 등의) 쇄도, 급증: a ~ of orders 주문 쇄도 **3** (감정의) 갑작스런 고양, 흥분, 기고만장 **4** (새잎 등의) 싹틈; 새싹 **5** [보통 the ~] 발랄함, 파릇파릇한 빛; (힘의) 왕성함, 한창: in *the* full ~ of life 원기 왕성하여 ***in a ~*** 당황하여, 혼란을 일으켜 ***in full ~*** 〈초목이〉 온통 싹이 터서 ***in the first[full] ~ of*** triumph (승리)의 감격에 도취되어
***flush**[2] [flʌ́ʃ] *a.* **1** Ⓟ (…와) **동일 평면의, 같은 높이의** (level) 《*with*》; 평면이 이어진: windows ~ *with* the wall 벽과 동일 평면의 창 **2** Ⓟ 〈강이〉 (물로) 가득 찬, 넘칠 듯한 《*with*》 **3** Ⓟ 《구어》 (돈을) 잔뜩 가진 《*of*》; 아낌없이 쓰는, 손이 큰(lavish) 《*with*》: Her husband is a little too ~ *with* his money. 그녀의 남편은 돈을 너무 잘 쓴다. **4** 원기 넘치는, 불그스레한(ruddy) **5** 접해 있는, 서로 맞닿은 **6** 〔인쇄〕 (인쇄 페이지의) 줄끝[줄머리]이 가지런한
— *ad.* **1** 평평하게, 같은 높이로 《*with*》; 접하여, 맞닿아 **2** 바로, 정면[정통]으로
— *vt.* **1** 평평하게 하다, 같은 높이로 하다 **2** 〈인쇄면의 좌우를〉 가지런히 하다
flush[3] *vi.* 〈새가〉 푸드덕 날아오르다 **—** *vt.* **1** 〈새를〉 푸드덕 날아오르게 하다 **2** 〈범인을〉 몰아내다
— *n.* ⒸⓊ 날아오름, 날아오르게 함; (한꺼번에 푸드덕 날아오르는) 새떼
flush[4] *n.* 〔카드〕 플러시 《특히 poker에서 같은 종류의 패가 모이기; 피노클(pinochle)에서 으뜸패 에이스, 킹, 퀸, 잭 10이 모인 것》
flúsh dèck 〔항해〕 (이물에서 고물까지 평평한) 평갑판 **flush-decked** [-dékt] *a.* 평갑판의
flúsh dòor 플러시 도어 《앞뒤에 합판을 대어 만든 문》
flushed [flʌ́ʃt] *a.* **1** 홍조를 띤, 붉어진: His face was ~ with anger[fever]. 그의 얼굴은 노여움으로[열로] 빨개졌다. **2** Ⓟ 〈술·승리 등으로〉 상기[흥분]되어, 의기양양하여: be ~ with victory. 승리로 의기양양해지다

2 물로 씻어 내리다 wash out, rinse, clean, cleanse
flutter *v.* quiver, vibrate, agitate, ruffle, flap

flush·er [flʌ́ʃər] *n.* **1** 하수도 청소부 **2** 유수(流水) 장치; 도로용 살수차 **3** 《미·속어》 (수세식) 변소
flush·ing [flʌ́ʃiŋ] *n.*, *a.* 수세식(의): a ~ tank 수세용 탱크 《화장실의》 **~·ly** *ad.*
flush·ness [flʌ́ʃnis] *n.* Ⓤ (특히 돈이) 많음
flúsh tòilet[làvatory] 수세식 변소
flus·ter [flʌ́stər] *vt.*, *vi.* 떠들썩하(게 하)다, 어리둥절하(게 하)다; 취하(게 하)다 **~ one*self*** 정신을 못차리다, 혼뜨다 **—** *n.* ⓊⒸ 정신을 못차림, 당황, 혼란, 동요 ***all in a ~*** 몹시 당황하여
flus·trate [flʌ́streit] *vt.* =FLUSTER
flus·trat·ed [flʌ́streitid] *a.* 떠들썩한, 어리둥절한; 동요한, 흥분한, 만취한
flus·tra·tion [flʌstréiʃən] *n.* ⓊⒸ 당황, 혼란
‡flute [flúːt] *n.* **1** **플루트**, 피리, 저; 플루트 주자(flutist) **2** (오르간의) 플루트 음전 **3** 〔건축〕 (기둥 장식의) 세로 홈, 긴 홈 **4** (여성복의) 둥근 홈 주름 **5** 가늘고 긴 프랑스 빵 **6** (드릴 등의) 나선형 홈 **7** 가늘고 긴 술잔 **8** 피리 모양의 것
— *vi.* **1** 피리 같은 음[소리]을 내다 **2** 플루트를 불다
— *vt.* **1** 플루트로 연주하다 **2** 피리 같은 소리로 노래하다[말하다] **3** 〔건축〕 〈기둥 등에〉 세로 홈을 파다
~·like *a.* ▷ flúty *a.*
flut·ed [flúːtid] *a.* **1** 피리 소리의; 〈음이〉 맑은 **2** 〔건축〕 (기둥에) 세로 홈을 판; 홈[주름 장식]이 있는
flut·er [flúːtər] *n.* **1** 홈 파는 기구[사람] **2** 《드물게》 =FLUTIST **3** 《미·속어》 동성애자
flut·ing [flúːtiŋ] *n.* ⓊⒸ **1** 피리 불기, 플루트 연주 **2** 〔건축〕 (기둥 등의) 홈 파기, 세로 홈 장식; (고대 그리스 원기둥의) 장식적 세로홈 **3** (옷의) 홈 주름
flut·ist [flúːtist] *n.* 《미》 피리 부는 사람, 플루트 주자 (flautist)
‡flut·ter [flʌ́tər] [OE 「뜨다」의 뜻에서] *vi.* **1** 〈깃발 등이〉 **펄럭이다**, 나부끼다(flap); 〈꽃잎 등이〉 팔랑팔랑 떨어지다; 〈조명 빛이〉 흔들리다: 《~+前+名》 The curtain *~ed in* the breeze. 커튼이 미풍에 펄럭였다. // 《~+副》 Leaves *~ed down.* 나뭇잎이 팔랑팔랑 떨어졌다. **2** 〈새 등이〉 **날개치다** 《*about*》; 퍼덕거리며 날다; 〈나비 등이〉 펄펄[훨훨] 날다, 이리저리 날다 (flit) **3** 〈맥박·심장이〉 빠르고 불규칙하게 뛰다, 두근거리다; 〈입술이〉 떨리다; 〈눈꺼풀 등이〉 실룩거리다: 《~+前+名》 Her heart *~ed with* fear. 그녀의 가슴은 공포로 두근거렸다. **4** (기대·희망·흥분 등으로) 마음이 설레다; 조마조마해하다; 마음 조이며 서성거리다: 《~+前+名》 ~ *with* new hope 새로운 희망으로 마음이 설레다 / The boy *~ed about* the hall. 그 소년은 홀 안에서 서성거렸다. **5** 〔수영〕 물장구치다 **6** 《영·구어》 적은 돈을 걸다
— *vt.* **1** 〈깃발·손수건 등을〉 **펄럭거리다**, 흔들다, 나부끼게[휘날리게] 하다 **2** 〈날개를〉 **퍼덕이다**; 날개치다; 〈책장 등을〉 훌훌 넘기다 **3** 〈입술·눈꺼풀 등을〉 떨리게[실룩이게] 하다: 《~+目+前+名》 ~ one's eyes *at* a person 눈을 깜박거려 …의 주의를 끌다 **4** 〈가슴을〉 두근거리게 하다; 안절부절못하게 하다; 〈마음을〉 설레게 하다 **5** 《영·구어》 …에 적은 돈을 걸다
— *n.* **1** (깃발 등의) **펄럭임**, 팔랑거림; [the ~, a ~] 활개짓, 날개치기; (심장의) 불규칙적인 박동, 두근거림 **2** [a ~] 《구어》 (마음의) 동요, 흥분; 야단법석, (세간의) 큰 소란 **3** (시장의) 작은 파동; (주식의) 동요 **4** [보통 a ~] 《주로 영·구어》 (소액의) 투기, 한 판 걸기 **5** 들먹들먹하는[안절부절못하는] 무리 《*of*》: a ~ *of* girls 한 무리의 들뜬 소녀들 **6** 〔항공〕 (비행기 날개 등의) 불규칙 진동; 〔전기〕 재생음의 불규칙 진동; 〔TV〕 (영상의) 불규칙 광도(光度) ***all of a ~*** 《구어》 벌벌 떨고, 감격한 나머지 ***be in a ~*** (흥분하여) 가슴이 두근거리고 있다, 허둥거리고 있다, 안절부절못하다 ***fall into a ~*** 어리둥절해하다; 허둥거리다 ***make [cause] a great ~*** 세상을 떠들썩하게 하다, (일시적으로) 소문이 자자해지다 ***put[throw]*** a person ***in [into] a ~*** …을 조마조마하게[안절부절못하게] 하다
~·er *n.* ▷ aflútter *a.*, *ad.*; flúttery *a.*

flut·ter·ing·ly [flʌ́təriŋli] *ad.* 펄렁펄렁, 들썩들썩, 안절부절못하여

flútter kìck 〖수영〗 (발로) 물장구질[치기]

flut·ter-tongue [flʌ́tərtʌ̀ŋ] *n.* 〖음악〗 flutter-tonguing에 의한 효과

flut·ter-tongu·ing [-tʌ̀ŋiŋ] *n.* Ⓤ 〖음악〗 플러터 텅잉 《혀를 떠는 취주법》

flútter whèel (낙수로 움직이는) 물레바퀴

flut·ter·y [flʌ́təri] *a.* 펄럭이는, 퍼덕거리는

flut·y [flú:ti] *a.* (**flut·i·er**; **-i·est**) 〈음조가〉 피리 소리 같은, 부드럽고 맑은

flu·vi·al [flú:viəl] *a.* 강[하천]의; 하류 작용으로 생긴; 강에 생기는[사는]

flu·vi·a·tile [flú:viətàil, -til] *a.* = FLUVIAL

flu·vi·ol·o·gy [flù:viάlədʒi | -ɔ́l-] *n.* Ⓤ 하천학

flu·vi·om·e·ter [flù:viάmətər | -ɔ́m-] *n.* 하천 수량 기록계

*__flux__ [flʌks] [L 「흐름」의 뜻에서] *n.* **1** (기체·액체의) 유동, (물의) 흐름 **2** Ⓤ 밀물 **3** 거침없이 흘러나옴, 범람: a ~ of words 다변, 능변 **4** Ⓤ 유전(流轉), 끊임없는 변화 **5** ⓊⒸ 〖병리〗 (혈액·액체의) 이상 유출[배출]; 설사 **6** 〖화학〗 융제(融劑), 용매제 **7** Ⓤ 〖물리〗 유량(流量), 유동률; 속(束), 유속(流束): electric ~ 전속(電束)/~ of magnetic force 자속(磁束) ***be in*** (***a state of***) **~** 항상 변하다, 유동적이다 ***the ~ and reflux*** (조수의) 간만; 《비유》 성쇠, 부침

— *vt.* 녹이다; 융제로 처리하다

— *vi.* **1** 녹다; 흐르다, 액체화하다 **2** 〈조수가〉 밀려들다 **3** 변화하다, 변천하다

flúx dènsity 〖물리〗 유속(流束) 밀도, 플럭스 밀도 《광속·전속·자속 등의》

flúx gàte[**vàlve**] 지구 자장(磁場)의 방향과 세기를 나타내는 장치

flux·ion [flʌ́kʃən] *n.* **1** Ⓤ 유동, 유출; 〖병리〗 (혈액·액체의) 이상 유출 **2** (고어) 〖수학〗 유율(流率), 미분 계수: the method of ~*s* 유율법 《뉴턴의 미적분법》

flux·ion·al [flʌ́kʃənl] *a.* (고어) **1** 유동성의, 끊임없이 변화하는 **2** 〖수학〗 미분의: ~ calculus[analysis] 미적분학 **~·ly** *ad.*

flux·ion·ar·y [flʌ́kʃənèri | -ʃənəri] *a.* (고어) = FLUXIONAL

flux·me·ter [flʌ́ksmì:tər] *n.* 〖물리〗 자속계(磁束計)

flux·oid [flʌ́ksɔid] *n.* 〖물리〗 자속 양자(磁束量子) (= ~ **quántum**)

‡**fly**[1] [flái] [「나는(fly[2]) 것」의 뜻에서] *n.* (*pl.* **flies**) **1** 〖곤충〗 파리; [흔히 복합어를 이루어] 날벌레, 나는 곤충(⇨ butterfly) **2** Ⓤ (동식물의) 해충; 충해(蟲害) **3** 〖낚시〗 제물낚시; (산)날벌레 미끼

a ~ in amber 호박(琥珀) 속의 파리 화석; 원형대로 보존되어 있는 유물 ***a ~ in the ointment*** 옥에 티; 흥을 깨는 것 ***a ~ on the*** (***coach***)***wheel*** 자만하는[허세 부리는] 자 ***a ~ on the wall*** (영·구어) 몰래 타인을 관찰하는 사람(《미》 mouse in the corner) ***break***[***crush***] ***a ~ on the wheel*** 모기 보고 칼을 빼다; 목적에 알맞지 않은 강력한 수단을 쓰다 ***catch flies*** 《속어》 (지루하여) 하품을 하다; 〖연극〗 〈배우가〉 필요없는 동작으로 관객의 주의를 끌다 ***die like flies*** 맥없이 죽어가다 ***Don't let flies stick to your heels.*** 우물쭈물하지 마라. ***drink with flies*** (호주·속어) 혼자 술 마시다; 혼자 마시는 술 ***like a blue-arsed ~*** (영·구어) 몹시 서둘러 ***like flies*** 파리떼처럼, 한꺼번에 많이 ***not hurt***[***harm***] ***a ~*** (파리를 죽이지 못할 만큼) 마음씨 고운 ***rise to*** a person ~ 속다, 사기당하다 (***There are***) ***no flies on*** a person. 《속어》 〈사람이〉 어리석지 않다, 주의 깊다, 방심하지 않다, 약삭빠르다

‡**fly**[2] [flái] *v.* (**flew** [flú:]; **flown** [flóun]) *vi.* **1** 〈새·곤충·비행기 등이〉 날다; (비행기로) 날다; 〈총알 등이〉 날다: 《~+副》 birds *~ing high* 높이 나는 새들/A helicopter *flew overhead.* 헬리콥터는 머리 위를 날았다. // 《~+前+名》 ~ *to* Hong Kong 비행기로 홍콩에 가다/The ball *flew over* the fence. 공은 담 너머로 날아갔다.

> 유의어 **fly** 「날다」는 뜻의 가장 일반적인 말로서, walk, swim의 상대어이다: Sparrows were *flying* about. 참새들이 날아다니고 있었다. **flit** 휙휙[훨훨] 날다: Butterflies were *flitting* flower to flower. 나비들이 꽃에서 꽃으로 훨훨 날아다니고 있었다. **hover** 천천히 날개를 움직여서 공중에 떠 있다: A bee *hovered* over the flower. 벌이 꽃 위를 멈춘 듯 날고 있었다.

2 《구어》 〈사람이〉 **날아가듯 달리다**, 급히 가다: 《~+前+名》 ~ *for* a doctor 급히 의사를 부르러 가다 **3 a** (바람 등으로) 날아오르다, 흩날리다; 〈불꽃이〉 튀어 오르다: 《~+副》 The dust *flew about* in clouds. 먼지가 뭉게뭉게 피어 올랐다. **b** 〈깃발·머리카락이〉 바람에 휘날리다: 《~+前+名》 Her hair *flew in* the wind. 그녀의 머리카락이 바람에 나부꼈다. **4** 갑자기 (어떤 상태에) 빠지다[…이 되다] 《*into*》: 《~+前+名》 ~ *into* a passion[temper, rage] 벌컥 화를 내다/~ *into* raptures 기뻐 날뛰다 // 《~+補》 The door *flew* open. 문이 확 열렸다. **5 달아나다**, 도망치다, 피하다, 〈사람이〉 증발하다, 급히 돌아가다 ★ flee의 대용: 《~+前+名》 ~ *from* one's country 망명하다/~ *for* one's life 목숨을 걸고 달아나다 **6** 〈안개 등이〉 사라지다(vanish) **7** 〈차 등이〉 휙 지나가다; 〈시간이〉 **쏜살같이 지나가다** 《*by*》; 〈소문 등이〉 퍼지다 《*about*》; 〈돈이〉 날아가듯 없어지다: make the money ~ 돈을 물 쓰듯 없애버리다/Time *flies.* 세월은 쏜살같이 지나간다. // 《~+副》 Fall has *flown by.* 가을은 잠깐 동안에 지나갔다. **8** 〈사람·동물이〉 (…에게) 덤벼들다, 공격하다 《*at, on, upon*》 **9** (**flied**) 〖야구〗 플라이를 치다; 플라이를 쳐서 아웃이 되다 《*out*》 **10** 《구어》 〈연설 등이〉 성공하다, 받아들여지다, 설득력이 있다 **11** 《미·속어》 마약을 맞다

— *vt.* **1** 〈새 등을〉 **날리다**, 날아오르게 하다; 〈연을〉 날리다, 띄우다: ~ a kite 연을 날리다 **2** 〈항공기·우주선·인공위성을〉 쏘아 올리다, **조종하다** **3** 〈깃발을〉 달다, 게양하다, 휘날리다 **4** 〈장소·거리를〉 비행기로 날다; 〈사람을〉 비행기[비행선]로 나르다[태워 가다]; 〈특정 항공사를〉 이용하다: ~ the Pacific 태평양을 날다/I always ~ Korean Air. 나는 언제나 KAL을 이용한다. **5** (**fled** [fléd]) …에서 달아나다, 줄행랑치다 《★ flee의 대용》: ~ the country 망명하다/~ the approach of danger 다가오는 위험을 피하다 **6** (**flied**) 〖연극〗 〈막·배경 등을〉 매달아 올리다 **7** (**flied**) 〖야구〗 〈공을〉 쳐올리다

~ about 날아다니다; 〈소문 등이〉 퍼지다 ***~ apart*** [***in pieces, into fragments***] 산산이 흩어지다 ***~ around*** 《구어》 이리저리 바삐 뛰어다니다 ***~ at high game*** 큰 뜻을 품다, 포부가 크다 ***~ at*** a person***'s throat*** …의 목을 조르려고 덤벼들다 ***~ blind*** 계기 비행을 하다; 영문도 모른 채 행동하다 ***~ contact*** ⇨ contact *ad.* ***~ high*** 높이 날다; 큰 뜻을 품다; 《미·속어》 마약에 도취하다 ***~ in*** (비행기로) 도착하다; 《미·구어》 열심히 해내다 ***~ in the face***[***teeth***] ***of*** …에게 대들다, 정면으로 반항하다 ***~ light*** 《속어》 (1) 식사를 거르다 (2) 배가 고프다 ***~ low*** 《구어》 크게 바라지 않다; 수수하게 살아가다 ***~ off*** 흩날리다, 날아가다, 급히 가버리다[떠나다] ***~ off the handle*** 《구어》 자제심을 잃다, 발끈하다 ***~ out*** 뛰어[날아] 나가다; 별안간 고함치다, 대들다 《*at, against*》; 비행기로 출발하다 ***~ right*** 《미·속어》 (도덕적으로) 바른 처신을 하다 ***~ round*** 〈바퀴가〉 빙글빙글 돌다 ***~ short of*** …의 수준에 이르지 못하다 ***~ the track*** 《미·구어》 〈열차가〉 탈선하다; 상도(常道)를 벗어나다; 급전향하다 ***~ to arms*** 재빨리 전투 준비를 하다 ***go ~ing*** 《영·구어》 (부딪쳐서[걸려]) 넘어지다 ***have not a feather to ~ with*** 피천 한 닢도 없다 ***let ~*** (1) 〈총알·화살·돌 등을〉 날리다, 쏘다 《*at*》 (2) 심한 말을 하

다, 욕설하다 《*at*》 (3) 《미·속어》 〈침을〉 뱉다 ***make the dust*** [***feathers***] **~** ⇨ dust; feather. ***send*** a person **~*ing*** …을 집어던지다; …을 내쫓다, 파면하다 ***send*** things **~*ing*** 물건을 내던지다[흩날리다] ***with flags ~ing*** 이겨서 기세등등하게

— *n.* (*pl.* **flies**) **1** 날기, 비행(flight); 비행 거리; 〖야구〗 비구(飛球), 플라이 **2** [*pl.*] 《영》 (한 필이 끄는) 전세 마차 **3 a** [종종 *pl.*] 《주로 영》 바지의 단추[지퍼] 덮개: Your ~ is open[down, undone]. 바지 앞이 열려 있어요. **b** (천막 입구의) 가림(천); 천막 위의 겹덮개; 깃발의 바깥 가장자리; 깃발의 너비(cf. HOIST 3) **4** (피아노·오르간의) 건반의 뚜껑 **5** 회전 속도 조절 바퀴(flywheel); (시계·기계의) 조정기 **6** 〖인쇄〗 인쇄지를 집어내는 장치 **7** [*pl.*] 〖연극〗 (무대 천장의) 대도구(大道具) 조작하는 곳(cf. FLYMAN)

have a ~ 비행하다 ***off the ~*** 《속어》 아무것도 안 하는, 쉬는 ***on the ~*** 《미》 (1) 날고 있는, 비행 중; 비구(飛球)가 땅에 떨어지기 전에 (2) 《구어》 서둘러, 바삐 (3) 《구어》 몰래, 살짝: get a drink *on the* ~ 몰래 한잔 하다 (4) 떠나면서 (5) 작동[활동] 중에 ***up in the ~*** 〖연극〗 성공적인

▷ flíght *n.*

fly[3] *a.* **1** 《주로 영·구어》 약삭빠른, 빈틈없는; 기민한 **2** 《미·속어》 매력적인, 날씬한, 멋진

fly·a·ble [fláiəbl] *a.* 〈날씨가〉 비행하기에 알맞은

flý àgaric[**amanìta**] 〖식물〗 광대버섯 《옛날 이것에서 파리 잡는 독을 채취했음》

flý àsh 비산회(飛散灰) 《노(爐)에서 통풍 장치에 의해 운반된 불연성의 재; 시멘트 혼합제 등으로 씀》

fly·a·way [fláiəwèi] *a.* **1** 〈머리카락·옷 등이〉 바람에 나부끼는[펄럭이는]; 헐렁하게 입은 **2** 〈사람이〉 들뜬; 경박한, 변덕이 심한 **3** 언제든 공수[비행]할 수 있는 《군수품, 비행기 등》 **—** *n.* **1** 경솔한 사람 **2** 도주자 **3** (해상에서 보이는) 육지의 신기루 **4** 공장에서 납입처까지 비행하는 항공기

fly-bait [-bèit] *n.* 《미·속어》 시체, 송장

flý báll 1 〖야구〗 플라이, 비구(飛球) **2** 《미·속어》 형사; 괴짜; 남색자 **3** 《미》 플라이볼 《플라이를 잡은 사람이 타자와 교체되는 게임》

fly·bane [-bèin] *n.* 파리 죽이는 독; 〖식물〗 파리 죽이는 풀 《벌레잡이오랑캐꽃 등》

fly·belt [-bèlt] *n.* 체체파리(tsetse fly)가 창궐하는 지대

fly·blow [-blòu] *n.* 쉬파리(blowfly)의 쉬[구더기] **—** *vt.* (**-blew** [-blù:]; **-blown** [-blòun]) **1** 〈쉬파리가〉 〈고기 등에〉 쉬를 슬다 **2** 〈명성 등을〉 더럽히다

fly·blown [-blòun] *a.* **1** 쉬파리가 쉬를 슨, 구더기가 끓는 **2** 〈평판·명성 등이〉 더럽혀진, 썩은; 오염된, 불결[불순]해진 **3** 《영·속어》 취한 **4** 《속어》 성병에 걸린

fly·boat [-bòut] *n.* 바닥이 판판한 배 《네덜란드 연안을 항행하는》, 쾌속 평저선(平底船) 《운하를 항행하는》

flý bòmb = ROBOT BOMB

flý bòok (지갑 모양의) 제물낚시 쌈지

fly·boy [-bɔ̀i] *n.* 《미·속어》 = AIRCREWMAN, 《특히》 공군 비행사

fly·bridge [-brìdʒ] *n.* = FLYING BRIDGE

fly·by [-bài] *n.* (*pl.* **~s**) **1** 〖우주과학〗 (우주선의 천체로의) 접근 통과 **2** 〖항공〗 (목표로의) 저공[접근] 비행; = FLYOVER 1

fly-by-night [fláibainàit] *a.* **1** (금전적으로) 무책임한, 믿을 수 없는 **2** 오래가지 않는, 일시적인, 불안정한 **—** *n.* 야반도주하는 사람; 믿을 수 없는 사람

fly-by-wire [fláibaiwáiər] *a.* 〖항공〗 플라이바이와이어로 비행하는 《조종 계통을 컴퓨터를 통해 전기 신호 장치로 바꾼》

fly-cast [fláikæ̀st | -kɑ̀:st] *vt., vi.* = FLY-FISH

flý càsting 제물낚시질

fly·catch·er [-kæ̀tʃər] *n.* 파리 잡는 사람[기구]; 〖조류〗 딱새 《파리를 잡아먹는 새》; 〖식물〗 파리지옥풀

fly-chas·er [-tʃèisər] *n.* 《미·야구속어》 외야수

fly·chick [-tʃìk] *n.* 《미·흑인속어》 멋진 아가씨

flý còp[**dìck**] 《미·속어》 형사, 사복 경찰

fly-cruise [-krù:z] *n., vi.* 비행기와 배를 이용하는 유람 여행(을 하다)

fly-drive [-dràiv] *n.* 비행기와 렌트카로 하는 여행 **—** *vi.* fly-drive를 하다 **flý-driv·er** *n.*

fly·er [fláiər] *n.* = FLIER

fly-fish [fláifìʃ] *vi., vt.* 제물낚시로 낚다 **~·er** *n.* 제물낚시로 잡는 낚시꾼

fly-fish·ing [-fìʃiŋ] *n.* Ⓤ 제물낚시질

fly·flap [-flæ̀p] *n.* 《미》 = FLY SWATTER

flý gàllery[**flòor**] 〖연극〗 무대 양쪽의 좁다란 무대 장치 조작대

fly·girl [-gə̀:rl] *n.* 《속어》 멋진 여자; …광(狂)의 소녀

flý hálf 〖럭비〗 = STANDOFF HALF

fly-in [-ìn] *n.* **1** 병력·물자의 공수 **2** 목적지로의 비행 **3** 자가용 비행기를 탄 채 구경할 수 있는 야외 극장(cf. DRIVE-IN) **—** *a.* **1** 〈대회·집회 등이〉 자가용 비행기로 모이는 **2** (비행기·헬기용의) 이착륙장이 있는, 항공기로 밖에 갈 수 없는

‡fly·ing [fláiiŋ] *n.* **1** Ⓤ 날기, 비상, 비행(flight); 띄우기; 비행기 여행; (비행기·우주선의) 조종; 질주: a high[low] ~ 고공[저공] 비행 **2** [*pl.*] 털[솜] 부스러기 **—** *a.* Ⓐ **1** 나는, 비행하는: a ~ bird 나는 새 **2** 공중에 뜬, 펄펄 휘날리는 **3** 나는 듯이 빠른, 황급한, 분주한: a ~ trip[visit] 황급한 여행[방문] / on ~ feet 날아가듯 빠른 걸음으로 **4** 간결한, 단시간의: a ~ remark 짤막한 말 **5** 도주하는, 달아나는

with [***under***] ***a ~ seal*** 봉하지 않은 채

flýing bàrrel 《군대속어》 (원통형 날개의) 수직 상승식 비행기

flýing bédstead 《영》 수직 이착륙 실험 비행기

flýing bòat 비행정

flýing bòmb = ROBOT BOMB

flýing bóxcar 《구어》 대형 수송기

flýing brìdge 최상층의 선교[함교]; 가교(假橋)

flýing búttress 〖건축〗 (고딕식 건축물에서) 부벽(扶壁)과 주(主)건물을 연결한 벽받이

flýing càrpet (가고 싶은 데로 날아가는) 마법의 양탄자

flýing círcus 1 〖항공〗 (전투기의) 원형 사다리꼴 편대; (동일 작전에 참가하는) 비행 중대 **2** 곡예 비행쇼; 곡예 비행단

flýing clùb 비행(가) 클럽

flýing cólors 휘날리는 깃발; 승리, 성공

with ~ = ***with colors flying*** 의기양양하게 깃발을 휘날리며, 큰 성공을 거두고: pass the test *with* ~ 시험에 멋지게 합격하다

flýing cólumn 〖군사〗 유격[별동]대

flýing córps 항공대

flýing cráne 크레인을 장비한 수송용 대형 헬리콥터

flýing dèck 비행 갑판 《항공모함의》

flýing dísk 비행접시(flying saucer)

flýing dóctor 《호주》 비행기로 왕진하는 의사

flýing drágon 1 〖동물〗 날도마뱀 **2** 〖곤충〗 잠자리

Flýing Dútchman [the ~] 희망봉 근해에 출몰한다고 하는 네덜란드의 유령선(의 선장)

flýing fatìgue = AERONEUROSIS

flýing field 작은 비행장 《airport보다 규모가 작음; cf. AIRSTRIP》

flýing fish 1 〖어류〗 날치 **2** [the F- F-] 〖천문〗 날치자리(Volans)

Flýing Fórtress 《미》 하늘의 요새 《제2차 대전시 미군의 대형 폭격기 B-17의 별칭》

flýing fóx 〖동물〗 큰박쥐 《얼굴이 여우와 닮았다고 함》

flýing fróg 〖동물〗 날개구리

flýing gúrnard 〖어류〗 가슴지느러미로 활공하는 죽지성댓과(科)의 바닷물고기(butterfly fish)

flýing hándicap 〖경기〗 flying start로 행하는 핸디캡 경주

flýing hórse 몸의 앞반은 독수리, 뒷반은 말 모습을 한 괴물(hippogriff); (회전목마 등의) 말 모양의 좌석

flýing jàcket ⦅영⦆ =FLIGHT JACKET
flýing jénny ⦅비교적 소형으로 소박한⦆ 회전목마
flýing jíb 〖항해〗 이물 앞쪽의 삼각돛
flýing júmp[léap] 도움닫기 멀리[높이]뛰기
flýing lémur 〖동물〗 날다람쥐원숭이 《필리핀·동남아시아산(産)》
flýing lízard =FLYING DRAGON
flýing machìne ⦅초기의⦆ 항공기, 비행기, 비행선
flýing màn 비행가(airman)
flýing máre 1 〖레슬링〗 업어 던지기 **2** 회전목마
fly·ing-off [fláiiŋɔ̀:f | -ɔ̀f] *n.* 〖항공〗 이륙(takeoff)
flýing òfficer [보통 **F- O-**] 〖영국 공군〗 중위
flýing párty 유격[별동]대
flýing phalánger 〖동물〗 날다람쥐 《호주산(産)》
flýing pìcket 지원 원정 파업 요원
flýing rìngs ⦅체조용⦆ 링
flýing róbin 〖어류〗 =FLYING GURNARD
flýing sáucer 비행접시
flýing schòol 항공[비행] 학교
flýing shéet =FLY SHEET
flýing spót 〖TV〗 비점(飛點) 《영상에 나타나는 흰 점》
flýing squàd ⦅주로 영⦆ 기동 경찰대 《자동차·오토바이 등을 갖춘 별동대》
flýing squàdron 〖해군〗 유격 함대; 〖공군〗 비행중대; ⦅일반적으로⦆ 유격대
flýing squíd 〖동물〗 큰 오징어의 일종 《멕시코 만류산(産)》
flýing squírrel 〖동물〗 날다람쥐 《미국 동부산(産)》
flýing stárt 1 ⦅자동차 경주 등에서⦆ 도움닫기 출발; ⦅육상 경기에서⦆ 부정 출발 **2** 신속한 시작, 순조로운 출발: get[go] off to a ~ 순조롭게 출발[시작] 하다
flýing sùit ⦅조종사 등이 입는⦆ 비행복
flýing táckle 〖미식축구·럭비〗 플라잉 태클 《몸을 던져 행하는 태클》
flýing trapèze 공중 그네
flýing wédge ⦅운동 선수·경찰관 등의⦆ V자꼴 이동 대형; ⦅속어⦆ ⦅유흥업소 따위의⦆ 경비원
flýing wíng 〖항공〗 전익(全翼) 비행기 《주익(主翼)의 일부를 동체로 이용하는 꼬리 날개가 없는 비행기》
fly·leaf [fláilì:f] *n.* (*pl.* **-leaves** [-lì:vz]) 〖제본〗 면지(面紙) 《책 앞뒤 표지 안쪽의 백지》; 전단·프로그램 등의 여백면
flý lìne 제물낚시용의 낚싯줄
flý lòft 〖연극〗 무대 천장
fly·man [-mən, -mæ̀n] *n.* (*pl.* **-men** [-mən, -mèn]) **1** ⦅영⦆ 전세 유람 마차(fly)의 마부 **2** 〖연극〗 무대 장치 책임자 《천장에서 조작함; cf. FLY[2] *n.* 7》
flý mùg ⦅미·속어⦆ =FLY COP
flý nèt ⦅말의⦆ 파리장; ⦅일반적으로⦆ 방충망
fly·off [-ɔ̀:f | -ɔ̀f] *n.* **1** 〖기상〗 =EVAPOTRANSPIRATION **2** 〖항공〗 ⦅복수 후보기의⦆ 성능 비교 비행, 기종 선정 비행
fly·o·ver [-òuvər] *n.* **1** ⦅미⦆ 전시[공중 분열] 비행, 의례(儀禮) 비행 《공군력을 과시하기 위해 도시·사열식장 등의 위를 저공 비행하는 일》 **2** ⦅특정 지역 상공의⦆ 관광 비행 **3** ⦅영⦆ 고가(高架) 횡단 도로 《철도 위의 도로 등》(⦅미⦆ overpass)
flýover Còuntry ⦅익살⦆ 상공 비행의 지방 《미국의 중부 지방; 동서해안을 횡단 비행할 때 상공에서 비로소 구경할 수 있다는 뜻》
fly·pa·per [-pèipər] *n.* Ⓤ 끈끈이 종이 《파리 잡는》
fly·past [-pæ̀st | -pɑ̀:st] *n.* ⦅영⦆ =FLYOVER 1 (cf. MARCH-PAST)
fly·post [-pòust] *vt.* ⦅영⦆ …에 광고용 전단·포스터 등을 몰래 붙이다
flý ràil ⦅테이블의 접게 된 판을 받치는⦆ 회전 까치발
flý ròd 제물낚싯대
flysch [flíʃ] *n.* 〖지질〗 플리시 《성장 중인 조산대나 그 전신으로 여겨지는 지대의 해역(海域)에서 볼 수 있는 해성(海成) 퇴적물 전체; 사암과 이암이 번갈아 층을 이루고 있는 것이 특징》
flý shèet 1 한 장으로 된 인쇄물 《광고·취지서 등》; 광고용 전단(handbill) **2** ⦅소형의⦆ 설명서, 취지서 **3** ⦅영⦆ ⦅천막 위에 덧치는⦆ 방수 외포(外布) **4** 파리장
fly·speck [fláispèk] *n.* **1** 파리똥의 얼룩 **2** 작은 점 [결점] **—** *vt.* …에 조그마한 얼룩을 찍다, 더럽히다
fly-spray [-sprèi] *n.* 파리 잡는 분무약[분무기]
flý swàtter ⦅미⦆ 파리채
flyte [fláit] *vi., n.* ⦅스코·북잉글⦆ =FLITE
fly·ti·er [fláitàiər] *n.* 〖낚시〗 제물낚시 제조자
fly-tip [-tìp] *vt.* (**~ped**; **~·ping**) ⦅영⦆ 〈쓰레기를〉 아무데나 버리다 **~·per** *n.*
fly-tip·ping [-tìpiŋ] *n.* Ⓤ ⦅영⦆ 쓰레기 불법 투기
fly·trap [-træ̀p] *n.* 파리통; 파리잡이 풀
fly·un·der [-ʌ̀ndər] *n.* 고가(高架) 철도[도로] 밑을 지나는 철도[도로]
fly·way [-wèi] *n.* ⦅철새의 번식지와 월동지 사이의⦆ 비행길[경로]
fly·weight [-wèit] *n.* 〖권투·레슬링〗 플라이급 《체중 112파운드 이하; cf. FEATHERWEIGHT, BANTAMWEIGHT》
fly·wheel [-*h*wì:l] *n.* 〖기계〗 플라이휠, 회전 속도 조절 바퀴
flý whìsk ⦅말총 등으로 만든 자루 달린⦆ 파리채 《종종 고위·권위의 상징》
fm 〖물리〗 fathom(s); femtometer; from **Fm** 〖화학〗 fermium
FM [éfém] [*f*requency *m*odulation] *n., a.* **1** 〖전자〗 주파수 변조(의) **2** FM 방송(의)
FM facility management; field marshal; foreign mission **f.m.** [L] *fiat mistura* ⦅처방전에서⦆ 혼합제를 만들 것(make a mixture) **FMB** Federal Maritime Board ⦅미⦆ 연방 해사(海事) 위원회 **FMC** ⦅미⦆ Federal Maritime Commission **FMCG** fast-moving consumer goods **FMCS** Federal Mediation and Conciliation Service ⦅미⦆ 연방 조정 화해 기관 **FMD** 〖수의학〗 foot-and-mouth disease **FMN** 〖화학〗 flavin mononucleotide **FMS** Federated Malay States; 〖항공〗 flight management systems **FMVSS** Federal Motor-Vehicle Safety Standard ⦅미⦆ 연방 자동차 안전 기준 **fn.** footnote **fndr.** founder **FNMA** Federal National Mortgage Association ⦅미⦆ 연방 저당권 협회
f-num·ber [éfnʌ̀mbər] *n.* 〖광학·사진〗 F 넘버 《렌즈의 밝기 표시; 초점 거리를 구경으로 나눈 것; f는 focal length의 기호》: *f* / 8 [*f* : 8] 에프 넘버 8
fo. folio **FO** fade-out; field officer; flying officer; ⦅영⦆ Foreign Office; 〖군사〗 forward observer **FOA** Foreign Operation Administration ⦅미⦆ 대외 활동 본부
foal [fóul] *n.* 당나귀[노새]의 새끼, 망아지(colt, filly)(⇨ horse 관련): be in[with] ~ 〈암말이〉 새끼를 배고 있다 **—** *vt., vi.* 〈말이〉 〈새끼를〉 낳다
‡foam [fóum] *n.* ⓊⒸ **1** ⦅액체 표면의 작은⦆ **거품,** 물거품, 포말(泡沫)(froth): ~ on a glass of beer 맥주잔의 거품 **2** ⦅말 등의⦆ 비지땀 **3** 게거품 **4** ⦅소화기나 쉐이빙 크림 등의⦆ 조밀한 포상(泡狀) 물질 **5** 〖화학〗 발포체 **6** ⦅미⦆ 맥주 **7** [the ~] ⦅시어⦆ ⦅거품이 이는⦆ 바다: sail *the* ~ 항해하다 ***in a*** **~** 한 덩이의 거품이 되어; 〈말 등이〉 땀투성이가 되어
— *vi.* **1** 〈맥주 등이〉 거품이 일다 **2** 거품을 내며 흐르다 《*along, down, over*》; 거품이 되어 사라지다 《*off, away*》 **3** 거품을 물고 화내다 《*with*》: (~+전+명) ~ *with* rage 격노하다 **4** 〈말이〉 구슬땀을 흘리다
— *vt.* **1** 거품을 일게 하다 **2** 거품으로 두르다 **3** 〈건물·벽을〉 발포제로 단열하다 **~ *at the mouth*** 입에서 거품을 내다; 거품을 물고 화내다, 격노하다
~·a·ble *a.* **~·ing·ly** *ad.* **~·less** *a.* **~·lìke** *a.*
▷ fóamy *a.*

thesaurus **focus** *n.* focal point, center, central point, core, hub, pivot, magnet **—** *v.* con-

fóam blòck 폼블록 《폴리스티렌질의 포말재(材) 블록 형태의 건축재》
fóamed plástic [fóumd-] =EXPANDED PLASTIC
fóam extínguisher 거품[포말] 소화기
foam·flow·er [fóumflàuər] *n.* 〖식물〗 미국산(産) 바위취과(科)의 다년초
fóam glàss 발포(發泡) 유리
fóam polystỳren 발포(發泡) 스티롤
fóam rúbber 기포 고무, 스펀지 고무
foam·y [fóumi] *a.* (**foam·i·er**; **-i·est**) 거품의; 거품이 이는, 거품투성이의, 거품 같은
fóam·i·ly *ad.* **fóam·i·ness** *n.*
fob[1] [fάb | fɔ́b] *n.* **1** 시계 등을 넣는 조그마한 주머니 《양복 바지 위쪽의》 **2** 《미》 =FOB CHAIN **3** 《미》 시계줄에 다는 조그마한 장식물 **—** *vt.* 양복 바지의 작은 주머니에 넣다
fob[2] *vt.* (**~bed**; **~·bing**) 《고어》 속이다, 기만하다 ★ 다음 성구로. **~ *off*** …을 속이다; 교묘하게 회피하다 《*with*》; 〈불량품 등을〉 속여서 팔다(palm off) 《*with, on, upon*》
fob, FOB free on board 《영》 〖상업〗 본선 인도 《파는 사람이 배에 짐을 싣기까지의 비용을 부담함》; 《미》 화차 인도
fób chàin 시계줄[끈, 리본] 《양복바지의 시계 넣는 주머니(fob)에서 늘어뜨리는》
FOBS fractional orbital bombardment system 〖군사〗 (유도탄의) 부분 궤도 폭격 체제
fób wàtch fob[1] 1에 넣는 회중시계
foc free of charge 〖상업〗 무료
fo·cac·ci·a [foukάtʃiə | -kɔ́tʃ-] *n.* 포카치아 《올리브유·소금·야채를 뿌려 구운 크고 둥근 이탈리아 빵》
***fo·cal** [fóukəl] *a.* **1** 초점의, 초점에 있는 **2** 〖의학〗 병소(病巢)의, 소상(巢狀)의 **3** 〖지진〗 진원의: the ~ depth 진원의 깊이
fócal infèction 〖병리〗 병소(病巢) 감염
fo·cal·i·za·tion [fòukəlizéiʃən | -lai-] *n.* Ⓤ **1** 모으기, 초점 집중 **2** (감염 지역 등의) 국부[국지]화
fo·cal·ize [fóukəlàiz] *vt., vi.* **1** =FOCUS **2** 〈감염 지역 등을〉 국부[국지]화하다
fócal lèngth[dìstance] 〖광학·사진〗 초점 거리
fócal plàne 〖광학·사진〗 초점면
fó·cal-plane shùtter [-plèin-] 〖사진〗 포컬 플레인 셔터 《사진기의 초점면 개폐 장치》
fócal pòint **1** 〖광학·사진〗 초점 **2** (활동·흥미·주의 등의) 중심 **3** (지진 등의) 중심부; (병의) 주요 환부; (사건·폭동 등의) 중심지
fócal ràtio 〖광학·사진〗 =F-NUMBER
fo·ci [fóusai, -kai] *n.* FOCUS의 복수
fo·co [fóukou] [Sp. =focus] *n.* 게릴라 거점
fo·com·e·ter [foukάmətər | -kɔ́-] *n.* 〖광학〗 초점 거리 측정기, 초점계
fo'c's'le, fo'c'sle [fóuksl] *n.* =FORECASTLE
‡**fo·cus** [fóukəs] [L 「노(爐)」 → 「연소점」의 뜻에서] *n.* (*pl.* **~·es, fo·ci** [-sai, -kai]) **1** 〖물리·수학〗 초점, 초점 거리; 초점 정합(整合) 《안경 등의》: a real[virtual] ~ 실[허]초점 / take the ~ 초점을 맞추다 **2** [보통 the ~] (흥미 등의) 쏠리는 점, 집중점 **3** (폭풍·분화(噴火)·폭동 등의) 중심; 〖지질〗 (지진의) 진원 **4** 〖병리〗 병소(病巢) 《환부의 중심》 ***bring … into ~*** 〈…에〉 초점을 맞추다 ***in*[*out of*] *~*** 초점이 맞아[맞지 않아]; 또렷[흐릿]하게
— *v.* (**~ed**; **~·ing** | **~sed**; **~·sing**) *vt.* **1** 〈빛 등을〉 초점에 모으다; 〈렌즈·눈 등의〉 초점을 (…에) 맞추다 《*on, upon*》; 〈상(像)을〉 분명하게 맞추다: ~ the lens of a camera 카메라 렌즈의 초점을 맞추다 // (~+목+전+명) ~ a searchlight *on* an airplane 비행기에 탐조등을 비추다 **2** 〈주의·관심 등을〉 (…에) 집중시키다 《*on, upon*》: (~+목+전+명) ~ one's thoughts[attention] *on* …에 생각[주의]을 집중하다
— *vi.* 초점에 모이다, 초점이 맞다; (…에) 집중하다, (…에) 주의[정신]를 집중하다 《*on, upon*》: (~+전+명) Their questions *~ed on* the problem. 그들의 질문은 그 문제에 집중했다. / His eyes did not ~ *on* me. 그는 나를 주시하지 않았다.
~·a·ble *a.* **~·er** *n.* **~·less** *a.*
fo·cused | fo·cussed [fóukəst] **1** 집중한, 초점을 맞춘, 목적 의식이 있는 **2** 〈소리·화상 등이〉 명확한, 분명한
fócus gròup 포커스 그룹 《테스트할 상품에 대해서 토의하는 소비자 그룹》
fó·cus·ing clòth [fóukəsiŋ-] 〖사진〗 (초점을 맞출 때 씌우는) 덮개천
fócusing còil 〖전기〗 집속(集束) 코일
fócus pùller 〖영화〗 카메라맨의 조수
***fod·der** [fάdər | fɔ́də] *n.* **1** Ⓤ 가축의 먹이, 사료, 꼴, 마초 **2** 금방 끌어 모을 수 있으나 가치는 적은 사람들[물건] **3** (작품의) 소재
— *vt.* 〈가축에〉 사료를 주다, 마초를 주다
‡**foe** [fóu] *n.* 《문어·시어》 적, 원수(⇨ enemy 유의어); 적수; (주의에 대한) 반대자; 해로운 것, 장애가 되는 것 《*of*》: a ~ *of* needless expenditures 불필요한 지출의 반대자 / a ~ *of* health 건강의 적 ***friend and ~*** 적과 아군
FOE Fraternal Order of Eagles 이글 공제 조합; Friends of the Earth 지구의 벗 《국제 환경 보호 단체》
foehn [féin] [G] *n.* 〖기상〗 푄 《산에서 내리 부는 건조하고 따뜻한 바람》
foe·man [fóumən] *n.* (*pl.* **-men** [-mən, -mèn]) 《문어》 적(병): a ~ worthy of one's steel 호적수
foe·tal [fí:tl] *a.* =FETAL
foe·ta·tion [fi:téiʃən] *n.* =FETATION
foe·ti·cide [fí:təsàid] *n.* =FETICIDE
foet·id [fétid, fí:t-] *a.* =FETID
foe·tor [fí:tər] *n.* =FETOR
foe·tus [fí:təs] *n.* (*pl.* **~·es**) =FETUS
fo·far·raw [fóufərɔ̀:] *n.* 《미·구어》 =FOOFARAW
‡**fog**[1] [fɔ́:g, fάg | fɔ́g] *n.* ⓊⒸ **1** 안개, 농무: The ~ cleared[lifted]. 안개가 걷혔다. / A dense ~ rolled over the city. 농무가 도시를 뒤덮었다.

> 유의어 **fog** 짙은 안개 **mist** fog보다 엷은 안개 **haze** mist보다 엷은 안개

2 안개같이 뿌연 것, 자욱한 연기[먼지], 연무(煙霧); (소화용·살충용) 분무(噴霧): a dust ~ 자욱한 먼지 **3** 혼미, 혼란, 당혹, 애매함, 불확실함 **4** 〖사진〗 (음화·인화의) 흐림 ***in a ~*** 당혹하여, 어찌할 바를 몰라, 오리무중에 ***the ~ of war*** 전운(戰雲)
— *v.* (**~ged**; **~·ging**) *vt.* **1** 안개[분무]로 덮다; 〈안경 등을〉 흐릿하게 하다 **2** 어쩔 줄 모르게[얼떨떨하게] 하다 **3** 〖사진〗 〈음화·인화를〉 흐리게 하다 **4** 《야구속어》 〈강속구를〉 던지다 **5** 《속어》 때려 죽이다
— *vi.* **1** 안개가 끼다; 안개로 흐려지다, 흐릿해지다 **2** 〈음화·인화가〉 흐려지다 **3** 《영》 (선로에) 농무 신호를 내다 **4** 《미·방언》 담배를 피우다
be ~ged in 안개에 갇히다 ***~ away*** 《미서부》 총을 쏘다 ***~ it in*** 〖야구〗 강속구를 던지다 ***~ off*** 습기로 시들어 죽다 ***~ up*** 안개가 자욱하게 끼다; 《속어》 담배에 불을 붙이다
fog[2] *n.* **1** ⓊⒸ (벤 뒤에 자라난) 두 번째 풀 (베기) **2** 선 채로 마른 풀, 시든 풀 **3** 이끼(moss) ***leave*** grass ***under ~*** (풀을) 말라 죽은 채 내버려두다
— *vt.* (**~ged**; **~·ging**) **1** 〈지면을〉 풀이 말라 죽은 채로 내버려두다 **2** 〈가축에〉 두 번째 벤 풀을 먹이다
fóg alàrm 농무(濃霧)[안개] 경보
fog·ball [fɔ́:gbɔ̀:l | fɔ́g-] *n.* 〖야구〗 강속구
fóg bànk 무봉(霧峰) 《해상에 층운(層雲) 모양으로 끼는 짙은 안개》

---

verge, turn, concentrate, fix, center, pinpoint
foe *n.* opponent, adversary, rival, antagonist

fóg bèll 무종(霧鐘) 《배에서 농무 경계시 울리는 경보》
fog·bound [-bàund] *a.* 짙은 안개로 항해[이륙]가 불가능한
fog·bow [-bòu] *n.* 안개 무지개, 무홍(霧虹) 《안개 속에 나타나는 흐릿한 흰빛 무지개》
fog·broom [-brù(:)m] *n.* (비행장·도로의) 안개 소산 장치
fog·dog [-dɔ̀:g | -dɔ̀g] *n.* = FOGBOW
fo·gey [fóugi] *n.* (*pl.* **~s**) = FOGY
fog·ger [fɔ́:gər, fɑ́- | fɔ́-] *n.* **1** (살충제 등의) 분무기 **2** (영) 〖철도〗 농무 신호수
*__fog·gy__ [fɔ́:gi, fɑ́gi | fɔ́gi] *a.* (**-gi·er**; **-gi·est**) **1** 안개가 자욱한, 농무가 낀; (안개 등으로) 침침한, 흐린 **2** 〈생각 등이〉 몽롱한(dim); 흐릿한, 막연한, 불확실한 **3** 당혹스런, 혼란스러운 **4** 〖사진〗 흐린 ***not have the foggiest*** (***idea***) (영·구어) 전혀 모르다
fóg·gi·ly *ad.* 안개가 짙게; 자욱하게; 어찌할 바를 몰라 **fóg·gi·ness** *n.*
Fóggy Bóttom **1** 미국 Washington D.C. 포토맥 강변의 안개가 자주 끼는 저지대 **2** (구어) 미국 국무부
fog·horn [fɔ́:ghɔ̀:rn, fɑ́g- | fɔ́g-] *n.* **1** 〖항해〗 농무 경적(濃霧警笛) **2** 크고 탁한 소리 **3** (미·익살) 코
fo·gle [fóugl] *n.* (속어) 명주 손수건[목도리]
fógle hùnter[**hèister**] (속어) 소매치기(pickpocket)
fog·less [fɔ́:glis, fɑ́g- | fɔ́g-] *a.* 안개 없는; 뚜렷이 보이는(clear)
fóg lèvel 〖사진〗 (현상된 필름의) 미노출 농도
fóg lìght[**làmp**] (자동차의) 안개등(燈)
fóg signal (선박의) 안개 신호; (영) (철도의) 농무[안개] 경계 신호 《궤도 위에 놓는 폭명(爆鳴) 장치》
fóg siren 농무 (경보) 사이렌
fo·gy [fóugi] *n.* (*pl.* **-gies**) **1** [보통 old ~] 시대에 뒤진 사람, 완고한 구식 사람 **2** (미·군대속어) 장기 복무 수당 **~·ìsm** *n.* Ⓤ 구식 사람의 기질, 시대에 뒤짐
fo·gy·ish [fóugiiʃ] *a.* 케케묵은, 시대에 뒤진, 구식의
foh [fɔ:] *int.* = FAUGH
föhn [féin] [G] *n.* 〖기상〗 = FOEHN
FOIA Freedom of Information Act (미) 정보 공개법
foi·ble [fɔ́ibl] *n.* **1** (성격상의) 약점, 결점, 단점; 자만하는 점 **2** 기이한 취미[기호] **3** 〖펜싱〗 칼의 휜 부분 《중앙에서 칼 끝까지》(cf. FORTE)
foie gras [fwɑ́:-grɑ́:] [F = goose liver] 푸아 그라 《집오리의 간(肝) 요리; 진미(珍味)》
*__foil__[1] [fɔil] [L 「잎」의 뜻에서] *n.* Ⓤ **1** 박(箔), 금속 박편; (식품·담배 등을 싸는) 포일: gold[tin] ~ 금[주석]박 / aluminum ~ 알루미늄 포일 **2** 거울 뒤쪽에 입힌 박 **3** Ⓒ (다른 것과의 대조로) 돋보이게 하는 것[사람, 역할] **4** Ⓒ 〖건축〗 꽃잎·잎사귀 모양의 장식 《고딕식 건물에 새긴 장식》 **5** (속어) (작은) 마약 봉지
— *vt.* **1** …에 박을 입히다, 뒤에 박을 붙이다 **2** 돋보이게 하다, 눈에 띄게 하다 **3** 〖건축〗 꽃잎·잎사귀 모양 장식을 하다
foil[2] *vt.* **1** 〈상대방·계략 등을〉 좌절시키다, 뒤엎다(baffle); (고어) 〈공격을〉 물리치다, 저지하다 **2** 〖수렵〗 〈짐승이〉 이리저리 뛰어다니며 〈냄새 자취를〉 감추다 ***be ~ed in*** …에 실패하다
— *n.* **1** (고어) 패배, 실망, 좌절; 저지, 저해; 격퇴, 거절 **2** 짐승의 냄새[발]자취 ***run*** (***upon***) ***the ~*** 〈짐승이〉 사냥개를 속이려고 이리저리 뛰어다니다
foil[3] *n.* 〖펜싱〗 **1** 플뢰레 《칼 끝을 동그랗게 해 놓은 연습용 펜싱 칼》 **2** [*pl.*] 플뢰레 종목
fóil càpsule (고급 술병 등의) 주둥이를 싼 금속박
foiled [fɔild] *a.* 〖건축〗 꽃잎이나 잎사귀 장식이 있는
foil·ing[1] [fɔ́iliŋ] *n.* Ⓤ 〖건축〗 꽃잎 모양 장식
foiling[2] *n.* 〖수렵〗 (사슴 등의) 냄새 자국
foils·man [fɔ́ilzmən] *n.* (*pl.* **-men** [-mən, -mèn]) 〖펜싱〗 FOIL[3]로 펜싱하는 사람
foin [fɔin] (고어) *n.* (검·창 등으로) 찌름, 찌르기
— *vi.* (검·창 등으로) 찌르다

foi·son [fɔ́izn] *n.* **1** (고어) 풍부; 풍작 **2** (스코) 원기; 활력; (음식 등의) 자양분, 활력원
foist [fɔist] *vt.* **1** 〈가짜 등을〉 떠맡기다, 속여서 팔다(palm) 《*off*, *on*[*upon*]》; 〈저작물을〉 …의 저술이라고 속이다 《*upon*》 **2** 〈부정한 기록 등을〉 (…에) 몰래 써넣다; 〈부적당한 인물을〉 (어떤 지위에) 슬그머니 앉히다 《*in*, *into*》
Fok·ker [fɑ́kər | fɔ́-] *n.* [네덜란드의 설계자 이름에서] 포커기(機) 《제1차 대전 때의 독일 전투기》
fol. folio; followed; following
fol·a·cin [fɑ́ləsin | fɔ́-] *n.* 〖생화학〗 = FOLIC ACID
fo·late [fóuleit] 〖생화학〗 *a.* 엽산(folic acid)의
— *n.* = FOLIC ACID
‡**fold**[1] [fóuld] *vt.* **1** 접다, 접어 포개다, 〈이불을〉 개다 (⇨ bend 유의어): ~ a handkerchief in four 손수건을 넷으로 접다 **2** 〈단 등을〉 접어 넣다, 접어 젖히다 《*back*, *down*》: (~+목+부) ~ *back* the sleeves of one's shirt 셔츠 소매를 접어 올리다 / ~ *down* the corner of the page 페이지의 귀를 꺾다 **3** 〈새 등이〉 〈날개를〉 접다 **4** 〈사람이〉 〈다리·몸 등을〉 접다, 구부리다: (~+목+전+명) ~ one's legs *under* oneself 무릎을 꿇고 앉다 **5** 〈두 손·팔 등을〉 끼다: ~ one's hands 손을 깍지 끼다 / with *~ed* arms = with one's arms *~ed* 팔짱을 끼고 **6** (양팔에) 안다 《*in*》, 껴안다, 끌어안다 《*to*》: (~+목+전+명) She *~ed* the child *in* her arms. 그녀는 그 어린이를 껴안았다. **7** 싸다, 둘둘 말다(wrap up), 두르다; [보통 수동형으로] 덮다 《*in*》: (~+목+전+명) He *~ed* his cloak *about* him. 그는 외투를 걸쳤다. / The hill *was ~ed in* clouds. 산은 구름으로 덮여 있었다. **8** 〖트럼프〗 〈카드를〉 (게임을 그만하겠다는 표시로) 뒤집어 두다 **9** 〈사업 등을〉 그만두다 《*up*》 **10** 〖지질〗 〈지층을〉 습곡시키다 **11** 〖요리〗 (스푼·주걱 등으로) 〈달걀 등을〉 천천히 섞다 《*in*》
— *vi.* **1** 포개지다, 접히다 **2** (구어) 망하다, 〈연극 등이〉 실패하다 《*up*》 **3** 항복하다, 뜻을 굽히다 **4** (속어) 녹초가 되다, 쇠약해지다 **5** (미) 취해 쓰러지다; (구어) 배꼽을 쥐고 웃다 **~ *out*** 〈접힌 것이〉 펴지다 **~ *up*** (1) 쓰러지다, 녹초가 되다 (2) 망하다, 실패하다 (3) (아프거나 우스워서) 배를 움켜쥐다
— *n.* **1** 주름; 접은 자리 **2** 층(layer); 구김살(crease); (땅의) 움푹 꺼진 곳(hollow); [*pl.*] 중첩된 기복(起伏); 〖지질〗 (지층의) 습곡(褶曲) **3** (실의) 한 타래; (서린 뱀의) 한 사리 **~·a·ble** *a.*
fold[2] *n.* **1** (가축 특히 양의) 우리(pen) **2** (우리 안의) 양 떼 **3** (비유) 그리스도교회(Christian Church) **4** [the ~; 집합적] 교회 신도(cf. FLOCK[1]) **5** [the ~] 공통의 신앙[신념, 사상]을 가진 사람들의 단체 ***return*** [***come back***] ***to the ~*** (1) 집으로 돌아가다, 옛 보금자리로 돌아가다 (2) (다른 종교를 믿고 있던 사람이) 그리스도 교회로 복귀하다
— *vt.* **1** 〈가축, 특히 양을〉 우리에 넣다 **2** 〈토지를〉 비옥하게 하기 위해 양을 우리에서 기르다
-fold [fòuld] *suf.* 「…곱[겹]의」의 뜻: two*fold*, mani*fold*
fold·a·way [fóuldəwèi] *a.* Ⓐ 접을 수 있는, 접는식의 — *n.* 접는 식의 물건
fold·boat [-bòut] *n.* = FALTBOAT
fold-down [fóulddàun] *a.* 접는 식의
fóld·ed dípole [fóuldid-] 〖통신〗 접힌 다이폴(안테나)
fold·er [fóuldər] *n.* **1** 접는 사람[기구] **2** [*pl.*] 접을 수 있는 안경 **3** (미) 접는 광고지; 접는 책, 접는 지도[시간표] **4** 서류철로 쓰는 접지(摺紙); 종이 집게 **5** (속어) 쉽게 지치는 사람
fol·de·rol [fɑ́ldərɑ̀l | fɔ́ldərɔ̀l] *n.* ⓊⒸ **1** 시시한 것[생각](nonsense), 헛소리 **2** 하찮은 물건, 싸구려 장식품
fold·ing [fóuldiŋ] *a.* 접는, 접을 수 있는, 접게 된: a ~ bed[ladder] 접는 침대[사다리] / a ~ fan 쥘부채 / a ~ machine 접지기(機) / a ~ screen 병풍
fólding cháir 접의자

fólding dóor 접문(accordion door)
fólding gréen[cábbage, léttuce] = FOLDING MONEY
fólding móney (미·구어) 지폐(paper money)
fold·out [fóuldàut] *n.* (잡지·서적의) 접어 넣은 페이지 **—** *a.* 접는 방식의
fold·up [-ʌ̀p] *a.* 접을 수 있는, 접게 된 **—** *n.* **1** 접을 수 있는 것《의자, 침대 등》 **2** 종료, 종결; (공연 등의) 중지; (간행물의) 발행 정지 **3** 굴복, 항복
fo·ley [fóuli] *n.* (미) 〖영화〗 (촬영이 끝난 필름의) 효과음 녹음(기술자)
Fó·ley Squáre [fóuli-] [FBI의 동부 지국이 뉴욕의 Foley Square에 있는 데서] (미·속어) 연방 수사국, FBI
fo·li·a [fóuliə] *n.* FOLIUM의 복수
fo·li·a·ceous [fòuliéiʃəs] *a.* 잎사귀 모양의, 엽질(葉質)의, 잎을 갖는; 잎으로 이루어진 **~·ness** *n.*
***fo·li·age** [fóuliidʒ] [L 「잎」의 뜻에서] *n.* Ⓤ **1** [집합적] (한 그루 초목의) 잎 (전부); 군엽(群葉) **2** (장식용의) 잎이 붙은 가지 **3** (그림·건축 장식 등의) 잎[꽃, 가지] 무늬 장식
fo·li·aged [fóuliidʒd] *a.* **1** 잎으로 덮인 **2** 잎무늬[덩굴무늬]가 있는, 당초문(唐草紋)의 **3** [보통 복합어를 이루어] …의 잎을 가진
fóliage lèaf 〖식물〗 보통 잎, 본엽(本葉)(cf. FLORAL LEAF)
fóliage plànt 관엽(觀葉) 식물
fo·li·ar [fóuliər] *a.* 잎의, 잎모양의, 잎의 성질을 가진
fo·li·ate [fóuliət, -lièit] *a.* **1** [보통 복합어를 이루어] 〖식물〗 (…의) 잎이 있는; (…장의) 잎이 있는: 5-~ 5엽(葉)의 **2** 잎 모양의
— *v.* [fóulièit] *vi.* **1** 잎을 내다 **2** 얇은 잎으로 갈라지다 **—** *vt.* **1** 〖건축〗 잎사귀 모양의 장식(foil)으로 꾸미다 **2** 얇은 조각[박(箔)]으로 하다; 박을 입히다(foil) **3** 〈책에〉 장수(張數)를 매기다
fo·li·at·ed [fóulièitid] *a.* **1** 잎 모양의, 잎이 달린; 잎 장식을 한 **2** 〖결정〗 얇은 잎사귀 모양의
fo·li·a·tion [fòuliéiʃən] *n.* Ⓤ **1** 잎을 냄, 발엽(發葉) **2** [집합적] 잎(foliage) **3** 〖건축〗 잎 무늬 장식; 잎 모양으로 얇게 됨, 박으로 만듦, 박을 입히기 **4** 〖지질〗 (암석의) 얇게 갈라지는 현상 **5** (책 등의) 장수 매기기, 장수
fo·lic [fóulik, fɑ́l- | fɔ́l-] *a.* 〖화학〗 엽산(葉酸)의, 엽산에서 유도되는
fólic ácid 〖생화학〗 폴산, 엽산(葉酸)《빈혈의 특효약》
fo·lie à deux [fɑlí:-ə-dú: | fɔ-] [F] 〖정신의학〗 감응성 정신병《가족 등 밀접한 두 사람이 동일하거나 유사한 정신 장애를 가짐》
fo·lie de gran·deur [foulí:-də-grɑ:ndə́:r] [F = delirium of grandeur] 〖정신의학〗 과대망상
fo·li·o** [fóuliòu] [L 「잎」의 뜻에서] *n.* (*pl.* **~s**) **1** 전지(全紙)의 2절《4페이지분》 **2** Ⓤ 2절판《책 가운데 제일 큰 것; cf. QUARTO, OCTAVO, DUODECIMO, etc.》; Ⓒ 2절판의 책 **3** 한 장《고본(稿本)·인쇄본의》; 〖인쇄〗 (책의) 장수(leaf number); 면수(page number); 〖부기〗 (대변·차변을 기입하는 좌우의) 양 페이지의 한 면《양쪽에 같은 페이지가 매겨져 있는》 **4** 〖법〗 (문서의 길이의) 단위 어수(單位語數)《영국에서는 72 또는 90 단어, 미국에서는 보통 100단어》 **5** (서류·악보 등의) 폴더, 철 ***in **~** 2절판의 〈책〉
— *a.* 2절의, 2절판의
— *vt.* **1** 〈책 등에〉 페이지[장]수를 매기다 **2** 〖법〗 〈서류 등에〉 단위 어수마다 표를 하다
fo·li·o·late [fóuliəlèit] *a.* [종종 복합어를 이루어] 〖식물〗 작은 잎의, 작은 잎으로 이루어진
fo·li·ole [fóulioul] *n.* 〖식물〗 작은 잎
fólio pùblishing 종이에 인쇄하는 재래식 출판업 (cf. ELECTRONIC PUBLISHING)
fo·li·ose [fóuliòus] *a.* 〖식물〗 잎의; 잎이 많은; 잎과 같은
fo·li·um [fóuliəm] [L = leaf] *n.* (*pl.* **-li·a** [-liə]) 박층(薄層); 〖수학〗 엽선(葉線)

fo·li·vore [fóuləvɔ̀:r] *n.* 〖동물〗 초식 동물
fo·liv·o·rous [foulívərəs] *a.* 〖동물〗 초식성의
*****folk** [fóuk] *n.* (*pl.* **~, ~s**) [보통 **~s**로] **1** [집합적] (생활양식을 같이하는) 사람들(people)
USAGE 집합적으로 복수 취급을 하나, (미·구어)에서는 이 뜻으로 ~s 형태도 쓴다. 지금은 대체로 people을 쓰는 것이 일반적이다: old ~s 노인네들
2 [보통 *pl.*] [친밀감을 가진 호칭으로] 여러분: *F*~*s*, we are now approaching New York City. 여러분, 곧 뉴욕시에 도착하겠습니다 **3** [*pl.*; one's ~] (구어) 가족, 친척; 양친: my ~*s* 우리 가족[부모] / your young ~*s* 댁의 자녀들 **4** [the ~; 복수 취급] 서민, 민중, 민족《나라의 문화·전통·미신 등을 전승하는 사람들의 집단》 **5** (구어) = FOLK MUSIC ***be just*** **[*plain*]** **~*s*** (구어) 젠체하지 않는[소박한] 사람들이다
— *a.* Ⓐ **1** 서민 사이에서 시작된, 민중의, 민간(기원)의: a ~ remedy 민간요법 / ~ beliefs 민간 신앙 **2** 민속의: ~ culture 민속 문화 **3** 민요의, 민속 음악의 **~·ish** *a.* **~·lìke** *a.* 민속풍의
fólk àrt 민속 예술, 민예(품)
folk·craft [fóukkræ̀ft | -krɑ̀:ft] *n.* 민속 공예(품)
fólk cùstom 민속(民俗)
fólk dànce 민속[향토] 무용(곡)
fólk dèvil 사회의 적
Folke·stone [fóukstən] *n.* 포크스턴《England 동남단 Dover 해협에 면한 항구, 해수욕장》
Fol·ke·ting [fóulkətiŋ] *n.* **1** 덴마크 국회 **2** 〖역사〗 (덴마크 국회의) 하원
fólk etymólogy **1** 민간[통속] 어원(설) **2** 어원에 관해 널리 퍼져 있는 잘못된 인식
fólk guitàr 〖음악〗 포크 기타
fólk hèro 민중적 영웅
folk·ie [fóuki] (구어) *n.* 민요 가수; 민요 팬
— *a.* 민요의, 포크송의
folk·life [fóuklàif] *n.* 민중 생활 (연구)
***folk·lore** [fóuklɔ̀:r] *n.* Ⓤ **1** [집합적] 민속, 민간 전승(傳承) **2** 민속학, 민간 전승학 **3** 속신(俗信), 신화
fólk·lòr·ic *a.* **fólk·lòr·ist** *n.* 민속학자
folk·lor·ism [fóuklɔ̀:rizm] *n.* 민속 연구, 민속학; 민간 전승(의 하나)
folk·lor·is·tics [fòuklɔ:rístiks] *n. pl.* [단수 취급] 민속학, 민속 연구
fólk màss 포크 미사《전통적 음악 대신에 민속악을 곁들이는 미사》
fólk mèdicine (약초 등을 쓰는) 민간요법
fólk mémory 〖사회〗 한 민족[집단]이 공유하는 기억
folk·moot [-mù:t], **-mote** [-mòut] *n.* 〖영국사〗 (앵글로색슨 시대의 주나 도시의) 민회(民會)
fólk mùsic 민속 (음)악, 민요
folk·nik [fóuknìk] *n.* (속어) 포크 송 팬; = FOLK SINGER
folk-pop [-pɑ̀p | -pɔ̀p] *n., a.* 포크 팝(의)《민요의 멜로디와 가사를 채택한 팝 음악》
fólk psychólogy 민족 심리학
fólk ròck 민요풍의 록 음악
folk·say [-sèi] *n.* Ⓤ (미) 통속어, 속어 표현
fólk sìnger 민요[포크송] 가수
fólk sìnging (특히 집단으로) 민요[포크송] 가창
fólk socìety 〖사회〗 민속 사회《작고 고립하여 동질성을 갖고 결속이 강한 지역 사회》
fólk sòng 민요, 포크송
folk·ster [fóukstər] *n.* (미·구어) = FOLK SINGER
fólk stòry = FOLK TALE
folk·sy [fóuksi] *a.* (**-si·er**; **-si·est**) **1** (미·구어) 서민적인; 상냥한, 사교적인 **2** 〈태도 등이〉 격의없는, 허물없는 **3** (예술·공예·회화 등에서) 〈수법·양식이〉 민속적인, 민예적인 **fólk·si·ness** *n.*
fólk tale **1** 민간 설화, 전설 **2** 속신, 미신
folk·ways [-wèiz] *n. pl.* 〖사회〗 습관, 풍속《한 사회 집단의 공통적인 생활·사고·행동 양식》
folk·weave [-wì:v] *n.* 결이 거친 직물

folk·y [fóuki] *a.* (**folk·i·er**; **-i·est**) 《구어》 =FOLKSY; =FOLKIE **—** *n.* (*pl.* **folk·ies**) 《속어》 =FOLKIE

foll. followed; following

fol·li·cle [fálikl | fɔ́-] *n.* **1** 〖해부〗 소낭(小囊), 여포(濾胞); 난포(卵胞) **2** 〖곤충〗 (누에)고치(cocoon) **3** 〖식물〗 대과(袋果) 《붓순나무·모란 등의 열매》

fóllicle mìte 〖동물〗 모낭진드기 《포유동물의 모낭(毛囊)에 기생하는》

fól·li·cle-stím·u·lat·ing hòrmone [-stímjulèitiŋ-] =FSH

fol·lic·u·lar [fəlíkjulər] *a.* **1** 소낭 모양의; 여포성의 **2** 〖식물〗 〈과실이〉 대과 모양의

fol·lic·u·lin [fəlíkjulin] *n.* 폴리큘린 《발정 호르몬, 특히 에스트론》

‡**fol·low** [fálou | fɔ́l-] *v., n.*

> ME 「뒤를 잇다」의 뜻에서
> → 「…의 뒤를 잇다」 **1** → 「뒤따라가다」 **2** → 「(길을) 따라가다」 **6** → 「좇다」 **7**
> → (내용을) 「이해하다」 **12**
> → 「(풍습 등에) 따르다」 **4**

— *vt.* **1** (순서로서) …**의 뒤를 잇다,** …의 뒤[다음]에 오다; (결과로서) …의 뒤에 일어나다(result from): The speech ~*s* the dinner. 만찬 뒤에 연설이 있다. / Disease ~*s* intemperance. 병은 무절제에서 일어난다. **2 따라가다[오다],** 뒤따르다; 수행하다(accompany): (~+목+부) ~ a person *in*[*out*] …을 따라 들어가다[나가다] // (~+목+전+명) The dog ~*ed* me *to* the house. 그 개는 나를 따라 집까지 왔다. **3** …의 가르침[주의, 학설]을 받들다, 추종하다, 신봉하다: (~+목+전+명) ~ a person *in* his [her] steps …의 선례를 따르다 **4** 〈선례·풍습 등에〉 **따르다**(conform to); 〈충고·명령·교훈 등에〉 **따르다**(obey) **5** 본받다, 배우다; 〈타인의 예 등을〉 보고 따르다, 모방하다: ~ a person's example …을 본받다, …을 모방하다 **6** 〈길 등을〉 **따라가다,** 끼고 나아가다(proceed along); 〈방침·계획 등에〉 **따르다**(conform to): (~+목+전+명) *F*~ this road *to* the corner. 길모퉁이까지 이 길을 따라가시오. **7** 〈사람 등을〉 **좇다,** 뒤쫓아가다(pursue): We are being ~*ed.* 우리는 미행당하고 있다. **8** 《문어》 추구하다(strive after): ~ ideal 이상을 추구하다 **9** 〈직업에〉 **종사하다**(practice, engage in); 〈취미·생활양식 등을〉 계속하다: ~ the law 법률에 종사하다, 변호사 노릇을 하다 / ~ the plow 농업에 종사하다 / ~ the sea 선원 노릇을 하다 / ~ the stage 배우 노릇을 하다 **10 눈으로 좇다,** 눈으로 따라가다; 귀로 알아듣다, 경청하다; 〈변하는 세태·형세를〉 따라가다: ~ a bird in flight 날아가는 새를 눈으로 좇다 **11** 흥미를 가지고 연구하다[지켜보다], 관심을 가지다, 〈일의 경과를〉 주시하다: He ~*s* soccer. 그는 축구통[광]이다. **12** [주로 의문문·부정문에서] 〈설명 등을〉 **따라가다,** (분명히) **이해하다:** I don't quite ~ you. 말씀을 잘 알아들을 수가 없군요. / Do you ~ me? 내가 한 말을 이해할 수 있습니까?

— *vi.* **1** 잇따라 **일어나다**(ensue): (~+전+명) I want to know if anything ~*ed after* it. 나는 그 뒤에 무슨 일이 일어났는지 알고 싶다. **2 뒤따라가다[오다];** 뒤따르다, 수행하다, 동행하다: (~+전+명) *F*~ *after* me. 뒤따라오시오. / The policeman ~*ed after* the man in question. 경관은 문제의 사나이의 뒤를 밟았다. **3** [흔히 it을 주어로] 당연한 결과로서 …이 되다 《*from*》: (~+***that*** 절) If that is true, *it* ~*s that* he must be innocent. 만일 그것이 사실이라면 그는 무죄임이 틀림없다. **4** [주로 의문문·부정문에서] 이해하다: I do*n't* ~. (무슨 말인지) 모르겠다.

as* ~*s 다음과 같이 《★ 이 구의 'follow'는 비인칭 동사로 항상 3인칭 단수 현재형으로 쓰임; 대개 콜론(:)을 찍고 그 뒤에 예시되는 말이 옴》: His words were *as* ~*s.* 그의 말은 다음과 같았다. **~ *about*[*around*]** 〈사람을〉 줄곧[자꾸] 따라다니다 **~ *after*** =FOLLOW *vi.* 1, 2; …을 추구하다; (구혼하며) 〈사람을〉 좇아다니다 **~ *home*** 철저하게 추구하다 **~ *in* a person*'s* *footsteps*** ⇨ footstep. **~ *in the wake of*** …의 전철을 밟다, …의 전례에 따르다 **~ *on*** 잠시 있다가 이어지다; (결과로서) 〈사태가〉 일어나다 **~ *out*** 끝까지[철저하게] 해내다 **~ *suit*** ⇨ suit. **~ (*the*) *hounds*** ⇨ hound. **~ *through*** (1) 〖야구·골프·테니스〗 공을 친 후에도 배트[클럽, 라켓]를 끝까지 휘두르다 (2) 〈계획·연구 등을〉 끝까지 다하다(cf. FOLLOW-THROUGH) (3) 공격을 계속하다 **~ *up*** (1) 계속[끝까지] 추구하다, 철저히 추적하다; 적절한 처리를 하다 《*on*》: *Following up on* a promise is important for one's credibility. 약속을 지키는 것은 자신의 신용에 중요하다. (2) (여세를 몰아) 더욱 철저하게 하다: ~ *up* a blow with a kick 한 대 친 데다가 발길질까지 하다 (3) 〈신문이〉 〈뉴스의〉 속보를 내다 ***to* ~** 다음 요리로(서)

— *n.* **1** Ⓤ 뒤따름, 추적; 추종; 추구 **2** 〖당구〗 =FOLLOW SHOT **3** =FOLLOW-UP 2 **4** 《속어》 (음식점에서) 더 청하는 음식 《보통량의 반쯤》

‡**fol·low·er** [fálouər | fɔ́-] *n.* **1 수행원**(attendant), **종자**(從者); 신하(retainer); 당원, 부하(adherent): His ~*s* always walk along with him. 그의 수행원들은 항상 그를 따라 걷는다. **2 신봉자,** 학도, 신도, 추종자, 지지자, 팬, 문하생, 제자(disciple) 《*of*》: ~*s of* Christianity[Karl Marx] 그리스도교 신자[마르크스의 신봉자] **3** 뒤쫓는 사람, 추격자, 추적자 **4** (모범·이상적인 존재의) 모방자, 아류 《*of*》 **5** 뒤에 오는 사람[물건, 일] **6** (계약서 등의 첫 장(張)의) 추가 장 **7** 〖기계〗 종동부(從動部) 《CAM 등》

fol·low·er·ship [fálouərʃip | fɔ́-] *n.* Ⓤ **1** 지도자를 따르는 것[자세]; 따르는 자로서의 입장[임무]; (지도자에 대한) 지지, 충성 **2** [집합적] 지지자, 신봉자, 수행원, 신하

‡**fol·low·ing** [fálouiŋ | fɔ́-] *a.* Ⓐ **1** [the ~] (뒤따르는) **다음의,** 다음에 계속되는, 이하의; 하기(下記)의, 다음에 설명하는: *the* ~ day[week, month, year] 그 다음 날[주, 달, 해] / the ~ example 다음의 예시 **2** 〖항해〗 순풍의; 〈조류가〉 순류(順流)의: sail with a ~ breeze 순풍을 받고 항해하다

— *n.* **1** [the ~; 단수·복수 취급] **다음에 말하는 것** [일, 사람], 하기(下記)의 것: *The* ~ is what he said[are his words]. 다음(에 적은 것)이 그가 한 말이다. 《the는 때로 생략됨》 **2** [집합적] 수행원, 가신, 제자, 문하생(followers) **3** [집합적] 신봉자, 숭배자, 지지자, 팬, 추종자

— *prep.* …에 이어, …후에 《주로 신문 용어》: *F*~ the meeting, tea will be served. 모임이 끝난 후 차가 나옵니다.

fol·low-my-lead·er [fáloumailí:dər | fɔ́-] *n.* 《영》 =FOLLOW-THE-LEADER

fol·low-on [fálouɔ̀:n | fɔ́louɔ̀n] *a.* Ⓐ **1** 후속의, 다음에 계속되는 **2** 〈컴퓨터 등이〉 다음 개발 단계에 있는

— *n.* **1** 〖크리켓〗 속행 제2회전 **2** 후속되는 것; 후속 공격; 제2세대, 후계자

fóllow scène 〖영화〗 이동 촬영한 장면

fóllow shòt 1 〖영화·TV〗 (피사체에 맞춘) 이동 촬영 **2** 〖당구〗 밀어치기(follow)

fol·low-the-lead·er [fálouðəlí:dər | fɔ́-] *n.* Ⓤ 《미》 대장놀이 《대장이 된 어린이의 동작을 모두가 흉내 내는 어린이 놀이》

fol·low-through [fálouθrù: | fɔ́-] *n.* ⒸⓊ **1** 〖야구·골프〗 타구 후의 마무리 동작 **2** (계획 등의) 실행, 완수, 수행 **3** 《미·속어》 결말

***fol·low-up** [fálouʌ̀p | fɔ́-] *n.* Ⓤ [또는 a ~] **1** 속행; **사후 점검;** 추적, 추구 **2** (신문의) 속보, 후속 기사 **3** 〖의학〗 추적 조사[치료]; 정기적으로 진찰을 받는 환자 **4** 추가로 내는 권유장 **5** 《미·속어》 결과

— *a.* Ⓐ **1** 잇따르는, 뒤따르는; 추가의: a ~ letter 추가로 내는 권유장 / a ~ system 추구식 판매법 《통신 판매 등에서 연거푸 권유장을 내어 판매하는 방법》 **2** 추적의: a ~ survey 추적 조사 / a ~ story (신문

등의) 추적 기사

‡fol·ly [fáli | fɔ́li] *n.* (*pl.* **-lies**) **1** Ⓤ 어리석음 **2** 어리석은 행동[생각], 바보짓: commit a ~ 바보짓을 하다 / youthful *follies* 젊었을 때의 바보짓 **3** 막대한 돈을 들인 어처구니없는 큰 건축; 어리석은 투자: Allen's *F*~ 앨런의 아방궁 **4** [*pl.*; 단수 취급] 글래머 여성 출연자; 그런 여자가 나오는 시사 풍자극 **5** 《폐어》 사악, 부덕, 외설, 부정(不貞)

Fol·som [fóulsəm] *a.* 폴섬 문화의 《북미 대륙 로키 산맥 동부의 선사 시대 문화》 **—** *n.* 폴섬 교도소

Fólsom màn (선사 시대의) 폴섬 인(人)

Fólsom pòint 〖고고학〗 폴섬형(型) 첨두 석기

FOMC Federal Open Market Committee 《미》 연방 공개 시장 위원회

fo·ment [foumént] *vt.* **1** 〈반란·불화 등을〉 촉진[조장, 조성, 선동]하다 **2** 〈환부에〉 찜질을 하다, (온)습포하다 **~·er** *n.*

fo·men·ta·tion [fòumentéiʃən] *n.* **1** Ⓤ (불화·반란 등의) 조장, 유발 **2** Ⓤ 찜질, (온)습포; Ⓒ 찜질약, (온)습포제

fo·mes [fóumi:z] *n.* (*pl.* **fom·i·tes** [fámitì:z, fóu- | fóu-] [보통 *pl.*] 〖의학〗 (감염) 매개물 《의류·침구류 따위》

‡fond¹ [fánd | fɔ́nd] [ME 「어리석은」의 뜻에서] *a.* **1** Ⓟ 좋아하는 《*of*》: She's (very) ~ *of* dogs. 그녀는 개를 (무척) 좋아한다. **2** Ⓐ 정다운, 다정한(tender): give a person a ~ look 애정 어린 눈으로 보다 **3** Ⓐ 〈사람이〉 너무 귀여워하는, 응석을 받아 주는: a ~ mother 응석 받아 주는 어머니 **4** Ⓐ 〈희망·신념 등이〉 맹목적인, 맹신적인: nourish ~ hopes of success 성공하리라는 맹목적인 희망을 품다 **5** 《고어》 어리석은(foolish) ***be ~ of*** …을 좋아하다(⇨ 1); 《구어》 …하는 나쁜 버릇이 있다 ***get*** [***become, grow***] ***~ of*** …이 좋아지다

fond² *n.* (*pl.* **~s** [-z]) **1** (레이스의) 바닥천; 기초, 토대 **2** 《폐어》 자본, 원금; 축적, 비축

fon·dant [fándənt | fɔ́n-] [F] *n.* 퐁당 과자 《입에 넣으면 금방 녹는 당과》; Ⓤ 설탕을 이겨 크림처럼 만든 것 《당과의 원료로 많이 쓰임》

fon·dle [fándl | fɔ́n-] *vt.* **1** 귀여워하다(pet), 애지중지하다; 애무하다(caress); 희롱대다 **2** 《폐어》 〈사람·동물을〉 지나치게 소중히 여기다 **—** *vi.* (태도·말·애무로) 애정을 보이다; (…와) 시시덕거리다 《*with, together*》 **fón·dler** *n.*

fon·dling [fándliŋ | fɔ́nd-] *n.* 사랑하는 자식; 애완동물(pet)

∗fond·ly [fándli | fɔ́nd-] *ad.* **1** 다정하게; 귀여워해서, 애정을 담아 **2** [문장을 수식하여] 쉽게 믿어서, 어리석게도, 경망스럽게도

∗fond·ness [fándnis | fɔ́nd-] *n.* ⓊⒸ **1** 도타운 사랑, 자애, 유난히 귀여워함 **2** [보통 a ~] 좋아함, (…에 대한) 기호(嗜好), 취미 《*for*》 **3** 경신(輕信), 어리석음, 경망 ***have a ~ for*** …을 좋아하다

fon·due [fandjú:, ㅡ́ㅡ | fɔ́ndju:] [F] *n.* 〖요리〗 퐁뒤 《백포도주에 치즈를 녹인 냄비 요리로 빵 등에 얹어 먹음》

F_1 làyer [éfwʌ́n-] 〖통신〗 F층 《전리층의 최상층》

fons et o·ri·go [fánz-et-ɔ:ráigou, -ɔ:rí: | fɔ́nz-et-ɔrái-, -ɔrí:-] [L = source and origin] 원천, 근원

F-1 vísa [éfwʌ́n-] F-1 비자 《학생용 미국 비자》

font¹ [fánt | fɔ́nt] *n.* **1** (교회의) 세례반(洗禮盤) **2** (성당의) 성수반 **3** (생산의) 근원 **4** (등잔의) 기름통 **5** 《시어》 샘, 원천; 근원

font² *n.* 《미》 〖인쇄〗 폰트 《종류와 크기가 같은 활자 한 벌》(《영》 fount²)

Fon·taine·bleau [fántinblòu | fɔ́n-] *n.* 퐁텐블로 《파리 남동쪽의 도시; 숲과 왕궁으로 유명》

font·al [fántl | fɔ́ntl] *a.* **1** 샘의; 원천의; 근원을 이루는 **2** 세례반의; 세례의(baptismal)

fon·ta·nel, -nelle [fàntnél | fɔ̀n-] *n.* 〖해부〗 숫구멍, 정문(頂門)

fon·ti·na [fantí:nə | fɔn-] *n.* Ⓤ (이탈리아산(産)) 양젖 치즈

fónt nàme 세례명

font·ware [fántwὲər | fɔ́nt-] *n.* 〖컴퓨터〗 폰트나 철자 사용의 타이프세팅 소프트웨어

‡food [fú:d] *n.* Ⓤ **1** 음식, 식량; (마실 것과 대비하여) 먹을 것, (고형) 식품: ~ and drink 음식물 / bad ~ 자양분이 없는 음식 / ~, clothing and shelter 의식주 / an article[a piece] of ~ 식품 한 가지 **2** Ⓒ (특정한) 식품, 영양[가공] 식품: a breakfast ~ 아침 식사용 식품 《콘플레이크·오트밀 등》 / health ~*s* 건강식품 **3** (식물의) 양분, 비료 **4** 《비유》 (마음의) 양식; (논리나 사고 등의) 재료 《*for*》: mental ~ 마음의 양식 《책 등》 **5** 《미·속어》 마리화나 ***be*** [***become***] ***~ for*** …의 밥[먹이]이 되다: *become* ~ *for* fishes 물고기의 밥이 되다, 익사하다 / *be* ~ *for* (the) worms 구더기의 밥이 되다, 죽다 ***be off one's ~*** (병 등으로) 식욕이 없다 ***~ for powder*** 총알받이 《전선의 병사들》 ***~ for the squirrels*** 《속어》 어리석은 사람, 바보 ***~ for thought*** 생각할 거리

fóod àdditive 식품 첨가물

food·a·hol·ic [fù:dəhɔ́:lik, -há- | -hɔ́-] *n.* 식욕 과잉인 사람, 병적인 대식가

fóod àllergy = FOOD INTOLERANCE

Fóod and Àgriculture Organizàtion [the ~] (유엔) 식량 농업 기구 《略 FAO》

Fóod and Drúg Administràtion [the ~] 《미》 식품 의약품국 《보건 복지부의 일부; 略 FDA》

fóod bànk 《미》 식량 은행 《빈민 구제용 식량 저장 배급소》

fóod bàsket 곡창 지대

fóod blockàde 식량 봉쇄

fóod chàin 1 〖생태〗 먹이 연쇄[사슬] **2** 식품 체인점

fóod còlor 식품 착색제[염료]

fóod contròl 《영》 식량 관리[통제] 《비상시의》

fóod cònurt 푸드코트 《쇼핑센터 등의 건물 안에 여러 종류의 식당들이 모여 있는 구역》

fóod cỳcle 〖생태〗 먹이 순환

fóod fish 식용 물고기

food-gath·er·er [fú:dgæ̀ðərər] *n.* (수렵) 채집 생활자

food-gath·er·ing [-gæ̀ðəriŋ] *a.* (수렵) 채집 생활의

food·ie [fú:di] [*food*+junk*ie*] *n.* 《속어》 식도락가, 미식가, 음식에 관심이 많은 사람

fóod intòlerance 음식 과민증

fóod irradiátion 식품 조사(照射) 《야채·과일 등에 감마선를 쐬는 식품 보존법》

fóod làbeling (포장 식품의) 식품 내용 표시 라벨

food·less [fú:dlis] *a.* **1** 먹을 것이 없는: go ~ 굶고 있다 **2** 〈지방·장소 등이〉 불모(不毛)의 **3** 영양 없는

food·lift [fú:dlìft] *n.* 식량의 긴급 공수

fóod mìles 《영》 푸드 마일 《식료품이 소비자 식탁에 오르기 까지의 이동거리》

fóod pòisoning 식중독: be stricken by ~ 식중독에 걸리다

fóod pròcessor 식품 전동(電動) 조리 기구 《식품을 고속으로 절단·분쇄하는》 **fóod pròcessing** *n.*

fóod pỳramid 〖생태〗 먹이 피라미드

fóod scìence 식품 과학

fóod stàmp 《미》 식권, 식량 배급표 《저소득자에 대해 연방 정부가 발행하는》

∗food·stuff [fú:dstʌ̀f] *n.* **1** [종종 *pl.*] (주로 음식의 원료가 되는) 식료품, 식품, 식량 **2** 영양소

fóod vàcuole 〖생물〗 식포(食胞)

fóod vàlue (식품의) 영양가

food·way [-wèi] *n.* **1** 소화관 **2** [*pl.*] 식생활 습관; 조리법

fóod wèb 〖생태〗 먹이망(網)[그물] 《생물의 포식·피포식 및 소비자·공급자의 관계에 대한 총칭》

foo·ey [fú:i] *int.* 《구어》 = PHOOEY

foo·fa·raw [fú:fərɔ̀:] *n.* ⓊⒸ 《미·구어》 **1** 공연한

소동, 하찮은 일로 야단법석 떨기 **2** 싸구려 장신구, 싸고 번쩍번쩍한 것; 과시(誇示)

foo-foo [fú:fù:] *n.* 《미·속어》 바보, 멍청이

fóo-fóo wàter 《미·속어》 면도 후의 로션(after-shave); 향수

‡**fool**[1] [fú:l] [L 「풀무; 허풍쟁이」의 뜻에서] *n.* **1** 바보, 멍청이 《★ 비슷한 말로 moron, idiot, jerk, simpleton 등을 씀》: A ~ and his money are soon parted. 바보에게 돈을 주면 곧 써 버린다. / No ~ like an old ~. 《속담》 늙은 바보처럼 어리석은 사람은 없다. 《늙은이의 사랑에 대해 한 말》 **2** 《옛날 왕후·귀족에게 고용되었던》 광대 **3** 《남의》 놀림감, 웃음가마리, 곧잘 속는 사람(cf. APRIL FOOL) **4** 《미·구어》 《…을》 몹시 좋아하는 사람 《*for*》; 광(狂), 열광자: a dancing ~ 춤에 미친 사람 / a ~ *for* candy[wine] 사탕과자[술]를 몹시 좋아하는 사람

act the ~ = play the FOOL. ***be a ~ for one's pains*** 헛수고하다 ***be a ~ to oneself*** 《영》 《친절을 베풀다가》 손해를 보다, 웃음거리가 되다 ***be ~ enough to*** do 어리석게도 …하다 ***be no***[***nobody's, no man's***] ~ 《구어》 속아 넘어갈 사람이 아니다, 빈틈이 없다 ***be the ~ of fate*** 운명에 농락되다 ***make a ~ of*** a person …을 놀리다, 웃음거리로 만들다 ***make a ~ of oneself*** 바보짓을 하다, 웃음거리가 되다 ***play the ~*** 광대 노릇을 하다; 멍청한 짓을 하다; 실수하다(blunder) ***play the ~ with*** …을 농락하다, 속이다(deceive); …을 망치다 ***suffer ~s gladly*** [보통 부정문에서] 《구어》 어리석은 사람에게 관대한 태도를 취하다 (***the***) ***more ~ you***[***him, them,*** etc.] 《주로 영》 당신[그, 그들]이 …하다니 어리석군: *More ~ you* for believing him. 그의 말을 믿다니 자네도 어리석구나.

— *a.* Ⓐ 《미·구어》 = FOOLISH

— *vi.* **1** 바보짓을 하다; 익살 떨다, 희롱하다 **2** 갖고 놀다, 장난치다, 《배우자 아닌 사람과》 놀아나다, 바람피우다 《*about, around*》: 《~+전+명》 Don't ~ *around with* the pistol. 권총을 가지고 장난치지 마라. **3** 농담하다: I was only *~ing.* 그냥 농담이었어. **4** 빈둥거리다, 어슬렁거리다 《*about, around*》

— *vt.* **1** 놀리다, 우롱하다; 속이다; 속여 빼앗다 《*out of*》, 속여서 …시키다 《*into* do*ing*》: 《~+목+전+명》 ~ a person *out of* his[her] money …을 속여 돈을 빼앗다 **2** 《기쁜 일로》 〈사람을〉 놀라게 하다 **3** 〈시간·돈 등을〉 하찮은 일에 낭비하다: 《~+목+부》 ~ *away* one's time[money] 시간[돈]을 낭비하다

~ around[***about***] (1) *vi.* 2, 4 (2) 《하찮은 일로》 시간을 낭비하다 《*with*》 (3) 《미·속어》 《이성과》 시시덕거리다, 바람피우다 《*with*》 (4) 〈일 등을〉 무계획적으로 하다 《*with*》 ***~ out*** 《미·속어》 틀리다 ***~ with*** 《구어》 〈위험한 것을〉 가지고 장난하다[놀다]; 참견하다 ***You could have ~ed me!*** 《미·구어》 그건 거짓말이겠지!

fool[2] *n.* Ⓤ 《영》 〖요리〗 풀 《삶은 과일을 으깨어 우유 또는 크림에 섞은 것》

fóol dùck 《미》 오리의 일종(ruddy duck)

fool·er·y [fú:ləri] *n.* (*pl.* **-er·ies**) ⓊⒸ 어리석은 짓; 어리석은 거동; 싱거운 짓

fool·har·dy [fú:lhà:rdi] *a.* (**-di·er**; **-di·est**) 무작정한, 소견머리없는, 무모한: You took a ~ step. 터무니없는 짓을 했군. **-di·ly** *ad.* **-di·ness** *n.*

fóol hèn 《미》 〖조류〗 뇌조(雷鳥)

fool·ing [fú:liŋ] *n.* Ⓤ 어리석은 짓, 광대짓; 장난

‡**fool·ish** [fú:liʃ] *a.* **1** 어리석은(silly), 사려 분별[지각, 판단력]이 없는(opp. *wise*): a ~ fellow 어리석은 녀석 / a ~ action 우행 // 《~+*of*+명+*to* do》 It was ~ *of* him *to* waste his money on such trifles. 그 따위 시시한 일에 돈을 허비하다니 그도 어리석었다. **2** 바보 같은, 얼빠진, 엉뚱한: a ~ idea 바보 같은 생각 / look ~ 얼빠진 얼굴을 하고 있다 **3** 창피한, 쑥스러운: I felt ~ when I made an error in calculation. 계산 착오를 했을 때 무안했다. **4** 《고어》 시시한, 하찮은

> 유의어 **foolish** 지능이 모자라 건전한 판단력이 없는: a *foolish* notion 어리석은 생각 **silly** 정신적 결함은 없지만 행동이 상식적이 아닌: a *silly* and senseless behavior 바보 같은 지각없는 행동 **stupid** 선천적으로 지능이 낮아 정상적 이해력이 없는: a well-meaning but *stupid* girl 착하지만 우둔한 아가씨

~·ly *ad.* 어리석게도, 바보같이 **~·ness** *n.* Ⓤ 어리석음

fóolish pòwder 분말로 된 마약

fool·oc·ra·cy [fu:lɑ́krəsi | -lɔ́k-] *n.* Ⓤ **1** 우인(愚人) 정치 **2** [집합적] 지배 계급의 우인들

fool·proof [fú:lprù:f] *a.* 《속어》 잘못될 수가 없는, 바보라도 할 수 있는, 아주 간단한

fools·cap [fú:lzkæ̀p] *n.* **1** 《영》 풀스캡 판(版) 《보통 17×13인치 크기; 본래 이 종이에는 fool's cap의 투명 무늬가 들어 있었음》; 대판 양지(大版洋紙) 《접어서 약 16×13인치의 크기》 **2** = FOOL'S CAP

fóol's càp **1** 광대 모자 《옛날에 광대가 쓴 것으로 원뿔꼴이며 볏 모양의 정식(頂飾)과 방울이 달렸음》 **2** = DUNCE CAP

fool's cap 1

fóol's érrand 헛걸음, 헛수고, 도로(徒勞)

go on a ~ 헛걸음[헛수고]을 하다 ***send*** a person ***on a ~*** …에게 헛걸음[헛수고]을 시키다

fóol's góld 황철석, 황동석 《금과 비슷하다고 해서》

fóol's páradise 어리석은 자의 낙원; 《비유》 행복의 환영(幻影), 헛된 기대: be[live] in a ~ 헛된 행복[희망]을 꿈꾸고 있다[살다]

foos·ball [fú:zbɔ̀:l] *n.* Ⓤ 푸스볼 《인형 달린 막대를 돌려가며 손으로 하는 축구 놀이》(《영》 table football)

‡**foot** [fút] *n.* (*pl.* **feet** [fí:t]; 14, 15에서는 **~s**) **1** 《척추동물의》 발 《복숭아뼈의 밑》(cf. LEG): stand on one ~ 한 발로 서다 / He walked around in bare *feet.* 그는 맨발로 돌아다녔다. **2** 발 부분 《연체동물의 촉각(觸脚) 등》 **3** 피트 《길이의 단위; =12 inches, 1/3 yard, 30.48 cm; 略 ft.; 발의 길이에서 기인된 단위》: be six *feet* long 길이 6피트이다 / 10 square[cubic] *feet* 10평방[입방]피트 **4** Ⓤ [집합적; 단수·복수 취급] 《주로 영》 보병(infantry): a regiment of ~ 보병 연대 / horse and ~ 기병과 보병 **5** Ⓤ [또는 a ~] 걸음, 보행(step), 보조(步調); 도보: with heavy ~ 무거운 걸음걸이로 / be swift[slow] of ~ 발걸음이 빠르다[느리다] / on ~ 걸어서, 도보로 **6** 《위치·구실이》 발 모양의 것; 《의자·테이블 등의》 다리(leg) 끝 부분; 《물건의》 받침 부분; 대(臺) **7** 《양말의》 발을 감싸는 부분 **8** [보통 the ~] 《산의》 기슭; 《층계·기둥·돛대·페이지 등의》 최하부, 최저부: at *the* ~ of a mountain 산기슭에서 / at *the* ~ of a page 페이지의 하단부에 **9** [보통 the ~] 말미(末尾), 말단; 《계급·지위가》 말석, 최하위: go (to *the*) ~ 《미·구어》 반에서 꼴찌를 하다 **10** 밑쪽, 발치, 발 부분 《침대·무덤 등의 head에 대하여》(cf. HEAD) **11** 돛자락 **12** 《계산서 등에서》 최하부에 쓰여진 것 **13** 〖운율〗 운각(韻脚) **14** [보통 *pl.*; 단수·복수 취급] 찌끼, 앙금, 재강(dregs) **15** [보통 *pl.*] 〖연극〗 풋라이트, 각광(footlights) **16** 《미싱의》 누름쇠

USAGE (1) 복수형은 보통 feet이지만 다음과 같은 경우 주로 《구어》에서는 foot도 사용된다: He is six *feet*[*foot*] tall. 그의 키는 6피트이다. / five *foot*[*feet*] six = five *feet* six inches 5피트 6인치 (2)

thesaurus **fool**[1] *n.* **1** 바보 idiot, ass, nitwit, numskull, moron, blockhead **2** 광대 jester, clown,

수사와 함께 복수를 이룰 때에는 언제나 foot: a five-*foot* tree 5피트의 나무 / an eight-*foot*-wide path 폭 8피트의 길 ***at a ~'s pace*** 보행 속도로, 보통 걸음으로 ***at*** a person***'s feet*** (1) …의 발밑에 (2) …에게 복종하여 ***carry***[***sweep***] a person ***off his***[***her***] ***feet*** 〈파도 등이〉 사람을 휩쓸어 넘어뜨리다; 열광시키다 ***catch*** a person ***on the wrong ~*** 〈사람에게〉 불시에 공격하다, 허를 찌르다 ***catch*** one***'s ~*** 채어서 비틀거리다 ***change ~***[***feet***] (행진중에) 발을 바꿔 디디다 ***dead on*** one***'s feet*** 《구어》 녹초가 되어 ***die on*** one***'s feet*** 즉사하다; 좌절하다, 무너지다 ***drop***[***fall, land***] ***on*** one***'s feet*** (고양이처럼) 떨어져도 바로 서다; 용케 곤경에서 벗어나다; 운이 좋다 ***feet first*** (1) 발이 앞쪽으로, 발부터 먼저 (2) 주저 없이, 준비 없이 (3) 죽어 ***feet of clay*** ⇨ CLAY. ***find***[***feel***] one***'s feet*** 설[걸을] 수 있게 되다; 일어서다; 자신이 붙다; (새 환경에) 익숙해지다 《*in, at*》 ***find***[***get, know, take***] ***the length of*** a person***'s ~*** 남의 약점을 잡다[알다] ***~ by ~*** 한 피트씩; 점차로 ***gain*** one***'s feet*** 걸을 수 있게 되다, 일어서다 ***get***[***have***] ***a***[one***'s***] ***~ in*** (***the door of***) 《구어》 (1) (외판원이 하듯이) 문을 못 닫게 발을 끼우다 (2) 《비유》 성공적으로 첫걸음을 내딛다, (특히 가입하기 힘든) 회 등에 참가할 기회를 얻다 ***get***[***have***] ***cold feet*** 겁먹다, 도망칠 자세를 취하다 ***get***[***start***] ***off on the right***[***wrong***] ***~*** (남과의 관계를) 순조롭게 [잘못] 시작하다, 처음부터 잘되어 가다[가지 않다] 《*with*》 ***get*** one***'s feet wet*** 참가하다, 해보다 ***get to*** one***'s feet*** 일어서다 ***give*** a person ***the ~*** 《속어》 …를 걷어차다 ***go home feet first*** 《속어》 죽다, 지치다 ***have a ~ in both camps*** 양다리 걸치다, 적과 아군 양쪽에 통하다 ***have one ~ in the grave*** 《구어》 무덤 속에 한 발을 넣고 있다, 다 죽어가다 ***have*** one***'s***[***both***] ***feet on the ground*** 두 발로 땅 위에 서 있다; 현실[실제]적이다 ***have the ball at*** one***'s feet*** 좋은 기회를 맞고 있다 ***hold***[***keep***] a person***'s feet to the fire*** 〈사람에게〉 압력을 가하다 ***jump***[***spring***] ***to*** one***'s feet*** 뛰어 일어나다, 벌떡 일어서다 ***keep*** one***'s ~***[***feet***] 똑바로 서 있다[걷다]; 신중히 행동하다; 성공하다 ***lay*** something ***at*** one***'s feet*** 갖다 바치다, 진상하다 ***measure*** a person***'s ~ by*** one***'s own last*** 자기를 미루어 남을 헤아리다 ***miss*** one***'s ~*** 발을 헛디디다; 실각하다 ***... my ~!*** 《속어》 [상대방 말에 강하게 반발하여] …라니 믿을 수 없다!, 어림없는 소리!: Pretty *my* ~! 귀엽다니 어림없는 소리다! ***of ~*** 움직여서 ***off*** one***'s feet*** (1) 서 있지 못하게 되도록 (2) 정신없이 (3) 앉아, 쉬며 ***on ~*** (1) 걸어서, 도보로 (2) 〈계획 등이〉 착수되어, (착착) 진행하여: set a plan *on* ~ 계획을 세우다[에 착수하다] (3) 《미·구어》 〈소 등이〉 산 채로 ***on*** one***'s feet*** (1) 서서, 일어서서 (2) 기운을 회복하여: You'll be back *on your feet* in no time. 빠른 시일 내에 건강을 회복하실 거예요. (3) (경제적으로) 독립[자립]하여: stand *on one's feet* 자립하다 ***on the wrong ~*** 갑자기, 느닷없이 ***put a ~ wrong*** [보통 부정문에서] 말실수를 하다, 그르치다, 잘못하다 ***put***[***set***] one***'s best ~ foremost***[***forward***] 《구어》 힘껏 서둘러 가다; 있는 힘을 다하다; 되도록 좋은 인상을 주려고 하다 ***put***[***get***] one***'s feet up*** 《구어》 누워서 쉬다, (앉아서) 발을 높은 곳에 얹고 쉬다 ***put*** one***'s ~ down*** 《구어》 (1) 발을 꽉 디디고 서다; 단호한 태도를 취하다 (2) 《영》 (액셀러레이터를 밟아) 속도를 내다 ***put*** one***'s ~ in***[***into***] ***it***[one***'s mouth***] 《구어》 (부주의로 말미암아) 어려운 처지에 빠지게 되다, 실수하다 ***put*** one***'s ~ on it*** = put one's FOOT down (2). ***put*** one***'s worst ~ forward*** 흉한 꼴을 보이다 ***raise***[***bring***] a person ***to his***[***her***] ***feet*** …을 일어서게 하다 ***rise to*** one***'s feet*** 일어서다 ***run***[***rush***] a person ***off his***[***her***] ***~*** 《구어》 …을 재촉하다; 바쁘게 일을 시키다 ***set***[***put, help***] a person ***on his***[***her***] ***feet*** 자립시키다; 회복[재기]시키다 ***set ~ in***[***on***] …에 발을 들여놓다, 방문하다, 상륙하다 ***set***[***put, have***] one***'s ~ on the neck of*** …을 완전히 복종시키다 ***sit at*** a person***'s feet*** …의 가르침을 받다, 문하생이 되다 ***six feet under*** 《미·속어》 죽어서 매장되어 ***stand on*** one***'s own*** (***two***) ***feet*** 자급자족하다; 독립하다, 독립심을 갖다 ***sure of ~*** 발디딤이 확실한 ***take to*** one***'s feet*** 걷기 시작하다, 걷다 ***think on*** one***'s feet*** 순간적으로 판단하다, 지체 없이 대답하다, 머리 회전이 빠르다 ***throw*** one***self at*** a person***'s ~***[***feet***] 《구어》 〈…의〉 발치에 꿇어앉다; 엎드려 애원하다[숭상하다] ***to*** one***'s feet*** 일어선 상태로 ***tread under ~*** 짓밟다, 압박을 가하다 ***under ~*** (1) 발밑에, 지면[바닥]이; 굴복시켜서, 지배하에: be wet[damp] *under* ~ 발밑[지면]이 축축하다 (2) 방해가 되어, 거치적거려 ***under***[***beneath***] a person***'s ~***[***feet***] …의 발밑에 굴복하여, …가 시키는 대로 움직여 ***vote with*** one***'s feet*** 퇴장하여 반대 의사를 나타내다 ***walk*** a person ***off his***[***her***] ***feet*** 지칠 때까지 걷게 하다 ***with both feet*** 단호하게, 강경하게 ***with*** one***'s feet foremost*** 발을 앞으로 하여; 관속에 들어가, 시체가 되어

— *vt.*, *vi.* **1** 밟다, 디디다(tread) **2** 스텝을 밟다, 춤추다 **3** 〈배가〉 나아가다(move along) **4** 〈양말에〉 발 부분을 달다 **5** 《구어》 (흔히 남을 위해) 지불하다; 합계를 내다: ~ the bill 계산을 치르다(pay) ***~ it*** 《구어》 춤추다; 걷다, 도보로 가다, 달리다 ***~ up*** 〈계산을〉 마치다 ***~ up to*** 〈계산이〉 합계 …이 되다

foot·age [fútidʒ] *n.* Ⓤ **1** 피트 단위의 척도 **2** (영화 필름·재목 등의) 피트 길이

fóot-and-móuth disèase [fútənmáuθ-] 《수의학》 구제역(口蹄疫) 《가축의 입·발굽에 생기는 전염병》

‡**foot·ball** [fútbɔ̀:l] *n.* **1** Ⓤ 풋볼, 《미》 미식축구; 그 공 **2** 《주로 영》 **a** 축구, 사커(soccer) 《★ 정식 명칭은 association football》 **b** = RUGBY 1 **3** (손님을 끌기 위한) 특가[특매] 상품 **4** 거칠게[난폭하게] 취급되는 사람[물건], 해결되지 않은 채 늘 토의 대상이 되는 문제 ***eat the ~*** 《미식축구》 공을 안은 채 태클당하다

— *vi.*, *vt.* 축구를 하다; 《구어》 (손님을 끌기 위하여) 특가[염가]로 팔다 ***~ around*** 큰 소리로 외치며 팔아대다 **~·er** *n.* 미식축구 선수; 《주로 영》 축구 선수

fóotball bóot 축구용 스파이크 슈즈

fóotball hóoligan 폭력적인[난동부리는] 축구광

foot·ball·ing [fútbɔ̀:liŋ] *a.* Ⓐ 《영》 축구의, 축구와 관련된: ~ skills 축구 기술

fóotball pòols [the ~] 《영》 축구 도박(pools)

foot·bath [fútbæ̀θ | -bɑ̀:θ] *n.* (*pl.* **~s** [-bæ̀ðz | -bɑ̀:ðz]) 발 씻기; 발 씻는 대야

foot·bed [-bèd] *n.* (구두·부츠의) 덧대는 밑창

foot·board [-bɔ̀:rd] *n.* 발판; 승강용 발판 《자동차·전차 등의》; (마부가 발을 올려 놓는) 발판

foot·boy [-bɔ̀i] *n.* (제복을 입은) 급사, 사환

fóot bràke (자동차 등의) 발 브레이크

foot·bridge [-brìdʒ] *n.* (강·골짜기에 놓인) 인도교 《★ 도로 위의 「인도교」는 pedestrian bridge》

foot-can·dle [-kǽndl] *n.* 피트 촉광 《조명도의 단위》

foot·cloth [-klɔ̀:θ | klɔ̀θ] *n.* (*pl.* **~s**) **1** 깔개 **2** (말의 등에 걸치는) 장식용천

foot-drag·ging [-drǽgiŋ] *n.* Ⓤ 《미·구어》 **1** 지체; 완만, 느림 **2** 망설임

fóot dròp[**dàngle**] 《병리》 (발의) 하수족(下垂足)

foot·ed [fútid] *a.* **1** 발이 있는 **2** [보통 복합어를 이루어] 발이 …한; …발의; 걸음걸이가 …한: a four-~ animal 네발짐승 **3** 운각(韻脚)이 있는

foot·er [fútər] *n.* **1** 보행인, 도보자(walker) **2** 《영·구어》 **a** = RUGBY 1 **b** = SOCCER **3** 발톱으로 먹이를 포획하는 매 **4** 《건축》 = FOOTING **5** (자료의 각 페이지 하단의) 1-2행의 반복 문구

buffoon, comic, zany, harlequin
foolish *a.* silly, stupid, idiotic, brainless, dull

foot·fall [fútfɔ̀:l] *n.* **1** 발걸음 **2** 발소리
fóot fàult 〚테니스〛 서브할 때 라인 안을 밟는 반칙
foot·fault [-fɔ̀:lt] 〚테니스〛 *vt.* …에게 풋 폴트를 선언하다 **—***vi.* 풋 폴트를 범하다
fóot frònt (집 등의) 정면 폭
foot·gear [-gìər] *n.* Ⓤ [집합적] 신는 것《신발·덧신·양말 등》(cf. FOOTWEAR)
Fóot Guàrds [the ~] 《영》 근위 보병 연대
foot·hill [-hìl] *n.* [보통 *pl.*] 산기슭의 작은 언덕[구릉지]
*__foot·hold__ [fúthòuld] *n.* **1** 발판, 빌니딤 **2** 근거지; 확고한 발판: gain[get] a ~ (in) (…에) 발판을 얻다, 기반을 마련하다 **3** [보통 *pl.*] 고무로 만든 덧신의 일종
foot·ie [fúti] *n.* 《구어》 = FOOTSIE
*__foot·ing__ [fútiŋ] *n.* ⒸⓊ **1** 발밑, 발판, 발디딤 **2** 입장, 근거지; 기반, 기초 **3** (걷거나 춤추며) 빌을 움직임, 발놀림, 걸음 **4** 〚건축〛 기초(basis) **5** 지위, 신분, 자격 **6** 사이, 관계 **7** 〚군사〛 편제, 체제: a peace [war] ~ 평시[전시] 편제 **8** 입회, 가입, 입사; 입회금: pay (for) one's ~ 입회금을 치르다; 입회의 표시로 기부하다[한턱내다] **9** 〚회계〛 총계, 합계; 합계액, 총액
be on a friendly ~ with …와 친한 사이이다 ***get*** [***gain, obtain***] ***a ~ in*** society (사회)에서 발판을 얻다, (사교계)에 발을 들여놓다 ***keep*** one***'s ~*** 발판[지위]을 유지하다 ***lose*** [***miss***] one***'s ~*** 헛디디다, 미끄러지다; 발판을 잃다 ***Mind your ~.*** 발밑을 조심하시오. 《등산 따위에서》
foot-in-mouth [fútinmáuθ] *a.* 《구어》 실언의, 실언을 잘하는
fóot-in-móuth disèase 《익살》 실언벽(癖)
foot-lam·bert [fútlæ̀mbərt] *n.* 〚광학〛 휘도(輝度)의 단위 《1피트 캔들(foot-candle)의 조명을 받은 면의 휘도》
foot·le [fú:tl] 《구어》 *vi.* 하는 일 없이 지내다 《*around, about*》, 어리석은 짓을 하다, 쓸데없는 말을 하다 《*around, about*》 **—***n.* 허튼소리; 어리석은 짓 **—***a.* 시시한 **fóot·ler** *n.*
foot·less [fútlis] *a.* **1** 발 없는 **2** 의지할 데 없는, 실체가 없는 **3** 《미·구어》 서투른(clumsy), 쓸모없는, 무능한 **4** 《시어》 미답(未踏)의(untrodden)
foot·let [fú:tlit] *n.* (발목 아랫부분·혹은 발가락만 덮는) 여성용 양말
*__foot·light__ [fútlàit] *n.* **1** [보통 *pl.*] 〚연극〛 각광(脚光) **2** [the ~s] 무대; 연극 배우의 직업 ***appear*** [***come***] ***before the ~s*** 각광을 받으며 등장하다, 무대에 서다, 배우가 되다 ***behind the ~s*** 관람석에 ***get over*** [***across***] ***the ~s*** 〈연극 등이〉 성공하다, 인기를 얻다 ***smell of the ~s*** 연극 티가 나다
foot·ling [fútliŋ, fú:t-| fú:t-] *a.* 《구어》 **1** 〈말·행동이〉 어리석은 **2** 싱거운, 하찮은
foot·lock·er [fútlɑ̀kər | -lɔ̀kə] *n.* 《미》 병사(兵舍)에서 사용하는 사물 트렁크
foot·loose [-lù:s] *a.* 《미·구어》 가고 싶은 곳에 갈 수 있는, 제멋대로 할 수 있는, 속박 없는: a ~ bachelor 제멋대로 할 수 있는 독신자 ***~ and fancy-free*** (얽매인 것이 없어) 마음대로 갈 수 있는
*__foot·man__ [fútmən] *n.* (*pl.* **-men** [-mən, -mèn]) **1** (제복을 입은) 하인 **2** 삼발이 《난로 앞에 놓고 데울 것을 올려 놓는 데 씀》 **3** 《속어》 발에 성적 흥분을 느끼는 남자 **4** 《고어》 보병 **5** 《고어》 도보 여행자, 보행자
*__foot·mark__ [fútmɑ̀:rk] *n.* 발자국(footprint)
foot-muff [-mʌ̀f] *n.* 발싸개 《보온용》
*__foot·note__ [fútnòut] *n.* **1** 각주(脚註)(cf. HEADNOTE); 보충 설명 **2** 부차적인 사건[사항] **—***vt.* …에 각주를 달다
foot·pace [-pèis] *n.* **1** 제[보통] 걸음 **2** (제단의) 상단(上段) **3** 층계참 《층계 중간의》
foot·pad [-pæ̀d] *n.* **1** (도보(徒步)의) 노상강도(cf. HIGHWAYMAN) **2** 우주선 연착륙용 각부(脚部) **—***vi.* 노상강도질을 하다
fóot pàge 급사, (예전의) 시동(侍童)
foot-pan [-pæ̀n] *n.* 발 씻는 대야; 탕파(湯婆)
fóot pàssenger 보행자, 통행인
foot·path [-pæ̀θ | -pɑ̀:θ] *n.* (*pl.* **~s** [-pæ̀ðz | -pɑ̀:ðz]) *n.* 《영》 보도(footway)(《미》 sidewalk); 좁은 길 《들판 등의》(cf. TRAIL)(⇨ path 유의어)
fóot pàvement 《영》 (포장된) 인도, 보도
foot·plate [-plèit] *n.* (초기 기관차의) 발판 《기관사·화부가 서는 곳》
foot-pound [-páund] *n.* 〚물리〛 풋파운드 《1파운드 무게의 물체를 1피트 들어올리는 일의 양》
foot-pound-second [-sékənd] *a.* 〚물리〛 피트·파운드·초(秒) 단위계(單位系)의 《略 fps》
*__foot·print__ [fútprìnt] *n.* **1** 발자국 **2** 족문(足紋) **3** (타이어의) 접지면[자국] **4** (항공기의) 소음 범위; (정지 통신 위성이) 신호를 보낼 수 있는 지상의 범위 **5** (우주선·인공위성 등의) 착륙[낙하] 예정 지역; 〚군사〛 (원자폭탄의) 파괴 범위 **6** 〚컴퓨터〛 컴퓨터가 차지하는 공간
fóot pùmp (자전거 등의) 발로 밟는 수동 공기 펌프
foot·race [-rèis] *n.* 도보(徒步) 경주
foot·rail [-rèil] *n.* (의자·책상의) 발걸이
foot·rest [-rèst] *n.* (이발용 의자 등의) 발판, 발걸이
foot·rope [-ròup] *n.* 〚항해〛 디딤줄 《돛을 걷을 때 의》, 건널 밧줄; (돛 또는 그물의) 아래 끈
fóot ròt 〚수의학〛 (소·양의) 부제증(腐蹄症)
fóot rùle 피트 자(尺)
foot·scald [-skɔ̀:ld] *n.* Ⓤ 〚수의학〛 발바닥의 염증 《말의》
foot·scrap·er [-skrèipər] *n.* (현관 앞에 두는) 신발 흙긁개
foot·shot [-ʃɑ̀t | -ʃɔ̀t] *n.* 《미·군대속어》 자해 행위
foot·sie [fútsi] *n.* **1** 《미·속어》 농탕질, 시룽거리기 **2** 《미·속어》 (개인·정당간의) 밀접한 관계 **3** 《미·유아어》 걸음마 ***play ~(s) with*** …와 시룽거리다; …의 비위를 맞추다 **—***a.* 사이 좋은
Foot·sie [fútsi] *n.* [때로 **f~**] 《영》 파이낸셜 타임스 주가 지수(Financial Times Stock Exchange Index)(=~ **index**)
foot·sie-woot·sie [fútsiwútsi] *n.* 《미·속어》 **1** 발(foot) **2** 댄스: play ~ 댄스하다
foot·slog [fútslɑ̀g | -slɔ̀g] *vi.* (**~ged**; **~·ging**) (진창길·장거리를) 애써 나아가다, 힘든 행군을 하다 **—***n.* (힘든) 행군, 행진 **~·ger** *n.* 도보자; 보병
foot·slog·ging [-slɑ̀giŋ | -slɔ̀-] *n., a.* 보행자(의), 보병(의), 도보 행진(의)
fóot sòldier 보병(infantryman)
foot·sore [-sɔ̀:r] *a.* (장시간 걸어) 발이 아픈, 발병 난
foot·stalk [-stɔ̀:k] *n.* **1** 〚식물〛 엽병(葉柄), 잎자루; 화경(花梗), 꽃대 **2** 〚동물〛 잎자루 모양의 돌기 《뿔조개 등의》
foot·stall [-stɔ̀:l] *n.* **1** (여성용 안장의) 등자 **2** (기둥 등의) 주춧돌(pedestal)
‡__foot·step__ [fútstèp] *n.* **1** 발소리: She heard someone's ~*s* on the stairs. 그녀는 계단에서 나는 발소리를 들었다. **2** 걸음걸이, 걸음 **3** 보폭(步幅) **4** 발자국 **5** (승강용) 단(段), 발판, 층계 ***dog*** one***'s ~s*** 〈불행·재난 등이〉 사람에게 따라다니다 ***follow*** [***tread***] ***in*** a person***'s ~s*** …의 뒤를 따라가다; …의 선례를 따르다, 뜻을 잇다
foot·stock [-stɑ̀k | -stɔ̀k] *n.* 〚기계〛 (공작 기계의) 심압대(心押臺)
foot·stone [-stòun] *n.* (묘의) 받침돌; 초석
foot·stool [-stù:l] *n.* 발 올려 놓는 대(stool); 휴대용 발판; 낮은 단(壇) 《이동시킬 수 있는》
foot·sure [-ʃùər] *a.* 발디딤이 확고한
foot-ton [-tʌ́n] *n.* 〚물리〛 피트톤 《1톤의 중량을 1피트 올리는 일의 양》
foot·wall [-wɔ̀:l] *n.* 〚지질·광물〛 하반(下盤)
fóot wàrmer 각로(脚爐), 탕파(湯婆); 발 보온 장치 《예전에 철도 객차에서 사용》
foot·way [-wèi] *n.* 보행자용 작은 길; 《영》 보도(《미》 sidewalk)

foot·wear [-wὲər] *n.* Ⓤ [집합적] 신발류(cf. FOOTGEAR)

foot·well [-wèl] *n.* (차의 운전석 또는 조수석의) 발밑 공간

*__foot·work__ [fútwə̀:rk] *n.* Ⓤ **1** (구기·권투·유도·무용 등의) 발놀림, 발기술, 풋워크 **2** 발로 뛰기; (기자의) 현장 취재 활동 **3** 능숙한 처리

foot·worn [-wɔ̀:rn] *a.* **1** 밟아서 닳은 **2** (너무 걸어) 피곤한, 발이 아픈

foo·ty[1] [fú:ti] *a., n.* 《북잉글·방언》 빈약한[하찮은] (사람[것])

foot·y[2] [fúti] *n.* 《영·속어》 =FOOTSIE; 《호주·뉴질·구어》 축구

foo·zle [fú:zl] *vt., vi.* 서투른 짓을 하다, 실수하다; 잘못 치다 《골프 등에서》 **—** *n.* **1** 실수; 서투른 타구 《골프의》 **2** 《구어》 고루한[얼빠진] 사람

fop [fɑ́p | fɔ́p] *n.* 맵시꾼, 멋쟁이

fop·ling [fɑ́pliŋ | fɔ́p-] *n.* 경박한 맵시꾼

fop·per·y [fɑ́pəri | fɔ́p-] *n.* (*pl.* **-per·ies**) ⓊⒸ 겉치레, 멋 부리기; 어리석은 짓

fop·pish [fɑ́piʃ | fɔ́p-] *a.* 멋 부리는, 맵시 내는 **~·ly** *ad.* **~·ness** *n.*

‡**for** ⇨ for (p. 980)

for- [fɔ:r, fər] *pref.* 「금지·제외·무시」 등의 부정적인 뜻: *for*bid, *for*get, *for*give, *for*go, *for*sake 《활용은 단순 동사의 것과 같음》

for. foreign; forest; forestry **FOR, f.o.r.** free on rails 〖상업〗 화차[철도] 인도(cf. FOB)

fo·ra [fɔ́:rə] *n.* FORUM의 복수

for·age [fɔ́:ridʒ, fɑ́- | fɔ́-] *n.* **1** Ⓤ 마초, 꼴, (마소의) 먹이(fodder) **2** ⒸⓊ 마초 징발; 식량 구하기 **3** 약탈; 습격 **—** *vi.* **1** 마초를 찾아다니다, 식량을 징발하다 **2** 마구 뒤지며 찾다(rummage) 《*among, about, for*》: 《~+전+명》 ~ *among* the villages 여러 마을로 식량을 찾아다니다 / He *~d in* the pockets of his coat. 그는 상의 주머니를 이리저리 뒤졌다. // 《~+부》 ~ *about* to find a book 여기저기 뒤져 책을 찾다 **3** 침입[침략]하다 《*on, upon*》

— *vt.* **1** …에게서 마초[식량]를 모으다[징발하다]; 〈식량 등을〉 약탈하다: a *foraging* party (마초) 징발대 **2** 〈마소 등에게〉 마초[말꼴]를 주다 **3** 찾아다니며 …을 입수하다

fórage càp 〖군사〗 (보병의) 약모(略帽), 작업모

for·ag·er [fɔ́:ridʒər, fɑ́- | fɔ́-] *n.* 마초 징발 대원; 약탈자

for·ag·ing [fɔ́:ridʒiŋ, fɑ́- | fɔ́-] *n., a.* 수렵 채집 (생활)(의)

fóraging ànt 〖곤충〗 행군개미 《떼지어 먹이를 찾아다니는 개미》, 《특히》 군대개미(army ant)

for·am [fɔ́:rəm] *n.* =FORAMINIFER

fo·ra·men [fəréimən | fɔ-] *n.* (*pl.* **-ram·i·na** [-rǽmənə], **~s**) 〖해부·동물·식물〗 구멍, 소공(小孔), 주공(珠孔)

forámen mágnum 〖해부〗 대후두공(大後頭孔)

fo·ram·i·nate [fərǽmənət | fɔrǽminèit], **-nat·ed** [-nèitid] *a.* (작은) 구멍이 있는

for·a·min·i·fer [fɔ̀:rəmínəfər, fɑ̀- | fɔ̀-] *n.* (*pl.* **~s, fo·ram·i·nif·er·a** [fəræ̀mənífərə | fɔ-]) 〖동물〗 유공충(有孔蟲)

for·as·much as [fɔ̀:rəzmʌ́tʃ-ǽz, -əz, fə-] *conj.* 《문어》 〖성서·법〗 …이므로(seeing that)

for·ay [fɔ́:rei, fɑ́- | fɔ́-] *vi.* **1** (…을) 급습[습격]하다; 약탈하다 《*into*》 **2** (이익·모험을 찾아) 침입[진출]하다 **—** *vt.* 급습[약탈]하다

— *n.* **1** 전격적 침략; 급습 **2** (전문 분야 이외로의) 진출, 손대기 《*into*》

~·er *n.* 약탈[침략]자

forb [fɔ́:rb] *n.* 광엽(廣葉) 초본 《grass 이외의 풀》

*__for·bade__ [fərbǽd, -béid, fɔ:r-], **for·bad** [-bǽd] *v.* FORBID의 과거

‡**for·bear**[1] [fɔ:rbέər, fər-] *v.* (**-bore** [-bɔ́:r]; **-borne** [-bɔ́:rn]) *vt.* **1** 〈…하기를〉 삼가다; 참다: 《~+*to* do》 ~ *to* strike a man 사람을 때리고 싶은 것을 참다 // 《~+-*ing*》 I could not ~ laugh*ing*. 나는 웃지 않을 수 없었다. **2** 〈감정 등을〉 억제하다, 억누르다: ~ one's wrath 노염을 억누르다

— *vi.* **1** (…을) 삼가다, 그만두다 《*from*》: 《~+전+명》 ~ *from* ask*ing* questions 질문을 하려다가 그만두다 **2** 참다 《*with*》(⇨ refrain[1] 유의어) ***bear and ~*** 잘 참고 견디다 **~·er** *n.* ▷ forbéarance *n.*

for·bear[2] [fɔ́:rbὲər] *n.* =FOREBEAR

*__for·bear·ance__ [fɔ:rbέərəns, fər-] *n.* Ⓤ **1** 관용, 용서 **2** 인내(patience), 참을성, 자제; 삼감, (술·담배 따위를) 그만두기 **3** 〖법〗 부작위, (권리 행사의) 보류; (채권자의) 지불 유예 ▷ forbéar *v.*

for·bear·ing [fɔ:rbέəriŋ, fər-] *a.* **1** 자제심 있는, 참을성 있는 **2** 관대한 **~·ly** *ad.*

‡**for·bid** [fərbíd, fɔ:r-] *vt.* (**-bade** [-bǽd, -béid], **-bad** [-bǽd]; **-bid·den** [-bídn], **~**; **~·ding**) **1** 〈행위·소지·출입 등을〉 금하다(prohibit): 《~+목+목》 His doctor *forbade* him alcohol. 의사는 그에게 알코올 음료를 금했다. // 《~+목+*to* do[-*ing*]》 ~ a person *to* enter[his enter*ing*] the house …에게 집 출입을 금하다 **2** (규칙·법률로써) 금지하다: Wine is *forbidden*. 음주는 금지되어 있다. // 《~+목+*to* do》 The law ~*s* stores *to* sell liquor to minors. 상점이 미성년자에게 주류를 파는 것은 법으로 금지되어 있다. **3** 〈사정·경우 등이〉 허락[용납]하지 않다; 〈사정 등이〉 (…하는 것을) 불가능하게 하다, 방해하다: 《~+목+*to* do》 The storm ~*s* us *to* proceed. 폭풍 때문에 우리들은 앞으로 나아가지 못한다.

> 유의어 **forbid** 명령·규칙으로 금하다: Smoking is *forbidden* here. 여기서는 금연이다. **prohibit** 「법률·규칙 등으로 금지하다」를 뜻하는 딱딱한 말이다: *prohibit* the sale of liquor 주류 판매를 금하다

4 [God[Heaven]을 주어로 한 가정법으로] …하는 일이 절대로 없기를: 《~+*that* 절》 *God* ~ *that* war *should* break out. 전쟁이 절대로 일어나지 않기를. / *Heaven* ~ *that* I *should* do such a thing! 도대체 그런 일을 할 리가 있겠습니까!

for·bid·dance [fərbídns, fɔ:r-] *n.* Ⓤ **1** 금지하기 **2** 금지(되어 있는 상태), 금제(禁制)

‡**for·bid·den** [fərbídn, fɔ:r-] *v.* FORBID의 과거분사 **—** *a.* (규칙·종교 등으로) 금지된, 금제의, 금단의: a ~ place to children 어린이에게 금지된 곳 / It is ~ to smoke at school. 학교에서 흡연은 금지되어 있다.

Forbídden Cíty [the ~] 금단의 도시 《티베트의 수도 Lhasa 또는 베이징(北京)의 자금성(紫禁城)》

forbídden degrée 〖법〗 결혼 금지 촌수 《1촌에서 3촌까지》

forbídden fruít **1** 〖성서〗 금단의 열매 《Adam과 Eve가 뱀의 유혹으로 먹은 선악과》: *F~ fruit* is sweetest. 《속담》 금단의 열매는 달다. **2** 부도덕한 쾌락, 《특히》 불의, 밀통 **3** 〖식물〗 월귤나무의 일종

forbídden gróund 금단의 장소; 토의해서는 안 되는 문제; 말해서는 안 되는 일

forbídden líne 〖물리〗 (스펙트럼의) 금제선(禁制線)

for·bid·der [fərbídər] *n.* 금지하는 사람, 금지자

*__for·bid·ding__ [fərbídiŋ, fɔ:r-] *a.* **1** 가까이하기 어려운, 꺼림칙한, 험악한(threatening) **2** 무서운, 험상궂은: a ~ countenance[look] 무서운 표정 **~·ly** *ad.*

*__for·bore__ [fɔ:rbɔ́:r, fər-] *v.* FORBEAR의 과거

*__for·borne__ [fɔ:rbɔ́:rn, fər-] *v.* FORBEAR의 과거분사

Fór·bush dècrease [fɔ́:rbuʃ-] [미국의 물리학자 이름에서] 〖천문〗 포부시 감소 《태양 활동이 활발해진 후에 우주선(線) 강도가 감소하는 현상》

for·by(e) [fɔ:rbái] 《주로 스코》 *prep.* **1** …의 가까이에 **2** …이외에; …은 말할 것도 없이

— *ad.* 곁에; 그 외에

for

전치사 및 등위 접속사로서 폭넓은 의미·내용을 지니고 쓰이는 말인데, 특히 전치사로서의 기능이 두드러진다. 부사로서는 쓰이지 않는다. 원래의 뜻은 before, forward 등의 'for(e)'에 함축된 「앞에 서는; 앞을 내다보는; 앞으로 향하는」인데 이로부터 여러 가지 의미 내용이 파생했다. 즉, 「앞에 서는」의 뜻에서 「대리·대표·교환」 등의 뜻이 파생했고, 「앞에 서서 옹호하는」의 뜻에서 「찬성·지지」 등의 뜻이 파생했으며, 「앞을 바라보는」의 뜻에서 「목적·목표」 및 「시간·거리·범위」를 가리키게 되는 등 발전 과정을 밟았다. 다른 전치사와 대조·유비(類比) 관계가 있으나, 특히 against와는 좋은 대조를 이룬다. 그리고 특기할 기능은 'for+(대)명사+to 부정사'의 형식으로 부정사의 의미상의 주어를 나타내는 일이며, 문장 구성 및 전환에 있어서 중요한 구실을 한다.

발음상으로는 다른 전치사와 마찬가지로 문장 중에서 약하게 발음된다. 자칫 잘못하여 강하게 발음하면 four와 혼동되기 쉬우니 유의해야 한다.

‡**for** [fɔ́:r, 《약하게》 fər] *prep.*, *conj.*, *n.*

> 기본적으로는 「…을 위해」의 뜻.
> **전** ① [이익·목적·용도 등] …을 위하여[위한]; …에[의] **1 a, 2, 3 a, 11, 15**
> ② …을 향하여 **13**
> ③ …동안 **8**
> ④ [대표·교환 등] …대신에 **10, 12**
> ⑤ [대상·지지 등] …에 대하여 **5, 9**
> ⑥ …때문에 **19**
> ⑦ …에 관해서(는), …에게(는) **7, 16**
> ⑧ …으로 **18**
> **접** [이유를 나타내어] 왜냐하면 …이니까

— *prep.* **1 a** [목적] …을 **위하여**, …을 목적으로; …을 노리고, …이 되려고, …을 하려고: go ~ a walk[swim] 산책하러[헤엄치러] 가다 / I went home ~ Christmas. 크리스마스를 지내기 위해서 집에 갔다. / What did you do that ~? 무엇하려고 그런 짓을 했는가? / She likes to jog ~ exercise. 그녀는 운동을 위해 조깅하기를 좋아한다. **b** 〈축일 등을〉 **축하하여**, 기념으로: He gave me a doll ~ my birthday. 그는 내 생일을 축하하여 인형을 선물해 주었다.
2 [용도·적응] …**용의[으로]**, …대상의[으로]; …에 적합한: a cupboard ~ dishes 식기장 / a time ~ action 행동할 때 / movies ~ adults 성인(용) 영화 / "What's this tool ~?" — "It's ~ cutting wood (with)." 이 연장은 무엇에 씁니까? — 나무를 베는 데 쓰지요.
3 a [획득·추구] …을 **얻기 위하여[위한]**, …을 (찾아): an order ~ tea 차의 주문 / send ~ a doctor 의사를 부르러 보내다 / a claim ~ damages 손해 배상 청구 / We wrote to him ~ advice. 편지를 써서 그에게 조언을 구하였다. / He looked at me ~ an explanation. 그는 설명을 구한다는 듯이 나를 쳐다보았다. **b** [받을 사람·수취인] …**에게 주려고[주려는]**, …앞으로의: a present ~ you 당신에게 주는 선물 / I've got some good news ~ you. 자네한테 희소식이 있다. / Who is it ~? 그것은 누구에게 줄 것인가? / give a dinner ~ him 그에게 저녁 식사를 제공하다 / I bought a present ~ my mother. 나는 어머니에게 선물을 사드렸다. 《I bought my mother a present. 로 바꾸어 쓸 수 있음》
4 [희망·소원] **a** …**을 원하여**, …을 염원하여: I was thirsty ~ affection. 나는 애정을 갈망하고 있었다. **b** [Oh ~의 형태로] …을 원하다: *Oh* ~ a cold drink! 아, 시원한 음료가 먹고 싶다!
5 [성향] **a** …**에 대하여[대한]**, …을 이해하는: a taste ~ jazz 재즈에 대한 기호 / an eye ~ beauty 심미안(審美眼) / I'm sorry ~ you. 참 안됐습니다. **b** [cause, reason, ground, motive, foundation 등의 뒤에서] …**에 대한**, …해야 할: You have no *cause* ~ worry. 걱정할 필요는 전혀 없다.
6 [보수·대상] 〈호의·결과 등〉**에 대해서**, …의 보답으로서: five points ~ each correct answer 각 정답에는 5점 / give blow ~ blow 타격에는 타격으로 갚다 / ⇨ an EYE for an eye / Thank you ~ your letter. 편지 주셔서 감사합니다. / He was punished ~ stealing. 그는 절도로 벌을 받았다.
7 [관련] …**에 관해서(는)**, …의 점에서는: ~ that matter 그 일을 말할 것 같으면 / be pressed ~ money 돈에 쪼들리고 있다 / So much ~ that[the topic]. 그것[그 주제]에 관해서는 그 정도로 한다. / There's nothing like wool ~ keeping you warm. 보온이란 점에서는 양모 이상의 것은 없다.
8 [시간·기간] …**동안** (쭉); (예정 기간으로서) …동안(은) 《이 뜻의 for는 종종 《구어》에서는 생략됨》: ~ hours[days, years] 몇 시간[날, 년] 동안이나 / ~ the last ten years 지난 10년 동안 / ~ all time 영구히 / ~ days (and days) on end 날이면 날마다 (끝없이) / stay there (~) three weeks 그곳에 3주일간 머무르다 / He's been off work ~ a long time. 그는 꽤 오랫동안 실직 상태이다. / I haven't seen him ~ three years. 그를 삼년 동안이나 보지 못했다. / They went down to the sea ~ a[the] day. 그들은 당일치기로 바다로 갔다. / The TV station stopped broadcasting ~ the day. 텔레비전 방송국은 하루의 방송을 마쳤다. / That's all ~ today. 오늘은 이것으로 끝이다.
9 [찬성·지지·자기편] …**을 지지하여[한]**, …을 위하여, …에 편들어(opp. *against*): fight ~ democracy 민주주의를 위하여 투쟁하다 / Are you ~ or against the plan? 자네는 그 계획에 찬성인가 반대인가? / I'm all ~ his proposal. 나는 그의 제안에 전적으로 찬성이다. / I'm ~ calling it a day. 오늘 일은 이로써 마감하자. / Three cheers ~ our nation! 우리 나라를 위해서 만세 삼창을!
10 [대용·대리] **a** …**대신에[의]**: a substitute ~ butter 버터 대용품 / make a phone call ~ her 그녀 대신 전화 걸다 / Say hello ~ me. (나 대신에) 안부 전해주시오. **b** [표시] …**을 나타내어**: What's (the) French ~ "happiness"? 「행복」은 프랑스 어로 뭐라고 합니까? / Red is ~ danger. 빨간 빛은 위험을 나타낸다. / P.S. stands ~ "postscript". P.S.는 postscript의 약어이다[를 나타낸다]. **c** [대표] …**을 대표하여**: the Member of Parliament ~ Manchester 맨체스터 출신의 국회의원
11 a [이익·영향] …**을 위하여[위한]**; …에 (대해): give one's life ~ one's country 조국을 위해 목숨을 바치다 / work ~ a bank 은행에 근무하다 / Can I do anything ~ you? 무슨 시킬 일은 없습니까? / Early rising is good ~ your health. 일찍 일어나는 것은 건강에 좋다. / It is convenient ~ you that you can drive. 운전할 수 있다는 것은 당신에게는 편리한 일이다. **b** [경의] …**을 기념하여**, …을 위해: A party was held ~ them. 그들을 위해 파티가 개최되었다. **c** [모방] 《미》 …의 **이름을 따서**(《영》 after): He was named Bill ~ his grandfather. 그는 조부의 이름을 따서 빌이라고 명명되었다.
12 [교환] …**와 교환으로**; …에 대하여; …의 **금액[값]으로**: exchange one's old car ~ a new one 낡은

자동차를 새것으로 바꾸다 / I paid $80 ~ the camera. 그 카메라에 80달러 치렀다. / I bought this dress ~ $50. 이 옷을 50달러에 샀다. / These apples are $5 ~ 3[3 ~ $5]. 이 사과는 3개에 5달러입니다.

13 [목적지] …을 **향하여,** …으로 가기 위해[위한]; …에 입장하기 위해[위한]: start[leave] ~ New York 뉴욕을 향하여 출발하다 / Is this plane ~ Boston? 이 비행기는 보스턴행입니까? / Did you get the tickets ~ the game? 그 경기의 입장권을 구했습니까?

14 [준비·보전] …**에 대비하기 위해[위한],** …을 유지하기[고치기] 위해[위한]: study ~ an exam 시험 공부를 하다 / save money ~ a rainy day 만일의 경우에 대비해서 돈을 저축하다 / The meeting is at 6:30 ~ 7. 모임은 7시 시작을 위해 6시 반까지 출석입니다. 《정식 초대장 등에 쓰는 말; 일반적으로는 As the meeting is set for 7:00, please be there [here] at 6:30.》

15 [지정·할당·귀속] 〈몇 날·몇 시〉**에[의];** …**때에[의],** …로 정해진: an appointment ~ tomorrow at two o'clock 내일 2시에 만날 약속 / The wedding has been fixed ~ May 5th. 결혼식은 5월 5일로 택일되었다. / Miss Korea ~ 2007 2007년도 미스 코리아

16 [주로 too+형용사·부사+~, 또는 enough+~의 형태로; ⇨ too. 2 a, enough *pron.* 1] …**에게(는),** …하기에는: *too* cool ~ swimming 수영하기에는 너무 추운 / The scenery is *too* beautiful ~ words. 경치가 말로 다할 수 없을 만큼 아름답다. / There was *enough* food ~ us all. 우리 모두에게 돌아갈 만큼 음식이 있었다.

17 a [비율·대비] …**치고는,** …으로서는: He is young ~ his age. 그는 나이치고는 젊다. / It is hot ~ September. 9월치고는 덥다. / *F*~ a learner, he drives well. 초보자치고는 그는 운전을 잘한다. **b** [each, every나 수사 앞에서] …**에 대하여:** There is one Korean passenger ~ *every* five American. 승객은 미국인 5명에 대해서 한국인 1명의 비율이다. / *F*~ *every* bad man there are many good ones. 나쁜 한 사람에 대해서 착한 사람이 많다. / *F*~ *every* mistake you make I will deduct 5 points. 하나 틀릴 때마다 5점을 감점합니다. **c** [앞뒤에 같은 명사를 써서] (같은 자격·중요성·가치 등의) …**와** …**을 비교하여[할 경우]:** Dollar ~ dollar, you get more value at this store than at the department store. 같은 1달러를 쓸 경우, 백화점보다 이 가게에서 더 낫게 쇼핑할 수 있다. / ⇨ MAN for man, POINT for point, WORD for word

18 [소속·자격] …**으로,** …이라고 《이 용법에서는 종종 뒤에 형용사나 분사가 따름》: She is often taken ~ her sister. 그녀는 종종 언니[동생]로 오인된다. / I know a thing ~ a fact. 나는 그것을 사실로 알고 있다. / He was given up ~ lost[dead]. 그는 죽은 것으로 단념되었다. / ⇨ take … for GRANTed.

19 [이유·원인] **a** …**때문에,** …으로 (인하여): ~ many reasons 많은 이유로 / shout ~ joy 기쁨으로 소리지르다 / a city famed ~ its wine 포도주로 유명한 도시 / I can't sleep ~ the cold. 추위 때문에 잠을 잘 수 없다. / I'm sorry ~ being late. 늦어서 죄송합니다. / The boy was rewarded ~ saving the girl's life. 그 소년은 그 소녀의 목숨을 구했기 때문에 상을 받았다. **b** [결과] [대개 the+비교급 뒤에서] …**의 결과로서,** …탓으로: He felt (*the*) *better* ~ having said it. 그는 그것을 말해버리고 나니 속이 후련해졌다. / ⇨ be the BETTER[1] for, the worse for WEAR[1] *n.*

20 [대개 ~ all …로] (1) …에도 불구하고: ~ *all* that 그럼에도 불구하고 / *F*~ *all* his wealth he is unhappy. 그토록 갑부인 데도 그는 행복하지 않다. (2) [종종 that과 함께 접속사적으로] 《영·드물게》 …이지만: *F*~ *all that* he has a good sense of color, his composition is awkward. 그는 뛰어난 색채 감각을 지녔지만 구도는 어색하다. (3) …(이 별것 아님)을 고려하여 (보면): *F*~ *all* the progress she's made, she might as well quit the job. 그녀가 이루어 놓은 성과를 고려해 볼 때 그 일을 그만두는 편이 낫다.

21 [거리] …**사이,** …간, …에 걸쳐: walk (~) three miles 3마일 걷다 / *F*~ miles and miles there was nothing but sand. 몇 마일을 가도 모래뿐이었다.

22 [의도] …하려는 (생각에): I am not ~ discussing it. 그 문제를 토론할 생각은 없다.

23 a [부정사의 주어 관계를 나타내어] …**이** (…**하다**): It is necessary ~ drivers *to* carry a driver's license. 운전자는 운전 면허증을 휴대하는 것이 필요하다. 《It is necessary that drivers (should) carry a driver's license.로 바꾸어 쓸 수 있음》 / His idea is ~ us *to* travel in two cars. 그의 생각은 우리가 두 대의 차를 타고 가자는 것이다. 《His idea is that we (should) go in two cars.로 바꾸어 쓸 수 있음》 / It is time ~ you *to* go home. 이제 너는 집에 가야 할 시간이다. 《It is time you went home.으로 바꾸어 쓸 수 있음》 / I stood aside ~ him *to* enter. 그가 들어오도록 난 옆으로 비켜섰다. 《I stood aside so that he might enter.로 바꾸어 쓸 수 있음》 / *F*~ a student *to* talk to his[her] teacher like that! 학생이 선생님에게 저 따위 말버릇이라니! / I am waiting ~ her *to* come. 나는 그녀가 오기를 기다리고 있는 중이다.

USAGE (1) 이 사전에서는 문형으로서 《전+명+**to** do》로 나타내고 있다. (2) 이 문형에서도 형용사가 good, bad 등의 이해(利害)를 나타낼 경우, 또는 easy, difficult[hard] 등 난이(難易)를 나타낼 경우에는 「…에게」의 뜻이 된다: It is difficult ~ me *to* read this book. 이 책을 읽는 것은 내게는 어렵다. / *It is* not good ~ you *to* smoke. 흡연은 네 몸에 좋지 않다.

b [대개 it is ~ a person *to* do의 형태로] (…하는 것은) …**에게 어울리다,** …**이 할 일이다:** That's ~ you *to* decide. 그것은 당신이 결정할 일이다. / *It is* not ~ me *to* say what you should do. 당신이 무엇을 해야 할 것인가는 내가 말할 것이 못 된다.

24 [수량·금액] …**만큼(의),** …어치(의): a check ~ $50 50달러짜리 수표 / Put me down ~ £5. 내 앞으로 5파운드 적어 놓으시오.

as ~ me 나로서는

be ~ it 《영·구어》 아마[꼭] 처벌받게[야단맞게] 되어 있다: You'll *be ~ it* if your mother catches you. 네 엄마에게 들키면 야단맞는다.

be in ~ … ⇨ in *ad.*

but ~ ⇨ but *prep.*

~ all [(고어·문어) ***aught***] ***I care*** ⇨ care

~ all [(고어·문어) ***aught***] ***I know*** ⇨ know

~ all the world like [***as if***] ***…*** ⇨ world

~ better (***or***) ***~ worse*** ⇨ better[1] *n.*

~ ever (***and ever***) 영구히, 영원토록

~ fear of … ⇨ fear *n.*

~ good (***and all***) ⇨ good *n.*

~ it 그것에 대처할 《it은 막연히 사태를 가리킴》: There was nothing ~ *it* but to laugh. 웃는 수밖에 없었다.

~ my part ⇨ part *n.*

~ nothing ⇨ nothing *n.*

~ one ⇨ one *n.*

~ one thing ⇨ one *a.*

~ one***self*** ⇨ oneself

if it were not [***had not been***] ***~*** ⇨ if

Now for a glass of wine. 자 (포도주 한 잔) 하자.

Oh ~ … ! ⇨ 4 b

That's … ~ you. [상대의 주의를 환기시켜] (1) 저봐 …이죠: *That's* a monkey ~ *you.* 저봐 원숭이죠. (2) 그런 일이 …에 자주 있다[…의 어려운 점이다]:

That's life ~ *you.* 인생이란 그런 것이야.
That's what ... is ~. 그런 일은 …같으면 당연하다.: *That's what* friends *are* ~. 그런 것은 친구 같으면 당연한 일이다.
There's* [*Here's*] *... ~ you. [상대방의 주의를 환기시켜] (1) 저봐 …이죠: *There's* a fine dress ~ *you.* 저봐 멋진 옷이로군요. (2) 《경멸》 …라니 기가 막힌다: *There's* gratitude ~ *you.* 그것이 감사란 건가요.
— *conj.* [대개 콤마나 세미콜론을 앞에 찍고, 앞 문장의 부가적 설명·이유로서] **왜냐하면 …이니까, 그 까닭은 …이므로** 《문어적이며 회화에서는 쓰지 않음》: It is morning, ~ the birds are singing. 아침이다, 새들이 지저귀고 있으니까.
— *n.* [*pl.*] 찬성(자): ~*s* and againsts 찬성과 반대

‡**force**[1] [fɔ́ːrs] [L 「강한」의 뜻에서] *n.* **1 a** [one's ~] (육체적인) **힘, 체력, 완력**: use all *one's* ~ 온 힘을 다하다 **b** (정신적·도덕적인) **힘, 기력, 기백**: the ~ of one's mind 정신력 **2** Ⓤ **폭력**(violence)(⇨ power 유의어); 강압; 〖법〗 (사람·재산 등에 대한) 폭력 (행위); (폭력에 의한) 불법 강제: resort to ~ 폭력에 호소하다 **3** (자연의) **힘, 기세**; (추이·변화의) 원동력; [보통 a F~] 풍력: the ~*s* of nature 자연의 힘 《폭풍·지진 등》/ blow with great ~ 맹렬한 기세로 불다 / *a F*~ 10 gale 풍력 10의 강풍 **4 영향력,** 지배력; 효력; 실시, 시행; 영향력을 가진 사람, 세력가: the main ~*s* in politics 정계의 유력자들 **5** Ⓤ **설득력,** 박력(cogency): the ~ of her acting 그녀의 연기력 **6** [보통 the ~] **군사력, 무력,** 병력; [종종 the ~s, the Force(s)] 군대, 부대, 군세; [집합적] (공동행동을 취하는) (세력) 단체, 대(隊): the air ~ 공군 / the police ~ 경찰대 / a labor ~ 노동력 **7** Ⓤ 〖물리〗 **힘**(strength), 에너지: the ~ of gravity 중력 **8** 〖야구〗 = FORCE PLAY **9** 《고어》 (말 등의) 참뜻, 진의
by* [*with*] *~ and arms 〖법〗 폭력에 의하여 ***by* (*main*) *~*** 폭력으로, 주먹다짐으로, 억지로 ***by* (*the*) *~ of*** …의 힘으로, …에 의하여 ***come into ~*** 〈법률이〉 실시되다, 효력을 발생하다 ***in ~*** 〖법〗 유효하여, 시행 중인; 〖군사〗 대거(大擧)하여; 〈사람이〉 힘을 다하여 ***in full ~*** 총력으로; 위력을 충분히 발휘하여 ***in great ~*** 대거하여; 기운차게, 기세 좋게 ***join* [*combine*] *~s*** (…와) 힘을 합하다, 협력하다, 제휴하다 《*with*》: *join* ~*s* to prevent violence 폭력을 막기 위해 힘을 합치다 ***of no ~*** 무효인 ***put in ~*** 〈법령 등을〉 실시[실행]하다 ***with all* one*'s ~*** 전력을 다하여 ***with much ~*** 대단한 힘으로; 효과가 현저하게
— *vt.* **1 억지로 …시키다, 강요하다**; 〈…하는 것을〉 피할 수 없게 하다(⇨ compel 유의어): 《~+목+*to* do》 They ~*d* him *to* sign the paper. 그들은 그에게 서류에 서명하도록 강요했다. // 《~+목+전+명》 Poverty ~*d* her *into* a crime. 가난 때문에 그녀는 범죄를 저질렀다. // 《~+목+전+*-ing*》 His father ~*d* him *into* do*ing* the work. 아버지는 그에게 억지로 그 일을 시켰다. ★ 이 뜻에서는 have to, must, be obliged to, be compelled to, be forced to의 순위로 점차 강해짐. **2** (…안에) 강제로 들어가다; 〈물건을〉 (용기 등에) 억지로 밀어 넣다; 〈사람 등을〉 (…에서) 내쫓다; 억지로 떠밀다, 몰아대다(impel) 《*into, apart, back, down*》: 《~+목+전+명》 ~ an entry *into* the house 집에 억지로 들어가다 // 《~+목+부》 ~ *back* one's tears 눈물을 꾹 참다 **3 a** 〈일을〉 강행하다, 강제로 행하다, 〈뜻·해석 등을〉 어거지로 갖다 붙이다; 〈목소리 등을〉 억지로 내다, 쥐어짜다: ~ a smile[laugh] 억지로 웃음을 짓다 **b** [~ one*self* 로] 억지로 …하다: 《~+목+*to* do》 She ~*d herself to* smile. 그녀는 억지웃음을 지었다. // 《~+목+전+명》 They ~*d themselves into* my room. 그들은 내 방에 밀고 들어왔다. **4** (억지로) 떠맡기다, 강요하다(impose): 《~+목+전+명》 ~ one's idea *upon* another 자기 생각을 남에게 강요하다 / ~ a task *on* a person …에게 과업을 떠맡기다 **5** 〈복종 등을〉 강요하다: ~ obedience 복종을 강요하다 **6** 강탈하다(extort), 잡아채다(wring) 《*out of*》; 〈눈물·사실 등을〉 끌어내다, 나오게 하다(elicit) 《*from*》: 《~+목+전+명》 ~ a confession *from* a person …에게서 자백을 억지로 끌어내다 / I ~*d* the gun *from* his hand. 그의 손에서 총을 잡아챘다. **7** [~ one's way로] 억지로 떠밀고 나아가다; 〈문 등을〉 떠밀어 부수다, 〈자물쇠 등을〉 비틀어 열다(break open): 《~+목+전+명》 ~ *one's way through* a crowd 군중을 헤치고 나아가다 // 《~+목+보》 ~ a door open 문을 억지로 열다 **8** 〈화초·과수를〉 촉성 재배하다, 성장을 촉진하다; 〈사람에게〉 주입식 교육을 하다, 영재 교육을 하다 **9** …에게 폭력을 가하다; 강간하다 《rape의 완곡어》 **10** 〖야구〗 〈주자를〉 봉살하다, 포스아웃시키다 《*out*》; (만루에서) 사구를 주어 〈한 점을〉 주다 《*in*》: ~ *in* a run 밀어내기 득점을 허용하다 **11** 〖카드〗 〈상대방에게〉 (상대방이 갖고 있지 않은 짝패를 내어) 할 수 없이 으뜸패를 내놓게 하다; 〈어떤 패를〉 뽑아내게 하다 **12** 〖사진〗 **a** 〈프린트나 음화를〉 보통보다 시간을 들여 현상하다 **b** (현상액에 알칼리를 가해서) 〈음화의〉 노출 부족 부분을 보충하다
— *vi.* **1** 〈사람이〉 억지로 지나가다, 밀고 나아가다; 강행군하다 **2** 〈식물 등이〉 (촉성 재배로) 자라다 **3** 〖테니스〗 수비 위치를 벗어나게끔 타구를 치다 **4** 〖카드〗 상대가 특정한 패를 내도록 유도하다
~ a word 말에 억지로 …의 뜻을 붙이다 ***~ ... back*** = ***~ back ...*** …을 물리치다; 〈눈물 등을〉 참다 ***~ ... down*** = ***~ down ...*** (1) …을 억누르다; 〈감정 등을〉 억제하다 (2) 〈비행기를〉 강제 착륙시키다 ***~ ... off*** = ***~ off ...*** 내쫓다 ***~*** a person***'s hand*** ⇨ hand. ***~*** one***'s strength*** 억지로 힘을 내다 ***~ the bidding*** 〖경매〗 부르는 값을 자꾸 올리다 ***~ the game*** 〖크리켓〗 무리한 모험을 하다 《빨리 점수를 따기 위하여》 ***~ the* [one*'s*] *pace*** 무리하게 서두르다; 상대방을 지치게 하기 위하여 억지로 속도를 올리다 《경주에서》 ***~ up*** 〈인플레이션 등이〉 〈가격·물가를〉 상승시키다; 〈마신 독극물을〉 억지로 토하다
~·a·ble *a.*

force[2] *n.* 《북잉글》 폭포(waterfall)

fórce cùp = PLUMBER'S HELPER

∗**forced** [fɔ́ːrst] *a.* **1 강요된,** 강행된, 억지로 하는: ~ labor 강제 노동 / a ~ smile 억지웃음 **2 무리한,** 어거지의, 부자연스러운: a ~ interpretation 무리한 해석 / ~ style 부자유스러운 문체 **3 폭행을 당한**; 〈문 등이〉 억지로 열린 **4** 긴급한 상황에 행하는, 불시의
~·ly *ad.*

forced-choice [fɔ́ːrsttʃɔ́is] *a.* 〈설문이〉 강제 선택의, 양자택일의

force de dis·sua·sion [fɔ́ːrs-də-diːswɑː- zjɔ́ːŋ] [F] = FORCE DE FRAPPE

force de frappe [fɔ́ːrs-də-frǽp] [F = striking force] **1** 핵억지력, 핵전력 **2** 격파력

fórced éntry (완력에 의한) 불법 침입

fórced làbor cámp 강제 노동 수용소

fórced lánding 〖항공〗 (항공기의) 불시착, 긴급 착륙: make a ~ 불시착하다

for·ced·ly [fɔ́ːrsidli] *ad.* 무리하게, 강제로

fórced márch 〖군사〗 강행군

fórced sále 〖법〗 강제 매각, 공매 《집달관이 하는 경매 처분》

fórce féed (내연 기관 등의) 압력[강제] 급유

force-feed [fɔ́ːrsfíːd] *vt.* (**-fed** [-féd]) **1** 억지로

thesaurus **force**[1] *n.* **1** 힘 strength, power, potency, might, stamina, energy, vigor, effort, exertion, impact, stimulus, dynamism, muscle **2** 강압 violence, pressure, compulsion, constraint, enforcement — *v.* compel, coerce, make, pres-

먹이다 **2** 《비유》 〈사람에게〉 〈습관·사고방식 등을〉 억지로 받아들이게 하다 《*on*》
fórce field 〖물리〗 힘의 장(場); (SF 등에서) 보이지 않는 힘이 작용하는 장애 구역
*__force·ful__ [fɔ́:rsfəl] *a.* **1 힘 있는,** 힘찬, 강력한; 설득력 있는; 효과적인; 힘에 의한 **2** 우격다짐의, 강제적인 **~·ly** *ad.* **~·ness** *n.*
force-land [fɔ́:rslǽnd] *vi.* 〈항공기가〉 불시착하다 —*vt.* 〈항공기를〉 불시착시키다
force·less [fɔ́:rslis] *a.* 힘없는, 무력한
force ma·jeure [fɔ́:rs-mɑːʒɔ́:r] [F =superior force] **1** 〖법〗 불가항력 **2** (강대국이 약소국에 가하는) 강압적 힘
force·meat [fɔ́:rsmi̇̀:t] *n.* Ⓤ 〖요리〗 포스미트 《가늘게 저미어 조린 고기》
fórce of hábit 습관: by[from] ~ 타성으로
force-out [-àut] *n.* 〖야구〗 봉살(封殺), 포스아웃
fórce plày 〖야구〗 포스 플레이 《주자가 봉살되는 플레이》
for·ceps [fɔ́:rsəps, -seps] *n.* (*pl.* **~, for·ci·pes** [-səpi̇̀:z]) **1** (외과 수술용 등의) 집게, 핀셋(pincers), 족집게 **2** 〖동물〗 핀셋처럼 생긴 기관 《곤충 등의》 **~·lìke** *a.*
fórce pùmp 밀펌프(cf. LIFT PUMP)
forc·er [fɔ́:rsər] *n.* **1** 강제자 **2** 밀펌프의 피스톤 **3** 촉성(促成) 재배 작물
*__for·ci·ble__ [fɔ́:rsəbl] *a.* Ⓐ **1 억지로 시키는,** 강제적인: ~ entry into a house 불법 가택 침입 **2** 강력한(powerful), 힘찬(vigorous); 유력한; 유효한(effective) **3** 설득력 있는 **4** 폭력적인
fòr·ci·bíl·i·ty *n.* **~·ness** *n.*
for·ci·ble-fee·ble [fɔ́:rsəblfí:bl] *a.* 힘센 듯하나 실은 약한, 겉보기만 센
*__for·ci·bly__ [fɔ́:rsəbli] *ad.* **1 우격다짐으로,** 힘[무력]으로, 불법으로, 강제적으로 **2 힘차게,** 강력하게
forc·ing [fɔ́:rsiŋ] *n.* Ⓤ **1** 강제; 폭행; 탈취 **2** 발육 촉진(법), 촉성 (재배): ~ culture 촉성 재배 / plants for ~ 촉성 재배용 식물
fórcing bèd (촉성 재배용) 온상(hotbed)
fórcing hòuse **1** 촉성 재배용 온실 **2** (범죄 등의) 온상 **3** 교육 과정이 한정되어 있는 학교
fórcing pùmp =FORCE PUMP
for·ci·pate, -pat·ed [fɔ́:rsəpèit(id)] *a.* 핀셋 모양의
forc·ite [fɔ́:rsait] *n.* 포사이트 《발파용 다이너마이트의 일종》
*__ford__ [fɔ́:rd] *n.* 여울, (도보·말·차 등이 건널 수 있는) 얕은 물[곳]
—*vt.* 〈개울·강을〉 걸어서 건너다
*__Ford__ [fɔ́:rd] *n.* **1** 포드 **Henry ~** (1863-1947) 《미국의 자동차왕》 **2** 포드형 자동차 **3** 포드 **Gerald R(udolph) ~** (1913-2006) 《미국의 제38대 대통령 (1974-77)》
ford·a·ble [fɔ́:rdəbl] *a.* 〈내가〉 걸어서 건널 수 있는
for·do [fɔ:rdú:] *vt.* (**-did** [-díd]; **-done** [-dʌ́n]) 《고어》 죽이다, 멸망시키다; 지치게 하다(wear out); 〈장소·물건을〉 파괴하다, 황폐시키다
for·done [fɔ:rdʌ́n] *a.* 《고어》 지친
*__fore__[1] [fɔ́:r] *a.* **1** Ⓐ [보통 the ~] **앞부분[전방, 앞면]**의(opp. *hind*[1], *back*, *aft*[1]): *the* ~ part of a train 열차의 앞부분 **2** (순위 등에서) 제1 위의; 《고어》 (시간적으로) 앞선 **3** 〖항해〗 전장(前檣)의, 이물의
—*ad.* 〖항해〗 이물(쪽)에; 〖항공〗 (항공기) 기수(쪽)에 **~ *and aft*** 이물과 고물에; 배 전체에
—*n.* [보통 the ~] 앞부분, 앞면; 〖항해〗 이물쪽; 앞돛대(foremast) ***at the ~*** 〖항해〗 앞 돛대 머리에 (올려) ***come to the ~*** 표면화되다; 지도적 지위에 서다; 두드러지다, 세상의 주목을 끌다: Environmental issues *came to the* ~ in the 1980s. 환경 문제는 1980년대부터 표면화되었다. ***to the ~*** 앞면에; 눈에 띄는 곳에, 두드러지게, 주목을 끌어; 준비되어(available) ***F~ George!*** (성 조지에게) 맹세코! 《가벼운 맹세 또는 감탄》 ***F~ Heaven,*** I am innocent. 맹세코 (내게는 죄가 없다).
fore[2] *int.* 〖골프〗 앞쪽이 위험하다 《공이 가는 쪽에 있는 사람에게 경고하는 소리》
fore- [fɔ:r] 《연결형》 「미리…; 선(先)…; 예(豫)…; 앞부분」의 뜻: *fore*bode, *fore*man, *fore*noon, *fore*runner, *fore*thought ★ FOR-와는 구별됨.
'fore [fɔ́:r] *prep.* 《시어》 =BEFORE
fore-and-aft [fɔ́:rəndǽft] *a.* **1** 〖항해〗 이물에서 고물까지의, 세로의, 선체를 종단하는, 선체에 평행하는 **2** 〈모자가〉 앞뒤에 챙이 달린
fóre-and-áft càp 앞뒤에 챙이 있는 모자
fore-and-aft·er [fɔ́:rəndǽftər | -ɑ́:ftə] *n.* 〖항해〗 종범선(縱帆船) 《schooner, ketch 등》
fóre-and-áft rìg 〖항해〗 종범(縱帆) 장치
fóre-and-áft sàil 〖항해〗 종범(cf. SQUARE SAIL)
fore·arm[1] [fɔ́:rɑ̀:rm] *n.* 〖해부〗 아래팔, 팔뚝
fore·arm[2] [fɔ:rɑ́:rm] *vt.* [보통 수동형으로] 미리 무장하다; 〈난관 등에〉 미리 대비하다
fore·bay [fɔ́:rbèi] *n.* 취수지(取水池), 상부 저수지 《물레방아·터빈 직전 단계의》
fore·bear [fɔ́:rbɛ̀ər] *n.* [보통 *pl.*] 조상, 선조 (ancestor)
fore·bode [fɔ:rbóud] *vt.* **1** …의 전조가 되다, 〈나쁜 일을〉 예시하다 **2** 〈불길함을〉 예감하다: ~ death 죽음을 예감하다 —*vi.* 예언하다; 예감이 들다
fore·bód·er *n.* 예언자; 전조
fore·bod·ing [fɔ:rbóudiŋ] *n.* ⓊⒸ 예언; 육감, 예감, 《특히》 불길한 일의 전조(omen) —*a.* 예감하는, 전조의 **~·ly** *ad.* 예감적으로, 전조로서 **~·ness** *n.*
fore·brain [fɔ́:rbrèin] *n.* 〖해부〗 전뇌(前腦)
fore·cab·in [fɔ́:rkæ̀bin] *n.* 이물 선실 《보통 2등 선객실》
fore·cad·die [fɔ́:rkæ̀di] *n.* 〖골프〗 포캐디 《공의 낙하 위치를 알려 주는 캐디》
‡**fore·cast** [fɔ́:rkæ̀st, -kɑ̀:st | -kɑ̀:st] *vt.* (**~, ~·ed**) **1** 〈날씨를〉 **예보하다;** 〈미래 등을〉 **예상**[예측]하다(⇨ foretell 유의어): ~ a heavy snowfall 대설을 예보하다 / Rain is ~ for the weekend. 주말에 비가 올 것으로 예상된다. **2** …의 전조가 되다: Such events may ~ peace. 이런 행사들은 평화의 전조가 될지도 모른다. **3** 미리 계획하다
—*n.* **1 예상,** 예측; (날씨의) **예보**: a weather ~ 일기 예보 **2** 예지하는 것
fore·cast·er [fɔ́:rkæ̀stər] *n.* 예측자; (일기) 예보관, 기상 통보관
fore·cas·tle [fóuksl, fɔ́:rkæ̀sl | fóuksl] *n.* **1** 〖항해〗 앞갑판 《군함의》 **2** 앞갑판 밑의 선원실 《상선의》 **3** 〖역사〗 선수루(船首樓) 《옛날 군용선의》 ★ 종종 fo'c'sle, fo'c's'le로도 씀.
fore-check [fɔ́:rtʃèk] *vt.* 〖아이스하키〗 적의 공격을 적의 수비 지역 안에서 저지하다(cf. back-check)
fore·cit·ed [fɔ́:rsàitid] *a.* 앞서 인용한, 전기(前記)의
fore·clos·a·ble [fɔ:rklóuzəbl] *a.* 〖법〗 〈저당물이〉 유질(流質) 처분이 가능한
fore·close [fɔ:rklóuz] *vt.* **1** 〖법〗 〈저당권 설정자에게〉 저당물을 찾아갈 권리를 잃게 하다; 〈저당물을〉 유질(流質) 처분하다 **2** 제외[배제]하다, 못 들어오게 하다 **3** 방해하다, 저지하다(hinder) 《*from*》 **4** …에 대한 독점권을 확립하다 **5** 미리 대답해 두다[처리하다]
—*vi.* **1** 내몰다 **2** 저당물을 유질 처분하다 《*on*》
fore·clo·sure [fɔ:rklóuʒər] *n.* ⓊⒸ 〖법〗 담보물을 찾을 권리의 상실, 유질 처분
fore·con·scious [fɔ́:rkɑ̀nʃəs | -kɔ̀n-] *n.* 〖심리〗

sure, constrain, drive, impel, oblige, necessitate, urge by force, propel, push
forecast *v.* predict, foretell, foresee, prophesy, forewarn, prognosticate, augur, speculate, estimate, calculate, conjecture, guess, divine

=PRECONSCIOUS
fore·course [fɔ́ːrkɔ̀ːrs] *n.* 〖항해〗 포코스, 전장(前檣)돛(foresail)
fore·court [fɔ́ːrkɔ̀ːrt] *n.* **1** (테니스·배드민턴 등의) 포코트(opp. *backcourt*) **2** (건물의) 앞마당
fore·dat·ed [fɔːrdéitid] *a.* 앞당긴 날짜를 적은
fore·deck [fɔ́ːrdèk] *n.* 〖항해〗 앞 갑판
fore·do [fɔːrdúː] *vt.* (**-did** [-díd]; **-done** [-dʌ́n]) =FORDO
fore·done [fɔːrdʌ́n] *a.* =FORDONE
fore·doom [fɔ̀ːrdúːm] *vt.* **1** (처음부터) 미리 운명 짓다 **2** (고어) 예언[예지]하다
fore·doomed [fɔ̀ːrdúːmd] *a.* 미리 운명지어진 《*to*》: ~ *to* failure 실패하게 되어 있는
fóre èdge 앞 가장자리; (책의 등에 대하여) 앞 단면
fore-end [fɔ́ːrènd] *n.* **1** (총상(銃床)의) 전상(前床) **2** (물건의) 앞끝, 선단부; (잠수함의) 앞부분 **3** (방언) (연(年)·월(月)의) 초; 봄
fore·face [fɔ́ːrfèis] *n.* 앞 얼굴 《네발짐승의 눈보다 앞[아래] 부분》
∗**fore·fa·ther** [fɔ́ːrfɑ̀ːðər] *n.* [보통 *pl.*] **조상**, 선조(cf. DESCENDANT)
Fórefathers' Dày (미) Pilgrim Fathers가 1620년 미대륙에 상륙한 기념일 《일반적으로 12월 22일; 상륙은 21일》
fore·feel [fɔːrfíːl] *vt.* (**-felt** [-félt]) 예감[예지]하다 — [ㅅ스] *n.* 예감, 예지
fore·fend [fɔːrfénd] *vt.* =FORFEND
∗**fore·fin·ger** [fɔ́ːrfìŋgər] *n.* **집게손가락**(first [index] finger)(cf. FINGER)
fore·foot [fɔ́ːrfùt] *n.* (*pl.* **-feet** [-fìːt]) 앞발 《네발짐승의》; 〖항해〗 용골의 앞끝; 이물 머리 — *vt.* (미 서부) 〈소 등을〉 앞발에 로프를 걸어 잡다
fore·front [fɔ́ːrfrʌ̀nt] *n.* [보통 the ~] **1** 맨 앞; 선두: come to *the* ~ 세상의 주목을 받다 **2** 중심 《활동·흥미 등의》, 가장 중요한 위치[지위] ***in the ~ of*** (1) (전투 등의) 최전선에서 (2) …의 선두가 되어
fore·gath·er [fɔːrgǽðər] *vi.* =FORGATHER
fore·gift [fɔ́ːrgìft] *n.* (영) (임대차 계약의) 권리금
fore·go [fɔːrgóu] *vt., vi.* (**-went** [-wént]; **-gone** [-gɔ́ːn, -gɑ́n | -gɔ́n]) **1** =FORGO **2** 앞에 가다, 앞서다
fore·go·er [fɔːrgóuər] *n.* **1** 앞선 사람[것]; 지도자; 선례 **2** 선인, 선대(先代), 조상, 선배
∗**fore·go·ing** [fɔːrgóuiŋ] *a.* **1** Ⓐ [보통 the ~] 앞서 말한; 앞의 **2** [the ~; 명사적] 앞서 말한 것 ★ 내용에 따라 단수 또는 복수 취급이 됨.
fore·gone [fɔːrgɔ́ːn, -gɑ́n, ㅅㅅ | fɔːgɔ́n, ㅅㅅ] *a.* **1** Ⓐ 앞선, 이전의, 기왕의 **2** 기정(旣定)의, 과거의
foregóne conclúsion 처음부터 알고 있는 결론, 뻔한 결과; 필연적인 결론[결과]
∗**fore·ground** [fɔ́ːrgràund] *n.* **1 전경**(前景) 《경치·그림의》(opp. *background*) **2** 최전면, 표면, 가장 두드러진 위치 **3** 〖컴퓨터〗 다중 프로그래밍·다중 프로세서 등과 같이 동시에 몇 개의 프로그램이 실행될 때 높은 우선도의 프로그램이 실행되는 상태[환경]
— *vt.* 전경에 그리다; 최전면에 내세우다
fore·gut [fɔ́ːrgʌ̀t] *n.* 전장(前腸). **1** 〖동물〗 척추 동물의 소화관의 앞 부분; 무척추 동물의 앞창자 **2** 〖발생〗 포유 동물 태생기의 소화 기관의 윗부분
fore·hand [fɔ́ːrhæ̀nd] *a.* **1** Ⓐ (테니스 등에서) 포핸드의, 바로 치는(cf. BACKHAND): a ~ stroke 포핸드 스트로크, 정상타(正常打) **2** 앞의, 앞쪽의(front); 앞당긴: a ~ payment 선불 **3** 맨 앞의, 선두의 **4** 선불의, 미리 건네는
— *n.* **1** (테니스 등의) 포핸드 **2** 앞 위치, 말의 앞 반신(半身) 《기수의 앞》 **3** 〖카드〗 (3명 게임에서) 카드를 나눠주는 사람의 좌측 사람 《제일 먼저 카드를 받음》 **4** (고어) 우위, 상위 — *ad.* 포핸드로
— *vi., vt.* 포핸드로 치다
fore·hand·ed [fɔ́ːrhǽndid] *a.* **1** =FOREHAND 1 **2** (미) **a** 장래에 대비한; 돈을 아끼는(thrifty) **b** 유복한 **c** 임기응변의 **~·ly** *ad.* **~·ness** *n.*
‡**fore·head** [fɔ́ːrid, fɔ́ːrhèd | fɔ́rid, fɔ́ːhèd] *n.* **1 이마**(brow): a high[low] ~ 넓은[좁은] 이마 **2** (물건의) 앞부분 / She wrinkled her ~ in concentration. 그녀는 집중하느라 이마를 찌푸렸다. ***rub*** ***one's*** ~ 이마를 문지르다 《생각해 내려고 할 때의 손짓》
fore·hock [fɔ́ːrhɑ̀k | -hɔ̀k] *n.* 돼지의 앞다리 위쪽의 고기
fore·hoof [-hùf | -hùːf] *n.* (네발짐승의) 앞다리의 발굽
‡**for·eign** [fɔ́ːrən, fɑ́- | fɔ́-] [L「밖으로」의 뜻에서] *a.* **1 외국의**; 외국에 있는; 외국풍의; 외국산의; 외국행의: a ~ accent 외국 말투 / ~ goods 외래품 / a ~ language[tongue] 외국어[말] / a ~ settlement 외국인 거류지 **2** 외국과의, 외국 상대의, 대외적인: ~ trade 외국 무역 **3** 타지방의, 타향에서 온; 일정 지역 외의 **4** 〖법〗 **a** 외국[(미) 타주]법의 **b** 외국의, (미) 타주(他州)의 〈회사〉 **5** 〈증언 등이〉 다른 사람에 의한 **6** Ⓐ (고유의 것이 아닌) 외래의, **이질적인**: a ~ substance [body] in the eye 눈에 들어간 이물질 **7** Ⓟ 성질이 다른, 서로 맞지 않는, 상관없는 《*to*》; 생소한, 들은[본] 기억이 없는 《*to*》: Your argument is ~ *to* the question. 너의 의론은 그 문제와 관계가 없다.
— *ad.* [다음 성구로] ***buy*** ~ 외국 제품을 사다 ***go*** ~ 〖항해〗 외국 항로의 선원이 되다; (자기 나라의) 영해 밖으로 가다 ***sell*** ~ 〖항해〗 〈배를〉 외국 회사에 팔다
fóreign affáirs 외교 문제, 외무; 국제 관계(international relations)
fóreign affíliated 외국계 기업
fóreign áid 대외 원조, 외국 원조
Fóreign and Cómmonwealth Òffice [the ~] (영) 외무 연방성 《1968년 10월, Foreign Office와 Commonwealth Office가 병합된 것》
fóreign bíll (of exchánge) 외국환 어음
for·eign-born [-bɔ́ːrn] *a.* 외국 태생의
for·eign-built [-bílt] *a.* 외국에서 건조한
fóreign cápital 외자(外資)
fóreign correspóndent (신문·잡지의) 해외 특파원, 통신원, 주재원
fóreign cúrrency depòsit (외환은행의) 외화 예금
fóreign débt[lóan] 외채(外債)
fóreign dévil [Chin.「양귀자(洋鬼子)」에서] (경멸) (중국에서) 외국인, (특히) 유럽 사람
fóreign dráft =FOREIGN BILL
‡**for·eign·er** [fɔ́ːrənər, fɑ́- | fɔ́-] *n.* **1 외국인**, 외인, 이방인 **2** (구어) 국외자, 타향 사람 **3** 외국 제품, 외래품, 외래 동[식]물; [*pl.*] 외국 증권 **4** 외국선
do a ~ (속어) 〈취업자·실직 수당 수혜자가〉 무단으로 부업을 하다
∗**fóreign exchánge** **1 외국환**, 외환; Ⓤ 외자 **2** 외국환 거래(업)
fóreign exchánge màrket 외환 시장
fóreign exchánge ràte 환율
fóreign exchánge resèrve 외화 보유(고), 외화 준비(금)
for·eign-flag [fɔ́ːrənflæ̀g | fɔ́-] *a.* 〈비행기·선박이〉 외국 국적의
for·eign-go·ing [-gòuiŋ] *a.* 〈비행기·선박 등이〉 외국행의, 외항의
fóreign invéstment 해외[대외] 투자
for·eign·ism [fɔ́ːrənìzm, fɑ́- | fɔ́-] *n.* Ⓤ **1** 외국풍(의 습관) **2** 외국 어법(foreign idiom) **3** 외국풍 모

thesaurus **foregoing** *a.* preceding, precedent, prior, previous, former, above, antecedent
foreground *n.* front, fore, prominence, forefront
foreign *a.* overseas, alien, distant, remote, strange, exotic, unfamiliar, unknown, odd, outlandish, peculiar (opp. *home, native, familiar*)

방 **4** 외국풍의 특성, 이국적임
fóreign légion 외인 부대; [**F- L-**] (북아프리카 프랑스군의) 외인 부대
fóreign màil 외국 우편
fóreign mínister [보통 **F- M-**] 외무부 장관 《★ 미국에서는 국무 장관이 이 직무를 담당하고 있다.》(《특히 영》 foreign secretary)
fóreign mínistry [보통 the F- M-] 외무부
fóreign míssion 외국 사절단; 외국인 선교 (단체)
for·eign·ness [fɔ́:rənis, fɑ́- | fɔ́-] *n.* Ⓤ 외래성(外來性); 이질성(異質性); 외국풍
fóreign óffice [보통 the F- O-] 《영》 외무부 《the Foreign and Commonwealth Office의 구칭》
fóreign pólicy 외교 정책[방침]
fóreign relátions 외교[국제] 관계; 외교 문제[분야]: an expert in ~ 외교 문제 전문가
Fóreign Relátions Commìttee [the ~] 《미》 상원 외교 위원회 《略 FRC》
for·eign-re·turned [-ritə́:rnd] *a.* 《인도·구어》 외국에서 교육 받고 돌아온
fóreign sécretary [종종 **F- S-**] 《영》 (1968년까지의) 외무부 장관 《지금은 Secretary of State for Foreign and Commonwealth Affairs》
fóreign sérvice (군대의) 외국[해외] 근무; [집합적] (외무부의) 외무 직원
fóreign tráde bàlance 해외 무역 수지
fór·eign-tráde zòne [fɔ́:rəntréid- | fɔ́-] 외국(자유) 무역 지대(free port)
fóreign wórd 외국어의 단어, 외래어, 차입어(loan-word)
fore·judge[1] [fɔ:rdʒʌ́dʒ] *vt.* …에 미리 판단을 내리다, 예단(豫斷)하다
forejudge[2] *vt.* =FORJUDGE
fore·know [fɔ:rnóu] *vt.* (**-knew** [-njú: | -njú:]; **-known** [-knóun]) 미리 알다, 예지하다 **~·a·ble** *a.*
fore·knowl·edge [fɔ́:rnɑ̀lidʒ, ⌐⌐ | fɔ:nɔ́l-] *n.* Ⓤ 선지(先知), 예지(豫知), 선견(先見), 통찰
for·el, for·rel [fɔ́:rəl, fɑ́r- | fɔ́r-] *n.* 양피지의 일종 《책의 표지로 씀》
fore·la·dy [fɔ́:rlèidi] *n.* (*pl.* **-dies**) 《미》 =FOREWOMAN
fore·land [fɔ́:rlæ̀nd] *n.* **1** 갑(岬)(headland), 해안 지역 **2** 《군사》 (성벽의) 전면지(前面地)
fore·leg [fɔ́:rlèg] *n.* (네발짐승·곤충의) 앞다리; (의자의) 앞다리
fore·limb [fɔ́:rlìm] *n.* (척추동물의) 앞다리, (앞다리에 해당하는) 앞날개, 앞지느러미
fore·lock[1] [fɔ́:rlɑ̀k | -lɔ̀k] *n.* 앞머리 ***take*** [***seize***] ***time*** [***an occasion***] ***by the ~*** 기회를 놓치지 않다, 기회를 타다[이용하다] ***touch*** [***pull, tug***] ***one's ~*** 《구어》 (필요 이상으로) 정중히 인사하다[굽실거리다]
forelock[2] *n.*, *vt.* 《기계》 쐐기(로 고정시키다)
***fore·man** [fɔ́:rmən] *n.* (*pl.* **-men** [-mən, -mèn]) **1** (노동자의) 십장, 직장(職長), 직공장, 현장 주임 **2** 《법》 배심장(陪審長) **~·ship** *n.*
fore·mast [fɔ́:rmæ̀st, -mɑ̀:st | fɔ́:mɑ̀:st; 《항해》 fɔ́:rməst] *n.* 《항해》 앞돛대: a ~ seaman[man, hand] 앞돛대 선원, 평선원, 수병
fore·milk [fɔ́:rmìlk] *n.* (산모의) 초유(colostrum); (소 등의) 처음 짠 우유《세균 수가 많음》
‡fore·most [fɔ́:rmòust, -məst] *a.* Ⓐ [the ~] **1** 맨 앞[먼저]의, 선두의 **2** 으뜸가는, 주요한: *the* ~ surgeons 일류 외과 의사들
— *ad.* 맨 먼저; 첫 번째로 ***first and ~*** 맨 먼저, 무엇보다도 먼저 ***head ~*** 거꾸로, 곤두박이로 ***put one's best foot ~*** ⇨ foot
fore·moth·er [fɔ́:rmʌ̀ðər] *n.* 여자 조상(opp. *forefather*)
fore·name [fɔ́:rnèim] *n.* (surname에 대한) 이름(first name)
fore·named [fɔ́:rnéimd] *a.* Ⓐ 전술(前述)한, 전기(前記)한, 앞서 이름을 언급한
***fore·noon** [fɔ́:rnù:n] *n.* 《문어》 오전, 아침나절《특히 8-9시부터 정오경까지》
— *a.* Ⓐ 오전의
fórenoon màrket 《증권》 전장(前場)
fore·no·tice [fɔ́:rnòutis] *n.* 예고; (사전) 경고
fo·ren·sic [fərénsik] *a.* **1** 법정의[에 관한]; 변론의, 토론의 **2** 변론[토론]에 적합한, 수사적인 **3** 법의학의; (범죄에 대한) 과학 수사의 — *n.* **1** [*pl.*] 변론술 **2** 《미》 (대학·고교의) 토론 연습 **-si·cal·ly** *ad.*
forénsic anthropólogy 법인류학
forénsic évidence 법의학적 증거
forénsic médicine 법의학
forénsic psychíatry 법정신의학
forénsic psychólogy 법심리학
forénsic scíence (경찰의) 과학 수사(법), 수사 과학
fo·ren·sics [fərénsiks] *n. pl.* [단수·복수 취급] 웅변술; 《미》 토론학
fore·or·dain [fɔ̀:rɔ:rdéin] *vt.* **1** 미리 정하다 **2** 《신학》 미리 운명을 정하다
fore·or·di·na·tion [fɔ̀:rɔ:rdənéiʃən] *n.* Ⓤ (운명의) 예정, 전생의 약속, 숙명
fore·part [fɔ́:rpɑ̀:rt] *n.* **1** 앞부분, 전면 **2** 첫 부분, 초기
fore·passed, -past [fɔ́:rpǽst] *a.* 과거의, 옛날의
fore·paw [fɔ́:rpɔ̀:] *n.* (개·고양이 등의) 앞발
fore·peak [fɔ́:rpì:k] *n.* 《항해》 이물 화물창
fore·per·son [fɔ́:rpə̀:rsn] *n.* =FOREMAN, FOREWOMAN
fóre plàne 《목공》 막대패
fore·play [fɔ́:rplèi] *n.* Ⓤ (성행위의) 전희(前戲)
fore·pleas·ure [fɔ́:rplèʒər] *n.* 전구(前驅) 쾌감《오르가슴에 이르기 전까지의 쾌감의 집적》
fore·quar·ter [fɔ́:rkwɔ̀:rtər] *n.* (쇠고기·돼지고기·양고기의) 앞쪽 $^{1}/_{4}$ 부분
fore·reach [fɔ:rrí:tʃ] 《항해》 *vi.* **1** 다른 배를 앞지르다 《*on*》 **2** (엔진을 끄고) 타력(惰力)으로 나아가다
— *vt.* **1** 〈다른 배를〉 앞지르다 **2** …보다 우세하다
fore·run [fɔ:rrʌ́n] *vt.* (**-ran** [-rǽn]; **-run**; **~·ning**) **1** …의 앞을 달리다, …에 앞서다 **2** …의 전조가 되다 **3** 예시[예고]하다; 꼭뒤 지르다 **4** 앞지르다
***fore·run·ner** [fɔ́:rrʌ̀nər, ⌐⌐] *n.* **1** 선구자, 선각자; 선인(先人), 선조 **2** 전조, 예보 《*of*》 **3** (스키 경기 등의) 전주자(前走者) **4** [the F~] 《성서》 세례 요한
fore·said [fɔ́:rsèd] *a.* 전술한, 앞서 말한
fore·sail [fɔ́:rsèil; 《항해》 fɔ́:rsəl] *n.* 《항해》 앞 돛
‡fore·see [fɔ:rsí:] *vt.* (**-saw** [-sɔ́:]; **-seen** [-sí:n]) **1** 예견하다, 예지하다, 내다보다: ~ a recession 경기 후퇴를 내다보다: ~ the future 앞을 내다보다 **2** 미리 보다, 사전에 확인하다
— *vi.* 선견지명이 있다, 통찰력을 발휘하다
~·ing *a.* 선견지명이 있는 ▷ fóresight *n.*
fore·see·a·ble [fɔ:rsí:əbl] *a.* 예지[예견]할 수 있는: in the ~ future 가까운 미래에 **-a·bly** *ad.*
fore·se·er [fɔ:rsí:ər] *n.* 선견지명이 있는 사람
fore·shad·ow [fɔ:rʃǽdou] *vt.* 〈신이〉 예시하다, …의 징조를 보이다, …의 전조가 되다
fore·shank [fɔ́:rʃæ̀ŋk] *n.* (쇠고기의) 앞다리 윗부분
fore·sheet [fɔ́:rʃì:t] *n.* 《항해》 **1** 앞 돛의 아랫자락을 묶는 밧줄 **2** [*pl.*; 복수 취급] 뱃머리의 좌석 《보트 등의 앞 구석의 3각형 자리; cf. STERN SHEETS》
fore·shock [fɔ́:rʃɑ̀k | -ʃɔ̀k] *n.* 《지진》 초기 미동(微動), 전진(前震)
fore·shore [fɔ́:rʃɔ̀:r] *n.* [보통 the ~] **1** 갯벌 《만조

---

foreigner *n.* nonnative, alien, immigrant, newcomer, stranger, outsider
foremost *a.* leading, principal, premier, prime, top, first, primary, front, chief, main, supreme
foresee *v.* anticipate, predict, forecast, foretell, envisage, prophesy, foreknow, divine

선과 간조선 사이》 **2** 물가, 바닷가(beach)
fore·short·en [fɔːrʃɔ́ːrtn] *vt.* **1** 〖회화〗 (원근법에 따라) 먼 쪽을 줄여 그리다, 원근법으로 그리다 **2** 단축하다, 축소하다
fore·show [fɔːrʃóu] *vt.* (**~ed**; **-shown** [-ʃóun]) 예고[예언]하다, 예시하다; …의 전조를 보이다
fore·side [fɔ́ːrsàid] *n.* **1** 전면(前面), 상부 **2** (미) 해변가 일대, 연안 지대
*__fore·sight__ [fɔ́ːrsàit] *n.* Ⓤ **1** 선견(지명), 통찰(력) **2** (장래에 대한) 신중함, 조심, 예견: (~+*to* do) He had the ~ *to* invest his money wisely. 그는 돈을 현명하게 투자하는 신중함이 있었다. **3** 앞을 내다봄, 전망, 조망 **4** 〖측량〗 전시(前視) **5** (총포의) 가늠쇠
~·ed [-id] *a.* 선견지명이 있는; 깊은 생각이 있는
~·ed·ness *n.* ▷ foresée *v.*
fore·skin [fɔ́ːrskìn] *n.* Ⓤ (음경의) 포피(包皮)
fore·sleeve [fɔ́ːrsliv] *n.* 옷소매
fore·speak [fɔːrspíːk] *vt.* (**-spoke** [-spóuk]; **-spo·ken** [-spóukən]) **1** 예언하다 **2** 미리 요구하다, 예약하다
fore·spent [fɔːrspént] *a.* =FORSPENT
‡**for·est** [fɔ́ːrist, fɑ́-|fɔ́-] *n.* **1** ⓊⒸ (광대한) 숲, (대)삼림, 산림지 《큰 자연림으로서 사냥감인 새·짐승이 사는 곳; 인가에 가까운 작은 숲은 wood(s)》 ★ 지명으로서는 지금은 개간된 지역에도 사용함: the New *F*~ 잉글랜드 남부의 삼림 지구 **2** [a ~] 숲처럼 총총 선 것, 숲을 이룬 것 《*of*》: *a* ~ *of* chimneys[TV antennas] 숲을 이룬 굴뚝[TV 안테나] **3** [보통 **F~**] 〖영국사〗 (왕실 등의) 사냥터
cannot see the ~ for the trees 나무를 보고 숲을 보지 못하다, 작은 일에 사로잡혀 큰 일을 놓치다
— *a.* Ⓐ 삼림(지대)의, 산림의
— *vt.* …에 식목하다
~·ed [-id] *a.* 수목으로 뒤덮인, 숲을 이룬
for·est·age[1] [fɔ́ːristidʒ, fɑ́-|fɔ́-] *n.* 〖영국사〗 산림세(稅); 삼림 거주민의 권리
fore·stage[2] [fɔ́ːrstèidʒ] *n.* (막 앞의) 앞 무대
for·est·al [fɔ́ːristl, fɑ́-|fɔ́-] *a.* 삼림(지대)의; 숲을 이룬
fore·stall [fɔːrstɔ́ːl] *vt.* **1** 앞서다, 선손 쓰다; 앞지르다 **2** 매점(買占)하다, 시장 거래를 방해하다
~·er *n.* **~·ment** *n.*
for·est·a·tion [fɔ̀ːrəstéiʃən, fɑ̀-|fɔ̀-] *n.* Ⓤ 조림(造林), 식림
fore·stay [fɔ́ːrstèi] *n.* 〖항해〗 앞돛대의 앞 밧줄 《앞돛대의 꼭대기부터 이물에 친 밧줄》
fore·stay·sail [fɔ̀ːrstéisèil; 〖항해〗 fɔ̀ːrstéisl] *n.* 〖항해〗 앞돛대의 앞 밧줄에 맨 삼각돛
for·est·er [fɔ́ːrəstər, fɑ́-|fɔ́-] *n.* **1** 임학자(林學者), 산림학 전문가 **2** 삼림관, 산림 감독관 **3** =FOREST RANGER **4** 삼림지 거주자, 삼림 노동자; 숲의 동물 **5** (특히 수놈의) 대형 캥거루 **6** [**F~**] 포레스터회(자선 우애 단체)의 회원 **7** 〖곤충〗 알락나방의 일종
fórest fíre 산불
fórest flòor 〖생태〗 임상(林床) 《산림 지표면의 토양과 유기 퇴적물의 층》
fórest gréen 짙은 황록색(Lincoln green)
for·est·land [fɔ́ːristlæ̀nd, fɑ́-|fɔ́-] *n.* 삼림지
fórest rànger (미) 삼림 감시[경비]원
fórest resèrve 보존[보호]림
for·est·ry [fɔ́ːrəstri, fɑ́-|fɔ́-] *n.* Ⓤ **1** 임학(林學), 조림학, 임업 **2** 삼림[산림] 관리 **3** 삼림지
fórest trèe 삼림수, 임목(林木)
fore·swear [fɔːrswɛ́ər] *v.* =FORSWEAR
fore·taste [fɔ́ːrtèist] *n.* **1** (장차의 고락(苦樂) 등을) 미리 조금 맛봄; (…의) 예상, 전조 《*of*》 **2** 시식(試食) — [-⌐] *vt.* **1** 〈고락 등을〉 미리 맛보다[알다]; 예상하다 **2** 시식하다
*__fore·tell__ [fɔːrtél] *vt.* (**-told** [-tóuld]) **1** 예고[예언, 예시]하다: (~+***that*** 절) He *foretold that* an accident would happen. 그는 사고가 일어날 것이라고 예언했다. // (~+***wh.*** 절) Nobody can ~ *what* will happen tomorrow. 내일 무슨 일이 일어날지 아무도 예측할 수 없다.

> 유의어 **foretell** '예언하다, 예지(豫知)하다'의 뜻의 가장 일반적인 말이다: Seers *foretold* the calamity. 예언자들은 그 재앙을 예언했다. **forecast** 예상되는 것에 대한 추측을 말한다는 뜻으로서, 기후·자연현상 등에 쓰인다: *forecast* snow 눈을 예보하다 **predict** 과거의 사실·경험 등에 입각한 추론에 의해 예언하다: Astronomers *predicted* an eclipse. 천문학자들은 일식을 예측했다.

2 〈사물이〉 예시하다, …의 전조가 되다
— *vi.* 예언[예고]하다 **~·er** *n.*
fore·thought [fɔ́ːrθɔ̀ːt] *n.* Ⓤ **1** (장래에 대비한) 깊은 생각, 신중, 조심 **2** (사전의) 고려, 계획; 선견
fore·thought·ful [fɔːrθɔ́ːtfəl] *a.* (장래에 대한) 생각이 깊은, 선견지명이 있는, 신중한
~·ly *ad.* **~·ness** *n.*
fore·time [fɔ́ːrtàim] *n.* Ⓤ 지난날, 옛날, 과거
fore·to·ken [fɔ́ːrtòukən] *n.* 전조, 징후(omen)
— [-⌐-] *vt.* …의 전조를 보이다
*__fore·told__ [fɔːrtóuld] *v.* FORETELL의 과거·과거분사
fore·tooth [fɔ́ːrtùːθ] *n.* (*pl.* **-teeth** [-tìːθ]) 앞니, 문치(門齒)(incisor)
fore·top [fɔ́ːrtɑ̀p|-tɔ̀p] *n.* **1** 〖항해〗 앞 돛대의 망루 **2** (말의) 이마 갈기; (고어) (사람의) 앞머리
fore-top·gal·lant [fɔ̀ːrtɑpgǽlənt|-tɔp-; 〖항해〗 -təgǽ-] *a.* 〖항해〗 앞돛대의 위쪽 돛대의
fore·top·man [fɔ́ːrtɑ̀pmən|-tɔ̀p-] *n.* (*pl.* **-men** [-mən, -mèn]) 〖항해〗 앞돛대 망루 선원
fore-top·mast [fɔ̀ːrtɑ́pmæ̀st|-tɔ́pmɑ̀ːst; 〖항해〗 -məst] *n.* 〖항해〗 앞돛대의 가운데 돛대
fore-top·sail [fɔ̀ːrtɑ́psèil|-tɔ́p-; 〖항해〗 -səl] *n.* 〖항해〗 앞돛대의 가운데 돛대에 다는 돛
‡**for·ev·er** [fɔːrévər, fər-] *ad.* **1** 영원히, 영구히, 끝없이: I'll remember you ~. 당신을 영원히 잊지 않겠다. **2** [진행형과 함께] 끊임없이, 항상, 줄곧: They'*re* ~ chatter*ing*. 그들은 끊임없이 재잘거리고 있다. **3** (구어) 장황히 ***~ and a day*** = (미·속어) ***~ and amen*** = (문어) ***~ and ever*** 영원히
— *n.* [the ~] 영원, 영구; 오랜 시간 ★ (영)에서는 보통 for ever의 두 단어로 씀.
for·ev·er·more [fɔːrèvərmɔ́ːr, fər-] *ad.* (문어) =EVERMORE
for·ev·er·ness [fɔːrévərnis, fər-] *n.* Ⓤ 영원, 영구(永久)(permanence)
fore·warn [fɔːrwɔ́ːrn] *vt.* 미리 경계하다; 미리 주의[통고]하다: (~+목+***to*** do) He ~*ed* me not *to* go there. 그는 나에게 거기에 가지 말라고 미리 통고했다. // (~+목+***that*** 절) They ~*ed* us *that* there were pickpockets on the train. 그들은 열차 속에 소매치기가 있다고 미리 경고해 주었다. // (~+목+전+명) I was ~*ed against* climbing the mountain. 나는 그 산에 오르지 말라는 사전 경고를 받았다.
Forewarned is forearmed. (속담) 사전 경고는 사전 무장과 같다., 유비무환(有備無患).
fore·went [fɔːrwént] *v.* FOREGO의 과거
fore·wind [fɔ́ːrwìnd] *n.* 〖항해〗 순풍
fore·wing [fɔ́ːrwìŋ] *n.* (곤충의) 앞날개
fore·wom·an [fɔ́ːrwùmən] *n.* (*pl.* **-wom·en** [-wìmin]) **1** 〖법〗 여자 배심장 **2** 여자 감독[십장]
fore·word [fɔ́ːrwə̀ːrd] *n.* 머리말, 서문 《특히 저자 이외의 사람이 쓴; 저자가 쓰는 「서문」은 preface》(⇨

thesaurus **foresight** *n.* anticipation, provision, readiness, precaution, caution, care, prudence
forever *ad.* **1** 영원히 always, ever, evermore, eternally, perpetually, unlyingly **2** 끊임없이 all the time, incessantly, continually, constantly, end-

introduction 유의어)
fore·worn [fɔːrwɔ́ːrn] *a.* 《고어》 = FORWORN
for·ex [fɔ́ːreks] [*for*eign *ex*change] *n.* 외(국)환
fore·yard [fɔ́ːrjɑ̀ːrd] *n.* 〖항해〗 앞돛대의 (맨 아래) 활대
for·fait·ing [fɔ́ːrfèitiŋ] *n.* Ⓤ 〖금융〗 수출 장기 연불 어음의 비소급적 할인 매입 금융
*__for·feit__ [fɔ́ːrfit] [OF 「위반하다」의 뜻에서] *n.* **1** ⓊⒸ **벌금**, 과료; 추징금 **2** Ⓤ (권리·명예 등의) **상실, 박탈 3** 몰수물 **4** [*pl.*; 단수 취급] 벌금 놀이
be the ~ of …의 벌로 빼앗기다: His life *was the ~ of* his crime. 죄에 대한 벌로 그는 목숨을 빼앗겼다.
— *a.* Ⓟ (…에게) 몰수된, 상실한 《*to*》
— *vt.* 〈재산 등을〉 (벌로서) **상실하다,** 〈권리를〉 잃다, 몰수[박탈]당하다: ~ one's driver's license 운전면허를 박탈당하다 **~·er** *n.* 몰수 처분을 받는 사람
▷ fórfeiture *n.*
for·feit·a·ble [fɔ́ːrfitəbl] *a.* 상실할, 몰수당할
fór·feit·ed gáme [fɔ́ːrfitid-] 〖스포츠〗 몰수 경기
for·fei·ture [fɔ́ːrfitʃər] *n.* **1** Ⓤ (재산의) 몰수; 실권(失權); (권리·지위·명성 등의) 상실; (계약 등의) 실효 **2** 몰수물; 벌금, 과료(fine)
for·fend [fɔːrfénd] *vt.* **1** 《미》 막다, 지키다 **2** 피하다, 방지하다; 《고어》 금하다 ***God*** [***Heaven***] ***~!*** (그런 일이) 결코 없기를, 당치도 않다!
for·gath·er [fɔːrgǽðər] *vi.* 《문어》 모이다; (우연히) 만나다 《*with*》; 교제하다, 친교를 맺다 《*with*》
*__for·gave__ [fərgéiv] *v.* FORGIVE의 과거
*__forge__[1] [fɔːrdʒ] [L 「작업방」의 뜻에서] *n.* **1 단조(鍛造) 공장**(smithy), 대장간 **2** (대장간의) 노(爐), 풀무; 괴철로(塊鐵爐) **3** (사상·계획 등을) 연마하는[다듬는] 곳
— *vt.* **1** 〈쇠를〉 **벼리다;** 벼려서 (…으로) 만들다 《*into*》; 〈제품을〉 단조하다: ~ a sword 검을 단조하다 **2 위조[모조]**하다; 〈거짓말 등을〉 꾸며 내다, 날조하다: a ~*d* note 《영》 위조지폐 **3** 〈계획 등을〉 안출하다; 〈합의·친교 등을〉 맺다: ~ a treaty 조약을 맺다
— *vi.* **1** 위조[모조]하다 **2** 대장간에서 일하다
fòrge·a·bíl·i·ty *n.* **~·a·ble** *a.*
forge[2] *vi.* **1** 서서히 나아가다, 착실히 전진하다: (~+전+명) ~ *through* dense underbrush 빽빽한 덤불 속을 서서히 지나가다 **2** [보통 ~ ahead로] 〈배가〉 점진하다; 〈주자가〉 서서히 선두로 나서다; 빠르고 효율적으로 진척되다: ~ *ahead* with one's work 일을 착실하게 해내다
forg·er [fɔ́ːrdʒər] *n.* **1** 위조자[범], 날조자, 거짓말쟁이 **2** 대장장이
*__for·ger·y__ [fɔ́ːrdʒəri] *n.* (*pl.* **-ger·ies**) **1** Ⓤ (문서·지폐의) **위조;** 〖법〗 문서 위조(죄) **2** 위조 문서[도장, 작품, 화폐] **3** 《고어》 허구, 허위
‡**for·get** [fərgét] *v.* (**-got** [-gɑ́t | -gɔ́t], 《고어》 **-gat** [-gǽt]; **-got·ten** [-gɑ́tn | -gɔ́tn], 《미》 **-got**; **~·ting**) *vt.* **1 잊다,** 망각하다(opp. *remember*); 생각이 안 나다: I'm sorry I've *forgotten* ~ your name. 죄송하지만, 당신의 이름이 생각나지 않습니다. // (~+***wh.*** ***to*** do) I've *forgotten when to* start. 언제 출발하는 건지 잊어버렸다. // (~+***that*** 절) Did you ~ *that* I was coming? 내가 온다는 것을 잊었느냐? // (~+***wh.*** 절) I *forgot whether* he would come on Monday or Tuesday. 그가 오는 날이 월요일인지 화요일인지 잊었다. **2 a** 〈…할 것을〉 잊다, 게을리하다: ~ one's duties 자기의 직무를 잊다[게을리하다] // (~+***to*** do) I *forgot to* answer the letter. 편지에 회답 쓰는 것을 잊었다. / Don't ~ *to* sign your name. 잊지 마시고[꼭] 서명해 주시오. / I *forgot to* lock the gate. 대문 잠그는 것을 잊었다. **b** 〈…한 것을〉 잊다: (~+***-ing***) I shall never ~ hear*ing* the President's address. 대통령의 연설을 들었던 일은 결코 잊지 못하리라. 《대개 부정(否定) 미래형으로 쓰임》 **3 잊고 두고 오다**[가다], 갖고 올 것을 잊다: ~ one's keys 열쇠를 잊다 / I'm ~*ting* my umbrella. 우산을 잊을 뻔했다. 《우산을 집기 전에 하는 말》 / I almost *forgot* my umbrella. 하마터면 우산을 잊을 뻔했다. 《우산을 집고 나서 하는 말》 **4** [보통 부정문에서] (…에게) 말할 것을 잊다 《*to*》: (~+목+전+명) Do*n't* ~ me *to* your family. 가족에게 안부 꼭 전해 주시오. **5** 간과하다; 소홀히[등한히] 하다, 무시하다; 개의치 않다: ~ an offense 죄를 잊고 용서하다
USAGE *vt.* 3의 「잊고 두고 오다」의 뜻인 forget은 구체적인 장소를 나타내는 전치사와 함께 쓰이지 않는다; 따라서 I *forgot* my umbrella *on* the train. (열차 안에 우산을 잊고 왔다.)은 잘못이며, 이 뜻으로는 I left ...를 쓴다.
— *vi.* 잊다, 깜빡 잊다: (~+전+명) *F~ about* it. 그 일은 잊어 주시오. ***~ and forgive*** = ***forgive and ~*** 〈원한 등을〉 깨끗이 잊어버리다 ***F~ it.*** 《구어》 (1) (그런 건) 괜찮아, 염려하지 마. (2) [거부하며] 말도 안 돼. ~ one***self*** (1) 자기(의 이익)을 돌보지 않다, 몰두하다: ~ *oneself* in one's son 자식 사랑에 여념이 없다 (2) 자기의 분수를 잊어버리다, 자제심을 잃다; 의식을 잃다 ***F~ you!*** 가자; 꺼져; 말도 안 돼! ***not ~ting*** …도 또한, …도 포함해서
~·ter *n.* ▷ forgétful *a.*
*__for·get·ful__ [fərgétfəl | fəgétful] *a.* **1 잊기 쉬운,** 건망증이 있는, 잘 잊어버리는; Ⓟ (…을) 잊고 《*of*》: be ~ *of* a person's name …의 이름을 잘 잊어버리다 **2** Ⓟ (…을) **게을리하기 쉬운**(neglectful), (…에) 무관심한 《*of*》: be ~ *of* one's responsibilities 직무를 등한히 하다 **3** 《시어》 망각시키는 **~·ly** *ad.* 잘 잊어버리고, 깜빡 잊어서, 소홀하게도
*__for·get·ful·ness__ [fərgétfəlnis] *n.* Ⓤ **건망증;** 소홀, 태만
for·get-me-not [fərgétminɑ̀t | -nɔ̀t] *n.* 〖식물〗 물망초 《신의·우애의 상징》
for·get·ta·ble [fərgétəbl] *a.* 잊기 쉬운; 잊어야 할, 잊어도 좋은: a plain, ~ face 평범하고 기억에 안 남는 얼굴
forg·ing [fɔ́ːrdʒiŋ] *n.* ⓊⒸ 대장일; 위조; 단조품(鍛造品)
for·giv·a·ble [fərgívəbl] *a.* 용서할 수 있는[해도 좋은]: a ~ mistake 용서받을 수 있는 실수
‡**for·give** [fərgív] [OE 「포기하다」의 뜻에서] *v.* (**-gave** [-géiv]; **-giv·en** [-gívən]) *vt.* **1** 〈사람·죄 등을〉 **용서하다**, 관대히 봐주다(pardon); 눈감아 주다: ~ one's enemies 적을 용서하다 / *F~* me if I am wrong. 잘못이 있으면 용서하시오. // (~+목+목) ~ a person his sins …의 죄를 용서하다 // (~+목+전+***-ing***) He was *forgiven for* steal*ing* the money. 그는 돈을 훔친 것을 용서받았다.

> 유의어 **forgive** 남의 죄나 과실에 대한 분노·처벌 등의 감정을 버리고 용서하다: I couldn't *forgive* their rudeness. 그들의 무례함을 용서할 수가 없었다. **pardon** 죄나 나쁜 짓에 대해 처벌을 면제하다: *pardon* a criminal 죄인을 사면하다 **excuse** 별로 중대하지 않은 실패·잘못 등을 용서하다: *excuse* a person's carelessness 남의 부주의를 용서하다

2 〈빚 등을〉 면제하다, 탕감하다: ~ the interest 이자를 면제하다 // (~+목+목) Will you ~ me the [my] debt? 내 빚을 탕감해 주시겠어요?
— *vi.* 용서하다
F~ me, but ... 실례지만 … 《상대에게 질문할 때》
May you be forgiven! 《구어》 어떻게 그런 말을 할 수 있니! 《나쁜 말을 한 사람에게》

lessly, everlastingly, interminably
forgery *n.* faking, counterfeiting, coining, copy, fabrication, falsification, fake, counterfeit, sham, fraud, imitation, reproduction
forget *v.* disregard, ignore, overlook, miss

for·gív·er *n.* 용서하는 사람; 면제자

‡for·giv·en [fərgívən] *v.* FORGIVE의 과거분사

for·give·ness [fərgívnis] *n.* Ⓤ **1** 용서; (빚 등의) 면제, 탕감 《*of*》: ask a person's ~ …의 용서를 빌다 **2** 관용, 관대함

for·giv·ing [fərgíviŋ] *a.* (쾌히) 용서하는, 관대한; 관용을 보이는 **~·ly** *ad.* **~·ness** *n.*

for·go, fore·go [fɔːrgóu] *vt.* (**-went** [-wént]; **-gone** [-gɔ́ːn, -gɑ́n | -gɔ́n]) **1** …없이 지내다, 삼가다, 보류하다 **2** 버리다, 그만두다: ~ ceremonies 의식을 중지하다 **3** (고어) 무시[경시]하다 **~·er** *n.*

‡for·got [fərgɑ́t | -gɔ́t] *v.* FORGET의 과거·과거분사

‡for·got·ten [fərgɑ́tn | -gɔ́tn] *v.* FORGET의 과거분사

forgótten mán (미) (부당하게) 망각된[무시당한] 사람 《중산 계급·노동자 계급에 속하는》

for-hire [fərháiər] *a.* 임대하는 〈자동차 등〉; 돈으로 고용되는 〈탐정 등〉

for-in·stance [-ínstəns] *n.* 《미·구어》 예, 실례 (example)

for·int [fɔ́ːrint] *n.* 포린트 《헝가리의 화폐 단위; = 100 filler》; 1포린트 화폐

for·judge, fore·judge [fɔːrdʒʌ́dʒ] *vt.* 〚법〛 실권시키다, 추방하다 《*from*》, 박탈하다 《*of*》

‡fork [fɔ́ːrk] *n.* **1** (식탁용) **포크**(=table ~) **2** (농업용) 포크, 갈퀴, 쇠스랑 **3** 〚음악〛 = TUNING FORK **4** (인체의) 가랑이; 가랑이 모양의 것 **5** 분기(分岐); 갈래진 전광(電光); 〚체스〛 양수걸이 **6** 선택해야 할 길[것], 기로 ***a knife and ~*** (한 벌의) 나이프와 포크 ***play a good knife and ~*** 식욕이 왕성하다

— *a.* Ⓐ 서서 먹는, 입식의, 나이프를 사용하지 않는 〈식사〉(cf. FORK LUNCH[SUPPER])

— *vi.* **1** 갈래가 지다, 분기하다 **2** 포크를 쓰다 **3** (갈림길에서) 한쪽으로 가다: (~+副) ~ left[right] (갈림길에서) 왼쪽[오른쪽]으로 가다

— *vt.* **1** 두 갈래 지게 하다, 포크 모양으로 하다 **2** 포크로 찌르다, 찍어 올리다 **3** (갈퀴·쇠스랑 등으로) 긁어 움직이다[올리다]; 〈토지를〉 파 젖히다 **4** 〚체스〛 양수걸이를 하다 **~ *in*** 쇠스랑 등으로 떠서 던지다, 찍어 넣다 **~ *out*** [***over, up***] (구어) (돈·물건 등을 마지못하여) 내어주다, 지불하다 ▷ fórky *a.*

fork·ball [fɔ́ːrkbɔ̀ːl] *n.* 〚야구〛 포크 볼(=**∠ pìtch**) 《투수가 집게손가락과 가운뎃손가락에 공을 끼워 던지는 투구법》

forked [fɔ́ːrkt, fɔ́ːrkid] *a.* **1** 가랑이진, 갈래 진, 분지한 **2** [보통 복합어를 이루어] …갈래의: three-~ 세 갈래의 **fórk·ed·ly** [fɔ́ːrkidli] *ad.* **fórk·ed·ness** *n.*

forked-eight [-éit] *n.* (미·속어) V형 8기통 엔진(의 자동차)

fórked líghtning 갈래 진 번개(cf. SHEET LIGHTNING)

fórked tóngue (미) 일구이언 ***speak with a ~*** 일구이언하다, 속이다

fork·ful [fɔ́ːrkfùl] *n.* (*pl.* **~s**) 한 포크 분

fork-hand·er [fɔ́ːrkhæ̀ndər] *n.* 《미·야구속어》 좌완 투수(southpaw)

fork·lift [-lìft] *n.* **1** 〚기계〛 포크리프트 《들어올리는 장치》 **2** 지게차(=**∠ trùck**)

forklift 2

fórklift ùpgrade 〚컴퓨터〛 고비용의 대폭적인 업그레이드

fórk lùnch(eon) (포크로 먹는) 입식 점심

fórk sùpper (영) = FORK LUNCH

fork-tailed [-tèild] *a.* 꼬리가 두 갈래 난 〈물고기·새 등〉

fórk trùck = FORKLIFT 2

fork·y [fɔ́ːrki] *a.* (**fork·ier**; **-i·est**) = FORKED

***for·lorn** [fərlɔ́ːrn, fɔːr-] [OE 「잃은」의 뜻에서] *a.* (문어) **1** 버림받은(forsaken), 외로운, 쓸쓸한, 비참한,

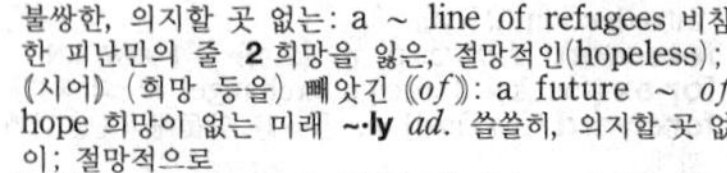

불쌍한, 의지할 곳 없는: a ~ line of refugees 비참한 피난민의 줄 **2** 희망을 잃은, 절망적인(hopeless); 《시어》 (희망 등을) 빼앗긴 《*of*》: a future ~ *of* hope 희망이 없는 미래 **~·ly** *ad.* 쓸쓸히, 의지할 곳 없이; 절망적으로

forlórn hópe **1** 헛된[희미한] 희망 **2** 절망[결사]적 행동

‡form [fɔ́ːrm] *n.*, *v.*

「형」 **3** → 「형태」 **1**
→(사람·물건의 모양)→ 「사람 모습」 **2** / 「체형」 **3**
→「형식」 **4** →(형식에 맞는 것)→「서식」 **6**
→(바람직한 상태)→「몸 컨디션」 **7**

— *n.* **1** ⒸⓊ 꼴, 형상, 형태(shape); 모습, 외관(⇨ figure 유의어) **2** 사람 모습, 인체, 물체 **3** 형(型); 방식; 종류(kind); 체형, 폼: Her swimming ~ is very good. 그녀의 수영 폼은 아주 좋다. **4** Ⓤ (내용과 대비하여) 형식, 외형(opp. *content*); 표현 형식: literary ~ 문학 형식 **5** Ⓤ (사회 기준으로 판단되는) 예법, 예절: good[bad] ~ 예절 바름[버릇없음] **6** 문서의 양식, 서식; 신청 용지(blank): a telegraph ~ 전보 용지 / two ~*s* of identification 신분증명서 두 장 **7** Ⓤ (경주마·운동선수의) 건강 상태, 몸 컨디션 (condition); 원기(good spirits); (경주마·운동선수의) 과거의 성적; (영·속어) 범죄 기록 **8** ⓊⒸ 〚문법〛 형식, 형태, 어형 《meaning과 대비하여》 **9** (영) 학년 《public school 등의》: the first ~ 1학년 / the sixth ~ 6학년 **10** (영) 긴 의자 《교회·학교 등의 등받이 없는》 **11** 〚인쇄〛 조판(《영》 FORME) **12** 토끼 굴 (hare's lair) **13 a** 〚동물〛 종류; 생존 형태 **b** 〚식물〛 품종 **14** 〚수학〛 동차(同次)다항식 **15** 옷을 입혀 놓은 마네킹 인형 **16** 기술, 수법, 테크닉 **17** 〚철학〛 이데아; 형상(形相)(opp. *matter*)

after the ~ of …의 서식대로 ***as a matter of ~*** 형식으로서, 형식상(의 일로서) ***be in***[***out of***] ***~*** 〈말·경기자 등이〉 컨디션이 좋다[나쁘다] ***fill in***[***out***] ***the ~*** 용지에 기입하다 ***for ~'s sake*** 형식상 ***~ of address*** (구두(口頭) 또는 서면으로의) 호칭, 경칭, 존칭 ***in due ~*** 정식 형식대로 ***in full***[***great***] ***~*** 격식을 갖추어 ***in good***[***top***] ***~*** 컨디션이 좋은; 활발한; 재치 넘치는 ***in one ~ or another*** 어떤 형태로(나) ***in the ~ of*** …의 꼴[모습]로, …의 형태[형식]로 ***on ~*** 지금까지의 실적[컨디션]으로 보아; 컨디션이 좋은 ***take ~ and shape*** 형태를 이루다 ***take the ~ of*** …의 형식을 취하다; …으로 나타나다 ***true to ~*** 평소의 버릇대로, 여전히 그 모양으로 《좋지 않은 행동에 대해서 말함》

— *vt.* **1** 형성하다(shape), 꼴을 이루다, …로 만들다 《*into*》: (~+目+前+名) ~ a figure *out of* clay 점토로 상(像)을 만들다 **2** 〈인물·능력·품성을〉 만들어내다(build up), 단련하다(train) **3** 〈습관을〉 붙이다: ~ good habits 좋은 습관을 몸에 붙이다 **4** 성립시키다; 구성하다(organize): The House is not yet ~*ed*. 의회는 아직 구성되지 않았다. **5** 〈언어·음성 등을〉 명확하게 발음하다(articulate) **6** 〈생각을〉 짜내다, 〈개념·의견 등을〉 구상하다(frame) **7** 〚군사〛 정렬시키다, 대형을 짓다(draw up); 〈대열을〉 만들다: (~+目+前+名) ~ the soldiers *into* a line 병사를 횡대로 정렬시키다 **8** 〈동맹·관계를〉 맺다 **9** 〚문법〛 〈접사·어형 변화가〉 〈파생어를〉 만들다; (문법적으로) …의 형태를 갖다 **10** 정리하다

— *vi.* **1** 〈물건이〉 형체를 이루다, 형성되다 **2** 〈생각·

thesaurus **forlorn** *a.* **1** 버림받은 abandoned, forsaken, deserted, forgotten, neglected **2** 비참한 unhappy, miserable, wretched, pathetic, desolate **3** 절망적인 desperate, hopeless, despairing

formal *a.* official, set, fixed, conventional, standard, regular, customary, approved, legal, law-

신념·희망 등이〉 생기다 **3** 〖군사〗 대형을 짓다, 정렬하다: 《~+전+명》 ~ *into* a line 횡대로 대형을 짓다 **4** 〈토끼가〉 제 집에 들어가다, 제 집에서 웅크려 있다
~ itself into …의 꼴이 되다 ***~ part of*** …의 요소가 되다 ***~ the words*** 말을 하다 ***~ … to oneself*** …을 마음에 그리다, 상상하다
~·a·ble *a.* **~·a·bly** *ad.* **fòrm·a·bíl·i·ty** *n.*
▷ fórmal, fórmative *a.*; formátion *n.*

-form [fɔ̀ːrm] 《연결형》 「…형[꼴, 모양], …양식」의 뜻: cruci*form*, uni*form*

for·ma·gen [fɔ́ːrmədʒin] *n.* 〖식물〗 포르마겐 《기관의 형태 등에 영향을 주는 물질》

‡**for·mal** [fɔ́ːrməl] *a.* **1 형식적인,** 허울만의, 표면적인: ~ obedience 표면적인 복종 **2 a** 예절의, 의례적인; 형식에 사로잡힌; (형식에 사로잡혀) **격식 차린,** 딱딱한(opp. *informal*): a ~ visit[call] 의례적인 방문/Don't be so ~. 너무 격식 차리지 마시오. **b** 〈말·표현이〉 **공식적인,** 문어적인: ~ words[expressions, style] 문어적인 말[표현, 문체] 《이를테면 *cease*(=stop), *close*(=shut), *commence*(=begin), *purchase*(=buy), *vessel*(=ship) 등》 **3** 모양의, 외형의: ~ semblance 외형의 유사(類似) **4** 〖철학·논리〗 형식(상)의 (opp. *material*) **5 정식의**(regular); Ⓐ 〈교육 등이〉 정규의: a ~ receipt 정식 영수증 **6** 〖수학〗 수학적 표현[형식]의 **7** 〖언어〗 형식 중시주의의 **8** 〖심리〗 형태 심리학의 ***be ~ about*** …에 대해서 꼼꼼하다[딱딱하다]
— *n.* 《미》 (야회복을 입고 가는) 정식 무도회[만찬회]; (여성의) 야회복
— *ad.* 《미·구어》 야회복 차림으로 ***go ~*** 야회복을 입고 가다 **~·ness** *n.*
▷ fórm, formálity *n.*; fórmalize *v.*; fórmally *ad.*

fórmal cáuse 〖철학〗 형상인(形相因)(cf. MATERIAL[EFFICIENT, FINAL] CAUSE)

form·al·de·hyde [fɔːrmǽldəhàid] *n.* Ⓤ 〖화학〗 포름알데히드 《방부제·소독제》

fórmal educátion 정규[학교] 교육

fórmal grámmar 형식 문법

for·ma·lin [fɔ́ːrməlin] *n.* Ⓤ 〖약학〗 포르말린 《살균제·소독제》

for·mal·ism [fɔ́ːrməlìzm] *n.* **1** (음악·예술 등의) (전통적) 형식주의 **2** (극단적인) 형식주의, 허례 **3** 〖종교〗 형식 존중주의

for·mal·ist [fɔ́ːrməlist] *n.* 형식주의자; 형식에 구애되는 사람, 딱딱한 사람

for·mal·is·tic [fɔ̀ːrməlístik] *a.* 형식주의의; 형식에 지나치게 구애되는

∗**for·mal·i·ty** [fɔːrmǽləti] *n.* (*pl.* **-ties**) **1** Ⓤ 형식에 구애됨; 딱딱함 **2** 정식, 본식 **3** Ⓤ 의례(ceremony), 관습 **4** 상례(常例) **5** [보통 *pl.*] **정규 절차**: the legal *formalities* 법률상의 정식 절차 ***go through due formalities*** 정식 절차를 밟다 ***without ~*** 형식에 얽매이지 않고 ▷ fórmal *a.*; fòrmalizátion *n.*

for·mal·i·za·tion [fɔ̀ːrməlizéiʃən] *n.* Ⓤ 형식화; 의례화, 의식을 갖춤

for·mal·ize [fɔ́ːrməlàiz] *vt.* 일정한 형태를 갖추게 하다, 정식화하다; 정식으로 승인하다
— *vi.* 형식을 갖추다 **-ìz·a·ble** *a.* **-ìz·er** *n.*

fórmal lánguage (수학·논리학 등의) 형식 언어

fórmal lógic 〖철학〗 형식 논리학

∗**for·mal·ly** [fɔ́ːrməli] *ad.* **1 정식으로,** 공식적으로: a new drug ~ approved to treat chicken pox 수두 치료제로서 정식으로 승인된 신약 **2** 형식적으로, 형식상 **3** 의식에 얽매여, 딱딱하게, 의례적으로;

ful, ceremonial, ritual (opp. *informal, casual*)
former[1] *a.* ex-, previous, prior, preceding, precedent, foregoing, earlier, antecedent, late
formidable *a.* daunting, alarming, frightening, terrifying, horrifying, dreadful, awesome, fearsome, menacing, threatening, dangerous

〖철학·논리〗 형식에 관하여

fórmal óbject 〖문법〗 형식 목적어

fórmal súbject 〖문법〗 형식 주어

for·mal·wear [fɔ́ːrməlwɛ̀ər] *n.* Ⓤ 정장, 예복 《턱시도 등》

for·mant [fɔ́ːrmənt] *n.* 〖음성〗 포먼트 《모음의 구성 음소(音素)》

∗**for·mat** [fɔ́ːrmæt] *n.* ⒸⓊ **1** (서적 등의) **체재,** 형(型), 판(判)(cf. FOLIO, FOOLSCAP, OCTAVO) **2** (TV 프로그램 등의) 전체 구성, 크기, 비율(proportion) **3** 〖컴퓨터〗 포맷, 형식
— *vt.* (**~·ted**; **~·ting**) **1** …의 체제를 갖추다; 구성하다 **2** 〖컴퓨터〗 …의 포맷을 지정하다
~·ter *n.* **~·ting** *n.*

for·mate[1] [fɔ́ːrmeit] *n.* 〖화학〗 포름산염

formate[2] *vi.* 〈비행기가〉 편대 비행하다

‡**for·ma·tion** [fɔːrméiʃən] *n.* **1** Ⓤ **형성,** 구성, 편성, 성립: the ~ of a Cabinet 조각(組閣) **2** Ⓤ 조립(組立), 구조; 형태; Ⓒ 형성물, 구성물 **3** ⓊⒸ 〖군사〗 (군대·함대 등의) **대형**(隊形); (비행기의) 편대: ~ flying[flight] 편대 비행 **4** 〖지리〗 계층, 층; 물질의 퇴적 작용 **5** 〖생태〗 (식물의) 군계(群系) **6** 〖화학〗 화성(化成)
~·al [-ʃənl] *a.* ▷ fórm *v.*; fórmative *a.*

for·ma·tive [fɔ́ːrmətiv] *a.* **1** Ⓐ 모양을 만드는; 형성하는: the ~ arts 조형 예술[미술] **2** 형성[발달]의: one's ~ years 인격의 형성기
— *n.* =FORMATIVE ELEMENT **~·ly** *ad.*

fórmative èlement 〖문법〗 (단어의) 구성 요소 《접미사·접두사·연결형 등》

form·board [-bɔ̀ːrd] *n.* (콘크리트 공사의) 형틀

form·book [fɔ́ːrmbùk] *n.* [the ~] 《영》 (경주마의) 과거 성적 안내서; 《구어》 (경주마·운동선수의 전적에 대한) 예상

fórm clàss 〖문법〗 형태류(形態類) 《형태적 특징을 공유하는 단어군 등》

fórm críticism (성서 등의) 양식(樣式) 비평학

fórm dràg 〖물리〗 (유체(流體) 속을 운동하는 물체의) 형상 항력(抗力)[저항]

forme [fɔ́ːrm] *n.* 《영》 〖인쇄〗 판(form)

formed [fɔ́ːrmd] *a.* **1** 형성된 **2** 〖생물〗 생물적 특징을 갖춘 〈소체(小體)·세포 등〉

‡**for·mer**[1] [fɔ́ːrmər] [OE *forma* 「제1의」의 비교급에서] *a.* **1** Ⓐ (순서·시간적으로) **전의,** 먼저의(prior), 이전의: his ~ wife 그의 전처 **2** [the ~] **a 전자**(前者)의(opp. *the latter*): I prefer *the* ~ picture to the latter. 나는 후자의 그림보다 전자의 것이 낫다. **b** [대명사적] **전자** **3** 전임의 (***in***) ***~ days***[***times***] 옛날(에는) ▷ fórmerly *ad.*

form·er[2] [fɔ́ːrmər] *n.* **1** 형성자, 제작자, 구성자 **2** [보통 복합어를 이루어] (중학교의) …년생[의 학생]: fifth-~*s* 5학년생

‡**for·mer·ly** [fɔ́ːrmərli] *ad.* **전에,** 먼저, 이전에(는), 지난날(에), 옛날에(는): a ~ prosperous town 예전에 번영했던 고을

form·fit·ting [fɔ́ːrmfitiŋ] *a.* 〈옷이〉 몸에 꼭 맞는, 일정한 형태에 의해 만들어진

form·ful [fɔ́ːrmfəl] *a.* 폼이 멋진[볼 만한]

fórm gènus 〖생물〗 형태속(形態屬)

for·mic [fɔ́ːrmik] *a.* 개미의; 〖화학〗 포름산의

For·mi·ca [fɔːrmáikə] *n.* 포마이카 《가구 등에 쓰는 내열성 합성수지; 상표명》

fórmic ácid 〖화학〗 포름산

for·mi·car·y [fɔ́ːrməkèri | -kəri] *n.* (*pl.* **-car·ies**) 개미집, 개미탑

for·mi·cate [fɔ́ːrməkèit] *vi.* 개미처럼 기어 다니다 [떼지어 움직이다, 떼짓다]

for·mi·ca·tion [fɔ̀ːrməkéiʃən] *n.* Ⓤ 〖병리〗 의주감(蟻走感) 《피부에 개미가 기는 느낌》

∗**for·mi·da·ble** [fɔ́ːrmidəbl] [L 「공포를 일으키는」의 뜻에서] *a.* **1** 무서운, 무시무시한: a ~ appearance 무시무시한 모습 **2** 만만찮은, 얕잡을 수 없는: a

~ task 만만찮은 일 / a ~ enemy 강적 **3** 방대한, 엄청나게 많은: a ~ helping of pudding 가득 찬 푸딩 한 그릇 **4** 강력한

fòr·mi·da·bíl·i·ty *n.* **~·ness** *n.*

form·less [fɔ́:rmlis] *a.* **1** 형태 없는, 무정형(無定形)의; 혼돈(混沌)한, 〈계획 등이〉 모호한 **2** 실체가 없는, 비물질적인 **~·ly** *ad.* **~·ness** *n.*

fórm létter (인쇄·복사된) 같은 내용의 편지 《안내장·인사장 등》

fórm màster 《영》 학급 담임교사

For·mo·sa [fɔ:rmóusə] [Port. = beautiful] *n.* 대만(Taiwan) 《구칭》

For·mo·san [fɔ:rmóusən] *a.* 대만(사람)의
— *n.* 대만 사람; Ⓤ 대만 말

fórm shèet (경마의) 전문지, 경마 신문; (후보자·경기자에 관한) 상세한 기록

‡for·mu·la [fɔ́:rmjulə] [L 「작은 형식(form)」의 뜻에서] *n.* (*pl.* **~s, -lae** [-lì:]) **1** 판에 박은 말, (인사말 등의) 상투적인[형식적인] 문구 **2** 〖종교〗 신앙 형식, 신조(creed) **3** (일정한) 방식, 법칙, 정칙(定則); 습관적[전통적] 방식 **4 a** 처방서[법](recipe), 제조법 **b** (의견 차이를 조정하는) 처리 방안, 타개책 《*for*》 **5** 〖수학·화학〗 공식, 식(式): a binomial ~ 2항식(項式) / a molecular ~ 분자식 / a structural ~ 구조식 **6** 《미》 유아용 유동식 **7** [**F~**] (경주용 자동차 등의) 공식 규격 《중량·배기량 등; 略 F》
— *a.* Ⓐ 〈경주용 자동차가〉 공식 규격에 따른: a ~ car 포뮬러 카
▷ fórmulary *n.*; fòrmuláic *a.*; fórmularize, fórmulate *v.*

for·mu·la·ic [fɔ̀:rmjuléiik] *a.* 공식적인

fórmula invésting 〖증권〗 formula plan에 따른 투자 《일정 계획에 따라 하는 증권 투자》

Fórmula Óne[**1**] 포뮬러 원 《배기량 1500-3000cc의 엔진이 달린 경주차》

fórmula plán 〖증권〗 (formula investing에 있어서의) 일정한 투자 계획

for·mu·lar·ize [fɔ́:rmjuləràiz] *vt.* 공식으로 나타내다; 식으로 하다 **-iz·er** *n.* **fòr·mu·lar·i·zá·tion** *n.*

for·mu·lar·y [fɔ́:rmjulèri | -ləri] *n.* (*pl.* **-lar·ies**) 식문(式文)[제문(祭文)]집(集); 상투어; 〖그리스도교〗 의식서(儀式書); 〖약학〗 처방서[집] — *a.* **1** 방식[법식]의; 규정의 **2** 의식상의; 공식의; 틀에 박힌: a stiff ~ officer 융통성 없이 꽉 막힌 관리

∗for·mu·late [fɔ́:rmjulèit] *vt.* **1** 명확히[조직적으로] 말하다: ~ a theory 이론을 체계적으로 나타내다 **2** 공식화[정식화]하다 **3** 〈계획·의견을〉 조직적으로 세우다 **-là·tor** *n.* ▷ fórmula, formulátion *n.*

∗for·mu·la·tion [fɔ̀:rmjuléiʃən] *n.* Ⓤ **1** 공식[정식]화, 공식 표시; 계통적 서술 **2** 명확한 어구[표현]

fórmula wríting (교과서 등을) 정해진 규정에 의해서 쓰기

for·mu·lism [fɔ́:rmjulìzm] *n.* Ⓤ 형식[공식]주의
-list *n.* 형식[공식]주의자

for·mu·lis·tic [fɔ̀:rmjulístik] *a.* 형식[공식]주의적인

for·mu·lize [fɔ́:rmjulàiz] *vt.* = FORMULATE

fórm wòrd 〖문법〗 = FUNCTION WORD

form·work [fɔ́:rmwə̀:rk] *n.* 〖건축〗 거푸집 공사

for·myl [fɔ́:rmil] *n.* 〖화학〗 포르밀

for·ni·cate[1] [fɔ́:rnəkèit] *vi., vt.* 《문어》 사통(私通)하다, 간음하다

for·ni·cate[2] [fɔ́:rnikət, -kèit] *a.* 〖생물〗 아치형의, 활 모양의

for·ni·ca·tion [fɔ̀:rnəkéiʃən] *n.* Ⓤ **1** 사통, 간음 **2** 〖성서〗 우상 숭배[예배]

for·ni·ca·tor [fɔ́:rnəkèitər] *n.* 사통자, 간음자

for·nix [fɔ́:rniks] *n.* (*pl.* **-ni·ces** [-nəsì:z]) 〖해부〗 원개(圓蓋); 뇌궁(腦弓)

for-prof·it [fərprɑ́fit | -prɔ́-] *a.* 〈공공 기관·병원 등이〉 영리 목적의, 이익을 추구하는

for·rad·er, for·rard·er [fɔ́:rədər, fɑ́- | fɔ́-] [forward의 비교급에서] *ad.* 《영·구어》 더 앞으로[나아가] ***get no ~*** 조금도 나아가지 않다

for·rel [fɔ́:rəl, fɑ́r- | fɔ́r-] *n.* = FOREL

‡for·sake [fərséik, fɔ:r-] *vt.* (**-sook** [-súk]; **-sak·en** [-séikən]) **1** 〈친구 등을〉 저버리다(desert), 버리다: 《~+目+前+名》 She *forsook* him *for* another. 그녀는 그를 버리고 다른 사내와 친해졌다. **2** 〈습관·주의 등을〉 버리다(give up); 〈연구·취미 등을〉 단념하다

∗for·sak·en [fərséikən, fɔ:r-] *v.* FORSAKE의 과거분사
— *a.* 버림받은, 고독한: an old ~ farmhouse 낡고 적막한 농가 **~·ly** *ad.* **~·ness** *n.*

For·se·ti [fɔ́:rsetì:] *n.* 〖북유럽신화〗 정의·화해·평화의 신

∗for·sook [fərsúk, fɔ:r-] *v.* FORSAKE의 과거

for·sooth [fərsú:θ, fɔ:r-] *ad.* 《고어·비꼼》 참으로, 과연; 물론, 확실히 ★ 오늘날에는 조소적으로, 또는 불신을 나타내기 위해 쓰임.

for·spent [fɔrspént] *a.* 《고어》 지쳐 버린: ~ with speed 빨리 달려서 지쳐 버린

For·ster [fɔ́:rstər] *n.* 포스터 **Edward Morgan** ~ (1879-1970) 《영국의 소설가·비평가》

for·swear [fɔ:rswέər] *v.* (**-swore** [-swɔ́:r]; **-sworn** [-swɔ́:rn]) *vt.* **1** 맹세코[단연] 그만두다 **2** 맹세코 부인하다 **3** [~ one*self* 로] 《문어》 거짓 맹세[증언]하다 — *vi.* 거짓 맹세[증언]하다, 위증죄를 범하다 **~·er** *n.*

for·sworn [fɔ:rswɔ́:rn] *v.* FORSWEAR의 과거분사
— *a.* 위증한(perjured) **~·ness** *n.*

for·syth·i·a [fɔ:rsíθiə, -sáiθ-, fər- | -sáiθ-] *n.* 〖식물〗 개나리속(屬)

‡fort [fɔ́:rt] [L 「강한」의 뜻에서] *n.* **1** 요새(要塞), 성채, 보루(cf. FORTRESS) **2** 〖미육군〗 상설 주둔지 **3** 〖미국사〗 (변경 지대의) 교역 시장 《보루가 있었음》
hold the ~ 요새를 지키다; 세력을 유지하다; (대신에) 직책을 수행하다, 자기 입장을 고수하다

fort. fortification; fortified

for·ta·lice [fɔ́:rtəlis] *n.* 《고어》 작은 요새; 요새

forte[1] [fɔ́:rt] *n.* **1** [보통 one's ~] 장점, 특기 **2** 〖펜싱〗 칼 몸의 가장 강한 부분 《중앙에서 칼자루까지》 (opp. *foible*)

for·te[2] [fɔ́:rtei, -ti] [It. 「강한」의 뜻에서] 〖음악〗 *a.* 강음(强音)의, 포르테의 — *ad.* 강하게 《略 f; (opp. *piano*)》 — *n.* 강음(부)

For·tean [fɔ̀:rtiən] *a.* 해괴한, 과학으로 설명할 수 없는

for·te·pia·no [fɔ̀:rtəpjɑ́:nou] *n.* 포르테피아노 《그랜드 피아노의 초기 형태》

for·te·pi·a·no [fɔ́:rteipiɑ́:nou | -ti-] [It.] *ad.* 〖음악〗 강하게 그리고 곧 약하게 《略 fp》

‡forth [fɔ́:rθ] *ad.* 《문어》 **1** 앞으로, 전방으로: come ~ 나타나다 / stretch ~ 뻗다, 펴다 **2** [보통 동사와 결합하여] (장소에서) 밖으로, 바깥으로; 《폐어》 외국으로 **3** [때를 나타내는 명사 뒤에서] (…) 이후: from this day ~ 오늘 이후에는, 앞으로는
and so ~ …등, …운운 ***back and ~*** ⇨ back[1] *ad.* ***bring ~*** 낳다; 일으키다 ***burst ~*** 〈꽃 등이〉 활짝 피다, 터지다 ***~ of*** 《시어·문어》 = OUT of. ***hold ~*** 공표하다 ***put ~*** 〈초목의 싹 등이〉 나오다 ***right ~*** 곧 ***so far ~*** 그 정도까지는, 그만큼은 ***so far ~ as you work*** (네가 일)한 만큼은
— *prep.* 《고어》 …에서 바깥에(out of): go ~ the house 외출하다 ▷ forthwíth *ad.*

thesaurus **forsake** *v.* **1** 저버리다 desert, abandon, leave, quit, throw over, discard **2** (습관 등을) 버리다 give up, renounce, relinquish
forthcoming *a.* future, coming, approaching, expected, prospective, imminent, impending
fortunate *a.* lucky, blessed, favored, prosperous,

FORTH, Forth [fɔ́:rθ] [*Fo*(u)*rth*(-generation language)] *n.* 〖컴퓨터〗 하드웨어를 직접 조종하는 고수준 프로그램 언어

Fórth Brídge [스코틀랜드의 Forth 강에 있는 다리 이름에서] 《영》 [the ~] [다음 성구로] ***like painting the ~*** 끝없이 되풀이되는 듯한, 처음부터 다시 시작해야 하는

∗**forth·com·ing** [fɔ̀:rθkʌ́miŋ, ⌐⌐-] *a.* **1** 곧 (닥쳐) 올, 다가오는; 오는, 이번의: ~ books 근간 서적/the ~ week 다음 주 **2** Ⓟ [종종 부정문에서] (언제든지) 준비되어(at hand): The money was *not* ~. 돈은 준비되어 있지 않았다. **3** Ⓟ [종종 부정문에서] 《구어》 곧[기꺼이] 도와주는 **4** 〈사람이〉 외향적인, 사교적인
—*n.* Ⓤ 출현, 접근

∗**forth·right** [fɔ́:rθràit] *a.* **1** 단도직입적인; 솔직한, 거리낌없는, 터놓고 말하는, 솔직한(outspoken) **2** 똑바로 나아가는, 직접적인
—*ad.* **1** 똑바로 앞으로; 솔직히 **2** 당장, 즉시
~·**ly** *ad.* ~·**ness** *n.*

forth·with [fɔ̀:rθwíð, -wíθ] *ad.* 곧, 즉시
—*n.* 《미·경찰속어》 곧 실행해야 할 명령

∗**for·ti·eth** [fɔ́:rtiiθ] [forty(40)와 -th(서수를 만드는 접미사)에서] *n.* **1** [보통 the ~] 제40, 40번째; 40번째의 것 **2** 40분의 1
—*a.* **1** 제40의, 40번째의 **2** 40분의 1의

for·ti·fi·a·ble [fɔ́:rtəfàiəbl] *a.* 요새로 방비할 수 있는, 방어 공사를 할 수 있는

∗**for·ti·fi·ca·tion** [fɔ̀:rtəfikéiʃən] *n.* Ⓤ **1** 축성술[학] **2** 방어[방비] 시설; [종종 *pl.*] 성채, 요새 **3** 강화; 알코올 성분의 강화 《포도주의》; 영양가의 강화 《음식의》 ▷ fórtify *v.*

fór·ti·fied wíne [fɔ́:rtəfàid-] 보강 포도주 《알코올을 첨가한》

for·ti·fi·er [fɔ́:rtəfàiər] *n.* 축성가(築城家); 강화하는 사람[물건]; 《익살》 강장제, 술

∗**for·ti·fy** [fɔ́:rtəfài] [L 「강하게 하다」의 뜻에서] *v.* (**-fied**) *vt.* **1** 요새화하다, 방어 공사를 하다: (~+목+전+명) ~ a town *against* an attack 공격에 대비하여 도시를 요새화하다 **2** 〈조직·구조를〉 강화하다; 〈육체적·정신적으로〉 튼튼히 하다(strengthen), 활력을 주다, 고무시키다: (~+목+전+명) ~ cotton *with* nylon 나일론을 혼방해서 면을 강화시키다/~ oneself *against* flu 독감에 걸리지 않도록 몸을 튼튼히 하다 **3** 〈진술 등을〉 확고히 하다, 확증하다: a theory *fortified* by experience 경험으로 뒷받침된 이론 **4** 〈술 등을〉 알코올을 타서 독하게 하다 **5** 〈식품을〉 (비타민 등을 넣어서) 강화하다, 영양가를 높이다 (enrich) 《*with*》: *fortified* milk 강화 우유
—*vi.* 요새를 쌓다, 축성하다
▷ fortificátion *n.*

for·tis [fɔ́:rtis] 〖음성〗 *n.* (*pl.* **-tes** [-ti:z]) 경음(硬音) 《[p, t, k] 등》(opp. *lenis*) —*a.* 경음의

for·tis·si·mo [fɔ:rtísəmòu] [It. forte[2]의 최상급] 〖음악〗 *a.*, *ad.* 아주 강한[강하게] 《略 ff》
—*n.* 포르티시모의 음(音)

for·tis·sis·si·mo [fɔ̀:rtəsísəmòu] [It.] *a.*, *ad.* 〖음악〗 가능한 한 강한[강하게], 포르티시시모의[로] 《略 fff》

∗**for·ti·tude** [fɔ́:rtətjù:d | -tjù:d] [L 「강한」의 뜻에서] *n.* Ⓤ **1** (곤란·역경·위험·유혹에 직면해) 꿋꿋함, 불요불굴, 견인불발: with ~ 의연하게 **2** 《폐어》 (육체의) 강건함; (건조물의) 견고함 ▷ fortitúdinous *a.*

for·ti·tu·di·nous [fɔ̀:rtətjú:dənəs | -tjú:-] *a.* 불굴의 정신이 있는[을 가진]

---

successful, well-off, flourishing, felicitous
fortune *n.* **1** 부 wealth, treasure, affluence, opulence, prosperity, property, assets, possessions, estates **2** 운 chance, accident, coincidence, contingency, serendipity, luck, providence **3** 운명 destiny, fate, lot, cup, portion, kismet

Fort Knox [fɔ̀:rt-nɑ́ks | -nɔ́ks] 포트 녹스 《미국 Kentucky 주 북부 Louisville 근처의 군용지; 연방 금괴 저장소가 있음》

∗**fort·night** [fɔ́:rtnàit, -nit | -nàit] [OE =fourteen nights] *n.* 《주로 영》 **2주일**(《미》 two weeks; cf. SENNIGHT): Monday ~ 2주일 후[전]의 월요일/today[this day] ~ 내내[전전]주의 오늘
▷ fórtnightly *a.*, *ad.*, *n.*

fort·night·ly [fɔ́:rtnàitli] *a.* 《영》 2주일에 한 번의, 격주의; 격주 발간의 —*ad.* 2주일마다, 격주로
—*n.* 격주 간행물

FORTRAN, For·tran [fɔ́:rtræn] [*for*mula *tran*slation] *n.* Ⓤ 〖컴퓨터〗 포트란 《과학 기술 계산용 프로그래밍 언어의 하나》

‡**for·tress** [fɔ́:rtris] [F 「작은 요새」의 뜻에서] *n.* 요새(citadel) 《대규모의 영구적인 것》; 요새지[도시]; 《일반적으로》 견고[안전]한 장소
—*vt.* 요새로 방어하다

for·tu·i·tism [fɔ:rtjú:ətìzm | -tjú:-] *n.* Ⓤ 〖철학〗 우연설(cf. TELEOLOGY) **-tist** *n.*

for·tu·i·tous [fɔ:rtjú:ətəs | -tjú:-] *a.* **1** 뜻밖의; 우연한(accidental) **2** 행운의 ~·**ly** *ad.* ~·**ness** *n.*

for·tu·i·ty [fɔ:rtjú:əti | -tjú:-] *n.* (*pl.* **-ties**) **1** Ⓤ 우연성, 우연: by some ~ 우연히 **2** 우연한 일

For·tu·na [fɔ:rtjú:nə | -tjú:-] *n.* 〖로마신화〗 포르투나 《운명의 여신; 그리스 신화의 Tyche에 해당》

‡**for·tu·nate** [fɔ́:rtʃənət] *a.* **1** 운이 좋은, 행운의(⇨ happy 유의어): (~+**to** do) We were ~ *to* have a house like that. 다행히도 그와 같은 집을 갖게 되었다. // (~+전+**-ing**) She is ~ *in* hav*ing* a kind husband. 그녀는 친절한 남편을 가져서 다행이다. **2** 행운을 가져다 주는, 상서로운: a ~ piece of news 상서로운 소식 **3** [the ~; 집합적; 복수 취급] 행운아
~·**ness** *n.*

‡**for·tu·nate·ly** [fɔ́:rtʃənətli] *ad.* 다행히(도), 운이 좋게(도)

‡**for·tune** [fɔ́:rtʃən] *n.*, *v.*

> 「운」 **2** (특히 좋은 운) 「행운」 **6** → 「부」 **1** (cf. CHANCE, LUCK)

—*n.* **1** ⒸⓊ 부(富)(wealth); (많은) 재산, 큰 재물: a man of ~ 재산가/have a ~ 재산가이다 **2** Ⓤ 운(chance): have good[bad] ~ 운이 좋다[나쁘다] **3** [*pl.*] (운의) 성쇠, 부침, 기복 **4** ⒸⓊ 운수, (장래의) 운명, 숙명(fate, destiny): the ~ of war 무운(武運) **5** [**F~**] 운명의 여신: *F*~ favors the brave. 《속담》 운명의 여신은 용감한 자의 편이다. **6** Ⓤ 행운, 다행(good luck); 번영, 번창(prosperity), 성공: by bad[good] ~ 불행[다행]히도 // (~+**to** do) I had the ~ *to* obtain his service. 다행히 그의 조력을 얻을 수 있었다.

a small ~ 《구어》 (재산으로서는 작으나) 많은[큰] 돈: spend *a small* ~ on books 책 사는 데 많은 돈을 쓰다 ***come into a ~*** 재산이 굴러들다 《유산·상속 등으로》 ***~'s wheel*** 운명의 수레바퀴, 영고성쇠(榮枯盛衰) ***have ~ on*** one***'s side*** 운이 트이다 ***have*** one***'s ~ told*** 운수를 점쳐 받다 ***make a ~*** 부자가 되다, 한재산 벌다 ***make*** one***'s ~*** 입신출세하다 ***marry a ~*** 돈 많은 여자와 결혼하다, 재산을 목적으로 결혼하다(cf. FORTUNE HUNTER) ***read*** one***'s ~*** 《미·구어》 운수를 점치다 ***seek*** one***'s ~*** 출세[성공]의 길을 찾다 ***share*** a person***'s ~s*** …와 운명[진퇴]을 함께 하다 ***tell ~s*** 〈점쟁이가〉 운수를 점치다 ***tell*** a person***'s ~*** …의 운수를 점치다(cf. FORTUNE-TELLER) ***try*** one***'s ~*** 운을 시험하다, 모험하다
—*vi.* 《고어·시어》 [it을 주어로 하여] 우연히 일어나다(happen), 우연히 만나다 : *It* ~*d* that ... 우연히 …한 일이 일어났다
—*vt.* 《고어》 〈남에게〉 재산을 주다
▷ fórtunate *a.*

fórtune còokie 《미》 (중국 음식점 등에서 만들어 파는) 점괘가 든 과자

Fórtune 500 [-fáivhʌ́ndrəd] 《미》 포천 500개 사(社) 《경제지 *Fortune*이 매년 게재하는 미국 및 해외 기업의 매상 규모 상위 500사(社) 리스트》

fórtune hùnter 《구어》 재산을 노리는 구혼자

for·tune-hunt·ing [fɔ́ːrtʃənhʌ̀ntiŋ] *a.* 재산을 노리는, 재산을 노려 구혼하는 **—** *n.* Ⓤ 재산을 노린 구혼

for·tune·less [fɔ́ːrtʃənlis] *a.* 불운한; 재산이 없는, 가난한; 지참금이 없는

for·tune-tell·er [fɔ́ːrtʃəntèlər] *n.* 점쟁이, 사주쟁이

for·tune-tell·ing [-tèliŋ] *n.* Ⓤ 길흉[운세] 판단, 점 **—** *a.* 점치는; 점치는 데 쓰이는

‡**for·ty** [fɔ́ːrti] *a.* **1** Ⓐ 40의, 40개[명]의 **2** Ⓟ 40세의 **—** *pron.* [복수 취급] 40개[명]
— *n.* (*pl.* **-ties**) **1** 40 **2** 40을 나타내는 기호 《40, XL 등》 **3** 40세; 40달러[파운드, 센트, 페니《등》]; 40명[개] **4** [*pl.*] (세기의) 40년대; [one's forties] (나이의) 40대 **5** 〖테니스〗 포티 《3점째의 득점》 **6** [the Forties] 스코틀랜드 북동 해안과 노르웨이 남서 해안 사이의 해역 《40길 이상이 된다 하여》
~ miles from nowhere 《미》 촌구석 *~ to the dozen* 《구어》 빠른 어조로 *~ ways for*[*from, to*] *Sunday* 《미·속어》 사방팔방으로, 혼란되어 *like ~* 《미·구어》 대단한 기세로(like anything)

for·ty-eight·mo [fɔ̀ːrtiéitmou] *n.* (*pl.* **~s**) 48절판(의 책·종이·페이지)

for·ty-five [-fáiv] *n.* **1** 45 **2** 45를 나타내는 기호 《45, XLV 등》 **3** [복수 취급] 45명[개] **4** 45회전의 레코드 《보통 45라고 씀》 **5** 45구경의 권총 《보통 45라고 씀》 **6** [the F~] 〖영국사〗 1745년의 반란 《James 2세당(黨)의》 **—** *a.* 45의, 45명[개, 세]의

for·ty·fold [fɔ́ːrtifòuld] *a.*, *ad.* 40배의[로]

for·ty-four [-fɔ́ːr] *n.* **1** 44; 44를 나타내는 기호 《44, XLIV 등》 **2** [복수 취급] 44명[개] **3** 《미·속어》 매춘부(whore) **4** [*pl.*] 《미·속어》 아이들 **5** 44구경의 권총 **—** *a.* 44(명, 개)의, 44명[개, 세]의

for·ty-nin·er [fɔ̀ːrtináinər] *n.* **1** [종종 **Forth-Niner**] 《미》 1849년 금광 경기(gold rush)로 California에 밀어 닥친 사람 **2** 《일반적으로》 새로 발견된 광산 등에 몰리는 사람

49th párallel [fɔ́ːrtináinθ-] (미국·캐나다 국경의) 북위 49도선

for·ty·some·thing [fɔ́ːrtisʌ̀mθiŋ] *a.*, *n.* 40대의 (사람)

for·ty-three [-θríː] *n.* =RULE 43

fórty wínks [단수·복수 취급] 《구어》 (식후의) 낮잠(nap), 잠깐 졸기: take[have] ~ 잠깐 눈을 붙이다

***fo·rum** [fɔ́ːrəm] [L 「공개 장소, 광장」의 뜻에서] *n.* (*pl.* **~s, fo·ra** [-rə]) **1** [때로 the F~] 〖고대로마〗 포럼, 공공 광장 《공적인 집회 장소로 쓰이던 광장》 **2** 공개 토론(장), (TV 등의) 공개 토론 프로; 법정, 재판소(law court); (여론의) 심판: the ~ of conscience 양심에 의한 재판 / the World Economic *F*~ 세계 경제 포럼 **3** 〖컴퓨터〗 포럼

‡**for·ward** [fɔ́ːrwərd] *ad.* (opp. *backward*) **1** 앞으로, 앞쪽[전방]으로[에](⇨ onward 유의어): *F*~! 〖군사〗 앞으로 가!; 〖항해〗 앞으로! / step ~ two paces 두 발 앞으로 나가다 **2** (시간적으로) 앞으로, 금후: put a clock ~ 시계의 시간을 앞당기다 **3** 밖으로(out), 표면화하여 **4** 〖항해〗 뱃머리에, 이물쪽으로(opp. *aft*) **5** 〖상업〗 (상품) 후일 인도[대금 선불]로
bring ~ 〈의견 등을〉 꺼내다, 제출하다; (장부의 앞 장에서) 이월하다 *carriage ~* 운임은 화물 수취인 부담, 도착불 *carry ~* (장부의 다음 장으로) 이월하다 *come ~* 자진해서 일을 맡아 나서다, (표면에) 나서다, (후보자로) 나서다 *date ~* 〈수표 등을〉 후일 날짜로 하다, 앞수표로 하다 *from this time ~* 앞으로는 *get any ~er* [대개 부정문에서] 더 앞으로 나아가다, 진보하다 *help ~* 촉진하다 *look ~* ⇨ look. *look ~ to* ⇨ look. *put ~* 제출하다; 제언하다, 주장하다; 촉진하다; 눈에 띄게 하다; 천거하다 *put*[*set*] *oneself ~* 주제넘게 나서다 *rush ~* 돌진하다 *send ~* 미리 보내다, 앞서 보내다 *set ~* 출발하다; =put FORWARD
— *a.* (opp. *backward*) **1** Ⓐ 앞쪽[전방]으로의; 전진하는, 가는; 앞쪽의: a ~ march 전진 (행군) / a ~ movement 전진 운동 / the ~ and backward journey 왕복 여행 / the ~ part of the train 열차의 앞부분 **2** 철 이른; 조숙한, 올된, 일된(precocious): a ~ child 조숙한 아이 **3** Ⓟ 자진해서 …하는(ready) (~+*to* do) She is always ~ *to* help others. 그녀는 언제나 자진해서 남을 도우려고 한다. **4** 뻔뻔스러운(impudent), 외람된, 주제넘은(pert): (~+*of*+명+*to* do) It is rather ~ *of* you *to* say such a thing. 자네가 그런 말을 하다니 좀 건방지군. **5** (배·비행기 등의) 앞부분의: a ~ seat on a bus 버스의 앞쪽 좌석 **6** Ⓐ 장래의; 〖상업〗 선물(先物)의, 후일 인도(引渡)의: ~ planning 장래의 계획 / a ~ exchange 선물환 **7** Ⓐ 전진적인, 촉진적인, 진보[급진]적인, 과격한: a ~ movement 진보·촉진 운동 / ~ measures 급진적인 방법 **8** Ⓟ 〈사람이〉 (일·계획 등에서) 진척된 (*with, in*): He is well ~ *with* his work. 그는 작업이 잘 진척되어 있다.
— *vt.* **1** 〈편지 등을〉 (새 주소로) 전송(轉送)하다, 회송하다 (*to*); 〈하물을〉 발송하다 (*to*): Please ~. [목적어를 생략하여] 전송 바람. 《겉봉의 왼쪽 위에 씀》 // (~+목+목) (~+목+전+명) We will ~ you the merchandise. =We will ~ the merchandise *to* you. 그 상품을 발송하겠습니다. **2** 《문어》 〈계획·운동·행위 등을〉 나아가게 하다, 촉진하다, 진척시키다: ~ a movement 운동을 촉진하다 **3** 〈식물 등의〉 발육을 빠르게 하다(cf. FORCE) **4** 〖제본〗 밑공정 작업을 하다 **5** 〖컴퓨터〗 〈메일을〉 전송하다
— *n.* 〖스포츠〗 (구기 종목의) 전위(前衛), 포워드; [*pl.*] 전위적 인물, 선봉
▷ fórwardly *ad.*; fórwardness *n.*

fórward báse 전진 기지

for·ward-based [fɔ́ːrwərdbèist] *a.* 〖군사〗 〈미사일 등이〉 전진 기지에 배치된 《略 FB》

fórward bías 〖전자〗 순(順)바이어스 《반도체 소자에 전류가 흐르는 방향으로 거는》

fórward cóntract 〖상업〗 선물(先物) 계약

fórward delívery 〖상업〗 선도(先渡)

for·ward·er [fɔ́ːrwərdər] *n.* **1** 촉진하는 사람 **2** 발송자; 운송업자

for·ward·ing [fɔ́ːrwərdiŋ] *n.* ⓊⒸ **1** 추진, 촉진 **2** 발송, 운송, 회송: a ~ station 발송역 **3** 〖제본〗 밑공정 《철하고 표지를 붙이는 등의 공정》 **4** 〖조각〗 동판 부식에서 조각까지의 과정

fórwarding addréss (우편물의) 전송 주소

fórwarding àgent 운송업자

for·ward-look·ing [fɔ́ːrwərdlùkiŋ] *a.* 앞을 향하는; 장래를 고려한; 전진[진취, 진보]적인: a ~ posture 전진적인 자세

for·ward·ly [fɔ́ːrwərdli] *ad.* 주제넘게, 잘난 체하고; 자진하여; 앞으로

fórward márket 〖상업〗 선물 시장

fórward mutàtion 〖유전〗 전진 돌연변이(opp. *back mutation*)

for·ward·ness [fɔ́ːrwərdnis] *n.* Ⓤ 진보의 빠름; 조숙성(早熟性); 재빠름; 열심, 적극성; 주제넘음

fórward páss 〖미식축구〗 볼을 적의 골 방향으로 패스하기

fórward príce 선물(先物) 가격

thesaurus **forward** *ad.* onward, ahead, frontward, forth, on, toward the front
foster *v.* **1** 육성하다 encourage, promote, further, stimulate, boost, advance, cultivate, help, aid, assist, support, uphold, back, facilitate **2** 기르다 bring up, rear, raise, take care of

fórward quotátion 〖상업〗 선물 시세
fórward ráte (외국환의) 선물 시세
for·wards [fɔ́:rwərdz] *ad.* =FORWARD
fórward scáttering 〖물리〗 전방 산란
fórward slàsh (인터넷 주소나 명령어 지정에 쓰는) 포워드 슬래시 (/)
for·ward-think·ing [-θìŋkiŋ] *a.* 장래를 고려[대비]하는; 진보적인
fórward vóltage 〖전자〗 순전압(順電壓)
fórward wáll 〖미식축구〗 포워드 월 《공격측 라인의 양 끝 선수를 제외한 안쪽의 5명》
for·went [fɔ:rwént] *v.* FORGO의 과거
for·why [fɔ:rhwái] 《고어》 *conj.* 왜냐하면(because) — *ad.* 왜, 무엇 때문에(why, wherefore)
for·worn [fɔ:rwɔ́:rn] *a.* 《고어》 기진맥진한
for·zan·do [fɔ:rtsɑ́:ndou] [It.] *ad., a., n.* 〖음악〗 =SFORZANDO 《略 forz, fz.》
F.O.S., f.o.s. 〖상업〗 free on steamer
Fós·bur·y flòp [fɑ́zbəri- | fɔ́z-] [창안자인 미국의 선수 이름에서] (도움닫기 높이뛰기에서) 등을 밑으로 해서 넘기
fos·sa [fɑ́sə | fɔ́sə] *n.* (*pl.* **-sae** [-si:]) 〖해부〗 와(窩), (뼈의) 구멍: the nasal ~ 콧구멍
fosse, foss [fɑ́s, fɔ́:s | fɔ́s] *n.* **1 a** 도랑, 운하(ditch, canal) **b** (성 등의) 해자(moat) **2** =FOSSA
fos·sette [fɑsét | fɔs-] *n.* 조그맣게 오목한 곳; 보조개(dimple)
Fósse Wáy [the ~] (영국의) 포스 가도 《고대 로마인이 침공하여 만든》
fos·sick [fɑ́sik | fɔ́s-] *vi., vt.* 《호주》 폐광(廢鑛) 등을 파헤쳐 (금을) 찾다; 《속어》 (돈벌이 대상을) 찾다 《*for*》 **~·er** *n.* 폐광 뒤지는 사람
*__fos·sil__ [fɑ́səl | fɔ́s-] [L 「발굴된」의 뜻에서] *n.* **1** 화석(化石) **2** 《구어》 구식 사람; 구제도; 낡은 사고 방식 **3** 〖언어〗 화석어 《성구 안에서만 쓰이는 폐어; to and fro의 fro 등》 **4** 《구어》 선배, 부모, 연장자
— *a.* Ⓐ **1** 화석의, 화석이 된; 발굴한: a ~ leaf 화석이 된 나뭇잎 **2** 구식의, 시대에 뒤떨어진
~·like *a.* ▷ fóssilize *v.*; fossilíferous *a.*
fóssil fùel 화석 연료 《석유·석탄·천연가스 등》
fóssil gùm 화석 수지
fos·sil·if·er·ous [fɑ̀səlífərəs | fɔ̀s-] *a.* 화석을 함유한
fos·sil·i·za·tion [fɑ̀səlizéiʃən | fɔ̀səlai-] *n.* Ⓤ 화석화(化石化); 폐습화
fos·sil·ize [fɑ́səlàiz | fɔ́s-] *vt., vi.* **1** 화석으로 만들다[되다](petrify) **2** 고정화하다[되다], 시대에 뒤지게 하다[뒤지다] **3** 《구어》 화석 채집을 하다
fos·so·ri·al [fɑsɔ́:riəl | fɔ-] *a.* 〖동물〗 굴을 파는; 굴을 파기에 알맞은
‡**fos·ter** [fɔ́:stər, fɑ́s- | fɔ́s-] *vt.* **1** 육성하다, 촉진하다(promote), 조성하다: ~ exports 수출을 촉진하다 **2** (수양 자식으로서) 기르다(nurse); 〈아이를〉 수양부모에게 맡기다; 돌보다; 사랑하여 아끼다: ~ children 양자들을 양육하다 **3** 〈감정 등을〉 마음에 품다(cherish): ~ a hope[competition] 희망[경쟁심]을 품다 **4** 〈분노·기억 등을〉 불러 일으키다
— *a.* Ⓐ **1** (친부모 같이) 사랑하는, 보살펴 주는, 양(養)…: ~ grandparents 양조부모 **2** (친부모와 같은) 사랑[보살핌]을 받는
▷ fósterage *n.*
Fos·ter [fɔ́:stər, fɑ́s- | fɔ́s-] *n.* 포스터 **Stephen** ~ (1826-64) 《미국의 가요 작사·작곡가》
fos·ter·age [fɔ́:stəridʒ, fɑ́s- | fɔ́s-] *n.* Ⓤ **1** (수양 아이의) 양육, 수양(收養); 양자[양녀]로 보냄; 양자[양녀]임 **2** 육성, 촉진, 장려
fóster bròther 젖형제
fóster càre 수양 아이의 양육
fóster chíld 수양 자녀
fóster dáughter 양녀, 수양딸
fos·ter·er [fɔ́:stərər, fɑ́s- | fɔ́s-] *n.* 양육하는 사람, 양부모; 유모; 육성[조성]하는 사람
fóster fáther 수양아버지
fóster hóme 양부모의 집
fos·ter·ing·ly [fɔ́:stəriŋli, fɑ́s- | fɔ́s-] *ad.* 양육하듯이; 소중히 여겨
fos·ter·ling [fɔ́:stərliŋ, fɑ́s- | fɔ́s-] *n.* =FOSTER CHILD
fóster móther **1** 수양어머니, 양모; 유모 **2** 《영》 보육기; 가축용 포유기(哺乳器) **fós·ter-móth·er** *vt.* …의 양모[보모]가 되다
fóster núrse 유모(乳母), (양자의) 여자 양육자
fóster párent 수양아버지[어머니], 양부모
fóster síster 젖자매
fóster són 양자, 수양아들
fos·tress [fɔ́(:)stris] *n.* 양어머니, 유모
F.O.T., f.o.t. 〖상업〗 free on truck
fo·tog [fətɑ́g | -tɔ́g] [photographer의 단축형] *n.* 《미·구어》 사진가, 카메라맨
Fou·cault [fu:kóu] *n.* 푸코 **1 Jean Bernard Léon** ~ (1819-68) 《프랑스의 실험 물리학자》 **2 Michel** ~ (1926-84) 《프랑스의 철학자·구조주의의 대표자》
fou·droy·ant [fu:drɔ́iənt] [F] *a.* 전격적인, 번개 같은; 〖병리〗 전격성의, 급증의: ~ paralysis 급성 마비
fouet·té [fwetéi] [F] *n.* 〖발레〗 푸에테 《들어올린 다리를 채찍질하듯 급히 움직이기》
‡**fought** [fɔ:t] *v.* FIGHT의 과거·과거분사
‡**foul** [fául] *a., ad., n., v.*

> (불쾌한) 「더러운」 **1 a** → (도덕적으로 더러운) 「지저분한」 **7** → (경기에서) 「반칙의」 **8**

— *a.* **1 a** 더러운, 불결한(filthy, dirty): ~ linen 때묻은 빨래감 **b** 악취가 나는, 구역질 나는; 〈공기·물이〉 탁하고 더러운; 〈음식물이〉 부패한; (생선이 알을 낳은 후여서) 중독되기 쉬운; 맛없는(cf. CLEAN 7): ~ breath 냄새 나는 숨/a ~ smell 악취 **2** 〈행위가〉 부정(不正)한, 나쁜, 몹쓸, 사악한, 비열한: 《~+(*of*+명) *to* do》 It was ~ *of* him *to* betray her. = He was ~ *to* betray her. 그녀를 배신했다니 그는 몹쓸 사람이다. **3 a** Ⓐ 〈도로가〉 진흙투성이인, (진창으로) 질퍽거리는(muddy): a ~ road 진창길 **b** 〈관·굴뚝 등이〉 (검댕·기름 등으로) 막힌; 〈차바퀴 등이〉 진흙이 붙은; 〈선체(船體)가〉 (조개·해초 등의 부착물로) 더러워진: a ~ pipe 꽉 막힌 파이프/a ~ bottom 〖항해〗 해초·조개 등이 더덕더덕 붙은 배 밑 **4** 〈날씨가〉 나쁜, 사나운, 비바람 치는: ~ weather 악천후 **5** Ⓐ 〈바람·조수가〉 역의, 반대의: a ~ wind 역풍, 맞바람 **6** 《구어》 대단히 불쾌한, 진저리 나는; 형편없는, 시시한: be a ~ dancer 춤이 몹시 서툴다 **7** 지저분한, 음란한(obscene); 입버릇 사나운(abusive): a ~ talk 음담/a ~ tongue 입에 담지 못할 말, 욕설 **8** Ⓐ (경기에서) 반칙의; 부당한, 공정하지 못한(opp. *fair*); 〖야구〗 파울의(opp. *fair*): play a ~ game 경기를 더럽게 하다 **9** 〈밧줄·쇠사슬 등이〉 엉클어진(entangled)(opp. *clear*): get ~ 뒤엉키다, 헝클어지다 **10** 〖인쇄〗 (교정쇄 등이 오식과 고친 곳이 많아서) 지저분한(opp. *clean*): ~ copy 지저분한 원고 **11** 충돌한; 충돌[접촉]할 위험이 있는: a ship ~ *of* a rock 바위에 부딪친 배/a ~ coast[ground] 암초가 있어서 위험한 연안[해저] **12** 못생긴(ugly) 《be she fair or ~ 「그녀가 예쁘든 못생겼든」의 구 외는 사투리》
by fair means or* ~** 수단 방법을 안 가리고, 어쨌든 ***fall* [*go, run*] ~ *of …와 충돌하다; …와 다투다, …와 소송이 붙다 ***make* ~ *water*** 〈얕은 곳에 온 배

---

foul *a.* **1** 더러운 contaminated, polluted, adulterated, tainted, filthy, dirty, unclean **2** 구역질 나는 disgusting, revolting, repulsive, nauseating, sickening, loathsome, offensive, nasty **3** 부패한 rotten, decayed, decomposed **4** 비열한 hateful, contemptible, base, mean, vile, wicked, vicious

가〉 물을 흐리다
— *ad.* 부정하게, 위법으로 ***hit*** ~ 〖권투〗 부정한 타격을 가하다 (cf. hit below the BELT) ***play*** a person ~ (시합 등에서) …에게 반칙 수를 쓰다; (암살·기습과 같은) 비열한 짓을 하다
— *n.* **1** 〖항해〗 (보트·노 등의) 충돌; (밧줄 등의) 뒤엉킴, 엉클어짐 **2** 반칙, 파울; 〖야구〗 파울 **3** ⓊⒸ 《드물게》 지긋지긋한 것; 사나운 날씨; 악운(惡運)
claim a ~ 파울[반칙]이라고 주장하다 ***cry*** ~ 상대를 비난하다 ***through fair and*** (***through***) ~ = ***through*** ~ ***and fair*** 좋든 나쁘든, 어떤 경우에도
— *vt.* **1** 더럽히다; 〈명예 등을〉 더럽히다 **2** 〈총·굴뚝 등을〉 막히게 하다, 막다; 〈선로·교통 등을〉 봉쇄하다 **3** 〈배가〉 …와 충돌하다 **4** 〈밧줄 등을〉 엉클어지게 하다 **5** 〈해초 등이〉 들러붙어 〈배 밑을〉 더럽히다 **6** 〖야구〗 〈공을〉 파울로 하다 《*off, away*》 **7** 〖경기〗 반칙을 범해서 〈상대를〉 방해하다
— *vi.* **1** 더러워지다, 불결해지다; 부패하다 **2** 〖항해〗 〈배가〉 충돌하다 **3** 〈밧줄 등이〉 뒤엉키다, 엉클어지다; 〈총·굴뚝 등이〉 막히다 **4** 〖경기〗 반칙을 범하다; 반칙으로 퇴장당하다 **5** 〖야구〗 파울을 치다
~ ***out*** 〖야구〗 파울 볼이 상대방에게 잡혀 아웃되다; 〖농구〗 반칙으로 퇴장하다 ~ one***'s hands with*** …에 관계하여 몸을 더럽히다[체면을 잃다] ~ a person***'s name*** …을 마구 욕하다 ~ ***up*** 《미·구어》 망쳐버리다, 혼란시키다; 실수하다; 당황하다; 부진해지다; 타락하다 ▷ fóully *ad.*; fóulness *n.*

fóul ánchor 〖항해〗 엉클어진 닻

fou·lard [fuːlάːrd | fúːlɑː, -lɑːd] *n.* ⓊⒸ 풀라 천 《일종의 얇은 비단》; 풀라 천의 손수건[넥타이 《등》]

fóul báll **1** 〖야구〗 파울 볼(opp. *fair ball*) **2** 《속어》 무능한 사람; 불운한 사람; 별난 사람 **3** 《속어》 실패로 끝난 시도

fóul bérth 〖항해〗 (충돌 위험이 있는) 나쁜 정박 위치

fóul bìll 〖항해〗 전염병 유행지 출항 증명서

foul·brood [fáulbrùːd] *n.* (세균에 의한 꿀벌 유충의) 부저병(腐蛆病)

fou·le [fuːléi] [F] *n.* ⓊⒸ 가벼운 모직 옷감

fouled-up [fàuldʌ́p] *a.* 《구어》 혼란한, 무질서한

fóul fíend [the ~] 악마

foul·ing [fáuliŋ] *n.* (배 밑바닥 따위의) 부착물

fóul lìne 〖야구·농구〗 파울 라인

foul·ly [fáu*l*li] *ad.* 지저분하게; 상스러운 말로; 악랄하게; 부정(不正)하게

foul·mouth [fáulmàuθ] *n.* 입버릇이 상스러운 사람

foul·mouthed [-màuðd, -màuθt] *a.* 입버릇이 상스러운, 상스러운 말을 많이 하는

foul·ness [fáulnis] *n.* Ⓤ **1** 불결, 입이 상스러움; (날씨의) 사나움 **2** Ⓒ 불결한 것 **3** 부정; 악랄

fóul pápers 초고(草稿)

fóul pláy **1** 〖경기〗 반칙, 비겁한 짓(cf. FAIR PLAY) **2** 부정 행위; 범죄, 《특히》 살인

fóul próof 〖인쇄〗 교정을 본 교정지

fóul shòt 〖농구〗 = FREE THROW

foul-spo·ken [fáulspòukən], **-tongued** [-tʌ́ŋd] *a.* = FOULMOUTHED

fóul stríke 〖야구〗 파울 스트라이크 《스트라이크로 카운트되는 파울》

fóul típ 〖야구〗 파울 팁

foul-up [-ʌ̀p] *n.* 《구어》 **1** (무능·우둔함으로 생기는) 혼란 **2** (기계의) 고장 **3** 얼간이, 멍청이

fou·mart [fúːmərt, -mɑːrt] *n.* 〖동물〗 긴털족제비

‡**found**[1] [fáund] *v.* FIND의 과거·과거분사
— *a.* 《영》 〈방·배 등이〉 설비를 갖춘; 〈지식·교양 등이〉 갖춰진; 《영》 (급료 이외에) 침식 제공의; 〈예술 작품 (소재) 등이〉 자연에 있는 (것을 이용한), 파운드 아트의
and ~ 《구어》 (임금 이외에) 숙식 제공함
— *n.* Ⓤ (급료 이외의 무료 제공의) 숙식; [*pl.*] 습득물 광고: losts and ~*s* 분실물·습득물 광고(란)

‡**found**[2] [fáund] [L 「…의 바닥을 놓다」의 뜻에서; fund와 같은 어원] *vt.* **1** …의 기초를 세우다; (기본금을 기부하여) 설립하다; 창건[창시]하다; 〈학파·학설을〉 세우다: ~ a hospital 병원을 설립하다 // 《~+목+전+명》 a house ~*ed on* the rock 바위 위에 지은 집

> 유의어 **found** 새로 설립하여 기초를 놓다. 소요되는 자금(fund) 조달의 뜻이 내포되는 경우가 많음: *found* a college 대학을 설립하다 **establish** 설립하여 그 기초를 확고부동한 것으로 만들다: The university was *established* in 1920. 그 대학교는 1920년에 창립되었다.

2 〈이론·이야기 등을〉 (…에 입각해서) 만들다; (…에) 근거를 두다 《*on, upon*》: 《~+목+전+명》 They ~*ed* their principles *on* classic art. 고전 예술을 그들 주의의 원칙으로 삼았다. **3** [보통 과거분사형으로] …에 근거[기초]를 부여하다(⇨ founded 1)
— *vi.* (…에) 근거하다 《*on, upon*》: be well [ill] ~*ed* 근거가 충분[빈약]하다 ▷ foundátion *n.*

found[3] *vt.* 〈금속을〉 녹이다, 녹여 붓다; 주조(鑄造)하다; 〈유리의 원료를〉 녹이다, 〈유리 제품을〉 만들다

fóund árt 〖미술〗 파운드 아트 《초현실주의에서 주장되는 예술》

‡**foun·da·tion** [faundéiʃən] *n.* **1** Ⓤ 창설, 창립, 건설, 창건 **2** ⒸⓊ (사상·학설·소문·보도 등의) 근거; 기초, 토대: a rumor without ~ 근거 없는 소문 **3** [종종 *pl.*] (건물의) 토대, 기초, 초석 **4** Ⓤ (기본금 기부에 의한) 설립; Ⓒ (기본금 기부에 의해 유지되는) 설립물, 재단 《사회사업 단체 등》; 기본금; 유지 기금: the Carnegie *F*~ 카네기 재단 **5** (재단·협회·단체 등의) 정관, 헌장 **6** ⓊⒸ 파운데이션 《기초 화장품》 **7** = FOUNDATION GARMENT **8** (의류·모자 등의) 보강 재료; 심; (뜨개질의) 뜨개 바탕 《뜨기 시작하는 첫째 줄》 **9** (유화에서 캔버스 위에 칠하는) 바탕 물감[밑칠]
be on the ~ 《영》 재단에서 장학금을 받고 있다
shake[***rock***] ***the*** ~***s of*** ... = ***shake***[***rock***] ... ***to its*** ~***s*** 〈신념·체제 등을〉 뿌리[바탕]까지 뒤흔들다
to the ~***s*** 밑바닥[뿌리]까지
~**·less** *a.* 기초[토대, 근거]가 없는
▷ fóund *v.*; foundátional, fundaméntal *a.*

foun·da·tion·al [faundéiʃənl] *a.* 기본의, 기초적인

foundátion còurse 기초[교양] 과정 《대학 1학년에서 이수하는 과정 등》

foundátion crèam 밑화장 크림

Foundátion Dày 《호주》 = AUSTRALIA DAY

foun·da·tion·er [faundéiʃənər] *n.* 《영》 (재단의) 장학생

foundátion gàrment (몸매를 맵시 있게 하는) 여자용 속옷 《corset, girdle 등》

foundátion mùslin 안감용 모슬린

foun·da·tion-net [faundéiʃənnèt] *n.* 파운데이션 네트 《빳빳한 레이스·망사》

foundátion schòol 재단 설립 학교

foundátion stòne **1** 초석(礎石), 주춧돌; (기념사를 새겨서 정초식 때 앉히는) 기석(基石)(cf. CORNERSTONE) **2** 기초적 사실, 기본 원리(basis)

foundátion sùbjects 《영》 학교 교육의 기초 과목

found·ed [fáundid] *a.* [well, ill과 함께] **1** Ⓟ 기초[근거]가 …한: be *ill*[*well*] ~ 근거가 박약[충분]하다 **2** Ⓐ [복합어를 이루어] 기초[근거]가 …의: ⇨ ill-founded, well-founded

‡**found·er**[1] [fáundər] *n.* 창설[설립]자, 창건한 사람, 재단 설립자, 기금을 기부한 사람: the ~'s day 설립자 기념일

foun·der[2] [fáundər] *vi.* **1** 〈배가〉 침수하여 침몰하다 **2** 〈토지·건물 등이〉 허물어지다, 내려앉다, 무너지다 (collapse) **3** 〈계획 등이〉 실패하다(fail) **4** 〈말 등이〉 비틀거리며 넘어지다, (너무 많이 타서) 다리를 절다;

thesaurus **foundation** *n.* **1** 창설 establishment, setting up, institution, initiation, inauguration, constitution **2** 기초 basis, groundwork, principles,

(진창 등에) 빠지다 **5** 〈가축 등이〉 너무 먹어 병이 나다
—*vt.* **1** 〈배를〉 침수하여 침몰시키다 **2** 〈말을〉 넘어뜨리다, (너무 많이 타서) 다리를 절게 하다 **3** 〈토지·건물 등을〉 무너뜨리다 **4** 〖골프〗 〈공을〉 땅에 처박다
—*n.* ⓊⒸ 〖수의학〗 (말의) 제엽염(蹄葉炎)

found·er[3] [fáundər] *n.* 주조자(鑄造者), 주물공

fóunder effèct 〖생물〗 창시자[선구자] 효과

fóunder mèmber 창립 회원, 발기인

foun·der·ous [fáundərəs] *a.* 침몰시키는, 수렁 같은, 진창의

found·er·ship [fáundərʃìp] *n.* Ⓤ 창설[창립]자임, 발기인의 자격[신분]

fóunder's kìn (영) 설립자의 근친 《특권이 주어짐》

fóunders' shàres (주로 영) (회사의) 발기인주(株)

fóunders' tỳpe (영) 〖인쇄〗 = FOUNDRY TYPE

fóund·ing fáther [fáundiŋ-] (국가·제도·시설·운동의) 창립자, 창시자; [the F- F-s] 〖미국사〗 (1787년의) 미국 헌법 제정자들

found·ling [fáundliŋ] *n.* **1** 주운 아이, 기아(棄兒) **2** (미·속어) (육군 사관학교에서) 퇴학생

fóundling hòspital 기아 양육원, 고아원

fóund óbject = OBJET TROUVÉ

fóund póem 변형시 《신문 등 인쇄물의 글을 풀어서 시의 형태로 만든 것》

found·ress [fáundris] *n.* 여자 창립자

found·ry [fáundri] *n.* (*pl.* **-ries**) **1** Ⓤ 주조(鑄造)(업); 주물 **2** 주조소; 유리 공장 **3** (미·속어) 정신 병원

fóundry ìron 주철(鑄鐵)

fóundry pròof 〖인쇄〗 제판(製版) 직전의 최후 교정

fóundry tỳpe 〖인쇄〗 수조판(手組版) 활자

fount[1] [fáunt] [*fount*ain] *n.* **1** (문어) 샘, 분수(fountain) **2** (문어·비유) (…의) 원(源), 원천(source) 《*of*》: a ~ *of* knowledge 지식의 원천

fount[2] [fáunt, fánt | fáunt, fɔ́nt] *n.* (영) = FONT[2]

⁑**foun·tain** [fáuntən] [L 「샘」의 뜻에서] *n.* **1** 분수; 분수지(池), 분수반(盤), 분수탑 **2** = DRINKING FOUNTAIN; = SODA FOUNTAIN **3 a** 샘(spring); 수원(水源) **b** (비유) (…의) 원천, 근원(source) 《*of*》: a ~ *of* wisdom 지혜의 원천 **4** 액체 저장 용기 《램프의 기름통, 인쇄기 등의 기름통, 잉크통 등》 ***the F~ of Youth*** 청춘의 샘 《청춘을 되살릴 수 있다는 전설의 샘》
—*vi., vt.* 분출하다[시키다]

foun·tain·head [fáuntənhèd] *n.* (문어) **1** (하천의) 수원(水源), 원천 **2** (비유) (…의) 근원(source) 《*of*》: go to the ~ 근원으로 거슬러 올라가다

*****fóuntain pèn** 만년필

⁂**four** [fɔ́ːr] *a.* **1** Ⓐ 4의, 4개[명]의 **2** Ⓟ 4살의 ***~ or five*** 소수의(a few) **~ *wide ones*** (미·야구속어) 사구(四球) ***to the ~ winds*** 사방(팔방)으로
—*pron.* [복수 취급] 4개[명]
—*n.* **1** Ⓤ 넷, 4; 4살; 4라는 글자, 4의 기호 《4, iv》; 4시, 4분 **2** 4개 한 벌; 4점 《카드 패·주사위 눈 등의》; 〖크리켓〗 4점타; 4필의 말; (구어) 4개의 노로 젓는 보트(의 선수); [*pl.*] 노 4개의 보트의 경조(競漕): a carriage and ~ 4두마차 **3** [*pl.*] 〖군사〗 4열 종대 **4** [*pl.*] 4푼 이자 공채(4% stock) **5** [*pl.*] 〖인쇄〗 4절판(quarto) **6** (미) (연필의) 2H ***all ~s*** (짐승의) 네 발, (인간의) 수족; 카드놀이의 일종 **~ *and one*** (흑인속어) 금요일 《주(週)의 5일째》; (주급(週給)의) 급료일 ***in ~s*** 넷씩 한패[무리]가 되어 ***make a* [*the*] *~ up*** (영) (브리지나 테니스의 복식이 가능하도록) 4번째로 끼다 ***on all ~s*** ⇨ all fours.

fóur ále (영·고어) 1 quart 4펜스의 맥주

fóur-ále bàr [fɔ́ːréil-] 싸구려 맥주집; (구어) 《일반적으로》 술집

four-bag·ger [fɔ́ːrbǽgər] *n.* (야구속어) 홈런 (homer)

fundamentals, rudiments **3** (건물의) 기초 base, bottom, bedrock, substructure, understructure

fountain *n.* well, spout, spring, stream, source

four-ball [-bɔ̀ːl] *n.* 〖골프〗 포볼 《네 사람이 하는 시합》(=~ **mátch**)

fóur bálls 〖야구〗 사구(四球), 볼넷

four-bit [-bít] *a.* (속어) 50센트의

fóur bíts [단수·복수 취급] (속어) 50센트

four-by-four [-baifɔ́ːr] *n.* (미·속어) 4단 변속의 4륜 구동 트럭

four-by-two [-baitúː] *n.* 폭 4인치 길이 2인치(의 목재); (영·속어) 유대인(Jew)

four-chan·nel [-tʃǽnl] *a.* = QUADRAPHONIC

four·ché(e) [fuərʃéi] *a.* (문장(紋章)에서) 끝이 V 자형으로 갈라진

four·chette [fuərʃét] [F] *n.* 〖해부〗 음순 소대(陰脣小帶); (말굽의) 제차(蹄叉); 〖조류〗 차골(叉骨)

four-col·or [fɔ́ːrkʌ́lər] *a.* 〖인쇄〗 (황·적·청·흑의) 4색에 의한, 4도의: a ~ page 원색 페이지

fóur-cólor pròblem 〖수학·컴퓨터〗 4색 문제

fóur-cólor pròcess 〖인쇄〗 4색 인쇄법

fóur córners [단수 취급] 네거리; [the ~] 모든 영역[범위]: *the* ~ of a document 서류의 전체 내용/*the* ~ of the earth 〖성서〗 지구의 구석구석

four-cy·cle [-sáikl] *a.* 〈내연 기관이〉 4주기(周期)의: a ~ engine 4주기[행정(行程)]식 엔진

four-di·men·sion·al [-diménʃənl] *a.* 4차원(次元)의: a ~ world 4차원의 세계

four-eyed [-àid] *a.* 네 눈의; (속어) 안경을 쓴

fóur-eyed físh 〖어류〗 네눈박이물고기

four-eyes [-àiz] *n.* (*pl.* ~) **1** (속어) 안경 낀 사람 **2** = FOUR-EYED FISH

4-F [-éf] *n.* (*pl.* **4-F's**) (미) (군대 신체검사의) 불합격자; 허약자

fóur flùsh **1** 〖카드〗 포플러시 《포커에서 다섯 장 중 같은 조(組)의 패 네 장밖에 안 됨》(cf. FULL HAND, STRAIGHT FLUSH) **2** (미·속어) 허세, 허풍

four-flush [-flʌ̀ʃ] *vi.* **1** 〖카드〗 (포커에서) 같은 조(組)의 패가 넉 장밖에 안 되는데 다섯 장인 체하다 **2** (미·속어) 허세 부리다, 허풍 치다

four-flush·er [-flʌ̀ʃər] *n.* **1** 〖카드〗 (포커에서) four-flush하는 사람 **2** (미·속어) 허세 부리는 사람, 허풍선이

four·fold [fɔ́ːrfòuld] *a., ad.* 4중(四重)의[으로], 네 겹의[으로]; 4배의[로]: a ~ increase 4배의 증가
—*n.* 4배, 4중, 네 겹

four-foot·ed [-fútid] *a.* 네발의; 네발짐승의

fóur-foot wáy [-fùt-] (영) 〖철도〗 4피트 규격의 궤간(軌間) 《표준 궤간》

fóur fréedoms [the ~] 네 가지 자유 《1941년 미국의 F. D. Roosevelt 대통령이 선언한 freedom of speech and expression(언론의 자유), freedom of worship(신앙의 자유), freedom from want(가난으로부터의 자유), freedom from fear(공포로부터의 자유)》

fóur-func·tion cálculator [-fʌ̀ŋkʃən-] 사칙(四則) (전자) 계산기

four·gon [fuərgɔ́ːŋ] [F] *n.* (*pl.* **~s** [~(z)]) (프랑스의) 포장 짐수레 《군용품 운반용》

four-hand·ed [fɔ́ːrhǽndid], **-hand** [-hǽnd] *a.* **1** 네 손 달린 **2** 〈게임 등이〉 네 사람이 하는 **3** 〖음악〗 〈피아노 곡이〉 2인 합주의

4-H[Fóur-H] Clùb [-éitʃ-] 4-H 클럽 《head, hands, heart, health를 모토로 하는 미국 농촌 청년 교육 기관의 한 단위》

4-H'er [-éitʃər] *n.* 4-H 클럽 회원

Fóur Hórsemen of the Apócalypse [the ~] 〖성서〗 요한 계시록의 네 기사 《백·적·흑·청색 말에 탄 4명; 각각 질병·전쟁·기근·죽음을 상징함》

Fóur Húndred, 400 [the ~] (미) 사교계[상류층]의 사람들 《한 도시의》

Fou·ri·er [fúərièi, -riər] *n.* 푸리에 **1 François Marie Charles ~** (1772-1837) 《프랑스의 사회주의자》 **2 Jean Baptiste Joseph ~** (1768-1830)

《프랑스의 수학자·물리학자》

Fóurier anàlysis 〖수학·물리〗 푸리에 해석(解析) 《주기(周期) 함수를 사인 함수와 코사인 함수의 합(合)으로 나타내는 일》

Fou·ri·er·ism [fúəriərìzm] *n.* Ⓤ 푸리에주의 《푸리에의 공상적 사회주의》 **-ist** *n.*

four-in-hand [fɔ́:rinhæ̀nd] *n.* **1** 마부 한 사람이 모는 4두마차 **2** 《미》 매듭 넥타이 《보통 Y자형으로 매는》 **—** *a.* 말 네 필이 끄는
— *ad.* 〈한 마부가〉 네 필의 말을 몰아

fóur-leaf clóver [fɔ́:*r*lì:f-] 네잎 클로버 《발견한 사람에게는 행복이 온다는》

fóur-leaved clóver [-lì:vd-] = FOUR-LEAF CLOVER

four-leg·ged [-légid] *a.* 네 다리의

four-let·ter [-lètə*r*] *a.* 외설의, 난잡한

fóur-letter mán 《미·속어》 **1** 역겨운 남자 **2** 바보 같은 녀석

fóur-letter wórd 네 자로 된 말, 외설어 《cunt, fuck, shit 등》

four-mast·ed [-mǽstid | -mɑ́:s-] *a.* 〖항해〗 네 개의 돛대가 있는

fóur-mín·ute míle [-mínit-] 〖경기〗 4분 이내에 주파(走破)하는 1마일 경기

fóur nínes 《미·속어》 순도 99.99 %의 것, 순도가 높은 것

four-oar [fɔ́:rɔ̀:*r*] *n.* 노가 넷인 보트

four-o'clock [-əklɑ̀k | -əklɔ̀k] *n.* 〖식물〗 분꽃; 〖조류〗 꿀먹이새 《호주산(產)》

fóur of a kínd 〖카드〗 포카드 《포커에서 같은 숫자 패가 4장 갖추어진 수(手)》

404 [fɔ́:roufɔ́:*r*] *a.* Ⓟ 《컴퓨터속어》 컴맹의, 전자 기기에 깜깜한

411 [fɔ́:*r*wʌ̀nwʌ́n] *n.* **1** 《미》 〈전화〉번호 안내 **2** 《미·속어》 (…에) 관한 정보 《*on*》

four-on-the-floor [fɔ́:rɔ̀:nðəflɔ́:*r*] *n.* 〖자동차〗 (바닥에 수동 조작 기어가 있는) 자동 4단 기어 변속기 **—** *a.* 자동 4단 기어 변속기 양식의; 철저한, 과도한

four-part [fɔ́:*r*pɑ̀:*r*t] *a.* Ⓐ 〖음악〗 4부 합창의

four·pence [-pəns] *n.* 《영》 4펜스 《略 4d., 4d》; (옛날의) 4펜스 은화

four·pen·ny [-pèni, -pəni | -pəni] *a.* Ⓐ **1** 〖목공〗 〈못이〉 3.8cm의 길이인 **2** 《영》 〈값이〉 4펜스의
— *n.* = FOURPENNY PIECE

fóurpenny óne 《영·속어》 강타

fóurpenny pìece[bìt] (옛날의) 4펜스 은화

four·plex [fɔ́:*r*pleks] *a., n.* = QUADPLEX

four-point·er [-pɔ̀intə*r*] *n.* 《미·학생속어》 (성적의) A, 수; 우등생 《A가 4점으로 계산되는 데서》

four-post·er [-póustə*r*] *n.* **1** 사주식 침대 《커튼이나 닫집을 단 것; cf. BED-CURTAIN》(= **~ béd**) **2** 4대 박이 범선

four-pound·er [-páundə*r*] *n.* 4파운드 대포 《4파운드 포탄을 사용》; 4파운드의 물건 《빵 덩어리 등》

four·ra·gère [fùərəʒέə*r*] [F] *n.* (*pl.* **~s** [-z]) 〖프랑스·미육군〗 (왼쪽) 어깨 장식

fourragère

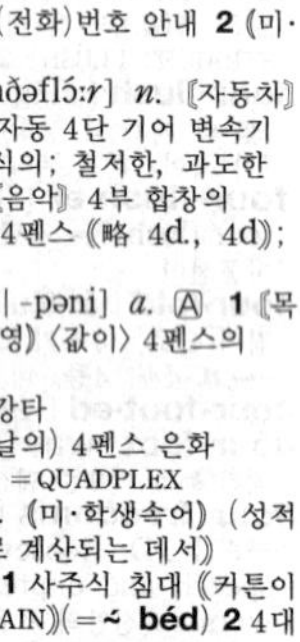

four·score [fɔ́:*r*skɔ́:*r*] *a.* 《고어·문어》 80의(eighty): ~ and seven years ago 87년전

fóur séas [the ~] 〈영국을 둘러싼〉 사면의 바다: within the ~ 영국 본국 영토 안에

four-seat·er [-sí:tə*r*] *n.* 4인승 《차 등》

four·some [fɔ́:*r*səm] *n.* 4인조(cf. EIGHTSOME); 〖골프〗 포섬 《넷이 두 패로 나뉨》; 그 네 사람(cf. SINGLE): a mixed ~ 혼합 포섬 **—** *a.* 넷으로 된; 넷이 하는; 4인용의

four·square [fɔ́:*r*skwέə*r*] *a.* **1** 정사각형의 (square) **2** 튼튼한, 견고한(firm): maintain a ~ position 확고 부동한 지위를 유지하다 **3** 솔직한 (frank) **4** 《미·속어》 틀에 박힌 **—** *ad.* 정사각형으로; 견고히; 솔직히 **—** *n.* 정사각형, 정방형(square)

four-star [-stɑ̀:*r*] *a.* 《미》 〖군사〗 4성(四星)의; 〈호텔 등이〉 별 네 개의, 최고급의; 우수한: a ~ general 4성 장군, 육군 대장 / a ~ restaurant 일류 레스토랑

four-strip·er [-stráipə*r*] *n.* 〖미해군〗 대령

four-stroke [-stròuk] *a.* 〈내연 기관이〉 4행정(行程)의(cf. FOUR-CYCLE)

‡**four·teen** [fɔ́:*r*tí:n] *a.* **1** Ⓐ 14의, 14개의, 14명의 **2** Ⓟ 14살의
— *pron.* [복수 취급] 14개[명]
— *n.* **1** 14(개), 14명; 14라는 글자[기호] 《14, xiv》 **2** 14살; 14달러[파운드, 센트, 펜스 《등》]

Fourtéen Póints [the ~] (평화 원칙의) 14개 조항 《미국 Wilson 대통령이 표명한》

*__four·teenth__ [fɔ́:*r*tí:nθ] [fourteen(14)과 -th[1](서수를 만드는 접미사)에서] *a.* **1** [보통 the ~] 열네 (번)째의, 제14의 **2** 14분의 1의
— *n.* **1** [보통 the ~] 제14; (달의) 14일 **2** 14분의 1
~·ly *ad.* 열네(번)째에

fóurteenth Améndment [the ~] 미국 헌법 수정 제14조 《모든 미국인의 동등한 권리를 보장하고 노예의 시민권을 인정한 헌법; 1866년도에 제정》

‡**fourth** [fɔ́:*r*θ] [four(4)와 -th[1](서수를 만드는 접미사)에서] *a.* **1** [보통 the ~] 네 (번)째의, 제4의 **2** 4분의 1의: a ~ part 4분의 1 **3** 〖자동차〗 〈기어가〉 4단의
— *ad.* 네 (번)째로
— *n.* **1** 4분의 1: three-~*s* 4분의 3 **2** [보통 the ~] 제4; (달의) 4일 **3** [보통 the ~] 〖음악〗 제 4 도 음정 **4** [*pl.*] 〖상업〗 4등품 **5** [the F~] 《미》 = FOURTH OF July **6** 〖자동차〗 (기어의) 4단
— *pron.* [the ~] 4번째의 사람[것]
~·ly *ad.* 네(번)째로(cf. FIRST)

fóurth cláss 제4등급; 《미》 제4종 우편물 《제1종, 제2종, 제3종 이외의 상품·인쇄물》

fourth-class [fɔ́:*r*θklǽs | -klɑ́:s] *a., ad.* 《미》 제4종 우편물의[로]

fóurth diménsion [the ~] 제4차원; 4차원의 세계 **fóurth-di·mén·sion·al** *a.*

fóurth estáte [the ~; 종종 **F- E-**] 제4계급, 언론계

fóurth generátion compúter [the ~] 제4세대 컴퓨터

fóurth generátion lànguage 〖컴퓨터〗 제4 세대 언어 《사무 처리 프로그램·데이터베이스 작업어; 略 4GL》

Fóurth Internátional [the ~] 제4인터내셔널 《1936년 Trotsky의 지도하에 소수 급진론자로 조직》

fóurth márket 《미》 〖증권〗 제4시장 《상장되어 있지 않은 주를 투자자끼리 매매하는》

Fóurth of Julý [the ~] = INDEPENDENCE DAY

Fóurth Repúblic [the ~] (프랑스의) 제4공화국 (1945-58)

Fóurth Revolútion 〖교육〗 제4의 혁명 《학교 교육에 전자 공학·컴퓨터의 도입》

fóurth wáll 〖연극〗 제4의 벽 《무대와 관객 사이를 떼어놓는 보이지 않는 수직면[공간]》

Fóurth Wórld [the ~] [때로 **f- w-**] 제4세계 《제3세계 가운데서 자원이 없는 나라들》

four-wall [fɔ́:*r*wɔ̀:l] *vt.* 《미》 〈영화를〉 영화관을 세내어 자주(自主) 상영하다

four-way [-wèi] *a.* 사방으로 통하는; 네 사람이 하는: a ~ cock[valve] 사방 활전[판] / a ~ talk 4자 회담

fóur-way stóp 《남아공》 정차 교차로

4WD four-wheel drive

four-wheel [-*h*wì:l], **-wheeled** [-*h*wí:ld] *a.* 4륜식의

fóur-wheel dríve 4륜 구동 《略 4WD》

four wheeler 4륜차, 《특히》 4륜 합승 마차; 《미》

(오프로드용·경주용) 대형 타이어의 4륜 바이크(《영》 quad bike)
fo·ve·a [fóuviə] *n.* (*pl.* **-ve·ae** [-viì:]) 〖생물〗 와(窩); 〖안과〗 =FOVEA CENTRALIS
fóvea cen·trá·lis [-sentréilis] 〖안과〗 (망막의) 중심와
f.o.w. 〖항해〗 first open water; 〖무역〗 free on wagon
‡fowl [fául] [OE 「새」의 뜻에서] *n.* (*pl.* **~s,** [집합적] **~**) **1** 가금(家禽) 《거위, 칠면조 등》, 《특히》 닭 **2** Ⓤ 새고기; 닭고기 **3** 《고어·시어》 새: the *~s* of the air 공중의 새 **4** [집합적; 보통 복합어를 이루어] …새: game ~ 엽조/sea~ 해조/wild~ 엽조
barn-door [***domestic***] **~** 닭 ***keep ~s*** 닭을 치다 ***neither fish, flesh, nor ~*** ⇨ fish[1]
— *vi.* 들새를 잡다, 엽조를 사냥하다: go *~ing* 새 사냥을 가다
fówl chòlera 〖수의학〗 가금(家禽) 콜레라
fowl·er [fáulər] *n.* 들새를 잡는 사람, 새 사냥꾼
Fow·ler [fáulər] *n.* 파울러 **Henry Watson ~** (1858-1933) 《영국의 사전 편찬자》
Fówler fláp 〖항공〗 파울러 플랩 《주익(主翼)의 뒤쪽 아래 부분을 내림으로써 양력(揚力)을 높이는 장치》
fowl·ing [fáuliŋ] *n.* Ⓤ 들새잡이, 새 사냥: a ~ net (들새 잡는) 새그물
fówling pìece (사냥용) 새총, 엽총
fówl pèst 〖수의학〗 가금(家禽) 페스트
fówl plàgue 〖병리〗 =BIRD FLU
fówl pòx 〖수의학〗 계두(鷄痘)
fowl-run [fáulrʌ̀n] *n.* 《영》 양계장(《미》 chicken yard)
‡fox [fáks | fɔ́ks] *n.* (*pl.* **~·es,** [집합적] **~**) **1** 〖동물〗 여우; 수여우(cf. VIXEN) **2** 교활한 사람 **3** Ⓤ 여우 모피 **4** 《미·속어》 매력적인 여성[청년]; (대학의) 1년생 **5** 〖성서〗 **a** 승냥이 《시편 63: 10》 **b** 거짓 예언자
an old ~ 교활하기 짝이 없는 사람 (***as***) ***crazy as a ~*** = ***crazy like a ~*** 《미·구어》 (여우처럼) 교활한, 빈틈없는, 노회(老獪)한 **~ *and geese*** 여우와 거위 놀이 《15개의 거위말로 한 여우말을 구석으로 모는 보드 게임》 **~ *and hounds*** 여우와 사냥개 놀이 ***play the ~*** 교활하게 굴다, 꾀부리다
— *vt.* **1** [보통 수동형으로] 〈책장·인화(印畫) 등을〉 변색시키다: be badly *~ed* 몹시 변색되어 있다 **2** 〈맥주 등을〉 (발효시킬 때) 시게 하다 **3** 〈구두의〉 앞 갑피를 수선하다 **4** 《구어》 속이다
— *vi.* **1 a** 교활한 짓을 하다 **b** 시치미 떼다 **2** 〈종이 등이〉 (여우 빛깔로) 변색하다, 얼룩지다 **3** 〈맥주가〉 시어지다 **~·lìke** *a.* ▷ fóxy *a.*
fóx brùsh 여우 꼬리 《여우 사냥의 기념품》
fóx èarth 여우 (땅)굴
foxed [fákst | fɔ́kst] *a.* 〈맥주 등이〉 시어진; 〈책 등이〉 변색한, 여우 빛 얼룩이 진; 속은; 수선한
fóx fàrming 양호업(養狐業), 여우 사육
fox·fire [-fàiər] *n.* 썩은 나무의 발광(發光), 도깨비불
fox·glove [fáksglʌ̀v | fɔ́ks-] *n.* 〖식물〗 디기탈리스(digitalis)
fóx gràpe 〖식물〗 (북미 원산의) 아메리카머루
fox·hole [-hòul] *n.* **1** 〖군사〗 호(壕); 간이호(簡易壕) 《1·2인용》 **2** 《비유》 피난처, 은신처
fox·hound [-hàund] *n.* 여우 사냥개
fóx hùnt (개를 이용한) 여우 사냥
fox-hunt [-hʌ̀nt] *vi.* (개를 사용하여) 여우 사냥을 하다 **~·ing** *n., a.* 여우 사냥(하는)
fóx hùnter 여우 사냥꾼
fox·i·ly [fáksili | fɔ́k-] *ad.* 교활하게
fox·ing [fáksiŋ | fɔ́k-] *n.* Ⓤ **1** (구두의) 수선용 윗가죽 **2** 변색, 퇴색
fox-mark [-mà:rk] *n.* (습기 때문에 생긴 책 등의) 갈색 반점
fóx pàw 《미·속어》 과오(faux pas)
fóx slèep 꾀잠
fóx squìrrel 〖동물〗 여우다람쥐 《북미산(產)》
fox·tail [fákstèil | fɔ́ks-] *n.* **1** 여우꼬리 **2** 〖식물〗 뚝새풀 무리
fóxtail míllet 〖식물〗 조 《포아풀과(科)의 식물》
fóx térrier 폭스테리어 《원래는 여우 사냥에 쓰였으나 지금은 주로 애완용》
fóx tròt **1** 폭스트롯 《짧고 빠르며 활발한 스텝》; 그 무곡 **2** 〖승마〗 완만한 속보(速步)의 일종 《trot에서 walk로, 또는 그 반대로 옮길 때의 보조》
fox-trot [-tràt | -trɔ̀t] *vi.* (**~·ted**; **~·ting**) 폭스트롯을 추다
fox·y [fáksi | fɔ́ksi] *a.* (**fox·i·er**; **-i·est**) **1** 여우 같은; 교활한 **2** 여우 빛깔의; 〖회화〗 빨간색이 너무 강한 **3** 〈종이 등이〉 여우 빛깔로 변색한(foxed) **4** 〈맥주 등이〉 신(sour) **5** 《미·속어》 〈여자가〉 매력적인
— *n.* 《호주·구어》 =FOX TERRIER **fóx·i·ness** *n.*
foy·er [fɔ́iər, fɔ́iei] [F =hearth] *n.* (극장·호텔·도서관 등의) 휴게실, 로비(lobby)(cf. GREENROOM); 현관의 큰 방
fp fireplug; foot-pound; forte-piano 《It. =loud, then soft》; freezing point **FP** 〖영국군〗 field punishment; fireplug; 〖보험〗 fire policy; fully paid **FPA** 《미》 Family Planning Association; Foreign Press Association **FPC** 《미》 Federal Power Commission; fish protein concentrate; Friends Peace Committee **Fpl, fpl** 〖부동산〗 fireplace **fpm, ft/min** feet per minute **FPO** Field Post Office; 〖미해군〗 Fleet Post Office **fps, f.p.s.** feet per second; foot-pound-second (system); 〖사진〗 frames per second **FPS** 《영》 Fellow of the Philological[Philosophical, Pharmaceutical, Philharmonic] Society **fr, fr.** fragment; franc(s); frequent; from **Fr** 〖화학〗 francium **FR** freight release **Fr.** Father; France; Frau; French; Friar; Friday
Fra, f- [frá:] [It. 「형제」의 뜻에서] *n.* …사(師) 《칭호로서 수사(friar)의 이름 앞에 씀》
frab·jous [frǽbdʒəs] *a.* 《영·구어》 멋진, 즐거운
fra·cas [fréikəs | frǽka:] [F] *n.* (*pl.* **~·es,** 《영》 **~** [-z]) 소동, 싸움, 난리
frac·tal [frǽktl] *n. a.* 〖수학〗 차원(次元) 분열 도형(의); 〖컴퓨터〗 프랙털(의) 《같은 도형을 연속적으로 작게 그리는 컴퓨터 그래픽의 도형》
fráctal geómetry 〖수학〗 프랙털 기하학
‡frac·tion [frǽkʃən] [L 「부수기」의 뜻에서] *n.* **1** 파편, 단편, 소부분 **2** 소량, 조금, 미소; 우수리: in a ~ of a second 1초의 몇 분의 1 동안에, 순식간에 **3** 〖수학〗 분수: a common[vulgar] ~ 보통 분수/a compound[complex] ~ 번(繁)분수/a decimal ~ 소수/a proper[an improper] ~ 진[가]분수 **4** 〖화학〗 (증류의) 분류(分溜) **5** 〖교회〗 (미사·성찬식에서) 빵을 나누기 **6** (당내의) 분파; 당 노선 이탈자 그룹, 프락치
(***not***) ***by a ~*** 조금도 (…않다)
— *vt., vi.* 세분하다[되다]
frac·tion·al [frǽkʃənl] *a.* 〖수학〗 분수의; 단편의, 우수리의; 아주 작은; 〖증권〗 단주(端株)의: a ~ expression 분수식 **~·ly** *ad.* 분수적으로; 단편적으로
fráctional cúrrency 소액 통화, 보조 통화
fráctional distillátion 〖화학〗 분류(分溜)
frac·tion·al·ize [frǽkʃənəlàiz] *vt.* 〈기구·조직 등을〉 분할하다, 나누다
fráctional órbital bombárdment sỳstem 〖군사〗 부분 궤도 폭격 체제 《略 FOBS》
fráctional páge spàce 〖광고〗 (페이지의) 소분할 스페이스
frac·tion·ar·y [frǽkʃənèri | -ʃənəri] *a.* 분수의; 아주 작은; 단편적인(fragmentary)
frac·tion·ate [frǽkʃənèit] *vt.* 〖화학〗 〈혼합물을〉 분별[분류(分溜)]하다 **-à·tor** *n.*
frac·tion·a·tion [fræ̀kʃənéiʃən] *n.* Ⓤ 〖화학〗 분류[분별](법)

frac·tion·ize [frǽkʃənàiz] *vt.* 작게 나누다; 분수로 나누다

frac·tious [frǽkʃəs] *a.* 성마른, 성미 까다로운; 다루기 어려운 **~·ly** *ad.* **~·ness** *n.*

frac·tog·ra·phy [fræktɑ́grəfi | -tɔ́g-] *n.* 금속의 파면(破面) 등의 현미경 관찰

frac·tur·al [frǽktʃərəl] *a.* 파쇄성의, 골절의: a ~ injury 좌상(挫傷)

⁎**frac·ture** [frǽktʃər] [L 「부서짐」의 뜻에서] *n.* **1** Ⓒ 〖외과〗 골절, 좌상(挫傷); Ⓤ 부러짐, 파손, 균열: a compound[simple] ~ 복잡[단순] 골절 / suffer a ~ 골절상을 입다 **2** ⓊⒸ 〖음성〗 (단모음의) 분열 **3** 갈라진 곳[틈](crack); (광물의) 단구(斷口)
— *vt.* **1** 〈뼈를〉 부러뜨리다, 삐다; 부수다, 깨다, 파쇄하다(break) **2** 〈규칙 등을〉 무시하다; 혼란시키다 **3** 《미·속어》 크게 기쁘게[즐겁게] 하다, 폭소하게 하다, 압도하다; 《반어》 기분 나쁘게 하다
— *vi.* 부러지다, 삐다, 부서지다
▷ fráctural *a.*

frae [fréi] 《스코》 *prep.* ＝FROM — *ad.* ＝FRO

frae·nu·lum [frénjuləm] *n.* ＝FRENULUM

frae·num [fríːnəm] *n.* (*pl.* **-na** [-nə]) ＝FRENUM

frag [frǽg] 《미·군대속어》 *vt.* (**~ged**; **~·ging**) 파쇄성 수류탄으로 〈상관·동료를〉 죽이다[부상시키다]
— *n.* ＝FRAGMENTATION GRENADE

⁎**frag·ile** [frǽdʒəl | -dʒail] [L 「부수다」의 뜻에서; frail과 같은 어원] *a.* **1** 부서지기[깨지기] 쉬운(brittle); 무른, 허약한, 연약한(frail); 〈근거가〉 박약한 **2** 덧없는 **3** 〈손·용모 등이〉 섬세한 **~·ly** *ad.* **~·ness** *n.*
▷ fragílity *n.*

fra·gil·i·ty [frədʒíləti] *n.* Ⓤ 부서지기 쉬움, 여림, 허약(delicateness); 허무함

⁑**frag·ment** [frǽgmənt] [L 「부서진 것」의 뜻에서] *n.* **1** 부서진 조각, 파편, 단편, 떨어져 나간 조각 **2** 단장(斷章), 미완성 유고(遺稿) **3** 일부분, 남은 것
***in* ~s** 산산조각이 되어, 단편적으로
— [frǽgmənt, frægmént] *vt.* 산산이 부수다[분해하다]; 세분화하다
— *vi.* 산산조각이 되다, 부서지다 (*into*): (~+전+명) ~ *into* small pieces 산산조각으로 부서지다
▷ fragméntal, frágmentary *a.*

frag·men·tal [frægméntl] *a.* **1** ＝FRAGMENTARY **2** 〖지질〗 쇄설질(碎屑質)의: ~ rock 쇄설암 **~·ly** *ad.*

frag·men·tar·i·ly [frǽgməntèrəli | -tə-] *ad.* 단편적으로, 단편으로서; 토막토막으로

⁎**frag·men·tar·y** [frǽgməntèri | -təri] *a.* 파편의; 단편으로 이루어진, 단편적인; 토막토막의: ~ memories 단편적 기억

frag·men·tate [frǽgməntèit] *vt., vi.* ＝FRAGMENTIZE

frag·men·ta·tion [frægməntéiʃən] *n.* **1** Ⓤ 분열, 파쇄(破碎) **2** 분열[파쇄]된 것 **3** Ⓤ 〖생물〗 (핵의) 무사분열(無絲分裂) **4** 〖컴퓨터〗 단편화(斷片化) 《하나의 파일을 이루는 데이터가 디스크의 여기저기에 분산되어 있는 일》

fragmentátion bòmb 파편[파쇄성] 폭탄

fragmentátion grenàde 파편[파쇄성] 수류탄

frag·men·tize [frǽgməntàiz] *vt., vi.* 분열시키다[하다], 분단하다, 파쇄하다

⁎**fra·grance, -gran·cy** [fréigrəns(i)] *n.* **1** Ⓤ 향기로움; 향기, 방향(芳香)(⇨ smell 유의어): the ~ of roses[poetry] 장미[시(詩)]의 향기 **2** 향기가 있는 것 《향수 등》 ▷ frágrant *a.*

⁑**fra·grant** [fréigrənt] *a.* **1** 〈꽃 등이〉 향기로운, 향긋한, 방향성의: a ~ rose 향기로운 장미 **2** 《문어》 〈추억 등이〉 즐거운: ~ memories 즐거운 추억 **3** 《미·익살》 임신한 **~·ly** *ad.* 향기롭게 **~·ness** *n.*
▷ frágrance *n.*

'fraid [freid] *a.* 《구어》 (유감이지만) …라고 생각하는 (＝(I'm) afraid)

fraid·y-cat [fréidikæ̀t] *n.* 《미·구어·유아어》 겁쟁이

⁑**frail**[1] [fréil] *a.* **1** 〈사람·몸이〉 무른; 여린; 연약한, 허약한: a ~ girl 연약한 소녀 **2** 〈도기 등이〉 깨지기 쉬운; 《비유》 〈행복·인생 등이〉 덧없는: ~ china 깨지기 쉬운 도자기 **3** 유혹에 빠지기 쉬운, 도덕적으로 약한; 《완곡》 〈여자가〉 정숙하지 못한 **4** 〈내용이〉 빈약한; 〈가능성·희망 등이〉 희박한 **5** 《구어》 어찌할 수 없는
— *n.* 《속어》 여자 **~·ly** *ad.* **~·ness** *n.*
▷ fráilty *n.*

frail[2] *n.* 골풀 바구니 《건포도·무화과 등을 담는》; 한 바구니 분 《75파운드》

fráil éel 《미·속어》 섹시한 여자

fráil jób 《속어》 섹시한 여자(와의 섹스)

⁎**frail·ty** [fréilti] *n.* (*pl.* **-ties**) ⓊⒸ **1** 여림, 무름, 약함; 덧없음 **2** 의지박약; 유혹에 빠지기 쉬움: tempt one's ~ 약한 마음을 이용해 유혹하다 **3** 약점, 단점, 과실: *frailties* of the human flesh 인간의 약점
F~, thy name is woman! 약한 자여, 그대 이름은 여자로다! 《Shakespeare의 *Hamlet* 중에서》

fraise [fréiz] *n.* **1** 〖축성〗 와책(臥柵) 《끝이 뾰족한 말뚝을 가로[비스듬히] 늘어놓은 것》 **2** 여자용 자수 스카프 **3** 〖기계〗 (시계 톱니바퀴의 톱니를 깎는) 프레이즈반(盤); 〖석공〗 구멍 넓히는 송곳

Frak·tur, frac·tur [frɑːktúər] *n.* 〖인쇄〗 (활자의) 독일체(體)(German black-letter text)

FRAM Fellow of the Royal Academy of Music

fram·a·ble [fréiməbl] *a.* 짜 맞출 수 있는; 편제할 수 있는; 고안해 낼 수 있는

fram·be·sia, -boe- [fræmbíːʒə] *n.* ＝YAWS

fram·boise [frɑːmbwɑ́ːz] [F] *n.* 프랑부아즈 《나무딸기로 만드는 브랜디》

⁑**frame** [fréim] [ME 「이익」의 뜻에서] *n.* **1** 창틀, 테두리; (사진)틀; [보통 *pl.*] (안경)테; (신문·잡지 등의 박스 기사의) 테두리; (온실 등의) 테두리틀, 온상; 자수틀; 〖광산〗 세광반(洗鑛盤); 〖인쇄〗 식자대(植字臺); 〖컴퓨터〗 프레임: a window ~ 창틀 **2** (건조물의) 뼈대; (사람·동물의) 체격, 골격; 《미·속어》 (성적 매력이 있는) 여자의 몸매; (차량의) 차체, (비행기의) 기체 뼈대; (선박의) 늑재(肋材): a man of fragile ~ 체격이 가냘픈 사람 / have a large ~ 체격이 좋다 **3** (추상적인) 구조, 만듦새(make); 구성, 조직, 기구, 체제: the ~ of government 정치 기구 **4** 〖영화〗 (필름의) 한 토막, 구도(構圖); [a ~] 배경, 환경; 〖TV〗 프레임 《주사선의 연속으로 보내어지는 하나의 완성된 영상》 **5** 〖야구〗 회(回), 1이닝(inning); 〖볼링〗 회; 〖당구〗 한 게임 **6** 기분, 심경, 심기(心氣)(mood) **7** ＝FRAME-UP
~ of space and time 〖물리〗 4차원의 시공 좌표
***in* ~** 〈선체가〉 골조로 완성된 ***in the* ~** 《속어》 범죄 용의자로 몰린
— *a.* Ⓐ 나무테[틀, 뼈대]의; 《미》 목조의
— *vt.* **1** …의 틀을 잡다, 짜 맞추다(shape); 얽다, 짜다, 만들다(construct): (~+목+*to* do) a house ~*d to* resist typhoons 태풍에 견디도록 만들어진 집 **2** …의 계획을 세우다; 고안하다(contrive): ~ a new constitution 새 헌법을 입안하다 **3** 속이다; 《구어》 조작[날조]하다 (*up*) **4** 〈말을〉 발음하다, 말하다 **5** (틀에 따라) 만들다, 모양 짓다: (~+목+전+명) ~ a statue *from* marble 대리석으로 상(像)을 만들다 **6** 《구어》 〈사람을〉 모함하다, 〈누명을〉 씌우다 (*on*): (~+목+전+명) ~ a murder *on* a person …에게 살인죄의 누명을 씌우다 **7** 〈그림 등을〉 틀에 끼우다, 테두리를 붙이다: ~ a picture 그림을 액자에 끼우다 // (~+목+전+명) a lake ~*d in* woods 숲으로 둘러싸인 호수 **8** 《고어》 (어떤 목적에) 적합하게 하다(fit) (*for*) **9** 상상하다: ~ ... to oneself …을 마음에 그

thesaurus **fragile** *a.* breakable, smashable, splintery, flimsy, frail, insubstantial, delicate, dainty, fine (opp. *durable, tough, strong*)
fragment *n.* piece, part, particle, fraction

리다, 상상하다
— *vi.* **1** 《고어》 (…를 향하여) 가다 **2** 《고어》 준비를 하다, 계획하다 **3** 《방언》 〈사람이〉 유망하다; [보통 명령문에서] 노력하다: (~+副) He ~*s well* in speaking. 그는 연설가로서 성공할 가망이 있다. **4** [보통 well과 함께] 《폐어》 〈계획 등이〉 진행하다, 〈일이〉 됨직하다
frámed *a.* 틀에 끼운 **~·less** *a.* 틀[테] 없는
fráme àerial[antènna] 〖통신〗 프레임 안테나
frámed buílding 골조식 (구조) 건축물
fráme hóuse 《미》 (판자를 댄) 목조 가옥
fráme lìne 테두리 선; (영화 필름의) 토막줄 《한 화면과 다른 화면의 사이에 있는 선》
fráme of mínd (일시적인) 기분; 사고방식: an unhappy ~ 비참한 기분
fráme of réference 〖사회〗 기준 틀, 준거(準據) 기준 《행동·판단을 지배하는》; 〖수학〗 (준거) 좌표계
fram·er [fréimər] *n.* 짜는 사람; 액자 세공사
fráme sàw 틀톱
frame·shift [-ʃìft] *n.* 〖유전〗 프레임시프트 《DNA에 하나 또는 그 이상의 뉴클레오티드가 부가되거나 혹은 결실(缺失)됨으로써 유전 암호의 해독틀이 이동하여 어긋나 일어나는 돌연변이》 — *a.* 프레임시프트의
frámeshift mutátion 〖유전〗 프레임시프트 돌연변이
fráme tènt 《영》 =WALL TENT
fráme tímber 뼈대용 재목 《건축의》; 늑재 《배의》
frame-up [-ʌ̀p] *n.* **1** 《구어》 (남을 모함하려는) 음모, 허구(虛構)의 죄, 위증; (계획적인) 부정(不正) 경기 **2** 《미·속어》 (상품의) 진열
*__frame·work__ [fréimwə̀ːrk] *n.* **1 틀 구조,** 얼개, 하부 구조 **2 뼈대,** 골격; Ⓤ 구조, 구성, 체제: within the ~ of …의 테두리 안에서, …의 관점에서 **3** 틀에 끼우는 세공 《편물·자수 등》 **4** =FRAME OF REFERENCE **5** 〖원예〗 주지(主枝)
— *vt.* 〈과일나무 등에〉 접붙이다
fram·ing [fréimiŋ] *n.* ⓊⒸ 구성, 짜 맞추기; 구상, 획책; 틀, 뼈대, 테; 《구어》 (흉계) 꾸미기
*__franc__ [frǽŋk] [L 「프랑크족(Franks)의 왕」의 뜻에서; 화폐의 명(銘)에서] *n.* (*pl.* **~s** [-s]) **프랑** 《프랑스·벨기에·룩셈부르크·스위스 등의 유로화 이전 화폐 단위; 기호 F, Fr; =100 centimes》; 1프랑 화폐
‡**France** [fræns | frɑ́ːns] [L 「프랑크 족(Franks)」의 뜻에서] *n.* **1 프랑스** 《유럽 서부의 공화국; 수도 Paris》 **2** 프랑스 **Anatole ~** (1844-1924) 《프랑스의 작가》 ▷ Frénch *a.*; Frénchman *n.*
Fran·ces [frǽnsis | frɑ́ːn-] *n.* 여자 이름 《애칭 Fanny; cf. FRANCIS》
Fran·ces·ca [frænt∫éskə] *n.* 여자 이름
*__fran·chise__ [frǽnt∫aiz] *n.* **1** (정부가 개인·단체·회사에 주는) **특권,** 특허; 《미》 특권 행사 허가 지구: (~+*to* do) a ~ *to* operate a bus system 버스 영업 면허 **2** [the ~] 공민권, 시민권(citizenship); **참정권**(suffrage), **선거권;** 선거 자격 조건; (법인·단체의) 단원권: *the* parliamentary ~ 국회의원 선거권 **3** 《미》 독점 판매권 《제조주(主)에게서 받는》, 체인점 영업권 **4** 〖야구〗 프랜차이즈 **5** (스포츠 경기의) 방송권, 방영권 **6** 〖보험〗 면책 비율
— *vt.* …에(게) 특권[선거권 《등》]을 주다
fran·chi·see [frænt∫aizíː] *n.* 총판권을 받는 사람, 독점 판매업자
fran·chis·er [frǽnt∫aizər] *n.* **1** =FRANCHISEE **2** =FRANCHISOR
fránchise tàx 면허세, 영업세
fran·chi·sor [frǽnt∫aizər, frænt∫əzɔ́ːr | frænt∫aizɔ́ː] *n.* 총판권을 주는 사람
fran·ci·cize [frǽnsəsàiz] *vt.* 《캐나다》 〈상업 활동 등을〉 프랑스 어로 하다[전환시키다]
Fran·cis [frǽnsis | frɑ́ːn-] *n.* 남자 이름 《애칭 Frank; cf. FRANCES》
Fran·cis·can [frænsískən] *a.* 프란체스코회의, 프란체스코 수도회의 — *n.* 프란체스코회 수사; [the ~s] 프란체스코회(cf. FRANCIS OF ASSISI)
Fráncis of Assísi 아시시의 성 프란체스코 **Saint ~** (1182?-1226) 《이탈리아의 수도사로서 프란체스코 수도회의 창시자》
fran·ci·um [frǽnsiəm] *n.* Ⓤ 〖화학〗 프란슘 《알칼리 금속 원소; 기호 Fr; 원자 번호 87》
fran·ci·za·tion [frænsizéi∫ən | -sai-] *n.* 《캐나다》 프랑스 어 사용(으로 전환)
Fran·co [frǽŋkou] *n.* 프랑코 **Francisco ~** (1892-1975) 《스페인의 장군·총통》
Franco- [frǽŋkou] 《연결형》 「프랑스(의)」의 뜻: the *Franco*-Prussian War 보불(普佛) 전쟁
Fran·co-A·mer·i·can [frǽŋkouəmérikən] *n., a.* 프랑스계 (특히 프랑스 캐나다계) 미국인(의); 프랑스-미국 간(의)
fran·co·lin [frǽŋkəlin] *n.* 〖조류〗 자고
Fran·co·phile [frǽŋkəfàil], **-phil** [-fìl] *a.* 프랑스(인)을 좋아하는, 친불(親佛)의
— *n.* 친불파의 사람
Fran·co·phobe [frǽŋkəfòub] *a., n.* 프랑스를 무서워하는[싫어하는] (사람)
Fràn·co·phó·bi·a *n.* Ⓤ 프랑스 공포[혐오]
Fran·co·phone [frǽŋkəfòun] *a., n.* 프랑스 어를 말하는 (사람) **Fran·co·phon·ic** [fræ̀ŋkəfɑ́nik | -fɔ́-] *a.* 프랑스 어를 말하는
franc-ti·reur [frɑ̀ːntiːrɔ́ːr] [F] *n.* (프랑스 육군의) 비정규병, 게릴라병
frang·er [frǽŋər] *n.* 《호주·비어》 =CONDOM
fran·gi·ble [frǽndʒəbl] *a.* 부러지기[깨지기, 부서지기] 쉬운, 약한 **fràn·gi·bíl·i·ty** *n.* **~·ness** *n.*
fran·gi·pane [frǽndʒəpèin] *n.* 프랜지페인 《편도(扁桃)·설탕·크림 등을 넣은 과자》
fran·gi·pan·i [frændʒəpǽni, -pɑ́ːni] *n.* (*pl.* **~s, ~**) 〖식물〗 협죽도과(科)의 관목 《열대 아메리카산(産)》; Ⓤ 그 꽃에서 채취한 향수
Fran·glais [frɑːŋgléi] [*Fran*çais(=French)+Ang*lais*(=English)] *n.* Ⓤ [때로 **f~**] 프랑스어화한 영어 (표현)
fran·gli·fi·ca·tion [fræ̀ŋgləfikéi∫ən] *n.* Ⓤ 프랑스 어에 영어의 단어·표현을 따넣기
‡**frank**[1] [frǽŋk] [OF; Frank족이 갈리아 지방에서 자유민이었던 데서] *a.* **1** 〈이야기·사람·태도·의견 등이〉 **솔직한,** 터놓는, 숨김없는: ~ criticism 솔직한 비평 / to be ~ with you 솔직히 말하면, 사실은

> 유의어 **frank** 사람·의견·태도 등이 솔직하여 기탄없이 또는 숨김없이 본심을 털어놓는: a *frank* reply 솔직한 대답 **outspoken** 버릇없다고 할 정도로 거침없이 말하는: *outspoken* comments 거침없는 말 **open** 공공연하고 솔직한: her *open* admiration for him 그녀의 그에 대한 솔직한 찬탄

2 노골적인, 공공연한: ~ curiosity 노골적인 호기심 **3** 〖병리〗 명백한, 임상적으로 확실한
— *vt.* **1** 〈우편물을〉 무료로 부치다, 무료 송달이 되게 …에 서명하다: ~ a letter 봉투에 무료 배달의 서명을 하다 **2** 〈사람에게〉 통행의 편의를 주다, 출입의 자유를 허가하다; 〈사람을〉 무료로 수송하다; …의 비용을 부담하다: (~+目+前+名) ~ a visitor *through* customs 입국자에게 세관을 무사 통과시키다 **~ *it*** 《미·속어》 〖의회〗 〈우편물을〉 직원 특권을 써서 무료로 보내다
— *n.* 무료 송달의 서명[특권]; 무료 송달 우편물
frank[2] *n.* 《구어》 =FRANKFURT(ER)
Frank [frǽŋk] *n.* **1** 남자 이름 《Francis의 애칭》 **2** 프랑크 사람 《라인 강변의 게르만 족》 **3** 서부 유럽 사람 《근동 지방에서 씀》; 《시어》 프랑스 사람

---

fragrance *n.* perfume, aroma, balm, scent
frank[1] *a.* candid, direct, plain, straight, downright, outspoken, blunt, honest, truthful, explicit, plainspoken, sincere, open, artless

Frank·en·food [frǽŋkənfùːd] 〔*Frankenstein*+*food*〕 *n.* 《구어》 유전자 변형 식품

Frank·en·stein [frǽŋkənstàin] *n.* **1** 프랑켄슈타인 《Mary W. Shelley작(1818)의 괴기 소설의 주인공인 과학자》 **2** 자기가 만든 것에 의해 파멸되는 사람

Fránkenstein mònster 자기가 만들어 낸 저주의 씨

frank·furt [frǽŋkfərt] *n.* =FRANKFURTER

frank·furt·er, -fort·er [frǽŋkfərt(ər)] 〔독일의 산지명 Frankfurt에서〕 *n.* 《미》 쇠고기·돼지고기가 섞인 소시지(= **fránkfurt**[**fránkfort**] **sáusage**)

frank·in·cense [frǽŋkinsèns] *n.* Ⓤ 유향(乳香) 《감람과(科)의 나무에서 채취; 이스라엘 민족이 제사에 쓰던 향료》

fránk·ing machìne [frǽŋkiŋ-] 《영》 =POSTAGE METER

fránking prívilege 《미》 《연방 의회 의원에게 허용되는》 무료 우송의 특권

Frank·ish [frǽŋkiʃ] *a.* 프랑크 족의; 서유럽 사람의 **—** *n.* Ⓤ 프랑크 족의 언어

frank·lin [frǽŋklin] *n.* 〖영국사〗 《14~15세기경의》 자유 토지 보유 지주, 자유농민, 향사(鄕士) 《gentry보다 낮고 yeoman보다 높음》

***Frank·lin** [frǽŋklin] *n.* **1** 프랭클린 **Benjamin ~** (1706-90) 《미국의 정치가·외교관·저술가·과학자》 **2** 남자 이름

‡frank·ly [frǽŋkli] *ad.* **1** 솔직히, 숨김없이; 터놓고: speak ~ 솔직하게 말하다 **2** [문장 전체를 수식하여] 솔직히 말해서: *F*~, I'd rather not go. 솔직히, 난 가지 않는 게 좋겠다. **~ *speaking*** = ***speaking ~*** 솔직히 말해서

***frank·ness** [frǽŋknis] *n.* Ⓤ 솔직, 터놓음

frank·pledge [frǽŋkplèdʒ] *n.* 〖고대영국법〗 10인조(人組) 《10인 1조의 연대 책임 제도》; 10인조의 일원

***fran·tic** [frǽntik] *a.* **1** 《흥분·공포·고통 등으로》 광란의; 미친 사람 같은, 극도로 흥분한 《*about, with, to* do》: drive a person ~ …을 몹시 흥분하게 하다 **2** 《고어》 미친(insane) **3** 《미·속어》 굉장한, 멋진; 《영·구어》 굉장히 큰[많은]: ~ effort 대단한 노력 / with ~ haste 엄청나게 서둘러서 **~·ness** *n.*

***fran·ti·cal·ly** [frǽntikəli] *ad.* 미친 듯이, 극도로 흥분하여; 《미·속어》 굉장히, 몹시

frap [frǽp] *vt.* (**~ped**; **~·ping**) 〖항해〗 《밧줄·사슬로》 꼭 졸라매다

frap·pé [fræpéi | ⌐-] 〔F〕 *a.* [명사 뒤 또는 Ⓟ로] 《얼음으로》 차게 한: wine ~ 냉 포도주
— *n.* **1** 살짝 얼린 과즙; 빙수에 리큐어를 탄 음료 **2** 《미동부》 진한 밀크셰이크

FRAS Fellow of the Royal Astronomical Society

frass [frǽs] *n.* 《유충의》 똥; 《벌레가 나무를 파먹고 내는》 가루 부스러기

frat [frǽt] *n.* 《미·학생속어》 =FRATERNITY 1

fratch [frǽtʃ] 《방언》 *vi.* 다투다, 언쟁하다
— *n.* 언쟁, 불화, 싸움

fra·ter[1] [fréitər] *n.* **1** 동포, 형제 **2** 남학생 클럽 회원

frater[2] *n.* 《폐어》 《수도원의》 식당

***fra·ter·nal** [frətə́ːrnl] *a.* **1** 형제의; 형제 같은(brotherly); 우애의: ~ love 형제애 **2** 《남성들 간의》 친목회의; 《대학의》 동아리의 **3** 〖생물〗 《쌍둥이가》 이란성의 **~·ly** *ad.* 형제로서; 형제처럼
▷ fratérnity *n.*; fráternize *v.*

fra·ter·nal·ism [frətə́ːrnəlizm] *n.* Ⓤ 우애; 우애조합주의

fratérnal órder[**socíety, associátion**] 《미》 우애[공제] 조합(《영》 friendly society)

fratérnal twín 이란성 쌍생아(중의 하나)(cf. IDENTICAL TWIN)

***fra·ter·ni·ty** [frətə́ːrnəti] *n.* (*pl.* **-ties**) **1** 《미》 《대학·고교의》 남학생 사교 클럽 《여학생 것은 sorority》(cf. FRAT, GREEK-LETTER FRATERNITY) **2** [집합적] 동업자[동호자]들, …사람들, 동인(同人): the writing ~ 문필가들 / the medical ~ 의사회 **3** 《특히》 종교 단체, 신도회; 친교회; 우애[공제] 조합 **4** Ⓤ 형제임; 형제애, 우애, 동포애: liberty, equality, and ~ 자유, 평등 그리고 우애 **5** 형제 관계

fratérnity hòuse 《대학의》 남학생 클럽 하우스[회관]

frat·er·ni·za·tion [frӕtərnizéiʃən | -nai-] *n.* Ⓤ 친화(親和), 친목, 친교

frat·er·nize [frǽtərnàiz] *vi.* 형제처럼 친하게 사귀다, 화목하다 《*with, together*》; 《군규를 어기고》 《적국 국민과》 친하게 사귀다; 《구어》 〈군인이〉 《피점령국의 여자와》 친밀해지다 《*with*》 **—** *vt.* 《고어》 …을 형제처럼 사귀게 하다

frat·ri·cide [frǽtrəsàid, fréit-] *n.* ⒸⓊ **1** 형제[자매] 살해, 동족 살해; 그 범인 **2** 〖군사〗 선착 핵탄두의 폭발력에 의한 후속 탄두의 파괴 **fràt·ri·cíd·al** *a.*

fra·try [fréitri] *n.* (*pl.* **-tries**) =FRATER[2]

Frau [fráu] 〔G〕 *n.* (*pl.* **~·en** [fráuən], **~s**) **1** 부인 《Mrs. 또는 Madam에 상당하는 경칭; 略 Fr.》 **2** 아내; 독일 여인

fraud** [frɔ́ːd] *n.* **1** Ⓤ 사기, 기만; 〖법〗 사기(죄); 사기 행위, 부정 수단(⇨ deception 유의어): election ~*s* 선거 위반 / obtain money by ~ 돈을 사취하다 / a pious ~ 방편적인 거짓말 《종교적 동기에 의한》 **2** 《구어》 사기꾼; 협잡꾼 **3** 부정품(不正品), 가짜 ***in[***to***] ***the*** ~ ***of*** …을 기만할 목적으로
▷ fráudulent *a.*

fráud squàd 《영》 《경찰의》 사기 행위 수사대

fraud·ster [frɔ́ːdstər] *n.* 사기꾼

fraud·u·lence, -len·cy [frɔ́ːdʒuləns(i)] *n.* Ⓤ 기만; 사기; 부정

fraud·u·lent [frɔ́ːdʒulənt] *a.* 사기(행위)의, 부정의: ~ gains 부당 이득 **~·ly** *ad.* **~·ness** *n.*

***fraught** [frɔ́ːt] *a.* **1** Ⓟ (…으로) 충만한; (…이) 따르는 《*with*》: an enterprise ~ *with* danger 위험이 따르는 사업 **2** 《영·구어》 《사소한 일에》 고민하는, 난처한 **3** 《고어》 《물건을》 가득 실은, 만재한 《*with*》

Fräu·lein [frɔ́ilain] 〔G *Frau*의 지소형(指小形)〕 *n.* (*pl.* **~s**) **1** …양 《Miss에 해당하는 경칭; 略 Frl.》 **2** 독일 처녀 **3** [**f~**] 독일 여자 가정교사 《영국인 가정의》

Fráun·ho·fer lìnes [fráunhòufər-] 〔독일의 물리학자 이름에서〕 〖광학〗 프라운호퍼선(線) 《태양 스펙트럼에 나타나는 암선군(暗線群)》

frax·i·nel·la [frӕksənélə] *n.* 〖식물〗 백선(白蘚) 《약초》

fray[1] [fréi] *n.* [the ~] **1** 싸움, 소동, 난투; 《스포츠의》 경쟁, 경기 **2** 《고어》 공포 ***be eager for the ~*** 무슨 일이 벌어지기를 고대하다

***fray**[2] [fréi] *vt.* **1** 〈천 등을〉 닳게 하다, 해어지게 하다 《*out*》: the ~*ed* sleeves 닳아 빠진 소매 ∥ (~+목+전+명) sweaters ~*ed* at the elbows 팔꿈치가 해진 스웨터 **2** 비비다(rub); 〈사슴이〉 나무에 〈뿔을〉 대고 비비다 **3** 〈신경·감정을〉 소모시키다, 긴장시키다: The argument ~*ed* their nerves. 그 논쟁으로 그들은 신경이 완전히 소모됐다.
— *vi.* **1** 〈옷이〉 해어지다, 풀리다 **2** 〈사슴이〉 뿔 표피를 문질러 벗기다 **3** 〈신경이〉 소모되다

fray·ing [fréiiŋ] *n.* Ⓤ 닳아 해어짐; Ⓒ 닳아 해어진 것, 벗겨진 껍질 《사슴 뿔에서》

fra·zil [fréizəl, frǽz- | fréizil] *n.* 《미·캐나다》 《격류 중에 생기는》 결빙(結氷)(= **∠ ìce**)

fraz·zle [frǽzl] 《구어》 *vt., vi.* 《너덜너덜》 닳아 떨어지게 하다[떨어지다]; 지치게 하다[지치다]
— *n.* 《너덜너덜》 닳아 해어짐; 조각조각(으로 해어진

thesaurus **frantic** *a.* frenzied, wild, hysterical, frenetic, distracted, distressed, uncontrolled, mad, crazed, maniacal, agitated, upset
fraud *n.* fraudulence, cheating, swindling, trickery, deceit,, treachery, duplicity
free *a.* **1** 자주적인 emancipated, democratic, independent, autonomous, sovereign, self-governing

것); 기진맥진(한 상태) ***to a ~*** 닳아 떨어질 때까지; 기진맥진할 때까지: beat *to a* ~ 늘씬하게 두들겨 패다 / be worn *to a* ~ 기진맥진하다

fraz·zled [frǽzld] *a.* 《구어》 닳아 빠진; 《구어》 지친; 《미·속어》 술에 취한; 《미·속어》 신경이 곤두선

FRB Federal Reserve Bank; Federal Reserve Board **FRC** Federal Relief Commission; Foreign Relations Committee (미상원) 외교 위원회 **FRCM** 《영》 Fellow of the Royal College of Music **FRCO** 《영》 Fellow of the Royal College of Organists **FRCP** 《영》 Fellow of the Royal College of Physicians **FRCS** 《영》 Fellow of the Royal College of Surgeons; forward reaction control system 〖우주과학〗 전부(前部) 반동 자세 제어 장치

***freak**[1] [fríːk] *n.* **1** 이상 현상; 변칙; 일탈 **2** 기형(畸形), 변종(變種); 진기한 구경거리, 괴물 **3** Ⓤⓒ 변덕, 일시적 기분(caprice); 장난(prank): out of mere ~ 일시적 기분에서 **4** 《속어》 성도착자 **5** 《속어》 열광자, …광(狂); 마약 상용자[중독자]: a baseball ~ 야구광 / a jazz ~ 재즈광 / a computer ~ 컴퓨터광 **6** 《속어》 괴짜(weirdo), 이상한 사람

—*a.* Ⓐ 진기한, 별난, 매우 이상한, 괴상한: a ~ epidemic 특이한 유행병

—*vi., vt.* 변덕을 부리다, 괴상한 짓을 하다

~ freely 《미·마약속어》 마약 없이 환각을 체험하다 ***~ on*** [***all over***] a person 《미·속어》 …와 남의 이목을 끌기 위해 춤추다 ***~ out*** 《속어》 (환각제로) 흥분하다[시키다], 환각 상태가 되(게 하)다, 현실을 도피하다: People *~d out* when they heard the news. 사람들은 그 소식을 들었을 때 흥분했다.

▷ fréakish, fréaky *a.*

freak[2] *vt.* [보통 과거분사로] 얼룩지게 하다

—*n.* (색의)반점, 얼룩

freaked[1] [fríːkt] *a.* 《미·속어》 충격을 받은; 몹시 지친; 마약에 취한

freaked[2] *a.* 얼룩진

freak·ing [fríːkiŋ] *a., ad.* 《속어》 가혹한[하게], 호된[되게]

freak·ish [fríːkiʃ] *a.* **1** 변덕스러운, 일시적 기분의, 장난의 **2** 기형적인, 괴상한 **~·ly** *ad.* **~·ness** *n.*

fréak of náture 기형적인 사람[동물]; 자연의 이상 현상

freak-out [fríːkàut] *n.* 《속어》 마약으로 인한 환각 상태, 현실 도피(자); 환각제 파티

fréak shòw **1** (서커스·카니발의) 기형인[동물]의 쇼 **2** 익살스런[기괴한] 행사

fréak trìck 《미·속어》 (매춘 등에서) 변태 성교를 요구하는 남자

freak·y [fríːki] *a.* (**freak·i·er**; **-i·est**) **1** = FREAKISH **2** 《속어》 (마약 중독으로 인한) 환각 증상의; 소름끼치게 무서운; 기묘[이상]한; 히피의 **—***n.* 마약[환각제] 상용자; 히피 **fréak·i·ness** *n.*

***freck·le** [frékl] *n.* [종종 *pl.*] 주근깨, 기미; [*pl.*] 햇볕에 탄 얼룩; 작은 반점

—*vi., vt.* 주근깨가 생기다[생기게 하다] **fréck·led** [-d] *a.* 주근깨가 있는 ▷ fréckly *a.*

freck·ly [frékli] *a.* (**-li·er**; **-li·est**) 주근깨가 많은

Fred [fréd], **Fred·dy** [frédi] *n.* 남자 이름 《Frederick의 애칭》

Fre·da [fríːdə] *n.* 여자 이름

Fred·er·ick [frédərik] *n.* **1** 남자 이름 《애칭 Fred(dy)》 **2** 프리드리히 대왕 **~ the Great** (1712-86) 《프로이센의 제2대 왕(1740-86)》

***free** [fríː] [OE 「사랑하는, 친한」의 뜻에서] *a., ad., v.*

① (속박이 없이) 자유로운	**1**
② (규제가 없이) 자유로이 …할 수 있는	**4**
③ (제약이 없고 자유로워) 한가한	**9**
④ (부담이 없고 자유로운) 무료의	**14**

—*a.* (**fre·er**; **-est**) **1** (노예 상태가 아니라) 자유스러운; 〈국가·국민이〉 (외국의 지배를 받지 않고) 자주[독립]의; 〈사람·사상·의지·행동이〉 속박이 없는; 〈경제·무역이〉 (관세 장벽 등이 없이) 자유로운, 무통제의: a ~ country[people] 자유국[자유민] / ~ competition 자유 경쟁 **2** (감옥에) 갇혀 있지 않은, 혐의[구속]를 받고 있지 않은(opp. *captive*): The accused left the court a ~ man. 피고는 무죄의 몸이 되어 법정을 나갔다. **3** 편견이 없는, (전통·권위·규칙 등에) 사로잡히지 않는(cf. FREETHINKER) **4** Ⓟ 〈사람이〉 자유로이 …할 수 있는; 마음대로의: (~+*to* do) You are ~ *to* go or stay as you please. 가든 머무르든 좋을 대로 하세요. **5** 개방된(open); Ⓟ 〈사람이〉 (…에) 자유롭게 드나들 수 있는[통과하는] 《*of*》: be ~ *of* a library 도서관에 자유롭게 출입할 수 있다 **6** 〈도로·통행 등에〉 장애[제한]가 없는 **7** 아낌없는, 손이 큰, 활수한(lavish) 《*with*》; 풍부한, 아쉬움이 없이 가진: He is ~ *with* his money. 그는 돈을 잘 쓴다. **8** 〈걱정·고통·위험 등이〉 없는, 벗어난, 거북하지 않은, 마음 편한(easy) **9** 할 일이 없는, 한가한(at leisure); 〈방 등이〉 선약이 없는, 비어 있는(unoccupied): I'll be ~ in the afternoon. 오후에는 한가할 것이다. / Do you have any rooms ~? 빈 방이 있습니까? **10** 〈문학 작품 등이〉 형식에 구애되지 않는; 〈문체 등이〉 유려(流麗)한; 〈번역 등이〉 문자 그대로가 아닌, 의역(意譯)의(opp. *literal*): ~ translation 의역 **11** 고정되지 않은, 매어 있지 않은; 〖화학〗 화합되지 않은, 유리된: leave one end of a rope ~ 밧줄의 한 끝을 풀어 놓다 / ~ acid 유리산 **12** 〖음성〗 〈모음이〉 개음절(開音節)의: ~ vowels 자유 모음 **13** 〖항해〗 〈바람이〉 뒤에서 부는, 순풍의 **14** 무료의, 공짜의; 무상(無償)의; 〈상품이〉 면세의, 비과세의: ~ imports 면세 수입품 / ~ medicine 무료 의료 **15** 제멋대로의, 조심성이 없는, 단정치 못한(loose): ~ behavior 방종 **16** 솔직한, 허물없는: be ~ and open 격의 없이 솔직하다 **17** [보통 복합어를 이루어] 특정 물질을 함유하지 않은: a sugar-~ drink 무설탕 음료수 / acid-~ paper 중성지 **18** 동력 없이 움직이는 **19** 〈돌 등이〉 세공하기 쉬운, 〈토지가〉 경작하기 쉬운

(***as***) ***~ as a bird*** [***air, the wind***] 《구어》 자유로운, 마음대로의, 자유분방한 ***feel ~ to*** do [대개 명령형으로] 마음대로 …해도 좋다 ***for ~*** 《구어》 무료[무상]로(for nothing) ***~ and clear*** 〖법〗 〈부동산이〉 저당 잡히지 않은, 부채가 없는 ***~ and easy*** 스스럼없는, 터놓는; 마음 편하게, 유유히; 대충 ***~ from*** …이 없는; …을 면한: a day ~ *from* wind 바람 없는 날 / ~ *from* care 걱정 없는 ***~, gratis, and for nothing*** 《구어》 공짜인[로] ***~ of*** …을 떠나서; …을 면하여: ~ *of* charge[duty] 무료[비과세]로 ★ 이 경우를 제외하고 *from*, *of*의 어느 것이나 무관한 경우가 많음. ***~ on board*** ⇨ free on board. ***~, white and*** (***over***) ***twenty-one*** 《영·구어》 〈사람이〉 완전히 자유로운 ***get ~*** (…을) 떠나다, 면하다, 벗어나다 《*of*》 ***give*** a person ***a ~ hand*** …에게 행동의 자유를 주다 ***give*** [***spend***] ***with a ~ hand*** 아낌없이 주다[쓰다] ***have*** [***get***] ***a ~ hand*** 행동의 자유를 가지다[얻다] ***have*** one***'s hands ~*** 손이 비어 있다, 할 일이 없다 ***It's a ~ country.*** 《구어》 여기는 자유 국가야, 간섭하지마 《상대방이 제지할 때의 응수》 ***make*** a person ***~ of*** one***'s house*** …에게 집의 자유 출입·사용을 허가하다 ***make*** a person ***~ of the city*** …에게 공민권[시민권]을 허가하다 ***make*** [***set***] ***~*** 석방[방면]하다 ***make ~ use of*** …을 마음

---

2 갇혀 있지 않은 unconfined, unbound, untied, unchained, unshackled, unfettered, unrestrained **3** 자유로이 …할 수 있는 able, allowed, unconstrained, unrestricted, permitted **4** 비어 있는 available, unoccupied, vacant, untaken, empty, spare **4** 무료의 complimentary, for nothing, without charge, at no cost, free of charge

대로 쓰다 ***make ~ with*** …을 마음대로 쓰다; …에게 너무 허물없이 굴다 ***scot ~*** 《구어》 완전히 자유롭게, 형벌 받지 않고; (다친 데 없이) 무사히 ***The best things in life are ~.*** 인생에서 최고의 것은 돈이 들지 않는다. 《돈과 관계없는 것 중에 소박한 기쁨이 있다는 뜻》

— *ad.* **1** 무료로, 공짜로(gratis): All members admitted ~. 회원은 무료임. **2** 자유롭게, 간섭받지 않고 **3** 〚항해〛 〈돛단배가〉 순풍 또는 옆에서 부는 바람을 받아서, (돛을) 활짝 펴지 않고: sail ~ 순풍을 받고 항해하다 ***fall ~*** 자유 낙하하다

— *vt.* (**~d**; **~·ing**) **1** (…에서) **자유롭게 하다,** 석방[해방]하다(set free) 《*from*》: 《~+목+전+명》 ~ a person *from* bondage …을 속박에서 해방하다

> 유의어 **free** 구속이나 부담에서 자유롭게 해주다 《일반적인 말》: *free* a bird from the cage 새를 새장에서 놓아주다 **release** 죄수 등을 자유롭게 풀어 주다: The political prisoner has been *released* recently. 그 정치범은 최근에 석방되었다. **liberate** 속박·교도소·의무 등에서 해방하다 《격식 차린 말》: *liberate* women from housework 여성을 가사에서 해방하다 **emancipate** 정치적·법적 예속 상태에서 자유롭게 해주다: Lincoln *emancipated* the slave. 링컨은 노예를 해방했다. **discharge** 병원·교도소·군대에서 나갈 것을 정식으로 허가하다 《free, release보다 딱딱한 말》: He was *discharged* from the prison. 그는 교도소에서 출소했다.

2 〈곤란 등에서〉 구하다(deliver); 〈남에게〉 (…을) 면제하다 《*from, of*》: 《~+목+전+명》 ~ a person *from*[*of*] debt …을 빚에서 벗어나도록 하다, 빚을 면제하여 주다 / ~ oneself *from* one's difficulties 곤란에서 빠져 나오다 **3** 〈거추장스러운 것 등을〉 제거하다, 치우다 《*of, from*》: 《~+목+전+명》 ~ the road *of* snow 길에서 눈을 치우다 / She tried to ~ herself *of* the thought. 그녀는 그 생각을 떨쳐버리려고 했다. ~ ***up*** (1) …을 (제한으로부터) 해방시키다 (2) …의 엉킴을 풀다: ~ *up* the traffic jam 교통 정체를 풀다 ▷ fréedom *n.*

-free [fríː] 《연결형》 「…에서 풀려난; …을 면한; …이 없는」의 뜻: trouble-*free*

frée ágent 자주적인 행위자; 《미·캐나다》 자유 계약 선수[배우] **frée ágency** *n.*

frée áir[**átmosphere**] [the ~] 〚기상〛 자유 대기(大氣)

free-air [fríːɛər] *a.* 야외의; 《미》 (도시 아동을 위한) 교외 산책의: a ~ movement 교외 산책 운동

frée alóngside shíp[**véssel**]] *ad., a.* 〚상업〛 (수출항) 선측도(船側渡)로[의] 《略 FAS》

Frée and Accépted Másons ⇨ Freemason 1

free-as·so·ci·ate [-əsóuʃièit, -si-] *vi.* 자유 연상하다

frée associátion 〚정신분석〛 자유 연상(법)

frée bággage allówance 무료 수하물 허용 중량

frée báll 〚미식축구〛 프리 볼 《아무도 잡지 않은 경기 중의 공》

frée ballóon 자유기구(自由氣球) (cf. CAPTIVE BALLOON)

free·base [-bèis] 《속어》 *vt.* **1** 〈코카인을〉 순화 코카인으로 순도를 높이다 **2** 〈순화 코카인을〉 흡입하다

— *vi.* 순화 코카인을 사용하다

— *n.* Ⓤ 순화 코카인 **frée·bàs·er** *n.*

free-bas·ing [-bèisiŋ] *n.* Ⓤ 마약을 순화하기

frée béach 프리 비치 《나체 해수욕이 허용되는 해변》

free·bie, -bee [fríːbiː] *n.* 《미·구어》 공짜 물건, 경품(景品)

free·board [fríːbɔ̀ːrd] *n.* **1** 〚항해〛 건현(乾舷) 《흘수선에서 상갑판 윗면에 이르는 부분》 **2** (댐 등의) 여유고(餘裕高)

free·boot [-bùːt] *vi.* 해적질을 하다, 약탈하다

free·boot·er [-bùːtər] *n.* 약탈자, 《특히》 해적; 《구어》 부[쾌락]의 추종자

free·born [-bɔ̀ːrn] *a.* 자유의 몸으로 태어난; 자유민다운: ~ folks 자유인

Frée Chúrch 자유[독립] 교회파 《교황·국가의 지배를 받지 않는》; 《영》 비국교파 교회(nonconformists)

frée cíty 자유 도시 《독립 국가를 이룬 도시》

frée clímb(**ing**) 도구 없이 하는 (암벽) 등반

frée colléctive bárgaining 《영》 정부 등의 규제가 없는 단체 교섭

frée cóinage 자유 주화(제)

frée compánion (중세의) 용병단의 일원

frée cómpany (중세의) 용병단

freed·man [fríːdmən, -mæ̀n] *n.* (*pl.* **-men** [-mən, -mèn]) (노예 신분에서 해방된) 자유민

‡free·dom [fríːdəm] *n.* Ⓤ **1** (감금·구속되지 않은) 자유로운 상태, **자유**(liberty); 자주 독립; (외부 지배·간섭·규제로부터) 해방, 해제: justice and ~ 정의와 자유 / ~ of choice[thought, expression] 선택[사상, 표현]의 자유 // 《~+*to* do》 He had ~ *to* do what he liked. 그에게는 하고 싶은 것을 무엇이든 할 수 있는 자유가 있었다.

> 유의어 **freedom** 넓은 뜻의 자유를 나타내는 말로서, 구속이나 장애 등이 존재하지 않음을 뜻한다: *freedom* of worship 신앙의 자유 **liberty** freedom과 대체로 같은 뜻으로 쓰이는 일이 많은데 선택의 자유, 속박에서의 해방이라는 뜻이 내포되어 있다: civil *liberties* 시민적 자유

2 a 자유 행동, 자주성; 인격적 자유 **b** 제멋대로 함; Ⓒ 방자한 행동 **c** (동작·행동 등의) 편안함, 자유자재, 소탈함: enjoy the ~ of living in the country 전원생활의 편안함을 즐기다 **3** (정신적 부담에서) 해방되어 있음, (…이) 전혀 없음 《*from*》: ~ *from* fear 공포로부터의 해방 / ~ *from* care 걱정이 없음, 마음 편함 **4** (의무·책임 등의) 면제 《*from*》: ~ *from* duty 비과세 **5** 특권; 특권 면허: ~ to levy taxes 징세의 특권 **6** [the ~] 출입의 자유; 자유 사용권: have *the* ~ of a library 도서관을 자유롭게 이용할 수 있는 특권을 가지다(cf. FREE *a.* 5) **7** 시민권, 회원권 **8** (언동의) 솔직함, 거리낌 없음(frankness)

take [***use***] ***~s with*** a person …에게 버릇없이 굴다, 스스럼없이 대하다 ***with ~*** 자유로이, 마음대로

fréedom fìghter 자유의 투사, 반체제 운동가

fréedom màrch [때로 **F- M-**] 자유 행진 《특히, 1960년대 인종 차별 폐지 운동 지지 행진》

fréedom of assémbly 집회의 자유

fréedom of associátion 단체·결사의 자유

fréedom of informátion 정보의 자유, 정보 공개 《略 FOI》

Fréedom of Informátion Àct [the ~] 《미》 정보의 자유법 《1967년 시행; 略 FOIA》

fréedom of spéech 언론의 자유

fréedom of the cíty [the ~] 도시 공민권, 명예 시민권

fréedom of the préss 출판의 자유

fréedom of the séas [the ~] 〚국제법〛 《특히 전시의 중립국 선박의》 공해(公海)의 자유 항행권

fréedom rìde [종종 **F- R-**] 《미》 (인종 차별 철폐를 위한) 남부 지방에의 버스·기차 여행

fréedom rìder [종종 **F- R-**] 《미》 자유의 기수(旗手) 《freedom ride에 참가하는 사람》

Fréedom 7 [-sévən] 프리덤 세븐 《미국 최초의 유인 위성》

freed·wom·an [fríːdwùmən] *n.* (*pl.* **-wom·en** [-wìmin]) (노예 신분에서 해방된) 여자 자유민

frée ecónomy 자유(주의) 경제

frée eléctron 〚물리〛 자유 전자

frée énergy 〚열역학〛 자유 에너지

frée énterprise 자유 기업(제)
frée expánsion 〖열역학〗 자유 팽창
frée fáll 자유 낙하 《특히 낙하산이 펴지기 전의 강하》
free-fall [fríːfɔ̀ːl] *vi.* (**-fell**; **-fall·en**) (낙하산 강하시) 낙하산이 펴질 때까지 자유 낙하를 하다
frée fíght 《구어》 난투, 난전(亂戰)
frée-fíre zòne [-fáiər-] 〖군사〗 무차별 포격 지대
frée flíght (로켓 등의) 자유 비행, 활공
free-float·ing [-flóutiŋ] *a.* **1** 〈기분이〉 막연한 상태에 있는: ~ hostility 막연한 적의 **2** (일반적으로 정치·사상면에서) 독립된, 자주적인, 자유로이 움직이는, 부동성의: ~ voters (선거에서) 부동층 투표권자
frée-flý·ing sýstem [-fláiiŋ-] 〖우주과학〗 자유 비행 시스템
Free·fone, -phone [fríːfòun] *n.* 《영》 (전화 요금의) 회사 부담 (cf. FREEPOST)
free-for-all [fríːfərɔ̀ːl] *a.* 입장 자유의, 누구나 참가할 수 있는 **—** *n.* 누구나 자유롭게 참가하는 경기[토론]; 난투 **~·er** *n.* 《영·속어》 무법자
frée fórm 〖언어〗 자유 형식 《단독적으로 사용할 수 있는 언어 형식; boy, run 등의 일반 단어》
free-form [fríːfɔ̀ːrm] *a.* **1** 자유로운 형태의, 좌우 불균형의: ~ management (사전 계획 등에) 얽매이지 않는 자유 경영 **2** 〖미술〗 자유로운 형식의, 전통적인 형식에 구애받지 않는: ~ sculpture 추상 조각
Frée Fránce 자유 프랑스 《2차 대전 중의》
free-free [-fríː] *a.* 〖물리〗 고도로 이온화된 기체 중의 자유 전자의 운동에 의한
Frée Frénch [the ~] 자유 프랑스 인민(⇨ Fighting French)
free·gan [fríːgən] [*free*+*vegan*] *n.* 프리건 《버려진 음식을 먹는 사람들》
frée gíft (판매 촉진용) 경품
frée góld 《미》 프리 골드 《금화 증권의 상환 등에 구속받지 않는 금》; 〖광산〗 자연금
frée góods **1** 비과세품, 면세품 **2** 〖경제〗 자유재
frée hánd 자유 재량, 자유 행동
free·hand [-hæ̀nd] *a.* (기구를 쓰지 않고) 손으로 그린: a ~ drawing 자재화(自在畫)
— *ad.* 자재화법으로 **—** *n.* 자재화
free-hand·ed [-hǽndid] *a.* **1** 손이 큰, 아낌없는, 활수한(generous); 손이 비어 있는 **2** = freehand
— *ad.* = freehand
free-heart·ed [-háːrtid] *a.* 거리낌없는; 개방적인; 마음이 너그러운, 대범한(generous) **~·ly** *ad.*
free·hold [-hòuld] *n.* Ⓤ 〖법〗 (부동산의) 자유 보유권; Ⓒ 자유 보유 부동산[관직](cf. COPYHOLD)
~·er *n.* 위의 권리 보유자
frée hòuse 《영》 단골 양조장이 없는 선술집 《어느 양조장의 술도 가져다 팔 수 있는》
frée issúe 《영》 주식 배당
frée jázz 〖음악〗 프리 재즈 《전위 재즈의 한 형식》
frée kíck 〖축구〗 프리 킥 《반칙에 대한 벌로서 허용되는 킥》(cf. PENALTY KICK)
frée lábor **1** 자유민의 노동 《노예의 노역에 대하여》 **2** 비조합원의 노동; [집합적] 비조합 노동자
frée lánce **1** (중세의) 영주에 소속되지 않은 무사, 용병(cf. FREE COMPANION) **2** = FREELANCE
free·lance [-læ̀ns, -lǽns | -lɑ̀ːns] *n.* **1** 자유 계약자, 프리랜서 《작가·기고가·기자 등》 **2** 무소속 논객(論客)[정치가] **—** *a.* 자유 계약[투고]의, 비전속의: a ~ writer 자유 기고가 **—** *ad.* 자유 계약으로, 비전속으로: work ~ 자유 계약으로 일하다 **—** *vi.*, *vt.* 자유 계약으로 일하다, 〈작품 등을〉 자유 계약으로 투고하다
free·lanc·er [-læ̀nsər | -lɑ̀ːnsə] *n.* = FREELANCE 1
frée líst **1** 자유 출입 허가 명단 《신문 기자 등》; (잡지 등의) 기증자 명부 **2** 《미》 〖상업〗 면세품 일람표
frée líver 도락가; 미식가
frée líving 식도락
free-liv·ing [-líviŋ] *a.* **1** (식)도락의, 미식가의 **2** 〖생물〗 (기생·공생을 하지 않고) 독립 생활을 하는
free·load [-lóud] 《미·구어》 *vi.* 음식 등을 공짜로 얻어먹다; 남의 소유물·설비 등을 거저 쓰다, 식객이 되다 **—** *vt.* 〈음식 등을〉 공짜로 얻어먹다
free·load·er [-lòudər] *n.* 《구어》 (음식을) 공짜로 얻어먹는 사람; 《미·속어》 아무나 갈 수 있는 파티, 음식을 거저 먹는 모임
frée lóve 자유 연애 《정식 혼인을 않는 자유로운 성관계》; 자유 연애주의 **frée lóver** *n.*
frée lùnch 서비스로 내는 간단한 점심; 《구어》 공짜 같은 것 《실은 비싼 것》: There is no such thing as a ~. 세상에 공짜란 없다.
‡free·ly [fríːli] *ad.* **1** 자유로이, 마음대로: Contraceptives are ~ available. 피임약은 마음대로 구할 수 있다. **2** 허물없이, 마음 터놓고, 거리낌없이 **3** 인심 후하게, 아낌없이; 대량으로
***free·man** [fríːmən, -mæ̀n] *n.* (*pl.* **-men** [-mən, -mèn]) (노예가 아닌) **자유민**; 자유 시민, 공민
frée márket 〖경제〗 자유 시장
free-mar·ke·teer [-mɑːrkətíər] *n.* 자유 시장 경제 옹호자[지지자, 제창자]
free·mar·tin [-mɑ̀ːrtn] *n.* (수컷과 쌍둥이로 태어난) 생식 기능이 없는 암송아지
Free·ma·son [-mèisn] *n.* **1** 프리메이슨단(團)의 회원 《회원간의 부조와 우애를 목적으로 삼은 비밀 결사 프리메이슨단(Free and Accepted Masons)의 회원》 (cf. MASON) **2** [**f~**] 〖역사〗 숙련 석수(石手) 조합원 《중세의》 **free·ma·son·ic** [frìːməsɑ́nik | -sɔ́-] *a.*
free·ma·son·ry [-mèisnri] *n.* **1** [**F~**] Freemason단의 주의[제도, 관습] **2** Ⓤ 묵계(默契)의 우애적인 이해, 우애 감정
frée móney 〖경제〗 자유 화폐
frée mórpheme = FREE FORM
free-of-charge [fríːəvtʃɑ́ːrdʒ] *a.* 공짜의, 무료의, 요금이 안 드는
frée on bóard = FOB
frée on ráil = FOR
frée páper 《영》 무료 신문
frée párdon 〖법〗 특사(特赦), 은사
frée páss 무임 승차(권); 무료 입장권
frée périod 《영》 (수업이 없는) 자유 시간
frée pístol 〖사격〗 자유 권총
frée pórt 자유 무역항
Free·post [-pòust] *n.* Ⓤ [때로 **f~**] 《영》 요금 별납 우편
frée préss 자유 언론, 출판의 자유; [집합적] (검열을 안 받는) 자유 출판물
frée rádical 〖화학〗 유리기(遊離基)
free-range [-rèindʒ] *a.* Ⓐ 《영》 (닭 등을) 놓아 기르는, 방목의
frée réin (행동·결정의) 무제한의 자유 《*to* do》: give ~ *to* …에게 행동의 자유를 주다
frée-re·túrn trajèctory [-ritə́ːrn-] 〖우주과학〗 자동 귀환 궤도
frée ríde 《구어》 무임승차; 불로 소득: get[have] a ~ 무임승차하다; 《구어》 공짜로 즐기다
frée ríder 무임 승객; 불로 소득자; (노조 활동의 덕을 보는) 비노조원
frée sáfety 〖미식축구〗 프리 세이프티 《수비측의 포지션의 하나》
frée sámple 무료 샘플, 견본 제품
frée schóol 무료 학교; 자유 학교(제) 《교육 과정에 구애받지 않는》
free·si·a [fríːʒiə, -ziə] *n.* 〖식물〗 프리지어 《붓꽃속(屬)의 구근(球根) 식물》
frée sílver 〖경제〗 은화의 자유 주조 《금에 대한 일정한 비율의》
frée sóil 〖미국사〗 자유 토지 《노예의 사용을 허용하지 않은 지대》
free-soil [fríːsɔ́il] *a.* 자유 토지주의의; 노예제 확대를 반대하는
Frée Sóil Pàrty 〖미국사〗 자유 지역당 《1854년 공

화당에 합병됨》
frée spàce 〖물리·전기〗 자유 공간 《중력·전자장이 존재하지 않는 절대 0도의 공간》
frée spéech = FREEDOM OF SPEECH
frée spéecher 언론자유주의자; 《미》 반체제의 과격파 학생
frée spírit 자유분방한 정신의 소유자, 개성적[창조적] 사고를 가진 사람
free·spo·ken [-spóukən] *a.* 솔직한, 바른말 하는, 터놓고 말하는
free·stand·ing [-stǽndiŋ] *a.* **1** 〈소각·담 등이〉 독립되어 서 있는, 버팀 없이 서 있는 **2** 〈다른 동종(同種)과〉 제휴하지 않는, 자치의
fréestánding ínsert 《신문의》 별쇄 광고판(版)
Frée Státe 〖미국사〗 자유주(州) 《남북 전쟁 전에 노예를 사용하지 않던 주》 **Frée Státer** *n.*
free·stone [-stòun] *n.* **1** Ⓤⓒ 자르기 쉬운 암석 《sandstone, limestone 등》 **2** 씨를 발라내기 쉬운 과일 《peach, plum 등》 **—** *a.* 씨를 발라내기 쉬운
free·style [-stàil] *n., a.* 〖스포츠〗 자유형(의)
frée·stỳl·er *n.* 자유형 선수
free-swim·mer [-swímər] *n.* 〖동물〗 자유 유영(遊泳)의 동물 《물고기·해파리 등》
free-swim·ming [-swímiŋ] *a.* 〖동물〗 자유 유영성(遊泳性)의
free-swing·ing [-swíŋiŋ] *a.* 무모한, 제멋대로의; 거침없는
free·think·er [-θíŋkər] *n.* 《종교상의》 자유사상가; 불가지론자(agnostic)
free·think·ing [-θíŋkiŋ] *n., a.* 자유사상(을 지닌) 《특히 종교상의》
frée thóught 자유사상 《특히 종교상의》
frée thrów 〖농구〗 자유투
frée thrów làne 〖농구〗 자유투 구역
frée tícket 무료 입장표; 자유로운 권리; 《야구속어》 사구(walk)
free-to-air [-təέər] *a.* 〈TV(프로)가〉 시청료 무료의
Free·town [frí:tàun] *n.* 프리타운 《서아프리카 Sierra Leone의 수도》
frée tráde 〖경제〗 자유 무역(cf. PROTECTION, PROTECTIVE TRADE); 자유 무역제, 자유 무역주의
frée tráder 〖경제〗 자유 무역주의자
frée-tráde zòne 〖경제〗 자유 무역 지대 《略 FTZ》
frée tránsit 《야구속어》 사구(walk)
frée transportátion 《야구속어》 사구(walk)
frée únion 《남녀의》 동거
frée univérsity 《대학의》 자주(自主) 강좌; 《학생이 운영 주도권을 쥔》 자유 대학
frée variátion 〖언어〗 자유 변이(變異)
frée vérse 자유시(自由詩)
frée vóte 《영》 《당의 결정에 구속받지 않는》 자유 투표
free·ware [frí:wὲər] *n.* Ⓤ 〖컴퓨터〗 프리웨어 《자유롭게 배포돼 누구나 사용 가능한 소프트웨어》
free·way [-wèi] *n.* 《미》 《보통 다차선식(多車線式)의》 고속도로(cf. EXPRESSWAY); 무료 간선 도로
free·wheel [-*h*wí:l] *n.* 《자전거·자동차의》 자재륜(自在輪), 자유 회전 장치
— *vi.* **1** 《페달을 멈추고 또는 동력을 끊고》 타성으로 달리다 **2** 자유롭게[제멋대로] 움직이다[행동하다]
free·wheel·ing [-*h*wí:liŋ] *n.* freewheel의 사용 **—** *a.* 자재륜의[을 이용한]; 〈사람이〉 자유분방한; 〈말·행동이〉 제멋대로의; 《미·속어》 아낌없이 돈을 쓰는
frée wíll 자유 의지; 〖철학〗 자유 의지설
free·will [-wíl] *a.* Ⓐ 자유 의지의, 임의의, 자발적인: a ~ contribution 자발적인 기부
free·wom·an [-wùmən] *n.* (*pl.* **-wom·en** [-wìmin]) FREEMAN의 여성형
frée wórld [the ~; 종종 **F- W-**] 《공산 세계와 대비된》 자유세계, 자유진영
‡**freeze** [frí:z] *v.* (**froze** [fróuz]; **fro·zen** [fróuzn]) *vi.* **1** [보통 it을 주어로 하여] 얼음이 얼다, 얼 정도로 춥다: 《~+副》 *It froze hard* last night. 간밤에 얼음이 꽁꽁 얼었다. // *It's freezing* in this room. 이 방은 너무 춥다. **2** 〈물이〉 얼다, 얼어붙다, 결빙하다 《*up, over*》; 응결하다; 몸이 얼다, 얼어붙다 《*to, together*》: 《~+副》 The pond *froze over.* 연못이 온통 얼어붙었다. // 《~+前+名》 The automobile tires *froze to* the ground. 자동차 타이어가 지면에 얼어붙었다. **3** 얼어 죽다, 동사하다; 몸이 언 것처럼 느끼다; 몸서리치다 《*with*》: 《~+前+名》 I am *freezing to* death. 추워서 얼어 죽을 것 같다. **4** 《공포·충격·놀람·긴장 등으로》 얼어붙다, 굳어져 움직이지 않다: Fear made him ~. 공포로 그는 그 자리에 못박혔다. / My heart *froze* when I heard the news. 그 소식을 듣고 심장이 어는 듯했다. / *F*~*!* 꼼짝 마라! // 《~+前+名》 His face *froze with* terror. 그의 얼굴은 공포로 굳어졌다. **5** [well 등의 양태(樣態) 부사와 함께] 〈식품이〉 냉동 보존이 되다: 《~+副》 This fish ~*s well.* 이 생선은 냉동 보존이 된다. **6** 〈엔진·기계 등이〉 얼어서[오일이 없어져] 작동하지 않다 《*up*》; 〈수도관 등이〉 얼어서 막히다: The water pipes *froze.* 수도관이 얼었다. **7** 〖컴퓨터〗 〈시스템이〉 정지하다, 멈추다 **8** 〈표정 등이〉 굳어지다, 냉담하여지다, 쌀쌀맞아지다 《*up*》
— *vt.* **1** 〈물을〉 얼게 하다, 결빙시키다 《*in, over, up*》: 《~+目+前+名》 be *frozen into* ice 결빙하다 // 《~+目+副》 be *frozen up* 얼어붙다, 꽁꽁 얼다 / The lake was *frozen over.* 호수는 온통 얼어붙었다. **2** [수동형으로] 《구어》 〈몸을〉 얼게 하다, 동상이 걸리게 하다, 얼어 죽게 하다: 《~+目+前+名》 be *frozen to* death = be *frozen* dead 얼어 죽다 / be *frozen to* the marrow[bones] 골수[뼛속]까지 얼다 **3** 간담을 서늘케 하다, 오싹하게 하다; 〈열정 등을〉 식히다, 힘 빠지게 하다, 냉담하게 하다: ~ a person's blood …을 소름 끼치게 하다 // 《~+目+前+名》 ~ a person *with* a frown 무서운 얼굴로 덜덜 떨게 하다 **4** 〈공포 등이〉 〈사람을〉 꼭 매달리게 하다, 꼼짝 못하게 하다: 《~+目+前+名》 Fear *froze* her *to*[*onto*] the steering wheel. 공포로 그녀는 핸들에 꼭 매달렸다. **5** 《구어》 〈물가·임금 등을〉 동결시키다, 고정시키다; 〈자산 등을〉 동결하다; 〈원료·제품 등의〉 사용·제조·판매를 금지하다, 〈무기 등의〉 생산[개발]을 동결하다: an agreement to ~ nuclear weapons 핵무기 동결 협정 **6** 〖스포츠〗 약간의 리드를 지키기 위해 시합 종료 직전에 〈공 등을〉 유지하다 **7** 〖영화〗 〈영상을〉 정지시킨 듯이 찍다; 〖사진〗 〈움직이는 피사체를〉 흔들림 없이 찍다, …의 분해 사진을 찍다 **8** 〖컴퓨터〗 〈시스템을〉 정지시키다, 멈추게 하다 **9** 〖외과〗 〈신체 일부를〉 냉동 마취시키다 **10** 〈추위가〉 〈기계 등을〉 얼려 움직이지 않게 하다 **11** 〈고기 등을〉 냉동하다; 급속 냉동하다
~ *down* 《미·구어》 정착하다 **~ *in*** [보통 수동형으로] 〈배를〉 얼음으로 가두다 **~ *in* one*'s tracks*** 그 자리에 얼어붙은 듯이 꼼짝 못하다 **~ *off*** 《구어》 냉담하게 대하다 **~ (*on*) *to*** 《구어》 꼭 달라붙다, 붙들고 늘어지다(hold fast to) **~ *out*** 《구어》 《냉대·격심한 경쟁 등으로》 몰아내다, 내쫓다; 혹한으로 〈행사 등을〉 개최 못하게 하다 **~ *over*** ⇨ *vi.* 2 **~ *the balls off a brass monkey*** 《미·속어》 엄청나게 춥다 **~ *to death*** ⇨ *vi.* 3 **~ *up*** (1) 동결하다, 얼음으로 가두다[막다] (2) 《구어》 ⇨ *vi.* 6; 《무대에서》 얼다 ***till*** [***until***] ***hell ~s over*** 영구히, 영원히
— *n.* [a ~, the ~] **1** 결빙; 결빙기; 혹한 **2** 《물가·임금 등의》 동결, 고정: a wage ~ = a ~ on wages 임금 동결 **3** 《구어》 냉동고(freezer) **4** 《속어》 냉담한 태도 ***do a ~*** 《영·구어》 매우 춥다 ***put the ~ on*** a person = ***give*** a person ***the ~*** 《미·속어》 …에게 냉담한 태도를 취하다 ▷ fróst *n.*
freeze-dry [frí:zdrài] *vt.* (**-dried**) 냉동 건조하다

thesaurus **freezing** *a.* chilling, frosty, glacial, arctic, wintry, biting, piercing, penetrating, numbing, raw, stinging

fréeze ètching 동결 식각법(蝕刻法)《전자 현미경의 시료(試料) 작성법》
freeze-frac·ture [-frǽktʃər] *vt., vi.* (시료(試料)를) 동결 파단(破斷)하다《전자 현미경용 표본 작성을 위하여》
fréeze fràcturing (시료의) 동결 파단(凍結破斷)
fréeze fràme 〖영화·TV〗 (움직이는 영상의) 정지(靜止) 화면, 스톱 모션
freeze-frame [-frèim] *vt., vi.* freeze frame 기능을 사용하다; (장면을) 일시 정지시키다
freeze·nik [fríːznik] *n.* 《미》 핵동결 운동가
freeze-out [-àut] *n.* **1** 《미·속어》 내쫓음《냉대 등으로》 **2** 〖카드〗 포커 놀이의 일종
*****freez·er** [fríːzər] *n.* **1** 냉동 장치, 냉동고; 《미》 (냉장고 안의) 냉동실; 냉동차; 냉장고 **2** 아이스크림 제조기《수동식의》
fréezer bùrn 냉동상(冷凍傷)《냉동육·생선 등의 수분의 발산으로 인한 조직의 변화》
freeze-up [-ʌ̀p] *n.* 《구어》 결빙기[지대, 상태], 혹한기
*****freez·ing** [fríːziŋ] *a.* **1** 어는; 몹시 추운: It's ~ tonight. 오늘밤은 얼듯이 춥다. **2** 〈태도 등이〉 냉담한, 소름 끼치는 **3** 결빙(結氷)의; 〈식료품이〉 냉동용의
— *n.* ⓊⒸ (물의) 빙점; 냉동, 결빙; (자산 등의) 동결 ***below*** **~** 빙점 이하의[에], 영하의[에]
fréezing compàrtment (냉장고의) 냉동실
fréezing drízzle 결빙성의 진눈깨비
freez·ing·ly [fríːziŋli] *ad.* 얼 것처럼, 얼도록; 냉담하게
fréezing mìxture 〖화학〗 한제(寒劑), 동결제《소금과 얼음의 혼합 등의 냉각제》
fréezing pòint [the ~] 어는 점, 빙점《略 fp》(cf. BOILING POINT) ***below*** **(*the*)** **~** 빙점 이하의[에]
fréezing ràin (땅에 닿으면) 얼어붙는 비
fréezing wòrks [단수 취급] 《호주·뉴질》 (가축의) 냉동 공장
fŕee zòne 자유 지역《도시·항구의》
F règion 〖물리〗 (전리층의) F층
*****freight** [fréit] *n.* **1** Ⓤ 화물 운송; 《특히 영》 수상(水上) 운송, 《미·캐나다》 공중 수송, 육상 운송《특히 철도편》 **2** Ⓤ 용선(傭船); 화차 임대(賃貸); 운송료, 운임, 용선료 **3** 《미》 (운송) 화물(《영》 goods), 적화, 뱃짐, 항공 화물 **4** 《미·캐나다》 = FREIGHT TRAIN; 《영》 = GOODS TRAIN **5** 보통 화물편(opp. *express*): by ~ 《미》 보통 화물편으로(opp. *by express*)
advanced **~** 운임 선불 ***drag*** **[*pull*]** one***'s*** **~** 《속어》 가버리다 **~** ***free*** 운임 무료로 **~** ***paid*** **[*prepaid*]** 운임 지불필[선불] ***pay the*** **~** ***for*** 《미·속어》 …에 대한 대금[대가, 비용]을 치르다
— *vt.* **1** 〈책임·부담·의미 등을〉 지게 하다 《*with*》: (~+목+전+명) a young man *~ed with* responsibility 책임을 진 젊은이 **2** …에 (화물을 싣다): (~+목+전+명) ~ a ship *with* coal 배에 석탄을 싣다 **3** 〈배·화차를〉 빌리다 **4** 운송하다, 수송하다; 실어 내다, 출하하다: (~+목+전+명) ~ goods *to* New York 뉴욕으로 화물을 보내다
▷ fréightage *n.*
freight·age [fréitidʒ] *n.* Ⓤ 화물 운송(《영》에서는 주로 수상(水上) 운송); 화물 운송료, 운임; 운송 화물, 적화(積貨)(cargo)
fréight àgent 화물 취급업자, 운송 대리점
fréight càr 《미》 화차(《영》 goods wagon)
fréight dèpot 《미》 화물역(《영》 goods station)
fréight èngine 《미》 화물 기관차
freight·er [fréitər] *n.* 뱃짐 싣는 사람, 화물 취급인; (화물의) 탁송인(託送人); 화주; 운송업자; 화물선(cargo vessel), 화물 수송기

freight *n.* **1** 화물 운송 transportation, conveyance, carriage, portage **2** 화물 cargo, load, lading, consignment, goods, merchandise

fréight fòrward 운임 수취인 지불
fréight fòrwarder 화물 운송업자
fréight fòrwarding 운송업
fréight hòuse 《미》 (철도의) 화물 보관소
fréight insùrance 〖해상보험〗 운임 보험
freight·lin·er [fréitlàinər] *n.* 《영》 컨테이너 화물 열차
fréight páss-through 〖상업〗 서적 운송비 수당《略 FPT》
fréight ràte (화물) 운임률
fréight tèrminal 《미》 화물 조차장(操車場)(《영》 goods yard)
fréight tòn (화물의) 용적 톤《40 세제곱 피트》
fréight tràin 컨테이너 화물 열차; 《미》 화물 열차(《영》 goods train)
FRELIMO, Fre·li·mo [freilíːmou] *n.* 모잠비크 해방 전선
frem·i·tus [frémitəs] *n.* (*pl.* **~**) 〖의학〗 진탕음(震盪音)
*******French** [fréntʃ] *a.* 프랑스 (사람, 어)의; 프랑스제[풍, 계]의: a ~ lesson 불어 수업 / ~ wine 프랑스제 포도주 / His wife is ~. 그의 아내는 프랑스 사람이다.
— *n.* **1** Ⓤ 프랑스 어 **2** [the ~; 복수 취급] 프랑스 사람[국민], 프랑스 군(軍) **3** 천한 말씨, 상말: Pardon [Excuse] my ~. 《구어》 말을 함부로 해 미안하다.
— *vt.* **1** [종종 **f~**] 〈꼬투리완두를〉 가늘게 자르다; 프랑스식으로 조리하다; 〈갈비에서〉 고기를 발라내다 **2** 《속어》 = SHORT-SHEET **3** 《속어》 …에게 오럴 섹스를 하다 **~·ness** *n.*
▷ Fránce *n.*
Frénch Acádemy [the ~] 프랑스 한림원《1635년 프랑스 어의 순수성을 유지하기 위해 창립, 40명의 학자·문필가로 구성》
Frénch béan 《영》 강낭콩(kidney bean); 꼬투리 강낭콩(snap bean)
Frénch bóot 《미》 (주차 위반 차량의 바퀴에 끼워 발차를 못하게 하는) 바퀴 고정구
Frénch bráid 《미》 뒤로 모아 한 가닥으로 땋은 머리(《영》 French plait)
Frénch bréad 프랑스 빵《French loaf, French roll 등 길쭉한 빵》
Frénch Cánada 프랑스계 캐나다 사람들이 많은 캐나다 지역《특히 Quebec 주》
Frénch Canádian 프랑스계 캐나다 사람; 그들이 사용하는 프랑스 어
Frénch chálk (재단사용) 활석 분필
Frénch chóp 프렌치 촙《특히 새끼 양의 뼈에서 발라낸 갈비살(rib chop)》
Frénch Commúnity [the ~] 프랑스 공동체《프랑스 본국과 구식민지를 포함한 연합체》
Frénch Connéction 프렌치 커넥션《프랑스의 Marseilles에 본거를 둔 대미(對美) 마약 밀수 조직》
Frénch crícket 프랑스식 크리켓《타자의 두 다리를 기둥으로 삼는 약식 크리켓》
Frénch cúff 커프스 버튼을 끼우게 된 접은 소매
Frénch cúrve 운형(雲形)자《곡선 제도용》
Frénch dóor [보통 *pl.*] (경첩에 의해) 좌우로 열리는 두짝 유리문
Frénch dréssing 프렌치드레싱《올리브유·식초·소금·향료 등으로 만든 샐러드용 소스》
Frénch Equatórial África 프랑스령(領) 적도 아프리카《콩고·가봉·중앙아프리카 및 차드의 4개 공화국의 독립(1960) 전의 식민지 연방》
Frénch fáct 《캐나다》 Quebec 주에서의 프랑스 어·프랑스 문화의 우위
Frénch fríed potátoes = FRENCH FRIES
Frénch fríes 프랑스식 감자튀김《잘게 썰어서 튀김》(《영》 potato chips)
French-fry [fréntʃfrài] *vt.* (**-fried**) 많은 기름에 담가 튀기다
Frénch gráy 초록색을 띤 회색

Frénch Guiána 프랑스령 기아나 《Guiana의 전신》
Frénch héel 프렌치 힐 《구부러진 하이힐》
Frénch hórn 〖음악〗 프렌치 호른 《소용돌이꼴 악기, 보통 호른이라고도 함》

French horn

Frénch íce crèam 프렌치 아이스크림 《우유와 달걀 노른자로 커스터드처럼 얼린 아이스크림》
French·i·fy [fréntʃəfài] *vt.* (-fied) [종종 f~] 〈풍속·습관·의복 등을〉 프랑스식으로 하다, 프랑스 어투로 하다(cf. GALLICIZE) **Frènch·i·fi·cá·tion** *n.*
French·ism [fréntʃizm] *n.* =GALLICISM
Frénch kíss [때로 f- k-] 혀로 하는 키스(deep kiss, soul kiss) **Frénch-kìss** *vi., vt.*
Frénch kníckers (폭이 넓은) 니커 바지
Frénch knót 프랑스식 매듭 《바늘에 두 번 이상 실을 감아 원래 구멍에 꿰어 만드는》
Frénch léave [18세기 프랑스에서 손님이 주인측에 인사 없이 돌아간 습관에서] 인사 없이 가 버리기 ***take*** ~ 무단으로 퇴석[이탈]하다, 슬그머니 떠나다
Frénch létter (영·속어) 콘돔(condom)
Frénch lóaf (가늘고 긴) 프랑스 빵, 바게트(baguette)
‡**French·man** [fréntʃmən] *n.* (*pl.* **-men** [-mən]) **1** 프랑스 사람, 《특히》 프랑스 남자 **2** 프랑스 어를 쓰는 사람: a good[bad] ~ 프랑스 어가 능한[서투른] 사람 **3** 프랑스 선박
Frénch návy 칙칙한 감청색
Frénch pástry 프랑스식 파이
Frénch pláit (영) =FRENCH BRAID
Frénch pléat (영) =FRENCH TWIST
Frénch pólish 프랑스 니스; 랙(lac)칠 《나무 부분을 광내는 데 사용》
French-pol·ish [-pɑ́liʃ | -pɔ́-] *vt.* 랙칠하다, 랙으로 끝손질하다
Frénch póstcard (속어) 춘화, 외설 사진
Frénch préss (미) 프레스 포트 《커피 포트의 일종》
Frénch Províncial [때로 F- p-] 프랑스 지방 양식 《18세기에 프랑스 지방에서 비롯된 가구나 장식의 양식; 조각된 목재 사용이 특징》
Frénch Repúblic [the ~] 프랑스 공화국 《France의 정식 명칭》
*__Frénch Revolútion__ [the ~] 〖프랑스사〗 프랑스 혁명(1789-99)
Frénch Revolútionary cálendar 프랑스 혁명력(曆), 공화력
Frénch róll 프렌치 롤(빵)
Frénch róof 〖건축〗 프랑스식 지붕 《mansard 비슷함》
Frénch séam 통솔 《천의 솔기를 뒤집어 기워 천의 끝이 보이지 않게 한 바느질》
Frénch stíck =BAGUETTE
Frénch sỳstem 프랑스식 소모(梳毛) 방적법
Frénch télephone =HANDSET
Frénch tíckler (속어) (여성의 쾌감을 높이기 위해) 돌기물 따위가 붙은 콘돔
Frénch tóast 프렌치 토스트 《우유와 달걀을 섞은 것에 담갔다가 프라이팬에 살짝 구운 빵》
Frénch twíst (미) 머리를 뒤로 묶어 원기둥 모양으로 감아올린 여성의 머리 스타일
Frénch Únion [the ~] 프랑스 연합 《1958년 French Community로 개칭》
Frénch wíndow [보통 *pl.*] (영) (경첩에 의해) 좌우로 열리는 두짝 유리창 《정원·발코니로 통하는》
French·wom·an [-wùmən] *n.* (*pl.* **-wo·men** [-wìmin]) 프랑스 여자
French·y [fréntʃi] (구어) *a.* (**French·i·er**; **-i·est**) 프랑스풍[식]의 **—** *n.* (*pl.* **French·ies**) 프랑스 사람
fren·e·my [frénəmi] [*f*riend+*enemy*] *n.* (*pl.* **-mies**) 친구처럼 행동하지만 적(인 사람)
fre·net·ic [frənétik] *a.* 열광적인, 미친 듯이 흥분한 (frantic) **—** *n.* 광란[열광]자 **-i·cal·ly** *ad.*
Freng·lish [fréŋgliʃ] *n., a.* 프랑스 어가 섞인 영어(의)
fren·u·lum [frénjuləm] *n.* (*pl.* **-la**[-lə]) 〖해부〗 (혀 등의) 소대(小帶)(small frenum); 〖동물〗 (해파리의 갓 등의) 계대; 〖곤충〗 시구(翅鉤), 포극(抱棘)
fre·num [frí:nəm] *n.* (*pl.* **~s, -na** [-nə]) 〖해부〗 (혀 등의) 소대(小帶)
fren·zied [frénzid] *a.* 열광적인; 광포한: ~ applause 열광적 박수갈채 / become ~ 격분하다 / be ~ with joy 미칠 듯이 기뻐하다 **~·ly** *ad.*
*__fren·zy__ [frénzi] *n.* (*pl.* **-zies**) ⓊⒸ 격분, 격앙; 열광; 광포, 광란; 발작: a ~ of rage 격노 / The last minute goal sent the crowd into a ~. 종료 1분 전의 골은 관중을 열광케 했다.
a feeding ~ ⇨ feeding frenzy. ***drive*** a person ***to*** [***into***] ~ …을 격분시키다 ***in a ~*** 격분하여 ***work*** one***self into a ~*** 광포해지다
— *vt.* (**-zied**) 격분하게 하다, 광포하게 하다(⇨ frenzied)
Fre·on [frí:ɑn | -ɔn] *n.* 프레온 《무색무취의 가스로서 냉동제; 상표명》
freq. frequency; frequentative; frequent(ly)
fre·quence [frí:kwəns] *n.* =FREQUENCY 1
*__fre·quen·cy__ [frí:kwənsi] *n.* (*pl.* **-cies**) **1** ⓊⒸ 자주 일어남, 빈번, 빈발 《*of*》: the ~ *of* crimes 범죄의 빈발 **2** (통계의) 회수, 도수, 빈도; 맥박수 **3** 〖물리〗 진동수; (전파 등의) 주파수 《기호 F; 略 freq.》: high[low] ~ 고[저]주파 **4** 〖수학·통계〗 도수
fréquency bànd 〖통신〗 주파수대(帶)
fréquency convèrter[**chànger**] 〖전자〗 주파수 변환기
fréquency díscount 〖광고〗 (게재 횟수에 의한) 요금 할인(time discount)
fréquency distribùtion 〖통계〗 도수(度數) 분포
fréquency modulàtion 〖통신〗 주파수 변조; 《특히》 FM 방송 《略 FM》(cf. AMPLITUDE MODULATION)
fréquency respònse 〖전자〗 주파수 응답 (곡선)
‡**fre·quent** [frí:kwənt] [L 「붐비는」의 뜻에서] *a.* **1** 자주 일어나는, 자주 있는, 빈번한: as is ~ with …에(게)는 자주 있는 일이지만 / be a ~ occurrence 자주 생기는[있는] 일이다 / have ~ headaches 자주 두통이 일어나다 **2** 자주 …하는, 상습적인(habitual): a ~ visitor 자주 찾아오는 이, 단골손님 **3** 점재(點在)해 있는; 수많은 **4** 〈맥박이〉 빠른
— [frikwént, frí:kwənt | frikwént] *vt.* **1** 〈장소·회합 등에〉 자주 가다, 무상[뻔질나게] 출입하다, …에 항상[늘] 모이다: ~ beauty parlors 미장원에 자주 가다 / Frogs ~ ponds. 개구리는 흔히 연못에 있다. **2** …와 사귀다: ~ learned men 학자들과 사귀다
fre·quen·ta·tion [frì:kwentéiʃən] *n.* Ⓤ 자주 감[출입함]; 습관[조직]적인 독서
fre·quen·ta·tive [frikwéntətiv] 〖문법〗 *a.* (동작의) 반복 표시의: ~ verbs 반복 동사
— *n.* 반복 동사 《보기: sparkle은 spark의 반복 동사》; 반복상(相)
fre·quent·er [frikwéntər] *n.* 자주 가는 사람; 단골손님
fréquent flíer (항공사의) 상용(常用) 고객 《항공사의 마일리지 서비스에 가입된》
‡**fre·quent·ly** [frí:kwəntli] *ad.* **자주**, 종종, 빈번히, 뻔질나게: write home ~ 집으로 자주 편지를 쓰다
frère [frέər] [F] *n.* (*pl.* **~s** [~]) 형제, 동지; 수도사

thesaurus **frequent** *a.* **1** 빈번한 often, recurrent, repeated, persistent, continuing, many, numerous, several (opp. *rare, infrequent, few*) **2** 상습적인 common, habitual, regular, usual, customary (opp. *infrequent, few, rare*)
fresh *a.* **1** 신선한 raw, natural, unprocessed,

fres·co [fréskou] [It. =fresh] *n.* (*pl.* **~(e)s**) Ⓤ 프레스코 화법 《갓 칠한 회벽토에 수채(水彩)로 그리는 벽화법》; Ⓒ 프레스코 벽화 ***in ~*** 프레스코 화법으로 **—*vt.*** **1** 〈벽에〉 프레스코 그림을 그리다 **2** 〈그림을〉 프레스코 화법으로 그리다

‡fresh [fréʃ] *a., ad., n., v.*

> 「새로운」 **1** → 「신선한」 **1** → 「갓 만든」 **2** / →(고기가 간하지 않은) / → 「짠맛이 없는」 **4**
> → (새로운 느낌을 주는) 「선명한」 **6** → 「맑은」 **7**

—*a.* **1 a** **새로운**(new); 〈식품 등이〉 **신선한,** 싱싱한; 날것의: ~ herrings 싱싱한 청어 / ~ meat 날고기 / ~ eggs 막 낳은 달걀 / ~ fish 싱싱한 생선 **b** Ⓐ 새로 발생한[발견된, 공급된, 들어온]: ~ news 새로운 뉴스 / ~ footprints 아직 새로운 발자국 / uncover ~ facts 새로운 사실을 폭로하다 **2** 갓 만든, (…로부터) 나온 지 얼마 안 되는, 신착의 《*from, out of*》: ~ bread 갓 구운 빵 / The pie is ~ *from* the oven. 그 파이는 오븐에서 갓 구운 것이다. / a teacher ~ *from* college 대학을 갓 나온 선생 **3** Ⓐ 신규의, 새로운: ~ supplies 신규 지급품 / a ~ start 새로운 출발 **4** Ⓐ **짠맛이 없는,** 간하지 않은(opp. *salt*): ~ butter 생버터 / ~ water 맑은 물, 민물, 단물 **5** 〈안색·피부 등이〉 화색이 도는, 윤기 흐르는, 건강한; 〈의기·체력 등이〉 생기 넘치는, 싱싱한, 기운찬, 발랄한(vigorous): a ~ complexion 젊고 건강한 안색 / be ~ for action 행동 개시를 앞두고 의기충천하다 / Everything looked ~ after the rain. 비 온 후에 만물이 싱싱하게 보였다. / She was still ~ after that long walk. 그녀는 그렇게 오래 걸은 후에도 여전히 생기가 넘쳤다. **6** 〈기억·인상 등이〉 **선명한,** 생생한; 〈색이〉 밝은: ~ paint 갓 칠한 페인트 **7** 〈공기·기후 등이〉 **맑은,** 시원한, 상쾌한: ~ air (야외의) 맑은 공기 **8** 〈바람이〉 센(strong); 〖항해〗 배 속력이 빠른 《세찬 바람 때문에》 (steady): ⇨ FRESH BREEZE / gather ~ way 〈배가〉 속력을 올려 달리다 **9** 숫된, 미숙한, 풋내기의, 경험 없는: a ~ hand 미숙자, 풋내기 / a ~ recruit 신입 사원 **10** 〈암소가〉 송아지를 갓 낳은, 새로 젖이 나오게 된 **11** 《미·속어》 멋진, 굉장한 《10대들 사이에서》 **12** 《구어》 뻔뻔스러운; 주제넘은(forward), 건방진; (여자에게) 무간하게 대하는 《*with*》 **13** 《구어》 얼근히 취한, 주기를 띤

(***as***) ***~ as paint***[***a rose, a daisy***] 기운이 넘쳐흐르는 ***break ~ ground*** 새로운 분야를 개척하다 ***~ and sweet*** 《미·속어》 〈매춘부가〉 교도소에서 막 출소한 ***~ bit*** 《미·속어》 처녀 ***~ one*** 《미·속어》 (교도소의) 신참 (죄수) ***F~ paint!*** 《게시》 칠 주의! ***green and ~*** 풋내기의 ***in the ~ air*** 집 밖에서, 야외에서 ***make***[***get***] ***a ~ start*** 새 출발하다 ***throw ~ light on*** …에 새로운 해석을 내리다

—*ad.* [보통 복합어를 이루어] 새로이, 새로(freshly): ~-caught 갓 잡은 / ~-picked 갓 딴 ***~ out of*** 《미·구어》 …이 방금 동이 나서: We're just ~ *out of* tomatoes. 토마토가 방금 동이 나 버렸는데요.

—*n.* **1** (날·해·인생 등의) 초기, 신선한 시기: in the ~ of the morning 아침 일찍이 **2** =FRESHET **3** (일진의) 돌풍: a ~ of wind 한바탕의 돌풍 **4** 《미·학생속어》 신입생(freshman)

—*vt., vi.* 새롭게 하다, 새로워지다

▷ fréshen *v.*

fresh-air [-ɛ́ər] *a.* Ⓐ (공기가 신선한) 야외의

unpreserved, undried, crude **2 새로운** new, recent, latest, modern, innovative, original, unusual, unconventional **3 생기 넘치는** energetic, vigorous, healthy, vital, lively, bright **4 (날씨가) 상쾌한** bright, clear, cool, crispy, clean, refreshing **5 경험 없는** young, untrained, inexperienced

frésh blóod [집합적] 신인, 신진 기예

fresh·blown [fréʃblóun] *a.* 〈꽃 등이〉 막 피어난

frésh bréeze 〖기상·항해〗 (초속 9미터 전후의) 흔들바람, 질풍

frésh díp 《속어》 평상복, 캐주얼복

fresh·en [fréʃən] *vt.* **1** 신선하게 하다; 새로이 힘을 북돋우다 《*up*》; 새롭게 하다: ~ one's makeup 화장을 고치다 **2** …에서 소금기를 빼다: ~ seawater 해수를 담수화하다 **—*vi.*** **1** 신선하게 되다; 새로이 힘이 나다 《*up*》 **2** (세수·목욕 등을 하여) 기분이 상쾌해지다 《*up*》 **3** 〈바람이〉 세지다 《*up*》 **4** 소금기가 빠지다 **5** 〈암소가〉 새끼를 낳다, 젖이 나다

fresh·en·er [fréʃənər] *n.* **1** 신선하게 하는 것[사람] **2** 스킨 로션 **3** 청량 음료수

fresh·er [fréʃər] *n.* 《영·구어》 =FRESHMAN 1

fresh·et [fréʃit] *n.* **1** 민물의 흐름 《바다로의》 **2** 증수, 홍수 《폭우·해빙(解氷)으로 인한》

fresh-faced [fréʃfèist] *a.* 〈얼굴이〉 젊고 건강한, 동안인, 〈젊은이가〉 홍안인

frésh gále 〖기상·항해〗 큰바람 《초속 18미터 전후의》

***fresh·ly** [fréʃli] *ad.* [보통 과거분사 앞에서] **새로이,** 새롭게; 신선하게; 산뜻하게; 싱싱하게: ~ pound black pepper 갓 빻은 후춧가루

***fresh·man** [fréʃmən] *n.* (*pl.* **-men** [-mən]) **1** (대학의) **신입생,** 1학년생 《(미)에서는 고교생도 포함》 ★ 1학년생부터 4학년생까지는 각각 FRESHMAN, SOPHOMORE, JUNIOR, SENIOR의 순서; 이 말은 여학생에게도 쓰임. **2** 《미》 초년생 《의원(議員) 등》, 신출내기, 신참자

—*a.* **1** Ⓐ 《미》 (대학·고교의) 1학년생의 **2** 신참의; 미숙한: a ~ senator 새 상원의원 **3** 1학년생[초심자]을 위한 **4** 처음인, 첫 번째의: my ~ year with the firm 나의 입사 첫 해 **~·shìp** *n.*

fréshman wèek (대학) 신입생 오리엔테이션 주간

***fresh·ness** [fréʃnis] *n.* Ⓤ **신선미,** 새로움; 생생함, 선명, 팔팔함; 상쾌함

fresh·per·son [fréʃpə̀ːrsn] *n.* =FRESHMAN

fresh-run [-rʌ̀n] *a.* 〈연어 등이〉 바다에서 강으로 방금 올라온

frésh wáter 담수, 민물; 신선한 인물

fresh·wa·ter [-wɔ̀ːtər, -wɑ̀tər] *a.* Ⓐ **1** 민물의, 담수성(淡水性)의; 민물에서 나는(opp. *saltwater*): ~ fish 민물고기 **2** (민물 항행만 해보고) 바다에서는 서투른; 《일반적으로》 미숙한 **3** 《미》 시골의, 무명의: a ~ college 시골 대학

fres·nel [frənél, frei- | fréinel] [프랑스의 물리학자 이름에서] *n.* 〖물리〗 프레넬 《주파수·진동수의 단위; 1초당 10^{12} 사이클》

Fresnél mírrors 〖광학〗 프레넬의 복경(複鏡) 《빛의 간섭 실험용》

fress [frés] *vi.* 《속어》 게걸스레 먹다, 과식하다

‡fret¹ [frét] [OE 「다 먹어 버리다」의 뜻에서] *v.* (**~·ted**; **~·ting**) *vt.* **1** [종종 ~ one*self* 로] **속타게 하다, 초조하게 하다,** 안달하게 하다(irritate) 《*about, at, for, over*》; 〈시간 등을〉 안절부절못하며 지내다 《*away*》: (~+목+부) ~ *away*[*out*] one's life 안달복달하며 살아가다 // (~+목+전+명) ~ *oneself to* death 죽도록[몹시] 속태우다 / Don't ~ *yourself about* me. 나 때문에 속태우지 말아요. **2** 《비유》 〈심신·건강을〉 해치다 《*away, out*》: (~+목+부) ~ one's health *away* 건강을 해치다 **3** 〈바람이〉 〈수면을〉 어지럽히다, 물결을 일으키다(ruffle) **4** 〈녹 등이〉 부식하다, 침식하다; 〈벌레 등이〉 먹어 들어가다; 〈피부를〉 생채기 내다(chafe) **5** 〈말이〉 〈재갈을〉 깨물다

—*vi.* **1** **애타다, 안달하다,** 고민하다: (~+전+명) have nothing to ~ *about* 애태울 일은 아무것도 없다 / *Fretting about* the lost ring isn't going to help. 없어진 반지 때문에 안달해도 소용없다. **2** 〈수면이〉 철썩거리다, 파도치다, 물결이 일다(ruffle) **3** 〈벌레 등이〉 먹어 들어가다; (산·녹 때문에) 〈금속 등이〉 부식하다, 침식하다; (신경 등을) 좀먹다; 물다, 깨물어 구멍

을 내다: (~+부) Limestone slowly ~*s away.* 석회석은 서서히 침식된다. // (~+전+명) The horse ~*ted at* the bit. 말이 재갈을 물었다. **4** 〈강물 등이〉 (둑·땅에) 구멍을 내다: (~+전+명) The river ~*s at* its banks until a new channel is formed. 강이 제방을 침식시켜 결국 새로운 수로가 생긴다.
~ (, **fuss**) **and fume** 노발대발하다
— *n.* Ⓤ **1** 애달음, 초조(irritation); 불쾌; 고뇌, 고민(worry), 불안(anxiety): in a constant of ~ 언제나 안달이 나서[화가 나서] / in a ~ =on the ~ 초조하여, 화를 내어 **2** 부식(腐蝕), 침식(erosion), 마손(磨損) **3** Ⓒ 부식된 곳 **~·ter** *n.* ▷ fretful *a.*

fret² *n.* 〖건축〗 **1** 뇌문(雷紋), 만자(卍字) 무늬; 격자 세공 **2** (문장(紋章)의) 만자 무늬
— *vt.* (**~·ted**; **~·ting**) 뇌문으로 장식하다; 만자형 세공[모양]으로 하다

fret² 1

fret³ *n.* 〖음악〗 프렛 《현악기의 지판(指板)을 구획하는 작은 돌기》 — *vt.* (**~·ted**; **~·ting**) …에 프렛을 달다

fret⁴ *n.* (영) 해무(海霧), 바다 안개(= sea ~)

***fret·ful** [frétfəl] *a.* 화를 잘내는, 성마른, 안달하는 (irritable); 〈수면이〉 물결 이는 **~·ly** *ad.* **~·ness** *n.* ▷ fret¹ *v.*

frét sàw 실톱 《도림질용》

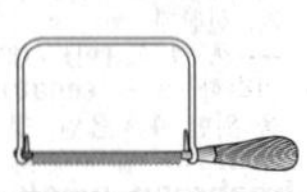
fret saw

fret·ted¹ [frétid] *a.* 안달이 난, 초조한

fretted² *a.* 뇌문(雷紋) 무늬[세공]의

fret·ty¹ [fréti] *a.* (**-ti·er**; **-ti·est**) = FRETFUL

fretty² *a.* 뇌문 모양의

fret·work [frétwə̀ːrk] *n.* **1** Ⓤ 도림질 세공 《뇌문 등의》; 뇌문 세공 《천장 등의》 **2** 뇌문 무늬의 것

Freud [frɔ́id] *n.* 프로이트 **Sigmund ~** (1856-1939) 《정신 분석학을 수립한 오스트리아의 의학자》

Freud·i·an [frɔ́idiən] *a.* 프로이트(학설)의; (구어) 무의식층에서의 성(性)에 관한[에서 생기는]
— *n.* 프로이트파의 사람

Freud·i·an·ism [frɔ́idiənìzm], **Freud·ism** [frɔ́idizm] *n.* Ⓤ 프로이트설[주의], 정신 분석학

Fréudian slíp 본심을[무의식적 욕구를] 드러낸 실언

Frey [fréi], **Freyr** [fréiə] *n.* 〖북유럽신화〗 프로이, 프로이르 《Njord의 아들; 풍요·작물·평화·번영의 신》

Frey·a [fréiə], **Frey·ja** [fréijɑː] *n.* 〖북유럽신화〗 프로이야, 프리야 《Frey의 여동생; 사랑·미·풍요의 여신; cf. FRIGGA》

FRF flight readiness firing 〖우주과학〗 예비 연소

FRG Federal Republic of Germany **FRGS** Fellow of the Royal Geographical Society **Fri.** Friday

fri·a·ble [fráiəbl] *a.* 부스러지기 쉬운, 무른, 버슬버슬한 **fri·a·bíl·i·ty** *n.* **~·ness** *n.*

fri·ar [fráiər] [L 「형제」의 뜻에서] *n.* **1** 〖가톨릭〗 탁발 수도사 **2** 〖인쇄〗 (고속 윤전기 인쇄에서 생기는) 고르지 못한 부분

Fríar Mínor (*pl.* **Friars Minor**) 〖가톨릭〗 프란체스코회 수사

fríar's bálsam 〖약학〗 안식향(安息香) 팅크

fríar's lántern 도깨비불

fri·ar·y [fráiəri] *n.* (*pl.* **-ar·ies**) 수도원; 탁발 수도회

FRIBA Fellow of the Royal Institute of British Architects

frib·ble [fríbl] *vi.* 쓸데없는 짓을 하다 — *vt.* 낭비하다 《*away*》: (~+목+부) ~ *away* one's time 시간을 낭비하다 — *n.* 쓸데없는 일(에 세월을 보내는 사람)

fric·an·deau, -do [fríkəndòu, ⌐—⌐] [F] *n.* (*pl.* **~s, ~x** [-z]; **~es**) 〖요리〗 프리칸도 《송아지·칠면조의 고기로 만든 스튜》

fric·as·see, -sée [frìkəsíː] [F] *n.* 〖요리〗 프리카세 《닭·송아지·토끼 등의 가늘게 썬 고기의 스튜 또는 프라이》 — *vt.* 〈고기를〉 프리카세식으로 요리하다

fri·ca·tion [frikéiʃən] *n.* Ⓤ 〖음성〗 협착적 기식음(氣息音)

fric·a·tive [fríkətiv] 〖음성〗 *a.* 마찰로 생기는
— *n.* 마찰음 《[f, ʃ, θ, ʒ] 등의 자음》

FRICS Fellow of the Royal Institution of Chartered Surveyors

***fric·tion** [fríkʃən] *n.* Ⓤ **1** 〖역학·물리〗 마찰 **2** (의견) 충돌, 알력, 불화 (conflict): ~ with another country 타국과의 불화 **~·less** *a.* **~·less·ly** *ad.* ▷ fríctional *a.*; fríctionize *v.*

fric·tion·al [fríkʃənl] *a.* 마찰의; 마찰로 일어나는[움직이는]: ~ electricity 마찰 전기 **~·ly** *ad.*

fríctional unemplóyment 마찰적 실업 《노동의 유동성 상실로 인한 일시적 실업》

fríction bàll 〖기계〗 (베어링의) 마찰 감소 볼[알]

fríction bràke 〖기계〗 마찰 브레이크

fríction clùtch 〖기계〗 마찰 연축기(連軸器), 마찰 클러치

fríction còupling 〖기계〗 마찰 접합(接合)

fríction gèar 〖기계〗 마찰 기어

fríction gèaring 〖기계〗 마찰 전동 장치

fric·tion·ize [fríkʃənàiz] *vt.* …에 마찰을 일으키다, 마찰로 …에 작용을 미치다

fríction lòss 〖기계〗 마찰 손실

fríction màtch 마찰 성냥

fríction tàpe (미) 전선 절연용 테이프

fríction whèel[pùlley] 〖기계〗 마찰륜(輪)

‡Fri·day [fráidei, -di] *n.* 금요일 《略 Fri Fr., F.》: ⇨ Good Friday / ⇨ man Friday
Thank God it's ~! 야, 금요일이다! 《주말이 다가왔다고 느끼는 해방감을 나타내는 표현; 略 TGIF》
— *a.* Ⓐ 금요일의
— *ad.* (미) 금요일에(on Friday)

Fri·days [fráideiz, -diz] *ad.* 금요일마다(on Fridays)

fridge [frídʒ] [refrigerator의 단축형] *n.* (구어) 냉장고

fridge-freez·er [frídʒfríːzər] *n.* (영) 냉동 냉장고

***fried** [fráid] *v.* FRY¹의 과거·과거분사
— *a.* 기름에 튀긴, 프라이한, 프라이 요리의; (속어) 술[마약]에 취한

fried·cake [fráidkèik] *n.* ⓊⒸ (미) 기름에 튀긴 과자[케이크] 《도넛 등》

fríed égg (미·육군속어) (사관 생도의 군모에 다는) 화려한 장식 배지; (미·속어) 일장기 《일본 국기》; [*pl.*] (속어) 젖통

Fried·man [fríːdmən] *n.* 프리드먼 **Milton ~** (1912-2006) 《미국의 경제학자; 화폐 공급 조정론으로 노벨 경제학상 수상(1976)》

Fried·man·ite [fríːdmənàit] *n.* 〖경제〗 프리드먼 이론 신봉자

Fríed·mann mòdel[ùniverse] [fríːdmən-] [러시아의 수학자 이름에서] 〖천문〗 프리드먼 우주 (모형) 《빅뱅(Big Bang)[폭발 기원설] 우주 모형의 하나》

Fried·rich [fríːdrik] *n.* 남자 이름

‡friend [frénd] *n.* **1** 벗, 친구, 동무: a ~ of mine [my father's] 나[아버지]의 친구 《★ my[my father's] friend는 특정한 친구의 경우, 또는 동격으로 써서 "my friend Tom Jones"라고 함》/ Let's stay ~*s.* 친구로 지내자. **2** 자기편(opp. *enemy*); 후원자(patron), 지지자(supporter), 동정자, 공명자(sympathizer): a ~ of liberty 자유의 옹호자 / "Who goes there?" — "*F~* or foe?" 누구냐? — 아군이

thesaurus **fretful** *a.* distressed, upset, miserable, peevish, petulant, irritable, bad-tempered
friction *n.* rubbing, abrading, abrasion, attrition, chafing, gnawing, grating, scraping
friendly *ad.* amiable, warm, genial, agreeable,

냐 적이냐? **3** 도와주는 사람(helper); 시중드는 사람(attendant) **4** 동료, 동지, 한패; 동포; 사람의 벗인 동물; 반려로서 유용한 물건 **5** [호칭이나 인용으로] (내) 친구, (우리) 동료, 여러분: my honorable ~ 의원 각하 《영국 하원에서 의원 상호간의 정식 호칭》 **6** [*pl.*] 《스코》 (보증인이 될 수 있는) 일가, 친척 **7** [**F~**] 프렌드파(派)(the Society of Friends)의 일원, 퀘이커 교도(Quaker)
a ~ at [***in***] ***court*** = ***a ~ in high place*** 높은 지위에 있는 친구, 유력한 친구 ***be*** [***keep, make***] ***~s with*** …와 친하다[친하게 사귀고 있다, 친해지다] ***make a ~ of*** a person …와 친하게 사귀다 ***make ~s*** (***again***) 화해하다 ***What's a … between ~s?*** 《구어》 친구 사이에 …는 대수롭지 않다, 아무래도 좋다
—*vt.* 《시어·드물게》 …의 친구가 되다
▷ fríendly *a.*; befríend *v.*

∗**friend·less** [fréndlis] *a.* 친구[친지]가 없는, 고독한 **~·ness** *n.*

friend·li·ly [fréndlili] *ad.* 친구답게, 친절하게, 정답게

∗**friend·li·ness** [fréndlinis] *n.* Ⓤ 우정, 친선, 친절, 친목, 호의

‡**friend·ly** [fréndli] *a.* (**-li·er**; **-li·est**) **1** 친한; 친구다운; 정다운, 친절한(kindly): a ~ greeting 다정한 인사 / a ~ nation 우호 국민, 우방 / a ~ match [game] 친선 경기 // (~+**of**+명) That's very ~ *of* you. 정말 친절하십니다. **2** 자기편의, (…에게) 호의 있는(favorable); (주의 등에) 찬성하는 《*to*》: I am not ~ *to* your theories. 너의 이론에는 찬성할 수 없다. **3** 〈물건이〉 쓸모 있는, 마음에 드는, (…에) 도움이 되는 《*to*》: a ~ shower 단비, 자우(慈雨) / a ~ wind 순풍 **4** [보통 복합어를 이루어] …에 우호[친화]적인; 《컴퓨터》 〈시스템 등이〉 사용하기 편한: visitor-~ museums 방문하기 편리한 박물관 / a user-~ computer 사용하기 편한 컴퓨터 ***have ~ relations with*** …와 친하다 ***on ~ terms*** 사이가 좋은 《*with*》
—*ad.* 《드물게》 친구처럼, 친절하게
—*n.* (*pl.* **-lies**) 우호적인 사람, 자기편; 《영》 친선 경기 ▷ friend *n.*

fríendly áction 《법》 우호적 소송

fríendly fíre 《군사》 아군에 대한 오발[오폭]

fríendly léad 《영》 (지역 공동 사업의) 공제(共濟) 자금 모집을 위한 위안회

fríendly socíety [종종 **F- S-**] 《영》 = BENEFIT SOCIETY

fríend of the cóurt 《법》 법정 조언자

‡**friend·ship** [fréndʃip] *n.* ⓊⒸ **1** 우정, 우애: ~ between us 우리 사이의 우정 **2** 벗으로 사귐, 교우 **3** 우호, 친선, 친교, 친목: a ~ agreement 우호 협정

Fríendship 7 [-sévən] 우정 7호 《미국 최초로 지구 궤도를 비행한 유인 위성(1962)》

fríendship tòwn 《영》 자매[우호] 도시

fríendship trèaty (친선) 우호 조약

Fríends of the Éarth [the ~] 지구의 벗 《영국의 환경 보호 단체; 略 FOE》

Fríend vìrus [미국의 미생물학자 이름에서] 프렌드 바이러스 《쥐의 비장 질환을 일으키는 바이러스의 하나》

fri·er [fráiər] *n.* = FRYER

fries [fráiz] *n.* = FRENCH FRIES

Frie·sian [frí:ʒən] *a.* = FRISIAN
—*n.* 《영》 = HOLSTEIN

Frie·sic [frí:zik] *a.*, *n.* = FRISIAN

Fries·land [frí:zlənd] *n.* 프리슬란트 《네덜란드 최북부 주(州)》

frieze[1] [frí:z] *n.* 《건축》 프리즈, 소벽(小壁) 《조각으로 장식한 경우가 많음》; 띠 모양의 장식, 장식띠

frieze[2] *n.* ⓊⒸ 프리즈 《한 쪽만 보풀을 세운 거친 모직물; 아일랜드산(産)》 **—***vt.* …에 보풀을 세우다

frig[1] [fríg], **frige** [frídʒ] *n.* 《영·구어》 = REFRIGERATOR

frig[2] *v.* (**~ged**; **~·ging**) 《비어》 *vi.* **1** 성교하다; 수음(手淫)하다 **2** 빈둥빈둥[쓸데없이] 시간을 보내다 《*about, around*》 **—***vt.* **1** 성교하다 **2** 사기치다, 이용해 먹다 ***F~ it!*** 《비어》 젠장!, 제기랄!, 빌어먹을! 《강한 불쾌감을 나타냄》(cf. FRIGGING) **~ *off*** 떠나다

frig·ate [frígət] *n.* **1** 《역사》 프리깃 범선 《돛대 3개에 상하의 갑판에 28-60문의 대포를 갖춘 목조 전함》 **2** 《미해군》 프리깃함(艦) 《중형 전함》; 《영국 해군》 소형 구축함 《대잠(對潛) 호위용의》 **3** = FRIGATE BIRD

frigate 1

frígate bìrd 《조류》 군함새 《열대산(産)의 큰 바닷새》

Frig·ga [frígə], **Frigg** [fríg] *n.* 《북유럽신화》 프리가, 프리그 《Odin의 처; Freya와 동일시됨》

frig·ging [frígin, -giŋ] *a.*, *ad.* 《비어》 빌어먹을, 경칠놈의

‡**fright** [fráit] *n.* **1** ⓊⒸ (갑자기 느끼는) 공포; 소스라쳐 놀람, 경악(⇨ fear 유의어): give a person a ~ …을 깜짝 놀라게 하다 / have[get] a ~ 공포에 휩쓸리다, 겁이 나다 / in a ~ 소스라쳐, 가슴이 털썩 내려앉아 / take ~ at …에 겁을 먹다, 기겁하다 **2** 《구어》 도깨비 같은[보기 흉한] 사람[물건]
—*vt.* 《시어》 소스라쳐 놀라게 하다(frighten)
▷ fríghten, affríght *v.*; fríghtful *a.*

‡**fright·en** [fráitn] *vt.* **1** 소스라쳐 놀라게 하다, 섬뜩하게 하다(⇨ frightened) **2** 위협하여 (…을) 하게 하다 《*into, out of*》; 위협하여 몰아내다 《*away, off*》: (~+목+전+명) ~ a person *into* submission[telling the secret] …을 위협하여 굴복시키다[비밀을 실토케 하다] / ~ a person *out of* a place [drinking] …을 위협하여 그곳에서 쫓아내다[술을 끊게 하다] // (~+목+부) ~ a cat *away* 고양이를 놀라게 하여 쫓다

> 유의어 **frighten** 「별안간 두려워지게 하다」의 뜻의 가장 일반적인 말이다: be *frightened* by a mouse 생쥐 때문에 깜짝 놀라다 **terrify** 「자제심을 잃을 정도의 공포를 주는」의 강한 뜻을 지닌다: be *terrified* at the thought of war 전쟁 생각에 공포에 떨다 **scare** 갑자기 겁나게 하다, 두려워하게 하다: I *scared* him from the room. 그에게 겁을 주어 방에서 쫓아냈다.

—*vi.* 기겁하다; 무서워지다, 무서워하다
▷ fright *n.*

fright·ened [fráitnd] *a.* **1** (…에) 깜짝 놀란, 겁이 난 《*at, of*》: a ~ child 겁을 먹은 아이 / She was ~ to death *at* the sight. 그녀는 그 광경을 보고 까무러칠 만큼 놀랐다. **2** Ⓟ (…을) (습관적으로) 무서워하는 《*of, to* do》: be ~ *of* heights 높은 곳을 두려워하다 **~·ly** *ad.*

fright·en·er [fráitnər] *n.* 《구어》 공갈 전문 깡패 ***put the ~s on*** a person …을 협박하다, 위협하다

fright·en·ing [fráitniŋ] *a.* 깜짝 놀라게 하는, 겁을 주는 **~·ly** *ad.*

∗**fright·ful** [fráitfəl] *a.* **1** 무서운, 놀라운, 무시무시한(dreadful), 소름 끼치는, 오싹 떨게 하는(shocking): a ~ sight 무서운 광경 **2** 《구어》 몹시 불쾌한, 싫은: have a ~ time 정말 불쾌한 꼴을 당하다 **3** 《구어》 지독한, 대단한: The actor is a ~ ham. 그 배우는 아주 엉터리이다. **~·ness** *n.* ▷ fright *n.*

∗**fright·ful·ly** [fráitfəli] *ad.* **1** 무섭게, 무시무시하게

---

affectionate, cordial, sociable, accessible, approachable, easygoing, close, intimate, familiar, peaceful (opp. *unfriendly, hostile*)
frighten *v.* scare, alarm, startle, terrify, shock, appall, daunt, dismay (opp. *comfort, encourage*)

2 (구어) 지독히, 몹시
fríght wìg 〖연극〗 (배우나 광대가 쓰는) 머리털이 곤두선 가발
∗**frig·id** [frídʒid] [L 「차가운」의 뜻에서] *a.* **1** 몹시 추운, 추위가 지독한: a ~ climate 매우 추운 기후 **2** 써늘한(cold), 냉랭한(indifferent), 쌀쌀한, 무뚝뚝한(stiff); 형식적인: a ~ look 쌀쌀한 표정 / a ~ bow (냉담한) 형식적인 인사 **3** 〈여성이〉 불감증인(cf. IMPOTENT) **4** 정감 없는; 상상력이 부족한: a correct, but ~ presentation 정확하지만 정감 없는 연출 **~·ly** *ad.* **~·ness** *n.* ▷ frigídity *n.*
Frig·i·daire [frìdʒədέər] *n.* 《미》 전기 냉장고 《상표명》
frig·i·dar·i·um [frìdʒədέəriəm] *n.* (*pl.* **-i·a** [-iə]) 〖고대로마〗 냉욕장(冷浴場)
fri·gid·i·ty [fridʒídəti] *n.* Ⓤ 한랭(寒冷); 냉담; 쌀쌀함; 불감증 《여성의》
Frígid Zòne [the ~] 한대(寒帶)
frig·o·rif·ic [frìgərífik] *a.* 〖물리〗 냉각시키는
fri·jol [fríːhóul, ⌐–], **-jo·le** [-hóuli] [Sp.] *n.* (*pl.* **-jo·les** [-hóuliz]) 강낭콩의 일종
frijóles re·frí·tos [-reifríːtouz, -s] [Sp.] 〖요리〗 익힌 콩을 으깬 후 기름에 튀긴 요리
∗**frill** [fríl] *n.* **1** 가장자리 주름 장식, 주름 잡이를 붙인 장식; 종이로 만든 주름 장식 《햄 등의 장식에 씀》 **2** (새·짐승의) 목털 **3** [보통 *pl.*] (구어) 뽐냄, 우쭐거림(airs); 꾸민[점잔 빼는] 태도(affectation): put on (one's) ~*s* 점잔 빼다 **4** 허식, 불필요한 것, 값싼 장식: No ~*s.* 첨가물 없음, 순수함 《상품의 표시》 **5** 〖사진〗 주름 《필름 가장자리의》
— *vt., vi.* 가장자리 장식을 붙이다; 주름을 잡다; 주름이 지다; 〖사진〗 (필름 가장자리에) 주름이 생기다
frilled [fríld] *a.* 주름 장식을 한
fríll(ed) lízard 〖동물〗 (호주산(産)) 목도리도마뱀

frill(ed) lizard

frill·er·y [fríləri] *n.* (*pl.* **-er·ies**) UC 주름 잡기[장식]
frill·ies [fríliz] *n. pl.* (구어) 주름 장식이 달린 란제리[속옷]
frill·ing [fríliŋ] *n.* UC 주름 장식; 주름 장식 재료; 〖사진〗 필름의 주름
frill·y [fríli] *a.* (**frill·i·er**; **-i·est**) 주름 장식이 달린; 야하게 장식한
∗**fringe** [fríndʒ] *n.* **1** 술, 술 장식 《숄·테이블보·치마 가두리 등의》 **2** 《일반적으로》 가, 언저리, 주변(border): a common with a ~ of trees 주변에 나무가 있는 공유지 / a ~ of beard on the chin 턱 언저리에 난 수염(cf. NEWGATE FRINGE) **3** 드리운 앞머리 《여자의 이마 위의》; 송이털 《동식물의》 **4** 주변 《학문·운동 등의》, 초보; (중요성 등이) 이차[부차]적인 것: on the ~ of the art world 예술계 주변에서 **5** [집합적] 극단론자 《경제·사회·정치·문화 등의》, 편향(偏向)론자, 주류에서의 이탈자(cf. LUNATIC FRINGE) **6** = FRINGE BENEFIT **7** 〖광학〗 광선의 주름 ***be on the ~*** 매우 이상한 행동을 하다, 정신 질환을 앓다
— *vt.* …에 술을 붙이다, 술로 장식하다; …에 가장자리를 달다; …의 주변을 에워싸다: armed guards *fringing* the building 빌딩을 둘러 싼 무장 경비원들 ▷ fríngy *a.*
frínge àrea (도시) 주변 지역; 〖방송〗 프린지 에어리어 《수신[수상] 상태가 나쁜 지역》
frínge bènefit (노동자에 대한) 복리 후생 급부, 부가 급부(給付) 《연금·유급 휴가·보험 급여 등》
fringed [fríndʒd] *a.* 가두리 장식이 달린; 〖식물〗 〈꽃잎 등이〉 톱니처럼 째진
frínge gròup 비주류파
fringe·land [fríndʒlæ̀nd] *n.* 변경(邊境); 주변 지대, 외곽 지대
frínge mèdicine Ⓤ 비정통 의학, 대체 의학 《침술·지압 따위》
frínge pàrty 극소 정당
fring·er [fríndʒər] *n.* (구어) (정당·조직 내의) 과격론자; (사회로부터의) 일탈자, 이단자
frínge ràting 주변 시간대 시청률
frínge thèater (영) 실험 극장[연극]; 전위극
frínge tìme 〖TV〗 고시청률 전후의 시간대 《미국에서는 오후 5-7시, 오후 11시-오전 1시》
fring·ing [fríndʒiŋ] *n.* UC 술 달기, 가두리 장식(재료) **—** *a.* (술 모양으로) 가두리를 꾸민
Fring·lish [fríŋgliʃ] *n., a.* = FRENGLISH
fring·y [fríndʒi] *a.* (**fring·i·er**; **-i·est**) 술이 있는, 술 모양의
frip·per·y [frípəri] *n.* (*pl.* **-per·ies**) Ⓤ **1** 번지르르한 장식; Ⓒ 번드레한 의복[장식품] **2** 점잔, 겉치레(empty show), 허식
frip·pet [frípit] *n.* (속어) 경박한 젊은 여자
Fris. Frisian
Fris·bee [frízbi] [Frisbie 회사제 과자통의 뚜껑이 놀이에 사용된 데서] *n.* 프리스비 《던지기 놀이의 플라스틱 원반; 상표명》
Frísbee gòlf 프리스비 골프 《공 대신에 프리스비를 씀》
Fris·co [frískou] *n.* (구어) = SAN FRANCISCO
fri·sé [frizéi] [F] *n.* UC 프리제 천 《보풀로 무늬지게 만든 가구용 천》
fri·sée [friːzéi | fríːzei] *n.* 꽃상추의 일종 《샐러드용》
fri·sette [frizét] *n.* 앞머리의 고수머리 《여자의》
fri·seur [friːzɔ́ːr] [F] *n.* 미용사(hairdresser)
Fri·sian [fríʒən, fríː- | -ziən, -ʒən] *a.* 프리슬란트(Friesland)의; 프리슬란트 사람[말]의(Friesian)
— *n.* 프리슬란트 사람; Ⓤ 프리슬란트 말
frisk [frísk] *vi.* (경쾌하게) 뛰어다니다, 뛰어 놀다, 까불며 뛰어다니다; 까불다: (~+副) The dogs and children ~*ed about* on the lawn. 개들과 아이들이 잔디밭에서 뛰어 놀았다. **—** *vt.* **1** (가볍게) 뒤흔들다 **2** (미·속어) 〈경관이〉 〈용의자의〉 옷 위로 몸수색하다; (옷 위로 뒤져) …의 물건을 훔치다: (~+目+前+名) The pickpocket ~*ed* him *of* his pocketbook. 소매치기가 그의 지갑을 훔쳤다.
— *n.* **1** 뛰어 돌아다님, 까붊 **2** (구어) (옷 위로 하는) 몸수색 **~·er** *n.* ▷ frísky *a.*
fris·ket [frískit] *n.* 〖인쇄〗 (수동 인쇄기의) 종이 집게; (사진 제판의) 마스크
frisk·y [fríski] *a.* (**frisk·i·er**; **-i·est**) 기운 좋게 뛰어다니는; 까부는; 〈말이〉 놀라기 쉬운; 경쾌한
frísk·i·ly *ad.* **frísk·i·ness** *n.*
fris·son [friːsɔ́ːŋ] [F] *n.* (*pl.* **~s** [-z]) 떨림, 전율, 스릴
frit, fritt [frít] *n.* Ⓤ (융해한) 유리 원료; 백옥유(白玉釉) 《도자기의 유리질 잿물》 **—** *vt.* (**~·ted**; **~·ting**) 〈유리 원료를〉 융해하다, 프릿화하다
frít flỳ 〖곤충〗 프릿 파리 《유충은 밀의 해충》
frith [fríθ] *n.* (스코) 내포, 강어귀(firth)
frit·il·lar·y [frítəlèri | fritíləri] *n.* (*pl.* **-lar·ies**) (백합과(科)의) 패모속(屬)의 식물; 〖곤충〗 표범나비
frit·ta·ta [fritáːtə] [It.] *n.* 〖요리〗 프리타타 《채소·치즈 등을 달걀에 섞어 낮은 불로 데워 위를 갈색으로 한 오믈렛》
frit·ter[1] [frítər] *vt.* **1** 〈시간·돈·정력 등을〉 (조금씩) 쓸데없는 일에 쓰다[낭비하다] 《*away*》: (~+目+副) ~ *away* one's money 돈을 조금씩 다 써버리다 **2** (드물게) 잘게 부수다, 갈기갈기 찢다 **—** *vi.* **1** 점점 줄어들다, 감소하다; 퇴화하다 《*away*》: (~+副) watch one's fortune ~ *away* …의 재산이 점차 줄어드는 것을 보다 **2** 조각나다, 부서지다 **~·er** *n.*
fritter[2] *n.* [보통 *pl.*] 〖요리〗 얇게 썬 과일[고기]의 튀김: apple[oyster] ~*s* 사과[굴] 튀김
fritz [fríts] *n.* (미·구어) [다음 성구로] ***on the ~*** 고장이 나서; 술에 취해: go *on the* ~ 고장나다, 망가지다 ***put ... on the ~*** = ***put the ~ on ...*** …을 망가뜨리다, 못쓰게 만들다; …을 그만두게 하다
Fritz [fríts] [G] *n.* **1** 남자 이름 (Friedrich, Fred-

erick의 애칭》 **2** 《보통 경멸》 독일 사람[군인]

friv·ol [frívəl] *vi.*, *vt.* (**~ed**; **~·ing** | **~led**; **~·ling**) 《구어》 허송세월하다, 보람 없는 생활을 하다; 낭비하다(fritter) 《*away*》: 《~+목+부》 ~ *away* one's time 쓸데없는 일로 시간을 보내다

fri·vol·i·ty [friválǝti | -vɔ́-] *n.* (*pl.* **-ties**) Ⓤ 천박, 경박; Ⓒ 경솔한 언동, 하찮은 일

***friv·o·lous** [frívǝlǝs] [L 「가치 없는」의 뜻에서] *a.* **1** 천박한, 경박한: ~ conduct 경박한 행동 **2** 사소한(trifling), 하찮은; 어리석은(silly): a ~ argument 하찮은 논의 **~·ly** *ad.* 경박하게, 장난삼아 **~·ness** *n.* ▷ frívol *v.*; frivólity *n.*

fri·zette [frizét] *n.* = FRISETTE

frizz[1], **friz** [fríz] 《구어》 *vt.*, *vi.* 〈머리털 등을〉 지지다, 곱슬곱슬해지다; 〈가죽 등의 표면을〉 속돌·무딘 칼 등으로 갈아서 두께를 고르게 하다
— *n.* 곱슬곱슬함; 지진 머리

frizz[2] *vi.*, *vt.* = FRIZZLE[2]

friz·zle[1] [frízl] *vt.*, *vi.* 〈머리털 등을〉 지지다; 곱슬곱슬해지다(curl) 《*up*》: 《~+목+부》 ~ *up* one's locks 머릿단에 컬을 주다 — *n.* 지진[컬한] 머리

frizzle[2] *vt.* **1** 〈고기 등을〉 기름에 지글지글 튀기다; 〈베이컨 등을〉 꼬들꼬들하도록 튀기다 **2** 뜨거운 볕에 쬐다 — *vi.* 〈고기 등이 지글지글〉 소리를 내며 튀겨지다

friz·zling [frízliŋ] *a.* 지글지글 타는; 몹시 뜨거운

friz·zly [frízli] *a.* (**-zli·er**; **-zli·est**) = FRIZZY

friz·zy [frízi] *a.* (**-zi·er**; **-zi·est**) 지진[컬한] 머리의(curly); 〈머리가〉 곱슬하게 지져진
fríz·zi·ly *ad.* **fríz·zi·ness** *n.*

Frl. Fräulein 《G = Miss》

****fro** [fróu] *ad.* 저쪽으로 ★ 다음 성구로. ***to and*** **~** 이리저리, 여기저기

Fro [fróu] *n.* = AFRO

****frock** [frák | frɔ́k] *n.* **1** (여자·어린이의) 원피스 **2** 성직자복 《소매가 넓고 기장이 긴》; 성직자의 신분, 성직(聖職) **3** (농부·화가 등의) 작업복(= smock ~) **4** = FROCK COAT; 프록코트형의 군복
— *vt.* …에게 프록을 입히다; 성직에 취임시키다(opp. *unfrock*)

fróck còat 프록코트 《19세기에 신사의 정복이었으나 요즘은 거의 입지 않음》

frock coat

frock·ing [frákiŋ | frɔ́-] *n.* Ⓤ 작업복용 옷감

froe [fróu] *n.* = FROW[1]

Froe·bel, Frö- [fréibǝl, frǝ́:- | fróu-] *n.* 프뢰벨 **Friedrich ~** (1782~1852) 《유치원을 창시한 독일의 교육가》 **~·ism** *n.*

Froe·bel·i·an [frǝbí:liǝn, frei- | frou-] *a.* 프뢰벨식의

*****frog**[1] [frɔ́:g, frág | frɔ́g] *n.* **1** 〖동물〗 개구리 **2** 《구어》 쉰 목소리: a ~ in the throat (목이 아파서) 쉰 목소리 **3** [**F~**] 《구어·경멸》 프랑스인 《개구리를 식용으로 한다고 해서》(cf. FROGEATER) **4** (꽃꽂이 등의) 침봉 **5** 1달러 지폐 ***a big ~ in a small pond*** 우물 안 개구리, 독불장군 **(*as*) *cold as a ~*** 아주 찬, 차디찬 ***rain ~s*** 《미》 큰 비가 내리다
— *vi.* (**~ged**; **~·ging**) 개구리를 잡다
~·like *a.* ▷ fróggy *a.*

frog[2] *n.* **1** (저고리에 다는) 장식 단추; (잠옷 등의)걸어 매는 단추; (군복 상의 등의) 늑골 모양의 장식 **2** (허리띠의) 칼꽂이

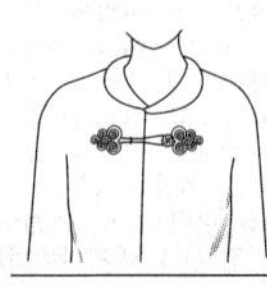
frog[2] 1

frog[3] *n.* 〖철도〗 (교차점의) 철차(轍叉)

frog[4] *n.* (말의) 제차(蹄叉) 《말굽 바닥의 중앙 연골》

frog·eat·er [frɔ́:gì:tǝr] *n.* 개구리를 먹는 사람; [보통 **F~**] 《경멸》 프랑스 사람

frog·eye [-ài] *n.* (담배 등의) 백성병(白星病)

frog·face [-fèis] *n.* **1** 개구리 같은 용모 **2** 《속어》 이상한 사람, 멍청이

frog·fish [-fìʃ] *n.* (*pl.* [집합적] **~**, **~·es**) 〖어류〗 빨간씬벵이 무리

frogged [frɔ́:gd, frágd | frɔ́gd] *a.* 늑골 모양의 장식이 붙은(cf. FROG[2])

frog·ging (의복의) 프로그 장식 《재킷의 단추 장식》

frog·gy [frɔ́:gi, frági | frɔ́gi] *a.* (**-gi·er**; **-gi·est**) **1** 개구리의, 개구리 같은 **2** 개구리가 많은 **3** 〈목소리가〉 조금 쉰 **4** 차가운 — *n.* 《유아어》 개구리

fróg hàir 《미·속어》 정치 자금[헌금]

frog·hop·per [frɔ́:ghàpǝr | frɔ́ghɔ̀pǝ] *n.* 〖곤충〗 거품벌레

fróg kìck 〖수영〗 개구리차기

frog·let [frɔ́:glit | frág- | frɔ́g-] *n.* **1** 소형 개구리의 일종 **2** 새끼 개구리

frog·man [-mæ̀n, -mǝn] *n.* (*pl.* **-men** [-mèn, -mǝn]) 잠수부, 잠수 공작원[병]

frog·march [-mà:rtʃ] *vt.* 〈반항하는 죄수 등을〉 엎어뜨려 네 사람이 손발을 붙잡고 운반하다; 《영》 양팔을 뒤로 틀어[묶고] 걸어가게 하다

frog·skin [-skìn] *n.* 《미·속어》 1달러 지폐; 《미·호주·속어》 콘돔

fróg spàwn **1** 개구리 알 **2** 〖식물〗 민물 홍조(紅藻) **3** 《구어》 사고(sago)[타피오카(tapioca)]의 푸딩

fróg spìt[**spìttle**] **1** (거품벌레의) 거품 **2** 〖식물〗 민물 녹조(綠藻)의 일종

fróg stìcker 《미·군대속어》 총검, (무기로서의) 칼; 《미·속어》 주머니칼

***frol·ic** [frálik | frɔ́-] [Du. 「즐거운」의 뜻에서] *n.* **1** Ⓤ 장난, 까불기, 시시덕거리며 놀기(gaiety); 흥겨워 떠들며 놀기, 환락 **2** 흥겹게 떠들며 노는 친목회, 유쾌한 모임[놀이, 게임]
— *vi.* (**-icked**; **-ick·ing**) 장난치며 놀다, 시시덕거리다, 뛰놀다: 《~+전+명》 The children were *frolicking in* the snow. 아이들이 눈장난을 하며 놀고 있었다.
— *a.* 《고어》 = FROLICSOME
▷ frólicsome *a.*

frol·ic·some [fráliksǝm | frɔ́-] *a.* 까불거리며 뛰노는; 흥겨운(gay, merry) **~·ly** *ad.* **~·ness** *n.*

*****from** ⇨ from (p. 1012)

fro·mage [frɔ:má:ʒ | frɔ-] [F] *n.* 치즈(cheese)

fromáge fráis [-fréi] [F] *n.* 프랑스제의 희고 연한 치즈

fro·men·ty [fróumǝnti] *n.* = FRUMENTY

Fromm [frám | frɔ́m] *n.* 프롬 **Erich ~** (1900-80) 《독일 태생의 미국 정신 분석학자》

frond [fránd | frɔ́nd] *n.* 〖식물〗 엽상체; 잎 《양치류(羊齒類)·종려(棕櫚) 등의 잘게 갈라진》 **~·ed** *a.*

frond·age [frándidʒ | frɔ́n-] *n.* Ⓤ [집합적] 잎(fronds); 우거진 잎

Fronde [frɔ́:nd, fránd | frɔ́nd] *n.* 〖프랑스사〗 **1** [the ~] 프롱드당(黨) 《Louis 14세 초기의 반왕당파》 **2** 프롱드의 반란(1648-53)

fron·des·cence [frandésns | frɔn-] *n.* Ⓤ 발엽(發葉) 상태[시기] **-cent** *a.*

fron·deur [frandǝ́:r | frɔn-] *n.* 반역자; 반체제자; 폭도

frons [fránz | frɔ́nz] *n.* (*pl.* **fron·tes** [frántì:z | frɔ́n-]) 〖곤충〗 이마

*****front** [fránt] *n.*, *a.*, *v.*, *ad.*, *int.*

> L 「이마」의 뜻.
> ┌「얼굴」→(얼굴에 나타나는 표정에서) 「태도」 **8**
> └(앞면에 위치하는 것에서) 「앞부분」 **1**
> → 「최전선」 **3**

— *n.* **1** [보통 the ~] (물건·장소의) 앞(부분), 전방:

from

다른 전치사들처럼 부사로 쓰이는 일이 없이, 오로지 전치사로만 쓰인다.
1 from이 to와 반대로 운동의 출발점을 나타내는 데 대해 off는 「…에서 떨어진 쪽으로[에]」의 뜻을 나타낸다.
2 from의 목적어는 명사·대명사 외에 부사 또는 전치사구로 된 부사구가 쓰이는 일이 많다: *from* here to there 여기서 거기까지 / *from* under the table 탁자 밑에서
3 from A to B의 형태에서 명사의 관사를 생략하는 일이 있다. 특히 A, B가 같은 명사인 경우에는 생략되어 성구화한다: *from* flower *to* flower 꽃에서 꽃으로 / *from* house *to* house 집집으로[마다]

from [frəm, frɑ̀m, frʌ̀m | frɔ̀m] *prep.*

기본적으로 「…을 기점으로, …에서」의 뜻.
① [운동의 출발점] …에서 **1**
② [시간·순서 등의 기점] …부터 **2**
③ [간격·구별 등을 나타내어] …에서 (멀어져) **5, 12**
④ [출처·유래 등을 나타내어] …에서 (온), …출신의 **6**
⑤ [원료를 나타내어] …으로 **14**
⑥ [변화를 나타내어] …에서 (…으로) **15**
⑦ [근거·동기를 나타내어] …에 의거하여 **16**
⑧ [원인·이유를 나타내어] …으로 인하여 **7**

1 [운동·이동 등의 출발점; cf. TO *prep.* A 1 a] …에서, …으로부터: a train running west ~ Chicago 시카고에서 서쪽으로 달리는 기차 / walk home ~ the station 역에서 걸어서 귀가하다 / fall ~ the sky 하늘에서 떨어지다 / hang ~ the ceiling 천장에서 매달리다 / Apples fell ~ the tree. 사과가 나무에서 떨어졌다. / Smoke rose ~ the chimney. 연기가 굴뚝에서 피어 올랐다. / The bee moved ~ flower *to* flower. 벌은 꽃에서 꽃으로 옮아갔다. 《USAGE from... to...의 형태에서는 명사에 붙는 관사가 생략되기도 함; 특히 같은 명사가 반복되는 경우나 숙어화된 경우에 생략이 많음》/ ⇨ from HOUSE to house, from HAND to hand, from MOUTH to mouth
2 [공간·시간 등의 기점; cf. TO *prep.* A 1 b, 2 a, TILL *prep.* 1, UNTIL *prep.* 1] …부터, …에서: ~ early this morning 오늘 아침 일찍부터 / ~ childhood[a child] 어린 시절부터 / ~ the (very) first (바로) 처음부터 / ~ now on 이제부터(는) / ~ then [that time] on 그때부터는 / be extended ~ Asia into Europe 아시아에서 유럽까지 뻗어 있다 / How far is it ~ here to your home? 여기서 당신 집까지 거리가 얼마나 됩니까? / work ~ morning to [till] night 아침부터 밤까지 일하다 / ~ Monday to Friday 월요일부터 금요일까지 《★《미》에서는 종종 from을 생략하여 Monday through Friday라고 함》/ ~ June until September 6월부터 9월까지 / Twenty minutes ~ now we will depart. 지금부터 20분 후에 출발한다. / I was in my office ~ 6 to 9. 6시부터 9시까지 사무실에 있었다. 《USAGE 단지 시점을 나타낼 때는 School begins *at* nine[*on* March 1, *in* March]. 「학교는 9시[3월 1일, 3월]에 시작된다.」 등과 같이 말함》
3 [수량·가격 등의 하한(下限)] (아래는) …에서, …부터는: Count ~ 1 to 10. 1에서 10까지 세시오. / It will take us ~ two to three hours to get there. 그곳에 도착하는 데 두세 시간 걸릴 것이다. 《★ 이와 같이 from ... to ... 전체가 하나의 수사처럼 취급되어 명사를 수식하는 일도 있음》/ We have ham(s) ~ $5 per pound. 우리 가게에는 햄은 1파운드에 5달러짜리부터 있습니다.
4 [관점·견지] …에서 (보면): ~ an educational point of view 교육적인 관점에서 보면[보아] / The view ~ this house is beautiful. 이 집에서 보는 전망은 아름답다. / He lives up[down, across] the road ~ me. 그는 내가 있는 데서 보아 도로의 위쪽[아래쪽, 건너편]에 살고 있다.
5 [간격·부재(不在)] …에서 (떨어져): absent[away] ~ home 집에 없어 / stay away ~ work 결근하다 / The station is 3 miles (away) ~ here. 역은 여기서 3마일 떨어진 곳에 있다. / The hotel is back ~ the road. 호텔은 도로에서 쑥 들어간 곳에 있다.
6 [출처·기원·유래] …에서 (온, 따온 등); …출신의, …산(産)의; …으로부터의: act a scene ~ *Hamlet* 햄릿의 한 장면을 연기하다 / draw a conclusion ~ the facts 사실에서 결론을 끌어내다 / The money is not ~ the safe. 그 돈은 금고에서 나온 것이 아니다. / He gets his good look ~ his mother. 그의 잘생긴 용모는 그의 어머니로부터 물려받은 것이다. / "Where are you ~?" — "I'm ~ Los Angeles." 어디 출신입니까? — 로스앤젤레스 출신입니다. / Where do you come ~? 어디 출신입니까? 《Where did you come ~?은 「어디에서 왔습니까?」의 뜻》/ These oranges come[are] ~ America. 이 오렌지는 미국산이다.
7 [원인·이유] …때문에, …으로 인하여: suffer ~ a headache 두통을 앓다 / die ~ hunger 굶주림으로 인하여 죽다, 아사하다(cf. DIE[1] *vi.* 1) / His cheeks were red ~ the cold. 그의 볼은 추위 때문에 붉어졌다.
8 [분리·제거 등] …에서, …에게서: be excluded ~ membership 회원에서 제명되다 / If you take[subtract] 4 ~ 10, 6 remains. =4 ~ 10 is[leaves] 6. 10에서 4를 빼면 6이 남는다. / She took the ring (away) ~ her finger. 그녀는 손가락에서 반지를 뺐다.
9 [격리·해방 등] …에서, …으로부터: release a person ~ prison …을 교도소에서 석방하다 / keep a secret ~ others 다른 사람들로부터 비밀을 지키다 / We are safe ~ the rain here. 여기라면 비를 맞지 않는다.
10 [억제·방지 등] **a** …에서: The fire fighter saved him ~ the fire. 그 소방관이 그를 화재에서 구해 주었다. **b** [doing과 함께] 〈…하기를〉 (억제하다, 막다): refrain ~ laugh*ing* 웃음을 참다 / Bad weather prevented them ~ sail*ing*. 나쁜 날씨 때문에 그들은 항해하지 못했다.
11 [선택] …중에서: Choose a tie ~ (among) these. 이 중에서 넥타이 하나를 고르시오.
12 [구별·차이] …와, …에서: know[tell] right ~ wrong 선과 악을 분간하다 / He differs ~ me in his way of thinking. 그는 나와는 사고방식이 다르다.
13 [발송인·발신인 등] …으로부터(의): a letter ~ my cousin 내 사촌에게서 온 편지 / goods ~ foreign countries 외국에서 온 상품 / We had a visit ~ our uncle yesterday. 어제 아저씨의 방문을 받았다.
14 [원료·재료] …으로, …에서 《★ make ... *of*와의 차이에 대해서는 make 항의 make ... *from*을 참조》: make wine ~ grapes 포도로 포도주를 만들다
15 [변화·추이] …에서 (…으로): go ~ bad to worse 점점 더 나빠지다 / change ~ green to brown 초록

색에서 갈색으로 변화하다 / She changed ~ a shy girl into a strong woman. 그녀는 수줍은 소녀에서 강인한 여성으로 변모했다. / *F*~ (being) boys they became men. 그들은 소년에서 어른이 되었다. / translate ~ French into English 프랑스 어에서 영어로 번역하다
16 [근거·동기] **a** …에 **의거하여,** …에 의하여: I know ~ experience that ... …이라는 것을 경험에서 알고 있다 / act ~ a sense of duty 의무감에 의해서 행동하다 / *F*~ memory, the film wasn't as good as the book. 기억을 더듬어보면 그 영화는 책만큼 훌륭하지 않았다. **b** [판단의 근거] …으로 (판단하여): Judging ~[*F*~] her accent, she is a foreigner. 억양으로 미루어보건대 그녀는 외국인이다. / *F*~ the evidence, he must be guilty. 그 증거로 봐서 그는 유죄임에 틀림없다.
17 [본보기·기준] …을 **본보기로,** …을 본받아: Did you paint the picture ~ nature? 이 그림은 사생한 것입니까?
as ~ ⇨ as *conj.*
~ bad to worse ⇨ 15
~ day to day ⇨ day
~ door to door 집집으로, 집집마다
~ off ... 《문어》 …에서, …부터(from)
~ out (***of***) …에서, …에게서 《out of의 강조형》
... week(***s***)[***month***(***s***), ***year***(***s***)] ***~ today*** [***tomorrow,*** etc.] 오늘[내일 《등》]부터 …주일[개월, 년] 지난 때에, …주일[개월, 년] 후의 오늘[내일 《등》]: I'll see you two *weeks*[*months*] ~ *today.* 2주일[개월] 후의 오늘에 뵙겠습니다. / ⇨ a WEEK from now
~ place to place ⇨ place
~ side to side ⇨ side
~ time to time ⇨ time
(***out***) ***~ under*** 《미·구어》 곤경[어려움]으로부터 (벗어나): get *out* ~ *under* 궁지를 벗어나다

the ~ of a jacket 상의의 앞부분 **2** (건물의) **정면,** 앞면, 프런트; [보통 the ~; 수식어와 함께] (건물 등의) 면: *the* east ~ of a building 건물의 동쪽면 **3** 〖군사〗 **최전선,** 제1선 (부대); (대(隊)의) 정면, 방향; 싸움터, 전지(戰地): go to the ~ 싸움터로 나가다; 출정하다 **4** 지도적 지위[입장]: She rose to the ~ of her profession. 그녀는 자신의 직업에서 지도적 지위까지 올라갔다. **5** (개천·가로 등에 면한) 빈 터(frontage); [보통 the ~] (피서지·해변가의) 《영》 산책길 **6** 《미·구어》 (단체·회사 등의) 간판(으로 내세운 사람)(figurehead); 명예직 우두머리, 명목상의 수령; 표면상의[위장] 사업: The store was a ~ for organized crime. 그 가게는 조직 범죄의 위장 사업이었다. **7** 《미·구어》 겉꾸밈, 부자[상류 인사]인 체함, 잘난 체함: put on[up] a ~ 겉치레하다, 허세 부리다 **8** Ⓤ (어떤 일에 대한) 태도(bearing): put on a calm ~ 차분한 태도를 취하다 / present[put, show] a bold ~ 대담한[의젓한] 태도를 보이다 **9** 《드물게》 뻔뻔스러움, 오만: 《~+***to*** do》 He had the ~ *to* ask us for more money. 그는 뻔뻔스럽게도 우리에게 돈을 더 달라고 말했다. **10** 안면(face), 얼굴; 《시어》 이마(forehead): ~ to ~ 얼굴을 맞대고(face to face) **11** 공동 전선, 협력, 제휴: the people's ~ 인민 전선 **12** 활동 무대[범위, 영역]: news from the business ~ 업계의 최신 뉴스 **13** (여자의) 이마 위에 붙이는 인공 머리; (와이셔츠의) 가슴받이(⇨ dickey[1]); (제단 정면의) 드리운 막(frontal) **14** 〖기상〗 전선(前線): a cold[warm] ~ 한랭[온난] 전선 **15** 무대 앞면; 관객석; 극장의 사무소 **16** 〖음성〗 전설면(前舌面) **17** 《미》 (지하 운동 등의) 연락원
at the ~ 정면에; 맨 앞 좌석에; 일선에 가 있는, 출정 중의; 〈문제 등이〉 표면화되어 ***change ~***(***s***) 〖군사〗 방향을 바꾸다; 방침을 바꾸다 ***come to the ~*** 정면에 나타나다, 뚜렷해지다, 이름이 나다 ***~ of*** = in FRONT of. ***get in ~ of oneself*** 《미·구어》 서두르다 ***have the ~ to*** do ⇨ *n.* 9 ***in ~*** (1) 앞서서, 앞질러서 (2) (경쟁에서) 선두로, 일등으로 (3) (건물의) 입구 바로 바깥쪽에 ***in ~ of*** …의 앞에, …의 정면에 (opp. *at the back of*); …의 면전에서 ***in the ~*** 앞부분에(서); (…의) 가장 중요한 지위에 《*of*》 ***keep up a ~*** 성공한 체하다 ***out ~*** 〈극장의〉 관객[관람]석에서 ***out*** (***the***) ***~*** 입구의 바깥쪽에서 ***out in ~*** (1) 앞 (남보다) 앞서 (2) 발군(拔群)하여, (경쟁에서) 앞서고 있는 ***up ~*** 《미》 〖농구〗 프런트 코트에서; 〖스포츠〗 포워드의 위치에서; 《미·구어》 솔직하게, 숨김없이; 미리, 선불로: I want you to be *up* ~ with me. 당신이 나에게 솔직해졌으면 한다.
—*a.* Ⓐ **1 정면의,** 앞의, 앞면의, 맨 앞의; 정면에서 본(opp. *back*): a ~ wheel 앞바퀴 / the ~ seat 차의 앞 좌석, 조수석 / the ~ hall 《미》 현관 홀 **2** 《구어》 앞잡이역의, 표면에 내세우는 **3** 〖음성〗 전설(음)(前舌(音))의(opp. *back*) **4** 〖골프〗 전반의 《첫 9홀》
take a ~ seat 《구어》 중요한 지위를 차지하다
—*vi.* **1** 〈건물 등이〉 향하다, 면하다(face) 《*to, toward, on*》: 《~+전+명》 Our house ~*s on* the lake. 우리 집은 호수에 면해 있다. // 《~+부》 The house ~*s east*[toward the east]. 그 집은 동향(東向)이다. / *F*~ round and stand still. 돌아서 정면을 바라보고 움직이지 마시오. **2** 《구어》 앞잡이[이용물]로 쓰이다, 위장 은신처가 되다 《*for*》: 《~+전+명》 The shop ~*s for* a narcotics ring. 그 가게는 마약 조직의 은신처이다 **3** 〖군사〗 〈대열이〉 정면을 향하다
—*vt.* **1** 향하다, …에 면하다(face) **2** …에 앞면을 붙이다, …의 앞면에 (…을) 달다, 정면을 향하게 하다 《종종 구령》; 맞서다(confront): 《~+목+전+명》 ~ a building *with* marble 건물 앞면에 대리석을 붙이다 **3** 〖음성〗 전설음으로 바꾸다 ***try***[***want***] ***to ~*** 《미·속어》 남의 욕을 하다
—*ad.* 정면으로, 앞으로: Eyes ~! 앞으로 나란히! 《구령》 ***~ and center*** (1) 《미》 〈화제·주제 등이〉 중심이 되는, 중요한, 주목을 받는 (2) 《구어》 가까이 와서 주목해라 《중요한 얘기를 하려고 할 때》 ***~ and rear*** 앞뒤를[의], 앞뒤 양면에(서)
—*int.* 프런트로! 《호텔의 보이에 대한 호출》
▷ fróntal *a.*

front. frontispiece

front·age [frʌ́ntidʒ] *n.* **1** (건물·토지의) 정면, 전면 **2** (집 등의) 전면의 폭 **3** (건물의) 향, 전망: The house has an ocean ~. 그 집은 바다를 향해 있다. **4** 임계지(臨界地) 《가로·물가에 면한》, 집 앞의 땅, 건물 전면과 경계[도로] 사이의 터

fróntage ròad 《미》 (고속도로와 평행으로 만든) 연락 도로, 지선 도로(《영》 service road)

fron·tal [frʌ́ntl] *a.* Ⓐ **1** 정면의, 앞면의, 정면을 향한(opp. *back, rear*): a ~ attack[assault] 정면 공격 **2** 이마의, 이마 부분의 **—*n.*** **1** 〖해부〗 전두골(前頭骨), 앞머리뼈(= ~ **bóne**) **2** 〖그리스도교〗 (제단의) 정면에 드리운 막[보] **3** 〖건축〗 (건물의) 정면(facade)

fróntal cýclone 〖기상〗 전선 저기압(의 폭풍)

fron·tal·i·ty [frʌntǽləti, frɑn-|frʌn-] *n.* Ⓤ 〖미술〗 **1** 정면성(표현) 《(미술 작품에서) 묘사에 있어서의 인물이나 물체의》 **2** (회화에서) 화면과 평행한 면의 구성; (조각에서) 바로 정면에서 조상(彫像)하기, 정면주의

fróntal lóbe 〖해부〗 (대뇌의) 전두엽(前頭葉)

fróntal lobótomy 〖외과〗 전두엽(前頭葉) 절제술

frónt bénch [the ~] 《영》 (하원의) 정면석 《장관 및 야당 간부석; cf. BACKBENCH》

front-bench·er [frʌ́ntbéntʃər] *n.* 《영》 (하원의 front bench에 앉는) 장관, 야당 간부(cf. BACKBENCHER)

frónt búrner (가스레인지의) 앞쪽 버너 ***on the*** [***one's***] ***~*** 최우선 사항으로, 최대 관심사로

frónt cóurt 〖농구〗 프런트 코트 《상대방의 코트》
frónt désk (호텔 등의) 프런트
frónt dóor **1** 정면 현관 **2** 《구어》 (장소·목적 등에 있어서) 공명정대한 방법, 최선의 접근 방법: Do it through the ~. 정공법으로 해라. **3** [the ~] 《미·속어》 (서커스의) 경영자측
frónt édge 〖제본〗 (책의) 앞마구리
frónt ènd 프런트 엔드 **1** 〖전자〗 증폭·중간 주파수 변환부 **2** 〖컴퓨터〗 호스트 컴퓨터와 사용자 사이에서의 전(前)처리 또는 제어
front-end [-ènd] *a.* **1** 《미》 〈자금이〉 선불용의; 착수금의, 선불금의 **2** 〖컴퓨터〗 프런트 엔드 방식의
frónt-end bónus 프런트 엔드 보너스 《장래의 회사 간부 유망자를 놓치지 않기 위해서 주는 통상 급여·수당 이외의 보너스》
front-end·ing [frʌ́nténdiŋ] *n.* 〖컴퓨터〗 조판 단계를 거치지 않고 원고를 직접 터미널에 입력하는 것
frónt-end lóad (증권의) 선취 수수료(front load)
frónt-end lóader 《특히 미》 (끝에 대형 삽이 달린) 트랙터의 일종
frónt-énd pròcessor 〖컴퓨터〗 전치(前置) 계산기 《단말기와 주계산기 사이에 두는》
fron·ten·is [frʌnténis] *n.* 프런테니스 《3벽면 코트에서 하는 테니스의 일종》
frónt fòot 《미》 (집 등의) 앞면의 폭(foot front)
frónt fóur 〖미식축구〗 프런트 포 《좌우의 tackle과 end로 형성되는 수비의 최전선》
frónt gróup (위장한) 표면상의 조직[단체]
‡**fron·tier** [frʌntíər, frɑn- | frʌ́ntiə] *n.* **1** (국가간의) 국경 (지방) 《*between, with*》 **2** [the ~] 《미》 변경 (지대) 《개척 시대의 개척지와 미개척지의 경계 지방》: live in log huts on *the* ~ 변경에서 통나무집 생활을 하다 **3** [종종 *pl.*] 한계, 극한; 경계 **4** [종종 *pl.*] (지식·학문 등의) 최첨단, 새 분야; 미개척의 영역: the ~*s* of physics 물리학의 최첨단
— *a.* Ⓐ **1** 국경(지방)의: a ~ town 국경 도시 **2** 《미》 변경의 **3** 〈연구·학문 등이〉 최첨단의
fróntier ìndustry = PIONEERING INDUSTRY
fróntier órbital thèory 〖화학〗 프런티어 전자 궤도 이론
fron·tiers·man [frʌntíərzmən, frɑn- | frʌ́ntiəz-] *n.* (*pl.* **-men** [-mən, -mèn]) 국경 지방의 주민, 변경 개척자
fróntier spírit [the ~] 개척자 정신
***fron·tis·piece** [frʌ́ntispìːs, frɑ́n- | frʌ́n-] *n.* **1** (책의) 권두화(畫); (드물게) (책의) 속표지 **2** 〖건축〗 정면; (문 등의) 장식벽, 박공벽 **3** 《속어》 〖권투〗 얼굴
— *vt.* 〈책에〉 권두화를 넣다 《*with*》
front·lash [frʌ́ntlæ̀ʃ] *n.* (정치적 반동에 대한) 대항 조처(countermovement)
front·less [frʌ́ntlis] *a.* 정면[얼굴]이 없는; 《고어》 뻔뻔스러운, 염치없는
front·let [frʌ́ntlit] *n.* **1** (리본 등의) 이마 부분을 장식하는 띠(fillet); 〖유대교〗 이마에 붙이는 부적; (새·짐승의) 이마 《다른 부분과 색이 다른》 **2** (건물의) 정면 장식 **3** 〖그리스도교〗 제단 정면 휘장 위쪽에 드리우는 길다란 천
frónt líne [the ~] **1** (활동·투쟁에서 책임 있는 입장에 서는) 선두, 최전선 **2** 〖군사〗 제1선, 전선(前線)
front-line [frʌ́ntlàin] *a.* **1** 전선(용)의; 최전선의, 비우호국과 인접한: a ~ state 적대국과 인접한 국가 **2** 우수한, 일류의
frónt lòad = FRONT-END LOAD
front-load [-lóud] *vt.* **1** 〈계약·사업 등의〉 초기 단계에 비용[이익]을 배분하다 **2** 〈물건을〉 앞면에서 장전[장착, 삽입]하다 **3** 처음에 전력투구하다
~·ing *a.* 앞면에서 장전[삽입]하는
frónt màn = FRONT *n.* 6
frónt màtter 〖인쇄〗 (책의) 전문(前文) 《본문을 제외한 속표지·머리말·차례 등; cf. BACK MATTER》
frónt mòney 《미》 **1** 계약금, 착수금 **2** (회사 설립에 필요한) 자본금 **3** 선급금(advance fee)
frónt náme 《속어》 (성에 대한) 이름, 세례명(given name)
frónt níne 〖골프〗 프런트 나인 《18홀 플레이의 전반 9홀》
frónt óffice 《미》 (회사 등의) 본사; 수뇌부; 본부, 《특히》 경찰 본부
frónt of hóuse **1** (극장 등의) 관객석; 사무원·안내인의 담당 구역 **2** (식당에서) 손님들이 식사하는 곳
front·o·gen·e·sis [frʌ̀ntoudʒénəsis] *n.* 〖기상〗 전선(前線)의 발달[발생]
fron·ton [frɑ́ntɑn | frɔ́ntɔn] *n.* **1** 프론톤 《하이알라이(jai alai) 경기를 하는 건물》 **2** = JAI ALAI
frónt páge (책의) 표제지(title page); (신문의) 제1면
front-page [frʌ́ntpéidʒ] *a.* Ⓐ 〈뉴스가〉 신문의 제1면에 실을 만한; 《구어》 매우 중요한(opp. *back-page*)
— *vt.* 〈뉴스를〉 (신문의) 제1면에 싣다[보도하다]
front-rank [-rǽŋk] *a.* Ⓐ 일류의, 최상의, 가장 중요한 **~·er** *n.* 주요 인물
frónt róom 앞쪽의 방, 《특히》 거실
front-run·ner [-rʌ́nər] *n.* 〖경기〗 선두 주자[말]; 《비유》 선구자: a ~ in automobile industry 자동차 업계의 선도 기업
front-run·ning [-rʌ́niŋ] *a.* 선두를 달리는
fronts·man [frʌ́ntsmən] *n.* (*pl.* **-men** [-mən, -mèn]) 《영》 가게 앞에 서서 파는 점원
frónt vówel 〖음성〗 전(설)모음 《[i, e, ε, æ] 등》
front·ward [frʌ́ntwərd] *a.* 정면을 향하는, 앞쪽으로의 — *ad.* 전방[앞쪽]으로
front·wards [frʌ́ntwərdz] *ad.* = FRONTWARD
front-wheel [frʌ́nthwìːl] *a.* (차 등의) 앞바퀴의; 앞바퀴에 작용하는: a ~ brake 앞바퀴 브레이크
frónt-wheel dríve 전륜 구동, 앞바퀴 굴림: a ~ car 전륜 구동차
frónt yárd (집의) 앞뜰, 앞마당
frore [frɔ́ːr] *a.* 《고어·시어》 서릿발 치는, 혹한의
frosh [frɑ́ʃ | frɔ́ʃ] [freshman의 변형] *n.* (*pl.* ~), *a.* 《미·구어》 대학 1년생(의): a ~ mixer 신입생 친목회
‡**frost** [frɔ́ːst, frɑ́st | frɔ́st] *n.* Ⓤ **1** 서리, 서릿발: The trees were white with ~. 나무들이 서리로 하얗게 되었다. **2** ⓊⒸ 결빙, 동결(freezing); 서리 내리는 추위; 빙점하의 온도: five degrees of ~ 《영》 영하 5도 《of frost는 화씨 빙점인 32 이하의 온도를 말하므로 화씨로는 27도, 섭씨로는 약 영하 3도에 해당》 **3** [때로 a ~] (태도·기질 등의) 냉담, 냉엄, 준엄: melt the ~ from the heart 얼어붙은 마음을 풀다 **4** 《영·구어》 (연극·연주 등의) 실패 ***a hard*** [***heavy, sharp***] ~ 혹한 ***black*** ~ 까막 서리 《혹한 때문에 흰 서리가 내리지 않고 초목을 검게 얼려 죽이는》 ***Jack F~*** 서리의 요정; 혹한, 동장군
— *vi.* [it을 주어로 하여] 서리가 내리다, 얼다
— *vt.* **1** 서리로 덮다 《*over*》 **2** 〈유리·금속의〉 윤을 지우다 **3** 〈케이크에〉 설탕을 입히다, …으로 지우다 **4** 〈머리칼을〉 희게 하다 **5** (서리로) 얼리다; 〈식품을〉 급속 냉동하다; 〈식물에〉 상해(霜害)를 입히다; …의 기를 죽이다 **6** 화나게 하다 《*over*》 **7** 〈편자에〉 미끄러지지 않게 못을 박다 ▷ frósty, fróstlike *a.*
Frost [frɔ́ːst, frɑ́st | frɔ́st] *n.* 프로스트 **Robert** (**Lee**) ~ (1874-1963) 《미국의 시인》
Frost·belt [frɔ́ːstbèlt | frɔ́st-] *n.* [종종 **f~**] 미국 북부를 동서로 뻗은 한랭 지대(Snowbelt)
frost·bite [-bàit] *n.* Ⓤ 동상(凍傷) 《chilblain보다 중증》: suffer from ~ 동상에 걸리다
— *vt.* (**-bit** [-bìt]; **-bit·ten** [-bìtn]) 상해(霜害)를 입히다; 동상을 입히다
fróstbite bòating[**sàiling**] 《미》 한중(寒中) 요트 경기
frost·bit·er [-bàitər] *n.* 《미》 한중(寒中) 경기용 요트; 그 경기자
frost·bit·ing [-bàitiŋ] *n.* Ⓤ = FROSTBITE BOATING

frost·bit·ten [-bìtn] *a.* **1** 동상에 걸린; 상해를 입은: ~ feet 동상 걸린 발 **2** 냉담한, 냉혈한

frost·bound [-bàund] *a.* 〈땅이〉 동결된; 〈태도·관계 등이〉 냉랭한

frost·ed [frɔ́:stid, frɑ́s- | frɔ́s-] *a.* **1** 서리로 덮인; 얼어붙은(frozen) **2** 상해를 입은; 동상에 걸린 **3** 광택을 지운: ~ glass 젖빛 유리 **4** 설탕을 하얗게 친 **5** 〈머리 등이〉 희게 센 **6** 급속 냉동한: ~ foods 냉동 식품 **—** *n.* [UC] (우유·향료를 뒤섞은) 진한 음료

frost·fish [frɔ́:stfìʃ, frɑ́st- | frɔ́st-] *n.* (*pl.* **~·es,** ~) 〘어류〙 (북미산(産)) 작은 대구

frost-free [-frì:] *a.* 자동(自動) 성에 제거 장치가 달린; 성에가 안 끼는

fróst fòg 〘기상〙 빙무(氷霧), 서리 안개 《따뜻한 해면에 냉각된 공기가 접하면서 발생하는 안개》

fróst hèave 〘지질〙 땅이 얼어 지면을 밀어 올리기

frost·i·ly [frɔ́:stili, frɑ́st- | frɔ́st-] *ad.* 서릿발 치듯; 냉담하게

frost·ing [frɔ́:stiŋ, frɑ́st- | frɔ́st-] *n.* [UC] **1** (케이크에) 설탕을 입힘 **2** (유리 등에) 윤을 없앰, 윤을 없앤 젖빛 면[바탕] **3** 유리 가루 《장식 세공용》 ***the ~ on the cake*** 더욱 빛나게 하는 것, 금상첨화

frost·like [frɔ́:stlàik, frɑ́st- | frɔ́st-] *a.* 서리 같은

frost·line [-làin] *n.* 〘지질〙 지하 동결 한계선

frost·proof [frɔ́:stprù:f, frɑ́st- | frɔ́st-] *a.* 얼지 않는

frost·work [-wə̀:rk] *n.* [U] 서리꽃, 성에 《유리창 등에 생기는》; 서리 무늬 장식 《금속 등에 입히는》

***frost·y** [frɔ́:sti, frɑ́sti | frɔ́sti] *a.* (**frost·i·er**; **-i·est**) **1** 서리가 내리는, 추위가 매서운; 서리가 내린: ~ weather 서리가 내릴 듯 추운 날씨 / a ~ field 서리가 내린 들판 **2** 얼어붙을 것 같은, 싸늘한; 냉담한: a ~ smile 싸늘한 미소 / a ~ reception 냉담한 응대 **3** 〈머리가〉 반백[백발]의 **4** 고령의: the ~ years of life 고령 **fróst·i·ness** *n.* [U] 결상(結霜); 혹한; 냉담; 서리같이 흼 ▷ fróst *n.*

***froth** [frɔ́:θ, frɑ́θ | frɔ́θ] *n.* [UC] **1** (맥주 등의) 거품, 포말 **2** (내용의) 공허, 객담, 시시함
— *vt.* 거품 일게 하다; 거품투성이로 만들다; 지껄이다: ~ beer[eggs] 맥주[달걀]를 거품 일게 하다
— *vi.* 〈말 등이〉 거품을 내뿜다; 거품이 일다: (~+전+명) ~ *at* the mouth 입에 거품을 물다 **~·er** *n.*

froth-blow·er [frɔ́:θblòuər, frɑ́θ- | frɔ́θ-] *n.* 《영·익살》 맥주 애음가

froth·i·ly [frɔ́:θili | frɔ́θ-] *ad.* 거품을 뿜으며[일으키며]; 헛되이, 속없이, 부질없이

froth-spit [-spìt] *n.* (좀매미가) 뿜는 거품

froth·y [frɔ́:θi, frɑ́θi | frɔ́θi] *a.* (**froth·i·er**; **-i·est**) **1** 거품 같은; 거품투성이의(foamy) **2** 공허한 (empty), 천박한 **fróth·i·ness** *n.*

frot·tage [frɔ:tɑ́:ʒ | frɔ-] [F] *n.* 프로타주 **1** 〘미술〙 대상물 위에 놓은 종이를 연필 등으로 문질러 모양 내는 기법; 그 기법에 의한 작품 **2** 〘심리〙 옷을 입은 채 몸을 남의 몸·물건에 문질러 성적 쾌감을 얻는 것[변태 성욕]

frot·teur [frɔ:tə́:r | frɔ-] [F] *n.* 〘심리〙 프로타주(frottage)를 하는 사람

frou·frou [frú:frù:] *n.* 옷자락 스치는 소리, 삭삭 (rustling); 《구어》 고상한 체함

frouz·y [fráuzi] *a.* (**frouz·i·er**; **-i·est**) = FROWZY

frow[1] [fróu] *n.* (통나무에서 통 짜는 널을 쪼개는) 손도끼 《날이 쐐기꼴》

frow[2] [fráu, fróu] *n.* 여자, 《특히》 (기혼의) 네덜란드[독일] 여자

fro·ward [fróuwərd | fróuəd] *a.* 《고어》 외고집의, 고집 센, 심술궂은(perverse) **~·ly** *ad.* **~·ness** *n.*

‡frown [fráun] *vi.* **1** 눈살을 찌푸리다; 험상궂은[언짢은] 얼굴을 하다; 얼굴을 찡그리다 《*at, on, upon*》: (~+전+명) He ~*ed at* me for laughing at him. 그는 내가 자기를 비웃었다고 못마땅한 얼굴을 했다. **2** 난색을 표하다, 불찬성의 뜻을 나타내다 《*on, upon*》: (~+전+명) ~ *upon* a scheme 계획에 난색을 표하다 **3** 〈사물이〉 형세가 시원치 않게[위태로운 상태가] 되다 《*down*》
— *vt.* 눈살을 찌푸려서 〈불찬성 등을〉 나타내다; 무서운[성난] 얼굴로 …시키다[위압하다] 《*away, off, back*》: He ~*ed* disagreement. 그는 눈살을 찌푸려 반대 의사를 나타냈다. // (~+목+전+명) ~ a person *into* silence 눈살을 찌푸려 …을 침묵케 하다 // (~+목+부) ~ a person *away*[*off*] 눈살을 찌푸려 …을 쫓아버리다 / ~ a person *down* …을 무서운 얼굴로 위압하다
— *n.* **찌푸린 얼굴**, 눈살을 찌푸림, 시무룩한 얼굴(scowl); 불쾌한[불찬성의] 표정: wear a deep ~ 매우 불쾌한 얼굴을 하고 있다 **~·er** *n.*

frown·ing [fráuniŋ] *a.* **1** 찌푸린 얼굴의, 불쾌한; 험상궂은 표정의 **2** 〈절벽·탑 등이〉 가파른, 위압하는 듯한(menacing) **~·ly** *ad.*

frowst [fráust] 《영·구어》 *n.* (사람이 많이 모인 방의) 후끈함, 후텁지근함, (악취·훈김으로) 숨막힘; 탁한 공기 **—** *vi.* 〈악취·훈김으로〉 숨막히는 곳에 있다

frowst·y [fráusti] *a.* (**frowst·i·er**; **-i·est**) 《영·구어》 (사람이 많이 모여) 후끈한, 퀴퀴한

frows·y [fráuzi] *a.* (**frows·i·er**; **-i·est**) = FROWZY **fróws·i·ly** *ad.* **fróws·i·ness** *n.*

frowz·y [fráuzi] *a.* (**frowz·i·er**; **-i·est**) (악취·훈김으로) 숨막히는, 곰팡내 나는; 후텁지근한; 너저분한; 누추한 **frówz·i·ly** *ad.* **frówz·i·ness** *n.*

fro-yo [fróujou] [*f*rozen+*yo*ghurt] *n.* 냉동 요구르트 제품

***froze** [fróuz] *v.* FREEZE의 과거

‡fro·zen [fróuzn] *v.* FREEZE의 과거분사
— *a.* **1** 언, 결빙한: a ~ river 결빙한 강 **2** 극한(極寒)의: the ~ zone 한대 **3** 상해를 입은, 동상 걸린; 동사한 **4** 〈수도관 등이〉 동결된 **5** 냉랭한, 냉담한, 냉혹한: a ~ stare 냉담한 시선 **6** 〈감정 등이〉 억압된, 울적한; (놀람·무서움 등으로) 움츠린 **7** 냉동한: ~ fish[meat] 냉동어[육] **8** 〈특히 음료수가〉 얼음 섞인 **9** 〘당구〙 〈공이〉 다른 공과 붙어 있는 **10** 《구어》 〈자금 등이〉 동결된, 〈물가 등이〉 고정된: ~ assets 동결 자산 / ~ credit[loans] (회수 불능의) 연체 대부금 / ~ rents 고정 임대료 **~·ly** *ad.* 언 것 같이; 《미》 완고하게 **~·ness** *n.*

frózen cárbon dìoxide 드라이아이스(carbon dioxide snow)

frózen cústard 냉동 커스터드 《아이스크림 비슷함》

frózen fóod 냉동 식품

frózen fráme = FREEZE FRAME

frózen límit [the ~] 《구어》 (견딜 수 있는) 한도

frózen shóulder 〘병리〙 오십견(五十肩)

FRPS 《영》 Fellow of the Royal Photographic Society **FRS** 《미》 Federal Reserve System; 《영》 Fellow of the Royal Society **frs.** francs **FRSA** Fellow of the Royal Society of Arts **FRSE** Fellow of the Royal Society of Edinburgh **FRSL** Fellow of the Royal Society of Literature **FRSS** Fellow of the Royal Statistical Society **frt** freight

fructi- [frʌ́kti, frúk-] 《연결형》 「과일」의 뜻

fruc·tif·er·ous [frʌktífərəs] *a.* 〈식물이〉 열매를 맺는 **~·ly** *ad.*

fruc·ti·fi·ca·tion [frʌ̀ktəfikéiʃən, frùk-] *n.* **1** [U] (식물의) 결실; 과실 **2** [집합적] (고사리 등의) 결실 기관(器官)

fruc·ti·fy [frʌ́ktəfài, frúk-] *v.* (**-fied**) *vi.* 〈식물이〉 열매를 맺다; 〈토지가〉 비옥하게 되다; 〈노력 등이〉 열매를 맺다 **—** *vt.* …에 열매를 맺게 하다; 〈토지를〉 비옥하게 하다

fruc·tose [frʌ́ktous, frúk-] *n.* [U] 〘화학〙 과당(果糖)

fruc·tu·ous [frʌ́ktʃuəs] *a.* 과실이 많은, 과실을 맺는; 다산(多産)의; 결실이 많은 **~·ly** *ad.* **~·ness** *n.*

frug [frú:g] *n.* 프루그 《twist에서 유래한 춤》

—*vi.* (~**ged**; ~·**ging**) 프루그를 추다 ~·**ger** *n.*
*__fru·gal__ [frúːgəl] *a.* **1** 검소한; (…을) 절약하는 《*of*》 (⇨ economical 유의어): (~+*of*+명) be ~ *of* one's time 시간을 절약하다 **2** 비용이 들지 않는; 간소한 ~·**ly** *ad.* ~·**ness** *n.* ▷ frugálity *n.*
fru·gal·i·ty [fruːgǽləti] *n.* UC 절약, 검소: live in ~ 검소하게 살다
fru·gi·vore [frúːdʒəvɔ̀ːr] *n.* 〖동물〗 (특히 영장목(目)에서) 과일을 상식(常食)하는 동물
fru·giv·o·rous [fruːdʒívərəs] *a.* 과실을 상식하는
‡**fruit** [frúːt] [L 「농산물, 수익」의 뜻에서] *n.* (*pl.* [집합적] ~**s**, ~) **1** UC **a** [집합적] (먹는) 과일 《개개의 과일에는 잘 쓰지 않음》: much[plenty of] ~ 많은 과일 《many fruits는 종류를 말할 때 이외에는 못 씀》/ grow ~ 과일을 재배하다 / ~*s* in season 제철 과일 / The apple is a ~ which ripens in the fall. 사과는 가을에 익는 과일이다. 《★ 종류를 가리킬 때 이외에는 a fruit는 못 씀》 **b** [집합적] (식물의) 열매: a tree in ~ 열매를 맺고 있는 나무 **2** [보통 *pl.*] (농작물의) 수확(물), 생산물, 소산 **3** [종종 *pl.*] (…의) 산물(product); 결과, 성과(result); 보수(reward), 수익(profit) 《*of*》: the ~*s of* one's labors 노동의 성과 **4 a** (미·속어) 남자 동성애자 **b** (영·속어) 이상한 사람, 기인(奇人) **c** (미·속어) 속이기 쉬운 사람
bear [***produce***] ~ 열매를 맺다; 성과를 거두다 ***feed on*** ~ 〈새나 짐승이〉 과일을 먹고 살다 ***Old ~!*** (주로 영·속어) 야 자네! 《남성에 대한 호칭》 ***the ~ of the body*** [***loins, womb***] (고어) 자식, 자녀 ***the ~s of the earth*** [***ground***] 지상의 농작물
—*vi.* 과일이 생기다, 열매를 맺다: a tree that ~*s* in late summer 늦여름에 열매를 맺는 나무
—*vt.* …에 열매를 맺게 하다 ~·**ed** *a.* ~·**like** *a.*
▷ frúitful, frúity *a.*; frúitage *n.*
fruit·age [frúːtidʒ] *n.* U **1** 결실, 열매 맺기 **2** [집합적] 과일, 열매(fruits) **3** 성과, 소산
fruit·ar·i·an [fruːtɛ́əriən] *n.* 과일 상식자, 과식(果食)주의자(cf. VEGETARIAN)
frúit bàr 건조 압축시킨 과일
frúit bàt 〖동물〗 큰박쥐 《과실을 상식함》
frúit bùd 열매눈(cf. LEAF BUD)
fruit·cake [frúːtkèik] *n.* CU **1** 프루트케이크 **2** (경멸) 바보, 정신 나간 녀석 (**as**) ***nutty as a*** ~ ⇨ nutty
frúit cócktail 프루트 칵테일
frúit cùp 잘게 썬 과일을 컵에 넣은 디저트
frúit dròp 낙과(落果) 《과일이 익기 전에 떨어짐》
fruit·er [frúːtər] *n.* **1** 열매를 맺는 나무, 과수(果樹): a sure ~ 결실이 확실한 과실 나무 **2** (영) 과수 재배자 **3** 과일 운반선(fruit ship) **4** (미·속어) 남성 동성애자
fruit·er·er [frúːtərər] *n.* **1** (주로 영) 과일 장수, 청과상(fruit dealer) **2** 과일 운반선
fruit·er·ess [frúːtəris] *n.* FRUITERER의 여성형
frúit flỳ 〖곤충〗 과일파리 《과일·야채의 해충》
‡**fruit·ful** [frúːtfəl] *a.* **1** 열매를 많이 맺는, 열매가 좋은; 다산(多産)의(prolific) **2** 풍작을 가져오는; 비옥한: ~ showers 단비, 고마운 비 **3** 수확이 많은, 유리한, 효과적인, 유익한: a ~ plan 효과적인 계획 / a ~ occupation 실수입이 많은 직업 ***a ~ vine*** 〖성서〗 아이가 많은 여자 ~·**ly** *ad.* ~·**ness** *n.* ▷ frúit *n.*
fruit·i·ness [frúːtinis] *n.* (특히 와인의) 과일 맛[향]
frúit·ing bòdy [frúːtiŋ-] 〖식물〗 (균류의) 자실체(子實體)
fru·i·tion [fruːíʃən] *n.* U **1** 달성, 실현, 성과: bring an idea to ~ 생각을 실현하다 **2** (소유·실현의) 기쁨, 즐거움 **3** 결실, 결정(結晶) ***come*** [***be brought***] ***to*** ~ 〈계획 등이〉 결과를 맺다, 실현되다
frúit jàr 유리 과일병
frúit jùice 과즙(果汁)
frúit knife 과도(果刀)
*__fruit·less__ [frúːtlis] *a.* **1** 열매를 맺지 않는, 결실하지 않는; 불모(不毛)의 **2** 결과를 낳지 않는; 보람[효과] 없는, 무익한, 헛된(⇨ futile 유의어): a ~ search 헛된 탐색 / All my efforts were ~. 나의 모든 노력이 헛수고였다. ~·**ly** *ad.* ~·**ness** *n.*
fruit·let [frúːtlit] *n.* 작은 과실[열매] 《집합과(集合果) 중의 하나》
frúit machìne (영) 슬롯머신(slot machine)
fruit-piece [frúːtpìːs] *n.* 과일 정물화
frúit rànch (미서부) (큰) 과수원
frúit sálad 프루트[과일] 샐러드; (속어) (군복에 단) 훈장과 훈장 띠; (마약속어) 진정제
frúit sìrup 과즙 시럽
frúit sùgar 〖화학〗 = FRUCTOSE
frúit trèe 과수(果樹), 과목
frúit wìne 과실주 《포도주 이외의》
fruit·wood [frúːtwùd] *n.* (가구용) 과수 재목
fruit·y [frúːti] *a.* (**fruit·i·er**; **-i·est**) **1** 과일 같은, 과일 맛[향]이 나는: a ~ wine 포도맛이 강한 포도주 **2** 〈소리 등이〉 성량이 풍부한, 낭랑한 **3** (구어) 흥미진진한, 아주 재미나는; 아슬아슬한, 외설적인, 도발적인, 노골적인 **4** 감미로운, 달콤한: ~ prose 감미로운 산문 / a ~ voice 달콤한 목소리 **5** (미·속어) 남자 동성애의 **6** (미·속어) 정신 나간, 이상한 **7** (속어) 큰 부자의, 거들먹거리는 **frúit·i·ness** *n.*
fru·men·ta·ceous [frùːməntéiʃəs] *a.* 밀[곡물] 같은, 밀[곡물]로 만든
fru·men·ty [frúːmənti] *n.* U (영·방언) 우유 밀죽
frump [frʌ́mp] *n.* **1** 지저분한 여자; 시대에 뒤진 옷차림을 한 사람 **2** 수수한 사람 **3** [*pl.*] (영·방언) 불쾌
frump·ish [frʌ́mpiʃ] *a.* 지저분한
frump·y [frʌ́mpi] *a.* (**frump·i·er**; **-i·est**) = FRUMPISH **frúmp·i·ly** *ad.* **frúmp·i·ness** *n.*
*__frus·trate__ [frʌ́streit] [L 「헛되게 하다, 실망시키다」의 뜻에서] *vt.* **1** 좌절시키다, 꺾다, 〈적의 계략 등을〉 실패시키다(baffle): ~ a plan 계획을 좌절시키다 // (~+목+전+명) be ~*d in* one's ambition 야망이 좌절되다 **2** 방해하다 **3** …에게 좌절감을 일으키게 하다, 실망시키다, …의 의표를 찌르다
—*vi.* 좌절하다, 꺾이다, 실망하다
—*a.* (고어) = FRUSTRATED ▷ frustrátion *n.*
frus·trat·ed [frʌ́streitid] *a.* 실망한, 좌절한, 좌절감을 느낀; (성적으로) 욕구 불만의: a ~ actor 좌절한 배우 / ~ exports 수출 부진
frus·trat·ing [frʌ́streitiŋ] *a.* 좌절감을 일으키는, 실망[답답]하게 하는 ~·**ly** *ad.*
*__frus·tra·tion__ [frʌstréiʃən] *n.* UC **1** 좌절, 차질, 실패, 낙담; 〖법〗 계약의 목적 미달 **2** 〖심리〗 (성적인) 욕구 불만, 좌절감 **3** 장애물, 방해물 ▷ frústrate *v.*
frustrátion tòlerance 〖심리〗 욕구 불만 내성(耐性)
frus·tule [frʌ́stʃuːl] *n.* 〖식물〗 돌말[규조(珪藻)](diatom)의 껍질 《두 조각 중의 하나》
frus·tum [frʌ́stəm] *n.* (*pl.* ~**s**, **-ta** [-tə]) 〖수학〗 절두체(截頭體): a ~ of a cone 원추대
fru·tes·cent [fruːtésnt] *a.* 〖식물〗 관목(성)(灌木(性))의(shrubby)
fru·tex [frúːteks] *n.* (*pl.* **-ti·ces** [-tisìːz]) 〖식물〗 관목
fru·ti·cose [frúːtikòus] *a.* 〖식물〗 관목 모양의
frwy, frwy. freeway
‡**fry**[1] [frái] *v.* (**fried**) *vt.* **1** 기름에 튀기다, 기름에 볶다[데치다], 지지다, 프라이로 하다(⇨ cook 유의어); 〈음식을〉 프라이팬으로 데우다 《*up*》: *fried* eggs 달걀 프라이 **2** (속어) 〈죄수를〉 전기의자로 처형하다
—*vi.* **1** 프라이로 되다 **2** (속어) 전기의자로 처형되다 **3** 일광욕하다, 피부를 태우다 **4** 〈신입생·신병이〉 혼나다 **5** 〖컴퓨터〗 고장 나다

thesaurus **frugal** *a.* thrifty, saving, sparing, economical, careful, prudent, unwasteful, stingy
fruitful *a.* fertile, potent, productive, profitable
fruitless *a.* vain, useless, worthless, unproduc-

~ *in* one*'s own grease*[*fat, oil*] 사서 고생하다 ~ *the fat out of* ((미)) (실업가 등에게서) 헌금을 거두다 *have other fish to* ~ ⇨ fish
— *n.* (*pl.* **fries**) **1** 튀김 (요리), 프라이, ((특히)) 감자튀김 **2** ((영)) (보통 프라이용) 내장 **3** ((미)) 프라이 회식 ((흔히 야외에서 하는)): a fish ~ 생선 프라이 회식 **4** (구어) 흥분, 고뇌

fry[2] *n.* (*pl.* ~) **1** 물고기 새끼, 치어, 잔챙이; 두 살난 어린 연어 **2** [집합적] 작은 것, 어린 것 ((어린애·작은 동물 등)) (*the*) *small*[*smaller, lesser*] ~ [집합적] (1) 작은 물고기[동물], 치어, 잔챙이 (2) ((경멸)) 잡것; 시시한 사람[것]; ((익살)) 아이들

fry·er [fráiər] *n.* **1** 프라이 요리사; 프라이 냄비[팬]: a fish ~ 생선 프라이팬 **2** ((미)) 프라이 재료, ((특히)) 프라이용 영계

*__frý·ing pàn__ [fráiiŋ-] 프라이팬(((미)) skillet) *jump*[*leap*] *out of the* ~ *into the fire* 작은 난을 피하려다 큰 난을 당하다

fry·pan [fráipæ̀n] *n.* ((미)) =FRYING PAN

fry-up [-ʌ̀p] *n.* ((영·구어)) (먹다 남은 것으로 만드는) 즉석 볶음 음식(을 만듦)

FS Field Service; Fleet Surgeon; Foreign Service **f.s.** film strip; fire station; flight service; flying saucer; foot-second **FSA** Farm Security Agency 농업 안정국; ((영)) Fellow of the Society of Antiquaries **FSH** follicle-stimulating hormone 〖생화학〗 난포(卵胞) 자극 호르몬 **FSLIC** ((미)) Federal Savings and Loan Insurance Corporation **FSO** foreign service officer 〖외교〗 미국 국방부의 해외 근무 직원 **FSR** Field Service Regulations **FSSU** Federated Superannuation System[Scheme] for Universities **FST** flat screen television

f-stop [éfstɑ̀p | -stɔ̀p] *n.* 〖사진〗 F 넘버 표시 조리개, F 스톱: ~ system F 스톱 방식

FSX fighter support X 〖군사〗 차기 지원 전투기

Ft forint(s); fort **FT** Financial Times; free throw **ft.** feet; foot; fort(ification) **FTA** Free Trade Agreement 자유 무역 협정 **FTC** Federal Trade Commission ((미)) 연방 통상 위원회 **fth(m).** fathom **ft-L** foot-lambert(s) **ft-lb** foot-pound(s) **FTP** file transfer protocol 〖컴퓨터〗 파일 전송 프로토콜 **ft-pdl** foot-poundal(s)

FT-SE 100 (**Index**) [fútsi-] Financial Times Stock Exchange 100 Share Index 파이낸셜 타임스 주식 거래 100사 주가 지수

FT Sháre Ìndex [the ~] FT 주가 지수 ((영국의 경제 전문지 *Financial Times*가 발표하는 주가 지수))

F2F face to face 직접 만나서 ((전자 우편 용어))

F_2 láyer [éftú:-] 〖통신〗 F_2층 ((지상 250-500km에 있어 전파를 반사하는 전리층 하층 중의 한 층; cf. F LAYER))

FTZ free-trade zone

fu [fú:] *n.* (미·속어) 마리화나

fub [fʌ́b] *vt.* (~**bed**; ~**bing**) =FOB[2]

fu·bar [fjú:bɑ:r] (미·속어) *a.* 엉망인; 손댈 여지[어쩔 도리]가 없는 — *n.* =SNAFU

fub·sy [fʌ́bzi] *a.* (영·방언) 뚱뚱한, 땅딸막한

fuch·sia [fjú:ʃə] *n.* **1** 〖식물〗 후크샤, 수령초 ((바늘꽃과의 관상용 관목)) **2** Ⓤ 자홍(紫紅)색 — *a.* 자홍색의: a ~ dress 자홍색 드레스

fuch·sin [fúksin, fjú:k- | fú:k-], **-sine** [-sin, -si:n] *n.* Ⓤ 〖화학〗 푹신 ((아닐린 염료의 일종))

*__fuck__ [fʌ́k] (비어) *vt.* **1** …와 성교하다 **2** 가혹하게 대하다, 학대하다; 속이다, 이용하다; 실수하다 **3** 못쓰게 만들다 ((*up*)) **4** damn 등 대신에 쓰는 강의어(强意語) **5** 저주하다, …에게 욕을 퍼붓다
— *vi.* **1** (…와) 성교하다 ((*with*)) **2** (…에) 간섭하다, 말썽부리다 ((*around, with*)) ~ *around*[*about*] (비어) (1) 어리석은 짓을 하다 (2) …의 시간을 허비하다; …을 혼내 주다 (3) 이 사람 저 사람과 성교하다 *F~ me!* (속어) 이거 놀랍군! ~ *off* (비어) (1) [대개 명령형으로] 썩 꺼져; 방해하지 마라 (2) ((미)) =FUCK around. (3) 책임을 면하다 (4) 자위하다 ~ *over* (1) (성적으로) 학대하다 (2) (부당하게) 이용하다 ~ one*self* (비어) 자위하다 ~ *up* (비어) (1) 망가뜨리다, 못쓰게 만들다 (2) 헛되이 하다, 실수[실패]하다, 바보같은 짓을 하다 (3) 혼내 주다, 학대하다 (4) 동요[혼란]시키다 *F~ you!* (비어) 뒈져라!, 엿먹어라!
— *n.* **1** 성교; 성교의 상대 ((여자)); [the ~; hell 등 대신에 쓰는 강의어로서] 도대체: What *the* ~ is it? 도대체 그게 뭐냐? **2** 비열한 녀석 **3** 정액(semen) *not care*[*give*] *a* ~ (비어) 전혀 개의치 않다 ((*about*)) *not worth a* ~ (비어) 아무 가치[쓸모]도 없는
— *int.* [종종 ~ you로 혐오·곤혹을 나타내어] 제기랄, 젠장, 우라질 ~·**a·ble** *a.* **fúck·y** *a.*

fuck-all [-ɔ̀:l] *n.* ((영·비어)) 전혀 없음(nothing)

fucked-out [fʌ́ktáut] *a.* (비어) 몹시 지친; 늙어빠진, 고물의

fucked-up [-ʌ̀p] *a.* (비어) **1** 〈사물·상황이〉 엉망인, 몹시 혼란한 **2** 심란한, 큰 충격을 받은 **3** (마약·술로) 잠시 정신이 이상해진

fuck·er [fʌ́kər] *n.* (비어) **1** fuck하는 사람 **2** [you ~로 호칭으로서] 바보 같은 놈, 싫은 사람 **3** [종종 남자끼리 친밀감을 갖고] 녀석, 놈

fúck film (비어) 포르노 영화, 에로 영화

fuck·head [fʌ́khèd] *n.* (비어) 바보, 얼간이 ((특히 남성))

fuck·ing [fʌ́kiŋ] (비어) *a.* Ⓐ 괘씸한, 지독한, 지긋지긋한, 완전한 *F~ hell!* ((영·비어)) 우라질! 제기랄! — *ad.* 대단히, 지독히: She's ~ rich. 그녀는 대단히 부자다. ~ *well* (속어) 절대로

fuck·off [fʌ́kɔ̀:f, -ɑ̀f | -ɔ̀f] *n.* (속어·비어) 책임을 회피하는 사람; 꾀부리는 사람; 꾀병 부리는 병사; 신뢰할 수 없는 사람, 희망[가능성] 없는 사람

fuck-up [-ʌ̀p] *n.* (비어) **1** 몹쓸 사람[것], 얼간이, 실수만 하는 사람 **2** 실패, 실수, 바보짓; 엉망진창 **3** 정서가 불안정한 사람

fu·cus [fjú:kəs] *n.* (*pl.* **fu·ci** [-sai], ~·**es**) 푸쿠스 속(屬)의 녹갈색 갈조

fud·dle [fʌ́dl] *vt.* 술 취하게 하다; (술로) 〈사람·정신을〉 혼란케 하다 ~ one*self* (술을 너무 마셔) 정신이 흐려지다 — *vi.* 술에 젖어 지내다(tipple) — *n.* ⓒⓊ 만취 (상태); 혼미; 혼란 *on the* ~ 만취하여

fud·dled [fʌ́dld] *a.* 몹시 취한, 정신이 몽롱해진

fud·dy-dud·dy [fʌ́didʌ̀di, ⌐-⌐-] *n.* (*pl.* **-dies**) (구어) 귀찮은 사람, 불평가; 시대에 뒤진 사람, 구식 사람 — *a.* 시대에 뒤진; 귀찮은, 시끄러운

fudge[1] [fʌ́dʒ] *n.* ⓊⒸ 퍼지 ((설탕·버터·우유·초콜릿으로 만든 물렁한 캔디))

fudge[2] *n.* Ⓤ 꾸민 일; 허튼소리(nonsense)
— *int.* 실없는 소리!(bosh!)

fudge[3] *vt.* 〈신문 기삿거리 등을〉 날조하다, 지어내다 (fake) ((*up*)); 조작하다; 속이다; 피하다: ~ data 데이터를 조작하다 — *vi.* 속이다; 〈비용 등을〉 부풀리다, 과장하다; 우유부단하다, 꾀부리다; (약속 등을) 어기다, 지키지 않다: (~+전+명) ~ *on* one's campaign promises 선거 공약을 지키지 않다
— *n.* **1** 날조, 조작, 속임수(lie) **2** 신문의 별쇄(別刷) 추가 기사; 추가 기사 인쇄 장치 ~ *and mudge* 애매모호한 태도

fúdge fáctor (속어) 오차 (범위)

fueh·rer [fjúərər] [G] *n.* =FÜHRER

‡**fu·el** [fjú:əl, fjúəl] *n.* **1** Ⓤ 연료 ((석탄·기름·장작 등)); (에너지원이 되는) 식량, 음식물; 동력 에너지원: oil ~ 석유 연료/nuclear ~ 핵연료 **2** Ⓤ (감정을) 돋우는 것; (혼란 등을) 야기시키는 것: add more ~ to

tive, unrewarding, futile, ineffective, unavailing
frustrate *v.* defeat, thwart, check, block, foil, disappoint, spoil, stop, obstruct, discourage, hinder, depress, dispirit, dishearten, embitter

inflation 인플레이션을 가속하다 / ~ for debate 열의 있는 토론 ***add ~ to the fire*** [***flames***] 불에 기름을 붓다, 더욱 화를 돋우다 ***take on ~*** = ***take ~ on*** 《구어》 술을 많이 마시다
— *v.* (**~ed**; **~·ing** | **~led**; **~·ling**) *vt.* …에 연료를 보급하다, 연료를 때다; 약오르게 하다, 자극하다, 〈감정 등을〉 부채질하다: ~ suspicion 의심을 부추기다
— *vi.* 연료를 얻다, 연료 보급을 받다; 〈배가〉 연료를 적재[보급]하다 《*up*》

fúel àir explòsive 기화(氣化) 폭약 《略 FAE》

fúel capácity 연료 적재력[저장량]

fúel cèll 연료 전지

fúel cỳcle 〖원자력〗 (핵의) 연료 사이클

fúel dèpot 연료 보급창, 연료 저장고[선]

fu·el-ef·fi·cient [fjúːəlifìʃənt] *a.* 〈자동차 등이〉 저연비의, 연료 효율이 좋은: a ~ car 연료 절약형 자동차

fúel èlement 〖원자력〗 (핵)연료 요소

fu·el·er [fjúːələr] *n.* 연료 공급자[장치]

fúel gàs 연료 가스

fúel gàuge 연료계(《미》 gas gauge)

fu·el-guz·zling [fjúːəlgʌ́zliŋ] *a.* 연료를 많이 먹는 (《미》 gas-guzzling)

fú·el·ing stàtion [fjúːəliŋ-] 연료 보급소

fu·el-in·ject·ed [-indʒèktid] *a.* 〖기계〗 〈엔진이〉 연료 분사식의

fúel injèction 〖기계〗 (엔진의) 연소실의 연료 분사

fúel injèctor *n.* 연료 분사기

fu·el·ish [fjúːəliʃ, fjúəl-] *a.* 《미·캐나다》 연료를 낭비하는 **~·ly** *ad.*

fúel òil 연료유

fúel ràte 초당(秒當) 연료 소비율

fúel ròd 〖원자력〗 연료봉(棒)

fuel·wood [fjúːəlwùd] *n.* 장작, 땔나무

fu·fu [fúːfu] *n.* 《서아프》 푸푸 《코코얌(cocoyam)이나 카사바(cassava)같은 식물 뿌리를 삶아 으깨 만든 죽》

fug [fʌ́g] *n.* 《영·구어》 **1** (환기가 나빠) 숨이 막힐 것 같은 공기 **2** 면(綿) 보풀(fluff) — *v.* (**~ged**; **~·ging**) *vi.* 숨이 막힐 것 같은 곳에 (처박혀) 있다
— *vt.* (문을 닫아) 숨막힐 듯한 상태로 하다

fu·ga·cious [fjuːgéiʃəs] *a.* **1** 손에 잡히지 않는, 붙잡기 어려운, 꺼지기 쉬운; 허무한, 덧없는 **2** 〖식물〗 〈꽃 등이〉 빨리 지는(opp. *persistent*) **3** 휘발성의 **~·ly** *ad.* **~·ness** *n.*

fu·gac·i·ty [fjuːgǽsəti] *n.* Ⓤ 달아나기[꺼지기] 쉬움, 덧없음; 〖화학〗 (기체의) 도산성(逃散性), 퓨개시티 《액체 혼합물의 한 성분이 혼합물로부터 증발하는 정도를 나타내는 양》

fu·gal [fjúːgəl] *a.* 〖음악〗 둔주곡(遁走曲)의, 푸가(fugue)의 **~·ly** *ad.* 둔주곡풍으로

-fuge [fjùːdʒ] 《연결형》 「구축[제거]하는 (것)」의 뜻: vermi*fuge*

fug·gy [fʌ́gi] *a.* (**-gi·er**; **-gi·est**) 《영·구어》 〈방 등이〉 숨이 막힐 것 같은, 답답한, 탁한

∗**fu·gi·tive** [fjúːdʒətiv] [L 「달아나는」의 뜻에서] *n.* **1** 도망자, 탈주자; 피난자, 망명자 《*from*》: a ~ *from* justice 도망범 **2** 사라져[없어져] 버리는 것, 덧없는 것; 붙들기 어려운 것
— *a.* **1** Ⓐ 도망하는, 도주한; 망명의: a ~ soldier 탈영병 **2** 덧없는, 변하기 쉬운, 정처없는, 일시적인, 그때만의: ~ thoughts 덧없는 생각 / ~ colors 바래기[날기] 쉬운 빛깔 / ~ essays 그때그때 쓴 수필
~·ly *ad.* **~·ness** *n.* **fù·gi·tív·i·ty** *n.*

fu·gle [fjúːgl] *vi.* 《고어》 지도자가 되다; 모범이 되다; 신호하다(signal)

fu·gle·man [fjúːglmən, -mæ̀n] *n.* (*pl.* **-men** [-mən, -mèn]) 〖군사〗 향도; 지도자, 간사(幹事)

fugue [fjúːg] *n.* **1** 〖음악〗 둔주곡(遁走曲), 푸가 **2** 《비유》 서로 뒤쫓듯이 옴; 〖정신의학〗 둔주, 배회증(徘徊症) — *vt.* 〖음악〗 〈곡을〉 푸가로 작곡[연주]하다
— *vi.* 〖음악〗 푸가를 작곡[연주]하다

fugue·like [fjúːglàik] *a.* 푸가풍의

fugu·ist [fjúːgist] *n.* 〖음악〗 둔주곡 작곡가

füh·rer [fjúərər] [G = leader] *n.* **1** 지도자; 독재자 **2** [der F~] 총통 《Adolf Hitler의 칭호》

-ful *suf.* **1** [fəl] [형용사 어미] 「…이 가득 찬, …이 많은, …의 성질을 가진」의 뜻: beauti*ful*, forget*ful* **2** [fùl] [명사 어미] 「…에 가득(찬 양)」의 뜻: a cup*ful*, two mouth*fuls*

Fu·la [fúːlə, fúlə] *n.* (*pl.* **~s,** [집합적] **~**) = FULANI 1

Fu·la·ni [fúːlɑːni, ―∠―] *n.* **1** (*pl.* **~s,** [집합적] **~**) 풀라니 족(族) 《니그로이드(Negroid)와 지중해 민족과의 혼혈 유목민》 **2** Ⓤ 풀라니 어(語)

Ful·bright [fúlbràit] *n.* **1** 풀브라이트 ***James William ~*** (1905-95) 《미국의 정치가》 **2** 풀브라이트 장학금[생]

Fúlbright Àct (미) 풀브라이트법(法) 《잉여 물자를 해외에 매각한 자금으로 연구·조사·교육의 진흥과 교류에 사용하도록 제정한 법률; 1946년 제정》

ful·crum [fúlkrəm, fʌ́l-] *n.* (*pl.* **~s, -cra** [-krə]) 〖기계〗 (지레의) 지점(支點), 받침점, 지렛목; 지레받침; 받침대, 지주(支柱) — *vt.* **1** …에 지렛대를 두다 **2** 지렛대[지점]로 하다

‡**ful·fill** | **-fil** [fulfíl] [*full*+*fill*] *vt.* (**~ed**; **~·ing**) **1** 〈의무·약속·직무 등을〉 다하다, 이행하다, 수행하다; 끝내다, 완료하다; 〈명령·조건·계획·약속 등을〉 실행하다, 완수하다, 준수하다, 지키다: ~ one's duties[obligations] 임무를 수행하다[의무를 이행하다] / ~ the norm 노르마[규정량]를 완수하다 **2** 〈소망·야심 등을〉 달성하다; [보통 수동형으로] 〈기원·예언을〉 성취[실현]시키다; 〈필요·요건·부족분 등을〉 채우다, 만족시키다: ~ a long-felt need 오랫동안 가지고 싶어한 소망을 달성하다 / My prophecy was *~ed.* 내 예언은 실현되었다. **3** 〈기한을〉 종료하다, 마치다 **4** [~ one*self* 로] 자신의 소질을 충분히 발휘하다, 자기를 실현하다: ~ *oneself* in charitable work 자선사업에서 자신의 힘을 충분히 발휘하다 **~·er** *n.*

ful·filled [fulfíld] *a.* 〈사람 등이〉 만족하는, 충족감을 가진

ful·fill·ing [fulfíliŋ] *a.* 〈일·관계 등이〉 만족스러운, 충족감이 있는

∗**ful·fill·ment, ful·fil·ment** [fulfílmənt] *n.* Ⓤ **1** (의무·직무 등의) 이행, 수행, 완수; 실천; 실현, 달성; (예언의) 성취 **2** 고객의 주문 처리[과정] ▷ fulfill *v.*

ful·gent [fʌ́ldʒənt, fúl-] *a.* 《시어》 눈부시게 빛나는, 찬란한(brilliant) **~·ly** *ad.*

ful·gid [fʌ́ldʒid, fúl-] *a.* 《고어·시어》 찬란히 빛나는, 반짝이는

ful·gu·rant [fʌ́lgjurənt, fúl-] *a.* 《문어》 번개처럼 번쩍이는

ful·gu·rate [fʌ́lgjurèit, fúl-] *vi.* 번개처럼 번쩍이다(flash) — *vt.* 〖의학〗 〈종양 등을〉 고주파로 파괴하다 **fùl·gu·rá·tion** *n.* Ⓤ 〖의학〗 고주파 요법

ful·gu·rat·ing [fʌ́lgjurèitiŋ, fúl-] *a.* 〖의학〗 **1** 〈통증이〉 콕콕 찌르는 듯한, 전격성(電擊性)의 **2** 고주파 요법의

ful·gu·rite [fʌ́lgjuràit, fúl-] *n.* Ⓤ 〖지질〗 풀구라이트, 섬전암(閃電岩) 《뇌전으로 생기는 유리질의 통 모양의 암석》

ful·gu·rous [fʌ́lgjurəs, fúl-] *a.* 번갯불의[같은], 전격적인, 전광석화의

fu·lig·i·nous [fjuːlídʒənəs] *a.* 검댕의(sooty); 검댕색의, 가무스름한, 그을린, 어둠침침하게 흐린 **~·ly** *ad.*

‡**full**[1] [fúl] *a.* **1** 가득 찬, 만원의, 충만한, 하나 가득한, 찰찰 넘치는; 혼잡한: fill one's glass ~ 컵을 가득 채우다 / a cabinet ~ of medicine 약으로 꽉 찬 약장 **2** 완전한(perfect), 순전한; 〈소리가〉 큰, 〈빛이〉 강렬한, 〈색이〉 짙은: a ~ view 전경 / a ~ edition 완

thesaurus **fugitive** *n.* escapee, runaway, deserter, refugee — *a.* escaping, fleeing
fulfill *v.* **1** 이행하다 carry out, accomplish,

전판 / in ~ bloom 만발하여 / a film in ~ color 총천연색 영화 **3** 〈용적·수량·정도 등이〉 **최대한의, 최고의**; 〈계절 등이〉 한창의, 최고조의; 〈회의·모임 등이〉 전원 출석의; 〈회원·교수 등이〉 정식의: ~ speed 전속력 / a ~ load of five tons 5톤을 가득 실은 짐 / a ~ mile[hour] 꼬박 1마일[시간] / receive ~ pay 임금을 전액 받다 / a ~ member 정회원 / ~ summer 한여름 / a ~ tide[flood] 찬물때, 만조 **4 배부른**, 양이 찬; 〈가슴이〉 벅찬, 흐뭇한: My heart is ~. 가슴이 벅차다. **5** 넉넉한, 풍성한, 풍족한, 윤택한, 많은: a ~ harvest 풍작 **6** 〈의복이〉 품이 넉넉한, 헐렁한, 넓고 편한, 부풋한, 불룩하게 부푼; 풍만한, 포동포동한; 살찐: a ~ figure 당당한 풍채 / be ~ in the face 얼굴이 복스럽다 **7** 〖항해〗 〈돛이〉 바람을 가득 안은; 〈배가〉 돛에 바람을 받은 **8** 〈기술·보고가〉 자세한 **9** 〈형제 등이〉 같은 양친을 가진 **10** (…으로) 머리가 가득 찬, (…에) 열중하는 《*of*》: (~+***of***+명) She was ~ *of* her own anxieties. 그녀는 자기 걱정으로 머리가 꽉 찼다. **11** 〖음악〗 전주(全奏)의, 전성부(全聲部)의; 음량이 풍부한: ~ cadence 완전 종지(終止)(법) **12** 〖야구〗 만루의, 〈타자가〉 풀 카운트의 **13** 〈유리 등이〉 너무 큰, 크게 자른 **14** (…이) 한계의 《*of*》

at ~ length 기장[길이]대로, 충분히 펴서; 손발을 쭉 뻗고, 네 활개를 쭉 펴고서; 아주 상세히 ***be ~ of*** …에 몰두하고 있다; …투성이다, …이 많다, 가득 차다 ***eat as ~ as*** one ***can hold*** 양껏 먹다 ***~ as an egg*** 꽉 차서; 《속어》 만취하여 ***~ chisel*** 《미·속어》 전속력으로 ***~ of beans***[***hops, prunes***] 바보 같은; 원기 왕성하여 ***~ of*** one***self*** 자기 생각만 하여, 자만하여 ***~ of years and honors*** 수(壽)를 다하고 공명도 떨치고 ***~ to overflowing*** 넘쳐 흐를 만큼, 하나 가득히 ***~ up*** 《구어》 꽉 차서, 싫증이 나서, 배 부른: I'm ~ *up*. 배가 잔뜩 부르다. ***in ~ activity***[***swing***] 〈경기·무도·음악 등이〉 한창으로 ***in ~ view*** 다 보이는 곳에 ***turn*** a thing ***to ~ account*** …을 남김없이 이용하다

— *ad.* **1 충분히**, 완전히(fully); 적어도: It happened ~ 40 years ago. 그것은 꼭 40년 전에 일어났다. **2** 《주로 시어》 참으로, 매우: You know ~ well what I mean. 내가 말하고자 하는 것을 잘 알고 있을 것이다. **3** 《고어》 꼭, 틀림없이(exactly); 정면으로 《★ 지금은 fully를 씀》: ~ six miles 족히 6마일 / ~ soon 즉시로 / hit him ~ on the nose 정통으로 콧등을 치다 **4** 필요 이상으로: This chair is ~ high. 이 의자는 너무 높다.

~ as useful as …와 꼭 같이 쓸모가 있는 ***~ many a*** flower 《고어·시어》 갖가지의 (꽃) ***~ out*** 완전히; 전속력으로, 전력을 다하여

— *n.* Ⓤ **1 전부**(whole); 충분, 완전 **2** 《계절 등의》 한창, 절정(height), 《특히》 만월: the ~ of the moon 보름달, 만월(때)

at the ~ 한창인, 최고조에, 만월인: The moon is *at the* ~. 만월이다. ***in ~*** 전부, 전액; 줄이지 않고, 완전히, 고스란히, 자세히 ***to the ~*** 충분히, 마음껏, 최대한으로, 가득

— *vt.* 〈의복·소매 등을〉 낙낙하게[헐렁하게] 짓다; 낙낙히 주름 잡다

— *vi.* 〈달이〉 차다 ▷ fúllness *n.*; fúlly *ad.*

full[2] *vt.* (빨고 삶아서) 〈천의〉 올을 배게 하다, 축융(縮絨)하다; 더운 물에 넣었다 꺼내다, 빨아서 바래다; 〈직물의〉 발을 촘촘하게 하다 — *vi.* 〈천이〉 올이 촘촘하게 되다

fúll ádmiral 〖해군〗 대장

fúll áge 성년 《★ 성년자를 major, 미성년자를 minor라고 함》

full·back [fúlbæ̀k] *n.* 〖럭비·축구·하키〗 풀백, 후위

fúll bàse 〖야구〗 만루

achieve, perform, execute, complete, finish, conclude, implement, discharge **2** 달성하다 satisfy, realize, attain, consummate

fúll béam 《영》 (원거리용) 상향 전조등(high beam)

fúll bínding 〖제본〗 총피(總皮) 제본

fúll blást 《구어》 풀가동[전운전](으로): at ~ 풀가동으로 / in ~ 맹활약하여

fúll blòod 1 순혈종의 사람[동물] **2** 같은 양친에게서 태어난 사람(cf. HALF BLOOD)

full-blood·ed [-blʌ́did] *a.* **1** 순혈종의; 순수한 (opp. *hybrid*) **2** 다혈질의; 혈기 왕성한, 혈색이 좋은 **3** 전형적인, 완전한 **~·ness** *n.*

full-blown [-blóun] *a.* 만발한, 활짝 핀, 무르익은, 완전한, 본격적인; 〈돛이〉 바람을 가득 안은: a ~ rose 만발한 장미 / an idea expanded into a ~ book 본격적인 책으로까지 발전된 생각

fúll bóard 세 끼 식사가 딸린 숙박 《호텔 등의》

full-bod·ied [-bɑ́did | -bɔ́d-] *a.* **1** 잘 익은, 진한 〈술 등〉; 내용이 풍부한, 강한: ~ wine 감칠맛 나는 와인 / a ~ novel 내용이 알찬 소설 **2** 〈사람이〉 뚱뚱한 **3** 중요한, 의미 있는

full-bore [-bɔ́ːr] *a., ad.* 《구어》 최고 속도로 움직이는[이고], 최대의 힘으로 작동하는[하여]

full-bos·omed [-búzəmd] *a.* 〈여자가〉 가슴이 풍만한

full-bot·tomed [-bɑ́təmd | -bɔ́t-] *a.* 〈가발이〉 뒤가 퍼진, 어깨까지 내려오는(cf. BOB WIG); 배 밑바닥이 넓은; 적재량이 많은

full-bound [-báund] *a.* 〖제본〗 가죽으로 제본한

fúll bróther (부모가 같은) 친형제(cf. HALF BROTHER)

fúll círcle 완전히 1회전하여, 일주(一周)하여

come ~ (일주하여) 제자리로 돌아오다

fúll cóck (총의) 공이치기를 완전히 세운 상태; 《구어》 준비가 된 상태

full-col·or [-kʌ́lər] *a.* Ⓐ 컬러 인쇄의

fúll-court préss [-kɔ̀ːrt-] **1** 〖농구〗 올코트 프레싱, 전면 압박 수비 작전 **2** 《미》 총공격, 총공세, 전면적 노력: stage a ~ for tax reform 세제 개혁을 위해 전면적인 노력을 하다

fúll cóusin = COUSIN 1

full-cream [-kríːm] *a.* (탈지하지 않은) 전유(全乳)의, 전유제(全乳製)의

full-cus·tom [-kʌ́stəm] *a.* 〈제품이〉 특별 주문의

full·cut [-kʌ́t] *a.* 브릴리언트 컷의 〈보석〉; 58면체로 깎인 〈다이아몬드〉

fúll dréss 정장, 예장; 야회복

full-dress [-drés] *a.* 정장의, 예복을 입는; 정식의, 본격적인, 철저한: a ~ debate (의회의) 정식 토의 / a ~ rehearsal 본무대 연습 / a ~ uniform (군복의) 정장

fúll dúplex 〖통신〗 전(全) 양방 (방식) 《양방향 동시 전송 방식》

full-du·plex [-djúːpleks | -djúː-] *a.* 〖통신〗 전(全) 양방의

fúll emplóyment 완전 고용

full·er[1] [fúlər] *n.* (천의 올을 배게 하는) 축융공(縮絨工); 천을 바래고 다듬는 직공

fuller[2] *n.* 둥근 홈을 내는 연장; 칼의 표면이 만든 홈

— *vt.* **1** 둥근 홈을 내다 **2** 〈틈을〉 막다, 메우다

ful·ler·ene [fùləríːn] *n.* 〖화학〗 풀러린 《탄소 원자 60개로 구성된 공 모양의 분자로 된 물질》

fúller's éarth 〖화학〗 백토(白土), 표토(漂土) 《흡착성이 강함》

full-face [fúlféis] *n.* 둥근 얼굴; 정면의 얼굴; Ⓤ 〖인쇄〗 볼드체 활자 ***in ~*** 정면으로

— *a., ad.* 정면의[으로]

full-faced [-féist] *a.* 얼굴이 둥근, 볼이 탐스러운; 정면의, 정면을 향한; 〖인쇄〗 〈활자가〉 볼드체의

full-fash·ioned [-fǽʃənd] *a.* 《미》 〈스타킹·옷 등이〉 몸에 꼭 맞게 짠: ~ hosiery 발에 딱 맞는 양말류

full-fat [-fǽt] *a.* Ⓐ 《특히 영》 전지(全脂)의 《우유나 치즈가 지방이 제거되지 않은》

full-fig·ured [-fígjərd] *a.* 〈여성이〉 체격이 큰; 〈옷 등이〉 큰 사이즈의

full-fledged [-flédʒd] *a.* 깃털이 다 난; 완전히 성장한; 자격을 제대로 갖춘: a ~ professor (자격을 갖춘) 교수다운 교수
fúll fórward (호주식 축구에서) 최전방 공격수
full-fron·tal [-frʌ́ntl] 《구어》 *a.* **1** 세부가 전부 드러난, 완전 누드의: ~ nudity 완전 누드 **2** (비유) 전면적인, 철저한: a ~ assault 가차없는 공격
— *n.* 앞을 향한 전라 사진
fúll gáiner 〖수영〗 =GAINER
full-grown [-gróun] *a.* 충분히 성장[발육]한; 성숙한(fully-grown)
fúll hánd 〖카드〗 =FULL HOUSE(cf. FOUR FLUSH)
full-heart·ed [-hɑ́:rtid] *a.* =WHOLEHEARTED; 자신 있는, 열심인
fúll hóuse **1** 〖카드〗 풀 하우스(full hand) **2** (극장 등의) 만원 **3** (빙고 게임 등에서) 이기는 숫자가 모임
full·ing [fúliŋ] *n.* Ⓤ (모직물의) 축융(縮絨) 《올을 배게 하기》; 물에 넣어 바래기
full-length [fúlléŋθ] *a.* (단축·생략이 없는) 표준 길이의, 삭제 없는, 전신대(全身大)의, 등신의: a ~ movie 무삭제 영화 / a ~ mirror 전신 거울 / a ~ portrait 전신 초상화 **—** *ad.* 등신대로 **—** *n.* 전신상
full-line [-láin] *a.* 〖상업〗 전상품[품목]의, 많은 관련 상품을 취급하는
fúll lóad 〖전기〗 전부하(全負荷)
fúll lóck (자동차의) 핸들의 회전 극한
fúll márks 《영》 (시험·평가 등의) 만점; 격찬
fúll méasure 부족이 없는[정확한] 계량[치수]
fúll mónty [the ~] 《영·속어》 (필요한) 모든 것; 발가벗은 알몸뚱이
fúll móon [보통 a ~] 보름달, 만월; 만월시(時)
full·mouthed [-máuðd] *a.* 큰 소리의(loud); 목소리가 우렁찬(sonorous), 시끄러운; 〈개가〉 큰 소리로 짖는; 〈마소 등이〉 이가 다 난
fúll nàme (생략하지 않은) 성명
fúll nélson 〖레슬링〗 풀 넬슨 《두 손으로 목을 누르는 수법; cf. HALF NELSON, QUARTER NELSON》
full·ness, ful·ness** [fúlnis] *n.* Ⓤ **1** 차 있음; 가득함; 완전, 포만; 충분함: a feeling of ~ after dinner 식후의 포만감 **2** 오동포동하게 살찜(plumpness); (의복의 품의) 넉넉함: a great ~ of face 통통한 얼굴 / a ~ sleeves 넉넉한 소매 **3** (색·음량 등의) 풍부함(richness) ***in its ~ 충분히, 유감없이 ***in the ~ of time*** 〖성서〗 때가 차서, 예정된 시간에 ***the ~ of the heart*** 감개무량; 진정
full-on [fùlɑ́n, -ɔ́:n | -ɔ́n] *a.* 《구어》 더할 나위 없는, 극도의
full·op·ti·mi·za·tion [fúlɑ̀ptəmizéiʃən | -ɔ̀pti-mai-] *n.* 〖경영〗 종합 최적화
full-orbed [-ɔ́:rbd] *a.* 《시어》 만월의, 아주 둥근: a ~ moon 만월
full-out [-áut] *a.* **1** 전면적인, 총력을 기울인, 본격적인(complete) **2** (생략 없이) 전부 쓰여진
full-page [-péidʒ] *a.* 페이지에 가득 찬, 전면에 걸친: a ~ advertisement in a newspaper 신문의 전면 광고
fúll páy 전액 급여; 현역급(現役給)(cf. HALF PAY)
fúll pítch 〖크리켓〗 바운드하지 않고 직접 삼주문에 던져진 공
full-pitched [-pítʃt] *a.* 〖크리켓〗 〈공이〉 바운드하지 않고 삼주문에 던져진
fúll póint =FULL STOP
fúll profèssor (대학의) 정교수
fúll rhýme 〖운율〗 완전운(perfect rhyme)
full-rigged [-rígd] *a.* 전장비를 갖춘 〈돛단배〉; 완전 장비의
full-round [-ràund] *a.* 철저한, 고른
fúll róute 〖야구〗 풀 이닝 《경기초부터 끝까지》
fúll sáil 만범(滿帆); [부사적으로] 돛을 다 올리고, 총력으로, 전력으로
full-sailed [-séild] *a.* 돛을 다 올린
full-scale [-skéil] *a.* 실물 크기의; Ⓐ 전면적인, 철저한: a ~ replica 실물 크기의 복제(複製) / a ~ attack 총공격 / a ~ investigation 전면적인 조사
fúll scóre 〖음악〗 총보(總譜)
full-serv·ice [-sə́:rvis] *a.* (업무상) 포괄적인 편의를 제공하는, 풀서비스의(cf. SELF-SERVICE): a ~ filling station 부대 서비스를 완비한 주유소
fúll-sérvice ágency 〖광고〗 풀서비스 대리점 《종합 광고 대리점》
fúll sésh [-séʃ] *ad.* 《미·속어》 완전히, 끝까지
fúll síster (부모가 같은) 친자매(cf. HALF SISTER)
full-size [-sàiz] *a.* 보통[표준] 사이즈의, 〈침내가〉 풀사이즈인 《54×76인치》: a ~ kitchen 보통 크기의 부엌 / ~ sheets 풀사이즈용 시트
fúll spéed **1** 전속력, 전력: at ~ 전속력으로 **2** 〖항해〗 원속력 《항해 중 유지되는 정상 속도》 **3** [부사적으로] 전속력으로(at ~)
fúll stóp[póint] 《영》 마침표, 종지부 (《미》에서는 period가 일반적) ***come to a ~*** 완전히 끝나다 ***put a ~ to*** …에 종지부를 찍다
fúll swíng 최대 활동, 대활약 《*in*》, 풀가동; 〖야구〗 풀스윙
full-term [-tə́:rm] *a.* **1** 〖의학〗 정상 임신 기간이 다 찬, 산월(産月)의 **2** 집무 기한까지 근무하는
full-throat·ed [-θróutid] *a.* (목청껏) 크게 소리치는(loud), (주위에) 울려 퍼지는
full-tilt [-tílt] *ad.* 《구어》 전속력으로; 전력을 기울여
fúll tíme (작업·근무상의 정규의) 전시간 (종사); (축구 등에서) 경기 시간 전부, 경기 종료
full-time [-táim] *a.* 전시간(취업)의, 전임(專任)의 (cf. HALF-TIME, PART-TIME): a ~ teacher 전임 교사 / a ~ job 《구어》 전시간 취업의 일[활동] / ~ production 전시간 생산 **—** *ad.* 전시간제로, 전임으로, 상근으로: work ~ 전임으로 일하다
full-tim·er [-táimər] *n.* 상근자, 전임자; 《영》 전일제(全日制) 학교에 다니는 아동(cf. HALF-TIMER)
fúll tóss =FULL PITCH
fúll-túrn kéy [-tə́:rn-] 〖경제〗 일괄 수주·발주 방식 《플랜트 수출 계약 방식의 하나》
full-weight [-wéit] *a.* 정량의
‡ful·ly [fúlli | fúli] *ad.* **1** 충분히, 완전히: eat ~ 넉넉히 먹다 / ~ done 완전히 끝난 / I was ~ aware of the fact. 나는 그 일을 충분히 알고 있었다. **2** [수사 앞에서] 꼬박, 꼭, 적어도: ~ ten days 꼬박 10일 / *F*~ half the class attended the ceremony. 학급의 꼭 절반이 식에 참석했다.
fúlly fáshioned 《영》 =FULL-FASHIONED
fúlly flédged 《영》 =FULL-FLEDGED
ful·ly-grown [fúligróun] *a.* 《영》 =FULL-GROWN
ful·ly-il·lus·trated [-íləstreitid] *a.* 전면 삽화가 들어간, 삽화가 많은
ful·mar [fúlmər] *n.* 〖조류〗 풀마갈매기
ful·mi·nant [fʌ́lmənənt, fúl-] *a.* 별안간 폭음을 내며 터지는, (우레같이) 울리는; 〖병리〗 전격성(電擊性)의, 급격히 발병[진행]하는
ful·mi·nate [fʌ́lmənèit, fúl-] *vi.* **1** 폭발음을 내다, 큰 소리를 내며 폭발하다 **2** 번갯불같이 번쩍이다(flash) **3** 소리지르다, 야단치다 《*against, at*》 **4** 〈병 등이〉 급격히 진행하다 **—** *vt.* 〈비난 등을〉 퍼붓다; 폭발시키다 **—** *n.* 〖화학〗 뇌산염(雷酸鹽)
-nà·tor *n.* 야단치는 사람
fúl·mi·nat·ing pòwder [fʌ́lmənèitiŋ-, fúl-] **1** 뇌홍(雷汞) 가루 《작은 충격에도 폭발하는》 **2** =FULMINATE *n.*
ful·mi·na·tion [fʌ̀lmənéiʃən, fùl-] *n.* ⓊⒸ 폭발; 맹렬한 비난, 질책; 성난 부르짖음
ful·mi·na·to·ry [fʌ́lmənətɔ̀:ri, fúl- | -nèitəri] *a.* 천둥의; 쩡쩡 울리는; 노호하는; 맹렬히 비난하는
ful·mine [fʌ́lmin | fúl-] *vi., vt.* 《고어》 =FULMINATE
ful·min·ic [fʌlmínik, ful-] *a.* **1** 폭발성의; 폭명(爆

鳴)하는(explosive) **2** 〈화합물이〉 불안정한(unstable) **3** 〖화학〗 뇌산(雷酸)성의

fulmínic ácid 〖화학〗 뇌산(雷酸)

ful·mi·nous [fʌ́lmənəs, fúl-] *a.* 뇌전성(雷電性)의

*__ful·ness__ [fúlnis] *n.* =FULLNESS

ful·some [fúlsəm, fʌ́l- | fúl-] *a.* **1** 〈아첨 등이〉 지나친, 심한; 집요한, 지겨운; 칙칙한: ~ décor 지나친 장식 / ~ admiration 지나친 찬양 **2** 〈음식물 등이〉 역한, 메스꺼운, 불쾌한 **3** 포괄적인, 종합적인 **4** 풍부한, 푸짐한 **~·ly** *ad.* **~·ness** *n.*

Ful·ton [fúltən] *n.* 풀턴 **Robert ~** (1765-1815) 《미국의 기계 기사; 증기선을 발명한 사람》

ful·ves·cent [fʌlvésnt, ful-] *a.* 암황갈색의

ful·vous [fʌ́lvəs, ful-] *a.* 황갈색의(tawny)

Fú Man·chú mústache [fú:-mæntʃú:-] [영국 소설의 중국인 주인공 이름에서] 양끝이 아래로 처진 코밑수염

fu·már·ic ácid [fju:mǽrik-] 〖화학〗 푸마르산

fu·ma·role [fjú:məròul] *n.* (화산의) 분기공(噴氣孔) **fu·ma·rol·ic** [fjù:mərɑ́lik | -rɔ́l-] *a.*

fu·ma·to·ri·um [fjù:mətɔ́:riəm] *n.* (*pl.* **-ri·a** [-riə], **~s**) 훈증소(燻蒸所), 훈증 소독실

fu·ma·to·ry [fjú:mətɔ̀:ri | -təri] *a.* 훈증(용)의
—*n.* (*pl.* **-ries**) 훈증소

*__fum·ble__ [fʌ́mbl] *vi.* **1** 손으로 더듬다, 찾다, 더듬어 찾다(grope about) 《*for, after, in*》; 서투른 솜씨로 만지다, 만지작거리다 《*with, at*》: (~+전+명) ~ *for*[*after*] a key 손으로 더듬어 열쇠를 찾다 // (~+부) He *~d about* trying to find his lighter in the dark. 그는 어둠 속에서 라이터를 찾으려고 더듬거렸다. **2** 실수[실패]하다 **3** 우물우물 말하다, 말을 더듬다 《*for*》 **4** 〖야구·미식축구〗 펌블하다, 공을 실수로 놓치다 ***~ about***[***around***] 뒤적거리다; 만지작거리다; 서투르게 다루다
—*vt.* 어설프게 다루다; 우물우물 말하다; 〖야구·미식축구〗 〈공을〉 실수하여 놓치다: ~ an attempt 어설프게 시도하다
—*n.* 실수, 서투름; 〖야구·미식축구〗 펌블 《공을 잡았다 놓침》 **fúm·bler** *n.*

fum·bling [fʌ́mbliŋ] *a.* 만지작거리는; 어설픈
—*n.* Ⓤ 실수; (공을) 잡았다 놓침 **~·ly** *ad.* 손으로 뒤져, 어설프게 **~·ness** *n.*

‡**fume** [fjú:m] [L 「연기」의 뜻에서] *n.* **1** [종종 *pl.*] (유해·불쾌한) 연기, 김, 증기, 연무, 훈김, 열기, (자극성의) 발연(發煙); 향연(香煙): tobacco *~s* 담배 연기 / poisonous *~s* of carbon monoxide 일산화탄소의 유독한 가스 **2** [*pl.*] (술 등의) 독기(毒氣): the *~s* of wine 술의 독기 / exhaust *~s* 배기가스 **3** [a ~] 노기, 화, 홍분 ***be in a ~*** 몹시 화가 나 있다
—*vi.* **1** 연기나다, 그을리다, 연기·김 등을 뿜다 **2** 약이 오르다, 몹시 화내다 《*at, about, over*》: He *~d* because you didn't appear. 그는 네가 나타나지 않아서 노발대발했다. // (~+전+명) I sometimes ~ *at* the waiter. 가끔 그 웨이터에 신경질 날 때가 있다. **3** (연기처럼) 꺼지다, 소멸하다, 증발하다 《*away*》 **4** (속어) 담배를 피다 ***fret, fuss and ~*** ⇨ fret.
—*vt.* 그을게 하다, 증발[발산]시키다; …에 (향을) 피우다 《*with*》; 〈목재 등을〉 훈증하다: (~+목+전+명) ~ the altar *with* incense 제단에 〈향을〉 피우다 **~·less** *a.* **~·lìke** *a.* **fúm·er** *n.* **fúm·ing·ly** *ad.*

fumed [fjú:md] *a.* 〈목재가〉 암모니아로 훈증된

fu·mi·gant [fjú:migənt] *n.* 훈증약(燻蒸藥) 《소독·살충에 이용》

fu·mi·gate [fjú:məgèit] *vt.* **1** (연기로) 그을리다, 훈증하다; 훈증 소독하다 **2** (고어) 향을 피우다
—*vi.* (미·속어) 담배를 피우다

fu·mi·ga·tion [fjù:məgéiʃən] *n.* Ⓤ 훈증, 훈증 소독(법); 향을 피움

fu·mi·ga·tor [fjú:məgèitər] *n.* 훈증 소독자[기]

fu·mi·to·ry [fjú:mətɔ̀:ri | -təri] *n.* 〖식물〗 서양 현호색 무리의 식물 《원래는 약용》

fum·y [fjú:mi] *a.* (**fum·i·er**; **-i·est**) 연기[김, 가스]가 자욱한; 연기[김]를 내는; 연기 모양의

‡**fun** [fʌ́n] *n.* Ⓤ **1** 즐거움, 재미, 우스움; 농담; 장난, 놀이: A picnic would be ~. 소풍 가면 재미있을 것이다. / He is fond of ~. 그는 장난을 좋아한다. **2** [보통 be의 보어로] 재미있는 것[사람] 《★ 형용사가 붙어도 부정 관사는 안 붙음》: He is good[great] ~. 그는 재미있는 사람이다. **3** 큰 소동, 격론 ***for***[***in***] ***~*** 장난으로, 농으로, 재미 삼아 ***for the ~ of it***[***the thing***] 그것이 재미있어서, 농으로, 장난으로 ***full of ~*** 즐거워서 ***~ and games*** ~ (구어) (1) 즐거움, 장난, 기분풀이; 신나는 일 (2) 성애(性愛) 놀이, 성교 ***have ~*** (1) 재미있게 놀다, 흥겨워하다 (2) (…와) 성행위하다 《*with*》 ***It's poor ~ to*** do …하는 것은 재미가 없다 ***like ~*** (구어) 한창, 재미나게, 연방 〈팔리는 《등》〉; (미) 결코 …아니다, 조금도 …아니다(by no means) 《부정을 강조하거나, 의문을 나타냄》: 'Me? Twenty-two.' '*Like* ~ you are.' 나? 22세—설마. ***make ~ of*** = ***poke ~ at*** …을 놀림감으로 삼다, 놀리다, 조소하다 ***What ~!*** 재미있다!(How amusing!)
—*vi.*, *vt.* (**~ned**; **~·ning**) (구어) 장난하다, 농담하다(joke), 놀리다(kid)
—*a.* (구어) 즐거운, 재미나는, 유쾌한: a ~ party 즐거운 파티 / really a ~ person 정말로 유쾌한 사람 ▷ fúnny *a.*

fun·a·bout [fʌ́nəbàut] *n.* (레저·스포츠용의) 각종 소형 자동차

fu·nam·bu·list [fju:nǽmbjulist] *n.* 줄타기 곡예사 **-lìsm** *n.* Ⓤ 줄타기; 머리 회전이 빠름

Fún Cíty [때로 **f- c-**] 환락 도시, 대도시 《특히 뉴욕시》

‡**func·tion** [fʌ́ŋkʃən] [L 「성취함」의 뜻에서] *n.* **1** 기능, 작용; 목적; 관능(官能): the ~ of the heart [kidneys] 심장[신장]의 기능 / the social ~ of education 교육의 사회적 기능 **2** [보통 *pl.*] 직능, 직무, 직분, 역할; 〖화학〗 작용기(基), 관능기(基) **3** 의식, 행사; 제전, 축전(祝典); (구어) (대규모의) 사교적 회합, 연회, 공식 회합: attend an official ~ 공식 행사에 참가하다 **4** 상관(관계), 상관적 요소; 함수적 성질의 것; 〖수학〗 함수: an algebraic ~ 대수 함수 / Price is a ~ of supply and demand. 가격은 수요와 공급과의 상관관계이다. **5** ⓊⒸ 〖문법〗 기능(opp. *form*) **6** 〖컴퓨터〗 기능 《컴퓨터의 기본적 조작[명령]》
—*vi.* 기능을 하다, 작용하다(operate), 활동하다; 직분[역할, 구실]을 다하다: The telephone was not *~ing.* 전화가 고장 나 있었다. // (~+***as***+명) The sofa can also ~ *as* a bed. 소파는 또한 침대로도 쓰인다. / In earlier English the present tense often *~ed as* a future. 초기 영어에서는 현재 시제가 종종 미래 시제의 기능을 했다. **~·less** *a.*
▷ fúnctional *a.*; fúnctionary *a.*, *n.*

*__func·tion·al__ [fʌ́ŋkʃənl] *a.* **1** 기능의; 〖의학〗 기능성의: a ~ disease 기능적 질환(opp. *organic disease*) / ~ disorder 기능적 장해 **2** 직무상의(official) **3** 〈건물·가구 등이〉 기능 본위의; 편리[실용] 위주의, 편리한; 일하고 있는, 작용하는: ~ architecture 실용적 건축 / a chair that is ~ as well as decorative 장식적이면서 실용적인 의자 / When will the ventilating system be ~ again? 환기 장치는 언제 다시 작동합니까? **4** 〖수학〗 함수의: a ~ symbol 함수 기호 **~·ly** *ad.* 기능상; 직무상; 함수적으로

fúnctional cálculus =PREDICATE CALCULUS

fúnctional fòod 기능성 식품 《영양 등을 강화한 일종의 건강 식품》

fúnctional gràmmar 〖언어〗 기능 문법

fúnctional gròup 〖화학〗 작용기(作用基), 관능기(官能基) 《알코올류 중의 수산기군(群) 따위》

fúnctional illíterate 기능적 문맹자 《직무상 필요한 읽고 쓰기 능력이 없는 자》 **fúnctional illíteracy** *n.* 기능적 문맹

func·tion·al·ism [fʌ́ŋkʃənlìsm] *n.* Ⓤ [종종 **F~**] 〈건축·가구 등의〉 기능주의; 기능 심리학
func·tion·al·ist [fʌ́ŋkʃənlist] *n.* 기능주의자
— *a.* 기능주의(자)의; 기능주의적인
func·tion·al·i·ty [fʌ̀ŋkʃənǽləti] *n.* Ⓤ 기능성; 상관성, 상관관계
func·tion·al·ize [fʌ́ŋkʃənəlàiz] *vt.* 기능적으로 하다
fúnctional representátion 〖정치〗 직능 대표제
fúnctional shíft[chánge] 〖문법〗 기능 전환 《어형은 그대로이고 품사가 바뀌는 일》
func·tion·ar·y [fʌ́ŋkʃənèri | -ʃənəri] *n.* (*pl.* **-ar·ies**) 《경멸》 직원, 공무원: a public ~ 공무원 / civil servants and other *functionaries* 문관(文官)과 그 밖의 공무원 — *a.* 기능의; 직무상의(functional)
func·tion·ate [fʌ́ŋkʃənèit] *vi.* =FUNCTION
fúnction kèy 〖컴퓨터〗 기능 키 《어떤 특정 기능을 갖는 키보드상의 키》
fúnction wòrd 〖문법〗 기능어 《관사·대명사·전치사·조동사·접속사·관계사 등》
func·tor [fʌ́ŋktər] *n.* **1** 어떤 기능을 영위하는 것, 어떤 작용을 하는 것 **2** 〖언어〗 기능어
‡**fund** [fʌ́nd] 〖L 「바닥」의 뜻에서〗 *n.* **1** 기금, 자금, 기본금(cf. CAPITAL); [보통 *pl.*] (수표·어음 결제용의) 예금: a relief ~ 구제 기금 / a reserve ~ 적립금, 예비금 / a sinking ~ 감채(減債) 기금 / a retirements ~ 퇴직 기금 **2** [*pl.*] 재원; 소지금 **3** [the ~s] 《영》 공채, 국채 **4** 기금 관리 조직, …기금: International Monetary *Fund* 국제 통화 기금 **5** [a ~] (지식 등의) 축적, 온축(蘊蓄) 《*of*》: *a* ~ *of* knowledge 지식의 축적 ***in*** [***out of***] ***~s*** 돈을 가지고[돈이 떨어져]
— *vt.* **1** 〈사업 등에〉 자금을 제공하다 **2** 〈일시 차입금을〉 장기 부채[공채]로 바꾸다 **3** 《영》 〈돈을〉 공채에 투자하다 **4** 적립하다, 축적하다(store) **~·less** *a.*
fund. fundamental
fund·age [fʌ́ndidʒ] *n.* 《속어》 자금; 소지금
fun·da·ment [fʌ́ndəmənt] *n.* **1** 궁둥이(buttocks); 항문(anus) **2** 기초, 원리, 기본, 토대 **3** (한 지역의 자연의) 원래의 경관
‡**fun·da·men·tal** [fʌ̀ndəméntl] 〖L 「기초」의 뜻에서〗 *a.* **1** 기본적인, 기초[기준]의, 근원의, 최초의, 근본적인; Ⓐ 타고난, 본래의 성질[성격]에 속하는: ~ colors 원색 / the ~ form 기본형 / ~ human rights 기본적 인권 / a ~ revision 근본적인 개정 **2** Ⓐ 중요[주요]한(essential); 필수의; 〖음악·물리〗 기본의: a ~ note[tone] 〖음악〗 (화음의) 기초음 / a ~ principle[rule] 원리, 원칙
— *n.* **1** [보통 *pl.*] 기본, 근본, 기초; 원리, 원칙: master the ~*s* of a trade 거래의 기본을 숙지하다 **2** 〖음악〗 =FUNDAMENTAL TONE; 〖물리〗 최저 진동수의 전파, 기본파 **~·ness** *n.*
fundaméntal báss 〖음악〗 (화음의) 기초 저음
fundaméntal fórce 〖물리〗 (중력이나 전자기 등의) 인력(引力)
fun·da·men·tal·ism [fʌ̀ndəméntəlìzm] *n.* Ⓤ **1** [때로 **F~**] 〖그리스도교〗 근본[원리]주의 《제1차 대전 후의 미국 개신교의 일파로 성경의 창조론을 확신하고, 성경의 내용을 문자 그대로 믿음; cf. MODERNISM》 **2** 근본주의자의 신앙 **3** 전통적인 기본 이념[원리]에 대한 고집 **4** 〖이슬람〗 원리주의
-ist *n., a.* **-mèn·tal·ís·tic** *a.*
fun·da·men·tal·i·ty [fʌ̀ndəmentǽləti] *n.* Ⓤ 기본성; (근본적인) 중요성
fundaméntal láw 기본법, 《특히》 헌법
***fun·da·men·tal·ly** [fʌ̀ndəméntəli] *ad.* 근본[기본]적으로(basically), 본질적으로, 본래
fundaméntal párticle =ELEMENTARY PARTICLE
fundaméntal séquence 〖수학〗 기본열, 기본수열
fundaméntal tóne 〖음악〗 바탕음
fundaméntal únit 〖물리〗 기본 단위
fúnd·ed débt [fʌ́ndid-] 〖금융〗 장기채
fund·er [fʌ́ndər] *n.* 자금 제공자[제공처]
fund·hold·er [-hòuldər] *n.* 《영》 **1** 국채[공채] 투자자[소유자] **2** 예산을 직접 관리하는 일반 개업의(醫)
fund·hold·ing [fʌ́ndhòuldiŋ] *n.* Ⓤ (영국의) 의료비 지원 제도
fun·di [fúndi(:)] 〖Swahili〗 *n.* (동·남아프리카에서) 기능자, 숙련자, 전문가
fun·dic [fʌ́ndik] *a.* fundus에 관한
fund·ie, fund·y [fʌ́ndi] *n.* 《구어》 종교적 근본주의[원리주의]자; (독일의) 급진적 환경 보호론자
fund·ing [fʌ́ndiŋ] *n.* Ⓤ 자금 제공, 융자
fúnd mànager (보험 회사 등의) 펀드 매니저, 투자 담당가, 자금 운용 담당자
fund-raise [fʌ́ndrèiz] *vt.* 〈자금을〉 모금 활동으로 모으다, 조달하다 — *vi.* 모금 활동에 참여하다
fund-rais·er [-rèizər] *n.* 《미》 **1** 기금 조달자 **2** (기금) 모금 행사(fund-raising party) 《정치가·자선 단체에서 여는》
fund-rais·ing [-rèiziŋ] *n., a.* (정당·자선 단체의) 모금 활동(의), 자금 조달(의), 모금(의): a ~ party 모금[자선] 파티, 정치 자금 모금 파티
fun·dus [fʌ́ndəs] *n.* (*pl.* **-di** [-dai]) 〖해부〗 (위·안구·자궁 등의) 기저부, 밑(base)
fun·em·ployed [fʌnímplɔid] *n.* 실직을 즐기는
fun·em·ploy·ment [fʌnímplɔimənt] *n.* 실직을 긍정적 마인드로 극복하고 즐기는 상태
‡**fu·ner·al** [fjúːnərəl] 〖L 「죽음, 매장」의 뜻에서〗 *a.* Ⓐ 장례의: a ~ ceremony[service] 장례식 / a ~ column 부고란 / a ~ oration 추도 연설 《장례식에서의》 / a ~ pall 관을 덮는 포장 / a ~ pile[pyre] 화장용 장작더미 / a ~ procession[train] 장의 행렬 / a ~ urn 유골 단지
— *n.* **1** 장례식, 장의(葬儀); 장의 행렬; 《미》 고별식: a state[public] ~ 국장[사회장] / attend a ~ 장례식에 참석하다 **2** [one's ~로] 《구어》 싫은 일, 해야 할 일, 책임: It's not *my* ~. =It's *your* ~. 그것은 내가 알 바 아니다. **3** 장례 행렬 **4** 소멸, 최후; 죽음
go to the ~ just for the ride (특별한 목적 없이) 재미로 참석하다[가다] ***I'll dance at your ~.*** 《구어》 네 장례식 때 춤을 추겠다. 《저주할 때 쓰는 말》
fúneral chàpel 영안실; =FUNERAL HOME
fúneral dirèctor 《미》 장의사(《영》 funeral furnisher)
fúneral hòme[pàrlor] 《미》 장례식장
fúneral màrch 장송 행진곡
fúneral rìtes 장례(식)
fu·ner·ar·y [fjúːnərèri | -nərəri] *a.* 장례식의, 장송의, 매장의
fu·ne·re·al [fjuːníəriəl] *a.* 장송의; 장례식다운; 슬픈, 음울한, 장례식을 연상시키는: ~ black 상복 / a ~ atmosphere 침울한 분위기 **~·ly** *ad.*
fun·fair [fʌ́nfɛ̀ər] *n.* **1** 《영》 유원지, 이동 유원지 **2** (교회 등이 모금을 위해 여는) 축제
fun·fest [fʌ́nfèst] *n.* 여흥을 위한 파티[모임], 친목회
fún fùr 값싼 모조 모피 옷
fun·gal [fʌ́ŋgəl] *a.* =FUNGOUS
fun·gi [fʌ́ndʒai, fʌ́ŋgai] *n.* FUNGUS의 복수
fungi- [fʌ́ndʒə, fʌ́ŋgə] 《연결형》 「균류」의 뜻
fun·gi·ble [fʌ́ndʒəbl] 〖법〗 *a.* 〈재화가〉 대체(代替) 가능의, (딴것으로) 대신할 수 있는 — *n.* [보통 *pl.*] 대체물 《돈·양곡 등》 **fùn·gi·bíl·i·ty** *n.*
fun·gi·cide [fʌ́ndʒəsàid, fʌ́ŋgə-] *n.* 살균제, 곰팡이 제거제 **fùn·gi·cíd·al** *a.* **fùn·gi·cíd·al·ly** *ad.*
fun·gi·form [fʌ́ndʒəfɔ̀ːrm, fʌ́ŋgə-] *a.* 균상(菌狀)의, 버섯 모양의
fun·go [fʌ́ŋgou] *n.* (*pl.* **~es**) 〖야구〗 수비 연습을 위한 타구 《특히 플라이》; 연습용 배트(=**~ bàt[stìck]**)
fun·goid [fʌ́ŋgɔid] *a.* 버섯과 비슷한; 균성의; 《주로 영》 =FUNGOUS; 자꾸 증식하는(rapidly grow-

thesaurus **funds** *n.* money, cash, capital
fundamental *a.* basic, foundational, rudimenta-

ing) — *n.* 〖병리〗 균상종(菌狀腫)

fun·gol·o·gy [fʌŋgɑ́lədʒi | -gɔ́l-] *n.* Ⓤ 균류학(菌類學)(mycology)

fun·gous [fʌ́ŋgəs] *a.* 균성[균질]의, 버섯의, 균(류)의, 균에 의한, 버섯 비슷한; 부드럽고 연한; 〖병리〗 균상종의; 갑자기 생기는

∗**fun·gus** [fʌ́ŋgəs] *n.* (*pl.* **~·es, -gi** [-dʒai, -gai]) **1** **진균류**(眞菌類), 균류, 균, 효모균; 버섯 **2** 갑자기 생기는 것, 일시적 현상; 〖병리〗 용류(茸瘤), 해면종(海綿腫), 균상종(菌狀腫) **3** 《속어》 턱수염

— *a.* =FUNGOUS **~·lìke** *a.* ▷ fúngous *a.*

fún hòuse 《미》 (유원지의) 유령의 집

fu·ni·cle [fjú:nikl] *n.* 〖식물〗 배주병(胚珠柄)

fu·nic·u·lar [fju:níkjulər] *a.* 밧줄의, 밧줄로 움직이는, 밧줄의 견인력에 의한; 〖해부〗 탯줄의; 〖식물〗 주병(珠柄)의 — *n.* =FUNICULAR RAILWAY

funícular ráilway 강삭(鋼索) 철도, 케이블카(cable railway)

fu·nic·u·lus [fju:níkjuləs] *n.* (*pl.* **-li** [-lài]) 〖해부〗 삭조(索條), 탯줄; 〖식물〗 주병

funk[1] [fʌ́ŋk] *n.* **1** 《미·속어》 (연기 등의) 고약한 냄새, 악취; 《미·구어》 담배 연기 **2** Ⓤ 펑키 재즈(funky jazz) **3** =FUNK ART; (복장·거동 등의) 파격, 기묘함

— *vt.* …에 연기[악취]를 내뿜는다; 〈파이프를〉 빨다

— *vi.* 연기[악취]를 내다

funk[2] 《구어》 *n.* **1** 무서움, 겁, 공황; 의기소침, 실의, 낙담; 공황 **2** 겁쟁이(coward) **3** 《미·속어》 얼간이

be in a ~ of …을 겁내다 ***blue ~*** 엄청난 공포

— *vi., vt.* 두려워하다, 겁을 먹다, 움츠러들다; 피하다

fúnk àrt 펑크 아트 《기괴한 것·속악한 것을 재료로 하는 팝 아트의 일종》 **fúnk àrtist** *n.*

fúnk hòle 《영·속어》 참호, 대피호; 병역 면제[기피]의 핑계가 되는 직무

fun·ki·a [fʌ́ŋkiə, fúŋ- | fʌ́ŋ-] *n.* 〖식물〗 비비추속(屬)의 식물(plantain lily)

fúnk mòney 《영·속어》 =HOT MONEY

fúnk mùsic =FUNK[1] *n.* 2

funk·y[1] [fʌ́ŋki] *a.* (**funk·i·er**; **-i·est**) 《구어》 겁내는; 겁쟁이의, 무서워하는

funky[2] *a.* (**funk·i·er**; **-i·est**) **1** 《속어》 케케묵은; 고풍스러운 **2** 《구어》 고약한 냄새가 나는, 구역질 나는 **3** 《속어》 관능적인; 파격적인, 멋진: ~ clothes 멋진 옷 **4** 〖재즈〗 소박한 블루스조의, 펑키한 **5** 《미·속어》 슬픈, 우울한 **fúnk·i·ly** *ad.* **fúnk·i·ness** *n.*

fúnky mùsic =FUNK[1] *n.* 2

fun-lov·ing [fʌ́nlʌ̀viŋ] *a.* 〈사람이〉 쾌락을 즐기는, 잘 노는

∗**fun·nel** [fʌ́nl] *n.* **깔때기**; (깔때기 모양의) 통풍[환기]통, 채광 구멍; **굴뚝** 《기관차·기선 등의》; 〖해부·동물〗 깔때기 모양의 기관(器官)

— *v.* (**~ed**; **~·ing** | **~led**; **~·ling**) *vt.* **1** 〈손 등을〉 깔때기 모양이 되게 하다: ~ a sheet of paper 종이 한 장을 깔때기 모양으로 말다 **2** 〈정력·자금·정보 등을〉 집중하다, 쏟다 《*into*》; 좁은 통로로 흐르게 하다; 〈정보 등을〉 흘리다; (깔때기 모양의 것을 통해) 〈액체 등을〉 붓다, 따르다: (~+목+전+명) ~ all one's energies *into* one's job 온 정력을 일에 집중하다 / They ~*ed* their profits *into* research projects. 그들은 수입의 전부를 연구 계획에 쏟아 부었다.

— *vi.* 깔때기 모양이 되다; 깔때기[좁은 통로]를 통과하다, 한 곳에 모이다, 한 곳에서 분산하다 **~·lìke** *a.*

fúnnel càke 〖요리〗 재료를 깔때기 등을 써서 소용돌이 모양으로 내뽑아 굽거나 튀긴 케이크

fúnnel clòud 〖기상〗 깔때기 모양의 구름(pendent[tornado] cloud)

fun·neled | **-nelled** [fʌ́nld] *a.* **1** 깔때기가 있는; 깔때기꼴의 **2** [복합어를 이루어] (…개의) 굴뚝을 갖춘: a two-~ steamer 굴뚝이 둘인 기선

ry, elemental, underlying, primary, chief, principal, original, prime, first, central, key

fun·nel·form [fʌ́nlfɔ̀:rm] *a.* 〖식물〗 깔때기 모양의 〈나팔꽃 《등》〉

fun·ni·ly [fʌ́nəli] *ad.* 우습고 재미있게, 우스꽝스럽게; 기묘하게 ~ ***enough*** 기상천외하게도, 기묘하게도

fun·ni·ment [fʌ́nimənt] *n.* Ⓤ 《익살》 익살, 농담(joke); 어리광을 부림

fun·ni·ness [fʌ́ninis] *n.* Ⓤ 우스꽝스러움, 익살맞음; 기묘함

‡**fun·ny**[1] [fʌ́ni] *a.* (**-ni·er**; **-ni·est**) **1** **익살맞은**, 웃기는, 우스운(comical); 재미있는(amusing); 만화의: a ~ fellow 재미있는 친구 / a ~ column (신문의) 만화란(funnies)

> 유의어 **funny** 기묘하고 익살맞아 사람을 웃기는: a *funny* joke 웃기는 농담 **amusing, interesting** 재미있고 유쾌해서 사람을 즐겁게 하는: an *amusing* speaker 재미나게 이야기하는 사람 / an *interesting* book 재미있는 책 **ludicrous** 상식을 벗어난 바보스러움 때문에 사람을 웃기는: a *ludicrous* remark (바보스러워) 웃기는 말

2 《구어》 **이상한**, 기묘한(queer), 괴상한(strange); 의외의; 수상한; 부정(不正)의, 사기의, 비밀의; 교활한, 뻔뻔스러운: a ~ thing 기묘한 것 / a ~ feeling 야릇한 느낌, 예감 / There was something ~ about those extra charges. 그 할증료에는 좀 수상한 점이 있다. / Her speech has a ~ twang. 그녀의 말투에는 이상한 콧소리가 있다. **3** Ⓟ 《구어》 기분이 언짢은; 머리가 좀 돈; 건방진; 〈남성이〉 여성적인; (술에) 취한: She is a bit ~ in the head. 그녀는 머리가 좀 이상하다. **4** 《미》 연속 만화의 **5** 《구어》 〈기계가〉 고장난, 상태가 나쁜: My computer keeps going ~. 내 컴퓨터는 계속 상태가 나쁘다.

feel ~ = ***go all ~*** 기분이 나쁘다; 사태가 아주 수상하다 ***get ~ with*** …에게 뻔뻔스럽다, 아니꼽게 굴다

— *ad.* 우습게, 재미있게; 기묘하게: act ~ 웃기는 짓을 하다

— *n.* (*pl.* **-nies**) 《구어》 농담; [*pl.*] (보통 4장면의) 연속 만화(comic strips), (신문의) 만화란: make a ~ 농담하다 ▷ fún *n.*

funny[2] *n.* (*pl.* **-nies**) 《영》 혼자서 젓는 길쭉한 1인용 보트 《스포츠용》

fúnny bòne (팔굽의) 척골(尺骨) 끝(crazy bone) 《때리면 짜릿한 뼈》; 유머 감각

fúnny bòok =COMIC BOOK

fúnny bùsiness 《구어》 우스운 짓, 농담; 수상한 짓, 사기, 부정행위

fúnny càr 《미·속어》 겉보기에는 일반차처럼 보이지만 강력한 엔진을 달아 개조한 차 《drag racer 등》

fúnny fàrm 《속어》 정신 병원(funny house)

fun·ny-ha-ha [fʌ́nihɑ̀:hɑ́:] *a.* 《영·구어》 우스운, 해학의

fúnny hòuse 《속어》 =FUNNY FARM

fun·ny·man [fʌ́nimæ̀n] *n.* (*pl.* **-men** [-mèn]) 《미·구어》 희극 배우, 익살꾼; 해학(소설)가, 유머 작가

fúnny mòney **1** 가짜 돈, 장난감 돈, 위조지폐 **2** 수상한[출처 불명의] 돈 **3** (인플레 등으로) 무가치하게 된 돈 **4** 불안한 돈 《증권·어음 등》 **5** 위험한 사업에 사용되는 돈 **6** 《속어》 군표(軍票)

fúnny pàper 《미·구어》 신문의 만화란

fun·ny-pe·cu·liar [-pikjú:ljər] *a.* 《영·구어》 이상한, 기묘한

fun·plex [fʌ́npleks] *n.* (스포츠·게임·레스토랑 등의 시설을 갖춘) 오락 지구

fún rùn (자선 모금이나 재미로 시민이 참가하는) 장거리 달리기 대회 **fún rùnner** *n.*

fun·ware [fʌ́nwɛ̀ər] *n.* 〖컴퓨터〗 펀웨어 《비디오 게임용 firmware》

‡**fur** [fə́:r] *n.* **1** Ⓤ (토끼·담비·비버 등의) **부드러운 털** **2** Ⓤ [집합적] 모피 동물: hunt ~ 토끼 사냥을 하다 **3** **모피**; [종종 *pl.*] 모피 제품 《모피 옷·털목도리

등》: a coat lined with ~ 모피로 안을 댄 코트/wear very expensive ~*s* 매우 비싼 모피 옷을 입고 있다 **4** Ⓤ (혀의) 백태(白苔), 설태; (포도주의 표면에 생기는) 골마지; (쇠주전자 등에 생기는) 물때 **5** 《비어》 (여성의) 거웃, 외음부 **6** (문장(紋章)의) 모피 도안 **7** [the ~] 《미·속어》 경찰

~ and feather 엽수(獵獸)와 엽조 ***make the ~ fly*** 큰 소동[싸움]을 벌이다 ***rub*** [***stroke***] a person***'s*** [***the***] ***~ the wrong way*** 《미·구어》 …을 약올리다, 화나게 하다 ***the ~ flies*** (1) 큰 소동이 일어나다 (2) 재빨리 석취하다

— *a.* Ⓐ 모피(제)의: a ~ coat 모피 코트/a ~ trader 모피 상인

— *v.* (**~red**; **~·ring**) *vt.* **1** 부드러운 모피를 붙이다; 모피로 덮다; 모피로 안[가장자리]을 대다 **2** 백태가 끼게 하다; 〈물주전자 안 등에〉 물때가 앉게 하다, 오물[침전물]로 덮다; 〖건축〗 붙임대를 붙이다 **3** [보통 수동형으로] 〈사람에게〉 모피(제품)를 입히다

— *vi.* 백태[물때]가 생기다 **~·less** *a.* 털이 없는 ▷ fúrry *a.*

fur. furlong; furnished; further

fu·ran [fjúəræn, -ˊ], **-rane** [-rèin] *n.* 〖화학〗 푸란 《방향성의 무색 액체》

fu·ra·zol·i·done [fjùərəzɑ́lidòun | -zɔ́l-] *n.* 〖약학〗 푸라졸리돈 《가금의 기생충 예방약》

fur·bear·er [fə́ːrbɛ̀ərər] *n.* (특히 상품 가치가 있는) 모피 동물

fur·be·low [fə́ːrbəlòu] *n.* 옷단 장식 《여성복의》; 옷자락 주름; [*pl.*] 지나치게 화려한 장식: flounces [frills] and ~*s* 과도한 장식 — *vt.* …에 복잡[화려]한 장식을 하다, …끝에 장식을 붙이다

fur·bish [fə́ːrbiʃ] *vt.* **1** 〈금속 제품 등을〉 닦다; 닦고 빛내다, 광내다, 윤내다(polish) 《*up*》: (~+목+부) ~ *up* old furniture 헌 가구를 닦다 **2** 〈헌것을〉 새롭게 하다, 면목을 일신하다; 《비유》 〈쓰지 않는 것을〉 쓸 수 있게 하다 《*up*》: (~+목+부) ~ *up* one's command of a foreign language (잊었던) 외국어를 다시 공부하다

Fúr·bish lóusewort [fə́ːrbiʃ-] = LOUSEWORT

fur·cate [fə́ːrkeit, -kət] *a.* 갈래진, 두 갈래로 갈라진 — [fə́ːrkeit] *vi.* 두 갈래로 갈라지다, 분기(分岐)하다 **~·ly** *ad.*

fur·ca·tion [fəːrkéiʃən] *n.* Ⓤ 분기(分岐)

fur·cu·la [fə́ːrkjulə] *n.* (*pl.* **-lae** [-lìː]) **1** 〖조류〗 (새의 가슴뼈 앞에 있는) 창사골(暢思骨) **2** 〖곤충〗 도약기(跳躍器)

fúr fàrm (밍크 등의) 모피 동물 사육장

fúr fàrming 모피 동물 사육

fur·fur [fə́ːrfər] *n.* (*pl.* **-fur·es** [-fjurìːz, -fə-]) 비듬 《일반적으로》, 상피(上皮)의 얇은 조각

fur·fu·ra·ceous [fə̀ːrfjuréiʃəs, -fə-] *a.* 비듬 모양의, 겨 같은; 비듬투성이의(scurfy)

fur·fur·an [fə́ːrfjuræn, -fə-] *n.* = FURAN

Fu·ries [fjúəriz] *n. pl.* [the ~] 〖그리스·로마신화〗 세 자매의 복수의 여신 《머리카락은 뱀이고 날개를 닮》

‡**fu·ri·ous** [fjúəriəs] *a.* **1** 노하여 펄펄 뛰는, 화내어 날뛰는, 격노한: be in a ~ mood 격노해 있다 **2** 〈속도·활동 등이〉 맹렬한, 왕성한, 정력적인, 활동적인: ~ activity 왕성한 활동/at a ~ pace 고속력으로 **3** 〈폭풍우·바다 등이〉 사납게 날뛰는(fierce), 격렬한: a ~ sea 노한 바다 **4** 〈환락 등이〉 소란스러운

grow fast and ~ 〈환락 등이〉 한창 무르익다, 굉장한 소동이 벌어지다 ▷ fúry *n.*

*__fu·ri·ous·ly__ [fjúəriəsli] *ad.* 미친 듯이 노하여[날뛰어], 광란하여; 맹렬히; 극단적으로 ***give*** a person ***~ to think*** …을 정신못차리게 하다; …에게 깊이 반성할 거리를 주다

furl [fə́ːrl] *vt.* **1** 〈기·돛 등을〉 감다, 말다; 〈날개·양산 등을〉 접다 《*up*》; 〈커튼 등을〉 걷다: ~ a sail 돛을 말다 **2** 〈희망 등을〉 버리다 — *vi.* 〈기·돛 등이〉 감기다, 말리다; 〈양산 등이〉 접히다 《*up*》; 꺼지다, 안 보이게 되다 — *n.* 말아 넣음; 마는 법; 만 것, 접은 것 **~·a·ble** *a.* **~·er** *n.*

fur·long [fə́ːrlɔːŋ, -lɑŋ | -lɔŋ] *n.* 펄롱 《길이의 단위; 1/8마일; 201.17미터》

fur·lough [fə́ːrlou] *n.* ⓊⒸ (군인·공무원의) 휴가(증); (조업 단축 등에 의한) 일시 해고, 일시 휴가: two weeks' ~ 2주간의 휴가 ***be on ~*** 휴가 중이다 ***go home on ~*** 휴가로 귀국[귀향]하다

— *vt.* …에게 휴가를 주다; (일시적으로) 해고하다

— *vi.* 휴가를 보내다

fur·me(n)·ty [fə́ːrmə(n)ti] *n.* (*pl.* **-ties**) 《영·방언》 = FRUMENTY

‡**fur·nace** [fə́ːrnis] [L 「난로, 화덕」의 뜻에서] *n.* **1** 노(爐), 난방로; 용광로: a blast ~ 용광로, 고로(高爐)/an electric ~ 전기 화로 **2** 몹시 더운 곳, 초열지옥 **3** 시련의 장소; 혹독한 시련 ***be tried in the ~*** 혹독한 시련을 겪다

— *vt.* 〈금속 등을〉 노에서 가열하다 **~·like** *a.*

‡**fur·nish** [fə́ːrniʃ] [OF 「완성시키다, 보급하다」의 뜻에서] *vt.* **1** 〈필요한 것을〉 공급하다, 제공하다, 주다(supply) 《*with*》: (~+목+전+명) ~ a person *with* money = ~ money *to* a person …에게 돈을 대다/The delay ~*ed* me *with* the time I needed. 그 연기 덕분에 시간의 여유가 생겼다. // (~+목+목) I ~*ed* him food. 그에게 먹을 것을 주었다. **2** 〈필요한 물건을〉 설치하다(provide), 갖추다, 비치하다 《*with*》: (~+목+전+명) ~ a library *with* books 도서관에 서적을 갖추다 **3** 〈집·방에〉 가구를 설비하다, 들여놓다(fit up): (~+목+부) This house is *well* ~*ed.* 이 집은 가구가 잘 갖추어져 있다.

— *vi.* 가구[장치]를 비치하다[갖추다]

~ out 〈필요한 물건을〉 채우다; …에 재료를 공급하다

*__fur·nished__ [fə́ːrniʃt] *a.* **1** 가구 딸린(opp. *unfurnished*): *F*~ House (to Let) 가구 딸린 셋집 《광고》 **2** 〈가게 등이〉 재고량이 있는, 구색을 갖춘: a well-~ shop 재고량이 풍부한 가게

fur·nish·er [fə́ːrniʃər] *n.* 공급자; 가구상(家具商), 가구 설치 소목장이

*__fur·nish·ing__ [fə́ːrniʃiŋ] *n.* [*pl.*; 집합적] **1** 가구, 비품, 건구 《집·방의》: soft ~*s* 《영》 (실내 장식용) 커튼·깔개류 **2** 《미》 복식품(haberdashery): men's ~*s* 신사용 장신구

‡**fur·ni·ture** [fə́ːrnitʃər] *n.* Ⓤ **1** [집합적] 가구, 비품, 세간, 시설품: a piece[an article] of ~ 가구 한 점/a set[suite] of ~ 가구 한 벌 **2** 부속 쇠붙이 《문 등의》; 장비품 《기계·배·자동차 등의》; 〖항해〗 의장(艤裝) 용구 **3** (마음에) 갖추어진 것; (물건의) 내용, 알맹이(contents): the ~ of a bookshelf 책장의 책/the ~ of one's pocket 호주머니 속의 돈/the ~ of one's mind 지식, 교양 **4** (도로·공공 장소의) 설비, 비품 《가로등·벤치·신호등 등》 **5** 침대 커버와 이불 **6** 《고어》 마구(馬具) **7** 〖인쇄〗 공목(空木) 《조판시 공백을 메우기 위해 활자 사이나 주위에 끼우는 목판 또는 금속판》 ***a nice little piece of ~*** 《속어》 성적 매력이 있는 여자 ***part of the ~*** 《구어》 (가구와 같이 옆에 있는) 당연한 물건[사람] **~·less** *a.*

fúrniture bèetle 〖곤충〗 가구[목재]좀벌레

fúrniture vàn (대형) 가구 운반차, 이삿짐 트럭

fu·ror [fjúərɔːr, -rər | -rɔː] *n.* ⓊⒸ 격렬한 감격; (일시적인) 열중, 열광; 열광적 유행; 열광적 칭찬; 분노, 격노, 광기; 소동: make[create] a ~ 열광적 칭찬을 받다

furor col·li·gen·di [-kɑ̀lədʒéndai | -kɔ̀l-] [L] 수집광; 열광적인 수집열

fu·rore [fjúərɔːr | fjuərɔ́ːri] *n.* ⓊⒸ **1** 《영》 = FUROR **2** [furɔ́ːri] 〖음악〗 푸로레, 격정, 정열

thesaurus **furious** *a.* **1** 격노한 enraged, infuriated, incensed, inflamed, frenzied, indignant, mad **2** 맹렬한 violent, fierce, wild, intense

furnish *v.* supply, equip, provide, offer, give

fu·ro·se·mide [fjuəróusəmàid] *n.* 〖약학〗 푸로세미드《부종 치료용의 강력 이뇨제》

fur·phy [fə́:rfi] *n.* (*pl.* **-phies**) 《호주·속어》 잘못 알림, 뜬소문, 거짓말

furred [fə́:rd] *a.* 부드러운 털로 덮인; 모피제의, 모피를 댄, 모피로 안[가장자리]을 댄; 모피 (제품)를 입은; 백태(白苔)가 낀; 물때가 앉은

fur·ri·er [fə́:riər | fʌ́r-] *n.* 모피 상인; 모피 가공업자

fur·ri·er·y [fə́:riəri | fʌ́r-] *n.* UC **1** 모피상, 모피업[직], 모피 가공[수리] 기술 **2** 《고어》 [집합적] 모피류

fur·rin·er [fə́:rənər, fʌ́r- | fʌ́r-] *n.* 《방언》 타관 사람, 외국인

fur·ring [fə́:riŋ] *n.* UC 모피 (붙임) 《의류의》, 모피 착용, 모피 장식; 물때(가 앉음); 백태가 낌; 초벽(初壁) 《도벽(塗壁) 등의》, 초벽 재료

*__fur·row__ [fə́:rou, fʌ́r- | fʌ́r-] *n.* **1** 밭고랑 《둑과 둑 사이의》, 도랑, 이랑의 홈 **2** 길쭉한 홈 《도랑과 같은》; 항적(航跡); 바퀴 자국(cut); 《문어》 (얼굴의) 깊은 주름살: the ~*s* of a wrinkled face 주름진 얼굴의 깊은 주름살 **3** 《시어》 경지(耕地), 밭

draw a straight ~ 정직하게 살다 ***have a hard ~ to plow*** 골치 아픈 일에 직면하다 ***plow a lonely*** ~ (고집무원으로) 묵묵히 혼자 일하다

— *vt.* **1** 이랑을 짓다, (쟁기로) 갈다 **2** 《시어》 〈배가〉 〈물결을〉 헤치고 나아가다 **3** …에 주름살이 지게 하다, …에 홈을 만들다: a face ~*ed* by old age 늙어서 주름살 진 얼굴

— *vi.* 주름살이 지다, 도랑이 생기다: His brow ~*ed* in concentration. 그는 집중하느라 이마에 주름살이 졌다. **~·less** *a.* **~·like** *a.*

▷ fúrrowy *a.*

fur·row·y [fə́:roui | fʌ́r-] *a.* 이랑진; 주름살이 많은

fur·ry [fə́:ri] *a.* (**-ri·er**; **-ri·est**) 부드러운 털의; 모피로 덮인; 모피가 붙은, 모피로 만든, 모피의, 모피를 입은; 백태[물때]가 낀; 《미·속어》 오싹하는, 소름끼치는: ~ animals 모피 동물

fúr sèal 〖동물〗 물개(seal)

‡**fur·ther** [fə́:rðər] *ad.* [far의 비교급으로 최상급은 **fur·thest**] **1** 〈거리·공간·시간이〉 더 멀리, 더 앞에: go ~ away 더 멀리 가다 / not ~ than a mile from here 여기에서 1마일 안 되는 곳에 / too tired to go ~ 피곤해서 이 이상은 갈 수 없다 **2** 〈정도가〉 더 나아가서, 그 이상으로, 한층 더, 더욱이: inquire ~ into the problem 그 문제를 더 조사하다 / Let's not discuss it ~. 더 이상 의논하지 말자. **3** 게다가, 또 (besides) 《★ 이 뜻으로는 furthermore를 많이 씀》: and ~, we must remember ... 게다가 또한 …라는 것도 잊어서는 안 된다

~ on 더 가서 ***~ to*** [상용문에서] …에 부언하자면 ***I'll see you ~ first.*** ⇨ farther. ***see*** a person ~ 《구어》 [남의 요구를 화나서 거절할 때] 못 들어 주겠다 ***thus far and no*** ~ 여기[이 정도]까지 (그 이상은 안 돼) ***wish*** a person ~ 《구어》 …이 그 자리에 없었으면 하다, …이 그만두었으면 하다

— *a.* Ⓐ **1** 더 먼[앞의](farther): on the ~ side (of the road) (도로의) 저편에 / The map shows it to be ~ than I thought. 지도에서 보면 그 곳은 내가 생각한 것보다 더 앞이다. **2** 그 이상의(additional), 여분의, 한층 더한(more), 다시 덧붙여진: For ~ particulars[details] apply to ... 더 상세한 내용은 …에 문의하시오. / Does this mean a ~ delay? 그러면 더 늦는다는 것입니까? / *F*~ meetings seem pointless. 이 이상의 회의는 무의미하다고 생각된다. **3** 뒤따르는(subsequent): ~ news 속보(續報)

USAGE 부사·형용사로서, 보통 시간·수량·정도에는 further를 쓰고, 공간적으로 떨어진 것에는 farther를 쓴다고 하지만, 실제로 후자의 경우에도 further를 쓰는 경향이 있음.

until [***till***] ***~ notice*** 다음 통지가 있을 때까지

— *vt.* 〈일·계획 등을〉 진행시키다, 조장[촉진]하다 (promote), 조성[증진]하다: ~ the cause of conservation of nature 자연보호 운동을 촉진하다

~·er *n.* ▷ fúrtherance *n.*

fur·ther·ance [fə́:rðərəns] *n.* Ⓤ 조장, 조성, 추진, 촉진(promotion), 증진

fúrther educátion 《영》 성인 교육 《중등학교 수료 후의 교육; 대학 교육과 다름》

‡**fur·ther·more** [fə́:rðərmɔ̀:r] *ad.* 더욱이, 게다가, 더군다나(moreover)(cf. FURTHER *ad.* 3)

fur·ther·most [fə́:rðərmòust] *a.* 가장 먼

fur·thest [fə́:rðist] *a.*, *ad.* = FARTHEST

fur·tive [fə́:rtiv] *a.* **1** 몰래 하는, 남의 눈을 속이는, 내밀한, 은밀한(stealthy): a ~ glance 슬쩍 엿보기 / a ~ look 몰래 살피는 표정 **2** 속임수가 많은; 믿을 수 없는, 수상쩍은, 능글맞은: a ~ manner 수상한 태도 **3** 도둑과 같은 **~·ness** *n.*

fur·tive·ly [fə́:rtivli] *ad.* 몰래, 살그머니, 슬쩍

fu·run·cle [fjúərʌŋkl] *n.* 〖병리〗 절종(癤腫)(boil), 종기, 등창 **fu·run·cu·lar** [fjuərʌ́ŋkjulər], **-cu·lous** [-kjuləs] *a.*

fu·run·cu·lo·sis [fjuərʌ̀ŋkjulóusis] *n.* (*pl.* **-ses** [-si:z]) 〖병리〗 절종증; 〖어류〗 박테리아로 인한 연어·송어의 병[감염증]

‡**fu·ry** [fjúəri] *n.* (*pl.* **-ries**) **1** UC 격노, 분노, 격분, 광포(violence); Ⓤ (전쟁·폭풍우·질병 등의) 격렬, 맹위(猛威)(raging): fly into a ~ 격노하다 / the ~ of the elements 자연력의 맹위, 맹렬한 폭풍우 / the ~ of a hurricane 허리케인의 맹위 **2** [**F~**] 〖그리스·로마신화〗 복수의 여신의 하나; [*pl.*] 복수의 3여신(⇨ Furies); [*pl.*] 원령(怨靈) **3** 《구어》 광포한 사람, 《특히》 표독스러운 여자 ***bring down*** a person***'s ~ on*** one***'s head*** …의 격노를 유발할 짓을 하다 ***in a*** ~ 격노하여 ***like*** ~ 《구어》 맹렬히; 마구잡이로: He has lied *like* ~. 그는 함부로 거짓말을 해 왔다.

▷ fúrious *a.*

furze [fə́:rz] *n.* 〖식물〗 가시금작화(gorse; 《영》 whin)

furz·y [fə́:rzi] *a.* 가시금작화가 무성한

fu·sain [fju:zéin, ←] [F] *n.* Ⓤ (데생용) 목탄; Ⓒ (*pl.* **~s** [-z]) 소묘, 목탄화

fus·cous [fʌ́skəs] *a.* 암갈[암회]색의, 거무스름한 (somber)

*__fuse__[1] [fjú:z] *n.* **1** (폭약 등의) 신관(信管), 도화선[삭(索)] **2** 〖전기〗 퓨즈(fuze) ***blow a*** ~ 퓨즈를 터지게 하다; 《구어》 몹시 화내다 ***have a short*** ~ 《미·구어》 성미가 급하다, 화를 잘 내다

— *vt.* …에 신관을 달다; 퓨즈를 달다

— *vi.* 《주로 영》 퓨즈가 녹아서 전등이 꺼지다

*__fuse__[2] [fjú:z] [L 「녹이다」의 뜻에서] *vt.*, *vi.* 녹이다, 녹다; 융해[융해]시키다[하다], 융화(溶和)시키다[하다]; 융합시키다[하다](blend); 연합[합동]하다: be inseparably ~*d* together 도저히 나눌 수 없게 융합되다 ▷ fúsion *n.*

fúse bòx[**bòard**] 퓨즈 상자; 《미·속어》 머리

fused [fjú:zd] *a.* 퓨즈를 단; 신관을 단

fu·see [fju:zí:] *n.* **1** 내풍(耐風) 성냥 **2** 신관(fuse); 〖철도〗 붉은 섬광 신호 《위험 신호》, 신호기 **3** (말의 다리에 생기는) 외골종(外骨腫)(fuzee)

fu·se·lage [fjú:səlɑ̀:ʒ, -lidʒ, -zə-, fjù:səlɑ́:ʒ, -zə- | fjú:zilɑ̀:ʒ] *n.* (비행기의) 동체, 기체

fú·sel òil [fjú:zəl-] 〖화학〗 퓨젤유(油) 《곡물 발효의 부산물》

fuse-wire [fjú:zwàiər] *n.* Ⓤ 도화선

fu·si·bil·i·ty [fjù:zəbíləti] *n.* Ⓤ 가용성(可溶性); 용도(溶度), 융융도(溶融度)

fu·si·ble [fjú:zəbl] *a.* 잘 녹는, 가용성의: ~ metal [alloy] 가융(可融) 금속[합금] **~·ness** *n.*

---

furthermore *ad.* what's more, also, besides, additionally, as well, further, moreover
fury *n.* rage, wrath, madness, passion, frenzy
fuse[2] *v.* melt, dissolve, combine, unite, merge

fu·si·form [fjú:zəfɔ̀:rm] *a.* 〖생물〗 방추(紡錘) 모양의, 가운데가 굵고 양 끝이 가는

fu·sil[1] [fjú:zəl, -sil | -zil] *n.* (옛날의) 수발총(燧發銃)

fusil[2], **-sile** [fjú:zəl, -sil | -zil] *a.* **1** 녹여서 만든; 주조한; 녹은, 녹는 **2** (고어) 가용성의

fu·sil·ier, -eer [fjù:zəlíər] *n.* **1** 수발총병 **2** [*pl.*] (영국의 옛) 퓨질리어 연대 보병

fu·sil·lade [fjú:səlèid, -lɑ̀:d, -zə- | fjù:ziléid] *n.* **1** 일제 사격, 연속 사격 **2** (질문·비난의) 연발, 질문 공세 《*of*》 **3** 〖야구〗 집중 안타, 맹타 연발: a ~ *of* questions 질문의 연발 **—***vt.* 일제 사격을 가하다

fu·sil·li [fju:zíli, -síli | fù:zili, fju-] [It.] *n.* 꽈배기 모양으로 생긴 파스타

*****fu·sion** [fjú:ʒən] *n.* **1** Ⓤ **용해**; 융해, 융합, 통합; Ⓤ 용해한 것: the ~ of metal 금속의 용해 / the heat of ~ 융해열 / the point of ~ 융점, 융해점 **2** Ⓤ 〖물리〗 원자핵의 융합(opp. *fission*): nuclear ~ 핵융합 **3** ⓊⒸ (정당·당파 등의) 연합, 합동, 제휴; Ⓒ 연합체, 연합 (정당): a ~ administration (미) 연립 내각 ((영) coalition cabinet) **4** 〖음악〗 퓨전 《재즈에 록 등이 섞인 음악》 **~·ist** *n.*
▷ fúse[2] *v.*

fúsion bòmb = HYDROGEN BOMB

fúsion cuisìne[fòod] 퓨전 요리 《중국·멕시코 등 다른 나라의 음식 재료·조리법을 섞어 새로 발전시킨 요리》

fúsion ènergy 핵융합으로 생기는 에너지

fu·sion·ism [fjú:ʒənìzm] *n.* 〖정치〗 (정당·당파의) 연합[제휴]주의, 합동 정책, 연합론

fúsion mùsic 〖음악〗 퓨전 (음악)

fúsion reàction 〖물리〗 핵융합 반응

fúsion reàctor 〖물리〗 핵융합로(爐)

‡**fuss** [fʌ́s] *n.* **1** ⓊⒸ [종종 a ~] (사소한 일에) **몸달아 설침, 흥분**: They made such *a* ~ over a little accident. 그들은 작은 사고로 그렇게 흥분했다. **2** ⓊⒸ 야단법석, 헛소동, 호들갑 **3** 야단법석하는 사람 **4** 언쟁, 싸움 《*about, over*》 **5** (비교적 중요하지 않은 것에 대한) 불평, 이의 **6** 장식(裝飾)
a great ~ about nothing 공연한 법석 ***~ and feathers*** (구어) (화려한) 축제 분위기 ***~ and kerfuffle*** 헛소동, 야단법석 ***make a ~ about*** …에 대하여 야단스럽게 떠들어대다 ***make a ~ of[over]*** a person …을 야단스럽게 치켜세우다
—*vi.* **1** 몸달아 설치다, 야단법석하다, 안절부절못하다 《*about, around, over*》; 몸달아 돌아다니다 《*about, up and down*》: (~+전+명) ~ *about* [*over*] a person's trifling mistakes …의 사소한 잘못을 크게 떠들어대다 / ~ *over* details 사소한 일로 야단법석하다 **2** (사소한 일로) 불평하다: (~+전+명) ~ (and fume) *about* the delay 지연된 것을 불평하다 **3** (미·속어) 여성과 데이트하다
—*vt.* **1** 귀찮게 괴롭히다, 법석을 떨게 하다; 안달복달하게 하다: (~+목+전+명) Don't ~ your head *about* it. 그런 일로 너무 애태우지 마라. **2** (미·속어) 〈여자와〉 데이트하다 **fúss·er** *n.*
▷ fússy *a.*

fuss·budg·et [fʌ́sbʌ̀dʒit] *n.* (구어) 공연히 떠들어대는 사람, 수다쟁이, 쓸데없이 헐뜯는 사람, 보채는 아기 **-et·y** *a.*

fuss·i·ly [fʌ́səli] *ad.* (쓸데없는 일에) 야단스럽게, (지나치게) 안달복달하여

fuss·pot [fʌ́spɑ̀t | -pɔ̀t] *n.* = FUSSBUDGET

*****fuss·y** [fʌ́si] *a.* (**fuss·i·er**; **-i·est**) **1** (하찮은 일에) **야단법석하는**, 소란 떠는, 시끄러운; 귀찮은, 까다로운 《*about, over*》: a ~ old lady 까다로운 노부인 / a ~ eater 식성이 까다로운 사람 **2** 지나치게 꾸민 《의복·문장 등》, 공들여 꾸민, 세심한 주의를 요하는, 섬세하려고 애쓰는: a ~ dress[hat] 지나치게 꾸민 옷[모자] / a room with a ~ cluttered look 지나친 장식으로 어수선해 보이는 방 **3** 〈저술 등이〉 너무 자세한; 〈일 등이〉 복잡하고 까다로운, 번잡한
fúss·i·ness *n.* Ⓤ 야단법석함; 안달복달함

fus·tian [fʌ́stʃən | -tiən] *n.* **1** ⓊⒸ 퍼스티언 천 《한쪽 면에 보풀을 세운 코르덴, 면벨벳 등의 능직 면직물을 말함》 **2** Ⓤ 과장한 말; 호언장담(bombast)
—*a.* 퍼스티언 천의; 야단스러운, 과대한; 쓸데없는, 시시한, 하찮은: a ~ coat 퍼스티언 천으로 만든 코트

fus·tic [fʌ́stik] *n.* 〖식물〗 황목(黃木) 《열대 아메리카산 뽕나뭇과(科)의 교목》; 그 목재; Ⓤ 그것에서 뽑은 황색 염료

fus·ti·gate [fʌ́stəgèit] *vt.* **1** 몽둥이[곤봉]로 때리다 (cudgel), (심하게) 벌주다 **2** 혹평하다
fùs·ti·gá·tion *n.* **-gà·tor** *n.*

fus·ty [fʌ́sti] *a.* (**-ti·er**; **-ti·est**) 곰팡내 나는 (musty); 케케묵은, 진부한, 고루한, 숨막힐 듯한, 완고한 **fús·ti·ly** *ad.* **fús·ti·ness** *n.*

fut [fʌ́t] *int.* = PHUT

fut. future

fu·thark [fú:θɑ:rk] *n.* 룬 문자(runic alphabet) 《futharc, futhorc, futhork로도 표기함》

‡**fu·tile** [fjú:tl, -tail | -tail] *a.* **1** 〈행동 등이〉 **헛된, 효과 없는**; 쓸데없는; 무익한: make a ~ attempt 헛된 시도를 하다 / Attempts to convince him are ~. 그를 설득시키는 것은 쓸데없는 짓이다.

> 유의어 **futile** 목적이 이루어지지 못해서 노력이 무익한 **vain** 노력·행동 등이 소기의 결과를 가져오지 못하고 무익한: a *vain* attempt to get the car started 차의 시동을 걸려는 헛된 시도 **fruitless** 장기간에 걸친 노력이 무익하게 끝난: *fruitless* efforts to obtain a lasting peace 항구적 평화를 얻으려는 보람 없는 노력

2 〈사람·이야기 등이〉 시시한, 하찮은, 무능한: ~ talk 시시한 이야기 **~·ly** *ad.* **~·ness** *n.*
▷ futílity *n.*

fu·til·i·tar·i·an [fju:tìlətέəriən] *a., n.* 인간의 노력이 헛됨을 믿는 (사람), 비관주의의 (사람), 하찮은 일에 빠져 있는[시시한 취미에 열심인] (사람)

*****fu·til·i·ty** [fju:tíləti] *n.* (*pl.* **-ties**) **1** Ⓤ **무용**(無用), 헛됨, 무가치, 무익; Ⓤ 공허 **2** 쓸데없는 사물 **3** 경박한 행동, 무익한 언동, 어리석은 행동, 헛된 노력
an exercise in ~ 부질없는 행동 ▷ fútile *a.*

fu·ton [fjú:tɑn | -tɔn] [Jap.] *n.* (*pl.* **~s**) (일본의) 이불, 《특히》 요

FUTSAL, fut·sal [fʌ́tsəl, fút-] [Sp. = Futbol de salon] *n.* 풋살 《정규 축구를 초심자들에게 맞게 축소한 5인제 미니 축구》

fut·tock [fʌ́tək] *n.* 〖항해〗 (중간) 늑재(肋材)

fúttock shròud 〖항해〗 중간 돛대의 삭구(索具) 아래끝을 받치는 쇠줄[쇠막대]

fu·tu·ram·a [fjù:tʃərǽmə, -rɑ́:mə | -rɑ́:mə] *n.* 미래 생활 전시회; 미래상, 미래 계획

‡**fu·ture** [fjú:tʃər] [L 「앞으로 일어나려고 하다」의 뜻에서] *n.* **1** ⒸⓊ [보통 the ~] **미래, 장래, 앞날**(에 일어날 일, 존재하는 것)(cf. PRESENT, PAST); [the F~] 내세: foresee *the* ~ 장래의 일을 예견하다 **2** (유망한) **전도, 장래성**, 성공의 가능성: a man with a ~ 전도유망한 사람 / There's no ~ in that business. 저 사업에는 장래성이 없다 **3** 〖문법〗 미래 시제 (= ~ tense) **4** [*pl.*] 〖상업〗 선물(先物) (계약), 선물 거래 **5** (속어) 약혼자
deal in ~s 선물(先物)을 사다, 투기 거래하다 ***for the ~*** 장래(로서)는 《in future가 일반적》 ***have a bright[brilliant] ~*** 빛나는 장래가 있다 《*before*》 ***have no ~*** 장래성이 없다 ***in ~*** 앞으로는, 장래에 ***in ~ ages*** 후세에 ***in the distant[far] ~*** 먼 장래에 ***in the ~*** 앞으로, 장차 ***in the near ~*** = ***in no distant ~*** = ***in the not too distant ~*** 가까운 장래에 ***with ~*** 유망한
—*a.* Ⓐ **1** 미래의, 장래의; 내세의, 사후의; 장래 …이 될 〈사람〉: ~ generations 후손들 / one's ~ wife 장래의 처 / ~ events 미래의 사건 **2** 〖문법〗 미래

시제의: the ~ perfect 미래 완료 시제
▷ futúrity *n.*
Fúture Fármers of América [the ~] 미국 농업 교육 진흥회 《略 FFA》
fu·ture·less [fjúːtʃərlis] *a.* 미래가 없는, 장래성 없는 **~·ness** *n.*
fúture lìfe 저세상, 내세, 영계(靈界)
fu·ture-o·ri·ent·ed [-ɔ́ːrientid] *a.* 미래 지향적인
fúture prìce 〖상업〗 선물 가격 《선물 계약에 의한 상품의 가격; cf. SPOT PRICE》
fu·ture-proof [-prùːf] *vt.* 〈제품 등을〉 미래에도 경쟁력을 갖추게 하다, …의 미래를 보증하다
— *a.* 미래에도 경쟁력을 갖춘 〈기술 등〉
fúture shòck 미래 충격 《급격한 사회적·기술적 변화에 대응하지 못하는데서 오는 심리적·육체적 충격》; (의사 결정·적응력에 대한) 과중 부담
fútures màrket (상품·채권의) 선물 시장(先物市場)
fúture ténse [the ~] 〖문법〗 미래 시제
fu·tur·ism [fjúːtʃərìzm] *n.* Ⓤ [때로 **F~**] 미래파 《1910년 무렵 이탈리아에서 일어난, 입체주의(cubism)가 발전한 예술 운동》; 미래주의 《미래에 가치를 두는 인생관》; 《구어》 초현대적[전위적] 예술
fu·tur·ist [fjúːtʃərist] *n.* **1** [때로 **F~**] 미래파 예술가 **2** 〖신학〗 미래 신자 《신약 성경의 요한 계시록에 있는 예언이 실현될 것으로 믿는 사람》 **3** 미래학자(futurologist) **—** *a.* = FUTURISTIC
fu·tur·is·tic [fjùːtʃərístik] *a.* 미래의, 미래파의; 선진적인, 《구어》 초현대적인, 전위적인: ~ technology 선진 테크놀로지 **-ti·cal·ly** *ad.*
fu·tur·is·tics [fjùːtʃərístiks] *n. pl.* [단수 취급] (특히 과학 기술·예술 분야의) 미래학
fu·tu·ri·ty [fjuːtjúərəti, -tʃúər- | -tjúər-] *n.* (*pl.* **-ties**) **1** Ⓤ 미래, 장래; 내세, 후세 **2** [*pl.*] 미래의 일, 미래의 가능성, 미래 상태, 미래성 **3** Ⓤ 후대의 사람들
futúrity índustry 미래 산업
futúrity ràce 《미》 〖경마〗 출장 참가 신청 후 오래 있다가 하는 경마; 보통 2살된 말의 경마 《출전하는 말은 때때로 탄생 이전에 선정됨》
futúrity stàkes 《미》 〖경마〗 미리 돈을 거는 경마; futurity race에 건 돈; = FUTURITY RACE
fu·tur·ol·o·gy [fjùːtʃərálədʒi | -rɔ́l-] *n.* Ⓤ 미래학 **fù·tor·o·lóg·i·cal** *a.* **-gist** *n.* 미래학자
futz [fʌ́ts] *vi.* **1** 《미·비어》 성교하다 **2** 《미·속어》 빈둥거리다 《*around*》; 만지작거리다 《*with*》
— *vt.* **1** …와 성교하다 **2** 엉망으로 하다, 헛되이 하다 **3** 〈사람을〉 속이다; 〈물건을〉 탈취하다
— *n.* **1** 《미·비어》 (여자의) 성기 **2** 《미·속어》 얼간이(simpleton) **3** 《미·속어》 역겨운 사람, 《특히》 노인
fuze [fjúːz] *n.* **1** 신관, 기폭 장치 《지뢰·폭뢰 등의》 **2** = FUSE[1] **—** *vt.* 〈폭탄 등에〉 기폭 장치를 붙이다
fu·zee [fjuːzíː] *n.* = FUSEE 3
fuzz[1] [fʌ́z] *n.* (*pl.* **~**) Ⓤ **1** 잔털, 솜털, (섬유 등의) 보풀: the ~ on a peach 복숭아의 잔털 **2** 《구어》 고수머리; 상고머리 **3** 흐림 《사진 등》 **4** 《미·속어》 마약 ***bump ~*** 《미·비어》 성교하다
— *vi., vt.* 보풀이 나다[나게 하다], 부드럽게 되다[만들다], 훨훨 날아 흩어지다; 어물거리다, 애매하게 하다; 《미·속어》 술취하다
fuzz[2] *n.* 《속어》 **1** (*pl.* ~) [the ~; 집합적] 경찰 **2** (*pl.* **~·es**) 경찰관, 형사; (교도소의) 교도관
fuzz·ball [fʌ́zbɔ̀ːl] *n.* **1** 〖식물〗 말불버섯 **2** 《미·속어·경멸》 경찰관
fuzz·box [-bɑ̀ks | -bɔ̀ks] *n.* 전자 기타의 음을 흐리게 하는 장치
fuzz·bust·er [-bʌ̀stər] *n.* 《미·속어》 퍼즈버스터 《과속 단속 레이더를 탐지하는 전자 장치》
fuzz·buzz [-bʌ̀z] *n.* 《미·속어》 야단법석; 혼란 (상태), 혼잡, 불편, 옥신각신
fuzzed [fʌ́zd] *a.* 《미·속어》 술취한
fuzz-face [-fèis] *n.* 《미·속어》 턱수염을 기른 남자
fuz·zle [fʌ́zl] *vi.* 《미·속어》 술취하다, 술마시다
fuzz·nuts [fʌ́znʌ̀ts] *n.* 《미·속어》 새파란 젊은이, 쓸모없는 녀석
fuzz-nutted [-nʌ̀tid] *a.* 《미·속어》 미숙한, 신참의
fúzz stàtion [the ~] 《미·속어》 경찰서
fúzz tòne (전자 기타의) 탁한 음 《fuzzbox로 내는》
fuzz·word [fʌ́zwə̀ːrd] *n.* 《구어》 (일부러) 빙빙 둘러대는 말, 애매모호한 말
fuzz·y [fʌ́zi] *a.* (**fuzz·i·er**; **-i·est**) **1** 보풀 같은, 잔털 모양의, 보풀로 덮인, 보풀이 선(fluffy) **2** 흐트러진; 〈머리가〉 곱슬한 **3** 흐린(blurred), 불분명한, 모호한, 〈소리 등이〉 탁한: a ~ photograph 흐릿한 사진 **4** 〈이론 등이〉 유연성 있는; 경계가 모호한
fúzz·i·ly *ad.* **fúzz·i·ness** *n.*
fuzz·y-head·ed [-hédid] *a.* 머리가 멍한, 멍청한
fúzzy lógic 퍼지 이론, 애매모호한 논리 《(수학의) 흐림 집합(fuzzy set) 이론; 집합의 각 요소가 0에서 1까지의 숫자로 표시되는 특성을 갖는 것에 대해 무엇인가의 형태로 그 중간도 다루는 논리》
fúzzy sét 〖수학〗 퍼지 집합, 흐림 집합 《명확히 정의된 경계를 가지지 않은 집합》
fúzzy théory 퍼지 이론 《0과 1의 두 수치뿐 아니라 그 사이의 애매한 개념도 다루는 수학 이론》
fuzz·y-wuz·zy [fʌ́ziwʌ́zi] *n.* [종종 **F- W-**] **1** 《구어》 Sudan 지방의 토민병 **2** 《속어》 원주민, 흑인
f.v. *folio verso* 《L = on the back of the page》
f vàlue = F-NUMBER
fwd foreword; forward **FWD, f.w.d.** four-wheel drive
FWIW, fwiw ⇨ for what it's worth
f-word [éfwə̀ːrd] *n.* [때로 **F~**] [the ~] 《구어》 fuck이란 말(의 파생어)
FX foreign exchange; 〖TV·영화〗(special) effects
fx fracture **FY** fiscal year 《미》 회계 연도
fy, fye [fái] *int.* = FIE
-fy [fài] *suf.* 「…로 하다; …화하다; …가 되다」의 뜻: beauti*fy*, satis*fy*, paci*fy*
fyce [fáis] *n.* = FEIST
FYI for your information 참고로 《메모 등에서 사용》
fyke [fáik] *n.* 《미·방언》 긴 자루식 어망(= ˊ~ **nèt**)
fyl·fot [fílfɑt | -fɔt] *n.* 卍모양(swastika)
fytte [fít] *n.* 《고어》 시가(詩歌)의 한 절(節)
fz. 〖음악〗 forzando **FZS** Fellow of the Zoological Society

G g

g, G [dʒíː] *n.* (*pl.* **g's, gs, G's, Gs** [-z]) **1** 지 《영어 알파벳의 제 7자》 **2** G, g자에 의해 표현되는 음 [g] (get), [dʒ] (German), [ʒ] (camouflage) **3** G자 모양(의 것) **4** (인쇄·스탬프·필기의) G, g자

G [dʒíː] *n.* (*pl.* **G's, Gs** [-z]) **1** (미·속어) 1,000달러(grand) **2** [때로 **g**] 〖물리〗 중력 가속도 **3** (연속한 것의) 제 7번째(의 것) **4** 〖음악〗 「사」음, 「사」조: *G* clef 사음 기호 / *G* flat[sharp] 내림[올림] 사조 / *G* major[minor] 사장조[단조] **5** [때로 **g**] (중세 로마 숫자) 400 **6** 〖전기〗 **a** = CONDUCTANCE **b** = GAUSS **7** 〖생화학〗 **a** = GLYCINE **b** = GUANINE **8** (미) 〖영화〗 일반용 영화(general audiences)

g, g. gauge; gender; general; genitive; going back to; gold; grain; gram(me); gravity; 〖축구〗 guard; guinea(s); gun **G, G.** gay; German(y); good; gourde(s); guilder(s); gulf **Ga** 〖화학〗 gallium **ga.** gauge **Ga.** Gallic; Georgia **g.a., G.A.** general average; graphic arts **G.A., GA** Gamblers Anonymous; General Agent; General American; General Assembly; General of the Army **GAAP** Generally Accepted Accounting Principles 〖회계〗 일반 회계 원칙 **GaAs** gallium arsenide 〖화학〗 갈륨 비소, 비화(砒化) 갈륨 **GAASF** General Association of Asia Sports Federations 아시아 경기 연맹 총연합회

gab[1] [gǽb] (속어) *n.* Ⓤ **1** 수다, 쓸데없는 잡담 **2** 수다쟁이 ***Stop your ~!*** 입 닥쳐라! ***the gift of the ~*** (구어) 말재주
— *vi.* (**~bed**; **~·bing**) 쓸데없이 지껄이다; 수다떨다

gab[2] *n.* 〖기계〗 갈고리(hook)

gab[3] *n.* (스코·속어) 입(mouth, gob)

GAB General Arrangements to Borrow 국제 통화 기금(IMF)의 일반 차입(借入) 협정

GABA [gǽbə] [*g*amma-*a*mino*b*utyric *a*cid] *n.* 〖생화학〗 감마아미노 낙산(酪酸) 《포유류의 중추 신경계에 생기는 신경 전달 물질의 하나》

Ga·bar [gɑ́ːbər] *n.* (이슬람화한 이후에도 이란에 남은) 조로아스터 교도, 이란파(派) 배화교도

gab·ar·dine [gǽbərdìːn, ⌒⌒⌒] *n.* **1** Ⓤ 개버딘 《능직 방수 복지》; Ⓒ 개버딘제의 옷 **2** 품이 크고 긴 상의 《특히 중세 유대인의》 **3** (영) (노동자가 입는) 헐렁한 작업복

gab·ber [gǽbər] *n.* **1** (구어) 수다쟁이 **2** (미·속어) (라디오의) 해설가

***gab·ble** [gǽbl] [의성어] *vi.* **1** 빠르게 지껄이다, 재잘[종알]거리다 《*away*》 **2** 〈거위 등이〉 꽥꽥 울다(⇨ goose 관련)
— *vt.* 빠르게 말하다, 〈영문도 모를 말을〉 지껄여대다: ~ a grace 빠른 어조로 식전 기도를 하다 // (~+목+보) You ~ me crazy. 네가 재잘거려서 미칠 것 같다.
— *n.* Ⓤ **1** 뜻 모를 말을 빨리 지껄임 **2** (거위 등의) 꽥꽥 우는 소리; 빠르고 무의미한 연속음
gáb·bler *n.* 수다쟁이

gab·bro [gǽbrou] [It.] *n.* (*pl.* **~s**) ⓊⒸ 〖광물〗 반려암(斑糲岩) **gab·bro·ic** [gæbróuik] *a.*

gab·by [gǽbi] *a.* (**-bi·er**; **-bi·est**) (구어) 말 많은, 수다스러운(talkative)

Gabe [géib] *n.* 남자 이름 《Gabriel의 애칭》

ga·belle [gəbél | gæbél] [F] *n.* **1** 세금(tax) **2** (1790년까지 프랑스에서 부과된) 염세(鹽稅)

gab·er·dine [gǽbərdìːn, ⌒⌒⌒] *n.* = GABARDINE

gab·er·lun·zie [gæ̀bərlʌ́nzi, -lúːnji] *n.* (스코) **1** 떠돌이 거지 **2** 동냥 자루

gab·fest [gǽbfèst] *n.* **1** (미·구어) 잡담[수다]의 모임, 간담회 **2** 긴 사설

ga·bi·on [géibiən] *n.* **1** 〖건축〗 보람(堡籃) 《원통형의 바구니에 돌이나 흙을 채운 것》 **2** 〖토목〗 돌망태 《방축·둑 등의 기초 공사용》

ga·bi·o·nade [gèibiənéid] *n.* **1** 〖건축〗 보람장(堡籃墻), 보루(堡壘) 《보람을 나란히 세운 방어 시설》 **2** 〖토목〗 돌망태 공사

***ga·ble** [géibl] *n.* 〖건축〗 **1** 박공(牔栱), 박풍(牔風) **2** 박공 지붕 **3** 박공 구조
— *vt.* 박공 구조로 하다

gable

Ga·ble [géibəl] *n.* 게이블 (**William**) **Clark** ~ (1901-60) 《미국의 영화배우》

ga·bled [géibld] *a.* 박공이 있는, 박공 구조의

gáble ènd 박공벽

gáble ròof 박공 지붕

ga·ble-roofed [géiblrúːft] *a.* 박공 지붕의

ga·blet [géiblit] *n.* 〖건축〗 작은 박공 《창 윗부분 등의》

gáble wíndow 박공창

Ga·bon [gæbɔ́ːŋ] *n.* **1** 가봉 《아프리카 중서부의 공화국; 수도 Libreville》 **2** [the ~] 가봉강

Gab·o·nese [gæ̀bəníːz, -níːs | -níːz] *a.* 가봉의; 가봉 사람의; 가봉어(語)의 — *n.* (*pl.* ~) 가봉 사람

gab·oon [gəbúːn, gæ-] *n.* (속어·방언) 타구(唾具)(spittoon)

Ga·bo·ro·ne [gɑ̀ːbəróuni] *n.* 가보로네 《Botswana의 수도》

Ga·bri·el [géibriəl] *n.* **1** 천사 가브리엘 《성모 마리아에게 수태 고지한》 **2** 〖이슬람교〗 Muhammad에게 신의 계시를 전한 천사 **3** 남자 이름 **4** (미·속어) 트럼펫 주자

Ga·bri·elle [gèibriél, gæb-] *n.* 여자 이름

Ga·bun [gəbúːn] *n.* = GABON

ga·by [géibi] *n.* (*pl.* **-bies**) (방언) 얼간이

gad[1] [gǽd] *vi.* (**~·ded**; **~·ding**) 나다니다, 돌아다니다, 쏘다니다 《*about*》: ~ *about* at one's pleasure 마음 내키는대로 돌아다니다 — *n.* 나다님, 쏘다님 ★ 다음 성구로. ***on*** [***upon***] ***the ~*** 쏘다니며
gád·der *n.*

gad[2] *n.* **1** 뾰족한 막대기(goad) 《가축을 모는 데 쓰는》 **2** 〖광산〗 정, 끌 **3** (미) 박차(spur)
— *vt.* (**~·ded**; **~·ding**) 〈광석을〉 정으로 쪼아 부수다

Gad[1], **gad**[3] [gǽd] [God의 완곡한 변형] *int.* 저런, 당치도 않다 ***by G~!*** = by GOD

Gad[2] *n.* 〖성서〗 **1** 갓 《야곱(Jacob)과 실바(Zilpha)의 아들; 창세기 30: 11-12》 **2** 갓 족(族) 《이스라엘 12족의 하나》 **3** 갓 족의 영토 **4** 갓 《다윗(David)시대의 예언자; 사무엘 하 24: 11-19》

gad·a·bout [gǽdəbàut] *a.*, *n.* (구어) **1** 나다니는 (사람), 쏘다니는 (사람) **2** 여행하며 다니는 (사람)

gad·fly [gǽdflài] *n.* (*pl.* **-flies**) **1** 〖곤충〗 등에 **2** 귀찮은[성가신] 사람: play the ~ on an issue 어떤 문제에 대해 시끄럽게 따지다

***gadg·et** [gǽdʒit] *n.* **1** (구어) (가정용) 간단한 기

thesaurus **gag**[1] *v.* muffle, muzzle, shackle, stifle, throttle, silence, smother

계[전기] 장치, 솜씨 있게 만든 작은 도구, 장치; 묘안, 신안(新案), 궁리 **2** 배의 짐을 끌어 올리는 윈치 **3** 《비어》 남자의 성기 **4** 《미·속어》 공군 사관 후보생

gadg·e·teer [gæ̀dʒitíər] *n.* 기계 만지기를 좋아하는 사람; 새것[유행]을 좋아하는 사람

gadg·et·ry [gǽdʒitri] *n.* Ⓤ [집합적] 《구어》 (가정용 등의) 소도구[기계]류; (기구류의) 허섭스레기

gadg·et·y [gǽdʒiti] *a.* **1** 기계 만지기를 좋아하는, 발명을 좋아하는 **2** 장치가 있는, 장치로서 간편한

Ga·dhel·ic [gədélik, gæ-] *a., n.* = GOIDELIC

ga·did [géidid], **ga·doid** [géidɔid] *n., a.* 〖어류〗 대구속(屬)(의), 대구(같은)

gad·o·lin·ite [gǽdələnàit] *n.* Ⓤ 〖광물〗 가돌린석(石) 《희토(希土)류 금속 gadolinium, holmium, rhenium을 추출할 수 있는 규산염 광물》

gad·o·lin·i·um [gæ̀dəlíniəm] *n.* Ⓤ 〖화학〗 가돌리늄 《희토류의 금속 원소; 기호 Gd, 번호 64》

ga·droon [gədrúːn] *n.* [보통 *pl.*] 〖건축〗 휘어진 주름새김; 둥근 주름 장식 《은식기의 가장자리 등》

Gáds·den Púrchase [gǽdzdən-] 개즈던 매입 지역 《현재 미국 New Mexico주 및 Arizona주의 일부로서 1853년 Gadsden의 협상으로 멕시코로부터 매수》

gad·wall [gǽdwɔːl] *n.* (*pl.* **~s, ~**) 〖조류〗 알락오리 《갈색의 소형 오리》

Gad·zooks [gæ̀dzúːks] *int.* 《고어》 빌어먹을, 젠장, 제기랄

Gae·a [dʒíːə] *n.* 〖그리스신화〗 가이아 《대지의 여신》

Gael [géil] *n.* 게일 사람 《스코틀랜드 고지(高地) 사람 또는 아일랜드의 켈트 사람》 **~·dom** *n.*

Gael. Gaelic

Gael·ic [géilik] *a.* 게일 사람[말]의
—*n.* Ⓤ 게일 말 《略 Gael.》

Gáelic fóotball 게일식(式) 축구 《주로 아일랜드에서 행해지는 1팀 15인의 축구》

Gael·tacht [géiltəxt] *n.* (아일랜드의) 게일어 사용 지구

gaff[1] [gǽf] *n.* **1** (물고기를 끌어올릴 때 쓰는) 갈고랑이; 작살 **2** (송전선 수리공이 승강에 사용하는) 금속 돌출부 **3** 〖항해〗 개프, 사형(斜桁) 《종범(縱帆) 상부의》 **4** (싸움닭에 붙이는) 금속 발톱; 박차의 돌기 ***throw a ~ into*** 《속어》 〈계획 등을〉 불가능하게 하다, 무너뜨리다
—*vt.* **1** 〈물고기를〉 갈고랑이로 끌어올리다[찍다] **2** 〈싸움닭에게〉 금속 발톱을 달다 **3** 《미》 …에 박차를 가하다 —*vi.* 잡다 《*onto*》

gaff[2] *n.* 학대, 혹사; 비난, 혹평: get[give] the ~ 지독한 취급[비판]을 받다[하다] / stand[take] the ~ 《미·속어》 고통을 견뎌 내다, 꾹 참다
—*vt.* 《미·해군속어》 신랄하게 비난하다

gaff[3] 《속어》 *n.* **1** 속임수, 사기 **2** 싸구려 흥행장; [보통 penny ~] 삼류 극장 **3** 집, 아파트; 매춘굴
—*vi.* 내기를 하다 《동전을 던져서》
—*vt.* 속이다; …에게 속임수를 쓰다

gaffe [gǽf] [F] *n.* (사교·외교상의) 과실, 실수 (blunder)

gaf·fer [gǽfər] *n.* **1** 《구어》 (영화·TV의) 전기[조명] 주임 **2** 《영》 (시골의) 늙은이, 영감(cf. GAMMER): *G*~ Johnson 존슨 영감 **3** 《영》 두목, 감독, 십장 (foreman); (술집) 아저씨

gáffer tàpe (전기 공사용의) 강력 접착 테이프

gaff-rigged [gǽfrìgd] *a.* 〖항해〗 개프 범장(帆裝)의

gáff sàil 〖항해〗 개프 세일 《gaff[1] 3에 단 세로돛》

gáff tópsail 개프 톱세일 《gaff sail 위의 삼각돛》

GAFTA [gǽftə] [*G*rain *a*nd *F*ree *T*rade *A*ssociation] *n.* 곡물 거래업 협회

∗**gag**[1] [gǽg] [질식 소리를 흉내낸 의성어] *n.* **1** 재갈, 입마개 **2** 입막음, 언론 압박 **3** 《영》 (의회에서) 토론 종결 **4** 〖의학〗 개구기(開口器) **5** (말 입에 채우는) 고삐 **6** 《속어》 금고형
—*v.* (**~ged**; **~·ging**) *vt.* **1** 〈남의〉 입을 막다, …의 언론 자유를 억압하다: ~ a person (with adhesive tape) (반창고로) …의 입을 막다 **2** 〈말에게〉 재갈을 물리다 **3** (수술 중에 개구기를 사용하여) …의 턱을 벌려 놓다 **4** …의 숨을 막히게 하다, 메스꺼워지게 하다 **5** 〈말에게〉 고삐를 채우다
—*vi.* **1** 목이 막히다(choke); 구역질이 나다 **2** 참을 수 없다 《*at*》
be ~ging for[***to*** do] 《영·속어》 …을 몹시 갖고 [···하고] 싶어하다 ***be ~ging for it*** 《영·속어》 (남자가 보기에) 〈여자가〉 하고 싶어하다

∗**gag**[2] [gǽg] *n.* **1** (대본·대사에 삽입된) 익살, 개그 **2** 《일반적으로》 농담: for a ~ 농담으로 **3** 사기; 위선, 거짓말 **4** 《미·속어》 뻔한 변명 ***pull a ~*** (1) 농담을 남발하다 (2) 속이다 《*on*》
—*v.* (**~ged**; **~·ging**) *vi.* **1** 농담하다 **2** 〈배우가〉 (연기 중에) 개그를 하다 **3** 남을 속이다
—*vt.* **1** 〈대본·대사에〉 개그를 넣다 《*up*》 **2** 속이다

ga·ga [gáːgaː] 《속어》 *a.* **1** 열중하는, 열광한(crazy) 《*about, over*》 **2** 어리석은, 얼빠진 **3** 노망한, 멍청한 ***go ~ over*** …에 홀딱 반하다, 열광하다
—*n.* **1** 저속한 팬 《영화 등의》 **2** 노망든 사람, 미친 사람

Ga·ga·rin [gɑgáːrin] *n.* 가가린 **Yuri A.** ~ (1934-68) 《구소련의 우주 비행사; Vostok I을 타고 세계 최초로 우주 비행에 성공(1961)》

gág bìt 재갈 《말 길들이는 데 씀》

gage[1] [géidʒ] *n.* **1** 도전의 표시 《던진 장갑 또는 모자》 **2** 《고어》 도전 **3** 저당물(pledge) ***get*** one***'s ~ up*** 《속어》 화내다, 격분하다; 《속어》 취하다 ***throw down the ~*** 도전하다
—*vt.* **1** 저당으로 잡히다, 담보로 맡기다, 걸다 (stake) **2** 언질(言質)을 주다; (책임 있게) 단언하다

gage[2] *n.* 《미》 = GAUGE

gage[3] *n.* = GREENGAGE

gage[4] *n.* 《미·속어》 **1** 싸구려 위스키 **2** 마리화나 **3** 담배 —*a.* (술·마리화나 등에) 취한

gaged [géidʒd] *a.* = GAGE[4]

gag·er [géidʒər] *n.* = GAUGER

ga·gers [géidʒərz] *n. pl.* 《미·속어》 눈알(eyes)

gag·ger[1] [gǽgər] *n.* **1** 언론을 억압하는 사람[것] **2** 물림판 《거푸집을 보강하기 위한 L자형 쇳조각》

gagger[2] *n.* 개그 작가; 개그맨

gag·gle [gǽgl] [의성어] *n.* **1** 거위떼 **2** 꽥꽥 우는 소리 **3** 《구어》 (시끄러운) 무리들; 《속어》 비행기 편대; 시끄러운 여자들 **4** (관련된 것들의) 모임
—*vi.* 〈거위 등이〉 꽥꽥 울다

gág làw = GAG RULE

gag·man [gǽgmæ̀n] *n.* (*pl.* **-men** [-mèn]) **1** 개그 작가 **2** 개그맨 《개그에 능한 희극 배우》

gág òrder 1 〖미국법〗 (법정에서 심리 중인 사항에 관한) 보도[공표] 금지령 **2** 《미》 함구령

gág rèin 재갈 고삐 《말 길들이는 데 씀》

gág rùle (어떤 문제에 대한) 함구령; 언론 통제법

gag·ster [gǽgstər] *n.* **1** 개그 작가 **2** 농담꾼, 장난꾸러기; 어릿광대

gág strìp (연속된 줄거리가 없는) 개그 만화

gahn·ite [gáːnait] *n.* Ⓤ 〖광물〗 가나이트, 아연 첨정석(亞鉛尖晶石)

Gai·a [géiə] *n.* **1** 〖그리스신화〗 = GAEA **2** 가이아 《하나의 거대한 유기체로 생각된 지구》

Gáia hypóthesis 가이아 가설 《지구를 생물과 무생물의 상호 작용에 의해 조절되는 유기체로 보는》

∗**gai·e·ty** [géiəti] *n.* (*pl.* **-ties**) **1** Ⓤ 명랑(함), 유쾌함, 쾌활 **2** [종종 *pl.*] 잔치 기분, 환락 **3** Ⓤ (복장의) 화려, 화미(華美) ***the ~ of nations*** 대중의 즐거움, 명랑한 풍조 ▷ gáy *a.*

gai·jin [gáidʒìn] [Jap.] *n.* (일본에서의) 외국인

Gail [géil] *n.* 남자[여자] 이름

Gail·lárd Cút [giljáːrd-, géilɑːrd-] [미국 육군 기사의 이름에서] 게일랴드 컷 《Panama Canal Zone

---

gaiety *n.* cheerfulness, gladness, happiness, delight, pleasure, joy, mirth, elation

G H

남부에 있는 인공 골짜기; 길이 13 km》
gail·lar·di·a [geilɑ́:rdiə] *n.* 〖식물〗 천인국(天人菊) 《국화과의 풀; 미국 서부산(產)》
*__gai·ly, gay·ly__ [géili] *ad.* **1 흥겹게,** 유쾌[명랑]하게 **2 야하게,** 화려하게: ladies ~ dressed 화려한 복장의 숙녀들 ▷ gáy *a.*
‡**gain**[1] [géin] *v., n.*

> OE 「사냥」의 뜻에서
> 「얻다」→(더욱 많이 얻다에서) (힘이) 「늘다」, (시계가) 「더 가다」

— *vt.* **1** 〈원하는 것을〉 (노력해서) **얻다,** 입수하다; 〈허가·승인·평판 등을〉 얻다; 〈원래 상태를〉 회복하다: ~ popularity 인기를 얻다 / ~ one's feet 재기하다 **2** 〈무게·힘·속도 등을〉 **늘리다**: ~ weight 체중이 늘다 **3 얻다** 《근로에 의하여》, **벌다**(earn)(⇨ get[1] 유의어); 이익보다(opp. *lose*): ~ one's living 생활비를 벌다 / C.E Without a job it is impossible to earn [*gain*(×)] any money. 일을 하지 않으면서 돈을 번다는 것은 불가능하다 **4 획득하다** 《경쟁에 의하여》, 〈싸움에〉 이기다(win): ~ the prize 상을 타다 / ~ a suit at law 소송에 이기다 **5** 설득하다; 자기 편으로 끌어들이다 《*over*》: (~+목+부) ~ a person *over* = ~ *over* a person …을 자기편에 끌어넣다 **6** 〈시계가〉 〈…초·분·시간을〉 더 가다(opp. *lose*): ~ three minutes a day 하루에 3분 더 가다 **7** (노력의 결과로) **도달하다**(reach); 〈목표·목적 등을〉 달성하다: ~ the summit 정상에 오르다 / ~ one's ends 목적을 달성하다 **8** 〈일정 거리를〉 전진하다, 나아가다; 〖육상〗 〈거리를〉 앞서다
— *vi.* **1** 〈체중이〉 **늘다**; 〈가치·인기 등이〉 오르다, 〈병자가〉 좋아지다(improve) 《*in*》: (~+전+명) ~ *in* weight 체중이 늘다 **2** 〈주자·자동차·말 등이〉 (상대를) 추격하다, 접근하다; 〈위기가〉 닥쳐오다 《*on, upon*》 **3** 〈사람·차 등이〉 (추적자·경쟁 상대를) 앞서다, 거리를 벌려 놓다 《*on, upon*》: ~ *on* one's pursuers 추적자와의 간격을 넓히다 **4** 돋보이다 《*by*》 **5** 〈시계가〉 빨리 가다(opp. *lose*) **6 이득을 얻다,** 이익을 보다(profit) 《*by, from*》
~ by comparison [***contrast***] 비교[대비(對比)]가 되어 한층 돋보이다 ***~ face*** 권위[영향력, 명성]을 얻다 ***~ ground*** ⇨ ground. ***~ headway*** 전진하다 ***~ on*** [***upon***] (1) …에 접근하다, 추격하다 (2) …을 능가하다 (3) 〈바다가 육지를〉 침식하다 (4) …의 환심을 사다 ***~ strength*** 힘이 늘다, 강해지다 ***~ the ear of*** …의 귀를 빌리다 ***~ the upper hand*** 우세한 위치에 서다, 이기다 《*of*》 ***~ time*** (일을 빨리 해치우고) 시간을 절약하다; 시간의 여유를 얻다 ***nothing to ~*** (…을 해서) 득 될 것이 없다
— *n.* **1 벌이,** 득, 이득; [종종 *pl.*] 이익, 수익(profit); 보수; 따서 얻은 물건, 득점, 상금: the love of ~ 이욕(利欲) / ill-gotten ~*s* 부당 이익금 / No ~*s* without pains. 《속담》 수고가 없으면 이득도 없다. **2 증진**(시키는 것), 증가시키는 것 《*to*》; (양·가치·힘 등의) 증가, 증대(increase) 《*of, in*》: a ~ *to* knowledge and experience 지식과 경험의 증대 **3** U 획득(하기) **4** (증폭기 등의) 진폭 이득 《입력에 대한 출력의 비율》 **5** (TV·라디오·증폭기 등의) 음량 조정: ride (the) ~ (송신할 수 있도록) 음량을 조정하다 ***One man's ~ is another man's loss.*** 다른 사람의 손실로부터 이득을 얻는다. ***on the ~*** 잘 되어
gain[2] *n.* 〖목공〗 홈(groove); 장붓구멍
— *vt.* …에 홈[장붓구멍]을 내다
gain·a·ble [géinəbl] *a.* 얻을 수 있는; 달할 수 있는
gáin contròl 〖전자〗 (수신기·증폭기의) 이득 제어
gain·er [géinər] *n.* **1** 획득자; 이득자; 승리자(opp. *loser*): come out a ~ 승자가 되다 **2** 〖수영〗 뒤로 재주넘는 다이빙 ***come off a ~*** 벌다, 이기다
gain·ful [géinfəl] *a.* **1** 이익이 있는, 벌이가 되는, 수지맞는(paying); 《미》 〈직업 등이〉 유급(有給)인(paid) **2** 〈사람이〉 고소득인 **~·ly** *ad.* 이익이 나도록; 유급으로 **~·ness** *n.*
gain·giv·ing [géingìviŋ] *n.* 《고어》 불안, 염려, 걱정
gain·ings [géiniŋz] *n. pl.* 소득(액); 이익, 수익; 상금; 노름에서 딴 돈
gain·less [géinlis] *a.* 이익이 없는; 무익한
gain·ly [géinli] *a.* (**-li·er**; **-li·est**) 〈태도 등이〉 우아한(graceful), 맵시 있는
gain·say [gèinséi] *vt.* (**-said** [-séd, -séid]) [보통 부정문·의문문] 《문어》 **1** …을 부정[부인]하다, …에 이의를 제기하다: There is *no* ~*ing* his integrity. 그가 성실하다는 것은 부정할 수 없다. **2** …에게 반대[반박]하다: I will *not* ~ him. 그에게 반대할 생각은 없다. **~·er** *n.*
(')gainst [génst, géinst] *prep.* 《시어》 = AGAINST
*__gait__ [géit] *n.* **1 걷는 모양,** 걸음걸이; 《미》 보속(步速) **2** 〖승마〗 (말의) 보조 **3** (활동·생활 등의) 템포, 리듬 **4** 생산률 ***go one's own ~*** 자기 나름대로의 방식으로 하다
— *vt.* **1** 〈말에〉 걸음걸이를 조련하다 **2** 〈개를〉 심사원 앞에서 걷게 하다
gait·ed [géitid] *a.* [보통 복합어를 이루어] 걸음걸이가 …한: slow-~ 느릿느릿 걷는
gai·ter [géitər] *n.* [보통 *pl.*] **1** 각반(脚絆) **2** 《미》 각반 모양의 목 긴 구두 **gái·tered** *a.* 각반을 친
Gait·skell [géitskəl] *n.* 게이츠켈 **Hugh T. N. ~** (1906-63) 《영국의 경제학자·정치가·노동당 당수(1955-63)》
gal[1] [gǽl] *n.* 《구어》 = GIRL
gal[2] *n.* 〖물리〗 갤 《가속도 단위; 1 gal = 1cm / sec²》
gal. gallery; gallon(s) **Gal.** 〖성서〗 Galatians
ga·la [géilə, gǽ- | gɑ́:-] [It. 「환락」의 뜻에서] *a.* 잔치의, 축제[잔치] 기분의, 흥겨운; 특별 개최의: a ~ day 잔칫날 — *n.* **1** 축제, 잔치; 특별 개최 **2** 나들이옷: in ~ 나들이옷을 입고 **3** 《영》 (운동의) 경기회, 대회: a swimming ~ 수영 대회
galact- [gəlǽkt], **galacto-** [gəlǽktou] 《연결형》 「milk」의 뜻 《모음 앞에서는 galact-》
ga·lac·ta·gogue [gəlǽktəgɔ̀:g, -gɑ̀g | -gɔ̀g] *n.* U 최유제(催乳劑) — *a.* 젖의 분비를 촉진하는, 최유(성)의
ga·lac·tic [gəlǽktik] *a.* **1** 〖천문〗 은하계(Galaxy)의; 성운의 **2** 거대한, 막대한: a problem of ~ proportions 엄청나게 큰 문제 **3** 〖생리〗 젖의, 젖 분비를 촉진하는
galáctic círcle [**equátor**] 〖천문〗 은하 적도
galáctic nóise 〖천문〗 은하 전파[잡음]
galáctic pláne 〖천문〗 은하면(銀河面)
galáctic póle 〖천문〗 은하극(極)
gal·ac·tom·e·ter [gæ̀ləktɑ́mətər | -tɔ́m-] *n.* 검유기(檢乳器)(lactometer)
gal·ac·tor·rhe·a [gəlæ̀ktərí:ə] *n.* 〖병리〗 유즙 누출증(乳汁漏出症)
ga·lac·tos·a·mine [gəlæ̀któusəmì:n, -min] *n.* 〖생화학〗 갈락토사민 《갈락토오스의 아미노 유도체》
ga·lac·tose [gəlǽktous] *n.* 〖화학〗 갈락토오스 《젖당의 성분》
ga·lac·to·se·mi·a [gəlæ̀ktəsí:miə] *n.* 〖병리〗 갈락토오스 혈증(血症)
ga·lac·to·si·dase [gəlæ̀któusədèis | -si-] *n.* 〖생화학〗 갈락토시다아제 《갈락토시드를 가수 분해하는 효소》
ga·lac·to·side [gəlǽktəsaid] *n.* 〖생화학〗 갈락토시드
ga·la·go [gəléigou, -lɑ́:-] *n.* (*pl.* **~s**) 〖동물〗 갈라고 《여우원숭이 비슷한 원숭이; 아프리카산(產)》

thesaurus **gain**[1] *v.* obtain, get, acquire, procure, secure, attain, achieve, win, capture, pick up, gather — *n.* acquisition, accretion, achievement, attainment, buildup, earning

ga·lah [gəlɑ́:] *n.* **1** 〖조류〗 분홍앵무 《호주 원산》 **2** 《호주·속어》 바보, 멍청이(fool)
Gal·a·had [gǽləhæ̀d] *n.* **1 Sir ~** 갤러해드 《아서왕 이야기에 나오는 원탁의 기사》 **2** 고결한 남자 **3** 남자 이름
ga·lan·gal [gəlǽŋgəl] *n.* = GALINGALE
gal·an·tine [gǽləntì:n] *n.* 갤런틴 《닭고기·송아지 고기 등의 뼈를 바르고 향미료를 넣어 삶은 음식》
ga·lán·ty shòw [gəlǽnti-] 그림자놀이 《벽이나 스크린에 꼭두각시의 그림자를 놀리는 무언극》
Ga·lá·pa·gos Ìslands [gəlɑ́:pəgous- | -lǽpəgəs-] [the ~] 갈라파고스 제도(諸島) 《에콰도르 서쪽 해상의》
gal·a·te·a [gæ̀lətí:ə | -tíə] *n.* Ⓤ 갈라테아 《흰 바탕에 푸른 줄무늬가 있는 질긴 무명; 여성·아동 복지용》
Gal·a·te·a [gæ̀lətí:ə | -tíə] *n.* 〖그리스신화〗 갈라테아 《조각가 Pygmalion이 만든 처녀상(像); Pygmalion은 Aphrodite에게 기원하여 그 상에 생명을 부여받았음》
Ga·la·tia [gəléiʃə, -ʃiə] *n.* 갈라티아 《소아시아 중부의 옛 왕국》
Ga·la·tian [gəléiʃən, -ʃiən] *a.* 갈라티아 (사람)의
— *n.* 갈라티아 사람
Ga·la·tians [gəléiʃənz, -ʃiənz] *n. pl.* [the ~] 〖성서〗 갈라디아서(書) 《略 Gal.》
gal·a·vant [gǽləvæ̀nt, ㅅ-ㄹ] *vi.* = GALLIVANT
***gal·ax·y** [gǽləksi] [Gk 「밀크의 길」의 뜻에서] *n.* (*pl.* **-ax·ies**) **1** [the G~] 〖천문〗 **은하, 은하수**(the Milky Way); 은하계, 성운 **2** (미인·고관·재사 등의) 화려한 모임[무리], 기라성 같은 무리: a ~ of film stars 기라성 같은 영화배우들
gal·ba·num [gǽlbənəm] *n.* Ⓤ 갈바눔, 풍자향(楓子香) 《고무질 수지(樹脂); 의약·향료용》
Gal·braith [gǽlbreiθ] *n.* 갤브레이스 **John Kenneth ~** (1908-2006) 《미국의 경제학자·외교관》
Gal·bráith·ian *a.*
‡**gale**[1] [géil] *n.* **1 질풍,** 사나운 바람, 큰바람: a ~ of wind 일진(一陣) 광풍 **2** 〖항해·기상〗 강풍 《시속 32-63마일》: fresh ~ 큰바람, 질강풍(疾强風) **3** (감정·웃음 등의) 폭발: break into ~*s* of laughter 갑자기 웃음을 터뜨리다 **4** 《시어》 미풍(微風) **5** 《미》 광희(狂喜); 흥분 **6** (싸움의) 돌발
gale[2] *n.* = SWEET GALE
gale[3] *n.* 《영》 정기 지급금 《지대(地代)·이자 등의》 ***a hanging ~*** 연체 차지료(借地料)
ga·le·a [géiliə] *n.* (*pl.* **-le·ae** [-liì:]) 〖동물·식물〗 (꽃받침·꽃부리·곤충의 턱 등의) 투구 모양 부분[돌기]; 〖해부〗 투구 모양의 기관
ga·le·ate, -at·ed [géilièit(id)] *a.* 헬멧을 쓴, 투구 모양의
ga·le·i·form [gəlí:əfɔ̀:rm] *a.* 투구 모양의, 투구 비슷한
Ga·len [géilən] *n.* **1** 갈레노스 **Claudius ~** (130-200) 《그리스의 의사》 **2** 《일반적으로》 의사
ga·le·na [gəlí:nə] *n.* Ⓤ 〖광물〗 방연석(方鉛石)
Ga·len·ic [geilénik, gə-] *a.* **1** 갈레노스의, 갈레노스파 의술의 **2** [보통 **g~**] = GALENICAL
ga·len·i·cal [geilénikəl, gə-] *n.* 본초약, 생약
— *a.* **1** 본초약[생약]의 **2** [보통 **G~**] = GALENIC
Ga·len·ism [géilənìzm] *n.* 갈레노스식 의술
ga·le·nite [gəlí:nait] *n.* = GALENA
ga·lère [gæléər] [F = galley] *n.* **1** (달갑지 않은) 패거리, 동아리 **2** 뜻밖의 상태, 난처한[곤란한] 처지
gál Fríday = GIRL FRIDAY
Ga·li·bi [gɑːlí:bi] *n.* **1** (*pl.* **~s,** [집합적] **~**) 갈리비족(族) 《프랑스령 Guiana에 사는 Carib계 민족》 **2** 갈리비어(語)
Ga·li·ci·a [gəlíʃiə, -ʃə] *n.* 갈리시아 **1** 유럽 중동부 지방 **2** 스페인 북서부의 해안 지역
Ga·li·ci·an [gəlíʃiən, -ʃən] *a.* 갈리시아(인[어])의
— *n.* 갈리시아어[인]
Gal·i·le·an[1] [gæ̀ləlí:ən] *a.* **1** 갈릴리(Galilee)(인)의 **2** 그리스도교도의 — *n.* **1** 갈릴리 사람 **2** 그리스도교도 **3** [the ~] 《경멸》 예수(Jesus)
Ga·li·le·an[2] [gæ̀ləléiən, -lí:ən] *a.* 갈릴레오(Galileo)의: a ~ telescope 갈릴레오식 망원경
— *n.* 갈릴레오 이론 신봉자[지지자]
Galiléan sátellites 〖천문〗 갈릴레오 위성 《목성의 4개의 큰 위성 Io, Europa, Callisto, Ganymede》
gal·i·lee [gǽləlì:] *n.* 《영》 예배실 《교회당 서쪽의》, 현관(porch)
Gal·i·lee [gǽləlì:] *n.* 갈릴리 《이스라엘 북부 지방; 그리스도가 전도하던 땅》 ***the man of ~*** 갈릴리 사람 《예수 그리스도》 ***the Sea of ~*** 갈릴리호
Ga·li·le·o [gæ̀ləléiou, -lí:ou] *n.* **1** 갈릴레오 **~ Galilei** (1564-1642) 《이탈리아의 천문학자》 **2** 〖항공·우주〗 갈릴레오 위성 《1989년 10월에 쏘아 올린 미국의 목성 탐사용》
gal·i·ma·ti·as [gæ̀ləméiʃiəs, -mǽtiəs] [L] *n.* Ⓤ 뜻을 분별할 수 없는 말, 횡설수설
gal·in·gale [gǽlingèil] *n.* 〖식물〗 방동사니의 일종 《남부 영국산(産)》
gal·i·ot [gǽliət] *n.* = GALLIOT
gal·i·pot [gǽləpɑ̀t | -pɔ̀t] *n.* Ⓤ 갤리폿 《송진의 일종》
***gall**[1] [gɔ́:l] *n.* Ⓤ **1** (동물의) **담즙,** 쓸개즙 《사람의 것은 bile》; = GALLBLADDER **2** [the ~] 《구어》 뻔뻔스러움, 철면피: (~+*to* do) He had *the* ~ *to* ask questions about it. 그는 뻔뻔스럽게도 그것에 관하여 이것저것 물었다. **3** 괴로움, 쓴것, 쓴맛 **4** 원한
(***as***) ***bitter as ~*** (1) 매우 쓴 (2) 아주 씁쓸하게 생각하여 ***dip*** one***'s pen in ~*** = ***write in ~*** 독필(毒筆)을 휘두르다 ***~ and wormwood*** (***to*** a person) 몸서리나게 싫은 것 ***in the ~ of bitterness*** 〖성서〗 (하나님을 무시하다가) 곤경을 당하여
gall[2] *vt.* **1** 〈피부 등을〉 스쳐서 벗기다, 쓸리게 하다 **2** 안달나게 하다, 성나게 하다 — *vi.* **1** 스쳐서 벗겨지다, 쓸리다 **2** 〖기계〗 〈금속 부품이〉 마모되다
— *n.* **1** 찰(과)상, 벗겨짐; (특히 말의) 안장에 쓸린 곳 **2** 기분이 상하는 일, 화나는 일 **3** 심통(心痛), 고민(거리) **4** 푹 꺼진 습지 《미대서양 연안 남부에서》; 《미》 (남부의) 헐벗은 토지
gall[3] *n.* 충영(蟲癭), 벌레혹, 오배자
gall. gallon(s); gallery
‡**gal·lant** [gǽlənt] [OF 「즐기다」의 뜻에서] *a.* **1 용감한,** 씩씩한, 의협(義俠)의: a ~ soldier 용감한 병사 **2** [gəlǽnt, -lɑ́:nt | gǽlənt] **a** 《문어》 여성에게 친절[정중]한 **b** 연애의, 정사의(amorous) **3** 훌륭한, 당당한: a ~ sight 장관 **4** 《고어》 〈복장 등이〉 화려한, 찬란한, 꾸며 놓은 ***the honorable and ~ member*** 《영》 명예로운 용감한 동료 《영국 의회에서 군인 출신 의원에 대한 호칭》
— [gəlǽnt, -lɑ:nt | gǽlənt] *n.* **1** 용감한 사나이 **2** 여자에게 친절한 사나이, 오입쟁이; 구혼자 **3** 상류 사회의 남자, 멋진 신사 **4** 정부(情夫), 애인(lover)
— [gəlǽnt, -lɑ́:nt | gəlǽnt] *vt.* **1** 〈여자들에게〉 치근거리다; 〈여성에게〉 구애하다 **2** 《드물게》 〈여자를〉 따라다니다
— *vi.* 여자들에게 치근거리다
***gal·lant·ly** [gǽləntli] *ad.* **1 용감하게**; 씩씩하게 **2** 당당하게, 화려하게 **3** [gəlǽntli] (여성에게) 정중[친절]하게
***gal·lant·ry** [gǽləntri] *n.* (*pl.* **-ries**) Ⓤ **1 용감,** 무용(武勇); Ⓒ 용감한 행위 **2** 여성에 대한 공대; Ⓒ 정중한 행위[말] **3** ⓊⒸ 정사(情事)
gal·late [gǽleit, gɔ́:l-] *n.* 〖화학〗 몰식자산염[에스테르]
gall·blad·der [gɔ́:lblæ̀dər] *n.* 〖해부〗 쓸개, 담낭

---

gale[1] *n.* storm, tempest, squall, hurricane, tornado, cyclone, typhoon, mistral
gallant *a.* brave, courageous, valiant, valorous, bold, daring, fearless, manly, dashing, heroic

gal·le·ass [gǽliæ̀s] *n.* 갈레아스선(船) ⟪옛날 지중해에서 사용된 군함⟫

gal·le·on [gǽliən, -ljən] *n.* 갤리온선(船) ⟪고대 스페인의 3[4]층 갑판의 대범선⟫

gal·le·ri·a [gæ̀ləríːə] *n.* (*pl.* **-ri·as**) 갤러리아 ⟪유리 지붕으로 된 넓은 통로나 안뜰 또는 상점가⟫

gal·ler·ied [gǽlərid] *a.* **1** 회랑(回廊)이 있는 **2** 갱도[지하도]가 있는

***gal·ler·y** [gǽləri] *n., vt.*

> OF「교회당의 입구」의 뜻에서
> 「회랑」 **7**
> (회랑 같은 곳) ─┬→「화랑」→「미술관」 **6**
> └→「맨 위층 관람석」 **2**

— *n.* (*pl.* **-ler·ies**) **1** (교회당·회관 등의) 중2층, 높이 불쑥 나온 별석(別席) **2** (극장의) 맨 위층 관람석 ⟪가장 싼⟫ **3** [the ~] 꼭대기 관람석의 관객 **4** (통속적 혹은 저속한 취향의) 일반 대중 **5** [집합적] (테니스·골프 등의) 관객, 구경꾼; 청중; (국회 등의) 방청인 **6** 화랑(畫廊), 미술관; 미술품 진열실[전시장] **7** 회랑(回廊), 주랑(柱廊), 복도 ⟪지붕만 있는⟫ **8** 노대(露臺)(balcony) **9** (미) 사진 촬영소[실] **10** (특별한 용도의) 좁고 긴 방; (사격 등의) 연습실: a shooting ~ 실내 사격 연습장 **11** 〖연극〗 갤러리 ⟪무대 담당 등이 이용하는 무대 양쪽 또는 안쪽의 발판대⟫ **12** 〖광산〗 갱도(坑道) **13** 〖항해〗 (배 뒤편의) 전망대 **14** (두더지 등의) 지하 통로 **15** (테이블·받침대 등의 가장자리에 두른) 장식 **16** (남포의) 등피받이 **17** (반지 등의 보석을 받치는) 거미발 **18** [집합적] (사람·물건의) 선발된 무리 **19** 〖건축〗 지하도 **20** 〖방송〗 갤러리 ⟪스튜디오에 인접한 전면이 유리로 된 방; 연출자 등이 이용⟫ ***bring down the ~*** 대중석의 박수를 받다 ***play to the ~*** 대중석 관중을 상대로 연기를 하다, 일반 대중에 영합하다 ***Strangers'* [*Public*] *G~*** (영) 의회의 방청석 ***the National G~*** (런던) 국립 미술관

— *vt.* (**-ler·ied**) …에 회랑[꼭대기 관람석, 지하도]을 만들다

gállery fórest (대초원의) 강을 따라 띠 모양으로 자란 숲

gal·ler·y·go·er [gǽlərigòuər] *n.* 미술관 애호가

gállery hìt[**shòt, stròke**] 대인기(를 끌기)

gal·ler·y·ite [gǽləriàit] *n.* **1** (구어) 극장의 꼭대기 관람석(gallery)의 관람객, 일반 관람객 **2** (속어) 스포츠 팬

gal·let [gǽlit] *vt.* 〖건축〗 〈모르타르 접합부에〉 쇄석(碎石) 조각을 메우다 — *n.* 쇄석 조각(spall)

***gal·ley** [gǽli] *n.* **1** 갤리선(船) ⟪옛날 노예나 죄수들에게 젓게 한 2단으로 노가 달린 돛배⟫; (고대 그리스·로마의) 전함(戰艦) **2** (배·항공기 안의) 주방, 요리실(kitchen) **3** 〖해양〗 함장이 타는 대형 보트 **4** 〖인쇄〗 게라 ⟪조판해 놓은 활자를 담아 두는 목판⟫; 교정쇄(= ~ proof)

galley 1

gálley pròof 〖인쇄〗 교정쇄(刷)

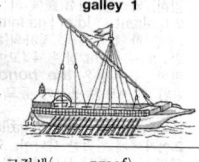

gálley slàve 갤리선을 젓는 노예[죄수]; 고된 일을 하는 사람

gal·ley-west [gǽliwést] *ad.* (미·구어) 철저하게, 의식을 잃을 때까지, 엉망으로 (당하여) ***knock ~*** 엉망진창으로 만들다, 호되게 혼내주다

— *a.* (미·방언) 혼란된, 엉망진창의

gal·ley·worm [gǽliwəːrm] *n.* 〖동물〗 노래기

gall·fly [gɔ́ːlflài] *n.* (*pl.* **-flies**) 〖곤충〗 어리상수리혹벌, 몰식자(沒食子)벌

gal·li·am·bic [gæ̀liǽmbik] *a.* 〖운율〗 갤리앰버스격(格)의, 단단장장(短短長長)격의

— *n.* 갤리앰버스격의 시

gal·liard [gǽljərd] *n.* 경쾌한 3박자의 춤(곡) ⟪16-17세기에 유행⟫ — *a.* (고어) 쾌활한, 밝은

gal·lic[1] [gǽlik] *a.* 〖화학〗 오배자(五倍子)의, 몰식자성(性)의

gallic[2] *a.* 〖화학〗 갈륨(gallium)의

Gal·lic [gǽlik] *a.* **1** 골(Gaul)(사람)의 **2** (종종 익살) 프랑스의(French)

gállic ácid 〖화학〗 몰식자산 ⟪잉크·염료용⟫

Gal·li·can [gǽlikən] *a.* **1** = GALLIC **2** [종종 **g~**] 〖가톨릭〗 (교황권을 제한하려는) 갈리아주의의

— *n.* **1** 갈리아주의자 **2** 프랑스 가톨릭교도

Gal·li·can·ism [gǽlikənìzm] *n.* Ⓤ 갈리아주의 ⟪프랑스 가톨릭 교회의⟫, 교황권 제한주의

Gal·li·ce, g- [gǽləsìː] *ad.* 프랑스말로(는)

Gal·li·cism [gǽləsìzm] *n.* ⓊⒸ **1** (다른 나라 말에서 볼 수 있는) 프랑스 어법 **2** 프랑스인의 특징[풍습], 프랑스인 기질

Gal·li·cize [gǽləsàiz] *vt., vi.* [때로 **g~**] 프랑스풍으로 하다[이 되다], 프랑스(어)화하다

gal·li·ci·za·tion [gæ̀ləsizéiʃən | -sai-] *n.*

gal·li·gas·kins [gæ̀ligǽskinz] *n. pl.* **1** 느슨한 바지; (익살) 헐렁한 바지 **2** 가죽 각반

gal·li·mau·fry [gæ̀ləmɔ́ːfri] *n.* (*pl.* **-fries**) **1** 주워 모은 것, 잡동사니 **2** 잡탕 ⟪수프⟫

gal·li·na·cean [gæ̀lənéiʃən] *n.* 〖조류〗 순계류(鶉鷄類)의 새 ⟪닭·꿩·자고새 등⟫

gal·li·na·ceous [gæ̀lənéiʃəs] *a.* **1** 가금(家禽)의 **2** 순계류(鶉鷄類)의

Ga·lli·nas [gajíːnəs] *n.* **Punta ~** 가이나스 곶 ⟪콜롬비아 북동부, 남미 대륙의 최북단⟫

gall·ing [gɔ́ːliŋ] *a.* 짜증나게 하는(irritating), 화나는, 분통이 터지는 **~·ly** *ad.*

gal·li·nip·per [gǽlinìpər] *n.* (미·구어) (미국산) 큰 모기, 쏘는[무는] 벌레

gal·li·nule [gǽlənjùːl | -njùːl] *n.* 〖조류〗 쇠물닭

Gal·li·o [gǽliòu] *n.* (*pl.* **~s**) 〖성서〗 직무 외의 책임을 피하는 사람 ⟪종교의 간섭을 거부한 로마의 지방 총독의 이름; 사도행전 18 : 12-17⟫

Gal·li·on·ic [gæ̀liánik | -ɔ́n-] *a.* 자신의 일만 생각하는, 남의 일에는 냉담한, 부주의한, 무책임한

gal·li·ot [gǽliət] *n.* (돛과 노를 사용하는) 쾌속 소형 갤리선(船) ⟪옛날 지중해의⟫

Gal·líp·o·li Penìnsula [gəlípəli-] [the ~] 갈리폴리 반도 ⟪유럽 터키의⟫

gal·li·pot[1] [gǽləpàt | -pɔ̀t] *n.* 작은 단지, 약단지; (고어) 약종상

gallipot[2] *n.* = GALIPOT

gal·li·um [gǽliəm] *n.* Ⓤ 〖화학〗 갈륨 ⟪희금속 원소; 기호 Ga, 번호 31⟫

gállium ársenide 〖화학〗 비화(砒化) 갈륨, 갈륨 비소(砒素) ⟪반도체 재료; 기호 GaAs⟫

gal·li·vant [gǽləvæ̀nt] *vi.* [보통 ~ing으로] (구어) (이성과) 건들건들 돌아다니다(gad about); 놀러 다니다: go *~ing* 건들거리며 돌아다니다

gáll mìdge 혹파리 ⟪혹파릿과(科)의 여러 곤충⟫

gáll mìte 진드기

gall·nut [gɔ́ːlnʌ̀t] *n.* 열매 모양의 충영, 오배자, 몰식자(nutgall)

Gallo- [gǽlou] ⟪연결형⟫ 「골(Gaul)(사람)의, 프랑스(의)」의 뜻: *Gallo*-Briton 불영의

gal·lo·glass [gǽlouglæ̀s, -glàːs | -glàːs] *n.* (아일) (13세기 이후) 수장을 섬기는 무사[병사]

Gal·lo·ma·ni·a [gæ̀louméiniə] *n.* Ⓤ 프랑스 심취[광(狂)]

Gal·lo·ma·ni·ac [gæ̀louméiniæ̀k] *n.* 프랑스에 심취한 사람, 프랑스 숭상자

gal·lon** [gǽlən] [MF 「사발」의 뜻에서] *n.* **1** 갤런 ⟪용량의 단위; (1) 액량(液量)은 4 quarts (2) (영) 건량(乾量)은 1/8 bushel; 略 gal.⟫ **2** [*pl.*] (구어) 대량, 다수 ***imperial ~ 영국 갤런 ⟪4.546 *l*⟫ ***U.S. ~*** 미국 갤런 ⟪3.7853 *l*; cf. WINE GALLON⟫

~·age [-idʒ] *n.* 갤런양(量); 갤런 사용료
gal·loon [gəlúːn] *n.* 좁다란 레이스[리본], 끈목 《때때로 금실·은실을 짜넣은》
‡ **gal·lop**[gǽləp] [OF 「잘 달리다」의 뜻에서] *n.* **1 a** 갤럽 《말 등 네발 짐승이 단속적으로 네 발을 땅에서 떼고 전속력으로 달리기》 ★ 말의 보조는 빠른 걸음부터 각기 gallop, canter, trot, amble, walk의 순. **b** 갤럽으로 말을 몰기, 질구(疾驅) **2** 급속도 **3** 급진행되는 기간 **4** 〖병리〗 (심장의) 분마 조율(奔馬調律)(=~ **rhȳthm**) 《말의 갤럽과 같은 3개의 이상음(異常音)으로 들리는 심장 고동》 ***a snail's ~*** (익살) 매우 느린 걸음걸이 (***at***) ***full ~*** = ***at a ~*** 전속력으로, 갤럽으로
—*vi.* **1** 〈말 등이〉 갤럽으로 달리다, 질주하다 《*off*》 **2** (말을 타고) 갤럽[전속력]으로 달리다, 질주하다 《*off*》 **3** 서두르다(hurry); 빨리 지껄이다, 몹시 급히 말하다 《*away*》; 급히 읽다 《*through, over*》: (~+전+명) I *~ed through* my work. 나는 일을 몹시 서둘러서 했다. **4** 〈시간이〉 빨리 지나가다; 〈병 등이〉 급속히 진행하다
—*vt.* **1** 〈말을〉 갤럽으로 몰다 **2** 서둘러 운반하다
gal·lo·pade [gæ̀ləpéid] *n., vi.* =GALOP
gal·lop·er [gǽləpər] *n.* **1** 말을 갤럽으로 모는 사람 **2** 질주하는 말; 회전목마 **3** 〖군사〗 전령 장교, 부관
Gal·lo·phile [gǽləfàil] *a.* 프랑스를 좋아하는, 친(親) 프랑스의 **—***n.* 프랑스를 좋아하는 사람
Gal·lo·phobe [gǽləfòub] *a., n.* 프랑스를 싫어하는 (사람)
Gal·lo·pho·bi·a [gæ̀ləfóubiə] *n.* Ⓤ 프랑스 혐오
gal·lop·ing [gǽləpiŋ] *a.* **1** 급속도의, 전속력의: one's ~ heart 고동치는 심장 **2** 〈병세가〉 급속히 진행하는: ~ pneumonia 〖의학〗 분마성(奔馬性) 폐렴 **3** 성장[증대, 파급]이 빠른: a century of ~ technological innovation 급격한 기술 혁신의 시대
gálloping dóminoes (미·속어) (특히 크랩 노름(craps)에 쓰이는) 주사위
gálloping inflátion 급성 인플레이션(cf. CREEPING INFLATION)
gal·lous [gǽləs] *a.* 〖화학〗 제1 갈륨의, 2가(價)의 갈륨을 함유한
Gal·lo·way [gǽləwèi] *n.* [또는 **g~**] 갤러웨이종 말[소] 《스코틀랜드의 Galloway 원산》
gal·low·glass [gǽlouglæ̀s, -glɑ̀ːs] *n.* =GALLOGLASS
* **gal·lows**[gǽlouz] *n.* (*pl.* **~, ~·es**) [보통 단수 취급] **1** 교수대 **2** (교수대 비슷한) 물건을 매다는 장치; (체조용) 철봉 **3** [the ~] 교수형: a criminal sentenced to *the* ~ 교수형 선고를 받은 범인 **4** [*pl.*] (미·속어) 바지 멜빵(suspenders) **5** 〖항해〗 갤로즈 《갑판 위에 있는 2개의 수직 기둥과 상부의 횡목으로 구성된 가대(架臺)》 **6** =GALLOWS BIRD ***cheat the ~*** (자살 등에 의해서) 용하게 교수형을 면하다 ***have a ~ look*** =***have the ~ in*** one***'s face*** 교수형을 받을[흉악한] 상(相)을 하고 있다 ***send*** a person ***to the ~*** …을 교수형에 처하다
—*a.* Ⓐ **1** 흉악한 **2** (영·방언) 비열한, 저속한; 짓궂은
gállows bìrd (구어) 교수형감의 흉악범
gállows hùmor (미) 심각한 상황에서 빈정거리는 유머, 으스스한 농담
gállows trèe 교수대(gallows)
gall·stone [gɔ́ːlstòun] *n.* ⓊⒸ **1** 〖의학〗 담석 **2** 밝은 진노랑색
Gal·lup [gǽləp] *n.* 갤럽 **George Horace ~** (1901-84) 《미국의 갤럽 여론 조사의 창시자》
Gállup póll [창설자인 미국의 통계학자 이름에서] (미) [the ~] 갤럽 (여론) 조사
gal·lused [gǽləst] *a.* (미·구어) 바지 멜빵을 한
gal·lus·es [gǽləsiz] *n. pl.* (미·구어) 바지 멜빵
gáll wàsp 〖곤충〗 어리상수리혹벌 《떡갈나무·참나무 등에 충영(蟲癭)(gall[3])을 만듦》
gal·ly [gǽli] *vt.* (**-lied**) (방언) 놀라게 하다, 겁먹게 하다

Ga·lóis thèory [gælwɑ́ː-] 〖수학〗 갈루아 이론 《대수 방정식의 해법에 군(群)의 개념을 적용한 이론》
ga·loot [gəlúːt] *n.* (속어) **1** 얼빠진 놈, 어중이 **2** 신병, 젊고 미숙한 병사
ga·lop [gǽləp] *n.* 갤럽 《2/4박자의 경쾌한 선회 무용(곡)》
—*vi.* 갤럽을 추다
ga·lore [gəlɔ́ːr] *a.* [명사 뒤에 쓰여] 많은, 풍부한: with beef and ale ~ 다량의 고기와 술
* **ga·losh**[gəlɑ́ʃ | -lɔ́ʃ] *n.* [보통 *pl.*] 오버슈즈(overshoes) 《비 올 때 방수용으로 구두 위에 신는 덧신》 **ga·loshed** [-t] *a.* 오버슈즈를 신은

galosh

gals. gallons
Gals·wor·thy [gɔ́ːlzwə̀ːrði, gǽlz-] *n.* 골즈워디 **John ~** (1867-1933) 《영국의 극작가·소설가; 노벨 문학상 수상(1932)》
ga·lumph [gəlʌ́mf] [*gal*lop+tri*umph*] *vi.* (구어) 의기양양하게 걷다; 육중하게 걷다
galv. galvanized; galvanic; galvanism
Gal·va·ni [gælvɑ́ːni] *n.* 갈바니 **Luigi ~** (1737-98) 《이탈리아의 생리학자·물리학자》
gal·van·ic [gælvǽnik] *a.* **1** 〖전기〗 갈바니[직류] 전기의; 전류를 발생시키는: a ~ belt 전기 띠 《의료용》/ ~ electricity 동전기(動電氣) **2** 〈웃음 등이〉 경련적인, 발작적인, 감전된 듯한; 충격적인 **3** 활발하게 하는; 자극적인 **-i·cal·ly** *ad.*
galvánic báttery 〖전기〗 갈바니 전지(voltaic battery)
galvánic céll 〖전기〗 갈바니 전지(voltaic cell)
galvánic cúrrent 직류(direct current)
galvánic píle 전퇴(電堆)
galvánic skín respònse 〖생리〗 전기 피부 반응 《자극에 대한 감정 반응에 의해 일어나는 피부의 전기 전도 변화; 거짓말 탐지기에 응용; 略 GSR》
gal·va·nism [gǽlvənìzm] *n.* Ⓤ **1** 직류 전기 **2** 〖의학〗 직류 전기 요법 **3** 활발한 행동
gal·va·ni·za·tion [gæ̀lvənizéiʃən | -nai-] *n.* Ⓤ **1** 직류 전기를 통함 **2** 〖의학〗 직류 전기 치료 **3** 아연 도금
gal·va·nize [gǽlvənàiz] *vt.* **1** 〈근육·신경 등을〉 직류 전기로 자극하다 **2** 〖의학〗 〈근육·신경에〉 직류 전기 요법을 쓰다 **3** 갑자기 활기를 띠게 하다[기운이 나게 하다]; 〈사람을〉 격려하여 (어떤 행동을) 하게 하다 《*to, into*》 **4** 〈철판 등에〉 아연 도금을 하다 ~ a person ***into life*** [***to new life***] …을 활기띠게 하다; 소생시키다 **—***vi.* 자극을 받다, 힘이 나다 **-niz·er** *n.*
gál·va·nized íron [gǽlvənàizd-] 아연 철판 《양철 등》
galvano- [gǽlvənou, gælvǽn-] 《연결형》 「직류 전기의」의 뜻
gal·van·o·graph [gælvǽnəgræ̀f | -grɑ̀ːf] *n.* 전기판(版) (인쇄물)
gal·va·nog·ra·phy [gæ̀lvənɑ́grəfi | -nɔ́g-] *n.* Ⓤ 전기 제판술(製版術)
gal·va·nom·e·ter [gæ̀lvənɑ́mətər | -nɔ́m-] *n.* 검류계(檢流計)
gal·va·no·met·ric [gæ̀lvənoumétrik] *a.* 검류계에 의한 전류 측정의
gal·va·nom·e·try [gæ̀lvənɑ́mətri | -nɔ́m-] *n.* Ⓤ 전류 측정(법)
gal·va·no·plas·tic [gæ̀lvənouplǽstik, gælvæ̀nə-] *a.* 전기판술[전기 주조법]의
gal·va·no·plas·ty [gǽlvənouplæ̀sti, gælvǽnə-], **-plas·tics** [gæ̀lvənouplǽstiks, gælvæ̀nə-] *n.* Ⓤ 전기 주조(법), 전기판술(版術)(electrotype)
gal·va·no·scope [gǽlvənəskòup, gælvǽnə-] *n.* 검류기(檢流器), 검전기(檢電器) **-scop·ic** [-skɑ́pik | -skɔ́p-] *a.* **-nos·co·pist** [-nɑ́skəpist] *n.*
Gal·ves·ton [gǽlvəstən] *n.* 갤버스턴 《미국 Texas

주 Galveston만 어귀의 섬에 있는 항구 도시》
gal·ways [gɔ́:lweiz] *n. pl.* 《미》 구레나룻
Gal·we·gian [gælwí:dʒən] *a.* 스코틀랜드 Galloway 지방의 —*n.* Galloway의 주민
gam[1] [gǽm] *n.* **1** 고래 떼 **2** 사교적인 방문 《고래잡이 배들 사이의》; 《일반적으로》 사교, 교제
—*v.* (**~med**; **~·ming**) *vi.* **1** (고래 떼처럼) 몰려들다 **2** 〈고래잡이 배의 선원이〉 방문 교환(交歡)하다 **3** 《미·속어》 자랑하다 —*vt.* **1** 〈친구 등을〉 상호 방문하다 **2** 〈시간을〉 환담하며 보내다 **3** 《미·속어》 자랑하다
gam[2] *n.* 《미·속어》 다리, (특히 여자의) 날씬한 다리
gam- [gæm], **gamo-** [gǽmou] 《연결형》 「암수가 합친; 자웅 합체의」의 뜻 《모음 앞에서는 gam-》
gam. gamut
Ga·ma [gǽmə | gɑ́:-] *n.* 가마 **Vasco da ~** (1460-1524) 《포르투갈의 항해자》
Ga·may [gæméi, ´-] *n.* [때로 **g~**] **1** 가메 포도 《프랑스 Beaujolais 지방과 미국 캘리포니아 북부산》 **2** (이 포도로 담근) 가메 적포도주
gamb [gǽmb, gǽm] *n.* (문장(紋章)에서의) 짐승 다리
gam·ba [gǽmbə] *n.* **1** = VIOLA DA GAMBA **2** (바이올린이나 첼로와 비슷한 음색을 내는) 오르간의 감바 음전(音栓)
gam·bade [gæmbéid] *n.* = GAMBADO[1]
gam·ba·do[1] [gæmbéidou] *n.* (*pl.* **~(e)s**) **1** (말의) 도약 《말의》 **2** 깡충깡충 뛰어다님, (발레의) 도약 **3** 희롱거림
gambado[2] *n.* (*pl.* **~(e)s**) **1** (등자 대신) 안장에 붙인 장화[각반] **2** 긴 각반
gambe [gǽmb, gǽm] *n.* = GAMB
Gam·bi·a [gǽmbiə] *n.* **1** [the ~] 감비아 강(江) 《아프리카 서부의 큰 강》 **2** 감비아 《서아프리카의 공화국; 수도 Banjul》
Gam·bi·an [gǽmbiən] *n.* 감비아 사람
—*a.* 감비아 (사람)의
gam·bier, -bir [gǽmbiər] *n.* Ⓤ 갬비어, 빈랑고(檳榔膏), 아선약(阿仙藥) 《수렴제》
Gámbier Íslands [the ~] 갬비어 제도
gam·bit [gǽmbit] *n.* **1** 〚체스〛 (졸 등을 희생시키는) 초반 첫 수 **2** 계략, 책략, 선수; 방책 **3** 행동[거래]의 시작; (대화의) 실마리, 계기, 발단
:gam·ble [gǽmbl] [OE 「놀다」의 뜻에서] *vi.* **1** 노름[도박]을 하다, 내기를 하다 《*on, at*》: (~+전+명) ~ *at* cards 내기 카드놀이를 하다 **2** 투기를 하다 《*on, in*》; 성패를 건 모험을 하다, (…에) 금품[명예 《등》]을 걸다 《*with*》: (~+전+명) ~ *in* sugar 설탕 투기를 하다 / Don't ~ *with* your future. 장래를 거는 무모한 모험을 하지 마라. **3** (…을) 믿다, 신용하다; (…에) 희망을 걸다 《*on*》: (~+전+명) You may ~ *on* that. 그것은 믿어도 된다.
—*vt.* **1** 노름으로 잃다: (~+목+부) ~ *away* one's fortune 노름으로 가산을 탕진하다 **2** 〈…을〉 걸다, …의 위험을 무릅쓰다 《*on*》: ~ one's reputation *on* …에 명성을 걸다 **3** …에 성패를 걸다
—*n.* 노름, 도박; 모험, 투기 ***go on the ~*** 노름을 하다 ***on the ~*** 《속어》 도박으로, 도박에 빠져서
***gam·bler** [gǽmblər] *n.* 노름꾼, 도박[투기]꾼: take a ~'s chance 이판사판으로 해보다
gam·ble·some [gǽmblsəm] *a.* 노름을 즐기는
***gam·bling** [gǽmbliŋ] *n.* Ⓤ 노름, 도박
gámbling hòuse[**hèll, dèn**] 《속어》 노름꾼 소굴, 도박장
gam·boge [gæmbóudʒ, -bú:ʒ] [생산지인 「캄보디아(Cambodia)」에서] *n.* Ⓤ (그림물감의) 자황(雌黃), 불그스름한 노랑(= **~ yéllow**)
gam·bol [gǽmbəl] *n.* (특히 염소 새끼나 어린이의) 깡충깡충 뛰어다님, 희롱거림
—*vi.* (**~ed**; **~·ing** | **~led**; **~·ling**) 깡충깡충 뛰어다니다, 희롱거리다
gam·brel [gǽmbrəl] *n.* **1** 말 뒷다리의 복사뼈 관절 **2** (식육점에서 고기를 매다는) 말다리 모양의 쇠고리 **3** 《미》 2단 박공지붕[맞배지붕](= **~ ròof**)
:game[1] [géim] *n., a., v.*

> OE 「놀이」의 뜻에서
> 「장난」, 「유희」 → (즐거움의) 「경기」, 「시합」 특히 스포츠로서의 사냥에서 「사냥감」이 되었음.

—*n.* **1** 놀이(sport), 유희, 게임, 오락, 재미있는 일: a ~ of chance 운으로 하는 게임 / What a ~! 이건 참 재미있구나! **2** 놀이의 노구, 게임 용품: a store selling toys and ~*s* 장난감과 게임 용품을 파는 가게 **3** 경기, 스포츠; 게임; (테니스·카드놀이 등 1회의) 게임, 승부, 시합 《몇 차례의 게임으로 승부가 결정됨》: a close ~ 아슬아슬한 접전[열전]

> 유의어 《미》에서는 보통 baseball, football 등 -ball이 붙는 각종 운동 경기에 **game**을 쓰며, 《영》에서는 일반적으로 **match**를 쓴다.

4 [*pl.*] (학과목으로서의) 체육; (고대 그리스·로마의) 경기[경연]회, 투기회; [*pl.*] 운동 경기, 스포츠; [(the) G~s] (국제적) 경기 대회 **5** 승리에 필요한 점수; 경기 방법; 승부의 형세; 승산, 이길 가망; (시합 중 어느 단계에서의) 득점: Five points is the ~. 5점이면 이긴다. / The ~ is 4 all. 득점은 4 대 4 동점. **6** 승부, 경쟁, 흥정: the advertising ~ 광고 경쟁 **7** 계획, 방침, 의도, 속셈; [보통 *pl.*] 계략, 수작(trick): None of your ~*s*! 그 수작에는 안 넘어간다! / The same old ~! 또 그 낡은 수작이군! **8** [the ~] 《미·구어》 (경쟁이 따르는) 일, 직업: He is in *the* newspaper ~. 그는 신문사에 근무하고 있다. **9** Ⓤ 농담, 장난, 익살(joke, fun)(opp. *earnest*): speak in ~ 농담으로 말하다 **10 a** 사냥감, 불치 《사냥한 새·짐승 등》, 엽조(獵鳥)[엽수(獵獸)]류, 엽조·엽수의 고기: winged ~ 엽조 **b** 기르고 있는 짐승 떼 《집오리 등》 《*of*》 **11** 표적, 목적물; 사냥감(prey): ⇨ FAIR GAME / forbidden ~ 잡지 못하게 금지된 사냥감; 감히 손을 대지 못하는 것 **12** 《속어》 매춘, 정사, 성교
a ~ not worth the candle 수지가 안 맞는 일 ***ahead of the ~*** 《미·구어》 (내기·경기에서) 이겨서 ***at ... stage of the ~*** (시합·행동의) …단계에서 ***beat*** a person ***at his***[***her***] ***own ~*** …의 장기로 오히려 …을 이기다 ***be on***[***off***] one***'s ~*** 〈말·경기자 등이〉 컨디션이 좋다[나쁘다] ***fly at higher ~*** 보다 더 큰 것을 노리다 ***~ and*** = ***~ and set*** 〚테니스〛 게임 세트 ***~ and ~*** 득점 1 대 1 ***~, set and match*** 〚테니스〛 (1) 게임 세트, 시합 끝 (2) 완전한 승리, 압승 《*to*》 ***give*** a person ***a ~*** …에게 져주다 ***give the ~ away*** 의도[계획]를 드러내다 ***got ~*** 《미·구어》 〈특히 선수가〉 썩 우수하다 ***have a ~ of play*** 한 게임을 하다 ***have a ~ with*** …의 눈을 속이다, 속이다 ***have the ~ in*** one***'s hands*** 승부의 주도권을 잡다 ***in ~*** 농담으로 ***make a ~*** 게임의 편을 짜다 ***make ~ of*** …을 놀려 대다, 조롱하다 ***make ~ to*** do …의 흉내를 내다 ***no ~*** 〚야구〛 무효 시합 ***not in the ~*** 순조로울 것 같지 않은 ***on the ~*** 《속어》 매음을 하여 ***play a dangerous ~*** 위험한 연극[짓]을 꾸미다 ***play a deep ~*** 마음속 깊이 계략을 세우다 ***play a double ~*** 표리(表裏)가 다른 수단을 쓰다 ***play a good***[***poor***] ***~*** 게임[시합]에 능숙하다[서투르다] ***play a losing***[***winning***] ***~*** 이길 가망이 없는[있는] 승부를 하다, 손해 보는[이득이 되는] 짓을 하다 ***play a waiting ~*** 천천히 기회를 기다리다 ***play ~s*** 무책임한 짓을 하다, 아무렇게나 하다 ***play ~s with ...*** 《미·속어》 …을 속이다 ***play*** a person***'s ~*** = ***play the ~ of*** a person 자기도 모르게 남의 이익이 되는 일을 하다 ***play*** one***'s own ~*** 자신의 이익이 되는 행동을 하다 ***play the ~*** 《구어》 정정당당하게 시합을 하다; 공명정대하게 행동하다 ***spoil the ~*** 모처럼의 수고를 헛되게 하다 ***The ~ is up.*** 계획

은 실패[수포]로 돌아갔다. ***the ~ of war*** [***politics***] 전략[정략] ***the name of the ~*** ((구어)) 중요한 것 ***the only ~ in town*** ((구어)) 선택의 여지가 없는 것; 어쩔 수 없는 것[일] ***Two can play at that ~.*** = ***That's a ~ that two can play.*** 그 수법으로 나온다면 이쪽도 (같은) 수가 있다. ***What's*** a person***'s ~?*** ((구어)) 도대체 어쩌려고 그러니?, 왜 그래?, 어떻게 된거야? ***What's the ~?*** ((구어)) 무슨 일이 일어났을까?

— *a.* **1** 사냥[수렵]의; 엽조[엽수]의; 낚시(용)의 **2** (싸움닭처럼) 투지만만한, 쓰러질 때까지 굴하지 않는 **3** (…할) 용의가 있는(ready, willing) ((*for*)): He was ~ *for* anything. 그는 무엇이든 할 용의가 있었다. **4** 〚카드〛 승리를 결정지을 만한 **5** 매춘하는

(***as***) ***~ as Ned Kelly*** ((호주·구어)) 매우 용감한 ***die ~*** 끝까지 싸우다 죽다

— *vi.* 내기하다, 노름을 하다 ((*on*))

— *vt.* ((고어)) 내기를 하여 잃다 ((*away*)) ▷ gámy *a.*

game² *a.* 〈팔·다리가〉 상처입은, 불구의 ((*of*)): be ~ *of* the right leg 오른쪽 다리를 못쓰다

gáme àct [보통 *pl.*] 수렵법(狩獵法)

gáme bàg 사냥 주머니

gáme bàll 게임볼 **1** 팀의 승리에 공헌한 선수나 코치에게 주는 공 **2** 〈테니스 따위에서〉 한 점으로 승부가 결정되는 때의 서브

gáme bìrd 엽조(獵鳥), 사냥새

game-chang·er [-tʃèindʒər] *n.* ((미)) 게임 체인저 ((판세를 바꾸는 사람[생각, 사건]))

game·cock [-kɑ̀k | -kɔ̀k] *n.* **1** 투계, 싸움닭 **2** 용감한 사람

gáme fàce (운동 선수의) 결의에 찬 표정

gáme fish (낚시의 대상이 되는) 물고기, 낚싯고기

gáme fòwl **1** 엽조 **2** 투계

game·keep·er [-kìːpər] *n.* ((영)) 사냥터지기

gam·e·lan [gǽməlæ̀n] *n.* 가멜란 ((가멜란 음악에 쓰이는 실로폰 비슷한 타악기))

gáme làw 수렵법

gáme lìcense **1** 수렵 면허 **2** 엽조수 판매 면허

game·ly [géimli] *ad.* 투계같이; 용감하게: They struggled ~. 그들은 용감하게 싸웠다.

gáme miscònduct (아이스하키의) 경기 반칙 행위 ((남은 경기 동안 퇴장당하지만 다른 선수로 교체할 수 있음))

game·ness [géimnis] *n.* Ⓤ 용기, 불굴의 정신

gáme of chánce 기술보다 운에 좌우되는 게임 ((룰렛(roulette) 등))

gáme of skíll 기술을 요하는 게임

gáme pàrk (아프리카 등의) 동물 보호 구역

gáme plàn ((미)) (경기의) 작전 계획; (면밀한) 행동 방침, 작전

game·play [géimplèi] *n.* Ⓤ (컴퓨터 게임의) 플롯, 구조; 게임 방식

gáme pòint (테니스 등의) 게임 포인트 ((한 게임의 승리를 결정하는 점수))

gáme presèrve 조수 보호림; 금렵 구역

gáme presèrver 금렵 구역 감시인

gam·er [géimər] *n.* **1** ((속어)) 비디오[컴퓨터] 게임광 **2** ((미·속어)) 운동에 소질이 있는 사람

gáme resèrve = GAME PRESERVE

gáme ròom 게임룸 ((테이블 게임을 갖춘))

gáme shòw 〚방송〛 게임 프로

games·man [géimzmən] *n.* (*pl.* **-men** [-mən]) 흥정에 능한 사람, 책사(策士)

games·man·ship [géimzmənʃìp] *n.* Ⓤ **1** 반칙 비슷한[비신사적] 술수를 써서 이기려 하기 ((경기·경쟁에서)) **2** 상대를 이기기 위한 전술, 속임수

gámes màster ((영)) 체육[체조] 교사

gámes mìstress ((영)) 여자 체육[체조] 교사

game·some [géimsəm] *a.* 놀이를 좋아하는(playful), 장난을 좋아하는, 뛰노는, 희롱거리는 **~·ly** *ad.* **~·ness** *n.*

game·ster [géimstər] *n.* **1** 도박꾼, 노름꾼 **2** 용감한 스포츠 경기자

gamet- [gəmíːt, gǽmət], **gameto-** [-tou] ((연결형)) 〚생물〛 「배우자(配偶者), 생식체」의 뜻 ((모음 앞에서는 gamet-))

gam·e·tan·gi·um [gæ̀mətǽndʒiəm] *n.* (*pl.* **-gi·a** [-dʒiə]) 〚식물〛 (선태류 등의) 배우자낭

gam·ete [gǽmiːt, gəmíːt] *n.* 〚생물〛 배우자(配偶子), 생식체 **ga·met·ic** [gəmétik] *a.*

gaméte in·tra·fál·lo·pi·an tránsfer [-ìntrəfǽloupiən-] 〚의학〛 배우자 난관 내 이식 ((略 GIFT))

gáme tènant 수렵[어렵]권 임차인

gáme thèory 〚경제〛 게임 이론 ((이익의 극대화와 손실의 극소화를 꾀하는 수학적 전략[영업] 이론))

ga·me·to·cyte [gəmíːtəsàit] *n.* 〚생물〛 배우자 모세포, 생식 모세포

ga·me·to·gen·e·sis [gəmìːtoudʒénəsis] *n.* 〚생물〛 배우자 형성

ga·me·to·phyte [gəmíːtəfàit] *n.* 〚식물〛 배우체

game-ty·ing [géimtáiiŋ] *a.* 〚스포츠〛 동점의

gáme wàrden 수렵구(區) 관리인

gáme-wín·ning RBÍ [-wíniŋ-] 〚야구〛 승리 타점

gam·ey [géimi] *a.* = GAMY

gam·ic [gǽmik] *a.* 〚생물〛 유성(有性)의

gam·i·ly [géimili] *ad.* 용감하게(gamely)

gam·in [gǽmin] **[F]** *n.* 집 없는 아이, 부랑아 ((남자 아이))

ga·mine [gæmíːn, ⌐—] **[F]** *n.* 말괄량이, 깜찍한 장난꾸러기 여자 아이; 여자 부랑아

gam·i·ness [géiminis] *n.* Ⓤ **1** 사냥 고기가 상하기 시작할 때의 맛[냄새] **2** 용감, 용맹 **3** 더러움, 추잡함

gam·ing [géimiŋ] *n.* **1** 도박, 내기 **2** (군대·사업에서) 게임에 의한 학습[문제 해결] **3** 비디오[컴퓨터] 게임을 하는 것 — *a.* 도박의

gáming hòuse 노름집, 도박장

gáming tàble 도박대

gam·ma [gǽmə] *n.* **1** 감마 ((그리스 자모의 셋째 번 글자: Γ, γ=G, g)) **2** (순서·분류의) 제3의 것, 3위, 세 번째 **3** 〚곤충〛 감마나방 ((날개에 γ자 모양의 무늬가 있음)) **4** [**G~**] 〚천문〛 감마성(星) **5** (*pl.* ~) 〚물리〛 감마(microgram) ((100만분의 1그램)); 감마선 양자 **6** 〚물리〛 감마 ((자속 밀도 단위; 10^{-5} 가우스; 기호 γ)) **7** 〚사진〛 감마 ((감광물의 콘트라스트의 도를 나타내는 말)) **8** (TV의 영상 재생에 있어서) 명암의 정도 **9** ((영)) 감마급 ((교육 수준을 세 등급으로 나눌 때의 제3 등급; 학업 성적 최하위)) ***~ plus*** [***minus***] (시험 성적 등) 제3등[급]의 상[하]

gám·ma-a·mi·no·bu·týr·ic ácid [gǽməəmìːnoubjuːtírik-, -ǽmənou-] = GABA

gámma decày 〚물리〛 감마 붕괴 ((감마선 방출에 의한 원자핵의 붕괴; 광자 방출에 의한 소립자 붕괴))

gam·ma·di·on [gəméidiən] *n.* (*pl.* **-di·a** [-diə]) 대문자 감마(Γ)를 짜맞추어 만드는 장식적 도형 ((특히 卍(만자)))

gámma distribùtion 〚통계〛 감마 분포

gámma glóbulin 〚생화학〛 감마글로불린 ((혈장(血漿) 단백질의 한 성분; 항체가 풍부함))

gámma radiàtion 〚물리〛 감마 방사선; 감마선 방사[조사(照射)]

gámma rày [보통 *pl.*] 〚물리〛 감마선(線)

gám·ma-ray astrónomy [-rèi-] 감마선 천문학 ((천체가 방출하는 감마선으로 천체를 연구))

gámma-ray láser = GRASER

gam·ma·sonde [gǽməsɑ̀nd | -sɔ̀nd] *n.* 감마존데 ((대기 상층부의 감마 방사선의 강도를 자동 측정하는 기구(氣球)))

gámma sùrgery 〚의학〛 감마선 외과 (수술) ((감마선에 의한 암세포 파괴나 파킨슨병의 치료 등))

gam·mer [gǽmər] *n.* ((고어)) 할머니, 노파(cf. GAFFER)

gam·mon¹ [gǽmən] ((영·구어)) *n.* Ⓤ **1** 허튼소리,

엉터리 소리 **2** 사기, 기만 **—int.** 쓸데없는 소리 **—vt.** 용하게 속이다 **—vi.** **1** 모르는 체하다(pretend) **2** 그럴듯하게 말하다[행동하다]

gammon[2] *n.* 돼지의 아랫배 고기《베이컨용》; Ⓤ 훈제[소금절이] 햄 **—vt.** 〈돼지고기를〉(훈제하거나 소금에 절여) 보존하다 **~ and spinach** 베이컨에 시금치를 곁들인 요리

gammon[3] *n., vt.* (서양 쌍륙(backgammon)에서) 두번 전승(으로 승부내다)

gammon[4] 〖항해〗 *vt.* 〈제1 사장(斜檣)을〉 이물에 고정시키다 **—n.** =GAMMONING

gam·mon·ing [gǽməniŋ] *n.* 〖항해〗 제1 사장을 매는 밧줄[사슬]

gam·my [gǽmi] *a.* (**-mi·er**; **-mi·est**) 《영·구어》 다리가 불편한, 다리를 저는(game[2])

gamo- [gǽmou, -mə] 《연결형》 =GAM-

gam·o·gen·e·sis [gæ̀moudʒénəsis] *n.* Ⓤ 〖생물〗 암수 생식, 양성 생식

gam·o·pet·al·ous [gæ̀moupétələs] *a.* 〖식물〗 합판(合瓣)의, 통꽃잎의

gam·o·sep·al·ous [gæ̀mousépələs] *a.* 〖식물〗 통꽃받침의

-gamous [gəməs] 《연결형》 「…결혼의」의 뜻: hetero*gamous*, poly*gamous*

gamp [gǽmp] [Dickens의 *Martin Chuzzlewit*에 나오는 간호사 Mrs. Gamp가 가졌던 큰 우산에서] *n.* 《영·구어》 크고 볼품없는 우산

gam·ut [gǽmət] *n.* **1** 〖음악〗 전음계(全音階); 전음역(音域); 장음계 **2** 전범위, 전반 ***run the*** (***whole***) ***~ of*** expression 갖은 (표현)을 다하다

gam·y [géimi] [game[1] *n.* 10에서] *a.* (**gam·i·er**; **-i·est**) **1** 사냥 고기의 냄새가 나는; 사냥 고기가 썩기 시작한 맛[향미]이 나는 **2** 기운찬, 용감한 **3** 《미》 외설적인, 아슬아슬한 **4** 비열한, 저속한, 불건전한

-gamy [gəmi] 《연결형》 「…결혼; …결합」의 뜻: bi*gamy*, exo*gamy*

gan [gǽn] *v.* GIN[3](=begin)의 과거

Gan [gǽn] *n.* Ⓤ 장시 성(江西省)에서 말해지는 중국어

gan·der [gǽndər] *n.* **1** 거위[기러기]의 수컷(⇨ goose 관련) **2** 《미·속어》 한번 흘끗 봄 **3** 《미·속어》 (범행시) 망보는 역 **4** 얼간이(simpleton) ***take a ~*** 한번[흘끗] 보다《*at*》
—vi. 《미·속어》 흘끗 보다

Gan·dha·ra [gʌndáːrə] *n.* 간다라《인도 서북부 및 아프가니스탄 동부의 옛 이름; 헬레니즘 양식의 불교 미술이 융성》 **—a.** 간다라 지방[사람, 미술]의

Gan·dhi [gáːndi, gǽn-] *n.* 간디 **1 Mohandas K. ~** (1869-1948)《인도 해방 운동의 지도자》 **2 Indira ~** (1917-1984)《인도의 정치가·수상》
~·ism *n.* Ⓤ 간디주의《비폭력 비협조주의》

G & T, g and t =GIN AND TONIC

gán·dy dàncer [gǽndi-] 《미·속어》 **1** 철도 보선공(保線工) **2** 뜨내기[계절] 노동자

ga·nef [gáːnəf] *n.* 《속어》 **1** 좀도둑; 깡패 **2** 탐욕스러운 기회주의자

‡**gang**[1] [gǽŋ] *n.* **1** (노예·노동자·죄수 등의) 한 떼, 한 무리; 《구어》 패거리, 놈들: A ~ of roadmen are repairing the road. 한 무리의 도로 인부가 도로 보수를 하고 있다. **2** (아이들의) 놀이 동무; 비행 소년 그룹: be attacked by a ~ of youths 비행 소년 일당에게 습격을 받다 **3** 동호회, 클럽 **4** 동료 **5** (악한 등의) 일단, 한패; 폭력단, 갱단

> 유의어 **gang**은 폭력단을 말하며, 이 폭력단의 한 사람을 말할 때에는 **gangster**를 쓴다.

6 (같이 움직이는 도구의) 한 벌(set) 《*of*》 **7** 《영·방언》 길 **8** 《미·속어》 대량, 다수
—vi. 《구어》 일단이 되다, 집단으로 행동하다 《*up*》, 동료가 되다 《*with*》; 집단적으로 습격하다
—vt. **1** 조(組)로 편성하다 **2** 《미·구어》 집단적으로 습격하다 **3** 〈도구 등을〉 한 벌로 갖추다; 〈일련의 기계 장치를〉 동시 작동시키다 **~ up on**[**against**] 《구어》 (…에) 단결하여 대항[반대]하다 **~ up** (**to** do) 패거리를 지어 …하다

gang[2] *vi.* 《스코》 가다(go), 걷다(walk) ***~ agley*** 어긋나다, 틀리다 ***~ one's ain***(=own) ***gait*** 자기 생각대로 행동하다

gang[3] *n.* =GANGUE

gáng bàng 《미·속어》 (한 여성 상대의) 난교(亂交) 파티; 윤간

gang-bang [gǽŋbæ̀ŋ] *vt., vi.* 《속어·비어》 (한 여성을 상대로) 난교(亂交)하다; 윤간하다; 윤간에 끼다

gang·board [-bɔ̀ːrd] *n.* =GANGPLANK

gang·bust·er [-bʌ̀stər] *n.* **1** 《미·속어》 강력계 경찰 **2** 큰 감명을 주는 사람, 크게 영향을 끼치는 사람 **3** [*pl.*] 양호한 상태[상황], 성황 ***come on like ~s*** 《속어》 요란스럽게 들어오다[시작하다]
—a. [종종 **~s**] **1** 〈범죄 단속 등이〉 거친, 무자비한 **2** 매우 효과적인, 성공적인: go[do] *~s* 성공하다 **3** 열광적인

gang·er [gǽŋər] *n.* 《영》 (노동자들의) 두목, 십장(foreman)

Gan·ges [gǽndʒiːz] *n.* [the ~] 갠지스 강《벵골만으로 흐르는 인도의 큰 강》
Gan·get·ic [gændʒétik] *a.*

gáng hòok 《미》 닻 모양의 낚싯바늘

gang·land [gǽŋlæ̀nd, -lənd] *n.* ⓊⒸ 《미》 (갱들의) 암흑가, 조직 범죄의 세계 **—a.** Ⓐ 암흑가의

gan·gle [gǽŋgl] *vi.* 〈사람·물건 등이〉 어색하게 걷다[움직이다]

gan·gli·a [gǽŋgliə] *n.* GANGLION의 복수

gan·gli·at·ed [gǽŋglièitid], **-gli·ate** [-glièit, -gliət] *a.* =GANGLIONATED

gan·gling [gǽŋgliŋ] *a.* 《구어》 호리호리하게 큰

gangli(o)- [gǽŋgli(ou)] 《연결형》 「신경절(神經節)」의 뜻《모음 앞에서는 gangli-》

gan·gli·on [gǽŋgliən] *n.* (*pl.* **-gli·a** [-gliə], **~s**) **1** 〖해부·동물〗 신경절(節) **2** 〖의학〗 건초류(腱鞘瘤) **3** (지적·산업적) 활동의 중심, 중추

gan·gli·on·at·ed [gǽŋgliənèitid], **-ate** [-nèit, -nət] *a.* 〖해부〗 신경절(節)이 있는

gánglion cèll [the ~] 신경절 세포

gan·gli·on·ic [gæ̀ŋgliánik | -ɔ́n-] *a.* 신경절의

gan·gli·o·side [gǽŋgliəsàid] *n.* 〖생화학〗 갱글리오사이드《주로 신경절에서 볼 수 있는 당지질》

gan·gly [gǽŋgli] *a.* (**-gli·er**; **-gli·est**) =GANGLING

gang·mas·ter [gǽŋmæ̀stər | -mɑ̀ːs- | -mɑ̀ːs-] *n.* 노동자의 십장, 반장; 《영》 (특히 저임금) 외국인 노동자 고용인

Gáng of Fóur [the ~] 4인방(四人幇)《중국 문화 대혁명을 주도한 과격파》

gang·plank [gǽŋplæ̀ŋk] *n.* 〖항해〗 트랩《배와 부두 또는 선창을 연결하는 널판》

gangplank

gang·plow [-plàu] *n.* 〖농업〗 연동[복식] 쟁기

gang·rape [-rèip] *n., vt.* 《속어》 윤간(하다)

gan·grene [gǽŋgriːn] *n.* **1** Ⓤ 〖병리〗 괴저(壞疽), 탈저(脫疽) **2** 부패[타락]의 근원: a moral ~ 도덕적 타락 **—vt., vi.** 괴저가 생기게 하다[생기다]
gan·gre·nous [gǽŋgrənəs] *a.*

gáng shàg[**shày**] 《속어》 =GANG BANG

gáng shòw (소년·소녀 단원의) 뮤지컬 쇼

gangs·man [gǽŋzmən] *n.* (*pl.* **-men**[-mən]) =GANGER

gang·sta [gǽŋstə] *n.* ⦅미·구어⦆ 갱단의 일원
gángsta ràp 갱스터 랩 ⦅도시의 범죄단·폭력·마약 등의 가사로 된 랩 음악⦆ **gáng·sta·ràp·per** *n.*
*__gang·ster__ [gǽŋstər] *n.* **1** 갱 단원, 폭력 단원 ⦅한 사람⦆, 악한: a ~ movie 갱 영화 **2** ⦅미·속어⦆ 마리화나 (담배); 마리화나 흡연자 **~·dom** *n.* 깡패 (사회) **~·ism** *n.* Ⓤ 악당 행위
gangue [gǽŋ] *n.* Ⓤ 〚광물〛 맥석(脈石)
gang-up [gǽŋʌ̀p] *n.* ⦅구어⦆ (대항하기 위한) 단결
gang·way [gǽŋwèi] [OE 「길」의 뜻에서] *n.* **1** 통로(clear passage) **2** =GANGPLANK; (배의) 현문(舷門); (비행선의) 보랑(步廊): bring to the ~ 현문에 끌어내어 매질하다 ⦅선원의 벌⦆ **3** 〚철도〛 기관차의 종업원 통로; 객차와 객차 사이의 일반 통로 **4** (극장·강당 등의) 좌석 사이의 통로; ⦅영⦆ 하원의 간부 의원석과 평의원석 사이의 통로: members above[below] the ~ 간부 의원[평의원] / sit above[below] the ~ 간부석[평의원석]에 앉다 **5** (건축 현장 등에 임시로 만든) 디딤널 **6** 〚광산〛 주갱도(主坑道) **7** (통나무를 제재소까지 보내는) 경사길 **8** (비행기·배의) 트랩 **—** *int.* (군중 속에서) 비켜라, 비켜: *G~*, please. 비키시오.
gan·is·ter, gan·nis- [gǽnistər] *n.* Ⓤ 개니스터 ⦅노(爐)의 내벽용 내화성 규질암(硅質岩)⦆
gan·ja(h) [gɑ́:ndʒə, gǽn-] *n.* Ⓤ 마리화나
gan·net [gǽnit] *n.* (*pl.* **~s,** [집합적] ~) 〚조류〛 북양가마우지
ga·nof [gɑ́:nəf] *n.* =GANEF
gan·oid [gǽnɔid] *n., a.* 경린어(硬鱗魚)(의)
gan·sey [gɑ́nzi] *n.* ⦅영·방언⦆ 스웨터, 니트의 상의
gante·lope, gant·lope [gǽntlòup] *n.* ⦅고어⦆ =GAUNTLET[2]
gant·let[1] [gǽntlit, gɔ́:nt-] 〚철도〛 *n.* 곤틀릿 궤도 ⦅복선이 단선으로 합쳐지는 구간⦆
— *vt.* 〈선로를〉 곤틀릿 궤도로 하다
gantlet[2] *n.* =GAUNTLET[1]
gantlet[3] *n.* =GAUNTLET[2]
gant·line [gǽntlàin] *n.* 〚항해〛 작업원·도구·깃발 따위를 끌어 올리기 위한 밧줄
gan·try [gǽntri] *n.* (*pl.* **-tries**) **1** 〚철도〛 과선교(跨線橋) ⦅철도 신호가 달린⦆ **2** 두 개의 문형탑(門形塔)을 연결하는 골조 구조의 총칭 **3** 〚우주과학〛 로켓 발사 정비탑 **4** 통을 올려 놓는 대(臺) **5** 술집의 카운터 뒤 ⦅술병들이 진열되어 있음⦆
gántry cràne 갠트리[고가 이동] 기중기
Gantt chart [gǽnt-tʃɑ̀:rt] 〚경영〛 간트 차트 ⦅1919년에 창안한 작업 진도 도표⦆
Gan·y·mede [gǽnəmì:d] *n.* **1** 〚그리스신화〛 가니메데스 ⦅Zeus의 술시중을 든 Troy의 미소년⦆ **2** [보통 **g~**] ⦅속어⦆ 소년 급사, 술시중을 드는 소년 **3** 〚천문〛 가니메데 ⦅목성의 제3 위성⦆
GAO Government Accountability Office ⦅미⦆ 회계 감사원
*__gaol__ [dʒéil] *n.* ⦅영⦆ =JAIL
gaol·bird [dʒéilbə̀:rd] *n.* ⦅영·구어⦆ =JAILBIRD
gaol·break [-brèik] *n.* ⦅영⦆ =JAILBREAK
gaol·er [dʒéilər] *n.* ⦅영⦆ =JAILER
‡**gap** [gǽp] *n.* **1** (벽·담·울타리 등의) 갈라진[터진] 틈, 구멍(breach, hole); (대열의) 끊긴 데, 단절, 공백: a ~ in the hedge 산울타리의 터진 틈 / a ~ in records 기록의 공백부 **2** 부족, 결함: *~s* in staffing 직원의 결원 **3** (의견·성격 등의) 큰 차이, (문화·사회적인) 격차; (신뢰[이해]의) 결여 ⦅*between, in*⦆: a wide ~ *between* the two views 두 견해의 큰 차이 / a sex ~ 남녀 차 / a considerable ~ 상당한 차이 **4** (시간·공간의) 격차, 간격, 공극 ⦅*of*⦆; 공백 기간: a long ~ *of* time 오랜 시간 간격 **5** 산협(山峽), 협곡 **6** 산길, 고갯길 **7** 〚항공〛 익간격(翼間隔) ⦅복엽 비행기의⦆ **8** 〚전기〛 갭, 간극(間隙) **9** ⦅속어⦆ (여성의) 가슴 계곡 **10** ⦅미·속어⦆ 입; 바지 지퍼
bridge [***fill, stop***] ***a*** **~** (1) 틈새를 막다 (2) 결함을 보완하다, 부족을 보충하다; 공백기를 메우다 ***close a*** ~ 간격[격차]을 줄이다, 따라붙다 ***make*** [***leave***] ***a*** ~ 틈이 나게 하다, 간격이 생기게 하다 ***open a*** ~ 기회를 주다 ***stand in the*** ~ 몸소 막아내다 ***take the*** ~ ⦅영·속어⦆ 파티 도중에 빠져 나가다
— *v.* (**~ped**; **~·ping**) *vt.* **1** …에 갈라진 틈을 만들다 **2** 〈점화 플러그의 전극간의〉 갭을 조정하다
— *vi.* 틈이 벌어지다[생기다]; 갈라지다
GAPA ground-to-air pilotless aircraft 〚항공〛 무선 유도 비행기
*__gape__ [géip, gǽp | géip] [ON 「입을 벌리다」의 뜻에서] *vi.* **1** (놀람·감탄으로) 입을 딱 벌리다, 입을 벌리고 멍하니 바라보다 ⦅*at*⦆: (~+전+명) They *~d at* me in utter amazement. 그들은 놀란 나머지 입을 딱 벌리고 나를 바라보았다. **2** (배고픔·졸음 등으로 인해 또는 열중한 나머지) 무심코 입을 크게 벌리다; 하품하다(yawn) **3** (삼키려고) 입을 크게 벌리다 **4** 〈땅 등이〉 크게 갈라지다; 〈상처 자리 등이〉 빠끔히 벌어지다 ***make*** a person ~ …을 놀라게 하다
— *n.* **1** 쩍 벌어진[갈라진] 틈 **2** 입을 딱 벌림 **3** 입을 딱 벌리고 멍하니 바라봄; 놀람 **4** [the ~s] 하품을 해댐; 〚수의학〛 개취충증(開嘴蟲症) ⦅가금이 부리를 벌리는 병⦆ **5** 〚동물〛 벌린 입[부리]의 넓이 ***have the ~s*** 자꾸 하품을 하다 **gáp·ing** *a.*
gap·er [géipər, gǽpər | géipə] *n.* **1** 입을 딱 벌리고 멍하니 바라보는 사람; 하품하는 사람 **2** 〚패류〛 다랑조개의 일종 **3** 〚조류〛 넓적부리새
gáper's blóck ⦅미·구어⦆ (운전사가 사고 등을 구경하려고 서행하여 생기는) 구경 (교통) 정체 ★ gaper delay라고도 함.
gape·seed [géipsì:d, gǽp- | géip-] *n.* ⦅영·방언⦆ **1** 백일몽, 몽상 **2** 비현실적인 목표, 터무니없는 계획[목표] **3** 입을 벌리고 바라보는 사람; ⦅특히⦆ 순박한 사람 **4** 사람을 아연케 만드는 일 ***seek*** [***plant, reap, sow***] ~ 몽상에 잠기다, 실행 불가능한 일을 꿈꾸다
gape·worm [-wə̀:rm] *n.* 〚동물〛 기관개취충
gap·ing·ly [géipiŋli, gǽp- | géip-] *ad.* 입을 벌리고, 멍하니, 어이없이
gáp jùnction 〚생물〛 갭 결합, 협간극 결합 ⦅세포간의 간극(nexus)을 가로질러 세포를 연결하는 통로⦆
gap·less [gǽplis] *a.* 끊어진 데가 없는, 갈라진 틈이 없는
gap·o·sis [gæpóusis] *n.* ⦅미·구어⦆ **1** (단추·스냅을 잠갔을 때 옷이 벌어져 생긴) 틈 **2** 갭; 결함
gapped [gǽpt] *a.* 틈이 많은
gápped scàle 〚음악〛 갭트 스케일 ⦅실제 쓰지 않은 음을 뺀 음계⦆
gap·py [gǽpi] *a.* (**-pi·er**; **-pi·est**) **1** 틈 투성이의 **2** 결함 있는 **3** 연락이 없는; 토막토막의
gap-toothed [gǽptú:θt] *a.* 이 사이에 틈이 생긴
gáp yèar ⦅영⦆ (1년간의) 학업 중단 기간, 재수(再修)의 해 ⦅고등학교 졸업 후 대학 입학 전까지 쉬는 1년⦆
gar [gɑ́:r] *n.* (*pl.* **~, ~s**) =GARFISH
G.A.R. Grand Army of the Republic ⦅미⦆ 남북전쟁 참전 육해군 군인회 ⦅1866년 창립⦆
‡**ga·rage** [gərɑ́:ʒ, -rɑ́:dʒ | gǽrɑ:ʒ, -rɑ:dʒ] [F 「오두막집에 넣다」의 뜻에서] *n.* **1** (자동차) 차고: a built-in ~ 건물의 일부를 이루는 차고 **2** (자동차) 수리[정비] 공장 **3** 〚음악〛 뉴욕에서 시작된 하우스 뮤직의 일종 ⦅소울 뮤직의 성악 요소를 도입⦆
— *vt.* 차고[정비 공장]에 넣다
ga·rage·man [gərɑ́:ʒmæ̀n | gǽrɑ:ʒ-] *n.* (*pl.* **-men** [-mèn]) 자동차 수리공
gárage róck 개러지 록 ⦅1960년대 중반 미국에서 인기 있었던 록 음악의 일종⦆
garáge sàle ⦅미⦆ (자택의 차고에 벌여 놓는) 중고 가정용품[불용품(不用品)] 염가 판매
garáge shòp 자택의 차고를 개조한 것 같은 조그마한 공장
garáge stùdio 〚음악〛 간이 녹음 스튜디오 ⦅음향 효과·공간 등의 배려가 안 되어 있음⦆
ga·ram ma·sa·la [gɑ́:rəm-mɑsɑ́:lə] 〚요리〛 가람

마살라 《카레 요리 등에 쓰이는 인도의 혼합 향신료》

Gar·a·mond [gǽrəmɑ̀nd | -mɔ̀nd] *n.* 개러몬드 활자 《1540년 프랑스의 활자 주조업자인 Claude Garamond(1480-1561)이 고안》

Gá·rand rífle [gǽrənd-, gərǽnd-] [발명자 이름에서] 개런드 총(M-1 rifle)

***garb** [gɑ́:*r*b] [OF 「우아(優雅)」의 뜻에서] *n.* Ⓤ 《문어》 **1** 《직업·시대·나라에 특유한》 **복장**; 의상(衣裳): clerical ~ 성직복 **2** 《일반적으로》 의복, 의류, 옷차림 **3** UC 외관, 외형, 겉보기
— *vt.* 옷을 입히다(dress), …의 복장을 하다 ***be ~ed in*** …을 입고 있다 **~ one*self in*** …을 입다

***gar·bage** [gɑ́:*r*bidʒ] [ME 「동물의 창자」의 뜻에서] *n.* Ⓤ **1** 《부엌에서 나오는》 **음식 찌꺼기, 쓰레기** **2** 보잘것없는 것, 폐물: literary ~ 졸작 **3** 시시한 이야기, 허풍, 거짓말 **4** 《속어》 《장식용으로 단》 불필요한 것, 덤 **5** 우주를 떠도는 인공위성이나 로켓의 잔해 **6** 〖컴퓨터〗 기억 장치 안의 불필요한 정보, 가비지 **7** 《영》 《생선·고기 등의》 찌꺼기 **8** 〖농구〗 쉽게 득점 가능한 골 **9** 《미·속어》 질 나쁜 마약
— *vi.* [다음 성구로] ~ ***down*** 《속어》 게걸스럽게 먹다

gárbage càn **1** 《부엌》 쓰레기통 **2** 《미·해군속어》 노후 구축함 **3** 《미·속어》 초단파 중계 장치

gárbage collèction **1** 쓰레기 수거 **2** 〖컴퓨터〗 불요(不要) 정보 정리 《정리된 스페이스 만드는 기술》

gárbage collèctor **1** 《미》 쓰레기 수거인 **2** 《미·익살》 여러 가지를 끼워 넣은 샌드위치

gárbage dispòsal[dispòser] 음식 찌꺼기 처리기

gárbage drùg 《속어》 역효과를 초래하기 쉬운 마약 《접착제나 시너 등》

gárbage dùmp 쓰레기 처리장

gárbage fèe 《속어》 터무니없는 수수료

gárbage fùrniture 《속어》 《재활용할 수 있는》 길에 버려진 가구

gárbage hàbit 《속어》 여러 가지 마약을 섞어서 복용하는 버릇

gárbage hèad 《속어》 약[특히 마약]이라면 안 가리고 복용하는 사람

gárbage ìn, gárbage òut 〖컴퓨터〗 =GIGO

gar·bage·man [gɑ́:*r*bidʒmæ̀n] *n.* (*pl.* **-men** [-mèn]) 쓰레기 수거인(《영》 dustman)

gárbage mòuth 《속어》 입이 건[지저분한] 사람, 추잡한[외설스러운] 말을 입에 담는 사람

gar·bage·ol·o·gy [gɑ̀:*r*bidʒɑ́lədʒi | -ɔ́l-] *n.* Ⓤ 쓰레기 사회학 《쓰레기나 폐기물로 그 사회를 연구·분석하는》

gárbage trùck[wàgon] 《미》 쓰레기차(《영》 dust cart)

gar·ban·zo [gɑ:*r*bǽnzou, -bɑ́:n- | -bǽn-] *n.* (*pl.* **~s**) **1** 병아리콩(chick-pea) **2** [보통 *pl.*] 《미·비어》 젖통

garbed [gɑ́:*r*bd] *a.* Ⓟ 《문어》 《…한》 옷을 입은, 복장을 한 (*in*): brightly ~ 밝은 옷을 입은

gar·ble [gɑ́:*r*bl] *vt.* **1** 혼동하다, 잘못 이해하다 **2** 〈사실을〉 왜곡하다, 〈기사를〉 마음대로 뜯어 고치다, 윤색하다; 오전(誤傳)하다 **3** 〈향신료 등에서〉 불순물을 걸러내다 — *n.* 왜곡; 《걸러낸》 불순물
~·a·ble *a.* **gár·bler** *n.*

gar·bled [gɑ́:*r*bld] *a.* 왜곡된, 혼동된

gar·bo [gɑ́:*r*bou] *n.* (*pl.* **~s**) 《호주·구어》 쓰레기 수거인

Gar·bo [gɑ́:*r*bou] *n.* 가르보 **Greta ~** (1905-90) 《스웨덴 태생의 미국 영화배우》

gar·board [gɑ́:*r*bɔ̀:*r*d] *n.* 〖항해〗 용골익판(龍骨翼板)(=~ **stràke**)

gar·boil [gɑ́:*r*bɔil] *n.* 《고어》 혼란, 소음

gar·bol·o·gist [gɑ:*r*bɑ́lədʒist | -bɔ́l-] *n.* **1** 쓰레기 수거인 **2** 쓰레기 연구가[학자]

gar·bol·o·gy [gɑ:*r*bɑ́lədʒi | -bɔ́l-] *n.* =GARBAGEOLOGY

gar·çon [gɑ:rsɔ́:ŋ] [F 「소년」의 뜻에서] *n.* (*pl.* **~s** [-z]) **1** 《호텔 등의》 급사, 보이(waiter) **2** 하인, 사환 **3** 소년; 총각 **4** 여성의 짧은 머리 모양

gar·çon·nière [gɑ̀:rsɔ:njέə*r*] [F] *n.* 독신 남자용 아파트

Gar·da[1] [gɑ́:*r*də] *n.* (*pl.* **-dai** [-di:]) **1** [**g~**] 아일랜드인 경찰관 **2** [the ~; 집합적] 아일랜드 경찰

Garda[2] *n.* **Lake ~** 가르다 호 《이탈리아 북부에 있는 호수》

garde-man·ger [gɑ́:*r*dəmɑ:ŋʒéi:] [F] *n.* (*pl.* **~, ~s** [-z]) **1** 식료품실, 냉동실 **2** 《고기·생선·샐러드 등의》 냉(冷) 요리 전문 요리사

‡**gar·den** [gɑ́:*r*dn] [OF 「울타리를 두른 땅」의 뜻에서] *n.* **1** CU **뜰, 정원**(⇨ yard[2] 유의어); 화원, 과수원, 채소밭: a back[a front] ~ 뒷[앞]뜰 / a kitchen ~ 가정용 채소밭 / plant a ~ 뜰에 나무를 심다 **2** [종종 *pl.*] **유원지**, 공원(park); 《의자·테이블이 있는》 야외 《식당》 시설: botanical[zoological] ~*s* 식물[동물]원 **3** 비옥한 농경 지대, 곡창 지대 **4** 《미·속어》 화물 열차 조차장 **5** [**G~s**] [지명 뒤에 써서] 《영》 …가(街), …광장 **6** [the G~] 에피쿠로스학파 **7** 《농구·하키·권투 등을 하는》 큰 홀 **8** 《미·속어》 《야구장의》 외야 ***cultivate*** **one's** (***own***) **~** 묵묵히 자신의 일에 힘쓰다 ***Everything in the ~ is lovely.*** 《구어》 모두 만족스럽다, 만사 OK다. 《보통 반어적》 ***lead*** a person ***up***[***down***] ***the ~*** (***path***) 《속어》 …을 유혹하다, 속이다, 오도(誤導)하다 ***the ~ of England*** 영국의 화원 《Kent주, Worcestershire주, the Isle of Wight 섬 등의 땅이 기름진 지방》 ***the G~ of the Gods*** 미국 Colorado Springs 부근의 기암(奇岩)이 많은 사암(砂岩) 지대
— *a.* Ⓐ **1** 정원의, 정원용의; 정원 재배의: a ~ flower 정원용[재배용] 꽃 **2** 흔히 있는(garden-variety) **3** 풍치가 아름다운 ***common or ~*** = ***common ~*** 흔히 볼 수 있는, 흔해 빠진
— *vi.* 정원을 가꾸다; 원예를 하다
— *vt.* 정원으로 만들다[꾸미다]

gárden apártment 《미》 《저층의》 정원 딸린 아파트

gárden bàlm 〖식물〗 향수박하

gárden bálsam 〖식물〗 봉숭아

gárden cènter 원예 용품점, 종묘점(種苗店)

gárden cíty 전원도시

gárden crèss 〖식물〗 큰다닥냉이 《향신료·샐러드용 야채》

gárden ègg 《자주색·흰색·녹황색을 띤》 가지의 일종

‡**gar·den·er** [gɑ́:*r*dnə*r*] *n.* **1** **원예사**, 정원사; 조원(造園)업자 **2** **원예**(애호)가, 취미로 정원 가꾸는 사람; 채소 재배자 **3** 《속어》 외야수

gar·den·esque [gɑ̀:*r*dənésk] *a.* 정원 같은[풍의]

gárden fràme 촉성(促成) 재배용 온상

gárden héliotrope 〖식물〗 털 쥐오줌풀

gárden hòuse **1** 정원에 있는 정자 **2** 옥외 변소(privy) 《주로 미국 남부·중부》

gar·de·ni·a [gɑ:*r*dí:njə, -niə] *n.* 〖식물〗 치자나무; 치자나무 꽃

‡**gar·den·ing** [gɑ́:*r*dniŋ] *n.* Ⓤ **1** **조원(술)**(造園(術)) **2** **원예** **3** 《속어》 《등산할 때》 발 디딜 곳을 확보키 위해 식생을 없애기

gárdening lèave 유급 무노동 휴직 기간 《다른 회사로의 이직을 방지하기 위한》

Gárden of Éden [the ~] **1** =EDEN **2** 《미·속어》 여음(女陰)

gárden pàrty 원유회(園遊會), 가든파티

gárden plànt(s) 원예 식물, 재배 식물

gárden sálad 《미》 가든 샐러드 《싱싱한 채소로 만든 샐러드》

gàrden shéd 정원 창고, 공구 창고

gárden spìder 〖동물〗 무당거미

thesaurus **garbage** *n.* trash, waste, rubbish, refuse, debris, litter, junk, discarded matters

Gárden Státe [the ~] 미국 New Jersey주의 속칭
gárden stùff 야채류, 청과물
gárden súburb 《영》 전원주택지
gárden trúck 《미》 야채류; 《특히》 출하용 야채
gar·den-va·ri·e·ty [gáːrdnvəràiəti] *a.* 흔해빠진, 보통(종류)의
gárden víllage = GARDEN SUBURB
gárden wàrbler 〖조류〗 정원솔새 《유럽산》
gárden whìte 〖곤충〗 배추흰나비
garde·robe [gáːrdròub] *n.* **1** 옷장(의 의류) **2** 침실, 사실(私室) **3** 변소
gar·dy·loo [gɑ̀ːrdilúː] *int.* 물이다, 조심해! 《원래 스코틀랜드에서 2층 창문에서 구정물을 버릴 때 보행자에게 주의를 주기 위해 외치던 말》
gare·fowl [gέərfàul] *n.* (*pl.* **~s,** ~) 〖조류〗 큰바다오리
Gar·eth [gǽrəθ | -reθ] *n.* **1** 남자 이름 **2** 개리스 《Arthur 왕의 조카; 원탁의 기사 중 한 사람》
Gar·field [gáːrfìːld] *n.* 가필드 **James A.** ~ (1831-81) 《미국 제20대 대통령(1881)》
gar·fish [gáːrfìʃ] *n.* (*pl.* **~·es,** ~) 〖어류〗 동갈치
Gar·gan·tu·a [gɑːrgǽntʃuə | -tjuə] *n.* 가르강튀아 《라블레(Rabelais)의 소설 *Gargantua and Pantagruel*에 나오는 거인 왕》
gar·gan·tu·an [gɑːrgǽntʃuən | -tjuən] *a.* 거대한; 원대한, 엄청난
gar·get [gáːrgit] *n.* ⓊⒸ 〖수의학〗 **1** (소·돼지·가금 등의) 인후 종양(咽喉腫瘍) **2** (소·양의) 유방염(乳房炎)(mastitis) **gár·get·y** *a.* 유방염의[에 걸린]
gar·gle [gáːrgl] *vi.* **1** 양치질하다 **2** 목 울리는 소리를 내다 **—***vt.* **1** 양치질하여 〈입 안을〉 가시다: ~ a sore throat 아픈 목구멍을 양치질하다 **2** 목구멍 소리로 말하다 **3** 《속어》 〈맥주 등을〉 마시다
—*n.* **1** 양치질(하기); Ⓤ 양치질 약 **2** (양치질 등을 할 때의) 목 울리는 소리 **3** 《속어》 (맥주 등의) 한 잔
gárgle fàctory 《속어》 술집
gar·goyle [gáːrgɔil] [OF 「목구멍」의 뜻에서] *n.* 〖건축〗 (고딕 건축에서) 괴물꼴 홈통 주둥이, 이무깃돌; 추한 용모의 사람 **gár·goyled** *a.*

gargoyle

gar·goyl·ism [gáːrgɔilìzm] *n.* Ⓤ 〖병리〗 가고일리즘 《골격 대사(代謝)의 이상·장애 등을 수반하는 질병》
gar·i·bal·di [gæ̀rəbɔ́ːldi] *n.* (*pl.* **~es**) **1** 가리발디 《여성·어린이용 헐거운 블라우스》 **2** 《영》 건포도를 넣고 살짝 구운 비스킷 **3** 〖어류〗 자리돔과(科)의 물고기 《남캘리포니아산(産)》
Gar·i·bal·di [gæ̀rəbɔ́ːldi] *n.* 가리발디 **Giuseppe** ~ (1807-82) 《이탈리아의 통일 운동에 공헌한 장군》
gar·ish [gέəriʃ] *a.* 번쩍거리는; 야한, 화려한, 지나치게 꾸민 **~·ly** *ad.* **~·ness** *n.*
***gar·land** [gáːrlənd] *n.* **1** (머리·목에 두르는) **화환,** 화관(花冠); 꽃줄(festoon); 화환 무늬: a ~ of laurel 월계관 **2** 영관(榮冠); 영예; 승리(의 표시): get [gain, win] the ~ (경기 등에서) 승리를 거두다 **3** (시문(詩文)) 선집(anthology) **4** 〖항해〗 고리 밧줄
***gain* [*carry away, win*] *the* ~** 승리의 영관을 얻다
—*vt.* 화관을 씌우다, 화환으로 장식하다
gar·lic [gáːrlik] *n.* Ⓤ **1** 〖식물〗 마늘; 《넓은 뜻으로》 파 속의 식물 **2** 마늘 《조미료》 **—***a.* Ⓐ **1** 마늘로 조리한 **2** 마늘의
gárlic bréad 갈릭 브레드, 마늘빵
gar·lick·y [gáːrliki] *a.* 마늘 냄새[맛]가 나는; 마늘이 들어 있는
‡**gar·ment** [gáːrmənt] [OF 「몸을 지키는 것」의 뜻에서] *n.* 《문어》 **1** 의복(한 점), 《특히》 긴 웃옷; [*pl.*] 옷, 의상 《특히 여성복》: dresses, suits, and other ~*s* 드레스, 슈트, 그 밖의 의류 **2** (물건의) 외피, 외관
—*vt.* [보통 수동형으로] 의상을 입히다
gárment bàg (여행용) 양복 커버 《접어서 휴대함》
gar·ner [gáːrnər] 《시어·문어》 *vt.* **1** 모으다; 저축하다(collect) **2** (노력하여) 얻다, 획득하다; 〈돈을〉 벌다
—*n.* **1** 곡물 창고(granary) **2** 저장, 축적, 저축
gar·net [gáːrnit] *n.* **1** ⓊⒸ 〖광물〗 석류석(石榴石), 가닛 **2** Ⓤ 가닛색, 심홍색
gar·net·if·er·ous [gɑ̀ːrnitífərəs] *a.* 석류석을 함유한[산출하는]
gárnet pàper (석류석 가루를 붙인) 사포(砂布)
***gar·nish** [gáːrniʃ] [OF 「지키다」의 뜻에서] *n.* **1** 장식물, 장식품 **2** (요리의) 고명, 곁들인 요리 **3** 문식(文飾), 수식(修飾), 운치
—*vt.* **1** 장식하다, 꾸미다; 〈문장을〉 (미사여구로) 꾸미다 (*with*) **2** 〈요리에〉 고명을 곁들이다 **3** 〖법〗 (채권 압류를 통고하여) 〈채무자의 재산·금전 등을〉 압류하다(garnishee) **4** 《속어》 …로부터 돈을 우려내다
swept and ~ed 말끔히 쓸고 곱게 장식한
gar·nish·ee [gɑ̀ːrniʃíː] *vt.* 〖법〗 **1** 〈제3자의 수중에 있는 피고의 채권을〉 압류하다 **2** …에 채권 압류 통고를 하다 **—***n.* 〖법〗 채권 압류 통고를 받은 사람, 제3 채무자
gar·nish·er [gáːrniʃər] *n.* **1** 장식자 **2** 〖법〗 채권 압류 통고자
gar·nish·ment [gáːrniʃmənt] *n.* **1** ⓊⒸ 장식 **2** 〖법〗 채권 압류 통고 **3** (제 3자에 대한) 소환 통고
gar·ni·ture [gáːrnitʃər, -tʃùər | -tʃə] *n.* **1** ⓊⒸ 장식; 장식물 **2** (요리의) 고명 **3** 비품, 부속품
ga·rote [gəróut, -rát | -rɔ́t], **-rotte** [-rát, -róut | -rɔ́t] *n., vt.* = GARROTE **-rót·(t)er** *n.*
GARP [gáːrp] [*G*lobal *A*tmospheric *R*esearch *P*rogram] *n.* 지구 대기(大氣) 연구 계획
gar·pike [gáːrpàik] *n.* = GARFISH
***gar·ret** [gǽrət] [OF 「망루(望樓)」의 뜻에서] *n.* **1** 다락방(attic); 제일 위층, 《특히》 초라한 작은 방: from cellar to ~ = from ~ to kitchen 온 집안 구석구석까지 **2** 《속어》 머리(head): have one's ~ unfurnished 머릿속이 텅 비어 있다
***gar·ri·son** [gǽrəsn] [OF 「지키다」의 뜻에서] *n.* **1** [집합적] **수비대, 주둔병[군]**: go[be sent] into ~ 수비에 임하다[파견되다] / in ~ 수비를 맡고[임하여] **2** 요새(要塞) **3** 주둔지
—*vt.* 〈도시·요새 등에〉 수비대를 두다; 〈군대·병력을〉 주둔시키다
gárrison artíllery 요새 포병
gárrison càp = OVERSEAS CAP
Gárrison fínish [미국의 경마 기수 이름에서] (경마 등에서의) 역전승
gárrison hòuse 《미》 **1** 2층이 1층보다 튀어나온 초기 New England 주택 양식 **2** = BLOCKHOUSE 2
gárrison stàte 군국주의 국가
gárrison tòwn 수비대 주둔 도시
gar·ron [gǽrən, gərɔ́ːn] *n.* 사역용 조랑말
gar·rot [gǽrət] *n.* 〖조류〗 흰뺨오리
gar·rote [gəróut, -rát | -rɔ́t], **-rotte** [-rát, -róut | -rɔ́t] *n.* **1** (스페인의) 교수형틀; 교수형 **2** 교살 강탈 《사람 뒤에서 줄 등으로 목을 졸라 금품을 빼앗는》 **—***vt.* **1** 교수형에 처하다 **2** 목을 졸라 금품을 빼앗다 **-rot·(t)er** *n.* 교살자; 교살 강도
gar·ru·li·ty [gərúːləti] *n.* Ⓤ 수다, 말많음
gar·ru·lous [gǽrələs, -rju-] *a.* **1** 잘 지껄이는(talkative), 말 많은, 수다스러운, 군말이 많은 **2** 〈새가〉 시끄럽게 지저귀는; 〈시내 등이〉 소리내며 흐르는 **3** 〈연설 등이〉 장황한 **~·ly** *ad.* **~·ness** *n.*
gar·ry·ow·en [gæ̀rióuən] *n.* 〖미식축구〗 개리오웬 펀트 《필드의 포지션을 유리하게 하기 위해 높이 차기》
***gar·ter** [gáːrtər] [OF 「장딴지」의 뜻에서] *n.* **1** 양말 대님, 가터 **2** (와이셔츠의 소매를 고정시키는) 고무 밴드 **3** [the G~] 가터 훈장 《영국의 최고 훈장》

---

garment *n.* cover, clothes, clothing, dress, attire, apparel, costume, outfit, garb

G~ King of Arms 《영》 가터 문장관(紋章官) ***Knight of the G~*** 가터 훈작사 《略 K. G.》 ***the Order of the G~*** 가터 훈위
— *vt.* **1** 양말 대님으로 동이다, 〈다리를〉 가터로 동이다 **2** 가터 훈위[훈장]를 수여하다
gárter bèlt 《미》 (여성용) 양말[가터] 벨트(《영》 suspender belt)
gárter snàke 〖동물〗 누룩뱀 《북미·중미산》
gárter stìtch 가터 뜨개질
garth [gɑ́:rθ] *n.* **1** 회랑(cloister)에 둘러싸인 안뜰 **2** (물고기 잡는) 어량(魚梁) **3** (고어·방언) 뜰, 안뜰
Gar·vey [gɑ́:rvi] *n.* 가르비 **Marcus** (**Moziah** [mouzáiə]) ~ (1887-1940) 《미국에서 활약한 자메이카의 흑인 민족주의자》 **~·ism** *n.*
⁑gas [gǽs] [Gk 「chaos(공기)」의 뜻의 조어(造語)] *n.* (*pl.* **~·(s)es**) **1** ⓊⒸ 〖물리〗 기체 《공기 이외의》(cf. FLUID, SOLID, LIQUID): Oxygen and nitrogen are *~es.* 산소와 질소는 기체다. **2** Ⓤ (연료·난방용) 가스; 최루 가스(=tear ~); 〖군사〗 독가스(=poison ~); 〖광산〗 폭발 가스 **3** Ⓤ 아산화질소 가스 《마취용》 **4** Ⓤ (미·구어) 휘발유, 가솔린(《영》 petrol); (자동차 등의) 가속 페달: Take your foot off the ~. 가속 페달에서 발을 떼라. 《속도를 줄여라》 **5** Ⓤ (속어) 잡담, 허풍; [a ~] 재미있는[멋진, 인상적인] 사람 **6** (미·속어) 뱃속의 가스, 방귀: have ~ (배에) 가스가 차다 **7** 가스등(燈) **8** (미·속어) 변성 알콜, 싸구려 술
(***all***) ***~ and gaiters*** 《구어》 헛소리 ***All*** [***Everything***] ***is ~ and gaiters.*** 《구어》 모든 일이 나무랄 데가 없다. ***run out of ~*** 휘발유가 떨어지다; 《비유》 매우 지치다 ***step on the ~*** 《속어》 (자동차의) 가속 페달(accelerator)을 밟다, 속력을 내다, 서두르다(hurry up) ***take ~*** (미·속어) (균형을 잃고) 서핑 보드에서 떨어지다 ***turn down the ~*** 가스(등)의 불을 줄이다 ***turn on the ~*** (마개를 틀어서) 가스가 나오게 하다; 《속어》 기염을 토하다 ***turn out*** [***off***] ***the ~*** (마개를 틀어서) 가스를 막다[끄다]; 《속어》 허풍 떨기를 그치다
— *v.* (**~sed**; **~·sing**) *vt.* **1** 〈방 등에〉 가스를 공급하다, 〈기낭(氣囊)에〉 가스를 채우다 **2** 〖군사〗 독가스로 공격하다 **3** (실·천 등의 솜털을 없애기 위하여) 가스로 그을리다 **4** 가스로 처리하다[태우다]; 〈야채·과일 등을〉 에틸렌 가스 처리로 촉성 재배하다; 〈사람에게〉 마취 가스를 가하다 **5** (속어) …에게 잡담을 하다, 허풍을 떨다; …을 재미있게 해주다
— *vi.* **1** 〈축전지 등이〉 가스를 내다 **2** 독가스 공격을 하다 **3** (속어) 잡담을 하다, 허풍을 치다 **4** (미·구어) 만취하다 (*up*) **~ one*self*** 가스 자살하다 **~ *up*** (미·구어) 〈차에〉 휘발유를 채우다; 차에 급유하다; 더 재미있게 하다 **~·less** *a.*
▷ gáseous, gássy *a.*; gásify *v.*
gás attàck 독가스 공격
gas·bag [gǽsbæ̀g] *n.* **1** 가스주머니 《비행선·경기구의》 **2** (속어) 허풍선이; 수다쟁이
gás blàdder (물고기의) 부레
gás bòmb =GAS SHELL
gás bràcket 가스등 받침 《벽에서 내민》
gás bùoy 가스 등부표(燈浮標)
gás bùrner 가스버너; 가스 화구(火口)
gás càrbon 가스탄(炭) 《석탄 가스 제조 중에 생기는》
gás chàmber 가스 처형실
gás chromátograph 〖화학〗 가스 크로마토그래프 《유기 화합물 혼합체 분석기》
gás chromatógraphy 〖화학〗 가스 크로마토그래피 《유기 화합물 혼합체 분석법》
gás còal 가스용 석탄
gás còke 가스 코크스
Gas·con [gǽskən] *n.* **1** (프랑스의) 가스코뉴(Gascony) 사람 **2** [**g~**] 제자랑꾼, 허풍선이
— *a.* **1** 가스코뉴 (사람)의 **2** [**g~**] 허풍선이의
gas·con·ade [gæ̀skənéid] *n.* Ⓤ 제자랑, 허풍
— *vi.* 자랑하다, 허풍떨다 **-ád·er** *n.*

gás cònstant 〖물리·화학〗 기체 상수
Gas·co·ny [gǽskəni] *n.* 가스코뉴 《프랑스 남서부 Garonne 강 좌안 지방; 백년 전쟁의 주무대》
gás còoker 《영》 가스레인지(《미》 gas range)
gas-cooled [gǽskú:ld] *a.* 〈원자로가〉 가스 냉각식의
gás cùtting (금속의) 가스 절단
gas·dy·nam·ics [-dainǽmiks] *n. pl.* [단수 취급] 기체 역학 **-ic** *a.* **-i·cist** [-məsist] *n.*
gas-ef·fi·cient [-ifíʃənt] *a.* 연료 효율이 좋은
gas·e·lier [gæ̀səlíər] *n.* =GASOLIER
gás èngine 가스 기관[엔진]
***gas·e·ous** [gǽsiəs] *a.* **1** 가스(체)의, 가스 상태의; 기체의 **2** (구어) 텅 빈, 속없는; 〈정보 등이〉 믿을 수 없는 **~·ness** *n.* Ⓤ 가스질(質), 기체 ▷ gás *n.*
gáseous diffúsion 〖화학〗 기체 확산
gás equàtion 〖물리〗 이상(理想) 기체의 법칙
gás field 천연가스 산지, 가스전(田)
gás fire 가스난로(의 불)
gas-fired [gǽsfàiərd] *a.* 가스 연료를 사용하는
gás fitter 가스 기구 설치·수리공
gás fitting **1** 가스 장치 공사 **2** [*pl.*] 가스 기구(류)
gás fixture **1** 가스(등) 장치 **2** 가스전(栓)
gás fùrnace **1** 가스로(爐) **2** 가스 발생로
gás gàngrene 〖병리〗 가스 괴저(壞疽)
gás gàuge 《미》 =FUEL GAUGE
gás gèyser 《영》 가스 온수기
gás gíant 〖천문〗 (목성·토성처럼) 가스로 이루어진 거대한 행성
gás gùn 《미》 가스총
gas-guz·zler [-gʌ̀zlər] *n.* (미·구어) 연료 소비가 많은 대형차: ~ tax 연비가 많은 차에 부과되는 세금
gas-guz·zling [-gʌ̀zliŋ] *a.* (미·구어) 〈자동차 엔진 등이〉 연료를 많이 소비하는
***gash¹** [gǽʃ] *n.* **1** 깊은 상처 **2** (지면·바위 등의) 깊이 갈라진 틈 **3** (속어) 입(mouth); (비어) 여성의 성기
— *vt.* …에 깊은 상처를 입히다; 갈라진 틈을 만들다
— *vi.* (미·비어) 성교하다
gash² (영·속어) *a.* 여분의(spare)
— *n.* 찌꺼기, 폐기물, 쓰레기
gash³ *a.* (스코) 빈틈없는, 재치 있는; 위엄 있는; 〈복장이〉 말쑥한
gás hèater 가스 난방기[가열기]
gás hèlmet =GAS MASK
gas·hold·er [gǽshòuldər] *n.* 가스탱크
gas·house [-hàus] *n.* (*pl.* **-hous·es** [-hàuziz]) **1** 가스 공장(gasworks) **2** (속어) 술집, 비어홀
gas·i·fi·ca·tion [gæ̀səfikéiʃən] *n.* Ⓤ 《미》 가스화, 기화(氣化); 가스 발생
gas·i·form [gǽsəfɔ̀:rm] *a.* 가스체의, 기체의
gas·i·fy [gǽsəfài] *v.* (**-fied**) *vt.* 가스화[기화]하다
— *vi.* 가스가 되다, 기화되다 **gás·i·fi·er** *n.*
gás jèt **1** 가스버너, 가스 화구 **2** 가스등의 불꽃
gas·ket [gǽskit] *n.* **1** 〖항해〗 괄범삭(括帆索) 《접은 돛을 활대에 매는 밧줄》 **2** 〖기계〗 개스킷 《실린더·파이프 등의 결합부를 메우는 고무·석면·코르크 등의 판 또는 테》 **3** 《일반적으로》 틈 메우는 물건, 패킹(packing)
blow a ~ 《속어》 격노하다, 버럭 화를 내다
gas·kin [gǽskin] *n.* **1** (말 등의) 정강이 **2** [*pl.*] 《폐어》 크고 헐렁한 바지
gás làmp 가스등
gás láser 〖물리〗 기체 레이저
gás làw 〖물리〗 (이상) 기체 법칙 《보일의 법칙(Boyle's law)》
gas·light [gǽslàit] *n.* **1** 가스등(燈); Ⓤ 가스등의 불빛[불꽃] **2** =GAS JET 1 — *a.* 가스등 시대의
— *vt.* (미·속어) 미치게 하다
gás lìghter 가스 점화 장치; 가스라이터
gáslight pàper 〖사진〗 가스라이트지(紙) 《밀착용

thesaurus **gash¹** *n.* cut, slash, wound, tear, laceration, slit, cleft, incision, nip, notch

인화지》
gás-liq·uid chromatógraphy [-lìkwid-] 기액(氣液) 크로마토그래피
gas·lit [gǽslìt] *a.* **1** 가스등에 비춰진 **2** 가스등이 사용되던 시절(풍)의
gás lòg (통나무 모양의) 가스 난로 연관(燃管)
gás màin 가스 공급 본관(本管)
gas·man [gǽsmæ̀n] *n.* (*pl.* **-men** [-mèn]) 가스 검침원; 가스료 수금원; 가스 제조[공사]업자; 〖광산〗 폭발 가스 경계원
gás màntle 가스 맨틀 《가스등(燈)의 점화구에 씌우는 그물》
gás màsk 방독면, 방독 마스크
gas-masked [-mæ̀skt] *a.* 방독면을 쓴
gás mèter 가스 계량기[미터] ***lie like a ~*** 터무니없는 거짓말을 하다
gas·mo·tor [-mòutər] *n.* = GAS ENGINE
gas·o·gene [gǽsədʒì:n] *n.* 가스 발생 장치, 탄산(소다)수 제조기
gas·o·hol [gǽsəhɔ̀:l, -hɑ̀l | -hɔ̀l] [*gaso*line+alco*hol*] *n.* 가소홀 《휘발유에 알코올을 약 10% 탄 연료》
gás oìl 경유
gas·o·lier [gæ̀səlíər] *n.* 가스등 샹들리에
gas·o·line, -lene [gǽsəlì:n, ∸–∸ | ∸–∸] *n.* Ⓤ (미) 휘발유, 가솔린((영) petrol) **gàs·o·lín·ic** *a.*
gásoline èngine[mòtor] (미) 가솔린 엔진[기관]
gásoline mìleage 연비(燃費) 《휘발유 1갤런으로 달릴 수 있는 마일 수로 나타내는》
gásoline sípper 가솔린 소비가 적은 자동차, 저연비차(車)
gas·om·e·ter [gæsɑ́mətər | -sɔ́m-] *n.* 가스 계량기; 가스 저장기; (영) 가스탱크
gas-op·er·at·ed [gǽsɑ̀pəreitid, -ɔ̀p-] *a.* 〈권총 등이〉 가스 이용의, 가스 압식(壓式)의
gás òven 1 가스 오븐[레인지] **2** 가스 처형실
gasp [gǽsp | gɑ́:sp] [ON 「입을 크게 벌리다」의 뜻에서] *n.* **1** 헐떡거림: breathe with *~s* 숨을 헐떡이다 **2** (공포·놀람 등으로) 숨막힘 **3** 헐떡거리며 하는 짧은 말 ***at one's [the] last ~*** 임종 때에; 최후 순간에 ***to the last ~*** 최후까지, 숨을 거두기까지
— *vi.* **1** 헐떡거리다; (놀람 등으로) 숨이 막히다: (~+전+명) ~ *in* amazement 놀란 나머지 숨이 막히다 / I *~ed with* rage. 나는 너무 화가 나서 숨도 못 쉴 정도였다. **2** 열망[갈망]하다 (*after, for*): (~+전+명) ~ *for* peace 평화를 갈망하다
— *vt.* 〈말을〉 헐떡거리며 하다 (*out*) **~ *out* [*away*]** one***'s life*** =**~** one***'s last*** 마지막 숨을 거두다
GASP [gǽsp | gɑ́:sp] (미) Group Against Smoker's Pollution; Gals Against Smoke and Pollution; Greater Washington Alliance to Stop Pollution, etc. 반공해·반흡연 단체명들
gás pèdal (미) (자동차의) 가속 페달
gasp·er [gǽspər | gɑ́:sp-] *n.* **1** 헐떡거리는 사람 **2** (영·속어) 값싼 궐련 **3** 마리화나 담배
gas-per·me·a·ble [gǽspə̀:rmiəbl | gɑ́s-] *a.* 공기[산소]가 투과하는
gás-permeable léns 기체[산소] 투과성 콘택트렌즈
gasp·ing [gǽspiŋ | gɑ́:sp-] *a.* **1** 헐떡거리는, 숨결이 가쁜 **2** 경련하는
gasp·ing·ly [gǽspiŋli | gɑ́:sp-] *ad.* 헐떡이면서, 숨이 턱에 차서
gás pìpe 1 가스관(管) **2** (구어) (성능 안 좋은) 총
gás plànt 〖식물〗 서양백선(fraxinella)
gás pòker 가스 점화봉(棒)
gas-proof [gǽsprù:f] *a.* 가스가 스며들지 않는; 내(耐)가스성의: ~ varnishes 내가스성 니스
gás pùmp (주유소의) 주유 펌프

---

gasp *v.* blow, choke, pant, puff **—** *n.* blow, exclamation, gulp, puff

gás rànge (미) 가스레인지
gás rìng 가스 풍로
gas-rip·ened [-ràipənd] *a.* 〈과일 등이〉 에틸렌 가스로 숙성(熟成) 처리를 한
gassed [gǽst] *a.* **1** (미·속어) 술취한 **2** (미·속어) 진하게 감동받은 **3** 독가스로 공격당한
gas·ser [gǽsər] *n.* **1** (미·속어) 아주 재미나는 것, 아주 웃기는 것[사람] **2** (구어) 수다스러운 사람; 허풍선이(boaster) **3** 천연 가스정(井) **4** (미·속어) 마취 의사
gás shèll 독가스탄(gas bomb)
gas·sing [gǽsiŋ] *n.* ⓊⒸ **1** 가스 처리; 독가스 공격 **2** (전지의 충전·전해 중에 일어나는) 가스 발생 **3** (속어) 수다떨기, 잡담, 허풍
gas-sip·per [gǽssìper] *n.* 연료 소비가 적은 차
gas-sip·ping [gǽssípiŋ] *a.* 연료 소비가 적은
gás stàtion (미) 주유소(filling station)
gás stòve 가스난로
gas·sy [gǽsi] *a.* (**-si·er**; **-si·est**) **1** 가스질(質)[상태]의(gaseous) **2** 가스가 가득 찬 **3** (구어) 제 자랑이 많은, 허풍떠는 **-si·ness** *n.*
gast [gǽst] *vt.* (폐어) 두렵게 하다, 놀라게 하다
gás tànk 1 가스탱크(gasometer) **2** (비행기 등의) 연료 탱크
gas-tar [gǽstɑ̀:r] *n.* 콜타르(coal tar)
Gast·ar·bei·ter [gɑ́:stɑ̀:rbaitər] [G = guest worker] *n.* (*pl.* **~(s)**) (독일의) 외국인 근로자
gas·ter [gǽstər] *n.* (개미·벌 등의) 육경(肉莖) 뒤쪽의 불룩한 배 부분
gás thermòmeter 기체 온도계
gas·tight [gǽstàit] *a.* 가스가 새지[통하지] 않는, 가스 방지 구조의; 기밀(氣密)의
gas·tor·nis [gæstɔ́:rnis] *n.* 〖고생물〗 가스토르니스 《팔레오세와 이오세에 살던 거대한 새》
gastr- [gæstr], **gastro-** [gǽstrou] 《연결형》 「위(胃)」의 뜻 《모음 앞에서는 gastr-》
gas·tral·gi·a [gæstrǽldʒiə, -dʒə] *n.* Ⓤ 〖병리〗 위통(胃痛)
gas·trec·to·my [gæstréktəmi] *n.* (*pl.* **-mies**) 〖의학〗 위 절제 (수술)
gas·tric [gǽstrik] *a.* 위(胃)의
gástric býpass 〖의학〗 위장 접합술
gástric flú (속어) 배에 오는 독감
gástric júice 〖생리·생화학〗 위액
gástric úlcer 〖병리〗 위궤양
gas·trin [gǽstrin] *n.* 〖생화학〗 가스트린 《위액 분비를 촉진하는 호르몬》
gas·tri·no·ma [gæ̀strənóumə] *n.* 〖병리〗 가스트리노마 《가스트린 분비 과다로 인한 다발성 위궤양》
gas·trit·ic [gæstrítik] *a.* 〖병리〗 위염의
gas·tri·tis [gæstráitis] *n.* Ⓤ 〖병리〗 위염
gastro- [gǽstrou] 《연결형》 = GASTR-
gas·tro·cam·era [gæ̀stroukǽmərə] *n.* 위 카메라 《위장 내부를 촬영하는 초소형 카메라》
gas·troc·ne·mi·us [gæ̀strɑkní:miəs | -trɔk-] *n.* (*pl.* **-mi·i** [-miài]) 〖해부〗 비복근(腓腹筋)
gas·tro·col·ic [gæ̀stroukɑ́lik | -kɔ́l-] *a.* 〖해부〗 위(胃)와 결장(結腸)의
gas·tro·en·ter·ic [gæ̀strouentérik] *a.* 위장의
gas·tro·en·ter·i·tis [gæ̀strouèntəráitis] *n.* Ⓤ 〖병리〗 위장염(胃腸炎)
gas·tro·en·ter·ol·o·gy [gæ̀strouèntərɑ́lədʒi | -rɔ́l-] *n.* ⓊⒸ 위장병학, 소화기병학 **-gist** *n.*
gas·tro·in·tes·ti·nal [gæ̀strouintéstənl] *a.* 위장(胃腸)의; 위장 내의
gas·tro·lith [gǽstrəlìθ] *n.* 〖병리〗 위결석(胃結石)
gas·trol·o·ger [gæstrɑ́lədʒər | -trɔ́l-] *n.* 미식가
gas·trol·o·gy [gæstrɑ́lədʒi | -trɔ́l-] *n.* Ⓤ **1** 〖의학〗 위학, 위병학 **2** 요리학 **-gist** *n.* 위 전문 의사
gas·tro·nome [gǽstrənòum], **gas·tron·o·mer** [gæstrɑ́nəmər | -trɔ́n-] *n.* 미식가, 식도락가(epicure)

gas·tro·nom·ic, -i·cal [gæ̀strənɑ́mik(əl) | -nɔ́m-] *a.* 미식법(美食法)의; 요리법의

gas·tron·o·mist [gæstrɑ́nəmist | -trɔ́n-] *n.* = GASTRONOME

gas·tron·o·my [gæstrɑ́nəmi | -trɔ́n-] *n.* Ⓤ **1** 미식법; 요리학 **2** (특정 지역의 독특한) 요리법

gas·tro·pho·tog·ra·phy [gæ̀stroufətɑ́grəfi | -tɔ́g-] *n.* 〖의학〗 위경(胃鏡) 촬영법

gas·tro·plas·ty [gǽstrəplæ̀sti] *n.* 위(胃) 형성술

gas·tro·pod [gǽstrəpɑ̀d | -pɔ̀d] 〖동물〗 *n.* 복족류(腹足類) (달팽이·민달팽이 등) ― *a.* 복족류의

Gas·trop·o·da [gæstrɑ́pədə | -trɔ́p-] *n. pl.* 〖동물〗 복족류

gas·tro·pub [gǽstroupʌ̀b] *n.* (영) 맛있는 요리를 내놓는 고급 술집

gas·trop·to·sis [gæ̀strɑptóusis | -trɔp-] *n.* Ⓤ 〖병리〗 위하수(胃下垂)

gas·tro·scope [gǽstrəskòup] *n.* 〖의학〗 위경(胃鏡), 위내시경(胃內視鏡)

gas·tros·co·py [gæstrɑ́skəpi | -trɔ́s-] *n.* Ⓤ 〖의학〗 위경 검사(법) **-pist** *n.*
gas·tro·scop·ic [gæ̀strəskɑ́pik | -skɔ́p-] *a.*

gas·trot·o·my [gæstrɑ́təmi | -trɔ́t-] *n.* (*pl.* **-mies**) ⓊⒸ 〖의학〗 위절개(술)

gas·tro·vas·cu·lar [gæ̀strouvǽskjulər] *a.* 〖동물〗 소화 순환의, 위수관(胃水管)의

gas·tru·la [gǽstrulə, -trə-] *n.* (*pl.* **~s, -lae** [-lìː]) 〖생물〗 장배(腸胚), 원장배(原腸胚)

gas·tru·lar [gǽstrulər] *a.* 〖생물〗 장배(腸胚)의

gas·tru·late [gǽstrulèit, -trə-] *vi.* 〖생물〗 장배[원장(原腸)]를 형성하다

gas·tru·la·tion [gæ̀struléiʃən, -trə-] *n.* ⓊⒸ 〖생물〗 장배 형성

gás tùrbine 가스 터빈

gás wàrfare 독가스전(戰)

gás wèll 천연가스정(井)

gas·works [gǽswə̀ːrks] *n. pl.* [단수 취급] 가스 공장[제조소](gashouse)

gat[1] [gǽt] *v.* (고어) GET[1]의 과거

gat[2] *n.* (속어) 권총(pistol), 총(gun)
― *vi.* (**~·ted**; **~·ting**) [다음 성구로] **~ up** (미·속어) 총으로 무장하다

gat[3] *n.* (절벽·모래톱 사이의) 수로(水路)

‡**gate**[1] [géit] [OE 「열려 있는 곳」의 뜻에서] *n.* **1** 대문, 출입문; 성문, 관문(關門); 문짝: the main ~ of a school 학교의 정문 **2** (운하·독 등의) 수문, 갑문; (공항의) 탑승구; (경마의) 출발문; 개찰구; (유료 도로의) 요금 징수소; (도로·건널목의) 차단[개폐]기 **3** 문호, (…로) 이르는 길 (*to*): the ~ *to* stardom 스타가 되는 길 **4** 〖스키〗 (회전 활강에서의) 기문(旗門) **5** 산길, 산골짜기 **6** Ⓤ [보통 the ~] (구어) (경기 대회의) 총 입장자(수); 입장료(총액) **7** 〖생물〗 게이트, 관문 (세포막에 일시적으로 생겨 세포 내외의 물질을 이동할 수 있게 하는 통로) **8** 〖자동차〗 변속 레버를 안내하는 H자형 등으로 파인 홈 **9** [the ~] (미·속어) 해고, 쫓아냄; 〖야구〗 삼진 아웃 **10** 〖전자〗 게이트 ((1) 일정 시간 간격으로, 또는 다른 신호를 받을 때까지 전자 회로의 개폐를 제어하는 전극 (2) 둘 이상의 입력이 일정 조건을 충족할 때만 하나의 출력을 얻는 회로) **11** 〖컴퓨터〗 게이트 (하나의 논리 기능; AND, OR, NOT, NAND, NOR 등)
at the ~ of death 죽을 지경에 이르러 ***break*** [***crash***] ***the ~*** (구어) (1) (파티 등에) 불청객으로서 밀어 닥치다 (2) (극장 등에) 공짜로 들어가다 ***get the ~*** (미·속어) 내쫓기다, 해고당하다 ***give*** a person ***the ~*** (미·속어) …에게 퇴장을 명하다, …을 해고하다, 쫓아버리다, 〈남자 애인을〉 차버리다(jilt) ***open a*** [***the***] ***~ to*** [***for***] …에 문호를 열다, 편의를 도모하다, 기회를 주다 (***right***) ***out of the ~*** (속어) 시작하자마자, 즉시, 당장에 ***the ~ of horn*** [***ivory***] 〖그리스 신화〗 바른[거짓] 꿈이 나오는 문 ***the ~***(***s***) ***of the city*** 〖성서〗 법정
― *vt.* **1** …에 대문을 달다 **2** (영) 〈학생의〉 외출을 금하다, 금족령을 내리다 **3** 〖전자〗 게이트로 제어하다; (미·속어) 해고하다

gate[2] *n.* **1** (고어) 시가, 거리(street): Gallow*gate* 갤로 거리 **2** (방언) 방법, (상투) 수단

-gate [gèit] [Water*gate*에서] (연결형) 「추문; 스캔들」의 뜻: Hollywood*gate*

gáte arrày 〖컴퓨터·전자〗 = LOGIC ARRAY

gâ·teau [gætóu, gɑː-] [F = cake] *n.* (*pl.* **~x** [-(z)]) 과자, 케이크

gáte bàr 대문 빗장

gáte bìll (영) **1** (대학의) 폐문 시간 지각부(遲刻簿) **2** 폐문 시간 지각 벌금

gate-crash [géitkræ̀ʃ] *vt., vi.* (구어) 입장권 없이 [초대받지 않고] 들어가다
~·er *n.* (구어) 불청객, 무단 입장자

gat·ed [géitid] *a.* 출입문이 있는; 외부인 출입을 통제하는

gàted commúnity 외부인 출입 통제 마을

gate·fold [géitfòuld] *n.* 〖인쇄〗 (책·잡지 등의) 접은 페이지

gate·house [géithàus] *n.* (*pl.* **-hous·es** [-hàuziz]) **1** 수위실 **2** (댐·저수지의) 수문 조절실 **3** (옛 성문의) 문루(門樓) (감옥으로 썼음)

gate·keep·er [-kìːpər] *n.* **1** 문지기, 수위; 건널목지키는 사람 **2** 정보의 누설을 통제하는 사람 **3** 게이트 키퍼 ((1) 회사·기관의 이용이나 면담 등을 심사 결정하는 사람 (접수계·비서 등) (2) (회사·기관의) 구매 책임자 (3) 고객 상담원)

gáte·leg(**ged**) **táble** [-lèg(id)-] 접을 수 있는 탁자

gate·man [-mən, -mæ̀n] *n.* (*pl.* **-men** [-mən, -mèn]) = GATEKEEPER

gáte mòney 총 입장[관람]료 수입

gate·mouth [-màuθ] *n.* (미·속어) 남의 개인적 사항을 퍼뜨리는 사람

gate·post [-pòust] *n.* 문기둥 ***between you, me, and the ~*** 비밀이지만, 우리끼리 이야기지만

gáte théory 〖생리〗 게이트 이론 (신경의 자극이 일정 역치를 넘으면 갑자기 반응이 나타난다는 이론)

gate tòwer (성(城)의) 문탑(門塔), 누문(樓門)

‡**gate·way** [géitwèi] *n.* **1** (벽·담·울타리 등에 있는) 대문, 출입구, 통로 **2** (어떤 장소로 들어가는) 관문, 현관; (성공 등에) 이르는 길 (*to*): a[the] ~ *to* success 성공에 이르는 길 **3** 〖통신〗 게이트웨이 (서로 다른 컴퓨터 네트워크 등을 상호 접속시키기 위한 장치)

gáteway drùg (마약 중독에 이르는) 초기 약물 (알코올·진정제·마리화나 등)

Gath [gǽθ] *n.* 〖성서〗 가드 (Philistia의 도시; 거인 Goliath의 출생지) ***Tell it not in ~.*** 〖성서〗 이 일을 가드에게 고하지 말지어다; 적의 귀에 들어가게 하지 말라. (사무엘 하 1: 20)

‡**gath·er** [gǽðər] [OE 「한데 모으다」의 뜻에서] *vt.* **1** 모으다, 그러모으다(⇨ collect[1] 유의어) **2** 끌다, 빨아 당기다; 〈주목 등을〉 받다: A good game always ~*s* a crowd. 재미있는 경기에는 언제나 관중이 몰린다. **3** 〈꽃·과실 등을〉 따다, 채집하다; 수확하다, 거두어들이다: *G*~ roses while you may. (속담) 젊을 때 청춘을 즐겨라, 「젊어 노세」. **4** 엄선하다, 〈시문 등을〉 선집하다 (*out*) **5** 〈사람을〉 끌어안다: (~+목+전+명) ~ a person *into* one's arms …을 두 팔로 끌어안다 **6** 〈세금·회비·대금 등을〉 징수하다, 거두다 (*up*) **7** 〈속력 등을〉 더하다; 차차로 불리다; 〈용기 등을〉 불러 일으키다: ~ one's strength 기력을 회복하다 / The storm ~*s* force. 폭풍이 더욱 거세진다. **8** 〈먼지 등을〉 차츰 축적하다[모이게 하다]; 〈지식·소식을〉 얻다, 수집하다, 축적하다: A rolling stone ~*s*

thesaurus **gather** *v.* **1** 모으다 convene, summon, get together, collect, congregate, accumulate, amass, assemble, store, garner **2** 모이다

no moss. 《속담》 굴러다니는 돌에는 이끼가 끼지 않는다 **9** 헤아리다, 추측[추정]하다(⇨ infer 유의어); (관찰로) 배우다: (~+목+전+명) What did you ~ *from* his statement? 그의 말을 자네는 어떻게 받아들였나? // (~+**that** 절) I ~*ed* from what he said *that* he was upset. 그의 말을 듣고 그가 당황하고 있다고 생각했다. **10** 〈눈살을〉 찌푸리다: ~ one's brows 미간을 찌푸리다 **11** 줄이다; 주름지게 하다, 〈옷에〉 주름을 잡다 **12** 〖제본〗 접지를 맞추다 **13** [~ way] 〖항해〗 (배가 정지 상태에서) 움직이기 시작하다 **14** (영) 〖스포츠〗 (크리켓·럭비에서) 〈낮은 공을〉 바운드시키지 않고 잡아내다; 〖야구〗 〈플라이 볼을〉 잡다 **15** (미·구어) 체포하다 《*up*》

— *vi.* **1** 모이다, 집결하다: (~+전+명) ~ *around* a campfire 야영의 모닥불 둘레에 모이다 **2** 부풀어 커지다, 점점 증대하다[늘다], 점점 더해지다: (~+부) Evening dusk is ~*ing on.* 땅거미가 점점 짙어진다. **3** 〈종기가〉 곪다, 부어오르다 **4** 오므라들다, 〈이마가〉 주름 잡히다 **5** 〈배가〉 앞으로 가다 **6** (미) 구름이 끼다: It's ~*ing* for a storm. 폭풍이 불려는지 구름이 잔뜩 끼고 있다.

be ~ed to one***'s fathers*** [***people***] 죽다 **~ *breath*** (겨우) 숨을 쉬다; 좀 쉬다 **~ *color*** 혈색이 좋아지다 **~ *flesh*** 살이 붙다 **~ *head*** 〈종기가〉 곪다; 〈폭풍우가〉 심해지다 **~ *in*** 거두어들이다 **~ *in upon*** 〖기계〗 〈톱니바퀴가〉 맞물리다 **~ *itself*** (짐승 등이 덤벼들려고) 낮은 자세를 취하다 **~ *round*** …을 원조하기 위해 모이다 **~** one***'s breath*** 잠시 숨을 죽이다 **~** one***self up*** [***together***] 용기를 내다, 기운을 내다 《*for*》; 정신을 차리다 **~** one***'s energies*** 있는 힘을 다 내다 **~** one***'s senses*** [***wits***] 정신을 차리다 **~ *speed*** 점점 속력을 늘리다 **~ *steam*** [***momentum***] 가속화되다, 속도가 붙다 **~ *together*** 모으다 **~ *up*** 한데 모으다, 주워[그러] 모으다; 〈이야기의 줄거리 등을〉 요약하다; 〈손발·몸을〉 움츠리다 **~ *way*** (움직이는 물건의) 힘이 커지다; 차츰 속도를 내다

— *n.* 모인 것, 수확; 집적; (수확의) 양; [*pl.*] 〖의복〗 주름, 개더

gath·ered [gǽðərd] *a.* **1** 눈살을 찌푸린 **2** 주름을 잡은: a ~ skirt 주름 치마

gath·er·er [gǽðərər] *n.* **1** 모으는[채집하는] 사람 **2** 채집인; 수금원 **3** (재봉틀의) 주름잡는 장치

‡**gath·er·ing** [gǽðəriŋ] *n.* **1** (문어) 모임, 집회, 집합(⇨ meeting 유의어): a social ~ 친목회 **2** 군중, 무리; (물건의) 집적 **3** 수집품; 편집한 것; 기부금; 수확물 **4** Ⓤ 채집, 수확 **5** (옷 등의) 주름(달기), 개더 **6** 곪음, 부어 오름; 종기, 농양(膿瘍) **7** 〖제본〗 접지 맞추기

gáthering còal 불씨 《밤새도록 타게 하는 큰 석탄 덩어리》

gat·ing [géitiŋ] *n.* 〖생물〗 통문(通門) 《생체막의 이온 채널에 있는 관문(gate)의 개폐에 의해 막 내외의 이온 농도를 변화시키는 것》

Gát·ling gùn [gǽtliŋ-] [미국의 발명자의 이름에서] 개틀링 기관총

Gatling gun

ga·tor [géitər] *n.* **1** (미남부·구어) 악어(alligator) **2** Florida 주민; 플로리다 대학생

Ga·tor·ade [gèitəréid] *n.* 게토레이 《미국 스포츠 음료의 일종; 상표명》

Gá·tor Bòwl [géitər-] (미) 게이터 볼 《대학 대항 미식축구 경기》

GATT, G.A.T.T. [gǽt] [*G*eneral *A*greement on *T*ariffs and *T*rade] *n.* 관세 무역 일반 협정, 가트 《WTO의 전신》

gat-up [gǽtʌ̀p] *n.* 《미·속어》 권총 강도

gauche [góuʃ] [F = left-handed] *a.* **1** 〈태도가〉 어색한; 눈치 없는, 요령 없는; 서투른(awkward) **2** 평평하지 않은; 비대칭의 **3** 왼손잡이용의 **4** 〈선이〉 일그러진 **~·ly** *ad.* **~·ness** *n.*

gau·che·rie [gòuʃərí:] [F] *n.* **1** Ⓤ 어색함, 서투름 **2** 어색한[서투른] 행동[말]

gau·cho [gáutʃou] *n.* (*pl.* **~s**) **1** 가우초 《남미의 카우보이; 스페인 사람과 인디언의 혼혈》 **2** [*pl.*] 가우초 바지 《통이 넓으며 발목에서 묶음》(= **~ pànts**)

gaud [gɔ́:d] *n.* **1** 싸구려 장식품, 외양만 번지르르한 싼 물건 **2** [*pl.*] 화려한 의식

gaud·er·y [gɔ́:dəri] *n.* (*pl.* **-er·ies**) UC **1** 겉치레, 허식, 야함 **2** 화려한[번쩍번쩍한] 복장[장신구]

Gau·di i Cor·net [gaudí:-i:-kɔ́:rnet] *n.* 가우디 **Antoni ~** (1852-1926) 《스페인의 건축가·디자이너》

gaud·i·ly [gɔ́:dəli] *ad.* 저속하고 화려하게, 야하게 ▷ gáud *n.*

∗**gaud·y**[1] [gɔ́:di] *a.* (**gaud·i·er**; **-i·est**) **1** 화려한, 촌스럽게 번지르르한, 야한: ~ clothes 촌스럽게 야한 옷 **2** 저속한, 겉치레의 **3** 〈문체 등이〉 지나치게 장식한 **gáud·i·ness** *n.* Ⓤ 저속한 화려함, 야한 미(美)

gaudy[2] *n.* (*pl.* **gaud·ies**) (영) 향연(饗宴), (매년 졸업생을 초청하는) 대만찬회

gauf·fer [gɔ́:fər, gɑ́f- | góuf-] *vt., n.* = GOFFER

∗**gauge** [géidʒ] [OF = measure] *n.* **1** 계량[측정] 기준, 규격 **2** 표준 치수, 척도 **3** 계량기, 계기 《우량계·유력계(流力計)·시조기(示潮器)·풍속계·압력계 등》; 표준자 《尺·規》 **4** (평가·계량·검사의) 수단, 방법; 평가 기준; 시험 **5** 용적, 용량, 넓이; 범위, 한계 **6** (총포의) 표준 구경(口徑) **7** 〖철도〗 표준 궤간(軌間): the broad[narrow] ~ 광[협]궤(廣[狹]軌) / the standard ~ 표준 궤간 《4피트 8인치 반(半)》 **8** (자동차 등의) 좌우 바퀴 사이의 거리 **9** (철판의) 표준 두께 **10** 〖항해〗 (풍향 또는 다른 배에 대한) 배의 상대적 위치 **11** (지붕의 기와·타일 등의) 노출면의 길이 **12** 〖인쇄〗 게이지 《조판의 치수를 결정하는 척도》 **13** (영화 필름·자기 테이프의) 폭 ***get the ~ of*** …의 의향을 캐다 ***have the weather*** [***lee***] ***~ of*** (1) 〖항해〗 …의 바람 불어 오는[가는] 쪽에 있다 (2) …보다 유리[불리]하다 ***take the ~ of*** …을 재다, 평가하다

— *vt.* **1** 측정하다, 재다 **2** 〈사람·행동 등을〉 판단하다; 평가하다: ~ whether the company will succeed or fail 그 기업이 성공할 것인지 실패할 것인지 판단하다 **3** 표준 치수에 맞추다 **4** (분량만큼) 나누다; …의 윤곽을 그리다 **~·a·ble** *a.* 측정할 수 있는, 평가할 수 있는 **~·a·bly** *ad.*

gáuge còck (보일러 등의) 검수기(檢水器)

gáuge glàss (보일러 등의) 검수관(管)

gáuge prèssure 〖물리〗 계기 압력 《대기압과의 차로 나타내는 압력》

gaug·er [géidʒər] *n.* **1** 재는 사람[물건]; (영) (술통 등의) 검량관(檢量官) **2** 징세관(徵稅官)

gáuge thèory 〖물리〗 게이지 이론

gáug·ing ròd [géidʒiŋ-] (징세관이 쓰는 술통의) 계량 막대

Gau·guin [gougǽŋ] *n.* 고갱 **Paul ~** (1848-1903) 《프랑스의 후기 인상파 화가》

Gaul [gɔ́:l] *n.* **1** 골, 갈리아 《고대 켈트 사람의 땅; 지금의 북이탈리아·프랑스·벨기에 등을 포함함》 **2 a** 골 사람 **b** 프랑스 사람 ▷ Gáulish, Gállic *a.*

Gaul·ish [gɔ́:liʃ] *a.* **1 a** 고대 골(Gaul)(사람)의 **b** 프랑스 (사람)의 **2** 골 말의 — *n.* Ⓤ 골 말

Gaull·ism [góulizm, gɔ́:l-] *n.* 드골주의

Gáull·ist *a., n.*

gault [gɔ́:lt] *n.* Ⓤ 〖지질〗 중녹사통(中綠砂統) 《녹사층 중의 점토질의 중생대 지층》

Gault [gɔ́:lt] [1967년 Gerald *Gault* 소년 사건에서] *a.* (미) 미성년자의 법적 보호와 권리에 관한

∗**gaunt** [gɔ́:nt, gɑ́:nt | gɔ́:nt] *a.* **1** 수척한, 몹시 여

---

come together, cluster, converge, convene

gaudy[1] *a.* garish, loud, glaring, bold-colored, bright, brilliant, flashy, showy, ostentatious

윈, 말라 빠진: be ~ from hunger 굶어서 수척하다 **2** 〈장소 등이〉 으스스한, 황량한, 적막한
~·ly *ad.* **~·ness** *n.*

gaunt·let[1] [gɔ́:ntlit, gɑ́:nt-|gɔ́:nt-] *n.* **1** (갑옷에 딸린) 목이 긴 장갑 《쇠나 가죽으로 만든》 **2** (승마·검도용의) 긴 장갑
***fling* [*throw*] *down the* ~** 도전하다 ***take* [*pick*] *up the* ~** 도전에 응하다; 반항하는 태도를 보이다; 변호하다
~·ed [-id] *a.* 긴 장갑을 낀

gauntlet[1] 1

gauntlet[2] *n.* [the ~] **1** 태형《두 줄로 선 사람들 사이를 지나가게 하여 양쪽에서 매질하는 형벌》 **2** 괴로운 시련 ***run the* ~** 태형을 당하다; 위험을 겪다; 혹심한 공격[비평]을 받다; 호된 시련을 겪다

gauntlet[3] *n.* = GANTLET[1]

gaun·try [gɔ́:ntri, gɑ́:n-|gɔ́:n-] *n.* = GANTRY

gaur [gáuər] *n.* (*pl.* **~s, ~**) 큰 들소《인도산》

gauss [gáus] [독일의 수학자 이름에서] *n.* (*pl.* **~, ~·es**) 〖물리〗 가우스《전자(電磁) 단위》

Gauss [gáus] *n.* 가우스 **Karl Friedrich ~** (1777-1855)《독일의 수학자·천문학자》

Gáuss·i·an cúrve [gáusiən-] 〖통계〗 정규 곡선

Gáussian distribútion 〖통계〗 정규 분포

Gáussian íntegar 〖수학〗 가우스의 정수(整數)

Gau·ta·ma [gɔ́:təmə, gáu-|gáu-] *n.* 고타마《석가(563?-483? B.C.)의 처음 이름》(cf. BUDDHA)

***gauze** [gɔ́:z] [얇은 천이 처음으로 생산된 팔레스타인의 고을 Gaza의 이름에서] *n.* UC **1** (얇은) 깁, 사(紗), 외올베; 거즈 **2** (가는 쇠줄로 뜬) 쇠그물(=wire ~) **3** 엷은 안개(thin mist); (미·속어) 의식 불명
—*vt.* 가제로 싸다
—*vi.* 안개가 끼다 **~·like** *a.* ▷ gáuzy *a.*

gauz·y [gɔ́:zi] *a.* (**gauz·i·er**; **-i·est**) 사(紗)와 같은, 얇게 비치는: a ~ mist 엷은 안개
gáuz·i·ly *ad.* **gáuz·i·ness** *n.*

ga·vage [gəvɑ́:ʒ] [F] *n.* 위관(胃管) 영양(법)《위에 삽입된 고무관 등으로의 강제적 영양 공급》

‡**gave** [géiv] *v.* GIVE의 과거

gav·el[1] [gǽvəl] *n.* (의장·경매자 등의) 망치, 의사봉, 사회봉 **—***vt.* (**~ed**; **~·ing**|**~led**; **~·ling**) (미) **1** 〈의회·회의 등의〉 의장을 맡다 **2 a** 〈의장이〉 (의사봉을 두드려) 〈회의의〉 질서를 유지하다 **b** 〈의장이 의회 등을〉 개회하다《*down*》

gavel[2] *n.* (봉건 시대의) 연공(年貢), 조세

gav·el·kind [gǽvəlkàind] *n.* U 〖영국법〗 (유언이 없는 유산의) 남성 균분(均分) 상속 토지 보유; 그렇게 보유된 토지

gav·el-to-gav·el [gǽvəltəgǽvəl] *a.* 개회부터 폐회까지의, 전(全)회기의

ga·vi·al [géiviəl] *n.* 〖동물〗 인도악어

Gav·in [gǽvin] *n.* 남자 이름

ga·votte [gəvɑ́t|-vɔ́t] *n.* 가보트《쾌활한 4/4 박자의 프랑스 춤》; 그 곡 **—***vi.* 가보트를 추다

G.A.W., GAW guaranteed annual wage 연봉(年俸) 보증제

Ga·wain [gɑ́:win, gəwéin|gɑ́:wein] *n.* 가웨인《아서(Arthur) 왕의 원탁 기사 중 한 사람; 왕의 조카》

gawd [gɔ́d] *n.* [주로 **G~**] (비어) = GOD

gawk [gɔ́:k] *n.* 둔한 사람, 얼간이
—*vi.* (구어) 멍청히 바라보다《*at*》 **~·er** *n.*

gawk·ish [gɔ́:kiʃ] *a.* = GAWKY
~·ly *ad.* **~·ness** *n.*

gawk·y [gɔ́:ki] *a.* (**gawk·i·er**; **-i·est**) **1** 얼빠진, 멍청한, 덜된 **2** 수줍은 **3** (영·방언) 왼손잡이의
—*n.* (*pl.* **gawk·ies**) = GAWK
gáwk·i·ly *ad.* **gáwk·i·ness** *n.*

gawp [gɔ́:p] *vi.* (영) = GAWK **~·er** *n.*

‡**gay** [géi] *a.* **1** 명랑한(merry), 쾌활한, 즐거운 **2** (완곡) 몸가짐이 헤픈, 방탕한, 놀아나는: a ~ lady 바람난 여자 / the ~ quarters 홍등가, 환락가 **3** 화사한, 화려한, 찬란한(bright) **4** 〈장소·시기 등이〉 사교적 즐거움[오락]이 많은: a ~ social season 즐거움이 많은 사교 시즌 **5 a** (미) (특히 남자) 동성애(자)의 **b** 동성애자가 모이는
***get* ~** (미·속어) 버릇없이 굴다, 기어오르다, 건방지게 행동하다《*with*》
—*n.* (미) (특히 남자) 동성애(자) **~·ness** *n.*
▷ gáiety *n.*; gáily *ad.*

gáy bár (미·속어) 게이 바《동성애자들이 출입하는 술집》

gáy bàshing (미) 동성애자 학대

gáy bòy (속어) 게이 보이(homosexual)

gay·cat [géikæ̀t] *n.* (미·속어) 신참의[풋내기] 부랑자; (동성애자의) 미동

gay·dar [géidɑ:r] [*gay*+ra*dar*] *n.* (미·구어·익살) 동성애자를 식별하는 능력

gay·e·ty [géiəti] *n.* (*pl.* **-ties**) = GAIETY

Gáy Líb **1** = GAY LIBERATION **2** 게이 해방 운동의 일원[지지자]

Gáy Liberátion [종종 **g- l-**] 동성애자의 해방(운동)

Gay-Lus·sác's láw [gèiləsǽks-|-lú:sæks-] [프랑스 물리학자 이름에서] 〖물리〗 게이뤼삭의 법칙《기체 반응의 법칙》

***gay·ly** [géili] *ad.* = GAILY

gay·o·la [geióulə] *n.* (미·속어) (게이 바 따위에서) 경찰관에게 바치는 뇌물

Gay-Pay-Oo [géipèiú:] [Russ.] *n.* 게페우《1922-34년의 구소련 비밀 경찰; 略 G.P.U.》

gáy plàgue AIDS의 별칭

gáy pówer 게이 파워《동성애자의 권리 확대를 지향하는 조직적 시위》

gáy príde 동성애자의 자존심《동성애자임을 공개하고 자긍심을 갖자는 인권 운동》: a ~ march 동성애자 자존심의 행진

gay-rights [géiràits] *n. pl.* 동성애자의 권리

gáy scíence [the ~] 연애 문학, 《특히》 연애시

gay·some [géisəm] *a.* 명랑한

gaz. gazette; gazetteer

Ga·za [gɑ́:zə, gǽzə|gɑ́:zə] *n.* 가자《팔레스타인 남서부의 해항(海港); 〖성서〗 삼손(Samson)이 죽은 곳(사사기 16 : 21-30)》

ga·za·bo [gəzéibou] [Sp.] *n.* (*pl.* **~s**) (미·속어) [종종 경멸적] 놈, 녀석(fellow)

Gáza Stríp [the ~] 가자 지구《이스라엘 Gaza 시를 포함한 인접 항만 지역》

‡**gaze** [géiz] *vi.* (주로 놀라움·기쁨·흥미를 가지고) 뚫어지게 보다, 응시하다《*at, on, upon, into*》(⇨ look 유의어): (~+副) (~+前+名) ~ *up at* the stars 별을 쳐다보다 / ~ *into* a person's face …의 얼굴을 응시하다 / ~ *after* a person …의 뒷모습을 (유심히) 바라보다 ★ 호기심·멸시 등의 표정으로 빤히 볼 때는 보통 STARE를 쓸 때가 많음.
—*n.* 주시, 뚫어지게 봄, 응시(steady look)
***stand at* ~** 뚫어지게 바라보며 서 있다

ga·ze·bo[1] [gəzéibou|-zí:-] *n.* (*pl.* **~(e)s**) **1** 전망대《망루·정자 등》 **2** (옥외 오락·식사를 하는) 휴게소

gazebo[2] *n.* (*pl.* **~s**) = GAZABO

gaze·hound [géizhàund] *n.* (냄새로 쫓는 것보다) 눈으로 짐승을 쫓는 사냥개

ga·zelle [gəzél] *n.* (*pl.* **~s, ~**) **1** 〖동물〗 가젤《영양(羚羊)의 일종》 **2** 성장주(成長株)의 중소 기업

ga·zelle-eyed [gəzéláid] *a.* 영양처럼 순한 눈을 한

gaz·er [géizər] *n.* **1** 응시[주시]하는 사람 **2** (미·속어) 연방 마약 단속관 **3** (영·속어) 행상인

***ga·zette** [gəzét] [신문 한 부 값에 해당되었던 옛날

thesaurus **gay** *a.* jolly, cheerful, glad, happy, bright, joyful, elated, animated, lively, amusing

Venice의 소액 화폐 이름에서] *n.* **1** 신문, (시사 문제 등의) 정기 간행물; [**G~**] …신문 《신문의 명칭》 **2** [the G~] 《영》 관보, 공보(公報) 《London, Edinburgh 등에서 1주 2회 발행》; (Oxford 대학 등의) 학보: an official ~ 관보, 공보 / go into[be in] the ~ 파산자로 관보에 고시되다
— *vt.* [보통 수동형으로] 〈임명 등을〉 관보에 게재하다, 관보로 고시하다: be ~*d* out 관보로 사직이 발표되다 / be ~*d* to (장교가) …에 배치[임명]되었음이 관보에 발표되다

gaz·et·teer [gæ̀zətíər] *n.* 지명(地名) 사전; 지명 색인; (레스토랑·와인 산지 등의) 가이드북

gazi [gɑ́:zi:] *n.* = GHAZI

ga·zil·lion [gəzíljən] *n.* 《미·구어》 = ZILLION

gaz·o·gene [gǽzədʒì:n] *n.* = GASOGENE

ga·zon·ga [gəzɑ́ŋgə | -zɔ́ŋ-] *n.* 《속어》 젖, 유방; 엉덩이

gaz·pa·cho [gəzpɑ́:tʃou] *n.* 가스파초 《잘게 썬 야채와 올리브 등을 넣어 만든 걸죽한 스페인 수프》

ga·zump [gəzʌ́mp] *vt.* 《영·구어》 **1** (구두 계약 후에) 〈매입자에게〉 바가지 씌우다 **2** 속이다, 사기치다
~·er *n.*

ga·zun·der [gəzʌ́ndər] *vt.* 《영·구어》 〈매입자가〉 〈매도자에게서〉 매매 계약서를 주고 받기 직전에 집값을 깎다

Gb, GB 〘컴퓨터〙 gigabyte(s)

GB [dʒì:bí:] *n.* 《미》 신경성 독가스의 일종 《sarin의 코드명》

G.B. Games Behind 〘야구〙 승차(勝差); Great Britain **G.B.E.** (Knight[Dame]) Grand Cross (of the Order) of the British Empire **GBH** grievous bodily harm **GBS** George Bernard Shaw

GBY [dʒì:bì:wái] [*G*od *b*less *y*ou!] *int.* 《속어》 행운을 빕니다

Gc gigacycle(s); gigacycles per second **G.C.** George Cross **GCA** General Claim Agent 일반 청구 대리인; ground-controlled approach 〘항공〙 지상 유도 착륙 **g-cal.** gram calorie(s) **G.C.B.** Grand Cross of the Bath **GCC** 〘정치〙 Gulf Cooperation Council **g.c.d., G.C.D.** greatest common divisor 최대 공약수 **G.C.E.** 《영》 General Certificate of Education **G.C.F., g.c.f., gcf** greatest common factor 최대 공약수 **GCI** ground-controlled interception **G.C.I.E.** (Knight) Grand Commander (of the Order) of the Indian Empire

G cléf 〘음악〙 「사」 음자리표

G.C.L.H. Grand Cross of the Legion of Honor **G.C.M., g.c.m., gcm** greatest common measure 최대 공약수; general court-martial 통합 군법 회의 **G.C.M.G.** 《영》 Grand Cross of St. Michael and St. George **GCSE** 《영》 〘교육〙 General Certificate of Secondary Education **G.C.S.I.** (Knight) Grand Commander (of the Order) of the Star of India **GCT, G.C.T.** Greenwich Civil Time 그리니치 상용 시간(cf. G.M.T.) **G.C.V.O.** Grand Cross of the Victorian Order **Gd** 〘화학〙 gadolinium **gd.** good; guard **G.D.** Grand Duke[Duchess, Duchy]

Gdańsk [gədɑ́:nsk, -dǽnsk] *n.* 그단스크 《폴란드 북부 Danzig만에 면한 항구 도시》

g'day [gədéi] *int.* 《호주》 = GOOD DAY

Gde. gourde(s) **Gdn(s).** Garden(s) **GDP** gross domestic product **GDR, G.D.R.** German Democratic Republic **gds.** goods **Ge** 〘화학〙 germanium **GE** General Electric (Company) **g.e.** 〘제본〙 gilt edges

---

gaze *v.* stare, gape, ogle, eye, watch in wonder, contemplate

---

ge·an·ti·cline [dʒi:ǽntiklàin] *n.* 〘지질〙 지배사(地背斜)

:gear [gíər] *n., a., v.*

> ON 「장비」의 뜻에서
> 「장치」 **2** →(특히 톱니바퀴가 달린 기계 장치에서) → 「톱니바퀴」 **1**

— *n.* **1** [CU] 〘기계〙 톱니바퀴 (장치), 기어, 전동(傳動) 장치; (자동차의) 변속 기어: high[low] ~ 고속[저속] 기어; 《구어》 고속[저속] **2** (특정 용도의) 장치, 도구, 용구; 도르래, 활차(滑車) **3** 마구(馬具)(harness); 삭구(索具)(rigging); 장구, 장비 **4** [U] 소지품; 가구, 가재도구; 물품 **5** [U] [집합적] (특정한 용도의) 의복, 복장; (유행)복 **6** 무장; 무기 **7** 《영·구어》 매력적인 것; 《속어》 고급(품) **8** 《영·속어》 마약 (기구) **9** 《속어》 도난품 ***get*** [***go, move***] ***into ~*** 순조롭게 움직이기 시작하다, 궤도에 오르다 ***go*** [***move***] ***into high ~*** 최대한의 활동을 시작하다 ***in ~*** 기어가 들어가서; 준비가 갖추어져, 원활하게 운전하여, 잘 돌아가서 ***in high ~*** (1) 최고 속도로 (2) (일이) 본궤도에 올라서 ***out of ~*** 기어가 풀려서; 컨디션이 어긋나서 ***shift*** [***change***] ***~s*** 기어를 바꾸다; 《구어》 방식을 바꾸다 ***slip a ~*** 실수하다, 잘못을 저지르다 ***That's*** [***It's***] ***the ~.*** 《영·속어》 굉장해. ***throw*** [***get, put, set***] ***in*** (***to***) ***~*** 기어를 걸다 ***throw*** [***put***] ***out of ~*** 기어를 풀다; 운전을 방해하다, 원활치 못하게 하다; 혼란에 빠뜨리다
— *a.* 《영·속어》 근사한, 매력 있는, 멋진: John is ~. 존은 참으로 멋지다.
— *vt.* **1** 기어를 넣다, 전동 장치로 연결하다, 〈기계를〉 연동시키다 **2** 〈장치 등을〉 설치하다, 〈말 등에〉 마구를 달다 《*up*》 **3** 〈계획·요구 등에〉 맞게 하다, 조정하다 《*to*》: (~+목+전+명) The steel industry was ~*ed to* the needs of war. 철강 산업은 전쟁 물자 생산에 돌려졌다.
— *vi.* 연결되다, 〈톱니바퀴가〉 맞물리다 《*into*》; 〈기계가〉 걸리다 《*with*》; 태세를 갖추다, 준비하다 **~ *down*** (1) 기어를 저속으로 넣다 (2) 〈생산 등을〉 감소시키다 (3) 〈양·정도를〉 …까지 내리다 《*to*》 **~ one*self*** (***up***) (…에 대해) 마음의 준비를 하다 《*for*》 **~ *up*** (1) 기어를 고속에 넣다 (2) 준비를 갖추다 《*for*》 (3) 〈산업·경제 등을〉 확대하다 (4) (…에) 대비시키다

gear·box [gíərbɑ̀ks | -bɔ̀ks] *n.* **1** = GEAR-CASE **2** 《영》 (자동차 등의) 변속 장치 **3** 《속어》 바보

gear-case [-kèis] *n.* 톱니바퀴 통

gear·change [-tʃèindʒ] *n.* 《영》 (자동차의) 변속 레버, 기어 전환 장치(《미》 gearshift)

géar cùtter 〘기계〙 기어의 톱니 깎는 기계

geared [gíərd] *a.* **1** (…에 맞도록) 구성된[설계된] 《*to*(*wards*); *to* do》 **2** …할 준비가 되어 있는 《*up*》

gear·head [-hèd] *n.* 《속어》 **1** 바보 **2** 〘컴퓨터〙 프로그래머, 프로그램 작성자

gear·ing [gíəriŋ] *n.* [UC] **1** 〘기계〙 연동기[륜], 전동 장치 **2** 연동, 전동 **3** 《영》 〘경영〙 기어링 《타인 자본을 바탕으로 자기 자본 이익률을 높이는 일》; 〘금융〙 자기 자본에 대한 타인 자본의 비율: ~ ratio 자금 조달 비율

géar lèver 《영》 = GEARSHIFT

géar ràtio 〘기계〙 기어비(比) 《최초의 톱니바퀴와 마지막 톱니바퀴의 회전 속도의 비》

gear·shift [gíərʃìft] *n.* 《미》 변속 기어, (특히 자동차의) 기어 전환 장치

géar stìck 《영》 = GEARSHIFT

géar whèel (큰) 톱니바퀴(cogwheel)

geck·o [gékou] *n.* (*pl.* **~(e)s**) 〘동물〙 도마뱀붙이

GED general educational development 종합 교육 개발; general equivalency diploma

ged·dit? [gédit] 《구어》 'Do you get it?'의 줄임말 《'그 농담을 알아들었느냐?'는 뜻》

ge·dunk [gí:dəŋk] *n.* 《속어》 (간이식당 등에서 파는) 사탕, 스낵, 아이스크림

gee[1] [dʒíː] *int.* (말이나 소에게) 이러, 어디여 《오른쪽으로 돌릴 때 하는 소리》 (opp. *haw*) **—** *n.* **1** 《영·속어》 말 《馬》 **2** 《미》 (쌍두마차의) 오른쪽 말 **3** 《영·속어》 야바위꾼 **—** *vi.* 오른쪽으로 돌다 **—** *vt.* **1** 〈말이나 개썰매의 개를〉 오른쪽으로 몰다 **2** 피하다 **3** 고무[격려]하다; 〈사람·동물을〉 재촉하다 **4** 《영·속어》 속이다; 괴롭히다 《*up*》

gee[2] [Jesus를 완곡하게 단축한 것] *int.* 《미·구어》 아이구머니나, 저런, 아이 깜짝이야

gee[3] *n.* **1** G [g]자 **2** 《미·속어》 1,000달러(grand); 《일반적으로》 돈

gee[4] *n.* 《미·속어》 **1** 사람, 놈 **2** 감방[교도소]에서 큰 소리치는 죄수

gee[5] *n.* 《미·속어》 1갤런의 술

gee-gee [dʒíːdʒìː] *n.* 《구어·유아어》 말 《馬》

gee-ho [dʒíːhóu], **gee-(h)up** [-(h)ʌ́p] *int.* 이러, 어디여 《소나 말을 빨리 가게 하는 소리》

geek [gíːk] *n.* **1** 기괴한 짓을 하는 흥행사 **2** 《미·속어》 괴짜, 기인, 변태[이상(異常)]자(pervert) **3** 《미》 컴퓨터 통(通)[광(狂)]

geek·a·zoid [gíːkəzɔ̀id] *n.* 《미·속어》 (사회성이 결여된) 지겨운 녀석, 괴짜

geek·speak [gíːkspìːk] *n.* 《미·속어》 컴퓨터 사용자가 쓰는 전문 용어[속어]

geep [gíːp] [*g*oat+sh*eep*] *n.* 염소와 양의 교배종(shoat)

‡**geese** [gíːs] *n.* GOOSE의 복수

geest [gíːst] *n.* Ⓤ 〖지질〗 충적토

gee-string [dʒíːstriŋ] *n.* = G-STRING

gée whíz = GEE[2]

gee-whiz [dʒíː*h*wíz] *a.* **1** 깜짝 놀랄 만한 **2** 〈말·표현 등이〉 선정적인 **3** 〈사람이〉 열광적인

gée whízz = GEE WHIZ

gee-wo [dʒíːwóu] *int.* = GEE HO

Ge·ez [giːéz, gei-] *n.* 게이즈어(語), 고대 에티오피아 말(Ethiopic)

gee·zer [gíːzər] *n.* 《속어》 [보통 old ~로] 괴짜, 괴상한 늙은이

ge·fíl·te fish [gəfíltə-] 송어·잉어 고기에 계란·양파 따위를 섞어 둥글게 뭉쳐 끓인 유대 요리

ge·gen·schein [géigənʃàin] [G] *n.* 〖천문〗 대일조(對日照)(counterglow)

Ge·hen·na [gihénə] *n.* **1** 지옥(hell); 〖성서〗 초열(焦熱) 지옥 **2** 《일반적으로》 고난의 땅

Géi·ger(-Mül·ler) cóunter [gáigər(mjúːlər)-] 〖물리〗 가이거(뮐러) 계수관(計數管) 《방사능 측정기》

Gei·gers [gáigərz] *n. pl.* 《구어》 방사성 입자; [집합적] 방사능

gei·sha [géiʃə] *n.* 게이샤 《일본의 기녀(妓女)》

Géiss·ler túbe [gáislər-] 〖전기〗 가이슬러관(管) 《진공 방전(真空放電) 장치》

Geist [gáist] [G =spirit] *n.* (철학의) 정신, 영혼; 지적 감수성, 지적 정열

gel [dʒél] [*gel*atin] *n.* 젤라틴; 겔 《교화체(膠化體)》 (cf. SOL[3]) **—** *vi.* (**~led**; **~·ling**) **1** 교질화(膠質化)하다, 겔이 되다 **2** 〈계획·생각이〉 뚜렷해지다, 구체화하다 **3** 《미·속어》 잘 되다

ge·län·de·sprung [gəléndəsprùŋ] [G] *n.* 〖스키〗 겔렌데슈프룽 《도랑 등 장애물 넘기》 ★ gelände jump 라고도 함.

gel·ate [dʒéleit] *vi.* 겔(gel)화(化)하다

ge·la·ti [dʒəlɑ́ːti] [It.] *n. pl.* [단수 취급] 젤라티 《계란으로 만든 아이스크림 또는 셔벗(sherbet)》

*****gel·a·tin** [dʒélətn | -tin], **-tine** [-tn | -tìːn] *n.* Ⓤ 젤라틴, 갖풀 ***blasting*** [***explosive***] **~** 폭발성 젤라틴 《면화약(綿火藥)을 니트로글리세린에 녹인 폭약》 ***vegetable*** **~** 우무(agar-agar) ▷ gelátinate, gelátinize *v.*; gelátinous, gelátinoid *a.*

ge·lat·i·nate [dʒəlǽtənèit] *vt.* 젤라틴으로 하다, 젤라틴화(化)하다 **—** *vi.* 젤라틴이[타입으로] 되다

ge·lat·i·nize [dʒəlǽtənàiz, dʒélət- | dʒəlǽt-] *vt.*, *vi.* 아교질로 만들다, 아교질이 되다, 젤라틴화(化)하다; 〖사진〗 젤라틴으로 씌우다 **-ni·zá·tion** *n.*

ge·lat·i·noid [dʒəlǽtənɔ̀id] *a.*, *n.* 젤라틴 타입[상태]의 (물질), 아교질의 (물질)

ge·lat·i·nous [dʒəlǽtənəs] *a.* 젤라틴[아교] 타입의, 아교질의; 젤라틴에 관한, 젤라틴으로 된 **~·ly** *ad.* **~·ness** *n.*

gélatin pàper 〖사진〗 젤라틴 감광지(感光紙)

gélatin plàte 〖사진〗 젤라틴 건판(乾板)

gélatin pròcess 젤라틴 인화법

ge·la·tion[1] [dʒeléiʃən, dʒə-] *n.* Ⓤ 동결, 빙결

gelation[2] *n.* Ⓤ 〖물리·화학〗 교화(膠化), 겔화(化)

ge·la·to [dʒəlɑ́ːtou] [It.] *n.* (*pl.* **-ti** [-ti]) 젤라토 《계란으로 만든 이탈리아 저유지방 아이스크림》

geld[1] [géld] *vt.* (**~·ed, gelt** [gélt]) 〈말 등을〉 거세하다, 고환[난소]을 없애다; 약체화하다

geld[2] *n.* ⓊⒸ 〖영국사〗 (지주가 군주에게 바치던) 세금, 공납금(貢納金)

geld·ing [géldiŋ] *n.* **1** 거세한 말[짐승](⇨ horse 관련) **2** 《고어》 내시

ge·lée [ʒəléi] *n.* (화장품·식품의) 젤리상 물질

gél electrophorésis 〖생화학〗 겔 전기 영동법(泳動法)

gel·id [dʒélid] *a.* **1** 얼음 같은, 얼어붙는 듯한, 매우 차가운(icy) **2** 냉담한(frigid) **~·ly** *ad.*

ge·lid·i·ty [dʒəlídəti] *n.* Ⓤ **1** (얼음처럼) 차가움, 극한(極寒) **2** 냉담함

gel·ig·nite [dʒélignàit] *n.* Ⓤ 젤리그나이트 《니트로글리세린이 들어 있는 강력한 폭약의 일종》

gelt[1] [gélt] *vt.* GELD[1]의 과거·과거분사

gelt[2] *n.* 《속어》 돈, 금전

‡**gem** [dʒém] [「꽃봉오리」의 뜻에서] *n.* **1** 보석, 보옥(jewel): The crown was set with ~*s.* 그 왕관에는 보석이 박혀 있었다. **2** 귀중품; 일품(逸品)(treasure): This is the ~ of my record collection. 이것은 나의 수집 레코드 가운데 일품이다. **3** 존경[애정]의 대상이 되는 사람, 소중한 사람: the ~ of a baby 금지옥엽 같은 아기 **4** = MUFFIN 1 **5** 〖인쇄〗 《영》 젬 《brilliant와 diamond 중간 크기의 4포인트 활자》 **—** *vt.* (**~med**; **~·ming**) …에 보석을 박다, 보석으로 장식하다 ▷ gémmy *a.*

GEM ground-effect machine

Ge·ma·ra [gəmɑ́ːrə | ge-, gə-] *n.* 게마라 《유대교의 신학서 Talmud의 제2부》

gém cùtting 보석 연마(술)

ge·mein·schaft [gəmáinʃɑːft] [G =community] *n.* (*pl.* **-schaf·ten** [-ʃɑːftən]) [종종 **G~**] 공동 사회, 공동체; (공통된 감정·취미·사고 방식을 가진) 개인들의 모임

gem·i·nate [dʒémənèit] *vt.*, *vi.* 이중[두 겹]으로 하다[되다]; 쌍[짝]으로 늘어놓다, 쌍[짝]을 짓다 **—** [-nət, -nèit] *a.* 〖동물·식물〗 쌍생(雙生)의(twin), 한 쌍의, 짝으로 된 **—** [-nət, -nèit] *n.* 〖음성〗 중복자음 **~·ly** *ad.*

gem·i·na·tion [dʒèmənéiʃən] *n.* Ⓤ **1** 이중, 중복 **2** 〖수사학〗 (어구의) 반복 **3** 〖음성〗 자음 중복

Gem·i·ni [dʒémənài, -ni] *n. pl.* **1** 〖천문〗 쌍둥이자리, 쌍자궁(雙子宮) **2** 〖우주과학〗 미국의 2인승 우주 비행 계획 《달 여행을 위한 Apollo 계획의 예비 단계》

gem·ma [dʒémə] *n.* (*pl.* **-mae** [-miː]) **1** 〖식물〗 무성아(無性芽), 자아(子芽) **2** 〖동물〗 아체(芽體)

gem·mate [dʒémeit] 〖동물·식물〗 *a.* 자아(子芽)가 있는; 발아[포자] 생식의 **—** *vi.* 싹트다; 발아[포자]에 의해서 번식하다

gem·ma·tion [dʒeméiʃən] *n.* Ⓤ **1** 〖식물〗 발아(법); 싹의 배열법 **2** 〖생물〗 세포 발아, 발아 증식, 아생(芽生) 번식

gem·mif·er·ous [dʒemífərəs] *a.* **1** 보석을 산출하

thesaurus **general** *a.* usual, customary, common, ordinary, normal, standard, regular,

는 2 〚동물·식물〛 싹을 트는
gem·mip·a·rous [dʒemípərəs] *a.* 〚생물〛 발아하는; 발아 생식하는
gem·(m)ol·o·gy [dʒemɑ́lədʒi | -mɔ́l-] *n.* Ⓤ 보석학 **gèm·(m)o·lóg·i·cal** *a.* **-gist** *n.* 보석학자, 보석 감정인
gem·mule [dʒémju:l] *n.* **1** 〚식물〛 어린 싹, 작은 눈 **2** 〚동물〛 아구(芽球), 소아체(小芽體)
gem·my [dʒémi] *a.* (**-mi·er**; **-mi·est**) 보석을 함유한; 보석을 박은; 보석 같은, 반짝거리는
ge·mot(e) [gəmóut] *n.* (노르만 정복 이전의 영국의) 입법 집회, 사법 집회
gems·bok [gémzbɑ̀k | -bɔ̀k] *n.* (*pl.* **~s,** ~) 〚동물〛 겜즈복 《남아프리카산(産)의 대형 영양》
Gém Státe [the ~] 미국 Idaho주의 속칭
gem·stone [dʒémstòun] *n.* ⓊⒸ 보석의 원석(原石); 준(準)보석
ge·müt·lich [gəmú:tlix] [G] *a.* 마음 편한; 기분 좋은, 쾌적한; 느낌이 좋은, 마음에 드는
Ge·müt·lich·keit [gəmú:tlixkait] [G] *n.* 마음 편함, 쾌적; 따뜻한 배려[친절]
gen [dʒén] [*gen*eral information] *n.* [the ~] 《영·속어》 **1** (공표되는) 일반 정보 **2** 정확한 정보, 진상(truth): Is that the true ~? 그 정보가 사실인가?
— *v.* (**~ned**; **~·ning**) *vt.* 〈…에게〉 정보를 알리다 《*up*》 — *vi.* 정보[진상]를 알다 **~ *up*** (1) 정보를 얻다, 배우다 《*about, on*》 (2) 정보를 주다, 알리다 《*about, on*》
-gen [dʒən, dʒèn] 《연결형》 「…을 내는 것; …에서 나온 것」의 뜻: oxy*gen*, endo*gen*
gen. gender; genera; general(ly); generator; generic; genitive; genus **Gen.** General; Genesis; Geneva(n)
ge·nappe [dʒənǽp] *n.* ⓊⒸ 견모사(絹毛絲)
gen·darme [ʒɑ́:ndɑ:*r*m] [F 「무장한 병사」의 뜻에서] *n.* (*pl.* **~s** [-z]) **1** (프랑스의) 경찰관, 헌병 **2** 〚지질〛 (능선의) 뾰족한 바위
gen·dar·mer·ie, -mer·y [ʒɑ:ndɑ́:*r*məri] [F] *n.* (*pl.* **-mer·ies**) [집합적] (프랑스의) 헌병대; 경찰서
gen·der**[1] [dʒéndə*r*] [L 「종류」의 뜻에서] *n.* ⓊⒸ **1** 〚문법〛 성(性) **2** (구어) 성, 성별(sex) **3** (고어) 종류 ***masculine [***feminine, neuter, common***] **~** 남[여, 중, 통]성 **~·less** *a.* 〚문법〛 무성(無性)의
gender[2] *vt., vi.* (고어) = ENGENDER
génder awàreness 성별 의식 《성차(性差)를 인식하고 공평하게 대우하거나 대우받는 생각》
gen·der-bend·er [-bèndə*r*] *n.* **1** (구어) (행동·복장 따위를) 상대 성(性)을 흉내내어 하는 사람 **2** 전기 플러그를 소켓으로, 소켓을 플러그로 변환하는 기구
génder bìas 성 편견
génder dysphòria 〚의학〛 성별 불쾌감[위화감]
génder gàp 성별(性別) 격차 《사회적·정치적·경제적·문화적 속성이나 태도에 있어서 남녀의 차이》
génder idèntity 성별 인식[자각]
gen·der-neu·tral [-njú:trəl | -njú:-] *a.* 〈낱말 등이〉 성중립적인 《fireman에 대해서 firefighter 등》
génder reassígnment 성전환
gen·der-spe·cif·ic [-spisífik] *a.* 남성[여성]에 국한된[특징적인], 남성[여성]을 위한
gene [dʒí:n] *n.* 〚생물〛 유전자(遺傳子), 유전 인자: mix the ~*s* 유전자를 교잡하다
Gene [dʒí:n] *n.* 남자 이름 《Eugene의 애칭》
geneal. genealogy; genealogical
ge·ne·a·log·i·cal [dʒì:niəlɑ́dʒikəl, dʒèn- | -lɔ́dʒ-] *a.* 족보의, 계보의, 계도(系圖)의, 계통의; 가계를 나타내는: a ~ table 족보
-i·cal·ly *ad.*
genealógical trée = FAMILY TREE

typical, conventional, habitual, extensive, widespread, prevalent, prevailing, universal

ge·ne·al·o·gize [dʒì:niɑ́lədʒàiz, -ǽl-] *vt., vi.* …의 족보[계통]를 더듬다; 계보를 만들다
ge·ne·al·o·gy [dʒì:niɑ́lədʒi, -ǽl- | dʒì:niǽl-, dʒèn-] *n.* (*pl.* **-gies**) **1** ⓊⒸ 가계(家系), 혈통; (동식물·언어의) 계통, 계보 **2** Ⓤ 계통 조사, 계도학(系圖學) **-gist** *n.* 계보학자
géne amplificàtion 〚유전〛 유전자 증폭
géne bànk 유전자 은행 《유전 물질을 생존시킨 상태로 보존하는 시설》
géne delètion 〚유전〛 유전자 삭제 《불필요한 유전자의 제거》
géne enginéering 유전자 공학
géne expréssion 〚유전〛 유전자 발현 《유전자 정보가 특정 형질로서 나타나기》
géne flòw 〚유전〛 유전자 유동[확산]
géne frèquency 유전자 빈도
géne insèrtion 〚유전〛 유전자 삽입
géne manipulàtion 〚유전〛 유전자 조작
géne màp = GENETIC MAP
géne màpping 〚유전〛 유전자 지도 작성
géne mutàtion 〚유전〛 유전자 돌연변이
géne pòol 〚유전〛 유전자 풀 《어떤 생물 종에 있는 유전자 전체》
gen·er·a [dʒénərə] *n.* GENUS의 복수
gen·er·a·ble [dʒénərəbl] *a.* 낳을 수 있는, 생성(生成) 가능한
⁑**gen·er·al** [dʒénərəl] *a., n., vt.*

> L 「어떤 종류(전체)의」의 뜻에서
> 「전체를 통괄하는 (군인)」의 뜻 → 「대장」, 「장군」

— *a.* **1** 일반의, 총체적인, 전반[전체, 보편]적인(opp. *special*): ~ resemblance 대동소이 / labor for the ~ good 공익(公益)을 위해 일하다 / as is ~ with …에게는 일반적인 일이지만 **2** (공간적으로) 전면적인; 전신의: ~ anesthesia 전신 마취 **3** 세상 일반의, 사회의 대부분에 공통되는, 보통의: matter of ~ interest[experience] 널리 사람들이 흥미를 갖는[경험하는] 일 **4** (전문적이 아니고) 일반적인, 보통의; 잡다한, 잡용(雜用)의: the ~ reader (전문가에 대해서) 일반 독자 / the ~ public 일반 대중 **5** 대체적인, 개괄적인(opp. *specific*): ~ principles 원칙 / ~ rules 총칙 / have a ~ idea (of ...) (…이) 대개 어떻다는 것을 알고 있다 **6** 부정(不定)의, 막연한(vague): The statement is too ~. 그 진술은 너무 막연하다. **7** 《영》 〈학위를〉 보통 성적으로 취득한 **8** 장성급의; 장(長)의, 장관의; 주된, 총(總)…: a governor ~ 총독 ***as a ~ rule*** 일반적으로, 보통은 ***in a ~ way*** 일반적으로, 보통은; 개괄적으로
— *n.* **1** (미육군·공군·해병대 및 영국 육군의) 대장; 장군(將軍), 장성: a major ~ 육군 소장 / a lieutenant ~ 육군 중장 / a full ~ 육군 대장 ★ 미국에서는 장군의 계급을 별의 수로 나타내므로 보통 준장·소장·중장·대장·원수의 5계급을 각각 a one-star[two-star, three-star, four-star, five-star] general[admiral]이라고 부름. **2** 군사령관 **3** 전략[전술]가 **4** 〚가톨릭〛 수도회 총장; (구세군의) 대장 **5** [the ~] 일반, 전반, 총체(opp. *the particular*); [보통 *pl.*] 일반 원리, 보편적 사실 **6** (고어) 일반 대중, 일반인 **7** 《영·구어》 허드레꾼 **8** 《영·구어》 = GENERAL POST OFFICE
G~ of the Armies [the ~] 미군 총사령관 《제1차 대전 중 John J. Pershing에게 수여된 특별한 지위》
in ~ 대개, 일반적으로; [명사 뒤에 두어] 일반의, 대개의: the world *in* ~ 세상 일반 / people *in* ~ 일반 대중 ***in the ~*** 개설(概說)[개괄]적으로
— *vt.* (드물게) …의 장군으로서 지휘하다
▷ géneralize *v.*; génerally *ad.*
géneral accóunt 일반 회계(cf. SPECIAL ACCOUNT)
Géneral Accóunting Òffice (미) 회계 감사원 《略 GAO》

géneral adaptátion sỳndrome 〚생리〛 범적응 증후군(汎適應症候群)
géneral admíssion (극장 등의) 일반석 입장료
géneral affáirs 서무, 총무
géneral ágent 총대리인[점]
Géneral Américan 일반 미국 영어 《동부(New England 여러 주) 방언과 남부 방언을 제외한 중서부 전역에서 쓰이는 대표적인 미국 영어; 略 GA》
géneral anesthétic 〚약학〛 전신 마취약
Géneral Assémbly [the ~] **1** 《미》 주의회(州議會) **2** (UN의) 총회 《略 GA》 **3** (장로교회의) 총회
géneral attáck 총공격
géneral áverage 〚보험〛 공동 해손(海損)
Géneral Certíficate of Educátion 《영》 **1** [the ~] 교육 수료 일반 시험 《대학 입학 자격을 얻기 위한 시험으로 A level, A/S level, S level 등의 등급이 있음; 略 G.C.E.》 **2** 일반 교육 수료 증명서
Géneral Certíficate of Sécondary Educátion [the ~] 《영》 중등 교육 수료 시험 《略 GCSE》; (그 합격자에게 수여되는) 중등 교육 일반 증서
géneral conféssion 〚가톨릭〛 총고해
géneral cóunsel (미국 기업의) 총괄 고문 변호사
Géneral Cóurt [the ~] **1** 주의회 《미국 Massachusetts와 New Hampshire주의》 **2** 지방 집회 《식민지 시대 New England의 입법·사법권을 가졌음》
gen·er·al·cy [dʒénərəlsi] *n.* (*pl.* **-cies**) Ⓤⓒ 〚군사〛 장성의 지위[임기]
géneral déaler 《영》 일용 잡화 상인
géneral delívery 《미》 유치(留置) 우편(《영》 poste restante); (우체국의) 유치 우편과
géneral dischárge 〚군사〛 보통 제대 (증명서)
géneral éditor 편집장, 편집 주간(chief editor)
géneral educátion (전문[기술] 교육에 대하여) 일반 교육, 보통 교육
géneral eléction **1** 《영》 총선거 **2** 《미》 **a** (예비 선거가 아닌) 본선거 **b** 주[연방] 선거
Géneral Eléction Dáy 《미》 총선거일 《4년마다 11월 첫 월요일의 다음 화요일》
géneral héadquarters [보통 복수 취급] 총사령부 《略 G.H.Q., GHQ》
géneral hóspital 종합 병원; 〚군사〛 통합 병원
gen·er·a·lis·si·mo [dʒènərəlísəmòu] *n.* (영·미 이외의 나라에서의) 대원수, 총사령관; 총통
gen·er·al·ist [dʒénərəlist] *n.* **1** (전문의에 대하여) 종합[일반] 의사 **2** 다방면의 지식을 가진 사람, 갖가지 일을 할 수 있는 사람 **3** 〚생물〛 잡식성 동물
gen·er·al·i·ty [dʒènərǽləti] *n.* (*pl.* **-ties**) **1** Ⓤ 일반적임, 일반성, 보편성 **2** 개략(槪略), 개론, 통칙(通則): come down from *generalities* to particulars 개론에서 각론으로 들어가다 **3** [the ~; 복수 취급] 대부분, 과반수, 태반(majority): *The* ~ of boys are not lazy. 소년들 대다수는 게으르지 않다.
in the ~ of cases 일반적인[대개의] 경우에
∗**gen·er·al·i·za·tion** [dʒènərəlizéiʃən | -lai-] *n.* **1** Ⓤ 일반화(一般化), 보편화 **2** Ⓤ 종합, 개괄 **3** (종합·개괄한 결과의) 개념, 통칙, 귀납적 결과; 일반론: a hasty ~ 지레짐작, 속단
∗**gen·er·al·ize** [dʒénərəlàiz] *vt.*, *vi.* **1** 개괄[종합]하다, 법칙화하다; (약간의 사실로부터) 〈일반론을〉 추론하다: ~ a conclusion 일반적인 결론을 내리다 **2** 〚회화〛 일반성만을 그리다; (지도에서) 〈세부를〉 얼버무려 그리다 **3** 일반적으로 말하다, 개괄적으로 말하다 **4** 〈지식 등을〉 일반화하다, 보급시키다 ~ ***down to*** …로 일반화되다, 종합되다 **-iz·a·ble** *a.* **-iz·er** *n.* 개괄하는 사람; 일반론자; 보급자
▷ géneral *a.*
gen·er·al·ized [dʒénərəlàizd] *a.* [보통 Ⓐ] 일반적인, 개괄적인: a ~ discussion 일반적인 토의
géneralized óther 〚사회〛 일반화된 타자(他者)
géneral knówledge 일반적인[광범한] 지식; 주지의 사실
géneral linguístics 일반 언어학
‡**gen·er·al·ly** [dʒénərəli] *ad.* **1** 일반적으로 **2** 대개는, 보통(은), 통상(은): He's out—as he ~ is. 그는 집에 없다, 늘 그러하지만. **3** 개괄적으로, 대체로: be ~ accurate 대체로 정확하다 **4** 전체적으로; 전체로서: be interested in plants ~ 식물 전반에 흥미가 있다 ~ ***speaking*** = ***speaking*** (***quite***) ~ 대체로 (말하자면)
géneral magazíne 종합 잡지, 일반 (대중) 잡지
géneral mánager 《미》 총지배인; 〚야구〛 단장 《略 GM》
géneral méeting 총회
géneral mobilizátion 국가 총동원
géneral obligátion bònd 〚금융〛 일반 보증채 《원금과 이자 지불이 보증되어 있는 지방 정부채》
géneral ófficer 〚군사〛 장성
géneral of the áir fòrce 〚미공군〛 원수
géneral of the ármy 〚미육군〛 원수
géneral órders 〚군사〛 **1** 일반 명령 **2** 보초 일반 수칙
géneral pártner 무한 책임 사원[조합원]
géneral pártnership 〚법〛 합명 회사 《사원 전체가 회사의 부채에 대해 연대 무한 책임을 지는 회사》
géneral pòst **1** [the ~] (오전의) 제1회 배달 우편 **2** 실내에서 하는 까막잡기 놀이 **3** 《영》 (내각 등의) 대개편(大改編), 대폭적인 인사 이동
Géneral Póst Òffice [the ~] 《영》 중앙 우체국 《London 등지의》; [**g- p- o-**] 《미》 (도시의) 중앙 우체국
géneral práctice (특정 진료가 아닌) 일반 진료
géneral practítioner **1** 일반 개업의(醫)(cf. SPECIALIST) **2** 만능선수
gen·er·al-pur·pose [dʒénərəlpə́ːrpəs] *a.* 다용도의, 다목적의; 만능의(all-(a)round)
géneral-púrpose ínterface bùs 〚컴퓨터〛 범용(汎用) 인터페이스 버스 《略 GPIB》
géneral quárters 〚군사〛 전원 배치
géneral relatívity 〚물리〛 일반 상대론
géneral sécretary [종종 **G- S-**] **1** (중국 공산당의) 총서기 **2** (공산당·사회당의) 서기장
géneral semántics 〚언어〛 일반 의미론
géneral sérvant 《영》 허드레꾼, 잡역부
Géneral Sérvices Administràtion 《미》 (연방 정부의) 총무청 《연방 정부의 재산 관리, 문서 관리, 건설 관리 업무 담당; 略 GSA》
géneral séssions 《미》 (몇 개 주의 형사 소송에 관한) 일반 재판소 법정
gen·er·al·ship [dʒénərəlʃìp] *n.* Ⓤ **1** 장수(將帥)다운 틀[인물]; 용병(用兵)의 지략, 용병술; 지휘 능력, 통솔력 **2** 장군의 직[지위, 신분]
géneral stáff 〚군사〛 [the ~; 집합적] (사단·군단 등의) 참모(부)
géneral stóre 《미》 (시골의) 잡화점
géneral stríke 총(동맹) 파업
géneral térm **1** 〚논리〛 보편[일반] 명사(名辭) **2** 〚수학〛 (수열의) 일반항(項) **3** 〚법〛 (재판소의) 통상적인 법정 기간; [*pl.*] 개괄적인 말
géneral théory of relatívity 〚물리〛 일반 상대성 원리[이론]
géneral wíll 일반[보편] 의지 《공동 사회의 총의》
Géneral Wínter 동장군 《의인화; 군사 행동에 큰 영향을 주었다 해서》
∗**gen·er·ate** [dʒénərèit] [L 「낳다」의 뜻에서] *vt.* **1** 〈결과·상태·행동·감정 등을〉 일으키다, 초래하다, 가져오다: A sensation was ~*d* by his speech. 그의 연설로 파문이 일었다. **2** 〚물리·화학〛 〈열·전기 등을〉

thesaurus **generally** *ad.* in general, usually, as a rule, normally, ordinarily, almost always, typically, regularly, mainly, on the whole, commonly, widely, comprehensively, extensively

발생시키다, 산출하다, 생기게 하다: Friction ~*s* heat. 마찰하면 열이 생긴다. **3** 〖수학〗 〈점·선·면의 이동이〉 〈선·면·입체를〉 이루다 **4** 〖언어〗 〈규칙이〉 〈문장을〉 생성하다 **5** 〖생물〗 〈새로운 개체를〉 낳다
— *vi.* 〈아이가〉 태어나다; 〈사상·결과가〉 생겨나다; 〈전기가〉 발생하다
▷ generátion *n.*; génerative *a.*

gén·er·at·ing stàtion[plànt] [dʒénərèitiŋ-] 발전소

***gen·er·a·tion** [dʒènəréiʃən] *n.* **1** 동시대의 사람들: the rising ~ 청년층 / the present ~ 현대의 사람들 / future ~*s* 후대, 후세, 자손 **2** 세대, 1대 《부모의 뒤를 이어 자기 자식에게 물릴 때까지의 평균 기간》 **3** (비슷한 사상·문제·신앙·태도·행동 등을 공유하는) 세대, …족(族) **4** (동시대에) 같은 사회적 지위의 사람들 **5** (부모의 대, 자식의 대 등의) 대(代) **6** (한 가계의) 일족 **7** (같은 시기에 존재하거나 같은 모델에서 발전한) 형(型), 종류: a new ~ of computers 신형 컴퓨터 / fifth ~ computers 제5 세대 컴퓨터 **8** 출산 **9** Ⓤ (자연 또는 인공 작용에 의한) 발생: the ~ of heat 열의 발생 / the ~ of electricity 전기의 발생 **10** Ⓤ (감정 등의) 유발, 발생; 진전(development) **11** Ⓤ 〖생물〗 발생, 생식(procreation) **12** Ⓤ 〖수학〗 (도형 이동에 의한 새로운 도형의) 생성; 〖언어〗 생성
for ~s 여러 세대에 걸쳐서 ***from ~ to ~*** = ***~ after ~*** 대대로 (계속해서) ***~ of vipers*** 〖성서〗 독사의 자식들, 위선자
▷ génerate *v.*; génerative *a.*

gen·er·a·tion·al [dʒènəréiʃənl] *a.* 세대의

generátion gàp 세대 차이, 세대 간의 단절

Generátion X X세대 《1980 년대 중반에서 후반의 번영에서 소외되어 실업과 불황의 고통을 겪은 세대》
Generátion X-er *n.*

gen·er·a·tive [dʒénərèitiv, -nərə-] *a.* **1** 생식[생산]하는; 생식[발생, 생성]력이 있는: a ~ cell[organ] 생식 세포[생식기] **2** 〖언어〗 생성적인

génerative grámmar 〖언어〗 생성 문법 《Chomsky에 의해 시작된 언어 이론》

génerative phónology 〖언어〗 생성 음운론

génerative semántics [단수 취급] 〖언어〗 생성 의미론

gén·er·a·tive-trans·for·má·tion·al grám·mar [-trænsfərméiʃənl-] 〖언어〗 생성 변형 문법

gen·er·a·ti·vist [dʒénərətivist, -rèit-] *n.* 생성 문법가[학자]

***gen·er·a·tor** [dʒénərèitər] *n.* **1** 발전기(dynamo); 음향 발생기 **2** 발생시키는 사람[물건], 낳는 사람[물건] **3** 〖화학〗 발생기 《가스·증기 등의》 **4** 〖수학〗 **a** 생성원(元) **b** =GENERATRIX 1 **5** 〖컴퓨터〗 생성 프로그램

gen·er·a·trix [dʒènəréitriks | ⌐—⌐—] *n.* (*pl.* **-tri·ces** [-trəsì:z, -ərətráisi:z | -ərèitrisì:z]) **1** 〖수학〗 (선·면·입체를 생기게 하는) 모점(母點), 모선(母線), 모면(母面) **2** (낳는) 모체 **3** 발전[발생]기

géne recombinátion 유전자 재조립

ge·ner·ic [dʒənérik] *a.* **1** 〖생물〗 속(genus)의; 속에 특유한: a ~ name[term] 속명 **2** 〈명칭 등이〉 일반적인, 포괄적인(general)(opp. *specific*) **3** 〖문법〗 총칭적인: the ~ singular 총칭 단수 《보기: The *cow* is an animal.》 **4** 〈상품명·약 등이〉 상표 등록이 되어 있지 않은 **5** (미·속어) 지루한
— *n.* **1** (상표명이 아닌) 일반명 **2** [*pl.*] 상표 없는 상품(=~ product)

ge·ner·i·cal·ly [dʒənérikəli] *ad.* **1** 속(屬)에 관하여 **2** 일반적으로; 총칭적으로

genéric pròduct 상표 없는 상품 《상품의 일반명만이 표시되며 가공 식품·일용 잡화 등에 많음》

***gen·er·os·i·ty** [dʒènərɑ́səti | -ɔ́s-] *n.* (*pl.* **-ties**) Ⓤ **1** 관대, 관용, 아량: ~ toward a defeated opponent 패자에 대한 관용 **2** 마음이 후함, 아낌없는 마음씨 **3** [보통 *pl.*] 관대한 행위; 대범한 행위: He thanked her for her many *generosities.* 그는 그녀의 너그러운 배려에 감사했다. **4** 큰 것, 풍부한 것 ▷ génerous *a.*

‡gen·er·ous [dʒénərəs] [L 「고귀하게 태어난」의 뜻에서] *a.* **1** (돈 따위를) 아끼지 않는, 손이 큰, 후한: a ~ giver 아낌없이 주는 사람 **2** 관대한, 아량 있는; 편견이 없는: ~ remarks 관대한[편견 없는] 말 **3** 많은, 풍부한(plentiful); 큰: a ~ piece of pie 커다란 파이 한 쪽 **4** 〈토지가〉 기름진, 비옥한(fertile): ~ soil 비옥한 토지 **5** 〈빛깔이〉 진한, 짙은(deep); 〈술이〉 독한, 감칠맛 있는(rich) **~·ness** *n.*
▷ generósity *n.*; génerously *ad.*

***gen·er·ous·ly** [dʒénərəsli] *ad.* 아낌없이, 후하게; 관대하게; 풍부하게

ge·nes·ic [dʒənésik, -ní:-] *a.* =GENETIC

***gen·e·sis** [dʒénəsis] [Gk 「기원」의 뜻에서] *n.* (*pl.* **-ses** [-sì:z]) **1** [보통 the ~] 기원, 발상(發祥)(origin), 발생, 창시; 발생의 양식[유래] **2** [**G~**] 〖성서〗 창세기(創世紀) 《略 Gen.》

génesis ròck **1** [종종 **G- R-**] 〖지질〗 창세기의 암석 《1971년 아폴로 15호에 의해 달에서 채취된 회장석(灰長石)》 **2** 원시 암석

géne splícing 〖유전〗 유전자 접합

gen·et¹ [dʒénit, dʒənét | dʒénit] *n.* 〖동물〗 사향(麝香)고양이(civet cat)의 일종; Ⓤ 그 가죽

gen·et² [dʒénit] *n.* =JENNET

géne thèrapy 〖의학〗 유전자 요법 《결손된 유전자를 보충하여 유전병을 고치는 요법》

ge·net·ic, -i·cal [dʒənétik(əl)] *a.* **1** 기원의, 발생(론)적인 **2** 〖생물〗 유전학적인; 유전(상의); 유전자의
-i·cal·ly [-ikəli] *ad.*

genétically módified[enginéered] *a.* 〖생물〗 유전자 조작의: ~ food 유전자 조작 식품

genétic álphabet 〖유전〗 유전자 알파벳 《DNA 중의 4개의 염기(塩基)》

genétic códe 〖유전〗 유전 코드[암호]

genétic cópying 〖유전〗 유전자 복제

genétic cóunseling 〖유전〗 유전 상담 《유전병에 대한 지식과 정보를 제공하는》

genétic dríft 〖유전〗 유전적 부동(浮動)

genétic enginéering 유전자 공학

genétic fárming 유전자 양식

genétic fíngerprinting (DNA에 의한) 유전자 지문법(DNA fingerprinting)

ge·net·i·cist [dʒinétəsist] *n.* 유전학자

genétic lóad 〖유전〗 유전(적) 하중 《돌연변이 유전자에 의한 자연도태의 강도》

genétic manipulátion (보통 연구 목적의) 유전자 조작

genétic máp 〖유전〗 유전자 지도 《유전자의 상대 위치를 나타내는 염색체 지도》

genétic márker 〖유전〗 유전자 표지 《유전적 해석에 지표가 되는 특정의 DNA 영역 또는 유전자》

ge·net·ics [dʒənétiks] *n. pl.* **1** [단수 취급] 〖생물〗 유전학 **2** 유전적 특징

genétic scréening 유전학적 스크리닝 《개인의 유전적 질병의 발견과 예방을 위한 조사》

genétic súrgery 유전자 수술 《유전자의 인위적 변경·이식》

géne trànsfer 〖생리〗 유전자 도입 《외래 유전자를 도입해 그 유전자 산물을 발현》

géne transplantátion 유전자 이식

ge·ne·va [dʒəní:və] *n.* Ⓤ 제네바 《네덜란드 진(gin)》

***Ge·ne·va** [dʒəní:və] *n.* 제네바 《스위스의 도시; 국제 적십자사 본부의 소재지》 ▷ Genévan *a.*

---

generous *a.* **1** 아끼지 않는 liberal, kind, benevolent, bountiful, hospitable, charitable (opp. *stingy, selfish, meager*) **2** 아량 있는 noble, lofty, high-minded, unselfish, altruistic

Genéva bánds 제네바 밴드《목 앞에 늘어뜨리는 흰 천; 원래 칼뱅파 목사가 사용하였음》
Genéva Convéntion [the ~] 제네바 협정《1864년에 제네바에서 체결된 적십자 조약》
Genéva cróss 적십자(Red Cross)
Genéva gòwn 검은 예식복《프로테스탄트 목사가 설교할 때 입는; 원래는 칼뱅파 목사가 입었음》
Ge·ne·van [dʒəní:vən] *a.* **1** 제네바의, 제네바 사람의 **2** 칼뱅교의 **—** *n.* **1** 제네바 사람 **2** 칼뱅 교도(Calvinist)
Genéva Pròtocol [the ~] 제네바 의정서
Ge·nève [ʒənɛ́:v] *n.* Geneva의 프랑스명
Gen·e·vese [dʒènəví:z, -ví:s | -ví:z] *a., n.* (*pl.* ~) =GENEVAN
Gen·e·vieve [dʒénəvì:v] *n.* 여자 이름
Gen·ghis[**Jenghis**] **Khan** [dʒéŋgis-kɑ́:n] 칭기즈칸(1162?-1227)《원나라의 태조; 몽골 제국의 시조》
*****gen·ial**[1] [dʒí:njəl, -niəl] [L 「수호신(genius)에 바친; 축제의; 즐거운」의 뜻에서] *a.* **1**〈성질·태도 등이〉정다운, 친절한, 상냥한, 싹싹한: a ~ disposition 싹싹한 성질 **2**〈기후·풍토 등이〉온화한, 온난한, 쾌적한: the ~ climate of Hawaii 하와이의 온화한 기후 **3** (폐어) 생식의, 혼인의 **4** (드물게) 천재(天才)의 ▷ geniálity *n.*; génialize *v.*
ge·ni·al[2] [dʒənáiəl] *a.* 〖해부·동물〗 턱의
ge·ni·al·i·ty [dʒì:niǽləti] *n.* **1** Ⓤ 친절, 온정, 상냥[싹싹]함 **2** [보통 *pl.*] 친절한 행위 **3** Ⓤ 쾌적, 온난
ge·ni·al·ize [dʒí:njəlàiz] *vt.* …을 유쾌하게 하다; …을 온정적으로 하다(make genial)
gen·ial·ly [dʒí:njəli] *ad.* 친절하게, 상냥스럽게, 싹싹[쾌활]하게
gen·ic [dʒí:nik, dʒénik] *a.* 〖생물〗 유전자의[에 관한, 비슷한, 에서 생기는]
-genic [dʒénik] 《연결형》 「…을 생성하는; …에 의해 생성되는; …유전자를 가진; …에 의한 제작에 적합한」의 뜻 ★ 흔히 -gen, -geny로 끝나는 명사와 호응: a cro*genic*, nephro*genic*
ge·nic·u·late [dʒəníkjulət, -lèit], **-lat·ed** [-lèitid] *a.* 〖동물〗 슬상 관절(膝狀關節)이 있는, (무릎처럼) 굽은 **-late·ly** *ad.*
genículate bódy 〖해부〗 (간뇌의) 슬상체(膝狀體)
ge·nic·u·la·tion [dʒənìkjuléiʃən] *n.* ⓊⒸ 〖해부·동물〗 슬상(膝狀) 만곡(부)
ge·nie [dʒí:ni] *n.* (*pl.* **~s, -ni·i** [-niài]) **1** (아라비아 동화에 나오는) 요정(妖精), 마귀(jinn) **2** [**G~**] 〖군사〗 제니《강력한 항공 로켓》
ge·ni·i [dʒí:niài] *n.* GENIUS, GENIE의 복수
ge·nis·ta [dʒənístə] *n.* 〖식물〗 양골담초속(屬)(common broom)
gen·i·tal [dʒénətl] *a.* 생식(기)의: the ~ gland[organs] 생식선(腺)[기]
— *n.* [*pl.*] 성기, (외부) 생식기 **~·ly** *ad.*
génital hérpes 〖병리〗 음부 헤르페스, 음부 포진(疱疹)《음부에 포진 등의 증상이 일어나는 성병》
gen·i·ta·li·a [dʒènətéiliə] *n. pl.* 〖해부〗 성기, (외부) 생식기, 외음부
-tal·ic [-tǽlik] *a.*
gen·i·tal·i·ty [dʒènətǽləti] *n.* **1** 성기의 충분한 능력 소유 **2** 성기에 대한 과도한 관심, 성기 편중
génital wárts 〖병리〗 생식기 혹
gen·i·ti·val [dʒènətáivəl] *a.* 〖문법〗 속격(屬格)의 **~·ly** *ad.*
gen·i·tive [dʒénətiv] 〖문법〗 *a.* 속격의, 소유격의, 제2격의 ***the ~ case*** 속격, 소유격
— *n.* [the ~] 속격, 소유격, 제2격
genito- [dʒénətou] 《연결형》 「생식기의」의 뜻: *genito*urinary
gen·i·to·u·ri·nar·y [dʒènətoujúərənèri | -nəri] *a.* 〖해부〗 비뇨생식기의: ~ medicine 비뇨생식기 의학
gen·i·ture [dʒénətʃər] *n.* **1** 탄생, 출생, 산출 **2** 〖점성〗 (사람 탄생시의) 천궁도(nativity)

‡**gen·ius** [dʒí:njəs, -niəs] *n.* (*pl.* **~·es**; cf. 5)

> L 「수호신」의 뜻에서
> 그것에 의해 수호되는 (사람·토지가 갖는) 「특질」
> **4** → 「재능」 **3** 「천재」 **1, 2**가 되었음.

1 Ⓤ 천재《과학·예술 등의 창조적인》, 비범한 재능(⇨ ability 유의어): a man of ~ 천재 **2** 천재《사람》, 귀재《*in*》: a ~ *in* mathematics 수학의 천재/an infant ~ 신동 **3** [a ~] 특수한 재능, …의 재주《*for*》: have *a* ~ *for* music[poetry] 음악에 재주[시재(詩才)]가 있다/*a* ~ *for* making people angry 남을 성나게 하는 성벽(性癖) **4** [보통 the ~] Ⓤ (인종·언어·법률·제도 등의) 특징, 특질, 진수(眞髓)《*of*》; (시대·국민·사회 등의) 경향, 정신, 풍조《*of*》; Ⓤ (어떤 장소의) 분위기, 기풍《*of*》: be influenced by *the* ~ *of* the place 그 땅의 감화를 받다 **5** (*pl.* **-ni·i** [-niài]) **a** (사람·장소·시설 등의) 수호신, 서낭신 **b** =GENIE 1. **6** 나쁜[좋은] 감화를 주는 사람 **one's** ***evil*** [***good***] ~ 사람에게 붙어 다니는 악령[수호신]
ge·ni·us lo·ci [dʒí:niəs-lóusai] [L] [the ~] **1** (그 땅의) 수호신 **2** (그 땅의) 분위기, 기풍
Genl., genl. General, general
genned-up [dʒéndʌ̀p] *a.* Ⓟ (영·속어) …에 정통한, …을 잘 알고 있는, 정보에 소상한《*about*, *on*》
gen·o·a [dʒénouə] *n.* [때로 **G~**] (순항·경주용 요트의 큰 돛에 포개는) 큰 지브(jib)
Gen·o·a [dʒénouə] *n.* 제노바《이탈리아 북서부의 항구 도시》 ▷ Genoése *a.*
Génoa cáke 위에 아몬드를 얹은 케이크
génoa jíb 〖항해〗 제노아 지브《경주용 요트 등의 큰 이물 삼각돛》
gen·o·cid·al [dʒènəsáidl] *a.* 집단[대량] 학살의[을 초래하는]
gen·o·cide [dʒénəsàid] *n.* 대량[집단] 학살《어떤 인종·국민에 대한 계획적이고 조직적인 학살》
Gen·o·ese [dʒènouí:z, -í:s] *a.* 제노바(Genoa)(사람)의 **—** *n.* (*pl.* ~) 제노바 사람
ge·nome [dʒí:noum], **-nom** [-nɑm | -nɔm] *n.* 〖생물〗 게놈《생물의 생활 기능을 유지하기 위한 최소한의 유전자군을 함유하는 염색체의 한 세트》
génome prójéct 〖유전〗 게놈 프로젝트《genome을 해독해 유전자 지도를 작성하고 유전자 배열을 분석·연구하는 작업》
ge·no·mic [dʒinóumik, -nɑ́- | -nóu-, -nɔ́-] *a.* 〖생물〗 게놈의
gen·o·pho·bi·a [dʒènəfóubiə] *n.* 성공포(性恐怖), 성욕 공포증
gen·o·type [dʒénətàip, dʒí:-] *n.* 〖생물〗 유전자형(型), 인자형(因子型) **gen·o·typ·ic** [dʒènətípik], **-i·cal** *a.* **-i·cal·ly** *ad.*
-genous [dʒənəs] 《연결형》 「…을 낳는; …에서 발생하는」의 뜻: nitro*genous*, auto*genous*
gen·re [ʒɑ́:nrə] [F 「종류」의 뜻에서] *n.* **1** (특히, 예술 작품의) 유형, 형식, 양식(樣式), 장르 **2** Ⓤ 풍속화; 풍속화법 **3** (일반적인) 종류, 양식; (생물 분류의) 속(屬) **—** *a.* **1** 일상 생활을 그린, 풍속화의 **2** 특정 문학 장르의, 장르별의
génre páinting 풍속화
gens [dʒénz] *n.* (*pl.* **gen·tes** [dʒénti:z]) **1** (고대 로마의) 부족, 씨족 **2** 부계(父系) 씨족 집단
gent[1] [dʒént] *n.* **1** (구어) 신사; (익살) 신사인 체하는 사람, 사이비 신사; 놈, 녀석 **2** =GENTS(')
gent[2] *a.* (폐어) **1** 우아한, 품위 있는 **2** 태생이 좋은
Gent., gent. gentleman; gentlemen
gen·ta·mi·cin [dʒèntəmáisn] *n.* 〖약학〗 젠타마이신
*****gen·teel** [dʒentí:l] [F =gentle] *a.* **1** 가문이 좋은,

thesaurus **genius** *n.* prodigy, virtuoso, master, mastermind, gifted child, intellectual, expert
gentle *a.* **1** 상냥한 kind, tender, benign, humane,

지체 있는 집안에 태어난 **2** 품위 있는, 우아한 **3** 점잖은 체하는, 뽐내는 ***do the ~*** 점잔빼다, 뽐내다
~·ism *n.* 점잖은 말《sweat 대신에 쓰이는 perspire 등》 **~·ly** *ad.* **~·ness** *n.*

gen·tes [dʒénti:z] *n.* GENS의 복수

gen·tian [dʒénʃən] *n.* 〖식물〗 용담

gen·tian-bit·ter [dʒénʃənbítər] *n.* 용담 고미액(苦味液)《건위(健胃) 강장제》

géntian víolet [종종 **G- V-**] 겐티아나 바이올렛《아닐린 염료의 일종》

*__gen·tile, G-__ [dʒéntail] *n.* **1** (유대인이 말하는) 이방인, 《특히》 그리스도 교도 **2** (모르몬 교도가 말하는) 비(非)모르몬 교도 **3** 민족[국적, 국가]을 나타내는 말
— *a.* **1** 유대인이 아닌, 그리스도 교도의 **2** 모르몬 교도가 아닌 **3** 이교(도)의 **4** 민족[부족, 씨족]의[을 나타내는] **~·dom** *n.* [UC] [집합적] 모든 이방인《유대인이 말하는》; 이방, 이교도

gen·ti·lesse [dʒéntəlès] *n.* 《고어》 세련, 우아; 고귀한 태생

gen·til·i·ty [dʒentíləti] *n.* (*pl.* **-ties**) **1** [U] 《고어》 문벌이 좋음, 고귀한 태생 **2** [UC] [반어적] 얌전빼, 상류 출신인 체하는 태도 **3** [the ~] 상류 계급 **4** [the ~; 집합적; 복수 취급] 상류 계급 사람들 ***shabby ~*** 구차한 양반 행세

‡**gen·tle** [dʒéntl] *a.*, *n.*, *v.*

> F 「명문에 태어난」의 뜻에서
> 여기서 「점잖고 부드러운」→「예의 바른」→다시, 일반적으로 「온화한」, 「친절한」의 뜻이 되었음.

— *a.* **1** 〈기질·성격이〉 **상냥한**, 부드러운, 친절한(mild, kindly); 〈행동·몸가짐이〉 예의 바른(courteous), 점잖은: a ~ manner 부드러운 태도 / ~ mother 자모(慈母) / in a ~ voice 부드러운 목소리로 **2** 〈자연현상 등이〉 **온화한**, 조용한; 〈지배·처벌·비판 등이〉 너그러운: a ~ wind 부드러운 바람 / a ~ reproach 너그러운 꾸지람 **3** 적당한: a ~ heat 알맞은 열(熱) **4** 〈경사·흐름 등이〉 완만한, 뜬: a ~ slope 완만한 경사 **5** 점잖은 집안에 태어난, 양가의, 문벌[가문] 좋은(wellborn): (a man) of ~ blood[birth] 좋은 집안에 태어난 (사람) **6** 〈소리 등이〉 조용한, 부드러운, 차분한(quiet) **7** 〈동물이〉 온순한: (as) ~ as a lamb 양처럼 순한 **8** 〈약·술·담배 등이〉 순한(mild): ~ to the stomach 〈약이〉 위에 순한[부작용이 적은] **9** 《영·방언》 요정의, 요정이 자주 나오는 ***~ and simple*** 《고어》 상하 귀천(을 불문하고) ***my ~ readers*** 《문어》 관대한 독자여《옛날의 저술가가 상용한 말》
— *n.* **1** 《고어》 가문이 좋은[상류 계급의] 사람, 신사; [*pl.*] 《고어·익살·속어》 =GENTLEFOLK(S) **2** (낚시 미끼로 쓰는) 구더기
— *vt.* 《구어》 **1** 〈말을〉 길들이다 **2** 마음을 풀어주다[누그러뜨리다] **3** 어루만지다 **4** 〈성격·행동·동작을〉 온건하게 하다, 조용히 하다
— *vi.* 조용히 움직이다[걷다]
▷ géntly *ad.*; géntleness *n.*

géntle bréeze 산들바람; 〖기상〗 연풍(軟風)

géntle cráft[árt] [the ~] **1** 낚시질(angling) **2** 낚시 친구 **3** 인내를 요하는 활동; 힘드는 일

gen·tle·folk [dʒéntlfòuk] *n.* [때로 *pl.*; 복수 취급] 지체 있는 집안의[신분이 높은] 사람들, 양반들

gen·tle·hood [dʒéntlhùd] *n.* [U] **1** 가문이 좋음 **2** 고상, 우아

‡**gen·tle·man** [dʒéntlmən] *n.* (*pl.* **-men** [-mən]) **1** 신사; 예의가 바른 사람, 점잖은 사람 **2** [경칭] 남자분 **3** [*pl.*] 여러분《남자 청중에 대하여》; 근계(謹啓)《회사 같은 곳에 보내는 편지의 서두》: Ladies and *Gentlemen!* (신사 숙녀) 여러분! **4** 문벌이 좋은 사람, 신분이 높은 사람 **5** 《영》 (궁궐·귀족 등의) 시종, 종복(valet): the King's ~ 왕의 측근자 **6** 〖역사〗 귀족이 아니면서 가문(家紋)을 다는 특권을 가진 사람《성명 뒤에 붙일 때는 Gent.로 생략함》 **7** 유산 유한 계급의 사람; 〖법〗 고정된 수입이 있는 무직자 **8** 《미》 [the ~] (상원·하원의) 남성 의원 **9** [*pl.*; 단수 취급] 《영》 남자용 화장실《*For Gentlemen*을 줄인 것; Men이라고도 씀; cf. LADIES》 **10** 〖크리켓〗 아마추어 선수(opp. *player*)
a ~ at large 실업자, 무직자; 특별한 직무가 없는 궁내관(宮內官) ***a ~ in waiting*** 시종 ***a ~ of fortune*** (돈 목적의) 모험가; 해적 ***a ~ of the press*** 신문 기자 ***a ~ of the road*** 노상강도; 부랑자, 거지(hobo) ***a ~ of the short staff*** 《익살》 경관 ***a ~ of the three outs*** 돈도 옷도 신용도 없는(out of pocket, out of elbow, out of credit) 사람 ***my ~*** (내가 말한) 그 사람 ***the ~ from*** New York 《미》 (뉴욕) 출신 의원 ***the ~'s psalm*** 시편 제15편 ***the old ~*** 《익살》 악마
▷ géntlemanlike, géntlemanly *a.*

gen·tle·man-at-arms [dʒéntlmənətɑ́:rmz] *n.* (*pl.* **-men-** [-mən-]) 《영》 의장병(儀仗兵)

gen·tle·man-com·mon·er [dʒéntlmənkɑ́mənər | -kɔ́m-] *n.* (*pl.* **-men-com·mon·ers** [-mənkɑ́mənərz | -kɔ́m-]) (Oxford 및 Cambridge 두 대학의) 특별 자비생(自費生)

géntleman fármer **1** 취미로 농사를 짓는 상류 사람 **2** 호농(豪農), 농장 경영자

gen·tle·man·like [dʒéntlmənlàik] *a.* 신사적인, 신사다운(gentlemanly)

gen·tle·man·ly [dʒéntlmənli] *a.* 신사적인, 신사다운, 예의 바른, 교육 잘 받은 **-li·ness** *n.*

géntleman's[géntlemen's] agréement 신사협정《(법적 구속력이 없는) 비공식의 국제 협정》

géntleman's géntleman (*pl.* **gentlemen's gentlemen**) (귀인의) 종복(從僕), 하인

gen·tle·man·ship [dʒéntlmənʃip] *n.* [U] 신사의 신분, 신사임, 신사다움

géntleman úsher (*pl.* **gentlemen ushers**) (영국 왕실의) 의전관, 안내관

Géntleman Úsher of the Bláck Ród = BLACK ROD

*__gen·tle·ness__ [dʒéntlnis] *n.* [U] **1** 상냥함, 점잖음, 정다움 **2** 온화함; 관대함

Géntle Péople **1** 《미》 [the ~] 무저항주의 사람들 **2** [**g- p-**] 요정들

gen·tle·per·son [dʒéntlpə̀:rsn] *n.* 《미》 **1** [종종 비꼼·익살스런 호칭] 여러분, 제군, 신사(분) **2** [**G~s**] 근계(謹啓)《회사 앞으로의 편지의 서두》

géntle séx [the ~; 집합적] 여성

gen·tle·wom·an [-wùmən] *n.* (*pl.* **-wom·en** [-wìmin]) **1** 상류 부인, 귀부인 **2** 〖영국사〗 시녀 **3** [the ~] (미국 상·하원의) 여성 의원 **~·ly** *a.*

‡**gent·ly** [dʒéntli] *ad.* **1** 상냥하게, 온화하게, 친절히; 조용히; 천천히: speak ~ 점잖게 말하다 **2** 서서히, 완만하게: a ~ sloping road 완만하게 경사진 도로 **3** 양반답게, 범절 있게, 양가 태생으로: ~ born[bred] 문벌이 좋은, 좋은 집안에서 태어난
▷ géntle *a.*

Gen·too [dʒéntu:] 《고어》 *n.* (*pl.* **~s**) **1** 힌두인 **2** [**g~**] 남극 펭귄의 일종 **—** *a.* 힌두인의

gen·trice [dʒéntris] *n.* 《고어》 고귀한 태생

gen·tri·fi·ca·tion [dʒèntrəfikéiʃən] *n.* (주택가의) 고급 주택화

gen·tri·fy [dʒéntrəfài] *v.* (**-fied**) *vt.* 〈하층[노동] 계급의 거주 지역 등을〉 고급화하다 **—** *vi.* 고급화하다

*__gen·try__ [dʒéntri] *n.* **1** [보통 the ~; 집합적; 복수 취급] **상류 사회**, 《영》 신사 계급《귀족(nobility) 다음 가는 계급의 사람들》, 신사 사회 ★ BARONET와 KNIGHT의 계급이 있음(cf. NOBILITY). **2** [보통 the ~; 복수 취급] 지배자[특권] 계급 **3** [보통 the ~; 복

---

merciful, compassionate, serene, meek (opp. *cruel, harsh*) **2** 온화한 mild, moderate, light, temperate, soft (opp. *rough, fierce*)

수 취급] 귀족이 아니면서 가문(家紋)을 다는 특권을 가진 사람들 **4** 《경멸》 패거리, 무리: these ~ 이 패들, 이 무리들 **5** [보통 the ~; 집합적; 복수 취급] 《영·방언》 요정들

gents('), Gents(') [dʒénts] *n.* (*pl.* ~) [보통 the ~] 《구어》 남자용 (공중) 화장실(men's room)

ge·nu [dʒíːnjuː, dʒé-|dʒénjuː] *n.* (*pl.* **ge·nu·a** [dʒénuə, -njuə|-njuə]) **1** 〖해부〗 무릎 **2** 슬상(膝狀) 만곡 구조

gen·u·al [dʒénjuəl] *a.* 무릎의[같은]

gen·u·flect [dʒénjuflèkt] *vi.* **1** (한쪽) 무릎을 꿇다 《특히 경의를 나타내거나 예배·의식을 치를 때》 **2** 비굴한 태도를 취하다 **-flèc·tor** *n.*

gen·u·flec·tion | **-flex·ion** [dʒènjuflékʃən] *n.* Ⓤ **1** (예배 보기 위한) 무릎 꿇기 **2** 비굴한 태도

‡**gen·u·ine** [dʒénjuin] [L 「타고난, 진성(眞性)의」의 뜻에서] *a.* **1** 진짜의, 진품의: a ~ writing 진필 **2** 〈병이〉 진성(眞性)인: a ~ case of smallpox 진성 천연두 **3** 성실한, 진심의, 참된(sincere, real): make ~ efforts 성실히 노력하다 **4** (혈통적으로) 순수한, 〈동물이〉 순종의 **~·ness** *n.* ▷ génuinely *ad.*

génuine árticle [the ~] (가짜에 대해서) 진짜, 실물

*****gen·u·ine·ly** [dʒénjuinli] *ad.* 진정으로, 성실하게; 순수하게

*****ge·nus** [dʒíːnəs] [L 「종류」의 뜻에서] *n.* (*pl.* **gen·er·a** [dʒénərə], **~·es**) **1** 〖생물〗 속(屬) 《과(科)(family)와 종(種)(species)의 중간》: the ~ Homo 사람속 **2** 〖논리〗 유(類), 유개념(類槪念)(cf. SPECIES) **3** 《일반적으로》 종류, 부류, 유(類) ▷ genéric *a.*

Gen-X [dʒéneks] *n.* = GENERATION X

-geny [dʒəni] 《연결형》 「발생; 기원」의 뜻: pro*geny*

geo- [dʒíːou] 《연결형》 「지구; 토지」의 뜻

Geo. George

ge·o·bot·a·ny [dʒìːoubɑ́təni|-bɔ́t-] *n.* Ⓤ 지구 식물학

ge·o·cen·tric, -tri·cal [dʒìːouséntrik(əl)] *a.* 지구를 중심으로 한; 지구의 중심에서 본[측정한](opp. *heliocentric*) **-i·cal·ly** *ad.* 지구를 중심으로; 지구의 중심에서 재어 **-tri·cìsm** *n.* Ⓤ 지구 중심설, 천동설

geocéntric látitude 〖천문〗 지심 위도(地心緯度)

geocéntric lóngitude 〖천문〗 지심 경도(經度)

ge·o·chem·is·try [dʒìːoukémistri] *n.* Ⓤ **1** 지구 화학 **2** (물질의) 지구 화학적 성질 **gè·o·chém·i·cal** *a.* **gè·o·chém·i·cal·ly** *ad.* **gè·o·chém·ist** *n.*

ge·o·chro·nol·o·gy [dʒìːoukrənɑ́lədʒi|-nɔ́l-] *n.* Ⓤ 지질 연대학; 지질 연대 결정

geo·co·ro·na [dʒìːoukəróunə] *n.* 지구 코로나 《대기권의 가장 바깥층; 이온화된 수소로 됨》

geod. geodesic; geodesy; geodetic

ge·ode [dʒíːoud] *n.* 〖지질〗 정동(晶洞), 이질정족(異質晶族), 정동석

ge·o·des·ic [dʒìːədésik] *a.* = GEODETIC
— *n.* **1** (두 점 간의) 최단선(= ~ **líne**) **2** 측지선(測地線) **-i·cal** *a.*

geodésic dóme 〖건축〗 측지선 돔 《다각형 격자(格子)를 짜맞춘 돔》

ge·od·e·sist [dʒiːɑ́dəsist|-ɔ́d-] *n.* 측지학자

ge·od·e·sy [dʒiːɑ́dəsi|-ɔ́d-] *n.* Ⓤ 측지학

ge·o·det·ic, -i·cal [dʒìːədétik(əl)] *a.* **1** 측지학의 **2** 〖수학〗 최단선(最短線)의, 측지선의 **-i·cal·ly** *ad.*

geodétic sátellite 측지 위성

geodétic súrveying 측지 측량, 대지 측량

ge·o·duck [gúːidʌ̀k] *n.* 〖패류〗 백합(白蛤)류의 일종 《매우 크며 식용으로 쓰임》

ge·o·dy·nam·ic [dʒìːoudainǽmik] *a.* 지구 역학의

ge·o·dy·nam·ics [dʒìːoudainǽmiks] *n. pl.* [단수 취급] 지구 역학

ge·o-ec·o·nom·ics [dʒìːouèkənɑ́miks, -ìːkə-|-nɔ́m-] *n. pl.* [단수 취급] 지리 경제학

ge·o·en·gi·neer·ing [dʒìːouendʒiníəriŋ] *n.* 지구 공학 《인공적으로 기후를 변화시켜 지구의 온난화를 막기 위한 공학 기술》

Geof·frey [dʒéfri] *n.* 남자 이름

geog. geographer; geographic(al); geography

ge·og·no·sy [dʒiɑ́gnəsi|-ɔ́g-] *n.* Ⓤ **1** 지구 구조학 **2** 지질학; 《특히》 지방 지질학

*****ge·og·ra·pher** [dʒiɑ́grəfər|-ɔ́g-] *n.* 지리학자

*****ge·o·graph·i·cal** [dʒìːəgrǽfikəl|dʒiə-], **-graph·ic** [-grǽfik] *a.* 지리학(상)의, 지리(학)적인: *geographical* features 지세(地勢) **-i·cal·ly** *ad.* 지리(학)적으로; [문 전체를 수식하여] 지리(학)적으로 말하면 ▷ geógraphy *n.*

geográphical látitude 지리학적 위도

geográphical lóngitude 지리학적 경도

geográphical míle 지리 마일 《적도에서의 경도 1분; 약 1,854m》(nautical mile)

‡**ge·og·ra·phy** [dʒiɑ́grəfi|-ɔ́g-] *n.* (*pl.* **-phies**) **1** Ⓤ 지리학: linguistic[commercial, historical, political] ~ 언어[상업, 역사, 정치] 지리학 / physical [human] ~ 자연[인문] 지리학 **2** ⓊⒸ (어떤 지역의) 지리, 지형, 지세 **3** 《영·구어》 화장실의 위치; (건물 등의) 방 배치; (복잡한 통일체를 이루는 요소의) 전체 배치: explore the ~ of the mind 정신 구조를 탐색하다 / Will you show me the ~? 화장실은 어딥니까? **4** 지리책, 지지(地誌), 지리 교과서 **5** 지명으로 하는 끝말잇기 놀이 ▷ geográphic, geográphical *a.*

ge·o·hy·drol·o·gy [dʒìːouhaidrɑ́lədʒi|-drɔ́l-] *n.* 수문(水文)[수리(水理)] 지질학

ge·oid [dʒíːɔid] *n.* 〖지구물리〗 지오이드 《평균 해면과 그 연장으로 생각되는 상상의 면》 **ge·ói·dal** *a.*

geol. geologic(al); geologist; geology

ge·o·lin·guis·tics [dʒìːouliŋgwístiks] *n. pl.* [단수 취급] 〖언어〗 언어 지리학

*****ge·o·log·ic, -i·cal** [dʒìːəlɑ́dʒik(əl)|-lɔ́dʒ-] *a.* 지질학(상)의, 지질의: a *geological* epoch 지질 연대 **-i·cal·ly** *ad.* 지질학상으로; [문 전체를 수식하여] 지질학적으로 말하면 ▷ geólogy *n.*; geólogize *v.*

geológical súrvey 지질 조사

geológic máp 지질도(地質圖)

geológic tíme 지질(地質) 연대

*****ge·ol·o·gist** [dʒiɑ́lədʒist|-ɔ́l-] *n.* 지질학자

ge·ol·o·gize [dʒiɑ́lədʒàiz|-ɔ́l-] *vi.* 지질(학)을 연구하다, 지질 조사를 하다
— *vt.* 〈어떤 지방을〉 지질학적으로 조사[연구]하다

*****ge·ol·o·gy** [dʒiɑ́lədʒi|-ɔ́l-] *n.* (*pl.* **-gies**) **1** 지질학; [the ~] (어떤 지역의) 지질 **2** Ⓒ 지질학 서적 ***economic*** ~ 경제 지질학 ***historical*** ~ 지사학(地史學) ***structural*** ~ 구조 지질학
▷ geológic, geológical *a.*; geólogize *v.*

geom. geometric; geometrical; geometry

ge·o·mag·net·ic [dʒìːoumægnétik] *a.* 지자기(地磁氣)의

geomagnétic stórm = MAGNETIC STORM

ge·o·mag·ne·tism [dʒìːoumǽgnətìzm] *n.* Ⓤ 지자기(地磁氣), 지구 자기; 지구 자기학

ge·o·man·cer [dʒíːəmæ̀nsər] *n.* 흙점쟁이

ge·o·man·cy [dʒíːəmæ̀nsi] *n.* Ⓤ 흙점(占) 《한 줌의 흙을 땅 위에 던졌을 때의 모양 또는 땅 위의 선·점 등을 보고 치는》 **gè·o·mán·tic** *a.*

ge·o·med·i·cine [dʒìːoumédəsin] *n.* Ⓤ 기후 환경 의학, 지리적 의학 **-i·cal** [-dikəl] *a.*

ge·om·e·ter [dʒiɑ́mətər|-ɔ́m-] *n.* **1** 기하학자 **2** 〖곤충〗 자벌레나방; 자벌레

*****ge·o·met·ric, -ri·cal** [dʒìːəmétrik(əl)] *a.* **1** 기하학(상)의, 기하학적인: ~ population growth 기하급수적인 인구 증가 **2** 기하학적 도형[회화, 조각, 장식]의 **-ri·cal·ly** *ad.*

geométrical óptics 기하 광학

thesaurus **genuine** *a.* **1** 진짜의 authentic, real, true, pure, actual, original, veritable, unadulter-

geométrical propórtion 등비 비례
ge·o·me·tri·cian [dʒiὰmətríʃən, dʒìːə- | dʒìːə-mə-, dʒiɔ́mə-] *n.* 기하학자
ge·o·met·ri·cize | **-cise** [dʒìːəmétrəsàiz] *vt.* 기하학적으로 디자인하다, 도형화하여 그리다[만들다]
geométric méan 〖수학〗 상승[기하] 평균
geométric progréssion 〖수학〗 등비(等比)수열: in ~ 등비급수적으로, 가속도적으로
geométric rátio 〖수학〗 공비(公比)
geométric séries 〖수학〗 기하[등비]급수
geométric trácery (고딕 건축의) 기하학적 창(窓) 장식
ge·om·e·trid [dʒiάmətrid | -ɔ́m-] *a.* 〖곤충〗 자벌레나방과(科)의 **—** *n.* 자벌레나방
ge·om·e·trize [dʒiάmətràiz | -ɔ́m-] *vt., vi.* 기하학을 연구하다; 기하학적으로 고찰하다; 기하학적 방법에 의하여 형성하다, 기하학적 도형으로 하다
⁑ge·om·e·try [dʒiάmətri | -ɔ́m-] *n.* (*pl.* **-tries**) **1** Ⓤ 기하학: plane[solid, spherical] ~ 평면[입체, 구면] 기하학 **2** 기하학 책[교과서]; 기하학 연구 **3** (고체·표면의) 형상; 평면[입체] 도형 **4** 기하학적 배열; (기계 장치 등의) 외형, 구조, 조합
▷ geométric, geométrical *a.*; geómetrize *v.*
ge·o·mor·phic [dʒìːəmɔ́ːrfik] *a.* **1** 지구 모양의, 지형의 **2** 지형학의
ge·o·mor·phol·o·gy [dʒìːəmɔːrfάlədʒi | -fɔ́l-] *n.* (*pl.* **-gies**) Ⓤ **1** 지형학 **2** Ⓒ 지형학 서적[논문] **3** 지형학적 특징
gè·o·mor·pho·lóg·i·cal *a.*
ge·oph·a·gy [dʒiάfədʒi | -ɔ́f-] *n.* Ⓤ 흙을 먹음, 흙을 먹는 버릇 **-gìsm** *n.* **-gist** *n.*
ge·o·phone [dʒíːəfòun] *n.* 수진기(受振器) 《암석·지층·빙산 등을 통과하는 진동을 잼》
geophys. geophysical; geophysics
ge·o·phys·i·cal [dʒìːoufízikəl] *a.* 지구 물리학(상)의 ***International G~ Year*** 국제 지구 관측년
ge·o·phys·i·cist [dʒìːoufízisist] *n.* 지구 물리학자
ge·o·phys·ics [dʒìːoufíziks] *n. pl.* [단수 취급] 지구 물리학
ge·o·phyte [dʒíːəfàit] *n.* 〖식물〗 지중 식물 《지하에 싹을 보존하여 번식하는》
ge·o·pol·i·tic [dʒìːoupάlətik | -pɔ́l-], **-po·lit·i·cal** [-pəlítikəl] *a.* 지정학(地政學)(상)의
gè·o·po·lít·i·cal·ly *ad.*
ge·o·pol·i·ti·cian [dʒìːoupὰlətíʃən | -pɔ̀l-] *n.* 지정학자(地政學者)
ge·o·pol·i·tics [dʒìːoupάlətiks | -pɔ́l-] *n. pl.* [단수 취급] **1** 지정학(地政學) **2** 지리적·정치적 요인 **3** 지정학에 의한 국가 정책
ge·o·pol·i·tist [dʒìːoupάlətist | -pɔ́l-] *n.* = GEOPOLITICIAN
ge·o·pon·ic [dʒìːəpάnik | -pɔ́n-] *a.* (드물게) 농경[농업]의(agricultural); 《익살》 촌스러운, 시골티 나는
ge·o·pon·ics [dʒìːəpάniks | -pɔ́n-] *n. pl.* [단수 취급] 농경술, 농학(husbandry)
ge·o·pres·sured [dʒìːoupréʃərd] *a.* 큰 지질학적 압력을 받고 있는
ge·o·probe [dʒíːouprὸub] *n.* 지오프로브 《지표에서 6,400 km 이상 떨어진 우주 공간을 조사하는 로켓》
ge·o·ram·a [dʒìːərǽmə | -rάːmə] *n.* 지오라마 《큰 원구(圓球) 안에 지구 풍경을 그려 놓고 안에서 보는 장치》
Geor·die [dʒɔ́ːrdi] *n.* **1** 남자 이름 《George의 애칭》 **2** 《영》 Tyne 강변의 주민; 그 방언
George [dʒɔ́ːrdʒ] *n.* **1** 남자 이름 **2** 영국왕의 이름: ~ I(재위 1714-27) / ~ II(재위 1727-60) / ~ III(재위 1760-1820) / ~ IV(재위 1820-30) / ~ V(재위 1910-36) / ~ VI(재위 1936-52) **3** (가터 목걸이 훈장의) 조지상 《St. George가 용(龍)을 퇴치하는 보석상(像)》 **4** [St. ~] 성 조지 《영국 및 가터 훈장의 수호 성자》; 《영·속어》 성 조지가 그려진 지폐 **5** 《영·속어》 〖공군〗 자동 조종 장치 **6** 《미·속어》 근사한[뛰어난] 것[사람] **7** (극장의) 안내원 **8** [보통 brown ~] 갈색 토기의 큰 물주전자 ***by ~!*** 정말, 어머나! 《맹세 혹은 감탄의 말투》 ***let ~ do it*** 《미·구어》 (제가 할 일을) 남에게 시키다 ***St. ~'s cross*** 붉은 정십자(正十字) ***St. ~'s Day*** 성 조지 축제일 《4월 23일》
— *a.* 《미·속어·고어》 멋진, 훌륭한, 최고의
Géorge Cróss[**Médal**] [the ~] 《영》 조지 십자 훈장 《1940년에 제정한 영국 훈장으로 민간인의 용감한 행위에 대하여 수여함; 略 G.C., G.M.》
George·town [dʒɔ́ːrdʒtàun] *n.* **1** 조지타운 《Guyana의 수도》 **2** 미국 Washington, D.C.의 고급 주택 지구 **3** 서인도 제도의 영국령 Cayman 제도의 도시
geor·gette [dʒɔːrdʒét] [파리의 재봉사 이름에서] *n.* 조젯 《엷은 명주 크레이프》
⁎Geor·gia [dʒɔ́ːrdʒə] *n.* **1** 조지아 주 《미국 동남부의 주; 주도 Atlanta》 **2** 그루지야 《독립 국가 연합 가맹국의 하나; 수도 Tbilisi》 **3** 여자 이름 ***the Strait of ~*** 조지아 해협 ▷ Géorgian[2] *a.*
Geor·gian[1] [dʒɔ́ːrdʒən] *a.* **1** (영국의) 조지 왕조 (시대) 《George I에서 George IV까지》의 **2** 조지 5세 및 6세 시대의 **3** 조지 왕조풍의
— *n.* 조지 왕조 시대의 사람
Georgian[2] *a.* **1** 미국 Georgia주의 **2** (서부 아시아의) 그루지야 (공화국)의 **—** *n.* **1** Georgia주 사람 **2** 그루지야 사람; Ⓤ 그루지야 말
Geor·gi·an·a [dʒɔ̀ːrdʒiǽnə] *n.* 여자 이름
Géorgia píne 〖식물〗 왕솔나무 《미국 남부산(産)》 (longleaf pine)
geor·gic [dʒɔ́ːrdʒik] *a.* 농사의, 농업의(agricultural) **—** *n.* **1** 농경[전원]시(詩) **2** [the G~s] 농경가(歌) 《로마의 시인 Virgil이 지은 농사시》
Geor·gie [dʒɔ́ːrdʒi] *n.* George의 통칭
Geor·gi·na [dʒɔːrdʒíːnə] *n.* 여자 이름
ge·o·sci·ence [dʒìːousáiəns] *n.* 지구 과학, 지학 《지질학, 지구 물리학, 지구 화학 등》
ge·o·sci·en·tist [dʒìːousáiəntist] *n.* 지구 과학자
ge·o·space [dʒíːouspèis] *n.* 지구 공간
ge·o·stat·ic [dʒìːoustǽtik] *a.* 지압(地壓)의; 〈건물 등이〉 지압에 견디는
— *n.* [*pl.*; 단수 취급] 강체(剛體) 역학
ge·o·sta·tion·ar·y [dʒìːoustéiʃənèri] *a.* 〖우주〗 〈인공위성이〉 지구 정지 궤도상에 있는: ~ orbit 정지 궤도 / a ~ satellite 대지(對地) 정지 위성
ge·o·strat·e·gy [dʒìːoustrǽtidʒi] *n.* Ⓤ **1** 전략(戰略) 지정학 **2** 지정학에 입각한 정부의 전략
ge·o·stra·te·gic [-strətíːdʒik] *a.* **-gist** *n.*
ge·o·stroph·ic [dʒìːəstrάfik | -strɔ́f-] *a.* 〖기상〗 지구의 자전에 의한 편향력(偏向力)의
geostróphic wínd 〖기상〗 지형풍(地衡風)
ge·o·syn·chro·nous [dʒìːousíŋkrənəs] *a.* = GEOSTATIONARY
ge·o·syn·cline [dʒìːousíŋklin] *n.* 〖지질〗 지향사(地向斜) **-cli·nal** [-kláinəl] *a.*
ge·o·tax·is [dʒìːoutǽksis] *n.* Ⓤ 〖생물〗 중력 주성(重力走性), 주지성(走地性) 《중력 자극에 대한 주성》
ge·o·tech·ni·cal [dʒìːoutéknikəl] *a.* 지질 공학의
geotéchnical enginéering 지질 공학
ge·o·tec·ton·ic [dʒìːoutektάnik | -tɔ́n-] *a.* 지질 구조의, 지각 변동의 **-tón·i·cal·ly** *ad.*
ge·o·ther·mal [dʒìːouθə́ːrməl], **-mic** [-mik] *a.* 지열(地熱)의[에 관한]
geothérmal énergy 지열 에너지
geothérmal grádient 〖지질〗 지온(地溫) 변화도
geothérmal pówer generátion 〖전기〗 지열 발전
ge·o·tro·pic [dʒìːoutrάpik | -trɔ́p-] *a.* 〖생물〗 굴지[향지]성의 **ge·o·tróp·i·cal·ly** *ad.*

ated, legitimate, valid (opp. *fake, bogus*) **2** 참된 sincere, truthful, honest, frank, candid

ge·ot·ro·pism [dʒiɑ́trəpìzm | dʒiɔ́t-] *n.* Ⓤ 〖생물〗 굴지성(屈地性), 향지성(向地性): positive[negative] ~ 향지성[배지성(背地性)]
ger. gerund; gerundial; gerundive
Ger. German(ic); Germany
Ger·ald [dʒérəld] *n.* 남자 이름 《애칭 Jerry》
Ger·al·dine [dʒérəldìːn] *n.* 여자 이름 《애칭 Jerry》
ge·ra·ni·ol [dʒəréiniɔ̀ːl, -ɑ̀l | -ɔ̀l] *n.* 〖화학〗 게라니올 《장미향을 가진 무색 액체》
ge·ra·ni·um [dʒəréiniəm] *n.* 〖식물〗 제라늄, 양아욱
ger·ber·a [gə́ːrbərə, dʒə́ːr-] *n.* 〖식물〗 거베라, 솜나물 《국화과》
ger·bil(le) [dʒə́ːrbəl] *n.* 〖동물〗 게르빌루스쥐
ge·rent [dʒíərənt] *n.* 《드물게》 지배자, 통치자, 집행자
ger·e·nuk [gérənùk, gərénək | gérənùk] *n.* 〖동물〗 게레누크 《동아프리카산의 목이 긴 영양》
ger·fal·con [dʒə́ːrfɔ̀ːlkən, -fæ̀l- | dʒə́ːfɔ̀ːlkən] *n.* 〖조류〗 = GYRFALCON
ge·ri·at·ric [dʒèriǽtrik] *a.* **1** Ⓐ 노인병학[과(科)]의: ~ medicine 노인 의학 **2** 노인의 **—** *n.* **1** 노인; 노인병 환자 **2** 《구어》 케케묵은 것[사람]
ger·i·a·tri·cian [dʒèriətríʃən], **-at·rist** [-ǽtrist] *n.* 노인병 전문 의사
ge·ri·at·rics [dʒèriǽtriks] *n. pl.* [단수 취급] 노인병학, 노인병 치료법
ger·kin [gə́ːrkin] *n.* = GHERKIN
*__germ__ [dʒə́ːrm] [L 「싹, 봉오리」의 뜻에서] *n.* **1** 세균, 병원균, 병균: influenza ~*s* 인플루엔자 병원균 **2** [보통 the ~] 싹틈, 눈틈; 기원, 근원: *the* ~ of an idea 어떤 사상의 싹틈 **3** 〖생물〗 유아(幼芽), 배(胚), 배종(胚種); 생식 세포(= ~ cell) **4** 《영·학생속어》 보기 싫은 녀석 ***in*** **~** 싹트고 있는, 아직 발달하지 않은
— *vt., vi.* = GERMINATE
— *a.* **1** 〖병리〗 병원균의[에 의한] **2** 《발달》 초기의
~·less *a.* ▷ gérminate *v.*; gérminant *a.*
Germ. German; Germany
ger·man [dʒə́ːrmən] *a.* **1** 같은 부모[조부모]에서 난 **2** 《고어》 = GERMANE
brother[***sister***] **~** 친형제[자매] ***cousin*** **~** 친사촌 형제[자매]
⁑**Ger·man** [dʒə́ːrmən] *a.* **1** 독일의; 독일 사람[말]의 (cf. GERMANY) **2** 게르만 민족의; 게르만어의
— *n.* (*pl.* **~s**) **1** 독일 사람; 독일계 사람 **2** Ⓤ 독일 말 **3** [**g~**] 《미》 독일 무용, 그 무도회
High **~** 고지(高地) 독일 말 《지금은 독일의 표준어》 ***Low*** **~** 저지(低地) 독일말 《북부 독일에서 쓰는 방언》
▷ Gérmany *n.*; Gérmanize *v.*; Germánic *a., n.*
Ger·man-A·mer·i·can [dʒə́ːrmənəmérikən] *n., a.* 독일계 미국인(의)
Gérman bánd 《미》 거리의 밴드[음악대]
Gérman cóckroach 〖곤충〗 바퀴(Croton bug)
Gérman Democrátic Repúblic [the ~] 독일 민주공화국 《동독(East Germany)의 공식 명칭; 1990년 10월 3일 서독에 통합되어 소멸》
ger·man·der [dʒə(ː)rmǽndər] *n.* 〖식물〗 개곽향속(屬)의 식물
ger·mane [dʒə(ː)rméin] *a.* **1** 밀접한 관계가 있는, 적절한(pertinent) 《*to*》 **2** 《폐어》 혈연관계인
~·ly *ad.* **~·ness** *n.*
Gérman Éast África 독일령 동아프리카
Gérman Féderal Repúblic [the ~] 독일 연방 공화국 《통일 독일 이전의 서독(West Germany)의 공식 명칭》
Gérman fríes = HOME FRIES
Gérman góiter 《미·속어》 올챙이배, 맥주배
Ger·man·ic [dʒə(ː)rmǽnik] *a.* **1** 독일 (사람)의; 독일적인 **2** 게르만 민족[말]의
— *n.* Ⓤ 게르만 말 ***East*** **~** 동부 게르만 말 《고트 말 및 지금은 없어진 Burgundian과 Vandal 말을 포함함》 ***North*** **~** 북부 게르만 말 《Iceland 및 Scandinavia의 여러 말》 ***West*** **~** 서부 게르만 말 《High German, Low German, English, Frisian, Dutch 등의 여러 말》
Ger·mán·i·cus Cáesar [dʒə(ː)rmǽnikəs-] 게르마니쿠스(B.C. 15-A.D. 19) 《고대 로마의 장군·정치가》
Ger·man·ism [dʒə́ːrmənìzm] *n.* ⓊⒸ **1** 독일어적 표현, 독일 말투[말씨] **2** 독일 정신, 독일 사람 기질 **3** 독일 숭배, 독일 편들기 **-ist** *n.* 독일어 학자; 독일 문화 연구자
ger·ma·ni·um [dʒə(ː)rméiniəm] *n.* Ⓤ 〖화학〗 게르마늄 《희금속 원소; 기호 Ge, 번호 32》
Ger·man·ize [dʒə́ːrmənàiz] *vt.* **1** 독일식으로 하다, 독일화하다; 독일식 방법을 쓰다 **2** 독일말로 옮기다 **—** *vi.* 독일식으로 되다
Ger·man·i·za·tion [dʒə̀ːrmənizéiʃən | -nai-] *n.*
Gérman méasles 〖병리〗 풍진(風疹)(rubella)
Germano- [dʒə(ː)rmǽnou, -nə] 《연결형》 「독일(사람)」의 뜻
Gérman Ócean [the ~] = NORTH SEA
Ger·man·o·ma·ni·a [dʒə(ː)rmæ̀nəméiniə] *n.* Ⓤ 독일광(狂), 독일 심취
Ger·man·o·phile [dʒə(ː)rmǽnəfàil], **-phil** [-fil] *n.* 독일 숭배자, 친독파, 독일 (문화) 연구가
Ger·man·o·phobe [dʒə(ː)rmǽnəfòub] *n.* 독일 공포자, 독일을 싫어하는 사람, 배독(排獨)주의자
Ger·man·o·pho·bi·a [dʒə(ː)rmæ̀nəfóubiə] *n.* Ⓤ 독일 혐오[공포]증, 배독열(排獨熱)
Gérman shépherd 《미》 (독일종) 셰퍼드 《경찰견·맹도견(盲導犬) 등으로 사용》
Gérman shórthaired póinter 털이 짧은 독일산 사냥개
Gérman sílver 양은 《아연·구리·니켈의 합금》
Gérman Sóuthwest África 나미비아(Namibia)의 옛 이름(1884-1920)
Gérman téxt 〖인쇄〗 게르만체[장식] 문자
Ger·man·town [dʒə́ːrməntàun] *n.* **1** 미국 Pennsylvania주 Philadelphia 북서부 지역 **2** 《구어》 (미국의 독일계 주민이 많은) 독일인 거주지
Gérman wírehaired póinter 털이 뻣뻣한 독일산 사냥개
⁑**Ger·ma·ny** [dʒə́ːrməni] *n.* 독일 《유럽에 있는 공화국; 공식 명칭 the Federal Republic of Germany (독일 연방 공화국) 수도 Berlin; 略 G., Ger., FRG; ★ 1949년부터 1990년까지는 East Germany 동독(공식 명칭 the German Democratic Republic (독일 민주 공화국); 수도 East Berlin)과 West Germany 서독 (공식 명칭 the Federal Republic of Germany (독일 연방 공화국); 수도 Bonn)으로 분할되어 있었음》 ▷ Gérman *a.*
gérm bòmb 세균탄, 세균 폭탄
gérm càrrier 보균자
gérm cèll 〖생물〗 생식 세포
ger·men [dʒə́ːrmən] *n.* (*pl.* **~s, -mi·na** [-mənə]) 《고어》 = GERM
germ·free [dʒə́ːrmfrìː] *a.* **1** 무균의, 세균이 없는 **2** (실험 동물이) 무균 상태에서 자란
ger·mi·cid·al [dʒə̀ːrməsáidl] *a.* 살균(성)의, 살균력이 있는
ger·mi·cide [dʒə́ːrməsàid] *n.* 살균제
ger·mi·nal [dʒə́ːrmənl] *a.* **1** 새싹의, 배종(胚種)의, 씨방의 **2** 《발달》 초기의, 미발달의: a ~ idea 싹트기 시작한 생각 **~·ly** *ad.*
gérminal dísk 〖생물〗 배반(胚盤)
gérminal vésicle 〖생물〗 밑씨, 배포(胚胞)
ger·mi·nant [dʒə́ːrmənənt] *a.* **1** 싹[움]트는; 발달하기 시작하는, 성장력이 있는 **2** 시초의, 발단의
*__ger·mi·nate__ [dʒə́ːrmənèit] [L 「싹트다」의 뜻에서] *vi.* **1** 싹이 트다; 발아(發芽)하다 **2** 〈생각·감정 등이〉

thesaurus **germ** *n.* **1** 세균 microbe, bacterium, virus **2** 기원 beginning, start, seed, commencement, rudiment, origin, source, root, fountain

생겨나다, 싹트다 **3** 성장하기 시작하다
— *vt.* **1** 〈씨를〉 발아시키다 **2** 〈생각 등을〉 생겨나게[싹트게] 하다 **gèr·mi·ná·tion** *n.*
▷ gérm *n.*; gérminant, gérminative *a.*

ger·mi·na·tive [dʒə́:rmənèitiv, -nət-] *a.* 싹트는; 움트게 하는, 발아력이 있는

ger·mi·na·tor [dʒə́:rmənèitər] *n.* **1** 발아시키는 것[사람] **2** 발아력 시험기(器)

gérm làyer 〖생물〗 배엽(胚葉)

gérm lìne 〖생물〗 생식 계열

gérm·line insèrtion [dʒə́:rmlàin-] 〖생물공학〗 생식 세포 삽입

gérm plàsm 〖생물〗 생식(세포)질

germ·proof [dʒə́:rmprù:f] *a.* 내균성의

gérm thèory **1** 〖생물〗 배종설(胚種說) **2** 〖의학〗 매균설(媒菌說)

gérm wárfare 세균전(戰)(biological warfare)

gérm wéapon 세균 무기

germ·y [dʒə́:rmi] *a.* (**germ·i·er**; **-i·est**) 세균투성이의

ger·o·don·tics [dʒèrədɑ́ntiks | -dɔ́n-] *n. pl.* [단수 취급] 노인 치과학 **gèr·o·dón·tic** *a.*

Ge·ron·i·mo [dʒərɑ́nəmòu | -rɔ́n-] *n.* 제로니모 **Goyathlay** ~ (1829-1909) 《아메리칸 인디언 아파치족의 추장》
— *int.* 《미·구어》 **1** 야, 간다 《낙하산병이 뛰어내릴 때 외치는 소리》 **2** 됐어, 해냈어 《놀람·기쁨 따위를 나타내는 소리》

geront- [dʒirɑ́nt, dʒə- | -rɔ́nt], **geronto-** [dʒirɑ́ntou, dʒə-, -tə | -rɔ́n-] 《연결형》 「노인; 노령」의 뜻

ge·ron·tic [dʒərɑ́ntik | -rɔ́n-] *a.* 〖생리〗 노령의, 늙은, 노쇠한

ger·on·toc·ra·cy [dʒèrəntɑ́krəsi | -tɔ́k-] *n.* (*pl.* **-cies**) **1** Ⓤ 노인 정치; 노인 지배 **2** 노인 정부[지배국] **ge·ron·to·crat** [dʒirɑ́ntəkræ̀t | -rɔ́nt-] *n.* **ge·ròn·to·crát·ic** *a.*

ge·ron·to·log·i·cal [dʒərɑ̀ntəlɑ́dʒikəl | -rɔ̀n-təlɔ́dʒ-] *a.* 노인학[노년학]의

ger·on·tol·o·gy [dʒèrəntɑ́lədʒi | -tɔ́l-] *n.* Ⓤ 노인학 **-gist** *n.* 노인학자

ge·ron·to·mor·pho·sis [dʒərɑ̀ntəmɔ́:rfəsis | -rɔ̀n-] *n.* 〖생물〗 성체(成體) 진화 《공룡 등과 같이 적응 능력을 잃고 멸종에 이르는 특수한 진화》

ge·ron·to·phil·i·a [dʒərɑ̀ntəfíliə | -rɔ̀n-] *n.* 〖정신의학〗 노인 (성)애 《노인만을 성애의 대상으로 하는》

ge·ron·to·pho·bi·a [dʒərɑ̀ntəfóubiə | -rɔ̀n-] *n.* 노인 혐오; 노령[노화] 공포

-gerous [dʒərəs] 《연결형》 「생기는; 있는」의 뜻: denti*gerous* 치아가 생기는

ger·o·vi·tal [dʒèrəváitl] *n.* 〖약학〗 제로바이탈 《노화 방지약; 별칭 H3, GH3》

Ger·ry [géri] *n.* 남자[여자] 이름

ger·ry·man·der [dʒérimæ̀ndər, gér- | dʒér-] *n.* **1** 자기 당(黨)에 유리한 선거구 개정, 게리맨더링 **2** (자기 파를 위한) 속임수
— *vt.* **1** 《미》 〈선거구를〉 자기 당에 유리하게 개정하다 **2** 야바위치다, 부정으로 속이다 — *vi.* 선거구를 제멋대로 개정하다 **~·er** *n.*

Gersh·win [gə́:rʃwin] *n.* 거슈윈 **George** ~ (1898-1937) 《미국의 작곡가》

ger·trude [gə́:rtru:d] *n.* 어린이용 슬립[내복]

Ger·trude [gə́:rtru:d] *n.* 여자 이름 《애칭 Gert, Gertie, Trudy》

‡**ger·und** [dʒérənd] *n.* **1** 〖문법〗 동명사 《-ing형의 명사, 목적어·보어 또는 부사가 뒤따를 수 있음; ⇨ 문법 해설 (11)》 **2** 〖라틴문법〗 동사적 중성 명사 《동사로서의 격지배(格支配)를 하는 것》
▷ gerúndial *a.*

ge·run·di·al [dʒərʌ́ndiəl] *a.* gerund의

ger·un·di·val [dʒèrəndáivəl] *a.* 동사상(狀) 형용사(gerundive)의

ge·run·dive [dʒərʌ́ndiv] *a.* gerund의
— *n.* 〖라틴문법〗 동사상(狀) 형용사 **~·ly** *ad.*

Ge·ry·on [dʒíəriən, gér- | gér-] *n.* 〖그리스신화〗 게리온 《삼두 삼신(三頭三身)에 날개를 가진 괴물왕; Hercules에게 퇴치됨》

Ge·samt·kunst·werk [gəzɑ́:mtkùnstvɛərk] [G] *n.* (음악·연극·시 등을 하나로 한) 종합 예술 작품 《바그너의 이론》

ge·schrei [gəʃréi] *n.* 쇠된 소리, 비명, 외침 소리; 떠들어 대는 소리

ge·sell·schaft [gəzélʃɑ̀:ft] [G=society] *n.* (*pl.* **-schaf·ten** [-ʃɑ̀:ftən]) 게젤샤프트, 이익 사회 《구성원의 자유 의지로 이해·계약 관계를 맺으며 이루어진 사회; 略 Ges.; cf. GEMEINSCHAFT》

ges·so [dʒésou] *n.* (*pl.* **~es**) 〖회화·조각〗 **1** Ⓤ 석고(石膏) 가루 **2** Ⓒ 석고를 칠한 바탕 《그림의》

gest [dʒést] *n.* 《고어》 **1** (중세의) 무공(武功) 이야기[시(詩)]; 이야기 **2** 무용(武勇), 공훈

ge·stalt [gəʃtɑ́:lt] [G 「모양, 형태」의 뜻에서] *n.* (*pl.* **~s, -stalt·en** [-ʃtɑ́:ltn]) ⓊⒸ [때로 **G~**] 〖심리〗 형태, 게슈탈트 《경험의 통일적 전체》 **~·ist** *n.* 형태 심리학자

Gestált psychólogy 게슈탈트[형태] 심리학

Gestált thèrapy 게슈탈트 심리 요법 《게슈탈트 심리학을 응용·발전시킨 정신 치료 요법》

ge·sta·po [gəstɑ́:pou | ge-] [G=*Ge*heime *Sta*ats-*po*lizei(=secret state police)] *n.* (*pl.* **~s**) [보통 the ~; 집합적] 게슈타포 《옛 나치스 독일의 비밀 국가 경찰》

ges·tate [dʒésteit] *vt.* **1** 회임[잉태]하다 **2** 마음에 품다; 입안[창안]하다 — *vi.* **1** 회임하다 **2** 구상을 가다듬다

ges·ta·tion [dʒestéiʃən] *n.* Ⓤ **1** 임신, 잉태(pregnancy); 임신 기간: a ~ period 잉태[임신] 기간 **2** (사상·계획 등의) 배태, 창안, 형성

geste [dʒést] *n.* =GEST

ges·tic [dʒéstik] *a.* (춤 따위에서) 몸의 움직임의[에 관한]

ges·tic·u·lant [dʒestíkjulənt] *a.* 〈사람이〉 몸짓[손짓]을 사용하는

ges·tic·u·late [dʒestíkjulèit] *vt., vi.* 몸짓[손짓]으로 나타내다[말하다]

ges·tic·u·la·tion [dʒestìkjuléiʃən] *n.* Ⓤ 몸짓[손짓]하기; 요란스런 몸짓
ges·tíc·u·lar *a.*

ges·tic·u·la·tive [dʒestíkjulèitiv, -lət-] *a.* 요란하게 몸짓[손짓]하는, 몸짓[손짓]을 많이 하는

ges·tic·u·la·tor [dʒestíkjulèitər] *n.* 몸짓[손짓]으로 나타내는[말하는] 사람

ges·tic·u·la·to·ry [dʒestíkjulətɔ̀:ri | -təri] *a.* 몸짓[손짓]의[에 의한, 이 섞인]

ges·to·sis [dʒestóusis] *n.* (*pl.* **-ses** [-si:z]) 〖의학〗 임신 중독(증)

‡**ges·ture** [dʒéstʃər] [L 「거동하다」의 뜻에서] *n.* **1** ⓊⒸ (어떤) **몸짓**, 손짓, 몸[손]놀림; (연극·연설 등에서의) 동작, 제스처: make a ~ of despair 절망적인 몸짓을 하다 **2 a** 기미, 눈치 **b** (의사 표시로서의) 행위: a ~ of sympathy 동정의 의사 표시 **c** (형식적인) 의사 표시, 의례적인 언사[거동], 선전 (행위): a diplomatic ~ 외교 사령(辭令) ***fine*** ~ 아량, 관용
— *vi.* 몸짓[손짓, 제스처]을 하다; 몸짓[손짓, 제스처]으로 신호하다 (*to, for*): (~+전+명) He ~*d* (*to* the waiter) *for* another drink. 그는 (웨이터에게) 한 잔 더 달라고 손짓했다.
— *vt.* 몸짓[제스처]으로 나타내다: ~ one's approval 몸짓으로 찬성을 나타내다

---

germinate *v.* **1** 싹이 트다 sprout, burgeon, bud, develop, grow, shoot, spring up, swell, vegetate **2** 생겨나다 originate, begin, start, commence

gés·tur·al *a.* **gés·tur·er** *n.*

gésture lànguage 몸짓언어(sign language)

ge·sund·heit [gəzúnthait] [G] *int.* (건배에서) 건강을 위하여; 몸조심하십시오 《재채기한 사람에게》

get¹ [gét] *v.* (**got** [gɑ́t | gɔ́t], 《고어》 **gat** [gǽt]; **got,** 《미·고어》 **got·ten** [gɑ́tn | gɔ́tn]; **~·ting**) ★ ill-*gotten*처럼 복합어에서는 《영·미》 모두 **-got·ten**을 씀.

기본적으로는 「손에 넣다」의 뜻	
타 ① 손에 넣다; 잡다	**1**; **4 a**
② 〈피해를〉 받다[주다]	**6, 8**
③ …을 알다	**13**
④ …하게 하다, …을 …시키다	**16 a**
…을 …되게 하다	**17**
⑤ (…상태에) 이르게 하다	**15**
자 ① (장소에) 이르다	**1**
② (…으로) 되다	**3**
③ …당하다	**4**

—*vt.* **1 a** 얻다, 입수하다; 가지다(obtain): ~ information 정보를 입수하다 / ~ permission 허가를 얻다 **b** 받다; 벌다(earn); 따다, 획득하다, 타다(gain, win); 〈편지·전보 등을〉 받다(receive); 〈자리·방 등을〉 예약하다; 〈신문 등을〉 정기 구독하다: ~ help from one's friends 친구들로부터 도움을 받다 / ~ a doll for Christmas 크리스마스 선물로 인형을 받다

> 유의어 **get** 「입수하다, 얻다」의 가장 일반적인 말로서 손에 넣기 위한 노력·의지의 유무와는 관계가 없다: *get* a job 일자리를 얻다 **gain** 자신에게 도움이 되는 것, 필요한 것을 노력하여 얻다, 또는 조금씩 손에 넣다: *gain* fame 명성을 얻다 **obtain** 몹시 원하는 것을 노력하여 손에 넣다: He has *obtained* aid. 그는 도움을 얻었다. **acquire** 시간을 들여 손에 넣다: He *acquired* a fine education. 그는 훌륭한 교육을 받았다.

2 사다; 사주다; 〈일을〉 구해 주다, 〈택시를〉 잡아 주다; 가서 가져오다(fetch): *G*~ your hat. 모자를 가져오너라. // (~+목+목) (~+목+전+명) Will you ~ me a ticket? =Will you ~ a ticket *for* me? 표를 사주시겠습니까? **3** (전화로) 불러내다 《*on*》; …와 연락이 닿다 《무선 등으로》: I'm ~*ting* Chicago. 시카고와 연결이 돼 소리가 들려온다. **4 a** 〈사람·동물 등을〉 잡다, 〈몸의 일부를〉 잡다 《*by*》: (~+목+전+명) ~ the cat *by* the tail 고양이의 꼬리를 잡다 **b** (기차·버스 등에) 대다, 잡아 타다: I *got* the train at 9. 9시 열차를 탔다. **5** 〈식사를〉 차리다, 준비하다(prepare); 《구어》 〈식사 등을〉 하다, 먹다: She helped her mother (to) ~ dinner. 그녀는 어머니가 식사 준비하는 것을 도왔다. // (~+목+전+명) We will ~ lunch *at* the hotel. 호텔에서 점심을 들도록 하지. **6** 《구어》 〈탄환·타격·공격 등이〉 〈사람의〉 (신체의 일부에) 맞다(hit) 《*in, on*》; 부상입히다; (~+목+전+명) The bullet *got* the bird *in* the leg. 탄환이 새의 다리에 맞았다. **7** 《구어》 해치우다, 복수하다; 압도하다; (논쟁·토론 등에서) 이기다; 〖야구〗 〈주자를〉 아웃시키다: I'll ~ you yet! 언젠가 너에게 복수하겠다! / You've *got* me there. 그 점에선 손 들었네. **8 a** 〈병에〉 걸리다; 〈타격·재앙·패배 등을〉 받다, 입다, 당하다: ~ a cold 감기에 걸리다 / ~ a blow 한 대 얻어 맞다 **b** 〈벌·복역 기간 등을〉 서다, 받다: He *got* six months. 그는 6개월의 형을 선고받았다. **9** 《구어》 감동시키다, 매혹하다; 흥분시키다: Her tears *got* me. 그녀의 눈물은 나를 감동시켰다. **10** 《구어》 낭패케 하다, 궁지에 빠뜨리다(puzzle), 화나게 하다: This problem ~*s* me. 이건 참 곤란한 문제다. / His conceit ~*s* me. 그 친구의 자만심엔 화가 날 지경이야. **11** 배우다, 익히다; 〈습관 등이〉 배다; 〈결과·답 등을〉 얻다; 〈득점을〉 얻다: ~ a lesson 가르침을 받다 **12** [보통 명령문] 《구어·경멸》 보다, …에 주목하다 **13** 《구어》 이해하다(understand), 알아듣다: ~ a joke 농담을 이해하다 / I didn't ~ your name. 성함을 알아듣지 못하였습니다. / Do you ~ me? 내 말 알아들었소? // (~+목+보) Don't ~ me wrong. 오해하면 안됩니다. **14** 〈물건을〉 움직이다, 운반하다, 갖고 가다, 〈사람을〉 데려가다 《*to, into, out of*》: (~+목+전+명) ~ a cat *out of* a room 고양이를 방에서 나가게 하다 / ~ a child *to* school 어린이를 학교에 데려가다 / *G*~ your car *to* the garage. 차를 차고에 넣어라. / I can't ~ all these books *into* the bag. 이 책들을 모두 가방 속에 담을 수는 없다. // (~+목+부) I want to ~ the chairs *upstairs.* 이 의자들을 2층으로 나르고 싶다. **15** 〈…상태로〉 되게[이르게] 하다 (~+목+**-ing**) ~ the clock go*ing* 시계를 가게 하다 // (~+목+보) I *got* my feet wet. 내 발이 젖었다. **16 a** …시키다, …하게 하다: (~+목+보) Please ~ this typewritten. 이걸 타자 쳐 주시오. / *G*~ your watch mended. 시계를 (시계방에서) 고쳐 달라고 해라. **b** …당하다: (~+목+보) I *got* my arm broken. 나는 팔이 부러졌다. **c** …해치우다: (~+목+보) I want to ~ my work finished by noon. 일을 정오까지 해치우고 싶다. **17** …하게 하다(cause), …하도록 설득하다(persuade), 권하여 …하게 하다(induce) 《*to* do》: (~+목+***to*** do) *G*~ your friend *to* help you. 친구에게 도와 달라고 하시오. / I can't ~ this door *to* shut properly. 이 문은 제대로 닫히지 않는다. **18** 《고어》 〈수컷이 새끼를〉 얻다(beget) **19** 《구어》 [have got으로] **a** 가지고 있다(have): I'*ve got* it. 난 그걸 갖고 있다. / *Have* you *got* a newspaper? 신문을 가지고 계십니까? **b** [*to* do를 수반하여] …해야 되다(have to, must); …함에 틀림없다: I'*ve got to* write a letter. 나는 편지를 써야만 된다. / You'*ve got to* eat more vegetables. 야채를 더 먹어야 합니다. 《★ 「…해야 되다」는 대체로 have to, must, be obliged to, be compelled to, be forced to의 순서로 점점 강제의 정도가 커짐 / You'*ve got to* be joking. 자네는 농담하고 있는 것이겠지, 농담이시겠지요.

—*vi.* **1** (어떤 장소·지위·상태에) 이르다, 도달하다, 오다, 가다 《★ 번역은 뒤에 따르는 전치사·부사(*in, into, out* (*of*), *up, down, away, back, over, under, to,* etc.)로 결정됨》: (~+전+명) ~ *to* Seoul 서울에 도착하다 // (~+부) ~ *in* 안에 들어가다 / ~ *out* 밖에 나가다 / ~ *through* 통과하다 / ~ *home* late 늦게 귀가하다 **2** [부정사와 함께] **a** 〈…하게〉 되다: (~+***to*** do) ~ *to* like it 좋아하게 되다 / ~ *to* be friends 친구가 되다 **b** 그럭저럭 〈…할〉 수 있다: (~+***to*** do) I *got to* come. 그럭저럭 올 수 있었다. / I never *got to* go to college. 결국 대학에는 못 가고 말았다. **3** [형용사를 보어로 하여] (…의 상태가) 되다(become): (~+보) ~ better[colder] 나아[추워]지다 / ~ well 병이 나아지다 / ~ sick 병에 걸리다 / He is ~*ting* old. 그는 늙어가고 있다. **4** [get+과거분사로 수동형] 〈어떤 상태가〉 되다, …당하다: (~+***done***) ~ tired 피곤하다 / ~ hurt 다치다 / ~ drunk 술에 취하다 / ~ married 결혼하다 / ~ hit by a car 차에 치이다 / I *got* caught in the rain. 비를 만났다. **5** 이익을 얻다, 돈을 벌다 **6** [종종 [gít]으로 발음] 《속어》 빨리 가버리다: He told me to ~. 그는 나에게 바로 떠나라고 말했다. **7** [현재분사와 함께] 《구어》 〈…하기〉 시작하다: (~+**-ing**) ~ talk*ing* 서로 이야기를 시작하다 / (I'd) Better ~ mov*ing*. 이제 슬슬 가야겠다.

~ about (1) 돌아다니다; (앓고 난 후에) 걸을 수 있게 되다 (2) 《구어》 (여기저기) 여행하다 (3) (소문이) 퍼지다 (4) 열심히 일하다 ***~ above*** …을 얕보다, 깔보다 ***~ above*** one***self*** [보통 진행형으로] 《구어》 우쭐하다, 자만하다 ***~ abreast of*** …와 어깨를 나란히 하다, 뒤지지 않다 ***~ abroad*** ⇨ abroad. ***~ across*** (1) 〈다리·길·강 등을〉 건너다, 〈국경 등을〉 넘다 (2)

《영·구어》 …을 화나게 하다, 괴롭히다 (3) 〈말·뜻 등이〉 통하다, 이해되다; 《구어》 〈농담·취지 등을〉 이해시키다, 전하다 《*to*》: His joke didn't ~ *across* to her. 그의 농담은 그녀에게 통하지 않았다. (4) 〈연극 등이〉 성공하다; 〈연극 등을〉 성공시키다: ~ a play *across* (the footlights) 〈배우가〉 연극을 성공시키다 (5) 〈말을〉 건네다 ~ ***after*** (1) …을 뒤쫓다 (2) 《구어》 …을 꾸짖다 《*for*》 (3) (…하도록) 조르다 ~ ***against*** …에 반대하다 ~ ***ahead*** (1) 나아가다, 진보하다; 따라잡아 앞서다 (2) 출세[성공]하다 ~ ***ahead of*** …보다 낫다; 〈빚〉에서 벗어나다, 갚아 버리다 ~ ***along*** (1) 나아가다; 나아가게 하다 (2) 시간이 흐르다 (3) 진척되다 《*with*》; 진척시키다 (4) 살아가다, 꾸려나가다 (5) 의좋게 살다 《*with*》: ~ *along* together = ~ *along* with a person 의좋게 살아가다 / ~ *along* well [badly] 성미[호흡]가 맞다[맞지 않다] (6) 나이를 먹다, 노년이 되다: ~ *along* in years 《미·구어》 나이 먹다, 늙다 (7) 《구어》 가다, 떠나다 (*vt.*) (8) 보내다, 가지고[데리고] 가다[오다] ***G~ along*** (***with you***)***!*** 《구어》 (1) 저리 가, 꺼져 버려! (2) 농담이겠지, 설마. ~ ***among*** …의 속에 들어가다, …의 한패가 되다, …와 사귀다 ~ ***anywhere*** (1) [부정(否定)어와 함께] 실패하다, 결과가 시원찮다 (2) …을 성공시키다 ~ ***around*** (1) 돌아다니다 (2) 교제 범위가 넓다 (3) 〈소문 등이〉 널리 퍼지다 (4) 〈곤란 등을〉 잘 피하다, 극복하다; 〈법률·책임 등을〉 잘 피하다 (5) …을 설복하다, 아첨하다 (6) …을 데리고 오다[가다]; …을 …에 보내다 ~ ***around to*** …할 기회를[시간을] 찾아내다, …에 손이 미치다; …에 착수하다 ~ ***at*** (1) …에 이르다, 닿다; …을 얻다, 찾아내다 (2) 〈의미·진리 등을〉 파악하다, 이해하다 (3) 알다, 확인하다, 명백히 하다 (4) 《구어》 (매수·협박으로) …을 움직이(려 하)다; (경마 등에) 부정 수단을 쓰다 (5) 《구어》 공격하다; 야유하다 (6) (늦은 다음에) 〈일 등에〉 착수하다 (7) …을 비치다, 밝히려 하다 ~ ***away*** (1) …에서 떠나다; (여행 등에) 나서다 (2) …에서 도망치다 (3) [부정문에서] (사실 등에서) 도망치다, 피하다, 인정하지 않다 (4) (경주 등에서) 출발하다 (5) …을 데리고 가다 (6) 〈불필요한 것을〉 …에서 제거하다 (7) 보내다, 내보내다 ~ ***away from it all*** 《구어》 도시 생활의 번잡에서 벗어나다 ~ ***away with*** (1) …을 가지고 도망치다 (2) 〈못된 짓을〉 벌받지 않고 해내다 (3) (가벼운 벌)만으로 끝나다 ***G~ away*** (***with you***)***!*** 《구어》 = GET along (with you)! ~ ***back*** (1) 돌아오다; 되찾다 (2) 〈정당 등이〉 정권을 되찾다 (3) [종종 명령문에서] (뒤로) 물러서다 (4) …을 되돌리다; 돌려보내다; 대답하다, 답장을 주다 ~ ***back at***[***on***] 《구어》 …에게 보복하다, 복수하다 ~ ***back to*** 《구어》 …에게 전화를 하다[보고를 하다, 편지를 쓰다] ~ ***behind*** (*vt.*) (1) …의 배후[내막]를 환히 알다, 속속들이 꿰뚫어 보다 (2) 회피하다 (3) 《미》 후원하다 (*vi.*) (4) 뒤떨어지다; 〈일이〉 늦어지다, 〈지불 등이〉 밀리다 (5) …의 뒤로 돌다 ~ ***between*** (1) 사이에 들어 중재하다 (2) 사이에 들어 방해하다 ~ ***beyond*** (*vi.*) (1) 〈장소·단계 등을〉 넘다 (2) 〈일 등이〉 감당하기 어렵다, 이해할 수 없다 (*vt.*) …을 (…의) 앞으로 진행시키다 ~ ***by*** (1) 통과하다, 빠져나가다 (2) 그럭저럭 헤어나다 (3) 교묘히 속이다; 용케 모면하다 (4) 〈일 등의〉 성과가 그저 그만하다, 그럭저럭 통과되다 ~ ***done with*** 《구어》 …을 마치다, 끝내다, 해치우다 ~ ***down*** (*vi.*) (1) 말[기차, 나무]에서 내리다 (2) 《영》 〈어린아이가〉 (식탁의) 의자에서 내려오다 (3) 몸을 구부리다, 웅크리다 (4) 《구어》 침울해지다, 낙심하다 (*vt.*) (5) …에서 내려 놓다 (6) 〈비율 등을〉 낮추다 (7) 〈약 등을〉 (겨우) 삼키다 (8) 적어 두다, 받아쓰다 (9) 《구어》 …을 낙심시키다 (10) 피곤하게 하다 ~ ***down dirty***[***shitty***] 《미·속어》 입이 거칠어지다, 말썽을 일으키다 ~ ***down on*** 《미·구어》 …에게 반감을 품다 ~ ***down to*** (1) …에 내리다 (2) 〈일 등에〉 (진지하게) 착수하다 (3) …까지 파고들다 ~ ***down with*** …을 끝마치다, 해버리다, 해치우다 ~ ***far*** (1) 멀리까지 가다 (2) 진보하다, 성공하다 (3) …이 진척하다 ~ ***forward*** (1) 진척하다, 나아가다 (2) 〈일을〉 진척시키다; 나아가게 하다; 앞으로 내다 ~ ***going*** 《미·구어》 나서다, 출발하다; 일에 착수하다; 속도를 내다 ~ ***hers***[***his***] 그녀[그]가 정당한 보답[벌]을 받다; 《속어》 살해되다 ~ ***home*** (1) 집에 닿다 (2) 일착으로 골인하다[들어가다] (3) 〈화살·추측 등이〉 적중하다 (4) 성공적으로 해내다 (5) …의 급소를 찌르다 (6) …에게 충분히 이해되다[시키다] ~ ***in*** (*vi.*) (1) (안으로) 들어가다; 〈비·빛 등이〉 새어들다 (2) 차에 타다; 거두어들이다 (3) 〈기차·비행기 등이〉 도착하다; 〈사람이〉 (집·회사 등에) 도착하다 (4) 당선하다 (5) (시험을 치른 뒤에) 입학하다, 입회하다 (6) (…와) 친해지다 《*with*》 (7) (활동·여행 등에) 참가하다 (*vt.*) (8) (안에) 들여놓다; …을 차에 태우다 (9) 〈세탁물 등을〉 걷어들이다; 〈농작물 등을〉 거두어들이다; 〈깔린 빚돈을〉 거두어들이다 (10) 〈물건을〉 사들이다, 들여놓다 (11) 〈의사·직공 등을〉 (집으로) 불러오다 (12) 말참견하다 (13) 〈씨를〉 뿌리다; 〈모를〉 심다 (14) …을 입학[입회]시키다 ~ ***in on*** 《구어》 참여하다, 축에 끼게 되다 ~ ***inside*** …을 알다, 이해하다 ~ ***into*** (1) …에 들어가다; (차에) 타다 (2) (직무·일 등에) 종사하다 (3) 〈옷을〉 입다, 〈신발을〉 신다 (4) (…한 상태로) 되다; 〈이야기·싸움 등을〉 시작하다 (5) 《구어》 (방법 등에) 익숙해지다, 〈습관 등이〉 몸에 배다; (취미·책 등에) 열중하게 되다 (6) 〈생각이〉 …의 머리에서 떠나지 않다 ~ ***in with*** 《구어》 …와 친해지다; …을 사귀려 들다 ~ ***it*** (1) 《구어》 꾸중듣다, 벌받다 (2) 《구어》 이해하다 (3) 〈걸려온 전화를〉 받다 ~ ***it into*** one***'s head*** ⇨ head. ~ ***it off*** 《비어》 (1) 사정하다 (2) 성교하다 (3) 자위하다 ~ ***it on*** (1) …에 매우 열심이다, …을 크게 즐기다 (2) 시작하다 (3) 《속어》 (성적으로) 흥분하다, 성적 관계를 가지다 ~ ***it out*** 《미·구어》 괴로움[슬픔]을 털어 놓다 ~ ***it up*** 《비어》 (1) 발기시키다 (2) 마음을 가다듬다 ~ ***near to*** …에 다가가다, 접근하다 ~ ***nowhere*** = ***not*** ~ ***anywhere*** 효과[성과, 진보]가 없다, 아무것도 안 되다, 잘 안 되다(cf. GET somewhere) ~ ***off*** (*vi.*) (1) (차에서) 내리다, 하차하다 (2) 출발하다 (3) 〈편지 등이〉 발송되다 (4) 형벌[불행]을 모면하다 (5) 일에서 해방되다, 퇴근하다 (6) 잠들다 (7) 《미·구어》 (마약 등에) 도취하다 《*on*》 (8) 〈잔디밭 등에〉 들어가지 않다 (9) 〈화제 등에서〉 벗어나다, …을 그만두다 (*vt.*) (10) …을 제거하다; 〈옷을〉 벗다, 〈반지를〉 뽑다; 〈얼룩을〉 빼다 (11) 〈사람을〉 …에 보내다 《*to*》 (12) 〈편지 등을〉 부치다 (13) 《미·구어》 〈농담 등을〉 하다 (14) 〈승객 등을 차에서〉 내리다 (15) 《구어》 …을 …에서 입수하다 ~ ***off*** (***by heart***) 외다, 암기하다 ~ ***off cheap*** 《미·구어》 싸게 치르다[지불하다] ~ ***off easy*** 《미·구어》 가벼운 벌을 받고 끝나다 ~ ***off for*** …으로 벌을 받다 ***G~ off it!*** 그런 식으로 말하지 마라! ~ ***off on*** (1) 《속어》 (스포츠·음악 등에) 열중하다, 열광하다 (2) (다른 화제 등으로) 옮기다 ~ ***off on the wrong foot*** 처음부터 실수하다, 서투른 짓하다 ~ ***off to a flying***[***good***] ***start*** 《미·구어》 잘[성공적으로] 시작되다 ~ ***off to sleep*** 잠들다 ~ ***off with*** (1) (가벼운 질책·벌 등으로) 끝나다 (2) 《영·구어》 (이성(異性))과 친해지다 ~ ***on*** (*vi.*) (1) (버스 등에) 타다, 승차하다 (2) 〈일 등이〉 진척되다; 〈일 등을〉 진척시키다 (3) 〈시간이〉 지나다; 〈사람이〉 나이를 먹다; 〈시간·나이·수 등이〉 …에 가까워지다 (4) (그럭저럭) 지내다, 살아가다 (5) …와 의좋게 지내다 (6) (중단 후에도) 계속하다 (7) 성공하다 (8) 서두르다 (9) …에 오르다 (*vt.*) (10) 〈사람·물건을〉 (차에) 태우다[싣다] (11) 〈옷을〉 입다 (12) 〈장작을〉 지피다; 〈등불을〉 켜다 (13) 〈학생을〉 향상시키다 ~ ***on at*** …에게 (귀찮게) 잔말하다 ~ ***on for***[***toward***(***s***)] [보통 진행형으로] 《구어》 …에 가까워지다: He is ~*ting on for* seventy. 그는 70이 멀지 않다. / It is ~*ting on for* midnight. 이럭저럭 자정이 가깝다. ~ ***on in years*** [보통 진행형으로] 《구어》 나이 먹다, 늙다 ~ ***on*** one***'s feet***[***legs***] (연설하기) 위해 일어서다; (회복되어) 걷게 되다; 번창하다 ~ a person[a thing] ***on***

the brain …에 열중하다, …생각이 머리에서 떠나지 않다 **~ *... on the run*** ⦅미·구어⦆ 도망치게 하다 **~ *onto*[*on to*]** (1) …위에 오르다[올라가다] (2) ⟨탈것⟩에 타다 (3) ⟨부정을⟩ 들춰내다 (4) (전화로) 연락하다 (5) ⟨다른 문제·화제·행동 등에⟩ 착수하다 (6) …의 일원이 되다, 선출[임명]되다 (7) …하라고 귀찮게 굴다 **~ *on with*[*together*]** …와 일치하다; 사이좋게 지내다; ⟨관계가⟩ 원만하다 **~ *on without*** …없이 지내다 ***G~ on with you!*** = GET along with you! **~ *out*** (*vi.*) (1) (밖으로) 나가다; 외출하다; (떠나) 가다 (2) (차에서) 내리다 (3) 도망치다 (4) ⟨비밀 등이⟩ 새다, 알려지다 (*vt.*) (5) (밖으로) 내다, 꺼내다; ⟨마개·가시·이·얼룩 등을⟩ 뽑다 (6) …을 구해 내다, 구해 내어 도망시키다 (7) (도서관 등에서) ⟨책을⟩ 대출하다 (8) ⟨예금 등을⟩ 찾다, 인출하다 (9) ⟨책 등을⟩ 출판[발행]하다 (10) …을 생산하다 (11) ⟨말을⟩ (겨우) 하다, 입 밖에 내다, ⟨문제를⟩ 해결하다 **~ *out from under*** ⦅구어⦆ 다급한 위기를 모면하다; ⦅속어⦆ 손해를 회복하다 **~ *out of*** (*vi.*) (1) ⟨장소⟩에서 나오다 (2) ⟨옷을⟩ 벗다 (3) ⟨차⟩에서 내리다 (4) …의 범위 밖으로 가다 (5) ⟨약속·일 등⟩에서 벗어나다 (6) ⟨나쁜 습관 등⟩에서 벗어나다, …을 그만두다 (7) ⟨해야 할 일을⟩ 피하다 (*vt.*) (8) …에서 (꺼)내다, 제거하다 (9) ⟨진상·돈 등을⟩ 알아내다, 얻어 내다; ⟨이익 등을⟩ 얻어 내다 (10) …에서 면제시키다 (11) ⟨습관 등을⟩ 버리게 하다 (12) ⟨의무 등을⟩ 면하게 하다 **~ *out of hand*** 과도해지다; 감당 못하게 되다 ***G~ out*** (***with you***)***!*** 저리 가! ⟪귀찮음⟫; 무슨 소리야! ⟪불신⟫ **~ *over*** (1) ⟨담 등을⟩ 넘다, ⟨강·다리 등을⟩ 건너다 (2) ⟨장애·혼란 등을⟩ 극복하다 (3) ⟨병·충격 등⟩에서 회복하다 (4) [보통 I[We] can't ~ over ...로] ⦅구어⦆ …에 놀라다 (5) [보통 부정문에서] ⟨사실 등을⟩ 부정하다 (6) ⟨어떤 거리·길을⟩ 가다 (7) ⦅구어⦆ ⟨생각 등을⟩ 이해시키다 (8) ⟨싫은 일 등을⟩ 끝마치다, 해치우다 **~ *right on ...*** ⦅구어⦆ …을 바로 시작하다, 즉시 착수하다 **~ *round*** = GET around. ***get round to*** = GET around to. ***G~ set!*** (경주에서) 준비! **~ one's** (***lumps***) ⦅미·속어⦆ (1) 마땅한 보수[벌]를 받다; 살해되다 (2) 부자가 되다 **~ *some*** ⦅미·속어⦆ 성교하다 **~ *something on*** ⦅구어⦆ …에게 불리한 정보를 입수하다, …의 약점을 잡다 **~ *somewhere*** 효과가 있다, 잘 되어 가다, 성공하다 (cf. GET nowhere) **~ *so*** (***that***) ***...*** ⦅미·구어⦆ …하게 되다, …한 사태에 이르다 **~ *the chop*** ⦅영⦆ 해고당하다; 살해되다 **~ *the order of the boot*** ⦅속어⦆ 해고당하다 **~ *there*** ⦅속어⦆ 목적을 이루다, 성공하다; 양해가 되다; 이해하다 **~ *through*** (*vi.*) (1) …을 통과하다; 목적지에 도달하다 (2) ⟨어려운 때를⟩ 타개해 나가다, 극복하다; ⟨시간을⟩ 보내다 (3) …을 마치다, 끝내다 (4) ⟨시험에⟩ 합격하다 (5) ⟨의회 등을⟩ 통과하다 (6) ⟨돈 등을⟩ 다 써버리다; ⟨음식물을⟩ 다 먹어버리다 (7) ⟨전화 등이⟩ 연락이 되다 (8) 생각을 이해시키다, (…와) 말이 통하다 ⦅*to*⦆ (9) (결승전 등에) 진출하다 ⦅*to*⦆ (*vt.*) (10) …을 통과시키다 (11) ⟨시험 등에⟩ 합격시키다 (12) ⟨의안 등을⟩ 통과시키다 (13) …을 (목적지에) 도달하게 하다 (14) (전화 등으로) 연결하다 (15) …을 이해시키다 **~ *through with*** …을 끝내다, 마무리짓다; …을 해치우다, 패배시키다 **~ *to*** (1) …에 도착하다 (2) (일)에 착수하다; ⟨식사⟩를 하기 시작하다 (3) ⦅구어⦆ (사람)과 연락하다 (4) (사람)에게 영향을 주다; (사람에게) 이해되다 (5) ⟨어떤 결과⟩가 되다: Where can it have *got to*? 그 일은 도대체 어떻게 되었을까? (6) ⦅미·구어⦆ (권유·매수·협박의 목적으로) …에게 접근하다 **~ *together*** (*vi.*) (1) 모이다, 한데 모이다; 만나다 (2) ⦅구어⦆ 의논하다; ⟨의견이⟩ 일치하다 (3) 단결하다, 협력하다 (*vt.*) (4) …을 모으다 (5) ⟨소유물·생각 등을⟩ 정리하다 (6) ⦅구어⦆ 자제하다, 감정을 억제하다 **~ *under*** ⟨불·소동 등을⟩ 진압하다, 가라앉히다(subdue) **~ *up*** (*vi.*) (1) 일어나다, 기상하다; 병석에서 일어나다; (자리에서) 일어서다 (2) ⟨말·자전거 등을⟩ 타다 (3) ⟨돌풍 등이⟩ 일어나다; ⟨바람·바다·불 등이⟩ 사나워지다, 거칠어지다 (4) [명령법] (말에게) 전진! (5) ⟨계단 등을⟩ 오르다, ⟨나무·산에⟩ 오르다 (*vt.*) (6) 깨우다, 기상시키다 (7) 일어서게 하다 (8) …을 오르게 하다, ⟨짐 등을⟩ (들어) 올리다; …을 (말 등에) 태우다 (9) ⟨행사·모임 등을⟩ 준비하다, 시작하다; 계획하다, 개최하다 (10) ⦅구어⦆ 매무새[머리⦅등⦆]를 매만지다, 멋내다; 차려 입다; …으로 분장하다: She *got* herself *up* in her best clothes. 그녀는 가장 좋은 옷을 입었다. (11) ⟨책을⟩ 장정하다 (12) ⟨감정 등을⟩ 돋우다, 자극하다, ⟨식욕 등을⟩ 나게 하다 (13) ⦅영⦆ ⟨학과 등을⟩ 공부하다, 다시 공부하다 **~ *up against*** (1) …옆에 (다가)서다 (2) …와 사이가 틀어지다, 충돌하다 (3) ⟨가구 등을⟩ (벽에) 붙이다, 붙여 놓다 **~ *up and go*** [보통 명령법] ⦅구어⦆ 재빨리 움직이기 시작하다; 서두르다 **~ *up off ...*** ⦅미·속어⦆ ⟨물자 등을⟩ 방출하다, 제공하다 **~ *upon*** ⟨말 등을⟩ 타다 **~** a person ***upon*** …에게 …을 말하게 만들다 **~ *up* one's *nose*** 역겹다, 아니꼽다 **~ *up to*** (1) …에 가까이 가다, 도달하다; …을 뒤따라 잡다, 따라붙다 (2) ⟨장난 등을⟩ 치다 (3) …을 가까이 가게 하다, 도착시키다, …으로 끌어올리다 **~ *up with*** …에 따라붙다 **~ *what's coming to*** one ⦅미·구어⦆ 당연한 보답을 받다 **~ *with ...*** (사람과) 알고 지내다, 친해지다 **~ *within ...*** (법·한계 내로) 한정하다; (사정거리·시야 안에) 들어오다 **~ *with it*** (1) ⦅구어⦆ 유행에 뒤지지 않도록 하다, 유행을 타다, 새로운 생각을 이해하다 (2) ⦅구어⦆ 매우 조심하다, …을 열심히 하다 (3) 일에 착수하다 ***G~ you*[*him, her, them*]*!*** ⦅속어⦆ 시시한 소리! ⟪자기 자랑 등에 대한 경멸적인 응답⟫ ***have got it bad*(*ly*)** ⦅속어⦆ 확 달아 있다 ***It ~s me ...*** ⦅미·속어⦆ 나는 …을 알 수 없다 ***It's got so*** (***that***) ***...*** ⦅미·구어⦆ …한 사태[형편]가 되다 ***tell*** a person ***where to ~ off*[*where*** he[she] ***can ~ off, where*** he[she] ***~s off*]** ⦅구어⦆ …의 버릇없음에 대해 주의를 주다 ⟪버스 차장이 무례한 승객에게 하차를 명하는 뜻에서⟫; 책망하다, 꾸짖다 ***What are you ~ting at?*** 결국 자네는 무슨 말을 하고자 하는 건가? ***What has got*** him? (그는) 어떻게 되었느냐? ***You can't ~ there from here.*** (1) 여간해서는 그곳에 갈 수 없다. (2) 간단히 해결될 문제가 아니다. ***You*[*We*] *~ ...*** ⦅구어⦆ …가 있다 (There is [are] ...)

get[2] *n.* **1** (동물의) 새끼; 새끼를 낳음: the ~ of a stallion 종마 새끼 **2** (테니스 등에서) 되받아치기 어렵게 받아치기 **3** ⦅스코·경멸⦆ 아이, 개구쟁이; 지겨운 녀석 **4** ⦅미·속어⦆ 이익

get·at·a·ble [getǽtəbl] *a.* ⦅구어⦆ **1** ⟨장소 등이⟩ 도달할 수 있는, 근접하기 쉬운 **2** ⟨책 등이⟩ 쉽사리 구할 수 있는; ⟨사람이⟩ 접근하기 쉬운 **~·ness** *n.*

get·a·way [gétəwèi] ⦅구어⦆ *n.* **1** (범인의) 도주, 도망 **2** (자동차·경마의) 출발, 스타트 **3** (휴가의) 휴양지 ***make*** one's [***a***] **~** 도망하다: He *made his* ~ in the car. 그는 차로 도주했다.

— *a.* Ⓐ 도망치는, 도주용의

get-go [gétgòu] *n.* ⦅미⦆ [주로 다음 성구로] ***from the ~*** 처음부터

Geth·sem·a·ne [geθséməni] *n.* **1** 〖성서〗 겟세마네 ⟪Jerusalem 동쪽에 있는 동산; 그리스도 수난의 땅⟫ **2** [**g~**] 고뇌; 고난의 장소[때]

get-out [gétàut] *n.* **1** 〖상업〗 손익 분기점, 채산점 **2** ⦅구어⦆ (궁지에서의) 탈출, 회피(책), 도피 (수단) ***as*[*like, for*] *all ~*** ⦅미·구어⦆ 아주, 몹시, 극도로

get-rich-quick [gètrítʃkwík] *a.* ⦅미⦆ 일확천금(식)의: ~ fever 일확천금을 노리는 열기

~·er *n.* 일확천금을 꿈꾸는 사람

get·ta·ble [gétəbl] *a.* 얻을[손에 넣을] 수 있는

get·ter [gétər] *n.* 얻는 사람; 〖전기〗 게터 ⟪전구·진공관 내의 잔류 가스를 흡수시키는 물질⟫

thesaurus **ghastly** *a.* **1** 무시무시한 terrible, dreadful, awful, horrid, horrendous, hideous, shocking, frightening **2** 창백한 pale, pallid, wan,

—*vt.* 〖전기〗 (게터로) 〈잔류 가스를〉 제거하다
—*vi.* 〖전기〗 게터를 쓰다
get·ter·ing [gétəriŋ] *n.* (게터에 의한 부분 진공관의) 잔류 가스 제거
get·ting [gétiŋ] [다음 성구로] ***while the ~ is good*** ⇨ while the GOING is good
get-to·geth·er [gétəgèðər] *n.* 《미·구어》 사교회, 간담회, 친목회
get-tough [géttʌ́f] *a.* 《미·구어》 단호한, 강경한: a ~ policy 강경책
Get·tys·burg [gétizbə̀:rg] *n.* 게티즈버그 《미국 Pennsylvania주 남부의 도시; 남북 전쟁의 결전장(1863년)》
Géttysburg Addréss [the ~] 게티즈버그 연설 《1863년 11월 19일 Lincoln이 Gettysburg에서 한 연설; 민주주의를 정의한 말 "government of the people, by the people, for the people"로 유명》
get·up, get-up [gétʌ̀p] *n.* 《구어》 **1** (색다른) 옷차림, 차림새, 복장 **2** 외관; (책의) 장정 **3** ＝GET-UP-AND-GO
get-up-and-go [gétʌ̀pəndgóu] *n.* Ⓤ 《구어》 패기, 열의; 적극성
ge·um [dʒí:əm] *n.* 〖식물〗 뱀무속(屬)의 식물
GeV 〖물리〗 gigaelectron volt
gew·gaw [gjú:gɔ̀: | gjú:-] *n.* 값싸고 허울만 좋은 물건, 굴퉁이 —*a.* 겉만 번지르르한, 허울만의
gey [géi] 《스코》 *a.* 상당한 —*ad.* 꽤, 매우
gey·ser [gáizər] *n.* **1** 간헐(間歇)(온)천 **2** [gí:zər] 《영》 (목욕탕 등의) 자동 온수기(《미》 hot-water heater) —*vi., vt.* 분출하다, 내뿜다
gey·ser·ite [gáizəràit] *n.* 〖광물〗 간헐석(間歇石)
GFE government-furnished equipment
G-film [dʒí:film] *n.* ＝G-RATED film
G5 [dʒí:faiv] Conference of Ministers and Governors of Group of Five Countries 선진5개국 재무 장관·중앙은행 총재 회의 《미국·독일·영국·프랑스·일본》(Group of Five)
G-FLOPS [dʒí:flɑ̀ps | -flɔ̀ps] *n.* 〖컴퓨터〗 컴퓨터의 연산(演算) 속도 단위
G-force [dʒí:fɔ̀:rs] [*g*ravity] *n.* 〖물리〗 관성력(慣性力)(inertial force)
GFRP glass fiber-reinforced plastics **G.F.S.** Girls' Friendly Society **G.F.W.C.** General Federation of Women's Clubs **GG** government-to-government 〖상업〗 정부 간 거래 **G.G.** Grenadier Guards **g.gr.** great gross **GHA** 〖항해〗 Greenwich hour angle
ghag·ra [gʌ́grɑ:] *n.* (남아시아의) 여성용 긴 치마
Gha·na [gɑ́:nə] *n.* 가나 《아프리카 서부의 공화국; 수도 Accra》
Gha·na·ian [gɑ́:niən, gǽn- | gɑ:néi-], **Gha·ni·an** [gɑ́:niən, gǽn-] *a.* 가나(Ghana)의, 가나 사람의 —*n.* 가나 사람
gha·ra·ra [gʌrɑ́:rə] *n.* (남아시아의) 여성용 헐렁한 바지
ghar·i·al [gʌ́riəl] *n.* 〖동물〗 ＝GAVIAL
ghar·ry, -ri [gǽri] *n.* (*pl.* **-ries**; **~s**) (인도·이집트의) 마차
ghast [gǽst | gɑ́:st] *a.* 《고어》 ＝GHASTLY
ghast·ful [gǽstfəl | gɑ́:st-] *a.* 《폐어》 ＝FRIGHTFUL
***ghast·ly** [gǽstli | gɑ́:st-] [ME 「깜짝 놀란」의 뜻에서] *a.* (**-li·er**; **-li·est**) **1** 무시무시한(horrible), 소름 끼치는, 오싹하는: ~ murder 무시무시한 살인 / a ~ sight 끔찍한 광경 **2** 송장[유령] 같은, 파랗게 질린: a ~ look 파랗게 질린 표정 **3** 《구어》 지독한, 기분 나쁜, 지겨운: a ~ bore 무지무지하게 따분한 사람 / a ~ error 엄청난 실수
—*ad.* 무섭게, 소름이 끼칠 만큼, 무시무시하게
-li·ness *n.* ▷ ghóst *n.*
ghat, ghaut[1] [gɔ́:t] *n.* 《인도》 **1** 강가의 층계; 선착장: a burning ~ 강변의 화장터 **2** 산길, 재
ghaut[2] [gɔ́:t] *n.* 《카리브》 (바다로 통하는) 계곡
gha·zi [gɑ́:zi] *n.* (이교도와 싸우는) 이슬람 용사; [**G~**] 승리 전사(戰士) 《터키의 명예 칭호》
GHB [dʒí:èitʃbí:] [*g*amma *h*ydroxy*b*utyric acid] *n.* Ⓤ 지에이치비, 감마 히드록시부티르산 《마약으로 이용되는 불법 화학 물질》
ghee, ghi [gí:] *n.* Ⓤ 버터 기름 《인도 요리용》
ghe·rao [geráu] *n.* (*pl.* **~s**) 포위 단체 교섭 《인도·파키스탄에서 고용주를 건물 안에 가두어 넣고 교섭을 벌이는》 —*vt.* 〈고용주를〉 사업장 내에 가두다
gher·kin [gə́:rkin] *n.* 작은 오이 《식물과 그 열매; 식초 절임용》
ghet·to [gétou] [It. 「주조소」의 뜻에서] *n.* (*pl.* **~(e)s**) **1** 《미》 (소수 민족, 특히 흑인이 모여 사는) 빈민가(slum); 고립된 지역[집단] **2** 유대인 강제 거주 지구 **3** (고정관념·편견 등에 사로잡힌) 틀에 박힌 생활[작업] 방식: job ~*s* for women 여성에게 맞는다고 여겨지는 일 —*vt.* ghetto에 넣다
ghétto blàster 《속어》 휴대용의 큰 스테레오 라디오 《주로 인종 운동으로 거리에서 크게 틀어 놓음》
ghet·to·ism [gétouìzm] *n.* ghetto의 분위기; 슬럼화(化); 슬럼가(街)에서의 생활 (방식)
ghet·to·ize [gétouàiz] *vt.* ghetto에 가두다; ghetto화하다 **ghèt·to·i·zá·tion** *n.*
Ghib·el·line [gíbəlàin, -lì:n] *n.* 〖역사〗 황제 당원 《중세 이탈리아에서 독일 황제편을 들어 교황 당원(Guelphs)에 반대했음》 —*a.* 황제당의
ghib·li [gíbli] *n.* 〖기상〗 기블리 《북아프리카 사막의 열풍》
ghil·lie [gíli] *n.* ＝GILLIE
‡**ghost** [góust] [OE 「영혼」의 뜻에서] *n.* **1 a** 유령, 망령, 원혼, 원령: the ~ of his dead father 그의 망부의 영혼 **b** 환영, 환상, 허깨비 **2** 희미한 흔적: He is a mere ~ of his former self. 지금의 그에게서 옛 모습은 희미하게 남아 있을 뿐이다. **3** [부정문에서] 약간의 가능성, 조금, 극소, 근소: have *not* the ~ of a chance[doubt] 조금도 가망[의심할 여지]이 없다 **4** 〖광학·TV〗 가상(假像), 고스트, 제2 영상(映像)(＝~ ìmage) **5** 〖인쇄〗 색의 얼룩 **6** 《구어》 ＝GHOSTWRITER **7** 《고어》 혼, 영혼 **8** (기업체·학교 등의) 유령 인원, 유령 사원[학생]
(***as***) ***pale***[***white***] ***as a*** **~** 〈얼굴이〉 핼쑥[파리]하여 ***give up the*** **~** (1) 죽다 (2) 《구어》 단념하다 (3) 〈사물이〉 작동하지 않게 되다 ***lay***[***raise***] ***a*** **~** 귀신을 쫓아버리다[부르다] ***play*** **~** ***to*** …의 대작(代作)을 하다 ***The*** **~** ***walks.*** 유령이 나온다.; 《극장속어》 급료가 나온다. ***the Holy G~*** 성령 《삼위일체의 제3위》
—*vt.* **1** 〈책·서류 등을〉 대작(代作)하다(ghostwrite) **2** (유령처럼) …에 붙어다니다, 나타나다
—*vi.* **1** 대작하다 **2** (유령처럼) 소리 없이 움직이다; 〈범선이〉 바람이 없는데도 움직이다
~·lìke, ghóst·y *a.* ▷ ghástly, ghóstly *a.*
GHOST [góust] [*G*lobal *Ho*rizontal *S*ounding *T*echnique] *n.* 지구 수평 탐측 기술
ghóst dànce 《미》 교령(交靈)춤 《아메리칸 인디언들이 죽은 사람의 혼과 통하기 위하여 추는 종교적 춤》
ghóst estáte 유령 단지 《개발이 중단된 주택단지》
ghost·ing [góustiŋ] *n.* 〖광학·TV〗 다중상 발생[형성]; 〖컴퓨터〗 (모니터 디스플레이에 나타나는) 잔상
ghost·li·ness [góustlinis] *n.* Ⓤ 유령 같음, 요괴스러움; 유령이 나올 듯함
***ghost·ly** [góustli] *a.* (**-li·er**; **-li·est**) **1** 유령의, 유령 같은; 유령이 나올 듯한, 유령에 관한: a ~ legend 유령의 전설 / the ~ hour 유령이 나오는 시간 **2** 희미한, 그림자 같은 **3** Ⓐ 《고어·문어》 영적인, 정신적인, 종교적인(spiritual): a ~ advisor 영적 문제의 조언

---

ashen, colorless, white
ghost *n.* poltergeist, appearance, haunt, specter, apparition, spirit, phantom

자《목사 등》/ a ~ father 고해 신부
▷ ghóst *n.*
ghóstly ènemy 악마(the devil)
ghóst stàtion 《영》 무인역(驛)
ghóst stòry 유령 이야기, 괴담; 지어낸 이야기
ghóst tòwn 《미》 유령 도시《주민이 떠난 황폐한 도시》
ghóst tràin 《영》 (유원지의) 도깨비 열차[전차]
ghóst wòrd 유령어《오식(誤植)·오해 등으로 생긴 말 derring-do 등》
ghost·write [góustràit] *vi., vt.* (**-wrote** [-ròut]; **-writ·ten** [-rìtn]) 〈연설문·문학 작품을〉 대필[대작]하다
ghost·writ·er [góustràitər] *n.* 대필자, 대작자
ghoul [gú:l] *n.* **1** (이슬람교국에서) 무덤을 파헤치고 송장을 먹는다고 하는 귀신 **2** 무덤을 파헤치는 사람, 도굴꾼 **3** 잔인한 짓을 하고[보고] 좋아하는 사람
ghoul·ish [gú:liʃ] *a.* 송장 먹는 귀신같은; 잔인한, 엽기적인; 병적인: ~ curiosity 병적인 호기심
~·ly *ad.* **~·ness** *n.*
GHQ, G.H.Q. 〔군사〕 general headquarters
ghyll [gíl] *n.* 《영》 =GILL[4]
GHz gigahertz **gi.** gill(s)
GI, G.I. [dʒí:ái] [*G*overnment[*G*eneral] *I*ssue] *n.* (*pl.* **GIs, GI's, G.I.'s, G.I.s**) 《미·구어》 미군 병사: a ~ Joe (남자) 병사 / a ~ Jane[Jill, Joan] 여자 병사 **—** *a.* **1** Ⓐ 관급의, 군 지급의, 군 규격의: a ~ haircut 군대식 이발 / ~ shoes 군화 **2** 미군 병사의, 미군 병사다운: a ~ bride 미군인의 처[약혼자]가 된 타국의 여자 **—** *ad.* (군대의) 엄격한 규칙[관습]에 따라 **—** *vt.* (검열 등을 받기 위해) 깨끗이 치우다, 정돈하다: ~ the barracks 병사(兵舍)를 청소하다
‡gi·ant [dʒáiənt] [Gk 「거대한 사람」의 뜻에서] *n.* **1** (신화·전설 등의) 거인(巨人): a one-eyed ~ 외눈의 거인 **2** 큰 사나이, 거한(巨漢)《신장 7피트 이상의》; 거대한 것[동물, 식물]: a corporate ~ 거대 기업 **3** (비범한 재능 등을 지닌) 거장, 대가, 위인: an intellectual ~ 뛰어난 지성인 / a musical ~ 위대한 음악가 / an economic ~ 경제 대국
— *a.* Ⓐ 거대한; 위대한; 비범한, 탁월한; [종종 동식물의 명칭에 사용하여] 특대의, 대(大)…(opp. *dwarf*): ~ size 특대 사이즈 / a ~ apple 엄청나게 큰 사과 **~·like** *a.* ▷ gigántic *a.*
gíant ánteater 〔동물〕 큰개미핥기
gi·ant·ess [dʒáiəntis] *n.* 여자 거인
gi·ant·ism [dʒáiəntìzm] *n.* Ⓤ **1** 〔병리〕 거인증(巨人症) **2** 거대성
gi·ant-kill·er [-kìlər] *n.* [영국의 동화 *Jack and Giant Killer*에서] [the ~] 거물[강적] 잡는 선수[팀]
gíant pánda 〔동물〕 자이언트 판다
gíant plánet 〔천문〕 대행성《목성형 행성; 목성·토성·천왕성·해왕성 등》
gíant pówder 강력 화약[폭약]
gíant sequóia 〔식물〕 세쿼이아(big tree)
gíant slálom (스키의) 대회전 (경기)
gíant('s) stríde (유원지 등의) 회전탑
gíant stár 〔천문〕 거성(巨星)《직경·광도·질량 등이 현저하게 큰 항성》
gíant swíng (철봉의) 대차륜
gíant tórtoise 〔동물〕 코끼리거북《뭍에 사는 대형 거북의 총칭》
giaour [dʒáuər] [Pers. 「배화(拜火)교도」의 뜻에서] *n.* 불신자(不信者), 이단자《터키 사람이 그리스도교 신자를 멸시하여 부르는 말》
gib[1] [gíb] *n.* (특히 거세한) 수고양이(tomcat)
gib[2] 〔기계〕 *n.* 요(凹)자 모양의 쐐기
— *vt.* (**~bed**; **~·bing**) 요(凹)자형의 쐐기로 죄다
Gib. Gibraltar
gib·ber [dʒíbər, gíb-] *vi.* **1** (추위·무서움으로) 달달 떨며 말하다; 영문 모를 말을 (빨리) 지껄이다; 시시한 말을 지껄이다 **2** 〈원숭이 등이〉 끽끽거리다
— *n.* 종잡을 수 없는 말(chatter); 시시한[허튼] 소리
gib·ber·él·lic ácid [dʒìbərélik-] 〔생화학〕 지베렐린산(酸)《식물 생장 호르몬》
gib·ber·el·lin [dʒìbərélin] *n.* Ⓤ 지베렐린《고등 식물의 생장 호르몬》
gib·ber·ish [dʒíbəriʃ, gíb-] *n.* Ⓤ 영문 모를 말, 횡설수설
gib·bet [dʒíbit] *n.* 교수대; 교수형
— *vt.* **1** 교수대에 매달아 효수(梟首)하다; 교수대에서 처형하다 **2** 공공연히 욕보이다
gib·bon [gíbən] *n.* 긴팔원숭이《동남아시아산(産)》
gib·bose [gíbous] *a.* =GIBBOUS
gib·bos·i·ty [gibɑ́səti | -bɔ́s-] *n.* (*pl.* **-ties**) Ⓤ **1** 볼록한 모양 **2** Ⓒ 불룩하게 솟음 **3** 융기; 곱추
gib·bous [gíbəs] *a.* **1** 〈달·행성 등이〉 반원보다 불룩한 모양의: the ~ moon 철월(凸月)《반월과 만월 사이의》 **2 a** 불룩한 모양의, 부풀어 오른, 융기한 **b** 곱추의 **~·ly** *ad.* **~·ness** *n.*
Gibbs [gíbz] *n.* 기브스 **J**(**osiah**) **Willard** ~ (1839-1903)《미국의 수학자·물리학자》
Gíbbs frèe énergy 〔물리〕 기브스 자유 에너지
gibe [dʒáib] *vi., vt.* 놀려대다, 비웃다, 우롱하다, 조롱하다(jeer) 《*at*》, 웃음거리로 만들다: She ~*d* my mistakes. 그녀는 내 잘못을 비웃었다.
— *n.* 비웃음, 조롱(sneer), 우롱
gíb·er *n.* **gíb·ing·ly** *ad.*
GÍ Bíll (**of Ríghts**) [dʒì:ái-] 《미·구어》 제대 군인 원호법
gib·let [dʒíblit] *n.* [보통 *pl.*] (닭 등의 식용) 내장
Gi·bral·tar [dʒibrɔ́:ltər] *n.* **1** 지브롤터《스페인 남단의 항구 도시; 영국 영토》 **2** [**g~**] 견고한 요새
the Rock of ~ 지브롤터의 바위《험악한 바위산》
the Strait of ~ 지브롤터 해협
Gib·son [gíbsn] *n.* ⓊⒸ 기브슨《dry martini에 초절임 양파를 곁들인 칵테일》
Gíbson Désert [the ~] 기브슨 사막《오스트레일리아 중서부의 사막》
Gíbson gìrl [화가 C.D. Gibson에서] *n., a.* 《미》 기브슨식 미녀(의)《깃이 높고 소매가 길며 허리가 가는 복장을 한》
gi·bus [dʒáibəs] *n.* 오페라 모자(=**⌐ hát**)
gid [gíd] *n.* 〔수의학〕 기드, 운도병(暈倒病)
gid·dap [gidǽp, -ʌ́p] *int.* =GIDDYAP
gid·di·ly [gídəli] *ad.* 아찔하게; 현기증 나게; 정신을 못 차려; 경솔하게
gid·di·ness [gídinis] *n.* Ⓤ 현기증; 경솔
gid·dup [gidʌ́p] *int.* =GIDDYAP
***gid·dy** [gídi] [OE 「광기의」의 뜻에서] *a.* (**-di·er**; **-di·est**) **1** 현기증 나는, 어지러운; 아찔한, 어질어질한: a ~ cliff 아찔한 절벽 **2** 들떠 있는, 경솔한: a ~ goat 《속어》 촐랑거리는 사람, 까불이, 덜렁쇠 / a ~ young girl 들뜬 소녀
feel [***turn***] ~ 현기증을 느끼다 ***My ~ aunt!*** [놀라움을 나타내어] 《속어》 저런, 이런, 어머나! ***play*** [***act***] ***the ~ goat*** 경솔한 짓을 하다
— *vt., vi.* (**-died**) 현기증이 나(게 하)다
gid·dy·ap [gìdiǽp, -ʌ́p], **gid·dy·up** [-ʌ́p] *int.* 이랴《말을 달리게 하거나 속력을 높일 때》
gid·dy-head·ed [gídihèdid] *a.* 경솔한
Gide [ʒí:d] *n.* 지드 **André** (**Paul Guillaume**) ~ (1869-1951)《프랑스의 소설가·비평가; 노벨 문학상 수상(1947)》
Gid·e·on [gídiən] *n.* **1** 남자 이름 **2** 〔성서〕 기드온《이스라엘 민족을 미디안 사람의 압박으로부터 해방시켜 40년 동안 사사(士師)(judge)가 된 이스라엘의 용사》
Gídeons Internátional [the ~] 국제 기드온 협

thesaurus **gifted** *a.* talented, intelligent, brilliant, clever, smart, ingenious, able, skilled (opp. *stupid, inept, unskilled*)

회《1899년 설립된 성서 기증 협회》
gidg·et [gídʒət] *n.* **1** 《미·속어》 활발하고 귀여운 여자 **2** =GADGET
gie [gíː] *v.* (**~d**; **~d, gien** [gíːn]) 《스코》 =GIVE
GIF 〖컴퓨터〗 graphics interchange format
*** **gift** [gíft] *n., vt.*

OE에서 give와 같은 어원. 「(하늘이) 준 것, 천부의 것」의 뜻에서 「재능」이 되었음.

—*n.* **1 a** 선물, 선사품, 경품(⇨ present² 유의어): Christmas[birthday] ~*s* 크리스마스[생일] 선물 **b** (…이 준) 선물, 은혜: the ~*s* of civilization 문명의 이기 **2** 타고난 재능(⇨ ability 유의어) 《*for, of*》: a person of many ~*s* 다재다능한 사람/a ~ *for* music 음악적 재능/have a ~ *for* painting [languages] 그림[어학]에 재주가 있다 **3** 《고어》 증여(贈與); 증여권 **4** [보통 a ~] 《구어》 거저나 다름없이 싼 물건; 아주 간단한 일
a ~ from the Gods 횡재, 행운, 호기 ***as*** [《고어》 ***at***] ***a ~*** [보통 부정문에서] 거저 줘도: I would *not* have it *at a* ~. 거저 줘도 싫다. ***by*** [***of***] ***free ~*** 거저, 무상으로 ***Christmas G~!*** 《미남부》 크리스마스를 축하합니다! ***the ~ of*** (***the***) ***gab*** 《구어》 능변 ***the ~ of tongues*** = GLOSSOLALIA
—*vt.* **1** 선물로 주다, 〈돈·물건을〉 주다, 증여하다: (~+목+전+명) ~ a thing *to* a person = ~ a person *with* a thing …에게 물건을 주다 **2** 〈재능 등을〉 부여하다(⇨ gifted) **~·less** *a.*
GIFT [gíft] [*g*amete *i*ntra-*f*allopian *t*ransfer] *n.* 배우자(配偶者) 난관 내 이식
gift·book [gíftbùk] *n.* 증정본, 기증본
gíft certìficate 《미》 상품권
gíft còupon 경품(교환)권
* **gift·ed** [gíftid] *a.* **1** 타고난 재능이 있는 《*at, in*》; (천분이) 타고난 《*with*》: a ~ painter 천부의 재능이 있는 화가/He is ~ *in* music. 그는 음악에 재능이 있다./We are all ~ *with* conscience. 우리에게는 모두 타고난 양심이 있다. **2** 뛰어난 지능을 가진, 머리가 좋은: ~ children 영재아 **~·ly** *ad.* **~·ness** *n.*
gíft hòrse 선물로 주는 말 ★ 다음 성구로.
look a ~ in the mouth 선물로 받은 물건의 흠을 잡다 《말은 이를 보고 나이를 알 수 있는 데서》
gíft shòp 선물 가게
gíft tàx 《미》 증여세(贈與稅)(《영》 capital transfer tax) 《증여자에게 부과함》
gíft vòucher[**token**] 《영》 =GIFT CERTIFICATE
gift·ware [gíftwɛ̀ər] *n.* (선물용) 도자기, 유리 제품
gíft wràp 선물용 포장지
gift-wrap [-ræ̀p] *vt.* (**~ped**; **~·ping**) (리본 등으로 묶어) 선물용으로 포장하다 **—***n.* =GIFT WRAPPING
gift·wrap·ping [-ræ̀piŋ] *n.* 선물용 포장 재료 《종이·리본 등》

gig¹ 1

gig¹ [gíg] *n.* **1** 말 한 필이 끄는 2륜 마차 **2** 배에 실은 소형 보트 《선장 전용》; 경주용 소형 보트 **3** (나사의) 보풀 세우는 기계, 기모기(起毛機) **4** 《구어》 〖컴퓨터〗 =GIGABYTE
—*v.* (**~ged**; **~·ging**) *vi.* gig를 타고 가다
—*vt.* (직물에) 보풀을 세우다
gig² *n.* (고기잡이용) 작살; 〖낚시〗 갈고랑쇠
—*vi.* 작살을 쓰다 **—***vt.* 〈물고기를〉 작살로 찍다
gig³ 《미·속어》 *n.* (학교·군대 등의) 과실 보고, 벌점

gigantic *a.* giant, huge, enormous, colossal, immense, massive, vast, mammoth (opp. *diminutive, tiny*)

—*vt.* …에 벌점을 매기다, 규칙 위반으로 처벌하다, …의 규칙 위반을 공식 보고하다
gig⁴ *n.* **1** 재즈[록] 연주회; 《구어》 (특히 하룻밤만의) 재즈[록] 연주 (계약); 그 연주(회장) **2** 일시적인 일
—*vi.* (재즈 연주가로) 일하다
giga- [gigə, dʒigə] 《연결형》 「10억; 무수」의 뜻: *giga*meter 기가미터 《10억 미터, 100만 킬로미터》
gig·a·bit [gígəbìt, dʒíg-] *n.* 〖컴퓨터〗 기가비트 《10억 비트 상당의 정보 단위》
gig·a·byte [gígəbàit, dʒíg-] *n.* 〖컴퓨터〗 기가바이트 《10억 바이트 상당의 정보 단위》
gig·a·cy·cle [gígəsaikl, dʒígə-] *n.* 기가사이클 《10억 사이클; 기호 Gc》
gig·a·e·léc·tron vólt [gìgəiléktrɑn-, dʒìgə-|-trɔn-] 기가 전자 볼트 《10억 전자 볼트; 기호 GeV》
gig·a·flops [gígəflɑ̀ps, dʒígə-] *n.* 〖컴퓨터〗 기가플롭스 《연산 속도의 단위; 1초간에 10억회의 부동 소수점 연산을 행함》
gig·a·hertz [gígəhə̀ːrts, dʒíg-] *n.* 〖전기〗 기가헤르츠 《10억 헤르츠; 기호 GHz》
gi·gan·te·an [dʒàigæntíːən] *a.* =GIGANTIC
gi·gan·tesque [dʒàigæntésk] *a.* 거인의; 거대한, 초대형의
* **gi·gan·tic** [dʒaigǽntik, dʒi-|dʒai-] *a.* **1** 거대한, 거창한, 막대한: a ~ statue 거대한 조상(彫像)/a ~ tree 거목 **2** 거인 같은: a man of ~ build [strength] 거인 같은 큰 남자[힘의 소유자]
-ti·cal·ly *ad.* ▷ giant *n.*
gi·gan·tism [dʒaigǽntizm] *n.* Ⓤ **1** 〖병리〗 거인증; 〖동물·식물〗 거대증 **2** 거대한 상태, 거대화 경향
gíg·a·scale integrátion [gígəskèil-, dʒígə-] 〖전자〗 10억 또는 그 이상의 소자를 집적한 대규모의 집적 회로
gig·a·ton [gígətʌ̀n, dʒíg-] *n.* 10억톤; 기가톤 《TNT 10억톤분의 폭발력 단위; 기호 GT》
gig·a·watt [gígəwɑ̀t, dʒígə-|-wɔ̀t] *n.* 기가와트 《10억 와트; 기호 GW》
* **gig·gle** [gígl] *vi.* 낄낄 웃다(⇨ laugh 유의어)
—*vt.* 낄낄 웃어 〈감정을〉 나타내다
—*n.* 낄낄 웃음; 재미있는 사람[것]; 《구어》 여자 아이들의 모임: The young girls burst into ~*s* at the slightest provocation. 소녀들은 사소한 일에도 낄낄 웃는다. ***for a ~*** 재미로, 장난삼아
gíg·gler *n.* **gíg·gling·ly** *ad.*
▷ giggly *a.*
gig·gle-smoke [gíglsmòuk] *n.* Ⓤ 《미·속어》 마리화나(marijuana)
gig·gly [gígli] *a.* (**-gli·er**; **-gli·est**) 낄낄 웃는 (버릇이 있는)
gig·let [gíglit] *n.* 말괄량이, 낄낄거리는 여자
gíg mìll 〖기계〗 기모기(起毛機); 기모 공장
GIGO [gáigou] [*g*arbage *i*n, *g*arbage *o*ut] *n.* 〖컴퓨터〗 기고 《불완전한 프로그램을 입력하면 불완전한 답이 나올 수밖에 없다는 원칙》
gig·o·lo [dʒígəlòu, ʒíg-] [F] *n.* (*pl.* **~s**) (창녀 등의) 기둥서방(kept man); (남자) 직업 댄서
gig·ot [dʒígət] *n.* 양의 다리 고기; 양 다리 모양의 소매(=~ **slèeve**)
gigue [ʒíːg] [F] *n.* 지그 《(1) 바로크 시대의 약동적인 무곡 (2) 16세기 영국의 활발한 춤; 그 무곡》(jig)
Gí·la mónster [híːlə-] 〖동물〗 독 있는 큰도마뱀 《미국 New Mexico 및 Arizona산(産)》
gil·bert [gílbərt] *n.* 〖전기〗 길버트 《기자력(起磁力)의 cgs 단위》
Gil·bert [gílbərt] *n.* **1** 남자 이름 《애칭은 Gil》 **2** 길버트 **Sir William S. ~** (1836-1911) 《영국의 희극 작가》 **Gil·ber·ti·an** [gilbə́ːrtiən] *a.*
* **gild¹** [gíld] *vt.* (**~·ed, gilt** [gílt]) **1** 금[금박]을 입히다, 금도금하다; 금빛으로 바르다; 《시어》 황금빛으로 빛나게 하다: The setting sun ~*ed* the sky. 석양이 하늘을 황금빛으로 물들였다. **2** (아름답게) 꾸미

다, 치장하다, 빛내다; 겉바름하다, 겉꾸리다: ~ a lie 거짓말을 미화하다 **3** 《고어》 《피로》 붉게 하다
~[paint] the lily 불필요하게 손대다, 사족을 더하다
~ the pill ⇨ pill[1] **~·a·ble** *a.* ▷ góld *n.*
gild[2] *n.* =GUILD
gild·ed [gíldid] *a.* **1** 금박을 입힌, 금도금한, 금빛으로 바른; 황금색의: the ~[gilt] spurs 《영·고어》 훈작사(knight)의 기장(記章) **2** 겉만 멋진, 겉모양을 꾸민 **3** 부자의, 부유한: ~ vices 부자의 악덕 / the ~ youth 돈 많은 젊은 신사(들), 귀공자(들) ***the G~ Chamber*** 《영》 상원(上院)
gild·er [gíldər] *n.* 도금사(鍍金師), 금박공
gild·ing [gíldiŋ] *n.* Ⓤ **1 a** (입히거나 바른) 금[금박, 금가루] **b** 금박 입히기, 도금(술) **2** 겉치레, 허식, 분식(粉飾) ***chemical[electric] ~*** 전기 도금
gi·let [giléi] [F] *n.* 질레 《블라우스 모양의 조끼; 발레 의상의 조끼》
Gil·ga·mesh [gílgəmèʃ] *n.* 〖수메르 전설〗 길가메시 《수메르와 바빌로니아 신화의 영웅》
gill[1], **Gill** [dʒíl] *n.* 처녀, 소녀; 애인, 연인: Every Jack has his *G~*. 《속담》 어떤 남자에게도 제각기 짝이 있다, 짚신도 제짝이 있다.
Jack and G~ 젊은 남녀
gill[2] [dʒíl] *n.* 질 《액량 단위; 1파인트(pint)의 1/4; = 《미》 0.118 *l*, 《영》 0.14 *l*》
***gill**[3] [gíl] *n.* **1** [보통 *pl.*] 아가미 **2 a** (닭·칠면조 등의) 턱 밑의 처진 살(wattle) **b** [보통 *pl.*] 《구어·익살》 턱과 귀밑의 군살 **3** 〖식물〗 (버섯의) 주름, 균습(菌褶)
be rosy[blue, green, white, yellow] about the ~s 《구어》 혈색이 좋다[나쁘다] ***to the ~s*** 《구어》 가득, 완전히, 전부, 힘껏 ***turn red in the ~s*** 성내다
— *vt.* **1** 〈물고기를〉 자망(刺網)으로 잡다 **2** 〈물고기의〉 내장을 빼다(gut) **3** 〈버섯의 주름을〉 도려내다
gill[4] [gíl] *n.* 《영·방언》 협곡, 계곡, 계류
gíll còver [gíl-] 〖동물〗 아감딱지
gilled [gíld] *a.* 아가미가 있는; (버섯 갓 안쪽에) 주름이 있는
Gil·lette [dʒilét] *n.* 질레트 **King Camp ~** (1855-1932) 《미국의 사업가·안전 면도기 발명자》; 그 제품 《상표명》
gíll fùngus [gíl-] 송이버섯류의 버섯
gil·lie [gíli] *n.* 《스코》 (사냥꾼·낚시꾼의) 안내인; 〖역사〗 (스코틀랜드 고지 족장의) 종자, 종복
gil·lion [gíljən, dʒíljən] *n.* 《영》 10억(《미》 billion); 《미·속어》 무수, 다수
gíll nèt [gíl-] 자망(刺網) 《물 속에 수직으로 침》
gill·net [gílnèt] *vt.* (**~·ted**; **~·ting**) 〈물고기를〉 자망(刺網)으로 잡다 **~·ter** *n.*
gíll slìt [gíl-] 〖동물〗 아가미구멍
gil·ly [gíli] *n.* 《미》 **1** 곡마단의 운반(자동)차 **2** 작은 곡마단 **3** 사육제의 꽃자동차
gil·ly·flow·er [dʒíliflàuər] *n.* 〖식물〗 **1** 카네이션 **2** 스토크, 비단향꽃무
***gilt**[1] [gílt] *v.* GILD[1]의 과거·과거분사
— *a.* =GILDED
— *n.* Ⓤ **1** 입힌[바른] 금[금박, 금가루], 금니(金泥): a ~ edge 금테 / ~ letters 금빛 문자 **2** 겉치장, 허식 **3** [종종 **~s**] 《영》 우량 증권; 《속어》 돈
take the ~ off the gingerbread 《영·구어》 허식[가면]을 벗기다
gilt[2] *n.* (새끼를 낳은 일이 없는) 암퇘지
gilt·cup [gíltkʌ̀p] *n.* =BUTTERCUP
gilt-edged [-èdʒd] *a.* **1** 〈종이·책 등이〉 금테를 두른: ~ paper 금테 두른 종이 **2** 〈증권·배역 등이〉 일류의, 우량한: ~ securities 금테 증권, 우량 증권 / ~ theatrical cast 최고의 배역진
gim·bal [dʒímbəl, gím-] *n.* [보통 *pl.*; 단수 취급] 〖항해〗 짐벌 《나침반·크로노미터를 수평으로 유지하는 장치》
gim·crack [dʒímkræ̀k] *a.*, *n.* 값싸고 번지르르한 (물건), 허울만 좋은 (물건) **gím·cràck·y** *a.*
gim·crack·er·y [dʒímkræ̀kəri] *n.* **1** Ⓤ [집합적] 값싸고 번지르르한 물건 **2** (미술·음악·문학 등에서의) 속 보이는 기교
gim·el [gíməl] *n.* 히브리어 알파벳의 세 번째 글자 《로마자의 g, gh에 해당》
gim·let [gímlit] *n.* **1** 나사송곳 **2** 기믈릿 《진과 라임주스의 칵테일》
— *vt.* 〈…에〉 나사송곳으로 구멍을 내다
gímlet èye 날카로운 눈[시선]

gimlet 1

gim·let-eyed [gímlitàid] *a.* 눈이 날카로운
gim·mal [gíməl, dʒím-] *n.* **1** (시계 등에서) 회전운동을 전하는 이음새 **2** [*pl.*] 연동 장치(連動裝置)
gim·me [gími] [give me의 단축형] 《속어》 *n.* **1** [보통 *pl.*] 금품을 요구함; 탐욕, 물욕 **2** 〖골프〗 김미 《비공식 경기에서 치지 않아도 되는 극히 짧은 최종 퍼트》 **3** (경쟁 등에서) 아주 쉬운 것, 누워서 떡 먹기
— *a.* 〈금품을〉 강청하는
gímme càp 회사명[마크]이 새겨진 모자 《선전용으로 줌》
gim·mick [gímik] *n.* 《구어》 **1** 《미》 (요술쟁이·약장수 등의) 비밀 장치, 속임수, 트릭(trick) **2** (광고 등에서 주의를 끌기 위한) 궁리, 장치, 수법; 새 고안품
— *vt.* …에 속임수 장치를 하다 **~·er** *n.*
gim·mick·ry [gímikri], **-mick·er·y** [-mikəri] *n.* Ⓤ 《구어》 **1** [집합적] (속임수의) 장치 **2** 장치의 사용
gim·mick·y [gímiki] *a.* 《구어》 **1** 교묘한[속임수] 장치를 한 **2** 눈길을 끌기 위한, 허울만의
gimp[1] [gímp] *n.* (옷단·커튼용) 장식끈; 철사를 명주실로 감은 낚싯줄
gimp[2] 《속어》 *n.* 불구자; 절름발이
— *vi.* 다리를 절다
gimp[3] *n.* 《주로 미북동부》 원기, 활력, 패기
gimp·y [gímpi] *a.* (**gim·pi·er**; **-pi·est**) 《속어》 절름발이의
***gin**[1] [dʒín] [Geneva의 변형] *n.* Ⓤ 진 《노간주나무 열매(juniper berries)를 향료로 넣은 독한 술》
~ and it 이탈리아산 베르무트와 진의 칵테일
gin[2] [dʒín] [OF engine(엔진)의 두음 소실(頭音消失)] *n.* **1** 기계 (장치); 씨아, 조면기(繰綿機) (=cotton ~) **2** (사냥용) 덫 — *vt.* (**~ned**; **~·ning**) **1** 〈목화씨를〉 씨아[조면기]로 빼다, 조면하다 **2** 덫으로 잡다
gin[3] [gín] *vt.*, *vi.* (**gan** [gǽn]; **gun·nen** [gʌ́nən]; **~·ning**) 《고어·시어》 =BEGIN
gin[4] [dʒín] *n.* **1** 〖카드〗 둘이서 하는 rummy의 일종(gin rummy) **2** (든 패가 전부 짝이 되어) 게임에 이기기
gin-and-Jag(·uar) [dʒínəndʤǽg(wɑːr) | -dʒǽg(juə)] *a.* 《영·구어》 (신흥) 상위 중류 계급(지역)의
gín and tónic [dʒín-] 진토닉
gín blòck [dʒín-] 〖기계〗 일륜(一輪) 도르래
gín fízz [dʒín-] 진피즈 《진에 탄산수·레몬 등을 탄 칵테일》
***gin·ger** [dʒíndʒər] *n.* Ⓤ **1** 〖식물〗 생강; (약용·조미료·과자 재료로서의) 생강 뿌리 **2** 《구어》 매운 맛; 정력, 원기, 기운; 자극(piquancy): Put some ~ into it. 좀더 힘들여서 해라. **3** 생강빛, 황[적]갈색 **4** Ⓒ 《영》 붉은 머리털(인 사람)
— *a.* **1** Ⓐ 생강맛의, 생강으로 만든: ~ biscuits 생강이 든 비스킷 **2** 〈머리털이〉 생강빛의, 황갈색의
— *vt.* **1** 생강으로 맛들이다; 생강으로 자극하다 **2** 활기를 돋우다, 격려하다 (*up*): ~ *up* a talk with jokes 농담으로 이야기에 활기를 돋우다
▷ gíngery *a.*
gínger àle 진저 에일[팝] 《생강 맛의 탄산 청량음료》
gínger béer 진저 비어 《진저 에일 비슷하나 향미가 강함》
***gin·ger·bread** [dʒíndʒərbrèd] *n.* Ⓤ **1** 생강 빵[쿠키] **2** (가구·건물 등의) 허울만의 장식, 값싼 장식

—*a.* Ⓐ 〈집·가구 등이〉 값싸고 번지르르한, 야한: a house with ~ trim 값싸고 번지르르한 장식을 한 집
-brèad·y *a.*
gíngerbread nút 생강 비스킷
gíngerbread pàlm = DOUM PALM
gínger còrdial 생강·레몬 껍질·건포도·물로 만든 음료《종종 브랜디를 탐》
gínger gròup 《영》 (조직 내) 소수 혁신파, 급진파, 강경파
gínger jàr 설탕 조림을 넣는 입이 넓은 단지
gin·ger·ly [dʒíndʒərli] *a., ad.* 몹시 조심스러운[스럽게], 아주 신중한[하게], 주의깊은[게]: go ~ 조심스럽게 가다 / in a ~ manner 아주 신중하게
-li·ness *n.*
gínger nùt 《영》 = GINGERSNAP
gínger póp 《영·구어》 = GINGER ALE
gin·ger·root [dʒíndʒərrù:t] *n.* 생강 뿌리
gin·ger·snap [-snæ̀p] *n.* 생강 쿠키
gínger wíne 진저 와인《생강에 설탕과 물을 섞어 발효시킨 술》
gin·ger·y [dʒíndʒəri] *a.* **1 a** 생강의 **b** 생강 맛이 나는; 매운, 톡 쏘는, 얼얼한(pungent) **2** 《영》 〈머리카락이〉 불그스레한, 붉은 **3** 기운찬, 원기 왕성한
ging·ham [gíŋəm] *n.* Ⓤ 깅엄《줄무늬나 바둑판 무늬의 면포》; Ⓒ 《영·구어》 큰 우산(cf. GAMP)
gin·gi·li [dʒíndʒəli] *n.* Ⓤ 참깨; 참기름
gin·gi·va [dʒindʒáivə, dʒíndʒəvə] *n.* (*pl.* **-vae** [dʒindʒáivi:, dʒíndʒəvì:]) 〖해부〗 잇몸, 치경(gum)
gin·gi·val [dʒindʒáivəl, dʒíndʒə-] *a.* 잇몸의; 〖음성〗 윗잇몸의
gin·gi·vec·to·my [dʒìndʒəvéktəmi] *n.* 〖치과〗 잇몸 부분 절제
gin·gi·vi·tis [dʒìndʒəváitəs] *n.* Ⓤ 〖병리〗 치은염(齒齦炎)
ging·ko [gíŋkou, dʒíŋ- | gíŋ-] *n.* (*pl.* **~(e)s**) = GINKGO
gin·gly·mus [dʒíŋgləməs, gíŋ-] *n.* (*pl.* **-mi** [-mài]) 〖해부〗 경첩 관절
gin·head [dʒínhèd] *n.* 《미·속어》 술취한 사람
gin·house [dʒínhàus] *n.* 조면(繰綿) 공장
gink [gíŋk] *n.* 《미·속어》 이상한[지겨운] 녀석
gink·go [gíŋkou, dʒíŋ- | gíŋ-] *n.* (*pl.* **~(e)s**) 〖식물〗 은행나무
gínkgo nùt 은행, 은행나무 열매
gín mìll [dʒín-] 《미·속어》 (싸구려) 술집
gin·ner [dʒínər] *n.* 조면공(繰綿工)
gin·ner·y [dʒínəri] *n.* (*pl.* **-ner·ies**) 조면 공장
Gín·nie Máe [dʒíni-] **1** 《미》 전미 저당 금융 금고 (Government National Mortgage Association)의 별칭 **2** 이 금고에서 발행하는 저당 증권
gi·nor·mous [dʒainɔ́:rməs] *a.* 《영·속어》 터무니없이 큰
gín pàlace [dʒín-] 《영》 (19세기의) 화려하게 꾸민 싸구려 술집
gín rúmmy [dʒín-] 《미》 〖카드〗 진 러미《가지고 있는 패의 합계가 10점 혹은 그 이하일 때 그 가진 패를 보이는 카드놀이의 일종》
gin·seng [dʒínsèŋ] [Chin. = jên shên(人蔘)] *n.* ⒸⓊ **1 a** 〖식물〗 인삼 **b** 그 뿌리 **2** 인삼으로 만든 약
gín slíng [dʒín-] 진에 설탕·레몬주스를 넣은 칵테일
gín tràp [dʒín-] 덫《작은 동물 또는 새들을 잡는; cf. GIN[2] *n.* 2》
gin·zo [gínzou] *n.* (*pl.* **~es**) 《미·속어·경멸》 외국인, 《특히》 이탈리아(계) 사람
Gio·con·da [dʒoukɑ́ndə | -kɔ́n-] [It.] *n.* [**La ~**] 모나리자(Mona Lisa)의 초상화
gio·co·so [dʒəkóusou] [It.] *a., ad.* 〖음악〗 활발한, 활발하게; 우스운, 우습게
Giot·to [dʒɑ́tou | dʒɔ́t-] *n.* 조토 **~ di Bondone** (1266?-1337)《이탈리아의 화가·건축가》
gip [dʒíp] *n., vt.* (**~ped**; **~·ping**) = GYP[1]
gip·py [dʒípi] 《속어》 *n.* (*pl.* **-pies**) [종종 **G~**] 이집트 병사[사람] **—***a.* 이집트의, 이집트인의
gíppy túmmy 《속어》 (열대 지방 여행자가 걸리는) 설사
∗**Gip·sy** [dʒípsi] *n.* (*pl.* **-sies**) [때로 **g~**] = GYPSY
‡**gi·raffe** [dʒərǽf | -rɑ́:f] *n.* (*pl.* **~s,** [집합적] **~**) **1** 〖동물〗 기린 **2** [the G~] 〖천문〗 기린자리
gir·an·dole [dʒírəndòul] *n.* **1** 가지 달린 장식 촛대 **2** 회전 불꽃; 회전 분수(噴水) **3** 큰 보석 둘레에 작은 보석을 박은 귀걸이[펜던트]
gir·a·sol [dʒírəsɔ̀:l, -sɑ̀l | -sɔ̀l], **-sole** [-sòul] *n.* 〖광물〗 화단백석(火蛋白石)(fire opal); 〖식물〗 뚱딴지(Jerusalem artichoke)
∗**gird**[1] [gə́:rd] *vt.* (**~·ed,** 《문어》 **girt** [gə́:rt]) **1** 허리띠로 매다, 매다, 띠다: 《~+목+전+명》 ~ the waist *with* a sash = ~ a sash *round* the waist 장식띠로 허리를 매다, 허리에 띠를 두르다 **2** 〈칼 등을〉 허리에 차다; 〈갑옷을〉 입다; 〈의복 등을〉 띠로 조르다: 《~+목+부》 ~ *on* a sword 칼을 차다 **3** 〈성 등을〉 둘러싸다, 에워싸다, 두르다 《*with*》: ~ a village 마을을 에워싸다 // 《~+목+전+명》 ~ a castle *with* a moat 성에 해자를 두르다 **4** [~ one*self* 로] **a** 몸[허리]에 두르다 **b** 〈싸움·시련 등에〉 대비하다, 차리다; 긴장하다 《*for*》: 《~+목+전+명》 ~ *oneself for* the trial 시련에 대처하다 // 《~+목+***to*** do》 ~ *oneself to* attack the enemy 적을 공격할 준비를 하다 **5** 〈권력 등을〉 부여하다: 《~+목+전+명》 be *~ed with* supreme power 최고의 권력이 주어지다
gird[2] *vi.* 조롱하다, 조소하다, 비웃다 《*at*》
—*vt.* 조롱하다, 놀리다 **—***n.* 조롱, 조소(jeer)
gird·er [gə́:rdər] *n.* 〖건축〗 도리, 대들보, 거더
gird·er·age [gə́:rdəridʒ] *n.* [집합적] 〖건축〗 도리·형(桁) 맞춤
gírder brìdge 형교(桁橋)
∗**gir·dle**[1] [gə́:rdl] [OE 「휘감는 것」의 뜻에서] *n.* **1** 띠, 허리띠, 벨트 **2** 거들《코르셋의 일종》 **3** 《문어》 (주위를) 둘러싸는 것: within the ~ of the sea 바다로 둘러싸여 / a ~ of trees around a pond 연못을 둘러싼 나무들 **4** 〖천문〗 수대(獸帶)(zodiac); 황도(黃道); 적도; 〖해부〗 대(帶), 환상골(環狀骨); 〖식물〗 환상 박피(한 자리); 〖건축〗 동륜(胴輪) ***have*** [***hold***] ***... under*** one***'s ~*** …을 복종시키다, 지배하에 두다 ***put a ~ round*** …을 일주하다; 〈철도·통신선 등이〉 환상으로 둘러싸다 ***the pelvic*** [***hip***] ***~*** 〖해부〗 골반대(骨盤帶) ***the shoulder ~*** 〖해부〗 견갑대(肩甲帶)
—*vt.* **1** 띠로 조르다, 띠 모양으로 둘러싸다 《*about, in, round*》; 둘러싸다, 에워싸다, 포위하다: The city is *~d about* with gently rolling hills. 그 도시는 완만한 기복의 언덕들로 둘러싸여 있다. **2** 〈나무를〉 환상박피하다
girdle[2] *n.* 《스코》 = GRIDDLE
gir·dler [gə́:rdlər] *n.* **1** 둘러싸는 사람[것] **2** 나무껍질을 둥글게 먹어 들어가는 곤충 **3** 띠 만드는 사람
‡**girl** [gə́:rl] [OE 「(성별에 관계없이) 젊은이」의 뜻에서] *n.* **1** 여자[계집]아이, 소녀(opp. *boy*); 여학생(schoolgirl); 미혼 여성, 처녀: a *~s'* school 여학교 **2 a** [보통 복합어를 이루어] 여사무원, 여자 종업원, 여성 근로자: a shop ~ 여점원 / an office ~ 여사무원 **b** 하녀(maidservant) **3** [보통 one's ~] (여자) 애인, 연인(sweetheart); 창녀: a ~ of the town 창녀 **4** [종종 one's ~] (나이에 관계없이) 딸: My wife and I have two *~s.* 우리 부부에게는 두 딸이 있다. **5** [the ~s] 한 집의 딸들, 여자들《기혼·미혼을 통틀어서》(opp. *the boys*) **6** 《구어》 **a** 여자《연령·기혼·미혼에 관계없이》: gossipy old *~s* 이야기하기 좋아하는 할머니들 **b** 아가씨, 아주머니, 여보《친한 사람이나 아내를 부를 때》 **7** (…태생·출신의) 여성: She's a Missouri ~. 그녀는 미주리 출신의 여성이다.
my dear ~ 당신《아내 등에 대한 애칭》 ***old ~*** 여자

나 암말 등에 대한 호칭; (여학교의) 옛 졸업생[동창생](opp. *old boy*); (호칭·속어) 아가씨, 아주머니 ***the principal ~*** (무언극·희가극 등의) 주연 여배우 (***You***) ***go ~!*** (미·속어) (여자에게) 힘내라!; (동의하여) 맞아, 옳소!
▷ gírlish, gírly *a.*
gírl bànd 여성 밴드[악단]
girl·cott [gə́ːrlkɑ̀t | -kɔ̀t] *vt.* (익살) 〈여성이 여성에게 편견을 가진 사람[물건]을〉 보이콧하다
gírl Fríday [man Friday를 본뜬 조어] [보통 one's ~] (무슨 일이든지 충실히 해주는) 여사무원, 여비서, 여자 조수
‡**girl·friend** [gə́ːrlfrènd] *n.* **여자 친구**, 애인(cf. BOYFRIEND)
Gírl Guíde (영) 걸가이드, 소녀 단원 (1910년 영국에서 창설된 소녀단 the Girl Guides(7.5-21세)의 일원) ★ Brownies(7.5-11세), Guides(11-16세), Rangers(16-19세)의 3부로 나누어지며 위로 Cadets라는 지도부가 있음.
Gírl Guìder = GUIDER 2
***girl·hood** [gə́ːrlhùd] *n.* Ⓤ **1 소녀[처녀] 시절**: one's days of ~ 처녀 시절 **2** 소녀임 **3** [집합적; 복수 취급] 소녀들: the nation's ~ 그 나라의 소녀들
girl·ie, girl·y [gə́ːrli] *n.* (애칭) 아가씨; (미·속어) 코러스걸; 매춘부 **—** *a.* Ⓐ (구어) 여자의 누드가 특색인 〈잡지·쇼〉; 여자가 서비스하는 〈술집〉: a ~ magazine[show] 누드 잡지[쇼]
girl·ish [gə́ːrliʃ] *a.* **1** 소녀의, 소녀 시절의 **2** 소녀 같은, 소녀다운, 순진한, 앳된 **3** 〈소년이〉 계집애 같은, 연약한 **~·ly** *ad.* **~·ness** *n.*
gírl pòwer 여성의 힘 (자기 인생을 통제할 힘); 우먼 파워 (여성의 사회적·정치적 힘)
Gírl Scòut (미) 걸스카우트, 소녀 단원 (1912년 미국에서 창설된 소녀단 the Girl Scouts(7-17세)의 일원) ★ Brownie Scouts(7-9세), Intermediate Girl Scouts(10-13세), Senior Girl Scouts(14-17세)의 3부로 나누어져 있음.
girl·y-girl·y [gə́ːrligə́ːrli] *a.* (구어) 지나치게 소녀적인
girn [gə́ːrn] *vi.* = GURN
gi·ro[1] [dʒáiərou] *n.* = AUTOGIRO
giro[2], **G-** [Gk 「회전」의 뜻에서] *n.* (유럽의) 지로제(制), 은행[우편] 대체(代替) 제도 ***National G~*** (영) 우편 대체 제도 (1968년 시행)
Gi·ronde [dʒərɑ́nd | -rɔ́nd] *n.* [the ~] 지롱드 당 (프랑스 혁명 당시의 온건 공화당)
Gi·rond·ist [dʒərɑ́ndist | -rɔ́n-], **Gi·ron·din** [-din] *n., a.* 지롱드 당원(의)
gíro sỳstem (영) 〚금융〛 지로[대체] 제도
girt[1] [gə́ːrt] *v.* GIRD[1]의 과거·과거분사
girt[2] *n.* Ⓤ,Ⓒ (우툴두툴한 면의) 실지 길이 측정; (물건의) 둘레의 치수(girth)
— *vt.* 두르다, 띠로 조르다; …의 둘레를 재다
— *vi.* = GIRTH
girth [gə́ːrθ] *n.* Ⓤ,Ⓒ **1** (말 등의) 뱃대끈; 포장을 덮기 위한 살대 (차량 제조에 있어서의); 〚건축〛 중인방(中引枋) **2** 몸통 둘레(의 치수); (물건의) 둘레(의 치수): 10 ft. in ~ 둘레가 10피트 / the ~ of a tree trunk 나무 줄기의 둘레(의 치수) **3** 비만, 비대
— *vt.* **1** 뱃대끈을 매다[으로 졸라 매다] (*up*) **2** 둘러싸다 **3** 둘레의 치수를 재다 **—** *vi.* 둘레의 치수가 …이다: This tree ~*s* ten feet. 이 나무는 둘레가 10피트이다.
Gis·card d'Es·taing [dʒiskɑ̀ːr-dəstǽŋ] 지스카르 데스탱 **Valéry** ~ (1926-) (프랑스의 정치가; 대통령(1974-81)) **Gis·cárd·i·an** *n., a.* **Giscárd·ism** *n.* **Gis·cárd·ist** *n.*
gism [dʒízm] *n.* = JISM
gis·mo [gízmou] *n.* (*pl.* **~s**) = GIZMO
Gis·sing [gísiŋ] *n.* 기싱 **George** (**Robert**) ~ (1857-1903) (영국의 소설가)
***gist** [dʒíst] *n.* [the ~] **요점**, 요지, 골자; 〚법〛 (소송의) 주요 소인(訴因), 동기: *the* ~ of a story 이야기의 요점
git[1] [gít] *vi.* (속어) = GET[1]
git[2] *n.* (영·속어) 쓸모없는 놈, 멍텅구리
Git·mo [dʒítmou] = GTMO
git·tern [gítərn] *n.* 옛 기타의 일종
giu·sto [dʒúːstou] [It.] *a., ad.* 〚음악〛 (속도에 대해) 정확한[하게], 적절한[하게]
‡**give** [gív] *v., n.*

타 기본적으로는 「주나」의 뜻.	
① 주다	**1, 4, 8, 11**
② 건네다, 내밀다	**2**
③ 나타내다, 전하다	**5**
④ (주의·관심을) 기울이다	**16**
⑤ (모임을) 개최하다	**10**
⑥ (동작·행위를) 하다	**12**

— *v.* (**gave** [géiv]; **giv·en** [gívən]) *vt.* **1** (거저) 주다, 드리다, 증여하다: (~+목+전+명) ~ a birthday present *to* a person …에게 생일 선물을 주다

유의어 **give** 「주다」의 뜻의 가장 일반적인 말이다: *Give* my love to your mother. 어머님께 안부 전해 주시오. **present** give보다 격식차린 말로서, 「증정하다」: *present* an award 상을 주다 **award** 심사해서 상 등을 주다: *award* first prize 1등상을 주다 **grant** 권리나 금전 등을 주다: *grant* a person a scholarship …에게 장학금을 수여하다 **bestow** 명예·칭호 등을 수여하다: *bestow* a title on a person …에게 칭호를 수여하다

USAGE 보통 다음 문형으로 쓰여 it 등의 직접 목적어 뒤에서 to를 생략하는 것은 (영)에 많으며, 수동형으로는 간접 목적어가 주어가 되는 것이 일반적: I *gave* the boy a book. / I *gave* a book *to* the boy. / I *gave* him a book. / I *gave* it *to* him. / (영) I *gave* it him. / A book was *given* (*to*) the boy. / A book was *given* him. / The boy was *given* a book. / He was *given* a book. / Give me it. = Give it (*to*) me.

2 건네다, 넘겨주다, 인도하다, 교부하다; 〈음식물을〉 **주다**; 투약하다; 〈치료 등을〉 **베풀다**, 치료하다: (~+목+목) Please ~ me the salt. 소금 좀 건네주시오. // (~+목+전+명) *G~* this book *to* your brother from me. 내가 보내는 거라고 하고 이 책을 동생에게 건네주시오. **3 맡기다**, 위탁하다(entrust); 넘겨주다; 버리다 (*into*): (~+목+목) ~ a porter one's bag to carry 가방을 짐꾼에게 나르게 하다 // (~+목+전+명) ~ one's daughter *in* marriage 딸을 시집보내다 **4** 〈지위·명예·임무·허가 등을〉 **주다**, 수여[부여]하다; 〈축복·격려 등을〉 **주다**, 하다; 〈애정·신뢰를〉 **주다**, 〈안부를〉 **전하다**: (~+목+목) ~ a person a title …에게 칭호를 주다 / ~ a person one's blessings …을 축복해 주다 / *G~* Grandma my love. 할머니에게 안부 전해 줘. // (~+목+전+명) ~ aid *to* a person …에게 도움을 주다 / ~ encouragement *to* a person …을 격려하다 / *G~* my regards *to* your family. 가족들에게 안부 전해 주십시오. **5** 〈지식·보도·명령 등을〉 주다, 전달하다, 말하다; 〈온도계 등이〉 가리키다: ~ news 뉴스를 전하다 / ~ explanations 설명하다 / ~ one's opinions 의견을 말하다 / ~ advice 충고를 하다 / The thermometer *gave* 80°. 온도계는 80도였다. **6** 〈병을〉 옮기다: (~+목+전+명) ~ a cold *to* a person …에게 감기를 옮기다 **7 a** …에게 〈생각·이유·증거 등을〉 **제시하다**, 제출하다; 〈책이〉 …을 싣다, 수록하다: ~ the evidence 증거를 제출하다 **b** …에게 〈보기·모범을〉 들다, 보이다; 〈표시·징조를〉 나타내다, 보이다 **8** (대가로) 주다; 치르다, 지불하다; (벌로서) 씌우다, 부과하다

(charge): ((~+목 +전+명)) I *gave* £2 *for* this hat. 이 모자를 2파운드에 샀다. / They *gave* 100 dollars *for* the necklace. 그들은 그 목걸이를 사는 데 100달러를 지불했다. // ((~+목+목)) Let me ~ you 5,000 won for the ticket. 표값으로 5,000원을 드리겠습니다. **9** [보통 부정문에서] …에 대해 〈…만큼의〉 가치를 인정하다[관심을 가지다]: I do*n't* ~ a hoot about politics. 정치 같은 것에는 조금도 관심없다. **10** 〈여흥 등을〉 **제공하다**; 〈모임을〉 **개최하다, 열다**; 〈연극 등을〉 상연하다; 〈강의 등을〉 하다; 〈노래를〉 부르다; 낭독하다, 암송하다: ~ a play 극을 상연하다 / ~ a concert 콘서트를 열다 / ~ a Halloween party 핼러윈 파티를 열다 // ((~+목+목)) *G~* us a song! 노래 한 곡 들려 주시오! / We *gave* him a farewell banquet. 우리는 그의 송별회를 열어주었다. **11 a** 〈장소·역할·과제 등을〉 **할당하다 b** 〈시간·기회·유예 등을〉 **주다**; 〈시일을〉 지시하다, 지정하다: I'll ~ you till tomorrow. 내일까지 유예한다. // ((~+목+목)) *G~* me a chance. 내게 기회를 주오. **c** 〈타격·고통·벌 등을〉 주다, 가하다: ((~+목+목)) The teacher *gave* the boy a good beating. 선생님은 소년에게 호된 매질을 가했다. **12** [동사형 그대로의 명사를 목적어로 하여] …**하다**: ~ a cry (한 번 [꽥]) 소리 지르다 / ~ a groan 신음하다 / ~ a guess[try] 알아맞혀[한 번 해] 보다 / ~ a lurch 갑자기 기울어지다 / ~ a pull (한 번) 잡아당기다 **13** (자연 또는 물리적 작용의 결과로서) **주다**, 생기게 하다, 낳다, 내다, 산출하다: ~ good results 좋은 결과를 가져오다 / Four divided by two ~*s* two. 4를 2로 나누면 2가 된다. // ((~+ 목+목)) That tree ~*s* us good fruit. 저 나무에는 좋은 열매가 열린다. **14 a** [부정사를 목적어로 하여] …에게 …하게 하다: ((~+목+*to* do)) He *gave* me *to* believe that he would help me. 그의 말에서 나를 도와주리라는 것을 알았다. / I'm *given to* understand that ... 나는 …라고 듣고[알고] 있다 **b** ((문어)) 〈신이〉 …할 힘을 주다 **15** 〈전화를〉 연결하다, 대주다: ((~+목+목)) *G~* me extension 331, Ms. Baker. 구내전화 331번, 베이커 양에게 연결해 주세요. **16** 〈주의·고려 등을〉 하다; 〈시간·노력 등을〉 쏟다, 바치다, 기울이다(devote): ((~+목+전+명)) ~ one's attention *to* the problem 그 문제에 주의를 기울이다 / ~ one's life *to* the research 그 연구에 일생을 바치다 **17 a** …에게 〈판결 등을〉 선고하다, 〈…을 어느 기간의〉 형에 처하다: ((~+목+목)) The judge *gave* him ten years. 판사는 그에게 10년 형을 내렸다. **b** ((영)) (크리켓 등에서) 〈심판이 선수에게〉 …을 선고하다 **18** 축배를 제안하다: ((~+목+목)) Gentlemen, I ~ you the Queen. 여러분, 여왕을 위해 축배를 듭시다. **19** 허락하다(allow); 〈논점을〉 양보하다(concede) **20** …에게 〈언질 등을〉 주다: ~ one's word 약속하다 / Can you ~ bond? 보증할 수 있습니까? // ((~+목 +목)) She *gave* him her word. 그녀는 그에게 약속했다. **21** …에게 〈손·팔을〉 내밀다 **22** (예술 작품으로서) 그리다, 묘사하다 **23** 〈기분·감정을〉 일으키게 하다, 〈분위기·인상을〉 주다 **24** 〈빛·소리·목소리를〉 발하다, 내다 **25** 소개하다: ((~+목+목)) Ladies and gentlemen, I ~ you the Lord Mayor of London. 여러분, 런던 시장을 소개합니다. **26** [보통 수동형으로] …을 (예측·추론 등의 전제로) 인정하다, (…임을) 가정하다: These fact *being given*, the theory makes sense. 이 사실들을 전제로 하면 그 이론은 납득이 간다.

— *vi.* **1** 물건[돈]을 주다, 베풀다; 기부하다: ((~+전+명)) He ~*s* generously *to* charity. 그는 자선에 아낌없이 돈을 낸다. **2** (압력 등에) 무너지다, 휘어지다; (압력 등을 받아) 움직이다, 〈문 등이〉 열리다; 탄력성이 있다: The old chair *gave* when I sat on it. 그 오래된 의자는 내가 앉자 부서졌다. / The new mattress doesn't ~ much. 새로 산 매트리스는 그다지 탄력이 없다[푹신하지 않다]. **3** 〈날씨가〉 풀리다, 누그러지다; 〈얼음·서리 등이〉 녹다 **4** 〈사람이〉 마음을 터놓다, 양보하다; 타협하다 **5** 〈용기 등이〉 꺾이다 **6** 흥이 나다 **7** 〈창문·복도 등이〉 향하다, 면하다, 통하다 ((*on, upon, into*)): ((~+전+명)) The window ~*s on* the street. 창문은 거리를 향하고 있다. / The door ~*s onto* the hallway. 이 문은 현관으로 통하고 있다. **8** [명령법으로] ((구어)) 말하라, 털어 놓아라: Okay, now ~! What happened? 자, 이제 털어 놓아라, 무슨 일이 있었느냐?

be given to …에 빠지다, …을 일삼다 ***Don't ~ me that*** (***rubbish***[***nonsense***])***!*** ((구어)) 그런 (말도 안 되는) 소리 마라, 그건 말도 안 돼! ***~ about*** 배포하다; 〈소문 등을〉 퍼뜨리다 ***~ again*** 돌려주다; 답례하다 ***~ a hand*** ((미·구어)) 돕다; 박수갈채하다 ***~*** a person ***a leg up*** ⇨ LEG. ***~ and take*** (1) 서로 양보하다; 공평한 거래를 하다 (2) 의견을 교환하다 ***~ a piece of*** one***'s mind*** 생각한 바를 거리낌 없이 말하다 ***~ as good as*** one ***gets*** 교묘히 응수하다, 지지 않고 반박하다 ***~ away*** (*vt.*) (1) 거저 주다, 수여하다: I *gave away* all my money. 내 돈을 전부 주어 버렸다. (2) [보통 수동형으로] 〈결혼식에서 신부를〉 신랑에게 인도하다 (3) 밀고하다, 저버리다, 배반하다 (4) (일부러 또는 우연히) 폭로하다, 누설하다: That remarks *gave away* her real feelings. 그 말에는 그녀의 실제 감정이 나타나 있었다. (5) 〈사람·사물이〉 …의 정체를 밝히다 (6) 남에게 맡기다 (7) 분배하다 (*vi.*) (8) 〈다리 등이〉 무너지다 (9) 〈좋은 기회를〉 놓치다 ***~ away the store*** …에 대한 대가를 지나치게 치르다 ***~ back*** (*vt.*) (1) 반환하다, 되돌려주다: *G~* me *back* my book. 내 책을 돌려주게. (2) 갚음하다, 응수하다 (3) 〈사물이〉 …에게 〈건강·자유 등을〉 되돌려 주다 (4) 〈소리·빛 등을〉 되돌리다, 반향[반사]하다 (*vi.*) (5) 물러서다, 물러나다 ***~*** a person ***best*** …에게 진 것을 자인하다 ***~ down*** 〈소가 젖을〉 내다 ***~ forth*** (1) 〈소리·냄새 등을〉 내다, 풍기다 (2) 〈소문 등을〉 퍼뜨리다 (3) 〈작품 등을〉 발표하다 ***~ in*** (*vt.*) (1) 〈보고서 등을〉 제출하다, 건네주다: *G~ in* your answer sheet. 답안지를 내 주세요. (2) (후보자로서) 〈이름을〉 신고하다 (3) 공표하다 (4) [과거분사형으로] (…에) 보태서[더하여]: *Given in* gratis. 무료 첨부. (*vi.*) (5) 굴복하다, 따르다: ~ *in* to the demand 요구에 굴하다 (6) 양보하다 (7) 싸움[논쟁]을 그만두다 ***~ into*** …으로 통하다 ***~ it away*** ((호주·구어)) 그만두다 ***~ it to*** a person (***hot***[***straight***]) ((구어)) …을 호되게 꾸짖다; …을 때리다, 혼내다, 벌주다 ***G~ me ...*** (***any day***) 나는 …쪽이 좋다: *G~ me* the good old times. 옛날이 좋았었지 ***~ of*** …을 (아낌없이) 나누어 주다 ***~ off*** (1) 〈증기·냄새·빛 등을〉 발하다, 내다; 방출하다; 〈목소리 등을〉 내다: The freesia ~*s off* a strong fragrance. 프리지어는 강한 향을 낸다. (2) 〈가지를〉 뻗다 ***~ of*** one***'s best*** (…에 대하여) 최선을 다하다 ***~ of*** one***self*** ((문어)) 될 수 있는 대로 남을 돕다 ***~ on***[***upon, onto***] 〈길·복도 등이〉 …으로 통하다, 〈창문 등이〉 (풍경·도로 등에) 나 있다, …에 면하다 ***~ or take*** (수량·시간 등의) 다소의 차이는 있다고 치더라도, 대략: He's 60 years old, ~ *or take* a year. 그는 60살 안팎이다. ***~ out*** (*vt.*) (1) 배부하다, 배포하다; 할당하다, 나누다 (2) 발표하다, 공표하다: It was *given out* that ... …라는 것이 발표되었다 (3) 〈소리·냄새 등을〉 내다, 발산하다 (4) 〖크리켓·야구〗 〈타자를〉 아웃으로 판정하다 (*vi.*) (5) 〈공급물·힘·도로 등이〉 다하다, 바닥이 나다, 없어지다: The fuel *gave out*. 연료가 다 떨어졌다. (6) 〈엔진·시계 등이〉 멎다; 〈사람이〉 기진하여 주저앉다, 지치다 (7) ((미·구어)) (목소리·웃음 등으로) 기분을 나타내다 (8) 주장하다, 일컫다 ***~ over*** (*vt.*) (1) 내어주다, 양도하다, 맡기다; 〈범인 등을〉 (경찰에) 인도하다 (2) 〈습관 등을〉 버리다, 그만두다 (3) ((영·구어)) 중지하다 ((*doing*)): ~ *over* complain*ing* 불평을 그만두다 (4) ((고어)) 〈환자를〉 포기하다, 〈애인을〉 버리다, 단념하다 (5) 〈장소·시간 등을〉 (어떤 용도에) 충당하다 (6)

〈생애 등을〉 …에 바치다 (*vi.*) (7) ⦅영·구어⦆ 그만두다; (…에) 몰두하다 ⦅*to*⦆: Do ~ *over*! 집어치워! / He *is given over to* gambling. 그는 노름에 빠져 있다. (8) [수동형으로] 전용(專用)으로 할당되다; 바치다: The day *was given over* to cleaning the house. 그날은 내내 집안 청소를 하며 지냈다. ~ ***rise to*** 일으키다, 초래하다 ~ one***self away*** (1) 저도 모르게 본심을 드러내다 (2) 제 약점을 불필요하게 말하다 (3) 남에게 비밀을 털어놓다 ~ one***self out as***[***to be***] …이라고 자칭하다 ~ one***self over to*** 〈음주 등의〉 버릇에 빠지다, 열중[몰두]하다: She *gave herself over to* frustration. 그녀는 욕구 불만에 빠졌다. ~ one***self trouble*** (…에 대해) 애쓰다, 진력하다 ⦅*about*⦆ ~ one***self up*** 항복하다, 자수하다, 단념하다 ~ one***self up to*** …에 골몰하다, 열중하다 ~ one***'s life for***[***to***] (어떤 명분을 위해) 목숨을 바치다; …에 인생을 바치다 ~ a child ***something to cry for***[***about***] ⇨ cry. ~ one***'s right arm*** ⦅미·구어⦆ 큰 희생을 치르다 ⦅*for*⦆ ~ ***up*** (*vt.*) (1) 〈신앙 등을〉 맹세하고 버리다; 〈술·담배 등을〉 끊다; 〈직장을〉 그만두다; 〈계획을〉 포기하다; 〈환자 등을〉 포기하다; 안 오는 것으로 치다: ~ *up* smoking 담배를 끊다 / Doctors *gave up* him. 의사들은 그를 포기했다. (*vi.*) (2) 그만두다, 포기하다: ~ *up* hope 희망을 버리다 (3) 남의 손에 넘기다; 〈자리 등을〉 내주다; 〈토지·가옥 등을〉 양도[명도]하다; 〈범인 등을〉 인도하다: ~ *up* one's seat 자리를 양보하다 (4) 〈공범자 등의 이름을〉 말해 버리다 (5) [~ one*self up*으로] 〈감정·일 등에〉 흐르다, 빠지다, 열중하다, 몰두하다 (6) [수동형으로] …에 충당하다 ⦅*to*⦆ (7) 〈집·차 등을〉 처분하다 ~ ***... up for lost***[***dead***] …을 구조할 수 없는[죽은] 것으로 단념하다 ~ ***up on*** ⦅구어⦆ …을 단념하다, 포기하다 ***I'll ~ you that.*** ⦅구어⦆ 그것[네가 말하는 것]은 인정하지. ~ a person ***what for*** …을 꾸짖다, 나무라다, 벌주다 ***What ~s*** (***with ...***)***?*** ⦅구어⦆ …은 어찌된 일이냐?

— *n.* Ⓤ **1** (재료 등의) 탄력성(elasticity); 유연성 **2** (사람의) 순응성

give-and-take [gívəntéik] *n.* Ⓤ **1** 공평한 조건에서의 교환, 타협, 호양(互讓), 협조: the principle of ~ 호양의 정신 **2** 의견 교환, (농담 등의) 응수

give·a·way [gívəwèi] ⦅구어⦆ *n.* **1** 포기 **2** (비밀·정체 등의) 누설, 폭로; 본의 아닌 배반 **3 a** (판촉을 위한) 경품, 무료 견본 **b** ⟦라디오·TV⟧ 상품이 붙은 퀴즈 프로 — *a.* Ⓐ **1** 헐값의 **2** ⟦라디오·TV⟧ 상품이 붙은 **3** 비밀을 누설하는: a ~ newspaper 폭로 기사를 실은 신문 ***at ~ prices*** ⦅구어⦆ 거저나 다름없는 헐값에

give·back [gívbæ̀k] *n.* ⟦노동⟧ 기득권 반환 ⦅노동조합이 임금 인상 등과 교환 조건으로 부가 급부 등의 기득권을 포기하기⦆

‡**giv·en** [gívən] *v.* GIVE의 과거분사

— *a.* **1** 주어진, 정해진, 기정의, 지정된, 일정한: meet at a ~ time and place 약속된 시간과 장소에서 만나다 / within a ~ period 일정 기간 내에 / under a ~ condition 주어진 조건하에서 **2** ⟦수학·논리⟧ 주어진, 가설의, 기지(旣知)의 **3** [전치사적 또는 접속사적] …이라고 가정하면, …이 주어지면: *G*~ good weather, the thing can be done. 날씨가 좋다면 그 일은 가능하다. **4** Ⓟ 버릇이 있는, 경향이 있는, 빠지는 ⦅*to*⦆: He is ~ *to* drink[boasting]. 그는 술 마시는[큰소리 치는] 버릇이 있다. / I am not ~ that way. 나는 그런 짓을 하는 성격의 사람이 아니다. **5** (공문서에서 몇 월 며칠에) 작성된(dated), 교부된: *G*~ under my hand and seal this 5th of May. 금(今) 5월 5일 자필 날인하여 작성함. ***any ~*** 어느 때[곳, 것]도

— *n.* **1** 이미 아는 것, 기지 사항 **2** 기정사실, 당연한 일 **3** ⟦철학⟧ 소여(所與)

gíven náme (성에 대한) 이름(first name, Christian name)(⇨ name *n.*)

giv·er [gívər] *n.* 주는 사람, 증여자, 기증자

give-up [gívʌ̀p] *n.* ⦅미⦆ **1** 포기, 단념, 양보, 양도; 항복 **2** ⟦증권⟧ (증권업자에 의한) 위탁자(명) 명시 거래; (다른 증권업자에 대한) 수수료 분여(分與), 분여된 수수료

Gi·za, Gi·zeh [gí:zə] *n.* 기자 ⦅이집트 Cairo 부근의 도시; 피라미드와 스핑크스로 유명⦆

giz·mo, gis·mo [gízmou] *n.* (*pl.* **~s**) ⦅미·속어⦆ 장치(gadget), 기계; 거시기 ⦅이름이 생각나지 않는 것⦆

giz·zard [gízərd] *n.* ⟦조류⟧ 사낭(砂囊), 모래주머니; ⦅구어·익살⦆ (사람의) 내장, ⦅특히⦆ 위장 ***fret*** one***'s ~*** 마음을 상하다, 고민하다, 괴로워하다 ***stick in*** one***'s ~*** 숨이 막히다; 마음에 차지 않다

Gk., GK Greek **Gl** ⟦화학⟧ glucin(i)um **GL** gun-laying **gl.** glass; gloss **g/l** grams per liter

gla·bel·la [gləbélə] *n.* (*pl.* **-bel·lae** [-béli:]) ⟦해부⟧ 미간 **-lar** *a.*

gla·brous [gléibrəs] *a.* ⟦생물⟧ 털 없는(hairless), 반들반들한(smooth)

gla·cé [glæséi | ∸–] [F 「언, 동결한」의 뜻에서] *a.* **1 a** 〈과일·과자 등이〉 설탕을 바른[입힌], 당의(糖衣)를 입힌, 설탕에 절인 **b** ⦅미⦆ (얼음에) 얼린 **2** 〈천·가죽 등이〉 반들반들 윤나는

gla·cial [gléiʃəl] *a.* **1 a** 얼음의[같은], 빙하의, 빙원의: a ~ advance[retreat] 빙하의 전진[후퇴] **b** ⦅구어⦆ 얼음같이 찬: a ~ winter wind 살을 엘 듯한 겨울 바람 **c** 차가운, 냉담한, 냉혹한: a ~ stare 차가운 응시 / a ~ look 냉담한 눈초리 **2 a** 빙하 시대의; 빙하 작용에 의한: ~ terrain 빙하 지형 **b** (빙하의 진행처럼) 더딘, 느린, 초저속의: work at a ~ pace 더디게 일하다 **3** ⟦화학⟧ 결정(結晶)된, 빙상(氷狀) 결정의: ~ phosphoric acid 빙(氷)인산

— *n.* ⟦지질⟧ = GLACIAL PERIOD **~·ly** *ad.*

glácial acétic ácid ⟦화학⟧ 빙초산

glácial dríft ⟦지질⟧ 빙하 퇴적물

gla·cial·ist [gléiʃəlist] *n.* 빙하학자

glácial pèriod[**èpoch**] [the ~] ⟦지질⟧ 빙하기

gla·ci·ate [gléiʃièit] *vt.* **1** 얼리다, 결빙시키다(freeze), 얼음으로 덮다 **2** ⟦지질⟧ …에 빙하 작용을 미치다 **3** 〈금속 등의〉 윤을 없애다 — *vi.* 결빙하다, 얼음으로 덮이다

gla·ci·at·ed [gléiʃièitid] *a.* 빙하 작용을 받은; 빙하로[빙원으로] 덮인

gla·ci·a·tion [glèiʃiéiʃən] *n.* Ⓤ 빙하 작용; 빙결

***gla·cier** [gléiʃər | glǽsjə, -siə] [F 「얼음」의 뜻에서] *n.* 빙하: a continental[an alpine] ~ 대륙성[고산성] 빙하

glácier tàble ⟦지질⟧ 빙하탁(卓)

gla·ci·ol·o·gy [glèiʃiɑ́lədʒi | -siɔ́l-] *n.* Ⓤ 빙하학(氷河學); (특정 지역의) 빙하의 상태

gla·cis [gléisis, glǽs-] *n.* (*pl.* **~, ~·es** [-si(:)z]) 완만한 경사면[비탈]; (정면의) 경사진 둑[제방]

‡**glad**[1] [glǽd] *a.* (**~·der; ~·dest**) **1** Ⓟ 기쁜, 족하는, 반가운, 즐거운, 기꺼이 (…하는)(⇨ happy [유의어]): ~ about the good news 좋은 소식을 듣고 기뻐하는 / feel ~ at the result 결과에 만족하다 / I am ~ of it. 그거, 기쁜 일이오. // ⦅~+(***that***) 절⦆ I'm very ~ (*that*) I wasn't there. 내가 그곳에 없었던 것이 참으로 다행이다. // ⦅~+***to*** do⦆ I'm very ~ *to* see you. 처음 뵙겠습니다, 잘 오셨습니다. / I shall be ~ *to* do what I can. 기꺼이 힘닿는 데까지 하겠습니다. / I should be ~ *to* know why. (비꼼) 그 이유를 들어 보고 싶소. / I'd be ~ *to* help. 기꺼이 돕겠습니다. **2** Ⓐ **a** 〈얼굴·표정·목소리 등이〉 기뻐하는, 환한: give a ~ cry 환성을 올리다 **b** 〈소식·사건 등이〉 기쁜, 반가운, 좋은, 축하할 만한: ~ news[tidings] 기쁜 소식 / a ~ occasion 경사, 반가운 일 **3** Ⓐ 〈자연 등이〉 빛나는, 밝은, 찬란한, 아름다운

thesaurus **glad**[1] *a.* pleased, delighted, gratified, thrilled, overjoyed, elated, satisfied

~ of heart 기꺼이, 기쁘게
—*vt.* (**~·ded**; **~·ding**) 《고어》 기쁘게 하다
glad² *n.* 《구어》 〖식물〗 글라디올러스(gladiolus)
glad·den [glǽdn] *vt.* 〈사람·마음을〉 기쁘게 하다
—*vi.* 《고어》 기뻐하다
glade [gléid] *n.* 숲 속의 빈 터; 《미》 습지, 늪지
glád èye [the ~] 다정한 눈길, 《특히》 추파: give a person *the* ~ …에게 추파를 던지다
glád hànd [the ~] 《구어》 정다운 악수; 따뜻한 환영; 호들갑스런 환대: give a person *the* ~ …을 따뜻하게 환영하다
glad-hand [-hæ̀nd] *vt., vi.* 크게[따뜻이] 환영하다 **~·er** *n.* **~·ing** *n., a.*
glad·i·a·tor [glǽdièitər] [L 「검을 쓰는 사람」의 뜻에서] *n.* **1** 〖고대 로마〗 검투사 **2** 논쟁자, 논객
glad·i·a·to·ri·al [glæ̀diətɔ́:riəl] *a.*
glad·i·o·la [glæ̀dióulə] *n.* =GLADIOLUS
glad·i·o·lus [glæ̀dióuləs] *n.* (*pl.* **~, -li** [-lai], **~·es**) 〖식물〗 글라디올러스 《붓꽃속(屬)》
⁑**glad·ly** [glǽdli] *ad.* 기꺼이, 즐거이, 쾌히
*__glad·ness__ [glǽdnis] *n.* Ⓤ 기쁨, 즐거움
glád ràgs [종종 one's ~] 《구어》 나들이옷(best clothes), 《특히》 야회복
glad·some [glǽdsəm] *a.* 《문어》 기쁜, 반가운, 즐거운(cheerful) **~·ly** *ad.* **~·ness** *n.*
Glad·stone [glǽdstoun | -stən] *n.* **1** 글래드스턴 **William E. ~** (1809-98) 《영국의 정치가》 **2** [또는 **g~**] (양쪽으로 열리는) 직사각형의 여행 가방(=**~ bàg**) **3** [종종 **g~**] 2인승 4륜마차

Gladstones 2

Glad·ys [glǽdis] *n.* 여자 이름
glair(e) [glέər] *n.* Ⓤ (알의) 흰자위, (흰자위로 만든) 질그릇의 겉칠약, 윤내는 약; 흰자위 같은 점액
—*vt.* …에 흰자위를[윤내는 약을] 바르다
glair·y [glέəri] *a.* (**glair·i·er**; **-i·est**) 흰자위 같은; 풀기 있는, 점성의; 흰자위를[윤내는 약을] 바른
gláir·i·ness *n.*
glaive [gléiv] *n.* 《고어·시어》 검(劍); 날이 넓은 칼
glam [glǽm] 《구어》 *n.* =GLAMOUR
—*a.* =GLAMOROUS —*vt.* =GLAMORIZE
~ up 매혹적으로 보이게 하다, 치장해 대다: get one-*self* ~*med up* 잔뜩 치장하다
glam·or [glǽmər] *n., vt., a.* =GLAMOUR
glam·or·ize, glam·our·ize [glǽməràiz] *vt.* **1** 〈사람·물건을〉 매력적으로 만들다, 돋보이게 하다 **2** 〈사물을〉 낭만적으로 다루다, 미화하다: a film that ~*s* war 전쟁을 미화하는 영화
glam·or·ous, glam·our·ous [glǽmərəs] *a.* 매력에 찬, 매혹적인: a ~ job 멋진 직업/a ~ lady 매력적인 여성 **~·ly** *ad.* **~·ness** *n.*
*__glam·our, glam·or__ [glǽmər] [「마법」의 뜻의 grammar의 스코틀랜드 어형에서] *n.* Ⓤⓒ **1** (현혹적인·신비한) 매력, 매혹; 화려함; 《특히》 (여성의) 성적 매력: the ~ of being an explorer 탐험가라는 직업의 매력/an actress radiant with ~ 눈부신 성적 매력을 가진 여배우 **2** 《고어》 마법, 마술, 요술; 마력 ***be under a ~*** 홀려 있다 ***cast a ~ over*** …에 마법을 걸다; 호리다(enchant)
—*a.* 매혹적인, 매력으로 가득 찬: a ~ job in television 매력적인 TV의 일
—*vt.* 매혹하다, 넋을 잃게 하다, 호리다
glámour bòy[gìrl] 매혹적인 남자[여자] 《배우·모험가·모델 등》

---

glamour *n.* beauty, loveliness, attractiveness, allure, attraction, elegance, charm, fascination

glámour mòdel 《특히 영》 (사진 속의) 누드 모델 《특히 여자》
gla·mour-puss [glǽmərpùs] *n.* 《속어》 아주 매력적인 미녀
glámour stòck 〖증권〗 인기주
glám ròck 〖음악〗 글램록 《1970년대 초반에서 중반까지 유행한 록 음악 형식》(glitter rock)
⁑**glance¹** [glǽns | glɑ́:ns] *n.* **1** 흘긋 봄, 일견(一見), 일목(一目), 일별, 얼핏 봄(swift look) 《*at, into, over,* etc.》; 눈짓: steal a ~ *at* a person's watch …의 시계를 흘긋 훔쳐보다

> 유의어 **glance** 흘긋 봄: He gave me a suspicious *glance.* 그는 의심스러워하는 눈으로 흘긋 나를 보았다. **glimpse** 얼핏 보임: I caught a *glimpse* of the lake from the window of our bus. 나는 버스 창문으로 호수를 얼핏 보았다.

★ 따라서 glance의 경우는 give[take] a glance라 할 수 있으나, glimpse의 경우는 get[catch] a glimpse라고는 할 수 있어도 give a glimpse라고는 할 수 없다. **2** 섬광, 번득임, 번쩍임, 반사광: the ~ of a polished sword 잘 닦여진 칼의 번득임 **3** (탄환 등의) 빗나감, 튐 **4** 잠깐 언급함; 빗대어 빈정거리는 말 ***at a*** [***single***] **~** 곧, 즉시; 척[한 번] 보아 ***at first ~*** 첫눈에, 처음 보아
—*vi.* **1** 흘긋 보다, 잠깐 보다, 일별하다 《*at*》(⇨ look 유의어); 대강 훑어보다 《*over*》: (~+副) ~ *about* 주위를 흘긋 보다 // (~+前+名) ~ *at* the morning headline 조간의 표제를 훑어보다/~ *down* an account 계산서를 대충 훑어보다 **2** 번득이다, 번쩍이다(flash); 〈물건이〉 빛을 반사하다, 빛나다: a silver brooch *glancing* in the sunlight 햇빛에 빛나는 은브로치 **3** 〈화살·총탄·타격 등이〉 비스듬히 맞다, 스치다 《*aside, off*》; 〈이야기가〉 빗나가다, (화제에서) 벗어나다 《*from, off*》: (~+前+名) ~ *off*[*from*] the subject 그 화제에서 벗어나다/The bullet ~*d off* his metal shield. 탄알은 그의 금속 방패에 맞고 튀어나갔다. **4** …에 잠깐 언급하다 《*over*》; 암시하다, 넌지시 비추다 《*at*》
—*vt.* **1** 〈눈·시선 등을〉 흘긋 주다[보내다] 《*at, over*》 **2** 〈칼·탄환 등이〉 …에 맞고 빗나가다, …을 스치다 **~ *down*[*up*]** 흘긋 내려다보다[쳐다보다] **~ *off*** (1) 〈칼·탄환·공 등이〉 맞고 빗나가다, 스치다 (2) 〈잔소리·빗대는 말 등이〉 …에게는 통하지 않다 **~ one*'s eye*(*s*) *over*[*down*]** …을 대충 훑어보다
glance² *n.* Ⓤ 〖광물〗 휘광(輝鑛)
antimony [***lead, silver***] **~** 휘안광(輝安鑛)[방연광(方鉛鑛), 휘은광(輝銀鑛)]
glánce còal 〖광물〗 휘탄(輝炭); 무연탄
glanc·ing [glǽnsiŋ | glɑ́:ns-] *a.* Ⓐ **1** 번뜩이는, 번쩍이는 **2** 〈타격·총탄 등이〉 맞고 빗나가는: a ~ blow 빗나간 펀치 **3** 〈언급 등이〉 넌지시 빗대는, 암시적인: ~ references to a previous case 이전 사례의 간접적인 언급 **~·ly** *ad.*
*__gland¹__ [glǽnd] *n.* 〖생리·식물〗 선(腺), 분비 기관: ductless ~*s* 내분비선/sweat ~*s* 한선(汗腺), 땀샘 **~·less** *a.*
gland² *n.* 〖기계〗 (피스톤 등의) 눌림쇠[마개]
glan·dered [glǽndərd], **glan·der·ous** [glǽndərəs] *a.* 〖수의학〗 마비저(馬鼻疽)에 걸린
glan·ders [glǽndərz] *n. pl.* [단수 취급] 〖수의학〗 마비저(馬鼻疽)
gland·i·form [glǽndəfɔ̀:rm] *a.* 견과(堅果) 모양의; 선(腺) 모양의
glan·du·lar [glǽndʒulər], **-lous** [-ləs] *a.* **1** 선(腺)의, 선 같은, 선이 있는 **2** 선천적인, 타고난 **3** 성적인, 육체적인 **-lar·ly** *ad.*
glándular féver 〖병리〗 선열(腺熱)
glan·dule [glǽndʒu:l | -dju:l] *n.* 〖해부〗 소선(小腺), 작은 샘

glans [glǽnz] *n.* (*pl.* **glan·des** [glǽndi:z]) **1** 『해부』 (음경) 귀두(= **pénis**) **2** 음핵 귀두(= **clitóridis**) **3** 『식물』 견과(堅果)

‡**glare**[1] [glέər] *n.* **1** Ⓤ 섬광(閃光); 눈부신 빛, 번쩍이는 빛: in the ~ of sunlight 눈부신 햇빛을 쬐고 **2** 노려봄, 쏘아봄, 눈의 번득임: give a person a ~ …을 노려보다 **3** Ⓤ 현란함, 화려함, 눈에 띔; 강렬함 ***in the full ~ of publicity*** 유별나게 빛나고; 평판이 자자하여 ***the ~ of the footlights*** 눈부신 각광, 휘황찬란한 무대

—*vi.* **1** 번쩍번쩍 빛나다, 눈부시게 빛나다 **2** 노려보다, 눈을 부릅뜨다 (*at, upon*): (~+전+명) The lion ~*d at* its prey. 사자는 사냥감을 노려보았다. **3** 빛깔이 휘황하다, 〈색이〉 야하게 진하다, 강렬하다; 〈잘못 등이〉 눈에 띄다

—*vt.* 날카로운 눈초리로 〈적의·증오 등을〉 나타내다: (~+목+전+명) ~ defiance *at* a person …을 반항의 눈으로 쏘아보다 / ~ their anger *at* each other 서로 노기를 띤 눈으로 노려보다 ▷ gláry[1] *a.*

glare[2] *a., n.* (미) (얼음 등의) 번지르르 빛나는 (표면)

***glar·ing** [glέəriŋ] *a.* **1** 〈빛 등이〉 번쩍번쩍 빛나는, 눈부신: ~ spotlights 눈부신 스포트라이트 **2** 〈색·장식 등이〉 휘황찬란한, 화려한, 눈부시게 빛나는, 야한; 눈에 거슬리는 **3** 〈결점·모순 등이〉 유별나게 눈에 띄는, 명백한, 분명한, 심한, 역력한(garish, flagrant): a ~ lie 빤히 들여다보이는 거짓말 / ~ errors 명백한 실수 **4** 〈눈이〉 노려보는, 쏘아보는: cast a ~ eye on latecomers 지각한 사람들을 쏘아보다

~·ly *ad.* **~·ness** *n.*

glar·y[1] [glέəri] *a.* (**glar·i·er**; **-i·est**) 번쩍번쩍 빛나는, 눈부신, 휘황한

glary[2] *a.* (**glar·i·er**; **-i·est**) (얼음처럼) 매끄러운

***Glas·gow** [glǽsgou, -skou | glɑ́:zgou] *n.* 글래스고 (스코틀랜드 남서부의 항구 도시)

▷ Glaswégian *a., n.*

glas·nost [glǽsnɑst, glǽz- | -nɔ̀st] [Russ.] *n.* (구소련의) 정보 공개, 글라스노스트

glas·phalt [glǽsfɔ:lt, glɑ́:s- | glɑ́:sfælt] [*glass*+as*phalt*] *n.* 글라스팔트 (유리 가루와 아스팔트로 만든 도로 포장재; 상표명)

‡**glass** [glǽs | glɑ́:s] [OE 「빛나다」의 뜻에서] *n.* **1 a** Ⓤ 유리; Ⓒ 창유리: as clear as ~ 유리같이 투명한 **b** ⓊⒸ 유리질의 것; 흑요석 **2 a** 컵; 유리그릇, 유리 기구; 글라스, 잔: a plastic ~ 플라스틱 컵 **b** 한 컵 (의 양); (글라스에 넣은) 술: a ~ of water[milk] 한 컵의 물[우유], 물[우유] 한 컵 / enjoy one's ~ 술을 즐기다 ★ glass에는 찬 음료를, cup에는 더운 음료를 넣는 것이 보통임. **3** Ⓤ [집합적] 유리 제품(glassware): collect old ~ 오래된 유리 제품을 모으다 / dinner ~ (만찬용) 유리 식기 **4 a** (영·구어) 거울, 체경 (= looking ~): look in the ~ 거울을 보다 **b** 렌즈; 망원경; 확대경; 현미경: look through a ~ 망원경으로 보다 **c** [*pl.*] 안경(eyeglass), 쌍안경: a pair of ~*es* 안경 하나 / a ~*es* case 안경 케이스 / I can't read without my ~*es.* 안경 없이는 읽을 수 없다. **d** 청우계, 온도계: The ~ is falling. 온도계가 내려가고 있다. **e** 모래시계(sandglass) **5** (영) 온실 **6** (미·속어) 다이아몬드, 보석; 각성제

enjoy [***be fond of***] one***'s*** [***a***] ***~ now and then*** 가끔 한잔하다, 때로 술을 마시다 ***have a ~ too much*** (과음하여) 취하다 ***People who live in ~ houses should not throw stones.*** 약점이 있는 사람은 다른 사람을 비난하면 안 된다. ***raise a*** [one***'s***] ***~*** …을 위해 건배하다 ***see through a ~ darkly*** 희미하게[몽롱하게] 보이다 ***under ~*** 유리로 덮여; 온실 안에(서)

—*a.* Ⓐ **1** 유리의, 유리 같은, 유리로 만든: a ~ tray 유리 쟁반 / a ~ bottle 유리병 **2** 유리를 끼운, 유리로 덮은: a ~ door 유리문

—*vt.* **1** 유리를 끼우다; 유리로 덮다(glaze): ~ a window 창에 유리를 끼우다 / ~ a picture 그림에 유리를 끼우다 **2** 유리같이 만들다 **3** [주로 ~ one*self* 로] (문어) 〈그림자를〉 비추다, 거울에 비추어 보다: Trees ~ *themselves* in the water. 나무가 물에 비치고 있다. **4** 유리그릇에 밀봉하다 **5** 쌍안경으로 보다[찾다]

—*vi.* (물결이) 유리처럼 되다; 쌍안경으로 관찰하다

▷ glássy *a.*; gláze *v.*

gláss àrm (야구 선수 등의) 근육이 손상된 팔

gláss blóck[**brìck**] 『건축』 유리 블록 (건물의 외벽·칸막이에 씀)

glass·blow·er [glǽsblòuər | glɑ́:s-] *n.* 유리 부는 직공[기계]

glass·blow·ing [-blòuiŋ] *n.* Ⓤ 유리를 불어 만들기; 그 기법

gláss cáse 유리 상자; 유리그릇[진열장]

gláss céiling (여성·소수파의) 승진의 최상한선 (승진을 막는 보이지 않는 장벽)

gláss clòth 유리 섬유 직물; 유리그릇 닦는 천; (연마용) 유리 사포(砂布)

gláss cùtter 유리 자르는 도구[직공]; 유리(면) 세공사[디자이너]

gláss cùtting 유리 자르기; 유리 세공

glass-dust [-dʌ̀st] *n.* (연마용) 유리 가루

gláss éye 유리눈, 의안; (말의) 흑내장

gláss fíber 유리 섬유

glass·ful [glǽsfùl | glɑ́:s-] *n.* 컵 한 잔(의 양) (*of*): a ~ *of* milk 우유 한 컵

gláss harmónica 글라스 하모니카 (회전식 유리그릇에 각각 다른 양의 물을 담아 조음(調音)한 악기)

glass·house [glǽshàus | glɑ́:s-] *n.* (*pl.* **-hous·es** [-hàuziz]) **1** (미) 유리 공장; 유리 상점 **2** (영) 온실(greenhouse) **3** 유리 지붕의 사진 촬영실 **4** [the ~] (영·속어) (군의) 영창

glásshouse effèct (영) = GREENHOUSE EFFECT

glass·ine [glæsí:n] *n.* Ⓤ 글라신지(紙) (얇은 반투명의 종이; 책 커버·식품 포장용)

gláss jáw (미·속어) (권투 선수의) 약한 턱

glass·mak·er [glǽsmèikər | glɑ́:s-] *n.* 유리 제조인

glass·mak·ing [-mèikiŋ] *n.* Ⓤ 유리 (기구) 제조술[업, 법]

glass·man [-mən] *n.* (*pl.* **-men** [-mən, mèn]) 유리 장수; 유리 제조인; 유리 직공(glazier)

gláss pànel 글라스 패널 (자동차 등의 앞좌석과 뒷좌석을 가르는 칸막이 창)

glass·pa·per [-pèipər] (영) *n.* (유리 가루를 바른) 유리 사포(砂布) **—***vt.* 유리 사포로 닦다

gláss snàke 유리도마뱀 (북미 남부산의 발 없는 도마뱀의 일종으로 꼬리가 유리같이 약함)

gláss strìng (연 싸움에 쓰는) 유리 조각을 바른 연줄

gláss tànk 유리 용해로(爐)

***glass·ware** [glǽswὲər | glɑ́:s-] *n.* Ⓤ [집합적] 유리 제품; (특히) 유리 식기류

gláss wóol 유리 솜 (산(酸)의 여과·절연 등에 씀)

glass·work [-wə̀:rk] *n.* Ⓤ **1** 유리 제조(업) **2** 유리 제품[세공] **3** 『영화』 거울 장치를 이용한 트릭 촬영 **4** 유리 끼우기(glazing)

glass·work·er [-wə̀:rkər] *n.* 유리 제조인[세공인, 직공]

glass·works [-wə̀:rks] *n. pl.* [보통 단수 취급] 유리 공장

glass·wort [-wə̀:rt] *n.* 『식물』 퉁퉁마디 (전에 이것을 태운 재에서 유리 원료가 되는 소다를 채취했음)

***glass·y** [glǽsi | glɑ́:si] *a.* (**glass·i·er**; **-i·est**) **1 a** 유리 모양[성질]의 **b** 〈수면이〉 거울같이 잔잔한: the ~ surface of the lake 거울같이 잔잔한 호수면

thesaurus **glare**[1] *n.* **1** 섬광 blaze, flare, flame, dazzle **2** 노려봄 angry stare, glower, scowl, frown

gleam *n.* **1** 번쩍이는 빛 beam, flash, glow, ray,

2 〈눈·표정 등이〉 (지루하여) 흐릿한, 생기 없는, 멍청한; 무표정한, 냉담한: ~ eyes 흐리멍덩한 눈/give a person a ~ eye 사람을 멍한 시선으로 보다
—*n.* 유리구슬
gláss·i·ly *ad.* **gláss·i·ness** *n.*
glass·y-eyed [glǽsiàid | glɑ́:s-] *a.* 멍한[흐릿한] 표정의; (취하여) 거슴츠레한; 멀거니 바라보는
Glas·we·gian [glæswí:dʒən, -dʒiən | glɑ:z-] *a.* Glasgow (시민)의 —*n.* Glasgow 시민
Gláu·ber('s) sált [gláubər(z)-] 〖화학〗 망초(芒硝), 황산소다 《하제(下劑)》
glauc- [glɔ́:k, gláuk | glɔ́:k], **glauco-** [glɔ́:kou, -kə | glɔ́:-] 《연결형》 「glaucous」의 뜻 《모음 앞에서는 glauc-》
glau·co·ma [glɔ:kóumə, glau-] *n.* Ⓤ 〖병리〗 녹내장(綠內障)
glau·co·ma·tous [glɔ:kóumətəs, glau- | glɔ:-] *a.* 녹내장의
glau·co·nite [glɔ́:kənàit] *n.* 〖광물〗 해록석(海綠石)
glau·cous [glɔ́:kəs] *a.* 연한 청록색[황록색]의; 〖식물〗 〈포도·자두 등이〉 흰 가루로 덮인 **~·ly** *ad.*
*__glaze__ [gléiz] *vt.* **1 a** 〈창문·액자에〉 **판유리를 끼우다**; 〈건물에〉 유리창을 끼우다: ~ a window 창문에 유리를 끼우다 **b** 유리로 덮다[싸다] **2 a** 〈오지그릇에〉 유약[잿물]을 칠하다; 〈그림 등에〉 투명한 웃칠을 하다; 표면에 (얼음으로) 얇게 덮다: a street ~*d* with ice 얼음으로 덮인 도로 **b** 〈종이·천·가죽 등에〉 광택제를 먹이다 **c** 〈과자·요리 등에〉 투명한 시럽따위를 바르다 **3** 윤나는 약을 바르다, 광내다, 윤을 내다 ***~ in*** 유리로 싸다[덮다]
—*vi.* **1 유리 모양이 되다**; 윤이 나다 **2** 〈눈·표정이〉 흐릿해지다, 흐려지다 《*over*》: Their eyes ~*d over* as the lecturer droned on. 강연자가 단조롭게 말했기 때문에 그들의 눈은 거슴츠레해졌다.
—*n.* ⓊⒸ **1** Ⓤ **유리 끼우기**; 유약칠 **2 a** (오지그릇의) 유약, 잿물 **b** (종이 등의) 광활제(光滑劑) **c** (다 그린 화면에 색조가 두드러지도록 하기 위해 바르는) 투명한 웃칠 **d** 〖요리〗 글레이즈 《겉입히는 재료; 시럽·젤라틴 등》 **3** 반들반들한 표면; 광택 있는 표면; (표면의) 윤, 광택 **4** 〖기상〗 (미) 우빙(雨氷) 《빗물이 지면·수목 등에 얼어붙는 현상》 (=~ **ìce**) **5** (눈에 생기는) 흐릿한 막 ▷ gláss *n.*; glázy *a.*
glazed [gléizd] *a.* **1** 유리[창]를 끼운 **2 a** 유약을 칠한, 웃칠한 **b** 윤낸, 윤나는, 광택 있는; 매끄러운: ~ paper 광택지 **c** 글레이즈를 바른 **3** 〈눈 등이〉 흐릿한, 생기 없는
glázed fróst (영) =GLAZE *n.* 4
glázed páper 유광지(有光紙)
glaz·er [gléizər] *n.* (도자기에) 유약칠하는 직공; (피혁 등의) 윤내는 기계
gla·zier [gléiʒər | -zjə] *n.* 유리 끼우는 직공; 유약칠하는 직공 ***Is your father a ~?*** (익살) (자네 몸이 유리는 아닐 테고) 앞을 가리고 서면 안 보여.
glázier's díamond [gléiʒərz-] 유리 자르는 다이아몬드(칼)
gla·zier·y [gléiʒəri | -zjə-] *n.* ⓊⒸ 유리장이 일; 유리 (그릇) 제조업(glasswork)
glaz·ing [gléiziŋ] *n.* **1** Ⓤ 유리 끼우기, 유리 공사 **2** 창유리, 판유리 **3** Ⓤ 유약칠, 광택 가공 **4** 유약 **5** (각종) 광활제(光滑劑) 재료
glaz·y [gléizi] *a.* (**glaz·i·er**; **-i·est**) 유리[유약] 같은, 유약을 바른, 광택 있는; 〈눈이〉 흐릿한, 생기 없는
G.L.C. (영) Greater London Council **GLCM** ground-launched cruise missile 〖군사〗 지상 발사 순항 미사일 **gld.** guilder
‡**gleam** [glí:m] *n.* **1 a** 어스레한 빛, 미광(微光): the ~ of a lantern in the dark 어둠 속에서 비치는 초롱빛 **b** (순간적인) 번득임, 번쩍임: a ~ of humor [wit] 번쩍이는 유머[위트]

> 유의어 **gleam** 어둑한 곳에서 번쩍이는 어슴푸레한 빛: the *gleam* of dawn 희붐한 새벽빛 **glimmer** 깜빡거리는 희미한 빛: a distant *glimmer* of light 멀리서 깜빡거리는 희미한 빛

2 [보통 단수형] (감정·재치·희망 등의) 번득임, 징후: a ~ of hope 한 가닥[줄기]의 희망
—*vi.* **1** 어슴푸레 빛나다, 깜박깜박 빛나다; 번쩍이다, 번득이다, 빛을 반사하다: He polished the silver spoon until it ~*ed*. 그는 은수저를 빛이 날 때까지 닦았다. **2** 〈감정이〉 (눈에) 살짝 나타나다, 비치다; 〈얼굴·눈이〉 (감정으로) 빛나다
gleam·er [glí:mər] *n.* 얼굴을 윤나게 하는 화장품
gleam·ing [glí:miŋ] *a.* 반짝반짝 빛나는
gleam·y [glí:mi] *a.* (**gleam·i·er**; **-i·est**) 번득이는, 빛나는; 〈빛·색이〉 어스레한, 희미한
*__glean__ [glí:n] *vt.* **1** 〈이삭을〉 줍다, 주워 모으다; (밭 등에서) 베고 나머지를 모으다 **2** 〈정보·사실·지식 등을〉 (애써 조금씩) 수집하다, 모으다 《*from*》: ~ information 정보를 조금씩 모으다
—*vi.* 이삭줍기를 하다, 조금씩 모으다
glean·er [glí:nər] *n.* 이삭줍는 사람; 수집가
glean·ing [glí:niŋ] *n.* **1** Ⓤ 이삭줍기; (지식 등의) 수집 **2** [*pl.*] **a** 주워 모은 이삭 **b** 수집물, 단편적 모음, 선집(選集)
glebe [glí:b] *n.* **1** Ⓤ (시어) 토지(earth); 밭 **2** 교회 소속지, 교회의 영지
glede [glí:d], **gled** [gléd] *n.* 〖조류〗 솔개(kite)
*__glee__ [glí:] *n.* **1** Ⓤ **큰 기쁨**, 환희(joy), 기뻐 날뜀: a shout of ~ 환성, 환호 **2** 〖음악〗 (무반주의 3부 또는 그 이상의) 글리 합창곡 ***in high ~ = full of ~*** 매우 좋아서, 대단히 기뻐서
glée clùb (미) (특히 남성) 합창단
gleed [glí:d] *n.* (방언) 이글거리는 석탄
glee·ful [glí:fəl] *a.* 매우 기뻐하는, 대단히 기분이 좋은; 즐거운, 기쁜 **~·ly** *ad.* **~·ness** *n.*
glee·man [glí:mən] *n.* (*pl.* **-men** [-mən, -mèn]) (고어) (중세의) 방랑 시인, 음유 시인
gleep [glí:p] *n.* (미·구어) 바보, 멍청이
glee·some [glí:səm] *a.* (고어) =GLEEFUL
gleet [glí:t] *n.* Ⓤ 〖병리〗 만성 요도염, 후림(後淋); 《특히》 요도 분비물
*__glen__ [glén] *n.* (스코틀랜드·아일랜드의) **산골짜기**, 계곡, 협곡
glen·gar·ry [glengǽri] *n.* (*pl.* **-ries**) (스코틀랜드 고지 사람의) 챙 없는 모자
gle·noid [glí:nɔid] *a.* 〖해부〗 얕은 홈이 있는, 관절와(關節窩)의: the ~ cavity 관절와(窩)
glén pláid[chéck] [종종 **G- P-**] 글렌 플래드, 글렌 체크 《격자무늬의 일종; 그 천》
gley [gléi] *n.* 〖지질〗 글레이층 《다습한 지역의 배수 불량으로 생긴 청회색의 층》
gli·a [gláiə, glí:ə] *n.* 〖해부〗 =NEUROGLIA
gli·a·dine [gláiədin] *n.* 〖생화학〗 글리아딘 《밀 등에 함유된 단순 단백질로 프롤라민(prolamin)의 일종》
glib [glíb] *a.* (**~·ber**; **~·best**) **1** 말 잘하는, 입심 좋은: a ~ talker 청산유수인 사람 **2** 〈변명·설명 등이〉 겉발림의, 그럴듯한 **3** 편한, 홀가분한; 경박한: ~ manners 허물없는 태도 **~·ly** *ad.* **~·ness** *n.*
‡**glide** [gláid] *vi.* **1** 미끄러지다, 미끄러지듯 움직이다[나아가다]; 소리 없이 걷다, 조용히 들어오다[나가다]: ~ out of the room 방에서 조용히 나가다 **2** 〈시간이〉 어느덧 지나가다 《*by*》; 〈물이〉 소리 없이 흘러가다 **3** 〖항공〗 **활공**(滑空)하다, 활강하다; 글라이더로 날다 **4** 〖음악〗 음을 매끄럽게 변화시키다 《*on, to*》 **5** 점점 변하다, 점점 사라져 …이 되다 《*into*》
—*vt.* **1** 〈비행기를〉 활공[활주]시키다 **2** 〈배 등을〉 미끄러지듯 달리게 하다

---

flare, glint; glow, luster, shine, brightness, brilliance, flash **2** 징후 glimmer, flicker, hint
glide *v.* slide, slip, sail, float, drift, flow

—*n.* **1** 미끄러지듯 움직임; 미끄러짐 **2** (가구의 다리 끝에 다는) 미끄럼쇠 **3** (글라이더·비행기의) **활공**, 활주 **4** 미끄러지는 듯한 동작의 댄스; (댄스에서) 미끄러지듯 움직이는 스텝 **5** 〖음악〗 활창(滑唱), 활주(滑奏); 〖음성〗 운음(運音) 《어떤 음에서 다른 음으로 옮길 때 생기는 연결음, 예를 들면 length [léŋkθ]의 [k]음》 **6** 미끄럼틀, 활주대, 진수대(進水臺)

glíde bòmb 〖군사〗 (날개 달린) 활공 폭탄

glíde pàth 〖항공〗 글라이드 패스 《지상의 신호 전파가 지시하는 착륙 코스》; 그 지시 전파

‡**glid·er** [gláidər] *n.* **1** 〖항공〗 **a** 글라이더, 활공기; 미끄러지듯 움직이는 사람[것] **b** 글라이더 조종사 **2** 《미》 (베란다 같은 곳에 두는) 그네 의자

glíde slòpe 〖항공〗 **1** =GLIDE PATH **2** 활공각(滑空角)(gliding angle)

glid·ing [gláidiŋ] *a.* 미끄러지는, 활공하는, 활주하는
—*n.* Ⓤ 글라이더로 날기, 활공; 글라이더 경기

glíding àngle 〖항공〗 활공각(滑空角)

glid·ing·ly [gláidiŋli] *ad.* 미끄러지듯, 술술

glíding shíft 《영》 flextime에 따른 교대 근무 제도

glíding tíme 《영》 =FLEXTIME

glim [glím] *n.* 《속어》 등불; 초, 제등, 초롱(lantern); 창문; 눈 ***douse*** [***dowse***] ***the ~*** 《속어》 등불을 끄다

*__glim·mer__ [glímər] *vi.* **1** 희미하게 빛나다, 깜박이다, 명멸하다(flicker) **2** 희미하게 나타나다
go ~ing 〈희망 등이〉 소멸하다, 사라지다
—*n.* **1** 희미한 빛, 명멸하는 빛, 가물거리는 빛, 깜박이는 빛, 미광 (⇨ gleam 유의어): a ~ of hope 한 가닥의 희망 **2** 어렴풋한 이해, 암시; 소량; (…의) 낌새 《*of*》: have a ~ *of* 어렴풋이 눈치채다 / not a ~ 전혀, 조금도 《않다》

*__glim·mer·ing__ [glímәriŋ] *n.* **1** 가냘픈 빛, 희미한 빛, 명멸하는 빛, 미광: the ~*s* of twilight 황혼의 희미한 빛 **2** 어렴풋이 나타남, 기색: get a ~ of other's feelings 타인의 기분을 어렴풋이 알다 ***have a ~ of*** 어렴풋이 느끼고[알고] 있다
—*a.* 깜박이는, 희미하게 빛나는 **~·ly** *ad.*

‡**glimpse** [glímps] *n.* **1** 흘끗 봄[보임], 일견, 일별 《*of*》; 《고어》 섬광, 희미한 빛 (⇨ glance[1] 유의어) **2** 어렴풋이 감지함: have[catch, get] a ~ of the truth 진상을 어렴풋이 알다 ***the ~s of the moon*** 밤의 세계; 지상의 일
—*vt., vi.* 흘끗 보다

glím wòrker 《속어》 도수 없는 안경을 파는 노점상

*__glint__ [glínt] *vi.* 반짝이다, 반짝반짝 빛나다; 반사하다
—*vt.* 반짝이게 하다, 빛나게 하다; (반짝반짝) 반사시키다: (~+목+부) A mirror ~*s back* light. 거울은 빛을 반사한다.
—*n.* **1** 반짝임, 섬광(flash), 미광; 광택 **2** …의 기색, 낌새: a faint ~ of jealousy 언뜻 보인 질투심

gli·o·blas·to·ma [glàioublæstóumə] *n.* (*pl.* **~s, ~·ta** [-tə]) 〖의학〗 (신경) 교아(膠芽) (세포)종(腫)

gli·o·ma [glaióumə] *n.* (*pl.* **~s, ~·ta** [-tə]) 〖병리〗 신경교종(神經膠腫)

glis·sade [glisɑ́:d, -séid] [F 「미끄러지다」의 뜻에서] *n.* **1** (빙설이 덮인 가파른 비탈의) 제동 활강 《등산에서》 **2** 〖무용〗 글리사드, 활보(滑步)
—*vi.* **1** 제동 활강하다 **2** 글리사드로 추다

glis·san·do [glisɑ́:ndou] [It. 「미끄러지다」의 뜻에서] 〖음악〗 *n.* (*pl.* **-di** [-di:], **~s**) **1** 글리산도, 활주(법) **2** 글리산도 악절, 활주음부
—*ad., a.* 글리산도로 (연주되는)

glisse·ment [glismɑ:ŋ] [F] *n.* 미끄러짐, 활주

*__glis·ten__ [glísn] *vi.* 반짝이다, 반짝반짝 빛나다, 번쩍거리다: ~*ing* snow 반짝반짝 빛나는 눈 / Her eyes ~*ed* with curiosity. 그녀의 눈이 호기심으로 빛났다.
—*n.* 반짝임, 반짝이는 빛, 섬광 **~·ing·ly** *ad.*

glis·ter [glístər] *vi., n.* 《고어》 =GLISTEN

glitch [glítʃ] *n.* 《구어》 (기계 등의) 사소한 결함[고장]; 《구어》 전류의 순간적 이상 **glítch·y** *a.*

‡**glit·ter** [glítər] *vi.* **1** 반짝반짝 빛나다, 반짝이다(⇨ shine 유의어): All is not gold that ~*s.* 《속담》 번쩍이는 것이 다 금은 아니다. **2** 〈복장 등이〉 화려하다, 야하다; 눈부시게 화려하게 보이다, 화려하여 눈에 띄다: (~+전+명) a lady ~*ing with* jewels 보석으로 화려하게 꾸민 귀부인
—*n.* **1** ⓊⒸ 반짝거림, 빛남: the ~ of chandelier 샹들리에의 반짝거림 **2** Ⓤ [보통 the ~] 화려한 아름다움, 화려, 광휘, 광채 **3** Ⓤ [집합적] 반짝이는 작은 장식[장신구] **4** 《캐나다》 (빗물이 갑자기 언) 우빙(雨氷) (=~ ice)

glit·te·ra·ti [glìtərɑ́:ti] [*glitter*+literati] *n. pl.* 《구어》 사교계의 사람들(beautiful people)

*__glit·ter·ing__ [glítəriŋ] *a.* **1** 반짝이는, 빛나는 **2** 화려한, 눈부신 **3** 겉만 번지르르한 **~·ly** *ad.*

glítter róck 반짝이는 의상과 괴상한 분장을 한 가수의 록 음악

glit·ter·y [glítəri] *a.* =GLITTERING

glitz [glíts] *n.* 《미·캐나다》 야함, 현란, 화려함

glitz·y [glítsi] *a.* 《미·캐나다》 야한, 현란한, 화려한

GLM 〖스키〗 graduated length method **Gln** 〖생화학〗 glutamine

gloam [glóum] *n.* 《고어》 =TWILIGHT

gloam·ing [glóumiŋ] *n.* [the ~] 《시어》 박모(薄暮), 황혼, 땅거미(dusk)

gloat [glóut] *vi.* **1** 자못 흡족한[기분 좋은, 반한] 듯이 바라보다: with a ~*ing* smile 득의양양하게 미소 짓고 **2** 〈남의 불행 등을〉 고소한 듯이 바라보다 《*upon, over*》: Our opponents ~*ed over* our bad luck. 적은 우리의 불운을 고소한 듯이 보았다.
—*n.* 만족해 함, 고소해 함 **~·er** *n.*

gloat·ing·ly [glóutiŋli] *ad.* **1** 자못 기쁜 듯이[만족스러운 듯이] **2** 고소하다는 듯이

glob [glɑ́b | glɔ́b] *n.* (액체의) 작은 방울, 한 방울; 덩어리, 반고체의 구슬: a ~ of mucus 점액 한 방울 / a little ~ of clay 작은 점토덩이

*__glob·al__ [glóubəl] *a.* **1** 세계적인(worldwide), 지구 전체의, 전 세계의, 세계적 규모의; 전 세계에 걸친: a ~ war 세계 전쟁 / the dream of ~ peace 세계적인 평화의 꿈 **2** 전체적인, 포괄적인, 광범위한: a ~ problem 포괄적인 문제 / ~ rule (생성 문법에서의) 전체적인 규칙 **3** 구형(球形)의, 공 모양의 **~·ly** *ad.*

glóbal bónd 글로벌 본드 《미국·아시아·유럽지역 등에서 발행 유통되고 있는 국제 채권》

glóbal ecònomy 세계[지구촌] 경제

glob·al·ism [glóubəlìzm] *n.* Ⓤ 세계적 관여주의, 전세계주의, 세계화; 세계적 규모화(化)

glob·al·ist [glóubəlist] *n.* 글로벌리스트, 세계적 관여주의자

glob·al·i·za·tion [glòubəlizéiʃən | -lai-] *n.* (기업 등의) 세계적 규모화, 세계화

glob·al·ize [glóubəlàiz] *vt.* 세계적으로 확대하다, 전 세계적으로 하다, 세계화하다: ~ the auto industry 자동차 산업을 세계화하다

Glóbal Pósitioning Sỳstem 위성 위치 확인 시스템 《略 GPS》

glóbal próduct (같은 상표로 팔리는) 세계적인 상품

glóbal séarch 〖컴퓨터〗 전체[전부] 검색

glóbal tectónics 지구 변동학(cf. PLATE TECTONICS)

glóbal víllage 지구촌 《통신·TV의 발달로 공동체화된 세계를 가리킴》

glóbal wárming 지구 온난화 (현상)

glo·bate [glóubeit] *a.* 구형의(spherical)

‡**globe** [glóub] [L 「구(球)」의 뜻에서] *n.* **1** 구(球),

thesaurus **glimmer** *v.* gleam, flash, flicker, shimmer, blink, twinkle, sparkle, glow
glitter *v.* sparkle, twinkle, flicker, blink, wink, shimmer, glimmer, glint, gleam, flash
gloomy *a.* **1** 음침한 dark, cloudy, overcast, dull, dim, shadowy, dismal, dreary **2** 우울한 depressed,

공, 구체(ball) **2** [the ~] **지구**(⇨ earth 유의어); 천체 《태양·행성 등》; 지구의(地球儀), 천체의(儀): *the* terrestrial ~ 지구 / all over *the* ~ 온 세계에 **3** 공 모양의 것 **a** 금구(金球) 《제왕권의 상징》 **b** 《해부》 눈알 **c** 유리로 된 구형의 물건 《램프의 등피·어항·전구 등》 **d** [*pl.*] 《미·속어》 유방, 젖통 ***the whole habitable ~*** 전 세계
—*vi., vt.* 공 모양으로 만들다[되다]
▷ glóbal, glóbular *a.*

glóbe àmaranth 《식물》 천일홍

glóbe àrtichoke = ARTICHOKE

globe·fish [glóubfìʃ] *n.* (*pl.* **~, ~·es**) 《어류》 복어 (puffer)

globe·flow·er [-flàuər] *n.* 《식물》 금매화

glóbe lìghtning 《기상》 = BALL LIGHTNING

globe·like [glóublàik] *a.* 공 모양의

Glóbe Théatre [the ~] 글로브 극장 《1599년 런던에 세워진 Shakespeare 극의 초연 극장》

globe-trot [glóubtràt | -trɔ̀t] *vi.* (**~·ted**; **~·ting**) 세계 (관광) 여행을 하다

globe-trot·ter [-tràtər | -trɔ̀tə] *n.* 세계 관광 여행가; 늘 세계 각지를 여행하는 사람

globe-trot·ting [-tràtiŋ | -trɔ̀t-] *n.* Ⓤ, *a.* 세계 관광 여행(의)

glóbe vàlve 《기계》 구형(球形) 밸브

glo·big·e·rí·na òoze [gloubìdʒəráinə-] (바다 밑의) 글로비게리나 연니(軟泥)

glo·bin [glóubin] *n.* Ⓤ 《생화학》 글로빈 《헤모글로빈 중의 단백질 성분》

glo·boid [glóubɔid] *a.* 거의 공 모양의
—*n.* 구형체(球形體)

glo·bose [glóubous, ─́] *a.* 구형의, 공 모양의

glo·bos·i·ty [gloubásəti | -bɔ́s-] *n.* Ⓤ 구형

glob·u·lar [glábjulər | glɔ́b-] *a.* **1** 구형의, 구의, 구면의: a ~ fruit 둥근 과일 **2** 작은 구체로 된 **3** 전 세계의 **~·ly** *ad.* **~·ness** *n.* **glòb·u·lár·i·ty** *n.*

glóbular chárt 구면 투영도(球面投影圖)

glóbular clúster 《천문》 구상 성단(球狀星團)

glóbular projéction 구면 투영법

glóbular sáiling 《항해》 구면 항법

glob·ule [glábju:l | glɔ́b-] *n.* **1** (특히 액체의) 작은 구체; 작은 방울; 혈구(血球) **2** 환약

glob·u·lin [glábjulin | glɔ́b-] *n.* UC 글로불린 《단순 단백질의 일군》, 《특히》 혈장 단백질

glob·u·lous [glábjuləs | glɔ́b-] *a.* 소구(小球)의; 작은 공 모양의; 작은 방울 모양의

glo·cal [glóukəl] [*gl*obal+lo*cal*] *a.* 《구어》 《경제》 (사업·거래 등에서) 범세계적이면서 현지[지역] 실정도 고려하는 **~·ize** *v.*

glo·cal·i·za·tion [glòukəlizéiʃən | -lai-] *n.* Ⓤ (사업의) 지역 여건에 맞춘 범세계화

glo·chid·i·um [gloukídiəm] *n.* (*pl.* **-chid·i·a** [-kidiə]) 민물조개의 유생(幼生) 《어류의 외부에 기생》

glock·en·spiel [glák-ənspì:l, -ʃpì:l | glɔ́k-] [G =bell play] *n.* 철금(鐵琴); carillon의 일종

glockenspiel

glogg, glögg [glʌ́g, glúg] *n.* 글뢰그 《따뜻한 와인에 브랜디나 계피 등을 넣은 스웨덴식 음료》

glom [glám | glɔ́m] 《속어》 *vt.* (**~med**; **~·ming**) **1** 보다 **2** 붙잡다(grab); 《특히》 체포하다 **3** 훔치다 (steal) ***~ onto*** …을 손에 넣다; 소유하다; 붙잡다
—*n.* 흘긋 봄; (물건을 잡는) 손

glom·er·ate [glámərət, -rèit | glɔ́m-] *a.* 《식물·해부》 구형으로 모인, 둥글게 밀집해 있는

glom·er·a·tion [glàməréiʃən | glɔ̀m-] *n.* Ⓤ 구형으로 모으기[모이기], 덩어리진 것, 구상화(球狀化); 밀집; Ⓒ 집괴(集塊)

glo·mer·u·lar [gləmérjulər, glou-] *a.* 《해부》 사구(絲球)의, 신(腎)사구체의

glom·er·ule [glámərù:l | glɔ́m-] *n.* **1** 《식물》 단산화서(團繖花序) **2** = GLOMERULUS

glo·mer·u·lo·ne·phri·tis [gloumèrjulounəfráitis, glə-] *n.* 《병리》 사구체 신염(腎炎)

glo·mer·u·lus [glouméřjuləs, glə- | glɔ-] *n.* (*pl.* **-li** [-lai]) 《해부》 (신장 등의) 사구체(絲球體)

glo·mus [glóuməs] *n.* (*pl.* **glom·er·a** [glámərə | glɔ́m-]) 《해부》 사구(체), 글로무스 《모세 혈관의 작은 뭉치》

glon·o·in [glánouin | glɔ́n-] *n.* Ⓤ 《화학·약학》 니트로글리세린

‡**gloom** [glú:m] [ME 「얼굴을 찌푸리다」의 뜻에서] *n.* **1** 어둠침침함, 어둠, 그늘, 암흑(darkness); [때로 *pl.*] 어두운 곳[나무 그늘]: the ~*s* of London 런던의 어두운 곳 / the ~ of a dense forest 우거진 숲의 어둠 **2** UC 우울, 침울, 음침, 의기소침: man's future full of ~ 암담한 인류의 미래 ***cast a ~ over*** …에 어두운 그림자를 던지다, …을 음침하게 하다
—*vi.* **1** [it을 주어로] 어두워지다 **2** 침울해지다; 어두운 얼굴을 하다, 우울해지다
—*vt.* 어둡게 하다; 우울하게 하다, 슬프게 하다
~·ful *a.* **~·less** *a.* ▷ glóomy *a.*

glóom and dóom (정치·경제 정세 등의) 비관, 어두운 전망

‡**gloom·y** [glú:mi] *a.* (**gloom·i·er**; **-i·est**) **1** 〈방·날씨 등이〉 어두운, 음침한(dark), 음울한: ~ skies 잔뜩 흐린 하늘 / the ~ depth of the forest 어두운 숲 속 **2** 〈사람·기분 등이〉 우울한(melancholy), 침울한, 울적한, 기분이 어두운: a ~ mood 우울한 기분 **3** 우울하게 만드는, 비관적인, 음산한(cheerless): a ~ prospect 암담한 전망
glóom·i·ly *ad.* **glóom·i·ness** *n.*

glóomy Gús 《속어》 비관론자

gloop [glú:p] *n.* 《구어》 끈적끈적한 것

glop [gláp | glɔ́p] 《미·속어》 *n.* **1** 맛없는[질척한] 음식 **2** 감상벽, 감상적임
—*vt.* …에 질척한 것을 치다 《*up*》; 〈질척한 것을〉 음식에 치다 **~·py** *a.*

Glo·ri·a [glɔ́:riə] [L 「영광」의 뜻에서] *n.* **1** (기도서 (the Liturgy) 중의) 영광의 찬가, 송영가(頌榮歌) **2** [**g~**] 후광, 광륜(光輪)(halo) **3** [**g~**] Ⓤ 명주와 모 또는 명주와 면의 교직물의 일종 《우산·양복지》

Glória in Ex·cél·sis (Dé·o) [-in-ekséls is (-déiou)] 《성서》 「저 높은 곳에[신께] 영광이 있을지어다」('Glory be (to God) on high')의 찬가

Glória Pá·tri [-pá:tri] 「성부와 성자와 성령께 영광이 있을지어다」의 찬가

glo·ri·fi·ca·tion [glɔ̀:rəfikéiʃən] *n.* Ⓤ **1** (신의) 영광을 찬양함; 찬미, 찬양, 찬송: the ~ of Christ 예수에 대한 찬미 **2** 칭찬[찬미]을 받음 **3** 《영·구어》 **a** 축제, 축연 **b** (실제 이상의) 미화(美化); Ⓒ 미화한 것

glo·ri·fied [glɔ́:rəfàid] *a.* Ⓐ 실제보다 좋게 보이는

***glo·ri·fy** [glɔ́:rəfài] *vt.* (**-fied**) **1** 〈신 등을〉 찬미하다, 〈신의〉 영광을 찬양하다, 찬송하다 **2** 〈사람·행동 등을〉 칭찬[찬양]하다: ~ a hero 영웅을 찬양하다 **3** 영광스럽게 하다, 영광을 더하다; …에 명예를 부여하다, …의 이름을 높이다 **4** 실제 이상으로 미화하다: ~ military life 군생활을 미화하다 / ~ one's success 성공을 미화하다 **gló·ri·fi·er** *n.*

glo·ri·ole [glɔ́:riòul] *n.* 《미술》 후광, 원광, 광륜

‡**glo·ri·ous** [glɔ́:riəs] *a.* **1** 영광스러운, 영예[명예]로

sad, melancholy, unhappy, sorrowful, despondent, miserable, downcast, dispirited, blue **3** 우울하게 하는 saddening, distressing, somber, disappointing, hopeless, disheartening

glorious *a.* famous, renowned, famed, noble, well-known, distinguished, splendid, excellent

운, 빛나는: a ~ day 영광스러운 날; 훌륭한 날씨/die a ~ death 명예롭게 죽다/a ~ victory 영광스러운 승리 **2** 장려한, 훌륭한; 찬란한: a ~ view 절경/a ~ summer day 아름다운 여름날 **3** 《구어》 **a** 유쾌한, 즐거운, 멋진, 놀라운: ~ fun 통쾌한 일/have a ~ time[holiday] 매우 유쾌한 한때[휴일]를 보내다 **b** 《반어》 대단한, 지독한: a ~ muddle[row] 대혼란, 뒤범벅 **4** 《구어》 거나한, 기분좋게 취한
~·ness *n.*

Glórious Fóurth [the ~] 영광의 제4일 《미국 독립 기념일, 7월 4일》

*__glo·ri·ous·ly__ [glɔ́:riəsli] *ad.* 장려하게, 훌륭히; 멋지게, 근사하게; 기분이 썩 좋게

Glórious Revolútion [the ~] 〖영국사〗 명예혁명(1688-89)(English Revolution)

‡**glo·ry** [glɔ́:ri] [L 「영광」의 뜻에서] *n.* (*pl.* **-ries**) **1 a** Ⓤ 영광, 영예, 명예, 칭찬, 광영: gain ~ 명예를 얻다/win ~ on the field of battle 전장에서 명예를 얻다 **b** [종종 *pl.*] 영광을 주는 것[사람], 영예가 되는 것[사람], 자랑이 되는 것, 이름을 높이는 것: the *glories* of English poetry 영시(英詩)의 정화(精華) **2** Ⓤ **a** 영화; 성공[번영]의 절정, 전성(全盛): an age of ~ for all arts 모든 예술의 황금시대 **b** 득의양양, 기고만장: be in one's ~ 기고만장하다, 환희의 절정에 있다 **3** Ⓤ [보통 the ~] 장관, 미관; 광휘, 눈부심, 눈부시게 아름다움: the ~ of autumn 가을의 아름다움 **4** Ⓤ **a** 《신의》 영광, 영화, 《신에 대한》 찬미, 감사 **b** 천상의 영광, 천국 **5** 후광, 광륜(halo); 〖미술〗 원광(圓光), 광륜(의 그림), 광배(光背) ***G~ be*** (to God)! 《구어》 (1) 이건 놀라운데! (2) 아이 고마워라! ***go to ~*** 《구어》 죽다, 승천하다 ***send to ~*** 《익살》 천당으로 보내다, 죽이다 ***the Old G~*** 미국 국기, 성조기
— *vi.* (**-ried**) 기뻐하다; 자랑으로 여기다 (*in*): *G~* ye *in* his holy name. 〖성서〗 그의 거룩한 이름을 자랑하라. / Their parents *gloried in* their success. 그들의 부모는 그들의 성공을 자랑스럽게 여겼다. **~ *to*** do …하기를 자랑으로 여기다
▷ glórious *a.*; glórify *v.*

glóry dàys [the ~] 절정기, 전성기

glóry hòle 《영·구어》 잡동사니를 넣어두는 방[서랍, 장]

Glos. Gloucestershire

*__gloss__[1] [glɑ́s, glɔ́:s | glɔ́s] [ON 「빛, 빛남」의 뜻에서] *n.* **1** 광택, 윤; 광택 나는 면: the ~ of satin 공단의 광택 **2** [보통 a ~] 허식, 겉치레, 허영, 그럴듯한 구실[핑계] ***put***[***set***] ***a ~ on*** …을 빛나게 꾸미다 ***take the ~ off*** (…의) 흥을 깨다
— *vt.* **1** 광택[윤]을 내다 **2** [보통 ~ over] 겉꾸리다; 그럴듯한 말로 얼버무리다, 말을 꾸며 발뺌하다: ~ *over* one's foibles 약점을 그럴듯하게 얼버무리다
— *vi.* 광택[윤]이 나다
~·er *n.* **~·less** *a.* ▷ glóssy *a.*

gloss[2] *n.* **1 a** (행간·난외의) 어구 주석: an interlinear ~ 행간 주석 **b** (페이지 아래·책의 말미의 간결한) 주석, 주해(注解), 평주(評注); 해설; 어휘(glossary) **2** 그럴듯한 설명, (좋도록) 꾸며 대기, 억지로 갖다 붙인 해석 **—** *vt.* 〈…에〉 주석을 달다, 주해하다; 그럴듯하게 설명하다

gloss- [glɑs, glɔ:s | glɔs], **glosso-** [glɑ́sou, glɔ́:s- | glɔ́s-] 《연결형》 「혀; 언어」의 뜻 《모음 앞에서는 gloss-》

gloss. glossary

glos·sa [glɑ́sə, glɔ́:sə | glɔ́sə] *n.* (*pl.* **glos·sae** [-si:], **~s**) 〖해부〗 혀; 〖곤충〗 중설(中舌)

glos·sal [glɑ́səl, glɔ́:s- | glɔ́s-] *a.* 혀의[에 관한]

glos·sar·i·al [glɑsέəriəl, glɔ:s- | glɔs-] *a.* 어휘의: a ~ index 어휘 색인

glos·sa·rist [glɑ́sərist, glɔ́:s- | glɔ́s-] *n.* 어휘 주해[주석]자; 용어 사전 편자

*__glos·sa·ry__ [glɑ́səri, glɔ́:s- | glɔ́s-] *n.* (*pl.* **-ries**) (어려운 말·폐어·방언·술어 등의) 소사전, 용어집, 어휘 사전: a Shakespeare ~ 셰익스피어 용어 사전

glos·sa·tor [glɑséitər, glɔ:s- | glɔs-] *n.* 주석자, 주해자; 용어[어휘] 편찬자

glos·sec·to·my [glɑséktəmi, glɔ:s- | glɔs-] *n.* 〖의학〗 혀 절제(술)

glos·se·mat·ics [glɑ̀səmǽtiks, glɔ:s- | glɔs-] *n. pl.* [단수 취급] 〖언어〗 언리학(言理學), 언어 기호학

glos·si·tis [glɑsáitis, glɔ:s- | glɔs-] *n.* Ⓤ 〖병리〗 설염(舌炎)

gloss·me·ter [glɑ́smì:tər, glɔ́:s- | glɔ́s-] *n.* (물체 표면의 광택을 재는) 광택계

glosso- [glɑ́sou, glɔ́:s- | glɔ́s-] 《연결형》 =GLOSS-

glos·sog·ra·pher [glɑsɑ́grəfər, glɔ:s- | glɔsɔ́g-] *n.* 주석자, 주해자 **-phy** *n.* 용어 해설

glos·so·la·li·a [glɑ̀səléiliə, glɔ̀:s- | glɔ̀s-] *n.* (종교적 황홀경에서 하는) 알아들을 수 없는 말, 방언(方言)(gift of tongues)

glos·sol·o·gy [glɑsɑ́lədʒi | glɔsɔ́l] *n.* 《고어》 언어학; 명명법(命名法)

glóss pàint 마무리용 광택 도료

*__gloss·y__ [glɑ́si, glɔ́:si | glɔ́si] *a.* (**gloss·i·er**; **-i·est**) **1** 광택[윤]이 나는, 번질번질한: ~ leather 윤이 나는 가죽 **2** 모양 좋은, 그럴듯한(plausible), 겉만 번지르르한: a ~ falsehood 그럴듯한 거짓말
— *n.* (*pl.* **gloss·ies**) **1** =GLOSSY MAGAZINE **2** 〖사진〗 광택 인화 **glóss·i·ly** *ad.* **glóss·i·ness** *n.*

glóssy mágazine 《구어》 유광 종이에 원색 사진을 많이 곁들인 고급 잡지 《특히 패션 잡지 등》

glost [glɑ́st, glɔ́:st | glɔ́st] *n.* (도자기의) 유약

-glot [glɑ̀t | glɔ̀t] 《연결형》 「(몇 개) 언어에 통달한」의 뜻: poly*glot*

glot·tal [glɑ́tl | glɔ́tl] *a.* 〖해부〗 성문(聲門)의; 〖음성〗 성문으로 발음되는: a ~ sound 성문음(聲門音)

glot·tal·ize [glɑ́təlàiz | glɔ́t-] *vt.* 〖음성〗 성문음으로 발음하다, 성문음화하다

glóttal stóp 〖음성〗 성문 폐쇄음(閉鎖音), 성문 파열(자)음

glot·tic [glɑ́tik | glɔ́t-] *a.* **1** 성문의(glottal); 혀의 **2** =LINGUISTIC

glot·tis [glɑ́tis | glɔ́tis] *n.* (*pl.* **~·es, -ti·des** [-tədì:z]) 〖해부〗 성문(聲門)

glotto- [glɑ́tou, -tə | glɔ́t-] 《연결형》 GLOSSO-의 변형

glot·to·chro·nol·o·gy [glɑ̀toukrənɑ́lədʒi, -tə- | glɔ̀toukrənɔ́l-] *n.* Ⓤ 언어 연대학(年代學)

Glouces·ter [glɑ́stər, glɔ́:s- | glɔ́s-] *n.* **1** 글로스터 《Gloucestershire의 주도》 **2** Ⓤ 글로스터 치즈 (=double ~)

Glouces·ter·shire [glɑ́stərʃiər, -ʃər, glɔ́:s- | glɔ́s-] *n.* 글로스터셔 《영국 남서부의 주(州)》

‡**glove** [glʌ́v] *n.* [보통 *pl.*] **1** 장갑: a pair of ~*s* 장갑 한 켤레/put on[take off] one's ~*s* 장갑을 끼다[벗다] **2 a** (야구용) 글러브(cf. MITTEN) **b** (권투용) 글러브(=boxing ~)
be hand in[***and***] ***~ with ...*** …와 매우 친한 사이이다 ***bite*** one***'s ~*** 복수를 맹세하다 ***fight with the ~s off*** 본격적으로[가차없이] 싸우다 ***fit like a ~*** 꼭 맞다 ***go for the ~s*** 《속어》 (경마에서) 무모한 내기를 하다 ***go hand in ~*** 밀접한 관련이 있다 ***handle***[***treat***] ***with***(***kid***) ***~s*** 부드럽게 다루다; 신중히 대처하다 ***handle with ~s off*** 가차없이[함부로] 다루다 ***hang up*** one***'s ~s*** 《미·구어》 권투계에서 은퇴하다 ***have the ~s on*** (글러브를 끼고) 권투를 하다 ***put on the ~s*** 《구어》 권투하다 ***take off the ~s*** 본격적으로 덤비다; 가차없이 해치우다 ***The ~s are off.*** 싸울 준비가 되어 있다. ***throw down***[***take up***] ***the ~*** 도전하다[도전에 응하다] ***without ~s*** = ***with ~s off*** (1) 사정없이, 가차없이 (2) 진지하게; 대담하게, 결연히

thesaurus **gloss**[1] *n.* shine, sheen, luster, gleam, brightness, brilliance, sparkle, shimmer, polish

— *vt.* **1** …에 장갑을 끼다 **2** …에게 장갑 구실을 하다 **3** 〚야구〛 〈공을〉 글러브로 잡다 **~·less, ~·like** *a.*
glóve bòx **1** (실험실·병원 등의) 글러브 박스 《오염을 방지하거나 위험 물질 등을 다루기 위한 밀폐 투명 용기; 밖에서 부속 장갑으로 조작함》 **2** (영) =GLOVE COMPARTMENT

glove box 1

glóve compàrtment (자동차 앞좌석 앞에 있는) 장갑 따위를 넣는 작은 칸
gloved [glʌ́vd] *a.* [보통 Ⓐ] 장갑을 낀
glóve dòll[pùppet] =HAND PUPPET
glóve fight 권투 시합
glóve màn (미·속어) 〚야구〛 수비 강화 요원
glove-mon·ey [glʌ́vmʌ̀ni] *n.* (하인에게 주는) 팁, 행하(行下)
glov·er [glʌ́vər] *n.* 장갑 제조인; 장갑 장수
gloves-off [glʌ́vzɔ́:f | -ɔ́f] *a.* (구어) 심한; 거친
glóve spònge 장갑 모양의 해면
***glow** [glóu] *n.* [the ~, a ~] **1 백열,** 작열; 백열광, 불꽃 없이 타는 빛: *the* ~ of coals in the fireplace 난로 안에서 벌겋게 달아오른 석탄(불) / *the* ruddy ~ of a neon sign 네온사인의 붉은 빛 **2** 타오르는 듯한 빛깔; 밝음, 선명함; 새빨감: *the* ~ of sunset 저녁놀 / *the* ~ of colors 타오를 듯한 색채 **3** (몸의) **달아오름,** 온기; (뺨의) 홍조: *a* pleasant ~ after a drink 한잔 한 뒤의 기분 좋은 온기 **4 a** (감정의) 고조(高潮) **b** 흐뭇한 만족감, 홍분, 열정, 행복감; 열심[열렬](한 얼굴 표정): *the* ~ of new love 새로운 연애의 행복감 / *the* ~ of success 성공의 만족감 **5** 〚전기〛 글로 《글로 방전에 따른 가스 분자의 발광》
all of a ~ = in a ~ (구어) 후끈 달아서, 시뻘겋게 빛나서[달아올라]
— *vi.* **1** 〈쇠 등이〉 **백열하다, 시뻘겋게 되다;** 〈등불·반딧불이 등이〉 **빛을 내다,** 빛나다: (~+전+명) a Christmas tree *~ing with* many colored lights 많은 색전구로 빛을 내고 있는 크리스마스 트리 / His face *~ed at* the idea. 그 생각이 나자 그의 얼굴은 빛났다. **2** 〈빛깔이〉 타오르는 듯하다; 〈뺨이〉 홍조를 띠다, 〈몸이〉 달아오르다, 혈색이 좋다: (~+전+명) Her face *~ed with* joy. 기뻐서 그녀의 얼굴은 홍조를 띠었다. **3** 감정이 복받치다; 격정[분노]이 타오르다, 자랑으로 빛나다: (~+전+명) ~ *with* enthusiasm 열광하다 / ~ *with* pride 자신감에 차 있다
glów dischàrge 〚전기〛 글로 방전 《저압 가스 속에서의 발광 방전》
glow·er[1] [gláuər] *vi.* 상을 찡그리다, 불쾌한 얼굴을 하다; 노려보다 《*at, upon*》: (~+전+명) They *~ed at* each other. 그들은 서로 노려보았다.
— *n.* (성난 얼굴로) 노려봄; 못마땅한[찌푸린] 얼굴
glow·er[2] [glóuər] *n.* 발광체(體)
glow·er·ing·ly [gláuəriŋli] *ad.* 상을 찡그려
glow·fly [glóuflài] *n.* (*pl.* **-flies**) = FIREFLY
***glow·ing** [glóuiŋ] *a.* **1 a 백열[작열]하는,** 시뻘건 (red-hot): a ~ sunset 새빨간 저녁놀 **b** [부사적으로] 타는 듯이: ~ hot 타는 듯이 뜨거운 **2 열렬한** (enthusiastic); 열정적인, 맹렬한; 생생한: ~ praise 열렬한 찬사 / a ~ patriot 열렬한 애국자 **3** 〈빛깔 등이〉 강렬한, 선명한, 타는 듯한 **4** 〈뺨이〉 빨갛게 달아오른, 홍조를 띤; 〈건강 등이〉 아주 좋은 **~·ly** *ad.*
glów làmp 글로 램프[전구]
glów plùg 〚자동차·기계〛 예열 플러그
glow·stick [glóustìk] *n.* 야광 막대(light stick)
glow·worm [glóuwə̀:rm] *n.* 〚곤충〛 (빛을 내는) 반딧불이의 유충; 개똥벌레

glow *v.* gleam, glimmer, shine, radiate
glue *n.* adhesive, gum, paste, cement, fixative

glox·in·i·a [glɑksíniə | glɔks-] *n.* 〚식물〛 글록시니아 《큰 꽃이 피는 브라질 원산의 관상용 구근 식물》
gloze [glóuz] *vt.* [보통 ~ over] 그럴듯한 설명을 붙이다, 발뺌하다, 둘러대다: ~ *over* a mistake 실수를 둘러대다
glt. gilt **Glu** 〚생화학〛 glutamic acid
gluc- [glu:k, glu:s] 《연결형》 =GLUCO-
glu·ca·gon [glú:kəgɑ̀n | -gɔ̀n] *n.* 〚생화학〛 글루카곤 《췌장에서 분비되는 호르몬의 일종》
glu·cin·i·um [glu:síniəm], **glu·ci·num** [glu:sáinəm] *n.* Ⓤ 〚화학〛 글루시늄 (beryllium의 구칭)
gluco- [glú:kou, -kə] *n.* 《연결형》 GLYCO-의 변형
glu·co·cor·ti·coid [glù:koukɔ́:rtəkɔ̀id] *n.* 〚생화학〛 글루코코티코이드 《부신 피질에서 분비되는 스테로이드 호르몬》
glu·co·gen·ic [glù:kədʒénik] *a.* 〚생화학〛 당(糖) [글루코오스] 생성의
glu·co·ki·nase [-káineis, -nei] *n.* 〚생화학〛 글루코키나제 《글루콘산을 인산으로 바꾸는 효소》
glu·co·nate [glú:kənèit] *n.* 〚화학〛 글루콘산염[에스테르]
glu·co·ne·o·gen·e·sis [glù:kounì:ədʒénisis] *n.* 〚생화학〛 글루코네오제네시스 《포도당이 해당계(解糖系)의 역경로에 의해 형성되는 과정》
glu·cón·ic ácid [glu:kɑ́nik- | -kɔ́n-] 〚화학〛 글루콘산
glu·co·re·cep·tor [glù:kəriséptər] *n.* 〚생리〛 글루코리셉터 《포도당에 예민한 뇌신경 세포》
glu·co·sa·mine [glu:kóusəmì:n, -min] *n.* 〚생화학〛 글루코사민 《척추동물의 조직중 다당류가 많이 포함된 아미노당》
glu·co·san [glú:kəsæn] *n.* 〚생화학〛 글루코산
glu·cose [glú:kous] *n.* Ⓤ **1** 〚화학〛 포도당 **2** (옥수수 녹말로 만든) 물엿
glúcose tòlerance tèst 〚의학〛 포도당 부하(負荷) 검사
glu·co·si·dase [glu:kóusədèis, -dèi] *n.* 〚생화학〛 글루코시다아제 《글루코시드를 가수 분해하는 효소》
glu·co·side [glú:kəsàid] *n.* 〚화학〛 글루코시드, 당원질(糖原質), 배당체(配糖體)
glu·cu·rón·ic ácid [glù:kjurɑ́nik- | -rɔ́n-] 〚생화학〛 글루쿠론산
glu·cu·ron·ide [glu:kjúərənàid] *n.* 〚생화학〛 글루쿠로니드 《글루쿠론산의 유도체》
glue** [glú:] [OF 「끈끈이」의 뜻에서] *n.* ⓊⒸ 아교; [일반적으로] 접착제: quick-drying ~ 순간접착제 ***stick like ~ to a person …에게 귀찮게 붙어 다니다, 추근추근 달라붙다
— *vt.* **1** …을 아교[접착제]로 붙이다, …에 아교[접착제, 풀]를 바르다; [종종 수동형으로] 달라붙어서 떨어지지 않다: (~+목+전+명) ~ a label *on* a package 소포에 꼬리표를 붙이다 / He ~*d* the wings *onto* the model airplane. 그는 모형 비행기에 날개를 붙였다. **2** …에서 〈눈[귀]을〉 떼지 않다, 주의를 집중하다 《*to, on*》: ~ one's eyes *to* the TV screen 텔레비전에 시선을 집중하다
— *vi.* 접착하다, 아교로 붙다: (~+부) The wood ~*s well.* 목재는 아교로 잘 붙는다.
~ *up* 봉하다(seal up), 밀폐하다 ***with* one*'s eyes ~d on[to]*** …을 뚫어지게 보며, 응시하며
▷ glúey, glútinous *a.*
glúe èar (영) 중이염(otitis media)
glue·pot [glú:pɑ̀t | -pɔ̀t] *n.* **1** 아교 냄비 《아교를 끓이는 이중 냄비》 **2** 진창인 땅
glue-sniff·er [-snìfər] *n.* (미) 본드 따위를 맡는 [흡입하는] 사람
glue-sniff·ing [-snìfiŋ] *n.* Ⓤ (미) 본드 따위의 흡입
glue·y [glú:i] *a.* (**glu·i·er**; **-i·est**) **1** 아교를 바른; 아교 투성이의 **2** 아교질[모양]의; 들러붙는(sticky) **~·ness** *n.* **glú·i·ly** *ad.*
glug [glʌ́g] *n.* (구어) (액체 등을 따를 때) 꼴록꼴록

나오는 소리, 꿀꺽꿀꺽 (물 마시는 소리)
—*vi.* 꼴록꼴록 소리를 내다
glum [glʌ́m] *a.* (**~·mer**; **~·mest**) 시무룩한, 풀죽은, 침울한, 무뚝뚝한(sullen) **~·ly** *ad.* **~·ness** *n.*
glume [glúːm] *n.* 〖식물〗 영(穎), 영포(穎苞)
glu·on [glúːɑn | -ɔn] *n.* 〖물리〗 글루온 《쿼크(quark) 간의 상호 작용을 매개하는 입자》
glut [glʌ́t] [L 「삼키다」의 뜻에서] *v.* (**~·ted**; **~·ting**) *vt.* **1** 배불리 먹이다, 〈식욕·욕망을〉 채우다, 만족시키다: ~ the appetite 식욕을 만족시키다 **2** 〈시장에 물건을〉 과잉 공급하다 (*with*) **3** 〈길을〉 막다: ~ a channel 해협을 막다 —*vi.* 포식하다; 마음내로 행동하다 **~ one*self with*** …을 물리도록 먹다; …에 물리다 **~ one's *eyes*** 실컷 바라보다 **~ one's *revenge*** 충분히 원한을 풀다
—*n.* **1** 차고 넘침; 과식, 포만(飽滿); 식상(食傷) **2** (상품의) 공급 과잉, 과도한 양[수]: a ~ of fruit 과실의 범람 / a ~ in the market 시장의 재고 과잉
glu·ta·mate [glúːtəmèit] *n.* 〖화학〗 글루타민산염[에스테르]
glu·tám·ic ácid [gluːtǽmik-] 〖화학〗 글루타민산(酸)
glu·ta·min·ase [glúːtəminèis, gluːtǽm-, -nèiz] *n.* 〖생화학〗 글루타미나아제 《글루타민을 글루타민산과 암모니아로 가수 분해하는 효소》
glu·ta·mine [glúːtəmìːn, -min] *n.* Ⓤ 〖화학〗 글루타민 《아미노산의 일종》
glu·tar·al·de·hyde [glùːtərǽldəhàid] *n.* 〖생화학〗 글루타르알데히드
glu·ta·thi·one [glùːtəθáioun] *n.* 〖생화학〗 글루타티온 《수용성·결정성의 펩티드; 생체 조직에서 어떤 종류의 효소 활동에 극히 중요함》
glu·te·al [glúːti(ː)əl] *a.* 〖해부〗 둔근(臀筋)의
glu·te·lin [glúːtəlin] *n.* 〖생화학〗 글루텔린 《밀에서 채취되는 단순 단백질》
glu·ten [glúːtn] *n.* Ⓤ 〖화학〗 글루텐, 부질(麩質)
glúten brèad 글루텐 빵 《글루텐 밀가루로 만든 것》
glúten flòur 글루텐 밀가루 《밀가루에서 전분의 대부분을 제거》
glu·te·nous [glúːtənəs] *a.* 글루텐 모양의, 글루텐을 많이 함유한
glu·tes [glúːtiz] *n. pl.* 《구어》 둔근(臀筋)
glu·teth·i·mide [gluːtéθəmàid] *n.* 〖약학〗 글루테티미드 《진정제·최면제》
glu·te·us [glúːtiəs, gluːtíːəs] *n.* (*pl.* **-te·i** [-tiài:, -tíːai]) 〖해부〗 둔근(臀筋), 《특히》 대둔근(= ∠ **máx·imus**)
glu·ti·nos·i·ty [glùːtənɑ́səti | -nɔ́s-] *n.* Ⓤ 점착성
glu·ti·nous [glúːtənəs] *a.* 아교질의; 점착성의, 끈적끈적한: ~ rice 찹쌀 / ~ substance 점착성 물질 **~·ly** *ad.* **~·ness** *n.*
glu·tose [glúːtous] *n.* 〖화학〗 글루토오스 《당밀의 한 성분》
glut·ton [glʌ́tn] *n.* **1** 대식가, 폭식가 **2** 《구어》 열성가; 파고드는[끈덕진] 사람: a ~ *of* books 탐독가 / a ~ *for* work 일에 열심인 사람 / a ~ *for* punishment 고된 일을 얼마든지 하는 사람 **3** 〖동물〗 굴로 《북부 유럽산 족제빗과(科)의 동물(wolverine)》
glut·ton·ize [glʌ́tənàiz] *vi.* 대식하다, 폭식하다 (eat to excess)
glut·ton·ous [glʌ́tənəs] *a.* 게걸들린, 많이 먹는; 탐욕스러운, 욕심많은(greedy); 열중하는 (*of*) **~·ly** *ad.* **~·ness** *n.*
glut·ton·y [glʌ́təni] *n.* Ⓤ 대식, 폭음, 폭식
Gly 〖생화학〗 glycine
gly·ce·mi·a, -cae- [glaisíːmiə] *n.* 〖의학〗 혈당증
glyc·er·al·de·hyde [glìsərǽldəhàid] *n.* 〖생화학〗 글리세르알데히드
glycéric ácid 〖화학〗 글리세린산
glyc·er·ide [glísəràid, -rid] *n.* 〖화학〗 글리세리드
***glyc·er·in, -ine** [glísərin] *n.* Ⓤ 〖화학〗 글리세린 《glycerol의 일반명》
glyc·er·in·ate [glísərənèit] *vt.* 글리세린으로 처리하다
glyc·er·ol [glísərɔ̀ːl, -rɑ̀l | -rɔ̀l] *n.* Ⓤ 〖화학〗 글리세롤, 글리세린 《glycerin의 정식명》
glyc·er·yl [glísəril] *a.* 〖화학〗 글리세릴기(基)의
gly·cine [gláisiːn, -∠] *n.* 〖화학〗 글리신 《아미노산의 하나》
glyco- [gláikou, -kə] 《연결형》 「당(糖); 달다」의 뜻
gly·co·gen [gláikədʒən, -dʒèn] *n.* Ⓤ 〖생화학〗 글리코겐, 당원(糖原)
gly·co·gen·e·sis [glàikədʒénəsis] *n.* Ⓤ 〖생화학〗 글리코겐 합성[생성]
gly·co·gen·ic [glàikədʒénik] *a.* 〖생화학〗 글리코겐의; 당원 생성의
gly·col [gláikɔːl, -kɑ̀l | -kɔ̀l] *n.* Ⓤ 〖화학〗 **1** 글리콜, 에틸렌글리콜 《자동차용 부동액》 **2** 글리콜, 디올 《2개의 수산기를 가진 알코올》
gly·col·ic [glaikɑ́lik | -kɔ́l-] *a.* 글리콜의
glycólic ácid 〖화학〗 글리콜산
gly·co·lip·id [glàikəlípid] *n.* 〖생화학〗 당지질(糖脂質)
gly·col·y·sis [glaikɑ́ləsis | -kɔ́l-] *n.* Ⓤ 〖생화학〗 해당(解糖), 당분해
gly·con·ic [glaikɑ́nik | -kɔ́n-] *n., a.* (그리스·라틴 시(詩)의) 글라이콘 시체(詩體)(의)
gly·co·pro·tein [glàikəpróutiːn] *n.* 〖생화학〗 당단백(질) 《점액소 및 연골의 주성분》
gly·co·side [gláikəsàid] *n.* 〖생화학〗 배당체(配糖體), 글리코시드
gly·cos·u·ri·a [glàikousjúəriə] *n.* Ⓤ 〖병리〗 당뇨 **-u·ric** [-rik] *a.*
gly·co·syl [gláikəsìl] *n.* 〖화학〗 글리코실
gly·co·syl·ate [gláikəsəlèit] *vt.* 〖생화학〗 글리코실화하다 **glỳ·co·syl·á·tion** *n.*
gly·cyl [gláisəl] *n.* 〖화학〗 글리실
glyph [glíf] *n.* **1** 그림[도안] 표지 **2** 〖건축〗 장식용 세로홈 **3** 〖고고학〗 그림 문자, 상형 문자 **~·ic** *a.*

glyphs 1

glyph·o·graph [glífəgræ̀f, -grɑ̀ːf] *n.* 납각(蠟刻) 전기 조각판 **~·ic** *a.*
gly·phog·ra·phy [glifɑ́grəfi | -fɔ́g-] *n.* Ⓤ 〖인쇄〗 납각 전기 제판술 **-ra·pher** *n.*
glyp·tic [glíptik] *a.* (보석 등의) 조각의[에 관한]; 〖광물〗 무늬가 있는 —*n.* = GLYPTICS
glyp·tics [glíptiks] *n. pl.* [단수 취급] (보석) 조각술
glyp·to·dont [glíptədɑ̀nt | -dɔ̀nt] *n.* 〖고생물〗 조치수(彫齒獸) 《armadillo류의 큰 포유동물》
glyp·to·graph [glíptəgræ̀f | -grɑ̀ːf] *n.* 조각한 보석류; (보석 등의) 조각 무늬, 조각 디자인
glyp·tog·ra·phy [gliptɑ́grəfi | -tɔ́g-] *n.*
gm guided missile 〖항공〗 유도탄 **GM** 《미》 General Motors; guided missile; 《영》 genetically modified; grant-maintained **gm.** gram(s); gramme(s) **G.M.** General Manager; General Motors; 《영》 George Medal; Grand Marshal; Grand Master
G-man [dʒíːmæ̀n] [*G*overnment *man*] *n.* (*pl.* **G-men** [dʒíːmèn]) 《미·구어》 지맨 《미국 연방 수사국(FBI)의 수사관》, 비밀 경찰관
GMAT [dʒíːmæt] [*G*raduate *M*anagement *A*dmissions *T*est] *n.* 경영 대학원 입학 적성 시험
g.m.b. good merchantable brand **Gmc.** Germanic **G.M.C.** General Medical Council **GMO** genetically modified organism **GMP** good manufacturing practice 〖약학〗 의약품 제조

품질 관리 기준 **G.M.Q.** good merchantable quality 〖상업〗 판매 적성 품질 **GMS** general merchandise store 종합 소매점 **GMT.** Greenwich Mean Time 그리니치 표준시 **GMV** gram-molecular volume **GN** global negotiation 포괄적 교섭

gnar, gnarr [nɑ́ːr] *vi.* (**~red**; **~·ring**) 〈개 등이〉 으르렁거리다

*__gnarl__ [nɑ́ːrl] *n.* (나무) 마디, 옹이, 혹
— *vt.* **1** 비틀다(twist) **2** 마디지게 하다; 혹지게 하다
— *vi.* 마디[혹]가 생기다

gnarled [nɑ́ːrld] *a.* **1** 마디[혹, 옹이]투성이의 **2** 〈손·손가락 등이〉 뼈마디가 굵은; 〈사람·얼굴이〉 햇빛에 타고 주름진 **3** 비비 꼬인, 〈마음이〉 비뚤어진

gnarl·y [nɑ́ːrli] *a.* (**gnarl·i·er**; **-i·est**) **1** = GNARLED **2** 《미·속어》 멋진, 근사한 **3** 《속어》 불쾌한, 형편없는

gnash [nǽʃ] *vi.*, *vt.* 이를 갈다, 이를 악물다
~ one*'s* ***teeth*** (분노·유감 등으로) 이를 갈다
— *n.* 이를 갊

gnash·ers [nǽʃərz] *n. pl.* 《영·구어》 치아(teeth)

*__gnat__ [nǽt] *n.* **1** 〖곤충〗 각다귀 **2** 《영》 모기(mosquito) **3** 사소한 일 ***strain at a*** **~** 〖성서〗 (큰 일은 소홀히 하고) 작은 일에 구애되다

gnath·ic [nǽθik] *a.* 턱의

gna·thite [néiθait, nǽθ-] *n.* 〖곤충〗 악지(顎肢) 《절지동물의 입의 부속지》

gna·thon·ic [næθɑ́nik, -θɔ́n-] *a.* 아첨하는, 알랑거리는

-gnathous [gnəθəs] 《연결형》 「…한 턱을 가진」의 뜻: progna*thous*

gnát's whístle [the ~] 《미·속어》 일품(逸品)

*__gnaw__ [nɔ́ː] *v.* (**~ed**; **~ed, gnawn** [nɔ́ːn]) *vt.* **1 a** (앞니로) 갉다, 쏠다(⇨ bite 유의어): a dog *~ing* a bone 뼈를 씹고 있는 개 **b** 물어 끊다[뜯다], 갉아먹다, 갉아서 구멍을 내다: The kitten *~ed* the slippers. 새끼 고양이가 슬리퍼를 물어뜯었다. // (~+목+부) ~ something *away*[*off*] 무엇을 물어뜯다 // (~+목+전+명) Rats *~ed* a hole *in* [*into, through*] a board. 쥐가 판자를 갉아 구멍을 냈다. **c** 부식하다, 소모시키다, 침식하다: The acid *~ed* the iron. 산이 철을 부식시켰다. **2** [종종 수동형으로] 〈걱정·병 등이〉 (끊임없이) 괴롭히다, 좀먹다; 지치게 하다, 약하게 하다
— *vi.* **1** 갉다, 쏠다; 물다; (야금야금) 갉아먹다: (~+전+명) ~ *into* a wall 〈쥐 등이〉 갉아서 벽에 구멍을 내다 / ~ nervously *at* one's underlip 초조해서 아랫입술을 깨물다 **2 a** (끊임없이) 괴롭히다, 좀먹다, 들볶다; 기력을 꺾다: (~+전+명) anxiety *~ing at* his heart 그의 마음을 좀먹는 불안 / Her mistakes *~ed at* her conscience. 그녀의 실수는 그녀의 양심을 계속 괴롭혔다. **b** 침식하다, 부식하다
~·er *n.* 〖동물〗 설치 동물(rodent) 《쥐 등》

gnaw·ing [nɔ́ːiŋ] *n.* Ⓤ **1** 갉기, 쏠기, 물기 **2** [보통 *pl.*] 끊임없는 고통[고뇌], 가책: *~s* of conscience 양심의 가책 — *a.* **1** 갉는, 쏘는, 무는: a ~ animal 설치 동물 **2** 〈고통 등이〉 에는 듯한; 괴롭히는, 통렬한, 가책하는 **~·ly** *ad.*

gnawn [nɔ́ːn] *v.* GNAW의 과거분사

GND gross national demand 국민 총수요 **GNE** gross national expenditure 국민 총지출

gneiss [náis] *n.* Ⓤ 〖암석〗 편마암(片麻岩)

gneiss·ic [náisik] *a.* 편마암의

gneiss·oid [náisɔid] *a.* 〖암석〗 편마암상(狀)의

GNI gross national income 국민 총소득 **GNMA** Government National Mortgage Association

gnoc·chi [nɑ́ki, nóu- | nɔ́ki] [It.] *n. pl.* 뇨키 《이탈리아 요리로 감자나 밀가루로 만들어 소스와 함께 제공되는 경단의 일종》

gnome[1] [nóum] *n.* **1 a** (땅속의 보물을 지킨다는) 땅 신령, 꼬마 도깨비, 난쟁이(dwarf) **b** 땅 신령의 상(像) **2** [the ~s] 《구어》 국제적 금융업자

gnome[2] [nóum, nóumiː] [Gk 「알다」의 뜻에서] *n.* 격언, 금언

gno·mic, -mi·cal [nóumik(əl), nɑ́m-] *a.* 금언의, 격언적인: *gnomic* poetry 격언시

gnom·ish [nóumiʃ] *a.* 땅 신령(gnome) 같은, 변덕스러운, 장난꾸러기의

gno·mist [nóumist] *n.* 금언[격언] 작가

gno·mol·o·gy [noumɑ́lədʒi | -mɔ́l-] *n.* 금언[격언]집; 격언적인 작품, 경구가 많은 작품

gno·mon [nóumɑn | -mɔn] *n.* **1** (해시계의) 바늘 **2** 〖수학〗 그노몬 《평행사변형의 한 각을 포함하는 그 닮은 꼴을 떼어낸 나머지 부분》 **gno·món·ic** [noumɑ́nik | -mɔn-] *a.*

gnomónic projéction [noumɑ́nik-] 심사(心射) 도법, 구심(球心) 투영

gno·mon·ics [noumɑ́niks | -mɔ́n-] *n. pl.* [단수 취급] 해시계 구조의 원리, 해시계 제작법

-gnomy [gnəmi] 《연결형》 「판단술[학]; 인식」의 뜻: physio*gnomy*

gno·sis [gnóusis] *n.* Ⓤ 영적 인식, 영지(靈知), 신비적 직관; = GNOSTICISM

-gnosis [gnóusis] 《연결형》 「(특히 병적 상태의) 인식·지식·인지」의 뜻: dia*gnosis*, pro*gnosis*

Gnos·tic [nɑ́stik | nɔ́s-] *n.* [보통 *pl.*] 그노시스주의자 — *a.* 그노시스파의; [**g~**] 지식에 관한, 지식이 있는, 영지(靈知)의; [**g~**] 《익살》 영리한

-gnostic, -gnos·ti·cal [gnɑ́stik(əl) | gnɔ́s-] 《연결형》 「지식[인식]의」 뜻

Gnos·ti·cism, g- [nɑ́stəsìzm | nɔ́s-] *n.* Ⓤ 그노시스주의[설]

Gnos·ti·cize [nɑ́stəsàiz | nɔ́s-] *vi.* 그노시스주의적 입장을 취하다, 그노시스설을 지지하다
— *vt.* …에 그노시스주의적 해석[성질]을 부여하다

gno·to·bi·ol·o·gy [nòutoubaiɑ́lədʒi | -ɔ́l-] *n.* 〖세균〗 무균 생물학(gnotobiotics)

gno·to·bi·ot·ic [nòutoubaiɑ́tik | -ɔ́t-] *a.* 〖세균〗 무균의; 하나[몇 가지]의 세균만을 가진 환경의

gno·to·bi·ot·ics [nòutoubaiɑ́tiks | -ɔ́t-] *n. pl.* [단수 취급] 노토바이오틱스, 무균 생물학

GNP, G.N.P. gross national product 국민 총생산

gnu [njúː, núː] *n.* (*pl.* **~s, ~**) 〖동물〗 누 《남아프리카산의 암소 비슷한 영양》

GNVQ General National Vocational Qualification 《영》 일반 직업 자격 (시험)

‡**go** [góu] *v.*, *n.*, *a.*

> 기본적으로는 「화자(話者)가 있는 곳에서 떠나가다」의 뜻(opp. *come*).
> ① 가다; 나아가다 **1**
> ② 떠나가다 **2**
> ③ 도달하다 **6**
> ④ (어떤 장소에) 놓이다 **8**
> ⑤ (어떤 상태로) 되다, (어떤 상태)이다 **14, 16**
> ⑥ 움직이다 **3**

— *v.* (**went** [wént]; **gone** [gɔ́ːn, gɑ́n | gɔ́n]; **~·ing**) *vi.* ⇨ going, gonna, gone **1** 가다, (…하러) 가다, 향하다, 나아가다, 움직여 가다, 지나가다, 다니다: (~+부) *go home* 집에 가다, 귀가하다 // (~+전+명) *go by* rail[ship, air, land, sea] 기차[배, 비행기, 육로, 해로]로 가다 / *go on* a journey[visit] 여행을[방문하러] 가다 / *go for* a drive[walk, swim] 드라이브[산보, 수영]하러 가다 / I am *going* (= am on my way) *to* the station. 나는 역에 가는 길이다. // (~+*-ing*) *go* fish*ing*[hunt*ing*, shoot*ing*] 낚시[사냥, 사격]하러 가다 // (~+***to***+관사 없는 명사) *go to* school[church, market] 학교[교회, 시장]에 (공부[예배, 쇼핑]하러) 가다 / *go to* bed 잠자리에 들다, 자다 **2 a** 떠나가다, 출발하다; 〈시간이〉 지나다, 경과하다: It is time to *go*. 이제 가야 할 시간이다. / One, two, three, *go*! 〖경기〗 하나, 둘, 셋, 출발! /

The time *went* fast. 시간은 빨리 지나갔다. **b** ⦅구어⦆ **죽다**; 의식을 잃다; 〈건강·기능이〉 **약해지다**; 소비되다, 없어지다, **사라지다**: The pain has *gone* now. 아픔은 이제 사라졌다. / His sight is *going.* 그는 시력을 잃어가고 있다. / Poor Tom is *gone.* 불쌍하게도 톰은 죽었다. **c** 〈물건이〉 무너지다, 꺾이다, 부러지다; 닳아 끊어지다: I thought the branch would *go* every minute. 가지가 당장 부러지는 줄 알았다. / The roof *went.* 지붕이 무너졌다. / The bank may *go* any day. 그 은행은 언제 파산할지 모른다. / The bulb has *gone.* 전구가 끊어졌다. **3** 〈기계·기관(器官) 등이〉 **움직이다,** 작동하다; 〈종·대포 등이〉 **울리다,** 소리를 내다, 치다; 〈심장이〉 고동하다: There *goes* the bell. 저기 종이 울린다. // ⦅~+副⦆ This clock does not *go* well. 이 시계는 잘 안 간다. / The engine is *going* now. 그 엔진은 지금 작동 중이다. / The gun *went* bang. 총이 탕하고 소리냈다. **4 행동을 개시하다,** 동작하다; 활동하다, 일을 진척시키다; 신경쓰다: *Go* warily. 신중히 해라. / *Go* when you hear the bell. 벨이 울리면 시작하시오. / Don't *go* to any trouble. 걱정 마시고 마음대로 하세요. / While (he was) speaking, he *went* like this. 그는 말을 하면서 이렇게 (손짓)했다. **5** 〈소문·병 등이〉 퍼지다; 〈화폐 등이〉 통용하다; (…의 이름으로) 통하다, 알려지다, 인정되다, 받아들여지다: Dollars *go* anywhere. 달러는 어디서나 통용된다. / Around here, anything *goes.* 이 주변에서는 어떠한 일도 허용된다. // ⦅~+前+名⦆ *go under* a false name 가명으로 통하다 // ⦅~+***that*** 節⦆ The story *goes that* ... …이라는 이야기다 **6** (…까지) **미치다;** 〈손·선 등이〉 뻗다, 〈토지 등이〉 뻗치다(extend), 〈도로 등이〉 **이르다,** 달하다: It is true as far as it *goes.* 그 범위 안에서는 사실이다. // ⦅~+前+名⦆ His hand *went to* the shelf. 그의 손이 선반까지 뻗었다. / This road *goes to* Seoul. 이 길은 서울로 통한다. **7** 〈일이〉 **진행되다,** 진척되다, 진전하다; 성공하다; (어떤) 결과가 되다: How are things *going*? 형세는 어떠한가? / How is your new job *going*? 새로운 사업은 잘 됩니까? / How did the game *go*? 경기는 어떻게 됐습니까? // ⦅~+副⦆ Everything *went well*[*badly*]. 만사가 잘[잘못]되었다. **8 놓이다**(be placed), 들어가다, 속하다: ⦅~+前+名⦆ This book *goes on* this shelf. 이 책은 이 선반에 놓인다. / This cap *goes on* that bottle. 이 뚜껑은 저 병 것이다. / Empty bottles *go in* this box for recycling. 빈 병은 재활용품으로 이 상자에 들어간다. // ⦅~+副⦆ *Where* do the knives *go*? 칼은 어디 두는 것입니까? **9** (내용으로서) **포함되다,** 들어가다, 해당하다; 나눌 수 있다: ⦅~+前+名⦆ Twelve inches *go to* a foot. 12인치는 1피트가 된다. / How many shillings *go to* the pound? 몇 실링이면 1파운드가 되는가? // ⦅~+補⦆ Six into twelve *goes* twice. 12를 6으로 나누면 2가 된다. **10 팔리다; 쓰이다:** ⦅~(+補)⦆ *go* very dear 아주 비싸게 팔리다 / The house *went* very cheaply[cheap]. 그 집은 아주 싸게 팔렸다. // ⦅~+前+名⦆ The eggs *went for* 3 shillings a dozen. 그 달걀은 한 다스에 3실링에 팔렸다. / His money *goes on* books. 그의 돈은 책을 사는 데 쓰인다. / This money *goes for* food and rent. 이 돈은 식비와 집세로 쓰인다. **11** (…의) **것이 되다,** (…에게) 주어지다: ⦅~+前+名⦆ The prize *went to* his rival. 상은 그의 상대편이 차지했다. **12** 〈…하는 데〉 도움되다, 이바지하다: ⦅~+***to*** do⦆ This only *goes to* prove the point. 이것으로만 문제점이 증명된다. **13 a** (수단 등에) 호소하다; (권위 등에) 의지하다 ⦅*to*⦆: ⦅~+前+名⦆ *go to* court 법에 호소하다 **b** (일·행동 등에) 착수하다, (…을) 시작하다: *go to* work 일에 착수하다 **c** …하려 하다: ⦅~+***to*** do⦆ I didn't *go to* do it. 나는 그것을 할 생각은 없었다. **14** (보통 나쁜 상태로) **되다**(become, grow): ⦅~+補⦆ *go* bad 잘못되다, 썩다 / *go* mad 미치다 / *go* blind 눈이 멀다, 장님이 되다 / *go* asleep 잠들다 / The tire *went* flat. 타이어가 터졌다. // ⦅~+前+名⦆ *go into* pieces 엉망으로 되다 / *go out of* date 시대[유행]에 뒤떨어지다 **15** 〈유권자·정치가 등이〉 (정치적으로) …(편)이 되다, …의 입장을 취하다: *go* Democrat 민주당 편이 되다 **16** (어떠한 상태에) 있다, (어떤 상태를) 계속하다: ⦅~+補⦆ *go* hungry [thirsty, naked, armed] 굶주려[목말라, 벗고, 무장하고] 있다 / ~ barefoot 맨발로 있다 // ⦅~+前+名⦆ *go with* child 아이를 배고 있다 **17** 〈이야기·시·글·노래 듀이〉 …이라고 씌어 있다, …이라고 되어 있다 (run), 대체로[보통] …이다, 세상의 상례이나. as the proverb *goes* 속담에 이르기를 / as the world *goes* 세상 상례[통례]로는 / Thus *goes* the Bible. 성경에 그렇게 되어 있다. / How does that song *go*? 그 노래는 어떻게 되어 있습니까? **18** 잘 어울리다; 〈크기·길이가〉 딱 맞다, 알맞다: The coat won't *go* around him. 그 상의는 그에게 맞지 않는다. **19** ⦅미·구어⦆ [go do로] (빨리, 충동적으로, 각오하고) …하다: He finally had to *go ask* for a loan. 그는 마침내 대출을 신청해야만 했다. **20** ⦅구어⦆ 화장실에 가다

— *vt.* **1** [보통 부정문에서] ⦅구어⦆ 견디다, 참다 (endure, tolerate): I ca*n't go* his preaching. 저 사람의 설교는 참을 수 없다. **2** ⦅구어⦆ 지불하다, 〈돈 등을〉 걸다(bet): I'll *go* fifty dollars for a ticket. 차표 한 장에 50불을 지불하겠다. // ⦅~(+目)+目+前+名⦆ I'll *go* you a dollar *on* the outcome of the game. 이 경기에 1달러를 걸겠다. **3** ⦅영⦆ 〈시계가 몇 시를〉 치다, 알리다 **4** 〈음식물을〉 먹다, 마시다 **5** ⦅구어⦆ …이라고 말하다 **6** 가다, 나아가다 **7** 〈책임·물건 등을〉 맡다, 나누어 가지다 **8** 생산하다: This field will *go* two bales of cotton. 이 밭에서는 두 포대의 솜이 생산될 것이다. **9** 책임지다, 역할을 하다: His father *went* bail for him. 부친이 그의 보석 보증인이 되었다.

as far as ... go 그 일에 관한 한, 어떤 범위 내에서는 ***as ... go*** …을 기준으로 말한다면: He's young *as* statesmen *go* nowadays. 그는 요즈음 정치가치고는 젊다. / He's tall, as jockeys *go.* 그는 기수치고는 키가 크다. ***be going*** (***on***) ⦅구어⦆ 〈시각·연령이〉 거의 …이다: It *is going* (*on*) four o'clock. 4시가 다 됐다. / She *is going* (*on*) seventeen. 그 여자는 곧 17세가 된다. ***be going to*** do ★ 발음 [góuiŋtu, -tə]은 종종 [góuənə, gɔ́:nə]로 됨(cf. GONNA). (1) …하려 하고 있다, 막 …하려는 참이다: I *am* (just) *going to* write a letter. 나는 지금 편지를 쓰려 하고 있다. / It *is going to* rain. 당장 비가 올 것 같다. (2) …할 작정[예정]이다: I *am going to* see him tomorrow. 나는 내일 그와 만날 예정이다. / Their daughter *is going to* be a doctor. 그들의 딸은 의사가 될 생각이다. (3) [가까운 미래] …할 것이다: You *are going to*(=You will) see a lot of me. (당신은) 앞으로 (나와) 자주 만나게 될 것이오. (4) [가망·확신] (곧) …할 것 같다; …할 터이다 ***Don't*** (***even***) ***go there!*** ⦅구어·익살⦆ 그것에 관해서는 말하기도[생각하기도] 싫다!, 그 이야기는 하지 마시오! ***go about*** (*vt.*) (1) 돌아다니다; (병후에 회복하여) 나다니다 (2) 부지런히 …하다 (3) 〈일·문제 등에〉 착수하다: *Go about* your business! 자기 일이나 해라; 남의 일에 참견 마라! (4) 노력하다 ⦅*to* do⦆ (*vi.*) (5) 〈소문 등이〉 퍼지다 (6) …와 사귀다, 교제하다 ⦅*with*⦆ (7) ⦗군사⦘ 「뒤로 돌아」 하다 (8) ⦗항해⦘ 뱃머리를 돌리다, 진로를 바꾸다 ***go after*** (1) 〈여자 등의〉 뒤를 쫓아다니다 (2) 〈일·상 등을〉 구하다, 타려고 하다, 목표로 하다: *go after* a job 일을 구하다 ***go against*** (1) …에 반대하다, …에 거스르다, 맞지 않다 (2) …에게 불리해지다 ***go ahead*** ⇨ ahead. ***go all out*** 전력을 다하다 ⦅*to do*⦆ ***go all the way*** ⦅미·구어⦆ 전부[몽땅] 걸다 ***go all the way with*** ⦅미·구어⦆ 전적으로 찬동하다 ***go along*** (1) 나아가다; 해 나가다, 일을 진척시키다, 계속하다

(2) …와 동행하다; 〈물건이〉 …에 부수하다 《*with*》 (3) …에 찬성하다, 협력하다; 〈결정·규칙 등에〉 따르다 《*with*》 ***go a long way*** (1) [보통 부정문에서] 〈돈 등이〉 쓸모가 있다 (2) [종종 미래 시제에서] 성공하다, 유명하게 되다 ***go a long way toward(s)*** [***to***] …에 크게 도움되다 ***go a long way with*** a person …에게 큰 효과가 있다, 크게 영향을 주다 ***Go along with you!*** 《구어》 (1) 저리 가라! (2) 어리석은 소리 그만 해라! ***go and*** do (1) …하러 가다(go to do): *Go and* see what he's doing. 그가 무엇을 하고 있는지 가 보고 와라. ★《미·구어》에서는 Go to see[take, etc.] ...를 Go see[take, etc.] ...이라고 말할 때가 많음. (2) [움직이는 뜻이 없는 단순한 강조]: *Go and* try it yourself. 어디 혼자 해 봐라. / Don't *go and* make a fool of yourself. 그 따위 어리석은 짓은 하지 마라. (3) 마음대로 …하라; 어리석게도[불운하게도] …해 버리다, 일부러 …하다: *Go and* be miserable! 실컷 고생 좀 해 봐라! / She had to *go and* lose her gloves. 그녀는 운이 없게도 장갑을 잃어버렸다. ***go around*** (1) 돌다; 돌아가다; 보고 돌아다니다 (2) 〈머리가〉 어찔어찔하다 (3) 돌아다니다; (여기저기) 여행하다; 잠깐 방문하다, 들르다 《*to*》: *go around to* his house 그의 집에 들르다 (4) …와 나다니다, 교제하다 《*with*》: *go around with* a bad crowd 불량배와 사귀다 (5) 〈소문·병 등이〉 퍼지다: The rumor is *going around*. 소문이 퍼지고 있다. (6) 〈음식물 등이〉 모든 이에게 고루 돌아가다 (7) 〈건물 등을〉 순회하다, 구경하다, 일주하다: *go around* the world 세계를 일주하다 (8) 〈문구·생각 등이〉 머리에서 맴돌다 (9) 〈벨트 등이〉 …을 한 바퀴 돌만한 길이이다 ***go at*** (1) …에 덤벼들다, 달려들다; (심한 말로) 공격하다 (2) 〈일 등에〉 발벗고 나서다, 다잡아 하다, 시작하다: *go at* one's work with a will 진지하게 열심히 일하다 ***go away*** (1) 가다, 떠나다; 〈휴가·신혼여행을〉 떠나다 (2) …을 가져가 버리다, 갖고 도망가다; …와 사랑의 도피행을 하다 ***Go away*** (***with you***)***!*** 《구어》 (1) 저리 가! (2) 어리석은 소리 마라! ***go back*** (1) 되돌아가다 (2) (과거로) 거슬러 올라가다 《*to*》; 회고하다 (3) 〈식물이〉 한창때가 지나다, 내리막이 되다 ***go back of*** 《미》 (샅샅이) 조사하다: *go back of* the story 이야기의 진상을 캐다 ***go back on*** [***upon***] (1) 〈약속 등을〉 취소하다; 〈주의(主義)를〉 버리다, 철회하다 (2) 〈남을〉 배반하다, 속이다 ***go before*** (1) …보다 앞서다, 앞에 있다 (2) (변명하기 위해) …앞에 나가다, 출두하다 (3) 〈문제 등이〉 …에 제출되다 ***go behind*** …의 배후를 조사하다, …의 진상을 캐다: *go behind* a person's words 말의 속내[진의]를 살피다 ***go between*** (1) …의 사이를 지나가다 (2) …의 사이에 들어가다 (3) 중개[중매]하다 (cf. GO-BETWEEN) ***go beyond*** (1) …을 넘어가다; 〈길 등이〉 …너머까지 뻗다 (2) …의 범위를 넘다; 〈기대 등을〉 능가하다 ***go by*** (1) 〈옆을〉 지나가다 (2) 〈시간이〉 지나다: as time *goes by* 시간이 지남에 따라 (3) 〈기회·잘못 등이〉 간과되다: Don't let this chance *go by*. 이 기회를 놓치지 마라. (4) …으로[을 타고] 가다 (5) …을 기준으로 결정되다, …을 따라 행동하다, 의지하다: Don't *go by* what they say. 그들의 말에 따르지 마라. (6) …이라는 이름으로 통하다 (7) 《미·구어》 방문하다, 들르다 ***go by*** [***under***] ***the name*** [***title***] ***of*** …이란 이름으로 통하다; …의 작품으로 통하다 ***go down*** (1) 내려가다, 〈막 등이〉 내리다 (2) 〈사람·건물이〉 쓰러지다 (3) 〈비행기 등이〉 추락하다, 떨어지다 (4) 〈길이〉 내리받이가 되다 (5) 〈물가·세금 등이〉 내리다: Prices *went down*. 물가가 내렸다. (6) 〈배·선원이〉 가라앉다 (7) 〈해·달이〉 지다 (8) 《영》 (휴가·졸업 등으로) 대학을 떠나다 (9) 〈책·기사 등이〉 …까지 다루다; 이르다 (10) (후세에) 전해지다; (역사 등에) 남다, 기록되다 (11) (상대방에게) 굴복하다, 패배하다 (12) 〈음식·약 등이〉 삼켜지다, 목구멍을 넘어가다 (13) 〈사람·언동 등이〉 받아들여지다; 〈연극 등이〉 갈채를 받다 (14) 〈물결·바람이〉 잔잔해지다, 가라앉다 (15) 《속어》 생기다, 일어나다: What's been *going down* since I've been away? 내가 없는 동안 무슨 일이 일어나고 있었나? ***go down for the count*** 《미·구어》 얻어맞아 인사불성이 되다; 참패하다 ***go far*** (1) 대성공이다 (2) 큰 효과[위력]가 있다 ***Go fetch!*** 물어 와!, 가져와! 《개에게 하는 명령》 ***go for*** (1) …을 가지러[부르러, 얻으러] 가다 (2) …하러 가다: *go for* a walk 산책하러 가다 (3) 얻고자 노력하다, 노리다: *go for* a win 승리를 노리다 (4) 맹렬히 공격하다, 비난하다 (5) …을 지지하다, …에 호의를 보이다 (6) …으로 통하다, 통용되다; 가치가 있다 (7) …에 끌리다; …을 좋아하다 (8) …에 유리하다 (9) …의 목적으로 쓰이다, 대용(代用)이 되다: material that *goes for* silk 비단의 대용품 ***go for nothing*** [***little, something***] 아무 소용도 없다[별로 쓸모가 없다, 다소 쓸모가 있다] ***go forth*** 《문어》 (1) 나가다 (2) 〈명령 등이〉 공포되다, 발행되다 ***go forward*** 전진하다, 행하여지다; 〈일 등이〉 진행되다; 〈일·계획 등을〉 진행시키다 《*with*》: *go forward with* one's plan 계획을 진행시키다 ***go free*** 해방[석방]되다 ***go further*** 더욱 더 나아가다 [말하다] ***go halves*** 절반으로 나누다 ***Go hang!*** ⇨ hang. ***go in*** (1) (집)안으로 들어가다 (2) (경기 등에) 참가하다 (3) 〖크리켓〗 타자가 되다 (4) 〈해·달이〉 구름 사이로 들어가다 (5) 〈학교·극장 등이〉 시작되다 (6) 이해되다 ***go in and out*** 들락날락하다 ***go in at*** 《속어》 …을 맹렬히 공격하다 ***go in for*** (1) 《구어》 …에 찬성하다, 지지하다, …에 편들다 (2) …하려고 마음먹다 (3) …을 구하다 (4) …에 열중하다 (5) 〈경기 등〉에 참가하다, (오락·스포츠로) 하다 (6) …이 특색[특징]이다 (7) 〈시험을〉 치르다 (8) …을 좋아하다 ***go into*** (1) …에 들어가다 (2) 〈문 등이〉 …으로 통하다 (3) (직업으로서) 종사하다; …의 일원이 되다; 참가하다: *go into* medicine 의사가 되다 (4) …한 태도를 취하다; 〈히스테리 등의 정신 상태가〉 되다 (5) 〈의복을〉 (갈아) 입다, 〈구두를〉 (갈아)신다 《등》 (6) …을 (자세히) 조사하다, 검토하다; …을 (상세히) 논하다: *go into* detail 상세히 논하다 ***go in with*** …에 참가하다; …와 제휴하다 ***go it*** 《구어》 (1) [명령문으로] 잘하다 (2) 속력을 내어 가다, 맹렬히 나아가다 (3) 주색에 빠지다 ***go off*** (1) 〈총알이〉 나가다, 발사되다, 〈폭탄이〉 터지다 (2) (말이나 행동으로) 나타나다, 폭발하다 《*into*》 (3) 악화되다, 약해지다 (4) 잠들다; 의식을 잃다, 실신하다 (5) 〈고통·흥분이〉 가라앉다 (6) 행하여지다, 〈일이〉 되어가다 《*well, badly,* etc.》 (7) (떠나)가 버리다, 도망가다; 〈배우가〉 퇴장하다 (8) 시작하다 (9) 죽다 (10) 갑자기 떨어지다, 없어지다; 팔려 버리다; 〈전등·난방 등이〉 꺼지다 (11) 《속어》 〈딸이〉 시집가다 (12) 〈약속 등이〉 지켜지지 않다 (13) …을 가지고 도망하다; …와 사랑의 도피행을 하다 《*with*》 (14) 〈자명종·경보기 등이〉 울리다 (15) …에 흥미를 잃다, …이 싫어지다 ***go on*** (1) 나아가다 (2) 계속하다; 여행을 계속하다, 〈행동을〉 계속하다: *go on* working 일을 계속하다 (3) 〈사태 등이〉 계속되다; 〈물건이〉 존속하다 (4) [종종 ~ing형으로] 〈일이〉 일어나다, 발생하다; 〈행사 등이〉 행해지다: What's *going on*? 무슨 일이 일어나고 있는가? (5) 〈등불 등이〉 켜지다; 〈가스·수도 등이〉 들어오다, 쓸 수 있게 되다 (6) 지내다 《*well, badly*》 (7) 〈시간이〉 경과하다 (8) 행동하다, 굴다 《보통 나쁜 뜻으로》: Don't *go on* like that. 그런 식으로 행동하지 말게. (9) 〈옷·신발 등이〉 쓸 만하다, 신을 만하다, 맞다 (10) 지껄이다, 입심좋게 떠들어 대다 (11) 악담하다 《*at*》 (12) 무대에 나타나다 (13) 〈어떤 시각·연령 등에〉 가까워지다 (14) 〖크리켓〗 투구할 차례가 되다 (15) …의 구원을 받다, …의 신세를 지다: *go on* the parish 교구(敎區)의 신세를 지다 (16) …을 쓰기 시작하다 (17) [보통 부정문에서] 《미·구어》 …을 좋아하다 ***Go on!*** 《구어》 계속하라, 자꾸 하라; 《반어》 어리석은 소리 마라!: *Go on,* you're kidding me. 거짓말 마, 너는 나를 속이고 있어. ***go one better*** (***than*** ***...***) = ***go ... one better*** 한 수 높다[위다](outdo) ***go on for*** 《영》

〈시간·나이 등이〉 …에 가까워지다 ***go on in*** 《미·구어》 들어가다(go in) ***go out*** (1) 외출하다 (2) 〈불·등불이〉 꺼지다: 〈열의 등이〉 없어지다: The light *went out*. 불빛이 꺼졌다. (3) 《미》 파괴되다, 실패하다 (4) 의식을 잃다, 《완곡》 잠들다, 죽다 (5) 퇴직하다 (6) 쇠퇴하다 (7) (식민지로) 떠나다, 이주하다 《*to*》 (8) 《문어》 〈해(年)가〉 저물다 (9) 〈여자가〉 취직하여 가정을 떠나다 (10) 사교계에 나가다, 사회에 나가다 (11) 출판되다, 공표되다, 방송되다; (관계자에게) 발송되다 (12) 〈노동자가〉 파업하다 (13) 〈애정·동정 등이〉 (…에게) 쏟아지다, 쏠리다 《*to*》 (14) 〖크리켓〗 (1회의 경기가 끝나) 타자가 물러서다 (15) 결투하다 (16) 〈이성과〉 나다니다, 교제하다 《*with, together*》 (17) 〈조수가〉 써다 (18) 〈유행이〉 쇠퇴하다; 〈사물이〉 유행하지 않게 되다 (19) 〈내각·정당이〉 퇴진하다, 물러나다 (20) 《미》 〈댐 등이〉 무너지다 (21) 《미》 〈엔진 등이〉 멎다 ***go out for*** 《구어》 얻으려고 애쓰다; 〈팀 등〉에 들어가려고 애쓰다 ***go out of*** (1) …에서 밖으로 나가다 (2) 〈열기·긴장·화 등이〉 …에서 사라지다 (3) …에서 벗어나다, …하지 않게 되다: *go out of* fashion 유행하지 않게 되다 ***go out of*** one***'s mind***[***senses***] 발광하다, 미치다 ***go out of*** one***'s way*** 《미·구어》 비상한 노력을 하다 ***go out to*** (1) 〈동정이〉 쏠리다 (2) …에게 패배하다, 지다 ***go over*** (1) 세밀히 조사하다, 검사[검토]하다 (2) 〈공장 등을〉 시찰하다; 〈건물·방 등을〉 예비 검사하다 (3) 〈자동차·방 등을〉 (재)점검하다; …을 청소하다 (4) 〈짐·범인 등을〉 주의 깊게 조사하다 (5) 복습하다, 되읽다; 〈설명 등을〉 되풀이하다 (6) 건너다, 넘다 (7) 〈비용이〉 초과하다 (8) 〈회의 등이〉 연기되다; 〈계획·연설·유머 등이〉 받아들여지다: The proposal didn't *go over*. 그 제안은 받아들여지지 않았다. (9) (배반하여) 적에게 붙다, 전향하다, 개종하다: *go over* to Rome 가톨릭으로 개종하다 (10) 〈나무 등이〉 넘어지다; 〈차가〉 뒤집히다 (11) 〈연극·연설 등이〉 성공하다 (12) …을 덮다[덮을 수 있다] (13) (다른 방식으로) 바꾸다, …을 채용하다 ***go over*** one***'s head*** 《미·구어》 키가 넘는 물속에 들어가다; 힘이 미치지 못하다 ***go round*** 《영》 = GO around. ***go shares*** = GO halves. ***go so far as*** do***ing***[***to*** do ***…***] = go the LENGTH of doing … ***go steady*** ⇨ steady. ***go through*** (1) …을 통과하다, 관통하다 (2) (학문·업무 등의) 전 과정을 마치다; 〈의식·암송 등을〉 행하다, …에 참가하다: *go through* a ceremony of wedding 결혼식을 올리다 (3) 〈방·호주머니·짐 등을〉 샅샅이 조사하다 (4) 〈법안 등이 의회를〉 통과하다, 승인되다, 가결되다: *go through* Parliament 의회를 통과하다 (5) 〈고난·경험을〉 겪다, 경험하다, 견디다, 고생하다: *go through* a serious operation 대수술을 받다 / *go through* bankruptcy 파산을 겪다 (6) 〈책이 판을〉 거듭하다 (7) 〈비축·식량·돈 등을〉 다 써버리다 (8) 용납되다, 받아들여지다 (9) 《미》 직행하다 (10) 《미》 온몸을 뒤져 빼앗다 (11) 〈병·소문 등이〉 …에 퍼지다 (12) 〈장부·문제 등을〉 잘 조사[검토]하다 (13) …을 (일일이) 다시 보다, (되풀이하여) 외다[행하다] (14) 〈전화 등이〉 통하다 (15) 〈거래 등이〉 완료하다, 잘 되다 (16) …이 해어지다 ***go through with*** …을 완수하다, 〈계획을〉 실행하다 ***go together*** (1) 같이 가다, 동행하다; 동반하다 (2) 어울리다, 조화되다 (3) 《구어》 연인으로서 사귀다 (4) 〈사물이〉 공존하다, 양립하다 ***go to*** do***ing*** 《미·속어》 …할 작정이다 ***go to it*** 《구어》 [보통 명령법으로] (전력을 다하여) 착수하다, 세차게 공격하다 ***go too far*** 지나치다, 너무하다 ***go toward***(***s***) …에 도움되다; …에 충당되다 ***go under*** (1) 가라앉다 (2) 굴복하다, 지다: *go under* in a contest 경쟁에서 지다 (3) 실패하다 (4) 파멸하다, 파산하다, 망하다 (5) 《미·속어》 죽다 (6) (마취 당하여) 의식을 잃다 (7) …아래를 지나가다[로 들어가다, 로 가라앉다] ***go up*** (1) 오르다; 〈손 등이〉 오르다; 〈막·기구 등이〉 오르다 (2) 〈길 등이〉 …으로 올라가다, …에 이르다 (3) 〈계기·온도·압력 등이〉 상승하다; 〈물가 등이〉 오르다 (4) 〈사람·물건의〉 평가[값]가 오르다; 〈질이〉 향상되다: *go up* in the world 출세하다 (5) 〈건물·게시 등이〉 세워지다, 서다 (6) 〈폭탄 등이〉 폭발하다; 〈건물·다리 등이〉 (폭발하여) 날아가다, 파괴되다 (7) 《미·구어》 파산하다 (8) 〈외치는 소리 등이〉 들려오다 (9) 〈배우 등이〉 당황하다 (10) 《영》 대학에 가다; 진급하다 (11) 《영》 (시험 등에) 지원하다 (12) 〈산·계단 등을〉 오르다: *go up* to the summit 정상에 오르다 ***go up for*** 《구어》 〈시험 등을〉 치르다; 《영》 …을 지원하다 ***go up in flames***[***fire, smoke***] (1) 타오르다, 〈건물이〉 타서 무너지다 (2) 〈희망·계획 등이〉 무너지다 ***go upon*** (1) …을 기도하다, 꾀하다 (2) …에 착수하다 (3) …에 따라 판단[행동]하다 ***go up to*** …으로 (가까이) 가다 ***go well*** (1) 잘 되다, 무사하다 (2) 〈물건이〉 잘 팔리다 (3) 잘 어울리다 (4) 인기를 얻다 ***go with*** (1) …와 동행[동반]하다, 같이 가다; 《주로 미》 의견을 같이 하다, 지지하다 (2) 《구어》 〈이성〉과 교제하다(date); 《완곡》 …와 성적 관계를 갖다 (3) …에 속하다 (4) …와 어울리다, 조화하다 (5) 〈사물이〉 …에 따르다, 부수하다 ***go with child***[***young***] 사람[동물]이 임신하고 있다 ***go without*** (1) …이 없다, …을 갖지 않다 (2) …없이 해나가다[지내다] ***Here goes!*** 자, 시작이다; 자, 간다! ***It***[***That***] ***goes without saying.*** (그것은) 말할 나위도 없는 일이다: *It goes without saying* that he's an excellent musician. 그가 탁월한 음악가라는 것은 말할 나위도 없다. ***let go*** ⇨ let[1]. ***let go with*** 〈연설 등을〉 한바탕하다 ***let it go at that*** 《미·구어》 (1) 그것으로 됐다고 하다 (2) 그 이상 문제 삼지 않기로 하다 ***let*** (one***self***) ***go*** ⇨ let[1]. ***no go*** 《구어》 (1) 쓸모없는, 소용없는 (2) 성공하지 못한, 취소된, 틀린: It's *no go*! 틀렸다! ***so far as … go*** = as far as … GO. ***to go*** (1) 〈시간·거리·팔 것 등이〉 남아 있는(left): There are still two years *to go*. 아직 2년이 남아 있다. (2) 《미》 〈식당 등의 음식이〉 싸가지고 갈: order two sandwiches *to go* 샌드위치 두 개를 싸달라고 하다 ***to go***[***be going***] ***on with*** [종종 enough, something 뒤에서] 우선[당장]은 (충분한) ***What goes around comes around.*** 남에게 잘못하면 그대로 돌아온다. ***What has gone of***[***is gone with***] ***…?*** …은 어찌 되었는가? ***Where do we go from here***[***there***]***?*** 《구어》 그 다음은 어떻게 하면 되죠? ***Who goes*** (***there***)***?*** 누구야? 《보초의 수하》

― *n.* (*pl.* **goes**) **1** 가기, 떠나기; 진행 **2** Ⓤ 《구어》 정력, 기운; 의욕, 열의: He has plenty of *go* in him. 그는 정력이 왕성하다. / She's got a lot of *go*. 그녀는 의욕에 차 있다. **3** [the ~] 《구어》 유행(fashion) **4** 《구어》 해보기, 시도(試圖); 기회: have a *go* at the puzzle 퍼즐을 시도해 보다 **5** (놀이 등에서의) 차례: It's your *go* next. 다음은 네 차례다. **6** 《영·구어》 (술 등의) 한 모금(의 양), 한 잔; (음식의) 한 입: a *go* of brandy 브랜디 한 잔 **7** 《영·구어》 사태, 난처한 일 **8** 《구어》 **a** 성공: It's a sure *go*. 성공은 틀림없다. **b** 결정 **9** 〖권투〗 시합: the main *go* 본 시합 ***all***[***quite***] ***the go*** 《속어》 크게 유행하여 ***a near go*** 《영·구어》 아슬아슬한 고비, 위기일발 ***at one go*** 《구어》 단숨에, 한번에: I read the book *at one go*. 그 책을 단숨에 읽었다. ***at the first go*** 단숨에, 단번에 ***come and go*** 왕래: *the come and go* of the seasons 사계의 변천 ***from the word go*** 《구어》 처음부터 ***full of go*** 원기왕성하고; 열의에 차고 ***have a go*** (***at***) 《구어》 (1) …을 해보다: Let's *have a go at* it. 한번 해보자. (2) …을 공격하다 (3) 《영·구어》 …을 비판하다, 불평하다: Will you stop *having a go at* me! 불평불만 좀 그만 해라! ***Here's***[***What***] ***a go!*** 이거 야단났군, 어떻게 한다! ***Here's a pretty go!*** 《속어》 큰일났는데! ***It is a go.*** 《미·구어》 이것으로 결정되었다. ***It's all go.*** 극히 분주하다.

thesaurus **goal** *n.* aim, objective, object, end, purpose, target, ambition, design, intention, ideal, destination, aspiration

It's a queer [***rum, jolly***] ***go.*** ⦅속어⦆ 묘하게[곤란하게] 됐군. (***It's***) ***no go.*** ⦅구어⦆ 이젠 글렀다. ***make a go of it*** ⦅미⦆ 성공하다 ***off the go*** [의문문·부정문에서] ⦅구어⦆ 한숨 돌리고, 한가하게 ***on the go*** ⦅구어⦆ (1) 끊임없이 활동하여, 줄곧 일하여; 아주 바쁜 (2) 막 출발하려고, 나가자[떠나자]마자 (3) ⦅속어⦆ 얼근히 취하여
— *a.* Ⓟ ⦅구어⦆ 준비가 된; 순조로운, 정상인: All systems are *go.* 모든 준비 완료다.

G.O. general office; general order

go·a [góuə] *n.* 〚동물〛 고아 ⦅티벳산 영양⦆

Go·a [góuə] *n.* 고아 ⦅인도 남서 해안에 있는 옛 포르투갈 영토⦆ **Gó·an** *a.*, *n.*

goad [góud] *n.* **1** (가축·코끼리 등의) 몰이 막대기; 몰이하는 곤봉 **2** [a ~] (정신적) 자극(물), 격려(하는 것): *a* necessary ~ for students 학생에게 필요한 자극 — *vt.* **1** 〈가축 등을〉 막대기로 찌르다[몰다], 몰아세우다 **2** 자극하다; 격려하다, 선동하다, 선동하여 …시키다 ⦅*on*⦆; 괴롭히다, 못살게 굴다: ⦅~+목+전+명⦆ ~ a person *into* fury …을 자극하여 격노하게 하다 // ⦅~+목+부⦆ ~ a person *on* …을 선동하다 // ⦅~+목+***to*** do⦆ ~ a person *to* steal …을 부추겨 도둑질을 시키다

go-a·head [góuəhèd] ⦅구어⦆ *a.* Ⓐ **1** 전진의, 전진하는: a ~ signal 전진 신호 **2** 〈사람·회사 등이〉 진취적인(enterprising), 적극적인, 활동적인: a ~ person 진취적인 사람 — *n.* **1** [the ~] 전진 신호[명령, 허가]; (신호등의) 청신호: They got *the* ~ on the building project. 그들은 건축 계획의 허가를 얻었다. **2** Ⓤ ⦅미⦆ 원기, 정력, 진취적 기상; 야심 **3** ⦅미⦆ 적극적인 사람, 정력가

go-a·head·a·tive·ness [gòuəhédətivnis] *n.* ⦅미·구어⦆ 진취적 기상; 적극성

gó-ahead rún 〚야구〛 리드를 잡는 득점

⁑**goal** [góul] [ME 「경계(선)」의 뜻에서] *n.* **1** [보통 one's ~] (노력·야심 등의) **목적, 목표**: one's ~ in life 인생의 목표 / achieve a ~ 목표를 달성하다 **2** 목적지, 행선지 **3** 결승선[점] **4** 〚스포츠〛 (특히 구기 종목에서) **a** 골 ⦅골라인에 세워진 문⦆, 득점 장소, 득점 획득 **b** 골에 넣어서 얻은 득점 **c** =GOALKEEPER ***drop a ~*** 〚럭비〛 드롭킥으로 득점하다 ***get*** [***kick, make, score***] ***a ~*** 한 점을 얻다, 득점하다 **~·less** *a.*

góal àrea 〚축구·하키〛 골 에어리어

góal àverage 〚축구〛 평균 득점, 득점률

goal·ball [góulbɔ̀:l] *n.* 골볼 ⦅시각 장애인의 경기; 그 공⦆

góal dìfference 골 득실차(得失差)

goal·ie, goal·ee [góuli] *n.* ⦅구어⦆ =GOALKEEPER

goal·keep·er [góulkì:pər] *n.* 〚축구·하키〛 골키퍼

góal kìck 〚축구·럭비〛 골킥

goal·less [góulləs] *a.* [보통 Ⓐ] (양 팀이) 무득점의, 점수가 나지 않은: The match ended in a ~ draw. 그 경기는 무득점으로 끝났다.

góal lìne 〚육상〛 골라인, 결승선

goal·mouth [góulmàuθ] *n.* 〚축구·하키〛 골문 앞

góal pòacher =POACHER[1]

goal·post [-pòust] *n.* 〚축구〛 골포스트, 골대 ***move*** [***shit***] ***the ~s*** ⦅구어⦆ (몰래) 규칙[조건]을 (형편에 따라) 바꾸다

goal·scor·er [-skɔ̀:rər] *n.* 득점 선수

goal·tend·er [-tèndər] *n.* =GOALKEEPER

goal·tend·ing [-tèndiŋ] *n.* **1** (스포츠의) 골 방어; 골 수비 **2** (농구에서) 상대방의 바스켓에 들어가려는 공을 쳐내는 반칙

goal·ward(s) [-wərd(z)] *ad.*, *a.* 골을 향해서[향한], 골 쪽으로[의]

Góa pòwder 고아 가루 ⦅브라질산 아라로바나무 (araroba)에서 채취하는 약용 분말⦆

go-between *n.* intermediary, mediator, middleman, medium, agent, broker, dealer, liaison, contact, referee, factor

go-a·round [góuəràund] *n.* 한 차례의 승부; 격론; 우회 도로(detour); 회피(evasion)

go-as-you-please [góuəzjuplí:z] *a.* 규칙에 얽매이지 않는; 아무런 제약을 받지 않는, 자유로운

⁑**goat** [góut] [OE 「암염소」의 뜻에서] *n.* (*pl.* **~s,** ~) **1 a** 〚동물〛 **염소**: a billy ~ =a he-~ 숫염소 / a nanny ~ =a she-~ 암염소 **b** Ⓤ 염소 가죽 **2** [the G~] 〚천문〛 염소자리[궁](Capricorn) **3** ⦅구어⦆ 호색한; 악인: the sheep and the ~*s* 선인과 악인 **4** 조롱받는 사람, 놀림감, 바보 **5** ⦅미·구어⦆ =SCAPEGOAT **6** ⦅미·속어⦆ (비밀 결사 등에) 입회 허락을 받은 사람 **7** ⦅미·속어⦆ (강력 엔진을 단) 자동차, 개조 자동차; 입환(入換) 기관차 ***act*** [***play***] ***the*** (***giddy***) ***~*** 바보짓을 하다, 까불다 ***get*** a person***'s ~*** ⦅구어⦆ …을 화나게 하다, 약올리다 ***~'s wool*** 있을 수 없는 것 ***ride the ~*** ⦅미·속어⦆ (비밀 결사에) 가입하다 **~·lìke** *a.*

goa·tee [gòutí:] *n.* (턱밑의) 염소수염(⇨ beard 유의어)

goatee

goat·herd [góuthə̀:rd] *n.* 염소치기

goat·ish [góutiʃ] *a.* 염소 같은; 호색의, 난잡한, 음란한

goat·ling [góutliŋ] *n.* ⦅영⦆ 염소 새끼 ⦅1-2세의 암컷⦆

goats·beard [góutsbìərd] *n.* 〚식물〛 눈개승마 ⦅장미과(科)⦆, 나도쇠채 ⦅국화과(科)⦆

goat·skin [góutskìn] *n.* **1** Ⓤ 염소 가죽 **2** 염소 가죽제 의복[물주머니]

goat·suck·er [-sʌ̀kər] *n.* 〚조류〛 쏙독새(nightjar)

gob[1] [gɑ́b | gɔ́b] *n.* **1** (점토·크림·구름 등의) 덩어리(lump, mass) **2** [보통 *pl.*] ⦅미·구어⦆ 많음, 대량, 다량 ⦅*of*⦆: ~*s of* money 많은 돈 **3** 〚광산〛 버력 **4** ⦅구어⦆ 입속에 가득찬 침, 뱉은 침
— *vi.* ⦅속어⦆ (**~bed**; **~·bing**) 침[가래]을 뱉다

gob[2] *n.* ⦅미·속어⦆ 수병(sailor)

gob[3] *n.* ⦅영·속어⦆ 입(mouth)

g.o.b. 〚상업〛 good ordinary brand

gob·bet [gɑ́bit | gɔ́b-] *n.* **1** (날고기·음식의) 한 덩어리, 한 입; 작은 조각; 한 방울: a ~ of gold 한 덩어리의 금괴 **2** (해석·번역 등을 위한) 본문의 일부분, 발췌; 악곡의 일부분

gob·ble[1] [gɑ́bl | gɔ́bl] *vt.* **1** 게걸스럽게 먹다[삼키다] ⦅*up, down*⦆ **2** ⦅구어⦆ (탐욕스럽게) 잡아 채다[덤비다]; 탐독하다 ⦅*up*⦆: ~ *up* the books in the library 도서관의 책을 탐독하다 / He ~*d up* all the news. 그는 모든 소식에 덤벼들었다. — *vi.* 게걸스럽게 먹다

gobble[2] [의성어] *vi.* 〈칠면조 수컷이〉 골골 울다, (수컷) 칠면조 같은 소리를 내다 — *n.* 칠면조 울음 소리

gobble[3] *n.* 〚골프〛 가블 ⦅공을 구멍에 빠르게 일직선으로 쳐넣는 퍼트⦆

gob·ble·dy·gook, -de- [gɑ́bldigùk | gɔ́bl-] *n.* ⓊⒸ ⦅구어⦆ (공문 등의) 까다로운[이해하기 힘든, 우회적인] 표현: the ~ of some government reports 일부 정부 보고서의 까다로운 표현

gob·bler[1] [gɑ́blər | gɔ́b-] *n.* 칠면조의 수컷

gobbler[2] *n.* 걸귀; 남독가(濫讀家): a ~ of science fiction 공상 과학 소설을 탐독하는 사람

Go·be·lin [góubəlin] [파리의 염색가 이름에서] *n.*, *a.* 고블랭 직물(의): a ~ stitch 고블랭 바느질 / ~ tapestry 고블랭직의 벽걸이 융단

go-be·tween [góubitwì:n] *n.* 중개자, 거간꾼, 중매인(middleman): act as ~ 중개를 하다

Go·bi [góubi] *n.* [the ~] 고비 사막

∗**gob·let** [gɑ́blit | gɔ́b-] *n.* **굽 달린 잔** ⦅금속 또는 유리로 만든⦆; ⦅고어·시어⦆ (손잡이 없는) 술잔

góblet cèll 〚생물〛 배상 세포(杯狀細胞)

∗**gob·lin** [gɑ́blin | gɔ́b-] *n.* **1** 악귀(惡鬼) **2** 꼬마 요정

《동화책에 나오는 사람에게 장난치거나 심술궂은》
go·bo [góubou] *n.* (*pl.* **~(e)s**) 〖라디오·TV〗 차광판(遮光板) 《텔레비전 카메라의 렌즈 가까이에 산광(散光)이 들어오는 것을 막음》; 차음판(遮音板)
gob·shite [gɑ́bsait | gɔ́b-] *n.* 《영·속어》 멍청한[덜떨어진] 놈
gob·smacked [gɑ́bsmæ̀kt | gɔ́b-] *a.* 《영·속어》 몹시 놀란; (놀라서) 말문을 잃은
gob·smack·ing [-smæ̀kiŋ] *a.* 《영·속어》 〈…이〉 깜짝 놀라게 하는
gob·stop·per [-stɑ̀pər | -stɔ̀p-] *n.* 《영》 크고 둥근 딱딱한 캔디
go·by [góubi] *n.* (*pl.* **-bies, ~**) 〖어류〗 망둥이
go-by [góubài] *n.* [보통 the ~] 《구어》 못 본[모르는] 체하고 지나감 ***get the ~*** 무시당하다 ***give*** a person ***the ~*** 〈…을〉 모르는 체하고 지나가다; 〈…을〉 일부러 피하다, 무시하다
G.O.C. General Officer Commanding
go-cart [góukɑ̀:rt] *n.* **1 a** 《고어》 (유아의) 보행기 《지금은 baby walker라고 함》 **b** 《미》 접을 수 있는 유모차 **2** 손수레(handcart); 경장(輕裝) 마차; 《속어》 소형 자동차
gock [gɑ́k | gɔ́k] *n.* 《속어》 추접스러운 것
‡**god** [gɑ́d | gɔ́d] *n.* **1** [G~] Ⓤ (특히 그리스도교의) 하느님, (창조의) 신, 창조주, 조물주, 천주(the Creator, the Almighty): *G~* helps those who help themselves. 《속담》 하늘은 스스로 돕는 자를 돕는다. **2** (특히 다신교에서) 신; (신화 등의) 남신(opp. *goddess*); (특정 종교에서) 신: the *G~* of Islam 이슬람의 신 **3** 신상(神像), 우상 **4** 신같이 숭앙받는 사람, 신격화된 사람[것]; 숭배의 대상 **5** [the ~s] (극장의) 맨 위층 관람석(의 관객)
a feast for the ~s 훌륭한 성찬 《반어적으로도 씀》 ***Almighty G~*** = ***G~ Almighty*** 전능하신 하나님 ***be with G~*** (죽어서) 천당에 가 있다 ***by G~*** 하느님께 맹세코, 반드시, 꼭 ★ God(신)을 부르는 것을 꺼려 Gad, gosh, gum 등을 대용하거나, by-라고 dash를 쓰기도 함. ***for G~'s sake*** 제발 ***G~!*** = GOOD God! ***G~ bless …!*** …을 축복하옵소서! ***G~ bless me*** [***my life, my soul***]***!*** 어머나!, 저런! ***G~ damn you!*** 빌어먹을 자식, 뒈져버려라! ***G~ grant …!*** 저의 소원을 들어 주소서! ***G~ help*** him***!*** 하느님 (그를) 도와 주소서; 어마!, 가엾어라. ***G~ knows that …*** …임을 하느님은 아신다, 하느님을 두고 맹세한다 ***G~ knows what*** [***who, where,*** etc.] 하느님만이 아신다, 아무도[나는] 모른다 ***G~'s earth*** 전 세계 (중 아무데도 없다) ***G~ speed you!*** 성공[안전]을 빈다! ***G~ the Father, G~ the Son, G~ the Holy Ghost*** 성부, 성자, 성령 《성삼위(聖三位)를 말함》 ***G~ willing*** 하느님이 허락하신다면, 사정이 허락한다면(cf. DV) ***My*** [***Good, Oh***] ***G~!*** 야단났다!, 슬프다!, 괘씸하다! ***play G~*** 신처럼[전능한 것처럼] 행동하다; (…에 대해) 제멋대로 행동하다 ***sight for the ~s*** 굉장한 구경거리, 훌륭한 광경 ***So help me G~!*** ⇨ help. ***Thank G~!*** [삽입구] 아, 고마워라[살았다]! ***the blind ~*** = the GOD of love. ***the ~ of day*** 태양신(Apollo, Phoebus) ★ 여기서 든 신의 명칭은 로마 신화에 따름. ***the ~ of fire*** 불의 신(Vulcan) ***the ~ of heaven*** 하늘의 신(Jupiter) ***the ~ of hell*** 지옥의 신(Pluto) ***the ~ of love*** 연애의 신(Cupid) ***the ~ of the sea*** 바다의 신(Neptune) ***the ~ of this world*** 마왕(Satan, the Devil) ***the ~ of wine*** 술의 신(Bacchus) ***the Lord G~*** 주 하느님 ***There is a G~!*** (나쁜 상황에서 뜻밖에 좋은 일이 생겼을 때) 하느님이 있다니까!, 이렇게 좋을 수가! ***under G~*** 하느님 다음에 (감사하여야 할 사람으로)
— *vt.* (**~·ded**; **~·ding**) 신으로서 숭배하다[모시다], 우상화하다
Go·dard·i·an [goudɑ́:rdiən] [프랑스 영화 감독 Godard에서] *a.* 〖영화〗 고다르풍의 《기성 기법을 무시하고 즉흥적·파격적인 것이 특색》
god-aw·ful [gɑ́dɔ́:fəl | gɔ́d-] [*god*dammed+*awful*] *a.* 《속어》 지독한, 엄청난, 오싹한, 불쾌한
god·child [-tʃàild] *n.* (*pl.* **-chil·dren** [-tʃìldrən]) 대자(代子)(cf. GODFATHER, GODMOTHER)
god·damn, god·dam [gɑ́ddǽm | gɔ́d-] 《구어》 *int.* 망할, 빌어먹을, 제기랄 《분노·울분을 나타내는 욕설; 흔히 it과 함께 씀》 — *n.*, *vt.* [종종 **G~**] = DAMN — *ad.* 대단히(extremely, very)
gód·dámned *a.*, *ad.*
god·daugh·ter [-dɔ̀:tər] *n.* 대녀(代女)
‡**god·dess** [gɑ́dis | gɔ́d-] *n.* **1** (신화 등의) 여신(cf. GOD) **2** 숭배[동경]의 대상인 여성; 절세 미녀
the ~ of liberty 자유의 여신 ★ 이하에서 드는 여신의 명칭은 로마 신화에 따름. ***the ~ of corn*** 오곡의 여신(Ceres) ***the ~ of heaven*** 하늘의 여신(Juno) ***the ~ of hell*** 지옥의 여신(Proserpina) ***the ~ of love*** 사랑의 여신(Venus) ***the ~ of the moon*** 달의 여신(Diana) ***the ~ of war*** 전쟁의 여신(Bellona) ***the ~ of wisdom*** 지혜의 여신(Minerva)
~·hòod *n.* 여신임; 여신의 성질 《아름다움, 상냥함 등》
Gödel's incompléteness thèorem [gə́:dlz-] [미국의 수학자 Gödel에서] 〖논리·수학〗 괴델의 불완전성 정리(定理)
go·det [goudét] *n.* (스커트나 장갑을 부풀리기 위해 안에 넣어 꿰맨) 삼각형의 헝겊 조각, 바대
go·de·tia [goudí:ʃiə, gə-] *n.* 〖식물〗 고데티아 《달맞이꽃 비슷한 관상용 1년초》
go-dev·il [góudèvəl] *n.* 《미》 **1** 유정(油井) 안의 다이너마이트 폭파기 **2** 급유관 청소기 **3** 《특히》 목재 운반용 썰매; 〖철도〗 수동차
***god·fa·ther** [gɑ́dfɑ̀:ðər | gɔ́d-] *n.* **1** 대부(代父), 교부(敎父) 《세례식[영세 성사]에 입회하여 이름을 지어 주고, 영혼의 부모로서 종교 교육을 보증하는》: stand ~ to a child 아기의 대부가 되어 주다 **2** (사람·사업의) 후원 육성자 《무명 작가를 기르는 편집자 등》, 후견인, 보증인 **3** [종종 **G~**] 《구어》 마피아[폭력 조직]의 수령
— *vt.* …의 대부가 되다; 후견인[보증인]이 되다, 후원 육성하다
God-fear·ing [-fìəriŋ] *a.* **1** 신을 두려워하는 **2** 독실한, 경건한
god·for·sak·en [gɑ́dfərsèikən, ⌐–⌐– | gɔ́d-] *a.* **1** 하느님께 버림받은; 타락하여 버린 **2** 〈장소가〉 황폐한, 쓸쓸한, 황량한: They live in some ~ place. 그들은 어딘가 외딴 곳에서 산다.
God·frey [gɑ́dfri | gɔ́d-] *n.* 남자 이름
God-giv·en [gɑ́dgìvən | gɔ́d-] *a.* 하느님이 주신, 천부의; 절호의(opportune)
god·head [-hèd] *n.* **1** Ⓤ 신격(神格), 신성(神性)(divinity) **2** [the G~] 하느님
god·hood [gɑ́dhud | gɔ́d-] *n.* Ⓤ 신임, 신격, 신성(神性)
Go·di·va [gədáivə] *n.* **1** 여자 이름 **2** [**Lady ~**] 〖영국전설〗 고다이버 《11세기의 백작 부인; 알몸으로 말을 타고 Coventry 거리를 다니면 주민의 세금을 면해 준다는 남편의 약속을 그대로 실행했다고 함》
god-king [gɑ́dkìŋ | gɔ́d-] *n.* 신격화된 군주[임금], 신왕(神王)
god·less [gɑ́dlis | gɔ́d-] *a.* **1** 신의 존재를 부인하는, 신을 인정하지[믿지] 않는 **2** 믿음이 없는; 사악한, 불경(不敬)한 **~·ly** *ad.* **~·ness** *n.*
***god·like** [gɑ́dlàik | gɔ́d-] *a.* 신 같은, 신성한, 존엄한; 신에게 합당한 **~·ness** *n.*
god·ling [gɑ́dliŋ | gɔ́d-] *n.* 소신(小神) 《특히 그 힘과 권위가 미치는 범위가 지역적으로 제한된 신》
god·ly [gɑ́dli | gɔ́d-] *a.* (**-li·er**; **-li·est**) 신을 공경하는, 믿음이 깊은, 경건한; [the ~; 명사적] 《종종 반어》 독실한 사람들 **gód·li·ness** *n.*
God-man [gɑ́dmǽn, -mæ̀n | gɔ́d-] *n.* (*pl.* **-men** [-mén, -mèn]) **1** 신인(神人), 그리스도(Jesus Christ) **2** [**g~**] 반신반인(半神半人)(demigod)

***god·moth·er** [gádmʌ̀ðər | gɔ́d-] *n., vt.* 대모(代母)(가 되다); 후견인[보증인]이 되다(cf. GODFATHER)

go·down [góudàun] *n.* (동양의) 부두 창고

god·par·ent [gádpɛ̀ərənt | gɔ́d-] *n.* 대부(代父), 대모(代母)(cf. GODFATHER, GODMOTHER)

Gód's ácre (문어) (교회 부속의) 묘지

Gód Sáve the Quéen[Kíng] 여왕[국왕] 폐하 만세《영국 국가(國歌); 작사·작곡자 불명》

Gód's Bóok 성서

Gód's còuntry 하느님의 축복받은 나라; 신의 은총이 가득한 땅

god·send [-sènd] [ME 「신탁(神託)」의 뜻에서] *n.* 하느님이 주신 선물; 뜻하지 않은 행운, 횡재

god·sent [-sènt] *a.* 하늘이 주신: a ~ rain 단비

Gód's Éye 신의 눈《잔가지로 만든 십자가에 색실을 기하학적 무늬로 감은 것》

Gód's gíft **1** 자신이 어느 특별한 부분에 재능이 있다고 생각하는 사람 《*to*》 **2** 여자의 넋을 잃게 하는 남자 《*to*》 ***think*** one ***is* ~ *to* ...** …에 관해서는 최고라고 자만하다

god·ship [gádʃìp | gɔ́d-] *n.* Ⓤ 신(神)임, 신위(神位), 신격(神格), 신성(神性)

Gód's ìmage 인체(人體)

god·son [gádsʌ̀n | gɔ́d-] *n.* 대자(代子)(cf. GODCHILD)

Gód's ówn cóuntry 낙원, 신의 나라《미국인이 자국을 가리킬 때》

God·speed [gàdspíːd | gɔ̀d-] *n.* Ⓤ 성공; 성공[행운]의 축복[기원] ***wish*[*bid*]** a person **~** …의 여행 중의 안전[사업의 성공]을 빌다

Gód's plènty 풍부한[대단히 많은] 양

Gód squàd (속어) [the ~] **1** (기독교 복음주의의) 전도자의 일단 **2** (영·속어) 구세군; 호별 방문하는 광신자들

Gód's trúth 절대 진리

God·win [gádwin | gɔ́d-] *n.* 남자 이름

god·wit [gádwit | gɔ́d-] *n.* 〖조류〗 흑꼬리도요

God·zil·la [gadzílə | gɔd-] *n.* 고질라《1954년 일본 영화에 등장한 괴수》; 거대한 것, 몸집이 어마어마한 것

go·er [góuər] *n.* **1 a** 가는 사람, 행인; 가는 것 **b** [보통 수식어와 함께] 발이 …한 사람[것] **2** [보통 복합어를 이루어] …에 자주 가는[다니는] 사람: a movie~ 영화팬 / a church~ (일요일마다) 교회에 다니는 사람 **3** 활동적인 사람; 야심가
a good*[*poor, slow*] ~** 빠른[느린] 말; 잘 가는[늦는] 시계[것] ***comers and ~s 오가는 사람들

goes [góuz] *v.* GO의 3인칭 단수 현재형
— *n.* GO의 복수형

***Goe·the** [gə́ːtə] *n.* 괴테 **Johann Wolfgang von ~** (1749-1832)《독일의 시인·극작가·소설가·철학자》

Goe·the·an, Goe·thi·an [gə́ːtiən] *a.* 괴테의[에 관한], 괴테풍의 **—** *n.* 괴테 숭배[연구]자

goe·thite [góuθait] *n.* 〖광물〗 침철석(針鐵石)

gó-fast·er strípes [-fæ̀stər, -fɑ̀ːst- | -fɑ̀st-] (구어) **1** (자동차 옆 부분에 붙이는) 줄무늬 색선 **2** (경멸) (제품에서) 눈에 띄지만 쓸모없는 특색

gofer [góufər] [go for의 변형] *n.* (미·속어) (회사의) 잡일 담당자, 잔심부름꾼(gopher)

gof·fer [gáfər | góufə] *vt.* 〈천 등에〉 주름을 잡다, 구김살을 짓다 ***~ed edges*** (책의) 도드라진 무늬가 있는 가장자리 **—** *n.* 주름, 구김살, 개더(gather); 주름 잡는 기구[다리미]

gof·fer·ing [gáfəriŋ | góuf-] *n.* Ⓤ 주름 잡기; 주름 장식

Gog and Ma·gog [gág-ən-méigag | gɔ́g-ən-méigɔg] 〖성서〗 곡과 마곡《사탄에 미혹되어 하늘나라에 대항하는 두 나라; 요한 계시록 20: 8》

go-get·ter [góugétər, -gèt-] *n.* (구어) (특히 사업 등의) 수완가, 민완가, 재주꾼

go-get·ting [-gétiŋ] *a.* 수완 있는(enterprising)

gog·ga [gágə | gɔ́gə] *n.* (남아공·속어) 벌레, 곤충

gog·gle [gágl | gɔ́gl] *vi.* 〈눈알이〉 희번덕거리다; 눈알을 부라리다, 눈을 부릅뜨다
— *vt.* 〈눈알을〉 굴리다
— *n.* **1** 눈을 크게 뜸[부릅뜸] **2** [*pl.*] 먼지 막는 안경; (용접공 등의) 보호 안경, 잠수 안경, 물안경; (영·속어) (둥근 렌즈의) 안경: water ~*s* 수중 안경 / put ~*s* on 고글을 끼다
— *a.* 퉁방울눈의, 희번덕거리는

goggles *n.* **2**

gog·gle-box [gáglbɑ̀ks | -bɔ̀ks] *n.* (영·속어) 텔레비전

gog·gle-dive [-dàiv] *n.* 물안경을 쓰고 하는 잠수

gog·gle-eyed [-áid] *a.* 퉁방울눈의, 부리부리한 눈의; 《특히》 놀라서 눈을 부릅뜬

gog·gler [gáglər | gɔ́g-] *n.* 눈을 휘둥그렇게 뜨고 보는 사람

Gogh [góu, gɔ́ːx] *n.* ⇨ van Gogh

gog·let [gáglit | gɔ́g-] *n.* (인도) 물을 차게 보관하는 질그릇병

go·go [gɔ́ːgɔː] *n.* (남아공) 할머니; [호칭으로] 자상한 노부인

go-go [góugòu] [Paris의 디스코 이름에서] *a.* **1** 고고의, 록 리듬으로 춤추는 **2** 활발한, 정력적인: the ~ generation 활동적인 세대 **3** 유행의, 현대적인, 최신의(up-to-date): the ~ social set 유행의 첨단을 걷는 사교계 사람들

gó-go bóot 고고 부츠《무릎까지 닿는 여자용》

gó-go dàncer[gìrl] 고고 댄서

gó-go fúnd 〖증권〗 고고 펀드《단기간에 최대의 주가 상승 차익을 얻으려는 투기성 투자 신탁》

Go·gol [góugəl, -gɔːl | -gɔl] *n.* 고골리 **Nikolai Vasilievich ~** (1809-52)《러시아의 소설가·극작가》

Goi·del·ic [gɔidélik] *a.* **1** 고이델릭어(語)의 **2** 게일족(Gaels)의 **—** *n.* Ⓤ 고이델 어군(語群)(Q-Celtic)

‡**go·ing** [góuiŋ] *v.* GO의 현재분사
— *n.* Ⓤ **1** 가기, 보행, 여행 **2 a** 출발, 떠나기: comings and ~*s* 출발과 도착 **b** 사망 **3** 도로[경주로]의 상태; (영) 《특히》 경마장 상태; (구어) 《일반적으로》 상황, 형세: The ~ was bad. 길이 나쁘다. **4** (일의) 진척, 진행 속도[상황]: slow ~ on the work 일의 진행 상황이 느림 **5** 종사(從事), (업무의) 수행; 영업 **6** [보통 *pl.*] 행위, 행동, 거동 ***hard*[*tough*] ~** (구어) 진행하기 힘든 일[것]; 난항; 더딘 진행 ***heavy* ~** (구어) 진행이 곤란함; 성가신 일 ***Nice ~!*** 잘한다, 잘했어!《상대가 실패했을 때에도 반어적으로 쓰임》 ***while the ~ is good*** 형세가 불리해지기 전에
— *a.* **1** Ⓐ 활동[운동] 중인; 진행[운전, 영업] 중인; 성업 중인: a ~ business[concern] 영업 중인[수지가 맞는] 사업[회사, 상점] **2** Ⓐ 현행의, 일반적으로 행해지는, 통례의: the ~ rate 현행 이율 / the ~ price of houses 현행 집값 **3** [명사 뒤에서] (구어) 현재 있는; 손에 들어오는, 이용할 수 있는, 얻을 수 있는: one of the best fellows ~ 요즘 보기 드문 훌륭한 사나이 / There is beefsteak ~. 비프스테이크 요리가 있습니다. **4** 가는, 출발하는 **~ *and coming*** = ***coming and* ~** 도망칠 길이 없는, 궁지에 빠져 **~ *away*** 〖스포츠〗 큰 차이로: win a match ~ away 시합에서 큰 차이로 이기다 ***Going, ~, gone!*** 없습니까, 없습니까, 네, 팔렸습니다!《경매인의 말》 **~ *on*** 가깝게, 거의: It's ~ *on* four o'clock. 4시 가까이 되었다. ***have ... ~ for*** one (구어) …에게 유리하게 작용하다, 〈일이〉 잘 되어 가다 ***in ~ order*** 고장 없는 상태에; 건전하여 ***keep* ~** 계속하다; 계속시키다; 유지하다 ***set* ~** 운전을 시작하다; 움직이게 하다; (활동을) 개시하다; 창립하다

gó·ing-a·way drèss [góuiŋəwèi-] (신부의) 신혼여행 드레스

go·ing-o·ver [-óuvər] *n.* (*pl.* **go·ings-**) (구어) **1** 철저한 조사[심문, 점검, 검사]: get[receive] a (good) ~ (철저한) 심문을 받다 / The detective gave him a good ~. 형사는 그를 철저하게 문초했다. **2** 《미·구어》 엄하게 혼내는 일 **3** 심한 매질[질책]

góing pùblic 〖증권〗 주식 공개

go·ings-on [góuiŋzɔ́:n | -ɔ́n] *n. pl.* 《구어》 (비난받을 만한) 행위; 이상한 행동; 사건, 사태(events)

go·ing-to-vis·it [góuiŋtəvízit] *a.* 외출의, 나들이의 〈옷 등〉

go-it-a·lone [góuitəlóun] *a.* 《구어》 독립한, 자립한

goi·ter | -tre [gɔ́itər] *n.* Ⓤ 〖병리〗 갑상선종(甲狀腺腫)(struma)

goi·tro·gen [gɔ́itrədʒən, -dʒèn] *n.* 〖의학〗 고이트러젠, 갑상선종 유발 물질

goi·trous [gɔ́itrəs] *a.* 갑상선종(성)의

goji (**berry**) [góudʒi(-)] 고지베리(wolfberry) 《구기자 열매》

go-kart [góukɑ̀:rt] *n.* = GO-CART

Gol·con·da [gɑlkɑ́ndə | gɔlkɔ́n-] *n.* **1** 골콘다 《인도 남부의 고대 도시; 다이아몬드 가공으로 부를 누렸음》 **2** [종종 **g~**] 무진장의 부(富), 보물 더미, 무한의 금고

‡gold [góuld] *n.* Ⓤ **1** 금 《금속 원소; 기호 Au》; 황금 **2** [집합적] 금화; 금제품: pay in ~ 금화로 지불하다 **3** 부(富), 재보(treasure); 돈, 금전 **4 a** 황금처럼 고귀한 것 **b** 친절, 온화: a heart of ~ 친절[선량]하게 남을 생각하는 마음 **5** 금빛, 황금색: the reds and ~*s* of autumn 가을의 빨갛고 노란 낙엽 **6** 금도금, 금가루, 금물감, 금실, 금몰, 금박 **7** Ⓒ 〖궁술〗 과녁의 정곡(bull's-eye): hit the ~[make a ~] 과녁의 정중앙을 맞추다 **8** [**G~**] 〖군사〗 골드 《1944년 6월 6일의 연합군의 노르망디 상륙 작전에서 영국군의 상륙지였던 해안의 이름》 **9** [*pl.*] 〖주식〗 금생산 관련 회사의 주식 **10** 《스포츠속어》 = GOLD MEDAL **11** 《음악속어》 = GOLD RECORD(cf. PLATINUM) (***as***) ***good as*** ~ 〈어린아이가〉 아주 착한[얌전한]; 아주 친절한 ***go for*** (***the***) ~ (성공을 위해) 전력을 다하다 ***go off*** ~ 금본위제를 폐지하다 ***old*** ~ 낡은 금빛, 광택 없는 주황색 ***the age of*** ~ 황금시대 ***the***[***a***] ***crock***[***pot***] ***of*** ~ ***at the end of the rainbow*** 결코 얻을 수 없는 부[보답], 그림의 떡 ***voice of*** ~ 아름다운 목소리 ***worth*** one***'s***[***its***] ***weight in*** ~ 《구어》 〈물건이〉 천금의 가치가 있는; 〈사람이〉 매우 쓸모있는

— *a.* **1** 금의, 금으로 만든, 금…(cf. GOLDEN): a ~ coin 금화 / a ~ watch[ring, brooch, bracelet] 금시계[반지, 브로치, 팔찌] **2** 금에 관련 있는, 금 같은 **3** 금빛의, 황금색의

góld amálgam 〖야금〗 금아말감 《금과 수은의 합금》

góld bàsis (통화의) 금본위: on a ~ 금본위로

gold·beat·er [góuldbì:tər] *n.* 금박공

góldbeater's skìn 금박공의 가죽 《박 사이에 끼우는》

gold·beat·ing [-bì:tiŋ] *n.* Ⓤ 금박 제조(기술)

góld bèetle 풍뎅이(goldbug)

góld blòc 금 블록 《금본위국끼리의 화폐 블록》

gold·brick [-brìk] *n.* **1** 《구어》 가짜 금덩어리; 그 모조품 **2** 《미·구어》 [goldbricker로도 쓰임] 게으름뱅이, 뜨내기(loafer); 꾀병 앓는 사람; 《미·군대속어》 근무 태만병(shirker) — *vt., vi.* 《속어》 속이다, 사기하다; 《미·군대속어》 꾀병 앓다, 꾀 부리다

gold·bug [-bʌ̀g] *n.* **1** 《구어》 금본위제 지지자 《특히 경제학자, 정치가》; 황금광(狂) **2** = GOLD BEETLE

góld búllion stàndard 금지금(金地金) 본위 제도

góld cárd (신용 카드의) 골드 카드 《신용 상태가 양호한 사람에게 발급되며 많은 혜택을 받을 수 있는》

góld certìficate 《미》 금화 증권

góld clàuse 〖경제〗 금약관(金約款)

Góld Còast **1** [the ~] 황금 해안 《지금의 Ghana 공화국의 일부; 이전의 노예 무역 중심지》 **2** 《미·구어》 고급 주택가

gold·crest [góuldkrèst] *n.* 〖조류〗 상모솔새

gold-dig [-dìg] *vt., vi.* (**-dug** [-dʌ̀g]; **~·ging**) 《속어》 감언이설로 돈을 우려먹다

góld dìgger **1** 금광꾼, 사금꾼; 황금광 **2** 《속어》 돈을 목적으로 남자와 교제[결혼]하는 여자

góld dìgging **1** 금광 찾기, 사금 채취; 사금 지대 **2** 《속어》 〈여자가〉 남자 돈 우려먹기

góld dísk = GOLD RECORD

góld dùst 사금(砂金), 금가루: be like ~ 《구어》 매우 귀중하다

góld embàrgo 금 수출 금지

‡gold·en [góuldən] *a.* **1** 금빛의, 황금빛의, 누런빛의: ~ hair 금발(blond, blonde) **2** 금의, 금으로 만든: ~ earrings 금 귀걸이 ★ 이 뜻으로서는 gold가 일반적 **3** 금이 가득찬 **4** 귀중한, 가장 좋은, 훌륭한; 절호의 〈기회 등〉: a ~ opportunity 절호의 기회 / a ~ saying 금언, 격언 **5** 50년째의(cf. SILVER 8) **6** 활력[활기]으로 가득 찬, (희망·행복 등으로) 빛나는: ~ youth 빛나는 청춘 **7** 〈때·시대 등이〉 행복으로 가득찬; 융성한, 번영하는; 전성의: one's ~ days 전성 시대 **8** 재능과 운이 있는 **9** (종업원에게) 특별히 높은 임금을 지급하는, 우대의 **~·ly** *ad.* **~·ness** *n.*

Gólden Áccess Pássport 《미》 신체장애자 우대증 《Golden Age Passport 소지자와 같은 대우를 받음》

gólden áge [the ~] **1** (예술·문학 등의) 황금 시대, 전성기 (*of*): *the* ~ *of* the novel 소설의 황금시대 **2** [종종 the G- A-] 〖그리스·로마신화〗 황금시대 《태고의 인류 지복 시대; cf. SILVER AGE, BRONZE AGE, IRON AGE》 **3** [**G- A-**] 라틴 문학의 황금시대 **4** (지혜·만족·여유 등을 특색으로 하는) 중년 이후의 인생 **5** 퇴직 연령, 정년

gólden áge clùb 노인 사교·오락 클럽

Gólden Áge Pássport 《미》 노인 우대증 《62세 이상의 노인에게 주는 무료 입장 증명서》

gold·en-ag·er [góuldənéidʒər] *n.* 초로의 은퇴한 사람(senior citizen)

gólden annivérsary 《미》 금혼식 《50주년 기념일》(《영》 golden wedding)

gólden bálls 전당포 간판 《금빛 공 3개》

golden balls

gólden bántam córn sweet corn의 원예 품종

gólden bòy 인기 있는 사람, 총아

Gólden Búll [the ~] 〖역사〗 황금 문서, 금인(金印) 칙서 《1356년 신성 로마 황제 Charles Ⅳ가 내린 칙서》

gólden cálf [the ~] 금송아지 《이스라엘 사람이 숭배한 우상》; 부(富), 돈(money)

gólden clúb 고구마과의 수생 식물 《미국 동부산(産)》

Gólden Créscent [the ~] 황금의 초승달 지대 《이란·아프가니스탄·북부 파키스탄에 걸친 마약 생산·거래 지대》

Gólden Delícious 골든 딜리셔스 《미국 원산의 노란 사과 품종》

gólden dísc = GOLD RECORD

gólden éagle 〖조류〗 검독수리

gold·en·eye [góuldənài] *n.* (*pl.* **~s,** ~) **1** 〖조류〗 흰뺨오리 **2** 〖곤충〗 풀잠자리

Gólden Fléece [the ~] 〖그리스신화〗 황금 양모 《Jason이 Argonauts를 이끌고 원정하여 훔침》

Gólden Gáte [the ~] 금문 해협 《San Francisco 만을 태평양에 잇는 해협; 여기에 Golden Gate Bridge가 놓여 있음》

Gólden Glóbe Awàrd 골든 글로브상(賞) 《Hollywood Foreign Press Association이 매년 1월 영화·TV의 우수 작품에 수여함》

gólden glòw 〖식물〗 삼잎국화

gólden góal (축구 경기 등의) 골든골, 연장 결승골

gólden góose 1 황금알을 낳는 거위 《그리스 전설 속의》 2 《일반적으로》 부를 일으키는 것
gólden hámster 〖동물〗 (소아시아 원산의) 명주쥐 《실험용·애완용; Syrian hamster라고도 함》
gólden hándcuffs (구어) 〖경영〗 특별 우대 조치, 황금 수갑 《전직(轉職) 방지 및 인재 확보를 위한 특별 고용 계약》
gólden hándshake 고액의 퇴직금 《정년 전의 퇴직자에게 지급하는》
gólden héllo (구어) (우수 사원 유치용의) 입사 장려금
Gólden Hórde [the ~] 〖역사〗 황금 군단 《13세기에 유럽에 원정한 몽골의 군단》
Gólden Hórn [the ~] 골든 혼 《터키 Istanbul의 내항》
gólden júbilee 50년 축전(cf. JUBILEE)
gólden kéy 1 〖성서〗 천국의 열쇠 《마태복음 16: 19》 2 뇌물
gólden méan [the ~] 1 중용, 중도: follow *the* ~ 중도를 걷다 2 =GOLDEN SECTION
gold·en·mouthed [-màuðd] *a.* 웅변의, 구변이 좋은(eloquent)
gólden nématode 〖동물〗 시스토 선충 《감자·토마토의 해충》
gólden númber [the ~] 황금수 《서기 연수에 1을 보태어 19로 나눠서 남는 수; 부활절 날짜를 산출하는 데 씀》
gólden óldie[óldy] [종종 **G- O-**] 그리운 옛 노래[스포츠, 영화]
gólden óriole 〖조류〗 유럽꾀꼬리
gólden pálm [the ~] 황금의 종려 《the Cannes Film Festival에서 장·단편의 각 대상에 수여》
gólden párachute 〖경영〗 고액의 퇴직 수당 지불 보증 고용 계약(cf. GOLDEN HANDSHAKE)
gólden phéasant 〖조류〗 금계 《중국산 꿩》
gólden ráin 〖식물〗 금련화류(laburnum)
gólden ráisin 옅은 갈색의 작고 신 건포도
gólden retríever 골든 리트리버 《영국 원산의 조류 사냥개》
gold·en·rod [-rɑ̀d | -rɔ̀d] *n.* 1 〖식물〗 미역취속(屬)의 식물 2 선황색 —*a.* 선황색의, 진황색의
gólden rúle [the ~] 1 〖성서〗 황금률 《마태복음 7: 12; 누가복음 6: 31의 교훈; 흔히 'Do (to others) as you would be done by.' (무엇이든지 남에게 대접을 받고자 하는대로 너희도 남을 대접하라)로 요약》 2 행동 규범, 지도 원리
gold·en·seal [-sì:l] *n.* 〖식물〗 히드라스티스 《미나리아재빗과(科); 미국 원산》
gólden séction [the ~] 〖수학·미술〗 황금 분할[비](golden mean)

golden section

A B

A:B = B:(A+B)

gólden shówer 1 〖식물〗 사배나주엽나무 2 (비어) (성희(性戱)로서) 상대방의 얼굴·몸에 오줌을 깔기는 짓
Gólden Státe [the ~] 미국 캘리포니아주의 속칭
gólden sýrup 골든 시럽 《꿀 시럽》
gólden thúmb (속어) 돈 잘 버는 사람
Gólden Tríangle 황금의 삼각 지대 《타이·미얀마·라오스의 국경 접촉 지대; 세계의 생아편의 70%를 생산·공급》; 고생산성 지역
gólden wédding (영) 금혼식 《결혼 50주년 기념》 (cf. SILVER WEDDING)
gólden wédding annivèrsary =GOLDEN WEDDING
gólden yèars (구어) 노후 《보통 65세 이후》
gólden yóuth 상류 계급의 젊은이(gilded youth)
góld-ex·change stàndard [góuldikstʃèindʒ-] 금환 본위제
góld fèver (골드러시(gold rush)의) 금광열(熱), 황금열
gold·field [-fi:ld] *n.* 채금지, 금광 지대
gold-filled [-fíld] *a.* 〈보석에〉 금을 입힌(cf. FILLED GOLD)
gold·finch [-fìntʃ] *n.* 1 〖조류〗 오색방울새, 황금방울새 《유럽산(産)》 2 (영·속어) 금화, 1파운드 금화(sovereign)
‡**gold·fish** [góuldfìʃ] *n.* (*pl.* **~, ~es**) 금붕어; (속어) 통조림 연어; [the *G*~] 〖천문〗 황새치자리(Dorado) —*a.* 금붕어 같은
góldfish bòwl 어항(fishbowl) ***in a*** ~ 대중에 노출되어
góld fixing 〖금융〗 1 금의 가치 결정 2 (런던 금시장 등에서 매일 거래되는) 금 가격
góld fóil 금박 《gold leaf보다 두꺼운 것》
gold·ie [góuldi] *n.* =GOLD RECORD
gold·i·locks [góuldilɑ̀ks | -lɔ̀ks] *n. pl.* 1 [단수·복수 취급] 〖식물〗 메역취속(屬)의 일종, 미나리아재비의 일종 2 [단수 취급] 금발의 미녀
Góldilocks ecònomy (영) 성장이 너무 빠르지도 느리지도 않은 경제
Gol·ding [góuldiŋ] *n.* 골딩 1 **Louis** ~ (1895-1958) 《영국의 시인·소설가》 2 **William Gerald** ~ (1911-1993) 《영국의 소설가; *Lord of the Flies*(1954); 노벨 문학상 수상(1983)》
góld láce 금 레이스
góld léaf 금박(金箔)
góld médal 금메달 (cf. BRONZE MEDAL, SILVER MEDAL)
góld mìne 금광; 부원(富源), 돈벌이가 되는 것, 달러 박스; 보고(寶庫) (*of*): a ~ *of* information 지식의 보고
gold·min·er [-màinər] *n.* 1 금광부, 채금자 2 [*pl.*] 금광 회사의 주식
góld nòte (미) 금태환(金兌換) 지폐, 금권(金卷)
góld pláte [집합적] 금제의 식기류; 금 도금
gold-plate [-pléit] *vt.* 1 …에 금을 입히다, 금도금하다 2 (구어) …에 (고액의 물건 등을) 불필요하게 집어넣다 **-plát·ed** *a.*
góld pòint 〖경제〗 정화 수송점(正貨輸送點)
góld récord 황금 레코드(golden disc) 《싱글판으로 100만매, LP 앨범으로 50만 세트 이상 팔린 레코드(집)의 가수·그룹에 주는 상》
góld resèrve 정화(正貨) 준비(액) 《중앙 은행이 가지고 있는 금 보유고》
góld rùsh 골드러시, 새 금광지로의 쇄도
góld sìze 금박을 입히기 전에 칠하는 도료
gold·smith [-smìθ] *n.* 금 세공인
Gold·smith [góuldsmìθ] *n.* 골드스미스 **Oliver** ~ (1730?-74) 《아일랜드 태생의 영국 시인·극작가·소설가》
góld stàndard [the ~] 〖경제〗 (통화의) 금본위제
góld stár 1 (전사자 가족을 표시하는) 금성장(金星章): a ~ mother 전사자의 어머니 2 (학교에서 우등 표시로 주는) 작은 금별 3 (구어) (노력과 성과에 대한) 특상, 최고상, 금상
gold-star [-stɑ̀:r] *a.* (속어) 일급의, 훌륭한, 놀랄 만한
Góld Stíck (영) 국가적 행사 때 황금 막대를 받들고 왕[여왕]을 모시는 궁내관; 그 금빛 막대
gold·stone [-stòun] *n.* Ⓤ 〖광물〗 사금석(砂金石)(aventurine)
gold·thread [-θrèd] *n.* 〖식물〗 황련(黃蓮)
góld tìme (미·속어) 통상의 2배의 시간외 수당
gold-tipped [-tìpt] *a.* 금빛 물부리가 달린 〈궐련 등〉
Gold·was·ser [góuldvɑ̀:sər, -wɑ̀:s-] [G =gold water] *n.* 골드바서 《금박이 들어있는 Danzig산(産)의 달콤한 리큐어》
gold·work [-wə̀:rk] *n.* 금세공(金細工)
go·lem [góuləm] *n.* 1 〖유대전설〗 골렘 《인조인간》 2 얼간이 3 자동 인형, 로봇(automaton)

‡golf [gálf, gɔ́:lf | gɔ́lf] [Du. 「곤봉」의 뜻에서] *n.* Ⓤ **1** 골프(⇨ par 관련) **2** (통신에서) G자를 표시하는 부호 **3** [**G~**] 골프 《독일의 Volkswagen사의 소형 승용차; 상표명》
— *vi.* 골프를 치다

gólf bàg 골프백 《클럽이나 공을 넣는》

gólf bàll 골프공; (구어) (타자기의) 공 모양의 식자판

gólf càrt **1** 골프 카트 《2명의 골퍼와 골프백을 나르는 전동차》 **2** = CADDIE CART 1

gólf clùb **1** 골프채 **2** 골프 클럽

gólf còurse 골프장, 골프 코스 《보통 18홀이 갖추어져 있음》

golf·er [gálfər, gɔ́:lf- | gɔ́lf-] *n.* 골프 치는 사람, 골퍼

golf·ing [gálfiŋ | gɔ́lf-] *n.* 골프하기: a ~ holiday 골프 휴가

gólf lìnks = GOLF COURSE

gólf wìdow 골프광의 아내

Gól·gi bòdy[**apparàtus**] [gɔ́:ldʒ-] 〖생물〗 골지체(體) 《세포 소기관의 하나》

Gólgi còmplex 〖생물〗 골지 복합체

Gol·go·tha [gálgəθə | gɔ́l-] *n.* **1** 골고다 《그리스도가 십자가에 못박힌 곳; Jerusalem 부근의 언덕; 라틴명 Calvary(갈보리)》 **2** [**g~**] 묘지, 납골당; 수난[희생]의 땅

gol·iard [góuljərd] *n.* [때로 **G~**] (12-13세기의) 편력 시인 《라틴어 풍자시의 음유 시인》
gol·iar·dic [gouljá:rdik] *a.*

gol·iar·der·y [gouljá:rdəri] *n.* [집합적] 편력 시인의 라틴어 풍자시

Go·li·ath [gəláiəθ] *n.* **1** 〖성서〗 골리앗 《David에게 살해된 블레셋족의 거인》 **2** [**g~**] 거인, 장사 **3** [**g~**] 강력한 영향력이 있는 사람[것] **4** 이동식 대형 기중기 (= **~ cràne**)

Golíath bèetle 골리앗풍뎅이 《아프리카산 세계 최대의 갑충》

gol·li·wog(**g**) [gáliwàg | gɔ́liwɔ̀g] *n.* 얼굴이 검은 괴상한 모양의 인형; 그 인형같이 생긴 사람

gol·ly[1] [gáli | gɔ́li] [God의 완곡어] *int.* [놀람·감탄을 나타냄] (구어) 어머나, 아이고, 저런 ***By***[***My***] ***~!*** 아이고, 어머나, 저런!

golly[2] *n.* (*pl.* **-lies**) = GOLLIWOG(G)

go-long [góulɔ̀:ŋ | -lɔ̀ŋ] *n.* (미·흑인속어) 범인 호송차(paddy wagon)

go·losh [gəlάʃ | -lɔ́ʃ] *n.* (영) = GALOSH

go·lup·tious [gəlʌ́pʃəs] *a.* (익살) 아주 맛있는 《voluptuous를 본뜬 것》

G.O.M., GOM Grand Old Man 《W.E. Gladstone, Winston Churchill의 별명》

go·ma [góumə] *n.* (미·속어) 아편

gom·been [gambí:n | gɔm-] *n.* Ⓤ (아일) 고리대금; 터무니없는 고리, 폭리

gom·been-man [gambí:nmæ̀n | gɔm-] *n.* (*pl.* **-men** [-mèn]) (아일) 고리대금업자(usurer)

gom·broon [gambrú:n | gɔm-] *n.* 곰브룬 《백색 반투명의 페르시아 도기》

gom·er [góumər] *n.* **1** (미·공군속어) 신참 사관 후보생 **2** (미·구어) 바보 **3** (미·속어) 심기증(心氣症) 환자; 달갑지 않은 환자 《*g*et *o*ut of *m*y *e*mergency *r*oom의 두자어(頭字語)에서》

gom·er·el, -er·al, -er·il [gámərəl | gɔ́m-] *n.* (스코) 바보, 얼간이(fool)

Go·mor·rah, -rha [gəmɔ́:rə, -márə | -mɔ́rə] *n.* 〖성서〗 고모라 《Sodom과 함께 멸망된 도시》; 악덕과 타락의 악명 높은 장소

gon- [gan | gɔn], **gono-** [gánou | gɔ́n-] 《연결형》 「성(性); 생식」의 뜻 《모음 앞에서는 gon-》: *gono*phore

-gon [gàn | gən] 《연결형》 「…각형(角形)」의 뜻: hexa*gon*, poly*gon*, n-*gon*(n각형)

go·nad [góunæd, gán- | góu-] *n.* 〖해부〗 생식선(生殖腺) **go·nád·al** *a.*

go·nad·o·trop·ic [gounæ̀dətrápik, -tróup- | gòunədoutrɔ́pik], **-tro·phic** [-tráfik, -tróuf- | -trɔ́f-] *a.* 〖생화학〗 성선(性腺) 자극성의

go·nad·o·tro·pin [gounæ̀dətróupin | gòunədou-], **-phin** [-fin] *n.* 〖생화학〗 성선 자극 호르몬

Gon·court [gankúər | gɔn-] *n.* 공쿠르 **Edmond de ~** (1822-96), **Jules de ~** (1830-70) 《프랑스의 소설가 형제》

Goncóurt Príze 공쿠르상 《Académie Goncourt가 매년 우수 작가에게 주는 문학상》

***gon·do·la** [gándələ | gɔ́n-] [It.] *n.* **1** 곤돌라 《Venice 특유의 평저 유람선·나룻배》; (미) 평저선, 거룻배 **2** (기구(氣球)의) 조롱(弔籠); (비행선의) 조선(弔船) **3** (미) 대형 무개화차(無蓋貨車)(= **~ càr**) **4** 곤돌라 상품 진열대

gon·do·lier [gàndəlíər | gɔ̀n-] *n.* 곤돌라 사공

Gond·wa·na(**·land**) [gandwá:nə(lǽnd) | gɔnd-] *n.* 곤드와나 대륙 《가설상의 고생대 말기의 남반구 대륙》(cf. LAURASIA)

‡gone [gɔ́:n, gán | gɔ́n] *v.* GO의 과거분사
— *a.* **1** 지나간, 과거의, 이전의, 옛날의; (완곡) 죽은: dead and ~ 죽어버린 / a thing ~ 과거의 일 **2** 틀린, 가망 없는: a ~ case 절망적인 일[사태]; 파멸; 희망 없는 것; 가망 없는 사람 / a ~ man 죽을 운명의 사람 **3** (구어) (이성에게) 반한, 정신이 팔린 《*on, upon*》 **4** 기력이 없는, 기가 죽은, 우울한: a ~ feeling 우울해지는 기분 **5** 다 써버린: The money was ~. 돈을 다 써 버렸다. **6** (구어) 임신한: a woman six months ~ 임신 6개월 된 여자 **7** (속어) 멋진 **8** (구어) 일시적 휴가의 **9** (영) 〈시간·나이를〉 지난, 넘은: a man ~ ninety years of age 90을 넘은 노인 **10** [종종 far ~으로] 많이 나아간, 많이 진전된, 〈밤이〉 깊어져서, 깊숙이 빠져서; 다 죽어가는, 몹시 지쳐서 **11** 〈화살 등이〉 과녁을 빗나간 **12** [the ~; 명사적] 죽은 사람들
be[***have***] ***~ of***[***with***] …이 〈어떻게〉 되다: What *has* ~ *of*[*with*] him? 그는 어떻게 되었는가? ***far ~*** ⇨ *a.* 10 ***Get you ~!*** 꺼져라!, 가 버려라! ***Going, going, ~!*** ⇨ GOING. ***~ feeling***[***sensation***] 정신이 아득해지는 듯한 느낌, 까무러질 것 같은 기분 ***~ on***[***over***] (구어) …에 반해서(in love with) ***past and ~*** 지나가 버린, 기왕의 ***real ~*** (미·속어) 멋진, 굉장한 **~·ness** *n.* Ⓤ 지쳐버린[쇠약할 대로 쇠약한, 녹초가 된] 상태

gon·ef [gánəf | gɔ́n-] *n.* (미·속어) = GANEF

góne góose[**gósling**] (구어) 가망 없는 사람; 절망적인 일[상태]

G_1 phàse [dʒì:wʌ́n-] 〖생물〗 G_1 기(期) 《세포 주기의 제1 단계; DNA 합성 준비기》

gon·er [gɔ́:nər, gán- | gɔ́n-] *n.* (구어) 영락한 사람, 패잔자, 가망 없는 것, 죽은 사람

gon·fa·lon [gánfələn | gɔ́n-] *n.* 깃발, 기드림 《중세 이탈리아 도시 국가 등에서 쓴》

gon·fa·lon·ier [gànfələníər | gɔ̀n-] *n.* 기수(旗手); (중세 이탈리아 도시 국가의) 장관

***gong** [gɔ́:ŋ, gáŋ | gɔ́ŋ] [의성어] *n.* **1** 징; 공(= **~ bèll**) 《접시 모양의 종; 권투 등에서 쓰는 것은 bell; Chinese gong, tam-tam이라고도 함》 **2** (시계의) 벨 **3** (영) 순찰차의 사이렌 **4** (영·속어) 훈장(medal)
be all ~ and no dinner (구어·익살) 말만 잘하고 [답변이면서] 아무것도 안하다 ***kick the ~ around*** (속어) 마약을 피우다
— *vt.* 징을 쳐서 부르다[불러 모으다]; 공을 쳐서 정차를 명하다 ***be ~ed*** (교통 위반으로) 정지 명령을 받다

Gon·go·rism [gáŋgərizm, gɔ́:ŋ- | gɔ́ŋ-] *n.* 스페인풍의 복잡하고 화려한 문체 **Gòn·go·rís·tic** *a.*

go·ni·a·tite [góuniətàit] *n.* 〖고생물〗 데본기와 페름기 사이에 번성했던 소형 암모나이트(ammonite)

go·nid·i·um [gənídiəm] *n.* (*pl.* **-nid·i·a** [-nídiə]) **1** 조류(藻類)의 단세포 무성 생식체 **2** 조세포(藻細胞)

gon·if(f) [gánəf | gɔ́n-] *n.* 《속어》 =GANEF

goni(o)- [góuni(ou), -ni(ə)] 《연결형》 「각(角); 구석」의 뜻: *gonio*meter, *gonio*metry

go·ni·om·e·ter [gòuniámətər | -ɔ́m-] *n.* **1** (결정체 등의 입체각을 재는) 각도계, 측각기 **2** 〔통신〕 무선 방위계(direction finder)

go·ni·om·e·try [gòuniámətri | -ɔ́m-] *n.* Ⓤ (결정 등의) 각도 측정, (무선에 의한) 방위 측정(법)
gò·ni·o·mét·ric, -ri·cal *a.* **-ri·cal·ly** *ad.*

go·ni·ot·o·my [gòuniátəmi | -ɔ́t-] *n.* 〔의학〕 안우각(眼隅角) 절개(술)

go·ni·um [góuniəm] *n.* (*pl.* **-ni·a** [-niə], **~s**) 〔생물〕 생식원(生殖原) 세포 《정원세포와 난원세포의 총칭》

gon·na [gɔ́:nə, gənə] 《미·구어》 …할 예정인(going to)(⇨ be GOING to): Are ya ~ go? = Are you going to go?

gono- [gánou | gɔ́n-] 《연결형》 =GON-

gon·o·coc·cus [gànəkákəs | gɔ̀nəkɔ́k-] *n.* (*pl.* **-ci** [-káksai, -si: | -kɔ́ksai]) 〔세균〕 임균
-cóc·cal *a.*

gon·o·cyte [gánəsàit | gɔ́n-] *n.* 〔생물〕 생식 모세포 《정모 세포와 난모 세포의 총칭》

go/no-go, go-no-go [góunóugòu], **gó or nó-gò** *a.* (계획·행동의) 계속하느냐 중지하느냐의 결정(시기)에 관한

gon·o·phore [gánəfɔ̀:r | gɔ́n-] *n.* 〔동물〕 (히드로충류(蟲類) 등의) 생식체; 〔식물〕 꽃자루의 화피(花被)로의 연장부 《암술·수술이 달림》

gon·o·pore [gánəpɔ̀:r | gɔ́n-] *n.* 〔동물〕 (특히 무척추동물의) 생식구(生殖口), 생식공(孔)

gon·or·rhe·a, -rhoe·a [gànərí:ə | gɔ̀nəríə] *n.* Ⓤ 〔병리〕 임질 **-rhé·al, -rhóe·al** *a.* 임질의

gon·sil [gánsil | gɔ́n-] *n.* 《미·속어》 =GUNSEL

-gony [gəni] 《연결형》 「발생, 기원」의 뜻: cosmo*gony*, mono*gony*

gon·zo [gánzou | gɔ́n-] *a.* 《미·속어》 **1** 〈보도 기사 등이〉 독단과 편견으로 가득 찬 **2** 머리가 돈, 정신이 이상해진 **—** *n.* 독단과 편견에 찬 보도

gónzo jòurnalism 《미·구어》 곤조 저널리즘 《허구와 사실을 섞어 자극적이고 주관적으로 기사를 쓰는》

goo [gú:] *n.* Ⓤ 《미·속어》 〈아교·엿 등〉 끈적거리는 것; 감상(sentimentality)

goob [gú:b] *n.* 《미·속어》 =GOOBER 2

goo·ber [gú:bər] *n.* **1** 《미남부》 땅콩(=**~ pèa**) **2** 《미·속어》 **a** (십대의) 작은 여드름(goob) **b** 기인 **3** 《미·속어》 퉤 하고 뱉는 침 **4** [**G~s**] Nestlé제 초콜릿 땅콩 《상표명》

***good** [gúd] *a., int., ad., n.* (opp. *bad*)

기본적으로는 「좋은」의 뜻	
① 좋은; 유익한	**1, 13**
② 친절한	**7**
③ 잘하는	**14**
④ 충분한, 상당한	**10**

— *a.* (**bet·ter** [bétər]; **best** [bést]) **1** (품질·수량·정도 등의 점에서) 좋은, 착한, 우량한, 훌륭한, 고급의, 맛있는; 〈성적이〉 우(優)의, 만족할 수 있는: a ~ house 좋은 집/a ~ family 좋은 집안/of ~ family 양가 출신의/Bad money drives out ~ (money). 악화가 양화를 구축한다. 《Gresham의 법칙》 **2** 〈의류가〉 비교적 새것인, 품질이 좋은 **3** 〈의류가〉 최상의, 무엇보다 좋은 **4** (비·구름이 없는) 맑은, 날씨가 좋은: ~ weather 좋은 날씨 **5** 〈토지·토양이〉 풍부한: ~ soil [land] 풍부한 토지 **6** 행복한, 유쾌한, 기분 좋은, 즐거운, 기쁜 **7** 친절한(kind), 친한, 인자스러운(benevolent): do a ~ deed 친절한 행동을 하다/be ~ enough [so ~ as] to do 친절하게도 …하다 ∥ (~+**of**+명+**to** do) It is ~ *of* you *to* invite me. 초청해 주셔서 대단히 감사합니다. **8** 착한, 선량한, 덕이 있는(virtuous), 충실한, 훌륭한, 본분을 지키는(dutiful), 품행이 단정한(well-behaved): a ~ deed 선행/There's[That's] a ~ boy[girl, fellow]. 착한 아이니까(그렇게 해 다오), (잘했다) 착하기도 하지. 《어른에게도 말함》 **9** 낙관적인, 기분 좋은: in ~ spirits 기분 좋은 **10** 충분한, 만족스러운, 완전한, 더할 나위 없는; 바람직한; [gùd] [형용사에 선행하여 부사구적으로] 《구어》 꽤, 상당히, 제법: have a ~ half hour 반 시간은 족히 있다/~ hard work 제법 힘드는 일/a ~ day's work 꼬박 하루는 걸리는 일 **11** 완전한; 신용할 수 있는, 가짜가 아닌, 진짜의(genuine) 〈화폐 등〉; 신선한; 나쁘지 않은, 썩지 않은 〈생선·달걀 등〉: be ~ to eat[drink] 먹을[마실] 수 있다 **12** 강한, 건전한, 튼튼한(strong, healthy), 활기찬(vigorous): ~ teeth 좋은[강한] 이 **13** 유익한, 알맞는(beneficial) 《*for, to*》: (~+**to** do) This water is ~ *to* drink. 이 물은 마실 수 있다[음료수로서 적당하다]. **14** 유능한, 수완 있는; 잘하는, 능숙한; 적임의(suitable), 자격이 있는(qualified) 《*at*》: ~ *at* English 영어를 잘하는

a ~ deal ⇨ deal[1] *n.* ***a ~ few*** ⇨ few *a.* ***a ~ many*** ⇨ many. ***a ~ while*** 꽤 오랫동안, 한참 동안 ***all in ~ time*** 때가 되면, 언젠가는 《상대방에게 기다려 달라고 부탁할 때》 (***all***) ***well and ~*** 《구어》 할 수 없지 《어쩔 수 없이 하는 동의 등》 《*but* …》 ***as ~*** 똑같이 잘 ***as ~ as*** (1) …에 충실한[하여]: a man *as* ~ *as* his word[promise] 약속을 잘 지키는 남자 (2) …이나 마찬가지(다): He is *as* ~ *as* dead. 그는 죽은 거나 다름이 없다./He *as* ~ *as* promised it. 그는 약속한 거나 마찬가지다. ***as ~ as a play*** ⇨ play *n.* ***as ~ as gold*** 〈특히 어린아이가〉 얌전한, 행실이 착한; 〈약속이〉 전적으로 신뢰할 수 있는 ***Be ~!*** 얌전하게 굴어라! ***be ~ enough to*** do =***be so ~ as to*** do 아무쪼록 …해 주십시오, 친절하게도 …해 주다 ***feel ~*** 기분[건강 상태]이 좋다 ***~ and*** [gùdn] 《구어》 대단히, 아주(very, entirely)(⇨ nice and): ~ *and* tired 아주 지쳐서/~ *and* hungry 몹시 배가 고파서 ***~ and proper*** 《미·구어》 철저히 ***~ and ready*** 완전히 준비되어 ***~ enough*** 적합한, 만족스러운 ***~ for*** …에 응할 만한 돈[힘]이 있는; …에 알맞은; …에 유익하여; …동안은 유효한; 〈사람이〉 〈돈 등을〉 빌려 주는; 〈스포츠 등을〉 할 의향[욕망, 시간]이 있는 ***~ for nothing*** 《구어》 〈사람이〉 도움이 안 되는, 어떤 능력도 없는 ***G~ for you!*** = ***G~ on you!*** 잘한다, 됐어! (Bravo!) ***G~ God*** [***heavens, lord, gracious, me***]***!*** [강한 감정 또는 놀람을 나타내어] 아아 하느님, 이런, 아유 (깜짝이야)! ***~ in*** = ***~ at*** ⇨ *a.* 14 ***G~ luck*** (***to you***)***!*** ⇨ luck. ***G~ man!*** 잘한다, 됐어! ***~ men and true*** 훌륭한 사람들 ***~ old*** 제법 괜찮은; 그리운: in the ~ *old* days 그리운 옛날에(는) ***~ one*** 멋진 이야기; 재미나는 농담 ***G~ show!*** 《속어》 잘했어! ***~ things of this world*** 이 세상의 쾌락 ***had*** [***were, may***] ***as ~*** …하는 편이 낫다 ***have a ~ mind to*** do 몹시 …하고 싶어하다 ***have a ~ night*** (밤에) 푹[잘] 자다 ***hold ~*** 효력이 있다 《*for, to* …》; 계속하다 ***in ~ time*** 때마침, 알맞게 때를 맞추어 ***It's all ~.*** 《미·구어》 〈상황이〉 좋다, 문제가 없다 ***keep ~*** (썩지 않고) 견디다 ***look*** [***listen***] ***~*** 《구어》 유망하게 생각되다; 선량해 보이다, 순조로워 보이다 ***make ~*** 〈손해 등을〉 벌충하다; 〈부족 등을〉 보충하다; 〈약속을〉 이행하다; 〈계획을〉 달성하다, 실행하다; 〈목적을〉 성취하다 《*in, on*…》; 〈탈출 등을〉 해내다; 입증[실증]하다; 〈지위·입장 등을〉 유지[확보]하다; 회복하다, 수복(修復)하다; 《미·구어》 (특히 장사에) 성공하다: *make* ~ one's promise [word] 약속을 이행하다/*make* ~ one's argument 논의를 실증하다 ***not ~ enough*** (***to*** do) (…할) 가치가 없는 ***Not so ~!*** 그것 참 큰 실패[잘못이]로구나! ***say a ~ word for*** ⇨ word. ***That's a ~ one*** [***'un***]. 《속어·비꼼》 거짓말 마라. ***too ~ to be true*** 너무 좋아서 믿을 수 없는 ***too much of a ~ thing*** ⇨ too. ***very ~*** ⇨ very

— *int.* [찬성·만족 등의 뜻을 나타내어] **좋소, 좋아,** 찬성이요, 잘했어

— *ad.* 《구어》 훌륭히, 잘(well): It suits you ~. 네게 잘 맞는다. ***have it ~*** 《구어》 유복하다, 즐겁게 시간을 보내다

— *n.* Ⓤ **1** [종종 no, any, some과 함께] **이익**; 행복; **소용**; 장점 《*in*》; 친절: It is *no* ~ talking. 아무리 말해도 소용없다. / do ~ 친절하게 하다 / Develop the habit of seeing the ~ in people. 사람의 장점을 보는 습관을 길러라. // 《~+전+*-ing*》 What is the ~ *of* do*ing* it? 그런 짓을 해서 무슨 소용이 있느냐? **2 선**(善), 덕, 미덕: know ~ from evil 선악을 구별할 줄 알다 **3** [the ~] 선량한 사람들(opp. *the wicked*) **4 좋은 것**[**일**], 바람직한 일 **5** [*pl.*] =GOODS ***all to the ~*** =to the GOOD. ***be no ~*** =***be not much***[***any***] ***good*** 아무 쓸모도 없다, 소용없다 ***come to ~*** 좋은 결과를 맺다 ***come to no ~*** 나쁜 결과를 맺다, 끝이 안좋다 ***do ~*** 착한 일을 하다, 친절을 베풀다; 효력이 있다 《*to*》; 도움이 되다 ***do*** a person ***~*** …에게 도움이 되다; …의 몸[건강]에 좋다: Much ~ may it *do you*! 많은 도움이 되면 좋겠네만! 《무슨 소용이 있을라고의 반어》 ***for ~*** (***and all***) 영원히, 이것을 마지막으로: I am going *for* ~ (*and all*). 이제 다시는 돌아오지 않겠다. ***for ~ or***[***and***] (***for***) ***evil***[***ill***] 좋든 나쁘든, 가부간에 ***for*** a person***'s ~*** …을 위하여 ***for the ~ of*** …을 위하여, …의 이익을 위하여 ***in ~ with*** 《미》 …의 마음에 들어, 평판이 좋은, 〈사람과〉 관계가 좋은; 〈물건을〉 잘 사용하는 ***It is no ~ doing.*** = ***It's not a bit of ~ doing.*** …해도 소용없다. ***speak***[***say***] ***~ of*** …을 칭찬하다 ***That's no ~.*** 소용없다. ***the greatest ~ of the greatest number*** 최대 다수의 최대 행복 《Bentham의 공리주의의 원칙》 ***the highest***[***first, chief***] ***~*** 최고선 ***to the ~*** 〖경제〗 대월(貸越)로서, 순이익으로서 ***up to no ~*** 《구어》 나쁜 일을 꾀하여

‡**gòod afternóon** **안녕하십니까** 《오후 인사》; 안녕히 가[계]십시오(cf. GOOD MORNING)

good-af·ter·noon [gudæ̀ftərnúːn | -ɑ̀ːf-] *n.* 오후 인사

góod behávior 〖법〗 적법 행위; 선행: be of ~ 선행을 하고 있다

Góod Bóok [the ~] 《구어》 성서(the Bible)

góod búddy 《미·속어》 (CB radio 이용자의) 통신 상대방을 부르는 말; 시민 라디오 이용자(CBer); 《구어》 친구

‡**good-bye, -by** [gùdbái] [「God be with ye (하느님이 당신과 함께 하시기를)」의 단축형; good-은 good morning 등으로부터의 유추] *int.* **안녕,** 안녕히 가[계]십시오 《작별 인사》

— *n.* (*pl.* **~s**) **작별 인사,** 하직, 고별(farewell): say ~ 작별[하직] 인사를 하다, 이별을 고하다 / a ~ kiss 이별의 키스 / exchange ~*s* 작별 인사를 하다 ★ goodby(e)라고 하이픈 없이도 씀.

góod chéer 즐거운 잔치, 진수성찬; 명랑한 기분, 원기: be of ~ 기분이 좋다

good-con·di·tioned [-kəndíʃənd] *a.* 컨디션이 좋은, 호조(好調)의

Góod Cónduct Mèdal 〖미군〗 선행장(善行章); 하사관병에게 교부되는 근무 기장

‡**gòod dáy** **안녕하십니까**; 안녕히 가[계]십시오(cf. GOOD MORNING) 《좀 딱딱한 낮 인사》

good-day [guddéi] *n.* 《주로 영》 낮 동안의 인사

góod déal [a ~] 다수, 다량; [부사적; a ~] 많이 (a great deal); [감탄사적] 《미·속어》 그것 좋군, 훌륭하군(Very good!); 좋아 《동의를 나타내어》

góod débt 회수가 확실한 대부금(opp. *bad debt*)

góod égg 《구어》 좋은 사람, 명랑한[믿을 수 있는] 사람

‡**gòod évening** **안녕하십니까** 《저녁 인사》; 안녕히 가[계]십시오(cf. GOOD MORNING)

good-eve·ning [gudíːvniŋ] *n.* 저녁 인사

góod fáith [보통 in ~] 정직, 성실, 선의: act *in* ~ 성실하게 행동하다

góod féeling 선의, 호의; 우호 관계

góod fèlla 《속어》 갱, 폭력 단원

góod féllow 착한 사람; 친한 친구, 술친구

good-fel·low·ship [gúdféloujìp] *n.* Ⓤ 친목, 정다운 우정, 사교성

good-for-naught [gúdfərnɔ̀ːt, ㅅ-ㅅ] *a., n.* = GOOD-FOR-NOTHING

good-for-noth·ing [gúdfərnʌ́θiŋ, ㅅ-ㅅ] *a., n.* 쓸모없는(사람), 건달(의), 빈빈대(의)(good-for-naught)

Góod Fríday 성(聖)금요일, 수난일 《그리스도의 수난 기념일, Easter 전의 금요일》

góod gúy 《구어》 좋은 사람, 공정한 사람

góod háir 《카리브》 곱슬하지 않고 윤기 있는 머리털 《유럽계 혈통을 나타냄》

góod háir dày 《구어》 좋은[기쁜] 날

good-heart·ed [gúdhɑ́ːrtid] *a.* 친절한(kind), 근본이 착한, 정이 많은 **~·ly** *ad.* **~·ness** *n.*

Gòod Hópe [the Cape of ~] 희망봉 《남아프리카 남단의 곶》

góod húmor 좋은 기분, 쾌활한 기분: be in ~ 기분이 좋다

good-hu·mored [-hjúːmərd | -hjúː-] *a.* 기분이 좋은, 명랑한; 사근사근한, 상냥한 **~·ly** *ad.* **~·ness** *n.*

good·ie [gúdi] *n.* 《구어》 **1** (영화 등의) 주인공; 《익살》 (정직하고 용감한) 좋은 사람; 선인인 체하는 사람(goody-goody) **2** 항상 예의 바른 사람

good·ish [gúdiʃ] *a.* 꽤 좋은, 나쁘지 않은, 대체로 괜찮은; 《영》 〈수량·크기·거리 등이〉 적지[작지] 않은, 상당한: It's a ~ distance from here. 여기서 꽤 멀다.

góod Jóe 《미·속어》 괜찮은 놈, 좋은 친구

góod lífe [종종 the ~] 올바른 생활, 덕망 높은 생활; (물질적으로) 풍족한 생활

good·li·ness [gúdlinis] *n.* Ⓤ 고급, 우수; 미모, 아름다움(beauty); (수·양 등의) 충분, 상당한 크기[양]

good-look·er [gúdlúkər] *n.* 미녀, 미남, 매력이 있는 것

‡**good-look·ing** [gúdlúkiŋ] *a.* **잘 생긴,** 아름다운 (⇨ beautiful 유의어); 잘 어울리는 〈의복 등〉: a ~ young man 미소년 / a ~ hat 멋있는 모자

góod lóoks 잘 생긴 얼굴, 미모

góod lúck 행운

***good·ly** [gúdli] *a.* (**-li·er**; **-li·est**) **1** 〈크기·수량 등이〉 **상당한,** 어지간한(considerable): a ~ sum 상당한 액수 / a ~ number of calories 상당한 양의 칼로리 **2** 고급의, 훌륭한: a ~ building 훌륭한 빌딩 **3** 용모가 단정한, 잘 생긴, 매력적인(attractive)

good·man [gúdmən | -mæ̀n] *n.* (*pl.* **-men** [-mən, -mèn | -mèn]) 《고어》 **1** 바깥 주인, 가장(家長); 남편(husband); 《주로 방언》 여관 주인(innkeeper) **2** [**G~**] …씨 《gentleman 바로 아래 계급 남자의 경칭; cf. GOODWIFE》

góod móney 양화(良貨); 《속어》 좋은 벌이, 많은 임금

‡**gòod mórning** (밤새) **안녕하십니까** 《오전 중의 인사》; 안녕히 가[계]십시오

good-morn·ing [gudmɔ́ːrniŋ] *n.* 오전 중의 인사

gòod mórrow 《고어》 =GOOD MORNING

góod náme 좋은 평판, 명성

góod náture 고운 성질[마음씨], 친절, 온정(geniality)

‡**good-na·tured** [gúdnéitʃərd] *a.* **친절한,** 사람이 좋은, 마음씨 고운, 온후한 **~·ly** *ad.* **~·ness** *n.*

good-neigh·bor [-néibər] *a.* 〈나라와 나라가〉 선

thesaurus **good-looking** *a.* attractive, handsome, pretty, lovely, beautiful, personable
good-natured *a.* kind, warmhearted, generous, benevolent, charitable, friendly, helpful, amiable
goodness *n.* virtue, morality, honor, honesty,

린(善隣)의, 우호적인
good-neigh·bor·hood [gùdnéibərhùd] *n.* Ⓤ 선린의 정의(情誼), 우호 관계
Góod Néighbor Pòlicy 선린 외교 정책《1933년 미국 Roosevelt 대통령이 제창》
good-neigh·bour·li·ness [-néibərlinis] *n.* Ⓤ 《영》 선린[이웃사촌] 관계
‡**good·ness** [gúdnis] *n.* Ⓤ **1 선량**, 착함, 덕, **친절**(virtue, kindness); **우수**, 우량, 양호(opp. *badness, evil*): ~ of man 인간의 선성(善性) / out of the ~ of one's heart 친절한 마음으로부터 // 《~+**to** do》 Will you have the ~ *to* lend me your knife? 칼을 좀 빌려주시겠습니까? **2** 미점, 장점, 진수(眞髓); (식품의) 영양분 **3** [감탄사 용법] =GOD(의 대용어)
for ~' sake 제발, 부디 ***G~ (gracious)! = My ~! = G~ me!*** 뭐, 저런, 어머나! 《놀람·분노의 소리》 ***G~ knows.*** 누가 알아; (하느님께) 맹세코. ***have the ~ to*** do 친절하게도 …하다; [명령법] 제발 …하여 주십시오 ***in the name of ~*** 하느님의 이름으로, 천지신명에 맹세코; 도대체 ***Thank ~!*** 고마워라! ***wish [hope] to ~ (that) ...*** 아무쪼록 …이기를 바라다
góodness of fít 〖통계〗 적합도(適合度)
góod néws 좋은 소식; 복음(gospel); 《미·캐나다》 바람직한 인물[상황, 사태]
Góod Nèws Bíble [the ~] (미국 성서 협회 발행의) 현대 구어역 성서 《신약은 1966년, 구약은 1976년 발행》
‡**gòod níght** 안녕히 주무십시오, 잘 자거라, 안녕히 가[계]세요 《밤의 취침·작별 인사》
good-night [gudnáit] *n.* 밤의 작별 인사
goo·do [gúdou] *a.* 《호주·뉴질·구어》 =GOOD
góod óffices 알선, 주선, 소개; 〖외교〗 중재, 조정
good-oh, -o [gúdou] *int.* 《영·호주·구어》 좋아, 잘됐어, 잘한다 《동의·승인·칭찬》
góod òld[òle] bóy 1 《미》 싹싹한[허물없는] 남부인(南部人) **2** 《미·구어》 우호회(fraternity) 등에 소속되어 있는 사람 **3** 모범생
góod péople [the ~] 요정(妖精)들
góod quéstion 생각케 하는 질문: That's a ~. 그것 좋은 질문이군요. 《어려운 질문에 대해 시간을 벌기 위한 상투어》
‡**goods** [gúdz] [good의 명사 용법에서] *n. pl.* **1 a 상품**, 물품; 물자: ~ in stock 재고품 / essential ~ 필수품 / canned ~ 통조림류 **b** 《미》 옷감, 천, 피륙: leather ~ 가죽 제품 **2** 《영》 (철도) **화물**; 화물 열차 **3 a** 동산, 가재도구, 세간 **b** 재산, 재화, 소유물 **4** [the ~] 안성맞춤인 물건[사람]; 《구어》 약속된[기대되는] 것 **5** 범죄의 증거, 장물
a piece of ~ = the ~ 《속어》 사람, 《특히》 여자: She's *a* sexy *piece of* ~. 그 여자는 섹시한 여성이다. ***deliver [produce] the ~*** 《구어》 약속을 이행하다, 기대대로 하다 ***get [have] the ~ on*** a person 《미·구어》 …의 부정 행위의 증거를 잡다
— *a.* Ⓐ (철도) 화물의
góod Samáritan 1 〖성서〗 착한 사마리아 사람 《도둑의 습격을 당한 행인을 구해 준 사람》 **2** 친절한 사람
góods and cháttels 〖법〗 동산(動産)
góod sénse 양식, 분별
Góod Shépherd [the ~] 선한 목자 《그리스도를 말함》
good-sized [gúdsáizd] *a.* 대형의, 꽤 큰: a ~ pumpkin 꽤 큰 호박
góods líft (화물·상품 운반에 쓰이는) 업무용 엘리베이터(service elevator)
góod sórt 《호주·구어》 매력적인[좋은] 여자

gòod spéed 행운, 성공(good luck)
góods tràin 《영》 화물 열차(《미》 freight train)
góods wàgon 《영》 철도 화차(《미》 freight car)
góods yárd 화물 터미널
good-tem·pered [gúdtémpərd] *a.* 무던한, 성미가 좋은, 온순한 **~·ly** *ad.* **~·ness** *n.*
góod thíng 《구어》 좋은 일; 좋은 착상; 행운; 경구; 진미; 사치품 ***It is a ~ (that) ...*** 《구어》 …했다니 다행이다 ***too much of a ~*** ⇨ too
good-time [gúdtàim] *a.* 지나치게 쾌락을 추구하는; 방탕한; 놀기만 좋아하는: a ~ girl 방탕한 여자, 《완곡》 매춘부 **góod-tìm·er** *n.*
góod-time Chárlie [Chárley] 《속어》 방탕자, 도락가, 낙천가
góod túrn 선행, 친절한 행위, 호의
góod úse[úsage] (언어의) 표준 어법
good·wife [-wàif] *n.* (*pl.* **-wives** [-wàivz]) **1** 《스코》 안주인, 주부(cf. GOODMAN); 하숙집 안주인 **2** [**G~**] 《고어》 …여사, …부인(Mrs.) 《여자의 경칭》
‡**good·will** [gúdwíl], **góod wíll** *n.* Ⓤ **1 호의**, 친절, 후의, 선의; **친선** 《*to, toward*》, 온정, 선의; 기꺼이 하기, 쾌락(快諾): international ~ 국제 친선 / a ~ mission 친선 사절단 **2** 〖상업〗 (상점·상업의) 신용, 평판; 단골; (전통 있는) 상호, 영업권
góod-wílled *a.*
góod wórd 1 호의적인[유리한] 말 **2** 《미》 [the ~] 좋은 소식(good news)
góod wórks 자선 행위, 선행
good·y[1] [gúdi] *n.* (*pl.* **good·ies**) [종종 *pl.*] **1** 《구어》 맛있는 것, 당과(糖菓), 캔디(piece of candy), 특별히 맛있는 과자; 특별히 매력 있는 것 **2** (악인에 대하여) 선인, 정의의 사자 《특히 소설이나 영화에서》 (opp. *baddy*) **—** *a.* =GOODY-GOODY
goody[2] [goodwife의 단축형] *n.* (*pl.* **good·ies**) **1** (하층 계급의) 아주머니 《종종 성 앞에 붙임》 **2** 《미·속어》 (대학 등의) 청소부(婦)
goody[3] *int.* 《미·유아어》 근사하다, 굉장하다
góody bàg 1 (파티에서 어린이에게 주는) 작은 선물과 과자가 든 주머니 **2** (회사 선전용의) 작은 선물 주머니
good·y-good·y [gúdigúdi] *n.* 선인(善人)같이 행동하는 사람 **—** *a.* 선인같이 행동하는
— *int.* [다음 성구로] ***G~ gumdrop!*** 신난다! 《특히 어린이의 기쁜 표현》
good·y-two-shoes [-tú:ʃù:z] *n.* (*pl.* ~) 《속어》 도덕군자인 척하는 사람
goo·ey [gú:i] *a.* (**goo·i·er**; **-i·est**) 《미·속어》 **1** 끈적끈적한, 들러붙는; 끈적끈적하고 달콤한 **2** 감상적인
— *n.* **1** 끈적거리는 것; 당밀 **2** 성격이 약한 사람 **3** 《미·학생속어》 걸프렌드
goof [gú:f] *n.* (*pl.* **~s**) 《속어》 멍청이, 숙맥, 바보; 실수, 실책: make a ~ 바보짓을 하다
— *vi., vt.* 바보짓을 하다, 실수하여 잡치다; 빈둥거리다, 농땡이부리다 《*off, around*》; 마약으로 멍해지다[지게 하다]; …을 오해하다, 판단을 잘못하다 《*up, on*》: ~ *on* the test 시험에서 실수를 저지르다
~ at 《미·속어》 …을 보다(look at); …을 조사하다 ***~ off on*** the job (일)을 농땡이치다 ***~ on*** a person 《속어》 〈사람을〉 놀리다
goof·ball [gú:fbɔ̀:l] *n.* **1** 《속어》 신경 안정제, 진정제 **2** 괴짜, 얼간이, 아무런 도움이 안 되는 사람
goof·er [gú:fər] *n.* 《속어》 잘 속는 사람, 숙맥
go-off [góuɔ̀:f | -ɔ̀f] *n.* 《구어》 출발, 착수, 개시
at one ~ 단숨에 ***succeed (at) the first ~*** 단번에 성공하다
goof-off [gú:fɔ̀:f | -ɔ̀f] *n.* 《속어》 비겁한 자, 게으름뱅이; 농땡이; 휴식 (기간)
goof-up [-ʌ̀p] *n.* **1** (특히 부주의·태만으로) 실수를 저지르는 사람 **2** 《구어》 실수, 대실책; 고장
goof·y [gú:fi] *a.* (**goof·i·er**; **-i·est**) **1** 《속어》 바보 같은, 얼빠진 **2** 《영》 뻐드렁니의 **3** 《미·속어》 취한
góof·i·ly *ad.* **góof·i·ness** *n.*

---

integrity, nobility, kindness, generosity, goodwill (opp. *badness, meanness, harm*)
goods *n.* belongings, possessions, property
goodwill *n.* friendliness, benevolence, kindness, compassion, amity (opp. *ill will, hostility, enmity*)

goof·y-foot(·er) [gúːfifùt(ər)] *n.* (*pl.* **~s**) 〖서핑〗 오른발을 앞으로 내고 타는 서퍼

goog [gúːg] *n.* (호주·속어) 달걀(egg) (**as**) ***full as a ~*** (호주·속어) 술에 몹시 취한

goo·gle [gúːgl] *vt.* (특히 구글 검색 엔진을 사용하여) 웹에서 정보를 찾다; (정보를 얻기 위해) 〈특정한 사람의 이름을〉 웹에서 검색하다

goo·gly[1] [gúːgli] *n.* (*pl.* **-glies**) 〖크리켓〗 완곡구

googly[2] *a.* (미·속어) 〈눈이〉 희번덕거리는; 퉁방울눈의; 곁눈의

goo·gly-eyed [gúːgliàid] *a.* = COGGLE EYED

goo·gol [gúːgɔːl, -gɑl | -gɔl] *n.* 10의 100제곱 ((10^{100})); 천문학적 숫자

goo·gol·plex [gúːgɔːlplèks, -gɑl- | -gɔl-] *n.* 10을 10의 100제곱한 수 (($10^{10^{100}}$))

goo-goo[1] [gúːgùː] *n.* (*pl.* **~s**) (경멸) 정치 개혁자 (do-gooder)

goo-goo[2] *a.* 〈눈매가〉 요염한, 호색적인: ~ eyes 추파

gook[1] [gúk, gúːk] *n.* (미·속어) **1** Ⓤⓒ 오물, 때, 찌끼(guck) **2** Ⓤ 점액(guck) **3** 화장 ((특히 두꺼운 화장)) **4** 바보; 난폭한 사람 **5** (미·속어) 싼 물건 **~·y** *a.*

gook[2] [gúːk] *n.* (경멸) **1** 동양인, 동남아시아인, 북베트남인 **2** 피부가 검은 외국인 ((특히 중근동 사람)) **3** 이상한 사람 **4** 유랑자 **5** 매춘부

goo·ly, -lie [gúːli] *n.* (*pl.* **goo·lies**) **1** (영·속어) 고환(testicle) **2** (호주·구어) (작은) 돌

goon [gúːn] *n.* (속어) **1** 폭한; 폭력 단원, 불량배 **2** 바보 **3** [**G~**] 영국 라디오 코미디 The Goon Show (1952-72)의 캐스터

goon·da [gúndə] *n.* (인도) 악당

goon·ey [gúːni] *a.* (**goon·i·er, -i·est**), *n.* (*pl.* **~s, goon·ies**) = GOONY

góon·ey[góon·y] bìrd **1** 〖조류〗 = ALBATROSS **2** (속어) 바보, 꼴사나운 사람[것]; 불량배(goon) **3** [**G- B-**] (미·속어) DC-3형기, 군용 C-47기 ((the Three라고도 함))

goon-out [gúːnàut] *n.* (미·속어) 대수롭지 않은 실패, 실언

góon squàd (속어) (노동 쟁의에 고용된) 폭력단

goon·y [gúːni] *a.* (**goon·i·er**; **-i·est**) **1** (속어) 어리석은, 미련한; 촌스러운 **2** (구어) 폭력단의, 폭력적인 **3** (구어) 바보 같은

— *n.* (*pl.* **goon·ies**) **1** (속어) 폭력 단원, 불량배 **2** = GOONEY BIRD **góon·i·ly** *ad.*

goop [gúːp] *n.* **1** (속어) 버릇없는 아이; 멀렁이; 신경질적인 사람 **2** Ⓤⓒ 끈적끈적 들러붙는 것

goo·san·der [guːsǽndər] *n.* 〖조류〗 비오리

***goose** [gúːs] *n.* (*pl.* **geese** [gíːs]) **1** 거위, 기러기 (= wild ~); 거위[기러기]의 암컷(cf. GANDER); Ⓤ (식용) 거위 고기: kill the ~ that lays the golden eggs (속담) 눈앞의 이익에 눈이 어두워 장래 이익을 희생하다 / All his *geese* are swans. (속담) 제 것은 거위도 백조라고 한다, 제 자랑만 늘어 놓는다.

관련 거위의 수컷은 gander, 새끼는 gosling, 울음소리는 gabble이다.

2 바보, 멍청이, 얼간이(simpleton): make a ~ of …을 바보 취급하다 / He's such a silly ~. 그는 정말 얼간이 같다. **3** (*pl.* **goos·es**) 재봉사의 대형 다리미 **4** (속어) (거위 소리를 흉내낸) 야유: get the ~ (연극에서) 관객에게 야유당하다 **5** (*pl.* **goos·es**) (속어) (장난으로) 궁둥이 사이를 쿡쿡 찌름 **6** [**G~**] 〖군사〗 구즈 ((제트 추진 미사일)) **7** (속어) 기관차의 급정차

call a ~ a swan 검은 것을 희다고 우기다 ***can*** [***will***] ***not say boo to a ~*** ⇨ boo[1]. ***cook*** a person***'s ~*** …에게 악평을 하다; (구어) …의 기회[계획, 희망]를 결딴내다 ***give*** a person ***the ~*** …을 서두르게 하다, (자동차의) 속력을 내다 ***pluck*** a person***'s ~*** (***for*** him[her]) …의 콧대를 꺾어 놓다, …에게 창피를 주다 ***shoe the ~*** 쓸데없는 일에 시간을 허비하다 ***sound*** [***all right***] ***on the ~*** (미) 주의(主義)에 충실한 ***The ~ hangs*** [***honks***] ***high.*** (미·구어) 만사가 순조롭다, 형세가 유망하다. ***The old woman is picking her geese.*** 눈이 내리고 있다. ((어린이 말)) ***turn every ~ a swan*** 〈자기 것 등을〉 과대평가하다, 자화자찬하다

— *vt.* (속어) **1** …에게 기합을 넣다, 자극하다, 활력을 넣다 ((*into* do*ing*)), 강하게 하다 ((*up*)), 불리다, 올리다, 촉진하다 ((*up*)); 야유하다: ~ *up* government loans in weak industries 약소 산업에 정부가 대부금을 늘리다 **2** (놀라게 하기 위하여) 궁둥이를 쿡 찌르다; 〈엔진에〉 가솔린을 불규칙하게 공급하다 **3** (영·속어) 파멸시키다

goose·ber·ry [gúːsbèri, -bəri | gúzbəri] *n.* (*pl.* **-ries**) **1** 〖식물〗 구스베리, 서양 까치밥나무(의 열매) **2** Ⓤ 구스베리 술(= **~ wìne**) ***play ~*** (한 쌍의 애인들의) 수행원(chaperon) 노릇을 하다 ***play old ~ with*** …을 엉망진창으로 만들다, 결딴내다

góoseberry búsh 구스베리 나무: I found him[her] under a ~. (익살) 아기는 구스베리 나무 밑에서 주웠다. ((아기는 어디서 났느냐고 아이들이 물을 때의 대답))

góoseberry fóol 구스베리를 흐물흐물하게 끓여 크림과 설탕을 탄 것

góose bùmps (추위·공포로 인한) 소름

góose clùb (영) 크리스마스 때 쓸 거위를 사기 위한 적립금 조합; 소(小)노동 조합

góose ègg [영(0)을 달걀로 보아] **1** 거위 알; (미·속어) (경기의) 0점(cf. DUCK'S EGG), (시합의) 무득점, (학교 성적의) 0점: get a ~ in the exam 시험에서 0점을 따다 **2** 실패 **3** (미·구어) (맞아서 생긴) 머리의 혹

goose-egg [gúːsèg] *vt.* (미·구어) 〈상대팀을〉 영패시키다, 영봉(零封)하다

goose·flesh [-flèʃ] *n.* = GOOSE BUMPS

goose·foot [-fùt] *n.* (*pl.* **~s**) 〖식물〗 명아주

goose·gog [-gɑ̀g | -gɔ̀g] *n.* (영·구어) = GOOSEBERRY

góose gràss 〖식물〗 갈퀴덩굴

góose grèase 거위 기름 ((연고로 사용함))

goose·herd [-hə̀ːrd] *n.* 거위 기르는 사람

goose·neck [-nèk] *n.* **1** 〖항해〗 = DAVIT 1 **2** 〖기계〗 거위 목 모양의 연장 또는 관(管); S[U]자 모양의 관 **góose·nècked** *a.*

góoseneck lámp 목이 자유롭게 돌아가는 전기 스탠드

gooseneck lamp

góose pìmples = GOOSE BUMPS

góose quìll 거위의 깃; 깃펜

góose stèp [보통 the ~] **1** 다리를 곧게 뻗는 걸음걸이 ((군대 등에서)) **2** 직립 보조 교련 ((멈춘 상태에서 한쪽 다리를 들고 든 다리를 앞뒤로 흔들며 보조를 취함))

goose-step [gúːsstèp] *vi.* (**~ped**; **~·ping**) **1** 무릎을 굽히지 않고 걷다 **2** (보복이 두려워) 조건을 따르다

goos·ey[1], **goos·ie** [gúːsi] *n.* **1** (유아어) 거위(goose) **2** 바보! ((어린 아이를 꾸짖는 말))

goosey[2], **goos·y** [gúːsi] *a.* (**goos·i·er**; **-i·est**) 거위 같은; 바보의; (미) 소름이 잘 끼치는, 겁이 많은, 신경질적인(nervous)

G.O.P., GOP Grand Old Party ((1880년 이후 미국 공화당의 이명(異名)))

go·pher[1] [góufər] *n.* **1** 〖동물〗 뒤쥐 ((북미산)); 땅다람쥐 ((북미 초원산(産))); (미국 남부의) 땅거북(= **~ tòrtoise**) **2** = GOPHER SNAKE **3** [**G~**] (미) Min-

thesaurus **gorgeous** *a.* **1** 찬란한 magnificent, splendid, superb, grand, impressive, elegant, luxurious, dazzling, brilliant, breathtaking (opp.

nesota주 사람 **4** =GOPHER WOOD
gopher² *n.* **1** 《속어》 부지런한 사람 《특히 질긴 세일즈맨》 **2** =GOFER² **3** 불량 소년; 《미·속어》 금고털이; 금고(실)
Go·pher [góufər] *n.* 〖컴퓨터〗 고퍼 《텍스트 정보·화상·음성 정보도 취급하는 정보 검색 도구》
gópher bàll 《야구속어》 홈런을 칠 수 있는 좋은 볼, 홈런 볼
gópher snàke 〖동물〗 **1** 《북미 서부에 서식하는》 뱀(bull snake) **2** =INDIGO SNAKE
Gópher Státe [the ~] 미국 Minnesota주의 속칭
gópher wòod **1** 〖성서〗 Noah의 방주를 만든 나무 《소나무·전나무 등으로 추정; 창세기 6: 14》 **2** 〖식물〗 아메리카 솔비나무
go·pher·wood [góufərwùd] *n.* =YELLOWWOOD
go·ra [gɔ́:rə] *n.* (*pl.* **~s, go·ray** [gɔ́:rei]) 《남아시아 사람들이 칭하는》 백인
go·ral [gɔ́:rəl] *n.* 〖동물〗 히말라야 영양(羚羊)
Gor·ba·chev [gɔ́:rbətʃɔ̀:f, -tʃɑ̀f | -tʃɔ̀f] *n.* 고르바초프 **Mikhail Sergeyevich ~** (1931-) 《구소련의 정치가; 공산당 서기장; 초대 대통령(1990-91); 애칭 Gorby》
gor·bli·mey, -my [gɔ:rbláimi] *int.* 《영·속어》 빌어먹을, 염병할
gor·cock [gɔ́:rkɑ̀k | -kɔ̀k] *n.* 〖조류〗 붉은뇌조의 수컷
Gór·di·an knót [gɔ́:rdiən-] [the ~] 《고대 Phrygia 국왕인》 고르디오스(Gordius)의 매듭 《Alexander 대왕이 칼로 끊었음》; 어려운 문제[일]
cut the ~ 비상 수단으로 난문제를 해결하다
górdian wórm 〖동물〗 선형충
Gor·don [gɔ́:rdn] *n.* 고든 **1 Charles George ~** (1833-85) 《영국의 장군》 **2 Lord George ~** (1751-93) 《영국의 반가톨릭 운동가, 고든 폭동(Gordon Riots)의 주모자(1780)》
Górdon Bénnett *int.* 《영·속어》 저런, 이거 놀랍군 《놀라움의 표현》
Górdon sétter 고든 세터 《스코틀랜드 원산의 털이 검은 중형의 사냥개》
gore¹ [gɔ́:r] *n.* Ⓤ **1** 《문어》 《상처에서 나온》 피, 핏덩이, 엉긴 피, 응혈(凝血) **2** 살인, 살해, 폭력
gore² *vt.* 〈소·산돼지 등이〉 뿔[엄니]로 찌르다[받다]; 〈바위가 배의 옆구리 등을〉 꿰뚫다
gore³ *n.* 3각형의 헝겊, 의복의 살폭, 《치마·양산·낙하산 등의》 한 폭; 《미》 3각형의 땅
— *vt.* 〈의복·스커트 등에〉 삼각천을 대다, 삼각 모양으로 재단하다

gore³

Gore [gɔ́:r] *n.* 고어 **Albert Arnold ~** (1948-) 《미국 Clinton 정부의 부대통령(1993-2001)》
Gore-Tex [gɔ́:rtèks] *n.* 고어텍스 《통기성·방수성이 있는 천으로 스포츠용품·신발 등에 쓰임; 상표명》
***gorge** [gɔ́:rdʒ] [OF 「목」의 뜻에서] *n.* **1** 골짜기, 협곡, 산협(ravine) **2** 《고어·문어》 목구멍; 식도 **3** 포식, 대식, 탐식; 위 속의 음식물: cast up[heave] the ~ 먹은 음식을 토하다 **4** Ⓤ 불쾌, 싫증, 분노, 원망 **5** 〖축성〗 bastion의 뒤쪽 입구; 《통로·수로를 막는》 장애물; 장벽
cast*[*heave*] *the ~ at …에 구역질이 나다, …을 싫어하다 ***make*** a person***'s ~ rise*** …에게 불쾌감을 주다, 역겹게 하다, 화나게 하다 One***'s ~ rises at the sight.*** 그 꼴을 보니 속이 메스꺼워진다.
— *vt.* [~ one*self* 로] 게걸스럽게 먹다; 배불리 먹다; 쑤셔 넣다, 가득 차게 하다 (*on, with*): (~+목+전+명) ~ *oneself with* cake 과자를 잔뜩 먹다
— *vi.* 포식하다, 게걸스럽게 먹다, 꿀꺽꿀꺽 마시다: (~+전+명) ~ *on* good dinners 좋은 음식을 실컷 먹다 / They ~*d to* the bursting-point. 그들은 배가 터지도록 먹었다. **górg·er** *n.*
gorged [gɔ́:rdʒd] *a.* 〈동물이〉 목 둘레에 고리처럼 두른
‡**gor·geous** [gɔ́:rdʒəs] [OF 「목(gorge)의 주름 장식」의 뜻에서] *a.* **1** 호화스러운, 화려한, 찬란한, 눈부신: a ~ room 화려한[호화스러운] 방 **2** 《구어》 멋진, 굉장한, 훌륭한; 아주 재미있는 **~·ly** *ad.* **~·ness** *n.*
gor·ger·in [gɔ́:rdʒərin] *n.* 〖건축〗 기둥몸(shaft)과 대접받침(capital)의 접합부
gor·get [gɔ́:rdʒit] *n.* **1** 《갑옷의》 목 가리개, 목에 두르는 갑옷 **2** 《여성복의》 목·가슴 가리개 **3** 《장교 예복의》 초승달 모양의 목 장식: a ~ patch 《군인의》 금장(襟章), 옷깃 휘장 **4** 《조류의》 목의 얼룩진 빛깔
gor·gio [gɔ́:rdʒou] *n.* (*pl.* **~s**) 집시 아닌 사람 《집시 용어》
Gor·gon [gɔ́:rgən] *n.* 〖그리스신화〗 고르곤 《머리가 뱀이어서 보는 사람은 무서워 돌이 되어버렸다는 세 자매 중의 하나, 특히 Perseus에게 살해된 Medusa》; [**g~**] 무서운 사람; 지지리 못생긴 여자, 추녀
gor·go·nei·on [gɔ̀:rgəní:ɑn | -ní:ɔn] *n.* (*pl.* **-nei·a** [-náiə, -ní:ə]) 고르고네이온 《Gorgon의 (특히 Medusa의) 머리 그림[부조]》
Gor·go·ni·an [gɔ:rgóuniən] *a.* [때로 **g~**] 고르곤의[같은], 대단히 무서운
gor·gon·ize [gɔ́:rgənàiz] *vt.* 노려보아 돌로 변하게 하다, 무서운 눈초리로 쏘아보다, 움직일 수 없게 하다
Gor·gon·zo·la [gɔ̀:rgənzóulə] [이탈리아의 원산지 명에서] *n.* 이탈리아산 고급 치즈(=**~ chéese**)
gor·hen [gɔ́:rhèn] *n.* 붉은 뇌조의 암컷(cf. GORCOCK)
***go·ril·la** [gərílə] [Gk 「털이 많이 난 여자 종족」의 뜻에서] *n.* **1** 〖동물〗 고릴라, 큰 성성이 **2** 《구어》 힘이 세고 포학한 남자, 폭한(暴漢)(ruffian) **~·like** *a.*
-li·an [-liən], **-line** [-lain] *a.* **-loid** [-lɔid] *a.*
gork [gɔ́:rk] *n.* **1** 《속어》 《고령·사고·병 등으로》 뇌기능을 상실한 사람, 식물인간 **2** 《미·속어》 바보, 이상한 사람
Gor·ki, -ky [gɔ́:rki] *n.* 고리키 **Maxim ~** (1868-1936) 《러시아의 소설가·극작가》
gor·mand [gɔ́:rmənd] *n.* =GOURMAND
gor·mand·ize [gɔ́:rməndàiz] *vi.* 많이 먹다, 폭식하다 **—** [-dì:z] *n.* =GOURMANDISE
gor·mand·iz·er [gɔ́:rməndàizər] *n.* 걸귀; 대식가
gorm·less [gɔ́:rmlis] *a.* 《영·속어》 얼띤, 아둔한
go-round [góuràund] *n.* =GO-AROUND
gorp [gɔ́:rp] *n.* 《미》 고프 《등산자를 위한 경식품; 건포도·땅콩 등을 섞어 굳힌 휴대 식품》
— *vt., vi.* 《속어》 게걸스럽게 먹다
gorse [gɔ́:rs] *n.* Ⓤ 〖식물〗 가시금작화(furze)(의 덤불) 《특히 영국에서는 whin이라고도 함》
gors·y [gɔ́:rsi] *a.* (**gors·i·er**; **-i·est**) 《영》 가시금작화의[가 많은](furzy)
gor·y [gɔ́:ri] *a.* (**gor·i·er**; **-i·est**) **1** 《문어》 피투성이의 **2** 유혈의, 살인적인 **3** 불쾌한, 싫은
gór·i·ly *ad.* **gór·i·ness** *n.*
***gosh** [gɑ́ʃ | gɔ́ʃ] [God의 완곡어] *int.* [놀람·기쁨·맹세의 표현으로] 이크!, 아이고 (큰일 났다)!, 꼭!: (By) ~! 이크!
gos·hawk [gɑ́shɔ̀:k | gɔ́s-] *n.* 〖조류〗 참매
Go·shen [góuʃən] *n.* **1** 〖성서〗 고센의 땅 **2** 광명의 나라, 낙원; 기름진 땅 **3** 미국 Indiana주의 도시
go-show [góuʃòu] *n.* 고쇼 《사전 예약 없이 여객기에 탑승하러 가기; 종종 공석 대기(standby)가 됨; 이러한 승객을 go-show passenger라고 함》(cf. NO-SHOW)
gos·ling [gɑ́zliŋ | gɔ́z-] *n.* **1** 거위 새끼(⇨ goose 관련) **2** 풋내기, 애송이; 바보
go-slow [góuslóu] *n.* 《영》 태업 전술(《미》 slowdown) 《일부러 천천히 하는 수법》

dull, miserable) **2** 매력적인 attractive, beautiful, lovely, good-looking, sexy, stunning (opp. *ugly, dull, miserable*)

*__gos·pel__ [gάspəl | gɔ́s-] [OE 「좋은 소식」의 뜻에서] *n.* Ⓤ **1** [the ~] 복음(Christian revelation); 그리스도의 교의(敎義) **2 a** [**G~**] 복음서 《신약 성서의 처음 4복음서》: the *G~* according to St. Mark 마가복음 **b** 성찬식에서 낭독하는 복음서의 일절: the ~ for the day 그날 읽는 복음서의 몇 절 **3** (절대의) 진리, 진실 **4** ⓊⒸ 교의, 신조, 주의: the ~ of efficiency[laissez-faire, soap and water] 능률[방임, 청결]주의 **5** =GOSPEL SONG, GOSPEL MUSIC

take … as [***for***] ~ …을 진실이라고 굳게 믿다[금과옥조로 여기다]

— *a.* Ⓐ 복음의; 가스펠 송의; 복음 전도의: a ~ hymn 복음 찬미가 / a ~ preacher 복음 전도자

gos·pel·er | **-pel·ler** [gάspələr | gɔ́s-] *n.* 4복음서 기자; 성찬식에서 복음서를 읽는 성직자; 복음 전도자; 순회 설교사; 복음 사가(福音史家)(Evangelist) 《Matthew, Mark, Luke, John》: a hot ~ 열성적인 선전[전도]자

góspel mùsic 영가적 음악(gospel) 《흑인 음악과 rhythm and blues의 발달에 영향을 준》

góspel òath 성서에 의한 선서

gos·pel·push·er [gάspəlpùʃər | gɔ́s-] *n.* 《미·속어》 설교자, 목사

góspel sìde [the ~, the G- s-] 〘그리스도교〙 복음서쪽 《교회의 제단을 향하여 왼쪽; 여기서 복음서를 읽음》(cf. EPISTLE SIDE)

góspel sòng 1 복음 찬송가 **2** 가스펠 송 《흑인의 종교 음악》

góspel trúth [보통 the ~] 복음서에 있는 진리; 절대적 진리, 움직일 수 없는 사실

Gos·plan [gɑsplάːn | gɔs-] *n.* (구소련의) 국가 계획 위원회, 고스플란

gos·po·din [gὰspɑdíːn | gɔ̀spɔ-] [Russ.] *n.* (*pl.* ***-po·da*** [-pɑdάː | -pɔ-]) …씨, …선생 《Mr.에 해당》

gos·port [gάspɔ̀ːrt | gɔ́s-] *n.* 〘항공〙 (조종석 사이의) 기내 통화관(機內通話管)(=**∠ tùbe**)

gos·sa·mer [gάsəmər | gɔ́s-] *n.* **1** ⓊⒸ (공중에 떠돌거나 풀 같은 데 걸려 있는) 섬세한 거미줄[집]: (as) light as ~ 굉장히 가벼운 **2** Ⓤ 섬세한 것, 가냘픈 것; 덧없는 것; 얇은 비단, 얇은 천: the ~ of youth's dreams 청춘의 덧없는 꿈 **3** ⓊⒸ 《미》 (여자용) 아주 얇은 비옷; Ⓒ 《영》 가벼운 실크햇

— *a.* 섬세한 거미줄 같은, 얇고 가벼운; 가냘픈, 섬세한; 박약한; 덧없는

gos·sa·mer·y [gάsəməri | gɔ́s-] *a.* =GOSSAMER

‡**gos·sip** [gάsəp | gɔ́s-] *n.*, *vi.*

> OE 「세례의 대부모(godparent)」의 뜻에서; 여기서 「친한 사람」→「친한 사람끼리의 한담」의 뜻이 되었음.

— *n.* **1** 잡담, 한담, 부질없는 세상 이야기 **2** Ⓤ 남의 뒷말, 험담, 뒷공론; (신문·잡지 등의) **가십**, 만필, 뜬소문 이야기: a good old ~ 반가운 옛날 이야기 **3** 수다쟁이, 가납사니 《특히 여자》: a malicious[wicked] ~ 남의 이야기를 좋게 하지 않는 사람 **4** 《영·방언》 = GODPARENT **5** 《고어》 친구

— *vi.* **1** 잡담[한담]하다 《*about*》 **2** 남의 이야기를 지껄이다, 가십 기사를 쓰다 **~·er** *n.*

góssip còlumn (신문·잡지의) 가십란

gos·sip·ing [gάsipiŋ | gɔ́s-] *a.* 쑥덕공론하는, 수다스러운; 잡담조의 — *n.* 수다; 좌담회

gos·sip·mon·ger [gάsəpmʌ̀ŋgər, -mὰŋ- | gɔ́sipmʌ̀ŋ-] *n.* 가납사니, 수다쟁이, 떠버리

gos·sip·ry [gάsipri | gɔ́s-] *n.* Ⓤ 잡담, 한담; 떠버리

gos·sip·y [gάsipi | gɔ́s-] *a.* 〈사람이〉 말하기 좋아하는, 수다스러운; 〈신문·잡지 등이〉 가십거리가 많은

gos·soon [gɑsúːn | gɔs-] [F 「garçon」의 전와(轉訛)] *n.* 《아일》 소년, 젊은이; 급사; 머슴, 하인

gos·sy·pol [gάːsəpɔ̀ːl, -pɑl | gɔ́səpɔ̀l] *n.* 고시폴 《면실유에서 유도한 독성의 색소》

go-stop [góustὰp | -stɔ̀p] *n.* 《영》 =STOP-GO

‡**got** [gάt | gɔ́t] *v.* GET[1]의 과거·과거분사 ★ 구어에서는 have *got* =have의 뜻: Have you ~ a book? 책이 있느냐? / I've ~ to go now. 이제 가야겠다.

GOT 〘의학〙 glutamic oxaloacetic transaminase 《간에 있는 효소; 간염 등의 지표 측정에 쓰임》

Gó·ta·ma (**Búddha**) [gɔ́ːtəmə-, góu-] *n.* = GAUTAMA

got·cha [gάtʃə | gɔ́tʃə] [(I) got you.] *int.* 《미·속어》 **1** 그것 봐!, 들켰지! **2** 알겠어!, 좋아!

— *n.* 《미·속어》 체포

goth [gάθ | gɔ́θ] *n.* 〘음악〙 (기타·베이스·드럼으로 연주하는) 강렬한 록 음악의 하나 《신비하고 계시적인 서정시의 특징을 이룸》; 그 연주자 《주로 검은 복장에 짙고 검은 화장을 함》

Goth [gάθ | gɔ́θ] *n.* **1** 고트 사람 《3-5세기에 로마 제국에 침입하여 이탈리아·프랑스·스페인에 왕국을 건설한 튜튼 민족의 한 파》 **2** 야만인, 난폭한 사람(cf. VANDAL) **3** [종종 **g~**] 고딕파 《고딕(풍)의 음악·예술·패션을 좋아하는 사람》

Goth., goth. Gothic

Goth·am [gάθəm, góuθ- | góuθ-, gɔ́θ-] *n.* **1** 《미》 뉴욕시의 속칭 **2** [gάtəm, góuθ- | góut-] 바보 마을 《옛날 바보들만 살았다는 영국 마을》; 영국 Newcastle시의 속칭 ***wise men of*** ~ 바보들

Goth·am·ite [gάθəmàit, góuθ- | góuθ-] *n.* **1** 《익살》 뉴욕 시민 **2** [gάtəmàit, góuθ- | góut-] Gotham 사람; 멍청이, 바보

*__Goth·ic__ [gάθik | gɔ́θ-] *a.* **1** 고딕 양식의 **2** 〘인쇄〙 고딕체의 **3** 고트 사람의[같은], 고트 말의 **4** 중세의, 중세적인, 중세풍의 **5** [종종 **g~**] 고딕 음악의 《특히 북유럽의 1200-1450년경의 음악》 **6** [**g~**] 교양 없는, 야만의, 몰취미의, 멋없는 **7** 〘문학〙 고딕파의, 괴기적인

— *n.* Ⓤ **1** 고트 말 **2** 〘건축·미술〙 고딕 양식 **3** [보통 **g~**] 〘인쇄〙 고딕체(cf. ROMAN, ITALIC); 《미》 =SANS SERIF; 《영》 =BLACK LETTER **~·ness** *n.*

Goth·i·cal·ly [gάθikəli | gɔ́θ-] *ad.* 고딕식으로

Góthic árch 고딕 아치 《끝이 뾰족함》

Góthic árchitecture 고딕 건축 《12-16세기에 서유럽에서 널리 유행한 끝이 뾰족한 아치형의 양식》

Goth·i·cism [gάθəsìzm | gɔ́θ-] *n.* **1** (건축·조각·미술 등에서) 고딕 양식, 고딕류(流), 고딕적 수법 **2** 고딕식 (취미) **3** 《고어》 [종종 **g~**] 야만, 무취미 **4** [종종 **g~**] 고트 말의 어법, 고트어 연구

Goth·i·cize [gάθəsàiz | gɔ́θ-] *vt.* 고딕 양식으로 하다; 중세풍으로 하다

Goth·ick [gάθik | gɔ́θ-] *a.* 《영》 〘문학〙 고딕풍의

goth·ick·ry [gάθikri | gɔ́θ-] *n.* 《영》 (소설·영화 등의) 괴기 취향[취미]

Góthic nóvel 괴기·공포 소설 《18세기 후반부터 19세기 초에 걸쳐 영국에서 유행》

Góthic Revíval 고딕 복고조 《고딕 양식을 모방한 빅토리아 시대 건축 양식》

Góthic tỳpe 〘인쇄〙 고딕 활자체

go-to [góutə] *a.* Ⓐ 기댈 수 있는, 도움을 청할 수 있는: He's the boss's ~ guy on financial affairs. 그는 사장이 재무에 대해 의지할 수 있는 사람이다.

go-to-meet·ing [góutəmíːtiŋ] *a.* 〈의복·모자 등이〉 교회 가는 차림의, 나들이용의(cf. SUNDAY-GO-TO-MEETING)

gó-to òffice 《미·구어》 정보를 얻을 수 있는 곳, 도움이 되는 기관

got·ta [gάtə | gɔ́tə] [발음 철자] 《구어》 (have [has]) got a[to]

*__got·ten__ [gάtn | gɔ́tn] *v.* 《미》 GET[1]의 과거분사

thesaurus **gossip** *n.* rumors, scandal, idle talk
govern *v.* rule, reign over, preside over, administer, lead, control, command, direct, order, guide, manage, conduct, oversee, supervise

—a. [보통 복합어를 이루어]: ill-~ wealth 부정 축재
Göt·ter·däm·mer·ung [gɑ̀tərdǽmərùŋ | gɔ̀t-] [G = Twilight of the Gods] *n.* **1** 〖게르만신화〗 신들의 황혼 **2** (정체(政體)·사회 체제 등의) 붕괴
got-up [gɑ́tʌ̀p | gɔ́t-] *a.* 꾸며낸, 인공적인, 모방한, 가짜의: a ~ affair 꾸민 일, 꾸민 장난[연극] / a ~ match 미리 짜고 하는 시합 / hastily ~ 급히 꾸며 놓은
gouache [gwɑ́ːʃ, guɑ́ːʃ] [F] *n.* **1** Ⓤ Ⓒ 구아슈 《아라비아 고무 등으로 만든 불투명한 수채화 물감》; 구아슈 수채 화법 **2** (*pl.* **gouach·es** [-iz]) 구아슈화(畫)
Gou·da [gáudə, gúː- | gáu-] *n.* **1** (네덜란드의) Gouda산(産) 치즈(= **~ chéese**) **2** 구다 《Rotterdam 북동쪽의 도시》
gouge [gáudʒ] *n.* **1** 둥근끌, 둥근 정; (미·구어) 둥근끌로 홈[구멍]을 팜; (둥근끌로 판) 홈[구멍] **2** (미·구어) 부정 착취, 금품의 강요, 사기(꾼) **3** 〖지질〗 단층 점토 **—***vt.* **1** 둥근끌로 파다 **2** 〈코르크를〉 둥글게 잘라 내다 《*out*》, 〈해협 등을〉 개착(開鑿)하다; 〈특히 눈알을〉 후벼내다 《*out*》: ~ *out* an eye 눈알을 후벼내다 **3** (미·구어) 속임수를 쓰다, 돈을 착취하다 **—***vi.* **1** 사기치다, 비싸게 말하다 **2** (호주) 오팔을 채굴하다
góug·er *n.*
gou·jons [gúːdʒənz, gúːʒ-] [F] *n. pl.* (영) 튀긴 생선[닭] 조각
gou·lash [gúːlɑːʃ, -læʃ] *n.* **1** Ⓤ Ⓒ 〖요리〗 굴라시 《paprica로 맵게 한 쇠고기와 야채 스튜》 **2** (이질(異質) 요소의) 섞임, 혼합 **3** 〖카드〗 굴라시 《브리지 카드 분배법의 하나》 ***know*** one***'s ~*** (미·속어) 자기의 전문 분야에서는 유능하다
góulash cómmunism 굴라시 공산주의 《소비 물자의 증산·생활 수준 향상책을 강조》
goum [gúːm] *n.* 《속어》 외인(外人)
gou·ra·mi [gurɑ́ːmi] *n.* (*pl.* **~, ~(e)s**) 〖어류〗 구라미 《등목어과의 동남아시아산 식용·관상용 담수어》
gourd [gɔ́ːrd, gúərd | gúəd] *n.* **1** 〖식물〗 호리병박 《열매·식물》 **2** 조롱박 《그릇》, 바가지
saw ~s (미남부·속어) 코를 골다 ***the bottle ~*** 호리병박 ***the dishcloth***[***sponge, towel***] ***~*** 수세미외 ***the snake ~*** 쥐참외 ***the Spanish ~*** 호박 ***the white ~*** 동아 **~·ful** *a.* **~·lìke** *a.*
gourde [gúərd] *n.* (*pl.* **~s** [-z]) 구르드 《Haiti의 화폐 단위; 기호 G, Gde》
gour·mand [guərmɑ́ːnd, gúərmənd | gúəmənd] [F] *n.* (*pl.* **~s** [-z]) **1** 미식가 《여성형은 gourmande》 **2** 대식가, 먹쇠 **—***a.* 많이 먹는; 미식의
gour·man·dise [gúərməndìːz] [F] *n.* 식도락; 미식
gour·mand·ism [gúərməndìzm] *n.* Ⓤ 미식주의, 식도락
gour·man·dize [gúərməndàiz] *vi.* 미식을 즐기다, 식도락이다 **-dìz·er** *n.*
gour·met [guərméi, ⁻ˊ | ˊ⁻] [F 「포도주에 밝은 사람」의 뜻에서] *n.* (*pl.* **~s** [-z]) 음식에 밝은 사람, 식도락가, 미식가
gout [gáut] *n.* **1** Ⓤ [종종 the ~] 〖병리〗 통풍(痛風): rich[poor] man's ~ 영양 과다[부족]에 따른 통풍 **2** (고어·시어) (특히 피의) 방울(drop), 응혈
goût [gúː] [F] *n.* 미각, 취미(taste); (예술적인) 소양, 감식(력)
gout·y [gáuti] *a.* (**gout·i·er**; **-i·est**) **1** 통풍(痛風)성의[에 걸린]; 통풍을 잘 일으키는; 통풍에 걸리기 쉬운 **2** 통풍처럼 부은 **góut·i·ly** *ad.* **góut·i·ness** *n.*
gov., Gov. Government; Governor
‡gov·ern [gʌ́vərn] [L 「배의 키를 잡다」의 뜻에서] *vt.* **1** 〈나라·국민을〉 **다스리다, 통치하다,** 지배하다: ability to ~ 통치 능력 / the consent of the *~ed* 피통치자의 동의

> 유의어 **govern** 권력 있는 자가 정치를 하여 지배하다 **rule** 권력을 행사해서 직접적으로 완전히 지배하다: *rule* a country 나라를 지배하다 **reign** 제왕으로서 주권을 갖고 통치하다: *reign* over a vast domain 광대한 영토를 지배하다

2 〈공공 기관·학교·기업체 등을〉 운영하다, 관리[주관]하다; 〈마을 등을〉 군의 지배하에 두다 **3** 〈사람·행동 등을〉 **좌우하다,** 결정하다 **4** 〈감정 등을〉 **제어[억제]하다;** 〈속력을〉 조절하다; …의 의미를 결정[제한]하다: ~ one's temper 화를 억제하다 **5** 〈법률이〉 …에 적용되다 **6** 〖문법〗 〈동사·전치사가 목적어를〉 지배하다(cf. AGREE) **7** 〈기계를〉 제어하다, 〈기관의〉 속력을 조절하다 **~ one*self*** 처신하다, 자제하다
—*vi.* (나라·도시를) 통치하다; 정무(政務)를 보다; 지배하다: The King reigns but does not ~. 왕은 군림하되 통치하지 않는다.
▷ góvernment *n.*
gov·ern·a·ble [gʌ́vərnəbl] *a.* 다스릴 수 있는, 지배[통제, 관리]할 수 있는; 억제할 수 있는
gòv·ern·a·bíl·i·ty *n.*
gov·er·nance [gʌ́vərnəns] *n.* Ⓤ **1** 지배, 통치, 통할, 관리, 통제 **2** 지배권, 지배력; 권력 **3** 피지배 상태: from ~ to autonomy 종속을 탈피하여 자치로 **4** 통치법[조직], 관리 방식
***gov·ern·ess** [gʌ́vərnis] *n.* **1 여자 가정교사**(cf. TUTOR): a daily[resident] ~ 통근하는[입주] 여자 가정교사 **2** 여성 지사 **3** 지사 부인
—*vt., vi.* 〈여자가〉 가정교사를 하다
~·y *a.* 여자 가정교사풍의
góverness càrt[**càr**] (영) (마주 앉는 좌석의) 2륜 경마차
gov·ern·ing [gʌ́vərniŋ] *a.* 통치하는, 관리하는, 통할하는, 통제하는; 지배[지도]적인: the ~ classes 지배 계급 / the ~ body (병원·학교 등의) 관리 기관, 이사회
‡gov·ern·ment [gʌ́vərnmənt] *n.* **1** Ⓤ **정치,** 시정, 통치(권), 지배(권), 행정권: ~ of the people, by the people, for the people 국민의, 국민에 의한, 국민을 위한 정치 **2** Ⓤ 정치 체제, 정치[국가] 조직, 정체(政體): monarchical ~ 군주 정체 / parliamentary ~ 의회 정치 **3** [종종 **G~**] [집합적] **정부,** 내각(cf. ADMINISTRATION); 이사회: The ~ has fallen. 내각이 붕괴됐다. **4** (공공 시설·기관의) 관리, 운영; 《일반적으로》 지배, 관리, 통제, 규제: the ~ of a university 대학의 관리 **5** 국가(state), 영토(territory) **6** Ⓤ 〖문법〗 지배: the ~ of the verb by its subject 주어에 의한 동사 지배 **7** [*pl.*] (미) 공채 증서
be in the ~ service 국가 공무원이다 ***form a ~*** (영) 조각(組閣)하다 ***under the ~ of*** …의 관리하에
***gov·ern·men·tal** [gʌ̀vərnméntl] *a.* Ⓐ **정치(상)의,** 통치의; 정부의, 행정 기관의; 관영의
~·ìze *vt.* **~·ly** *ad.*
gov·ern·men·tal·ism [gʌ̀vərnméntəlìzm] *n.* 정부 주도[권한 확대]주의 **-ist** *n.*
góvernment and bínding thèory 〖언어〗 (문법의) 지배 결속 이론(binding theory)
góvernment bònd 국채
gov·ern·ment·ese [gʌ̀vərnməntíːz, -tíːs] *n.* (까다로운) 관청 용어
góvernment héalth wàrning (영) **1** (영국에서 담배 등에 표시하는) 정부의 건강 경고문 **2** [health warning으로도 써서] 건강 주의 경고
Góvernment Hóuse [the ~] (영국 식민지 등의) 총독 관저
gov·ern·ment-in-ex·ile [gʌ́vərnməntinégzail, -eks-] *n.* (*pl.* **gov·ern·ments-**) 망명 정권[정부]
góvernment íssue [종종 **G- I-**] 관급품

---

government *n.* **1** 통치 rule, leadership, command, direction, control, guidance, management, supervision **2** 정부, 내각 administration, regime, congress, parliament, ministry, council

— *a.* 관급의, 정부 발행[발급]의 (略 G.I.)
góvernment màn 국가 공무원, 관리; 《특히》 FBI 수사관, 지맨(G-man); 현 정부 지지자
gov·ern·ment-op·er·at·ed [gʌ́vərnməntɑ́pərèitid | -ɔ́p-] *a.* 국영의, 관영의: ~ enterprise 국영 기업체
góvernment pàper 정부 발행 국채 증서
góvernment párty [the ~] 여당, 집권당
góvernment secúrity [보통 *pl.*] 정부 발행 유가 증권 《공채 등》
góvernment stóck 국채
góvernment súrplus 정부의 불하품
‡**gov·er·nor** [gʌ́vərnər] *n.* **1** 통치자(ruler), 지배자 **2** (미국의) 주지사 (略 Gov., gov.) **3** 《주로 영》 (조직·협회·관청 등의) 장, 관리자; 이사, 중역; 《영·속어》 (교도소의) 교도소장: the ~ of a prison 교도소장 **4** (영국 식민지) 총독(governor-general), 사령관 **5** (도·지방·도시 등의) 장관 **6** 〖기계〗 (가스·증기·물 등의) 조절기, 조속기(調速機) **7** 〖문법〗 주요어(head) **8** 《영·구어》 보스, 리더
gov·er·nor·ate [gʌ́vərnərət, -rèit, gʌ́vənə-] *n.* 《특히》 (이집트의) 행정 단위
gov·er·nor-e·lect [gʌ́vərnərilèkt] *n.* (취임 전의) 새 지사, 새 총독, 지사 당선자
gov·er·nor-gen·er·al [-dʒénərəl] *n.* (*pl.* **gov·er·nors-gen·er·al, ~s**) **1** (부지사·지사 대리가 있는) 지사, 장관 **2** 《주로 영》 (식민지의) 총독
~·shìp *n.* 그 직[지위, 임기]
góvernor's cóuncil 지사[총독] 자문 위원회
gov·er·nor·ship [gʌ́vərnərʃip] *n.* Ⓤ 지사[장관, 총재 등]의 직[지위, 임기]
Gov.-Gen. Governor-General **govt., Govt.** government
gow·an [gáuən] *n.* 《스코》 〖식물〗 데이지(English daisy) **~·y** *a.*
gó wéll *int.* 《남아공》 잘 가, 안녕히 가세요. 《작별의 말》
gowk [gáuk, góuk | gáuk] *n.* 《영·방언》 **1** 뻐꾸기 (cuckoo) **2** 바보, 얼간이 ***give*** a person ***the*** ~ …을 업신여기다
‡**gown** [gáun] *n.* [L 「모피 의복」의 뜻에서] **1** 《특히 여성용》 긴 겉옷, 드레스 《파티의 정장》 **2** (직업·신분을 표시하는) 가운, 제복; (시장·시의원 등의) 긴 겉옷; 법복(法服), 법의(法衣); 성직자복; 고대 로마의 겉옷 (toga); 문관복 **3** (여성의) 잠옷, 실내복, 화장복; (외과의의) 수술복 **4** [집합적] 대학 관계자들; [the ~; 집합적] 판사, 변호사, 성직자 **5** (추상적으로) 평화
arms and ~ 전쟁과 평화 ***cap and*** ~ ⇨ cap. ***in wig and*** ~ 법관의 정복을 입고 ***take the*** ~ 성직자[변호사]가 되다 ***town and*** ~ (대학 도시의) 시민과 대학 관계자들
— *vt.* [주로 과거분사로] …에게 가운을 입히다
gówned *a.* 가운을 입은
gowns·man [gáunzmən] *n.* (*pl.* **-men** [-mən]) **1** 대학 관계자; 직업상 가운을 입는 사람 《변호사·법관·성직자》 **2** 《고어》 (군인·성직자에 비해) 일반인, 민간인
gox [gɑ́ks | gɔ́ks] *n.* Ⓤ 기체 산소(gaseous oxygen)
g. ox. gaseous oxygen
goy [gɔ́i] *n.* (*pl.* **~·im** [-im], **~s**) (유대인 측에서 본) 이방인, 이교도(gentile)
Go·ya [gɔ́iə] *n.* 고야 **Francisco José de ~** (1746-1828) 《스페인의 화가·판화가; 근대 회화의 창시자》
Go·ya·esque [gɔ̀iəésk] *a.* 고야풍의 《공상적이고 괴기한》
goy·ish, -isch [gɔ́iiʃ] *a.* goy의[같은], 이교도의
gp. group **G.P.** Gallup Poll 《미》 갤럽 여론 조사; 《영》 general practitioner; *Gloria Patri* (L = Glory to the Father); Graduate in Pharmacy; Grand Prix (F = grand prize) **GPA** grade point average **GP Capt** group captain 〖영국군〗 공군 대령 **gpd** gallons per day **gph, g.p.h., GPH** gallons per hour 시간당 갤런 **GPI** general paralysis of the insane; 〖항공〗 ground position indicator **GPIB** general purpose interface bus 〖컴퓨터·전자〗 범용 인터페이스 버스 **gpm** gallons per minute **GPM** graduated payment mortgage **G.P.O.** General Post Office; Government Printing Office **GPRS** 〖통신〗 general packet radio service 《초고속 인터넷과 화상 통신 등이 가능한 2.5세대의 이동 전화 기술》 **gps** gallons per second **GPS** Global Positioning System **GPSS** general purpose stimulation system 〖컴퓨터〗 범용 시뮬레이션 시스템 **GPT** glutamic pyruvic transaminase 《간세포 등에 있는 효소》; 〖심리〗 group projective test **G.P.U., GPU** [dʒí:pìjú:, gèipèiú:] Gay-Pay-Oo **GQ** 〖해군〗 General Quarters **gr.** grade; grain(s); gram(s); gramme(s); grammar; grand; great; gross; group **Gr.** Grecian; Greece; Greek **G.R.** 〖군사〗 General Reserve; *Georgius Rex* (L = King George)
Gráaf·i·an fóllicle[vésicle] [grɑ́:fiən-] 〖생물〗 그라프 여포(濾胞), 그라프 난포(卵胞)
*__grab__ [grǽb] *v.* (**~bed**; **~·bing**) *vt.* **1** 부여잡다, 붙들다, 움켜쥐다(snatch), 잡아채다, 체포하다; 〈기회 등을〉 놓치지 않고 잡다: ~ a purse 지갑을 낚아채다 // (~+목+전+명) He ~*bed* me *by* the arm. 그는 나의 팔을 붙잡았다. **2** 횡령하다, 가로채다, 빼앗다: (~+목+전+명) ~ the property *from* a person …에게서 재산을 횡령하다 **3** 《미·속어》 마음을 사로잡다, 흥미를 주다, 자극하다: How does that ~ you? 마음에 듭니까? **4** 《구어》 〈택시 등을〉 급히 잡다; 〈샤워 등을〉 급히 하다: ~ a taxi 택시를 서둘러 잡다 / ~ a quick shower 샤워를 급히 하다
— *vi.* 덮치다; 손을 쑥 뻗치다, 붙잡으려고 하다 (*at*): (~+전+명) ~ *at* a chance 기회를 잡다
~ hold of …을 갑자기 움켜잡다
— *n.* **1** 부여잡기, 휘잡아 쥠; 횡령, 약탈, 날쌔게 채기; (권력·명성 등을) 가지려 함 **2** 〖기계〗 (흙 등을 쳐 내는) 그랩, 물건을 잡는 기계(장치) ***have***[***get***] ***the ~ on*** 《속어》 …보다 유리한 지위를 차지하다, …보다 뛰어나다 ***make a ~ at*** a rope (밧줄)을 붙잡다 ***policy***[***game***] ***of ~*** 약탈 정책, 악랄한 강탈 정책 ***up for ~s*** 《구어》 (관심만 있으면) 아무나 입수할 수 있는
— *a.* Ⓐ **1** 잡기 위한, 붙잡기 위한 **2** 임의[무작위]로 뽑은: a ~ sample 임의 견본
gráb bàg **1** 《미》 복주머니, 보물찾기 주머니(《영》 lucky dip) **2** 《구어》 (사람·물건·아이디어 등의) 잡다한 것, 잡동사니
gráb bàr (욕실의 벽 등에 붙인) 가로대
grab·ber [grǽbər] *n.* **1** 부여잡는 사람; 강탈자; 욕심꾸러기 **2** 흥미진진한 것, 깜짝 놀라게 하는 것
grab·ble [grǽbl] *vi.* **1** 손으로 더듬다[더듬어 찾다] **2** 기다; 기면서 찾다 (*for*) — *vt.* 움켜잡다(clutch)
gráb·bler *n.*
grab·by [grǽbi] *a.* (**-bi·er**; **-bi·est**) **1** 《구어》 욕심 많은, 탐욕스러운, 이기적인: a ~ ticket scalper 욕심 많은 암표 상인 **2** 《미·속어》 매혹적인 **3** 《구어》 꽉[꼭] 잡은
gra·ben [grɑ́:bən] *n.* (*pl.* **~s, ~**) 〖지질〗 지구(地溝)(rift valley)
grab·hook [grǽbhùk] *n.* 걸거나 잡기 위한 갈고랑이
‡**grace** [gréis] [L 「우미」의 뜻에서] *n.* Ⓤ **1** 우아, 우미, 기품, 점잖음, 얌전함, 고상함; 예의범절; [보통 *pl.*] 거드름부리는 태도: airs and ~*s* 새침뗌, 멋부림 **2** 〈문체·표현 등의〉 아치, 세련미(polish): literary ~ 문체의 문학적인 품격(品格) **3** [*pl.*; 집합적] 미덕, 장점; (용모·거동 등의) 매력, 애교: Every lover sees

thesaurus **grab** *n.* clutch, grasp, grip, snatch, clasp, seize, capture

a thousand ~*s* in the beloved object. 《속담》 사랑에 빠지면 곰보도 미인으로 보인다. **4 a** 은혜, 애호 **b** (윗사람이 베푸는) 친절, 호의, 배려, 두둔, 인자, 자비(clemency, mercy): by special ~ 특별한 호의로 **c** (호의에 의한) 유예, 지불 유예 (기간); 특사(特赦), 대사 **5** 〖신학〗 (하느님의) **은총**; 은총의 생활; (하느님의 은총에 대한) 감사: grow in ~ (신의 은총으로) 정신적인 성장을 하다 **6** [the ~] 《문어》 바른 것을 행하는 태도, 도덕심이 강함, 예의, 체면; 어울림, 적절: *the* ~ to perform one's duty 의무를 다하려는 기개, 사명감 **7** 식전[식후]의 감사 기도: say ~ 기도드리다 **8 a** 자진해서 일하는 태도, 기꺼이 하는 태도: (~+*to* do) She had the ~ *to* apologize. 그녀는 깨끗이 사과했다. **b** 체면, 면목: We cannot with any ~ ask him. 염치가 없어 그에게는 부탁할 수 없다. **9** [the G~s] 〖그리스신화〗 미의 여신들 《Zeus와 Eurynome의 딸들인 Aglaia, Euphrosyne, Thalia의 세 여신을 말함》 **10** [**G~**] 각하, 각하 부인, 예하(猊下) 《공작·공작 부인·대주교에 대한 경칭》 **11** 〖음악〗 =GRACE NOTE **12** 《영》 평의회의 허가[결의] 《Oxford 및 Cambridge 대학의》

act of ~ 대사령, 특사 ***by (the) ~ of*** …의 힘[덕택]으로 ***by the ~ of God*** 하느님의 은총으로 《특히 정식 문서에서 국왕 이름에 붙임》 ***fall from ~*** 하느님의 은총을 잃다, 타락하다; 눈밖에 나다, 호의를 잃다; 신용을 잃다 ***fall out of ~ with*** a person …의 호의를 잃다 ***give [grant] a week's ~*** …에게 (법률상의 기한 이상으로) 1주일의 유예를 주다 ***have the (good) ~ to*** do …하는 아량이 있다, 기꺼이 …하다 ***in [into]*** a person***'s good [bad] ~s*** …의 호감[미움]을 사서, …이 마음에 들어[안 들어] a person***'s fall from ~*** 명예의 실추; 신용을 잃음 ***There(,) but for the ~ of God, go I.*** 《구어》 하느님의 은총이 없었다면 나도 저렇게 되었을 터. ***the state of ~*** 성총(聖寵)을 받고 있는 신분[상태] ***the year of ~*** 그리스도 기원, 서기: in *the*[this] *year of* ~ 2002 서기 2002년에 ***with (a) bad [(an) ill] ~*** 마지못해서, 내키지 않는 마음으로, 겸연쩍게 ***with (a) good ~*** 기꺼이, 자진하여, 떳떳이

— *vt.* **1** 우아하게 하다, 아름답게 꾸미다; 명예[영광]를 주다 《*with*》: (~+목+전+명) ~ the occasion *with* one's presence 참석함으로써 그 자리를 빛내 주다 **2** 〖음악〗 …에 꾸밈음[카덴차]을 더하다

~ a person ***with a title*** …에게 작위를 주다

Grace [gréis] *n.* 여자 이름

grace-and-fa·vor [gréisənféivər] *a.* 《영》 〈주택 등이〉 왕실[정부]로부터 무료로 종신 대여된

gráce cùp 건배(의 잔), 축배 《식후의 기도 뒤에 돌려 가며 마시는》; (출발 전) 이별의 술잔

‡**grace·ful** [gréisfəl] *a.* **1** 〈사람·동작·태도 등이〉 **우아한**, 우미한, 얌전한, 아치 있는, 품위 있는(⇨ delicate 유의어) **2** 〈언동이〉 깨끗한, 솔직한; 적절한: a ~ apology 솔직한 사과/a ~ reply 적절한 대답

~·ly *ad.* ~·ness *n.*

grace·less [gréislis] *a.* **1** 버릇없는, 무례한, 야비한 **2** 품위 없는, 상냥하지 못한 **3** 《고어·익살》 하느님에게 버림받은, 구원할 수 없는, 타락한

~·ly *ad.* ~·ness *n.*

gráce nòte 〖음악〗 장식음, 꾸밈음

gráce pèriod 〖보험〗 유예 기간

grac·ile [grǽsəl | -sail] *a.* 가느다란, 연약한; 가냘프고 아름다운(graceful), 야리고 예쁘장한, 간결한

~·ness *n.*

grac·i·lis [grǽsəlis] *n.* (*pl.* **-les** [-lìːz], ~·**es**) 〖해부〗 박근(薄筋) 《대퇴 내측의 근육》

gra·cil·i·ty [græsíləti] *n.* Ⓤ **1** 연약함; 가냘픈 아름다움 **2** (문체의) 간소함

gra·ci·o·so [grèiʃióusou, grɑ̀ːsi- | græsi-] *n.* (*pl.* ~**s** [-z]) (스페인 희극의) 어릿광대역

graceful *a.* elegant, refined, cultured, cultivated, polished, suave, charming, attractive

‡**gra·cious** [gréiʃəs] *a.* **1** 〈사람·태도 등이〉 (특히 사회적으로 아랫사람에 대하여) **상냥한**, 정중한, 공손한, 친절한 《*to*》: a ~ refusal 정중한 거절 **2** (관례적으로 왕·여왕에게 사용하여) 인자하신, 자비로우신 **3** 〈생활 등이〉 우아한, 품위 있는: ~ living 우아한 생활 **4** 《고어》 도움이 되는, 고마운, 은혜가 넘쳐 흐르는, 자비심이 많은: a ~ rain 자우(慈雨)

— *int.* [놀람을 나타내어] 이크, 이런, 야단났군

★ 보통 다음 성구로. ***Good(ness) ~! = G~ Heaven [goodness]! = G~ me! = (My) G~!*** 이런!, 어머나!, 이것 큰일났다!, 아뿔싸! 《놀람의 소리》

~·**ness** *n.*

***gra·cious·ly** [gréiʃəsli] *ad.* 우아하게, 상냥하게; 고맙게도; 자비롭게

grack·le [grǽkl] *n.* 〖조류〗 찌르레기 무리

grad [grǽd] [*grad*uate] *n.* 《구어》 (대학의) 졸업생(graduate); 대학원생(graduate student)

grad. 〖수학〗 gradient; grading; graduate; graduated

grad·a·ble [gréidəbl] *a.* **1** 등급을 매기기 쉬운 **2** 〈형용사·부사가〉 비교급을 갖는

gra·date [gréideit, grədéit | grədéit] *vt., vi.* 〈빛깔을〉 바림하다, 차차 다른 빛깔로 변(하게)하다; 단계를 짓다 — *a.* 단계적인

gra·da·tim [greidéitim] [L] *ad.* 차츰, 점차(by degrees)

***gra·da·tion** [greidéiʃən, grə- | grə-] *n.* Ⓤ **1** ⓊⒸ **단계적 변화**, 점차적 이행, 서서히 변화함: by ~ 서서히 **2** (색채·색조의) 바림; 〖미술〗 농담법(濃淡法), 명암의 이행(移行) **3** 순서를 정함, 등급 매김, 계급별로 함; Ⓒ 순서, 차례, 등급, 등차, 계급, 부류 **4** 〖언어〗 모음 전환(ablaut) 《예컨대 wr*i*te, wr*o*te, wr*i*tten의 변화》 **5** 〖수사학〗 점층법(climax)

gra·da·tion·al [greidéiʃnəl, grə-] *a.* 순서가 있는, 단계적인, 점진적인, 점차적인 ~·**ly** *ad.*

‡**grade** [gréid] [L 「계단」의 뜻에서] *n.* **1 등급**, 계급, 등위, 품등(step, degree), (식품의) 품질 등급; (숙달·지능·과정 등의) **정도** 《*of*》: *G~* A milk A등급의 우유 **2** 동일 계급[학년, 정도, 등급]에 속하는 자; 《주로 미》 〖군사〗 계급 **3** (성장 등의) 단계; (병의) 진행도, …기(期) **4** [the ~] 《미》 (초·중·고교의) …**학년**(《영》 form): *the* first ~ 《미》 초등학교의 1학년 **5** (학생의) **성적**, 평점, 평가(mark) **6** [the ~s] 《미》 초등학교(elementary school): teach in *the* ~*s* 초등학교에서 가르치다 **7** 《미》 (도로·철도 등의) 기울기, 경사도(《영》 gradient); 비탈 **8** 〖축산〗 개량 잡종 **9** 〖수학〗 그레이드 《직각의 100분의 1의 각도》

at ~ 《미》 (철도와 도로가 교차할 경우) 같은 수평면에서 ***below ~*** 《미》 표준 이하의 ***make the ~*** 《미》 가파른 비탈을 오르다, 어려움을 이겨내다; 성공[합격]하다; 노력해서 (…을) 얻다 《*for*》: *make the* ~ *for* a degree 노력해서 학위를 얻다 ***on the down [up] ~*** 《미》 내리받이[오르막길]에, 쇠[성]하여 ***over [under] ~*** 《미》 (도로와 철도가 교차할 때) 위쪽[낮은 쪽]에서 ***up to the ~*** 〈품질이〉 수준에 이른, 규격에 맞는

— *vt.* **1** …을 **등급별로 나누다**, 유별(類別)하다, 선별하다 **2** …의 등급[격]을 매기다[정하다]: ~ apples for their size 크기로 사과의 등급을 매기다 **3** 《미》 …의 성적을 매기다, …을 채점하다(《영》 mark) **4** …의 기울기[경사]를 완만하게 하다 **5** 〖축산〗 (품종 개량을 위하여) 교배시키다 《*up*》 **6** 〖언어〗 모음 전환에 의하여 변화시키다

— *vi.* **1** …등급이다: (~+보) This pen ~*s* B. 이 펜은 B급이다. **2** 점차 변화하다 《*into*》

~ ***down*** 등급[계급]을 낮추다 《*to*》 ~ ***up*** 등급[계급]을 높이다 《*to*》 ~ ***up with*** …와 어깨를 겨루다, …에 필적하다

— *a.* **1** 《미》 초등학교의, 초등학생의 **2** 잡종의

-grade [grèid] 《연결형》 **1** 「걷다; 움직이다; 가다」의 뜻: retro*grade* **2** 〖동물〗 [보행 방식을 나타내어]: digiti*grade*, planti*grade*

Gráde Á *a.* ⦅미⦆ 제 1급의, 최고급의
gráde crèep ⦅미⦆ (공무원의) 자동적 승진, 연공에 따른 승격
gráde cròssing ⦅미⦆ (철도와 도로 등의) 수평 건널목, 평면 교차(점)(⦅영⦆ level crossing)
grad·ed [gréidid] *a.* 단계적인, 정도의 차이가 있는
gráded schóol ⦅미⦆ =GRADE SCHOOL
gráde làbeling (상품 등의) 등급 표시
grade·ly [gréidli] *a.* ⦅영·방언⦆ **1** 멋진, 훌륭한 **2** 완전한 **3** 유망한 **4** 건강한; 잘생긴 **5** 적당한
— *ad.* 적당히; 주의하여; 정말로
grade·mark [gréidmɑ̀ːrk] *n.*, *vt.* 품질[등급] 표시(를 하다)
gráde pòint ⦅미⦆ (숫자로 나타낸) 성적 평가점
gráde pòint àverage ⦅미⦆ 성적 평가점 평균 ⦅가령 A 2과목, B 4과목, C 2과목이면 평균 3점; 略 GPA⦆
grad·er [gréidər] *n.* **1** 등급을 매기는 사람[물건] **2** ⦅미⦆ …학년생: a fourth ~ 4학년생 **3** ⦅미⦆ 채점자, 평점자 **4** 그레이더, 땅 고르는 기계
gráde schóol ⦅미⦆ (6년제 또는 8년제의) 초등학교(elementary school; ⦅영⦆ primary school)
gráde-schòoler *n.* 초등학생
gráde separàtion (도로의) 입체 교차
gráde tèacher ⦅미⦆ 초등학교 교사
***gra·di·ent** [gréidiənt] *n.* **1** ⦅영⦆ (도로·철도의) 기울기, 물매, 경사도(⦅미⦆ grade); 언덕, 비탈 **2** (온도·기압의) 증감, 변화도
— *a.* 보행성의; 걷는 데 알맞은, 〈새 등의 다리가〉 걸을 수 있는(gressorial); 기울어진; (거북 등의) 걸음 걷는 모양의 〈문장(紋章)〉
gra·di·ent·er [gréidièntər] *n.* 【측량】 (물매를 재는) 측사계(測斜計), 미각계(微角計)
gra·din [gréidin], **gra·dine** [grədíːn] *n.* (*pl.* **~s** [-z]) **1** 낮은 계단(좌석)의 한 단 **2** (교회의) 제단 뒤의 선반 ⦅초나 꽃을 진설함⦆
grad·ing [gréidiŋ] *n.* ⓊⒸ **1** 【상업】 등급 매기기 **2** 경사 변경; (도로의) 경사 완화; 땅 고르기 **3** (콘크리트 골재의) 입도(粒度)
Grad. Inst. P. Graduate of the Institute of Physics
gra·di·om·e·ter [grèidiɑ́mətər | -ɔ́m-] *n.* **1** 【물리】 (지구 자기(磁氣)·기온 등의) 경도 측정기 **2** 【측량】 측사계(測斜計)
grád schòol ⦅미·구어⦆ =GRADUATE SCHOOL
‡**grad·u·al** [grǽdʒuəl | -dʒu-, -dju-] *a.* 점차적인, 점진적인, 단계적인, 서서히 하는: ~ improvement in health 건강의 점진적인 회복
— *n.* 【가톨릭】 (미사 때의) 층계송(層階誦), (성가대용) 미사 가변(可變) 부분 성가집 **~·ness** *n.*
grad·u·al·ism [grǽdʒuəlìzm | -dʒu-, -dju-] *n.* Ⓤ 점진주의 **-ist** *n.* **gràd·u·al·ís·tic** *a.*
‡**grad·u·al·ly** [grǽdʒuəli | -dʒu-, -dju-] *ad.* 차차, 차츰, 점차로: His health is improving ~. 그의 건강은 차츰 좋아지고 있다.
Grádual Psálm 【성서】 성전에 올라가는 노래 ⦅성서 시편 제120-134의 15편; Song of Degrees [Ascents]라고도 함⦆
grad·u·and [grǽdʒuæ̀nd | -dʒu-, -dju-] *n.* ⦅영⦆ (대학의) 졸업[학위 취득] 예정자
‡**grad·u·ate** [grǽdʒuèit | -dʒu-, -dju-] [grade와 같은 어원] *vi.* **1** 졸업하다 ⦅*in*, *from*⦆ ★ in 다음에는 학과명이 from 다음에는 학교명이 옴, ⦅영⦆에서는 from 대신 at도 씀: (~+전+명) He ~*d from* Yale[Oxford]. 그는 예일[옥스퍼드] 대학을 졸업했다. / He ~*d in* medicine *from*[*at*] Edinburgh. 그는 에든버러 대학교의 의과 대학을 나왔다. ★ ⦅영⦆에서는 학위를 취득하고 대학을 졸업하는 경우에만 쓰지만, ⦅미⦆에서는 대학 이외의 각종 학교에도 쓴다; ⦅영⦆에서는 그런 경우 leave school, finish[complete] the course (of) 등을 쓴다. **2** 자격을 얻다, 수업(修業)을 마치다 ⦅*as*⦆: ~ *as* a plumber 연관공의 자격을 얻다 **3** (위의 단계로) 진전하다, 승진하다 ⦅*into*, *to*⦆: ~ *to* important work 중요한 일로 옮기다 **4** 차츰 경과하다 ⦅*away*⦆, 점차로 변화하다 ⦅*into*⦆: (~+전+명) The dawn ~*d into* day. 날이 점점 밝아왔다. **5** ⦅미·속어⦆ (마약 사용자가) 완전한 중독자가 되다
— *vt.* **1** ⦅미⦆ (…에게) 학위를 수여하다, 〈학생을〉 졸업시키다, [수동형으로] (대학을) 졸업하다 ⦅*from*⦆: The university ~*s* 1,000 students every year. 그 대학은 매년 1,000명의 졸업생을 배출한다. // (목+전+명) He *was* ~*d from* Yale. 그는 예일 대학을 졸업했다. ★ 지금은 ⦅미⦆에서도 *vi.* 1의 용법이 일반적. **2** 〈학생들을〉 진급시키다 ⦅*to*⦆ **3** 등급 매기다; 누진적으로 하다 **4** 〈온도계 등에〉 눈금을 새기다 **5** 【화학】 (증발 등으로) 농후하게 하다
— [-ət, -èit] *n.* **1** (대학의) 졸업생 ⦅*of*⦆, 학사 ★ ⦅미⦆에서는 보통 각종 학교의 졸업생, ⦅영⦆에서는 학위를 딴 대학 졸업생: high school ~*s* 고등학교 졸업생 / She is a ~ of UCLA. 그녀는 UCLA 졸업생이다. **2** ⦅미⦆ 대학원 학생 **3** 【화학】 눈금을 새긴 그릇 **4** ⦅미·구어⦆ 인생 경험[성경험]이 풍부한 사람
— [-ət, -èit] *a.* 대학 졸업생의, 학사 학위를 받은; ⦅미⦆ (대학의) 졸업생을 위한, 대학원의(postgraduate): ~ students 대학원 학생 ▷ graduátion *n.*
grad·u·at·ed [grǽdʒuèitid | -dʒu-, -dju-] *a.* **1** 〈높이·깊이·어려움 등이〉 등급별로 배열된, 계급을 붙인; (세금이) 누진적인: ~ taxation 누진 과세 **2** 눈금을 새긴: a ~ glass[cup] 미터글라스 / a ~ ruler 눈금자
gráduated detérrence (전략 핵무기 사용의) 단계적 억지 전략
gráduated léngth mèthod 점차적 길이 변경법 ⦅기술의 향상에 따라 스키를 긴 것으로 점차 바꾸어 가는 스키 지도법⦆
gráduated páyment mòrtgage ⦅미⦆ (주택 융자의) 경사 상환 방식 부동산 저당 ⦅略 GPM⦆
gráduated pénsion ⦅영⦆ 누진 연금
Gráduate Mánagement Admíssions Tèst (미국의) 경영 대학원 입학을 위해 치르는 시험 ⦅略 GMAT⦆
gráduate núrse ⦅미⦆ 정규 간호사(trained nurse)
gráduate schòol ⦅미⦆ 대학원
‡**grad·u·a·tion** [grӕdʒuéiʃən | -dʒu-, -dju-] *n.* **1** Ⓤ ⦅영⦆ 학위 취득; (주로 미) (각종 학교로부터의) 졸업; ⓊⒸ ⦅미⦆ 졸업식(cf. COMMENCEMENT); ⦅영⦆ (대학의) 학위 수여식: a ~ thesis 졸업 논문 / ~ ceremony[exercises] ⦅미⦆ 졸업식 / hold the ~ 졸업식을 거행하다 **2** [*pl.*] 눈금 **3** ⓊⒸ 등급[계급] (매김) **4** Ⓤ 【화학】 (증발 등에 의한) 농후화, 농축
grad·u·a·tor [grǽdʒuèitər | -dʒu-, -dju-] *n.* 도수[눈금]를 매기는 사람; 눈금이 있는 그릇, 분도기; 증발기
gra·dus [gréidəs] *n.* **1** (라틴시의) 운율 사전 **2** (피아노의) 연습곡집
Grae·ae [gríːiː, gráiai] *n.* 【그리스신화】 그라이아이 ⦅고르곤(the Gorgons)을 지키는 3자매; 세 사람이 눈 하나와 이 하나를 공유함⦆
Grae·cism [gríːsizm] *n.* =GRECISM
Grae·cize [gríːsaiz] *v.* =GRECIZE
Graeco- [gríːkou, -kə, grék-] ⦅연결형⦆ =GRECO-
Graf [grɑ́ːf] [G] *n.* (*pl.* **~·en** [-ən]) (독일·오스트리아·스웨덴의) 백작
graf·fi·ti [grəfíːtiː] [It.] *n.* **1** GRAFFITO의 복수 **2** [복수 취급] (공중 화장실·건물 등의 벽에 있는) 낙서; [단수 취급] (총칭으로) 낙서 **graf·fí·tist** *n.*
graffíti árt (보도·벽·공중 화장실 등에 하는) 낙서 예술
graf·fi·to [grəfíːtou] [It.] *n.* (*pl.* **-ti** [-tiː]) 고적의 기둥·벽을 긁어서 그려 놓은 그림[문자]; [*pl.*] (벽 등에 한) 낙서(graffiti)

thesaurus **gradually** *ad.* step by step, little by little, by degrees, progressively, constantly,

***graft**[1] [grǽft, grɑ́:ft | grɑ́:ft] [Gk 「철필」의 뜻에서] *vt.* **1** 〖원예〗 **접목하다, 접붙이다** 《*in, into, on, onto, together*》, 개량하다 **2** 접합하다, 합체[융합]시키다: ~ new customs *onto* old 새로운 관습을 옛것에 융합시키다 **3** 〖외과〗 〈조직을〉 이식하다 **4** 〖항해〗 〈밧줄을〉 (풀리지 않도록) 엮어서 매듭짓다
— *vi.* 〈나무가〉 접목되다 《*on*》
— *n.* **1** 〖원예〗 **접붙이기,** (접목에 쓰는) 접지(接枝); 접붙인 식물; 접목(법) **2** 〖외과〗 이식 조직 《피부·뼈 등》: a skin ~ on the burnt hand 덴 손에 이식된 이식 피부

graft[2] *n.* **1** 《미·속어》 (지위·직권(職權) 사용에 따른) 부정 이득, 수회(收賄), 오직(汚職): receive ~ 수회하다 **2** 수회[오직] 사건; 그 수단 **3** 부정 이득물[금품, 권익(權益)] — *vt.* (직위·직권 사용 등의) 부정 수단으로 얻다 — *vi.* 부정 이익을 얻다

graft·age [grǽftidʒ, grɑ́:ft- | grɑ́:ft-] *n.* Ⓤ 접목법

graft·er[1] [grǽftər, grɑ́:ft- | grɑ́:ft-] *n.* 접붙이는 사람

grafter[2] *n.* 《구어》 독직 관리, 수회자; 사기꾼

graft·ing [grǽftiŋ, grɑ́:ft- | grɑ́:ft-] *n.* ⓊⒸ 접목(법); 〖외과〗 조직 이식(법), 식피술

gra·ham [gréiəm, grǽm | gréiəm] *a.* 《미》 통밀의: ~ bread 통밀빵

Gra·ham [gréiəm, grǽm | gréiəm] *n.* 그레이엄 **1 Martha ~** (1894-1991) 《미국의 무용가》 **2 Thomas ~** (1805-69) 《스코틀랜드의 화학자; 콜로이드 화학의 창시자》 **3 William Franklin ~** ("Billy") (1918-) 《미국의 복음 전도자》 **4** 남자 이름

gráham cràcker 통밀 밀가루를 주재료로 한 장방형의 크래커 《단맛이 별로 나지 않음》

gráham flóur 《주로 미·캐나다》 통밀 밀가루

Gráham Lànd 1 그레이엄 랜드 《남극 반도 북부, 영국령 남극 지역의 일부》 **2** Antarctic Peninsula의 영국에서의 옛 이름

Gráham's láw (**of diffúsion**) 〖물리·화학〗 그레이엄의 (기체 확산의) 법칙

grail[1] [gréil] *n.* **1** 큰 접시(platter), 잔(cup) **2** [the G~] 성배(⇨ Holy Grail)

grail[2] *n.* 《고어》 = GRADUAL

‡**grain** [gréin] [L 「낟알」의 뜻에서] *n.* **1** 《미》 **a** Ⓤ [집합적] **곡물,** 곡류(《영》 corn) **b** (쌀이나 보리 등의) **낟알 2** (특히 모래·소금·설탕·커피 등의) 한 알 **3** [부정 구문에 써서] (극)**미량,** 티끌 《*of*》: *without* a ~ *of* love 티끌 만한 애정도 없이 / He has*n't* a ~ *of* sense. 그는 통 분별이 없다. **4** 그레인 《형량의 최저 단위 = 0.064g.; 略 gr., g.》 **5** Ⓤ (목재·무두질한 가죽·암석 등의) 조직(texture), 결, 나뭇결, 돌결, 살결; 천의 결 **6** (가죽의) 털을 뽑은 껄껄한 거죽 면 **7** 결정 (상태): boiled to the ~ 졸아 들어서 결정체로 된 **8** Ⓤ (사람의) 성질, 기질: two brothers of similar ~ 기질이 닮은 형제 **9** [*pl.*] (주류를 양조한 후의) 엿기름 찌끼 **10** (직물의) 섬유, 올 **11** Ⓤ 《폐어》 연지벌레 염료; 연지, 양홍(洋紅) ***against*** [***contrary to***] ***the*** **~** 성미에 맞지 않게, 못마땅하여: It goes *against the* ~ with me. 그것은 내 성미에 맞지 않는다. ***dye in*** **~** ⇨ dye. ***in*** **~** 타고난, 본질적인; 철저한; 지울 수 없는: a rogue *in* ~ 바탕부터 나쁜 놈 ***receive*** [***take***] ***with a ~ of salt*** 에누리하여[가감하여] 듣다 ***rub*** a person ***against the ~*** …을 화나게 하다 ***separate the ~ from the chaff*** 옥석을 가리다
— *vt.* **1** 낟알(모양으)로 만들다(granulate) **2** 빛깔이 날지 않게 물들이다 **3** 〈가죽 등의〉 거죽을 도톨도톨하게 하다 **4** 나뭇결[돌결] 무늬로 칠하다 **5** 〈짐승 가죽에서〉 털을 없애다
— *vi.* 낟알 모양으로 되다

gráin àlcohol (곡식에서 얻는) 에틸 알코올

gráin bèlt 곡창 지대 《미국에서는 Middle West의 대농업 지역을 가리킴》

gráin bròker 곡물 중개인(《영》 corn factor)

grained [gréind] *a.* 나뭇결[돌결]이 있는; 나뭇결[돌결] 무늬로 칠한; 거죽이 도톨도톨한; 털을 없앤

gráin èlevator 《미》 대형 곡물 창고; 양곡기

grain·er [gréinər] *n.* 나뭇결[돌결] 무늬로 칠하는 사람; 나뭇결 무늬를 칠하는 솔[주걱]; 제모기(除毛器); 유피제(鞣皮劑), 무두질액

grain·field [gréinfi:ld] *n.* 곡식밭

grain·ing [gréiniŋ] *n.* Ⓤ 나뭇결[돌결] 무늬로 칠하기; 〖인쇄〗 종이 면을 도톨도톨하게 하기; 〖제당〗 결정화(結晶化) 《고운 낟알로 만들기》

gráin lèather 털 쪽을 겉으로 하여 다듬은 가죽

grains [gréinz] *n. pl.* [보통 단수 취급] 작살

grain·sick [gréinsik] *n.* Ⓤ 〖수의학〗 혹위(胃) 확장

gráin sìde (짐승 가죽의) 털이 있는 쪽(opp. *flesh side*)

gráins of páradise 서아프리카산 생강과(科) 식물의 매운 씨 《강심제·가축약·향신료용; Guinea grains, Guinea pepper라고도 함》

gráin sòrghum 수수 《식량·사료용》

gráin whísky 그레인 위스키 《맥아 대신 옥수수·메귀리를 써서 만듦》

grain·y [gréini] *a.* (**grain·i·er**; **-i·est**) **1** 낟알 모양의; 낟알이 많은 **2** 나뭇결 같은 **3** 거친 **4** 〈사진이〉 선명하지 않은, 흐릿한 **gráin·i·ness** *n.*

gral·la·to·ri·al [grӕlətɔ́:riəl] *a.* 〖조류〗 섭금류(涉禽類)의

‡**gram**[1] | **gramme** [grǽm] [Gk 「적은 무게」의 뜻에서] *n.* **그램** 《미터법의 중량의 단위; 섭씨 4도에 있어서의 물 1cc의 무게; 略 g., gm., gr.》

gram[2] *n.* 〖식물〗 녹두; 이집트콩

-gram[1] [grӕm] 《연결형》 「기록; 그림; 문서」의 뜻: epi*gram*, tele*gram*

-gram[2] 《연결형》 …그램 《미터법의 중량의 단위》: kilo*gram*

-gram[3] 《연결형》 「통신, 통지(通知), 속보」의 뜻: culture-*gram*, election-*gram*, prophey-*gram*

gram. grammar; grammarian; grammatical

gra·ma [grɑ́:mə] *n.* 〖식물〗 미국 서부 및 서남부에 많은 목초(= ~ **gràss**)

gram·a·rye, -ry [grǽməri] *n.* 《고어》 마술, 주술

grám àtom 〖화학〗 그램 원자 **gram-a·tom·ic** [grӕmətɑ́mik | -ətɔ́m-] *a.*

grám-atómic wéight = GRAM ATOM

grám càlorie 그램 칼로리 《略 g-cal》

grám equìvalent (**wéight**) 〖화학〗 그램 당량(當量)

gra·mer·cy [grəmə́:rsi] *int.* 《고어》 정말 고마워; 야단났구나 《감사·놀람의 소리》

grám flòur = CHICKPEA FLOUR

gram·i·ci·din [grӕməsáidn] *n.* 〖약학〗 그라미시딘 《항생 물질의 하나》

gram·i·na·ceous [grӕmənéiʃəs], **gra·min·e·ous** [grəmíniəs] *a.* 풀의; 목초가 많은, 목초 같은(grasslike); 볏과의 **~·ness** *n.*

gram·i·niv·o·rous [grӕmənívərəs] *a.* 풀을 먹는, 초식성의

gram·ma [grǽmə] *n.* = GRAMA

gram·ma·log(**ue**) [grǽməlɔ̀:g, -lɑ̀g | -lɔ̀g] *n.* 〖속기〗 단일 기호로 나타내는 말; 그 기호

‡**gram·mar** [grǽmər] [Gk 「문자를 쓰는 기술」의 뜻에서] *n.* **1** Ⓤ **문법,** 문법학, 문법 연구[론]; 말투, (표준) 어법 **2** 문법책, 문전(文典); 외국어의 초급 교본: a Russian ~ 러시아어 문법서 **3 a** Ⓤ (학술의) 초보, 원리: the ~ of finance 재정학 원리 **b** 입문서, 첫걸음 **4** 《영·구어》 = GRAMMAR SCHOOL
bad [***good***] **~** 틀린[올바른] 어법 ***comparative*** [***descriptive, generative, historical, prescriptive, school, transformational***] **~** 비교[기술, 생성, 역사, 규범, 학교, 변형] 문법(학)

---

regularly, steadily, increasingly, slowly

graft[1] *v.* engraft, unite, propagate, splice

*__gram·mar·i·an__ [grəmέəriən] *n.* **문법학자**, 문법가; 고전어 학자

gram·mar·less [grǽmərlis] *a.* 문법이 없는; 문법을 모르는, 배우지 못한

grámmar schòol **1** (미) **a** 초등학교(elementary school) **b** 초급 중학교《8년제 초등학교에서 하급 학년을 primary school이라 하는 데 대하여 상급 4년간을 말함》 **2** (영) 그래머 스쿨《16세기에 창립되어 라틴어를 주요 교과로 삼은 학교였으나 1944년부터는 11^{+}(eleven plus) 시험에 합격한 학력이 상위인 학생에게 대학 진학 준비 교육을 시키는 중등 학교》 **3** (뉴질) 공립 중학교

grámmar translátion mèthod 〖언어〗 문법 번역식 교수법《외국어 학습에서 문법 규칙의 설명과 번역에 치중하는 전통 교수법》

*__gram·mat·i·cal__ [grəmǽtikəl] *a.* **1** **문법(상)의**, 문법적인: a ~ category 문법적 범주《성·수·격·인칭 등》 **2** 표준 어법에 맞는, 문법에 맞는, 문법적으로 바른 **~·ly** *ad.* 문법적으로; 문법에 맞게: ~ speaking 문법적으로 말하면 **~·ness** *n.* = GRAMMATICALITY

grammátical chánge 문법적 변화; 베르너의 법칙(Verner's law)

grammátical génder 문법상의 성(性)

gram·mat·i·cal·i·ty [grəmæ̀tikǽləti] *n.* 〖언어〗 문법성(文法性)

gram·mat·i·cal·ize [grəmǽtikəlàiz] *vt.* 표준 어법화하다, 문법에 맞게 하다

gram·màt·i·cal·i·zá·tion *n.*

grammátical méaning 문법적 의미(cf. LEXICAL MEANING)

gram·mat·i·cism [grəmǽtəsìzm] *n.* 문법적 항목, 문법상의 원칙; 문법상의 정의

gram·mat·i·cize [grəmǽtəsàiz] *vt., vi.* 문법에 맞추다; 문법상의 문제를 논하다

gram·ma·tol·o·gy [græ̀mətɑ́lədʒi | -tɔ́l-] *n.* 그래머톨러지, 서기법(書記法) 연구《문자 언어를 문명 해독의 기본으로 하는 방법; 프랑스의 철학자 Jacques Derrida에 의함》

*__gramme__ [grǽm] *n.* = GRAM[1]

gram-mo·lec·u·lar [grǽmməlékjulər] *a.* 〖화학〗 그램 분자의

grám-molécular wéight = GRAM MOLECULE

grám mòlecule 〖화학〗 그램 분자

Gram·my [grǽmi] *n.* (*pl.* **~s, -mies**) (미) 그래미상(賞)《레코드 대상》

Gram-neg·a·tive, g- [grǽmnégətiv] *a.* 〖세균〗 그램 음성의《그램 염색법으로 염색되지 않는》(opp. *Gram-positive*)

‡**gram·o·phone** [grǽməfòun] *n.* (영·드물게) 축음기, 유성기((미) phonograph) ★ 지금은 record player가 일반적.

gram·o·phon·ic [græ̀məfɑ́nik | -fɔ́n-], **gràm·o·phón·i·cal** *a.*, **gràm·o·phón·i·cal·ly** *ad.*

grámophone récord 축음기 음반《지금은 record를 사용; cf. RECORD[2] *n.* 6》

gramp [grǽmp] *n.* = GRAMPS

grám·pa dùmping [grǽmpə-] 노인[할아버지] 유기

Gram·pi·an [grǽmpiən] *n.* **1** 그램피언《1975년 신설된 스코틀랜드 동부의 주; 주도 Aberdeen》 **2** [the ~s] 그램피언 산맥《스코틀랜드의 중부, Highlands와 Lowlands 접경의 낮은 산맥》

Gram-pos·i·tive, g- [grǽmpɑ́zətiv | -pɔ́z-] *a.* 〖세균〗 그램 양성의《그램 염색법으로 염색되는》(opp. *Gram-negative*)

gramps [grǽmps] *n.* (*pl.* ~) (구어) 할아버지(grandfather)

gram·pus [grǽmpəs] *n.* **1** 〖동물〗 범고래 **2** (구어) 숨결이 거친 사람

Grám's méthod [grǽmz-] 〖세균〗 그램 염색법《염색하여 세균을 양성(Gram-positive)과 음성(Gram-negative)으로 분류 식별하는 법》

gran [grǽn] [*gran*dmother] *n.* (구어·유아어) 할머니

Gra·na·da [grənɑ́:də] *n.* 그라나다 《(1) 스페인 남부의 주; 그 주도; 중세 서사라센 왕국의 수도 (2) 니카라과 남서부의 도시》

gra·na·de·ro [grɑ̀:nɑ:déirou] [Sp.] *n.* (*pl.* **~s**) (멕시코의) 데모 진압 기동대

gran·a·dil·la [græ̀nədílə] *n.* **1** 〖식물〗 시계풀(passionflower) **2** = PASSION FRUIT

*__gra·na·ry__ [gréinəri, grǽn- | grǽn-] *n.* (*pl.* **-ries**) **곡물 창고**; 곡창 지대

Gran Cha·co [grɑ́:n-tʃɑ́:kou] [the ~] 그란차코 《아르헨티나·볼리비아·파라과이 3국에 걸친 아열대 대평원; Chaco라고도 함》

‡**grand** [grǽnd] [L 「큰」의 뜻에서] *a.* **1 a** 웅장한, 웅대한, 당당한, 으리으리한, 인상적인: a ~ mountain 웅장한 산 **b** 화려한, 호화로운, 상류 사회의

> 유의어 **grand** 물리적으로 크고 훌륭하며 웅대한: the *grand* style 장중한 문체 **magnificent** 특히 풍부하고 호사스러우며 호화로운: *magnificent* paintings 장려한 그림 **stately** 보기에 품위 있고 당당한: the *stately* procession 위풍당당한 행렬 **majestic** 당당하고 위엄이 있으며 외견상으로도 훌륭한: a *majestic* waterfall 장엄한 폭포

2 위엄 있는, 위대한, 장중한, 당당한(majestic): a ~ man 큰 인물, 거물 **3** 〈계획 등이〉 원대한, 숭고한, 매우 야심적인 **4** 중요한, 저명한: a lot of ~ people 많은 저명인사들/a ~ potentate 최고 주권자 **5** 으쓱대는, 젠체하는, 콧대 높은, 오만한(haughty), 뽐내는(pretentious) **6** 주된, 주요한(principal, main); 완전한(complete), 총괄적인; 결정적인, 명확한; 대(大)…, 전(全)…, 총…: a ~ orchestra 전[대]관현악단/a ~ sonata 대소나타/the ~ staircase (현관의) 큰 계단/a ~ total 총계/have a ~ rest 충분히 쉬다/~ proof 결정적인 증거/a ~ example 명확한 예 **7** (구어) **근사한**, 썩 좋은, **훌륭한**: have a ~ time 썩 재미있는 시간을 보내다/I got up in the morning feeling ~. 아침에 일어나니 기분이 썩 좋았다. ***in the ~ manner*** 장중한 작풍[투]으로 ***live in ~ style*** 호사로운 생활을 하다

— *n.* **1** 그랜드 피아노(grand piano) **2** (*pl.* ~) (속어) 1,000달러[파운드] **3** [the ~] 웅장한 것 **4** [**G~**] 그랜드 호텔 ***do the ~*** 잘난체하다, 뻐기다

▷ grándeur *n.*

grand- [grǽnd] 《연결형》 「(혈연 관계의) 1세대 후의」의 뜻: *grand*father, *grand*nephew

gran·dad [grǽndæ̀d] *n.* = GRANDDAD

gran·dam [grǽndəm, -dæm], **-dame** [-deim, -dəm] *n.* **1** 조모; 할머니(old woman) **2** 아줌마

Gránd Army of the Repúblic [the ~] (남북 전쟁에서 종군한) 미국 육해 군인회《1866년 북군 종군자에 의해 창립; 略 G.A.R.》

grand·aunt [grǽndæ̀nt | -ɑ̀:nt] *n.* 종조모, 대고모(great-aunt)

grand·ba·by [grǽn*d*bèibi] *n.* (*pl.* **-bies**) (아직 어린 아기인) 손자

Gránd Bánks[Bánk] [the ~] 그랜드 뱅크《Newfoundland 남동부 근해의 얕은 바다로 세계 4대 어장의 하나》

gránd bóunce [the ~] (속어) 해고

Gránd Canál [the ~] 대운하 《(1) Venice의 주요 수로 (2) 중국 톈진(天津)에서 항저우(杭州)에 이르는 세계 최장의 수로》

Gránd Cányon [the ~] 그랜드 캐니언《미국 Arizona주 북서부 Colorado강의 대협곡》

Gránd Cányon Nátional Párk 그랜드 캐니언 국립공원《미국 Arizona주 북부의 국립공원; 1919년 지정》

Gránd Cányon Státe [the ~] 미국 Arizona

주의 속칭
Gránd Céntral Státion ((미)) [뉴욕의 역 이름에서] 대단히 붐비는 장소(cf. PICCADILLY CIRCUS)
*** grand·child** [grǽndtʃàild] *n.* (*pl.* **-chil·dren** [-tʃìldrən]) 손자, 손녀
Gránd Cróss [the ~] ((영)) 대십자 훈장 ((knight의 최고 훈장; 略 G.C.))
grand·dad [grǽn*d*dæ̀d] *n.* 할아버지(grandfather)
grand·dad·dy, gran- [grǽn*d*dæ̀di] *n.* (*pl.* **-dies**) ((구어)) **1** = GRANDFATHER **2** 대가, 제일인자: the ~ of jazz trumpet 재즈 트럼펫의 대가
grand·daugh·ter [grǽn*d*dɔ̀ːtər] *n.* 손녀
gránd drágon Ku Klux Klan의 간부(幹部)
grand-du·cal [grǽn*d*djúːkəl | -djúː-] *a.* 대공(大公)(국)의; 제정 러시아 황자의
gránd dúchess 대공비 ((대공의 처[미망인])); 여성 대공 ((대공국의 여성 군주))
gránd dúchy 대공국 ***the G- D- of Luxemburg*** 룩셈부르크 대공국
gránd dúke 대공 ((대공국의 군주))
grande dame [grǽn-dǽm, -déim] [F] 귀부인; 여성 제1인자
gran·dee [grændíː] *n.* 대공 ((스페인·포르투갈의 최고 귀족)); 고관, 귀인
grande e·cole [grɑ́ːn*d*-ekɔ́l] [F.] (프랑스의) 전문 단과 대학 ((특정 직업인 양성을 목적으로 함))
grande pas·sion [grɑ́ːnd-pɑːsjɔ́ːŋ] [F] 격정, 열애
grande toi·lette [-twɑːlét] [F] 예복
*** gran·deur** [grǽndʒər, -dʒuər | -dʒə, -djuə] *n.* Ⓤ **1** 웅장, 장대, 장려, 위관(偉觀), 위풍: the ~ that was Rome 로마의 장대함 **2** 고상함, 심원함, 원대함: the ~ of a prose style 고상한 산문체 **3** 장대[웅대]한 것[작품] **4** 거만함, 호언장담 ▷ gránd *a.*
*** grand·fa·ther** [grǽn*d*fɑ̀ːðər] *n.* **1** 할아버지, 조부; 조상; 노인, 늙은이 **2** ((미·속어)) (대학·고교의) 최상급생 **3** = GRANDFATHER'S CLOCK
—*a.* ((미)) (새 규칙[법령] 발효 이전의) 기득권의[에 입각한]
—*vt.* ((미)) 〈사람·회사를〉 새 규칙[법령]의 적용에서 제외하다 **~·ly** *a.* 할아버지 같은; 자상하게 걱정해 주는
grándfather clàuse ((미)) 조부 조항(祖父條項) (((1) 남북 전쟁 후의 남부의 일부에서 전쟁 전부터 선거권을 가진 자와 그 자손에게 자동적으로 선거권을 인정한 조항; 1915년 실효 (2) 법률의 기득권 옹호 조항))

grandfather('s) clock

grándfather('s) clóck [미국의 동요 작가 H.C. Work의 노래 *My Grandfather's Clock*에서] 대형 괘종시계 ((흔들이식))
gránd fínal ((호주)) (축구 등의) 우승팀을 가리는 시즌 최종 경기
gránd finále (오페라 등의) 클라이맥스, 대단원, 장엄한 종말
Grand Gui·gnol [grɑ́ːŋ-giːnjɔ́ːl] [F 상연된 극장 이름에서] *n., a.* 그랑기뇰(풍의) ((공포와 선정성을 강조한 단막극))
gran·di·flo·ra [grændəflɔ́ːrə] *n.* 꽃송이가 큰 장미 (=**~ ròse**) **—** *a.* 큰 꽃을 피우는
gran·dil·o·quence [grændíləkwəns] *n.* Ⓤ 호언장담, 큰소리, 자랑
gran·dil·o·quent [grændíləkwənt] *a.* 과장된, 호언장담하는 **~·ly** *ad.*
gránd ínquest = GRAND JURY
gran·di·ose [grǽndiòus] *a.* **1** 뽐내는, 으쓱대는, 과장한: ~ words 과장한 이야기 **2** 웅장[웅대]한, 숭고[장엄]한, 당당한: a ~ future 장대한 미래
~·ly *ad.* **~·ness** *n.*
gran·di·os·i·ty [grændiɑ́səti | -ɔ́s-] *n.* Ⓤ **1** 웅장함, 당당함 **2** 과장, 떠벌림
gran·di·o·so [grændióusou] *a., ad.* 〖음악〗 웅장한[하게], 당당한[하게]
gránd júror 대배심원
gránd júry 대배심, 기소 배심 ((12-23인으로 구성))
grand·kid [grǽn*d*kìd] *n.* ((구어)) 손자(grandchild)
Gránd Láma [the ~] = DALAI LAMA
gránd lárceny 〖법〗 중(重)절도(죄)(cf. PETTY LARCENY)
Gránd Lódge (Freemason 등 비밀 결사의) 총본부, 대본부
*** grand·ly** [grǽndli] *ad.* 웅장하게, 웅대하게; 화려하게, 호기있게; 당당하게; 오만하게, 거만하게; 성대히; 장중하게, 숭고하게
*** grand·ma** [grǽn*d*mɑ̀ː], **-ma(m)·ma** [-mɑ̀ːmə | -məmɑ́ː], **-mam·my** [-mæ̀mi] *n.* ((유아어)) 할머니
grand mal [grǽn*d*-mɑ́ːl, -mǽl] [F] 〖병리〗 (간질병의) 대발작
gránd mánner 딱딱한 태도[표현법]
gránd márch (무도회 개회 때 전원이 벌이는) 원형 대행진
Grànd Már·nier [-mɑːrnjéi] 브랜디에 오렌지를 넣은 술 ((강한 단맛이 나는))
Gránd Máster 기사단[공제 조합, 비밀 결사]의 단장; Freemason의 총본부장
Gránd Mónarch [the ~] 대왕 ((루이 14세의 별명))
grand monde [grɑ́ːn-mɔ́ːnd] [F] 상류 사회, 사교계
*** grand·moth·er** [grǽn*d*mʌ̀ðər] *n.* **1** 할머니, 조모 **2** 여자 조상(ancestress); 노부인
shoot* one*'s* ~** (1) ((미)) 실수를 저지르다 (2) ((미·구어)) 심한 짓을 저지르다 ***So's your ~! 말도 안 되는 소리! ***teach* one*'s* ~ (*how*) *to suck eggs*** 공자 앞에서 문자 쓰다 ***Tell that to your ~.*** 바보 같은 소리 작작해. ***This beats my ~.*** 이거 놀랐는 걸.
—*vt.* 소중히 하다 **~ *the cups*** ((영)) 받침 접시를 적시어 찻잔이 미끄러지지 않게 하다
grand·moth·er·ly [-mʌ̀ðərli] *a.* 할머니 같은; 친절한, 지나치게 돌보는
grándmother('s) clóck 그랜드머더 시계 ((grandfather('s) clock의 2/3크기의 대형 괘종 시계))
Gránd Nátional [the ~] (영국 Liverpool에서 해마다 3월에 열리는) 대장애물 경마
grand·neph·ew [-nèfjuː | -nèv-] *n.* 조카(딸)의 아들, 형제 자매의 손자, 종손
grand·ness [grǽn*d*nis] *n.* **1** Ⓤ 웅장, 장려함, 장대; 호기; 오만; 당당함 **2** 위대한 업적, 공적
grand·niece [grǽn*d*nìːs] *n.* 조카(딸)의 딸, 형제 자매의 손녀, 종손녀
gránd òld mán [the ~; 종종 **G- O- M-**] (정계·예술계 등의) 원로, 장로 ((W. E. Gladstone, W. Churchill 등을 지칭함; 略 G.O.M.))
Gránd Òld Párty [the ~] 미국 공화당(the Republican Party)의 속칭 ((略 G.O.P.))
gránd ópera 그랜드 오페라, 대가극
*** grand·pa** [grǽn*d*pɑ̀ː], **-pa·pa** [-pɑ̀ːpə | -pəpɑ́ː] *n.* ((구어·유아어)) 할아버지(grandfather)
*** grand·par·ent** [grǽn*d*pὲərənt] *n.* 조부, 조모
grànd-pa·rén·tal *a.*
gránd piáno[pianofórte] 그랜드 피아노
gránd plán 대계획, 웅장한 전략
grand prix [grɑ́ːn-príː] [F = grand prize] (*pl.* **grands prix** [~], **~es** [-z]) **1** 그랑프리, 대상, 최고상 **2** [**G- P-**] 그랑프리 (경주) ((프랑스 파리의 국제 경마; 세계 각지의 국제 자동차 경주))
gránd róunds 병례(病例) 검토회 ((입원 중인 특정 환자에 관한))
grand-scale [grǽn*d*skéil] *a.* 대형의, 대규모의; 정력적인
grand sei·gneur [grɑ́ːn-seinjə́ːr] [F] (*pl.* **~s**

~s, [~]) [종종 반어적으로] 귀하신 분, 잘난 사람
grand·sire [grǽndsàiər] *n.* 《고어》 조부(grandfather); [보통 *pl.*] 조상(forefather); 노인
gránd slám **1** 〖카드〗 (트럼프 등의) 압승(cf. LITTLE SLAM) **2** 〖야구〗 만루 홈런 **3** 그랜드 슬램 《한 시즌의 각종 큰 경기에서 우승하기》 **4** 《구어》 대성공, 완승 **5** [**G- S-**] 제2차 대전 중 영국군의 9,975 kg 폭탄
grand-slam·mer [-slǽmər] *n.* 〖야구〗 만루 홈런
*__grand·son__ [grǽndsʌ̀n] *n.* 손자
grand·stand [-stæ̀nd] *n.* **1** (경마장·경기장 등의) 특별 관람석 **2** 1의 관중 **—** *a.* **1** Ⓐ 특별석에 있는(것 같은): ~ seats 특별 관람석의 좌석 **2** 《구어》 화려한(showy), 박수갈채를 노리는
— *vi.* 《구어》 갈채를 노리는 연기를 하다
~·er *n.* 스탠드 플레이어 《박수갈채를 노리는 연기를 하는 사람》; 특별 관람석의 관객
grándstand fínish 〖스포츠〗 대접전[백열전]의 결승
grand·stand·ing [-stæ̀ndiŋ] *n.* Ⓤ 《미》 (정치·사업 등에서) 유리한 입지를 얻으려는 행동[말]
grándstand plày 《구어》 기교를 부려 박수갈채를 노리는 연기, 연극적인 제스처, 스탠드 플레이
gránd strátegy 〖정치〗 (구소련의) 세계 제패 전략 《서방측에서 본 표현》
gránd stýle (문학·미술의) 장엄체
gránd tótal 총합계
gránd tóur [the ~] **1** 영국의 상류 계급 자녀의 유럽 주유 여행 《보통 프랑스, 스위스, 이탈리아, 독일을 여행》 **2** 대여행: make *the* ~ of …을 일주[순회]하다 **3** (건물·전시회·시설 등의) 가이드가 있는 시찰[견학]
gránd tóuring càr = GRAN TURISMO
grand·un·cle [grǽndʌ̀ŋkl] *n.* 종조부(greatuncle)
gránd unificátion thèory 〖물리〗 대통일 이론
gránd únified thèory 〖물리〗 대통합[통일] 이론
gránd vizíer (옛 오스만 제국 등 이슬람교 국가의) 수상
grange [gréindʒ] *n.* **1** (여러 부속 건물이 딸린) 농장; 《일반적으로》 부농의 저택 **2** [the G~] 《미》 농업 협동 조합(Patrons of Husbandry); 그 지방 지부 **3** 《고어》 곡창(barn)
grang·er [gréindʒər] *n.* **1** 《미》 농민(farmer) **2** 《고어》 농장 관리인 **3** [**G~**] 《미》 농업 협동 조합원 **4** 《미》 곡물 수송 철도
grang·er·ism [gréindʒərìzm] *n.* Grange주의[방식]; 다른 책 그림을 오려 책에 따 붙이기
gran·ger·ize [gréindʒəràiz] *vt.* 〈책에〉 다른 책에서 오려낸 그림을 따 붙이다; 〈책에서〉 그림 등을 오려내다
grani- [grǽni, gréi-] 《연결형》 「낟알, 씨」의 뜻: *grani*vorous
gra·nif·er·ous [grənífərəs] *a.* 낟알[낟알 모양의 열매]을 맺는
gra·ni·ta [grəní:tə] *n.* (*pl.* **~s, -te** [-tei]) 그라니타 《이탈리아의 알갱이가 굵은 얼음 과자》
*__gran·ite__ [grǽnit] [It. 「낟알」의 뜻에서] *n.* **1** Ⓤ 화강암, 쑥돌: a piece[block] of ~ 한 개의 화강암 **2** (보기에 돌처럼) 완고한 것, 단단한 것: a heart of ~ 완강한 마음 ***as hard as*** **~** 몹시 단단한 ***bite on*** **~** 헛수고하다 **~·lìke** *a.*
Gránite Cíty [the ~] 스코틀랜드 애버딘(Aberdeen)시의 속칭
gránite pàper 반색지(斑色紙) 《착색한 섬유를 넣고 뜬 종이》
Gránite Státe [the ~] 미국 뉴햄프셔(New Hampshire)주의 속칭
gran·ite·ware [grǽnitwɛ̀ər] *n.* Ⓤ 화강암 무늬의 도기(陶器)[에나멜 철기(鐵器)]
gra·nit·ic [grənítik] *a.* 화강암의, 화강암질의
gran·it·ite [grǽnitàit] *n.* 흑운모(黑雲母) 화강암
gran·it·oid [grǽnitɔ̀id] *a.* 화강암 모양[구조]의
gran·i·vore [grǽnəvɔ̀:r, gréin-] *n.* 곡식을 먹는 동물 《특히 조류》
gra·niv·o·rous [grænívərəs, grein-] *a.* 곡식을 먹는
*__gran·ny, -nie__ [grǽni] *n.* (*pl.* **-nies**) **1** 《구어·유아어》 할머니; 노파 **2** 《구어》 수선쟁이; 공연히 남의 걱정을 하는 사람 **3** 《주로 미남부》 산파(midwife) 《granny woman라고도 함》 **4** = GRANNY('S) KNOT
— *a.* (**-ni·er**; **-ni·est**) 할머니의; 할머니 옷 스타일의, 기장이 길고 낙낙한
gránny ánnex[flát] (본채에 딸린) 노인들이 독립해서 생활하는 딴채
gránny bònd 그래니 본드, 노인 국민 채권 《물가지수 연동형 저축 채권》
gránny dréss 그래니 드레스 《목에서 발목까지 닿는 기장이 길고 낙낙한 젊은 여성복》
gránny dùmping (특히 육친) 노인 유기
gránny flàt 《영》 = IN-LAW APARTMENT
gránny glàsses **1** 할머니 안경 《젊은이들이 쓰는 둥근 금테 안경》 **2** 《비유》 (사물을 대하는) 통찰, 관찰(력)
gránny('s) knòt 세로 매듭, (옭매듭의) 거꾸로 매기
Gránny Smíth 파란 사과의 일종 《생식·요리용》
grano- [grǽnou, -nə] 《연결형》 「화강암(질)의; 알맹이 모양의」의 뜻: *grano*phyre
gra·no·la [grənóulə] *n.* Ⓤ 그라놀라 《납작 귀리(rolled oat)에 건포도나 황설탕을 섞은 아침 식사용 건강 식품》
gran·o·lith [grǽnəliθ] *n.* (포장도로용) 인조 화강 콘크리트 **gran·o·lith·ic** [grӕnəlíθik] *a.*
gran·o·phyre [grǽnəfàiər] *n.* 그래노파이어, 문상반암(文象斑岩) 《미립상 또는 반상(斑狀)의 화강암》
gràn·o·phý·ric [-fírik] *a.*
‡**grant** [grǽnt, grɑ́:nt | grɑ́:nt] [OF 「신용하다」의 뜻에서] *vt.* **1** (인정하여 정식으로) 주다, 수여하다(⇨ give 유의어): ~ permission 허가해 주다 / ~ a degree 학위를 수여하다 // 《~+목+전+명》 ~ a right *to* him 그에게 권리를 부여하다 **2** 〈탄원·간청 등을〉 승인하다, 허가하다, 들어주다(allow): 《~+목+목》 ~ a person a favor …의 부탁을 들어주다 // 《~+***that*** 절》 God ~ *that* we get there alive. 하느님, 우리가 거기에 무사히 이르게 하소서. // 《~+목+***to*** do》 They *~ed* him *to* take it with him. 그가 그것을 휴대하는 것을 그들은 허락했다. **3 a** 인정하다, 시인하다(admit): I ~ you. 자네 말을 인정하네. // 《~+목+***to be*** 보》 ~ it *to be* true 그것을 사실로 인정하다 // 《~+(***that***) 절》 I ~ you are right. 자네가 옳다고 인정하네. **b** (논의하기 위해) 가정하다 **4** 〈재산·권리 등을〉 (증서에 의해) 양도하다
God ~! ⇨ god. **~**[***~ing, ~ed***] ***that …*** 가령 …이라 치고, …이라 하더라도 ***Granted.*** (상대의 말을 일단 인정하여) 맞았어. 《보통 그 뒤에 But …가 이어진다》: *Granted*. But do you still believe him? 맞았어. 하지만 너는 아직도 그를 믿니? ***Heaven ~ that …!*** 제발 …이기를! ***take … for ~ed*** (***that …***) 당연한 일로 생각하다; (특히 익숙해져서) 제대로 평가하지 않다, 가볍게 보다 ***This ~ed, what next?*** 이것은 그렇다 치고 다음은 어떤가?
— *n.* **1** ⓊⒸ 허가, 인가; 수여; 교부, 하사 **2** 교부된 물건, 하사금, (특정 목적을 위한) 보조금, 조성금 《연구비·장학금 등》: government *~s* to universities 대학에 대한 정부의 보조금 **3** Ⓤ 〖법〗 양도, 부여; Ⓒ 증서 **4** (미국 Vermont, Maine, New Hampshire주의) 토지의 한 구역 《개인·단체에 매각한 지역》
~·a·ble *a.*
Grant [grǽnt, grɑ́:nt | grɑ́:nt] *n.* 그랜트 **Ulysses Simpson ~** (1822-85) 《미국 남북 전쟁 때의 북군 총사령관, 제18대 대통령(1869-77)》
gránt àid 무상 원조
grant·ee [grænti:, grɑ:n- | grɑ:n-] *n.* **1** 〖법〗 피(被)수여자, 양수인 **2** (장학금 등의) 수령자, 장학생(給費生): all-expense award *~s* 전액 지급 장학생

thesaurus **graphic** *a.* **1** 그림의 pictorial, illustrated, diagrammatic, presentational, drawn **2** 생

grant·er [grǽntər | grɑ́:nt-] *n.* 허용하는 사람; 수여자; 양도자

grant-in-aid [grǽntinéid | grɑ́:nt-] *n.* (*pl.* **grants-**) **1** 보조금, 교부금(subsidy) **2** (연수·교육 등에 대한) 보조금, 조성금(助成金)

grant-main·tained [grǽntmeintèind | grɑ́:nt-] *a.* 〈학교·교육 기관 등이〉 중앙 정부의 보조금을 직접 받는

gran·tor [grǽntər, grɑ́:n- | grɑ:ntɔ́:] *n.* 〖법〗 양도인, 수여자, 교부자

grants·man [grǽntsmən | grɑ́:nts-] *n.* (*pl.* **-men** [-mən, -mèn]) (대학교수 등으로서 재단 등에서) (연구) 보조금을 타내는 데 능숙한 사람
~·shìp *n.* 그 기술[솜씨]

gran tu·ris·mo [grɑ́:n-tu:rí:zmou] [It.] [종종 **G- T-**] 그란투리스모, GT카 《장거리·고속 주행용의 고성능 자동차》

gran·u·lar [grǽnjulər] *a.* 낟알의, 낟알 모양의; 과립 모양의; 〈표면·조직이〉 까칠까칠한: ~ eyelids 여포성(濾胞性) 결막염

gran·u·lar·i·ty [grӕnjulǽrəti] *n.* Ⓤ 낟알 모양, 입상(粒狀); 입도(粒度)

gránular snów 싸락눈

gran·u·late [grǽnjulèit] *vt.* 낟알(모양으)로 만들다; 〈종이·가죽의 표면 등을〉 꺼칠꺼칠하게 만들다
— *vi.* **1** 낟알(모양으)로 되다; 꺼칠꺼칠하게 되다 **2** (상처에) 새살이 나오다

gran·u·lat·ed [grǽnjulèitid] *a.* **1** 낟알로 된, 낟알 모양의; 낟알이 나서 도톨도톨한, 거죽이 꺼칠꺼칠한: ~ glass (스테인드글라스 창문에 쓰는) 두툴두툴한 유리 **2** 〖의학〗 새살을 이룬, 과립 모양의

gránulated súgar Ⓤ 그래뉴당(糖)

gran·u·la·tion [grӕnjuléiʃən] *n.* ⓊⒸ 낟알이 되기, 낟알 모양을 이루기, 꺼칠꺼칠해지기, 낟알이 있는 면; 〖의학〗 새살(이 나기), 과립

granulátion tìssue 〖병리〗 육아(肉芽) 조직

gran·u·la·tive [grǽnjulèitiv, -lət-] *a.* 알맹이 모양의, 〈표면이〉 껄끄러운; 〖병리〗 육아(肉芽)(형성)의, 새살이 나온

gran·u·la·tor, -lat·er [grǽnjulèitər] *n.* 낟알로 만드는 기계, 제립기(製粒機)

gran·ule [grǽnju:l] *n.* 잔 낟알, 가느다란 낟알; 미립(微粒)

gran·u·lite [grǽnjulàit] *n.* 〖광물〗 백립암(白粒岩) 《석영(石英), 장석(長石) 등의 똑같은 크기의 조그만 입자로 된 변성암(變成岩)》
gran·u·lit·ic [grӕnjulítik] *a.*

gran·u·lo·cyte [grǽnjulousàit] *n.* 〖해부〗 과립성 백혈구, 과립구 《polymorph라고도 함》
gran·u·lo·cyt·ic [grӕnjulousítik] *a.*

gran·u·lo·ma [grӕnjulóumə] *n.* (*pl.* **~s, ~·ta** [-tə]) 〖병리〗 육아종(肉芽腫)
-lom·a·tous [-lɑ́mətəs | -lɔ́m-] *a.*

gran·u·lose [grǽnjulòus], **-lous** [-ləs] *a.* = GRANULAR

grape [gréip] *n.* **1** 포도 (열매); 포도 나무(grapevine) **2** 〖군사〗 = GRAPESHOT **3** [*pl.*] 〖수의학〗 포도창(瘡) 《말의 다리에 생기는》 **4** 포도색 **5** [the ~] 와인; [때때로 the ~s] 샴페인 **6** (미·속어) [*pl.*] 치질
belt the ~ (미·속어) 잔뜩[말술을] 마시다 ***sour ~s*** ⇨ sour grapes. ***the ~s of wrath*** 〖성서〗 분노의 포도 《신의 분노의 상징; 이사야 63: 2-3》; (미·구어) 와인 ***the juice of the ~*** 포도주
~·like *a.* ▷ grápy *a.*

grápe brándy 포도(주)로 만든 브랜디

grápe cùre 〖의학〗 (주로 결핵의) 포도 식이요법 《포도를 먹어 낫게 하려는 요법》

grápe fèrn 고사릿과에 속하는 양치의 총칭

grape·fruit [gréipfrù:t] [포도처럼 송이로 열매를 맺는 데서] *n.* (*pl.* **~, ~s**) 그레이프프루트 《pomelo와 비슷한 북아메리카 남부의 특산 과일》; [*pl.*] (속어) (큰) 유방

grápefruit lèague (구어) 〖야구〗 메이저 리그 개막전의 연습 시합

grápe hỳacinth 〖식물〗 무스카리 《나릿과》

grápe jùice 포도즙

grápe ròt (포도의) 두창병

grap·er·y [gréipəri] *n.* (*pl.* **-er·ies**) 포도원, 포도 재배 온실

grápe·seed òil [gréipsi:d-] 포도씨 기름

grape·shot [-ʃɑ̀t | -ʃɔ̀t] *n.* (옛 대포의) 포도탄(彈) 《1발이 9개의 쇠알로 되어 있음》

grape·stone [-stòun] *n.* 포도씨

grápe sùgar 〖화학〗 = DEXTROSE

grape·vine [-vàin] *n.* **1** 포도 덩굴[나무] **2** [the ~] (구어) 정보가 퍼지는 경로, 비밀 정보망(= ~ **tèlegraph**) **3** (구어) 소문, 헛소문, 유언비어 **4** 〖스케이트〗 피겨 스케이팅의 한 종목 ***hear ... through*** [***on***] ***the ~*** 소문[낭설]을 듣다
— *a.* (구어) 소문의

grap·ey [gréipi] *a.* (**grap·i·er**; **-i·est**) = GRAPY

***graph**[1] [grǽf, grɑ́:f | grɑ́:f, grǽf] *n.* **1 도표,** 그래프, 도식, 그림: make a ~ of …을 도표로 하다 **2** 〖수학〗 《특히》 선 그래프(linear graph)
— *vt.* 그래프[도표, 도식]로 나타내다, 도시하다

graph[2] *n.*, *vt.* (영) 젤라틴판(으로 인쇄하다)

graph[3] *n.* 〖언어〗 서기체(書記體), 철자체 《개념·음(音)·언어적 표현의 대용으로서의 문자나 부호》

-graph [grӕf, grɑ̀:f | grɑ̀:f, grӕf] 《연결형》 **1** 「…을 쓰는[그리는, 기록하는] 기구」의 뜻: phono*graph* **2** 「…을 쓴 것[그림]」의 뜻: photo*graph*, mono*graph*, litho*graph*

graph·eme [grǽfi:m] *n.* 〖언어〗 서기소(書記素) 《알파벳 문자》
gra·phé·mic *a.* **gra·phé·mi·cal·ly** *ad.*

gra·phe·mics [grӕfí:miks] *n. pl.* [단수 취급] 〖언어〗 서기소론(書記素論)

-grapher [grəfər] 《연결형》 「쓰는 사람, 그리는 사람, 기록자」의 뜻: steno*grapher*, tele*grapher*

***graph·ic** [grǽfik] *a.* **1 그림[회화, 조각]의;** 눈앞에 보는 것 같은, 생생한, 여실한: a ~ account of an earthquake 지진에 관한 생생한 기사 **2 도표의,** 도해의, 도식으로 나타낸, 그래프식의: a ~ method 도식법, 그래프법 **3** 글자로 쓰는, 글자[기호]의; 서화[인각(印刻)]의; 〖지질〗 (암석 등의 표면에) 글자 모양의 무늬가 있는, 문상(文象) 구조의 **4** 그래픽 아트의
— *n.* 시각 예술[인쇄 미술] 작품, 그래픽 아트 작품; 설명용의 그림[지도, 그래프], 삽화; 〖컴퓨터〗 (화면에 표시된) 도형, 그래픽
-i·cal·ly *ad.* 그림을 보는 것 같이, 생생하게; 도표로; 글자로 **~·ness** *n.*

gráphic áccent 〖언어〗 강세 부호; 악센트 기호

graph·i·ca·cy [grǽfikəsi] *n.* 그래픽 아트의 재능[기술], 도식[선화(線畫)]을 그리는 기능

graph·i·cal [grǽfikəl] *a.* =graphic

gráphical úser interface 〖컴퓨터〗 그래픽 기능을 활용한 사용자 중심의 인터페이스 《略 GUI》

gráphic árts [the ~] 그래픽 아트 《일정한 평면에 문자·그림 등을 표시·장식·인쇄하는 기술이나 예술의 총칭; graphics라고도 함》

graph·i·cate [grǽfikət] *a.* 그래픽 아트의 재능[기술]이 있는

gráphic desígn 그래픽 아트를 응용하는 상업 디자인

gráphic dìsplay 〖컴퓨터〗 그래픽 표시 장치

gráphic équalizer 〖전자〗 그래픽 이퀄라이저 《각 주파수 대역의 신호 레벨을 조절하는 장치》

gráphic fórmula 〖화학〗 구조식

gráphic nóvel 만화 소설

graph·ics [grǽfiks] *n. pl.* **1** [단수 취급] 제도법; 도학(圖學); 도식[그래프] 산법(算法) **2** 〖영화·TV〗 그

생한 vivid, striking, expressive, descriptive, detailed (opp. *obscure*, *ambiguous*)

래픽스 《화면에 표시되는 타이틀·크레디트·자막 따위의 총칭》 **3** [단수·복수 취급] =COMPUTER GRAPHICS **4** [복수 취급] =GRAPHIC ARTS
— *a.* 컴퓨터 그래픽의

gráphics càrd[adàptor] 〖컴퓨터〗 그래픽 카드[어댑터](video adaptor) 《그래픽스 회로를 탑재한 확장 카드》

gráphics tàblet 〖컴퓨터〗 그래픽 태블릿 《도해 자료 입력용》

graph·ite [grǽfait] *n.* Ⓤ 〖화학〗 그래파이트, 석묵(石墨), 흑연(plumbago, black lead)

gráphite fiber 그래파이트 섬유

gra·phit·ic [græfítik] *a.* 석묵의, 흑연의; 석묵질[성]의

graphític reàctor 〖물리〗 흑연형 원자로 《carbon reactor라고도 함》

graph·i·tize [grǽfitàiz] *vt.* **1** 흑연으로 변화시키다, 흑연화(化)하다 **2** 〈물체의 표면을〉 흑연으로 덮다, 흑연을 칠하다[바르다]
-tiz·a·ble *a.* **gràph·i·ti·zá·tion** *n.*

grapho- [grǽfou] 《연결형》 「글자 쓰기, 그리기」의 뜻 《모음 앞에서는 graph-》

gra·phol·o·gist [græfɑ́lədʒist | -fɔ́l-] *n.* 필적학자

gra·phol·o·gy [græfɑ́lədʒi | -fɔ́l-] *n.* Ⓤ **1** 필적학, 필적 관상법 《필적으로 사람의 성격을 판단》 **2** 〖수학〗 도식[필기]법 **gràph·o·lóg·i·cal** *a.*

graph·o·ma·ni·a [grӕfəméiniə] *n.* Ⓤ 서광(書狂) 《글씨를 쓰고 싶어하는 병》

graph·o·ma·ni·ac [grӕfəméiniæ̀k] *n.* (쓰지 않고는 못 견디는) 서광 환자

gra·phon·o·my [græfɑ́nəmi | -fɔ́n-] *n.* 〖언어〗 문자학, 서자학(書字學)

graph·o·scope [grǽfəskòup] *n.* 〖컴퓨터〗 그래포스코프 《화면에 표시된 데이터를 light pen 등으로 수정할 수 있는 수상(受像) 장치》

graph·o·ther·a·py [grӕfəθérəpi] *n.* 〖정신의학〗 필적 진단(법); 필적 요법 《필적을 바꾸게 하여 치료하는 심리 요법》

Graph·o·type [grǽfətàip] *n.* 그래퍼타이프 《얇은 금속 조각에 글자를 돋을새김으로 나오게 하는 타자기식 기계; 상표명》

gráph pàper 모눈종이, 그래프 용지(《영》 section paper)

-graphy [grəfi] 《연결형》 **1** 「…화풍, 화법, 서풍, 서법, 기록법」의 뜻: litho*graphy*, steno*graphy* **2** 「…지(誌), …기(記)」의 뜻: geo*graphy*, bio*graphy*

grap·nel [grǽpnl] *n.* 〖항해〗 네 갈고리 닻; 쇠갈퀴, 쇠갈고리에 줄을 단 연장

grap·pa [grɑ́:pɑ:] [It.] *n.* Ⓤ 그랍파 《포도 짜는 기계 속의 찌꺼기를 증류한 술》

***grap·ple** [grǽpl] *vt.* **1** 잡다, 꽉 쥐다, 붙잡다, 쥐고 놓지 않다, 파악하다, 고정하다 **2** 〈사람을〉 꽉 껴안다, 꽉 잡다 **3** 〖항해〗 〈적선 등을〉 쇠갈퀴(grappling iron)로 걸어 잡다 **4** …와 격투[논쟁]하다
— *vi.* **1** 격투하다, 맞붙어 싸우다, 드잡이하다 《*with*》: (~+副) The two wrestlers ~*d together.* 두 레슬러는 서로 맞붙었다. **2** (쇠갈퀴로) 걸어 고정하다 **3** 해치우려고[해결하려고, 이기려고] 노력하다 《*with*》: (~+前+名) They ~*d with* the new problem. 그들은 새 문제와 씨름했다.
— *n.* **1** 붙잡기, 맞잡고 싸우기, 드잡이, 격투, 접전 **2** 〖항해〗 =GRAPNEL. ***come to ~s with*** …와 맞잡고 싸우다, …와 격투하다

grápple gròund 투묘지, 정박지(anchorage)

grap·pler [grǽplər] *n.* 격투자; (구어) 레슬링 선수(wrestler); (속어) 손

grap·pling [grǽpliŋ] *n.* **1** ⓊⒸ 갈퀴를 쓰기; 맞잡고 싸우기, 드잡이, 격투, 접전 **2** 〖항해〗 =GRAPNEL

grápplìng iron[hòok] 〖항해〗 (적군의 배 등을 걸어 잡아당기는) 쇠갈고리(grapnel)

grap·y [gréipi] *a.* (**grap·i·er**; **-i·est**) **1** 포도 (모양)의, 포도 비슷한, 포도로 된 **2** 포도 맛이 나는, 포도 주스 맛의: ~ wine 포도 맛이 나는 와인 **3** 〖수의학〗 〈말이〉 포도창에 걸린

GRAS [grǽs] [*g*enerally *r*ecognized *a*s *s*afe] *n.* 〖약학〗 (식품 첨가물에 대한) 미국 식품 의약국(FDA)의 합격증

gra·ser [gréizər] *n.* 〖물리〗 그레이저, 감마선 레이저(gamma-ray laser)

‡grasp [grǽsp, grɑ́:sp | grɑ́:sp] *vt.* **1** 붙잡다, 〈몸·옷 등을〉 움켜잡다(grip)(⇨ take 유의어), 끌어안다, 꽉 껴안다 《*by*》; (기회를) 잡다 ★ 몸·의복의 부분을 나타내는 명사 앞에는 the를 씀: (~+目+前+名) He ~*ed* me *by* the arm. 그는 내 팔을 잡았다. / *G*~ all, lose all. (속담) (욕심부려) 다 잡으려다가는 몽땅 놓친다. **2** 〈요점·의미를〉 터득하다, 파악하다, 이해하다(understand)
— *vi.* **1** 움켜잡다, 거머쥐다, 단단히 쥐다 **2** 〈물건·기회 등을〉 붙잡으려고 하다 《*at*, *for*》: (~+前+名) He tried to ~ *for* any support. 그는 어떤 지원에라도 매달리려 하였다. ~ ***at*** …을 잡으려 하다, (욕심나는 것에) 달려들다 ~ ***at straws*** 기적을 바라다 ~ ***the nettle*** 자진해서 난국에 부닥치다
— *n.* ⓊⒸ **1** 움켜잡기, 꽉 쥐기, 쥐는 힘; 끌어안기 《*at*》: make a ~ *at* …을 잡으려고[움켜 잡으려고] 하다 **2** (손이 닿는) 범위[거리]: have a thing within one's ~ 물건을 손이 닿는 곳에 놓다 **3** 통제, 지배; 점유 《*on*》 **4** 이해력(=mental ~), 이해의 범위, 포괄력; 파악하는 힘[가능성]; 미치는 거리(reach) **5** Ⓤ 〖항해〗 노의 손잡이 ***beyond***[***within***] one***'s*** ~ 손이 미치지 않는[미치는] 곳에; 이해할 수 없는[있는] 곳에 ***get***[***take***] ***a*** ~ ***on*** one***self*** 자기의 감정을 억제하다 ***have a good*** ~ ***of*** …을 잘 이해하고 있다 ***in the*** ~ ***of*** …의 손아귀에 ***take*** a person ***in*** one***'s*** ~ …을 꽉 껴안다 **~·a·ble** *a.* **~·er** *n.*

grasp·ing [grǽspiŋ, grɑ́:sp- | grɑ́:sp-] *a.* 붙잡는, 쥐는; 욕심 많은 **~·ly** *ad.* **~·ness** *n.*

‡grass [grǽs, grɑ́:s | grɑ́:s] *n.* Ⓤ **1** 《종류를 말할 때는 Ⓒ》 [집합적] (잎이 가는) 풀, 꼴풀, 목초; [*pl.*] 풀의 잎이나 줄기 **2** 풀밭, 초원, 목장, [보통 the ~] 잔디밭 **3** 잔디(lawn) **4** 〖광산〗 지표(地表), 갱구(坑口)(pithead): bring ores to ~ 광석을 갱 밖으로 내오다 **5** (미남부) 잡초 **6** 〖식물〗 볏과(科)의 식물 《곡류·갈대·대나무 등도 포함》 **7** 신록의 계절, 봄 **8** (속어) 아스파라거스(asparagus) **9** (흑인속어) 백인의 머리털; (비어) 치모(恥毛) **10** 〖인쇄〗 임시적인 일 **11** Ⓒ (영·속어) 밀고자, (경찰 등의) 끄나풀 **12** (속어) 환각제(marijuana)
as green as ~ (구어) 애송이인, 철부지의 ***as long as ~ grows and water runs*** (미) 영구히 ***be***[***run***] (***out***) ***at***[***to***] ~ 〈말 등이〉 방목되어 있다, 풀을 먹고 있다; 〈사람이〉 일터를 떠나서 놀고 있다, 일을 쉬고 있다; 〖광산〗 갱 밖에 나와 있다 ***be between ~ and hay*** (미) 채 어른이 못 된 젊은이이다 ***be in the*** ~ (미) 잡초에 파묻히다 ***cut*** one***'s own*** ~ (구어) 혼자 힘으로 생활하다 ***cut the ~ from under*** a person***'s feet*** …을 훼방놓다, 방해하다 ***go to*** ~ 〈가축이〉 목장으로 가다; (속어) 일을 그만두다, 쉬다; 〈권투 등에서〉 맞아 쓰러지다 ***Go to ~!*** (미·속어) 뻗어버려라!, 어리석은 소리 마라! ***hear the ~ grow*** 극도로 민감하다 ***hunt*** ~ 때려 눕혀지다 ***Keep off the ~.*** (게시) 잔디밭에 들어가지 마시오.; 참견 말 것. ***lay down*** a land ***in*** ~ (땅에) 잔디를 심다, 풀밭으로 만들다 ***let the ~ grow under*** one***'s feet*** [보통 부정구문] (우물거리다가) 기회를 놓치다 ***put***[***send, turn***] ***out to*** ~ 〈가축을〉 방목하다; 〈경주 말을〉 은퇴시키다; (구어) 해고하다; (속어) 때려 눕

thesaurus **grasp** *v.* **1** 붙잡다 grip, hold, clutch, catch, seize, grab, snatch **2** 파악하다 understand, comprehend, follow, see, realize, perceive, apprehend — *n.* hold, clutch, cinch

히다; 《구어》 〈사람을〉 휴양시키다
—*vt.* **1** 풀을 나게 하다, 풀로 덮다; 잔디밭으로 만들다 **2** 《미》 〈가축에〉 풀을 먹이다, 방목하다 **3** 풀[땅] 위에 놓다; 풀[잔디] 위에 펴다; 〈사람을〉 때려 눕히다(knock down), 〈새를〉 쏘아 떨어뜨리다; 〈물고기를〉 육지로 끌어올리다 **4** 《영·속어》 밀고하다 《*up*》
—*vi.* **1** 〈가축이〉 풀을 뜯다; 풀이 나다 **2** 《영·속어》 (경찰에) 밀고하다 《*on*》 **~·like** *a.*

grass-blade [grǽsblèid, grɑ́:s- | grɑ́:s-] *n.* 풀잎

gráss càrp 〚어류〛 초어(草魚) 《잉엇과; 중국 남부 원산》

gráss chàracter (한자의) 초서(草書)

gráss clòth 모시, 라미천 《Canton linen, China grass cloth라고도 함》

gráss cóurt 잔디를 심은 테니스 코트

gráss cùtter **1** 풀 베는 사람, 풀 베는 인부; 풀[잔디] 베는 기계 **2** 《야구속어》 강한 땅볼

grass·eat·er [-ì:tər] *n.* 《미·속어》 (뇌물을 요구하지는 않으나 주면 받는) 수회[부패] 경관

grassed [grǽst, grɑ́:st | grɑ́:st] *a.* 풀로 뒤덮인, 풀이 무성한

grass·er [grǽsər, grɑ́:s- | grɑ́:s-] *n.* 《영·속어》 밀고자

gráss gréen [때로 a ~] (싱싱한) 풀빛, 연두색

grass-green [-grí:n] *a.* 풀빛의, 연두색의

grass-grown [-gróun] *a.* 풀이 나 있는, 풀로 덮인

gráss hànd **1** (한자 등의) 초서 **2** 《영·속어》 〚인쇄〛 임시 고용인

gráss héad 《미·속어》 마리화나 사용자

gráss hòok 풀 베는 낫(sickle)

⁑**grass·hop·per** [grǽshɑ̀pər, grɑ́:s- | grɑ́:shɔ̀p-] *n.* **1** 〚곤충〛 **베짱이, 메뚜기,** 풀무치, 여치 **2** 《미·속어》 농약 살포용 비행기; 《속어》 (경쾌한 비무장의) 정찰 연락기 **3** 《속어》 경찰관; 마리화나 흡연자 ***knee-high to a ~*** 《구어》 아주 어린

grass·i·ness [grǽsinis, grɑ́:s- | grɑ́:s-] *n.* Ⓤ 풀이 무성함

grass·land [grǽslæ̀nd, grɑ́:s- | grɑ́:s-] *n.* **1** Ⓤ 목초지, 초원 (지대)(cf. WOODLAND) **2** 목초용 농지

grass·less [grǽslis, grɑ́:s- | grɑ́:s-] *a.* 풀이 없는

gráss màsk 마리화나 흡연용 마스크

grass·plot [grǽsplɑ̀t, grɑ́:s- | grɑ́:splɔ̀t] *n.* Ⓤ 잔디밭

gráss róots [the ~; 종종 단수 취급] **1** (세론 등의 중대 요소로서의) 일반 대중: democracy at *the* ~ 일반 대중에 뿌리박은 민주주의 **2** 농목(農牧) 지구; 시골, 오지; [집합적] 농목민 **3** 풀뿌리 **4** 〚광산〛 지표에 가까운 흙 **5** (사상 등의) 기초, 근본

grass-roots [-rù:ts] *a.* 시골의(rural); 민중의, 서민의, 민중으로부터 나온

gráss shèars 풀 깎는 큰 가위

gráss skìing 풀밭[잔디] 스키

gráss skìrt (긴 풀로 엮은) 스커트

gráss snàke (영국에 흔한) 독 없는 뱀

gráss stỳle 초서; 묵화법(墨畫法)

Grass·tex [grǽsteks, grɑ́:s- | grɑ́:s-] *n.* 그래스텍스 《테니스 코트 표면재(材)의 일종; 상표명》

gráss trèe 〚식물〛 백합과(科)의 상록 관목 《오스트레일리아산(産)》

gráss wèed 《미·속어》 마리화나

gráss wídow **1** 이혼 또는 별거 중인 아내 **2** (일·취미로 인해) 집을 잘 비우는 남편을 가진 아내 **3** 《고어》 **a** 버림받은 여자 **b** 미혼모

gráss wídower **1** 이혼 또는 별거 중인 남편 **2** 집을 잘 비우는 아내를 가진 남편

grass·work [grǽswə̀:rk, grɑ́:s- | grɑ́:s-] *n.* Ⓤ 〚광산〛 갱 밖의 작업

***grass·y** [grǽsi, grɑ́:si | grɑ́:si] *a.* (**grass·i·er**; **-i·est**) **1 풀이 우거진,** 풀 많은, 풀로 덮인, 풀의[같은]; 연초록색의; 초식성의 **2** 《속어》 마리화나의, 대마초의

grass·y-green [grǽsigrí:n, grɑ́:si- | grɑ́:si-] *a.* 연초록색의

***grate**[1] [gréit] 〖L 「격자 세공품」의 뜻에서〗 *n.* **1** (벽난로의 연료받이) **쇠살대,** 화상(火床); 벽난로(fireplace) **2** (창문 등의) 쇠격자 ★ 영국에서는 보통 grating을 씀. **3** 〚광산〛 (광석용의) 체
—*vt.* …에 쇠살대[격자]를 달다

***grate**[2] [gréit] *vt.* **1 비비다,** 갈다, 문지르다; 삐걱거리게 하다: ~ one's teeth 이를 갈다 **2** 비벼 부스러뜨리다, 뭉개다, 〈강판에〉 갈다 **3** 초조하게[성질나게] 하다
—*vi.* **1** 비비다, 삐걱거리다, 삐걱 소리를 내다 《*against, on, upon*》: 《~+전+명》 The door ~*d on* its rusty hinges. 문의 경첩이 녹슬어 삐걱거렸다. **2** 〈신경에〉 거슬리다 《*on*》, 불쾌감을 주다: 《~+전+명》 ~ *upon* the ears 귀에 거슬리다

G-rat·ed [dʒí:rèitid] *a.* 〈영화가〉 관객의 연령 제한이 없는, 일반용의 《G는 general의 약어》: a ~ film 일반용 영화

⁑**grate·ful** [gréitfəl] *a.* **1 고맙게 여기는, 감사하는** (thankful) 《*to, for*》; 감사를 나타내는 〈편지〉; 사의를 표하는: a ~ letter 감사의 편지 // 《~+***to*** do》 She will be deeply ~ *to* know that you have done that for her. 당신이 그것을 해주었다는 것을 알면 그녀는 깊이 감사할 것입니다.

> 유의어 **grateful** 남에게서 받은 호의·친절 등에 대해 그 사람에게 감사하는: I am *grateful* to you all my life. 평생토록 은혜를 잊지 않겠습니다. **thankful** 자신의 행운에 대해 신·자연·운명·사람들에게 고맙게 생각하는: We were *thankful* for a good harvest. 우리는 풍작에 감사했다.

2 고마운, 기분 좋은, 쾌적한, 반가운: a ~ breeze 쾌적한 산들바람

***grate·ful·ly** [gréitfəli] *ad.* **감사하여,** 기꺼이

grate·ful·ness [gréitfəlnis] *n.* Ⓤ 고맙게 여김, 감사(한 마음)(gratitude)

grat·er [gréitər] *n.* 가는[문지르는] 사람; 강판: a cheese ~ 치즈를 가는 강판

grat·i·cule [grǽtəkjù:l] *n.* **1** (현미경·망원경 등의 계수판 위의) 계수선(計數線) **2** 〚측량〛 (방안지의) 격자선 **3** (지도·해도의) 경위선망(網)

***grat·i·fi·ca·tion** [grǽtəfikéiʃən] *n.* Ⓤ **만족시키기,** 흐뭇하게 해주기; 만족(감), 희열; Ⓒ 만족시키는 것: physical[spiritual] ~ 육체적[정신적] 만족 / the ~ of curiosities 호기심의 만족 ▷ grátify *v.*

grat·i·fied [grǽtəfàid] *a.* 만족한, 기뻐하는 《*with, at*》: I am ~ *with*[*at*] the result. 나는 그 결과에 만족하고 있다. / I was ~ to hear the news. 그 소식을 듣고 만족했다.

⁑**grat·i·fy** [grǽtəfài] 〖L 「기쁘게 하다」의 뜻에서〗 *vt.* (**-fied**; **~·ing**) **1** 〈사람을〉 **만족시키다; 기쁘게 하다** (⇨ gratified); …에게 고마워하게 하다: Praise *gratifies* most people. 칭찬을 들으면 대부분의 사람이 기뻐한다. **2** 〈욕망·충동 등을〉 충족시키다, 채워주다; 〈눈·귀를〉 즐겁게 하다: ~ one's curiosity 호기심을 채워 주다 / beauty that *gratifies* the eye 눈을 즐겁게 하는 아름다움 **3** 《폐어》 …에게 보수를 주다, 보답하다; 매수하다 **-fi·a·ble** *a.*
▷ gratificátion *n.*

grat·i·fy·ing [grǽtəfàiiŋ] *a.* 만족을 주는, 만족한, 기분 좋은, 유쾌한 《*to*》 **~·ly** *ad.*

gra·tin [grǽtn, grɑ́:t- | grǽtæŋ] 〖F〗 *n.* **1** 그라탱 《고기·감자 등에 치즈·빵가루를 입혀 oven에 구운 요리》 **2** 《비유》 상류 계급

gra·ti·né [græ̀tənéi, grɑ̀:t-] *vt.* (**~ed**; **~·ing**) 〈음

---

grate[2] *v.* rub, rasp, grind, abrade
gratify *v.* **1** 기쁘게 하다 please, make happy, delight, gladden, satisfy, appease **2** 충족시키다 fulfill, indulge, comply with, appease, pacify

식·요리를〉 그라탱(gratin)으로 하다
— *a.* 치즈나 빵가루를 입혀 구워서 노릇하게 한

grat·ing[1] [gréitiŋ] *n.* 창살, 격자, 격자 세공; 나무[쇠] 격자 뚜껑 《배의 승강구·맨홀 등의》; 〖광학〗 회절(回折) 격자(= diffraction ~)

grating[2] *a.* 삐걱거리는, 삐걱삐걱하는, 귀에 거슬리는; 신경에 걸리는 **~·ly** *ad.*

gra·tis [grǽtis, gréi-] *a.* Ⓟ [종종 free ~로] 무료로: Entrance is ~. 입장 무료. **—** *ad.* 무료로

‡**grat·i·tude** [grǽtətjù:d | -tjù:d] *n.* Ⓤ 감사(하는 마음) 《*to*》, 사의 《*for*》: express one*'s* ~ *to* a person …에게 감사의 마음을 표시하다
in ~ for …에 감사하여 ***in token of*** one*'s* ~ 감사의 표시로 ***out of*** ~ 은혜의 보답으로, 감사한 마음에서 ***with*** ~ 감사해서

gra·tu·i·tous [grətjú:ətəs | -tjú:] *a.* **1** 무료의(free), 무보수의; 호의상의; 〖법〗 무상의 〈계약 등〉(cf. ONEROUS): ~ service 무료 봉사 / a ~ conveyance 무상 양도 **2** 불필요한; 까닭[근거] 없는
~·ly *ad.* **~·ness** *n.*

gra·tu·i·ty [grətjú:əti | -tjú:-] [F 「선물」의 뜻에서] *n.* (*pl.* **-i·ties**) ⓊⒸ 행하, 팁(tip); 선물(gift); 〖군사〗 (특히 제대·퇴직시의) 급여금(bounty), 퇴직금
No ~ accepted. (게시) 팁은 안 받습니다.

grat·u·lant [grǽtʃulənt | -tju-] *a.* 기쁨[만족]을 나타내는

grat·u·late [grǽtʃulèit | -tju-] 《고어》 *vt.* …을 축하하다; 기꺼이 맞이하다 **—** *vi.* 기쁨을 말하다

grat·u·la·tion [grӕtʃuléiʃən | -tju-] *n.* ⓊⒸ 《고어》 기쁨, 만족, 경하; [*pl.*] 기쁨의 표현

grat·u·la·to·ry [grǽtʃulətɔ̀:ri | -tjulətəri] *a.* 《영》 축하의, 축사하는

graunch [grɔ́:ntʃ] *vi.* 〈기계가〉 끼끼 소리를 내다

grau·pel [gráupəl] *n.* Ⓤ 〖기상〗 싸락눈(snow pellets, soft hail)

Grau·stark·i·an [graustá:*r*kiən, grɔ̀:-] *a.* 로맨스와 모험에 찬; 멜로드라마식의

gra·va·men [grəvéimən | -men] *n.* (*pl.* **-vam·i·na** [-vǽmənə], **~s**) **1** 불평, 불만; (영국 국교회 성직자 회의의 하원에서 상원으로 제출하는) 진정서 **2** [the ~] 〖법〗 가장 중요한 점 《소송·고소·진정 등의》

‡**grave**[1] [gréiv] [OE 「굴」의 뜻에서] *n.* **1** 무덤, 묘(tomb); 묘혈, 묘석

> [유의어] **grave** 무덤을 뜻하는 가장 일반적인 말로서 시체를 묻은 장소 전체를 뜻한다: visit my grandfather's *grave* 할아버지 산소를 성묘하다 **tomb** 땅속이나 지상을 막론하고 시체를 묻기 위해 만든 장소로서 종종 묘비, 기념비 등이 있다: the President's *tomb* 대통령의 묘

2 [the ~] 《문어》 죽음, 파멸, 종말 **3** 《영》 야채류 저장굴 (***as***) ***silent*** [***quite, secret***] ***as the*** ~ 무덤과 같이 말없는[절대로 비밀인] ***beyond the*** ~ 내세에[에서] ***dig*** one***'s own*** ~ 스스로 무덤을 파다, 자멸하다 ***find*** one***'s*** ~ (***in*** a place) (…에서) 죽을 자리를 얻다 《죽다》 ***from the cradle to the*** ~ ⇨ cradle. ~ ***of reputations*** 명성을 잃은 곳, 종말 ***have one foot in the*** ~ ⇨ foot. ***in*** one***'s*** ~ 죽어서 ***make*** [***set***] a person ***turn*** (***over***) ***in his*** [***her***] ~ …을 죽어서도 눈을 감지[편히 잠들지] 못하게 하다 (***on***) ***this side of the*** ~ 이승에서 ***rise from*** one***'s*** ~ 소생하다 ***sink into the*** ~ 죽다 ***Someone is walking on*** [***across, over***] ***my*** ~. 나의 무덤 위를 누가 거닐고 있다. 《까닭 없이 몸이 오싹할 때 하는 말》 ***turn*** (***over***) ***in*** one***'s*** ~ 〈고인이〉 무덤 속에서 탄식하다 **~·ward(s)** *a.*, *ad.*

‡**grave**[2] [gréiv] [L 「무거운」의 뜻에서] *a.* (**grav·er**; **grav·est**) **1** 〈책임·문제·결과 등이〉 중대한, 중요한, 위험이 따르고 있는, 심각한, 심상치 않은: ~ responsibilities 무거운 책임 / a matter of ~ concern 중대한 관심사 **2** 근엄한, 의젓한, 위엄 있는, 엄숙한(⇨ serious [유의어]): a ~ ceremony 엄숙한 식전 **3** 근심스러운, 수심을 띤 **4** 〈빛깔이〉 수수한, 침침한 **5** 〖음성〗 저(低)악센트의, 억음(抑音)의
— [gréiv, grá:v] *n.* = GRAVE ACCENT
~·ness *n.* ▷ grávity *n.*

grave[3] [OE 「파다」의 뜻에서] *vt.* (**~d**; **grav·en** [gréivən], **graved**; **grav·ing**) 《문어》 **1** 조각하다, 새기다(engrave): (~+목+전+명) ~ an inscription *on* marble 대리석에 명(銘)을 새기다 **2** [종종 수동형으로] (마음에) 새기다, 명심하다 《*on, in*》: (~+목+전+명) His words *are graven on* my memory. 그의 말은 나의 뇌리에 아로새겨져 있다. **3** 《고어》 〈구멍을〉 파다

grave[4] *vt.* 〖항해〗 〈배 밑의〉 부착물을 제거하고 타르[도료]를 바르다

gra·ve[5] [grá:vei] [It.] *a.*, *ad.* 〖음악〗 느린, 느리게; 장엄한, 장엄하게

gráve áccent [gréiv-, grá:v- | grá:v-] 〖음성〗 저(低) 악센트, 억음(抑音) 부호 《è, æ̀ 등의 (`)》

grave·clothes [gréivklòuðz] *n. pl.* 시체에 입히는 옷, 수의

grave-danc·er [gréivdæ̀nsə*r* | -dà:nsə*r*] *n.* 《속어》 남의 불행으로 득을 보는 사람

grave·dig·ger [gréivdìgə*r*] *n.* 무덤 파는 일꾼; 〖곤충〗 송장벌레(burying beetle)

gráve gòods 분묘의 부장품

‡**grav·el** [grǽvəl] *n.* **1** Ⓤ [집합적] 자갈; 《미》 밸러스트(ballast)(⇨ stone [유의어]); Ⓒ 〖지질〗 사력층(砂礫層) 《특히 사금(砂金)을 함유하는》 **2** ⓊⒸ 〖병리〗 신사(腎砂), 요사(尿砂), 요결석(尿結石), 요사증(症)
hit the ~ = hit the DIRT. ***pay*** ~ 충분히 채산이 맞을 만큼 금을 함유하고 있는 사력층
— *vt.* (**~ed**; **~·ing** | **~led**; **~·ling**) **1** 자갈로 덮다[보수하다], …에 자갈을 깔다 ★ 종종 과거분사로 형용사적으로 씀 **2 a** 《영》 어리둥절케 하다, 곤혹스럽게 하다(puzzle, perplex) **b** 《미·구어》 짜증나게 하다, 성나게 하다(irritate): His impudence ~*s* me. 그의 무례함에 화가 난다. **3** 〈배를〉 모래톱에 얹히게 하다
— *a.* 〈주로 목소리가〉 귀에 거슬리는

grav·el-blind [grǽvəlblàind] *a.* 장님에 가까운 (cf. SAND-BLIND, STONE-BLIND)

grav·eled | **grav·elled** [grǽvəld] *a.* 〈도로 등이〉 자갈로 덮인: a ~ path 자갈길

grave·less [gréivlis] *a.* 무덤이 없는; 매장할 수 없는

grav·el·ly [grǽvəli] *a.* 자갈의[같은], 자갈이 든, 자갈로 된, 자갈이 많은; 〈목소리가〉 귀에 거슬리는: a ~ voice 거슬리는 목소리

grável pìt 자갈 갱, 자갈 채취장

grav·el-pound·er [-pàundə*r*] *n.* 《군대속어》 보병

grav·el·stone [-stòun] *n.* **1** 자갈, 조약돌(pebble) **2** 〖병리〗 신사(腎砂)

grav·el-voiced [-vɔ̀ist] *a.* 〈목소리가〉 귀에 거슬리는, 굵고 쉰 목소리의

grável wàlk[**ròad**] 자갈길

‡**grave·ly** [gréivli] *ad.* 중대하게; 근엄하게, 진지하게; 장중하게

grav·en [gréivən] *v.* GRAVE[3]의 과거분사
— *a.* **1** 새긴, 조각한 **2** 감명받은

gráven ímage 우상(idol), 조상(彫像)

Gra·ven·stein [grá:vənstàin, grǽvənstì:n] *n.* 그라벤슈타인종의 사과 《독일종》

grav·er [gréivə*r*] *n.* **1** 조각사 **2** (동판용) 조각칼

gráve ròbber 묘지 도굴범

Graves [grá:v] [F] *n.* Ⓤ (프랑스 보르도 지방의) 그라브산 (백)포도주

Gráves' disèase [gréivz-] 〖병리〗 그레이브즈[바제도] 병

thesaurus **grave**[2] *a.* **1** 중대한 important, momentous, significant, urgent, vital, crucial, criti-

grave·stone [gréivstòun] *n.* 묘석, 묘비

*__grave·yard__ [gréivjɑ̀:rd] *n.* **1** 묘지, 묘소 **2** 활기가 없는 장소 **3** (구어) =GRAVEYARD SHIFT **4** 고물 폐기장; 폐차장(=auto ~)
— *a.* 《미·속어》 밤 늦은[아침 이른] 시간의

gráveyard màrket 〖증권〗 묘지 시장 《계속적인 하락 시황》

Gráveyard schòol [the ~] 묘지파 《18세기 중엽의 영국 서정 시인들의 한 파》

gráveyard shift (3교대제에서) 밤 12시부터 오전 8시까지의 근무; 그 근로자들 《graveyard watch, lobster shift라고도 함》

gráveyard wàtch **1** 자정부터 오전 4시[8시]까지의 당직 **2** =GRAVEYARD SHIFT

grav·id [grǽvid] *a.* 《문어》 **1** 임신하고 (있는) **2** 〖동물〗 〈고기·곤충이〉 알이 가득한 **3** 《비유》 (…으로) 가득한, 꽉 찬 《*with*》

grav·i·da [grǽvədə] *n.* (*pl.* **~s, -dae** [-dì:]) 〖의학〗 **1** 임신한 여성의 상태 《보통 회임 횟수를 말함》 **2** 임산부, 임부

gra·vid·i·ty [grəvídəti] *n.* Ⓤ 임신

gra·vim·e·ter [grəvímətər] *n.* (고체·액체의) 비중계; 중력계

grav·i·met·ric, -ri·cal [grӕvəmétrik(əl)] *a.* 중량 측정의, 중량에 의해 측정된 **-ri·cal·ly** *ad.*

gravimétric análysis 〖화학〗 중량 분석(cf. VOLUMETRIC ANALYSIS)

gra·vim·e·try [grəvímətri] *n.* 중량[밀도] 측정

gráv·ing dòck [gréiviŋ-] (배 밑바닥 청소·수리용) 건(乾)독(dry dock)

gráving tòol 조각용 도구; 동판 조각칼

grav·i·sphere [grǽvəsfìər] *n.* Ⓤ 〖천문〗 (천체의) 중력권, 인력권

grav·i·tas [grǽvitæ̀s, -tɑ̀:s] *n.* 진지함, 엄숙함

grav·i·tate [grǽvətèit] [L 「무겁게 하다」의 뜻에서] *vi.* 인력에 끌리다; 〈물건이〉 가라[내려]앉다(sink) 《*toward, to*》; 〈사람 등이〉 (…에) 자연히 끌리다 《*toward, to*》 — *vt.* 중력으로 내려[가라]앉히다 ▷ gravitátion *n.*

*__grav·i·ta·tion__ [grӕvətéiʃən] *n.* Ⓤ **1** 중력, 인력: terrestrial[universal] ~ 지구[만유] 인력 **2** 가라앉기, 하강(sinking) **3** (자연의) 경향(tendency): the ~ of the population from the country to the cities 인구가 시골에서 도시로 집중하는 경향

grav·i·ta·tion·al [grӕvətéiʃənl] *a.* 중력의, 인력(작용)의 **~·ly** *ad.* 중력[인력]으로

gravitátional astrónomy 천체 역학

gravitátional collápse 〖천문〗 중력 붕괴 《천체가 중력 작용으로 수축해 가는 현상》

gravitátional cónstant 〖물리〗 중력[만유인력] 상수

gravitátional fíeld 〖물리〗 중력장(場)

gravitátional fórce 〖물리〗 중력, 인력(引力)

gravitátional interáction 〖물리〗 중력 상호 작용

gravitátional léns 〖천문〗 중력 렌즈

gravitátional máss 〖물리〗 중력 질량

gravitátional wáve 〖물리·천문〗 중력파(波) 《중력장의 에너지가 공간 속에서 전해지는 파; 질량이 큰 별이 중력 붕괴할 경우 등에 발생》

grav·i·ta·tive [grǽvətèitiv] *a.* 중력의, 중력의 작용을 받기 쉬운

grav·i·ton [grǽvətɑ̀n | -tɔ̀n] *n.* 〖물리〗 그래비톤, 중력 양자(量子)(cf. PHOTON)

‡**grav·i·ty** [grǽvəti] *n.* (*pl.* **-ties**) Ⓤ **1 a** 〖물리〗 중력, 지구 인력: walk in the 1/6 ~ of the moon 중력이 지구의 1/6인 달 표면을 걷다 **b** 무게(weight), 중량 **2** 《일반적으로》 끌림, 인력 **3** 중력 가속도(acceleration of gravity) **4** 중력 가속도의 단위 《기호 g》 **5 a** 진지함(seriousness), 엄숙, 침착: with ~ 진지하게 **b** 중대함, 심상치 않음; 위험, 위협; 죄의 무거움, 중죄: the ~ of the situation 사태의 중대함 **6** 〖음성〗 저음, 억음(抑音)(low pitch) ***specific ~*** 〖물리〗 비중 ***the center of ~*** 중심(重心) ▷ gráve *a.*

grávity bàttery[cèll] 중력 전지

grávity dàm 〖토목〗 중력댐

grávity fàult 〖지질〗 중력 단층, 정단층(normal fault)

grávity fèed 〖기계〗 **1** (연료·재료 등의) 중력을 이용한 공급법 **2** 중력 이용 공급 장치

grávity gràdient 〖물리〗 중력 경도법(傾度法) 《인공위성의 지구에 대한 기울기를 지구 중력으로 일정하게 하는 방법》

grávity mèter =GRAVIMETER

grávity wàve 〖물리〗 (유체(流體)의) 중력파 《밀도가 장소에 따라 다른 유체 속에서 중력 때문에 생기는 파》

grav·laks [grɑ́:vlɑ:ks] *n.* =GRAVLAX

grav·lax [grɑ́:vlɑ:ks] *n.* 〖요리〗 그라브락스 《연어에 향신료를 가한 것》

gra·vure [grəvjúər, gréivjər | grəvjúə] *n.* ⓊⒸ 〖인쇄〗 그라비어 인쇄, (사진 제판에 의한) 요판(凹版) 인쇄 《photogravure, rotogravure 등》; 그라비어 인쇄물[판]

*__gra·vy__ [gréivi] *n.* (*pl.* **-vies**) **1** ⓊⒸ 육즙, 고깃국물, 그레이비: ~ soup 육즙 수프 **2** Ⓤ 《미·속어》 쉽게 번 돈, 부정 이득 ***By*** [***Good***] ***~!*** 《미·구어》 저런, 결단코! ***in the ~*** 돈 있는, 부자의, 아쉬운 것 없이

grávy bòat (배 모양의) 고깃국물 그릇

grávy tràin [the ~] 《미·속어》 일하지 않고 편히 지낼 수 있는 지위[수입]

‡**gray**[1] | **grey** [gréi] *n.* **1** ⓊⒸ 회색, 쥐색: dress in ~ 회색 옷을 입다 **2** [the ~] 어스레한 빛, 미명; 땅거미, 어스름: in *the* ~ of the daybreak 미명에, 여명에 **3** Ⓤ 회색[쥐색]의 옷 **4** Ⓤ 회색[쥐색] 그림물감[염료] **5** [주로 *pl.*] 회색말 **6** 《속어》 평범한 중년 남자 **7** [종종 **G~**] 《미》 회색 군복 《특히 미국 남북 전쟁 때 남군의》 **8** 무명의[특징이 없는, 정체불명의] 사람 **9** 《미·흑인속어》 백인 **10** 《영·속어》 보수적인 사람; [the ~; 집합적] 보수[전통]주의자들 ***the blue and the gray*** (미국 남북 전쟁의) 북군과 남군 ***the*** (***Scots***) ***Greys*** 영국 용기병 제2 연대
— *a.* **1** 회색의, 쥐색의, 납빛의; 〈안색이〉 창백한: ~ eyes 회색 눈 / ~ clothes 회색 옷 **2 a** 흐린, 우중충한 **b** 어스레한(dim), 음침한 **3** 〈머리털이〉 반백의: turn ~ 반백이 되다 **4** 《비유》 회색의, 어두운; 음울한, 외로운 **5** 노년의; 경험을 쌓은, 원숙한: ~ experience 원숙한 경험, 노련 **6** 태고의, 고대의: the ~ past 고대, 태고 **7** 〖경제〗 암거래에 가까운(cf. GRAY MARKET) **8** 〈사람이〉 정체불명의; 아주 평범한, 특징이 없는 **9** 《미·흑인속어》 백인의
— *vt.* **1** 회색[쥐색]으로 만들다; 백발이 되게 하다 **2** 〖사진〗 광택을 없애다(《특히 영》 grey)
— *vi.* 회색[쥐색]이 되다; 백발이 되다

gray[2] *n.* 〖물리〗 그레이 《전리 방사선 흡수선량(量)의 SI 단위; 略 Gy》

gráy área **1** (양극 사이의) 중간 영역, 이도저도 아닌[애매한] 부분[상황] **2** =GREY AREA 1

gray·back [gréibæ̀k] *n.* **1** 〖미국사〗 (남북 전쟁 당시의) 남군 군인 **2** =GRAY WHALE **3** 〖조류〗 도요의 일종 **4** 《미·구어》 〖곤충〗 이(louse)

gray·beard [-bìərd] *n.* **1** 반백의 수염이 있는 사람, 노인; 노련한 사람, 현인 **2** 《미·항공속어》 고참 파일럿 **3** 《영》 =VIRGIN'S BOWER

gray-beard·ed [-bíərdid] *a.* 수염이 흰

gráy céllls 뇌, 뇌수; 두뇌, 지능, 지성

Gráy còde 〖컴퓨터〗 그레이 코드 《2진(進) 표시된 연속하는 수의 체계로, 인접하는 어느 표시도 한 자리만 다르도록 하는》

gray-col·lar [-kɑ̀lər | -kɔ̀l-] *a.* 수리·보수 작업에 종사하는

---

cal **2** 엄숙한 solemn, serious, sober, somber, grim, earnest, severe

gráy ecònomy = GREY ECONOMY
gráy éminence = ÉMINENCE GRISE
gray·fish [-fìʃ] *n.* (*pl.* **~, ~·es**) 〖어류〗 **1** 돔발상어(dogfish) 《시장 용어》 **2** = POLLACK
Gráy Fríar 프란체스코회 수도사(Franciscan)
gráy gòods 방직기에서 갓 꺼낸 천 《표백·염색 등의 가공이 되지 않은 직물; greige, griege라고도 함》
gráy góose = GRAYLAG
gray·head [-hèd] *n.* 백발의 노인; 〖동물〗 늙은 향유고래의 수컷
gray-head·ed [-hédid], **-haired** [-hέərd] *a.* 백발의, 백발이 섞인; 늙은, 노련한 (*in*), 오래된
gráy hèn 〖조류〗 멧닭의 암컷
gray·hound [-hàund] *n.* = GREYHOUND
gray·ing [gréiiŋ] *n.* Ⓤ 고령화; 노화
gray·ish [gréiiʃ] *a.* 회색[쥐색]이 도는, 희끄무레한
Gráy Làdy 미국 적십자사의 여성 자원 봉사자
gray·lag [gréilæ̀g] *n.* (유럽에 많은) 회색 기러기
Gráy Líne 그레이 라인 《미국의 대규모 관광버스 회사》
gray·ling [gréiliŋ] *n.* 〖어류〗 살기; 〖곤충〗 뱀눈나빗과(科)의 나비 《굴뚝나비 등》
gráy lìterature 일반에 공개하지 않은 문서 정보
gray·ly [gréili] *ad.* 회색[쥐색]으로; 어스레하게, 음울하게
gray·mail [gréimèil] *n.* 《미》 (소추(訴追) 중인 피의자에 의한) 정부 기밀의 폭로를 비치는 협박
gráy máre 《비유》 내주장(內主張)하는 여자: The ~ is the better horse. 《속담》 내주장이다, 엄처시하이다.
gráy márket 〖경제〗 회색 시장 《품귀 상품을 비싸게 판매; 불법은 아님; 암시장(black market)과 보통 시장(normal market)의 중간 시장》
gráy màtter **1** (뇌·척수의) 회백질(cf. WHITE MATTER) **2** 《구어》 두뇌, 지능
gráy múllet 〖어류〗 숭어 《red mullet에 대하여》
gray·ness [gréinis] *n.* Ⓤ 어스레함; 회색; 백발이 섞임
gray·out [gréiàut] *n.* 〖의학〗 일시적 시력 상실 《대뇌 혈류 감소로 부분적 의식·시력 장애》
Gráy Pánther 《미》 그레이 팬서 《노인의 복지·권리 확대를 꾀하는 운동 단체》
gráy pówer 《미》 노인 파워
gráy scàle 그레이 스케일 《백(白)에서 흑(黑)까지의 명도를 10단계로 나눈 무채색 색표; TV·사진·인쇄의 색 판정에 씀》
gray·scale [gréiskèil] *a.* 흑백으로 출력된 〈이미지〉; 〈프린터나 스캐너가〉 흑백용인
Gráy's Ínn 그레이즈 인 법학원(cf. the INNs of Court)
gráy síster 프란체스코회 수녀
gráy squírrel 〖동물〗 회색 큰다람쥐 《북미 원산》
gray·stone [-stòun] *n.* Ⓤ 회색 화산암(의 건물)
gráy úrn 항아리 모양의 (식용) 버섯
gray·wacke [gréiwæ̀kə] *n.* Ⓤ 〖광물〗 경사암(硬砂岩)
gray·wa·ter [-wɔ̀:tər] *n.* 중수도(中水道) 용수 《정화 처리로 재이용되는 부엌·욕실 등에서의 배수》
gráy whále 〖동물〗 귀신고래 《북태평양산(産)》
gráy wólf = TIMBER WOLF
gráy zóne *a., n.* **1** 이도 저도 아닌 (상태), 애매한 (범위) **2** 회색 지대(의) 《어느 초강대국의 세력하에 있는지 애매한 지역》
‡**graze**[1] [gréiz] *vi.* **1** 〈가축이〉 풀을 뜯어먹다, 목장에서 풀을 먹다; 방목하다: Sheep and cows were *grazing* in the pasture. 양과 소들이 목장에서 풀을 뜯고 있다. **2** 《미·속어》 식사하다
— *vt.* **1** 〈가축이 생풀을〉 (뜯어)먹다 **2** 〈풀·목초지를〉 가축에게 뜯게 하다; 〈토지를〉 목초지로 사용하다: ~ the field after gathering the hay 건초를 거두어들인 뒤 들을 목초지로 이용하다 **3** 〈가축에게〉 풀을 먹게 하다; 〈가축을〉 방목하다 **4** 《속어》 (선 채로 가볍게) 식사하다 ***send*** a person ***to*** **~** …을 내쫓다
— *n.* **1** 방목; 풀을 먹이기[먹기] **2** 방목지
graze[2] *vt., vi.* 가볍게 닿으며[스치며] 지나가다, 스치다 (*along, through, by, past*); 스쳐 벗겨지게 하다[벗겨지다] (*against*)
— *n.* 스치기, 스쳐 벗겨지기; 찰과상
graze[3] *vi.* 격식 차리지 않는 태도를 보이다; (TV 채널 등을) 자주 바꾸다
graz·er [gréizər] *n.* 방목 가축; 방목자
gra·zier [gréiʒər | -ziə] *n.* **1** 목축업자 **2** 《호주》 (특히 성부 소유지에서의) 양치기, 목양자
grá·zier·y *n.* Ⓤ 목축업
graz·ing [gréiziŋ] *n.* Ⓤ 목초지; 방목: a ~ ticket 《미·속어》 식권
grázing lànd 방목지
gra·zi·o·so [grɑ̀:tsióusou] [It.] *a., ad.* 〖음악〗 우아한[하게]
GRB gamma-ray burst 감마선 폭발 **Gr.Br(it).** Great Britain **GRE** graduate record examination 미국 (일반) 대학원 입학 자격 시험
‡**grease** [grí:s] *n.* Ⓤ **1** 그리스; 유지(油脂), (윤활유 등의) 기름, 양털의 지방분; 기름 빼지 않은 양털(= **~ wòol**) **2** 지방(fat) **3** 〖수의학〗 수지병(水疵病)(= **~ hèel**) 《말의 거모부(距毛部)의 염증》 **4** 《구어》 뇌물; 아첨 **5** 《미·속어》 연줄, 연고 관계 **6** 《미·속어》 사격
in pride [***prime***] ***of*** **~** = in (the) GREASE (1). ***in*** (***the***) **~** (1) 〈새·짐승이〉 기름이 잘 오른, 잡기에 꼭 알맞은 (2) 〈양털·모피가〉 탈지하지 않은: wool[furs] *in the* ~ 아직 기름을 빼지 않은[막 깎은] 양털[모피] ***like ~ in a pan*** 힘있게
— [grí:s, grí:z] *vt.* **1 a** …에 기름을 바르다[치다]: ~ a car 차에 그리스를 치다 / ~ a frying pan 프라이팬에 기름을 바르다 **b** 기름으로 더럽히다 **2** 《구어》 〈일을〉 원활히 진척시키다, 추진하다; 뇌물을 주다 **3** 수자병에 걸리게 하다 **~** a person***'s palm*** [***hand, fist***] 《속어》 …에게 뇌물을 쓰다 **~** ***the fat pig*** [***sow***] 안 해도 될 일을 하다 **~** ***the wheels*** [***skids***] = oil the WHEELS. ***like*** [***quick as***] **~*d lightning*** 매우 빨리 **~·less** *a.*
grease·back [grí:sbæ̀k] *n.* 《미·속어·경멸》 국경을 넘어 미국에 밀입국하는 멕시코 사람
gréase báll 〖야구〗 그리스 볼 《각종 기름을 공이나 손가락에 묻혀서 하는 투구; 반칙 투구》
grease·ball [-bɔ̀:l] *n.* 《미·속어·경멸》 라틴 아메리카계 외국인; 《특히》 멕시코 사람
grease-box [-bɑ̀ks | -bɔ̀ks] *n.* 〖기계〗 (차축의) 윤활유[그리스] 통
grease·bush [-bùʃ] *n.* = GREASEWOOD
gréase cùp 그리스컵 《기계에 붙어 있는》
gréase gùn 윤활유 주입기; 《군대속어》 (M-3형) 기관 단총
gréase mònkey 《속어》 (특히 자동차·비행기의) 수리공, 정비공
grease·paint [-pèint] *n.* Ⓤ (배우가 쓰는) 화장용 기름; (배우 등의) 분장
gréase pàyment 뇌물 주기, 증회(贈賄)
gréase pèncil 유성 연필
grease·proof [-prù:f] *a.* 기름이 안 배는: ~ paper 《영》 납지(蠟紙)
greas·er [grí:sər, -zər] *n.* **1** 기름 치는 사람[기구]; (기선의) 기관사, (자동차) 정비공 **2** 《속어》 (자동차·오토바이 등) 폭주족의 젊은이; 《미·속어》 알랑거리는 사람 **3** 《미·속어·경멸》 멕시코 사람, 스페인계 미국 사람 **4** 《속어》 불쾌한 사람, 싫은 사람 **5** 《영·속어》 (항공기의) 부드러운 착륙
gréase tràp 하수도의 기름 막는 장치
grease·wood [grí:swùd] *n.* Ⓤ 〖식물〗 명아줏과 관목 《미국 서부 알칼리성 지대(地帶)산; 차조깃과의 다년초》
greas·i·ly [grí:sili | -zi-] *ad.* 기름지게, 기름기 있게; 미끈미끈하게; (말을) 번드르르하게

***greas·y** [grí:si | -zi] *a.* (**greas·i·er**; **-i·est**) **1** 〈몸·의복·식기 등이〉 **기름이 묻은**, 기름을 바른, 기름기 있는 **2** 기름을 함유한, 기름진, 기름기 많은: This food is ~. 이 음식은 기름기가 많다. **3** 〈외관이〉 미끈미끈한; 매끄러운; (질어서) 미끄러운 〈길 등〉: ~ skin 매끄러운 피부 **4** 알랑거리는; 《미·속어》 지저분한: ~ smile 알랑거리는 웃음 **5** 〖항해〗 〈날씨가〉 흐린, 우중충한 **6** 〈말이〉 수자병에 걸린

—*n.* (*pl.* **greas·ies**) 《호주》 양털을 깎는 사람

gréas·i·ness *n.* ▷ gréase *n.*

gréasy grínd 《미·속어》 어려운[하기 싫은] 일[공부]; 열심히 일[공부]하는 사람, 공부벌레

gréasy póle 기름 바른 장대《기어 오르거나 걷는 놀이 도구》

gréasy spóon[**réstaurant**] 《미·익살》 불결한 싸구려 식당

⁑**great** [gréit] *a.*, *ad.*, *n.* (opp. *little*)

> 「큰」 **1** ┬(수량이 커서) 「많은」 **2**
> ├(정도가 커서) 「중대한」, 「두드러진」 **3**
> └(가치가 커서) 「탁월한」 **4** → 「숭고한」 **5**
> → 「훌륭한, 대단한」 **8**

—*a.* **1** 〈크기·범위 등이〉 **큰**, 대(大)…(⇨ big 유의어); 거대한, 광대한: a ~ city 대도시 **2** Ⓐ 〈수·양 등이〉 **많은**; 장기(長期)의, 오랜; 먼: a ~ number [deal] of 다수[다량]의 / a man of ~ age 고령자 / live to a ~ age 아주 장수하다 / in ~ multitude 큰 무리를 이루어 / a ~ while ago 꽤 오래전에 **3 중대한**, 중요한, 〈성질 등이〉 두드러진, 현저한(eminent, important); 극심한, 대단한: a ~ noise 큰 소음 / ~ annoyance 몹시 성가심 / ~ bloodshed 극심한 출혈 **4 위대한**, 탁월한, 저명한, 일류의: a ~ picture 명화(名畫) **5** 〈성격·생각·목적 등이〉 숭고한, 심원한, 장엄한: ~ aims 고상한 목적 **6** 신분[지체]이 높은, 귀한, 지위가 높은: the ~ families 명가(名家) **7** 즐겨 쓰는, 마음에 드는, 좋아하는 〈말 등〉 《*with*》: a ~ word 즐겨 쓰는 말 **8** 〈능력·내용 등의 점에서〉 훌륭한, 위대한, 우수한: a ~ actor 명배우 / a ~ statesman 위대한 정치가 **9** 《구어》 능란한, 잘하는 《*at*》; 정통한 《*on*》, (…에 대해서) 자세히 알고 있는 《*at*, *on*》 **10** 《구어》 굉장한, 재미나는, 신나는, 멋진, 훌륭한, 대단한 **11** 《문어》 〈가슴이〉 벅찬; 《고어》 (임신하여) 배가 부른 《*with*》: ~ *with* child 임신 중인 **12** [the G~; 고유명사·칭호 등의 뒤에 붙여서] …대왕[제(帝)]: Alexander *the G~* 알렉산더 대왕 **13** 그 이름 그대로의, 진짜: a ~ scoundrel 진짜 악당 **14** 〈혈연 관계가〉 1대를 사이에 둔, 증(曾) …: a ~-grandchild 증손

a ~ many = ***a ~ number of*** (people, etc.) 많은, 숱한, 다수의 ***a ~ one*** [***person***] ***for*** …에 굉장히 열심인 사람 ***be ~ at*** …에 열중하고 있다 ***be ~ in*** …에 뛰어나다, …에 우수하다 ***be ~ on*** …에 크게 관심을 가지다, …에 열심이다, …에 숙달돼 있다 ***~ friend*** 절친한 친구 ***G~ God*** [***Caesar, Scott, Sun***]***!*** 저런, 아이구, 아 놀랐다! ***~ little man*** 몸은 작으나 마음이 큰 사람 ***~ occasion*** 중대 시기; 위기; 축제일 ***have a ~ notion that*** …이라고 생각하는 경향이 있다 ***no ~*** 대수롭지 않은 《*to*》 ***the ~er*** [***~est***] ***part of*** …의 대부분, …의 태반 ***the ~ forty days*** 그리스도의 부활에서 승천까지의 40일 ***the ~ house*** 마을에서 첫째 가는 집 ***the ~ I am*** 《속어》 자칭 대가; 잘난체하는 사람 ***the ~ majority*** [***body, part***] 대부분 ***the ~ world*** 귀족[상류] 사회 ***the ~est happiness of the ~est number*** 최대 다수의 최대 행복 《J. Bentham의 공리주의》

—*ad.* 《미·구어》 훌륭히, 썩 잘(very well); [크기를 나타내는 형용사 앞에서] 몹시, 되게(very): a ~ big fish 굉장히 큰 고기 / Things are going ~. 만사 순조롭게 되어 간다. / She sings ~. 그녀는 노래를 굉장히 잘 한다.

—*n.* **1** 위인, 명사, 거물 **2** [the ~(s); 집합적; 복수 취급] 위인들, 명사들, 일류 인사들 **3** [the ~est] 《구어》 아주 멋진 사람[물건]: She is *the ~est.* 그녀는 최고다. **4** 《미·구어》 다량, 다수 **5** [*pl.*; 종종 **G~s**; 단수 취급] (Oxford 대학의) 인문학 과정 B.A. 학위를 따기 위한 최종 시험(cf. GREAT GO); 그 인문학 과정의 학과목 **6** 《고어》 전체, 총체

a ~ (***of***) 《미·속어》 다수(의), 다량(의) ***~ and small*** 빈부 귀천 ***in the ~*** 몽땅, 모조리 ***no ~*** 《미·속어》 많지 않은[않게]

great- [gréit] 《연결형》 「1대(代)가 먼 또는 grand보다 1대가 먼 친등(親等)의」의 뜻: *great*aunt, *great-great*-grandson

gréat ápe 유인원《고릴라·침팬지·오랑우탄 등》

Gréat Assíze [the ~] 최후의 심판(Last Judgment)

Gréat Attrácter 〖우주과학〗 거대 중력원《은하계의 방향과 속도를 바꿀 정도의 인력을 가진, 어떤 광대한 우주 내 영역》

gréat áuk 〖조류〗 큰바다오리《19세기에 절멸》

great-aunt [gréitæ̀nt | -ɑ̀:nt] *n.* = GRANDAUNT

Gréat Awákening [the ~] 〖미국사〗 (1734년경 미국에서 일어난) 신앙 부흥 운동

Gréat Bárrier Rèef [the ~] 그레이트 배리어 리프, 대보초(大堡礁) 《오스트레일리아 북동부의 Queensland 해안과 병행하는 큰 산호초》

Gréat Básin [the ~] 그레이트 베이슨 《미국 서부의 Nevada, Utah, California, Oregon, Idaho주에 걸친 큰 분지》

Gréat Béar [the ~] 〖천문〗 큰곰자리, 북두칠성(Ursa Major)

Gréat Beyónd [the ~] 사후 세계, 내세

⁑**Grèat Brítain** [Little Britain 《맞은편에 있는 프랑스의 Brittany 지방》과 구별하기 위한 명칭] **대브리튼섬**, 영 본국 《잉글랜드, 웨일스, 스코틀랜드를 합친 것에 대한 명칭, 그냥 Britain이라고도 함; 북아일랜드를 합쳐서 영국(the United Kingdom)을 이룸; cf. BRITAIN》; 《속어》 영국(the United Kingdom)

gréat cálorie 킬로 칼로리 《물 1kg을 1℃ 높이는 데 필요한 열량; 식품의 영양가를 표시하는 데도 씀》

gréat cháir 안락의자(armchair)

Gréat Chárter [the ~] 〖영국사〗 대헌장, 마그나카르타(Magna Charta)

gréat círcle (구면(球面)의) 대원(大圓)(cf. SMALL CIRCLE); (지구의) 대권(大圈)

gréat-cir·cle cóurse[**róute**] [-sə̀:rkl-] 〖항공〗 대권 코스 《지구상의 2점 간의 최단 거리》

gréat-circle sáiling 〖항해〗 대권 항법(cf. PLANE SAILING)

great·coat [-kòut] *n.* 《영》 두꺼운 천으로 만든 큰 외투(topcoat)

gréat cóuncil **1** 〖영국사〗 (노르만 왕조 시대의 왕정청의) 대회의 **2** (옛날 Venice 등의) 시의회

Gréat Cúltural Revolútion [the ~] = CULTURAL REVOLUTION

Gréat Dáne 그레이트 데인 《Denmark 종(種)의 큰 축견》

Gréat Dáy [the ~] 최후의 심판날

Gréat Depréssion [the ~] (1929년 미국에서 비롯한) 대공황(the Depression, the Slump)

Gréat Dítch 파나마 운하(Panama Canal)

Gréat Divíde [the ~] **1** 대분수계, 《특히》 북미 대륙 분수계(the Rockies) **2** 《비유》 죽음, 중대 시기, 위험; [**g- d-**] 《미·구어》 이혼 ***cross the ~*** 《완곡》 유명을 달리하다, 죽다

Gréat Dóg [the ~] 〖천문〗 큰개자리(Canis Major)

great·en [gréitn] *vt.*, *vi.* 《고어》 크게 하다[되다], 위대하게 하다[되다]; 증대하다(increase), 확대하다[되다](enlarge)

great·er [gréitər] *a.* [great의 비교급] **1** …보다 큰 (opp. *lesser*) **2** [**G~**; 지역명으로] 대(大)…, 〈도시가〉

교외를 포함한: *Greater* New York

Gréater Brítain 대영 연방 《영국 본토(Great Britain)와 그 전(全) 속령을 포함함; British Commonwealth of Nations와 같은 뜻》

Gréater Lóndon 대런던 《1965년 이후, 구 London에 구 Middlesex주 및 구 Essex, Kent, Hertfordshire, Surrey 각 주의 일부를 병합시킨 행정 지구로서 현재의 London과 같은 뜻; 1986년 폐지》

Gréater Mánchester 그레이터 맨체스터 《영국 서부의 주; 1974년에 신설; 주도 Manchester》

Gréater Nèw Yórk 대뉴욕 《종래의 New York에 Bronx, Brooklyn, Queens, Richmond를 합친 것; New York City와 같은 뜻》

gréat·est cómmon méasure[divísor, fáctor] [gréitist-] [the ~] 〖수학〗 최대 공약수

gréat fée 〖영국사〗 국왕에게서 직접 받은 영지

Gréat Fíre [the ~] 〖영국사〗 (1666년의) 런던 대화재

gréat gó [the ~] 《영·속어》 (Cambridge 대학의) B.A. 학위를 따기 위한 최종 시험

great-grand·child [gréitgrǽndtʃàild] *n.* (*pl.* **-chil·dren** [-tʃìldrən]) 증손

great-grand·daugh·ter [-grǽnddɔ̀:tər] *n.* 증손녀

great-grand·fa·ther [-grǽndfɑ̀:ðər] *n.* 증조부

great-grand·moth·er [-grǽndmʌ̀ðər] *n.* 증조모

great-grand·par·ent [-grǽndpɛ̀ərənt] *n.* 증조부, 증조모

great-grand·son [-grǽndsʌ̀n] *n.* 증손자

gréat gróss 대(大)그로스, 12 그로스 《수량의 단위; 144 다스; 1,728개》

gréat gún 《미·속어》 거물, 유력자, 명사(名士)

gréat gùns *ad.* 《구어》 〈바람 등이〉 맹렬하게, 심하게, 윙윙; 〈사람이〉 굉장한 속도로, 열심히: blow ~ 강풍이 불다 / go ~ 척척 해치우다, 쾌속도로 진격하다, 크게 성공하다 ***Great guns!*** 이크, 야단났다, 아뿔싸!

great·heart·ed [-hɑ́:rtid] *a.* **1** 고결한, 마음이 넓은, 아량 있는, 관대한 **2** 용감한 **~·ly** *ad.* **~·ness** *n.*

gréat hórned ówl 〖조류〗 수리부엉이 《아메리카산(産)》

gréat húndred 120

gréat ínquest = GRAND JURY

Gréat Lákes [the ~] 미국과 캐나다 국경의 5대호 《동쪽에서부터 차례로 Ontario, Erie, Huron, Michigan, Superior》; [the g- l-] 《익살》 대서양

gréat láurel 〖식물〗 북미 동부 원산의 활엽의 석남(石南)

Gréat Léap Fórward [the ~] (중국의) 대약진 정책 《모택동에 의한 1958-61년의 경제 공업화 정책》

‡great·ly [gréitli] *ad.* **1** [보통 동사·과거분사·소수의 비교급 형용사를 강조하여] **크게**, 몹시, 매우; 훨씬: I was ~ amused. 나는 무척 재미있었다. **2 위대하게**; 숭고[고결]하게, 관대하게: a life ~ lived 위대한 생애를 보낸

Gréat Mógul (인도의) 무굴제국의 황제; [**g- m-**] 거물, 요인

great-neph·ew [gréitnèfju: | -nèv-] *n.* = GRANDNEPHEW

***great·ness** [gréitnis] *n.* Ⓤ **1 큼**, 거대함 **2** 중대, 중요 **3 위대(함)**, 웅대; 저명, 탁월; 고귀; 활달

great-niece [gréitnì:s] *n.* = GRANDNIECE

gréat órgan 〖음악〗 그레이트 오르간 《특히 큰 음을 내는 오르간의 주요부; 그 주(主) 건반; cf. CHOIR ORGAN》

Gréat Plágue (of Lóndon) [the ~] (런던의) 대역병(大疫病) 《1664-65년 런던에서 발생한 페스트》

Gréat Pláins [the ~] 대초원 지대 《Rocky 산맥 동부의 미국·캐나다에 걸친》

Gréat Pówer 강국; [the ~s] (세계의) 열강

great-pow·er·ism [-pàuərizm] *n.* 강대국주의

gréat-pow·er pólitics [-pàuər-] 강대국 간의 외교

gréat prímer 〖인쇄〗 18포인트 활자

Gréat Proletárian Cúltural Revolútion [the ~] (중국의) 프롤레타리아 문화 대혁명(1965-69)

Gréat Pỳrenees 그레이트 피레네 《원래 Pyrenees 산맥 지방에서 목양견 또는 번견으로 사육된 흰색의 큰 개》

Gréat Rebéllion [the ~] 〖영국사〗 대반란, 청교도 혁명(English Civil War)

Gréat Réd Spòt 〖천문〗 (목성의) 대적점(大赤點)

Gréat Ríft Válley [the ~] 그레이트 리프트 밸리 《아시아 남서부 Jordan강 계곡에서 아프리카 동남부 Mozambique까지 이어지는 세계 최대의 지구대(地溝帶)》

Gréat Rússian 대(大)러시아인 《구소련의 유럽 북부·중부 지방에 사는 주요 러시아 민족》; 대러시아어 《유럽 러시아의 중부·북동부에서 사용》

Gréat Sált Láke 그레이트 솔트 호 《미국 Utah 주에 있는 얕은 함수호》

Gréat Schísm [the ~] **1** 대분열 《로마 가톨릭 교회의 교황 계승을 둘러싼 분열(1378-1417)》 **2** (동서 교회의) 분열, 동서 분리

gréat séal **1** [the ~] 국새 **2** [the G- S-] 《영》 국새 상서(尙書)

gréat skúa = SKUA

Gréat Smóky Móuntains, Gréat Smókies [the ~] 그레이트 스모키 산맥(the Smokies) 《the Appalachian Mountains의 한 산계; 그 일대는 국립 공원》

Gréat Socíety [the ~] 위대한 사회 《미국의 36대 대통령 Lyndon B. Johnson이 1964년에 정책 이념으로 내건 민주당의 목표》

gréat sóil gròup 대(大)토양군

Gréat Spírit [the ~] (아메리칸 인디언 부족의) 주신(主神)

gréat tít 〖조류〗 박새

gréat tóe 엄지발가락(big toe)

great-un·cle [gréitʌ̀ŋkl] *n.* = GRANDUNCLE

Gréat Victória Désert [the ~] 그레이트 빅토리아 사막 《오스트레일리아 남서부의 사막; Victoria Desert라고도 함》

Gréat Vówel Shíft [the ~] 〖언어〗 대모음 추이(推移) 《중세 영어에서 현대[근대]영어로의 역사적 음운(音韻) 변화》

Gréat Wáll **1** 〖천문〗 거대한 성운군(星雲群) **2** = GREAT WALL OF CHINA

Gréat Wáll of Chína [the ~] (중국의) 만리장성 《the Chinese Wall이라고도 함》

Gréat Wár [the ~] 제1차 세계 대전

gréat whéel 시계의 제1 톱니바퀴

Gréat Whíte Fáther[Chíef] (아메리칸 인디언이 말하는) 미국 대통령; 대권력자

gréat whíte shárk 백상아리, 식인 상어 《속칭》

Gréat Whíte Wáy [the ~] 불야성 《New York의 극장가 Broadway의 속칭》

gréat yéar = PLATONIC YEAR

greave [grí:v] *n.* [보통 *pl.*] (갑옷의) 정강이받이 **gréaved** *a.* 정강이받이를 댄

greaves [grí:vz] *n. pl.* 굳기름[지방] 찌꺼기 《개·물고기의 먹이》

grebe [grí:b] *n.* 〖조류〗 논병아리

gre·bo [gréibou] *n.* 그레보 《장발에 지저분한 옷차림을 한 록 음악광》

***Gre·cian** [grí:ʃən] *a.* 그리스(식)의

> 유의어 **Grecian**은 건축·미술·사람의 얼굴 등에 대해 사용하며, 그 외에는 **Greek**을 쓴다.

— *n.* 그리스 사람(Greek); 〖성서〗 그리스화한 유대인; 《고어》 그리스(어) 학자; 《영》 (London의 Christ's

thesaurus **greedy** *a.* **1** 탐욕스러운 avaricious, acquisitive, grasping, rapacious, grabbing, cov-

Hospital 학교의) 최상급생 **Gré·cian·ize** *vt., vi.*
Grécian bénd [흔히 the ~] 《영》 (Milo의 비너스를 본떠서 1870년대에 여성들 사이에 유행한) 상체를 약간 숙이고 서는[걷는] 자세
Grécian gíft = GREEK GIFT
Grécian knót 《영》 고대 그리스식을 모방한 머리 스타일
Grécian nóse 그리스 코 《콧등의 선이 이마로부터 일직선; cf. ROMAN NOSE》
Grécian slíppers 《영》 그리션 슬리퍼 《운두가 낮고 부드러운》
Gre·cism, Grae·cism [gríːsizm] *n.* UC 그리스식[정신]; 그리스 어법; 그리스어풍의 표현
Gre·cize, Grae·cize [gríːsaiz] *vt., vi.* 그리스풍[식]으로 하다[되다]; 그리스 어법[습관]을 좇다
Greco-, Graeco- [gríːkou, -kə, grék-] 《연결형》 「그리스(의)」의 뜻
Gre·co-Ro·man [grìːkouróumən] *a.* 그리스·로마의; 그리스의 영향을 받은 로마의: the ~ influence 그리스와 로마의 영향 / ~ art 그레코로만 미술 (양식)
— *n.* 〖레슬링〗 그레코로만형 《허리 아래의 공격을 금지하는 스타일》
Gree [gríː] *n.* **1** 《고어》 우수(superior); 승리(victory) **2** 상품: bear the ~ 상품을 받다
⁑Greece [gríːs] *n.* **그리스**, 헬라, 희랍 《발칸 반도 남부의 공화국; 옛 이름 Hellas; 수도 Athens》
▷ Gréek, Grécian *a.*
***greed** [gríːd] [greedy에서의 역성(逆成)] *n.* UC **탐욕, 큰 욕심** 《*for, of*》; 《드물게》 식탐, 대식: ~ *for* money 금전욕
greed·ball [gríːdbɔ̀ːl] *n.* 《미·속어》 (부호가 고액 연봉의 선수를 고용하여 운영하는) 프로 야구
greed·head [gríːdhèd] *n.* 《속어》 욕심쟁이, 탐욕덩어리
***greed·i·ly** [gríːdili] *ad.* **욕심내어**, 탐욕을 부려; 게걸스럽게
greed·i·ness [gríːdinis] *n.* UC 탐욕
⁑greed·y [gríːdi] *a.* (**greed·i·er**; **-i·est**) **1 탐욕스러운**, 욕심 사나운, 몹시 탐내는 《*for, after, of*》: ~ *for* money and power 돈과 권력을 몹시 탐하는 / cast ~ eyes on …을 탐욕의 눈으로 바라보다 **2** 게걸스러운, 식탐하는 **3** 갈망[열망]하는 《*of, for*》; 몹시 …하고 싶어하는 《*to* do》: be ~ *of*[*for*] praise 칭찬받기를 갈망하다 / be ~ *to* become famous 몹시 유명해지고 싶어하다 ▷ gréed *n.*
greed·y-guts [gríːdigʌ̀ts] *n. pl.* [단수 취급] 《영·속어》 대식가
gree·gree [gríːgrìː] *n.* = GRIS-GRIS
⁑Greek [gríːk] *a.* **1 그리스 사람[말]의, 그리스(식)의** (⇨ Grecian 유의어): ~ architecture 그리스식의 건축 / ~ letters 그리스 문자 **2** 그리스 정교회의
— *n.* **1 그리스 사람**: When ~ meets ~, then comes the tug of war. 《속담》 두 영웅이 만나면 싸움이 일어난다. **2** 그리스화한 유대인; 그리스 정교회 신자; 그리스 문화·정신의 세례를 받은 사람 **3** U **그리스어** **4** U 무슨 소리인지 알아들을 수 없는 말: That is (all) ~ to me. 도무지 알아들을 수 없는 소리이다. **5** [**g~**] 《속어》 사기꾼, 협잡꾼(sharper) **6** 《미·구어》 그리스 문자 클럽(Greek-letter fraternity[sorority]) **7** 《속어》 아일랜드인 ***Ancient*** **~** 고대 그리스 어 《기원전 9-4세기》 ***Classical*** **~** 고전 그리스 어 《특히 기원전 5-4세기 무렵 그리스 고전에 사용된》; = Ancient GREEK. ***Modern***[***New***] **~** 근대 그리스 어 《1500년 무렵부터 현재까지의》 **~·ness** *n.*
▷ Gréece *n.*
Gréek álphabet [the ~] 그리스어 알파벳, 그리스 문자
Gréek Cátholic **1** 그리스 정교회 신자 **2** = UNIATE

etous, miserly (opp. *generous, altruistic*) **2** 갈망하는 avid, eager, hungry, desirous, craving, long

Gréek Chúrch [the ~] = GREEK ORTHODOX CHURCH
Gréek cróss 그리스 십자가 《+》
Gréek Fáthers [the ~] 그리스어로 저술을 한 기독교의 초대 교부(敎父)들
Gréek fíre 그리스 화약 《중세에 Byzantine의 그리스인에 의해 적함의 화공(火攻) 등에 쓰였음》
Gréek frét 뇌문(雷紋)
Gréek gíft 사람을 해치기 위한 선물
gréek gód 《속어》 잘 생기고 건장한 남자
Gréek kéy 격자무늬, 뇌문(fret); 만자(卍字) 무늬
Greek·less [gríːklis] *a.* 그리스어를 모르는
~ ***Greek*** (Oxford 대학에서) 번역물에만 의존한 그리스 문학 연구
Gréek-let·ter fratérnity [-lètər-] 《미》 그리스 문자 클럽 《대학 등에서 그리스 자모(字母)를 딴 이름의 사교·학술 클럽》
Gréek-letter sorórity 《미》 여자 그리스 문자 클럽 《여학생의 사교 클럽》
Gréek Órthodox Chúrch [the ~] 그리스 정교회 《동방 정교회(Orthodox Eastern Church)의 일부로, 그리스의 국교》
Gréek Revíval [the ~] 그리스 부흥 《19세기 전반기의 건축 양식; 고대 그리스 디자인의 모방이 많음》
Gréek ríte (그리스 정교회의) 그리스식 전례(典禮)
Gréek sálad 토마토·올리브·치즈를 넣은 샐러드
⁑green [gríːn] *a., n., v.*

「녹색의」 **1** →(과일이 초록빛으로) 「익지 않은」 **3 a** →(사람이) 「풋내기인」 **3 b**
→(싹이 푸르고 싱싱한 데서) →(기억이) 「생생한」 **4**

— *a.* **1 녹색의**, 초록빛의, 풀빛의; 〈신호가〉 **청색의**: ~ meadows 푸른 목장 / dark[light] ~ 진한[엷은] 녹색의 **2 야채**[푸성귀, 채소]**의** **3 a** 〈과일 등이〉 **익지 않은**, 〈목재·담배 등이〉 말리지 않은, 굽지 않은, 생(生)의, 요리하지 않은, 미가공의: ~ fruit 풋과일 **b** 〈사람이〉 **미숙한**; 서투른, 풋내기의(raw), 순진한 《*in, at*》: a ~ hand 미숙한 사람 **c** 쉽사리 믿는(credulous), 속기 쉬운 **d** 〈말이〉 아직 길들지 않은 **4** 〈기억 등이〉 생생한, 새로운: The accident is still ~ in my memory. 그 사고는 아직도 내 기억에 생생하다. **5** 〈얼굴빛이〉 창백한, 혈색이 나쁜, (배멀미로) 기분이 나쁜; 질투하는 기색이 나타난 《*with*》: ~ *with* envy[jealousy] (얼굴이 파랗게 질릴 만큼) 매우 부러워하는[샘내는] **6** 《속어》 샘[질투] 많은(jealous) **7** 원기 왕성한, 젊은, 활기 있는, 싱싱한(fresh) **8** 푸른 빛으로 덮인(verdant), 〈겨울·크리스마스에〉 눈이 오지 않는; 온난한(mild) **9** [종종 **G~**] 생태계를 중시하는(ecological); 환경[자연] 보호(단체)의: ~ movements 자연보호 운동(cf. GREEN PARTY)
a ~ old age 노익장, 정정함 ***be not as***[***so***] **~** ***as*** one ***is cabbage-looking*** 《영·구어》 보기처럼 풋내기는 아니다[바보는 아니다] **~ *in earth*** (갓 매장되어) 흙이 마르지 않은 ***in the ~ wood***[***tree***] 〖성서〗 한창 기운 좋은[번영하는] 때에 ***keep a memory ~*** 잊지 않고 기억해 두다 ***Turn ~!*** 《속어》 뒈져라!
— *n.* **1** UC **녹색**, 초록빛, 풀빛: the fresh ~ 신록(新綠) **2** 녹색 안료[도료, 염료, 그림물감]; 녹색 물건; 녹색 옷[천, 옷감]: be dressed in ~ 녹색 옷을 입다 **3** [*pl.*] **a** 식물, 초목, 녹수(綠樹) **b** 푸른 잎, 푸른 가지 《크리스마스 등의 장식용》 **c** 푸성귀, 야채; 야채 요리 **4** [the G~] 녹색 휘장(徽章) 《아일랜드의 국장(國章)》; [the G~s] 녹색당 **5** U 청춘, 활기; 《속어》 경험 없는[미숙한] 티[표시] **6** 《속어》 돈, 지폐(cf. GREENBACK) **7** 풀밭, (도시·마을 중심에 있는) 녹지, 잔디밭; 〖골프〗 = PUTTING GREEN; 골프 코스 **8** 《속어》 **a** [종종 *pl.*] 질이 좋지 않은 마리화나 **b** = GREENIE **c** LSD처럼 사용되는 케타민 소금(ketamine hydrochloride) **d** = GREEN TEA **9** [*pl.*] 《속어》 성교 **10** 《속어》 무대, 스테이지 ***in the ~*** 혈기 왕성하

여 ***see ~ in** a person**'s eye*** …을 다루기 쉽다고 얕보다: Do you *see* any *~ in my eye*? 내가 잘 속을 것 같이 보이느냐?
—*vt.* **1** 녹색으로 하다[칠하다, 물들이다]; 〈도시 등을〉 녹화하다 **2** 《구어》 …에게 활기를 되찾게 해주다, …의 원기를 회복시키다, 다시 젊어지게 활기를 되찾다, 건강을 회복하다 **3** 《속어》 속이다, 기만하다
—*vi.* 녹색이 되다, 녹화되다
gréen álgae [복수 취급] 녹조(綠藻)
green-ass [grí:næ̀s] *a.* 《미·비어》 미숙한, 어린, 풋내기의, 신출내기의
gréen áudit 환경 적합 검사
green·back [grí:nbæ̀k] *n.* **1** 《미·속어》 달러 지폐 《미국 정부 발행의 법정 지폐; 뒷면이 녹색인 데서 유래》 **2** 《미》 등이 녹색인 동물
—*vt.* 《미·속어》 〈…에게〉 조성금(助成金)을 내다, 재정상으로 보상을 하다
Gréenback Párty [the ~] 〖미국사〗 그린백당 《통화의 팽창 정책을 주장하여 1874년에 농민층을 중심으로 결성된 정당》
gréen bádge 《영》 택시 운전 허가증
gréen bàg 《영》 변호사용 가방; 변호사
gréen bàn 《호주》 (노동조합원의) 그린벨트 안의 건설 사업에 대한 취로(就勞) 거부; 자연[유적]따위를 파괴하는 사업에의 취로 거부
gréen béan 콩깍지 《강남콩 등; 식용》(string bean)
green·belt [-bèlt] *n.* (도시 주변의) 녹지대 (공원), 그린벨트
Gréen Berèt 그린베레 《미국의 대(對)게릴라 특전(特戰) 부대》
green-blind [-blàind] *a.* 녹색 색맹의
gréen blìndness 녹색 색맹
gréen bòok [종종 **G- B-**] 그린 북 《영국·이탈리아 등의 정부 간행물·공문서》
green·brier [-bràiər] *n.* 〖식물〗 청미래덩굴
gréen cárd **1** 《미》 (특히 멕시코인 등 외국인 노동자에게 발부하는) 입국 허가증 **2** 《미》 영주권 《permanent visa의 별칭》 **3** 《영》 국제 자동차 사고 상해 보험증 **4** 《영》 장애자 증명서
green-card·er [-kɑ́:rdər] *n.* 《미》 green card 1의 소지자 《특히 멕시코인》
gréen chárge 혼합이 불완전한 화약
gréen chéese 생치즈; 샐비어 잎으로 물들인 치즈; 유장(乳漿) 치즈
gréen Chrístmas 눈이 오지 않는 크리스마스
gréen clóth **1** 테이블보로 쓰는 녹색 천 **2** 도박대 **3** [the (Board of) G- C-] (영국 왕실의) 가정국(家政局) 《지출을 관장》
gréen còllar 환경보호 활동가
gréen consúmer 녹색 소비자 《환경을 고려한 제품을 구매하여 소비하는 사람》
gréen còrn 《미》 풋옥수수 《요리용의 덜 여문》
gréen cròp 덜 여문 채 먹는 작물, 푸성귀, 야채
Gréen Cróss Còde 《영》 아동 교통 안전 규칙 《1971년 제정》
gréen cúrrency 녹색 통화 《EC 가맹국의 농산물 가격 보호를 위해 1969년에 창설》
gréen déck [the ~] 《미·속어》 초원
gréen drágon **1** 〖식물〗 천남성의 일종 《북미산(産)》 **2** 《미·속어》 암페타민[바르비투르] 정[캡슐]
gréen dráke 〖곤충〗 하루살이(mayfly)
gréen éarth 녹사(綠砂), 녹토 《안료》
green·er [grí:nər] *n.* 《속어》 (특히 외국인의) 무경험 직공, 풋내기 직공
Gréen Érin [the ~] = GREEN ISLE
green·er·y [grí:nəri] *n.* (*pl.* **-er·ies**) **1** Ⓤ [집합적] 푸른 잎[나무]; (장식용의) 푸른 가지[잎] **2** 온실(greenhouse) **3** 《속어》 [집합적] 돈, 지폐
gréen éye 질투의 눈; (철도의) 푸른 신호등
green-eyed [grí:nàid] *a.* 녹색 눈의; 《비유》 질투가 심한 ***the ~ monster*** 질투, 시기
gréen fát 바다거북의 기름 《진미》
gréen fèe = GREENS FEE
gréen féed[fódder] 《호주》 (마소의) 꼴
green·field [-fì:ld] *a.* 《영》 전원[미개발] 지역의, 녹지대의[에 관한]
green·finch [-fìntʃ] *n.* 〖조류〗 방울새
green-fin·gered [-fìŋgərd] *a.* 《영》 원예에 재능이 있는
gréen fíngers 《영》 = GREEN THUMB
gréen flásh 녹색 섬광
green·fly [-flài] *n.* (*pl.* **-flies**) 《영》 (초록색의) 진딧물; 녹색 애매미충
gréen fóod 채소, 야채
green·gage [-gèidʒ] *n.* 서양자두(plum)의 우량 품종
gréen gláss 녹색 유리(bottle glass)
gréen gòods 청과, 야채; 《미·속어》 위조지폐
gréen góose (생후 4개월 미만의) 새끼 거위 《요리용》
green·gro·cer [-gròusər] *n.* 《영》 청과상(인), 채소 장수
green·gro·cer·y [-gròusəri] *n.* (*pl.* **-cer·ies**) 《영》 **1** 청과류 판매(업), 채소 장사 **2** Ⓤ [집합적] 채소류, 청과류
green·heart [-hɑ̀:rt] *n.* 〖식물〗 녹심목 《남미산(産)》; 그 재목 《선박·교량용》
green·horn [-hɔ̀:rn] [「뿔이 나기 시작한 소」의 뜻에서] *n.* 미숙한 사람, 초심자, 풋내기(novice); 얼간이(simpleton); 《미·속어》 갓 들어온 이민; 세상 물정 모르는 사람
gréen hórnet **1** 《미》 [the G- H-] 그린 호넷 《라디오·만화·영화 등에 등장하는 정의파; 녹색 말벌 표시의 마스크를 쓰고 있음》 **2** 《미·속어》 (단시간에 해결해야 할) 군사상의 난문제
*__green·house__ [grí:nhàus] *n.* (*pl.* **-hous·es** [-hàuziz]) 온실, 건조실; 《속어》 (비행기의) 방풍 유리로 덮인 부분
—*a.* 온실 효과의
gréenhouse effèct 〖기상〗 [the ~] (탄산가스 등에 의한 지구 대기의) 온실 효과
gréenhouse gàs (온실 효과의 주 원인인) 이산화탄소
green·ie [grí:ni] *n.* 《미·속어》 암페타민 《각성제》
green·ing [grí:niŋ] *n.* **1** 청사과의 일종 **2** 회춘, 재생; 인간성 회복; (집단·사회의) 녹색화 **3** 〖농업〗 녹화(綠化) **4** 《구어》 환경 보호 정책[교육]
*__green·ish__ [grí:niʃ] *a.* 초록빛을 띤, 녹색이 도는
Gréen Ísle [the ~] 초록의 섬 《아일랜드의 미칭(美稱)》
green·keep·er [grí:nkì:pər] *n.* = GREENSKEEPER
Gréen Kíng 녹색왕 《강세 달러의 별칭》
gréen lábelling (제품 포장 등의) 환경 보호 표시
*__Green·land__ [grí:nlənd, -lænd] *n.* 그린란드 《북미 북동부의 섬; 덴마크령》 **~·er** *n.* 그린란드 사람
Green·land·ic [gri:nlǽndik] *n.* 그린란드 어 《Inuit의 방언》 —*a.* 그린란드의; 그린란드 어[사람]의
Gréenland whále 〖동물〗 북극고래 (bowhead)
green·let [grí:nlit] *n.* = VIREO
gréen líght **1** (교통 신호의) 청신호; 안전 신호 **2** [the ~] (계획 등에 대한) 허가, 승인 ***get*[*give*] *the ~*** 허가를 얻다[주다]
green·lin·ing [grí:nlàiniŋ] *n.* 《미》 〖금융〗 특정 경계 지역 지정(redlining)의 철회 운동, 차별화 철폐 운동 《차별하는 금융 기관으로부터 예금을 모두 꺼내는 방법 등》
gréen línnet 〖조류〗 = GREENFINCH
gréen lóbby 환경 보호 단체 《총칭》; 환경 보호 운동 진정단(陳情團)
gréen lúng 《영·구어》 (도시 내의) 나무가 있는 구

thesaurus **greet**[1] *v.* **1** 인사하다 say hello to, address, salute, hail, nod to, wave to, accost **2** 맞이하다 welcome, receive, meet

역, 녹지, 공원
green·ly [gríːnli] *ad.* **1** 초록빛으로 **2** 새롭게, 신선하게, 싱싱하게(freshly); 원기 있게 **3** 미숙하게; 어리석게(foolishly)
green·mail [gríːnmèil] *n.* 〔증권〕 그린메일, 주식 매점 《주식을 매점한 후 주식 값을 올려 다시 높은 값으로 되파는 것》; 그 행위
— *vt.* 그린메일의 대상으로 하다 **~·er** *n.*
gréen mán **1** =JACK-IN-THE-GREEN **2** 골프장 관리인
gréen manúre 녹비, 안 썩은 퇴비
gréen márketing 친환경적 (기업) 마케팅
gréen méat 야채
gréen móld 푸른[누룩]곰팡이; 푸른곰팡이병(病)
gréen móney 《미·속어》 지폐(paper money)
gréen mònkey 〔동물〕 사바나원숭이 《녹회색의 긴 꼬리원숭이; 서아프리카산》
gréen mónkey disèase 〔의학〕 =MARBURG DISEASE
Gréen Móuntains [the ~] 그린 산맥 《미국 Vermont주의 산맥; the Appalachian Mountains의 일부》
Gréen Móuntain Státe [the ~] 미국 Vermont주의 속칭
green·ness [gríːnnis] *n.* Ⓤ 초록색; 신선함; 미숙, 풋내기임
gréen ónion 골파 《샐러드·양념용》
Gréen Pánther 《미·경멸》 전투적인[떠들썩한, 성가신] 환경 보호 운동가
gréen páper, G- P- 《영》 녹서(綠書) 《정부의 견해를 발표하는 문서》
Gréen Pàrty [the ~] **1** (독일의) 녹색당 《원자력 발전 반대, 환경 보호 등을 주장》 **2** 영국의 녹색당 《1985년에 the Ecology Party(1973년 결성)에서 개명》
Green·peace [gríːnpìːs] *n.* 그린피스 《핵실험·포경 반대·환경 보호를 주장하는 국제 단체》
gréen pépper 양고추, 피망
gréen póund 그린 파운드, 녹색 파운드 《green currency의 하나》
gréen pówer 《미·속어》 금력, 재력
gréen revolútion [the ~] 녹색 혁명 《품종 개량에 의한 식량 증산》
gréen ròof 옥상녹화 《건물 옥상에 식재를 하여 수목에 의한 단열 성능을 확보하기 위함》
green·room [gríːnrùːm] [옛날에 벽을 녹색으로 칠했던 데서] *n.* 배우 휴게실
gréen sálad 야채샐러드 《양상추 등》
green·sand [-sæ̀nd] *n.* Ⓤ 녹사(綠砂); 녹색사암(층)
gréens fèe 〔골프〕 골프장 사용료
green·shank [-ʃæ̀ŋk] *n.* 〔조류〕 청다리도요
green·shoe [gríːnʃùː] *n.* Ⓤ 회사주(株)가 매진되고 증주(增株)
gréen shóots 《영》 (경기 후퇴에서) 회복이나 발전의 조짐[증후]
green·sick [-sìk] *a.* 〔병리〕 위황병(萎黃病)에 걸린 **~·ness** *n.* 위황병
greens·keep·er [gríːnzkìːpər] *n.* 골프장 관리인
gréen snàke 초록뱀 《무독; 북미산》
gréen sòap 녹색 비누 《특히 피부병용》
gréen·stick frácture [gríːnstìk-] 골절의 일종 《뼈의 한쪽이 부러져 다른 쪽으로 구부러짐》
green·stone [-stòun] *n.* Ⓤ 〔암석〕 녹암(綠岩); (장식용) 녹옥(綠玉)(nephrite)
gréen stúff [the ~] 《미·속어》 돈, (달러) 지폐
green·stuff [-stʌ̀f] *n.* Ⓤ 청과류, 야채류; 초목
gréen súlfur bactèria 녹색 유황 세균
green·sward [-swɔ̀ːrd] *n.* 잔디밭

---

greeting *n.* hello, salute, salutation, address, nod, acknowledgment, best wishes, compliments, regards, respects, howdy

---

gréen táble 《영》 도박대; 《미》 =COUNCIL BOARD
gréen téa 녹차
gréen thúmb **1** 《미·구어》 원예의 재능(《영》 green fingers): have a ~ 원예의 재능이 있다 **2** 《미·속어》 처세술
gréen tíme 청신호 시간대 《일련의 신호가 모두 청색이 되어 차량 흐름이 원활한 시간》
gréen túrtle 〔동물〕 바다거북 《주로 수프용》
gréen végetable 녹색 채소, 푸성귀 《양상추·브로콜리 등》
gréen vítriol 〔화학〕 녹반(綠礬)
green·wash [-wɔ̀ːʃ | -wɔ̀ʃ] *vt.* 《미·속어》 **1** 〈부정한 돈을〉 세탁하다 **2** (명목상의) 환경 친화 홍보를 하다
gréen wáve (서핑에서) 단절된 데가 없는 긴 파도
green·way [-wèi] *n.* 그린웨이 《큰 공원을 연결하는 보행자·자전거 전용 도로; 산책로》
green·weed [-wìːd] *n.* Ⓤ 금작화류 《염료용 식물》
gréen wélly brìgade [the ~] 《영·익살·경멸》 시골에 거주[방문]하는 부자들
***Green·wich** [grínidʒ, -nitʃ, grén-] *n.* **1** 그리니치 《런던 교외 템스 강가의 자치구; 본초 자오선의 기점인 그리니치 천문대(Greenwich Royal Observatory)의 소재지》 **2** 《구어》 =GREENWICH TIME
Gréenwich (Méan[Cívil]) Tìme 그리니치 표준시 《略 GMT; universal time, Universal Time이라고도 함》
Gréenwich merìdian 〔천문〕 그리니치 자오선
Gréen·wich Víllage [grénitʃ-, grín-] 그리니치 빌리지 《뉴욕에 있는 예술가·작가가 많은 주택 지구》
gréen-winged téal [gríːnwìŋd-] 〔조류〕 상오리 (《영》 common teal)
green·wood [-wùd] *n.* 《시어》 푸른 숲, 녹림(綠林) 《무법자들의 소굴》 ***go to the ~*** 녹림으로 들어가다, 무법자가 되다 ***under the ~ tree*** 녹음(綠陰)에서 (즐겁게)
green·y [gríːni] *a.* (**green·i·er**; **-i·est**) 녹색을 띤(greenish)
green·yard [gríːnjɑ̀ːrd] *n.* **1** 잔디밭 **2** 《영》 공설 우리 《임자 불명의 말 등을 가둠》
‡greet[1] [gríːt] [OE 「다가가다」의 뜻에서] *vt.* **1** …에게 인사하다; 환영하다, 맞이하다 (*with*); …에게 인사장을 보내다: ~ a person *with* cheers …을 환호로 맞이하다 **2** [보통 수동형으로] …에게 (…으로) 반응을 보이다 (*by, with*): The changes *were ~ed with* suspicion. 그 변화는 의혹을 받았다 **3** 〈눈·코·귀에〉 들어오다, 감지되다, 나타나다: A wide extent of sea *~s* the eye. 넓은 바다가 눈에 들어온다.
— *vi.* 《폐어》 인사하다
greet[2] *vi.* 《스코》 울다, 비탄하다, 슬퍼하다
greet·er [gríːtər] *n.* 인사하는 사람, 마중하는 사람
‡greet·ing [gríːtiŋ] *n.* **1** (만났을 때의) 인사; 경례; 환영의 말 **2** [보통 *pl.*] 인사말, 인사장: Christmas *~s* 크리스마스 인사장 **3** 《미》 편지 서두의 인사말 (《영》 salutation) 《Dear Mr .... 등》 ***Season's G~s!*** 성탄을 축하합니다! 《크리스마스 카드의 인사말》
gréeting(s) càrd 축하장, 인사장
gre·gar·i·ous [grigɛ́əriəs] *a.* **1** 떼지어 사는, 군거성의; 〔식물〕 송이를 이루는, 족생(簇生)하는 **2** 〈사람이〉 사교적인, 집단을 좋아하는 **3** 무리의
~·ly *ad.* 군거[군생]하여; 집단적으로 **~·ness** *n.* Ⓤ 군거[사교]성
Gre·go·ri·an [grigɔ́ːriən] *a.* **1** 로마 교황 Gregory의 **2** 그레고리오력(曆)의[에 의한]: the ~ epoch (1582년 이후의) 신력(新曆) 시대
— *n.* 그레고리안[그레고리오] 성가
Gregórian cálendar [the ~] 그레고리오[그레고리우스]력(曆) 《1582년에 교황 Gregory 13세가 제정한 현행의 태양력》
Gregórian chánt [the ~] 〔음악〕 그레고리오 성가 《Gregory 1세가 집대성한 것》
Gregórian télescope 〔천문〕 그레고리오식 (반

사) 망원경

Greg·o·ry [grégəri] *n.* **1** 남자 이름 **2** 그레고리우스, 그레고리오 《1세부터 16세까지의 역대 로마 교황의 이름》

grégory pòwder 〖약학〗 (대황(大黃)·마그네시아·생강을 조합한) 그레고리 완하제

greige [gréi, gréiʒ] *a.*, *n.* **1** (방직기에서 꺼내어) 아직 표백·염색하지 않은 (천) **2** 그레이지색(의) 《그레이와 베이지의 중간색》

gre·mi·al [grí:miəl] *n.* 〖가톨릭〗 (미사 등에서 신부가 무릎에 걸치는) 비단 무릎 덮개

grem·lin [grémlin] *n.* **1** 《구어》 비행기에 고장을 일으키는 눈에 보이지 않는 작은 악마 **2** 곤란의 원인

grem·mie, -my [grémi] *n.* 《미》 서핑의 초심자

Gre·na·da [grənéidə | gre-] *n.* 그레나다 《서인도 제도 동부의 독립국; 수도 St. George's》

gre·nade [grinéid] [OF 「석류」의 뜻에서; 모양이 비슷함] *n.* 수류탄(=hand ~); 소화탄
—*vt.* 수류탄으로 공격하다; 《미·속어》 엔진을 못쓰게 하다

grenáde làuncher 유탄 발사기 《소총 등의 총구에 부착하여 척탄을 발사하는; 월남전에서 사용》

gren·a·dier [grènədíər] *n.* **1** 〖역사〗 척탄병(擲彈兵); 키가 큰 보병; 《영》 [the G-s] 영국 근위 보병 제1연대; [종종 **G-**] 그 연대의 병사 **2** 〖조류〗 콩새 《남아프리카산(産)》 **3** 〖어류〗 대구류의 심해어

gren·a·dine[1] [grènədí:n] *n.* Ⓤ 그레나딘 《명주[인견, 털]로 짠 엷은 천》

grenadine[2] *n.* **1** Ⓤ 석류 시럽 **2** 양홍(洋紅), 붉은색 염료

Gresh·am [gréʃəm] *n.* 그레섬 **Sir Thomas ~** (1519-79) 《영국의 금융가》

Grésham's láw[**théorem**] 그레셤의 법칙 《악화는 양화를 구축한다는 법칙》

gres·so·ri·al [gresɔ́:riəl], **-ri·ous** [-riəs] *a.* 〖동물〗 보행성의 《곤충 등》; 〈새의 다리가〉 걷기에 적당한

Gret·chen [grétʃən] *n.* **1** 여자 이름 **2** 그레첸 《Goethe작 *Faust* 제1부의 여주인공》

G.R. et I. *Georgius Rex et Imperator* 《L=George, King and Emperor》

Gret·na Green [grétnə-grí:n] 그레트나 그린 《잉글랜드와의 경계에 가까운 스코틀랜드의 마을; 1856년까지 잉글랜드에서 사랑의 도피를 한 남녀들의 결혼 장소로서 유명》

‡**grew** [grú:] *v.* GROW의 과거

grew·some [grú:səm] *a.* =GRUESOME

‡**grey** [gréi] *a.* 《영》 =GRAY

gréy área **1** 《영》 정식 원호 대상은 아니나 실업률이 높은 지역 **2** =GRAY AREA 1

grey·beard [gréibìərd] *n.* 《영》 =GRAYBEARD

grey·cing [gréisiŋ] *n.* 《영·구어》 =GREYHOUND RACING

gréy ecónomy 회색[장부 외] 경제 《공식 통계에 계정되지 않은 경제 활동; 비밀리에 하는 부업이나 물물교환 등》

Gréy Fríar 《영》 =GRAY FRIAR

grey-head·ed [gréihédid] *a.* 《영》 =GRAYHEADED

grey·hen [-hén] *n.* 《영》 black grouse의 암컷

***grey·hound** [gréihàund] *n.* 그레이하운드 《몸이 길고 시력과 주력(走力)이 좋은 사냥개》; 〖항해〗 쾌속선 (=ocean ~); [**G-**] 그레이하운드 《미국의 버스 회사; 상표명》

gréyhound ràcing 그레이하운드 경주 《전기 장치로 뛰는 모형 토끼를 그레이하운드로 하여금 쫓게 하는 내기 놀이; cf. DOG RACING》

gréyhound thérapy 《미·속어》 그레이하운드 요법 《부랑자·노숙자 등을 버스의 편도 승차권을 주어 다른 지역으로 보내는 일부 자치 지역의 정책을 비꼰 표현》

grey·ish [gréiiʃ] *a.* 《영》 =GRAYISH

grey·lag [gréilæ̀g] *n.* =GRAYLAG

grey·ling [gréiliŋ] *n.* 《영》 =GRAYLING

grey·mail [gréimèil] *n.* =GRAYMAIL

gréy màrket 《영》 =GRAY MARKET

gréy póund [the ~] 노인층의 파운드[돈]; 노인의 구매력

GRF growth hormone releasing factor

grib·ble [gríbl] *n.* 〖곤충〗 바다이 《바닷속의 목재를 좀먹는 작은 갑각류》

grid [gríd] *n.* **1** (쇠)격자(grating), 석쇠(gridiron, griddle); (차 지붕의) 격자로 된 짐대 **2** 〖전기〗 (전자관의) 그리드 **3** (지도의) 격자[바둑판] 눈금 **4** 《미·속어》 미식축구 경기장(gridiron) **5** (가스·전기·수도 등의) 배관망, 시설망 **6** (자동차 경주의) 그리드(starting grid) 《격자 무늬 모양으로 배치된 차의 출발 지역》 ~ ***planning*** 〖건축〗 격자상(狀) 평면 계획
—*a.* 《미·속어》 미식축구의 **~·ded** [-did] *a.*

GRID [gríd] [*g*ay *r*elated *i*mmunodeficiency *d*isease] *n.* 동성애와 관련된 면역 부전증 《AIDS(후천성 면역 결핍증)의 처음 명칭》

gríd bìas 〖전자〗 그리드 바이어스

gríd capàcitor 〖전자〗 그리드 축전기

gríd cìrcuit 〖전자〗 그리드 회로

gríd condènser 〖전자〗 그리드 콘덴서

gríd cùrrent 〖전자〗 그리드 전류

gríd declinàtion 〖측량〗 격자 편각

grid·der [grídər] *n.* 《속어》 미식축구 선수(football player)

grid·dle [grídl] *n.* **1** (과자 등을 굽는) 번철 **2** 〖광산〗 (선광(選鑛)용의) 체 ***on the ~*** 《구어》 심한 시험[심문]을 받고 있는
—*vt.* 번철로 굽다; 〖광산〗 선광 체로 치다 《*out*》

grid·dle·cake [grídlkèik] *n.* (griddle로 양면을 구운) 핫케이크류의 과자

gride [gráid] *vt.*, *vi.* 갈다; 찍찍 갈리다, 삐걱거리다 《*along*, *through*》
—*n.* [the ~] 맞갈리는[삐걱삐걱] 소리

grid·i·ron [grídàiərn] *n.* **1** 굽는 그물, 석쇠, 적쇠; 〖역사〗 (화형용의) 포락(炮烙) **2** 〖항해〗 격자 선대(船臺); 〖연극〗 무대 천장의 배경막 조종용 격자꼴 대들보; 〖철도〗 측선; 고압 송전선망(網) **3** 《미·구어》 미식축구 경기장 ***lay*** a person ***on the ~*** 사람을 굉장히[아주] 괴롭히다

gríd lèak 〖전자〗 그리드 리크 《bias 조정에 쓰는 저항기》

gríd lòck **1** 자동차 교통망의 정체 《일정 지역 내의 모든 교차점이 막힘에 따른 교통의 정체》 **2** 교통 방해

gríd variàtion 〖항해〗 그리드 편차 《진정 자오선과 자기 자오선의 교각(交角)》

grief** [grí:f] *n.* **1** Ⓤ (사별·후회·절망 등에 의한) 큰 슬픔, 비탄, 비통(⇨ sorrow 유의어): ~ *for* the death of a friend 친구의 죽음을 당한 비통한 마음 **2** 비탄[고민]의 원인[씨], 통탄할 일 **3** 불행한 일, 재난, 사고 **4** 《고어》 고난; (육체적) 고통 **5** 《미·속어》 비난 ***bring to ~ 실패시키다, 불행하게 만들다, 파멸시키다 ***come to ~*** 다치다, 재난을 당하다; 실패하다 ***give*** a person ***~*** 호되게 야단치다 ***Good***[***Great***] ***~!*** [놀람·불신을 나타내어] 아이고, 야단났구나!
~·less *a.* ▷ grieve[1] *v.*

grief-strick·en [grí:fstrìkən] *a.* 비탄에 잠긴, 고뇌하고 있는

gríef thèrapy 〖정신의학〗 비애 요법 《배우자나 자녀를 여읜 사람에 대한 정신적 지원 요법》

***griev·ance** [grí:vəns] *n.* (특히 부당 취급에 대한) 불평 거리, 불만의 원인 《*against*》; 불평(의 호소): have[hold, bear, harbor] a ~ *against* a person …에게 불만을 가지다 / remedy a ~ 불만을 해소하다

thesaurus **grief** *n.* sorrow, sadness, lamentation, mourning, anguish, pain, distress, agony
grieve[1] *v.* **1** 몹시 슬프게 하다 sadden, hurt, wound, distress, upset **2** 몹시 슬퍼하다 lament, mourn, suffer, ache, bewail, bemoan, regret, deplore

~ ***machinery*** (노동 관계의) 고충 처리 기관 ~ ***procedure*** 분규 처리 수단 《노사 간의 쟁의 악화 방지책》
grievance committee (노동조합의) 고충 처리 위원회
griev·ant [gríːvənt] *n.* 고충 조정 신청자
‡**grieve**[1] [gríːv] 〖L 「무겁게 하다」의 뜻에서〗 *vt.* **몹시 슬프게 하다,** 마음을 아프게 하다(⇨ grieved): It ~*s* me to see her unhappy. 그녀가 불행한 것을 보니 가슴 아프다.
—*vi.* **몹시 슬퍼하다,** 마음 아파하다, 가슴 아파하다 《*at, for, about, over*》: ~ *for* one's dead son 죽은 아들의 일로 슬퍼하다 / ~ *about*[*over*] one's misfortune 자기의 불행을 한탄하다 ★ be sorry나 be sad보다 문어적이며 뜻이 강함.
▷ gríef, gríevance *n.*; gríevous *a.*
grieve[2] *n.* 《스코》 관리자, 농장 관리인
grieved [gríːvd] *a.* 슬퍼하는, 슬픈: a ~ look 슬픈 표정 / He was ~ to hear it. 그는 그 말을 듣고 슬펐다. / I am ~ that he should leave. 그가 떠난다니 가슴 아프다. **~·ly** *ad.*
griev·er [gríːvər] *n.* **1** 슬퍼하는 사람, 비탄에 잠긴 사람 **2** grievance committee의 근로자측 위원
*****griev·ous** [gríːvəs] *a.* **1 통탄할,** 슬퍼해야 할; **슬픈,** 비탄하게 하는: ~ news 비보 **2** 고통을 주는; 쓰라린; 몹시 아픈 **3** 중대한, 심한, 가혹한: a ~ fault 중대한 과실 / a ~ wound 중상 **4** 극악한; 무거운, 부담이 되는 **~·ly** *ad.* **~·ness** *n.*
▷ grieve[1] *v.*
gríevous bódily hárm 〖영국법〗 중상, 중대한 신체 상해 《略 GBH》
griff[1] [gríf] *n.* =GRIFFIN[2]
griff[2] [*grif*fin[3]] *n.* 《속어》 정보, 뉴스
griffe [gríf] *n.* 《미·방언》 **1** 흑인과 흑백 혼혈아(mulatto) 사이의 혼혈아 **2** 흑인과 아메리칸 인디언 사이의 혼혈아
grif·fin[1] [grífin] *n.* 〖그리스신화〗 그리핀 《독수리의 머리·날개에 사자의 몸통을 가진 괴수》
griffin[2] *n.* 인도·동양에 처음 온 유럽 사람
griffin[3] *n.* 《속어》 (도박의) 귀띔; 암시; 정보: give a person the straight ~ …에게 확실한[믿을 만한] 귀띔을 해주다
grif·fon[1] [grífən] *n.* 〖조류〗 흰목대머리수리(=∠ **vúlture**)
griffon[2] *n.* 그리폰 《벨기에 원산의 애완견의 일종》
griffon[3] *n.* =GRIFFIN[1]
grift [gríft] 《미·속어》 *n.* [the ~; 때로 복수 취급] 사기 (도박), 야바위; 협잡(한 돈)
—*vt., vi.* 사기치다
grift·er [gríftər] *n.* 《미·속어》 야바위꾼, 사기 도박꾼; 떠돌이, 부랑자, 방랑자
grig [gríg] *n.* 《방언》 **1** 귀뚜라미, 메뚜기; 다리가 짧은 닭의 일종; 작은 뱀장어 **2** 쾌활한 사람 (***as***) ***merry*** [***lively***] ***as a*** ~ 매우 쾌활한
Grig [gríg] *n.* 남자 이름
gri·gri [gríːgrìː] *n.* (아프리카 원주민의) 부적
grike [gráik] *n.* 〖지질〗 (침식이나 용해에 의한 바위의) 공극(空隙)
*****grill**[1] [gríl] *n.* **1** 석쇠, 적철(gridiron) **2** 구운 고기[생선](cf. MIXED GRILL) **3** =GRILLROOM **4** (우표의) 살창 무늬의 소인(消印)
—*vt.* **1** 〈고기·생선 등을〉 **석쇠로 굽다** 《《미》에서는 broil이 일반적; ⇨ cook 유의어》; 〈굴 등을〉 얕은 냄비로 지지다 **2** 뜨거운 열을 쬐다; 《미》 〈경찰 등이〉 엄하게 심문하다 **3** 〈우표에〉 살창 무늬의 소인을 찍다
—*vi.* **1** 석쇠로 구워지다 **2** 뜨거운 열에 쬐어지다

grill[2] *n.* =GRILLE
gril·lage [grílidʒ] *n.* 〖토목〗 귀틀 지정(地釘) 《약한 지반 위 건축에 쓰는 나무틀 토대》
grille [gríl] 〖F = grill〗 *n.* 격자(grating), 쇠창살; (은행 출납구·표 파는 곳·교도소 등의) 창살문; (자동차 라디에이터) 그릴; (스피커의) 그릴
grilled [gríld] *a.* **1** 창살이 있는 **2** 구운, 그을은
grill·ing [gríliŋ] *n.* **1** 석쇠구이 **2** (엄한) 심문
grill·room [grílrùːm] *n.* 그릴 《호텔 등의 간이식당》
grill·work [-wəːrk] *n.* 격자 모양으로 만든 것
grilse [gríls] *n.* (*pl.* **~, grils·es**) (처음 바다에서 강으로 산란하러 온) 어린 연어의 수컷
‡**grim** [grím] *a.* (**~·mer; ~·mest**) **1 엄한, 엄격한** (severe, stern); 잔인한, 냉혹한(cruel): War is a ~ business. 전쟁이란 잔인한 사업이다. **2** 〈얼굴·태도 등이〉 **험상스러운**; 무서운; 불길한, 으스스해지는: His face went ~. 그의 얼굴이 험악해졌다. **3** 완강한; 불굴의; 엄연한, 움직일 수 없는: a ~ reality[truth] 엄연한 사실[진리] **4** 《구어》 불쾌한, 싫은, 지겨운, 재수 없는: a ~ task 하기 싫은 일 ~ ***humor*** 정색을 하고 하는 심한 재담 ***hold***[***hang***] ***on like***[***for***] ~ ***death*** ⇨ death
*****gri·mace** [gríməs, griméis] *n.* **얼굴을 찌푸림,** 찌푸린 얼굴, 우거지상; (표정을 꾸미느라고) 일부러 상을 찌푸림 ***make ~s*** 얼굴을 찌푸리다
—*vi.* 얼굴을 찌푸리다[찡그리다] **grí·mac·er** *n.*
gri·mal·kin [grimǽlkin, -mɔ́ːl-] *n.* 고양이(cat), 늙은 암고양이; 짓궂은 노파
grime [gráim] *n.* Ⓤ **1** 때, 먼지, 더럼; 구중중함 **2** (도덕적인) 오점 —*vt.* 때[그을음, 먼지]로 검게 하다, 더럽히다 《*with*》
grim·i·ness [gráiminis] *n.* 때묻음, 더러움
*****grim·ly** [grímli] *ad.* **잔인하게; 엄하게,** 무섭게, 험악하게, 으스스하게
Grimm [grím] *n.* 그림 **Jakob** ~ (1785-1863), **Wilhelm** ~ (1786-1859) 《독일의 언어학자·동화 작가 형제》
Grímm's láw 〖언어〗 그림의 법칙 《독일의 언어학자 Jakob Grimm이 발견한 게르만계 언어의 자음 전환의 법칙》
grim·ness [grímnis] *n.* Ⓤ 잔인; 엄격함; 무서움, 험악함, 으스스함
Grím Rèaper [the ~] 죽음의 신, 사신, 죽음 《수의를 걸치고 손에 낫(scythe)을 든 해골로 상징됨; the Great[Old] Reaper라고도 함》
grim·y [gráimi] *a.* (**grim·i·er; -i·est**) 때[그을음]로 더러워진, 때묻은, 더러운 **grím·i·ly** *ad.*
‡**grin** [grín] 〖OE 「이를 드러내다」의 뜻에서〗 *v.* (**~ned; ~·ning**) *vi.* **1** (기뻐서·만족하여) **이를 드러내고 싱긋 웃다**(⇨ laugh 유의어); …을 보고 싱긋이 웃다 《*with, at*》: ~ *at* a person *with* delight …를 보고 좋아서 싱긋 웃다 **2** (아파서) 이를 악물다; (분노·멸시 등으로) 이를 드러내다 《*at*》
—*vt.* 이를 드러내고 감정을 나타내다 《*at*》
~ ***and bear it*** 쓴웃음 지으며 참다 ~ ***defiance*** 이를 드러내어 반항의 뜻을 보이다 ~ ***from ear to ear*** 입이 째지게 웃다 ~ ***like a Cheshire cat*** ⇨ Cheshire. ~ ***on the other side of*** one***'s mouth*** 후회하다
—*n.* **1** 싱긋 웃음 **2** 〈화·고통 등으로〉 이빨을 드러냄 ***on the*** (***broad***) ~ 싱글싱글 웃으며
~·ner *n.* **~·ning·ly** *ad.*
grin-and-bear-it [grínən*d*béərìt] *a.* (고통·실망 등을) 씩 웃고 참는[견디는], 참을성 있는
‡**grind** [gráind] *v., n.*

(갈아 바수다) ┬ (맷돌로 갈아 바수다) → 「갈아 가루로 만들다」 **1**
└ (여분의 곳을 문질러 없애다) → 갈다, 연마하다 **3**

grim *a.* **1** 엄한, 냉혹한 stern, forbidding, formidable, harsh, somber, surly, merciless, ruthless **2** 완강한 resolute, determined, firm
grind *v.* crush, powder, mill, pound, grate, crumble, mash, smash, sharpen, polish, smooth

— *v.* (**ground** [gráund], **~·ed**; **~·ing**) *vt.* **1** (맷돌로) 타다, 찧다, 빻다, 갈아 가루로 만들다, 씹어 으깨다, 〈돌 등을〉 잘게 부수다; 마멸시키다(wear away): 《~+목+전+명》 ~ something *to* powder …을 가루로 빻다 **2** [종종 수동형으로] 아주 지치게 하다(wear out), (특히 착취 등으로) 괴롭히다, 학대[압박]하다, 짓밟다 《*down*》: ~ the poor 빈민을 못살게 하다 / *be ground* (*down*) by tyranny 폭정에 시달리다 **3** 〈다이아몬드·렌즈 등을〉 갈다 《*down*》, 닦다, 연마하다(polish); 〈칼을〉 갈다(whet); 갈아 거칠거칠하게 만들다; 〈표면을〉 맞비비다, 〈이를〉 갈다 **4** 〈맷돌을〉 돌리다; 돌려서 갈다; 〈손으로 돌리는 풍금을〉 놀려 소리를 내다; 빻아 만들다, 〈가루를〉 내다 **5** 《구어》 힘써 가르치다, 억지로 주입하다(cram) 《*in, into*》: 《~+목+전+명》 ~ grammar *into* the boy's head 소년의 머리에 문법을 주입하다 / ~ a boy *in* mathematics 소년에게 수학을 주입시키다

— *vi.* **1** 빻음질하다, 맷돌질하다 **2** 빻아지다, 가루가 되다: 《~+부》 This wheat *~s well.* 이 밀은 잘 갈아진다. **3** 갈리다, 닦이다 **4** 〈맷돌이〉 돌다; 〈기어·바퀴 등이〉 삐거덕거리다, 끽끽 소리나다; 이를 갈다: 《~+전+명》 The ship *ground against* the rock. 배는 바위에 부딪쳐 삐거덕거렸다. **5** 《미·구어》 힘써 일하다[공부하다](《영》 swot[1]) 《*at, for*》: 《~+전+명》 ~ *for* an exam 시험에 대비하여 부지런히 공부하다 **6** 《속어》 (댄서 등이 도발적으로) 허리를 돌리다

~ (away) at one's duty 열심히 자기 일을 해 나가다 ***~ down*** 갈아서 가루를 만들다, 빻다; 닳리다, 마멸시키다; 괴롭히다, 억누르다: be *ground down* by poverty 가난에 쪼들리다 ***~ out*** 갈아서 만들다; 이를 갈며 말하다; 손으로 돌리는 풍금 손잡이를 돌려 연주하다; 고생하여 만들다; 〈담뱃불 등을〉 비벼서[문질러] 끄다 ***~ the faces of*** the poor 『성서』 (빈민의) 고혈을 빨다, 억압하다 《이사야 3: 15》 ***~ the teeth*** 이를 갈다 ***~ up*** 갈아 가루를 만들다, 빻다 ***have an ax to ~*** ⇨ ax. ***If you can't find 'em ~ 'em.*** 《미·속어》 일반적인 방법으로 해서 잘 되지 않으면 억지로 해버려라.

— *n.* **1** 갈기, 빻기, 찧기, 가루로 만들기, 으깨기; 그 소리 **2** 《구어》 고되고 단조로운 일, 지루하고 하기 싫은 공부; 《영·속어》 운동[건강]을 위한 산책 **3** 야외 장애물 경마 **4** 《미·구어》 공부 벌레(《영》 swot) **5** 《미·속어》 〈가두 흥행사·행상인이〉 손님을 끌기 위해 하는 소리 **6** 《속어》 (선정적인) 허리 꼬기; 성교

***grind·er** [gráindər] *n.* **1** [복합어로] (연장을) 가는 사람, 빻는[찧는, 타는] 사람; 손으로 돌리는 풍금을 연주하는 사람: a knife-~ 칼 가는 사람 **2** 분쇄기, 그라인더, 숫돌; 맷돌의 위짝; 어금니; [*pl.*] 《구어》 이빨 **3** = HERO SANDWICH **4** 《영·속어》 가정교사, 수험 준비 교사; 열심히 공부하는 학생(crammer); 박봉으로 혹사하는 사람 **5** (공전(空電)으로 인한) 수신기의 잡음

grind·er·y [gráindəri] *n.* (*pl.* **-er·ies**) **1** 연장을 가는 곳, 연마소 **2** 《영》 구두 만드는 기구: a ~ warehouse 《영》 구두 재료점

grínd hòuse 《구어》 (입장료가 싼) 연중무휴 영화관

***grind·ing** [gráindiŋ] *n.* Ⓤ **1** 빻기, 찧기, 갈기; 갈음질; 분쇄 **2** 삐걱거리기, 마찰 **3** 《구어》 주입식 교육

— *a.* **1** 빻는, 가는 **2** 삐걱거리는 **3** 힘드는; 싫증나는, 지루한 **4** 압박하는, 압제하는; 계속해서 고통을 주는: ~ poverty 뼈에 사무치는 가난

~·ly *ad.* 빻아서; 갈아서; 삐걱거려; 압제하여

grínding whèel 회전 숫돌, 숫돌바퀴; 연마 공장

grínd shòw 《구어》 휴게 시간 없는 흥행물

grind·stone** [gráin*d*stòun] *n.* **회전 숫돌**; 숫돌용의 돌; 맷돌 ***have [***hold, keep, put***] one***'s nose to the ~*** 힘써 공부하다[일하다]; …을 혹사하다 ***with*** one***'s nose to the ~*** 애써서, 부지런히 벌어서

grin·ga [gríŋgə] [*Sp.*] *n.* 《경멸》 (중남미·스페인에서) 외국 여성, 《특히》 미국[영국] 여성

grin·go [gríŋgou] *n.* (*pl.* **~s**) 《경멸》 (중남미에서) 외국인, 《특히》 미국[영국]인

gri·ot [grióu, grí:ou] *n.* 그리오 《서아프리카의 구비(口碑) 전승 시인; 역사 구송자(口誦者)》

‡**grip**[1] [gríp] *n., v.*

> 「(손으로) 꽉 잡음」 → 「(머리로 내용을) 파악함」 → 「이해(력)」

— *n.* **1** 잡음, 붙듦, 쥠, 움켜쥠(grasp, clutch) 《*on, onto, of*》: take[get] a good[hard, tight] ~ *on* the rope 밧줄을 꽉 잡다 / shake off a person's ~ 붙잡는 사람의 손을 뿌리치다 **2** 〈배트 등을〉 잡는 법, 쥐는 법, 그립; 쥐는 힘, 악력; 특수한 악수법: have a strong ~ 악력이 세다 **3** (기물의) **손잡이**, 자루, 잡는 곳(handle); 쥐는 기계, 맞물리게 하는 장치(clutch) **4 파악력**, 이해력, 터득, 납득(mastery) 《*of, on*》: have[get] a good ~ *on* a problem 문제를 잘 이해하고 있다 **5 지배력**, **통제력** 《*on*》; 주의를 끄는 힘, 매력 《*on, of*》: The boss is old and is losing his ~. 사장은 늙어서 통솔력을 잃고 있다. **6** 《미》 = GRIPSACK **7** 《미》 『연극』 무대 담당원(stagehand) **8** 갑작스런 통증(spasm of pain)

at ~s (문제와) 맞붙어, 씨름하며 《*with*》: be *at ~s with* one's subject 문제 연구에 몰두해 있다 ***come*** [***get***] ***to ~s*** (***with***) 〈씨름꾼이〉 (…와) 맞붙다; 맞붙잡고 싸우다; 〈문제 등에〉 정면 대처하다 ***get a ~ on*** …을 파악하다[억제하다] ***have a good ~ on*** a situation[an audience] (정세[청중의 심리])를 잘 파악하고 있다 ***in the ~ of*** …에 붙잡혀, 속박되어, 사로잡혀 ***lose ~ of*** one***'s audience*** 청중의 흥미를 잃게 되다 ***lose*** one***'s ~*** 손을 떼다, 놓아주다; 능력[열성]이 없어지다, 통제할 수 없게 되다, 지배력을 잃다 ***take a ~ on*** one***self*** 분발하다

— *v.* (**~ped, gript** [grípt]; **~·ping**) *vt.* **1** 꽉 잡다, 움켜잡다, 움켜쥐다(grasp, clutch): ~ the sides of the boat 보트의 가장자리를 꽉 잡다 ★ grasp보다 쥐는 강도가 셈 **2** 〈마음을〉 사로잡다, 〈관심[주의]을〉 끌다, 끌어당기다(arrest); 이해하다(comprehend); 〈사람을〉 감동시키다: ~ the mind 마음을 빼앗다 **3** 방해하다, 못 움직이게 하다: The boat was *~ped* by the ice. 배가 얼음에 갇혔다. **4** 〈기계 등이〉 잡다, 죄다, 걸다; 브레이크를 걸다

— *vi.* 꽉 잡다 《*on*》

grip[2] *n.* 《영·방언》 작은 도랑, 하수구

grip[3] *n.* = GRIPPE

gripe [gráip] *vt.* **1** 꽉 쥐다, 움켜쥐다, 붙잡다: ~ a person's hand …의 손을 꽉 쥐다[붙잡다] **2** 〈배를〉 몹시 아프게 하다; 괴롭히다, 압박하다 **3** 〈기둥에 보트를〉 매다 **—** *vi.* **1** 《미·속어》 잔소리하다; 불평하다 《*at, about, over*》 **2** 복통으로 괴로워하다

— *n.* **1** 쥐기, 움켜잡기, 붙잡기; 파악; 제어, 속박; 고민; 통제 **2** [the ~s] 《구어》 복통(colic) **3** 《속어》 불유쾌, 고민의 원인, 불평 **4** (기계·기구의) 손잡이, 자루(handle) **5** [*pl.*] 『항해』 보트 밧줄(= **∠ piece**)

come to ~s (***with***) = come to GRIPS (with). ***in the ~ of*** …에 (사로)잡혀, …에 속박되어; …에 시달려 **~·ful** *a.*

grip·er [gráipər] *n.* 불평가(grumbler)

grípe sèssion 《미·속어》 불평 토로회

grípe wàter (어린이의) 복통약; 구풍제(驅風劑)(carminative)

grip·ey [gráipi] *a.* (**grip·i·er**; **-i·est**) = GRIPY

grip·man [grípmən] *n.* (*pl.* **-men** [-mən, -mèn]) 케이블카 운전사

grippe [gríp] [F] *n.* Ⓤ [보통 the ~] 유행성 감기, 인플루엔자, 독감

grip·per [grípər] *n.* **1** 쥐는[잡는] 사람[도구]; 대형 스냅 단추 **2** 『인쇄』 그리퍼

thesaurus **grip**[1] *v.* **1** 꽉 잡다 grasp, clutch, clasp, hold, grab, seize, catch **2** 사로잡다 absorb, fascinate, enthrall

grip·ping [grípiŋ] *a.* 〈이야기·책 등이〉 주의[흥미]를 끄는, 매력 있는 **~·ly** *ad.*
grip·py [grípi] *a.* (**-pi·er**; **-pi·est**) 《구어》 독감(grippe)에 걸린
grip·sack [grípsæ̀k] *n.* 《미》 손가방, 여행 가방
gript [grípt] *v.* GRIP의 과거·과거분사
grip·y, grip·ey [gráipi] *a.* (**grip·i·er**; **-i·est**) 〈배가〉 쥐어뜯듯이 아픈
gri·saille [grizái, -zéil] [F] *n.* 그리자유《회색 단색 화법》; 그 화법(의 그림) 《유리창 등》
Gri·sel·da [grizéldə] *n.* **1** 여자 이름 **2** 그리젤다 《중세 문학에 나오는 정숙한 여자》
gris·e·o·ful·vin [grìzioufúlvin, -fʌ́l, gris-] *n.* 〖약학〗 그리세오풀빈《피부 사상균성 감염 치료에 쓰이는 항생 물질》
gris·e·ous [grísiəs, gríz-] *a.* 청색이 도는 회색의; 회색을 띤(grizzly)
gri·sette [grizét] [F] *n.* **1** (프랑스의) 여직공, 여점원 **2** (다른 직업이 있고) 아르바이트로 매춘을 하는 젊은 여자
gris-gris [grí:grì:] *n.* (*pl.* ~ [-z]) (아프리카 원주민의) 부적
gris·kin [grískin] *n.* 《영》 돼지 옆구리살
gris·ly [grízli] *a.* (**-li·er**; **-li·est**) **1** 소름 끼치게 하는, 소름 끼칠 듯한, 무서운 **2** 《구어》 불쾌한, 싫은 **grís·li·ness** *n.*
gri·son [gráisn, grízn] *n.* 〖동물〗 그리슨《족제비의 일종; 중남미산》
grist[1] [gríst] *n.* **1** Ⓤ 제분용 곡식; 찧은 곡식 **2** 한 번에 찧는 곡식의 양 **3** Ⓤ 양조용 엿기름(malt) **4** 《미·구어》 다량, 많음(lot): a ~ of washing 많은 세탁물 (***all***) ~ ***to*** [***for***] one***'s*** [***the***] ***mill*** 돈벌잇감, 이익거리, 이익의 원천 ***All is ~ that comes to his mill.*** 그는 무엇이든 반드시 이용한다. ; 닥치는 대로 요령껏 이용한다.
grist[2] *n.* 실·로프 따위의 굵기
gris·tle [grísl] *n.* Ⓤ **1** (특히 요리한) 연골(cartilage) **2** 정신력(backbone) ***in the ~*** 아직 뼈가 굳지 않은, 아직 덜 성숙한
gris·tly [grísli] *a.* (**-tli·er**; **-tli·est**) 연골질의, 연골과 같은 **grís·tli·ness** *n.*
grist·mill [grístmìl] *n.* 방앗간, 제분소
grit [grít] *n.* Ⓤ **1** [집합적] (기계 등에 끼이는) 잔모래; 왕모래; 자갈; 거친 가루 **2** (연마용에 알맞은) 석질(石質) **3** 〖암석〗 사암(砂岩)의 일종 **4** 《구어》 용기, 기개, 담력, 투지 ***hit the ~*** 여행하다; 터벅터벅 걷다 ***put*** (***a little***) ***~ in the machine*** 원활한 진행을 방해하다, 훼방놓다
— *vi., vt.* (**~·ted**; **~·ting**) 쓸리다, 삐걱삐걱 (소리 나게) 하다; 이를 갈다; 왕모래를 뿌리다 ***~ the teeth*** 이를 갈다
grith [gríθ] *n.* (교회·왕권 등에 의한) 일시적 보호《주로 스코틀랜드에서의》; 《고어》 안전한 장소
grit·less [grítlis] *a.* **1** 모래알이 없는; 고장이 없는 **2** 《미》 용기 없는
grits [gríts] *n. pl.* [단수·복수 취급] 《미》 거칠게 찧은 곡식《특히 밀》
grit·stone [grítstòun] *n.* 사암, 천연 숫돌
grit·ter [grítər] *n.* 《영》 =SALT TRUCK
grit·ty [gríti] *a.* (**-ti·er**; **-ti·est**) **1** 모래[자갈]가 든, 모래 같은[투성이의]: taste ~ 〈음식이〉 모래 씹는 맛이다 **2** 《미》 견실한, 용기 있는, 단호한 **grít·ti·ly** *ad.* **grít·ti·ness** *n.*
gri·va·tion [grivéiʃən, grai-] *n.* =GRID VARIATION
griv·et [grívit] *n.* 긴꼬리원숭이의 일종《동북 아프리카산(産)》

groan *v.* **1** 신음하다 moan, cry, sigh, murmur, whimper, call out **2** 불평하다 complain, grumble, whine, lament, object

griz·zle[1] [grízl] *n.* Ⓤ 회색; Ⓒ 회색 머리[가발, 말] — *a.* 회색의(gray)
— *vi., vt.* 회색이 되다, 회색으로 만들다
grizzle[2] *vi.* 《영·구어》 〈아이가〉 보채다, 찡얼거리다; 불평하다, 투덜대다
griz·zled [grízld] *a.* 회색이 도는, 회색의; 반백의(gray-haired)
*__griz·zly__ [grízli] *a.* (**-zli·er**; **-zli·est**) = GRIZZLED — *n.* (*pl.* **-zlies**) = GRIZZLY BEAR
grízzly bèar 회색곰《로키 산맥산(産)》
grm. gram(s) **gro.** gross
groady [gróudi] *a.* 《속어》 =GRODY
groan [gróun] *n.* **1 (고통·비탄 등으로 인한) 신음[끙끙거리는] 소리: give a ~ 신음 소리를 내다 **2** 불평하는 소리; (연설자에 대한) 불찬성[불만]을 표시하는 욕설 **3** 삐걱거리는 소리
— *vi.* **1** 신음하다, 끙끙거리다; 괴로워하다, 번민하다 《*in, with*》: ~ *in* wordless grief 말할 수 없는 슬픔으로 신음하다 **2 a** (식탁·시렁 등에) 삐걱댈 정도로 무거운 짐이 얹혀 있다 《*with*》: (~+전+명) The table literally *~ed with* food. 상다리가 휘어지도록 성찬이 차려져 있었다. **b** 무거운 짐에 시달리다, 허덕이다; 삐걱이다 《*under*》: The steps of the old house *~ed under* my weight. 나의 체중으로 그 낡은 집의 계단이 삐걱거렸다. **3** 불평하다, 투덜대다 **4** 열망하다 《*for*》: (~+전+명) The wounded *~ed for* medicine. 부상자들은 신음하며 약 주기를 기다렸다.
— *vt.* **1** 신음하는 듯한 소리로 말하다 《*out*》: (~+목+부) The invalid *~ed out* a request. 환자는 신음하듯이 부탁의 말을 했다. **2** 으르렁대어 침묵시키다[말을 막다] 《*down*》
~ inwardly 남모르게 괴로워하다 ***~ under*** tyranny (압제)에 시달리다
~·ing·ly *ad.*
groan·er [gróunər] *n.* 신음하는 사람; 《속어》 장례식 등에 문상객을 가장하여 끼어드는 도둑; 《미》 프로레슬링 선수
groat [gróut] *n.* 그로트《영국의 옛날 4펜스 은화》; 몇 푼 안 되는 돈 ***don't care a ~*** 조금도 개의치 않다 ***not worth a ~*** 한 푼의 가치도 없는
groats [gróuts] *n. pl.* [단수·복수 취급] 거칠게 빻은 밀가루
groat·y [gróuti] *a.* (**groat·i·er**; **-i·est**) 《속어》 = GROTTY
gro·bi·an [gróubiən] *n.* 촌뜨기(lout)
**gro·cer [gróusər] [OF 「도매상」의 뜻에서] *n.* 식료품 장수, 식료 잡화상《커피·설탕·통조림·병들이 음식·마른 야채·과일·우유 제품 외에 보통 비누·양초·성냥 등의 가정용품을 취급함》: a ~'s (shop) 《영》 식품점, 반찬 가게
grócer's ítch 곡물·건과류에 들어 있는 진드기 때문에 생기는 습진
gro·cer·y [gróusəri] *n.* (*pl.* **-cer·ies) **1** 식료 잡화점, 식품점(=~ **stòre**)(《영》 grocer's (shop), grocery shop); Ⓤ 식료 잡화 판매업 **2** [보통 *pl.*] 식료 잡화류 **3** 《미남부》 술집
blow one***'s groceries*** 《미·속어》 토하다 ***bring home the groceries*** 《속어》 생활비를 벌다; 일에 성공하다, 목적을 달성하다
gro·cer·y·man [gróusərimən, -mæ̀n] *n.* (*pl.* **-men** [-mən, -mèn]) =GROCER
gro·ce·te·ri·a [gròusətíəriə] *n.* 《미》 셀프서비스 식품점
grock·le [grákl | grɔ́kl] *n.* 《영·속어》 관광객, 국외자, 비회원; 낯선[달갑지 않은] 사람
grod·y [gróudi] *a.* (**grod·i·er**; **-i·est**) 《미·속어》 **1** 불쾌감을 일으키는, 메스꺼운: ~ to the max 말할 수 없이 불쾌한 **2** 비열한; 열등한, 하등한
grog [grág | grɔ́g] *n.* Ⓤ 그로그주 《물 탄 럼주》; 《일반적으로》 독주 ***half and half ~*** 술과 물을 반반 씩 섞은 음료

— *vi.* (**~ged**; **~·ging**) 물 탄 술을 마시다
gróg blòssom 주부코, 빨간 코, 딸기코
grog·ger·y [grɑ́gəri | grɔ́g-] *n.* (*pl.* **-ger·ies**) 《미》 술집
grog·gy [grɑ́gi | grɔ́gi] [grog에서] *a.* (**-gi·er**; **-gi·est**) 《구어》 **1** 비틀거리는, (권투에서 얻어맞아) 비쓱거리는, 그로기가 된 **2** 술 취한 **3** 《영》 〈집·기둥·책상 다리가〉 흔들흔들하는, 불안정한: a ~ old table 흔들거리는 낡은 탁자
gróg·gi·ly *ad.* **gróg·gi·ness** *n.*
grog·hound [grɑ́ghàund | grɔ́g-] *n.* 《미·속어》 술꾼
grog·mill [grɑ́gmìl | grɔ́g-] *n.* 《미·속어》 바, 술집
gro·gram [grɑ́grəm | grɔ́g-] *n.* ⓊⒸ 견모(絹毛) 교직물; 그 제품
grog·shop [grɑ́gʃɑ̀p | grɔ́gʃɔ̀p] *n.* 《영》 싸구려 술집
groin [grɔ́in] *n.* **1** 〖해부〗 샅, 사타구니 **2** 〖건축〗 궁륭(穹窿): a ~ point 궁륭 교차점 **3** 〖수학〗 교차한 두 개의 원주(圓柱)(로 된 면) **4** 〖토목〗 방사제(防砂堤)
— *vt.*, *vi.* 궁륭을 만들다[이루다]: a ~*ed* vault 교차 궁륭의 둥근 천장

groin 2

groin point

groin

groin·ing [grɔ́iniŋ] *n.* Ⓤ 〖건축〗 **1** 궁륭식으로 하기 **2** 〖집합적〗 (교차) 궁륭
grok [grɑ́k | grɔ́k] *vi.*, *vt.* (**~ked**; **~·king**) 《속어》 진정으로 이해하다, 공감하다 **~ *on*** 《미·학생속어》 (고민 등에 대해) 마음을 열고 대화하다
Gró·li·er bìnding[**desìgn**] [gróuliər-] 〖제본〗 그롤리어식 장정(裝幀)[디자인] 《가는 금실로 엮어 만든 장식》
GROM [grɑ́m | grɔ́m] [*g*raphic *r*ead *o*nly *m*emory] *n.* 〖컴퓨터〗 컴퓨터 그래픽용 판독 전용 메모리
grom·met[1] [grɑ́mit | grɔ́m-] *n.* 〖기계〗 (구멍 가장자리의) 덧테쇠; 〖항해〗 밧줄 고리
grommet[2] *n.* 《속어》 신참[애송이] 서퍼(surfer)
grom·well [grɑ́mwəl | grɔ́m-] *n.* 〖식물〗 지치, 개지치
Gro·my·ko [groumí:kou, grə-] *n.* 그로미코 **Andrei Andreevich ~** (1909-89) 《구소련의 정치가·외교관; 대통령(1985-88)》
∗**groom** [grú:m, grúm] [ME 「소년」의 뜻에서] *n.* **1** 신랑(bridegroom) **2** 마부 **3** 《고어》 남자 하인(manservant) **4** (영국 궁정 시종직의) 궁내관(宮內官)
— *vt.* **1** 〈말을〉 돌보다 **2** [주로 과거분사로] 몸차림하다; 〈특히 머리카락·수염·의복 등을〉 다듬다: be well-~*ed* 몸치장을 잘하다 **3** 《미》 〈사람을〉 관직·선거 《등》의 후보자로 훈련시키다, 〈후보자를〉 성원하다; 훈련하다: The mayor is being ~*ed* for the presidency. 그 시장은 대통령 출마를 준비하고 있다.
~·er *n.* 〈개 등의〉 조련사
groomed [grú:md] *a.* 차림새가 단정한, 차려입은
groom·ing [grú:miŋ] *n.* **1** 차림새를 단정하게 하기, 치장하기 **2** 《속어》 어린이 성적(性的) 학대
grooms·man [grú:mzmən, grúmz-] *n.* (*pl.* **-men** [-mən]) 《고어》 (결혼식의) 신랑의 들러리(cf. BRIDESMAID) ★ 들러리가 여럿일 때에는 그 중 주요한 사람을 best man이라 함.
∗**groove** [grú:v] *n.* **1** (문지방·레코드 등의) **홈**, 홈통; 활자 《등》에 패인 홈; (총포 속의) 나선 홈; 《일반적으로》 가늘고 길게 패인 곳; 바퀴 자국: ~ joint 홈으로 맞물리는 접합법 **2 상례**, 관례, 상습, 습관: fall [get] into a ~ 판에 박은 듯이 되다, 버릇이 되다, 천편일률이 되다 **3** (자신의 재능·흥미 등에) 가장 적합한 직업, 적소(niche): His ~ is in teaching. 그는 교사가 적격이다. **4** 최고조(top form); 《속어》 멋진 일[것]; 즐거움, 기쁨 ***be stuck in a ~*** 《구어》 틀에 박힌 생활을 영위하다 ***in the ~*** 《속어》 (1) 〖재즈〗 쾌조의 연주로 (2) 신이나서, 최상의 컨디션으로 (3) 유행의, 최신식의
— *vt.* …에 홈을 파다[만들다]; 〈레코드에〉 녹음하다
— *vi.* 《속어》 **1** 즐기다, 유쾌하게 지내다 **2** (주위와) 조화를 이루다, 마음이 맞다 《*together*》 **3** 좋아지다 《*on*》 **~ *it*** 《속어》 즐기다 **~ *with ...*** 《속어》 …을 좋아하다 ▷ gróovy *a.*
grooved [grú:vd] *a.* 홈이 있는, 홈이 팬
groov·er [grú:vər] *n.* 《속어》 (house music을 연주하는) 음악가; 마약 기운으로 황홀해진 사람
gróov·ing plàne [grú:viŋ-] 개탕대패
gróoving sàw 새링톱
groov·y [grú:vi] *a.* (**groov·i·er**; **-i·est**) **1** 《속어》 매우 자극적인, 매혹적인; 뛰어난: a ~ car 멋진 자동차 **2** 천편일률적인; 편협한 **3** 《미·속어》 (재즈 등의) 연주가 훌륭한 **4** 《미·속어》 유행이 지난, 구식의 ***feel ~*** 《미·구어》 아주 기분 좋다; (술 마시고) 조금 취한 기분이 되다 **gróov·i·ness** *n.*
∗**grope** [gróup] *vi.* **1 손으로 더듬다**, 손으로 더듬어 찾다 《*about*, *around*》, 암중모색하다 《*for*, *after*》: ~ *around* in the darkness 어둠 속에서 더듬어 찾다 **2** (비밀 등을) 찾다, 캐다 《*for*, *after*》
— *vt.* **1** [~ one's way로] 더듬어 나아가다 **2** 《속어》 〈여자의〉 몸을 더듬다[더듬으려고 하다]
— *n.* 손으로 더듬기; 암중모색 **gróp·er**[1] *n.*
grop·er[2] [gróupər] *n.* = GROUPER[1]
grop·ing [gróupiŋ] *a.* 손으로 더듬는, 암중모색하는 **~·ly** *ad.*
gros·beak [gróusbì:k] *n.* 〖조류〗 콩새류
gro·schen [gróuʃən] *n.* (*pl.* **~**) **1** 그로셴 《오스트리아의 청동화》 **2** 《구어》 (독일의) 10페니히(pfennig)화; (옛 독일의) 그로셴 소(小)은화
gros·grain [gróugrèin] [F] *n.* ⓊⒸ 그로그랭 《비단 또는 인조견으로 이랑 무늬지게 짠 천》; 그 리본
‡**gross**[1] [gróus] *a.*, *n.*, *vt.*

L 「큰」의 뜻에서
→ 크고 자상치 않다는 데서 「조잡한」, 「무딘」, 「지독한, 심한」 **8, 9, 3**
→ 크고 전체를 포함한다는 데서 「전체의」 **1**

— *a.* **1** (공제하기 전의) **총체의**, 모두 합친, 전체의(total); (무게가) 포장까지 친(opp. *net*[2])(⇨ whole 유의어): the ~ amount 총액 / the ~ area 총면적 / the ~ proceeds[sales] 총매상고[매출액] **2** 철저한: a ~ reform 철저한 개혁 **3** 〈잘못·오해 등이〉 엄청난, 심한, 큰, 지독한: a ~ blunder 큰 실수 / a ~ fool 지독한 바보 / ~ injustice 심한 불공정 **4** 《문어》 〈태도·농담 등이〉 **천한**, 무식한, 야비한, 추잡한(obscene); 《미·속어》 지겨운, 구역질 나는, 지긋지긋한, 불쾌한 **5 커다란**, 굵은, **뚱뚱한**(big, thick): a ~ body 뚱뚱한 몸 / ~ features 크기만 하고 엉성한 얼굴 **6** 〈초목이〉 무성한, 우거진: a ~ forest 밀림 **7** 대충의, 전반적인: a ~ description 대강의 묘사 **8** 거친; 날림의, 조잡한: ~ food 조식(粗食) / a ~ feeder 악식가, 조식가 **9** 〈감각이〉 무딘, 둔감한(dull) **10** 〈공기·액체 등이〉 짙은(dense), 탁한: a ~ fog 짙은 안개 / ~ darkness 짙은 어둠
— *n.* [the ~] (공제 없는) 총체, 총계 ***in ~*** (1) 〖법〗 (권리가) 인적(人的)인, 인신 부속의 (2) = in the GROSS ***in the ~*** 《고어》 대체로, 일반적으로; 대량으로(in bulk); 도매로(wholesale)
— *vt.* (경비 등의 공제 없이) …의 총이익을 올리다
~ *out* 《미·속어》 불쾌한 말로 화나게 만들다, 지저분

thesaurus **grope** *v.* feel, move blindly, fumble, search, hunt, touch
gross[1] *a.* **1** 총체의 total, whole, entire, aggregate **2** 추잡한 obscene, coarse, crude, vulgar, rude, lewd, bawdy, dirty **3** 커다란 massive, immense,

한 언행으로 충격을 주다 ~ **up** 《영》〈수익액을〉 공제하기 전 액수로 늘리다 **~·ly** *ad.* **~·ness** *n.*

gross[2] *n.* (*pl.* **~, ~·es**) 〖상업〗 그로스 《12다스, 144개》 ★ 수사 또는 그 상당어가 있을 때는 단수·복수 동형 : a ~[ten ~] of buttons 단추 1그로스[10그로스] ***a great*** ~ 12그로스 《144다스 =1,728개》 ***a small*** ~ 10다스 《120개》 ***by*** ~ 그로스 당 얼마로; 도매로

gróss anátomy 육안 해부학

gróss áverage 〖해상보험〗 공동 해손(海損)

gróss doméstic próduct 〖경제〗 국내 총생산 《略 GDP》

gross·er [gróusər] *n.* 《구어》 큰 수익을 올리는 영화[흥행물] : a big box-office ~ 대형 흥행작

gróss íncome 〖회계〗 총소득, 총수입

gróss márgin 〖회계〗 매상 총이익

gróss nátional expénditure 〖경제〗 국민 총지출 《略 GNE》

gróss nátional próduct 〖경제〗 국민 총생산 《略 GNP》

gross-out [gróusàut] 《속어》 *n.* 구역질 나는[불쾌한] 사람[것] **—** *a.* 지겨운, 지긋지긋한, 불쾌한

gróss-out séssion 《속어》 욕 시합

gróss prófit 〖회계〗 매상 총이익, 총수익

gróss régister tón = GROSS TON

gróss tón 영국톤 《2,240파운드》(long ton)

gróss tónnage (선박의) 총 톤수

gróss wéight 총중량 《포장 등을 포함한》; 〖항공〗 전비(全備) 중량

gro·szy [grɔ́:ʃi], **grosz(e)** [grɔ́:ʃ] *n.* (*pl.* **gro·szy** [grɔ́:ʃi]) 그로시 《폴란드의 화폐 단위; 1/100 즐로티(zloty)》; 1그로시의 청동화

grot [grát | grɔ́t] *n.* 《시어》 = GROTTO

***gro·tesque** [groutésk] [It. 「동굴(의 그림)」의 뜻에서] *a.* **1** 〖미술〗 **그로테스크풍의** 《인간·동물·식물의 공상적인 형상을 결합시킨 장식의》 **2 괴상한,** 그로테스크한, 괴기한; 우스꽝스러운 : a ~ monster 괴기한 괴물 / ~ errors 바보 같은 실수

— *n.* **1** [the ~] 〖미술〗 그로테스크풍, 괴기주의 **2** [a ~] 괴기한 물건[모양, 얼굴, 사람]

~·ly *ad.* 괴기하게 **~·ness** *n.*

gro·tes·que·rie, -ry [groutéskəri] *n.* (*pl.* **-ries**) ⓒⓤ 그로테스크한 성격[언동]; [집합적] 그로테스크한 것

Gro·ti·us [gróuʃiəs] *n.* 그로티우스 **Hugo ~** (1583-1645) 《네덜란드 법학자; 국제법의 시조》

grot·to [grátou | grɔ́t-] *n.* (*pl.* **~(e)s**) 작은 동굴, (조가비 등으로 아름답게 장식한) 돌집 《피서용》

grot·ty [gráti | grɔ́ti] *a.* (**-ti·er**; **-ti·est**) 《영·속어》 꾀죄죄한, 볼품없는, 초라한, 불쾌한

grouch [gráutʃ] 《구어》 *vi.* 투덜대다; 토라지다 **—** *n.* 지르퉁함, 잔소리; 불평꾼 : She has a ~ today. 그녀는 오늘 기분이 안 좋다.

grouch·y [gráutʃi] *a.* (**grouch·i·er**; **-i·est**) 《구어》 지르퉁한, 성난

⁑**ground**[1] [gráund] *n., a., v.*

> 「땅」 **1** → (목적을 가진 땅) → 「장소」 **2**
> 「땅」 **1** → 「운동장」, 「정원」 **2, 3**
> 「땅」 **1** → (토대) → 「근거」 **7**

— *n.* **1** ⓤ [the ~] **지면, 땅,** 토양, 흙(soil), 토지(earth, land) : stony ~ 돌이 많은 땅 **2** [종종 *pl.*] **운동장,** (특수 목적을 위해 마련한) 장소, 용지, …장, 마당 : picnic ~ 행락지 / classic ~ 사적, 고적 **3** [*pl.*] (건물 주위의) 뜰, 정원, 구내 《잔디밭·초목·길을 포함》 : a house with beautiful ~*s* 아름다운 정원이 있는 집 **4** ⓤ 바닥; 해저, 강바닥, 개울 바닥; (어장으로서의) 얕은 바다, 물이 얕은 곳 **5** [*pl.*] (커피 따위의) 찌꺼기 **6** ⓒⓤ 지반; 입장, 의견 : reach common ~ 공통된 의견에 도달하다 / on delicate ~ 미묘한 입장에 / on firm ~ 안전한 입장에; 확실한 증거[사실]에 입각하여 **7** ⓤ [종종 *pl.*] **기초, 근거,** 이유, 동기, 전제 : on economic ~*s* 경제적 이유로 / on public ~*s* 공적인 이유로 **8** [보통 관사 없이] (연구의) 분야; 문제 : forbidden ~ 논해서는 안 되는 화제 **9** 배경; (장식이나 양각의) 밑바탕; (그림의) 바탕칠; (천 등의) 바탕빛, 바탕 : a blue pattern on a red ~ 붉은 바탕에 푸른 무늬 **10** 〖미술〗 동판 방식용(防蝕用)으로 칠하는 약 **11** ⓤⓒ 《미》 〖전기〗 어스, 접지(《영》 earth) **12** 〖음악〗 = GROUND BASS

above ~ = ABOVEGROUND. ***beat … into the ~*** 《미·속어》 …을 의론에 치우쳐 망쳐 놓다 ***beat over the ~*** 토의가 끝난 문제를 다시 논하다 ***below ~*** 죽어서 땅에 묻혀 ***bite the ~*** ⇨ bite. ***break fresh*** [***new***] ***~*** 처녀지를 갈다, 개간하다, 신천지를 개척하다 ***break ~*** 땅을 파다, 갈다; 기공[착수]하다 ***burn to the ~*** 전소하다, 잿더미가 되다 ***come*** [***go***] ***to the ~*** 지다, 망하다 ***cover*** (***the, much, less***) ***~*** (연구 등에서) 진전을 보이다, 일정량의 일을 마치다, 특정 거리[지역]를 가다; 여행하다 : I have *covered* a good deal of ~. 나는 꽤 많이 걸었다. ***cut the ~ from under*** a person***'s feet*** …의 계획을 선수를 써서 뒤집어엎다 ***dash … to the ~*** 땅에 내동댕이치다; 실패로 돌아가게 하다 : His plan was *dashed to the* ~. 그의 계획은 실패로 끝났다. ***down to the ~*** 땅에 쓰러져; 《구어》 철저하게 ***fall on stony ~*** 〈충고 따위가〉 먹혀 들지 않다, 무시되다; 〖성서〗 열매를 맺지 않다, 효과가 없다 《마태복음 13 : 5》 ***fall to the ~*** 〈계획 등이〉 실패로 돌아가다 ***from the ~ up*** 처음부터 다시; 철저하게, 광범위하게; 하나부터 열까지 (차례로) ***gain*** [***make up***] ***~*** 확실한 지반을 얻다, 우세해지다; 퍼지다, 유행하다; 진보하다, 좋아지다; (…와) 격차[거리]를 좁히다, 따라잡다 《*on*》 : He need to *gain* ~ *on* his competitors. 그는 경쟁자들을 따라잡아야 한다 ***get ~*** (***of***) …을 침식하다, …을 이기다 ***get off the ~*** 이륙하다; 진척하다 ***give ~*** 양보하다, 굴복하다 ***go to ~*** 〈짐승이〉 굴로 도망치다; 〈범인이〉 숨다 ***have good*** [***no***] ***~***(***s***) ***for*** believing … (…이라고 믿을 만한) 충분한 근거가 있다[아무런 근거도 없다] ***hit the ~ running*** 〈새 사업 등을〉 (준비 단계를 끝내고) 본격적으로 시작하다 ***hold*** [***stand, keep, maintain***] one***'s ~*** 자기의 지반[입장, 주장]을 고수하다, 한 걸음도 물러서지 않다 ***into the ~*** 필요 이상으로 ***kiss the ~*** ⇨ kiss. ***leave the ~*** 무사히 출발하다 ***lose ~*** 후회하다; 지지[인기, 세력]를 잃다; (…에게) 지다 《*to*》 ***off the ~*** 《구어》 행동으로 옮겨져서, 상당히 진척되어 ***on*** one***'s own ~*** 익숙한 장소에서; 자신 있는 범위에서; 자기 집에서 ***on the ~*** 현장에서, 그 자리에서; 〈비행기가〉 정비 중인; 결투하여 ***on the ~ of*** = ***on*** (***the***) ***~s of*** …이라는 이유로, …을 구실로 ***prepare the ~*** 준비하다, 기초 작업을 하다 ***run into the ~*** 《구어》 …을 지나치게 하다; (격심한 일 등으로) 녹초로 만들다; 〈물건을〉 망가뜨리다 ***run to ~*** 〈여우가〉 굴에 숨다; 바싹 추적하다 ***shift*** one***'s ~*** 위치[주장, 의도]를 바꾸다 ***suit*** a person (***down***) ***to the ~*** 《구어》 〈복장·작업·기후 등이〉 〈누구에게〉 딱 맞다, 어울리다 ***take ~*** 좌초하다 ***thick*** [***thin***] ***on the ~*** 많은[드문드문한, 많지 않은] ***to the ~*** 완전히, 아주 ***touch ~*** 〈배가〉 물 밑바닥에 닿다; 〈이야기가〉 현실에 미치다, 구체화하다; (만연히 이야기를 한 후에) 본론으로 들어가다

— *a.* **1** 지면의, 지면 가까이의; 지상의, 지상 근무의 : ~ forces[troops] 지상 부대 **2** 기초의, 기본의 : ~ principles 근본 원리

— *vt.* **1** …에 **근거를 두다** 《*on*》; 〈사실에〉 입각하다

huge, colossal, large, obese, overweight

grotesque *a.* bizarre, weird, outlandish, freakish, strange, odd, peculiar, fantastic, whimsical, ridiculous, ludicrous, absurd, twisted

ground[1] *n.* earth, soil, dirt, land, terrain, clay

《*on, in*》: 《~+목+전+명》 morals and ethics *~ed on* religion 신앙에 입각한 도덕과 윤리 **2** 땅 위에 놓다[내리다]: ~ arms 〖군사〗 무기를 땅에 놓다 《항복의 표시》 **3** …의 기초를 가르치다 《*in*》: 《~+목+전+명》 ~ a pupil *in* geometry 학생에게 기하의 기초를 가르치다 **4** 〖미술〗 …에 바탕칠을 하다 **5** 《미》 〖전기〗 어스[접지]하다(《영》 earth) **6** 〖항해〗 좌초시키다 **7** 〖항공〗 **a** 〈조종사를〉 비행 금지시키다 **b** 〈비행기를〉 이륙[비행]시키지 않다 **c** 〈짙은 안개 등이 비행기의〉 이륙을 불가능하게 하다 **8** 《구어》 《벌로》 외출 금지시키다

— *vi.* **1** 지상에 떨어지다; 착륙하다 **2** 〖항해〗 좌초하다 **3** 〈이론·제도 등이〉 (…에) 근거[입각]하다 《*on, upon*》 **4** 〖야구〗 땅볼을 치다; 땅볼로 아웃되다 《*out*》

***ground**[2] [gráund] *v.* GRIND의 과거·과거분사

— *a.* **1** 빻은, 가루로 만든 **2** 연마한, 〈육류·야채 등을〉 간

ground·age [gráundidʒ] *n.* Ⓤ 《영》 정박세, 입항세

gróund alèrt (전투기·파일럿의) 지상 대기; 지상 대기 중인 항공기

gróund àngling (찌 없는) 바닥 낚시질

gróund àsh 어린 물푸레나무; 그 지팡이

gróund bàit (물고기를 모으는) 밑밥

ground-bait [gráundbèit] *vt.* 〈물속에〉 밑밥을 미끼로 뿌리다

gróund báll 〖야구〗 땅볼(grounder)

gróund báss 〖음악〗 기초 저음

gróund bèam = GROUNDSEL[2]; 침목(枕木)

gróund béef 《미》 (기계로) 간 쇠고기(cf. MINCE)

gróund bèetle 〖곤충〗 딱정벌레

gróund bòx 회양목 《화단가에 심는》

ground·break·er [-brèikər] *n.* 창시자, 개척자; 독창적인 아이디어[제품]

ground·break·ing [-brèikiŋ] *n.* Ⓤ 기공(起工)

— *a.* **1** 기공식의 **2** 창시의, 개척의

ground·burst [-bə̀ːrst] *n.* (핵폭탄의) 지상 폭발

ground-cher·ry [-tʃèri] *n.* 〖식물〗 꽈리

gróund clòth **1** 무대 바닥에 까는 방수(防水)천 **2** = GROUNDSHEET

gróund còat **1** (페인트의) 초벌칠 **2** (금속을 칠할 때의) 에나멜의 최초의 칠

gróund còlor (유화의) 바탕색

gróund connèction 〖전기〗 접지, 어스

gróund contròl 〖항공〗 지상 관제

gróund-con·trolled appròach [-kəntròuld-] 〖항공〗 (레이더에 의한) 지상 관제 접근 《略 GCA》

gróund-contròlled intercéption 〖군사〗 (레이더에 의한) 지상 요격 시스템 《略 GCI》

gróund còver 〖생태〗 지피(地被)(식물), 지표 식피(植被)

gróund crèw [집합적] 《미》 (비행장의) 지상 근무원(《영》 ground staff)

gróund detèctor 〖전기〗 검루기(檢漏器)

ground·ed [gráundid] *a.* [보통 부사와 함께 복합어를 이루어] 기초를 둔, 근거 있는, (감정에) 흔들리지 않는: a *well-~* suspicion 근거가 충분한 혐의 ***keep*** a person **~** 〈특히 유명해진 지인을〉 평소대로 대함으로써 우쭐해지지 않도록 하다

~·ly *ad.* 충분한 근거를 가지고

gróund effèct 지면[지표] 효과 《지표 또는 지표 근방에서 고속 자동차·비행기에 가해지는 부력[상승력]》

gróund-ef·fect machìne [gráundifèkt-] 〖항공〗 지면 효과식 기계, 에어쿠션정(艇), 호버크라프트(Hovercraft) 《略 GEM》

ground·er [gráundər] *n.* 〖야구·크리켓〗 땅볼; 《미·속어》 간단히 해결할 수 있는 살인 사건

ground·fish [gráundfiʃ] *n.* (*pl.* **~, ~·es**) = BOTTOM FISH

ground-fish·ing [-fiʃiŋ] *n.* 해저에 설치해 둔 낚시 도구

gróund flóor **1** 《영》 1층(《미》 first floor) **2** 《미·구어》 가장 유리한 입장[관계], 앞설 기회

get [***be let***] ***in on the ~*** 《구어》 발기인과 동일한 자격[권리]으로 주(株)를 얻다; 처음부터 참가하여 유리한 지위를 차지하다

gróund fòg 땅 안개 《땅이 차져서 생김》

gróund fròst **1** 지표의 서리; 언 지면 **2** (식물이 피해를 입는) 지표 빙결 온도

gróund gàme 《영》 [집합적] 엽수(獵獸) 《특히 토끼 등》(opp. *wing game*)

gróund gláss 젖빛 유리; 가루 유리 《연마제》

ground·hog [gráundhɔ̀ːg | -hɔ̀g] *n.* **1** 〖동물〗 마멋(woodchuck) **2** 《미·속어》 철도의 제동수(手) **3** 《미·속어》 (술의) 증기 증류기; 밀주(密酒)

Gróundhog Dày 《미》 성촉절(聖燭節)(Candlemas) 《2월 2일; 이 날 마멋이 굴에서 나왔다가 자기 그림자가 보이면 겨울잠으로 되돌아간다는 전설이 있다》

gróund ìce 물밑 얼음, 저빙(底氷)

ground·ing [gráundiŋ] *n.* ⓊⒸ **1** 기초 교육[지식], 근저 **2** 〖항해〗 좌초; 배를 육상에 올리기 《배 밑의 검사나 수리를 위해》 **3** (자수·염색 등의) 바탕(빛) **4** 〖전기〗 접지, 어스 **5** 비행[운전 《등》] 금지 **6** 기초 공사

gróund ìvy 〖식물〗 덩굴광대수염, 병꽃풀

ground·keep·er [gráundkìːpər] *n.* 《미》 (공원·구장(球場)의) 관리인, 정비원(《영》 groundsman)

gróund làndlord 《영》 지주(地主)

ground-launched [-lɔ̀ːntʃt] *a.* 〈미사일 등이〉 지상 발사의

gróund-launched crúise mìssile 지상 발사 순항 미사일 《略 GLCM》

ground·less [gráundlis] *a.* 기초[근거]가 없는, 사실무근의, 〈혐의 등이〉 이유 없는: ~ fears 근거 없는 공포 **~·ly** *ad.* **~·ness** *n.*

ground·ling [gráundliŋ] *n.* **1** 지상[지면] 가까이에 사는 동물[자라는 식물]; 포복 동물[식물] **2** 물밑에 사는 물고기 **3** 〖역사〗 (엘리자베스조(朝) 시대 극장의) 1층 바닥의 관람객, 저급한 관객; 저급한 독자; 취미가 저급한 사람, 속물 **4** 지상 근무자

gróund lòg 〖항해〗 (흐름이 빠른 얕은 바다에서의) 대지 선속 측정의(對地船速測程儀)

gróund lòop 〖항공〗 (이착륙할 때의) 이상 선회, 지상 편향(偏向)

ground·man [gráundmæ̀n, -mən] *n.* (*pl.* **-men** [-mèn, -mən]) (크리켓 등의) 구장 관리인 《보통 직업 선수가 함》

gróund màrker 〖공군〗 조명탄 《목표 지역을 비추기 위해 낙하산 없이 떨어뜨리는》

ground·mass [-mæ̀s] *n.* 〖암석〗 석기(石基), 기질(基質)

gróund nòte 〖음악〗 기음(基音); 주음(主音)

ground·nut [-nʌ̀t] *n.* 《영》 땅콩(peanut)

gróund òak 어린 오크 나무; 〖식물〗 개곽향속(屬)의 일종

ground·out [-àut] *n.* 〖야구〗 땅볼로 아웃됨

gróund pìne 〖식물〗 석송속(屬)의 식물 《크리스마스 장식용》

gróund plàn **1** 〖건축〗 평면도 **2** 기초 계획; 기초안(案), 원안

gróund plàne (투사도의) 기준 평면; 〖토목〗 지반면

gróund plàte **1** 〖전기〗 접지용 금속판 **2** 《고어》 = GROUNDSILL **3** 〖철도〗 (침목 아래의) 상판(床板)

ground·plot [-plɑ̀t | -plɔ̀t] *n.* **1** 〖항공〗 그라운드 플롯 《항공기의 비행 위치 측정법》 **2** 집터, 대지; = GROUND PLAN 1

gróund pollùtion (유독 화학 폐기물에 의한) 토양 오염

ground·prox [-prɑ̀ks | -prɔ̀ks] [*ground proximity warning system*] *n.* 〖항공〗 대지(對地) 접근 경보 장치

gróund ràtions 《미·흑인속어》 성교

gróund rènt 《주로 영》 땅세, 지대(地代)

gróund rùle **1** [보통 *pl.*] (행동·협상 등의) 기본 원칙 **2** (운동의) 규칙

gróund rùn 〖항공〗 (비행기의) 활주 거리
ground·sel[1] [gráundsəl] *n.* 〖식물〗 개쑥갓
groundsel[2] *n.* 〖건축〗 = GROUNDSILL
ground·sheet [gráundʃìːt] *n.* 《영》 (텐트 속에 까는) 방수(防水) 깔개(《미》 ground cloth)
ground·sill [-sìl] *n.* 〖건축〗 기초재(材), 토대
gróunds kèeper 《미》 = GROUNDKEEPER
grounds·man [gráundzmən] *n.* (*pl.* **-men** [-mən]) 《영》 = GROUNDKEEPER
gróund spèed 〖항공〗 대지(對地) 속도
gróund squìrrel 〖동물〗 얼룩다람쥐 《(북미산(產))》
gróund stàff 《영》 **1** = GROUND CREW **2** (경기장 등의) 관리인, 정비원
gróund stàte 〖물리〗 기저(基底) 상태
gróund stàtion 〖통신〗 지상국, 추적소(opp. *mobile station*)
gróund stròke 〖테니스〗 그라운드 스트로크 《공이 바운드한 것을 치기》
gróund sùbstance 〖생물〗 기질(matrix), 세포간 물질
gróund swèll **1** (먼 곳의 폭풍 등으로 인한) 큰 파도, 여파 **2** (여론 등의) 고조 《*of*》
gróund tàckle 〖항해〗 정박 용구 《닻·닻줄 등의 총칭》
ground-to-air [gráundtuːέər] *a.* 〖군사〗 지대공(地對空)의: ~ missiles 지대공 미사일
ground-to-ground [gráundtəgráund] *a.* 〖군사〗 지대지(地對地)의: ~ missiles 지대지 미사일
gróund tràck 〖우주과학〗 지적선(地跡線) 《항공기·미사일 등의 비행 경로의 지표면에 대한 투영선》
gróund tròops 지상 부대
ground·wa·ter [gráundwɔ̀ːtər] *n.* Ⓤ 지하수; 〖광산〗 갱내수(坑內水)
gróund wàve 〖통신〗 지상파(地上波)(cf. SKY WAVE)
gróund wìre 《미》 라디오의 접지선, 어스 선(《영》 earth wire)
ground·work [-wə̀ːrk] *n.* Ⓤ [보통 the ~] **1** 기초, 토대; 기초 작업[연구]; (회화·자수 등의) 바탕(색)(grounding) **2** 기본 원리, 원칙: lay ~ for an international conference 국제 회의의 초석을 마련하다 **3** 《드물게》 주성분
gróund zéro 그라운드 제로 **1** (폭탄의) 낙하점; 폭심지 《핵폭발 바로 아래[위]의 지점》 **2** 활발한 활동[급격한 변화]의 중심[기원] **3** 《구어》 첫단계: start from ~ 처음부터 시작하다 **4** 《미》 뉴욕 세계무역센터 테러 현장의 피폭 중심지
⁑**group** [grúːp] [F 「덩어리」의 뜻에서] *n.* **1 a** 떼, 그룹, 무리, 집단 《*of*》: a ~ of people 한 무리의 사람들/in a ~ 한 데 몰려, 떼지어/in ~*s* 여러 떼를 지어, 삼삼오오 **b** (물건의) 집단, 덩어리, 모임 《*of*》

> 유의어 **group** 동물이나 물건의 무리·모임의 가장 일반적인 말 **herd** 함께 생활하는 가축·동물의 무리 **drove** 함께 줄지어 이동하는 가축의 무리 **pack** 사냥개·늑대 등의 무리 **flight** 나는 새의 떼 **flock** 양·염소·거위·오리·새 등의 떼 **swarm** 벌·개미 등의 큰 떼 **school** 한 무리가 되어 나가는 물고기·고래의 떼 **shoal** 동일 종류의 물고기의 큰 떼

2 (정계·학회·재계 등 공통된 목적·이익을 가진) 집단, 단체, 동호회; 파(派), 단(團) **3** 〖화학〗 기(基), 단(團), (주기표의) 족(族) **4** 〖언어〗 언어군(群) **5** 〖지질〗 층군(層群) **6** 〖영국공군〗 비행 연대; 〖미공군〗 비행 대대 《wing과 squadron의 중간》; 〖미군〗 전술적 부대 단위 《수개 대대와 본부 및 본부 중대로 구성되는》 **7** 〖음악〗 음표군; (오케스트라의) 섹션 **8** 〖미술〗 군상(群像) **9** 〖수학〗 군(群) **10** (동식물 분류상의) 군(群), 분류군 **11** 혈액형(= blood ~)
— *a.* Ⓐ **1** 집단의, 단체의: a ~ discussion 집단 토론 **2** 〖문법〗 어군으로 된: a ~ verb 군(群)동사
— *vt.* **1** 불러 모으다, 무리를 짓게 하다; 집단으로 만들다 **2** (계통적으로) 분류하다 《*into, under*》: ~ ... into 〈…을〉 …으로 분류하다 // (~+목+전+명) ~ all the books (together) *by* author 모든 책을 저자별로 분류하다 **3** (색·모양별로 모아) 미적으로 배치[배열]하다, 조화시키다
— *vi.* 무리를 짓다, 〈집단이〉 조화되어 있다, (집단 등의) 일원이 되다: (~+전+명) The tower ~*s* well *with* the trees. 탑은 나무들과 잘 조화돼 있다.
gróup càptain 〖영국공군〗 비행 대장 《대령》
gróup dynámics [단수 취급] 〖사회〗 집단 역학
grou·per[1] [grúːpər] *n.* (*pl.* **~s, ~**) 〖어류〗 그루퍼 《농엇과(科)의 식용어》
grouper[2] *n.* **1** (관광객 등) 그룹의 일원 **2** 《구어》 (여름 휴양지에서) 집을 세내어 사용하는 그룹의 일원 **3** 《미》 집단 심리 요법 참가자 **4** [**G~**] Oxford Group movement의 지지자
gróup gròpe 《미·속어》 혼음(混淫) 파티; (encounter group 요법의) 집단 접촉
gróup hóme (고아·신체장애자 등을 돌보는) 대용(代用) 수용 시설
group·ie [grúːpi] *n.* **1** 《구어》 록그룹 《등》의 뒤를 쫓아다니는 여자 팬 **2** 열광적인 팬 **3** 《미·구어》 '…그룹'에 속하는 동족 기업 집단 **4** 《영·속어》 공군 대령(group captain)
*****group·ing** [grúːpiŋ] *n.* 그룹으로 나누기, 집단화, 분류; Ⓒ (분류된) 그룹, 조, 배치
gróup insùrance (주로 미) 단체 보험
group·ism [grúːpizm] *n.* 집단주의
gróup márriage 합동 결혼; (원시인의) 집단혼
gróup mèdicine = GROUP PRACTICE
gróup mìnd 군중 심리
Gróup of Fíve [the ~] 5개국 그룹 《서방측에서 가장 경제력이 있는 5개국; 미국, 영국, 프랑스, 독일, 일본; 略 G-5》
Gróup of Séven [the ~] 7개국 그룹 《미국·일본·독일·영국·프랑스·캐나다·이탈리아의 7개국; 略 G-7》
Gróup of 77 [the ~] 77개국 그룹 《국제 연합 무역 개발 회의(UNCTAD)의 회원국인 개발 도상국 그룹》
Gróup of Tén [the ~] 10개국 재무 장관 회의 《IMF 가맹국 중 주요 10개국의 재무 장관 및 중앙은행 총재의 회의; 略 G-10》
gróup práctice **1** (여러 전문의의) 집단 의료; (여러 환자에 대한) 집단 검진 **2** (전문가들에 의한) 공동 작업 **3** 〖법〗 집단 변호사 체제
gróup psychólogy 군중 심리학
gròup representátion 〖정치〗 (직능) 집단 대표제
gróup sèx 집단 성교
gróup thèory 〖수학〗 군론(群論)
gróup thérapy 〖심리〗 집단 요법
group·think [grúːpθìŋk] *n.* Ⓤ 〖논리〗 **1** 집단 사고 《집단 구성원의 토의에 의한 문제 해결법》 **2** 집단 순응 사고 《너무 많은 사람들이 관여함으로 생기는 개인의 창의성이나 책임감의 결여》
grou·pus·cule [grúːpəskjùːl] [F] *n.* 소(小)집단
gróup velòcity 〖물리〗 (파동의) 군(群)속도
group·ware [grúːpwὲər] *n.* 〖컴퓨터〗 그룹웨어 《그룹으로 작업하는 사람들에게 효율적인 작업 환경을 제공하는 소프트웨어》
gróup wòrk 집단 (사회) 사업
grouse**[1] [gráus] *n.* (*pl.* **~, grous·es**) 〖조류〗 뇌조(雷鳥); Ⓤ 뇌조 고기 ***black **~** 멧닭 ***hazel*** **~** 들꿩 ***red*** **~** 홍뇌조 ***spruce*** **~** 캐나다뇌조 ***willow*** **~** 버들뇌조 ***wood***[***great***] **~** 큰뇌조
grouse[2] 《구어》 *vi.* 투덜거리다, 불평을 하다 《*about*》
— *n.* 불평 **gróus·er** *n.*
grout[1] [gráut] *n.* Ⓤ (쪼개진 바위 틈 등에 개어 넣는) 그라우트, 시멘트 풀, 모르타르 풀 — *vt.* 시멘트 풀로 마무리하다, …에 그라우트를 개어 넣다 **~·er** *n.*
grout[2] *vt., vi.* 《영》 〈돼지가 흙 등을〉 주둥이로 파헤치다; 《비유》 찾아 파헤치다

grout[3] *n.* 《고어》 (오트밀 등의) 죽; 조식(粗食); [보통 *pl.*] = GROATS

grout·y [gráuti] *a.* (**grout·i·er**; **-i·est**) 《미》 **1** 《스코》 진흙탕의, 더러운 **2** 〈태도가〉 품위 없는; 거친, 조잡한 **3** 심기가 나쁜; 심술궂은

‡**grove** [gróuv] *n.* **1** 작은 숲 《wood보다 작은 것》: a picnic ~ 피크닉에 알맞은 숲 / a bamboo ~ = a ~ of bamboos 대나무 숲 **2** (귤 등의) 과수원: an orange ~ 밀감 밭

grov·el [grʌ́vəl, grɑ́v- | grɔ́v-, grʌ́v-] *vi.* (**~ed**; **~·ing** | **~led**; **~·ling**) **1** 비굴하게 굴다: ~ before[to] authority 권위 앞에 비굴해지다 **2** 〈농불이〉 (배를 대고) 기다; 〈사람이〉 (공포·비굴 등으로) 엎드리다, 기다; 굴복하다 **3** (시시한 일에) 빠지다, 취하다 ~ ***in the dust***[***dirt***] 땅에 머리를 조아리다; 굽실거리다, 아첨하다 **~·(l)er** *n.* 아첨꾼, 비굴한 사람

grov·el·ing | **-el·ling** [grʌ́vəliŋ, grɑ́v- | grɔ́v-, grʌ́v-] *a.* 땅에 엎드린, 설설 기는; 비굴한, 천한 **~·ly** *ad.*

grov·y [gróuvi] *a.* (**grov·i·er**; **-i·est**) 작은 숲으로 덮인, 나무가 많은

‡**grow** [gróu] *v.* (**grew** [grúː]; **grown** [gróun])

> OE 「커지다」의 뜻에서
> 「성장하다」→《일반적으로》「(차차) …하게 되다」로 되었음

— *vi.* **1** 성장[생장]하다, 크다, 발육하다; 〈초목·털 등이〉 자라다; (…으로) 자라다 《*into, to*》: 《~+전+명》 A tadpole ~*s into* a frog. 올챙이는 자라서 개구리가 된다. // 《~+***to be*** 보》 He *grew to be* a refined gentleman. 그는 자라서 세련된 신사가 되었다. **2** 〈감정·일 등이〉 (…로부터) 발생하다, 일어나다; 시작되다 《*from, out of*》: Our friendship *grew from* common interests in the music. 우리의 우정은 음악에 대한 공통된 관심에서 비롯되었다. **3** 〈크기·수량·길이·정도가〉 커지다, 증대하다, 늘다, 붇다; 발달[발전]하다 《*into*》; 커서 (…에) 이르다 《*to*》: 《~+전+명》 The skirmish *grew into* a major battle. 그 작은 충돌이 확대되어 큰 전투가 되었다. **4** 《주로 문어》 [형용사·부사·명사 등을 보어로 하여] (차차) …하게 되다 (become, turn, come): 《~+보》 ~ weary 피로해지다 / ~ old 차차 나이들다 // 《~+전+명》 ~ more and more *in* love with a person 점점 …에게 애정을 느끼게 되다 // 《~+***to*** do》 I *grew to* realize the delicate situation. 미묘한 사정을 깨닫게 되었다.

— *vt.* **1** 〈식물 등을〉 기르다, 재배하다(cultivate); 〈동물 등을〉 사육하다 **2** 〈수염·손톱 등을〉 기르다: ~ a beard 수염을 기르다 **3** [수동형으로] 〈장소가〉 (초목으로) 덮여 있다 《*over, up*》(⇨ grown 2)

~ ***apace*** 《고어》 〈잡초 등이〉 빨리 자라다; 〈사업 등이〉 급속히 번성하다 ~ ***apart*** 다른 방향으로 자라다; 의견이 엇갈리다 ~ ***away from*** 〈친구 등〉에서 차츰 멀어져 가다, 소원해지다; 〈습관 등〉에서 벗어나다; 〈식물이〉 …에서 떨어져 자라다 ~ ***back*** 〈머리카락·식물 등이〉 원래 길이[상태]로 자라나다 ~ ***down***[***downwards***] 낮아[짧아, 작아]지다 ~ ***in*** experience (경험)이 늘다, 증대하다 ~ ***into*** (1) (성장하여) …이 되다 (2) 〈옷 등이〉 몸에 맞을 만큼 자라다; …에 충분히 익숙해지다 ~ ***into one*** 하나가 되다, 결합하다 ~ ***less*** 줄다 ~ ***on***[***upon***] 〈습관·취미가〉 점점 자라다[세어지다], 점점 몸에 배어가다; 점점 좋아하게 되다; 〈과일 등이〉 자라다 ~ ***on***[***upon***] one***'s hands*** 〈사업 등이〉 감당하기 어렵게 되다 ~ ***on trees*** ⇨ tree. ~ ***out*** 싹트다; 〈감자가〉 새싹을 내다 ~ ***out of*** (1) …에서 생기다 (2) 〈나쁜 버릇을〉 버리다, …에서 탈피하다; 〈옷 등이〉 작아져서 입을 수 없게 되다 ~ ***together*** 〈상처가〉 아물다, 합창(合瘡)되다; 친해지다 ~ ***up*** 어른이 되다; 자라나다; 다 자라다; 〈습관이〉 생기다 ***It***[***Money***] ***doesn't ~ on trees.*** 《구어》 돈은 나무에 열리는 것이 아니다. 《낭비를 충고하는 말》 ***Why don't you ~ up?*** 《미·속어》 나이 값을 해라.

grów·a·ble *a.* ▷ grówth *n.*

grow·bag [gróubæ̀g] *n.* (화초 재배용) 배양토가 담긴 비닐 자루

grow·er [gróuər] *n.* **1** (꽃·과일·야채 등의) 재배자; (가축 등의) 사육자 **2** …하게 자라는 식물: a slow [fast, quick] ~ 만생[조생] 식물

‡**grow·ing** [gróuiŋ] *a.* 성장하는, 발육에 따르는; 성장을 촉진하는; 한창 자라는; 〈크기·넓이·힘 등이〉 증대하는: a ~ boy 한창 자라나는 시기의 소년 / good ~ weather 재배하기 알맞은 기후
— *n.* Ⓤ 성장, 자람, 발육, 발달 **~·ly** *ad.*

grówing pàins 1 (소년에서 청년으로의) 성장기의 신경통 **2** (새 사업 등에 따른) 초기의 고통 **3** 청소년기의 정서 불안정

grówing pòint 〘식물〙 생장점

grówing sèason 식물의 생장[번성]기

‡**growl** [grául] [의성어] *vi.* **1** 〈개 등이〉 으르렁거리다 《*at*》(⇨ bark[1] 유의어): The dog ~*ed at* him. 개가 그를 향해 으르렁거렸다. **2** 〈사람이〉 딱딱거리다; 투덜거리다 **3** 〈천둥 등이〉 울리다: My stomach is ~*ing.* 뱃속이 요란하다.
— *vt.* …이라고 성내어 말하다, 호통치다, 〈으르렁거리는 소리를〉 내다 《*out*》: ~ a deep roar 나직하게 으르렁거리는 소리를 내다 / He ~*ed* (*out*) a refusal. 그는 싫다고 소리질렀다.
— *n.* 으르렁거리는 소리, 딱딱거리는 소리; 노성

growl·er [gráulər] *n.* **1** 으르렁거리는 사람[동물], 딱딱거리는 사람 **2** 《구어》 맥주 담는 그릇 **3** 《영·속어》 사륜 마차 **4** 〘전기〙 그라울러 《전자(電磁) 장치의 일종》; 《미·속어》 (전자식) 확성기, 인터폰 **5** (선박에 위험한) 작은 빙산 **6** 《영·속어》 화장실 ***rush***[***work***] ***the ~*** 《미·속어》 술을 진탕 마시다

growl·er-rush·ing [-rʌ́ʃiŋ] 《미·속어》 *n.* 음주; 주연(酒宴) — *a.* 술 마시는

grów lìght 식물 육성[생장 촉진] 램프

growl·ing [gráuliŋ] *a.* 으르렁[딱딱]거리는

growl·y [gráuli] (**growl·i·er**; **-i·est**) *a.* 으르렁거리는; 화를 잘 내는, 성마른

‡**grown** [gróun] *v.* GROW의 과거분사
— *a.* **1** Ⓐ 성장[발육, 성숙]한: a ~ man 성인, 어른 **2** Ⓟ 무성한 《*with*》: be ~ *with* weeds 잡초가 우거져 있다 **3** [보통 복합어를 이루어] …재배의, …산(産)의: a home-~ wine 집에서 담근 와인

‡**grown-up** [gróunʌ̀p] *n.* 《구어》 어른(adult), 성인
— *a.* 성숙한, 어른이 된(adult); 성인용의; 어른다운 (cf. FULL-GROWN): ~ for one's age 나이에 비해 어른스러운 / ~ fiction[books] 성인용 소설[책]

‡**growth** [gróuθ] *n.* Ⓤ **1** 성장, 생장, 발육: reach one's full ~ 완전히 성장하다 / a plant in full ~ 완전히 자란 식물 **2** 발전, 발달(development) **3** 성숙: get one's ~ 〈심신이〉 성숙하다 **4** (크기·길이·수량의) 증대, 증가(increase): population ~ 인구 증가 **5** 재배, 배양(cultivation) 《*of*》 **6** Ⓒ 생장물 《초목·수풀·수염·손톱·모발 등》; 〘병리〙 종양, 병적 증식: cancerous ~ 암종 / malignant ~ 악성 종양, 암종 **7** …산(産), 원산; 생산: tobacco of domestic ~ 국산 담배 / apples of foreign[home] ~ 외국산[국산] 사과 / fruits of one's own ~ 손수 재배한 과일
▷ grów *v.*

grówth cènter (sensitivity training 등을 하는) 능력 개발 센터

grówth còmpany 고도 성장 회사

grówth còne 〘세포생물〙 성장 원뿔

grówth fàctor 〘생화학〙 성장[발육] 인자 《미량으

thesaurus **grow** *v.* **1** 생장하다 develop, spring up, sprout, germinate, flourish, thrive **2** 발생하다 arise, originate, stem, spring **3** 증대하다 stretch, heighten, enlarge, lengthen, extend, expand, spread, widen, swell, increase **4** 재배하다 culti-

로 성장[생장]을 촉진하는 물질; 비타민·호르몬 등》
grówth fùnd 성장형 펀드 《수익보다는 성장에 중점을 두고 자금 운용을 하는 투자 신탁》
grówth hòrmone 〖생화학〗 성장 호르몬
grówth hòrmone reléasing fàctor 〖생화학〗 성장 호르몬 촉진 인자 《略 GRF》
grówth ìndustry 성장 산업
growth-o·ri·en·ted [-ɔ́:rientid] *a.* 성장 지향의
grówth règulator 〖생화학〗 성장 조정 물질
grówth rìng 〖식물〗 나이테(annual ring)
grówth stòck 〖증권〗 성장주
groyne [grɔ́in] *n.* = GROIN 4
GRP gross rating point 〖광고〗 종합 시청률
***grub** [grʌ́b] *v.* (**~bed**; **~·bing**) *vt.* **1 개간하다, 뿌리째 뽑다, 파내다** 《*up, out*》: 《~+목+부》 ~ *up* a tree 나무를 뿌리째 뽑다 **2** 《속어》 〈…에게〉 음식을 주다, 기르다 **3** 《속어》 졸라서 얻다, (돌려줄 생각 없이) 빌리다: ~ a cigarette 담배 한 대를 빌리다 **4** (기록·책 등에서) 애써 찾아내다[뽑아내다] 《*up, out*》: 《~+목+부》 I *~bed out* my family history. 나의 가계(家系)를 캐보았다.
— *vi.* **1 땅을 파헤치다**; 뿌리를 캐내다; 개간하다 **2** 열심히 일하다(toil) 《*on, along, away*》: 《~+부》 ~ *along* from day to day 매일 열심히 일하다 **3** 《속어》 열심히[애써서] 찾다 《*about*》: 《~+부》 《~+전+명》 ~ *about* in one's bag *for* the paper 가방 속의 서류를 열심히 찾다 **4** 음식을 먹다 **~ *out*** (1) ⇨ *vt.* 1, 4 (2) 《미·속어》 악착같이 공부하다
— *n.* **1** 땅벌레, 굼벵이 《특히 딱정벌레의》 **2** 너절한 사람[아이]; 《미》 빼빠지게 일하는 사람 **3** Ⓤ 《구어》 음식(food); 《유아어》 집에서 가져오는 간식물: No work, no ~. 일하지 않는 자는 먹지도 말라. **4** 《미》 (개간지에 남은) 그루터기 **5** 〖크리켓〗 땅볼 **6** [*pl.*] 《미·속어》 누더기 옷, 더러운 일을 할 때 입는 옷
grúb àx (나무 뿌리를 파내는) 곡괭이
grub·ber [grʌ́bər] *n.* **1** 나무 그루터기[뿌리]를 파내는 사람[도구] **2** 부지런히 일하는[공부하는] 사람 **3** 수전노(moneygrubber)
grub·by [grʌ́bi] *a.* (**-bi·er**; **-bi·est**) 땅벌레가 많은; 더러운(dirty); 단정치 못한, 게으르고 구접스러운(slovenly); 비열한, 경멸할 만한: ~ tricks 비열한 함정 **grúb·bi·ly** *ad.* **grúb·bi·ness** *n.*
grúb hòe 그루터기 파내는 괭이
grúb hòok 그루터기 파내는 갈고리
grub·saw [grʌ́bsɔ̀:] *n.* 돌 켜는 톱
grúb scrèw 그러브 나사 《한쪽 끝에 드라이버용 홈이 있는 대가리 없는 나사》
grub·stake [-stèik] 《미·구어》 *vt.* (이익의 일부를 받는 조건으로) 〈탐광자에게〉 자금을 대다; 물질적 원조를 하다 **—** *n.* (새 사업의) 자금; 물질적 원조
grúb·stàk·er *n.*
Grúb Strèet [가난한 작가들이 살았던 London의 옛 동네 이름에서] 삼류 작가들의 거주 지구; 삼류 문인들
grub·street, G- [-strì:t] *a.* Ⓐ 삼류 문인의, 저급 소설의
***grudge** [grʌ́dʒ] [OF 「투덜투덜 불평하다」의 뜻에서] *vt.* **1 주기 싫어하다, 인색하게 굴다**; …하기 싫어하다: ~ the time 시간을 아까워하다 // 《~+목+목》 Do you ~ me it? 나에게 주기 싫은가? // 《~+*-ing*》 I ~ *going.* 나는 가고 싶지 않다. **2** 〈남이 갖고 있는 것을〉 샘내다, 못마땅해 하다, 〈남의 성공 등을〉 시샘하다: 《~+목+목》 He *~s* me my success. 그는 나의 성공을 질투하고 있다.
— *vi.* 원한[불만]을 품다
— *n.* **원한**, 악의, 유감: work[pay] off a ~ 한을 풀다 ***bear***[***owe***] a person ***a ~*** = ***bear***[***have, nurse***] ***a ~ against*** a person …에게 원한을 품다
grudg·ing [grʌ́dʒiŋ] *a.* 인색한; 원한[악의]을 품은; 마지못해 하는, 싫어하는: ~ acceptance 마지못한 승낙 **~·ly** *ad.* 마지못해, 억지로
grue [grú:] *n.* (공포의) 몸서리, 전율
gru·el [grú:əl] *n.* Ⓤ **1** 오트밀 죽 **2** 《영·구어》 엄벌, 혼냄 ***give*** a person ***his***[***her***] **~** …을 엄벌하다; 죽이다 ***have***[***get, take***] one***'s* ~** 《영·구어》 엄벌을 받다; 살해되다
— *vt.* (**~ed**; **~·ing** | **~led**; **~·ling**) 《구어》 녹초가 되게 하다; 《영·구어》 엄벌하다, 크게 혼내 주다; 죽이다
gru·el·ing | **-el·ling** [grú:əliŋ] *a.* 녹초로 만드는; 엄한 **—** *n.* 《영》 엄벌, 혼냄; 봉변, 타격: get a ~ 봉변당하다 **~·ly** *ad.*
grue·some [grú:səm] *a.* **1** 소름 끼치는, 섬뜩한, 무시무시한: a ~ murder 끔찍한 살인 **2** 힘든
~·ly *ad.* **~·ness** *n.*
grúesome twósome 《미·속어·익살》 두 연인; 《일반적으로》 한 쌍
gruff [grʌ́f] *a.* **1** 〈목소리가〉 거친, 쉰

> 유의어 **gruff** 종종 기분이 좋지 않고 목소리가 쉰[거친]: a *gruff* sergeant 목소리가 거친 (육군) 상사 **hoarse** 감기 등으로 목이 부어 쉰 목소리가 나는: in a *hoarse* voice 쉰 목소리로

2 거친, 퉁명스러운, 우락부락한: a ~ manner 무뚝뚝한 태도 **~·ly** *ad.* **~·ness** *n.*
gruff·ish [grʌ́fiʃ] *a.* 〈목소리가〉 좀 쉰[거친]
gruff·y [grʌ́fi] *a.* (**gruff·i·er**; **-i·est**) = GRUFF
grum [grʌ́m] *a.* (**~·mer**; **~·mest**) 성미가 까다로운, 무뚝뚝한, 뾰로통한(surly)
****grum·ble** [grʌ́mbl] [의성어] *vi.* **1 투덜거리다, 불평하다** 《*at, about, over*》: 《~+전+명》 ~ *for* wine 술이 없다고 불평하다 **2** 낮게 으르렁거리다 **3** 〈천둥 등이〉 울리다: The thunder *~d.* 천둥이 울렸다.
— *vt.* [종종 ~ out] 불평하는 투로 말하다: 《~+목+부》 ~ *out* a protest 투덜투덜 항의하다 / ~ a reply 불만스럽게 대답하다
— *n.* **1 투덜댐**, 투덜대는 소리; 불평 **2** (천둥의) 우르르하는 소리
grum·bler [grʌ́mblər] *n.* 불평가
grum·bling [grʌ́mbliŋ] *a.* **1** 투덜거리는, 불평을 늘어 놓는 **2** 《영·구어》 늘 쑤시고 아픈: a ~ appendix 만성 맹장 **~·ly** *ad.*
grum·bly [grʌ́mbli] *a.* (**-bli·er**; **-bli·est**) 투덜거리는, 불평을 말하는
grume [grú:m] *n.* 〖의학〗 (피의) 엉긴 덩어리, 응혈; 진득진득한 덩어리
grum·met [grʌ́mit] *n.* = GROMMET[2]
gru·mose [grú:mous] *a.* 〖식물〗 (뿌리가) 과립(顆粒)이 모여 된
gru·mous [grú:məs] *a.* 〖의학〗 응혈성의; 엉긴, 진한; 〖식물〗 = GRUMOSE
grump [grʌ́mp] *n.* **1** 불평가 **2** [*pl.*] 심기 나쁨, 저기압 **—** *vi.* 불평하다, 툴툴거리다; 뿌루퉁해지다
grump·y [grʌ́mpi] *a.* (**grump·i·er**; **-i·est**) 성미 까다로운, 심술난 **grúmp·i·ly** *ad.* **grúmp·i·ness** *n.*
Grun·dy [grʌ́ndi] [18세기 희극의 등장인물 이름에서] *n.* [Mrs. ~] 세상의 평판: What will *Mrs.* ~ say? 세상에서는 뭐라고들 할까? **~·ìsm** *n.* Ⓤ 《영》 지나친 인습 존중; 세상에 대한 체면에 구애됨
grunge [grʌ́ndʒ] *n.* 《미·속어》 **1** 오물, 쓰레기(filth, garbage); 조악한[저질의] 것; 불쾌한 것 **2** 보잘것없는[지저분한, 칠칠치 못한] 사람 **3** = GRUNGE ROCK **4** 그런지 패션 《grunge rock 가수들의 넝마주이 같은 옷차림》 **—** *a.* = GRUNGY
grúnge ròck 〖음악〗 그런지 록 《시애틀에서 유래한 시끄러운 록 음악의 일종》
grun·gy [grʌ́ndʒi] *a.* (**-gi·er**; **-gi·est**) 《미·속어》

---

vate, produce, raise, nurture, tend
growl *v.* snarl, howl, yelp, bark
grub *v.* dig, delve, burrow, excavate
grumble *v.* complain, moan, groan, protest, object, whine, carp, find fault with

보잘것없는, 시시한; 더러운, 불결한

grun·ion [grʌ́njən] *n.* 〖어류〗 색줄멸

***grunt**[1] [grʌ́nt] *vi.* 〈돼지가〉 꿀꿀거리다; 〈사람이〉 툴툴거리다, 불평하다, 푸념하다
— *vt.* 으르렁거리듯 말하다 (*out*): (~+목+부) ~ (*out*) an answer 투덜거리며 대답하다
— *n.* 꿀꿀[툴툴]거리는 소리; 물에서 건져내면 꿀꿀하는 물고기 (벤자리과(科)); (미·속어) (음식) 계산서; (미·속어) 레슬링, 레슬러 **~·ing·ly** *ad.*

grunt[2] *n.* (미·군대속어) 해병대원, 보병

grunt-and-groan [grʌ́ntəngróun] *a.* (미·속어) (레슬러가 신음 소리를 내어) 구경거리 효과를 노리는 **~·er** *n.* (미·속어) 레슬러

grunt·er [grʌ́ntər] *n.* **1** 툴툴[꿀꿀]거리는 사람[동물], 돼지(pig) **2** 벤자리과(科)의 물고기

grunt-i·ron [grʌ́ntàiərn] *n.* (미·속어) 튜바(tuba)

grun·tle [grʌ́ntl] *vi.* (영·방언) = GRUNT[1]
— *vt.* (구어) 기쁘게 하다(please), 만족시키다(satisfy) **grún·tled** [-d] *a.* (구어) 만족하고 있는, 기쁜

grunt·ling [grʌ́ntliŋ] *n.* 새끼 돼지

grúnt wòrk (속어) 고되고 지루한 일

Grus [grúːs, grʌ́s] *n.* 〖천문〗 두루미 자리(the Crane)

Gru·yère [gruːjɛ́ər, gri- | grúːjɛə] [스위스의 원산지명에서] *n.* Ⓤ 그뤼예르 치즈(= ∠ **chèese**)

gr.wt. gross weight

gryph·on [grífən] *n.* = GRIFFIN[1]

grys·bok [gráisbɑ̀k, gréis- | gráisbɔ̀k] *n.* (*pl.* **~, ~s**) 그리스복 (남아프리카산 영양의 일종)

GS, G.S., g.s. General Secretary; General Service; General Staff; Girl Scouts; 〖항공〗 ground speed **gs.** guineas **g.s.** grandson **G.S.A.** Girl Scout of America; General Service Administration **G.S.C.** General Staff Corps **G7** [dʒíːsevən] Conference of Ministers and Governors of the Group of Seven Countries 서방 선진 7개국 회의 (G5에 이탈리아·캐나다가 추가된 것) **GSM** Global System for Mobile communication 유럽식 이동 통신 규격[시스템] **G.S.M.D.** Guildhall School of Music and Drama **GSO, G.S.O.** General Staff Officer **GSOH** good sense of humor 멋진 유머 감각 (주로 채팅에서 쓰는 말) **G.S.P.** Good Service Pension

G-spot [dʒíːspɑ̀t | -spɔ̀t] *n.* (미·속어) 성감대(性感帶)

GST goods and service tax 물품세; Greenwich sidereal Time **GSTDN** ground space tracking and data network 우주 추적 데이터 통신망 지상국

G-string [-strìŋ] *n.* **1** 〖음악〗 G선 (바이올린의 최저음선) **2** (스트리퍼의) 음부를 가리는 천 조각

G-suit [-sùːt] [*Gravity suit*] *n.* 〖항공〗 내(耐)중력복

GT glass tube (피복부가 유리로 된 진공관); gigaton; Gran Turismo **gt.** gilt; great; *gutta* (L= drop) **g.t.** gilt top 〖제본〗 윗둘레 금박 **Gt.** Great **G.T.** gross ton **Gt. Br(it).** Great Britain **G.T.C., g.t.c.** good till canceled[countermanded] **gtd.** guaranteed **GTG** got to go (전자 우편이나 휴대 전화의 문자 메시지 등에서 사용) **GTMO** Guantanamo (Bay) **GTP** guanosine triphosphate 〖생화학〗 구아노신 3인산 **gtt.** 〖약학〗 *guttae* (L = drops) **GU** genitourinary; Guam

gu. guinea

gua·ca·mo·le [gwɑ̀ːkəmóuli] [Sp.] *n.* 과카몰리 (아보카도(avocado)를 으깨어 토마토·양파·양념을 더한 멕시코 소스·샐러드)

gua·cha·ro [gwɑ́ːtʃəròu] *n.* (*pl.* **~s**) 〖조류〗 쏙독새의 일종

gua·co [gwɑ́ːkou] *n.* (*pl.* **~s**) 열대 아메리카산(産) 국화과(科) 식물 (만능약, 특히 뱀독·간헐열에 씀)

Gua·dal·ca·nal [gwɑ̀ːdəlkənǽl] *n.* 과달카날 (태평양 Solomon 제도의 섬)

guai·a·col [gwáiəkòul, -kɔ̀ːl | -kɔ̀l] *n.* Ⓤ 〖화학〗 과이어콜 (크레오소트의 성분)

guai·a·cum [gwáiəkəm] *n.* 〖식물〗 유창목(癒瘡木); Ⓤ 유창목 기름 (약용)

Guam [gwɑ́ːm] *n.* 괌 (북태평양의 미국령 섬)
Gua·ma·ni·an [gwɑːméiniən] *a.*, *n.*

gua·na [gwɑ́ːnə] *n.* = IGUANA

gua·na·co [gwənɑ́ːkou, gwɑː-] *n.* (*pl.* **~s,** [집합적] **~**) 〖동물〗 과나코 (남미 안데스 산맥의 야생 라마)

guanaco

gua·neth·i·dine [gwɑːnéθidìːn] *n.* 〖약학〗 과네티딘 (혈압 강하제)

gua·ni·dine [gwɑ́ːnədìːn] *n.* 〖생화학〗 구아니딘 (사람의 오줌에 함유된 아미노 요소(尿素))

gua·nine [gwɑ́ːniːn] *n.* 〖생화학〗 구아닌 (DNA, RNA를 구성하는 퓨린 염기의 하나)

gua·no [gwɑ́ːnou] *n.* (*pl.* **~s**) **1** Ⓤ 구아노, 조분석(鳥糞石), 분화석(糞化石) (페루의 태평양 연안에서 물새의 똥이 굳은 것) **2** ⓊⒸ 인조 질소 비료
— *vt.* …에 구아노[새똥] 비료를 주다

gua·no·sine [gwɑ́ːnəsìːn, -sin] *n.* 〖생화학〗 구아노신 (구아닌의 리보뉴클레오시드)

guánosine monophósphate 〖생화학〗 구아노신 1인산 (略 GMP)

guánosine triphósphate 〖생화학〗 구아노신 3인산 (略 GTP)

Guan·ta·na·mo [gwɑːntɑ́ːnəmòu] 관타나모 (쿠바 남동부의 도시; 미국의 해군 기지가 있음)

Guantána·mo Báy 관타나모만(灣)

guar. guarantee(d); guarantor; guaranty

Gua·ra·ni [gwɑ̀ːrəníː] *n.* (*pl.* **~, ~(e)s**) **1** 과라니족 (볼리비아·파라과이·남부 브라질에 사는 민족); Ⓤ 과라니 말 **2** [**g~**] 과라니 (파라과이의 화폐 단위; 기호 G)

****guar·an·tee** [gæ̀rəntíː] [guaranty의 변형] *n.* **1** ⓊⒸ 보증: a money-back ~ 환불 보증 **2** 개런티 (최저 보증 출연료); 보증서, 담보(물)(security) **3** (…의) 보증[보장]이 되는 것, 약속 (*of*): Wealth is no ~ *of* happiness. 재산이 행복을 보장하는 것은 아니다. **4** 보증인 **5** 〖법〗 피보증인(opp. *guarantor*)
be [***go, stand***] **~ *for*** …의 보증인이다[이 되다]
under [***on a***] **~ *of*** …의 보증 아래, …을 보증하여
— *vt.* (**~d**; **~·ing**) **1** 보증하다(affirm), 보증을 서다: (~+목+전+명) ~ a person *against*[*from*] loss …에게 손해를 안 끼칠 것을 보증하다 // (~+목+목) He ~*d* us possession of the house by June. 그는 그 집이 6월까지는 우리 것이 된다는 것을 보증했다. // (~+목+***to*** do) ~ a watch *to* keep perfect time 시계가 절대로 틀리지 않는다는 것을 보증하다 // (~+***that*** 절) ~ *that* the contract shall be carried out 계약이 이행될 것을 보증하다 **2** 〈일의 실현·확실성 등을〉 다짐하다, 약속하다, 확언하다, 장담하다: (~+(***that***) 절) I ~ (*that*) he will come. 그가 올 것임을 내가 장담하지.

guar·an·téed (ánnual) íncome [gæ̀rəntíːd-] = NEGATIVE INCOME TAX

guarantéed ánnual wáge 연간 보장 임금

guarantée fùnd 보증 기금

guar·an·tor [gæ̀rəntɔ́ːr] *n.* 〖법〗 보증[담보]인

***guar·an·ty** [gǽrənti] [warrant(보증)와 같은 어원] *n.* (*pl.* **-ties**) **1** 보증; 〖법〗 보증 계약 **2** 보증물, 담보 **3** 담보인, 보증인
— *vt.* (**-tied**) 〖법〗 = GUARANTEE

****guard** [gɑ́ːrd] [OF 「망보다」의 뜻에서] *vt.* **1** 지키다, 수호[보호, 호위]하다 (*against, from*)(⇨ protect

thesaurus **guarantee** *n.* **1** 보증 warranty, warrant, contract, covenant, guaranty **2** 약속 pledge, promise, assurance, word, oath — *v.* sponsor, underwrite, support, back, promise, pledge

유의어): (~+목+전+명) ~ a person *against* [*from*] temptations …을 유혹에서 보호하다 **2** 〈죄수 등을〉 **망보다,** 감시[경계]하다, 〈입구 등을〉 파수 보다: ~ a prisoner 죄수를 감시하다 **3** 〈노여움 등을〉 억제하다, 〈말을〉 삼가다, 조심하다: ~ one's temper 분노를 억누르다 **4** 〈기계에〉 위험 방지 장치를 하다 **5** 〖스포츠〗 〈나오는 상대를〉 막다, 가드하다

— *vi.* **1** 《문어》 (사고·과실·병 등을) **경계하다,** 조심하다 《*against*》: (~+전+명) ~ *against* fires 화재를 예방하다 / ~ *against* errors 실수하지 않도록 주의하다 **2** 망을 보다, 감시하다; 보호하다, 지키다 **3** 〖펜싱〗 방어 자세를 취하다

— *n.* **1 보호자,** 호위자, 수위, 파수, **감시인;** 《미》 교도관; 〖군사〗 보초, 위병; **호위병[대];** (포로 등의) 호송병[대]; 《영》 근위병[대]; 친위병[대], 수비대; [the G~s] 《영》 근위 연대: ~ of honor 의장병 / *the* Dragoon *G~s* 《영》 근위 용기병(近衛龍騎兵) / *the* Grenadier *G~s* 《영》 근위 보병 제1연대 / *the* Life *G~s* 《영》 근위 기병 제1·제2연대 / *the* Royal Horse *G~s* 《영》 근위 기병 제3연대 **2** Ⓤ **경계, 망보기,** 살핌, 감시: be kept under ~ 감시당하다 / be on ~ 보초 서고[망보고] 있다 / catch[take] a person off his[her] ~ …의 방심을 틈타다 / come off ~ 〖군사〗 비번이 되다 **3** 방호물, 위험 방지기; (칼의) 코등이, (총의) 방아쇠울, 난로의 불가림쇠(fender), 시계줄, 모자끈; (자동차의) 흙받기: a knee ~ 무릎 보호대 / insurance as a ~ against disasters 재해 보험 **4** CU (총검술·권투에서) 방어 자세; 〖크리켓〗 삼주문(三柱門)을 지키는 타구봉의 자세 **5** CU (농구·축구 등의) 가드 **6** 《영》 (기차·합승 마차의) 차장(conductor); 《미》 (열차의) 제동수(制動手), 문 개폐 담당자 ***at open*** ~ 〖펜싱〗 빈틈이 보이는 방어 자세로 ***give*** [***take***] ~ 〖크리켓〗 삼주문 방어의 정위치에 타자가 서게 하다[정위치에서 타구봉을 들다] ***keep*** ~ 지키다, 경계를 하다 ***lower*** one***'s*** ~ = ***let*** one***'s*** ~ ***down*** 긴장을 늦추다, 방심하다 ***mount*** [***stand, keep***] (***the***) ~ 〖군사〗 보초 서다 《*over*》 ***off*** ~ 비번으로 ***off*** one***'s*** ~ 경계를 게을리하여, 방심하여: throw [put] a person *off his*[*her*] ~ …을 방심시키다 ***on*** ~ 당번으로 ***on*** one***'s*** ~ 보초 서서, 지키고 (있다): put[set] a person *on his*[*her*] ~ …에게 경계시키다, 조심하게 하다 ***raise*** one***'s*** ~ (***against***) (공격에 대해) 경계하다, 대비하다 ***relieve*** ~ 교대해서 보초로 서다 ***row the*** ~ (탈함병 때문에) 군함의 주위를 보트로 경계하다 ***run the*** ~ 보초의 눈을 피하여 빠져 나가다 One***'s*** ~ ***is up*** [***down***]. 경계 태세를 취하고 있다[있지 않다].; 감정[말]을 억제하고 있다[있지 않다]. ***stand*** ~ 보초 서다, 감시하다 ***stand*** [***lie***] ***on*** [***upon***] one***'s*** ~ 경계[조심]하다 ***strike down*** a person***'s*** ~ 〖펜싱〗 …의 방어 자세를 무너뜨리다

guar·dant [gɑ́ːrdnt] *a.* (문장(紋章)에서) 〈동물이〉 정면을 향한

guárd bànd 〖무선〗 보호 주파수대(帶)

guárd bòat 〖해군〗 순찰정; (수상) 감시선

guárd bòok 《영》 종잇장을 철해 넣을 수 있게 된 스크랩북; 종이 끼우개

guárd cèll 〖식물〗 공변(孔邊) 세포

guárd chàin (회중시계 등의) 사슬 줄

guárd commànder 〖군사〗 위병 사령(司令)

guárd dùty 〖군사〗 보초[호위] 근무

guard·ed [gɑ́ːrdid] *a.* 방어[감시]되어 있는; 〈말 등이〉 조심성 있는, 신중한: in a ~ tone 신중한 어조로 **~·ly** *ad.* **~·ness** *n.*

guárded dóg 방범견, 경비견

guard·er [gɑ́ːrdər] *n.* 지키는 사람, 수호자

guard *v.* protest, watch over, patrol, defend, shield, preserve, save, conserve, secure, supervise
guardian *n.* guard, protector, defender, preserver, custodian, warden, keeper, trustee

guárd hàir 〖동물〗 보호 털 《솜털을 덮는 거친 털》

guard·house [gɑ́ːrdhàus] *n.* (*pl.* **-hous·es** [-hàuziz]) 위병소, 감시소; 구치소, 유치장; 영창

guard·i·an** [gɑ́ːrdiən] *n.* **1 보호자,** 수호자; **감시인,** 보관인 **2** 〖법〗 (미성년자 등의) 후견인(opp. *ward*) **3** (프란체스코회의) 수도원장 ***G~ of the poor 《영》 (옛날의) 빈민 구제 위원

guárdian ángel 1 (개인·사회·지방의) 수호천사, 수호신 **2** 크게 원조해 주는 사람 **3** [the G- A-s] (New York이나 London의) 지하철 폭력을 저지하는 민간 자경 조직

guard·i·an·ship [gɑ́ːrdiənʃìp] *n.* Ⓤ 〖법〗 후견인 역[직]; 보호, 수호: under the ~ of …의 보호하에

guard·less [gɑ́ːrdlis] *a.* 지키는 사람이 없는, 무방비의; 방심한; 칼코등이가 없는

guard·rail [gɑ́ːrdrèil] *n.* **1** (도로의) 가드레일; (계단 등의) 난간; (철제) 방호책(柵) **2** 〖철도〗 (탈선 방지용) 보조 레일

guárd rìng 결혼반지가 빠지지 않도록 그 위쪽에 끼는 반지

guard·room [-rùːm] *n.* 위병소, 수위실; 《특히》 감방, 영창

Guárds Divìsion [the ~] 《영》 근위사단(Foot Guards)

guard·ship [gɑ́ːrdʃìp] *n.* 경비[감시]함

guards·man [gɑ́ːrdzmən] *n.* (*pl.* **-men** [-mən]) (영·뉴질) 근위병; 《미》 주병(州兵)

guárd's ván 《영》 〖철도〗 = CABOOSE 1

guárd tènt 위병소[천막]

Guar·ne·ri·us [gwɑːrnέəriəs] *n.* 구아르네리우스 《이탈리아의 Guarneri 집안 사람이 17-18세기에 만든 바이올린》

Guat. Guatemala

Gua·te·ma·la [gwɑ̀ːtəmɑ́ːlə] *n.* 과테말라 《중앙 아메리카의 공화국》; 그 수도(= **~ Cìty**)

Gua·te·ma·lan [gwɑ̀ːtəmɑ́ːlən] *a.* 과테말라의; 과테말라 사람의 — *n.* 과테말라 사람

gua·va [gwɑ́ːvə] *n.* 〖식물〗 반석류 《열대 아메리카산(産) 관목》; 그 열매 《젤리·잼의 원료》

gua·ya·be·ra [gwàiəbérɑ] *n.* 구아이아베라 《쿠바 남성이 즐겨 입는 smock 비슷한 셔츠·재킷》

gua·yu·le [gwɑːjúːli] *n.* 〖식물〗 구아율 《멕시코산(産) 고무나무; 그 진은 고무 대용품》

gub·bins [gʌ́binz] *n. pl.* 《영》 [단수·복수 취급] **1** 허섭스레기, 잡동사니; 시시한 것; 간단한 장치; 거시기 **2** 《구어》 어리석은 사람

gu·ber·na·to·ri·al [gjùːbərnətɔ́ːriəl] *a.* Ⓐ 《미》 지사(governor)의, 지방 장관의: a ~ election 지사 선거

Guc·ci Gulch [gúːtʃi-gʌ́ltʃi] (미·속어) (워싱턴 등지의) 번화한 쇼핑가[몰]

guck [gʌ́k, gúk] *n.* 《속어》 미끌미끌한 것; 연니(軟泥); 찌꺼기, 쓰레기

gud·geon[1] [gʌ́dʒən] *n.* **1** 〖어류〗 모샘치 《미끼로 쓰는 잉엇과(科)의 작은 물고기》 **2** 잘 속는 사람

gudgeon[2] *n.* 〖기계〗 굴대 꼭지, 축두(軸頭); (돌쩌귀의) 암쇠; 〖항해〗 (키의) 축받이

gúdgeon pìn 〖기계〗 피스톤핀(wrist pin)

guél·der ròse [géldər-] 〖식물〗 불두화나무

Guelf [gwélf] *n.* (12-15세기 이탈리아의) 교황당원 (cf. GHIBELLINE); [the ~s] 교황당 **~·ic** *a.* **~·ism** *n.*

Guelph [gwélf] *n.* = GUELF

Guen·e·vere [gwénəvìər] *n.* 여자 이름

guer·don [gɔ́ːrdn] *n.* UC, *vt.* 《시어》 포상(하다), 보수(를 주다)(reward) **~·er** *n.*

gue·ril·la [gərílə] *n.* = GUERRILLA

Guern·sey [gɔ́ːrnzi] *n.* (*pl.* **-seys**) **1** 건지 섬 《영국 해협에 있는 섬》 **2** 건지종의 젖소 **3** [**g~**] 청색 털실 재킷 《주로 선원용》 ***get a g~*** 《일반적으로》 뽑히다, 인정받다, 성공하다

*__guer·ril·la__ [gərílə] [Sp. 「작은 전쟁」의 뜻에서] *n.* 게릴라병, 비정규병; 별동대; 《드물게》 유격전
—*a.* Ⓐ 게릴라병의: ~ war[warfare] 게릴라전/~ tactics 게릴라 작전
__guerrílla théater__ (반전·반체제적인) 게릴라 연극, 가두 연극(street theater)
‡__guess__ [gés] [ME 「판단하다」의 뜻에서] *vt.* **1** 짐작하다, 추측하다, 추정하다(⇨ imagine 유의어): 《~+목+전+명》 ~ the woman's age *at* 25 그 여자의 나이를 25세로 추측하다 // 《~+***that*** 절》 He ~*ed that* the cost would be about five dollars. 그는 비용이 5달러 정도가 될 것으로 추측했다. // 《~+목+***to be*** 보》 I ~ him *to be* about 40. =I ~ that he is about 40. 그는 40세 정도 되는 것으로 짐작된다. // 《~+목+***to*** do》 I ~ this library *to* contain 50,000 books. 나의 짐작으로는 이 도서실에 책이 5만권 있다. // 《~+***wh. to*** do》 I cannot ~ *what to* do next. 다음에 무엇을 해야 될지 짐작이 가지 않는다. // 《~+***wh.*** 절》 Can you ~ *who* that man is? 저 사람이 누군지 알겠느냐? **2** 알아맞히다, (충분한 근거 없이) 억측하다, 짐작해서 말하다: 《~+***wh.*** 절》 *G~ which* hand holds a coin. 어느 쪽 손에 동전이 들었는지 맞춰 봐. **3** 《미·구어》 …이라고 생각하다[여기다](suppose, think): ~ a riddle 수수께끼를 알아맞히다 // 《~+(***that***) 절》 I ~ I'll go to bed. 자려고 생각한다. / I ~ I can manage alone. 나는 혼자서 해 나갈 수 있을 것이라고 생각한다.
—*vi.* 추측하다, 미루어서 살피다, 짐작하다; 알아맞히다 《*at*》: 《~+부》 ~ *right*[*wrong*] 바로[잘못] 맞히다 // 《~+전+명》 ~ *at* the height of a tree 나무의 높이를 어림잡다
~ *at* 짐작하다 ***I ~ so*[*not*].** 그렇다고[그렇지 않다고] 생각한다. ***keep*** a person **~*ing*** 《미·구어》 (어찌 될까 해서) 마음 졸이게 하다
—*n.* 추측, 짐작, 억측: give[make] a ~ 추측하다, 억측하다 / miss one's ~ 추측이 틀리다, 잘못 알아맞히다 ***an educated ~*** 경험[지식]에 근거한 추측 ***anybody's ~*** ⇨ anybody. ***at a ~*** = ***by ~*** (***and by god***) 추측으로, 어림잡아서, 짐작으로 ***have another ~ coming*** 착각[잘못 생각]하고 있다 ***Your ~ is as good as mine.*** (당신과 마찬가지로) 나로서도 잘 모르겠군요.
~·a·ble *a.* **~·er** *n.*
__guéss hìtter__ 짐작만으로 치는 타자
__guéss·ing gàme__ [gésiŋ-] **1** 알아맞히기[추측] 게임 **2** 예측할 수 없는 상황
__guess-rope__ [gésròup] *n.* = GUEST ROPE
__guess·ti·mate__ [géstəmèit] [*guess*+*estimate*] *vt.* 〈장래의 인구·물가 등을〉 짐작으로 견적하다, (되는 대로) 추측하다
—*n.* 추측, 어림짐작
__guéss whò__ 《미·속어》 모르는 사람
*__guess·work__ [géswə̀:rk] *n.* Ⓤ 짐작, 추측, 어림잡기; 짐작에서 나온 의견[설] ***by ~*** 어림짐작으로
‡__guest__ [gést] [ON 「낯선 사람」의 뜻에서] *n.* **1** (초대받은) 손님, 내빈(opp. *host*[1]; cf. CLIENT, CUSTOMER)(⇨ visitor 유의어); 객원(客員), 임시 회원: the ~ of honor (만찬회 등의) 주빈 **2** (여관·하숙의) 숙박인: paying ~ (개인 집의) 하숙인 **3** (라디오·텔레비전·오케스트라의) 특별 출연자, 객원 연주자: a ~ artist[star] 〖영화·TV〗 게스트[손님]로 나온 예술가[배우] **4** 기생 동물[식물](inquiline) **5** 〖컴퓨터〗 게스트 《PC 통신, 네트워크 등에 정식으로 등록되어 있지 않은 사람》 **6** 《미·속어》 죄수; (병원의) 환자 ***Be my ~.*** 《구어》 (상대의 간단한 부탁에) 예, 그러세요; 좋으실 대로 하세요.
—*a.* Ⓐ 손님용의; 빈객으로서 행하는; 초대[초빙]받은: a ~ member 객원, 임시 회원 / a ~ conductor [professor] 객원 지휘자[교수] / a ~ book 숙박부
—*vi.* 《미》 (방송에) 게스트로 출연하다 《*on*》
—*vt.* 손님으로서 접대하다
__guést bèer__ 《영》 (특정한 기간 동안 판매하는) 염가 맥주
__guést chàmber__ = GUEST ROOM
__guest·house__ [gésthàus] *n.* (*pl.* **-hous·es** [-hàuziz]) (순례자용) 숙소; 영빈관; 고급 하숙, 여관
__gues·ti·mate__ [géstəmèit] *vt.*, *n.* = GUESSTIMATE
__guest-night__ [géstnàit] *n.* 《영》 (클럽·학교 등에서) 손님을 접대하는 밤
__guést ròom__ 객실 《여관·하숙의》; 손님용 침실
__guést ròpe__ 〖항해〗 (뱃전에 대는 보트를 위한) 손잡이 줄; 밧줄로 끌리는 배가 좌우로 빗나가지 않게 멘 둘째 줄
__guést stàr__ (TV 프로그램 등의) 특별 출연자, 게스트 스타 **guést-stár** *v.* 특별 출연하다[시키다]
__guést wòrker__ (독일 통일 전) 타국에서 서독으로 돈벌이하러 온 노동자를 일컫던 말(Gastarbeiter)
__Gue·va·ra__ [gəvá:rə] *n.* 게바라 **Ernesto** (**'Che'**) ~ (1928-67) 《아르헨티나 태생의 쿠바의 혁명가》
__guff__ [gʌ́f] *n.* Ⓤ 《미·속어》 허튼소리, 난센스; 무례한 언행; 건방진 말대꾸
__guf·faw__ [gʌfɔ́:, gə-] *n.* 갑작스러운 큰 웃음, (상스러운) 홍소(哄笑) —*vi.*, *vt.* 실없이 크게 웃다[웃으며 말하다]
__gug·gle__ [gʌ́gl] *vi.*, *vt.*, *n.* = GURGLE
__gug·(g)let__ [gʌ́glit] *n.* = GOGLET
__GUI__ [gú:i] [*G*raphical *U*ser *I*nterface] *n.* 〖컴퓨터〗 그래픽 사용자 인터페이스, 구이
__Gui·a·na__ [giǽnə, giá:nə | gaiǽnə, giá:nə] *n.* 기아나 《남미 북동부에 있는 가이아나·프랑스령 기아나·수리남 등을 포함한 지방》
-nan [-nən] *a.*, *n.* = GUIANESE
__Gui·a·nese__ [gì:əní:z, -ní:s | gàiəní:z] *a.* 기아나의
—*n.* (*pl.* ~) 기아나 사람[말]
__gui·chet__ [gi:ʃéi | ∠-] [F] *n.* 매표구, 개찰구
__guid·a·ble__ [gáidəbl] *a.* 인도[지도, 안내]할 수 있는; 가르치기 쉬운
‡__guid·ance__ [gáidns] *n.* Ⓤ **1** 안내, 지도, 길잡이, 지시: under a person's ~ …의 안내[지도]로 **2** (교육 과정 선택·취직 준비를 위한) (학생) 지도, 보도(補導), 가이던스 **3** 견본, 모범 **4** (우주선·미사일 등의) 유도 ▷ guíde *v.*
__guídance cóunselor__ (학생들의) 생활 지도 카운슬러
‡__guide__ [gáid] *vt.* **1** 〈사람을〉 안내하다, 인도하다(⇨ lead[1] 유의어): ~ sightseers 관광객을 안내하다 // 《~+목+전+명》 ~ a stranger *through* the woods *to* the house 낯선 사람을 숲 속을 통해 집에 안내하다 // 《~+목+부》 The stars ~*d* us *back.* 우리는 별들의 안내를 받아서 돌아왔다. **2** 지도하다, (깨우쳐) 가르치다; 조언하다: 《~+목+전+명》 ~ students *in* their studies 학생들에게 공부를 지도하다 **3** (장관으로서) 다스리다, 통치하다; 관리하다, 감독하다 **4** 〈사상·감정 등이〉 지배하다, 좌우하다(control) **5** 〈무생물이〉 …의 방향을 가리키다, …의 지표가 되다
—*n.* **1** 안내자, 길잡이, 안내업자, 가이드 **2** 〖군사〗 향도(嚮導); 〖항해〗 향도함(艦); [*pl.*] 정찰대 **3** 소녀단 단원(cf. GIRL GUIDE) **4** 지도자, 교도자 **5** 지침, 규준(規準), 입문서; 도표(道標), 이정표; 안내서, 편람; 여행 안내(서): an investment ~ 투자 안내서 **6** 지도적 원리 《신념·이상 등》 **7** 〖기계〗 유도 장치; (외과용 탐침

thesaurus **guess** *v.* conjecture, surmise, estimate, reckon, fathom, hypothesize, predict, speculate, suppose, believe, think, judge, consider, suspect, feel
guide *v.* **1** 안내하다 lead, conduct, show, usher, accompany, direct, convoy, attend **2** 지도하다 counsel, advise, inform, instruct **3** 관리하다 manage, supervise, handle —*n.* **1** 안내자 leader, director, escort, attendant **2** 지도자 counselor,

의) 도자(導子): a ~ bar[block] 안내봉[도르래]/a ~ screw 안내 나사; 회전 조정 나사
the (Corps of) G~s (국경 근무에 종사하는) 인도군의 이동 수비대
▷ guídance *n.*
guide·board [gáidbɔ̀ːrd] *n.* 길 안내판
⁑**guide·book** [gáidbùk] *n.* 편람, (여행) 안내서
guíde càrd 찾아보기 카드
guid·ed [gáidid] *a.* 안내를 받은; 유도된; 유도 장치가 붙은: ~ democracy 교도 민주주의
guíded míssile 유도탄[미사일]
guíde dòg 맹도견(盲導犬)
guíded tóur 안내원이 딸린 (관광) 여행
guíded wáve 〖물리〗 유도된 전파, 유도파
guide·less [gáidlis] *a.* 안내자[지도자]가 없는; 지도가 없는
guide·line [gáidlàin] *n.* **1** (도화지·타이프 용지 등의) 희미한 윤곽선; (극장의) 막을 여닫는 줄 **2** (장래에 대한) 지침, 정책: ~*s* on future policy 장래 정책의 지침 **3** (동굴·암벽 등반 등의) 안내[유도] 밧줄
guíde nùmber 〖사진〗 노출 계수 《섬광 촬영 때 노출을 산출하는 수치》
***guide·post** [gáidpòust] *n.* 길표지, 도표(道標), 이정표; 지침(guideline)
guid·er [gáidər] *n.* **1** 안내하는 것[사람]; 지도자 **2** [종종 **G~**] girl guide의 지도자
guíde ràil (문·창문의) 가이드 레일
guíde ròpe **1** =GUY² **2** (기구·비행선의) 유도삭(索), 조절 밧줄
guide·way [gáidwèi] *n.* 〖기계〗 도구(導溝), 미끄럼홈
guíde wòrd (책의 페이지 윗부분에 인쇄된) 찾아보기 말, 색인어
guid·ing [gáidiŋ] *a.* Ⓐ 조언[지도]하는; 지표가 되는: She is a beginner and needs a ~ hand. 그녀는 초보자라서 이끌어 주는 손길이 필요하다.
GUIDO, Gui·do [gwíːdou] [*guid*ance *o*fficer] *n.* 〖우주과학〗 우주선 유도 기술자
gui·don [gáidn] *n.* 〖군사〗 (본래 기병대의) 삼각기; 그 기수; 《미》 부대기; 그 기수
Gui·gnol [ginjɔ́ːl] [F] *n.* 기뇰 《인형극 중의 어릿광대명》
***guild, gild** [gíld] *n.* **1** (중세의) 상인 단체, 길드 **2** 동업 조합; 《일반적으로》 조합, 회(society): a ~ of bank clerk 은행원 조합 **3** 〖식물〗 생장·영양 섭취 방식이 비슷한 식물군
guil·der [gíldər] *n.* **1** 길더 《네덜란드의 화폐 단위; 기호 G; =100 cents》; 1길더 은화 **2** 네덜란드·독일의 옛 금화[은화]
guild·hall [gíldhɔ̀ːl] *n.* **1** 중세 길드의 집회장[회의소] **2** 시청; 읍사무소 **3** [the G~] 런던시 청사
guild·ship [gíldʃip] *n.* **1** =GUILD 1, 2 **2** 길드의 일원임; 그 신분
guilds·man [gíldzmən] *n.* (*pl.* **-men** [-mən]) 길드 조합원; 길드 사회주의 신봉자
guíld sócialism 길드 사회주의 《제1차 대전 전의 영국 사회주의 사상》
guile** [gáil] *n.* Ⓤ 교활, 음험함, 엉큼함; 음흉한 책략, 간계 ***by **~** 교활한 꾀를 써서
guile·ful [gáilfəl] *a.* 교활한, 음험한
~·ly *ad.* **~·ness** *n.*
guile·less [gáillis] *a.* 교활하지 않은, 정직한, 솔직한(frank) **~·ly** *ad.* **~·ness** *n.*
guil·le·mot [gíləmɑ̀t | -mɔ̀t] *n.* 〖조류〗 바다오리
guil·loche [gilóuʃ | -lɔ́ʃ] *n.* 〖건축〗 (기둥·벽 등의) 노끈을 꼰 모양의 무늬
guil·lo·tine [gílətìːn, gíːə- | gílə-] [이 참수 형틀의 사용을 제안한 프랑스의 의사 J. I. Guillotin의 이름에서] *n.* **1** 기요틴, 단두대; [the ~] 참수형 **2** (종이 등의) 재단기; 〖외과〗 (편도선 등을) 잘라내는 기구 **3** 《영》 토론 시간 한정 《의회에서 의사 방해를 막기 위한》
—*vt.* **1** 단두대로 〈…의〉 목을 자르다 **2** 〈편도선을〉 잘라내다 **3** 〈종이·금속 등을〉 재단기로 베다 **4** 〈토론을〉 종결하다, 〈의안의〉 통과를 강행하다

guillotine *n.* **1**
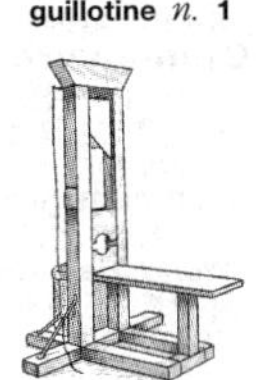

⁑**guilt** [gílt] [OE 「죄」의 뜻에서] *n.* Ⓤ **1** (특히 도덕·형법상의) 죄를 범했음, 죄가 있음, 유죄(opp. *innocence*): ~ feeling 〖심리〗 죄의식 《양심의 가책》 **2** 죄(sin); 〖법〗 범죄: a partner in ~ 공범자/live a life of ~ 죄 많은 인생을 보내다
—*vt.* [다음 성구로] **~** a person ***into*** something [do***ing***] 〈…에게〉 죄책감을 느끼게 하여 …하도록 하다
▷ guílty *a.*
gúilt by associátion 〖법〗 연좌(제): the doctrine[principle] of ~ 연좌제
guílt còmplex 〖심리〗 죄책감
***guilt·less** [gíltlis] *a.* **1** 죄가 없는, 무고한, 결백한(innocent) 《*of*》: a man ~ *of* any evil intent 어떤 악의도 품고 있지 않은 사람 **2** 알지 못하는, 기억에 없는; …의 경험이 없는 《*of*》: earth ~ *of* the plow 쟁기질을 한 적이 없는 땅 **3** 〈수염 등이〉 없는 《*of*》
~·ly *ad.* **~·ness** *n.*
guílt trìp 죄의식에 사로잡힌 상태: lay a ~ on …에게 죄책감을 갖게 하다.
guilt-ware [gíltwɛ̀ər] [*guilt*+soft*ware*] *n.* Ⓤ 〖컴퓨터〗 길트웨어 《무료 프로그램이면서도 사용자로 하여금 돈을 보내주어야겠다는 죄책감을 갖게 하는 것》
⁑**guilt·y** [gílti] *a.* (**guilt·i·er**; **-i·est**) **1** …의 죄를 범한, 유죄의(criminal; opp. *innocent*) 《*of*》: a ~ deed 범행/a ~ mind[intent, knowledge] = MENS REA/be found ~ 유죄로 판결되다/be not ~ 무죄이다 **2** 〈과실 등을〉 저지른, …의 결점이 있는 《*of*》 **3** 떳떳지 못한, 죄를 자각하는, 가책을 느끼는 《*about, over, for*》: a ~ look 죄진 듯한 표정/He felt ~ *about* it. 그는 그 일로 자책감을 느꼈다. ***G~* [*Not G~*]**. 유죄[무죄]. 《배심원 평결에서》 ***plead* ~ [*not* ~]** 죄를 인정하다[무죄를 주장하다] 《*to*》
guílt·i·ly *ad.* 유죄로; 죄진 것처럼 **guílt·i·ness** *n.*
guílty cónscience 죄책감, 양심의 가책
guílty párty 〖법〗 죄인[가해자]측
guimpe [gǽmp, gímp] *n.* (잠바 등의 밑에 입는) 소매 짧은 블라우스; 수녀가 목과 어깨를 가리기 위해 두르는 넓은 풀먹인 천
Guin. Guinea
***guin·ea** [gíni] [Guinea산 금으로 만든 데서] *n.* **1** 기니 《21실링에 해당하는 영국의 옛 금화; 지금은 단순한 계산 단위로 사례·기부금의 가치 표시로 씀》 **2** =GUINEA FOWL **3** 《경멸》 이탈리아(계) 사람
Guin·ea [gíni] *n.* 기니 《아프리카 서부 해안 지방; 그 지역의 공화국; 수도 Conakry》 ***the Gulf of*** **~** 기니만(灣) **Guín·e·an** *a., n.* 기니의, 기니 사람(의)
Guin·ea-Bis·sau [gínibisáu] *n.* 기니비사우 《서아프리카의 공화국; 구 Portuguese Guinea; 수도 Bissau》
Guínea còrn 팥수수(durra)
guínea fòwl 〖조류〗 뿔닭 《서아프리카산(産)》
guínea gràins[pèpper] =GRAINS OF PARADISE
guínea hèn 뿔닭의 암컷

---

adviser, mentor, tutor, teacher, guru **3** 지침 example, standard, model **4** 이정표 mark, sign, beacon, signal
guilty *a.* **1** 죄를 범한 blamable, culpable, responsible, censurable, criminal, convicted, reproachable, condemnable, delinquent, offending, sinful, illegal, felonious (opp. *innocent, blameless*) **2** 가책을 느끼는 conscience-stricken, remorseful, ashamed, regretful, repentant, penitent

guínea pìg 1 〖동물〗 돼지쥐, 천축쥐 《속칭 모르모트》 2 (미) 실험 재료, 시험대

guinea pig 1

guínea wòrm 〖동물〗 기니 벌레 《사람·말의 발에 기생하여 종양을 일으킴》
Guin·e·vere [gwínəvìər] *n.* 여자 이름; (아서왕 전설에 나오는) Arthur의 왕비
Guin·ness [gínis] *n.* 기네스 《아일랜드산의 흑맥주(를 만드는 양조 회사); 상표명》 ***the ~ Book of World Records*** 기네스북 《맥주 회사 기네스가 해마다 발행하는 세계 기록집》
gui·pure [gipjúər] [F] *n.* 기퓌르 레이스 《바탕이 되는 망눈 없이 직접 여러 모양을 연결하는》; 단 대는 레이스의 일종
gui·ro [gwíərou] *n.* (*pl.* ~) 기로 《남미의 타악기》
guise [gáiz] *n.* 1 [보통 in a ... ~로] 외관(appearance), 겉모양: in the ~ of ... …의 모습으로 2 가장, 변장, 구실: under[in] the ~ of friendship 우정을 가장하여 3 (영·고어) 복장, 옷차림(aspect)
— *vi.* (영·구어) 가장[변장]하다 **guís·er** *n.* 변장자
gui·tar [gitá:r] *n.* 기타: an electric ~ 전기 기타
— *vi.* (**~red**; **~·ring**) 기타를 치다
~·ist *n.* 기타 연주가
gui·tar·fish [gitá:rfìʃ] *n.* 〖어류〗 가래상어
Gu·ja·ra·ti [gùdʒərá:ti | gù(:)-] *n.* (인도 서부) 구자라트 사람; Ⓤ 구자라트 어(語) — *a.* 구자라트 사람의; 구자라트 어의
gu·la [gjú:lə] *n.* (*pl.* **~s, -lae** [-li:]) 〖동물〗 목(throat), 인후 **gú·lar** *a.*
Gu·lag [gú:la:g] *n.* 1 (구소련의) 교정(矯正) 노동 수용소 관리국(1934-60); = GULAG ARCHIPELAGO 2 [**g~**] (특히 사상·정치범의) 강제 노동 수용소
Gúlag Archipélago [A. Solzhenitsyn의 소설 제목에서] [the ~] 수용소 군도 《구소련의 사상·정치범 수용소망(網)》
gulch [gʌ́ltʃ] *n.* (미) (양쪽이 깎아지른 듯한) 협곡
gul·den [gú:ldn, gúl-] *n.* (*pl.* **~s, ~**) = GUILDER
gules [gjú:lz] *n., a.* 〈문장(紋章)이〉 붉은 색(의)
gulf [gʌ́lf] *n.* 1 만(灣) 《대개 bay보다 크며 또 폭에 비해 길이가 더함》: the *G*~ of Mexico 멕시코 만 2 (지표의) 깊은 구멍, 깊이 갈라진 틈; (시어) 심연(深淵), 심해(abyss) 3 (비유) (지위·입장·감정 등의) 넘을 수 없는 한계[장벽]: the ~ between rich and poor 빈부의 격차 4 소용돌이(whirlpool) 5 (영·속어) (Oxford, Cambridge 대학에서 우등 시험에 낙제한) 보통 급제 ***a great ~ fixed*** 건널 수 없는 큰 격차 《누가복음 16 : 26》
— *vt.* 1 깊은 곳으로 삼키다[빨아들이다] 2 (영·속어) 〈대학생을〉 보통 급제시키다
Gúlf Stàtes [the ~] 1 (미) 멕시코만 연안 5개주 《Florida, Alabama, Mississippi, Louisiana, Texas》 2 페르시아만 연안 8개국 《Iran, Iraq, Kuwait, Saudi Arabia, Bahrain, Qatar, the United Arab Emirates, Oman》
Gúlf Strèam [the ~] 멕시코 만류
Gúlf Strèam sỳstem [the ~] 멕시코 만류계 《멕시코 만류와 플로리다 해류, 북대서양 해류로 이루어지는 대해류계》
Gúlf Wàr 걸프 전쟁 《이라크와 유엔 연합군과의》
gulf·weed [gʌ́lfwì:d] *n.* 〖식물〗 모자반속(屬)의 해초 《특히 멕시코 만류 등에서 볼 수 있는》
gulf·y [gʌ́lfi] *a.* (**gulf·i·er**; **-i·est**) 소용돌이가 많은
gull[1] [gʌ́l] *n.* 1 〖조류〗 갈매기 2 (미·해군속어) 매춘부
gull[2] *vt.* 속이다 ~ a person ***into***[***out of***] …을 속여 …시키다[을 빼앗다]
— *n.* 잘 속는 사람, 얼간이; (속어) 사기꾼
Gul·lah [gʌ́lə] *n.* 걸러 《미국 동남부의 해안 및 섬에 사는 흑인》; Ⓤ 그 사투리 영어
gul·ler·y [gʌ́ləri] *n.* (*pl.* **-ler·ies**) 갈매기의 집단 서식처
gul·let [gʌ́lit] *n.* 1 (구어) 식도(esophagus), 목구멍(throat) 2 (수로가 되는) 협곡 3 (채굴 전의) 예비갱(坑)
gul·ley[1] [gʌ́li] *n.* (*pl.* **~s**) = GULLY[1] 1
gul·ley[2] [gʌ́li, gúli | gʌ́li] *n.* (*pl.* **~s**) = GULLY[2]
gul·li·bil·i·ty [gʌ̀ləbíləti] *n.* Ⓤ 잘 속음
gul·li·ble [gʌ́ləbl] *a.* 잘 속는 **-bly** *ad.*
gull·ish [gʌ́liʃ] *a.* 바보 같은, 멍청한
Gúl·li·ver's Trávels [gʌ́ləvərz-] 걸리버 여행기 《Jonathan Swift작의 풍자 소설》
gull-wing [gʌ́lwìŋ] *a.* 걸윙식의 〈문〉 《갈매기 날개형으로 위로 젖혀지게 되어 있는》
gul·ly[1] [gʌ́li] *n.* (*pl.* **-lies**) 1 (보통 물이 마른) 협곡; (영) 도랑, 하수구 2 홈통형 레일; 〖크리켓〗 point와 slips 사이의 수비 위치 — *vt.* (**-lied**) …에 도랑을 만들다; 〈물의 작용이 도랑·수로를〉 뚫다, 파다
gul·ly[2] [gʌ́li, gúli | gʌ́li] *n.* (*pl.* **-lies**) (스코) 큰 나이프
gúlly dràin 하수관
gúlly hòle (도로상의) 쇠창살 뚜껑을 덮은 하수도 구멍
gúlly tràp 하수 빠지는 곳의 방취판(防臭瓣)
gu·los·i·ty [gju:lásəti | -lɔ́s-] *n.* (영·고어) Ⓤ 과도한 식욕, 대식, 탐욕
gulp [gʌ́lp] [의성어] *vt.* 1 꿀꺽꿀꺽 마시다, 쭉 들이켜다; 꿀떡꿀떡 급히 먹다 《*down*》: ~ *down* lunch 점심을 급히 먹다 / ~ *down* water 물을 꿀꺽꿀꺽 마시다 2 〈눈물 등을〉 삼키다, 참다, 억누르다 《*back, down*》; 〈이야기를〉 덮어놓고 믿다: (~+목+부) ~ *down*[*back*] tears 눈물을 삼키다, 울음을 꾹 참다
— *vi.* 숨을 죽이다; 들이켜다, 꿀꺽꿀꺽 마시다
— *n.* 꿀꺽꿀꺽[쭉] 마심, 들이켜는 소리[분량]; 입속에 하나 가득(한 양); 〖컴퓨터〗 걸프 《여러 바이트로 이루어지는 2진 숫자의 그룹》 ***at***[***in***] ***one ~*** 한입에, 단숨에 **~·ing·ly** *ad.* 꿀꺽꿀꺽, 쭉
gulp·er [gʌ́lpər] *n.* 1 gulp하는 사람 2 〖어류〗 풍선장어 《심해어》
gum[1] [gʌ́m] *n.* 1 Ⓤ 고무질, 점성(粘性) 고무; 나무진, 수지; (미) 탄성 고무(=~ elastic) 2 점성 물질 3 (공업용·미술용·약용 등의) 고무 가공품 4 Ⓤ 껌(=chewing ~) 5 고무풀; (넓은 뜻으로) 고무 6 = GUM TREE 7 [*pl.*] (미) 고무 덧신, 고무신 8 Ⓤ 눈곱; (과실나무의) 병적 분비 수액 9 = GUMDROP
— *v.* (**~med**; **~·ming**) *vt.* 1 …에 고무질을 입히다[칠하다], 고무(질)로 굳히다, 고무풀로 붙이다 《*down, together, up, in*》: ~ a stamp *down* 우표를 고무풀로 붙이다 2 (미·속어) 속이다
— *vi.* 고무질을 분비[형성]하다; 〈과실나무가〉 병적 수액을 분비하다; 진득진득해지다; (속어) 쓸데없는 소리를 하다 ~ ***up*** (구어) 〈계획 등을〉 망치다, 틀어지게 하다 ~ ***up the works*** 망쳐 놓다 ▷ gúmmy[1] *a.*
gum[2] *n.* [보통 *pl.*] 잇몸, 치은(齒齦), 치육(齒肉) ***beat***[***bat, flap, slap***] ***one's ~s*** (미·속어) 장황하게 지껄이다, 허튼소리를 늘어놓다
— *vt.* 〈톱의〉 날을 세우다; 잇몸으로 씹다
gum[3] *n.* (영·비어) = GOD [다음 성구로] ***By***[***My***] ***~!*** 맹세코, 틀림없이, 원 이런! 《저주·맹세할 때 씀》
gúm ammóniac 암모니아 고무
gúm árabic 아라비아 고무
gum·ball [gʌ́mbɔ̀:l] *n.* 둥그런 껌 《겉면이 얇은 사탕으로 싸인》
gum·bo [gʌ́mbou] *n.* (*pl.* **~s**) (미) 1 〖식물〗 오크라(okra); 오크라의 꼬투리 2 ⓊⒸ 오크라 수프 《오크라와 닭고기 등으로 만든》 3 Ⓤ (미국 서부의) 찰흙
gum·boil [gʌ́mbɔ̀il] *n.* 〖치과〗 치은 궤양
gúm bòot 고무장화; (미·속어) 형사
gúm drágon = TRAGACANTH
gum·drop [-dràp | -drɔ̀p] *n.* (미) (젤리 타입의) 캔디((영) gum)
gúm elàstic 탄성 고무, 고무(rubber)
gum·foot [-fùt] *n.* (미) (사복) 형사

gum·ma [gʌ́mə] *n.* (*pl.* **~s, ~·ta** [-tə]) 〖병리〗 (제3기 매독의) 고무종(腫)

gum·ma·tous [gʌ́mətəs] *a.* 〖병리〗 고무종의

gummed [gʌ́md] *a.* 〈우표 따위의〉 한 쪽 면에 풀을 바른

gum·mi·f·er·ous [gʌmífərəs] *a.* 고무를 분비하는

gum·ming [gʌ́miŋ] *n.* Ⓤ 고무를 냄; (과실나무의) 병적 수액 분비; 〖인쇄〗 (석판(石版) 돌에) 아라비아고무 용액을 칠하기

gum·mite [gʌ́mait] *n.* 〖광물〗 구마이트, 고무석(石) 《황갈색 또는 적갈색의 고무 타입의 역청 우라늄광》

gum·mous [gʌ́məs] *a.* 고무(질)의, 고무 타입의; 고무용의; 〖병리〗 고무종형(型)의

gum·my[1] [gʌ́mi] *a.* (**-mi·er**; **-mi·est**) **1** 고무(성)의, 점착성의 **2** 고무질로 덮인, 고무질이 묻은 **3** 〈정강이·발목 등이〉 부어오른 **4** 《미·속어》 아주 감상적인

gúm·mi·ness *n.* Ⓤ 고무질, 점착성

gummy[2] *a.* 이빨 없는, 잇몸을 드러낸 **—** *n.* 《호주·뉴질》 이빨 없는 늙은 양; 이가 평평한 상어

gump [gʌ́mp] *n.* 《미·속어》 얼간이, 멍청이

gump·tion [gʌ́mpʃən] *n.* Ⓤ 《구어》 **1** 적극성, 진취의 기상; 처세의 재간, 수완 **2** 근성, 담력 **3** 《영》 상식(common sense) **4** 그림물감 조합법; 그림물감 푸는 액

gúm rèsin 고무 수지 《고무와 수지의 혼합물》

gum·shield [gʌ́mʃìːld] *n.* 〖권투〗 마우스피스(mouthpiece)

gum·shoe [gʌ́mʃùː] *n.* **1** [보통 *pl.*] 오버슈즈, 고무덧신(galoshes); 고무창을 댄 운동화(sneakers) **2** 《미·속어》 탐정, 형사 **—** *a.* 살금살금 걷는; 몰래 하는 **—** *vi.* 《미·속어》 살금살금 걷다, 몰래 가다

gúm trágacanth = TRAGACANTH

gúm trèe 〖식물〗 고무나무, 《특히》 유칼리나무(eucalyptus) ***up a ~*** 《속어》 진퇴양난에 빠져 ★ rubber tree[plant]와는 다른 것.

gum·wood [gʌ́mwùd] *n.* Ⓤ 고무나무 재목; 유칼리재(材)

⁑**gun** [gʌ́n] *n.* **1** 〖군사〗 대포, 포 《보통 곡사포 및 박격포는 제외; cf. CANNON》: a 20-in. caliber ~ 구경 20인치 포 / mount[work] a ~ 대포를 설치하다 / fire[shoot] a ~ 발포하다 **2** (통속적으로) 총 《라이플·기병총·보병총 등; 단총은 제외》; 엽총(shotgun); (연발) 권총(revolver) **3** (살충제의) 분무기; 주입 기구 **4** 《속어》 사기꾼; 살인 청부업자; 도둑(thief); 《영》 총렵대(銃獵隊)의 일원; 포수(gunner) **5** 대포의 발사 《예포·축포·조포 등》: a 21 ~ salute 21발의 예포 **6** 《익살》 (담배의) 파이프 **7** (발동기의) 스로틀(throttle) **8** 《속어》 술잔, 글라스(liquor glass)

(***as***) ***sure as a ~*** 틀림없이, 확실히 ***beat the ~*** = jump the GUN. ***blow*** (***great***) ***~s*** 《구어》 강풍[질풍]이 불다 ***bring up***[***out***] one***'s big ~s*** (토론·게임 등에서) 비장의 수를 쓰다 ***carry***[***hold***] (***big***) ***~s*** 강력한 힘을 갖고 있다 ***give it the ~*** 《속어》 가속시키다; 시동시키다 ***go great ~s*** 《미·속어》 급히[마구] 해내다, 대성공을 거두다 ***great***[***big***] ***~*** 거물, 고급 장교 ***Great ~s!*** 이런, 아뿔싸! ***have***[***carry***] ***the ~s for*** …에 대한 능력[자격]이 있다 ***hold a ~ to*** a person***'s head*** (1) …의 머리에 (권)총을 들이대다 (2) …을 협박하여 무리하게 시키다 ***jump the ~*** (스포츠에서) 스타트를 잘못하다[서두르다]; 조급히 굴다, 성급하게 말하다 ***son of a ~*** 《속어》 시시한 자식, 못난 놈, 구두쇠 ***spike*** a person***'s ~s*** …을 무력하게 만들다, 굴복시키다 ***stand by***[***stick to***] one***'s ~s*** 입장[주장]을 고수하다, 굴복하지 않다 ***till***[***until***] ***the last ~ is fired*** 최후[끝장날 때]까지 ***under the ~***(***s***) 무장 감시하에

— *vt.*, *vi.* (**~ned**; **~·ning**) 총으로 (…을) 쏘다; 총사냥가다; 《미·속어》 (발동기의) 스로틀을 열어 가속하다 **~ *down*** …을 포화로 격멸하다 **~ *for*** (1) 총으로 …을 사냥하다; (쏘려고 또는 해치려고) …을 찾다, 추적하다 (2) 《미·속어》 노리다, 얻으려고 노력하다

gún bàrrel 포신, 총신

gun·boat [gʌ́nbòut] *n.* 포함(砲艦); 《속어》 큰 구두

gúnboat diplómacy 포함 외교, 무력 외교

gún càptain 〖해군〗 포술장(長)

gún càrriage 포차, 포가(砲架)

gún contròl 총포 규제

Gún Contról Àct 《미》 총포규제법 《1968년 의회 승인》

gun·cot·ton [-kɑ̀tn | -kɔ̀tn] *n.* Ⓤ 솜화약

gún dèck 〖해군〗 포열 갑판

gun·dog [-dɔ̀ːg | -dɔ̀g] *n.* 사냥개

gun·down [-dàun] *n.* 총격; 총살, 사살

gun·fight [-fàit] *vi.* (**-fought** [-fɔ̀ːt]) 총질하다, 총격전을 벌이다 **—** *n.* 총격전; 《미》 권총에 의한 결투 **~·er** *n.* (특히 미국 서부 개척 시대의) 사격의 명수

gun·fire [-fàiər] *n.* Ⓤ 포화, 포격; 발포, (아침저녁의) 호포(號砲)(시각)

gun·flint [-flìnt] *n.* (수발총(燧發銃)의) 부싯돌

gunge [gʌ́ndʒ] *n.* 《영·속어》 = GUNK 1

— *vt.* [보통 수동형으로] gunge로 메우다 《*up*》

gung ho [gʌ́ŋ-hóu] 〔Chin. 「함께 일하다」의 뜻에서〕 *a.* 《미·속어》 멸사봉공의, 열렬한, 매우 열성적인: a ~ military outfit 용맹한 부대 **—** *ad.* 순조롭게: The business is going ~. 사업이 잘 된다.

gun-har·poon [-hɑːrpùːn] *n.* 포경포로 발사하는 큰 작살

gun·house [gʌ́nhàus] *n.* (*pl.* **-hous·es** [-hàuziz]) 포탑(砲塔)(turret)

Gun·ite [gʌ́nait] *n.* [때로 **g~**] 거나이트 《시멘트·모래·슬래그 가루를 물에 혼합한 것; 상표명》

gúnk [gʌ́ŋk] *n.* 《속어》 **1** 끈적끈적[찐득찐득]한 것[오물] **2** 화장품 **3** 놈, 녀석; 〖미군〗 건조[분말] 식품

gúnk·y *a.*

gún làp (트랙 경기에서 총성으로 알리는) 마지막 한 바퀴

gún làw 총기 (소지) 단속법

gun·lay·er [gʌ́nlèiər] *n.* 〖영국해군〗 (대포) 조준수

gun·less [gʌ́nlis] *a.* 총포를 갖지 않은

gún lòbby 《미》 총포 규제(gun control)에 반대하는 압력 단체

gun·lock [gʌ́nlɑ̀k | -lɔ̀k] *n.* 방아쇠

***gun·man** [gʌ́nmən] *n.* (*pl.* **-men** [-mən]) **1** 총기 휴대자, 무장 경비원; 《주로 미·속어》 권총을 찬 악한[갱], 총잡이; 사격의 명수 **2** 총포공(工)(gunsmith)

gun·met·al [-mètl] *n.* Ⓤ 〖야금〗 포금(砲金); 청동; 암회색(= ∠ **gràY**)

gún mòll 《미·속어》 총잡이의 정부(情婦); (특히 총을 휴대한) 여자 범죄자

gunned [gʌ́nd] *a.* (…의) 포를 갖춘

Gúnn effèct [gʌ́n-] 〔영국 태생의 물리학자 J. B. Gunn의 이름에서〕 〖전자〗 건 효과 《반도체의 단자에 임계 전압을 가하면 극초단파를 내는 일》

gun·nel[1] [gʌ́nl] *n.* = GUNWALE

gunnel[2] *n.* 〖어류〗 베도라치

gun·ner** [gʌ́nər] *n.* **1** 포수(砲手), 사수; 조준수; 《영》 포병대원 **2** 〖해군〗 포술장(砲術長) 《준사관》 **3** 총사냥꾼 ***kiss[***marry, be introduced to***] ***the ~'s daughter*** 〈수병이〉 포에 묶여서 매질을 당하다

gun·ner·y [gʌ́nəri] *n.* Ⓤ **1** 포술; 사격법 **2** 포격; [집합적] 포, 총포(guns): a ~ lieutenant[《속어》 jack] 〖영국군〗 포술장(砲術長)

gúnnery sèrgeant 〖미해군〗 하사관 계급의 하나 《first sergeant 아래, staff sergeant 위》

gun·ning [gʌ́niŋ] *n.* Ⓤ 사격; 총사냥, 총렵(shooting) ***go ~*** 총사냥 가다

gun·ny [gʌ́ni] *n.* (*pl.* **-nies**) Ⓤ 굵은 삼베; = GUNNYSACK

gun·ny·sack [gʌ́nisæ̀k], **gun·ny-bag** [-bæ̀g] *n.* 굵은 삼베[즈크] 자루 《감자·석탄을 넣는》

gun·pa·per [gʌ́npèipər] *n.* 〖군사〗 종이 화약

gún pìt 〖육군〗 요형 포좌(凹型砲座) 《포와 포병을 엄호하는 참호》

gun·play [-plèi] *n.* Ⓤ 《미》 맞총질, 총싸움, 총격전; 총솜씨

gun·point [-pɔ̀int] *n.* 총부리, 총구 ***at*** **~** 《미·속어》 총[권총]으로 위협하여[받고]

gun·port [-pɔ̀ːrt] *n.* 〈군함의〉 포문, 총안

***gun·pow·der** [gʌ́npàudər] *n.* Ⓤ 화약, 흑색 화약: smokeless[white] ~ 무연[백색] 화약

Gúnpowder Plòt [the ~] 〖영국사〗 화약 음모 사건 《1605년 11월 5일 영국 국회의 폭파를 음모한 Guy Fawkes를 주범으로 하는 천주교도의 음모; cf. GUY[1]》

gúnpowder téa 잎이 총탄 모양으로 말린 고급 녹차

gun·pow·er [-pàuər] *n.* 포격 능력, 화력

gún ròom 총기실; 〖영국해군〗 하급 장교실

gun·run·ner [-rʌ̀nər] *n.* 총포 화약의 밀수입자

gun·run·ning [-rʌ̀niŋ] *n.* Ⓤ 총포 화약의 밀수입

guns-and-but·ter [gʌ́nzəndbʌ́tər] *a.* 대포와 버터의; 군사·민생 양립의

guns-be·fore-but·ter [gʌ́nzbifɔ̀ːrbʌ́tər] *a.* 〈경제보다〉 군사 우선의

gun·sel [gʌ́nsəl] *n.* 《속어》 **1** 멍청이 **2** 배반자 **3** = UNMAN **4** 〈남색의〉 상대자, 미동(catamite); 교활한[믿을 수 없는] 놈

gún shìp 포술 연습함

gun·ship [gʌ́nʃìp] *n.* 무장 헬리콥터 《지상군을 근접 지원하는》

gun·shot [-ʃɑ̀t | -ʃɔ̀t] *n.* **1** 발사된 탄환 **2** 사격, 발포, 포격 **3** Ⓤ 탄착거리: The bear was out of ~. 그 곰은 사정거리 밖에 있었다. ***within*** [***out of, beyond***] **~** 사정 거리 내[밖]에
— *a.* 탄환[포탄]에 맞은: a ~ wound 총상

gun-shy [-ʃài] *a.* 〈말이나 사냥개가〉 총성을 무서워하는; 《일반적으로》 겁이 많은 《*of*》

gun·sight [-sàit] *n.* 사격 조준기(sight)

gun·sling·er [-slìŋər] *n.* 《미·속어》 권총을 가진 악한

gun·sling·ing [-slìŋiŋ] *a.* 《구어》 총기를 휴대한
— *n.* 총의 사용, 발포

gun·smith [-smìθ] *n.* 총포 장인, 총포공

gun·stick [-stìk] *n.* 꽂을대 《총구 소제용의 가늘고 긴 대》

gun·stock [-stɑ̀k | -stɔ̀k] *n.* 개머리판, 총상(銃床)

gun·ter [gʌ́ntər] *n.* 건터자(尺)(= **Gúnter's scále**) 《측량술·항해술에 쓰이는 로그자의 일종》 ***according to G~*** 《미》 정밀[정확]하게

Gún·ter's cháin [gʌ́ntərz-] 〖측량〗 건터 측쇄(測鎖)

Gun·ther [gʌ́nθər] *n.* 건서 **John ~** (1901-70) 《미국의 저널리스트·작가》

gun-tot·ing [gʌ́ntɑ̀tiŋ | -tɔ̀t-] *a.* 《미·구어》 〈권〉총을 휴대하는

gun·wale [gʌ́nl] *n.* 〖항해〗 뱃전; 배 가장자리 ***full to the ~s*** 넘칠듯 가득 찬 **~ *down*** [***to***] 〈배가〉 뱃전이 물에 닿기까지 기울어져 **~ *under*** 뱃전이 물밑에 잠겨

gunwale

gun·yah [gʌ́njə] *n.* 《호주》 원주민의 오막살이

gup [gʌ́p] *n.* Ⓤ 《속어》 허튼 이야기; 추문, 소문

gup·pie, G- [gʌ́pi] *n.* 《주로 미》 여피족 동성애자; 《영》 여피족 환경 보호론자

gup·py [gʌ́pi] [이 물고기를 처음으로 영국에 소개한 영국인 이름에서] *n.* (*pl.* **-pies**) 〖어류〗 구피 《송사릿과(科)의 관상용 열대어》

gur·dwa·ra [gə́ːrdwɑ̀ːrə] *n.* 〈인도의〉 시크교 사원

gur·gi·ta·tion [gə̀ːrdʒətéiʃən] *n.* Ⓤ 큰 물결같이 오르내림; 뒤끓음, 뒤끓는 소리

***gur·gle** [gə́ːrgl] *vi., vt.* **1** 〈물 등이〉 꼴꼴[콸콸] 흘러나오다, 꼴꼴[콸콸] 소리내다[나게 하다]: water *gurgling* from a bottle 병에서 콸콸 흘러 나오는 물 **2** 〈사람이〉 목을 꿀꺽거리다 《기쁠 때 등》
— *n.* [보통 the ~] 꼴꼴[콸콸] 하는 소리

gur·glet [gə́ːrglit] *n.* = GOGLET

gur·gling·ly [gə́ːrgliŋli] *ad.* 꼴꼴[콸콸] 소리를 내며

gur·goyle [gə́ːrgɔil] *n.* = GARGOYLE

gur·jun [gə́ːrdʒən] *n.* 〖식물〗 거전 《동인도·필리핀산 거목; balsam을 채취함》

Gur·kha [gúərkə, gə́ːr-] *n.* (*pl.* **~, ~s**) 구르카족 《네팔에 사는 용맹한 종족》

gurn [gə́ːrn] *vi.* 《영》 우스꽝스러운[불쾌한] 표정을 짓다 **gúrn·er** *n.*

gur·nard [gə́ːrnərd], **gur·net** [gə́ːrnət] *n.* (*pl.* **~, ~s**) 〖어류〗 성대

gur·ney [gə́ːrni] *n.* (*pl.* **~s**) 바퀴가 달린 환자 수송용 들것[침대]

gurn·ing [gə́ːrniŋ] *n.* Ⓤ 《미·구어》 (ecstasy를 먹은 사람의) 행복한 얼굴, 황홀한 표정

gur·ry [gə́ːri, gʌ́ri | gʌ́ri] *n., vt.* 《미》 생선 찌꺼기(로 더럽히다)

gu·ru [gúəruː, -́- | gúruː] *n.* **1** 〈힌두교의〉 교사, 도사(導師) **2** 《익살·구어》 〈정신적〉 지도자 **3** 〈어떤 분야의〉 전문가, 권위자: the city's cultural ~*s* 그 시의 문화적 권위자

Gus [gʌ́s] *n.* 남자 이름 《August, Augustus, Gustavus의 애칭》

***gush** [gʌ́ʃ] *vi.* **1** 〈액체·말·소리 등이〉 세차게 흘러나오다, 펑펑 솟아 나오다, 분출하다, 내뿜다 《*out, forth*》: Blood ~*ed out*[*forth*] from the wound. 상처에서 피가 펑펑 쏟아져 나왔다. **2** 《구어》 〈감상적으로〉 지껄여대다 《*about, over*》: She was ~*ing over* her son. 그녀는 신나게 아들 자랑을 하고 있었다.
— *n.* **1** 분출, 솟아나옴: the ~ of tears 한없이 솟아나는 눈물 **2** 〈감정 등의〉 격발; 감정[열의]의 과시; 과장된 감정적인 이야기[글]

Gush Emu·nim [gúːʃ-emuːníːm] [Heb.] 구시 에무님 《이스라엘의 종교적 극우 조직》

gush·er [gʌ́ʃər] *n.* 쏟아져 나오는 것; 분유정(噴油井); 과장하여 감정을 나타내는 사람

gush·ing [gʌ́ʃiŋ] *a.* **1** Ⓐ 솟아[쏟아져] 나오는, 분출하는, 용솟음치는 **2** 감정을 과장하여 표현하는, 지나치게 감상적인 **~·ly** *ad.* **~·ness** *n.*

gush·y [gʌ́ʃi] *a.* (**gush·i·er**; **-i·est**) = GUSHING **gúsh·i·ly** *ad.* **gúsh·i·ness** *n.*

gus·set [gʌ́sit] *n.* **1** 〖역사〗 갑옷의 겨드랑이 밑에 대는 쇠미늘 **2** 삼각천, 덧붙이는 천, 무; 장갑의 덧댄 가죽 **3** 〖기계〗 보강판; 계판(繫板) 《교량용》
— *vt.* …에 삼각천[무]을 달다

gus·sy [gʌ́si] *vt., vi.* (**-sied**) 모양내다, 차리다 《*up*》: ~ *up* a room with mirrors and lights 거울과 조명으로 방을 꾸미다

***gust[1]** [gʌ́st] *n.* **1** 한바탕 부는 바람, 질풍, 돌풍 《*of*》: a violent ~ *of* wind 일진 광풍 **2** 소나기; 갑자기 타오르는 불길; 별안간 나는 소리 《*of*》 **3** 〈감정의〉 격발(outburst) 《*of*》: a ~ *of* laughter 와락 터지는 웃음 / a ~ *of* rage 치솟는 분노
— *vi.* 〈바람이〉 갑자기 세게 불다; 〈물 등이〉 분출하다; 〈불·소리 등이〉 급격하게 나다; 〈감정 등이〉 격발[돌발, 폭발]하다

gust[2] *n.* **1** 《고어·시어》 맛, 미각, 풍미, 기호(flavor, taste): have a ~ of …을 상미(賞味)하다 **2** 기쁨, 만족 — *vt.* 《스코》 맛보다, 상미하다

gus·ta·tion [gʌstéiʃən] *n.* Ⓤ 맛보기, 상미, 미각

gus·ta·tive [gʌ́stətiv] *a.* = GUSTATORY

gus·ta·to·ry [gʌ́stətɔ̀ːri | -təri] *a.* 〖해부·생리〗 맛의, 미각의: ~ buds 미뢰(味蕾) 《혓바닥의》 / ~ nerves 미각 신경

thesaurus **gush** *v.* stream, spout, spurt, surge, jet, well out, burst forth, flow, run, issue
gust[1] *n.* **1** 돌풍 blast, flurry, puff, blow, rush,

gus·to [gʌ́stou] *n.* (*pl.* **~es**) **1** 즐김, 기호, 취미; 예술적 풍격, 기품; 맛있음; 마음껏 누리는 즐거움 **2** 《고어》 맛, 풍미 ***with* ~** 매우 맛있게, 입맛을 다시며; 즐겁게, 신나게

gust·y[1] [gú:sti, gʌ́s-] *a.* (**gust·i·er**; **-i·est**) 《스코》 맛있는, 식욕을 돋우는

gust·y[2] [gʌ́sti] *a.* (**gust·i·er**; **-i·est**) **1** 돌풍이 많은, 바람이 심한: a ~ day 바람이 심한 날 **2** 〈소리·웃음 등이〉 돌발적인 **3** 〈연설 등이〉 알맹이가 없는 이야기뿐인 **4** 원기 왕성한, 활발한
gúst·i·ly *ad.* **gúst·i·ness** *n.*

gut [gʌ́t] *n.* **1** 소화관; 장, 창자; [*pl.*] 《속어》 내장: the blind ~ 맹장 / the large[small] ~ 대[소]장 **2** [주로 *pl.*] 《구어》 끈기, 지구력, 기운, 용기; 결단력: man with plenty of ~*s* 《속어》 배짱이 센 남자 **3** 거트, 장선(腸線)(catgut) **4** (낚시를 낚싯줄에 연결하는) 명주실 **5** 좁은 수로(水路), (좁은) 해협; 도랑; (가로의) 좁은 길, 골목길; (Oxford, Cambridge 대학의 보트 레이스에서) 코스의 굴곡부 **6** [*pl.*] 《구어》 내용, 속, 실질(contents): the very ~*s* of a matter 문제의 본질적인 부분 / have no ~*s* 내용[속]이 없다, 비어 있다; 기운이 없다 **7** 《구어》 직감, 본능, 감정
bring* a person*'s* ~*s into his*[*her*] *mouth 〈사람을〉 움찔하게 하다 ***bust*[*rupture*] *a* ~** 《미》 대단한 노력을 하다 《*to* do》; 《구어》 골치를 앓다, 염려하다 《*over*》 ***hate* a person*'s* ~*s*** ⇨ hate. ***have* a person*'s* ~*s for garters*** 《구어》 …을 혼내 주다 ***run* a person *through the* ~*s*** …을 못살게 굴다 ***spill* one*'s* ~*s*** 《속어》 (아는 것을) 모조리 털어놓다; 밀고하다 ***split a* ~** 아주 열심히 하다; 크게 웃다 ***sweat*** [***slog, work***] **one*'s* ~*s out*** 뼈빠지게[악착같이] 일하다
—*a.* Ⓐ **1** 《구어》 몸에서 충동적으로 나오는, 본능[직감]적인: a ~ reaction 본능적인 반응 **2** 〈문제 등이〉 근본[기본]적인, 중대한: discuss the ~ issues 근본적인 문제를 논의하다
—*vt.* (**~·ted**; **~·ting**) **1** 〈죽은 동물로부터〉 내장을 꺼내다; …의 속을 제거하다(disembowel) **2** 깡그리 약탈하다; 〈건물의〉 내부를 파괴하다[태워버리다]: Fire *gutted* the building. 화재로 건물이 껍데기만 남았다. **3** 〈책·논문 등의〉 요소[요점]를 뽑아내다
—*vi.* 《속어》 게걸스럽게 먹다 **~ *it out*** 《미·속어》 끝까지 참아내다

gut·buck·et [gʌ́tbʌ̀kit] *n.* **1** Ⓤ 분방하고 거친 재즈, 2박자의 떠들썩하고 즉흥적인 핫 재즈 **2** (손으로 만든) 저음 바이올린의 일종 **3** 《미·속어》 저급 주점[도박장]

gut-bur·glar [gʌ́tbə̀:rglər] *n.* 《미·속어》 (벌채 인부 합숙소의) 요리인

gút còurse 《미·구어》 학점을 따기 쉬운 과목

***Gu·ten·berg** [gú:tnbə̀:rg] *n.* 구텐베르크 **Johannes ~** (1400?-68) 《독일의 활판 인쇄술 발명자》

Gútenberg Bíble [the ~] 구텐베르크 성서 《1456년 이전에 인쇄된 라틴어 성서》

gút fèeling 직감, 제육감(第六感)

gut·fight·er [gʌ́tfàitər] *n.* 만만찮은[벅찬] 적[상대]

gut-ham·mer [gʌ́thæ̀mər] *n.* 《미·속어》 (벌채 인부들의) 식사 신호용 징

gut·less [gʌ́tlis] *a.* **1** 무기력한, 패기가 없는: a ~ wonder 겁쟁이 **2** 실질(實質)이 없는, 내용이 없는

gut·ser [gʌ́tsər] *n.* 《호주·속어》 실패, 불운

guts·y [gʌ́tsi] *a.* (**guts·i·er**; **-i·est**) 《구어》 용감한, 대담한, 기세 좋은, 힘찬, 원기 왕성한: ~ writing 힘있는 필치

gut·ta [gʌ́tə] *n.* (*pl.* **-tae** [-ti:]) **1** 방울, 점적(點滴)(drop) **2** 〖건축〗 (도리아식 건축의) 물방울 장식

gut·ta-per·cha [gʌ̀təpə́:rtʃə] *n.* Ⓤ 구타페르카 《나무진을 말린 고무 같은 물질; 절연재·치과 충전재·골프공 등에 사용》

gut·tate, -tat·ed [gʌ́teit(id)] *a.* 〖생물〗 물방울 모양의 (반점이 있는), 물방울을 품은

gut·ta·tion [gʌtéiʃən] *n.* (식물 표면의) 배수(排水) (현상), 일액(溢液)(현상)

gut·ted [gʌ́tid] *a.* 《영·속어》 극도로 지친; 매우 싫증난

***gut·ter** [gʌ́tər] *n.* **1** (지붕의) 홈통 **2** (차도와 인도 사이의) 도랑: a ~ stone 도랑에 깐 돌 **3** 《일반적으로》 수로 **4** (흐르는 물이나 녹아내린 초의) 흐른 자국, 물자국; 홈, 우묵한 선 **5** 〖볼링〗 거터 《레인 양쪽의 홈》 **6** [the ~] 하층 사회, 빈민굴: a child of *the* ~ 부랑아 / end up in *the* ~ 영락하여 객사하다 / take [raise] a child out of *the* ~ 어린이를 빈민굴에서 구해내다 / rise from *the* ~ 비천한 신분에서 출세하다 **7** 〖인쇄〗 (인쇄 때 판 사이에 놓는) 나무 조각; 〖제본〗 좌우 양 페이지 사이의 여백 ***have* one*'s mind in the* ~** 《속어》 음탕한 생각에 사로잡혀 있다 ***in the* ~** 《미·구어》 술 취하여 (도랑에 빠져); 영락하여
—*vt.* **1** …에 홈통을 달다 **2** …에 도랑을 내다[파다] **3** 〈담배 따위를〉 끄다(extinguish): her cheeks ~*ed* with tears 눈물 자국이 생긴 그녀의 볼
—*vi.* **1** 도랑[홈, 우묵한 줄]이 생기다, 도랑이 되어 흐르다 **2** (촛불의) 촛농이 흘러내리다 **~ *out*** 〈촛불 등이〉 차츰 약해져서 꺼지다; 꺼지듯이 끝나다[죽다]

gut·ter·ing [gʌ́təriŋ] *n.* Ⓤ **1** 홈통; 홈통 재료 **2** (촛농처럼) 흘러내림

gut·ter·man [gʌ́tərmən] *n.* (*pl.* **-men** [-mən]) 길가의 싸구려 장수(street vendor)

gútter préss [the ~] 선정적인 저급한 신문

gut·ter·snipe [-snàip] *n.* **1** (도시의) 최하층민 **2** 《구어》 집 없는 아이, 부랑아; 쓰레기꾼, 넝마주이 **3** 《미》 작은 광고지(hand bill) **4** 〖조류〗 도요새의 일종 《미국산(産)》

gútter stick 〖인쇄〗 (페이지를 구분하기 위하여 놓는) 판 사이의 나무 조각

gut·ti·form [gʌ́təfɔ̀:rm] *a.* 물방울 모양의

gut·tle [gʌ́tl] *vt., vi.* 게걸스럽게 먹다, 많이 먹다
gút·tler *n.* 탐식가

gut·tur·al [gʌ́tərəl] *a.* 목구멍의; 목구멍에서 나오는; 〖음성〗 후음(喉音)[연구개음]의; 쉰 목소리의(harsh, throaty) —*n.* 〖음성〗 후두음(문자), 연구개음 《[k, g, x] 등》 **~·ìsm** *n.* Ⓤ 후음성, 후음을 내는 버릇
gut·tur·al·i·ty [gʌ̀tərǽləti] *n.* **~·ly** *ad.* **~·ness** *n.*

gut·tur·al·ize [gʌ́tərəlàiz] *vt.* 목구멍으로 발음하다; 후음화하다
gut·tur·al·i·za·tion [gʌ̀tərəlizéiʃən | -lai-] *n.*

gut·ty [gʌ́ti] *a.* (**-ti·er**; **-ti·est**) 《미·구어》 **1** 원기 왕성한, 용기 있는; 도전적인 **2** 〈표현 등이〉 대담한; 감정이 깃든; 본심의 **3** 근본적인 **4** 《미·속어》 굉장한 속도의, 강력 엔진의

gut-wrench·ing [gʌ́trèntʃiŋ] *a.* 매우 고통스러운, 불쾌한; 괴로워하는 **~·ly** *ad.*

guv [gʌ́v], **guv'·nor** [gʌ́vnər] *n.* **1** 《영·구어》 아버지, 보스, 대장 **2** 《영·구어》 =GOVERNOR

‡**guy**[1] [gái] [Guy Fawkes의 이름에서] *n.* **1** 《구어》 녀석, 사람, 놈(fellow): a queer ~ 괴상한 녀석 **2** [*pl.*] 《미》 사람들, 당신들: you ~*s*! 너희들! **3** [종종 **G~**] Guy Fawkes의 상(像) 《Guy Fawkes Day에 옛 풍습에 따라 만들어 거리로 끌고 다니다가 밤에 태워버리는 괴상한 상》; 우습게 생긴 인형 **4** 《주로 영》 웃음거리가 된 사람, 괴상한 차림의 사람, 기괴망측한 사람 **5** 《속어》 도주, 도망: do a ~ 자취를 감추다
give the* ~ *to …에서 도망치다
—*vt.* 이상한 인형으로 나타내다; 《구어》 웃음거리로 만들다, 조롱하다(ridicule)
—*vi.* 《속어》 도망하다, 달아나다

guy[2] [gái] *n.* 〖항해〗 가이, 당김 밧줄 《기중기에 실린 짐을 안정시키는》; (깃대·굴뚝 등의) 받침줄, 밧줄(=∠ **ròpe**); (전주의) 받침 쇠줄
—*vt.* 가이[당김 밧줄]로 고정시키다[버티다]

squall, gale **2** 격발 outbreak, explosion, eruption
gutter *n.* trench, canal, runnel, gully, sewer, channel, dike, drain, watercourse

Guy [gái] *n.* 남자 이름
Guy·a·na [gaiǽnə] *n.* 가이아나 《남미 동북부의 공화국; 수도 Georgetown》
Guy·a·nese [gàiəníːz, -níːs] *a.* 가이아나의
— *n.* (*pl.* ~) 가이아나 사람
Gúy Fáwkes Dày [gái-fɔ́ːks-] (영) (화약 음모 사건(Gunpowder Plot)의 주모자 중 한 사람인) Guy Fawkes의 체포 기념일 《11월 5일》
guy·ot [giːóu] [스위스의 지리학자명에서] *n.* 기요 (tablemount) 《정상이 평탄한 바다 속의 산》
guz·zle [gʌ́zl] *vi.* 폭음하다; 게걸스럽게 먹다
— *vt.* 〈술을〉 꿀꺽꿀꺽 마시다; 〈돈 등을〉 술로 낭비하다 《*away*》 **gúz·zler** *n.* 대주가
GVH disèase [dʒìːvìːéitʃ-] [GVH<*graft-versus-host*] 〖의학〗 대숙주성(對宿主性) 이식편병(移植片病)
GVH reàction 〖의학〗 대숙주 이식편 반응 《이식된 장기와 체내 면역 세포 간의 반응》
GW gigawatt
gwei·lo [gwéilou] *n.* (남아공) 외국인, 《특히》 서양인
Gwen [gwén] *n.* 여자 이름 《Gwendolen, Gwendoline, Gwendolyn의 애칭》
Gwen·do·len, -line, -lyn [gwéndəlin] *n.* 여자 이름
Gwent [gwént] *n.* 궨트 《영국 웨일스 남동부의 주; 1974년 신설; 주도 Cwmbran》
gwine [gwáin] *v.* (미·방언) GO의 현재분사
G-wom·an [dʒíːwùmən] *n.* (*pl.* **-wom·en** [-wìmin]) (미국의) FBI 여자 수사관
Gwyn·edd [gwíneð] *n.* 귀네드 《영국 웨일스 북서부의 주; 1974년에 신설; 주도 Caernarvon》
Gy 〖물리〗 gray[2]
gybe [dʒáib] 〖항해〗 *vi.* 〈돛·활대가〉 반대쪽 뱃전으로 이동하다[하게 배의 진로를 바꾸다]
— *vt.* 〈돛을〉 이동시키다, 〈돛의〉 방향을 바꾸다
— *n.* Ⓤ 돛의 이동 《반대쪽 뱃전으로의》
gyle [gáil] *n.* (발효 중인) 엿기름 물; 1회분의 맥주 양조량; 발효통
‡**gym** [dʒím] *n.* (구어) **체육관**(gymnasium); Ⓤ 체조, 체육(gymnastics)
gym. gymnasium; gymnastics
gym·kha·na [dʒimkɑ́ːnə] [Hindi「라켓 코트」의 뜻에서] *n.* (원래 영) 경기장; (운동·승마) 경기 대회; 자동차 장애물 경기
gymn- [dʒimn], **gymno-** [dʒímnou] 《연결형》「나체」의 뜻 《모음 앞에서는 gymn-》
gym·na·si·arch [dʒimnéiziɑ̀ːrk] *n.* 〖고대그리스〗 운동가 양성 책임자; (영·폐어) 교장, 교감
gym·na·si·ast [dʒimnéiziæ̀st] *n.* **1** (독일의) 김나지움 학생 **2** = GYMNAST
‡**gym·na·si·um** [dʒimnéiziəm] [Gk「몸을 단련하는 곳」의 뜻에서] *n.* (*pl.* **~s, -si·a** [-ziə]) **1 체육관,** (실내) 경기장; 체육 학교 **2** (고대 그리스의) 연무장(演武場) **3** [dʒimnɑ́ːziəm, gimnɑ́ː-] [종종 **G~**] (유럽의) 김나지움 《특히 독일의 9[7]년제 대학 예비 교육 기관》; (유럽 대륙의) 고등학교
gym·nast [dʒímnæst, -nəst | -næst] *n.* 체육 교사, 체육가, 체조 선수
‡**gym·nas·tic** [dʒimnǽstik] *a.* Ⓐ **체조의,** 체육(상)의; 정신[지적] 단련의
— *n.* 훈련, 단련; 곡예: a mental ~ 정신적[지적] 훈련 **-ti·cal·ly** *ad.* 체조[체육]상
‡**gym·nas·tics** [dʒimnǽstiks] *n. pl.* **1** [복수·단수 취급] **체조**: do ~ 체조를 하다 **2** [단수 취급] 체육 《학과》 **3** [복수 취급] 지적 훈련
gym·nos·o·phist [dʒimnɑ́səfist | -nɔ́s-] *n.* 인도의 벌거벗은 고행자; 신비가; 수도자; (미) 나체주의자
gym·nos·o·phy [dʒimnɑ́səfi | -nɔ́s-] *n.* Ⓤ 나체 수도자의 고행[주장]; (미) 나체주의
gym·no·sperm [dʒímnəspə̀ːrm] *n.* 〖식물〗 겉씨[나자]식물
gym·no·sper·mous [dʒìmnəspə́ːrməs] *a.* 〖식물〗 겉씨의, 겉씨가 있는
gymp [gímp] *n.* = GIMP[1]
gým shòe [보통 *pl.*] 운동화(sneaker)
gym·slip [dʒímslìp] *n.* (영) (소매가 없고 무릎까지 오는) 여학생 옷 《교복의 일부》
gýmslip móther (영) 재학 중 임신한 여학생; 어린 미혼모
gým sùit 체육복
gyn., gynecol. gynecology
gyn- [dʒin, gain, dʒain], **gyno-** [gáinou, dʒáinou, dʒínou] 《연결형》「여성(의), 암컷(의); 여성 생식기」의 뜻 《모음 앞에서는 gyn-》
gyn(a)ec- [gáinik, dʒàı-, dʒín-], **gyn(a)eco-** [gáinikou, dʒín-, dʒái-] 《연결형》「여성(의), 암컷(의)」의 뜻 《모음 앞에서는 gyn(a)ec-》
gyn·ae·ce·um[1] [dʒìnəsíːəm, gài- | dʒài-] *n.* (*pl.* **-ce·a** [-síːə]) 〖고대그리스〗 규방
gyn·ae·ce·um[2] [dʒìnəsíːəm, gài | dʒainíːsiəm, gai-] *n.* 〖식물〗 = GYNOECIUM
gy·nae·col·o·gy [gàinikɑ́lədʒi, dʒìn- | gàinikɔ́l-, dʒài-] *n.* = GYNECOLOGY
gy·nan·dro·morph [dʒinǽndrəmɔ̀ːrf, gai-] *n.* 〖동물〗 자웅 모자이크
gy·nan·drous [dʒinǽndrəs, gai-] *a.* 〖식물〗 암수 꽃술 착생(着生)의, 자웅 합체의
gy·nar·chy [dʒínɑrki, gái- | dʒáinɑːrki, gái-] *n.* 여권 정치, 여인 천하
gy·ne·cic [dʒiníːsik, -nés- | gai-] *a.* 여자[여성]의
gy·ne·ci·um [dʒiníːsiəm | gainíː-] *n.* (*pl.* **-ci·a** [-siə]) = GYNOECIUM
gyn·e·coc·ra·cy [dʒìnikɑ́krəsi, gài- | gàinikɔ́k-, dʒài-] *n.* Ⓤ 여인 정치; 내(內)주장(petticoat government)
gy·ne·co·crat [dʒiníːkəkræ̀t, gai- | gai-, dʒai-] *n.* 여인 정치론자, 여권론자
gy·ne·co·crat·ic [dʒinìːkəkrǽtik, gai- | gàini-, dʒàini-] *a.* 여인 정치의; 내주장(內主張)의
gyn·e·coid [dʒínikɔid | gái-] *a.* 여자의; 여성적인, 여성다운
gyn·e·co·log·ic, -i·cal [dʒìnikəlɑ́dʒik(əl), gài- | gàinikəlɔ́dʒ-, dʒài-] *a.* 〖의학〗 부인과 의학의
gy·ne·col·o·gy [gàinikɑ́lədʒi, dʒìn- | gàinikɔ́l-, dʒài-] *n.* Ⓤ 〖의학〗 부인과 의학
-gist *n.* 부인과 의사
gyn·e·co·mas·ti·a [dʒìnikoumǽstiə, gài- | gài-, dʒài-] *n.* 〖병리〗 (남성의) 여성형 유방 《남자의 유방 이상 비대》
gyn·e·cop·a·thy [dʒìnikɑ́pəθi, gai- | gàinikɔ́p-, dʒài-] *n.* 〖병리〗 부인병
gyn·e·pho·bi·a [dʒìnəfóubiə, gài- | gài-, dʒài-] *n.* 〖정신의학〗 여성 공포증
gy·ni·at·rics [gàiniǽtriks, dʒài-] *n.* 〖의학〗 부인병학
gyno- [gáinou, dʒáin-] 《연결형》 = GYN-
gy·noc·ra·cy [gainɑ́krəsi, dʒai-] *n.* = GYNECOCRACY
gy·no·di·oe·cious [gàinoudaiíːʃəs, dʒài-] *a.* 〖식물〗 자화 이주(雌花異株)의
gy·noe·ci·um [dʒiníːsiəm, gɑi- | dʒai-, gai-] *n.* (*pl.* **-ci·a** [-siə]) 〖식물〗 꽃의 자성기(雌性器); [집합적] 암술군(群)
gy·no·mon·oe·cious [gàinouməníːʃəs, dʒài- | -mɔ-, -mə-] *a.* 〖식물〗 자화 동주(雌花同株)의
gy·no·phore [dʒínəfɔ̀ːr, gái- | dʒái-, gái-] *n.* 〖식물〗 과병(果柄), 씨방자루
-gynous [dʒənəs, dʒáinəs, gái-] 《연결형》「여성의; …한 자성기(雌性器)를 가진」의 뜻: mono*gynous*
-gyny [dʒəni] 《연결형》 -GYNOUS에 대응하는 명사를 만듦
gyp[1] [dʒíp] (영·속어) *n.* 협잡꾼(swindler); 사기(swindle) — *vt.* (**~ped**; **~·ping**) 속이다; 사취하다

《*out of*》
gyp² *n.* 《영·구어》 (Cambridge 및 Durham 대학의) 사환
gyp³ *n.* 《영·속어》 혼남, 호된 꼴, 격통, 고문 ★ 다음 성구로. ***give*** a person ~ …을 혼내 주다; 〈상처 등이〉 …을 고통으로 괴롭히다
gýp àrtist 《미·속어》 (교묘한) 협잡꾼, 사기꾼
gýp jòint 《미·속어》 사기 도박장; 바가지 씌우는 가게
gyp·lure [dʒíplùər] *n.* (매미나방 gypsy moth)의 수컷을 잡는 데 쓰이는) 합성성(合成性) 유인 물질
gyp·per [dʒípər] *n.* 《구어》 협잡꾼
gyp·po, gy·po [dʒípou] *n.* (*pl.* **~s**) 《미·속어》 **1** 날품팔이, 단기 작업, 삯일 **2** 날품팔이꾼; 날품팔이꾼의 고용주 **—** *vt.* 속이다, 사취하다
gýp·py tùmmy [dʒípi-] 《영·속어》 열대 지방 여행자가 겪는 배탈[설사]
gyp-room [dʒíprù:m] *n.* 《영·구어》 (Cambridge 및 Durham 대학의 사환이 관리하는) 식기실(cf. GYP²)
gyps. gypsum
gyp·se·ous [dʒípsiəs] *a.* 석고(질)의, 석고를 함유한, 석고 비슷한
gýp shèet 《미·속어》 커닝 페이퍼
gyp·sif·er·ous [dʒipsífərəs] *a.* 석고를 함유한
gyp·sog·ra·phy [dʒipsɑ́grəfi | -sɔ́g-] *n.* Ⓤ 석고 조각(술)
gyp·soph·i·la [dʒipsɑ́fələ | -sɔ́f-] *n.* 〖식물〗 안개꽃
gyp·sous [dʒípsəs] *a.* =GYPSEOUS
gyp·sum [dʒípsəm] *n.* Ⓤ 〖광물〗 석고, 깁스
***Gyp·sy** [dʒípsi] [Egyptian의 두음(頭音) 소실; 16세기 초에 영국에 나타났을 때 Egypt에서 온 사람으로 착각한 데서] *n.* (*pl.* **-sies**) **1** 집시 ★ 본래 인도 출신의 방랑 민족으로 현재 유럽 각지에 흩어져 살며, 머리가 검고, 피부는 거무스레하며, 점쟁이·음악사 등을 직업으로 함 **2** Ⓤ 집시어(語)(Romany) **3** [**g~**] 방랑벽이 있는 사람; 살색이 거무스름한 여자, 장난 좋아하는 여자; 직장을 수시로 바꾸는 사람 **4** [**g~**] 《미·구어》 =GYPSY CAB **5** [**g~**] 《미·구어》 (동업 조합에 속하지 않은) 자영 트럭 운전수 **6** [**g~**] =GYPSY WINCH
— *a.* Ⓐ 집시의, 집시 같은; 《미·구어》 개인[무허가] 영업의: a ~ boy[girl] 집시 소년[소녀]
— *vi.* [**g~**] (**-sied**) 집시같이 생활하다[유랑하다]; 피크닉을 하다; 위험한 도박을 하다
~·dom *n.* Ⓤ 집시의 생활[세계]; [집합적] 집시족
~·hood [-hùd] *n.* Ⓤ 집시의 신분 **~·ish** *a.* 집시 같은, 집시풍[취미]의 **~·ism** *n.* Ⓤ 집시풍[취미]
gýpsy càb 《미·구어》 (콜택시의 면허로) 몰래 거리에서 영업하는 택시
gyp·sy·fied [dʒípsifàid] *a.* 집시풍의
gýpsy hàt[bònnet] 집시 모자 《챙이 넓고 턱 아래에서 매는 여자·어린이용》
gýpsy lèave 무단 퇴거 《무전취식 등》
gýpsy mòth 〖곤충〗 매미나방 《식물의 해충》
gýpsy róse 〖식물〗 체꽃(scabious²)
gýpsy tàble 다리가 셋 달린 둥근 테이블
gýpsy vàn[wàgon] 집시가 유랑 생활에 사용하는 포장마차
gýpsy wìnch 〖항해〗 수동식 소형 윈치
gyp·sy·wort [dʒípsiwə:rt] *n.* 〖식물〗 유럽·서아시아의 쉽싸리의 일종 《꿀풀과》
gy·ral [dʒáiərəl] *a.* **1** 선회하는 **2** 〖해부〗 대뇌 회전의 **~·ly** *ad.* 선회하여, 빙빙 돌아
gyr·ase [dʒáiəreis, -reiz] *n.* 〖생화학〗 자이레이스 《DNA의 이중 나선을 다시 꼬이게 하는 효소》
gy·rate [dʒáiəreit, ⌐-|-⌐] [L 「회전하다」의 뜻에서] *vi.* 선회[회전]하다 **—** [-reit | -rət] *a.* **1** 나선형의 **2** 〖식물〗 소용돌이꼴의
gý·ra·tor *n.*
gy·ra·tion [dʒaiəréiʃən] *n.* ⓊⒸ 선회, 회전; 〖동물〗 (고둥의) 나선 **~·al** *a.* 선회의, 회전하는
gy·ra·to·ry [dʒáiərətɔ̀:ri | dʒairéitəri] *a.* 선회의, 선회[회전] 운동을 하는
gyre [dʒáiər] 《시어》 *vi.* =GYRATE
— *n.* **1** =GYRATION **2** 나선형, 소용돌이꼴
gy·rene [dʒáiəri:n, ⌐-] [*GI marine*] *n.* 《미·속어》 해병대원 《원래는 멸시적》
gyr·fal·con [dʒə́:rfɔ̀:lkən, -fæ̀l- | -fɔ̀:lkən] *n.* 〖조류〗 큰 매 《특히 아이슬란드 등의》
gy·ri [dʒáiərai] *n.* GYRUS의 복수
gy·ro¹ [dʒáiərou] *n.* (*pl.* **~s**) 《구어》 **1** =GYROCOMPASS **2** =GYROSCOPE
gy·ro² [dʒíərou, ʒíər-] *n.* 지로 《쇠고기 등을 마늘로 양념하여 빵에 얹어 먹는 그리스식 샌드위치》
gyro- [dʒáiərou, -rə] 《연결형》 「바퀴; 회전」의 뜻
gy·ro·com·pass [dʒáiəroukʌ̀mpəs] *n.* 〖항해〗 자이로컴퍼스, 회전 나침반
gy·ro·cop·ter [dʒáiərəkɑ̀ptər | -kɔ̀p-] *n.* 자이로콥터 《헬리콥터 비슷한 1인승 프로펠러기》
gy·ro·dyne [dʒáiəroudàin] *n.* 〖항공〗 자이로다인 《헬리콥터와 오토자이로의 중간 형태의 항공기》
gy·ro·graph [dʒáiərəgræ̀f, -grɑ̀:f | -grɑ̀:f, -græ̀f] *n.* 자이로그래프 《회전수 측정 기록기》
gýro horízon 〖항공〗 인공 수평기(水平器) 《동요하는 물체 위에서 수평면을 얻는 장치》
gy·roi·dal [dʒaiərɔ́idl] *a.* 나선형으로 배열된 **~·ly** *ad.*
gy·ro·mag·net·ic [dʒàiəroumægnétik] *a.* 〖물리〗 회전 자기의; 〈컴퍼스가〉 자이로 자기 방식의
gy·ro·pi·lot [dʒáiəroupàilət] *n.* 〖항해·항공〗 자동 조종 장치
gy·ro·plane [dʒáiərəplèin] *n.* 〖항공〗 자이로플레인 《회전익을 가진 항공기의 일종》
gy·ro·scope [dʒáiərəskòup] *n.* 자이로스코프, 회전의(回轉儀); 회전 운동을 하는 물체
gy·ro·scop·ic [dʒàiərəskɑ́pik | -skɔ́p-] *a.* 회전의(回轉儀)의, 회전 운동의 **-i·cal·ly** *ad.*
gy·rose [dʒáiərous | -rouz] *a.* 〖식물〗 물결 모양의, 주름이 있는, 굽이치는
gy·ro·sta·bi·liz·er [dʒàiəroustéibəlàizər] *n.* 자이로스태빌라이저 《선박·비행기의 동요를 방지하는 장치》
gy·ro·stat [dʒáiərəstæ̀t] *n.* 자이로스탯 《자이로스코프의 일종; 선회 운동 실험용》
gy·ro·stat·ic [dʒàiərəstǽtik] *a.* 자이로스탯(gyrostat)의; 강체(剛體) 선회 운동론의 **-i·cal·ly** *ad.*
gy·ro·stat·ics [dʒàiərəstǽtiks] *n. pl.* [단수 취급] 강체 선회 운동론
gy·ro·vague [dʒáiərouvèig] *n.* 수도원을 순방하는 수도자
gy·rus [dʒáiərəs] *n.* (*pl.* **-ri** [-rai]) 〖해부〗 뇌회전, 뇌회(腦回)
Gy. Sgt., Gy Sgt 〖해군〗 gunnery sergeant
gyt·tja [jíttʃɑ:] [Swed.] *n.* 〖지질〗 해니(骸泥)
gyve¹ [dʒáiv] 《시어》 *n.* [보통 *pl.*] 차꼬, 수갑(fetter) **—** *vt.* 차꼬[수갑]를 채우다
gyve² *n.* 《미·속어》 마리화나(담배)

H h

h, H[1] [éitʃ] *n.* (*pl.* **h's, hs, H's, Hs** [-iz]) **1** 에이치 《영어 알파벳의 제8자》 **2** H, h자로 표시되는 음 [h] **3** H형(의 것): an *H*-branch H자 관(管) **4** (인쇄·활자 등의) H, h자 ***drop** one's **h's** [**aitches**]* (발음을 해야 할 h로 시작하는 단어의) h음을 빼다 《hair를 'air[ɛər]로 발음하는 등; 런던 사투리의 특징》

H[2] **1** hard; 〔문법〕 head; 《속어》 heroin; (이어진 것의) 8번째(의 것) **2** [때로 **h**] (로마 숫자의) 200; 〔화학〕 hydrogen; 〔생화학〕 histidine **3** 〔물리〕 **a** enthalpy **b** 지구 자기의 수평 성분 **4** 〔음악〕 하 《도레미 창법의 '시'음에 해당하는 독일어명》; 〔전기〕 henry; 〔군사〕 helicopter; [보통 **H**] 〔수학·물리〕 Hamiltonian; Hungary 《국제 자동차 식별 기호로서》; [**H**] 〔인류〕 Homo

h. harbor; hard; hardness; heavy sea; height; hence; high; 〔야구〕 hit(s); horn(s); hour(s); hundred; husband

‡**ha, hah** [hɑ́:] *int.* 하아, 어유, 어마, 어머 《놀람·슬픔·기쁨·의심·불만·주저·뽐냄 등의 발성》; 하하 《웃음소리》: *H*~! What a stupid thing to say! 하아! 참 멍청한 말이구나!
— *vi.* 하아라고 말하다; 하하 웃다

ha hectare(s) **Ha** 〔화학〕 hahnium **HA** 〔컴퓨터〕 home automation **h.a.** high angle; *hoc anno* (L = in this year); 《영·속어》 home address **HA** 〔군사〕 heavy artillery; 〔천문〕 hour angle **HAA** heavy antiaircraft

haaf [hɑ́:f] *n.* 하프 《스코틀랜드의 심해 어장》

haar [hɑ́:r] *n.* (스코틀랜드·잉글랜드 북동부의) 차가운 해무(海霧)

hab. habitat; habitation **Hab.** 〔성서〕 Habakkuk

Ha·bak·kuk [həbǽkək, hǽbəkʌ̀k | hǽbəkək] *n.* 〔성서〕 **1** 하박국 《기원전 7세기의 히브리 예언자》 **2** (구약성서의) 하박국서(書) 《略 Hab.》

ha·ba·ne·ra [hɑ̀:bənɛ́ərə | hæ̀bə-] [Sp. 「아바나(Havana)」의 뜻에서] *n.* 하바네라 《쿠바의 2박자 무용(곡)》

Ha·ba·ne·ro [hɑ̀:bənɛ́ərou] *n.* (*pl.* **~s**) 하바네로 《작고 둥글게 생긴 매운 고추》

hab·dabs [hǽbdæbz] *n. pl.* 《영·속어》 초조, 공포, 신경 과민 ***give** a person **the screaming** ~* …을 초조케[근심스럽게] 하다

ha·be·as cor·pus [héibiəs-kɔ́:rpəs] [L = you shall have the body] 〔법〕 **1** 인신 보호 영장 《略 hab. corp.》 **2** 인신 보호 영장의 청구권

Hábeas Córpus Àct [the ~] 〔영국사〕 인신 보호율[법] 《1679년 Charles 2세의 폭정에 대해 의회가 제정한 법률》

ha·ben·dum [həbéndəm] [L = (which is) to be had] *n.* 〔법〕 물권 표시 조례(物權表示條例) 《부동산 양도 증서 가운데서 양도되는 물권을 밝히는 조항》

hab·er·dash·er [hǽbərdæ̀ʃər] *n.* **1** 《영》 잡화 상인 《끈·실·바늘·단추·레이스 등을 파는》 **2** 《미》 신사용 장신구 상인

hab·er·dash·er·y [hǽbərdæ̀ʃəri] *n.* (*pl.* **-er·ies**) [UC] **1** 《영》 잡화 상점; 《미》 신사용 장신구 상점 **2** [집합적] 《영》 잡화류; 《미》 신사용 장신구

hab·er·geon [hǽbərdʒən] *n.* (중세의) 소매 없는 짧은 쇠사슬 갑옷

Há·ber pròcess [héibər-] [독일의 화학자 Fritz Haber의 이름에서] 〔화학〕 하버법 《암모니아 합성법의 하나》

hab·ile [hǽbil | -bi:l] *a.* **1** 《문어》 잘하는, 숙련된, 솜씨 좋은(adroit) **2** 《폐어》 알맞은, 딱 들어맞는

ha·bil·i·ment [həbíləmənt] *n.* 《문어》 **1** [보통 *pl.*] (특정한 경우·직업 등의) 의복, 복장; 《익살》 일상복: in working ~*s* 작업복을 입고 **2** [*pl.*] 설비, 장비; 《고어》 (전쟁용의) 장구
-ment·ed [-mèntid] *a.* (…한 옷을) 입은 《*in*》

ha·bil·i·tate [həbílətèit] *vi.* (특히 독일에서 대학 교수의) 자격을 얻다 — *vt.* **1** 《미서부》 〈광산에〉 운전 자금을 주다, 투자하다 **2** 《드물게》 …에게 옷을 입히다 **3** (사회 복귀를 위해) 〈심신 장애자를〉 교육[훈련]하다
ha·bìl·i·tá·tion *n.*

‡**hab·it** [hǽbit] *n.*, *v.*

L 「몸에 지닌」의 뜻에서
┌(몸에 밴 것) → 「버릇」 **1**, 「관습」 **2**
└(몸에 지니는 것) → (복장) → 「승마복」, 「성직복」 **8**

— *n.* **1** [CU] **a** (개인의) 버릇; 습관(⇨ custom [유의어]): by ~ 습관으로 / from force of ~ 습관에 / *H*~ is (a) second nature. 《속담》 습관은 제2의 천성이다. 의해서 / out of (sheer) ~ (전적으로) 습관에서 **b** (술·담배 등의) 상습, 중독; 《속어》 마약의 중독: liquor[alcohol] ~ 음주벽 / drug ~ 마약 중독 / kick[knock] the ~ 마약을 끊다 **2** (사회적) 관습, 선례: a Korean ~ 한국 관습 **3** (정신적·심리적) 성벽(性癖); (사물의) 경향 **4** [UC] 기질, 성질: a ~ of criticizing others 남을 헐뜯는 기질 **5** [UC] 체질: a man of corpulent ~ 비만 체질의 사람 **6** 〔심리〕 습관 **7** 〔동물·식물〕 습성 **8** 여성용 승마복; (특히 수사·수녀의) 의복(dress): a monk's ~ 수도복
break** a person **of a** ~* …의 버릇을 고치다 ***break off a** ~* 습관을 깨뜨리다[없애다] ***early ~s 일찍 자고 일찍 일어나는 습관 ***form*** [***fall into, get into***] ***the ~ of*** do*ing* …하는 버릇이 생기다 ***grow into*** [***out of***] ***a ~*** 어떤 버릇이 생기다[없어지다] ***have*** [***be in***] ***the ~ of*** do*ing* …하는 버릇이 있다 ***kick*** [***break***] ***the ~ of*** do*ing* …하는 습관을 버리다 ***make a ~ of*** do*ing* = ***make it a ~ to*** do …하는 습관이 있다 ***take the ~*** 수사[수녀]가 되다
— *vt.* **1** [보통 수동형으로] 차려입다, 입히다(dress) **2** 《고어》 거주하다
▷ habítual *a.*; habítuate *v.*

hab·it·a·ble [hǽbitəbl] *a.* 거주할 수 있는, 거주하기에 적당한: the ~ area 거주 가능 지역
hàb·it·a·bíl·i·ty *n.* **~·ness** *n.* **-bly** *ad.*

hab·i·tan·cy [hǽbitənsi] *n.* (*pl.* **-cies**) [U] **1** 거주(inhabitancy) **2** [집합적] 거주자, 주민; 인구

hab·i·tant[1] [hǽbitənt] *n.* 주민, 거주자(inhabitant)

habitant[2] [F] *n.* (캐나다·미국 Louisiana 주의) 프랑스계(系) 이민[농민]

***hab·i·tat** [hǽbitæ̀t] *n.* **1** (동식물의) 서식지, 자생지, 산지(産地) **2** 거주지, 주소; 소재지, 거주 장소 **3** = HABITATION 4 **4** (해저 실험용) 수중 거주실

hábitat gròup **1** 생태류(生態類) 《서식 환경을 같이하는 동식물》 **2** (박물관에 전시된) 생물 환경 모형

***hab·i·ta·tion** [hæ̀bitéiʃən] *n.* 《문어》 **1** 거주(권) **2**

thesaurus **habit** *n.* **1** 습관 custom, practice, procedure, way, routine, style, pattern, convention, mode, rule, policy **2** 중독 obsession, addiction, dependence, fixation, weakness

거주지, 사는 곳; 주소, 주택 **3** 부락, 집락; 군락; 이주지(colony) **4** ((영)) Primrose League의 지방 지부
~·al *a.* ▷ hábitat *n.*

hab·it-form·ing [hǽbitfɔ̀ːrmiŋ] *a.* 〈약물·마약 등이〉 습관성인

***ha·bit·u·al** [həbítʃuəl | -tju-] *a.* **1** Ⓐ **습관적인**; 버릇이 된; 평소의, 예(例)의: ~ courtesy 평소의 예의 바름 / a ~ topic 가십거리

> 유의어 **habitual** 개인의 습관의 결과로서 고정된: her *habitual* tardiness 그녀의 습관적인 지각 **customary** 개인의 습관 또는 사회의 관습에 일치하는: It was *customary* to dress for dinner. 만찬을 위해 정장하는 것이 관습이었다. **usual** 과거의 경험으로 보아 보통으로 생각되는: the *usual* results 여느때와 같은 결과 **wont** [서술적으로] 버릇처럼 된

2 끊임없는, 상습적인: a ~ drunkard[smoker] 상습적 음주[흡연]자 **3** 〈성질이〉 타고난, 선천적인
— *n.* **1** 상습범 **2** 마약 상용자; 알코올 중독자
~·ly *ad.* 습관적으로, 늘, 으레; 상습적으로 **~·ness** *n.*

habítual críminal 상습범, 습관적 범죄자

ha·bit·u·ate [həbítʃuèit | -tju-] *vt.* **1** 길들이다 ((*to*)) **2** ((미·고어)) …에 잘 가다, 늘 출입하다 **~ one-self to** …하는 습관을 들이다, …에 익숙해지다
— *vi.* 〈행동 등이〉 습관이 되다; 〈수면제·마약 등이〉 습관이 되다

ha·bit·u·at·ed [həbítʃuèitid | -tju-] *a.* ((문어)) 길들여진, 익숙한 ((*to*))

ha·bit·u·a·tion [həbìtʃuéiʃən] *n.* 습관(작용)화; 상용벽

hab·i·tude [hǽbitjùːd | -tjùːd] *n.* **1** Ⓤ 체질, 기질, 성향 **2** ⓊⒸ 습관, 습성 **hàb·i·tú·di·nal** *a.*

ha·bit·u·é [həbítʃuèi, —ˌ—ˈ] [F] *n.* (술집·극장·음식점 등의) 단골 손님 ((*of*)); 마약 상용자

hab·i·tus [hǽbitəs] *n.* (*pl.* ~) **1** 습관, 버릇 **2** 〚의학〛 체형; (특히 어떤 병에 걸리기 쉬운) 체질: fragile ~ 허약 체질

ha·boob [həbúːb] *n.* 하부브 ((북아프리카·아라비아 사막·인도 평원에 부는 모래 폭풍))

ha·chure [hæʃúər, ˈ— | —ˈ] *n.* [보통 *pl.*] (지도에서 토지의 기복(起伏)을 나타내는) 가는 선; 선영(線影)
— [hæʃúər | -ʃjúə] *vt.* (지도에) 가는 선을 그려 넣다 (hatch)

ha·ci·en·da [hɑ̀ːsiéndə | hæ̀s-] [Sp.] *n.* **1** (중남미에서 가옥이 딸린) 대농장, 목장(ranch); (농장·목장의) 가옥, 주인집 **2** 가축 사육소; (중남미의) 공장

***hack¹** [hǽk] *vt.* **1** (도끼 등으로) **마구 패서 자르다,** 잘게[조각조각으로] 썰다, 난도질하다, 칼 자국을 내다 (⇨ cut 유의어): (~+목+전+명) ~ a thing *to* pieces …을 토막내다 **2** 〈흙을〉 파 뒤집다, 경작하다; 땅을 파서 〈씨를〉 뿌리다 ((*in*)): (~+목+부) ~ *in* wheat 땅을 일구어 밀을 파종하다 **3** 〈초목·가지 등을〉 베며 나아가다: (~+목+부) ~ *off*[*down*] boughs 큰 가지를 쳐내다 / ~ one's way *through* 초목을 베어 길을 트다 **4** 〈생울타리 등을〉 짧게 깎다 **5 a** 〈문장 등을〉 (잘라내어) 엉망으로 하다 **b** 〈계획안 등을〉 잘라내다, 축소[삭감]하다 **6** [~ it; 보통 부정문에서] ((미·속어)) 잘 해내다; 참다, 견디다: He *can't* ~ *it* alone. 그이 혼자서는 그것을 해내지 못한다. **7** 〚컴퓨터〛 **a** 〈프로그램을〉 교묘히 바꾸다; 〈임시 변통의 프로그램을〉 만들다 ((*together*)) **b** 〈특정한 일에〉 달라붙다 **c** 〈컴퓨터를〉 즐기면서 만지작거리다 **8** ((영)) 〚럭비〛 〈상대의〉 정강이를 차다; 〚농구〛 〈상대의〉 팔을 치다 ((반칙)) **9** ((망치로)) 〈돌을〉 다듬질하다 **10** ((미·방언)) 곤란하게 하다

— *vi.* **1** 내려치다, 마구 자르다: (~+전+명) He ~*ed at* the tree. 그는 나무를 마구 내려쳤다. **2** (자꾸) 헛기침을 하다; ((미·학생속어)) 토하다 **3** ((미)) (…을) 시험해 보다 ((*at*)) **4** 〚테니스〛 엉터리로 치다 **5** 〚럭비〛 상대 선수의 정강이를 차다 **6** 〚컴퓨터〛 **a** (구어) 프로그램을 연구하며 즐기다 **b** (남의 네트워크에) 불법 침입하다 ((*into*)); 컴퓨터로 장난치다 **c** 임시 변통의 프로그램을 만들다
~ *around* ((미·구어)) 빈둥빈둥 시간을 보내다, 빈들빈들 놀다 **~ *off*** ((영)) 몹시 화나게 하다 **~ *up*** (간단한) 프로그램을 만들다, 수정을 가하다 ((*on*)) ***Happy ~ing.*** 안녕. ***How's ~ing?*** 어이, 잘 지내는가?
— *n.* **1** 마구 패서 자름, 찍어 잘게 자름; 찍어 자르는 도구; 곡괭이(mattock) **2** 새긴 자국; (벤) 깊은 상처(gash); 정강이의 차인 상처 **3** 시도, 시험 **4** ((미)) 짧은 헛기침 **5** 말더듬기 **6** 〚럭비〛 정강이 차기; 〚농구〛 (상대의) 팔을 치기 **7** ((속어)) 〚컴퓨터〛 해커(hacker); 해커에 의한 장난; 우수한 프로그램; 프로그램 조작[작성]
take a ~ at …을 한번 해보다 ***under ~*** ((미·방언)) 곤란해서, 당황해서

hack² *n.* **1** ((영)) 세놓는 말; ((미)) 세놓는 마차(taxicab); ((미·구어)) 택시, 택시 운전사 **2** 늙은 말, 몹쓸 말(jade) **3** (보통의) 승마용 말 **4** ((경멸)) 악착스럽게 일하는 사람(drudge); (보수만을 목적으로 하는) 고용 전문가; 통속적인 예술가; (저술가의) 조수: a literary ~ 필경생, 무명 문사(文士) **5** ((속어)) 매춘부(prostitute) **6** ((미·속어)) (교도소의) 교도관 **7** 야경; 순경 **8** ((구어)) 신문 기자, 저널리스트
— *a.* Ⓐ **1** 고용된(hired); 돈을 위해 일하는; 글 품팔이의 **2** 낡아빠진, 진부한
— *vt.* **1** 〈말을〉 (시간제로) 세놓다 **2** 〈문사(文士)를〉 잡무를 시키려고 고용하다; 일을 몹시 시키다, 혹사시키다 **3** 〈단어 등을〉 너무 써서 진부하게 하다(hackney)
— *vi.* **1** 전세 말을 쓰다; ((구어)) 택시를 운전하다; 택시에 타다 **2** 글을 팔다; 악착스럽게 일하다 **3** ((영)) (보통 속도로) 말을 달리다 ((*along*)); (들놀이 등에) 말을 타고 가다

hack³ *n.* **1** (벽돌·물고기 등의) 건조대(乾燥臺) **2** 마구간의 구유 **3** (훈련 중에 있는 매 새끼의) 모이판
be at ~ 〈보라매가〉 모이판에서 먹다 ((훈련 중이어서 스스로 먹이를 잡는 것을 허용치 않음)) ***live at ~ and manger*** 사치스럽게 생활하다
— *vt.* **1** 〈생선·기와 등을〉 건조대에 놓고 건조시키다 **2** 〈여물을〉 구유에 넣다 **3** 〈매를〉 모이판에 올려 놓다

hack·a·more [hǽkəmɔ̀ːr] *n.* ((미서부·뉴질)) (조마용(調馬用)) 고삐(halter)

hack-and-slash, hack'n'slash [hǽkəndslǽʃ] *a.* 〈컴퓨터 게임 혹은 연극의 역할 연기가〉 논리적 사고나 문제 해결보다는 투쟁과 폭력이 주제가 되는

háck attàck ((속어)) 〚컴퓨터〛 프로그램 작성열(熱)

hack·ber·ry [hǽkbèri, -bəri] *n.* (*pl.* **-ries**) 〚식물〛 팽나무의 일종 ((미국산)); 그 열매; Ⓤ 그 재목

hack·but [hǽkbʌt] *n.* = HARQUEBUS

hacked [hǽkt] *a.* **1** ((미·속어)) 곤혹스러운, 당혹[곤란]한; 지친, 녹초가 된 **2** ((재즈속어)) 안달[짜증]난 (annoyed)

hack·er [hǽkər] *n.* **1** 조각조각 자르는 일[사람] **2** ((구어)) 〚컴퓨터〛 컴퓨터광(狂) ((컴퓨터 프로그래밍에 열중하는 사람)); 해커 ((남의 네트워크 등에 불법 침입하여 정보를 빼내거나 프로그램을 파괴하는 사람)); 엉터리 프로그래머 **3** ((속어)) (무엇을 해도) 잘 안되는 사람 **4** ((영·속어)) 택시 운전사 (((미·구어)) hackie))

hack·er·ese [hæ̀kəríːz] *n.* 해커 언어(hacker language) ((예를 들면, 「잠들다」를 gronk out이라고 함))

hack·er·y¹ [hǽkəri] *n.* Ⓤ **1** ((경멸)) 저널리즘; [집합적] 신문 잡지 **2** ((구어)) 〚컴퓨터〛 남의 컴퓨터 시스템에 불법으로 침입하기, 해킹

hackery² *n.* (*pl.* **-er·ies**) (인도의) 소달구지

hack·ette [hæket] *n.* ((영·속어)) 여자 신문[잡지, 방송] 기자, 여자 언론인

háck hàmmer (석공용의) 메다듬 망치

---

habitation *n.* occupancy, occupation, tenancy, residence, living, dwelling, housing, inhabitancy, lodging, abode, accommodation
hack¹ *v.* cut, slash, clear, gash, chop, butcher

hack·ie [hǽki] *n.* **1** (미·구어) 택시 운전사 **2** (영) 세놓는 말[마차]; 말타기

hack·ing [hǽkiŋ] *n.* (속어) 컴퓨터 조작을 즐기기, 해킹; 무엇이나 숙고하지 않고 실행하기

hácking cóugh 짧은 헛기침, 밭은[마른] 기침

hácking jàcket[còat] (영) 승마복; 승마복과 비슷한 운동복

hácking pòcket 비스듬하게 붙인 덮개 달린 호주머니 (hacking jacket에 달려 있는)

hack·ish [hǽkiʃ] *a.* (속어) 〚컴퓨터〛 독창적인, 머리를 짜낸: a ~ feature 독창적인 기능

hack·le[1] [hǽkl] *n.* **1** 바디, 삼빗 (명주실·삼 등을 빗질하는) **2** 가는 실, 생사(生絲) **3** [*pl.*] (싸우기 전의 수탉·개 등의) 곧추선 목털 **4** 목털로 만든 제물 낚시 **5** (비유) 분노, 흥분 ***get*** a person***'s ~s up*** = ***raise*** a person***'s ~s*** = ***make*** a person***'s ~s rise*** …을 화나게 하다 ***have*** one***'s ~s up*** 화를 내고 있다, 분격하다 ***with*** one***'s ~s up*** 싸울 태세를 갖추어; 성이 나서
— *vt.* **1** 〈삼 등을〉 빗질하다(dress) **2** (드물게) 〈제물 낚시에〉 깃털을 달다 **háck·ler** *n.*

hackle[2] *vt.* 잘게 썰다, 조각조각 자르다
— *n.* (유리 등의) 갈라진 금

hack·ly [hǽkli] *a.* (**-li·er**; **-li·est**) 거친, 꺼칠꺼칠한, 깔쭉깔쭉한, 들쑥날쑥한

hack·man [hǽkmən, -mæ̀n] *n.* (*pl.* **-men** [-mən, -mèn]) (미) 전세 마차의 마부; 마차업자; 택시 운전사

hack·ma·tack [hǽkmətæ̀k] *n.* 〚식물〛 아메리카 낙엽송(tamarack); 그 재료

hack·ney [hǽkni] *n.* (*pl.* **~s**) **1** (보통의) 승마용 말 **2** (옛날의) 전세 마차[자동차] **3** 잡무(雜務)보는 사람 — *a.* 삯 받고 빌려주는; 낡은, 진부한
— *vt.* **1** 전세 말로 쓰다; 심하게 부리다 **2** 진부하게 하다 **3** (고어) 세상에 닳게[세상 물정에 밝게] 하다

háckney còach[càrriage] **1** (옛날의) 전세 마차; 택시 **2** 사륜(四輪) 마차

hack·neyed [hǽknid] *a.* 낡은, 진부한: a ~ phrase 상투적[진부한] 문구

hack·int [hǽkint] [*hack*+*int*elligence] *n.* 해킹을 통해 얻은 군사적·정치적 정보

hack·saw [hǽksɔ̀:] *n.* (금속 등을 켜는) 쇠톱
— *vt.* 쇠톱으로 켜다

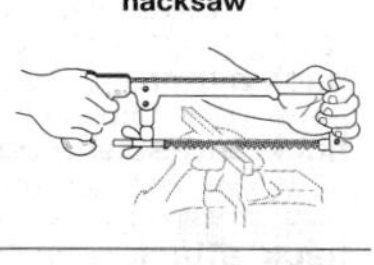
hacksaw

hack·work [hǽkwɔ̀:rk] *n.* Ⓤ (돈벌이를 위한 예술 작품 등의) 하청 작업, (특히 삼류 작가의) 매문(賣文)[잡문(雜文)] 쓰기

‡**had** [hǽd; (약하게) həd, əd, d] *v.* HAVE의 과거·과거분사 **1** 가졌다, (가지고) 있었다 **2** [가정 용법]: If I ~[*H*~ I] any money, I would lend you some. 돈이 있으면 빌려 주겠는데 (없다). (현재의 사실에 반대되는 가정) / If I *had*[*Had* I] ~ any money, I would have lent him some. 돈이 있었더라면 빌려 주었을 텐데 (없었다). (과거의 사실에 반대되는 가정)
— *auxil. v.* ⇨ have *auxil. v.*
~ ***as good***[***well***] do …하는 것도 좋을 것이다; …하는 것이 좋다 ~ ***as soon*** do (…할 바에야) 차라리 …하는 편이 낫다 ~ ***better***[***best***] do …하는 편이 낫다[가장 좋다] (★ USAGE (1) 주어가 1인칭 이외일 경우는 충고·명령의 의미와 때로는 위협의 의미를 갖고 있으므로, 특히 2인칭에서는 윗사람에는 쓰지 않는 것이 좋음 (2) (구어)에서는 Had를 생략하여 I *better* go now.로 해도 되며, 더욱이 2인칭에서는 you를 생략하여 *Better* go now.로 쓰기도 함) ~ ***better have*** done …하였더라면 더 좋았다 ~ ***like to have*** done (고어) 하마터면 …할 뻔했다 ~ ***rather*** do 차라리 …하는 편이 낫다

ha·dal [héidl] *a.* 〚항해〛 초심해대(超深海帶)의 (수심이 6,500 m보다 깊은)

had·dock [hǽdək] *n.* (*pl.* [집합적] **~,** [특히 두 종류 이상일 때] **~s**) 〚어류〛 해덕 (대구의 일종; 북대서양산(産))

hade [héid] 〚지질·광산〛 *n.* 언각(偃角) (단층·광맥 등의 경사를 수직면에서 잰 각도) — *vi.* 언각을 이루다, 기울다

Ha·de·an [heidí:ən, héidiən] *a.* Hades의

Ha·des [héidi:z] *n.* **1** 〚그리스신화〛 **a** 사자(死者)의 나라, 저승, 황천 **b** 하데스(Pluto) (저승의 신) **2** (영역 성서에서 히브리어 Sheol의 역어로서) 황천 **3** [종종 h~] Ⓤ (구어) 지옥(hell): Go to ~! 지옥에나 떨어져라!

Ha·dith [hɑ:dí:θ] *n.* (*pl.* **~, ~s**) 〚이슬람교〛 하디스 (Muhammad와 그 교우들의 언행을 기록한 성전(聖傳))

hadj [hǽdʒ] *n.* (*pl.* **~·es**) = HAJJ

hadj·i [hǽdʒi] *n.* = HAJJI

‡**had·n't** [hǽdnt] had not의 단축형

had·ron [hǽdrɑn | -rɔn] *n.* 〚물리〛 하드론 (바리온(baryon)과 중간자(meson)를 포함한 소립자의 일종)
ha·drón·ic *a.*

had·ro·saur [hǽdrəsɔ̀:r], **-sau·rus** [hæ̀drəsɔ́:rəs] *n.* 〚고생물〛 하드로사우루스 (백악기의 조각류(鳥脚類) 중 하나로, 넓고 긴 주둥이를 가지고 있으며 초식 동물임)

hadst [hǽdst] *v.* (고어·방언) HAVE의 2인칭 단수의 과거 (주어는 thou): *thou* ~ = you had(⇨ have)

hae [héi, hǽ] *vt., auxil. v.* (스코) HAVE의 1·2인칭 단수·복수 현재

haec·ce·i·ty [heksí:əti, hi:k-] *n.* (*pl.* **-ties**) ⓊⒸ 〚철학〛 「이것」임(thisness), 개성 원리, 개별성의 특성

haem- [hí:m, hém], **haema-** [hí:mə, hémə], **haemo-** [hí:mou, hém-, -mə] (연결형) = HEM-

ha·e·re·mai [háirəmài] *int.* (호주·뉴질) 어서 오십시오(welcome) (상점 입구에 써 넣는 말로 haere mai, haire mai, horomai로도 쓴다)

haet [hét] *n.* (스코) 조금, 소량

haf·fet [hǽfit] *n.* (스코) 볼; 관자놀이

haf·fir [hæfíər] [Arab.] *n.* (북아프리카) (빗물을 일시 저장하는) 연못

ha·fiz [hɑ́:fiz] [Arab.] *n.* 하피스 (Koran을 전부 암기한 이슬람교도에 주어지는 칭호)

haf·ni·a [hǽfniə] *n.* Ⓤ 〚화학〛 하프니아 (산화하프늄의 백색 결정)

haf·ni·um [hǽfniəm, hɑ́:f- | hǽf-] *n.* Ⓤ 〚화학〛 하프늄 (회색이며 유독한 희금속 원소; 기호 Hf, 번호 72)

haft [hǽft, hɑ́:ft | hɑ́:ft] *n.* **1** (단도·검 등의) 손잡이, 자루(hilt) **2** 〚방직〛 방추(紡錘)의 잡이
— *vt.* 〈단검 등에〉 손잡이[자루]를 달다; 자루에 닿도록 찌르다

hag[1] [hǽg] *n.* **1** 보기 흉한[심술궂은] 노파; (속어) 추녀 **2** 마녀; (고어) 여자 귀신; 여자 마술사 **3** = HAGFISH ▷ **hággish** *a.*

hag[2] *n.* (스코) **1** (황무지의) 늪, 소택지(沼澤地) **2** 늪의 단단한 지면

Hag. 〚성서〛 Haggai

Ha·ga·nah [hɑ̀:gɑ:nɑ́:] *n.* [the ~] 하가나 (팔레스타인의 유대인 지하 민병 조직; 1948년 이스라엘 국군으로 개편됨)

Ha·gar [héigɑ:r, -gər] *n.* **1** 여자 이름 **2** 〚성서〛 하갈 (Abraham의 아들 Ishmael을 낳은 여인; 창세기 16장)

hag·ber·ry [hǽgbèri] *n.* (*pl.* **-ries**) = HACKBERRY

hag·born [hǽgbɔ̀:rn] *a.* 마녀에게서 태어난, 마녀를 어머니로 하는

Hág·e·man fàctor [hǽgəmən-, héig-] 〚생리〛 하게만 인자(因子), 제12인자 (혈액 응고 인자의 하나)

hag·fish [hǽgfìʃ] [HAG[1]에서] *n.* (*pl.* [집합적] **~,**

[특히 두 종류 이상일 때] **~·es**) 〖어류〗 먹장어
Hag·ga·dah, -da [həgɑ́:də] *n.* (*pl.* **-ga·doth, -ga·dot, -ga·dos** [-gɔ́dòuθ, -gɑ́:dòut | -gɑ́:dòus], **-ga·dot** [-gɑ:dɔ́:t]) 하가다 《탈무드(Talmud) 중의 비율법적인 교훈적 이야기; 유월절(逾越節) 축하연에 사용되는 전례서(典禮書)(Aggadah)》
hag·gad·ic [həgǽdik, -gɑ́:-] *a.*
hag·ga·dist [həgɑ́:dist] *n.* Haggadah의 작자[연구자] **hag·ga·dist·ic** [hæ̀gədístik] *a.*
Hag·ga·i [hǽgiài, hǽgai | hǽgeiài] *n.* 〖성서〗 **1** 학개 《BC 6세기경의 히브리의 예언자》 **2** (구약 성서의) 학개서(書) 《略 Hag.》
*__hag·gard__ [hǽgərd] [OF 「야생의 (매)」의 뜻에서] *a.* **1** 여윈, 수척한(gaunt), 초췌한: the ~ faces of refugees 피난자들의 초췌한 얼굴들 **2** 〈표정·눈매 등이〉 광포한, 무서운, 거친; 매서운 눈초리의: ~ eyes 광포한 눈 **3** 〈매가〉 길들지 않은, 야생의
— *n.* (잡힌) 야생의 매, 사나운 매
~·ly *ad.* **~·ness** *n.*
hag·gis [hǽgis] *n.* 《스코》 해기스 《양 등의 내장을 다져 오트밀, 양념 등과 함께 그 위(胃)에 넣어 삶은 요리》
hag·gish [hǽgiʃ] *a.* 마귀할멈 같은; (나이가 들어) 추악한 **~·ly** *ad.* **~·ness** *n.*
hag·gle [hǽgl] *vi.* **1** 〈값·조건 등을〉 끈질기게 깎다; (값 등을 깎으려고) 옥신각신[입씨름]하다 《*about, over*》 **2** 말다툼하다; 따지다, 논쟁하다; 흠을 잡다 **3** 잘게 자르다, 마구 자르다 《*about, over*》 — *vt.* **1** 토막내다, 난도질하다 **2** (가격을 깎아) …로 정하다 **3** 《고어》 말트집을 잡아서 괴롭히다
— *n.* 값 깎음; (값 등을 깎으려는) 옥신각신, 입씨름, 말다툼, 언쟁 **hág·gler** *n.*
hag·i·ar·chy [hǽgiɑ̀:rki, héidʒi- | hǽgi-] *n.* (*pl.* **-chies**) ⓊⒸ **1** 성인[성직자] 정치[지배]; Ⓒ 성인 지배국[공동체] **2** 성인(聖人) 계급
hagio- [hǽgiou, -iə, héidʒi- | hǽgi-] 《연결형》 「성인(聖人)의, 신성한」의 뜻
hag·i·oc·ra·cy [hæ̀giɑ́krəsi, hèidʒi- | hæ̀giɔ́k-] *n.* (*pl.*-**cies**) ⓊⒸ 성인(聖人) 정치[지배](hagiarchy)
Hag·i·og·ra·pha [hæ̀giɑ́grəfə, hèidʒi- | hæ̀giɔ́g-] *n. pl.* [the ~; 종종 단수 취급] 성문학(聖文學), 성문집(聖文集), 제서(諸書)(Writings) 《구약성서 중의 제3부》 ★ 유대인은 구약성서를 「율법」, 「예언서」 및 「성문집」의 셋으로 분류함.
hag·i·og·ra·pher [hæ̀giɑ́grəfər, hèidʒi- | hæ̀giɔ́g-], **-phist** [-fist] *n.* Hagiographa 저자의 한 사람; 성인전(聖人傳) 작가[연구가](hagiologist)
hag·i·og·ra·phy [hæ̀giɑ́grəfi, hèidʒi- | hæ̀giɔ́g-] *n.* (*pl.* **-phies**) **1** ⓊⒸ 성인전, 성인 연구 **2** 주인공을 이상화한 전기 《책》
hag·i·o·graph·ic, -i·cal [hæ̀giəgrǽfik(əl)] *a.*
hag·i·ol·a·try [hæ̀giɑ́lətri, hèidʒi- | -ɔ́l-] *n.* (*pl.* **-tries**) ⓊⒸ 성인 숭배
hag·i·ol·o·gy [hæ̀giɑ́lədʒi, hèidʒi- | hæ̀giɔ́l-] *n.* (*pl.* **-gies**) ⓊⒸ **1** 성인(전) 연구; 성인(聖人) 문학 **2** 성인 (열)전; 성인록 **3** 성인전[성인 문학]집 **-gist** *n.* 성인전 학자[작가]
hag·i·o·scope [hǽgiəskòup, héidʒi- | hǽgi-] *n.* 〖건축〗 본당 밖에서 제단을 볼 수 있는 창문(squint) 《예배용》 **hag·i·o·scop·ic** [hæ̀giəskɑ́pik, hèidʒi- | hæ̀giəskɔ́pik] *a.*
hag·rid·den [hǽgrìdn] *a.* 악몽에 시달린; 가위눌린; 《익살》 〈남자가〉 여자 때문에 고민하는
hag·ride [hǽgràid] *vt.* (**-rode** [-ròud]; **-rid·den** [-rìdn]) (악몽·근심으로) 괴롭히다, 심한 고통을 주다, 들러붙어서 괴로움을 주다 **-rìd·er** *n.*
hag·seed [hǽgsì:d] *n.* 마녀의 자식[자손]
Hague [héig] *n.* [The ~] 헤이그 《네덜란드 서부의 행정상의 수도; 공식 수도는 Amsterdam》
Hágue Cóurt [the ~] 헤이그 재판소 《Permanent Court of International Justice와 International Court of Justice의 통칭》
Hágue Tribúnal [the ~] 헤이그 국제 중재 재판소 《Permanent Court of Arbitration의 통칭》
hah [hɑ́:] *int., vi.* = HA
ha-ha[1] [hɑ̀:hɑ́, ⌐ | ⌐⌐] *int.* 하하, 아하하 《웃음소리》 — *n.* (즐거움·비웃음 등을 나타내는) 웃음 소리
ha-ha[2] [hɑ́:hɑ̀:] *n.* = SUNK FENCE
hahn·i·um [hɑ́:niəm] *n.* Ⓤ 〖화학〗 하늄 《인공 방사성 원소; 기호 Ha; 번호 105》
Hai·da [háidə] *n.* (*pl.* **~s,** [집합적] **~**) 하이다 족 (의 한 사람) 《캐나다·알래스카 서해의 섬에 사는 북미 인디언》
Haight-Ash·bur·y [héitǽʃberi, -bəri] *n.* 헤이트 애시베리 《미국 샌프란시스코의 한 지구; 60년대 히피와 마약 문화의 중심지》
haik, haick [háik, héik] [Arab.] *n.* (*pl.* **~, hai·ka** [háikə]) 하이크 《아라비아 사람이 머리와 몸에 두르는 직사각형의 천》
hai·ku [háiku:] [Jap.] *n.* (*pl.* **~**(**s**)) 하이쿠 《5·7·5의 3구(句) 17자(字)로 된 일본 특유의 단시(短詩)》
‡**hail**[1] [héil] *n.* **1** Ⓤ [집합적] 싸락눈, 우박 《하나는 hailstone 또는 a piece[pellet] of ~》; 세찬 우박[싸락눈] **2** [a ~ of …로] 《비유》 …의 빗발: *a ~ of* bullets 빗발치는 탄환
— *vi.* **1** [it을 주어로 하여] 싸락눈[우박]이 내리다: *It ~ed* all night. 밤새도록 싸락눈[우박]이 쏟아졌다. **2** 빗발치듯 오다 《*on*》: (~+부) (~+전+명) Bullets *~ed* (*down*) *on* the troops. 총알이 그 부대에 빗발치듯 떨어졌다.
— *vt.* 〈강타·악담 등을〉 퍼붓다, 비오듯하게 하다 《*on, upon*》: (~+목+전+명) ~ blows[curses] *on* a person …에게 주먹 세례[악담]를 퍼붓다 ▷ háily *a.*
‡**hail**[2] [héil] [OE 「완전한, 건강한」의 뜻에서] *int.* 만세, 행복하기를 《환영·축복의 인사》: *H*~ to the king! 국왕 만세! ***All ~!*** = ***H~ to you!*** 만세!, 환영!
— *vt.* **1** 환호하며 맞이하다; 〈사람을〉 (…이라고 부르며) 맞이하다 《*as*》: ~ an old friend 옛 친구를 반갑게 맞이하다 // (~+목+(**as**) 보) ~ him (*as*) king 그를 왕이라 부르며 맞이하다 **2** …에게 인사하다; 환영하다, 축하하다: We ~ the new provisions. 우리는 새 법조항을 기꺼이 환영한다. **3** 〈배·차·사람을〉 큰 소리로 부르다, 불러서 세우다: ~ a cab 택시를 부르다
— *vi.* (사람·배 등에) 소리치다 《*to*》
~ *from* 〈배가〉 …으로부터 오다; 〈사람이〉 …의 출신이다(come from): That man *~s from* New York. 저 남자는 뉴욕 출신이다.
— *n.* ⒸⓊ 부르는 소리, 큰 소리로 부르기; 인사, 환영 ***within*** [***out of***] **~** (큰 소리로) 부르는 소리가 들리는 [안 들리는] 곳에
Háil Colúmbia **1** 미국의 국가 《1798년 Joseph Hopkinson 작》 **2** [hell의 완곡한 표현으로서; 때로 **h- C-**] 《미·속어》 심한 꾸지람, 질책; 야단법석
hail·er [héilər] *n.* 환호하는 사람; 휴대용 확성기
hail-fel·low [héilfèlou] *a.* 친한, 의좋은(intimate); (지나치게) 싹싹한, 붙임성 있는 《*with*》: a ~ manner 싹싹한 태도 — [⌐⌐] *n.* 친우, 의좋은 친구; 재미있는 친구; (지나치게) 싹싹하게 구는 사람
hail-fellow-well-met [hèilfèlouwelmét] *a., n.* 겉치레로[지나치게] 친절한 (사람[친구])
háil·ing dìstance [héiliŋ-] [보통 within ~] 부르면 들리는 곳; 《비유》 아주 가까운 거리: Success is *within* ~. 성공이 눈 앞에 있다.
Háil Máry **1** = AVE MARIA **2** 《구어》 〖미식축구〗 엔드 존(end zone)으로의 롱 패스
hail·stone [héilstòun] *n.* 우박, 싸락눈 《낟알》
hail·storm [-stɔ̀:rm] *n.* 우박을 동반한 폭풍; (우박처럼) 쏟아지는 것: a ~ of questions 쏟아지는 질문 공세
Háil to the Chíef 《미》 대통령 찬가 《대통령 등장 시 연주됨》
hail·y [héili] *a.* 우박 같은; 우박이 섞인
Hai·nan [hàinɑ́:n] *n.* 하이난(海南) 《중국 남지나 해

상의 섬》
Hainán Stráit 하이난(海南) 해협
hain't [héint] 《고어·방언》 =AIN'T
***hair** [hέər] *n.* **1 a** Ⓤ [집합적] 털, 머리털, 두발; 체모: thick[thin] ~ 숱이 많은[적은] 머리/unmanageable[unruly] ~ 마음대로 되지 않는 머리털/ brush [comb] one's ~ 머리를 빗질하다/wear one's ~ long[short] 머리가 길다[짧다]/She has golden ~. 그 여자는 금발이다./He had his ~ cut. 그는 이발을 했다. **b** 털 한 가닥, 머리카락: I found a ~[two ~s] in my soup. 수프에 머리카락이 1개[2개] 들어 있었다. **2** Ⓤ (곤충·거미 등의) 털; 〖식물〗 모용(毛茸) 《잎·줄기 표면에 난》 **3** (낙타·알파카의 털로 짠) 모직물 **4** [a ~; 부정문에서] 털끝만한 것, 극미(極微)(jot); 조금; 간일발(間一髮): do *not* care *a* ~ 조금도 상관없다/be *not* worth *a* ~ 한 푼어치 가치도 없다 **5** 〖기계〗 미동(微動) 용수철, 유사(遊絲)(hairspring) 《시계 등의》, (털 같이) 가는 철사 **6** 털 모양의 물건 **7** 《미·속어》 복잡함, 여러움 《컴퓨터 해커의 용어》 **8** 《폐어》 종류, 성격, 특징
against the ~ (자연적인 것에) 역행해서; 성미를 거슬러; 성미를 죽이고, 마지못해 ***a* [*the*] *~ of the* (*same*) *dog* (*that bit* you)** 《구어》 독(毒)을 푸는 독; (숙취를 푸는) 해장술 《물린 미친 개의 꼬리털로 광견병을 고친다는 미신에서》 ***blow*** a person***'s ~*** 오싹하게 하다 ***both of a ~*** 비슷한 둘 ***by* (*the* [*a*] *turn of*) *a ~*** 간신히, 위기일발(危機一髮)로 ***comb* [*rub, smooth*]** a person***'s ~ for*** him …을 몹시 나무라다 ***do* [*put*] *up*** one***'s ~*** 머리를 땋다 ***get* [*have*]** a person ***by the short ~s*** 《구어》 (토론·다툼 등에서) …을 완전히 누르다[지배하다], 약점 잡다 ***get in*** a person***'s ~*** 《구어》 …을 괴롭히다, 안달나게 하다 ***hang by a* (*single*) *~*** 풍전등화와 같다, 위기일발이다: Her life is *hanging by a* ~. 그녀의 목숨은 풍전등화와 같다. ***have ~*** 《속어》 용기가 있다; 〈남성이〉 (성적) 매력이 있다 ***keep* [*get, stay*] *out of*** a person***'s ~*** = ***keep*** a person ***out of*** one***'s ~*** …을 멀리하다, 간섭 못하게 하다 ***keep*** one***'s ~ on*** [보통 명령법으로] 《속어》 침착하다, 태연하다; 화내지 않다 ***let* [*put*]** one***'s ~ down*** 〈여자가〉 머리를 풀고 늘어뜨리다; 《구어》 느긋하게 쉬다; 《구어》 터놓고 이야기하다 ***lose*** one***'s ~*** 머리가 벗겨지다; 《속어》 성내다, 흥분하다 ***make*** a person***'s ~ curl*** = ***make*** a person***'s ~ stand on end*** (공포로) 머리털이 곤두서게 하다, 등골이 오싹하게 하다 ***not harm* [*touch*] *a* (*single*) *~ on*** a person***'s head*** …을 절대 해치지 않다, …에게 항상 친절하게 [부드럽게] 대하다 ***not have a ~ on*** one***'s ass*** 《미·군대속어》 겁쟁이이다 ***not have a ~ out of place*** 몸가짐이 한 치의 빈틈도 없다, 말쑥하다 ***not turn a ~*** 〈말이〉 땀 한 방울 흘리지 않다; 피곤한 기색이 없다; 꿈쩍 안하다, 태연하다 ***out of*** a person***'s ~*** 남에게 폐를 끼치지 않고 ***put ~ on*** a person***'s chest*** (독한 술 등으로) 몸을 추스리게 하다, 활기를 주다 ***put* [*turn*] *up*** one***'s ~*** = ***put*** one***'s ~ up*** (소녀가 장성하여 어른과 같이) 머리를 얹다 ***split ~s*** (토론·논의 등에서) 부질없는 일을 꼬치꼬치 따지고 들다 ***tear*** one***'s ~* (*out*)** (슬픔·노여움의 나머지) 머리털을 잡아뜯다; 몹시 흥분하다[걱정하다] ***tear*** a person***'s ~ out*** …을 슬프게 하다 ***to* (*the turn of*) *a ~*** 한 치도 틀리지 않고, 똑같이(exactly) ***turn a ~*** [부정적인 뜻으로] 흥분하다, 놀라다 ***wear*** one***'s own ~*** 자기의 머리털이다 《가발 아닌》 ***within a ~ of*** 《구어》 하마터면 …할 뻔하여
▷ háirlike, háiry *a.*
háir bàg **1** 모발을 넣어 두는 백 **2** 《미·속어》 베테랑 경찰관
hair·ball [hέərbɔ̀:l] *n.* **1** 〖수의학〗 모구(毛球) 《소·양·고양이 등이 삼킨 털·섬유가 위에서 뭉쳐져 생긴 덩어리》; 식물 위석(胃石) **2** 《미·속어》 마땅찮은 녀석
hair·band [-bæ̀nd] *n.* (여성의) 머리띠, 헤어밴드
hair·bell [-bèl] *n.* =HAREBELL
hair·breadth [hέərbrèdθ, -brètθ, -brèθ] *n.* [a ~] 털끝만한 틈[폭, 간격, 거리] ***by a ~*** 간일발로, 가까스로, 아슬아슬하게: escape death *by a* ~ 간일발로 죽음을 면하다, 구사일생하다 ***to a ~*** 한 치도[조금도] 틀림[어김]없이: correct *to a* ~ 한 치도 어김없이 정확한 ***within a ~*** 하마터면
—*a.* Ⓐ 매우 좁은; 간일발(間一髮)의, 가까스로의: a ~ adventure 위기일발의 모험/have a ~ escape 위기일발로 피하다, 구사일생하다
hair·brush [-brʌ̀ʃ] *n.* 머리 빗는 솔, 헤어브러시
hair·care [-kὲər] *n.* 머리의 손질
háir cèll 〖동물·해부〗 유모(有毛) 세포 《특히 코르티(Corti) 기관 등에 있는 청각 세포》
hair·clip [-klìp] *n.* 《영》 머리핀(《미》 bobby pin)
hair·cloth [-klɔ̀:θ | -klɔ̀θ] *n.* **1** Ⓤ (특히 말털·낙타털로 짠) 모포, 마모직(馬毛織)(cf. HORSEHAIR) **2** =HAIR SHIRT 1
hair·col·or·ing [-kʌ̀ləriŋ] *n.* 머리 염색약
háir cràck 〖야금〗 금속에 난 가는 털 모양의 잔금, (압연강재의) 잔금, 실금
hair·curl·ing [-kə̀:rliŋ] *a.* =HAIR-RAISING
hair·cut [-kʌ̀t] *n.* **1** 이발, 조발: get[have] a ~ 이발하다 **2** (특히 남성의) 머리 모양, 헤어스타일 《★ 여성의 헤어스타일은 주로 hairdo》
hair·cut·ter [-kʌ̀tər] *n.* 이발사, 이용사
hair·cut·ting [-kʌ̀tiŋ] *n.* Ⓤ 이발[조발](업)
—*a.* 조발[이발]의
hair·do [-dù:] *n.* (*pl.* **~s**) 《구어》 (특히 여성의) 머리 손질(법), 조발; 머리 모양, 헤어스타일
hair·dress·er [-drèsər] *n.* **1** (특히 여성 상대의) 이발사, 미용사 **2** 《영》 이발사(barber)
hair·dress·ing [-drèsiŋ] *n.* **1** Ⓤ (특히 여성의) 조발[이발](업), 미용(업) **2** 조발법 **3** 모발용 화장품
—*a.* 이발[조발]용의: a ~ salon 이발소, 미장원
háir drìer[drỳer] 헤어 드라이어(drier)
hair·dye [-dài] *n.* 머리 염색제, 염모제(染毛劑)
haired [hέərd] *a.* **1** 머리털이 있는 **2** [보통 복합어를 이루어] 머리털이 …인: gray-~ 백발의/long-~ 머리가 긴 **3** 《미》 화난, 기분이 상한 《*up*》: get ~ *up* over a person's insults …의 모욕에 화가 나다
háir fòllicle 〖해부〗 모낭(毛囊)
háir gràss 〖식물〗 줄기나 꽃자루가 털 같이 가는 풀, 《특히》 좀새풀
hair·grip [-grìp] *n.* 《영》 =BOBBY PIN
háir hygròmeter 〖물리〗 모발 습도계
háir implànt 인공 식모(술[법]) 《인공적으로 모발을 두피에 심는》(cf. HAIR TRANSPLANT)
hair·i·ness [hέərinis] *n.* Ⓤ 털이 있음, 털이 많음
hair·lace [-lèis] *n.* (여자용) 머리띠
hair·less [hέərlis] *a.* 털[머리털]이 없는, 대머리의 (bald) **~·ness** *n.*
hair·like [-làik] *a.* 털 같은; 매우 가는
hair·line [-làin] *n.* **1** 매우 가는 선; (유화 등의) 갈라진 금 **2** (이마의) 머리털이 난 선 **3** 털끝같이 가는 줄기; 털밧줄; 말총으로 만든 낚싯줄 **4** (서화(書畫) 등의) 털끝같이 가는 선(線); (글씨의) 획 사이의 가는 선 **5** (금속에 난) 가늘고 짧은 금(=~ **cráck**) **6** 〖광학〗 헤어라인 《핀트글라스·조준기 등의 가는 선》 **7** 〖인쇄〗 (활자의) 가는 선; (가는 선의) 활자체 ***to a ~*** 정밀하게: match *to a* ~ 정밀하게 맞추다
—*a.* Ⓐ 매우 가는; 〈공간·틈이〉 매우 좁은
háir mòusse 헤어 무스
hair·net [-nèt] *n.* (보통 여성의) 헤어네트
hair·oil [-ɔ̀il] *n.* 《영》 ⓊⒸ 머릿기름
hair·ol·o·gist [hὲərɑ́lədʒist | -rɔ́l-] *n.* 《미》 모발 전문가[치료가], 모발학자
háir pèncil 모필, 붓 《수채화용》
háir pìe 《비어》 음문(陰門)
hair·piece [hέərpì:s] *n.* (여성용) 가발, 다리, 헤어피스; (남성용) 가발

hair·pin [-pìn] *n.* **1** (U자의) 헤어핀; 헤어핀[U자] 모양의 것 **2** ⦅속어⦆ 남자; 사람(a person); 몹시 마른 사람; ⦅미·속어⦆ 여성, 주부; ⦅미·속어⦆ 괴짜
— *a.* 〈도로 등이〉 U자형의: a ~ bend[turn, curve] U자형 커브 (도로)
— *vt.* U자형으로 굽은 도로를 만들다
háir pòwder 머리 분
hair-rais·er [-rèizər] *n.* ⦅구어⦆ 끔찍한 사건[이야기, 경험 ⦅등⦆]
hair-rais·ing [-rèiziŋ] *a.* ⦅구어⦆ 머리털이 곤두서게 하는[쭈뼛해지는], 소름이 끼치는, 몸이 오싹해지는, 끔찍한: ~ speed 무서울 정도의 스피드 **~·ly** *ad.*
hair-re·stor·er [-ristɔ̀:rər] *n.* 양모제, 발모제
háir rìbbon (머리털을 묶는) 장식용 리본
háir sàlon 미장원
hairs·breadth, hair's breadth [hɛ́ərzbrèdθ, -brètθ, -brèθ] *n., a.* = HAIRBREADTH
háir sèal 〖동물〗 강치, 바다표범; 그 모피 (제품)
háir shírt **1** (고행자가 입는) 마모직(馬毛織) 셔츠 **2** 벌주는 것[사람] **háir-shìrt** *a.*
háir slìde ⦅영⦆ 헤어클립(⦅미⦆ barrette)
háir spàce 〖인쇄〗 헤어 스페이스 ⦅어간(語間)의 최소 간격; 최소 간격의 활자⦆
hair·split·ter [hɛ́ərsplìtər] *n.* 사소한 일을 야단스럽게 따지는 사람
hair·split·ting [-splìtiŋ] *a., n.* Ⓤ 사소한 일을 따지는[따지기]
háir sprày 헤어 스프레이
hair·spring [-sprìŋ] *n.* (시계의) 실 태엽, 유사(遊絲)
hair·streak [-strì:k] *n.* 〖곤충〗 부전나빗과(科)의 일종
háir stròke (글씨의) 가는 선; 〖인쇄〗 (글씨의 장식에 쓰는) 가는 선(serif)
hair·style [-stàil] *n.* 머리형(型), 헤어스타일
hair·styl·ing [-stàiliŋ] *n.* Ⓤ 미용[이발]업
háir stỳlist 〖미용〗 (여성의) 헤어 디자이너
hair·tail [-tèil] *n.* 〖어류〗 갈치(cutlassfish)
hair·ti·cian [hɛərtíʃən] *n.* ⦅미⦆ 이발사
háir trànsplant 모발 이식, 식모(植毛)
háir trìgger **1** (총의) 촉발 방아쇠 **2** 민감한 기구(機構)[반응]
hair-trig·ger [-trìgər] *a.* 〈신경 등이〉 반응이 빠른, 예민한; 즉각적인, 민첩한; 일촉즉발의, 곧 무너질 듯한: a ~ temper 곧 격해지는 기질 / make a ~ delivery 즉시 배달하다
háir twèezers 족집게
hair·weav·ing [-wì:viŋ] *n.* (대머리를 가리기 위해) 남은 머리에 다리[헤어피스]를 짜넣기
hair·worm [-wə̀:rm] *n.* 털처럼 가는 벌레, 모양선충(毛樣線蟲)(horsehair worm)
*__hair·y__ [hɛ́əri] *a.* (**hair·i·er**; **-i·est**) **1** 털이 많은, 털투성이의; 털 모양의: moss of a ~ feature 털 모양의 이끼 **2** 거친, 우툴두툴한: the ~ country road 울퉁불퉁한 시골길 **3** ⦅속어⦆ 등골이 오싹한, 섬뜩한, 소름 끼치는, 위험한: a ~ story 섬뜩한 이야기 **4** ⦅속어⦆ 힘든, 어려운, 곤란한; 이해할 수 없는: a ~ problem 어려운 문제 **5** ⦅미서부⦆ 아주 싫은 **6** ⦅구어⦆ 케케묵은 **7** ⦅속어⦆ 상스러운, 야비한 ***feel ~*** 성적으로 흥분하다 ***~ at*** [***about, in, round***] ***the heel***(***s***) [***fetlocks***] 버릇없이 자란, 야비한
— *n.* **1** 털이 많은 사람[것] **2** 다리에 털이 더부룩하게 난 짐 끄는 말 **3** ⦅속어⦆ 장발인 남자
háiry cèll leukémia 〖병리〗 모양(毛樣) 세포성(性) 백혈병
hair·y-chest·ed [hɛ́əritʃèstid] *a.* ⦅속어⦆ 몹시 사내티를 내는; 공연히 남자임을 뽐내는
hair·y-faced [-fèist] *a.* 텁수룩한 얼굴의, 수염 투성이의
hair·y-heeled [-hí:ld] *a.* ⦅속어⦆ 버릇없이 자란, 버릇없는, 막된
háiry vétch 〖식물〗 헤어리 베치 ⦅잠두콩속(屬)의 일종; 목초용⦆
Hai·ti [héiti] *n.* **1** 아이티 ⦅서인도 제도의 공화국; 수도 Port-au-Prince⦆ **2** 아이티 섬 ⦅Hispaniola의 구칭⦆
Hai·tian [héiʃən, -tiən] *a.* 아이티(사람)의
— *n.* **1** 아이티 사람 **2** = HAITIAN CREOLE
Háitian Créole 아이티 프랑스 말 ⦅프랑스 말을 모체로 한 아이티 말; 대부분의 아이티 사람이 사용함⦆
hajj, hadj [hǽdʒ] *n.* (*pl.* **~·es**) 〖이슬람교〗 메카(Mecca) 순례
haj·ji, had·ji, ha·ji [hǽdʒi] *n.* **1** 〖이슬람교〗 하지 ⦅메카 순례를 마친 남자 이슬람교도; 종종 **H~**로 칭호로도 씀⦆ **2** 예루살렘 순례를 마친 그리스[아르메니아] 사람
ha·ka [há:ka:] *n.* 하카 **1** ⦅뉴질⦆ 마오리 족의 전쟁춤 **2** (뉴질랜드 럭비 팀이) 경기 전에 추는 춤
hake¹ [héik] *n.* (나무로 만든) 건조대 ⦅치즈·타일·벽돌 등을 말리는⦆
hake² *n.* (*pl.* **~, ~s**) 〖어류〗 메를루사 ⦅대구 비슷한 물고기⦆; Ⓤ 그 살
Ha·ken·kreuz [há:kənkrɔ̀its] [G] *n.* (*pl.* ***-kreu·ze*** [-krɔ̀itsə]) 하켄크로이츠, 갈고리 십자(장)(cf. SWASTIKA) ⦅나치스 독일의 기장(記章) 卍⦆
ha·kim¹, ha·keem [hɑkí:m] *n.* (인도·이슬람교국의) 현인(賢人); 학자; 의사
ha·kim² [há:kim] *n.* (옛날, 이슬람권의) 지사(知事), 태수(太守); 재판관
Hak·ka [há:kə] *n.* (*pl.* **~s,** 〖집합적〗 **~**), *a.* 하카 말(의) ⦅중국 동남부, 특히 광둥(廣東)의 방언⦆; 하카 말을 하는 사람(의)
Hal [hǽl] *n.* 남자 이름 ⦅Henry, Harold의 애칭⦆
Hal 〖화학〗 halogen
hal- [hæl], **halo-** [hǽlou, -lə] ⦅연결형⦆ 「할로겐의, 할로겐을 함유한, 염(鹽)의」의 뜻
Ha·la·cha [hɑlɔ́:xə] *n.* (*pl.* **~s, -choth**[-kɔ:t], **-chot**[-kɔ:t], **-chos**[-kɔ:s]) 〖종종 **h-**〗 = HALAKHAH
Ha·laf·i·an [həlá:fiən] 〖고고학〗 *a.* 할라프 문화[기(期)]의 — *n.* 할라프 문화 ⦅북메소포타미아를 중심으로 하는 문화; 다색 채문(彩文) 토기가 특징⦆; 그 문화에 속한 인간
Ha·la·khah, -chah [hɑ:lɔ́:xə:] *n.* (*pl.* **~s, -khoth**[-kɔ:t], **-khot**[-kɔ:t], **-khos**[-kɔ:s]; **~s, -choth, -chot, -chos**) 〖종종 **h~**〗 할라카 ⦅유대교 관례 법규(집)⦆ **ha·lak·ic, H~** [həlǽkik] *a.*
ha·la·khist, -chist [há:ləkist, həlá:-] *n.* 할라카(Halakhah)의 집필자[편자]; 할라카 정통자[전문가]
ha·lal [həlá:l] *n.* 〖이슬람교〗 식용육(肉) ⦅이슬람 율법이 인정하는 방법으로 잡은 동물의 고기⦆
ha·la·la(**h**) [həlá:lə] *n.* (*pl.* **~, ~s**) 할랄라 ⦅사우디아라비아의 화폐 단위; 1/100 riyal⦆
Hal·a·phone [hǽləfòun] *n.* 〖음악〗 핼러폰 ⦅전자 음향 (효과) 장치[악기]⦆
ha·la·tion [heiléiʃən, hæ- | hə-] *n.* ⓊⒸ **1** 〖사진〗 헐레이션 ⦅강한 광선으로 흐릿해지기⦆ **2** 〖TV〗 화면에서 밝은 부분 주위에 보이는 빛의 고리
hal·berd [hǽlbərd, hɔ́:l-] *n.* 〖역사〗 미늘창 ⦅창과 도끼를 겸한 15-16세기경의 무기⦆
hal·berd·ier [hæ̀lbərdíər] *n.* 미늘창을 가진 군사
hal·bert [hǽlbərt, hɔ́:l-] *n.* = HALBERD
hal·cy·on [hǽlsiən] *n.* **1** 〖그리스신화〗 할시온 ⦅동지(冬至) 무렵에 바다 위에 보금자리를 만들어 풍파를 가라앉히고 알을 깐다고 상상된 전설상의 새⦆ **2** 〖조류〗 물총새(kingfisher)
— *a.* Ⓐ **1** 물총새 같은 **2** 평온[온화]한; 풍요로운; 번영의; 행복한: ~ weather 온화한 날씨 / ~ years 번영기

halberds

hálcyon dáys [the ~] **1** 동지 전후의 날씨가 평온한 2주일 **2** 평온한 시대

∗**hale**[1] [héil] *a.* **1** 〈특히 노인이〉 건강한, 노익장(老益壯)의 **2** 《스코·북잉글》 결점[흠] 없는(cf. WHOLE 2) ~ ***and hearty*** 〈노인·병후의 사람이〉 정정한, 원기 왕성한 **~·ness** *n.*

hale[2] *vt.* 《고어》 **1** 세게 당기다, 끌어내다 《*into*》: (~+목+전+명) ~ a suspect *into* court 용의자를 법정으로 끌어내다 **2** 《드물게》 억지로 …을 시키다

hál·er[1] *n.*

ha·ler[2] [hɑ́:lər] *n.* (*pl.* **~s, -le·ru** [-lərù:]) **1** 할레슈 《체코슬로바키아의 화폐 단위; =1/100 koruna》 **2** =HELLER[2] 1

Hále télescope 헤일 망원경 《미국 California주의 Palomar 천문대에 있는 구경 200인치의 반사식 망원경》

‡**half** ⇨ half (p. 1137)
▷ hálve *v.*

half-a-buck [hǽfəbʌ́k, hɑ́:f-|hɑ́:f-] *n.* 《미·속어》 반(半) 달러, 50센트

half-a-crown [-əkráun] *n.* =HALF CROWN

háif àdder 〖컴퓨터〗 반가산기(半加算器)

half-a-dol·lar [-ədɑ́lər, hɑ́:f-|hɑ́:fədɔ́lə] *n.* **1** =HALF DOLLAR **2** 《영·속어》 =HALF CROWN

half-a-doz·en [hǽfədʌ́zn] *n., a.* =HALF-DOZEN

half-and-half [hǽfənhǽf, hɑ́:fənhɑ́:f|hɑ́:fənhɑ́:f] *a.* 반반의; 이도저도 아닌, 얼치기의 **—***ad.* 반반으로, 반분하여, 등분하여 **—***n.* Ⓤ **1** 반반의 것, 반반 섞은 혼합물 **2** 《영》 혼합 맥주 《에일(ale)과 흑맥주(porter)와의》 **3** 《미》 우유와 크림과의 혼합물 **4** Ⓒ 혼혈아, 잡종 **5** Ⓒ 파이프 담배의 일종

half-assed [-ǽst] *a.* 《비어》 저능한, 어리석은; 엉터리의, 제멋대로의; 불충분한; 현실성 없는

half·back [-bæ̀k] *n.* 〖미식축구·축구·럭비·하키〗 하프백, 중위(中衛)

half-baked [-béikt] *a.* **1** 〈빵 등이〉 설구워진 **2** 《구어》 〈계획 등이〉 불완전한, 준비 부족의: a ~ proposal 불충분한 계획안 **3** 〈사람이〉 경험 없는, 풋내기의; 현실성 없는; 우둔한; 〈생각 등이〉 미숙한, 천박한: a ~ theory 현실성 없는 이론

hálf-ball stróke [-bɔ̀:l-] 〖당구〗 하프볼 스트로크 《공의 중앙을 쳐서 표적 공의 가장자리에 맞히기》

hálf báth, half-bath [-bǽθ] *n.* 변기와 세면 설비만의 화장실; 《식당·호텔의》 여인용 화장실

hálf bìnding 〖제본〗 반가죽 장정, 반혁장(半革裝)

half-blind [-bláind] *a.* 《미·속어》 술에 취한

hálf blòod =HALF-BLOOD *n.*

half-blood [-blʌ̀d] *n.* **1** 혼혈아(half-breed) **2** 배다른 형제 (자매); 의붓 아비[어미]의 형제 (자매) **—***a.* =HALF-BLOODED

half-blood·ed [-blʌ̀did] *a.* 잡종[혼혈]의; 씨[배]가 다른

half-blue [-blù:] *n.* 《영》 **1** (Oxford, Cambridge 대학 운동부에서) 예비[보결] 선수; (대표급이 아닌) 2군 선수 **2** 이런 선수들에게 주어지는 반청장(半青章) 《full blue에 대한 것》

hálf bóard 1 《영》 (호텔·하숙 등에서의) 부분적 식사 제공, 1박 2식(제공)(demi-pension) ★ full board (3식 제공)에 대비되는 말. **2** 〖항해〗 하프보드 《범주(帆走)하는 조선법(操船法)의 하나》

half-boiled [-bɔ́ild] *a.* 설익은; 반숙의(cf. HARD-BOILED)

hálf bòot [보통 *pl.*] 반장화 《정강이의 절반까지 오는》

half-bound [-bàund] *a.* 〖제본〗 반가죽 장정의 《half binding으로 된》

hálf-bréadth plàn [-brédθ-] 〖조선〗 반폭선도(半幅線圖) 《선체의 좌우 한 쪽으로부터의 수평 단면도; cf. BODY PLAN, SHEER PLAN》

half-bred [-brèd] *a.* 혼혈의; 잡종의(mongrel) **—***n.* (동물의) 잡종; 《호주·뉴질》 잡종 양

half-breed [-brì:d] *n.* **1** 《경멸》 혼혈아; 《특히》 아메리칸 인디언과 백인과의 혼혈아 **2** 〖동물·식물〗 잡종(hybrid) **—***a.* 혼혈의; 잡종의(half-blooded)

∗**hálf bròther** 배다른[의붓] 형제(cf. FULL BROTHER, STEPBROTHER)

hálf búck 《미·속어》 =HALF DOLLAR

hálf cádence 〖음악〗 반마침, 반종지 (半終止)

half-caf [-kæf] *a.* 《미·구어》 카페인이 조금 들어간

hálf cálf 〖제본〗 (책이) 송아지 가죽으로 된 반가죽 장정 《略 hf.》

half-canned [-kǽnd] *a.* 《미·속어》 얼근히[거나하게] 취한

half-caste [-kæ̀st, -kɑ̀:st] *n., a.* 《경멸》 **1** (특히 유럽 사람과 아시아 사람 등의) 혼혈아(의) **2** 《영》 (영국 사람과 인도 사람의) 혼혈아(의); 서로 다른 계급의 부모를 가진 혼혈아(의)

half-cen·tu·ry [-séntʃəri] *n.* **1** 50년 **2** 〖크리켓〗 50점

hálf clóse [-klóuz] 〖음악〗 =HALF CADENCE

hálf cóck (총의) 반(半)안전 장치 ***go off*** (***at***) ~ 너무 빨리 발포하다; 조급히 굴다; 조급히 굴어 실패하다: She *went off* ~ and told him the news. 그녀는 그 소식을 서둘러서[경솔하게] 그에게 얘기했다.

half-cock [-kɑ́k|-kɔ́k] *vt.* 〈총에〉 (반)안전 장치를 하다

half-cocked [-kɑ́kt|-kɔ́kt] *a.* **1** 〈총(銃)이〉 (반)안전 장치된 **2** 《미》 조급히 서두른, 당황한; 준비 부족의, 불완전한 **3** 《속어》 약간 취한 ***go off*** ~ =go off (at) HALF COCK

half-cooked [-kúkt] *a.* **1** 설익은, 설구운 **2** 《미·구어》 미숙한(inexperienced), 준비 부족의

half-corned [-kɔ́:rnd] *a.* 《미·속어》 몹시 취한; 거나한

half-craz·ed [-kréizd] *a.* 몹시 화난

hálf crówn (영국 구화폐 단위의) 반 크라운 경화 《2실링 6펜스의 백동화; 원래는 금화》; 그 금액

half-cup [-kʌ́p] *n.* 〖요리〗 4 액량 온스(fluid ounce)의 양 《식탁용 큰 숟가락 8배 분량(약 250 cc)에 해당》

half-day [-déi] *n.* =HALF-HOLIDAY

half-dead [-déd] *a.* 《영·구어》 거의 죽어 가고 있는, 반 죽은, 빈사의(dying); 몹시 지친

hálf dèck (상선·범선 등의) 반(半)갑판 《특히 견습생 등의 숙사용》

hálf dìme (미국의 옛날의) 5센트 은화 《1792, 1794-1873년에 주조》

hálf dóllar (미국·캐나다의) 반 달러[50센트] 은화

half-done [-dʌ́n] *a.* **1** 하다 만, 불완전한 **2** 반숙의, 설익은, 설구운(underdone)

half-doz·en [-dʌ́zn] *n., a.* 반 다스(의), 여섯 개(의)

hálf dúplex 〖통신〗 반이중(半二重)(방식) 《서로 통신은 가능하나, 동시에는 한 방향밖에 통신할 수 없는 전송 방식; 略 HDX; cf. FULL DUPLEX》

half-du·plex [-djú:pleks|-djú:-] *a.* 〖통신〗 반이중의: ~ transmission 반이중 전송

hálf éagle (미국의 옛날의) 5달러 금화

half-ev·er·green [-évərgrì:n] *a.* 〈식물이〉 반(半)상록의

half-face [-féis] *n.* **1** 반면(半面), 옆얼굴(profile) **2** 〖군사〗 반우[좌]향

half-faced [-féist] *a.* **1** 옆얼굴의, 반면의 **2** 불완전한, 어중간한 **3** 〈천막·정원 등이〉 세 면이 막히고 한 면만이 트인

hálf-fin·ished gòods [-fíniʃt-] 반제품

hálf fráme (35mm판의) 반절 크기 사진

half-frame [-fréim] *a.* 반절 크기 사진의

hálf gàiner 〖다이빙〗 하프 게이너 《앞을 향한 자세에서 점프해서 반대 방향으로 거꾸로 뛰어들기》

half-gal·lon [-gǽlən] *n.* 반(半) 갤런 《2 quarts에 해당》 **—***a.* 반 갤런 들이의[으로 된]

half-glass·es [-glæ̀siz, -glɑ̀:siz|-glɑ̀:siz] *n. pl.* 하프 글라스 《하반부만 반원형으로 된 독서용 안경》

half

half는 명사·형용사·부사로 대별되며 대명사로도 쓴다. 어느 경우도 「반」의 뜻이 있고, 수·양에 다 쓴다. 따라서 단수 취급도 복수 취급도 할 수 있다. ⇨ *a.* 1 USAGE
half (of) the students의 경우와 같이 뒤에 명사가 따를 때는 of를 생략할 수 있으나, 대명사가 올 때는 반드시 of를 써야 한다: *half* of them(그들의 반)

‡**half** [hæf, hɑ́:f | hɑ́:f] *n., pron., a., ad.*
— *n.* (*pl.* **halves** [hævz, hɑ́:vz | hɑ́:vz]; 4 g, 5, 6은 **~s, halves**) **1** 반(半), 절반, 2분의 1; (대충 나눈) 약 반 《*of*》: two miles and a ~ 2마일 반 《★ two and a ~ miles쪽이 일반적임》/ the ~ *of* the torn dollar bill 찢어진 1달러 지폐의 반쪽 《USAGE half of …의 형태에서, 수식어가 붙는 경우 이외에는 부정관사를 쓰지 않음》/ Out of fifty students, ~ failed the exam. 50명의 학생 중 반수가 시험에 떨어졌다. 《the half라고 하지 않음》/ The ~ *of* six is three. 6의 반은 3이다. / That's not *the* ~ *of* it. (이야기 등이) 반도 채 안 된다; 재미있는 것은 지금부터이다.
2 Ⓤ 반 시간, 30분: at ~ past ten 10시 반에 / It is ~ past four. 4시 반이다. 《종종 [hǽpæs(t) | hɑ́:pəs(t)]라고 발음함》
3 a 〖경기〗 시합의 전[후]반, 하프(cf. QUARTER), 하프타임 **b** 〖축구·하키 《등》〗 = HALFBACK **c** 〖야구〗 초(初), 말(末)(cf. TOP, BOTTOM): the first[second] ~ of the ninth inning 9회 초[말] **d** 〖골프〗 (어느 홀에서의) 동점
4 a 《구어》 반 마일 **b** 《영·구어》 반 파인트(half pint) **c** 《영·구어》 (어린이의) 반액표: Two and a ~ to Cambridge, please. 케임브리지까지 어른 두 장, 어린이 한 장 (주세요). **d** 《미》 50센트; 《영》 반 페니; 반 크라운(짜리 은화), 반 파운드 **e** 《영·구어》 반일 휴가 **f** (구두 등의) 한 짝; 〖댄스〗 파트너 **g** (소송에서의) 한쪽 편
5 《스코》 (위스키의) 소량
6 《영》 반 학년; (1년 2학기 제도의) 학기
… and a ~ 《구어》 큰, 굉장한: a job *and a* ~ 매우 큰[중요한, 힘드는] 일 / It was a meal *and a* ~. 굉장한 식사였다.
by ~ (1) 반만: He reduced his weight *by* ~. 그는 몸무게를 반으로 줄였다. (2) [too … by ~로 반어적] 《영·구어》 (불쾌할 정도로) 지나치게 …하다: He is *too* clever *by* ~. 그는 지나치게 영리하다.
by halves [보통 부정문에서] 어중간하게, 불완전하게: *Never* do things *by halves.* 어중간하게 하려면 아예 하지 마라.
cry halves ⇨ cry
go halves 《구어》 (남과) (비용·수입 등을) 반씩 나누다, 절반씩 가지다 《*with*; *in*, *on*》
in ~ = ***into halves*** 반으로, 2등분으로: Cut an apple *into* exact *halves.* 사과를 정확히 반으로 자르시오. / The vase broke *in* ~. 꽃병이 두 쪽으로 깨졌다.
not by ~ 반도 …않다, 거의 …않다
on halves 《미》 이익의 반을 받기로 하고, 서로 반씩 내어
say ~ to oneself 혼잣말처럼 말하다
one***'s better ~*** 《구어》 반려자; 《특히》 아내
one***'s worse ~*** 《익살》 남편
the ~ of it [부정문·only 뒤에서] 《구어》 아주 일부; 일부지만 보다 중요한 것[사실]: You do*n't* know *the* ~ *of it.* 당신이 아는 것은 일부에 지나지 않아요.
the other ~ 나머지 반; (가난한 사람이 보아) 부자, (부자가 보아) 가난한 사람
to (the) halves 반까지, 불충분하게; 《미》 이익을 반씩 나누기로

— *pron.* (사물·집단 등의) 반, 절반 《USAGE 주어가 되는 경우, of 다음의 명사 또는 half가 나타내는 수가 단수이면 동사는 단수, 복수면 복수 취급》: *H~ of* the apple *is* rotten. 그 사과의 반은 썩었다. / *H~ of* the apples *are* rotten. 그 사과 중 절반은 썩었다. / *H~* (*of* them) are dead. (그들의) 반은 죽었다.
— *a.* Ⓐ **1 a** 반의, 절반의, $^{1}/_{2}$의; 약 반의: a ~ share 절반 몫 / a ~ dozen 반 다스 / at ~ price 절반 가격으로 / a ~ sleeve 반소매 / a ~ length 〖보트레이스〗 보트의 반 길이; 〖경마〗 말의 반 길이 **b** [관사 또는 one's가 붙은 명사 앞에서] …의 반의 《USAGE (1) 원래는 명사였으나 후에 of가 생략된 용법에서 유래됨 (2) 일반적으로는 half a mile, half an hour의 어순이 되지만, 《미》에서는 a half mile, a half hour로도 쓴다 (3) 주어가 될 경우, half 다음 명사가 단수이면 동사는 단수, 복수면 복수 취급》: *H~ a loaf is* better than no bread. 《속담》 반이라도 없는 것보다는 낫다. / *H~* my *work has* been done. 내 작업의 절반은 끝냈다. / *H~* the *eggs are* bad. 달걀의 반은 썩었다.
2 부분적인(partial), 불충분한, 불완전한, 어중간한: ~ knowledge 어중간한 지식 / ~ measures[efforts] 흐지부지한[하다 만] 조치[노력] / A ~ smile came to her lips. 희미한 미소가 그녀의 입가에 떠올랐다.
3 〖제본〗 반 …
4 시간제의, 파트타임의
like a ~ sled on ice 잘[순조롭게] 나아가지 않고
— *ad.* **1** 반쯤, 반만큼: ~ full 반쯤 찬 / My work is ~ done. 내 일은 반쯤 끝났다.
2 어중간하게, 어설프게, 불충분하게, 적당하게: be ~ cooked 반숙(半熟)이다 / ~ educated 제대로 교육받지 못한 / be ~ asleep 반쯤 잠들다
3 《구어》 약간, 다소, 꽤; 거의(very nearly): be ~ dead 몹시 지쳐 있다 / ~ recovered 거의 회복된 / He ~ wanted to go home and get some sleep. 그는 집에 가서 좀 잤으면 하는 생각도 들었다.
4 《영·구어》 (시간이) 30분 지나서: ~ 5 5시 반
be ~ inclined to do …해도 나쁘지 않다는[…해 볼까 하는] 생각이다
~ and ~ 반반으로, 등분으로 ⇨ half-and-half.
~ as much [***many***] (***…***) ***again*** (***as***) = ***~ again as much*** [***many***] (***as***) (…의) 1배 반(의…), 50% 더: This cup holds ~ *again*(=one and a ~ times) *as much* coffee *as* the smaller one. 이 잔에는 작은 컵보다 커피가 반만큼이나 더 들어간다.
~ as much [***many***] (***…***) ***as …*** …의 반(의…): I only have ~ *as much* (money) *as* you[you have]. 나는 너의 반 밖에 (돈을) 가지고 있지 않다.
~ the time 《구어》 거의 언제나: She is sleeping in the classroom ~ *the time.* 그녀는 거의 언제나 교실에서 잠을 자고 있다.
~ want [***wish***] ⇨ *ad.* 3
not ~ (1) 조금도 …하지 않다: I do*n't* ~ like it. 아주 싫다. (2) [반어적으로] 《영·구어》 몹시[지독하게] …하는: She did *not*[*didn't*] ~ cry. 그녀는 울고 불고 야단법석이었다. / "Do you like wine?" — "Oh, *not* ~!" 와인 좋아합니까? — 좋아하다마다요(몹시 좋아합니다)!
not ~ as [***so, such***] ***… as …*** …의 반에도 미치지 못하는: He is *not* ~ *as* hardworking *as* she. 그는 그녀의 반도 공부를 하지 않는다.

half-har·dy [-há:rdi] *a.* 〖원예〗 〈식물이〉 반내한성(半耐寒性)의

half·heart·ed [-há:rtid] *a.* Ⓐ 마음이 내키지 않는, 냉담한: a ~ response 성의 없는 반응
~·ly *ad.* **~·ness** *n.*

hálf hítch (밧줄의) 반결삭(半結索), 반매듭 《가장 간단한 매듭 방식》

half-hol·i·day [-hálədèi | -hɔ́l-] *n.* 《영》 반공일(半空日), 반휴일

hálf hóse [집합적] (무릎까지 오는) 남성용 양말

half-hour [-áuər] *n.* **1** 반 시간, 30분(간) **2** [the ~] (…시 반이라고 할 때의) 반, 30분: A clock struck *the* ~. 시계가 30분을 쳤다. / Buses leave on *the* ~. 버스는 (매) 30분에 출발한다.
— *a.* 반 시간의, 반 시간마다의

half·hour·ly [-áuərli] *a.* 반 시간[30분]의; 반 시간마다의: a ~ interruption 매 30분마다의 중단
— *ad.* 반 시간[30분]마다

hálf hùnter 하프 헌터 《유리 보호용 케이스가 있는 회중시계》

half-inch [-íntʃ] *n.* 반 인치, 1/2인치(1.27cm)
— [스] *vt.* 《영·속어》 훔치다, 날치기하다(pinch)

half-in·te·ger [-ìntidʒər] *n.* 〖수학〗 반정수(半整數) 《홀수의 1/2》

hálf lànding 《영》 (계단 중간의) 층계참

hálf làp (레일 따위의) 겹친 이음

hálf lèather 〖제본〗 = HALF BINDING

half-length [-lèŋkθ] *a.* 반신(半身)의, 반신상[초상화]의 **—** *n.* 정상 길이[높이]의 반; 반신상(像), 반신(초상)화

half-life [-làif] *n.* (*pl.* **-lives**) **1** 〖물리·약학〗 (방사성 원소 등의) 반감기(半減期)(= ~ **pèriod**) **2** 《구어》 (쇠퇴하기 전의) 잠깐의 번영기

half-light [-làit] *a.* 어슴푸레한 **—** *n.* 어슴푸레한 빛; 박명(薄明); (미술품 등의) 어슴푸레한 부분: the ~ of dawn 새벽의 어슴푸레한 빛

hálf lìne 〖수학〗 반직선 《한 점에서 한 방향으로만 무한히 뻗은 직선》

half·ling [-lìŋ] *n.* 《스코》 **1** 반 페니 **2** 남자아이
— *a.* 미성년의

half-lit [-lít] *a.* 《미·속어》 술에 취한

half-long [-lɔ́:ŋ | -lɔ́ŋ] *a.* 〖음성〗 〈음이〉 반장음(半長音)의

half-mast [-mǽst | -má:st] *n.* Ⓤ 마스트의 중간쯤; 반기(半旗)의 위치 《조의를 나타내는》; 넥타이 매듭을 밑으로 늘어지게 맨 상태 (***at*** ~ (1) 〈기가〉 반기의 위치에: hang a flag *at* ~ 반기[조기]를 게양하다 (2) 《익살》 (바지가 복사뼈가 보일 정도로) 너무 짧아 ~ ***high*** 반기의 위치에
— *a.* 반기의 위치에 단; 《미》 속옷이 보이는
— *vt.* (조의를 표하기 위해) 〈기를〉 반기의 위치에 달다

hálf mèasure [종종 *pl.*] 미봉책, 임시 변통

half-mile [-máil] *n.* **1** 반 마일 《약 0.8km》 **2** 반 마일 경주 **—** *a.* 반 마일의; 반 마일을 달리는

half-mil·er [-máilər] *n.* 《구어》 반 마일 레이스[경주] (선수)

half-moon [-mú:n] *n.* **1** 반달; 반월형(cf. FULL MOON) **2** 속손톱

hálf mòurning 반상복(半喪服)(cf. DEEP MOURNING); 반상복을 입는 기간

hálf nélson 〖레슬링〗 하프 넬슨, 목누르기(cf. NELSON) ***get a ~ on*** …을 완전히 누르다

half·ness [hǽfnis, há:f- | há:f-] *n.* Ⓤ 반; 얼치기, 불완전

hálf nòte 《미》 〖음악〗 2분 음표(《영》 minim)

half-one [-wʌ́n] *n.* 〖골프〗 반수 감점

half-or·phan [-ɔ́:rfən] *n.* 편친(偏親) 슬하의 자식

half·pace [-pèis] *n.* 〖건축〗 (단(段)이 있는) 상좌, 단(壇), 상단(上段)(dais); 층계참(landing)

hálf pànts 《인도·구어》 짧은 바지, 반바지

hálf páy 봉급의 반, 반봉급, 반급(半給)

half-pay [-péi] *a.* 반봉급의, 반급의

half·pence [héipəns] *n.* **1** HALFPENNY 2의 복수 **2** [보통 a few ~] 잔돈 ***receive*** [***get***] ***more kicks than ~*** ⇨ kick[1].

half·pen·ny [héipəni] *n.* (*pl.* **-nies**) **1** (영국의 1985년 이전의) 반 페니 동전 **2** (*pl.* **-pence** [-pəns]) 반 페니(의 값); 부족한 금액; 가치없는 것: three ~ 1 페니 반(1 1/2 d.) **3** 《영·구어》 잔돈(coppers); 소량 ***not have two halfpennies to rub together*** 《영》 찢어지게 가난하다 ***not worth a ~*** 《영》 아무런 가치도 없는, 보잘것없는 ***turn up again like a bad ~*** 《영》 끈덕지게[끊임없이] 자주 나타나다
— *a.* **1** 반 페니의 **2** 값 싼, 값 없는, 하찮은; 극히 소량의: a ~ matter 쓸데없는 일 **3** 《영·구어》 〈신문 등이〉 선정적인

half·pen·ny·worth [héipəniwə̀:rθ] *n.* [a ~] 반 페니 값의 물건; 극소량 《*of*》

half-pie [hǽfpài, há:f- | há:f-] *a.* 《호주·뉴질》 불완전한, 평범한

half-pike [-pàik] *n.* **1** = SPONTOON 1 **2** 짧은 창 《옛날 적의 배에 넘어 들어가기 위해 사용된》

hálf pínt **1** 반 파인트 《1/4 quart》 **2** 《미·속어》 몸집이 작은 사람; 하찮은 사람; 꼬마 **3** 《속어》 모자라는 사람, 소인배

hálf pìpe (스케이트보드나 스노보드의) 반원통형의 활주로[경사로] 《점프를 시작하는 데 쓰는》

half-plane [-plèin] *n.* 〖수학〗 반 평면

half-plate [-plèit] *n.* 반절 크기의 건판[필름], 반절 크기 건판의 사진 《16.5×10.8 cm》

half-price [-pràis] *a., ad.* 반액의[으로]

half-quar·tern [-kwɔ́:rtərn] *n.* 《영》 무게가 반 quartern(2파운드)인 빵덩이

half-rat·er [-réitər] *n.* 소형 경주용 요트

hálf relíef = MEZZO-RELIEVO

hálf rèst 〖음악〗 2분 쉼표(《영》 minim rest)

hálf rhỳme = SLANT RHYME

half-round [-ráund] *a.* 〈횡단면이〉 반원(형)의 (semicircular) **—** *n.* 〈횡단면이〉 반원형의 것, 반원통

half-roy·al [-rɔ́iəl] *n.* 12×12인치 크기의 마분지[판지]

hálf-seas óver [-sì:z-] *a.* **1** 〖항해〗 항로 중간의; (일의) 중도의 **2** 《속어》 술취한

half-share [-ʃέər] *n.* (이익 따위의) 절반의 몫; 주식 수입의 절반에 대한 권리

half-shaved [-ʃéivd] *a.* 《미·속어》 (얼근히) 취한

hálf shèll (접시 대신 쓰이는) 쌍각류 조개 껍질의 한 쪽: oysters on the ~ 껍질에 담아서 나오는 굴

half-shift [-ʃíft] *n.* 〖음악〗 (바이올린 연주 등의) 제2의 위치 변경

half-shot [-ʃát | -ʃɔ́t] *n.* 〖골프〗 하프샷 《하프 스윙의 샷》 **—** *a.* 《미·속어》 **1** = HALF-SHAVED **2** 거의 파괴된

hálf sìster 배다른 자매, 아버지[어머니]만 같은 자매

hálf sìze **1** 하프 사이즈 《키에 비해 몸통이 큰 체형에 알맞은 여성복의 사이즈》 **2** 〖설계〗 2분의 1 축척

half-slip [-slìp] *n.* 하프슬립 《스커트 안에 받쳐 입는 짧은 페티코트》

hálf sòle (구두의) 앞창

half-sole [-sòul] *vt.* 〈구두에〉 새로 앞창을 대다

hálf sóvereign 《영》 10실링 금화 《1917년에 폐지》

half-staff [-stǽf | -stá:f] *n., vt.* = HALF-MAST

hálf stèp **1** 《미》 〖음악〗 반음(半音)(semitone) **2** 〖군사〗 반보(半步)

hálf stóry 〖건축〗 중(中) 2층 《1층과 2층 사이》

hálf subtrácter 〖컴퓨터〗 반감산기(半減算器)

hálf swíng 〖스포츠〗 하프 스윙 《스윙 폭이 절반인 스윙》

hálf térm 《영》 학기 중의 중간 휴가 《보통 2, 3일에

thesaurus **halfway** *ad.* midway, to[in] the middle, at the midpoint, nearly

서 1주일》

half-thick·ness [-θìknis] *n.* 〖물리〗 = HALF-VALUE LAYER

hálf tíde 반조(半潮)시(時) 《만조와 간조의 중간》

half-tim·ber(ed) [-tímbər(d)] *a.* 〈집·건물이〉 목골(木骨)로 된, 목골 연와조[석조]의

half·time, half-time [-tàim] *n.* **1** 〖스포츠〗 하프 타임, 중간 휴식; (시험·시합 등의) 중간 종료 **2** 반일(半日) 근무; 반일급(給) **3** 〖음악〗 (원곡보다) 반 박자 느림(의 연주) **—** *a.* 반일제(制)의

half-tim·er [-táimər] *n.* **1** 규정 시간의 절반만 일하는[공부하는] 사람[학생] **2** 《영》 반일제 아동 《옛날에, 한나절은 학교에 나가고 한나절은 공장에서 일하던 13세 이하의 아동》

hálf tìnt 〖미술〗 간색(間色)(demitint); (수채화의) 명암 중간부, 반(半) 바림

hálf tìtle **1** 안 표지; (그곳에 들어 있는) 반표제(半表題) **2** (간지(間紙)에 있는) 장(章)의 제목

half·tone [-tòun] *n.* **1** 〖인쇄·사진〗 망점, 망판(網版); 망판화 **2** (그림·사진 등의) 명암 중간부(middle tone), 반(半) 바림 **3** 《미》 〖음악〗 반음 **—** *a.* (명암) 중간부의; 망판의: a ~ screen 망판용 스크린

half-track [-træ̀k] *n.* **1** 반 무한궤도식(半無限軌道式) (군용) 자동차 《뒷바퀴만 무한궤도식의 장갑차 등》 **2** (녹음용) 테이프의 반쪽의 폭[너비] **~ed** *a.*

half-track 1

half-truth [-trù:θ] *n.* Ⓤⓒ 반의 진리(밖에 없는 말) 《종종 중요한 부분이 빠져 있음》 **hálf-trúe** *a.*

half-turn [-tə̀:rn] *n.* 반회전, 180도 회전

hálf ùnder *a.* 《미·속어》 **1** 의식이 몽롱한 **2** 거나하게 취한

hálf-vál·ue làyer [-vǽlju-] 〖물리〗 반가층(半價層) 《방사선이 물질 통과시, 그 힘이 반감하는 흡수 물질의 두께》

hálf vòlley (테니스 등에서) 공이 튀어 오르는 순간에 치기, 하프 발리

half-vol·ley [-vɑ̀li | -vɔ̀li] *vt., vi.* 하프 발리[쇼트 바운드]로 치다

hálf-wave rèctifier [-wèiv-] 〖전자〗 반파 정류기(半波整流器)

* **half·way** [hǽfwèi, hɑ́:f- | hɑ́:f-] *ad.* **1** 중도에서[까지]: turn back ~ 도중에서 돌아오다 **2** 불충분하게 **3** 거의; 조금이라도, 다소라도: He ~ accepted their demands. 그는 그들의 요구를 거의 받아들였다. ***go ~ with*** …와 도중까지 동행하다 ***meet*** a person ***~*** = ***go ~ to meet*** a person 서로 다가서다; 타협하다 ***meet trouble ~*** 군걱정을 하다, 지레 걱정하다 **—***a.* Ⓐ **1** 중간의, 중도의: a ~ point 중간 지점 **2** 불완전한, 어중간한; 불충분한: ~ measures 어중간한 조치

hálfway hòuse **1** (두 고을 등의) 중간 쯤에 있는 주막; 잠정적인 장소 **2** 타협, 타협점, 타협안 **3** 사회 복귀 (훈련) 시설 《출감자·정신 장애자 등을 위한》 **4** (진행의) 중간점; (개혁 등의) 전단계 종료점

hálfway lìne 〖축구·럭비〗 중앙선

half-wit [-wìt] *n.* 얼빠진 놈, 반편; 정신박약자

half-wit·ted [-wítid] *a.* 얼빠진(stupid); 정신박약의 **~·ly** *ad.* **~·ness** *n.*

half-word [-wə̀:rd] *n.* 〖컴퓨터〗 하프워드, 반어(半語)

half-world [-wə̀:rld] *n.* **1** 반구(半球)(hemisphere) **2** 화류계(demimonde) **3** 암흑가

hal·fy [hǽfi, hɑ́:fi | hɑ́:fi] *n.* 《미·속어》 양다리 절단자

hálf yéar **1** 반년, 6개월 **2** (2학기제의) 한 학기(semester)

half-year·ly [-jíərli] *ad., a.* 반년마다(의); 연 2회(의)

hal·i·but [hǽləbət, hɑ́l- | hǽl-] *n.* (*pl.* **~s,** [집합적] **~**) **1** 〖어류〗 넙치무리 《북쪽 해양산(産)의 큰 가자미》; Ⓤ 그 살 **2** 〖사진〗 심해 촬영기

hal·ide [hǽlaid, héi-, -lid], **hal·id** [hǽlid] *n., a.* 〖화학〗 할로겐화물(化物)(의)

hal·i·dom [hǽlədəm], **-dome** [-dòum] *n.* 《고어》 **1** 신성한 장소, 성전 **2** 신성한 물건, 성물(聖物) ***by my ~*** 《고어》 하나님께 맹세코, 꼭

hal·i·eu·tic [hæ̀lijú:tik] *a.* 고기잡이의, 낚시질의

hal·i·eu·tics [hæ̀lijú:tiks] *n. pl.* [단수 취급] **1** 고기잡는 법, 낚시 이론 **2** 어업에 관한 논문

Hal·i·fax [hǽləfæ̀ks] *n.* 핼리팩스 **1** 캐나다의 항구 도시 《Nova Scotia주의 주도》 **2** 영국 West Yorkshire의 도시 ***Go to ~!*** 《구어》 지옥에나 떨어져라, 뒈져라! (Go to hell!)

hal·ite [hǽlait, héi- | hǽl-] *n.* Ⓤ 〖광물〗 암염(岩塩)(rock salt) 《원소 기호 NaCl》

hal·i·to·sis [hæ̀lətóusis] *n.* Ⓤ 〖병리〗 구취(口臭), 입냄새, 악취나는 숨

*** **hall** [hɔ́:l] [OE 「지붕이 있는 넓은 장소」의 뜻에서] *n.* **1** 현관의 넓은 방, 홀; (보통 집의) 현관 마루: the front ~ 바깥 현관 **2** 《미》 복도(hallway) **3** [종종 **H~**] 공회당, 회관; (조합·협회 등의) 사무소, 본부: a city[town] ~ 시청 / a public ~ 공회당 **4** (오락 등에 사용되는) 넓은 방: a gambling ~ 도박장 **5** (회관 안이나 독립된 음악회·강연회용의) 집회[집합]장, 홀: a concert ~ 연주회장 **6** [종종 **H~**] **a** 《미》 (대학의) 독립 교사(校舍), 강당, 부속 회관: the Students' *H~* 학생 회관 **b** (대학의) 기숙사 **c** (어떤 대학의) 학부, 《영》 학료(學寮): the science ~ 이학부 **7** 《영》 (대학의) 큰 식당(에서의 회식); (대학의) 직원 주택 **8** 《영》 (왕족·귀족 저택의) 넓은 방: a banquet ~ 연회실 **9** [the H~] 《영》 시골 지주의 저택; (중세의) 장원(莊園) 영주의 저택(manor house) **10** 식료품점(grocery) **11** 《미·고어》 거실(living room) **12** 《고어》 군중 속의 빈 공간: *A ~! A ~!* 비키세요!

hal·lah [hɑ́:lə, xɑ́:-] *n.* (*pl.* **-loth** [hɑ:lɔ́:t, xɑ:-], **~s**) 〖유대교〗 할라 《안식일 같은 축일에 먹는 영양가 높은 흰 빵》

háll bédroom 《미》 현관 옆방, 문간방 《여관 등의 제일 싼 방》

Hal·lel [hɑ:léil] *n.* 〖유대교〗 할렐 《성가 중에서 유월절·오순절 등에 부르는 시편의 일부》

hal·le·lu·jah, -iah [hæ̀ləlú:jə] [Heb. = praise ye Yahweh] *int.* 〖그리스도교〗 할렐루야, 알렐루야(alleluia) 《하나님을 찬양하라》

— *n.* **1** '할렐루야'라고 외치는 소리 **2** 기쁨[찬미·감사]의 외침 **3** 할렐루야 성가

— *a.* 구세군(Salvation Army)의

Hallelújah làss 《속어》 구세군 여자 사관

Hal·ley [hǽli, héi-] *n.* 핼리 **Edmund[Edmond]** ~ (1656-1742) 《영국의 천문학자》

Hálley's cómet 〖천문〗 핼리 혜성 《76년 주기》

hal·liard [hǽljərd] *n.* = HALYARD

hall·mark [hɔ́:lmɑ̀:rk] [London의 Goldsmiths' Hall에서 금 등의 순분 검증을 한 데서] *n.* **1** (금은의) 순분 인증 각인(純分認證刻印)(platemark) **2** (사람·사물의) 성질[품질] 우량 증명; 보증: A diploma is the ~ of capacity. 졸업 증명서는 능력을 증명하는 보증서이다. **3** 특질, 특징: Accuracy is a ~ of good scholarship. 정확성은 훌륭한 학문의 특징이다. **—** *vt.* …에 각인[인증]을 찍다; …의 품질을 보증하다

* **hal·lo** [həlóu] *int.* **1** 여보(세요), 이봐, 야, 어이, 이것 보세요 《인사나 주의 환기의 발성》 **2** (사냥개를 추기며) 쉿, 어서, 자, 덤벼

—*n.* (*pl.* **~s**) 사냥개를 추기는 소리; 주의를 끌기

half-wit *n.* simpleton, idiot, dunce, fool, moron
hall *n.* hallway, entry, lobby, passageway

위해 지르는 큰 소리; 놀라움의 외침; 전화의 인사: cry ~ 어이하고 외치다 / give a loud ~ 소리 높여 환호하다
—*vi., vt.* 큰 소리를 쳐서 (사냥개를) 추기다; 어이하고 큰소리로 불러서 (남의) 주의를 끌다; (전화에서) '여보세요'라고 하다: Do not ~ till you are out of the wood. 《속담》 안심할 수 있을 때까지는 기뻐 날뛰지 마라.

hal·loa [həlóu] *int., n.* (*pl.* **~s**), *vi., vt.* = HALLO

Háll of Fáme 《미》 **1** [the ~] 명예의 전당 《정식 명칭은 Hall of Fame for Great Americans; New York University에 있음》 **2** (스포츠 등 각계의) 명예의 전당: the Baseball ~ 야구 명예의 전당 《뉴욕 주 Cooperstown에 있음》 **3** [집합적] 명예의 전당에 든 사람들; 공로자들

Háll of Fámer [때로 **h- of f-**] 《구어》 명예의 전당에 든 사람

háll of résidence (대학의) 기숙사(hall)

hal·loo [həlúː] *int., n.* (*pl.* **~s**), *vi., vt.* = HALLO

hal·lou·mi [hɑlúmi] [Gk] *n.* 할루미 《키프로스에서 양젖을 써서 숙성시키지 않고 먹는 치즈》

***hal·low**[1] [hǽlou] *vt.* **1** 신성하게[깨끗하게] 하다 **2** 신성한 것으로 숭배하다 **3** 신에게 바치다
—*n.* 《고어》 성인(聖人) ***All H~s*** = HALLOWMAS

hal·low[2] [həlóu] *int., n., vi., vt.* = HALLO

hal·lowed** [hǽloud] *a.* 신성화한; 신성한(cf. HOLY); 존경받는: a ~ ground 성지(聖地) ***H~ be thy name! 〔성서〕 (당신의) 이름이 거룩히 여김을 받으시옵소서!; 아버지의 이름이 거룩히 빛나시옵소서!

‡Hal·low·een, -e'en [hæ̀louíːn, -əwíːn, hɑ̀l-|hæ̀louíːn] *n.* 핼로윈, Hallowmas의 전야(Allhallows Eve) 《10월 31일》 NOTE 미국에서는 이날 저녁 어린이들이 가장(假裝)하여 집집마다 사탕을 달라고 찾아다니며(trick or treat), 집 밖에는 jack-o'-lantern (호박 등불)을 장식하는 민속놀이가 있음

Hal·low·mas, -mass [hǽloumǝs, -mæ̀s] *n.* 《고어》 제성첨례(諸聖瞻禮), 만성절(All Saints' Day) 《11월 1일》

háll pòrter 《영》 (호텔의) 짐 운반인

hálls of ívy 고등 교육 기관, 대학 《전통 있는 대학 건물의 벽이 담쟁이덩굴로 뒤덮인 것을 지칭함》

háll stànd 홀스탠드 《옷걸이·모자걸이·우산꽂이 등이 있는 현관용 가구》

Hall·statt [hɔːlstǽt, hɑ́ːlʃtɑːt] [오스트리아의 마을 이름에서] *a.* 〔고고학〕 할슈타트기(期)의; 할슈타트기(期) 문화의 《기원전 9-5세기의 초기 철기 시대》

Hall·statt·an [hɔːlstǽtn, hɑːlʃtɑ́ːtn] *a.* 〔고고학〕 = HALLSTATT

háll trèe 《미》 현관의 모자[외투]걸이(hall stand)

hal·lu·cal [hǽljukəl] *a.* 엄지발가락(hallux)의

hal·lu·ci·nant [həlúːsənənt] *n., a.* 환각 물질(의), 환각을 일으키게 하는 (것); 환각을 경험한 사람(의)

hal·lu·ci·nate [həlúːsənèit] *vt.* 환각에 빠뜨리다, 환각을 일으키게 하다 **—***vi.* 〈사람이〉 환각을 일으키다 **-nà·tor** *n.*

hal·lu·ci·na·tion [həlùːsənéiʃən] *n.* UC 환각 (cf. ILLUSION); C 환상; 잘못된 생각[신념, 신앙, 인상]; 환영, 망상(delusion), 착각: suffer from *~s* 환각에 시달리다 / be under ~ 착각하고 있다 **~·al** *a.*

hal·lu·ci·na·tive [həlúːsənèitiv, -nə-|-nə-] *a.*

hal·lu·ci·na·to·ry [həlúːsənətɔ̀ːri|-təri] *a.* 환각의: ~ visions 환각에 의해 보이는 것 **-ri·ly** *ad.*

hal·lu·ci·no·gen [həlúːsənədʒən|-dʒèn] *n.* 환각제

hal·lu·ci·no·gen·ic [həlùːsənədʒénik] *a.* 환각 유발(성)의: a ~ drug 환각제 / a ~ compound 환각 성분 **—***n.* 환각 유발제(劑)

hal·lu·ci·no·sis [həlùːsənóusis] *n.* U 〔정신의학〕 환각증

hal·lux [hǽləks] *n.* (*pl.* **-lu·ces** [-ljusìːz]) 〔해부·동물〕 (사람의) 엄지발가락, (새의) 제1지(趾), (척추 동물의) 뒷발의 엄지발가락

hall·way [hɔ́ːlwèi] *n.* 《미》 현관; (빌딩 등의) 복도

halm [hɔ́ːm|hɑ́ːm] *n.* = HAULM

Hal·ma [hǽlmə] *n.* 장기의 일종 《256개의 눈이 있는 판으로 두는 놀이; 상표명》

ha·lo [héilou] *n.* (*pl.* **~s, ~es**) **1** (성상(聖像) 등의) 후광, 원광(nimbus) **2** 《비유》 영광, 광영(glory); 존경 **3** (해·달의) 무리, 훈륜(暈輪) **4** 〔천문〕 헤일로 《은하의 중심부나 원반부 밖에 있는 넓은 공 모양의 영역》 **5** 〔TV〕 송수신 결함에 의한 화면 이상 **6** 〔우주과학〕 헤일로 궤도 **7** 〔해부〕 유두륜(乳頭輪), 젖꽃판(areola) **8** 〔의학〕 (녹내장의) 훈륜
—*vt., vi.* 후광을 씌우다, 후광이 되다; 무리를 씌우다, 무리가 서다

halo *n.* **1**

HALO 〔군사〕 high altitude large optics 고고도(高高度) 대형 광학 장치

halo- [hǽlou, -lə] 《연결형》 **1** 「소금」의 뜻 **2** halogen의 연결형: *halo*thane 할로세인

hal·o·bac·te·ri·a [hæ̀loubæktíəriə] *n. pl.* (*sing.* **-ri·um** [-riəm]) 〔세균〕 호염성(好鹽性) 세균

hal·o·bi·ont [hæ̀loubáiɑnt, hèi-|-ɔnt] *n.* 〔생물〕 염생(鹽生) 생물 **hàl·o·bi·ón·tic** *a.*

hal·o·car·bon [hæ̀loukɑ́ːrbən] *n.* 〔화학〕 할로겐화(化) 탄소

hal·o·cline [hǽləklàin] *n.* 〔항해〕 염분 약층(躍層) 《통상, 수심 55 m 부근의 염분 농도가 급변하는 불연속층》

hálo effèct 〔심리〕 후광(後光) 효과 《외모에서 좋은 인상을 받았을 경우 그 사람의 지능이나 성격 등도 좋게 평가하는 일 따위》; 바람직한 부작용

hal·o·gen [hǽlədʒən, -dʒèn, héil-|hǽlədʒèn] *n.* U 〔화학〕 할로겐, 조염(造鹽) 원소: ~ acid 할로겐화(化) 수소산(酸)

hal·o·gen·ate [hǽlədʒənèit] *vt.* 〔화학〕 할로겐화하다

hal·o·gen·a·tion [hæ̀lədʒənéiʃən] *n.* U 할로겐화, 할로겐과의 화합

hálogen làmp 할로겐 램프 《영사기나 차의 헤드라이트에 씀》

hálo hàt 헤일로 해트 《1940년대에 유행한 여성 모자》

hal·oid [hǽlɔid, héil-|hǽl-] 〔화학〕 *a.* 할로겐의[과 비슷한] **—***n.* 할로겐염(鹽), 할로겐 유도체

hal·o·meth·ane [hæ̀louméθein] *n.* 〔화학〕 할로메탄 《할로겐과 탄소의 화합물》

hal·o·mor·phic [hæ̀ləmɔ́ːrfik] *a.* 중성염[알칼리염]이 있는 곳에서 생성된 〈토양〉: ~ soil 염류 토양

ha·lon [héilɑn|-lɔn] *n.* U 〔화학〕 할론 《할로겐 계열 브롬원소를 함유한 소화제(消火劑)용 가스; 오존층 파괴 가스》

hal·o·per·i·dol [hæ̀loupérədɔ̀ːl, -dɑ̀l|-dɔ̀l] *n.* 〔약학〕 할로페리돌 《진정제의 하나; 정신 분열증 등의 정신병 치료에 효과가 있음》

hal·o·phile [hǽləfàil] *n.* 호염균(好鹽菌), 호염성(好鹽性) 생물 **hal·o·phil·ic** [hæ̀ləfílik] *a.*

hal·o·phyte [hǽləfàit] *n.* 염생(鹽生) 식물 **hal·o·phyt·ic** [hæ̀ləfítik] *a.*

hal·o·thane [hǽləθèin] *n.* 〔약학〕 할로세인 《흡입 마취약》

‡halt[1] [hɔ́ːlt] *vi., vt.* 멈추다, 서다; 정지하다[시키다]; 〔군사〕 주둔하다[시키다]; 끝내다, 중지하다[시키다]; 쉬게 하다: (~+전+명) ~ *for* lunch 점심을 먹으려고 멈추다 / Company ~! (구령) 중대 섯! / The program was *~ed* during the vacation. 그 프로그램은 휴가 기간 동안 쉬었다.
—*n.* **1** 정지, 휴식; 멈춤; 〔군사〕 주둔 **2** 《영》 (철도

thesaurus **halt**[1] *v.* stop, wait, pull up, finish, cease, discontinue, pause, stand still, terminate,

의) 작은 역, (전차·버스의) 정류장
bring to a **~** 정지시키다, 멈추게 하다: *bring* the car *to a* ~ 차를 세우다 / *bring* one's horse *to a* ~ 말을 세우다 ***call a*** **~** (**to**) (…에게) 정지하라고 명하다 ***come to*** [***make***] ***a*** **~** 멈추다, 서다, 정지하다: Let us *make a* ~. 잠시 쉬자. ***cry a*** **~** 〈일 등을〉 그만두다 ***grind to a*** **~** 〈자동차 등이〉 끽 소리를 내며 멈춰서다, 〈행렬·활동 등이〉 서서히 멈추다 ***put a*** **~** ***to*** (권위로) 멈추게 하다
— *int.* 〖군사〗 멈춰!, 꼼짝마!

halt[2] *vi.* **1** 주저하다; (결심·판단 등에서) 망설이다, 주저하다; 머뭇거리며 말하다; 의아해하다: (~+전+명) ~ *between* two opinions 두 가지 의견 사이에서 망설이다 **2** 〈시형(詩形)이〉 불완전하다; 〈이론·논리 등이〉 논리가 일관되지 않다 **3** 머뭇거리며 걷다; 《고어》 절뚝거리다 **—** *a., n.* 《고어》 절뚝거리는 (사람)
~·er *n.*

hal·ter[1] [hɔ́:ltər] *n.* **1** 고삐 《소나 말의 굴레 끝의》 **2** 목매는 밧줄; 교수대(絞首帶); 교수, 교살(絞殺) **3** 홀터 《팔과 등이 드러나는 여성용 운동복·드레스》 ***come to the*** **~** 교수형을 받다
— *vt.* 〈말에〉 고삐를 매다; (고삐로) 억제하다, 억누르다 (*up*); 교수형에 처하다
— *a.* 고삐 (모양)의

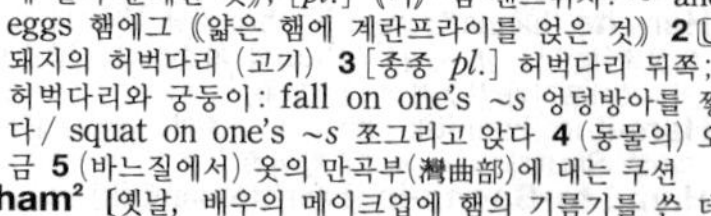
halter¹ *n.* 1

hal·ter[2] [hǽltər] *n.* (*pl.* **hal·te·res** [hæltíəri:z]) 〖곤충〗 평균곤(棍), 평균체(balancer) 《모기·파리 따위의 뒷날개가 곤봉 모양으로 변화한 것》

hal·ter-break [hɔ́:ltərbrèik] *vt.* 〈망아지를〉 고삐에 길들이다

hal·ter·neck [hɔ́:ltərnèk] *n.* 홀터네크 《수영복·드레스가 끈 따위로 목 뒤에서 매게 되어 있는 것》

hált índicator 〖컴퓨터〗 정지 표지(標識)

halt·ing [hɔ́:ltiŋ] *a.* **1** (말을) 더듬는(stumbling), 더듬거리는: speak in a ~ way 더듬거리며 말하다 **2** 〈시형·이론 등이〉 불완전한, 앞뒤가 맞지 않는 **3** 〈결심 등이〉 망설이는, 동요되는 **4** 절뚝거리는: a ~ gait 불편한 걸음걸이 **~·ly** *ad.* **~·ness** *n.*

ha·lutz [hɑ:lú:ts] [Heb.] *n.* (*pl.* **ha·lutz·im** [hɑ̀:lu:tsí:m]) 할루츠, 개척 이민 《농장 개척을 위해 이스라엘로 이주한 유대인 (집단)》

hal·vah, -va [hɑ:lvɑ́:, ⌐—] *n.* 할바 《깨와 꿀로 만드는 터키의 과자》

halve [hǽv, hɑ́:v | hɑ́:v] *vt.* **1** 2등분하다; 반씩 나누다 (*with*): ~ an apple 사과를 이등분하다 // (~+목+전+명) ~ the work *with* my sister 여동생과 일을 반씩 나누다 **2** 반감(半減)하다: ~ the cost 비용을 반감하다 **3** 〖건축〗 겹쳐 잇다 **4** 〖골프〗 〈…을〉 비기다; (상대와) 같은 타수(打數)로 〈시합을〉 하다; (…와) 같은 타수로 〈홀에〉 이르다 **~** ***a hole*** (***with*** another) 〖골프〗 (상대와) 같은 타수로 홀에 이르다 **~** ***a match*** 〖골프〗 비기다, 동점이 되다
▷ hálf *n.*

halv·ers [hǽvərz, hɑ́:v- | hɑ́:v-] *n. pl.* 《구어》 반으로 나눈 것: go ~ 반으로 나누다

*__halves__ [hǽvz, hɑ́:vz | hɑ́:vz] *n.* HALF의 복수

hal·vies [hǽviz, hɑ́:v- | hɑ́:v-] *n. pl.* 《유아속어》 = HALVERS

hal·wa [hǽlwɑ:] *n.* Ⓤ 할와 《세몰리나(semolina)나 당근에 아몬드와 생강을 넣어 만든 남아시아 지역 음식》

hal·yard, hal·liard [hǽljərd] *n.* 〖항해〗 용총줄, 마룻줄, 이어줄 《돛·기 등을 올리고 내리는 밧줄》

‡**ham**[1] [hǽm] *n.* **1** Ⓤ **햄** 《돼지 허벅다리 고기를 소금에 절여 훈제한 것》; [*pl.*] 《미》 햄 샌드위치: ~ and eggs 햄에그 《얇은 햄에 계란프라이를 얹은 것》 **2** Ⓤ 돼지의 허벅다리 (고기) **3** [종종 *pl.*] 허벅다리 뒤쪽; 허벅다리와 궁둥이: fall on one's ~*s* 엉덩방아를 찧다 / squat on one's ~*s* 쪼그리고 앉다 **4** (동물의) 오금 **5** (바느질에서) 옷의 만곡부(彎曲部)에 대는 쿠션

ham[2] [옛날, 배우의 메이크업에 햄의 기름기를 쓴 데서] *n.* **1** 《속어》 (연기가 지나친) 삼류[엉터리] 배우 (=~ àctor); 엉터리 배우의 연기 **2** 《구어》 아마추어 무선사, 햄: a radio ~ 아마추어 방송국의 소유자[공인 기사], 햄 **3** 《구어》 풋내기, 서툰 사람, 아마추어; 아마추어 운동 선수, 《특히》 서툰 권투 선수
— *a.* Ⓐ 《속어》 **1** 서툰, 풋내기의; 아마추어 무선의 **2** 과장된 연기의: a ~ performance 서투른 연기
— *vi., vt.* (**~med**; **~·ming**) 《속어》 연기가 지나치다(overact) **~** ***it up*** 과장된 연기를 하다
▷ hámmy *a.*

ham[3] *n.* 〖역사〗 읍(邑)(town), 마을(village)

Ham [hǽm] *n.* **1** 남자 이름 **2** 〖성서〗 함 《Noah의 차남; 창세기 10: 1》 ***son of*** **~** 비난[고발]당하는 사람; 흑인

ham·a·dry·ad [hæ̀mədráiəd, -æd] *n.* (*pl.* **~s, -a·des** [-ədì:z]) **1** 〖그리스신화〗 하마드리아데스 《나무의 요정(妖精)(tree dryad)》 **2** = KING COBRA **3** 〖동물〗 (아프리카의) 망토비비(sacred baboon) 《고대 이집트에서 신성시함》

ha·mal, ham·mal [həmɑ́:l, -mɔ́:l] *n.* (중동의) 짐꾼(porter); (인도의) 머슴

Ha·man [héimən | -mæn] *n.* 〖성서〗 하만 《페르시아 왕 Ahasuerus의 재상으로 유대인의 적; 에스더 3: 6》

ham-and-egg·er [hǽmənégər] *n.* 《미·속어》 평범한 권투 선수; 범인(凡人)

ham-and-eggs [hǽmənégz] *a.* 일상의(routine)

ham-and-egg·y [hǽmənégi] *n.* 작은 식당, 간이식당

ha·mar·ti·a [hɑ̀:mɑ:rtí:ə] [Gk] *n.* (고대 그리스 비극에서 비극의 주인공 성격의 결함에서 오는) 판단의 잘못; 비극적 결함(cf. TRAGIC FLAW)

Ha·mas [hɑ:mɑ́:s] *n.* 하마스 《이슬람교 원리주의를 신봉하는 팔레스타인의 반(反)이스라엘 과격 단체》

ha·mate [héimeit] 〖해부〗 *a.* 끝이 갈고리처럼 굽은, 갈고리 모양의 (돌기가 있는) **—** *n.* 유구골(有鉤骨)

Ham·ble·to·ni·an [hæ̀mbltóuniən] *n.* **1** 경주마의 품종명 **2** 세 살 먹은 말을 수레에 매고 달리는 경주(harness race)

Ham·burg [hǽmbə:rg] *n.* **1** 함부르크 《독일의 도시·항구》 **2** 함부르크종(種) 《닭의 품종》 **3** [**h~**] 《미》 = HAMBURGER 3

*__ham·burg·er__ [hǽmbə̀:rgər] *n.* **1** 햄버거 ★ hamburger는 ham과는 관계없고 독일의 Hamburg steak에서 유래된 말. **2** Ⓤ (햄버그스테이크용의) 다진 고기(로 만든 납작한 덩어리) **3** 햄버그스테이크(Hamburg steak) **4** [보통 *pl.*] 〖증권〗 맥도널드사의 주(株) **5** 《미·속어》 얼간이 **6** 《미·속어》 부랑[방랑]자; 얼굴이 상처투성이의 프로 복서 ***make*** **~** ***out of*** 《미·속어》 …을 늘씬하게 두들겨 패다

hámburger hèaven 《미·속어》 간이 식당, 햄버거 가게

Hámburg stèak [종종 **h- s-**] = HAMBURGER 3

hame [héim] *n.* **1** [보통 *pl.*] 멍에 《마차 말의 두꺼운 가슴걸이 위에 대는 두 개의 굽은 나무》 **2** 《재즈속어》 불유쾌한[싫은] 일, (재능을 살릴 수 없는) 허드렛일, 단조로운 일

ham·fat [hǽmfæ̀t] *vt., vi.* 《미·속어》 〈배우가〉 졸렬하게 연기하다

ham·fat·ter [-fæ̀tər] *n.* 《미·속어》 엉터리 배우, 하급 배우

ham-fist·ed [-fístid] *a.* 《영》 = HAM-HANDED 1

ham-hand·ed [-hǽndid] *a.* **1** 서투른, 솜씨 없는: a ~ approach 서툰 접근 **2** 굉장히 큰 손을 가진

hám hìtter 《미·속어》 〖야구〗 잘 치지 못하는 타자

---

end, put an end to, rest (opp. *begin, start*)
halter[1] *n.* harness, noose, tie, strap, bridle

Ham·il·ton [hǽməltən] *n.* 남자 이름
Ham·ite [hǽmait] *n.* **1** Noah의 차남 Ham의 자손 **2** 함족(族)(의 한 사람) 《Ham의 자손이라는 속설에서; 북아프리카 북동부의 원주민족》
Ham·it·ic [hæmítik, hə-] *a.* 함족의; 함어족(語族)의(cf. SEMITIC) **—** *n.* Ⓤ 함어족
Ham·i·to-Se·mit·ic [hǽmətousəmítik] *n.*, *a.* = AFRO-ASIATIC
hám jòint 《미·속어》 값싼 식당; 《느긋하게》 쉴 수 있는 장소
Haml. Hamlet
∗**ham·let** [hǽmlit] *n.* **1** 작은 마을, 촌락, (소)부락 **2** 《영》 (독자적인 교회가 없이 타부락의 교구에 속하는) 작은 마을
∗**Ham·let** [hǽmlit] *n.* **1** 햄릿 《Shakespeare 작의 4대 비극의 하나》; 그 주인공 **2** 영국산(産) 담배 《상표명》 **~ *without the Prince* (*of Denmark*)** 주인공이 빠진 연극
ham·mal [həmɑ́:l, -mɔ́:l] *n.* = HAMAL
ham·mam [həmɑ́:m] *n.* 터키식 목욕탕
Ham·mar·skjöld [hɑ́:mərʃòuld, -ʃəld, hǽm-] *n.* 하마숄드 **Dag Hjalmar ~** (1905-61) 《스웨덴의 정치가·UN 사무총장(1953-61); 노벨평화상 수상(1961)》
‡**ham·mer** [hǽmər] *n.* **1** 해머, 망치, 쇠망치, 장도리: a wooden ~ 나무 망치/a steam ~ 증기 망치/a knight of the ~ 대장장이/drive a nail with a ~ 망치로 못을 박다 **2** 해머 모양의 연장; (종 치는) 당목(撞木); (총포의) 공이, 쇠공이; (피아노의) 해머; (벨을 누르는) 공이; (회의·경매업자용의) 나무망치(mallet) **3** (육상 경기용의) 해머; [the ~] = HAMMER THROW **4** 【해부】 (중이(中耳)의) 추골(槌骨) **5** 《미·흑인속어》 성적 매력이 있는 여자 **6** 《미·속어》 액셀러레이터
be on a person***'s* ~** 《호주·뉴질·속어》 〈남을〉 쫓아가다[추적하다] ***bring*** [***send***] ***under*** [***to***] ***the* ~** 경매에 붙이다 ***come*** [***go***] ***under the* ~** 경매에 붙여지다 ***drop the* ~** 《속어》 액셀러레이터를 밟다 ***Let the* ~ *down.*** 《미·속어》 전속력을 내도 좋음; 경찰·도로 장애 없음. ***up to the* ~** 《구어》 더할 나위 없이 훌륭한, 일류의
— *vt.* **1** 망치로 두드리다[때리다], 〈못을〉 탕탕 치다; 망치로 두드려 단련하다, 두드려 펴다, 〈모양 등을〉 두드려서 만들다; 두드려서 (금속 등의) 모양을 잡다: ~ the door 문을 망치로 두드리다//(~+목+부) ~ *up* a notice 게시를 두들겨 붙이다/~ a nail *in* 못을 두들겨 박다/~ *together* a small crate 못을 박아서 작은 나무 상자를 만들다//(~+목+전+명) ~ nails *into* the wall 못을 벽에 두들겨 박다/~ a bowl *out of* brass 놋쇠를 두들겨 사발을 만들다//(~+목+보) ~ a piece of tin thin 주석을 얇게 두들겨 펴다 **2** 고심해서 만들어내다, 고안하다 《*out*, *together*》: (~+목+부) ~ *out* an agreement 고심해서 일치를 보다 **3** 《구어》 주먹으로 마구 때리다, 세게 치다; 《구어》 〈소리·곡(曲) 등을〉 두드려 내다 《*out*, *on*》; 쳐부수다; 혼을 내다, 맹렬히 공박[비판]하다; 《영》 문책하다: ~ a person's jaw 턱을 강타하다/~ a home run 홈런을 치다//(~+목+전+명) ~ *out* a tune *on* the piano (거친 듯) 힘차게 피아노(곡)을 치다 **4** 〈문제 등을〉 애써서 해결하다[풀다], 〈의견 차이를〉 조정하다 《*out*》: (~+목+부) ~ *out* their differences 그들의 의견차를 끈기있게 해결하다 **5** 〈사상 등을〉 억지로 주입하다 《*into*》: (~+목+전+명) ~ an idea *into* a person's head[mind] 어떤 사상을 …의 머리 속에 주입시키다 **6** 《영·구어》 …에게 (시합 등에서) 압승하다, 일방적으로 이기다 **7** 《영》 【증권】 (나무 망치를 세 번 두드려 지불 불능자로서) 〈회원의〉 거래 정지를 발표하다, 〈회원을〉 제명 처분하다; 〈주식의〉 가격을 하락시키다: be ~*ed* on the Stock Exchange 주식 시장에서 제명되다
— *vi.* **1** 망치로 치다; 탕탕 치다 《*at*, *on*》; 두들겨 펴다: (~+전+명) ~ *at* the table 테이블을 탕탕 치다 **2** 꾸준히 일하다[공부하다] 《*at*》 **3** 반복해서 강조하다, 잔소리하다
~ (*away*) *at* 꾸준히[열심히] 일하다[공부하다]; …을 반복하여 강조하다: She ~*ed away at* her speech for days. 그녀는 며칠 동안이나 연설을 끈기있게 해냈다. **~ *down*** 못으로 처박다; 《미·속어》 액셀러레이터를 밟다, 속도를 내다 **~ *home* (*to*)** 〈못 등을〉 …에 충분히 두들겨 박다; 〈사상 등을〉 …에게 단단히 주입하다 **~** a thing ***into shape*** 망치로 두드려 모양을 만들다[내다] **~ *off*** [***up***] 《미·속어》 감속하다 **~ *out*** (1) 망치로 두드려 …으로[…을] 만들다 (2) 망치로 두드려 평평하게 펴다 (3) 〈안 등을〉 고생하며[애써] 생각해 내다; 〈문제 등을〉 머리를 짜서 풀다
~·a·ble *a.* **~·er** *n.* **~·like** *a.*
hámmer and síckle [the ~] (해머와 낫으로 된) 구소련 국기
hámmer and tóngs *ad.* 《구어》 (대장장이가 쇠를 두들기듯이) 맹렬한 기세로, 격렬히: quarrel ~ 격렬하게 싸우다 ***go*** [***be***] ***at it* ~** 격렬히 싸우다[입씨름하다]; 맹렬히 일하다 **hám·mer-and-tóngs** *a.*
hámmer bèam 【건축】 외팔들보
ham·mer·blow [hǽmərblòu] *n.* 망치로 치기; 맹타(猛打), 강타
ham·mer·cloth [-klɔ̀:θ | -klɔ̀θ] *n.* (의식용 마차 등의) 마부석의 덮개
hámmer drìll 【기계】 해머 드릴, 착암기
ham·mered [hǽmərd] *a.* 해머로 단조(鍛造)[성형]한: ~ gold 두들겨 편 금, 금박
ham·mer·head [-hèd] *n.* **1** 해머 대가리 **2** 【어류】 귀상어(hammerheaded shark) **3** 머저리
ham·mer·head·ed [-hèdid] *a.* 머리가 망치 모양인; 우둔한(stupid): a ~ crane 튼튼한 기중기
ham·mer·ing [hǽməriŋ] *a.* 해머로 치는, 탕탕 치는 **—** *n.* ⓊⒸ **1** 망치로 침[치는 소리]; 맹타 **2** (은 세공 등의) 두드려 만든 무늬 **~·ly** *ad.*
hámmer làne 《미·속어》 (고속 도로의) 추월 차선, 고속 주행선
ham·mer·less [hǽmərlis] *a.* **1** 망치가 없는 **2** 〈총포가〉 공이치기가 보이지 않는
ham·mer·lock [hǽmərlɑ̀k | -lɔ̀k] *n.* 【레슬링】 해머록 《상대편의 한쪽 팔을 등뒤로 틀어 올리기》
ham·mer·man [-mən, -mæ̀n] *n.* (*pl.* **-men** [-mən, -mèn]) **1** 해머를 쓰는 직공, 단조공; 대장장이 **2** 《속어》 권투 선수
hámmer mìll 【기계】 해머밀 《광석 또는 석탄을 파쇄하는 분쇄기》
hámmer pònd 물레방아용 인공 연못
hámmer prìce (경매의) 낙찰가
ham·mer·smith [-smìθ] *n.* 해머를 사용하는 대장장이, 해머 작업의 감독자
hámmer thròw [the ~] 【육상경기】 해머 던지기
hámmer thròwer 해머 던지기 선수
ham·mer·toe [-tòu] *n.* 【병리】 추상족지증(槌狀足指症) 《갈고리 모양으로 굽은 기형적인 발가락》
hámmer wèlding 【공학】 단접(鍛接)
hám·ming còde [hǽmiŋ-] 【컴퓨터】 해밍 부호 《회로망 위나 기억 영역 내에서 오류를 검출하여 자동 수정하는 데 쓰는 코드》
hámming dìstance 【컴퓨터】 해밍 거리 《같은 비트수를 갖는 2진 코드 사이에 대응되는 비트 값이 일치하지 않는 것의 개수》
∗**ham·mock** [hǽmək] [Sp.] *n.* 해먹 《달아매는 그물[범포] 침대》: sling[lash, tie] a ~ 해먹을 달다[접다] **—** *vt.* 해먹에 넣어 매달다
hámmock chàir 해먹 의자 《즈크로 만든 접의자》
Hám·mond órgan [hǽmənd-] [미국의 발명가

thesaurus **hamper**[1] *v.* obstruct, hinder, impede, restrain, hold back, check, block
hand *n.* **1** 일손 worker, employee, operative,

L. Hammond의 이름에서] 해먼드 오르간 《피아노와 비슷한 전기 오르간; 상표명》

Ham·mu·ra·bi [hæmurɑ́:bi, hɑ̀:m- | hæ̀m-] *n.* 함무라비 《기원전 18세기경의 바빌로니아 왕; 법령 제정으로 유명》 ***the Code of ~*** 함무라비 법전

ham·my[1] [hǽmi] *a.* (**-mi·er**; **-mi·est**) 햄의 냄새[맛]가 나는

hammy[2] *a.* (**-mi·er**; **-mi·est**) 《구어》 엉터리 배우 같은, 과잉 연기의: a ~ actor 엉터리 배우 / a ~ performance 쓸데없이 지나친 연기

***ham·per**[1] [hǽmpər] *vt.* 〈진행·움직임 등을〉 **방해하다**(hinder), 훼방놓다; 제한[구속]하다; 〈일의 순서를〉 어지럽히다: A heavy snowfall *~ed* their progress. 폭설이 그들의 전진을 방해했다.

— *n.* **1** 방해; 구속; 족쇄(fetter) **2** 〚항해〛 (필요하나 풍파 때는 짐이 되는) 선구(船具)

hamper[2] *n.* (채소·빨래 등을 담는 뚜껑 있는) 광주리, 손으로 드는 바구니; (선물 등을 넣는) 바구니; 거기에 넣은 식료품: a picnic ~ 소풍 바구니 — *vt.* 《영》 **1** 광주리[바구니]에 넣다 **2** …에게 바구니에 넣은 식품[술]을 선물하다

Hamp·shire [hǽmpʃiər, -ʃər] *n.* **1** 햄프셔 《영국 남해안의 주; Hants라고도 함》 **2** 햄프셔종의 양[돼지] (= ~ **Dówn**)

Hámp·stead Héath [hǽmpstid-, -sted-] 햄스테드 히스 《London 북서부의 고지대 Hampstead에 있는 유원지》

Hámp·ton Cóurt [hǽmptən-] 햄프턴 코트 《London의 옛 왕궁》

ham·shack·le [hǽmʃæ̀kl] *vt.* **1** 〈말·소 등의〉 머리를 앞다리에 묶다 **2** 속박하다(fetter)

ham·ster [hǽmstər] *n.* 〚동물〛 햄스터, 비단털쥐 《큰 쥐의 일종》; 햄스터의 모피(毛皮)

ham·string [hǽmstrìŋ] *n.* 〚해부〛 **1** 슬건(膝腱), (사람의) 오금의 건(腱) **2** (네발짐승의) 뒷다리 관절 뒤의 건 **3** 규제하는 것[힘]

— *vt.* (**-strung** [-strʌ̀ŋ], 《드물게》 **~ed**; **~·ing**) **1** …의 슬건을 끊어서 절름발이로 만들다; 병신으로 만들다 **2** 무력하게 하다; 좌절시키다

hámstring mùscle 〚해부〛 슬와부근(膝窩部筋)

ham·u·lus [hǽmjuləs] *n.* (*pl.* **-li** [-lài]) 〚해부·동물·식물〛 갈고리 모양의 작은 돌기

ham·za, -zah [hɑ́:mzɑ:, hǽm-] *n.* 아라비아어의 성문(聲門) 파열음(glottal stop); 그 기호

Han [hɑ́:n | hǽn] *n.* **1** (중국의) 한조(漢朝) **2** [the ~] 중국의 강 이름(Han Shui) **3** [집합적] 한(漢)민족

han·ap [hǽnæp] *n.* (장식이 있는 중세의) 뚜껑 달린 술잔

*****hand** [hǽnd] *n.*, *vt.*, *a.*

「손」 **1** ┬ (손에 의한 노동력) ┬→「일손」 **3**
　　　　│　　　　　　　　　　　└→「손길」 **7**
　　　　├ (손으로 갖는 것)→「소유」, 「관리」 **5**
　　　　└ (손의 재주)→「솜씨」, 「수완」 **4 b**

— *n.* **1** (사람의) **손**; (척추 동물의) 앞발; (원숭이 등의) 손, 발, 《특히》 뒷발; (게의) 집게발: the back [hollow] of the ~ 손등[바닥] / bare *~s* 맨손 **2** 손 모양의 것; (바나나의) 송이; 손표 (☞); (시계 등의) 바늘: the hour[minute, second] ~ 시[분, 초]침 **3 a 일손**, 노력(勞力) **b** [보통 복합어로] (주로 손으로 일하는) 일꾼, 노동자, 직공; 고용인, 품꾼, 인부; 선원: a ranch ~ 목장 노동자, 목동 / a factory ~ 공원, 직공 / The ship was lost with all *~s.* 배는 모든 선원과 함께 침몰했다. **4 a** [보통 형용사와 함께] 수완[기량]이 …한 사람; 특수한 수완[기량]을 가진 사람, 전문가: a good[poor] ~ at baseball 야구를[에] 잘하는[서투른] 사람 / an old ~ 노련한 사람 **b 솜씨**(skill), 능력, 수완; [보통 *pl.*] 고삐를 다루는 솜씨: a ~ for bread 빵을 만드는 솜씨 / He has good *~s* in riding. 그는 말을 잘 탄다. / His ~ is out. 그는 솜씨가 서투르다. **5 a** [종종 *pl.*] **소유**(possession); 관리, 지배, 감독; 돌봄, 보호; 수중, 손아귀, 권력: He fell into the enemy's *~s.* 그는 적의 손에 잡혔다. / My fate is in your *~s.* 내 운명은 네 손 안에 있다. **b** [a ~] 지배력, 영향력; 관리권; (교섭 등에서의) 지배적인[우세한] 입장 **6** [a ~] 하는 방식; (수단·매개로서의) 손, 작용: with *a* high ~ 고자세로, 고압적으로 / death by one's own ~ 자살 **7 a** [a ~] (원조의) **손길**, 거들기, 조력 《*with*, *in*, *at*》: Please give me *a* ~ (*with* this ladder). (이 사다리 옮기는 것) 좀 거들어 주세요. **b** [a ~] 참가, 관여; 관계; 영향; 감화(력) **8** …쪽, 방면, 방향(side): on both *~s* 양쪽에 / on the right[left] ~ of …의 오른[왼]쪽에 **9** Ⓤ [또는 a ~] 필적, 필치, 서법; 서체: He writes *a* good ~. 그는 글씨를 잘 쓴다. **10** [one's ~로] 《문어》 서명(signature): set *one's* ~ to a document 서류에 서명하다 **11** [a big ~, a good ~로] 박수갈채(applause): get[win] *a big*[*good*] ~ for one's acting 연기에 박수갈채를 받다 **12 a** (약속·신의의 표시로서의) 손; (우정의 표시로서의) 악수 **b** 《문어》 결혼의 약속, 약혼; 확약, 서약 **13** 뼘, 손바닥의 폭 《4인치; 말의 키를 잴 때 씀》 **14** 〚카드〛 **a** 가진 패, 손에 쥔 패: have a wretched ~ 패가 형편없다 **b** 경기자, 승부자 **c** 한 승부, 한 판(round) **15** [보통 *pl.*] 〚축구〛 핸들링 《반칙》 **16** 〚테니스〛 서브권; (시합의) 회(回); 〚크리켓〛 (팀의) 일원; 득점 **17** 〚로마법〛 부권(夫權); 재산 소유권(manus) **18** (직물·피혁 등의) 감촉[촉감]: the smooth ~ of satin 공단의 부드러운 감촉

a bird in the ~ 확실한 소유물 ***All ~s on deck* [*to the pumps*]*!*** (1) 전원 갑판에 집합! (2) 모두 같이 힘내라! ***a man of his ~s*** 실무(實務)자 ***ask for a lady's ~*** 여자에게 청혼하다 ***at close ~*** 접근하여, 바로 가까이에 ***at first ~*** 직접으로 ***at ~*** (1) 가까이에, 가까운 곳에: live *at* ~ 가까이에 살다 (2) 《문어》 가까운 장래에(near), 금방: Dawn is *at* ~. 이제 곧 새벽이다. (3) 항상 사용할 수 있는 ***at second ~*** (1) 간접으로; 간접적으로 들어 (2) 중고(中古)로 ***at*** a person***'s ~*(*s*)** = ***at the ~*(*s*) *of*** a person …의 손에서[으로], …의 힘으로 ***bear a ~*** 《고어》 참가[관계]하다 《*in*》; 힘을 빌려주다, 거들다 《*in*》 ***be on the mending ~*** 회복해 가고 있다 ***bite the ~ that feeds*** one 길러주는 사람의 손을 물다, 은혜를 원수로 갚다 ***by ~*** 손으로; 자필의: lace made *by* ~ 손으로 만든 레이스 / deliver *by* ~ 직접 전해주다, 인편으로 넘겨주다 / bring up *by* ~ 자기 손으로 키우다, 우유로 키우다 / a letter *by* ~ 자필 편지 ***by the ~s of*** …의 손으로, …에 의하여 ***change ~s*** 소유주가 바뀌다; 손을 교대로 쓰다 ***clean*** one***'s ~s of*** …와의 관계를 끊다, …에서 손을 떼다 ***close at ~*** 바로 가까이에 ***come*[*fall*] *into*** a person***'s ~*** …의 손에 들어가다, …에게 잡히다 ***come the heavy ~*** 《영》 (남에게) 위압적인 태도를 취하다 《*with*》 ***come to ~*** 손에 들어오다; 〈물건이〉 발견되다, 나타나다 ***declare*** one***'s ~*** 패를 알리다[내보이다]; 목적을 알리다 ***decline*[*refuse*] *a man's ~*** 〈여성이〉 남자의 청혼을 거절하다 ***do a ~'s turn*** (손바닥을 뒤집는 정도의) 최소의 노력을 하다 ***eat*[*feed*] *out of*** a person***'s ~*** 《구어》 〈남이〉 시키는 대로 하다, (남의) 손에서 먹이를 받아먹다 ***fight ~ to ~*** 접전(接戰)하다, 서로 치고받고 싸우다 ***force*** a person***'s ~*** (1) 〚카드〛 남에게 수중의 패를 보이게 하다 (2) 남에게 〈내키지 않는 일 등을〉 억지로 시키다 ***for*** one***'s own ~*** 자기 이익[자신]을 위하여 ***foul*** one***'s ~ with*** …으로 몸을 더럽히다[인격을 손상하다, 체면을 잃다] ***from ~ to ~*** 이 사람 손에서 저 사람 손으로, 갑(甲)에서 을(乙)로 ***from ~ to mouth*** 하루살이 살림으로: live *from* ~ *to mouth* 하루살이 생활을 하

hired hand, laborer **2** 솜씨 ability, skill, art **3** 손길 help, assistance, aid, support, relief — *v.* give, pass, hand over, deliver

다 **get out of ~** 과도해지다; 걷잡을 수 없게 되다 **get ... out of ~** …을 마치다 **get [have]** one**'s ~ in** (구어) 연습하여 익숙해지다[숙달하다] **get** one**'s ~ on** 《구어》 (1) 〈사람을〉 붙잡아 혼내주다 (2) 〈필요한 것을〉 손에 넣다 **get** one**'s ~s out** 솜씨가 무디어지다 **give** a person **a free ~** ⇨ free. **give a ~** ⇨ give. **give** one**'s ~ on a bargain** 굳은 계약을 맺다 **give [offer]** one**'s ~ to** 〈여자가〉 …와 약혼하다 **give** a person **the glad ~** 《구어》 …을 대환영하다, …에게 정중하게 인사하다 **~ and foot** (1) 손발을 다 함께; 손발을 못쓰게 (2) 충실하게, 부지런하게 **~ and [in] glove** (**with**) (…와) 절친한 사이로; (특히 나쁜 일에서 …와) 한패가 되어, 결탁하여 **~ in ~** 손에 손을 잡고, 협력[동반]하여: go[be] ~ *in* ~ 서로 협력하다 **~ of glory** 도둑 등의 부적 《독말풀(mandrake)의 뿌리로 만듦》 **~ over ~ [fist]** (밧줄을 타고 오를 때같이) 두 손으로 번갈아 휘어잡고 《항해 용어》; 성큼성큼; 《구어》 자꾸자꾸 〈벌다〉: make money ~ *over fist* 돈을 척척 많이 벌다 **~s down** 《구어》 (1) 노력하지 않고, 손쉽게 (2) 명백히, 뚜렷이 **H~s off (…)!** (…에) 손을 대지 마시오 《게시》; 간섭하지 마라!: *H~s off* my computer! 내 컴퓨터에 손대지 마! **H~s up!** 손들어! 《찬성 또는 항복의 표시》 **~ to ~ [fist]** 백병[육박]전으로, 접전(接戰)으로; 나란히 (서서) **have a ~ for** …에 솜씨가 있다 **have a ~ in** 《구어》 …에 관여[참가]하다 **have clean ~s** = **keep** one**'s ~s clean** 부정에 관계하지 않다[않고 있다], 결백하다 **have ... in ~** 손[몸]에 가지고 있다; 지배하다 **have ... on** one**'s ~s** 주체스러워하다 **have** one**'s ~ in** …에 관계하고 있다, …에 익숙하다 **have** one**'s ~s free [tied]** 손이 비어[묶여] 있다; 자유롭게 무엇이든 할 수 있다[없다] **have** one**'s ~s full** 손이 차 있다, 몹시 바쁘다 **have [get] the upper ~ (of)** ⇨ upper. **heavy on [in] ~** 〈말이〉 기력이 없어 부리기 어려운; 〈사람이〉 원기가 없는, 즐겁게 하기[다루기] 어려운 **Here's my ~ upon [on] it.** (협정 따위를 체결하고 악수하면서) 약속합니다. **hold ~s** (특히 남녀가 애정의 표시로) 서로 손을 잡다, 손을 맞잡다 **hold** a person**'s ~** …의 손을 잡다; 《구어》 위로하다, 격려하다 **hold** one**'s ~** (처벌 등에서) 조치를 취하지 않다, 늦추다 **hold up** one**'s ~s** 두손들다 《무저항의 표시》 **in good [capable, efficient, safe] ~s** 《미·구어》 (맡겨서) 안심할 수 있는, 잘 관리 되는, 훌륭한[믿음직한, 유능한] 지도 하에 **in ~** 손에 갖고; 수중에; 제어(制御)하여; 지배[보호]하에; 착수[준비]하여; 연구[진행] 중의: with ten minutes *in* ~ 아직 10분 여유가 있어 / take oneself *in* ~ 스스로를 자제하다 / regarding the matter *in* ~ 심의 중인 문제에 관해서 **in the ~s of** a person = **in** a person**'s ~s** …의 수중에; …에게 맡겨져 **in the turn(ing) of a ~** 순식간에, 갑자기 **join ~s** 손을 맞잡다; 제휴하다, 동무가 되다; 결혼하다[시키다] **keep ~s off** 간섭하지 않다 **keep** one**'s ~ in** (1) 《구어》 …에 관계하고 있다 (2) (끊임없이 연습하여) 솜씨가 떨어지지 않게 하다; 익숙하다 **keep** one**'s ~ [a firm ~] on** …의 지배권을 쥐고 있다, …을 통제하고 있다 **keep** a person **well in ~** …을 훈련[마음대로 움직일 수 있게] 해두다 **kiss ~s [the ~]** 《영》 국왕[여왕]의 손에 입을 맞추다 《대신 등의 취임 의식》 **kiss** one**'s ~ to** a person …에게 키스를 보내다 **lay [get] (**one**'s) ~s on** …에 손을 대다; …이 있는 곳을 찾아내다; …을 붙잡다, 쥐다; 손을 대어 축복하다; 안수(按手)하여 성직에 앉히다; 습격하다, 상처를 입히다, 폭력을 가하다 **lend a (helping) ~** 손을 빌려주다, 조력하다 **lie (heavy) on** a person**'s ~s [on ~]** 〈시간 등이〉 남아 돌아가다, 주체 못하다; 처리가 …의 책임으로 되어 있다 **lift [raise] a ~** 노력하다, 일하다 **lift** one**'s ~** 맹세하다, 선서하다 **lift [raise]** one**'s ~ to [against]** (때릴 것같이) …에게 손을 쳐들다; 공격하다, 때리고 덤비다 **lift (up)** one**'s ~s** 기도를 올리다[바치다] **light on ~** 다루기 쉬운 **lose a ~** 지다, 패배하다 **make a ~** 이익을 얻다; 성공하다 **Many ~s make light [quick] work.** 일손이 많으면 일이 편하다[빠르다] **not lift a ~** = **not do a ~'s turn** 손 하나 까딱하지 않다, 아무 짓[아무런 노력]도 하지 않다 **off ~** 준비 없이, 즉시로, 당장 **off** one**'s [**a person**'s] ~s** …의 손을 떠나서, 책임[소임]이 끝나서 **oil** a person**'s ~** ⇨ oil. **on all ~s** = **on every [either] ~** 《문어》 사방 팔방으로[에서]; 모두의 손으로, 모두로부터; 두루, 널리 **One ~ washes the other.** 《속담》 누이 좋고 매부 좋다. **on ~** 마침 가지고 있어; 바로 곁에, 《미》 출석해서: cash *on* ~ 마침 가지고 있는 현금 / be *on* ~ 출석하다 **on** one**'s [**a person**'s] ~s** …의 책임[부담]이 되어; 〈상품 등이〉 팔다 남아서 **on (**one**'s) ~s and knees** 〈사람이〉 기어서 **on (the) one ~** 한편 **on the other ~** 다른 한편, 그 반면, 이에 반해서 **out of ~** (1) 수습할 수 없게 되어, 손쓸 수 없게 되어 (2) 즉석에서; 깊이 생각지도 않고 **out of** one**'s [**a person**'s] ~s** 〈일이〉 자기[남]의 소관[관할] 밖으로: It was out of my ~*s*. 내가 어떻게 할 수가 없는 일이었다. **overplay** one**'s ~** 자기의 능력 이상의 것을 약속하다[하려고 하다] **pass** one**'s ~ over** …을 어루만지다 **play a good ~** 〈카드놀이 등을〉 잘하다 **play for** one**'s own ~** 이기적인 동기에서 행동하다 **play into** a person**'s [one another's] ~s** (저도 모르게) 상대방[서로]의 이익이 되도록 행동하다, 상대방의 계략에 걸려들다[서로가 노리는 대로 되다] **play** one**'s ~ for all it is worth** (어떻게든 수단을 동원하여) 전력을 다하다 **put in ~** 일을 시작하다, 착수하다 **put [dip]** one**'s ~ in** one**'s pocket** 《영》 돈을 쓰다, 돈을 주다 **put [set]** one**'s ~(s) on** = lay HANDs on. **put** one**'s ~s up** 《영·구어》 항복하다 **put [set]** one**'s ~ to** …에 손을 대다, …을 꾀하다; …을 시작하다 **ready to (**one**'s) ~** = under one's HAND. **rub** one**'s ~s** 사과[부탁]하다 **see** a person**'s ~** 〈남이〉 …에 관여된 것을 알다 **shake** a person**'s ~** = **shake ~s with** a person …와 악수하다 **show** one**'s ~** ⇨ show. **sit on** one**'s ~s** ⇨ sit. **soil** one**'s ~s** (…에 관계해서) 손을 더럽히다; 인격을 더럽히다 《*with*》 《보통 부정문 또는 거절의 단어와 같이 사용함》 **stand on** one**'s ~s** 거꾸로 서다, 물구나무 서다 **stand** a person**'s ~** 《구어》 남의 외상을 갚다 **stay** one**'s [**a person**'s] ~** 행동을 억누르다, 자제(自制)하다 **strike ~s** 계약을 맺다 **take a ~ at [in]** …에 가입하다, 관계하다 **take** a person **by the ~** …의 손을 잡다; …을 보호해 주다 **take ... in ~** …에 착수하다; 처리하다; 통어(統御)하다; …의 시중을 떠맡다, 돌보다; 버릇을 들이다, 단련시키다 **take** a thing **off** a person**'s ~** 〈남의 책임 등을〉 떠맡다, 인수하다, 사다 **take** one**'s life in** one**'s (own) ~s** 《구어》 (어리석게도) 위험한 짓을 하다, 모험하다 **the [an] iron ~ in the [a] velvet glove** 외유내강 **throw in** one**'s ~** = **throw** one**'s ~ in** (1) 《구어》 싸움을 그치다[항복하다], 시합 등을 포기하다 (2) 〈계획·활동 등을〉 중단하다 (3) 〖카드〗 가진 패를 판에 던지다[버리다], 죽다 **throw up** one**'s ~s** (항복·절망을 나타내어) 두손들다; 틀렸다고 단념하다 **tie** a person**'s ~s** = **have** a person**'s ~s tied** …의 자유를 속박하다, 행동을 구속[봉쇄]하다 **Time hangs heavy on my ~s.** 시간 가는 것이 지루하다. **tip** one**'s ~(s)** (실수로) 생각[의도]을 알려주다 **to ~** 손 닿는 곳에; 수중에, 소유하여; 복종시켜서; 진압해서: Your letter[Yours] is *to* ~. 〖상업〗 편지 잘 받음. **to** one**'s ~** 힘들이지 않고 얻을 수 있도록, 복종시켜서 **try** one**'s ~ at** …을 해보다 **turn [put]** one**'s [a] ~ to** [보통 부정문] …에 착수하다, …으로 여념이 없다 **under ~** 비밀리에 **underplay** one**'s ~** 자신의 역량[계획, 의도 《등》]을 다 드러내지 않다 **under** one**'s ~** 손 가까이 있는, 바로 쓸 수 있는; 소유하고 있는 **under the ~ (and seal) of** …이 서명 (날인)하여

wait on[***serve***] a person ~ ***and foot*** 알뜰히 남의 시중을 들다 ***wash*** one***'s*** ~***s*** 손을 씻다, 화장실에 가다; …와 관계를 끊다 《*of*》: He *washed his* ~*s of* the business. 그는 그 일에서 손을 떼었다. ***weaken the ~s of*** …의 기세를 꺾다 ***win a lady's*** ~ 여자의 결혼 승낙을 얻다 ***with a heavy*** ~ 서투르게, 어색하게; 압제적으로 ***with a high***[***bold***] ~ 강압적으로, 고압적으로; 거만하게 ***with an open*** ~ 고압적으로, 냉혹하게, 준엄하게 ***with both ~s*** 양손으로, 쌍방으로부터; 전력을 다하여 ***with clean ~s*** (청렴)결백하게 ***with one*** ~[***arm***] (***tied***) ***behind*** one***'s back*** 《구어》 간단하게 ***with*** one***'s*** ~ ***on*** one***'s heart*** 충심으로 ***wring*** one***'s***[***the***] ~***s*** 〈불운한 경우·운명 등을〉 개탄하다 《*over*》

— *vt.* **1** 직접 건네주다, 넘겨주다; 인도(引渡)하다 (deliver); (선물·보수로서) 보내다, 주다(give) 《*to*》; 〈음식이 담긴 접시 등을〉 집어 주다, 돌리다 (pass); 〈편지 등을〉 보내다(send); 〈타격·놀라움 등을〉 주다; 《구어》 〈쓸데없는 일을〉 전하다; 거뜬히 건네다: 《~+목+전+명》 《~+목+목》 I ~*ed* the letter *to* him. =I ~*ed* him the letter. 그에게 편지를 넘겨 주었다. / Please ~ the book *to* me. =Please ~ me the book. 그 책 좀 집어 주십시오. // We were ~*ed* tickets at the entrance. 우리는 입구에서 표를 받았다. **2** 손을 잡고 돕다 《*into, out of*》: 《~+목+전+명》 He ~*ed* the lady *into* [*out of*] the car. 그는 부인의 손을 잡고 차에 태워[차에서 내려] 주었다. **3** 〖항해〗 〈돛·기를〉 접다(furl); 〈배를〉 돌리다 **4** 《폐어》 손으로 조작하다, 다루다

~ ***around*** 차례로 돌리다, 나누어 주다 ~ ***back*** 〈…을〉 (본래의 소유자에게) 돌려주다, 반환하다 《*to*》 ~ ***down*** (1) 집어 내려주다; (차 등에서) 손을 내밀어 내려주다; 손수 아래로 안내하다 (2) 〈판결을〉 내리다, 언도하다; 고등법원의 판결을 하급 법원에 송달하다; 《미》 공표하다 (3) 유산을 물리다; 〈관습·전통 등을〉 후세에 전하다 《*to*》; 〈특징 등을〉 유전하다 《*to*》: The ring had been ~*ed down* from her mother. 그 반지는 그녀의 어머니에게서 물려받은 것이었다. ~ ***in*** 〈집안 사람 등에게〉 건네주다; 상사에게 내놓다, 제출하다: ~ *in* the report 보고서를 제출하다 ~ ***it out*** = ~ ***out*** (***the***) ***punishment*** 《구어》 벌하다, 심하게 꾸짖다 ~ ***it to*** a person 《구어》 …을 정당하게 평가하다, …의 위대함[장점]을 인정하다, …에게 경의를 표하다; 못 당하겠다고 말하다 ~ ***off*** 〖미식축구〗 〈공을〉 가까운 자기편에게 넘겨주다; 〖럭비〗 손바닥으로 태클해 오는 상대방을 밀어젖히다 ~ ***on*** 다음으로 돌리다, 양도하다 《*to*》; = HAND down. ~ ***out*** (1) 나누어 주다, 분배하다 《*to*》 (2) 부축해서 내리다: ~ her *out of* her carriage 그녀를 부축해서 마차에서 내리다 (3) 〈충고 등을〉 많이 해 주다; 《구어》 〈벌 등을〉 가하다 (4) 돈을 내다[쓰다] ~ ***over*** 건네주다, 넘겨주다; 〈지배권 등을〉 양도하다; 〖군사〗 〈임무·명령 등을〉 인계하다 《*to*》: They will ~ me *over to* the police. 그들은 나를 경찰에 넘길 것이다. ~ ***round*** 《영》 =HAND around. ~ ***up*** 낮은 곳에서 높은 곳으로 넘겨주다; 〖미국법〗 기소(起訴)하다 ***have*** (***got***) ***to*** ~ ***it to*** a person 《구어》 …을 칭찬할[존경할, 인정할] 만하다

— *a.* **1** 손의 **2** 수제(手製)의 **3** 손으로 가지는; 손에 씌우는[끼우는] **4** 수동식의: a ~ lever 수동식 레버 ▷ hándy *a.*

hánd àpple (요리하지 않고 먹을 수 있는) 생식용 사과

hánd àx[**àxe**] 자귀, 손도끼

hand·bag [hǽndbæ̀g] *n.* (여성용의) 핸드백(《미》 purse); 손가방 《여행용》

hánd bàggage 《미》 (여행자의) 수하물(《영》 hand luggage)

hand·bag·ging [-bæ̀giŋ] *a.* 공격적인, 격하게 논의하는

hand·ball [-bɔ̀:l] *n.* **1** Ⓤ 미식 핸드볼 《벽에 공을 던져 튀는 것을 상대자에게 받게 하는 놀이》; 핸드볼, 송구 《11인제와 7인제가 있음》 **2** 핸드볼용의 공

hand·bar·row [-bæ̀rou] *n.* **1** 들것 《앞뒤 두 사람이 운반함》 **2** 손수레(handcart)

hand·ba·sin [-bèisn] *n.* 세면기, 세숫대야(wash-basin)

hand·bas·ket [-bæ̀skit | -bɑ̀:s-] *n.* 손바구니 ***go to hell in a*** ~ 《미·속어》 〈좌절한 젊은이 등이〉 자포자기적으로 살다; 〈경제 등이〉 갑자기 악화하다 ***in a*** ~ 《미·속어》 물론, 절대

hand·bell [-bèl] *n.* (손으로 흔드는, 특히 연주용의) 종, 요령

hand·bill [-bìl] *n.* (손으로 나누어 주는) 광고지, 전단(傳單)

***hand·book** [hǽndbùk] *n.* **1** (직업 교육용 등의) 안내서, 입문서: a ~ of radio broadcasting 라디오 방송 입문서 **2** 여행 안내서 《*to, of*》: a ~ *to*[*of*] France 프랑스 여행 안내서 **3** (특수 분야의) 참고서, 편람, 교본: a medical ~ 의학 편람 **4** 전문서(書), 논문집: a ~ of lectures on criticism 문예 비평 강연집 **5** 《미》 (경마에서) 거는 돈을 기입하는 책: a ~ man 경마 도박의 물주, 마권업자

hand·bow [-bòu] *n.* (손으로 쏘는) 활(cf. CROSS-BOW)

hánd bràke 수동식(手動式) 브레이크 《보조용》

hándbrake tùrn 《특히 영》 (자동차의) 핸드 브레이크를 이용해 급하게 방향을 돌리기

hand·breadth [-brèdθ, -brètθ] *n.* 손의 폭, 손폭 치수, 뼘 《지금은 약 4인치》

H and C [éitʃ-ənd-sí:] [*h*eroin *and c*ocaine] 《미·마약속어》 헤로인(heroin)과 코카인(cocaine)을 섞은 것

h. & c. hot and cold (water)

hand-can·ter [hǽndkæ̀ntər] *n.* 〖승마〗 느린 구보 《gallop과 trot의 중간 속도》

hand·car [-kɑ̀:r] *n.* 《미》 〖철도〗 (선로 보수용의 소형) 수동차(手動車)

hand-car·ry [-kǽri] *vt.* (**-ried**) (안전을 위해) 손수 갖고 가다[건네주다]

hand·cart [-kɑ̀:rt] *n.* (미는) 손수레

hand-carved [-kɑ́:rvd] *a.* 손으로 조각한[새긴]: ~ bowls 손으로 새긴 사발

hand·clap [-klæ̀p] *n.* 박수

hand·clasp [-klæ̀sp | -klɑ̀:sp] *n.* (굳은) 악수

hand-col·ored [-kʌ́lərd] *a.* 손으로 그린, 손으로 직접 물들인

hand·craft [-kræ̀ft | -krɑ̀:ft] *n.* =HANDICRAFT

— [ˊˋ] *vt.* 손으로 만들다: ~ dress materials 양복감을 손으로 짜다

~**·ed** *a.* 수제(手製)의

hand·crafts·man [-kræ̀ftsmən | -krɑ̀fts-] *n.* (*pl.* **-men** [-mən, -mèn]) =HANDICRAFTSMAN

hánd crèam 핸드크림

hand·cuff [-kʌ̀f] *n.* [보통 *pl.*; 종종 a pair of ~s로] 수갑: a woman in ~*s* 수갑 찬 여자 / put ~*s* on the suspect 용의자에게 수갑을 채우다

— *vt.* …에게 수갑을 채우다; 구속하다, 무력하게 하다; 방해하다

hand-de·liv·er [-dilívər] *vt.* 〈편지 등을〉 직접 건네다

hand-dipped [-dípt] *a.* (포장되어 있지 않고) 주걱·국자 따위로 퍼서 주는

hand-down [-dàun] *n.* =HAND-ME-DOWN

hánd drìll 손 송곳, 핸드 드릴

hand·ed [hǽndid] *a.* [보통 복합어를 이루어] **1** 손이 있는 **2** 손이 …한, (…한) 손을 가진; (…의) 손을 사용한: neat-~ 손이 깨끗한 / a two-~ backhand 두 손으로 치는 백핸드 **3** (몇) 사람이 하는; 〈승무원·조직원 등이〉 몇 사람으로 구성된: a four-~ game 네 사람이 하는 경기 **4** 〈손잡이 등이〉 한쪽 방향으로만 돌려지는: right-~ 오른쪽으로만 돌려지는 ~**·ly** *ad.*

hand·ed·ness [hǽndidnis] *n.* 잘 쓰는 손 《오른손

이나 왼손 중 어느 한쪽을 다른 쪽 손보다 잘 쓰는》: right[left] ~ 오른손[왼손]잡이

Han·del [hǽndl] *n.* 헨델 **George Frideric ~** (1685-1759) 《영국에 귀화한 독일 태생의 작곡가》

-hander [hǽndər] 《연결형》「…손을 쓰는 사람」의 뜻: left-*hander* 왼손잡이

hánd-eye coordinátion [hǽndài-] 〖스포츠〗 손과 눈의 동작을 일치시키는 능력《공을 치거나 받을 때》

hand·fast [-fæ̀st | -fɑ̀:st] 《고어》 *n.* (손을 잡고 행한) 계약, 약속, 《특히》 약혼; 꽉쥐기
—*a.* 꼭 쥔; 약속한, 약혼한; 인색한
—*vt.* (악수하여) 약혼[결혼]시키다; 손으로 꼭 쥐다

hand·fast·ing [-fæ̀stiŋ | -fɑ̀:st-] *n.* ⓊⒸ 《고어》 약혼; (옛날 교회에서 인정치 않은) 가(假)결혼, 시험 결혼

hand-feed [-fì:d] *vt.* (**-fed** [-fèd]) **1** 〈사육 동물에게〉 손으로 먹이를 일정하게 주다; 〈동물·사람에게〉 손으로 먹을 것을 주다 **2** 〈재료 등을〉 손으로 밀어 넣다

hand-fin·ished [-fíniʃt] *a.* 손으로 마무리한

hand·flag [-flæ̀g] *n.* (신호용의) 손기, 수기(手旗)

hand·free [-frì:] *a.* = HANDSFREE

‡**hand·ful** [hǽndfùl] *n.* (*pl.* **~s, hands·ful**) **1** 한 움큼, 한 손 가득, 한 줌 《*of*》: a ~ *of* sand 모래 한 줌 **2** [a ~] 소량, 소수 《*of*》: *a* ~ *of* men 소수의 인원 **3** 《구어》 주체스러운 사람[일], 귀찮은 것 **4** 《속어》 5 《손가락 수에서》; 5년의 (금고(禁固))형

hánd gàllop 〖승마〗 느린 갤럽, 단축 구보

hánd glàss **1** 손거울; 손잡이가 달린 확대경, 독서용 확대경 **2** 〖원예〗 (모종을 보호하는) 유리 덮개 **3** 〖항해〗 모래 시계

hand-grat·er [hǽndgrèitər] *n.* 강판

hánd grenàde 수류탄; 소화탄(消火彈)

hand·grip [-grìp] *n.* **1** 악수, 손잡기: a firm ~ 굳은 악수 **2** 손잡이, 자루; [*pl.*] 드잡이, 격투, 접근전 ***come to ~s*** 맞붙어 싸우다

hand·gun [-gʌ̀n] *n.* 《미》 권총(pistol)

hand·held [-hèld] *a.* Ⓐ 손바닥 크기의, 포켓용의; 손에 들고 쓰는: a ~ computer 포켓용 컴퓨터 / a ~ hair dryer 소형 헤어 드라이어 —*n.* (손에 들고 조작할 수 있는 정도의) 소형 기기, 《특히》 초소형 컴퓨터

hand·hold [-hòuld] *n.* 손으로 잡기[쥐기], 파악(把握); 손잡이; (절벽 등의) 붙잡는 곳(cf. FOOTHOLD): get a ~ on …을 파악하다, 붙잡다

hand-hot [-hɑ̀t | -hɔ̀t] *a.* (손을 넣을 수 있을 정도로 물이) 따뜻한

H & I, H and I 〖군사〗 harassment and interdiction 적군의 야간 침입을 막기 위한 무차별 포격

‡**hand·i·cap** [hǽndikæ̀p] [hand in cap(모자 안에 벌금 제비가 들어 있고 그것을 뽑은 사람이 벌금을 내던 옛날 놀이)에서] *n.* **1** 〖경기〗 핸디캡 《나은 사람에게 불리한[뒤진 사람에게 유리한] 조건을 지우기》; 핸디캡이 붙은 경주[경마]: give[assign] a ~ 핸디캡을 주다 **2** 불리한 조건, 곤란, 불이익: The only ~ of your business is lack of capital. 네 사업의 유일한 악조건은 자금이 부족하다는 것이다. **3** (신체적·정신적인) 장애: a physical ~ 신체 장애 / overcome a ~ 핸디캡을 극복하다
—*vt.* (**~ped**; **~·ping**) **1** 〈경쟁자에게〉 핸디캡을 붙이다; 〈경기를〉 핸디캡 방식으로 하다 **2** [보통 수동형으로] 불리한 입장에 세우다: He *was* ~*ped by* his injured ankle. 그는 발목을 다쳐서 불리한 입장에 있었다. **3** 《미·캐나다》 〖경기〗 **a** (과거의 실적을 비교·참조하여) 〈특히 경마의〉 승자를 예상하다 **b** 〈특정 경기자에 대해〉 승패의 확률을 정하다: He ~*ped* the Dodgers at 2-to-1 to win the game. 그 게임에서 다저스팀이 이기는 것에 2대 1의 확률을 정했다.

hand·i·capped [hǽndikæ̀pt] *a.* **1** 〈사람이〉 신체[정신]적 장애가 있는: a physically ~ person 신체 장애자 **2** 〈경쟁자가〉 핸디캡이 붙은[있는]
—*n.* [the ~; 집합적; 복수 취급] 신체[정신] 장애자

hand·i·cap·per [hǽndikæ̀pər] *n.* 〖경마〗 **1** 핸디캡 계원 **2** (신문의) 예상 기자 **3** (핸디캡 경주의) 출주마

*__hand·i·craft__ [hǽndikræ̀ft, -krɑ̀:ft | -krɑ̀:ft] *n.* **1** [보통 *pl.*] 수세공, 수공예, 수예, 손으로 하는 일 **2** Ⓤ 손끝의 숙련, 손재주 **3** [집합적] 수공예품 **~·shìp** *n.*

hand·i·crafts·man [hǽndikræ̀ftsmən | -krɑ̀:fts-] *n.* (*pl.* **-men** [-mən]) 수공업자, 수공예자, 수예가, 기공(技工) **~·shìp** *n.*

hand·i·cuff [hǽndikʌ̀f] *n.* 손으로 치기; [*pl.*] 치고받기 ***come to ~s*** 서로 치고받게 되다

hand·ies [hǽndiz] *n. pl.* 《속어》 [다음 성구로] ***play ~*** 〈연인·남녀가〉 서로 손을 잡고 시시덕거리다

Hand·ie-Talk·ie [hǽnditɔ́:ki] *n.* 핸디토키 《휴대용 소형 송수신기; 상표명》

hand·i·ly [hǽndili] *ad.* 솜씨 있게, 잘; 편리하게; 쉽게, 수월하게; 바로 가까이에: win ~ 손쉽게 이기다, 낙승(樂勝)하다

hand-in [hǽndìn] *n.* 〖배드민턴·스쿼시〗 서브측(의 선수)(cf. HAND-OUT)

hand·i·ness [hǽndinis] *n.* Ⓤ 솜씨 좋음, 교묘함; 알맞음, 편리함

hand-in-hand [hǽndinhǽnd] *a.* 손에 손을 잡은, 친밀한; 협력[제휴]한

hand·i·work [hǽndiwə̀:rk] *n.* **1** Ⓤ 수세공, 수공; 제작, 공작(operation) **2** Ⓤ **a** (특정인의 특징이 나타나 있는) 제작물, 작품 **b** (특정인의) 소행, 짓 《*of*》: This is her ~. 이것은 그녀의 소행이다. **3** 수공품, 세공품(cf. HANDWORK)

hand·job [hǽnddʒɑ̀b | -dʒɔ̀b] *n.* 《비어》 (특히 타인에 대한) 수음(手淫)

‡**hand·ker·chief** [hǽŋkərtʃif, -tʃì:f] [「손으로 쓰는 kerchief」의 뜻에서] *n.* (*pl.* **~s, -chieves** [-tʃì:vz]) 손수건(pocket-~); 목도리(neckerchief) ***throw*** [***drop, fling***] ***the ~*** (***to***) (…에게) 손수건을 던지다 《술래잡기에서 술래가》; (…에게) 속마음을 넌지시 보이다, 호의를 보이다

hand-kis·sing [hǽndkìsiŋ] *n.* Ⓤ 여성의 손등에 하는 키스

hand-knit [-nít] *vt.* (**~·ted, ~; ~·ting**) 손으로 짜다[뜨다] —*a.* 손으로 짠[뜬]

hánd lànguage (벙어리의) 손짓말, 수화(手話)

hand-laun·der [-lɔ́:ndər] *vt.* 손으로 씻다, 손빨래하다(hand-wash)

‡**han·dle** [hǽndl] [OE 「손으로 만지다」의 뜻에서] *n.* **1** 손잡이, 핸들, 자루, (통 등의) 귀: a jug with a ~ 손잡이가 달린 단지 관련 (steering) wheel 자동차의 핸들 handlebars 자전거의 핸들
2 틈탈 기회(chance); 실마리, 구실 《*for*》: a ~ *for* gossip 가십거리 / ~ on the wedding season 결혼 시즌에 걸맞는[이익을 올릴] 구실 **3** 《속어》 (Sir 등의) 직함, 칭호(title); 이름; 통칭(通稱); (통신용) 별명 《*to*》: He has a ~ *to* his name. 그의 이름에는 직함이 있다. **4** (직물의) 촉감(hand) **5** (도박·경마 등의) 판돈 총액; (부정 거래의) 순이익; (극장·오락실 등의) 총수입 **6** 《구어》 (문제의) 취급 방법, 요령 **7** 《뉴질》 약 1 pint의 맥주; (유리) 맥주잔 **8** 《속어》 음경; [*pl.*] 《미·속어》 유방 **9** 〖컴퓨터〗 핸들, 다루기
fly off the ~ 《구어》 자제심을 잃다, 홧김에 앞뒤를 잊다, 발끈하다 《*at*》 ***get*** [***have***] ***a ~ on*** 《구어》 …을 조작·관리하다, 해결하다 ***give a ~ to*** [***for***] …에게 공격의 기회[구실]를 주다 ***go*** [***be***] ***off the ~*** 《구어》 죽다; =fly off the HANDLE. ***have two ~s*** 두 가지 해석이 가능하다 ***the ~ of the face*** 《익살》 코 (***up***) ***to the ~*** 《미·구어》 철저하게, 완전히
—*vt.* **1** 손을 대다, 만지다(touch, feel): Don't ~ the exhibits. 전시품에 손대지 마라. **2** 〈도구 등을〉 다루다, 쓰다; 조종하다: ~ color expertly in paint-

thesaurus **handicap** *n.* **1** 불이익 disadvantage, impediment, hindrance, obstruction, obstacle, barrier, restriction, limitation, drawback, shortcoming (opp. *advantage, benefit*) **2** 장애 physical disability, mental disability, impairment

ing 회화에서 색을 능숙하게 사용하다 **3** 처리하다(manage); 지휘하다, 제어하다: This computer ~*s* our main works. 우리의 주요한 작업은 이 컴퓨터가 해주고 있다. **4** 〈사람·동물을〉 **다루다, 대우하다,** 취급하다(treat); 〈문제 등을〉 다루다, 처리하다, 논하다: ~ a child roughly 어린애를 거칠게 다루다 **5** 〖상업〗 장사하다(deal in), 팔다: That store ~*s* fruits. 저 가게에서는 과일을 판다. **6** 〈말을〉 길들이다 **7** 《수렵속어》 죽이다 **8 a** 〖권투〗 (훈련을 위해) 〈선수를〉 따라다니다 **b** 〖구기〗 〈공에〉 손을 대다

— *vi.* [well 등과 함께] 〈차·배 등이〉 (…하게) 조종되다, 다루어지다: This car ~*s well*[*easily*]. 이 차는 운전하기가 편하다. / The jet was ~*ing poorly.* 제트기의 조종이 잘 되지 않았다.

hàn·dle·a·bíl·i·ty *n.* **~·a·ble** *a.* **~·less** *a.*

han·dle·bar [hǽndlbɑ̀ːr] *n.* [보통 *pl.*] **1** (자전거 등의) 핸들(바) **2** = HANDLEBAR MUSTACHE

hándlebar mustáche 《구어》 팔자 수염

han·dled [hǽndld] *a.* [종종 복합어를 이루어] 핸들이 있는, 자루가 달린: a long-~ knife 긴 자루가 달린 칼

hánd lèns (손으로 들고 사용하는) 확대경

han·dler [hǽndlər] *n.* **1** 손을 쓰는 사람; …을 다루는[취급하는] 사람 **2** 〖권투〗 트레이너, 세컨드 **3** (말·개 등의) 조련사(調練師), 조교사(調教師); (개를) 품평회에 내놓은 사람 **4** 《영》 장물 취득자, 장물아비 **5** (특히 정치 지망생의) 후견인 **6** 〖컴퓨터〗 조정기, 구동기

hand·less [hǽndlis] *a.* 손이 없는; 손재주 없는 《*at*》: be ~ *at* a task 일이 서툴다

hánd létter (손으로 박(箔)을 찍기 위한) 놋쇠 글자

hand-let·ter [hǽndlétər] *vt.* 손으로 쓰다

hánd lèvel 〖측량〗 핸드 레벨 《휴대용 수준(水準) 측량 기구》

hand·line [hǽndlàin] *n.* (낚싯대 없이) 손으로 쓰는 낚싯줄

han·dling [hǽndliŋ] *n.* Ⓤ **1** 손을 댐; 취급; 운용, 조종 **2** 《문어》 취급 방법, 솜씨 **3** (상품의) 출하, 이동 방법 **4** 〖축구〗 핸들링 **5** 〖법〗 장물(贓物) 취급[거래]

— *a.* (이동·배달 등의) 취급의: ~ charges 취급 수수료; 〖금융〗 어음 매입 수수료

hand·list [hǽndlìst] *n.* (참조·점검용의) 간단한 리스트, 일람표

hand·load [hǽndlóud] *vt.* 〈탄약을〉 손으로 재다 — *vi.* 탄약을 손으로 재다 — [스-] *n.* 손으로 잰 탄약 **~·er** *n.*

hand·loom [-lùːm] *n.* (손으로 짜는) 베틀, 수직기(手織機)(cf. POWER-LOOM) **-lòomed** *a.*

hánd lùggage 《영》 = HAND BAGGAGE

hand·made [hǽndméid] *a.* 손으로 만든, 수제의, 수공의(cf. MACHINE-MADE)

hand·maid(·en) [hǽndmèid(n)] *n.* **1** 보조적인 역할을 하는 것, 부속물 **2** 《고어》 시녀, 하녀

hand-me-down [-midàun] 《미·구어》 *a.* 만들어 놓은, 기성복의; 헌 옷의; 싼 옷의; 독창성 없는

— *n.* [보통 *pl.*] **1** 물림옷, 기성복, 헌 옷(《영·구어》 reach-me-down) **2** 낡은 것

hand-me-up [-miʌ̀p] *n.* 역(逆)물림 옷

— *a.* 〈옷·물건 등이〉 역물림의

hánd mìll 《영》 맷돌, 손절구

hánd mìrror 손거울(hand glass)

hánd mòney 계약금, 보증금(earnest[2])

hánd mòwer 수동식의 풀 베는 기계

hand-off [-ɔ̀ːf | -ɔ̀f] *n.* **1** 〖럭비〗 상대방을 손으로 떼밀어 젖히기 **2** 〖미식축구〗 손으로 넘겨주는 패스; 손으로 패스한 공 **3** 〖항공〗 어떤 항공기의 관제나 감시 임무가 한 관제 센터에서 다른 센터로 이관되는 것; 그에 소요되는 기간

hánd of wrít 《스코》 필적, 서체

hánd òrgan 손으로 돌리는 풍금(cf. BARREL ORGAN)

hand organ

hand-out [-àut] *n.* 《구어》 (배드민턴·스쿼시에서) 서브를 받는 측(의 선수)

hand·out [-àut] *n.* 《구어》 **1 a** 상품 안내, 광고 전단 **b** (교실·학회 등에서 주는) 유인물, 인쇄물 **2** (가난한 사람에게 주는) 동냥 (물품) **3** 《미》 (신문에 발표된 정부의) 공식 성명

hand·o·ver [-òuvər] *n.* **1** (책임·경영권 등의) 이양 **2** 〖통신〗 핸드오버 《휴대 전화 시스템에서 통화자가 다른 지역으로 이동하여도 통화를 유지할 수 있는 기능》

hand·phone [hǽndfòun] *n.* 핸드폰 《동남아시아에서 mobile phone, cellphone 대신 쓰는 말》

hand·pick [-pík] *vt.* **1** 손으로 따다 **2** 주의해서 고르다, 정선하다; (자기에 맞추어) 고르다

hand·picked [-píkt] *a.* 손으로 딴; 정선한

hand·play [-plèi] *n.* Ⓤ (서로) 치고받기, 주먹다짐

hand·post [-pòust] *n.* 길 안내 표지, 길잡이, 도표(道標)(signpost)

hand·press [-près] *n.* 수동 인쇄기

hand·print [-prìnt] *n.* (먹을 묻혀 누른) 손바닥 자국, 장문(掌紋)

hánd pròp 〖연극〗 (배우가 무대에 갖고 나가는) 개인 소유의 소도구 《담배 케이스·시계 등》

hánd pùmp 수동(手動) 펌프

hánd pùppet 손을 집어넣어서 놀리는 꼭두각시; 손가락 인형(glove doll)

hand·rail [-rèil] *n.* (계단 등의 폭이 좁은) 난간: Use the ~. 손잡이를 잡으시오. 《게시》

hand-run·ning [-rʌ́niŋ] *ad.* 연속해서, 잇따라

hand·saw [-sɔ̀ː] *n.* 한 손으로 켜는 톱

hand's-breadth [hǽndzbrèdθ] *n.* = HANDBREADTH

hánd scròll 두루마리

hands-down [hǽndzdáun] *a.* **1** 쉬운, 용이한: a ~ victory 낙승(樂勝) **2** 의심의 여지가 없는, 확실한

— *ad.* 쉽게, 거뜬히

hand·sel [hǽnsəl] *n.* **1** (신혼·개업 등의) 선물; 새해 선물, 세뱃돈 **2** 착수금, 계약금(earnest[2]) **3** 첫시험; 마수; 시식(foretaste) — *vt.* (**~ed**; **~·ing** | **~led**; **~·ling**) **1** (개업 축하 등으로) 선물을 보내다 《*with*》; …의 시작을 축하하다: (~+목+전+명) ~ a new business *with* a wreath 화환을 보내 새 사업을 축하하다 **2** 마수걸다, 첫손을 대다

hand·set [hǽndsèt] *n.* (주로 무선기의) 핸드세트 《송신구와 수신구가 다 있는 것; 전화기는 보통 receiver를 씀》; (이동 전화의) 핸드폰 《단말기》, 송수화기

— [스스, 스 | 스] *a.* 손으로 한[설치한]

hand·sew [hǽndsóu] *vt.* 손으로 꿰매다 **~·ing** *n.*

hand·sewn [-sóun] *a.* 손으로 꿰맨(opp. *machine-sewed*)

hands·free [hǽndzfrìː] *a.* Ⓐ 〈기구(의 조작)이〉 손을 쓸 필요가 없는 — *n.* 핸즈프리 《운전 중 통화할 수 있도록 이어폰과 스피커를 갖춘 이동 전화기》

***hand·shake** [hǽndʃèik] *n.* **1** 악수: greet a person with a ~ 악수로 사람을 맞이하다 **2** = GOLDEN HANDSHAKE **3** 〖컴퓨터〗 (컴퓨터 시스템 연결시의) 신호 변경

hand·shak·er [hǽndʃèikər] *n.* (일·야망 따위를 위해) 아양을 떠는 사람; 사람 만나는 것을 좋아하는 사람

hand·shield [-ʃìːld] *n.* (용접공의 한 손으로 쓰는) 얼굴 가리개, 핸드실드

hands-off [hǽndzɔ́ːf | -ɔ́f] *a.* **1** 무간섭(주의)의:

---

handle *v.* **1** 손을 대다 touch, finger, hold, grasp, grip, pick up, caress, stroke **2** 조종하다 drive, steer, operate **3** 다루다 cope with, deal with, treat, manage **4** 처리하다 control, administer, direct, guide, conduct, supervise

the ~ policy 무간섭 정책 **2** 〈기계 등이〉 자동의

‡**hand·some** [hǽnsəm] *a.* (**-som·er**; **-som·est**)

ME 「다루기 쉬운」이란 뜻에서 (알맞은) ─ (사람이) 「잘생긴」, 「훌륭한」 **1, 2** 　　　　　└ (분량이) 「상당한」, 「충분한」 **3**

1 a 〈남자가〉 잘생긴, 멋진(⇨ beautiful 유의어): a ~ boy 잘생긴 소년 **b** 〈여자가〉 큼직하고 매력적인, 당당한 **2** 〈사물이〉 좋은, 훌륭한; 〈모양·형태가〉 균형잡힌, 낭낭한(fine); 매력적인: a ~ interior 훌륭한 내부 장식 **3** 〈금액·재산·선물 등이〉 상당한(considerable), 〈행위가〉 후한, 인심 좋은: ~ treatment 우대 / a ~ fortune 상당한 재산 / a ~ compliment 아낌없는 칭찬 / *H*~ is that[as] ~ does. 《속담》 하는 짓이 훌륭하면 외모도 아름답다. // 《~+*of*+명(+*to* do)》 It is ~ *of* him *to* give me a present. 나에게 선물을 주다니 그 사람은 인심 좋은 사람이구나. **4** 《미》 재간 있는, 능숙한: a ~ speech 유창한 연설 **5** 《미·방언》 알맞은, 어울리는(suitable): a ~ pair 어울리는 부부 **6** 《고어》 편리한, 간편한(handy)
come down ~ 금전 등을 아끼지 않고 내다 ***do*** a person ~ …을 후하게 대접하다 ***do the ~ thing by*** …을 우대하다 ***hide, wide, and*** ~ 순조롭게, 잘 ***tall, dark, and*** ~ 〈남성이〉 매력 있는 **~·ly** *ad.* 훌륭하게, 멋지게; 당당하게; 후하게, 관대하게
~·ness *n.*

hands-on [hǽndzɑ́n | -ɔ́n] *a.* Ⓐ **1** 실지 훈련(용)의, 실제의: ~ experience 실제 체험 **2** 개인이 적극 참여하는, 실천의; 〈중역 등이〉 실무에 참가하는; 진두지휘하는; 민완(敏腕)의; 참견하는, 간섭하는 **3** 〈전시품 등이〉 손으로 만질 수 있는, 〈박물관 등이〉 실체험 목적의 **4** 수동(手動)의, 자동화되지 않은

hand·span [-spæ̀n] *n.* 한 뼘

hand·speak [-spìːk] *n.* 수화(手話)(finger language)

hand·spike [-spàik] *n.* (보통, 목제의) 지레; (감는 녹로의) 심대

hand·spring [-sprìŋ] *n.* (손으로 땅을 짚고 하는) 재주넘기 ***turn***[***do***] ***a*** ~ 재주넘다

hand·staff [-stæ̀f | -stɑ̀ːf] *n.* 도리깻장부

hand·stand [-stæ̀nd] *n.* (양손으로 몸을 지탱하는) 물구나무서기(cf. HEADSTAND)

hand·stitch [-stìtʃ] *vt.* 손으로 꿰매다

hánd's tùrn (약간의) 노력, 조력, 거들어 줌

hand·tec·tor [-tèktər] [*hand*+de*tector*] *n.* 소형 전자 금속 탐지기 《특히 공항에서의 흉기 발견용》

hand-tight [-táit] *a.* 〖항해〗 힘껏 손으로 잡아당겨 팽팽하게 한

hand-to-hand [-təhǽnd] *a.* Ⓐ **1** 백병전(白兵戰)의, 일대 일로 붙은: ~ combat[fighting] 백병전 **2** 직접 건네주는

hand-to-mouth [hǽndtəmáuθ] *a.* Ⓐ 그날 벌어 그날 먹는; 한때 모면의; 불안정한: a ~ existence 그날 벌어 그날 먹는 생활

hánd tòol 수공구(手工具)

hánd tòwel 손을 닦는 작은 타월

hánd trùck (두 바퀴) 손수레; 소형 운반차

hand·vac [hǽndvæ̀k] *n.* 《구어》 휴대용 소형 진공 청소기

hand-walk [-wɔ̀ːk] *vt.* 《구어》 〈메모·서류 등을〉 직접 전해 주다

hand-wash [-wɑ́ʃ | -wɔ́ʃ] *vt.* 손으로 씻다, 손빨래하다 **~·ing** *n.*

hand·wave [-wèiv] *n.* 속임수 ── *vi.* (주의력을 딴 곳으로 쏠리게 해서) 속이다

hand·wav·ing [-wèiviŋ] *n.* 좋은 인상을 주려고 하는 불필요한 말이나 행동

hand·weav·ing [-wìːviŋ] *n.* 손으로 짜기; 그 직물

hand·wheel [-*h*wìːl] *n.* 〖기계〗 수동 핸들 《수동 브레이크, 밸브 등이 붙어 있음》

hand·work [-wə̀ːrk] *n.* Ⓤ 수공, 수세공(手細工) (cf. HANDIWORK) 《기계로 만든 것에 대해》 **~·er** *n.*

hand·worked [-wə́ːrkt] *a.* 수세공의, 손으로 만든

hand·wo·ven [-wóuvən] *a.* 손으로 짠, 수직(手織)의(handloomed): a ~ sweater 손으로 짠 스웨터 / a ~ tapestry 수직 융단

hand-wring·ing [-rìŋiŋ] *n.* (고통·절망 등으로) 손을 부들부들 떨기 ── *a.* 절망적인

hand·write [-ràit] *vt.* (**-wrote**; **-writ·ten**; **-writ·ing**) 손으로 쓰다 ── *n.* 《방언》 **1** = HANDWRITING **2** 서명

‡**hand·writ·ing** [hǽndràitiŋ] *n.* **1** Ⓤ 손으로 쓰기, 육필(肉筆); 필적; 필치, 서풍(書風): recognize a person's ~ 남의 필적을 분별하다 **2** 손으로 쓴 것, 필사한 것(manuscript) ***see***[***read***] ***the ~ on the wall*** 〖성서〗 재앙의 조짐[재화의 전조]을 알아차리다

hand·writ·ten [-rìtn] *a.* 손으로 쓴, 육필의

hand·wrought [-rɔ́ːt] *a.* = HANDWORKED

‡**hand·y** [hǽndi] *a.* (**hand·i·er**; **-i·est**) **1** Ⓟ 《구어》 바로 곁에 있는, 곧 쓸 수 있는: The cold medicine is ~. 감기약은 상비약이다. **2** (쓰기) 편리한(convenient); 유용한; (다루기) 쉬운, 알맞은: a ~ reference book 편리한 참고 도서 **3** Ⓟ 손재주 있는, 솜씨 좋은 《*with, at, about*》: 《~+전+명》 He's ~ *with* a computer. 그는 컴퓨터를 다루는 솜씨가 좋다. **4** 〖항해〗 조종하기 쉬운: a ~ ship 조종하기 쉬운 배 ***come in*** ~ 여러 모로 편리하다, 곧 쓸 수 있다
── *ad.* = HANDILY ▷ hánd *n.*

hand·y-an·dy [hǽndiǽndi] *n.* (*pl.* **-dies**) 잡역부, 사환; 무엇에나 손대기 좋아하는 사람

hand·y-dan·dy [-dǽndi] *n.* Ⓤ 《영·방언》 먹국 《어느 손에 물건이 있는가를 알아맞히는 놀이》

hand·y·man [-mæ̀n] *n.* (*pl.* **-men** [-mèn]) **1** (자질구레한 일을) 무엇이든지 할 수 있는 사람, 재주꾼; (회사·아파트 등의) 잡역부, 사환 **2** 《구어》 수병

hándy scánner 〖컴퓨터〗 휴대용 스캐너

hándy términal 〖컴퓨터〗 휴대용 통신 단말기

‡**hang** [hæŋ] *v.* (**hung** [hʌŋ], **~ed**) ★ 'hanged'는 *vt.* 3, *vi.* 4의 뜻에 쓰임.
── *vt.* **1** 〈물건을〉 걸다, 달아매다, 달다(suspend); 〈고개를〉 숙이다 《*down*》; 〈고기·사냥한 새·짐승을〉 (먹을 수 있을 때까지) 매달아 두다: 《~+목+부》 ~ one's head (*down*) 고개를 숙이다 // 《~+목+전+명》 ~ one's cap *on* the hook 모자를 모자걸이에 걸다 **2** 〈문 등을〉 (자유로이 움직일[여닫을] 수 있도록) 달다; 〈문짝 등을〉 경첩에 끼우다 《*on*》; …에 자루를 달다: ~ a door 문을 달다 / ~ a scythe 큰 낫에 자루를 달다 **3** (**hanged**, 《속어》 **hung**) 교수형에 처하다 《*for*》; [~ one*self* 로] 목을 매달다; [가벼운 저주·강조] 저주하다: 《~+목+전+명》 ~ a person *for* murder 살인죄로 교수형에 처하다 / ~ *oneself* 목매 죽다 / I'm[I'll be] *~ed* if I do. 내가 한다면 내 목을 베어라, 난 절대 안한다. / Oh, ~ it! 예끼 망할 것! **4** 〈남을〉 십자가에 매달다, 못박아 달다 **5 a** [보통 수동형으로] 〈방·벽 등에〉 (그림·족자 등으로) 장식하다, 걸어서[매달아서, 내붙여서] 장식하다 《*with*》: 《~+목+전+명》 ~ a room *with* pictures 방을 그림으로 장식하다 / The fronts of the houses *were hung with* flags. 집 앞에는 기를 내달고 있었다. **b** 〈벽지를〉 벽에 바르다; 〈커튼을〉 창·입구에 치다; 〈벨을〉 집에 달다 **6** 〈그림을〉 (화랑[전람회장]에) 내걸다; (전람회의) 출품 작품을 전시하다: be *hung* on the line 〈그림이〉 가장 잘 보이는 곳에 걸려 있다 **7** 〈조항·항목 등을〉 덧붙여 넣다, 첨가하다: 《~+목+전+명》 ~ a rider *on* a bill 법안에 보조 조항을 추가하다 **8** 〈생각 등을〉 의존시키다, 연결시키다 《*on*》: 《~+목+전+명》 She *hung* the meaning of her puns *on* the current political scene. 그녀는 농담의 의미

thesaurus **handy** *a.* **1** 바로 곁에 있는 at hand, within reach, accessible, near, nearby, close **2** 유

를 현대의 정치 상황에 연결했다. **9** ((구어)) 〈책임·죄를〉 (남에게) 전가시키다, 덮어 씌우다 ((*on*)): ((~+목+전+명)) The police *hung* the rap *on* him. 경찰은 그에게 혐의를 두었다. **10** ((미)) (특정 배심원의 반대로) 〈배심의〉 평결을 내리지 못하게 하다: The jury are *hung*. 배심원들은 평결을 내리지 못하고 있다. **11** ((구어)) 〈별명 등을〉 붙이다 ((*on*)) **12** ((속어)) 〈주먹을〉 먹이다 ((*on*)) **13** 〖야구〗 〈커브공을〉 던지다 **14** 〖항해〗 〈배·보트 등을〉 붙들어 매다 **15** 〖인쇄〗 행잉 인덴션(hanging indention)으로 짜다 **16** 〈고기를〉 낚다, 잡다 **17** 완전히 무시하다 **18** 〈스커트 등의〉 치맛자락을 조절하다 **19** ((미)) 〈말을〉 묶어 두다 ((*to*))

— *vi.* **1** 매달리다, 걸리다, 늘어지다; 〈고기 등이〉 (먹을 만할 때까지) 매달려 있다: ((~+전+명)) There were curtains *~ing over* the window. 창문에는 커튼이 걸려 있었다. **2** (경첩을 달아서) 〈문이〉 자유로이 움직이다: ((~+전+명)) a door *~ing on* its hinges 경첩으로 자유로이 움직이는 문 **3** 〈바위 등이〉 불퉁 튀어나오다, 위로 덮이다, 덮쳐 누르다 ((*over*)); 〈위험 등이〉 덮치다, 가까이 오다, 접근해 있다, 임박하다 ((*about, over*)); 몸을 내밀다 ((*out of*)); 기울다, 기대다 **4** (**hanged,** ((속어)) **hung**) 교수형에 처해지다, 교살당하다 ((*for*)): ((~+전+명)) ~ *for* one's offense 범죄로 교수형에 처해지다 **5** 십자가에 매달리다, 못박히다; 벌받다 **6** ((구어)) 결정되다, 좌우되다; 의존하다, 달라붙다; 〈생각 등이〉 들러붙어 떨어지지 않다 ((*on, upon*)); 지루하다, 따분하다: ((~+전+명)) a question *on* which life and death ~ 생사에 관계되는 문제 / guilt that *~s on* one's conscience 양심의 가책을 느끼는 죄악감 / My fate *~s upon* his decision. 나의 운명은 그의 결단에 달려 있다. **7** 우물쭈물하다, 어물거리다; 서성거리다; 망설이다, 주저하다; ((미)) 〈배심원이〉 평결을 못 내리다: ((~+전+명)) He *hung between* speaking to her and keeping silent. 그는 그녀에게 말을 걸까 잠자코 있을까 망설였다. **8** 〈팽팽하던 것이〉 처지다; (머리 위 등에) 드리워지다; 허공에 뜨다; 〈냄새 등이〉 감돌다, 정체하다: Cold fronts tend to ~ in the north. 한랭 전선은 북쪽에 정체하는 경향이 있다. **9** (…에 열심히) 귀를 기울이다, 주의를 집중하다; 지켜보다 ((*on, upon*)): ((~+전+명)) They *hung on* his every word. 그들은 그의 말을 한 마디도 빼놓지 않고 들었다. **10** 〈옷 따위가〉 몸에 날씬하게 맞다: ((~+부)) That coat *~s well* in back. 그 코트는 뒷선이 날씬하다. **11** 〖야구〗 〈커브가〉 잘 이뤄지지 않다 **12** 〖미술〗 전시되어 있다 **13** 〈말이〉 방향을 돌리다; 〖경마〗 뜻대로 달리지 않다 **14** ((미·속어)) 〈컴퓨터가〉 정지된 채 있다

be hung over ((구어)) 숙취(宿醉) 상태에 있다 ***be* [*get*] *hung up on* [*about*] ...** ((속어)) …이 신경에 걸려 있다[걸리다], …이 마음에서 떠나지 않다; …에 열중해 있다[열중하다] ***go* ~** (1) 교수형에 처해지다 (2) [Go ~ yourself! 로] 꺼져, 뒈져 (3) [보통 let ... go ~로] ((구어)) …을 내버려 두다, 무시하다 **~ *about* [*around, round*]** ((구어)) (1) 휘감기다, 들러붙다; (…와) 늘 붙어 다니다 (2) (남과) 사귀다 ((*with*)); 어슬렁거리다, 배회하다; 근방에 있다, 다가와 있다 (3) 꾸물거리다 (4) 기다리다 **~ *a left* [*Louie, Lilly*]** ((속어)) 왼쪽으로 돌다 **~ *a right* [*Ralph*]** ((속어)) 오른쪽으로 돌다 **~ *a U*(*-turn*)** 유턴하다 **~ *back*** 주춤하다, 머뭇거리다 **~ *... back* = ~ *back ...*** …을 원래대로 걸다 **~ *behind*** 어물어물하다, 뒤떨어지다 **~ *by a* (*single*) *hair* [*a thread*]** 위기일발이다, 풍전등화(風前燈火) 격이다 **~ *by the wall*** 걸어둔 채로 있다, 무용지물이 되다 **~ *down*** 늘어지다; 전해지다 **~ *fire*** 화기(火器)가 즉시 발화되지 않다; 〈사업 등이〉 시간이 걸리다, 잘되지 않다 **~ *five*** 〖서핑〗 (체중을 앞에 실어) 한쪽 엄지발가락을 서프보드의 앞끝에 걸고 보드를 타다(cf. HANG ten) **~ *heavy* [*heavily*] *on*** a person[a person***'s hand***] 〈시간 등이〉 주체 못할 지경이다, 따분하다 **~ *in the balance* [*wind, doubt*]** 어느 쪽으로도 결정이 안 되다, 미결이다; 〈생사·결과 등이〉 미지수이다 **~ *in* (*there*)** ((미·구어)) 곤란을 견디다, 버티다 ***H~ it* (*all*)*!*** ((구어)) 아이 속상해, 제기랄! **~ *it easy*** ((미·속어)) = take it EASY. **~ *it on*** ((구어)) 일을 일부러 질질 끌다 **~ *it up*** ((구어)) 그만두다, 체념하다, 사직하다 **~ *loose*** 〈팽팽하던 것이〉 축 처지다; ((미·속어)) 푸근히[차분히] 있다 **~ *off*** (1) 놓다 (2) = HANG back. **~ *on*** (1) 매달리다, 붙잡고 늘어지다 ((*to*)) (2) 일을 끈기 있게 하다, 꾸준히 매달려 일하다 (3) [보통 명령형으로] 〈전화를〉 끊지 않다[않고 기다리다] (4) = HANG upon. (5) (경마 등에서) 끝까지 선두를 지키다 (6) 〈병이〉 잘 낫지 않다, 오래가다 (7) ((미·속어)) 비난하다 **~ *on a few* = ~ *a few on*** 〈맥주 등을〉 가볍게 걸치다 **~ *one on*** ((속어)) (1) …을 한 대 갈기다, 두들겨 패다 (2) 몹시 취하다, 곤드레만드레가 되다 **~ *on*** a person***'s words* [*every word*]** …의 말에 귀기울이다, 한 마디도 놓치지 않고 듣다 **~ *onto*** (1) …에 매달리다 (2) …에 의지하다 (3) …을 지탱[유지]하다 (4) …에 귀기울이다 **~ *out*** (1) 〈간판·기 등을〉 내달다, 내걸다; 〈빨래 등을〉 밖에 널다 (2) 몸을 내밀다 ((*of*)): ~ *out of* the window 창문에서 몸을 내밀다 (3) ((구어)) (…에) 살다, 묵다 (4) ((구어)) 서성거리다, (…에) 출입하다 (5) ((영)) 〈임금 인상 등을〉 완강하게 계속 요구하다 ((*for*)) (6) 노력하다, 이겨내다, 〈물건 등이〉 견뎌내다 (7) 진정하다 (8) (잠깐) 기다리다 (9) ((구어)) 사귀다, 어울리다 ((*with*)) (10) ((구어)) 시간을 허비하다 **~ *over*** (1) 〈결정·안건 등이〉 연기되다, 미해결인 채로 남다 (2) 〈위험·근심 등이〉 다가오다 (3) 〈관습 등이〉 계속되다, 잔존하다 **~ *ten*** (1) 〖서핑〗 양쪽 엄지발가락을 서프보드의 앞끝에 걸고 보드를 타다 (2) (어떤 어려움도) 이겨내다, 살아 남다 **~ *to*** …에 들러붙다, …에 밀착하다 **~ *together*** (1) 단결하다; 밀착하다 (2) 〈이야기 등이〉 앞뒤가 맞다, 조리가 서다 (3) 〈사물이〉 굳어지다 (4) (한 곳에) 함께 매달리다 **~ *tough*** ((미·속어)) 결심을 바꾸지 않다, 양보하지 않다; (역경 앞에서) 꿋꿋하게 대처하다 ((*on*)) **~ *up*** (1) 걸다, 달다 (2) 지체시키다; 진행을 방해하다; 〈계획을〉 중지하다, 늦추다; 〈기차 등이〉 (눈 등으로) 옴짝달싹 못하다, 꼼짝 못하게 하다; 고민하게 하다 (3) (상대방의) 전화를 끊다 ((*on*)): Don't ~ *up on* me! 내 전화 끊지마!; 〈전화의 수화기를〉 놓다; 〈수다를〉 멈추다; 〈사용을〉 그만두다 (4) ((미)) 전당포에 잡히다 (5) ((속어)) 얻다, 거두어들이다 (6) …을 고집하다 (7) 〈기록을〉 만들다, 세우다 **~ *upon*** …에 의지하다, …에 따라 결정되다 **~ *up*** one***'s hat* [*football boots, briefcase*]** ((구어)) 일을 그만두다, 은퇴[퇴직]하다 ***leave*** a person ***~ing*** …을 대답을 기다리도록 내버려 두다 ***let it all ~ out*** ((구어)) (1) 숨기지[감추지] 않다, 솔직하게 (모든 것을) 말하다 (2) 자기가 좋아하는 짓을 하다

— *n.* **1** [the ~] 걸림새, 늘어진 모양, 매달림새: *the* ~ of an overcoat 외투의 처진 모양 **2** [the ~] ((구어)) (올바르게) 다루는 법, 사용법, 요령 **3** [the ~] ((구어)) (문제·토론 등의) 의미, 취지 ((*of*)): get[have, see] *the* ~ *of* a subject 주제의 의미를 파악하다 **4** [a ~] [부정문에서] ((구어)) 조금도 ((‘a damn’보다 가벼운 표현)) ((*about*)): I do*n't* care *a* ~. 나는 조금도 개의치 않는다. / She does*n't* give *a* ~ *about* it. 그녀는 조금도 그것에 대해 개의치 않는다. **5** (운동·진행 등의) 정체(停滯), 느슨해짐 **6** 〖항해〗 (역풍·역류에 의한) 속력 저하 **7** [a ~] ((호주·뉴질)) 대량, 꽤 많은 양: in *a* ~ of a hurry 몹시 서둘러서

han·gar [hǽŋər] *n.* 격납고(格納庫); 곳간(shed); 차고: a ~ deck (항공 모함의) 격납고 갑판

— *vt.* 〈비행기를〉 격납고에 넣다

han·gar·age [hǽŋəridʒ] *n.* Ⓤ ((영)) [집합적] 격납고(군(群))

hang·bird [hǽŋbə̀ːrd] *n.* 나뭇가지에 둥지를 매달아 짓는 새

용한 useful, helpful, practical, serviceable, functional, convenient (opp. *inconvenient, useless*)

hang·dog [-dɔ̀ːg | -dɔ̀g] *n.* 《고어》 야비[비열, 비굴]한 인간 **—** *a.* Ⓐ 비굴한, 비열한; 〈표정 등이〉 겁먹은 듯한, 위축된; 꺼림칙한 데가 있는 듯한

∗**hang·er** [hǽŋər] *n.* **1** 옷걸이; 걸이, 갈고리 **2** (버스·전차 등의) 손잡이 **3** 가죽 끈으로 매어단 물건《단검 등》 **4** 《미》 (상점 안의) 포스터; (광고지를) 돌리는 사람; 매다는 사람, 거는 사람 **5** 《속어》 (주로 구기 종목에서) 득점하기 쉬운 던지기; 득점 위치의 선수 **6** 교수형 집행자(hangman) **7** 《영》 급경사지의 숲 **8** (글씨의) 갈고리 모양의 선

hang·er on [hǽŋərɑ́n | -ɔ́n] *n.* (*pl.* **hang·ers-on**) 식객; 붙어다니는 측근자, 매달려 사는 부하; 《미》 사모하는 사람(admirer); 엽관(獵官) 운동자

hánger stéak 소의 횡경막 부위의 고깃점; 그 요리

hang·fire [hǽŋfàiər] *n.* Ⓤ (폭약의) 지발(遲發) 《뇌관에 불을 붙인 후의》

hang-glide [-glàid] *vi.* 행글라이더로 날다

háng glìder 행글라이더; 행글라이딩을 하는 사람

háng glìding 행글라이더 비행

∗**hang·ing** [hǽŋiŋ] *n.* **1** ⓊⒸ **교수형, 교살**: death by ~ 교수형 / three ~*s* 교수형 3건 **2** [종종 *pl.*] 거는 물건, 족자, 발(drapery), 커튼, 벽걸이; 벽지(wallpaper) **3** Ⓤ **달아맴**, 늘어뜨림, 매달기; 현수(懸垂) (상태) (suspension)
— *a.* Ⓐ **1** 교수형(처분)의: a ~ offense[crime] 교수형이 될 죄, 죽을 죄 **2** 교수형에 처하려 하는, 냉혹한: a ~ jury 냉혹한 배심원 **3** 걸린, 매달린; 〈바위 등이〉 튀어나온: a ~ stage (칠장이·미장이 등의) 발판 **4** 〈건물 등이〉 높은 데[급경사면]에 위치한 **5** 의기소침한: a ~ look 의기소침한 표정 **6** 매어다는 데 쓰는 **7** 다가온; 미결의: a ~ crisis 임박한 위기

hánging básket (장식용의) 매다는 꽃바구니

hánging búttress 매달린 부벽(扶壁)

hánging commíttee (미술 전람회 등의) (입선) 심사위원회

hánging cúrve 〖야구〗 행잉 커브《구부러지지 않은 커브로, 때리기 좋은 공이 됨》

hánging gárden 가공원(架空園)《낭떠러지의 중턱 등에 만들어 공중에 걸려 있는 것처럼 보이게 한 정원》

Hánging Gárdens of Bábylon [the ~] 바빌론의 공중(空中) 정원《고대 바빌론에 세워진 계단 모양의 정원; 세계 7대 불가사의 중 하나》

hánging indéntion 〖인쇄〗 행잉 인덴션《단락의 첫 행 이외는 모두 가지런히 물려 짜기》

hánging júdge 교수형을 좋아하는[가혹한] 재판관

hánging páragraph 〖인쇄〗 행잉 패러그래프 《hanging indention에 의한 단락》

hánging válley 〖지리〗 현곡(懸谷)

hánging wáll 〖광물〗 상반(上盤)《경사진 광맥 등의 위쪽 암층(岩層)》

hang-loose [hǽŋlúːs] *a.* 《구어》 느긋한, 긴장이 풀린; 자유로운, 홀가분한, 속박당하지 않은(uninhibited): a ~ attitude toward life 느긋한 생활 태도

hang·man [-mən] *n.* (*pl.* **-men** [-mən, -mèn]) 교수형 집행인: ~*'s* knot 교수형용으로 느슨하게 맨 밧줄매듭

hang·nail [-nèil] *n.* 손거스러미(agnail)

hang-on-the-wall [hǽŋɔːnðəwɔ́ːl | -ɔn-] *a.* 벽걸이식의: a ~ television 벽걸이식 텔레비전

hang-out [-àut] *n.* 《미·속어》 (정보·비밀 등의) 전면 공개, 폭로 ***go the ~ road*** 속속들이 드러내다

hang·out [hǽŋàut] *n.* **1** 《구어》 (사람의) 집; 집합소, (악당 등의) 소굴: a criminal's ~ 범인의 은신처 **2** 《구어》 저급한 오락장

hang·o·ver [-òuvər] *n.* 잔존물, 유물; 숙취(宿醉); (약의) 부작용; 《비유》 후유증, 여파(餘波): suffer from a ~ 숙취로 고생하다 **~·ish** *a.* 숙취 기미의

Háng Séng índex [hǽŋ-séŋ-] 〖증권〗 항생(恒生) 주가 지수《홍콩의 항생 은행이 발표하는 홍콩 증권 거래소의 주가 지수》

hang·tag [-tæ̀g] *n.* (상품의) 품질 표시표

hang·time [-tàim] *n.* 〖미식축구〗 행타임《펀트(punt)한 공의 체공 시간》

Han·gul [hɑ́ːŋguːl] *n.* 한글

hang-up [hǽŋʌ̀p] *n.* 《속어》 **1** (심리적인) 거리낌, 구애; 저항, 콤플렉스; 고민거리 **2** 장애(obstacle) **3** (천정·벽 등에 거는) 장식 **4** 〖컴퓨터〗 단절

hank [hǽŋk] *n.* **1** 실의 한 타래《면사 840야드, 털실 560야드; cf. SKEIN》 **2** 다발, 묶음: a ~ of hair 한 다발의 머리털 **3** 〖항해〗 범환(帆環)《종범(縱帆)의 앞 가에 붙어 있는 고리》 **4** 《방언》 억제력, 자제력
get*[*have*] *a ~ on*[*upon, over*]** …에 대하여 억제력[지지력]을 가지다, …을 곤경에 빠뜨리다 ***~ for ~ 〖항해〗 두 배가 나란히; 대등하게 ***in a ~*** 곤경에 빠져서
— *vt.* 〖항해〗 〈돛을〉 범환으로 달다

han·ker [hǽŋkər] *vi.* 동경하다, 갈망하다《*after, for*》 **—** *n.* =HANKERING **~·er** *n.*

han·ker·ing [hǽŋkəriŋ] *n.* [보통 a ~] 《구어》 갈망, 열망《*after, for; to* do》: (~+***to*** do) He had *a ~ to* own a car. 그는 몹시 차를 갖고 싶어했다.
— *a.* 갈망하는 **~·ly** *ad.*

han·key [hǽŋki] *n.* =HANKY

han·ky, han·kie [hǽŋki] *n.* (*pl.* **-kies**) 《구어》 《유아어》 손수건(handkerchief)

han·ky-pank [-pǽŋk] *n.* 《미·속어》 **1** (축제 따위의) 노상 게임《다트 따위를 던져 상품을 땀》; (축제 따위에서의) 호객(呼客) 소리 **2** =HANKY-PANKY 1, 2
— *a.* 싸구려의; 속임수의

han·ky-pan·ky, han·key-pan·key [hǽŋkipǽŋki] *n.* Ⓤ 《구어》 **1** 협잡, 속임수; 무의미한[부질없는] 행위[일] **2** (성적으로) 부도덕한 행위, 불륜; 성행위 **3** 《영》 곡예 ***be up to some ~*** 떳떳하지 못한 짓을 하고 있다 ***play ~ with*** a person …을 속이다

Han·nah [hǽnə] *n.* 여자 이름

Han·ni·bal [hǽnəbəl] *n.* **1** 남자 이름 **2** 한니발 (247-183? B.C.)《카르타고(Carthage)의 명장》 **3** 미국 Missouri주의 항구 도시

Ha·noi [hænɔ́i, hə- | hæ-] *n.* 하노이《베트남의 수도》

Han·o·ver [hǽnouvər] *n.* **1** 하노버《독일 북부의 옛 주; 그 주요 도시》 **2** (영국의) 하노버 왕가의 사람 ***the House of ~*** 하노버 왕가《George I부터 Queen Victoria에 이르는 영국 왕실(1714-1901); 독일 출신》 **3** 미국 Pennsylvania주 남부의 도시

Han·o·ve·ri·an [hæ̀nouvíəriən] *a., n.* **1** (영국의) 하노버 왕가의 (사람); 하노버 왕가 지지자(의) **2** 독일 하노버 주(州)의 (사람)

Hans [hǽnz] *n.* **1** 남자 이름《John의 게르만어형(語形)》 **2** 독일[네덜란드] 사람《별명》

Han·sa [hǽnsə, -zə] *n.* 〖역사〗 **1** (중세 북유럽의) 상인 조합; 한자 조합의 입회금 **2** [the ~] =HANSEATIC LEAGUE

Han·sard [hǽnsərd | -sɑːd] [영국의 최초의 발간자 Luke Hansard의 이름에서] *n.* (영국의) 국회 의사록

Han·sard·ize [hǽnsərdàiz | -sɑːd-] *vt.* 《영·고어》 의사록을 인증(引證)하여 〈국회 의원을〉 논박하다

Hánsa yéllow 한자 옐로《콜타르에서 얻어지는 선명한 황색 안료(顔料)》

Han·se [hǽns] *n.* =HANSA

Han·se·at·ic [hæ̀nsiǽtik] *a., n.* 〖역사〗 한자 동맹의 (가맹 도시)

Hanseátic Léague 〖역사〗 [the ~] 한자 동맹

han·sel [hǽnsəl] *n., vt.* =HANDSEL

Hán·sen's dis·èase [hǽnsnz-] [나균의 발견자 노르웨이의 의사 G.H. Hansen에서] 〖병리〗 한센병, 문둥병(leprosy)

han·som [hǽnsəm] [고안자인 영국의 건축가 J.A. Hansom의 이

hansom

름에서] *n.* 핸섬 《마부석이 뒤에 높다랗게 있고 말 한 필이 끄는 2인승 2륜 마차》(= ~ **cáb**)

han't, ha'nt, ha'n't [héint] 《방언》 have[has] not의 단축형

han·ta·vi·ral [hǽntəváiərəl] *a.* 〖세균〗 한타 바이러스의

han·ta·vi·rus [hǽntəvàiərəs, hʌ́n-, hɑ́:n-] [한국의 한탄강에서 발견된 데서] *n.* 〖세균〗 한타 바이러스 《유행성 출혈열의 병원체임》

Hants [hǽnts] *n.* = HAMPSHIRE 1

Ha·nuk·kah, -nu·kah [hɑ́:nəkə, -nu-, -kɑ̀:], **Cha·nu·kah** [xɑ́:nəkə, -nu-, -kɑ̀:] *n.* 〖유대교〗 하누카 《신전 정화 기념 제전, 성전 헌당 기념일》

hao [háu] *n.* 하오 《베트남의 통화 단위; 1/10 dong》

hao·le [háuli, -lei] *n.* **1** 《하와이》 하와이 토박이가 아닌 사람, 《특히》 백인 **2** 외국인

hap[1] [hǽp] [ON 「행운」의 뜻에서] 《고어》 *n.* Ⓤ 우연, 운(運), 요행; Ⓒ [*pl.*] 우연한 사건[일]
— *vi.* (**~ped**; **~·ping**) 우연히 일어나다, 뜻밖에 …하다(happen) 《*to* do》

hap[2] 《스코》 *vt.* (**~ped**; **~·ping**) 감싸다, 입다: a man *~ped* in an overcoat 오버코트로 둘둘 싸고 있는 남자 — *n.* 감싸는 것, 덮개 《침구·외투 등》

ha·pa [hɑ́:pɑ:] [Haw. = half] *n.* 《미·구어》 아시아계와 혼혈인 미국인

hap·ax le·go·me·non [hǽpæks-ligɑ́mənɑ̀n | -gɔ́minɔ̀n] [Gk = something said only once] (*pl.* **-na** [-nə]) 단 한번만 기록에 남아 있는 어구

ha'·pen·ny [héipəni] *n.* (*pl.* **-nies**) 《영》 = HALFPENNY

hap·haz·ard [hæphǽzərd] [*hap*[1]+ *hazard*] *a.*, *ad.* 우연한[히]; 계획성 없는[없이]; 아무렇게나 (하는) (⇨ random 유의어): a ~ lie 아무렇게나 하는 거짓말
— [ㅅㅡ] *n.* Ⓤ 단순한 우연, 우연한 일(chance)
at [***by***] ~ 우연히; 되는 대로, 함부로
~·ly *ad.* **~·ness** *n.*

hap·haz·ard·ry [hæphǽzərdri] *n.* Ⓤ 우연성

hap·ki·do [hɑpkídou] [Kor.] *n.* 합기도

hap·less [hǽplis] *a.* 《시어》 운이 나쁜, 불운한 (unlucky) **~·ly** *ad.* **~·ness** *n.*

haplo- [hǽplou, -lə] 《연결형》 「단일의(single), 단순한(simple); 반수 분열의」의 뜻

hap·log·ra·phy [hæplɑ́grəfi | -lɔ́g-] *n.* Ⓤ 중자(重字) 탈락 《phil*ology*를 phil*ogy*라고 하는 등; 비슷한 단어·행의 탈락에도 씀》

hap·loid [hǽplɔid] *a.* **1** 단일의, 단순한(single, simple) **2** 〖생물〗 (염색체가) 단수(單數)(성)의, 반수(半數)(성)의 〈세포〉 — *n.* 단수체, 반수체 《반수 염색체 생물 또는 세포; cf. DIPLOID》
háp·loi·dy [-lɔidi] *n.* Ⓤ 반수성(性)

hap·lol·o·gy [hæplɑ́lədʒi | -lɔ́l-] *n.* Ⓤ 중음(重音) 탈락 《*pa*pa를 pa라고 발음하는 등》 **hap·lo·log·ic** [hæ̀pləlɑ́dʒik | -lɔ́dʒ-] *a.*

hap·lont [hǽplɑnt | -lɔnt] *n.* 〖생물〗 **1** 반수체(半數體); 단상체(單相體) **2** 단상 생물[식물]
hàp·lón·tic *a.*

hap·lo·phase [hǽploufèiz, -lə-] *n.* 〖생물〗 단상(單相), 반수상(半數相)

hap·lo·sis [hæplóusis] *n.* (*pl.* **-ses** [-si:z]) 〖생물〗 염색체 감수(減數)

hap·ly [hǽpli] *ad.* 《고어》 우연히(by chance); 아마, 어쩌면

hap'orth, ha'porth, ha'p'orth [*héipərθ*] *n.* 《영·구어》 = HALFPENNYWORTH

⁑**hap·pen** [hǽpən] *vi.* **1** 〈일·사건 등이〉 **일어나다, 생기다** 《*to*》(befall): Accidents will ~. 사고는 일어나게 마련이다. / Whatever may ~, I will not change my mind. 무슨 일이 있어도 내 마음은 변치 않는다. / What *~ed*? 무슨 일이니? / I'm sorry, it won't ~ again. 미안합니다. 두 번 다시 그러지 않을 거예요. // (~+전+명) Something must have *~ed* to him. 그의 신상에 무언가 일어났음에 틀림없다.

> 유의어 **happen** 「일어나다」를 뜻하는 가장 일반적인 말이다: An accident *happened.* 사고가 일어났다. **occur** happen보다 격식차린 말인데 양쪽 다 아무런 예고[전조(前兆)] 없이 별안간 일어나다: The accident *occurred* at four o'clock. 그 사고는 4시에 일어났다. **take place** 예정되어 있는 일이 일어나다: The French Revolution *took place* in 1789. 프랑스 혁명은 1789년에 일어났다.

2 우연히 …하다, 마침 …하다(chance): (~+***to*** do) Do you ~ *to* remember his name? 혹시 그의 이름을 기억하십니까? // (~+***that*** 절) It so *~s that* I am free today. 오늘은 마침 틈이 있다. **3** 우연히 마주치다[생각나다, 발견하다] 《*on, upon, across*》; 《구어》 우연히 있다[오다, 가다]: (~+***to*** do) I *~ed to* see him on the street. 길에서 우연히 그를 만났다. **4** (공교롭게도) 걸리다, 〈안 좋은 일이〉 일어나다: (~+전+명) Don't worry; nothing *~ed to* her. 걱정마, 그녀는 아무 일 없었어. **5** 《속어》 잘 되어가고 있다: It's all *~ing.* 만사가 순조롭다.
as it ~s 우연히, 마침, 공교롭게도: *As it ~s*, I have left the book at home. 공교롭게도 책을 집에 두고 왔다. ***be likely to ~*** 일어날 성싶다 ***~ in*** [***into***] 《미》 우연히 (들어)오다, 우연히 들르다(drop in) 《*at*》 ***~ in with*** …와 우연히 만나다, …와 마주치다 ***~ on*** [***upon, across***] 우연히 …을 만나다[발견하다, …이 생각나다]: I *~ed on* a clue to a mystery. 비밀의 열쇠를 우연히 발견했다. ***~ what may*** [***will***] = ***whatever may ~*** 어떤 일이 있더라도 (꼭) ***if anything should ~ to*** …에게 만일의 사태가 일어난다면 《「만약에 죽는다면」의 뜻》 ***It can*** [***will***] ***~ to*** …에게나 흔히 있는 일이다 ***It couldn't ~ to a nicer guy.*** 《미·속어》 자업자득이다. ***Never ~!*** 천만에!, 절대 안 돼! ***These things ~.*** 그런 일도 있을 수 있다.

hap·pen·chance [hǽpəntʃæ̀ns | -tʃɑ̀:ns] *a.* 우연한, 뜻밖의: a ~ opportunity 뜻밖의 기회
— *n.* = HAPPENSTANCE

*__hap·pen·ing__ [hǽpniŋ] *n.* **1** [종종 *pl.*] (우연히 일어난) **일, 사건**(event); 우발 사건: everyday *~s* 매일 매일의 사건 **2** [종종 **H~**] 《미》 해프닝 《즉흥적인 연기 등; 관객이 참여하기도 함》 **3** [*pl.*] 《속어》 마약
— *a.* 《속어》 최신 유행의; 근사한, 인기 있는

hap·pen·so [hǽpənsòu] *n.* 《미남부》 = HAPPENSTANCE

hap·pen·stance [hǽpənstæ̀ns] [*happen*+circum*stance*] *n.* 생각지도 않던 일, 우연한 일: by utter ~ 전적으로 우연히

hap·pen·stan·tial [hæ̀pənstǽnʃəl] *a.* 《미》 우발적인, 뜻밖의, 우연히 일어난; 부수적인: a ~ meeting 우연의 만남

hap·pi·fy [hǽpifài] *vt.* 행복하게 하다

⁑**hap·pi·ly** [hǽpili] *ad.* **1 행복하게,** 유쾌히: They lived ~ ever after. 그들은 오래오래 행복하게 살았습니다. 《동화의 끝맺음말》 **2** [문장 전체를 수식하여] **운좋게,** 다행히도: *H~*, she found the way to solve the problem. 다행히 그녀는 그 문제를 해결할 방법을 찾아냈다. **3** 잘; 적절히: a ~ turned phrase 적절한 표현 / go ~ together 잘 조화하다
▷ háppy *a.*

⁂**hap·pi·ness** [hǽpinis] *n.* Ⓤ **1 행복,** 만족, 기쁨: bring a person ~ 행복하게 하다 / My ~ depends on your love. 나의 행복은 당신의 사랑에 달려 있다. **2 a** 행운(good luck): I had the ~ of seeing her. 운좋게 그녀를 만났다. **b** 〖철학〗 = EUD(A)EMONIA **3** (표현 등의) 교묘, 적절(felicity) ***I wish you ~.*** 결혼을 축하해요. 《신부에게》
▷ háppy *a.*

háppiness condítion 〖언어〗 적절성 조건

‡hap·py [hǽpi] *a.* (**-pi·er**; **-pi·est**)

ME 「우연한 (행운에 의한)」의 뜻에서 「행운의」→「행복한」→「즐거운」, 「만족한」이 되었음.

1 행복한, 기쁜, 반가운; 즐거운; 만족한: have a ~ time 행복하게 지내다 / He is as ~ as ~ can be. 그는 참으로 행복하다. // (~+*to* do) I shall be ~ *to* accept your invitation. 기꺼이 초대에 응하겠습니다. // (~+전+*-ing*) She is ~ *in* hav*ing* a good husband. 그녀는 좋은 남편이 있어서 만족하고 있다.

유의어 **happy** 자기의 희망이 이루어져서 기쁨과 만족을 느끼나, 그것이 반드시 표면에 나타나 있지는 않은: a *happy* marriage 행복한 결혼 **cheerful** 「기분이 좋아 유쾌한」의 뜻으로서 그 모습이 표정·태도 등에 나타나 있는: He's always *cheerful* in the morning. 그는 늘 오전에는 쾌활하다. **gay** 활기가 넘치고 신나게 즐거운: the *gay* voices of children 어린이의 명랑한 목소리 **merry** 유쾌하게 동료들과 이야기하고 웃고 노래부르며 명랑한: the *merry* gathering 즐거운 모임 **glad** happy보다 강하고 기쁜 감정을 암시한다: Your letter made me so *glad*. 당신의 편지가 나를 그토록 기쁘게 해 주었소.

2 행운의, 다행한(lucky): a ~ event 경사(스러운) 일 / I met him by a ~ accident. 운좋게 그를 만났다.

유의어 **happy** 행운을 맞았다는 개념에 중점이 두어진다: a series of *happy* accidents 우연한 행운의 연속 **lucky** 우연이라는 점을 강조한다: by a *lucky* chance 행운으로 **fortunate** 당연히 받아야 할 만한 것 이상으로 행운을 맞았다는 것을 암시한다: *fortunate* in my investments 내 투자에 재수가 있는

3 행복을 더하는, 행복을 낳는, 경사스러운 **4** 〈표현·생각 등이〉 적절한, 교묘한, 멋진(apt, felicitous): a ~ idea 명안(名案) **5** (속어) 약간 취한, 얼근하게 취한, 만취한 **6** [보통 복합어를 이루어] (구어) 멍해진, 넋을 잃은; …을 마구 사용하고 싶어 하는; 열중한, 홀린: trigger-~ 함부로 총을 쏘고 싶어하는 / sailor-~ girls 수병한테 열중한 소녀들 / a car-~ nation 자동차를 좋아하는 국민 **7** Ⓐ [축복·축하의 말] …축하합니다: *H*~ birthday (to you)! 생일(을) 축하합니다! / (A) *H*~ New Year! 새해 복 많이 받으십시오.
(as) ~ as the day is long = ***(as) ~ as a king*** [***lark, Larry***] 매우 행복한, 매우 즐거운[기쁜] ***be ~ in …*** (1) (다행히) …을 가지다: I *was* once ~ *in* a son. 내게도 아들이 하나 있었다(마는…). (2) …에 능숙하다: He *is* ~ *in* his expressions. 그는 말을 그럴듯하게 잘한다. ***~ as a pig in shit*** (속어) 몹시 만족하고 있는 ***H~ landings!*** (고어) (1) 건배! (2) 안녕히 가세요; 즐거운 여행이 되시길! ***many ~ returns (of the day)*** 오늘 같은 좋은 날이 계속 오기를… 《생일 등의 인사》 ▷ háppily *ad.*; háppiness *n.*

háppy cábbage (미·속어) (상당한) 돈 《옷·유흥 등에 쓸 수 있는》

háppy cámper (미·구어) 즐기는[만족한, 잘하고 있는] 사람; 기분이 좋은 손님

hap·py-clap·py [hǽpiklæ̀pi] *a.* (영·구어) 〈신자가〉 소리지르고 손뼉치며 기쁨을 나타내는
háppy cláppy *n.* 기뻐서 손뼉치는 신자

háppy dispátch (익살) 할복(割腹)

háppy dúst (미·속어) 분말 마약 《코카인·헤로인 등》

háppy evént (구어) 경사, 《특히》 출산, 탄생

háppy fámilies 가족 얼굴이 그려진 카드로 하는 아동용 카드 놀이

hap·py-go-luck·y [hǽpigoulʌ́ki] *a.* 〈사람·행위 등이〉 태평스러운, 낙천적인; 되는대로의, 운명에 내맡기는: in a ~ manner 되는대로 두는 — *ad.* 태평스럽게, 되는대로

háppy hòur (구어) **1** (술집 등에서 할인 또는 무료로 제공되는) 서비스 타임 **2** (회사·대학에서의) 친목회의 비공식 집회 시간 《가벼운 음식물이 제공됨》 **3** (일이 끝나고) 저녁 식사 전까지의 휴식 시간 **4** (영) 〖크리켓〗 게임 종료 직전

háppy húnting gròund 1 [the ~] (북미 인디언 무사의) 천국 **2** (원하는 것을 입수할 수 있는) 절호의 장소, 만물이 풍성한 곳 ***go to the ~(s)*** (익살) 저 세상에 가다, 죽다

háppy lánd 천국(heaven)

háppy médium [보통 *sing.*] 중도(中道), 중용(中庸)(golden mean) ***strike*** [***hit***] ***the*** [***a***] ~ 중용을 취하다

háppy móney (속어) 개인적인 유흥을 위한 돈

háppy píll (구어) 정신 안정제, 진정제(tranquilizer)

háppy reléase (고통으로부터의) 해방; 죽음

háppy shíp 승무원이 모두 협력해서 일하는 배; 구성원이 일치 단결해서 일하는 단체

háppy shòp (미·속어) 주점, 술집

háppy slàpping (영) 해피 슬래핑 《이유 없이 폭력을 가하고 핸드폰 등으로 찍는 범죄》

háppy smóke 마약(marijuana)

háppy tálk 〖방송〗 가벼운 화제를 중심으로 한 부드러운 분위기의 뉴스 프로

háppy wárrior 고난[반대]에도 굴하지 않는 사람

Haps·burg, Habs- [hǽpsbəːrg] *n.* [the ~s] 합스부르크가(家) 《13세기 이래 신성 로마 황제위(位)를 세습; 오스트리아·스페인 등의 국왕을 낸 독일의 왕가》

hap·ten [hǽpten], **-tene** [-tiːn] *n.* Ⓤ 〖면역〗 합텐, 부착소(附着素) 《생체에 면역 반응을 일으키는 물질》 **hap·tén·ic** *a.*

hap·tic, -ti·cal [hǽptik(əl)] *a.* 촉각의, 촉각에 관한[의한]; 〖심리〗 〈사람이〉 촉각형의

háptic léns 〖안과〗 공막(鞏膜) 렌즈 《백안부(白眼部)까지 덮는 콘택트 렌즈》

hap·tics [hǽptiks] *n. pl.* [단수 취급] 〖심리〗 촉각학

hap·tom·e·ter [hæptɑ́mətər | -tɔ́m-] *n.* 촉각 측정기 《촉각의 예민도를 측정》

hap·tot·ro·pism [hæptɑ́trəpìzm | -tɔ́t-] *n.* 〖식물〗 접촉 굴성(屈性), 굴촉성(屈觸性)

ha·ra·ki·ri [hɑ̀rəkíri, hæ̀ːrə-] [Jap.] *n.* 할복(割腹); 자살 (행위)

har·am [hέərəm, hǽr- | hέər-] *n.* = HAREM

ha·ram·bee [hɑːrɑ́ːmbiː, hɑ̀ːrɑːmbéi] [Swahili = put together] *n.* 협조, 일치 협력

ha·rangue [hərǽŋ] *n.* **1** (대중 앞에서의) 긴 연설; (장황한) 설교, 열변(tirade); 장광설 **2** 비난, 질책 — *vi.*, *vt.* 열변을 토하다, 장광설을 늘어 놓다; 긴 설교를 하다 **~·ful** *a.*

***ha·rass** [hərǽs, hǽrəs] [OF 「개를 부추기다」의 뜻에서] *vt.* **1 a** 괴롭히다, 귀찮게 굴다, 지긋지긋하게 굴다(vex): I was *~ed with* those debts. 나는 그러한 빚 때문에 골치가 아팠다. **b** (언어적·신체적인) 불쾌감[괴롭힘]을 주다 **2** 〖군사〗 〈적을〉 (쉴새 없이 공격하여) 괴롭히다: the frontier *~ed* by hostile Indians 적의를 품은 인디언의 침공에 시달리는 국경 지역 **~·a·ble** *a.* **~·er** *n.*

ha·rassed [hərǽst, hǽrəst] *a.* 매우 지친, (끊임없는 근심 등으로) 몹시 시달린 (*with*); 〈표정 등이〉 초조한; 성가신 듯한

ha·rass·ing [hərǽsiŋ, hǽrəs-] *a.* 괴롭히는, 귀찮게 구는 **~·ly** *ad.*

ha·rass·ment [hərǽsmənt] *n.* Ⓤ 괴롭힘, 애먹

thesaurus **harass** *v.* bother, annoy, exasperate, worry, disturb, provoke, tease, nag, molest
hard *a.* **1** 견고한 solid, compact, condensed, compressed, dense, stiff, tough, strong **2** 어려운 difficult, complex, complicated, intricate, puzzling,

음; Ⓒ 고민(거리): sexual ~ 성희롱

har·bin·ger [hɑ́ːrbindʒər] *n.* **1** 《문어》 선구자; 조짐, 전조(前兆) **2** 〖역사〗 (앞서 가서 숙소 등을 정하는) 선견대(先遣隊), 선발자 **—***vt.* 미리 알리다; 먼저 앞장서 하다

‡har·bor | har·bour [hɑ́ːrbər] [OE 「(군대의) 피난처」의 뜻에서] *n.* **1** 항구(port), 항만: a ~ of refuge 피난항

> 유의어 **harbor** 자연의 지형에 의해 파도·바람을 피하는 데에 적합한 항구: a natural *harbor* 천연의 항구 **port** 상선 등이 드나드는 무역항: a commercial *port* 상업항

2 피난처, 은신처, 잠복처(refuge): a ~ for criminals 범인 은신처 / Homes are a ~ from the world. 가정은 세상으로부터의 피난처이다. **3** (야생 동물의) 등우리, 보금자리 **4** 〖군사〗 비행선 격납고; 탱크 집합장 ***give ~ to*** 〈죄인 등을〉 은닉하다 ***in ~*** 입항 중인, 정박 중인

—*vt.* **1** 〈죄인 등을〉 **숨겨 주다**: ~ the refugees 피난민에게 거처를 제공하다 / ~ the fugitive 도망자를 숨겨 주다 **2** 〈계획·생각 등을〉 품다: ~ a grudge against …에 대해 나쁜 감정을 품다 / ~ a superiority complex 우월감을 품다 / ~ the wish to be an artist 예술가가 되려는 꿈을 품다 **3** 〈장소 등이〉 (동물·벌레의) 집이 되다 **4** 〈배를〉 항구에 정박[피난]시키다 **5** 〈사냥감을〉 등우리까지 추격하다

—*vi.* 잠복하다; 〈배 등이〉 항구에 피난[정박]하다; 보호를 받다; 〈세균 등이〉 번식하다, 살다: 《~+전+명》 These parasites ~ *in* the liver. 이 기생충은 간에서 산다.

har·bor·age [hɑ́ːrbəridʒ] *n.* **1** Ⓤ (배의) 피난 시설, 정박 설비; 항(港) **2** 피난; 숙박 **3** ⓊⒸ 정박소, 은신처; 휴식처

hárbor dùes 입항세

har·bor·er [hɑ́ːrbərər] *n.* 숨겨 주는 사람; (어떤 생각 등을) 품고 있는 사람

har·bor·less [hɑ́ːrbərlis] *a.* 항구[피난처]가 없는

hárbor màster 항무(港務)부장, 항만장

hárbor sèal 〖동물〗 점박이 바다표범(sea dog); 바다표범(seal)

har·bor·side [hɑ́ːrbərsàid] *a.* 항구에 면한, 임항(臨港)의 **—***ad.* 항구에 면하여

‡hard [hɑ́ːrd] *a., ad., n.*

① 굳은, 단단한; 굳게	형 **1**	부 **1**
② 어려운, …하기 힘든; 겨우	형 **2**	부 **4**
③ 엄한, 격렬한; 지나치게	형 **5**	부 **3**
④ 열중한; 힘껏	형 **3**	부 **2**

—*a.* **1 a** **굳은,** 단단한, 견고한(firm, solid)(opp. *soft*): a ~ knot 견고한 매듭 **b** 〈책이〉 딱딱한 표지의, 하드 커버의 **c** 〈몸이〉 건장한, 튼튼한(robust); 〈분별 등이〉 건전한, 견실한, 단단한: ~ common sense 건전한 상식 **2 a** 〈문제·일 등이〉 **곤란한,** 이해[설명]하기 어려운, 노력을 요하는, **하기 힘든,** 힘겨운; 〈시대 등이〉 견디기 어려운, 쓰라린, 괴로운(opp. *easy*); 〈운명 등이〉 가혹한, 힘든: ~ work 힘든 일 / a ~ task 힘든 임무 / ~ labor[work] 중노동 / a ~ life 괴로운[어려운] 생활 / a ~ saying 난해한 말; 지키기 어려운 금언(金言) / a ~ problem 어려운 문제 / ~ times 불경기 / ~ luck[lines] 불운, 불행 ∥ 《~+*to* do》 ~ *to* please 성미가 까다로운 / The hill is ~ *to* climb. 그 언덕은 오르기 힘들다. **b** 〈날씨가〉 거친, 험악한 (severe), 사나운(stormy): a ~ winter 엄동 / a ~ frost 모진 서리

> 유의어 **hard** 육체적·정신적으로 노력을 필요로 하는: Farming is *hard* work. 농사는 고된 일이다. **difficult** 육체적인 노력보다 오히려 특별한 지식·기술·판단력 등을 필요로 하는: a *difficult* situation 어려운 상황

3 〈사람이〉 (일 등에) **열심인,** 열중한, 부지런한: a ~ worker 노력가 **4 맹렬[강렬]한**(vigorous); 〈언동·감정 등이〉 신랄한, 적의가 있는: a ~ blow[rain] 강타[호우] **5** 〈기질·성격·행동 등이〉 **격렬한, 엄한**; 매몰찬, 앙칼진, 쌀쌀맞은, 냉혹한, 난폭한(harsh, stern) 《*on*》: ~ dealing 학대 / a ~ law 가혹한 법률 / a ~ look[eye] 냉엄한 표정[눈초리] / a ~ master 난폭한 주인 / ~ treatment 심한 대우 **6** 〈관찰 등이〉 날카로운, 면밀한: take a ~ look at …을 날카롭게 관찰하다 **7** Ⓐ 〈사실·증거 등이〉 엄연한, 확실한, 신뢰성이 있는, 구체성이 있는: ~ information 확실한 정보 **8** 〈빛깔·윤곽 등이〉 너무 짙은, 너무 강한; 〈사진·필름 등이〉 명암 대조가 확실한; 〈문체 등이〉 부드럽지 못한, 딱딱한: a ~ line 명확한 선 / a ~ outline 너무 두드러진 윤곽 **9** 〈소리 등이〉 불쾌한, 딱딱한, 금속성의(metallic); 〖음성〗 경음(硬音)의 《c, g 등이 [k, g]로 발음되는 등》 ★ [s, dʒ]로 발음되는 경우는 SOFT라고 함. **10** 〈사고방식 등이〉 냉정(冷靜)한, 현실적인: ~ thinking 냉정한 사고 / a ~ view of life 냉철한[현실적인] 인생관 **11** 《구어》 귀찮은, 고약한, 악당의, 완고한: a ~ character 완고한 성격 **12** 〈매매 등이〉 조건이 까다로운, 양보하지 않는: a ~ bargain 일방적으로 유리한 조건; 빡빡한 흥정[거래, 매매] **13** 《방언》 인색한, 구두쇠의(stingy) **14** 〖화폐〗 주화의: ~ money 동전, 주화 / ~ loan 심한 변제 조건의 대출 **15** 〖상업〗 〈시가(時價) 등이〉 강세의(opp. *soft*) **16** 《미》 〈상품 등이〉 내구성(耐久性)이 강한, 오래가는 **17** 《미》 〈음료가〉 알코올 성분이 많은; 〈술이〉 독한 **18** 〈물이〉 경질(硬質)인, 경수(硬水)인; 비누가 잘 녹지 않는; 염분을 함유한: ~ water 경수 **19** 〈포르노 등이〉 성 묘사가 노골적인 **20** Ⓐ 〈마약·약 등이〉 중독[습관]성의 **21** 〈직물이〉 보풀이 없는[적은] **22** 〖우주과학〗 〈우주선의 착륙이〉 경착륙(硬着陸)의 **23** 〖물리〗 〈X선이〉 투과 능력이 큰, 강력한 **24** 〖전기〗 〈자화(磁化) 상태가〉 변하기 어려운, 안정된 **25** 〈파벌 등이〉 정치적으로 극단적인 **26** 〈진공관 등이〉 진공도가 높은

(as) ~ as (a) stone ⇨ stone. ***(as) ~ as brick*** 매우 단단한 ***(as) ~ as nails*** 근골(筋骨)이 튼튼한, 내구력이 있는 ***at ~ edge*** 진심으로; 필사적으로 싸워 ***be ~ at ...*** 열심히 …하다 ***be ~ on***[***upon***] …에게 모질게 굴다; 〈구두·옷 등을〉 빨리 닳아뜨리다: Don't *be* so ~ *on* yourself. 너무 속상해하지 마라. ***~ and fast*** 꼼짝 않는, 엄중한; 〖항해〗 〈배가〉 (좌초(坐礁)하여) 전혀 움직이지 않는 ***H~ cases make good law.*** 법은 엄격을 존중한다. ***~ going*** (1) 〈일이〉 어려운 (2) 난항 ***~ in the mouth*** = HARDMOUTHED. ***~ of hearing*** 귀가 어두운, 난청의: the ~ *of hearing* [집합적] 난청자 ***~ row to hoe*** 힘이 드는 일 ***~ up*** (1) 《구어》 돈에 몹시 궁한(opp. *well off*) (2) (…이) 결핍된, (…을) 필요로 하여 《*for*》 (3) 《속어》 (성적으로) 굶주린; (마약·술에) 굶주린 ***have a ~ time*** (***of it***) 혼이 나다, 욕보다 ***have ~ luck*** 불운하다; 몹쓸 대접을 받다 ***in ~ condition*** 튼튼한 신체로 ***make ~ work of*** …을 매우 힘겨워하다 ***play ~ to get*** 〈여자가〉 (남의 권유·이성의 접근 등에 대해) 일부러 관심이 없는 체하다 ***take a ~ look*** 〈계획·낡은 것 등을〉 고치기 위해 살펴보다 《*at*》 ***the ~ way*** 《구어》 [부사적으로] (1) 고생하면서; 견실[착실]하게 (2) (쓰라린) 경험에 의하여 ***too much like ~ work*** 힘에 겨운, 부담이 너무 지나친

—*ad.* **1 굳게,** 단단히: It is frozen ~. 굳게 얼어붙었다. **2 열심히,** 애써서, 노력하여, 힘껏: try ~ 힘

perplexing, knotty, bewildering **3** 하기 힘든 arduous, strenuous, heavy, exhausting, laborious **4** 열심인 hardworking, energetic, industrious, diligent, enthusiastic, earnest, persistent **5** 엄한 severe, stern, cold, grim, ruthless, oppressive

껏 해보다 ★hardly와 혼동하지 말 것. **3** 몹시, 심하게, 지나치게; 가만히, 뚫어지게; 충분히, (잠을) 푹: drink ~ 폭음하다 / sleep ~ 푹 자다 **4** 괴롭게, 간신히, 겨우; 좀처럼 (…않다)(with difficulty): He breathes ~. 그는 가쁘게 숨쉬고 있다. / The cork draws ~. 코르크가 잘 빠지지 않는다. **5** 긴장해서; 비판적으로 **6** 강하게, 충격적으로; 가혹하게, 엄하게, 꼼짝못하게: hold ~ 꽉 붙잡다 **7** 마음이 흔들려서; 심각하게: take the news very ~ 뉴스를 심각하게 받아들이다 **8** 접근해서, 바로 가까이(closely), 금방: follow ~ after 바싹 뒤를 따라가다 / ~ at hand 바로 가까이 **9** 〘항해〙 끝까지; 가능한 정도까지 **10** 절약해서, 아껴서; 겨우 ***bear ~ on*** …을 몹시 압박하다 ***be ~ done by*** 부당한 취급을 받다[받고 있다]; 화내고[언짢아 하고] 있다 ***be ~ hit*** = ***be hit ~*** (물질적·정신적으로) 심한 타격을 받다 ***be ~ pressed*** [***put, pushed***] (***to*** do) 《구어》 (…하기가) 매우 어렵다[힘들다, 곤란하다] ***be ~ put*** (***to it***) 곤경에 빠져 있다 ***be ~ set*** 크게 어려움에 처해 있다 ***come ~*** 하기 어렵다, 어려워[곤란해]지다 ***die ~*** (1) 〈습관·사고 등이〉 잘 떨쳐지지 않다 (2) 쉬 죽지 않다, 끈질기다 ***go ~ with*** [***for***] a person …을 혼내다 ***~ and fast*** 단단히, 꼭, 꽉; 견고하게 ***~ by*** 바로 가까이 ***~ going*** 《미·구어》 좀처럼 진보[진척]하지 않는 ***~ on*** [***upon***] 바싹 다가서서, …에 육박해서 ***~ run*** 《미》 돈에 궁하여, 궁색하여 ***H~ up!*** 〘항해〙 (바람 불어오는 쪽으로) 키를 힘껏 돌려! ***Hold ~!*** 멈춰!, 기다려! ***it comes ~ to*** do …하는 것은 곤란하다 ***look*** [***gaze, stare***] ***~ at*** a person …을 응시하다 ***run*** a person ~ (경주 등에서) …에게 육박하다; …을 궁하게 하다 ***take it ~*** 몹시 괴로워하다[슬퍼하다 《등》]
— *n.* **1** 《영》 뱃짐 부리는 곳, 양륙장; 돌제(突堤) **2** Ⓤ 《영·속어》 (형벌로서의) 중노동(hard labor): two years' ~ 2년의 중노동 **3** 《비어》 (남근의) 발기, 경직
▷ hárden *v.*; hárdship *n.*; hárdy *a.*; hárdly *ad.*

hard-and-fast [hɑ́ːrdəndfǽst | -fɑ́ːst] *a.* Ⓐ 〈규칙 등이〉 엄중한(strict), 변경을 허락치 않는; 명확한, 엄밀한 〈구별〉: ~ rules 엄한 규칙 ***draw a ~ line*** 엄격히 선을 긋다; 확고한 결의를 하다

hard-ass [-æ̀s] *a.*, *n.* 《속어》 융통성 없는 (사람); 냉혹한 (사람)

hard-assed [-æ̀st] *a.* = HARD-ASS

hard·back [-bæ̀k] *n.*, *a.* = HARDCOVER

hard·bake [-bèik] *n.* 《영》 아몬드[편도]를 넣은 사탕 과자(《미》 almond taffy)

hard-baked [-bèikt] *a.* 딱딱하게 구운

hard·ball [-bɔ̀ːl] 《미》 *n.* **1** 딱딱한 공, 경구(硬球); Ⓤ (경식) 야구(baseball) **2** 《미·속어》 위험이 따르는 어려운 임무[일] ***play ~*** (사업·정치 등에서) 공격적[강경한] 태도를 취하다; 《미·속어》 엄격한 조치를 취하다
— *a.* **1** 엄한, 냉정한: ~ politics 엄한 정치 **2** 거침없는, 도전적인: ~ questions 거침없는 질문 공세

hard-bit·ten [-bítn] *a.* 《구어》 **1** 완고한, 고집 센 **2** 백전백승의; 불굴의: a ~ army 불굴의 군대 **3** 만만치 않은; 엄격한 **4** = HARD-BOILED 2 **5** 〈동물이〉 심하게 문, 심하게 무는 버릇이 있는

hard·board [-bɔ̀ːrd] *n.* 판지(板紙), 하드보드 《톱밥 등으로 만든 목재 대용품》

hard·body [-bɑ̀di | -bɔ̀di] *n.* 《구어》 체격이 아주 건장한 사람 **hárd-bòd·ied** *a.*

hard-boil [-bɔ́il] *vt.* 〈달걀을〉 단단하게 삶다

hard-boiled [-bɔ́ild] *a.* **1** 〈달걀 등을〉 단단하게 삶은; 단단하게 풀칠한 **2** 《구어》 무감각한; 〈태도·심정 등이〉 정에 얽매이지 않는; 딱딱한(tough); 실속 차리는, 현실적인 **3** 《미》 〘문학〙 비정한, 하드보일드의 《감상적인 데 없이 순객관적으로 표현하며 도덕적 비판을 가하지 않음》: novels of the ~ school 하드보일드파의 소설 **4** 《미·속어》 (소매 등에) 풀을 먹인
a ~ egg 완숙으로 삶은 계란; 《미·속어》 비정하고 의지가 강한 사람

hárd bóp 〘음악〙 하드 밥 《공격적이며 격렬한 모던 재즈의 한 스타일》

hard·bought [-bɔ́ːt] *a.* 애써서 얻은

hard·bound [-báund] *a.* 〈책이〉 딱딱한 표지를 씌운 (hardcover)

hárd búbble 〘컴퓨터〙 하드 버블 《컴퓨터 회로에서 기억의 분열을 일으키는 자기(磁氣) 버블(magnetic bubble)》

hárd cándy 《미》 하드 캔디 《끓인 설탕과 corn syrup에 향료를 가미한》

hárd cárd = CARD[1] 11

hárd cáse **1** 난치병 환자, 회복 불가능한 환자 **2** 개전(改悛)의 정이 없는 죄인, 상습범[자], 불량배 **3** 처리하기 어려운 사건

hard-case [-kèis] *a.* 완고한, 완강한

hárd cásh 경화; (수표·어음에 대하여) 현금

hard-charg·ing [-tʃɑ́ːrdʒiŋ] *a.* 〈사람이〉 (출세를 위해) 맹렬히 돌진하는

hárd chéese[**chéddar**] 《영·구어》 불행, 불운(bad luck); [감탄사적으로] 그거 안됐군 《겉치레의 동정》

hárd cíder 발효 사과술 《알코올분이 10% 이하》

hárd cóal 무연탄(anthracite)

hard-code [-kóud] *vt.* 〘컴퓨터〙 (프로그램 속에서) 〈데이터 따위를〉 변경하지 못하게 코드화하다[짜다]

hárd cóin 《미·속어》 큰돈, 목돈, 거금

hárd cópy **1** 〘컴퓨터〙 하드 카피 《컴퓨터의 처리 결과를 눈으로 읽을 수 있는 형태로 인쇄한 것》 **2** (인쇄 직전의) 완성 원고(原稿) **hárd-cóp·y** *a.*

hárd córe **1** 쉽사리 변하지 않는 부분; (사회·조직의) 비타협 분자, 강경파; (단체·운동 등의) 중핵(中核), 핵심 **2** 치유의 가망이 없는 환자 **3** 하드코어 록[록음악] **4** 《영》 하드 코어 《도로 등의 토대층(土臺層)》

hard-core [-kɔ́ːr] *a.* Ⓐ **1** 핵심의, 핵심을 이루는 **2** 〈사람이〉 단호한, 철저한: a ~ fan 고정 팬 **3** 〈실업·빈곤 등이〉 장기에 걸친, 만성적인; 〈약이〉 중독[습관]성의: ~ unemployment 만성적인 실업 **4** 〈포르노 영화·소설 등이〉 극도로 노골적인

hárd-córe pòrn[**pornògraphy**] 《속어》 노골적인 도색 영화[포르노]

hárd còurt 〘테니스〙 하드 코트 《아스팔트·콘크리트 등으로 다진 옥외 테니스 코트》(cf. GRASS COURT)

hard·cov·er [-kʌ́vər] *n.* 딱딱한 표지로 제본한 책, 양장본(cf. PAPERBACK) — *a.* 딱딱한 표지로 제본된, 양장본의 **~ed** *a.*

hard-cured [-kjúərd], **-dried** [-dráid] *a.* 〈생선 등을〉 말린, 건어로 한

hárd cúrrency 〘경제〙 경화(硬貨) 《주조 화폐, 또는 금 내지 달러와 쉽게 교환 가능한 통화》(cf. SOFT CURRENCY)

hárd detérgent 경성 세제 《미생물에 의해 분해되지 않음》(cf. SOFT DETERGENT)

hárd dísk 〘컴퓨터〙 하드 디스크 《자성체로 코팅된 알루미늄 등의 딱딱한 원판을 기록 매체로 사용하는 자기 디스크 장치》

hárd dísk drìve 〘컴퓨터〙 하드 디스크 장치

hárd dísk recòrder 〘컴퓨터〙 하드 디스크 저장 장치

hárd dóck 〘우주과학〙 (둘 이상의 우주선의) 기계적 [계기적] 도킹[결합]

hard-dock [-dɑ̀k | -dɔ̀k] *vi.* 〈둘 이상의 우주선이〉 기계적 조작에 의해 도킹[결합]하다

hárd dóer (호주·뉴질·속어) 이상한[재미있는] 녀석; 익살꾼

hárd drínk (위스키 등처럼) 알코올 성분이 높은 술 (hard liquor)

hárd drínker 술이 센 사람, 술고래, 주호

hard-drink·ing [-drìŋkiŋ] *a.* 술을 많이 마시는

hárd drìve 〘컴퓨터〙 하드 드라이브 《하드 디스크에 저장된 데이터를 읽는 컴퓨터 장치》

hard-driv·ing [-dráiviŋ] *a.* 〈사람이〉 정력적인 (energetic); 부하를 마구 부리는

hárd drùg 《구어》 중독성[습관성]이 강한 환각제[마

약]《헤로인·모르핀 등》
hard-earned [-ə́:rnd] *a.* 애써서 번[얻은]
hard-edge [-èdʒ] *n., a.* 〖미술〗 하드에지(의)《기하학적 도형과 선명한 윤곽의 추상 회화》
hard-edged [-èdʒd] *a.* 《구어》 윤곽이 뚜렷한; 날카로운; 철저하게 현실을 묘사하는: a ~ documentary 현실을 예리하게 묘사한 다큐멘터리
‡hard·en [há:rdn] *vt.* **1** 딱딱하게 하다, 굳게 하다; 〈주먹 등을〉 꼭 쥐다; 경화(硬化)시키다; 〈물을〉 경수(硬水)로 하다(opp. *soften*): ~ steel 쇠를 (담금질해서) 단단하게 하다 / ~ one's features 얼굴을 긴장시키다 **2** 〈사람·마음을〉 〈…에 대해〉 무감각[무자비]하게 하다 《*to, against*》: ~ one's heart 마음을 완고히 하다, 냉담해지다 // 《~+목+전+명》 The villagers were *~ed to* the danger. 마을 사람들은 그 위험에 무감각하게 되었다. **3** 강하게 하다, 강화하다, 굳히다; 단련하다; 〈심신을〉 강건히 하다; 《영》 용기를 내게 하다: ~ a person's convictions 확신을 확고히 하다 **4** 〖군사〗 〈미사일을〉 지하에 넣다[넣어 보호하다]; 〈군사 시설을〉 핵폭격에 대비하여 보강하다
— *vi.* **1** 딱딱해지다, 굳다; 〈물이〉 경수로 되다; 〈얼굴 표정이〉 굳어지다, 긴장하다: Her face suddenly *~ed* at the word. 그 말을 듣고 그녀의 얼굴이 갑자기 굳어졌다. / Clay *~s* by drying. 점토는 말리면 굳어진다. **2** 〈태도·생각 등이〉 공고해지다, 확실해지다, 강해지다: His resistance *~ed*. 그의 저항은 강해졌다. **3** 〈마음 등이〉 무감각해지다; 무자비해지다, 잔인해지다 **4** 〈물가 등이〉 안정되다; 오르다 **5** 〈곤란 따위에〉 익숙해지다, 끈질기게 되다; 정신차리다 **~ *off*** 〈묘목(苗木)을〉 차츰 찬 기운에 쐬어 강하게 하다
▷ hárd *a.*
hard·ened [há:rdnd] *a.* **1** 굳어진, 경화한, 단단해진, 강해진 **2** 철면피한, 무정[냉담]한; 무감각한: become ~ to …에 무감각해지다 **3** 확립된; 상습적인: a ~ offender 상습범 **4** 단련된: a ~ trooper 단련된 기병 **5** 불굴의, 완고한: a ~ attitude 완고한 태도 **6** 〖군사〗 〈핵무기·미사일 따위가〉 (적의 공격으로부터) 강화 방어 설비를 갖춘
hard·en·er [há:rdnər] *n.* **1** 굳게 하는 사람[것], 경화(촉진)제(劑) **2** (칼 등을) 불리는[담금질하는] 사람 **3** 〖사진〗 경막제(硬膜劑); 〖야금〗 모합금(母合金)
hard·en·ing [há:rdniŋ] *n.* **1** Ⓤ (강철의) 표면 경화, (쇠붙이의) 불림, 담금질; (시멘트·유지(油脂) 등의) 경화 **2** 〖화학〗 경화제; 〖병리〗 (동맥의) 경화(증): ~ of the arteries 동맥 경화(증)
hárd érror 〖컴퓨터〗 장치 오류《복구되지 않는 중대한 오류》
hard-face [há:rdfèis] *vt.* 〈금속의 표면에〉 내마모강(耐摩耗鋼)을 용접하다, 경질(硬質) 금속을 입히다[씌우다]
hard-faced [-féist] *a.* 뻔뻔스러운, 철면피의
hárd fácts 《미·구어》 확실한 정보
hard-fea·tured [-fí:tʃərd], **-fa·vored** [-féivərd] *a.* 얼굴이 험상궂은, 인상이 나쁜
hárd féelings [단수 취급] 적의, 악감정, (남에 대한) 언짢은 생각, 원한 ***No ~.*** 나쁘게[언짢게] 생각지 말게; 별로 악의가 있었던 건 아니야.
hárd físh 건어, 어포
hard-fist·ed [-fístid] *a.* **1** (노동하여) 손이 굳은[딱딱한, 거친] **2** 인색한; 무자비한 **3** 의지가 굳은; 완고한
hárd fòod 고형 사료; (말의) 곡물 사료《걸쭉한 사료나 마초에 대하여》
hard-fought [-fɔ́:t] *a.* 〈싸움이〉 치열한: a ~ battle[win, victory] 치열한 전쟁[우승, 승리]
hárd gòods 내구(耐久) 소비재《주택·가구·자동차 등》 **hárd-gòods** *a.*
hard-grained [-gréind] *a.* **1** 〈재목 등이〉 결이 치밀한, 딱딱한 **2** 〈성격 등이〉 모진, 가혹한(stern), 완고한; 매력이 없는
hard·hack [-hæ̀k] *n.* 〖식물〗 조팝나무류의 관목(灌木)《북미산(産)》
hard·hand·ed [-hǽndid] *a.* **1** (노동으로) 손이 거칠어진 **2** 압제적인, 가혹한; 폭군적인: a ~ ruler 포악한 지배자 **~·ly** *ad.* **~·ness** *n.*
hárd hát **1** 《영》 = DERBY 3 **2** (공사 작업원의) 안전모(安全帽), 헬멧
hard-hat [-hæ̀t] 《미·구어》 *a.* **1** 안전모를 쓸 필요가 있는: a ~ zone 안전모 착용 구역 **2** 건설 노동자의; 초(超)보수(반동)주의의; 완고한
— *n.* **1** (안전모를 쓴) 건설 노동자 **2** 극단적인 보수[반동]주의자, 강경 탄압주의자 **3** (게릴라가 아닌) 정규 군사
hard·hat·tism [-hæ̀tizm] *n.* 《미》 보수(반동)주의, 과격파 강경 탄압
hard·head [-hèd] *n.* **1** 융통성 없는 사람, 고지식한 사람 **2** 빈틈없는[실제적인] 사람 **3** 잉엇과의 민물고기《미국산(産)》 **4** 《미·속어》 (백인 또는 흑인이 서로를 부를 때의) 흑인, 백인
hard·head·ed [-hédid] *a.* **1** 완고한, 고집센 **2** 빈틈없는, 실제적인 **~·ly** *ad.* **~·ness** *n.*
hárdhead spónge 탄성이 있는 경질 섬유의 해면(海綿)《서인도 제도·중앙아메리카산(産)》
hard·heart·ed [-há:rtid] *a.* 무정한, 냉혹한(merciless) **~·ly** *ad.* **~·ness** *n.*
hard-hit [-hít] *a.* **1** 심각한 영향을 받은, 큰 타격을 입은; 불행으로 재기 불능케 된 **2** 강하게 끌린, 깊은 사랑에 빠진
hard-hit·ting [-hítiŋ] *a.* 《구어》 〈행동이〉 활기가 있는; 적극적인; 아주 효과적인, 충격을 줄 만한
hárd hòuse 〖음악〗 템포가 빠르고 격렬한 house music의 일종
hárd hýphen 〖컴퓨터〗 고정 하이픈《워드 프로세싱에서 단어에 원래부터 들어 있는 하이픈》
har·di·hood [há:rdihùd] *n.* Ⓤ 대담, 배짱, 용기(boldness); 뻔뻔스러움, 철면피; 힘, 강장(强壯); 활력; 불굴의 정신: ~ of mind 용기 // 《~+***to*** do》 He had the ~ *to* deny. 그는 대담하게도 거부하였다.
har·di·ly [há:rdili] *ad.* 대담하게, 뻔뻔스럽게(도); 씩씩하게; 고난에 견뎌
har·di·ness [há:rdinis] *n.* Ⓤ **1** 대담; 용기; 철면피, 뻔뻔스러움 **2** 억셈, 강장(强壯); 인내력; (식물의) 내한(耐寒)성
Har·ding [há:rdiŋ] *n.* 하딩 **Warren G. ~** (1865-1923)《미국 제29대 대통령(1921-23)》
hard-knock [há:rdnák | -nɔ́k] *a.* 곤란투성이의, 역경만 있는
hárd knócks 《구어》 역경, 불운; 고난: take some[a few] ~ 고생하다, 어려움을 당하다 ***the school of ~*** 현실 세계, 실사회(實社會)
hárd lábor (형벌로서의) 중노동, 강제 노동: five years at ~ = five years' ~ 중노동 5년
hard-laid [-léid] *a.* (로프 따위를) 단단히 꼰
hárd lánding (우주선의) 경착륙(硬着陸)(opp. *soft landing*)
hárd léft [the ~; 집합적; 단수·복수 취급] 《영》 극좌(極左)
hárd légs 《미·흑인속어》 **1** 젊은이, 남자; 멋쟁이 **2** 「메주」, 「호박」《여자》
hárd léns (경질 플라스틱제의) 하드 콘택트 렌즈(cf. SOFT LENS)
hárd líne (정치 상의) 강경 노선, 강경책: take[adopt] a ~ 강경 노선을 취하다
hard-line [há:rdlàin] *a.* 강경론[노선]의, 타협 않는; 신조가 굳은: ~ union demands 조합의 강경한 요구
hard-lin·er [-láinər] *n.* 강경 노선의 사람, 강경파, 신조가 굳은 사람
hárd línes 《영·속어》 곤경, 불운《*on*》: *H~!* 운이 나빴던 거요!《동정의 표현》
hard-lin·ing [-láiniŋ] *a.* 강경 노선을 취하는
hárd líquor 증류주(distilled liquor), (스트레이트

의) 위스키
hárd lúck 불행, 불운(hard lines): a ~ story 《구어》 (동정을 끌기 위한) 가련한 신세 이야기[타령]
‡hard·ly ⇨ hardly (p. 1157)
▷ hárd *a.*
hárd máss 하드 매스 《모조 보석용 경질 유리》
hárd móney 1 《미》 경화(硬貨) **2** 태환 화폐, 정화(正貨)(cf. SOFT MONEY)
hard·mouthed [-máuðd] *a.* **1** 〈말이〉 재갈이 듣지 않는, 다루기 힘든 **2** 〈사람이〉 고집 센; 말투가 거친
***hard·ness** [hɑ́:rdnis] *n.* Ⓤ **1** 단단함, 견고 **2** (물·광물 등의) 경도 **3** 무정, 무자비 **4** 곤란, 난해; 준엄, 가혹: the ~ of one's lot 운명의 준엄함
hárd néws (정치·경제·국제 문제 등의) 딱딱한 뉴스
hard-nose [hɑ́:rdnòuz] *n.* 《구어》 실무자, 수완가; 고집이 센 사람, 콧대가 센 사람
hard-nosed [-nóuzd] *a.* 《구어》 **1** 콧대 센, 고집 센 **2** 빈틈없는, 실제적인; 엄격한, 정에 흐르지 않는: a ~ leader 엄격한 지도자
hárd nút 《구어》 다루기 어려운 것[사람, 문제]
hard-off [hɑ́:rdɔ̀:f | -ɔ̀f] *n.* 《미·속어》 둔감한 사람, (성적 흥미도 없이) 멍한 녀석
hard-of-hear·ing [hɑ́:rdəvhíəriŋ] *a.* 귀가 먼, 난청의
hard-on [hɑ́:rdɔ̀:n | -ɔ̀n] *n.* 《비어》 (남자 성기의) 발기 ***get*** [***have***] ***a ~*** 발기하다 ***have*** [***get, nurse***] ***a ~ for*** 《미·속어》 …이 마음에 쏙 들다; …을 하고 싶어 안달이 나다; …을 몹시 싫어하다
hárd pád 〖수의학〗 (개의) 경척증(硬蹠症)(=~ **disèase**) 《distemper[1]의 한 증후; 발바닥이 경화함》
hárd pálate 〖해부〗 경구개(硬口蓋)(opp. *soft palate*)
hard·pan [-pæ̀n] *n.* **1** 〖지질〗 저반(底盤), 경반(硬盤)(층), 경토층(硬土層) **2** (이론 등의) 튼튼한 기초[기본]; (문제 등의) 핵심, 본질: the ~ of that theory 그 이론의 기본
hárd pàste 경질 자기(硬質磁器)
hárd pórn 《구어》 성 묘사가 노골적인 도색 영화[소설](hard-core porn)
hard-pressed [-prést] *a.* (과로 등에) 압박당한, 시달리는; 곤경에 빠진, 곤궁한: be ~ for time 시간이 없어 곤란하다
hárd ríght [the ~; 집합적; 단수·복수 취급] 《영》 극우(極右)
hárd-road frèak [-ròud-] 《미·속어》 (마약 소지 따위로 체포된 전력이 있는) 체제를 전적으로 부정하며 방랑 생활을 하는 젊은이
hárd róck 〖음악〗 하드 록 《앰프를 사용하여 규칙적인 비트로 연주하는 록》 **~·er** *n.*
hard-rock [-rɑ̀k | -rɔ̀k] *a.* **1** 경암(硬岩)의 《화성암·변성암 등》; 〈광산 노동자가〉 경암에서의 작업 경험을 쌓은 **2** 《미·속어》 엄한; 꾀까다로운
hárd róe 어란(魚卵), 《특히》 연어 알
hárd rúbber 경질(硬質) 고무
hards [hɑ́:rdz] *n. pl.* 삼(麻) 부스러기(tow) ***flocks and ~*** (의자·가구 등의 속에 채우는) 섬유 부스러기
hárd sàuce 하드 소스 《버터와 설탕을 섞고 크림·향료를 넣은 소스; 파이·푸딩 등에 뿌림》
hárd scíence 자연 과학 《물리학·화학·생물학·지질학·천문학 등》 **hárd scíentist** *n.* 자연 과학자
hard·scrab·ble [hɑ́:rdskræ̀bl] 《미》 *a.* 일한 만큼의 보답을 못 받는, 열심히 일해야 겨우 먹고 살 수 있는 **—** *n.* 척박한 토지
hárd-séc·tored dísk [-séktərd-] 〖컴퓨터〗 고정 섹터 디스크 《floppy disk에서 섹터를 알아낼 때 디스크의 위치마다 섹터 구멍을 뚫어 이를 광학적으로 검출하는 방식》
hárd séll [종종 the ~] **1** 적극적인[끈질긴] 판매[광고](opp. *soft sell*) **2** 《구어》 어려운 설득(의 일)
hard-sell [-sél] *a.* 적극적인[끈질긴] 판매의
— *vt., vi.* (**-sold**) 적극적으로[끈질기게] 판매[광고]하다: 《~+목+전+명》 ~ customers *on* a new product 신제품을 고객에게 끈질기게 팔다
hard-set [-sét] *a.* **1** 곤경에 빠진 **2** 딱딱해진; 굳어버린(stiff): a ~ smile 굳은 미소 **3** 〈알이〉 깰 때가 된 **4** 결심이 굳은; 고집 센, 완고한 **5** 굶주린(hungry)
hard-shell [-ʃél] *a.* **1** 껍질이 딱딱한 **2** 《구어》 〈사람이〉 완고한, 자기 주장을 굽히지 않는, 비타협적인; 근본[원리] 주의적인(fundamental): a ~ conservative 원리주의적 보수주의자
— *n.* =HARD-SHELL CRAB
hárd-shell cráb 껍질이 두꺼운 게
hard-shelled [-ʃéld] *a.* =HARD-SHELL
‡hard·ship [hɑ́:rdʃip] *n.* **1** ⓊⒸ 곤란, 신고(辛苦); 결핍; [종종 *pl.*] (개개의) 고충; 고충의 원인: live through various ~*s* 갖은 고생을 겪으며 살다 **2** Ⓤ 학대, 압제(oppression), 불법(injustice)
▷ hárd *a.*
hárdship ìndex 곤궁도(困窮度) 지수 《경제적 곤궁도를 나타내는 지수》
hárd shóulder (도로의) 대피선, 단단한 갓길 《긴급 대피용》
hárd sòlder 경랍(硬鑞) 《1200°F 이상의 고온에서 녹는 땜납》(cf. SOFT SOLDER)
hárd spàce 〖컴퓨터〗 하드 스페이스 《단순히 낱말이 끝나는 곳이 아니라, 통상의 영문자와 마찬가지로 취급되는 스페이스 문자》
hard-spun [hɑ́:rdspʌ́n] *a.* 〈방적사가〉 단단하게 자은
hard·stand(·ing) [-stæ̀nd(iŋ)] *n.* (비행장의) 포장(鋪裝) 주기장(駐機場)
hard·stuff [-stʌ̀f] *n.* 《미·속어》 **1** [the ~] 독한 술, 《특히》 위스키 **2** =HARD DRUG
hard-sur·face [-sɔ́:rfis] *vt.* **1** 〈도로를〉 포장하다 **2** =HARD-FACE
hárd swéaring 《완곡》 태연한[천연덕스런] 위증
hard·tack [-tæ̀k] *n.* Ⓤ (선박·군용의) 딱딱한 비스킷, 건빵 《비상용》; 《미·속어》 돈, 《특히》 은화
hard-tick·et [-tíkit] *n.* 지정 좌석권(券); 지정 좌석제의 공연 **—** [⌐⌐] *a.* 〈공연이〉 표를 구하기가 어려운
hárd tíme 1 어려움, 귀찮음; 어려운[싫은] 일; (이성으로부터) 냉대를 당하기 **2** [*pl.*] 불경기; 궁핍한 시기, 재정적으로 어려운 시기 **3** 《속어》 교도소 생활, 형기 ***get*** [***have***] ***a ~*** 되게 혼이 나다, 곤욕을 치르다 ***give*** a person ***a ~*** (1) …을 혼내다, 꾸짖다 (2) …에게 누를 끼치다 (3) …을 놀리다, 희롱하다
hard·top [-tɑ̀p | -tɔ̀p] *n.* **1** 하드톱 《지붕이 금속제이고 창 중간에 창틀이 없는 승용차》 **2** 옥내 영화관[극장] 《옥외 드라이브인에 대하여》 **3** 《미·속어》 의지가 굳은 사람, 고집쟁이
hard-up [-ʌ́p] *a.* 《속어》 결핍한; (돈에) 쪼들리는 (*for*) **~·ness** *n.*
‡hard·ware [hɑ́:rdwɛ̀ər] *n.* Ⓤ **1** [집합적] **철물**, 쇠붙이, **금속 기구류**(metalware): a ~ store 철물점 **2** 〖컴퓨터〗 **하드웨어** 《정보 처리용 전자 기기의 총칭》(cf. SOFTWARE) **3** (이론·계획 등과 구별하여) 기계 설비, 기재 **4** 《구어》 (군용의) 무기[기재]류 《전차·총포·항공기·미사일 등》; 《속어》 몸에 지니는 무기, 《특히》 권총 **5** 《미·속어》 훈장, 계급장; 귀금속 **6** 《미·속어》 위스키; 강한 술
hárdware càche 〖컴퓨터〗 하드웨어 캐시 《디스크의 제어칩 안에 있는 캐시》
hárdware dèaler 《미》 =IRONMONGER
hárdware fàilure 〖컴퓨터〗 하드웨어 고장[장해]
hárdware ìndustry 하드웨어 산업 《컴퓨터의 기계·설비를 개발·생산하는 산업》
hard·ware·man [hɑ́:rdwɛ̀ərmən] *n.* (*pl.* **-men**

thesaurus **hardship** *n.* adversity, deprivation, destitution, poverty, misfortune, distress, suffering, affliction, pain, misery, trials, calamity, disaster, torment (opp. *prosperity, ease, comfort*)
hardwearing *a.* durable, strong, tough, stout

hardly

hardly는 「거의 …않다」라는 준부정의 뜻으로 쓰는 경우가 가장 많다. 이때의 뜻은 scarcely, rarely, seldom과 거의 같다. 드물게 「애써서」, 「고생하여」의 뜻으로 쓰이며, 이때 hard *ad.*와 혼동하지 말아야 한다.
문중의 위치에 관해선 USAGE를 참조할 것.

‡**hard·ly** [hɑ́ːrdli] *ad.* **1** 거의 …않다[하지 않다] (hard *ad.*와 혼동하지 않도록 주의): I can ~ believe it. 거의 믿어지지 않는다. / *H*~ anyone writes to me these days. 요즈음 나에게 편지를 보내는 사람은 거의 없다. / There is ~ any time left. 시간은 거의 남아 있지 않다. / "Did many people come?" — "No, ~ anybody." 사람들이 많이 왔습니까? — 아뇨, 거의 아무도 (오지 않았습니다).
USAGE hardly 1의 문중에서의 가장 일반적인 위치는 그것이 수식하는 말 앞이지만, 조동사가 (여러 개) 쓰이고 있는 경우에는 보통 그(처음 조동사) 뒤에 온다. (1) 형용사 앞: That is ~ true. 그것은 거의 사실일 수 없다. / I had ~ any money. 거의 돈이 없었다. / It had ~ been used. 그것은 거의 사용되지 않았다. (2) 대명사 앞: *H*~ anybody spoke to him. 거의 아무도 그에게 말을 걸지 않았다. (3) 부사 앞: He ~ ever reads books now. 지금은 그는 책을 좀처럼 읽지 않는다. (4) 동사 앞: I ~ know what to do next time. 다음에는 무엇을 해야 할지 모를 정도입니다. (5) 조동사 뒤: I can ~ endure the pain. 고통을 거의 견딜 수 없다. / You would ~ have recognized him. 당신은 그를 거의 알아보지 못하였을 것이다.

유의어 **hardly**는 여유가 전혀 없음을 나타내며, 거의 부정의 뜻에 가깝다. **scarcely**도 대체로 같은 뜻이지만 hardly가 일반적으로 쓰인다. **barely**는 이들보다는 부정적인 뜻은 약하다.

2 조금도[전혀] …않다, 도저히 …않다: This is ~ the place to talk about the problem. 이곳은 그 문제에 대해 토론할 장소가 아니다. / I can ~ demand money from him. 그에게 도저히 돈을 요구할 수가 없다.
3 아마도 …않다, 거의 …할 것 같지 않다: They will ~ come now. 그들은 이제는 올 것 같지 않다. / Such a plan can ~ succeed. 그런 계획은 거의 성공할 가망이 없다.
4 a 맹렬히, 열심히(vigorously): The battle was ~ contested[fought]. 대단한 고전이었다. **b** 고되게, 어렵게: We live ~. 우리는 고된 생활을 하고 있다. / Victory was ~ won. 간신히 승리했다. **c** 심하게, 가혹하게(harshly): He dealt ~ with her. 그는 그녀를 가혹하게 다루었다.
5 (드물게) 애써서, 고생하여, 가까스로
can't [***couldn't***] ~ (구어) …하지 않을 수 없다 (이중 부정): I *can't* ~ laugh. 웃지 않을 수 없다.
~ ***any*** 거의 …않다, 별로 …않다: There are ~ *any* cookies left. 과자 남은 게 얼마 없다.
~ ***ever*** 좀처럼 …하지 않다: He ~ *ever* smiles. 그는 좀처럼 웃지 않는다.
~ ***less*** 거의 같게
~ ***… when*** [***before***] …하자마자(cf. SCARCELY … when[before], no SOONER … than): We had ~ started *when* it began to rain. = *H*~ had we started … 우리가 출발하자마자 비가 내리기 시작했다. (hardly가 문두에 오는 것은 문어적 표현)
speak [***think***] ~ ***of*** …을 나쁘게 말하다[생각하다]

[-mən, -mèn]) 철물 제조인; 철물 상인((영) ironmonger)

hárd wáy [the ~; 부사적] (구어) 고생하여 〈공부[출세]하다 (등)〉, 엄격히 〈키우다 (등)〉: come up *the* ~ 꾸준히 노력해서 사회적 지위를 쌓다

hard·wear·ing [-wɛ̀əriŋ] *a.* (영) 〈옷·구두 등이〉 오래가는, 질긴((미) longwearing)

hárd whéat 경질 소맥 (마카로니·스파게티·빵 제조용)

hard·wire [-wàiər] *vt.* (미) (보고 듣고 하는 것에서) 〈행동 양식을〉 고정화시키다, 굳어버리게 하다

hard·wired [-wàiərd] *a.* **1** 〖컴퓨터〗 **a** 하드웨어에 내장된 **b** 〈단말(端末)이〉 회로 접속의 **2** 〈전기·전자 부품이〉 배선에 의해 접속된 **3** (비유) 원래 갖추고 있는, 고유의

hard·wir·ing [-wàiəriŋ] *n.* **1** (전기·전자 부품의) 배선 **2** 〖컴퓨터〗 하드와이어링 (컴퓨터 내의 전자 장치 사이를 배선 접속하는 것)

hard-won [-wʌ́n] *a.* 애써서 번[얻은](hard-earned)

hard·wood [-wùd] *n.* **1** Ⓤ 경재(硬材) (oak, cherry, ebony, mahogany 등) **2** 활엽수(cf. SOFTWOOD) **— *a.*** 경재의, 경재로 만든

hárd wórd [the ~] (속어) 거절; [*pl.*] 어려운 말; 욕; 성난 말투 ***put the*** ~(***s***) a person (호주·구어) …에게 부탁을 하다, 돈을 빌려달라고 말하다; 구애하다

hard-worked [-wɔ́ːrkt] *a.* 혹사당하는, 지친; 〈농담 등이〉 낡아 빠진

***hard·work·ing** [hɑ́ːrdwɔ́ːrkiŋ] *a.* **근면한,** 열심히 일[공부]하는(⇨ diligent 유의어): a ~ employee 근면한 직원

‡**har·dy** [hɑ́ːrdi] [OF 「대담하게 하다」의 뜻에서] *a.* (**-di·er**; **-di·est**) **1** **단련된, 튼튼한,** 고난에 견딜 수 있는, 강건한: a ~ constitution 강건한 몸 **2** 〖원예〗 〈식물이〉 내한성(耐寒性)의: ~ rice plants 내한성이 있는 벼 **3** 〈스포츠 등이〉 강한 체력[내구력]을 요하는: the *hardiest* sports 가장 힘든 운동 **4** 거리낌 없는, 대담한, 배짱이 좋은; 뻔뻔스러운; 무모한(rash): a ~ remark 무례한 발언 / a ~ explorer 대담한 탐험가
▷ hárdily *ad.*; hárdiness *n.*

Har·dy [hɑ́ːrdi] *n.* 하디 **Thomas ~** (1840-1928) (영국의 소설가·시인)

hárdy ánnual **1** 〖식물〗 내한성(耐寒性) 1년생 식물 **2** 해마다 으레 대두되는 문제

hárdy perénnial **1** 〖식물〗 내한성 다년생 식물 **2** 여러 해 동안 (되풀이) 제기되는 문제

Hár·dy-Wéin·berg Làw[**distribùtion**] [-wáinbəːrg-] [the ~] 〖유전〗 하디바인베르크의 법칙 (유전 법칙의 하나)

‡**hare** [hɛ́ər] *n.* (*pl.* **~s,** [집합적] **~**) **1** **산토끼** ★ rabbit보다 크고 뒷다리·귀가 길며, 굴에 사는 습성이 없음: a buck[doe] ~ 수[암]토끼 **2** (「토끼와 사냥개(hare and hounds)」 놀이의) 토끼역 **3** [the H~] 〖천문〗 토끼자리 **4** 바보 **5** (영·속어) 무임 승객 **6** 의제, 화제: raise a ~ 화제를 꺼내다
(***as***) ***mad as a*** (***March***) ~ (3월의 교미기의 토끼

hardworking *a.* diligent, industrious, keen, enthusiastic, busy (opp. *lazy, idle*)
hardy *a.* **1** 튼튼한 healthy, strong, sturdy, tough, vigorous, firm **2** 대담한 bold, daring, brave, courageous, dauntless, resolute

같이) 미쳐 날뛰는, 변덕스러운, 난폭한 (**as**) ***timid as a ~*** 몹시 수줍어하는, 소심한 ***catch*** [***hunt for***] ***a ~ with a tabor*** 불가능한 일을 하려고 하다 ***First catch your ~*** (***then cook him***). 《속담》 우선 토끼를 잡고 봐라 (요리는 그 후의 일이다), 먼저 사실을 확인하라. ***~ and hounds*** 「토끼와 사냥개」 놀이 (=paper chase) 《두 아이가 토끼가 되어 종잇조각을 뿌리면서 달아나면 다른 여러 아이들이 사냥개가 되어 쫓아감》 ***~ and tortoise*** 토끼와 거북(의 경주) 《재능보다는 근면·성실이 중요하다는 내용》 ***hold*** [***run***] ***with the ~ and run*** [***hunt***] ***with the hounds*** = ***run with ~ and hounds*** 이편 저편에 다 좋게 굴다, 양다리 걸치다 ***make a ~ of*** a person …을 농락하다, 바보 취급하다 ***put up the ~*** 《영·구어》 뭔가를 시작하다 ***start a ~*** 토끼를 굴에서 튀어나오게 하다; (논의 등에서) 주제에서 빗나가게 하다, 지엽(枝葉)에 흐르다, 관계없는 문제를 꺼내다

— *vi.* 《영·구어》 질주하다 《*off*》 **~·like** *a.*

hare·bell [héərbèl] *n.* 〔식물〕 실잔대 《스코틀랜드에서는 bluebell》

hare·brained [-brèind] *a.* 〈사람·계획 등이〉 변덕스러운, 들뜬, 경솔한, 무모한: a ~ idea 무모한 생각

háre còursing 토끼 몰이하는 스포츠 《수렵 등》

hare·foot [-fùt] *n.* **1** (특히 아메리칸 폭스하운드의) 토끼 같은 발 **2** [**H~**] 잉글랜드왕 Harold 1세의 별명 **~·ed** *a.* 발이 빠른; 토끼 같은 발을 가진

hare·heart·ed [-há:rtid] *a.* 소심한, 겁 많은

Ha·re Krish·na [há:ri-kríʃnə, hǽri-] **1** 하레 크리슈나 《힌두교의 Krishna 신에게 바친 성가(聖歌)의 제목》 **2** (하레) 크리슈나교(도) 《미국의 신흥 종교, 힌두교의 일종》

hare·lip [héərlìp] *n.* 언청이

háre·lipped [-t] *a.*

har·em [héərəm, hǽr- | héər-, ha:rí:m] *n.* **1** 하렘 《이슬람교국의 여자의 방》; [집합적] 규방의 여자들 《어머니·처·첩·자매·딸·여종 등》 **2** [집합적] (한 남자를 둘러싸고) 따라다니는 여자들; (다혼성(多婚性) 동물의 수컷을 따라다니는) 암컷의 떼[무리] **3** 〔이슬람교〕 (이교도 금제(禁制)의) 성전, 성역

hárem pànts 하렘 바지 《발목 부분을 끈으로 묶게 된 통이 넓은 여성용 바지》

hare's-foot [héərzfùt] *n.* (*pl.* **~s**) 〔식물〕 클로버[토끼풀]의 일종

har·i·cot[1] [hǽrəkòu] *n.* 강낭콩(kidney bean)

haricot[2] *n.* 아리코 《양고기와 야채의 스튜》

Har·i·jan [hǽridʒæ̀n] *n.* (*pl.* **~s,** [집합적] **~**) [종종 **h~**] 〔힌두교〕 하리잔, 태양[신]의 아들 《인도의 불가촉 천민(不可觸賤民)(untouchable)에 대해 Gandhi가 쓴 명칭》

har·is·sa [hərí:sə | ǽrisə] *n.* Ⓤ (후추와 기름으로 된) 남아프리카의 매운 소스

***hark** [há:rk] *vi.* **1** [주로 명령문으로] 《문어》 **주의 깊게 듣다**, 귀를 기울이다(listen) 《*at, to*》 **2** 《영》 (사냥개에게 가라, 돌아오라 등과 같이) 명령하다 《*away, forward, off*》

— *vt.* **1** 《고어》 잘 듣다, 경청하다 **2** 〈사람·개 등을〉 부르다; 〈사냥개를〉 먼저 가게 하다

~ after …을 좇다, 따르다 ***~ at*** …(의 말)을 듣다: *H~ at* him! 우선 그의 말을 들어라. ***H~ away*** [***forward, off***]***!*** 가라! 《사냥개에게 하는 명령》 ***~ back*** (1) 〈사냥개가〉 냄새 자취를 찾으려고 길을 되돌아가다; 출발점에 되돌아가다 (2) 〈생각·이야기 등이〉 처음으로 되돌아가다 《*to*》 (3) 〈사냥개를〉 되불러들이다 ***~ to*** 《고어·시어》 …에 귀를 기울이다 ***H~*** (***ye***)***!*** 들어라.

— *n.* 사냥개를 격려하거나 지시하는 외침소리

hark·en [há:rkən] *vi., vt.* = HEARKEN

harl[1] [há:rl] 《스코》 *vt.* 질질 끌다; 〈고기를〉 견지낚시로 잡다; 〈벽 따위에〉 애벌칠하다

— *vi.* 견지낚시를 하다

harl[2] *n.* **1** 〔식물〕 할 《아마·대마 줄기의 섬유》 **2** 〔낚시〕 제물낚시

Har·lem [há:rləm] *n.* **1** 할렘 《New York시 Manhattan 섬의 동북부에 있는 흑인 거주 구역》 **2** [the ~] 할렘 강

~·ite [-àit] *n.* Harlem 주민

har·le·quin [há:rləkwin, -kin | -kwin] [OF 「악마」의 뜻에서] *n.* **1** [종종 **H~**] 할리퀸 《pantomime극의 주역, Pantaloon의 하인이며 Columbine의 애인》 **2** 《일반적으로》 어릿광대(buffoon) **3** 〔조류〕 = HARLEQUIN DUCK **4** 얼룩무늬 뱀 **5** 얼룩모양 무늬

— *a.* 잡색의, 얼룩색의; 변화 무쌍한, 다채로운

Harlequin 1

har·le·quin·ade [hà:rləkwinéid] *n.* **1** (pantomime에서) harlequin이 나오는 막 **2** 어릿광대짓

hárlequin bùg 〔곤충〕 날개에 흑적색 얼룩무늬가 있는 방귀벌레의 일종 《양배추의 해충》

hárlequin físh (남아시아산(産)의) 할리퀸 피시 《작고 다채로운 빛을 띰》

hárlequin dùck 〔조류〕 흰줄박이오리

Har·ley-Da·vid·son [há:rlidéividsən] *n.* 할리데이비드슨 《미국제 대형 오토바이; 상표명》

Hárley Strèet **1** (영국 London의) 할리 가(街) 《일류 의사들의 동네》 **2** [집합적] 《영》 전문의들

har·lot [há:rlət] 《문어》 *n.* 매춘부(prostitute); 음탕한 여자 — *a.* 매춘부의

har·lot·ry [há:rlətri] *n.* (*pl.* **-ries**) 《문어》 **1** Ⓤ 매춘 (행위) **2** [*pl.*; 집합적] 매춘부

hár·lot's héllo [há:rləts-] 《속어》 존재하지 않는 것, 무(無)

*****harm** [há:rm] *n.* Ⓤ **1 해**, 해악, 위해(危害): bodily ~ 육체적 위해 / I meant no ~. 악의로 한[말한] 것은 아니다. / *H~* set, ~ get. = *H~* watch, ~ catch. 《속담》 남 잡이가 제 잡이. **2 손해**, 손상; 불편, 난처함: 《~+전+**-ing**》 There's no ~ *in* try*ing*. 해보는 데에 손해 볼 것은 없다.

come to ~ 혼나다, 쓰라림을 겪다 ***do*** a person ***~*** = ***do ~ to*** a person …에게 위해를 가하다, 해치다 ***do more ~ than good*** 백해무익하다 ***do no ~*** 해가 되지 않다 ***No ~*** (***is***) ***done.*** 전원 이상 없음. ***out of ~'s way*** 안전한 곳에, 무사히 ***There is no ~ in*** do***ing.*** = ***It does no ~ to*** do 《구어》 …해 보는 것도 나쁘진 않다[무방하다] ***Where*** [***What***] ***is the ~ in*** try***ing?*** (해보아서) 나쁠 것이 뭐냐?

— *vt.* 〈사람·평판·사물 등을〉 **해치다**, 상하게 하다, 훼손하다(opp. *help*): ~ one's reputation 평판을 훼손하다 / He won't ~ a fly. 그는 벌레도 안 죽인다.

★ INJURE보다 뜻이 센 말. **~·er** *n.*

▷ hármful *a.*

HARM [há:rm] [*h*igh-speed *a*nti-*r*adiation *m*issile] *n.* 〔미군〕 공대지(空對地) 고속 대 레이더 미사일

har·mat·tan [hà:rmətǽn | ha:rmǽtn] *n.* 하마탄 《12월부터 2월에 걸쳐 아프리카 내지에서 서해안으로 부는 건조한 열풍》

****harm·ful** [há:rmfəl] *a.* **유해한**, 해가 되는(injurious); 위험한 《*to, for*》: be ~ *to* health 건강에 해롭다 **~·ly** *ad.* **~·ness** *n.*

****harm·less** [há:rmlis] *a.* **1 해롭지 않은**, 무해한; 악의 없는, 순진한 《*to, for*》: a ~ insect 무해한 곤충 / a ~ prank 악의 없는 농담 / This drug kills germs but is ~ *to* people. 이 약은 세균은 죽이지만 인간에게는 무해하다. **2** 손해 없는, 손상받지 않은

thesaurus **harm** *v.* injure, hurt, wound, abuse, maltreat, damage, deface, impair, spoil, blemish

harmful *a.* injurious, hurtful, wounding, abusive, disadvantageous, destructive, toxic, dangerous, bad, evil, malign, wicked, corrupting

have [***save***] a person ~ …을 (손실·처벌 등으로부터) 무사히 면하게 하다 ***hold*** [***save***] ~ 〖법〗 (손해가 생겨도) 책임을 면제하다
~·ly *ad.* **~·ness** *n.*

har·mon·ic [hɑːrmánik | -mɔ́n-] *a.* **1** 조화적인 **2** 〖음악〗 화성의; 〖수학〗 조화의 **—** *n.* **1** 〖음악〗 배음(倍音) **2** [*pl.*] 〖전기〗 고조파(高調波)
-i·cal·ly *ad.*

har·mon·i·ca [hɑːrmánikə | -mɔ́n-] *n.* 〖음악〗 **1** 하모니카(mouth organ): play the ~ 하모니카를 불다 **2** 유리[금속]판 실로폰; 목금(木琴)

harmónic análysis 〖물리〗 조화 분석; 〖수학〗 조화 해석; 〖음악〗 조파(調波) 분석

harmónic distórtion 〖전자〗 고조파(高調波) 일그러짐 《사인(sine)파를 입력할 때 출력으로 나오는 고조파 성분》

harmónic méan 〖수학·통계〗 조화 평균, 조화 중항(中項)

harmónic mínor scále 〖음악〗 화성적 단음계

harmónic mótion 〖물리〗 조화[단현(單弦)] 운동

har·mon·i·con [hɑːrmánikən | -mɔ́n-] *n.* (*pl.* **-ca** [-kə]) **1** 하모니카 **2** 오케스트리온(orchestrion) 《오르간의 일종》

harmónic progréssion 〖수학〗 = HARMONIC SERIES; 〖음악〗 화음 연결[진행]

harmónic propórtion 〖수학〗 조화 비례

harmónic quántities 〖수학〗 조화수

har·mon·ics [hɑːrmániks | -mɔ́n-] *n. pl.* **1** 〖음악〗 [단수 취급] 화성학 **2** [복수 취급] 배음(overtones)

harmónic séries 〖수학〗 조화 급수

harmónic tóne 〖음악〗 (조화) 배음(倍音)

⁑har·mo·ni·ous [hɑːrmóuniəs] [Gk 「선율적인」의 뜻에서] *a.* **1** 조화된, 균형잡힌 《*with*》; 〖음악〗 화성의; 협화적인, 협화음의(melodious): ~ colors 잘 조화된 색채 **2** 사이가 좋은, 화목한(peaceable): a ~ family 화목한 가정 **~·ly** *ad.* **~·ness** *n.*
▷ hármony *n.*

har·mo·nist [hɑ́ːrmənist] *n.* **1** 화성학자 **2** 4복음서의 공관적(共觀的) 연구자

har·mo·nis·tic [hɑ̀ːrmənístik] *a.* **1** 화성의, 화성학적인; 화성학자(和聲學者)의 **2** (4복음서 등의) 공관적(共觀的) 연구(자)의

har·mo·ni·um [hɑːrmóuniəm] *n.* 발 풍금, 페달식 오르간

har·mo·ni·za·tion [hɑ̀ːrmənizéiʃən] *n.* Ⓤ 조화; 일치, 화합

***har·mo·nize** [hɑ́ːrmənàiz] *vt.* **1** 〈상이점이 있는 것을〉 (솜씨 있게) 조화[화합]시키다; 일치시키다 《*with*》: (~+목+전+명) ~ one's ideals *with* reality 이상을 현실과 일치시키다 / ~ one's views *with* the new situation 보는 관점을 새로운 국면에 맞춰 수정하다 **2** 〖음악〗 …에 화성을 가하다: ~ a melody 선율에 (저음의) 화성(和聲)을 더하다
— *vi.* **1** 〈행동·감각·감정이〉 조화[일치]하다, 화합하다, 잘 어울리다 《*with*》: (~+전+명) A ~*s with* B. A는 B와 조화된다. / These colors ~ *with* each other. 이 빛깔들은 서로 잘 어울린다. **2** 화성(和聲)으로 노래하다, 합창하다
-nìz·er *n.* 화성학자
▷ harmonizátion, hármony *n.*

har·mo·nom·e·ter [hɑ̀ːrmənámətər | -nɔ́m-] *n.* 화음계(和音計)

⁑har·mo·ny [hɑ́ːrməni] [Gk 「음악적인 일치」의 뜻에서] *n.* (*pl.* **-nies**) ⓊⒸ **1** 조화, 일치, 화합, 융화 《*with*》: the ~ of colors 색채의 조화 / live in ~ *with* one's neighbors 이웃과 사이좋게 살다 **2** 〖음악〗 화성(和聲); 화성법, 화성학(cf. DISCORD) **3** Ⓒ (4복음서의) 유사점(類似點), 일치점, 공관 대조, 공관 복음(서) **4** 침착, 냉정
be in [***out of***] ~ 조화되어 있다[있지 않다] 《*with*》 ***the ~ of the spheres*** 천체의 화성 《천체의 운행으로 생기는 음악으로서 사람 귀에는 들리지 않는다고 함; ⇨ music》
▷ hármonize *v.*; harmónic, harmónious *a.*

⁑har·ness [hɑ́ːrnis] [OF 「무구(武具)」의 뜻에서] *n.* ⓊⒸ **1** [집합적; 단수 취급] (마차 끄는 말의) 마구(馬具): a double ~ 쌍두마차의 마구 / a set of ~*es* 한 벌의 마구 **2** 《고어》 (사람의) 갑옷 **3** 장치; 작업 설비 **4** 평소의 일, 직무 **5** 〖항공〗 낙하산의 멜빵; (자동차·침대 등의) 안전벨트 **6** 《미》 제복, 복장 《경관 등의》 ***die in*** ~ 일 하다가 죽다, 죽을 때까지 일하다 ***get back into*** ~ 평상시의 일로 돌아가다 ***in*** ~ (1) 평소의 업무에 종사하여 (2) 협력자로서 함께 ***live in*** ~ 결혼 생활을 하다 ***out of*** ~ 일에 종사하지 않고, 취업을 하지 않고 ***work*** [***run, trot***] ***in double*** ~ 부부가 맞벌이하다
— *vt.* **1** 〈말 등에〉 마구를 채우다: ~ a horse to a carriage 말에 마구를 채워 마차에 연결하다 **2** 〈폭포 등의 자연력을〉 동력화하다, 이용하다 《*to*》: ~ the sun's rays 태양 광선을 동력화하다 / ~ water power 수력을 이용하다 **3** 《고어》 갑옷을 입히다

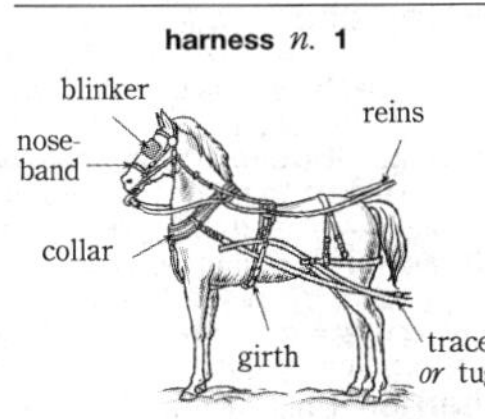

hárness bùll[**còp, dìck**] 《속어》 정복 경찰관, 순경

hárness hòrse 마차용 말; 하니스 레이스의 경주용 말

hárness ràce[**ràcing**] 하니스 레이스 《마구를 달고 1인승 2륜 마차(sulky)를 끄는 경마》

har·ness·ry [hɑ́ːrnisri] *n.* Ⓤ 마구류; 마구상

Har·old [hǽrəld] *n.* 남자 이름 《애칭 Hal》

ha·roosh [hərúːʃ] *n.* 《미》 큰 소란, 싸움

⁑harp [hɑ́ːrp] *n.* **1** 하프; 하프 모양의 것 **2** [the H~] 〖천문〗 거문고자리 **3** (전기 스탠드의) 하프 《갓을 받치는 하프 모양의 금속》 **4** 《속어》 아일랜드 사람
— *vi.* **1** 하프를 타다[연주하다]; 하프 같은 소리를 내다 **2** 같은 말을 되풀이하여 말하다 《*on, upon*》
— *vt.* **1** 〈곡을〉 하프로 타다 **2** 《고어》 입 밖에 내다[표현하다, 누설하다] ~ ***on*** [***upon***] ***a*** [***the same***] ***string*** 같은 말을 귀찮게 되풀이하다
~·ist *n.* 하프 연주자

harp·er [hɑ́ːrpər] *n.* **1** 하프 연주자 **2** 장황하고 지루하게 같은 말을 하는 사람

Hárp·er's Magazìne [hɑ́ːrpərz-] 하퍼즈지(誌) 《미국의 대표적인 문예 평론지; 1850년 창간》

***har·poon** [hɑːrpúːn] *n.* **1** (고래잡이용) 작살: hurl [throw] a ~ 작살을 던지다 **2** [**H~**] 〖군사〗 미 해군의 제트 추진 크루즈[순항] 미사일 **3** 《미·속어》 (마약용) 피하 주사기
— *vt.* …에 작살을 박아 넣다; 작살로 죽이다[잡다]
~·er *n.* **~·lìke** *a.*

harpóon gùn 작살 발사포, 포경포

hárp sèal 〖동물〗 하프바다표범

***harp·si·chord** [hɑ́ːrpsikɔ̀ːrd] *n.* 하프시코드, 쳄발로(cembalo) 《16-18세기의 건반 악기; 피아노의

---

harmless *a.* safe, nontoxic, innoxious, mild, inoffensive, innocent, blameless, gentle

harmony *n.* agreement, assent, accord, concurrence, cooperation, unanimity, unity, sympathy, fellowship, peace, compatibility, balance

전신》 **~·ist** *n.*

Harpy 1

har·py [hɑ́:rpi] *n.* (*pl.* **-pies**) **1** [**H~**] 〖그리스신화〗 하피 《여자의 얼굴과 새의 몸을 가진 탐욕스러운 괴물》 **2** 욕심 많은 사람, 탐욕스러운 사람; 심술궂은 여자, 잔소리가 심한 여자 **3** =HARPY EAGLE

hárpy èagle 〖조류〗 두 개의 관모(冠毛)를 가진 큰 독수리 《남미산》

har·que·bus [hɑ́:rkwəbəs] *n.* (*pl.* **~·es**) 화승총(火繩銃)(arquebus)

har·que·bus·ier [hɑ̀:rkwəbəsíər] *n.* 화승총병(兵)

har·ri·dan [hǽrədn] *n.* 심술궂은 노파, 마귀할멈(hag) **—** *a.* 잔소리가 심한

har·ri·er¹ [hǽriər] *n.* **1** 약탈자, 침략자; 괴롭히는 사람 **2** 〖조류〗 개구리매 **3** [**H~**] 〖군사〗 해리어 《영국이 세계 최초로 개발한 V/STOL(수직 단거리 이착륙)형 전투 공격 정찰기》

harrier² [「hare를 쫓는 것」의 뜻에서] *n.* **1** 해리어 개 《토끼 사냥용》 **2** [*pl.*] 해리어 개와 사냥꾼의 일행 **3** cross-country의 주자(走者)

Har·ri·et, -ette [hǽriət] *n.* 여자 이름

Har·ris [hǽris] *n.* 남자 이름

Har·ri·son [hǽrəsn] *n.* **1** 남자 이름 **2** 해리슨 **Benjamin ~** (1833-1901) 《미국의 제23대 대통령(1889-93); 공화당》

Hárrison réd 선홍색; 선홍색의 그림물감

Hárris pòll [미국의 여론 분석가 Louis Harris의 이름에서] 해리스 여론 조사 《미국의 여론 조사 기관》

Hárris Twéed 해리스 트위드 《스코틀랜드 Harris 섬에서 나는 손으로 짠 모직물; 상표명》

Har·rod's [hǽrədz] *n.* 해러즈 《London의 Knightsbridge에 있는 영국 제1의 백화점》

Har·ro·vi·an [həróuviən] *a.* (영국의) Harrow 학교의 **—** *n.* Harrow 학교 재학생[출신자]

***har·row**¹ [hǽrou] *n.* 써레, 쇄토기
under the **~** 시달리어, 고초를 겪어
— *vt.* **1** 〈땅을〉 써레질하다, 써레로 고르다[갈다]: ~ the ground 땅을 써레로 고르다 **2** [종종 수동형으로] (정신적으로) 괴롭히다(torment), 고민하게 하다 (*with*): He *was ~ed with* guilt. 그는 죄의식에 사로잡혀 있었다.
— *vi.* 〈땅이〉 (써레질로) 고르게 되다: (~+부) This ground *~s well.* 이 땅은 써레질이 잘 된다. **~·er** *n.*

harrow² *vt.* (고어) 약탈하다, 빼앗다

Har·row [hǽrou] *n.* 해로교(校) 《London에 있는 영국의 유명한 public school의 하나; 1571년 창립》

har·rowed [hǽroud] *a.* 고민하는, 난처해 하는

har·row·ing¹ [hǽrouiŋ] *a.* 〈경험·시련 등이〉 비참한, 괴로운

harrowing² *n.* Ⓤ (고어) 약탈 ***the H~ of Hell*** 지옥의 정복 《예수가 지옥에 빠진 영혼을 구하는 일》

har·rumph [hərʌ́mf] [의성어] *vi.* **1** 헛기침을 하다 **2** 항의하다, 불평을 말하다, 이의를 제기하다
— *n.* 헛기침 (소리)

***har·ry** [hǽri] *vt.* (**-ried**) **1** 〈도시 등을〉 약탈하다(despoil); 침략하다, 유린하다 **2** 괴롭히다; 귀찮게 요구하다 (*for*): (~+목+전+명) ~ a writer *for* copy 작가에게 원고를 귀찮게 재촉하다
— *n.* 침략, 습격; 번거로움

Har·ry [hǽri] *n.* **1** 남자 이름 《Henry의 애칭》 **2** [보통 Old ~] 악마, 악귀(devil) **3** 천박[저속]한 영국의 젊은이; 런던 토박이(cockney) ***box*** **~** (구어) 끼니를 거르다; (아끼기 위해) 절식하다 ***by the Lord*** **~** 맹세코, 꼭 ***play Old ~ with*** …을 해치다, 엉망으로 만들다

***harsh** [hɑ́:rʃ] *a.* **1** 거친(rough), 난폭한: ~ treatment 난폭한 취급 **2** 〈성질·태도가〉 가혹한, 엄한; 잔인한, 무자비한, 무정한: a ~ master 무자비한 주인/~ punishment 엄벌/She was ~ *to*[*with*] her children. 그녀는 아이들에게 엄했다. **3** 〈소리 따위가〉 귀에 거슬리는, 불쾌한 소리를 내는: a ~ voice 귀에 거슬리는 목소리 **4** 〈촉감이〉 까칠까칠한, 거센(coarse): a ~ surface 꺼칠꺼칠한 표면 **5** 〈장소가〉 황량한, 적막한: a ~ land 황량한 토지 **6** 〈색 따위가〉 눈에 거슬리는, 조잡한, 야한, 현란한: a color ~ to the eye 야하게 보이는 색채
— *vi.* [다음 성구로] **~ *on*** (미·속어) …을 (부당하게) 나무라다, …에게 잔소리하다, 듣기 싫은 소리를 하다. Just quit *~ing on* me, will you? 듣기 싫은 소리 그만해 줄 수 없니? **~·ly** *ad.* **~·ness** *n.*

harsh·en [hɑ́:rʃən] *vt., vi.* 거칠게 만들다; 거칠어지다; 엄하게 하다; 엄해지다

hársh tóke (미·속어) **1** 머리가 멍할 정도로 자극이 강한 마리화나 담배(의 한 모금) **2** 불쾌한[재미 없는] 사람[것]

hars·let [hɑ́:rslit] *n.* (미남부) =HASLET

hart** [hɑ́:rt] *n.* (*pl.* **~s,** [집합적] **~**) 수사슴(stag), 《특히》 다섯 살 이상의 붉은 수사슴(red deer) ***a ~ of ten 뿔이 열 개로 갈라진 수사슴

har·tal [hɑ:rtɑ́:l] *n.* ⓊⒸ (인도의 영국 상품에 대한) 불매 동맹, 동맹 휴업; (조의(弔意)·애도의 표시의) 상점 휴업

har·te·beest [hɑ́:rtəbi:st] *n.* (*pl.* **~s,** [집합적] **~**) 〖동물〗 큰 영양(羚羊) 《남아프리카산》

har·tree [hɑ́:rtri:] [영국의 물리학자 Douglas R. Hartree(1897-1958)의 이름에서] *n.* 〖물리〗 하트리 《핵물리학의 에너지 단위; 약 27.21 전자 볼트》

harts·horn [hɑ́:rtshɔ̀:rn] *n.* **1** 수사슴의 뿔 **2** Ⓤ 녹각정(鹿角精) 《옛날 사슴뿔에서 뽑아 암모니아 원료로 삼았음》; 탄산 암모니아 수용액 《각성제》

hart's-tongue, harts-tongue [hɑ́:rtstʌ̀ŋ] *n.* 〖식물〗 골고사리 《꼬리고사릿과(科)》

har·um-scar·um [hέərəmskέərəm, hǽrəmskǽrəm | hέərəmskέərəm] *a., ad.* 방정맞은[맞게]; 덤벙대는[대어], 경솔한[하게], 무책임한[하게], 무분별한[하게], 무모한[하게](rash)
— *n.* **1** 덤벙대는 사람 **2** 무모한 짓 **~·ness** *n.*

ha·rus·pex [hərʌ́speks, hǽrəspèks] *n.* (*pl.* **-pi·ces** [hərʌ́spəsi:z]) 창자 점쟁이 《고대 로마 때, 제물로 바친 짐승의 창자로 점을 침》

ha·rus·pi·ca·tion [hərʌ̀spikéiʃən] *n.* 예언, 예고, 예시

ha·rus·pi·cy [hərʌ́spəsi] *n.* 창자 점

Har·vard [hɑ́:rvərd] *n.* **1** 하버드 《미국 Massachusetts 주 중앙부의 도시》 **2** 하버드 대학(=**~ Univérsity**) 《Massachusetts 주 Cambridge에 있는 미국 최고(最古)의 대학; 1636년 창립》

Har·var·di·an [hɑ:rvɑ́:rdiən] *a., n.* 하버드 대학의 (학생, 출신자)

Har·var·di·tis [hɑ̀:rvərdáitis] *n.* 하버드 병(病) 《자식을 하버드 대학에 넣고 싶어하는 부모들의 열망》

Hárvard sỳstem (미) 하버드 시스템 《학술서·잡지의 참고 문헌 표시법의 하나》

Ha·var·ti [həvɑ́:rti] *n.* 하바티 《덴마크산(産) 반경질(半硬質)의 치즈》

***har·vest** [hɑ́:rvist] *n., v.*

> OE 「수확기, 가을」의 뜻에서
> 「수확기」 **2** → 「수확」 **1** → (비유적으로) 「결과」 **4**

— *n.* ⒸⓊ **1** (작물의) 수확, 추수(crop); (사과·꿀 등의) 채취; (한 계절의) 수확량: an abundant[a good, a rich, a splendid] ~ 풍작/a bad[poor, wretched] ~ 흉작/an oyster ~ 굴 채취 **2** 수확기,

thesaurus **harsh** *a.* **1** 무자비한 cruel, brutal, savage, despotic, tyrannical, ruthless, merciless **2** 귀에 거슬리는, 거친 grating, grinding, dissonant, rough, coarse, hoarse, croaking **3** 황량한, 가혹한

추수기(harvesttime): The rice ~ will soon come. 곧 벼베기 철이 된다. **3** 수확물, 작물, 산물, 채취물: gather (in)[reap] a ~ 작물을 거두어들이다 **4** (비유) 결과, 소득, 보수
make a long ~ for [***about***] ***a little corn*** 작은 일을 하여 큰 결과를 얻다 ***owe*** a person ***a day in the ~*** …에게 은혜를 입고 있다
—*vt.* **1** 〈작물을〉 거두어들이다, 수확하다; 〈사과·꿀 등을〉 채취하다: ~ honey 꿀을 채취하다 **2** 수납하다 (lay up) **3** (비유) 〈상·산물·결과 등을〉 얻다, 획득하다 **4** 〈동물을〉 식용으로 포획하다: ~ salmon from the river 강에서 연어를 잡아 올리다
—*vi.* 작물을 거두어들이다, 수확하다(reap)
~·a·ble *a.* **~·less** *a.*
hárvest bùg =CHIGGER 1
har·vest·er [hɑ́:rvistər] *n.* **1** 수확자, 거두어들이는 일꾼(reaper); 수확기(機) **2** 〔곤충〕 장님거미
hárvester ànt 〔곤충〕 수확 개미 《풀을 먹고 그 씨를 비축함; 미 남서부산(産)》
hárvest féstival (영) 수확제; 추수 감사절 《교회에서 올리는》
hárvest flỳ 〔곤충〕 매미(cicada)
hárvest hóme **1** 수확의 완료(기(期)) **2** (영) 수확 축제 **3** 수확 축하의 노래
hárvest ìndex 수확 지수 《곡초의 전중량에 대한 수확물 중량의 비》
har·vest·ing [hɑ́:rvistiŋ] *n.* Ⓤ 수확, 거둬들이기
hárvesting stràtegy 〔경영〕 수확 전략 《최소 경비로 최대 이윤을 확보하는 방법》
har·vest·man [hɑ́:rvistmən] *n.* (*pl.* **-men** [-mən, -mèn]) **1** (수확 때) 거두어들이는 일꾼 **2** 〔곤충〕 장님거미
hárvest mìte 〔동물〕 =CHIGGER 1
hárvest mònth 추수하는 달 《9월》
hárvest móon 중추(仲秋)의 만월
hárvest mòuse 〔동물〕 들쥐
har·vest·time [-tàim] *n.* Ⓤ 수확기(期)
Har·vey [hɑ́:rvi] *n.* 남자 이름
‡**has** [hǽz; (약하게) həz, əz, z, s] *v.* have의 제3인칭·단수·직설법·현재형 ⇨ have
has-been [hǽzbìn | -bi:n] *n.* (구어) **1** 한창때가 지난 사람, 시대에 뒤떨어진 사람, 과거의 사람[물건]: a literary ~ 인기가 떨어진 작가 **2** [*pl.*] (미) 지난날(의 일)
has·bi·an [hǽzbiən] [*has*-been+les*bian*] *n.* 레즈비언이었다가 이성애자나 양성자가 된 여자
ha·sen·pfef·fer [hɑ́:sənfèfər] [G] *n.* Ⓤ 마리네이드(marinade)에 절인 토끼 고기로 만든 스튜
hash[1] [hǽʃ] *n.* Ⓤ **1 a** 다진 고기 요리, 해시 요리 **b** (미·구어) 음식(food), 식사 **2** (작품·연구 등을) 되우려낸 것, 고쳐 만듦, 개작, 재탕 《*over, out*》 **3** 뒤범벅, 뒤죽박죽 **4** 〔컴퓨터〕 잡동사니, 쓰레기 《기억 장치 속에 있는 불필요하게 된 데이터》 ***make a ~ of*** (구어) 〈일 등을〉 엉망으로 만들다, 망치다 ***settle*** [***fix***] a person***'s ~*** (구어) 꼼소리 못하게 하다; 제거하다
—*vt.* **1** 〈고기를〉 저미다, 다지다, 잘게 썰다(chop up) 《*up*》 **2** (구어) 요절내다, 망쳐 놓다 《*up*》 **~ *out*** (구어) 충분한 이야기를 나누어 해결하다 **~ *over*** (구어) 〈지난 일 등을〉 다시 논하다, 되풀이하다 **~ *up*** (속어) …을 상기해 내다, 생각해 내어 말하다
hash[2] *n.* Ⓤ (속어) **1** =HASHISH **2** 마리화나, 마약
hásh and trásh (미·속어) 방송 잡음
hásh brówns 해시 브라운스 《감자를 잘게 썰어 기름에 튀긴 후 으깨서 동그랗게 한 것》
hash·eesh [hɑ́:ʃi:ʃ, ㅡㄹ] *n.* =HASHISH
Hásh·e·mite Kíngdom of Jórdan [hǽʃəmàit-] [The ~] 요르단 하시미테 왕국 《Jordan의 공식 명칭》
hash·er [hǽʃər] *n.* (속어) **1** (간이 식당의) 급사, 웨이트리스, 심부름꾼 **2** 조리사(의 조수)
hásh fòundry (미·속어) **1** =HASH HOUSE **2** (떠돌이 노동자 사이에서) 무료 급식소[시설]
hash·head [hǽʃhèd] *n.* (속어) 대마초[마리화나] 중독자
hásh hòuse (미·속어) 간이 식당, 싸구려 식당
Ha·shi·mó·to's disèase[**thyroidìtis, strù·ma**] [hɑ̀:ʃimóutouz-] 〔병리〕 하시모토병(病), 만성 림프구성(球性) 갑상선염 《갑상선 기능 저하》
hash·ing [hǽʃiŋ] *n.* **1** 〔무선〕 (두 개의 무선국에서 나오는 전파의 주파수가 비슷하여 생기는) 전파의 혼신[간섭] **2** 〔컴퓨터〕 해싱 《데이터를 찾아내는 한 방법》
hash·ish, -eesh [hǽʃi:ʃ, hɑ:ʃí:ʃ] [Arab.] *n.* Ⓤ 해시시 《인도 대마(大麻) 잎으로 만든 마약》
hásh(**ish**) **òil** 해시 오일 《마리화나·인도 대마의 유효 성분》
hásh màrk **1** (미·군대속어) (군복 소매에 다는) 연공 수장(年功袖章) **2** 〔미식축구〕 =INBOUNDS LINE
hásh sèssion (미·속어) 잡담, 두서없는 의론
hash·sling·er [hǽʃslìŋər] *n.* (미·속어) **1** (싸구려 식당의) 웨이터, 웨이트리스 **2** 요리사
hásh tòtal 〔컴퓨터〕 해시 합계 《특정 field나 파일 영역 값의 합으로 그 합계는 별 뜻이 없으나 제어의 목적으로 쓰이는 것》
hash-up [-ʌ̀p] *n.* (영·속어) **1** (신품으로 보이려는) 개조품, 개작 **2** 범벅, 혼란 **3** 급히 만든 식사
Ha·sid [hɑ́:sid, hǽs-] *n.* (*pl.* **Ha·sid·im** [hɑ:sídim, hə-, hæsid-]) 〔유대교〕 하시디즘(Hasidism) 그룹의 멤버 **Ha·sid·ic** [hɑ:sídik, hə-] *a.*
Ha·si·dism [hǽsədìzm, hɑ́:s- | hǽs-] *n.* 〔유대교〕 하시디즘 《1750년경 폴란드에서 일어난 유대교 신비주의의 한 파》
Ha·ska·lah [hɑ:skɔ́:lə, hɑ̀:skəlɑ́:] *n.* [the ~] 하스카라 《18-19세기 유럽 중부 및 동부 유대인 사이에서 일어난 계몽 운동》
has·let [hǽslit, héis- | hǽz-, héiz-] *n.* (미남부) (돼지·양의) 내장
Has·mo·ne·an [hæ̀zməní:ən] *n.* [the ~] 하스몬가(家) 《기원전 2-1세기에 제사장이나 왕으로 유대를 지배한 마카비스(Maccabees)의 일족》 —*a.* 하스몬가의
‡**has·n't** [hǽznt] has not의 단축형 ⇨ have
hasp [hǽsp | hɑ́:sp] *n.* **1** 걸쇠, 잠그는 고리, 문고리 **2** (물레의) 가락, 북, 방추(紡錘); 실꾸리(skein)
—*vt.* 고리로 잠그다, 걸쇠를 채우다: ~ the door 문에 걸쇠를 채우다
Has·sid [hɑ́:sid, hǽs-] *n.* (*pl.* **Has·sid·im** [hɑ:sídim, hə-, hæsid-]) 〔유대교〕 =HASID
has·si·um [hǽsiəm] *n.* 〔화학〕 하슘 《인공 방사성 원소; 기호 Hs; 번호 108》
has·sle, has·sel [hǽsl] (미·구어) *n.* **1** 혼전, 혼란 **2** 싸움, 말다툼, 격론: get in a ~ 싸움[언쟁]을 하다 **3** 불요불굴의 노력
—*vt.* 괴롭히다, 들볶다 —*vi.* 말다툼하다, 싸우다 《*over, about*》; 시간과 노력을 들이다 《*with*》
has·sock [hǽsək] *n.* **1** (교회에서 기도할 때 쓰는) 무릎 방석 **2** (소택지 등의) 풀숲
***hast** [hǽst] *v.* (고어) have의 제2인칭·단수·직설법·현재형: thou ~ =you have ⇨ have
has·ta la vis·ta [hɑ́:stə-lə-ví:stə], ***has·ta lue·go*** [-luéigou] [Sp. =so long] *int.* 안녕, 잘 가
has·tate [hǽsteit] *a.* 〔식물〕 〈잎이〉 창끝 모양의
‡**haste** [héist] *n.* Ⓤ **1** 급함, 급속, 신속; 기민함: More ~, less [worse] speed. (속담) 급할수록 천천히. **2** 서두름, 조급, 성급(hurry), 경솔(rashness): *H*~ makes waste. (속담) 서두르면 일을 그르친다. **3** 급한 필요 ***in ~*** 급히, 서둘러: ***in*** hot [great] ~ 몹시 급하게 ***in*** one***'s ~*** 서두른 나머지 ***make ~*** 서두르다, 서둘러 가다; 급히 …하다 《*to* do》

---

severe, desolate, stark, barren, bleak, bitter
harvest *n.* reaping, crop, yield, fruits, result
haste *n.* speed, rapidity, expedition, dispatch, hurry, swiftness, rapidness

—*vt., vi.* (고어) 재촉하다, 서두르다 ((*to* do))
~ ***away*** 급히 물러가다[떠나다]
▷ hásten *v.*; hásty *a.*

‡has·ten [héisn] *vt.* 〈사람·일을〉 **재촉하다,** 독촉하다; …(의 속도 따위)를 빠르게 하다 ((★ hurry보다 형식적인 말)): ~ one's departure 출발을 앞당기다 / ~ matters 일을 재촉하다 // ((~+목+부)) ~ a child *off* to bed 아이를 재촉하여 잠자리에 들게 하다
—*vi.* **서두르다,** 서둘러 가다 ((*to*)); 서둘러 …하다 ((*to* do)): ((~+부)) ~ *away* 급히 가다 / He *~ed home.* 그는 서둘러 귀가했다. // ((~+전+명)) ~ *out of* the room 황급히 방에서 나오다 / She *~ed to* school. 그녀는 서둘러 학교에 갔다. // ((~+***to*** do)) I ~ *to* tell you the good news. 그 기쁜 소식을 우선 알리오.
▷ háste *n.*

‡hast·i·ly [héistili] *ad.* **1 급히,** 서둘러서: a ~ prepared sandwich 급하게 준비한 샌드위치 **2 허둥지둥;** 성급하게, 경솔하게

hast·i·ness [héistinis] *n.* Ⓤ 조급함, 성급함; 경솔

Has·tings [héistiŋz] *n.* 헤이스팅스 **Warren ~** (1732-1818) ((영국의 정치가; 초대 인도 총독(1773-85)))

‡hast·y [héisti] *a.* (**hast·i·er**; **-i·est**) **1** 〈움직임·행동이〉 **급한,** 신속[급속]한; 바삐 서두는, 황급한 ((★ quick보다 형식적인 말)): have a ~ breakfast 급히 아침 식사를 하다 / make a ~ departure 황망히 출발하다 **2 성급한,** 경솔한; 〈판단·결정 등이〉 조급한: jump to a ~ conclusion 조급한 결론을 내리다 / a ~ decision 경솔한 결정 **3** 간단한, 잠깐 동안의, 순간의: give a ~ glance 슬쩍 눈길을 주다 **4** 성마른, 화 잘내는: a ~ temper 성마른 기질
▷ háste *n.*; hásten *v.*

hásty púdding (영) 속성 푸딩 ((우유를 저으며 밀가루를 조금씩 넣어서 만드는))

‡hat [hǽt] *n.* **1 모자** ((테가 있는 것)): have[keep] one's ~ on 모자를 쓰고 있다 / take one's ~ off 모자를 벗다

> 유의어 **hat** 테가 있는 모자 **cap** 테가 없거나 야구모자처럼 앞에 챙이 있는 모자이며 여성용 모자의 경우의 hat는 테의 유무와는 관계없다.

2 〖가톨릭〗 추기경(cardinal)의 주홍 모자; 추기경의 직[지위] **3** (미·속어) (소액의) 뇌물(bribe); 부정 이득(graft) ★ 뇌물을 주면서 "Buy yourself a hat."라고 하는 데서 연유. **4** (미·속어) 여성; 애인, 아내 **5** (구어) 일, 직업, 직함 **6** (구어) 콘돔
(***as***) ***black as a***[one's] ~ 새까만 ***at the drop of a*** ~ (구어) 신호가 떨어지자마자, 곧, 기꺼이 ***bad*** ~ (영·속어) 불량배, 건달 ***be in a***[***the***] ~ 곤란해하고 있다 ***bet*** one***'s*** ~ (구어) (승패 따위에) 모든 것을 걸다; 절대로 틀림없다 ***by this*** ~ 맹세코 ***go round with the*** ~ =pass round the HAT. ***Hang***[***Hold***] ***on to your*** ~***!*** (구어) 놀라지 마시오!; (운전사가 승객에게) 꼭 잡으세요! ***hang up*** one***'s*** ~ (1) 오래 머무르다 (2) 편히 쉬다 (3) 〈일 따위를〉 그만두다, 퇴직하다 (4) (영·구어) (결혼하여) 안주하다 ~ ***in hand*** 모자를 손에 들고; 공손히, 겸손히 ***have***[***throw, toss***] one***'s*** ~ ***in***[***into***] ***the ring*** (싸움·경쟁에) 참가할 뜻을 알리다, 입후보를 선언하다 ***I'll eat my*** ~ ***if ...*** (구어) 만약 …라면 목을 내놓겠다, …같은 일은 절대 없다 ***keep ... under*** one***'s*** ~ (구어) …을 비밀로 해두다 ***lift*** one***'s*** ~ 모자를 살짝 들어 인사하다 ***My*** ~***!*** (영·속어) 어머나!, 어쩌면 ((놀라움을 나타냄)) ***old*** ~ 케케묵은, 낡은 ***out of a***[***the***] ~ 무작위로 뽑아, 제비를 뽑아 ***pass***[***send***] ***around***[(영) ***round***] ***the*** ~ = ***pass the*** ~ (모자를 돌려) 기부[회사]를 청하다, 기부금을 모으다 ***pull out of a*** ~ (요술처럼) 마음대로 만들어내다 ***raise***[***take off, touch***] one***'s*** ~ ***to*** = ***take*** one***'s*** ~ ***off to*** 모자를 들어[벗어, 에 손을 대고] …에게 인사하다; …에게 경의를 표하다 ***talk through*** one***'s*** ~ (구어) 큰소리치다, 허풍떨다 ***throw*** one***'s*** ~ ***in the air*** 크게 (날뛰며) 기뻐하다 ***under*** one***'s*** ~ (구어) 남몰래, 비밀리에 ***wear many*** ~***s*** 일인 다역을 하다 ***wear more than one*** ~ = ***wear two*** ~***s*** 동시에 두 가지 일을 하다, 1인 2역하다
—*vt.* (**~·ted**; **~·ting**) [보통 수동형으로] …에게 모자를 씌우다
—*vi.* 모자를 제조하다

hat·a·ble [héitəbl] *a.* =HATEABLE

hat·band [hǽtbæ̀nd] *n.* **1** 모자의 리본[띠] **2** 모자에 두른 상장(喪章)

hat·block [-blɑ̀k | -blɔ̀k] *n.* 모자의 골

hat·box [-bɑ̀ks | -bɔ̀ks] *n.* 모자 상자

hat·brush [-brʌ̀ʃ] *n.* 모자 솔 ((실크 해트용))

hat·case [-kèis] *n.* =HATBOX

‡hatch¹ [hǽtʃ] *vt.* **1** 〈알을〉 **까다, 부화시키다** ((*out*)): Ten chicks have been *~ed* since June. 6월 이후로 열 마리의 병아리들이 부화되었다. **2** 생각해내다; 〈모임 등을〉 기획[준비]하다; **꾸미다**(contrive) ((*up*)): ~ a plot 음모를 꾸미다
—*vi.* **1** 〈알이〉 깨다, 부화하다 ((*off, out*)); 〈암컷이〉 알을 품다: ((~+부)) The eggs *~ed out.* 알이 부화했다. **2** 〈음모·계획이〉 꾸며지다 ***count*** one***'s chickens before they are ~ed*** ⇨ chicken
—*n.* 한 배(의 병아리); 부화 ***the ~es, catches, matches, and dispatches*** (익살) (신문의) 출생·약혼·결혼·사망란

‡hatch² [hǽtʃ] [OE 「격자(格子)」의 뜻에서] *n.* **1** 〖항해〗 **승강구,** 해치, 창구(艙口); 해치 커버; 〖항공〗 비행기의 출입[비상]구 **2** (마루·천장 등의) 위로 젖히는 출입문 **3** (상하로 칸막이한 문의) 아랫쪽, 쪽문 **4** (속어) 목구멍 **5** (매점의) 칸살로 막은 카운터 **6** 구획실 **7** 수문; 통발 ***batten down the ~es*** (1) 〖항해〗 (폭풍우에 대비하여) 해치를 닫다 (2) 비상[위급] 사태에 대비하다 ***Down the ~!*** (구어) 건배!, 축배! ***under*** (***the***) ***~es*** (영) (1) 갑판 아래에; 비번으로(off duty) (2) 갇히어; 영락하여, 쇠퇴하여; 비참한 상태로 (3) 매장되어, 죽어
—*vt.* **1** 해치를 닫다 **2** (영·속어) 다 마셔 버리다

hatch³ *vt.* 〖제도·조각〗 (음영(陰影)이 되게) 가는 평행선을 긋다[새기다]; 〖건축〗 교차된 평행선 무늬를 넣다
—*n.* 〖제도·조각〗 평행선의 음영, 선영(線影); 〖건축〗 교차된 평행선 무늬

hatch·a·bil·i·ty [hæ̀tʃəbíləti] *n.* Ⓤ 부화할 수 있음

hatch·a·ble [hǽtʃəbl] *a.* 부화할[될] 수 있는

Hátch Àct [the ~] (미) 해치법(法) ((연방 공무원 정치 활동 금지법; 선거 부패 방지를 위해 1939년·1940년에 제정된 2개 법률))

hatch·back [hǽtʃbæ̀k] *n.* 뒷부분에 위로 열리게 되어 있는 문을 가진 자동차; 또 그 부분

hatchback

hátch bòat **1** 갑판 전체가 창구(艙口)로 된 짐배의 일종 **2** 반(半)갑판의 어선

hat·check [hǽttʃèk] *a.* (미) (모자 등) 휴대품을 보관하는[보관하기 위한]: a ~ girl 휴대품 보관소의 여직원 / a ~ room 휴대품 보관소

hátched mòulding [hǽtʃt-] 〖건축〗 마름모 장식

hatch·el [hǽtʃəl] *n.* (삼·아마를 훑는) 쇠빗
—*vt.* (**~ed**; **~·ing** | **~led**; **~·ling**) 〈삼·아마를〉 훑다, 빗기다; 괴롭히다

thesaurus **hasty** *a.* swift, rapid, quick, fast, speedy, hurried, prompt, fleet, brisk, urgent
hatch¹ *v.* **1** 부화하다 produce, bear, lay eggs **2** 꾸미다 plan, invent, prepare, scheme, plot
hateful *a.* loathsome, detestable, abhorrent, revolting, disgusting, offensive, unpleasant

hatch·er [hǽtʃər] *n.* **1** 알을 까는 새[동물], 알 품은 닭 **2** 부화기(incubator) **3** 음모가
hatch·er·y [hǽtʃəri] *n.* (*pl.* **-er·ies**) (물고기·닭의) 부화장(場)
hatch·et** [hǽtʃit] [F 「쳐서 자르다」의 뜻에서] *n.* **1** (북아메리카 인디언들의) 전투용 도끼(tomahawk) **2** 자귀, 손도끼(small ax(e)) ***bury the ~ 싸움을 그만두다, 화해하다 ***take*** [***dig***] ***up the ~*** 싸움을 시작하다, 무기를 들다 ***throw*** [***fling, sling***] ***the ~*** 《속어》 허풍떨다 ***throw*** [***send***] ***the helve after the ~*** 손해가 거듭되다
—*vt.* 손도끼로 자르다, 쳐죽이다; 단축[축약]하다
hátchet fàce 여위고 모난 얼굴(의 사람)
hatch·et-faced [hǽtʃitfèist] *a.* 얼굴이 여위고 모난
hátchet jòb 《구어》 **1** 악의에 찬 비평[행동], 욕, 중상 **2** (종업원 등의) 해고
hátchet màn 《미·구어》 **1** (부탁받고) 중상 기사를 쓰는 기자, 비평가 **2** 남이 꺼리는 일을 맡아 하는 사람 **3** 살인 청부업자, 자객(刺客)
hatch·et·ry [hǽtʃitri] *n.* **1** 손도끼 사용법 **2** (예산 등의) 삭감 (공작)
hátchet wòrk = HATCHET JOB
hatch·et·work [hǽtʃitwə̀ːrk] *n.* 손도끼에 의한 상처 자국
hatch·ing [hǽtʃiŋ] *n.* Ⓤ 〖제도〗 해칭, 선영(線影) (그려넣기)
hatch·ling [hǽtʃliŋ] *n.* 부화한 유생(幼生) 《알에서 갓 부화한 조류·파충류·어류 따위의 유생》
hatch·ment [hǽtʃmənt] *n.* 상중(喪中)임을 알리는 문표(紋標) 《문 앞·교회 등에 거는》
hatch·way [hǽtʃwèi] *n.* 〖항해〗 승강구, 창구(艙口)
****hate** [héit] *vt.* **1** 미워하다, (몹시) 싫어하다, 증오하다, 혐오하다, …에 극도의 반감[적의]을 품다 《★ dislike, do not like보다 감정적으로 강한 의미를 나타냄》: Do good to those who ~ you. 너를 미워하는 자에게 친절하게 대하라. // 《~+목+전+명》 He ~*s* me *for* it. 그는 그 일 때문에 나를 미워한다. // 《~+***-ing***》 I ~ wash*ing* the dishes. 나는 설거지하는 것을 싫어한다.

> 유의어 **hate** 적의·악의를 품고 강하게 혐오하다: *hate* the enemy with a passion 적을 격렬히 증오하다 **detest** 경멸감을 갖고 강하게 혐오하다: *detest* cowards 겁쟁이를 혐오하다

2 유감으로 여기다(regret); 언짢게 생각하다(dislike): 《~+***to*** do》 《~+***-ing***》 I ~ *to* trouble you. = I ~ troubl*ing* you. 폐를 끼쳐서 죄송합니다. / I ~ *to* accept it. 그것을 받아들이고 싶지 않다. // 《~+목+***to*** do》 《~+목+***-ing***》 I ~ my daughter *to* live alone. = I ~ my daughter liv*ing* alone. 딸이 혼자 사는 것이 언짢다. // 《~+***that*** 절》 I ~ *that* you should talk about it. 그것에 관한 이야기는 안해 줬으면 좋겠다. ***~ out*** (***of***) 《미》 (미워하여) …을 (…에서) 내쫓다, 따돌리다 ***~ a person's guts*** …을 몹시 미워하다 ***somebody up there ~s me*** 《속어》 일진이 사납다, 재수가 없다
—*n.* **1** Ⓤ 미움, 증오, 혐오 《★ hatred보다 일반적인 감정을 의미하는 경우가 많으며, 보다 추상적이고 문어적》: love and ~ 사랑과 증오, 애증(愛憎) **2** 《구어》 몹시 싫은 것[사람]; 증오의 대상: Getting up in the morning is one of my pet ~*s.* 아침에 일어나는 것은 내가 아주 싫어하는 것 중의 하나이다.
hát·er *n.* ▷ háteful, hátable *a.*; hátred *n.*

hatred *n.* hate, loathing, detestation, abhorrence, dislike, aversion, hostility, animosity
haughty *a.* proud, arrogant, conceited, self-important, egotistical, presumptuous, snobbish, lofty, high-handed (opp. *modest, humble*)
haul *v.* pull, drag, heave, tow, draw, tug

hate·a·ble [héitəbl] *a.* 미워할 만한, 싫은, 가증스러운
háte crìme 《미·속어》 증오[혐오감] 범죄 《인종·종교·신조 따위의 편견에서 비롯된 증오심을 바탕으로 하는 범죄》
****hate·ful** [héitfəl] *a.* **1** 미운, 가증스러운, 싫은, 지긋지긋한; 불쾌한: the ~ oppression 증오해야 할 압제 / ~ chores 지긋지긋한 잡일 **2** 증오[악의]에 찬: a ~ look 증오에 찬 표정
~·ly *ad.* **~·ness** *n.*
hate·less [héitlis] *a.* 미워하지 않는
háte màil[**lètter**] 중상(中傷) 문서, 항의 투서
hate·mon·ger [héitmʌ̀ŋgər] *n.* **1** 선동을 일삼는 사람, 선동자 **2** 남에게 증오·편견을 갖게 하는 사람
háte shèet (인종·국가·종교 등에) 편파적 증오심을 나타내는 신문[간행물], 편향 출판물
háte spèech 《미》 (특정 인종·성·종교 따위에 대한) 편파[경멸]적 발언, 증오 연설
hat·ful [hǽtfùl] *n., a.* 모자 하나 가득(한)
hath [hǽθ] *v., auxil.v.* 《고어·방언》 have의 제3인칭·단수·현재·직설법 ⇨ have
hath·a-yo·ga [hǽθəjóugə, hʌ́tə-] *n.* 〖힌두교〗 하타요가 《체조·호흡법 등에 의해 신체를 통어(統御)하고, 최고 존재와의 합일을 달성하는 요가의 방법》
Hath·or [hǽθɔːr, -ər | -ɔː] *n.* 〖이집트신화〗 하토르 《고대 이집트의 사랑의 여신, 사자(死者)의 수호신》
hat·less [hǽtlis] *a.* 모자 없는[안 쓴]
hat-peg [hǽtpèg] *n.* 모자걸이
hat·pin [-pìn] *n.* 여자 모자의 고정 핀
hat·rack [-rӕk] *n.* **1** 모자걸이 **2** 늙어서 마른 식용 가축 **3** 《미·속어》 말라깽이

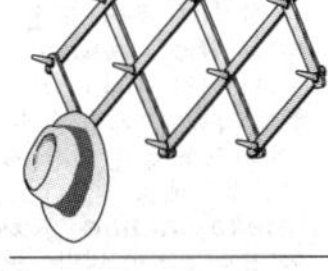

hat·rail [-rèil] *n.* (벽에 박은) 모자걸이
ha·tred** [héitrid] *n.* Ⓤ [종종 a ~] 증오, 미움, 원한, 혐오, 반감; 《구어》 몹시 싫음 《*of, for, to*》: *a* ~ *of* conventionality 인습에 대한 강한 반감 / ~ *against* the enemy 적에 대한 증오감 ***have a ~ for [***of, to***] …을 미워하다 ***in ~ of*** …이 미워서
▷ háte *v.*; háteful *a.*
hát sìze 모자의 사이즈 ***short of ~*** 《속어》 지혜가 모자라는, 바보의
hát stànd 《영》 = HALL TREE
hat·ted [hǽtid] *a.* 모자 쓴
hat·ter [hǽtər] *n.* 모자 만드는[파는] 사람, 모자 파는 상점 (***as***) ***mad as a ~*** 《속어》 아주 미쳐서; 몹시 화내어
hátter's shákes [보통 단수 취급] 〖병리〗 수은 중독
hat·ting [hǽtiŋ] *n.* Ⓤ 모자 제조(업); 제모(製帽) 재료
hát trèe 《미》 = HALL TREE
hát trìck [모자를 상(賞)으로 준 데서] **1** 〖크리켓〗 해트 트릭 《투수가 연속 3명의 타자를 아웃시킴》 **2** 〖아이스하키·축구〗 해트 트릭 《혼자서 3골을 넣기》 **3** 교묘한 솜씨; 모자를 사용해 하는 요술
Hat·ty [hǽti] *n.* 여자 이름 《Harriet의 애칭》
hau·ber·geon [hɔ́ːbərdʒən] *n.* = HABERGEON
hau·berk [hɔ́ːbəːrk] *n.* 중세의 쇠사슬 갑옷
haugh [hάːx, hάːf | hɔ́ː] *n.* 《스코·북잉글》 강변 저지(低地)의 (목)초지; 평탄한 충적지(沖積地)
****haugh·ty** [hɔ́ːti] [OF 「높은」의 뜻에서] *a.* (**-ti·er**; **-ti·est**) 오만한, 거만한, 건방진, 도도한, 불손한(arrogant): have[carry] a ~ air 불손한 태도를 취하다
-ti·ly *ad.* **-ti·ness** *n.*
****haul** [hɔ́ːl] *vt.* **1** 세게 잡아당기다, 끌어당기다; 끌고 가다: 《~+목+부》 ~ *in* a net 그물을 잡아당기다 / ~ *up* an anchor 닻을 감아 올리다 // ~ logs *out of*

the forest 통나무를 숲에서 끌어내다 **2** 운반하다, 차로 나르다: ~ freight 화물을 운반하다 // (~+목+전+명) The timber was ~*ed to* a sawmill. 재목은 제재소로 운반되었다. **3** (구어) 체포하다; 연행하다, 소환하다: (~+목+전+명) ~ a person *into* court 법정으로 …을 소환하다 **4** 〖항해〗 〈배의〉 진로를 바람이 불어오는 쪽으로 바꾸다
— *vi.* **1** 잡아당기다(pull), 끌어당기다: (~+전+명) ~ *at*[(*up*)*on*] a rope 밧줄을 잡아당기다 **2** 어떤 방향으로 나아가다; 방침을 바꾸다; 〈바람이〉 방향을 바꾸다; 〖항해〗 〈배가〉 침로[진로]를 돌리다: (~+부) (~+전+명) The wind ~*ed around to* the east. 바람이 방향을 동쪽으로 바꿨다.
~ ass*[*tail*]** (속어) 홀쩍 떠나다; 서두르다 ***~ down (구어) (야구 등에서) 달려가서 〈공을〉 잡다; (구어) (미식축구 등에서) 태클하다 ***~ down* one*'s flag* [*colors*]** 기를 내리다, 항복하다 ***~ in*** 끌어당기다 ***~* a person *in*** (속어) 체포하다, 연행하다, 강제로 끌고 가다 ***~ in with*** 〖항해〗 …에 가까워지게 배를 돌리다, 배를 접근시키다 ***~ it*** (미·흑인속어) 도망가다 ***~ off*** (1) 〖항해〗 (피하기 위하여) 침로를 바꾸다 (*to*) (2) 후퇴하다, 물러나다 (3) (구어) (사람을 치기 위하여) 팔을 뒤로 빼다 ***~* a person *over the coals*** (구어) …을 족치다, 나무라다, 질책하다 ***~* one*'s ashes*** (속어) 물러나다, 떠나가다 ***~ to*[*on*] one*'s* [*the*] *wind* = *~* one*'s wind*** 〖항해〗 이물을 더욱 바람 불어오는 쪽으로 돌리다 ***~ up*** (1) 〖항해〗 이물을 바람 불어오는 쪽으로 돌리다 (2) 〈사람이〉 멈추어 서다, 〈차·배가〉 정지하다 ***~* a person *up*** …을 문책하다
— *n.* **1** [a ~] 세게 잡아당김; 끌어당김, 끌기, 견인; 운반[운송] (거리); 운반물, 화물, 운반량 **2** [a ~] 한 그물에 잡힌 고기 (분량); 그물 끌어 올리기: *a* good ~ of fish 풍어, 많은 어획량 **3** [a ~] (구어) 소득, 벌이 ***a*[*the*] *long ~*** (1) 비교적 긴 기간[거리]; 긴[괴로운] 여정: over *the long* ~ 장기간에 걸쳐 (2) 〖항해〗 (겨울에) 배를 오래 뭍에 올려 둠 ***a*[*the*] *short ~*** (1) 비교적 짧은 기간[거리] (2) 〖항해〗 (수리·도장 등의 이유로) 배를 비교적 짧은 기간 뭍에 올려 둠 ***get*[*make*] *a fine*[*good, big*] *~*** (구어) 물고기를 많이 잡다; 크게 벌다; 크게 훔치다
▷ háulage *n.*

haul·a·bout [hɔ́:ləbàut] *n.* 급탄선(給炭船)

haul·age [hɔ́:lidʒ] *n.* Ⓤ **1** 당기기, 끌기; 운반 (장치); 견인력, 견인량 **2** 화차 사용료, 운임

haul·age·way [hɔ́:lidʒwèi] *n.* 〖채광〗 운반 갱도(坑道) (석탄 운반용)

haul·er [hɔ́:lər] *n.* **1** 잡아당기는 것[사람]; 운반인; (영) (옛날 탄광의) 갱내(坑內) 운반인 **2** 트럭 운송 회사; 화물 트럭 **3** (속어) 굉장한 속력을 내는 자동차

haul·ier [hɔ́:ljər] *n.* (영) = HAULER

haulm [hɔ́:m] *n.* [집합적] (영) (수확이 끝난) 콩이나 감자 줄기, 보리 짚

haunch [hɔ́:ntʃ, há:ntʃ | hɔ́:ntʃ] *n.* **1** [보통 *pl.*] (사람의) 궁둥이, 둔부, 허리 **2** (식용으로서의 동물의) 다리와 허리 부분 **3** 〖건축〗 홍예 허리 ***squat*[*sit*] *on* one*'s ~es*** 웅크리고 앉다

háunch bòne 〖해부〗 허리뼈, 요골(腰骨), 무명골(無名骨)(hipbone)

‡haunt [hɔ́:nt, há:nt | hɔ́:nt] *vt.* **1** 〈장소에〉 자주 가다, 노상 다니다, 무상 출입하다: He ~*s* bars. 그는 주점에 자주 간다. **2** [종종 수동형으로] 〈유령 등이〉 …에 출몰하다, 자주 나타나다(⇨ haunted 1): ~ a house 〈유령이〉 집에 자주 나오다 / Is this castle ~*ed*? 이 성에 유령이 나옵니까? **3** [보통 수동형으로] 〈생각·감정 등이〉 늘 따라다니다, 머리에서 떠나지 않다, …에 사로잡히다(obsess): Everyone *was* ~*ed* by the fear of war. 모두 전쟁의 공포로 시달렸다. / Memories of love ~*ed* me. 사랑의 기억이 늘 떠올랐다. **4** (오랜 기간 동안) 괴롭히다, 문제를 일으키다: a decision that would come back to ~ them for years 수년 간 그들을 괴롭게 할 결정 **5** …와 늘 교제하다
— *vi.* **1** 자주 다니다 (*in, about*) **2** 〈유령 등이〉 출몰하다 **3** 늘 따라다니다, 떠나지 않다 (*with*)
— *n.* **1** [종종 *pl.*] 늘 드나드는 곳, 자주 가는 곳; 무상 출입하는 곳; (짐승 등이) 잘 나오는 곳, 서식지, 사는 곳; (범인 등의) 소굴, 근거지: holiday ~*s* 휴일의 행락지 **2** (방언) 유령, 도깨비 **~·er** *n.*

haunt·ed [hɔ́:ntid] *a.* **1** 〈귀신 등이〉 붙은; 귀신[유령]이 나오는[출몰하는]: a ~ house 귀신 나오는 집, 흉가 **2** 불안한, 괴로운, 고뇌에 시달린 **3** 〈사람·표정 따위가〉 (생각, 회고·감정 등에) 사로잡힌, 홀린: a ~ look 무엇인가에 사로잡힌[홀린] 듯한 모습

haunt·ing [hɔ́:ntiŋ] *a.* 마음에서 떠나지 않는, 잊혀지지 않는: a ~ melody[memory] 잊혀지지 않는 멜로디[기억] — *n.* Ⓤ Ⓒ **1** 자주 다님 **2** (유령 등의) 출몰 **~·ly** *ad.*

Hau·sa [háusə, -zə] *n.* **1** 하우사 족 (아프리카 나이지리아의 민족) **2** 하우사 어 (나이지리아의 북부 일대에서 사용하는 언어)

haus·frau [háusfràu] [G 「집에 있는 부인」의 뜻에서] *n.* (*pl.* **~s, -frau·en** [-fràuən]) 주부(housewife), (가사·육아 등) 주부로서의 일밖에 흥미가 없는 여성

haus·to·ri·um [hɔ:stɔ́:riəm] *n.* (*pl.* **-ri·a** [-riə]) 〖식물〗 (기생 식물의) 흡수근; 기생근(根); (기생균이 내는) 흡기(吸器)

haut·boy [*h*óubɔi | óu-] *n.* (고어) 〖음악〗 oboe의 옛 이름

haute [out], ***haut*** [ou, (모음 앞에서) out] [F] *a.* 고급의(high-class); 상류(사회)의: an ~ restaurant 고급 레스토랑

haute cou·ture [òut-ku:túər] [F 「고급 바느질」의 뜻에서] **1** (새 유행을 창출하는) 고급 양복[양장]점 **2** 고급 양재 (기술) **3** 새 유행(의 형), 뉴 모드

haute cui·sine [òut-kwizí:n] [F = high kitchen] 고급 (프랑스) 요리

haute é·cole [òut-eikóul] [F = high school] 고등 마술(馬術)

hau·teur [houtə́:r] [F] *n.* Ⓤ Ⓒ 거만함, 오만불손, 건방짐(haughtiness)

haute vul·ga·ri·sa·tion [òut-vulgɑ̀:rizɑ:sjɔ́:ŋ] [F] 난해한 것의 알기 쉬운 해설

haut monde [òu-mɔ́:ŋd] [F = high society] 상류 사회

haut-re·lief [òurilí:f] *n.* Ⓤ 〖미술〗 고(高)부조 (모양을 나타낸 살이 매우 두껍게 드러나게 한 부조)

Ha·van·a [həvǽnə] *n.* **1** 아바나 (Cuba의 수도) **2** 아바나산 엽궐련(= **~ cigár**)

Ha·var·ti [həvɑ́:rti] [Dan] *n.* 하바티 (부드러운 덴마크산(産) 치즈)

hav·da·lah [hɑ:vdɔ́:lə] *n.* 〖유대교〗 하브다라 (안식일 등의 끝에 유대인이 행하는 종교 의식)

‡have ⇨ have (p. 1165)

have-a-go [hǽvəgóu] *a.* (구어) (일반인이 범죄 현장에서) 범죄를 막으려 하는, 범인을 가로막는

havelock

have·lock [hǽvlɑk | -lɔk] *n.* 군모(軍帽)의 뒤에 늘어뜨린 차양

ha·ven** [héivən] *n.* **1** (문어) 항구, 정박소(harbor) **2** 피난처, 안식처(shelter) ***~ of peace 안식처, 은둔지
— *vt.* 〈배를〉 (항구 등에) 피난시키다

thesaurus **haunt** *v.* **1** 자주 가다 frequent, habituate, visit often, resort to **2** 출몰하다 permeate, pervade, rise, float, come as a ghost
haven *n.* shelter, port, harbor, refuge, toadstead

have

have의 용법은 크게 (1) 「가지다, 하다」 등의 뜻을 나타내는 본동사와, (2) 동사의 과거분사와 결합하여 완료형을 만드는 조동사의 둘로 나누어진다.

1 본동사 have는 (미)에서는 부정·의문 다 같이 조동사 do를 사용하여 일반동사로 취급하는 것이 보통이나, 전통적인 영국 영어에서는 습관적이 아닌 상태동사로서의 have만은 변칙동사 (be 같은)로 취급한다. 그러나 최근에는 영국 영어에서도 (미)처럼 이 have를 일반동사로 취급하는 경향이 많아졌다.

2 조동사 have는 (미·영) 다 같이 변칙 정형동사로 취급되며, 의문문에서는 주어 앞에 놓이고 부정문에서 do를 취하지 않는다.

3 긍정 평서문의 경우, 구어에서는, 특히 완료의 조동사로서는 I have → I've, he has → he's처럼 단축하기 쉽다. 그러나 구어라도 본동사로서 주어나 have가 조금이라도 강세를 받을 때는 단축하지 않는다: Hè *has* a good cámera. / Yés, I *have.*

‡have [hǽv; 《약하게》 həv, əv] *v., n.*

— *v.* (**had** [hǽd]; **hav·ing**) 《★ 3인칭 단수 현재형 **has**; 《고어》 2인칭 단수 현재형(thou) **hast**, 2인칭 단수 과거형(thou) **hadst**; 단축형 **I've, he's, I'd** 등, 부정 단축형 **haven't, hasn't, hadn't**》 *vt.*

기본적으로는 「소유하다」의 뜻.	
① 가지고 있다	**A 1, 2, 3, 4**
② 먹다, 마시다	**B 2**
③ 손에 넣다	**B 1**
④ 경험하다	**B 4**
⑤ …을 하다	**B 3**
⑥ …하게 하다, …을 당하다	**C 2, 3**

— A

USAGE (1) 《구어》에서는 have got을 종종 씀. (2) 의문·부정에는, 일반적으로 《미》에서는 Do you have …?, I do not have[don't have] …처럼 조동사 do를 쓰며, 《영》에서는 Have you …?, I have not [haven't] … (또는 Have you got …?, I haven't got …)처럼 do를 쓰지 않음. (3) 이 의미의 have는 보통 진행형이나 수동형이 없음.

1 (물적 소유[소지]의 뜻으로) **가지고 있다**: **a** 〈…을〉 **가지고 있다,** 소유하다: I ~ a car and so *does* [*has*] Bill. 나는 자동차를 가지고 있는데, 빌 역시 그러하다. / I ~ little property. 나는 재산이 거의 없다. / He *has* a lot of money. 그는 돈이 많다. // (~+목(+전+명)) He *has* a pen (*in* his hand). 그는 (손에) 펜을 갖고 있다. / She *has* a book *under* her arm. 그녀는 책을 옆구리에 끼고 있다. / The store *has* foreign goods *for* sale. 그 상점에서는 외제품을 팔고 있다. / He *has* a large room *to* himself. 그는 큰 방을 독점하고 있다. **b** 〈…을〉 (몸에 지녀) **가지고 있다, 몸에 지니고 있다** 《*about, on, with, around*》(cf. HAVE on): (~+목+전+명) He doesn't ~ any money *with*[*on, about*] him. 그는 가진 돈이 없다. / She *had* a scarf *around* her neck. 그녀는 목에 스카프를 두르고 있었다. **c** [종종 목적어에 형용사적 용법의 to 부정사와 함께] 〈…해야 할[할 수 있는] 일·시간 등을〉 **가지고 있다,** 주어져 있다: You ~ the right *to* vote. 당신은 투표할 권리가 있습니다. / Do you ~[*H*~ you] anything *to* declare? (세관에서) 무언가 신고할 물건이 있습니까? / We ~ a long way *to* go. 먼 길을 가야 한다. / I ~ nothing *to* do. 할 일이 없다.

2 (어떤 인간 관계를 나타내어) **가지고 있다**: **a** 〈육친·친구 등이〉 **있다,** 〈…이〉 있다; 〈고용인 등을〉 두고 있다: They ~ two[no] children. 그들에게는 두 아이가 있다[아이가 없다]. / She *has* a nephew in the navy. 그녀에게는 해군에 가 있는 조카가 있다. / He *has* a kind boss. 그의 상관은 친절한 사람이다. / The merchant *has* a large staff of clerk. 그 상인은 많은 점원을 거느리고 있다. **b** 〈동물을〉 (애완용으로) **기르고 있다**: He *has* a pet dog. 그에게는 애완견이 있다.

3 (부분·속성으로서) **지니고 있다**: **a** 〈사람이〉 〈신체 부분·신체 특징·특질·능력 등을〉 지니고[가지고] 있다, 〈아무는〉 〈…이〉 있다: She *has* a sweet voice. 그녀는 아름다운 목소리를 가지고 있다. 《★ 이 구문에서는 「그녀는 아름다운 목소리를 지녔다」, 「그녀는 목소리가 아름답다」라고 옮길 수가 있음》/ He *has* a big nose. 그는 큰 코를 가지고 있다. / I ~ no ear for music. 나는 음악을 이해하지 못한다. / Man *has* the ability to think. 인간은 사고할 능력이 있다. **b** 〈물건이〉 〈부분·부속물·특징 등을〉 **가지고 있다,** (…에는) 〈…이〉 **있다,** 〈…을〉 포함하고 있다, 갖추고 있다: My house *has* four rooms. 우리 집에는 방이 4개 있다. 《There are four rooms in my house.로 바꿔 쓸 수 있음》/ How many months does a year ~[*has* a year]? 1년은 몇 개월인가? / A week *has* seven days. 일주일은 7일이다. / That hall *has* excellent acoustics. 그 홀은 훌륭한 음향 기기를 갖추고 있다. / The book *has* an index. 그 책에는 색인이 있다. / His company *has* a good name. 그의 회사는 좋은 이름을 가졌다.

4 a 〈감정·생각 등을〉 (마음에) **품고 있다,** 가지고 있다: Do you ~[*H*~ you (got)] any questions? 무슨 질문이 있습니까? / I'*ve* no idea[notion] about[as to] his plan. 그의 계획에 관해서는 알지 못한다. / She *has* a great love for music. 그녀는 음악을 무척 좋아한다. / I ~ a good feeling toward you. 나는 너에 대해서 좋은 감정을 가지고 있다. **b** 〈원한 등을〉 (…에 대하여) **품다** 《*against*》: (~+목+전+명) She *has* a prejudice *against* you. 그녀는 너에게 편견이 있다. / He *has* a grudge *against* her. 그는 그녀에게 원한을 품고 있다. **c** 〈감정 등을〉 (…에 대하여 태도·행동으로) **나타내다** 《*on, for*》: (~+목+전+명) *H*~ some consideration *for* others. 남에 대한 배려를 보여라. / They ~ no pity *on* us. 그들은 우리에게 동정을 나타내지 않는다. **d** [목적어로 「the+추상명사+*to* do」를 수반하여] 〈(…하는) 친절[용기 등]이〉 **있다**: He *had the* kindness *to* carry my baggage for me. 그는 친절하게도 내 짐을 날라 주었다. 《★ He was kind enough to carry my baggage for me.로 바꿔 쓸 수 있음》/ She *had the* impudence *to* refuse my proposal. 그녀는 무례하게도 내 제의를 거절했다. / *H*~ *the* kindness *to* help me. 부탁이오니 좀 도와주십시오. 《★ 상대가 마음에 들지 않을 때의 공손한 명령적 표현》/ He *had the* goodness *to* pass me the salt. 그는 친절하게도 내게 소금을 건네 주었다.

5 〈병 등에〉 **걸리다[걸려 있다],** 〈…을〉 **앓다,** 시달리다: ~ a slight[bad] cold 가벼운[지독한] 감기에 걸려 있다 / ~ a headache[(a) toothache] 머리[이]가 아프다 / ~ diabetes[gout] 당뇨병[통풍]을 앓다 / He *had* a heart attack. 그는 심장 발작을 일으켰다. / Doctor said he *had* a broken leg. 의사는 그의 다리가 골절되었다고 말했다.

— B

USAGE (미·영) 다 같이 의문·부정문에는 조동사 do를

씀: *Do* you ~ a bath every day? 날마다 목욕을 하니? / *Did* you ~ a good time? 즐거운 시간을 보냈니? / How often *do* you ~ your hair cut? 이발은 얼마나 자주 하니?

1 **손에 넣다** 《진행형 없음; a만 수동형이 가능》: **a** 〈…을〉 **얻다, 받다,** 사다: ~ a part in a play 연극에서 배역을 받다 / You may[can] ~ it for the asking. 달라고만 하면 얻을 수 있다. / He *has* 2,000 dollars a month. 그는 한 달에 2,000달러를 번다. / *H*~ a seat, please. 자, 앉으세요. / Nothing venture, nothing ~ ⇨ venture *vt.* / The book was nowhere to be *had*. 그 책은 어디서도 구할 수 없었다. **b** (…에게서) 〈…을〉 **얻다, 받다** 《*from*》: (~+목+전+명) He *had* a letter[telephone call] *from* his father. 그는 아버지로부터 편지[전화]를 받았다. **c** 〈…을〉 (골라) 잡다[가지다]: I'll ~ that green skirt. 그 초록색 치마로 하겠습니다. **d** 〈정보 등을〉 **입수하다[하고 있다],** 들어서 알다[알고 있다]: May I ~ your name, please? 성함을 말씀해 주시겠습니까? / I *had* it from a reliable source. 믿을 만한 소식통에게서 그것을 입수했다. / That's all I've ever *had* from Mary herself. 그것이 당사자인 메리에게서 들었던 전부이다. / ⇨ HAVE it (3)

2 **a** 〈식사 등을〉 **하다,** 들다; 〈음식물을〉 **먹다, 마시다;** 〈담배를〉 피우다 《★ 진행형·수동형 가능》: I am *having* breakfast[lunch, supper]. 나는 아침[점심, 저녁]식사를 하고 있다. / Breakfast can be *had* at seven. 아침 식사는 7시에 드실 수 있습니다. / Will you ~ another cup of tea? 차를 한 잔 더 드시겠습니까? / What *did* you ~ for lunch? 점심으로 무엇을 먹었지? / *H*~ a cigar. 여송연을 한 대 태우시지요. **b** 〈음식물을 …하여〉 먹다: (~+목+보) How *do* you ~ your steak? 스테이크는 어떻게 요리해서 먹습니까? / I like to ~ my steak well-done. 스테이크는 잘 익힌 것을 좋아합니다.

3 [보통 동작·행위를 나타내는 부정관사가 달린 명사를 목적어로 하여] 《구어》 〈…을〉 **하다,** 행하다, 종사하다 《★ (1) 진행형 가능, 수동형 불가 (2) have got은 쓰이지 않음》: ~ *a* dance 춤추다 / ~ *a* drive 운전하다 / ~ *a* swim 수영하다 / ~ *a* walk 산책하다 / ~ *a* rest 쉬다 / ~ *a* dream 꿈을 꾸다 / ~ *a* fight 일전을 벌이다 / ~ *a* talk[*an* argument] with …와 이야기[토론]를 하다 / ~ *a* haircut 이발을 하다 / ~ another try 다시 한 번 해보다 / ~ *a* bath 목욕하다 / Let's ~ *a* drink. 한잔하자.

4 **a** 〈…을〉 **경험하다,** 〈사고 등을〉 당하다 《★ 진행형 가능, 수동형 불가》: ~ fun[trouble] 즐기다[고생하다] / ~ an adventure 모험을 하다 / ~ an accident 사고를 당하다 / I'm *having* trouble with the computer. 컴퓨터에 애를 먹고 있다. / I'm *having* an operation next week. 다음 주에 수술을 받게 된다. / We *had* a lot of rain yesterday. 어제 비가 많이 왔다. / *H*~ a nice day. 잘 가시오[있어요]. 《★ 헤어질 때의 인사》 / *H*~ a nice trip. 즐겁게 여행하고 와요. **b** 〈시간 등을〉 **보내다,** 지내다 《★ 진행형·수동형 가능; 단 예외적이며 고정적 표현》: ~ a good[bad] time 재미있게 보내다[혼이 나다] / We were *having* a good time. 우리는 즐거운 시간을 보내고 있었다.

5 〈회합 등을〉 **가지다,** 개최하다 《★ 진행형 가능》: ~ a party[conference] 파티[회의]를 열다 / ~ a game 경기를 하다 / We are *having* a picnic tomorrow. 내일 소풍을 간다.

6 〈…을〉 (손님 등으로) **맞다,** 초대하여 (…에) 오게 하다, 대접하다 《★ 진행형은 가까운 장래의 일만을 나타냄; 수동형 불가》: Thank you for *having* us. 초대해 주셔서 감사합니다. / I *had* all my friends *for*[*to*] my birthday party. 모든 내 친구들을 생일 파티에 초대했다.

7 〈사람·동물이〉 〈아이·새끼를〉 **낳다, 출산하다** 《★ 진행형은 가까운 장래의 일만을 나타냄; 수동형 불가》: She is[We are] *having* a baby in April. 4월에 그녀[우리]에게는 아기가 태어난다. / He *had* two daughters by that woman. 그는 그 여자와의 사이에 딸이 둘 있었다.

8 **a** 〈…을〉 붙잡아 놓다, 붙잡다 《★ 진행형·수동형 불가》: Now I ~ you. 이제 널 붙잡았다. **b** 《구어》 (경기·토론 등에서) 〈…을〉 지게 하다, 패배시키다, 해치우다 《★ 진행형·수동형 불가》: I *had* him in the argument. 토론에서 그를 해치웠다. / You ~ me there. 내가 졌다.; 네 말이 맞다; 그것은 (몰라서) 대답을 못하겠네. **c** 《구어》 〈…을〉 속이다; 매수하다 《★ 보통 수동형으로 쓰임》: You have *been had*. 너 보기좋게 당했구나. / He will never realize that he *is being had*. 그는 자기가 속고 있다는 것을 결코 깨닫지 못할 것이다.

9 《구어》 〈여자를〉 제것으로 만들다, 〈여자와〉 성교하다 《★ 진행형 가능, 수동형 불가》: ~ sex with …와 성교하다

10 [~ one*self*로] 《미·구어》 〈…을〉 즐기다: (~+목+목) ~ *oneself* a time[steak] 즐겁게 지내다[스테이크를 즐기다]

11 《고어》 〈언어·과목 등을〉 알고 있다, 지식이 있다, 숙달하고 있다 《★ 진행형·수동형 불가》: ~ neither English nor French 영어는 물론 프랑스어도 모르다

— C

《★ 수동형 불가》 **1** **a** 〈…을〉 (…의 위치·상태로) **유지하다,** …인 채로 두다: (~+목+전+명) He *had* his back *to* me. 그는 등을 나에게 돌리고 있었다. / He *had* one thumb *in* his mouth. 그는 엄지손가락을 입에 넣고 있었다. / He *had* the sun *at* his back. 그는 해를 등지고 있었다. / The limousine *had* us *at* the palace in ten minutes. 리무진이 10분 후에 우리를 왕궁으로 데려다 주었다. / *H*~ pencil and paper *near* you. 가까이에 종이와 연필을 준비해 놓아라. / I *had* him there to help me. 나를 도울 수 있도록 그를 그곳에 있게 하였다. / They *had* their heads *out* (*of* the window). 그들은 (창문) 밖으로 머리를 내놓고 있었다. **b** 〈…을〉 〈…하게〉 **하다**: (~+목+보) I want to ~ my room clean and tidy. 방을 깨끗하게 정돈해 놓고 싶다. / I'll ~ him a good doctor. 나는 그를 훌륭한 의사가 되도록 하겠다. **c** 〈사람·물건을〉 〈…하게〉 **해두다;** 〈…에게〉 〈…하도록〉 **만들다**: (~+목+*-ing*) If you give an all-night party, you'll ~ the neighbors complain*ing*. 밤샘 파티를 열면 이웃 사람들의 항의를 받을 것이다. / I ~ several problems troubl*ing* me. 몇 가지 문제로 골치가 아프다. / He *had* us all laugh*ing*. 그는 우리 모두를 웃겼다.

2 **a** 〈사물·사람을〉 **…하게 하다,** 〈…을〉 **시키다**: (~+목+***done***) When did you last ~ your hair *cut*? 마지막으로 머리를 깎은 것은 언제였지? / He *had* his political enemies imprison*ed*. 그는 자신의 정적들을 투옥시켰다. / They *had* him investigat*ed* by a detective. 그들은 탐정에게 그를 수사하도록 했다. / You should ~ your head examin*ed*[test*ed*, *seen* to]. 《구어》 머리가 어떻게 되었나 진찰을 받아보지 그래. 《어찌 그런 짓을 할 수 있단 말이냐!》 **b** 〈…을〉 **당하다** 《★ 주어가 무언가를 경험한다는 의미를 나타내는 수동태로, 이를 경험 수동형이라고 함; cf. His wallet was stolen.》: (~+목+***done***) He *had* his watch *stolen*. 그는 손목시계를 도둑맞았다. / I *had* my hat *blown* off. 내 모자가 바람에 날아갔다. **c** 〈…을〉 **…해버리다,** 마치다 《★ 완료를 나타내며, 《미·구어》에서 자주 쓰임》: (~+목+***done***) She *had* little money *left* in her purse. 그녀의 지갑에는 돈이 거의 남아 있지 않았다. / They *had* a map *spread* (*out*) on the desk. 그들은 지도를 책상 위에 펼쳐 놓고 있었다. / *H*~ your homework *done* by eight p.m. 오후 8시까지 숙제를 마치도록 하여라.

3 **a** 〈…에게〉 …**시키다,** …하게 하다 《★ make만큼은

강하지 않은 사역을 나타냄》: 《~+목+**do**》 *H~* him *report.* 그로 하여금 보고토록 하라. / He *had* them *wait* in the cab. 그는 그들을 택시 안에서 기다리게 했다. / *H~* him *come* here at five. 그를 5시에 여기로 오게 하시오. **b** [will, would와 함께] 《문어》 〈…에게〉 꼭 〈…해〉 달라고 하고 싶다: 《~+목+**do**》 What *would* you ~ me *do*? 나에게 무엇을 시키고 싶으세요? **c** 〈사람·사물에게〉 〈…을〉 당하다 《★ 사역의 뜻이 약하며, 경험의 뜻에 가까운 표현》: 《~+목+**do**》 Tom *had* a man *rob* him last night. 톰은 어젯밤 어떤 남자에게 돈을 빼앗겼다. 《★ Tom was robbed by a man last night.란 표현이 더 일반적임》/ Have you ever *had* a policeman *ask* you questions before? 전에 경찰관에게 심문당해 본 적이 있는가?

4 [보통 1인칭 주어와 함께 써서; will, can의 부정형 또는 진행형으로] **a** 〈…을〉 용납하다, 참다: *I won't* ~ any noise[fighting] here. 여기서는 소음[싸움]을 허용하지 않겠다. / *We'll* ~ *no* more of that. 그런 일은 더 이상 용납할 수 없다. **b** 〈…할 것을〉 용납하다, 참다: 《~+**-ing**》 *I* am *not having* sing*ing* here. 여기서 노래하는 것을 용납할 수는 없다. **c** 〈…이〉 〈…하는 것을〉 용납하다, 참다: 《~+목+**-ing**》 *I won't* ~ him speak*ing* in that way. 그가 그런 식으로 말하는 것을 용납하지 않겠다. / *I can't* ~ you play*ing* outside with that cold! 감기가 그 모양인데 밖에 나가 놀게 할 수 없다! 《★ can't를 쓰게 되면 종종 「상대를 위해 좋지 않으므로 그렇게 하게 할 수는 없다」의 뜻이 됨》 // 《~+목+**do**》 *I won't* ~ her *answer* me back. 그녀가 내게 말대꾸하는 것을 용납하지 않겠다. **d** 〈…이〉 〈…당하는 것을〉 용납하다, 참다: 《~+목+**done**》 *We won't* ~ him insult*ed*. 그가 모욕을 당하는 것을 가만 있지 않겠다.

— *vi.* 재산이 있다, 돈을 가지고 있다: those who ~ and those who ~ not 가진 자와 못 가진 자

All one ***has to*** do ***is ...*** 〈…이〉 해야 할 일의 전부는 …, 〈…이〉 할 것이라고는 …뿐이다 (cf. HAVE to)

be had 사기당하다

be had up 당국에 고소당하다, 고발되다

had as good[***well***] do …하는 것도 좋을 테지; …하는 편이 좋다

H~ after! 뒤를 따르라!

~ and hold 〖법〗 보유하다

~ an ... up one***'s sleeve*** 비책을 갖고 있다

~ at 《고어》 …을 공격[비난, 비판]하다; (일에 적극적으로) 착수하다: Let us ~ *at* him. 그를 해치우자. / I'll ~ *at* the files tomorrow. 내일 파일 조사에 착수하겠다.

~ back 《★ 수동형 불가》 (1) 〈빌려준 것을〉 돌려받다, 되찾다: When can I[can you let me] ~ my money *back*? 언제 내 돈을 돌려주겠느냐? (2) 〈헤어진 남편[아내]·애인·동료 등을〉 다시 맞아들이다 (3) 〈환대하여 준 사람에게〉 답례의 초대를 하다

~ a thing ***by*** one …을 자기 곁에 두다

~ done with …이 끝나다, 필요없게 되다, 그만두다

~ down (시골 등으로) 〈…을〉 맞아들이다, 초대하다 《★ 수동형 불가》 (cf. HAVE up): They *had* him *down* for a week. 그들은 그를 일주일간 초대했다. ★ down은 '도시에서 시골로'의 뜻을 나타냄.

~ had 《구어》 …에 진저리가 나다, 싫증이 나다: I *have had* his story. 그의 이야기는 이제 질렸다.

~ had it 《구어》 (1) 《미》 진저리가 나다, 질리다, 지긋지긋하다: I'*ve had it* with him. 그'라면 이제 지긋지긋하다. (2) 《미》 이제 끝장이다, 글렀다: If he's caught, he'*s had it*. 붙잡히면 그는 이제 끝장이다. / You'*ve had it*! 기대해 봤자 소용없다, 이제 끝장이다! (3) 고물이 다되다, 쓸모없게 되다; 한창때가 지나다: This gas stove *has* really *had it*. 이 가스 난로는 이제 고물이 다되었다. (4) 죽임을 당하다; 지다, 패하다

~ in 《★ 수동형 불가》 (1) 〈직공·의사 등을〉 (집·방안으로) 들이다, 부르다; 〈…을〉 (집으로) 잠깐 맞아들이다, 초대하다 (2) 〈물건을〉 (집·상점 등에) 저장[비축]하여 두다, 사재다

~ ... in hand ⇨ hand

~ it (1) 이기다, 유리하다: The ayes ~ *it*. 찬성자가 다수이다. (2) [I를 주어로 하여] 〈답 등을〉 알다: *I have*[*I've got*] *it*! 알았다, 그래 그것이야! (3) (…에게서) 들어서 알다[알고 있다] 《*from*》: I ~ *it from* him[*from* the horse's mouth]. 그[본인]에게서 들어서 안다. (4) [진행형 불가] (…라고) 표현하다, 말하다, 확언하다, 주장하다: Rumor *has it* that ... …라는 소문이다 / They will ~ *it* so. 그들은 끝까지 그렇게 주장한다. / As Socrates *has it* ... 소크라테스가 말한 바와 같이… (5) [~ it one's own way로] (어떤 방식으로) 일을 하다: *H~ it your own way.* (더 이상 말 않겠다) 네 마음대로 하렴. (6) [will[would]와 함께; 부정문에서] 인정하다, 받아들이다: I tried to apologize but he *would not* ~ *it*. 나는 사과를 하려고 하였지만 그는 결코 받아들이지 않았다. (7) 〈운명 등이〉 지배하다: ⇨ as LUCK would have it (8) 《구어》 (탄환 등에) 맞다; 응징당하다, 혼나다, 꾸지람 듣다: I let him ~ *it*. 그를 혼내 주었다.

~ it away 《영·속어》 (…와) 성교하다 《*with*》

~ it coming (***to*** one) 《구어》 〈특히 벌·비난 등을〉 받아 마땅하다, 그것은 당연한 보답이다: I *had it coming*. 이렇게 되는 것이 당연했다, 자업자득이다.

~ it good 《구어》 유복하다; 즐거운 시간을 보내다: We ~ never *had it* so *good*. 우리는 이렇게 좋았던 적이 없었다.

~ it in for a person 《구어》 〈…에게〉 원한을 품다, 〈…을〉 싫어하다; 트집을 잡다: She *has it in for* Americans. 그녀는 미국 사람을 싫어한다.

~ it in one (***to*** do) 《구어》 (…할) 소질[능력, 용기]이 있다: They didn't think he *had it in* him *to* do that. 그들은 그가 그것을 할 만한 사람이라고 생각하지 않았다.

~ it made 《구어》 만사형통이다, 성공할 것이 틀림없다

~ it off 《영·속어》 (…와) 성교하다 《*with*》; 《영·속어》 도둑질하다

~ it out 《구어》 (…와) 거리낌없이 토론하다; 토론[싸움]으로 결말을 내다 《*with*》

~ it out of a person 《구어》 〈…을〉 벌받게 하다, 〈…에게〉 앙갚음하다

~ it over[***on***] (…에서 상대보다) 유리하다; (…의 점에서 상대보다) 우위에 있다: He *has it over* me that he has a college diploma and I don't. 그는 대학 졸업장이 있고 나는 없다는 점에서 그가 우위에 있다.

~ kittens ⇨ kitten

~ none of …을 용납치 않다

~ nothing on 《구어》 (1) 《익살》 (…보다) 조금도 나은 점이 없다 (2) 〈경찰이〉 (…의) 유죄의 증거[불리한 정보]를 갖고 있지 않다 (3) 아무것도 걸칠 것[예정]이 없다

~ off 《★ 수동형 불가》 (1) 〈요일 등을〉 쉬다, 휴무로 하다: We ~ Wednesday *off*. 수요일은 쉰다[휴무이다]. (2) 《영》 〈…을〉 떼다, 벗다: ~ one's hat *off* 모자를 벗다 (3) 〈…을〉 절단하다, 자르다: This knife may ~ your finger *off*. 이 나이프로 손가락을 자를지도 모른다. (4) 〈…을〉 암기하고 있다: I ~ the whole poem *off*. 그 시는 완전히 암기하고 있다. (5) 〈…을〉 보내다, 부치다: I'll ~ the package *off* in the next mail. 다음 편에 그 소포를 보내겠다. (6) 《주로 영》 흉내내다

~ on 《★ (5) 이외는 수동형 불가》 (1) 〈옷·모자·구두 등을〉 **걸치고 있다,** 입고[쓰고, 신고] 있다: She *has* gloves *on*. 그녀는 장갑을 끼고 있다. (2) (…에는) 〈약속·할 일 등이〉 있다, 〈회합·준비·계획 등을〉 예정하고 있다; 〈일 등에〉 묶여 있다: Do you ~ anything *on*

this evening? 오늘 저녁에 무슨 약속이 있느냐? / What do you ~ *on* for Christmas? 크리스마스에 무슨 계획이 있니? / I ~ nothing *on* (for) tonight. 오늘밤에는 아무 예정도 없다. (3) 〈전등·라디오 등을〉 켜 놓고 있다 (4) [보통 진행형으로] 《영·구어》 〈남을〉 놀리다, 속이다: *Are* you *having* me *on*? 날 놀리고 있느냐? (5) ⇨ A 1 b (6) 〈남〉에게 불리한 〈…을〉 쥐고 있다: ⇨ HAVE nothing on (2); HAVE something on

~ out 《★ 수동형 불가》 (1) 〈…을〉 밖으로 내다[내놓고 있다] (2) 〈이·편도선 등을〉 뽑게[절제하게] 하다: He's *having* a tooth *out*. 그는 이를 뽑게 했다[뽑았다]. (3) 〈조명 등을〉 켜 두다 (4) (…와의 사이에서) 〈문제 등을〉 철저하게 토론하다, (…에) 결말[매듭]을 짓다, 해결하다 《*with*》: ⇨ HAVE it out. (5) 《영》 〈수면 등을〉 끝까지 계속하다, 중단되지 않다: Let him ~ his sleep *out*. (저절로 잠에서 깰 때까지) 그를 아주 푹 자게 하여라. (6) 초대하다 《*for*》

~ over 《★ 수동형 불가》 (1) 〈…을〉 (집에) 손님으로 맞이하다 (2) 〈…을〉 전복[전도]시키다: You'll ~ the sailboat *over* if you are not careful. 조심하지 않으면 요트는 전복한다. (3) (…보다 어떤 점에서) 우위에 있다: What does he ~ *over* me? 그는 어떤 점에서 나보다 나은가? / ⇨ HAVE it over (4) 〈싫은 일을〉 마치다; 《영·구어》 속이다

~ round = HAVE over (1)

~ (got) something against …을 싫어하다; …에게 노여움[원한]을 품고 있다; …에 반대하다: He seems to ~ *something against* women. 그는 여자들을 싫어하는 것 같다. / *What* ~ you *got against* Jane? 제인에게 무슨 감정 있니?

~ something on a person …의 약점을 쥐고 있다

~ something [nothing, little, etc.**] to do with …** …와 조금 관계가 있다[전혀, 거의 《등》 관계가 없다]

~ the last laugh ⇨ laugh

~ to do[be] 《보통 have to는 [hǽftə (자음 앞), hǽftu (모음 앞)], has to는 [hǽstə (자음 앞), hǽstu (모음 앞)], had to는 [hǽttə (자음 앞), hǽttu (모음 앞)]로 발음됨》 (1) …하여야 하다, …하지 않으면 안 되다 《USAGE (1) must는 과거형으로 쓰일 경우 또는 다른 조동사의 뒤에 올 경우 등에는 용법상 제약이 있기 때문에 have to가 대신 쓰임 (2) have to는 must보다 객관적인 사정에 의한 필요를 나타내는 데 알맞을 뿐만 아니라, 말의 느낌이 부드러움》: I ~ *to* do something. 무언가를 해야만 한다. / I ~ *to* study hard. 열심히 공부해야 한다. / I ~ *to* leave now. 지금 가야만 한다. / *Do* you ~ *to* go? = 《영》 *H*~ you (*got*) *to* go? 가지 않으면 안 되는가? / You will ~ *to* get up early tomorrow morning. 너는 내일 아침 일찍 일어나야 할 것이다. (2) [부정문에서] …할 필요가 없다 《★ do not have to [have not to]와 must not의 차이에 주의》: We do*n't* ~[《영》 *haven't* (got)] *to* bring our lunch tomorrow. 내일 도시락을 싸 올 필요가 없다. (3) [~ to be, ~ to have been으로] 《구어》 〈…임에〉 틀림없다, 틀림없이 …일 것이다: You ~ *to be* joking. 농담하는 것임에 틀림없다, 농담이겠지요. / There *has to be* some reason. 어떤 이유가 있음에 틀림없다.

~ to do with ⇨ do[1]

~ up (1) (위층·높은 지대·도시 등으로) 〈…을〉 맞이하다[불러오다, 청하다] 《★ 수동형 불가》(cf. HAVE down) (2) 《영·구어》 〈…을〉 법정으로 호출하다; (…으로) 〈남을〉 고소하다, 기소하다 《*for*》: I'll ~ him *up for* drunken driving. 그를 음주 운전으로 기소하겠다. / He was *had up for* offering bribes. 그는 뇌물 증여로 고소당했다. (3) 〈물체를〉 올리다, 올려놓고 있다, 〈천막 등을〉 치다 《★ 수동형 불가》: The shops *had* their shutters *up*. 상점은 셔터를 올려놓고 있었다. (4) 책임을 묻다

let a person **~ it** ⇨ let

not having any 《구어》 ⇨ any *pron.*

to ~ and to hold [명사에 후치하여] 법적으로 소유하다; 평생 소유하다: On her father's death, the villa was hers *to ~ and to hold*. 아버지가 돌아가시자 그 별장은 법적으로 그녀의 소유가 되었다.

What ~ you 《구어》 그밖의 (동류의) 것[사람]

will ~ it that ⇨ HAVE it (4)

You ~ me there. 내가 손들었어. (⇨ B 8 b)

You shouldn't ~! 뭐 이렇게까지! 《선물받을 때의 인사말》

—*n.* **1** [*pl.*; 보통 the ~] 유산자(有産者), 가진 자; (자원·핵 등의) 보유국, 가진 나라: *the* nuclear ~*s* 핵보유국

2 《영·구어》 사기, 협잡; 놀리는 가벼운 농담

the ~s and (the) ~-nots 유산자와 무산자; 가진 나라와 못 가진 나라(cf. HAVE-NOT)

—*auxil. v.* [həv, v; hǽv] (변화형은 *v.*와 같음) 《★ 동사의 과거분사와 결합하여 완료형을 만들며, 「완료·결과·경험·계속」 등의 뜻을 나타냄》

[완료 시제]	
① 현재완료 시제: 「have+과거분사」	**1**
② 과거완료 시제: 「had+과거분사」	**2**
③ 미래완료 시제: 「will+have+과거분사」	**3**

1 [현재완료, have+과거분사]: **a** [현재에 일·행동이 끝나고 있음을 뜻하는 완료] …**하였다,** 해버렸다, …한 참이다 《★ 종종 just, now, already, recently, (의문·부정문에서는) yet 등의 부사를 동반함》: I ~ *just written* it. 방금 그것을 썼다[써버렸다]. / *H*~ you *finished yet*? 이제 끝냈느냐? — Yes, I ~. 네, 끝냈습니다. — No, I *haven't*. 아니오, 끝내지 못했습니다. / The plane *has taken* off *now*. 비행기가 금방 이륙했다. **b** [결과] …했다, …해버렸다, …하고 말았다: He *has*[He'*s*] *gone*. 그는 가버렸다. 《지금 여기에 없다》 / She *has grown*! [*Has*n't she *grown*!] 그녀는 많이 컸구나! [성장했구나!] / I ~ *lost* my watch. 시계를 잃어버렸다. 《지금 없다》 **c** [경험] …한 일[적]이 있다 《★ 종종 ever, never, before (now) 등의 부사를 수반함》: She *has not*[*hasn't*] *seen* a real tiger. 그녀는 실물 호랑이를 본 일이 없다. / This is the biggest animal that I ~ *ever seen*. 이것은 내가 지금까지 본 것 중에서 가장 큰 동물이다. / *H*~ you *ever been* to Paris? 파리에 가본 적이 있니? **d** [계속] (죽) …**해오고 있다,** (줄곧) …하고 있다, …해왔다 《★ 보통 「상태」를 나타내는 동사와 함께, 또는 완료진행형으로 쓰이고, 「기간」을 나타내는 부사구를 수반하는 경우가 많음》: I ~ *known* him *since* childhood. 그를 어린 시절부터 알고 지낸다. / I ~ [I'*ve*] *been* learning English *for* ten years. 영어를 배우기 시작한 지 10년이 되었다. **e** [부사절에서 미래완료의 대신으로 쓰여]: Let's have tea after we ~ *finished* the work. 일을 끝내고 나서 차를 마십시다.

2 [과거완료, had+과거분사]: **a** [과거 어떤 때에 일어난 동작의 완료·결과]: *Had* he *finished* it when you saw him? 네가 그를 보았을 때 그는 그것을 끝마쳤더냐? — Yes, he *had*. 예, 끝마치고 있었습니다. — No, he *hadn't*. 아뇨, 끝마치지 못하고 있었습니다. **b** [과거의 어떤 때까지의 동작·상태의 계속]: I *had been* there for an hour when you arrived. 네가 도착하기 전까지 한 시간 동안 거기에 있었다. **c** [과거의 어떤 때까지의 경험]: She *had* never *seen* it before. 그녀는 그때까지 그것을 본 적이 없었다. **d** [과거의 어떤 때보다 먼저 일어난 일]: He lost the watch his uncle *had given* him as a birthday present. 그는 숙부에게서 생일 선물로 받은 시계를 잃어버렸다. **e** [가정법에 쓰여]: *Had* I *known*[If I *had known*] his address, I wouldn't ~ done it. 만약 내가 그의 주소를 알았더라면 그것을 하지 않았을 텐데. / He would ~ come if you *had invited* him. 네가 그를 초청했었더라면 그는 왔을 텐

데. **f** [expect, hope, intend, mean, think, want 등의 동사와 함께 「실현되지 못한 희망·의도」 등을 나타내어]: I *had intended* to write a letter, but I ran out of time. 편지를 쓸 생각이었으나, 시간이 없었다.
3 [미래완료, will[shall] have+과거분사]: **a** [미래의 어떤 때까지의 완료]: I *shall*[He *will*] ~ *finished* it by the time she comes back. 그녀가 돌아올 때까지는 나[그]는 그것을 끝내 놓고 있을 게다. **b** [미래의 어떤 때까지의 동작·상태의 계속]: I*'ll* ~ *been* here for three years next month. 나는 다음달이면 여기에 있은 지 3년이 된다.
4 [완료부정사]: **a** [주(主)동사보다 앞선 때]: He seems[seemed] *to* ~ *been* ill. 그는 병을 앓고 있었던 것 같다[같았다]. 《★ It seems[seemed] that he *was*[*had been*] ill.로 바꿔 쓸 수 있음》 **b** [조동사와 함께 과거·완료의 일에 언급하여]: He *should*[*ought to*] ~ *asked* me. 그는 나에게 물어봤어야 했다[했는데 하지 않았다]. / He *may* ~ *left* last Monday. 그는 지난 월요일에 출발했는지도 모른다. / It's six o'clock; they *will*[*should*] ~ *arrived* home by now. 여섯 시다, 그들은 지금쯤은 집에 도착해 있을 테지. 《★ will은 「미래」가 아니라 「추측」의 뜻; cf. *auxil. v.* 3》 **c** [「희망·의도·예정」 등을 나타내는 동사의 과거형 뒤에 쓰여 「실현되지 못한 사항」을 나타내어]: I should like *to* ~ *seen* the movie. 그 영화를 보고 싶었는데 (그러지 못했다). 《★ I should have liked *to* see[*to* ~ *seen*] the movie.로 바꿔 쓸 수 있음》 / She was *to* ~ *bought* some stamps. 그녀는 우표를 사올 예정이었는데 (잊었다). **d** [claim, expect, hope, promise 등의 뒤에 쓰여 「미래에 완료할 사항」을 나타내어]: He *expects*[*hopes*] *to* ~ *finished* by May. 그는 5월까지는 끝낼 생각으로 있다[끝낼 수 있기를 바라고 있다]. 《★ He *expects*[*hopes*] that he will *have finished* by May.로 바꿔 쓸 수 있음》
5 [완료분사; 보통 분사구문으로] …하고 나서, …하였으므로, …하였기 때문에: *Having finished* his coffee, he went out. 그는 커피를 다 마시고 나서 외출했다. / *Having failed* twice, he didn't want to try again. 그는 두 번이나 실패하였기 때문에 더 이상 시도할 생각은 없었다.
6 [완료동명사] …했던 일, 한 일: I could not remember *having seen* her before. 나는 전에 그녀를 보았던 일을 기억할 수 없었다.
~ *been around* ⇨ around
~ *done with* ⇨ do[1]
~ *got* 《★ (1) 《구어》에서는 have got은 have의, have got to는 have to의 대용이 됨; (2) 일반적으로 have got (to)는 have (to)보다도 강조적》 《구어》 (1) 가지고 있다(have): I*'ve got* twenty dollars. 20달러를 가지고 있다. / Jane *has*n't *got* blond hair. 제인은 금발을 하고 있지 않다. / "*H*~ you *got* your ticket?" — "Yes, I *have* [《미》 Yes, I *do*]." 승차권이 있습니까? — 예, 있습니다. (cf. "*Do* you HAVE your ticket?" — "Yes, I do.") / I*'ve got* a kettle boil*ing* now for tea. 차를 넣기 위해 지금 주전자의 물을 끓이고 있다. (cf. *v.* C1c) (2) 〈…〉해야 하다(have to): I*'ve got to* pay the bill. 대금을 치르지 않으면 안 된다. / You*'ve got to* go home. 너는 집에 가야 한다. (3) [부정문에서] 〈…할〉 필요가 없다 (need not): We *haven't got to* work this afternoon. 오늘 오후에는 일을 하지 않아도 된다. (4) 《미》 〈…임에〉 틀림없다, 틀림없이 〈…일〉 것이다(must): It'*s got to be* the milkman. 우유 배달원임에 틀림이 없다. / You*'ve got to be* kidding. 농담이시겠지. **USAGE** (1) have[has] got은 보통 단축되어 've got ['s got]의 형이 됨. 또 특히 《미》의 구어적인 표현에서는 have[has]를 생략하고 got만을 단독으로 쓰는 경우가 있음(cf. GOTTA): I *got* an idea. 한 가지 생각이 있다. / You *got* to see a doctor. 의사의 진찰을 받아야 한다. (2) have got은 다음과 같은 경우를 제외하고는, 조동사의 뒤나 부정사[분사, 동명사]형에서는 일반적으로 쓰지 않음; 또 명령문에서도 쓰지 않음: He may ~ *got*[seems to ~ *got*] a key to the car. 그는 차의 열쇠를 가지고 있는지도 모른다[있는 것 같다]. (3) 특히 《미》에서는 과거의 had (to) 대신에 had got (to)를 쓰는 경우는 드묾 (4) 위 용법에서 《영》에서는 got 대신에 gotten을 쓰지 않으나, 《미》에서는 종종 씀: He *has*n't *got* a ticket. 그는 표를 가지고 있지 않다. (cf. He *has*n't *gotten* a ticket. 그는 표를 입수하지 못하고 있다, 표를 사지 못했다.)

have-not [hǽvnɑ̀t | -nɔ̀t] *n.* [*pl.*: 보통 the ~] 무산자, 재산이 없는 사람; (자원·핵 등의) 비보유국, 빈곤국; 돈[재력]이 없는 단체(opp. *have*): the gap between the haves and *the* ~*s* 빈부 격차

‡**have·n't** [hǽvənt] have not의 단축형

have-on [hǽvɑ̀n, -ɔ̀:n | -ɔ̀n] *n.* 《미·속어》 속임(수), 사기

ha·ver [héivər] *n.* [보통 *pl.*] 《스코》 객담, 수다, 쓸데없는 소리 **—** *vi.* 《영》 쓸데없는 소리를 지껄이다; 〈생각 등이〉 흔들리다

hav·er·sack [hǽvərsæ̀k] *n.* (군인·여행자가 어깨에 비스듬히 매는) 잡낭(雜囊), 숄더 백

haversack

hav·il·dar [hǽvildɑ:] *n.* (인도의) 하사관

‡**hav·ing** [hǽviŋ] *v.* HAVE의 현재분사·동명사 **1** [be(am, are, is, was, were)+having의 형태로 진행형] …하고 있다, …하고 있었다 《★ 보통 「가지고 있다」의 뜻으로는 진행형을 쓰지 않음》: He *is* ~ a bath. 그는 목욕 중이다. **2** [분사구문] …을 갖고 있으므로, …을 갖고 있으면: *H*~ a lot of money, she spends freely. 그 여자는 돈을 많이 가지고 있어 마음대로 쓴다.
— *auxil. v.* [분사구문] …해 버리고, …을 마치고[끝내고]: *H*~ done my homework, I went out. 나는 숙제를 끝내고 외출했다. / *H*~ been ill, I stayed at home. 나는 몸이 아파서 집에 있었다.
— *a.* 《드물게》 욕심 많은: She has a ~ nature. 그녀는 욕심쟁이이다.
— *n.* **1** Ⓤ 소유, 소지 **2** [보통 *pl.*] 소유물, 소지품, 재산(possession)

∗**hav·oc** [hǽvək] [OF 「약탈하다; 약탈 때 신호로 지르는 고함 소리」의 뜻에서] *n.* Ⓤ (대규모의) 파괴, 황폐; 대혼란, 대혼잡, 무질서 ***cry*** **~** 위험[재해]을 경고하다; 《고어》 (군대에) 약탈하라고 신호하다 ***play*** [***work, create***] **~** ***with*** [***among***] = ***wreak*** **~** ***on*** [***in, with***] = ***make*** **~** ***of*** …을 혼란시키다, 엉망으로 만들다; …을 파괴하다, 파멸시키다
— *vt.* (**-ocked**; **-ock·ing**) 크게 파괴하다, 쑥밭을 만들다, 황폐화하다 **-ock·er** *n.*

ha·vu·rah [hɑ:vú:rɑ:] *n.* (*pl.* **~s, -vu·roth, -rot** [-vu:rɔ́:t]) 하부라 《미국의 유대인 친목 단체; 특히 대학 내의 서클》

haw[1] [hɔ́:] *n.* 〖식물〗 산사나무(의 열매)

haw[2] *vi.* (말이 막히거나 점잔 빼느라고) 「에에」 하다, 말이 막히다, 우물거리다 ***hum and*** **~** 《영》 더듬다; 망설이다
— *n.* 「에에」 하는 소리

haw[3] *n.* **1** (개·말 등의) 셋째 눈까풀, 순막(瞬膜) **2** [종종 *pl.*] 순막병(病)

haw[4] *int.* 저라, 이랴! 《소·말을 왼쪽으로 돌릴 때 지르는 소리》 **—** *vi., vt.* 왼쪽으로 돌(게 하)다

Haw. Hawaii; Hawaiian

*__Ha·wai·i__ [həwáii:, -wɑ́:-, -wɑ́:jə, hɑ:wɑ́:i | həwáii:] *n.* 하와이 (제도) 《미국의 한 주, 1959년 준주(準州)(territory)에서 승격; 주도 Honolulu; 略 Haw., 〖우편〗 HI; 속칭으로 Aloha State로 부름》 **2** 하와이 섬 《하와이 제도 최대의 섬》
▷ Hawáiian *a.*

*__Ha·wai·ian__ [həwáiən, -wɑ́:jən | həwáiiən] *a.* 하와이의, 하와이 사람[말]의
— *n.* **1** 하와이 사람 **2** Ⓤ 하와이 말
▷ Hawáii *n.*

Hawáiian guitár 하와이안 기타

Hawáiian Íslands [the ~] 하와이 제도

Hawáiian shírt 화려한 색깔의 반소매 셔츠

Hawáii tìme, Hawáii Stándard Tìme 하와이 표준시 《GMT보다 10시간 늦고, 시간대는 Alaska Time과 같음》

haw·finch [hɔ́:fintʃ] *n.* 〖조류〗 콩새

haw-haw [hɔ̀:hɔ́:] *int., n.* = HA-HA[1]
— *vi.* 하하 웃다, 큰소리로 웃다

*__hawk__[1] [hɔ́:k] *n.* **1** 〖조류〗 매 **2** 남을 등쳐먹는 사람, 욕심사나운 사람, 사기꾼(sharper) **3** 〖야구〗 명(名)외야수 **4** (미) 강경론자, 주전론자, 매파(派) 《국제 관계에서》(cf. DOVE[1]) **5** [the ~] (미·속어) LSD; LSD 중독자[판매인] (**as**) ***keen as a ~*** 눈이 매우 빠른[예리한] ***know a ~ from a handsaw*** 판단력[상식]이 있다 《Shakespeare의 *Hamlet*에서》
— *vi.* **1** 매사냥을 하다, 매를 부리다 **2** 매처럼 날다; (매처럼) 덮치다; 급습하다 《*at*》 **3** 호전적으로 되다
— *vt.* 〈잡을 것을〉 습격하다, 덤벼들다: a bird that ~*s* insects 벌레를 덮치는 새
▷ háwkish *a.*

hawk[2] *vt.* 행상하다, 소리치며 팔다; 외치며 돌아다니다; 〈소식 등을〉 알리며 다니다 《*about*》: ~ one's wares 돌아다니며 상품을 팔다

hawk[3] [의성어] *vi., vt.* 기침을 하다, 기침을 해서 〈가래 등을〉 내뱉다 《*up*》: (~+목+부) ~ phlegm *up* 가래를 내뱉다 — *n.* 기침(의 소리); 칵 하고 뱉어 내기

hawk[4] *n.* (미장이의) 흙받기

Hawk [hɔ́:k] *n.* [*H*oming *a*ll the *w*ay *k*iller] 〖군사〗 호크 《미국의 이동식 지대공 미사일 시스템》

háwk èagle 〖조류〗 뿔매 《독수리와 매의 중간형》

hawk·er [hɔ́:kər] *n.* **1** 행상인 **2** 매사냥꾼, 매부리 《사람》

hawk·eye [hɔ́:kài] *n.* **1** [보통 the H~] (미·구어) IOWA 주 사람 **2** 예리한 눈(을 가진 사람)

hawk-eyed [-àid] *a.* 매 같은 눈초리의; 방심하지 않는: a ~ guard 눈이 날카로운 감시인

Háwkeye Stàte [the ~] 미국 Iowa주의 속칭

hawk·ing [hɔ́:kiŋ] *n.* Ⓤ 매사냥(falconry)

Haw·king [hɔ́:kiŋ] *n.* 호킹 **Stephen William ~** (1942-) 《영국의 천체 물리학자》

hawk·ish [hɔ́:kiʃ] *a.* 매파(派)적인, 호전적인; 매와 같은: a ~ politician 매파의 정치가 **~·ly** *ad.*

hawk·ism [hɔ́:kizm] *n.* Ⓤ 매파적 경향[태도], 대외 강경 정책

háwk mòth 〖곤충〗 박각시나방과(科)의 나방

hawk-nosed [-nòuzd] *a.* 매부리코의

hawks·bill [hɔ́:ksbìl] *n.* 〖동물〗 대모(玳瑁)(= ~ **túrtle**) 《바다거북의 일종》

hawk's-eye [hɔ́:ksài] *n.* 〖광물〗 응안석(鷹眼石)

hawk·shaw [hɔ́:kʃɔ̀:] *n.* (구어) 형사, 탐정

hawk·weed [-wì:d] *n.* 〖식물〗 조팝나물

hawse [hɔ́:z, hɔ́:s | hɔ́:z] [ON 「목」의 뜻에서] *n.* 〖항해〗 **1** 닻줄 구멍이 있는 이물쪽; 이물 구멍 **2** (정박선의) 이물과 닻과의 수평 거리

hawse·hole [hɔ́:zhòul] *n.* 〖항해〗 닻줄 구멍

hawse·pipe [-pàip] *n.* 〖항해〗 닻줄관

haw·ser [hɔ́:zər, -sər | -sə] *n.* 〖항해〗 굵은 밧줄, 배 끄는[매는] 밧줄

háwser bènd 두 가닥의 굵은 밧줄을 묶는 방법

haw·ser-laid [hɔ́:zərlèid, -sər- | -sə-] *a.* 〈굵은 밧줄이〉 세가닥으로 꼬인

*__haw·thorn__ [hɔ́:θɔ̀:rn] *n.* 〖식물〗 산사나무속(屬), 《특히》 서양산사나무

hawthorn

Haw·thorne [hɔ́:θɔ̀:rn] *n.* 호손 **Nathaniel ~** (1804-64) 《미국의 소설가》

Háwthorne effèct [Western Electric 사(社)의 Hawthorne 공장 이름에서] 〖심리〗 호손 효과 《노동·교육에서, 단지 주목받고 있다는 사실 때문에 그 대상자에게서 나타나는 업적의 향상》

*__hay__[1] [héi] *n.* **1** Ⓤ 건초, 꼴, 말린 풀 《건초용》: a mow of ~ 한 번에 베어들인 건초 / Make ~ while the sun shines. (속담) 볕이 났을 때 건초를 만들어라, 기회를 놓치지 마라. **2** [보통 부정문] (속어) 푼돈; 돈 **3** (일·노력의) 결과, 성과; 보상 **4** [the ~] (구어) 침대; 수면; 반각성 상태 **5** (미·속어) 마리화나 ***hit the ~*** (속어) 잠자다 ***look for a needle in a bundle of ~*** ⇨ needle. ***make ~*** 건초를 만들다; 기회를 살리다; 잔뜩 벌다 ***make ~*** (***out***) ***of*** …을 혼란시키다, 뒤죽박죽[엉망]으로 만들다 ***not ~*** (속어) 상당한 금액 ***raise ~*** (미·속어) 혼란[소동]을 일으키다
— *vt.* 건초로 만들다; 〈소·말 따위에〉 건초를 주다; 〈토지에〉 (건초용의) 목초를 심다[기르다]
— *vi.* 건초를 만들다 **~·ey** [héii:] *a.*

hay[2] *n.* 시골 춤 《reel과 비슷한》

hay·bag [héibæ̀g] *n.* (미·속어) 술 취한 여자; 뚱뚱한 노파; 여자 부랑자

hay·box [-bɑ̀ks | -bɔ̀ks] *n.* 건초 보온 상자 《요리를 뜸들이기 위해 넣어 두는》

hay·burn·er [-bə̀:rnər] *n.* (미·속어) 경주마; 마리화나를 피우는 사람

hay·cock [-kɑ̀k | -kɔ̀k] *n.* (영) (원뿔형의) 건초 더미

Háy dìet 탄수화물을 드문드문 섭취하는 다이어트법

Hay·dn [háidn] *n.* 하이든 **Franz Joseph ~** (1732-1809) 《오스트리아의 작곡가》

Hayes-com·pat·i·ble [héizkəmpæ̀təbl] *a., n.* 〖컴퓨터〗 헤이즈 호환의 (모뎀) 《개인용 컴퓨터를 위한 모뎀이 헤이즈 사의 모뎀과 호환성이 있는 것》

háy fèver 〖병리〗 건초열 《꽃가루로 인한 눈·코·목구멍 등의 카타르》

hay·field [héifì:ld] *n.* (건초용) 풀밭, 목초장

Háy·flick lìmit [héiflik-] 〖생물〗 헤이플릭 한계 《배양기 속에서 세포가 생존하는 한계》

hay·fork [héifɔ̀:rk] *n.* 건초용 쇠스랑, 자동식 건초 하역 기구, 건초 쌓는 기계

hay·head [-hèd] *n.* (속어) 마리화나 상용자

hay·ing [héiiŋ] *n.* 건초 만들기

háy knìfe 건초 베는 칼

hay·lage [héilidʒ] *n.* Ⓤ 〖농업〗 생목초(生牧草) 《습기를 35-50%로 하여 저장된》

hay·lift [héilìft] *n.* 건초 공수 《폭설로 고립된 소·말 등에게 비행기로 하는 식량 투하》

hay·loft [-lɔ̀:ft | -lɔ̀ft] *n.* 건초 두는 곳 《대개 마구간·곳간의 위층》

hay·mak·er [-mèikər] *n.* **1** 건초 만드는 사람; 건초기 **2** (속어) 〖권투〗 녹아웃 펀치, 강타 **3** (미·속어) (예능인의) 십팔번; 비장의 수; 훌륭한 작품

hay·mak·ing [-mèikiŋ] *n.* Ⓤ 건초 만들기

Hay·mar·ket [héimɑ̀:rkit] *n.* [the ~] 헤이마켓 《런던의 West End의 번화가》

hay·mow [héimàu] *n.* **1** (곳간에 쌓인) 건초 더미 **2** (곳간의) 건초 두는 곳[시렁]

hay·rack [-ræ̀k], **hay·rig** [-rìg] *n.* **1** 건초 얹는

thesaurus **hazard** *n.* danger, risk, peril, jeopardy, threat, menace — *v.* risk, imperil, jeopardize, venture, gamble, chance, stake, try

선반[시렁] **2** (짐수레의) 짐받이 틀; 짐받이 틀이 달린 짐수레
háy ràke 건초 갈퀴
hay·rick [-rìk] *n.* 《영》 =HAYSTACK
hay·ride [-ràid] *n.* 건초 피크닉 《건초를 실은 짐수레[트럭]를 여럿이 타고 가는 밤 소풍》
hay·seed [-sì:d] *n.* **1** Ⓤ (건초에서 떨어진) 풀씨, 건초의 씨 **2** Ⓤ 건초 부스러기 **3** 《미·구어》 시골뜨기
hay·shak·er [-ʃèikər] *n.* 《미북부》 시골뜨기(hayseed)
hay·stack [-stæ̀k] *n.* (비에 젖지 않게 지붕을 해 씌운) 큰 건초 더미, 건초의 노적가리 ***look for a needle in a ~*** ⇨ needle
hay·ward [-wɔ̀rd] *n.* (가축의 침입을 막기 위해) 울타리를 관리하는 공무원; (공유 가축의) 관리인
hay·wire[1] [héiwàiər] *n.* Ⓤ 건초를 묶는 철사
— *a.* **1** 뒤섞인, 얽힌 **2** 《구어》 미친, 흥분한; 고장난 ***go ~*** 《구어》 흥분하다, 발광하다; 고장나다
haywire[2] *n.* 감자의 바이러스병
*__haz·ard__ [hǽzərd] [OF 「주사위 게임」의 뜻에서] *n.* **1 a** 위험, 위난; 모험(⇨ danger 유의어); 위험 요소[원인], 해악, 해독, 장해물 《*to*》: a ~ *to* health 건강에 유해할 우려가 있는 것 / the many ~*s* of a big city 대도시의 많은 위험 / a fire ~ 화재의 원인(이 되는 것) / public ~*s* (and nuisances) 공해 **b** CU 우연, 운; 불확실함; 운에 맡기고 해보기 **2** Ⓤ 주사위 놀이의 일종 **3** 〖골프〗 장애 구역 《bunker 등》; 〖당구〗 친 공이 목적한 공을 맞힌 후 포켓에 들어가게 치는 법 ***at all ~s*** 만난을 무릅쓰고, 기어이 ***at*** [***by***] ***~*** (1) 《고어》 운에 맡기고 (2) 위험하게 되어 ***at the ~ of*** …을 걸고: *at the ~ of* one's life 생명을 걸고 ***beyond ~*** 안전한 ***in ~*** 위험하게 되어 ***run the ~*** 운에 맡기고 하다
— *vt.* 위험을 무릅쓰고 하다, 운에 맡기고 해보다; 과감히 발언[추측]하다, …을 걸다: ~ a guess 추측하다, 감히 말하다 / ~ a dangerous encounter 위험에 직면하는 것을 무릅쓰다
▷ házardous *a.*
házard lábel 위험 표지 라벨
házard lìght 〖자동차〗 (긴급 정차·주차시에 점멸되는) 긴급용 라이트; 고장 경고[표시]등
haz·ard·ous [hǽzərdəs] *a.* 모험적인, 위험한, 운에 맡기는: a ~ journey 모험 여행
~·ly *ad.* **~·ness** *n.*
házardous wáste 유해(有害) 폐기물(toxic waste)
házard páy 《미》 위험 수당(danger money)
házard wàrning devìce (차의) 고장 경고 장치 《방향 지시등을 모두 점멸시켜 고장임을 알리는 장치》
Haz·chem [hǽzkèm] [*haz*ardous *chem*ical] *n.* [때로 **h~**] 《영》 (화학 약품 등의) 위험물 표시법
*__haze__[1] [héiz] *n.* UC **1** 아지랑이, 안개, 연무; 아지랑이[안개, 연무] 모양의 것; 엷은 연기 《★ fog, mist보다 엷은 상태; cf. FOG》: the ~ of cigarette smoke 담배의 엷은 연기 **2** [종종 a ~] (정신 상태의) 흐릿함, 의식의 몽롱: *a* ~ of illusion 몽롱한 환상 **3** (투명한 액체·고체의) 흐림, 탁함 ***in a ~*** 몽롱하여, 오리무중으로
— *vi.* 흐릿해지다; 안개가 끼다
— *vt.* 흐릿하게 하다, 희미하게 하다
▷ házy *a.*
haze[2] *vt.* **1** 《미·속어》 〈신입생·신참자 등을〉 신고식 시키다, 골탕먹이다, 괴롭히다, 곯리다(bully) **2** 〖항해〗 중노동시키다, 혹사시키다 **ház·er** *n.*
*__ha·zel__ [héizəl] *n.* **1** 개암나무 (열매) **2** Ⓤ 엷은 갈색
— *a.* **1** 개암나무의 **2** 엷은 갈색의(nut-brown) 《특히 열매의 색깔》

---

hazardous *a.* dangerous, perilous, uncertain
hazy *a.* **1** 흐린 cloudy, foggy, misty, smoggy, overcast **2** 애매한 unclear, vague, blurred, faint

ha·zel·nut [héizəlnʌ̀t] *n.* 개암
haz·ing [héiziŋ] *n.* (신참자를) 곯리기, 못살게 굴기
haz·mat [hǽzmæt] [*haz*ardous+*mat*erial] *n.* 위험 물질, 환경 파괴 물질
*__ha·zy__ [héizi] *a.* (**-zi·er**; **-zi·est**) **1** 〈날씨 등이〉 흐린, 안개 낀, 안개 짙은: ~ weather 안개 낀 날씨 / The economic outlook is ~. 경제 전망은 불투명하다. **2** 〈생각·사람 등이〉 멍한, 몽롱한, 애매한: a ~ idea 모호[막연]한 생각 **3** 〈거울 등이〉 증기로 흐린 《*with*》 **4** 《고어》 거나하게 취한 **há·zi·ly** *ad.* **há·zi·ness** *n.*
Hb hemoglobin **HB** 〖연필〗 hard-black; heavy bomber **hb, HB** 〖미식축구·럭비〗 halfback
HB ántibody 〖의학〗 HB 항체 《HB 항원에 대한 항체》
H-beam [éitʃbì:m] *n.* H형 빔[강(鋼)]
H.B.M. His[Her] Britannic Majesty 영국 국왕[여왕] 폐하
H-bomb [éitʃbɑ̀m | -bɔ̀m] [*h*ydrogen *bomb*] *n.* 수소 폭탄(cf. A-BOMB)
HC high commissioner; Holy Communion; House of Commons **h.c.** *honoris causa* 《L= for the sake of honor》 **hcap., hcp** handicap **hcf, HCF** highest common factor 최대 공약수 **HCFC** hydrochlorofluorocarbon 수소화염화불화탄소 **HCG** human chorionic gonadotropin **h.c.l.** high cost of living 물가고, 생활난 **HCM** His [Her] Catholic Majesty 《원래》 헝가리 국왕[여왕] 폐하; 스페인 국왕[여왕] 폐하 **hd** hand, head **HD** heavy-duty **hdbk** handbook **HDC** hard disk controller 하드 디스크 제어 장치 **HDD** hard disk drive **hdkf** handkerchief **HDL** high-density lipoprotein **HDPE** high-density polyethylene **hdqrs.** headquarters **hds** heads; hundreds **HDTV** high-definition television **hdw., hdwe.** hardware
‡**he**[1] [hí:; 《약하게》 i:] *pron.* (소유격 **his**; 목적격 **him**; *pl.* **they**) **1** [3인칭 단수 남성 주격] 그는[가], 그 사람은[이] 《★ God을 가리킬 때 문 중에서 그 말과 꽤 떨어진 데에서는 He[Him, His]와 같이 첫자를 대문자로 하는 수가 있음》: It's *he* who is to blame. 나쁜 사람은 그이다. **2** [남녀 공통으로] 그 사람은[이]: Go and see who is there and what *he* wants. 누가 왔는지 무슨 볼일인지 가서 알아보아라. **3** [관계대명사의 선행사로] 《문어》 …하는 사람은 누구든지(anyone who ...): *He who* hesitates is lost. 주저하는 자는 잃는다. **4** [어린아이에 대한 친밀한 호칭] 아가 《you》: Did *he* bump *his* little head? 아가야 머리를 부딪쳤니? **5** [**H~**] (그리스도교의) 신
— *n.* (*pl.* **~s, he's** [-z]) **1** 남자, 남성: ~*s* and shes 남자나 여자나, 수컷이나 암컷이나 **2** 수컷(male): Is it a *he* or a she? 수컷이냐 암컷이냐?
— *a.* Ⓐ **1** [동물 이름 앞에서 복합어로] 수컷의: a *he*-goat 숫염소 / a *he*-wolf 수늑대(cf. SHE) **2** [복합어를 이루어] 남성적인, 씩씩한: a real *he*-man 《구어》 참으로 남자다운 사람 / *he*-literature 남성적인 문학
he[2] [hí:] *int.* 히, 히히 《우스움·조소의 뜻을 나타내며 흔히 *he! he!*라고 반복해서 씀》
he[3] [héi] *n.* 히브리어 알파벳 제5자
He 〖화학〗 helium **HE** Her Excellency 각하 부인; His Eminence 예하(猊下); His Excellency 각하 **H.E.** high explosive 고성능 폭약
‡**head** [héd] *n., a., v.*

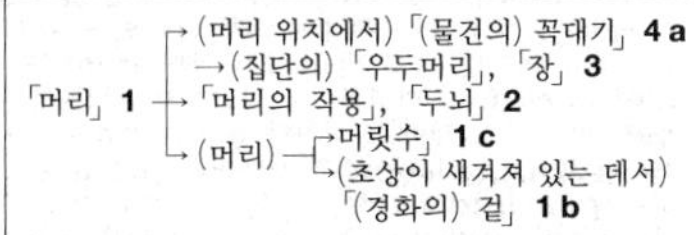
「머리」 **1** → (머리 위치에서) 「(물건의) 꼭대기」 **4 a**
→(집단의) 「우두머리」, 「장」 **3**
→ 「머리의 작용」, 「두뇌」 **2**
→ (머리) → 「머릿수」 **1 c**
→(초상이 새겨져 있는 데서) 「(경화의) 겉」 **1 b**

— *n.* **1 a** 머리, 두부(頭部): Better be the ~ of a dog[an ass] than the tail of a lion[horse]. 《속

담) 용의 꼬리보다 닭의 머리가 낫다. **b** [보통 *pl.*; 단수 취급] 경화의 겉쪽 《왕의 두상(頭像)이 있는 쪽》(cf. TAIL): *H~s* I win, tails I lose[you win]. 던져 올린 동전이 겉이면 내가 이기고, 안이면 네가 이긴다. **c** (*pl.* **~**) **머릿수,** 마리수, 한 사람, 한 사람 몫: fifty ~ of cattle 소 50두/a dinner at $20 a ~ 1인당 20달러짜리 식사 **2 두뇌,** 두뇌의 작용[힘], 지력, 지혜, 이성, 이지(理智)(reason), 추리력(cf. HEART, MIND): a good ~ for mathematics 수학적인 재능/~ and heart 이지와 감정/Use your ~. 머리를 써라./Two *~s* are better than one. 《속담》 백짓장도 맞들면 낫다, 두 사람의 지혜는 한 사람 것보다 낫다. **3 수위, 수석;** 윗자리, 상좌, 사회자[좌장]석; **우두머리,** 장(長), 수령, 지배자, 지휘자; 《미》 장관; 회장, 사장; [the H~] 《구어》 교장: the ~ of a party 당수 **4 a 꼭대기,** 정상, 맨 위(top) **b** (강·샘 등의) 근원, 수원: the ~ of the Amazon 아마존 강의 수원(水源) **c** (액체를 부을 때 표면에 뜨는) 거품; 《영》 우유 표면에 뜨는 크림: the ~ on beer 맥주 거품 **d** (나무의) 가지 끝, 우듬지; (풀·나무의) 꼭대기(의 꽃·잎), 이삭, (양배추 등의) 결구(結球): three *~s* of cabbage 양배추 세 개 **e** (페이지 등의) 상부, 위쪽, 상단; 첫머리, 모두(冒頭): ~ of a page 페이지의 위쪽 **f** 벼랑 꼭대기; 갑(岬); (고개 등의) 마루, 정상; (부스럼의) 꼭지 **g** 《영》 (자동차의) 지붕; (통의) 뚜껑, (북의) 가죽 **h** 《구어》 (자동차의) 전조등, 헤드라이트; 〖항해〗 이물, 돛의 상단 **i** 〖음악〗 (음표의) 머리 **5 항목,** 제목, (특히 신문의 톱 전단에 걸치는 큰) 표제: be classified under six *~s* 6개의 항목으로 분류되다 **6** 《구어》 (숙취에 의한) 두통: have a morning ~ 숙취로 머리가 아프다 **7** 〖기계〗 (선반 등의) 공구를 붙이는 곳; (테이프 리코더의) 헤드 **8** 《속어》 변소 《원래 해군 용어》 **9** 〖문법〗 주요어[부] **10** (성질·지위 등으로 본) 사람: wise *~s* 현자들/crowned *~s* 제왕들 **11** 《미·속어》 마약 상용자, 마약 중독자; …광(狂): an acid-~ LSD 상용자/a pot ~ 마리화나 상용자/a punk-rock ~ 펑크록 광(狂) **12** 정점, 클라이막스; 위기; 결론

above** a person's **head = ***above the ~ of*** a person = over a person's HEAD. ***at the ~ of*** …의 선두[앞장]에 서서; …의 상좌에; …의 수석에 ***bang*** [***beat, knock, run***] one***'s ~ against a*** (***brick*** [***stone***]) ***wall*** 《구어》 불가능한 일을 시도하다 ***beat*** a person***'s ~ off*** …을 철저히 패배시키다, 형편없이 만들다 ***be*** [***stand***] ***~ and shoulders above ...*** 《구어》 …보다 훨씬 뛰어나다 ***bite*** [***snap***] a person***'s ~ off*** 《구어》 (별것이 아닌 일에) 시비조로 대답하다; 심하게 해대다 ***bring ... to a ~*** 〈토론 등을〉 결론으로 이끌다; 요약하다; 〈사태를〉 위기로 몰아넣다 ***bury*** [***hide, have***] one***'s ~ in the sand*** 현실을 회피하다 ***by a ~*** 머리 하나만큼, 근소한 차이로: win *by a ~* 〈말이〉 머리 하나 차로 이기다/He is taller than me *by a ~*. 그는 나보다 머리 하나는 크다. ***by the ~ and ears*** = ***by ~ and shoulders*** 우격다짐으로, 억지로, 사정없이 ***come*** [***draw, gather***] ***to a ~*** 〈종기가〉 곪아 터질 지경이 되다; 〈사태가〉 위기에 처하다, 극도로 악화되다 ***come under the ~ of*** …의 부류[항목]에 들다 ***cost*** a person ***his*** [***her***] ***~*** …때문에 목숨을 잃다 ***count ~s*** (출석자 등의) 머릿수를 세다 ***crow*** one***'s ~ off*** 《구어》 자만하다 ***do*** a thing ***on*** one***'s ~*** 《속어》 …을 힘들이지 않고 하다 ***do*** one***'s ~*** [***nut***] 몹시 화내다 (***down***) ***by the ~*** 〖항해〗 이물을 깊이 물속에 박고; 《속어》 조금 취하여 ***eat*** one***'s ~ off*** 《구어》 많이 먹기만 하고 일을 하지 않다 ***from ~ to foot*** [***heel, toe***] 머리끝에서 발끝까지, 전신에; 온통 ***gather ~*** 속도[세력]를 더하다 ***get a big ~*** 《미·구어》 젠 체하다, 뽐내다; 숙취 상태이다 ***get a ~*** 숙취하다 ***get into*** one***'s ~*** 〈술이〉 머리까지 오르다: What's *gotten into your ~*? 《구어》 너 머리가 어떻게 된 거 아냐? ***get it into*** one***'s ~*** (어떤 일이) 머리에 떠오르다, 생각해 내다 ***get*** a thing ***out of*** one***'s ~*** …을 생각하지[믿지] 않게 되다 ***get over the ~ of*** …을 무시하다 ***get*** one***'s ~ down*** 《구어》 (1) 하던 일로 되돌아가다 (2) (자기 위해) 눕다 ***get*** one***'s ~ together*** 《미·속어》 확실히 하다; 머리를 식히다, 냉정하게 되다, 침착하다 ***get ... through*** a person***'s ~*** …에게 이해시키다 ***give a ~*** 《속어》 (숙취하여) 두통이 나게 하다 ***give*** a person ***~*** 《속어》 …와 구강 성교하다 ***give*** a person ***his*** [***her***] ***~*** …을 멋대로 하게 내버려두다 ***go off*** [***out of***] one***'s ~*** 머리가 돌다 ***go out of*** a person***'s ~*** 잊혀지다 ***go over*** a person***'s ~*** 직접 교섭하다, 수순을 밟지 않고 직소(直訴)하다 ***go to*** a person***'s ~*** (1) 〈술이〉 취하게 하다; 흥분시키다 (2) 자만케하다 ***hang over*** a person***'s ~*** 〈걱정 따위가〉 머리에서 떠나지 않다 ***hang*** [***hide***] one***'s ~*** 기[풀]가 죽다, 부끄러워 고개를 숙이다, 낙심[낙담]하다 ***have a big ~*** 《구어》 잰 체하다, 우쭐해 하다 ***have a*** (***good***) ***~ on*** one***'s shoulders*** 《구어》 머리가 좋다, 빈틈이 없다; 분별이 있다, 냉정하다 ***have a ~ for*** 《구어》 …의 재능이 있다 ***have a long ~*** 선견지명이 있다, 머리가 좋다 ***have an old ~ on young shoulders*** 《고어》 젊은이답지 않게 분별[지혜]이 있다 ***have ... hanging over*** one***'s ~*** 당장이라도 무슨 일이 일어날 것 같다 ***have rocks in*** one***'s*** [***the***] ***~*** 머리가 이상하다 ***have*** one***'s ~ in the clouds*** 비현실적이다, 공상에 잠겨 있다 ***have*** one***'s ~ screwed on*** (***right*** [***the right way***]) 《구어》 분별이 있다, 실수가 없다 ***~ and front*** 절정; 주요한 것 《*of*》 ***~ and shoulders*** 머리하고 어깨만큼; 월등하게 ***~ first*** [***foremost***] 머리부터 먼저, 곤두박이로; 무모하게, 허둥지둥, 황급히(headfirst, headforemost) ***~ of hairs*** (풍성한) 머리털, 두발 ***~ on*** 뱃머리를 앞으로 하여, 정면으로 ***~ over ears*** = ***over ~ and ears*** = HEAD over heels (2). ***~ over heels*** = ***heels over ~*** (1) 거꾸로, 곤두박이로 (2) 《미·구어》 깊이 빠져들어: *~ over heels* in love 홀딱 반해서 (3) 충동적으로 ***~*(*s*) *or tail*(*s*)** 앞이냐 뒤냐 《동전을 던져서 순번을 정하거나 내기 등을 할 경우》 ***H~s up!*** 《구어》 비켜라!, 조심해라! ***H~s will roll.*** 《구어》 (…로) 해고될 거야, 그냥 두지 않을 거야 《*for*》 ***~ to ~*** 맞대면하여 ***hold*** [***carry***] one***'s ~ high*** 거만하게 굴다 ***hold up*** one***'s ~*** 긍지 있게 행동하다; 의기를 잃지 않다 ***in over*** [***above***] one***'s ~*** 《미·속어》 어쩔 수 없이, 방도를 잃어 ***in*** one***'s ~*** 머리 속에서; 암산으로 ***keep*** one***'s ~ above ground*** 살아 있다 ***keep*** one***'s ~ above water*** 물에 빠지지 않고 있다; 빚지지 않고 자기 수입으로 생활하다, 재정적으로 그럭저럭 해나가다 ***keep*** one***'s ~ down*** (1) (머리를 숙이고) 숨어 있다 (2) 자중(自重)하다 ***keep*** one***'s ~*** (***right***) = ***keep a clear*** [***cool, calm***] ***~*** 침착을 유지하다 ***knock ... on the ~*** (1) 머리를 세게 치다 (2) 쳐부수다, 격파하다, 뒤집어엎다 ***knock ~s*** 절하다 ***knock their ~s together*** 《구어》 무리하게[화를 내며] 싸움을 말리다 ***laugh*** [***scream, shout***] one***'s ~ off*** 크게 웃다[소리 지르다] ***lay ~s together*** = put (their) HEADs together. ***let*** a person ***have his*** [***her***] ***~*** …을 멋대로 하게 하다 ***lie on*** a person***'s ~ of*** …의 책임이다 ***lift up*** one***'s ~*** 〈모습·두각을〉 나타내다; 기운을 되찾다; 긍지를 느끼다; 〈산이〉 솟아 있다 ***lose*** one***'s ~*** 당황하다, 어쩔 줄 모르다, 냉정을 잃다; 흥분하다, 몰두하다 《*over*》; 참수되다 ***make ~*** 나아가다, 전진하다 ***make ~ against*** …을 막아내다; …에 저항하다 ***make ~*(*s*) *or tail*(*s*) *of*** [보통 부정문·의문문] 이해하다 ***make neither ~ nor tail of*** = ***not make ~ or*** [***nor***] ***tail of*** 뭐가 뭔지 전혀 알 수 없다 ***make*** a person***'s ~ spin*** [***go round***] 《구어》 〈사물이〉 사람의 머리를

thesaurus **head** *n.* **1 지혜** mind, intelligence, brain, mentality, wit, wisdom, sense, rationality, understanding **2 우두머리** leader, chief, com-

혼란하게[어질어질하게] 하다 ***make*** (***the***) ***~s roll*** 직권으로 해고하다 ***need to***[***ought to, should***] ***have*** one***'s ~ examined*** 《구어》 머리가 이상하다, 제정신이 아니다 ***off*** one***'s ~*** 《영·구어》 머리가 돌아, 미쳐; 몹시 흥분하여; (술·약 등에 취해) 제 정신이 아닌 ***off the top of*** one***'s ~*** 《속어》 즉석에서, 깊이 생각하지 않고; 흥분하여 ***on***[***upon***] one***'s ~*** 물구나무서서 ***On your*** (***own***) ***head be it.*** 《구어》 당신 책임이다, 자업 자득이다. ***open*** one***'s ~*** 《미·속어》 말하다 ***out of*** one***'s ~*** 《구어》 미쳐서; 몹시 흥분하여; (술·약 등에 취해) 제 정신이 아닌 ***out of***[***on, upon***] one***'s*** (***own***) ***~*** 자신이 생각해 내어, 자기의 재량으로 ***over*** a person***'s ~*** (1) …에게 (너무 어려워) 이해되지 않는 (2) …의 경제력[지불 능력]을 넘어선 (3) …을 제쳐놓고, 책임 있는 더 위의 상사에게 ***over the ~***(***s***) ***of*** …을 제쳐놓고[앞질러] 〈승진하다 《등》〉 ***price on*** one***'s ~*** 수배자 현상금 ***put a ~ on*** 《미·속어》 …에게 해대다 ***put*** (a thing) ***into***[***out of***] a person***'s ~*** (어떤 일을) 생각나게[잊게] 하다 ***put***[***place, run***] one***'s ~ into the lion's mouth*** 자진해서 위험에 몸을 맡기다, 호랑이 굴에 들어가다 ***put***[***lay***] one***'s ~ on the block*** 《구어》 위험한 짓을 하다; 실패할 줄 알고도 덤비다 ***put***[***lay***] (***their***) ***~s together*** 이마를 맞대고 의논하다 ***right in the ~*** 《구어》 분별이 있는 ***scratch*** one***'s ~*** (어쩔줄 몰라) 머리를 긁다; 곤혹스러워하다 one***'s ~ off*** 몹시, 지나치게 ***shout***[***scream***] one***'s ~ off*** 《구어》 목이 터지게 고함지르다 ***show*** one***'s ~*** 나타나다 ***Shut your ~!*** 《속어》 닥쳐! ***standing on*** one***'s ~*** 간단하게, 손쉽게 ***stand*** (a thing) ***on its ~*** 《구어》 〈생각 등을〉 근본부터 뒤엎다, …을 혼란에 빠뜨리다, 전도(顚倒)시키다; 〈남의 주장 등을〉 역이용하다 ***take*** (***it***) ***into*** one***'s ~*** (어리석게도) …을 믿게 되다, …이라고 생각하다 《*to* do; *that*》 ***take the ~*** 앞장서다, 선도하다 ***talk*** a person***'s ~ off*** 지루한 얘기로 사람을 싫증나게 하다 ***turn*** a person***'s ~*** 자만하게 만들다, 우쭐하게 만들다; 머리를 멍하게 만들다 ***wet the baby's ~*** 탄생을 축하해 건배하다 ***where*** one***'s ~ is at*** …의 기분, 생각, 인생관

—*a.* **1** 우두머리의, 제일(위)의, 최상위의, 선두의; 주요한: a ~ official (관청의) 장(長); 국장/a ~ cook 주방장 **2** [종종 복합어로] 머리의: ~ covering (머리에) 쓸 것 **3** [종종 복합어로] 상부[상단]에 있는 **4** 뱃머리쪽에서부터의, 전방에서부터의: ~ tide 역조(逆潮)/~ current 역류

—*vt.* **1** …의 선두에 서다; …의 첫머리에 있다[두다]; 인솔[지휘]하다; …의 장(長)이다: ~ a school 교장이다/His name *~ed* the list. 그의 이름이 명단 맨 앞에 있었다. **2** 〈탈것 등을〉 (…의 방향[쪽]으로) 나아가게 하다, 향하게 하다 《*for, towards*》: 《~+목+전+명》 The captain tried to ~ the ship *for* the channel. 선장은 배를 해협 쪽으로 돌리려고 했다. **3** …에 표제[제목 《등》]를 달다, 〈편지 등에〉 (주소 등을) 쓰다 《*with*》 **4** 〈식물 등의〉 위쪽 끝[가지 끝, 결구, 두상화 《등》]을 자르다: 《~+목》 《~+목+부》 ~ (*down*) a plant 초목의 위쪽 끝을 자르다 ★ 사람 목을 베는 뜻으로는 behead. **5** 머리로 받다, 박치기를 하다; 〖축구〗 〈공을〉 헤딩하다 **6** 가로막다 《*off*》, 대항하다

—*vi.* **1** (어떤 지점으로) 나아가다, 전진하다 《*for*》: 《~+부》 They were *~ing* north. 그들은 북진하고 있었다. // 《~+전+명》 ~ *for* one's destination 목적지를 향해 나아가다 **2** 〈식물이〉 결구(結球)하다: Cabbage *~s* quickly. 양배추는 빨리 결구한다. **3** 《미》 〈강이〉 발원(發源)하다 《*in, from*》

be ~ed[***~ing***] ***for*** …으로 향하다: Where *are* you *~ed for*? 어디로 가고 있습니까? ***~ back*** …의 앞으로 돌다, 가로막다 ***~ into*** …에 부딪치다[충돌하다] ***~ off*** 가로막다; …을 피하여 진로[방향]를 돌리다; 《미》 목적[방침]을 바꾸다 ***~ out*** 《구어》 출발하다; …로 향하다 ***~ up*** 발원(發源)하다; 《영》 …의 우두머리가 되다, 주재하다

▷ héady *a.*; ahéad *ad.*

mander, director, chairperson, manager, supervisor, captain, president, administrator **3 정상** top, summit, peak, crest, tip, crown

‡head·ache [hédèik] *n.* Ⓒ **1** 두통: have a (bad) ~ 골치가 (지독히) 아프다 **2** 《구어》 골칫거리, 두통거리, 걱정거리 ***be no more use than a*** (***sick***) ***~*** 아무 쓸모도 없다

héadache bànd 《미·속어》 (여자의 장식용) 헤어밴드

héadache depàrtment 《구어》 **1** 골칫거리(의 원인); 트집잡이 **2** 술집(headache house)

head·ach·y [-èiki] *a.* (**-ach·i·er**; **-i·est**) **1** 두통이 나는, 두통을 갖고 있는 **2** 〈술·감기 등이〉 두통을 일으키는[동반하는]: a ~ cold 두통을 동반한 감기

head·band [-bæ̀nd] *n.* 머리띠, 헤어밴드

head·bang [-bæ̀ŋ] *vi.* 《속어》 (록 음악에 맞추어서) 머리를 세차게 흔들다

head·bang·er [-bæ̀ŋər] *n.* 《속어》 **1** 정신 이상자; 충동적으로 폭력을 휘두르는 사람; 과격한 정치 사상을 가진 사람 **2** 헤비메탈의 열광적인 팬

head·board [-bɔ̀:rd] *n.* (침대 등의) 머리쪽 판자; 우리의 머리쪽 판자 《소 등을 고삐로 매는》

head-boom [-bù:m] *n.* =JIB BOOM

héad bóy 《영》 수석 학생(cf. HEAD GIRL)

head·bust·er [-bʌ̀stər] *n.* 《미·속어》 폭력으로 빚돈을 받아내거나 제재를 가하는 깡패

héad bùtt 〖레슬링〗 박치기

head·case [-kèis] *n.* 《영·구어》 괴짜, 기인, 정신병자

head·chair [-tʃɛ̀ər] *n.* (이발소 등의) 베개가 달린 의자

head·cheese [-tʃì:z] *n.* Ⓤ 《미》 헤드치즈(《영》 brawn) 《돼지나 송아지의 머리·족을 고아 치즈 모양으로 만든 식품》

head·cloth [-klɔ̀:θ | -klɔ̀θ] *n.* 머리에 감는 수건 《터번 따위》

héad còld 코감기

héad còunt 《구어》 **1** 인원수, 머릿수; 인구 조사 **2** (여론) 조사; 득표 수 예상

héad còunter 《구어》 **1** 여론[국세] 조사원 **2** 득표수를 계산하는 사람

héad cràsh 〖전자〗 헤드 크래시 《자기(磁氣) 디스크 장치의 헤드가 매체와 접촉하여 파괴됨》

héad dìp 〖서핑〗 앞으로 구부린 자세로 파도 속으로 돌입하기

héad dòctor 《속어》 **1** 정신과 의사 **2** 심리학자

head·dress [-drès] *n.* **1** 머리 장식물, 머리에 쓰는 것 **2** 머리[헤어] 스타일, 머리 땋는 방식

head·ed [hédid] *a.* **1** [복합어를 이루어] 머리가 …인, …머리의: two-~ 쌍두의/bald~ 머리가 벗겨진 **2** 〈편지지가〉 (윗부분에) 회사명·주소 등이 인쇄되어 있는 **3** 머리가 있는, 두부를 형성한

héad ènd (유선 텔레비전의) 전파 (조정) 중계소[국]

head·er [hédər] *n.* **1** 두목, 수령; 소·양떼를 유도하는 개 **2** 《구어》 거꾸로 뛰어듦, 거꾸로 떨어짐; 곤두박질: try a ~ off a diving board 다이빙 보드에서 거꾸로 뛰어들기를 시도하다/take a ~ off a ladder 사닥다리에서 거꾸로 떨어지다 **3** 이삭 끝을 베는 기계 **4** (못·바늘 등의) 대가리를 만드는 기계[사람], (생선 따위의) 대가리를 자르는 사람[도구, 기계] **5** (배수관 등의) 본관(本管), 분배 주관(主管)(=**~ pìpe**); 〖건축〗 마구리가 벽면을 향하게 쌓인 벽돌[돌] **6** ⓊⒸ 〖축구〗 헤딩 **7** 〖컴퓨터〗 헤더 《각 데이터의 머리에 붙은 표제 정보》 **8** 《영·구어》 머리가 이상한 사람

héader làbel 〖컴퓨터〗 헤더 라벨 《파일(file) 또는 데이터 세트의 표제 라벨로서, 하나의 기억 매체상의 레코드에 선행하는 것(title label)》

héader rècord 〖컴퓨터〗 헤더 레코드 《뒤에 이어지는 일군의 레코드에 공통인 정보, 고정 정보 또는 식별용

정보를 포함하는 레코드》
head-fals·ie [hédfɔ̀:lsi] *n.* 《속어》 가발
héad fàst 〖항해〗 이물의 밧줄 《배를 매는》
head·first [-fə́:rst], **head·fore·most** [-fɔ́:r-mòust] *ad.* **1** 거꾸로, 곤두박질로: dive ~ into the sea 거꾸로 바다에 뛰어들다 / fall ~ 거꾸로 떨어지다 **2** 몹시 서둘러서, 황급히; 무턱대고; 무모하게
héad gàme [보통 *pl.*] 《미·구어》 심리적 조종 《남을 혼란스럽게 하여 두뇌적·심리적으로 조종하기》 ***play ~s*** 《미·속어》 (심리적으로 영향을 주어) 남을 마음대로 소종하다
héad gàte 수문(水門); 운하 상류 끝의 조절 수문
head·gear [-gìər] *n.* Ⓤ **1** 머리 장식물, 쓸것, 모자 **2** 헤드기어, 머리 덮개 **3** 말 머리에 쓰이는 마구 《굴레 따위》
héad gírl 《영》 수석 여학생(cf. HEAD BOY)
héad hòncho 《속어》 우두머리, 두목
head·hunt [-hʌ̀nt] *n., vt., vi.* 사람 사냥(을 하다); 《미·속어》 인재[간부] 스카우트(를 하다)
head·hunt·er [-hʌ̀ntər] *n.* **1** 사람 사냥하는 야만인 **2** 《미·속어》 (기업의) 인재[간부] 스카우트 담당자; (정적 등의) 권력[지위]을 탈취하려고 (공작)하는 자 **3** 《미·속어》 청부 살인업자
head·hunt·ing [-hʌ̀ntiŋ] *n.* Ⓤ **1** (야만인의) 사람 사냥 **2** 인재[간부] 스카우트; 《미·속어》 (정적 등의) 권력[지위]을 탈취하려는 것[공작]
head-in-air [hédinέər] *a.* **1** 멍한(absent-minded), 꿈결 같은(dreamy) **2** 젠체하는, 신사인 체하는 (snobbish)
héad-in báy [hédìn-] (주차장의) 전진 진입식 주차 구획
*__head·ing__ [hédiŋ] *n.* **1** 표제, 제목, 제자(題字); 상부, 전면: under the ~ of …의 표제로[밑에] **2** (여행자·탈것의) 방향, 진로; (뱃머리 등의) 방향, 비행 방향 **3** 목베기, 참수(斬首); ⓊⒸ (초목의) 순치기 **4** 〖건축〗 (벽돌을) 마구리가 벽면을 향하게 쌓기[쌓은 층] **5** 〖광산〗 수평갱, 갱도
head-in-the-sand [hédinðəsǽnd] *a.* **1** 머리를 모래에 처박은 **2** 진상을 외면하는, 현실 도피의
head·lamp [hédlæ̀mp] *n.* = HEADLIGHT
head·land [-lənd] *n.* **1** 갑(岬), 곶(cape) **2** (밭 가장자리의) 두렁, 밭 구석의 갈지 않은 곳
*__head·less__ [hédlis] *a.* **1** 머리 없는: a ~ corpse 머리 없는 시체 **2** 우두머리[지도자] 없는 **3** 양식[분별] 없는; 어리석은 **~·ness** *n.*
*__head·light__ [hédlàit] *n.* [종종 *pl.*] **1** 헤드라이트, 전조등(前照燈) **2** 〖항해〗 (배의) 장등(檣燈)
*__head·line__ [hédlàin] *n.* **1** (신문 기사 등의) 큰 표제; [종종 *pl.*] (방송 뉴스의) 주요 제목: a ~ hunter 매명가(賣名家) **2** (책의) 꼭대기 난 《제목·페이지 수 따위를 기입함》 **3** 〖항해〗 돛을 활죽에 매는 밧줄
capture a ~ 신문에 나다; 뉴스에 나다 ***go into ~s*** = ***hit*** [***make, grab***] ***the ~s*** (1) 신문에 크게 취급되다 (2) 유명해지다
— *vt.* **1** …에 표제를 달다, 큰 표제로 다루다[언급하다] **2** 〈배우·연기자·작품 등을〉 대서특필하다, 대대적으로 선전하다 **3** 〈쇼 따위의〉 주역을 맡다
— *vi.* 주역을 맡아 하다 **héad-lìned** *a.*
head·lin·er [-làinər] *n.* **1** 신문의 표제를 쓰는 기자 **2** 《미·속어》 (광고 등에 이름이 크게 나는) 주요 연기자, 인기[주역] 배우, 스타, 저명 인사
héad línesman 〖미식축구〗 선심
head·load [-lòud] *n.* 머리에 이는 짐
— *vt.* 〈짐을〉 머리에 이고 나르다
head·lock [-lɑ̀k | -lɔ̀k] *n.* 〖레슬링〗 상대의 머리를 팔에 끼어 누르는 기술
‡**head·long** [hédlɔ̀:ŋ | -lɔ̀ŋ] *ad.* **1** 곤두박이로, 거꾸로: plunge ~ into the water 거꾸로 물에 뛰어들다 **2** 우물쭈물하지 않고, 신속하게 **3** 무모하게, 앞뒤를 가리지 않고; 황급히, 허둥지둥(rashly)
— *a.* **1** 몹시 서두르는 **2** 앞뒤를 가리지 않는, 성급한: a ~ decision 성급한 결정 **3** 곤두박이의 **4** 《고어》 험한 **~·ness** *n.* **~·wìse** *ad.*
head·man [-mən, -mæ̀n] *n.* (*pl.* **-men** [-mən, -mèn]) **1** 두목, 수령, 추장 **2** 현장 감독, 직공장, 십장 (foreman) **3** = HEADSMAN 1
héad màrgin (서적·잡지 따위의) 각 페이지 상부의 여백
*__head·mas·ter__ [hédmǽstər, -mɑ́:s- | -mɑ́:s-] *n.* 《영》 (초등학교·중학교의) 교장; 《미》 (남자 사립 학교의) 교장
— *vi.* 교장으로서 행동하다
~·**shìp** *n.* Ⓤ 교장의 직[지위]
head·mis·tress [-místris] *n.* 《영》 (초·중학교의) 여교장; 《미》 (사립 여학교의) 여교장 **~·shìp** *n.*
héad mòney **1** 인두세(人頭稅) **2** 잡은 포로[범인]의 수에 따라 주는 상금, (적의) 목에 건 상금
head·most [hédmòust] *a.* 맨 앞의, 선두의(foremost)
héad nòte 〖음악〗 = HEAD TONE
head·note [hédnòut] *n.* **1** 두주(頭註)(cf. FOOTNOTE) **2** 〖법〗 (판례집에서 판결문 앞에 기재되는) 판결의 요지, 두서(頭書)
héad òffice 본점, 본사, 본부(cf. BRANCH office)
héad of státe [종종 **H- of S-**] 국가 원수(元首)
head-on [-ɔ́:n | -ɔ́n] *a.* Ⓐ 정면의, 정면에서 만나는, 정면 충돌의, 전면(前面)의: a ~ collision 정면 충돌 — *ad.* 머리를 앞으로, 정면으로(head to head)
head·phone [-fòun] *n.* [보통 *pl.*] 헤드폰, 머리에 쓰는 수화기[수신기](cf. EARPHONE)
head·piece [-pì:s] *n.* **1** 투구, 헬멧; (말머리의) 굴레; 모자 **2** 《속어》 머리; 두뇌(brain), 지능; 머리 좋은 사람; 지력, 지성, 판단력 **3** 〖인쇄〗 책의 장, 페이지 첫머리의 장식 도안 **4** = HEADPHONE
head·pin [-pìn] *n.* 〖볼링〗 선두[1번] 핀
head·quar·ter [-kwɔ̀:rtər] *vt.* [보통 수동형으로] …에 본부를 두다[설치하다] — *vi.* 본부를 설치하다
head·quart·ered [hèdkwɔ́:rtərd] *a.* Ⓟ (…에) 본사[본부]를 둔: Our company is ~ in Seoul. 우리 회사는 서울에 본사가 있다.
‡**head·quar·ters** [hédkwɔ̀:rtərz] *n. pl.* [종종 단수 취급] **1** 본부, 본영(本營); (군의) 사령부; 본사, 본국(本局), 본서(本署) 《略 hdqrs.》: general ~ 총사령부 **2** [집합적] 사령부원: a ~ company 〖군사〗 (대대 이상의) 본부 중대 **3** (…의) 활동의 중심(지) 《*for*》
head·race [-rèis] *n.* (물방아의) 물 도랑, 도수기(導水器), 도수로(導水路)
head·rail [-rèil] *n.* **1** (의자의 등, 침대 머리 부분의) 가로대 **2** 〖건축〗 위 문틀 **3** (당구 등의) 헤드레일 《게임의 개시점이 되는 당구대의 가장자리》
head·reach [-rì:tʃ] 〖항해〗 *n.* 타성 항주 거리(惰性航走距離) 《바람을 거슬러 갈(tacking) 때 타력(惰力)으로 움직이는 거리》 — *vt.* (바람을 거슬러 갈 때) 〈다른 배를〉 앞지르다, 따라잡다
héad régister 〖음악〗 두성 성역(頭聲聲域)
héad resístance 〖항공〗 전면(前面) 저항
head·rest [-rèst] *n.* **1** 머리 받침 《치과 의자·이발소 좌석 등의》 **2** (추돌·충돌시 목뼈 보호를 위한) 자동차 좌석 베개, 머리 받침, 헤드레스트
héad restràint = HEADREST 2
héad rhýme = BEGINNING RHYME
head·right [-ràit] *n.* 〖미국법〗 (북아메리카 인디언의) 균등 수익권(收益權)
head·room [-rù:m] *n.* Ⓤ (문 입구, 터널 등의) 머리 위의 공간 《머리와 천장 사이의 공간》; 〖항해〗 두 갑판 사이의 공간의 높이
heads [hédz] *a., ad.* 〈던진 동전이〉 겉을 위로 한[하여], 겉이 위가 된[되어](opp. *tails*)

thesaurus **headlong** *a.* rash, reckless, precipitate, impetuous, impulsive, careless, wild
headquarters *n.* main office, head office, main

head·sail [hédsèil, -səl] *n.* 〚항해〛 **1** (이물의) 삼각돛 **2** 《일반적으로》 앞돛
head·scarf [-skɑ̀ːrf] *n.* 머리 스카프
héad séa 〚항해〛 역랑(逆浪), 마주치는 물결
head·set [-sèt] *n.* =HEADPHONE
head·shake [-ʃèik] *n.* 머리를 가로 젓기 《불신·불찬성의 표시》
head·ship [hédʃìp] *n.* Ⓤ **1** 우두머리임; 우두머리의 지위[권위], 지도적인 지위(leadership); 주권, 지배권 **2** 《영》 교장의 지위[임무]
héad shòp 《미·속어》 마약 복용에 관계 있는 물건을 파는 가게
héad shòt 《미·속어》 얼굴 사진
head·shrink·er [-ʃrìŋkər] *n.* **1** 《미·속어》 정신과 의사[학자](psychiatrist) **2** 자른 머리를 수축 가공하여 보존하는 야만인 종족의 사람
heads·man [hédzmən] *n.* (*pl.* **-men** [-mən, -mèn]) **1** 목 베는 사람, 사형 집행인 **2** 《영》 〚광산〛 (갱내의) 석탄 운반인 **3** 포경선 지휘자
héad smùt 〚식물병리〛 흑수병, 깜부깃병
head·space [hédspèis] *n.* (음료 제품의 밀봉 용기 내 상부의) 공간 부분: a no-~ package 위까지 빈틈없이 채워져 있는 용기
head·spring [-sprìŋ] *n.* **1** (강의) 원천, 수원(水源) **2** 《일반적으로》 원천 **3** 〚체조〛 헤드스프링 《머리를 바닥에 대고 하는 재주넘기》
head·square [-skwɛ̀ər] *n.* 《영》 =HEADSCARF
head·stall [-stɔ̀ːl] *n.* (마구의) 굴레 끈 《말 머리에서 재갈에 걸친 끈》

headstall

head·stand [-stæ̀nd] *n.* (머리를 바닥에 대는) 물구나무서기 (cf. HANDSTAND)
héad stárt **1** (경주 등의) 타인보다 유리한 스타트 **2** 《일반적으로》 (…보다) 앞선 출발 《*over, on*》, 출발의 좋음
héad státion 《호주》 큰 목장의 주(主)건물
head·stay [-stèi] *n.* 〚항해〛 앞돛대의 앞밧줄, 앞당김줄
head·stock [-stɑ̀k | -stɔ̀k] *n.* 〚기계〛 (선반 등의) 주축대(主軸臺), 축받이
head·stone [-stòun] *n.* **1** 〚건축〛 주춧돌, 귀돌, 초석(cornerstone), 기초, 토대 **2** 묘석(墓石)
Héadstone Cìty 《속어》 묘지(cemetery)
head·stream [-strìːm] *n.* (강의) 원류(源流)
head·strong [-strɔ̀ːŋ | -strɔ̀ŋ] *a.* **1** 완고한, 고집 센, 억지쓰는 **2** 〈행동 따위가〉 방자한, 제멋대로인 **~·ly** *ad.* **~·ness** *n.*
heads-up [hédzʌ̀p] *a.* 《구어》 **1** 날쌘, 민첩한 **2** 빈틈없는 **—** *n.* 《미·속어》 경계, 경고, 주의; 회합
héad táble 《미》 연설자[의장 《등》] 앞의 테이블; (만찬 등의) 주빈석, 상석 (《영》 top table)
héad tàx 《미》 인두세(人頭稅); 균일세
head·teach·er [hédtíːtʃər] *n.* 《영》 (공립 학교의) 교장
head-to-head [hédtəhéd] 《미》 *n.* 접(근)전, 대접전 **—** *a.* Ⓐ 접(근)전의, 대접전의; 직접 대결의
héad tòne 〚음악〛 두성조(頭聲調) 《높은 성역(聲域)의 음조》
héad trìp 《속어》 **1** 마음에 영향을 주는 체험; 정신을 자극하는 일, (과학적 근거가 없는) 심리 탐색[분석]; 자유로운 연상 **2** =EGO TRIP **3** 《미·속어》 (환각제에 의한) 환각 체험, 도취감
head-turn·ing [-tə̀ːrniŋ] *a.* 대단히 매력적인[눈길을 끄는]; 사람을 뒤돌아보게 하는

branch, home base, central station
health *n.* fitness, well-being, good condition, good shape, soundness, strength, vigor

head-up [-ʌ̀p] *a.* 〈비행기·자동차 등의 계기(計器)가〉 앞을 본 채 읽을 수 있는 **—** *n.* 《미·속어》 좀 모자라는[주의력이 없는] 녀석[선수]
héad-up displáy 〚항공〛 (주행 계기 등의) 전방 표시[투영] 장치
héad vòice 〚음악〛 두성(頭聲) 《음조가 가장 높은 소리; cf. CHEST VOICE》
head·wait·er [-wèitər] *n.* 급사장(長)
head·ward [hédwərd] *a., ad.* 두부(頭部)[상류]로 나아가는, 두부[상류]로
head·wards [hédwərdz] *ad.* =HEADWARD
head·wa·ters [hédwɔ̀ːtərz] *n. pl.* (강의) 원류, 상류
head·way [-wèi] *n.* Ⓤ **1** (배 따위의) 전진, 진행 **2** 《일반적으로》 진보, 전진 **3** 진보[진행]의 속도; (배의) 항행 속도 **4** (전철·버스 등의) 운전 간격 **5** 〚건축〛 공간 높이 《아치·문간·계단 등의 바닥에서 천장까지의》
***make* ~** 〈배가〉 전진하다; 〈일이〉 진척되다
héad wìnd 역풍, 맞바람
head·word [-wə̀ːrd] *n.* **1** (사전·백과사전 등의) 표제어 **2** 〚문법〛 (복합어·연어의 중심이 되는) 주요어, 중심어
head·work [-wə̀ːrk] *n.* Ⓤ 머리 쓰는 일, 정신 노동, 지적 노동; 사고, 사색; (게임이나 스포츠에서) 머리를 쓰는 것 **~·er** *n.* **~·ing** *n.*
head·y [hédi] *a.* (**head·i·er**; **-i·est**) **1** 무모한, 분별없는, 성급한 **2** 〈술이〉 취하게 하는 **3** 격렬한, 맹렬한; 파괴적인: ~ winds 폭풍 **4** 어지러운, 흥분시키는 **5** 머리가 좋은, 영리한, 현명한
héad·i·ly *ad.* **héadi·ness** *n.*
‡**heal** [híːl] [OE 「완전하다」의 뜻에서] *vt.* **1** 〈상처·아픔·고장 등을〉 **고치다**, 낫게 하다: ~ disease[a wound] 병[상처]을 낫게 하다 / Time ~*s* all sorrows. 시간은 모든 슬픔을 치료한다. // 《~+목+전+명》 She was ~*ed of* her sickness. 그녀는 병이 나았다.

유의어 **heal** 일반적으로 외상(外傷)을 고치다 **cure** 병·상처 등을 고쳐 원래의 건강한 상태로 돌아가다 **remedy** 약이나 특별한 방법을 사용하여 병·고통 등을 치료하다

2 화해시키다, 무마하다: ~ the rift between them 그들 사이의 불화를 해결하다 **3** 정화시키다, 깨끗이 하다: ~ the soul 영혼을 맑게 하다 / be ~*ed* of one's sins 죄를 씻어 없애다
— *vi.* **1** 상처[병]를 치료하다 **2** 〈상처·병 등이〉 치료되다, 낫다, 회복되다, 〈상처가〉 아물다 《*up, over*》 **3** 〈불화·분쟁 등이〉 해결되다, 수습되다 《*over*》
~ a breach 화해시키다 ***~ up*** [***over***] 상처가 아물다; 치료하다, 불화가 해소되다 **~·a·ble** *a.*
heal-all [híːlɔ̀ːl] *n.* 만병 통치약(cure-all)
heal·ee [híːlìː] *n.* 치료를 받는 사람
heal·er [híːlər] *n.* **1** 치료자, 의사; 약 **2** 《특히》 신앙 요법가(faith healer)
heal·ing [híːliŋ] *a.* (상처·병을) 치료하는, 치료의; 회복 중인: the ~ art 의술 **—** *n.* Ⓤ 치유, 치료(법); (상처의) 아묾 **~·ly** *ad.* 낫도록, 치료적으로
‡**health** [helθ] [OE 「완전」의 뜻에서] *n.* Ⓤ **1** 건강, 건전; 건강 상태: the ~ of body and mind 심신의 건전 / lose one's ~ 건강을 잃다 / He enjoys[is in] good ~. 그는 매우 건강하다. **2** (건강·행복 등을 기원하는) 축배, 건배(toast) **3** 안정, 행복; 생기, 활력; 번영, 융성: a serious menace to our economic ~ 경제 번영에 대한 중대한 위협 **4** 보건, 위생, 후생: public ~ 공중 위생 / the Department of *H*~ and Human Services 《미》 보건 사회 복지부
be out of ~ 건강이 좋지 않다 ***bill of ~*** (선원·선객의) 건강 증명서 《略 B.H.》 ***call a ~*** 건배를 제의하다 ***drink*** (***to***) ***the ~ of*** a person = ***drink*** (***to***) a person***'s ~*** = ***drink a ~ to*** a person …의 건

강을 위하여 축배를 들다 ***in bad*** [***poor***] **~** 건강이 좋지 않은 ***in good ~*** 건강하여 ***not ... for*** one***'s ~*** 《구어》 좋아서[취미로] …하는 것이 아닌 (***To***) ***your*** (***good***) ***~!*** 건강을 축하합니다! 《축배의 말》
▷ héalthful, héalthy *a.*

héalth àid 가정 보건사(士) 《정식으로는 home-health aid》

héalth càmp 《뉴질》 허약 아동용 캠프

health·care [hélθkὲər] *n.* 건강 관리 (방법); 의료 **—** *a.* 건강 관리의; 의료의: a ~ center 건강 관리 센터

héalth cènter 보건소; 의료 센터

héalth certìficate 건강 증명서[진단서]

héalth clùb 헬스 클럽 《신체 단련·건강을 위한 운동 기구를 갖춘》

health-con·scious [-kὰnʃəs | -kɔ̀n-] *a.* (자기의) 건강을 의식하는[조심하는]

héalth fàrm = HEALTH SPA

héalth fòod 건강 식품 《자연 식품 등》

***health·ful** [hélθfəl] *a.* **1** 건강에 좋은, 위생적인, 유익한(⇨ healthy 유의어): a ~ diet 건강에 좋은 식사 **2** 건강한, 건전한 **~·ly** *ad.* **~·ness** *n.*

health-giv·ing [hélθgìviŋ] *a.* 건강에 좋은, 건강하게 만드는 〈약·운동〉

héalth insùrance 건강 보험 (제도)

health·less [hélθlis] *a.* 건강하지 않은; 몸에 나쁜

héalth máintenance organizàtion 《미》 회비를 지불하고 가입하는 종합적인 건강 관리 기관[의료 단체] 《略 HMO》

héalth mànagement 건강 관리 《종업원 등의》

héalth òffice 보건과, 위생과

héalth òfficer 보건과[소] 직원, 위생관, 검역관

héalth phỳsics [단수 취급] 보건 물리학 《인체를 방사선 피해에서 예방·치료하는 부문》

héalth phỳsicist 보건 물리학자

héalth profèssional 〖의학〗 의료 종사자 《의사, 간호사, 임상 검사 기사 등》

héalth resòrt 보양지(保養地)

héalth sàlts 건강염(鹽) 《광천수에 타서 완하제로 씀》

héalth scrèening 검진, 건강 검사

héalth sèrvice 건강 보험; 공공 의료 서비스

héalth spà 건강 관리 클럽(fat farm) 《비만자의 감량 요법을 행하는 민간 유료 시설》

héalth vìsitor 《영》 (가정으로 방문하는) (여성) 순회 보건관

health·wise [hélθwàiz] *ad.* 《구어》 건강 (유지)를 위해

‡**health·y** [hélθi] *a.* (**health·i·er**; **-i·est**) **1** 〈심신이〉 건강한, 건전한: a ~ appearance 건강한 모습

> 유의어 **healthy** 병이 없고 체력이 왕성한: a *healthy* color 건강한 혈색 **healthful** 건강에 좋은, 건강을 증진하는: a *healthful* diet 건강식 **well** 주로 어떤 특정한 경우에 건강한: I'm not so *well* today. 오늘은 좀 컨디션이 좋지 않다.

2 건강에 좋은, 위생적인(healthful): ~ climate 건강에 좋은 기후 **3** (도덕적으로) 건전한, 유익한(salutary): a ~ mind 건전한 정신 / ~ attitudes 건전한 태도 **4** 《구어》 상당히 많은 수의, 적지 않은: She bought a ~ number of books. 그녀는 꽤 많은 수의 책을 샀다. **héalth·i·ly** *ad.* **héalth·i·ness** *n.*
▷ héalth *n.*

HEAO High Energy Astrophysical Observatory 〖우주과학〗 고에너지 천체 관측 위성

‡**heap** [hí:p] [OE 「군대, 다수(多數)」의 뜻에서] *n.* **1** (쌓아 올린) 더미, 덩어리, 무더기; (사람의) 무리, 일단: a dump ~ 쓰레기 더미 / a sand ~ = a ~ of sand 모래산 **2** [보통 a ~ of ..., 또는 ~s of ...로] 《구어》 많음(plenty), 다수, 다량, 수북하게[가득히] 담음 《★ a lot of, lots of 쪽이 일반적》: have *a ~ of* work to do 할 일이 산더미같이 있다 / *a ~ of* stones 돌산 **3** 《속어》 《특히》 고물 자동차[오토바이, 비행기] **4** [종종 *pl.*; 부사적] 《구어》 대단히, 매우: He is ~*s* better. 그는 훨씬 나아졌다. ***a ~ sight*** 《구어》 [부사적으로] 크게, 매우 (***all***) ***of a ~*** 《구어》 깜짝 놀라; 갑자기, 돌연, 느닷없이; (무너지듯이) 털썩: be struck[knocked] *all of a ~* 단번에 압도되다[맥을 못 쓰게 되다]; 깜짝 놀라다 ***~s of time*** 많은 시간[여가] ***~s of times*** 몇 번이고, 자주 ***in a ~*** 무더기[더미]를 이루어; 《미·구어》 몹시 취해서 ***in ~s*** 많이 ***the top*** [***bottom***] ***of the ~*** 승자[패자]
— *vt.* **1** 쌓아 올리다[올려서 만들다]: (~+목+부) ~ (*up*) stones 돌을 쌓아 올리다 **2** 〈돈·부를〉 쌓다; 축적하다 《*up, together*》: (~+목+부) ~ *up* riches 부를 축적하다 **3** 〈물건·일을〉 (…에게) 듬뿍 주다 《*on, upon*》 **4** (접시 따위에) 수북이 담다 《*with*》: (~+목+전+명) ~ a plate *with* food = ~ food *on* a plate 음식을 접시에 수북이 담다
~ coals of fire on a person***'s head*** ⇨ coal. ***~ favors on*** a person …에게 많은 은혜를 베풀다 ***~ insults on*** a person …에게 숱한 모욕을 주다
— *vi.* (쌓여) 산더미가 되다, 산처럼 쌓이다, 모이다 《*up*》 **~·er** *n.* **héap·y** *a.* 산더미 같은, 수북한

heaped [hí:pt] *a.* 《영》 〈수저 등에 담은 것이〉 수북한

‡**hear** [híər] *v.* (**heard** [hə́:rd]) *vt.* **1** 듣다, 〈…이〉 들리다(cf. LISTEN): ~ noises 소음을 듣다 / I *heard* a siren somewhere. 어디선가 사이렌 소리가 들렸다. // (~+목+***do***) (~+목+***-ing***) ~ a bird *sing* [*singing*] 새가 노래하는[하고 있는] 것을 듣다 《★ 수동형에서는 부정사에 to를 붙임: A bird *was heard* singing[*to* sing].》

> 유의어 **hear** 들으려는 의사와는 상관없이 들리다 **listen** (**to**) 의식적으로 귀를 기울여 듣다: I *listened* but *heard* nothing. 나는 귀를 기울였지만 아무 소리도 들리지 않았다.

2 …의 소리를 듣다; 주의하여 듣다, …에 귀를 기울이다(listen to), 경청하다; 〈강연·연주 따위를〉 듣다, 들으러 가다; 〈강의 따위를〉 방청[청강]하다; 〈강의 따위에〉 출석하다: ~ a recital 독주회를 듣다 / I *heard* her explanation. 그녀의 설명을 잘 들었다. **3** 〖법〗 …의 진술을 듣다; 〈사건 따위를〉 심문[심리]하다(try); 〈목격자 등의〉 증언을 듣다: ~ a case 사건의 심리를 하다 / ~ the defendant 피고의 증언을 듣다 **4** 〈기도·소원 따위를〉 들어주다; …에 응하다: I can't ~ your prayer. 너의 소원은 들어줄 수 없다. **5** 얻어듣다, 전해 듣다, 소문으로 듣다: ~ the truth 사실을 들어서 알다 / Have you *heard* the news of his resignation? 그의 사임 소식을 들었습니까? / I have *heard* nothing of him since. 그 이후 그의 소식을 통 못들었다. // (~+***that*** 절) I ~ (*that*) he went to America. = He went to America, I ~. 그는 미국으로 갔다더라. **6** 〖컴퓨터〗 (음성 인식에 의해) 읽고 이해하다
— *vi.* **1** 듣다, (귀가) 들리다: He can't ~ at all, poor fellow! 가엾게도 그는 전혀 듣지를 못하는구나! **2** 소식을 듣다, …의 일[이야기, 소문]을 듣다, 전해 듣다, 정보를 얻다, 통신을 받다, 보고 받다, 편지[연락]를 받다 《*about, from, of*》: (~+전+명) I have never *heard of* him since. 그 후 그에 대한 소문을 전혀 듣지 못했다. / I ~ *from* him now and then. 그에게서 때때로 소식이 있습니다. **3** 《미·구어》 들어주다, 동의하다, 승낙하다(allow) 《*of*, 《미》 *to*》 《★ 부정문에 쓰일 때가 많음》: (~+전+명) He will *not* ~

thesaurus **healthy** *a.* fit, in good condition [shape], robust, strong, vigorous, hardy
heap *n.* pile, stack, mass, mound, mountain, stockpile, accumulation, collection, aggregation, lot, hoard, store, stock, supply

of my going. 그는 내가 가는 것을 승낙하지 않을 것이다. **4** (구어) 야단맞다, 꾸지람 듣다 《*from*》; 칭찬받다 《*about, of*》: (~+전+명) If you don't obey him, you will ~ *from* him. 그의 말대로 안하면 야단맞을 거야. **5** 〖컴퓨터〗 음성 인식을 할 수 있다 **6** [명령법으로] (영) 경청[근청(謹聽)]하다, 찬성하다: *H~! H~!* 찬성이오!, 옳소!
(Do) you ~ me? [명령문을 강조하여] 알았어? **~ about** …에 관해서 (상세한 이야기·꾸지람 등을) 듣다: You will ~ *about* this later. 너는 이 일로 후에 꾸지람을 듣게 될 것이다. **~ from** …에게서 편지를 받다; …에게서 벌[비난]을 받다 **~ of** (1) …의 기별[소식]을 듣다; …의 꾸중[벌]을 받다: You will ~ *of* this. 이 일에 관해서는 추후에 알려드리겠습니다; 이 일로 꾸지람 듣게 될 것이다, 이 일로 무사히 넘기지는 못할 것이다. (2) …을 승낙하다, 들어주다: I won't ~ *of* his doing such a thing. 그가 그런 일을 하는 것은 승낙할 수 없다. **~ out** 〈이야기 등을〉 끝까지 듣다, …의 말을 알아듣다 **~ say**[**tell**] **of** (구어) …을 이야기하는 것을 듣다, …을 소문에 듣다 **~ one*self* think** (주위가 시끄러운 가운데) 차분히[곰곰이] 생각하다 **~ the grass grow** 매우 민감하다 **~ to** (미) …에 귀를 기울이다, …에 동의하다: He wouldn't ~ *to* it. 그는 그것에 동의하지 않을 것이다. ***Let's ~ it for ...*** (미·구어) …에 성원[박수]을 보내자 **make one*self* heard** (소음 때문에 큰소리로 말하여) 들리게 하다, 자기의 생각 등을 들려주다 ***That ain't the way I heard it.*** (속어) 나는 그렇게 안 들었어. ***You could ~ a pin drop.*** 정적만이 감돌다, 너무나 조용하다. **~·a·ble** *a.* 들을 만한

:heard [hə́ːrd] *v.* HEAR의 과거·과거분사

***hear·er** [híərər] *n.* **듣는 사람**; 청취자, 방청자

:hear·ing [híəriŋ] *n.* **1** Ⓤ **청력**, 청각; **듣기**, 청취: the sense of ~ 청각 / an attentive ~ 경청 / be quick[hard] of ~ 귀가 예민하다[어둡다] / lose one's ~ 귀를 먹다 / His ~ is poor. 그는 귀가 어둡다. **2** 들려줌, 들어줌, 발언의[들려줄] 기회(audience) **3** Ⓤ 들리는 거리[범위](earshot) **4** ⓊⒸ 〖법〗 (법정 따위에서의) 증언[의견] 청취, 심문; 청문회; 심리(審理): a public ~ 공청회 / hold ~*s* on the abuses of smoking 흡연의 폐해에 관한 공청회를 열다
come up for ~ 심문받다; 심의에 오르다 **gain** [**get**] **a ~** 들려주다, 발언의 기회를 얻다 **give** a person **a** (**fair**) **~** …의 말[주장]을 (공평하게) 들어주다 **in** a person**'s ~** …이 듣고 있는 데서, 들으라는 듯이 **out of**[**within**] **~** 들리지 않는[들리는] 곳에서: go *out of* ~ 들리지 않는 곳으로 가다 / come *within* ~ 들리는 곳으로 오다

héaring àid 보청기: wear a ~ 보청기를 끼다

héaring dòg 청각 장애인 안내견

héar·ing-éar dòg [híəriŋíər-] = HEARING DOG

hear·ing-im·paired [híəriŋimpɛ̀ərd] *a.* **1** 청각 장애를 가진, 난청의 **2** [보통 the ~; 집합적; 복수 취급] 청각 장애자

héaring lòss 〖의학〗 난청, 청력 상실

hear·ken [hɑ́ːrkən] *vi., vt.* (고어) 귀를 기울이다, 경청하다(listen) 《*to*》 **~·er** *n.*

hear·say [híərsèi] *n.* Ⓤ **1** 풍문, 소문, 평판: have it by[from, on] ~ 그것을 소문으로 듣고 있다 **2** = HEARSAY EVIDENCE **—** *a.* Ⓐ 소문의[에 의한]

héarsay èvidence 〖법〗 전문(傳聞) 증거

héarsay rùle 〖법〗 전문(傳聞) 증거 배제 법칙 《전문 증거에 대한 증거 능력 불인정》

hearse [hə́ːrs] *n.* **1** 영구차, 장의용(用) 마차[자동차] **2** (시어·고어) 관(coffin); 묘 **3** 〖가톨릭〗 다지(多枝) 촛대
— *vt.* 영구차로 운구하다; (고어) 입관하다; 매장하다; (비유) 은폐하다 **~·like** *a.*

hearse·cloth [hə́ːrsklɔ̀ːθ | -klɔ̀θ] *n.* 관포(棺布), 관의(棺衣)(pall)

:heart [hɑ́ːrt] *n., v.*

> 「심장」 **1** ─┬→「마음」 **2** →(마음 속에 간직한 기분)
> ├→「애정」 **4**
> └→(생명의 중추)→「중심」 **7**

— *n.* **1 심장**, 염통: She has a weak ~. 그녀는 심장이 약하다[나쁘다]. / My ~ stood still. = My ~ (nearly) stopped beating. (놀라서) 나의 심장(의 고동)이 멎는 듯한 기분이었다. **2 마음, 감정**; 본심; **심정**, 기분(⇨ mind 유의어): move one's ~ 마음을 움직이다, 감동시키다 / What the ~ thinks, the mouth speaks. (속담) 평소에 마음먹은 일은 입 밖으로 나오는 법이다. / In your ~ you know it's true. 당신도 마음속으로는 그것이 사실이라는 것을 알고 있습니다. **3 가슴**, 흉부(胸部): She pressed her baby to her ~. 그녀는 아기를 가슴에 부둥켜안았다. **4** Ⓤ 애정(affection); 연심(戀心), 연모; **동정심**(sympathy): an affair of the ~ 정사(情事), 연애 사건 / gain [obtain, win] a person's ~ …의 애정을 얻다 / have no ~ 동정심이 없다 / His ~ moved him to help the needy. 그는 동정심에 이끌려 어려운 사람들을 도왔다. **5** Ⓤ (의욕적인 측면에서의) 기운, 용기; 열심, 열의; 관심, 흥미: (~+**to** do) I could not have the ~ *to* say that. 감히 그 말을 할 용기가 없었다. **6** 사람; 사랑하는 사람; 용사: a sweet ~ 애인, 연인 / a true ~ 참다운 용사 **7** [the ~] 중심(부), 중앙부, 오지(奧地), 내지(內地): *the* ~ of a city 도심 / in *the* ~ of Paris 파리의 한복판에서 **8** (일의) 핵심, 본질, 진수, 요점: touch the ~ of a subject 문제의 핵심을 건드리다 **9** 심장[하트] 모양(의 것) **10** 〖카드〗 하트(의 패); [*pl.*; 단수·복수 취급] 하트 패 한 벌: the ten of ~*s* 하트의 10 **11** [the ~] 〖식물〗 (나무의) 속, 고갱이, (나무의) 수심(樹心)(core)
after one**'s** (**own**) **~** 마음먹은 대로의, 마음에 맞는, 생각대로의 **a ~ of gold**[**oak, stone**] 상냥한[용맹심이 있는, 냉혹한] 마음(을 가진 사람) **at ~** 마음속은; 내심으로는, 실제로는 **at the bottom of** one**'s ~** 내심으로는, 마음속으로는 **be of good ~** 비관하지 않다 **break** a person**'s**[one**'s**] **~** (실연 따위로) 몹시 실망시키다[하다], 비탄에 잠기게 하다[잠기다] **break the ~ of** (일 따위의) 고비를 넘기다 **bring** a person**'s ~ into** his **mouth** 〈사람을〉 섬뜩 놀라게 하다 **broken ~** 실연, 비탄 **by ~** 외워서, 암기하여: learn *by* ~ 외다, 암기하다 **change of ~** 〖그리스도교〗 회심(回心), 개종; 기분[생각]의 변화 **close**[**dear, near**] **to** one**'s ~** …에게 소중한, 중요한 **cross** one**'s ~** (**and hope to die**) (구어) (그렇게 하겠다고 신 앞에) 맹세하다 《아이들의 말》 **cry** one**'s ~ out** 가슴이 터지도록 울다 **devour** one**'s ~** = **eat** one**'s ~ out** 슬픔에 가슴이 찢기다, 비탄에 잠기다; 깊이 사모하다 **do the**[one**'s**] **~ good** …을 대단히 기쁘게 하다 **find it in** one**'s ~ to** do …할 마음이 나다 **fix** one**'s ~ on** …에 마음을 쏟다 **from the** (**bottom of** one**'s**) **~** 마음(속)으로부터, 충심으로 **gather ~** 용기를 내다, 마음을 고쳐먹다 **get to the ~ of** …의 핵심(核心)을 잡다 **give**[**lose**] one**'s ~ to** …에게 마음을 주다, …을 사랑하다 **go to** one**'s**[**the**] **~** 마음에 울리다; 마음을 아프게 하다, 마음을 찌르다 **go to the ~ of the matter** 사건의 핵심[급소]에 이르다 **harden** a person**'s ~** …의 마음을 딱딱하게[모질게] 만들다 《*against*》 **have a ~** (구어) 인정이 있다 **have ... at ~** …을 깊이 마음에 새기다, 간절히 바라다; 추구하다 **have** (**plenty of**) **~** 인정이 있다 **have** a person**'s ~** …의 사랑을 얻다 **have** one**'s ~ in** …에 열중하고 있다, 심혈을

---

hearsay *n.* gossip, idle talk, talk of the town
heart *n.* **1** 애정 passion, love, affection, emotions, feelings **2** 동정심 compassion, sympathy, humanity, benevolence, kindness **3** 용기 courage, bravery, valor, boldness, nerve

기울이다 ***have** one's **~ in** one's **mouth**[**throat**]* 겁에 질리다, 걱정이 되서 못 견디다 ***have** one's **~ set on*** …을 간절히 바라다; …하려고 마음 먹다 ***H~ alive!*** 어머, 어유, 이것 참 놀랐다! ***~ and hand*** [***soul***] 몸과 마음을 다하여, 열심히, 완전히 ***~ of oak*** 떡갈나무의 심재(心材); 용맹심, 용사 ***~ to ~*** 흉금을 터놓고, 숨김없이 ***heave** one's **~ up*** 《구어》 몹시 메슥거리다, 토하다 ***in good**[**poor**] **~*** 〈토지가〉 비옥하여[메말라] ***in** (**good**) **~*** 원기 왕성하여, 기운차게 ***in** one's **~** (**of ~s**)* 마음속으로 몰래, 마음속에서 ***in the ~ of*** …의 한가운데에 ***keep** (**a good**) **~*** 용기를 잃지 않다 ***lay** one's **~ at** a person's **feet*** …에게 구혼하다 ***lay ... to ~*** …을 마음에 새기다, 진지하게 생각하다, 통감하다, …을 슬퍼하다 ***lie at** a person's **~*** …의 사모를 받고 있다; …의 걱정거리다 ***lift** (**up**) one's **~*** 기운을 내다, 희망을 가지다; 기도를 드리다 ***lose ~*** 용기를 잃다, 풀이 죽다, 낙담하다 ***lose** one's **~ to ...*** 《구어》 …와 사랑에 빠지다, …에게 반하다 ***man of ~*** 인정 많은 사람 ***My ~ bleeds** (**for** a person)* [반어적] 깊이 동정합니다, 참 안됐습니다 ***My ~s!*** 〖항해〗 여러분!, 씩씩한 자들아! ***near**[**nearest, next**] (**to**) a person's **~*** …에게 그리운, 가장 친애하는; 소중한, 중요한 ***open** one's **~ to*** …에게 흉금을 터놓다; 동정하다 ***out of ~*** 기운 없이, 풀[기]이 죽어서; 〈토지가〉 메말라 ***out of ~ with** (something)* …에 불만인[불만을 품고] ***play** one's **~ out*** 끝까지[철저히] 해내다 ***pluck up** one's **~*** 용기를 내다[분발하다] ***pour out** one's **~*** 마음속[고민거리]을 털어놓다 ***put ~ into** a person* …의 용기를 북돋우다 ***put** one's **~** (**and soul**) **into*** …에 열중[몰두]하다 ***ring in** one's **~*** 기억에 남다 ***search** one's **~** [**conscience**]* 《구어》 반성[자문(自問), 자기 비판]하다 ***search the ~*** 의중[마음속]을 떠보다 ***set** one's **~ against** = **have** one's **~ set against*** …에 완강하게 반대하다 ***set**[**put**] a person's **~ at rest**[**ease**]* …을 안심시키다 ***set** one's **~ on*** …에 희망을 걸다, …을 탐내다; …하기로 결심하다 *one's **~ goes out to*** …을 가엾게 생각하다 *One's **~ is in the right place.*** 《구어》 인정 있고 진실한 사람이긴 하다, 본성은 착한 사람이다. *One's **~ leaps**[**comes**] **into** one's **mouth.*** 깜짝 놀라다; 조마조마하다. *One's **~ sinks** (**low within** one).* = 《속어》 *One's **~ sinks in**[**to**] one's **boots**[**heels**].* 몹시 기[풀]가 죽다, 의기소침하다. *One's **~ skips**[**misses**] **a beat.*** = *One's **~ stands still**[**stops**].* (심장이 멎을 정도로) 놀라다, 흥분하다 ***speak to the ~*** 내심에 호소하다, 남의 마음을 움직이다 ***steal** a person's **~** (**away**)* (어느새) …의 사랑을 얻다 ***steel the ~*** 마음을 냉정[완고]하게 가지다 ***take ~*** 마음을 다잡아먹다, 용기를 내다 ***take ~ of grace*** 용기를 내다 《*to* do》 ***take ... to ~*** …을 마음에 새기다, 진지하게 생각하다, 통감하다, …을 슬퍼하다 ***take ... to** one's **~*** …을 따뜻하게 맞이하다, 환영하다 ***tear**[**rip**] **the ~ out of*** 가장 중요한 부분을 망쳐 놓다 ***to** one's **~'s content*** 만족할 때까지, 흡족하게 ***wear**[**pin**] one's **~** (**up**)**on** one's **sleeve*** 감정을 감추지 않고 드러내다, 생각하는 바를 숨김없이 말하다 ***win the ~ of** a person = **win** a person's **~*** …의 사랑을 얻다 ***with a ~ and a half*** 기꺼이 ***with a heavy**[**light**] **~*** 무거운[가벼운] 마음으로, 풀이 죽어[신이 나서] ***with all** one's **~** (**and soul**) = **with** one's **whole ~*** 진심으로; 기꺼이; 의심없이 ***with half a ~*** 마지못해 ***with** one's **~ in** one's **boots*** 《구어》 낙심하여; 겁먹어, 움찔움찔하여 ***with** one's **~ in** one's **mouth*** 깜짝 놀라서; 조마조마하여

— *vi.* 〖식물〗 결구(結球)하다 《*up*》

— *vt.* **1** 《고어》 〈충고 등을〉 마음에 새기다, 명념하다: ~ a warning 경고를 명심하다 **2** 《고어》 기운나게 하다, 격려[고무]하다

▷ héarty *a.*; héarten *v.*

heart·ache [hɑ́ːrtèik] *n.* Ⓤ 심장의 고통; 마음의 고통; 고민, 고뇌, 상심, 비탄

héart attàck 〖병리〗 심장 발작[마비], 《특히》 심근 경색

heart·beat [-bìːt] *n.* Ⓤ **1** 심장의 고동, 심장 박동, 동계(動悸)(throb), 심박(에 요하는 시간) **2** 중추부, 핵심 ***a ~ away from*** …에서 바로 가까이에 ***in a ~*** 《속어》 곧장, 두 말 없이

héart blòck 〖병리〗 심장 블록, 심장 박동의 나쁨

heart-blood [-blʌ̀d] *n.* = HEART'S-BLOOD

heart·break [-brèik] *n.* Ⓤ 비탄, 비통, 애끓는 마음

heart·break·er [-brèikər] *n.* **1** 애끓게 하는 것[사람, 사건], 《특히》 무정한 미인 **2** (여성의 앞이마나 볼에 늘인) 컬한 머리, 애교머리(lovelock)

heart·break·ing [-brèikiŋ] *a.* **1** 애끓는 마음을 자아내는, 가슴이 터질 듯한 **2** 《구어》 (지루하여) 싫증나는(tedious) **~·ly** *ad.*

heart·bro·ken [-bròukən] *a.* 비탄에 잠긴, 애끓는 **~·ly** *ad.* **~·ness** *n.*

heart·burn [-bə̀ːrn] *n.* Ⓤ **1** 〖병리〗 가슴앓이, 가슴쓰림 **2** 질투, 시기(envy)

heart·burn·ing [-bə̀ːrniŋ] *n.* Ⓤ (질투·시기로 인한) 언짢음; 불만, 불평; 원한

héart càm 〖기계〗 하트 캠 《등속(等速) 왕복 운동을 시키기 위한 심장 모양의 평면 캠》

héart chèrry 앵두의 일종 《심장 모양의 버찌》

héart disèase 심장병

héart dòner 심장 제공[기증]자

heart-eas·ing [-ìːziŋ] *a.* 마음을 가라앉게 하는, 마음놓이게 하는, 안도하게 하는

heart·ed [hɑ́ːrtid] *a.* [보통 복합어를 이루어] …한 마음씨의, …의 마음을 가진: faint-~ 마음이 약한, 겁이 많은 / sad-~ 슬픔에 잠긴 **~·ly** *ad.*

heart·en [hɑ́ːrtn] *vt.* 기운나게 하다, 용기를 북돋우다, 격려하다, 고무하다(opp. *dishearten*) 《*up, on*》
— *vi.* 기운나다 《*up*》 **~·er** *n.* **~·ing** *a.* **~·ing·ly** *ad.*

héart fàilure 심장 마비; 심장 기능 장애, 심부전

heart·felt [hɑ́ːrtfèlt] *a.* 진심에서 우러난 《특히 따뜻한 말이나 행동으로써 나타낼 수 있는 것》(⇨ sincere 유의어): ~ sympathy 마음으로부터의 동정

heart-free [-frìː] *a.* 사랑을 하지 않고 있는, 사랑을 모르는, 미련 없는

heart·ful [hɑ́ːrtfəl] *a.* 진심에서 우러난, 진심어린, 성심성의의 **~·ly** *ad.*

‡**hearth** [hɑ́ːrθ] *n.* **1** 벽난로, 노(爐); 벽난로 바닥, 노상 **2** (단란한 가정의 중심지로서의) 노변(爐邊)(fireside); 가정(home) **3** 〖야금〗 화상(火床), 노상(爐床) 《용광로의 도가니 부분》; 화로, 화덕 **4** (문화·문명의) 중심 지역 ***~ and home*** 따뜻한 가정(의 단란함) **~·less** *a.*

heart-health·y [hɑ́ːrthélθi] *a.* 〈음식·요리 따위가〉 심장에 좋은, 저지방의

hearth·rug [hɑ́ːrθrʌ̀g] *n.* 벽난로 앞 깔개

hearth·side [-sàid] *n.* **1** 노변 **2** 가정

hearth·stone [-stòun] *n.* **1** 벽난로[노]의 바닥돌 **2** 마석(磨石), 광내는 돌 《난간·문간·계단 등을 닦는》 **3** 노변; 가정

‡**heart·i·ly** [hɑ́ːrtili] *ad.* **1** 마음으로부터, 충심으로, 진심으로: I ~ thank you. = I thank you ~. 진심으로 감사드립니다. / He sympathized ~ with their plight. 그들의 비참한 처지를 마음으로부터 동정했다. **2** 충분히, 마음껏, 실컷; 기세 좋게, 맹렬히: laugh ~ 배꼽을 잡고 웃다 **3** 철저하게, 완전히: be ~ sick of the news 그 뉴스에 아주 식상해 있다
▷ héarty *a.*

heart·ing [hɑ́ːrtiŋ] *n.* 〖토목〗 **1** 심벽(心壁) 《석조의 벽 내부에 잡석 등을 채우는 작업》 **2** 심벽 재료

thesaurus **heartily** *ad.* warmly, cordially, feelingly, profoundly, sincerely, genuinely
heartless *a.* unfeeling, unsympathetic, unkind,

heart·land [hɑ́:rtlæ̀nd] *n.* **1** 핵심 지역, 심장 지대 《외부의 공격에 대해서도 비교적 안전하고, 경제적·정치적 자립도 가능할 것 같은 장소》 (cf. RIMLAND) **2** 《일반적으로》 (주·나라·대륙 따위의) 중심부

*__heart·less__ [hɑ́:rtlis] *a.* **1** 무정[박정]한, 무자비한, 냉혹한 《*to*》: (~+***of***+명+***to*** do) It was ~ *of* you[You were ~] *to* leave without saying good-bye. 네가 작별의 말도 없이 간 것은 무정한 일이었다. **2** 《고어》 용기[열정] 없는 **~·ly** *ad.* **~·ness** *n.*

héart-lúng machìne [hɑ́:rtlʌ́ŋ-] 인공 심폐기

héart mùrmur 【의학】 심장 잡음

héart of pálm 야자의 새 순 《식용》

heart·rend·ing [-rèndiŋ] *a.* 가슴이 찢어질 듯한, 비통한(grievous) **~·ly** *ad.*

heart·rot [-rɑ̀t | -rɔ̀t] *n.* (나무의) 심부병(心腐病) 《고갱이가 썩는 병》

heart's-blood [hɑ́:rtsblʌ̀d] *n.* **1** 《드물게》 심장 내의 혈액, 심혈(心血) **2** 생명(life); 진심; 소중한 것

heart-search·ing [hɑ́:rtsə̀:rtʃiŋ] *n.* (철저한) 반성[성찰]

hearts·ease, heart's-ease [hɑ́:rtsì:z] *n.* **1** Ⓤ 마음의 평화, 안심 **2** 【식물】 삼색제비꽃(pansy) **3** 【식물】 =LADY'S THUMB

heart-shaped [hɑ́:rtʃèipt] *a.* 심장[하트] 모양의

heart·sick [-sìk] *a.* 상심한, 풀이 죽은, 비탄에 잠긴; 의기소침한 **~·en·ing** *a.* **~·ness** *n.*

heart·sore [-sɔ̀:r] *a.* 슬퍼하는, 슬픔에 젖은, 상심한

heart-stir·ring [-stə̀:riŋ] *a.* 고무하는, 기운나게 하는

heart·stop·per [-stɑ̀pər | -stɔ̀p-] *n.* 《속어》 (심장이 멎을 정도로) 놀라운 일

heart-stop·ping [-stɑ̀piŋ | -stɔ̀p-] *a.* 심장이 멎을 듯한; 아슬아슬한 **~·ly** *ad.*

heart-strick·en [-strìkən] *a.* 슬픔에 젖은, 비탄에 젖은

heart·strings [-strìŋz] *n. pl.* 심금(心琴), 깊은 감정[애정] ***play on*** a person***'s ~*** …의 애정[동정]에 호소하다 ***tug***[***pull***] ***at*** a person***'s ~*** …의 감정을 뒤흔들다, 심금을 울리다

heart-struck [-strʌ̀k] *a.* =HEART-STRICKEN

heart·throb [-θrɑ̀b | -θrɔ̀b] *n.* **1** 심장의 빠른 고동 **2** 정열, 감상(感傷) **3** 《구어》 연인, 애인; 동경의 대상 《특히 가수·영화배우 등》

heart-to-heart [hɑ́:rttəhɑ́:rt] *a.* **1** 솔직한, 숨김없는(frank): a ~ talk 솔직한 이야기 **2** 진심어린(sincere), 성의 있는 **—** *n.* 《구어》 (특히 두 사람간의) 솔직한 대화, 마음을 터놓고 하는 대화

héart trànsplant 【의학】 심장 이식; 이식 심장

heart·warm·ing [hɑ́:rtwɔ̀:rmiŋ] *a.* 마음을 따뜻하게 하는, 흐뭇하게 하는, 기분 좋은: a ~ story 흐뭇한 이야기

heart-whole [-hòul] *a.* **1** 순정의, 순진한, 사랑을 모르는[하고 있지 않은] **2** 정성을 기울인, 성실한 **3** 용기있는, 겁내지 않는 **~·ness** *n.*

heart·wood [-wùd] *n.* Ⓤ (재목의) 적목질(赤木質), 심재(心材)

heart·worm [-wə̀:rm] *n.* 【수의학】 사상충(絲狀蟲) 《개의 심장에 기생하는 선충(線蟲)》

‡**heart·y** [hɑ́:rti] *a.* (**heart·i·er**; **-i·est**) **1** 마음에서 우러난, 마음이 따뜻한, 정성어린, 애정어린, 친절한(⇨ sincere 유의어): receive a ~ welcome 환대를 받다/~ dislike 마음속으로부터의 혐오 **2** 원기 왕성한; 스스럼없는; 열렬한; 힘센, 강력한; 건강한, 튼튼한; 《영·구어》 (때로는 소란스러울 정도로) 쾌활한, 떠들어대는; 기분이 매우 좋은: ~ support 열렬한 지지/a ~ laughter[laugh] 거리낌없는 웃음/hale and ~ 건강하고 원기 왕성한 **3** 〈식사의 양이〉 듬뿍 있는, 풍부한, 영양 있는; 식욕이 왕성한: take a ~ meal 배불리[실컷] 먹다/a ~ appetite 왕성한 식욕 **4** 기름진, 비옥한(fertile): ~ land 기름진 땅

(***as***) ***~ as a buck*** 아주 건강한

— *n.* (*pl.* **heart·ies**) **1** 용감한 녀석, 좋은 녀석; 동료; 수부, 선원 **2** 《영》 【대학】 (공부를 하지 않는) 운동 선수(opp. *aesthete*)

My hearties! 《고어》 여보게들! 《선원들을 부를 때》

héart·i·ness *n.* Ⓤ 성실; 원기 왕성

▷ héart *n.*; héartily *ad.*

‡**heat** [hí:t] *n.* Ⓤ **1** 열, 뜨거움, 더움; 더위, 더운 기운; 【물리】 열: in the ~ of the day 한낮에; 염천(炎天)하에서/intense ~ 혹서 **2** 열도, 온도 《*of*》: moderate ~ 적당한 온도 **3** (사람·동물의) (평상시보다 높은) 열, 체온, 홍조, 상기 **4** (후추·겨자 등의) 매운 맛(pungency) **5** (감정의) 격함, 열렬; 흥분; 열정, 열의: speak with much ~ 열을 올려서 말하다 **6** [a ~] 1회의 동작, 1회의 노력, 일거(一擧); 【경기】 (경쟁·경기의) 1회, (예선 등의) 조; (권투의) 1라운드; (야구의) 1이닝[회]: preliminary[trial] ~*s* 예선/the final ~ 결승전 **7** [the ~] (투쟁·토론 등의) 최고조, 한창(때); 긴박, 절박: *the* ~ of battle 전투가 한창 벌어질 때/*the* ~ of passion 정열의 최고조 **8** 《미·속어》 압력, 추적, 조사, 수사; (수사의) 강화; [the ~] 경찰; 경관: turn[put] the ~ on …에게 압력을 가하다; …을 엄하게 문초하다 **9** 《속어》 총격, 권총, 총 **10** (암컷의) 암내, 발정; 발정[교미]기 **11** 《미·속어》 (모욕을 받은 군중·청중의) 소요, 폭동; 비판, 비난 **12** 【야금】 열처리

at a ~ 단숨에: The painting was finished *at a* ~. 그림은 단숨에 완성되었다. ***be in ~*** 《미》 =***be on ~*** 《영》 〈동물의 암컷이〉 발정하다 ***dead ~*** 무승부 ***~ of fusion*** 【물리】 융해열 ***~ of vaporization*** 【물리】 기화열 ***~ up*** 점점 뜨거워지다; 활기를 띠다 ***in the ~ of*** …이 한창일 때에 ***in the ~ of the moment*** 발끈하여, 그만 흥분해서 ***take*** (***the***) ***~*** 《구어》 비난을 정면으로 받다; 공격에 참고 견디다 ***turn on***[***give***] ***the ~*** 《속어》 (1) 정력적으로 추구하다[노력하다, 재능을 살리다] (2) 흥분하다; 남의 정열을 북돋우다 (3) (범인 등을) 철저하게 추적하다; (사람에게) 발포하다 ***without ~*** 열을 내지 않고, 적당히

— *vt.* **1** 뜨겁게 하다, 가열하다: ~ the water to 40 degrees 물을 40도까지 데우다 // (~+목+부) ~ *up* cold meat 식은 고기를 데우다 // (~+목+전+명) ~ one*self with* wine[*by* running] 포도주를 마셔[뛰어서] 몸을 덥게 하다 **2** [보통 수동형으로] 흥분시키다(excite), 격분시키다: (~+목+전+명) *be ~ed with* argument 논쟁으로 격해 있다

— *vi.* 뜨거워지다, 따뜻해지다; 흥분하다

~·a·ble *a.* **~·less** *a.* ▷ hót *a.*

HEAT [hí:t] [*h*igh *e*xplosive *a*nti-*t*ank] *n.* 【군사】 대전차(對戰車) 고성능 유탄(榴彈)

héat apòplexy 【병리】 일사병(sunstroke)

héat àrtist 《미·속어》 연료용 알코올을 마시는 사람

héat bàlance 【물리】 열평형(熱平衡)

héat bàrrier =THERMAL BARRIER

heat-can [hí:tkæ̀n] *n.* 《미·군대속어》 제트기

héat capàcity 【물리】 열용량

héat consùmption 열 소비량

héat cràmp 【병리】 열 경련 《고온하의 중노동으로 인한》

héat dèath 【물리】 열역학적 사(死) 《entropy가 최대가 된 열 평형 상태》

héat dèvil 아지랑이

heat·ed [hí:tid] *a.* **1** 뜨거워진, 가열된 **2** 격한, 흥분한; 성난: a ~ discussion[argument] 격론

the ~ term 《미》 하기(夏期), 여름철 **~·ly** *ad.*

héat èngine 열기관

héat equàtion 【열역학】 열전도(熱傳導) 방정식

*__heat·er__ [hí:tər] *n.* **1** 가열[발열]기; 히터, 난로, 난방 장치: a gas[oil] ~ 가스[석유] 난로 **2** 굽는 사람

---

cold, cruel, harsh, stern, merciless, pitiless

heat *n.* hotness, warmness, warmth, torridity, calidity, calefaction (opp. *cold, frost, frigidity*)

[기계] **3** [전자] 히터 《진공관의 음극을 가열하기 위한 전열선》 **4** (속어) 권총
héat exchànge [기계] 열 교환
héat exchànger [기계] 열 교환기
héat exhàustion **1** [병리] 소모성 열사병 **2** 더위에 지침
heat-flash [-flæʃ] *n.* (핵 폭발 때의) 강렬한 열 방사
heat·ful [híːtfəl] *a.* 고열의, 고열을 내는
heath [híːθ] *n.* UC **1** [식물] 히스 《황야에 자생하는 관목》 **2** (영) (특히 히스가 무성한) 황야(moor) *one's native* ~ 태어난 고향 ▷ héathy, héathery *a.*
héath bèll [식물] 히스 꽃
heath·ber·ry [híːθbèri, -bəri | -bəri] *n.* (*pl.* **-ries**) [식물] 시로미, 들쭉나무 《등》
héath còck = BLACKCOCK
*****hea·then** [híːðən] *n.* (*pl.* **~s,** [집합적] **~**) **1** [성서] 이방인(Gentile) 《유대인 아닌 국민 또는 민족》; [the ~; 집합적; 복수 취급] 이방인들; 이교도들; 이교도 《그리스도교도·유대교도·이슬람교도의 입장에서 본》 **2** 무종교자, 불신자(infidel); 미개인, 야만인; (구어) 교양이 없는 사람
— *a.* **1** 이교도의: a ~ temple 이교의 사원 **2** 무신앙의; 미개의, 야만스러운(barbarous)
~·dom *n.* 이교; 이교국; [집합적] 이교도
▷ héathenish *a.*; héathenize *v.*
hea·then·ish [híːðəniʃ] *a.* **1** 이교(도)의; 이교도적인, 비그리스도교적인 **2** 야만적인 **~·ly** *ad.*
hea·then·ism [híːðənìzm] *n.* U **1** 이교, 이단; 우상 숭배 **2** 무종교; 야만(barbarism)
hea·then·ize [híːðənàiz] *vt.* 이교도로 만들다; 이교적[야만]으로 하다 — *vi.* **1** 이교도가 되다; 이교적[야만]이 되다 **2** 우상 숭배를 하다
hea·then·ry [híːðənri] *n.* U **1** 이교, 이단 **2** [집합적] 이교 세계, 이교도
*****heath·er** [héðər] *n.* U [식물] 헤더 《히스(heath)속(屬)의 상록 관목; 자홍색 꽃이 핌》; C 히스가 무성한 황야 *set the ~ on fire* 소동을 일으키다 *take to the ~* (스코) 산적이 되다
héather àle 헤더 에일 《옛날 히스 꽃을 향료로 쓴 스코틀랜드의 양조 맥주》
héather mìxture (영) 혼색 모직물
héather twèed 혼색 트위드 《스카치 모직물》
heath·er·y [héðəri] *a.* 히스의, 히스 비슷한, 히스가 무성한; (흐린 색의) 갖가지 작은 반점의
héath hèn [조류] **1** 검은 멧닭의 암컷(greyhen) **2** 히스헨 《지금은 멸종한 북아메리카산 멧닭의 일종》
heath·land [híːθlæ̀nd] *n.* (영) 히스가 무성한 황야
Héath Róbinson [영국의 풍자 만화가 W. Heath Robinson(1872-1944)에서] (영·익살) 〈기계 등이〉 단순한 일을 지나치게 복잡한 장치[방법]로 하는, 지나치게 복잡하여 비실용적인
Héath·row Áirport [híːθrou-] 히스로 공항 《런던 서부의 국제 공항; 통칭 London Airport》
heath·y [híːθi] *a.* (**heath·i·er**; **-i·est**) 히스의, 히스 비슷한, 히스로 덮인; 히스가 무성한
héat ìndex **1** 체감 온도 **2** [기상] 열지수(熱指數)
*****heat·ing** [híːtiŋ] *a.* 가열하는, 따뜻하게 하는, 덥게 하는, 가열[난방]용의: a ~ drink 몸을 덥게 하는 음료 / a ~ apparatus[system] 난방 장치[설비]
— *n.* U (건물의) 난방 (장치); 가열: steam[gas] ~ 증기[가스] 난방
héating degrée-day 난방도일(度日) 《표준 기온(19℃) 이하의 날; 연료 소비량의 견적에 쓰임》
héating èlement 발열체, 전열선 《전열기의 코일 등》
héating pàd 전기 담요, 전기 방석
héat ìsland [기상] 열섬 《주변보다 온도가 높은 도시[공업 지대] (상공의 대기)》
héat làmp 적외선등, 태양등 《주로 치료용》
héat lìghtning (여름밤의) 천둥 소리가 나지 않는 번개
héat of combústion [물리] 연소열
héat of condensátion [물리] 응축열
héat of formátion [물리] 생성열
héat of fúsion [물리] 융해열
héat of solidificátion [물리] 응고열
héat of sublimátion [물리] 승화열
héat of vaporizátion [물리] 기화열
héat pìpe [전자] 열 파이프, 전열관(傳熱管)
héat pollùtion 열 공해(thermal pollution)
heat·proof [híːtprùːf] *a.* 내열(耐熱)의
héat prostràtion 땀띠(prickly heat)
héat pùmp 열 펌프 《열을 옮기는 장치》; (빌딩 등의) 냉난방 장치
héat ràsh [병리] = PRICKLY HEAT
héat rày [물리] 열선, 적외선
héat rèservoir [열역학] 열원(熱源)
heat-re·sist·ant [híːtrizístənt] *a.* = HEATPROOF
héat sèeker [군사] 열[적외선] 추적 미사일(의 적외선 탐지 장치)
heat-seek·ing [-sìːkiŋ] *a.* 열[적외선]을 추적[탐지]하는: ~ missile 열[적외선] 추적 미사일
héat shìeld [우주과학] (우주선의) 열차폐(熱遮蔽)
héat sìnk **1** [열역학] 열 흡수원(源), 열 싱크 **2** (불필요한 열을 흡수하는) 탈열제[기] **3** 우주선 등의 열을 흡수하기 위한 표면의 피복(被覆)
heat·spot [-spɑ̀t | -spɔ̀t] *n.* **1** 여드름(pimple) **2** 온점 《피부의 열을 느끼는 점》
heat·stroke [-stròuk] *n.* U 열사병, 일사병(cf. HEAT EXHAUSTION)
heat-treat [-trìːt] *vt.* 〈우유를〉 살균하기 위하여 가열하다; 〈금속 등을〉 열처리하다
héat trèatment [야금] 열처리
héat ùnit 열단위; 칼로리(calorie)
héat wàve **1** 장기간의 혹서 **2** [기상] 열파(opp. *cold wave*); 열기 **3** [전기] 열선
*****heave** [híːv] *v.* (**~d,** [항해] **hove** [hóuv]) *vt.* **1** 〈무거운 것을〉 (들어)올리다(lift): ~ a heavy ax 무거운 도끼를 들어올리다 **2** 〈가슴을〉 울렁이게 하다, 부풀게 하다, 불룩하게 하다(swell): ~ one's chest 가슴을 울렁이게 하다 **3** 〈탄성(歎聲)·앓는 소리를〉 괴로운 듯이 내다, 발하다; 〈한숨을〉 쉬다: ~ a sigh 한숨쉬다 **4** [항해] 〈닻을〉 밧줄로 끌어올리다[끌다]; 〈배 등을〉 엔진 등으로 움직이다; 〈밧줄을〉 잡아[끌어]당기다, 당겨들이다: ~ an anchor 닻을 감아 올리다 // (~+목+부) ~ a ship *about* 배를 급히 돌리다 **5** 던지다, 내던지다(throw) 《*at*》: (~+목+부) The sailor *hove*[~*d*] the anchor *overboard.* 그 선원은 닻을 바다로 던졌다. // (~+목+전+명) ~ a stone *through* a window 창밖으로 돌을 던지다 / She ~*d* a bucket *at* him. 그녀는 그에게 버킷을 던졌다. **6** 토하다, 게우다: ~ one's breakfast 아침 먹은 것을 토하다 **7** [지질] 〈지층·광맥을〉 수평으로 전위(轉位)시키다, 엇물리게 하다
— *vi.* **1** 〈가슴이〉 울렁거리다; 〈바다·파도가〉 물결치다[넘실거리다], 기복하다(rise and fall): The billows ~. 큰 물결이 넘실거린다. **2** 높아지다, 위로 올라가다, 융기하다(rise); 부풀다(swell): A hill ~*s.* 언덕이 솟아올라 있다. **3** (구어) 토하다(vomit), 구역질나다, 메슥거리다(nauseate) 《*up*》: (~+부) ~ *up* 게우다 **4** 괴롭게 숨쉬다, 헐떡이다(pant) **5** [항해] 밧줄을 당기다[감다](draw) 《*at*》; 〈배가〉 (어떤 방향으로) 움직이다[나아가다](move): (~+전+명) ~ *at* a rope 밧줄을 당기다 / The ship *hove out of* the harbor. 배가 항구 밖으로 나갔다.
~ *a ship* ***ahead*** 밧줄 등을 잡아당겨 (배를) 갑자기 나아가게 하다 ~ ***and set*** 〈배·파도 등이〉 오르내리다 ~ ***at*** (1) 밧줄을 당기다 (2) …을 들어올리려고 하다 ***H~ away*** [***ho***]***!*** 영차 감아라! 《밧줄을 감아 올릴 때 지르는 소리》; 옜다 《물건을 던질 때의 소리》(cf. HEAVE-HO) ~ ***down*** 〈배가〉 기울어지다 ~ *a ship* ***down*** 한쪽으로 (배를) 기울이다 《청소·수리를 하기

위하여》 ~ **in** 〈닻줄 등을〉 감아들이다, 당기다 ~ **in**[**into**] **sight**[**view**] 〈배가〉 보이기 시작하다, 나타나다 ~ **out** 〖항해〗 배를 기울여 〈어떤 부분을〉 수면 위에 드러내다; 〈돛을〉 펴다, 〈기(旗)를〉 올리다; 〈밧줄 등을〉 던지다 ~ one**self** 몸을 일으키다 ~ **the gorge** 메스껍다 ~ **the keel out** 용골이 드러날 때까지 배를 기울이다 ~ **the lead** 측연(測鉛)을 던지다 [던져 수심을 재다] ~ **the log** 측정기(測程器)로 배의 속력을 재다 ~ **to** 선수[이물]를 바람 불어오는 쪽으로 돌려 〈배를〉 멈추다; 〈배가〉 멈추다, 정선하다 ~ **up** 끌어올리다; 내버리다; 단념하다; 《구어》 토하다

— *n.* **1** 들어올림; (무거운 것을) 내던짐; 무거운 것을 올리는 노력 **2** 융기, 높아짐(swelling) **3** [the ~s] 메스꺼움, 구토 **4** (단층에 의한 지층·광맥의) 수평 전위 **5** 〖레슬링〗 히브 《오른손을 상대편의 오른 어깨로 돌려 대어 던지기》 **6** [*pl.*; 단수 취급] 〖수의학〗 (말의) 폐기종(肺氣腫), 천식(broken wind)

heave-ho [hí:vhóu] *int.* **1** 〖항해〗 영차 《닻줄을 감을 때의 소리》 **2** 옜다 《물건을 던질 때의 소리》

— *n.* (*pl.* **~s**) [the (old) ~] 《구어》 퇴짜놓기, 내쫓기, 추방, 해고, 거절 **give** a person **the** (**old**) ~ 해고하다, 관계를 끝내다

— *vi.*, *vt.* 퇴짜놓다; 영차 하고 들어올리다, 힘껏 잡아당기다

‡**heav·en** [hévən] [OE 「하늘」의 뜻에서] *n.* **1** [*pl.*] 《문어》 하늘(sky), 창공: the eye of ~ 태양/the starry ~*s* 별이 총총한[빛나는] 하늘/fowls of ~ 하늘의 새들 **2** [종종 **H~**] Ⓤ **천국**, 천당, 극락(opp. *hell*) ★ 고대의 천문학에서는 하늘을 7[9]개의 층이라고 여기고 그 최상층을 신·천사의 거처로 여겼음; [집합적] 천국의 주민, 신들, 천인(天人): go to ~ 승천하다; 죽다/be in ~ 천국에 있다; 죽은 상태다 **3** [보통 **H~**] Ⓤ 신(神), 하느님 《God의 대용어》; [종종 *pl.*] 신들, 천제, 상제: *H~'s* vengeance is slow but sure. 천벌은 느리나 꼭 있느니라./Inscrutable are the ways of *H~*. 하느님의 뜻은 헤아릴 수 없다. **4** Ⓤ 매우 행복한 상태; Ⓒ 매우 행복한 장소, 낙원: (a) ~ on earth 지상 낙원

***By H~*(*s*)!** 맹세코, 꼭! **call ~ to witness** 하늘에 맹세하다 **for ~'s sake** 제발, 아무쪼록, 부디 《다음에 오는 명령문을 강조》 **Good**[**Great, Gracious**] ***H~*(*s*)!** = ***H~s* above!** 어머나, 야단났네, 저런! 《놀람·연민을 나타내는 소리》 ~ **and earth** 천지, 우주 만물; 아이구 《놀람·두려움을 나타내는 소리》 ***H~* be praised!** = **Thank *H~*!** 고마워라! ***H~* forbid!** 그런 일이 없도록, 그럴 리가 있나! ***H~* knows.** 하느님께 맹세코, 틀림없이; 하느님만이 아신다, 아무도 모른다. **in ~** 천당에 가서, 죽어서 **in** (**the**) **~'s name** [의문문을 강조하여] 도대체 **move ~ and earth** (…하기 위해) 있는 힘을 다하다, 전력을 다하다 《*to do*》 **the ~ of ~s** = **the seventh ~** 제7천국 《하느님과 천사만이 사는 최고의 하늘》 **The ~s opened.** 《익살》 갑자기 폭우가 쏟아져 내리다. **to** (**high**) ~ 하늘 끝까지; 매우 높게; 터무니없이; 《구어》 하늘에 맹세코, 반드시 **under ~** 이 세상에; 도대체, 대관절

▷ héavenly *a.*

heav·en-born [hévənbɔ̀:rn] *a.* **1** 하늘에서 태어난, 하늘에서 내려온 **2** 천부(天賦)의

héaven dùst 《미·속어》 (가루로 된) 마약, 코카인(cocaine)

heav·en-gift·ed [-gìftid] *a.* 선천적 재능을 가진

heav·en-kiss·ing [-kìsiŋ] *a.* 하늘에 닿을 듯한

‡**heav·en·ly** [hévənli] *a.* (**-li·er**; **-li·est**) **1** 하늘의, 창공의(celestial): the ~ bodies 천체 **2** **천국의**[**같은**]; 거룩한, 신성한; 이 세상의 것 같지 않은, 절묘한: a ~ voice 절묘한 목소리/~ peace 이 세상 것 같지 않은 평화 **3** 《구어》 훌륭한: What a ~ day! 참 멋진 날이야!

— *ad.* 천국처럼; 매우

-li·ness *n.* Ⓤ 거룩함, 장엄, 지복(至福)

Héavenly Cíty [the ~] = NEW JERUSALEM

heav·en·ly-mind·ed [hévənlimáindid] *a.* 믿음이 깊은, 경건한, 독실한

Héavenly Twíns 〖천문〗 [the ~] 쌍둥이 별 《쌍둥이자리(Gemini)의 Castor와 Pollux》

heav·en-sent [hévənsènt] *a.* 하늘이 주신, 천부의; 절호의, 시의(時宜)를 얻은: a ~ opportunity 절호의 기회

heav·en·ward [hévənwərd] *a.*, *ad.* 하늘[천국]을 향하는[향하여], 하늘쪽의[으로] (cf. EARTHWARD)

~·ly *ad.* **~·ness** *n.*

heav·en·wards [hévənwərdz] *ad.* = HEAVENWARD

héave óffering (고대 이스라엘의) 요제(搖祭)

heav·er [hí:vər] *n.* **1** (들어)올리는 사람[물건]; 하역 인부 **2** 〖항해〗 (밧줄 등을 꼬는) 지렛대 **3** 《미·속어》 (야구의) 투수; 여자, 젊은 여성

heav·i·er-than-air [héviərðənέər] *a.* Ⓐ 〈항공기가〉 공기보다 비중이 큰: a ~ aircraft 중(重)항공기

‡**heav·i·ly** [hévili] *ad.* **1** 무겁게; 육중하게, 묵직하게; 힘에 겨운 듯이, 힘겹게, 무거운 듯이; 느릿느릿: walk ~ 무거운 발걸음으로 걷다/a ~ loaded truck 무거운 짐을 적재한 트럭 **2** 몹시, 심하게, 크게, 엄격하게; 대량으로, 많이: drink ~ 폭음하다/eat ~ 대식하다/It rained ~ on. 억수 같은 비가 계속 내렸다. **3** 짙게; 빽빽하게, 울창하게: be ~ powdered[made up] 짙은 화장을 하고 있다/a ~ populated district 인구 밀도가 높은 지구 **4** 《고어》 답답하게, 느릿느릿 힘들게, 침울하게; 낙담하여 ▷ héavy *a.*

***heav·i·ness** [hévinis] *n.* Ⓤ **1** 무거움, 무게, 중량; (체격이) 크고 몸이 단단함 **2** (정신적인) 중압감, 괴로움, 부담 **3** 무기력, 권태, 침체 **4** 어색함, 서투름 **5** 낙담, 의기 소침 ▷ héavy *a.*

heav·ing [hí:viŋ] *n.* Ⓤ 올림, 들어올림; 〖항해〗 (닻 따위의) 끌어올림

héaving lìne 〖항해〗 가는 밧줄 《큰 밧줄에 앞서 던지는》

Héav·i·side láyer [hévisàid-] [영국의 물리학자 이름에서] 〖기상〗 헤비사이드층(層)(E layer) 《지상 100km 가량에 있는 전리층》

‡**heav·y**[1] [hévi] *a.*, *n.*, *ad.*

「무거운」 **1**	→ (분량이 많은) → 「대량의」 **2** →	
	→ (부담이 많은) → 「힘겨운」 **3**	
	→ (내용이 많은) → 「기름진」 **5**	
	→ (정도가 심한) → 「격렬한」 **4**	

— *a.* (**heav·i·er**; **-i·est**) **1** 무거운, 묵직한, 중량이 있는(opp. *light*); 비중이 큰: a ~ load 무거운 짐/a ~ person 체중이 많이 나가는 사람/a ~ metal 중금속 **2** 대량의, 다량의; 〈삼림 따위가〉 밀생한; 《구어》 〈사람이〉 (…을) 잘 먹는[마시는] 《*on*》; 〈차가〉 (연료 따위를) 많이 소비하는: a ~ crop 풍작/a ~ smoker[drinker] 골초[술고래]/~ deficit 큰 폭의 적자 **3** 〈슬픔·운명이〉 **힘겨운**, 견디기 어려운, 쓰라린; 〈세금·요구·비판 따위가〉 가혹한, 엄한, 무거운; 〈불안 따위가〉 (사람을) 짓누르는 《*on*》; 《구어》 〈교사 등이〉 (학생 등에게) 엄격한 《*on*》; 〈일·업무가〉 힘이 드는; 〈기간·예정이〉 다망한, 바쁜, 심한(severe): a ~ task[work] 힘든 일/a ~ wound[injury] 중상/~ taxes 중세/a ~ sentence 혹독한 판결/a ~ silence 무거운 침묵 **4** **격렬한**, 강렬한; 〈비·바람 따위가〉 심한, 맹렬한; 〈바다가〉 거친; 〈전투·포화가〉 격렬한: a ~ blow 심한 타격, 강타/a ~ frost 된서리/a ~ rain 호우/a ~ sea 거친 바다 **5** 〈음식이〉 **기름진**, 소화가 잘 안 되는, 〈빵이〉 설 구워진, 잘 부풀지 않는; 〈음료가〉 진한, 알코올을 넣은; 〈냄새가〉 짙은, 잘 가시지 않는: a ~ perfume 코를 찌르는 향수의 강한 냄새/lie ~ on the stomach 위에 소화되지 않고 남아 있다 **6** 슬픔에 잠긴, 나른한, 기운 없는; 〈표정 따위가〉 슬픈, 우울한; 〈뉴스 따위가〉 기분을 답답하게 만드는; 〈눈·머리

가〉 졸리운 것 같은, 멍한: with a ~ heart 침울하여, 풀이 죽어/feel ~ 기분이 울적하다/eyes ~ with sleep 잠 때문에 풀려서 흐리멍덩한 눈 **7** 〈하늘이〉 음울한, 잔뜩 흐린; 〈구름이〉 낮게 깔린; 〈안개가〉 짙은; 〈공기·기후가〉 (더위·습기 따위로) 불쾌한, 후텁지근한: a ~ day 음울한 날/~ skies 찌푸린 하늘 **8** 〈동작이〉 둔하고 느린, 서투른; 〈사람이〉 (동작이) 어색한, 딱딱한; 〈사람이〉 (우)둔한: a ~ fellow 굼뜬 녀석/a ~ walk 느릿느릿한 걸음 **9** 〈문장·문체·양식 따위가〉 답답한, 이해하기 어려운, 지루한, 재미없는; 〈신문·잡지가〉 (내용이) 진지한, 딱딱한: a ~ style 따분한 문체 **10** 〖연극〗 〈역할이〉 진지한; 비극적인; 악역의: a ~ part 악역 **11** 《미·속어》 중요한, 중대한; 장엄한, 심각한; …로 유명한, 잘 알려진 《*into, in*》: a ~ matter[problem] 중대한 문제 **12** 〖군사〗 중장비의; 〈탱크·군함이〉 대구경의 포를 갖춘; 〈화기가〉 강력한: ~ weapons 중화기, 대구경의 포 **13** 〖화학〗 〈동위 원소가〉 더 큰 원자량을 지닌, 중… **14** 〖운율〗 〈음절 따위가〉 강세가 있는, 장음의 **15** 〈산업이〉 (철강·석유 따위의) 원재료를 생산하는, 중… **16** 〈성행위 따위가〉 격렬한, 농후한; 〈남녀가〉 (찰싹 달라붙어 있을 정도로) 친밀한 **17** 《미·속어》 성적 매력이 있는, 도발적인 **18** 《미·속어》 〈마약이〉 습관성이 있는: ~ drugs[stuff] 중독성 마약

find* (*it*) *~ going 좀처럼 능률이 오르지 않다, 진척이 잘 되지 않다 ***have a ~ hand*** 손재주가 없다; 엄하다, 압제하다 ***~ in* [*on*] *hand*** ⇨ hand. ***~ with*** …으로 무거운, …을 가득 가진: air ~ *with* moisture 습기 찬 공기 ***~ with child*** 임신한, 만삭의, 산월의 ***make ~ weather*** ⇨ weather. ***play* [*come, do, act*] *the ~ father*** 〈부친이〉 (아이 따위를) 엄하게 꾸짖다 ***with a ~ hand*** ⇨ hand.

— *n.* (*pl.* **heav·ies**) **1** 〖연극〗 심각한 역; 《특히》 원수역, 악역 **2** [*pl.*] 중공업; 중기병; 중포(重砲); 중폭격기 **3** [the Heavies] 《영·구어》 근위 용기병(龍騎兵) **4** 《영·구어》 (권투·레슬링 등의) 중량급 선수 **5** 《속어》 불량배, 악당 **6** 《미·속어》 거물, 중요 인물

come* [*do*] *the ~ 《속어》 뽐내다, 잘난 체하다 ***on the ~*** 《미·속어》 범죄를 저지르고

— *ad.* = HEAVILY ***hang* [*lie, sit, weigh*] *~ on*** …을 무겁게 짓누르다; 괴롭히다: Time *hangs* ~ *on* her hands. 그녀는 시간을 주체할 수 없어 한다, 할 일이 없어 무료해한다.

▷ héavily *ad.*; héaviness *n.*

heav·y² [híːvi] *a.* 〖수의학〗 〈말이〉 폐기종에 걸린

heav·y-armed [hévíɑ́ːrmd] *a.* 〈부대 등이〉 중장비의, 중장갑의

héavy artíllery [집합적] 중포; 중포병 부대

heav·y-beard·ed [-bíərdid] *a.* 수염이 텁수룩한

héavy bómber 중폭격기 《장거리 전략 폭격기》

héavy bréather **1** 숨결이 거친 사람, 코를 크게 고는 사람 **2** 장난 전화에서 성적 흥분을 못 이겨 거친 숨을 몰아쉬는 사람

héavy bréathing **1** 《구어》 (흥분했을 때의) 거친 숨, 헐떡이는 호흡; 《속어》 (소설·영화 등의) 격렬한 섹스 묘사 **2** (문체의) 장황함

heav·y-browed [-bràud] *a.* 찌푸린 얼굴을 한, 기분 나쁜 얼굴을 한

heav·y-buy·ing [-báiiŋ] *a.* 대량 구입하는

héavy cháin 〖생화학〗 (면역 글로불린의) 중연쇄(重連鎖)

héavy chémical 공업 약품

héavy créam 헤비 크림 《유지(乳脂)가 많은 크림》; 《미·속어》 뚱뚱한 여자

héavy dáte 《미·속어》 **1** (특별한 의미를 갖는 또는 섹스가 목적인) 데이트(의 상대) **2** 중대[중요]한 약속

heav·y-du·ty [-djúːti | -djúː-] *a.* **1** 〈의복·기계 등이〉 아주 튼튼한, 내구성이 강한, 강력한; 중대한: ~ machinery 튼튼한 기계 **2** 관세가 고율인

héavy éarth 〖화학〗 중토(重土)

héavy élement 〖화학〗 중원소

héavy fóot 《구어》 차를 질주하는 사람, 스피드 광

heav·y-foot·ed [-fútid] *a.* **1** 발걸음이 무거운, 둔중(鈍重)한; 〈표현 등이〉 딱딱한, 따분한; 《방언》 임신한 **2** 〈자동차를〉 맹렬한 속도로 모는, 질주하는

héavy góing 진행이 곤란함[한 상태]; 성가신 일; 이야기하기 거북한 사람

héavy góods vèhicle 《영》 대형 수송차 《略 HGV》

héavy gún 중포

heav·y-hand·ed [-hǽndid] *a.* **1** 고압적인, 엄한, 가혹한: a ~ master 엄한 주인 **2** 서투른: ~ criticism 서투른 비평 **~·ly** *ad.* **~·ness** *n.*

heav·y-head·ed [-hédid] *a.* 머리가 무거운[둔한], 우둔한; 상부가 무거운 《이삭 따위》; 졸린

heav·y-heart·ed [-hɑ́ːrtid] *a.* 마음이 무거운, 침울한, 비탄에 잠긴 **~·ly** *ad.* **~·ness** *n.*

héavy hítter **1** 《구어》 유력자, 중진, 거물, 중요 인물 **2** 〖야구〗 장타자

héavy hýdrogen 〖화학〗 중수소

héavy índustry 중공업

heav·y-lad·en [-léidn] *a.* **1** 무거운 짐을 진 **2** 압박감을 받은; 근심이 많은: ~ with care 걱정거리로 고민하는

héavy métal **1** 〖화학〗 중금속 《비중 5.0 이상》 **2** 중포(탄) **3** 유력자; 강적 **4** 〖음악〗 헤비 메탈(록) 《묵직한 비트와 금속음이 특징》

héavy móney 《미·속어》 큰돈, 거금(巨金)

héavy nítrogen 〖화학〗 중(重)질소

héavy óil 중유

héavy óxygen 〖화학〗 중(重)산소

héavy pétting (성교는 하지 않는) 농후한 애무

héavy róck 고도의 테크닉을 사용하여 참신한 갖가지 실험적 사운드를 특색으로 하는 록 음악

héavy scéne 《속어》 심각한 사태, 답답한 분위기

heav·y·set [-sét] *a.* 몸집이 큰; 튼튼한; 땅딸막한

héavy spár 〖광물〗 중정석(重晶石)(barite)

heav·y-stick·er [-stìkər] *n.* 《야구속어》 강타자

héavy súgar 《미·속어》 **1** = HEAVY MONEY **2** 부자임을 나타내는 증거 《보석·고급차 따위》

héavy swéll **1** 바다의 높게 이는 파도 **2** 《고어·구어》 풍채[태도]가 당당한 명사

héavy tráffic **1** 대형 차량 **2** (자동차의) 홍수; (도로의) 혼잡

héavy wáter 〖화학〗 중수(重水)

heav·y·weight [-wèit] *n.* **1** 평균 체중 이상의 사람 《특히 기수(騎手) 또는 레슬링 선수》; 헤비급 선수 《권투에서는 체중 80kg 이상; 레슬링에서는 87kg 이상》 **2** 《구어》 유력한[영향력이 있는] 인물[정치가, 기업, 단체, 국가 《등》]; 중진 ***light ~*** 라이트 헤비급 선수 《권투에서는 74-80kg; 레슬링에서는 80-87kg》

— *a.* 몸무게가 무거운; 평균 체중 이상의; 헤비급의: a ~ bout 헤비급 시합

héavy wét 《영·속어》 맥아(麥芽)[엿기름] 양조주

Heb, Heb. Hebrew(s)

heb·do·mad [hébdəmæ̀d] *n.* **1** 일곱으로 된 것; 일곱 사람 **2** 〖성서〗 7일간, 1주일

heb·dom·a·dal [hebdɑ́mədl | -dɔ́m-] [L 「7일 동안」의 뜻에서] *a.* 7일마다의, 1주일의, 매주의: ~ journals 주간지 — *n.* 주간지 **~·ly** *ad.*

Hebdómadal Cóuncil (Oxford 대학의 매주 1회 열리는) 평의원회

He·be¹ [híːbi] [Gk 「젊음」의 뜻에서] *n.* **1** 〖그리스 신화〗 헤베 《헤라클레스의 아내; 청춘과 봄의 여신》 **2** 《익살》 여급, 술집 종업원, 웨이트리스

Hebe² [híːb] *n.* 《속어·경멸》 유대인(Jew)

hebe- [híːbə] 《연결형》 「사춘기」의 뜻

he·be·phre·ni·a [hìːbəfríːniə] *n.* 〖정신의학〗 파과병(破瓜病) 《사춘기에 일으키기 쉬운 정신 분열증의 하나》

heb·e·tate [hébətèit] *vt., vi.* 둔하게 하다, 둔해지다 **hèb·e·tá·tion** *n.* Ⓤ 둔화

he·bet·ic [hibétik] [Gk 「젊은」의 뜻에서] *a.* 사춘

기의, 사춘기에 일어나는
heb·e·tude [hébətjù:d | -tjù:d] *n.* Ⓤ 《문어》 우둔, 둔감: moral ~ 도덕적 무감각
Hebr. Hebrew(s)
He·bra·ic [hibréiik] *a.* 히브리 사람[말, 문화]의 (Hebrew) **-i·cal·ly** *ad.* 히브리 사람[말]식으로
He·bra·i·cize [hibréiəsàiz] *vi., vt.* =HEBRAIZE
He·bra·ism [hí:breiìzm, -bri- | -brei-] *n.* ⓊⒸ **1** 히브리 어 특유의 표현, 히브리 어법 **2** 히브리 정신 [문화, 사상], 헤브라이즘 **3** 유대교
He·bra·ist [hí:breiist, -bri- | -brei-] *n.* **1** 히브리 어[문학] 학자, 히브리 학자 **2** 히브리 정신 신봉자, 히브리주의자
He·bra·is·tic [hì:breiístik, -bri- | -brei-] *a.* 히브리 학자의; 히브리 어의; 히브리주의의, 히브리적인, 히브리풍의 **-ti·cal·ly** *ad.*
He·bra·ize [hí:breiàiz, -bri- | -brei-] *vt.* 히브리 어로 번역하다; 히브리(어)풍으로 하다 **—***vi.* 히브리풍으로 되다; 히브리 어로 말하다
Hè·bra·i·zá·tion *n.*
He·brew** [hí:bru:] [Gk 「(강) 건너 온 사람」의 뜻에서] *n.* **1** 히브리 사람; 유대인(Jew); 이스라엘 사람 **2** Ⓤ 고대 히브리 어(Biblical Hebrew); 현대 히브리 어(Modern Hebrew) **3** Ⓤ 《구어》 알아들을 수 없는 말: It's ~ to me. 무슨 말인지 전혀 알아들을 수 없다.(cf. GREEK) **4** 〖성서〗 히브리서 ***the Epistle to the ~s 〖성서〗 히브리서 ***the ~ Bible*** 히브리 성서 《구약 성서》
—*a.* 히브리 인의; 히브리 어의; 히브리 문화의; 히브리 문자의 ▷ Hebráic *a.*; Hébraize *v.*
Hébrew cálendar [the ~] =JEWISH CALENDAR
He·brews [hí:bru:z] *n. pl.* [the ~; 단수 취급] 《신약 성서의》 히브리서
Hébrew Scríptures [the ~] = OLD TESTAMENT
He·brew·wise [hí:bru:wàiz] *ad.* 히브리 어식으로, 히브리식 글 쓰는 식으로 《오른쪽에서 왼쪽으로》
Heb·ri·des [hébrədì:z] *n. pl.* [the ~] 헤브리디스 제도 《스코틀랜드 서쪽 열도(列島)》 **Heb·ri·de·an** [hèbrədí:ən], **He·brid·i·an** [hebrídiən] *a.*
He·bron [hí:brən] *n.* 헤브론 《팔레스타인 자치구인 요르단 강 서안의 도시; 유대교와 이슬람교의 성지》
Hec·a·te [hékəti] *n.* **1** 〖그리스신화〗 헤카테 《천상과 지상 및 지하계를 다스리는 여신》 **2** 마녀(witch) ★ Shakespeare 극에서는 보통 [hékət]로 발음.
hec·a·tomb [hékətòum, -tù:m] *n.* **1** 〖고대 그리스·로마〗 황소 100마리의 희생[제물] **2** (인간·동물의) 수많은 희생, 대학살(great slaughter) **3** 다수, 다량
heck[1] [hék] *n.* **1** 《스코·북잉글》 (민물고기의 통로를 막는) 어량(魚梁), 통발 **2** 《스코》 (가축의) 꼴을 얹는 시렁 **3** (배수로의) 수문 **4** (베틀의) 바디집 ***live at ~ and manger*** ⇨ manger
heck[2] [hell의 완곡어] 《구어》 *n.* 지옥
a ~ of a ... 《구어》 대단한, 엄청난, 터무니없는: I had *a ~ of a* time. 호되게 혼났다. ***for the ~ of it*** 《익살》 이렇다 할 이유도 없이; 농담으로 ***What the ~?*** 《미·구어》 뭐라고?, 지금 무슨 소리를 하고 있는 거냐?, 그게 어쨌다는 거냐?
—*int.* 제기랄, 빌어먹을
heck·el·phone [hékəlfòun] *n.* 〖음악〗 헤켈폰 《오보에보다 1옥타브가 낮은 악기》
heck·le [hékl] *vt.* **1** 〈변사, 특히 선거 입후보자를〉 야유해대다, 질문으로 몰아붙이다, 힐문하다; 방해하다 **2** 〈삼·아마 등을〉 삼빗으로 훑다 **—***n.* 삼빗(hackle)
héck·ler *n.*
hect- [hekt], **hecto-** [héktou, -tə] 《연결형》 「100…; 다수의」의 뜻 《모음 앞에서는 hect-》
hec·tare [héktɛər, -tɑ:r] *n.* 헥타르 《면적 단위; 100아르, 1만 평방미터; 略 ha》
hec·tic [héktik] [F 「습관적인, 소모적인」의 뜻에서] *a.* **1** 소모열(消耗熱)의, 〈열이〉 소모성의; 소모열에 걸린; 폐결핵의[에 걸린](consumptive); 병적으로 붉어진: ~ fever (폐결핵 환자 등의) 소모열 / ~ flush 소모열 홍조 《소모열에 동반하는 뺨에 나타나는 홍조》 **2** 《구어》 〈사람이〉 몹시 흥분[동요]한, 열광적인(feverish); 몹시 바쁜
—*n.* **1** Ⓤ 소모열; 소모열 홍조(flush) **2** 소모열[폐결핵] 환자 **héc·ti·cal·ly** *ad.*
hec·to·cot·y·lus [hèktəkɑ́tələs | -kɔ́t-] *n.* (*pl.* **-y·li** [-əlài]) 〖동물〗 (오징어·문어 수컷의) 교접완(交接腕), 생식완
hec·to·gram | -gramme [héktəgræ̀m] *n.* 헥토그램 《100그램; 略 hg》
hec·to·graph [héktəgræ̀f, -grɑ̀:f | -grɑ̀:f, -græ̀f] *n.* 젤라틴판(版) 복사법; 젤라틴판 복사기
—*vt.* 젤라틴판으로 복사하다
hec·to·li·ter | -tre [héktəlì:tər] *n.* 헥토리터 《100리터; 略 hl》
hec·to·me·ter | -tre [héktəmì:tər] *n.* 헥토미터 《100미터; 略 hm》
hec·to·pas·cal [héktəpæskæ̀l] *n.* 〖물리〗 헥토파스칼 《100 pascal; 1밀리바에 해당; 略 hPa》
hec·tor [héktər] [옛날 연극에서 헥토르(Hector)가 허세를 부리는 인물로 묘사된 데에서] *n.* **1** [**H~**] 〖그리스신화〗 헥터 《Homer의 시 *Iliad*에 나오는 트로이 전쟁의 용사》 **2** 호통치는 사람, 허세부리는 사람
—*vt., vi.* 호통을 치다, 괴롭히다(bully); 허세부리다 《*over*》
Hec·u·ba [hékjubə] *n.* 〖그리스신화〗 헤카베 《Troy 왕 Priam의 아내》
***he'd** [hí:d; 《약하게》 i:d] he had[would]의 단축형
Hed·da [hédə] *n.* 여자 이름
hed·dles [hédlz] *n.* [보통 *pl.*] 잉아 《베틀의》
he·der [héidər] *n.* 유대인 초등학교 《특히 유럽에서 히브리 어·성서·유대교 예배식에 의한 기도를 가르치는》
***hedge** [hédʒ] *n.* **1** 산울타리, 울타리; 울타리 같은 것(⇨ fence 유의어): a dead ~ 마른 나무 울타리 / a quick(set) ~ 산울타리 **2** 경계; 장벽, 장애 《*of*》: a ~ *of* convention 인습의 장벽 **3** (손실·위험 등에 대한) 방지책 《*against*》; (내기에서) 양다리 걸치기; 〖상업〗 연계 매매(連繫賣買), 다른 상거래로 한쪽 손실을 막기: as a ~ *against* inflation 인플레에 대한 방지책으로서 / make a ~ 양다리를 걸치다
be* [*sit*] *on the ~ 형세를 관망하다, 태도를 보류하다 ***be on the right* [*better, safer, wrong*] *side of the ~*** 빠른[더 좋은, 더 안전한, 잘못된] 편에 서 있다 ***come down on the wrong side of the ~*** 판단[결정]을 그르치다, 잘못을 저지르다 ***hang* [*be hung*] *on* [*in*] *the ~*** 뒤로 미루어지다; 무시당하다 ***not grow on every ~*** 흔한 것이 아니다 ***take a sheet off a ~*** 공공연히 훔치다 ***take ~*** 가버리다
—*vt.* **1** …에 산울타리를 치다; 둘러싸다, 에워싸다: ~ a garden 뜰에 산울타리를 두르다 // (~+목+부) ~ *in* the enemy 적을 포위하다 **2** 〈남의 행동을〉 제한하다, 한정하다; 〈남을〉 (규칙·제약으로) 속박하다 (restrict) 《*in, about; with*》: (~+목+전+명) ~ students *in with* rules 학생들을 여러 가지 규칙으로 속박하다 **3** 양쪽에 걸어서 손해를 막다, (투기에서) 연계 매매로 손해를 막다: ~ one's bets 자금을 분산 투자해 위험을 막다
—*vi.* **1** 산울타리를 만들다 **2** (투전·투기에서) 양쪽에 걸다; 연계 매매하다; 〖금융〗 헤지 거래를 하다 **3** 애매한 태도를 취하다, 변명의 여지를 남겨두다, 도피구를 만들어 놓다 **4** 울타리 뒤에 숨다
~ in …을 에워싸다; 칸막이하다; 꼼짝달싹 못하게 하다 ***~ off*** 울타리로 막다 ***~ out*** 울타리를 쳐서 못들어오게 하다, 제외하다 ***~ one's bets*** ⇨ bet
▷ hédgy *a.*
hédge bìll 긴자루 낫 《산울타리 손질용》
hédge fùnd 《미》 〖금융〗 헤지 펀드 《국제 증권 및 외환 시장에 투자해 단기 이익을 올리는 민간 투자 자금》

***hedge·hog** [hédʒhàg, -hɔ̀:g | -hɔ̀g] *n.* **1** 〖동물〗 고슴도치; (미) 호저(豪猪)(porcupine) **2** (구어) 성 잘 내는 심술쟁이 **3** 〖군사〗 견고한 방어 요새; 철조망 **~·gy** *a.* 고슴도치 같은; 괴팍스런, 사귀기 힘든

hedge·hop [-hàp | -hɔ̀p] *vi.* (**~ped**; **~·ping**) (농약 살포·저공 폭격 등을 위해) 초저공 비행을 하다 **~·per** *n.* (영·군대속어) 파일럿, 공군 신병 **~·ping** *a.*

hédge pàrsley 〖식물〗 파슬리 비슷한 미나릿과 식물; 사상자(蛇床子)

hedge-priest [-prì:st] *n.* (경멸) 〖역사〗 무식한 성직자

hedg·er [hédʒər] *n.* (영) **1** 산울타리를 만드는[손질하는] 사람, 울타리 일꾼 **2** (도박·투기 따위에서) 양쪽에 거는 사람; 양다리 걸치는 사람

hedge·row [hédʒròu] *n.* (산울타리의) 죽 늘어선 관목; 산울타리

hédge schòol 야외[노천] 학교; 빈민 학교

hédge spàrrow 〖조류〗 바위종다리의 일종

hedge-trim·mer [-trìmər] *n.* 울타리를 깎는 도구

hedg·ing [hédʒiŋ] *n.* 〖상업〗 연계 매매(連繫賣買)

hedg·y [hédʒi] *a.* (**hedg·i·er**; **-i·est**) 산울타리같이 생긴, 산울타리[울타리]가 많은

he·don·ic [hi:dánik | -dɔ́n-] *a.* **1** 쾌락의, 향락적인 **2** 〖심리〗 쾌락설[주의]의 **-i·cal·ly** *ad.*

hedónic cálculus 〖철학〗 (공리주의 철학의) 쾌락 계산 《행위의 정당성을 쾌락을 가져오느냐의 여부로 결정》

he·don·ics [hi:dániks | -dɔ́n-] *n. pl.* [단수 취급] 〖심리〗 쾌락론; 〖윤리〗 쾌락설

he·don·ism [hí:dənìzm] *n.* Ⓤ 쾌락주의[설]; (생활 태도로서의) 향락주의 **-ist** *n.* 쾌락주의자

he·don·is·tic [hì:dənístik] *a.* 쾌락주의(자)의

-hedral [hí:drəl | héd-, hí:d-] 《연결형》 「…(개)의 변[면]으로 된」의 뜻: poly*hedral*

-hedron [hí:drən | héd-, hí:d-] 《연결형》 [-hedral의 명사 어미] 「…면체(面體)」의 뜻: tetra*hedron*

hee·bie-jee·bies, hee·by- [hí:bidʒí:biz] [미국의 Billy De Beck(1890-1942)이 연재 만화 *Barney Google*에서 만들어 낸 말] *n. pl.* [보통 the ~] (구어) **1** 안절부절못함, 초조해함, 극도의 신경과민; 심한 혐오감 **2** [집합적] (경멸) 유대인

‡heed [hí:d] (문어) *vt., vi.* …에 주의[조심]하다, 유의하다, 마음에 두다: She did not ~ the warning. 그녀는 경고를 무시했다.

— *n.* Ⓤ 주의, 조심, 유의(notice)

give [***pay***] ~ ***to*** …에 주의하다 ***take*** ~ ***of*** …을 주의하다, 조심하다, 중시하다 ***take no*** ~ ***of*** …을 주의하지 않다, 조심하지 않다, …에 귀를 기울이지 않다

~·er *n.* ▷ héedful *a.*

***heed·ful** [hí:dfəl] *a.* 주의 깊은, 조심하는(careful) 《*of*》: be ~ *of* others' needs 남이 필요로 하는 것에 마음쓰다 **~·ly** *ad.* **~·ness** *n.*

***heed·less** [hí:dlis] *a.* 부주의한(careless), 조심성 없는, 무관심한 《*of*》: ~ *of* the danger 위험에 부주의한 **~·ly** *ad.* **~·ness** *n.*

hee-haw [hí:hɔ̀:] *n.* **1** 당나귀 우는 소리 **2** 바보 웃음: make ~ 바보처럼 웃다 — *vi.* **1** 〈당나귀가〉 울다 **2** 바보처럼 웃다

‡heel¹ [hí:l] *n.* **1** (발)뒤꿈치; (말 등의) 뒷발굽; [*pl.*] (동물의) 뒷발(hind foot): hang a hare by the ~*s* 토끼를 거꾸로 매달다 **2** 양말의 뒤축, 신발의 뒤축[굽]; [*pl.*] 하이힐 **3** 뒤꿈치 모양의 것: the ~ of Italy 이탈리아의 동남부 **4** 꽁지, 말단 《*of*》: the ~ *of* a train 열차의 뒷부분 **5** (구어) 비열한 녀석, 배반자 **6** 〖럭비〗 힐 《스크럼 때 공을 뒤꿈치로 차기》 **7** 〖골프〗 (골프채의) 힐

at ~ = ***at*** a person***'s*** ~***s*** …의 바로 뒤를 따라서 ***back on*** one***'s*** ~***s*** 크게 놀라서[당황하여] ***bring ... to*** ~ 뒤따라오게 하다; 복종시키다 ***click*** one***'s*** ~***s*** (경례할 때) 구두의 양 뒤꿈치를 붙여 딱 소리를 내다 ***come*** [***keep***] ***to*** ~ 뒤에서 따르다, (규칙·명령 등에) 충실히 따르다; 복종하다; 《개에게 소리쳐》 따라와 ***cool*** [(영) ***kick***] one***'s*** ~***s*** 오랫동안 기다리다, 기다리게 되다 ***dig*** [***stick***] ***in*** one***'s*** ~***s*** = ***dig*** [***stick***] one***'s*** ~***s in*** (구어) 자신의 입장[의견]을 양보하지 않다 ***down at*** (***the***) ~ = ***down at the*** ~***s*** 〈구두가〉 뒤축이 닳아; 뒤축이 닳은 신을 신고; 허술한[초라한] 차림새로 ***drag*** one***'s*** ~***s*** 발을 질질 끌며 걷다; 일부러 꾸물거리다 ***have*** [***get***] ***the*** ~***s of*** …을 따라가 앞서다; …에게 이기다 ~ ***and toe*** 보통으로 걸어서 ~***s foremost*** (구어) 시체가 되어, 죽어서 ***kick up*** a person***'s*** ~***s*** (일한 뒤에) 들떠 날뛰다, 자유를 즐기다; (속어) 죽다 ***kick up*** one***'s*** ~***s*** …을 밀어 넘어뜨리나, 해시우다 ***lay*** [***clap, cot***] a person ***by the*** ~***s*** (1) …을 (붙)잡아서 투옥하다 (2) …에 이기다, …을 쳐부수다; …을 무력하게 하다 ***lay in*** a tree ***by the*** ~***s*** 〖원예〗 가식(假植)하다 ***make a*** ~ (발로) 차다 ***on*** [***upon***] ***the*** ~***s of*** a person = ***on*** a person***'s*** ~***s*** …바로 뒤를 따라서, …에 이어 ***out at*** (***the***) ~***s*** 신발 뒤축이 닳아서; 초라한 ***over head and*** ~***s*** in love (사랑에) 깊이 빠져서 ***raise*** [***lift***] ***the*** ~ ***against*** …을 차다 ***set*** [***knock***] a person (***back***) ***on his*** [***her***] ~***s*** …을 당황케 하다, 놀라게 하다 ***show*** one***'s*** ~***s*** = ***show a clean pair of*** ~***s*** = ***take to*** one***'s*** ~***s*** (부리나케) 달아나다, 도망가다, 줄행랑치다, 〈경쟁자를〉 앞서다, 따돌리다 ***throw up the*** ~***s of*** …을 곤두박이치게 하다 ***to*** ~ 〈개가〉 바로 뒤를 따라; 지배되어, 정복되어 ***tread on*** a person***'s*** ~***s*** = ***tread on the*** ~***s of*** …의 바로 뒤에서 따라가다 ***trip up*** a person***'s*** ~***s*** …의 발을 걸어 넘어뜨리다 ***turn*** [***spin, swing***] ***on*** one***'s*** ~(***s***) 홱 뒤돌아서다, 갑자기 떠나다 ***turn up*** one***'s*** ~***s*** 죽다 ***under*** ~ …에게 지배당하여, 굴복하여, 정복되어 ***under the*** ~ ***of*** a person = ***under*** a person***'s*** ~ …에게 짓밟혀, 유린되어 ***with*** one***'s*** [***the***] ~***s foremost*** ⇨ HEELS foremost ***with the devil at*** one***'s*** ~***s*** 전속력으로

— *vt.* **1** …의 바로 뒤에서 따라가다 **2** 〈신 등에〉 뒤축을 대다; 〈싸움닭에〉 쇠발톱을 달다 **3** 〈춤을〉 뒤꿈치로 추다 **4** 〖럭비〗 (스크럼 때에) 뒤꿈치로 〈공을〉 뒤로 밀어내다 《*out*》 **5** (미·구어) 무장하다, …에게 무기[군자금]를 공급하다

— *vi.* **1** 〈개가〉 따라오다: *H*~*!* (개에게) 따라와! **2** 뒤꿈치로 춤추다 ~ ***in*** 〖원예〗 가식(假植)하다

~·less *a.*

heel² [OE 「경사지다」의 뜻에서] *vi.* 〈배가〉 기울다, 기울어지다 《*over*》 — *vt.* 〈배를〉 기울이다

— *n.* (배의) 경사, 기울기; 경사도

heel-and-toe [hí:ləndtóu] *a.* 뒷발의 발끝이 땅에서 떨어지기 전에 앞발의 뒤꿈치가 땅에 붙는 걸음걸이의, 경보(競步)식으로 걷는: ~ walking[racing] 경보(race walking)

— *vi.* (자동차 경주 등에서) 힐 앤드 토로 운전하다 《브레이크는 발끝으로 밟고 같은 발의 뒤꿈치로는 가속 페달을 조작하다》

heel·ball [hí:lbɔ̀:l] *n.* **1** 뒤꿈치의 아랫부분 **2** 검은 구두약의 일종

héel bàr (영) (백화점의) 구두 수선 코너

héel bòne = CALCANEUS

héel brèast 힐 브레스트 《구두 뒤축의 턱》

heeled [hí:ld] *a.* [종종 복합어를 이루어] **1** 뒷굽이 있는, 뒷굽이 …인; 〈싸움닭이〉 쇠발톱을 단: high-~ shoes 하이힐 구두 **2** 돈이 있는, 유복한 **3** (속어) (권총 따위로) 무장한 **4** (속어) 술 취한; (미·속어) 마약을 갖고 있는

heel·er [hí:lər] *n.* **1** 뒤축을 대는 직공 **2** 가축[동물]을 추적하는 개; (호주·뉴질) 목양견 **3** (미·속어) 젊은 기자, 수습 기자 **4** (미) (정치꾼의) 부하, 추종자

thesaurus **heed** *v.* regard, see, pay attention to, notice, be aware, attend to, take notice of **heedful** *a.* careful, observant, attentive, discreet, conscientious, mindful, prudent

héel flỳ = CATTLE GRUB
heel·ing [híːliŋ] *n.* Ⓤ (배의) 기울, 경사
heel·piece [híːlpìːs] *n.* **1** (신발의) 뒤축 가죽, 굽창 **2** 말단(에 붙어 있는 것), 마지막 한 조각
heel·plate [-plèit] *n.* 신 뒤축의 쇠[징]
heel·post [-pòust] *n.* **1** 경첩이 달린 기둥 **2** 마구간의 칸막이 문 **3** 말을 매어두는 기둥
heel·tap [-tæ̀p] *n.* **1** 신발 뒤축의 가죽 **2** (유리잔에 남은) 마시다 만 것; 술병 바닥에 남은 술 ***No ~s!*** 한 방울도 남기지 말고 마셔라!
Heel·y [híːli] *n.* (*pl.* **~s**) (영) 힐리 운동화 《바퀴 달린 신발(skate shoe); 상표명》
heft [héft] *n.* Ⓤ **1** 무게, 중량 **2** (미·구어) 중요성; 세력, 영향력 **3** [the ~] (고어) 대부분; 주요부, 요점 **—** *vt.* 들어서 무게를 대중하다, 손으로 무게를 달다; 들어올리다 **—** *vi.* 무게가 나가다, 무게가 있다(weigh): a box *~ing* 5 pounds 5파운드 무게의 상자
heft·y [héfti] *a.* (**heft·i·er**; **-i·est**) (구어) **1** 무거운(heavy) **2** 크고 튼튼한; 힘이 있는, 강한; 압도적인 **3** 풍부한, 많은: a ~ increase in salary 두둑한 봉급의 인상 **—** *n.* (*pl.* **heft·ies**) (미·속어) 살찐 사람, 뚱뚱보 **héft·i·ly** *ad.* **héft·i·ness** *n.*
He·gel [héigəl] *n.* 헤겔 **G. W. Friedrich ~** (1770-1831) 《독일의 철학자》
He·ge·li·an [heigéiliən, hidʒíː- | heigíː-, higéi-] *a.*, *n.* 헤겔 철학의 (신봉자) **~·ism** *n.* Ⓤ 헤겔 철학
Hegélian dialéctic 〖철학〗 헤겔 변증법
heg·e·mon [hédʒəmàn | -mɔ̀n] *n.* 주도권[헤게모니]을 장악하고 있는 사람[국가], 패권국
heg·e·mon·ic, -i·cal [hèdʒəmánik(əl) | hìːgi-mɔ́n-] *a.* 지배하는, 패권을 장악한
he·gem·o·ny [hidʒéməni, hédʒəmòu- | higémə-] [Gk 「지도자」의 뜻에서] *n.* ⓊⒸ 헤게모니, (특히 한 나라의 연맹 제국에 대한) 지배권, 맹주권(盟主權), 주도권, 패권 **-nìsm** *n.* Ⓤ 패권주의 **-nist** *n.*, *a.*
He·gi·ra [hidʒáirə, hédʒərə | hédʒirə] [Arab. 「출발」의 뜻에서] *n.* **1** 〖이슬람교〗 [the ~] **a** 헤지라 《마호메트의 Mecca에서 Medina로의 이동; 서기 622년》 **b** 헤지라[이슬람] 기원 《위의 사건이 일어난 해부터 시작》 **2** [**h~**] 도피(행), 《특히》 대량 이주
Hegíra cálendar 이슬람력(曆)
he-goat [híːgóut] *n.* 숫염소(opp. *she-goat*)
he·gu·men [higjúːmən], **he·gu·me·nos** [-mənɑ̀s | -nɔ̀s] *n.* 〖그리스정교〗 수도원장
heh [éi, é | éi] *int.* 쳇, 허허, 엣 《경멸·가소로움·놀람·반문 등의 소리》
H.E.H. His[Her] Exalted Highness
he-he [híːhíː] *int.* = HE[2]
HEIB [híːb] (미) home economists in business 《기업 내의 가정(家政)과 출신의 전문직; 대개는 소비자 문제 담당의 여성》
Hei·deg·ger [háidegər] *n.* 하이데거 **Martin ~** (1889-1976) 《독일의 철학자》
Hei·del·berg [háidlbə̀ːrg] *n.* 하이델베르크 《독일 서남부의 도시; 대학과 고성(古城)으로 유명함》
Héidelberg jáw 하이델베르크인의 하악골 《하이델베르크 근교에서 1907년에 발견됨》
Héidelberg màn 〖인류〗 하이델베르크인 《Heidelberg jaw로 재구성한 원시인》
heif·er [héfər] *n.* **1** (3세 미만의 아직 새끼를 안 낳은) 암소 **2** (속어·경멸) 젊은 여자
heigh [héi, hái | héi] [의성어] *int.* 아, 여, 헤이 《주의·질문·격려·환희·놀람 등의 소리》
heigh-ho [héihóu, hái- | héi-] *int.* 아, 어, 아이고 《놀람·피로·권태·낙담 등의 소리》
⁑**height** [háit] *n.* **1** ⓊⒸ 높음 **2** ⓊⒸ 높이; 고도, 해발, 표고(標高)(altitude); 신장, 키: the ~ above (the) sea level 해발 / gain (in) ~ 고도를 높이다 / lose ~ 고도를 낮추다 / What is your ~? = What ~ are you? 신장이 얼마입니까?

> 유의어 **height** 정도에 관계없이 「높이」의 뜻을 나타내는 가장 일반적인 말: a wall two meters in *height* 높이 2미터의 담 **altitude** 보통 지표(地表)·해상에서 계측한 상당한 높이: fly at an *altitude* of 10,000 meters 고도 만 미터로 날다 **elevation** 특히 지상에 있어서의 해발: a hill's *elevation* 언덕의 해발

3 [종종 *pl.*; 단수 취급] 높은 곳, 고지, 언덕; 최고부, 정점, 정상; (비유) 명성, 권력: reach the *~s* in one's profession 자기의 분야에서 정상에 오르다 **4** [the ~] 절정, 극치, 극도; 한창(때): *the* ~ of folly 더할 나위 없는 어리석음, 어리석기 짝이 없음 / *the* ~ of pleasure 기쁨의 극치 / in *the* ~ of summer 한여름에 **5** [*pl.*] 상공(上空), 〖성서〗 하늘: Praise Him in the *~s.* 하늘의 여호와를 찬양할지어다. ***at a ~ of*** 5,000 meters (5천미터)의 고도에서 ★ 구체적인 「높이」는 부정관사, 비유적인 경우에는 정관사가 보통임. ***at the ~ of*** …의 절정에, …이 한창일 때에 ***in ~*** 높이[키]는: He is six feet *in ~*. 그는 키가 6피트이다. ***in the ~ of fashion*** 한창 유행 중인 ▷ hígh *a.*; héighten *v.*
∗**height·en** [háitn] *vt.* **1** 높게 하다, 높이다; 고상하게 하다(opp. *lower*) **2** 〈가치 따위를〉 증가시키다, 늘리다; 〈색·흥미·효과를〉 강화하다; 〈이해·인식을〉 깊게 하다: ~ a color 색을 밝게 하다[강화하다] **3** (묘사 등에서) …을 (…로) 두드러지게 하다[강조하다] (*with*); 〈이야기·묘사를〉 과장하다: ~ a description 묘사를 과장하다
— *vi.* **1** 높아지다 **2** 증가하다; 강화되다: The tension *~ed.* 긴박감이 더해졌다. **~·er** *n.*
height·ism [háitizm] *n.* 키 작은 사람에 대한 멸시[차별]; (여성이) 키 큰 남자를 선호하는 일[태도]
héight of lánd (미·캐나다) 분수계(分水界)(divide)
height-to-pa·per [-təpéipər] *n.* 〖인쇄〗 활자의 표준 높이
heil [háil] [G] *int.* 만세, 안녕 《인사말》 **—** *vt.*, *vi.* (…에) Heil! 하고 인사하다
Hei·long·jiang [héilɔ́ːŋdʒjɑ́ːŋ], **Hei·lung·kiang** [héilúŋgjɑ́ːŋ] *n.* **1** [the ~] 헤이룽장(黑龍江)(Amur) **2** 헤이룽장성(省) 《중국 동북부의 성》
Heim·dall [héimdɑːl], **Heim·dallr** [héimdələr] *n.* 〖북유럽신화〗 헤임달 《빛의 신; 신의 도시 아스가르드(Asgard)의 파수꾼》
heim·ish [héimiʃ] *a.* (미·속어) 아늑한, 마음 편한, 친근한, 가정적인
Héim·lich manèuver [háimlik-] 하임리크 구명법 《목에 이물질이 걸린 사람을 뒤에서 안고 흉골 밑을 세게 밀어올려 토하게 하는 방법》
Hei·ne [háinə] *n.* 하이네 **Heinrich ~** (1797-1856) 《독일의 시인·비평가》
Hein·e·ken [háinəkin] *n.* 하이네켄 《네덜란드의 라거비어; 상표명》
hei·nie[1] [háini] *n.* [때로 **H~**] (경멸) 독일인
heinie[2] *n.* (속어) 엉덩이(buttocks)
hei·nous [héinəs] *a.* 가증스러운, 극악[흉악]한, 괘씸한: a ~ crime 가증스러운 범죄 **~·ly** *ad.* **~·ness** *n.*
⁑**heir** [ɛ́ər] *n.* (*fem.* **~·ess** [ɛ́əris]) **1** 〖법〗 상속인, 법정 상속인; 후사(後嗣) (*to*): an ~ *to* property[an estate] 유산[재산] 상속인 **2** 후계자, 계승자, 전승자 (*of*, *to*): an ~ *to* the throne 왕위 계승자 ***fall ~ to*** …의 상속인이 되다, …을 상속[계승]받다 ***~ by custom*** 관습상의 상속인 ***~ of the body*** 직계 상속인 **—** *vt.* (방언) 상속하다(inherit)
héir appárent (*pl.* **heirs apparent**) 〖법〗 법정

---

heighten *v.* **1** 높이다 raise, lift, elevate, exalt, enhance, magnify **2** 증가시키다 augment, intensify, boost, strengthen, amplify
heir *n.* beneficiary, legatee, inheritor, successor

추정 상속인 《略 heir app.》
héir at láw (*pl.* **heirs at law**) 〖법〗 법정 상속인
heir·dom [ɛ́ərdəm] *n.* = HEIRSHIP
***heir·ess** [ɛ́əris] *n.* 여자 상속인[후계자], 《특히》 상당한 재산을 상속한[상속할 예정인] 여성
héir in táil 〖법〗 한사(限嗣) 상속인
heir·less [ɛ́ərlis] *a.* 상속인이 없는
heir·loom [ɛ́ərlù:m] *n.* **1** 〖법〗 (부동산과 함께 상속되는) 법정 상속 동산 **2** 조상 대대의 가재(家財), 가보, 세습 재산
héir mále 〖법〗 남계(男系) 상속인
héir presúmptive (*pl.* **heirs presumptive**) 〖법〗 추정 상속인
heir·ship [ɛ́ərʃip] *n.* Ⓤ 상속(권); 상속인의 지위
Hei·sen·berg [háizənbə̀:rg] *n.* 하이젠베르크 **Werner Karl** ~ (1901-76) 《독일의 이론 물리학자; 양자 역학의 창시자》
Héisenberg uncértainty prìnciple 〖물리〗 = UNCERTAINTY PRINCIPLE
heist [háist] (미·속어) *n.* **1** 강도, 노상 강도, 은행 강도, 절도 **2** 도둑질한 물건, 장물
— *vt.* 강도질하다, 강탈하다; 훔치다
heist·er [háistər] *n.* (미·속어) **1** 강도, 노상 강도, 도둑 **2** 술꾼, 대주가
hei·ti·ki [héití:ki] *n.* (뉴질) 헤이티키 《마오리 족의 전통적인 목걸이로 녹석(綠石)을 사람 모양으로 만든 것》
He·ji·ra [hidʒáirə, hédʒərə | hédʒirə] *n.* = HEGIRA
Hek·a·te [hékəti] *n.* = HECATE
Hel [hél], **He·la** [hélɑ:] *n.* **1** 〖북유럽신화〗 헬 《죽음의 나라의 여신》 **2** 저승, 사후(死後)의 세계
HEL 〖군사〗 high energy laser 고출력 레이저
Hé·La[**hé·la**] **cèll** [hélə-] 〖의학〗 헬라 세포 《자궁 경부암 종양에서 뜯어낸 친암(親癌) 세포》
‡**held** [héld] *v.* HOLD의 과거·과거분사
hel·den·ten·or [héldəntènər, -teinɔ̀:r] [G] *n.* (*pl.* **~s, -te·nö·re** [-teinɔ́:rə]) 〖음악〗 헬덴테노르 《화려함과 양감을 지닌 오페라, 특히 바그너 가극의 영웅 역할에 어울리는 테너 가수》
Hel·en [hélən | -in] [Gk 「횃불」의 뜻에서] *n.* **1** 여자 이름 **2** 〖그리스신화〗 헬렌 《Sparta 왕의 아내로 절세 미녀; Troy 왕자 Paris에게 잡혀가 Troy 전쟁이 일어났음》
Hel·e·na [hélənə] *n.* **1** 로마 황제 콘스탄티누스 I 세의 어머니 **2** 여자 이름 《Helen의 별칭》 **3** 미국 Montana주의 주도(州都)
heli-[1] [hí:li], **helio-** [hí:liou, -liə] 《연결형》 「태양」의 뜻 《모음 앞에서는 heli-》
heli-[2] [héli, hí:li | héli] 《연결형》 「헬리콥터(helicopter)」의 뜻
he·li·a·cal [hiláiəkəl] *a.* 〖천문〗 태양의(solar), 태양에 가까운, 태양 근처에서 일어나는, 〈별이〉 태양과 같은 무렵에 출몰하는: the ~ cycle 태양 순환기
hel·i·am·bu·lance [héliæ̀mbjuləns] *n.* 구급용 헬리콥터
he·li·an·thus [hì:liǽnθəs] *n.* 〖식물〗 해바라기(속(屬)의 식물)
hel·i·borne [hélәbɔ̀:rn] *a.* 헬리콥터 수송의[에 의한] (cf. AIRBORNE): ~ troops 헬리콥터로 수송되는 부대
hel·i·bus [hélәbʌ̀s] *n.* = HELICAB
helic- [hélik, hí:l- | hél-], **helico-** [hélәkou, -kə] 《연결형》 「나선형」의 뜻 《모음 앞에서는 helic-》
hel·i·cab [hélәkæ̀b] *n.* 헬리캡 《헬리콥터 택시》
hel·i·cal [hélikəl, hí:l- | hél-] *a.* 나선의, 나선형의 (spiral) **~·ly** *ad.* 나선형으로
hélical géar 원통 위에 톱니가 나선형인 톱니바퀴
he·liced [hí:list, hél- | hél-] *a.* 나선형으로 꾸며진
hel·i·ces [hélәsì:z] *n.* HELIX의 복수
he·lic·i·ty [helísəti, hi- | he-] *n.* 〖물리〗 헬리시티 《소립자의 운동 방향의 스핀 성분의 값》
hel·i·cline [hélәklàin] *n.* 나선 모양의[구불구불한] 비탈길
hel·i·co·graph [hélәkougræ̀f | -grɑ̀:f] *n.* 헬리코그래프 《나선을 그리기 위한 기구》
hel·i·coid [hélәkɔ̀id, hí:l- | hél-] *a.* 나선형의
— *n.* 〖기하〗 나선체, 나선 곡면
Hel·i·con [hélәkɑ̀n, -kən | -kən] *n.* **1** 〖그리스신화〗 헬리콘 산(山) 《Apollo 및 Muses가 살던 곳이라고 전하여짐》 **2** 시상(詩想)의 원천, 시적 영감 **3** [**h~**] 〖음악〗 저음(低音) 튜바 《어깨에 걸고 연주》
Hel·i·co·ni·an [hèlәkóuniən] *a.* 헬리콘 산의: the ~ maids = the (nine) MUSES
hel·i·copt [hélikɑ̀pt, hí:l- | hélikɔ̀pt] *vt., vi.* = HELICOPTER
‡**he·li·cop·ter** [hélikɑ̀ptər, hí:li- | hélikɔ̀p-] [Gk 「나선형 날개」의 뜻에서] *n.* 헬리콥터
— *vi., vt.* 헬리콥터로 가다, 헬리콥터로 운반하다
hélicopter gùnship 〖군사〗 공격[중무장] 헬리콥터 《지상 공격용》
hélicopter vìew 〖경영〗 헬리콥터 뷰 《문제를 위에서 내려다 보듯 전체적으로 조망하는 관점》
hel·i·deck [hélidèk] *n.* 〖항공〗 헬리콥터 발착 덱
hel·i·drome [hélidrὸum, hí:l- | hél-] *n.* 헬리콥터 발착장(發着場)
hel·i·home [hélәhòum] *n.* 헬리홈 《헬리콥터와 motor home을 결합시킨 것》
hel·i·hop [hélәhɑ̀p | -hɔ̀p] *vi.* (단거리를) 헬리콥터로 이동[비행]하다
hel·i·lift [hélәlìft] *vt.* 〈군대를〉 (긴급시에) 헬리콥터로 수송하다 — *n.* 헬리콥터 수송
he·li·o [hí:liòu] *n.* (*pl.* **~s**) (구어) = HELIOGRAM; HELIOGRAPH
he·li·o·cen·tric [hì:liouséntrik] *a.* 〖천문〗 **1** 태양의 중심에서 측정한[본] **2** 태양을 중심으로 하는(opp. *geocentric*): the ~ theory (코페르니쿠스의) 태양 중심설 **-tri·cìsm** [-trisìzm] *n.* Ⓤ 태양 중심설
he·li·o·chrome [hí:liəkròum] *n.* 천연색 사진
hè·li·o·chró·mic *a.* 천연색 사진의
he·li·o·chro·my [hí:liəkròumi] *n.* Ⓤ 천연색 사진술
he·li·o·dor [hí:liədɔ̀:r] *n.* 헬리오도르 《보석으로 쓰이는 밝은 황색의 녹주석(綠柱石)(beryl)의 일종》
he·li·o·gram [hí:liəgræ̀m] *n.* 일광 반사 신호[통신]
he·li·o·graph [hí:liəgræ̀f, -grɑ̀:f | -grɑ̀:f, -græ̀f] *n.* **1** 일광 반사 신호기, 회광(回光) 통신기 **2** 〖천문〗 태양 촬영기 **3** 〖기상〗 일조계(日照計) **4** 〖사진〗〖인쇄〗 초기의 사진 제판법 — *vt., vi.* (…에) 일광 반사 신호기로 통신하다
he·li·og·ra·pher [hì:liɑ́grəfər | -ɔ́g-] *n.* heliograph를 사용하는 사람
he·li·o·graph·ic [hì:liəgrǽfik] *a.* **1** heliograph [heliography]의 **2** 태양의(solar) **-i·cal·ly** *ad.*
he·li·og·ra·phy [hì:liɑ́grəfi | -ɔ́g-] *n.* Ⓤ **1** 〖천문〗 태양 촬영(술) **2** 사진 제판법 **3** 회광 신호[통신]법 **-pher** *n.*
he·li·o·gra·vure [hì:liougrəvjúər] *n.* Ⓤ 그라비어 인쇄, 사진 요판(凹版)(술)
he·li·ol·a·try [hì:liɑ́lətri | -ɔ́l-] *n.* 태양 숭배
he·li·o·lith·ic [hì:liəlíθik] *a.* 〈문명 따위가〉 태양 숭배와 거석(巨石)을 특징으로 하는
he·li·ol·o·gy [hì:liɑ́lədʒi | -ɔ́l-] *n.* Ⓤ 태양학, 태양 연구
he·li·om·e·ter [hì:liɑ́mətər | -ɔ́m-] *n.* 〖천문〗 태양의(太陽儀) **-try** *n.* Ⓤ 태양의에 의한 측정
he·li·o·pause [hí:liəpɔ̀:z] *n.* 〖천문〗 태양권의 경계
he·li·o·phyte [hí:liəfàit] *n.* 〖식물〗 양지 식물, 양생(陽生) 식물
He·li·op·o·lis [hì:liɑ́pəlis | -ɔ́p-] *n.* 헬리오폴리스 《이집트 북부, Nile 강의 삼각주에 있었던 고대 도시; 태양신 Ra 신앙의 중심지》
He·li·os [hí:liɑ̀s | -ɔ̀s] *n.* 〖그리스신화〗 헬리오스 《태양의 신》; [**h~**] 〖물리〗 광도(光度)
he·li·o·scope [hí:liəskòup] *n.* 〖천문〗 태양 관측 망원경 **hè·li·o·scóp·ic** *a.* **he·li·os·co·py** [hì:liɑ́s-

kəpi | -ɔ́s-] *n.*
he·li·o·sis [hìːlióusəs] *n.* (*pl.* **-ses** [-siːz]) ⓊⒸ 일사병
he·li·o·sphere [híːliəsfìər] *n.* 〖천문〗 태양권(圈) 《태양풍의 영향이 미치는 태양 주변부》
he·li·o·stat [híːliəstæ̀t] *n.* 일광 반사 장치
he·li·o·tax·is [hìːlioutǽksis] *n.* 〖생물〗 주일성(走日性), 일광주성(日光走性) 《생물이 햇빛을 향하든가, 또는 멀어지는 성질》 **-tác·tic** *a.*
he·li·o·ther·a·py [hìːliouθérəpi] *n.* Ⓤ 일광욕 요법
he·li·o·trope [híːliətròup, hél-] *n.* **1** 〖식물〗 헬리오트로프 **2** Ⓤ 엷은 자줏빛; 헬리오트로프의 향기; 그 향수 **3** 회광기(回光器), 일광 반사기[신호 장치] **4** Ⓤ 〖광물〗 혈석(血石) 《석영의 일종》
he·li·o·trop·ic [hìːliətrάpik, -tróu- | -trɔ́p-] *a.* 굴광성(屈光性)의, 굴일성(屈日性)의, 해굽성의
he·li·ot·ro·pism [hìːliάtrəpìzm, hìːliətróupizm | hìːliɔ́trəpìzm] *n.* Ⓤ 〖식물〗 굴광성, 굴일성: positive[negative] ~ 굴광성[배일성]
he·li·o·type [híːliətàip] *n.* 헬리오타이프 판(版) 《사진 제판의 일종》 **—** *vt.* 헬리오타이프 판으로 하다
he·li·o·typ·y [híːliətàipi] *n.* 사진 조각판법
he·li·o·zo·an [hìːliəzóuən] *n.* 태양충(太陽蟲) 《태양충속(屬) 원생 동물의 총칭》 **—** *a.* 태양충의, 태양충에 속하는
hel·i·pad [héləpæ̀d] *n.* = HELIPORT
hel·i·port [héləpɔ̀ːrt] [*heli*copter+air*port*] *n.* 헬리포트, 헬리콥터 발착장
hel·i·ski·ing [héləskìːiŋ] *n.* 헬리콥터 스키 《헬리콥터로 높은 산에 올라가서 함》
hel·i·spot [héləspὰt | -spɔ̀t] *n.* (임시) 헬리콥터 착륙장
hel·i·stop [héləstὰp | -stɔ̀p] *n.* 헬리콥터 착륙장[지점]
⁎**he·li·um** [híːliəm] *n.* Ⓤ 〖화학〗 헬륨 《희(稀)기체 원소: 기호 He, 번호 2》
hélium hèad (미·속어) 바보, 얼간이
hélium shàkes 〖의학〗 고압성 신경 장애[증후군]
hélium spèech 새되고 일그러진 목소리; 도널드 덕 목소리
he·lix [híːliks] *n.* (*pl.* **hel·i·ces** [héləsìːz], **~·es**) **1** 나선(螺旋) **2** 나선형의 것 《코르크 뽑개·시계 태엽 등》 **3** 〖해부〗 귓바퀴; 〖동물〗 달팽이속(屬); 〖건축〗 (기둥 꼭대기의) 나선형 장식
⁑**hell** [hél] [OE 「저승」의 뜻에서] *n.* **1** Ⓤ 지옥(opp. *heaven*), 나락: the torture of ~ 지옥의 괴로움 **2** 지옥과 같은 장소[상황], 생지옥, 아수라장; 대혼란; 마굴, 도박 소굴: make one's life a ~ 생지옥 같은 생활을 하다 / All ~ broke loose. 온통 야단법석이었다. **3** Ⓤ 사후 세계(Hades), 명부(冥府), 황천 **4** 악마, 악귀, 악령, 어둠의 힘 **5** Ⓤ [감탄사적] (속어) 제기랄, 이런; 도대체, 대관절《노여움 등의 표현》: (Oh,) *H~!* 제기랄, 빌어먹을! / Bloody ~! (영) 염병할! / What the[in (the)] ~ have I done with my key? 도대체 열쇠를 어떻게 했지? **6** [The ~; 문두에서 부사적으로] (속어) 절대로 …않다: "They know what they are doing." — "*The* ~ they do." 그 녀석들은 알면서 그러고 있는 거야. — 설마 그럴라고.
a ~ of a (구어) 굉장한, 지독한《소란 등》; 굉장히 좋은: *a* ~ *of a* noise 굉장한 소란 / *a* ~ *of a* nice guy 매우 멋진 청년 ***a ~ of a lot*** (구어) 매우, 대단히, 엄청나게 ***all*** (***gone***) ***to ~*** (구어) 〈계획 등이〉 차질이 나서 ***as*** (***all***) ***~*** (구어) 매우 지독하게: guilty *as* ~ 크게 죄지은 ***beat***[***kick***] (***the***) ***~ out of*** = ***knock ~ out of*** (속어) …을 실컷 때려 눕히다, 간담을 서늘하게 하다 ***be ~ on*** (구어) (1) …에게 몹시 괴롭다 (2) 괴롭히다, 엄하게 대하다 (3) (건강 등에) 해롭다: These country roads *are* ~ *on* tires. 이 시골길은 자동차 타이어에 안 좋다. ***between ~ and high water*** (구어) 매우 어려운 처지에 빠져 ***by ~*** 절대(로) ***catch***[***get***] ***~*** (속어) 심한 벌을 받다, 혼이 나다 ***come ~ and***[***or***] ***high water*** (구어) 어떠한 장애가 있더라도 ***from ~*** (속어) 최악의, 최저의 ***get the ~ out of*** (속어) …에서 급히 떠나다; [명령형으로] (…에서) 꺼져라! ***give*** a person ***~*** (구어) 혼내주다, 못 배기게 하다 ***Go to ~!*** 거꾸러져라, 뒈져라! ***~ and gone*** (돌아올 수 없는) 머나먼 곳에, 어찌할 수 없게 되어 ***~ for*** …에 굉장히 열성적인 ***~ for leather*** (구어) 전속력으로; 무턱대고 ***~ of note*** (속어) 이상한[놀라운] 것, 터무니없는 것 ***~ to pay*** (구어) 굉장히 곤란한 일, 후환 ***~ to split*** (미·구어) 지체하지 않고, 단번에 (***just***) ***for the ~ of it*** (구어) 장난 삼아서 ***like ~*** (구어) 맹렬히, 악착스럽게, 지독스럽게; 전혀 …아니다: We ran *like* ~. 우리는 필사적으로 달렸다. ***play*** (***merry***) ***~ with*** (구어) (1) 〈기물을〉 부수다, 못쓰게 만들다 (2) (영) 몹시 화를 내다 ***raise ~*** (구어) 큰 소란을 일으키다; 야단법석을 떨다 ***scare***[***annoy***] ***the ~ out of*** a person (구어) …을 몹시 무서워하게[짜증나게] 하다 ***suffer ~*** 지옥살이 같은 고생을 하다 ***surely to ~*** (구어) 제발[꼭] …이면 좋겠다 ***The ~ you say!*** 설마!, 이것 참 놀랐는데! ***till***[***until, when***] ***~ freezes over*** (속어) 영구히 ***to ~*** (***and gone***) (구어) 엉망이 되어; 아주 못쓰게 되어; 극단적으로 ***To ~ with …!*** …을 타도하라, 집어치워라! ***What***[***Why***] ***the ~ …?*** 도대체 무엇[왜] …?
— *vi.* (속어) 제멋대로 행동하다 《*around*》
⁑**he'll** [híːl; 《약하게》 iːl, hil, il] he will[shall]의 단축형
hel·la·cious [heléiʃəs] *a.* (속어) **1** 뛰어난, 두드러진, 멋진 **2** 무서운; 만만치 않은; 심한: a ~ thunderstorm 무시무시한 뇌우
Hel·las [héləs] *n.* (문어) 헬라스 《그리스의 옛 이름》
hell·ben·der [hélbèndər] *n.* **1** 〖동물〗 도롱뇽의 일종 **2** (구어) 저돌적인 사람; 야단법석
hell·bent [-bènt] *a.* (구어) **1** Ⓟ 열중한, 광분한, 필사적인 《*for*》 **2** Ⓐ 맹렬한 속도로 달리는, 무모한 **—** *ad.* 다짜고짜로, 무모하게
héll bòmb [때로 **H- b-**] 수소 폭탄
hell·box [-bὰks | -bɔ̀ks] *n.* 〖인쇄〗 못 쓰는 활자를 넣는 상자
hell·broth [-brɔ̀ːθ, -brὰθ | -brɔ̀θ] *n.* Ⓤ 지옥[마녀]의 수프 《마술용 조제약》
hell·cat [-kæ̀t] *n.* **1** 말괄량이 **2** 악독한 여자, 심술쟁이 노파; 마녀
hell-div·er [-dàivər] *n.* 〖조류〗 논병아리
hel·le·bore [héləbɔ̀ːr] *n.* **1** 〖식물〗 크리스마스로즈 《미나리아재빗과(科) 식물》 **2 a** 〖식물〗 박새 《백합과(科)》 **b** Ⓤ 그 뿌리의 가루 《살충제》
Hel·len [hélən] *n.* 〖그리스신화〗 헬렌 《Deucalion과 Pyrrha의 아들로 그리스인의 선조》
Hel·lene [héliːn] *n.* (순수한) 그리스 사람
Hel·len·ic [helénik, -líːn-] *a.* (특히 고대의) 그리스 사람[말]의; 고대 그리스사(史)[문화]의 **—** *n.* 그리스 어족
Hel·len·ism [hélənìzm] *n.* ⓊⒸ **1** 그리스 문화[정신, 국민성], 헬레니즘(cf. HEBRAISM) **2** 그리스 어법
Hel·len·ist [hélənist] *n.* **1** 그리스 문명 숭배자[연구자], 그리스 학자 **2** 그리스 문화를 따르는 사람; 〖성서〗 그리스 어를 사용한 유대인(Greek Jew)
Hel·len·is·tic [hèlənístik] *a.* Hellenism[Hellenist]에 관한 **-ti·cal** *a.* **-ti·cal·ly** *ad.*
Hel·len·i·za·tion [hèlənizéiʃən | -nai-] *n.* Ⓤ 그리스화(化)
Hel·len·ize [hélənàiz] *vt.* 그리스화하다, 그리스(어)풍으로 하다 **—** *vi.* 그리스 문화를 수용하다, 그리스화하다; 그리스 어풍이 되다 **Hél·len·ìz·er** *n.*
hell·er[1] [hélər] *n.* (미·속어) 난폭자, 망나니
hel·ler[2] [hélər] *n.* (*pl.* **~s,** ~) 헬러 **1** 중세 독일의 동전 **2** 오스트리아의 옛 화폐 단위 **3** = HALER 1
héller wòrk 헬러 워크 《스트레스를 풀어주는 마사지[기술]》

Hel·les·pont [héləspɑ̀nt | -pɔ̀nt] *n.* [the ~] 헬레스폰트《Dardanelles 해협의 고대 그리스 이름》
hell·fire [hélfàiər] *n.* **1** Ⓤ 지옥의 불[형벌]; 격심한 괴로움 **2** [**H~**] 〖군사〗 헬파이어《레이저 유도식 대전차(對戰車) 미사일》 — *int.* 《속어》 우라질!, 집어치워!
hell-for-leath·er [hélfərléðər] 《구어》 *a.* 전속력의, 맹렬한 — *ad.* 전속력으로, 맹렬하게
hell·gram·mite [hélgrəmàit] *n.* 〖곤충〗 뱀잠자리의 애벌레《낚시 미끼》
hell·hole [-hòul] *n.* 지옥; 지옥 같은 곳; 불쾌한[불결한, 악명 높은] 장소
hell·hound [-hàund] *n.* **1** (신화의) 지옥의 개 **2** 악마와 같은 사람
hel·lion [héljən] *n.* 《미·구어》 망나니, 깡패, 불한당, 난폭자, 무법자
hell·ish [héliʃ] *a.* **1** 지옥의, 지옥 같은 **2** 《구어》 몹쓸, 흉악한; 몸서리쳐지는, 소름 끼치는; 비참한
— *ad.* 몹시, 굉장히 **~·ly** *ad.* **~·ness** *n.*
hell·kite [hélkàit] *n.* 잔인무도한 자, 냉혈한
‡**hel·lo** [helóu, həl-, hélou] *int.* 여보, 이봐; 어이; 어머; 여, 안녕하세요《가벼운 인사; 《영》에서 많이 씀》; 《전화로》 여보세요: *H~*, this is Jane speaking. 여보세요, 제인입니다.
— *n.* (*pl.* **~s**) hello라고 말하기: Say ~ to your mother. 어머니에게 안부 전해 주시오.
— *vi., vt.* (…에게) hello라고 부르다[말하다]
helló gìrl 《미·구어》 여성 전화 교환수
hell-on-wheels [hélən*h*wì:lz] *n.* 《속어》 터무니없는 일[사건]; 지독한 상태; 늘 문제를 일으키는 사람
hell-rais·er [hélrèizər] *n.* 《미·속어》 **1** (상습적으로) 소란을 피우는 사람[사물]; 방탕한 사람 **2** 야단법석을 떠는 파티 **3** 《일반적으로》 (불꽃놀이·오케스트라 음악 같은) 시끄러운 것
héll's ángel [보통 *pl.*] 오토바이 폭주족
héll's bélls *int.* 《구어》 이게 어찌된 일인가《화가 나거나 초조할 때의 말》
Héll's Kítchen 《미》 (뉴욕 시의) 우범 지구
hell·uv·a [héləvə] [a hell of a에서] 《속어》 *a.* **1** 대단한 **2** 지독한, 형편없이 나쁜 **3** 굉장히 좋은
— *ad.* 매우, 극단적으로
héll wèek 《구어》 대학 친목회나 클럽에 가입하는 신입생을 골리는 1주일
‡**helm** [hélm] *n.* **1** 〖항해〗 키(자루), 타륜(wheel); 조타 장치, 타기(舵機): Down[Up] (with the) ~! 키 내려[올려]! **2** [the ~] 지배, 지도(control), 지도적[지배적] 지위: A stern taskmaster was at *the* ~ of the company. 엄격한 공사 감독이 그 회사의 사장이었다. **3** 《시어》 투구(helmet)
***answer* (*to*) *the* ~** 〈배가〉 키에 따라 진로를 바꾸다 ***be at the* ~ (*of*)** (…의) 키를 잡다, (조직 등의) 지도자 입장에 있다 ***ease the* ~** 키를 중앙 위치로 돌리다 ***Mind your* ~!** 주의해, 조심해! ***right the* ~** 〖항해〗 키를 중앙으로 놓다 ***shift the* ~** 급히 반대쪽으로 키를 돌리다 ***Starboard the* ~** 우현으로 (키 돌려)! ***take the* ~ *of state* (*affairs*)** 정권을 잡다
— *vt.* **1** 〈배의〉 키를 조종하다 **2** (비유) 지휘[지도, 조종]하다 **~·less** *a.*
hélm clòud 《영》 투구 구름《폭풍우 전 또는 도중에 산꼭대기에 끼는 구름》
‡**hel·met** [hélmit] *n.* **1** 헬멧, 철모; 소방모; 투구; 안전모; 〖펜싱〗 면(面), 마스크; 〖미식축구〗 (플라스틱으로 만든) 헬멧; 〖야구〗 헬멧 **2** (문장(紋章)의) 투구 모양 **3** 투구 모양의 것
— *vt.* …에 헬멧을 씌우다
~·ed [-id] *a.* 헬멧을 쓴 **~·lìke** *a.* 헬멧 모양의
hélmet lìner 〖군사〗 철모 안에 쓰는 플라스틱 모자, 파이버
hel·minth [hélminθ] *n.* (장내(腸內)) 기생충
hel·min·thi·a·sis [hèlminθáiəsis] *n.* Ⓤ 〖병리〗 (장내(腸內)의) 기생충병
hel·min·thic [helmínθik] *a.* **1** (장내) 기생충의 **2** 구충하는 — *n.* (기생충) 구충제
hel·min·thoid [helmínθɔid, ∠-∠] *a.* (장내) 기생충 모양의
hel·min·thol·o·gy [hèlminθɑ́lədʒi | -θɔ́l-] *n.* 기생충학 **-gist** *n.*
helms·man [hélmzmən] *n.* (*pl.* **-men** [-mən, -mèn]) 키잡이 **~·shìp** *n.* Ⓤ 조타술(操舵術)
hel·o [hélou, hí:l- | hél-] *n.* (*pl.* **~s**) 《구어》 헬리콥터
Hel·ot [hélət, hí:l-] *n.* **1** 고대 스파르타의 노예 **2** [**h~**] 농노(serf), 노예, 천민 **~·age** *n.*
hel·ot·ism [hélətizm, hí:l-] *n.* Ⓤ **1** 고대 스파르타의 노예 제도 **2** 노예의[같은] 신분
hel·ot·ry [hélətri, hí:l-] *n.* Ⓤ **1** 노예의 신분; 노예[농노] 제도 **2** [집합적] 노예, 농노
‡**help** [hélp] *v., n.*

① 돕다	**1**
② 거들다	**1**
③ …에 도움이 되다	**3 b**
④ 나누어 주다	**5 b**

— *v.* (**~ed,** 《고어》 **holp**[hóulp]; **~ed,** 《고어》 **hol·pen** [hóulpən]) *vt.* **1** 돕다, 조력하다, 원조하다; 거들다: Heaven *~s* those who ~ themselves. 《속담》 하늘은 스스로 돕는 자를 돕는다.∥ (~+목+전+명) He *~s* his parents *out of* his small income. 그는 적은 수입으로 양친의 생활을 돕고 있다. / He said he'd ~ me *with* my work. 그는 내 일을 도와줄 것이라고 말했다. / Let me ~ you *with* those packages. 짐 들어 드릴게요.∥ (~+목+(*to*) do) I *~ed* him (*to*) find his things. 그를 도와 물건을 찾아 주었다. / He was *~ed* by his father *to* write the letter. 그는 아버지의 도움을 받아 편지를 썼다.∥ (~+(*to*) do) He *~ed* (*to*) paint the house. 그는 집의 페인트칠을 거들었다. ★ 《미》 위의 보기에서 *to*를 생략하는 것이 일반적임.

> 유의어 **help** 목적 달성을 위해 필요한 적극적인 원조를 하다 **aid** 필요하다고 여겨지는 원조를 하는 것으로서 도움을 받는 자는 약하고 돕는 자는 강함을 암시한다: *aid* the flood victims 수재민을 돕다 **assist** 남의 일 등에 대해 보조적으로 돕다(⇨ save 유의어): She *assisted* him in his experiments. 그녀는 그의 실험을 옆에서 도왔다.

2 거들어서 …하게 하다, 도와서 …시키다: (~+목+전+명) A policeman *~ed* the blind man *across* the street. 한 순경이 맹인이 길을 건너는 것을 도와주었다. / She *~ed* her master *into*[*on, with*] his overcoat. 그녀는 주인에게 외투를 입혀 주었다. **3 a** 〈병 따위를〉 고치는 데 도움이 되다(cure), 완화하다, 덜다, 고치다; 〈폐해 따위를〉 교정하다, 구제하다; 〈사물을〉 억제하다, 멈추다, 저지하다; 〈사람을〉 (빈곤·고통·고뇌 따위로부터) 구원하다, 해방하다, 편안하게 하다: Honey *~s* the cough. 꿀은 기침에 좋다. / A new rug might ~ the room. 새 양탄자가 방을 돋보이게 할 것이다. / Nothing seems to ~ my headache. 내 두통은 뭘 써도 나을 것 같지 않다. **b** …에 도움이 되다, 기여하다; 촉진하다: ~ one's ruin 멸망을 재촉하다 / ~ desegregation 인종 차별 대우 폐지에 기여하다 / Your knowledge of languages will ~ you in your career. 당신의 외국어 지식은 경력에 도움이 될 것이다.∥ (~+목+부) ~ a person's work *forward*[*on*] …의 일을 도와서 진척되게

thesaurus **help** *v.* **1** 돕다 assist, aid, guide, succor, support, back, promote, boost, uphold **2** 완화하다 soothe, alleviate, remedy, heal, ease
helpful *a.* useful, beneficial, advantageous, valuable, profitable, practical, productive, support-

하다 // 《~+(*to*) do》 That won't ~ (*to*) solve the question. 그것은 문제 해결에 도움이 안 된다. **4** [can(not) ~ (do*ing*) it의 꼴로] …을 삼가다, 그만두다, 피하다; …하는 것은 어쩔 수 없다: I *can't* ~ *it.* = *It cannot* be ~*ed*. 어쩔 수 없다. // 《~+**-ing**》 I *could not* ~ laugh*ing*. 웃지 않을 수 없었다. ★ 특히 《미·구어》에서는 cannot help but laugh라고 하는 수도 있음. **5 a** 〈음식물을〉 집어 주다, 술을 부어 주다, 권하다, 시중들다: 《~+목+전+명》 May I ~ you *to* some more vegetables? 야채를 좀 더 드릴까요? / *H*~ yourself *to* a cigar. 시가를 마음대로 피우세요. **b** 《구어》 (식탁에서) 〈음식 등을〉 나누어 주다(serve out); 〈음식물을〉 담다, 차려서 내다: Use this spoon to ~ the gravy. 이 스푼으로 고깃국물을 뜨세요.

—*vi.* **1** 돕다, 거들다; 힘이 되다, 보탬이 되다, 도움이 되다: Every little bit ~*s.* 《속담》 하찮은 것도 제각기 쓸모가 있다. **2** 식사 때 시중들다, 음식물을 집어 주다, 담다, 술을 따르다, 붓다: Let him ~ at table. 그에게 식사 시중을 들게 합시다.

cannot* [*can't*] ~ *but do = ***cannot*** **~** do***ing*** …하지 않을 수 없다, …하는 것을 피할 수 없다: Still, I *cannot* ~ *but* admire her. = Still, I *cannot* ~ admir*ing* her. 그래도 나는 그녀를 존경하지 않을 수 없다. ***God* [*Heaven*] ~ *him!*** 가엾어라; 불쌍한 놈이로구나! **~ *along* [*forward, on*]** 도와서 나아가게 하다, 촉진[진척]시키다: I ~*ed* him *on* his horse. 나는 그를 도와서 말에 태워 주었다. **~ *down*** 거들어서[부축해서] 내려 주다 **~ *in* [*into*]** 도와서 들여보내[태워, 입혀] 주다 **~ *off*** 도와서 벗겨주다, 도와서 처리해 주다: ~ a person *off* with his coat 거들어서 웃옷을 벗겨 주다 **~ *out*** 도와서 나가게 하다, (곤란 등에서) 구출하다; 〈비용 등을〉 보태 주다; 도와서 완성시키다 **~ *over*** 도와서 넘어가게[건너가게] 해 주다, 이겨내게 하다 **~ one*self*** (1) 필요한 일을 자기 스스로 하다, 자조(自助)하다: *H*~ *yourself!* 좋을 대로 (하시오)! (2) 자기 스스로를 어떻게 하다 **~ one*self to*** (1) 〈음식물을〉 마음대로 집어먹다 (2) 《구어》 착복하다, 횡령하다, 마음대로 취하다 **~ *through*** 도와서 완성시키다 **~ a person *to*** …을 도와서 …을 얻게 하다 **~ *up*** 도와 일으키다, 떠받치다 **~ a person *with*** …으로 남을 돕다 ***not* … *more than*** one ***can* ~** 최소한도 필요 이상으로는 …하지 않는다, 될 수 있는 대로 …하지 않다 ***so* ~ *me* (*God*)** 《구어》 정말로, (신께) 맹세코

—*n.* **1** Ⓤ 도움, 구조; 조력; 원조, 협력; 거듦: ask [call] for ~ 구조를 청하다 **2** 도움이 되는[요긴한] 것, 도움이 되는 사람: You were a tremendous ~ after the fire. 화재 후에 큰 도움이 되었다. **3** [부정문] Ⓤ 구제법(remedy), 치료; 피할 길(escape) 《*for*》: There was *no* ~ *for* it but to wait. 기다리는 것 외에는 방법이 없었다. **4** 고용인, 종업원; 《영》 가정부; [집합적] 《미》 고용인들; 농장 노동자: a mother's ~ 《영》 (특히 육아를 도와 주는) 가정부, 가정 보모 / *H*~ Wanted. 〖광고〗 구인(求人), 종업원 구함. **5** (음식물을 담은) 한 그릇 **6** 〖컴퓨터〗 도움말

be beyond* ~** 〈환자 등이〉 살아날[회복할] 가망이 없다 ***be* (*of*) ~** 힘이 되다, 도움이 되다 ***by* ~ *of …의 도움으로 ***cry for* ~** 도와[구해]달라고 외치다

help·a·ble [hélpəbl] *a.* 도울 수 있는

hélp dèsk 〖컴퓨터〗 헬프 데스크 《소프트웨어 회사의 사용자(user) 상담 창구》

⁑**help·er** [hélpər] *n.* 돕는[도움이 되는] 사람[것]; 조수(assistant), 거드는 사람, 협력자, 조력자, 후원자, 원조자; 지지자; 구조자; 위안자

hélper applicàtion 〖컴퓨터〗 (인터넷 브라우저의 기능을 확장하는) 응용 소프트웨어

hélper T cèll (항체 혹은 다른 T세포를 만드는) T세포군(群)

⁑**help·ful** [hélpfəl] *a.* 도움[소용]이 되는, 유익한, 유용한, 요긴한, 편리한(useful) 《*to*》: ~ comments 유익한 비평 / a ~ person[tool] 도움이 되는 사람[도구] **~·ly** *ad.* **~·ness** *n.*

help·ing [hélpiŋ] *a.* 돕는, 도움이 되는, 원조의; 지지의 **—***n.* **1** Ⓤ 거들어 줌, 조력, 원조 **2** (음식의) 한 번 담는 분량, 한 그릇: a second ~ 한 번 더 담는 음식, 두 그릇째

hélping hánd 원조, 도움; 지지: give[lend] a ~ 《구어》 돕다, 원조하다

hélping vèrb 조동사(auxiliary verb)

⁑**help·less** [hélplis] *a.* **1** (제 힘으로) 어찌할 수 없는, 주체못하는, 속수무책인, 무력한: ~ with laughter 아무리 해도 웃음이 멈춰지지 않는 **2** 도움 없는, 의지할 데 없는 **~·ness** *n.*

*⁎***help·less·ly** [hélplisli] *ad.* 어찌해 볼 수도 없이, 의지할 데 없이

help·line [hélplàin] *n.* 《영》 (자선 단체 등의) 상담 전화[전화 정보] 서비스

help·mate [hélpmèit], **-meet** [-mìːt] *n.* **1** 협력자, 후원자, 동료 **2** 《문어》 내조자, 배우자

hélp scrèen 〖컴퓨터〗 도움[설명] 화면

hélp-want·ed ád [-wɔ̀ːntid | -wɔ̀nt-] 구인 광고

help-your·self [-juərsèlf | -jɔː-] *n., a.* (식당 등의) 셀프 서비스(의)

Hel·sin·ki [hélsiŋki, ⌐⌐] *n.* 헬싱키 《핀란드의 수도; 스웨덴 어로는 **Hel·sing·fors** [hélsiŋfɔ̀ːr]》

Hélsinki Cònference [Pàct] 헬싱키 협정 《1975년 동서간의 긴장 완화를 위해 미국·소련 등 35개국이 조인》

hel·ter-skel·ter [héltərskéltər] *n.* 당황하여 어쩔 줄 모름, 당황, 혼란; 《영》 유원지의 나선형 미끄럼틀 **—***a.* 당황한; 난잡한 **—***ad.* 허둥지둥하여, 난잡하게: run ~ all over the house 허둥지둥하여 온 집 안을 돌아다니다 / clothes scattered ~ about the room 방 안에 지저분하게 흩어져 있는 옷

helve [hélv] [OE 「도끼 자루」의 뜻에서] *n.* (연장·무기의) 자루 ***put the ax in the* ~** 어려운 문제를 해결하다 ***throw* [*send*] *the* ~ *after the hatchet*** 거듭 손해만 보다, 엎친 데 덮치다

—*vt.* …에 자루를 달다

Hel·ve·tia [helvíːʃə] [L 「스위스」의 뜻에서] *n.* **1** 헬베티아 《고대 로마의 알프스 지방》 **2** 스위스(Switzerland)의 라틴어 이름

Hel·ve·tian [helvíːʃən] *n.* 헬베티아[스위스] 사람 **—** *a.* 헬베티아[스위스](사람)의

Hel·vet·ic [helvétik] *a.* = HELVETIAN **—***n.* 스위스 신교도(Zwinglian)

*⁎***hem**[1] [hém] *n.* **1** (천·옷의) 가두리, 옷단; 《특히》 옷단 대기, 감침질 **2** 가장자리, 경계

—*vt.* (**~med**; **~·ming**) **1** 가장자리를 감치다, 옷단을 대다 **2** 〈사람·물건·장소를〉 둘러싸다, 에워싸다, 두르다, 둘러막다 《*in, about, round, up*》: be ~*med in* by enemies 적에게 포위되다 **~ *out*** 좇아내다, 몰아내어 못 들어오게 하다

hem[2] [의성어] *int.* 헴, 에헴 《주저하거나 주의를 환기시킬 때 내는 소리》 **—***n.* 헛기침

—*vi.* (**~med**; **~·ming**) 에헴하다, 헛기침하다

~ *and haw* [*ha*] 《미》 주저하다, 말을 우물거리다 [얼버무리다], 망설이다

hem- [hiːm, hem], **hemo-** [híːmou, hém-, -mə], **hema-** [híːmə, hémə] 《연결형》 「피」의 뜻 《모음 앞에서는 hem-》

he·ma·cy·tom·e·ter [hìːməsaitɑ́mətər | -tɔ́m-] *n.* = HEMOCYTOMETER

he·ma·dy·na·mom·e·ter [hìːmədainəmɑ́mətər | -mɔ́m-] *n.* 혈압계

---

ive, kind, accommodating, cooperative

helpless *a.* weak, feeble, disabled, impotent, incapable, unable, invalid, powerless, dependent, vulnerable, unprotected

hem[1] *n.* border, edge, trim, fringe, frill, flounce

he·mag·glu·ti·nate [hìːməglúːtənèit, hèm-] *vi.*, *vt.* 〈적혈구를〉 응집시키다, 〈적혈구가〉 응집하다
he·mag·glu·ti·nin [hìːməglúːtənin, hèm-] *n.* (적)혈구 응집소 바이러스, 항체, 세포 응집소 등의 총칭
he·mal [híːməl] *a.* 혈액의, 혈관의; 〖동물〗 〈척추동물의 기관이〉 심장이나 대혈관과 같은 쪽에 있는; 배쪽의
he-man [híːmǽn] *n.* (*pl.* **-men** [-mén | -mèn]) 《구어》 남성적인 사나이
he·man·gi·o·ma [himæ̀ndʒióumə] *n.* (*pl.* **~s, ~·ta** [-tə]) 〖병리〗 혈관종(腫)
hemat- [híːmət, hém-], **hemato-** [híːmətou, hém-, -tə] 《연결형》 「피」의 뜻 《모음 앞에서는 hemat》
he·ma·tal [híːmətl, hém-] *a.* 혈액의; 혈관의
he·mat·ic [himǽtik] *a.* **1** 혈액의 **2** 혈액 안에 포함되는; 혈액에 작용하는 **3** 핏빛의 **—** *n.* = HEMATINIC
he·ma·tin [híːmətin, hém-], **-tine** [-tìːn, -tin, hém-] *n.* Ⓤ 〖생화학〗 헤마틴(heme) 《헤모글로빈의 색소 성분》
he·ma·tin·ic [hìːmətínik, hèm-] *n.* 〖의학〗 조혈제(造血劑) **—** *a.* 조혈약으로 작용하는
he·ma·tite [híːmətàit, hém-] *n.* Ⓤ 〖광물〗 적철석(赤鐵石) **hè·ma·tít·ic** [-títik] *a.*
he·ma·to·cele [hímətousìːl, hém-] *n.* 〖병리〗 혈류(血瘤); (음낭) 혈종(血腫)
he·mat·o·crit [himǽtəkrit] *n.* 〖의학〗 혈구를 혈장에서 분리하기 위한 원심 분리기
he·ma·to·cry·al [hìːmətoukráiəl, hèm-] *a.* 냉혈의(cold-blooded); 변온의
he·ma·tog·e·nous [hìːmətάdʒənəs, hèm- | -tɔ́dʒ-] *a.* 혈액 안에 생기는; 조혈성의
he·ma·tol·o·gy [hìːmətάlədʒi, hèm- | -tɔ́l-] *n.* Ⓤ 〖의학〗 혈액학 **-gist** *n.* 혈액학자
he·ma·to·ma [hìːmətóumə, hèm-] (*pl.* **~s, ~·ta** [-tə]) *n.* 〖병리〗 혈종(血腫)
he·ma·to·poi·e·sis [hìːmətoupɔiíːsis, hèm-] *n.* 혈액 생성, 조혈(造血)
he·ma·to·ther·mal [hìːmətouθə́ːrməl, hèm-] *a.* 온혈의(warm-blooded); 정온(定溫)의
he·ma·tu·ri·a [hìːmətjúəriə, hèm- | -tjúər-] *n.* Ⓤ 〖병리〗 혈뇨(血尿)(증) **-ric** *a.*
hem·bar [hémbɑːr] *n.* 헴바(보리) 《1969년 미국 농무부에 의해 만들어진 품종》
heme [híːm] *n.* Ⓤ 〖생화학〗 환원 헤마틴 《헤모글로빈의 색소 성분》
hem·er·a·lo·pi·a [hèmərəlóupiə] *n.* 〖안과〗 주맹(晝盲)증
hemi- [hémi] 《연결형》 「반(half)」의 뜻(cf. SEMI-, DEMI-)
hem·i·al·gi·a [hèmiǽldʒiə] *n.* 〖병리〗 반쪽 신경통
hem·i·a·nop·si·a [hèmiənάpsiə | -nɔ́p-] *n.* Ⓤ 〖안과〗 반맹(半盲)(증)
hem·i·cel·lu·lose [hèmiséljulous] *n.* 헤미셀룰로오스 《식물체 속의 고무상(狀) 다당류 탄수화물》
hem·i·cra·ni·a [hèmikréiniə | -njə] *n.* 편두통(migraine)
hem·i·cy·cle [hèmisáikl] *n.* **1** 반원(형) **2** 반원형의 건물[경기장, 투기장, 방] **-clic** *a.* 〖식물〗 〈꽃이〉 반윤생(半輪生)의
hem·i·dem·i·sem·i·qua·ver [hèmidèmisémikwèivər] *n.* 〖음악〗 《영》 64분 음표(《미》 sixty-fourth note)
hem·i·he·dral [hèmihíːdrəl] *n.* 〖결정〗 반면상(半面像)의, 반광면(半光面)의, 반완전체의: a ~ form 반면상(像) **~·ly** *ad.*
hem·i·hy·drate [hèmiháidreit] *n.* 〖화학〗 반수화물(半水化物)
hem·i·mor·phite [hèmimɔ́ːrfait] *n.* 〖광물〗 이극석(異極石)
he·min [híːmin] *n.* 〖생화학〗 헤민 《헤마틴의 수산기가 염소로 치환된 것》
Hem·ing·way [hémiŋwèi] *n.* 헤밍웨이 **Ernest ~** (1899-1961) 《미국의 소설가》
Hem·ing·way·esque [hèmiŋweiésk] *a.* 헤밍웨이(작품)의
hem·i·par·a·site [hèmipǽrəsàit] *n.* 〖생물〗 반(半)기생 생물 **-par·a·sít·ic** *a.* **-par·a·sit·ism** *n.* 〖생물〗 반기생
hem·i·ple·gi·a [hèmipliːdʒiə] *n.* Ⓤ 〖병리〗 반신불수, 반신 마비 **hèm·i·plé·gic** *a.*, *n.*
He·mip·ter·a [himíptərə] *n.* 〖곤충〗 반시류(半翅類) **-ter·ous** *a.* 반시류의
he·mip·ter·an [himíptərən] *a.* = HEMIPTEROUS **—** *n.* 반시목(半翅目)의 곤충
hem·i·ret·i·na [hèmirétənə] *n.* 〖해부〗 반망막(半網膜)
hem·i·sect [hèmisékt, ⌐–⌐] *vt.* 반으로 자르다, 《특히》 세로로 2등분하다
‡**hem·i·sphere** [hémisfìər] *n.* **1** (지구·천체의) 반구; (지구의) 반구의 주민: the Eastern[Western] *H*~ 동[서]반구 **2** 반구의 지도 **3** 반구체 **4** 〖해부〗 대뇌[소뇌] 반구 **5** (활동·사고 등의) 범위, 영역
hem·i·spher·ic, -i·cal [hèmisférik(əl)] *a.* 반구상(狀)의 **-i·cal·ly** *ad.*
hem·i·stich [hémistìk] *n.* 〖운율〗 (고대 영시의) 반행(半行), 불완전행(行)
hem·i·zy·gote [hèmizáigout] *n.* 〖유전〗 단가 (유전자) 접합체; 반(半)접합(성 염색)체
hem·line [hémlàin] *n.* (스커트·드레스의) 공그른 단
*****hem·lock** [hémlɑ̀k | -lɔ̀k] *n.* 〖식물〗 **1** 《영》 헴록 《미나릿과(科)의 독초》; Ⓤ 그것에서 뽑은 독약 **2** 《미》 = HEMLOCK FIR[SPRUCE]
hémlock fír[sprúce] 〖식물〗 북미산(産) 솔송나무
hem·mer [hémər] *n.* **1** 가두리를 대는 사람[것] **2** (재봉틀의) 휘갑치는[단 박는] 장치
hemo- [híːmou, hém-, -mə] 《연결형》 = HEM-
he·mo·chro·ma·to·sis [hìːməkròumətóusis, hèm-] *n.* 〖병리〗 혈(액)색소 침착증(沈着症) 《청동색 피부·간경변·심한 당뇨병 등의 증상을 유발함》
he·mo·coel [híːməsìːl, hém-] *n.* 〖해부〗 혈액낭
he·mo·con·cen·tra·tion [hìːmoukɑ̀nsəntréiʃən | -kɔ̀n-] *n.* 혈액 농축
he·mo·cy·a·nin [hìːməsáiənin, hèm-] *n.* 〖생화학〗 혈색소(素)
he·mo·cyte [híːməsàit, hém-] *n.* 혈액 세포, 혈구
he·mo·cy·tom·e·ter [hìːməsaitάmitər, hèm- | -tɔ́m-] *n.* 〖의학〗 혈구 계산기
he·mo·di·al·y·sis [hìːmoudaiǽləsis] *n.* 〖의학〗 혈액 투석(血液透析)
he·mo·di·a·lyz·er [hìːmədáiəlàizər, hèm-] *n.* 〖의학〗 혈액 투석기, 인공 신장(artificial kidney)
he·mo·di·lu·tion [hìːmoudailúːʃən] *n.* Ⓤ 〖생리〗 혈액 희석
he·mo·glo·bin [híːməglòubin, hém-, ⌐–⌐–] *n.* Ⓤ 〖생화학〗 헤모글로빈, 혈색소 《略 Hb》
he·mo·glo·bin·op·a·thy [hìːməglòubənάpəθi, hèm- | -nɔ́p-] *n.* Ⓤ 〖병리〗 이상 혈색소증
hémoglobin Ś 〖생화학·병리〗 낫 모양 적혈구 혈색소 《가장 흔한 이상(異常) 혈색소》
he·mo·gram [híːməgræ̀m, hém-] *n.* 〖의학〗 혈액상(像), 혈액도(圖)
he·moid [híːmɔid] *a.* 〖생리〗 피 모양의, 혈성(血性)의
he·mol·y·sis [himάləsis | -mɔ́l-] *n.* Ⓤ 〖면역〗 용혈 (현상, 반응)
he·mo·lyt·ic [hìːməlítik, hèm-] *a.* 〖면역〗 용혈(성)의
hemolýtic anémia 〖병리〗 용혈성 빈혈 《체내 적혈구의 파괴로 생기는 빈혈》
he·mo·lyze [híːməlàiz, hém-] *vt.* 〈적혈구를〉 용혈시키다 **—** *vi.* 용혈하다
he·mo·phile [híːməfàil, hém-] *n.* **1** 호(好)혈(액)성 세균 **2** = HEMOPHILIAC
he·mo·phil·i·a [hìːməfíliə, hèm-] *n.* Ⓤ, *a.* 〖병

리》 혈우병(의)
he·mo·phil·i·ac [hìːməfíliæ̀k, hèm-] *n.* 혈우병 환자(bleeder) **—** *a.* 혈우병의
he·mop·ty·sis [himɑ́ptəsis | -mɔ́p-] *n.* (*pl.* **-ses** [siːz]) 〖병리〗 객혈(喀血)
hem·or·rhage, haem- [hémәridʒ] *n.* Ⓤ **1** 〖병리〗 출혈(bleeding): cerebral ~ 뇌출혈, 뇌일혈 / internal ~ 체내 출혈 **2** (특히, 거액의) 자산 손실, 대출혈 ***have a*** ~ 몹시 흥분하다, 발끈하다
— *vi.* (다량으로) 출혈하다; (특히, 거액의) 자산을 잃다, 큰 적자를 내다 **—** *vt.* (거액의) 〈자산을〉 잃다
hem·or·rhag·ic [hèmərǽdʒik] *a.* 출혈의
hemorrhágic féver 〖병리〗 출혈열 《황열 따위》
hem·or·rhoid·ec·to·my [hèmərɔidéktəmi] *n.* (*pl.* **-mies**) 〖외과〗 치핵(痔核) 절제술
hem·or·rhoids [hémərɔ̀idz] *n. pl.* 치질(piles), 치핵 **hèm·or·rhóid·al** [-rɔ́idl] *a.* 치질의
he·mo·sta·sis [hìːməstéisis] *n.* 〖의학〗 **1** 지혈(止血) **2** (몸의 일부의) 혈류 정지 **3** (부분적인) 울혈
he·mo·stat [híːməstæ̀t] *n.* 지혈기(止血器); 지혈제
he·mo·stat·ic [hìːməstǽtik] *a.* **1** 〈약 따위가〉 지혈(止血)의 **2** 울혈의 **—** *n.* 지혈제
***hemp** [hémp] *n.* Ⓤ **1 삼, 대마**(大麻); 그 섬유 **2** [the ~] 인도 대마(bhang)로 만든 마약, 《특히》 대마초, 마리화나 **3** Ⓒ (고어·익살) 목매는 밧줄
~·lìke *a.* ▷ hémpen *a.*
hemp·en [hémpən] *a.* **1** 대마의[와 비슷한], 대마로 만든 **2** (고어) 교수형의, 교수형 밧줄의: a ~ collar 목매는 밧줄
hémp nèttle 〖식물〗 털향유 《꿀풀과》
hémp pàlm 〖식물〗 왜성 종려(棕櫚)
hemp·seed [hémpsìːd] *n.* **1** 삼씨 《새의 모이》 **2** (속어) 악당
hemp·y [hémpi] (스코) *a.* 못된 짓[장난]을 잘하는; 악당의 **—** *n.* 무뢰한, (교수형감인) 악당
hem·stitch [hémstìtʃ] *n.* 헴스티치 《씨줄을 몇 올 단위로 뽑아 날줄을 감치는 자수법》
— *vt.* 〈천 따위에〉 헴스티치를 하다 **~·er** *n.*

hemstitch

‡**hen** [hén] *n.* **1 암탉**(⇨ cock[1] 관련); 암평아리; 암새: a ~'*s* egg 달걀 **2** (물고기·새우·게의) 암컷 **3** (구어·경멸) 여자, (특히 중년의) 수다스러운 여자; (구어) 젊은 여자(chick) **4** (스코) 여성에 대한 호칭 **5** 소심한 사람, 겁쟁이 ***A ~ is on.*** (미·구어) 중대한 일이 일어나려 하고 있다. (***as***) ***mad as a wet*** ~ ⇨ mad. (***as***) ***scarce as ~'s teeth*** 아주 적은, 아주 불충분한 ***like a ~ on a hot girdle*** = ***like a ~ with one chicken*** 사소한 일을 가지고 안달복달하여, 법석을 떨어 ***sell*** one***'s ~s on a rainy day*** 손해보고 팔다, 밑지는 장사를 하다
~·lìke *a.* **~·nish** *a.*
Hen. Henry
hen-and-chick·ens [-əntʃíkənz] *n.* (*pl.* **hens-**) 〖식물〗 **1** 긴병꽃 《꿀풀과》 **2** 덩굴광대수염 《광대나물과》
hen·bane [hénbèin] *n.* **1** 〖식물〗 사리풀 《가짓과(科)의 유독 식물》 **2** Ⓤ 그것에서 뽑은 독
hén bàttery 칸막이식 큰 닭장
hen·bit [hénbìt] *n.* 〖식물〗 광대나물
‡**hence** [héns] [ME 「여기서부터」의 뜻에서] *ad.* **1** (문어) **그러므로, 따라서**; 이 사실에서 …이 유래하다: *H~* (comes) the name Cape of Good Hope. 여기에서 희망봉의 이름이 나왔다. ★ 때때로 동사를 생략함; so that, consequently, therefore보다도 딱딱한 표현. **2** (문어) **지금부터**, 향후, 금후(from now): five years ~ 이제부터 5년 후에 **3** (고어·시어) 여기서부터(from here), 이 세상에서: a mile ~ 여기서부터 1마일 / *H~!* 꺼져라! / *H~* with him! 그를 데려가라! ★ 때때로 운동을 나타내는 동사를 생략함. ***from*** ~ 금후로는, 이 이후로는(henceforth); 지금부터 ***go***[***depart, pass***] ~ 죽다
‡**hence·forth** [hènsfɔ́ːrθ, ⌐⌐ | ⌐⌐], **-for·ward** [-fɔ́ːrwərd, ⌐⌐⌐ | ⌐⌐⌐] *ad.* (문어) 앞으로, 지금[이제]부터는, 금후로는, 차후(from now on)
hench·man [héntʃmən] *n.* (*pl.* **-men** [-mən]) **1** 믿을 만한 부하, 심복 부하, 오른팔 **2** (정치적) 후원자; 추종자 **3** (폐어) 몸종, 시동(page)
hen·coop [hénkùːp] *n.* **1** 닭장, 새장 **2** (미·학생속어) 여학생 기숙사
hendec(a)- [hendék(ə) | ⌐⌐(-)] 《연결형》 「11」의 뜻 《모음 앞에서는 hendec-》
hen·dec·a·gon [hendékəgɑ̀n | -gən] *n.* 11각형
hen·de·cag·o·nal [hèndəkǽgənl] *a.* 11각형의
hen·dec·a·syl·lab·ic [hendèkəsilǽbik] *a., n.* 11음절의 (시행)
hen·dec·a·syl·la·ble [hendékəsìləbl] *n.* 11음절의 시행(詩行)[단어]
hen·di·a·dys [hendáiədis] *n.* Ⓤ 〖수사학〗 중언법(重言法) 《buttered bread를 bread and butter, nicely warm을 nice and warm으로 하는 따위》
Hé-Né láser [híːníː-] 헬륨네온 레이저 《헬륨 가스와 네온 가스를 혼합시켜 방전(放電)하는 레이저 광선》
hen·e·quen [hénəkin] *n.* **1** 〖식물〗 용설란의 일종 **2** Ⓤ 그 잎에서 채취한 섬유
hén frùit (익살) 달걀, 계란
henge [héndʒ] *n.* 〖고고학〗 헨지 《Stonehenge와 비슷한 환상(環狀)의 유적》
hén hàrrier 〖조류〗 잿빛개구리매
hen·heart·ed [hénhɑ́ːrtid] *a.* 겁많은, 소심한
***hen·house** [hénhàus] *n.* (*pl.* **-hous·es** [-hàuziz]) *n.* **닭장**, 계사(鷄舍)
Hen·ley [hénli] *n.* = HENLEY-ON-THAMES
Hen·ley-on-Thames [hénliɑntémz | -ɔn-] *n.* 헨리온템스 《영국 Oxfordshire주의 Thames 강가에 있는 도시》
Hénley Regátta Henley-on-Thames에서 매년 6-7월에 열리는 국제 보트 레이스
hen·na [hénə] *n.* **1** 〖식물〗 헤너 《이집트산; 향기로운 흰 꽃이 핌》 **2** Ⓤ 헤너 물감 《머리털·수염 등을 물들임》; 적갈색 **—** *a.* 적갈색의
— *vt.* 〈머리·손톱 등을〉 헤너 물감으로 물들이다
~ed [-d] *a.* 헤너 물감으로 물들인, 적갈색의
hen·ner·y [hénəri] *n.* (*pl.* **-ner·ies**) 양계장, 닭장
hén nìght (구어) = HEN PARTY
hen·ny [héni] *a.* 암탉의, 암탉 같은; 〈수탉이〉 암탉 같은 털을 가진 **—** *n.* 암탉 같은 수탉
hen·o·the·ism [hénouθiːìzm] *n.* Ⓤ (많은 신 중에서 한 신을 선택하는) 단일신교, 택일신론 **-ist** *n.*
hén pàrty (구어) 여자끼리의 모임(opp. *stag party*)
hen·peck [hénpèk] *vt.* 〈남편을〉 쥐고 흔들다
hen·pecked [-pèkt] *a.* 내주장(內主張)의, 엄처시하의, 공처가의
hén pèn (미·속어) (사립 기숙제) 여학교
Hen·ri·et·ta [hènriétə] *n.* 여자 이름
hen·roost [hénrùːst] *n.* 닭장, 계사
hén rùn 양계장, 닭 사육장
hen·ry [hénri] [미국의 물리학자 J. Henry의 이름에서] *n.* (*pl.* **-ries, ~s**) 〖전기〗 헨리 《자기 유도 계수의 단위; 略 H》
Hen·ry [hénri] *n.* **1** 남자 이름 《애칭 Harry, Hal》 **2** ⇨ O. Henry
Hénry's láw 〖물리〗 (기체의 용해도에 관한) 헨리의 법칙
hén tràck[**scràtch**] [보통 *pl.*] (미·속어) 알아보기 어려운 글씨체
hen·wife [hénwàif] *n.* (*pl.* **-wives** [-wàivz]) (스코) 닭 치는 여자
hep[1] [hép] *a.* (미·속어) 최근의 사정에 밝은, 내막을 잘 아는, 잘 알고 있는 (*to*) ***get ~ to*** …에 밝다

hep² *int.* 재즈 연주자가 연주할 때 틈틈이 지르는 소리; 하나 둘 하나 둘 《행진할 때의 구령》

hep·a·rin [hépərin] *n.* Ⓤ 〚생화학〛 헤파린 《간장 안에서 혈액의 응고를 방지하는 물질》

hepat- [hépət], **hepato-** [hépətou, hipǽtou, -tə] 《연결형》 「간(장)」의 뜻 《모음 앞에서는 hepat-》

hep·a·tec·to·my [hèpətéktəmi] *n.* (*pl.* **-mies**) 〚외과〛 간(장) 절제술

he·pat·ic [hipǽtik] [Gk 「간장」의 뜻에서] *a.* **1** 간장의; 간장에 좋은 **2** 간장 빛의, 암갈색의 **3** 〚식물〛 이끼류의 **—** *n.* **1** 간장약 **2** 〚식물〛 이끼

he·pat·i·ca [hipǽtikə] *n.* (*pl.* **~s, -cae** [-sìː]) 〚식물〛 노루귀; 설앵초

hepátic dúct 〚해부〛 간관(肝管) 《간장의 담즙 운반관》

hep·a·ti·tis [hèpətáitis] *n.* Ⓤ 〚병리〛 간염 ***serum*** [***viral***] **~** 혈청[바이러스성] 간염

hepatítis Á 〚병리〛 A형[전염성] 간염(infectious hepatitis)

hepatítis B́ 〚병리〛 B형[혈청] 간염(serum hepatitis)

hepatítis Ć 〚병리〛 C형 간염 《비(非)A, 비(非)B 간염 환자의 혈액에서 발견한 또 하나의 간염형》

hepatítis délta 〚병리〛 델타 간염

hepatítis non-Á, non-B́ 〚병리〛 비(非)A·비(非)B 간염 《수혈에 의해 발병하는 A형도 B형도 아닌》

hep·a·to·cel·lu·lar [hèpətouséljulər] *a.* 간세포의

hep·a·to·cyte [hépətəsàit, hipǽt-] *n.* 간세포

hep·a·to·ma [hèpətóumə] *n.* (*pl.* **~s, ~·ta** [-tə]) 〚병리〛 간종양(肝腫瘍), 간암, 간세포암

hep·a·to·meg·a·ly [hèpətoumégəli, hipæ̀tə-] *n.* 〚병리〛 간종(肝腫), 간 비대

hep·a·tos·co·py [hèpətáskəpi | -tɔ́s-] *n.* 간(기능) 검사; 간 점치기 《제물로 바쳐진 동물로》

hep·a·to·tox·ic [hèpətoutáksik | -tɔ́k-] *a.* 간세포에 유독한, 간(肝) 독성의 **hèp·a·to·tox·íc·i·ty** *n.*

hep·a·to·tox·in [hèpətoutáksin | -tɔ́k-] *n.* Ⓤ 간장독, 간세포 독소

Hep·burn [hépbəːrn | hép-] *n.* 헵번 **1 James C.** ~ (1815-1911) 《미국의 선교사·의사·어학자; 헵번식 로마자 철자법의 창시자》 **2 Katharine** ~ (1907-2003) 미국의 여배우 **3 Audrey** ~ (1929-93) 미국의 여배우

hep·cat [hépkæ̀t] *n.* **1** 《고어·속어》 스윙 재즈 연주가, 재즈의 명수[애호가] **2** 도시인; 한량; 소식통

He·phaes·tus [hiféstəs | -fíːs-] *n.* 〚그리스신화〛 헤파이스토스 《불, 대장장이 일, 수공예를 담당하는 고대 그리스 신》

Hep·ple·white [hépl*h*wàit | -wait] [영국의 가구 제작자 이름에서] *a.*, *n.* 헤플화이트 양식의 (가구) 《18세기 말 유행》

hep·ster [hépstər] *n.* 《속어》 = HEPCAT

hept- [hépt], **hepta-** [héptə] 《연결형》 「7」의 뜻 《모음 앞에서는 hept-》

hep·ta·chlor [héptəklɔ̀ːr] *n.* 〚화학〛 헵타클로르 《살충제》

hep·ta·chord [héptəkɔ̀ːrd] *n.* **1** 〚음악〛 7음 음계; 7도의 음정 **2** 헵타코드 《고대 그리스의 현악기》

hep·tad [héptæd] *n.* **1** 7의 수 **2** 7개군(群), 일곱개 한 벌 **3** 〚화학〛 7가(價) 원자[원소](cf. MONAD 2)

hep·ta·glot [héptəglɑ̀t | -glɔ̀t] *a.*, *n.* 7개 국어로 쓰인 (책)

hep·ta·gon [héptəgɑ̀n | -gən] *n.* 7각[변]형 **hep·tag·o·nal** [heptǽgənl] *a.*

hep·ta·he·dron [hèptəhíːdrən] *n.* (*pl.* **~s, -dra** [-drə]) 7면체 **-dral** [-drəl] *a.*

hep·tam·er·ous [heptǽmərəs] *a.* 7개의 부분으로 이루어진

hep·tam·e·ter [heptǽmətər] *n.* 〚운율〛 7음각(音脚), 7보격 **hep·ta·met·ri·cal** [hèptəmétrikəl] *a.*

hep·tarch [héptɑːrk] *n.* 〚영국사〛 옛 영국의 7왕국(heptarchy)의 각 국왕

hep·tar·chy [héptɑːrki] [Gk = seven sovereignty] *n.* (*pl.* **-chies**) **1** 7두(頭) 정치 **2** [the H~] 〚영국사〛 옛 영국의 7왕국 《Kent, Sussex, Wessex, Essex, Northumbria, East Anglia, Mercia》 **hep·tar·chic, -chi·cal** [heptɑ́ːrkik(əl)] *a.*

hep·ta·stich [héptəstìk] *n.* 〚운율〛 7행시

hep·ta·syl·lab·ic [hèptəsilǽbik] *a.* 7음절의 말[시행(詩行)]의

hep·ta·syl·la·ble [héptəsìləbl] *n.* 7음절의 말[시행(詩行)]

Hep·ta·teuch [héptət*j*ùːk | -tjùːk] *n.* 〚성서〛 구약성서의 처음 7서(書) 《모세 5경, 여호수아, 사사기》(cf. PENTATEUCH)

hep·tath·lon [heptǽθlən, -lɑn | -lən] *n.* 〚육상〛 7종 경기 **hep·táth·lete** *n.*

hep·tode [héptoud] *n.* 〚전자〛 7극 진공관

‡**her** [hə́ːr; 《약하게》 hər, ər] *pron.* **1** [SHE의 목적격] 그 여자를[에게]: They love ~. 그들은 그녀를 좋아한다. / I gave ~ a pen. = I gave a pen *to* ~. 나는 그녀에게 펜을 주었다. / We saw ~ this morning. 우리는 그녀를 오늘 아침에 보았어. **2** [SHE의 소유격] 그 여자의: ~ son 그녀의 아들 / I'm sorry about ~ leaving. 그녀가 떠나서 유감이다. **3** 《고어·시어》 그 여자 자신을[에게](herself): She laid ~ down. 그 여자는 드러누웠다. **4** 《구어》 [be 동사의 보어로서] = SHE: It's ~, sure enough. 확실히 저 여자다. **~** [**'er**] ***indoors*** 《영》 아내; 연인; 횡포가 심한 여자
— *n.* (*pl.* **~s** [-z]) **1** 《속어》 여자, 여성, 여자 아이: Is the new baby a ~ or a him? 아기는 여자야 남자야? **2** 《미·속어》 코카인

her. heir; heraldic; heraldry

He·ra [híərə] *n.* 〚그리스신화〛 헤라 《Zeus의 아내; 로마 신화의 Juno》

Her·a·cle·an [hèrəklíːən] *a.* = HERCULEAN

Her·a·cles, -kles [hérəklìːz] *n.* = HERCULES 1

Her·a·cli·te·an [hèrəkláitiən] *a.*, *n.* 헤라클레이토스 (철학)의 (신봉자) **~·ìsm** *n.*

Her·a·cli·tus [hèrəkláitəs] *n.* 헤라클레이토스 (540?-470? B.C.) 《그리스의 철학자》

‡**her·ald** [hérəld] *n.* **1** 왕[공식]의 사자(使者)(messenger); 군사(軍使), 전령 **2** 포고자(布告者), 보도자, 통보관 **3** [**H~**] …지(紙), …신문: The New York *H~* 뉴욕 헤럴드지 **4** 선구(자), 전조(forerunner), 예고 **5** 문장관(紋章官)
— *vt.* **1** 고지[포고]하다, 보도하다 **2** 〈사물·일이〉 …의 도래를 알리다, …의 예고를 하다
~·ist *n.* 문장학자[연구가]
▷ heráldic *a.*

he·ral·dic [herǽldik, hə-] *a.* 전령(관)의; 의전(관)의; 문장(紋章)의; 문장학의 **-di·cal·ly** *ad.*

her·ald·ry [hérəldri] *n.* (*pl.* **-ries**) **1** 문장학 **2** 문장(blazonry), 문장의 도안(집) **3** = HERALDSHIP

Héralds' Cóllege [the ~] (잉글랜드의) 문장원(紋章院)

her·ald·ship [hérəldʃìp] *n.* Ⓤ herald의 직[지위, 임무]

herb** [hə́ːrb | hə́ːb] *n.* **1** 풀, 초본 **2** 식용[약용, 향료] 식물: Laurel leaves are *~s.* 월계수 잎은 약초이다. **3** 풀잎 《뿌리와 구별하여》 **4** Ⓤ 목초(grass); [the ~] 《미·속어》 마리화나, 대마초 ***talk to H~ and Al 《미·속어》 마리화나를 피우고 술을 마시다 《★ Al은 alcohol의 뜻》
▷ herbáceous, hérbal *a.*

Herb [hə́ːrb] *n.* 남자 이름 《Herbert의 애칭》

her·ba·ceous [*h*əːrbéiʃəs] *a.* 풀의, 초본의; 풀잎

thesaurus **herald** *n.* messenger, crier, announcer, courier **—** *v.* announce, make known, proclaim, broadcast, publicize, advertise

모양의; 풀이 심어진 **~·ly** *ad.*
herbáceous bórder 주로 다년생 꽃과 식물을 심은 화단의 가장자리
herbáceous perénnial 여러해살이 초본, 다년초
herb·age [hə́ːrbidʒ | hə́ː-] *n.* Ⓤ **1** [집합적] 풀, 목초; 약초(류) **2** 〖법〗 (남의 토지에서의) 방목권(放牧權)
herb·al [hə́ːrbəl | hə́ː-] *a.* 풀의, 초목의; 약초의[로 만든] **—***n.* 초본서(書), 식물지(誌)
herb·al·ist [hə́ːrbəlist | hə́ː-] *n.* (옛날의) 식물[초본] 학자; 약초의(藥草醫); 약초상; 식물 (특히 약초) 채집자 **-ìsm** *n.* Ⓤ 약초학
hérbal médicine 약초학; 한방약; 약초로 만든 약
hérbal téa 약초를 달인 약, 약초탕
her·bar·i·um [həːrbέəriəm | həː-] *n.* (*pl.* **~s, -i·a** [-iə]) **1** (분류한) 식물 표본집 **2** 식물 표본실[관]
Her·bart [hέərbaːrt] *n.* 헤르바르트 **Johann Friedrich ~** (1776-1841) 《독일의 철학자·교육학자》
Her·bar·ti·an [həːrbáːrtiən] *a., n.* 헤르바르트 (교육 철학)의 (신봉자) **~·ìsm** *n.* 헤르바르트의 교육설
herb·ar·y [hə́ːrbəri | hə́ː-] *n.* 《고어》 약초원(園)
hérb bèer 약초 맥주 《약용 식물을 사용해서 양조한 것으로 알코올을 함유하지 않음》
hérb bènnet 〖식물〗 뱀무
hérb dòctor 약초의(藥草醫), 한의사
Her·bert [hə́ːrbərt] *n.* 남자 이름
her·bi·cide [hə́ːrbəsàid | hə́ː-] *n.* 제초제
hèr·bi·cíd·al *a.*
her·biv·ore [hə́ːrbəvɔ̀ːr | hə́ː-] *n.* 초식 동물(cf. CARNIVORE), 유제류(有蹄類)
her·biv·o·rous [həːrbívərəs | həː-] *a.* 초식성(草食性)의(cf. CARNIVOROUS) **~·ly** *ad.*
her·bol·o·gy [həːrbálədʒi | həːbɔ́l-] *n.* Ⓤ (특히 취미로서의) 약용 식물 연구[채집]
her·bo·rist [hə́ːrbərist | hə́ː-] *n.* =HERBALIST
her·bo·rize [hə́ːrbəràiz | hə́ː-] *vi.* 식물을 채집하다; 식물을 연구하다 **hèr·bo·ri·zá·tion** *n.*
hérb téa =HERBAL TEA
hérb tobàcco 약용(藥用) 담배 《기침을 멈추게 하기 위해 피움》
herb·y [hə́ːrbi | hə́ːbi] *a.* (**herb·i·er**; **-i·est**) 초본성(草本性)의; 풀이 많은
Her·cu·le·an [hə̀ːrkjulíːən, həːrkjúːliən] *a.* **1** 헤라클레스의 **2** [**h~**] (헤라클레스 같은) 큰 힘을 요하는; 매우 어려운; 괴력의; 굉장히 용감한; 훌륭한 체격의: a *h~* task 매우 어려운 일
*__Her·cu·les__ [hə́ːrkjulìːz] *n.* **1** 〖그리스신화〗 헤라클레스 《Zeus 신의 아들로 힘센 영웅》 **2** [**h~**] 힘이 장사인 사람 **3** [the ~] 〖천문〗 헤라클레스자리 ***~' choice*** 안일을 버리고 고난을 택함 ***the Pillars of ~*** ⇨ pillar ▷ Herculéan *a.*
Hércules bèetle 〖곤충〗 큰딱정벌레 《남미산(産)》
Her·cu·les-club [hə́ːrkjulìːzklʌ̀b] *n.* 〖식물〗 **1** 산초[두릅]나무류 **2** 박(gourd)
Her·cyn·i·an [həːrsíniən] *a.* 〖지질〗 헤르시니아 조산기(造山期)의 《고생대 후기의 지각 변동기》
her·cy·nite [hə́ːrsənàit] *n.* 〖광물〗 허시나이트 《흑색 산화질 광물》
‡**herd¹** [hə́ːrd] *n.* **1** 가축의 떼, 무리, 《특히》 소떼, 돼지떼 (*of*)(⇨ group 유의어): a ~ *of* cattle[sheep] 소[양]의 떼 **2** [the ~] 《경멸》 군중, 민중, 대중, 서민: *the* common[vulgar] ~ 하층민 **3** [a ~] 대량, 다량, 다수 (*of*): *a* ~ *of* bicycles 많은 자전거 ***ride ~ on*** ⇨ ride
—*vi.* 무리를 지어 가다 (*with*); 모이다 (*together*); 〈식물이〉 군생하다
—*vt.* 〈소·양 등의〉 망을 보다; 선도하다; 모으다: (~+목+전+명) The teacher *~ed* the children *into* the classroom. 선생님이 아이들을 교실 안으로 데리고 갔다.
herd-book [hə́ːrdbùk] *n.* (가축의) 혈통서
herd·er [hə́ːrdər] *n.* 《주로 미》 목자(牧者), 목부(牧夫), 목동, 목양자
her·dic [hə́ːrdik] *n.* 《미》 (19세기말 미국의) 2륜[4륜] 마차 《뒤쪽에 승강구가 있음》
hérd·ing dòg [hə́ːrdiŋ-] 목축개
hérd ìnstinct [the ~] 〖심리〗 군거(群居) 본능, 집단 본능
*__herds·man__ [hə́ːrdzmən] *n.* (*pl.* **-men** [-mən]) **1** 목자, 목부(牧夫), 목동, 소치는 사람; 소떼의 소유자 **2** [the H~] 〖천문〗 목동자리(Boötes)
‡**here** [híər] *ad.* **1** 여기에[서], 이곳에(opp. *there*): Put your bag ~. 가방을 여기 놓으시오. **2 a** [문두(文頭)에 써서] 자 여기에: *H~*'s your tea. 자 차를 드세요. / *H~* she is. 자 여기에 그녀가 있다. **b** [목적지에 도착했을 때 등에 써서] 자 (왔다): *H~* we are. 자 왔다. **3** [문두·문미(文尾)에 써서] (이야기 등) 이 점에서, 여기서; 이때, 지금: *H~* he is wrong. 이 점에서 그는 틀리고 있다. / *H~* the speaker paused. 여기에서 강사는 잠깐 쉬었다. / Even my wife doesn't agree with me ~. 내 아내조차 이 점에서는 나와 생각이 다르다. **4** 이 세상에서, 현세에서: ~ below 이승[세상]에서는 **5** 이곳으로, 이리, 이쪽으로[에, 에서], 여기로: Come ~. [kəmhíər] 이리 오너라. **6** [**H~**] (호명에 대한 답) 예(Present!) **7** 이봐, 자 《꾸중할[달랠] 때 쓰는 말》: *H~*, that's enough. 여보게, 그만 해두게. / *H~*, ~, don't cry! 자, 자, 그만 울어라! **8** [보통, 명사 뒤에] 여기에 있는: this package ~ 여기에 있는 이 소포
~ and now 지금 당장에, 즉각 ***~ and there*** 여기저기에; 때때로 ***H~ goes!*** 《구어》 자 시작이다, 자 간다! ***H~ goes nothing.*** 《구어》 (안 되겠지만) 한번 해 볼 테다. ***H~ I am.*** 다녀왔습니다, 자 왔다. ***H~ it is!*** 자 여기 있다; 자 이걸 주마! ***H~'s at you.*** 옳소, 네 말이 맞다. ***H~'s how!*** (건강을 위해) 건배! ***H~'s something for you.*** 자 이것을 네게 주마. ***Here's to ...!*** = ***Here's ... to*** a person**!** 《구어》 [건배의 말] …에게 행운이 있기를, …만세, …있으시기를: *H~'s to* you[your health]! = *H~'s* a health *to* you. (축배를 들면서) 건강을 축원합니다. ***H~'s where ...*** 《구어》 이것이 …인 점이다: *H~'s where* he is wrong. 그가 틀린 점은 이곳이다. ***~, there, and everywhere*** 《구어》 도처에 ***H~ today (and) gone tomorrow.*** 《구어》 오늘은 있어도 내일은 없다; 유위전변(有爲轉變). ***H~ we are.*** 《구어》 (1) ⇨ 2 b (2) 자 어서, 여기 있습니다. ***H~ we go!*** 《구어》 자, 시작이다. 《어떤 일이 시작되려고 할 때》 ***H~ we go again!*** 《구어》 (지겹게도) 또 시작이야! ***H~ you are [go].*** 《구어》 (1) 자, 여기 있습니다. 《물건을 건네줄 때》 (2) [삽입적] 자, 보세요, 생각해 보세요. 《주의를 환기시킬 때》 ***Look ~!*** 여보게, 이것 좀 봐! 《주의를 환기시킬 때》 ***neither ~ nor there*** 아무데도 없는; 전혀 관계없는, 하찮은 ***this ~ ['ere]*** man 《속어》 = ***this*** man ~ 여기 (있는) 이 (사람) 《'ere는 here의 h가 빠진 것》
—*n.* Ⓤ **1** [보통 전치사의 뒤에 써서] 여기; 이 점 **2** 이 세상, 현세; 현재
from ~ 여기서부터 ***in ~*** 여기서는, 이 안에 ***near ~*** 이 근처에 ***the ~ and now*** 바로 지금, 현재, 현시점 ***the ~ and the hereafter*** 현재와 미래 ***up to ~*** 여기까지; 《구어》 일이 너무 많아; 《구어》 감당 못하게 되어; 《구어》 잔뜩 배가 불러; 가슴이 벅차
He·re [híəri] *n.* 〖그리스신화〗 =HERA
here·a·bout(s) [híərəbàut(s)] *ad.* 이 부근에, 이 주변에: somewhere ~ 어디 이 근처에(서)
‡**here·af·ter** [hìərǽftər | -áːf-] *ad.* 차후[이후]에, 앞으로, 장차, 장래(in the future); 내세[저승]에서:

---

herd¹ *n.* **1** 무리 collection, assemblage, flock, pack, cluster **2** 군중 crowd, horde, multitude, mob, mass, host, throng, swarm, press

It will be explained ~. 그것은 차후에 설명할 것이다. — *n.* Ⓤ [the ~] 내세, 저 세상; 장래, 미래: in *the* ~ 내세에서, 저 세상에서
— *a.* 《고어》 미래의, 후세의
here·at [hìərǽt] *ad.* **1** 이때 **2** 이에(at this); 이러므로, 이런 이유로
here·a·way [híərəwèi] *ad.* = HEREABOUT
here·by [hìərbái] *ad.* 《문어》 이로써, 이에 의하여, 이 결과 ★ 의식·법률문에 씀: I ~ resign. 나는 이로써 사임한다.
he·red·i·ta·ble [hərédətəbl] *a.* = HERITABLE **-bly** *ad.*
her·e·dit·a·ment [hèrədítəmənt] *n.* 〖법〗 상속 (가능) 재산; 부동산
he·red·i·tar·i·an [hərèdətέəriən] *n.* 유전설 신봉자, 유전론자 — *a.* 유전주의의: ~ theories 유전주의론 **~·ism** *n.* 유전설
*__he·red·i·tar·y__ [hərédətèri | -təri] *a.* **1** 유전성의, 유전하는, 유전적인(opp. *acquired*): ~ characteristics 유전 형질 **2** 상속권에 의한; 세습의: ~ property 세습 재산 **3** 〈습관·신앙 따위가〉 대물림의, 조상 대대의 **he·rèd·i·tár·i·ly** *ad.* ▷ herédity *n.*
heréditary péer 《영》 세습 귀족
he·red·i·tist [hərédətist] *n.* = HEREDITARIAN
he·red·i·ty [hərédəti] [L 「상속」의 뜻에서] *n.* (*pl.* **-ties**) ⓊⒸ **1** 《형질》 유전; 유전적 형질 **2** 상속, 세습, 계승; 전통
Her·e·ford [hérəfərd] *n.* **1** 헤리퍼드 《잉글랜드 Hereford and Worcester주 서부의 도시》 **2** = HEREFORDSHIRE **3** [hə́:rfərd, hérə- | hə́:fəd] 헤리퍼드종의 소 《얼굴이 희고 털이 붉은》; 헤리퍼드종의 돼지 《미국종》
Héreford and Wórcester 헤리퍼드 우스터 《1974년에 신설된 잉글랜드 서부의 주; 주도 Worcester》
Her·e·ford·shire [hérəfərdʃìər, -ʃər] *n.* 헤리퍼드셔 《잉글랜드 서부의 옛 주; 1974년 Hereford and Worcester 주로 편입》
here·from [hìərfrʌ́m | -frɔ́m] *ad.* 《고어》 이제부터; 여기에서; 이 점에서
*__here·in__ [híərìn] *ad.* 《문어》 **1** 여기에, 이 속에 **2** 이 글[문서] 속에; 이 사실로[에서]; 이것을 고려해서
here·in·af·ter [hìərinǽftər | -ɑ́:f-] *ad.* 《문어》 (서류 등에서) 아래에(서는), 이하에
here·in·be·fore [hìərinbifɔ́:r] *ad.* 《문어》 (서류 등에서) 위에, 윗글에, 전조(前條)에, 앞에
here·in·to [hìəríntu:] *ad.* 《문어》 이 안으로; 이 사항[사건] 속으로
he·rem [xéirem, kér-] [Heb. = banishment] *n.* 가장 엄한 파문(破門)
here·of [hìərʌ́v | -ɔ́v] *ad.* 《문어》 이것의, 이 문서의, 이것에 관하여(of this): upon the receipt ~ 이것을 받는 대로 / more ~ later 더 자세한 것은 후에
here·on [hìərɔ́:n | -ɔ́n] *ad.* = HEREUPON
He·re·ro [hərέərou] *n.* (*pl.* **~s,** [집합적] **~**) 헤레로족(族)(의 사람) 《아프리카 남서부의 반투족》; 헤레로 말
he·res [híəri:z] *n.* (*pl.* **he·re·des** [hirí:di:z]) 〖법〗 상속인(heir)
‡**here's** [híərz] here is의 단축형
he·re·si·arch [hərí:ziɑ̀:rk, -si-, hérə- | herí:zi-] *n.* 이교(異敎)의 창시자; 이교도의 우두머리
he·re·si·mach [hərí:zəmæ̀k, -sə-, hérə- | herí:zi-] *n.* 이단(자)를 격렬하게 공격하는 사람
he·re·si·ol·o·gy [hərì:ziɑ́lədʒi, -si-, hèrəsi- | hèriziɔ́l-] *n.* 이교 연구 (논문) **-gist** *n.*
*__her·e·sy__ [hérəsi] [Gk 「선택」의 뜻에서] *n.* (*pl.* **-sies**) ⒸⓊ 〖가톨릭〗 이교, 이단; 이설, 이론(異論), 반대론 ▷ herétical *a.*
*__her·e·tic__ [hérətik] *n.* 〖가톨릭〗 이교도, 이단자; 이설을 주창하는 사람, 반론자
— *a.* = HERETICAL
he·ret·i·cal [hərétikəl] *a.* 이교의, 이단의, 이설의, 이단자의 **~·ly** *ad.* **~·ness** *n.*
here·to [hìərtú:] *ad.* 《문어》 여기까지; 이 일[문서, 주제]에; 이것에 관하여: attached[annexed] ~ 이것에 첨부해서
here·to·fore [hìərtəfɔ́:r] *ad.* 《문어》 지금까지, 여태까지(hitherto); 이전에는 — *a.* 《고어》 먼저의, 전의
here·un·der [hìərʌ́ndər] *ad.* 《문어》 아래 (문장)에; 이 기록[조건]에 따라, 이에 의거하여
here·un·to [hìərʌntú:] *ad.* = HERETO
here·up·on [hìərəpɔ́:n | -əpɔ́n] *ad.* 《문어》 이에 관해서, 여기에 있어서; 이 시점에서; 이 직후에, 즉시; 이 결과로
*__here·with__ [hìərwíð, -wíθ] *ad.* 《문어》 **1** 이와 함께 (동봉하여), 여기 첨부하여(with this) **2** 이 기회에; 이로써, 이 방법으로(hereby)
her·i·ot [hériət] *n.* 〖영국법〗 차지(借地) 상속세
her·it·a·ble [héritəbl] *a.* 물려 줄 수 있는; 상속할 수 있는; 유전성의 — *n.* [보통 *pl.*] 상속할 수 있는 재산 **-bly** *ad.* 상속(권)에 의하여 **hèr·it·a·bíl·i·ty** *n.* Ⓤ 물려 줄 수 있음, 상속 가능성
*__her·it·age__ [héritidʒ] [L 「계승하다(inherit)」의 뜻에서] *n.* **1** 세습[상속] 재산 **2** 유산; 대대로 전해 오는 것; 전승, 전통: cultural ~ 문화 유산 **3** 천성, 운명; 태어나면서 얻는 권리: the ~ of freedom 자유라는 생득권(生得權) **4** [God's ~] 〖성서〗 신의 선민, 이스라엘 사람; 그리스도교도[교회]
héritage cènter 《영》 전승[유산] 박물관[전시관]
her·it·ance [héritəns] *n.* 《고어》 상속, 유산(inheritance)
her·i·tor [héritər] *n.* (*fem.* **-tress** [-tris]) 상속자; 〖스코법〗 교구의 토지[가옥] 소유자
her·i·trix [héritriks] *n.* (*pl.* **-tri·ces** [hèritráisi:z], **~·es**) 여상속인; 여성 후계자
herk·y-jerk·y [hə́:rkidʒə́:rki] *a.* 《미》 〈행위가〉 돌연한, 불규칙적인, 발작적으로 움찔하는
herm [hə́:rm] *n.* 헤르메스(Hermes)의 주상(柱像)
her·ma [hə́:rmə] *n.* (*pl.* **-mae** [-mi:], **-mai** [-mai]) *n.* = HERM
her·maph·ro·dite [hə:rmǽfrədàit] *n.* **1** 어지자지, 남녀추니, 남녀 양성자 **2** 〖동물〗 자웅 동체, 암수 한 몸; 〖식물〗 양성화 — *a.* = HERMAPHRODITIC
her·maph·ro·dit·ic, -i·cal [hə:rmæ̀frədítik(əl)] *a.* 남녀추니의, 암수 한 몸의; 상반된 두 성질을 가진
her·maph·ro·dit·ism [hə:rmǽfrədaitìzm] *n.* Ⓤ 암수 한 몸임, 자웅 동체성(性)
her·ma·type [hə́:rmətàip] *n.* 조초(造礁) 생물 《산호초를 형성하는 생물; 산호·조개·석회조(藻) 따위》
her·ma·typ·ic [hə̀:rmətípik] *a.* 조초성(造礁性)의
her·me·neu·tic, -ti·cal [hə̀:rmənjú:tik(əl) | -njú:-] *a.* (특히 성서의) 해석학의; 해석의, 설명적인
her·me·neu·tics [hə̀:rmənjú:tiks | -njú:-] *n. pl.* [단수 취급] (특히 성서의) 논리적 해석법; 성서 해석학
Her·mes [hə́:rmi:z] *n.* **1** 〖그리스신화〗 헤르메스 《신들의 사자(使者), 과학·웅변·상업 등의 신; 로마 신화의 Mercury에 해당함》 **2** 〖천문〗 지구에 가장 가까운 소행성
Hérmes Tris·me·gís·tus [-trìzmədʒístəs] 헤르메스 트리메기스토스 《신(新)플라톤주의자 등이 이집트 신 Thoth에게 붙인 이름》
her·met·ic, -i·cal [hə:rmétik(əl)] *a.* **1** 밀봉[밀폐]한, 기밀의; 외부의 영향을 받지 않는: ~ seal 용접 밀폐 **2** [때로 **H~**] 《고어》 신비학의, 《특히》 연금술의; 비법의, 난해한: the ~ art[philosophy, science] 연

thesaurus **hereditary** *a.* **1** 유전성의 genetic, congenital, innate, inborn, inherent, inbred, family **2** 세습의 inherited, handed down, bequeathed, willed, transferred, transmitted, ancestral
heritage *n.* **1** 상속 재산 inheritance, legacy, be-

금술 **-i·cal·ly** *ad.* 밀봉[밀폐]하여
her·met·i·cism [həːrmétəsìzm], **her·me·tism** [hə́ːrmitìzm] *n.* 신비주의, 비전(秘傳) 신앙 《특히 Hermes Trismegistus의》 **-cist** *a.*, *n.*
Her·mi·o·ne [həːrmáiəniː] *n.* 〖그리스신화〗 헤르미오네 《Menelaus와 Helen의 딸》
‡**her·mit** [hə́ːrmit] [Gk 「고독한」의 뜻에서] *n.* **1** 종교적 은둔자 **2** 《일반적으로》 은자, 세상을 등진 사람(recluse); 수행자(修行者), 신선, 도사 **3** 독거성(獨居性)의 동물; 〖조류〗 벌새 **~·ìsm** *n.* **~·ish** *a.* **~·lìke** *a.*
her·mit·age [hə́ːrmitidʒ] *n.* 은둔자의 집[암자]; 쓸쓸한 외딴집; 은거 생활; [**H~**] 프랑스 남동부 론 강변산 포도주의 일종
hérmit cràb 〖동물〗 소라게
her·mit·ic [həːrmítik] *a.* 은자의; 은둔자다운 **-i·cal·ly** *ad.*
Hérmit Kìngdom [the ~] 은자(隱者)의 왕국 《중국 외는 문호를 닫았던 1637-1876의 조선》
her·mit·ry [hə́ːrmitri] *n.* 은둔 생활
hérmit thrùsh 〖조류〗 갈색지빠귀 《북미산(産)》
hern [hə́ːrn] *n.* 《방언》 =HERON
her·ni·a [hə́ːrniə] *n.* (*pl.* **~s, -ni·ae** [-niìː]) ⓊⒸ 〖병리〗 헤르니아, 《특히》 탈장(脫腸)(rupture) **-ni·al** *a.* 탈장의
her·ni·ate [hə́ːrnièit] *vi.* 〖병리〗 헤르니아가 되다 **hèr·ni·á·tion** *n.*
hér·ni·at·ed dísk [hə́ːrnièitid-] 〖병리〗 추간판(椎間板) 헤르니아 디스크(ruptured[slipped] disk)
hernio- [hə́ːrniou, -niə] 《연결형》 「헤르니아」의 뜻
her·ni·o·plas·ty [hə́ːrniəplæ̀sti] *n.* (*pl.* **-ties**) 〖외과〗 헤르니아 성형술
her·ni·or·rha·phy [hə̀ːrniɔ́ːrəfi, -ɑ́r-|-ɔ́r-] *n.* (*pl.* **-phies**) 〖외과〗 헤르니아 봉합(술)
her·ni·ot·o·my [hə̀ːrniɑ́təmi|-ɔ́t-] *n.* (*pl.* **-mies**) 〖외과〗 헤르니아 절제(술)
‡**he·ro** [híərou] *n.* (*pl.* **~es**) **1** 영웅, 용사; (영웅시되는) 이상적 인물: a war[national] ~ 전쟁[국민적] 영웅 **2** (시·극·소설 등의) (남자) 주인공, 주요 인물(cf. HEROINE) **3** 〖그리스신화〗 신인(神人); 반신(半神)(demigod) **4** (*pl.* **~es, ~s**) 《미·속어》 =HERO SANDWICH ***make a ~ of*** a person …을 영웅화하다, 떠받들다 ***No man is a ~ to his valet.*** ⇨ valet. **~·lìke** *a.* ▷ heróic *a.*
He·ro [híərou] *n.* 〖그리스신화〗 헤로 《Aphrodite의 여신관(女神官), 익사한 애인 Leander를 뒤따라 투신했음》
Her·od [hérəd] *n.* 〖성서〗 헤롯 대왕(73?-4 B.C.) 《유대의 왕, 잔학무도하기로 유명; cf. OUT-HEROD》
Hérod Án·ti·pas [-ǽntipæ̀s] 헤롯 안티파스 (4-39 A.D.) 《헤롯 대왕의 아들》
He·ro·di·an [həróudiən, he-] *a.* 헤롯 왕의
— *n.* 헤롯 왕가의 지지자
He·ro·di·as [həróudiəs, he-|-æ̀s] *n.* 〖성서〗 헤로디아 《헤롯 안티파스의 후처, 살로메의 어머니; 세례 요한을 죽이게 함》
He·rod·o·tus [hərɑ́dətəs, he-|-rɔ́d-] *n.* 헤로도토스(484?-425? B.C.) 《그리스의 역사가》
‡**he·ro·ic** [hiróuik] *a.* **1** 영웅[용사]의; 고대의 영웅[신인(神人), 반신(半神)]의; 용맹스러운, 씩씩한, 장렬한; 대담한(daring), 모험적인; 고결한; 이타적인: a ~ explorer 대담한 탐험가 / ~ ambition 대담한 야심 / a ~ remedy 극단적인[과감한] 치료 / ~ mythology 영웅 신화 **2** 〖시학〗 신인[영웅]을 읊은, 영웅을 다룬 **3** 〈문체·음성 등이〉 웅대한, 장중한, 당당한; 과장된: ~ words 호언장담 **4** 〖미술〗 〈조상(彫像) 등이〉 실물보다 큰: a statue of ~ proportions 실물보다 큰 조상 **5** 〈효과가〉 큰; 다량의: a ~ drug 특효약
— *n.* **1** [보통 *pl.*] =HEROIC VERSE **2** [*pl.*] 과장한 어조[언동, 감정]; 영웅적 행동[행위]
go into ~s 감정을 과장하여 말하다
▷ héro *n.*
heróic áge **1** [the ~] 신인(神人)[영웅] 시대 《Hesiod가 주창한 인간 역사의 5기 중의 한 시대》 **2** 신화 시대; 한 나라의 여명기
he·ro·i·cal [hiróuikəl] *a.* =HEROIC
he·ro·i·cal·ly [hiróuikəli] *ad.* 영웅답게, 용맹스럽게, 늠름하게, 장렬하게
heróic cóuplet (2행씩 운(韻)을 밟아 대구(對句)를 이루는) 영웅시격(의 시)
heróic dráma 영웅극 《영국 17세기 왕정 복고 시대의 비극》
he·ro·i·cize [hiróuəsàiz] *vt.* =HEROIZE
he·ro·i·com·ic, -i·cal [hiròuikɑ́mik(əl)|-kɔ́m-] *a.* 영웅 희극적인 《용맹과 웃음이 섞인》
heróic póem 영웅시
heróic vérse **1** 영웅시, 사시(史詩) **2** 영웅시격(格), 사시(史詩)격 《영시에서는 약강 오보격(五步格)》
her·o·in [hérouin] *n.* Ⓤ 헤로인 《모르핀으로 만든 진정제·마약》
‡**her·o·ine** [hérouin] [hero의 여성형] *n.* **1** 여걸, 여장부; 열녀, 열부(烈婦) **2** (극·시·소설 등의) 여주인공(cf. HERO): the ~ of a novel 소설의 여주인공 **3** (신화시대의) 반신녀(半神女)
her·o·in·ism [hérouinìzm] *n.* Ⓤ 헤로인 중독
***her·o·ism** [hérouìzm] *n.* **1** Ⓤ 영웅적 자질[성격]; 장함, 의협, 용장(勇壯), 무용(武勇) **2** 영웅적 행위, 용기 있는 행동
he·ro·ize [híərouàiz, hér-] *vt.* 영웅화[시]하다: a war film that ~*s* the warrior 전사를 영웅화하는 전쟁 영화 **hè·ro·iz·á·tion** *n.*
***her·on** [hérən] *n.* 〖조류〗 왜가리, 《일반적으로》 각종 해오라기
her·on·ry [hérənri] *n.* (*pl.* **-ries**) 왜가리의 집단 서식지[번식지]; 왜가리 떼
héro sándwich 《미·속어》 대형 샌드위치 《길쭉한 빵에 고기·야채 등을 듬뿍 끼운 것》
Héro's[Hér·on's] fórmula [1세기의 그리스 수학자 Hero[Heron] of Alexandria에서] 〖기하〗 헤론의 공식 《세 변의 길이만으로 3각형의 면적을 구하는 공식》
héro's wélcome (영웅을 환영하는 듯한) 열광적인 환영
héro wòrship 영웅 숭배; 지나친 영웅 예찬
he·ro-wor·ship [híərouwə̀ːrʃip] *vt.* (**~ed**; **~·ing**|**~ped**; **~·ping**) 영웅으로 숭배하다, 영웅시하다 **~·(p)er** *n.* 영웅 숭배자
her·pes [hə́ːrpiːz] *n.* Ⓤ 〖병리〗 포진(疱疹), 헤르페스
hérpes símplex 〖병리〗 단순 포진
her·pes·vi·rus [hə́ːrpiːzvàirəs] *n.* (*pl.* **~·es**) 헤르페스[포진] 바이러스
hérpes zóster 〖병리〗 대상 포진(帶狀疱疹)(shingles)
her·pet·ic [həːrpétik] *a.* 〖병리〗 헤르페스[포진]성의 **—** *n.* 포진 환자
her·pe·tol·o·gy [hə̀ːrpətɑ́lədʒi|-tɔ́l-] *n.* Ⓤ 파충(류)학 **-gist** *n.* 파충류 학자
herp·tile [hə́ːrptl|-tail] *a.*, *n.* 《주로 미》 양서(兩棲) 파충류의 (동물)
Herr [hɛ́ər] [G] *n.* (*pl.* **Her·ren** [hɛ́ərən]) **1** 님, 씨, 군(君), 선생; 신사 《영어의 Mr.에 해당》 **2** 독일 신사 ***meine*** [máinə] ***~en*** 신사 여러분
Her·ren·volk [hɛ́rənfɔ̀lk] [G] *n.* (*pl.* ***-völ·ker*** [-fʌ̀lkər]) 지배 민족 《나치에 의한 독일 민족의 자칭》
her·ring** [hériŋ] *n.* (*pl.* [집합적] **~, ~s**) 청어: kippered ~ 훈제한 청어 (as***) ***dead as a ~*** 완전히 숨진 (***as***) ***thick as ~s*** 몹시 밀집하여, 빽빽이 들어차

---

quest, endowment, patrimony, estate **2** 전통 tradition, history, background
hermit *n.* recluse, solitary, eremite, ascetic
heroic *a.* brave, courageous, valiant, valorous, fearless, gallant, bold, daring, dauntless

packed as close as ~s 빈틈없이[콩나물 시루같이] 꽉 채워져 **~·like** *a.*

her·ring·bone [hériŋbòun] *n.* **1** 헤링본 《청어의 뼈 모양 혹은 오늬 모양을 여러 개 짜맞춘 무늬; 그런 모양으로 짠 능직(綾織)》; 〖건축〗 오늬무늬 쌓기 **2** 〖스키〗 (경사면을) 다리를 벌리고 오르기

herringbones *n.* **1**

— *a.* Ⓐ 헤링본의, 오늬무늬의 **—** *vt.* **1** 오늬 무늬로 짜다[꿰매다]; 오늬무늬로 쌓다 **2** 〖스키〗 (경사면을) 다리를 벌리고 오르다

hérringbone bònd (벽돌의) 오늬무늬 쌓기

hérringbone gèar 〖기계〗 헤링본 기어[톱니바퀴]

hérring gùll 〖조류〗 재갈매기

hérring pònd [the ~] 《익살》 대양 《특히 북대서양》

‡hers [hə́ːrz] *pron.* [SHE의 소유 대명사; 단·복수 취급] **그 여자의 것**: The red umbrella is ~. 그 빨간 우산은 그녀의 것이다. / *H~* is the biggest garden on the block. 그녀의 정원은 이 구역에서 가장 크다. ***of*** **~** 그녀의: Are you a friend *of* ~? 당신은 그녀의 친구입니까? ★ her는 a, an, this, that, no 등과 나란히 명사 앞에 놓지 못하므로, her를 of hers로 하여 명사 뒤에 놓음: *that* book *of* ~ 그녀의 그 책

Her·schel [hə́ːrʃəl, hέər- | hə́ː-] *n.* 허셜 **1 Sir John Frederick William ~** (1792-1871) 《영국의 천문학자》 **2 Sir William ~** (1738-1822) 《영국 천문학자, 1의 아버지; 천왕성을 발견(1781)》

‡her·self [hərsélf] *pron.* (*pl.* **them·selves**) [SHE의 강조, 재귀형] **1** [강조 용법] **그 여자 자신**: She ~ told me the news. =She told me the news ~. 그녀 자신이 그 소식을 내게 전했다. / *H~* only a child, she had to raise three younger sisters. 그녀 자신도 어렸지만 그녀는 세 명의 어린 여동생을 키워야 했다. **2** [재귀 용법] 그 여자 자신을[에게]: She tired ~ out. 그녀는 녹초가 되도록 지쳤다. / She ought to be ashamed of ~. 그 여자는 마땅히 스스로 부끄러워해야 한다. / She killed ~. 그녀는 자살했다. **3** 정상적인[평상시와 같은] 그녀, 본래의 그녀 ★ 보통 be의 보어로 씀: She is not ~ today. 오늘은 평소의 그녀와는 다르다. / After a few weeks' rest, she will be ~ again. 2, 3주 쉬면 다시 본래의 그녀로 돌아올 거야. ★ 기타의 용법·숙어는 ⇨ oneself, myself

her·sto·ry [hə́ːrstɔ̀ːri] *n.* 《속어》 (여성의 처지[시각]에서 본) 역사; (여성에 관한[의한]) 역사적 저작물

Hert·ford [hɑ́ːrfərd, hɑ́ːrt-] *n.* 하트퍼드 《영국 Hertfordshire주의 주도(州都)》; =HERTFORDSHIRE

Hert·ford·shire [hɑ́ːrfərdʃiər, hɑ́ːrt-, -ʃər] *n.* 하트퍼드셔 《잉글랜드 남동부의 주; 주도는 Hertford》

Herts [hɑ́ːrts, hə́ːrts] Hertfordshire

hertz [hə́ːrts] [독일 물리학자 H. Hertz에서] *n.* (*pl.* **~, ~·es**) 〖전기〗 헤르츠 《주파수·진동수의 단위; 매초 1사이클; 略 Hz》

Hertz [hə́ːrts, hɑ́ːrts] *n.* 헤르츠 **Heinrich Rudolph ~** (1857-94) 《독일의 물리학자; 헤르츠파(波)를 발견》

hertz·i·an [hə́ːrtsiən] *a.* [때로 **H~**] 헤르츠(식)의

Hértzian wáve 〖전기〗 헤르츠파(波), 전자파

‡he's [híːz; 《약하게》 iːz] he is[has]의 단축형

he/she [híːʃíː] *pron.* [인칭대명사 3인칭 단수 통성 주격(通性主格)] 그 또는 그녀(he or she), 그 사람 (that one): Each student may begin when ~ is ready. 학생들은 준비되는 대로 시작해도 좋다.

Hesh·van [héʃvən, -vɑːn] *n.* 헤슈반 《유대 달력에서의 두 번째 달》

hes·i·fla·tion [hèzəfléiʃən] [*hesi*tation+in*flation*] *n.* 〖경제〗 헤지플레이션 《경제 성장은 정체를 보이면서 인플레이션은 급격한 상태》

He·si·od [híːsiəd, hés- | -ɔd] *n.* 헤시오도스 《기원전 8세기경의 그리스 시인》

hes·i·tan·cy [hézətənsi], **-tance** [-təns] *n.* (*pl.* **-cies**; **-tanc·es**) =HESITATION

hes·i·tant [hézətənt] *a.* 주저하는; 머뭇거리는, 망설이는, 우유부단한, 우물쭈물하는 ***be ~ about*** [***over***] …에 대해서 망설이다 **~·ly** *ad.*

‡hes·i·tate [hézətèit] [L 「부착하다」의 뜻에서] *vi.* **1** 주저하다, 머뭇거리다, 망설이다, 결단을 못 내리다; 꺼리다: Don't ~. 주저[사양]하지 마라. // (~+전+명) ~ *about* a matter 어떤 문제로 망설이다 // (~+***to*** do) He ~*d to* make a decision. 그는 결단을 내리기를 주저했다. / He ~*d to* break the law. 그는 법을 어기는 것을 꺼렸다. // (~+(전+) ***wh. to*** do) (~+(전+) ***wh.*** 절) He often ~*s* (*about*) *what to* do[*what* he should do]. 그는 어떻게 해야 할지 몰라 망설이는 경우가 많다.

> 유의어 **hesitate** 결심이 서지 않아 망설이고 있다. **waver** 일단 결심을 한 것 같이 보이지만 그 후에 망설임을 느끼고 있다: He *wavered* in his judgment. 그는 자기 판단이 망설여졌다. **falter** 용기 부족·공포심으로 뒷걸음질치다: She never once *faltered* during her testimony. 그녀는 증언 동안에 결코 한 번이라도 망설이는 일이 없었다.

2 말을 더듬다: (~+전+명) ~ *in* speaking 말을 더듬거리다 **3** 잠깐 쉬다[멈추다] ***He who ~s is lost.*** 《속담》 망설이는 자는 기회를 놓친다.
— *vt.* 망설이면서[머뭇거리며] 말하다
-tàt·er, -tà·tor *n.* ▷ hesitátion *n.*; hésitative *a.*

hes·i·tat·ing·ly [hézətèitiŋli] *ad.* 머뭇거리며, 망설이며; 더듬거리며

hes·i·ta·tion** [hèzətéiʃən] *n.* **1** Ⓤ **주저, 망설임**; 우유부단; 어물어물함, 우물쭈물함 (*in*): after some [much] ~ 약간[한참] 망설이다가 **2** (말)더듬기: a ~ pause[break] 더듬거려 이야기가 끊어짐 **3** =HESITATION WALTZ ***without **~** 주저하지 않고, 서슴지 않고, 즉각; 단호히 ▷ hésitate *v.*; hésitative *a.*

hesitátion fòrm 〖언어〗 주저형(躊躇形) 《er, ah, um 등의 발성》

hesitátion wáltz 〖음악〗 헤지테이션 왈츠 《휴지(休止)와 글라이드(glide)로 이루어지는 스텝을 기본으로 하는 왈츠》

hes·i·ta·tive [hézətèitiv] *a.* 주저하는, 망설이는, 머뭇거리는: her ~ manner of speaking 그녀의 망설이는 어투 **~·ly** *ad.* 주저하며, 망설이며

Hes·per [héspər] *n.* 《시어》 =HESPERUS

Hes·pe·ri·an [hespíəriən] 《시어》 *a.* **1** 서쪽의, 서방의(Western) **2** Hesperides의 **—** *n.* 서쪽 (나라) 사람

Hes·per·i·des [hespérədiːz] *n. pl.* [the ~] 〖그리스신화〗 헤스페리데스 《황금 사과밭을 지킨 네 자매의 요정》; [단수 취급] 황금 사과밭

hes·per·i·din [hespérədn] *n.* 〖생화학〗 헤스페리딘 《감귤류의 껍질에서 추출한 비타민 P의 일종》

hes·per·id·i·um [hèspərídiəm] *n.* (*pl.* **-i·a** [-iə]) 〖식물〗 밀감 모양의 과일, 감과(柑果)
-i·date [hespérideit] *a.* **-íd·e·ous** *a.*

Hes·per·us [héspərəs] *n.* 개밥바라기, 태백성(太白星), 장경성(長庚星), 금성(Venus)(cf. VESPER)

Hes·se¹ [hés] *n.* 헤센 《독일 중부의 주(州); 독일어명은 Hessen》

Hes·se² [hésə] *n.* 헤세 **Hermann ~** (1877-1962) 《독일의 시인·소설가; 노벨 문학상 수상(1946)》

Hes·sian [héʃən | -siən] *a.* Hesse¹의 **—** *n.* **1** 헤

thesaurus **hesitation** *n.* **1** 주저 pause, delay, waiting, uncertainty, unsureness, doubt, irreso-

센 사람[병정] **2** 《미》 (독립 전쟁 때 영국이 고용한) 독일 병정 **3** [**h~**] Ⓤ 질기고 굵은 삼베 **4** [*pl.*] =HESSIAN BOOTS **5** 돈만 주면 무엇이든지 하는 사람, 용병; 악한, 깡패

Héssian bóots 앞에 술이 달린 군용 장화 《19세기 초에 영국에서 유행》

Héssian flý 〖곤충〗 모기붙이 비슷한 파리의 일종 《유충은 밀의 큰 해충》

hest [hést] *n.* 《고어》 명령, 분부, 대명(大命)

Hes·ter [héstər] *n.* 여자 이름 《Esther의 별칭》

Hes·ti·a [héstiə] *n.* 〖그리스신화〗 헤스티아 《난로·아궁이의 신; 로마신화의 Vesta에 해당》

het[1] [hét, xét] *n.* =HETH

het[2] [hét] *a.* 《미·속어》 흥분한 《*up*》; 안달[신경질]이 난 《*up*》

he·tae·ra [hitíərə] *n.* (*pl.* **-rae** [-riː], **~s**) 〖고대 그리스〗 첩; (고급) 창녀, 정부(情婦); 여자 책략가

he·tae·rism [hitíərizm], **he·tai·rism** [hitáiərizm] *n.* Ⓤ 축첩(蓄妾); 〖인류〗 잡혼(雜婚), 집단혼; 내연 관계, 동거 **-rist** *n.*

he·tai·ra [hitáiərə] *n.* (*pl.* **-rai** [-rai], **~s**) =HETAERA **-ric** *a.*

heter- [hétər], **hetero-** [hétərou, -rə] [Gk] 《연결형》 「타(他), 이(異)」의 뜻(opp. *homo-*, *iso-*) 《모음 앞에서는 heter-》

het·er·o [hétəròu] *a.* **1** 〖화학〗 탄소 이외의 원자의 **2** 《구어》 이성애(異性愛)의(heterosexual)
— *n.* (*pl.* **~s**) 《구어》 이성애(異性愛)를 하는 사람

het·er·o·ar·o·mat·ic [hètərouæ̀rəmǽtik] *n.* 〖화학〗 복소(複素) 고리 방향족(芳香族) 화합물

het·er·o·at·om [hètərouǽtəm] *n.* 〖화학〗 헤테로 원자, 이(異)원자

het·er·o·aux·in [hètərouɔ́ːksin] *n.* 〖화학〗 =INDOLEACETIC ACID

het·er·o·cer·cal [hètərəsə́ːrkəl] *a.* 〖어류〗 부등미(不等尾)의 《위쪽이 크고 밑쪽이 작은》

het·er·o·chro·mat·ic [hètərəkrəmǽtik] *a.* **1** 두가지 색 이상의, 다색(多色)의 **2** 잡색 모양의 **3** 이질(異質) 염색질의

het·er·o·chro·ma·tin [hètərəkróumətin] *n.* 〖생물〗 이질(異質) 염색질

het·er·o·chro·mo·some [hètərəkróuməsòum] *n.* 〖생물〗 이질[이형] 염색체, 성염색체

het·er·o·chro·mous [hètərəkróuməs] *a.* 다색(多色)의, 이색(異色)의

het·er·o·clite [hétərəklàit] *a.* 불규칙한, 변칙의, 이상한; 〖문법〗 불규칙 변화의: ~ nouns[verbs] 불규칙 명사[동사] — *n.* 〖문법〗 불규칙 변화를 하는 낱말 《명사·동사 등》 **het·er·o·clit·ic** [hètərəklítik] *a.*

het·er·o·cy·clic [hètərəsáiklik] *a.* 〖화학〗 이종(異種) 고리식의, 복소(複素) 고리식의

het·er·o·cyst [hétərəsìst] *n.* 〖세균〗 헤테로시스트 《질소 고정(窒素固定)하는 비대한 세포의 일종》

het·er·o·dox [hétərədɑ̀ks | -dɔ̀ks] *a.* 이교(異敎)의; 이설(異說)의, 비정통설의, 이단(異端)의(opp. *orthodox*); 이설을 신봉하는 **~·ly** *ad.*

het·er·o·dox·y [hétərədɑ̀ksi | -dɔ̀k-] *n.* (*pl.* **-dox·ies**) ⓊⒸ 이교; 이단, 이설; 이설 신봉(信奉)

het·er·o·dyne [hétərədàin] 〖통신〗 *a.* 헤테로다인식의: a ~ receiver 헤테로다인식 수신기 — *n.* Ⓤ 헤테로다인(식) (수신 장치) — *vt.* …에 헤테로다인을 발생시키다 — *vi.* 헤테로다인 효과를 일으키다

het·er·oe·cism [hètəríːsizm] *n.* 〖생물〗 이종 기생(異種寄生) **-óe·cious** *a.*

het·er·o·gam·ete [hètərəgǽmiːt, -ərougəmíːt] *n.* 〖생물〗 이형(異形) 배우자(opp. *isogamete*) **-ga·met·ic** [-gəmétik] *a.*

het·er·og·a·mous [hètərɑ́gəməs | -rɔ́g-] *a.* **1** 〖생물〗 이형(異形) 배우자(配偶子)에 의하여 생식하는, 이형 배우자를 갖는, 세대 교번의 **2** 〖식물〗 (2종의) 이성화(異性花)를 갖는

het·er·og·a·my [hètərɑ́gəmi | -rɔ́g-] *n.* Ⓤ 〖생물〗 이형 배우[접합], 헤테로가미(opp. *homogamy*)

het·er·o·ge·ne·i·ty [hètəroudʒəníːəti] *n.* (*pl.* **-ties**) ⓊⒸ 이종(異種), 이류(異類), 이질성(異質性), 불균질(不均質); 이류 혼교(混交); 이질 성분

het·er·o·ge·ne·ous [hètərədʒíːniəs, -njəs] *a.* 이종의, 이질적인, 이류의; 잡다한, 불균질의, 혼성의 (opp. *homogeneous*): a collection of ~ writings 이질적 작품의 모음 **~·ly** *ad.* **~·ness** *n.*

heterogéneous nétwork 〖컴퓨터〗 이기종(異機種) 네트워크

het·er·o·gen·e·sis [hètərədʒénəsis] *n.* Ⓤ 〖생물〗 세대 교번(alternation of generations); 자연[우연] 발생 **-ge·net·ic** [-dʒənétik] *a.*

het·er·og·e·nous [hètərɑ́dʒənəs | -rɔ́dʒ-] *a.* 〖생물·병리〗 외생(外生)의, 외래의

het·er·og·e·ny [hètərɑ́dʒəni | -rɔ́dʒ-] *n.* =HETEROGENESIS

het·er·og·o·nous [hètərɑ́gənəs | -rɔ́g-] *a.* 〖식물〗 이형(異形) 꽃술의

het·er·og·o·ny [hètərɑ́gəni | -rɔ́g-] *n.* Ⓤ 〖생물〗 **1** 부등(不等) 생장 **2** 헤테로고니 《양식 생식과 단위 생식이 번갈아 일어나는 세대 교번》

het·er·o·graft [hétərəgræ̀ft, -grɑ̀ːft] *n.* 〖외과〗 =XENOGRAFT

het·er·og·ra·phy [hètərɑ́grəfi | -rɔ́g-] *n.* **1** 틀린 철자법 **2** 동자 이음(同字異音)

het·er·o·junc·tion [hètərədʒʌ́ŋkʃən] *n.* 〖전자〗 이질 접합

het·er·o·kar·y·on [hètərəkǽriɑ̀n, -ən | -ɔ̀n] *n.* (*pl.* **-y·a**) 〖생물〗 헤테로카리온, 이핵(異核) 공존체

het·er·o·kar·y·o·sis [hètərəkæ̀rióusis] *n.* Ⓤ 〖생물〗 헤테로카리오시스, 이핵(異核), 이핵성

het·er·o·lec·i·thal [hètərəlésəθəl] *a.* 〖발생〗 부등황(不等黃)의, 부등황란(卵)의

het·er·ol·o·gous [hètərɑ́ləgəs | -rɔ́l-] *a.* 〖생물〗 이종(異種) 기원의; 〖의학·병리〗 이종 조직의

het·er·ol·o·gy [hètərɑ́lədʒi | -rɔ́l-] *n.* Ⓤ **1** 〖생물〗 이종성(異種性), 이종 구조(cf. HOMOLOGY) **2** 〖병리〗 이상 현상

het·er·ol·y·sis [hètərɑ́ləsis | -rɔ́l-] *n.* Ⓤ 〖생화학〗 이종 용해; 〖화학〗 불균형 분해 (반응)

het·er·om·er·ous [hètərɑ́mərəs | -rɔ́m-] *a.* 〖식물〗 이수(異數)의, 부등수화(不等數花)의

het·er·o·mor·phic [hètərəmɔ́ːrfik], **-mor·phous** [-mɔ́ːrfəs] *a.* 〖생물〗 이형(異形)[부등(不等)]의, 이(異)구조의; 〖곤충〗 완전 변태를 하는

het·er·o·mor·phism [hètəroumɔ́ːrfizm | -mɔ́ː-] *n.* Ⓤ 〖생물〗 이형, 변형; 〖곤충〗 완전 변태; 〖결정〗 동질 이광(同質異鑛)

het·er·on·o·mous [hètərɑ́nəməs | -rɔ́n-] *a.* 타율(他律)의; 〖생물〗 다른 발달 법칙에 따르는

het·er·on·o·my [hètərɑ́nəmi | -rɔ́n-] *n.* Ⓤ 타율(他律), 타율성(cf. AUTONOMY)

het·er·o·nú·cle·ar ŔNÁ [hètərənjúːkliər | -njúː-] 〖생화학〗 이핵(異核) 리보 핵산

het·er·o·nym [hétərənìm] *n.* 동철 이음 이의어(同綴異音異義語) 《철자는 같지만 음과 뜻이 다른 말》(cf. HOMONYM, SYNONYM)

het·er·on·y·mous [hètərɑ́nəməs | -rɔ́n-] *a.* heteronym의; 이명(異名)의, 별개의 이름을 가진

het·er·o·path·ic [hètərəpǽθik] *a.* **1** 〖의학〗 역증(逆症) 요법의(allopathic) **2** 효과[작용]가 다른

het·er·o·phil [hétərəfil] *a.* 〖면역〗 이종 항원(異種抗原)에 친화성을 가지는, 이호성(異好性)의

het·er·o·pho·bi·a [hètərəfóubiə] *n.* Ⓤ (성적인) 이성 공포증, 이성 혐오

het·er·oph·o·ny [hètərɑ́fəni | -rɔ́f-] *n.* Ⓤ 〖음

lution, wavering, reluctance, unwillingness **2** 더듬기 stammering, stumbling, faltering

악) 헤테로포니, 이음성(異音性)《2인 이상이 동일한 선율을 각자 변화를 주어서 동시에 연주[노래]함》
het·er·o·phyl·lous [hètərəfíləs] *a.* 〖식물〗 이형엽(異形葉)의, 다형엽(多形葉)의
het·er·o·plas·ty [hétərəplæ̀sti] *n.* (*pl.* **-ties**) 〖외과〗 이종(異種) 조직 이식(술)
het·er·o·ploid [hétərəplɔ̀id] *a., n.* 〖생물〗 이수체(異數體)(의)《염색체 수가 기본수의 정수배보다 많거나 적음》 **-plòi·dy** *n.* 이수성(性)
Het·er·op·ter·a [hètərɑ́ptərə | -rɔ́p-] *n.* 〖곤충〗 이시류(異翅類)《소금쟁이 따위》
het·er·op·ter·ous [hètərɑ́ptərəs | -rɔ́p-] *a.* 〖곤충〗 이시류(異翅類)의
het·er·op·tics [hètərɑ́ptiks | -rɔ́p-] *n. pl.* [단수 취급] 착시(錯視), 시각 이상
het·er·o·sex [hétərəsèks] *n.* 《구어》 이성애(異性愛)
het·er·o·sex·ism [hètərəséksizm] *n.* 이성애주의; (이성애자의) 동성애자에 대한 편견[차별] **-ist** *n., a.*
het·er·o·sex·u·al [hètərəsékʃuəl] *a.* 이성애(異性愛)의; 〖생물〗 이성의; 양성(兩性)에 관한: ~ twins 이성 쌍생아 **—** *n.* 이성애자 **~·ly** *ad.*
het·er·o·sex·u·al·i·ty [hètərəsèkʃuǽləti] *n.* Ⓤ 이성애; 양성적인 특질
het·er·o·sis [hètəróusis] *n.* 〖생물〗 잡종 강세
het·er·o·sphere [hétərəsfìər] *n.* [the ~] (대기의) 이질권(異質圈)《해발 약 90 km 이상》
het·er·os·po·rous [hètərɑ́spərəs, hètərəspɔ́:rəs | -rɔ́spə-] *a.* 〖식물〗 이형포자(異形胞子)의
het·er·os·po·ry [hètərɑ́spəri | -rɔ́s-] *n.* 〖식물〗 이형 포자성(異形胞子性)《동일 식물이 큰 포자와 작은 포자를 형성하는 것》
het·er·o·struc·ture [hètərəstrʌ́ktʃər] *n.* 〖전자〗 헤테로 구조《헤테로 접합을 조립한 것》
het·er·o·tax·is [hètərətǽksis], **-tax·i·a** [-tǽksiə], **het·er·o·tax·y** [hétərətæ̀ksi] *n.* Ⓤ 〖병리〗 내장 변위(變位); 〖지질〗 지층 변위
het·er·o·tel·ic [hètərətélik, -tí:-] *a.* 〖철학〗 〈실체 따위가〉 다른 것을 목적으로 하여 존재하는, 외인(外因)의 **-tel·ism** [-tí:lizm] *n.*
het·er·o·thal·lic [hètərəθǽlik] *a.* 〖세균〗 이주성(異株性)의《균류의 유성 생식이 형태적 또는 생리적으로 다른 2종의 균사(菌絲)에 의해 이루어지는 것》
het·er·o·to·pi·a [hètərətóupiə], **het·er·ot·o·py** [hètərɑ́təpi | -rɔ́t-] *n.* Ⓤ 〖병리〗 (기관 따위의 이상 위치로의) 전위(轉位); (조직의) 이소(異所) 형성, 이소성
het·er·o·troph [hétərətrɑ̀f, -tròuf | -trɔ̀f] *n.* 〖생물〗 종속 영양 생물, 유기 영양 생물
het·er·o·typ·ic [hètərətípik] *a.* 〖생물〗 이형(異型)의
het·er·o·zy·gote [hètərəzáigout] *n.* 〖생물〗 이질(異質)[이형(異型)] 접합체(接合體)
het·er·o·zy·gous [hètərəzáigəs] *a.* 〖생물〗 이질[이형] 접합체의; 이형의, 헤테로의, 잡종성의
heth [hét, hés, xés] [Heb.] *n.* 헤스《히브리어 알파벳의 여덟 번째 글자》
het·man [hétmən] *n.* (*pl.* **~s**) (카자흐의) 수장(首長)(chief), 지도자
heu·land·ite [hjú:ləndàit] *n.* 〖광물〗 휘비석(輝沸石)
heu·ri·ge [hɔ́irigə] *n.* Ⓤ 호이리게《오스트리아의 그 해 산(産) 새 포도주》
heu·ris·tic [hjuərístik] *a.* **1** 학습을 돕는, 문제 해결을 돕는; 학생으로 하여금 스스로 발견케 하는, (자기) 발견적 학습의: a ~ method 발견적 학습법 **2** 〖컴퓨터〗 발견적인 **—** *n.* [보통 *pl.*; 단수 취급] 발견적 방법; 발견적 교수법[학습] **-ti·cal·ly** *ad.*
heurístic appróach 〖컴퓨터〗 발견적 해결 방법《복잡한 문제를 푸는 데 있어 시행착오를 반복 평가하여 자기 발견적으로 문제를 해결하는 방법》
heurístic prógram 〖컴퓨터〗 발견적 프로그램
Héus·ler álloy [hjú:slər-] 〖야금〗 호이슬러 합금《망간과 비(非)강자성 금속의 합금으로 현저한 강자성을 띰》
***hew** [hjú:] *v.* (**~ed**; **hewn** [hjú:n], **~ed**) *vt.* **1** (도끼 등으로) 패다, 자르다, 토막내다; 〈나무를〉 쳐서[찍어] 넘어뜨리다, 베어 넘기다 《*down*》: 《~+목+부》 ~ *down* trees to the ground 나무를 쳐서 넘어뜨리다 / The cottage was *hewn asunder* by a bomb test. 오두막집은 폭탄 실험으로 산산조각이 났다. // 《~+목+전+명》 ~ branches *from* the tree 나무에서 가지를 잘라내다 **2** 〈돌 등을〉 쪼다, 쪼개다, 쪼개어[쪼아] 만들다; 개척하다, 베어 〈길을〉 내다: 《~+목+전+명》 ~ a statue *from* marble 대리석으로 상(像)을 만들다 / ~ beams *from* logs 통나무를 잘라 들보를 만들다 / ~ a path *through* the forest 숲을 베어 오솔길을 내다 **3** 노력하여 〈지위 등을〉 쟁취하다; 노력하여 〈운명 등을〉 개척하다 《*out*》
— *vi.* (도끼 등으로) 자르다, 패다, 벌채하다 《*at*》; 《미》 (규칙·습관 등에) 따르다, 지키다, 고수하다, 준수하다, 옹호하다 《*to*》: 《~+전+명》 ~ *to* the tenets of a political party 정당의 방침에 따르다
~ out 쪼아서 만들다; 노력하여 〈운명 등을〉 개척하다 (⇨ *vt.* 3) ~ one***'s way*** 진로를 개척해 나아가다 ~ ***to pieces*** 토막내다 ~ ***to the line*** 규칙[방침]을 지키다 **~·a·ble** *a.*
HEW Department of Health, Education, and Welfare 《미》 보건 교육 후생부
hew·er [hjú:ər] *n.* (나무·돌 등을) 패는[찍는, 쪼개는] 사람; 채탄부(採炭夫) ***~s of wood and drawers of water*** 〖성서〗 나무 패며 물 긷는 자, 하급 노동자《여호수아 9: 21》
Hew·lett-Pack·ard [hjú:litpæ̀kərd] *n.* 휼렛패커드(사)《미국의 전자 회사; 略 HP》
hewn [hjú:n] *v.* HEW의 과거분사
— *a.* (도끼 등으로) 베어서 대충 모양을 다듬은, 잘라낸: ~ logs 베어낸 통나무
hex[1] [héks] 《미·구어》 *vt.* 마법을 걸다, 홀리게 하다 **—** *n.* 마법, 주술; 마녀(witch) **~·er** *n.*
hex[2] [hexagonal의 단축형] 《구어》 *a.* 6각형의; =HEXADECIMAL: a bolt with a ~ head 대가리가 6각인 볼트 **—** *n.* 16진법
hex. hexagon; hexagonal
hex- [héks], **hexa-** [héksə] 《연결형》 「6」의 뜻 《모음 앞에서는 hex-》
hex·a·chlo·ro·eth·ane [hèksəklɔ̀:rouéθein] *n.* 〖화학〗 6염화 에탄, 헥사클로르에탄
hex·a·chlo·ro·phene [hèksəklɔ́:rəfì:n] *n.* 〖화학〗 헥사클로로펜《항세균제로 치약 등에 씀》
hex·a·chord [héksəkɔ̀:rd] *n.* 〖음악〗 6성음계(聲音階), 6음음계
hex·ad [héksæd], **-ade** [-seid] *n.* 6; 여섯 개로 된 한 벌; 〖화학〗 6가(價) 원소(cf. MONAD)
hex·ad·ic [heksǽdik] *a.*
hex·a·dec·i·mal [hèksədésəməl] 〖컴퓨터〗 *a.* 16진법의 **—** *n.* 16진(기수)법; 16진수
hex·a·em·er·on [hèksəémərɑ̀n | -rɔ̀n] *n.* **1** 천지 창조 6일간의 이야기《성서의 창세기 제1장》 **2** 천지 창조 6일설(說); 천지 창조에 관한 논문
hex·a·gon [héksəgɑ̀n, -gɑ̀n | -gən] *n.* 6변[각]형
hex·ag·o·nal [heksǽgənl] *a.* 6각형의; 〖광물〗 6방정계(六方晶系)의: a ~ prism 6각형의 프리즘
hex·a·gram [héksəgræ̀m] *n.* **1** 〖수학〗 6선형(線形) **2** 6각의 별 모양《✡》《2개의 정삼각형을 거꾸로 하여 겹친 모양; 유대교의 상징》
hex·a·he·dron [hèksəhí:drən] *n.* (*pl.* **~s, -dra** [-drə]) 6면체 **-hé·dral** [-drəl] *a.* 6면체의
hex·am·er·ous [heksǽmərəs] *a.* 6개 부분으로 이루어진; 〖동물〗 6개로 배열된; 〖식물〗 〈꽃잎이〉 6개 윤생(輪生)의
hex·am·e·ter [heksǽmətər] 〖운율〗 *n.* 6보격(步格)[음각(音脚)](의 시) **—** *a.* 〈시행이〉 6보격의
hex·a·met·ric, -ri·cal [hèksəmétrik(əl)] *a.*
hex·a·me·tho·ni·um [hèksəməθóuniəm] *n.* 헥

사메토늄《고혈압 강하제; 자율 신경절 차단제》
hex·a·meth·yl·ene·tet·ra·mine [hèksəmèθəli:ntétrəmì:n] *n.* 〖화학〗 헥사메틸렌테트라민《요로(尿路) 소독제·폭약·접착제 등에 씀》
hex·ane [héksein] *n.* Ⓤ 〖화학〗 헥산
hex·an·gu·lar [heksǽŋgjulər] *a.* 6각의
hex·a·pla [héksəplə] *n. pl.* [종종 **H~**] 6개 국어 대조판《특히 구약 성서의》 **-plar** *a.*
hex·a·ploid [héksəplɔ̀id] *n., a.* 〖생물〗 〈세포·생물 등이〉 6배체(六倍體)(의) **-plòi·dy** *n.*
hex·a·pod [héksəpɑ̀d | -pɔ̀d] *a.* 6각류(六脚類)의; 곤충의 **—** *n.* 6각류, 곤충
hex·ap·o·dy [heksǽpədi] *n.* (*pl.* **-dies**) 〖운율〗 6보격(의 시행(詩行)) **hèx·a·pód·ic** *a.*
hex·a·stich [héksəstìk], **hex·as·ti·chon** [heksǽstikɑ̀n | -kɔ̀n] *n.* 〖운율〗 6행시[절, 연]
hex·a·style [héksəstàil] *a., n.* 〈건물이〉 6주(柱)식의 (건물[현관])
Hex·a·teuch [héksətjù:k | -tjù:k] *n.* [the ~] (모세) 육경《구약 성서의 처음 6편》
hex·a·va·lent [héksəvèilənt | heksǽvələnt] *a.* 〖화학〗 6가(價)의
hex·e·rei [hèksərái] *n.* 마법, 마술
hex·ode [héksoud] *n.* 〖전자〗 6극(진공)관
hex·o·ki·nase [hèksəkáineis, -kín-] *n.* 〖생화학〗 헥소키나아제《6탄당(炭糖)의 인산화 촉매 효소》
hex·one [héksoun] *n.* 〖화학〗 헥손《분자 중에 6개의 탄소 원자를 가진 유기 케톤의 총칭》
hex·os·a·min·i·dase [hèksəsəmínədèis, -dèiz] *n.* 〖생화학〗 헥소사미니다아제《중추 신경의 활동에 필수적인 효소》
hex·o·san [héksəsæ̀n] *n.* 헥소산《가수 분해에 의하여 헥소오스를 발생하는 다당류》
hex·ose [héksous] *n.* 〖생화학〗 6탄당(炭糖), 헥소오스
héx sìgn 헥스 사인《액막이한다는 마법의 기호》
hex·yl [héksil] *n.* 〖화학〗 헥실《헥산에서 유래된 1가의 알킬기(基)》
héxyl gròup[ràdical] 〖화학〗 헥실기(基)
*__hey__ [héi] *int.* 어이, 아이고, 이런, 저런, 어머나《기쁨·놀람·물음·주의 등의 소리》: *H~*, you! 어이, 자네! ***H~ for …!*** (영) … 잘한다, 잘했다!
hey·day[1], **hey·dey** [héidèi] *n.* [the ~, one's ~] 한창(때), 전성기, 절정(prime) 《*of*》: in *the ~ of* youth 한창 젊을 때에 / *the ~ of* the silent movies 무성 영화의 전성기
hey·day[2] [héidei] *int.* (고어) 야, 어머《놀람·기쁨 등의 소리》
héy présto *int.* (영) **1** 자 봐, 어때, 갑자기《마술을 부리듯이》: You just press the button and, ~, a perfect cup of coffee! 단지 버튼만 누르면 됩니다, 자, 완벽한 커피 한잔이 나왔네요! **2** 얏, 자 보세요《마술사가 외치는 소리》
Hez·bol·lah [hezbəlɑ́:] *n.* 헤즈볼라《레바논의 이슬람교 시아파의 과격파 조직》
Hez·e·ki·ah [hèzəkáiə] *n.* 〖성서〗 히스기야《선지자 이사야 시대의 유대의 왕; 열왕기하 18-20》
hf half; high frequency **Hf** 〖화학〗 hafnium **hf.-bd.** 〖제본〗 half-bound **HFC** hydrofluorocarbon **hf. cf.** 〖제본〗 half-calf **hf.mor.** 〖제본〗 halfmorocco **hfs** hyperfine structure **HFS** 〖컴퓨터〗 hierarchical file system 계층형 파일 시스템 **hg** hectogram(s); heliogram **Hg** 〖화학〗 hydrargyrum 《L =mercury》 **HG** High German; His[Her] Grace; (영) Home Guard **hgb** hemoglobin **HGH** human growth hormone **HGP** Human Genome Project 인간 게놈 프로젝트 **hgt.** height **HGV** (영) heavy goods vehicle 대형 트럭(의 면허) **hgwy.** highway **HH** (영) double hard 《연필심의 경도》; His[Her] Highness; His Holiness《교황의 칭호》 **hhd** hogshead(s) **HHD** *Humanitatum Doctor* 《L= Doctor of Humanities》 **HHFA** Housing and Home Finance Agency **HHG** household goods **HHH** treble hard《연필심의 경도》
H-hour [éitʃàuər] [*H*(hour의 첫째 자)+*hour*] *n.* 〖육군〗 공격[작전] 개시 시각(cf. D-DAY)
HHS Department of Health and Human Services (미) 보건 복지부
*__hi__ [hái] *int.* **1** (영) 야, 이봐, 여어《주의를 끌 때 지르는 소리》: *H~*, there! 여어, 안녕! **2** (구어) 여, 안녕(하세요) ★ hello보다 친숙한 표현이며, 특히 (미)에서 자주 쓰임.
HI (미) 〖우편〗 Hawaii **H.I.** Hawaiian Islands; heat index; high intensity; (미) human interest; humidity index
hi·a·tus [haiéitəs] *n.* (*pl.* **~·es**, ~) **1** 틈, 벌어진 틈(gap), 갈라진 금, 틈새기, 균열; (일·행동 등의) 중단, 끊어짐: after a 10-year ~ 10년만에 / be on ~ 중단되다 / *~es* at the bottom of the sea 해저의 갈라진 틈 **2** 궐문(闕文); 탈문(脫文), 탈자(脫字); 공백; 〖해부〗 열공(裂孔) **3** 〖음성〗 모음 접속《모음으로 끝나는 말과 모음으로 시작되는 말 사이의 두절》 **4** 〖논리〗 (논증의) 연쇄 중단 **hi·á·tal** *a.*
hiátus hérnia 〖의학〗 열공(裂孔) 헤르니아
Hi·a·wath·a [hàiəwɑ́θə, -wɔ́:θə, hì:ə- | hàiəwɔ́θə] *n.* 하이어워사《Longfellow의 시에 나오는 아메리칸 인디언의 영웅》
hi·ba·chi [hibɑ́:tʃi] [Jap.] *n.* 숯불 화로
hi·ber·nac·u·lum [hàibərnǽkjuləm] *n.* (*pl.* **-la** [-lə]) (동물의) 동면 장소; (식물의) 동면 부분[보호 외피]《눈·구근 등》
hi·ber·nal [haibə́:rnl] *a.* (문어) 겨울의, 겨울 같은
hi·ber·nate [háibərnèit] *vi.* 동면(冬眠)하다, 겨울잠 자다; 〈사람이〉 피한(避寒)하다; 칩거하다, 들어박히다 **hì·ber·ná·tion** *n.* Ⓤ 동면 **-nà·tor** *n.*
Hi·ber·ni·a [haibə́:rniə] [L] *n.* (시어) 아일랜드
Hi·ber·ni·an [haibə́:rniən] *a.* 아일랜드(사람)의 **—** *n.* (문어) 아일랜드 사람(Irishman)
Hi·ber·ni·cism [haibə́:rnəsìzm], **-ni·an·ism** [-niənìzm] *n.* **1** ⓊⒸ 아일랜드 말 특유의 어법; 아일랜드 사람 기질 **2** = IRISH BULL
hi·bis·cus [haibískəs, hi-] *n.* 〖식물〗 하이비스커스, 불상화《부용속(屬)의 식물; Hawaii주의 주화》
hic [hík] [의성음] *int.* 딸꾹!《딸꾹질 소리》
hic·cough [híkʌp, -kəp] *n., vi., vt.* = HICCUP
hic·cup [híkʌp, -kəp] [의성음] *n.* **1** [보통 *pl.*; 때로 단수 취급] 딸꾹질: have[get] ((미) the) *~s* 딸꾹질이 나오다 **2** (주식 시세의) 일시적 하락; 좀 거북한 문제 **—** *vi., vt.* (~(**p**)**ed**; ~·(**p**)**ing**) 딸꾹질하다, 딸꾹질 소리를 내다, 딸꾹질하면서 이야기하다
hic et u·bi·que [hík-et-ju:báikwi] [L =here and everywhere] *ad.* 여기나 어디에나, 도처에
hic ja·cet [hík-dʒéiset] [L =here lies] 묘비명(epitaph); 여기 잠들다《묘비명의 글귀》
hick [hík] (미·구어) *n.* 시골뜨기 **—** *a.* Ⓐ 시골의, 시골뜨기의, 촌스러운; 어수룩한, 멍청한: a ~ town 시골 읍 / ~ ideas 어수룩한 생각
hick·ey[1] [híki] *n.* (*pl.* **~s**) (미) **1** (구어) (이름 모르는) 기구, 장치 **2** (전기 기구의) 연결기
hickey[2] *n.* (*pl.* **~s**) **1** (속어) 여드름, 뾰루지 **2** (인쇄판·네거티브 필름 등의) 흠집 **3** (속어) 키스 마크
*__hick·o·ry__ [híkəri] *n.* (*pl.* **-ries**) Ⓤ **1** Ⓒ 〖식물〗 히코리《북미산(産) 호두나뭇과(科)의 나무》; 그 열매《식용》(= **~ nùt**) **2** 히코리 재목; Ⓒ 히코리 지팡이[회초리]
Hicks·ville [híksvil] *n.* 힉스빌《미국 New York 주 남동부에 있는 Long Island 서부 도시》
HICP harmonized index of consumer prices (유로 지역의) 소비자 물가 지수
‡**hid** [híd] *v.* HIDE[1]의 과거·과거분사
HID Headquarters Intelligence Department 〖군사〗 육군 첩보 부대
hi·dal·go [hidǽlgou] *n.* (*pl.* **~s**) (스페인의) 하급

귀족

‡**hid·den** [hídn] *v.* HIDE[1] 의 과거분사

—*a.* 숨겨진, 숨은, 비밀의; 신비한; 희미한, 멍한; 불명료한: a ~ meaning 숨겨진 의미 / ~ hostility 감춰진 적대심

hídden agénda (성명·정책 등의) 숨은 동기, 숨겨진 의도

hídden fíle 〖컴퓨터〗 숨은 파일 《보조 기억 장치에 저장된 파일 중 일반적인 방법으로는 볼 수 없는 파일》

hid·den·ite [hídənàit] *n.* 〖광물〗 히데나이트 《황색 내지 녹색의 유휘석(黝輝石)》

hídden persuáder 숨은 설득자 《교활하고 악랄한 상업 광고업자》

hídden resérve 〖경제〗 은닉 적립금

hídden súrface 〖컴퓨터〗 불가시면(不可視面)

hídden táx 간접세(indirect tax)

‡**hide**[1] [háid] *v.* (**hid** [híd]; **hid·den** [hídn], **hid**) *vt.* **1** 감추다, 숨기다(conceal) **2** 가리다(cover up), 덮어 가리다, 은닉하다 **3** 〈감정 등을〉 드러내지 않다, 비밀로 하다 《*from*》: ~ one's feelings 감정을 드러내지 않다 // (~+목+전+명) ~ the truth *from* the people 국민에게 진실을 은폐하다 / the cottage *hidden from* view 가려져서 보이지 않는 오두막집

> 유의어 **hide** 숨긴다는 의도를 나타내기도 하지만 나타내지 않기도 한다. **conceal** 그 의도를 나타내고 남이 보는 것을 거부하는 기분을 나타낸다: *conceal* one's motives 동기를 숨기다

—*vi.* **1** 숨다, 잠복하다: (~+부) He must be *hiding somewhere*[*behind* the door]. 그는 어디엔가[문 뒤에] 숨어 있는 게 분명하다. // (~+전+명) I *hid in* the closet. 나는 벽장에 숨었다. **2** (직권 등을 믿고) 뻐기다, 방패막이로 삼다

~ ***away*** (1) (산·정글 등에) 숨다 《*in*》 (2) (들키지 않게) 숨기다 《*from*》 ~ ***out***[***up***] (미) 숨어 버리다, 잠복하다 ~ one***'s ear*** 귀를 막다, 마음에 두지 않다 ~ one***self*** 숨다 ~ one***'s head***[***face***] 머리[얼굴]를 감추다; 두려워[부끄러워] 사람 눈을 피하다 ~ one***'s light under a bushel*** ⇨ bushel[1]

—*n.* 은신처; (영) (야수를 포획·촬영할 때의) 잠복처

∗**hide**[2] [háid] *n.* **1** (특히 큰) 짐승의 가죽 **2** (구어) (사람의) 피부; 몸의 안전: She's only worried about her own ~. 그녀는 자기 몸의 안전만 걱정한다. **3** (호주·뉴질·구어) 뻔뻔스러움; 후안(厚顔) **4** (야구속어) 야구공 **5** (재즈속어) 드럼

dress a person***'s*** ~ = tan a person's HIDE[2]. ***have a thick*** ~ 낯가죽이 두껍다; 무신경하다 ~ ***and hair*** (가죽도 털도) 모조리 ~ ***or***[***nor***] ***hair*** [보통 부정문·의문문에서] (구어) (행방 불명자·분실물 등의) 흔적, 자취(trace): I have*n't* seen ~ *or hair* of her. 그 여자의 코빼기도 못 봤다. ***risk*** one***'s*** ~ 목숨을 걸다 ***save*** one***'s*** (***own***) ~ 벌을 면하다 ***tan***[***hide***] a person***'s*** ~ = ***tan the*** ~ ***off*** a person (구어) …을 호되게 치다; (벌로) 볼기를 치다

—*vt.* 호되게 매질하다(beat)

hide[3] *n.* 〖역사〗 하이드 《옛날 영국에서 1가족을 부양하기에 족한 것으로 삼은 60-120 acres》

hide-and-seek [háidəndsí:k], **hide-and-go-seek** [háidənd*g*òusí:k] *n.* Ⓤ 숨바꼭질; (비유) 속이기 ★ 술래는 it. ***play*** (***at***) ~ 숨바꼭질하다 《*with*》; 피하다, 속이다 《*with*》

hide·a·way [háidəwèi] *n.* 숨는 곳, 은신처; 잠복 장소; 궁벽한 곳: ~ in the mountains 산속의 은신처 —*a.* Ⓐ 숨은; 눈에 안 띄는

hídeaway béd 소파 겸용 침대 《접힌 것을 펼치면 침대가 되는 소파》

hide·bound [-bàund] *a.* 〈가축이〉 야위어 가죽만 남은, 피골이 상접한; 〈식물이〉 껍질이 말라붙은; 마음이 좁은, 편협한; 완고한; 고루한: a ~ philosopher 지독히 보수적인 철학자 ~·**ness** *n.*

∗**hid·e·ous** [hídiəs] [OF 「공포」의 뜻에서] *a.* **1** 끔찍한, 오싹한, 섬뜩한, 소름끼치는, 무시무시한(horrible); 흉측한: a ~ monster 무시무시한 괴물 / a ~ noise 기분 나쁜 소리 **2** (도덕적으로) 가증할, 불쾌한, 고약한: a ~ crime 극악무도한 범죄 **3** 엄청난, 예상 외로 많은: the ~ expense of moving one's home to another city 다른 도시로 이사하는 데 드는 엄청난 비용 ~·**ly** *ad.* ~·**ness** *n.*

hide·out [háidàut] *n.* (미) (범죄자의) 은신처, 아지트

hide-up [háidʌ̀p] *n.* (영·속어) 은신처, 잠복 장소

hid·ey-hole [háidihòul] *n.* (영·구어) 은신처

hid·ing[1] [háidiŋ] *n.* **1** Ⓤ 감추기, 숨김, 은폐; 숨기 **2** 은신처, 감추는 곳, 숨는 곳: a ~ place 숨는 곳 ***be in*** ~ 세상에서 숨어 살다 ***come***[***be brought***] ***out of*** ~ 나타나다[세상에 드러나게 되다] ***go into*** ~ 숨다, 행방을 감추다

hiding[2] *n.* 채찍질, 매질; 마구 때림 ***be on a*** ~ ***to nothing*** 성공할 가능성은 전혀 없다 ***give*** a person ***a good*** ~ …을 호되게 때리다; (벌로) 볼기를 치다

hid·ro·poi·e·sis [hìdroupɔií:sis, hài-] *n.* 발한(發汗) 형성 **-ét·ic** *a.*

hi·dro·sis [hidróusis, hai-] *n.* **1** (약제·병 따위에 의한) 발한(發汗) 과다, 과잉 발한 **2** 발한[다한]증

hi·drot·ic [hidrátik, hai-|-rɔ́t-] *a.* 발한(發汗)의, 땀나게 하는 —*n.* 발한약

hid·y-hole [háidihòul] *n.* = HIDEY-HOLE

hie [hái] *v.* (~·**ing**, **hy·ing** [háiiŋ]) (고어·시어) *vi.* 서두르다, 서둘러 가다 《*to*》 —*vt.* 재촉하다, 서두르게 하다(hasten); [~ one*self* 로] 서두르다: *H*~ thee! 빨리 해라!

hi·e·mal [háiəməl] *a.* 겨울의[에 관한](wintry, hibernal): ~ sports 겨울 스포츠

hier- [háiər], **hiero-** [-rou] 《연결형》 「신성한, 성직의」의 뜻 《모음 앞에서는 hier-》

hi·er·arch [háiərὰ:rk] *n.* **1** 〖종교〗 대제사장(high priest); 주교; 고위 성직자 **2** 고관; 권력[권위]자 **3** (고대 그리스의) 신관(神官) **hì·er·ár·chal** *a.*

hi·er·ar·chi·cal [hàiərά:rkikəl], **-chic** [-kik] *a.* 계층제의; 성직자 위계제 정치[위계 조직]의: rigidly ~ social structures 엄격하게 계급 제도가 확립된 사회 구조 **-chi·cal·ly** *ad.*

híerarchical dátabase 〖컴퓨터〗 계층적 데이터베이스 《데이터가 계층적 구성 형태를 갖는》

hi·er·ar·chism [háiərὰ:rkizm] *n.* Ⓤ 계층제 조직[원리, 주의]; 계층 지배; 성직 위계제주의 **-chist** *n.*

∗**hi·er·ar·chy** [háiərὰ:rki] *n.* (*pl.* **-chies**) **1** 계층제, 계급제 **2** 성직자 계급 제도; [집합적] 그 성직자단(團); 성직자 정치 **3** 《일반적으로》 천사들; 〖신학〗 (천사의) 9계급 《seraphim, cherubim, thrones, dominations, virtues, powers, principalities, archangels, angels》 **4** 권력자 집단, 엘리트; 권력자 집단[엘리트]에 의한 통치 **5** 〖언어〗 계층 **6** 〖생물〗 분류의 체계 《강(綱)·목(目)·과(科)·속(屬) 따위》

hi·er·at·ic, -i·cal [hàiərǽtik(əl)] *a.* **1** 성직자의, 성직의, 성직자다운: the ~ class 성직 계급 **2** (고대 이집트의) 신관(神官) 문자[서체]의

—*n.* [the ~] (고대 이집트의) 신관(神官) 문자[서체] **-i·cal·ly** *ad.*

hiero- [háiərou, -rə] 《연결형》 = HIER-

hi·er·oc·ra·cy [hàiərάkrəsi|-rɔ́k-] *n.* (*pl.* **-cies**) ⓊⒸ 성직자[승려] 정치; 성직자 단체 **hi·er·o·crat·ic, -i·cal** [hàiərəkrǽtik(əl)] *a.*

thesaurus **hidden** *a.* **1** 숨겨진 concealed, secret, unrevealed, unseen, covered, shrouded **2** 불명확한 obscure, indistinct, indefinite, unclear, vague

hide[1] *v.* conceal, secrete, obscure, darken, block, obstruct, suppress, mask, veil, shroud, camouflage, disguise (opp. *reveal*, *disclose*)

hideous *a.* ugly, unsightly, monstrous, repul-

hi·er·o·dule [háiərədjùːl | -djùːl] *n.* (고대 그리스 신전에서) 신에게 바쳐졌던 노예, 신전 노예
hi·er·o·glyph [háiərəglìf] *n.* = HIEROGLYPHIC 1
hi·er·o·glyph·ic [hàiərəglífik] *n.* **1** (고대 이집트의) 성각(聖刻)[신성] 문자, 상형 문자 **2** [보통 *pl.*] 상형 문자 표기법; 상형 문자의 문서 **3** 비밀 문자 **4** [*pl.*] 《익살》 판독하기 어려운 글[기호]

hieroglyphics 1

— *a.* 상형 문자의[같은], 그림 문자의; 상징적인; 《익살》 판독하기 어려운: a ~ character 상형 문자
Hieroglýphic Híttite 히타이트어 상형 문자
hi·er·ol·a·try [hàiərɑ́lətri | -rɔ́l-] *n.* 성인[성물] 숭배
hi·er·ol·o·gy [hàiərɑ́lədʒi, hair- | -rɔ́l-] *n.* Ⓤ (민족적 신앙이 집적된) 종교 문학, 종교적 전승, 성인(聖人) 문학 **-o·lóg·ic** *a.* **-gist** *n.*
hi·er·o·monk [háiərəmʌ̀ŋk] *n.* 〖그리스정교〗 수도사제 《수도사로서 사제의 직위에 있는 사람》
hi·er·on [háiərɑ̀n, háirɑn | háiərɔ̀n] *n.* (*pl.* **-er·a** [-ərə]) (고대 그리스의) 신전, 성역
hi·er·o·phant [háiərəfæ̀nt, haiér- | háiər-] *n.* **1** 종교상의 깊은 교리의 해설자; (고대 그리스의) 신비 의식의 사제; 주창자 **2** 《일반적으로》 해설자, 대변자; 제창자 **hi·er·o·phán·tic** *a.*
hi·fa·lu·tin, -tin' [hàifəlúːtn | -tin] *a.*, *n.* = HIGHFALUTIN
hi-fi [háifái] [*high-fidelity*] 《구어》 *n.* (*pl.* **~s**) **1** Ⓤ = HIGH FIDELITY **2** Ⓒ 하이파이 장치 《레코드 플레이어·스테레오 등》 — *a.* Ⓐ 하이파이의
— *vi.* 하이파이 장치로 듣다
hig·gle [hígl] *vi.* = HAGGLE
hig·gle·dy-pig·gle·dy [hígldipígldi] 《구어》 *a.*, *ad.* 엉망진창인[으로], 뒤죽박죽의[으로], 난잡한[하게]: our ~ world 뒤죽박죽인 세상 — *n.* Ⓤ 몹시 난잡한 상태, 엉망진창, 뒤죽박죽(confusion)
hig·gler [híglər] *n.* 도붓장수, 행상인; 값을 깎는 사람
Híggs bòson[pàrticle] [hígz-] 〖물리〗 히그스 입자 《전기적으로 중성인 불안정한 가상의 입자》
***high** [hái] *a.*, *ad.*, *n.* (opp. *low*; cf. TALL)

OE 「(위치가) 높은」의 뜻에서
(높이가) 높은 **1**
→ (지위가) 높은 **2** → 고상한 **3**
→ (정도가) 높은 → (가격이) 비싼 **4**
→ (세기가) 고도의 **5**
→ (소리가) 높은 **9**

— *a.* **1** 높은; [수사와 함께] 높이가 …인; 높은 곳에 있는; 고지의, 오지(奧地)의(inland); 높은 곳으로(부터)의, 고공의: a ~ dive (수영의) 하이 다이빙/~ flight[flying] 고공 비행/a house 40 ft. ~ 높이 40피트의 집 《★ 키에도 씀》/He is six feet ~. 그의 키는 6피트이다. **2** 〈신분·지위 등이〉 높은, 고귀한, 상류의, 고위의: a ~ official 고관/a man of a ~ birth[family] 명문 출신인 사람/~ society 상류 사회 **3** 〈사상·문화 등이〉 숭고한, 고매한, 고상한(noble, sublime): a man of ~ character 고매한 인격자/~ art 순수 예술/~ ideas 숭고한 이상 **4 a** 〈가격·급료 등이〉 비싼, 고액의, 귀중한; 상등의, 고급의, 정도가 높은, 사치스러운: (a) ~ quality 고급 품질/a ~ price 고가/a ~ salary 고액의 월급/the ~ cost of living 높은 생활비/a ~ rate of interest 높은 이자율 **b** [보통 비교급으로] 고도로 발달한, 고등한: ~*er* mammals 고등 포유동물 **5** 〈세기·속도 등이〉 고도의, 고율의; 함유량이 많은; 굉장히 큰, 세찬, 강렬한, 격심한: at ~ speed 고속으로/a ~ wind 세찬[모진] 바람/a ~ folly 어처구니없는 (바보)짓/~ temperature 고온/~ (atmospheric) pressure 고기압/~ cholesterol 고 콜레스테롤 **6** 〈사람·태도 등이〉 오만스러운, 거만한(haughty); 성난(angry): a ~ manner 오만한 태도/a ~ boast 호언장담/~ words 과격한 말[격론] **7** 기운찬, 의기충천한; 《구어》 (취하여) 기분 좋은 《*on*, *from*》: a ~ old time 최고로 즐거운 한 때/in ~ spirits 좋은 기분으로 **8** 〈빛깔이〉 짙은, 붉은, 선명한: ~ color 선명한[붉은] 색 **9** 〈소리·목소리가〉 높은, 날카로운; 〈사상 등이〉 과격한, 극단적인: in a ~ voice 드높은 소리로/a ~ note 높은 소리, 고음 **10** Ⓐ 〈시절이〉 무르익은, 한창의, 절정인: ~ summer 한여름 **11** 〈잡은 짐승이나 고기가〉 맛이 변하려고[썩으려고] 하는; 〈고기 등이〉 먹기에 알맞게 된 **12** 〖종교〗 **a** Ⓐ 주된, 가장 중요한 **b** [**H~**] 고교회파(高敎會派)의 **13** 〈기어가〉 고속의 **14** 〖카드놀이〗 〈짝패·수가〉 상위인, 이기고 있는 **15** 〖야구〗 〈투수의 공이〉 (타자의 어깨보다) 높은 **16** 중요한; 심각한; 결정적인; 엄숙한: ~ crimes against humanity 인도주의에 반(反)하는 큰 범죄 **17** 〖음성〗 〈모음이〉 혀의 위치가 높은: ~ vowels 고모음(高母音) 《[i], [u] 따위》 **18** 〈시대가〉 아주 먼; 〈위도가〉 높은: ~ antiquity 태고/~ latitudes 고위도 지방 **19** 고지[오지]의: ⇨ *H*~ German
be ~ in* a person*'s favor 남에게 좋게 보이다, 남의 호감을 얻다 ***have a ~ old time*** 《구어》 아주 즐거운 한때를 보내다 ***~ and dry*** (1) 〈배가〉 좌초하여, 해안에 밀려 올라와서 (2) 〈사람이〉 시대에 뒤떨어져서, 고립되어, 곤경에 빠져 ***~ and low*** 상하 귀천의(모든 사람들) ***~ and mighty*** 건방진, 오만한 ***~ on ...*** 《구어》 …에 열중하여, 열광하여; …로 좋은 기분이 되어 ***~ up*** 아주 높은 곳에서; 상위(上位)의, 지위가 높은 ***How is that for ~?*** 《속어》 참 멋진데 《경탄》 ***in ~ favor with*** …의 마음에 꼭 들어서 ***in ~ places*** ⇨ high place. ***in ~ terms*** 격찬하여 ***of ~ antiquity*** 아주 옛날의 ***on the ~ horse*** 거만하여, 우쭐거려 ***on the ~ ropes*** 잘난 체하여, 거들먹거리며, 다짜고짜; 성이 나서 ***the Most H~*** 하느님(God) ***wear a ~ hat*** 《미》 뽐내다(cf. HIGH-HAT) ***with a ~ hand*** ⇨ hand *n.*
— *ad.* **1** 높이, 높게; 높은 자리에: fly ~ 높게 날다/Aim ~ and you will strike ~. 높은 데를 노리면 높은 데를 맞히게 된다./Bill aims ~ in his political ambitions. 빌에게는 큰 정치적 야망이 있다. **2** 고가(高價)로, 비싸게: be rated ~ 고가로 평가되다/cost ~ 비용이 많이 들다 **3** (정도가) 높게, 세게, 몹시, 크게; ((목)소리가) 높게: speak ~ 고성으로 말하다 **4** 사치하게: live ~ 사치스럽게 살다
bid ~ 비싼 값을 부르다 ***fly ~*** ⇨ fly[2]. ***get ~*** 《미·속어》 …에 몰두하다 《*on*》 ***~ and low*** 모든 곳을[에서]; 샅샅이: search ~ *and low* 샅샅이 찾다 ***~ and mighty*** 《구어》 거만하게, 건방지게(cf. HIGH-AND-MIGHTY) ***~, wide, and handsome*** 《속어》 당당하게, 점잖게, 멋있게 ***live ~ on[off] the hog*** ⇨ hog. ***play ~*** 큰 도박을 하다, 모험(적인 투기를)하다 ***run ~*** 〈바다가〉 거칠어지다; 〈말·감정 등이〉 격해지다; 〈시세(時勢)가〉 상승하다, 등귀하다 ***stand ~*** 높은 위치를 차지하다
— *n.* **1** 높은 곳 **2** Ⓤ 《미》 〖자동차〗 하이[최고속] 기어; 〖증권〗 높은 값 **3** 〖카드〗 최고점의 으뜸패 **4** 최고 수준, 고액의 숫자; 최고 기록: an all-time ~ 사상 최고 **5** 〖기상〗 고기압(권) **6** 《미·구어》 = HIGH SCHOOL **7** [the H~] 《속어》 = HIGH STREET 《특히 Oxford의 큰 거리》; = HIGH TABLE **8** 《속어》 (마약에 의한)

---

sive, repellent, revolting, disgusting, grim, ghastly, horrible, horrendous, frightful, shocking, dreadful, outrageous, terrible, appalling
hierarchy *n.* ranking, grading, social order
high *a.* **1** 높은 tall, lofty, elevated, soaring, towering **2** 고귀한 virtuous, moral, lofty **3** 비싼 expensive, high-priced, costly, precious, excessive

도취, 황홀감; 최고의 기분
from (***on***) ~ 하늘에서, 높은 곳에서 ***on*** ~ 높은 곳에, 하늘에: the powers *on* ~ 하늘의 신들; 고위층의 유력자들
▷ héight, híghness *n.*; híghly *ad.*

-high [hái] 《연결형》 「…높이의」의 뜻: knee-*high*

hígh áltar [the ~] (교회당의) 주(主)제단, 중앙 제단

hígh-a·lú·mi·na cemènt [-əlú:mənə-] 고(高) 알루미나 시멘트 《보통 시멘트보다 경화(硬化)가 빠름》

hígh anályсis *a.* 〈비료가〉 시물이 필요로 하는 양분의 20% 이상을 함유한

high-and-might·y [háiən*d*máiti] *a.* 《구어》 **1** 거만한, 건방진, 불손한(cf. HIGH and mighty) **2** [the ~; 집합적] 상류 계급 사람들; 실력자들; 오만한 사람들

hígh and tíght 《미》 군인 머리 스타일 《옆머리는 밀고 정수리는 짧게 깎는》

high·ball [háibɔ̀:l] *n.* **1** 《미》 하이볼 《whisky 등에 소다수나 ginger를 섞고 얼음 덩어리를 넣은 것》 **2** 〖철도〗 (열차에 대한) (전속) 진행 신호; 급행 열차 **3** 《군대속어》 경례 **—** *vi.*, *vt.* 《속어》 질주하다(speed): a ~*ing* express train 전속력으로 달리는 급행 열차

hígh bár 〖체조〗 철봉

hígh béam [보통 the ~s] 하이 빔 《원거리용 상향(上向) 헤드라이트》

high·bind·er [-bàindər] *n.* 《미》 **1** 깡패, 사기꾼; 악덕 정치인 **2** (재미(在美) 중국인의) 암살 단원

high·blood·ed [-blʌ́did] *a.* 혈통이 좋은

hígh blóod prèssure 〖병리〗 고혈압(hypertension) 《略 HBP》

hígh blówer 흥분하면 거칠게 콧숨을 내뿜는 말

high-blown [-blóun] *a.* 의기양양한, 도도한

high·born [-bɔ́:rn] *a.* 고귀한 태생의

high·boy [-bɔ̀i] *n.* 《미》 다리가 높은 서랍장(cf. LOWBOY)

highboy

high·bred [-brèd] *a.* **1** 혈통[가문]이 좋은; 〈가축이〉 순종의 **2** 교양이 높은, 교육을 잘 받은; 세련된, 우아한: ~ manners 품위 있는 예의

high·brow [-bràu] 《구어》 *n.* 지식인, 교양인, 인텔리(intellectual); 지식인으로 자처하는 사람(opp. *lowbrow*) **—** *a.* 지식인의[에 알맞은], 지식인다운; 학자 티를 내는; 고답적인 **~·ism** *n.*

high·browed [-bràud] *a.* 이마가 넓은; 지식인의; 인텔리인 체하는

hígh cámp 예술적으로 진부한 것을 의도적으로 이용하기(cf. LOW CAMP)

hígh cárd 〖카드놀이〗 높은 패 《ace나 그림패》

high·chair [-tʃɛ̀ər] *n.* (어린이의) 식사용 높은 의자

Hígh Chúrch [the ~] 고교회파(高教會派) 《영국 국교회에서 교회의 의식·권위를 중시하는 파》

Hígh Chúrchman 고교회파 신도

high-class [-klǽs | -klɑ́:s] *a.* 고급의, 제1급의(first-class), 일류의; 상류 계급의: a ~ hotel 고급 호텔

hígh cólor 혈색이 좋은[상기된] 얼굴

high-col·ored [-kʌ́lərd] *a.* 색조[색채]가 강한; 붉은; 뚜렷하게 그려진; 과장된; 선명한; 혈색이 좋은: a ~ complexion 혈색이 좋은 안색

hígh cómedy (익살 등에 중점을 두지 않는) 고급 희극(cf. LOW COMEDY)

hígh commánd [the ~] 〖군사〗 최고 사령부; 수뇌부; 최고 지휘권[결정권]

hígh commíssion [종종 **H- C-**] 고등 판무관실; 고등 판무단(團)

hígh commíssioner [종종 **H- C-**] 고등 판무관

hígh cóncept 하이 컨셉트 《간결한 내용 소개로 실제 작품을 보고 싶도록 만드는 영화》

high-con·cept [-kɑ́nsept | -kɔ́n-] *a.* 〈영화 등이〉 관객에게 폭넓은 호소력을 갖는

high-count [-káunt] *a.* 〈직물이〉 면밀히 짜여진

hígh cóuntry [종종 the ~] (고산 기슭의) 고지[구릉] 지대

Hígh Cóurt **1** 《미》 최고 법원, 대법원(Supreme Court) **2** 《영》 = HIGH COURT OF JUSTICE; 《스코》 = HIGH COURT OF JUSTICIARY

Hígh Cóurt of Jústice 《영》 고등 법원(cf. CROWN COURT)

Hígh Cóurt of Justíciary [the ~] 〖스코법〗 최고 법원

Hígh Cóurt of Párliament **1** 영국 의회, 국회 **2** (영국의) 최고 재판소로서의 상원[귀족원]

hígh críme 〖미국법〗 중대한 범죄 《연방 헌법에 규정된 대통령·부통령 등의 탄핵 사유가 되는 범죄》

hígh dày 교회의 축제일, 성일(聖日); 제일(祭日)

high-def·i·ni·tion [-dèfəníʃən] *a.* 고품위(화질)의

hígh-definítion télevision 〖방송〗 고선명도[고품위] 텔레비전 《略 HDTV》

hígh-dén·si·ty lipoprótein [-dénsəti-] 고밀도 리포 단백질 《略 HDL》

Hígh Dútch **1** = HIGH GERMAN **2** 고지 네덜란드 말

high-end [-énd] *a.* 《구어》 최고급의; 고액의; 고성능의: ~ stereo equipment 최고급의 스테레오 장치

hígh énema 〖의학〗 고압 관장 《결장에 주입하는》

high-en·er·gy [-énərdʒi] *a.* 〖물리〗 고에너지를 가진, 고에너지 입자의

hígh-énergy párticle 고에너지 입자

hígh-énergy phýsics [단수 취급] 고에너지 물리학 《소립자 물리학의 한 분야》

high·er [háiər] *a.* [HIGH의 비교급] 더 높은; 고등의 ***on a ~ plane*** (생활 정도·사상이) 한층 높은 수준에(있는)

hígher ánimals 〖생물〗 고등 동물

hígher ápsis 〖천문〗 원일점(遠日點)

hígher cóurt 상급 법원

hígher críticism [the ~] 고등 비평 《성서 각 책의 문학적·역사적 연구; cf. LOWER CRITICISM》

hígher educátion 고등 교육, 대학 교육

hígher láw 도덕률 《인간이 정한 법률보다 한층 높은 것으로 여겨지므로》

hígher léarning = HIGHER EDUCATION

hígher mathemátics [단수 취급] 고등 수학

hígher plánts 〖생물〗 고등 식물

high·er-up [háiərʌ́p] *n.* [보통 *pl.*] 《구어》 상관, 상사, 상부

high·est [háiist] *a.* [HIGH의 최상급] 가장 높은, 최고의 ***at the ~*** 최고의 위치에; 아무리 높아도, 기껏해야 ***in the ~*** 〖성서〗 천상(天上)에; 최고도로: praise *in the* ~ 극구 칭찬하다

híghest cómmon fáctor [the ~] 〖수학〗 = GREATEST COMMON DIVISOR

hígh explósive 고성능 폭약[폭탄]

high·fa·lu·tin [hàifəlú:tn | -tin] 《구어》 *a.* 〈문체 등이〉 허풍떠는, 큰소리치는; 건방진: ~ language 과장된 말씨 **—** *n.* Ⓤ 호언장담

high·fa·lu·ting [hàifəlú:tiŋ] *a.*, *n.* = HIGHFALUTIN

hígh fáshion (의복의) 최신 유행 스타일[디자인], 하이 패션; = HAUTE COUTURE

high-fed [háiféd] *a.* 호화롭게 자란

high-fi·ber [-fáibər] *a.* 고섬유질의, 식물 섬유의 함유량이 많은

hígh fidélity (라디오·전축이 원음을 재생하는) 고충실도, 하이파이(cf. HI-FI): ~ television 고품위 텔레비전 《HDTV 등》

high-fi·del·i·ty [-fidéləti, -fai-] *a.* Ⓐ 〈스테레오 등이〉 충실도가 높은, 하이파이의(cf. HI-FI)

hígh fínance 거액 융자, 대형 금융 거래

high-five [-fáiv] 《미·속어》 *n.* 하이파이브 《스포츠

등에서 승리의 몸짓으로 두 사람이 들어올린 손바닥을 마주치는 짓》; 《비유》 축하, 경축
slap ~s 하이파이브를 하다
—*vt., vi.* 하이파이브를 하다: The two players *~d* each other. 두 선수는 서로 손바닥을 들어 마주쳤다.

high·fli·er, -fly·er [-fláiər] *n.* **1** 높이 나는 사람[새] **2** 야망[포부]이 큰 사람, 야심가 **3** 우수한 인재, 수완가 **4** 〖증권〗 (오름세가 평균보다 빠른) 위험도가 높은 주식 종목

high-flown [-flóun] *a.* 〈생각·언사 따위가〉 지나치게 당당한, 야심적인(ambitious); 과장된: ~ oratory 과장된 언사

high-fly·ing [-fláiiŋ] *a.* 높이 나는, 고공 비행의; 포부가 큰, 야심적인; 고가(高價)의: the ~ glamour stocks 고가의 대형 우량주

hígh fréquency 〖통신〗 고주파; 단파 《3-30 megahertz; 略 H.F., HF》; 사용[발생] 빈도가 높음

high-fre·quen·cy [-frí:kwənsi] *a.* 〖통신〗 고주파의, 단파의; 빈번히 일어나는

hígh géar 《미》 최고속 기어(cf. LOW GEAR); 《구어》 최고 속도, 최고조 ***in*** [***into***] ~ 고속 기어로; 《구어》 최고조로

Hígh Gérman 고지(高地) 독일어 《현재 독일의 표준어》

high-grade [-gréid] *a.* 고급의, 우수한, 양질의; 〈광석이〉 순도가 높은; 우량주의 **—***vt.* 〈양질광을〉 광산에서 훔쳐내다; 《미·속어》 훔치다 **-grád·er** *n.*

hígh gróund 유리한 입장, 우위

high-grown [-gróun] *a.* 〈커피가〉 고지에서 재배된, 고지산(産)의; 키가 큰 식물로 덮인

high-hand·ed [-hǽndid] *a.* 고압적인, 고자세의; 횡포한; 오만한; 독단적인 **~·ly** *ad.* **~·ness** *n.*

hígh hát 《미》 =TOP HAT

high-hat [-hǽt] 《미·구어》 *vt., vi.* (**~·ted**; **~·ting**) 거만하게 굴다, 젠체하다; 업신여기다
—*a.* 멋부린(stylish); 으스대는, 빼기는, 아니꼬운
—*n.* **1** 거만한 사람 **2** 〖음악〗 하이해트 (심벌) 《드럼 주자가 발로 페달을 밟으면 심벌이 되받아 쳐서 소리나게 한 타악기》(=**~ cỳmbals**) ***wear a ~*** 《속어》 젠체하다, 거드름피우다

high-heart·ed [-hɑ́:rtid] *a.* **1** 의기충천한, 기고만장한(high-spirited), 위세 좋은, 대담한; 고매한, 고결한 **2** 마음 편한, 느긋한 **~·ly** *ad.* **~·ness** *n.*

high-heeled [-hí:ld] *a.* 굽 높은, 하이힐의

hígh héels 굽높은 구두, 하이힐

Hígh Hólidays, Hígh Hóly Dàys [the ~] 〖유대교〗 대제일(大祭日) 《신년제(Rosh Hashanah)와 속죄일(Yom Kippur)》

hígh hórse [옛날 귀인이 키 큰 말을 탄 데서] [one's ~] 거만, 오만(한 태도) ***be on*** [***get on, mount, ride***] one***'s ~*** 오만한 태도를 취하다, 빼기다 ***come*** [***get***] (***down***) ***off*** one***'s ~*** 겸손하다, 고자세를 취하지 않다

high-im·pact [-ìmpækt] *a.* 〈플라스틱 따위가〉 충격에 견디는; (몸에) 부담이 큰; 격렬한

high·jack [-dʒæ̀k] *vt.* =HIJACK

high·jack·er [-dʒæ̀kər] *n.* =HIJACKER

hígh jìnks[**jìnx**] 《구어》 신나게[흥청망청] 떠들기

hígh jùmp [the ~] **1** 높이뛰기 **2** 《영·구어》 엄한 벌 ***be for the ~*** 《영·구어》 엄한 벌을 받을 것이다

high-jump [-dʒʌ̀mp] *vi.* 높이뛰기에 출전하다
—*vt.* 높이뛰기로 넘다

hígh jùmper 높이뛰기 선수

high-key [-kí:] *a.* 〖사진〗 〈화면·피사체가〉 밝고 평조(平調)의 《전체적으로 흰 빛을 띰》

high-keyed [-kí:d] *a.* 음조가 높은; 색조가 밝은; 신경 과민인, 신경질적인; 몹시 흥분[긴장]한

hígh kíck **1** 〖댄스〗 다리를 높이 쳐들기 **2** (태권도 등에서) 상단(上段) 차기

high-kick·er [-kìkər] *n.* 치어리더, 응원단원

***high·land** [háilənd] *n.* **1** [종종 *pl.*] 고지(高地), 산악지(opp. *lowland*) **2** [the H~s; 단수 취급] 스코틀랜드 고지 지방 《스코틀랜드 북부 및 북서부의》
—*a.* **1** Ⓐ 고지의, 산악 지방의, 산지 특유의 **2** [**H~**] 스코틀랜드 고지 지방 (특유)의 **~·er** *n.* 고지 사람; [**H~**] 스코틀랜드 고지 사람

Híghland cáttle [집합적; 복수 취급] 〖동물〗 하이랜드 캐틀 《털이 길고 뿔이 큰 품종의 소》

Híghland dréss 하이랜드 의상 《스코틀랜드 고지에서 남성들이 입던 전통 의상》

Híghland flíng 스코틀랜드 고지인의 민속춤

Híghland Gámes *pl.* 하이랜드 게임 《스코틀랜드의 전통 스포츠·무용·음악 행사》

high-lev·el [-lévəl] *a.* **1** 고공(高空)으로부터의: a ~ bombing 고공 폭격 **2** 상부의, 상급 간부의[에 의한]: ~ personnel 고위 관리들 **3** 〖원자〗 〈방사성 폐기물 따위가〉 고방사능의

hígh-level lánguage 〖컴퓨터〗 고수준 언어, 고급 언어 《일상어에 가장 가까운 프로그램용 언어》

hígh-level wáste 고(高)레벨 (방사성) 폐기물

hígh lífe 상류 사회의 생활; 우아한[사치스러운] 생활

high·life [-làif] *n.* Ⓤ 서부 아프리카에서 발생한 춤 및 춤곡

***high·light** [háilàit] *n.* **1** [종종 *pl.*] (역사·이야기의) **가장 중요한**[**두드러진**] **부분**[**장면**], 빛나는 장면; 가장 흥미 있는 사건, 인기의 초점, 인기물, 압권: the ~ of his talk 그의 이야기 중 가장 인상적인 부분 **2** 〖그림·사진〗 가장 밝은 부분: the *~s* and shadows in a picture 그림[사진]의 명암부 **3** [종종 *pl.*] 부분적으로 탈색 또는 염색한 부분
—*vt.* **1** 〖그림·사진〗 〈화면의 일부를〉 특히 밝게 하다 **2** 돋보이게 하다, 눈에 띄게 하다; 강조하다(emphasize), …에 흥미를 집중시키다: ~ his good point 그의 장점을 강조하다 **3** 〈머리를〉 하이라이트하다 《일부를 탈색하거나 염색하거나 함》

high·light·er [-làitər] *n.* **1** 하이라이터 《얼굴에 입체감을 주는 화장품》 **2** (강조하기 위해 줄을 치는) 형광 컬러 펜[마커]

hígh líver 《구어》 사치스럽게 사는 사람; 미식가

hígh líving 상류의[사치스러운] 생활

high-low [-lóu] *n.* 〖카드〗 하이로 포커

****high·ly** [háili] *ad.* **1 a** 크게; 고도로, 대단히, 아주, 몹시: ~ amusing 아주 재미있는 / ~ seasoned food 맛이 잘 든 음식 / most ~ advanced 가장 진보된 / be ~ pleased 크게 만족하다 **b** 크게 칭찬하여, 높이 평가하여 **2** 높이; 고귀하게(nobly): be ~ connected 고귀한 집안의 일가이다[연고가 있다] **3** (가격 등이) 비싸게; 고액에: a ~ paid consultant 고액 봉급을 받는 컨설턴트 ***speak ~ of*** …을 격찬하다 ***think ~ of*** …을 존중하다

high·ly-strung [háilistrʌ́ŋ] *a.* =HIGH-STRUNG

high-main·te·nance [-méintənəns] *a.* 〈관계가〉 관리[유지]하기 어려운(cf. LOW-MAINTENANCE)

Hígh Máss 〖가톨릭〗 장엄 미사, 대미사

high-met·tled [-métld] *a.* 기운이 펄펄한(high-spirited), 위세 좋은, 기운찬

hígh mílling 고제분(高製粉) 《고운 밀가루를 만들기 위해 빻기와 체질을 몇 차례 반복하는 과정》

high-mind·ed [-máindid] *a.* 고매한, 고결한, 고상한: a ~ talk 고상한 이야기
~·ly *ad.* **~·ness** *n.*

high-muck-a-muck [-mʌ̀kəmʌ́k], **high-muck·e·ty-muck** [-mʌ̀kətimʌ́k] *n.* 《속어》 높은 사람, 고관(big shot)

high-necked [-nékt] *a.* 〈옷이〉 깃이 높은 《목과 어깨 선보다 높은》 (opp. *low-necked*)

high·ness** [háinis] *n.* Ⓤ 높음, 높이; 높은 위치; 고도, 고율(高率); 고가: the ~ of a person's character 인격의 고결함 / the ~ of prices 고물가, 물가고 ***His [***Her, Your***] (***Royal, Serene, Imperial***) ***H~*** 전하 ★ 동사는 3인칭 단수를 씀.

hígh nóon **1** 정오; 한낮 **2** 전성기, 절정, 정점: a

book written at the ~ of his career 그의 생애의 절정기에 쓰여진 책 **3** 《구어》 위기, 대결

high-nosed [-nóuzd] *a.* 콧대가 높은

hígh-óc·cu·pan·cy vèhicle [-ákjupənsi- | -ɔ́k-] 《미》 (버스·밴 따위의) 다인승 차량 《略 HOV》

hígh-óccupancy véhicle làne = DIAMOND LANE

high-oc·tane [-ákteìn | -ɔ́k-] *a.* 〈가솔린 등이〉 옥탄가(價)가 높은; 〈술·힘 따위가〉 강한, 강력한

hígh-pass filter [-pæ̀s- | -pɑ̀:s-] 〖전자〗 고역(高域) 필터

high-per·for·mance [-pərfɔ́:rməns] *a.* 고성능의

hígh pítch 《미·속어》 (노점의) 판매대

high-pitched [-pítʃt] *a.* **1** 음조[격조]가 높은, 새된 **2** 급경사의, 경사가 가파른; 〈감도 등이〉 높은 **3** 긴장된; 격한, 강렬한: a ~ argument 격론(激論) **4** 고상한, 고매한(lofty); 기개있는

hígh plàce 1 〖성서〗 산꼭대기의 예배소[신전, 제단], 산당(山堂) **2** 중요한 지위, 요직; [*pl.*] 고관 ***in ~s*** (정부 등의) 높은 자리의[에], 유력자 중의[에]: have friends *in ~s* 고위층에 친구가 있다

high·pock·ets [-pákits | -pɔ́k-] *n. pl.* [단수 취급] 《미·속어》 키다리, 키가 큰 남자[소년]

Hígh Póint 1 미국 North Carolina 주 중부의 도시 **2** [**h- p-**] 중대한 시점

hígh pólymer 〖화학〗 고분자 화합물

high-pow·er(ed) [-páuər(d)] *a.* 고성능의, 성능이 뛰어난, 강력한; 〈광학 기기가〉 배율이 높은; 정력적인, 활동적인: a ~ microscope 고배율의 현미경/~ executives 정력적으로 일하는 중역들/~ selling techniques 강력한 판매 기술/a ~ sports car 고성능의 스포츠 카

hígh préssure 1 고압 **2** 〖기상〗 고기압

high-pres·sure [-préʃər] *a.* 고압의; 급박한; 고도의 긴장을 요하는; 강요하는, 강압적인(pressing); 〖기상〗 고기압의: a ~ job 긴장을 요하는 직업/~ salesmanship 강매/~ steam 고압 수증기
— *vt.* 《미》 강요[강제]하다; 강요하여 …하게 하다 《*into*》: (~+목+전+*-ing*) ~ a person *into* buy*ing* a car …에게 강제로 차를 사게 하다

hígh-préssure nérvous sỳndrome 〖의학〗 고압성 신경 장애[증후군]

high-priced [-práist] *a.* 값비싼, 고가(高價)의: a ~ camera 고가의 사진기

hígh príest 대사제, 제사장; (옛 유대교의) 대제사장; 《구어》 (주의·운동의) 지도자, 주창자: the ~ of modern architecture 현대 건축의 지도자

hígh príesthood 대사제의 신분; [집합적] 제사장

high-prin·ci·pled [-prínsəpld] *a.* 고결한 주의를 가진; 고결한

hígh prófile 고자세; 명확한 태도[정책], 선명한 입장; 주의를[이목을] 끌려고 하는 태도: The President adopted a ~ on that issue. 대통령은 그 문제에 관해 명확한 입장을 취했다.

high-pro·file [-proufáil] *a.* 남의 이목을 끌려고 하는, 눈에 띄는

high-proof [-prú:f] *a.* 〈술이〉 알코올 성분이 많은

high-rank·er [-rǽŋkər] *n.* 고관, 고위 장성

high-rank·ing [-rǽŋkiŋ] *a.* Ⓐ 고위(高位)의, 높은 계급의: a ~ officer 고급 장교/~ government officials 정부 고위 관리들

hígh relíef = ALTO-RELIEVO

Hígh Rénaissance [the ~] 〖미술·건축〗 전성기 르네상스 《이탈리아에서 15세기 말부터 16세기 초에 걸쳐 발전한 예술 양식》

high-rent [-rént] *a.* 《속어》 세련되고 고급스러운, 멋진

high-re·so·lu·tion [-rèzəlú:ʃən] *a.* 〖전자〗 고해상도의, 선명도가 뛰어난, 〈텔레비전이〉 고화질[고품위]의: ~ photography 고해상 사진술

hígh ríder 《미·속어》 서스펜션(suspension)을 높인 차량 《특히 4륜 구동차》

high-rid·ing [-ràidiŋ] *a.* 《미·속어》 호조의, 순조로운

high-rise [-ràiz] *n.* 고층 건물 《빌딩이나 아파트》
— *a.* Ⓐ **1** 〈빌딩 등이〉 고층의; 〈지역 등이〉 고층 건물이 많은; 고층 건물의[에 특유한]: a ~ urban cityscape 고층 건물 특유의 도시 풍경 **2** 위치가 높은; 〈자전거가〉 핸들이 높은

high-ris·er [-ràizər] *n.* **1** 하이라이저 《아래 쪽 매트리스를 밀어내어 붙이면 더블 침대가 되는 소파 또는 싱글 침대》 **2** = HIGH-RISE **3** 《미》 어린이용 자전거

high-risk [-rísk] *a.* 위험성이 높은

high·road [-ròud] *n.* 《영》 큰길, 한길(highway), 주요 도로; 쉬운[확실한] 길 《*to*》: the ~ *to* success 출세 가도

hígh róller 《미·구어》 낭비[방탕]하는 사람; (도박에) 많은 돈을 거는 사람

high-roll·ing [-róuliŋ] *a.* 《속어》 〈도박꾼이〉 큰 돈을 거는; 〈사람이〉 씀씀이가 헤픈; 거금을 투자하는

‡hígh schòol[1] 《미》 하이스쿨, 고등 학교: a junior [senior] ~ 중[고등]학교/go to ~ 고등 학교에 다니다 **hígh-schòol** *a.*

hígh schóol[2] 고등 마술(馬術)(haute école)

hígh schòoler 고등 학교 학생

hígh séa [보통 the ~s] **1** 공해(公海); 외양(外洋), 외해(外海) **2** 〖법〗 해사(海事) 재판소 관할 수역

hígh séason [때로 the ~] (장사에서 거래·가격 등이 가장 좋은) 전성기, 성수기

high-se·cu·ri·ty [-sikjúərəti] *a.* Ⓐ **1** 〈건물 등이〉 고도 보안의 **2** 〈죄수가〉 엄중한 감시하에 있는

hígh-secúrity príson 엄중 경비 교도소

hígh shériff 《영》 주장관(州長官)

hígh sìgn 《미·구어》 (경고 등의) 비밀 신호: give a person the ~ …에게 비밀 신호를 주다

hígh socíety 상류 사회, 사교계

high-souled [-sóuld] *a.* 고상한, 숭고한 정신의

high-sound·ing [-sáundiŋ] *a.* 어마어마한, 떠벌리는, 거들먹거리는; 〈악기 등이〉 큰 소리로 울리는: a ~ title 굉장한[어마어마한] 직함

high-speed [-spí:d] *a.* Ⓐ 고속(도)의; 고감도의: ~ film 고감도 필름/a ~ engine 고속 기관

hígh-speed stéel [-spì:d-] 〖야금〗 고속도강(鋼)

hígh spírit 진취적 기상; [*pl.*] 혈기 왕성, 기분 좋음

high-spir·it·ed [-spíritid] *a.* 원기 왕성한, 씩씩한, 기운찬, 기개 있는; 〈말이〉 성질이 사나운 **~·ly** *ad.* **~·ness** *n.*

hígh spót 《구어》 중요한 점, 가장 두드러진[기억에 남는] 부분, 하이라이트 《*of*》

hígh stákes (도박 따위에 거는) 큰 돈; 중대한 이해 관계, 큰 이권

high-stakes [-stéiks] *a.* 《구어》 흥하든 망하든, 이판사판의

high-step·per [-stépər] *n.* 발을 높이 들며 걷는 말; 위세가 당당한 사람; 우쭐대는 사람

high-step·ping [-stépiŋ] *a.* 〈말이〉 발을 높이 들며 나아가는; 쾌락에 빠진, 난봉부리는

high-stick [-stík] *vt.* 〖아이스하키〗 (상대의) 어깨 위를 스틱으로 치다

high-stick·ing [-stíkiŋ] *n.* 〖아이스하키〗 하이스티킹 《스틱의 블레이드(blade) 부분을 어깨보다 높이 드는 반칙 행위》

hígh strèet 1 [보통 **H- S-**] 《영》 큰[번화한] 거리 (cf. MAIN STREET) **2** 《비유》 일반 대중 시장

high-strung [-strʌ́ŋ] *a.* 〈사람·신경이〉 극도로 긴장[흥분]한; 예민한; 몹시 신경질적인

hígh stýle 첨단[최신] 패션[디자인], 고급 패션

hight [háit] *a.* **1** 《고어·시어·익살》 …이라는 이름의, …이라 일컫는 **2** 《스코》 보증된, 약속받은

hígh tàble 《영》 주빈석; (대학 식당에서) 한 단 높은 교수 자리(《속어》 the high) ***eat*** [***dine***] ***at the ~*** 호화로운 식사를 하다; 잔뜩 먹다

high·tail [háitèil] *vi.* 급히 달리다[달아나다]; 차로 바싹 뒤를 좇다 ~ ***it*** 서둘러 가다; 돌진하다
hígh téa ((영)) 오후 늦게 또는 저녁 일찍 먹는 가벼운 식사((보통 홍차와 샌드위치))
high-tech [-ték] *n.* **1** =HIGH TECHNOLOGY **2** 하이테크 장식[디자인]((경질이고 금속적이고 기능적인 실내 장식)) **—***a.* 고도 기술의, 첨단 기술의, 하이테크의, 하이테크 장식의: the ~ age 고도 기술 시대
hígh technólogy 첨단 기술, 고도 과학 기술, 하이테크놀러지 **hígh-tech·nól·o·gy** *a.* 첨단 기술의
hígh-tém·per·a·ture supercondúctor [-témpərətʃər-] 〖물리〗 고온 초전도(超傳導)체
high-ten·sile [-ténsəl] *a.* 〈금속이〉 신장성이 높은: ~ steel 고장력강(高張力鋼)
hígh ténsion 고전압(high voltage) ((略 HT))
high-ten·sion [-ténʃən] *a.* 고압의; 고압용 기구의: a ~ current 고압 전류 / ~ wire 고압 전선
high-test [-tést] *a.* 엄격한 테스트에 합격하는; 고품질의; 〈가솔린이〉 비등점이 낮은
high-tick·et [-tíkit] *a.* ((구어)) =BIG-TICKET
hígh tíde 만조(때); ((비유)) 최고조, 절정 ((*of*))
hígh tíme 마침 좋은 때, 무르익은 때, 벌써 …할 때[시간]: (~+***to*** do) It is ~ (for us) *to* go. 이제 갈 시간이 됐다. // (~+(***that***) 節) It is ~ I went to bed. 벌써 잘 시간이다.
high-toned [-tóund], **-tone** [-tóun] *a.* **1** 고결한 **2** 〈연설·사상 등이〉 고상한[고매]한; 격조 높은 **3** 멋을 낸, 고상한 체하는 **4** ((미·구어)) 〈클럽·가게 등이〉 고급의, 손님을 엄선하는 **5** ((고어)) 가락이 높은
hígh tòp 하이톱((발목을 보호하기 위해 복사뼈를 덮는 목이 긴 운동화))
hígh tréason (국가·원수에 대한) 대역죄
high·ty-tigh·ty [háitìtáiti] *a.* =HOITY-TOITY
high-up [háiʌ̀p] *n.* (*pl.* **~s**) [보통 *pl.*] 사회적 지위가 높은 사람 **—***a.* 〈위치가〉 높은, 높은 곳의: ~ officers 고관
hígh vóltage 〖전기〗 고(전)압
high-volt·age [-vóultidʒ] *a.* **1** 고전압의: a ~ generator 고압 발전기 **2** ((구어)) 정력적인; 강력한
hígh wáter **1** 고조(高潮), 만조(high tide); (강·호수의) 최고 수위 **2** 절정, 최고조 **3** 홍수 ***come hell and***[***or***] **~** ⇨ hell
high-wa·ter [-wɔ́:tər] *a.* 〈바지 등이〉 매우 짧은
hígh-wáter màrk **1** 최고 수위선, 고수표(高水標); (해안의) 고조선(高潮線) **2** (사물의) 최고점, 정점, 절정: reach one's ~ 절정에 이르다[달하다]
‡**high·way** [háiwèi] *n.* **1** 간선 도로, 공로(公路), 주요 도로, 한길, 큰길(cf. HIGHROAD; BYWAY); 공수로(公水路), (수륙의) 교통로 **2** 탄탄대로, 평탄한 길 ((*to*)); (연구 등의) 정도(正道) ((*of*)): a ~ *to* success 출세 가도 **3** 〖컴퓨터〗 하이웨이((네트워크 등에서 사용하는 간선)) ***take*** (***to***)[***go on***] ***the*** **~** 노상 강도가 되다 ***the king's***[***queen's***] **~** 천하의 공도(公道)
Híghway Códe [때로 the ~] ((영)) 교통 규칙(집)((운전자용 소책자))
híghway hypnòsis 고속 도로 최면((장시간의 단순 운전으로 인한 반수면 상태))
high·way·man [háiwèimən] *n.* (*pl.* **-men** [-mən]) (옛날의 말을 탄) 노상 강도(cf. FOOTPAD)
híghway patról ((미)) 간선[고속] 도로 순찰대
híghway róbber 노상 강도; 날강도
híghway róbbery 노상 강도짓, 날강도짓; ((구어)) 터무니없는 가격[요금] 청구
hígh wíre [the ~] (높게 친) 줄타기 줄 ***walk a*** **~** 줄타기를 하다; 위험한 일을 하다
high-wire [háiwàiər] *a.* 위험이 큰; 대담한
high-wrought [-rɔ́:t] *a.* 아주 정교한, 공들여 마무리한; 몹시 흥분한[동요한]
hígh yéllow ((미·속어·경멸)) 황갈색 피부의 흑인
H.I.H. His[Her] Imperial Highness
hi-hat [-hæ̀t] *n.* =HIGH-HAT 2
hi·jab [hidʒɑ́:b] *n.* Ⓒ 이슬람 여성들이 외출할 때 머리에 쓰는 가리개
⁎**hi·jack** [háidʒæ̀k] *vt.* **1** 〈비행기 등을〉 **공중 납치하다**, 하이잭하다; 〈수송 중의 화물을〉 강탈하다, 털다, 습격해 가로채다: ~ a load of whiskey 차 한 대 분의 위스키를 털다 **2** 〈사람에게서〉 강탈하다, 탈취하다; 강요하다, 강제하다
—*n.* (비행기 등의) 공중 납치, 하이잭
~·ee *n.* 하이잭 피해자 **~·er** *n.* 하이잭 범인 **~·ing** *n.*
hi·jinks [háidʒìŋks] *n. pl.* =HIGH JINKS
Hij·ra(h) [hídʒrə] *n.* =HEGIRA
‡**hike** [háik] *vi.* **1** **하이킹하다**, 도보 여행하다 **2** 〈셔츠 등이〉 밀려 올라가다 ((*up*)): (~+副) My shirt ~*s up* if I don't wear a belt. 벨트를 하지 않으면 셔츠가 밀려 올라간다. **3** 〖항해〗 (요트에서) 바람 불어오는 쪽의 밖으로 몸을 내밀다 ((*out*))
—*vt.* **1** ((미)) 터벅터벅 걷게 하다 **2** ((미)) 〈집세·물가 등을〉 (갑자기) **올리다**, 인상하다; ((미·속어)) 숫자를 고쳐쓰다 ((수표 따위)); 끌어올리다, 밀다; 〈바지 등을〉 추어올리다; 잡아당기다: ~ prices 값을 올리다 // (~+목+副) ~ *up* one's pants 바지를 추어올리다
—*n.* **1** (시골의) **도보 여행**, 하이킹(⇨ picnic 유의어) **2** ((미)) (급료·가격 등의) 인상, 상승 ((*in*)): a ~ *in* food prices 식료품 가격의 상승 ***go on a*** **~** 도보 여행을 가다 ((*to*)) ***take a*** **~** ((미·구어)) 가다, 사라지다; [명령형으로] 썩 꺼져, 저리 가!
⁎**hik·er** [háikər] *n.* **도보 여행자**, 하이커
‡**hik·ing** [háikiŋ] *n.* Ⓤ **하이킹**, 도보 여행(⇨ picnic 유의어)
HILAC [háilæk] [*H*eavy *I*on *L*inear *Ac*celerator] *n.* 〖물리〗 중(重)이온 선형(線型) 가속기
hi·lar·i·ous [hiléəriəs, -lǽr-, hai- | hiléər-] *a.* 유쾌한, 즐거운(merry), 몹시 재미있는; 신나게 노는, 들떠서 떠드는: feeling ~ from the champagne 샴페인을 마신 후의 유쾌한 기분 **~·ly** *ad.* **~·ness** *n.*
hi·lar·i·ty [hilǽrəti, -léər-, hai- | hilǽr-] *n.* Ⓤ 환희, 유쾌; 들떠서 떠들기
Hil·a·ry [híləri] *n.* 남자[여자] 이름
Hílary tèrm ((영)) **1** (Oxford·Dublin 대학의) 1월부터 시작되는 제2학기((현재는 다른 대학처럼 Lent term이라고 함)) **2** 〖법〗 (고등 법원의) 힐러리 개정기(開廷期)((1월 11일부터 부활절 직전 수요일까지))
Híl·bert spàce [hílbərt-] [독일의 수학자 David Hilbert(1862-1943)의 이름에서] 〖수학〗 힐베르트 공간
Hil·da [híldə] *n.* 여자 이름
Hil·de·gard(e) [híldəgɑ̀:rd] *n.* 여자 이름
hil·ding [híldiŋ] *a., n.* ((고어)) 비열한 (놈[녀석])
‡**hill** [híl] *n.* **1** 언덕, 낮은[작은] 산; [*pl.*] 구릉 (지대) ((knoll, mound와 mountain의 중간으로 보통 영국에서는 보통 2,000ft.(610m) 이하의 것)) **2** [the ~s] =HILL STATION **3** 쌓아올린 흙더미, 흙무더기, 둔덕(heap); ((미)) (작물의) 북: an ant ~ 개밋둑 / a ~ of potatoes 감자에 돋운 북 **4** 고개, 고갯길; (특히 도로의) 경사: *H*~ Ahead. ((게시)) 전방에 비탈. **5** ((야구속어)) 마운드 **6** [the H~] =CAPITOL HILL
a **~** ***of beans*** [부정문에서] ((미·구어)) 아주 조금: *not* care *a* ~ *of beans* 조금도 개의치 않다 (***as***) ***old as the ~s*** 매우 오래된 ***drive*** a person ***over the*** **~** …의 머리를 이상하게 하다, 애가 타게 하다 ***go down the*** **~** 언덕을 내려가다; 건강[명성]이 쇠퇴하다, 기울어지다 ***go over the*** **~** ((미·속어)) 탈옥하다, 부대를 무단이탈하다, 간데없이 사라지다, 증발하다 **~** ***and dale*** (광산·탄광에서) 파헤쳐서 울퉁불퉁하게 된 땅 ***over the*** **~** (1) 나이 먹어; 절정기를 지나서 (2) 피곤해진; ((미·속어)) 성(性)적으로 약해진 (3) 거의 성공[완성]한, 고비를 넘겨 ***take to***[***head for***] ***the ~s*** ((구어)) 도주하여 숨다 ***the Seven H~s*** (***of Rome***) ⇨ Seven Hills. ***up*** **~** ***and down dale*** 산을 넘고 골짜기를 건너; 여기저기, 곳곳에, 철저히
—*vt.* 높이 쌓아 올리다; 쌓아 올려 작은 산더미를 만들다, 흙을 북돋우다 ((*up*)) ▷ hílly *a.*

Hil·la·ry [híləri] *n.* 힐러리 **Sir Edmund Percival** ~ (1919-2008) 《뉴질랜드의 등산가; Mt. Everest 첫 등정에 성공(1953)》
hill·bil·ly [hílbìli] *n.* (*pl.* **-lies**) 《미·구어》 **1** 《종종 경멸》 남부 미개척지의 주민; 두멧사람, 산지 주민, 시골 사람 **2** =HILLBILLY MUSIC **—** *a.* **1** 산지 사람풍[특유]의; 촌스러운: ~ humor 산지 사람풍의 유머 **2** 힐빌리 음악의
híllbilly mùsic 힐빌리 음악 《미국 남부 산악 지대의 민요조의 음악; 컨트리 뮤직의 원형》
híll clìmb 힐 클라임 《자동차나 오토바이로 일정 거리의 비탈길을 달려 시간을 재는 스피드 경기》
hill·crest [hílkrèst] *n.* 언덕의 능선
híll fòlk =HILLMAN; 산골[구릉지]의 요정(妖精)
hill·i·ness [hílinis] *n.* Ⓤ 작은 산[구릉]이 많음; 구릉성(性)
hill·man [hílmən | -mæ̀n] *n.* (*pl.* **-men** [-mən, mèn | -mèn]) 산골[구릉지]의 사람, 산지 태생의 사람
híll mỳna 〖조류〗 구관조(九官鳥)
hill·ock [hílək] *n.* 작은 언덕, 낮은 산; 토총(土塚)
híll·ock·y *a.*
‡**hill·side** [hílsàid] *n.* 산허리, 구릉의 중턱
híll stàtion (인도의 북부·중부) 구릉 지대의 정부군[관리]의 피서용 주둔지[주재지]
*__hill·top__ [híltɑ̀p | -tɔ̀p] *n.* 언덕[작은 산] 꼭대기
hill·walk·ing [hílwɔ̀:kiŋ] *n.* Ⓤ 구릉 지대 산책
hill·y [híli] *a.* (**hill·i·er**; **-i·est**) 언덕이 많은, 구릉성의; 작은 산 같은, 조금 높은; 가파른(steep), 험한
*__hilt__ [hílt] *n.* (칼) **자루**; (곡괭이의) 자루; (권총·단도 등의) 손잡이(haft) **~ *to* ~** 1대 1로 (***up***) ***to the* ~** 자루 밑까지 (푹); 철저히
— *vt.* …에 손잡이[자루]를 달다[끼우다] **~·less** *a.*
hi·lum [háiləm] *n.* (*pl.* **-la** [-lə]) 〖식물〗 배꼽, 꼭지; 〖해부〗 (혈관·신경이 기관과 접하는) 문
‡**him** [hím; 《약하게》 im] *pron.* **1** [HE의 목적격이며 직접목적어·간접목적어·전치사의 목적어] **그를[에게]**: I know ~. 그를 안다. / I gave ~ a book. 그에게 책 한 권을 주었다. / I went with ~. 그와 동행하였다. **2** 《구어》 **a** [보어로서 또는 as, than, but 뒤에 사용된 주어로서] =HE: It's ~. 그 남자다. / She is as tall *as* ~. 그녀는 그와 키가 같다. / You are worse *than* ~. 너는 그 남자보다 더 나쁘다. **b** [독립하여]: *H*~ and his promises! 그의 약속이야 뻔하지! **c** [동명사의 의미상의 주어] =HIS: We were surprised by ~ want*ing* to leave. 우리는 그가 떠나기를 원한다는 것에 놀랐다. / What do you think of ~ becom*ing* a teacher? 저 사람이 선생이 되는 것을 어떻게 생각하나? **3** 《고어·시어》 =HIMSELF: He laid ~ down to sleep. 《고어》 그는 드러누워 잤다.
— *n.* (*pl.* **~s** [-z]) 《속어》 남자 (아이), 남성: Is the new baby a ~ or a her? 신생아는 남자 아이야, 여자 아이야?
HIM His[Her] Imperial Majesty 황제[황후] 폐하
*__Him·a·lá·ya Móuntains__ [hìməléiə-, himɑ́:ljə-] [the ~] =HIMALAYAS
Hi·ma·la·yan [hìməléiən, himɑ́:ljən] *a.* 히말라야 산맥의
Himaláyan cédar 〖식물〗 히말라야 삼나무
*__Him·a·la·yas__ [hìməléiəz, himɑ́:ljəz] *n. pl.* [the ~] 히말라야 산맥
Hi·ma·lia [himɑ́:ljə] *n.* 〖천문〗 히말리아 《목성의 위성 중 하나》
hi·mat·i·on [himǽtiɑ̀n | -ɔ̀n] *n.* (*pl.* **-i·a** [-iə]) 히마티온 《고대 그리스의 옷; 왼쪽 어깨에 걸쳐서 몸에 두르는》
him·bo [hímbou] [*him*+bim*bo*] *n.* (*pl.* **~(e)s**) (매력적이지만) 머리가 텅 빈 남자
him/her [hímhə́:r] *pron.* he / she의 목적격
‡**him·self** [himsélf; 《약하게》 ims-] *pron.* (*pl.* **them·selves**) **1** [강조 용법] **그 자신 a** [동격적]: He ~ says so. =He says so ~. 그 자신이 그렇게 말한다. / He did it ~. 그 스스로 그것을 했다. **b** [인칭대명사(he, him)의 대용]: His wife is as stingy as ~. 부인도 그이만큼 인색하다. / I can do it better than ~. 나는 그이보다 잘할 수 있다. / Only his son and ~ were involved. 그의 아들과 그 자신만이 포함되었다. **2** [재귀 용법] 그 자신을[에게]: The money I gave him is for ~. 그에게 준 돈은 (다른 사람이 아니라) 그가 쓰라고 준 것이다. / He killed ~. 그는 자살하였다. **3** 여느 때의[정상적인] 그, 평상시[본래]의 그: He is ~ again. 그는 제정신이 들었다, 원상태를 회복하였다. / He is not ~ today. 여느 때의 그가 아니다. 《정신이 이상하다, 몸에 이상이 있다》 **4** [독립구문의 주어 관계를 나타내어] 그 자신은[이]: *H*~ diligent, he did not understand his son's idleness. 자기가 부지런했으므로, 그는 아들의 게으름을 이해할 수 없었다. **5** 《아일·스코》 유력한 남자, 《특히》 한 집안의 가장(家長) ***beside* ~** 제자신을 잃고, 미쳐서 ***come to* ~** 정신이 들다, 소생하다 ★ 기타의 용법·숙어는 ⇨ myself, oneself.
hin [hín] *n.* 힌 《고대 히브리의 액량(液量) 단위》
Hi·na·ya·na [hì:nəjɑ́:nə] [Skt. =Lesser Vehicle] *n.* 〖불교〗 소승 불교(cf. MAHAYANA)
hinc·ty [híŋkti] 《미·속어》 *a.* (**-ti·er**, **-ti·est**) 우쭐대는, 도도한; 의심 많은(suspicious) **—** *n.* 백인
‡**hind¹** [háind] [behind의 생략에서] *a.* Ⓐ **뒤쪽의**, 후방의, 후부의(opp. *fore*): the ~ legs (짐승의) 뒷다리 / the ~ wheels 뒷바퀴 ***on* one*'s* ~ *legs*** 분연히[단호히] 서서; 《익살》 일어서서 ***talk the* ~ *leg(s) off the donkey*** 《영·구어》 쉴 새 없이 지껄여대다
hind² *n.* (*pl.* **~s,** [집합적] **~**) 암사슴 《세 살 이상의 붉은사슴의》
hind³ *n.* 《스코》 머슴; 농장 관리인; 시골뜨기; 농부
Hind. Hindi; Hindu; Hindustan(i)
hind·brain [háindbrèin] *n.* 〖해부〗 후뇌(後腦) 《소뇌·뇌교(腦橋)·연수(延髓)를 포함함》
hínd clìpping =BACK CLIPPING
Hin·den·burg [híndənbə̀:rg] *n.* 힌덴부르크 **Paul von** ~ (1847-1934) 《독일의 장군·정치가》
hínd énd 《미·속어》 엉덩이(ass)
‡**hin·der¹** [híndər] [OE 「누르다」의 뜻에서] *vt.* **방해하다**, 저지하다(prevent), 훼방하다, 막다, 지체하게 하다, 늦게 하다: The sand ~*ed* our walking. 모래가 걷는 데 방해가 되었다. // (~+목+전+명) be ~*ed in* one's study 공부에 방해를 받다 / They ~*ed* him *in* carrying out his plans. 그들은 그가 계획을 수행하는 것을 방해했다. **~ a person *from* do*ing*** …가 …하는 것을 방해하다

> 유의어 **hinder** 어떤 행위 또는 그 진행에 방해를 해서 해·폐를 끼치다 **obstruct** 도중에 방해물을 놓아 진행·운동을 방해하다: The snowslide *obstructed* traffic. 눈사태로 교통이 방해되었다. **impede** 일시적이지만 고의로 사람이나 물건의 진행·운동을 지연시키다: Tight garters *impede* the circulation of the blood. 꽉 죄이는 가터는 혈액 순환에 지장을 준다.

— *vi.* 방해가 되다, 행동에 지장을 주다 **~·er** *n.* ▷ híndrance *n.*
hind·er² [háindər] *a.* Ⓐ 후방의, 후부의, 뒤의: the ~ part of the ship 배의 뒤쪽 / the ~ gate 뒷문
— *n.* [*pl.*] 《미·속어》 (사람의) 다리(legs)
hind·er·most [háindərmòust] *a.* 《고어》 =HINDMOST
hind-fore·most [háindfɔ́:rmoust] *ad.* 뒤쪽을 앞

thesaurus **hinder¹** *v.* hamper, impede, hold back, interfere with, block, interrupt, thwart, frustrate, defer, prevent (opp. *aid, facilitate*)
hindrance *n.* impediment, obstacle, interference, obstruction, handicap, block, restraint, interrup-

으로 하여, 역순(逆順)으로
hind·gut [háindgʌ̀t] *n.* 〖동물〗 후장(後腸)
Hin·di [híndi:] *n.* Ⓤ 힌디 말 《북부 인도 지방의 말로, 인도 공용어》; 힌디 말을 하는 사람 **—** *a.* 북부 인도의; 힌디 말의
hind·limb [háindlim] *n.* (동물의) 뒷다리
hind·most [-mòust] *a.* [HIND[1]의 최상급] 제일 뒤쪽의, 최후부의
Hin·doo [híndu:] *n.* (*pl.* **~s**), *a.* 《고어》 = HINDU
hind·quar·ter [háindkwɔ̀:rtər] *n.* (짐승 고기의) 뒤쪽 4분의 1; [*pl.*] 뒷다리와 궁둥이
*__hin·drance__ [híndrəns] *n.* Ⓤ **방해,** 장애; Ⓒ 방해물, 장애물; 고장 《*to*》: a ~ *to* navigation 항행(航行)상의 장애물 ▷ hínder *v.*
hind·sight [háindsàit] *n.* (총의) 가늠자; Ⓤ 《구어》 뒤늦은 꾀[지혜], 뒷궁리(opp. *foresight*)
in ~ 지나고 나서 보니까 ***knock*** [***kick***] ***the ~ off*** [***out of***] 《구어》 완전히 부수다, 때려부수다 ***with the wisdom*** [***benefit***] ***of ~*** 뒤늦게 깨달은 것이지만, 소 잃고 외양간 고치는 격이지만
hínd tít 《속어》 가장 나쁜 부분; 남은 것, 찌꺼기
suck (***on***) ***the ~*** 불리한 일을 맡다 ***suck*** a person***'s ~*** 《미·속어》 …의 무리한 명령에도 따르다, 아첨하다
*__Hin·du__ [híndu:] *n.* **1** (특히 인도 북부의) **힌두 사람,** 힌두교 신자 **2** 인도 사람
— *a.* **1** 힌두교(신자)의 **2** 인도(사람)의
~·ize *vt.* 힌두교화하다, 힌두교의 영향을 미치게 하다
Hín·du-Ár·a·bic númerals [híndu:ǽrəbik-] = ARABIC NUMERALS
Híndu cálendar 힌두력(曆) 《힌두교의 태음력》
*__Hin·du·ism__ [híndu:ìzm] *n.* Ⓤ **힌두교**
Híndu Kúsh [-kú:ʃ] [the ~] 힌두쿠시 산맥(= ~ **Móuntains**)
Hin·du·stan [hìndustɑ́:n, -stǽn] *n.* **1** (힌디 말이 사용되는) 인도 북부 지방 **2** 15-16세기에 번영한 북인도의 왕국 **3** 인도 대륙
Hin·du·sta·ni [hìndustɑ́:ni, -stǽni] *n.* 힌두스타니 말 《북부 인도의 상용어; Hindi의 한 방언》
— *a.* 힌두스탄의; 힌두스탄 사람[말]의
hind·ward [háindwərd] *ad., a.* 뒤쪽에[의]
hínd wíng (곤충의) 뒷날개, 후시(後翅)
*__hinge__ [híndʒ] [ME 「매달다」의 뜻에서] *n.* **1 경첩,** 돌쩌귀; 관절(ginglymus) **2** 사북, 요점, 요체(要諦), 중심점 **3** 힌지 《우표를 앨범 등에 붙이는 데 쓰는 한쪽에 풀칠이 된 파라핀 종이》
get [***take***] ***a ~ at*** 《미·속어》 …을 (얼핏) 보다 ***off the ~s*** 경첩이 빠져; (신체·정신에) 탈이 나서

hinges *n.* **1**

— *vt.* **1** [종종 수동형으로] …에 경첩[돌쩌귀]을 달다 **2** 조건으로 삼다, …에 의해 정하다 《*on, upon*》: 《~+목+전+명》 I will ~ my participation *on* her approval. 그녀의 승인이 있으면 참가하겠다. **3** 〈우표를〉 힌지를 사용하여 붙이다
— *vi.* **1** 〈문 등이〉 경첩[돌쩌귀]식으로 움직이다 **2** …여하에 달려 있다, …에 따라 정해지다 《*on, upon*》: 《~+전+명》 Everything ~*s on* her decision. 만사는 그녀의 결단에 달려 있다. / His acceptance will ~ *on* the terms. 그의 승낙은 조건 여하에 따라 결정될 것이다. **~·less** *a.* **~·like** *a.*
hinged [híndʒd] *a.* 경첩[돌쩌귀]이 달린: a ~ door

tion, bar, barrier, drawback, difficulty
hint *n.* **1** 암시 clue, inkling, insinuation, implication, suggestion, indication, allusion **2** 조언 advice, pointer, help **—** *v.* give a clue, suggest, imply, indicate, insinuate, mention, signal

(경첩을 단) 여닫이 문
hínge jòint 〖해부〗 (무릎 등의) 경첩 관절
Hing·lish [híŋgliʃ] [*H*indi+Eng*lish*] *n.* 인도(식) 영어 《힌디어와 영어의 혼합형》
hin·ky [híŋki] *a.* 《미·속어》 어쩐지 수상한; 의심스러운
hin·ny[1] [híni] *n.* (*pl.* **-nies**) 버새 《수말과 암나귀의 잡종; cf. MULE》
hin·ny[2], **hin·nie** [híni] *n.* 《스코·북잉글》 [호칭으로] = HONEY 3
‡**hint** [hínt] [OE 「붙잡다」의 뜻에서] *n.* **1 힌트, 암시** (suggestion), 넌지시 알림, 시사, 단서, 귀띔; [종종 *pl.*] (간단하게 적은) 요령, 지시, 조언 《*on*》: a broad ~ 노골적인 암시 / ~*s on* cooking 요리의 주의 사항 / ~*s on* housekeeping 가사 처리 요령 / Give me a ~ as to his identity. 그의 정체에 대한 단서를 달라. **2** (…한) 기미, 기색; [a ~] 극소량, 조금, 미량(의 …) 《*of*》: *a ~ of* garlic 마늘 조금 / *a ~ of* spring in the air 공기 중의 희미한 봄의 기운
by ~s 넌지시 ***give*** [***drop, let fall***] ***a ~*** 암시를 주다, 변죽을 울리다 ***take a*** [***the***] ***~*** (암시를 받고) 알아차리다, 눈치채다
— *vt.* **넌지시 말하다;** 암시하다, 빗대어 말하다, 비치다(⇨ suggest 유의어): gray skies ~*ing* a possible snowfall 눈이 올 듯한 잿빛 하늘 // 《~+목+전+명》 He ~*ed* (*to* me) nothing of what he was going to do. 그는 자기가 하려는 일을 조금도 내비치지 않았다. // 《~+***that*** 절》 I ~*ed* vaguely *that* they should begin hard training. 나는 그들에게 강훈련을 시작할 필요가 있음을 막연히 암시해 줬다.
— *vi.* 넌지시 말하다[비치다], 암시하다 《*at*》: 《~+전+명》 He ~*ed at* my foolishness. 그는 나의 어리석음을 넌지시 비쳤다. / The facts ~*ed at* a solution to the problem. 그 사실들은 그 문제의 해결을 암시했다. **~·er** *n.* **~·ing·ly** *ad.*
hin·ter·land [híntərlæ̀nd] [G] *n.* (강가·해안 지대의) 후배지(後背地)(opp. *foreland*); [종종 *pl.*] 오지, 시골, 지방; (연안 지방에 근접한) 내륙 지역
‡**hip**[1] [híp] *n.* **1 히프, 둔부**(臀部), 엉덩이; [종종 *pl.*] 히프 둘레 (치수); = HIP JOINT **2** 〖곤충〗 기절(基節) **3** 〖건축〗 추녀마루, 귀마루 **4** [*pl.*] 《미·속어》 실패, 비참한 종말
be joined at the ~ 《미·구어》 일심동체이다, 매우 친밀하다 ***fall on*** one***'s ~s*** 엉덩방아를 찧다 ***have*** [***catch, get, take***] a person ***on the ~*** …을 맥 못쓰게 하다, 꼼짝 못하게 하다 ***shoot from the ~*** 《구어》 충동적인 언동을 하다, 생각없이 행동하다 ***smite ~ and thigh*** 〖성서〗 크게 도륙하다, 사정없이 해치우다 《사사기 15 : 8》
— *a.* 허리의, 허리를 쓰는; 〈옷이〉 허리를 덮는: a ~ throw (유도의) 허리 메치기
— *vt.* (**~ped**; **~·ping**) 〈특히 가축의〉 고관절(股關節)을 다치게 하다, 빠지게 하다; 〖건축〗 〈지붕에〉 귀마루를 달다; 《미》 〈권총 등을〉 허리에 차다
hip[2] *n.* [보통 *pl.*] (들)장미의 열매
hip[3] 《고어》 *n.* Ⓤ = HYPOCHONDRIA
— *vt.* (**~ped**; **~·ping**) 우울하게 하다 ***feel ~ped*** 기분이 우울해지다
hip[4] *int.* 힙 《응원 등의 소리》 ***H~, ~, hurrah!*** 힙, 힙, 후라 《만세》
hip[5] 《속어》 *a.* **1** (최신 유행의) 사정에 밝은, 앞서 있는 **2** 세상 물정에 밝은, 통달한, 잘 알고 있는 **3** 동의한, 일치한 **4** 히피의 ***be ~ to*** …을 잘 알고 있다
— *n.* = HIPNESS **—** *vt.* (**~ped**; **~·ping**) 알리다, 전수[설명]하다 **~·ly** *ad.*
HIP Health Insurance Plan; 〖항공〗 higher intermediate point
híp bàth 좌욕(sitz bath)
hip·bone [hípbòun] *n.* 〖해부〗 관골(髖骨), 무명골
híp bòot [보통 *pl.*] 허리까지 오는 장화 《어부·낚시꾼용》

híp disèase 〖병리〗 고(股)관절병
hipe [háip] *n., vt.* 〖레슬링〗 안아 던지기(로 넘어뜨리다)
híp flàsk (바지 뒷주머니에 넣는) 포켓 위스키 병
hip-gout [hípgàut] *n.* 좌골 신경통
hip-hop [-hàp | -hɔ̀p] *n.* 힙합 《도시 젊은이의 문화로 랩 뮤직·브레이크 댄싱·낙서 예술이 포함됨》
— *a.* 힙합의: the ~ generation 힙합 세대
híp-hòp·per *n.* 힙합족(族)
hip-hug·ger [-hʌ̀gər] 《미》 *a.* 〈바지·스커트가〉 허리춤이 낮은: ~ jeans 허리춤이 낮은 청바지
— *n.* [*pl.*] 허리뼈에 걸쳐 입는 바지[스커트]
hip jòint 고관절(股關節)
hip·length [-lèŋkθ] *a.* 〈의복 따위가〉 엉덩이까지 내려오는, 엉덩이를 덮는
hip·line [-làin] *n.* 히프라인 《히프의 가장 큰 부분을 한 바퀴 잰 선》
hip·ness [hípnis] *n.* Ⓤ 《속어》 최신 정보에 밝음
hipp- [hip], **hippo-** [hípou] 《연결형》 「말(馬)의」의 뜻 《모음 앞에서는 hipp-》
hipped[1] [hípt] *a.* 엉덩이가 있는; [보통 복합어로] 엉덩이가 …한; 고관절을 다친 《특히 가축의 경우》; 〖건축〗 〈지붕이〉 추녀마루가 있는: a ~ roof 모임 지붕, 우진각 지붕 / broad-~ 엉덩이가 펑퍼짐한
hipped[2] *a.* Ⓟ **1** 《미·구어》 (…에) 열중한, 사로잡힌 《*on*》: be ~ *on* tennis 테니스에 열중하다 **2** 정통한, 잘 알고 있는
hipped[3] *a.* **1** 《영》 울적해하는; 우울증에 걸린(hippish) **2** 짜증내는, 화난
hip·per-dip·per [hípərdìpər] 《속어》 *a.* 최고의, 굉장한, 초(超)… **—** *n.* 〖권투〗 미리 짜고 하는 시합
HIPPI 〖컴퓨터〗 high performance parallel interface 고성능 병렬 인터페이스
hip·pie [hípi] [hip[5]에서] *n.* **1** 히피 《기성 사회에 반발하여 몸치장·생활 등에 무관심하며 세상을 사랑이 지배한다고 믿는 젊은 세대의 사람; yippie라고도 함》 **2** 자유로운 복장을 한 장발의 젊은이 **—** *a.* 히피의
~·hòod *n.* **~·ìsm** *n.*
hip·pie·dom [hípidəm] *n.* 히피의 세계, 그 생활 양식; (집단으로서의) 히피
hip·pi(e)·ness [hípinis] *n.* Ⓤ 히피적 성격[상태]
hip·pi·ty-clip·pi·ty [hípətiklípəti] *ad.* 《미·속어》 재빨리
hip·po [hípou] [*hippo*potamus] *n.* (*pl.* **~s**) 《구어》 하마
hippo- [hípou, -pə] 《연결형》 = HIPP-
hip·po·cam·pus [hìpəkǽmpəs] *n.* (*pl.* **-pi** [-pai, -pi:]) **1** 〖동물〗 해마(海馬); 〖그리스신화〗 해마 《해신의 수레를 끄는 말 머리와 물고기 꼬리를 가진 괴물》 **2** 〖해부〗 (뇌의) 해마상(狀) 융기 **-cám·pal** *a.*
híp pòcket (바지나 스커트의) 뒷주머니
hip-pock·et [híppàkit | -pɔ̀k-] *a.* 소형의, 소규모의 **—** *vt.* 뒷주머니에 넣어 두다
hip·po·cras [hípəkræ̀s] *n.* ⓊⒸ (중세의) 향료를 넣은 포도주
Hip·poc·ra·tes [hipákrəti:z | -pɔ́k-] *n.* 히포크라테스(460?-377? B.C.) 《그리스의 의사; the Father of Medicine(의학의 아버지)이라고 불림》
Hip·po·crat·ic [hìpəkrǽtik] *a.* 히포크라테스의
Hippocrátic óath [the ~] 히포크라테스의 선서 《의사가 되려는 사람이 하는 윤리 강령의 선서》
Hip·po·crene [hípəkrì:n, hìpəkrí:ni] *n.* **1** 〖그리스신화〗 히포크레네 《Helicon 산의 샘으로 the Muses에게 바쳐졌음》 **2** Ⓤ 《시어》 시상(詩想) **-cré·ni·an** *a.*
hip·po·drome [hípədròum] *n.* **1** (고대 그리스·로마의 경마·전차 경주를 하는) 대경기장, 경마장 **2** [종종 H~] 마술 연기장(馬術演技場), 곡마장, 서커스; 연예장, (쇼) 극장 **3** 《미·속어》 미리 짜고 하는 야바위 시합
hip·po·griff, -gryph [hípəgrìf] *n.* 〖전설〗 말 몸에 독수리 머리와 날개를 가진 괴물
hip·pol·o·gy [hipálədʒi | -pɔ́l-] *n.* Ⓤ 마학(馬學)
-gist *n.*
Hip·pol·y·ta [hipálitə | -pɔ́l-] *n.* 〖그리스신화〗 히폴리타 《아마존족(族)의 여왕》
Hip·pol·y·tus [hipálitəs | -pɔ́l-] *n.* 〖그리스신화〗 히폴리투스 《Theseus의 아들; 계모인 Phaedra의 유혹을 거절하자 모함에 빠져 Poseidon에 살해됨》
Hip·pom·e·nes [hipámənì:z | -pɔ́m-] *n.* 〖그리스신화〗 히포메네스 《Atalanta에 구혼하여 아내로 삼는 데 성공함》
***hip·po·pot·a·mus** [hìpəpátəməs | -pɔ́t-] [Gk *hippos*(말)+*potamos*(강)] *n.* (*pl.* **~·es, -mi** [-mài]) 〖동물〗 하마
hip·pú·ric ácid [hipjúərik-] 〖화학〗 히푸르산, 마뇨산(馬尿酸)
hip·pus [hípəs] *n.* 〖의학〗 동공(瞳孔) 변동 《동공의 발작적 수축》
hip·py[1] [hípi] *a.* (**-pi·er**; **-pi·est**) 엉덩이가 큰
hippy[2] *n.* (*pl.* **-pies**) = HIPPIE
híp ròof 〖건축〗 모임 지붕, 우진각 지붕(hipped roof) **híp-róofed** *a.*
HIPs [híps] [*h*ome *i*nformation *p*acs] *n.* 《영》 주택 정보 등록제 《주택 거래시 환경 측면을 고려하기 위해 도입》
hip-shoot·er [hípʃù:tər] *n.* (생각 없이) 아무렇게나 말하는 사람
hip-shoot·ing [hípʃù:tiŋ] *a.* 《미》 되는대로 하는, 충동적인, 생각 없는, 발작적인
hip·shot [hípʃàt | -ʃɔ̀t] *a.* **1** 고관절을 삔 **2** 절름발이의, 불구의; 한쪽 엉덩이가 처진
hip·ster[1] [hípstər] [hip[5]에서] *n.* 《미》 **1** 최신 정보통, 박식한 사람 **2** 유행을 좇는 사람 **3** 재즈 연주가; 재즈광 **4** 비트족(beatnik)
hipster[2] 《속어》 *n.* [*pl.*] = HIP-HUGGER
— *a.* Ⓐ = HIP-HUGGER
hip·ster·ism [hípstərìzm] *n.* 유행을 좇음; 유행을 좇는 사람의 생활 양식
hir·a·ble [háiərəbl] *a.* 임차(賃借)할[빌릴] 수 있는; 고용할 수 있는 **hìr·a·bíl·i·ty** *n.*
hir·a·gan·a [hìrəgá:nə] *n.* Ⓤ (일본 문자의) 히라가나(cf. KATAKANA)
hir·cine [hə́:rsain, -sin] *a.* **1** 《고어》 염소의; 염소 같은; 〈냄새가〉 염소같이 고약한 **2** 《문어》 호색의
⁑**hire** [háiər] [OE 「임금」의 뜻에서] *vt.* **1** 고용하다 (⇨ employ 유의어); 세내다, 임차하다, (사용료를 내고) 빌리다(⇨ borrow 유의어): ~ a clerk 점원을 고용하다 / ~ a limousine 리무진을 빌리다 / ~ a motorcar by the hour 자동차를 1시간에 얼마로 세내다 // (~+목+***to*** do) He ~*d* a workman *to* repair the fence. 그는 일꾼을 사서 울타리를 고쳤다. **2** (사용료를 받고) **빌려주다, 세주다** 《*out*》: (~+목+부) ~ *out* cars 차를 빌려주다
— *vi.* 《미》 (…로서) 고용되다 《*out*》 ***~ and fire*** 임시로 고용하다 ***~ on*** 고용되다 《*as*》: They ~*d on as* wranglers with the rodeo. 그들은 카우보이로서 소몰이일에 고용되었다. ***~ out*** (1) ⇨ *vt.* 2 (2) [~ one*self* out로] (…으로서) 고용되다 《*as*》: He ~*d himself out as* a handyman. 그는 잡역부로서 고용되었다. (3) 《미》 (하인·노동자로서) 고용되다 《*as*》: She ~*d out as* a maid. 그녀는 하녀로 고용되었다.
— *n.* Ⓤ **1** (사람의) 고용; (물건의) 임차 **2** 세, 사용요금; 급료, 임금, 보수: pay for the ~ of …의 사용료를 지불하다 **3** 《구어》 피고용자 ***for*** [***on***] ***~*** (1) 임대의[로], 세내는[내어]: a boat *for* ~ 빌린 보트 (2) 〈사람이〉 고용되어 ***let out ... on ~*** …을 세주다
híre càr 《영》 임대 자동차, 렌터카
hired [háiərd] *a.* 고용된; 세 주는; 빌린, 임대의; 세낸 물건의
híred gírl 《미》 (주로 농가의) 고용된 여자; 가정부
híred gún 《종종 경멸》 살인 청부업자; = HIRELING
híred hánd[**mán**] 《미》 고용인; (특히) 농장 노동자, 머슴
hire·ling [háiərliŋ] *n.* **1** 《경멸》 (특히 천한 일이나

단순 작업에서) 돈을 목적으로 일하는 사람 **2** 부하
—a. Ⓐ 《경멸》 돈을 목적으로 일하는, 돈만 아는
híre púrchase 《영》 분할불 구입 (방식), 할부 (방식)(《미》 installment plan)(＝~ **sỳstem**) 《略 H.P., h.p.》: by[on] ~ 분할불로, 월부로
hir·er [háiərər] *n.* 고용주; 《영》 (동산) 임차인
hi-res [háiréz] *a.* 《구어》 **1** 〚컴퓨터〛 ＝HIGH-RESOLUTION **2** 상태가 좋은
hir·ing [háiəriŋ] *n.* Ⓤ 고용; 임대차: the ~ of a ship 용선(傭船)
híring frèeze (기업의) 고용동결: One in five companies still has a ~ in place. 5개 기업 중 한 곳은 여전히 고용동결을 하고 있다.
híring hàll 《미》 (노조 직영의) 직업 소개소
hi-rise [háiràiz] *n.* 《구어》 ＝HIGH-RISE
hir·ple [hə́ːrpl, híərpl] 《스코》 *vi.* 절름거리며 걷다 (hobble) **—n.** 발을 절기(limp), 파행(跛行)
hir·sute [hə́ːrsuːt, ─ˊ | hə́ːsjuːt] *a.* **1** 털 많은, 털이 수북한; 텁수룩한; 털의 **2** 〚생물〛 억센 긴 털로 덮인
hir·sut·ism [hə́ːrsuːtìzm, ─ˊ─ | hə́ːsjuːtìzm] *n.* 〚의학〛 (특히 여성의) 다모증(多毛症)
hir·tel·lous [həːrtéləs] *a.* 가는 강모로 뒤덮인
hi·ru·din [hírjudin, hirúːdn | hirúːdin] *n.* 히루딘 《거머리의 구강선(口腔腺)에서 얻어지는 혈액의 항(抗)응고제》
hir·u·din·e·an [hìrudíniən] *n., a.* 거머리(의)
⁑**his** [híz; 《약하게》 iz] *pron.* **1** [HE의 소유격] 그의: *H~* coat is the brown one. 그의 코트는 갈색이다. / Do you mind ~ speaking first? 그가 먼저 말해도 좋습니까? **2** [HE의 소유대명사] 그의 것(cf. MINE, YOURS, HERS): I borrowed a tie of ~. 그의 넥타이 중 하나를 빌렸다. / *H~* was the strangest remark of all. 모든 발언 중에서 그의 것이 가장 이상했다. / That book is ~. 그 책은 그의 것이다. **3** [성별을 모르는 사람을 가리켜] 그 사람의: Each pupil has ~ own desk. 학생들에게는 각자 자기의 책상이 있다. **4** [**H~**] (그리스도교의) 신(神)의, 예수 그리스도의 ***he and ~*** (***family***) 그와 그의 가족 ★ ~ or her 를 써야 할 경우 공문서 이외에는 보통 his를, 구어에서는 their를 씀. ***of ~*** 그의 (cf. of HERS): a friend *of* ~ 그의 한 친구 / that pride *of* ~ 그놈의 그 자만심
his-and-hers [hízən*d*hə́ːrz] *a.* 〈상품이〉 남녀[부부]용 한 벌씩의
his/her [hízhə́ːr; 《약하게》 *hizhər*] *pron.* HE / SHE의 소유격
his'n, hisn [hízn] *pron.* 《속어·방언》 [he의 소유대명사] 그의 것(his)
hís níbs 《속어》 권력자, 높으신 분 《실력도 없이 보스처럼 구는 사람》
His·pa·ni·a [hispéiniə, -njə] *n.* 《시어》 ＝SPAIN
His·pan·ic [hispǽnik] *a.* ＝SPANISH
—n. 《미》 (미국 내의 스페인 말을 쓰는) 라틴 아메리카 사람[계 주민]
His·pan·i·cism [hispǽnəsìzm] *n.* 스페인어 특유의 어법; 영어의 스페인어풍 표현[어법]
His·pan·io·la [hìspənjóulə] *n.* 히스파니올라 《서인도 제도 중에서 둘째로 큰 섬; Haiti와 Dominica의 두 공화국을 포함함; 옛 이름 Haiti》
his·pa·nism [híspənìzm] *n.* [종종 **H~**] **1** 스페인주의 《라틴 아메리카에서의 스페인의 문화·정신을 선양하는 운동》 **2** 스페인적인 어구[표현, 특징 《등》]
His·pa·no [hispǽnou, -páː-] *a., n.* (*pl.* **~s**) 《미》 남미계의 (주민); (미국 남서부의) 스페인[멕시코]계의 (주민)
Hispano- [hispǽnou, -páː-, -nə] 《연결형》 「스페인의[과]」의 뜻
his·pid [híspid] *a.* 〚생물〛 센털이 있는, 강모(綱毛)의
*__hiss__ [hís] [의성음] *vi.* **1** 〈증기·뱀·거위 등이〉 쉿 하는 소리를 내다: The serpent *~es.* 뱀이 쉿 하고 소리를 낸다. **2** 쉿 하고 불만[비난, 경멸, 노여움]의 소리를 내다 《*at*》: 《~+전+명》 ~ *at* an actor 쉿쉿 하고 배우를 야유하다 / ~ *for* silence 쉿 하고 소리내지 않게 하다
—*vt.* 쉿 하고 꾸짖다[제지하다], 쉿 하는 소리로 비난을 나타내다; 쉿 소리를 내며 말하다: The audience *~ed* the controversial play. 관중들은 그 논란이 많은 연극을 쉿쉿 하며 비난했다.
~ and boo 거세게 야유하다 ***~ away*** 쉬 하며 내쫓다 ***~ down*** 쉬쉬하며 야유하다 ***~ off*** 〈배우 등을〉 쉬쉬 야유하여 물러가게 하다
—n. **1** 쉿 《제지·힐책의 소리》, 쉬쉬하는 소리; 슛슛[솨] 하고 나는 소리 《압축 가스·증기 등이 작은 구멍에서 샐 때》: the ~ of soda 소다수의 쉿 하고 거품이 이는 소리 **2** 〚음성〛 ＝HISSING SOUND; 〚전자〛 히스 《고음역의 잡음》 **~·a·ble** *a.* **~·er** *n.*
hiss·ing [hísiŋ] *n.* 쉿쉿 하기[하는 소리]; 〚고어〛 경멸(의 대상) **—a.** 쉿쉿 하는 **~·ly** *ad.*
híssing sòund 〚음성〛 치찰음(齒擦音) 중의 [s, z] 의 음
his·sy [hísi] *n.* 《미남부》 발끈함, 울화(＝~ **fit**): throw[have] a ~ 불끈 화내다
hist[1] [st; híst] *int.* 쉬, 조용히(hush)
hist[2] [háist] *vt., n.* 《방언》 ＝HOIST[1]
hist- [hist], **histo-** [hístou] 《연결형》 「조직(tissue)」의 뜻 《모음 앞에서는 hist-》
hist. histology; historian; historic(al); history
his·tam·i·nase [histǽmənèis, -nèiz] *n.* 〚생화학〛 히스타미나아제 《히스타민을 분해하는 효소》
his·ta·mine [hístəmìːn, -min] *n.* Ⓤ 〚생화학〛 히스타민 《자궁 수축·혈압 저하의 약》
hìs·ta·mín·ic *a.*
his·ti·dine [hístədìːn, -din] *n.* 〚생화학〛 히스티딘 《염기성 α-아미노산의 하나》
his·ti·di·ne·mi·a [hìstədiníːmiə] *n.* 〚병리〛 히스티딘 혈증(血症)
his·ti·o·cyte [hístiəsàit] *n.* 〚해부〛 조직구(組織球), 대(大)식세포 **his·ti·o·cýt·ic** [-sítik] *a.*
histo- [hístou, -tə] 《연결형》 ＝HIST-
his·to·blast [hístəblæ̀st, -blàːst] *n.* 〚생물〛 조직원(原)세포
his·to·chem·is·try [hìstəkémistri] *n.* Ⓤ 조직 화학 《조직의 세포 성분을 화학적으로 연구하는 분야》
-chém·i·cal *a.* **-chém·i·cal·ly** *ad.*
his·to·com·pat·i·bil·i·ty [hìstoukəmpæ̀təbíləti] *n.* ⓊⒸ 〚의학〛 조직 적합[친화]성 **-com·pát·i·ble** *a.*
histocompatibílity àntigen 〚의학〛 조직 적합 항원, 이식 항원
his·to·gen [hístədʒən, -dʒèn] *n.* 〚식물〛 원(原)조직, 초기 조직 **hìs·to·gén·ic** *a.*
his·to·gen·e·sis [hìstədʒénəsis] *n.* 〚생물〛 조직 발생, 조직 형성 **-ge·nét·ic** [-dʒənétik] *a.*
his·to·gram [hístəgræ̀m] *n.* 〚통계〛 막대 그래프
his·to·in·com·pat·i·bil·i·ty [hìstouìnkəmpæ̀təbíləti] *n.* Ⓤ 〚의학〛 조직 부적합성, 거부 반응
his·tol·o·gy [histɑ́lədʒi | -tɔ́l-] *n.* Ⓤ 조직학 《생물 조직의 구조·발생·분화 등을 연구》; (생물의) 조직 구조
his·to·log·ic, -i·cal [hìstəlɑ́dʒik(əl) | -lɔ́dʒ-] *a.*
-gist *n.* 조직학자
his·tol·y·sis [histɑ́ləsis | -tɔ́l-] *n.* Ⓤ (체조직의) 조직 융해[분해] **his·to·lyt·ic** [hìstəlítik] *a.*
his·tone [hístoun] *n.* Ⓤ 〚생화학〛 히스톤 《단순 단백질의 하나》
his·to·pa·thol·o·gy [hìstoupəθɑ́lədʒi | -θɔ́l-] *n.* Ⓤ 조직 병리학; 조직의 병적 변화
his·to·phys·i·o·log·ic, -i·cal [hìstoufìziəlɑ́dʒik(əl) | -lɔ́dʒ-] *a.* 조직 생리학의
his·to·phys·i·ol·o·gy [hìstəfìziɑ́lədʒi | -ɔ́l-] *n.* Ⓤ 조직 생리학
his·to·plas·mo·sis [hìstouplæzmóusis] *n.* Ⓤ 〚병리〛 히스토플라스마증(症) 《주로 폐의 진균성 감염증》
⁑**his·to·ri·an** [histɔ́ːriən] *n.* **1** 역사가, 사학자, 사학 전공가 **2** 역사 저작자; 연대기 편자

his·to·ri·at·ed [histɔ́:rièitid] *a.* (문단의 첫 글자나 책장 가장자리를) 그림 무늬로 꾸민

‡**his·tor·ic** [histɔ́:rik, -tɑ́r- | -tɔ́r-] *a.* **1** 역사(상)의, 역사적인(historical) **2** 역사적으로 유명한[중요한]: a ~ building 역사상으로 유명한 건물 / ~ occasions 역사상 중요한 사건 / the ~ scenes 사적, 유적 ▷ hístory *n.*

‡**his·tor·i·cal** [histɔ́:rikəl, -tɑ́r- | -tɔ́r-] *a.* **역사상의**; 역사의, 사학의; 역사적인; 역사에 실린, 사실(史實)에 바탕을 둔; 과거에 속하는; 역사상 실존한: a ~ novel[play] 역사 소설[사극] / ~ geography 역사 지리학 / ~ evidence 사실(史實) / ~ records 역사 기록 문서 / the ~ sciences 역사학

—*n.* 사실(史實)을 바탕으로 한 소설[극·영화]

~·ly *ad.* **~·ness** *n.* ▷ hístory *n.*

históricai cóst 〖회계〗 취득 원가

histórical geólogy 지사학(地史學)

histórical linguístics [단수 취급] 역사 언어학

histórical matérialism 사적 유물론, 유물 사관

histórical méthod 사적(史的) (연구) 방법

histórical présent [the ~] 〖문법〗 역사적 현재 《과거 사실의 서술을 생생하게 하기 위하여 쓰는 현재 시제》

histórical schòol 〖경제·철학〗 역사학파 《19세기 독일에서 시작된》; 〖법〗 역사(법)학파 《법은 역사적 상황에서 생긴다는》

histórical sociólogy 역사 사회학

his·tor·i·cism [histɔ́:rəsìzm, -tɑ́r- | -tɔ́r-] *n.* Ⓤ 역사주의; (역사 연구에서의) 실증주의; (건축상의) 전통주의 **-cist** *n.*

his·to·ric·i·ty [hìstərísəti] *n.* Ⓤ 사실성(史實性); 사적 확실성; 역사성

his·tor·i·cize [histɔ́:rəsàiz, -tɑ́r- | -tɔ́r-] *vt.* 역사화(化)하다, 사실(史實)에 근거를 두다

histórie présent = HISTORICAL PRESENT

his·to·ried [hístərid] *a.* 역사적으로 유명한, 유서 깊은, 역사 깊은: Greece is a richly ~ land. 그리스는 역사 깊은 나라이다.

his·to·ri·og·ra·pher [histɔ̀:riɑ́grəfər | -ɔ́g-] *n.* 사료 편찬 위원, 수사가(修史家); 역사가

his·to·ri·og·ra·phy [histɔ̀:riɑ́grəfi | -ɔ́g-] *n.* (*pl.* **-phies**) ⓊⒸ 사료 편찬, 역사 기술, 수사(修史); 역사 문헌, 사서(史書) **-ri·o·graph·ic, -i·cal** [-riəgrǽfik(əl)] *a.*

‡**his·to·ry** [hístəri] *n.* (*pl.* **-ries**) **1** Ⓤ **역사**; 사학: ancient ~ 고대사 《보통 서력 476년 서로마 제국의 멸망까지》 / medieval ~ 중세사 《서로마 제국의 멸망에서 15세기까지》 / modern ~ 근세사 《15세기에서 현대까지》 **2 a** 역사책, 사서(史書) **b** (제도·학문 등의) 발달사, 변천사; (특정 민족·국가 등의) 연대기, 편년사: a ~ of science 과학 발달사 **3** 연혁(沿革); 사실(史實) **4** (개인의) **경력**, 이력; 내력, 유래; 병력(病歷); 기구한 운명: a medical ~ of the patient 환자의 병력 / a personal ~ 경력, 이력서 / a woman with a ~ 파란 많은 생애를 지내온 여자, 과거가 있는 여자 / This knife has a ~. 이 칼에는 내력[유래]이 있다. **5** Ⓤ (자연계의) 조직적 기술: a ~ of the American eagle 흰머리독수리의 기록 **6** 사극(historical play), 전기(傳記): Shakespeare's *histories* 셰익스피어의 사극 **7** 과거의 일, 지나간 일 **8** (금속 따위에) 이미 시행된 처리[가공]

become ~ 역사가 되다[에 남다] ***be*** **~** 이제는 중요하지 않다, 지나간 일이다: He's ~. 그는 한물간 사람이다. ***go down in*** **~** 역사에 남다 ***H~ repeats itself.*** 역사는 되풀이된다; 두 번 일어난 일은 세 번도 일어난다. ***make*** **~** 역사에 남을 만한 일을 하다 ***pass into***[***in***] **~** 역사[과거지사]가 되다 ***past*** **~** 진부하게 된 사실; 지나간 일

▷ históric, históricai *a.*

his·to·sol [hístəsɔ̀:l, -sɑ̀l | -sɔ̀l] *n.* 〖지질〗 히스토솔, 유기질 토양

his·to·tome [hístətòum] *n.* 〖생물〗 = MICROTOME

his·tri·on [hístriɑ̀n | -triən] *n.* 연극 배우(actor)

his·tri·on·ic [hìstriɑ́nik | -ɔ́n-] *a.* **1** 배우의; 연기의; 연극상의 **2** 《경멸》 연극조의, 신파조의, 부자연스러운 **3** 〖병리〗 안면근(顔面筋)의

his·tri·on·i·cal [hìstriɑ́nikəl | -ɔ́n-] *a.* = HISTRIONIC **~·ly** *ad.*

his·tri·on·ics [hìstriɑ́niks | -ɔ́n-] *n. pl.* [단수·복수 취급] 연극; 연극 같은 언동, 꾸민 듯한 행동

‡**hit** [hít] *v.* (~; **~·ting**) *vt.* **1** (겨누어) **때리다, 치다**, 〈타격을〉 가하다(⇨ strike 유의어); 〖야구〗 〈안타 등을〉 치다, …루타를 치다: ~ a double 2루타를 치다 // 《~+목+전+명》 ~ a ball *onto* the green 〖골프〗 공을 쳐서 그린에 올리다 / *H*~ the nail *with* the hammer. 망치로 못을 쳐라. / He ~ me *on*[*over*] the head[*in* the face]. = He ~ my head[my face]. 그가 나의 머리[얼굴]를 때렸다. **2** 〈폭풍 등이 어떤 곳을〉 **덮치다**, 엄습하다; 〈도둑이 상점 등을〉 습격하다, …에서 강도질하다: A heavy earthquake ~ the city. 대지진이 그 도시를 덮쳤다. **3 맞히다**, …에 명중시키다: ~ the target 과녁을 맞히다 **4 부딪치다**, 충돌하다; 〈공·돌 등이〉 …**에 맞다**, 명중하다: 《~+목+전+명》 He ~ his head *against*[*on*] the desk. 그는 책상에 머리를 부딪쳤다. / The ball ~ him *in* the eye. 공이 그의 눈에 맞았다. **5** 《구어》 〈답·길 등을〉 (우연히 또는 용케) 찾아내다, 마주치다; 알아맞히다; 〈목적·취미에〉 맞다, 적합하다: ~ the right road 용케 바른 길을 찾아내다 / ~ one's fancy 구미에 맞다 / You've ~ it! 맞았다! **6** 〈생각 등이〉 …에게 **떠오르다**; …에게 인상을 주다: An idea ~ me. 한 가지 생각이 내게 떠올랐다. / How did the scene ~ you? 그 광경을 보고 어떤 인상을 받았느냐? **7** (정신적) 타격[고통, 손상]을 주다; 〈비꼬아 하는 말 등이〉 …의 감정을 상하다; 호되게 비난[비판]하다: be ~ hard by inflation 인플레이션으로 크게 타격받다 / Neutrals ~ US policy. 중립국이 미국의 정책을 비난하였다. **8** 〈수량·수준·정도 등에〉 달하다; 《구어》 〈장소에〉 도착하다, 이르다; 찾아내다: Prices ~ a new[an all-time] low. 물가가 사상 최저치를 기록했다. / The landing troops ~ the beach at dawn. 상륙 부대는 새벽에 해안에 도착했다. **9** 《영·구어》 정확히 표현하다; 훌륭히 묘사(描寫)하다 **10** 《구어》 〈물건을〉 (치거나 만지거나 하여) 움직이다, 작동시키다; 〈브레이크를〉 걸다: ~ the accelerator 가속 페달을 세게 밟다 / ~ the brake 급브레이크를 걸다 / ~ a light 불을 켜다 **11** 《미·구어》 …에게 요구하다, 조르다: 《~+목+전+명》 He ~ me (*up*) *for* a thousand dollars. 그는 내게 천 달러를 요구했다. **12** 〈기사가〉 나다, 실리다, 발표되다: The story ~ the front page. 그 이야기가 제1면에 실렸다. **13** 《미·속어》 …에게 마약을 주사하다 **14** 《미·속어》 죽이다

—*vi.* **1** 때리다, 치다; 맞히다; 〖야구〗 안타를 치다: 《~+전+명》 ~ *at* the mark 과녁을 쏘아 맞히다 **2** 부딪치다, 충돌하다, 맞다, 명중하다: 《~+전+명》 ~ *against* the wall 벽에 부딪치다 **3** 문득 생각나다, …에 생각이 미치다 《*on, upon*》: 《~+전+명》 ~ *on* a good idea 문득 좋은 생각이 떠오르다 **4** 공격하다, 비난하다 《*at*》; 〈폭풍 등이〉 엄습하다 **5** 〈물고기가〉 미끼를 물다 **6** 〈내연 기관이〉 점화되다 《*on*》

(***be***) ***hard*** **~** 심한 타격[충격]을 받(고 있)다 ***be*** **~** ***by a pitch*** 〖야구〗 사구(死球)를 맞다 ***go in and*** **~** 시합 진행을 빨리 하다 **~** ***a likeness*** 아주 닮다, 흡사하다 **~** ***a man when he's down*** 넘어진 상대방을 치다, 비겁한 행동을 하다 **~** ***and run*** (사람을 치고) 뺑소니치다; 〖야구〗 히트 앤드 런을 하다 (cf. HIT-AND-RUN) **~** ***at*** …에 덤벼들다; 비웃다 **~** ***back*** 되치다; 대갚음하다, 반격하다 **~** ***below the belt***

thesaurus **hit** *v.* **1** 치다 strike, knock, beat, slap, smack, punch, thump, batter, pound, thrash, hammer, bang **2** 충돌하다 run into, smash

⇨ belt. ~ a person ***for six*** (영·구어) (논쟁 등에서) 남을 무찌르다, 압도하다 ~ ***home*** 적중하다; (상대방의) 아픈 데를 찌르다 ~ ***it*** 바로 알아맞히다; 사이좋게 지내다; 빨리 가다 ~ (***it***) ***big*** (구어) 대성공하다 ~ ***it off*** (***well***) (구어) 사이좋게 지내다, 잘 어울려 지내다, 성미가 맞다 《*with, together*》 ~[***strike***] ***it rich*** 노다지를 캐다; 횡재하다 ~ ***it up*** (미·구어) 급히 하다, 빨리 해치우다; 버티다, 견디어내다 ~ ***off*** 즉석에서 〈곡·시·그림 등을〉 짓다, 그리다; 모방하다, 흉내내다 ~ ***on***[***upon***] …에 부딪치다; 우연히 …을 발견하다; 〈묘안을〉 생각해내다, 머리에 떠오르다 ~ ***or miss*** [부사적] 성패를 운에 맡기고, 무작정으로, 되는 대로 ~ ***out*** (주먹 등으로) 공격[반격]하다 《*at, against*》; 맹렬히 비난[공격]하다 《*at, against*》 ~ a person ***right*** …의 마음에 들다 ~ ***the ball*** (속어) 부지런히 일하다, 급히 여행하다 ~ ***the ceiling***[***roof***] (미) 몹시 성나다 ~ ***the fan*** (바람직하지 못한) 중대한 영향을 끼치다 ~ ***the papers*** 신문에 발표되다 ~ ***up*** (1) 재촉하다 (2) 〖크리켓〗 점수를 내다, 득점하다 (3) …에게 부탁하다 《*for*》: She ~ me *up for* ten bucks. 그녀는 내게 10달러를 빌려달라고 했다. ~ a person ***where it hurts*** = HIT home ~ a person ***where*** he ***lives*** …을 심하게 모욕하다; …의 아픈 곳을 찌르다

— *n.* **1** 침; 타격, 충격; 충돌, 격돌; 일격, 일발; 명중, 적중; 명중탄 **2** 행운; (우연히) 맞힘, 성공; (복권 등의) 당첨: The play is a ~. 그 연극은 성공이다. **3** 매우 적절한 말, 급소를 찌른 비꼼[빈정거림], 풍자 《*at*》, 적평(適評): His answer was a clever ~. 그의 대답은 매우 적절했다. **4** 〖야구〗 히트, 안타(= safe ~): a sacrifice ~ 희생타 / a clean ~ 깨끗한 안타 **5** 〖컴퓨터〗 히트 《두 개의 데이터를 성공적으로 비교하는 것》; 사이트 방문; 검색 결과 **6** (속어) (깡패끼리의) 살인, 살해 **7** 마약 1회분의 주사; 마리화나 한 대 ***make***[***be***] ***a ~ with*** …에게 크게 호평받다; …의 호감을 얻다 **~·less** *a.* **~·ta·ble** *a.*

HIT homing inceptor technology

hit-and-miss [hítənmís] *a.* = HIT-OR-MISS

hit-and-run [hítənrʌ́n] *a.* Ⓐ **1** 〖야구〗 히트 앤드 런의: a ~ play 히트 앤드 런[치고 달리기] 작전 **2** 〖군사〗 전격적인, 게릴라식의 **3** 사람을 치고 달아나는: a ~ accident (사람을 친) 뺑소니차 사고 / a ~ driver 뺑소니 운전사

— *n.* 〖야구〗 히트 앤드 런; 사람을 치고 뺑소니치기

— *vi.* (**-ran**; ~; **~·ning**) 〖야구〗 히트 앤드 런을 하다 **~·ner** *n.*

hít bátsman[bátter] 〖야구〗 공이 몸에 맞아 일루에 출루한 타자

hít by the pítch 〖야구〗 사구(死球), 데드 볼

*****hitch**[1] [hítʃ] [ME 「움직이다」의 뜻에서] *vt.* **1** 〈고리·열쇠·밧줄 등을〉 걸다; (미) 〈말·소 따위를〉 (말뚝에) 매다(tether): (~+목+전+명) ~ a horse *to* a tree 말을 나무에 잡아매다 **2** (갑자기) 홱 움직이다[비틀다, 잡아당기다], 끌어당기다, 낚아채다: (~+목+부) (~+목+전+명) He ~*ed* his chair (*up*) *to* the table. 그는 의자를 탁자 쪽으로 확 끌어당겼다. **3** (이야기 속에) 집어넣다 《*into*》: (~+목+전+명) ~ something *into* a story 어떤 일을 이야기 속에 집어넣다 / ~ an incident *into* one's book 에피소드를 책 속에 삽입하다 **4** [보통 수동형으로] (속어) 결혼시키다

— *vi.* **1** 급격히[왈칵] 움직이다[나아가다]; 힘있게 움직이다: (~+부) The old buggy ~*ed* along. 낡은 마차가 힘있게 달려갔다. **2** 다리를 절다 《*along*》 **3** 걸리다, 엉키다 《*on, on to*》: (~+전+명) My sleeves ~*ed on* a nail. 못에 소매가 걸렸다. **4** (미·구어) 잘 어울리다, 사이가 좋다(agree), 마음이 맞다 **5** (속어) 결혼하다 《*up*》

get[***be***] ***~ed*** (속어) 결혼하다 ~ ***a ride*** (구어) 히치하이크하다; 편승하다 ~ ***horses together*** (고어) 공동으로 하다, 협조[협력]하다 ~ ***on*** 함께 해나가다 ~ one***'s wagon to a star*** ⇨ wagon. ~ one***'s way*** 히치하이크로 가다 ~ ***up*** 홱 끌어올리다; 말 등을 마차에 매다; (속어) 결혼하다

— *n.* **1** 급격히[왈칵] 잡아당김[움직임]; 급정지: She gave her pants a ~. 그녀는 바지를 확 끌어올렸다. **2** 다리를 절 **3** 연결(부), 홱 걸어 맴; 엉킴, 얽힘, 걸림; 장애, 지체, 고장, 중단: a technical ~ (기기 고장에 의한) 일시 정지 **4** (미·속어) 병역[복무] 기간; (죄수의) 구치 기간, 형기

without a ~ 거침없이, 술술, 무사히

hitch[2] *vt., vi., n.* (구어) = HITCHHIKE

Hitch·cock [hítʃkɑk | -kɔk] *n.* 히치콕 **Sir Alfred ~** (1899-1980) 《미국의 영화 감독; 서스펜스 영화의 거장》 **Hitch·cóck·i·an** *a.* 히치콕(풍)의

Hítchcock chàir 히치콕 체어 《팔걸이가 없는 작은 의자》

‡**hitch·hike** [hítʃhàik] *vi., vt.* 지나가는 차에 무료로 편승하다, 히치하이크하다(thumb a ride[lift]): ~ one's way 히치하이크로 나아가다 / ~ to the next town 다음 마을까지 히치하이크하다

— *n.* 히치하이크; = HITCHHIKER 2 **-hìk·ing** *n.*

hitch·hik·er [hítʃhàikər] *n.* **1** 자동차 편승 여행자 **2** 〖라디오·TV〗 (인기 프로 직후에 넣는) 짧은 광고

hítch·ing pòst [hítʃiŋ-] 말[노새]을 매는 말뚝

hitch·y [hítʃi] *a.* (**hitch·i·er**; **-i·est**) 벌벌 떠는; (속어) 신경질적인

hi-tech [háiték] *n., a.* (미) = HIGH-TECH

hit·fest [hítfest] *n.* (야구속어) 타격전, 난타전

*****hith·er** [híðər] *ad.* (문어) 이리로, 이쪽으로, 여기에(here): Come ~. 이리로 와. ~ ***and thither***[***yon, yond***] 여기저기에, 사방팔방으로[에]

— *a.* (고어·방언) 이쪽의: the ~ side of the meadow 목초지의 이쪽면 ***on the ~ side*** (***of …***) (…보다) 이쪽 편에; (…보다) 젊은

hith·er·most [híðərmòust] *a.* 가장 가까운 쪽의

‡**hith·er·to** [híðərtù:] *ad.* **1** 지금까지(는); 지금까지로 봐서는 (아직): a fact ~ unknown 아직 알려지지 않은 사실 / problems ~ neglected 지금까지 무시되어 온 문제 **2** (고어) 여기까지, 이 지점까지는

— *a.* 지금까지의

hith·er·ward(s) [híðərwərd(z)] *ad.* (고어) 이리로, 이쪽으로

Hit·ler [hítlər] *n.* 히틀러 **Adolf ~** (1889-1945) 《독일의 총통(Führer)》 **Hit·le·ri·an** [hitlíəriən] *a.*

Hit·ler·ism [hítlərìzm] *n.* Ⓤ 히틀러주의, 독일 국가 사회주의(Nazism)

Hit·ler·ite [hítləràit] *n.* 히틀러주의자, 히틀러주의의 신봉자; [*pl.*] 독일 국가 사회당, 나치스(Nazis)

— *a.* 히틀러주의의; 히틀러의

hít lìst (속어) **1** (갱의) 암살자 리스트[명단] **2** 정리[해고, 공격] 대상자 리스트; 삭제 항목

hít màn (속어) 암살자; 난폭한 선수

hit-or-miss [hítərmís] *a.* 무작정[되는대로]의(random), 소홀히 하는, 부주의한

hít paràde 유행가[베스트셀러]의 인기 순위; (속어) 좋아하는 상대의 명단

hit-skip [hítskíp] *a.* 뺑소니차의[에 의한]

hít squàd[tèam] (속어) 암살단, 테러리스트 집단

hit·ter [hítər] *n.* 치는 사람, 타자; = HIT MAN

hít·ting strèak [hítiŋ-] 〖야구〗 연속 안타

Hit·tite [hítait] *n.* 히타이트족 《소아시아의 고대 민족》; Ⓤ 히타이트 어(語) — *a.* 히타이트족[말, 문화]의

Hit·tit·ol·o·gy [hìtaitɑ́lədʒi | -tɔ́l-] *n.* Ⓤ 히타이트학

hít wòman (미·속어) 여자 청부 살인자

HIV human immunodeficiency virus 인체 면역 결핍 바이러스 《AIDS 바이러스》

‡**hive** [háiv] *n.* **1** 꿀벌통(beehive); 꿀벌통 모양을 한

---

into, crash into, bump into, collide with

hitch[1] *v.* yoke, harness, fasten, tie up, strap, couple, lash, moor, chain, hook, join

것 **2** 한 벌통 속에 사는 벌떼 **3** 바쁜 사람들이 붐비는 곳, 활동의 중심지: a ~ of industry 산업의 중심지 **4** 와글와글하는 군중
— *vt.* **1** 〈꿀벌을〉 통에 몰아 넣다[살게 하다]; 〈사람 등을〉 모여 살게 하다, 숨겨두다; 〈사람을〉 묵게 하다 **2** 〈꿀을〉 벌통에 저장하다; 모으다 **3** 〈사람이〉 (장래를 대비하여) 저축하다, 모으다 《*up*》
— *vi.* 〈꿀벌이〉 통에 자리잡다[살다]; (꿀벌처럼) 모여 살다 ~ ***off*** 〈꿀벌이〉 분봉하다; 분리하다 《*from, into*》; (한 집단에서) 나뉘어져 각각 독립하다[시키다] 《*from*》; 《영·구어》 (말없이) 떠나다, 사라지다; 지회사를 발속시키다; (회사를 그만두고) 새 사업을 시작하다(《미》 split off); 〈일·생산을〉 자회사에 할당하다; 〈산업을〉 민영화하다 **~·less** *a.* **~·like** *a.*

hive-off [háivɔ̀:f | -ɔ̀f] *n.* 《영》 〖상업〗 = SPIN-OFF 1

hives [háivz] *n. pl.* [단수·복수 취급] 두드러기 《★ 의학 용어는 urticaria》; 《영》 (목의) 염증

HIV-neg·a·tive [èitʃàiví:négətiv] *a.* HIV 음성의

HIV-pos·i·tive [-pázətiv | -pɔ́z-] *a.* HIV 양성의

hi·ya [háijə] ['How are you?'에서] *int.* 《미·구어》 여!, 안녕! 《인사말》

hiz·zon·er [hízənər] [his honor에서] *n.* [종종 **H~**] 《미·속어》 시장, 읍장, 촌장; 판사; 《야구속어》 심판

HJ(S) 《묘비명》 hic jacet (sepultus) 《L = here lies (buried)》 **HK** Hong Kong; House of Keys **HKJ** Hashemite Kingdom of Jordan 《자동차 국적 표시》 **HK$** Hong Kong dollar(s) **hl** hectoliter(s); *heilig* 《G = holy》 **HL** House of Lords **HLA** 〖면역〗 human leukocyte antigen 인체 백혈구 항원 **HLF** Heart and Lung Foundation **HLZ** helicopter landing zone **hm** hectometer(s) **HM** headmaster; headmistress; heavy metal; His [Her] Majesty('s)

h'm [hmm, m] *int.* = HEM[2], HUM[1]

HMAS His[Her] Majesty's Australian Ship **HMBS** His[Her] Majesty's British Ship **HMC** Headmasters' Conference; heroine, morphine, cocaine; His[Her] Majesty's Customs; Historical Manuscripts Commission **HMCS** His[Her] Majesty's Canadian Ship **HMD** head mounted display 헤드 마운트 표시 장치; hyaline membrane disease **HMF** Her[His] Majesty's Forces **H.M.G** His[Her] Majesty's Government **HMI(S)** 《영》 His[Her] Majesty's Inspector (of Schools) **HMMV, HMMWV** high-mobility multipurpose wheeled vehicle (cf. HUMVEE) **HMO** health maintenance organization

Hmong [hmɔ́:ŋ] *n.* (*pl.* **~s,** [집합적] **~**) 몽족 《미아오(Miao) 족의 자칭(自稱)》

HMRC HM Revenue and Customs

HM Révenue and Cústoms 《영》 세입청 《국세청(Inland Revenue)과 관세청(HM Customs and Excise)의 통합 기구; 略 HMRC》

HMS 《영》 His[Her] Majesty's Service[Ship] **HMSO** His[Her] Majesty's Stationery Office 정부(간행물) 출판국 **HNC** Higher National Certificate 《영》 고등 2급 기술 검정 합격증 **HND** Higher National Diploma 《영》 고등 1급 기술 검정 합격증 **HnRNA** heteronuclear RNA 불균질핵 RNA **hny** honey

*__ho__[1], **hoa** [hóu] [의성어] *int.* **1** 호, 어이, 여어 《부름·주의·놀람·피로·칭찬·득의·조소 등을 나타내는 소리》: *H~*, there! 여어, 이것 봐! / Land ~! 와, 육지다! **2** 워, 서, 멈춰 《말 등을 멈추게 하는 소리》 (whoa) ***Ho! ho!*** (***ho!***) 허허! 《조소》 ***Westward ho!*** 〖항해〗 가세 서쪽으로!, 서쪽으로 향해! ***What ho!*** 허, 뭐라고!

ho[2] [hɔ́:] *n.* 《속어》 매춘부(whore)

ho. house **Ho** 〖화학〗 holmium **HO** Head Office; Home Office; hostilities only

ho·ac·tzin [houǽktsin, wá:k- | houǽk-] *n.* = HOATZIN

hoa·gy, hoa·gie [hóugi] *n.* (*pl.* **-gies**) 《미》 = HERO SANDWICH

hoar [hɔ:r] 《고어·시어》 *a.* = HOARY — *n.* Ⓤ 서리(hoarfrost); 백발(의 상태); 희게 보이는 것

*__hoard__ [hɔ́:rd] [OE 「보물」의 뜻에서] *n.* **1** (재물·보물 등의) 비장(秘藏), 저장, 축적, 퇴장(退藏); 저장물; 매점(買占), 사재기: a ~ of money 돈의 축적 / a ~ of food 음식물 사재기 **2** (지식 등의) 축적, 보고(寶庫)
— *vt.* (몰래) 저장하다, 축적하다 《*up*》; 사장(死藏)하다, 가슴에 간직하다: ~ one's intention 의도를 숨기다
— *vi.* (몰래) 축적하다, 저장하다; 비장하다; 사재기[매점]하다
~·er *n.* **~·ing·ly** *ad.* 매점하여; 욕심을 부려

hoard·ing[1] [hɔ́:rdiŋ] *n.* Ⓤ 저장, 비장, 퇴장, 축적; [*pl.*] 저장[축적, 비장]물

hoarding[2] *n.* (널)판장(板墻) 《건축 현장 등의》; 《영》 광고[게시]판(《미》 billboard)

hoar·frost [hɔ́:rfrɔ̀:st | -frɔ̀st] *n.* Ⓤ 흰 서리 (white frost)

hoar·hound [hɔ́:rhàund] *n.* = HOREHOUND

*__hoarse__ [hɔ́:rs] *a.* **1** 목쉰(husky); 쉰 목소리의, 허스키의(⇨ gruff 유의어); 귀에 거슬리는: shout one*self* ~ 목이 쉬도록 소리지르다 / ~ from a cold 감기로 목이 쉬어 **2** 〈냇물·폭풍·천둥 등이〉 쏴아 하는, 떠들썩한(harsh) **~·ly** *ad.* **~·ness** *n.* ▷ hóarsen *v.*

hoars·en [hɔ́:rsn] *vt., vi.* 목쉬게 하다; 〈목소리가〉 쉬다

hoar·stone [hɔ́:rstòun] *n.* 《영》 (태곳적부터 있는) 경계석; (고대에 세워진) 기념석[비]

*__hoar·y__ [hɔ́:ri] *a.* (**hoar·i·er**; **-i·est**) **1** 〈털이〉 (늙어서) 흰, 회백색의; 〈사람이〉 백발의: ~ hair 백발 **2** 고색창연한(ancient); 나이 들어 점잖은; 진부한: a ~ joke 진부한 농담 **3** 〖식물·곤충〗 회백색의 잔털로 덮인; 〈식물이〉 회백색 잎이 있는
hóar·i·ly *ad.* **hóar·i·ness** *n.*

hoar·y-eyed [hɔ́:riáid] *a.* 《속어》 술 취한

hoar·y-head·ed [-hédid] *a.* 흰머리의, 백발의

ho·at·zin [houǽtsin, wá:t- | houǽt-] *n.* 〖조류〗 호아친새 《남미산(産)》

hoax [hóuks] *vt.* 장난으로 속이다, 골탕먹이다; 속여서 …하게 하다 《*into*》 — *n.* 사람을 속이기, 골탕먹임, 짓궂은 장난; 날조: play a ~ on a person …을 감쪽같이 속이다 **~·er** *n.*

hob[1] [háb | hɔ́b] *n.* **1** 벽난로(fireplace) 안[옆]의 시렁 《주전자·냄비 등을 데우기 위하여 얹는 곳》 **2** 〖기계〗 호브 《톱니 내는 회전 공구》 — *vt., vi.* (**~bed**; **~·bing**) 〖기계〗 호브로 자르다

hob[2] *n.* **1** 장난꾸러기 요정(hobgoblin, elf) **2** 《영·방언》 시골뜨기(rustic) **3** 흰족제비의 수컷 **4** 《구어》 장난 ***play ~ with*** 《미》 …에 해를 끼치다; 장난치다; …을 망치다, 어지럽히다 ***raise ~*** 《미》 망가뜨리다; 손상하다 《*with*》; (…에게) 화내다, 격분하다 《*with*》 **~·like** *a.*

hob-and-nob [hábənnáb | hɔ́bənnɔ́b] *a.* 《고어》 친한, 사이가 좋은

Hobbes [hábz | hɔ́bz] *n.* 홉스 **Thomas ~** (1588-1679) 《영국의 철학자·사상가》

Hob·bism [hábizm | hɔ́b-] *n.* Ⓤ Hobbes의 철학

Hob·bit [hábit | hɔ́b-] *n.* [때로 **h~**] 호빗 《영국의 작가 J. R. R. Tolkien(1892-1973)의 작품에 나오는 가공의 난쟁이》

*__hob·ble__ [hábl | hɔ́bl] *vi.* **1** 절뚝거리며 걷다(limp) 《*along, about*》: (~+副) ~ *along* on a cane 지팡이에 의지하여 비틀비틀 걷다 **2** 더듬거리다, 어색하다
— *vt.* 절뚝거리게 하다; 〈말 등을〉 두 다리를 함께 묶다; 방해하다, 막다, 곤란하게[난처하게] 하다
— *n.* **1** 절뚝거림, 절면서 걸어가기 **2** 말의 다리를 묶

thesaurus **hoard** *n.* store, stockpile, reservoir, supply, reserve, fund, cache, accumulation, heap

는 밧줄 **3** ((구어)) 곤경, 장애물, 속박, 곤란 ***be in*** [***get into***] ***a nice ~*** 곤경에 빠져 꼼짝달싹 못하다[게 되다] **hób·bler** *n.*

hob·ble·de·hoy [hábldihɔ̀i | hɔ̀bldihɔ́i] *n.* ((고어·방언)) 풋내기, 덩치만 크고 눈치 없는 청년

hóbble skìrt 밑통을 좁게 한 긴 스커트

⁑**hob·by**[1] [hábi | hɔ́bi] *n.* (*pl.* **-bies**) **1** 취미, 도락; 장기(長技), 가장 능한 것: a ~ shop 모형 공작 전문점 **2** = HOBBYHORSE ***make a ~ of*** …을 취미로 삼다 ***ride*** [***mount***] ***a ~*** (***to death***) 숨은 재주를 (남이 싫증이 나도록) 부리다, 자기 자랑을 계속하다

hobby[2] *n.* (*pl.* **-bies**) 〖조류〗 새호리기

hob·by·horse [hábihɔ̀ːrs | hɔ́bihɔ̀ːs] *n.* **1** (merry-go-round의) 목마; 흔들 목마(rocking horse); 막대말 ((막대기 끝에 말머리가 달린 장난감; 어린이가 그것에 걸터타듯하여 놂)) **2** (항상) 좋아하는 화제, 장기(長技)

hob·by·ist [hábiist | hɔ́b-] *n.* 취미 생활자

hob·day [hábdei | hɔ́b-] *vt.* 〈말의 호흡 장애를〉 (수술로) 치료하다

hob·gob·lin [hábgàblin | hɔ́bgɔ̀b-] *n.* 도깨비; 장난꾸러기 꼬마 요정; 개구쟁이

hob·nail [-nèil] *n.* 구두징; 촌뜨기 **—***vt.* 〈구두에〉 징을 박다 **hób·nàiled** [-d] *a.*

hóbnail(ed) bóot [보통 *pl.*] 밑창에 징을 박은 부츠

hóbnail lìver, hóbnailed lìver 〖병리〗 구두징간(肝) ((간경변으로 표면이 울룩불룩한 간))

hob·nob [-nàb | -nɔ̀b] *vi.* (**~bed**; **~·bing**) (…와) 친하게[격의 없이] 사귀다, 사이좋게 지내다 ((*with*)): (~+전+명) ~ *with* royalty 왕족과 친하게 지내다 **—***n.* (고어) 환담 **~·ber** *n.*

ho·bo [hóubou] *n.* (*pl.* **~(e)s**) ((미)) 뜨내기 일꾼, 계절 노동자; 부랑자, 룸펜 **—***vi.* 유랑 생활을 하다, 룸펜 같은 생활을 하다 **~·ìsm** *n.* Ⓤ 부랑 생활

Hob·son-Job·son [hábsndʒábsn | hɔ́bsndʒɔ́b-] *n.* 홉슨 좁슨 법칙 ((어떤 언어의 어구를 다른 언어에 도입할 때 그 음을 후자의 음(音)체계에 맞추는 것))

Hób·son's chóice [hábsnz- | hɔ́b-] [영국의 말 대여업자 Thomas Hobson이 손님에게 마구간 입구에 가장 가까운 말을 내주기로 하고 그것이 싫으면 그만두라고 한 고사에서] 주어진 것을 갖느냐 안 갖느냐의 선택의 자유, 마음대로 고르지 못하는 선택

Ho Chi Minh [hóu-tʃíː-mín] 호치민, 호지명(胡志明)(1890?-1969) ((베트남 민주 공화국[월맹] 대통령 (1954-1969)))

Hó Chì Mính Cíty 호치민 시 ((옛 사이공))

hock[1] [hák | hɔ́k] *n.* **1** (개·말 등의 뒷다리의 뒤로 굽은) 무릎, 무릎 관절 **2** 닭의 무릎; (돼지의) 족(足)의 살 **—***vt.* 〈개·말 등의〉 관절의 건(腱)을 자르다[잘라서 불구를 만들다]

hock[2] *n.* ((영)) = RHINE WINE

hock[3] ((미·구어)) *n.* Ⓤ 전당(pawn), 저당; 빚, 부채; 교도소 ***in ~*** ((구어)) 전당 잡혀; ((구어·속어)) 빚을 져 ((*to*)), 곤경에 빠져; ((속어)) 투옥되어 ***out of ~*** ((구어)) 전당품을 되찾아서; ((속어)) 빚지지 않은 **—***vt.* 전당 잡히다(pawn) **~·a·ble** *a.*

hock·et [hákət | hɔ́k-] *n.* **1** 딸꾹질(hiccup) **2** 〖음악〗 호케트 ((중세의 다성(多聲) 음악에 쓰인 기법의 하나))

*__hock·ey__ [háki | hɔ́ki] [OF 「구부러진 지팡이」의 뜻에서] *n.* **1** Ⓤ 하키 ★ ((미))에서는 대개 ice hockey, ((영))에서는 대개 field hockey를 이름. **2** = HOCKEY STICK
—*a.* 하키용의: a ~ ball 하키공
~·ist *n.* 하키 선수

hóckey stìck 하키용 스틱[타구봉]

hock·shop [hákʃàp | hɔ́kʃɔ̀p] *n.* ((미·구어)) 전당포(pawnshop)

hoary *a.* old, ancient, aged, antique
hoax *n.* deception, lie, trick, falsification, deceit

hock·y [háki | hɔ́ki] *n.* ((미·속어)) **1** 엉터리, 허풍 **2** ((비어)) 정액(come[2]) **3** 맛없는 음식 **4** 똥

ho·cus [hóukəs] *vt.* (**~ed**; **~·ing** | **~sed**; **~·sing**) 속이다; 〈음료에〉 마취제를 넣다; 마취제를 넣은 음료로 마비시키다 **—***n.* 마취제를 탄 음료; 사기

ho·cus-po·cus [hóukəspóukəs] *n.* Ⓤ (요술쟁이 등의) 라틴 말 비슷한 주문(呪文); 요술, 기술(奇術); 속임수, 야바위 **—***vi.*, *vt.* (**~ed**; **~·ing** | **~sed**; **~·sing**) 요술을 부리다; 사람의 눈을 속이다

hod 1

hod [hád | hɔ́d] *n.* **1** 벽돌통 ((벽돌·모르타르 등을 담아 어깨에 받쳐 나르는 긴 자루가 달린 V자꼴 나무통)) **2** 석탄통(coal scuttle)

ho·dad [hóudæ̀d], **ho·dad·dy** [-i] *n.* ((미·속어)) 해변에서 서퍼(surfer)인 체하는 사람, 파도타기가 서투른 사람; 파도타기[스포츠] 선수를 따라다니는 사람

hód càrrier ((미)) hod로 벽돌 등을 나르는 인부 (((영)) hodman)

hod·den [hádn | hɔ́dn] ((스코)) *n.* ⓊⒸ 무늬가 없는 거친 나사(羅紗), 수직(手織) 나사 **—***a.* 손으로 짠 거친 나사의 (옷을 입은); 시골티 나는, 촌스러운(rustic)

Hodge [hádʒ | hɔ́dʒ] *n.* **1** 남자 이름 ((Roger의 애칭)) **2** [**h~**] ((영·구어)) (전형적인) 농부

hodge·podge [hádʒpàdʒ | hɔ́dʒpɔ̀dʒ] *n.* [a ~] ((미)) 뒤범벅, 뒤죽박죽, 잡동사니(((영)) hotchpotch) ((*of*)) **—***vt.* 뒤죽박죽으로 만들다

Hódg·kin's disèase [hádʒkinz- | hɔ́dʒ-] [영국의 의사 이름에서] 〖병리〗 호지킨병 ((악성 육아종증(肉芽腫症)))

ho·di·er·nal [hòudiə́ːrnl] *a.* 오늘날[현재]의

hod·man [hádmən | hɔ́d-] *n.* (*pl.* **-men** [-mən, -mèn]) ((영)) = HOD CARRIER

hod·o·graph [hádəgræ̀f, -grɑ̀ːf | hɔ́dgrɑ̀ːf] *n.* 〖수학·역학〗 호도그래프, 속도도(速度圖)

ho·dom·e·ter [hədámətər | hɔdɔ́m-] *n.* ((미)) = ODOMETER

hod·o·scope [hádəskòup, hóud- | hɔ́d-] *n.* 〖물리〗 호도스코프 ((이온화하는 입자의 진로 관측기))

*__hoe__ [hóu] *n.* (자루가 긴) 괭이; (괭이 꼴의) 제초기(除草器)
—*vt.*, *vi.* (**~·ing**) 괭이질하다; 제초기로 〈잡초를〉 파내다 ((*up*)): (~+목+부) ~ *up* weeds 잡초를 파내다 ***a long*** [***hard***] ***row to ~*** 지루하고 고된 일 **hó·er** *n.* **~·lìke** *a.*

hoe·cake [hóukèik] *n.* ⓊⒸ ((미남부)) 옥수수빵

hoe·down [-dàun] *n.* ((미)) **1** 활발 명랑한 춤[스퀘어 댄스]; 호다운 파티; 호다운 곡 ((민요풍)) **2** 시끄러운 언쟁; 활발한 논의

*__hog__ [hɔ́ːg, hág | hɔ́g] *n.* **1** ((미)) (식용) 돼지(cf. PIG), 사육 돼지, ((특히)) 거세된 수돼지: a ~ pen 돼지우리/eat like a ~ 돼지같이 먹다 **2** ((구어)) 돼지 같은[야비한, 천한, 탐욕스러운, 불결한, 이기적인] 놈, 욕심꾸러기: an awful ~ 지독한 욕심쟁이 **3** ((영·방언)) 아직 털 깎기 전의 어린 양; 그 양의 털[고기] **4** (배 밑 청소용) 비, 솔; (제지용) 펄프 교반기(攪拌器) **5** ((철도속어)) 기관차; 철도 기관사; ((미·속어)) 대형 오토바이; 대형 고급차 **6** ((미·속어)) 경찰관
a ~ in armor 풍채가 좋지 않은 사람, 좋은 옷이 어울리지 않는 사람 ***behave*** [***act***] ***like a ~*** 되는대로[멋대로] 행동하다 ***bring one's ~s to the wrong market*** ((구어)) 얼토당토않은 짓을 하다, 엉뚱한 짓을 하다 ***go*** (***the***) ***whole ~*** ⇨ whole hog. ***high on*** [***off***] ***the ~*** ((구어)) 사치스럽게 **~ *wild*** ((미·구어)) 몹시 흥분하여 ***like*** [***as***] ***a ~ on ice*** ((미·구어)) 위태로운[어색한, 불안정한] 자세로 ***low on the ~*** ((구어)) 검소하게, 알뜰하게 ***make a ~ of oneself*** ((구어)) 걸신들린 듯이 먹다 ***on the ~*** ((속어)) (1) 걸어

돌아다녀 (2) 고장이 나서 (3) 자금이 끊어져, 파산하여 — *v.* (**~ged**; **~·ging**) *vt.* **1** 〈말의 갈기를〉 짧게 깎다 **2** 탐내어 먹다, 게걸스럽게 먹다; 독차지하다 **3** 〈배 밑을〉 청소용 솔로 문지르다 **4** 〈말 등이〉 머리를 숙이고 〈등을〉 불룩하게 하다

— *vi.* **1** 〈가운데가〉 돼지 등처럼 구부러지다 **2** 《구어》 독차지하려고 하다; 자동차를 마구 몰다(cf. ROAD HOG) **~ *it*** 버릇없이 행동하다; 정신없이 자다; 불결한 곳에서 생활하다 **~ *the whole show*** 좌지우지하다, 독단적으로 처리하다 **~·like** *a.* ▷ hóggish *a.*

ho·gan [hóugɔːn, gən | -gən] *n.* 호건 《북미의 Navaho 인디언의 집; 엮은 나뭇가지 위에 진흙을 덮음》

Hó·gan's brickyard [hóugənz-] 《야구속어》 정지(整地) 상태가 나쁜 그라운드, 야구용 공터

hog·back [hɔ́ːgbæ̀k | hɔ́g-] *n.* 〔지질〕 가파른[깎아지른] 산등성이

hog·call·er [-kɔ̀ːlər] *n.* 날카로운 고함 소리

hóg chòlera 〔수의학〕 돼지 콜레라(swine fever)

hog·fish [-fìʃ] *n.* (*pl.* **~, ~·es**) 〔어류〕 놀래기 《서인도 제도와 플로리다 근해산(産)의 식용어》; 돼지 모양의 물고기 《pigfish 등》

hóg flù 《구어》 돼지의 유행성 감기

hogged [hɔ́ːgd, hɑ́gd | hɔ́gd] *a.* 〈배·도로가〉 중앙이 솟아오른

hog·ger [hɔ́ːgər, hɑ́g- | hɔ́g-] *n.* 《속어》 (철도) 기관사(hoghead)

hog·ger·y [hɔ́ːgəri, hɑ́g- | hɔ́g-] *n.* **1** [집합적] 돼지 **2** 《영》 양돈장, 돈사; Ⓤ 돼지 같은 행동

hog·gin [hɔ́ːgin, hɑ́g- | hɔ́g-], **-ging** [-giŋ] *n.* Ⓤ (도로용의) 체질한 모래 섞인 자갈

hog·gish [hɔ́ːgiʃ, hɑ́g- | hɔ́g-] *a.* 돼지 같은; 탐욕스러운; 더러운; 이기적인 **~·ly** *ad.* **~·ness** *n.*

hog·head [hɔ́ːghèd | hɔ́g-], **hog·jock·y** [-dʒɑ̀ki | -dʒɔ̀ki] *n.* = HOGGER

hóg héaven 《속어》 아주 행복한 상태; 천국 같음, 지상 낙원

hog·leath·er [-lèðər] *n.* Ⓤ 돼지 가죽

hog·ling [-liŋ] *n.* 새끼 돼지[양]

Hog·ma·nay [hɑ̀gmənéi | hɔ́gmənèi] *n.* Ⓤ 《스코》 섣달 그믐날(밤); [**h~**] 그날의 축하[파티, 선물]

hog·mane [hɔ́ːgmèin, hɑ́g- | hɔ́g-] *n.* (말의) 짧게 자른 갈기 **-màned** *a.* 갈기를 짧게 자른

hóg·nose snàke [-nòuz-] 〔동물〕 돼지코뱀 《북미산(産); 독이 없음》

hog·nut [-nʌ̀t] *n.* 《미》 = PIGNUT

hog·pen [-pèn] *n.* 《미》 = PIGPEN

hóg scòre 컬링(curling)의 호그 스코어[라인] 《표적(tee) 앞 7야드 지점에 그어진 선》

hogs·head [hɔ́ːgzhèd, hɑ́gz- | hɔ́gz-] *n.* **1** 큰 통 《63-140갤런(238-530 *l*)들이》 **2** 액량의 단위 《238리터; 《영》 52.5갤런; 《미》 63갤런; 略 hhd》

hog·tie [hɔ́ːgtài | hɔ́g-] *vt.* (**~d**; **-ty·ing**) 《구어》 〈동물의〉 네 발을 묶다, 행동의 자유를 빼앗다, 무력하게 만들다

hog·wash [-wɔ̀ːʃ | -wɔ̀ʃ] *n.* Ⓤ 돼지죽 《밥이나 음식 찌꺼기에 물을 탄 것》, 부엌 찌꺼기; 가치없는 일[것], 헛소리; 시시한 작품, 졸작

hog·weed [-wìːd] *n.* 잡초의 총칭 《ragweed, horseweed, cow parsnip 따위》

hog-wild [-wáild] *a.* 《미·구어》 몹시 흥분[열중]한: go[run] ~ 야단법석을 떨다

Ho·hen·stau·fen [hòuənʃtáufən] *n.* 호엔슈타우펜 《12-13세기의 독일과 시칠리아의 왕가》

Ho·hen·zol·lern [hóuənzɑ̀lərn | hòuənzɔ́l-] *n.* 호엔촐레른가(家)(의 사람) 《1871-1918년 독일을 지배한 왕가》

ho-ho [hóuhòu] [의성어] *int.* 허허! 《조소·놀람·칭찬》

Ho·ho·kam [həhóukəm] *n., a.* 호호캄 문화(의) 《미국 Arizona주 중부와 남부 사막에서 450년경부터 1450년경까지 계속된 미국 인디언의 농경 문화》

ho-hum [hóuhʌ́m, ⌐⌐] [의성어] *int.* 아아 《하품 소리》 — *a.* 따분한, 싫증나는: a ~ performance 따분한 연주

hoick[1], **hoik** [hɔ́ik, háik | hɔ́ik] *vt.* 《영·구어》 훌쩍 들어올리다 《*out*》; 〈비행기를〉 급각도로 상승시키다 — *vi.* 〈비행기가〉 급상승하다

hoick[2] *int.* = HOICKS

hoicks [hɔ́iks, háiks | hɔ́iks] *int.* 쉿! 《사냥개를 부추기는 소리》

hoi·den [hɔ́idn] *n., a.* = HOYDEN

hoi pol·loi [hɔ́i-pəlɔ́i] [Gk = the many] **1** [종종 the ~] 《경멸》 민중, 대중, 서민(the masses); 《속어》 엘리트층 **2** 《속어》 야단법석

hoise [hɔ́iz] *vt.* (**~d, hoist** [hɔ́ist]) 《고어》 들어올리다

hói·sin sàuce [hɔ́isin-] 해선장(海鮮醬) 《중국 요리에서 사용되는 된장으로 설탕·마늘·고추 등이 들어감》

hoist**[1] [hɔ́ist] *vt.* **1** 〈돛·기·짐 등을〉 (특히 기중기 등을 써서) **올리다,** 높이 달다, 말아올리다, 끌어올리다, 〈밧줄을〉 감아올리다, 들어올리다(⇨ lift 유의어): ~ sails 돛을 올리다 **2** 〈전쟁 등이〉 〈물가 등을〉 상승시키다 **3** 잔을 들고 기세좋게[맛나게] 마시다: ~ a beer 맥주를 기세좋게 마시다 **~ *by*[*with*] *one's own petard ⇨ petard. **~ *down*** 끌어내리다 **~ *oneself* (*up*)** 일어서다

— *n.* **1 감아올리기,** 말아올리기, 끌어올리기, 달아올리기; 게양 **2** 〔기계〕 감아올리는 기계[장치], 호이스트(hoister)(cf. CRANE, WINCH); 《영》 (화물용) 승강기 (《미》 freight elevator) **3** (기·돛의) 세로폭 **~·er** *n.*

hoist[2] *v.* HOISE의 과거·과거분사

hoist·way [hɔ́istwèi] *n.* (화물을 올리고 내리는) 승강구, 승강기의 통로

hoi·ty-toi·ty [hɔ́ititɔ́iti] *int.* 아유, 별꼴이야 《경멸·놀라움을 나타냄》 — *a.* 《구어》 성 잘내는; 뽐내는, 젠체하는, 거만한; 《영》 들뜬, 변덕스러운 — *n.* Ⓤ 거만함; 점잔 뺌

hoke [hóuk] 《미·속어》 *vt.* 속이다, 보기좋게 조작하다 《*up*》: ~ income tax returns 소득세 신고를 속이다 — *n.* = HOKUM

hoked-up [hóuktʌ́p] *a.* 허위의, 거짓의; 진부한

hok·ey [hóuki] *a.* (**hok·i·er**; **-i·est**) 《미·속어》 진부한, 지나치게 감상적인; 짐짓 꾸민, 속임수의

ho·key-po·key [hóukipóuki] *n.* Ⓤ **1** 《구어》 = HOCUS-POCUS **2** (길에서 파는 싸구려) 아이스크림

ho·ki [hóuki] *n.* (*pl.* **~**) 〔어류〕 호키 《뉴질랜드 근해산(産) 물고기》

ho·kum [hóukəm] *n.* Ⓤ 《속어》 인기를 노린 극·영화의 줄거리; 시시한[엉터리] 수작, 난센스; 아첨

hol- [houl, hɑl | hɔl], **holo-** [hɑ́lou, hóul-, -lə | hɔ́l-] 《연결형》 「완전의; 유사(類似)의」의 뜻

hol·an·dric [hɑlǽndrik, houl- | hɔl-] *a.* 〔유전〕 한웅성(限雄性)의 《수컷에만 나타나는 유전 형질》

HOLC 《미》 Home Owners' Loan Corporation 주택 소유자 자금 대출 회사

‡**hold**[1] [hóuld] *v., n.*

OE 「(가축을) 치다」의 뜻에서	
㉺ ① 손에 들다	**1**
② 유지하다	**2**
③ 들어 있다; 수용하다	**3**
④ 소유하다; 차지하다	**4**
⑤ 품다; 남기다	**5**
⑥ (행사를) 개최하다	**8**
㉶ ① 견디다	**1**
② (상태가) 계속되다	**2**

— *v.* (**held** [héld]) *vt.* **1** (손에) **들다, 갖고 있다,** 붙들다, **잡다,** 쥐다(grasp, grip); 받치다(support); 대고 있다 《*to, on*》; 안다 《*in*》: ~ a person's hand …의 손을 쥐다 // 《~+목+전+명》 ~ a book *in* one's hand 책을 손에 들고 있다 / ~ a pipe *between* the teeth 파이프를 물고 있다 / ~ binoculars *to* one's eyes 쌍안경을 눈에 대다 // ((~+목+부)) ~ a person tight …을 꼭 껴안다 **2** 〈어떤 상태·위치에〉 **유지하다**: ((~+목+보)) ~ the head straight 머리를 똑바로 하다 / ~ the door open 문을 열어 놓다 / The preacher *held* them spellbound. 그 목사는 그들을 매료하고 있었다. **3** 〈그릇이 액체 등을〉 **담다,** 들어가다; 〈방 등이 사람을〉 **수용하다**; 함유하다: This bottle ~*s* a quart. 이 병에는 1쿼트가 들어간다. / This room can ~ fifty people. 이 방에는 50명 들어갈 수 있다. **4 소유[보유]하다**(own); 보관하다; 점유[소지]하다, 〈지위 등을〉 **차지하다**(occupy); 〈자격·학위 등을〉 가지고 있다; 막다, 지키다: ~ a fort 요새를 지키다 / ~ a position of authority 권위있는 자리를 차지하다 / Lightly won, lightly *held*. ((속담)) 얻기 쉬운 것은 잃기도 쉽다. **5** 〈신념 등을〉 **품다**(cherish); (기억 등에) **남기다**(keep); 〈…라고〉 **생각하다,** 여기다(think); 단언하다, 확신하다; 〈재판관이〉 판결하다(decide): ~ the same view with a person …와 같은 견해를 가지고 있다 // ((~+*that* 절)) I ~ *that* he is kind. 나는 그가 친절하다고 생각한다. // ((~+목+(*to* be) 보)) ~ a person responsible …가 책임감이 있다고 생각하다 / The court ~*s* the accused man (*to be*) guilty. 법정은 피고를 유죄로 판결하고 있다. / I ~ it my duty *to* pay the tax. 세금을 내는 것이 나의 의무라고 생각한다. // ((~+목+전+명)) Many people *held* him *in* respect. 그를 존경하는 사람이 많았다. **6 억누르다,** 억제하다, 제지하다, 삼가다: ~ one's breath 숨을 죽이다 // ((~+목+전+*-ing*)) Fear *held* me *from* act*ing*. 공포 때문에 나는 행동을 못했다. **7** 지속하다, 유지하다; 〈주의·애정 등을〉 끌어두다; 〈약속·의무·책임 등을〉 지키게 하다 ((*to*)): ~ the course 항로를 지키고 나아가다 / ~ (the attention of) the audience 청중의 주의를 끌다 // ((~+목+전+명)) ~ a man *to* his word …로 하여금 약속을 지키게 하다 **8** 〈회의 등을〉 **개최하다,** 열다, 〈식을〉 거행하다(conduct): ~ a meeting 회의를 개최하다 / ~ a press conference 기자 회견을 열다 **9** 〈물건이 무게 등을〉 견디다, 지탱하다: The shelf will not ~ much weight. 그 선반은 너무 무거운 것을 견디지 못한다. **10** ((미)) 억류[구류]하다, 구속[유치]하다: ((~+목+전+*-ing*)) The police *held* her *for* question*ing*. 경찰은 심문을 위해 그녀를 구속했다. **11** 〈사물이〉 마련[준비]하고 있다 ((*for*)): ((~+목+전+명)) This contest ~*s* a scholarship *for* the winner. 이 경시 대회에서는 우승자에게 장학금이 마련되어 있다. **12** 〔법〕 (계약에) 구속되다 **13** 〔컴퓨터〕 〈데이터를〉 (기억 장치에) 남겨 두다 **14** 〈총 등을〉 겨누다 ((*on*)): ((~+목+전+명)) He *held* a gun *on* the prisoner. 그는 죄수에게 총을 겨누었다. **15** (식당의 주문에서) 〈…을〉 빼다: Give me a burger, ~ the pickle. 햄버거 하나 주세요, 피클 빼고.

— *vi.* **1 a** 〈밧줄 등이〉 **견디다,** 지탱하다, 유지되다: The rope *held*. 그 밧줄은 견디었다. **b** 〈사람이〉 잡고[쥐고] 있다 ((*onto, to*)): ((~+전+명)) ~ *onto* a rope 밧줄을 잡고 있다 / ~ *to* a party 당을 떠나지 않다 **2 지속하다,** 〈날씨 등이〉 계속하다(last); 지나다, 버티다 ((*for, with*)); 전진하다; 유지하다: ((~+보)) Please ~ still. 가만히 계셔 주십시오. // ((~+부)) This weather will not ~ long. 이런 날씨는 오래 계속되지 않는다. // ((~+전+명)) The wind *held from* the south. 바람이 계속 남쪽에서 불어 왔다. **3** (계속하여) 효력이 있다, 적용할 수 있다(apply): The rule does not ~ in the case. 그 법칙은 이 경우에 적용될 수 없다. // ((~+보)) The promise still ~*s* true[good]. 그 약속은 아직도 효력이 있다. ★ true나 good이 생략되어도 뜻은 같음. **4** 노래[연주]를 계속하다 **5** 보유하다, 소유권을 가지다 ((*of, from*)) **6** 굳게 지키다, 고수하다, 고집하다 ((*by, to*)): ((~+전+명)) ~ *to* one's purpose 자기의 목적을 고수하다 / *H~ to* your resolution. 결심을 관철하도록 하시오. **7** [보통 부정문에서] 같은 의견이다; 찬성하다 ((*by, with*)): ((~+전+명)) I do*n't* ~ *with*[*by*] the proposal. 나는 그 제안에는 찬성하지 않는다. **8** 〔우주과학〕 초읽기를 일시적으로 중단하다 **9** ((미·속어)) (마약 따위를 팔기 위해) 불법으로 소지하다 **10** 〈포유동물의 암컷이〉 임신하다 **11** 〔권투〕 홀딩하다

~ … against a person (…때문에) …을 원망하다, 나쁘게 생각하다 ***~ back*** 걷어들이다, 걷어치우다, 취소하다; 제지하다; 감추다, 비밀로 하다; 자제하다 ((*from*)); 망설이다, 주저하다: ~ *back* tears 눈물을 억제하다 / ~ *back* information 정보를 감춰두다 ***~ by*** 굳게 지키다; 고집[집착]하다 ***~ down*** 〈물가 등을〉 억제하다; 종속시키다; …의 자유를 억누르다; 〈지위를〉 유지하다; 계속하다: ~ *down* a job 일을 계속 유지하다 / *H~ down* that noise! 그 소리를 줄여 주세요! ***~ fast*** 〈교분 등이〉 굳게 계속되다 ***~ forth*** 제시하다(offer); ((경멸)) 장황하게 늘어놓다, 설교하다 ((*on*)) ***~ good***[***true***] ⇨ *vi.* 3 ***~ hard*** (말을 세우기 위하여) 고삐를 세게 당기다; [명령] 가만, 그 자리에 서!, 덤비지 마라! ***~ in*** 억제하다; 자제하다, 삼가다 ***H~ it!*** (구어) 움직이지 마라!, 가만 있어!, 잠깐 기다려! ***~ it down*** ((영·구어)) 조용히 하다, 소란을 안 피우다 ***~ off*** (1) 피하다, 가까이 오지 못하게 하다, 막다; 멀어지다 (2) ((미)) 〈결단·행동 등을〉 미루다, 연기하다; 어물어물하다: ~ *off* on producing the product 제품 생산을 미루다 (3) 〈비 등이〉 내릴 것 같지 않다 ***~ on*** 계속하다, 지속하다; 매달리다 ((*by, to*)); 버티다, 견디다, 사수하다; [보통 명령법으로] 〈전화 등을〉 끊지 말고 기다리시오; ((구어)) [명령법으로] 서라 ***~ onto***[***on to***] …을 꼭 잡고 있다, 손을 놓지 않다(⇨ *vi.* 1b); …에 의지하다, 매달리다 ***~ open*** 열어두다 ***~ out*** (1) 〈손 등을〉 내뻗다; 내밀다; 제공[약속]하다 (2) 가까이 못 오게 하다 (3) ((속어)) 〈마땅히 내놓을 것을〉 주지 않고 가지고 있다 (4) (최후까지) 버티다, 저항을 계속하다 (5) 〈재고품 등이〉 계속 남아 있다: Will the food ~ *out*? 식량이 계속 남아 있겠나? ***~ out for*** …을 끝까지[강경히] 요구하다 ***~ out on*** a person ((구어)) …에게 비밀로 하다, 알리지 않다; …의 요구를 거부하다[받아들이지 않다]: Are you ~*ing out on* me? 너 나한테 비밀로 할 거니? ***~ over*** 연기하다; (예정 이상으로) 계속하다; 〔법〕 기간 이상 유임(留任)하다 ***~ … over*** a person …으로 아무를 위협[협박]하다 ~ one***self*** 가만히[잠자코] 있다, 움직이지 않다 ~ one***'s liquor***[***drink***] 술을 마셔도 취하지 않다[흐트러지지 않다]: "Mike is a mean drunk."—"I know. He cannot ~ *his liquor*." 마이크는 술을 마시면 감당이 안 돼. - 그래, 그 친구는 술이 너무 약해. ~ one***'s own*** ⇨ own. ***~ to*** 붙들다, 고수하다 ***~ together*** 한데 모아 두다, 일치[단결]하다, 뭉쳐 놓다; 결합시키다, (어디까지나) 단결을 계속하다, 들러붙다 ***~ … under*** …을 통제[관리]하에 두다, 복종시키다 ***~ up*** (1) 위로 치켜들다; 올리다, 쳐들다; 제시하다 (2) …을 (모범적 예로) 들다 ((*as*)); …을 (웃음거리로) 내세우다 ((*to*)) (3) 길을 막다[방해하다]; 지지하다; 세우다, [명령형] 서라!; (권총을 들이대며) 정지를 명하다, 강도질을 하다 (4) 바로 서다 ((보통 말(馬)이 비틀거릴 때 하는 말 「바로 서!」)) (5) 지탱하다, 견디어 내다, 유효하다 (6) 걸음을 늦추지 않다 (7) 〈좋은 날씨가〉 계속되다, 오래 가다, ((미)) 비가 개다 ***~ with*** [보통 부정문으로] …에 찬성하다[편들다]; …을 허락[시인]하다 ***H~ your noise***[***jaw, tongue***]***!*** 잠자코 있어!, 떠들지 마! ***there is no ~ing*** a person (***back***) …을 말릴[제지할] 도리가 없다

— *n.* **1** U,C 쥠, (붙)잡음, 파악, 포착(grasp) **2** U 장악(掌握), 지배력, 위력, 영향력(influence) ((*on, over*)); 파악력, 이해력(mental grasp) ((*on, upon, of*)): have a ~ *on* a person 사람을 지배하는 힘이 있다 **3** 잡을 곳; 손붙일[발디딜] 곳, 손잡이, 받침; 버팀; 그릇, 용기; 예약: a basket used as a ~ for letters 편지함으로 쓰이는 바구니 / put a ~ on a library book 도서관 책을 예약하다 **4** 요새(stronghold); 《고어》 감옥(prison); 은신처, 피난소 **5** Ⓤ 〖법〗 (소유권의) 보존(cf. COPYHOLD, FREEHOLD) **6** 보류, 중지, 연기; (미사일 발사 등에서의) 초읽기의 중지, 발사 연기: announce a ~ on all takeoffs 모든 이륙을 보류할 것을 발표하다 **7** 〖음악〗 늘임(표), 연장(기호) (***be***) ***in ~s*** 멱살을 서로 잡고[드잡이하고] (있다) ***catch*** [***get, grab, take, seize***] (***a***) ***~ of*** …을 잡다; …을 붙잡다 ***get ~ of*** (1) = catch (a) HOLD of (2) …을 입수하다; …을 이해하다 (3) 〈사람에게〉 연락을 취하다: How can I *get ~ of* you? 당신과 어떻게 연락할 수 있죠? ***get ~ on oneself*** [보통 명령형으로] (당황하지 않고) 침착하다 ***have a ~ on*** [***over***] …에 지배력[위력, 권력]을 가지다, …의 급소를 쥐고 있다 ***keep*** (one***'s***) ***~ on*** = ***keep ~ of*** …을 (꼭) 붙잡고 있다 ***lay ~ of*** [***on, upon***] (1) …을 잡다[쥐다] (2) …을 붙잡다, 체포하다 (3) …을 입수하다, 발견하다 ***let go*** one***'s ~*** 손을 놓다[늦추다] ***lose ~ of*** …을 붙잡은 것을 놓치다, …에서 손을 떼다 ***on ~*** 《미》 〈사람이〉 전화에 나와, 통화하기를 기다리고, 보류 상태에서, 연기되어 ***seize ~ of*** = catch HOLD of. ***take a*** (***firm***) ***~ on*** one***self*** (곤경에서) 자제하다, 침착히 처신하다 ***take*** (***a***) ***~*** 달라붙다; 확립하다, 뿌리를 내리다; 〈약이〉 효력이 있다 ***take ~ of*** [***on***] 〈유형·무형의 것을〉 잡다, 쥐다, 제어[조종]하다 (***with***) ***no ~s barred*** 《구어》 아무 제약 없이, 무제한으로

hold[2] *n.* 〖항해〗 배의 짐칸, 화물창; 〖항공〗 (항공기의) 화물실 ***break out*** [***stow***] ***the ~*** 뱃짐을 내리기[싣기] 시작하다

hold·all [hóuldɔ̀:l] *n.* 《영》 잡낭(雜囊), (천으로 된) 큰 가방

hold·back [-bæ̀k] *n.* 방해(hindrance); 정지, 지연, 억제, 저지; 보류하고 있는 것[돈]; 보관물; (마차의) 제어 장치

hóld bùtton (전화 통화 중의) 보류 버튼

hold-down [-dàun] *n.* 꺾쇠, 죔쇠; 억제, 제한: a ~ on spending 지출의 억제

hold·en [hóuldən] *v.* 《고어》 HOLD[1]의 과거분사

‡**hold·er** [hóuldər] *n.* [보통 복합어를 이루어] **보유자,** 소유주, 소지인; 버티는 것, 받침, 그릇, 용기: a pen ~ 펜대 / a cigarette ~ 궐련용 물부리 / a record ~ 기록 보유자 / a lease ~ 차지인(借地人) ***a ~ in due course*** 《미》 (유통 증권의) 정당한 소지인

hold·fast [hóuldfæ̀st | -fɑ̀:st] *n.* **1** 꽉 잡음, 붙들기 **2** 꽉 누르는 것, 고정시키는 것 《못·죔쇠·거멀못·꺾쇠·잠그개·물림쇠·걸쇠 등》 **3** 〖생물〗 흡착 기관

⁎**hold·ing** [hóuldiŋ] *n.* **1** Ⓤ **보유,** 점, 붙들기; 홀딩; Ⓒ 〖스포츠〗 홀딩 **2 a** Ⓤ **토지 보유** (조건), 점유; 소유권 **b** 보유지, 소작지; [종종 *pl.*] 보유물, 《특히》 소유 주권(株券), 소유 재산, 채권: small ~*s* (소작용의) 소규모 경작지 **3** 〖법〗 판결, 판시

hólding còmpany 지주(持株) 회사, 모회사

hólding fùrnace 〖야금〗 보온로(保溫爐) 《녹인 금속을 일정 온도로 유지해 두는 노》

hólding gròund 〖항해〗 (닻을 박는) 해저(海底)

hólding operàtion 현상 유지책(策); 지연 전술

hólding pàttern 1 (항공기의) 공중 대기 경로(待機經路), 착륙 차례를 기다리는 선회 경로 **2** 정체[중단] 상태

hólding tànk 오수(汚水) 탱크

hold·out [hóuldàut] *n.* **1** (완고한) 저항; 인내; 제공, 제출 **2** 협조[타협, 참가]를 거부하는 사람, (더 유리한 조건을 위해) 계약을 보류하는 사람[선수] **3** 《미·속어》 숨겨둔 카드

hold·o·ver [-òuvər] *n.* **1** 잔존물, 유물 《*from*》; 잔류자, 유임자; 재수생(repeater) **2** 이월(移越) **3** 숙취(hangover) **4** 구치소 **5** 계속 상연되는 극·영화

hóld tìme (로켓·미사일 발사시의 초읽기·작업 등의) 일시적 중단[대기] 시간

hold·up [-ʌ̀p] *n.* **1 a** (열차·차 또는 그 승객 등의) 불법 억류; 강탈; 노상 강도 **b** 바가지, 터무니없는 값의 요구(overcharging) **2** (수송 등의) 정체, 지체, 정지

hóldup màn 노상 강도(bandit)

‡**hole** [hóul] [OE 「움푹한(hollow) (곳)」의 뜻에서] *n.* **1 구멍,** 틈, 터진 곳; 갱(坑)(pit); 구덩이, 웅덩이, 개울 바닥 등의 파인 곳; (짐승의) 굴, 소굴(burrow); 토옥(土獄), 지하 감옥; 아주 누추한 집[숙소]: a ~ in the roof 지붕의 구멍 / a swimming ~ 수영할 수 있는 웅덩이 / dig a ~ 구멍을 파다 **2** [a ~] 함정; 꼼짝할 수 없는 곤경; 《특히》 경제적 곤경 **3** 결점, 결함; 손실(loss); 모순; serious ~*s* in your reasoning 네 논법의 중대한 결점 **4 a** 〖골프〗 구멍, (코스의 1구분으로서의) 홀, 티(tee)에서 그린(green)까지의 구역, 거기서 얻은 타점 **b** (공 또는 구슬치기의) 쳐넣는 구멍 **5** 《속어》 빈 자리; 〖스포츠〗 (수비의) 빈틈; 〖야구〗 [the ~] 두 내야수 사이의 공간 《특히 3루수와 유격수 사이》: We need someone to fill a ~ in our department. 우리 과의 빈 자리를 메워 줄 사람이 필요하다. **6** 〖전자〗 (반도체의) 정공(正孔); 〖물리〗 (소립자의) 공공(空孔) **7** 《비어》 질(膣); 《속어》 성교; (성교 대상으로서의) 여자; 입; 항문 **8** 《미·속어》 지하철

a ~ in one***'s coat*** 결점, 흠 ***a ~ in the head*** 《구어》 정말로 바람직하지 못한[엉뚱한] 일[것]; 전혀 가망이 없는 것 ***blow a ~ in*** …에 손해를 입히다; …을 파괴하다 ***burn a ~ in*** one***'s pocket*** ⇨ burn. ***every ~ and corner*** 샅샅이, 구석구석 ***have a ~ in the*** [one***'s***] ***head*** 《미·속어》 멍청하다, 머리가 좀 이상하다 ***in ~s*** 구멍이 나도록 닳아빠져 ***in*** (***no end of***) ***a ~*** (밑빠진) 수렁에 빠져서, 궁지에 빠져서 ***in the ~*** 《구어》 적자(赤字)가 되어: I'm fifty dollars *in the ~* this month. 이달은 50 달러가 적자이다. ***like a rat in a ~*** 독 안에 든 쥐 꼴이 되어 ***make a ~ in*** …에 구멍을 내다; 큰 돈을 축내다 ***pick ~s*** [***a ~***] ***in*** …의 흠을 찾다

— *vt.* **1** …에 구멍을 뚫다; …에 구멍을 파다(dig); 〈터널을〉 파다 《*through*》; 〖광산〗 〈탄층을〉 꿰뚫어 파다: 《~+목+전+명》 They ~*d* a tunnel *through* the hill. 그들은 그 언덕을 뚫어 터널을 냈다. **2** 〈토끼 등을〉 굴에 몰아넣다; 〈당구에서 공을〉 구멍에 굴려 넣다; [종종 ~ out] 〈골프공을〉 구멍에 쳐넣다

— *vi.* **1** 구멍을 파다 **2** 구멍에 기어들다 **3** 〖골프〗 골프공을 구멍에 쳐넣다 《*out*》 ***~ in*** 《미·구어》 숨다, 몸을 숨기다 ***~ up*** 동면하다; 밀어[집어, 쑤셔] 넣다; 숨기다, 잠복하다

▷ hóley *a.*

hole-and-cor·ner [hóuləndkɔ́:rnər] *a.* Ⓐ 《구어》 비밀의, 은밀한, 남몰래 하는; 시원찮은, 눈길을 끌지 못하는: ~ intrigue 비밀 공작 / a ~ existence of daily drudgery 매일 고된 일을 하는 시원찮은 생활

hóle càrd (카드 놀이의) 최후 수단의 패; 비장의 수, 비책; (포커에서) 1라운드에 엎어서 주는 패

hóle in óne 〖골프〗 홀인원 《한 번 쳐서 공이 홀에 들어가기》

hóle in the héart 〖의학〗 심실[심방] 중격 결손(中隔缺損)

hole-in-the-wall [hóulinðəwɔ́:l] *a.* 답답한, 옹색한, 사소한, 하찮은 — *n.* (*pl.* **holes-in-the-wall**) 답답한 곳; 초라한[궁벽한] 곳[가게]; 《영·구어》 현금 자동 입출금기(ATM)

hole·proof [hóulprù:f] *a.* 〈천이〉 구멍이 나지 않는; 〈법이〉 빠져나갈 구멍이 없는; 결점 없는, 완벽한: a ~ alibi 완벽한 알리바이

hóle pùncher 펀처 《종이에 구멍 뚫는 사무용품》

hóle sàw 원통톱(crown saw)

hol·ey [hóuli] *a.* 구멍투성이의; 구멍 뚫린

-holic [hɔ́:lik, hɑ́l- | hɔ́l-] 《연결형》 「…중독자」의

thesaurus **hole** *n.* **1** 구멍, 틈 opening, aperture, gap, space, breach, break, crack, puncture, cut, split, gash, vent, notch **2** 굴, 구덩이 excavation, pit, crater, shaft, mine, dugout, cave, cavity, hollow, scoop, dent, dint **3** (짐승의) 굴 burrow,

뜻: choco*holic*, computer*holic*

‡**hol·i·day** [hάlədèi | hɔ́lədèi, -di] *n.*, *a.*, *v.*

> ME 「holy(성스러운)+day(날)」에서 「축제일」→「휴일」→「휴가」가 되었음.

—*n.* **1** **휴일**, 공휴일, 휴업일(opp. *workday*): a legal ~ 법정 휴일/a national ~ 국경일/a public ~ 공휴일/have a ~ every Sunday 일요일마다 쉬다 **2** **축제일**(holy day) **3** [때로 *pl.*] 《주로 영》 (일정한 기간의) **휴가**(《미》 vacation): take a week's ~ 1주일의 휴가를 얻다/the summer ~*s* 《영》 여름 휴가/the Christmas[Easter] ~*s* 크리스마스[부활절] 휴가, 동계[춘계] 휴가 **4** (의무 과세로부터의) 면제 기간, (공포 등으로부터의) 해방 기간: a ~ from worry 걱정으로부터의 해방 기간

be home for the ~s 휴가로 집에 와 있다 ***make a ~ of it*** 휴업하여 축하하다, 휴일을 얻어 즐기다 ***make ~*** 《영》 휴업하다, 일을 쉬다 ***on ~*** = ***on*** one***'s ~s*** 《영》 휴가 중, 휴가를 얻어(《미》 on vacation) ***take*** (***a***) ~ 휴가를 얻다, 쉬다

—*a.* Ⓐ **1** 휴일의, 휴가 중의 **2** 즐거운, 들뜬, 축제일 같은; 나들이의, 외출할 때의; (평소와는 달리) 격식을 차린: a ~ mood 축제 기분/~ clothes[attire] 나들이옷/~ English 점잖은 영어, 격식을 차린 영어

—*vi.* 《영》 휴가를 가지다, 휴가를 보내다(《미》 vacation): ~ at the seaside 해변에서 휴가를 지내다

hóliday bròchure 여행 안내용 팸플릿

hóliday càmp 《영》 (특히 해변의) 휴가촌, 행락지

hóliday cèntre 《영》 = HOLIDAY CAMP

hóliday chèer 《구어》 (크리스마스·신년 따위에 마시는) 축하 술

hol·i·day·er [hάlədèiər | hɔ́lədèi-, -di-] *n.* 휴일[휴가]을 즐기는 사람(holidaymaker)

hóliday hòme 휴가용의 집[별장]

hol·i·day·mak·er [hάlədèimèikər | hɔ́lədèi-] *n.* 《영》 휴일의 행락객, 휴일을 즐기는 사람(《미》 vacationer)

hol·i·day·mak·ing [-mèikiŋ] *n.* Ⓤ 《영》 휴일의 행락

hóliday vìllage 휴가촌, 현대적 행락지

ho·lid·ic [hɑlídik, houl-] *a.* 〈식품 따위가〉 화학적 성분이 모두 판명되어 있는

ho·li·er-than-thou [hóuliərðənðáu] *a.*, *n.* 《구어》 군자연하는 (사람); 독선적인 (사람): I don't like his ~ attitude. 그의 성인군자연하는 태도가 맘에 들지 않는다.

ho·li·ly [hóuləli] *ad.* 신성하게, 경건하게

⁎**ho·li·ness** [hóulinis] *n.* **1** Ⓤ **신성함**; 고결, 청렴 결백 **2** [보통 His[Your] H~] 성하(聖下) 《로마 교황의 존칭》 ▷ hóly *a.*

ho·lism [hóulizm] *n.* Ⓤ **1** 〖철학〗 전체론 **2** 〖의학〗 전인적[전체관적] 치료 **-ist** *n.*

ho·lis·tic [houlístik] *a.* **1** 〖철학〗 전체론의: ~ psychology 전체론적 심리학 **2** (국부가 아니고) 전신용의; 전체관적 의학의

holístic médicine 전인(全人)(적) 의료, 전체관적 의학

hol·la [hάlə, hɑlά: | hɔ́lə] *int.*, *n.*, *v.* = HALLO

‡**Hol·land** [hάlənd | hɔ́l-] [Du. 「나무의 나라」의 뜻에서] *n.* **1** **네덜란드**, 화란 ★ 공식 명칭은 the Netherlands, 형용사는 Dutch. **2** [때로 **h~**] ⓊⒸ 표백하지 않은 삼베 ▷ Dútch *a.*

hol·lan·daise [hάləndèiz- | hɔ́l-] *n.* 네덜란드 소스 (= ⁓ **sàuce**) 《크림 모양》

Hol·land·er [hάləndər | hɔ́l-] *n.* 네덜란드 사람 (Dutchman); 네덜란드 선박(Dutch ship)

Hólland fínish 무명의 불투명도·강도를 높이기 위해 기름·풀칠을 하는 끝마무리

Hol·lands [hάləndz | hɔ́l-] *n. pl.* [단수 취급] 네덜란드 진(= **Hólland gín**) 《술》

hol·ler[1] [hάlər | hɔ́l-] [holla의 변형] 《미·구어》 *vi.*, *vt.* 고함지르다, 외치다 《*at*》; 불평하다, 투덜대다; 큰 소리로 …라고 말하다[부르다] 《*that*》: ~ insults 큰 소리로 모욕하다 —*n.* 외침, 큰 소리, 고함, 불평

holler[2] *n.* = HOLLOW

Hol·ler·ith cárd [hάləriθ- | hɔ́l-] [발명자인 미국의 기사 이름에서] 〖컴퓨터〗 홀러리스 카드, 펀치 카드

Hóllerith còde 〖컴퓨터〗 홀러리스 코드, 천공 코드

hol·lo(a) [hάlou, həlóu | hɔ́lou] *int.* 어이, 이봐 《주의·응답하는 소리》

—*n.* (*pl.* **~s**) (특히 사냥에서) 어이 하고 외치는 소리

—*vi.*, *vt.* 큰 소리로 외치다; 〈사냥개를〉 큰 소리로 부추기다

‡**hol·low** [hάlou | hɔ́l-] [hole(구멍)과 같은 어원] *a.* **1** 속이 빈; 텅 빈, 공동(空洞)의: a ~ tree 속이 빈 나무 **2** 오목한, 우묵한, 움푹 팬, 움푹 들어간(sunk), 야윈; 〈목소리가〉 힘없는, 희미한, 분명치 않은: a ~ surface 움푹 팬 표면/a ~ voice 힘없는 목소리/~ cheeks[eyes] 야윈 볼[움푹 들어간 눈] **3** 공허한 (empty); 불성실한; 겉치레만의, 무의미한; 거짓의 (false): a ~ victory 허울 뿐인 승리/~ compliments 말뿐인[겉치레] 인사/~ promises 빈 약속, 공약(空約) **4** 공복(空腹)의: feel ~ 배가 고프다 **5** 《영·구어》 순전한, 철저한(complete)

—*n.* **1** 움푹한 곳, 팬 곳(depression): the ~ of the hand[neck] 손바닥[목덜미]의 오목한 곳 **2** 계곡, 우묵한 땅, 분지(盆地)(basin) **3** 구멍(hole); (나무 밑동·바위의) 공동(空洞) ***in the ~ of*** one***'s hand*** …에게 완전히 예속[장악]되어

—*ad.* 텅 비어; 불성실하게; 《구어》 완전히, 철저히: The accusations rang ~. 비난의 말은 공허하게 울렸다. ***beat*** a person (***all***) ~ 《영·구어》 …을 완전히 이기다, 꼼짝 못하게 하다

—*vt.* 속이 비게 하다, 움푹 들어가게 하다; 후벼내다, 파내다, 도려내어 구멍을 뚫다 《*out*》; (…을 후벼내어) 만들다 《*out of*》: ~ a cave 굴을 파다 // (~+目+副) ~ *out* a log 통나무를 도려내다

—*vi.* 속이 비다; 움푹 들어가다

~·ly *ad.* **~·ness** *n.*

hol·lo·ware [hάlouwὲər | hɔ́l-] *n.* = HOLLOWWARE

Hol·lo·way [hάləwèi | hɔ́l-] *n.* 런던 북부의 여성 교도소(= ⁓ **prìson**) 《영국 최대》

hol·low-eyed [hάlouàid | hɔ́l-] *a.* 눈이 (움푹) 들어간

hóllow fóot 〖의학〗 요족(凹足) 《발바닥이 우묵한》

hol·low-forge [-fɔ́:rdʒ] *vt.* 〈관(管)·용기(容器)를〉 중공 단조(中空鍛造)하다

hol·low·heart·ed [-hά:rtid] *a.* 불성실한

hóllow lég(s) 먹어도 살이 찌지 않는 사람; 《속어》 술고래, 술이 센 사람

hóllow séa 거친 파도, 놀

hóllow wàll = CAVITY WALL

hol·low·ware [-wὲər] *n.* Ⓤ (도자기·은제(銀製) 등의) 오목한 그릇 《접시·냄비》

⁎**hol·ly** [hάli | hɔ́li] *n.* (*pl.* **-lies**) 〖식물〗 서양호랑가시나무; 그 가지[잎] 《크리스마스 장식용》

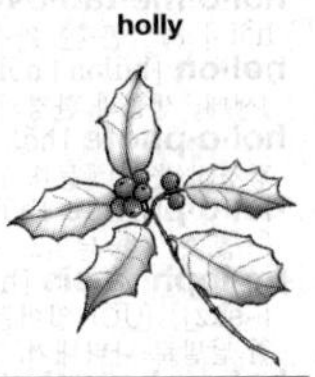
holly

hol·ly·hock [hάlihὰk, -hɔ̀:k | hɔ́lihɔ̀k] *n.* 〖식물〗 접시꽃

⁎**Hol·ly·wood** [hάliwùd | hɔ́l-] [「서양호랑가시나무

---

lair, den, covert, retreat, shelter, recess

holiness *n.* sanctity, saintliness, sacredness

hollow *a.* **1** 텅 빈 empty, unfilled, vacant, void, vain **2** 움푹 팬 sunken, dented, indented, caved-in, curved, depressed, bellshaped

(holly)의 숲」이란 뜻에서] *n.* **1** 할리우드 《Los Angeles시의 한 지구, 영화 제작 중심지》 **2** Ⓤ 미국의 영화계[산업] ***go ~*** 《미·속어》 (1) 이혼하다 (2) 남색(男色)을 하다
— *a.* 《구어》 할리우드적인, 할리우드(식)의; 할리우드 제작의; 〈복장 등이〉 화려한, 뽐내는 **~·ish** *a.*

Hóllywood béd 할리우드 베드 《footboard 없이 box spring, mattress, 때로 headboard로 이루어진 침대》

Hóllywood Bòwl 할리우드의 (자연 지형을 살린) 원형 극장

Hol·ly·wood·i·an [hàliwúdiən | hɔ́l-] *n.* 할리우드의 영화계에서 일하는 사람; 할리우드 태생
— *a.* (할리우드) 영화 산업의; 번지르르한; 할리우드 주민[출신]의

holm[1] [hóum] *n.* 《영·방언》 **1** 강변의 낮은 땅 **2** 강 속의 섬, (삼각주의) 삼각 지역; (본토(本土) 부근의) 작은 섬 ★ 영국 지명에 많음.

holm[2] *n.* **1** = HOLM OAK **2** 《영·방언》 = HOLLY

Holmes [hóumz, hóulmz | hóumz] *n.* **1** 남자 이름 **2** 홈스 **Sherlock ~** 《영국의 소설가 Conan Doyle의 작품 중의 명탐정》 **3** 명탐정; [또는 **h~**] 《미·속어》 친구 **Holmes·i·an** [hóumziən] *a.*

Hólmes light 홈스 라이트, 구명용 불꽃 《구명구에 부착되어 물과 접속하면 곧 발화하여 연기가 남》

hol·mi·um [hóulmiəm] *n.* Ⓤ 『화학』 홀뮴 《희토류(稀土類) 원소; 기호 Ho, 번호 67》

hol·mic [hóulmik] *a.*

hólm òak 『식물』 털가시나무

holo- [hálou, hóul-, -lə | hɔ́l-] 《연결형》 「완전」의 뜻

ho·lo·blas·tic [hàləblǽstik, hòul- | hɔ̀l-] *a.* 『생물』 〈알이〉 전할(全割)의

Hol·o·caine [háləkèin, hóul- | hɔ́l-] *n.* Ⓤ 『약학』 페나케인(phenacaine) 《안과용 국부 마취제; 상표명》

hol·o·caust [háləkɔ̀:st, hóul- | hɔ́l-] *n.* **1** 『유대교』 번제(燔祭) 《짐승을 통째로 구워 신(神)에게 바치는 유대 제사》 **2** 전시 소각(全市燒却), 대학살, 몰살, 전멸, 대파괴; [the H~] (나치스에 의한) 유대인 대학살

Hol·o·cene [hálǝsì:n, hóul- | hɔ́l-] *a.*, *n.* 『지질』 완신세(完新世)(의)

hol·o·crine [hálǝkrin, -kràin, hóul- | hɔ́l-] *a.* 『생리』 (분비 세포의 파괴로 인한) 전분비의

hol·o·en·zyme [hàlouénzaim | hɔ̀l-] *n.* 홀로 효소

ho·log·a·mous [həlágəməs, houl- | hɔl-] *a.* 『균류』 전배우성(全配偶性)의, 전융합(全融合)의

hol·o·gram [hálǝgræ̀m, hóul- | hɔ́l-] *n.* 홀로그램 《피사체에 레이저 광선을 비치면 입체상이 나타남》

hol·o·graph[1] [hálǝgræ̀f, -grà:f, hóul- | hɔ́lǝgrà:f, -græ̀f] *n.* 자필의 문서[증서]
— *a.* Ⓐ 자필의: a ~ letter 자필 편지

holograph[2] *n.*, *vt.* 홀로그램(으로 기록하다)

ho·log·ra·phy [həlágrəfi, houl- | hɔlɔ́g-] *n.* Ⓤ 『광학』 홀로그래피 《레이저 광선을 이용하는 입체 사진술》 **-pher** *n.* **hòl·o·gráph·ic, -i·cal** *a.* **-i·cal·ly** *ad.*

hol·o·gyn·ic [hàlədʒínik, -dʒái-, hòul- | hɔ̀l-] *a.* 『유전』 한자성(限雌性)의(opp. *holandric*)

hol·o·he·dral [hàləhí:drəl, hòul- | hɔ̀l-] *a.* 〈결정이〉 완면상(完面像)의

hol·o·me·tab·o·lous [hàloumitǽbələs, hòul- | hɔ̀l-] *a.* 『곤충』 완전 변태의

hol·on [hálən | hɔ́l-] *n.* 『철학』 홀론, 부분적 전체; 『생태』 생물과 환경의 종합체(biotic whole)

hol·o·phote [háləfòut, hóul- | hɔ́l-] *n.* 완전 조광경(照光鏡) 《등대 등의 전광 반사 장치》

hol·o·phrase [háləfrèiz, hóul- | hɔ́l-] *n.* 일어문(一語文) 《한 낱말로 구(句)·문(文)의 기능을 하는 것》

ho·loph·ra·sis [həláfrəsis | hɔlɔ́f-] *n.* (*pl.* **-ses** [-sì:z]) ⓊⒸ 일어문적(一語文的) 표현; 어구·문장을 한 낱말로 나타내기, 일어문성(性)

hol·o·phras·tic [hàləfrǽstik, hòul- | hɔ̀l-] *a.* 일어문(一語文)적인; 〈언어가〉 포합(抱合)적인

hol·o·phyt·ic [hàləfítik, hòul- | hɔ̀l-] *a.* 완전 식물성 영양의

hol·o·plank·ton [hàlouplǽŋktən | hɔ̀l-] *n.* 종생(終生) 부유생물[플랑크톤] **-plank·tón·ic** *a.*

hol·o·thu·ri·an [hàləθúəriən, hòul- | hɔ̀ləθjúər-] *n.*, *a.* 『동물』 해삼 무리(의)

hol·o·type [hálətàip, hóul- | hɔ́l-] *n.* 『생물』 정기준(正基準) 표본 《종(種)의 원형을 나타내는 표본》

hol·o·zo·ic [hàləzóuik, hòul- | hɔ̀l-] *a.* 『생물』 완전 동물성 영양의

holp [hóulp] *v.* 《방언》 HELP의 과거

hol·pen [hóulpən] *v.* 《방언》 HELP의 과거분사

hols [hálz | hɔ́lz] *n. pl.* 《영·구어》 휴가, 방학(holidays)

Hol·stein [hóulstain, -sti:n | hɔ́lstain] [독일의 지명에서] *n.* 《미》 홀스타인 종(의 소)

hol·ster [hóulstər] *n.*, *vt.* (가죽) 권총집[케이스](에 넣다) **hól·stered** *a.*

holt [hóult] *n.* 《영·시어》 잡목 숲; 잡목 산

ho·lus-bo·lus [hóuləsbóuləs] *ad.* 《구어》 단숨에, 순식간에, 한꺼번에, (송두리째) 꿀꺽, 통째로

‡**ho·ly** [hóuli] *a.* (**-li·er**; **-li·est**) **1** 신성한, 성스러운, 거룩한; 신께 바치는, 신에게 몸을 바친, 종교를 위한: a ~ relic 성스러운 유물 / ~ ground 성지 / the ~ cross 성스러운 십자가 **2** 경건한, 독실한; 성자의, 덕이 높은; 지순한, 청순한; 종교상의(religious): a ~ life 경건한 생활 / a ~ love 청순한 사랑 / ~ rites 종교상의 의식 **3** 《구어》 지독한, 심한, 고약한
H~ cats [***cow, mackerel, Moses, smoke*(*s*)]!** 《속어》 어머!, 저런!, 설마!, 야단났군! 《놀람·노염·기쁨을 나타냄》 ***the Holiest*** 지성자(至聖者) 《그리스도·하느님의 존칭》
— *n.* (*pl.* **-lies**) 신성한 장소, 예배소, 성역; [the ~; 집합적] 신성한 것[사람]; [the H~] 지성자(至聖者), 신 ***the H~ of Holies*** (유대 신전의) 지성소 《신의 계약의 궤가 놓여 있는》; [the ~ of holies] 가장 신성한 장소 ▷ hóliness *n.*; hólily *ad.*

Hóly Allíance [the ~] 『역사』 신성 동맹 《1815-25년》

Hóly Bíble [the ~] 성서, 성경

hóly brèad 성찬식[미사]의 빵

Hóly Cíty [the ~] 성도(聖都) 《Jerusalem, Mecca, Benares 등》; 천국

Hóly Commúnion 『가톨릭』 영성체, 성체 성사, 성체 배령(Eucharist); 『개신교』 성찬식

Hóly Cróss Dày 성 십자가 찬미의 날 《9월 14일》

hóly dày (종교적) 축제일, (특히 일요일 이외의) 성일(聖日)

hóly dày of obligátion 『가톨릭』 의무적 축일 《미사에 참여하고 장사를 하지 않음》

Hóly Fámily [the ~] 성가족 《아기 예수·성모 마리아·성요셉을 나타낸 그림·조각》

Hóly Fáther [the ~] 『가톨릭』 교황 성하(聖下)

Hóly Ghóst [the ~] = HOLY SPIRIT

Hóly Gráil [the ~] 성배(聖杯)(the Grail) 《중세의 전설로, 그리스도가 최후의 만찬에서 썼다는 술잔》

hóly héll 《미·속어》 격렬한 비난[질책]

Hóly Ínnocents' Dày [the ~] 무고한 어린이들의 순교 축일 《Herod왕의 명으로 Bethlehem의 남자 아기들이 살해된 것을 기념하는 날; 12월 28일》

Hóly Jóe 《속어》 군목(軍牧); 성직자; 독실한 신자

Hóly Lànd [the ~] 성지 《팔레스타인》; (비(非) 기독교권의) 성지

Hóly Mórther 성모 (마리아)

Hóly náme [the ~] 『가톨릭』 (예수의) 성명(聖名)

Hóly Óffice [the ~] 『가톨릭』 검사 성성(檢邪聖

thesaurus **holy** *a.* **1** 신성한 blessed, sanctified, consecrated, hallowed, sacred, sacrosanct, dedicated, venerated, divine, religious **2** 경건한 God-

省); 종교 재판소
hóly óil 〖가톨릭〗 성유(聖油)
Hóly Óne [the ~] 예수 그리스도; 천주; 구세주
hóly órders [종종 **H- O-**] 〖가톨릭〗 성품(聖品); 성직, 목사직: take ~ 목사[신부]가 되다
Hóly Róller 《미·경멸》 예배 중에 열광하는 종파의 신자 《특히 오순절 교회 계통의》
Hóly Róman Émpire [the ~] 신성 로마 제국 《962-1806년의 독일 제국의 칭호》
Hóly Róod [the ~] 성(聖)십자가 《예수가 처형된 십자가》; [**h- r-**] 십자가상(像)
Hóly Róod Dày 성십자가 발견 축일 《5월 3일》
Hóly Sáturday 성(聖)토요일 《부활절 전주의 토요일》
Hóly Scrípture(s) [the ~] 성서(the Bible)
Hóly Sée [the ~] 〖가톨릭〗 성좌(聖座); 교황청; 교황 법정
Hóly Sépulcher [the ~] (그리스도가 부활할 때까지 누워 있었던) 성묘(聖墓)
Hóly Spírit [the ~] 성령(Holy Ghost)
ho·ly·stone [hóulistòun] *n.*, *vt.* 〖항해〗 (갑판 닦는) 닦음돌(로 닦다)
hóly sýnod 〖그리스정교〗 최고 교회[종교] 회의
hóly térror 무서운 사람[것]; 《구어》 골칫거리 (아이), 망나니; 열심인 사람: He's a ~ when he's angry. 화나면 그는 정말 무서운 사람이다.
Hóly Thúrsday (그리스도의) 승천일(Ascension Day); 〖가톨릭〗 성목요일 《부활절 전주의 목요일》
ho·ly·tide [hóulitàid] *n.* 《고어》 성절(聖節) 《종교적 행사가 있는[를 행하는] 시기》
Hóly Trínity [the ~] 〖신학〗 성 삼위일체
hóly wàr 성전(聖戰); (이슬람교도의) 성전(jihad)
hóly wàter 〖가톨릭〗 성수(聖水)
Hóly Wèek [the ~] 성주간(聖週間), 수난 주간 《부활절 전의 1주일간》
Hóly Wíllie 독실한 체하는 위선자
Hóly Wrít [the ~] 성서(the Bible)
Hóly Yèar 〖가톨릭〗 성년(聖年) 《25년마다의》
hom- [hám, hòum | hɔ́m, hóum], **homo-** [hóumou, -mə, hám- | hóum-, hɔ́m-] 《연결형》 「동일(the same), 같은」의 뜻 《모음 앞에서는 hom-》 (opp. *heter(o)-*)
*__hom·age__ [hámidʒ, ám- | hɔ́m-] *n.* Ⓤ **1** 경의, 존경 **2** (봉건 시대의) 신하의 예, 충성의 선서 **3** 주종 관계 **4** 헌상물(獻上物) ***pay*** [***do, render***] **~ *to*** …에게 경의를 표하다; (정식으로) 신하의 예를 다하다
—*vt.* 《고어·시어》 …에게 경의를 표하다
hom·ag·er [hámədʒər, ám- | hɔ́m-] *n.* (봉건 시대의) 가신(vassal)
hom·bre[1] [ámbər | ɔ́m-] *n.* = OMBRE
hom·bre[2] [ámbrei, -bri | ɔ́m-] [Sp.] *n.* 《미·속어》 (스페인계의) 사람(man); 《일반적으로》 놈, 녀석
hom·burg [hámbəːrg | hɔ́m-] [처음 만들어진 독일의 지명에서] *n.* 홈부르크 모자 《챙이 좁은 펠트제 중절모자》
⁑**home** [hóum] *n.*, *a.*, *ad.*, *v.*

「사는 집」 ┬ (자기의) 「가정」 ┬ (주거의 뜻에서) 「집」
　　　　　│　　　　　　　　　└ (가정 역할을 하는 곳) 「수용 시설」
　　　　　└ (생육지) 「고향」 → 「원산지」

—*n.* **1** Ⓤⓒ **a** 자기의 집, 자택, 생가(生家): a ~ of one's own 자택 / There's no place like ~. 《속담》 제 집보다 좋은 곳은 없다. **b** 집, 주택(house) **2** 가정, 가족, 한 집안, 세대(世帶)(household); 가정 환경; 가정 생활: a sweet ~ 단란한 가정 / the pleasure of ~ 가정 생활의 즐거움 / build[make] a ~ 가정을 이루다[가지다]

유의어 **home**은 가족 생활의 장(場)으로서의 집을 뜻하는 말이며 단순한 「가옥, 주택」의 뜻이 아니다. 그런 뜻으로는 **house**가 사용된다. 단, 미국에서는 home을 house와 같은 「가옥, 주택」의 뜻으로 사용하는 경우도 있다.

3 Ⓤ 고향; 본국, 고국; 고향 같은 곳: leave Canada for ~ 캐나다를 떠나 본국으로 돌아가다 / Paris was his spiritual ~. 파리는 그에게는 마음의 고향이었다. **4** (탐험대 등의) 기지, 근거지, 본부, 본거지; [the ~] 원산지, 서식처(habitat) 《*of*》; [the ~] 발상지, 본가, 본고장: *the* ~ *of* constitutional government 입헌 정치의 발상지 / The company's ~ is in Detroit. 그 회사의 본사는 디트로이트에 있다. **5** 수용 시설, 요양소, 양육[고아]원, 양로원 《등》; 숙박소, 수용소 《*for*》: a nursing ~ (노인용의) 요양소 / a ~ for the aged 양로원 **6** (놀이에서) 진(陣) **7** 〖경기〗 홈 그라운드에서의 경기[승리]; 결승점(goal) **8** 〖야구〗 본루(本壘)(=~ plate)
(*a*) **~ *from*** ~ = 《미》 (*a*) **~ *away from*** ~ 《구어》 (마음 편한 점에서) 마치 제 집 같은 곳 ***at*** **~** (1) 집에 있어; 면회일로: I am not *at* ~ to anybody today. 오늘은 누구를 막론하고 면회 사절. (2) 자기가 사는 곳에, 자기 나라에, 본국에(opp. *abroad*): affairs *at* ~ and abroad 국내외의 문제 (3) 마음 편히; 편히: Please make yourself *at* ~. 자 편히 하십시오. (4) 정통하여 《*in, on, with*》: a scholar *at* ~ *in* the classics 고전에 정통한 학자 ***away from*** **~** (1) 집에서 떨어져; 외출하여 (2) 《영》 (스포츠 경기에서) 원정 가서, 어웨이로 ***close to*** **~** = ***near*** **~** 가까운 곳에, 신변에; (말 따위가) 아픈 곳을 찔러 ***find a*** **~ *for*** …에 어울리는 장소를 발견하다 ***from*** **~** 외출 중인; 집[본국]을 떠나서 ***go to*** one***'s long*** [***last, lasting***] **~** 영면(永眠)하다, 죽다 **~ *sweet*** **~** [종종 반어적] 즐거운 우리 집 《오랫만에 집에 돌아올 때 하는 말》 ***set up*** **~** 《영》 한 가정을 꾸미다, 신혼 생활을 시작하다 (《미》 set up house) ***the*** **~ *of lost causes*** 옥스퍼드 대학 《좌절된 주의(主義)의 발상지; Matthew Arnold의 말에서》
—*a.* Ⓐ **1** 가정의, 자택의: ~ life 가정 생활 / one's ~ address …의 자택 주소 **2** 본국의, 자기 나라의; 내국의, 국내의, 내정(內政)상의(domestic; opp. *foreign*); 고향의: the ~ market 국내 시장 / ~ products 국산품 ★ 《미》에서는 native city[country, land, town]를 home city, etc.라고 하는 일이 많음. **3** 본부의, 중앙의; 중요한: a ~ signal 〖철도〗 구내(構內) 신호기 **4** 〖경기〗 결승의; 〖야구〗 본루의, 홈에 살아 돌아오는 **5** 급소를 찌르는, 효과적인, 통렬한: a ~ question 급소를 찌르는 질문 **6** (스포츠 팀의) 홈 그라운드(에서)의, 본고장의(opp. *away*); 활동 중심의: the ~ team 본고장 팀 / a ~ game 홈 경기, 홈 게임
—*ad.* **1 a** 자기 집에[으로, 에서]; 고향에[으로, 에서], 고국에[으로]: come ~ 내 집[본국]에 돌아오다 / send[write] ~ 고국에 보내다[편지를 쓰다] **b** (자택·자기 나라로) 돌아가[와]: be ~ from school 학교를 쉬다 / He is ~. 그는 집[고향]에 돌아왔다. **c** 《미》 집에 있어(《영》 at home): stay[be] ~ all day 온종일 집에 있다 **d** 〖야구〗 본루로 **2** 〈화살 등이〉 과녁에 맞아, (급소에 이르도록) 푹; 〈못 등을〉 깊이, 충분히; 철저히, 통렬히, 가슴에 사무치게, 핵심으로: He drove the nail ~. 그는 못을 깊이[단단히] 박았다. / The truth struck ~. 그 사실은 급소를 찔렀다. **3** 〖항해〗 해안쪽으로; 배 안쪽으로: haul an anchor ~ 닻을 끌어올리다 / The wind blows ~. 바람이 육지쪽으로 분다.
be **~ *free*** 〈사람 등이〉 (충분한 여유를 가지고) 잘될 것 같다; 단연 우세하다; 위험을 벗어나 있다 ***be on*** one***'s*** [***the***] ***way*** **~** 되돌아가는 길이다, 귀로에 있다 ***bring*** **~ *to*** a person …에게 간절히 호소하다, …을 확신시키다, …을 충분히 납득시키다, 〈죄과 등을〉 …에

---

fearing, godly, pious, piestic, devout, spiritual, virtuous, moral, saintly, saintlike, sinless
homage *n.* respect, devotion, honor, loyalty

게 절실히 자각시키다 ***bring*** one***self*** ***~*** (재정적으로) 다시 일어서다, 재산[지위]을 회복하다 ***come ~ to*** …이 절실히 느껴지다, 가슴에 사무치다 ***drive ... ~*** ⇨ drive. ***fall*** [***tumble***] ***~*** 〖항해〗 〈뱃전이〉 (상갑판 가까이에서) 안쪽으로 만곡(彎曲)하다 ***get ~*** (1) 귀착(歸着)하다 (2) 들어맞다, 적중하다; 목적을 달성하다, 성공하다 (3) (결승점 등에) 1착으로 도착하다 (4) 충분히 이해시키다 《*to*》 (5) 다시 일어서다 ***go ~*** (1) 귀가[귀국]하다 (2) 《구어》 죽다 (3) 급소를 깊이 찌르다; 가슴 깊이 호소하다 ***hit*** [***strike***] ***~*** 〈비평 등이〉 가슴[급소]을 찌르다 ***~ and dry*** 《영·구어》 목적을 이루어, 성공하여, 안전한 ***~ in one*** 단번[한 발]에 맞추어; 크게 성공하여 ***nothing to write ~ about*** 특별히 이렇다할 것이 못되는 것, 하찮은 것 ***see*** a person ***~*** …의 집까지 바래다 주다 ***There's nobody ~.*** 《미·구어》 아주 바보다.

— *vi.* **1** 집에 돌아오다(cf. HOMING): (~+전+명) ~ *to* one's town 귀성하다 **2** 〈비둘기 등이〉 둥지에 돌아오다 **3** …에 집[본거지]을 가지다[두다] **4** 〈미사일 등이〉 (자동 유도 장치로) 표적으로 향하다, 나아가다 《*in on*》: (~+전+명) The missile ~*d in on* the target. 미사일이 표적을 향해 나아가고 있었다.

— *vt.* **1** 집[고향, 본국]에 돌려 보내다 **2** …에게 집[안식처]을 주다(house) **3** 〈미사일 등을〉 자동 유도 장치로 추진시키다

home-, homoe- [hóumi, hámi | hóu-], **homeo-, homoeo-** [-miə, -miou] 《연결형》 「유사」의 뜻 《모음 앞에서는 hom(o)e-》

hóme affàirs 내정(內政), 내무(內務)

home-and-home [hóumənhóum] *a.* 〈경기 따위가〉 홈앤드홈 (방식)의 《경기를 서로 바꾸어 상대팀 본거지에서 개최하는 것; home-and-away라고도 함》

hóme automàtion 〖컴퓨터〗 가정 자동화 《略 HA》

hóme bánking 홈 뱅킹 《가정에서 단말기로 자기 계좌의 대체·지급·예금을 처리하는 방식》

hóme báse **1** = HOME PLATE **2** = HEADQUARTERS

home-beat [hóumbìːt] *n.* 《영》 (경찰관의) 자택 주변의 순찰[담당] 구역

home·bod·y [-bàdi | -bɔ̀di] *n.* (*pl.* **-bod·ies**) 《구어》 주로 집에 들어박힌 사람; 가정적인 사람

home-born [-bɔ́ːrn] *a.* 본국에서 난; 본토박이의 (native); 자국산의

home·bound[1] [-báund] *a.* 본국행[귀환]의, 귀항(歸航)의; 귀가 중인

home·bound[2] [-bàund] *a.* 집에 틀어박힌

home·boy [-bɔ̀i] *n.* 《미·속어》 동향[이웃] 사람; 동료; 불량 소년

home·bred [-bréd] *a.* 제집[나라]에서 자란; 국산의; 세상 모르는; 세련되지 않은, 촌스러운, 거친, 소박한: ~ cars 국산차 / ~ cooking 가정 요리

hóme bréw 자가 양조주[맥주 《등》]

home-brewed [-brúːd] *a.* 자가 양조의

home·build·er [-bìldər] *n.* 《미》 주택 건설 업자[회사]

home·build·ing [-bìldiŋ] *n.* 주택 건설

— *a.* 주택 건설의: the ~ industry 주택 산업

home·buy·er [-bàiər] *n.* 주택 구입자

hóme càre 자택 요양[치료]

home-care [-kὲər] *a.* 자택 간호[치료]의: a member of the hospital's ~ staff 병원의 재택 간호 의료진의 일원

hóme cènter 주택[건축] 자재점, 건재상

hóme cínema 《영》 홈 시네마 《극장식의 영상 및 음향 설비가 갖추어진 시스템》(《미》 home theater)

Hóme Círcuit 《영》 런던을 중심으로 한 순회(巡廻) 재판구(區)

home·com·ing [-kʌ̀miŋ] *n.* **1** Ⓤ 귀가, 귀성; 귀향; 귀국 **2** Ⓒ (대학·고교 등의 연 1회의 모교 방문) 동창회 — *a.* Ⓐ 귀향의; 《미》 동창회의 **hóme·còm·er** *n.*

hóme compúter 가정용 컴퓨터

hóme cóoking 가정 요리; 《미·속어》 즐거움

Hóme Cóunties [the ~] 런던 주변의 여러 주 《Essex, Kent, Surrey, 때로 East Sussex, West Sussex, Hertfordshire도 포함》

hóme-court advántage [-kɔ̀ːrt-] 《미·구어》 본거지에서 경기를 하는 경우의 이점

home-cured [-kjúərd] *a.* 〈베이컨 따위가〉 집에서 가공한

hóme diréctory 〖컴퓨터〗 홈 디렉터리 《콘텐츠 피일이 저장된 서비스 루트 디렉터리》

hóme éc 《구어》 = HOME ECONOMICS

hóme económics [단수 취급] 가정학; 가정과

hóme ecónomist 가정(家政)학자

hóme entertáinment 가정용 오락 기기 《라디오·텔레비전·비디오·카세트 플레이어·전자 오락 게임 등》

hóme fàrm 《영》 (대지주의) 자작 농장

home·felt [hóumfèlt] *a.* 《고어》 가슴에 사무치는

hóme fire 《영》 난로 불; [때로 *pl.*] 가정, 가정 생활

hóme fòlks 고향 사람들, 《특히》 일가 친척

hóme frìes 살짝 삶은 감자 조각을 버터[라드]로 튀긴 것(=**hóme fríed potàtoes**)

hóme frònt [the ~] (전시(戰時)의) 후방, 국내 전선; [집합적] 후방의 국민 **hóme-frònt** *a.*

home·girl [-gɔ̀ːrl] *n.* 《미·속어》 동향(同鄕)의 여성

hóme gróund [one's ~] 홈 그라운드 《팀 소재지의 경기장》, 근거지, 본거지; 잘 아는 분야[화제]

home·grown [-gróun] *a.* **1** 〈야채 등이〉 자택에서 가꾼; 본국산의, 토착의; 현지 소비용의: ~ tomatoes 집에서 가꾼 토마토 **2** 〈문학 작품 등이〉 지방색이 있는: ~ literature 지방색이 있는 문학

hóme guárd 《미》 지방 의용병; 《영》 [the H- G-; 집합적] 국방 시민군; 《미·속어》 한 직장에 오래 있는 사람

hóme héalth àide 《미》 재택 건강 보조원 《노인·병자·장애자를 집에서 돌보는 도우미》

hóme hélp 《영·뉴질》 가정부, 파출부 《환자·노인의 가정에 지방 자치체가 파견하는 여성》

hóme impróvement 주택 개조

hóme índustry 가내 공업; 국내 산업

home·keep·ing [-kìːpiŋ] *a.* 집 안에 틀어박히기를 좋아하는, 집 안에만 있는

hóme kèys (타자기 따위의) 홈키 《좌우 양손의 손가락을 얹어 놓는 키》

home·land [-læ̀nd, -lənd] *n.* **1** 본국, 조국, 고국 (native land) **2** (남아프리카 공화국의) 흑인 원주민 반투족의 자치구

Hómeland Secúrity 《미》 국토 안보: the Department of ~ (미국의) 국토안보부

∗**home·less** [hóumlis] *a.* **1** 집 없는; 기르는 사람이 없는: a ~ child 집 없는 아이 **2** [the ~] [집합적·복수 취급] 집 없는 사람들, 노숙자 **~·ly** *ad.* **~·ness** *n.*

home·like [hóumlàik] *a.* 제집 같은; 마음 편한; 가정적인; 소박한: a ~ meal 가정적인 식사 / a ~ atmosphere 가정적인 분위기 **~·ness** *n.*

hóme lòan 주택 자금 융자(mortgage)

∗**home·ly** [hóumli] *a.* (**-li·er**; **-li·est**) **1** 《영》 〈사람·분위기 등이〉 가정적인, 제집 같은(homelike); 검소한, 수수한(plain), 소박한: ~ food 검소한 음식 **2** 〈표현 등이〉 흔히 있는(familiar): a ~ phrase 누구나 알고 있는 문구 **3** 《미》 〈사람·얼굴이〉 못생긴, 매력없는 **hóme·li·ness** *n.*

‡**home·made** [hóumméid] *a.* **1** 집에서 만든, 손수 만든, 자가제의: ~ bread 집에서 만든 빵 **2** 국산의: a ~ car 국산 차 **3** 검소한

∗**home·mak·er** [hóummèikər] *n.* 《미》 가사[가정]를 꾸리는 사람, 주부(housewife), 가정부, 전업 남편 (househusband)

thesaurus **homely** *a.* **1** (분위기 등이) 가정적인 homelike, comfortable, cozy, snug **2** 수수한 plain,

home·mak·ing [-mèikiŋ] *n.* Ⓤ 가사; 가정 관리; 《미》 가정과《학과》 **—** *a.* 가사의
hóme míssion 국내 전도(傳道)
hóme míssionary 국내 전도사
hóme móvie 자가(自家) 제작 영화; 자신(들)을 영화화한 것
homeo- [hóumiou, -miə] 《연결형》 = HOME-
ho·me·o·box [hóumioubàks, -miə- | -bɔ̀ks] *n.* 〖생화학〗 호메오박스《초파리의 호메오틱 선택 유전자들(homeotic genes)에 공통적으로 존재하는 염기 배열》
Hóme Óffice [보통 the ~] 《영》 내무부; [**h- o-**] (회사의) 본사, 본점
ho·me·o·mor·phism [hòumiəmɔ́:rfizm] *n.* (결정(結晶)의) 유사형(類似型) **-mór·phic** *a.*
ho·me·o·path [hóumiəpæ̀θ], **ho·me·op·a·thist** [hòumiɑ́pəθist | -ɔ́p-] *n.* 동종[유사] 요법 의사
ho·me·o·path·ic [hòumiəpǽθik] *a.* 동종[유사] 요법의 **-i·cal·ly** *ad.*
ho·me·op·a·thy [hòumiɑ́pəθi | -ɔ́p-] *n.* Ⓤ 〖의학〗 동종[유사] 요법(同種療法)(opp. *allopathy*)
ho·me·o·sta·sis [hòumiəstéisis] *n.* Ⓤ 〖생리〗 항상성(恒常性)《신체 내부의 체온·화학적 성분 등이 평형을 유지 조절하는 일》 **-stat·ic** [-stǽtik] *a.*
ho·me·o·ther·a·py [hòumiəθérəpi] *n.* 〖의학〗 동종(同種)[유증(類症)] 요법《질병의 원인이 되는 것과 유사하지만 동일하지는 않은 물질에 의한 치료법》
ho·me·o·therm [hóumiəθə̀:rm] *n.* 〖생물〗 항온(恒溫) 동물, 온혈 동물
ho·me·ot·ic [hòumiɑ́tik | -ɔ́t-] *a.* 〖생화학〗 호메오 유전자의[에 관련된], 호메오틱한《돌연변이에 의거하여 정상 조직을 다른 정상 조직으로 변화시키는 유전자에 대해 이름》
home·own·er [hóumòunər] *n.* 자기 집을 가진 사람, 자택 소유자
hómeowner's pòlicy[insùrance] 〖보험〗 주택 소유자 종합 보험 (증권)
hóme pàge 〖컴퓨터〗 홈 페이지《인터넷의 월드 와이드 웹(World Wide Web) 서비스에 접속했을 때에 처음으로 나타나는 화면으로 흔히 책의 표지 또는 차례에 해당하는 내용으로 꾸며져 있음》
hóme pérmanent[pérm] 자택에서 하는 파마(용품)
home·place [hóumplèis] *n.* 출생지; 가정
hóme pláte 〖야구〗 본루, 홈 베이스(home base)
hóme pórt 모항(母港), (선박의) 소속항
home-port [-pɔ́:rt | -pɔ́:t] *vt.* (함선의) 모항을 설정하다
∗**hom·er** [hóumər] *n.* **1** 《구어》 〖야구〗 본루타, 홈런(home run) **2** 전서구(傳書鳩)(homing pigeon)
—*vi.* 《구어》 〖야구〗 홈런을 치다
Ho·mer [hóumər] *n.* 호메로스, 호머《고대 그리스의 서사 시인; *Iliad* 및 *Odyssey*의 작자라고 함》: (Even) ~ sometimes nods. 《속담》 명수도 때로는 실수가 있는 법. ▷ Homéric *a.*
hóme rànge 〖생태〗 (정주성(定住性) 동물의) 행동권(圈), 행동 범위
Ho·mer·ic [houmérik] *a.* **1** 호머(식)의, 호머시(풍)의: ~ verse 6보격(步格)의 시 **2** 웅대한, 당당한: ~ feats of exploration 탐험의 당당한 위업 **-i·cal·ly** *ad.*
Homéric láughter (거리낌없는) 큰웃음, 가가대소
‡**home·room, hóme ròom** [hóumrù(:)m] *n.* ⓊⒸ 〖교육〗 홈룸《학급 전원이 모이는 생활 지도 교실》; 홈룸 시간; [집합적] 홈룸의 학생 전원
hóme rúle **1** 지방[내정] 자치 **2** [**H- R-**] 《영》 아일랜드의 자치 (문제)
hóme rúler 지방 자치론자; [**H- R-**] 《영》 아일랜드 자치론자

simple, modest, unsophisticated, natural, ordinary, unaffected, unassuming, unpretentious

‡**hóme rún** 〖야구〗 홈런(homer), 본루타
home-run [-rʌ̀n] *a.* Ⓐ 홈런의: a ~ hitter 홈런 타자
home·school [-skù:l] *vt.*, *vi.* (정규 학교 대신) 자택에서 교육하다 **—***n.* 홈 스쿨《자택교육 기관》
~·er *n.* 자택에서 교육시키는 부모[교육받는 자녀]
home·school·ing [-skù:liŋ] *n.* 〖교육〗 홈 스쿨 교육, 자택 학습
hóme scrèen 《미·구어》 텔레비전
Hóme Sécretary [the ~] 《영》 내무 장관
hóme sèrver 〖컴퓨터〗 홈 서버《인터넷상의 Gopher에서, Gopher 프로그램을 가동할 수 있는 상태로 할 때 최초로 표시되는 서버》
hóme shòpping 홈 쇼핑 **hóme shòpper** *n.*
‡**home·sick** [hóumsìk] *a.* **향수병의,** 회향병의, 고향을 그리워하는, 향수의: feel ~ 향수병에 걸리다
~·ness *n.* Ⓤ 회향병, 향수병(nostalgia)
hóme sìgn 청각 장애인이 개인적으로 사용하는 수화(手話)
hóme sìgnal 〖철도〗 구내 신호기《역구내 진입 여부를 알림》
home·site [-sàit] *n.* 주택 용지, 택지
home·sit·ter [-sìtər] *n.* 빈 집 관리인[업자]
∗**home·spun** [hóumspʌ̀n] *a.* **손으로 짠;** 소박한, 세련되지 않은, 투박한, 수수한: ~ cloth 손으로 짠 천 / ~ clothing 손으로 짠 옷 / ~ humor 촌스러운 유머
—*n.* Ⓤ **홈스펀**《수직물 비슷한 올이 굵은 모직물》; 수직물(手織物); Ⓒ 《고어》 촌뜨기; 소박함
hóme stànd 〖야구〗 홈 구장에서의 일련의 시합
home·stay [-stèi] *n.* 《미》 홈스테이《외국 유학생이 체재국의 일반 가정에서 지내기》
∗**home·stead** [hóumstèd, -stid] *n.* **1 집과 대지,** 선조 대대의 집; (특히 부속 건물·농장이 있는) **농장**(farmstead) **2** 《미》 도시 정주(定住) 장려 정책에 따라 부여되는 주택; 《미·캐나다》 (이주자에게 주어지는) 자작 농장 **3** 〖법〗 주택
—*vt.* …에 이주하다, 정착[정주]하다
—*vi.* 이주하다, 정착[정주]하다; 자작 농장을 가지다
~·er *n.* 《미》 Homestead Act에 의한 정착민
Hómestead Àct [the ~] 〖미역사〗 자영 농지법, 공유지 불하법《서부 개척 시대에 개척 이주자들에게 공유지를 부여한 1862년의 연방법》
home·stead·ing [-stèdiŋ] *n.* Ⓤ 《미》 (도시의 황폐화를 막기 위한) 도시 정주(定住) 장려 (정책)
hómestead làw [the ~] 《미·캐나다》 **1** 가산 압류 면제법 **2** 공유지 불하법
hóme stráight 《영》 = HOMESTRETCH
home·stretch [-strétʃ] *n.* [보통 the ~] 《미》 **1** 최후의 직선 코스, 홈스트레치(cf. BACKSTRETCH) **2** (일 등의) 최종 단계[부분], 종반
hóme stúdy (통신 교육에서의) 자택 학습, 통신 교육; 《미》 (양부모로서의 적부를 알아보는) 가정 조사
home·style [-stàil] *a.* 《미》 〈음식이〉 가정 요리의, 가정적인
hóme téacher 《영》 재택 장애아 담당 교사
hóme tèrminal 〖컴퓨터〗 가정용 단말기
hóme théater 《미》 안방 극장; 〖컴퓨터〗 홈 시어터 시스템《가정용 영사 시스템》
hóme thrùst 〖펜싱〗 급소를 찌르기; 《비유》 아픈 데를 찔림
home·town [-táun] *n.* 자기가 태어난 읍[도시], 고향 **—***a.* Ⓐ 현재 살고 있는 도시의; 고향 마을의
~·er *n.* 그 고장 출신자; 출생지 거주자
hóme tráde 국내 거래[무역]
hóme trúth [종종 *pl.*] 괘씸한[불쾌한] 사실; 명백한 사실의 진술
hóme ùnit 《호주·뉴질》 (다가구 주택 내의) 한 가구[세대]
hóme vídeo **1** 가정용 비디오 테이프[디스크] (플레이어) **2** 가정에서 촬영한 비디오
∗**home·ward** [hóumwərd] *a.* **집으로 향하는,** 귀로

의; 본국으로 향하는: the ~ journey 귀로의 여행 — *ad.* 집으로 향하여; 본국으로
home·ward-bound [hóumwərdbàund] *a.* 본국행의[을 향하는], 귀항 중의(opp. *outward-bound*)
home·wards [hóumwərdz] *ad.* = HOMEWARD
‡**home·work** [hóumwə̀ːrk] *n.* Ⓤ **1** 숙제; 예습, 가정 학습 ★ 《미》에서 「숙제」의 뜻으로는 assignment가 많이 쓰임. **2** 가정에서 하는 일, 부업 **3** 《회의 등의》 사전 조사[준비] **4** 《미·속어》 키스, 포옹; 《속어》 연인 ***do*** one***'s*** **~** 《구어》 숙제를 하다; 미리 충분히 검토하다 **~·er** *n.*
homo·work·ing [hóumwə̀ːrkiŋ] *n.* 재택근무
hom·ey[1], **hom·y** [hóumi] *a.* (**hom·i·er**; **-i·est**) 《미·구어》 가정의, 가정다운, 가정적인; 마음 편한, 거리낌없는: a ~ inn 편한 숙소 **~·ness, hóm·i·ness** *n.*
homey[2] *n.* 《미·속어》 = HOMEBOY
*__hom·i·cide__ [hɑ́məsàid, hóum- | hɔ́m-] *n.* **1** Ⓤ 〖법〗 살인(죄); 살인 행위; Ⓒ 살인자, 살인범(cf. MURDER) **2** 《미·구어》 (경찰의) 강력계
hòm·i·cí·dal *a.* 살인(범)의
hom·i·let·ic, -i·cal [hɑ̀məlétik(əl) | hɔ̀m-] *a.* 설교(술)의; 설교[훈계]적인 **-i·cal·ly** *ad.*
hom·i·let·ics [hɑ̀məlétiks | hɔ̀m-] *n. pl.* [단수 취급] 설교법, 설교술; 설교학
ho·mil·i·ar·y [hɑmílièri | hɔmíliəri] *n.* (*pl.* **-ar·ies**) 설교집
hom·i·list [hɑ́məlist | hɔ́m-] *n.* 설교사
hom·i·ly [hɑ́məli | hɔ́m-] *n.* (*pl.* **-lies**) 설교; 훈계
homin- [hɑ́mən | hɔ́m-], **homini-** [-məni, -nə] 《연결형》 「사람, 인간」의 뜻
hom·ing [hóumiŋ] *a.* **1** Ⓐ 집으로 돌아가는; 귀소[회귀]성을 가진, 귀환의: the ~ instinct 귀소[회귀] 본능 **2** (미사일 등의) 자동 유도[추적]의: a ~ torpedo 자동 추적 어뢰 — *n.* Ⓤ 집으로 돌아감, 귀환; (새의) 귀소 본능; (미사일 등의) 자동 추적
hóming devìce (유도탄의) 자동 유도[지향] 장치
hóming guìdance 자동 유도(법)
hóming pìgeon 전서구(傳書鳩)
hom·i·nid [hɑ́mənid | hɔ́m-] *n., a.* 〖인류〗 사람과(科)의 동물(의) 《현대 인간과 모든 원시 인류》
hom·i·nine [hɑ́mənàin | hɔ́m-] *a.* 인간과 흡사한, 인간의 특징을 가진
hom·i·ni·za·tion [hɑ̀mənizéiʃən | hɔ̀minaiz-] *n.* 사람화(化) 《사람으로서 진화하기》
hom·i·nize [hɑ́mənàiz | hɔ́m-] *vt.* 〈토지·환경을〉 진화하는 인류에 알맞게 바꾸다; 〈사람의〉 진화를 추진하다 **-nìzed** [-d] *a.* 진화해서 사람이 된
hom·i·noid [hɑ́mənɔ̀id | hɔ́m-] *a., n.* 사람[인류] 비슷한 (동물)
hom·i·ny [hɑ́məni | hɔ́m-] *n.* Ⓤ 《미》 잿물에 담가 껍질을 제거한 옥수수; 굵게 간 옥수수
hóminy grìts 《미》 곱게 간 옥수수(grits)
homme [ɔːm] [F] *n.* 사람; 남자(man)
homme d'af·faires [ɔm-dafɛːr] [F] 실업가(實業家), 비즈니스맨
homme d'es·prit [-desprí] [F] 재치가 넘치는 사람; 기지(機知)가 풍부한 사람
homme du monde [ɔm-dy-mɔ̃ːd] [F] 세상 물정에 밝은 사람(man of the world), 세련된 사람
ho·mo [hóumou] *n.* (*pl.* **~s**), *a.* 《속어》 = HOMOSEXUAL
Ho·mo [hóumou] [L] *n.* **1** 〖동물〗 사람속(屬) **2** [때로 **h~**] 《구어》 사람, 인간
homo- [hóumou, -mə, hɑ́m- | hóum-, hɔ́m-] 《연결형》 = HOM-
ho·mo·cen·tric [hòuməséntrik, hɑ̀m- | hòum-, hɔ̀m-] *a.* 같은 중심을 가진, 공심(共心)의
ho·mo·cer·cal [hòuməsə́ːrkəl, hɑ̀m- | hòum-, hɔ̀m-] *a.* 〖어류〗 꼬리 상하 두 쪽이 같은 모양의, 등미(等尾)의
ho·mo·chro·mat·ic [hòumoukroumǽtik], **-chro·mous** [-króuməs] *a.* 단색의
ho·moe·op·a·thy [hòumiɑ́pəθi | -ɔ́p-] *n.* = HOMEOPATHY
Hómo e·réc·tus [-iréktəs] [L] *n.* 〖인류〗 직립원인(猿人), 호모 에렉투스
ho·mo·e·rot·ic [hòumouirɑ́tik | -rɔ́t-] *a.* 동성애의(homosexual)
ho·mo·e·rot·i·cism [hòumouirɑ́təsìzm | -rɔ́t-], **-er·o·tism** [-érətìzm] *n.* 동성애
ho·mo·ga·met·ic [hòumougəmétik] *a.* 〖유전〗 동형(同形) 배우자성(性)의
ho·mog·a·my [houmɑ́gəmi | hɔmɔ́g-] *n.* Ⓤ 〖생물〗 동형 배우자 생식, 동형 교배(opp. *heterogamy*); 암수 동숙 **ho·móg·a·mous** *a.*
ho·mog·e·nate [həmɑ́dʒənèit, -nət, hou- | hɔmɔ́dʒ-] *n.* 호모제네이트, 균질 현탁액(懸濁液)
ho·mo·ge·ne·i·ty [hòumədʒəníːəti, hɑ̀m- | hɔ̀m-, hòum-] *n.* Ⓤ 동종(同種), 동질(성), 균질(성); 〖수학〗 동차성(同次性)
ho·mo·ge·ne·ous [hòumədʒíːniəs, hɑ̀m- | hɔ̀m-, hòum-] *a.* 동종[질, 성]의, 등[균]질의, 균등질(均等質)의; 〖수학〗 동차(同次)의; 단색의: a ~ equation 동차 방정식 / a ~ population 동족으로 구성된 인구 / a ~ nation 단일 민족 국가 **~·ly** *ad.* **~·ness** *n.*
ho·mo·gen·e·sis [hòumoudʒénəsis] *n.* Ⓤ 〖생물〗 순일(純一)발생, 단순 발생(opp. *heterogenesis*) **-ge·nét·ic** *a.*
ho·mog·e·nize [həmɑ́dʒənàiz, hou- | hɔmɔ́dʒ-, hə-] *vt.* 균질[동질]이 되게 하다, 균질화하다; 통일하다: ~*d* milk 균질 우유 / ~ school systems 학교 제도를 통일하다 **ho·mòg·e·ni·zá·tion** *n.* **-nìz·er** *n.*
ho·mog·e·nous [həmɑ́dʒənəs, hou- | hɔmɔ́dʒ-] *a.* **1** 〖생물〗 역사적 상동(相同)의 **2** 균질의, 동질의
ho·mog·e·ny [həmɑ́dʒəni, hou- | hɔmɔ́dʒ-] *n.* 〖생물〗 (발생·구조의) 상동성(相同性)
ho·mo·graft [hóuməgræ̀ft | hɔ́məgrɑ̀ːft] *n.* 동종 이식편(移植片)
hom·o·graph [hɑ́məgræ̀f, -grɑ̀ːf, hóum- | hɔ́məgrɑ̀ːf, -græ̀f] *n.* 〖언어〗 동형 이의어(異義語) 《seal 「바다표범」과 seal 「인장」 등》 **hòm·o·gráph·ic** *a.*
ho·mog·ra·phy [hɑmɑ́grəfi, hou- | hɔmɔ́g-] *n.* Ⓤ **1** 일자 일음주의(一字一音主義)의 철자법 **2** 〖수학〗 = HOMOLOGY
Hómo háb·i·lis [-hǽbələs] [L] 〖인류〗 호모 하빌리스 《최초로 도구를 만든 것으로 보이는 약 200만년 전의 화석 인류》
homoio- [houmɔ́iou, -mɔ́iə] 《연결형》 HOMEO-의 변형
ho·moi·o·ther·mal [houmɔ̀iəθə́ːrməl] *a.* 정온(定溫)[항온(恒溫)]의, 온혈의
ho·moi·ou·si·an [hòumɔiúːsiən, -áus-] *n.* 〖신학〗 부자 유체질론자(父子類體質論者) 《예수와 하나님은 비슷하지만 본질적으로는 같지 않다고 함》
ho·mo·lec·i·thal [hòumələ́səθəl] *a.* 〖발생〗 〈난(卵)이〉 등황(等黃)의 《난내(卵內)의 난황이 거의 균등하게 분포되어 있는 상태를 가리킴》
ho·mo·log [hóumələ̀ːg, -lɑ̀g, hɑ́m- | hɔ́mələ̀g] *n.* = HOMOLOGUE
ho·mol·o·gate [həmɑ́ləgèit, hou- | hɔmɔ́l-] *vt.* 〖법〗 승인하다(acknowledge); 확신[재가]하다 — *vi.* 일치[합의]하다(agree) **ho·mòl·o·gá·tion** *n.*
ho·mo·log·i·cal [hòuməlɑ́dʒikəl, hɑ̀m- | hɔ̀m-, hòum-] *a.* = HOMOLOGOUS **~·ly** *ad.*
ho·mol·o·gize [həmɑ́lədʒàiz, hou- | hɔmɔ́l-]

thesaurus **homicide** *n.* murder, manslaughter, killing, slaying, assassination
honest *a.* **1** 정직한 true, trustworthy, truthful, upright, honorable, moral, ethical, righteous,

vt. 상응[일치]하다[시키다]; …의 상동[동족] 관계를 나타내다 **—** *vi.* 상응[일치]하다 **-gìz·er** *n.*

ho·mol·o·gous [həmɑ́ləgəs, hou-|hɔmɔ́l-] *a.* 〈성질·위치·구조 등이〉 일치[상응]하는; 〖수학〗 상사(相似)의; 〖화학〗 동족의; 〖생물〗 상동(相同)(기관)의, 이형 동원(異形同源)의(cf. ANALOGOUS)

homólogous chrómosomes 〖생물〗 상동(相同) 염색체

hom·o·lo·graph·ic [hɑ̀mələgrǽfik|hɔ̀m-] *a.* 같은 비율로 각 부분을 나타내는

ho·mo·logue, -log [hóuməlɔ̀:g, -lɑ̀g, hɑ́m-|hɔ́məlɔ̀g] *n.* 상동하는 것; 〖생물〗 상동 기관 《등》; 〖화학〗 동족체

ho·mol·o·gy [həmɑ́lədʒi, hou-|hɔmɔ́l-] *n.* (*pl.* **-gies**) ⓤⓒ 상동[일치] 관계(cf. ANALOGY); 〖생물〗 (이종(異種)의 부분·기관의) 상동; 〖화학〗 동족 관계; 〖수학〗 상사(相似)

ho·mól·o·sine projèction [həmɑ́ləsin-, -sàin-, hou-|hɔmɔ́ləsàin-] 〖지도〗 호몰로신 도법(圖法), 상동 투영도법

homo lu·dens [-lú:dənz, -denz] 〖인류〗 유희인(遊戲人), 호모 루덴스

ho·mo·mor·phism [hòuməmɔ́:rfizm, hɑ̀m-|hɔ̀m-, hòum-] *n.* ⓤ **1** 〖생물〗 이체 동형(異體同形) **2** 〖식물〗 동형 완전화(花)를 가짐 **3** 〖동물〗 불완전 변태 **4** 〖수학〗 준동형(準同形) **-phic** *a.* 〖수학〗 준동형의; 〖생물〗 이체 동형의

ho·mo·mor·phy [hóuməmɔ̀:rfi, hɑ́m-|hóum-, hɔ́m-] *n.* =HOMOMORPHISM

hom·o·nym [hɑ́mənìm|hɔ́m-] *n.* **1** 동음 이의어(同音異義語)《pail 「통」과 pale 「말뚝」과 pale 「창백한」 등》; 동형 이의어 《pole 「장대」와 pole 「극」 등》(cf. SYNONYM) **2** 동명 이물[이인] **hòm·o·ným·ic** *a.* 동음 이의어의; 동명의

ho·mon·y·mous [həmɑ́nəməs, hou-|hɔmɔ́n-] *a.* 동음[형] 이의어의; 동명(同名)의 **~·ly** *ad.*

ho·mon·y·my [həmɑ́nəmi, hou-|hɔmɔ́n-] *n.* ⓤ 동음[형] 이의, 동명 이물(同名異物)[이인(異人)]

ho·mo·ou·si·an [hòumouú:siən, -áus-, hɑ̀m-|hòum-, hɔ̀m-] 〖신학〗 *n.* 부자 동체질론자(父子同體質論者) 《예수와 하나님은 동체라는》 **—** *a.* 동체질론(자)의

ho·mo·phile [hóuməfàil] *n.* 동성애자(homosexual) **—** *a.* 동성애를 옹호하는: a ~ activist organization 동성애자 활동가 연맹

ho·mo·phobe [hóuməfòub] *n.* 동성애(자) 혐오자, 동성애를 무서워하는 사람

ho·mo·pho·bi·a [hòuməfóubiə] *n.* ⓤ 동성애 공포[혐오] **-phó·bic** *a.*

hom·o·phone [hɑ́məfòun, hóum-|hɔ́m-] *n.* 동음이자(異字) 《c [s]와 s, 또는 c [k]와 k》; =HOMONYM 1; 이형 동음 이의어(異形同音異義語) 《right와 write와 wright 등》 ▷ homóphonous *a.*

hom·o·phon·ic [hɑ̀məfɑ́nik, hòum-|hɔ̀məfɔ́n-] *a.* 동음의; 동음 이어의; 〖음악〗 단성(單聲)[단선율]의, 제창의; 호모포니의 **-i·cal·ly** *ad.*

ho·moph·o·nous [həmɑ́fənəs, hou-|hɔmɔ́f-] *a.* 발음이 같은, 동음의

ho·moph·o·ny [həmɑ́fəni, hou-|hɔmɔ́f-] *n.* ⓤ 동음(성); 〖음악〗 제창; 호모포니, 단음(單音)[단선율]적 가곡(cf. POLYPHONY)

ho·mo·plas·tic [hòuməplǽstik, hɑ̀m-|hòum-] *a.* 〖생물〗 성인 상동(成因相同)의; 동종이식(同種移植)의

ho·mop·la·sy [həmɑ́pləsi, hóuməplæ̀si, -plèi-, hɑ́mə-|hóuməplèisi, hɔ́m-] *n.* 〖생물〗 성인적 상동(成因的相同) 《배(胚)의 같은 발생 능력 있는 부분이 같은 환경 아래서 같은 형태·구조가 생기는 일》

ho·mo·ploid [hóuməplɔ̀id, hɑ́m-|hóum-, hɔ́m-] *a.* 〖유전〗 동배수성(同倍數性)의, 정(正)배수성의

ho·mo·po·lar [hòuməpóulər, hɑ̀m-|hòum-, hɔ̀m-] *a.* 〖화학〗 동극(同極)의

ho·mop·ter·an [həmɑ́ptərən, hou-|hɔmɔ́p-] *a.*, *n.* 〖곤충〗 동시류(同翅類)(의)

ho·mop·ter·ous [həmɑ́ptərəs, hou-|houmɔ́p-] *a.* 〖동물〗 동시류(同翅類)의

hómo sàp 《익살·완곡》 사람; 바보, 얼간이

Hómo sá·pi·ens [-séipiənz|-sǽpiènz] [L=wise man] 〖인류〗 사람 《현세인》; 인류

Hómo sápiens sápiens 〖인류〗 호모 사피엔스 사피엔스, 신인(新人) 《후기 구석기 시대 이후 현대에 이르는 단계의 인류》

ho·mo·sex [hóuməsèks] *n.* ⓤ 동성애

ho·mo·sex·u·al [hòuməsékʃuəl] *a.*, *n.* 동성애를 하는 (사람): ~ tendencies 동성애의 경향 **~·ist** *n.*

ho·mo·sex·u·al·i·ty [hòuməsèkʃuǽləti] *n.* ⓤ 동성애(cf. LESBIANISM); 동성애적 행위

ho·mo·so·cial [hòuməsóuʃəl] *a.* 동성(同性)끼리만 사회적 관계를 맺는, 남성끼리만 교제하는

ho·mo·sphere [hóuməsfìər, hɑ́m-|hɔ́m-, hóum-] *n.* [the ~] 〖기상〗 (대기의) 동질권(同質圈) 《지상 90 km까지》

ho·mos·po·rous [həmɑ́spərəs, hou-, hòuməspɔ́:rəs|hɔmɔ́spərəs, hòuməspɔ́:rəs] *a.* 〖식물〗 동형 포자의

ho·mo·tax·is [hòumətǽksis, hɑ̀m-|hòum-, hɔ̀m-] *n.* 〖지질〗 (시대가 다른 화석·지층 사이의) 유사 배열(類似配列)

ho·mo·thal·lic [hòuməθǽlik, hɑ̀m-|hòum-, hɔ̀m-] *a.* 〖균류〗 동주성(同株性)의 **-lism** *n.*

ho·mo·thet·ic [hòuməθétik, hɑ̀m-|hòum-, hɔ́m-] *a.* 〖기하〗 상사(相似)(확대)의

ho·moth·e·ty [həmɑ́θəti, hou-|hɔmɔ́θ-] *n.*

ho·mot·o·py [həmɑ́təpi, hou-|hɔmɔ́t-] *n.* 〖수학〗 호모토피, 동위(同位)

ho·mo·trans·plant [hòumoutrǽnsplænt|-plɑ:nt] *n.* =ALLOGRAFT

ho·mo·type [hóumoutàip|hɔ́m-] *n.* 〖생물〗 상동기관(相同器官)(homologue)

ho·mo·zy·go·sis [hòuməzaigóusis, -zi-] *n.* 〖생물〗 동형(접합)

ho·mo·zy·gote [hòuməzáigout] *n.* 〖생물〗 동질[호모] 접합체 **-zy·gous** [-záigəs] *a.*

ho·mun·cule [houmʌ́ŋkju:l] *n.* 난쟁이

ho·mun·cu·lus [həmʌ́ŋkjuləs, hou-|hɔ-] *n.* (*pl.* **-li** [-lài]) **1** 난쟁이(dwarf); (연금술사가 만든) 소인(小人) **2** 해부 실험용 인체 모형 **-cu·lar** *a.*

hom·y [hóumi] *a.* (**hom·i·er**; **-i·est**) 《속어》 =HOMEY[1]

hon [hʌn] [*hon*ey] *n.* 《구어》 =HONEY 3

hon. honor; honorable; honorably; honorary

Hon. Honduras; Honorable; Honorary

hon·cho [hɑ́ntʃou|hɔ́n-] 《미·속어》 *n.* (*pl.* **~s** [-z]) 책임자, 지도자; 유력자, 거물 **—** *vt.* 지휘하다, …의 책임자가 되다

Hond. Honduras

Hon·du·ras [hɑnd*j*úərəs|hɔndjúər-] *n.* 온두라스 《중앙 아메리카의 공화국; 수도 Tegucigalpa; 略 Hond.》 **-ran** [-rən] *a.*, *n.* 온두라스의 (사람)

hone[1] [houn] *n.* 숫돌 **—** *vt.* 숫돌로 갈다; 〈감각·기술 등을〉 연마하다: ~ one's skill 기량을 연마하다

hone[2] *vi.* 《방언》 동경[열망]하다; 불평하다

‡**hon·est** [ɑ́nist|ɔ́n-] *a.*, *ad.*, *n.*

L 「명예(honor)」의 뜻에서
→(훌륭한) ─┬→(사람이) 「정직한」 **1**
　　　　　　└→(언행이) 「거짓 없는」 **2**

virtuous, decent, reliable, faithful **2 솔직한** frank, candid, direct, outspoken, straightforward, blunt **3 공정한** fair, just, impartial, objective, balanced, unprejudiced, unbiased

— *a.* **1 정직한**, 숨김없는, 공정한, 곧은, 올바른(upright); 성실한(sincere); 믿음직한: an ~ man 곧은 사람 / ~ dealings 공정한 거래

유의어 **honest** 진실·공정·솔직한: be *honest* in business dealings 상거래에 정직하다 **upright** 도덕적인 행동 기준에 따르고 있는: a stern and *upright* minister 엄하고 곧은 성직자 **conscientious** 도덕 개념에 의거하여 행동하고, 양심에 따르려고 적극적인 노력을 하는: a *conscientious* judge 양심적인 재판관

2 〈언행 등이〉 **거짓 없는**, 솔직한; 〈이득 등이〉 정당한; 섞인 것 없는, 순수한: an ~ opinion 솔직한 의견 / earn an ~ living 정당하게 돈을 벌다 / ~ goods [commodities] 정품 / ~ wool 순모 / She was ~ about it. 그녀는 그 일에 대해 거짓없이 얘기했다. **3** 《고어》 평판이 좋은, 훌륭한, 존경할 만한; 정숙한(chaste): an ~ name 명성, 좋은 평판 **4** 《주로 영》 기특한 《손아랫 사람에게 씀》
be ~ with …에게 정직하게 터놓다; …와 떳떳하게 사귀다 ***earn* [*turn*] *an ~ penny*** [《미》 ***dollar***] 정당하게 벌다 ***~ to God* [*goodness*]** 《구어》 정말로, 진짜로, 참으로, 절대로 ***make an ~ woman of*** 《익살》 〈관계한 여자를〉 정식 아내로 삼다 ***to be ~*** (***with you***) [문두에 써서] (당신에게) 정직하게 말하면 ***to be quite ~ about it*** 정직하게 말해서
— *ad.* 《구어》 정말로, 참말로, 틀림없이: I didn't do it, ~. 나는 안 했어, 정말이야.
— *n.* 《구어》 정직한 사람
▷ hónesty *n.*; hónestly *ad.*

Hónest Ábe Abraham Lincoln의 애칭

hónest bróker 《구어》 (국제 분쟁·기업간의 분쟁의) 공정한 중재인

hónest ínjun[**Ínjun**] *ad.* 《구어》 정말로, 틀림없이; [감탄사적으로] 정말인가, 거짓말 아니지 《다소 무례하게》

Hónest Jóhn 1 《미》 지대지(地對地) 로켓포(砲) **2** 《구어》 정직한 사람

‡**hon·est·ly** [ɑ́nistli | ɔ́n-] *ad.* **1 정직하게**, 솔직하게; 정직하게 일해서, 정당하게; 성실하게: I got the money ~. 그 돈은 내가 정당하게 번 것이다. **2** [보통 문두에 놓아 문 전체를 수식하여] 솔직히 말해서, 정말로: *H*~, I cannot trust him. 솔직히 말하자면, 그는 믿을 수가 없다. ***come by ...*** ~ 《구어》 〈성격 등을〉 부모로부터 이어받다

hon·est-to-God [ɑ́nisttəgɑ́d | ɔ́nisttəgɔ́d], **-good·ness** [-gúdnis] *a.* 《구어》 진짜의, 정말의; 순수한, 섞인 것이 없는 — *ad.* 정말로, 진짜로

‡**hon·es·ty** [ɑ́nisti | ɔ́n-] *n.* (*pl.* **-ties**) Ⓤ **1 정직**, 성실; 공평, 공정: a man of ~ 정직한 사람 / *H*~ is the best policy. 《격언》 정직은 최선의 방책. **2** 《고어》 정절(貞節), 정조(chastity) **3** Ⓒ 《식물》 루나리아
~ of purpose 목적의 공명정대함 ***in all ~*** 정직[솔직]하게 말해, 실은, 실인즉
▷ hónest *a.*

‡**hon·ey** [hʌ́ni] *n.* (*pl.* **~s**) **1** Ⓤ (벌)꿀 **2** Ⓤ 화밀(花蜜), 당밀(糖蜜); ⓊⒸ (꿀처럼) 단 것: the ~ of flattery 달콤한 아첨 **3** [호칭으로] 귀여운 사람[여자], 연인; 여보, 당신 ★ 애칭으로서 honey는 darling, angel, sweetie, pumpkin보다 일반적인 말. **4** 《미·구어》 멋진[훌륭한] 것[사람], 최고급품: a ~ of a dress 아주 멋진 드레스
(***as***) ***sweet as ~*** 벌꿀처럼 달콤한 ***my ~*** 귀여운 사람, 여보, 당신, 아가야(darling) ★ 보통 아내·남편·애인·자녀에 대한 호칭.
— *a.* Ⓐ (**hon·i·er**; **-i·est**) 벌꿀의, 벌꿀을 넣은; 꿀의; (꿀처럼) 달콤한, 감미로운; 벌꿀색의: ~ cake 벌꿀을 넣은 케이크
— *v.* (**~ed, hon·ied**) *vt.* **1** 벌꿀로 달게 하다 **2** 달콤한 말을 하다 《*up*》
— *vi.* 《구어》 아양떨다 《*up*》 **~·lìke** *a.*

hóney bàdger 《동물》 = RATEL

hóney bàrge 《미해군》 쓰레기 운반용 대형 평저선(平底船)

hóney bèar = KINKAJOU; = SLOTH BEAR

hon·ey·bee [hʌ́nibìː] *n.* 꿀벌

hóney bùcket 《미·속어》 똥통 《야외 화장실에 설치한 변기통》

hon·ey·bunch [-bʌ̀ntʃ], **-bun** [-bʌ̀n] *n.* 《미·구어》 애인, 연인, 귀여운 사람 《사랑하는 사이의 호칭》

hóney bùzzard 《조류》 (꿀벌 유충을 먹는) 벌매

***hon·ey·comb** [hʌ́nikòum] *n.* **1** (꿀)**벌집** **2** (요리용의) 벌집의 일부 **3** 벌집 모양의 것 **4** 봉소위(蜂巢胃), 벌집위(reticulum)(= **~ stòmach**) 《반추 동물의 둘째 위》 **5** 벌집 (무늬) 짜기, 벌집 무늬 의류
— *a.* 벌집의; 벌집 모양의: a ~ coil 《전기》 벌집 코일
— *vt.* **1** (벌집처럼) 구멍투성이로 만들다, 벌집 무늬로 하다 **2** 〈물건·장소에〉 침투하다, 위태롭게 하다(undermine)

hon·ey·combed [-kòumd] *a.* 벌집 모양의; Ⓟ 벌집 모양이 된, 구멍투성이가 된 《*with*》: a city ~ *with* subways 지하철이 사통팔달한 도시

hóneycomb trípe 벌집위(胃) 《소·양 따위의 두번째 위 내벽의 일부》

hon·ey·creep·er [-krìːpər] *n.* 《조류》 꿀먹이새 《꿀을 먹는 연작류(燕雀類)의 새》

hon·ey·dew [-djùː | -djùː] *n.* Ⓤ **1** (잎·줄기에서 나오는) 단물; (진디 등이 분비하는) 꿀 **2** 《시어》 감로(甘露) **3** 감로 담배 《당밀을 넣은》 **4** = HONEYDEW MELON

hóneydew mèlon 감로멜론 《muskmelon의 일종》

hóney èater 《조류》 꿀빨이새 《남태평양산(産)》

hon·eyed, hon·ied [hʌ́nid] *a.* **1** 꿀이 있는[많은]; 꿀로 달게 한; 달콤한 **2** 입에 발린, 비위 맞추는: ~ words 입에 발린 말들 **3** 〈목소리가〉 아름다운: ~ tones 아름다운 음색 **~·ly** *ad.*

hóney gìlding 벌꿀 금피복법(金被覆法) 《금박과 벌꿀의 혼합물을 도자기의 겉에 씌우는 금박법》

hóney guìde 《조류》 꿀잡이새 《동작이나 울음 소리로 벌꿀이 있는 곳을 알림》

hóney lòcust 《식물》 수엽나무 무리 《북미산(産)》

hóney mesquìte 가시가 있는 콩과(科)의 관목

***hon·ey·moon** [hʌ́nimùːn] [감미롭고 행복한 신혼기를 보름달에 비유하여, 곧 이지러져 감을 암시한 익살스러운 조어(造語)] *n.* **1 신혼 여행**[휴가], 허니문: a ~ resort 신혼 여행지 **2 신혼 후 첫 한 달, 밀월** **3** 밀월 같은 기간, 더없이 행복한 기간; 최초의 친밀한 기간, 밀월 기간[시대]: the ~ between Congress and the new President 의회와 새 대통령과의 밀월 기간
— *vi.* 신혼 여행을 하다, 신혼 휴가를 보내다 《*at, in*》
~·er *n.*

hóneymoon brídge 《카드》 둘이서 하는 브리지

hóneymoon pèriod 《미》 (대통령 취임 후 약 3개월간의 호의를 받는) 밀월 기간

hon·ey·mouthed [-máuðd] *a.* 말을 잘 꾸며대는, 달콤한 말을 잘하는

hóney plànt 양봉 식물 《꿀벌에 꿀을 제공하는 식물》

hon·ey·pot [-pɑ̀t | -pɔ̀t] *n.* **1** 꿀단지 **2** 매력 있는 것[사람] **3** 《비어》 (여성의) 성기

hóney sàc[**stòmach**] (꿀벌의) 꿀주머니

hon·ey·suck·er [-sʌ̀kər] *n.* = HONEY EATER

hon·ey·suck·le [-sʌ̀kl] *n.* 《식물》 인동덩굴

hon·ey-sweet [-swíːt] *a.* 꿀같이 단: a ~ voice 감미로운 목소리

hon·ey-tongued [-tʌ́ŋd] *a.* 말 잘하는; 능변의

hon·ey-trap [-træ̀p] *n.* 《미·구어》 미인계(美人計)

thesaurus **honor** *n.* **1** 명예 esteem, fame, renown, glory, prestige, notability **2** 신의 honesty, uprightness, integrity, ethics, morals, virtue, goodness, decency, reliability, fidelity

hóney wàgon (익살·고어) **1** 분뇨 운반차; 이동식 야외 변소 **2** 비료 살포기 **3** 맥주 배달 트럭

hong [háŋ | hɔ́ŋ] 〔Chin. 「行」(row)에서〕 *n.* (중국의) 상관(商館), …양행(洋行); 외국 상사

hon·gi [háŋi | hɔ́ŋi] *n.* 《뉴질》 (마오리족의) 코를 맞대고 하는 인사

*__Hong Kong, Hong·kong__ [háŋ-kàŋ, ㅅㅅ | hɔ̀ŋ-kɔ́ŋ] *n.* 홍콩(香港) 《중국 남부에 위치; 영국 식민지를 거치고 1997년 7월 1일에 중국에 반환》
~·er, ~·ite [-ait] *n.* 홍콩 주민[사람]

Hóng Kòng dóg (속어) 설사

hon·ied [hʌ́nid] *a.* = HONEYED

honk [háŋk, hɔ́:ŋk | hɔ́ŋk] 〔의성어〕 *n.* 기러기의 울음 소리; (자동차의) 나팔식 경적 소리; 술 마시고 떠드는 일; 《영·속어》 악취, 냄새나는 사람[동물]; 《속어》 토하기 **—** *vi.* 〈기러기가〉 울다; 경적을 울리다; 지나치게 술을 마시다; 《영·속어》 구린내가 나다; 토하다 **—** *vt.* 〈경적을〉 울리다

honked [háŋkt, hɔ́:ŋkt | hɔ́ŋkt] *a.* 《속어》 술에 취한; 안절부절못하는, 들뜬

honk·er [háŋkər, hɔ́:ŋ- | hɔ́ŋ-] *n.* **1** (자동차의) 경적; 경적을 울리는 것; (자동차 경주에서) 아주 빠른 차 **2** 기러기(goose) **3** (구어) 괴짜

hon·ky, -kie [háŋki, hɔ́:ŋ- | hɔ́ŋ-] *n.* (*pl.* **-kies**) 《미·속어》 백인 ★ 흑인이 경멸적으로 씀.

honk·y-tonk [háŋkitàŋk, hɔ́:ŋkitɔ̀:ŋk | hɔ́ŋkitɔ̀ŋk] *n.* 《미·속어》 저급한 카바레[술집]; 저급한 흥행물; 사기 흥행사; 〖재즈〗 홍키통크(조의 음악)
— *a.* 싸구려 술집의; 〖재즈〗 홍키통크조(調)의 《래그타임에 의한 피아노 연주》

‡**Hon·o·lu·lu** [hànəlú:lu: | hɔ̀n-] *n.* 호놀룰루 《미국 Hawaii주의 주도》

‡**hon·or | hon·our** [ánər | ɔ́n-] *n., v., a.*

> L 「명성, 아름다움」의 뜻에서
> 「명예」 **1** → 「명예가 되는 것」 **2**
> ┌(명예를 존중하는 마음) → 「신의」 **3 a**
> └(명예를 높이는 마음) → 「경의」 **3 b**

— *n.* **1 a** Ⓤ 명예, 영예: earn a position of ~ 명예로운 지위를 획득하다 **b** [종종 an ~, the ~] 영광, 광영, 특권: (~+*to* do) (~+전+*-ing*) They had *the* ~ *to* perform[*of* performing] the play before the king. 그들은 왕 앞에서 공연할 영광을 차지했다. **c** Ⓤ 면목, 체면: preserve one's ~ 체면을 유지하다 **2** [보통 an ~] 명예가 되는 것[사람] 《*to*》: He is *an* ~ *to* the school. 그는 학교의 명예이다. **3 a** Ⓤ 신의, 신용; 도의심, 자존심: a man of ~ 신의를 존중하는 사람 **b** Ⓤ 경의, 존경: a memorial in ~ of the dead 전사자[사망자]를 위한 위령비 / be held in ~ 존경받다 / pay[give] ~ to …에게 경의를 표하다 **4** 명예상, 훈장; [*pl.*] 서위(敍位), 서훈(敍勳); [*pl.*] 의례: funeral ~*s* 장의(葬儀) / military ~*s* 군(장)의례 / win ~*s* 훈장을 받다 **5** Ⓤ 높은 지위, 고관; [His H~, Your H~] 각하 《(영) 주로 지방 판사, (미) 재판관에 대한 경칭》 **6** [*pl.*] 우등; 〖경기〗 포상: graduate with ~*s* from college 대학을 우등으로 졸업하다 **7** (문어) (여성의) 정절, 순결: lose one's ~ 순결을 잃다 **8** [*pl.*] 〖카드〗 최고의 패(=~ **càrd**) 《이를테면 bridge의 ace, king, queen, jack, ten의 5매》 **9** 〖골프〗 제일 먼저 치기: It is my ~. 내가 선번(先番)이군.

be*[*feel*] *~ bound to* do** 명예를 위하여 꼭 …하지 않으면 안 되다 ***be to* one*'s ~ …의 명예가 되다 ***do* a person *an ~*** = ***do* a person *the ~* (*of* do*ing*)** …의 명예가 되다, …에게 면목을 세워 주다: Will you *do me the* ~ *of* dining with me? 저와 함께 식사해 주시렵니까? ***do the ~s*** (파티 등에서) 주인 노릇을 하다 ***for the ~ of*** = ***for ~*** (***of***) 〖상업〗 …의 신용상 ***give* a person one*'s* (*word of*) *~*** 체면을 걸고 …에게 약속하다 ***have the ~*** …하는 영광을 가지다 《*of*, *to* do》: I *have the* ~ *to* inform you ... 삼가 여쭙니다만… / May I *have the* ~ *of* ...? …하여도 좋겠습니까? ***~ bright*** (구어) 맹세코, 틀림없이 (해라), 꼭이다; [의문문에서] 틀림 없는가 ***in ~*** 도의상 ***in ~ of*** …에 경의를 표하여, …을 축하하여: The banquet was held *in* ~ *of* Mr. Green. 그린 씨를 위한 연회가 열렸다 ***on* a person*'s ~*** …의 책임[도의심]에 맡겨져 ***pledge* one*'s ~*** 자기 명예를 걸고 맹세하다 ***pull an ~*** (구어) 큰 실수를 하다 ***put* a person *on his*[*her*] *~*** 명예를 걸고 서약시키다 ***render*[*do*] *the last ~s*** 장례식을 거행하다; 장례에 참가하다 ***run off with the ~s*** 《미·구어》 상의 대부분 또는 태반을 차지하다 ***the ~s of war*** 항복한 적에게 허락하는 은전 《무기·군기를 휴대케 하여 물러날 수 있게 하는 등》 ***The ~s* (*are*) *even*[*easy*].** 승산은 반반이다, 호각의 형세이다. 《최고의 패가 고르게 분배된 데서》 (***there is***) ***~ among thieves*** 도둑에게도 의리가 있다 ***to* a person*'s ~*** …의 명예가 되어, …의 체면이 서게 되어 ***upon* one*'s* (*word of*) *~*** 맹세코 ***with ~*** 훌륭히; 예의 바르게: treat a person *with* ~ …을 예우하다
— *vt.* **1** 존경하다, 공경하다(respect): ~ one's ancestors 조상을 존경하다 **2** 예우하다, 존중하다 **3** 명예[영예]를 주다; 영작(榮爵)[서훈]을 주다: (~+목+전+명) They ~*ed* him *with* the leadership award. 그들은 그에게 지도자 상을 수여했다. **4** 〈하느님을〉 예배하다; 찬미하다 **5** 감사히[삼가] 받다: ~ an invitation 감사히 초대를 받다 **6** 〈약속 등을〉 지키다, 이행하다; 〈임기를〉 다하다 **7** 〖상업〗 〈어음을〉 인수하여 (기일에) 지불하다, 받아들이다: ~ a check 수표를 받다 **8** 〈공문서를〉 유효로 인정하여 그 요구에 응하다
I'm ~ed. (구어) 영광입니다, 영광으로 생각합니다.
— *a.* 명예의, 명예와 관련된 **~·er** *n.* **~·less** *a.*
▷ hónorable, hónorary, honorífic *a.*

‡**hon·or·a·ble | hon·our-** [ánərəbl | ɔ́n-] *a.* **1** 고결한, 정직한, 지조 있는, 훌륭한: ~ conduct 훌륭한 행위 **2 a** 명예로운, 영광스러운: an ~ duty 영직(榮職) / an ~ withdrawal 명예로운 퇴진 **b** 고귀한(noble), 명예를 표창하는 **c** 존경할 만한 **3** [**H~**] (경칭) 각하, 님, 선생
the H~ 《略 Hon.》 (영) 백작 이하의 귀족의 자녀·여관(女官)·고등법원 판사·하원의장·식민지의 (입법 평의회) 의원 등에 대한 경칭; (미) 양원 및 주의원 등의 경칭: *the H~* gentleman[member] = my *H~* friend (영) 하원 의원이 의사당에서 다른 의원을 부르는 호칭 ***the Most H~*** 《略 Most Hon.》 후작·Bath 훈작사의 경칭 ***the Right H~*** 《略 Rt. Hon.》 백작 이하의 귀족·추밀(樞密) 고문관·런던 시장 등의 경칭
— *n.* 고귀한 사람, 경칭을 붙이는 신분의 사람
~·ness *n.* ▷ hónorably *ad.*

hónorable díscharge 〖미군〗 명예 제대(증)

hónorable méntion (전시회에서) 선외 가작; 선외 가작상, 감투상

*__hon·or·a·bly | hon·our-__ [ánərəbli | ɔ́n-] *ad.* 장하게, 명예롭게, 훌륭히: be ~ discharged (만기·질병 등으로) 명예롭게 제대[퇴직]하다

hon·or·and [ánərǽnd | ɔ́n-] *n.* 명예의 수령자, 《특히》 대학의 명예 학위 수령자

hon·o·rar·i·um [ànərέəriəm | ɔ̀n-] *n.* (*pl.* **~s, -i·a** [-iə]) (연설 등에 대한) 사례금(fee)

hon·or·ar·y [ánərèri | ɔ́nərəri] *a.* **1** 〈지위·학위 등이〉 명예상의, 직함만의, 명예직의; 무급(無給)의: an ~ member[office] 명예 회원[직] / an ~ degree 명예 학위 《명예 박사 등》 / an ~ president 명예 대표이사 **2** 〈의무·채무 등이〉 도의상의, 도덕적인: ~ obligations 도의상의 의무 **3** 〈비석 따위가〉 명예를 기리는

---

honorable *a.* **1** 고결한 upright, honest, ethical, moral, just, fair, virtuous, decent, reliable **2** 명예로운 renowned, glorious, prestigious, distinguished, esteemed, notable, eminent

— *n.* 명예직(에 있는 사람) **-àr·i·ly** *ad.*
hónor bòx (미) (거리의) 무인 신문 판매대
hónor càmp (자율 관리제로 운영되는) 모범수 수용소
hon·ored [ɑ́nərd | ɔ́n-] *a.* **1** 명예로운 **2** Ⓟ 영광[명예]으로 생각하여 《*by, with, that*》: I feel highly ~ *by* your kindness. 나는 당신의 친절을 큰 영광으로 생각합니다.
hon·or·ee [ɑ̀nəríː | ɔ̀n-] *n.* 명예를 받는 사람, 수상자
hónor guàrd 의장대
hon·or·if·ic [ɑ̀nərífik | ɔ̀n-] *a.* **1** 명예를 주는[표하는]: an ~ monument 명예를 표시하는 기념비 **2** 경의를 표하는; 경칭의, 존칭적인: ~ titles 존칭
— *n.* 경어; 경칭 (어구) ▷ honoríf ical *a.*
hon·or·if·i·cal [ɑ̀nərífikəl | ɔ̀n-] *a.* =HONORIFIC **~·ly** *ad.*
ho·no·ris cau·sa [ɑnɔ́ːris-kɔ́ːzə | ɔnɔ́ːris-kɔ́ːsə] [L = for the sake of honor] *ad., a.* 명예를 위하여[위한] 〈학위〉
hónor ròll (초·중·고교의) 우등생 명단; 수상자 일람; 재향[전몰] 군인 명부
hónors còurse (주로 대학의) 우등 과정 《보통 개개의 연구에 종사하는 독립 과정》
hónor society (대학·고교의) 영예 학생 단체 《성적이 우수하거나 과외 활동에 공로가 있는 학생들이 회원이 됨》
hónor sỳstem 우등생 제도; 무감독 시험 제도; (교도소의) 자주 관리 제도
hon·our [ɑ́nər | ɔ́n-] *n., vt.* (영) =HONOR
hónours degrèe (영) 대학 우등 코스 졸업 학위 (cf. PASS DEGREE)
hónours lìst [the ~] (영) 서작(敍爵)[서훈(敍勳)]자 명단 《국왕 탄생일, 신년 등에 발표》
Hons honours **Hon. Sec.** Honorary Secretary
hooch[1] [húːtʃ] *n.* Ⓤ (미·속어) 술; 밀조주, 밀매주
hooch[2] *n.* (미·군대속어) (동남아시아의) 초가집; 《일반적으로》 집; 주거
hooch·fest [húːtʃfèst] *n.* (미·속어) 술파티, 술잔치, 연회
hooch·ie [húːtʃi] *n.* (속어) **1** 바람기 있는[문란한] 여자; 창녀, 매춘부 **2** 멍청이, 바보, 얼뜨기
‡**hood**[1] [húd] *n.* **1** 두건: a raincoat with a ~ 두건 달린 레인코트 **2** 두건 모양의 쓰개 **3** (미) (자동차의) 보닛((영) bonnet) **4** (영) (마차 등의) 포장 **5** (매·말의) 머리 씌우개 **6** 대학 예복(禮服)[교수의 정장]의 등에 드리는 천 **7** (코브라뱀의) 우산 모양의 목 **8** 〖항해〗 승강구의 뚜껑[덮개]; 차양 **9** 굴뚝덮개; 난로덮개; (타이프라이터·발동기 등의) 덮개, (포탑의) 씌우개
— *vt.* 두건으로 가리우다; 가리워 숨기다; 눈가림하다 《*with*》 **~·lìke** *a.*
hood[2] [húd, húːd] *n.* (미·속어) =HOODLUM
hood[3] *n.* [the ~] (미·속어) 거주지역(neighborhood)
-hood [hùd] *suf.* **1** [성질·상태·계급·신분 등을 나타내는 명사 어미]: child*hood*, man*hood* ★ 드물게 형용사에 붙음: false*hood*, likeli*hood*. **2** [집합 명사 어미] 「무리·사회」 등의 뜻: priest*hood*
hood·ed [húdid] *a.* **1** 두건을 (깊숙이) 쓴 **2** 포장[갓] 달린; 두건 모양의; 〖식물〗 모자 모양의; 〖동물〗 두건 모양의 관모(冠毛)가 있는 **~·ness** *n.*
hóoded cráne 〖조류〗 흑두루미
hóoded crów 〖조류〗 뿔까마귀 《유럽산(産)》
hood·ie [hú(ː)di] **1** =HOODY **2** (스코) =HOODED CROW
hood·lum [húːdləm, húd- | húːd-] *n.* (속어) 불량자, 폭력단원, 깡패, 폭력배 **~·ish** *a.* **~·ìsm** *n.* Ⓤ 깡패짓, 폭력 행위
hood·man-blind [húdmənbláind] *n.* (고어) =BLINDMAN'S BUFF
hóod mòld(ing) (문·창 윗부분의) 비막이 쇠시리
hoo·doo [húːduː] *n.* (*pl.* **~s**) **1** (미) =VOODOO **2** (구어) 재수없는 것[사람]; 불운(cf. MASCOT) **3** 〖지질〗 **a** (기형의) 바위 기둥 **b** =EARTH PILLAR
— *vt.* 〈…에게〉 불운[불행]을 가져오다; …에 마법을 걸다; (미·속어) 속이다
hoo·doo·ism [húːduːìzm] *n.* 부두교(voodoo)의 의식[신앙], 부두교의 주술(呪術)
hood·wink [húdwìŋk] *vt.* (남의) 눈을 속이다, 농락하다, 속이다; (고어) 눈가림을 하다(blindfold) **~·a·ble** *a.* **~·er** *n.*
hood·y [hú(ː)di] *n.* (*pl.* **-ies**) **1** 모자가 달린 셔츠나 스웨터 **2** (속어) 모자 달린 운동복을 입은 불량배
hoo·ey [húːi] (미·구어) *int.* 바보 같은! **—** *n.* Ⓤ 허튼 소리(nonsense)
‡**hoof** [húf, húːf | húːf] *n.* (*pl.* **hooves** [húvz, húːvz | húːvz], **~s**) **1** 발굽 **2** 발굽을 가진 동물(의 발) **3** (익살·경멸) 사람의 발 ***beat*** [***pad, be upon***] ***the ~*** (구어) 걷다 ***get the ~*** (구어) 쫓겨나다, 해고당하다 ***on the ~*** 〈가축이〉 아직 살아서 《도살 전》; (영·구어) 재빨리, 날림으로 ***put*** one***'s ~ in*** (영·구어) 참견하다 ***see*** [***recognize***] a person***'s ~ in*** …에 (…의) 노력의 흔적을 인정하다 ***under the ~ of*** …에게 짓밟혀
— *vi.* (구어) 걷다; (속어) 춤추다
— *vt.* **1** [~ it] (속어) 걷다, 도보 여행을 하다; (속어) 춤추다; [~ it] (속어) 도망치다: Let's ~ *it.* 걸어가자. **2** 〈말 등이〉 발굽으로 차다 **3** (영·속어) (지위·직에서) 쫓아내다 《*out*》
~·less *a.* **~·lìke** *a.*
hóof-and-móuth disèase [húːfənmáuθ-] 〖수의학〗 구제역(foot-and-mouth disease)
hoof·beat [húfbìːt | húːf-] *n.* 발굽 소리
hoof·bound [húfbàund] *a.* 〈말이〉 발굽 협착증에 걸린
hoofed [húft, húːft | húːft] *a.* …한 발굽이 있는, 유제(有蹄)의, 발굽 모양의; (신발의) 앞이 둥글고 넓적한
hoof·er [húfər, húːf- | húːf-] *n.* 도보 여행자; (미·속어) 직업 댄서 《특히 tap dancer》
hoof·pick [húfpìk | húːf-] *n.* 쇠 주걱 《발굽에 박힌 돌 등을 후벼 내는 도구》
hoof·print [-prìnt] *n.* 발굽 자국
hóof ròt 〖수의학〗 =FOOT ROT
hoo-ha [húːhɑ̀ː] [의성어] *n.* Ⓤ **1** (구어) 야단법석, 소동; 동요; [the ~'s] 안절부절 **2** (미·속어) 요란한 축하[축전(祝典)] **3** (구어) 무의미한 것
— *int.* 야, 놀랐어!, 그래?; 과연!
hoo·haw [húːhɔː] *n.* 중요 인물, 유력자, 거물, 유지
‡**hook** [húk] *n.* **1** 갈고리; 갈고리쇠, 훅; 자재(自在)고리: ~*s* and eyes (옷의) 훅 단추 《거는 것과 걸리는 것》/ a hat ~ 모자걸이 **2** 낚싯바늘(fishhook), 코바늘, 올가미(snare) **3** 갈고리 모양의 낫 **4** (동식물의) 갈고리 모양의 기관[돌기] **5** 인용 부호 《' '》 **6** 갈고리 모양의 갑(岬); 하천의 굴곡부; 〖서핑〗 파도의 꼭대기 **7** (구어) (사람을) 끌어들이는 것, (손님을) 유혹하는 물건[것, 문구]: a sales ~ 판촉물[문구] **8** 〖권투〗 훅 《팔꿈치를 꾸부리고 치기》; 〖골프〗 좌곡구(左曲球); 〖야구〗 커브; 〖농구〗 =HOOK SHOT **9** 〖음악〗 (음표의) 꼬리 《♪ 등의 깃발 모양의 부분》 **10** 〖야금〗 구부러짐 **11** [*pl.*] (미·속어) 손(가락); 도둑, 소매치기 **12** 마약; (마약 주사용) 바늘 **13** (미·속어) 면도기
above one***'s ~*** 이해할 수 없는, 분에 넘친 ***by ~ or by crook*** ⇨ crook. ***drop*** [***slip***] ***off the ~s*** (속어) (덜컥) 죽다 ***get*** one***'s ~s into*** [***on***] (구어) 〈여자가〉 〈남자를〉 사로잡다; 〈대금 업자 등이〉 〈남을〉 손아귀에 넣다 ***get the ~*** (속어) 해고당하다 ***give*** a person ***the ~*** (미·속어) …을 해고하다 ***go on the ~*** 시간을 빼먹고 놀다(play truant) ***~, line and sinker*** (구어) 완전히, 고스란히 ***let*** [***get***] a person ***off the ~*** (구어) …을 곤경에서 모면케 하다, 자유롭

thesaurus **hood**[1] *n.* cowl, shawl, bonnet, coif
hoodwink *v.* deceive, delude, trick, cheat, swindle, defraud, dupe, blind, outwit

게 해주다 ***off the*** ~ 《구어》 궁지[책임]를 벗어나; (전화의) 수화기가 벗어나: ring *off the* ~ 전화가 끊임없이 걸려오다 ***off the ~s*** 《속어》 죽어(cf. drop[slip] off the HOOKS) ***on one's own*** ~ 《속어》 제 힘으로; 자발적으로 ***on the*** ~ (특히 달아날 길이 없어서) 궁지에 몰려: put a person *on the* ~ …을 궁지에 몰아 세우다 ***take*** [***sling***] ***one's*** ~ 《영·속어》 살그머니 도망치다

— *vt.* **1** 갈고리로[에] 걸다; 훅으로 잠그다: (~+목+부) ~ a dress *up* 드레스를 훅으로 잠그다// (~+목+전+명) ~ a hat *on*[*over*] a nail 모자를 못에 걸다 / This dress is ~*ed at* the back. 이 옷은 뒤에서 (훅으로) 잠그게 되어 있다. **2** 낚시에 걸다: ~ a big trout 큰 송어를 낚다 **3** 〈사람을〉 잘 낚다; 기회를 잡다; 슬쩍 훔치다 **4** 《구어》 〈사람·남자를〉 걸려들게 하다, 매춘하다 **5** [보통 수동형으로] 《구어》 〈악습·마약이〉 사로잡다, 열중케 하다 **6** 《미·속어》 〈노동자를〉 매수하여 동료의 정보를 제공하게 하다 **7** 〖야구〗 〈공을〉 커브로 던지다; 〖권투〗 훅으로 치다; 〖골프〗 좌곡구로 치다; 〖럭비〗 (스크럼 태세로) 〈공을〉 뒤쪽으로 차다 **8** 〈동물이〉 뿔로 공격하다 **9** 갈고리 모양으로 구부리다: ~ one's elbow 팔굽을 굽히다

— *vi.* **1** 훅으로 채워지다[잠기다]: (~+전+명) a dress that ~*s at* the back 등에서 훅으로 채우는 옷 **2** 갈고리 모양으로 구부러지다; 만곡되다 **3** 〈동물이〉 뿔로 들이받다 《*at*》 **4** 〖야구〗 커브로 던지다[들어가다] **5** 《속어》 도망치다; 급히 떠나다 **6** 《영·속어》 매춘하다 ***~ a ride*** 《속어》 자동차 꽁무니에 몰래 타고 가다 ***~ in*** 갈고리로 걸어 당기다[잡아 당기다]; 갈고리로 잠그다 ***~ it*** 《속어》 도망치다 ***~ Jack*** 《미·구어》 꾀부려 쉬다, 농땡이 부리다 ***~ off*** 《뉴질·속어》 사라지다, 도망치다; 〈차량 등을〉 분리하다 ***~ on*** 훅으로 붙이다; 갈고리로 걸다; (…와) 팔짱을 끼다 《*to*》 ***~ onto*** (1) (…에) 훅으로 붙이다, 연결하다 (2) 《미·구어》 이해하다, 마음에 들다 ***~ one's fish*** 노린 상대자를 설득하다 ***~ up*** 훅으로 잠그다[잠기다]; 〈말 등을〉 연결하다; 〈기계 등을〉 접속하다; (…와) 사귀다; 〈라디오·전화 등의 부품을〉 짜맞추다; 《구어》 〖라디오〗 중계하다: Please ~ me *up.* 훅을 좀 채워주세요. ***~ up with*** 《구어》 …와 관계하다; …와 친해지다; …와 성관계를 맺기 시작하다; …와 손잡다[제휴하다]; …와 경쟁하다, 다투다 ▷ hóoky[1] *a.*

hook·ah, hook·a [húkə] [Arab.] *n.* 수연통(水煙筒)(water pipe)

hóok and éye **1** (옷의) 훅 단추 **2** (문·창문을 열어 놓은 채로 고정시키는) 고리쇠

hóok and ládder 사닥다리 소방차(ladder truck)

hóok-and-lád·der trùck [húkənlǽdər-] = HOOK AND LADDER

hóok bòlt 〖기계〗 훅 볼트, 갈고리 볼트

hóok chèck 〖아이스하키〗 훅 체크 《상대방의 puck을 스틱의 굽은 부분으로 눌러 빼앗기》

hooked** [húkt] *a.* **1** 갈고리 모양의[으로 굽은]: a ~ nose 매부리코 **2** 갈고리[훅]가 달린 **3** 코바늘 뜨개질한 **4** 《미·속어》 **a** 마약 중독의 **b** (…에) 푹 빠진, 열중한 《*on*》 **c** 기혼(旣婚)의 **d** (…에) 속아 넘어간 ***be [***get***] ***~ on*** 《구어》 (마약·술에) 중독되어 있다; 열중해 있다 **hook·ed·ness** [húkidnis] *n.*

hóoked rúg 《미》 삼베 바탕에 코바늘로 털실을 걸어 짠 융단

hóoked schwá 〖음성〗 훅트슈와 《발음 기호 [ɚ]의 명칭; 이 사전에서는 [ər]로 표기》(cf. SCHWA)

hook·er[1] [húkər] *n.* (네덜란드식) 쌍돛대 범선; (아일랜드 연안의) 돛대 하나인 어선; 《일반적으로》 배 ***the old*** ~ 《경멸·애칭》 배

hooker[2] *n.* **1** 갈고리로 거는 사람[것] **2** 《미·속어》 매춘부: a ~ district 매춘 지구 **3** 《미·속어》 다량의 술[음주] **4** 《속어》 덫(catch); 숨겨진 결함, 문제 **5** 〖럭비〗 후커 《스크럼 앞줄에서 공을 차내는 선수》 **6** 《구어》 마약 밀매자; 도박꾼

Hóok·er's gréen [húkərz-] [영국의 식물화가 이름에서] **1** 녹색에서 짙은 황록색까지의 색 **2** 녹색 안료

Hóoke's láw [húks-] [영국의 물리학자 이름에서] 〖물리〗 훅의 법칙 《탄성 한도 안에서 고체에 가해지는 힘과 그에 의한 변형은 비례한다는 법칙》

hook·ey [húki] *n.* = HOOKY[2]

hook·nose [húknòuz] *n.* 매부리코; 《미·속어·경멸》 유대인 **hóok-nòsed** *a.* 매부리코의

hóok pìn 대가리가 갈고리 모양의 못

hóok shòt 〖농구〗 훅샷 《한 손으로 옆쪽에서 공을 들어올려 손목을 꺾어 넣는》

hóok slìde 〖야구〗 훅 슬라이드 《몸을 옆으로 내던지듯하여 터치를 피하는 슬라이딩》

hook·tend·er [húktèndər] *n.* 《캐나다》 벌목 감독

hook·up [-ʌ̀p] *n.* **1** 훅으로 잠그는 것 **2** 〖전자〗 접속도; 구성소자(素子) **3** 〖통신〗 접속; (수신기의) 접속도(圖) **4** (전기·수도의) 연결부 **5** 〖방송〗 중계(방송); 방송국망: a nationwide ~ 전국 중계 방송 **6** 《미·구어》 연결; 협력[우호] 관계: a close ~ between the two associations 두 협회 간의 친밀한 연대 관계

hook·worm [-wə̀ːrm] *n.* 십이지장충; = HOOKWORM DISEASE **-wòrm·y** *a.*

hóokworm disèase 〖병리〗 십이지장충병(病)

hook·y[1] [húki] *a.* (**hook·i·er**; **-i·est**) 갈고리가 많은; 갈고리 모양의

hooky[2] *n.* (*pl.* **hook·ies**) Ⓤ 《미·구어》 (학교·직장을) 꾀부려 빼먹기 ***play*** ~ 학교를 빼먹다, 꾀부려 쉬다

— *vi.* 꾀부려 쉬다; 슬쩍 훔치다, 날치기하다

hoo·li·gan [húːligən] *n.* **1** 무뢰한, 깡패; 불량 소년, 부랑아: a gang of ~*s* 폭력단, 깡패 패거리 **2** 훌리건 《축구 시합 등에서 난폭한[난동 부리는] 관객》

— *a.* 불량한; 무뢰한의

~·ism *n.* Ⓤ 폭력(행위), 깡패 생활

hóoligan Nàvy [the ~] 《미해군속어》 연안 경비대

hoo·li·van [húːlivæ̀n] *n.* 훌리밴 《축구 경기 때의 난동 관중[훌리건] 감시용 경찰 차량》

hoo·ly [hjúːli] 《스코》 *a.* 주의 깊은; 온화한

— *ad.* 주의 깊게; 온화하게

hoon [húːn] *n.* 《호주·구어》 뚜쟁이; 《뉴질·구어》 불량배, 건달

hoop[1]** [húːp, húp | húːp] *n.* **1 a** 테, 쇠테 **b** 굴렁쇠 **2** 원형의 물건[부분]; (기둥의) 가락지, (포신(砲身) 등의) 환대(環帶) **3 a** 넓적한 가락지; 고리 모양의 귀걸이 **b** (서커스의) 곡예용 테 **c** (농구의) 링 **4** (고래 뼈·강철 등의) 버팀테 《본래 여자의 스커트를 벌어지게 하는 데 사용; cf. HOOPSKIRT》; (장식용) 테 **5** 〖크로케〗 주문(柱門), 활 모양의 작은 문 《그 속에 공을 쳐 넣어서 빠져 나가게 함》 ***jump [***go***] ***through ~s*** [***a*** ~] (자격을 얻기 위해) 까다로운 절차를 하나하나 거치다, 시련을 겪다 ***put*** a person ***through the ~*** (***s***) 《구어》 …을 단련하다, 혼내주다

— *vt.* **1** 테를 두르다 **2** 둘러싸다 **3** 〖농구〗 득점하다

~·less *a.* **~·lìke** *a.*

▷ hóoped *a.*

hoop[2] *vt., vi., n.* 《고어》 = WHOOP

hóop bàck 후프 백 《등받이 위쪽이 아치형인 의자의 등》

hooped [húːpt, húpt | húːpt] *a.* 테두리를 한; 권대(圈帶)를 감은; 테 살대로 버틴; 둥글게 굽은

hoop·er [húːpər, húp- | húːp-] *n.* 테 메우는 사람; 통장이(cooper)

Hoop·e·rat·ing, Hóoper ràting [húːpərèitiŋ] *n.* 〖방송〗 시청[청취]률 조사 《전화 설문에 의한》

hóop·ing còugh [húːpiŋ, húp- | húːp-] 백일해 (whooping cough)

hóop ìron (통 등의) 쇠테, (결속용) 띠쇠

hoop·la [húːplɑː, húːp-] *n.* Ⓤ **1** 고리 던지기 (놀이) **2** 《미·구어》 요란한 선전; 야단법석

---

hook *n.* fastener, clasp, clip, link, catch — *v.* fasten, secure, fix, pin, catch

hoop[1] *n.* band, ring, circle, loop, wheel

hoop·man [húpmən | hú:p-] *n.* (*pl.* **-men** [-mən]) 《속어》 농구 선수

hoo·poe, -poo [hú:pu:] *n.* 〖조류〗 후투티

hoopoe

hoop·skirt [húpskə̀:rt | hú:p-] *n.* 버팀테가 든 스커트; 그 버팀테

hóop snàke 〖동물〗 후프뱀 《미국 남부산(産) 독 없는 뱀》

hoop·ster [hú:pstər, húp- | hú:p-] *n.* 《속어》 **1** = HOOPMAN **2** 훌라후프를 돌리는 사람

hoo·ray [huréi] [hurrah의 변형] *int.*, *n.*, *vi.* 만세(를 부르다)(hurrah)

hoopskirt

Hóo·ray Hénry [húrei-] (*pl.* **~s, -ries**) 《영·속어》 불손한 태도로 크게 떠들며 놀아먹는 상류층 젊은이

hoo·roo [hurú:] *int.* 《호주》 안녕!

hoose·gow, hoos- [hú:sgau] *n.* 《미·속어》 교도소, 영창; 옥외 화장실

hoosh [hú:ʃ] *n.* 《속어》 진한 수프, 잡탕 찌개(hotchpotch)

Hoo·sier [hú:ʒər] *n.* 《미》 Indiana 주의 주민[출신자]; [보통 **h~**] 시골뜨기, 촌놈

Hóosier Státe [the ~] Indiana주의 속칭

***hoot**[1] [hú:t] *n.* **1** 부엉부엉 《올빼미 울음 소리》 **2** (올빼미 울음 같이) 불명료한 소리 **3** 야유하는 소리, 빈정대는[불찬성의] 외침: ~*s* of scorn 경멸의 야유 소리 **4** 뚜뚜, 빵빵 《기적·경적 소리》 **5** [부정문에서] 《구어》 무가치한 것; 조금, 소량: *not* worth a ~ 아무 값어치 없다 / *not* give[care] a ~ 조금도 상관하지 않다
— *vi.* **1** [경멸·분노하여] 우우하다; 우우하고 야유하다, 야료하다 《*at*》: (~+전+명) They ~*ed at* the speaker. 그들은 연사를 야유했다. **2** 〈올빼미가〉 부엉부엉 울다; 올빼미 같은 소리를 내다 **3** 〈기적·사이렌·자동차 경적 등이〉 뚜뚜[빵빵] 울리다
— *vt.* **1** (우우하고) 야유하다 **2** 야유하여 쫓아버리다 《*off*, *away*, *out*》: (~+목+부) (~+목+전+명) They ~*ed* the actor *off* (the stage). 그들은 그 배우를 야유하여 (무대에서) 몰아냈다. **3** 〈기차 등이〉 기적을 울려 알리다 **~ *down*** 〈연사 등을〉 야유하여 물러나게 하다 **~·ing·ly** *ad.*

hoot[2] *int.* 《스코·북잉글》 홍, 체(pshaw, tut) 《불만·초조함을 나타내는 소리》

hootch [hú:tʃ] *n.* 《미·속어》 = HOOCH[2]

hootch·y-kootch·y [hú:tʃikú:tʃi] *n.* (*pl.* **-kootch·ies**) 《미·속어》 벨리 댄스

hoot·ed [hú:tid] *a.* 《미·속어》 몹시 취한

hoot·en·an·ny [hú:tənæ̀ni] *n.* (*pl.* **-nies**) **1** 《미·구어》 포크송 음악[연주]회, 포크 싱어의 모임 **2** 《고어》 = THINGAMABOB

hoot·er [hú:tər] *n.* **1** 야유하는 사람 **2** 올빼미 **3** 기적, 경적, 사이렌 **4** 《영·속어》 코

hóot òwl **1** 〖조류〗 (부엉부엉 우는) 큰 부엉이 **2** 《미》 (광산·공장의) 야근

hoots [hú:ts] *int.* = HOOT[2]

hoo·ty [hú:ti] *a.* 《미·속어》 멋진, 유쾌한; 최고의

hoove [hú:v] *n.* Ⓤ 고창증(鼓脹症) 《가축의》

hoo·ver [hú:vər] *n.* [때로 **H~**] 《영》 후버 전기 청소기(《미》 vacuum cleaner) 《상표명》
— *vt.* 《영》 전기 청소기로 청소하다(vacuum)

Hoo·ver [hú:vər] *n.* 후버 **1 Herbert** (**Clark**) **~** (1874-1964) 《미국 제31대 대통령(1929-33)》 **2 J**(**one**) **Edgar ~** (1895-1972) 《미국의 법률가·관료·FBI국장(1929-72)》

hóover àpron 후버 에이프런 《허리를 묶도록 된 원피스형 여성 작업복》

Hóover Dám 후버 댐 《미국 Colorado 강 상류의 댐; 1936년 완성》

Hoo·ver·ville [hú:vərvìl] *n.* 《미》 (1930년대 불경기 때의) 실업자 수용 판자촌

hooves [húvz, hú:vz | hú:vz] *n.* HOOF의 복수

‡**hop**[1] [háp | hɔ́p] [OE 「뛰다, 춤추다」의 뜻에서] *v.* (**~ped**; **~·ping**) *vi.* **1 a** (한 발로) 깡충 뛰다 **b** 〈개구리·새 등이〉 뛰다, 뛰어다니다 《*along*》: (~+부) ~ *along* (*on* one leg) (한 발로) 깡충깡충 뛰다 / ~ *about* in pain 아파서 껑충껑충 뛰다 **c** 〖야구〗 〈공이〉 바운드하다 **2** 《미·구어》 비행기로 …에 가다; 단기간 여행하다 《*down*》; 이륙하다 《*off*, *up*》: (~+부) I'll ~ *down* to the city. 시내에 잠깐 다녀오겠다. **3** 《구어》 [보통 복합어를 이루어] 연속으로 …하고 다니다: job-~ (단기간에) 직장을 자꾸 바꾸다 **4** 《미·캐나다》 활동·일 등을 개시하다 **5** 《구어》 춤추다(dance) **6** 절름거리다
— *vt.* **1** 〈도랑 등을〉 뛰어넘다: ~ a fence 담을 뛰어넘다 **2** 〈공 등을〉 날리다; 〖야구〗 바운드하다 **3** 《미·구어》 〈열차·차에〉 뛰어 오르다, 편승하다: ~ a train 기차에 뛰어 올라타다 **4** 《구어》 〈비행기 등이〉 날아 넘다, 횡단하다; 비행기로 운반하다 **5** 《속어》 (말로써) 혼내주다 **6** 〈…역을〉 맡다, 담당하다
~ a ride in a train 《미·속어》 기차에 무임승차하다 ***~ in*** 《구어》 자동차에 올라타다 ***~ into*** 깡충 뛰다; 달려들다 ***~ it*** 《영·속어》 훌쩍 떠나가다 ***~ off*** 이륙하다; 떠나가다; 죽다 ***~ on*** [***all over***] 《속어》 꾸짖다, 야단치다 ***~ out*** 《구어》 차에서 내리다 ***~ the twig*** [***stick***] 《속어》 (채권자를 속이고) 도망치다; 죽다 ***~ the wag*** 《속어》 농땡이 부리다 ***~ to*** (***it***) 《미·구어》 (급히) 일을 시작하다; 서두르다
— *n.* **1** 깡충깡충 뜀; 앙감질; 두발로 뜀; 개구리뜀, 단급 도약(短急跳躍)(short spring) **2** 《구어》 **a** (비행기의) 이륙 **b** 비구(飛球) **c** (장거리 비행 중의) 1항정(stage); 단거리 비행; 한 번 날기; 단거리[단기] 여행; (1회의 비행으로 나는) 비행 거리 **3** 편승하기 **4** 《구어》 춤; (비공식) 무도회 **5** 〖야구〗 바운드; 〖크리켓〗 도비구(跳飛球): catch a ball on the first ~ 원 바운드로 공을 잡다 **6** 《미·속어》 (호텔의) 보이
a ~, step [***skip***]***, and*** (***a***) ***jump*** 삼단뛰기 ***~ and jump*** 《구어》 가까운 거리, 지척 ***on the ~*** 《영·구어》 (1) 바쁘게 돌아다니고: keep a person *on the* ~ …을 바쁘게 하다 (2) 현장을 불시에; 방심하고, 준비없이: catch a person *on the* ~ …을 불시에 덮치다

hop[2] *n.* **1 a** 〖식물〗 홉 **b** [*pl.*] 홉 열매 《맥주에 쓴맛을 내는 것》 **2** [종종 *pl.*] 《호주·속어》 맥주 **3** Ⓤ [때로 *pl.*] 《미·속어》 마약, 《특히》 아편 **4** 거짓말; 실없는 소리 ***be full of ~s*** 《미·속어》 (1) 아편[마약]에 취해 있다 (2) (상습적으로) 욕하다 (3) 허튼소리를 하다
— *vt.* (**~ped**; **~·ping**) 홉으로 맛을 내다; 홉(열매)를 따다 ***~ ... up*** = ***~ up ...*** 《미·속어》 (1) 자극하다, 흥분시키다 (2) (엔진 등의) 출력을 강화하다, 올리다 (3) 마약으로 자극하다[흥분시키다]; (말에게) 흥분제를 투여하다

hop·bine [hápbàin | hɔ́p-], **hop·bind** [-bàind] *n.* 〖식물〗 홉 덩굴

‡**hope** [hóup] *n.* **1** ⓊⒸ 희망, 소망, 바람(opp. *despair*): give up ~ 희망을 버리다 / All ~ is gone. 모든 희망이 사라졌다. / While there is life, there is ~. 《속담》 살아 있는 한 희망이 있다. **2** ⓊⒸ 기대(expectation); 가망(promise) 《*of*, *for*》: (~+전+**-ing**) ~ *of* winn*ing* 이길 가망성 // (~+***that*** 절) There was not much ~ *of* their recovery [*that* they will recover]. 그들이 건강을 회복할 가망은 별로 없었다. // (~+***to*** do) I have no ~ *to* see my dream realized. 나의 꿈이 실현될 전망은 전

thesaurus **hop**[1] *v.* jump, leap, skip, bounce
hopeful *a.* expectant, anticipating, optimistic, confident, sanguine, buoyant, enthusiastic,

혀 없다. **3** 희망을 거는 것, 기대를 갖게 하는 것: The medicine is her last ~. 그 약은 그녀의 마지막 희망이다. **4** Ⓤ 《고어》 신뢰, 신용 ***be in great ~s*** (***that ...***) (…을) 크게 기대하고 있다 ***be past*** [***beyond***] (***all***) ***~*** 전혀 희망이 없다 ***hold out ~*** (…할) 희망을 갖게 하다 《*of*》 ***hold out no*** [***little***] ***~*** = ***not hold out any*** [***much***] ***~*** (…에 대해) 전혀[거의] 기대하지 않다 《*of, that*》 ***in ~s of*** [***that***] = ***in the ~ of*** [***that***] …의 희망을 가지고; …을 기대하여 ***live in ~***(***s***) 희망에 살다 《*of*》 ***not have a ~*** [***chance***] ***in hell*** 《구어》 (…의) 가망은 전혀 없다 《*of*》 ***raise*** a person***'s ~s*** …에게 희망[기대]을 갖게 하다 ***Not a ~!*** = ***Some ~***(***s***)***!*** = ***What a ~!*** 전혀 가망이 없어! ***You've got a ~!*** 《속어》 별로 가망이 없어!

— *vi.* **1** 희망을 가지다, 기대하다, 바라다 《*for*》(⇨ want 유의어): We're still *hoping.* 아직 희망을 버리지 않았다. // (~+전+명) ~ *for* an early spring 봄이 어서 오기를 기대하고 있다 **2** 《고어》 의지하다, 신뢰하다 《*in*》: ~ *in* God 신을 믿다, 신을 의지하다

— *vt.* **1** 바라다, 생각하다, 기대하다; …하고 싶어하다, …이기를 기대하다: (~+***to*** do) I ~ *to* see you soon. 곧 뵙고 싶습니다. // (~+***that*** 절) I ~ (*that*) you will be able to pass the exam. 당신이 시험에 합격할 수 있으면 좋겠다고 생각합니다. / I ~ you will be happy. 네가 행복하기를 바란다. / Will he die? — I ~ not. 그는 죽을까요? — 죽지는 않을 거야. (= I hope he will not die.) ★ I hope는 내용이 좋은 일에 쓰임; 나쁜 일에는 보통 I am afraid 또는 I fear를 씀. **2** 《미중부》 …의 행복을 빌다

~ against ~ [종종 진행형으로] 《구어》 요행을 바라다 ***~ and pray*** (…을) 간절히 바라다 《*for; that*》 ***~ for the best*** 낙관하다, 희망을 버리지 않다 ***~ much from*** …에 크게 희망을 걸다 ***I ~ not.*** 그렇지 않기를 바란다. ***I ~ so.*** 그러기를 바란다, 그렇게 생각한다. **hóp·er** *n.* ▷ hópeful *a., n.*

HOPE Health Opportunity for People Everywhere; Help Organize Peace Everywhere

hópe chèst 《미·캐나다》 **1** 처녀의 혼수감 **2** 처녀의 혼수감 궤(《영》 bottom drawer)

hoped-for [hóuptfɔ̀ːr] *a.* 기대된; 바라고 기다리던

Hópe díamond 호프 다이아몬드 《세계 최대의 인도산(産) 블루 다이아몬드》

‡**hope·ful** [hóupfəl] *a.* **1** 희망에 찬, 희망을 품은, 기대에 부푼 《*of, about; that*》: ~ words 희망에 찬 말 / I am ~ *of* [hope for] success. 성공하리라고 생각한다. **2** 《전도》 유망한, 희망적인, 가망있는, 장래가 촉망되는(promising): a ~ view 희망적인 전망

— *n.* **1** 《전도》 유망한 사람 **2 a** 《선거의》 입후보(희망)자: a presidential ~ 유력한 대통령 후보자 **b** 《입학 등의》 지원자 **3** [*pl.*] 우승을 노리는 선수[팀] ***a young ~*** 장래가 촉망되는 젊은이; 《영·비꼼》 장래가 걱정되는 젊은이 **~·ness** *n.* ▷ hópefully *ad.*

hope·ful·ly [hóupfəli] *ad.* **1** 희망을 가지고, 유망하게 **2** [문 전체를 수식하여] 《구어》 잘만 되면, 바라건대, 아마: *H*~, he'll win. 잘하면 그가 이길 수도 있다.

hópeful mónster 〖생물〗 기대되는 괴물 《우연한 큰 돌연변이에 의해 출현한다는 가설적인 생물 개체》

‡**hope·less** [hóuplis] *a.* **1** 희망을 잃은, 절망한 《*of*》: ~ grief 절망적인 슬픔 **2** 〈병 등의 상태가〉 절망적인, 가망 없는; 어찌할 도리가 없는; 불치의: a ~ case of cancer 회복 가망이 없는 암환자 / a ~ idiot 어쩔 수 없는 바보 / The project is quite ~. 그 계획은 전혀 가망이 없다. **3** 《구어》 쓸모없는, 헛된; 서툰, 역량이 부족한 《*at*》: I am ~ *at* swimming. 나는 수영이 서투르다. ***be ~ of*** …의 가망이 없다; …을 단념하다 ▷ hópelessness *n.*; hópelessly *ad.*

***hope·less·ly** [hóuplisli] *ad.* 절망하여, 절망적으로, 가망 없이

hope·less·ness [hóuplisnis] *n.* Ⓤ 가망 없음, 절망 (상태)

hóp fiend[**fighter**] 마약 상습[중독]자

hóp flỳ 홉 진딧물

hop-gar·den [hápgɑ̀ːrdn | hɔ́p-] *n.* 《영》 홉 재배원

hop·head [-hèd] *n.* 《미·속어》 마약 상용자

Ho·pi [hóupi] *n.* (*pl.* **~s,** [집합적] **~**) 호피족(族) 《Arizona 북부에 사는 Pueblo 족》; 호피 말

hop·lite [háplait | hɔ́p-] *n.* 《고대 그리스의》 장갑(裝甲) 보병 **hop·lít·ic** *a.*

hop·lol·o·gy [haplɑ́lədʒi | hɔplɔ́l-] *n.* 무기 연구, 무기학 **-gist** *n.*

hop-off [hápɔ̀ːf | hɔ́pɔ̀f] *n.* 《속어》 이륙(離陸)

hop-o'-my-thumb [hápəmaiθʌ́m, -mi- | hɔ́pəmi-] *n.* 난쟁이, 엄지동자

hopped-up [háptʌ́p | hɔ́pt-] *a.* 《미·속어》 **1** 흥분한; 흥분시키는; 열광적인 **2** 〈자동차 등이〉 마력을 높인 **3** 마약을 사용한

hop·per[1] [hápər | hɔ́p-] [hop[1]에서] *n.* **1 a** 깡충깡충 뛰는 사람[것]; 《속어》 춤추는 사람 **b** 뛰는 벌레 《메뚜기 등》 **c** [보통 복합어를 이루어] 《구어》 (차례로) 돌아다니는 사람: a bar-~ 술집을 이차 삼차로 가는 사람 **2** 《호주》 캥거루 **3 a** 깔때기 모양의 그릇[상자]; (가공 재료·연료 등을 넣는) 깔때기 모양의 장치; 깔때기 모양 변기 **b** 자동식 파종기 **c** 밑바닥이 열리는 운반선; = HOPPER CAR **4** 《미》 의원이 법안을 넣는 상자 **5** 《미·야구속어》 높이 튕기는 타구

hopper[2] [hop[2]에서] *n.* 홉 따는 사람(hop-picker)

hópper càr 《미》 〖철도〗 개저식(開底式) 화물차

hópper fràme 호퍼 창틀 《창 위쪽의 안으로 열리는 환기용 창》

hop-pick·er [háppìkər | hɔ́p-] *n.* 홉 따는 사람[기계]

hop·ping[1] [hápiŋ | hɔ́p-] *n.* Ⓤ 홉 따기[채집]; 홉의 쓴맛 조미

hopping[2] *a.* **1** 깡충 뛰는; [보통 복합어를 이루어] 여기저기 돌아다니는: We went bar-~ last night. 간밤에 몇 차례나 술집을 옮겨 다니며 마셨다. **2** 절름발이의 **3** 바삐 움직이는 **4** 격노한

~ mad 화가 나 펄펄 뛰는 ***keep*** a person ***~*** …을 바삐 움직이게[일하게] 해두다

— *n.* **1** 앙감질; 팔딱팔딱 뛰기; 홉 댄스 **2** 《영·방언》 (시)장; 정기 장날

hópping Jòhn [때로 h- j-] 《미남부》 쌀·완두가 든 베이컨 스튜

hop·ple [hápl | hɔ́pl] *vt.* 〈말 등의 두 발을〉 묶다(hobble); …에 족쇄를 채우다; …의 자유를 구속하다

— *n.* [보통 *pl.*] 족쇄 **hóp·pler** *n.*

hop-pock·et [háppɑ̀kit | hɔ́ppɔ̀k-] *n.* 홉 자루 《168파운드 들이》

hóp pòle 홉 덩굴 받침대[기둥]; 키다리

hop·py [hápi | hɔ́pi] *a.* (**-pi·er; -pi·est**) 홉(hop) 맛이 나는[진한]; 《속어》 마약의 — *n.* 《속어》 마약 중독자

hop·sack(**·ing**) [hápsæ̀k(iŋ) | hɔ́p-] *n.* 거칠게 짠 포대(布袋)천

hop·scotch [hápskɑ̀tʃ | hɔ́pskɔ̀tʃ] *n.* Ⓤ 돌차기 놀이 — *vi.* 《구어》 **1** 이리저리 뛰어다니다; 여기저기 두루 다니며 여행하다: (~+전+명) Small birds *~ed on* the lawn. 작은 새들이 잔디 위를 폴짝거리며 돌아다녔다. **2** 이리저리 비약하다: The story *~ed from* the present *to* the past. 그 이야기는 과거와 현재를 오락가락하였다.

hop-up [-ʌ̀p] *n.* 《구어》 흥분제, 각성제

hop·vine [-vàin] *n.* 홉 덩굴(hopbine); 홉(hop plant)

hop·yard [-jɑ̀ːrd] *n.* 홉 밭

hor. horizon(tal); horology

ho·ra [hɔ́ːrə] *n.* 호라 《루마니아·이스라엘의 원무(圓舞)》

Hor·ace [hɔ́ːrəs, hɑ́r- | hɔ́r-] *n.* **1** 남자 이름 **2** 호

---

assured, promising, encouraging, favorable

hopeless *a.* despairing, desperate, pessimistic, dejected, despondent, downcast, wretched

라티우스《로마 시인(65-8 B.C.)》

ho·ral [hɔ́:rəl] *a.* 《고어》 시간의, 시간과 관계있는; 1시간마다의(hourly)

ho·ra·ry [hɔ́:rəri] *a.* 《고어》 **1** 시간의[을 나타내는] **2** 1시간의; 1시간마다의

Ho·ra·tian [həréiʃən, hɔ:- | hə-] *a.* 호라티우스(Horace)(풍)의

Horátian óde 〖운율〗 호라티우스 풍 오드《같은 운율 형식을 가진 몇 행의 스탠자(stanza)를 겹친 시형》

Ho·ra·ti·o [həréiʃiou, hɔ:- | hə-] *n.* 남자 이름

Ho·ra·tius [həréiʃəs, hɔ: | həréiʃiəs] *n.* 호라티우스《로마 전설의 영웅》

*__horde__ [hɔ́:rd] [Turk. 「야영지」의 뜻에서] *n.* **1** 유목민[유민(流民)]의 무리; 약탈자의 무리 **2** 《경멸》 큰 떼거리(gang); 다수《*of*》: a ~ *of* students 큰 무리의 학생들 **3** 동물[곤충]의 이동군

— *vi.* 떼짓다; 떼지어 이동하다: The prisoners ~*d* together. 죄수들이 무리지어 모였다.

Ho·reb [hɔ́:reb] *n.* 〖성서〗 호렙 산(山)《Moses가 신에게서 율법을 받은 곳; 보통 Sinai 산과 동일시됨》

hore·hound [hɔ́:rhàund] *n.* Ⓤ 〖식물〗 쓴 박하; 그 즙; 박하향 사탕

‡**ho·ri·zon** [həráizn] [Gk 「한정하다」의 뜻에서] *n.* **1** 지평[수평]선: below the ~ 지평선 아래에 **2** 〖천문〗 지평(선[면]), 수평(선[면]) **3** [보통 *pl.*] (인식·사고·지식 등의) 범위, 한계, 시야; 전망《*of*》: a mental ~ 식견 / Expand your ~*s.* 시야를 넓혀라. **4** 〖지질〗 지평층, 층위(層位) ***on the ~*** (1) 지평선에 접하여, 지평선상에 (2) 《비유》 〈사건 등이〉 임박한; 분명해지고 있는 ***within the ~*** 시계(視界)에 **~·less** *a.*
▷ horizóntal *a.*

horízon dìstance 〖무선·TV〗 수평선 거리《송신 전파가 직접 미치는 지표(地表)상의 최장 거리》

‡**hor·i·zon·tal** [hɔ̀:rəzɑ́ntl, hɑ̀r- | hɔ̀rizɔ́n-] *a.* **1** 수평의, 가로의(opp. *vertical*): a ~ line 수평으로 그은 선 / ~ equivalent 수평 거리 **2** 지평[수평]선상의 **3** 수평에 맞추어; 수평면상의 **4** 수평면의; 평면의, 수평한(level); 위를 향한, 옆으로 누운: a ~ position 수평 자세 **5** 좌우 방향의 **6** 《비유》 옆의; 동등[동격, 대등]의; 전반적인; 동급간의: ~ publication 일반 간행물[잡지] (opp. *vertical publication*) **7** 《미》 획일적인, 균일한 **8** 〖경제〗 〈기업의 성격이〉 수평의, 동업종(간)의 **9** 〈기계가〉 수평으로 움직이는 **10** 《구어》 술취한

— *n.* [the ~] 수평 위치; 수평물《선·면 등》; (체조의) 철봉 **~·ly** *ad.* **~·ness** *n.*

horizóntal bár 철봉; 철봉 경기

horizóntal éxercise 《영·속어》 누워서 하는 체조, 성교; 《영·속어》 수면, 취침

horizóntal integrátion 〖경영〗 수평적 통합《동일 업종의 기업간의 통합》

hor·i·zon·tal·i·ty [hɔ̀:rəzɑntǽləti | hɔ̀rəzɔn-] *n.* Ⓤ 수평 상태[위치]

horizóntal mérger 동업종간의 합병

horizóntal mobílity 〖사회〗 수평 이동《동일한 사회 계층내에서의 전직이나 문화의 확산 등; cf. VERTICAL MOBILITY》

horizóntal párallax 지평 시차(地平視差)

horizóntal rúdder 〖항해〗 수평 키; 〖항공〗 승강 키

horizóntal scrólling 〖컴퓨터〗 수평 스크롤《보이지 않는 부분을 보기 위해 수록된 내용을 좌우로 이동시키는 것》

horizóntal stábilizer 〖항공〗 수평 안전판(《영》 tail plane)

horizóntal únion 동업 조합, 수평적[직업별] 조합(craft union)

hor·licks [hɔ́:rliks] *n. pl.* [단수 취급] 혼란 상태(mess)

hor·me [hɔ́:rmi] *n.* 〖심리〗 호르메《목적을 향해서 생체(生體)를 행동으로 몰아가는 생득적·본원적인 힘》

hór·mic théory [hɔ́:rmik-] 〖심리〗 호르메설(說)《모든 행동은 의식적이든 무의식적이든, 어떤 본원적인 힘(horme)에 의해 목적을 향해 이끌려 가게 된다는 설》

hor·mo·nal [hɔ:rmóunl], **-mon·ic** [-mɑ́nik, -móun- | hɔ:mɔ́n-] *a.* 호르몬의[에 의한] **-mó·nal·ly** *ad.*

*__hor·mone__ [hɔ́:rmoun] *n.* 〖생리〗 호르몬; 〖약학〗 합성 호르몬; 〖식물〗 식물호르몬 **~·lìke** *a.*
▷ hormónal, hormónic *a.*

hórmone replácement thèrapy 〖의학〗 호르몬 치환 요법《에스트로겐을 써서 여성의 폐경에 수반되는 증상을 치료하며 골다공증을 예방함; 略 HRT》

hor·mon·ize [hɔ́:rmounàiz] *vt.* 호르몬으로 처리하다, 《특히》 생화학적으로 거세하다

hor·mo·nol·o·gy [hɔ̀:rmənɑ́lədʒi | -nɔ́l-] *n.* Ⓤ 호르몬학, 내분비학

Hor·muz, Or- [hɔ:rmú:z, hɔ́:rmʌz | hɔ́:mʌz] *n.* ***the Strait of ~*** 호르무즈 해협《이란과 아라비아 반도 사이, 페르시아 만의 출입구》

‡**horn** [hɔ́:rn] *n.* **1** (소·양·사슴·노루 등의) 뿔 **2** (달팽이 등의) 신축성 있는 뿔, 촉각, 촉수, 뿔 모양의 기관[돌기]; 《속어》 코 **3** 각재(角材); 각질 **4** 각제품《잔·화약통·구둣주걱 등》 **5** 〖성서〗 뿔《힘 또는 신·그리스도의 상징》; (악마의) 뿔: a ~ of salvation 구원의 뿔[힘] / the devil's ~ 악마의 뿔 **6** [*pl.*] (부정한 아내에 대한) 질투의 뿔: wear the ~*s* 바람난 아내를 가지다 **7 a** 뿔나팔, 뿔피리, 각적 **b** 〖음악〗 호른; 《속어》 트럼펫(trumpet), 나팔 **8** (자동차 등의) 경적: an automobile ~ 자동차 경적 / sound[blow, honk] a ~ 경적을 울리다 **9** 〖무선〗 호른 스피커 **10** [the ~] 《미·구어》 전화: be on *the* ~ 통화 중이다 **11** 뿔 모양의 것 **a** 안장의 머리(pommel) **b** 초승달의 한쪽 끝 **c** 활의 양 끝 **d** 모래톱[곶]의 첨단 **12** [the ~] 딜레마의 뿔(cf. DILEMMA)

(a)round the ~ 〖야구〗 (더블 플레이에서) 3루에서 2루-1루로 ***blow*** one***'s own ~*** = blow one's own TRUMPET. ***come out at the little end of the ~*** 큰소리치다가 실패하다 ***draw*** [***haul, pull***] ***in*** one***'s ~s*** (1) 자제하다; 기가 죽다, 수그러지다 (2) 《영》 지출을 억제하다 ***get on the ~*** 《구어》 전화하다 ***get the ~*** 발기하다 ***lift up*** one***'s ~*** 야심을 품다, 우쭐해지다, 뽐내다 ***lock ~s*** (…와) 격투하다, 싸우다《*with*》 ***show*** one***'s ~s*** 본성을 드러내다 ***the ~ of plenty*** = CORNUCOPIA 1

— *a.* 뿔(제품)의, 뿔 모양의, 각질의: ~ spectacles 뿔테 안경

— *vt.* **1** 《고어》 〈아내가〉 (남편에게) 불의를 저지르다 **2** 뿔로 받다 **3** 뿔이 나게 하다 **4** 뿔을 뽑다 **5** 〈마약을〉 코로 들여 마시다 **~ in** 《구어》 끼어들다, 참견하다
▷ hórny, hórnless, hórnlike *a.*

Horn [hɔ́:rn] *n.* [the ~] ⇨ Cape Horn

horn·beam [hɔ́:rnbì:m] *n.* 〖식물〗 서나무속(屬)《자작나뭇과(科)의 낙엽수》; 그 목재

horn·bill [-bìl] *n.* 〖조류〗 코뿔새

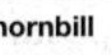
hornbill

horn·blende [-blènd] *n.* Ⓤ 〖광물〗 각섬석(角閃石)

horn·blow·ing [-blòuiŋ] *n.* 《미·속어》 대대적[화려한] 선전

horn·book [-bùk] *n.* 글씨판《옛날 아이들의 학습용구》; 기본서, 입문서(primer)

Horn·by [hɔ́:rnbi] *n.* 혼비 **Albert Sidney** ~ (1898-1978)《영국의 영어 교육자·사전 편찬자》

horned [hɔ́:rnd, 《시어》 hɔ́:rnid] *a.* **1** 뿔이 있는 **2** 뿔 모양의 **3** 초승달 모양의

thesaurus **horde** *n.* crowd, mob, throng, mass, multitude, pack, gang, band, flock, swarm
horrible *a.* dreadful, awful, horrid, terrifying, frightful, fearful, horrendous, shocking, appalling,

horn·ed·ness [hɔ́ːrnidnis] *n.*
hórned ówl 〖조류〗 수리부엉이
hórned póut 〖어류〗 메기
hórned tóad[lízard] 뿔도마뱀
hórned víper 뿔뱀(cerastes)
horn·er [hɔ́ːrnər] *n.* 뿔 세공인(人); 뿔나팔[뿔피리, 호른] 부는 사람; 《미·속어》 아편쟁이
hor·net [hɔ́ːrnit] *n.* **1** 〖곤충〗 호박벌 **2** 《비유》 귀찮게 구는 사람, 심술쟁이; 곤란; 맹공격
(*as*) ***mad as a*** ~ 《구어》 몹시 화가 나서, 격노하여
hórnet's nèst 호박벌 집; (벌집을 쑤신 것 같은) 큰 소동; 귀찮은 상태, 크게 분개함; 많은 사람의 적[반대자] ***bring a*** ~ ***about*** one***'s ears*** = ***stir up a*** ~ 많은 사람들의 분개를 자초하다; 말썽을 일으키다
horn·fels [hɔ́ːrnfelz] *n.* 〖광물〗 혼펠스 《접촉 변성암의 일종》
horn·fish [hɔ́ːrnfiʃ] *n.* 〖어류〗 은비늘치, 꽁치아재비
horn·ful [hɔ́ːrnfùl] *n.* (*pl.* **~s**) 뿔잔 한 잔(의 양)
horn·ist [hɔ́ːrnist] *n.* 호른 연주자
horn·less [hɔ́ːrnlis] *a.* 뿔 없는
horn·like [hɔ́ːrnlàik] *a.* 뿔같은; 뿔 모양의
horn-mad [hɔ́ːrnmǽd] *a.* **1** 《고어》 뿔로 받을만큼 성이 난 **2** 격노한 **3** 호색의, 욕정적인 **~·ness** *n.*
Hórn of África [the ~] 아프리카의 뿔 《아프리카 대륙 북동부, 소말리아 공화국과 그 인근 지역》
horn·pipe [-pàip] *n.* **1** (양 끝에 뿔이 달린) 나무 피리 **2** (선원들 간에 유행했던) 활발한 춤; 그 춤곡
horn-rimmed [-rìmd] *a.* 〈안경이〉 뿔[별갑]테의
horn-rims [-rìmz] *n. pl.* 뿔[별갑]테 안경
horn·stone [-stòun] *n.* Ⓤ 각암(角岩)
horn·swog·gle [-swàgl | -swɔ̀gl] *vt.* 《방언·속어》 속이다, 사기치다
horn·work [-wə̀ːrk] *n.* Ⓤ **1** 뿔 세공; 《속어》 뿔 세공품, 각제품 **2** 〖건축〗 각보(角堡)
horn·wort [-wə̀ːrt] *n.* 〖식물〗 붕어마름
horn·y [hɔ́ːrni] *a.* (**horn·i·er**; **-i·est**) **1** 뿔의, 각질의, 각제(角製)의 **2** 뿔 모양의 **3** 경화된, 뿔처럼 단단한: the ~ coat (of the eye) 각막(角膜) **4** 《비어》 성적으로 흥분한, 호색의 **hórn·i·ness** *n.* 각질, 경질
horn·y-hand·ed [hɔ́ːrnihǽndid] *a.* 막일로 손이 딱딱해진
hor·o·loge [hɔ́ːrəlòudʒ, -làdʒ, hár- | hɔ́rəlɔ̀dʒ] *n.* 시계 《특히 해시계 또는 원시적 형태의 시계》
hor·o·log·ic, -i·cal [hɔ̀ːrəládʒik(əl), hàr- | hɔ̀rəlɔ́dʒ-] *a.* 시계의, 시계학상의; 측시법의
hor·o·lo·gi·um [hɔ̀ːrəlóudʒiəm, hàr- | hɔ̀r-] *n.* (*pl.* **-gi·a** [-dʒiə]) 시계탑[대]; [**H~**] 〖천문〗 시계자리(the Clock)
ho·rol·o·gy [hɔːrálədʒi, hə- | hɔrɔ́l-, hə-] *n.* Ⓤ 시계학; 시계 제작법; 측시법(測時法)
-gist *n.* 시계공; 시계학자
ho·rop·ter [həráptər, hɔː- | hɔrɔ́p-] *n.* 〖안과〗 단시 궤적(單視軌跡) **hòr·op·tér·ic** *a.*
hor·o·scope [hɔ́ːrəskòup, hár- | hɔ́r-] *n.* **1** 〖점성술〗 별점, (탄생시의) 천체 위치 관측 **2** (점성용) 천궁도(天宮圖), 12궁도(宮圖) ***cast a*** ~ 운세도(運勢圖)를 만들다, 별점을 치다
▷ horóscopy *n.*; horoscópic *a.*
hor·o·scop·ic, -i·cal [hɔ̀ːrəskápik(əl), -skóup-, hàr- | hɔ̀rəskɔ́p-] *a.* 천궁도의; 별점의, 점성(술)의
ho·ros·co·py [hɔːráskəpi | hɔrɔ́s-] *n.* Ⓤ 《고어》 점성술; 별점; 천궁도 **-pist** *n.*
hor·o·tel·ic [hɔ̀ːrətélik] *a.* 〖생물〗 (어떤 동식물군의) 표준 진화 속도의
hor·ren·dous [hɔːréndəs | hɔr-] *a.* 《구어》 무서운, 끔찍한(horrible): a ~ experience 끔찍한 경험
~·ly *ad.* **~·ness** *n.*
hor·rent [hɔ́ːrənt, hár- | hɔ́r-] *a.* 《고어·시어》 곤두선; 《드물게》 소름 끼치는, 오싹하는
‡**hor·ri·ble** [hɔ́ːrəbl, hár- | hɔ́r-] *a.* (cf. HORRID) **1** 무서운, 끔찍한, 소름 끼치는(hideous): a ~ sight 끔찍한 광경 **2** 《구어》 **소름 끼치도록 싫은**; 냉정한; 지독한, 지겨운: ~ living conditions 참담한 생활 여건 / ~ weather 지겨운 날씨
— *ad.* 몹시, 지독히
~·ness *n.* ▷ hórror *n.*; hórribly *ad.*
∗**hor·ri·bly** [hɔ́ːrəbli, hár- | hɔ́r-] *ad.* **1** 무시무시하게, 끔찍하게 **2** 《구어》 지독하게
∗**hor·rid** [hɔ́ːrid, hár- | hɔ́r-] *a.* **1** 무시무시한(frightful), 징글맞은(abominable): a ~ look 무서운 표정 **2** 《구어》 지독한, 매우 불쾌한, 지겨운: ~ weather 기분 나쁜 날씨 **3** 보풀이 인; 까칠까칠한, 거친 ★ HORRIBLE보다 뜻이 약함. **~·ly** *ad.* **~·ness** *n.*
▷ hórror *n.*
hor·rif·ic [hɔːrífik, hɑ- | hɔ-] *a.* 무서운, 소름끼치는 **-i·cal·ly** *ad.*
∗**hor·ri·fied** [hɔ́ːrəfàid, hár- | hɔ́r-] *a.* 겁에 질린, 충격받은; 공포를 나타내는[수반하는], 공포감을 주는; 공포에 빠진, 섬뜩한; 실망한, 포기한: a ~ gasp 공포로 헐떡거림 / be ~ *at* the news 그 소식을 듣고 섬뜩해 하다 **~·ly** *ad.*
∗**hor·ri·fy** [hɔ́ːrəfài, hár- | hɔ́r-] *vt.* (**-fied**) **1** 소름끼치게 하다, 무서워 떨게 하다: The sound *horrified* us all. 그 소리가 우리를 소름끼치게 했다. **2** 《속어》 (소름끼치도록) 반감[혐오]을 느끼게 하다; 충격을 주다, 실망시키다
hòr·ri·fi·cá·tion *n.* Ⓤ 오싹하기, 전율; Ⓒ 소름끼치게 하는 것 ▷ hórror *n.*; hórrifying *a.*
hor·ri·fy·ing [hɔ́ːrəfàiiŋ, hár- | hɔ́r-] *a.* 무서운, 소름끼치는 **~·ly** *ad.*
hor·rip·i·late [hɔːrípəlèit, hɑ- | hɔ-] *vt.* 소름끼치게 하다, 등골을 오싹하게 하다
hor·rip·i·la·tion [hɔːrìpəléiʃən, hɑ- | hɔ-] *n.* Ⓤ 소름끼침; 소름(gooseflesh)
‡**hor·ror** [hɔ́ːrər, hár- | hɔ́r-] [L 「(무서워) 털이 곤두서기」의 뜻에서] *n.* **1** Ⓤ **공포, 전율**(⇨ fear 유의어): shrink back in ~ 공포로 뒷걸음질 치다 / He was filled with ~ at the sight. 그는 그 광경을 보고 오싹하게 무서웠다. **2 a** 소름끼칠 듯이 싫은 것[사람] **b** [*pl.*] 참사: the ~*s* of war 전쟁의 참사 **3** ⓊⒸ [a ~] (…에 대한) 혐오, 질색 《*of*》: She has *a* ~ *of* spiders. 그녀는 거미가 질색이다. **4** 《구어》 **a** 아주 형편없는 것: That wallpaper was a ~. 그 벽지는 최악이었다. **b** 망나니 《아이》, 개구쟁이 **5** [the ~s] 《구어》 **a** 오싹하는 기분, 우울: give a person *the* ~*s* …을 우울하게 하다 **b** (알코올 중독의) 떨림 《발작》 **c** 월경 **6** 공포 영화 **7** 《미·마약속어》 (마약에 의한) 무서운 환각 ~ ***of*** ~***s*** 《영·익살》 [종종 반어적] 무시무시하게도, 끔찍스럽게도 ***the Chamber of H~s*** 공포의 방 《Madame Tussaud의 흉악범의 납인형 진열실》 ***throw up*** one***'s hands in*** ~ 두려움[충격]으로 망연자실하다
— *a.* Ⓐ 공포의, 전율의, 오싹하는: a ~ movie [film, picture] 공포 영화
— *int.* [*pl.*] 어머나 《낭패·실망·놀라움 등의 완곡한 표현》: Oh, ~*s*! I've made a mistake. 이런, 실수를 했군!
▷ hórrid, hórrible *a.*; hórrify *v.*
hor·ror·ball [hɔ́ːrərbɔ̀ːl] *n.* 《속어》 싫은 녀석
hórror còmic 공포[스릴러] 만화
hórror stòry (살육·초자연력 등을 다룬) 공포물 《소설·영화 등》; 《구어》 비참한 경험
hor·ror-struck [hɔ́ːrərstrʌ̀k | hɔ́r-], **-strick·en** [-strìkən] *a.* 공포에 질린; (…에) 소스라치게 놀란
hórror vác·u·i [-vǽkjuài] 공간 공포 《자기 앞에 펼쳐진 공백에 대한 공포감》
hors [hɔ́ːr] [F] *prep.* …의 밖[외부]에

---

ghastly, disgusting, repulsive, revolting, disagreeable, unpleasant
horrid *a.* hideous, disturbing, shameful, offensive
horror *n.* fear, awe, terror, fright

hors con·cours [ɔ́ːr-kɔːŋkúər | hɔ́ːr-] [F] *a.* 〈출품작이〉 심사 외의, 무심사의
hors de com·bat [ɔ́ːr-də-kɔːmbɑ́ː | hɔ́ːr-də-kɔ́ːmbɑː] [F] *a., ad.* 전투력을 잃은[잃고]
hors d'oeu·vre [ɔːr-dəː́rvr | hɔ́ːr-] [F] (*pl.* **~, ~s** [-z]) [보통 *pl.*] **1** 오르되브르, 전채(前菜) 《수프 전에 나오는 가벼운 요리》 **2** (비유) 부차적인 것, 사소한 문제
‡horse [hɔ́ːrs] *n.* (*pl.* **hors·es,** [집합적] ~) **1** 말; (성장한) 수말: eat like a ~ 많이 먹다 / (as) strong as a ~ 매우 건강한 / You can lead [take] a ~ to water, but you cannot make it drink. (속담) 스스로 하려는 생각이 없는 사람을 억지로 시킬 수는 없다.
관련 horse는 수말, 암말은 mare. 종마(種馬)는 stallion. 거세한 수말은 gelding; 4살까지의 새끼 수컷은 colt이며, 암컷은 filly; 1살 미만의 망아지는 foal; 키 1.5 m 정도의 소형 말은 pony; 우는 소리는 neigh. 기쁜 듯이 히힝거리는 것은 whinny. 말발굽 소리 「다가닥 다가닥」은 clip-clop.
2 경주마(racehorse) **3** 《일반적으로》 말과(科) 동물 《ass, donkey, horse, zebra 등》 **4** [집합적; 단수 취급] 기병(mounted soldiers); 기병대(cavalry): light ~ 경기병(輕騎兵) **5** 목마; (체조용) 안마 (=pommel ~): a rocking ~ 흔들목마 **6** 높은 발판; 받침대, 나무 받이; 빨래 너는 대(臺); 수건걸이 (=towel ~); (가죽의) 무두질판 **7** 톱받침, 톱모탕 **8** (경멸·익살) 사람, 놈(man, fellow) **9** Ⓤ [종종 *pl.*] (구어) 마력(馬力) **10** Ⓤ 〖광산〗 끼움돌, 중석(中石) 《광맥 중의 바위》 **11** 〖체스〗 (구어) =KNIGHT **12** Ⓤ (속어) 헤로인; 마약 중독자 **13 a** (미·속어) 근면한 학생 **b** (미·구어) 자습서(crib) **14** (미·속어) 콘비프 **15** (미·속어) 1,000달러
a ~ of another* [*a different*] *color (전혀) 별개의 사항 ***back* [*bet on*] *the wrong ~*** (구어) (1) (경마에서) 질 말에 걸다 (2) 약한 쪽을 지지하다 (3) 판단을 그르치다 ***beat* [*flog*] *a dead ~*** (구어) 다 끝난 문제를 논하다; 아무도 흥미를 갖지 않는 이야기를 계속하다; 헛수고하다 ***be on the* [one's] *high ~*** (모르고) 뽐내다 ***change* [*swap*] *~s in mid-stream* [*the middle of a stream*]** (1) 변절하다 (2) (계획 등을) 중도에서 변경하다 ***feed the ~s* [*ponies*]** (미·속어) 경마에서 지다 ***from the ~'s mouth*** (구어) 가장 믿을 만한 계통으로부터; 직접 본인한테서 ***get on* one's *~*** (미·구어) 서두르다; 곧 출발하다 ***hold* one's *~s*** [보통 명령법으로] 조급해지는 마음을 억제하다 ***~ and carriage*** 말 한 필이 끄는 마차 ***~ and foot*** =**~, *foot and dragoons*** (1) 보병과 기병, 전군 (2) 전력을 다하여 ***~ and ~*** (미·속어) 피장파장으로, 대등하여 ***I could eat a ~.*** 배가 몹시 고프다. ***It is* (*a case*[*question*] *of*) *~s for courses.*** (영) 코스에 따라 말 종류도 선택을 달리 해야 한다, 사람은 각자 자기의 특기 분야가 있다 ***look a gift ~ in the mouth*** ⇨ gift horse. ***mount* [*ride*] *the high ~*** (구어) 뽐내다; 뻐기다 ***on ~ of ten toes*** (익살) 도보로, 걸어서 ***on the ~*** (미·속어) 헤로인에 취한 ***pay for a dead ~*** 헛돈을 쓰다 ***play ~ with*** …을 괄시하다, 쌀쌀하게 대하다 ***play the ~s*** (미) 경마에 돈을 걸다 ***put the cart before the ~*** ⇨ cart. ***take ~*** 말을 타다, 말타고 가다 ***take the ~*** 새끼 배다; 〈암말이〉 교미하다 ***talk ~*** 허풍치다(cf. talk BIG) ***To ~!*** (구령) 승마! ***willing ~*** 앞장서서 일하는 사람: Do not spur a *willing* ~. 쓸데없는 참견하지 마라. ***work like a ~*** 매우 힘차게 일하다, 충실히 일하다
—*a.* **1** 말의; 말에 붙이는: a ~ blanket 말 담요 **2** 말이 끄는 **3** 말에 탄: ~ troops 기병대 **4** 매우 큰
—*vt.* **1** 〈마차에〉 말을 매다: ~ a carriage 마차에 말을 매다 **2** 말에 태우다; …에게 말을 공급하다; 짊어지다 **3** 〈암컷과〉 교미하다 **4** (구어) 밀다; 질질 끌고 다니다 **5** (구어) (신입생을) 조롱하다, 놀려대다 **6** (미·속어) 자습서로 공부하다 **7** (구어) 〖항해〗 혹사하다 **8** 채찍질하다(flog) **9** (미·속어) 속이다
—*vi.* **1** 말을 타다; 말타고 가다 **2** 〈수말이〉 교미기에 있다 **3** (비어) 바람피우다; (배우자가 아닌 사람과) 성행위에 빠지다 **4** (구어) 법석 떨다; 희롱거리다
***~ around* [*about*]** (구어) 법석 떨다, 희롱거리다 ***~d* (*up*)** (속어) 헤로인에 취한
~·less, ~·lìke *a.* ▷ hórsey *a.*
horse-and-bug·gy [hɔ́ːrsəndbʌ́gi] *a.* Ⓐ (미·구어) **1** (자동차 이전의) 경장 마차의 〈시대〉 **2** 구식의, 낡은
‡horse·back [hɔ́ːrsbæ̀k] *n.* **1** 말 등 **2** 〖지질〗 (모래·바위로 된) 낮게 솟은 등성이 ***a man on ~*** (군인으로서 독재적 경향의) 강력한 국민적 지도자; 독재자 ***on ~*** 말 타고
—*a.* **1** 말 등의: ~ riding 승마 **2** 대충의, 되는대로의, 깊은 생각 없는 〈의견 등〉
—*ad.* 말 타고: ride ~ 말 타고 가다
horse·bean [-bìːn] *n.* 〖식물〗 (말의 사료로 쓰는) 잠두콩
hórse blòck (승마용) 발판
hórse bòat 말·마차를 운반하는 나룻배; (미) 말이 끄는 배
hórse bòx (영) (경주마 등) 말 운송용 화차((미) horse trailer)
hórse bràss (마구(馬具)로서의) 놋쇠 장식
horse·break·er [-brèikər] *n.* 조마사, 조교사
horse·car [-kɑ̀ːr] *n.* (미) (옛날의) 철도 마차 《말이 끄는 노면 궤조차》; 말 운송용 화차[트럭]
hórse chèstnut 〖식물〗 마로니에; 그 열매
horse·cloth [-klɔ̀ːθ | -klɔ̀θ] *n.* 말 옷
horse-col·lar [-kɑ̀lər | -kɔ̀l-] (속어) *n.* (특히 야구에서) 무득점 **—***vt.* 〖야구〗 〈상대 팀을〉 영패시키다, 완봉하다; (상대 타자에게) 안타[타점]을 허락하지 않다
horse-cop·er [-kòupər], **-deal·er** [-dìːlər] *n.* (영) (부정직한) 말장수(coper)
hórse dòctor (구어) 말 의사, 수의사; 돌팔이 의사
horse-drawn [-drɔ̀ːn] *a.* 말이 끄는, 말에 끌리는
horse-faced [-fèist] *a.* 말상(相)의, 얼굴이 긴
horse·fair [-fɛ̀ər] *n.* 마시장(馬市場)
horse·feath·ers [-fèðərz] (미·속어) *n. pl.* 난센스, 허튼소리(nonsense)
—*int.* 바보같은 (짓 그만둬) 《경멸조의 거부를 표현》
horse·flesh [-flèʃ] *n.* Ⓤ 말고기; [집합적] 말(horses); 《특히》 경주마; Ⓒ (비어) 여자
horse·fly [-flài] *n.* (*pl.* **-flies**) 말파리, 쇠등에
Hórse Guàrds (영) **1** [the ~] 근위(近衛) 기병 여단 《3개 연대》; [the (Royal) ~] 근위 기병 제2연대 **2** [the ~; 단수 취급] 영국 육군 총사령부 《런던 Whitehall에 있음》
horse·hair [-hɛ̀ər] *n.* Ⓤ **1** 말털 《말갈기 또는 말총》 **2** 마미단(馬尾緞)(haircloth) **hórse·hàired** *a.*
Hórsehead Nèbula 〖천문〗 말머리 성운(星雲)
horse·hide [-hàid] *n.* 말가죽, 마피 《말의 날가죽 또는 무두질한 가죽》; (미·속어) 야구공
hórse látitudes 〖항해〗 (대서양, 북위 및 남위의 각 30° 부근의) 무풍대(無風帶)
horse·laugh [-læ̀f | -lɑ̀ːf] *n.* [보통 the ~] (남을 무시한) 너털웃음, 홍소(guffaw): get *the* ~ 큰소리로 웃다 **~·ter** *n.*
horse·leech [-lìːtʃ] *n.* **1** 〖동물〗 말거머리 **2** 욕심쟁이, 착취자 **3** (고어) 말 의사(horse doctor)
horse·less [hɔ́ːrslis] *a.* 말 《馬》이 없는; 말이 필요 없는
hórseless cárriage (고어) 자동차
horse-lit·ter [-lìtər] *n.* (말 두 필 사이에 메운) 말가마
hórse màckerel 〖어류〗 다랑어(tunny); 전갱이
‡horse·man [hɔ́ːrsmən] *n.* (*pl.* **-men** [-mən, -mèn]) **1** 승마자, 기수; 승마술에 능한 사람 **2** 말 사육사 **3** (캐나다) 기마 경관 **~·shìp** *n.* Ⓤ 승마술

hórse màrine (익살) 기마 수병(騎馬水兵) 《존재할 수 없는 것》 ***Tell that to the ~s!*** 터무니없는 소리 마라, 말도 안 되는 소리!
hórse màster 조마사(調馬師)
hórse mùshroom 말버섯 《식용》
hórse òpera **1** (텔레비전·영화·소설의) 서부극 **2** (미·속어) 서커스
hórse pàrlor[**ròom**] (속어) 사설 마권 매장
hórse pìstol (옛날, 승마자가 소지한) 대형 권총
horse·play [-plèi] *n.* Ⓤ 소란스러운 장난[놀이]
horse·play·er [-plèiər] *n.* 경마광(狂)
horse·pond [-pɑ̀nd | -pɔ̀nd] *n.* 말에게 물을 먹이거나 씻기는 못
***horse·pow·er** [hɔ́ːrspàuər] *n.* **1** 〖기계〗 마력 《1초에 75 kg을 1m 높이에 올리는 힘의 단위; 略 hp, h.p., HP, H.P.》 **2** (구어) 달성[생산] 능력; 힘, 재능: intellectual ~ 지적 능력
horse·pow·er-hour [-àuər] *n.* 마력시(馬力時) 《1마력의 힘으로 1시간에 하는 일의 양》
horse·pox [-pɑ̀ks | -pɔ̀ks] *n.* Ⓤ 〖수의학〗 마두(馬痘) 《말의 천연두》
hórse ràce **1** 경마 **2** (미) 치열한[아슬아슬한] 경쟁
hórse ràcing 경마
horse·rad·ish [-rædiʃ] *n.* 〖식물〗 양고추냉이; 그 뿌리를 간 양념
hórse ràke 말이 끄는 써레
hórse rìding (영) 말타기, 승마(riding[1])
hórse ròom = HORSE PARLOR
hórse's áss (미·속어·비어) 멍텅구리, 아둔한 사람, 쓸모없는 사람
hórse sènse (미·구어) (일상적) 상식, 양식
horse·shit [-ʃìt, hɔ́ːrʃʃìt] (미·속어·비어) *n.* **1** 말똥 **2** 허튼소리, 난센스 ~ ***and gunsmoke*** (미·군대 속어) 대혼란
— *int.* [불신·회의 등을 나타내어] 바보같이, 헛소리마 — *vi.* 허튼소리를 하다
***horse·shoe** [hɔ́ːrsʃùː, hɔ́ːrʃʃùː] *n.* **1** 편자, 말편자 **2 a** 편자 모양의 것 **b** U자형의 것 **3** (편자형의) 행운 표시 **4** 〖동물〗 = HORSESHOE CRAB **5** [*pl.*; 단수 취급] 편자 던지기 《놀이》
— *vt.* …에 편자를 대다; 편자 모양으로 하다
hórse·shò·er *n.* 편자공
hórseshoe árch 〖건축〗 편자형의 아치
hórseshoe cráb 〖동물〗 투구게(king crab)
Hórseshoe Fálls [the ~; 보통 단수 취급] 나이아가라 폭포(Niagara Falls)의 캐나다쪽 폭포
hórseshoe màgnet 말굽자석
hórse sòldier 기병(騎兵)
horse·tail [-tèil] *n.* **1** 말꼬리 **2** 옛 터키의 군기·총독기(旗) **3** 〖식물〗 속새
hórse tràde 말의 교환[매매]; (미·구어) 빈틈없는 거래, 현실적 타협 **hórse tràder**
horse-trade [-trèid] *vi.* (구어) 빈틈없이 거래[흥정]하다; 말을 매매하다
horse-trad·ing [-trèidiŋ] *n.* **1** 치열한 교섭, 빈틈없는 거래, 교활한 흥정 **2** 말의 매매
hórse tràiler (미) 마필 운송용 트레일러
horse·weed [-wìːd] *n.* 〖식물〗 쥐꼬리망초
horse·whip [-*h*wìp] *n.* 말채찍 — *vt.* (**~ped**; **~·ping**) 〈말을〉 채찍으로 때리다; 호되게 벌주다 **~·per** *n.*
horse·wom·an [-wùmən] *n.* (*pl.* **-wom·en** [-wìmin]) 여자 승마자, 여기수 **~·ship** *n.*
hors·ey [hɔ́ːrsi] *a.* (**hors·i·er**; **-i·est**) = HORSY
hors·i·ly [hɔ́ːrsili] *ad.* 말을 좋아하여, 경마에 미쳐서; 기수답게
horst [hɔ́ːrst] *n.* 〖지질〗 (융기한) 지루(地壘)
hors texte [ɔ̀ːrtékst | hɔ̀ːr-] 〖F〗 *a.*, *ad.* 본문과는 별도로[의], 별쇄(別刷)로[의]
hors·y, hors·ey [hɔ́ːrsi] *a.* (**hors·i·er**; **-i·est**) **1** 말의[같은] **2** 말을 좋아하는, 경마[승마]를 좋아하는 **3** 마필 개량에 열심인 **4** 〈복장·언어 등이〉 기수 같은 **5** (속어) 크고 꼴사나운 **hórs·i·ness** *n.*
▷ hórsily *ad.*
hort., hortic. horticultural; horticulture
hor·ta·tion [hɔːrtéiʃən] *n.* Ⓤ 권고, 장려
hor·ta·tive [hɔ́ːrtətiv] *a.* = HORTATORY **~·ly** *ad.*
hor·ta·to·ry [hɔ́ːrtətɔ̀ːri] *a.* 충고의, 권고적인; 장려[격려]의 ▷ hortátion *n.*
hor·ti·cul·ture [hɔ́ːrtəkʌ̀ltʃər] *n.* Ⓤ 원예(술·학)
hòr·ti·cúl·tur·al *a.* ▷ horticúlturist *n.*
hor·ti·cul·tur·ist [hɔ̀ːrtəkʌ́ltʃərist] *n.* 원예가
hor·tus sic·cus [hɔ́ːrtəs-síkəs] **1** 식물 표본집 **2** 하찮은 사실 등의 집적
Ho·rus [hɔ́ːrəs] *n.* 호루스 《매의 모습[머리]을 한 이집트의 태양신》
Hos. 〖성서〗 Hosea
ho·san·na [houzǽnə] *int.*, *n.* 〖성서〗 호산나 《하느님을찬송하는 외침[말]》 — *vt.* …을 찬미하다, 갈채를 보내다
HÓ scàle [*h*alf+*O scale*] HO 축척 《자동차·철도 모형의 축척; 1피트에 대해 3.5 mm의 비율》
hose** [hóuz] *n.* **1** (*pl.* **~, hos·es**) ⓊⒸ (물을 끄는) 호스, 수도용 관: a fire ~ 소방용 호스/a garden ~ 정원용 호스 **2** (*pl.* ~) [복수 취급] 긴 양말, (여자용) 스타킹(stockings): a pair of ~ 긴 양말 한 켤레 **3** (*pl.* ~) (옛날의 남자용) 타이츠; [복수 취급] 반바지 ***half ~ 짧은 양말, 속스(socks)
— *vt.* **1** 호스로 물을 뿌리다, 〈자동차 등을〉 호스물을 뿌려 씻다 《*down*》 **2** (미·속어) 〈사람을〉 속이다; 물리치다; 거절하다 **3** (미·속어) 죽이다 《*down*》 **4** (미·속어·비어) 〈여자와〉 성교하다 **~·like** *a.*
Ho·se·a [houzíːə, -zéiə | -zíə] *n.* 〖성서〗 **1** 호세아 《히브리의 예언자》 **2** 호세아서(書) 《略 Hos.》
hose·cock [hóuzkɑ̀k | -kɔ̀k] *n.* (정원용 호스 따위의) 살수전(撒水栓)
ho·sel [hóuzəl] *n.* 〖골프〗 호젤 《아이언 클럽 헤드 부분의 샤프트(shaft)를 끼우는 구멍》
hose·pipe [hóuzpàip] *n.* 호스(hose)
ho·ser [hóuzər] *n.* **1** 호스로 물을 뿌리는 사람 **2** (속어) 착한 친구; (캐나다·속어) (특히 북부의 소박하고 건장한) 캐나다 사람; (미·속어) 사기꾼
ho·sier [hóuʒər | -ziə] *n.* 양말·메리야스 장수[제조업자]; (신사) 양품점
ho·sier·y [hóuʒəri | -ziəri] *n.* Ⓤ 양말·메리야스류(제조 판매)
hos·ing [hóuziŋ] *n.* (속어) 속기, 이용당하기; 결정적 타격, 대패(大敗)
hosp. hospital
hos·pice [hɑ́spis | hɔ́s-] *n.* **1** 여행자 휴식[숙박]소 《특히 순례자·참배자를 위한》 **2** 〖의학〗 호스피스 《말기 환자를 위한 의료·간호 시설》; 호스피스 활동, 정신적 지원 활동
***hos·pi·ta·ble** [hɑ́spitəbl, ─ˊ──| hɔ́spit-] [L 「손님을 접대하다」의 뜻에서] *a.* **1** 대접이 좋은, 손님 접대를 잘하는, 친절한: a ~ family 따뜻이 맞아주는 가족/a ~ welcome 따뜻한 환영 **2** 공손한, 극진한 **3** 흔쾌히 받아들이는, 개방적인 《*to*》: be ~ *to* new ideas 새로운 안을 흔쾌히 받아들이다 **4** 〈환경 등이〉 (…에) 쾌적한 《*to*》: soil ~ *to*[*for*] farming 농사에 적절한 토양 **~·ness** *n.* **-bly** *ad.*
▷ hospitálity *n.*
‡hos·pi·tal [hɑ́spitl | hɔ́s-] [L 「손님을 접대하는 곳」의 뜻에서] *n.* **1** 병원; 가축 병원: an eye ~ 안과 병원/an isolation ~ 격리 병원 **2** (물건의) 수선소, 수리소: a clock ~ 시계 수리소 **3** (영·고어) 자선 시설; 양육원; 자선 학교 《현재는 'Christ's H~' 등 고유명사에만 남아 있음》
enter [***go to***] (***the***) ~ 입원하다 ***in*** [***out of***] (***the***) ~ (영) 입원[퇴원]하여 ★ (미)에서는 「입원·퇴원」에 정관사를 넣을 때가 많음. ***leave*** (***the***) ~ 퇴원하다 ***play ~s*** (속어) 병원 놀이를 하다 ***walk the*** ~ 병원에서

실습하다, 수련하다
▷ hóspitalize *v.*

hóspital còrner (병원) 침대 시트를 정돈할 때 생기는 삼각형의 접은 모양

Hos·pi·tal·er, -tal·ler [hάspitələr | hɔ́s-] *n.* **1** = KNIGHTS HOSPITALERS **2** [**h~**] 종교적 자선 단체 회원 **3** [**h~**] (런던의) 병원 부속 교회 목사; 병원에서 환자를 돌봐주는 사람

hóspital féver 병원 티푸스 《위생 환경이 좋지 않은 병원에서 감염됨》

hóspital gángrene 〖병리〗 병원 괴저(壞疽) 《불결한 병원에서 발생하는 전염성 질환》

hos·pi·tal·ism [hάspitəlìzm | hɔ́s-] *n.* Ⓤ 병원 제도; 병원 설비; 관리상의 결함

hos·pi·tal·ist [hάspitəlist | hɔ́s-] *n.* 입원 환자 전문의(醫)

‡hos·pi·tal·i·ty [hὰspətǽləti | hɔ̀s-] *n.* (*pl.* **-ties**) ⓊⒸ **1** 환대, 친절히 접대함, 후대: the ~ extended to him 그에게 보여준 환대 / give a person ~ …을 후대하다 / Afford me the ~ of your columns. 귀지(貴紙)에 게재해 주시기 바랍니다. 《기고가(寄稿家)의 부탁의 말》 **2** (새로운 사고 방식 등의) 수용력 《*to*》: extend a wide ~ *to* Western thought 서구적 사고 방식을 폭넓게 수용하다
— *a.* 접객업의; 〈방 등이〉 접대용의, 응접용의
▷ hóspitable *a.*

hospitálity índustry 서비스업 《호텔·식당업 등》

hospitálity sùite[ròom] (호텔 등의) 접대용 스위트[특별실]

hos·pi·tal·i·za·tion [hὰspitəlizéiʃən | hɔ̀spitəl-aiz-] *n.* Ⓤ **1** 입원; 입원 기간 **2** (구어) = HOSPITALIZATION INSURANCE

hospitalizátion insùrance 입원(비) 보험, 병원비용 보험 《가입자와 그 가족의 입원 치료를 보증하는》

hos·pi·tal·ize [hάspitəlàiz | hɔ́s-] *vt.* **1** [종종 수동형으로] 입원시키다: He *was ~d for* diagnosis and treatment. 그는 진단과 치료를 위하여 입원했다. **2** 병원 치료하다 ▷ hospitalizátion *n.*

hos·pi·tal·man [hάspitlmən | hɔ́s-] *n.* (*pl.* **-men**) 〖미해군〗 (병원의) 위생병, 간호병

hóspital pàss 〖럭비〗 너무 멀리 날아온 패스 《상대 태클로 부상을 당하기 쉬운》

Hóspital Sáturday (영) 병원 기부금 모집 토요일 《거리나 직장 등에서 함》

hóspital shìp (전시 등의) 병원선(船)

Hóspital Súnday (영) 병원 기부금 모집 일요일 《교회에서 함》

hóspital tràin 병원 열차 《부상병 후송 설비를 갖춘 군용 열차》

hos·po·dar [hάspədὰ:r | hɔ́s-] *n.* (터키 지배하의) 군주, 태수

‡host¹ [hóust] [L 「손, 손님」의 뜻에서] *n.* **1** (손님을 접대하는) 주인 (노릇), 집주인 노릇, 호스트(역)(cf. HOSTESS; opp. *guest*): act as ~ to a conference 회의를 주재하다 **2** (의식·식전 등의) 진행자, 운영자; (대회 등의) 주최자[국]; (회의·토론회 등의) 사회자, 의장; (TV·라디오 프로 등의) 사회자 **3** (경기 등의) 후원자, 스폰서; 개최지: be ~ to …을 주최하다 **4** (고어·익살) (여관 등의) 주인(landlord) **5** 〖생물〗 (기생 동식물의) 숙주(宿主)(cf. PARASITE) **6** 〖의학〗 수용자, 이식받는 사람 **7** 〖컴퓨터〗 = HOST COMPUTER
***count*[*reckon*] *without* one*'s* ~** 회계에 묻지 않고 셈을 치르다; 중요한 점을 빠뜨리고 결론을 내리다
— *vt.* **1** (파티 등에서) 주인 노릇을 하다; (주인으로서) 접대하다 **2** (국제 회의 등에서) 주최국 노릇을 하다 **3** (식전·토론회 등의) 사회를 맡다(emcee): ~ a TV show 텔레비전 쇼의 사회를 보다 **4** 〈손님을〉 재워주다 **5** (구어) 음식값을 안 내고 도망치다 **~·ly** *a.* **~·ship** *n.*

‡host² [hóust] [L 「적, 군세」의 뜻에서] *n.* **1** 무리, 떼, 다수(의 …)(large number) 《*of*》: a ~ *of* admirers 다수의 숭배자 / *~s of* troubles 수많은 어려움 **2** (시어·문어) 군(軍), 군대(army)
a ~ in* oneself** 일기당천의 용사 ***the heavenly ~ = the ~*(*s*) *of heaven 천체군(群), 일월성신(日月星辰); 천사의 군세 ***the Lord*[*God*] *of H~s*** 〖성서〗 만군(萬軍)의 주, 하나님(Jehovah)

Host [hóust] *n.* [the ~] 〖종교〗 성체(聖體); 성찬식의 빵

hos·ta [hóustə, hάs- | hɔ́s-] *n.* 〖식물〗 비비추·옥잠화속(屬)

∗hos·tage [hάstidʒ | hɔ́s-] *n.* 인질, 볼모; (고어) 저당, 담보, 담보물; 인질의 상태: a person in ~ 인질로 있는 사람 / hold[take] a person ~ …을 인질로 잡아두다[잡다] ***a ~ to fortune*** 향후 문제를 일으킬 일[상황, 행동] ***be* (*a*) *~ to*** …에 좌우되다, …에 지배당하다
~·shìp *n.* Ⓤ 인질[볼모]이 된 처지[신세]

hos·tage-tak·er [hάstidʒtèikər | hɔ́s-] *n.* 인질범, 납치범 **hós·tage-tàk·ing** *n.*

hóst compùter 〖컴퓨터〗 (단말기·마이크로 컴퓨터를 거느린) 호스트 컴퓨터, 대용량 컴퓨터

‡hos·tel [hάstl | hɔ́s-] [OF 「호텔」의 뜻에서] *n.* **1** 호스텔, 숙박소 《자전거·하이킹 여행 중의 젊은 남녀를 위한》; 합숙소(cf. YOUTH HOSTEL) **2** (영) 대학 기숙사
— *vi., vt.* (**~ed**; **~·ing** | **~led**; **~·ling**) 호스텔에 묵으면서 여행하다; (영) 숙박하다(lodge)

hos·tel·(l)er [hάstələr | hɔ́s-] *n.* **1** 호스텔의 관리자; (고어) 여관 주인 **2** 숙박자, 호스텔 여행자

hos·tel·(l)ing [hάstəliŋ | hɔ́s-] *n.* 호스텔 숙박

hos·tel·ry [hάstəlri | hɔ́s-] *n.* (*pl.* **-ries**) (영) (유스) 호스텔; (고어·문어) 여관(inn)

hóstel schòol 호스텔 학교 《캐나다의 인디언 및 에스키모 학생을 위한 기숙 학교》

‡host·ess [hóustis] *n.* **1** 여주인 (노릇), 안주인, 호스티스(역) **2** (식전·토론회 등의) 여성 사회자 **3** (여관·요리점 등의) 안주인, 마담; (나이트클럽·댄스홀의) 호스티스 **4** (열차·장거리 버스·비행기 등의) 여객 안내원, 여승무원, 스튜어디스: an air ~ 비행기 여승무원
bang the ~ (속어) 〈비행기 승객이〉 여승무원을 부르다 ***the ~ with the mostest*** (미·구어) 최고로 접대에 능숙한 파티 안주인
— *vt.* 여주인 노릇을 하다, 주최하다; (여주인으로서) 접대하다: She will ~ a party for the new members. 그녀는 신입 회원들을 위한 파티를 주최할 것이다.
— *vi.* 여주인 노릇을 하다 **~·shìp** *n.*

hóstess gòwn 접객 때의 긴 실내복

host·ie [hóusti] *n.* (호주·구어) = AIR HOSTESS

‡hos·tile [hάstl, -tail | hɔ́stail] *a.* **1** 적(敵)의, 적군의, 적국의: ~ forces 적군 / ~ territory 적지 **2** 〈사람이〉 적의 있는, 적대하는; 적개심[악의]을 품은 《*to*》(opp. *amicable*): ~ criticism 적의 있는 비판 **3** (…에) 반대하는, 냉담한 《*to*》: a man ~ *to* reform 개혁의 반대자 **4** (사람·사물에) 불리한; 〈기후·환경 등이〉 부적당한, 맞지 않은: a ~ environment 해가 되는 환경 **~·ly** *ad.* ▷ hostílity *n.*

hóstile wítness 〖법〗 적의(敵意)를 가진 증인 《자기를 증인으로 세운 쪽에 고의로 불리한 증언을 하는 사람》

‡hos·til·i·ty [hastíləti | hɔs-] *n.* (*pl.* **-ties**) ⓊⒸ **1** 적의, 적대, 적개심(enmity) 《*toward*》: show[feel] ~ *toward* a person …에게 적의를 나타내다 **2** 적대 행위, 반항 **3** (생각·계획 등에 대한) 대립, 반대 《*to*》 **4** [*pl.*] 전쟁[전투] (행위); 교전: long-term *hostilities* 장기 교전 / open *hostilities* 싸움을 개시하다, 개전하다 ▷ hóstile *a.*

hos·tler [hάslər | ɔ́s-] *n.* **1** (미) 마부 《옛 여관에서 손님의 말을 돌봄》 **2** (기차·버스·대형 기기의) 정비공

thesaurus **hostage** *n.* pledge, security, guaranty, captive, prisoner, pawn, scapegoat
hostile *a.* **1** 적대적인 unfriendly, unkind, malicious, wrathful, angry, belligerent, bellicose,

hóst plànt 기주(寄主) 식물, 숙주(宿主) 식물
host-spe·cif·ic [-spisífik] *a.* 〈기주 식물이〉 특정한 숙주에만 기생하는, 정숙성(定宿性)의
hóst sỳstem 〖컴퓨터〗 상위 시스템 《복수의 컴퓨터에서 동작하고 있는 시스템 전체의 통제를 행하는 컴퓨터》
‡**hot** [hát | hɔ́t] *a.*, *ad.*, *v.*, *n.*

「뜨거운」 **1** ┬ (활활 타올라) → 「열렬한」 **5**
├ (자극적인) → 「톡 쏘는」 **3**
└ (따끈따끈한) → 「새로운」 **8 b**

— *a.* (~·**ter**; ~·**test**) **1** 뜨거운; 더운(opp. *cold*): a ~ day 더운 날 / Strike the iron while it is ~. 《속담》 쇠는 뜨거울 때 쳐라, 좋은 기회를 놓치지 마라. **2** 〈몸이〉 열이 있는, 달아오른 **3** 〈혀·코를〉 톡 쏘는, 얼얼한(pungent), 타는 듯한, 매운; 강렬한(strong): This curry is too ~. 이 카레는 너무 맵다. **4** 성난(angry), 흥분한; 거친, 맹렬한; 〈색 등이〉 지나친, 강렬한: ~ pink 강한 분홍색 / in ~ blood 발끈해서 / a ~ battle 격렬한 전투 **5** 《구어》 열렬한, 열망하는(eager) 《*for*》, 매우 하고 싶어하는(keen) 《*on*》 **6** 《속어》 성적 매력이 있는, 섹시한; 성적으로 흥분한, 호색(好色)의(lustful), 암내낸 **7** 〖사냥〗 〈냄새 자취가〉 강한 **8 a** 〈요리 등이〉 갓 만들어진, 뜨끈뜨끈한 **b** 〈보도 등이〉 새로운, 방금 들어온: ~ news 가장 새로운 뉴스 / ~ off the press 이제 막 출간된 **c** 《영·구어》 〈지폐 등이〉 새로 나온 **9** 〈배달·통신이〉 우선 취급되는, 지급(至急)의: the ~ freight 지급 수화물 **10** 《구어》 〈배우·선수 등이〉 잘하는, 훌륭한; …에 정통한 《*at, in, on*》: a ~ pilot 명 조종사 / be ~ *in*[*at*] math 수학에 능하다 **11** 《구어》 〈추적·추구 등이〉 바짝 …한, 바로 뒤에 다가온, 가까운: be ~ on the trail 바짝 추격하다 **12** 《구어》 〈상품 등이〉 인기있는, 유행하는: ~ item 잘 팔리는 상품 **13** 〈책 등이〉 음란한, 흥분시키는 **14** 《속어》 분주한, 활기찬: a ~ town 활기찬 도시 **15** 행운이 있는, 유리한; 〈경기가〉 호조의, 이길 운이 있는: a ~ pitcher 잘 나가는 투수 **16** 이상한, 바보 같은; 《호주》 〈요금 등이〉 말도 안 되는 **17** 〈정답·목표 등에〉 근접한: You are getting ~. 거의 근접했다. **18** 〖재즈〗 〈음악이〉 강렬하고 템포가 빠르며 즉흥적인 **19** 《구어》 〈자동차 등이〉 초고속의 **20** 《속어》 부정 수단으로 손에 넣은; 금제(禁制)의(contraband); 훔친: ~ goods 훔친 물건 **21** 《구어》 **a** 방사능이 있는 **b** 〈연구소 등이〉 방사성 물질을 다루는 **22** 《속어》 **a** 〈훔친 물건이〉 처분하기 어려운 **b** 〈범인 등이〉 지명 수배된
be ~ on the trail[***heels***] ***of*** …을 맹렬히 뒤쫓다, …에 바짝 다가가다 ***get ~*** 《속어》 흥분하다, 화내다; 열중하다 ***get***[***catch***] ***it ~*** (***and strong***) 《영·구어》 호되게 꾸중듣다 ***give it*** (***to***) a person ***~*** 《영·구어》 …을 호되게 꾸짖다, …을 혼내주다 ***go*** (***all***) ***~ and cold*** =***go ~ and cold*** (***all over***) (충격으로) 흥분했다 섬뜩했다 하다 ***have it ~*** 《영·구어》 호되게 야단맞다 ***~ and bothered*** 《구어》 (잘못될까 봐) 안달하여 ***~ and cold*** (호텔 등에서) 더운물과 찬물 ***~ and heavy*** 맹렬한[히]; 열심한[히]; 번개 같은[이] ***~ and ~*** 《고어》 〈요리가〉 뜨끈뜨끈한, 갓 만든 ***~ and strong*** 《구어》 호되게, 맹렬히[한] ***~ as a three-dollar pistol*** 열광해 있는 ***~ on the heels*** (…에) 연이어 일어나는 《*of*》 ***~ to go***[***trot***] 《미·속어》 (기대·성욕 등으로) 근질근질한 《*for*》 ***~ under the collar*** ⇨ collar. ***~ with*** 《영·구어》 설탕을 넣은 (술) ***make it***[***a place, things***, etc.] ***too ~ for*** a person (박해 등으로) …을 배겨나지 못하게 하다 ***not so***[***too***] ***~*** 《구어》 별로 쓸모[효과] 없는, 그저 그런, 흡족하지 못한
— *ad.* **1** 뜨겁게; 열심히; 심하게; 성내어 **2** 뜨거울 때, 빨리 **3** 〖금속공학〗 열간(熱間)으로
— *v.* (~·**ted**; ~·**ting**) *vt.* **1 a** 〈식은 음식을〉 데우다, 뜨겁게 하다(heat) **b** 〈음식을〉 (조미료를 쳐서) 맵게 하다 《*up*》 **2** 〈일을〉 활기띠게 하다, 격렬해지게 하다 《*up*》
— *vi.* **1** 더워지다 **2** 〈사태 등이〉 활발[격렬]해지다; 가속하다 《*up*》 ***be ~ted up*** 《미·속어》 〈모터·자동차 등이〉 가속(加速)되다
— *n.* **1** [the ~s] 《속어》 강한 성욕, 강렬한 성적 매력; 편애 《*for*》 **2** [a ~] 《미·재즈속어》 식사 **3** 훔친 물건 ***have***[***get***] ***the ~s for*** a person 《속어》 …에게 열을 올리다
▷ héat *n.*

hót áir **1 a** 열기 **b** (난방용) 열풍 **2** 《구어》 허풍, 자기 자랑 ***full of ~*** 틀린, 잘못된; 허풍의
hot-air [hátɛ̀ər | hɔ́t-] *a.* 열기(熱氣)의: ~ heating 열기 난방
hót-air ballóon 열기구
hot-assed [-æ̀st] *a.* 《미·속어》 (주로) 〈여성이〉 욕정에 사로잡힌
hót átom 핫 아톰 《원자핵 전환의 결과 높은 열량을 가진 원자》
hót báby 《미·학생속어》 정열적이며 섹시한 여자
hót bèd 〖금속공학〗 핫 베드 《열간 압연(熱間壓延)한 재료를 냉각시키기 위한 레일 또는 바퀴가 있는 장소》
hot·bed [-bèd] *n.* **1** 온실 **2** (죄악 등의) 온상, 소굴 《*of*》: a ~ *of* crime 범죄의 온상
hót blàst 〖야금〗 용광로에 불어 넣는 열풍
hot-blood·ed [-blʌ́did] *a.* **1** 열렬한; 혈기찬, 피끓는 **2** 성급한, 성마른 **3** 〈가축이〉 혈통이 좋은 **4** 대담한; 저돌적인 **~·ness** *n.*
hot·box [-bàks | -bɔ̀ks] *n.* (철도 차량의) 가열 축함(軸函); 《미·속어》 성적으로 흥분하는 여자
hot-brained [-brèind] *a.* 《고어》 =HOTHEADED
hót-búlb èngine [-bʌ́lb-] 세미 디젤 기관[엔진] 《실린더 압축실의 일부를 빨갛게 달구어 가스를 폭발시키는 내연 기관》
hót bútton 《미》 (선택을 좌우하는) 중요 문제, 결정적 요인; 매력적인 슬로건[투자 대상]
hot-but·ton [-bʌ́tn] *a.* 결정적인, 중대한
hót càke 핫케이크(pancake) ***sell***[***go***] ***like ~s*** 《구어》 날개 돋친 듯이 팔리다
hót cáthode 〖전기〗 열음극(熱陰極)
hót céll 고방사성 물질 처리용 차폐 구획
hót chàt 《컴퓨터속어》 (인터넷상의) 성적(性的) 메시지, 포르노 화상; 그 서비스
hót chéck 《구어》 부도 수표, 위조[변조] 수표
Hotch·kiss [hátʃkis | hɔ́tʃ-] *n.* 호치키스 **Benjamin B. ~** (1826-85) 《미국의 발명가; 기관총·탄창식 라이플 및 소위 '호치키스'라는 stapler를 발명》
hót chócolate 핫초코 (음료)
hotch·pot [hátʃpàt | hɔ́tʃpɔ̀t] *n.* Ⓤ 〖영국법〗 재산 병합
hotch·potch [-pàtʃ | -pɔ̀tʃ] *n.* **1** Ⓤ 잡탕 찌개 《특히 양고기와 야채의》 **2** 《영》 뒤범벅(mixture) **3** 〖법〗 =HOTCHPOT
hót cóld-work·ing [-kóuldwə̀ːrkiŋ] 열냉간(熱冷間) 가공
hót còmb 핫 콤 《전열식(電熱式) 머리 빗[손질용 기구]》
hot-comb [-kòum] *vt.* 〈머리를〉 핫 콤으로 손질하다
hót córner 《야구속어》 3루; 《일반적으로》 위험 지대
hót cròss bún =CROSS BUN
hót dèsk 《영》 공동 이용의 사무실 책상 《보통은 외근자끼리 이용하는》
hot·desk [-dèsk] *vi.* 《영》 사무실 책상을 공동으로 이용하다 《정해진 책상 없이 빈 자리가 있으면 아무 데나 앉아 일하다》 **~·ing** *n.* Ⓤ 사무실 책상의 공동 이용
hót dòg **1** 핫도그 《기다란 식빵에 뜨거운 소시지를 끼운 것》; 소시지의 일종 **2** 《미·구어》 (특히 서핑·스키 등에서) 묘기를 가진 사람; 묘기를 과시하는 사람
— *int.* 《미·구어》 좋다, 찬성이다, 고맙다, 굉장하군
hot-dog [-dɔ̀ːg | -dɔ̀g] *vi.* 여봐란 듯한 태도를 취

---

aggressive, warlike, militant **2** 반대하는 antagonistic, opposed, averse, opposite, against **3** 불리한 adverse, unfavorable, disadvantageous
hot *a.* heated, boiling, sizzling, steaming

하다, (서핑·스키 등에서) 곡예 같은 묘기를 보이다 — *a.* (보란 듯이) 잘하는, 뛰어난 〈스키어 등〉; 묘기를 보이는; 핫도그의

hot·dog·ger [-dɔ̀:gər | -dɔ̀g-] *n.* **1** = HOT DOG 2 **2** (미·학생속어) 허풍선이; 장래가 유망한 사람

hot·dog·ging [-dɔ̀:giŋ | -dɔ̀g-] *n.* (속어) (서핑·스키 등의) 묘기

hótdog skíing 핫도그 스키 《공중 회전 따위의 묘기를 주로하는 자유형 스키》

hot-draw [hɑ́tdrɔ̀: | hɔ́t-] *vt.* (**-drew**; **-drawn**) 〖금속공학〗 〈철사 관 따위를〉 고온에서 뽑아내다

‡**ho·tel** [houtél] [F 「손님을 접대하는 곳」의 뜻] *n.* **1** 호텔, 여관 《넓고 최신식 설비를 갖춘 곳》: stay at[in] a ~ 호텔에 묵다 / reserve a ~ room 호텔 방을 예약하다 **2** (프랑스의) 저택; 공공 건물 **3** (호주·뉴질) 술집 ***His*** [***Her***] ***Majesty's*** **~** (익살) 교도소
— *vt.* (**~led**; **~·ling**) 호텔[여관]에 묵게 하다 **~ *it*** 호텔에 숙박하다

hotél chìna 고온에서 구운 미국제 경질 자기(磁器)

hô·tel de ville [outél-də-ví:l] [F = mansion of the city] 시청(市廳)

ho·tel·ier [òutəljéi, hòutəlíər | hɔtéljei] *n.* = HOTELKEEPER

ho·tel·ing [houtéliŋ] *n.* 호텔식 근무(제) 《사무실이나 자리 등을 형편에 따라 옮기는》

ho·tel·keep·er [houtélkì:pər] *n.* 호텔 경영자[소유자]

ho·tel·keep·ing [-kì:piŋ] *n.* Ⓤ 호텔 경영(업)

ho·tel·man [-mən, -mæ̀n] *n.* (*pl.* **-men** [-mən, -mèn]) = HOTELKEEPER

hotél ràck (새끼 양·양·송아지의) 갈비

hót fávorite (경마의) 인기마, 우승 후보마

hot·fix [hɑ́tfìks | hɔ́t-] 〖컴퓨터〗 핫픽스 《제품 사용 중에 발견된 취약점 보완을 위해 배포되는 패치 파일》

hót flásh[**flúsh**] 〖생리〗 (폐경기의) 일과성[전신] 열감(熱感)

hot·foot [-fùt] *ad.* 부리나케, 황급히(hastily)
— *vi.* [종종 ~ it로] (미·구어) 부리나케 가다[떠나다] — *vt.* (미·구어) …에게 hotfoot 장난을 하다; 괴롭히다(annoy); 자극하다, 박차를 가하다
— *n.* (*pl.* **~s**) **1** 남의 구두에 몰래 성냥을 끼워 두었다가 불붙게 하는 장난 **2** 모욕, 신랄한 비꼼; 자극, 격려, 선동(spur) **3** (미·속어) 몹시 서두름: come on the ~ 매우 급하게 오다

hot·gos·pel·er [-gɑ́spələr | -gɔ̀s-] *n.* (구어) 몹시 열심인 복음 전도자

hot·head [-hèd] *n.* 성급한 사람, 성마른 사람

hot·head·ed [-hédid] *a.* 성급한, 성마른(impetuous) **~·ly** *ad.* **~·ness** *n.*

hot·house [-hàus] *n.* (*pl.* **-hous·es** [-hàuziz]) **1** 온실; (도자기) 건조실 **2** (범죄·악습 등의) 온상
— *a.* **1** 온실 재배의 **2** 온실에서 자란, 과보호의: a ~ economy 과보호 경제 — *vt.* **1** 온실에서 재배하다 **2** 〈아이를〉 조기 영재 교육시키다

hóthouse efféct = GREENHOUSE EFFECT

hot·hous·ing [-hàuziŋ] *n.* (미) (유아기에서부터의) 조기 개발 교육, 영재 교육

hót íssue (미) 〖증권〗 인기 있는 신주(新株)

hót kèy 〖컴퓨터〗 핫 키 《프로그램을 순간적으로 바꾸는 키》

hot-key [-kì:] *vi., vt.* 〖컴퓨터〗 핫 키를 누르다, 핫 키로 접속하다

hót láb[**láboratory**] 강한 방사성 물질을 취급하는 연구실[실험실]

hót lìne **1** [the ~] 핫라인, (정부 수뇌간의) 긴급 직통 전화 **2** (미) 전화 상담 서비스, 생명의 전화 **3** (미·캐나다) 〖방송〗 (전화를 이용하는) 시청자 참가 프로

hót lìnk 〖컴퓨터〗 핫 링크 《두 개의 application 중 한 쪽의 변화가 즉시 다른 쪽에도 작동하도록 연결시키는 일》

hot·list [-lìst] *n.* 〖컴퓨터〗 (인터넷의) 핫리스트 《자주 이용되는 데이터를 수납한 컴퓨터·네트워크 시스템 일람표》

***hot·ly** [hɑ́tli | hɔ́t-] *ad.* **1** 열렬히, 맹렬히; 열심히 **2** 흥분하여; 골나서, 노기를 띠고 **3** 뜨겁게

hót mèlt (제본용의) 속건성(速乾性) 접착제

hót métal 〖인쇄〗 주조(鑄造) 활자

hót móney **1** (구어) 핫머니 《국제 금융 시장에서 높은 수익을 노리고 유동하는 단기 자금》 **2** (속어) 부정한 돈

hot·ness [hɑ́tnis | hɔ́t-] *n.* Ⓤ 뜨거움; 열심; 열렬; 격렬; 격노; 성급

hót nùmber (미·속어) 최신의 인기 있는 것; 정열적이고 섹시한 여자

HOTOL horizontal take-off and landing 수평 이착륙형 비행기

hót òne (속어) 몹시 변한[독특한] 것[사람]; 아주 웃기는 농담; 아주 멋있는 것

hót pàck **1** 온습포(cf. COLD PACK) **2** (통조림의) 열간 처리법

hót pànts **1** 핫팬츠 《여자용 짧은 반바지》 **2** [ㅅㅅ] (속어) 강한 욕정 **3** (미·속어) 섹스만을 생각하는 남자; 성욕이 강한 여자

hót pépper 고추 《식물 및 열매》; 고춧가루

hót plàte **1** 요리용 철판 **2** 전열기, 가스 레인지 **3** 음식 보온기

hót póo[**póop**] (미·속어) 확실한 최신 정보, 최신 유행어

hót pòt (영) 〖요리〗 쇠고기나 양고기에다 감자 등을 섞어서 냄비에 찐 것

hót potáto **1** (영·구어) (껍질째) 구운 감자(《미》 baked potato) **2** (구어) 곤란[불유쾌, 위험]한 입장[문제], 난문제 ***drop ... like a ~*** (구어) 귀찮은 사람[물건]을 서둘러 제거하다

hot-press [-près] *n.* 가열 압착기, 윤 내는 기계
— *vt.* 가열 압착하다, 윤을 내다

hót próperty (미·속어) (후원자·출자자의 입장에서 보아) 가망[가치]이 있는 것[사람]

hót pursúit (범인·적에 대한) 긴급 월경(越境) 추적(권)

hót ròck 〖지질〗 열암; 무모한 항공기 조종사; (미·속어) 거물(hotshot)

hót ròd (속어) 고속 주행이 가능토록 개조한 (중고) 자동차

hót ródder (미·속어) hot rod 운전자; 폭주족(의 사람)

hot-roll [-róul] *vt.* 〖금속공학〗 〈금속을〉 열간(熱間)[고온] 압연하다

hót róller (미·속어) 도난차

hót sèat (미·속어) **1** (사형용) 전기 의자(electric chair) **2** 불안[곤란]한 처지, 중책이 있는 처지 **3** (비행기의) 사출(射出) 좌석(ejection seat)

hót shít (미·비어) 대단한 것[인물], 훌륭한 사람, 거물; [강한 흥미·동의를 나타내어] 좋았어, 잘했군, 물론이야

hót shòe **1** 〖사진〗 핫 슈 《카메라 본체의 플래시 연결부》 **2** (속어) 뛰어난 카레이서

hot-short [-ʃɔ́:rt] *a.* 〖야금〗 〈금속이〉 고온에 약한

hot·shot [-ʃɑ̀t | -ʃɔ̀t] (미·속어) *a.* **1** 유능한 (체하는), 민완의; 뽐내는, 젠체하는: a ~ ballplayer 유능한 야구 선수 **2** 쉬지 않고 움직이는; 〈화물 열차가〉 직행하는, 급행의 — *n.* **1** 급행 화물 열차 **2** **a** 유능한 (체하는) 사람, 민완가; 훌륭한 (체하는) 사람 **b** (스포츠의) 명수, 일류 선수 **3** 소방수 **4** 뉴스 속보(flash)

hót spòt **1** (미) (정치·군사적) 분쟁 지역: In the 1960's, Vietnam became a ~. 베트남은 1960년대의 분쟁 지역이 되었다. **2** (구어) 위험한 장소; 곤란한 상태 **3** (속어) 나이트클럽, 환락가 **4** (사진의) 노출이 과도한 부분; (TV·영화의) 조명이 밝은 부분 **5** 산불 빈발 지역 **6** (용광로 뚜껑 위처럼) 주위 표면보다 뜨거운 부분 **7** 〖생물〗 온점(溫點) **8** (엔진 등의) 과열점 **9** 〖컴퓨터〗 핫 스폿 《클릭 할 수 있는 화면상의 정확한 위치》

***hót spríng** 온천; [*pl.*] 온천지

hot·spur [-spə̀:r] *n.* 무모한 사람, 성급한 사람

hót-stóve lèague [-stóuv-] 《미》 시즌이 아닌 때 한담을 하러 모여드는 스포츠《특히 야구》 애호가들

hót stúff 《속어》 **1** (능력·품질 등이) 뛰어난 사람[것] **2** 성적 매력이 있는 사람; 정력가, 호색가; 섹시한 여자 **3** 외설적인 것《포르노 영화·도색 잡지 등》 **4** 유행하는 것 **5** 밀매품; 훔친 물건, 장물

hot-swap [-swɑ̀p | -swɔ̀p] *vt.* (**~·ped**; **~·ping**) 《구어》 컴퓨터 시스템이 가동 중인 상태에서 다른 장치를 교체하다

hót swìtch 〖라디오·TV〗 방송 중에 중계 지점을 다른 장소로 재빨리 바꾸기

hot·sy-tot·sy [hɑ́tsitɑ́tsi | hɔ́tsitɔ́tsi] *a.* 《미·속어》 만족스러운, 좋은

hot-tem·pered [hɑ́ttémpərd | hɔ́t-] *a.* 성급한, 화 잘 내는

Hot·ten·tot [hɑ́təntɑ̀t | hɔ́tntɔ̀t] *n.* (*pl.* **~, ~s**) **1** 호텐토트 사람《남아프리카의 미개 인종》 **2** Ⓤ 호텐토트 말 **3** 미개인, 야만인 **—** *a.* 호텐토트 사람[말]의

hót tícket 《구어》 인기있는 사람[것], 인기인, 스타

hot·tie, -ty [hɑ́ti | hɔ́ti] *n.* 《속어》 성적 매력이 있는 사람; 《호주·구어》 탕파(湯婆)《뜨거운 물을 넣어서 몸을 덥게 하는 기구》

hót tìp 《구어》 (증권·경마 등에 관한) 확실한[믿을 만한] 정보; 최신의 비밀 정보

hót trày 요리 보온기《전자 가열 장치가 달린 접시》

hót tùb 《미》 온수 욕조(spa)《집단 물리 요법·레저용의 대형 욕조》 **hót-tùb·ber** *n.* **hót-tùb·bing** *n.*

hót wár [종종 **H- W-**] 열전, 본격적 (무력) 전쟁 (cf. COLD WAR)

hót wáter **1** 열탕, 뜨거운 물 **2** 《구어》 (자초한) 곤경, 말썽, 걱정거리: get into ~ 궁지에 빠지다

hót-wá·ter bàg[bòttle] [hɑ́twɔ̀:tər- | hɔ́t-] 각파(脚婆), 탕파(湯婆)

hót-wáter hèating 온수 난방

hót-wáter pollùtion = THERMAL POLLUTION

hót wèll **1** = HOT SPRING **2** 〖기계〗 (기관의) 온수 저장통

hot-wire [-wáiər] *a.* 〖전기〗 열선의, 가열선 이용의 〈전기 기구〉 **—** *vt.* 《속어》 (점화 장치를 단락시켜 자동차·비행기의) 시동을 걸다; 부정하게 조작하다

hót zóne 〖컴퓨터〗 워드 프로세서에서 사용자가 지정한 오른쪽 마진으로부터 7자 정도 왼쪽까지의 영역

hou·dah [háudə] *n.* = HOWDAH

Hou·di·ni [hu:dí:ni] *n.* **1** 후디니 **Harry ~** (1874-1926)《본명 Ehrich Weiss; 헝가리 태생의 미국인 마술사》 **2** 교묘한 탈출; 탈출하는 재주가 뛰어난 사람

hou·mous, -mus [hú:məs] *n.* = HUMMUS

‡**hound** [háund] [OE 「개」의 뜻에서] *n.* **1** [종종 복합어를 이루어] 사냥개 **2** 《구어》 개; [the ~s] (여우 사냥에 쓰는) 사냥개 무리 **3** 비열한 사내, 비겁한 놈 **4** [종종 복합어를 이루어] 《구어》 (취미 등을) 좇는 사람, 열중하는 사람, 팬: an autograph ~ 사인 수집광 **5** ('토끼사냥 놀이(hare and hounds)'의 '개' 역할을 하는) 「술래」 **6** = HOUNDFISH **7** [the H~] 그레이하운드 버스 **8** 《미·속어》 (대학) 신입생

follow the ~s = ***ride to ~s*** (여우 사냥에서) 말 타고 사냥개를 앞세워 사냥하다 ***~s of law*** 포졸, 형사 ***the ~ of hell*** 〖그리스신화〗 지옥의 문지기 개

— *vt.* **1** 사냥개로 사냥하다; 뒤쫓다; 몰아세우다 《*down*》; 내쫓다 《*out*》: (~+목+전+명) ~ a person *out of* one's area …의 지역에서 …을 내몰다 **2** 〈사람을〉 맹렬하게 추적하다; 집요하게 괴롭히다 **3 a** 〈개를〉 부추겨 뒤쫓게 하다(set) 《*at*》: (~+목+전+명) ~ a dog *at* a hare 개를 부추겨 토끼를 쫓게 하다 **b** 〈사람을〉 격려하다, 부추기다, 선동하다 《*on*》

hóund dòg 《미·방언》 사냥개(hound); 《미·속어》 여자 뒤꽁무니만 쫓아다니는 남자; [**H- D-**] 《미》 〖공군〗 하운드 도그《공대지 미사일》

hound·fish [háundfìʃ] *n.* (*pl.* **~, ~·es**) = DOGFISH

hound's-tongue [háundztʌ̀ŋ] *n.* 〖식물〗 큰꽃말이속(屬)

hóund's tòoth 하운드 투스 무늬《개이빨 모양의 격자무늬》 **hound's-tooth** *a.*

hóund's-tooth chéck [-tù:θ-] = HOUND'S TOOTH

‡**hour** [áuər] [L 「시기, 시절」의 뜻에서] *n.* **1** 한 시간 (cf. MINUTE[1], SECOND[2]): half an ~ 반시간 / for ~*s* (and ~*s*) 여러 시간 동안 / There are 24 ~*s* in a day. 하루는 24시간이다. **2 a** (일정한) 시각: ask the ~ 시각을 묻다 / at an early[a late] ~ 이른[늦은] 시각에 **b** [보통 *pl.*] (24시간제의) 시각: as of 0100 ~*s* 오전 1시 현재《24시간제에서의 표시; oh one hundred hours라고 읽음》/ at 1800 ~*s* 오후 6시에《eighteen hundred hours라고 읽음》 **c** [the ~] 정시, 정각: The clock was striking *the* ~. 시계가 정시를 알리고 있었다. **3** (몇) 시간 걸리는 거리: The town is an ~[an ~'s] walk from here. 여기서 시내까지는 걸어서 한 시간 걸린다. / We live two ~*s* from the downtown. 우리는 시내에서 두 시간 거리에 살고 있다. **4** (특정한) 때; …무렵, 시대: the happiest ~*s* of one's life 일생에서 가장 행복한 때 **5 a** (정해진) 시간: When is your dinner ~? 저녁은 보통 몇 시에 먹습니까? **b** [*pl.*] 〖가톨릭〗 시과(時課)《정시 기도》; 그 기도서 **6** [*pl.*] 수업 시간, 근무 시간: business[office, school] ~*s* 영업[집무, 수업] 시간 **7** [the ~] 현재: the question of *the* ~ 현재의 문제 **8** 〖천문〗 경도(經度) 사이의 15도 **9 a** (수업의) 1시간: The ~ lasted 50 minutes. 50분 수업이었다. **b** (교과목의) 이수 단위 시간(=credit ~) **10** [the H~s] 〖그리스신화〗 시간의 여신(Horae) **11** 〖방송〗 (프로그램으로서의) 시간: the Children's *H*~ 어린이 시간 **12** [the ~, one's ~] 중대한 때, 결단의 시간; 임종시, 최후, 죽을 때

after ~s 근무[집무]시간 후에, 폐점 후에 ***at all ~s (of the day[night])*** 때를 가리지 않고, 언제고 ***at the top[bottom] of the ~*** 매 정시[매시 30분, (…시) 반]에 ***by the ~*** 시간제로 ***count the ~s*** 기대하며 기다리다 (***every ~***) ***on the half ~*** (매) 정시(正時) 30분에 (***every ~***) ***on the ~*** (매) 정시(正時)에 ***for ~s together*** 몇 시간이고 계속해서 ***~ after ~*** 매시간 ***~ by ~*** 시시각각 ***improve each[the] shining ~*** 시간을 최대한 활용하다 ***in a good[happy, lucky] ~*** 다행하게도, 운좋게 ***in an evil[ill] ~*** 불운하게, 불행하게도 ***in the (wee) small[early] ~s*** 한밤중에《새벽 1~3시경》 ***keep bad[late] ~s*** 늦게 자고 늦게 일어나다, 늦게 귀가하다 ***keep good[early] ~s*** 일찍자다; 일찍 일어나다; 일찍 자고 일찍 일어나다 ***keep regular ~s*** 규칙적인 생활을 하다; 일찍 자고 일찍 일어나다 ***out of ~s*** 근무[수업]시간 외에 ***take*** one***'s ~*** 《아일·구어》 시간 끌면서 하다 ***to[till] all ~s*** 밤 늦게까지 ***to an[the] ~*** (날짜 뿐만 아니라) 시간까지도; (시간대로) 어김없이(cf. to the MINUTE[1])

▷ hórary, hóurly *a.*

hóur àngle 〖천문〗 시각(時角)《자오선과 천체가 이루는 각도》

hóur cìrcle 〖천문〗 시권(時圈)《천공의 두 극을 지나는 12개의 대원(大圓)》

hour·glass [áuərglæ̀s | -glɑ̀:s] *n.* **1** (특히 한 시간용) 모래 시계, 물[수은] 시계, 누각(漏刻) **2** (모래시계《등》로 잰) 시간(의 길이); 한정된 시간 **—** *a.* Ⓐ 허리가 잘록한

hourglass 1

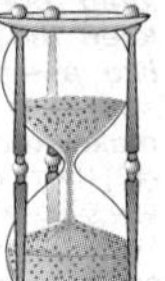

hóur hànd (시계의) 단침(短針), 시침(時針)

hou·ri [húəri, háuəri | húəri] *n.* (*pl.* **~s**) **1** 〖이슬람교〗 천국의 미녀 **2** 요염한 여자

hour-long [áuərlɔ̀:ŋ] *a.* 1시간 계속되는 **—** *ad.* 1시간 동안에

*__hour·ly__ [áuərli] *a.* **1 a** 시간마다의; 1시간의 **b** 〈계산 등이〉 한 시간 (단위)의 **2** 시급제(時給制)의: ~ workers 시간급 노동자 **3** 끊일 사이 없는, 빈번한
— *ad.* **1** 시간마다; 시시각각; 매시 **2** 끊임없이, 번번히

hóur plàte (시계의) 문자판

***__house__ [háus] *n.*, *a.*, *v.*

「집」 **1** ┬→「건물」 **4** →
　　　　├ (특정한 목적이) ┬→「극장」 **5 a** →「(그 속의) 청중」 **5 b**
　　　　│　　　　　　　 ├→「의회」 **6 b**
　　　　│　　　　　　　 └→「회사」 **7 a**
　　　　└→「가계」 **3**, 「일가」 **2**

— *n.* (*pl.* **hous·es** [háuziz]) **1** 집, 가옥, 주택(⇨ home 유의어): the Johnson ~ 존슨네 집/a two-storied ~ 2층집 **2** 가정(home, household); 일가(一家), 가족(family): the whole ~ 온 가족/An Englishman's ~ is his castle. 《속담》 영국인의 집은 그의 성이다. 《그 누구도 침범 못한다》 **3** [종종 **H~**] 가계(家系), 혈통: the *H~* of Windsor 윈저 집안 《영국 왕실》 **4** (특정의 목적을 위한) 건물; (가축의) 우리; 창고, 차고: a carriage ~ (마차 따위의) 차고/a hen ~ 닭장 **5 a** 극장, 연예장; 집회소, 회관 **b** [집합적] 구경꾼, 청중(audience): a full[poor] ~ 대만원[한산한] 관객 **c** 흥행 **6 a** [집합적] 의원들 **b** [the H~] 《영》 의회, 의사당, 상[하]원 **7 a** 상사(商社), 상점; 회사(business firm): a publishing ~ 출판사 **b** [the H~] 《영·구어》 런던 증권 거래소 **c** [the ~] 《영·고어》 구빈원(救貧院) **8** 기숙사; [집합적] 기숙생; [the H~] Oxford 대학의 Christ Church College; 학부 **9** 여관, 호텔; 레스토랑; 《미·구어》 매춘굴: the Johnson *H~* 《미》 존슨 호텔 **10** 《군대속어》 하우스 도박 《바둑판 무늬가 든 특수한 카드를 사용》 **11** 〖점성〗 (하늘을 12분한) 12궁(宮)의 하나, 수(宿) **12** 〖종교〗 종교 단체, 교단(敎團); 수도원 **13** 〖항해〗 하우스 《배 갑판의 풍우 방책》 **14** 《미·속어》 교도소 독방 **15** 〖음악〗 하우스 《음향 효과·합성으로 만든 빠른 리듬의 디스코 음악》

a ~ of God = a ~ of worship 교회(당) (***as***) ***safe as ~s***[***a ~***] 아주 안전한 ***be in possession of the H~*** 발언권을 가지다 ***bring down the ~ = bring the ~ down*** (구어) 〈연극·연기가〉 만장의 갈채를 받다 ***clean ~*** (1) 집을 청소하다, 대청소하다 (2) 〈폐습·장애 등을〉 일소하다, 숙청하다 ***dress the ~*** 〖연극〗 무료 입장자를 들여서 극장을 만원이 되게 하다 ***drive*** a person ***out of ~ and home*** 〈집세 등을 내지 않는 사람을〉 집에서 쫓아내다 ***eat*** a person ***out of ~ and home*** (구어) …의 재산을 탕진하다 ***enter***[***be in***] ***the H~*** 의원이 되다[이다] ***from ~ to ~*** 가가호호 ***get on***[***along***] ***like a ~ on fire*** 진척되다; 사이좋게 해나가다 ***give*** a person ***a lot of ~*** …에게 극진한 친절을 베풀다 ***go all round the ~s*** 《영·구어》 빙 돌려 말하다, 둘러서 복잡한 절차를 밟다[방법을 취하다] ***~ and home*** [강의적] 가정, 가정의 단란 ***~ of ill fame***[***repute***] 매음굴 ***~ of tolerance*** 공인 매음굴, 공창가 ***keep a good ~*** 사치스럽게 살다 ***keep ~*** 살림을 하다; 살림을 꾸려나가다; 《영》 채권자를 피해 외출하지 않다 ***keep ~ with*** …와 한 집에 살다, 공동 생활을 하다 ***keep open ~*** (집을 개방해서) 방문자를 환대하다 ***keep the***[one'***s***] ***~*** 집에 들어박히다(stay indoors) ***like a ~ on fire***[***afire***] 재빨리; 계속, 연달아; 세차게 ***like the side of a ~*** 두루뭉술 살쪄서 ***make***[***keep***] ***a H~*** 《영》 하원에서 정족수의 의원을 출석시키다 ***on the ~*** (비용을) 술집[회사, 주최자] 부담으로, 거저 ***play ~*** 소꿉장난하다 ***round the ~s*** (정보 등을 얻으려고) 이리저리 묻고 다니는 ***set***[***put***] one'***s ~ in order*** 재정 상태 등을 개선하다; 질서를 회복하다 ***set the ~ on fire*** 관객을 매우 즐겁게 만들다 ***set up ~*** 한 가정을 꾸미다; 함께 살기 시작하다 ***the H~ of Commons***[***Lords***] 《영》 하원[상원] ***the H~ of Keys*** 하원 《영령(英領) Man도(島)의 입법원의》 ***the H~ of Peers*** 귀족원 ***the H~ of Representatives*** (미 의회·주 의회의) 하원; (오스트레일리아의) 하원; (뉴질랜드의) 국회; (일본의) 중의원 ***the H~s of Parliament*** 《영》 국회 의사당 ***the Imperial***[***Royal***] ***H~*** 황[왕]실 ***the upper***[***lower***] ***~*** 상원[하원] ***throw the ~ out of*** (***the***) ***window*** 대소동을 일으키다

— *a.* Ⓐ **1** 집의, 집을 위한; 집에서 기르는: a ~ cat 고양이/~ shoes 실내화 **2** 판매점의 상표가 붙은; 자가제(自家製)의: the store's own ~ brand 그 가게의 고유 상표/the ~ wine 레스토랑 자가 생산의 싼 포도주 **3** (병원 등의) 입주한 〈의사〉 **4** 사내(社內)용의

— [háuz] *vt.* **1** 〈…에게〉 집을 주다, 주거를 제공하다; (일이나 공부할) 장소를 제공하다; 재우다, 숙박시키다: ~ a traveler 나그네를 머무르게 하다/This floor ~*s* our executive staff. 이 층에는 우리 회사의 경영진이 근무하고 있다. **2** 〈물건을〉 간수하다, 수용[수납]하다: (~+목+전+명) ~ garden tools *in* a shed 원예용 연장을 헛간에 넣어 두다 **3** 지붕으로 덮다: ~ a plant 식물을 온실에 넣다 **4** 〖항해〗 〈대포를〉 군함 안으로 들여놓다; 〈가운데 돛대·윗돛대를〉 끌어 내리다; 〈닻을〉 거두다 **5** 〖건축〗 장부 맞춤하다
— *vi.* **1** 피난하다, 안전한 곳에 들다 **2** 유숙하다, 묵다(lodge); 살다(dwell)

hóuse àgent 《영》 복덕방, 부동산 중개업자

hóuse ápe 《미·속어》 유아(幼兒)

hóuse arrèst 연금, 자택[병원] 감금

house·boat [-bòut] *n.* (주거·유람용) 집배; 숙박 시설 있는 요트 — *vi.* 집배에서 살다[로 유람하다]
~·**er** *n.*

house·bote [-bòut] *n.* 〖법〗 가옥 수리재(修理材) 채취권

house·bound [-bàund] *a.* 두문불출하는; (악천후 등으로) 집에서 꼼짝 못하는

house·boy [-bɔ̀i] *n.* (가정·호텔 등의) 잡역부, 잡일꾼

hóuse brànd 판매자 브랜드, 자사(自社) 브랜드

house·break [-brèik] *v.* (**-broke** [-bròuk]; **-bro·ken** [-bròukən]) *vt.* 《주로 미》 **1** 〈애완 동물을〉 대소변을 가리도록 길들이다 **2** 〈사람을〉 순종하도록 길들이다 — *vi.* 침입 강도질을 하다

house·break·er [-brèikər] *n.* **1** 침입 강도 《사람》; 가택 침입자(⇨ thief 유의어) **2** 《영》 가옥 해체업자 ▷ hóusebrèaking *n.*

house·break·ing [-brèikiŋ] *n.* Ⓤ **1** 침입 강도 《죄》; 주거 침입 **2** 《영》 가옥 해체(업)

house·bro·ken [-bròukən] *a.* **1** 《미》 〈개·고양이 등이〉 집에 길들여진(《영》 house-trained) **2** 《익살》 〈사람이〉 온순한

house·bug [-bʌ̀g] *n.* 빈대

house·build·er [-bìldər] *n.* 가옥 건축업자, 목수

hóuse càll (의사의) 왕진; (외판원 등의) 가정 방문

hóuse chùrch **1** (전통적인 교회에서 독립한) 카리스마파의 교회 **2** (개인 집에서 하는) 신앙 집회

house·clean [-klìːn] *vi.*, *vt.* 〈집안을〉 대청소하다; 〈잉여 인원 등을〉 인원 정리하다, 숙청하다

house·clean·ing [-klìːniŋ] *n.* Ⓤ **1** 대청소 **2** 숙청

house·coat [-kòut] *n.* 실내복 《여성의 평상복》

hóuse cóunsel (법인체의) 전속 변호사

house·craft [-kræ̀ft | -krɑ̀ːft] *n.* Ⓤ 가사 처리 솜씨; 《영》 가정학, 가정과(科)(《미》 home economics)

hóuse crìcket 〖곤충〗 집귀뚜라미

hóuse cùrtain = ACT CURTAIN

hóuse detèctive[**dìck**] (호텔·백화점·회사 등의) 경비원

hóuse dìnner 특별 만찬회 《클럽·대학 등의》

hóuse dòctor = HOUSE PHYSICIAN

house·dress [-drès] *n.* 홈드레스, 실내복 《여자의 긴 원피스》

hóused stríng [háuzd-] 〖목공〗 (계단의) 디딤판이나 수직널의 끝을 장붓구멍으로 받는 계단 옆판
hóuse dùst mìte = DUST MITE
hóuse dùty 가옥세 《재산세 건물분의 옛 이름》
house·fa·ther [-fɑ̀:ðər] *n.* (기숙사 등의) 사감
hóuse flàg 〖항해〗 사기(社旗), 선주(船主)기
hóuse flànnel 투박한 플란넬 《걸레용》
house·fly [-flài] *n.* (*pl.* **-flies**) 집파리
house·front [-frʌ̀nt] *n.* 집의 정면[앞면]
house·ful [háusfùl] *n.* 집에 가득함: a ~ of guests 집안 가득한 손님들
hóuse fùrnishings (양탄자·의자·커튼 등의) 가구, 가정용품
hóuse gìrl = HOUSEMAID
hóuse gròup 가정 예배 모임 《가정에서 정기적으로 예배·성서 연구 등을 하는 그리스도교도 모임》
house·guest [-gèst] *n.* (묵어가는) 손님, 유숙객
‡**house·hold** [háushòuld] *n.* **1** [집합적] 가족(family); (고용인 포함한) 식솔, 온 집안 식구; 가구(家口); 세대(世帶): a large ~ 대식구, 대가구 **2** [the H~] 《영》 왕실 **3** 《고어》 가사(housekeeping); 가재(家財): manage one's ~ 가사를 관리하다 ***the Imperial***[***Royal***] ***H~*** 황실[왕가] 《봉사자 포함》
— *a.* Ⓐ **1** 가족의, 일가의; 가정용의: ~ economy 가계(家計) / ~ goods 가사 용품 / ~ matters 가정적인 일 **2** 신변의, 비근한, 귀에 익은 **3** 《영》 왕실의
hóusehold árts [단수 취급] 가정학
Hóusehold Cávalry [the ~] 《영》 근위[의장] 기병대
hóusehold efféts[**góods**] 가재 도구
house·hold·er [-hòuldər] *n.* 가장, 세대주; 가옥 소유자
hóusehold gód **1** (고대 로마의) 가정의 수호신, 터주 **2** 가보(家寶); 《영·구어》 생활 필수품
hóusehold náme = HOUSEHOLD WORD
Hóusehold Tróops 《영》 근위대
hóusehold wórd 잘 알려진 속담[이름]; 흔히 쓰는 말
hóuse hùnting 셋집[파는 집] 찾기
house·hus·band [-hʌ̀zbənd] *n.* (가사를 돌보는) 전업 남편, 주부(主夫)(opp. *housewife*)
hóuse jòurnal (기업의) 사보(社報)
house·keep [-kì:p] *vi.* (**-kept** [-kèpt]) 《구어》 가정을 가지다, 살림하다(keep house)
‡**house·keep·er** [háuskì:pər] *n.* **1** 가정부 **2** 살림하는 사람: a good[bad] ~ 알뜰한[서투른] 살림꾼 **3** 가옥[사무소] 관리인 **~·lìke** *a.*
***house·keep·ing** [háuskì:piŋ] *n.* Ⓤ **1** 살림살이, 가계 꾸리기, 가사; 《구어》 가계비 **2** (기업의) 관리 유지, 정비; 일상 업무; 경영 **3** 〖컴퓨터〗 하우스키핑 《문제 해결에 직접 연관은 없지만, 컴퓨터 조작에 직접 관여하는 조작 또는 루틴》
— *a.* Ⓐ **1** 가계의, 가정(家政)(용)의: a ~ book 가계부 **2** 〈별장 등이〉 가구·부엌이 딸린
hou·sel [háuzəl] 《고어》 *n.* 성체(聖體); 성체 배수
— *vt.* (**~ed**; **~·ing** | **~led**; **~·ling**) 성체를 주다
hóuse lárry 《미·속어》 와서 물건은 사지 않고 값만 물어보는[눈요기만 하는] 손님
house·leek [-lì:k] *n.* 〖식물〗 돌나물과(科)의 풀
house·less [háuslis] *a.* 〈사람이〉 집 없는; 〈장소가〉 집이 없는
house·lights [-làits] *n. pl.* 극장 객석의 조명
hóuse màgazine = HOUSE ORGAN
house·maid [-mèid] *n.* 가정부
hóusemaid's knée 〖병리〗 무릎 피하의 염증
house·man [-mən] *n.* (*pl.* **-men** [-mən]) **1** (가정·호텔 등의) 잡역부, 허드렛일꾼; 경비원; (도박장·오락실 등의) 관리인 **2** 《영》 (병원 입주) 의학 연수생, 인턴(《미》 intern) **3** 《미·속어》 가택 침입 도둑
hóuse mànager 극장 지배인
hóuse màrk (제품에 표시된) 회사 마크, 제조원 마크
hóuse màrtin 〖조류〗 (유럽의) 흰털발제비의 일종
house·mas·ter [-mæ̀stər | -mɑ̀:s-] *n.* 《영》 (주로 사립 남자 학교의) 사감; 집주인
house·mate [-mèit] *n.* 동거인
house·mis·tress [-mìstris] *n.* 여주인, 주부; 여사감
house·moth·er [-mʌ̀ðər] *n.* (기숙사의) 여사감
hóuse mòuse 생쥐
hóuse mùsic 하우스 뮤직 《전자 악기를 써서 리듬을 중시하는 강한 비트와 빠른 템포의 디스코 음악》
hóuse nìgger 《속어·경멸》 (가사를 돌보는) 흑인 하인
hóuse of cárds (카드로 조립한 집처럼) 불안정한 건물[계획], 탁상공론
hóuse of corréction (경범죄자의) 교정 시설
hóuse of deténtion 유치장, 미결감, 구치소; = DETENTION HOME
hóuse òfficer = HOUSEMAN 2
hóuse of réfuge (빈민자 등의) 보호[수용] 시설
hóuse of stúdy [때로 H- of S-] 성직자 연수소
hóuse òrgan 사보(社報), 회사의 기관지
house·par·ent [-pɛ̀ərənt] *n.* = HOUSEFATHER; = HOUSEMOTHER
hóuse pàrty 하우스 파티 《별장 등에 묵으면서 며칠 계속되는 파티》; 하우스 파티의 손님들
house·per·son [-pə̀:rsn] *n.* 가사 담당자 《housewife와 househusband의 구별을 피한 말》
house·phone [-fòun] *n.* (호텔·아파트 등의) 교환 전화
hóuse physícian **1** (병원 입주) 연수 내과 의사 **2** (호텔의) 입주[전속] 내과 의사
hóuse plàce 《영·방언》 (농가의) 거실
house·plant [-plæ̀nt | -plɑ̀:nt] *n.* 실내 화분용 화초
house-poor [-pùər] *a.* 집 마련에 돈이 너무 들어 가난한
house-proud [-pràud] *a.* 《영》 〈주부 등이〉 집의 정리·미화에 열심인; 집 자랑하는
house-rais·ing [-rèiziŋ] *n.* Ⓤ 《미》 (시골에서 이웃 사람들끼리 하는) 상량식
house·room [-rù(:)m] *n.* Ⓤ (사람이) 집에 있을[묵을] 곳, (물건이) 집에 둘 곳: I would not give it ~. 그런 것은 받고 싶지 않다. 《자리만 차지한다》
hóuse rùle 특정 그룹[지역] 내에서만 적용되는 게임 규칙
hóuse sèat (극장의) 특별 (초대)석
house-sit [-sìt] *vi.* (**-sat**; **~·ting**) 《미》 남의 집을 지켜 주다
hóuse sìtter 《미》 남의 집을 지키는[보는] 사람
hóuse slìpper [보통 *pl.*] 실내화
hóuse spàrrow 〖조류〗 (유럽산(産)) 참새
hóuse stèward (저택 등의) 집사
hóuse stỳle (출판사·인쇄소가 독자적으로 정하는) 용자 용어(用字用語) (규칙); (회사의) 통일 로고
hóuse sùrgeon (병원 입주) 연수 외과 의사
house-to-house [háustəháus] *a.* 호별의, 집집마다의(door-to-door): make a ~ visit 호별 방문하다
house·top** [háustɑ̀p | -tɔ̀p] *n.* 지붕(roof), 《특히》 평지붕 ***proclaim[***cry, shout***] ***upon***[***on, from***] ***the ~***(***s***) 세상에 퍼뜨리다
hóuse tràiler 《미》 (자동차로 끄는) 이동 주택
house-train [-trèin] *vt.* 《영》 = HOUSEBREAK
house-trained [-trèind] *a.* 《영》 = HOUSEBROKEN
house·wares [-wɛ̀ərz] *n. pl.* 가정용품 《부엌 세간·쟁반·유리 그릇 등》
house·warm·ing [-wɔ̀:rmiŋ] *n.* Ⓤ 집들이
‡**house·wife** [háuswàif] *n.* **1** (*pl.* **-wives** [-wàivz]) (전업) 주부 **2** [háuswàif | hʌ́zif] (*pl.* **~s, -wives** [-wàivz | hʌ́zivz]) 《영》 바느질 상자, 반짇고리
— *vt., vi.* (가사를) 잘 꾸려 나가다
house·wife·ly [-wàifli] *a.* 주부다운; 알뜰한

house·wif·er·y [-wàifəri | -wìf-] *n.* Ⓤ 가사, 가정(家政), 주부가 할 일, 주부의 역할
***house·work** [háuswə̀ːrk] *n.* Ⓤ 가사, 집안일
house·wreck·er [-rèkər] *n.* 가옥 해체업자
***hous·ing**[1] [háuziŋ] *n.* Ⓤ **1** 주거; 숙소: make one's ~ more spacious 주거를 넓히다 **2** [집합적] 주택; 피난처: low income ~ 저소득자용 주택 **3** 주택 공급: the ~ problem[question] 주택 문제 **4** 보호물, 피복물 **5** 〚기계〛 (공작 기계의)틀, 가구(架構) **6** 〚목공〛 (재목의) 끝을 끼우는 구멍 **7** 벽감(niche)
housing[2] *n.* **1** (장식용·방한용의) 마의(馬衣) **2** [*pl.*] 말 장식
hóusing associàtion 《영》 (공동) 주택 건축[구입] 조합, 주택 협회
hóusing bènefit 《영》 (실업자·저소득자에 대한) 주택 수당
hóusing devèlopment[《영》 **estàte**] (특히 민간의) 주택[아파트] 단지
hóusing pròject 《미》 (주로 저소득층을 위한) 공영 주택[아파트] 단지
hóusing schème 《영》 (지방 자치 단체의) 주택 건설[공급] 계획; 그 계획으로 건립된 주택
hóusing stàrt **1** 주택 건축 착공 **2** [*pl.*] (일정 기간 내의) 주택 착공 건수 《미국의 경제 지표로 사용》
Hous·ton [hjúːstən] *n.* 휴스턴 《미국 Texas주의 공업 도시; 유인 우주 비행 관제 센터 소재지》
Hou·yhn·hnm [huːínəm, hwínəm, wín- | húihnəm] *n.* 인간의 이성을 갖춘 말 《Swift 작 *Gulliver's Travels*에 나오는 말》
HOV high-occupancy vehicle 다인승 차량
hove [hóuv] *v.* HEAVE의 과거·과거분사
hov·el [hʌ́vəl, hɑ́v- | hɔ́v-] *n.* **1** 오두막집 (hut), 누옥: from palace to ~ 귀천을 막론하고 **2** 광, 헛간(shed), (가축) 우리 **3** 벽감(壁龕)(niche) **4** = TABERNACLE — *vt.* (**~ed**; **~·ing** | **~led**; **~·ling**) 낡은 집에 숙박시키다; 헛간에 넣다
hov·el·er [hʌ́vələr, hɑ́v- | hɔ́v-] *n.* (면허 없는) 수로(水路) 안내인, 연안 뱃사공
‡hov·er [hʌ́vər, hɑ́v- | hɔ́v-] *vi.* **1 a** 공중을 맴돌다, 〈새가〉 공중에서 정지하다; 〈헬리콥터가〉 호버링[공중 정지]하다 《*about, over*》 (⇨ fly[2] 유의어): (~+전+명) The bird *~ed over* its nest. 새는 그의 둥지 위를 맴돌고 있었다. **b** 〈미소 등이〉 떠오르다 **2** 배회하다, 어슬렁거리다(loiter) 《*about, around*》: (~+부) (~+전+명) The boys *~ed around* (the confectioner's). 아이들은 (과잣집) 주위를 배회했다. **3** 주저하다, 망설이다(waver) 《*between*》: (~+전+명) ~ *between* life and death 생사의 기로에서 헤매다 — *vt.* 〈새의 암컷이〉 〈병아리를〉 품에 품다; 배회하다 — *n.* **1** 공중을 떠다님; 배회, 방황, 헤맴, 주저 **2** (가금용) 우리 **3** 《영》 떠있는 섬(floating island) **~·er** *n.*
hov·er·bed [hʌ́vərbèd | hɔ́v-] *n.* 호버베드 《공기 쿠션식 침대; 화상·피부병 환자용》
hov·er·craft [-kræ̀ft | -krɑ̀ːft] *n.* (*pl.* ~) [때로 **H~**] 《영》 호버크라프트 《분출하는 압축 공기를 타고 수면 위 등을 나는 탈것; 상표명》
hov·er·fer·ry [-fèri] *n.* (*pl.* **-ries**) 《영》 호버페리 《연락선용 호버크라프트》
hov·er·ing [hʌ́vəriŋ | hɔ́v-] *n.* 〚항공〛 호버링, 공중 정지 《헬리콥터가 공중에 정지해 있는 상태》
hóvering véssel 배회 선박 《밀수 및 불법적인 조업을 목적으로 영해선 부근을 항행하는 선박》
hóver mòwer 에어 쿠션식의 예초기(刈草機)
hov·er·plane [-plèin] *n.* 《영》 = HELICOPTER
hov·er·port [-pɔ̀ːrt] *n.* 호버크라프트 발착장
Hov·er·train [-trèin] *n.* 호버트레인, 자기(磁氣) 부상 열차
HOV làne [*h*igh *o*ccupancy *v*ehicle] 다인승 차량 전용 차선
‡how ⇨ how (p. 1241)
How·ard [háuərd] *n.* 남자 이름
how·be·it [haubíːit] *ad.* 《고어》 그럼에도 불구하고 (nevertheless) — *conj.* 《폐어》 …이지만(although)
how·dah [háudə] *n.* 코끼리 등에 얹는 가마 《서너 사람이 타며 대개 닫집이 있음》

howdah

how-do-you-do [háudəjədúː], **how-de-do** [-di-] *n.* (*pl.* **~s**) 《구어》 **1** 인사: a ~ fit for a king 왕에게 적합한 인사 **2** 난처한 상황, 곤란한 처지(dilemma): Here's a pretty[nice] ~. 이건 곤란한데.
how·dy [háudi] [how do you do의 단축형] *int.* 《미·구어》 여어!(hello), 안녕! 《인사말》
howe [háu] 《스코·북잉글》 *n.* **1** 구멍 **2** 선창 **3** 움푹한 곳; 작은 골짜기 — *a.* 우묵한; 깊은
how·e'er [hauέər] *ad., conj.* 《문어》 = HOWEVER
‡how·ev·er ⇨ however (p. 1243)
howff, howf [háuf, hóuf] 《스코》 *n.* 주거; 단골 은신처, 늘 놀러 가는 곳 — *vi.* 살다, 거주하다
how·go·zit [haugóuzət] *a., n.* 〚항공〛 남은 연료량을 표시하는 (장치)
how·itz·er [háuitsər] *n.* 〚군사〛 곡사포
***howl** [hául] *vi.* **1 a** 〈개·이리 등이〉 긴 소리로 짖다 (⇨ bark[1] 유의어) **b** 〈사람이〉 울부짖다, 악쓰다; (요구하며) 아우성치다: (~+전+명) They are *~ing for* equal conditions. 그들은 평등한 조건을 부르짖고 있다. **2** 크게[호탕하게] 웃다: (~+전+명) The boy *~ed with* laughter. 소년은 껄껄 웃어댔다. **3** 〈바람 등이〉 윙윙거리다, 세차게 불다 — *vt.* **1** 악쓰며 말하다 《*out*》 **2** 소리 질러 침묵시키다 《*down*》: (~+목+부) The mob *~ed down* the lecturer. 군중은 소리소리 질러 강연자를 침묵시켰다. — *n.* **1** (멀리서) 짖는 소리 **2** 악쓰는 소리; 큰 웃음, 울부짖는 소리; 웃음·조소를 짓게 하는 것 《농담·난처한 상황 등》: a ~ of laughter 큰 웃음소리 **3** 〚통신〛 하울링 《수신기의 파장을 맞출 때의》 **4** 불평; 반대
howl·er [háulər] *n.* **1 a** 짖는 짐승 **b** 울부짖는 사람; 곡꾼 《장례식에 고용되어 우는》 **2** 《구어》 큰 실수, 대실패; 터무니없는 잘못: come a ~ 큰 실수를 저지르다 **3** 〚동물〛 짖는 원숭이 《열대 아메리카산(産)》(= **~ mònkey**) **4** 《구어》 요란한 소리를 내는 물건
howl·et [háulit] *n.* 《영·방언》 올빼미 (새끼)
howl·ing [háuliŋ] *a.* Ⓐ **1** 짖는, 울부짖는, 소리치는 **2** 황량한, 무시무시한: a ~ wilderness 들짐승이 우짖는 광야 **3** 《구어》 엄청난, 터무니없는, 대단한(glaring): a ~ success 대성공 **~·ly** *ad.*
hówling mònkey = HOWLER 3
how·so·ev·er [hàusouévər] *ad.* 《문어》 아무리 …이라도, 제아무리 …해도 ★ however의 강의형(强意形)으로 how ... soever로 나누어 쓰기도 함.
how-to [háutúː] *a.* 《미·구어》 입문서의, 초보적인: a ~ book 입문서 — *n.* (*pl.* **~s**) **1** 입문서, 실용서; 터득법 **2** (일을 처리하는) 요령
how·tow·die [hautáudi] *n.* 삶은 닭고기에 달걀·시금치를 곁들인 스코틀랜드 요리
how·zat [hauzǽt] *int.* 《구어》 〚크리켓〛 How's that? ⇨ how
how·zit [háuzit] *int.* 《남아공·속어》 = HELLO
hoy[1] [hɔ́i] *n.* 〚항해〛 돛이 하나인 소형 범선
hoy[2] *int.* **1** 호이 《주의 환기 또는 가축 등을 몰 때의 외침》 **2** 〚항해〛 (위쪽을 향해) 어어이! — *n.* **1** 외치는 소리 **2** 카드 게임의 일종 — *vt.* 《영·구어》 (소리를 내어) 〈가축을〉 몰다
hoy·a [hɔ́iə] *n.* 〚식물〛 옥첩매속(屬)의 덩굴풀
hoy·den [hɔ́idn] *n., a.* 말괄량이(의)(tomboy) — *vi.* 말괄량이로 굴다 **~·ish** *a.*
Hoyle [hɔ́il] *n.* 카드 놀이법(의 책) ***according to***

how

how는 when, where, why 등과 더불어 의문부사로서 「방법·정도·상태」 등에 관한 의문을 나타내는 데 쓴다.
how는 다음과 같은 용법상의 특징이 있다:
1 관계부사로 쓰는 일이 가끔 있으나 when, where처럼 두드러지지는 않다.
2 단독으로 동사를 수식하는 용법과 *how* long, *how* fast와 같이 형용사·부사를 수식하는 경우가 많아 표현 영역이 넓다.
3 what과 마찬가지로 감탄문을 만든다. ⇨ *ad.* A 7

‡how [háu] *ad.*, *n.*

[의문사로서]	
① 어떤 방법으로, 어떻게	**A 1**
② 어느 정도	**A 2**
③ 어떤 상태로	**A 3**
④ 어떤 이유로	**A 4**
⑤ 얼마나, 참으로	**A 7**
[관계사로서]	
…이라고 하는 사정, 어떻게 해서든지	**B 1, 2, 3**

— *ad.* **A** [의문사] **1** [방법·수단] **a 어떻게,** 어떤 방법[수단]으로: *H~* do you know that? 어떻게 그것을 알았습니까? / "*H~* do I go there? = *H~* can I get there?" — "(You can go there) by bus." 거기에는 어떻게 가면 됩니까? — 버스로 갈 수 있습니다. / *H~* else can I get there? 그 밖에 어떻게 그곳에 갈 수 있을까요? / *H~* on earth was I to know your intentions? 내가 당신의 의도를 대체 어떻게 알 수 있었나요? **b** [to do 또는 절을 이끌어] …**하는 방법;** 어떻게 …하는가: He knows ~ *to* start this car. 그는 이 차를 출발시키는 방법을 알고 있다. / Tell me ~ I can get there. 거기에 어떻게 가면 되는지 가리켜 주십시오. / I can't imagine ~ the world was made. 이 세상이 어떻게 만들어졌는지 상상도 할 수 없다.
2 [정도] **a 어느 정도,** 얼마나, 어느 만큼: *H~* old is he? 그는 몇 살인가? / *H~* deep is the lake? 호수는 얼마나 깊나요? / *H~* long is it? 길이는 얼마인가? / *H~* is sugar[the dollar] today? 오늘의 설탕[달러](시세)는 얼마인가? / *H~* often did you go there? 얼마나 자주 그곳에 갔습니까? / *H~* much does it cost to send this parcel? 이 소포를 보내는 데 요금이 얼마나 들까요? **b** [절을 이끌어]: I wonder ~ old he is. 그는 몇 살일까? / Ask him ~ much the hat is. 그 모자가 얼마나 하는지 그에게 물어보아라.
3 [상태] **어떤 상태로:** *H~* is your father? 아버님은 안녕하십니까? / "*H~* are you?" — "Fine(, thanks). And you?" 안녕하십니까? — (덕택으로) 잘 있습니다. 당신은 (어떻습니까)? / *H~* goes it (with you)? = *H~* is it going (with you)? = *H~* are things going (with you)? 어떻게 지내십니까, 여전하십니까? / *H~* have you[things] been? (그후) 어떻게 지냈습니까? 《오래간만에 만났을 때의 인사》/ *H~* was the concert last night? 어젯밤 음악회 어땠니? / *H~* is the weather today? 오늘 날씨는 어떻습니까? / *H~* do I look in this dress? 이 옷 입으니까 어때요?
4 [이유] **어떤 이유로,** 어째서, 왜: *H~* is it that you are always behind time? 당신은 왜 항상 지각을 하나요? / *H~* is it that you didn't come? 당신은 왜 오지 않았습니까? / *H~* comes it (that) you have left me alone? 당신이 나를 혼자 내버려 둔 것은 어찌된 일이죠? 《접속사 that는 때때로 생략됨; cf. How come ...?》/ *H~* could you talk such nonsense? 어떻게 그렇게 말도 안 되는 소리를 할 수가 있지? / "Where is she?" — "*H~* should I know?" 그녀는 어디에 있습니까? — 내가 알 게 뭐야? 《나하고는 관계가 없어.》
5 [상대방의 의견·설명 등을 구하여] **어떻게, 무슨 뜻으로,** 어떠세요: *H~*? 《미》 [되물을 때] 뭐(라고요)? / *H~* do you feel about it? 그것에 대해 어떻게 생각하나요? / *H~* do you mean? 무슨 뜻인가요? / *H~* will your father take it? 당신 아버님께서는 그것을 어떻게 받아들일까? / *H~* do you like Korea? 한국은 어떻습니까?
6 어떤 호칭[이름]으로: *H~* is he called? 뭐라고 그를 부르지?, 이름이 뭐지? / *H~* does one address the president? 사장에게 어떤 호칭을 씁니까?
7 [감탄문에서] **a 얼마나, 참으로**(cf. WHAT): *H~* foolish (you are)! (당신은) 참으로 바보군! 《★ How foolish a boy (you are)!의 꼴은 드물고, What a foolish boy (you are)!가 됨; 위의 복수형은 What foolish boys (you are)!가 되는데 How foolish boys (you are)!는 불가》/ *H~* kind of you! 참으로 친절하십니다! / *H~* nice to sit here with you! 너와 여기에 함께 앉다니 얼마나 좋은가! / *H~* I wish I could buy the coat! 그 코트를 살 수 있으면 얼마나 좋을까! / *H~* it rains! 무슨 비가 이렇게 오는지! **b** [절을 이끌어]: I told her ~ late she was. 그녀가 얼마나 늦었는지 그녀에게 말했다. / You cannot imagine ~ boring his lecture was. 그의 강의가 얼마나 지루했는지 당신은 상상도 할 수 없을 것이다.
— **B** [관계사] **1** [명사절을 이끌어] …의 자초지종, …이라고 하는 사정, 어떻게 해서든지 《USAGE the way+how ...는 지금은 드물고 how나 the way의 어느 하나로 족함》: That is ~ it happened. 이렇게 해서 그 일이 일어나게 된 것이다. / This is ~ I memorized a lot of English words. 이렇게 해서 나는 많은 영어 단어를 외우게 되었다.
2 [부사절을 이끌어] 어떤 식으로든지: Do it ~ you like. 네가 좋아하는 대로 해라. / You can travel ~ you please. 네가 좋을 대로 얼마든지 여행할 수 있다.
3 《구어》 …라고 하는 것 《접속사로도 볼 수 있음》: He told me ~ it was wrong to steal. 그는 도둑질하는 것이 나쁜 짓이라고 내게 말했다. 《USAGE how를 that 대신으로 사용하는 것은, 특히 이야기투의 말에서 때때로 복잡한 사정 등을 말하는 경우임》
all you know ~ 《속어》 네 힘 자라는 데까지, 네 힘껏
and ~! [ænd-háu] 《미·구어》 매우, 굉장히; 그렇고 말고: Prices are going up, *and* ~! 물가가 이만저만 오르는 게 아냐!
any old ~ 《구어》 날림으로, 아무렇게나, 거칠게
as ~ [접속사적으로] 《방언》 (1) …라고 하는 것(that) (2) …인지 어떤지(if, whether)
Here's ~! 《구어》 건배!
H~? ⇨ *ad.* **A** 5
H~ about ...? …은 어떻습니까?, …에 대해서 어떻게 생각합니까? (cf. WHAT about ...?): *H~ about* the results? 결과는 어떠했습니까? / *H~ about* another cup of coffee? 커피 한 잔 더 어떻습니까? / *H~ about* going for a walk? 산책하러 가지 않겠습니까?
H~ about that! 《구어》 (1) 그건 정말 훌륭해[정말 좋았어, 놀랐어]! (2) 어때 놀랐지?

H~ are you? 안녕하십니까? 《인사말》 ⇨ *ad.* **A** 3
H~ can [***could***] ***you!*** 《구어》 그럴 수가!
H~ … can you get? 《미·속어》 잘도 …하는구나: *H~* foolish *can you get*? 왜 그렇게도 어리석니?
H~ come …? 《구어》 어째서, 왜, …은 어찌된 일인가 《★ How did it come that …?의 단축형》: *H~ come* they didn't show up? 그들이 나타나지 않은 것은 어찌된 일이죠? / *H~ come* it happened? 어째서 그런 일이 일어났지?
H~ comes it? 어째서 그런가?
H~ come you to do ***…?*** 어째서 그렇게 하는가: *H~ come you to* say that? 어째서 그런 소리를 하는 거지?
H~ do? 《구어》 How do you do? 《약식 인사》
H~ do you do? [háudjudú:, -di-] (1) 처음 뵙겠습니다. 《초대면 때의 인사; 대답하는 쪽에서도 같은 말을 되풀이함; 약식으로는 How d'ye do? [háudidú:], How do?, Howdy? [háudi]》 (2) 안녕하십니까?(How are you?)
H~ do you do it? [놀람을 나타내어] 어떻게 그럴 수가 있는 거니?
H~ do you like …? ⇨ like² *vi.*
H~ ever [***in the world, on earth, the devil, the deuce, the dickens,*** etc.] ***…?*** 도대체 (어떻게)(cf. HOWEVER): *H~ in the world* did he know it? 도대체 그가 어떻게 그것을 알게 되었지?
H~ far (***…***)***?*** (1) [거리] 얼마나 먼가[되는가]: *H~ far* is it from here to your house? 여기서 당신 집까지 거리가 얼마나 됩니까? (2) [정도] 어느 정도, 얼마만큼: I don't know ~ *far* the teacher can understand his students. 어느 정도 그 선생이 학생들을 이해할 수 있을지 모르겠다.
H~ goes it? ⇨ *ad.* **A** 3
H~ is it that …? …은 왜 그런가?
H~ is that again? 《미》 [되물을 때] 뭐라고요?, 다시 한 번 말씀해 주십시오.
H~ is that for …? [형용사 또는 명사를 수반하여; 반어적으로] 《구어》 거참 …하지 않는가: *H~ is that for* impudence? 거참 건방지군 그래.
H~ long (***…***)***?*** 〈길이·시일이〉 얼마나, 몇 년[달, 날, 시간, 분 《등》], 언제부터, 언제까지: *H~ long* would[will] it take (me) to go there by train? 기차로 거기에 가는 데 시간이 얼마나 걸릴까요?
H~ many (***…***)***?*** 몇 개: *H~ many* apples are there in the basket? 바구니 안에 사과가 몇 개 있는가?
H~ much? (1) ⇨ much *a.*, *pron.*, *ad.* (2) 《영·속어》 뭐라고요?(What?), 다시 한 번 말씀해 주십시오.
H~ now? 《고어》 그건 또 어찌된 셈이냐?
H~ often (***…***)***?*** 몇 차례나, 몇 번이나: *H~ often* are there airplanes to Jejudo? 제주도 가는 비행기는 몇 차례나 있습니까?
H~'s about …? 《구어》 =HOW about …?
H~ say you? 당신의 생각은?
H~ so? 어째서 그런가, 어째서인가?
H~ soon (***…***)***?*** 얼마나 빨리: *H~ soon* can I expect you? 얼마나 빨리 와 주겠습니까?
H~'s that? (1) 《구어》 그것은 무슨 까닭인가, 어째서 그런가; 그것[이것]을 어떻게 생각하는가? (2) 《미·구어》 뭐라고요? (3) 〖크리켓〗 《심판을 향하여》 지금 것은 어떤가? 《타자는 아웃인가 세이프인가》
H~'s tricks? ⇨ trick
H~ then? 이건 어찌된 일인가; 그럼 어쩌면 좋지; (만약에 그렇다면) 어떻다는 겁니까?
— *n.* **1** [보통 the ~] 방법: *the* ~ and the why of it 그 방법과 이유 **2** 「어째서」 하고 묻는 질문: a child's unending whys and ~*s* 어린이의 끊임없는 「왜」, 「어째서」 하는 질문 **3** (통신에서) H자를 나타내는 말

~ 규칙대로, 공정하게

h.p., HP half pay; high pressure; High Priest; 《영》 hire-purchase; horsepower; Houses of Parliament **hPa** hectopascal **HPA** high-power amplifier **HPF** highest possible frequency; high power field **HPPE** 〖화학〗 high-pressure polyethylene 강화(强化) 폴리에틸렌 **HPU** hydraulic power unit 수력 발전 장치 **HPV** human papillomavirus **hq, h.q., HQ** headquarters **hr** hour(s) **Hr** *Herr* 《G =Mr.》 **HR** Home Rule; House of Representatives; Human Relations (Movement); human resources **h.r., HR** 〖야구〗 home run(s) **HRA** Health Resources Administration **hrd.** hard **HRE** Holy Roman Emperor[Empire] **H. Rept.** House report 하원 보고 **H. Res.** House resolution 하원 결의 **HRH** His[Her] Royal Highness 전하 **hrs.** hours **HRT** hormone replacement therapy 에스트로겐(estrogen) 요법 **Hs** 〖화학〗 hassium **h.s.** 《라틴》 *hoc sensu* 이 뜻으로; *hora somni* 취침할 때에 《처방전에서》 **HS** High School; 《영》 Home Secretary; house surgeon **HSDA** 〖컴퓨터〗 high-speed data acquisition **hse** house **HSE** *hic sepultus est* 《L =here is buried》 **HSGT** high-speed ground transport 초고속 육상 수송 기관 **HSH** His[Her] Serene Highness 각하

Hsia [ʃjɑ́:] *n.* (중국의) 하(夏) 왕조

Hsiang [ʃiɑ́ːŋ] *n.* =XIANG

hsien [ʃjʌ́n] *n.* (*pl.* ~) 선(仙), 선인; 선술

Hsin·hua [ʃínhwɑ́:] *n.* 신화사(新華社)(Xinhuashe) 《중국의 국영 통신사》

HSM His[Her] Serene Majesty **HSP** 〖컴퓨터〗 high-speed printer 고속 프린터 **HST** Hawaiian Standard Time; hypersonic transport 극초음속 수송기 **HSUS** Humane Society of the United States 미국 동물 애호 협회 **ht** height **HT** half-time; 〖전기〗 high tension; *hoc tempore* 《L =at this time》; *hoc titulo* 《L =under this title》 **HTLV** human T-cell lymphotrophic virus **HTML, html** 〖컴퓨터〗 hypertext markup language 《인터넷의 하이퍼텍스트를 표현하기 위한 언어》 **HTR** high temperature reactor 고온 원자로 **Hts** Heights 《지명에 쓰임》 **HTTP, http** 〖컴퓨터〗 hypertext transport protocol 《인터넷의 하이퍼텍스트 통신 규칙》 **ht wt** 〖크리켓〗 hit wicket

HUAC [hjú:æk] House Un-American Activities Committee (미 하원의) 비미(非美) 활동 조사 위원회

Huang Hai [hwɑ́:ŋ-hái | hwǽŋ-] 황해(黃海)(the Yellow Sea)

Huang He, Hwang Ho [hwɑ́:ŋ-hʌ́] 황허(黃河)(the Yellow River)

hua·ra·che [wərɑ́:tʃi] [Sp.] *n.* 가죽끈으로 만든 굽이 낮은 샌들

hub¹ [hʌ́b] *n.* **1** (차륜의) 바퀴살이 모인 부분, 바퀴통(nave); (선풍기 날개가 달린) 축 **2** (활동의) 중심, 중추, 중핵(center): a ~ of industry 산업의 중심지 **3** (고리 던지기의) 표적 **4** 〖컴퓨터〗 허브 《몇 개의 장치가 접속된 장치》 **5** [the H~] 미국 보스턴 시의 별칭 《the ~ of the universe의 뜻에서》 ***from ~ to tire*** 《구어》 완전히 ***up to the ~*** 《구어》 깊숙이 박혀서, 빼도 박도 못하여; 완전히, 아주; 몰두하여
— *vt.* (**~bed**; **~bing**) 〖금속공학〗 〈금속판에〉 천공기로 압형(押型)하다

hub² *n.* 《구어》 남편(husband)

hub-and-spoke [hʌ́bənspóuk] *a.* (여러 항공 노

thesaurus **hub¹** *n.* core, center, heart, middle
huddle *v.* crouch, press close, crowd, bunch,

however

however는 부사와 접속사의 두 가지 용법이 있다.
1 부사로서의 however는 양보의 부사절을 이끌어 「아무리 …하더라도(no matter how)」의 뜻을 나타내어 whoever, whatever, whenever, wherever 등과 공통적인 기능을 한다.
2 단순히 의문사 how의 강조형으로 「도대체 어떻게」라는 뜻으로 쓸 때는 how ever와 같이 띄어 쓰는 것을 정식으로 치고 있다.
3 however가 접속부사로서 「그러나」의 뜻으로 but처럼 쓰이나 but보다는 뜻이 약하다. 문중에 삽입하여 쓰일 때는 그 앞뒤에 콤마를 찍는 것이 원칙이며, 문두 또는 문미에 오기도 하는데, 문두에 올 때는 뒤에, 문미에 올 때는 앞에 콤마를 찍는다. ⇨ *ad.* 1

‡**how·ev·er** [hauévər] *ad.*, *conj.*
— *ad.* **1** [접속부사로서] **그렇지만**, 그러나, …라고는 하지만 《USAGE however는 문두나 문미에서도 쓰이나, 보통 문중에 (,)와 함께 쓰며, but보다는 뜻이 약하고 딱딱한 말》: I cannot, ~, approve of it. 그러나 나는 그것을 승인할 수 없다. / He said that it was so; he was mistaken, ~. 그는 그렇다고 말하였다, 하지만 그의 착각이었다. / Later, ~, he changed his mind. 그러나 나중에 그는 마음을 고쳐먹었다. / We have not yet won. *H*~, we shall keep trying. 우리가 아직 이긴 적은 없지만, 그래도 계속 노력하자.
2 [양보 부사절을 이끌어] **아무리 …해도[할지라도]** (no matter how): *H*~ hard I worked, she was never satisfied. 아무리 열심히 공부한다 하더라도 그녀는 결코 만족하지 않았다. / *H*~ tired you may be, you must do it. 아무리 피곤해도 그것을 해야만 된다. / *H*~ much it costs, I am determined to buy it. 그것이 아무리 비싸다 하더라도 나는 그것을 사기로 결심했다. / *H*~ much he earns, I cannot make ends meet. 그가 아무리 많이 벌어도 나는 수지를 맞출 수 없다. / *H*~ humble it may be, there is no place like home. 아무리 누추하다 할지라도 가정만한 곳은 없다.
3 [의문사 how의 강조형으로서] 《구어》 도대체 어떻게 ★ how ever로 떼어 쓰는 것이 정식: *H*~ did you manage it? 도대체 어떻게 처리한 거야? 《놀라움》/ *H*~ did you find it? 도대체 너는 어떻게 해서 그것을 발견했지? 《감탄》
— *conj.* 그러나, 그렇지만; (…하는) 어떤 방법[방식]으로라도: You can do it ~ you like. 네 좋을 대로 그것을 해도 된다.

선이) 대도시 터미널 집중 방식의
hub·ba-hub·ba [hʌ́bəhʌ́bə] 《미·속어》 *int.* 좋아 좋아!, 됐어 됐어! 《칭찬·열광의 소리》; 빨리빨리
— *ad.* 급히, 즉시
— *n.* 어처구니없는 행위, 대소동
hub·ble [hʌ́bl] *n.* **1** (얼음 위나 도로의) 작은 둔덕, 돌출 **2** 《스코·북잉글》 퇴적; 소동
Hub·ble [hʌ́bl] *n.* 허블 **Edwin Powell ~** (1889-1953) 《미국의 천문학자》
hub·ble-bub·ble [hʌ́blbʌ̀bl] *n.* **1** 물 담뱃대, 수연통 **2** 부글부글 《소리》; 와글와글; 대소동
Húbble's cónstant 〘천문〙 허블상수(常數) 《은하 후퇴 속도가 거리에 비례하여 증가하는 비율》
Húbble's láw 〘천문〙 허블의 법칙 《우주의 후퇴 속도는 거리에 비례한다》
Húbble Spáce Tèlescope [the ~] 허블 우주 망원경 《지구 궤도를 도는 미국 NASA의 천체 관측 망원경》
hub·bly [hʌ́bli] *a.* 《미·구어》 〈표면·길 등이〉 우툴두툴한
hub·bub [hʌ́bʌb], **hub·ba·boo, hub·bu·boo** [hʌ̀bəbúː] *n.* Ⓤ 왁자지껄, 소음; 함성; 소동, 소란(uproar); 떠들썩한 인디언 놀이의 일종
hub·by [hʌ́bi] *n.* (*pl.* **-bies**) 《구어》 남편
hub·cap [hʌ́bkæ̀p] *n.* (자동차의) 휠캡
Hu·bert [hjúːbərt] *n.* 남자 이름
hu·bris [*h*júːbris | hjúː-] [Gk] *n.* 오만; 자기 과신
hu·bris·tic, -ti·cal [hjubrístik(əl)] *a.* 오만한, 자만심이 강한 **-ti·cal·ly** *ad.*
huck·a·back [hʌ́kəbæ̀k] *n.* Ⓤ 허커백직(織) 《투박하고 튼튼한 리넨 또는 무명의 타월감》
huck·le [hʌ́kl] *n.* 《드물게》 엉덩이, 허리, 넓적다리 (haunch)
huck·le·backed [hʌ́klbæ̀kt] *a.* 곱사등이의
huck·le·ber·ry [hʌ́klbèri | -bèri, -bəri] *n.* (*pl.* **-ries**) **1** 〘식물〙 월귤나무 무리의 관목 《북미산(産)》 **2** 그 열매 **3** 《미·구어》 소량: a ~ or two 아주 조금 (**as**) **thick as huckleberries** 《미·구어》 빽빽이 밀생하여, 몹시 붐비어 **be** a person**'s ~** 《구어》 …에게 특히 적합하다, …의 연인[친구]이다
Huck·le·ber·ry Finn [hʌ́klbèri-fín] 허클베리 핀 《Mark Twain 작 소년 모험 소설 *The Adventures of Huckleberry Finn*의 주인공》
huck·le·bone [hʌ́klbòun] *n.* 〘해부〙 무명뼈, 좌골(坐骨)(hipbone); 거골(距骨)(anklebone)
huck·ster [hʌ́kstər] *n.* (*fem.* **-stress** [-stris]) **1** 《미》 행상꾼, (야채·과일 등의) 행상인(《영》 costermonger) **2** 《미·구어》 (라디오·텔레비전의) 광고업자(adman), 광고 작가 **3** 돈이라면 무엇이든지 하는 사람 **4** 《구어》 강매하는 영업 사원 — *vt.*, *vi.* 외치며 팔다, 행상하다, 강매하다; 에누리하다(haggle); 품질을 떨어뜨리다 **~·ism** *n.* ▷ húcksterize *v.*
huck·ster·ize [hʌ́kstəràiz] *vt.* …에 강요하다, 강매하다
huck·ster·y [hʌ́kstəri] *n.* Ⓤ 행상(하기)
HUD Department of Housing and Urban Development 《미》 주택·도시 개발부 《1965년 설립》
***hud·dle** [hʌ́dl] *vt.* **1** 《영》 **뒤죽박죽 쌓아 올리다**; (이것저것) 그러모으다 《*together*, *up*》; 되는 대로 처[쑤셔]넣다 《*into*》: 《~+목+전+명》 ~ toys *into* a box 장난감을 상자 속에 처넣다 // 《~+목+부》 a group of cottages ~*d together* 다닥다닥 들어선 작은 집들 **2** [~ one*self*나 수동형으로] 몸을 움츠리다: 《~+목+부》 He ~*d himself up*. 그는 몸을 움츠렸다. **3** 아무렇게나 해치우다 《*over*, *through*, *up*》 **4** 《드물게》 〈옷 등을〉 급히 입다, 걸치다 《*on*》: 《~+목+부》 ~ *on* one's clothes 급히 옷을 걸치다
~ over[**through, up**] 〈일 등을〉 급히[아무렇게나] 해치우다
— *vi.* **1** 붐비다, 밀치락달치락하다, 모이다; (떼지어) 몰리다 《*together*》; 움츠리다, 둥글게 말다: 《~+부》 ~ *together* in fear 공포로 서로 꼭 붙어 있다 // 《~+전+명》 ~ *against* the wind 바람에 몸이 움츠러들다 / They ~*d around* the stove to get warm. 몸을 덥히기 위해 난로 둘레에 모여들었다. **2** 《구어》 모여서 협의[상담]하다 **3** 〘미식축구〙 선수들이 스크럼선 후방에 집합하다

mass, draw together, cluster, throng — *n.* group, assemblage, cluster, gathering, bunch

—*n.* **1** 어중이떠중이의 집단, 군중 **2** 〖미식축구〗 선수들의 집합 **3** 《구어》 비밀 회담, 밀담 **4** Ⓤ 혼잡, 난잡 ***all in a*** ~ 난잡하게 ***get***[***go***] ***into a*** ~ 《구어》 협의하다, 밀담하다 ~ ***upon*** ~ 한 덩어리가 되어
húd·dler *n.*

Hu·di·bras·tic [*h*jù:dəbrǽstik | hjù:-] [영국 시인 Samuel Butler의 풍자시 *Hudibras*에서] *a.* Hudibras(풍)의; 익살스럽고 풍자적인 **-ti·cal·ly** *ad.*

*__Hud·son__ [hʌ́dsn] *n.* [the ~] 허드슨 강 《New York주 동부에 있는 강》

Húdson Báy 허드슨 만 《캐나다 동북쪽의 만》

Húdson séal 모조 바다표범 털가죽

‡**hue**[1] [*h*jú: | hjú:] [OE 「모양, 양상(樣相)」의 뜻에서] *n.* **1 a** 색조(tint), 빛깔: pale ~*s* 엷은 빛깔 / a garment of a violent ~ 강렬한 색조의 의상 **b** 색상; 색(color): all the ~*s* of the rainbow 무지개의 모든 색 ★ color, tint보다 문어적인 말. **2** (의견·태도 등의) 특색, 경향 **3** 《폐어》 외형, 외관 ***put a different*** ~ ***on matters*** 〈사물이〉 사태의 양상을 바꾸다
~·less *a.*

hue[2] *n.* (추적자 등의) 고함 소리

húe and crý **1** 〖역사〗 추적의 고함 소리; 죄인 체포 포고(布告); (죄상·인상(人相)을 적은) 옛 범죄 공보(犯罪公報): raise a ~ 도둑이야! 하고 외치다 **2** 심한 [시끄러운] 비난, 야유, 항의; 대소동 《*against*》: a general ~ *against* the war 반전(反戰)을 부르짖는 일반의 외침

hued [hjú:d] *a.* [보통 복합어를 이루어] …색조의: golden-~ 황금색의 / many-~ 다채로운

hu·ey [*h*jú:i | hjú:i] *n.* 《미·속어》 [다음 성구로] ***hang a*** ~ 왼쪽으로 돌다[꺾다]

huff [hʌ́f] *n.* **1** 발끈 화를 냄, 화 **2** 〖체스〗 말을 잡기 ***in a*** ~ 성을 벌컥 내어, 발끈하여 ***take*** ~ = ***get***[***go***] ***into a*** ~ 발끈 화내다
—*vt.* **1** 호통치다, 야단치다; 〈남에게〉 으르대다; 위협하여 (…) 시키다 《*into*》: 《~+목+전+명》 ~ a person *into* silence …을 위협하여 침묵시키다 **2** 화나게 하다: He was much ~*ed.* 그는 몹시 화가 나 있었다. **3** 〖체스〗 〈상대편의 말을〉 잡다 **4** 《속어》 마약을 (코로) 들이마시다 —*vi.* **1** 벌컥 성내다 **2** 가쁘게 숨쉬다, 헐떡이다; 바람이 심하게 몰아치다 **3** 잘난 체하다 ~ ***and puff*** 《구어》 몹시 노력하다, (어려운 일에) 몹시 허둥지둥하다 ***~ing and puffing*** 속이 뻔한 공갈, 허세 ~ a person ***out of*** …을 위협하여 …을 빼앗다 ~ a person ***to pieces*** …을 못살게 굴다

Huff-Duff [hʌ́fdʌ̀f] *n.* 《속어》 고주파 대(對) 잠수함 탐지기, 허프더프 탐지기

huff·er [hʌ́fər] *n.* 《속어》 본드[시너 《등》]를 흡입하는 사람

huff·ing [hʌ́fiŋ] *n.* 《미·속어》 본드[시너 《등》] 흡입

huff·ish [hʌ́fiʃ] *a.* 화난, 골난; 거만한, 뻐기는

huff·y [hʌ́fi] *a.* (**huff·i·er**; **-i·est**) **1** = HUFFISH **2** 화 잘 내는, 성마른 **húff·i·ly** *ad.*

‡**hug** [hʌ́g] *v.* (**~ged**; **~·ging**) *vt.* **1 a** (보통 애정을 가지고) 꼭 껴안다: 《~+목+부》 ~ a person *tight* …을 꼭 껴안다 **b** 〈곰이 사람 등을〉 앞다리로 끌어안다: 《~+목+전+명》 A bear ~*ged* the hunter *to* death. 곰이 사냥꾼을 앞다리로 안아 죄어 죽였다. **c** 〈물건을〉 (두 팔로) 안다, 껴안다 **2** 〈편견 등을〉 품다, 고수하다(cherish): ~ a belief that …이라는 생각을 고수하다 **3** …의 곁에 머물다; 〈몸에〉 딱 들러붙다: The defensive man ~*ged* his opponent. 수비수는 상대에게서 딱 붙어 있었다. **4 a** 〈보행자·자동차가〉 …에 접근하여 나아가다: a car ~*ging* the side of the road 길가를 따라서 나아가는 자동차 **b** 〖항해〗 …가까이를 항해하다: ~ the shore 해안선을 따라 항해하다 ~ ***one's chains*** 구속을 달게 받다 ~ ***oneself on***[***over***] …을 기뻐하다
—*vi.* 달라붙다, 꽉 껴안다; 바싹 다가가다, 접근하다
—*n.* 꼭 껴안기, 포옹; 〖레슬링〗 껴안기: He gave her a great[big] ~. 그는 그녀를 꼭 껴안았다.

‡**huge** [*h*jú:dʒ | hjú:dʒ] *a.* **1** 〈모양·크기 등이〉 거대한(gigantic); 막대한: a ~ portion of ice cream 커다란 아이스 크림 / a ~ ship[man] 거함[거인]

> 유의어 **huge** 크기·양·정도 등이 대단히 큰: incur a *huge* debt 막대한 빚을 지다 **enormous** 보통의 크기나 정도·양을 훨씬 넘고 있는: an *enormous* expense 막대한 비용 **immense** 보통의 기준으로는 상상도 못할 정도로 큰: an *immense* shopping mall 광대한 쇼핑 센터 **tremendous** 놀람·두려움을 줄 정도로 큰: at a *tremendous* speed 무시무시한 속도로 **vast** 넓이·범위·양 등이 큰: the *vast* steppes 광활한 대초원 지대

2 〈정도·성질 등이〉 무한한, 한없는: the ~ genius 무한한 재능 **3** 《구어》 크게 유명한[성공한]: The band is going to be ~ next year. 그 악단은 내년에 크게 유명해질 것이다. **~·ly** *ad.* **~·ness** *n.*

huge·ous [*h*jú:dʒəs | hjú:-] *a.* = HUGE **~·ly** *ad.*

hug·ga·ble [hʌ́gəbl] *a.* 껴안고 싶은(cuddlesome)

hug·ger-mug·ger [hʌ́gərmʌ̀gər] *n.* Ⓤ **1** 난잡, 혼란 **2** 비밀: in ~ 은밀하게, 남몰래 —*a., ad.* **1** 난잡한[하게] **2** 비밀의[히]
—*vt.* 숨기다, 쉬쉬해 버리다(hush up) —*vi.* 몰래 하다; 밀담하다; 어수선하다, 혼잡해지다

hug·ger·mug·ger·y [hʌ́gərmʌ̀gəri] *n.* (*pl.* **-ger·ies**) **1** 《속어》 협잡, 부정 **2** = HUGGER-MUGGER

hug·gle [hʌ́gl] [*hug*+snug*gle*] *vt.* 꽉 껴안다

Hugh [*h*jú: | hjú:] *n.* 남자 이름

Hughes [*h*jú:z | hjú:z] *n.* 휴스 **1 Howard** (**Robard**) ~ (1905-76) 《미국의 실업가·비행기·영화 제작자》 **2 Ted** ~ (1930-98) 《영국의 시인》 **3 Thomas** ~ (1822-96) 《영국의 법률가·사상가·소설가》 **4 William Morris** ~ (1864-1952) 《오스트레일리아의 수상 (1915-23)》

hug-me-tight [hʌ́gmi:tàit] *n.* 허그미타이트 《몸에 꼭 끼는 여성용 편물 상의; 보통 소매 없는 것》

Hu·go [*h*jú:gou | hjú:-] *n.* **1** 남자 이름 **2** 위고 **Victor** ~ (1802-85) 《프랑스의 시인·작가》

Hu·gue·not [*h*jú:gənɑ̀t | hjú:gənɔ̀t] *n.* 〖역사〗 위그노 교도 《16-17세기경의 프랑스 신교도》
Hù·gue·nót·ic *a.* **~·ism** *n.* Ⓤ 위그노 교의(敎義)

huh [hʌ́, hə] *int.* 하, 흥, 그래, 뭐라고 《놀람·경멸·의문을 나타내는 소리》

Hu·i [hú:i] *n.* 후이(回)(족) 《중국 북서부 거주 소수 민족으로 이슬람교도》

hu·la hoop, Hu·la-Hoop [hú:lə(-)hù:p] *n.* 훌라후프 《허리 운동을 위한 플라스틱 등의 테; 상표명》

hu·la(-hu·la) [hú:lə(hú:lə)] *n.* (하와이 여자의) 훌라 춤 —*vi.* 훌라 춤을 추다

húla skìrt (긴 풀로 엮은) 훌라 춤용 스커트

hulk [hʌ́lk] *n.* **1** 폐선(廢船)의 선체 《저장소 등으로 씀》; [종종 *pl.*] 〖역사〗 감옥선 **2** 덩치 큰 사람; 부피가 큰 물건 **3** (부서진, 버려진) 잔해 —*vi.* **1** 커다란 몸집을 드러내다 《*up*》 **2** 어슬렁거리다, 배회하다

hulk·ing [hʌ́lkiŋ], **hulk·y** [hʌ́lki] *a.* 몸집이 큰, 부피가 큰; 보기 흉한

*__hull__[1] [hʌ́l] *n.* **1 a** 겉껍질, 껍데기, 외피(外皮), (특히 콩의) 꼬투리, 깍지(pod) **b** (딸기·감 따위의) 꽃받침 **2** 덮개; [*pl.*] 의복
—*vt.* …의 껍질을 벗기다, 꼬투리[깍지]를 까다(shell), 꼭지를 따다: ~*ed* rice 현미

hull[2] *n.* **1** 선체(船體) **2** 〖항공〗 (비행정의) 정체(艇體); (비행선의) 선체 **3** (장갑차의) 차체 **4** 탄약통 ~ ***down*** 〖항해〗 (돛대만 보이고 선체는 보이지 않는) 먼 곳에 ~ ***up***[***out***] 〈배가〉 선체가 보일 만큼 가까이, 수평선 위에 나타나
—*vt.* 〈선체를〉 (포탄으로) 꿰뚫다 —*vi.* **1** (동력·돛

thesaurus **hug** *v.* embrace, squeeze, clasp
humane *a.* kind, compassionate, considerate,

없이) 떠다니다 **2** ⦅고어⦆ 빈둥거리며 보내다
hul·la·ba·loo [hʌ́ləbəlùː | ⌐--⌐] *n.* (*pl.* **~s**) 와글와글[왁자지껄] 하는 소리, 소란
húll bàlance 〖항해〗 (범선의) 선체 균형
húlled bárley [hʌ́ld-] 겉보리
húll efficiency 〖조선〗 선체 효율 ⦅유효 마력(馬力)과 추진 마력의 비율⦆
Húll Hòuse 헐하우스 ⦅미국의 사회 봉사가 Jane Addams가 1889년 시카고에 세운 복지 시설⦆
hull·ing [hʌ́liŋ] *n.* (선체 구성의) 뼈대와 외곽재
*__hul·lo__ [həlóu] *int.*, *n.* (*pl.* **~s**), *vi.*, *vt.* **1** = HALLO **2** ⦅영⦆ = HELLO
‡**hum**[1] [hʌ́m] *v.* (**~med**; **~·ming**) *vi.* **1** 〈벌·팽이·기계 등이〉 **윙윙거리다**: A bee ~*s.* 벌이 윙윙거린다. **2** 〈청중 등이〉 왁자지껄하다, 웅성대다 **3** (주저·난처함·불만 때문에) 웅얼웅얼 말하다 **4 콧노래를 부르다**: (~+전+명) ~ *to* oneself 혼자서 콧노래를 흥얼거리다 **5** 〈사업 등이〉 경기가 좋다: (~+전+명) a town ~*ming with* activity 활기가 넘치는 도시 / the household ~*ming with* wedding preparation 결혼 준비로 분주한 집안 **6** ⦅영·속어⦆ 악취가 풍기다
— *vt.* **1** 웅얼웅얼 말하다; 〈노래를〉 콧노래로 부르다: (~+목+전+명) He is ~*ming* a song *to* himself. 그는 혼자서 콧노래를 부르고 있다. **2** 〈…에게〉 콧노래를 불러 …하게 하다: (~+목+전+명) ~ a child *to* sleep 콧노래를 불러 아이를 재우다
~ along 〈자동차 등이〉 쌩쌩 달리다; 〈사업이〉 잘 되어가다 ***~ and haw***[***ha, hah***] ⦅영⦆ 말을 머뭇거리다; 주저하다 ***make things ~*** ⦅구어⦆ 신이 나게 하다, 활기를 불어 넣다
— *n.* **1** 윙윙(소리) **2** 멀리서 들리는 잡음, 와글와글: a ~ of voices 와글와글하는 소리 **3** (라디오·재생 장치의) 잡음, 험 **4** (사람의) 활동 **5** ⦅영⦆ (주저·불만 등을 나타내는) 흠: after some ~*s* and ha's [haws] 몇 번이나 흠흠 한 다음 **6** ⦅속어⦆ 악취
— *int.* ⦅영⦆ 흥!, 흠! ⦅의심·반대 등을 나타내는 소리⦆
hum[2] *n.* UC ⦅구어⦆ 사기, 협잡(humbug)
‡**hu·man** [*h*júːmən | hjúː-] 〖L 「사람(homo)의」 뜻에서〗 *a.* **1 인간의**, 사람의; 인간으로 이루어지는: a ~ being 인간 / ~ frailty 인간의 나약함 / the ~ body [brain] 인체[인간의 뇌] / a ~ sacrifice 인신 희생(人身犧牲) / the ~ race 인류 **2** 인간의 모습을 한; 인간과 같은 **3** 인간다운; 인간적인(opp. *divine, animal*); 인간에게 흔히 있는: To err is ~. 과오는 인간의 상사(常事)이다. **4** (사회적 존재로서의) 인간의: ~ affairs[issues] 인간사(事) **5** 인간성의, 인간의 감정에 관한 **6** 인정의 미묘함을 느끼는, 인정 있는: a warmly ~ understanding 따뜻하고 인정어린 이해 **7** 자연스러운 ***more*** [***less***] ***than ~*** 인간 이상[이하]의
— *n.* **1** [보통 *pl.*] ⦅구어⦆ 사람, 인간(= **~ béing**) ★ human being쪽이 더 많이 쓰임. **2** [the ~] 인류
~·lìke *a.*
▷ humánity *n.*; húmanize *v.*; húmanly *ad.*
húman càpital 〖경제〗 인적(人的) 자본
húman cháin 인간 사슬 ⦅반핵 평화 운동 그룹의 시위 행동의 한 형태⦆
húman choriónic gonadotrópin 〖생화학〗 인간 융모성 고나도트로핀 ⦅略 HCG⦆
húman clóning 인간 복제
húman dócument 인간의 생활 기록
‡**hu·mane** [*h*juːméin | hjuː-] 〖human의 변형〗 *a.* **1** 자비로운, 사람의 도리에 맞는, 인도적인, 인정 있는: ~ feelings 자비심 **2** 〈학문·연구 등이〉 사람을 고상하게 하는, 우아한; 인문학의: ~ learning 고전 문학 / ~ studies 인문(人文) 과학 **~·ness** *n.*
▷ humánely *ad.*
húman ecólogy 인간 생태학
humáne kìller (가축의) 무통 도살기

understanding, sympathetic, merciful, gentle, mild, benevolent, charitable

hu·mane·ly [*h*juːméinli | hjuː-] *ad.* 자비롭게, 인도적으로
húman enginéering 인간 공학; (기업 등의) 인사 관리
Humáne Socìety [the ~] 동물 애호회; ⦅영⦆ 투신자(投身者) 구조회
húman fígure [the ~] 〖그리스도교〗 = HUMAN ONE
Húman Génome Próject 휴먼 게놈 프로젝트, 인간 유전체 규명 계획 ⦅略 HGP⦆
húman geógraphy 인문 지리학
húman grówth hòrmone 〖생화학〗 인간 성장 호르몬 ⦅인체의 성장을 지배하는 뇌하수체 종합 호르몬; 略 HGH⦆
hu·man·ics [*h*juːmǽniks | hjuː-] *n. pl.* [단수 취급] 인간학(人間學)
húman immunodefíciency vìrus 인체 면역 결핍 바이러스(AIDS virus) ⦅略 HIV⦆
húman ínterest (보도·기사에서) 독자의 흥미를 돋우는 것[사건], 인간적 흥미
*__hu·man·ism__ [*h*júːmənìzm | hjúː-] *n.* U **1** 인문(人文)주의, 인간[인도]주의 **2** 인문학 ⦅특히 14-16세기의 고전 문학 연구⦆, 인문 과학[연구] **3** [때로 **H~**] 인문주의 ⦅특히 르네상스 시대 일어난 운동⦆ **4** 〖철학〗 인본주의; 인도교(人道敎) **5** 인간성(humanity)
hu·man·ist [*h*júːmənist | hjúː-] *n.* **1** 인본주의자 **2** [때로 **H~**] 인문주의자 ⦅특히 고전 문학 연구가⦆ **3** 인도주의자 **4** [때로 **H~**] 인본주의자
— *a.* **1** 인간성 있는; 인간[인도]주의의 **2** [때로 **H~**] (특히 르네상스 시대의) 인문주의의; 고전학의; 인문학의 **3** 철학적, 과학적 인간성을 추구하는
▷ humanístic *a.*
hu·man·is·tic [*h*jùːmənístik | hjùː-] *a.* **1** 인간성 연구의; 인본주의적인 **2** 인문학의, 인문주의적인, 고전 문학적인; 인류주의의 **3** 인도주의적인
-ti·cal·ly *ad.*
humanístic psychólogy 〖심리〗 인간성 심리학
*__hu·man·i·tar·i·an__ [*h*juːmæ̀nətέəriən | hjuː-] *a.* **1** 인도주의의[적인]; 인간애의 ★ philanthropic 이상으로 인류의 복지 증진·고통 완화에 직접적 관심을 가진. **2** 〖신학〗 그리스도 인간설의
— *n.* **1** 인도주의자; 박애가 **2** 〖신학〗 그리스도 인간론자 ⦅신성(神性)을 부인하는⦆
hu·man·i·tar·i·an·ism [*h*juːmæ̀nətέəriənìzm | hjuː-] *n.* U 인도주의, 박애(주의); 그리스도 인간설
-ist *n.*
‡**hu·man·i·ty** [*h*juːmǽnəti | hjuː-] *n.* (*pl.* **-ties**) **1** [집합적; 단수·복수 취급] **인류**, 인간(mankind): for the benefit of ~ 인류를 위하여 **2 a** U **인간성**, 인성: contrary to ~ 인간성에 반대되는 **b** [*pl.*] 사람의 속성, 인간다움 **3 a** U **인간애**, 자애, 자비, 인정, 친절 **b** 자선 행위 **4** [the humanities] (그리스·라틴의) 인문학, 고전 문학; 인문 과학 연구
a crime against ~ 비인도적인 범죄 ***out of ~*** 자비심에서 ***the Religion of H~*** 인도교(人道敎) ⦅초자연적인 것을 배척하고 인간의 행복·안녕을 위하는 종교⦆
▷ húman, humanitárian *a.*
hu·man·ize [*h*júːmənàiz | hjúː-] *vt.* **1** 인간화하다, 인간성을 부여하다; 인체에 적응시키다: ~*d* milk 모유처럼 만든 우유 **2** 교화하다, 다정하게 하다(make humane) — *vi.* 인간다워지다, 인정있게 되다; 교화되다 **hù·man·i·zá·tion** *n.* **hú·man·ìz·er** *n.*
hu·man·kind [*h*júːmənkàind | hjùːmənkáind] *n.* U [집합적; 복수 취급] 인류, 인간(mankind)
húman léukocyte àntigen 〖면역〗 사람 백혈구 항원, 사람의 조직 적합성 항원 ⦅略 HLA⦆
hu·man·ly [*h*júːmənli | hjúː-] *ad.* **1** 인간답게; 인정에서 **2** 인간적 견지에서, 인력으로 ***~ possible*** 인력으로 가능한 ***~ speaking*** 인간의 입장에서 말하자면, 인지(人知)[인력]가 미치는 한에서는
húman náture **1** 인성, 인간성 **2** 인정

hu·man·ness [*h*jú:mənnis | hjú:-] *n.* Ⓤ 사람임, 인간성

hu·man·oid [*h*jú:mənɔ̀id | hjú:-] *a.* 〈형태·행동 등이〉 인간에 가까운; 로봇의(cf. ANDROID)
— *n.* **1** 원인(原人) **2** (SF에 나오는) 인간 같은 우주인[로봇]

Húman Óne 〖그리스도교〗 인자(人子), 예수 그리스도

húman papilloma vìrus 〖병리〗 인유두종 바이러스 《자궁 경부암과 상관 관계가 있다고 여겨지는 바이러스; 略 HPV》

húman poténtial mòvement 인간 잠재 능력 회복 운동 《일종의 집단 요법적 수양 운동》

húman ráce [the ~] 인류(mankind)

húman relátions [보통 단수 취급] **1** 인간 관계 **2** 인간 관계론 《조직체 내에서의 대인 관계의 향상을 꾀하는; 略 H.R.》

húman resóurce administràtion 〖경영〗 인적 자원 관리, 인사 관리

húman resóurces 인적 자원, 인재, 노동력; (기업 등의) 인사부[과](= ~ **depártment**)

húman ríghts (기본적) 인권

húman scíence(s) 인문 과학 《인류학·언어학·사회학·문학·심리학 등의 총칭》

húman sérvices 복지 사업[시설]

húman shíeld 인간 방패 《적의 공격을 저지하기 위해 사람의 무리를 일렬로 세운》

húman T-cell lym·pho·tróph·ic vírus [-tí:-sel-lìmfətrɑ́fik-, -tróu-] 〖병리〗 인간 T세포 백혈병 바이러스

Hum·ber [hʌ́mbər] *n.* [the ~] 험버 강 《영국 동부 Trent 강과 Ouse 강이 합류하는 강》

Hum·ber·side [hʌ́mbərsàid] *n.* 험버사이드 주 《1974년에 신설된 잉글랜드 북부의 주》

‡hum·ble [hʌ́mbl, ʌ́m- | hʌ́m-] *a.*, *v.*

> L 「낮은」의 뜻에서
> ┌(신분이) 「낮은」 **3**; (자기를 낮춘) 「겸손한」 **1**
> └(생활이 낮은) 「보잘것없는」 **4**

— *a.* **1** 겸손한, 겸허한(modest); 소박한(opp. *insolent*, *proud*), 수수한(⇨ shy¹ 유의어): a ~ request 겸손한 요구 **2** 열등감의[을 느끼는]: feel ~ in the presence of a world-famous artist 세계적 거장 앞에서 초라함을 느끼다 **3** 〈신분 등이〉 **비천한**, 낮은: a man of ~ origin[birth] 미천한 집안에 태어난 사람 **4** 〈물건이〉 **보잘것없는**, 초라한; 얼마 안 되는: ~ fare 소찬(素饌)
in a ~ measure 부족하나마 ***in my ~ opinion*** 비견[사견(私見)]으로는 ***your ~ servant*** 돈수(頓首) 《공식 편지 끝에 쓰는 말》; 《익살》 소생(I, me)
— *vt.* **1** 〈남을〉 비하하다; 하찮게 보다; 천하게 하다, 낮추다 **2** 〈교만·권위·의지 등을〉 꺾다

> 유의어 **humble** 교만을 꺾다; 굴욕적이게 하다: She was *humbled* by the frightening experience. 그녀는 무서운 체험으로 콧대가 꺾였다. **degrade** 〈계급·지위를〉 떨구다; 체면을 깎다: *degrade* an officer 장교를 강등시키다 **humiliate** 공적인 장소에서 자존심을 상하게 하다: He was *humiliated* by their laughter. 그들이 웃는 바람에 그의 자존심이 상했다.

3 〈사람의 기분을〉 겸허하게 하다 ~ one***self*** 겸손한 태도를 취하다, 황송해 하다
~·**ness** *n.* **húm·bler** *n.* **húm·bling·ly** *ad.*
▷ húmbly *ad.*

hum·ble·bee [hʌ́mblbì:] *n.* 《영》 = BUMBLEBEE

húmble píe **1** 굴욕 **2** (고어) 사슴 내장 파이
eat ~ 굴욕을 달게 받다; 백배 사죄하다

húmble plànt 〖식물〗 함수초(含羞草)

hum·bly [hʌ́mbli] *ad.* **1** 겸손하여, 황송하여 **2** 초라하게, 비천하게

Hum·boldt [hʌ́mboult, húm-] *n.* 훔볼트 **Friedrich Heinrich Alexander, Baron von** ~ (1769-1859) 《독일의 자연 과학자; 근대 지리학의 원조》

Húmboldt Cúrrent [the ~] 훔볼트 해류

hum·bug [hʌ́mbʌ̀g] *n.* **1** ⓊⒸ 거짓말, 속임수, 사기; 바보짓; 불법 체포; 허위성, 기만성 **2** ⓊⒸ 허풍; 허튼소리; 아첨 **3** 협잡꾼; 허풍선이; 아첨꾼 **4** 겉보기뿐인 것 **5** 《영》 박하 사탕
— *v.* (**~ged**; **~·ging**) *vt.* **1** 속여 넘기다 **2** 속여서 …시키다[을 빼앗다] 《*into, out of*》: (~+목+전+*-ing*) ~ a person *into* buying a worthless thing …에게 가치없는 것을 속여서 팔다
— *vi.* 속이다; 사기치다
— *int.* 엉터리!, 시시하다! **~·ger** *n.*

hum·bug·ger·y [hʌ́mbʌ̀gəri] *n.* Ⓤ 눈속임, 협잡, 기만, 사기

hum·ding·er [hʌ́mdíŋər] *n.* 《미·구어》 아주 훌륭한 사람[물건], 고급품; 쾌거, 우수한 행위; 아주 이상한[이례적인] 것

hum·drum [hʌ́mdrʌ̀m] *a.* 평범한, 보통의; 단조로운, 지루한: a ~ existence 단조로운 생활
— *n.* ⓊⒸ 평범, 단조; Ⓒ 범인(凡人), 지루한 사람; 단조로운[지루한] 이야기
— *vi.* (**~med**; **~·ming**) 평범하게 해나가다
~·ness *n.*

Hume [*h*jú:m | hjú:m] *n.* 흄 **David** ~ (1711-76) 《스코틀랜드 태생의 철학자·역사가》

hu·mec·tant [*h*ju:méktənt | hju:-] *n.* 습윤제(濕潤劑), 희석제 — *a.* 습기를 주는

hu·mer·al [*h*jú:mərəl | hjú:-] *a.* 상박골(上膊骨)의; 어깨의 — *n.* (성직자가) 어깨에 걸쳐 입는 옷(= ~ **véil**)

hu·mer·us [*h*jú:mərəs | hjú:-] *n.* (*pl.* **-mer·i** [-mərài]) 〖해부〗 상박골; 상완골(上腕骨)

hu·mic [*h*jú:mik | hjú:-] *a.* 〖화학〗 부식질(腐植質)의, 부식질에서 얻어진

hu·mi·cole [*h*jú:mikoul | hjú:-] *n.* 〖식물〗 부식토 식물 **hu·míc·o·lous** *a.*

***hu·mid** [*h*jú:mid | hjú:-] *a.* 〈날씨·공기 등이〉 **습기 있는**, 눅눅한(⇨ wet 유의어): ~ air 눅눅한 공기 / a ~ climate 습윤한 기후 **~·ly** *ad.* **~·ness** *n.*

hum·i·dex [hjú:mideks] *n.* 《캐나다》 체감 온도

hu·mid·i·fi·er [*h*ju:mídəfàiər | hju:-] *n.* 가습기, 습윤기(濕潤器)

hu·mid·i·fy [*h*ju:mídəfài | hju:-] *vt.* (**-fied**) 축이다, 적시다(moisten) **hu·mìd·i·fi·cá·tion** *n.*

hu·mid·i·stat [*h*ju:mídəstæ̀t | hju:-] *n.* 습도 (자동) 조절기, 항습기(恒濕器)

***hu·mid·i·ty** [*h*ju:mídəti | hju:-] *n.* Ⓤ **1** 습기, 축축한 기운(dampness); 〖물리〗 습도; 습도가 높아 불쾌한 상태 **2** = RELATIVE HUMIDITY
▷ húmid *a.*; humídify *v.*

hu·mi·dor [*h*jú:mədɔ̀:r | hjú:-] *n.* **1** 담배 저장 상자[실] 《적당한 습도를 유지》 **2** 이와 유사한 설비

hu·mi·fi·ca·tion [*h*jù:məfikéiʃən | hjù:-] *n.* 부식토화(腐植土化) (작용); 이탄화(泥炭化) **hú·mi·fỳ** *v.*

hu·mil·i·ate** [*h*ju:mílièit | hju:-] *vt.* **굴욕감을 느끼게 하다**, 창피를 주다, …의 자존심을 상하게 하다(⇨ humble 유의어) ~ oneself*** 면목을 잃다, 창피를 당하다 ▷ humiliátion, humíliator *n.*

hu·mil·i·at·ing [*h*ju:mílièitiŋ | hju:-] *a.* 굴욕적인, 면목 없는: a ~ defeat 굴욕적인 패배 **~·ly** *ad.*

***hu·mil·i·a·tion** [*h*ju:mìliéiʃən | hju:-] *n.* ⓊⒸ **1** 창피 줌[당함] **2** 굴욕, 굴복; 창피, 면목 없음: in the

> **thesaurus** **humble** *a.* **1** 겸손한 modest, unassuming, unpretentious, meek (opp. *arrogant*, *proud*) **2** 비천한 plain, common, ordinary, low, base, vulgar (opp. *upper-class*, *noble*, *privileged*)
> **humid** *a.* muggy, sticky, steamy, damp, moist,

~ of defeat 굴욕적인 패배를 안고
hu·mil·i·a·tor [*h*juːmílièitər | hjuː-] *n.* 창피 주는 사람, 모욕하는 사람
hu·mi·lis [*h*júːməlis | hjúː-] *a.* 〖기상〗 〈뭉게구름이〉 편평한, 편평운(扁平雲)의
‡**hu·mil·i·ty** [*h*juːmíləti | hjuː-] *n.* (*pl.* **-ties**) **1** Ⓤ 겸손, 비하: in[with] ~ 겸손하게, 비하해서 / *H*~ is the foundation of all virtues. 겸손은 미덕의 근본이다. **2** [*pl.*] 겸손한 행위
hu·mint, HUMINT [*h*júːmint | hjúː-] [*hum*an *int*elligence] *n.* 사람에 의한 정보 수집[첩보 활동] (cf. ELINT, SIGINT)
hu·mi·ture [*h*júːmitʃər | hjúː-] [*humi*dity+tempera*ture*] *n.* 습온도 불쾌 지수; 체감 습도
hum·ma·ble [hʌ́məbl] *a.* 〈곡이〉 쉽게 흥얼거릴 수 있는; 〈가락이〉 아름다운
hum·mer [hʌ́mər] *n.* **1** 윙윙거리는 것; 콧노래하는 사람 **2** =HUMMINGBIRD **3** 《야구속어》 강속구 **4** 《구어》 멋진 사람[것] **5** 《속어》 불법[오인] 체포 **6** [**H~**] 〖미육군〗 허머 《기동성이 뛰어난 신형 다목적 차량; 상표명》
*__hum·ming__ [hʌ́miŋ] *a.* **1** 윙윙거리는; 콧노래 부르는 **2** 《속어》 정력적인(energetic), 원기 왕성한(vigorous), 활발한 **3** 《구어》 〈술이〉 거품이 이는, 독한
— *n.* Ⓤ 윙윙거리는 소리; 콧노래 (부르기), 허밍
hum·ming·bird [hʌ́miŋbə̀ːrd] *n.* 〖조류〗 벌새 《미국산(産)》

hummingbird

húmming tòp 윙윙 소리내는 팽이 《장난감》
hum·mock [hʌ́mək] *n.* 작은 언덕(hillock); 빙원(氷原)에 있는 얼음 언덕; (부근의 늪지보다 높은) 수림지대
húm·mock·y *a.*
hum·mus [húməs] *n.* 〖요리〗 후머스 《이집트콩을 삶아 양념한 중동 음식》
hum·my [hʌ́mi] *a.*, *ad.* 《미·속어》 (멋도 모르고) 기쁜[기쁘게], 태평한[하게], 순진한[하게]
hu·mon·gous, -mun- [*h*juːmʌ́ŋgəs | hjuː-] *a.* 《미·속어》 거대한, 터무니없이[엄청나게] 큰
‡**hu·mor | hu·mour** [*h*júːmər | hjúː-] [L 「습기」의 뜻에서] *n.* **1** Ⓤ 유머, 익살, 해학: a writer with ~ and zest 해학과 풍자를 겸비한 작가 / a sense of ~ 유머 감각

> 유의어 **humor** 인간의 마음에 호소하는 익살: a sense of *humor* 유머 감각 **wit** 지적인 익살: a playful *wit* 장난스러운 익살

2 유머를 이해[표현]하는 힘 **3** 유머러스한 말[글] **4** [*pl.*] 웃기는 부분[점]: ~*s* of life 인생의 재미있는 면 **5** [보통 a ~] (일시적) 기분, 마음(⇨ mood 유의어): when the ~ takes me 마음이 내키면 **6** Ⓤ 《문어》 기질, 성미: Every man has[in] his ~. 《속담》 각인각색(各人各色). **7** 변덕(whim); 기행(奇行) **8** (중세 생리학에서의) 체액(體液) **9** 〖생리〗 액(fluid) **10** 〖병리〗 만성 피부병
cardinal ~s 4체액 《즉 blood, phlegm, choler, black bile을 말하는데 옛날에는 이 넷의 배합의 균형에 따라 체질이나 기질이 정해지는 것이라고 믿었음》 ***in good*** [***ill, bad***] ***~*** 기분이 좋아서[나빠서] ***in no ~ for*** …을 할 마음이 안 나서 ***in the ~ for*** …할 마음이 나서, …에 마음이 내켜 ***out of ~*** 《문어》 기분이 언짢아, 화나서 ***please*** a person***'s ~*** …의 비위를 맞추다

— *vt.* 〈사람·취미·기질 등을〉 만족시키다(gratify); 어르다, 달래다; 맞장구치다, 비위를 맞춰주다; 잘 다루다: ~ child 아이를 어르다 / ~ a person's whim …의 변덕에 맞장구치다
▷ húmorous, húmoral, húmorless *a.*
hu·mor·al [*h*júːmərəl | hjúː-] *a.* **1** 〖생리〗 체액(體液)의[에서 생기는]: ~ pathology 체액 병리학 **2** 체액성의 **~·ist** *n.*
húmoral immúnity 체액(성) 면역
hu·mored [*h*júːmərd | hjúː-] *a.* [보통 복합어를 이루어] 기분이 …한, …한 기분의: good-[ill-]~ 기분이 좋은[나쁜] **~·ly** *ad.*
hu·mor·esque [*h*jùːmərésk | hjùː-] *n.* 〖음악〗 해학곡(諧謔曲), 유머레스크 **~·ly** *ad.*
hu·mor·ist [*h*júːmərist | hjúː-] *n.* **1** 유머가 있는 사람, 해학가(諧謔家) **2** 유머 작가[배우] **3** 《고어》 변덕쟁이 ▷ humorístic *a.*
hu·mor·is·tic, -ti·cal [*h*jùːmərístik(əl) | hjùː-] *a.* 유머(감각)이 있는, 해학적 작풍(作風)의
hu·mor·less [*h*júːmərlis | hjúː-] *a.* 유머가 없는, 멋없는; 재미없는 **~·ly** *ad.* **~·ness** *n.*
‡**hu·mor·ous** [*h*júːmərəs | hjúː-] *a.* **1** 유머러스한, 익살스러운, 해학적인, 재미있는, 우스운(funny); 유머를 이해하는: a ~ writer 유머 작가 **2** 《고어》 변덕스러운 **3** 《고어》 습한; 체액의[에 의한]
~·ly *ad.* **~·ness** *n.* ▷ húmor *n.*
hu·mor·some [*h*júːmərsəm | hjúː-] *a.* 변덕스러운; 성마른, 꾀까다로운; 사람을 즐겁게 하는
~·ness *n.*
‡**hu·mour** [*h*júːmər | hjúː-] *n.*, *vt.* 《영》 =HUMOR
hu·mous [*h*júːməs | hjúː-] *a.* 부식토(humus)의; 〈땅이〉 부식질의, 유기질을 많이 함유한
*__hump__ [hʌmp] *n.* **1** (잔등의) 혹; (낙타 등의) 혹, 육봉(肉峰): a camel with two ~*s* 쌍봉 낙타 **2 a** 둥근 언덕(hummock) **b** 《주로 미》 산, 산맥; [the H~] 《미·속어》 (제2차 세계대전에서) 히말라야 산맥 **3** 〖철도〗 조차장의 언덕 **4** 《비어》 성교; (성교의 대상으로서의) 사람, 《특히》 여자 **5** [the ~] 《영·속어》 우울, 짜증 **6 a** 위기, 난관 **b** 노력, 분투: on the ~ 활동 중 **7** 《호주》 과속 방지턱(speed bump)(《영》 ramp)
get [***take***] ***the ~*** 《영·속어》 풀이 죽다, 우울해지다; 기분이 언짢아지다 ***give*** a person ***the ~*** 《속어》 …을 풀이 죽게 하다, 우울하게 하다; 기분을 언짢게 하다 ***hit the ~*** 서두르다, 급히 행동하다 ***live on*** one***'s ~*** 자급 자족하다 ***over the ~*** [***hill***] 《구어》 고비를 넘겨, 위기를 벗어나; (병역·고용·형기(刑期) 따위를) 반 이상 마쳐; 《미·속어》 마약에 취한
— *vt.* **1** 〈등을〉 구부리다(hunch) 《*up*》: (~+목+부) The cat ~*ed* (*up*) its back. 고양이가 등을 둥글게 구부렸다. **2** [~ one*self* 로] 《속어》 노력하다, 분투하다; 서두르다 **3** 《비어》 …와 성교하다 **4** 속상하게 하다, 낙심하게 하다 **5** 《영·호주》 〈크고 무거운 것을〉 등에 메고 나르다 **6** 〖철도〗 〈차량을〉 분류하다
— *vi.* **1** 등을 구부리다; 둥글게 부풀다 **2** 《미·구어》 **a** 노력[분투]하다 **b** 질주하다 **3** 《비어》 …와 성교하다
~ along [***it***] 《속어》 서두르다, 급히 가다 ***~ and bump*** 《미·구어》 (열심히 노력하여) 〈사업 따위를〉 한 걸음 한 걸음 추진하다 ▷ húmpy[1] *a.*
hump·back [hʌ́mpbæ̀k] *n.* **1** 곱사등(이) **2** = HUMPBACK WHALE; = HUMPBACK SALMON; 《영》 = HUMPBACKED BRIDGE
hump·backed [-bæ̀kt] *a.* **1** 곱사등의, 꼽추의 **2** 홍예다리 모양의
húmpbacked brìdge 홍예다리
húmpback sálmon 곱사 연어
húmpback whále 혹등고래
humped [hʌmpt] *a.* 혹이 있는; 등이 굽은
húmped cáttle (가축화된) 혹소, 인도소
humph [hʌmf, hm, m̩m̩, m̩m̩] *n.*, *int.* 흥!, 흠! 《의심·경멸·불만을 나타냄》 **—** *vi.* 흥 소리를 내다 **—** *vt.* 흥 소리를 내며 …을 나타내다

---

dank, wettish, soggy, misty (opp. *dry, arid*)
humiliate *v.* mortify, humble, shame, disgrace, embarrass, debase, chasten, degrade, crush
humorous *a.* funny, comic, witty, jocular, amusing, laughable, ridiculous, ludicrous, absurd

Hum·phrey [hʌ́mfri] *n.* 남자 이름
Hump·ty-Dump·ty [hʌ́mptidʌ́mpti] *n.* (*pl.* **-ties**) 땅딸보 (동요집 *Mother Goose*에 나오는 달걀꼴 사람); [때로 **humpty-dumpty**] 한 번 부서지면 원래대로 고쳐지지 않는 것; (미·속어) 낙선이 뻔한 후보자 **—** *a.* 땅딸막한
hump·y[1] [hʌ́mpi] *a.* (**hump·i·er**; **-i·est**) **1 a** 혹[돌기]이 있는 **b** 혹투성이의 **2** 곱사등의 **3** (미·속어·비어) 성적인, 욕정적인 **4** (영) 우울한, 기분이 언짢은
húmp·i·ness *n.*
hum·py[2] [hʌ́mpi] *n.* (*pl.* **-pies**) (호주) (원주민의) 오두막집, 판잣집
Hu·mu·lin [*hj*úːmjulin | hjúː-] [*hum*an+ins*ulin*] *n.* 〖약학〗 후물린 (유전자를 재결합시켜 생산한 인슐린; 상표명)
hu·mu·lon [*hj*úːmjulɑ̀n | hjúːmjulɔ̀n] *n.* 〖화학〗 후물론 (홉 열매(hop)의 쓴맛 성분)
hu·mun·gous [hjumʌ́ŋgəs] *a.* = HUMONGOUS
hu·mus [*hj*úːməs | hjúː-] [L 「흙」(earth)의 뜻에서] *n.* Ⓤ 부식(腐植), 부식질
Hum·vee [hʌ́mviː] *n.* 〖군사〗 험비 (지프와 경트럭의 특성을 합쳐 만든 군용 차량)
Hun [hʌ́n] *n.* **1** 훈족(族), 흉노(匈奴) (4-5세기에 유럽 일대를 휩쓴 호전적인 아시아의 유목민) **2** [종종 **h~**] (문화 등의) 파괴자, 야만인(vandal) **3** (속어·경멸) 독일 군인[사람] (제1, 2차 세계대전 중에 쓰임)
Hun. Hungarian; Hungary
***hunch** [hʌ́ntʃ] *n.* **1** (구어) 예감, 직감, 육감 **2** 혹, 군살(hump) **3** 두꺼운 조각; 덩어리(lump) **4** 일격: give a person a ~ …에게 일격을 가하다
have a ~ that … …이 아닌가 하는 예감[생각]이 들다 ***play a*** [one***'s***] **~** (구어) 직감적으로 행동하다; 요행수를 노리다
— *vt.* **1** 〈등 따위를〉 둥글게 구부리다 (*up, out*): ~ one's back 등을 구부리다 **2** 찌르다, 누르다; 밀어붙이다 **3** 〈…할〉 예감이 들다 (*that*)
— *vi.* **1** 힘차게 앞으로 나서다[전진하다] **2** 둥글리다; 등을 구부리고 앉다[걷다, 서다] **3** (둥글게) 올라오다
▷ húnchy *a.*
hunch·back [hʌ́ntʃbæ̀k] *n.* 곱사등이, 꼽추
hunch·backed [hʌ́ntʃbæ̀kt] *a.* = HUMPBACKED
hunch·y [hʌ́ntʃi] *a.* = HUMPED
‡**hun·dred** [hʌ́ndrəd] *n.* **1** 100(개), 100명 (★ 수사나 수를 나타내는 형용사를 동반할 때 복수형의 -s를 붙이지 않음; (미·구어)에서는 100자리와 10[1] 자리 사이에 and [ənd]를 생략하는 수도 있음): two ~ 200 / two ~ (and) ten 210 / a few ~ (of them) 수백 / some[about a] ~ 약 100 / the ~ and first 101번 **2** 백의 기호 (100, C) **3** 다수; [*pl.*] 몇[기]백: ~*s* of people 기백명 **4 a** (미) 100 달러, (영) 100 파운드: lend a person a ~ …에게 100달러를 빌려주다 **b** [the ~] 〖경기〗 100야드 경주 **c** 100살: live to a ~ 100살까지 살다 **5** 〖영국사〗 촌락 (county 또는 shire의 구성 단위) **6** 〖수학〗 **a** 소수 셋째 자리 **b** (정수에서) 백의 자리(=~'s place) **7** [the ~s] …세기: *the* sixteen-~*s* 16세기
a great [***long***] **~** 120 ***a ~ to one*** (1) 거의 틀림없이, 십중팔구 (2) 거의 가망 없는 ***by ~s*** = ***by the ~*** (***s***) 수백씩, 무수히 ***~s and thousands*** (1) 무수함, 셀 수 없음 (2) 굵은 설탕 (과자 등을 장식하기 위하여 뿌리는) ***~s of*** (…) 수백의 (…)(⇨ 3); 수많은 (…) ***~s of thousands of*** 수십만의, 무수한 ***in the ~*** 100에 대하여, 100분의 ***like a ~ of bricks*** (속어) 대단한 기세[무게]로 ***not a ~ miles away from*** = ***within a ~ miles of*** …에서 아주 가까이에, …에서 별로 멀지 않은 곳에 ***the ~s*** (온도의) 100-109; (득점의) 100-199; (수치의) 100-999
— *a.* **1** 100(개)의, 100명의; 100번째의: two ~ people 200명의 사람들 ★ 보통 a, an 또는 one, four 등의 수사와 함께 쓰임. **2** 수백의; 다수의
a ~ and one 다수의, 아주 많은 ***a*** [***one***] ***~ per-cent*** 완전히, 100퍼센트로; (영) 아주 건강한, 매우 기분이 좋은 **~ *proof*** (미·속어) (1) 최고의, 순정(純正)의 (2) 최악[최저]의
hun·dred-and-eight·y-de·gree, 180-de·gree [hʌ́ndrədəndéitidigríː] *a.*, *ad.* 180도의[로]; 완전한[히]; 정반대의[로]
Húndred Days [the ~] **1** (Napoleon의) 백일 천하 (1815년 3월 20일-6월 28일) **2** 〖미국사〗 백일 의회 (1933년 3월 9일-6월 16일; F. Roosevelt 대통령의 New Deal 등 중요 법안 가결) **3** [**h- d-**] (미) 백일의 밀월 기간 (새 대통령 취임 후 100일간 반대당·언론 등의 협조 기간)
hun·dred·fold [hʌ́ndrədfòuld] *a.*, *ad.* 100배의[로] ★ *a.* 용법에서는 보통 a, an 또는 one, two … 등 수사와 함께 쓰임.
— *n.* [a ~] 100배(의 수[양])
hun·dred-per·cent [hʌ́ndrədpərsént] *a.* 완전한, 철저한, 확실한 **—** *ad.* 아주, 전혀 **-ism** *n.*
hun·dred-per·cent·er [-pərséntər] *n.* (미) **1** 과격한 국수주의자; 극단론자 **2** 무모한 실업가
hun·dred-proof [-prúːf] *a.* **1** 〈위스키가〉 알코올 도(度) 50%[최고 농도]인 **2** (미·속어) 순수한, 진짜인
húndreds and thóusands (영) (과자·케이크 장식물의) 잘게 뿌려진 초콜릿·설탕 ((미) sprinkles)
húndred's plàce (아라비아 숫자 표기에서) 100의 자리(수); 〖수학〗 (혼수(混數)에서) 소수점 세 번째 자리
***hun·dredth** [hʌ́ndrədθ, -drətθ] *a.* **1** [보통 the ~] 100번째의 **2** 100분의 1의
— *n.* **1** [보통 the ~] 100번째 **2** [a ~, one ~] 100분의 1 **~·ly** *ad.*
hun·dred·weight [hʌ́ndrədwèit] *n.* (*pl.* **~s,** [수사 뒤에서] **~**) 헌드레드웨이트 (중량의 단위) **1** (영) 112파운드, 50.8 kg **2** (미) 100파운드, 45.36 kg **3** (미터법에서) 50 kg (略 cwt)
Húndred Yéars' Wár [the ~] 백년 전쟁 (1337-1453의 영국과 프랑스간의 전쟁)
‡**hung** [hʌ́ŋ] *v.* HANG의 과거·과거분사
— *a.* **1** 결론이 나지 않는, 의견이 갈린 **2** (구어) 짜증나는, 불쾌한; (…으로) 고민하는 **3** (속어) 페니스가 큰: be ~ like a bull[horse] 페니스가 엄청나게 크다 **4** (미·속어) 〖컴퓨터〗 움직이지 않게 된 **5** (속어) 피곤한; 숙취인 ***be ~ on*** …에 열중하다 ***be ~ over*** 숙취하다 **~ *up*** 결심이 서지 않은; (곤란한 일로) 방해되어; 〖야구〗 〈주자가〉 협공당하여 **~ *up on*** [***about***] (속어) …에 구애되는; 〈사람·일에〉 열중한, 빠진
Hung. Hungarian; Hungary
Hun·gar·i·an [hʌŋgέəriən] *a.* 헝가리 (사람, 말)의
— *n.* **1** 헝가리 사람 **2** Ⓤ 헝가리 말
***Hun·ga·ry** [hʌ́ŋgəri] *n.* 헝가리 (유럽 중부의 공화국; 수도 Budapest)
húng béef 헝비프 (매달아서 말린 쇠고기)
‡**hun·ger** [hʌ́ŋgər] *n.* ⓊⒸ **1** 굶주림, 기아: die of ~ 굶어 죽다 **2** 공복, 배고픔: collapse from ~ 배고픔으로 쓰러지다 / feel ~ 시장기를 느끼다, 배고프다 / *H*~ is the best sauce. (속담) 시장이 반찬이다. **3** (고어) 기근 **4** [a ~] 갈망, 열망; 절망 (*for, after*): *a* ~ *for*[*after*] fame[learning] 명예[지식]욕 (***strictly***) ***from ~*** (미·속어) 시시한, 보잘것없는; 흔해빠진; 실직하여
— *vi.* **1** 굶주리다, 배가 고프다, 시장기가 들다 **2** 갈망[열망]하다(yearn) (*for, after, to* do): (~+전+명) ~ *for*[*after*] change 변화를 갈망하다 // (~+***to*** do) ~ *to* visit a person …을 몹시 방문하고 싶다
— *vt.* (드물게) 굶주리게 하다, 배를 곯려 …시키다 (*into, out of*): (~+목+전+명) ~ a person *into* submission …을 배를 곯려 굴복시키다
▷ húngry *a.*
húnger cùre 단식 요법, 절식(絶食) 요법

thesaurus **hungry** *a.* starved, famished, ravenous, voracious, craving, ravenous

húnger màrch 기아 행진 《실업자의 시위 운동》
húnger màrcher 기아 행진 참가자
húnger pàin 〖의료〗 공복통(痛)
húnger strìke 단식 투쟁: go on (a) ~ 단식 투쟁을 하다
hun·ger-strike [hʌ́ŋgərstràik] *vi.* (**-struck** [-strʌ̀k]) 단식 투쟁을 하다
húnger strìker 단식 투쟁자
húng júry 〖미국법〗 불일치 배심 《의견이 엇갈려 판결을 못 내리는 배심원단》
hung·o·ver [hʌ́ŋòuvər] *a.* 《구어》 숙취의; 언짢은
húng párliament 절대 다수당이 없는 의회
hun·gri·ly [hʌ́ŋgrəli] *ad.* **1** 주려서, 시장한 듯이, 게걸스럽게 **2** 탐욕스럽게, 열심히 ***go at*** [***to***] ***it*** **~** 맹렬히 하기 시작하다
‡**hun·gry** [hʌ́ŋgri] *a.* (**-gri·er**; **-gri·est**) **1** 배고픈, 주린 **2** 〈표정 등이〉 시장한 듯한; 〈일이〉 배고프게 만드는, 힘든; 〈식사의 양이〉 배부르지 않은: a ~ look 시장해 보이는 표정 / ~ work 허기지는 일 **3** Ⓟ …을 갈망하는, 동경하는 《*for*》: be ~ *for* success 성공을 갈망하다 **4** 〈토지가〉 불모의(barren), 부족한: ~ land 불모의 땅 / ~ ore 빈광(貧鑛) **5** 〈시대 등이〉 기근이 든, 기아의: ~ times 식량난의 시대 **6** 《구어》 (…하려고) 의욕을 불태우는, 경쟁심이 왕성한 **7** 《미·속어》 욕정을 지닌 **8** 《영·속어》 무턱대고 체포하려 하는 **9** 《드물게》 식욕을 돋우는 (***as***) **~** ***as a hunter*** [***hawk, wolf***] 몹시 시장하여 ***feel*** **~** 시장하다 ***go*** **~** 굶주리다 **hún·gri·ness** *n.*
▷ húnger *n.*; húngrily *ad.*
Húngry Fórties [the ~] 〖영국사〗 기아 40년대 《1840-49년의 대기근 시대》
hung-up [hʌ́ŋʌ́p] *a.* 《속어》 신경 쇠약의, 정서가 불안정한; 걱정하는
hunk [hʌ́ŋk] *n.* **1** 《구어》 큰 덩어리, 《특히》 빵·고기의 큰 조각(chunk) **2** 《속어》 덩치가 큰 사람; 골격이 튼튼한 남자 **3** 《미·속어》 매력있는[섹시한] 남자
a **~** ***of beefcake*** 《미·속어》 육체미가 좋은 남자 ***a*** **~** ***of change*** ⇨ change. ***a*** **~** ***of cheese*** 《미·속어》 꾸물대는[보기 싫은] 놈
hun·ker [hʌ́ŋkər] *vi.* **1** 쭈그리고 앉다; 몸을 구부리다 《*down*》 **2** 《구어》 숨다, 잠복하다 《*down*》; (비판·반대에 불구하고) 버티다, 고집하다 《*down*》
— *n.* [*pl.*] 《구어》 궁둥이 ***on*** one***'s*** **~*s*** 쭈그리고 앉아서; 곤경에 처한
Hun·ker [hʌ́ŋkər] *n.* 〖미국사〗 보수주의자 《1845-48년 민주당 내의》; [**h~**] 보수적인 사람; 구식 사람
hun·kie [hʌ́ŋki] *n.* = HUNKY[2]
hunks [hʌ́ŋks] *n. pl.* [단수·복수 취급] 심술쟁이; 《속어》 깍쟁이, 구두쇠(miser)
hunk·y[1] [hʌ́ŋki] *a.* (**hunk·i·er**; **-i·est**) 《미·속어》 **1** 건장한, 튼튼한; 만족할 만한 **2** 무승부의, 비긴
hunky[2] *n.* (*pl.* **hunk·ies**) [때로 **H~**] 《미·속어·경멸》 외국 태생의 미숙련 노동자 《특히 헝가리 등지 출신의》
hunk·y-do·ry [hʌ́ŋkidɔ́:ri] *a.* 《미·속어》 훌륭한, 최고의
Hun·nish [hʌ́niʃ] *a.* Hun의, 흉노(匈奴)의[같은]; [때로 **h~**] 야만의, 파괴적인 **~·ly** *ad.* **~·ness** *n.*
‡**hunt** [hʌ́nt] *vt.* **1 a** 사냥하다, 수렵하다, 유렵하다: ~ big game 큰 짐승을 사냥하다 **b** 〈말·사냥개 등을〉 사냥에 쓰다 **2 a** 〈범인 등을〉 추적하다 **b** 몰아내다, 내쫓다: (~+목+부) (~+목+전+명) I ~*ed* the cat *away*[*out of* the garden]. 그 고양이를 내쫓았다[정원에서 쫓아냈다]. **3** 찾다, 뒤지다 《*up, out*》: (~+목+부) ~ *out* a person's address …의 주소를 찾아내다 **4** 〈어떤 곳을〉 찾아 돌아다니다, 조사하다
—*vi.* **1 a** 사냥하다: go out ~*ing* 사냥하러 나가다 **b** 《영》 여우 사냥하다 **2** 찾다, 뒤지다 《*after, for*》: (~+전+명) What are you ~*ing for*? 뭘 찾고 있니? **3** 〈기계 등이〉 불규칙하게 움직이다 **~ *down*** 몰아 넣다[대다], 추적하여 잡다 **~ *ivory*** (상아를 얻기 위하여) 코끼리 사냥을 하다 **~ *up*** 〈숨어 있는 것을〉 찾다; 찾아내다
—*n.* **1** 사냥, 수렵: have a ~ 사냥을 하다 / go on a ~ 사냥하러 가다 **2** 추적, 수색, 추구; 탐구 《*for*》: a ~ *for* profit 이윤의 추구 / be on the ~ *for* …을 수색 중이다 **3** 《영》 **a** 여우 사냥 **b** (여우 사냥의) 수렵지, 수렵 구역 **c** (여우 사냥) 수렵인회 ***in*** [***out of***] ***the*** **~** 《영·구어》 찬스가 있는[없는]; 경주에 참가한[하지 않은]

hunt *v.* chase, pursue, stalk, track, trail, follow, shadow, hound, search, fish

húnt and péck (키보드를) 일일이 보고 치는 타자법(cf. TOUCH SYSTEM)
hunt·a·way [hʌ́ntəwèi] 《호주·뉴질》 *n.* 양치기 개
— *a.* 〈개가〉 양을 지키도록 훈련된
húnt báll 《영》 여우 사냥꾼들의 무도회 《남자들은 짙은 다홍색 상의를 입음》
húnt bòard[**tàble**] 《영》 바퀴 달린 반원형 와인 테이블; 《미》 높이가 높은 사이드 보드 탁자 《사냥 전후의 간단한 식사용》
hunt·ed [hʌ́ntid] *a.* **1** 쫓긴, 추적된 **2** 〈표정 따위가〉 겁에 질린, 초췌한
‡**hunt·er** [hʌ́ntər] *n.* **1** 사냥꾼 **2** 탐구자, …을 찾는 사람 《*for, after*》: a fortune ~ 재산 목적의 구혼자 / a ~ *for*[*after*] profit 이윤을 추구하는 사람 / a treasure ~ 보물 찾는 사람 **3 a** 사냥개 **b** 사냥말, 《특히》 헌터종 말 《영국의 반혈종, 강건한 암말과 서러브레드와의 교배종》 **4** [the H~] 〖천문〗 오리온(Orion)자리 **5** 헌터 《수렵자에 알맞은 이중 뚜껑의 회중 시계》 **6** = HUNTER GREEN
hunt·er-gath·er·er [hʌ́ntərgǽðərər] *n.* 〖인류〗 수렵 채집민
húnter[**húnter's**] **gréen** 연둣빛, 황록색
hunt·er-kill·er [-kílər] *a.* 〖군사〗 대잠수함 공격용의
húnter-kíller sàtellite 위성 파괴[공격] 위성, 킬러 위성(satellite killer)
húnter's móon [보통 the ~] 수렵월 《중추의 만월(harvest moon) 다음의 만월》
húnter's pínk (사냥꾼 웃옷에 쓰이는) 선홍색
húnter trìals 사냥꾼 자격 실기 시험
‡**hunt·ing** [hʌ́ntiŋ] *n.* Ⓤ **1 a** 수렵, 사냥; 《영》 《특히》 여우 사냥(foxhunting) ★ 《영》에서는 shooting, racing과 함께 3대 스포츠라 함. **b** 《미》 총렵(銃獵) (《영》 shooting) **2** 〖기계〗 (조속기(調速機) 등의) 난조(亂調) **3** 탐구, 추구, 수색: job[apartment] ~ 일자리[아파트] 구하기
Good ~! 《영·구어》 행운을 빈다!
—*a.* **1** 사냥의, 수렵[용]의: a ~ dog 사냥개 **2** 사냥을 좋아하는
húnting bòx[**lòdge**] 《영》 사냥꾼의 오두막
húnting càp 사냥모자, 헌팅캡
húnting càse 덮개 달린 회중시계(hunter)의 바깥 덮개
húnting cròp 수렵용 말채찍
Húnting Dógs [the ~] 〖천문〗 사냥개자리(Canis Venatici)
Hun·ting·don·shire [hʌ́ntiŋdənʃiər, -ʃər] *n.* 헌팅던셔 주 《잉글랜드 중동부의 주; 1974년 신설된 Cambridgeshire주로 편입; 略 Hunts》
húnting gròund 사냥터; 찾는 장소: ⇨ HAPPY HUNTING GROUND
húnting hòrn **1** 수렵용 나팔 **2** 〖음악〗 수렵 호른
húnting knìfe 수렵용 칼
húnting pínk (여우 사냥꾼이 입는) 짙은 다홍색의 상의(의 옷감); 여우 사냥꾼
Hún·ting·ton's cho·réa[**diséase**] [hʌ́ntiŋtənz-] 〖병리〗 헌팅턴 무도병 《유전성 중추 신경 질환》

hunting horn 1

húnting wàtch = HUNTER 5

hunt·ress [hʌ́ntris] *n.* **1** 여성 수렵가 **2** 수렵용 암말

***hunts·man** [hʌ́ntsmən] *n.* (*pl.* **-men** [-mən]) **1** (영) (여우 사냥의) 사냥개 담당자 **2** 사냥꾼(hunter), 수렵가 **~·ship** *n.*

hunt's-up [hʌ́ntsʌ́p] *n.* **1** (사냥 때의) 기상 나팔 **2** 격려의 노래 **3** 크리스마스 송가대의 피리 소리

húnt the slípper 슬리퍼 찾기 《어린이 놀이》

húnt the thímble (영) 골무 찾기 《어린이 놀이》

hup [hʌ́p] *int.* 하나, 둘, 셋, 넷 《행진할 때의 반복 구령》; (말을 재촉할 때 또는 오른쪽으로 돌릴 때의) 이러; (개를 앉힐 때의) 앉아 **—** *v.* (**~ped**; **~·ping**) *vt.* 〈말을〉 오른쪽으로 돌리다 **—** *vi.* 〈개가〉 앉다

hur·dle** [hə́:rdl] *n.* **1 a** (경기용의) 장애물, 허들 **b** [the ~s; 단수 취급] 장애물 경주(= **~ ràce**): run *the ~s* 장애물 경주를 하다 / *the* high[low] *~s* 고[저]장애물 경주 **2** (비유) 장애물, 곤란 **3** (영) (작은 가지로 엮은) 바자[이동식] 울타리 **4** 〖역사〗 반역자를 형장으로 끌고 갈 때 쓰는 썰매 모양의 운반구 ***jump the ~ 장애물을 뛰어넘다; (속어) 결혼하다

— *vt.* **1** 허들을 뛰어 넘다 **2** 〈장애·곤란 등을〉 극복[정복]하다(overcome): ~ a pathless jungle 전인 미답의 밀림을 답파하다 **3** 바자 울타리를 하다 《*off*》; 보강하다

— *vi.* 장애물 경주에 나가다

hur·dler [hə́:rdlər] *n.* **1** 바자 울타리를 엮는 사람 **2** 허들 경주자

hurd·ling [hə́:rdliŋ] *n.* Ⓤ 허들링, 장애물 달리기

hurds [hə́:rdz] *n. pl.* 아마 부스러기, 털 부스러기(hards)

hur·dy-gur·dy [hə́:rdigə́:rdi] *n.* (*pl.* **-dies**) **1** 허디거디 《기타 모양의 옛 현악기; 손잡이를 돌려 연주함》 **2** (구어) = BARREL ORGAN

‡hurl [hə́:rl] *vt.* **1** 세게 내던지다(⇨ throw 유의어): (~+목+전+명) ~ a spear *at* a wild animal 들짐승에게 창을 던지다 **2** [~ one*self* 로] …에게 덤벼[달려]들다: (~+목+전+명) The man *~ed himself against* the door. 그는 문으로 달려들었다. **3** 내팽개치다 **4** 〈욕설 등을〉 퍼붓다 《*at*》: (~+목+전+명) ~ insults *at* the umpire 심판에게 욕설을 퍼붓다 **5** (미) 〖야구〗 등판하다; 〈공을〉 던지다; 〈상대를〉 맞이하다 **6** (스코) 〈차로〉 운반하다

— *vi.* 집어 던지다; 〖야구〗 투구하다(pitch)

— *n.* 투척(投擲)

hurl·bat [hə́:rlbæ̀t] *n.* 〖하키〗 타구봉(打球棒)

hurl·er [hə́:rlər] *n.* **1** 던지는 사람 **2** 〖야구〗 투수

Húr·ler's sýndrome [hə́:rlərz-] [독일의 소아과 의사 이름에서] 〖병리〗 헐러 증후군 《대사 기능의 결함으로 지능 장애, 복부의 돌출, 뼈의 변형, 두부의 이상 거대화 등이 나타남》

hurl·ey [hə́:rli] *n.* (*pl.* **~s, hurl·ies**) (영) **1** = HURLING 2 **2** 헐링볼 **3** 헐링용 스틱(= **~ stìck**) **4** (구어) 막대, 곤봉

hurl·ing [hə́:rliŋ] *n.* Ⓤ **1** 던짐, 투척 **2** 헐링 《15명씩 두 팀이 하는 아일랜드식 필드 하키; 규칙은 하키와 거의 같음》

Hurl·ing·ham [hə́:rliŋəm] *n.* [the ~] (영국의 Middlesex주 Fulham에 있던) 폴로 경기장, 폴로 경기 본부

hurl·y [hə́:rli] *n.* (*pl.* **hurl·ies**) = HURLY-BURLY; (영) = HURLEY 2, 3

hurl·y-burl·y [hə́:rlibə́:rli] *n.* Ⓤ [또는 a ~] 소동(uproar), 혼란: They came into the room in *a* ~. 그들은 방으로 우르르 몰려 들어왔다.

— *a.* 혼란한, 소란스러운

Hu·ron [*h*júərən, -ɑn | hjúərən] *n.* **1** [Lake ~] 휴런 호 《북미 5대호 중 제2의 큰 호수》 **2** 휴런 족 (사람) 《북미 인디언의 한 종족》; Ⓤ 휴런 말

‡hur·rah [hərɑ́:, -rɔ́: | hurɑ́:], **hur·ray** [həréi | huréi] *int.* 만세, 후라: *H~* for the King[Queen]! 국왕[여왕] 만세! ***hip, hip, ~!*** ⇨ HIP[4]

— *n.* **1** 환호[만세] 소리 **2** 소리쳐 부르는 소리; 소동, 논쟁; 허세, 과시 **3** 성대한 개최[제전]

— *vi.* **1** 만세를 부르다, 환호하다 **2** 소리쳐서 격려하다; 소동을 피우다

— *vt.* 환성을 올려 맞이하다[응원하다]

hurráh's nést (미·속어) 혼란, 뒤죽박죽

***hur·ri·cane** [hə́:rəkèin, hʌ́r- | hʌ́rikən] *n.* **1** 대폭풍, 허리케인 《특히 북대서양 서부에서 발생하는 열대성 저기압; 풍속 시간당 74 mile 이상》(⇨ storm 유의어) **2** (감정 등의) 격발(激發), 폭풍우(storm): a ~ of applause 우레 같은 박수갈채

húrricane bìrd 〖조류〗 = FRIGATE BIRD

húrricane dèck (미) (하천용 객선의) 최상갑판(最上甲板)

húr·ri·cane-force wínd [-fɔ̀:rs-wínd] 허리케인급(級)의 바람 《초속 32.7m 이상의 최강풍》

húrricane hòuse 〖항해〗 돛대 위의 망루

húrricane hùnter 허리케인 관측기 (승무원)

húrricane làmp[**làntern**] (폭풍우용) 간데라, 내풍(耐風) 램프

húrricane wàrning[**wàtch**] 〖기상〗 폭풍 경보, 폭풍 주의보

hur·ri·coon [hʌ́rəkù:n] *n.* 허리케인 관측 기구(氣球)

‡hur·ried [hə́:rid, hʌ́r- | hʌ́r-] *a.* **1** 황급한; 허둥지둥한: a ~ meal 허둥지둥한 식사 **2** 재촉받은, 서둘러한: a ~ departure 서두른 출발 / with ~ steps 잰걸음으로 **~·ness** *n.* ▷ húrriedly *ad.*

hur·ried·ly [hə́:ridli, hʌ́r- | hʌ́r-] *ad.* 황급히, 다급하게, 허둥지둥

‡hur·ry [hə́:ri, hʌ́ri | hʌ́ri] *v.* (**-ried**) *vi.* **1** 서두르다, 서둘러 가다: Don't ~. 서둘지 마라. // (~+부) ~ *home* 급히 집으로 돌아가다 **2** 서둘러[허둥지둥] …하다; 안달해하다, 초조해하다 《*up, on, along*》: (~+***to*** do) (~+전+명) ~ *to* catch a bus = ~ *for* a bus 버스를 타려고 서두르다

— *vt.* **1** 〈사람·동작 등을〉 서두르게 하다 《*up*》; 재촉하다: It's no use *~ing* him. 그 사람은 재촉해도 소용없다. **2** 〈사람·물건을〉 (…으로) 급히 보내다 《*to*》; …의 속도를 빨리하다: ~ one's steps 발걸음을 재촉하다 **3** …을 재촉하여 (…)하게 하다 《*into*》: ~ a speech 연설을 서두르게 하다 // (~+목+전+명) ~ a person *into* a decision …을 재촉하여 결심하게 하다 // (~+목+부) I was *hurried down* (the stone steps). 급히 (그 돌계단을) 내려가야만 되었다.

~ *along* 급히 가다, 서둘러 나아가다 **~ *away***[***off***] 급히 가버리다 **~ *back*** 급히[허둥지둥] 되돌아오다 **~ *in*** 급히 들어가다 **~ *on*** 급히 가다; 급히 입다 **~** a person ***out*** 남을 급히 내보내다 **~ *over*** …을 허둥지둥 끝마치다 **~ *through*** one***'s work*** 서둘러 일을 끝마치다 **~ *up*** (1) [종종 명령법] 서두르다: *H~ up*, or we'll be late. 서두르지 않으면 늦어요. (2) 〈사람·동작을〉 재촉하다 (3) 〈일 등을〉 서둘러 하다 (4) (구어) 〈열차 따위가〉 속도를 높이다

— *n.* (*pl.* **-ries**) Ⓤ **1** 서두름, 황급, 허둥지둥함: Everything was ~ and confusion. 허둥지둥 야단법석이었다. // (~+***to*** do) In his ~ *to* catch the train, he left his luggage in the taxi. 기차를 타려고 서두르다가 그는 짐을 택시에 두고 내렸다. **2** 열망, 간절한 소망 《*to* do, *for*》 **3** [부정·의문문에서] 서두를 필요: Is there any ~? 무슨 서두를 일이라도 있는가? / What's the ~? 왜 그렇게 서두르지? **4** Ⓒ 〖음악〗 (현악기의) 진음곡(震音曲), 트레몰로; (타악기의) 연타 ***in a ~*** (1) 허둥지둥, 급히(cf. in HASTE): I need her *in a* big ~. 급히 그녀의 도움이 필요하다. (2) …하고 싶어서 조급하게 《*to* do》: be *in a ~ to* meet an airplane 비행기 시간에 맞추기 위해 서두

thesaurus **hurry** *v.* hasten, make haste, be quick, speed, press on, push on, run, dash, rush
hurt *v.* **1** 다치게 하다 injure, wound, bruise, cut, scratch, lacerate, maim, damage, disable, impair **2** (감정을) 상하게 하다 upset, sadden, grieve, dis-

르다 (3) [보통 부정문에서] 《구어》 자진하여, 쾌히; 결코: I will *not* ask again *in a* ~. 결코 다시 부탁하지 않겠다. (4) [보통 부정문에서] 《구어》 쉽사리: You wo*n't* beat that *in a* ~. 그것은 쉽사리 해치우지 못할걸. ***in no*** [***not in any***] ~ (1) 서두르지 않고 《*for*, *to* do》 (2) …할 마음이 내키지 않고 《*to* do》 ***in*** one***'s*** ~ 서두른 나머지
▷ húrryingly *ad.*

hur·ry·ing·ly [hə́:riiŋli, hʌ́r- | hʌ́r-] *ad.* 급히, 서둘러, 허둥지둥

hur·ry-scur·ry, -skur·ry [hə́:riskə́:ri, hʌ́riskʌ́ri | hʌ́riskʌ́ri] *ad.* 허둥지둥 **—***a.* 허둥지둥하는 **—***n.* (*pl.* **-ries**) 허둥지둥함; 법석, 혼란 **—***vi.* (**-ried**) 허둥지둥 서두르다[달리다]

hur·ry-up [-ʌ̀p] *a.* 《구어》 **1** 급히 서두르는: a ~ meal 황급한 식사 **2** 긴급(용)의: a ~ phone call 급한 전화, 긴급 전화

hurst, hyrst [hə́:rst] *n.* 《고어》 숲; 숲이 있는 언덕; 사구(砂丘), 모래톱

‡**hurt** [hə́:rt] *v.* (**hurt**) *vt.* **1** 〈사람·신체의 일부를〉 다치게 하다; 아프게 하다(⇨ injure 유의어): ~ one's arm 팔을 다치다 **2** …에 아픔을 주다[느끼게 하다]: The old wound still ~*s* her. 그녀의 오래된 상처는 아직도 아프다. **3** (난폭한 사용 등에 의해) 〈물건에〉 손상[손해]을 주다, 상하게 하다, 상처를 주다: Stains can't ~ that fabric. 저 직물은 얼룩에도 손상되지 않는다. / Dirty oil can ~ a car's engine. 더러운 오일은 엔진을 손상시킬 수 있다. **4** 〈감정을〉 **상하게 하다**, …의 기분을 나쁘게 하다; 〈평판·명성 등을〉 손상시키다: ~ a person's reputation …의 평판에 손상을 주다 / He was very ~ by her criticism. 그는 그녀의 비평에 무척 기분이 상했다. **5** 《구어》 [보통 it를 주어로 하는 부정문·의문문에서] 곤란해 하다, 지장을 주다(⇨ *vi.* 2): *It* won't ~ him to fail the test. 그 시험에 불합격하더라도 그는 곤란해 하지 않을 것이다. / Will *it* ~ you to do that? 그렇게 해도 괜찮냐? **6** 《속어》 고통을 주어 죽게 하다
—*vi.* **1 a** 아프다: My back still ~*s.* 등이 아직도 아프다. / Where does it ~ (most)? 어디가 (가장) 아프니? **b** 감정을 상하게 하다 **c** (육체적[정신적]) 고통을 주다 **2** [보통 it를 주어로] 《구어》 **지장이 있다,** 난처하게 되다: *It* doesn't ~ to ask. 묻는 정도야 괜찮겠지. ***cry before*** one ***is*** ~ 《구어》 [보통 부정문에서] 까닭없이 트집잡다[두려워하다] ***feel*** ~ 불쾌하게 생각하다 ~ one***self*** = ***get*** ~ 부상하다, 다치다 ***It*** ~***s.*** 《구어》 아프다. ***It won't*** [***wouldn't***] ~ a person ***to*** do …해도 남에게 해가 되지 않다
—*n.* **1 상처**; 아픔, (정신적) 타격, 고통: a slight [serious] ~ 경[중]상 / a ~ from a blow 타박상 **2** Ⓤ 손해, 해, 손실 **3** (정신적) 고통의 원인, 마음의 상처 ***do*** ~ ***to*** …을 손상하다, …을 해치다
—*a.* **1** 부상한; 〈마음·명성 등이〉 상처를 입은; [the ~; 명사적; 복수 취급] 부상자들 **2** 《미》 파손된: a ~ book 파본 **3** 점포에 내 놓아서 바래진
▷ húrtful *a.*

hur·ter [hə́:rtər] *n.* **1** (포차의) 충격막이 **2** 완충기 (buffer) **3** (수레바퀴의) 비녀장

hurt·ful [hə́:rtfəl] *a.* **1** (육체적·정신적으로) 고통을 주는 **2** (건강 등에) 해로운, 유해한(injurious) 《*to*》 《★ harmful쪽이 일반적》: ~ *to* the health 건강에 해로운 **~·ly** *ad.* **~·ness** *n.*

hurt·ing [hə́:rtiŋ] *a.* 《미·속어》 비참한; 아주 곤궁한; (…에) 굶주린 《*for*》

hur·tle [hə́:rtl] *vi.* **1** 《고어》 충돌하다(clash) 《*against*》 **2** 〈돌·화살·열차 등이〉 휙 소리 내며 (날아)가다, 돌진하다; 〈소리 등이〉 울려 퍼지다: 《~+전+명》 The car ~*d down* the highway. 차가 고속도로를 맹렬하게 달려갔다. **—***vt.* **1** 《고어》 충돌시키다; 휙 던지다, 내던지다 **2** 고속으로 달리게 하다; 돌진시키다 **—***n.* 《시어》 충돌(하는 소리); Ⓤ 던짐

hurt·less [hə́:rtlis] *a.* 해가 없는, 무해한; 상처를 입지 않은 **~·ly** *ad.* **~·ness** *n.*

Hu·sain [husáin, -séin] *n.* = HUSSEIN 1

husb. husbandry

‡**hus·band** [hʌ́zbənd] [ON 「집에 사는 사람」의 뜻에서] *n.* **1 남편**(opp. *wife*): ~ and wife 부부 **2** 《영·고어》 집사; 재산 관리인: ship's ~ 선박 관리인 **3** 《고어》 절약가: a good[bad] ~ 규모 있는[헤픈] 사람 **4** 《미·속어》 정부(情夫); 《미·속어》 (동성애의) 남자역 ~***'s tea*** 《익살》 남편이 끓인 차 《묽고 미지근한》
—*vt.* **1 절약하다**; (절약해서) 관리하다: ~ one's resources 자산을 절약해서 쓰다 **2** 《고어》 **a** …의 남편이 되다, 〈여자와〉 결혼하다 **b** 〈여자에게〉 남편을 얻게 하다; 〈여자가 남자와〉 결혼하다 **3** 《고어》 밭을 갈다 **4** 〈주의(主義) 등을〉 받아들이다, 지지하다
~·er *n.* **~·hood** *n.* **~·ly** *a.* 남편의, 남편으로 알맞은; 규모 있는

hus·band·age [hʌ́zbəndidʒ] *n.* Ⓤ 〖항해〗 (ship's husband에게 지불하는) 선박 관리 수수료

hus·band·man [hʌ́zbəndmən] *n.* (*pl.* **-men** [-mən]) **1** 《고어》 농부(farmer) **2** (농업의 일부분의) 전문가: a dairy ~ 낙농가

***hus·band·ry** [hʌ́zbəndri] *n.* Ⓤ **1** (낙농·양계 등을 포함하는) **농업**, 경작(farming); 축산: dairy ~ 낙농업 **2** 농학; 축산학 **3** 검약, 절약(thrift) **4** 《고어》 가정(家政); (자원 등의) 관리, 보호: good[bad] ~ 규모 있는[없는] 살림살이

‡**hush** [hʌ́ʃ] *vt.* **1 잠잠하게 하다,** 입다물게 하다: *H*~ your mouth! 입다물어! **2** 입다물게 하여 …시키다; 〈사건·악평 등을〉 뭉개어 버리다 《*up*》: 《~+목+부》 ~ *up* a scandal 추문을 잠재우다 // 《~+목+전+명》 ~ a crying child *to* sleep 우는 아이를 달래어 재우다 **3** 〈불안 등을〉 진정시키다, 달래다: ~ a person's fear …의 공포를 없애주다
—*vi.* **1** 잠잠해지다, 침묵하다 **2** 쉿 하다: He told me to ~. 그가 내게 조용히 하라고 했다.
~ ***up*** (1) 달래다, 진정시키다 (2) 〈악평 등을〉 쉬쉬해 버리다 (3) 입을 다물다, 입 밖에 내지 않다
—*int.* 쉿, 조용히
—*n.* ⓊⒸ **1 침묵**, 고요함(stillness) **2** 묵살, 쉬쉬해 버림: a policy of ~ 쉬쉬해 버리는 정책 **3** 《속어》 〖언어〗 치찰음(齒擦音), 쉬 하는 음 《[ʃ], [ʒ] 등》
~·ful *a.* ▷ húshed *a.*

hush·a·by(e) [hʌ́ʃəbài] *int.* 자장자장 **—***n.* 자장가

húsh bòat[**shìp**] = Q-BOAT

hushed [hʌ́ʃt] *a.* 조용해진, 고요한

hush-hush [hʌ́ʃhʌ̀ʃ] *a.* 《구어》 〈계획 등이〉 극비의: a ~ investigation 극비의 조사 **—***vt.* 침묵시키다; 〈보도 등을〉 덮어 두다, 쉬쉬해 버리다 **—***n.* 비밀(주의); 은폐; 검열

húsh kìt (제트 엔진용) 방음[소음] 장치

húsh mòney 입막음 돈, 무마비

húsh pùppy **1** [보통 *pl.*] 허시퍼피 《미국 남부의 옥수수 가루의 둥근 튀김 과자》 **2** [**Hush Puppies**] 허시퍼피 《가볍고 부드러운 구두; 상표명》

hush-up [hʌ́ʃʌ̀p] *n.* 《구어》 (사건 따위의) 무마, 은밀한 처리[수습]

***husk** [hʌ́sk] *n.* **1 a 껍질**, 깍지(cf. GRAIN) **b** 《미》 옥수수 껍질 **2** [*pl.*] (갑각류·곤충 등의) 외피(外皮), 껍질 **3** (기계류의) 지지 틀 **4** 가치없는 부분 **5** 《속어》 남자, 놈: He is some ~. 그는 굉장한 놈이다.
—*vt.* **1** 껍질[깍지]을 벗기다 **2** 《속어》 〈…의〉 옷을 벗기다 **3** 쉰 목소리로 말하다: 《~+목+부》 《~+목+전+명》 He ~*ed out* his orders *to* her. 그는 쉰 목소리로 그녀에게 명령했다. **~·like** *n.* ▷ húsky *a.*

husk·er [hʌ́skər] *n.* 탈곡기; 탈곡하는 사람

---

tress, pain, offend **3** (평판 등을) 손상시키다 harm, damage, spoil, mar, blemish **4** 아프다 ache, be sore, smart, nip, sting, throb, tingle, burn
husbandry *n.* farming, agriculture, tillage
husk *n.* shuck, hull, covering, outside, shell

husk·ing [hʌ́skiŋ] *n.* 《미》 **1** Ⓤ 옥수수 껍질 벗기기 **2** = HUSKING BEE

húsking bèe 《미》 옥수수 껍질 벗기기 모임 《친구나 이웃이 돕는》

húsk tomàto 〖식물〗 꽈리

***husk·y**[1] [hʌ́ski] *a.* (**husk·i·er**; **-i·est**) **1** 껍질[깍지]의, 까칠까칠한 껍질로 덮인 **2** 쉰 목소리의; 〈가수의 목청이〉 허스키한: speak in a ~ voice 쉰 목소리로 말하다 **3** 《구어》 〈체격이〉 건장한, 튼튼한, 억센 **4** 《미》 〈소년용 의복의〉 비만아용 크기의, 허스키 사이즈의
— *n.* (*pl.* **husk·ies**) **1** 《체격이》 건장한 사람, 거인 **2** 《소년용 의복의》 허스키 사이즈
húsk·i·ly *ad.* **húsk·i·ness** *n.*

husky[2] *n.* (*pl.* **husk·ies**) **1** 에스키모 개(Eskimo dog); = SIBERIAN HUSKY **2** [**H~**] 《방언·캐나다》 에스키모인(Eskimo); Ⓤ 에스키모어(語)(Innuit)

Huss [hʌ́s] *n.* 후스 **John** ~ (1369?-1415) 《보헤미아의 종교 개혁자·순교자》

hus·sar [huzɑ́:r] *n.* 경기병(輕騎兵)

Hus·sein [huséin] *n.* **1** 후사인(629?-680) 《Muhammad의 손자로 이슬람의 정통파 칼리프(calif)임을 주장》 **2** 후세인 **Saddam** ~ (1937-2006) 《이라크의 군인·정치가; 대통령(1979-2003)》 **3** 후세인 1세 ~ **I** (1935-99) 《요르단 국왕(1953-99)》

Hus·serl [húsərl] *n.* 후설 **Edmund** ~ (1859-1938) 《독일의 철학자; 현상학의 창시자》

Huss·ite [hʌ́sait] *n.* Huss의 추종자 — *a.* 후스의; 후스파의

hus·sy [hʌ́si, hʌ́zi] *n.* (*pl.* **-sies**) 말괄량이; 바람둥이 처녀; 건방진[짓궂은] 계집, 왈패

hus·tings [hʌ́stiŋz] *n. pl.* [단수·복수 취급] 《주로 영》 **1** [the ~] 정견 발표장, 국회 의원 후보자를 지명하는 연단 **2** 《국회 의원》 선거 절차; 투표 **3** 선거 운동[연설, 유세] **4** 하급 법원(= ~ **còurt**) 《미국 Virginia 주 일부 시(市)의》 ***on the*** ~ 선거 운동 중에

hus·tle** [hʌ́sl] *vi.* **1** 척척 해치우다, 힘차게 해내다; 〈사업을〉 힘내서 하다; 〈운동 선수가〉 과감히 분투하다 **2** 서두르다: (~+to*** do) He ~*d to* be in time for the meeting. 그는 회의에 늦지 않도록 서둘렀다. **3 a** 세게 밀다; 서로 떼밀다 《*against*》 **b** 밀어 젖히고 나아가다 《*through*》: (~+전+명) We ~*d through* the crowd. 군중을 헤치고 나아갔다. **4** 《미·속어》 **a** 부정 수단으로 돈을 벌다 **b** 〈창녀가〉 손님을 끌다
— *vt.* **1** 난폭하게 밀치다; 밀어 넣다 《*into*》, 밀어내다 《*out of*》; 〈얼음·동전 등을〉 휘저어 흔들다: (~+목+전+명) He ~*d* me *into*[*out of*] the house. 그는 나를 집안으로 밀어넣었다[집 밖으로 밀어냈다]. **2** 강제로 …시키다, 강요하다(impel) 《*into*》: (~+목+전+***-ing***) He ~*d* me *into* doing it. 그는 나에게 강제로 그것을 시켰다. **3 a** 《미·구어》 정력적으로 척척 처리하다 《*through, up*》: (~+목+부) *H~* it *up*! 자, 기운을 내서 해치우시오! **b** 〈사람·일을〉 재촉하다, 서두르게 하다: (~+목+부) *H~* your work *along*. 일을 서둘러라. **4** 속이다; …에게서 〈금품을〉 빼앗다, 등쳐 먹다, 사취하다: (~+목+전+명) ~ money *from* unsuspecting tourists 순진한 관광객의 돈을 갈취하다 **5** 《미·속어》 〈물건을〉 강매하다: ~ a new product 신제품을 강매하다 **6** 《속어》 〈매춘부가 손님을〉 끌다
— *n.* ⓊⒸ **1** 《구어》 정력적 활동, 원기; 대활약 **2** 매우 서두름, 밀치락달치락함; 소동: the ~ and bustle of a big city 대도시의 혼잡 **3** 《미·속어》 신용 사기, 사취(詐取) **4** 분투, 투쟁, 싸움 **5** 허슬 《디스코 음악에 맞추어 추는 격렬·복잡한 춤》 ***get a ~ on*** 《구어》 [보통 명령형] 서두르다, 힘내다
▷ hústler *n.*

hus·tle-bus·tle [hʌ́slbʌ́sl] *n.* 흥청거림, 활기 넘치는 혼잡, 야단법석

hus·tler [hʌ́slər] *n.* **1** 거칠게 미는[때리는] 사람 **2** 활동가, 민완가 **3** 《미·속어》 소매치기의 한패; 사기꾼, 야바위꾼; 도박꾼 **4** 《속어》 창부, 매춘부

hus·tling [hʌ́sliŋ] *a.* 《구어》 활동적인; 부정 이득을 보는; 매춘 행위를 하는

‡hut [hʌ́t] *n.* **1** 《통나무》 오두막, 오두막집, 《캠프장의》 산장(cf. BUNGALOW) **2** 〖군사〗 임시 막사 **3** 《호주》 양치기 오두막 **4** 《미·속어》 교도소의 독방
— *vt., vi.* (**~·ted**; **~·ting**) 오두막에 유숙(하게) 하다; 〈군대를[가]〉 숙박시키다[하다], 진영을 치다

hutch [hʌ́tʃ] *n.* **1** 《작은 동물을 기르는》 장, 상자: a rabbit ~ 토끼장 **2** 오두막 **3** 상자, 궤짝(box, chest, bin); 서랍장 **4** 〖광산〗 세광조(洗鑛槽); 광석 운반차 **5** 《빵집의》 반죽통 — *vt.* 《통[상자]에》 넣어 두다; 〈몸을〉 웅크리고 앉다

hút cìrcle 〖고고학〗 환상 열석(環狀列石)

hu·ti·a [hu:tí:ə] *n.* 〖동물〗 아프리카대나무쥐 《서인도 제도에 서식하는 설치류 동물》

hut·ment [hʌ́tmənt] *n.* ⓊⒸ 숙영(宿營); 임시 막사에서의 숙박; 숙영지; Ⓒ 〖군사〗 임시 막사

hüt·te [hútə] [G] *n.* 휘테, 산막(山幕)

Hu·tu [hú:tu:] *n.* 후투 족 《아프리카의 르완다·브룬디에 사는 농경민》; Ⓤ 후투 어 《Bantu어의 하나》

hutz·pa, -pah [hútspə] *n.* 《속어》 = CHUTZPA(H)

Hux·ley [hʌ́ksli] *n.* 헉슬리 **1 Thomas Henry** ~ (1825-95) 《영국의 생물학자》 **2 Aldous** ~ (1894-1963) 《영국의 소설가·비평가, Thomas의 손자》

Húy·gens éyepiece [háigənz-, hɔ́i- | hái-] [네덜란드의 수학자·천문학자·물리학자 Christian Huygens의 이름에서] *n.* 〖광학〗 호이겐스 접안경

Húygens prìnciple 〖광학·물리〗 호이겐스의 원리 《파(波)의 진행 방향을 그림으로 구하는 방법》

huz·zah, -za [həzɑ́: | hu-] *int., n., v.* = HURRAH

hv have **HV, h.v.** heavy vehicle; high velocity; high voltage **HVAC** heating, ventilating, and air conditioning 난방, 환기, 공기 조절 **HVDC** high-voltage direct current **HVN** home video network 홈 비디오 네트워크 **HVP** hydrolyzed vegetable protein **hvy** heavy **hw** how **HW, h.w.** high water; highway; hot water **h/w** herewith

Hwang Hai [hwɑ́:ŋ-hái] = HUANG HAI

Hwang Ho [hwɑ́:ŋ-hóu] = HUANG HE

HWM high-water mark **hwy** highway

hwyl [hwíl, hú:əl] *n.* Ⓤ, *a.* 《웨일스 사람의 특징인》 열성(의), 열변(의)

Hy. Henry

***hy·a·cinth** [háiəsinθ] *n.* **1** 〖식물〗 히아신스 **2** Ⓤ 히아신스색; 《특히》 보라색 **3** ⓊⒸ 〖광물〗 풍신자석(風信子石) 《zircon의 일종으로 보석》
▷ hyacínthine *a.*

hy·a·cin·thine [hàiəsínθin | -θain] *a.* 히아신스의[같은]; 보라색의; 사랑스러운, 아름다운

Hy·a·cin·thus [hàiəsínθəs] *n.* 〖그리스신화〗 히아킨토스 《Apollo가 사랑한 미소년》

Hy·a·des [háiədi:z], **Hy·ads** [háiædz] *n. pl.* **1** 〖그리스신화〗 Atlas의 7명의 딸(cf. PLEIADES) **2** 〖천문〗 히아데스 성단(星團)

hy·ae·na [haií:nə] *n.* = HYENA

hyal- [háiəl], **hyalo-** [haiǽlou, -lə] 《연결형》 「유리(모양)의, 투명한」의 뜻 《모음 앞에서는 hyal-》

hy·a·line [háiəli:n, -lin] *n.* **1** 《시어》 거울 같은 바다, 맑게 갠 하늘 **2** 《고어》 유리질, 투명체 **3** 〖생화학〗 히알린, 유리질 물질 — [háiəlin, -làin] *a.* 유리의; 유리질의, 수정 같은; 투명한

hýaline càrtilage 〖해부〗 히알린 연골, 유리질 연골

hýaline mémbrane disèase 〖병리〗 《신생아의》 히알린[유리]막증(膜症) 《호흡 곤란을 수반하는 폐질환; 略 HMD》

hy·a·lin·i·za·tion [hàiələnizéiʃən | -naiz-] *n.* Ⓤ

thesaurus **husky**[1] *a.* throaty, gruff, gravelly, hoarse, coarse, croaking, rough, harsh

〖병리〗 히알린화(化), 유리질화(化)
hy·a·lin·ize [háiələnàiz] *vi.* 유리질이 되다
hy·a·lite [háiəlàit] *n.* ⓊⒸ 〖광물〗 옥적석(玉滴石) 《무색 투명》
hy·a·loid [háiəlɔ̀id] 〖해부〗 *a.* 유리 모양의, 투명한 **—** *n.* ＝HYALOID MEMBRANE
hýaloid mèmbrane 〖해부〗 (안구의) 유리체막
hy·al·o·mere [haiǽləmìər] *n.* 〖해부〗 (혈소판 주위의) 투명질, 초자질
hy·al·o·phane [haiǽləfèin] *n.* 〖광물〗 중토장석(重土長石)
hy·a·lu·rón·ic ácid [hàiəlurάnik | -rɔ́n-] 〖생화학〗 히알루론산 《동물 조직 속의 산성 다당류》
hy·a·lu·ron·i·dase [hàiəlurάnidèis, -dèiz | -rɔ́n-] *n.* 〖생화학〗 히알루로니다아제 《히알루론산을 분해하는 효소》; 〖약학〗 히알루로니다아제 《상품명》
HÝ àntigen 〖생화학〗 HY 항원 《Y염색체 유전자로 암호화되는 항원》
*__hy·brid__ [háibrid] [L 「집돼지와 멧돼지의 혼종」의 뜻에서] *n.* **1** (동식물의) 잡종, 이종(異種) **2** 혼혈아 **3** 혼성물 **4** 〖언어〗 혼종어, 혼성어 《서로 다른 언어·방언에서 유래한 요소가 뒤섞여 생긴 말》
— *a.* **1** 〈동식물이〉 잡종의; 〈사람이〉 혼혈의(crossbred): a ~ animal 잡종 동물 **2** 혼성의(heterogeneous): a ~ culture 혼성 문화 **3** 〈단어가〉 혼종의 **4** 〈자동차가〉 하이브리드[전기, 휘발유 병용]의
▷ hýbridize *v.*; hýbridism, hybrídity *n.*
hýbrid áircraft 〖항공〗 하이브리드 항공기 《각종 비행기의 장점만을 조합해서 만든 복합 항공기》
hýbrid bíll (의회에서의) 혼합 법안 《사적 관심이 내재된 공적 법안》
hýbrid chíp 〖전자〗 하이브리드 집적 회로
hýbrid compúter 복합형 컴퓨터 《analogue와 digital 계산 장치를 결합한 것》
hýbrid córn 교배종 옥수수
hýbrid íntegrated círcuit ＝HYBRID CHIP
hy·brid·ism [háibridìzm] *n.* Ⓤ **1** 잡종임; 교배; 교배로 생긴 것; 잡종[혼성] 문화 **2** 〖언어〗 혼종, 혼성
hy·brid·ist [háibridist] *n.* 잡종 육성자(hybridizer)
hy·brid·i·ty [haibrídəti] *n.* Ⓤ 잡종성
hy·brid·i·za·tion [hàibridizéiʃən] *n.* Ⓤ (이종) 교배
hy·brid·ize [háibridàiz] *vt.* 잡종을 만들다, 교배시키다; 〖언어〗 혼종어를 만들다 **—** *vi.* 잡종이 생기다, 잡종을 낳다; 잡종 핵산을 만들다 **-iz·er** *n.*
hy·brid·o·ma [hàibridóumə] *n.* 〖생물〗 하이브리도마, 융합 세포 《암세포와 정상 세포를 융합하여 만든 잡종 세포; 단(單) 클론 항체를 산출함》
hýbrid téa 장미의 한 품종 《꽃잎이 크고 사철 피는》
hýbrid vígor 〖생물〗 잡종 강세(强勢)(heterosis)
hy·bris [háibris] *n.* ＝HUBRIS
hyd., hydr. hydraulic(s); hydrostatic(s)
hy·da·thode [háidəθòud] *n.* 〖식물〗 (잎의) 배수(排水) 조직
hy·da·tid [háidətid] *n.* 〖동물〗 (촌충의) 포충(胞蟲); 〖병리〗 낭포(囊胞); 포충낭(胞蟲囊) **—** *a.* 포충낭의, 포충의; 포충낭으로 된
hy·da·tíd·i·form móle [hàidətídəfɔ̀ːrm-] 〖의학〗 포상기태(包狀奇胎)
Hyde [háid] *n.* 하이드 씨 **Mr. ~** ⇨ Jekyll
hy·del [haidél] *a.* (인도) ＝HYDROELECTRIC
Hýde Párk 하이드파크 《London의 공원; London에서는 the Park라고도 함; 정치적 시위도 벌어짐》: a ~ orator 하이드파크에서 연설하는 연사
hydr- [haidr], **hydro-** [háidrou, -drə] 《연결형》 「물의; 수소의」의 뜻 《모음 또는 h 앞에서는 hydr-》
hy·dra [háidrə] *n.* (*pl.* **~s, -drae** [-driː]) **1** [종종 **H~**] 〖그리스신화〗 히드라 《구두사(九頭蛇); Hercules가 죽인 괴물; 머리 하나를 자르자 그 자리에 머리가 둘 생겼다고 함》 **2** 근절하기 어려운 재해(災害), 큰 재난 **3** 〖동물〗 히드라속(屬) 《강장(腔腸) 동물의 일종》 **4** [**H~**] 〖천문〗 바다뱀자리
hy·drac·id [haidrǽsid] *n.* 〖화학〗 수소산(水素酸); 산성염(酸性塩) 《산소를 포함하지 않은 산(酸)》
hy·dra-head·ed [háidrəhédid] *a.* **1** (Hydra처럼) 머리가 많은 **2** 근절하기 어려운; 문제가 많은 **3** 다부분의, 다면적(多面的)인
hy·dran·gea [haidréindʒə] *n.* 〖식물〗 수국속(屬); 수국꽃
hy·drant [háidrənt] *n.* 소화전(栓); 수도[급수]전(栓)
hy·drar·gy·rism [haidrάːrdʒərìzm], **hy·drar·gyr·i·a** [hàidrɑːrdʒíriə] *n.* 〖병리〗 수은 중독(증)
hy·drar·gy·rum [haidrάːrdʒərəm] *n.* Ⓤ 수은(mercury)
hy·drar·thro·sis [hàidrɑːrθróusis] *n.* (*pl.* **-ses** [-siːz]) 〖병리〗 관절 수종(水腫)
hy·drase [háidreis, -dreiz] *n.* 〖생화학〗 히드라제 《물 분자를 화합물에 부가하거나 유리하는 효소》
hy·dra·tase [háidrətèis, -tèiz] *n.* 〖생화학〗 히드라타아제, 수화(水和) 효소
hy·drate [háidreit] 〖화학〗 *n.* 함수화합물(含水化合物); 수화물(水化物) **—** *vt., vi.* 수화(水和)시키다[하다], 수산화시키다[하다] **hý·dra·tor** *n.* 수화기(基)
▷ hydrátion *n.*
hy·drat·ed [háidreitid] *a.* 수화한, 함수(含水)의
hy·dra·tion [haidréiʃən] *n.* Ⓤ 〖화학〗 수화(水和)(작용)
hydrátion nùmber 〖화학〗 수화수(數) 《어떤 농도의 수용액에서 이온이 결합할 수 있는 물 분자의 수》
hydraul. hydraulic(s)
*__hy·drau·lic__ [haidrɔ́ːlik, -drάl- | -drɔ́ːl-, -drɔ́l-] *a.* **1** 수력[수압]의; 유압의[으로 작동하는]; 유수(流水)의: a ~ crane 수압 기중기 / a ~ valve 조수판(調水瓣) **2** 〈시멘트 등이〉 물속에서 굳는, 수경성(水硬性)의: ~ mortar[cement] 수경 모르타르[시멘트] **3** 수력학[수력 공학]의 **hỳ·drau·líc·i·ty** *n.* Ⓤ 수경성
hydráulic accúmulator 〖기계〗 **1** (수력 기계의) 기체 완충 장치 **2** 수압[수력] 축압기, 유압 축압기
hy·drau·li·cal·ly [haidrɔ́ːlikəli] *ad.* 수력[수압]으로
hydráulic bráke 수압[유압(油壓)] 브레이크
hydráulic flúid 작동유[액], 유압유(油)
hydráulic líft 수압[유압] 승강기
hydráulic machínery 수압 계계
hydráulic míning 수력 채광
hydráulic mótor 수력 전동기, 유압 모터
hydráulic pówer 수력: a ~ plant 수력 발전소
hydráulic préss 〖기계〗 수압[유압] 프레스
hydráulic rám 수압 펌프, 자동 양수기
hy·drau·lics [haidrɔ́ːliks, -drάl- | -drɔ́ːl-, -drɔ́l-] *n. pl.* [단수 취급] 수력학; 수리학(水理學); 응용 유체 역학(流體力學)
hy·dra·zide [háidrəzàid] *n.* Ⓤ 〖화학〗 하이드라지드 《결핵 치료제》
hy·dra·zine [háidrəzìːn, -zin] *n.* Ⓤ 〖화학〗 히드라진 《환원제; 로켓 연료용 유성(油性) 액체》
hy·dric[1] [háidrik] *a.* 〖화학〗 수소의[를 함유한]
hydric[2] *a.* 〖생태〗 습윤한 (환경에 알맞은), 수생(水生)의
-hydric [háidrik] 《연결형》 「수소」의 뜻: hexa*hydric*
hy·dride [háidraid, -drid] *n.* 〖화학〗 수소화물
hy·dril·la [haidrílə] *n.* 〖식물〗 히드릴라, 검은말 《미국에서는 양어조(養魚槽) 식물로서 사용됨》
hy·dri·od·ic [hàidriάdik | -ɔ́d-] *a.* 〖화학〗 요오드화 수소산의
hydriódic ácid 〖화학〗 요오드화수소산
hy·dro [háidrou] *n.* (*pl.* **~s**) (구어) **1** 수상 비행기(hydroplane) **2** (영) ＝HYDROPATHIC; 탕치장(spa) **3** Ⓤ (캐나다) 수력 전기; 수력 발전소
— *a.* 물의, 수력[전기]의; ＝HYDROELECTRIC
hydro- [háidrou, -drə] 《연결형》 ＝HYDR-
hy·dro·a·cous·tic [hàidrouəkúːstik] *a.* 유체[수

hustle *v.* **1** 서두르다 hurry, hasten, dash **2** 밀치다 push, shove, thrust, crowd, jostle, elbow

중] 음파의; 수중 음향학의
hy·dro·a·cous·tics [hàidrouəkú:stiks] *n. pl.* [단수 취급] 수중 음향학
hy·dro·bi·ol·o·gist [hàidroubaiάlədʒist | -ɔ́l-] *n.* 수생(水生) 생물학자
hy·dro·bi·ol·o·gy [hàidroubaiάlədʒi | -ɔ́l-] *n.* Ⓤ 수생 생물학; 육수(陸水)[호소(湖沼)](생물)학
hy·dro·bi·plane [hàidroubáiplèin] *n.* 복엽(複葉) 수상 비행기
hy·dro·bomb [háidroubὰm | -bɔ̀m] *n.* 비행 어뢰, 공중 투하용 어뢰
hy·dro·bro·mic [hàidrəbróumik] *a.* 〖화학〗 브롬화수소의
hydrobrómic ácid 〖화학〗 브롬화수소산
hy·dro·car·bon [hàidrəkά:rbən] *n.* Ⓤ 〖화학〗 탄화수소 **-càr·bo·ná·ceous** *a.*
hy·dro·cele [háidrəsì:l] *n.* Ⓤ 〖병리〗 수류(水瘤) 《음낭 등의》, 고환류(瘤)
hy·dro·ce·phal·ic [hàidrousəfǽlik] 〖병리〗 *a.* 뇌수종(腦水腫)의 **—** *n.* 뇌수종 환자
hy·dro·ceph·a·lus [hàidrəséfələs] *n.* Ⓤ 〖병리〗 뇌수종(腦水腫), 수두증(水頭症) **-lous** [-ləs] *a.*
hy·dro·chlo·ric [hàidrəklɔ́:rik] *a.* 〖화학〗 염화수소의; 염산에서 유도된
hydrochlóric ácid 〖화학〗 염화수소산, 염산
hy·dro·chlo·ride [hàidrəklɔ́:raid] *n.* 〖화학〗 염산염(鹽酸鹽), 염화수소산염
hy·dro·chlo·ro·flu·o·ro·car·bon [hàidrouklɔ̀:rouflúərouká:rbən] *n.* 〖화학〗 수소염화불화탄소 《수소를 포함한 프레온의 일종; 略 HCFC》
hy·dro·chlo·ro·thi·a·zide [hàidrəklɔ̀:rəθáiəzàid] *n.* 〖약학〗 히드로클로로티아지드 《이뇨제·혈압강하제》
hy·dro·cor·ti·sone [hàidrəkɔ́:rtizòun] *n.* 〖생화학〗 하이드로코르티손 《부신 피질 스테로이드의 하나》
hy·dro·crack [háidrəkræ̀k] *vt.* 〖화학〗 수소화(水素化) 분해하다
hy·dro·crack·er [háidrəkræ̀kər] *n.* 〖화학〗 수소 첨가 분해로(爐)
hy·dro·crack·ing [háidrəkræ̀kiŋ] *n.* Ⓤ 〖화학〗 (탄화수소의) 수소화 분해(법), 수소 첨가 분해
hy·dro·cy·an·ic [hàidrousaiǽnik] *a.* 〖화학〗 시안화 수소의
hydrocyánic ácid 시안화 수소산, 청산
hy·dro·dy·nam·ic [hàidroudainǽmik] *a.* 수력학(水力學)의, 유체 역학의 **-i·cal·ly** *ad.*
hy·dro·dy·nam·i·cist [hàidroudainǽməsist] *n.* 유체 역학 전문가
hy·dro·dy·nam·ics [hàidroudainǽmiks] *n. pl.* [단수 취급] 유체 역학, 수력학
***hy·dro·e·lec·tric** [hàidrouiléktrik] *a.* 수력 전기의; 수력 발전의: a ~ dam 수력 발전 댐 **-tri·cal·ly** *ad.* ▷ hydroelectrícity *n.*
***hy·dro·e·lec·tric·i·ty** [hàidrouilèktrísəti] *n.* Ⓤ 수력 전기
hy·dro·ex·trac·tor [hàidrouikstrǽktər] *n.* 원심 탈수기
hy·dro·flu·or·ic [hàidrəflúərik, -flɔ́:r- | -flu:ɔ́r-] *a.* 〖화학〗 플루오르화(化) 수소의
hydrofluóric ácid 플루오르화(化) 수소산
hy·dro·flu·o·ro·car·bon [hàidroufluərouká:rbən] *n.* 〖화학〗 수소화불화탄소 《略 HFC》
hy·dro·foil [háidrəfɔ̀il] *n.* **1** 수중익(水中翼) 《고속정(艇)의 하부의 이수(離水) 장치》 **2** 수중익선(船)

hydrofoil 2

hy·dro·form·ing [háidrəfɔ̀:rmiŋ] *n.* 하이드로포밍 《석유에서 고옥탄가(價) 가솔린을 만드는 조작의 하나》
hy·dro·frac·tur·ing [hàidrəfrǽktʃəriŋ] *n.* Ⓤ 수압 파괴(법) 《석유나 가스를 함유하는 암석의 침투율을 높이거나 지각 응력(地殼應力)을 측정하기 위해 쓰임》
hy·dro·gas·i·fi·ca·tion [hàidrəgæ̀səfikéiʃən] *n.* Ⓤ 수소 첨가 가스화법(化法) 《고온 고압에서 석탄을 메탄화하는 방법》 **-gás·i·fi·er** *n.*
hy·dro·gel [háidroudʒèl] *n.* 〖화학〗 히드로겔 《물을 분산 매체로 하는 겔》
‡**hy·dro·gen** [háidrədʒən] [L 「물을 만드는 것」의 뜻에서] *n.* Ⓤ 〖화학〗 **수소** 《기호 H》: ~ (mon)oxide 산화수소 《물》
▷ hýdrogenate, hýdrogenize *v.*; hydrógenous *a.*
hy·drog·e·nase [haidrάdʒənèis, -nèiz | -drɔ́dʒ-] *n.* 〖생화학〗 히드로게나아제, 수소화 효소
hy·dro·gen·ate [háidrədʒənèit, haidrάdʒ- | háidrədʒ-, haidrɔ́dʒ-] *vt.* 〖화학〗 수소화하다; 수소를 첨가하다; 수소로 경화 처리하다: ~*d* oil 경화유(硬化油) ▷ hydrogenátion *n.*
hy·dro·gen·a·tion [hàidrədʒənéiʃən] *n.* Ⓤ 수소 첨가
hýdrogen bòmb 수소 폭탄(H-bomb)
hýdrogen bònd 〖화학〗 수소 결합
hýdrogen chlóride 염화수소
hýdrogen cýanide 시안화수소 《유독한 기체; 수용액은 청산(hydrocyanic acid)》
hýdrogen ìon 〖화학〗 수소이온
hy·dro·gen·ize [háidrədʒənàiz, haidrάdʒ- | háidrədʒ-, haidrɔ́dʒ-] *vt.* = HYDROGENATE
hy·drog·e·nous [haidrάdʒənəs | -drɔ́dʒ-] *a.* 수소의[를 함유한]
hýdrogen peróxide 과산화수소 《방부제, 소독제, 표백제》
hýdrogen súlfide 황화(黃化)수소
hy·dro·ge·ol·o·gy [hàidroudʒiάlədʒi | -ɔ́l-] *n.* 수문(水文)[수리(水理)] 지질학 **-gist** *n.*
hy·dro·graph [háidrəgræ̀f | -grὰ:f] *n.* 양수(量水) 곡선; 수위 기록계; 수위도(水位圖)
hy·drog·ra·phy [haidrάgrəfi | -drɔ́g-] *n.* **1** Ⓤ 수로학(水路學), 수로 측량(술) **2** [집합적] (지도에 표시되는) 지표의 수역(水域)
hy·dro·graph·ic, -i·cal [hàidrəgrǽfik(əl)] *a.*
hy·droid [háidrɔid] *n., a.* 〖동물〗 히드로충(蟲)(의)
hy·dro·ki·net·ics [hàidroukinétiks, -kai-] *n. pl.* [단수 취급] 유체 동역학(cf. HYDROSTATICS), 동수력학(動水力學) 《액체·기체의 운동을 지배하는 법칙을 취급하는 학문》 **-nét·ic** *a.*
hy·dro·lab [háidroulæ̀b] *n.* 〖항해〗 해중[해저] 실험선, 하이드로랩
hy·dro·lase [háidrəlèis, -lèiz] *n.* 〖생화학〗 가수분해 효소
hy·dro·log·ic, -i·cal [hàidrəlάdʒik(əl) | -lɔ́dʒ-] *a.* 수문학(水文學)의
hỳ·dro·lóg·i·cal·ly *ad.* **-gist** *n.*
hydrológic cýcle 〖기상〗 물의 순환, 수문적(水文的) 순환
hy·drol·o·gy [haidrάlədʒi | -drɔ́l-] *n.* Ⓤ 수문학 《육지상의 물의 성질·현상·분포·법칙 등을 연구함》
hy·drol·y·sate [haidrάləsèit | -drɔ́l-] *n.* 가수 분해물, 가수 생성물
hy·drol·y·sis [haidrάləsis | -drɔ́l-] *n.* (*pl.* **-ses** [-sì:z]) ⓊⒸ 〖화학〗 가수(加水) 분해
hy·dro·lyt·ic [hàidrəlítik] *a.*
hy·dro·lyze [háidrəlàiz] *vt., vi.* 〖화학〗 가수분해하다 **-lỳz·a·ble** *a.*
hy·dro·mag·net·ic [hàidroumæɡnétik] *a.* 〖물리〗 자기(磁氣) 유체 역학의, 유체(流體) 자기학의
hy·dro·mag·net·ics [hàidroumæɡnétiks] *n. pl.* [단수 취급] 〖물리〗 자기(磁氣) 유체 역학
hy·dro·man·cy [háidrəmæ̀nsi] *n.* Ⓤ 수점(水占) 《물에 나타나는 징후로 보는 예언》

hy·dro·ma·ni·a [hàidrəméiniə] *n.* 몹시 물을 마시고 싶어하기; 〖병리〗 수갈증(水渴症)

hy·dro·me·chan·ics [hàidroumikǽniks] *n. pl.* [단수 취급] 유체 역학(hydrodynamics) **-me·chán·i·cal** *a.*

hy·dro·me·du·sa [hàidroumədjúːsə, -zə | -djúː-] *n.* (*pl.* **-sae** [-siː]) 히드로해파리 《히드로충류(蟲類) 중 자유 유영성(遊泳性)의 해파리형》 **-san** *a.*

hy·dro·mel [háidrəmèl] *n.* Ⓤ 벌꿀물(cf. MEAD[2])

hy·dro·met·al·lur·gy [hàidrəmétələːrdʒi] *n.* Ⓤ 습식(濕式) 제련[야금]

hy·dro·me·te·or [hàidrəmíːtiər, -ɔːr] *n.* 〖기상〗 대기수상(大氣水象) 《대기 중에 존재하는 비·얼음·우박 등 액체 또는 얼음 형태의 것》

hy·dro·me·te·o·rol·o·gy [hàidrəmìːtiərάlədʒi | -rɔ́l-] *n.* Ⓤ 수문(水文) 기상학 《대기 중의 강수를 농업 용수, 홍수 예방 등의 입장에서 연구하는 학문》 **-gist** *n.*

hy·drom·e·ter [haidrάmətər | -drɔ́m-] *n.* 액체 비중계, 부칭(浮秤); (하천의) 유속계(流速計)

hy·dro·met·ric, -ri·cal [hàidrəmétrik(əl)] *a.* 비중 측정의; 유속 측정의

hy·drom·e·try [haidrάmətri | -drɔ́m-] *n.* Ⓤ 액체 비중 측정(법); 유속(流速) 측정(법); 유량 측정

hy·dro·mon·o·plane [hàidroumάnəplèin | -mɔ́n-] *n.* 단엽(單葉) 수상(비행)기

hy·dro·mor·phic [hàidrəmɔ́ːrfik] *a.* 습윤토(濕潤土)적인

hy·dro·naut [háidrənɔ̀ːt, -nὰt | -nɔ̀ːt] *n.* 〖미해군〗 심해정 승무원 《심해 탐사 또는 구조 목적》

hy·dro·nau·tics [hàidrənɔ́ːtiks] *n. pl.* [단수 취급] 해양 개발 공학

hy·dro·ne·phro·sis [hàidrounəfróusis] *n.* 〖병리〗 수신증(水腎症)

hy·dron·ic [haidrάnik | -drɔ́n-] *a.* 〖건축·물리〗 〈냉난방이〉 순환수식(循環水式)의 **-i·cal·ly** *ad.*

hy·dron·ics [haidrάniks | -drɔ́n-] *n. pl.* [단수 취급] 순환수식 냉난방 시스템

hy·dro·ni·tro·gen [hàidrənáitrədʒən] *n.* 〖화학〗 질화 수소 《수소와 질소만을 함유하는 화합물》

HYDROPAC [háidrəpæ̀k] [*hydro-*+*Pac*ific] *n.* 하이드로팩 《태평양에서의 항해 위험 긴급 경보》

hy·dro·path·ic [hàidrəpǽθik] *a.* 수치 요법(水治療法)의: ~ treatment 수치 요법 —*n.* 《영》 수치료원(水治療院), 수치료 탕치장(湯治場), 수치료 요양지

hy·drop·a·thy [haidrάpəθi | -drɔ́p-] *n.* Ⓤ 〖의학〗 수치요법(水治療法) 《물 또는 약수[광천]를 마시거나 목욕함》(cf. HYDROTHERAPY) **-thist** *n.*

hy·dro·phane [háidrəfèin] *n.* Ⓤ 〖광물〗 투단백석(透蛋白石) 《약간 반투명한 오팔(opal)의 일종》

hy·dro·phil·ic [hàidrəfílik] *a.* 〖화학〗 친수성(親水性)의; 물을 잘 흡수하는: ~ colloid 친수 콜로이드 —*n.* 소프트 콘택트 렌즈 **-phi·lic·i·ty** [-filísəti] *n.*

hy·droph·i·lous [haidrάfələs | -drɔ́f-] *a.* 〖식물〗 수매(水媒) (수분(授粉))의; 수생 식물의

hy·dro·phobe [háidrəfòub] *n.* **1** 〖병리〗 공수(恐水)[광견(狂犬)]병 환자 **2** 〖화학〗 소수(疎水) 물질

hy·dro·pho·bi·a [hàidrəfóubiə] *n.* Ⓤ **1** 〖병리〗 공수병(恐水病), 광견병(rabies) **2** 물에 대한 병적인 공포 **-phó·bic** *a.*

hy·dro·phone [háidrəfòun] *n.* 수중 청음기(聽音器); 수관 검루기(水管檢漏器); 〖의학〗 통수식(通水式) 청진기

hy·dro·phyte [háidrəfàit] *n.* 수생 식물(水生植物)(aquatic plant); 습생 식물 **hỳ·dro·phýt·ic** *a.*

hy·drop·ic [haidrάpik | -drɔ́p-] *a.* 〖병리〗 수종(水症)(hydrops)성의

hy·dro·plane [háidrəplèin] *n.* **1** 수상(비행)기 **2** 수중익(hydrofoil); 수상 활주 장치; 수상 활주정(滑走艇), 수중익선(水中翼船) 《수중익을 갖춘 고속 모터보트》 **3** (잠수함의) 수평타(水平舵) —*vi.* **1** (수중익선처럼) 수상을 활주하다 **2** 수상 활주정을 타고 가다[여행하다] **3** 〈자동차가〉 하이드로플레이닝을 일으키다

hy·dro·plan·ing [háidrəplèiniŋ] *n.* Ⓤ 〖자동차〗 하이드로플레이닝 《자동차가 빗길을 달릴 때 타이어의 접지면에 생기는 수막으로 미끄러지는 현상》

hy·dro·pneu·mat·ic [hàidrounjuːmǽtik | -njuː-] *a.* 물과 공기의 작용에 의한, 수공(水空)의

hy·dro·pneu·ma·ti·za·tion [hàidrənjùːmətizéiʃən | -njùːmətaiz-] *n.* Ⓤ (수력 터빈을 설치할 때의) 수압·기압 병용

hy·dro·pon·ics [hàidrəpάniks | -pɔ́n-] *n. pl.* [단수 취급] 〖농업〗 수경법(水耕法), 물재배 《양분을 용해한 물 속에서 야채를 재배함》 **-pón·ic** *a.* **-pón·i·cal·ly** *ad.*

hy·drop·o·nist [haidrάpənist | -drɔ́p-], **hy·dro·pon·i·cist** [hàidrəpάnəsist | -pɔ́n-] *n.* 《미》 수경식(水耕式) 농업 경영자

hy·dro·pow·er [háidrəpàuər] *n.* Ⓤ 수력 전기(력)

hy·drops [háidrɑps | -drɔps] *n. pl.* [단수 취급] 〖병리〗 수증(水症)

hy·drop·sy [háidrɑpsi | -drɔp-] *n.* 《고어》 = DROPSY

hy·dro·qui·none [hàidroukwinóun] *n.* Ⓤ 〖화학〗 히드로퀴논 《현상약·산화 방지제·페인트·연료용》

hy·dro·rhi·za [hàidrəráizə] *n.* (*pl.* **-zae** [-ziː]) 히드로근(根) 《히드로폴립의 뿌리형 족반(足盤)》 **-zal** *a.*

hy·dro·scope [háidrəskòup] *n.* 수중 투시경

hy·dro·sere [háidrəsìər] *n.* 〖생태〗 습성(濕性) (천이(遷移)) 계열

hy·dro-ski [háidrouskìː] *n.* 〖항공〗 하이드로스키 《이착수(離着水)하기 쉽도록 수상기의 동체 아래에 붙인 수중 날개》

hy·dro·skim·mer [háidrouskìmər] *n.* 《미》 에어쿠션정(艇), 수상 부상선(浮上船) 《공기 쿠션으로 선체를 부상시켜 달리는 쾌속정》

hy·dro·sol [háidrəsɔ̀ːl, -sὰl | -sɔ̀l] *n.* 〖화학〗 히드로졸 《물을 분산매(分散媒)로 하는 콜로이드》

hy·dro·some [háidrəsòum], **hy·dro·so·ma** [hàidrəsóumə] *n.* 〖동물〗 히드로폴립의 군체(群體)

hy·dro·space [háidrəspèis] *n.* Ⓤ (대양의) 수면 밑의 영역, 수중(역)(inner space)

hyd·ro·speed | **-speed·ing** [háidrouspìːd(iŋ)] *n.* Ⓤ (부유 장비를 입고) 급류에 뛰어드는 스포츠

hy·dro·sphere [háidrəsfìər] *n.* (지구의) 수계(水界), 수권(水圈) 《지구 표면의 물이 점하는 부분》; (대기 중의) 물 **hỳ·dro·sphér·ic** *a.*

hy·dro·stat [háidrəstæ̀t] *n.* (보일러의) 폭발 방지 장치; 누수(漏水) 검출기

hy·dro·stat·ic, -i·cal [hàidrəstǽtik(əl)] *a.* 정수(靜水)의; 유체 정역학적(流體靜力學的)인 **-i·cal·ly** *ad.*

hydrostátic bálance 〖물리〗 정수(靜水) 저울 《비중을 알기 위해 물 속의 물질의 무게를 재는 저울》

hydrostátic préss 수압기(水壓機)

hy·dro·stat·ics [hàidrəstǽtiks] *n. pl.* [단수 취급] 유체 정역학, 정수 역학(cf. HYDROKINETICS)

hy·dro·sul·fide [hàidrəsʌ́lfaid] *n.* 〖화학〗 수황화물(水黃化物)

hy·dro·sul·fite [hàidrəsʌ́lfait] *n.* 〖화학〗 하이드로설파이트 《아(亞)디티온산 나트륨염의 총칭》

hy·dro·tax·is [hàidrətǽksis] *n.* Ⓤ 〖생물〗 주수성(走水性), 주습성(走濕性)

hy·dro·ther·a·peu·tics [hàidrouθèrəpjúːtiks] *n. pl.* [단수 취급] = HYDROTHERAPY **-péu·tic** *a.*

hy·dro·ther·a·py [hàidrəθérəpi] *n.* Ⓤ 〖의학〗 수치 요법(water cure) 《환부를 물·광천에 담가서 치료하는 방법; cf. HYDROPATHY》; 수치료학(水治療學)

hy·dro·ther·mal [hàidrəθə́ːrməl] *a.* 〖지질〗 열수(熱水)(작용)의[에 의한] **~·ly** *ad.*

hydrothérmal vént 〖해양〗 열수(熱水) 분출공

hy·dro·tho·rax [hàidrəθɔ́ːræks] *n.* Ⓤ 〖병리〗 흉

수(胸水)(증)
hy·dro·treat [háidrətrìːt] *vt.* 〈기름 등을〉 수소로 처리하다 **~·er** *n.*
hy·dro·trop·ic [hàidrətrɑ́pik, -tróup- | -trɔ́p-] *a.* 굴수성의
hy·drot·ro·pism [haidrɑ́trəpìzm | -drɔ́t-] *n.* Ⓤ 〖생물〗 (식물 뿌리 등의) 굴수성(屈水性) ***positive*** [***negative***] ~ 굴[배(背)]수성
hy·drous [háidrəs] *a.* 〖화학·광석〗 함수(含水)의, 수화(水和)한, 수소를 가진
hy·dro·vane [háidrouvèin] *n.* 〖항공〗 차수판(着水板), (비행정 등의) 수중타(水中舵)
hy·drox·ide [haidrɑ́ksaid, -sid | -drɔ́k-] *n.* 〖화학〗 수산화물(水酸化物)
hydroxy- [haidrɑ́ksi | -drɔ́k-] 《연결형》 hydroxyl의 뜻
hy·drox·yl [haidrɑ́ksəl | -drɔ́k-] 〖화학〗 *n.* 수산기(水酸基) **—** *a.* 수산기의, 수산기를 가진
hy·drox·y·lase [haidrɑ́ksəlèis, -lèiz | -drɔ́k-] *n.* 〖생화학〗 수산화(水酸化) 효소
hy·drox·yl·ate [haidrɑ́ksəlèit | -drɔ́k-] *vt.* 〖화학〗 〈화합물에〉 수산기를 첨가하다; 수산화하다
hy·drox·y·u·re·a [haidrɑ̀ksijuəríːə | -drɔ̀ksi-] *n.* 〖생화학〗 수산화 요소 《백혈병 치료제》
Hy·dro·zo·a [hàidrəzóuə] *n. pl.* 히드로충류(蟲類)
hy·dro·zo·an [hàidrəzóuən] *n., a.* 히드로충(의)
hy·e·na [haiíːnə] *n.* **1** 〖동물〗 하이에나 《아시아·아프리카산; 시체를 먹으며, 짖는 소리는 악마의 웃음 소리에 비유됨》 **2** 잔인한 사람, 배반자, 욕심꾸러기
laugh like a ~ 기분 나쁜 웃음을 짓다
hyet- [haiét], **hyeto-** [haiétou, -tə] 《연결형》 「비(雨)의」의 뜻 《모음 앞에서는 hyet-》
hy·e·tal [háiətl] *a.* 비의, 강우의; 강우 지대의
hy·et·o·graph [haiétəgræ̀f | háiitəgrɑ̀ːf] *n.* 우량(분포)도(雨量(分布)圖); 《영》 자기(自記) 우량계
hy·e·tog·ra·phy [hàiətɑ́grəfi | -tɔ́g-] *n.* Ⓤ 〖기상〗 우량학(雨量學), 강수학(降水學); 우량도법(圖法)
hy·e·tol·o·gy [hàiətɑ́lədʒi | -tɔ́l-] *n.* Ⓤ 〖기상〗 우학(雨學), 강수 현상론 **-gist** *n.*
hy·e·tom·e·ter [hàiətɑ́mətər | -tɔ́m-] *n.* 〖기상〗 우량계(雨量計)(rain gauge)
Hy·gie·ia [haidʒíːə] *n.* 〖그리스신화〗 히게이아 《건강의 여신; 로마 신화의 Salus에 해당》
***hy·giene** [háidʒiːn] [GK 「건강의 (기술)」의 뜻에서] *n.* Ⓤ **1** 위생; 건강법, 위생법: public ~ 공중 위생/mental ~ 정신 위생 **2** 위생학 **3** 《컴퓨터속어》 컴퓨터 바이러스 예방 ▷ hygiénic *a.*
hy·gi·en·ic, -i·cal [hàidʒiénik(əl), haidʒén- | haidʒíːn-] *a.* **1** 위생학의 **2** 위생적인, 위생에 좋은: ~ storage[packing] 위생적인 저장[포장]
-i·cal·ly *ad.*
hy·gi·en·ics [hàidʒiéniks, haidʒén- | haidʒíːn-] *n. pl.* [단수취급] = HYGIENE 2
hy·gien·ist [haidʒíːnist, -dʒén- | háidʒiːn-] *n.* 위생학자; 위생사, 위생 기사
hygr- [haigr], **hygro-** [háigrou, -grə] 《연결형》 「습기; 습한, 습기 있는」의 뜻 《모음 앞에서는 hygr-》
hy·gric [háigrik] *a.* 습기의[에 관한], 습성(濕性)의
hy·gris·tor [haigrístər] *n.* 〖전자〗 습도 측정 소자(素子) 《습도에 따라 회로의 전기 저항이 변함》
hy·gro·gram [háigrəgræ̀m] *n.* 습도 자기(自記) 기록 《자기 습도계의 기록》
hy·gro·graph [háigrəgræ̀f | -grɑ̀ːf] *n.* 자기(自記) 습도계
hy·grol·o·gy [haigrɑ́lədʒi | -grɔ́l-] *n.* Ⓤ 습도학
hy·grom·e·ter [haigrɑ́mətər | -grɔ́m-] *n.* 습도계 ▷ hygrómetry *n.*
hy·grom·e·try [haigrɑ́mətri | -grɔ́m-] *n.* Ⓤ 습도 측정(법) **hy·gro·met·ric** [hàigrəmétrik] *a.*
hy·groph·i·lous [haigrɑ́fələs | -grɔ́f-] *a.* 습지를 좋아하는, 〈식물이〉 습지성의[인], 굴수성의
hy·gro·phyte [háigrəfàit] *n.* **1** 습생 식물 **2** = HYDROPHYTE
hy·gro·scope [háigrəskòup] *n.* 검습기(檢濕器), 간이 습도계
hy·gro·scop·ic [hàigrəskɑ́pik | -skɔ́p-] *a.* **1** 검습기(檢濕器)의, 검습기로 알 수 있는 **2** 축축해지기 쉬운, 습기를 흡수하는 **-i·cal·ly** *ad.*
hy·gro·stat [háigrəstæ̀t] *n.* = HUMIDISTAT
hy·gro·ther·mo·graph [hàigrəθə́ːrməgræ̀f | -grɑ̀ːf] *n.* 온습도 기록계, 자기(自記) 온습계
hy·ing [háiiŋ] *v.* HIE의 현재분사
Hyk·sos [híksous, -sɑs | -sɔs] *n. pl.* 힉소스 왕조(Shepherd Kings) 《1750-1580 B.C.경까지 이집트에 군림함》 **—** *a.* 힉소스 왕조의
hy·la [háilə] *n.* 〖동물〗 청개구리(tree frog)
hy·lic [háilik] *a.* 물질의, 물질적인; 형이하학적인
hylo- [háilou, -lə] 《연결형》 「물질; 나무, 숲」의 뜻 《모음 앞에서는 hyl-》
hy·lol·o·gy [hailɑ́lədʒi | -lɔ́l-] *n.* Ⓤ 재질학(materials science) 《재료의 특질을 연구하는 학문》
hy·lo·mor·phic [hàiləmɔ́ːrfik] *a.* 〖철학〗 질료 형상(質料形相)(론)의, 영육(靈肉)의
hy·lo·mor·phism [hàiləmɔ́ːrfizm] *n.* Ⓤ (아리스토텔레스 철학에서) 질료(質料) 형상론 **-phist** *n.*
hy·lo·the·ism [hàiləθíːizm] *n.* 물시신론(物是神論) 《신 또는 신들과 물질을 결부시키는 생각》
hy·lo·zo·ism [hàiləzóuizm] *n.* Ⓤ 〖철학〗 물활론(物活論) 《생명과 물질이 서로 불가분의 관계에 있음을 주장함》 **-zó·ist** *n.* **-zo·ís·tic** *a.*
hy·men [háimən | -men] *n.* **1** 〖해부〗 처녀막 **2** [H~] 〖그리스신화〗 휘멘 《혼인의 신》 **3** 《고어·시어》 **a** Ⓤ 결혼 **b** 결혼의 축가
hy·me·ne·al [hàimənîːəl | -me-] 《고어·시어》 *a.* Ⓐ 결혼의, 혼인의(nuptial): ~ rites 결혼식
— *n.* 결혼식의 노래; [*pl.*] 결혼식
hy·me·ni·um [haimíːniəm] *n.* (*pl.* **-ni·a** [-niə]) 〖균류〗 자실층(子實層) 《포자낭(胞子囊) 등》
hymeno- [háimənou, -nə] 《연결형》 「(처녀)막」의 뜻 《모음 앞에서는 hymen-》
hy·me·nop·ter·on, -an [hàimənɑ́ptərən | -nɔ́p-] *n.* (*pl.* **-ter·a** [-tərə]) 막시류(膜翅類)(Hymenoptra)의 곤충 **-ter·ous** [-tərəs] *a.*
Hy·mie [háimi] *n.* 《속어·경멸》 유대인(Jew)
‡**hymn** [hím] *n.* (교회의) **찬송가**, 찬미가, 성가; 찬가(讚歌); (사람·사물을) 찬미하는 문장[연설, 글]
— *vt.* (찬송가를 불러) 〈신을〉 찬송하다; (찬송가로) 〈찬미·감사 등을〉 나타내다
— *vi.* 찬송가를 부르다
▷ hýmnal *a.*
hym·nal [hímnl] *a.* 찬송가의; 성가의
— *n.* 찬송가[성가]집
hym·na·ry [hímnəri] *n.* (*pl.* **-ries**) = HYMNAL
hymn·book [hímbùk] *n.* = HYMNAL
hym·nist [hímnist] *n.* 찬송가[성가] 작자
hym·no·dy [hímnədi] *n.* Ⓤ 찬송가를 부름; [집합적] 찬송가, 성가; 찬송가[성가] 연구 **hým·no·dist** *n.*
hym·nog·ra·phy [himnɑ́grəfi | -nɔ́g-] *n.* **1** 찬송가[찬미가, 성가] 해설과 서지(書誌) **2** = HYMNODY
-pher *n.* 찬송가 작자[연구가]
hym·nol·o·gy [himnɑ́lədʒi | -nɔ́l-] *n.* Ⓤ **1** 찬송가학; [집합적] 찬송가 **2** 찬송가 작사[작곡] **-gist** *n.*
hy·oid [háiɔid] *n., a.* 〖해부〗 설골(舌骨)(의)
hýoid bòne 〖해부〗 설골(舌骨)(tongue bone)
hy·os·cine [háiəsìːn, -sin | -sìːn] *n.* Ⓤ 〖약학〗 = SCOPOLAMINE
hy·os·cy·a·mine [hàiəsáiəmìːn, -min] *n.* Ⓤ 〖약학〗 히오시아민 《동공(瞳孔) 확산제, 진정제》
hyp- [háip, híp], **hypo-** [háipou, -pə] *pref.* 「아래에; 이하; 조금; 〖화학〗 차아(次亞)의, 저(低)」 뜻 《모음 앞에서는 hyp-》
hyp. hypotenuse; hypothesis; hypothetical

hyp·a·byss·al [hìpəbísəl, hàip-] *a.* 〖지질〗 반심성(半深性)의
hy·pae·thral [hipí:θrəl, hai-] *a.* =HYPETHRAL
hyp·al·ge·si·a [hìpældʒí:ziə, -siə] *n.* 〖병리〗 통각(痛覺) 감퇴증
hy·pal·la·ge [hipǽlədʒi | hai-] *n.* UC 〖수사학〗 대환(代換)(법), 환치법(換置法) 《apply water to the wound를 apply the wound to water로 쓰는 등》
hype[1] [háip] 《속어》 *n.* **1** 피하 주사침 **2** 마약의 주사 **3** 마약 중독자; 마약 장수 **—** *vt.* [보통 수동형으로] 흥분시키다, 기운이 솟게 하다 《*up*》
— *a.* 《미·속어》 아주 멋진
hype[2] 《구어》 *vt.* **1 a** 속이다 **b** …에게 거스름돈을 속이다 **2** 과대 선전하다 《*up*》 **3** (과대 선전으로) 늘리다: ~ sales 매상을 늘리다 **—** *n.* **1** 사기 **2** 과대 선전[광고] **3** 허위, 거짓말
hyped-up [háiptʌ́p] *a.* 《속어》 **1** 흥분한; 과장의, 과대한 **2** 속임수의, 겉발림의
hy·per[1] [háipər] *n.* 《구어》 과대 선전을 하는 사람
hyper[2] 《구어》 *n.* **1** 극도로 활동적인 사람; 긴장[흥분]해 있는 사람 **2** 《미·속어》 (주사기 사용의) 마약 중독자 ***throw a*** ~ 몹시 흥분하다[화내다]
— *a.* **1** 매우 흥분[긴장]한 **2** 병적으로 민감한, 흥분 잘하는 《*about*》; 열광적[광신적]인 **3** 최고의, 대단한
hyper- [háipər] *pref.* **1** 「건너편의; 초월한; 과도한, 비상한」 **2** 〖수학〗 「초…, 4차원 이상의」 **3** 〖화학〗 「(화합물이) 어떤 요소를 이상(異常)하게 많이 가진」 **4** 〖컴퓨터〗 「다중(多重)의, 하이퍼」
hy·per·ac·id [hàipərǽsid] *a.* 위산 과다의
hy·per·a·cid·i·ty [hàipərəsídəti] *n.* U 〖병리〗 위산 과다(증)
hy·per·ac·tive [hàipərǽktiv] *a.*, *n.* 지나치게[비정상적으로] 활동적인[과민한] (사람); 운동 과잉의 (사람): ~ children 매우 활동적인 아이들
-ac·tiv·i·ty [-æktívəti] *n.*
hy·per·ad·e·no·sis [hàipərædənóusis] *n.* 〖병리〗 선(腺)비대증, 임파선 이상(異常) 비대
hy·per·aes·the·sia [hàipərəsθí:ʒə, -ʒiə, -ziə] *n.* U 〖병리〗 =HYPERESTHESIA
hy·per·al·i·men·ta·tion [hàipərælәmentéiʃən] *n.* U 〖의학〗 과영양(overfeeding); (주사에 의한) 영양제 공급
hy·per·bar·ic [hàipərbǽrik] *a.* 〖의학〗 **1** 〈마취제가〉 고비중(高比重)의 **2** 고압 (산소)의
hyperbáric chámber 고압 산소실
hy·per·ba·ton [haipə́:rbətɑ̀n | -tɔ̀n] *n.* (*pl.* **~s, -ta** [-tə]) UC 〖수사학〗 전치법(轉置法) 《The hills echoed.를 Echoed the hills.로 하는 등》
hy·per·bo·la [haipə́:rbələ] *n.* (*pl.* **~s, -lae** [-lì:]) 〖수학〗 쌍곡선
hy·per·bo·le [haipə́:rbəli] *n.* UC 〖수사학〗 과장(법)
hy·per·bol·ic, -i·cal [hàipərbɑ́lik(əl) | -bɔ́l-] *a.* **1** 과장법의; 과대한, 과장적인, 과장법을 쓴 **2** 〖수학〗 쌍곡선의 **-i·cal·ly** *ad.*
hyperbólic fúnction 〖수학〗 쌍곡선 함수
hyperbólic geómetry 〖수학〗 쌍곡 기하학 《비(非)유클리드 기하학의 한 부문》
hyperbólic parábolоid 〖수학〗 쌍곡 포물면
hy·per·bo·lism [haipə́:rbəlìzm] *n.* UC 〖수사학〗 과장법(hyperbole)의 사용
hy·per·bo·lize [haipə́:rbəlàiz] *vi.*, *vt.* 〖수사학〗 과장법을 쓰다; 과장(하여 말)하다
hy·per·bo·loid [haipə́:rbəlɔ̀id] *n.* 〖수학〗 쌍곡면 **hy·pèr·bo·lói·dal** *a.*
Hy·per·bo·re·an [hàipərbɔ́:riən, -bərí:- | -bɔ́riən] *n.* **1** 〖그리스신화〗 (북풍 너머의) 상춘국(常春國)의 주민 **2** [**h~**] 《구어》 극북에 사는 사람
— *a.* **1** 상춘국에 사는 사람의 **2** [**h~**] 극북에 사는 사람의 **3** [**h~**] 극북의; 몹시 추운
hy·per·cal·ce·mi·a [hàipərkælsí:miə] *n.* 〖병리〗 칼슘 과잉혈(증), 고칼슘혈증(血症)
hy·per·cap·ni·a [hàipərkǽpniə] *n.* 〖의학〗 탄산(炭酸) 과잉(증) 《혈액 중 탄산가스가 과다한 것》
hy·per·cat·a·lec·tic [hàipərkæ̀təléktik] *a.* 〖운율〗 행 끝에 여분의 음절이 있는
hy·per·charge [háipərtʃɑ̀:rdʒ] *n.* 〖물리〗 하이퍼차지, 초전하(超電荷) **—** *vt.* …에 지나치게 부하(負荷)하다 《*with*》
hy·per·chlor·hy·dri·a [hàipərklɔ:rháidriə] *n.* 〖병리〗 과염산증(過鹽酸症), 위산 과다증
hy·per·cho·les·ter·ol·e·mi·a [hàipərkəlèstərəlí:miə] *n.* 〖병리〗 과(過)콜레스테롤혈(血)(증)
hy·per·cho·li·a [hàipərkóuliə] *n.* 〖병리〗 담즙 (분비) 과다증
hy·per·com·plex [hàipərkɑ́mpleks | -kɔ́m-] *a.* Ⓐ 〖수학〗 다원(多元)의 〈수, 환(環)〉
hy·per·con·scious [hàipərkɑ́nʃəs | -kɔ́n-] *a.* 의식 과잉의 **~·ly** *ad.* **~·ness** *n.*
hy·per·cor·rect [hàipərkərékt] *a.* **1** 지나치게 정확한, 까다로운 **2** 〖언어〗 과잉 정정(訂正)의 **~·ly** *ad.* **~·ness** *n.*
hy·per·cor·rec·tion [hàipərkərékʃən] *n.* U 〖언어〗 과잉 정정, 지나치게 고침 《정용법을 지나치게 의식, 오히려 틀리거나 어색한 어법을 씀》
hy·per·crit·ic [hàipərkrítik] *n.* 혹평가
hy·per·crit·i·cal [hàipərkrítikəl] *a.* 혹평하는
hy·per·crit·i·cism [hàipərkrítisìzm] *n.* U 혹평; 헐뜯기
hy·per·crit·i·cize [hàipərkrítisàiz] *vt.*, *vi.* 혹평하다; 헐뜯다
hy·per·cube [háipərkjù:b] *n.* 〖컴퓨터〗 하이퍼큐브 《10개에서 1,000개의 프로세서를 병렬로 동작시키는 컴퓨터 아키텍처》
hy·per·dac·tyl·i·a [hàipərdæktíliə] *n.* 다지증(多指症)
hy·per·du·li·a [hàipərdjulí:ə | -dju-] *n.* 〖가톨릭〗 하이퍼둘리어, 성모 마리아 특별 숭배
hy·per·em·e·sis [hàipərémәsis] *n.* 〖병리〗 오조(惡阻), (특히 임신 6-8주간의) 입덧
hy·per·e·mi·a [hàipərí:miə] *n.* U 〖병리〗 충혈 **-é·mic** *a.*
hy·per·es·the·sia [hàipərəsθí:ʒə, -ʒiə, -ziə] *n.* U 〖병리〗 지각(知覺)[촉각] 과민(증)
hy·per·eu·tec·toid [hàipərju:téktɔid] *a.* 〖야금〗 과공석(過共析) 합금의
hy·per·ex·cit·a·ble [hàipəriksáitəbl] *a.* 지나치게 격하기[흥분하기] 쉬운 **-ex·cìt·a·bíl·i·ty** *n.* 과잉 민감성
hy·per·ex·ten·sion [hàipərikstén∫ən] *n.* (관절의) 과신장(過伸長) 《치료 목적으로 사지(四肢) 등을 과도하게 늘이는 것》
hý·per·fine strúcture [háipərfàin-] 〖물리〗 초미세 구조 《스펙트럼선의 미세 구조에 나타나는 보다 미세한 분기(分岐); 略 hfs》
hy·per·fó·cal dístance [hàipərfóukəl-] 〖사진〗 (카메라 렌즈가 잡을 수 있는) 최단 거리
hy·per·form [háipərfɔ̀:rm] *n.* 〖언어〗 과잉 정정(訂正)형태[어법]
hy·per·func·tion [hàipərfʌ́ŋkʃən] *n.* 〖병리〗 기능 항진
hy·per·ge·o·mét·ric distribútion [hàipərdʒì:əmétrik-] 〖통계〗 초기하(超幾何) 분포 《확률 분포 함수의 일종》
hy·per·gly·c(a)e·mi·a [hàipərglaisí:miə] *n.* 〖병리〗 고혈당(증), 혈당 과다(증) **-c(a)é·mic** *a.*
hy·per·gol [háipərgɔ̀:l, -gɑ̀l | -gɔ̀l] *n.* 자연성(自燃性) 로켓 추진 연료
hy·per·gol·ic [hàipərgɔ́:lik, -gɑ́l- | -gɔ́l-] *a.* 〈로켓 추진제가〉 자동 점화성[연소성]의, 자연성의
hy·per·hi·dro·sis [hàipərhidróusis] *n.* U 〖병리〗 다한증(多汗症), 발한 과다증
hy·per·in·fla·tion [hàipərinfléiʃən] *n.* U 〖경제〗

초(超)인플레이션 (기간) **~·àr·y** *a.*
hy·per·in·su·lin·ism [hàipərínsjulinìzm | -sju-] *n.* Ⓤ 〖병리〗 과(過)인슐린증(症)
Hy·pe·ri·on [haipíəriən] *n.* **1** 〖그리스신화〗 히페리온 《Uranus와 Gaea의 아들로, Helios, Selene, Eos의 아버지; 뒤에 Apollo와 동일시됨》 **2** 〖천문〗 토성의 제7위성
hy·per·ir·ri·ta·bil·i·ty [hàipəriritəbíləti] *n.* Ⓤ 〖병리〗 과잉 자극 감수성, 이상 흥분성 **-ír·ri·ta·ble** *a.*
hy·per·ka·le·mi·a [hàipərkəlí:miə] *n.* Ⓤ 〖병리〗 고(高)칼륨혈(증), 칼륨 과잉혈(증)
hy·per·ker·a·to·sis [hàipərkèrətóusis] *n.* **1** 〖병리〗 각막 비후증(肥厚症) **2** 〖수의학〗 X병(病) 《소의 바이러스 질환》
hy·per·ki·ne·sia [hàipərkiní:ʒə, -ʒiə, -kai-], **-ne·sis** [-ní:səs] *n.* Ⓤ **1** 〖병리〗 운동 과잉[항진](증) **2** 〖정신의학〗 과(過)활동 《청소년기의 정신 장애》
hy·per·ki·net·ic [hàipərkinétik] *a.* 운동 과잉의, 과(過) 운동의; 〈영화가〉 활동 과잉의, 역동적이고 흥분시키는
hy·per·link [háipərlìŋk] *n.* 〖컴퓨터〗 하이퍼링크 《데이터 파일을 서로 연결시키는 것》
hy·per·li·pe·mi·a [hàipərlaipí:miə], **-lip·i·de·mi·a** [-lìpidí:miə] *n.* 〖병리〗 고(高)지방혈(증), 지방 과잉혈(증) **-pé·mic, -dé·mic** *a.*
hy·per·lip·o·pro·tein·e·mi·a [hàipərlìpəpròutiəní:miə, -làipə-] *n.* 〖병리〗 고(高)리포단백혈증
hy·per·ma·ni·a [hàipərméiniə] *n.* 〖정신의학〗 중증 조병(躁病)
hy·per·mar·ket [háipərmà:rkit] *n.* 《영》 하이퍼마켓(superstore) 《넓은 주차장이 있는 교외의 대형 슈퍼마켓》
hy·per·me·di·a [háipərmì:diə] *n. pl.* [단수 취급] 〖컴퓨터〗 하이퍼미디어 《텍스트·그래픽·음성 등 미디어를 사용하여 정보를 종합적으로 구성하는 방법》
hy·per·me·ter [haipə́:rmətər] *n.* 〖운율〗 음절 과잉 시구(詩句); 〖고전시학〗 2 또는 3행(colon)으로 된 운율 단위
hy·per·met·ric, -ri·cal [hàipərmétrik(əl)] *a.* 〖운율〗 음절 과다의
hy·per·me·tro·pi·a [hàipərmitróupiə] *n.* 〖안과〗 = HYPEROPIA **-me·tróp·ic, -tróp·i·cal** *a.*
hy·perm·ne·sia [hàipərmní:ʒə, -ʒiə] *n.* Ⓤ 〖심리〗 기억 증진(증) 《기억이 지나치게 선명히 떠오르는 상태》
hy·per·mo·bil·i·ty [hàipərmoubíləti] *n.* 〖의학〗 (위장 따위의) 운동 기능 과잉증
hy·per·morph [háipərmɔ̀:rf] *n.* 〖유전〗 고차형 유전자
hy·per·mu·ta·ble [háipərmjú:təbl] *a.* 〖유전〗 돌연변이가 빈번한, 초(超)돌연변이의
-mú·tant *n., a.* **-mu·tá·tion** *n.*
hy·per·na·tre·mi·a [háipərnətrí:miə] *n.* 〖의학〗 고나트륨혈증
hy·per·nym [háipərnim] *n.* 〖언어·논리〗 상위어(上位語)(opp. *hyponym*)
hy·per·on [háipərɑ̀n | -ɔ̀n] *n.* 〖물리〗 중핵자(重核子)
hy·per·ope [háipəròup] *n.* 원시(遠視)인 사람
hy·per·o·pi·a [hàipəróupiə] *n.* Ⓤ 〖안과〗 원시(遠視)(opp. *myopia*) **-op·ic** [-ɑ́pik | -ɔ́p-] *a.*
hy·per·os·to·sis [hàipərɑstóusis | -ɔs-] *n.* Ⓤ 〖병리〗 골(骨)비대증, 골형성 과다증
hy·per·par·a·site [hàipərpǽrəsait] *n.* 〖생물〗 중(重)기생체(寄生體)
hy·per·par·a·thy·roid·ism [hàipərpæ̀rəθáirɔidìzm] *n.* Ⓤ 〖병리〗 부(副)갑상선 기능 항진(증)
hy·per·pha·gi·a [hàipərféidʒiə, -dʒə] *n.* Ⓤ 〖병리〗 이상 식욕 항진(증), 과식(증) **-phág·ic** *a.*
hy·per·phys·i·cal [hàipərfízikəl] *a.* 초(超)자연의, 비물질적인 **~·ly** *ad.*
hy·per·pi·tu·i·ta·rism [hàipərpitjú:itərìzm | -tjú:-] *n.* Ⓤ 〖병리〗 **1** 뇌하수체 기능 항진(증) **2** 선단(先端) 비대증, 거인(巨人)증
hy·per·plane [háipərplèin] *n.* 〖수학〗 초평면(超平面)
hy·per·pla·sia [hàipərpléiʒə, -ʒiə, -ziə] *n.* Ⓤ 〖병리〗 (세포수의) 과(過)형성, 증생(增生); 비후(肥厚)
hy·per·ploid [háipərplɔ̀id] 〖생물〗 *a.* 〈염색체 수가〉 고(高)배수성(倍數性)의 **—** *n.* 고배수체
hy·perp·ne·a [hàipərpní:ə] *n.* 〖병리〗 호흡 과도(過度), 호흡 항진 **-né·ic** *a.*
hy·per·po·lar·ize [hàipərpóulərαiz] *vt., vi.* 〖생리〗 〈세포막 등을[이]〉 과분극(過分極)하다
-pò·lar·i·zá·tion *n.*
hy·per·py·rex·i·a [hàipərpairéksiə] *n.* Ⓤ 〖병리〗 초(超)[이상]고열
hy·per·re·al·ism [hàipərrí:əlizm] *n.* Ⓤ 〖미술〗 하이퍼[초(超)] 리얼리즘(cf. SUPERREALISM)
hy·per·scope [háipərskòup] *n.* 〖군사〗 참호용 잠망경
hy·per·sen·si·tive [hàipərsénsətiv] *a.* **1** 지나치게 민감한, 과민한 **2** 〖병리〗 (특정한 약에 대한) 과민증의 **3** 〖사진〗 〈필름 등이〉 초고감도의 **~·ness** *n.*
hy·per·sen·si·tiv·i·ty [hàipərsènsətívəti] *n.* Ⓤ 과민증
hy·per·sen·si·tize [hàipərsénsətàiz] *vt.* **1** 〖사진〗 〈필름·감광유제(乳劑)를〉 초(超)증감하다 **2** …을 과민증이 되게 하다
hy·per·sexed [hàipərsékst] *a.* 〈잡지 등이〉 성적(性的) 흥미 과잉의
hy·per·sex·u·al [hàipərsékʃuəl] *a.* 성욕 과잉[항진]의 **—** *n.* 과잉 성욕자
-sèx·u·ál·i·ty *n.* **~·ly** *ad.*
hy·per·son·ic [hàipərsɑ́nik | -sɔ́n-] *a.* **1** 극초 음속의 《음속의 5배 이상의 속도에 대해 말함; cf. SUPERSONIC》: a ~ airliner 극초음속 여객기 **2** 〖물리〗 극초음파의 **-i·cal·ly** *ad.*
hy·per·space [háipərspèis] *n.* 〖수학〗 초공간 《고차원 유클리드 공간》; 4차원(이상의) 공간
hy·per·spa·tial [hàipərspéiʃəl] *a.*
hy·per·sphere [háipərsfìər, ⌐‒⌐] *n.* 〖수학〗 초구(超球) 《3차원보다 큰 차원으로 확장한 것》
hy·per·sthene [háipərsθì:n] *n.* Ⓤ 〖광물〗 자소휘석(紫蘇輝石)
hy·per·sur·face [háipərsə̀:rfis] *n.* 〖수학〗 초곡면(超曲面)
hy·per·tense [hàipərténs] *n.* 〖병리〗 고혈압 환자
hy·per·ten·sion [hàipərténʃən] *n.* Ⓤ 〖병리〗 고혈압(증), 긴장 항진(증)
hy·per·ten·sive [hàipərténsiv] 〖병리〗 *a.* 고혈압의[을 일으키는] **—** *n.* 고혈압인 사람 (cf. HYPOTENSIVE)
hy·per·text [háipərtèkst] *n.* 〖컴퓨터〗 하이퍼텍스트 《특정한 단어가 다른 단어나 또는 데이터베이스와 연결되어 사용자가 관련 문서를 넘나들며 검색이 가능한 텍스트》
hy·per·ther·mi·a [hàipərθə́:rmiə] *n.* Ⓤ **1** 〖병리〗 이상(異常) 고열, 고체온 **2** 〖의학〗 발열(發熱) 요법
hy·per·thy·roid [hàipərθáirɔid] 〖병리〗 *a.* 갑상선 기능 항진(증)의; 감정 표현의 도가 지나친 **—** *n.* 갑상선 기능 항진증 환자
hy·per·thy·roid·ism [hàipərθáirɔidìzm] *n.* Ⓤ 〖병리〗 갑상선(기능) 항진(증), 바제도병
hy·per·to·ni·a [hàipərtóuniə] *n.* Ⓤ 〖병리〗 긴장 항진[과도]
hy·per·ton·ic [hàipərtɑ́nik | -tɔ́n-] *a.* **1** 〖생리〗 (특히 근육의) 긴장 과도의 **2** 〖화학·생리〗 〈용액이〉 긴장 과도의, 삼투압이 높은, 고장(高張)(성)의: a ~ solution 고장 용액 **3** 《일반적으로》 격조 높은, 우아한
hy·per·troph·ic [hàipərtrɑ́fik | -trɔ́f-], **-tro·phied** [-fid] *a.* 비대성(肥大性)의
hy·per·tro·phy [haipə́:rtrəfi] *n.* (*pl.* **-phies**) Ⓤ **1** 〖병리〗 비대, 비후(opp. *atrophy*); 영양 과도 **2** 이

상 발달 —*vt., vi.* (**-phied**) 비대하게 하다, 비대해지다

hy·per·ur·ban·ism [hàipərə́:rbənìzm] *n.* 〖언어〗 =HYPERCORRECTION

hy·per·u·ri·ce·mi·a [hàipərjùərəsí:miə] *n.* Ⓤ 〖병리〗 고(高)요산혈(尿酸血)증 《통풍(痛風)의 원인》

hy·per·ve·loc·i·ty [hàipərvilɑ́səti | -lɔ́s-] *n.* 〖물리〗 초고속도 《특히 우주선·핵입자 등 초속 10,000 피트(3,048 m) 이상의 속도》

hy·per·ven·ti·late [hàipərvéntəlèit] *vi.* 〖의학〗 호흡 항진하다, 과환기(過換氣)하다; (흥분·놀람 등으로) 크게 숨을 들이쉬다 —*vt.* 〈환자를〉 호흡 항진하게 하다

hy·per·ven·ti·la·tion [hàipərvèntəléiʃən] *n.* Ⓤ 〖의학〗 환기[호흡] 항진(亢進), 과환기; 과호흡 증후군

hy·per·vi·ta·mi·no·sis [hàipərvàitəminóusis] *n.* Ⓤ 〖병리〗 비타민 과다[과잉](증)

hyp·es·the·sia [hìpəsθí:ʒə] *n.* Ⓤ 〖병리〗 감각[지각] 감퇴(증)

hy·pe·thral [hipí:θrəl, hai-] *a.* **1** 〈고전 건축이〉 (전부 또는 일부가) 지붕이 없는 **2** 옥외의

hy·pha [háifə] *n.* (*pl.* **-phae** [-fi:]) 〖식물〗 (균류의) 균사(菌絲) **hý·phal** *a.*

‡**hy·phen** [háifən] [Gk 「함께」의 뜻에서] *n.* **1** 하이픈, 연자 부호(連字符號) (-); (말할 때) 음절 사이를 짧게 끊기 **2** 〖건축〗 연결 부분
—*vt.* =HYPHENATE

hy·phen·ate [háifənèit] *vt.* 하이픈으로 잇다; 하이픈을 사용하여 쓰다 — [-nət, -nèit] *a.* 하이픈을 사용한, 하이픈으로 연결한 — [-nət, -nèit] *n.* **1** (하이픈으로 나타내는) 미국에 귀화한 사람 《Asian-American 등》 **2** (구어) 2종류 이상의 일을 할 수 있는 사람 《writer-director-producer 등》
hỳ·phen·á·tion *n.* Ⓤ 하이픈으로 연결하기

hy·phen·at·ed [háifənèitid] *a.* **1** 하이픈으로 연결한: a ~ word 하이픈으로 연결한 말 《red-hot 등》 **2** 〈시민이〉 외국계의, 귀화(歸化)한: ~ Americans 외국계(系) 미국인 ★ 독일계 미국인(German-Americans), 아일랜드계 미국인(Irish-Americans) 등과 같이 하이픈을 붙여서 쓰는 데서.

hy·phen·ize [háifənàiz] *vt.* =HYPHENATE

hypn- [hipn], **hypno-** [hípnou, -nə] 《연결형》 「수면, 최면」의 뜻 《모음 앞에서는 hypn-》

hyp·na·gog·ic, -no- [hìpnəgɑ́dʒik, -góudʒ- | -gɔ́dʒ-] *a.* 선잠[겉잠]의; 최면의; 꾸벅꾸벅 조는: ~ hallucination 최면[선잠] 환각(cf. HYPNOPOMPIC)

hyp·no·a·nal·y·sis [hìpnouənǽləsis] *n.* 〖정신분석〗 최면 분석[요법] 《최면술을 걸어 심층 심리를 유도함으로써 정신 분석을 하는 방법》

hyp·no·dra·ma [hípnədrɑ̀:mə] *n.* 〖정신의학〗 최면극[연기] 《최면자에 의한 심리극》

hyp·no·gen·e·sis [hìpnədʒénəsis] *n.* Ⓤ 최면 (유도) **hỳp·no·ge·nét·ic** *a.*

hyp·noi·dal [hipnɔ́idl], **hyp·noid** [hípnɔid] *a.* 〖심리〗 수면[최면] 상태의

hyp·nol·o·gy [hipnɑ́lədʒi | -nɔ́l-] *n.* Ⓤ 최면학(催眠學), 수면학 **-gist** *n.*

hyp·no·p(a)e·di·a [hìpnəpí:diə] *n.* Ⓤ 수면 학습법 《반복해서 듣기 등》 **-p(a)é·dic** *a.*

hyp·no·pom·pic [hìpnəpɑ́mpik | -pɔ́m-] *a.* 〖심리〗 잠이 깰 무렵의, (각성 전의) 비몽사몽의 《완전히 잠이 깨기 전의 반의식 상태의》

Hyp·nos [hípnɑs | -nɔs] *n.* 〖그리스신화〗 히프노스 《잠의 신; 꿈의 신 Morpheus의 아버지; 로마 신화의 Somnus에 해당》

hyp·no·sis [hipnóusis] *n.* (*pl.* **-ses** [-si:z]) ⓊⒸ (인위적인) 최면 (상태); 최면술: under ~ 최면술에 걸려

hyp·no·ther·a·py [hìpnouθérəpi] *n.* Ⓤ 최면(술) 요법(療法) **-thér·a·pist** *n.*

hyp·not·ic [hipnɑ́tik | -nɔ́t-] *a.* **1** 〈약이〉 최면을 일으키는, 최면성의 **2** 최면술의, 최면 상태의; 최면술에 걸리기 쉬운, 최면 상태로 만드는: ~ suggestion 최면 암시 —*n.* **1** 수면제, 최면제(劑)(soporific); 진정제 **2** 최면 상태에 있는 사람; 최면술에 걸리기 쉬운 사람 **-i·cal·ly** *ad.*

hyp·no·tism [hípnətìzm] *n.* Ⓤ 최면[수면]학, 최면[수면] 연구; 최면(술); 최면 상태(hypnosis)
-tist *n.* 최면술사(師)

hyp·no·tize [hípnətàiz] *vt.* **1** …에게 최면술을 걸다 **2** 매혹하다, 호리다 **3** 〈판단·저항 등을〉 무력화하다 —*vi.* 최면술을 행하다; 암시를 주다
-tìz·a·ble *a.* 잠재울 수 있는, 최면술에 걸리는
hỳp·no·tìz·a·bíl·i·ty *n.* Ⓤ 피(被)최면성(性)

hy·po[1] [háipou] [*hypo*sulfite] *n.* Ⓤ 〖사진〗 하이포(sodium thiosulfate)

hypo[2] *n.* (*pl.* **~s**) **1** (구어) 피하 주사기; 피하 주사 **2** 자극 **3** (미·속어) 마약 중독자 —*vt.* **1** …에게 피하 주사를 놓다 **2** 자극하다; 촉진하다 **3** 늘리다, 증강[증대]시키다

hypo[3] *n.* **1** =HYPOCHONDRIAC **2** =HYPOCHONDRIA

hypo- [háipou] *pref.* =HYP-

hy·po·a·cid·i·ty [hàipouəsídəti] *n.* Ⓤ 〖병리〗 저산(低酸)(증), 위산 감소(증)

hy·po·a·de·ni·a [hàipouədí:niə] *n.* Ⓤ 〖병리〗 선(腺)분비 감약증(減弱症)

hy·po·al·i·men·ta·tion [hàipouæ̀ləmentéiʃən] *n.* Ⓤ 〖병리〗 영양 부족, 영양 결핍증

hy·po·al·ler·gen·ic [hàipouæ̀lərdʒénik] *a.* 〈화장품이〉 저(低)자극성인: ~ cosmetics 저자극성 화장품

hy·po·bar·ic [hàipəbǽrik] *a.* 〖의학〗 〈마취제가〉 저(低)비중의(cf. HYPERBARIC)

hy·po·blast [háipəblæ̀st] *n.* Ⓤ 〖생물〗 내배엽(內胚葉)(endoderm); 배반엽(胚盤葉) 하층

hy·po·cal·ce·mi·a [hàipoukælsí:miə] *n.* 〖병리〗 칼슘 과소혈(증), 저(低)칼슘혈(증)

hy·po·caust [háipəkɔ̀:st, híp- | háipə-] *n.* (고대 로마 건축의) 마루밑 난방, 온돌

hy·po·cen·ter [háipousèntər] *n.* **1** (핵폭발의) 폭심(爆心)(지(地)) **2** (지진의) 진원지(震源地)

hy·po·chlo·rite [hàipouklɔ́:rait] *n.* 〖화학〗 차아염소산염(次亞鹽素酸鹽)

hy·po·chló·rous ácid [hàipouklɔ́:rəs-] 〖화학〗 차아염소산

hy·po·chon·dri·a [hàipəkɑ́ndriə | -kɔ́n-] *n.* Ⓤ 〖정신의학〗 히포콘드리증(症), 심기증(心氣症), 건강 염려증 《건강에 대해 필요 이상으로 염려하는 상태》; (속어) 우울증

hy·po·chon·dri·ac [hàipəkɑ́ndriæ̀k | -kɔ́n-] *a.* **1** 히포콘드리증의, 건강 염려증의, 심기증의 **2** 〖해부·동물〗 계륵부(季肋部)의 —*n.* 〖정신의학〗 히포콘드리아 환자; 자기 건강을 지나치게 신경 쓰는 사람

hy·po·chon·dri·a·cal [hàipəkəndráiəkəl] *a.* = HYPOCHONDRIAC 1 **~·ly** *ad.*

hy·po·chon·dri·a·sis [hàipoukəndráiəsis | -kɔn-] *n.* (*pl.* **-ses** [-sì:z]) = HYPOCHONDRIA

hy·po·chon·dri·um [hàipəkɑ́ndriəm | -kɔ́n-] *n.* (*pl.* **-dri·a** [-driə]) 〖해부〗 계륵부(季肋部), 하륵부

hy·po·chro·mi·a [hàipəkróumiə] *n.* Ⓤ 〖병리〗 **1** 혈색소 감소증 《적혈구 속의 혈색소 결핍 상태》 **2** (조직·세포 내의) 색소 감소

hy·poc·o·rism [haipɑ́kərìzm, hi- | haipɔ́k-] *n.* Ⓤ **1** 애칭(pet name) **2** 애칭 사용(습관)

hy·po·co·ris·tic [hàipəkərístik, hìp- | hàipə-] *a.* 친애를 표시하는, 애칭의(endearing): a ~ name 애칭 —*n.* 애칭(어) **-ti·cal·ly** *ad.*

hy·po·cot·yl [hàipəkɑ́tl | -kɔ́tl] *n.* 〖식물〗 배축(胚軸)

***hy·poc·ri·sy** [hipɑ́krəsi | -pɔ́k-] [Gk 「무대에서 연기함」의 뜻에서] *n.* (*pl.* **-sies**) Ⓤ 위선(僞善); Ⓒ 위선 행위 ▷ hypocrítical *a.*

***hyp·o·crite** [hípəkrit] [Gk 「배우」의 뜻에서] *n.*

위선자, 겉으로 착한 체하는 사람
play the ~ 위선을 부리다, 겉으로 착한 체하다
hyp·o·crit·i·cal [hìpəkrítikəl] *a.* 위선의, 위선(자)적인 **-i·cal·ly** *ad.*
hy·po·derm [háipədə̀:rm], **-der·ma** [-də̀:rmə] *n.* ＝HYPODERMIS
hy·po·der·mic [hàipədə́:rmik] *a.* **1** 〖의학〗 피하(皮下)의, 피하 주사용의: a ~ tissue 피하 조직 / ~ injection 피하 주사 **2** 자극하는, 기운을 북돋우는 **—** *n.* 피하 주사; 피하 주사기[침]; 피하 주사약 **-mi·cal·ly** *ad.* 피하에
hypodérmic nèedle 피하 주사침; (침을 단) 피하 주사기
hypodérmic syrínge 피하 주사기
hy·po·der·mis [hàipədə́:rmis] *n.* Ⓤ 〖동물·식물〗 하피(下皮), 진피(眞皮); 〖해부〗 피하 조직 **-dér·mal** *a.*
hy·po·dy·nam·i·a [hàipoudainǽmiə, -néim-] *n.* Ⓤ 〖병리〗 활력 감퇴, 탈력(脫力), 쇠약 **-nám·ic** *a.*
hy·po·eu·tec·toid [hàipəju:téktɔid] *a.* 〈강철이〉 아공석(亞共析)의 《공석강(鋼)보다 탄소량이 적은》
hy·po·func·tion [hàipəfʌ́ŋkʃən] *n.* 〖병리〗 (선(腺) 따위의) 기능 저하, 기능 부전
hy·po·gas·tric [hàipəgǽstrik] *a.* 〖해부〗 하복부(下腹部)의
hy·po·gas·tri·um [hàipəgǽstriəm] *n.* (*pl.* **-tri·a** [-triə]) 〖해부〗 하복부
hy·po·ge·al [hàipədʒí:əl] *a.* **1** 지하의 **2** 〖식물〗 지하에서 자라는, 지하성(性)의
hy·po·gene [háipədʒì:n] *a.* 〖지질〗 〈암석이〉 지하에서 생성된, 심성(深成)의, 내성(內性)의(cf. EPIGENE)
hy·po·gen·e·sis [hàipədʒénəsis] *n.* 〖병리〗 (태아의 기관·기능의) 발육 부전
hy·pog·e·nous [haipɑ́dʒənəs | -pɔ́dʒ-] *a.* **1** 〈홀씨 등이〉 잎의 밑면에서 자라는 **2** ＝HYPOGEAL 2
hy·po·ge·um [hàipədʒí:əm] *n.* (*pl.* **-ge·a** [-dʒí:ə]) **1** 〖고대 건축〗 건축의 지하 부분, 지하실 **2** 지하 매장실; 지하 무덤
hy·po·glos·sal [hàipəglɑ́səl | -glɔ́s-] 〖해부〗 *a.* 설하(舌下)의, 설하 신경의 **—** *n.* ＝HYPOGLOSSAL NERVE
hypoglóssal nérve 〖해부〗 설하(舌下) 신경 《제12뇌신경》
hy·po·gly·c(a)e·mi·a [hàipouglaisí:miə] *n.* Ⓤ 〖병리〗 저혈당(증) **-c(a)é·mic** *a.*
hy·po·hi·dro·sis [hàipouhidróusis, -hai-] *n.* 〖병리〗 발한(發汗) 감소(증)
hy·po·ka·le·mi·a [hàipoukeilí:miə] *n.* 〖병리〗 칼륨 감소혈(減少血)(증), 저(低)칼륨혈(증)
hy·po·lim·ni·on [hàipoulímniɑ̀n | -niən] *n.* (*pl.* **-ni·a** [-niə]) (호수의) 심수층(深水層)
hy·po·ma·ni·a [hàipəméiniə, -njə] *n.* 〖정신의학〗 경조(輕躁)(증) 《우울 주기에서의 경증》
hy·po·nym [háipənim] *n.* 〖언어·논리〗 하위어(下位語)(opp. *hypernym*)
hy·po·par·a·thy·roid·ism [hàipəpæ̀rəθáirɔidìzm] *n.* 〖병리〗 부갑상선 기능 저하[부전](증)
hy·po·pho·ni·a [hàipəfóuniə] *n.* Ⓤ 〖병리〗 발성 부전, 발어(發語) 장애
hy·po·phos·phate [hàipəfɑ́sfeit | -fɔ́s-] *n.* 〖화학〗 차인산염(次燐酸塩)
hy·po·phos·phite [hàipəfɑ́sfait | -fɔ́s-] *n.* 〖화학〗 차아인산염(次亞燐酸塩)
hy·po·phos·phór·ic ácid [hàipəfɑsfɔ́:rik- | -fɔsfɔ́r-] 〖화학〗 차인산(次燐酸)
hy·po·phós·pho·rous ácid [hàipəfɑ́sfərəs- | -fɔ́s-] 〖화학〗 차아인산(次亞燐酸)
hy·poph·y·sis [haipɑ́fəsis | -pɔ́f-] *n.* (*pl.* **-ses** [-sì:z]) 〖해부〗 뇌하수체(pituitary gland)
hy·pop·ne·a [haipɑ́pniə | -pɔ́p-] *n.* Ⓤ 〖병리〗 감소 호흡, 호흡 저하
hy·po·prax·i·a [hàipəprǽksiə] *n.* Ⓤ 〖병리〗 행동 감퇴(증), 행동 부전
Hy·po·spray [háipəsprèi] *n.* [때로 **h~**] 하이포스프레이 《약액을 분출 침투시키는 주사기; 상표명》
hy·pos·ta·sis [haipɑ́stəsis | -pɔ́s-] *n.* (*pl.* **-ses** [-sì:z]) **1** 〖의학〗 혈액 강하[침체] **2** 〖신학〗 (삼위 일체의) 한 위격(位格) **3** 〖철학〗 근본, 본질, 실체; (개념의) 구체화 **4** 〖유전〗 하위, 열위(劣位)
hy·po·stat·ic [hàipəstǽtik] *a.* **1** 〖철학〗 본질의, 실재의 **2** 〖의학〗 혈액 강하[침체]의 **3** 〖신학〗 위격(位格)의 **4** 하위의, 열위의 **-i·cal·ly** *ad.*
hy·pos·ta·ti·za·tion [haipɑ̀stətizéiʃən | -pɔ̀stə-] *n.* Ⓤ 실체시(視), 실체화
hy·pos·ta·tize [haipɑ́stətàiz | -pɔ́s-] *vt.* 〈개념 등을〉 실체시하다, 실체화하다
hy·po·style [háipəstàil] *a., n.* 〖건축〗 다주식(多柱式)의 (건축)
hy·po·sul·fite [hàipəsʌ́lfait] *n.* 〖화학〗 차아황산염; 차아황산나트륨
hy·po·sul·fur·ous [hàipəsʌlfjúərəs] *a.* 〖화학〗 차아황산(次亞黃酸)의
hyposulfúrous ácid 〖화학〗 차아황산
hy·po·tax·is [hàipətǽksis] *n.* Ⓤ 〖문법〗 종위(從位), 종속; 종속 구문(opp. *parataxis*) **-tác·tic** *a.*
hy·po·ten·sion [hàipəténʃən] *n.* Ⓤ 〖병리〗 저혈압(증); (뇌압·안압 등의) 저하(증)
hy·po·ten·sive [hàipəténsiv] *a.,* 〖병리〗 저혈압의 **—** *n.* 저혈압인 사람; 혈압 강하제
hy·pot·e·nuse [haipɑ́tənjù:s | -pɔ́tənjù:z] *n.* 〖기하〗 (직각 3각형의) 빗변, 사변(斜邊) 《略 hyp.》
hy·po·thal·a·mus [hàipəθǽləməs] *n.* (*pl.* **-mi** [-mai]) 〖해부〗 시상 하부(視床下部)
hy·poth·ec [haipɑ́θik | -pɔ́θ-] *n.* Ⓤ 〖로마법〗 저당권, 담보권
hy·poth·e·cate[1] [haipɑ́θikèit | -pɔ́θ-] *vt.* 저당[담보]에 넣다; …의 담보 계약을 하다 **-cà·tor** *n.* ▷ hypothecátion *n.*
hypothecate[2] *vi., vt.* ＝HYPOTHESIZE
hy·poth·e·ca·tion [haipɑ̀θəkéiʃən | -pɔ̀θ-] *n.* Ⓤ 담보 계약
hy·po·the·ci·um [hàipəθí:ʃiəm, -siəm] *n.* (*pl.* **-ci·a** [-ʃiə]) 〖식물〗 자실 하층(子實下層) 《균류의 자실층 아래에 있는 균사층》
hy·poth·e·nar [haipɑ́θənɑ̀:r, -nər, hàipəθí:nər | -pɔ́θ-] 〖해부〗 *n.* 소지구(小指球) 《새끼손가락 밑동의 볼록한 부분》 **—** *a.* 소지구의
hy·poth·e·nuse [haipɑ́θənjù:s | -pɔ́θənjù:z] *n.* ＝HYPOTENUSE
hy·po·ther·mal [hàipəθə́:rməl] *a.* **1** 미지근한, 미온의 **2** 〈체온이〉 상온 이하의, 저온의 **3** 〖지질〗 〈광상(鑛床)이〉 심열수 광상성의
hy·po·ther·mi·a [hàipəθə́:rmiə] *n.* Ⓤ 〖병리〗 저체온(증); 〖의학〗 (심장 수술 등의) 냉각법, 저체온법 **-thér·mic** *a.* 저체온(증)의
***hy·poth·e·sis** [haipɑ́θəsis | -pɔ́θ-] *n.* (*pl.* **-ses** [-sì:z]) **1** 가설, 가정: form a ~ 가설을 세우다 / ~ testing 가설 검증 **2** (조건 명제의) 전제; 단순한 추측, 억측 **-sist** *n.* ▷ hypothétical *a.*; hypóthesize *v.*
hy·poth·e·size [haipɑ́θəsàiz | -pɔ́θ-] *vi.* 가설을 세우다 **—** *vt.* 가정하다 **-sìz·er** *n.*
hy·po·thet·ic, -i·cal [hàipəθétik(əl)] *a.* 가설의, 가상의, 가정의; 〖논리〗 가정의; 가언의: ~ reasoning 가설적 추론 **—** *n.* 가정에 근거한 상황[사물] **-i·cal·ly** *ad.*
hypothétical impèrative 〖윤리〗 (칸트 철학에서) 가언(假言) 명령
hy·po·thy·roid·ism [hàipəθáirɔidìzm] *n.* Ⓤ 〖병

thesaurus **hypothesis** *n.* theory, supposition, surmise, speculation, scheme, conjecture
hysterical *a.* frenzied, frantic, out of control, distracted, agitated, mad, crazed, delirious

리》 갑상선 (기능) 저하[부전](증)
hy·po·to·ni·a [hàipətóuniə] *n.* Ⓤ 〖병리〗 긴장 감퇴[저하], 저압(低壓); 저혈압(증)
hy·po·ton·ic [hàipətánik | -tɔ́n-] *a.* 〖생리〗 〈조직이〉 저긴장의; 〖화학·물리〗 〈용액이〉 저삼투압의, 저장성(低張性)의
hy·po·to·nic·i·ty [hàipoutounísəti] *n.*
hy·pot·ro·phy [haipátrəfi, hi- | -pɔ́t-] *n.* Ⓤ **1** 〖병리〗 발육 부전 **2** 〖생리〗 (세포[조직]의) 활력 저하 **3** 〖식물〗 경하성(傾下性)
hy·pox·(a)e·mi·a [hàipɑksí:miə | -pɔk-] *n.* Ⓤ 〖병리〗 혈중 산소 감소, 저산소혈(증) **-(a)é·mic** *a.*
hy·pox·i·a [haipáksiə | -pɔ́k-] *n.* 〖병리〗 = HYPOX(A)EMIA
hyp·sog·ra·phy [hipságrəfi | -sɔ́g-] *n.* Ⓤ 〖지리〗 지세(地勢) 측량; 지세; 지세 도시법; 측고법(測高法); 측고학
hyp·som·e·ter [hipsámətər | -sɔ́m-] *n.* 측고계(測高計) 《삼각법을 써서 높이를 재는》
hyp·som·e·try [hipsámətri | -sɔ́m-] *n.* Ⓤ 측고법(測高法)
hyp·so·pho·bi·a [hìpsəfóubiə] *n.* Ⓤ 고소(高所) 공포증 **hýp·so·phòbe** *n.* 고소 공포증이 있는 사람
hy·rax [háiəræks] *n.* (*pl.* **~·es, -ra·ces** [-rəsì:z]) 〖동물〗 바위너구리 《아프리카·지중해 지방산》
hy·son [háisn] *n.* Ⓤ 희춘(熙春)차 《중국산 녹차》
hý spỳ [hái-] 《영》 숨바꼭질의 일종
hys·sop [hísəp] *n.* **1** 〖식물〗 히솝풀 《옛날 약용으로 쓴 박하의 일종》 **2** 〖성서〗 우슬초 《유대인이 의식(儀式)에 썼음》
hyster- [hístər], **hystero-** [hístərou, -rə] 《연결형》 「자궁(子宮), 히스테리」의 뜻 《모음 앞에서는 hyster-》
hys·ter·ec·to·my [hìstəréktəmi] *n.* (*pl.* **-mies**) ⓊⒸ 〖외과〗 자궁 적출[절제](술)
hys·ter·e·sis [hìstərí:sis] *n.* Ⓤ 〖물리〗 (자기·전기·탄성 등의) 이력(履歷) 현상, 《특히》 자기 이력 현상
hys·ter·et·ic [hìstərétik] *a.*
hysterésis lòss 〖물리〗 히스테리시스 손실, 이력 손실 《이력 현상을 나타내는 물질에서 열로의 변환에 의한 에너지의 손실》
∗**hys·te·ri·a** [histériə, -stíər- | -stíər-] [Gk 「자궁」의 뜻에서] *n.* Ⓤ 〖병리〗 (특히 여자의) 히스테리; (개인이나 집단의) 병적 흥분, 광란
▷ hystéric(al) *a.*
hys·ter·ic [histérik] *n.* **1** [보통 *pl.*; 단수 취급] 히스테리의 발작; 《구어》 발작적인[배꼽을 쥐고] 웃음 **2** 히스테리성의 사람; 히스테리 환자 ***go*** (***off***) [***fall***] ***into ~s*** = ***get*** [***have, take***] ***~s*** 히스테리를 일으키다 **—** *a.* = HYSTERICAL
∗**hys·ter·i·cal** [histérikəl] *a.* **1** 히스테리성(性)의 **2** 병적으로 흥분한; 이성을 잃은; 감정적이 된 **3** 히스테리에 걸린: a ~ temperament 히스테리성 기질 **4** 《구어》 매우 우스꽝스러운: a ~ play[movie] 매우 우스꽝스러운 연극[영화] **~·ly** *ad.*
▷ hystéria, hystéric *n.*
hystérical féver 〖병리〗 히스테리열(熱)
hys·ter·o·gen·ic [hìstərədʒénik] *a.* 〖의학〗 히스테리를 일으키는, 히스테리 기인(起因)성의
hys·ter·oid [hístərɔ̀id], **hys·ter·oi·dal** [hìstərɔ́idl] *a.* 히스테리 비슷한
hys·ter·on prot·er·on [hístərɑ̀n-prátərɑ̀n | -ɔ̀n-prɔ́tərɔ̀n] [Gk] *n.* 〖수사학〗 (논리적 전후 관계의) 도치(법)(倒置(法)); 〖논리〗 부당 가정의 허위
hys·ter·ot·o·my [hìstərátəmi | -rɔ́t-] *n.* (*pl.* **-mies**) ⓊⒸ 〖외과〗 자궁 절개(切開)(술), 《특히》 제왕 절개(술)
hy·ther·graph [háiθərgræf, -grɑ̀:f | -grɑ̀:f] *n.* 하이서그래프 《온도와 습도 또는 온도와 강수량과의 관계를 나타내는 기후도》
hy·zone [háizoun] *n.* Ⓤ 〖화학〗 3원자 수소, 히존
Hz, hz 〖물리〗 hertz

I i

i, I[1] [ái] *n.* (*pl.* **i's, is, I's, Is** [-z]) **1** 아이 《영어 알파벳이 아홉째; cf. IOTA》 **2** 문자 I로 나타내는 소리 **3** (로마 숫자의) 1: *ii*, II = 2 / *ix*, IX = 9 **4** I자형(의 것) **5** (연속된 것의) 아홉째(의 것) ***dot*** one***'s i's*** ⇨ dot[1]. ***dot the*** [one***'s***] ***i's and cross the*** [one***'s***] ***t's*** ⇨ dot[1]

⁑**I**[2] *pron.* [인칭 대명사 제1인칭 단수 주격; 소유격 **my**, 목적격 **me**; 소유 대명사 **mine**, 복합 인칭 대명사 **myself**; ⇨ we.] **1** 나는, 내가: *I* am[*I'm*] [áim] a student. 나는 학생이다. / [긍정을 강조할 때] *I* am [aiǽm] hungry. 배가 고파요. / Am *I* not right? = (구어) Ain't *I* right? 내가 틀렸나요? / (문어) It is *I*. = (구어) It's me. 나예요. **2** (구어) [복합 목적어의 일부로서] = ME: between you and *I* 너와 나 사이에 **3** (영·방언) [전치사·동사의 목적어로 강조적 표현] = ME

USAGE (1) 인칭 대명사 중 I만을 문장 속에서도 대문자로 쓰는 것은 소문자 i를 앞뒤 단어의 일부로 잘못 알 오류를 피하기 위한 방편에서 나왔음. (2) 인칭이 다른 단수형의 인칭 대명사 또는 명사를 병기할 때는 2인칭, 3인칭, 1인칭의 순서가 관례이다: You[He, She, My wife] and I are ... (3) between you and I나 He will invite you and I. 등은 문법적으로는 틀리지만 구어적으로 쓰이는 경우가 있다.

— *n.* (*pl.* **I's**) **1** (소설 등에서) I(나)라는 말 **2** [the ~] 〖철학〗 자아, 나(ego): another *I* 제2의 나 **3** 자기 주장이 강한 사람

I 〖화학〗 iodine; 〖전기〗 current ***i*** 〖수학〗 허수 단위 ($\sqrt{-1}$)(imaginary unit)

i- [i] *pref.* Y-의 변형

i. interest; intransitive; island **I.** Idaho; *Iesus* 《L = Jesus》; Independent; Island(s) **Ia.** Iowa

-ia [iə, jə] *suf.* [명사 어미] **1** 병명에 붙임: malar*ia* **2** 동·식물 분류의 속명에 붙임: Reptil*ia* **3** 나라 이름에 붙임: Austral*ia*

IAAF International Amateur Athletic Federation **IAC** in any case 아무튼, 어쨌든 《e-mail 등에서의 용어》; International Apprentices Competition 국제 기능 올림픽 **IADA** International Atomic Development Authority **IADB** Inter-American Development Bank 미주 개발 은행 **IAEA** International Atomic Energy Agency 국제 원자력 기구 《1957년 설립》 **IAF** International Astronautical Federation

I·a·go [iɑ́:gou] *n.* **1** 남자 이름 **2** 이아고 《Shakespeare 작 *Othello*에 나오는 음험하고 간악한 인물》

-ial [iəl, jəl] *suf.* -AL의 변형: celest*ial*, colloqu*ial*

i·amb [áiæmb] *n.* (*pl.* **~s**) 〖운율〗 (영시의) 단장격 《⏑–》, 약강격(×⸍)(cf. TROCHEE)

i·am·bic [aiǽmbik] *a.*, *n.* 〖운율〗 (고전시(詩)에서) 단장격(短長格)의 (시), (영시(英詩)에서) 약강격(弱强格)의 (시)

i·am·bus [aiǽmbəs] *n.* (*pl.* **-bi** [-bai], **~·es**) 〖운율〗 = IAMB

-ian [iən, jən] *suf.* -AN의 변형: Orwell*ian*, Washington*ian*

-iana [iǽnə | iɑ́:nə] *suf.* -ANA의 변형

iar·o·vize [jɑ́:rəvàiz] *vt.* 〖농업〗 = VERNALIZE

IAS 〖항공〗 indicated airspeed **IATA** [aiɑ́:tə] International Air Transport Association 국제 민간 항공 수송 협회

i·at·ric [aiǽtrik] *a.* 의사의; 의약의

-iatrics [iǽtriks] 《연결형》 「치료, 진료」의 뜻: ger*iatrics*, ped*iatrics*

iatro- [aiǽtrou, -trə, i-] 《연결형》 「의사, 의료」의 뜻

i·at·ro·gen·e·sis [aiæ̀troudʒénəsis] *n.* 〖의학〗 의원성(醫原性)[증(症)] 《의료에 따른 다른 장애 등의 발생》

i·at·ro·gen·ic [aiæ̀troudʒénik] *a.* 〈병이〉 의사에게 원인이 있는: ~ disease 의원병(醫原病) 《의사의 부주의로 생기는 병》 **-i·cal·ly** *ad.*

i·at·ro·phys·ics [aiæ̀troufíziks] *n. pl.* [단수 취급] 물리 요법 의학, 물리 요법

-iatry [áiətri, iǽtri] 《연결형》 「치료, 의료」의 뜻: pod*iatry*, psych*iatry*

IB International Baccalaureate 〖교육〗 국제 공통 대학 입학 자격 (제도) **ib.** *ibidem* **IBA** Independent Broadcasting Authority (영) 독립 방송 협회 **IBE** International Bureau of Education 《UNESCO 소속》

I-beam [áibì:m] *n.* I자형 대들보

I·be·ri·a [aibíəriə] [L 「스페인 사람」의 뜻에서] *n.* **1** 이베리아 《이베리아 반도의 옛 이름》 **2** 고대 코카서스 남부 지방

I·be·ri·an [aibíəriən] *a.* **1** 이베리아 반도의; 스페인·포르투갈의 **2** (고대) 이베리아 사람[말]의
— *n.* **1** 이베리아 (반도에 사는) 사람; 고대 이베리아 사람 **2** Ⓤ 고대 이베리아 말

Ibérian Península [the ~] 이베리아 반도 《스페인과 포르투갈을 포함하는 반도》

i·bex [áibeks] *n.* (*pl.* **~·es, ib·i·ces** [íbəsì:z, áib-], [집합적] ~) 아이벡스 《알프스·아펜니노·피레네 산맥 등에 사는 야생 염소》

IBF international banking facilities; International Boxing Federation **IBI** International Bank for Investment 국제 투자 은행

***ibid.** [íbid] *ibidem*

i·bi·dem [íbədəm, ibái-, ibí:- | íbidèm, ibái-] [L = in the same place] *ad.* 같은 장소에, 같은 책[페이지, 절, 장]에 ★ 보통 ib(id).의 꼴로, 인용문·각주(脚註) 등에 씀.

-ibility [əbíləti] *suf.* -ABILITY의 변형

i·bis [áibis] *n.* (*pl.* **~·es,** [집합적] ~) 〖조류〗 따오기 ***sacred*** ~ 아프리카따오기 《고대 이집트의 영조(靈鳥)》

ibis

I·bí·zan hóund [ibí:zən-, -zɑ:n-] 지중해 지역산(産)의 사냥개

-ible [əbl] *suf.* -ABLE의 변형: impress*ible*, reduc*ible*

-ibly [əbli] *suf.* -ABLY의 변형

IBM intercontinental ballistic missile; International Business Machines Corporation 《미국의 컴퓨터 제조 회사》

ÍBM-com·pát·i·ble mìcrocomputer [áibi:-èmkəmpǽtəbl-] 〖컴퓨터〗 IBM 호환 기종의 PC

ibn- [ìbn] [Arab. = son] *pref.* 「(…의) 아들」의 뜻: *ibn*Saud

I·bo [í:bou] *n.* (*pl.* **~s,** [집합적] ~) **1** 이보 족 《나이지리아 남동부에 사는 흑인 종족》 **2** Ⓤ 이보 어(語)

Ib·ra·him [ìbrəhí:m] *n.* 남자 이름

IBRD International Bank for Reconstruction and Development 국제 부흥 개발 은행 **IBS** irrita-

ble bowel syndrome 〖의학〗 과민성 대장 증후군
IBT internet-based testing[training]
Ib·sen [íbsn] *n.* 입센 **Henrik ~** (1828-1906) 《노르웨이의 극작가·시인》
Ib·se·ni·an [ibsíːniən, -sén-] *a.*
Ib·sen·ism [íbsənìzm] *n.* Ⓤ 입센주의, 입센적 수법 《문제극의 형식으로 사회의 인습적 편견을 고발함》
i·bu·pro·fen [àibjuːpróufən, aibjúːproufèn] *n.* 〖약학〗 이부프로펜 《항(抗)염증제》
IC *Iesus Christus* 《L =Jesus Christ》; 〖전자〗 integrated circuit; internal combustion **i/c** 〖군사〗 in charge; in command
-ic [ik] *suf.* **1** 「…의, …같은, …한 성질의, …를 포함한, …을 지지하는[나타내는]」의 뜻: hero*ic*, rust*ic*, magnet*ic*; sulphur*ic* **2** 명사를 만듦: crit*ic*, publ*ic*; 〖학술명〗 log*ic*, mus*ic*, rhetor*ic* (cf. -ICS) **3** -Y로 끝나는 동사에 붙어 형용사를 만듦: specif*ic*, terrif*ic*
ICA International Communication Agency; International Cooperation Administration 《지금은 AID》 **ICAAAA, IC4A** [àisíːfɔ̀ːréi] Intercollegiate Association of Amateur Athletes of America 미국 대학 스포츠 연맹
-ical [ikəl] *suf.* 「…에 관한, …의, …와 같은」의 뜻: geometr*ical*, mus*ical* ★ 대체로 -ic, -ical은 서로 전용(轉用)할 수 있으나, 뜻이 다른 경우도 있음: econom*ic*과 econom*ical*.
-ically [ikəli] *suf.* -IC(AL)로 끝나는 형용사를 부사로 만듦: crit*ically* 《impolit*icly*, publ*icly* 등은 예외》
ICAO International Civil Aviation Organization 국제 민간 항공 기구
I·car·i·an [ikέəriən, ai-] *a.* **1** Icarus의[같은]; 앞뒤를 가리지 않는, 모험적인 **2** Icaria 섬 (주민)의
Ic·a·rus [íkərəs, áik-] *n.* 〖그리스신화〗 이카로스 《밀랍으로 붙인 날개로 날다가 아버지 Daedalus의 경고를 무시하고 태양에 너무 접근해 밀랍이 녹아 바다에 떨어졌다는 인물》
ICBM intercontinental ballistic missile 대륙간 탄도 미사일[유도탄] **ICBP** International Council for Bird Preservation 국제 조류 보호 회의 **ICC** International Chamber of Commerce 국제 상공 회의소; 《미》 Interstate Commerce Commission
‡**ice** [áis] *n.* Ⓤ **1 a** 얼음: a piece of ~ 얼음 한 조각 / No ~. (음료에) 얼음을 넣지 마세요. **b** [the ~] 얼음판, 얼음 표면 **2** Ⓒ 과즙을 섞은 빙과; 《영》 아이스크림(=~ cream): two ~*s* 아이스크림 두 개 **3** (과자 등의) 당의(糖衣) **4** 《미·속어》 다이아몬드, 《일반적으로》 보석 **5** (태도 등의) 차가움, 쌀쌀함 **6** 《미·속어》 (부정직한 업자가 경찰에 바치는) 뇌물, (암표상이 극장에 내는) 수수료 **7** 《미·마약속어》 (결정 모양의) 코카인
break the ~ (1) (딱딱한 분위기를 누그러뜨리기 위하여) 좌중에서 처음으로 입을 떼다; 긴장을 풀게 하다 (2) 어려운 일의 실마리를 찾다; 위험한 일을 시작하다; 감행하다 ***break through the ~*** 얼음이 깨져 〈사람 등이〉 빠지다; (해머 등으로) 얼음을 깨며 나아가다 ***cut no***[***not much***] ***~*** (***with*** a person) (…에게) 아무[별로] 효과가 없다, 전혀[별로] 도움이 되지 않다 ***have*** one***'s brains on ~*** 《속어》 냉정을 잃지 않다, 침착하다 ***on ~*** 《구어》 (1) 〈사람이〉 대기하여 (2) 〈일·문제 등을〉 보류하여 (3) 《미》 〈승리·성공이〉 확실하여, 승산이 충분하여 (4) 《미》 옥에 갇히어 ***on thin ~*** 살얼음을 밟듯이, 위험한 상태에서 ***put ... on ~*** (1) 《속어》 죽이다 (2) 《구어》 지연시키다, 연기하다 (3) 《구어》 성공을[승리를] 확실하게 하다 ***skate on***[***over***] ***thin ~*** ⇨ skate
— *a.* Ⓐ **1** 《미》 얼음의[을 넣은], 얼음으로 만든: ~ tea 냉차 **2** 빙상의 **3** 얼음을 넣기 위한[넣는 데 쓰는] **4** 굉장한, 멋진
— *vt.* **1** 얼리다; 얼음으로 차게 하다 《*down*》: *I* ~ the soda, please. 소다수를 차게 해 주세요. **2** 얼음으로 덮다 《*over, up*》: (~+목+부) ~ *up* fish 생선을 얼음에 채우다 / The pond was ~*d over.* 연못이 꽁꽁 얼었다. **3** 〈과자 등에〉 당의(糖衣)를 입히다(frost): ~ a cake 케이크에 당의를 입히다 **4 a** 《미·속어》 결말짓다; 보증하다: ~ a deal 거래 계약을 하다 **b** 죽이다, 학대하다 **c** 무시하다 **5** 〖아이스하키〗 (퍽을) 쳐서 상대의 골라인을 넘다, 아이싱(icing)하다
— *vi.* 얼다; 얼음으로 덮이다 《*over, up*》; 침묵하다
~ the cake 《미·속어》 승리를 확고히 하다, 성공을 결정짓다 ***~ the puck*** 〖아이스하키〗 아이싱하다
~·less *a.* **~·lìke** *a.* ▷ icy *a.*
Ice. Iceland; Icelandic
ICE 《영》 Institution of Civil Engineers
íce àge [the ~] [종종 **I- A-**] 〖지질〗 빙하 시대 (glacial epoch), 《특히》 홍적세(Pleistocene Epoch)
íce àx 쇄빙(碎氷) 도끼, 피켈 《등산용》
íce bàg 얼음 주머니[베개](ice pack)
⁎**ice·berg** [áisbəːrg] [Du. 「얼음의 산」의 뜻에서] *n.* **1** 빙산 **2** 《구어》 냉담한 사람; 《미·속어》 불감증인 여자 **3** 《호주·구어》 겨울철 수영[서핑]을 즐기는 사람
the tip of the ~ 빙산의 일각
íceberg léttuce 양상추의 일종 《잎이 양배추 모양》
ice·blink [áisblìŋk] *n.* (수평선상에 보이는) 빙원(氷原)의 반영(反映)
ice·block [-blɑk | -blɔk] *n.* 《호주·뉴질》 아이스바
ice-blue [-blúː] *n., a.* 담청색(의), 엷은 녹청색(의)
ice·boat [-bòut] *n.* 빙상 요트[활주선]; 쇄빙선(碎氷船); 냉동 어선
ice·bound [-bàund] *a.* 얼음에 뒤덮인, 얼음에 갇힌; 〈항만 등이〉 얼음으로 막힌, 동결된: an ~ harbor 동항(凍港) / an ~ ship 얼음에 갇힌 배
ice·box [-bɑ̀ks | -bɔ̀ks] *n.* **1** (얼음을 사용하는) 냉장고, 아이스박스; (냉장고의) 냉동실 **2** 《미》 냉장고 (refrigerator) **3** 《미·속어》 한랭지(寒冷地), 몹시 추운 곳 **4** (배의) 냉장실 **5** 《미·속어》 (병원) 영안실 **6** 《속어》 교도소; 독방
ice·break·er [-brèikər] *n.* **1** 쇄빙선; 쇄빙기 **2** 서먹서먹함[딱딱한 분위기]을 푸는 것[사람] 《파티에서의 게임·춤 등》 **3** 교제에 능한 사람, 붙임성 있는 사람 **4** 《미》 택시의 기본 요금
ice·break·ing [-brèikiŋ] *n.* **1** 쇄빙, 얼음 깨기 **2** 실마리를 풀기 **—** *a.* **1** 얼음을 깨는 **2** 실마리를 푸는
íce bùcket (술병을 차갑게 하는) 얼음 통
ice·cap [-kæ̀p] *n.* **1** (산꼭대기·극지 등의) 만년설, 빙원(cf. ICE SHEET) **2** (머리에 얹는) 얼음 주머니
íce chèst 《미》 =ICEBOX 1, 2
íce clìmbing 빙벽 등반
ice-cold [-kóuld] *a.* **1** 얼음같이 찬: an ~ glass of beer 얼음같이 찬 맥주 한 잔 **2** 〈감정·태도 등이〉 냉담한, 냉정한: an ~ reception 냉담한 접대
‡**íce crèam** **1** 아이스크림 **2** 《미·속어》 결정(結晶)꼴의 마약, 아편 **3** 《영·속어·경멸》 백인
ice-cream [-krìːm] *a.* 〈옷이〉 바닐라 아이스크림색의
íce-cream chàir (거리의 카페 등에서 쓰는) 팔걸이 없는 둥글고 작은 의자
íce-cream còne 아이스크림을 담는 원뿔형 웨이퍼(wafer); 거기에 담은 아이스크림
íce-cream frèezer 아이스크림 제조기
íce-cream sóda (아이스)크림 소다
íce crùsher (특히 가정용) 얼음 깨는 기구
íce crỳstals 〖기상〗 빙정(氷晶); 세빙(細氷)
íce cùbe (냉장고에서 만드는) 각빙(角氷), 각얼음
iced [áist] *a.* **1** 얼음으로 뒤덮인; 얼음을[에] 채운; 얼음으로 냉각한: ~ milk 아이스 밀크 **2** 당의(糖衣)를 [설탕을] 입힌: an ~ cake 당의를 입힌 케이크 / ~ fruits 설탕 절임의 과일 **3** 《미·속어》 확실한
íce dàncing 아이스댄싱 《피겨스케이팅의 한 종목》
ice·fall [áisfɔ̀ːl] *n.* 빙하의 붕락(崩落), 빙하 표면의 요철이 심한 부분; 얼어붙은 폭포
íce fìeld **1** (떠다니는) 빙원(氷原) **2** (육상의) 빙원
ice·fish [-fìʃ] *n.* 〖어류〗 반투명의 작은 물고기의 총칭; 뱅어; 별빙어(capelin)
íce fìshing 얼음 낚시

I J

íce flòe (해상의) 빙원, 부빙(浮氷), 유빙(流氷)
íce fòot 〔항해〕 **1** 북극 연안의 설원이 바다와 접하는 선 **2** 빙하의 말단 (부분)
ice-free [-fríː] *a.* 얼지 않는, 결빙(結氷)하지 않는: an ~ port 부동항
íce hòckey 〔스포츠〕 아이스하키
ice·house [-hàus] *n.* **1** 얼음 창고, 빙고(氷庫), 제빙실 **2** = IGLOO **3** (미) 모피 보관용 저온 창고
ice·kha·na [áiskɑ̀ːnə] [*ice*+gym*khana*] *n.* 빙상 자동차 경기
Icel. Iceland; Icelandic
∗**Ice·land** [áislənd] *n.* 아이슬란드 《북대서양의 공화국; 수도 Reykjavik》 **~·er** *n.* 아이슬란드 사람
Ice·lan·dic [aislǽndik] *a.* 아이슬란드의; 아이슬란드 사람[말]의 **—** *n.* Ⓤ 아이슬란드 말 《略 Icel》
Íceland móss[líchen] 〔식물〕 아이슬란드이끼 《식용·약용》
Íceland póppy 〔식물〕 시베리아꽃 개양귀비
Íceland spár 〔광물〕 빙주석(氷洲石) 《순수 무색 투명의 방해석(方解石)》
íce[íced] lòlly (영·구어) (막대기가 있는) 아이스캔디((미) Popsicle)
íce machìne 제빙기
íce màiden (미·속어) = ICE QUEEN 1
ice·man [-mæ̀n, -mən] *n.* (*pl.* **-men** [-mèn, -mən]) **1** (미) 얼음 장수[배달인]; 빙상 여행에 익숙한 사람; 스케이트장 관리인 **2** (미·속어) 보석 도둑 **3** (미·속어) 냉정을 잃지 않는 도박사[선수, 예능인]
íce mìlk 아이스 밀크 《탈지유로 만든 빙과》
íce nèedle [보통 *pl.*] 〔기상〕 서릿발, 세빙(細氷) (ice crystals)
IC èngine [àisíː-] = INTERNAL-COMBUSTION ENGINE
ice-out [-àut] *n.* (호수면 등의) 해빙(opp. *ice-up*)
íce pàck **1** 유빙군(流氷群) **2** 얼음 주머니(ice bag) **3** (미·속어) 마리화나
íce pàil 얼음통 《포도주병 냉각, 아이스크림 제조용》
íce pèllets 〔기상〕 우박, 싸라기눈
íce pìck 얼음을 깨는 송곳
íce plànt 〔식물〕 채송화
íce pòint 〔화학〕 빙점(氷點)
íce púdding 아이스 푸딩 《얼음과자》
ice·quake [-kwèik] *n.* 빙진(氷震) 《큰 얼음덩어리가 부서질 때의 진동》
Íce Quèen [때로 **i- q-**] **1** (미·구어) 냉정하고 거만한 여자 **2** 은반의 여왕
íce ràin = FREEZING RAIN
íce rìnk (실내) 스케이트장
íce rùn **1** 썰매(toboggan)용 빙판 활주로 **2** 눈이 녹을 때 강의 얼음이 심하게 갈라지는 것
ice·scape [-skèip] *n.* (빙경(氷景), 빙원의 경치
ice-scoured [-skàuərd] *a.* 〔지학〕 빙식(氷蝕)(지형)의
íce shèet 대륙 빙하, 대빙원; 빙상(氷床)
íce shèlf 빙붕(氷棚) 《빙상의 가장자리가 바다에 돌출되어 떠 있는 부분》
íce shòw 아이스 쇼, 빙상 쇼(단)
íce skàte [보통 *pl.*] 스케이트화(의 날)
ice-skate [-skèit] *vi.* 스케이트를 타다
íce skàter (빙상)스케이트를 타는 사람
íce skàting 빙상 스케이트 《경기》
íce stàtion (남극·북극의) 극지 관측소[기지]
íce stòrm 〔기상〕 착빙성(着氷性) 폭풍우; 진눈깨비
íce tòngs [보통 a pair of ~로] 얼음 집게
íce trày (냉장고의 각빙을 만드는) 제빙 그릇
ice-up [-ʌ̀p] *n.* **1** (눈·물의) 빙결(氷結), 동결 **2** 〔기상〕 착빙(着氷) 《고체 표면에 대기 중의 수분이 얼어붙는 현상》; 〔항공〕 (비행기 날개에 생기는) 착빙
íce wàgon (미·속어) = ICE QUEEN 1
íce wàter **1** (미) 빙수, 얼음 냉수(ice-cold water) **2** 얼음이 녹은 물 ***have ~ in one's veins*** 냉철하다, 쉽게 동요되지 않다
íce wòol 윤 나는 양털 《손으로 짜는 편물 등에 쓰임》

íce yàcht 빙상 요트(iceboat)
ICFTU International Confederation of Free Trade Unions 국제 자유 노동 조합 연맹
Ich·a·bod [íkəbɑ̀d | -bɔ̀d] *n.* 남자 이름 **—** *int.* 〔성서〕 슬프도다 《「영광은 사라졌구나」하는 탄식》
I Ching [íː-dʒíŋ, -tʃíŋ] [Chin.] *n.* 역경(易經) (*Book of Changes*) 《중국의 고전》; [**i c-**] 팔괘(八卦), 역(易), 역점(易占)
ich·neu·mon [iknjúːmən | -njúː-] *n.* **1** 〔동물〕 이집트 몽구스 **2** = ICHNEUMON FLY
Ichneumon flỳ 〔곤충〕 맵시벌
ichno- [íknou, -nə] 《연결형》 「발자국, 자국」의 뜻 《모음 앞에서는 ichn-》
ich·nog·ra·phy [iknɑ́grəfi | -nɔ́g-] *n.* (*pl.* **-phies**) Ⓤ 평면도법; Ⓒ 평면도
ìch·no·gráph·ic, -i·cal *a.*
ich·no·lite [íknəlàit] *n.* 〔고생물〕 족적(足跡) 화석
ich·nol·o·gy [iknɑ́lədʒi | -nɔ́l-] *n.* 족적 화석학
i·chor [áikɔːr, -kər | -kɔː] *n.* Ⓤ **1** 〔그리스신화〕 이코르 《신들의 몸 속을 혈액처럼 흐른다는 영액(靈液)》 **2** 〔병리〕 농장(膿漿) **3** 〔지질〕 아이코 《화강암질의 용액》 **4** (시어) 혈액 같은 액체
~·ous [áikərəs] *a.* 농장(膿漿)의
ichth., ichthyol. ichthyology
ich·thus [íkθəs] [Gk] *n.* (고대 기독교도들이 예수의 상징으로 사용했던) 물고기 형상
ich·thy·ic [íkθiik] *a.* 물고기의, 어류의; 물고기 모양의
ichthyo- [íkθiou, -θiə] 《연결형》 「물고기」의 뜻 《모음 앞에서는 ichthy-》
ich·thy·o·fau·na [ìkθiəfɔ́ːnə] *n.* 어류상(魚類相) 《어느 수역에 존재하는 물고기의 종류》
ich·thy·og·ra·phy [ìkθiɑ́grəfi | -ɔ́g-] *n.* (*pl.* **-phies**) Ⓤ 어류 기재학, 어류지(誌)[학], 어론(魚論)
ich·thy·oid [íkθiɔ̀id] *a.* 물고기 모양의, 물고기 꼴의(fishlike) **—** *n.* 어형 척추 동물
Ich·thy·ol [íkθiɔ̀ːl, -ɑ̀l | -ɔ̀l] *n.* 〔약학〕 이히티올 《피부 질환 외용약; 상표명》
ich·thy·o·lite [íkθiəlàit] *n.* 물고기 화석
ich·thy·ol·o·gy [ìkθiɑ́lədʒi | -ɔ́l-] *n.* Ⓤ 어류학
-o·log·i·cal [-əlɑ́dʒikəl | -lɔ́dʒ-] *a.* **-i·cal·ly** *ad.*
-gist *n.* 어류학자[연구가]
ich·thy·oph·a·gist [ìkθiɑ́fədʒist | -ɔ́f-] *n.* 물고기 상식자(常食者)
ich·thy·oph·a·gous [ìkθiɑ́fəgəs | -ɔ́f-] *a.* 물고기를 먹고 사는, 어식성(魚食性)의 **-gy** [-dʒi] *n.*
ich·thy·o·saur [íkθiəsɔ̀ːr] *n.* 〔고생물〕 어룡(魚龍)
ich·thy·o·saur·us [ìkθiəsɔ́ːrəs] *n.* (*pl.* **~·es**) = ICHTHYOSAUR
ICI (영) Imperial Chemical Industries; International Commission on Illumination
-ician [íʃən] *suf.* [-ic(s)로 끝나는 명사·형용사에 붙임] 「…에 능한 사람; …을 배운 사람; …의 전문가, …가(家)」의 뜻: mathemat*ician*, mus*ician*
∗**i·ci·cle** [áisikl] *n.* **1** 고드름 **2** (구어) 냉담[냉정]한 사람, 감정의 움직임이 둔한 사람 **3** 크리스마스 트리에 매다는 은박지 등의 장식 **í·ci·cled** *a.*
i·ci·ly [áisəli] *ad.* 얼음같이, 쌀쌀하게
i·ci·ness [áisinis] *n.* Ⓤ 차가운 태도, 냉담함: the ~ of her manner 그녀의 냉정한 태도
ic·ing [áisiŋ] *n.* **1** Ⓤ (과자 등의) 당의(糖衣) **2** = ICE-UP 2 **3** 얼음에 의한 보존 **4** 〔아이스하키〕 퍽이 센터 라인 앞에서 상대측 골 라인을 넘어 흐름 《반칙》 ***put the ~ on the cake*** (미·속어) = ICE the cake
ícing sùgar (영) 가루 설탕(powdered sugar)
ICJ International Court of Justice 국제 사법 재판소
ick [ík] *int.* 흑, 앗 《혐오·공포 등을 나타냄》 **—** *n.* (미·구어) 싫은 것[녀석]
ick·y [íki] *a.* (**ick·i·er**; **-i·est**) (구어) **1** 끈적끈적한;

thesaurus **idea** *n.* **1** 생각 concept, perception, thought, notion **2** 견해 view, opinion, feeling,

불쾌한, 싫은, 역겨운 **2** 〈재즈·가사 등이〉 너무 감상적인 **3** 〈사람이〉 시대에 뒤진, 재미없는; 세련되지 않은, 멋이 없는 **—** *n.* 《속어》 **1** swing 음악을 이해 못하는 사람 **2** 재미없는[시대에 뒤진] 사람 **3** 불쾌한 것, 기분 나쁜 상태 **íck·i·ness** *n.*

icky-poo [íkipúː] *a.* 《미·속어》 = ICKY

ICO International Coffee Organization 국제 커피 기구 《본부는 London》

i·con [áikɑn | -kɔn] [Gk 「상(象)」의 뜻에서] *n.* **1** (그림·조각의) 상(像), 초상 **2** 〚그리스정교〛 성화상(聖畫像), 성상 《그리스도·성모·성인·순교자 등의》; 《일반적으로》 우상; 우상시되는 사람 **3** 〚논리·언어〛 이콘, 아이콘, 도상(圖像), 유사 기호 **4** 〚컴퓨터〛 아이콘 《컴퓨터의 각종 기능이나 메시지를 표시한 그림 문자》

icon- [aikɑ́n], **icono-** [aikɑ́nou, -nə | -kɔ́n-] 《연결형》 「상(像)」의 뜻; 「유사물(類似物)(likeness)」의 뜻 《모음 앞에서는 icon-》: *icono*logy

icon. iconographic; iconography

i·con·ic [aikɑ́nik | -kɔ́n-] *a.* **1** 상[초상]의; 우상의; 성상의: an ~ image found in the ancient temple 고대 사원에서 발견된 성상 **2** 〚회화〛 〈성(화)상이〉 (비잔틴의) 전통적 양식의, 인습적인 **3** 〚논리·언어〛 (아)이콘[도상]적인 **4** 〈기호가〉 유사한

icónic mémory 〚심리〛 영상적 기억 《자극이 사라진 뒤에 남는 시각적 인상》

i·con·i·fy [aikɑ́nəfai | -kɔ́n-] *vt.* 〚컴퓨터〛 디스플레이 창을 최소화하다

i·co·nize [áikənàiz] *vt.* 우상화[시]하다, 숭배하다

i·con·o·clasm [aikɑ́nəklæ̀zm | -kɔ́n-] *n.* Ⓤ 성상(聖像)[우상] 파괴(주의); 인습 타파

i·con·o·clast [aikɑ́nəklæ̀st | -kɔ́n-] *n.* 성상[우상] 파괴(주의)자; 인습[미신] 타파주의자

i·con·o·clas·tic [aikɑ̀nəklǽstik | -kɔ̀n-] *a.* 성상[우상] 파괴(자)의; 인습 타파의

i·co·nog·ra·pher [àikənɑ́grəfər | -kɔnɔ́g-] *n.* 성상학자[연구가]; 도해법 연구자

i·con·o·graph·ic, -i·cal [aikɑ̀nəgrǽfik(əl) | -kɔ̀n-] *a.* 도해의; 도상학의

i·co·nog·ra·phy [àikənɑ́grəfi | -kɔnɔ́g-] *n.* (*pl.* **-phies**) **1** Ⓤ Ⓒ 도해(법); 도상법 **2** Ⓤ 초상[조상(彫像)] 연구, 도상학(圖像學) **3** 초상화(집) **4** 〚예술〛 표현상 일정함을 가진 주제 《특히 시각 예술》

i·co·nol·a·try [àikənɑ́lətri | -kɔnɔ́l-] *n.* Ⓤ 우상 숭배, 성상(聖像) 숭배 **-ter** *n.* 우상 숭배자

i·co·nol·o·gy [àikənɑ́lədʒi | -kɔnɔ́l-] *n.* Ⓤ **1** 도상(圖像) 해석학 **2** 성상학 **3** [집합적] 초상, 화상; 상징주의 **i·còn·o·lóg·i·cal** *a.* **-gist** *n.*

i·co·nom·e·ter [àikənɑ́mətər | -kɔnɔ́m-] *n.* **1** 〚측량〛 아이코노미터 《투시(透視) 파인더의 일종》 **2** 〚사진〛 자동 조절 직시(直視) 파인더

i·con·o·scope [aikɑ́nəskòup | -kɔ́n-] *n.* 〚TV〛 송상관(送像管)[기], 아이코노스코프 《라디오의 마이크에 해당》

i·co·nos·ta·sis [àikənɑ́stəsis | -nɔ́s-] *n.* (*pl.* **-ses** [-sìːz]) 〚그리스정교〛 성장(聖障), 성화벽

i·co·sa·he·dron [aikòusəhíːdrən, -kɑ̀s- | àikəsəhéd-] *n.* (*pl.* **~s, -dra** [-drə]) 〚수학〛 20면체(面體) **-dral** *a.*

ICPO International Criminal Police Organization 국제 형사 경찰 기구 《통칭 Interpol》 **ICRC** International Committee of the Red Cross 국제 적십자 위원회 《본부는 제네바》 **ICS** 《미》 International Correspondence School(s) 국제 통신 학교

-ics [iks] *suf.* 「…학, …술(術), …론」의 뜻(cf. -IC)

USAGE 복수 어형이지만 보통 (1) 「학술·기술의 이름」으로는 단수 취급: linguist*ics*, opt*ics*, mathemat*ics*, econom*ics* (2) 구체적인 「활동·현상」을 가리킬 때는 무관사 복수 취급: athlet*ics*, gymnast*ics* (3) 그 중에는 단수·복수 두 가지로 취급되는 것도 있음: acoust*ics*, eth*ics*, polit*ics*, hyster*ics*

ICSH interstitial-cell-stimulating hormone 〚생화학〛 간질(間質) 세포 자극 호르몬 **ICSU** International Council of Scientific Unions 국제 학술 연합

ICT information and communications technology 《영》 정보 통신 기술학

ic·ter·ic [iktérik] *a.* 황달의, 황달에 걸린; 황달 치료에 쓰이는 **—** *n.* 황달 치료약

ic·ter·us [íktərəs] *n.* Ⓤ 〚병리〛 황달(jaundice); 〚식물〛 보리 등의 황화병

ic·tus [íktəs] *n.* (*pl.* **~·es, ~**) **1** 〚운율〛 강음, 양음(揚音) **2** 〚병리〛 발작 증상; 급발증: ~ of sun 일사병

ICU intensive care unit 〚의학〛 집중 치료실

i·cy [áisi] *a.* (**i·ci·er**; **i·ci·est**) **1 a** 얼음의; 얼음으로 덮인: ~ roads 빙판길 **b** 얼음 같은, 매우 차가운, 싸늘한: ~ winds 살을 에는 듯한 바람 **c** [부사적으로] 얼음같이 **2** 쌀쌀한, 냉담한: an ~ stare 냉담한 시선/receive an ~ welcome 쌀쌀한 대접을 받다/with an ~ smile on his lips 입가에 냉소를 띠고 ▷ íce *n.*

id[1] [íd] [L] *n.* [the ~] 〚정신분석〛 이드 《자아(ego)의 기저(基底)를 이루는 본능적 충동》

id[2] *n.* 〚생물〛 특수 원형질, 유전 기질(基質)

ID [áidíː] [*id*entification, *id*entify] *n.* (*pl.* **ID's, IDs**) **1** 신원을 보증하는 것 《신분증·운전면허증 등》 **2** 〚TV·라디오〛 = STATION BREAK
— *vt.* 〈남의〉 신원을 확인하다

ID identification; identity; industrial design; Infantry Division 〚군사〛 보병사단; 《영》 Intelligence Department

I'd [áid] 《구어》 I had[would, should]의 단축형

id. *idem* 《L = the same》 **Id., Ida.** Idaho **i.d., ID** inside diameter 내경(內徑)

-id [id] *suf.* -IDE의 변형

I·da [áidə] *n.* **1** 여자 이름 **2 Mount ~** 이다 산: **a** 소아시아의 산 《에게 해를 내려다봄》 **b** Crete섬 최고봉의 옛 이름 《Zeus가 탄생한 땅이라고 함》

-ida [ədə] *suf.* 〚생물〛 「…목(目); …강(綱)」의 뜻 《생물의 분류에서》

IDA International Development Association 국제 개발 협회

-idae [ədìː] *suf.* 〚생물〛 「…과(科)」의 뜻 《생물의 분류에서》: Can*idae*

I·da·ho [áidəhòu] *n.* 아이다호 《미국 북서부의 주; 주도 Boise; 略 Id., Ida., 〚우편〛 ID》 **~·an** *a.*, *n.*

'Id al-Ad·ha [íd-ælɑːdhɑ́ː] *n.* 이드 알라드하 《이슬람 2대 축제 중 하나; 희생제》

'Id al-Fitr [ìd-ælfítər] *n.* 이드 알피트르 《이슬람 2대 축제 중 하나; 단식 후 축제》

IDB 《남아공》 illicit diamond buyer[buying]; interdealer broker; Inter-American Development Bank 미주 개발 은행

ÍD bràcelet (착용자의 이름이 새겨진) 금속 줄의 팔찌

ÍD càrd = IDENTIFICATION CARD, IDENTITY CARD

IDDD international direct distance dialing 국제 장거리 자동 전화

id·dy [ídi] *n.* 《영·속어·경멸》 유대인

-ide [àid, id] *suf.* 「화합물[…화물(化物)]」의 뜻 《화합물의 이름을 만듦》: ox*ide*, brom*ide*

i·de·a [aidíːə, -díə | -díə] *n.*

> Gk 「사물의 외관, 형태, 양상」의 뜻.
> (머리에 떠오르는 것) → (문득 떠오르는) 「생각」, 「착상」 **1**
> (어렴풋이 떠오르는) 「느낌」 **5** → 「어림」 **6**
> (체계적인) 「관념」 **2** → 「의견」 **3**

1 a Ⓒ Ⓤ 생각: be shocked at the bare ~ of …을 생각만 하여도 소름이 끼치다 // (~+*that* 節) I had no ~ *that* you were coming. 네가 올 줄은 전혀 생

belief, impression **3** 계획 plan, design, scheme, aim, intention, objective, purpose

각지 못했다. / I have an ~ *that* he is still living somewhere. 그가 어디엔가 아직 살아 있는 것 같다. **b** **착상**, **아이디어**, 고안(plan): man of ~*s* 아이디어가 풍부한 사람 / An ~ struck me. 어떤 아이디어가 문득 떠올랐다. / What a good ~! 참 좋은 생각이야!

> 유의어 **idea** 「관념·생각」을 가장 광범위하게 뜻하는 말이다: I've got a good *idea.* 좋은 생각이 있다. **thought** 이성에 호소하여 마음속에 떠오른 생각: commit one's *thoughts* to paper 생각을 종이에 적다 **notion** idea와 같은 뜻으로 사용되는 경우가 많은데, 막연하거나 또는 불명확한 의도·생각을 뜻하는 경우도 있다: You have the oddest *notions.* 넌 아주 별난 생각을 다 하는구나.

2 CU (일반적인) **관념**, 개념, 사상; 사고(방식); 지식: Eastern ~*s* 동양 사상 / the ~*s* of good and evil 선악의 관념 / the realm of ~*s* 관념의 세계 / a fixed ~ 고정관념 **3 a 의견**, 견해, 사고방식: have one's own ~s about …에 대한 독자적인 의견을 갖고 있다 **b** 〖철학〗 개념; (플라톤 철학의) 이데아, 형상(形相); (칸트 철학의) 순수 이성 개념; 〖심리〗 표상(表象), 관념, 의식 내용 **4** [one's ~; 보통 부정문에서] 이상(ideal), 취향 《*of*》: That is *not my* ~ *of* pleasure[a gentleman]. 쾌락이란[신사란] 그런 것이 아니라고 생각한다. **5** (…이라는 막연한) **느낌**, 인상; 예감, 직관: I had an[no] ~ we'd win. 우리가 이길 것 같은 느낌이 들었다[전혀 없었다]. **6** **어림**(짐작); 공상, 환상(fancy), 망상, 상상: put ~*s* into a person's head …에게 그릇된[위험한, 실현 불가능한] 생각을 불어넣다 **7** **이해**, 인식: I don't have the vaguest ~ of it. 그 일은 전혀 이해가 되지 않는다. **8** [보통 the ~] 계획, 의도, 목적; 요점: *the* ~ of becoming an engineer 기술자가 되고자 하는 생각 **9** 〖음악〗 주제, 모티프, 동기, 악상 **10** 〖심리〗 표상, 관념, 의식 내용 **11** 《폐어》 매우 닮은 것[사람]

form an ~ of …을 마음속에 그리다; …을 해석[이해]하다 ***full of ~s*** 착상이 풍부한 ***general ~*** 개념 ***get*** [***have***] ***~s*** (***into*** one***'s head***) 《구어》 (실현될 것 같지도 않은) 망상[못된 생각, 야심, 반역심]을 가지다 ***get the ~ across*** [***over***] ***that*** 《미·구어》 …을 이해시키다 ***get the ~ that*** …이라고 (종종 잘못) 믿게 되다 ***give*** a person ***an ~ of*** …에게 …이라고 생각하게 하다; …에게 …을 깨닫게[알게] 하다 ***give*** a person ***~s*** …에게 헛된 희망을 품게 하다 ***give up the ~ of*** …을 단념하다 ***have a great*** [***poor***] ***~ of*** …을 대단하다고[시시하다고] 생각하다 ***have an ~ of*** …이 어떤 것인지 알고 있다 ***have no ~*** (1) 《구어》 〈능력이〉 전혀 없다 (2) 전혀 모르다 ***man of one ~*** 한 가지 일에만 열중하는 사람(monomaniac) ***That's*** [***There's***] ***an ~!*** 좋은 생각이다! 《상대가 제안한 내용이 마음에 들 때》 ***That's the ~!*** 그래그래, 좋아, 그거야 《남을 격려하거나 중요한 점을 강조할 때》 ***the big*** [***great***] ***~*** 《미·비꼼》 안(案), 계획: What's *the big* ~? 무슨 소린가 했더니 시시하군. ***The ~*** (***of it***)***!*** = ***The very ~!*** = ***What an ~!*** 《구어》 (그런 생각을 하고 있다니) 너무하군, 질렸어! ***What's the ~?*** 어쩔 작정이냐? **~·less** *a.*

▷ idéal *a.*; ídeate *v.*

i·de·aed, i·de·a'd [aidíːəd, -díəd | -díəd] *a.* [복합어를 이루어] … 생각[사상]을 가진: bright-~ 머리가 좋은 / one-~ 생각이 외곬인

‡**i·de·al** [aidíːəl | -díəl] *n.* **1 이상**; 완전무결; 극치: a person of ~*s* 이상을 가진 사람 / the ~ and the real 이상과 현실 **2** 이상적인 것[사람], 전형; [종종 *pl.*] 숭고한[이상적인] 목표[원리]: compromise one's ~*s* 목표와 타협하다 **3** 상상[가공]의 것, 공상

— *a.* **1 이상의**, 이상적인, 더할 나위 없는, 전형적인: ~ beauty 이상적인 아름다움 / an ~ world 이상향(理想鄕) / It would be ~ if you could stay. 네가 머물 수 있다면 가장 좋을 텐데. **2** 관념적인, 상상의, 가공적인, 비현실적인: an ~ future 가공의 미래 **3** 〖철학〗 관념에 관한, 관념론적인, 유심론(唯心論)의; (플라톤 철학의) 이데아(idea)의; 이상주의의

▷ idealístic *a.*; idéalize *v.*; idéa, ideálity *n.*

idéal crýstal 이상적인 완전 결정

idéal gás 〖물리〗 이상 기체

i·de·al·ism [aidíːəlìzm, -díəl- | -díəl-] *n.* U **1** 이상주의 **2** 〖철학〗 관념론, 유심론(opp. *materialism*) **3** 〖예술〗 관념주의(opp. *realism*)

i·de·al·ist [aidíːəlist, -díəl- | -díəl-] *n.* **1** 이상가, 이상주의자; 공상가, 몽상가 **2** 관념론자, 관념주의자, 유심론자 — *a.* = IDEALISTIC

i·de·al·is·tic [aidìːəlístik, àidiəl- | aidìəl-] *a.* 이상주의(자)의, 이상[몽상]가의, 관념론[유심론](자)의 **-ti·cal·ly** *ad.*

i·de·al·i·ty [àidiǽləti] *n.* (*pl.* **-ties**) U 〖철학〗 관념성; 이상적임; 상상력; [*pl.*] 이상적인 것

i·de·al·i·za·tion [aidìːəlizéiʃən, -dìəl- | -dìəlaiz-] *n.* UC 이상화(된 것)

i·de·al·ize [aidíːəlàiz, -díəl- | -díəl-] *vt.* 이상화하다, 이상적이라고 생각하다 — *vi.* 이상을 그리다[추구하다]; 〈사람이〉 이상주의적이다 **-ìz·er** *n.*

i·dé·al·ized ímage [aidíːəlàizd-] 〖심리〗 이상화 이미지 《개인이 지니고 있는 완벽성의 기준》

i·de·al·ly [aidíːəli, -díəl- | -díəl-] *ad.* **1 a** 이상적으로, 더할 나위 없이, 완벽하게: The pianist played Bach ~. 그 피아니스트는 바흐의 곡을 완벽하게 연주했다. **b** [문장 전체를 수식하여] 이상적으로는, 이상적으로 말하면: *I*~, we should leave home at 5 o'clock. 이상적으로는 우리가 5시에 집을 떠나야 한다. **2** 관념적으로, 상상으로 **3** 이론상[이론적]으로 말하면; 원칙적으로

idéal póint 〖수학〗 이상점(理想點)

idéal týpe 〖사회〗 이상형, 이념형

idéa màn 아이디어맨 《뛰어난 아이디어를 잘 생각해 내는 사람》

i·de·a·mon·ger [aidíːəmʌ̀ŋgər, -mɑ̀ŋ- | -díə-mʌ̀ŋ-] *n.* 《구어》 아이디어를 파는 사람; = IDEA MAN

i·de·ate [áidièit, aidíːeit] *vt., vi.* 관념화하다; 생각하다, 상상하다 — *a.* 관념적인

— [áidièit, aidíːət] *n.* 〖철학〗 관념적 대상

i·de·a·tive [aidíːətiv] *a.*

i·de·a·tion [àidiéiʃən] *n.* U 관념 작용, 관념화, 상상하기 **~·al** *a.*

i·dée fixe [iːdéi-fíːks] [F = fixed idea] *n.* 고정관념; 한 가지 일에 열중함; 강박 관념

i·dem [áidem, íd-] [L = the same] *pron., a.* 《略 id.》 **1** 같은 저자(의) **2** 같은 말(의); 앞서 말한 바와 같음[같은]; 같은 책[전거(典據)](의)

i·dem·po·tent [aidémpətənt, áidəmpòutnt] 〖수학〗 *a.* 멱등(冪等)의 — *n.* 멱등원(元)

idem quod [áidem-kwɑ́d | ídem-kwɔ́d] [L = the same as] *ad.* …와 똑같이 《略 i.q.》

i·den·tic [aidéntik, id-] *a.* **1** 〖외교〗 〈문서 등이〉 동문(同文)의, 〈방책 등이〉 동조적인: an ~ note 동문 통첩 **2** = IDENTICAL

‡**i·den·ti·cal** [aidéntikəl, id-] *a.* **1** [보통 the ~] Ⓐ 동일한, 꼭 같은(⇨ same 유의어): *the* ~ person 동일한 사람, 본인 / This is *the* ~ room they stayed in last year. 이 방이 그들이 작년에 묵었던 바로 그 방이다. **2** 〈서로 별개의 것이〉 똑같은; (…와) 꼭 일치하는 《*to, with*》: an ~ opinion 꼭 같은 의견 **3** 〖논리·수학〗 동일한, 항등(恒等)의 **4** 〖생물〗 일란성의 — *n.* **1** [*pl.*] 아주 꼭 닮은 것 **2** 일란성 쌍둥이(의 한 쪽) **~·ly** *ad.* 꼭 같게, 동등하게 **~·ness** *n.*

▷ idéntity *n.*

thesaurus **ideal** *a.* **1** 이상적인 perfect, supreme, absolute, complete, flawless, consummate **2** 관념적인 abstract, conceptual, intellectual, mental, theoretical **3** 비현실적인 unattainable, Utopian,

idéntical equátion 〖수학〗 항등식
idéntical twín 일란성(一卵性) 쌍둥이(cf. FRATERNAL TWIN)
i·den·ti·fi·a·ble [aidéntəfàiəbl] *a.* 동일함을 증명할 수 있는; 신원을 확인할 수 있는 **-bíl·i·ty** *n.*
*__i·den·ti·fi·ca·tion__ [aidèntəfikéiʃən, id-] *n.* Ⓤ **1 a** 동일함, 동일하다는 증명[확인, 감정] **b** ⓊⒸ 신분 증명, 신원 확인; (동일함을) 증명하는 것, 신분증 《略 I.D.》: the ~ of a drowned body 익사체의 신원 확인 / She carries ~ with her at all times. 그녀는 항상 신분증을 가지고 다닌다. **2** 〖사회·심리〗 동일시, 일체화, 귀속화 **3** 〖생물〗 동정(同定) 《생물의 분류학상의 소속이나 명칭을 정하는 일》 ▷ idéntify *v.*
identificátion bràcelet = ID BRACELET
identificátion càrd 신분증명서, 신분증(ID card)
identificátion dìsc 《영》 = IDENTIFICATION TAG
identificátion paràde 《영》 (범인 확인을 위해 세우는) 피의자들(의 줄)(《미》 line-up)
identificátion plàte (자동차 등의) 등록 번호판
identificátion tàg 〖미군〗 (군인의 성명·군번이 새겨진 휴대용 금속제) 인식표
i·den·ti·fi·er [aidéntəfàiər] *n.* **1** 증명하는 사람[것], 감정인 **2** 〖컴퓨터〗 식별자
‡**i·den·ti·fy** [aidéntəfài, id-] *v.* (**-fied**)

「동일하다고 간주하다」→「확인하다」「(…임을) 알다」

— *vt.* **1** 〈…을〉 (…가 틀림없다고) 확인하다; 〈…임을〉 알다, 감정하다, 증명하다, 식별하다: ~ a body 시체를 감정[확인]하다 / ~ handwriting 필적을 감정하다 / The child was *identified* by its clothes. 그 아이가 누구인가는 옷으로 확인되었다. // (~+목+**as** 보) He *identified* the cap *as* that of his son. 그는 그 모자가 자기 아들의 것임을 확인했다. **2** 동일시하다, 동일하다고 간주하다, …를 그 자체로 취급하다: (~+목+전+명) ~ A *with* B A와 B를 동일시하다 / ~ one's interests *with* those of another 자기 이익과 남의 이익을 동일시하다 **3** [~ one*self* 나 수동형으로] …와 제휴하다; …에 관계[공명(共鳴)]하다 (*with*): become *identified with* a policy 정책에 관여하게 되다 **4** 〖생물〗 동속(同屬)[동종]임을 인정하다, 동정(同定)하다
— *vi.* **1** (…와) 자기를 동일시[동화]하다 (*with*): (~+전+명) The audience *identified with* the play's character. 관객은 그 연극의 등장인물이 된 듯한 기분이었다. **2** 일체감을 가지다, 공명하다 (*with*) ~ one***self*** (1) (자기) 신분을 증명하다, 〈자기가 …이라고〉 말하다[밝히다] (*as*) (2) (정당·정책 등과) 행동을 같이하다, 제휴하다; 관계하다, 공명하다 (*with*): ~ *oneself with* a movement 운동에 관계[참여]하다 ▷ identificátion, idéntity *n.*
I·den·ti-kit [aidéntəkìt, id-] *n.* 몽타주식 얼굴 사진 합성 장치 《상표명》; [때로 **i~**] 몽타주 얼굴 사진
*__i·den·ti·ty__ [aidéntəti, id-] [L 「동일」의 뜻에서] *n.* (*pl.* **-ties**) **1** Ⓤ 동일함, 일치, 동일성: a case of mistaken ~ 사람을 착각한 경우 / an ~ of interests 흥미의 일치 **2** ⓊⒸ **a** 동일한 사람[물건]임, 본인임; 정체, 신원: admit[reveal] one's ~ 신원을 밝히다 **b** 독자성, 주체성, 본질: lose one's ~ 주체성을 잃다 **3** 《미·구어》 신분증명서 **4** 〖수학〗 항등(恒等)(식); 항등함수 **5** 〖심리·논리〗 동일성 **6** [때로 old ~] 《호주·뉴질·구어》 (특정 지역에서) 잘 알려진 인물
establish [***prove, recognize***] a person***'s*** ~ 신원을 확인하다 ***false*** [***mistaken***] ~ 사람을 잘못 알아봄 ***the principle*** [***law***] ***of*** ~ 〖논리〗 동일률(同一律) ▷ idéntical *a.*; idéntify *v.*

unreal, imaginary, visionary, romantic, fanciful
identical *a.* alike, equal, same, twin, like
identify *v.* **1** 식별하다 recognize, discern, distinguish, name **2** 동일시하다 associate, connect

idéntity càrd 신분증명서(ID card)
idéntity crìsis **1** 자기 인식의 위기, 자기 정체감의 위기 《사춘기 등의 시기에 자기의 실체에 의문을 가짐》 **2** 자기 목표의 상실
idéntity dìsc 《영》 = IDENTIFICATION TAG
idéntity fùnction 〖수학〗 항등 함수
idéntity màtrix 〖수학〗 단위 행렬(行列)
idéntity paràde = IDENTIFICATION PARADE
idéntity pòlitics 정체성 정치학 《개인의 주요한 관심과 협력 관계는 인종·민족·종교·성에 기초하여 만들어진다는》
idéntity thèft 신분 위장 절도 《신용 카드·컴퓨터 ID 따위를 훔쳐 물건을 구입하는 것》
idéntity thèory 〖철학〗 심신 일원론
ideo- [áidiou, -diə, íd-] 《연결형》 「IDEA」의 뜻: *ideo*logy
id·e·o·gram [ídiəgræ̀m, áid-], **-graph** [-græ̀f | -grɑ̀:f] *n.* 표의 문자(表意文字)(cf. PHONOGRAM); 표의 기호(表意記號)
id·e·o·graph·ic, -i·cal [ìdiəgrǽfik(əl), àid-] *a.* 표의 문자의[로 이루어진], 표의적인 **-i·cal·ly** *ad.*
id·e·og·ra·phy [ìdiágrəfi, àid- | -ɔ́g-] *n.* Ⓤ 표의 문자학[법]; 표의 문자 사용
i·de·o·log·ic, -i·cal [àidiəládʒik(əl), ìd- | -lɔ́dʒ-] *a.* **1** 이데올로기의, 관념 형태의 **2** 관념학의; 공론의 **-i·cal·ly** *ad.*
i·de·ol·o·gist [àidiálədʒist, ìd- | -ɔ́l-] *n.* **1** 특정 이데올로기의 신봉자 **2** 공론가, 공상가 **3** 관념학파의 사람, 관념론자
i·de·ol·o·gize [àidiálədʒàiz, ìd- | -ɔ́l-] *vt.* 이데올로기적으로 분석하다; 관념적으로 표현하다; 특정 이데올로기를 따르게 하다
i·de·o·logue [áidiəlɔ̀:g, -làg, íd- | áidiəlɔ̀g, íd-] *n.* 공론가, 몽상가; 특정 이데올로기 창도자; 이론가, 논객(論客)
*__i·de·ol·o·gy__ [àidiálədʒi, ìdi- | -ɔ́l-] *n.* (*pl.* **-gies**) **1** Ⓒ 〖사회〗 (사회·정치상의) 이데올로기, 관념[의식] 형태 **2** Ⓤ 〖철학〗 관념학[론] **3** Ⓤ 공리(空理) 공론 ▷ ideológical, ideológic *a.*; ideólogize *v.*
i·de·o·mo·tor [àidiəmóutər, ìd-] *a.* 〖심리〗 관념 운동적인, 관념 운동성의[에 관한]
i·de·o·phone [áidiəfòun, íd-] *n.* 〖언어〗 의음(擬音), 표의음
ides [áidz] *n. pl.* [단수·복수 취급] [보통 the ~] (고대 로마력(曆)에서) nones 후의 8일째 《3월·5월·7월·10월은 15일; 그 이외의 달은 13일》
Beware the ~ of March. 3월 15일을 경계해라. 《3월 15일이 Julius Caesar 암살의 날로 예언되었던 고사(故事)에서; 흉사(凶事)의 경고》
id est [id-ést] [L = that is] 즉, 바꿔[다시] 말하면 《略 i.e., *i.e.*》
-idine [ədì:n, -din, -dən] *suf.* 〖화학〗 한 화합물 명칭에 붙어서 그 화합물에서 유도된 신화합물의 명칭을 만듦: thym*idine*, ur*idine*
idio- [ídiou, ídiə] 《연결형》 「특수한, 특유의」의 뜻
id·i·o·blast [ídiəblæ̀st] *n.* **1** 〖식물〗 이형 세포, 이상(異常) 세포, 거(巨)세포 **2** 〖광물〗 자형(自形) 결정
id·i·o·cy [ídiəsi] *n.* (*pl.* **-cies**) Ⓤ 백치; Ⓒ 백치 같은 행위: the ~ of war 전쟁의 어리석음
id·i·o·glos·si·a [ìdiəglásiə, -glɔ́:s- | -glɔ́s-] *n.* Ⓤ **1** 〖의학〗 구어 부전(構語不全) 《이해 불가능한 발음을 함》 **2** 소아 특수 조어(造語) 《쌍생아같이 밀접한 관계에 있는 아이들이 만들어서 자신들 사이에서만 사용하는 말》 **-glót·tic** *a.*
id·i·o·graph·ic [ìdiəgrǽfik] *a.* **1** 서명의, 사인(私印)의; 상표의 **2** 〖심리〗 개별[특수] 사례의; 〖철학〗 개성[개별] 기술(記述)적인
id·i·o·lect [ídiəlèkt] *n.* 〖언어〗 개인 언어
‡**id·i·om** [ídiəm] [Gk 「자기의 것을 만들다」의 뜻에서] *n.* **1** 관용구, 숙어, 성구(成句), 이디엄 **2** (어떤 국민·민족의) 언어; (어떤 지방·계급의) 방언, 어풍; (한

언어의) 특질, 특징: the English ~ = the English language 영국 사람 특유의 언어[어법] **3** (어떤 작가·민족·시대 등의) 개성적 표현 형식, 작풍(作風); (표현 방법 등의) 특징, 특색: the ~ of Beethoven 베토벤의 작풍 ▷ idiomátic, idiomátical *a.*

***id·i·o·mat·ic, -i·cal** [ìdiəmǽtik(əl)] *a.* **1** 관용적인; 관용 어법에 맞는[에 관한, 이 많은, 을 포함한]: an ~ language 관용 어법이 많은 언어 / an ~ phrase 관용구 **2** (어떤 언어의) 특징을 나타내는, (어떤 언어) 특유의, 꼭 그 나라 말 같은; (예술 등의) 〈사람·작품 등이〉 특이한, 독특한 스타일을 가진: ~ French 프랑스어다운 프랑스 어 / an ~ composer 개성 있는 작곡가 **-i·cal·ly** *ad.* 관용어적[식]으로 **-i·cal·ness** *n.* ▷ ídiom *n.*

Ídiom Néutral 이디엄 뉴트럴 《1902년에 발표된 인공적 국제 보조어》

id·i·o·mor·phic [ìdiəmɔ́ːrfik] *a.* **1** 고유의 형태를 가진 **2** 〈암석이〉 자형(自形)의 **-phi·cal·ly** *ad.*

id·i·o·path·ic [ìdiəpǽθik] *a.* 〚병리〛 특발성 (질환)의; 어떤 개인에 특유한, 고유의

id·i·o·op·a·thy [ìdiɑ́pəθi | -ɔ́p-] *n.* (*pl.* **-thies**) UC 〚의학〛 특발증(特發症), 특발성 질환

id·i·o·plasm [ídiəplæ̀zm] *n.* U 〚생물〛 유전질 **ìd·i·o·plás·mic** *a.*

id·i·o·syn·cra·sy [ìdiəsíŋkrəsi, -sín- | -síŋ-] *n.* (*pl.* **-sies**) **1 a** (개인의) 특질, 특징, 개성; (그 사람) 특유의 표현법 **b** (구어) 기행(奇行) **2** 〚의학〛 특이체질(cf. ALLERGY) **3** (개인 특유의) 체격

id·i·o·syn·crat·ic [ìdiousiŋkrǽtik, -sin- | -siŋ-] *a.* **1** (개인에게) 특유한(peculiar); 기이한, 색다른 **2** 특이 체질의 **-i·cal·ly** *ad.*

***id·i·ot** [ídiət] [Gk 「무식한 사람」의 뜻에서] *n.* **1** 천치; (구어) 얼간이, 바보 **2** (폐어) 〚심리〛 백치 《지능이 세 살짜리의 수준을 넘지 않는 사람; cf. IMBECILE》 ▷ idiótic *a.*

ídiot bòard (속어) (텔레비전 출연자용의) 대사(臺詞) 지시판

ídiot bòx (속어) 텔레비전

ídiot càrd 텔레비전 출연자용 큐(cue) 카드 《대사 등을 쓴 대형 카드》

ídiot chànnel (영·속어) 민간 텔레비전 방송

ídiot gìrl (속어) idiot card를 출연자에게 보이는 담당 여직원

id·i·ot·ic, -i·cal [ìdiɑ́tik(əl) | -ɔ́t-] *a.* 백치[천치]의[같은]; 바보스러운, 비상식적인 **-i·cal·ly** *ad.* **-i·cal·ness** *n.* ▷ ídiot *n.*

id·i·o·tism [ídiətìzm] *n.* UC 백치 같은 행위; 백치(idiocy), 바보

id·i·ot·ize [ídiətàiz] *vt.* 바보로 만들다

ídiot lìght (자동차 계기반의) 이상 표시등, 경고등 《배터리·오일·휘발유 등의 부족·이상을 자동으로 표시》

ídiot òil (미·구어) 알코올

ídiot pìll [보통 *pl.*] (속어) 바르비탈계 정제(錠劑)

id·i·ot-proof [-prùːf] *a.* (속어) 〈기기 등이〉 쉽게 다룰[이해할] 수 있는: an ~ camera 전자동 카메라

id·i·o·trop·ic [ìdiətrɑ́pik, -tróup- | -trɔ́p-] *a.* 〚정신의학〛 내향적인, 내향성의

ídiot sa·vánt [-sævɑ́ːnt, -sǽvənt] [F] 〚정신의학〛 천재 백치 《특수한 재능을 가진 정신박약자》

ídiot shèet = IDIOT CARD

ídiot's lántern (영·속어) 텔레비전

ídiot tàpe 〚인쇄〛 자동 식자용 컴퓨터 입력 테이프

id·i·o·type [ídiətàip] *n.* 〚면역〛 유전자형(genotype) **ìd·i·o·týp·ic** *a.*

IDL international date line 국제 날짜 변경선

‡i·dle [áidl] *a., v., n.*

> OE 「빈, 무가치한」의 뜻. →(알맹이 없는)→「무의미한」, 「쓸데없는」 **4** →(아무것도 하지 않는)→ 「일을 하지 않는」, 「놀고 있는」 **1** → 「게으른」 **2**

— *a.* (**i·dler**; **i·dlest**) **1** 한가한, 일을 하지 않는, 놀고 있는, 〈시간이〉 비어 있는(⇨ lazy 유의어): an ~ spectator 방관하는 사람 / ~ workers 일 없는 노동자들 / the ~ hours 한가한 시간 **2** 〈사람이〉 게으른, 나태한, 빈둥거리는(lazy): the ~ rich 유한 계급 **3** 〈기계·공장·돈 등이〉 놀고 있는, 사용되지 않는: ~ machinery 놀고 있는 기계 / have one's hands ~ 손이 놀고 있다 **4** 쓸데없는, 무의미한, 근거 없는(groundless); 무익한, 효과[효력] 없는, 가치 없는: an ~ fancy 공상 / an ~ rumor 근거 없는 소문 / ~ talk 쓸데없는 이야기 / ~ pleasures 허무한 쾌락 / ~ fears 이유 없는 공포 / It is ~ to say that .... …이라 말하는 것은 무의미하다 **5** 〚컴퓨터〛 정지의, 놀고 있는 《전원은 켜져 있으나 작동하지 않는 상태》 **6** 〚야구〛 시합[경기]이 없는

be at an ~ end 할 일이 없어서 빈둥거리고 있다, 게으름 피우고 있다 ***eat ~ bread*** 무위도식(無爲徒食)하다 ***lie ~*** 쓰이지 않고 있다, 〈돈이〉 놀고 있다 ***run ~*** 〈기계가〉 (저속으로) 공회전하다

— *vi.* **1** 빈둥거리고[놀고] 있다, 게으름을 피우고 있다, 하는 일 없이 지내다 《*about, around*》 **2** 〈엔진 등이〉 (저속으로) 공회전하다, 헛돌다; 〈기계가〉 부하(負荷)없이 회전하다, 조절 밸브를 잠그고 천천히 회전하다

— *vt.* **1** 〈시간을〉 빈둥거리며 보내다, 놀며 보내다 《*away*》: (~+목+부) ~ one's time *away* 시간을 헛되이 보내다 **2** 〈기계·엔진 등을〉 (저속으로) 공회전시키다, 헛돌게 하다 **3** (미) 〈불경기·감산 등이〉 〈노동자 등을〉 놀게 하다: The strike ~*d* many workers. 파업으로 많은 노동자가 놀게 되었다.

— *n.* **1** 유휴[활동 정지] 상태 **2** (기계·엔진의) 공회전, 무부하 운전: an engine at ~ 공회전하는 엔진 ▷ ídleness *n.*; ídly *ad.*

ídle còst 〚경영〛 유휴비, 무효 원가 《시설·노동력을 충분히 활용하지 못한 데서 오는 손실》

ídle facìlities 유휴 시설

ídle gèar 〚기계〛 유동(遊動) 기어

ídle mòney 놀고 있는 돈

i·dle·ness [áidlnis] *n.* U 게으름, 나태; 무용(無用), 무익(無益), 무위(無爲); 실업 상태, 놀고 지냄: *I*~ is the mother [root] of all vice. (속담) 나태는 백악의 근원이다. ***eat the bread of ~*** ⇨ bread.

ídle pùlley 〚기계〛 유동 도르래

i·dler [áidlər] *n.* **1** 게으름뱅이; 쓸모없는 인간 **2** 〚항해〛 당직 외의 선원 **3** 〚기계〛 유동 바퀴 **4** 〚철도〛 빈 차

i·dlesse [áidlis, aidlés] *n.* (고어) = IDLENESS

ídle whèel 〚기계〛 유동 바퀴 《2개의 톱니바퀴 사이에 쓰는 톱니바퀴》

i·dli [ídliː] *n.* 이들리 《쌀가루를 반죽하여 쪄내는 인도의 전통 요리》

***i·dly** [áidli] *ad.* **1** 하는 일 없이, 빈둥거려; 게으르게 **2** 멍하니; 무익하게, 목적 없이: Don't stand ~. 멍하니 서 있지 마라. ▷ ídle *a.*

IDN *in Dei nomine* (L = in the name of God)

I·do [íːdou] *n.* U 이도 어(語) 《Esperanto를 더욱 간소화한 국제 보조어》

IDO International Disarmament Organization 국제 군축 기구

i·do·crase [áidəkrèis, íd-] *n.* 〚광물〛 = VESUVIANITE

‡i·dol [áidl] [Gk 「형태, 환영(幻影)」의 뜻에서] *n.* **1 a** 우상; 신상(神像), 성상(聖像): ~ worship 우상 숭배 **b** 우상신(神), 사신(邪神) **2** 우상시되는[숭배받는] 사람[물건], 숭배물: a popular ~ 민중의 우상 / a fallen ~ 인기가 떨어진 사람 / a literary ~ 문학계의 거성 **3** 〚논리〛 선입적 오류, 편견, 그릇된 인식 **4** 환영(幻影); 허상, 환상 ***make an ~ of*** …을 숭배하다, …을 우상시하다 ▷ ídolize *v.*

i·dol·a·ter [aidɑ́lətər | -dɔ́l-] *n.* **1** 우상 숭배자;

thesaurus **idle** *a.* **1** (시간이) 빈 unoccupied, empty, vacant, unfilled **2** 게으른 lazy, indolent,

이교도 2 (맹목적인) 숭배자, 심취자
i·dol·a·trize [aidɑ́lətràiz | -dɔ́l-] *vt.* 숭배하다; …에 심취하다 **—** *vi.* 우상을 숭배하다; 우상 숭배적으로 심취하다
i·dol·a·trous [aidɑ́lətrəs | -dɔ́l-] *a.* 우상을 숭배하는; 맹신하는, 맹목적으로 숭배하는, 심취하는 **~·ly** *ad.* **~·ness** *n.*
*__i·dol·a·try__ [aidɑ́lətri | -dɔ́l-] *n.* (*pl.* **-tries**) UC 우상[잡신] 숭배; 맹신, 맹목적 숭배, 심취
i·dol·ism [áidəlìzm] *n.* **1** UC = IDOLATRY **2** 우상시, 우상화 **3** 〖논리〗 = IDOLUM 2 **-ist** *n.*
i·dol·i·za·tion [àidəlizéiʃən | -laiz-] *n.* U 우상화[시(視)]; 맹목적 숭배[사랑], 심취
i·dol·ize [áidəlàiz] *vt.* **1** 우상화[시]하다 **2** 맹목적으로 숭배하다, 심취하다, 신으로 숭배하다 **—** *vi.* 우상을 숭배하다 **-iz·er** *n.*
i·do·lum [aidóuləm | id-] *n.* (*pl.* **-la** [-lə]) **1** 환영(幻影)(eidolon) **2** [보통 *pl.*] 〖논리〗 선입적 오견(謬見), 우상
IDP inosine diphosphate 〖생화학〗 2인산 이노신; integrated data processing 〖컴퓨터〗 집중 데이터 처리; International Driving Permit 국제 운전 면허 **IDR** International Depositary Receipt 국제 예탁 증서
I·dun [í:ðun, -du:n | -dun] *n.* 〖북유럽신화〗 이둔 《봄의 여신》
i·dyl(l) [áidl | ídil, -dl, áid-] *n.* **1** 에피소드 등을 내용으로 한 시(詩); 전원시, 목가; (전원시에 적합한) 낭만적인 이야기 **2** 전원 풍경[생활 《등》] **3** 〖음악〗 전원시곡(田園詩曲), 목가
i·dyl·lic [aidílik] *a.* **1** 전원시(풍)의, 목가적인 **2** 아주 좋은[멋진], 아름다운; 소박한 **i·dýl·li·cal·ly** *ad.* 전원시적으로
i·dyl·(l)ist [áidəlist] *n.* 전원[정경(情景)] 시인[작가]
-ie [i] *suf.* = -Y²
IE Indo-European; Industrial Engineer(ing)
*__i.e.__ [áií:, ðǽtíz] [L *id est*(=that is)] 즉, 다시 말하면
IEC International Electrotechnical Commission 국제 전기 표준 회의 **IED** improvised explosive device **IEEE** Institute of Electrical and Electronics Engineers (미) 전기·전자 기술자 협회 **IEEE 488** (**bus**) 〖컴퓨터·전자〗 계측용 interface bus의 표준 규격 《IEEE 표준 규격 488호에 의해 규정; cf. INTERFACE, BUS》
IELTS [áielts] [*I*nternational *E*nglish *L*anguage *T*esting *S*ystem] *n.* (영) 국제 영어 시험 《영국·캐나다·오스트레일리아·뉴질랜드 등의 대학 진학에 필요한 영어 능력 평가 시험》
-ier [iər, -jər] *suf.* -ER의 변형 《「…직업의 사람」의 뜻》: glaz*ier*, hos*ier*, gondol*ier*
if ⇨ if (p. 1270) ▷ íffy *a.*
IF 〖야구〗 infield; interferon; intermediate frequency 중파 **IFAD** International Fund for Agricultural Development (유엔의) 국제 농업 개발 기금 《본부는 Rome》 **IFC** International Finance Corporation 국제 금융 공사
if-clause [ífklɔ̀:z] *n.* 〖문법〗 if절, 조건절 《if로 이끌어지는 절》
IFCTU International Federation of Christian Trade Unions 국제 기독교 노동조합 연맹
iff [if] [if and only if] *conj.* 〖수학〗 …인 경우 및 그 경우에 한하여
IFF Identification, Friend or Foe 〖군사〗 (비행기·군함 등의) 피아(彼我) 식별 장치
if·fy [ífi] *a.* (**-fi·er**; **-fi·est**) (구어) 의심스러운, 불확실한, 조건부의; 문제가 있는, 의문인; (영) 〈사람이〉 이상한: an ~ situation 불확실한 정세 **íf·fi·ness** *n.*
IFO identified flying object 확인 비행 물체

sluggish **3** 사용되지 않는 inoperative, not in use, unused, inactive, out of action, not working

Í formàtion 〖미식축구〗 두세 명의 back이 quarterback 바로 뒤에 I자 꼴로 서는 공격 대형
IFR instrument flight rules[regulations] 〖항공〗 계기 비행 규칙 **IFRB** International Frequency Registration Board 국제 주파수 등록 위원회 **IFS** Irish Free State **IFTA** International Federation of Travel Agencies **IFTU** International Federation of Trade Unions 국제 노동조합 연합회 《WFTU의 전신》
-ify [əfài] *suf.* -FY의 변형 《자음 뒤에서의》
Ig immunoglobulin **IG** Indo-Germanic; Inspector General **IgA** immunoglobulin A
Ig·bo [ígbou] *n.* (*pl.* **~s,** [집합적] **~**) = IBO
IgD immunoglobulin D **IgE** immunoglobulin E **IgG** immunoglobulin G
ig·loo, ig·lu [íglu:] [Eskimo 「집」의 뜻에서] *n.* (*pl.* **~s**) **1** 이글루 《얼음·눈덩어리로 만드는 에스키모 사람의 집》 **2** 이글루 모양의 건조[구조]물; (식품·전시물을 덮는) 덮개 **3** 〖군사〗 돔형의 탄약고

igloo 1

IgM immunoglobulin M
ign. ignition
Ig·na·tius [ignéiʃəs, -ʃiəs] *n.* 남자 이름
ig·ne·ous [ígniəs] [L 「불의」의 뜻에서] *a.* **1** 불의[같은] **2** 〖지질〗 불로 인하여 생긴, 화성(火成)의: ~ rock 화성암
ig·nes·cent [ignésnt] *a.* **1** (쇠로 칠 때) 불꽃을 일으키는; 확 타오르는, 연소성의 **2** 〈성격 등이〉 격하기 쉬운: ~ personality 발끈하는 성격 **—** *n.* 불꽃을 일으키는 물질, 타는 물질
ig·nim·brite [ígnimbràit] *n.* 〖암석〗 녹아 뭉쳐진 응회암(凝灰岩)(welded tuff)
ig·nis fat·u·us [ígnis-fǽtʃuəs] [L =foolish fire] *n.* (*pl.* **ig·nes fat·u·i** [ígni:z-fǽtʃuài]) **1** 도깨비불, 인화(燐火) **2** 사람을 현혹시키는 것[이상, 희망], 환상; 헛된 목표
ig·nit·a·bil·i·ty, -nit·i·bil- [ignàitəbíləti] *n.* U 가연성(可燃性)
ig·nit·a·ble, -i·ble [ignáitəbl] *a.* 발화[점화]성의
ig·nite [ignáit] *vt.* **1 a** 〈…에〉 불을 붙이다; 발화시키다: ~ paper 종이에 불을 붙이다 / ~ a fire 불 태우다 **b** 〖화학〗 고도로 가열하다, 연소시키다 **2** 〈사람의 감정을〉 타오르게 하다, 흥분시키다 **—** *vi.* 점화하다, 발화하다, 타다
ig·nit·er [ignáitər] *n.* **1** 점화자, 점화기[장치]; 연소기 **2** 〖전자〗 아크 점화 장치
ig·ni·tion [igníʃən] *n.* **1** U 점화(點火), 발화; 〖전자〗 아크 점화; 연소, 인화 **2** (엔진 등의) 점화 장치: start the ~ 점화 스위치를 누르다
ignítion kèy (자동차 등의) 이그니션[시동] 키
ignítion sỳstem (내연 기관의) 점화 장치
ig·ni·tron [ignáitrɑn, ígnitrɑ̀n | ignáitrɔn, ígnitrɔ̀n] *n.* 〖전자〗 이그나이트론 《아크 점화 장치형 수은 방전관》
*__ig·no·ble__ [ignóubl] [L 「무명의, 신분이 비천한」의 뜻에서] *a.* **1 a** 〈사람·성격·행실 등이〉 **저열한**, 비열한, 야비한, 멸시할 만한(opp. *noble*): ~ purposes 비열한 속셈 **b** 〈일이〉 불명예스러운, 수치스러운 **2** (고어) 신분[태생]이 천한: of ~ origin 천한 태생의 **3** 〈물건·장소 등이〉 조악한, 열등한
ìg·no·bíl·i·ty *n.* **~·ness** *n.* **-bly** *ad.*
ig·no·min·i·ous [ìgnəmíniəs] *a.* 면목 없는, 불명예스러운, 수치스러운; 경멸할 만한, 비열한: an ~ retreat 불명예스러운 퇴각 / ~ language 비속한 언어 사용 **~·ly** *ad.* **~·ness** *n.*
ig·no·min·y [ígnəmìni, ignɑ́məni | ígnəmìni] *n.* (*pl.* **-nies**) U 면목 없음, 불명예, 굴욕, 모욕; C 수

if

종속적 접속사 if는 (1) '가정·조건'의 부사절을 이끌어 「(만일) …이면[하면]」의 뜻으로, (2) 명사절을 이끌어 「…인지 아닌지(whether)」의 뜻으로 쓰는 두 가지 중요한 용법이 있다.
(2)의 용법인 경우, whether 대신 if를 쓰지 못하는 경우들이 있다: (a) 부정사가 이어질 때: I can't decide *whether to* postpone it or cancel it. 그것을 연기할 것인지 취소할 것인지 결정할 수가 없다. (b) or not가 이어질 때: It is unclear to me *whether or not* she likes it. 그녀가 그것을 좋아할지 어떨지 잘 모르겠다. (c) 주어절로 쓰일 때: *Whether we win or lose* makes no difference. 우리가 이기든 지든 마찬가지다. ⇨ B USAGE

‡if [if, íf] *conj., n.*

① 만약 …이라면[였다면]	**A 1**
② …할[일] 때는	**3**
③ 설사 …일지라도	**2 a**
④ …인지 (아닌지)	**B**

— *conj.* **A 1** [가정·조건을 나타내어] 만약 …면, …의 경우에는: **a** [현재·과거·미래의 실현 가능성이 있는 사항에 관해 추측할 경우] ★ 이 경우에는 미래[미래완료]에 속하는 것도 if절에 현재[현재완료] 시제를 씀; 가정법의 동사를 쓰는 것은 《고어》: *If* it's warm tomorrow, we'll drive in the country. 내일 날씨가 포근하다면 시골로 드라이브 가자. / *If* you have finished your work, you can go home. 일을 다 끝냈으면 집에 가도 좋다. / *If* he did it, he committed a crime. 그것을그가 했다면그는 죄를범한거다. / I'll be hanged[damned] *if* I obey him. 《구어》 그놈에게 복종한다면 사람이 아니다. / Do you mind *if* I smoke a cigarette? 담배를 피워도 괜찮겠습니까? / I shall tell him *if* he comes. 그가 오면 그에게 말하겠습니다. / I'll go *if* you do. 네가 가면 나도 간다.
USAGE 다음과 같은 경우에는 if절에 조동사 will이 사용됨: (1) if절이 그 주어의 의지와 관계되는 '가정·조건'을 나타내는 경우: *If* you *will* help, we'll[we shall] finish sooner. 거들어 주신다면 (일이) 더 빨리 끝나겠습니다만. (2) if절이 '미래의 가정·조건'을 나타낸다 해도 문장 전체가 현재의 사실과 관계되는 경우: *If* it *will* help, I'll give you support. 도움이 된다면 지원하겠습니다.
b [현재의 사실과 반대되는 가정을 나타내는 경우] ★ if절에는 과거형이 사용되고 (be동사는 were), 주절에는 보통 would, should, could 등과 같은 조동사의 과거형이 사용됨: *If* I *knew* his address, I could give it to you. 그의 주소를 알고 있다면 너에게 줄 수 있을 텐데. / *If* I *were* you, I would help him. 내가 너라면 그를 도와줄 텐데. / *If* I *were* you, I wouldn't do such a thing. 내가 너라면 그런 것은 하지 않을 것이다.
c [과거의 사실과 반대되는 가정을 나타내는 경우] ★ if절에는 과거완료가 사용되고, 주절에는 보통 「조동사의 과거형+have+과거분사」의 형태가 사용됨: *If* I *had known,* I wouldn't have done it. 알고 있었다면 그것을 하지 않았을 텐데. / *If* he *had gone* to college then, he would be a senior now. 그가 그때에 대학에 갔었더라면 지금 4학년일 텐데. ★ 조건절은 과거의 사실의 반대를 나타내고, 주절은 현재의 사실의 반대를 나타내는 경우.
d [가능성이 적은 미래의 가정을 나타내는 경우] ★ 모든 인칭에서 if … should를 사용하고 「만일 …면」으로 해석함: *If* it *should* rain tomorrow, I shall not[shan't, won't] come. 만일 내일 비가 온다면 나는 가지 않겠다. ★ If it *rains* tomorrow, …는 단순한 가정을 나타냄.
e [미래의 순수한 가정을 나타내는 경우] ★ if절에 were to가 사용됨: *If* I *were to* die tomorrow, what would you do? 내가 만약에 내일 죽는다면 너는 어떻게 하겠는가?
USAGE 《문어》에서는 **b**에서 **e**까지의 경우에 if를 사용하지 않고 주어와 (조)동사의 어순을 바꾸어 가정을 나타내기도 한다; 《미》에서는 구어에도 사용될 때가 있다: *Were I* in charge, … = *If I were* in charge, … / *Had I* known this, … = *If I had* known this, … / *Should he* not be there, … = *If he should* not be there, …
2 a [양보를 나타내어] 비록[설사] …일지라도[…이라 하더라도](even though, even if) ★ if절에는 가정법을 쓰지 않으나 《고어》에서는 씀: an informative *if* dull lecture 지루하지만 정보를 제공하는 강연 / a necklace that is attractive *if* not valuable 값비싸지는 않지만 멋진 목걸이 / She is a foolish, *if* pretty, girl. 그녀는 예쁘기는 하지만 바보 같은 소녀이다. / His manner, *if* patronizing, was not unkind. 그의 태도는 생색내는 식이었으나 불친절하지는 않았다. / I don't care *if* I go or not. 《구어》 가든 안 가든 상관없다. ⇨ even IF, IF not
b [대조를 나타내어] …이지만, …하지만: *If* he was not industrious in his youth, he now works very hard. 그는 젊었을 때에는 근면하지 않았지만 지금은 아주 열심히 일한다.
USAGE 《문어》에서는 if를 쓰지 않고 주어와 동사의 어순을 바꾸는 경우가 있다: Home is home, be it ever so humble. ⇨ EVER so (2)
3 [때를 나타내어] …할 때는 언제나(whenever) ★ if절의 동사와 주절의 동사의 시제는 보통 같음: *If* I am late, I apologize. 지각할 때에는 언제나 사과를 한다.
4 [주절을 생략하고, 놀람·소망·화남 등을 나타내는 감탄문으로서 독립적으로 써서]: *If* I *only* knew! = *If only* I knew! 알고만 있다면! ★ how happy I should be 등을 보충 / *If* it would *only* rain! 비가 오기만 한다면! / *If* I haven't lost my wallet! 젠장, 지갑을 잃어버리다니! ★ 앞에 I'm blessed 등을 보충 / Why, *if* it isn't Jack! 이런, 잭 아니니? 《생각지도 않은 곳에서 아는 사람을 만났을 때》
— **B** [간접 의문문을 이끌어] …인지 (아닌지) (whether): Ask him *if* it is true. 정말인지 아닌지 그에게 물어봐라. / I wonder *if* he is at home. 그는 집에 있을까? / I asked *if* she knew French. 그녀가 프랑스 어를 할 줄 아는지 물었다.
USAGE (1) ask, doubt, know, try, wonder, see, learn 등과 같은 동사의 목적어로 사용되며 《간접 의문문》, whether처럼 주절이 될 수는 없다. (2) whether와는 달리 부정사를 거느릴 수 없다. (3) Phone me *if* you are coming. 에서는 if의 뜻이 A 1로도 B로도 해석되지만, B의 의미로는 whether를 쓰는 것이 좋다.
as if ⇨ as[1]
even if 비록[설령] …하더라도[일지라도] 《if A 2의 강조형》: *Even if* you do not like it, you must do it. 싫더라도 그것을 해야 한다.
if a day [***an inch, a man, a penny, a yard,*** etc.] 단 하루[1인치, 1명, 1페니, 1야드 등]라도, 확실히, 적어도: He is eighty *if a day.* 그는 분명히 80세이다. 《if he is a day old로 보충해서 생각》/ The mob is 10,000, *if a man.* 폭도는 적어도 10,000명은 된다. / She measures five feet, *if an inch.* 그녀는 확실히 5피트는 된다. / We have walked

15 miles, *if a yard*. 15마일은 확실히 걸었다.
if and only if 만약 …의 경우에만, …의 경우에 한해서 《수학·논리학에서 흔히 씀》
if and when 만일 …한 때에는(if) 《주로 상업문에서 씀》: *If and when* he arrives, I'll pay. 그가 도착하면 지불하겠습니다.
if any 설사 있다 해도, 만약 있다면: There are few, *if any*, such men. 그런 사람은 있다 해도 얼마 없다. / There is little (wine), *if any*. (포도주는) 있다 해도 얼마 안 된다. / Correct errors, *if any*. 틀린 데가 있으면 고쳐라.
if anything 어느 편인가 하면, (그렇기는커녕) 오히려; 아무튼: Things are, *if anything*, improving. 사태는 오히려 호전되고 있다. / True happiness has little, *if anything*, to do with money. 아무튼 진정한 행복은 돈과는 별로 관계가 없다.
if anywhere 어딘가에 있다면, 아무튼: You can buy it there, *if anywhere*. 아무튼 거기 가면 그것을 살 수 있다.
if at all ⇨ at ALL (3).
if ever there was [***is***] ***one*** 한 사람이라도 있(었)다고 하면, …이야말로, 대단히: He is a politician, *if ever there was one*. 그 사람이야말로 정치가이다.
If it had not been for … [과거의 사실과 반대되는 가정을 나타내는 경우] 만약 …이 없었다면(But for …): *If it had not been for*(=Had it not been for) your help, I couldn't have passed the exam. 만약 당신의 도움이 아니었다면 나는 그 시험에 합격할 수 없었을 것이다.
If it were not for … [현재의 사실과 반대되는 가정을 나타내는 경우] 만약 …이 없다면 (But for …): *If it were not for*(=Were it not for) air and water, we could not live. 공기와 물이 없다면 우리는 살 수 없을 것이다.
if I were you 내가 만약 당신이라면 《충고할 때》
if necessary [***possible***] 필요[가능]하다면: I will do so, *if necessary*. 필요하다면 그렇게 하겠습니다.
if not (1) 비록 …은 아니라 할지라도: It is highly desirable, *if not* essential, to tell him the truth. 그에게 진실을 이야기해 주는 것은 꼭 필요한 것은 아닐지라도, 아주 바람직한 일이다. (2) 만약 …아니라면: Is anybody feeling cold? *If not*, let's open the windows. 추운 사람 있어요? 만약 없다면 창문 좀 엽시다.
if only (1) ⇨ *conj*. A 4 (2) 다만 …만이라도, 단지 …만 하면 (좋겠는데): We must respect him *if only* for his honesty[*if only* because he is honest]. 정직하다는 것만으로도 그를 존경해야 한다. / *If only* he arrives in time! 그가 제시간에 도착하기만 한다면 좋겠는데!
if so be (***that***) 《고어》 만약 그렇다면
…, if that [***then***] 고작해야, 기껏해야
if you like ⇨ like[2]
if you please ⇨ please
if you will 이런 말을 용서해 준다면, 실례입니다만 《삽입구로 사용》
only if …의 경우에만
What if …? ⇨ what *pron.*
when and if = IF and when
— [íf] *n.* (*pl.* **~s**) 조건, 가정; 불확실한 것: There are too many *ifs* in his theory. 그의 이론에는 가정이 너무 많다.
ifs, ands, or buts = 《영》 ***ifs and*** [***or***] ***buts*** 《구어》 일을 질질 끄는 이유[구실, 핑계]: I won't have any *ifs and buts* any more. 더 이상 핑계대며 끌지 않겠다.

치스러운 일; 수치스러운 행위, 추행: bring ~ to one's family 가문의 이름을 더럽히다
ig·no·ra·mus [ìgnəréiməs, -rǽm- | -réi-] [L] *n.* (*pl.* **~·es**) 《문어》 무식[무지]한 사람: incorrigible *~es* 어찌 할 수 없을 정도로 무지한 사람들
*__ig·no·rance__ [ígnərəns] *n.* Ⓤ **무지**, 무식; 무학; 부지(不知), (어떤 일을) 모름: *I~* is bliss. 《속담》 모르는 것이 약이다. ***be in ~ of*** …을 모르다 ***make a mistake out of ~*** 무지 때문에 실수를 저지르다
▷ ignóre *v.*; ígnorant *a.*
*__ig·no·rant__ [ígnərənt] [L 「모르는」의 뜻에서] *a.* **무지한**, 무식한, 무학[무교육]의; Ⓟ (어떤 일을) 모르는 《*of, about, that*》; Ⓐ 무지[무식]에서 비롯되는; 《구어》 (사교상의 무지에서) 실례의, 무례한: an ~ statement 무식한 주장 / ~ behavior 무례한 행동 / ~ *of* physics 물리학에 무지한 / I am entirely ~ *about* these things. 나는 이런 일들은 전혀 모른다.

> 유의어 **ignorant** 무학이기 때문에 사리를 모르는: an *ignorant* fool 무식한 바보 **illiterate** 글을 읽고 쓸 수 없는: Much of population is *illiterate*. 주민의 다수는 문맹이다. **uneducated** 체계적인[정규] 교육을 받지 못한: an *uneducated* but intelligent man 교육을 못 받았지만 총명한 사람

~·ly *ad.* **~·ness** *n.* ▷ ignóre *v.*; ígnorance *n.*
ig·no·ra·ti·o e·len·chi [ìgnəréiʃiòu-iléŋkai, -ki:] [L] 〖논리〗 논점 상위(相違)의 허위

thesaurus **ignorance** *n.* **1** 무식 illiteracy, unintelligence, stupidity, unenlightenment **2** 모름 unawareness, unfamiliarity, unconsciousness, inexperience, innocence, greenness
ignore *v.* disregard, pass over, push aside, spurn, set aside, overlook, neglect

*__ig·nore__ [ignɔ́:r] [L 「모르다」의 뜻에서] *vt.* **1** 무시하다, 모르는 체하다, 묵살하다, 상대하지 않다(⇨ neglect 유의어): ~ insulting remarks 모욕적인 의견을 무시하다 / Don't ~ your inferiors. 너보다 못한 사람을 무시하지 마라. **2** 〖법〗 승인하지 않다; 〈대배심이〉 〈기소장 내용을〉 (증거 불충분 등으로) 기각하다
— *n.* 《호주·구어》 무시, 경멸
ig·nór·a·ble *a.* **ig·nór·er** *n.*
▷ ígnorance *n.*; ígnorant *a.*
ig·no·tum per ig·no·ti·us [ignóutəm-pə:r-ignóuʃiəs] [L] 모르는 내용을 더욱 알 수 없는 말로 설명하기
Ig·o·rot [ìgəróut, ì:g-] *n.* (*pl.* **~s,** [집합적] **~**) (필리핀 군도 Luzon섬 북부에 사는) 이고로트 족(族); Ⓤ 이고로트 말
i·gua·na [igwɑ́:nə] *n.* 〖동물〗 이구아나 《열대 아메리카산(産)의 큰 도마뱀》
i·guan·o·don [igwɑ́:nədɑ̀n, -wǽn- | -wɑ́:nədɔ̀n] *n.* 〖고생물〗 이구아노돈, 금룡(禽龍) 《백악기 공룡의 일종》
IGY International Geophysical Year 국제 지구 관측년 **ihp, IHP** indicated horsepower
IHS [Gk=*Iēsous*] Jesus 《예수를 그리스 어로 표기했을 때의 처음의 3자를 로마자화한 것》
IIC International Institute of Communications 세계 방송 통신 기구 **IIRC** if I remember correctly **IISS** International Institute for Strategic Studies 《영》 국제 전략 연구소
ike [áik] *n.* 《속어》 =ICONOSCOPE(cf. MIKE)
Ike [áik] *n.* 아이크 《Dwight D. Eisenhower의 애칭》
ik·e·ban·a [ìkibɑ́:nə, ìkei-] [Jap.] *n.* Ⓤ (엄격한 규칙대로 꽂는) 꽃꽂이
i·key [áiki] *n.* 《속어》 유대인 《남자》; 《미·속어》 전당포
i·kon [áikɑn | -kɔn] *n.* =ICON
Il 〖화학〗 illinium **IL** Illinois **I²L** integrated injection logic 직접 주입 논리 회로

il- [*il*] *pref.* = IN-[1, 2] 《l 앞에 올 때의 변형》: *il*logical
ILA International Law Association; International Longshoremen's Association
i·lang-i·lang [íːlɑːŋíːlɑːŋ] *n.* = YLANG-YLANG
Il Du·ce [il-dúːtʃei | -tʃi] [It. = the leader] 일 두체 《파시스트 당수 Mussolini의 칭호》
ile- [íli], **ileo-** [íliou, íliə] 《연결형》 〖해부〗 「회장(回腸)」의 뜻 《모음 앞에서는 ile-》
-ile [əl, il, ail | ail] *suf.* **1** 「…에 관한, …할 수 있는, …에 적합한」의 뜻의 형용사 어미: serv*ile* **2** 「…와 관계있는 것」의 뜻의 명사 어미: miss*ile*
il·e·a [íliə] *n.* ILEUM의 복수
il·e·ac[1] [íliæ̀k] *a.* 〖해부〗 회장(ileum)의
ileac[2] *a.* 〖병리〗 장폐색(ileus)(성)의
il·e·i·tis [ìliáitis] *n.* Ⓤ 〖병리〗 회장염
il·e·um [íliəm] *n.* (*pl.* **-e·a** [-iə]) 〖해부·곤충〗 회장(回腸) **íl·e·al** *a.*
il·e·us [íliəs] *n.* Ⓤ 〖병리〗 장폐색(腸閉塞)(증)
i·lex [áileks] *n.* 〖식물〗 털가시나무(holm oak); 감탕나무속(屬)의 나무
ILGWU International Ladies' Garment Workers' Union
il·i·ac [íliæ̀k] *a.* 〖해부〗 장골(腸骨)의
Il·i·ad [íliəd] [Gk 「일리온 《고대 Troy의 그리스 어 이름》의 시가(詩歌)」의 뜻에서] *n.* **1** [the ~] 일리아드 《Homer 작이라고 전해지는 Troy 전쟁을 읊은 서사시》 **2** [때로 **i~**] 일리아드풍의 서사시, 장편 소설 **3** [종종 **i~**] 거듭되는 불행[고난], 길게 계속되는 것 ***an ~ of woes*** 연이은 불행 **Il·i·ád·ic** *a.*
Il·i·on [íliən, -ɑ̀n | -ən] *n.* 고대도시 Troy의 그리스어 이름
il·i·um [íliəm] *n.* (*pl.* **il·i·a** [-iə]) 〖해부〗 장골
Il·i·um [íliəm] *n.* 고대 Troy의 라틴 어 이름
ilk [ílk] *a.* **1** 《스코》 동일한, 같은(same) **2** 《스코》 각각의, 각자의(each) **—** *n.* 가족; 동류(同類), 동종, 동급(同級): tie and all his ~ 그와 그의 모든 가족 ***of that ~*** 같은 종류[종족, 가족]의, 동류의; 그와 동일한: peddlers and men *of that* ~ 행상인과 그런 류의 사람들
‡ill [íl] *a.* (**worse** [wɔ́ːrs]; **worst** [wɔ́ːrst]) **1 a** Ⓟ 《영》 병든, 앓는, 편찮은, 건강이 나쁜, 기분 나쁜 《*of, with*》: be taken ~ = fall[get, become] ~ 병들다 / be ~ *with* fever 열병에 걸려 있다
USAGE (1) 《미》 좀 격식차린 말이므로 보통 sick을 쓴다. (2) mentally[seriously, very] *ill* people (정신병[중병]이 있는 사람들)처럼 부사와 함께 쓸 경우에는 Ⓐ로 쓸 수 있지만 보통 Ⓐ에는 sick을 쓴다.
b Ⓐ 〈건강이〉 좋지 않은, 불건전한, 부실한, 편치 않은, 탈난: ~ health 편치 않음, 건강하지 못함 **2** Ⓐ (도덕적으로) 나쁜, 부덕(不德)한, 사악한; 심술궂은, 악의 있는, 적의를 가진; 불친절한; 가혹한: ~ deeds 나쁜 짓, 악행 / ~ fame[repute] 오명, 악평 / ~ manners 버릇 없음 / ~ feeling 적의, 반감 / *I*~ weeds grow apace[are sure to thrive]. 《속담》 잡초는 빨리 자란다. 《미움 받는 자가 오히려 활개 친다》 **3** Ⓐ 상서롭지 못한, 불길한, 불운[불행]한, 재수 없는: ~ fortune [luck] 불행, 불운 / It's an ~ wind that blows nobody (any) good. 《속담》 아무에게도 이롭지 않은 바람이란 있을 수 없다. 《손해 보는 사람이 있는 반면에 득을 보는 사람도 있다》 / *I*~ news runs apace. 《속담》 나쁜 소식은 빨리 퍼진다. **4** 《고어》 성급한, 괴까다로운, 기분이 상한: an ~ man to please 비위 맞추기 힘든 사람 **5** Ⓐ 서투른, 졸렬한; 불충분한, 부적절한, 결점이 있는: ~ management 서투른 관리 / an ~ example of scholarship 학문이라고 부르기에 부적절한 예 **6** 《미·속어》 (혐의로) 체포된 **7** 《미·속어》 아주 훌륭한, 멋진: the world's *~est* female boxer 세계 제일의 여자 복서 ***do a person an ~ turn*** …에게 앙갚음을 하다 ***~ at ease*** ⇨ ease *n.*
— *n.* **1** Ⓤ 악, 사악, 죄악; 위해; 악평 《*of*》: do ~ 못된 짓을 하다 / a social ~ 사회악 / the difference between good and ~ 선악의 구별 / His remarks did much ~. 그의 말은 많은 손해를 가져왔다. / I can speak no ~ *of* her. 그녀를 나쁘게 말할 수 없다. **2** [*pl.*] 괴롭히는 것; 불행, 재난, 고난: the various ~*s* of life 인생의 갖가지 불행 / Many ~*s* befell him. 많은 재난이 그에게 닥쳤다. **3** 질병, 병고 ***for good or ~*** 좋든 나쁘든
— *ad.* (**worse**; **worst**) **1** 나쁘게(badly), 사악하게, 부정하게: behave ~ 행실이 나쁘다 / *I*~ got, ~ spent. 《속담》 부정하게 번 돈은 오래가지 않는다. **2** 형편에 맞지 않게, 여의찮게; 운 나쁘게 **3** 불친절하게, 심술궂게, 가혹하게: use a person ~ …을 혹사[학대]하다 **4** 불완전하게, 불충분하게, 부적당하게; 어렵게; [보통 본동사 바로 앞에 위치] 거의 …않다(scarcely): ~ equipped[provided] 장비[공급] 불충분으로 / I can ~ afford (the expense). (비용을) 부담할 여유가 없다. / It ~ becomes him to speak so. 그렇게 말한다는 것은 그답지 않다. ***be ~ off*** 살림 형편이 좋지 않다, 어렵게 지내다 ***It goes ~ with …*** 사태가 …에게 좋지 않게 되다, …이 혼나다 ***speak [think] ~ of*** a person …을 나쁘게 말하다[여기다] ***take*** a thing ***~*** …을 나쁘게 해석하다, …에 화를 내다 ▷ íllness *n.*
***I'll** [áil] I will[shall]의 단축형
ill. illustrated; illustration; illustrator **Ill.** Illinois
ill-ad·vised [ìlədváizd] *a.* 무분별한, 지각없는, 경솔한: an ~ remarks 경솔한 말
-vís·ed·ly [-zidli] *ad.*
ill-af·fect [-əfékt] *vt.* 나쁜 영향을 미치다
ill-af·fect·ed [-əféktid] *a.* 호감이 없는, 불만을 품고 있는, 못마땅해하는
ill-as·sort·ed [-əsɔ́ːrtid] *a.* = ILL-MATCHED
ill-at-ease [-ətíːz] *a.* 거북한, 불안한, 침착함이 없는
il·la·tion [iléiʃən] *n.* Ⓤ 〖논리〗 추리, 추론(推論), 추정(推定), 추측; 결론
il·la·tive [ílətiv, iléit- | iléit-] *a.* 추정적인, 추론의; 추론을 유도하는, 추론에 의한: ~ conjunctions 〖문법〗 추론 접속사 《therefore, then, so 등》
— *n.* 추론; 추론을 유도하는 어구 《therefore 등》
~·ly *ad.* 추론에 의하여
il·laud·a·ble [ilɔ́ːdəbl] *a.* 칭찬할 가치가 없는, 칭찬할 수 없는 **-bly** *ad.*
ill-be·haved [ílbihéivd] *a.* 버릇없는(ill-mannered)(opp. *well-behaved*)
ill-be·ing [-bíːiŋ] *n.* Ⓤ (몸의) 불편함, 나쁜 상태; 불행(opp. *well-being*); 빈곤
íll blóod = BAD BLOOD
ill-bod·ing [-bóudiŋ] *a.* 상서롭지 못한, 불길한
ill-bred [-bréd] *a.* 본데없이 자란, 버릇없는(rude)
íll bréeding 본데없음, 버릇없음
ill-con·cealed [-kənsíːld] *a.* 《문어》 (감정이나 표정을) 드러내는, 숨기지 못하는
ill-con·ceived [-kənsíːvd] *a.* 〈계획 등이〉 발상[착상]이 나쁜
ill-con·di·tioned [-kəndíʃənd] *a.* 성질이 나쁜, 심술궂은; 몸이 편찮은; 〈병이〉 악성인 **~·ness** *n.*
ill-con·sid·ered [-kənsídərd] *a.* 깊이 생각하지 않은; 분별없는; 부적당한
ill-de·fined [-difáind] *a.* 정의가 불명료한; 〈윤곽이〉 불명확한; 애매한, 명백하지 않은
ill-dis·posed [-dispóuzd] *a.* **1** 성질이 나쁜, 심술궂은 **2** Ⓟ 호감을 갖지 않은, 악의를 품은, 비우호적인, 냉담한 《*toward*》
‡il·le·gal [ilíːgəl] *a.* 불법[위법]의(unlawful), 비합법적인; 반칙의, 공식 규칙으로 금지된: an ~ sale 밀매 / ~ interest 불법 이자 / an ~ abortion 낙태(죄) / It is ~ to sell alcohol to children. 아이들

thesaurus **illegal** *a.* illegitimate, lawless, criminal, unauthorized, outlawed, banned, forbidden, prohibited (opp. *legal, lawful*)

에게 주류를 판매하는 것은 불법이다.
—*n.* 《구어》 =ILLEGAL ALIEN; (외국에서 활동하는) 구소련의 첩보원 **~·ly** *ad.*
▷ illegálity *n.*; illégalize *v.*
illégal álien 불법 입국[체재]자, 밀입국자(illegal immigrant)
illégal cháracter 〖컴퓨터〗 불법[위법] 문자
illégal cópy 불법[부정] 복제
illégal ímmigrant 불법 입국[체류]자
il·le·gal·i·ty [ìli:gǽləti] *n.* (*pl.* **-ties**) **1** Ⓤ 위법, 불법 **2** Ⓒ 불법 행위
il·le·gal·ize [ilí:gəlàiz] *vt.* 불법화[위법화]하다; 금하다: ~ smoking in public places 공공장소에서의 흡연을 법으로 금하다 **il·lè·gal·i·zá·tion** *n.*
illégal operátion **1** 비합법적 낙태 수술 **2** 〖컴퓨터〗 위법 조작
illégal procédure 〖미식축구〗 공격측 라인맨의 반칙에 내려지는 페널티
il·leg·i·ble [ilédʒəbl] *a.* 〈문자가〉 읽기 어려운, 판독하기 어려운: ~ handwriting 읽기 어려운 필체
il·lèg·i·bíl·i·ty *n.* **~·ness** *n.* **-bly** *ad.*
il·le·git [ìlidʒít] *a.* 《구어》 부정직한, 절조가 없는, 부도덕한
il·le·git·i·ma·cy [ìlidʒítəməsi] *n.* (*pl.* **-cies**) Ⓤ **1** 위법, 불법 **2** 사생(私生), 서출 **3** 부조리, 불합리
* **il·le·git·i·mate** [ìlidʒítəmət] *a.* **1** 위법의, 불법의, 법으로 용인되지 않은: an ~ heir to the throne 정식으로 인정받지 않은 왕위 계승자 / ~ business 위법 거래 **2** 서출의, 사생의: an ~ child 사생아 **3** 〖논리〗 비논리적인, 부조리한: an ~ conclusion 불합리한 결론 **4** 규칙 위반의, 변칙의; 〈단어·성구 등이〉 오용된
—*n.* 서자, 사생아
—[-mèit] *vt.* 불법화하다; 사생아로 선고하다
~·ly *ad.* 위법으로; 불합리하게
il·le·git·i·ma·tize [ìlidʒítəmətàiz] *vt.* 서출[사생아]로 선언하다
ill-e·quipped [-ikwípt] *a.* 장비가 부족한; 준비가 부실한
íll fáme 오명, 악명, 악평
ill-famed [-féimd] *a.* 악평의, 악명 높은
ill-fat·ed [-féitid] *a.* **1** 불운한, 불행한: an ~ voyage 불운한 선박 여행 **2** 불운[불행]을 가져오는, 불길한: an ~ day 액일(厄日)
ill-fa·vored [-féivərd] *a.* **1** 〈사람·얼굴 등이〉 못생긴, 못난(ugly) **2** 불쾌한, 꺼림칙한, 싫은(unpleasant): ~ remarks 불쾌한 말
íll féeling 반감, 적의, 악감정
ill-fit·ted [-fítid] *a.* 딱 들어맞지 않는, 부적합한
ill-fit·ting [-fítiŋ] *a.* (크기나 모양이) 맞지 않는: ~ clothes 맞지 않는 옷
ill-formed [-fɔ́:rmd] *a.* **1** 모양이 갖추어지지 않은 **2** 〖언어〗 부적격한, 비문법적인
ill-found·ed [-fáundid] *a.* Ⓐ 근거가 박약한, 정당한 이유가 없는: an ~ rumor 근거 없는 소문
ill-got·ten [-gátn | -gɔ́tn] *a.* 부정한 수단으로 얻은, 부정한: ~ gains 부정 이득
íll héalth (심신이) 약한[나쁜] 상태: He retired last year on grounds of ~. 그는 작년에 건강이 나빠서 퇴직하였다.
íll húmor 기분이 언짢음, 심기가 나쁨
ill-hu·mored [-*h*jú:mərd | -hjú:-] *a.* 기분이 좋지 않은, 심기가 나쁜 **~·ly** *ad.* **~·ness** *n.*
il·lib·er·al [ilíbərəl] *a.* **1** 인색한, 구두쇠의 **2** 도량이 좁은, 편협한, 옹졸한: the ~ policy of the great powers 열강의 편협한 정책 **3** 《문어》 교양 없는, 저속한 **~·ly** *ad.* **~·ness** *n.*
il·lib·er·al·ism [ilíbərəlìzm] *n.* 반자유주의

illness *n.* ailment, affliction, sickness, attack, complaint, disease, disorder, indisposition, malady, infection, contagion (opp. *health, fitness*)

il·lib·er·al·i·ty [ilìbərǽləti] *n.* Ⓤ 인색; 옹졸; 저질, 저속
* **il·lic·it** [ilísit] *a.* **1** 불법[부정]의, 불의의, 금제(禁制)의; 무허가의, 무면허의: an ~ distiller 밀주 양조자 / an ~ income 불법 소득 / ~ commerce 밀무역 **2** 도덕[논리]적으로 인정받지 못하는: ~ intercourse 부정(不貞), 간통, 밀통 **~·ly** *ad.* **~·ness** *n.*
il·lim·it·a·bil·i·ty [ilìmitəbíləti] *n.* Ⓤ 한없음, 광대무변
il·lim·it·a·ble [ilímitəbl] *a.* 무한의, 광대한, 끝없는 **~·ness** *n.* **-bly** *ad.*
ill·in' [ílin] *a.* 《속어》 병난; 《미·흑인속어》 머리가 이상한, 바보 같은; 조악한
ill-in·formed [ílinfɔ́:rmd] *a.* 지식이 불충분한, 잘 모르는, 소식[정보]에 어두운, 인식 부족의 《*of*》(opp. *well-informed*)
il·lin·i·um [ilíniəm] *n.* Ⓤ 〖화학〗 일리늄 《prome-thium의 구칭》
* **Il·li·nois** [ìlənɔ́i, -nɔ́iz] *n.* **1** 일리노이 《미국 중부의 주; 略 Ill.》 **2** [the ~] 일리노이 강
~·an *a., n.* 일리노이 주의 (사람)
Illinóis gréen 《미·속어》 마리화나의 일종
ill-in·ten·tioned [-inténʃənd] *a.* 악의가 있는, 위해를 가하려고 하는
il·liq·uid [ilíkwid] *a.* 〈자산이〉 현금으로 바꾸기 어려운, 비유동적인; 〈기업·조직이〉 현금 부족의; 〈부채·소유권이〉 불명확한 **il·li·quíd·i·ty** *n.* **~·ly** *ad.*
illit. illiterate
il·lite [ílait] *n.* 〖광물〗 일라이트 《백운모(白雲母)와 비슷한 점토 중 하나》 **il·lít·ic** *a.*
il·lit·er·a·cy [ilítərəsi] *n.* (*pl.* **-cies**) **1** Ⓤ 문맹; 무식; (넓은 의미로) 무학(無學), 무교양: ~ rate 문맹률 **2** Ⓒ (무식해서) 잘못 말하기[쓰기]
* **il·lit·er·ate** [ilítərət] *a.* **1 a** 글자를 모르는, 문맹의, 읽기·쓰기를 못하는(⇨ ignorant 유의어) **b** 무식한; (언어·문학 등의) 교양이 없는: an ~ magazine 저속한 잡지 / musically ~ 음악적인 교양이 없는 **2** 〈말씨·표현 등이〉 관용에서 벗어난
—*n.* 문맹자, 무교육자; 무식자; 교양 없는 사람
~·ly *ad.* **~·ness** *n.* ▷ illíteracy *n.*
ill-judged [íldʒʌ́dʒd] *a.* 무분별한, 생각이 깊지 않은
ill-look·ing [-lúkiŋ] *a.* 〈얼굴이〉 보기 흉한; 인상이 험한(sinister)
ill-man·nered [-mǽnərd] *a.* 버릇없는, 예의 없는, 거친, 무례한(ill-behaved)
ill-matched [-mǽtʃt], **-mat·ed** [-méitid] *a.* 어울리지 않는: an ~ couple 어울리지 않는 부부
íll mém réf [*ill*egal *mem*ory *ref*erence] 《미·속어》 기억의 혼돈
íll náture 심술궂은[비뚤어진, 야비한] 성격; 심술궂음, 심통 사나움
* **ill-na·tured** [ílnéitʃərd] *a.* 심술궂은, 심보가 비뚤어진(bad-tempered) **~·ly** *ad.* **~·ness** *n.*
‡ **ill·ness** [ílnis] *n.* **1** Ⓤ 《일반적으로》 **병**; 불쾌함: bodily ~ 육체적인 병 / feign ~ 꾀병을 부리다 / die of (an) ~ 병사하다 / There has been a great deal of ~ this winter. 올겨울에는 질병이 많았다. **2** (특정의) 병: a severe[serious] ~ 중병

> 유의어 **illness** 보통 그다지 심하지 않은 병 **sickness** illness보다는 다소 구어적임. **disease** illness보다도 구체적인 병으로서, 병명이 분명한 것, 전염병 또는 의학 연구·치료의 대상이 되는 것

il·lo·cu·tion·ar·y [ìləkjú:ʃənèri | -ʃənəri] *a.* 〖언어〗 발화(發話)의, 발화 내(發話內)의 《화자(話者)가 말하는 것으로 알 수 있는 언어 행동에 대해 말함; 조언·경고·약속·질문 등》 **il·lo·cú·tion** *n.* 발화 내 행위
il·log·ic [iládʒik | ilɔ́dʒ-] *n.* Ⓤ 비논리, 불합리(성), 모순; Ⓒ 불합리한 사항
il·log·i·cal [iládʒikəl | ilɔ́dʒ-] *a.* **1** 비논리적인, 불

합리한, 조리에 맞지 않는, 어리석은: an ~ reply 엉뚱한 대답 / his ~ request 그의 불합리한 요구

> 유의어 **illogical** 비논리적인: *illogical* conclusions 논리에 맞지 않는 결론 **irrational** 이치에 맞지 않는, 비합리적인: Your opinion sounds *irrational.* 당신의 의견은 이치에 맞지 않는다. **unreasonable** 이성이 결여된, 상식에서 벗어난: an *unreasonable* attitude 도리에 어긋난 태도

2 〈사람이〉 논리적이 아닌; 우둔한
~·ly *ad.* 비논리적으로, 불합리하게 **~·ness** *n.*
il·log·i·cal·i·ty [ilɑ̀dʒikǽləti | ilɔ̀dʒ-] *n.* Ⓤ 불합리, 부조리, 불합리한 일: a book full of *illogicalities* 불합리한 내용들로 가득 찬 책
ill-o·mened [ílóumənd] *a.* 흉조의, 불길한; 불운한(unlucky): an ~ voyage 불운한 항해
ill-pre·pared [-pripɛ́ərd] *a.* 준비가 불충분한
ill-sort·ed [-sɔ́:rtid] *a.* = ILL-MATCHED
ill-spent [-spént] *a.* 낭비된; 잘못 사용된
ill-starred [-stɑ́:rd] *a.* **1** 팔자가 사나운; 불운한, 불행한 **2** 비참한
ill-suit·ed [-sú:tid] *a.* 어울리지 않는; 부적당한
íll témper 성급함; 심술궂음; 화를 잘 냄
ill-tem·pered [-témpərd] *a.* 성마른, 화를 잘 내는, 성미가 까다로운 **~·ly** *ad.* **~·ness** *n.*
ill-timed [-táimd] *a.* 때가 좋지[알맞지] 않은, 계제[시기]가 나쁜, 공교로운
ill-treat [-trí:t] *vt.* 학대하다, 냉대하다, 혹사시키다 **~·ment** *n.*
íll túrn 심술궂음, 가혹한 처사; (사태의) 악화
il·lume [ilú:m] *vt.* 《고어·시어》 = ILLUMINATE
il·lu·mi·na·ble [ilú:mənəbl] *a.* 비출[조명할] 수 있는; 계몽(啓蒙)할 수 있는; 해명할 수 있는
il·lu·mi·nance [ilú:mənəns] *n.* 조도(照度)
il·lu·mi·nant [ilú:mənənt] *a.* 발광성의, 비추는
— *n.* 광원(光源), 발광체[물]
‡il·lu·mi·nate [ilú:mənèit] 〖L 「비추다」의 뜻에서〗 *vt.* **1** 조명하다, 비추다, 밝게 하다; …에 등불을 켜다 **2** …에 조명 장식을 달다, 조명등으로 장식하다 《*with*》 (⇨ illuminated 1) **3** 〈사본(寫本) 등을〉 (빛깔·무늬·장식 글자 등으로) 꾸미다, 채색하다(⇨ illuminated 2) **4 a** 계몽[계발]하다, 교화하다: a teacher gifted to ~ young students 어린 학생을 계몽시키는 능력이 있는 교사 **b** 명백히 하다, 해명하다: (~+목+전+명) ~ the subject *with* examples 문제를 실례로 명확하게 하다 **c** 《비유》 …에 광채를 더하다, 유명하게 하다: A smile ~*d* her face. 미소로 그녀의 얼굴은 빛났다. **5** (전파·음파에) 노출시키다, …에 방사(放射)하다
— *vi.* 밝아지다(light up), 조명을 달다
▷ illuminátion *n.*; illúminative, illúminant *a.*
il·lu·mi·nat·ed [ilú:mənèitid] *a.* **1** 조명 장식을 한 **2** 〈사본 등이〉 채식(彩飾)된: an ~ manuscript 채색 사본 **3** 《미·속어》 술에 취한(drunk)
il·lu·mi·na·ti [ilù:mənɑ́:ti, -néitai] *n. pl.* (*sing.* **-to** [-tou]) **1** 터득한 예지를 자랑하는 사람들, (자칭) 철인(哲人)들 **2** [**I~**] (18세기 프랑스의) 계몽주의자, 《특히》 백과전서파; [**I~**] (16세기 스페인의) 광명파 《그리스도교 신비주의의 일파》; [**I~**] (중세 독일에 있었던) 비밀 결사 《자연신교(自然神敎)를 신봉한 공화주의자들》
il·lu·mi·nat·ing [ilú:mənèitiŋ] *a.* **1** 비추는, 조명하는 **2** 해명하는, 밝히는; 계발하는, 계몽적인 〈의견 등〉: an ~ remark 사람을 계몽하는 말 **~·ly** *ad.*
illúminating projéctile 〖군사〗 조명탄
‡il·lu·mi·na·tion [ilù:mənéiʃən] *n.* **1** Ⓤ 조명; 조도; [*pl.*] 전광 장식: a source of ~ 광원(光源) / stage ~ 무대 조명 **2** Ⓤ 계몽, 계발, 계시, 해명: find great ~ in the lecture 그 강의를 듣고 큰 깨달음을 얻다 **3** [*pl.*] (사본의) 채식(彩飾); 장식 모양
~·al *a.* ▷ illúminate *v.*; illúminative *a.*
il·lu·mi·na·tive [ilú:mənèitiv, -nət- | -nət-] *a.* 밝게 하는; 계몽적인; 조명의, 비추는
il·lu·mi·na·tor [ilú:mənèitər] *n.* **1** 빛을 주는 사람[물건]; 조명계(원), 조명기, 반사경, 발광체 **2** 계몽자 **3** (사본·책 등의) 채식사(彩飾師)
il·lu·mine [ilú:min] *vt., vi.* = ILLUMINATE
-mi·na·ble *a.*
il·lu·mi·nism [ilú:mənìzm] *n.* **1** Illuminati의 주의[교의(敎義)] **2** 계몽주의 **-nist** *n.*
il·lu·mi·nom·e·ter [ilù:mənɑ́mətər | -nɔ́m-] *n.* 〖광학〗 조도계(照度計)
ill-us·age [íljú:sidʒ] *n.* Ⓤ = ILL-USE
ill-use [íljú:z] *vt.* 학대[혹사]하다(ill-treat); 악용[남용]하다(abuse)
— [-jú:s] *n.* Ⓤ 학대, 혹사; 남용
ill-used [ìljú:zd] *a.* 《고어·문어》 오용된; 형편없이 다루어진[사용된]
‡il·lu·sion [ilú:ʒən] 〖L 「놀리기」의 뜻에서〗 *n.* ⓊⒸ **1** 환각, 착각, 환영; 잘못 생각함, 오해; 환상, 미망(迷妄); 〖심리〗 착각: an optical ~ 착시 / a sweet ~ 달콤한 환상 / produce ~*s* in a person's mind …의 마음속에 환상을 일으키다 **2** 투명한 명주 망사 《여성용 베일 등에 쓰이는》 **3** 《폐어》 망상; 속임(수), 가짜
-sioned *a.* ▷ illúsive, illúsory *a.*
il·lu·sion·ar·y [ilú:ʒənèri | -ʒənəri], **-sion·al** [-ʒənəl] *a.* 환영의; 환상의, 착각의
il·lu·sion·ism [ilú:ʒənìzm] *n.* Ⓤ **1** 〖철학〗 환상설, 미망설 《물질 세계는 하나의 환영이라고 하는》 **2** 〖예술〗 환각법
il·lu·sion·ist [ilú:ʒənist] *n.* **1** 미망설론자, 환상가 **2** 착각에 빠진 사람 **3** 〖예술〗 환각법을 쓰는 화가[예술가]; 요술사
il·lu·sive [ilú:siv] *a.* = ILLUSORY
~·ly *ad.* **~·ness** *n.*
il·lu·so·ry [ilú:səri, -zə-] *a.* **1** 사람을 미혹하는, 착각의, 착각을 일으키는, 현혹시키는 **2** 가공의, 실체가 없는 **-ri·ly** *ad.* **-ri·ness** *n.* ▷ illúsion *n.*
illus(t). illustrated; illustration
‡il·lus·trate [íləstrèit, ilʌ́streit | íləstrèit] *v.*

> L 「밝게 하다」의 뜻에서
> (보기나 삽화를 넣어) 「밝히다」 ─┬→ 「설명하다」 **1**
> └→ 「삽화를 넣다」 **2**

— *vt.* **1** 설명하다, 예증(例證)하다: (~+목+전+명) ~ something *from* one's experience …을 경험에 의해 설명하다 // (~+*wh.* 절) The census figures ~ *how* the nation has grown. 국세(國勢) 조사의 수치는 그 나라가 어떻게 성장했는가를 보여준다. **2** 〈책 등에〉 삽화[도판]를 넣다, 도해하다(⇨ illustrated): ~ a book 책에 삽화를 넣다 **3** 《고어》 계몽[교화]하다
— *vi.* 예를 들어 설명하다, 예증[예시]하다
▷ illustrátion *n.*; illústrative, illústrious *a.*
il·lus·trat·ed [íləstrèitid] *a.* 삽화[사진, 도해]를 넣은: an ~ book[newspaper] 삽화가 든 책[신문]
— *n.* 《영》 삽화·사진이 많은 신문[잡지]
‡il·lus·tra·tion [ìləstréiʃən] *n.* **1** (책·잡지 등의) 삽화, 도해, 도판 **2** (설명을 위한) 실례; 비교 **3** 설명, 예증 ***by way of*** **~** 실례로서 ***in*** **~** ***of*** …의 예증으로서
▷ íllustrate *v.*; illústrative *a.*
***il·lus·tra·tive** [ilʌ́strətiv, íləstrèit- | íləstrət-] *a.* 실례가 되는, 설명적인, 예증이 되는 《*of*》: ~ examples 설명에 도움이 되는 실례 **~·ly** *ad.*
***il·lus·tra·tor** [íləstrèitər, ilʌ́streit- | íləstrèit-] *n.* 삽화가; 도해[설명]자; 예증자, 예증이 되는 것: an

thesaurus **illuminate** *v.* **1** 비추다 brighten, light, shine on, irradiate **2** 명백히 하다 clarify, make clear, elucidate, explain, explicate
illusion *n.* **1** 환영 hallucination, phantom, specter, fantasy **2** 착각 delusion, deception, fallacy, error, misjudgment, fancy

~ of children's book 아동용 책의 삽화가

*__il·lus·tri·ous__ [ilʌ́striəs] *a.* **1** 저명한, 걸출한, 유명한: an ~ leader 걸출한 지도자 **2** 〈행위·업적 등이〉 혁혁한, 빛나는: an ~ career 빛나는 경력
~·ly *ad.* **~·ness** *n.*

il·lu·vi·al [ilúːviəl, -vjəl] *a.* 〖지질〗 집적(물)의, 집적지(地)의

il·lu·vi·ate [ilúːvièit] *vi.* 〖지질〗 집적(集積)하다

il·lu·vi·a·tion [ilùːviéiʃən] *n.* 〖지질〗 (토양 구성 물질의) 집적 (작용), 축적

íll wíll 적의, 앙심, 악감정, 반감, 증오, 원한(opp. *good will*): harbor ~ against a person …에게 적의를 품다 **íll-wílled** [-wíld] *a.*

íll wínd 재난, 역경

ill-wish·er [ílwíʃər] *n.* 남이 못되기를 비는 사람

il·ly [ílli] *ad.* 《방언》 =ILL, BADLY

Il·lyr·i·a [ilíriə] *n.* 발칸 반도 서부 Adria해(海) 동쪽에 있었던 고대 국가

Il·lyr·i·an [ilíriən] *a.* Illyria의; Illyria 사람[말]의
— *n.* Illyria 사람[말]

il·ly·whack·er [ílihwæ̀kər] *n.* 《호주·속어》 프로 사기꾼

il·men·ite [ílmənàit] *n.* 티탄 철광

ILO International Labor Organization 국제 노동 기구 **ILP, I.L.P.** 《영》 Independent Labour Party **ILR** 《영》 Independent Local Radio **ILS** instrument landing system 〖항공〗 계기 착륙 장치[방식] **ILTF** International Lawn Tennis Federation 국제 테니스 연맹 **IM** 〖인터넷〗 instant message **IM** Isle of Man

‡**I'm** [áim] I am의 단축형

im- [im] *pref.* =IN-[1, 2] 《b, m, p 앞에 올 때의 변형》

‡**im·age** [ímidʒ] 〖L 「유사(類似), 초상」의 뜻에서〗 *n.* **1 a** 상(像), 조상(彫像), 화상: They knelt down before graven ~*s.* 그들은 조상(彫像) 앞에 무릎을 꿇었다. **b** 성상(聖像), 우상: an ~ of Buddha 불상 **c** 형태, 모습, 외형: created in God's ~ 하느님의 모습대로 창조된 **2** 닮은 사람[것], 아주 비슷한 것 《*of*》: He is the ~ *of* his father. 그는 제 아버지를 빼박았다. **3** 〖광학〗 (거울 또는 망막상의) 상, 영상, 화상, 모습: a real ~ 실상 / a mirror ~ 거울에 비치는 상 **4** 상징, 화신(化身), 전형(type) 《*of*》: the ~ *of* a noble gentleman 고귀한 신사의 전형 **5** 이미지, 인상; 관념: improve[hurt] one's ~ …의 이미지를 향상[손상]시키다 **6** (사실적인) 묘사, 표현 《*of*》 **7** 〖심리〗 심상(心象), 표상(表象), 개념(idea) **8** 〖수사학〗 형상(形象), 이미지; 직유(直喩), 은유: speak in ~*s* 비유로 말하다 **9** 〖수학〗 상(像) **10** 〖컴퓨터〗 영상, 이미지 《어떤 정보가 다른 정보 매체에 그대로 기억되어 있는 것》 **11** 《고어》 환영, 환상
— *vt.* **1** …의 상을 만들다[그리다], 표현하다: a national hero ~*d* in bronze 국민적 영웅의 청동상(像) **2** …의 상을 비추다 《*in, on*》: (~+목+전+명) ~ a film *on* a screen 필름을 스크린에 비추다 **3** 마음속에 그리다, 상상하다 《*to*》 **4** (말·문장으로) 생생하게 그리다, 묘사하다; (음악 등으로) 표현하다: (~+목+전+명) The hero is finely ~*d in* the poem. 그 시 속에 영웅의 모습이 훌륭하게 그려져 있다. **5** …와 비슷하다 **6** 《구어》 〈회사·공인·정당 등의〉 이미지를 만들다 **ím·ag·er** *n.*
▷ ímageable *a.*; imágine *v.*

im·age·a·ble [ímidʒəbl] *a.* 〖심리〗 〈어구가〉 이미지를 형성하는, 심상을 환기하는

ímage àdvertising 이미지 광고 《상품의 특성보다는 긍정적 이미지를 상품에 결부시키는 광고》

ímage anàlysis 〖컴퓨터〗 화상 해석

im·age-build·er [ímidʒbìldər] *n.* 〖광고〗 이미지를 형성하는 사람[것]

im·age-build·ing [-bìldiŋ] *n.* Ⓤ (광고 등에 의한) 이미지 형성

ímage convèrter 〖전자〗 영상 변환관(變換管)

ímage dissèctor 〖라디오·TV〗 해상관(解像管)

ímage enhàncement 〖컴퓨터〗 화상 개선[강조]

ímage hòsting 〖컴퓨터〗 이미지 호스팅 《인터넷 웹페이지의 광고용 스페이스를 제공하는 서비스》

ímage intènsifier 〖전자〗 영상 증배관(增倍管), 광증폭기(光增幅器)

im·age·mak·er [-mèikər] *n.* 이미지를 만드는 사람, 광고인; (상품·회사의) 이미지 메이커

im·age-mak·ing [-mèikiŋ] *n.* 이미지 만들기
— *a.* 이미지를 만드는

ímage òrthicon 〖TV〗 이미지 오시콘 《고감도의 촬상관(撮像管)》

ímage pròcessing 〖컴퓨터〗 영상 (정보) 처리

ímage pròcessing sóftware 〖컴퓨터〗 영상 처리 소프트웨어

ímage pròcessor 〖컴퓨터〗 영상 처리 장치

ímage recognìtion 〖컴퓨터〗 영상 인식

im·age·ry [ímidʒəri] *n.* (*pl.* **-ries**) ⓊⒸ [집합적] **1** 상, 조상(彫像); 심상: the dim ~ of a dream 꿈에 나오는 희미한 물체의 모습 **2** 〖문학〗 비유적 묘사[설명]; 수사적 표현, 문학적 형상, 사상(寫像), 이미지 **3** 〖심리〗 표상, 심상

ímagery rehéarsal 이미지 트레이닝 《머릿속으로 운동이나 동작을 그려보는 연습》

ímage sètter 〖컴퓨터〗 이미지 세터 《인화지나 필름에 고해상도로 문자·데이터를 출력하는 장치》

ímage tùbe 〖전자〗 이미지관(image converter)

*__im·ag·i·na·ble__ [imǽdʒənəbl] *a.* **상상할 수 있는,** 생각할 수 있는 ★ 강조하기 위해 최상급 형용사 또는 all, every, no 등에 덧붙여 씀: *every* means ~ 온갖 수단 / the *greatest* difficulty ~ 거의 상상할 수 없을 만큼의 큰 곤란
~·ness *n.* **-bly** *ad.* 상상할 수 있게; 당연히

im·ag·i·nal[1] [imǽdʒənl] *a.* 상상(력)의, 영상의, 심상의, 상상력을 이용한, 비유적인

i·ma·gi·nal[2] [iméigənl, imɑ́ː-] *a.* 〖곤충〗 성충(imago)의; 성충 모양의

‡**im·ag·i·nar·y** [imǽdʒənèri | -nəri] *a.* **1** 상상의, 가공의: an ~ enemy 가상의 적

> 유의어 **imaginary** 어떤 사물이 상상으로만 존재하는, 비현실적이어서 신용할 수 없는: an *imaginary* animal 가공의 동물 **imaginative** 상상력이 풍부한, 상상력을 구사한: *imaginative* faculty 상상력

2 〖수학〗 허(虛)(수)의(opp. *real*): an ~ root 허근
— *n.* (*pl.* **-nar·ies**) 〖수학〗 =IMAGINARY NUMBER
-nàr·i·ly *ad.* **-nàr·i·ness** *n.*
▷ imágine *v.*

imáginary áxis 〖수학〗 허수축, 허축(虛軸)

imáginary númber 〖수학〗 허수

imáginary párt 〖수학〗 허수 부분

imáginary únit 〖수학〗 허수 단위

‡**im·ag·i·na·tion** [imæ̀dʒənéiʃən] *n.* ⓊⒸ **1 a** 상상; 상상력, 몽상(⇨ fancy 유의어): a man of remarkable ~ 상상력이 뛰어난 사람 **b** (작가 등의) 창조[창작]력, 창의, 구상력; (예술품의) 감상력, 이해력 **2** [종종 one's ~] 심상(心像); 《구어》 상상의 산물, 공상, 망상: idle ~*s* 망상 **3** 문제 해결 능력, 기지의 풍부함: a job that requires ~ 빠른 두뇌 회전이 요구되는 일 ***impress the popular ~*** 인기를 얻다
▷ imágine *v.*; imáginative *a.*

*__im·ag·i·na·tive__ [imǽdʒənətiv, -nèit- | -nət-] *a.*

---

illustration *n.* **1** 삽화, 도해 picture, drawing, sketch, figure **2** 실례 example, instance, specimen, sample **3** 설명 exemplification, demonstration, showing, clarification, interpretation

imagination *n.* creativity, vision, insight, originality, innovation, ingenuity, cleverness

1 상상의, 상상에 관한; 상상적인, 가공의, 공상의: an ~ tale 상상의 이야기 / ~ products 상상의 산물 **2** 상상력[창작력, 구상력]이 풍부한; 상상하기 좋아하는(⇨ imaginary 유의어): an ~ writer 상상력이 풍부한 작가 **3** 재치 있는 **~·ly** *ad.* **~·ness** *n.*
▷ imágine *v.*; imaginátion *n.*

im·ag·ine [imǽdʒin] [L 「마음에 그리다」의 뜻에서] *vt.* **1** 상상하다, 마음에 그리다, 가정하다: You can little ~ his great success. 그가 얼마나 큰 성공을 거두었는지 아마 상상도 못할 것이다. // (~+*that* 절) At first sight I could easily ~ *that* the girl would become a good actress. 나는 첫눈에 그 소녀가 훌륭한 배우가 되리라고 상상할 수 있었다. / He ~*d that* the house was haunted. 그는 그 집에 유령이 나오는 것을 상상했다. // (~+**-ing**) I couldn't ~ meet*ing* you here. 여기서 당신을 만나리라고는 상상하지 못했소. // (~+목+(*to be*) 보) She likes to ~ herself (*to be*) a princess. 그녀는 자신이 공주라고 상상하기를 좋아한다. // (~+*wh.* 절) Just ~ *how* angry I was! 내가 얼마나 화났던가 생각해 보게나! // (~+목+*as* 보) I always ~*d* him *as* a tall man. 언제나 그를 키가 큰 사람으로 상상하고 있었다.

> 유의어 **imagine** 어떤 상황이나 생각 등을 마음에 떠올리다: *Imagine* you're at the beach. 당신이 바닷가에 있다고 상상해 보시오. **suppose** 추측해서 생각하다: I *suppose*[*guess*] you're right. 네 말이 옳은 것 같다. **guess** suppose와 대체로 같은 뜻이지만 보다 구어적인 말

2 …라고 생각하다(suppose), …같은 느낌이 들다; …라고 추측하다(guess), 짐작하다: (~+*that* 절) I ~ (*that*) he will come without fail. 그가 틀림없이 오리라고 생각한다. // (~+*wh.* 절) I can't ~ *what* he is doing. 그가 무엇을 하고 있는지 나는 짐작이 가지 않는다. **3** (고어) 꾀하다
—*vi.* 상상하다; 추측하다; 생각하다: Just ~! 생각 좀 해보게! **i·mág·in·er** *n.*
▷ imaginátion *n.*; imáginary, imáginative *a.*

im·ag·i·neer [imæ̀dʒəníər] [*imagine*+engin*eer*] *n.* 아이디어맨, 기획자

im·ag·i·neer·ing [imæ̀dʒəníəriŋ] [*imagine*+engin*eering*] *n.* 아이디어의 구체화[실용화]

im·ag·ing [ímədʒiŋ] *n.* **1** 〖심리〗 이미지화(化); [*pl.*] 공상, 몽상 **2** 〖의학〗 화상 진찰

ímaging ràdar 〖군사〗 영상[화상] 레이더 《목표를 스코프상의 점이 아닌 형태로 포착하는》

im·ag·in·ings [imǽdʒiniŋz] *n. pl.* 상상의 산물, 공상, 환상

im·ag·ism [ímədʒìzm] *n.* Ⓤ **1** 〖문학〗 심상(心象)주의, 이미지즘 《낭만파에 대항하여 1912년경에 일어난 시인 일파의 주장》 **2** 일상어와 변화하는 리듬을 도입한 자유시체(自由詩體)
-ist *n., a.* **ìm·ag·ís·tic** *a.* **ìm·ag·ís·ti·cal·ly** *ad.*

i·ma·go [iméigou, imáː-] *n.* (*pl.* **~es, -gi·nes** [-gənìːz]) **1** 〖곤충〗 (나비·나방 등의) 성충 **2** 〖정신분석〗 심상(心象), 이마고 《어렸을 때의 사랑의 대상이 이상화된 것》

i·mam [imáːm], **i·maum** [imáːm, imɔ́ːm] *n.* **1** [**I~**] 이슬람교의 수니파에서 칼리프나 뛰어난 학자의 존칭 **2** 이슬람교 사원에서의 집단 예배를 인도하는 자

i·mam·ate [imáːmeit] *n.* **1** imam의 직분 **2** imam의 영토[관구(管區)]

IMAP [áimæ̀p] [*I*nternet *M*essaging *A*ccess *P*rotocol] *n.* 〖컴퓨터〗 아이맵 《인터넷 메일 서버에서, 메일을 읽기 위한 인터넷 표준 통신 규약의 하나》

i·ma·ret [imáːret] *n.* (터키의) 순례[여행]자 숙소

IMAX [áimæks] *n.* **1** 아이맥스 《초대형 화면 방식의 영사 시스템; 상표명》 **2** 아이맥스 영화관

im·bal·ance [imbǽləns] *n.* Ⓤ 불균형, 불안정: the trade ~ 무역 불균형 / a dietary ~ 불균형한 식사 / the ~ between supply and demand 수요와 공급의 불균형

> 유의어 **imbalance** 「불안정」의 뜻으로 일반적으로 사용하는 말이다. **unbalance** 주로 정신적인 불안정의 뜻으로 사용한다.

im·bal·anced [imbǽlənst] *a.* 불균형의; (특히 종교적·인종적으로) 인구 비율의 불균형이 심한

im·balm [imbáːm] *vt.* (고어) =EMBALM

im·be·cile [ímbəsil, -səl | -sìːl, -sàil] *a.* **1** 저능한, 정신박약의; 〈언동 등이〉 우둔한, 매우 어리석은 (stupid) **2** (고어) 허약한(feeble)
— *n.* **1** 저능한 사람, 바보 **2** 〖심리〗 치우(痴愚), 백치 《지능이 idiot보다 높고 moron보다 낮아 3-7세 정도인 저능자》 **~·ly** *ad.*

im·be·cil·ic [ìmbəsílik] *a.* 치우의, 정신박약자 특유의; 어리석은

im·be·cil·i·ty [ìmbəsíləti] *n.* (*pl.* **-ties**) **1** Ⓤ 저능; 우둔함 **2** 바보짓, 어리석은 말 **3** 허약, 유약, 무능

im·bed [imbéd] *vt., vi.* (**~·ded; ~·ding**) =EMBED

im·bibe [imbáib] *vt.* **1** 〈양분·수분 등을〉 흡수하다, 섭취하다: Plants ~ light from the sun. 식물은 태양에서 빛을 흡수한다. **2** 〈술 등을〉 마시다 **3** 〈사상 등을〉 흡수하다, 동화하다 **—***vi.* 술을 마시다(drink); 수분[기체, 빛, 열]을 흡수하다 **im·bíb·er** *n.*

im·bi·bi·tion [ìmbəbíʃən] *n.* Ⓤ 빨아들임, 흡입, 흡수; 동화; 〖물리·화학〗 흡수 팽윤(吸水膨潤) **~·al** *a.*

im·bit·ter [imbítər] *vt.* =EMBITTER

im·bi·zo [imbíːzou] *n.* (남아공) (정치인과 시민 대표 사이의) 공청회, 토론회

im·bod·y [imbádi | -bɔ́di] *vt.* =EMBODY

im·bos·om [imbúzəm, -búːz- | -búz-] *vt.* =EMBOSOM

im·bri·cate [ímbrikət, -kèit] *a.* 〖생물〗 〈잎·비늘 등이〉 겹쳐진; 미늘을 단(overlapping); 〈지붕 이는 재료·장식·무늬 등이〉 비늘 모양으로 겹쳐진
— [-brəkèit] *vt., vi.* 비늘 모양으로 겹치다[겹쳐지다]; 미늘을 달다 **~·ly** *ad.*

im·bri·ca·tion [ìmbrəkéiʃən] *n.* ⓊⒸ 기왓장처럼 겹친 모양(의 구조); 미늘 달기; 비늘 모양의 장식

im·bro·glio [imbróuljou] [It. =confusion] *n.* (*pl.* **~s**) **1** (연극의) 복잡한 줄거리 **2** (사물의) 뒤얽힘; 분규, 혼란: an ~ of papers and books 복잡하게 쌓인 서류와 책더미

im·brown [imbráun] *vt., vi.* =EMBROWN

im·brue, em- [imbrúː] *vt.* 〈손·칼을〉 (피로) 더럽히다, 물들이다, 스미게 하다 《*with, in*》

im·brute [imbrúːt] *vt., vi.* 짐승같이 되게 하다[되다] **~·ment** *n.*

im·bue [imbjúː] *vt.* **1** …에 (수분 등을) 듬뿍 스며들게 하다; (빛깔로) 물들이다 《*with*》: (~+목+전+명) clothes ~*d with* black 까맣게 물든 옷 **2** =IMBRUE **3** …에게 (감정·사상·의견 등을) 불어넣다, 고취하다 《*with*》: be ~*d with* a sense of purpose 명확한 목적 의식을 가지고 있다 // (~+목+전+명) ~ a mind *with* new ideas[patriotism] 새 사상[애국심]을 고취하다

IMCO Inter-Governmental Maritime Consultative Organization 《IMO의 구칭》 **IME** 〖컴퓨터〗 input method editor **IMF** International Monetary Fund 국제 통화 기금 **IMHO** in my humble

thesaurus **imagine** *v.* **1** 상상하다 envisage, conceive, picture, envision, dream about **2** …라고 생각하다 assume, think, believe, guess
imitate *v.* **1** 흉내내다 copy, follow, echo, mirror, mimic, parody, mock **2** 모사하다 reproduce, replicate, duplicate, counterfeit
immature *a.* unripe, undeveloped, imperfect,

opinion 《e-mail의 용어》
im·id·az·ole [ìmədǽzoul, -dəzóul] *n.* 〚화학〛 이미다졸《헤테로 고리 화합물; 히스타민 억제제》
im·ide [ímaid, ímid] *n.* 〚화학〛 이미드
i·mine [imí:n, ímin] *n.* 〚화학〛 이민
im·ip·ra·mine [imíprəmì:n] *n.* 〚약학〛 이미프라민《항울제(抗鬱劑)》
IMIS 〚컴퓨터〛 integrated management information system 종합 경영 정보 시스템 **imit.** imitation; imitative
im·i·ta·ble [ímətəbl] *a.* 모방할 수 있는, 본받을 만한 **ìm·i·ta·bíl·i·ty** *n.* **~·ness** *n.*
‡im·i·tate [ímətèit] [L 「흉내내다」의 뜻에서] *vt.* **1** 모방하다, 흉내내다(mimic); 본받다, 본보기로 하다, 배우려 하다: ~ an author's style 어떤 작가의 문체를 본받다 / Parrots ~ human speech. 앵무새는 인간의 말을 흉내낸다.

> 유의어 **imitate** 「흉내내다」의 일반적인 말로서 놀리거나 업신여기는 뜻을 담고 있지 않다: *imitate* a poet's style 어떤 시인의 문체를 모방하다 **mimic** 남의 말이나 몸짓을 놀리거나 업신여겨 흉내내다: pupils *mimicking* their teacher 선생님을 흉내내는 학생들 **copy** 원래의 것과 아주 같은 것을 만들려고 하다: *copy* a painting 그림을 모사하다

2 모사(模寫)[모조]하다, …와 비슷하게 하다, 위조하다: fabrics that ~ leather 피혁을 모조한 직물 **3** 〚생물〛 〈동물 등이〉 닮다 **4** 가장하다, …인 체하다
▷ imitátion *n.*; ímitative *a.*
im·i·tat·ed [ímətèitid] *a.* 본뜬; 모조의, 가짜의
‡im·i·ta·tion [ìmətéiʃən] *n.* **1** Ⓤ 모방, 흉내; 모조, 모사 **2** 모조품, 비슷하게 만든 것; 위조품, 가짜; (문학 작품 등에서) 모방작: an ~ of marble 인조 대리석 **3** Ⓤ 〚음악〛 모방 (작법) 《악구(樂句)·주제를 뒷부분에서 수식 또는 그대로 되풀이함》 **4** 〚동물〛 모방 행동
— *a.* Ⓐ 모조의, 인조의: ~ leather[pearls] 모조 가죽[진주] ***give an ~ of*** …을 흉내내다 ***in ~ of*** …을 모방하여[본떠서]
▷ ímitate *v.*; ímitative *a.*
imitátion dóublet (유리로 만든) 모조 보석
imitátion mílk 대용(代用) 우유
im·i·ta·tive [ímətèitiv | -tət-] *a.* **1** 흉내내기 좋아하는 **2** 〈예술 작품·행위 등이〉 모방적인, 독창적이 아닌; 모조의, 모사의, 위조의: ~ arts 모방 예술《회화·조각 등》/ ~ poetry 모방시 / articles of ~ jewelry 모조 보석류 **3** 〚생물〛 의태의, 모방의; 의성(擬聲)적인: ~ music 의성 음악 / ~ words 의성어 ***be ~ of*** …을 흉내내다, 본뜨다
~·ly *ad.* **~·ness** *n.*
im·i·ta·tor [ímətèitər] *n.* 모방[모조, 위조]하는 사람
IMM International Monetary Market
im·mac·u·la·cy [imǽkjuləsi] *n.* Ⓤ 오점[흠집, 결점, 과실]이 없음, 티 없음, 무구, 결백
***im·mac·u·late** [imǽkjulət] *a.* **1** 오점[결점] 없는, 흠 없는; 완전한; 〚동물〛 반점 없는, 무늬 없는, 단색의: an ~ text 완벽한 교재 **2** 깨끗한, 순결한, 티 없는, 청결한: ~ linen 새하얀 속옷 **~·ly** *ad.* **~·ness** *n.*
▷ immáculacy *n.*
Immáculate Concéption [the ~] 〚가톨릭〛 (성모 마리아의) 원죄 없는 잉태(설), 무염 시태(無染始胎)
im·mane [iméin] *a.* 《고어》 **1** 매우 큰 **2** 매우 잔혹한
im·ma·nence, -nen·cy [ímənəns(i)] *n.* Ⓤ **1** 내재(內在)(성) **2** 〚신학〛 (신의 우주에 있어서의) 내재[편재](성)(opp. *transcendence*); 내재론
im·ma·nent [ímənənt] *a.* **1** (…의) 안에 있는, 내재하는(inherent) 《*in*》: factors ~ *in* social evolution 사회 발전의 내적 요인 **2** 〚철학〛 마음속에서만 일어나는, 주관적인 **3** 〚신학〛 〈신이〉 (우주·시간 등에) 내재하는[내재적인] **~·ly** *ad.*
im·ma·nent·ism [ímənəntìzm] *n.* **1** 내재론[설] **2** 내재 철학 **-ist** *n., a.*
Im·man·u·el [imǽnjuəl] *n.* **1** 남자 이름 **2** 〚성서〛 구세주; 그리스도
im·ma·te·ri·al [ìmətíəriəl] *a.* **1** 실체 없는, 무형의, 비물질적인; 정신상의, 영적인(spiritual) **2** 중요하지 않은, 하찮은, 보잘것없는 **3** 관계[관련]없는
~·ly *ad.* **~·ness** *n.*
im·ma·te·ri·al·ism [ìmətíəriəlìzm] *n.* Ⓤ 비물질론, 유심론 **-ist** *n.*
im·ma·te·ri·al·i·ty [ìmətìəriǽləti] *n.* (*pl.* **-ties**) ⓊⒸ **1** 비물질성, 비실체성; 비중요성, 중요하지 않음 **2** 비물질적인 것, 실체 없는 것
im·ma·te·ri·al·ize [ìmətíəriəlàiz] *vt.* …의 형체를 없애다, 비물질적으로 하다, 실체가 없게 하다
***im·ma·ture** [ìmətʃúər, -tjúər | -tjúə] *a.* **1** 미숙한, 생경한(crude); 미완성의(opp. *ripe*): an ~ literary work 생경한 문학 작품 **2** 〚지질〛 〈지형이〉 유년기의 **3** (정서적으로) 미발달의; 유치한
— *n.* 미성년; 발육 중인 동물 **~·ly** *ad.* **~·ness** *n.*
▷ immatúrity *n.*
im·ma·tu·ri·ty [ìmətʃúərəti, -tjúər- | -tjúər-] *n.* (*pl.* **-ties**) Ⓤ **1** 미숙, 미성숙; 생경함 **2** 미숙한 행위, 어린이 같은 행동
***im·meas·ur·a·ble** [iméʒərəbl] *a.* 헤아릴 수 없는, 끝없는, 무한의; 광대한(vast): ~ gratitude 헤아릴 수 없는 감사의 마음
im·mèas·ur·a·bíl·i·ty *n.* **~·ness** *n.* **-bly** *ad.* 헤아릴 수 없을 정도로
im·me·di·a·cy [imí:diəsi] *n.* (*pl.* **-cies**) Ⓤ 긴박; 직접; 즉시(성); [종종 *pl.*] 긴급하게 필요한 것; 〚철학〛 직접성: the *immediacies* of everyday living 일상생활에 직접적으로 필요한 것
‡im·me·di·ate [imí:diət] *a.* **1** 즉각의, 당장의, 즉시의: ~ cash 즉시 지불금, 맞돈 / ~ delivery[payment] 즉시 인도[지불] / an ~ notice 즉시 통고 / an ~ reply 즉답 **2** 직접의(direct); (공간적·거리적으로) 바로 옆[이웃]의, 인접한: an ~ cause 직접적인 원인 / ~ connection 직접적인 관계[관련] / an ~ neighbor 바로 옆집 사람 / one's ~ supervisor 직속 상관 / in the ~ vicinity 바로 가까이에 **3 a** 당면한, 목하의: our ~ plans 당면 계획 **b** 〈장래·관계 등이〉 아주 가까운, 친밀한: in the ~ future 가까운 장래에 / my ~ family 육친 **~·ness** *n.*
▷ immédiately *ad.*; immédiacy *n.*
immédiate annúity 〚보험〛 즉시 연금
immédiate constítuent 〚문법〛 직접 구성 요소, 직접 성분《문장을 차례로 2개의 하위 구분으로 나누어 갈 때의 그 한쪽. 보기: He is a boy. 의 he와 is a boy; is a boy의 is와 a boy》
‡im·me·di·ate·ly [imí:diətli] *ad.* **1** 곧, 즉각, 즉시로(at once)(⇨ soon 유의어): come home ~ 바로 집에 들어오다 / Please, telephone ~. 곧바로 전화하세요. **2** 직접(으로); 바로 가까이에, 인접하여
— *conj.* 《영》 …하자마자(as soon as)
im·me·di·a·tism [imí:diətìzm] *n.* 〚미국사〛 노예제도 즉시 폐지 정책
im·med·i·ca·ble [imédikəbl] *a.* 불치의, 고칠 수 없는; 돌이킬 수 없는
Im·mel·mann [íməlmɑ̀:n, -mən] [독일의 비행사 이름에서] *n.* 이멜만 반전(反轉) (=← **túrn**) 《비행기가 반(半) 공중 회전을 하고 난 뒤, 반횡전(半橫轉)해서 정상적인 수평 상태로 되돌아가는 기술》
im·mem·o·ra·ble [imémərəbl] *a.* 기억할 가치가

---

crude, adolescent, childish, infantile, juvenile, inexperienced, unsophisticated
immeasurable *a.* measureless, boundless, limitless, infinite, incalculable, fathomless
immediately *ad.* at once, without delay, instantly, directly, right away, straightaway, right now, promptly, without hesitation

없는; = IMMEMORIAL

∗**im·me·mo·ri·al** [ìməmɔ́:riəl] *a.* **사람의 기억[기록]에 없는,** 먼 옛날의, 태곳적부터의 ***from*** [***since***] ***time*** ~ 태곳적부터 **~·ly** *ad.*

‡**im·mense** [iméns] [L 「잴 수 없는」의 뜻에서] *a.* **1 거대한, 막대한,** 광대한(⇨ huge 유의어): an ~ territory 광대한 영토 / an ~ sum of money 막대한 돈 **2** 이루 헤아릴 수 없는, 한없는: ~ variety 한없는 다양성 **3** ⦅구어⦆ 멋진, 굉장한: You did an ~ job getting the project started. 그 사업을 발족시키는 굉장한 일을 했군요.
~·ly *ad.* 막대[광대]하게; ⦅속어⦆ 아주, 굉장히
~·ness *n.* ▷ imménsity *n.*

im·men·si·ty [iménsəti] *n.* (*pl.* **-ties**) **1** Ⓤ 광대, 거대; 무수, 무한: the ~ of the Roman Empire 로마 제국의 광대함 **2** 막대한 것[수량]; 광대한 넓이

im·men·su·ra·ble [iménʃərəbl, -sər- | -ʃər-] *a.* = IMMEASURABLE

im·merge [imə́:rdʒ] *vi.* ⦅문어⦆ (물 속 등에) 뛰어들다, 가라앉다, 〈천체 등이〉 사라지다 — *vt.* ⦅고어⦆ = IMMERSE **im·mér·gence** *n.*

∗**im·merse** [imə́:rs] *vt.* **1 담그다,** 가라앉히다, 적시다 ⦅*in*⦆ **2** 〖그리스도교〗 …에게 침례를 베풀다 **3** [보통 수동형 또는 ~ one*self* 로] 열중[몰두]시키다, 빠져들게 하다 ⦅*in*⦆: She *is* ~*d in* her law practices. 그녀는 변호사 업무에 몰두해 있다. / ~ *oneself in* study 연구에 몰두하다

im·mers·i·ble [imə́:rsəbl] *a.* ⦅미⦆ 〈전기 기구 등이〉 내수성(耐水性)의

im·mer·sion [imə́:rʒən, -ʃən | -ʃən] *n.* Ⓤ **1** (…에) 담금, 잠금; 투입 **2** 〖그리스도교〗 침례 **3** 열중, 몰입, 몰두 **4** 〖교육〗 (외국어의) 집중 훈련 **5** 〖천문〗 잠입 ⦅한 천체가 다른 천체의 뒤나 그늘에 숨는 일⦆
total ~ 〖그리스도교〗 전신 침례(cf. AFFUSION)

immérsion còurse (외국어 따위의) 집중 훈련[학습] 과정

immérsion fòot 〖병리〗 침족병(浸足病)

immérsion hèater 물 끓이는 투입식 전열기 ⦅코드 끝에 있는 방수 발열체를 직접 물에 담금⦆

im·mer·sive [imə́:rsiv] *a.* 〖컴퓨터〗 몰입형의 ⦅사용자가 가상현실에 있는 것 같도록 하는⦆

im·mesh [imméʃ] *vt.* = ENMESH

im·me·thod·i·cal [ìməθɑ́dikəl | -θɔ́d-] *a.* 불규칙한, 무질서한, 난잡한 **~·ly** *ad.* **~·ness** *n.*

∗**im·mi·grant** [ímigrənt] *n.* **1** (외국으로부터의) **이민,** (입국) **이주자,** 입주민(cf. EMIGRANT) **2** 〖생태〗 귀화 식물, 외래 동물
— *a.* Ⓐ 이주해 오는; 이주자의; 이민에 관한: a department for ~ affairs 이민국
▷ ímmigrate *v.*

∗**im·mi·grate** [íməgrèit] [L 「안으로 옮기다」의 뜻에서] *vi.* (타국에서) **이주하다** ⦅*to, into*⦆(cf. EMIGRATE; ⇨ migrate 유의어); (식물·동물이) 새로운 서식지로 옮기다
— *vt.* 이주시키다: ~ cheap labor 값싼 노동자를 이주시키다 **-grà·tor** *n.*
▷ immigrátion *n.*

∗**im·mi·gra·tion** [ìməgréiʃən] *n.* ⓊⒸ **1** (입국) **이주,** 이민; Ⓤ 입국 관리[심사] **2** [집합적] (입국) 이민단, 이민자; (일정 기간 내의) **이민(자)수** **~·al** *a.*
▷ ímmigrate *v.*

Immigrátion and Naturalizátion Sèrvice ⦅미⦆ 이민 귀화국 ⦅略 INS⦆

immigrátion òffice 출입국 관리 사무소

im·mi·nence [ímənəns] *n.* Ⓤ **1** 절박, 촉박, 위급, 급박: the ~ of war 급박한 전쟁 **2** 절박[급박]한 위험[사정]

im·mi·nen·cy [ímənənsi] *n.* = IMMINENCE 1

∗**im·mi·nent** [ímənənt] [L 「위로 덮이다」의 뜻에서] *a.* **1 절박한, 촉박한,** 박두한, 곧 닥쳐올 것 같은, 일촉즉발의: Her death is ~. 그녀는 금방이라도 죽을 것 같다. **2** ⦅고어⦆ 튀어나온, 돌출한

> 유의어 **imminent** 위험 등이 금방이라도 닥쳐올 것 같은 절박한 느낌을 나타냄: *imminent* danger 절박한 위험 **impending** 「나쁜 일이나 꺼리는 일이 금방이라도 일어날 듯한」의 뜻으로서 불안한 느낌을 나타내며, imminent보다는 덜 절박함: an *impending* storm 곧 다가올 것 같은 폭풍

~·ly *ad.* **~·ness** *n.* ▷ ímminence *n.*

im·min·gle [imíŋgl] *vt., vi.* 혼합[융합]하다[시키다]

im·mis·ci·ble [imísəbl] *a.* (…와) 혼합할 수 없는 ⦅*with*⦆: water-~ solvent 물과 혼합할 수 없는 용제(溶劑) **-bly** *ad.*

im·mis·er·a·tion [imìzəréiʃən], **im·mis·er·i·za·tion** [imìzərizéiʃən | -raiz-] *n.* 궁핍화, 점점 더 비참해짐[비참하게 함]

im·mit·i·ga·ble [imítigəbl] *a.* 완화하기[달래기] 힘든 **im·mìt·i·ga·bíl·i·ty** *n.* **-bly** *ad.*

im·mit·tance [imítəns] [*im*pedance+ad*mittance*] *n.* 〖전기〗 이미턴스 ⦅임피던스와 어드미턴스의 총칭⦆

im·mix [imíks] *vt.* (**~ed, -mixt**) 섞다; 휩쓸어 넣다

im·mix·ture [imíkstʃər] *n.* Ⓤ 혼합 (상태); 휩쓸어 넣기, 연루

im·mo·bile [imóubəl, -bi:l | -bail] *a.* 움직일 수 없는, 고정된, 부동의; 정지(靜止)의, 움직이게 할 수 없는: She's been ~ since the accident. 그녀는 사고 이후 움직일 수 없게 되었다.

im·mo·bi·lism [imóubəlìzm] *n.* (정치·기업 활동의) 현상 유지 정책, 극단적 보수주의

im·mo·bil·i·ty [ìmoubíləti] *n.* Ⓤ 부동성; 부동 (상태), 고정, 정지

im·mo·bi·lize [imóubəlàiz] *vt.* **1 a** 움직이지 않게[못하게] 하다, 고정시키다: The hurricane ~*d* the airlines. 허리케인 때문에 항공로가 마비되었다. **b** (깁스 등으로) 〈관절·환부 등을〉 고정시키다 **c** 〈군대·함대를〉 이동할 수 없게 하다, 억류하다 **2** 〖금융〗 〈정화(正貨)의〉 유통을 정지시키다; 〈유동 자본을〉 고정 자본화하다 **3** 〈상대의 계략을〉 무력화시키다, 좌절시키다
im·mò·bi·li·zá·tion *n.*

im·mo·bi·liz·er [imóubəlàizər] *n.* 이모빌라이저 ⦅차량 따위의 전자식 도난 방지시스템의 일종⦆

im·mod·er·a·cy [imɑ́dərəsi | imɔ́d-] *n.* = IMMODERATION

im·mod·er·ate [imɑ́dərət | imɔ́d-] *a.* **1** 무절제한, 중용(中庸)을 잃은 **2** 지나친, 극단적인(extreme): ~ demands 지나친 요구 **~·ly** *ad.* **~·ness** *n.*

im·mod·er·a·tion [imɑ̀dəréiʃən | imɔ̀d-] *n.* Ⓤ 무절제, 지나친 행동; 과도, 극단

im·mod·est [imɑ́dist | imɔ́d-] *a.* **1** 〈특히 여성의 행위·복장 등이〉 조심성 없는, 천박한, 음란한 **2** 〈주장·요구 등이〉 무례한, 버릇없는, 건방진, 뻔뻔스러운, 안하무인격의: an ~ request 뻔뻔스러운 부탁 **~·ly** *ad.*

im·mod·es·ty [imɑ́disti | imɔ́d-] *n.* **1** Ⓤ 조심성 없음, 천박함; 무례, 염치없음, 뻔뻔스러움 **2** 버릇[조심성]없는 짓[말]

im·mo·late [íməlèit] *vt.* **1** 〈…을〉 (…에게) 제물로 바치다 ⦅*to*⦆ **2** 희생하다(sacrifice) **-là·tor** *n.* 희생[제물]을 바치는 사람

im·mo·la·tion [ìməléiʃən] *n.* ⓊⒸ **1** 제물로 바침, 제물이 됨 **2** 제물; 희생

∗**im·mor·al** [imɔ́:rəl, imɑ́r- | imɔ́r-] *a.* **부도덕한,** 품행이 나쁜, 음란한; 〈책·그림·영화 등이〉 외설적인: an ~ man 부도덕한 사람 / ~ girls ⦅완곡⦆ 매춘부 **~·ly** *ad.*

im·mor·al·ism [imɔ́:rəlìzm, imɑ́r- | imɔ́r-] *n.*

thesaurus **imminent** *a.* impending, at hand, close, near, approaching, coming, forthcoming
immoral *a.* wrong, dishonest, unethical, wicked,

〖철학〗 배덕주의(背德主義)

im·mor·al·ist [imɔ́:rəlist, imɑ́r- | imɔ́r-] *n.* 부도덕을 부르짖는[행하는] 사람, 부도덕가[주의자]

im·mo·ral·i·ty [ìmərǽləti, ìmɔ:- | ìmə-] *n.* (*pl.* **-ties**) **1** Ⓤ 부도덕; 품행이 나쁨; 악덕, 사악; 난잡함; 음란, 외설 **2** 부도덕[패륜] 행위, 악행; 추행, 난행, 풍기 문란

Immorálity Àct [the ~] 《남아공》 부도덕법《백인과 흑인의 결혼·성행위를 금하는 법령》

im·mor·al·ize [imɔ́:rəlàiz, imɑ́r- | imɔ́r-] *vt.* 부도덕하게 하다; 풍기를 어지럽히다

***im·mor·tal** [imɔ́:rtl] *a.* **1 불사(신)의**(opp. *mortal*) **2** 불멸의, 영원한; 영구히 계속되는, 불변의, 끊임없는: an ~ enemy 영원히 화해하기 어려운 적 / ~ wisdom 영원한 지혜 **3** 불후의, 영원히 기억되는
—*n.* **1** 불사신 같은 사람 **2** 불후의 명성을 가진 사람《특히 작가·시인》 **3** [종종 **I~**] (고대 그리스·로마의) 여러 신(神)들 중 한 사람 **~·ly** *ad.*
▷ immortálity *n.*; immórtalize *v.*

***im·mor·tal·i·ty** [ìmɔ:rtǽləti] *n.* Ⓤ **1 불사**, 불멸, 불후성(不朽性), 영속성; 영원한 생명: the ~ of the soul 영혼의 불멸 **2 불후의 명성**

im·mor·tal·ize [imɔ́:rtəlàiz] *vt.* **1** 불멸[불후]하게 하다, 〈…에게〉 영원성을 부여하다 **2** 〈…에게〉 불후의 명성을 주다 **im·mòr·tal·i·zá·tion** *n.* **-iz·er** *n.*

im·mor·telle [ìmɔ:rtél] [F] *n.* 〖식물〗 드라이플라워, 건조화(乾燥花)《밀짚국화 등》

im·mo·tile [imóutl, -tail | -tail] *a.* 움직일 수 없는; 자동력이 없는 **ìm·mo·tíl·i·ty** *n.*

***im·mov·a·ble** [imú:vəbl] *a.* **1 움직일 수 없는**, 고정된; 움직이지 않는, 정지한: an ~ foundation 고정된 토대 **2** 부동의, 확고한, 태연자약한; 감정에 좌우되지 않는, 냉정한: an ~ heart 냉정한 마음 / ~ determination 부동의 결의 **3** 〈축제일·기념일 등이〉 해마다 같은 날짜의, 고정된: Christmas is an ~ feast. 크리스마스는 매년 날짜가 같은 축제이다. **4** 〖법〗 〈재산이〉 부동의; 장소 불변의: ~ estate[property] 부동산
—*n.* **1** [보통 *pl.*] 〖법〗 부동산 **2** 움직이지 않는 것
im·mòv·a·bíl·i·ty *n.* **~·ness** *n.* **-bly** *ad.*

im·mune [imjú:n] *a.* **1** 〈전염병·독 등을〉 면한, 면역(성)의 《*to, from*》: ~ reaction 면역 반응 **2** (과세·공격 등에서) 면제된(exempt), (…을) 당할 염려가 없는 《*from, against*》: ~ *from* punishment 처벌을 면한 **3** (…에) 영향을 받지 않는 《*to*》: ~ *to* new ideas 새로운 생각에 영향을 받지 않는 **4** 〖컴퓨터〗 (바이러스에 대해) 안전한, 면역의 《*to*》 **—***n.* 면역[면제]자
▷ immúnity *n.*; ímmunize *v.*

immúne bódy 면역체, 항체(antibody)

immúne còmplex 〖의학〗 면역 복합체

immúne respònse 면역 반응

immúne sérum 〖의학〗 면역 혈청

immúne survéillance 〖의학〗 =IMMUNOLOGICAL SURVEILLANCE

immúne sỳstem 〖해부〗 면역 시스템

***im·mu·ni·ty** [imjú:nəti] *n.* (*pl.* **-ties**) Ⓤ **1** (책임·채무 등의) **면제** 《*from*》; 특전: ~ *from* taxation 면세 / ~ *from* military service 병역 면제 **2** (전염병 등에 대한) **면역**(성), 면역질 《*from, to*》: give a person ~ *to* a disease …에게 병에 대한 면역성을 주다 **3** Ⓒ (교회·성직자 등의 세속적 의무·책임의) 면제 《*from*》 **4** 〖법〗 면책
▷ immúne *a.*; ímmunize *v.*

immúnity bàth 〖미국법〗 면책 특권, 기소[소추(訴追)] 면제《증언을 얻기 위해 증인에 대한 기소를 면제함》

im·mu·ni·za·tion [ìmjunizéiʃən, imjù:n- | -naiz-] *n.* **1** Ⓤ 면역(법), 면역 조치; 면제 **2** (면역) 예방 주사 **3** 〖증권〗 이뮤니제이션《이자율 변동 위험을 제거하면서 하는 채권 투자 전략》

im·mu·nize [ímjunàiz, imjú:naiz | ímju-] *vt.* **1** 면역[면제]시키다, 면역성을 주다 《*against*》 **2** 무효화[무력화]시키다 **3** 〖법〗 〈증인에게〉 면책 특권을 주다

immuno- [ímjunou, -nə, imjú:-] 《연결형》 「면역」의 뜻: *immuno*logy

im·mu·no·ad·sor·bent [ìmjunouædsɔ́:rbənt] *n.* =IMMUNOSORBENT

im·mu·no·as·say [ìmjunouəséi, -ǽsei] *n.* 면역학적 검정(檢定)(법), 면역 측정(법) **~·a·ble** *a.*

im·mu·no·bi·ol·o·gy [ìmjunoubaiɑ́lədʒi | -ɔ́l-] *n.* Ⓤ 면역 생물학

im·mu·no·chem·is·try [ìmjunoukémistri] *n.* Ⓤ 면역 화학 **-chém·ist** *n.* 면역 화학자

im·mu·no·com·pe·tence [ìmjunoukɑ́mpətəns | -kɔ́m-] *n.* Ⓤ 면역 (생성) 능력, 면역성 **-tent** *a.*

im·mu·no·cyte [imjú:nəsàit] *n.* 면역 세포

im·mu·no·cy·to·chem·is·try [ìmjunousàitoukémistri] *n.* Ⓤ 면역 세포 화학
-chém·i·cal *a.* **-chém·i·cal·ly** *ad.*

im·mu·no·de·fi·cien·cy [ìmjunoudifíʃənsi] *n.* (*pl.* **-cies**) 면역 결여[부전(不全)]: ~ disease 면역 결여[부전]증 **-de·fí·cient** *a.*

im·mu·no·de·pres·sion [ìmjunoudipréʃən] *n.* 〖면역〗 면역 억제

im·mu·no·di·ag·no·sis [ìmjunoudàiəgnóusis] *n.* 〖의학〗 면역 진단

im·mu·no·dif·fu·sion [ìmjunoudifú:ʒən] *n.* 면역 확산(법)

im·mu·no·e·lec·tro·pho·re·sis [ìmjunouilèktroufərí:sis] *n.* (*pl.* **-ses** [-si:z]) 면역 전기 영동(泳動)(법) **-rét·ic** *a.*

im·mu·no·flu·o·res·cence [ìmjunouflùərésns] *n.* 면역 형광 검사(법), 면역 형광법 **-rés·cent** *a.*

im·mu·no·gen [imjú:nədʒən, -dʒèn | -dʒən] *n.* 〖의학〗 면역원(免疫原)

im·mu·no·ge·net·ics [ìmjunoudʒinétiks] *n. pl.* [단수 취급] 면역 유전학 **-nét·ic, -nét·i·cal** *a.*

im·mu·no·gen·ic [ìmjunoudʒénik, imjù:-] *a.* 면역성의 **-gén·e·sis** *n.* **-ge·níc·i·ty** *n.*

im·mu·no·glob·u·lin [ìmjunouglɑ́bjulin | -glɔ́b-] *n.* 〖생화학〗 면역 글로불린 항체《略 Ig》

im·mu·no·he·ma·tol·o·gy [ìmjunouhì:mətɑ́lədʒi | -tɔ́l-] *n.* 면역 혈액학 **-gist** *n.*

im·mu·no·his·to·chem·is·try [ìmjunouhìstoukémistri] *n.* 면역 조직 화학 **-chém·i·cal** *a.*

im·mu·no·his·tol·o·gy [ìmjunouhistɑ́lədʒi | -tɔ́l-] *n.* 면역 조직학 **-lóg·i·cal, -ic** *a.*

immunol. immunology

im·mu·no·lóg·i·cal survéillance [ìmjunəlɑ́dʒikəl- | -lɔ́dʒ-] (인체 조직의) 면역 감시 (기구)

im·mu·nol·o·gy [ìmjunɑ́lədʒi | -nɔ́l-] *n.* Ⓤ 면역학 **-gist** *n.*

im·mu·no·pa·thol·o·gy [ìmjunoupəθɑ́lədʒi | -θɔ́l-] *n.* 면역 병리학 **-gist** *n.*

im·mu·no·pre·cip·i·ta·tion [ìmjunouprisipitéiʃən] *n.* 면역 침강(沈降)

im·mu·no·pro·tein [ìmjunoupróuti:n] *n.* 〖생화학〗 면역 단백질《면역 글로불린·인터페론 등》

im·mu·no·re·ac·tion [ìmjunouriǽkʃən] *n.* 면역 반응

im·mu·no·re·ac·tive [ìmjunouriǽktiv] *a.* 면역 반응성의 **-ac·tív·i·ty** *n.*

im·mu·no·reg·u·la·tion [ìmjunourègjuléiʃən] *n.* 〖의학〗 면역 조정 **-rég·u·la·tò·ry** *a.*

im·mu·no·sor·bent [ìmjunousɔ́:rbənt, -zɔ́:r-, imjù:-] *n.* 면역 흡착제

im·mu·no·sup·press [ìmjunousəprés] *vt., vi.* (세포·조직의) 통상의 면역 반응을 억제하다

im·mu·no·sup·pres·sant [ìmjunousəprésənt] *n., a.* =IMMUNOSUPPRESSIVE

---

evil, sinful, vile, base, degenerate, corrupt
immortal *a.* undying, deathless, eternal, everlasting, endless, imperishable, perpetual, lasting

im·mu·no·sup·pres·sion [ìmjunousəpréʃən] *n.* 〖병리〗 (X선 조사·약물 등을 사용하는) 면역 억제
im·mu·no·sup·pres·sive [ìmjunousəprésiv] 〖약학〗 *n.* 면역 억제약 — *a.* 면역 억제(성)의
im·mu·no·sur·veil·lance [ìmjunousərvéiləns] *n.* = IMMUNOLOGICAL SURVEILLANCE
im·mu·no·ther·a·py [ìmjunouθérəpi] *n.* 〖의학〗 면역 요법, 면역제 치료법
im·mu·no·tox·in [ìmjunoutáksin | -tɔ́k-] *n.* 〖면역〗 항체 독소
im·mure [imjúər] *vt.* 감금하다, 투옥하다, 가두다 (imprison); 세한하나, 벽으로 둘러싸다 ~ one*self* 집에 틀어박히다 **~·ment** *n.* Ⓤ 감금; 칩거(蟄居)
im·mu·si·cal [imjú:zikəl] *a.* = UNMUSICAL
im·mu·ta·bil·i·ty [imjù:təbíləti] *n.* Ⓤ 불변(성), 불역성(不易性)(unchangeableness)
im·mu·ta·ble [imjú:təbl] *a.* 불변의, 변경되지 않는 **~·ness** *n.* **-bly** *ad.*
IMO in my opinion 《e-mail의 용어》; International Maritime Organization 국제 해사 기구
i-mode [áimóud] *n.* 아이모드 《휴대폰과 인터넷을 연결시킨 무선 이동 인터넷 서비스; 상표명》
*__imp__ [ímp] *n.* **1** 꼬마 도깨비, 마귀 새끼 **2** 《익살》 장난꾸러기, 왈패; 《고어》 아이, 자손
— *vt.* 《고어》 보강[보수]하다(mend); 〖수렵〗 〈매의 날개에〉 깃을 덧붙여 주다
▷ ímpish *a.*
IMP indeterminate mass particle 〖물리〗 불확정 질량 입자; interplanetary monitoring platform 행성간 조사 위성 **IMP, imp** 〖카드〗 International Match Point **imp.** imperative; imperfect; imperial; impersonal; implement; import(ed); importer; impression; imprimatur; imprint
*__im·pact__ [ímpækt] *n.* ⓊⒸ **1** (물체와 물체의) 충돌 (collision), 격돌 《*against*》; 충격 **2** 《비유》 충격, 충격력; (강한) 영향(력)(influence), 감화, 효과(effect) 《*on, upon*》: have[make] a considerable ~ *on* …에 상당한 영향을 주다 / the ~ of Einstein *on* modern physics 현대 물리학에 끼친 아인슈타인의 영향 / the ~ of the industrial revolution 산업 혁명의 효과 **3** 꽉 눌러대기[끼우기]
— [-́] *vt.* 꽉 밀어 넣다; 채워 넣다; 밀착시키다; …와 충돌하다; 〈장소를〉 채우다; …에 강한 영향[충격]을 주다: The decision may ~ your whole career. 그 결정은 당신의 일생에 영향을 줄지도 모른다.
— *vi.* **1** 강한 충격을 주다, 격돌하다, 부딪치다 《*on, upon, against*》 **2** 강한 영향을 주다 《*on, upon*》
▷ impáction *n.*
ímpact adhésive 감압식(感壓式) 접착 테이프
ímpact àid 《미》 (국가 공무원의 자녀가 다니는 학구에 대한) 연방 정부의 재정 원조
ímpact àrea (폭탄 등의) 작렬 지역, 착탄 지역
ímpact cràter (운석 등의) 충돌 분화구
im·pact·ed [impǽktid] *a.* **1** 꽉 채워진, 들어찬 **2** 〖치과〗 〈이가〉 (치조에) 매복해 있는: an ~ tooth 매복치 **3** 《미》 **a** 인구가 조밀[과밀]한: an ~ school district 과밀 교구(校區) / ~ aid 과밀 지구 원조 **b** 〈지역이〉 (인구 증가에 따라 공공 시설의 증설이 부득이하여) 재정적으로 애먹고 있는 **4** 충돌된, 충격받은
impácted área 인구 급증 지구
im·pac·tion [impǽkʃən] *n.* Ⓤ **1** 꽉 들어차게 함, 밀착시킴, 눌러댐 **2** 〖치과〗 치아 매복(증)
im·pac·tive [impǽktiv] *a.* 충격에 의한; 충격적인, 강렬한; 감동을 주는: ~ pain 충격에 의한 통증
ímpact lòan 〖금융〗 용도 제약이 없는 외화 차관
ímpact prìnter 〖인쇄〗 기계적 충격을 이용한 인자(印字) 장치
ímpact stàtement 〈어떤 계획 등이〉 환경에 미치는 환경 영향 평가 (보고서)
ímpact strèngth 〖공학〗 (재료의) 충격 강도
*__im·pair__ [impέər] [L 「더 나쁘게 하다」의 뜻에서] *vt.* 〈가치·힘·건강 등을〉 감하다, 덜다, 약하게 하다, 손상시키다, 해치다(damage), 나쁘게 하다: ~ one's health 건강을 해치다[상하게 하다]
— *n.* 《고어》 손상, 감손
~·er *n.* **~·ment** *n.* Ⓤ 감손, 손상
im·paired [impέərd] *a.* **1** 약화[악화]된, 건강이 나빠진; 충분히 기능[역할]을 못하는 **2** [보통 복합어를 이루어] (…에) 장애가 있는: hearing-~ children 청각 장애 아동 **3** 술에 취한
im·pal·a [impǽlə, -pɑ́:lə] *n.* (*pl.* **~s,** [집합적] ~) 임팔라 《아프리카산(産) 영양(羚羊)》
im·pale [impéil] *vt.* **1** (뾰족한 것으로) 찌르다, 꿰뚫다 《*upon, with*》 **2** 말뚝으로 찌르는 형벌에 처하다 **3** 꼼짝 못하게 하다: a butterfly ~*d* by a pin 핀으로 고정된 나비 **4** 방패 중앙에 세로줄을 긋고 양쪽에 문장(紋章)을 그리다 **5** 《고어》 울타리를 두르다
~·ment *n.* **im·pál·er** *n.*
im·pal·pa·bil·i·ty [impæ̀lpəbíləti] *n.* Ⓤ 만져서 알 수 없음; 무형; 알기 어려움
im·pal·pa·ble [impǽlpəbl] *a.* **1** 만져서 알 수 없는; 실체가 없는, 무형의 **2** 쉽게 이해하기 어려운; 미묘한: ~ distinctions 미묘한 구별 **3** 〈분말이〉 미세한, 무형의 **-bly** *ad.*
im·pan·el [impǽnl] *vt.* (**~ed**; **~·ing** | **~led**; **~·ling**) 〖법〗 배심 명부에 기록하다; 배심 명부에서 〈배심원을〉 선출하다; 공식 리스트에 올리다 **~·ment** *n.*
im·par·a·dise [impǽrədàis] *vt.* **1** 천국에 들어가게 하다; 행복[황홀]하게 하다(enrapture) **2** 〈장소를〉 낙원으로 만들다
im·par·i·ty [impǽrəti] *n.* (*pl.* **-ties**) ⓊⒸ 부등(不等), 부동, 같지 않음; 차이
im·park [impɑ́:rk] *vt.* 〈동물을〉 원내(園內)에 가두다; 〈숲 등을〉 둘러 공원[수렵지]으로 하다
ìm·par·ká·tion *n.*
im·parl [impɑ́:rl] *vi.* 〖법〗 (화해를 위해) 정외(廷外) 교섭을 하다 **im·pár·lance** *n.*
*__im·part__ [impɑ́:rt] [L 「분배하다」의 뜻에서] *vt.* 《문어》 **1 a** 나누어 주다, 주다(bestow) 《*to*》: ~ knowledge 지식을 주다 // (~+目+前+名) Flowers ~ a cheerful air *to* the room. 꽃이 있으면 방 안 분위기가 밝아진다. **b** (사물에) 〈성질 등을〉 덧붙이다, 첨가하다 **2** 〈지식·비밀 등을〉 전하다, 알리다(tell), 가르치다 《*to*》: ~ a secret 비밀을 알리다 // I have much to ~ *to* you. 네게 알려줄 것이 많다.
~·a·ble *a.* **ìm·par·tá·tion** *n.* **~·er** *n.* **~·ment** *n.*
*__im·par·tial__ [impɑ́:rʃəl] *a.* 〈판단 등이〉 치우치지 않은, 편견이 없는; 공평한, 공명정대한(⇨ fair¹ 유의어); opp. *partial*): an ~ judge 공명정대한 재판관
~·ly *ad.* **~·ness** *n.*
im·par·ti·al·i·ty [impɑ̀:rʃiǽləti] *n.* Ⓤ 불편부당(不偏不黨), 공평무사, 공명정대
im·par·ti·ble [impɑ́:rtəbl] *a.* 〈부동산 등이〉 분할할 수 없는, 불가분의(indivisible) **-bly** *ad.*
im·pass·a·ble [impǽsəbl, -pɑ́:s- | -pɑ́:s-] *a.* **1** 〈길 등이〉 지나갈 수 없는, 통과[횡단]할 수 없는, 넘을 수 없는: Heavy snow made the roads ~. 폭설로 도로가 통행 불능이 되었다. **2** 〈곤란 등이〉 넘어설 수 없는, 극복할 수 없는: ~ differences 극복할 수 없는 차이 **3** 〈통화 등이〉 유통될 수 없는, 유통 불능의
im·pàss·a·bíl·i·ty *n.* **~·ness** *n.* **-bly** *ad.*
im·passe [ímpæs, -́ | æmpɑ́:s] [F] *n.* [보통 *sing.*] 막다른 골목; 난국, 곤경, 막다름: a political ~ 정치적 난국
im·pas·si·bil·i·ty [impæ̀səbíləti] *n.* Ⓤ 고통을 느끼지 않음; 무감각
im·pas·si·ble [impǽsəbl] *a.* **1** 고통을 느끼지 않는; 상처를 입지 않는 **2** 무감각[무감정, 무신경]한, 둔

thesaurus **impartial** *a.* unbiased, detached, disinterested, objective, neutral, fair, just
impede *v.* obstruct, hamper, block, bar, dis-

감한 **~·ness** *n.* **-bly** *ad.*

im·pas·sion [impǽʃən] *vt.* 크게 감동[감격]시키다, 자극하다, 흥분시키다 **-sioned** *a.* 감동한; 정열적인

im·pas·sive [impǽsiv] *a.* **1** 고통을 느끼지 않는, 무감각한 **2** 의식 없는(unconscious), 인사불성의 **3** 무표정한, 감정이 없는, 감동 없는, 열성 없는; 태연한, 냉정한, 침착한 **~·ly** *ad.* **~·ness** *n.* **im·pas·sív·i·ty** *n.*

im·paste [impéist] *vt.* **1 a** …에 풀칠하다; 풀로 봉하다 **b** 풀 모양으로 하다 **2** 〖회화〗 …에 채료(彩料)를 두껍게 칠하다

im·pas·to [impǽstou, -pɑ́:s-] *n.* (*pl.* **~s**) 〖회화〗 채료를 두껍게 칠하기; 두껍게 칠한 채료(彩料)

:im·pa·tience [impéiʃəns] *n.* Ⓤ **1** [때로 an ~] 성급함; 조급, 안달, 초조, 조바심 (*of*); (고통·압박 등을) 참을 수 없음: my ~ with the boy 그 애에 대한 조바심 // (~+***to*** do) He had a keen ~ *to* leave those people. 그는 빨리 그 사람들과 헤어지고 싶어서 안달이 났다. **2** 갈망; (…하고 싶어) 못 견딤
restrain one***'s*** **~** 꾹 참다 ▷ impátient *a.*

im·pa·ti·ens [impéiʃiènz, -ʃənz] *n.* 〖식물〗 봉선화

:im·pa·tient [impéiʃənt] *a.* **1** 성급한, 조급한, 참을성 없는(restless) **2** Ⓟ 안달하는, 안타까워하는, 조바심하는; 몹시 …하고 싶어하는; 갈망하는(eager); 몹시 기다려지는: (~+***to*** do) The children are ~ *to* go. 아이들은 빨리 가고 싶어서 안달하고 있다.
be ~ for …이 탐나서 못 견디다 ***be ~ of*** …을 참을 수 없다, 못 견디다; …을 아주 싫어하다
~·ly *ad.* 성급하게, 조바심하며 ▷ impátience *n.*

im·pav·id [impǽvid] *a.* 《고어》 대담한, 겁 없는

im·pawn [impɔ́:n] *vt.* 《고어》 **1** 전당을 잡히다 **2** 《비유》 언질을 주다, 서약하다(pledge)

im·pay·a·ble [impéiəbl] [F] *a.* **1** = PRICELESS **2** 이상한(extraordinary)

***im·peach** [impí:tʃ] *vt.* **1** 《미》 〈공무원 등을〉 탄핵하다: (~+[목]+[전]+[명]) ~ the president *for* the scandal 그 스캔들로 대통령을 탄핵하다 **2** 비난하다, 탓하다(charge); 해명을 요구하다, 책임을 묻다: (~+[목]+[전]+[명]) ~ a person *with* an error …의 과실을 나무라다 **3** …에게 죄를 지우다, 고소[고발]하다 (*of, with*): (~+[목]+[전]+[명]) ~ a person *of* crimes …을 범죄 혐의로 고소하다 **4** 〈행동·인격 등을〉 의심하다, 문제 삼다: ~ a person's motives …의 동기를 의심하다 **5** 〖법〗 〈증인·증언에〉 이의를 제기하다: ~ a witness 증인의 신빙성을 공격하다 **~·er** *n.*
▷ impéachment *n.*

im·peach·a·ble [impí:tʃəbl] *a.* **1** 〈불법 행위 등이〉 탄핵해야 할 **2** 〈죄 등이〉 고소할 수 있는, 비난해서 마땅한

im·peach·ment [impí:tʃmənt] *n.* [UC] 비난; 고소, 고발; 〖법〗 탄핵; 《폐어》 불명예

im·pearl [impə́:*r*l] *vt.* 《고어·시어》 진주 모양으로 만들다; 진주(같은 구슬)로 장식하다

im·pec·ca·ble [impékəbl] *a.* **1** 죄를 범하지 않는, 죄[과실] 없는 **2** 결점 없는, 나무랄 데 없는: ~ manners 흠잡을 데 없는 매너
im·pèc·ca·bíl·i·ty *n.* **-bly** *ad.*

im·pec·cant [impékənt] *a.* 죄 없는, 결백한, 죄를 범하지 않은 **-can·cy** *n.*

im·pe·cu·nious [ìmpikjú:niəs] *a.* (항상) 돈 없는, 가난한, 무일푼의(poor)
ìm·pe·cù·ni·ós·i·ty *n.* **~·ly** *ad.* **~·ness** *n.*

im·ped·ance [impí:dns] *n.* Ⓤ 〖전기〗 임피던스 《교류 회로에서의 전압의 전류에 대한 비(比)》; 방해물, 장애물

***im·pede** [impí:d] *vt.* 〈운동·진행 등을〉 방해하다, 헤살하다, 지연시키다(⇨ hinder[1] [유의어]) **im·péd·er** *n.*
▷ impédiment *n.*

rupt, interfere with, restrain, thwart, frustrate
imperative *a.* important, vital, essential, crucial, critical, necessary, indispensable, required

***im·ped·i·ment** [impédəmənt] *n.* **1** 방해(물), 지장, 장애 (*to*)(⇨ obstacle [유의어]): an ~ *to* progress 진보의 장애 **2** 신체 장애; 《특히》 언어 장애, 말더듬 (*in*): a speech ~ 언어 장애 **3** [보통 *pl.*] 《고어》 = IMPEDIMENTA **4** 〖교회법〗 (혈연·인척 관계에 의한) 혼인의 장애; 혼인 제한
▷ impéde *v.*; impediméntal, impedimentary *a.*

im·ped·i·men·ta [impèdəméntə] [L = impediment] *n. pl.* (행동을 방해하는) 방해물, (방해가 되는) 수하물; (특히 군대의) 보급품

im·ped·i·men·tal [impèdəméntl], **-ta·ry** [-təri] *a.* 《고어》 방해가 되는

im·ped·i·tive [impédətiv] *a.* 방해되는, 장애의

im·pel** [impél] *vt.* (**~led**; **~·ling**) **1** 〈생각·감정 등이〉 몰아대다, 재촉하다(⇨ compel [유의어]); 억지로 …시키다(force) (*to*): (~+[목]+to*** do) What *~led* me *to* speak thus boldly? 무엇이 나로 하여금 그렇게 대담하게 말하게 했을까? // He was *~led* by strong emotion. 그는 격한 감정에 휘몰렸다. **2** 추진시키다, 앞으로 나아가게 하다 (*to*): an *~ling* force 추진력 ▷ impéllent *a.*

im·pel·lent [impélənt] *a.* 〈힘 등이〉 추진하는, 밀어붙이는; 몰아대는, 억지스러운, 무리한: an ~ power 추진력 **—** *n.* 추진하는 것, 추진력

im·pel·ler [impélər] *n.* 추진하는 사람[것]; 〖기계〗 날개바퀴; 압축기

im·pend [impénd] *vi.* **1** 금방이라도 일어나려 하다 **2** 〈위험·파멸 등이〉 임박하다, 절박하다: He felt that danger *~ed.* 그는 위험이 임박했음을 느꼈다. **3** 《고어》 머리 위에 걸리다, 드리워지다 (*over*)

im·pend·ent [impéndənt] *a.* = IMPENDING
-ence, -en·cy *n.*

***im·pend·ing** [impéndiŋ] *a.* **1** 〈위험·파멸 등이〉 임박한, 절박한; 금방이라도 일어날 것 같은(⇨ imminent [유의어]) **2** 《고어》 〈바위 따위가〉 돌출한

im·pen·e·tra·bil·i·ty [impènətrəbíləti] *n.* Ⓤ **1** 꿰뚫기 어려움; 〖물리〗 불가입성(不可入性) **2** 불가해(不可解), 이해할 수 없는 것; 완고; 무감각, 둔감

im·pen·e·tra·ble [impénətrəbl] *a.* **1** 꿰뚫을 수 없는; 뚫고 들어갈 수 없는: ~ darkness 칠흑 같은 어둠 **2** 〈사물이〉 헤아릴 수 없는, 불가해의(obscure); 이해할 수 없는: an ~ mystery 불가해한 신비 **3** 〈사람·마음 등이〉 (사상·감정 등을) 받아들이지 않는, 완고한; 무감각한, 둔감한 (*to, by*): men ~ *by*[*to*] new ideas 새로운 사상을 받아들이지 않는 사람들 **4** 〖물리〗 불가입성의 **~·ness** *n.* **-bly** *ad.*

im·pen·e·trate [impénətrèit] *vt.* …에 깊이 침투하다, 뚫고 들어가다

im·pen·i·tence, -ten·cy [impénətəns(i)] *n.* Ⓤ **1** 뉘우치지 않음, 개전의 정이 없음 **2** 고집, 완고

im·pen·i·tent [impénətənt] *a.* **1** 개전의 정이 없는, 회개하지 않는 **2** 완고한 **—** *n.* 뉘우치지 않는 사람; 완고한 사람 **~·ly** *ad.* **~·ness** *n.*

im·pen·nate [impéneit] *a.* 〈새가〉 날 수 있는 날개를 갖지 않은

imper., imperat. imperative

im·per·a·ti·val [impèrətáivəl] *a.* 〖문법〗 명령법의

***im·per·a·tive** [impérətiv] [L 「명령어」의 뜻에서] *a.* **1** 피할 수 없는, 긴급한, 꼭 해야 할; 필수적인, 긴요한(urgent): an ~ conception 강박 관념 / It is ~ that we (should) act at once. 어떤 일이 있어도 곧 행동해야 한다. **2** 명령적인, 단호한; 위엄 있는, 엄숙한: an ~ tone of voice 명령하는 듯한 말투 **3** 〖문법〗 명령법의, 명령형의: the ~ mood 명령법
— *n.* **1** 명령(command); (정세 등에 따른) 필요(성), 의무, 책무, 요청: the *~s* of leadership 지도력의 요청 **2** 〖문법〗 [the ~] 명령법; 명령법의 동사; 명령형[문] **3** 강제적인 원칙 **~·ly** *ad.* **~·ness** *n.*
▷ imperatíval *a.*

im·pe·ra·tor [ìmpərɑ́:tər, -tɔ:r, -réitər | -rɑ́:tɔ:] [L] *n.* **1** 전제 군주 **2** 〖로마사〗 황제; 대장군, 최고 사

령관 **im·per·a·to·ri·al** [impèrətɔ́:riəl] *a.*

im·per·cep·ti·bil·i·ty [ìmpərsèptəbíləti] *n.* Ⓤ 감지(感知)할 수 없음; 극미, 미세

im·per·cep·ti·ble [ìmpərséptəbl] *a.* **1** 눈에 보이지 않는, 지각[감지]할 수 없는, 알 수 없는 《*to*》: the ~ slope of the road 미세한 도로 경사 **2** 〈변화·차이 등이〉 미세한, 경미한(very slight)
— *n.* 지각할 수 없는 것 **~·ness** *n.* **-bly** *ad.*

im·per·cep·tion [ìmpərsépʃən] *n.* 무지각, 지각력 결여; 무감각

im·per·cep·tive [ìmpərséptiv] *a.* 감지 못하는; 지각력이 없는 **~·ness** *n.*

im·per·cip·i·ent [ìmpərsípiənt] *a.* = IMPERCEPTIVE **-i·ence** *n.*

imperf. imperfect

‡im·per·fect [impə́:rfikt] *a.* **1** 〈지식·기능 등이〉 불완전한, 불충분한; 결점[결함]이 있는(flawed): ~ vision 불완전한 시력 / ~ knowledge 불충분한 지식 **2** 〖문법〗 〈시제가〉 미완료의, 반과거의: the ~ tense 미완료 시제, 《특히》 반과거 《영어에서는 진행형이 이에 해당함; 보기: He *is*[*was*, *will be*] *singing*.》 **3** 〖법〗 법적 효력이 없는, 무효의
— *n.* **1** 〖문법〗 미완료[반과거] 시제[동사] **2** [*pl.*] 흠 있는 것 **~·ly** *ad.* **~·ness** *n.*
▷ imperféction *n.*

impérfect cádence 〖음악〗 불완전 종지(終止)

impérfect competítion 〖경제〗 불완전 경쟁

impérfect flówer 〖식물〗 불완전화(花), 안갖춘꽃

impérfect fúngus 〖식물〗 불완전 균 《불완전 균류에 속하는 진균(眞菌)의 총칭》

im·per·fect·i·ble [ìmpərféktəbl] *a.* 완성할 수 없는, 완전하게 할 수 없는

∗im·per·fec·tion [ìmpərfékʃən] *n.* **1** Ⓤ **불완전** (상태), 불충분 **2** Ⓒ **결함**, 결점, 단점: a law full of ~*s* 결점이 많은 법률

im·per·fec·tive [ìmpərféktiv] 〖문법〗 *a.* 〈러시아어 등의 동사가〉 미완료형의 **—** *n.* 미완료형(의 동사)

impérfect márket 〖경제〗 불완전 시장

impérfect stàge 〖균류〗 불완전기(期)[단계]

im·per·fo·rate [impə́:rfərət, -fərèit] *a.* 구멍이 없는; 〈우표가〉 절취선이 없는 **—** *n.* 절취선이 없는 우표 **im·pèr·fo·rá·tion** *n.*

‡im·pe·ri·al[1] [impíəriəl] [L 「제국(empire)의, 황제(emperor)의」의 뜻에서] *a.* Ⓐ **1 a 제국의**: the ~ army 제국의 육군 **b** [종종 **I~**] 《영》 대영 제국의: the *I*~ Parliament 대영 제국 의회 / ~ preference 대영 제국 내 특혜 관세 **2** 황제의, 황후의, 황실의: the ~ household 황실 / the *I*~ Palace 황궁 **3** 제위(帝位)의, 제권(帝權)의, 최고 권위의; 최고 권력을 가진, 제국 지배의 **4** 장엄한, 당당한(majestic), 위엄 있는; 거만한, 건방진, 도도한, 교만한 **5** 〈상품 등이〉 특대의, 우수한, 품질이 매우 좋은: ~ tea 질 좋은 차 **6** 〈도량형이〉 영(英)본국의 법정 표준을 따른 **7** 황제[황후]에 어울리는, 멋진: ~ banquets 성대한 연회
— *n.* **1** (종이의) 임페리얼판 《《미》 23×31인치, 《영》 22×30인치 크기》 **2** 승합 마차의 지붕(에 싣는 여행용 트렁크) **3** 특대품, 질이 좋은 물건 **4** 황제, 황후
~·ly *ad.* 제왕처럼; 장엄하게 **~·ness** *n.*
▷ émperor, émpire *n.*; impérialize *v.*

imperial[2] *n.* 황제 수염 《나폴레옹 3세의 수염식으로 아랫입술 밑에 끝이 뾰족하게 기른》

imperial[2]

imperial[3] *n.* 제정 러시아의 금화

impérial cíty **1** 제국의 중심지, 제국 정부의 소재지 **2** 제도(帝都) 《Rome시의 별칭》

impérial éagle 〖조류〗 흰죽지수리

impérial gállon 영(英) 갤런 《4.546 *l*》

im·pe·ri·al·ism [impíəriəlìzm] *n.* Ⓤ **1** 제정(帝政); 제국주의, 영토 확장주의; 제국의 권익 보호 **2** 개발 도상국 지배 (정책)

im·pe·ri·al·ist [impíəriəlist] *n.* **1** 황제 지지자 **2** 제정[제국]주의자 **—** *a.* = IMPERIALISTIC

im·pe·ri·al·is·tic [impìəriəlístik] *a.* 제정의; 제국주의의[적인] **-ti·cal·ly** *ad.* 제국주의적으로

im·pe·ri·al·ize [impíəriəlàiz] *vt.* 〈국민·국가를〉 제국의 지배하에 두다; 〈국가를〉 제정화(帝政化)하다; 제권(帝權)을 부여하다 **im·pè·ri·al·i·zá·tion** *n.*

impérial móth 〖곤충〗 나방의 일종 《크고 황색임》

impérial présidency [때로 **I- P-**] 《미》 제왕적 대통령(직) 《초헌법적으로 강대해진 미국 대통령의 지위》 **impérial président** *n.*

Impérial Válley 미국 California 주 남동부의 농경지대

im·per·il [impérəl] *vt.* (**~ed**; **~·ing** | **~led**; **~·ling**) 〈생명·재산 등을〉 위태롭게 하다, 위험하게 하다(endanger): ~ one's life 생명을 위태롭게 하다
~·ment *n.*

∗im·pe·ri·ous [impíəriəs] *a.* **1** 〈사람·태도 등이〉 **전제적인**; 오만한, 거만한, 건방진: an ~ person 건방진 사람 / an ~ manner 오만한 태도 **2** 〈요구·명령 등이〉 **긴급한**, 중대한; 피할 수 없는, 필수의: ~ need 긴급한 필요성 **~·ly** *ad.* **~·ness** *n.*

im·per·ish·a·ble [impériʃəbl] *a.* **1** 불멸의, 불사의, 불후의, 영원한: ~ renown 불멸의 명성 **2** 〈식품 등이〉 부패하지 않는
im·pèr·ish·a·bíl·i·ty *n.* **~·ness** *n.* **-bly** *ad.*

im·pe·ri·um [impíəriəm] [L = command] *n.* (*pl.* **-ri·a** [-riə], **~s**) ⓊⒸ **1** 절대권, 주권, 지배권 **2** 지배 영역, 영토 **3** 초대국(超大國) **4** 〖법〗 (국가의) 명령권, 법집행권

im·pe·ri·um in im·pe·ri·o [impíəriəm-in-impíəriòu] [L] 〖정치〗 국가 내의 국가, 권력 내의 권력, 정부 내의 정부

im·per·ma·nence, -nen·cy [impə́:rmənəns(i)] *n.* ⓊⒸ 비영구성; 일시성, 덧없음

im·per·ma·nent [impə́:rmənənt] *a.* 비영구적인, 영속하지 않는, 일시적인(temporal) **~·ly** *ad.*

im·per·me·a·ble [impə́:rmiəbl] *a.* **1** 스며[배어] 들지 않는, 불침투성의 《*to*》: a coat ~ *to* rain 빗물이 스며들지 않는 코트 **2** 〈통로 등이〉 지나갈 수 없는, 빠져나갈 수 없는 **im·pèr·me·a·bíl·i·ty** *n.*

im·per·mis·si·ble [ìmpərmísəbl] *a.* 허용[용납]할 수 없는 **ìm·per·mis·si·bíl·i·ty** *n.*

impers. impersonal

im·per·script·i·ble [ìmpə:rskríptəbl] *a.* 전거(典據) 없는, 출전(出典)의 증거가 없는

∗im·per·son·al [impə́:rsənl] *a.* **1 인격을 가지지 않는**, 비인간적인, 비인격적인: an ~ deity 비인격 신(神) / ~ forces 인간 외적인 힘 《자연력·운명 등》 **2 개인에 관계가 없는**, 비개인적인, 일반적인; 개인의 감정을 섞지 않는, 객관적인: an ~ remark 특정인을 지칭하지 않는 소견 **3** 〖문법〗 **비인칭의**: an ~ construction 비인칭 구문 **4** 인간미 없는, 냉담한
— *n.* 〖문법〗 비인칭 동사[대명사] **~·ly** *ad.*
▷ impersonálity *n.*

im·per·son·al·i·ty [impə̀:rsənǽləti] *n.* (*pl.* **-ties**) ⓊⒸ 비인격성, 비인간성; 비개인성; 인간 감정의 부재(不在); 냉담함: the ~ of a mechanized world 기계화된 세계의 비인간성

im·per·son·al·ize [impə́:rsənəlàiz] *vt.* 비개인적[비인격적]으로 만들다 **im·pèr·son·al·i·zá·tion** *n.*

impérsonal prónoun 〖문법〗 비인칭 대명사 《*It* is raining. 에서의 *it*》

impérsonal vérb 비인칭 동사 《항상 제3인칭 단수; 보기: *methinks*, It *rains*.》

thesaurus **impersonal** *a.* **1** 비인간적인 cold, frigid, rigid, businesslike **2** 객관적인 detached, objective, neutral, unbiased, fair

im·per·son·ate [impə́ːrsənèit] *vt.* **1** 〈배우 등이〉 …의 역을 하다, …으로 분장하다(act); 〈남의 음성 등을〉 흉내내다; …인 체하다, 대역을 하다: He was arrested for *impersonating* a police officer. 그는 경찰관을 사칭해 체포되었다. **2** 《고어》 체현[구현]하다(embody); 인격화[의인화]하다
— [-nət, nèit] *a.* 구현[인격화]된

im·per·son·a·tion [impə̀ːrsənéiʃən] *n.* ⓊⒸ **1** 인격화, 의인화; (…의) 권화(權化), 체현 **2** (배우의) 분장(법); (역을) 맡아 함, 연기 **3** 음성[말투, 태도] 흉내내기

im·per·son·a·tor [impə́ːrsənèitər] *n.* 분장자; 배우; 〈음성·태도 등을〉 흉내내는 사람

***im·per·ti·nence, -nen·cy** [impə́ːrtənəns(i)] *n.* **1** Ⓤ **건방짐,** 뻔뻔함, 주제넘게 굴기, 무례, 버릇없음; 무례하게도[건방지게도] …하기: (~+*to* do) They had the ~ *to* say I stole the money. 그들은 무례하게도 내가 그 돈을 훔쳤다고 말했다. **2** 무례한 행위[말]; 무례한[건방진] 사람 **3** Ⓤ 부적절, 불합리, 무관계; Ⓒ 부적절한 행위[말]

***im·per·ti·nent** [impə́ːrtənənt] *a.* **1** 건방진, 주제넘은, 뻔뻔한, 무례한, 버릇없는 《*to*》

유의어 **impertinent** 「뻔뻔스럽고 주제넘은」의 뜻으로서 무례함을 나타낸다: resent a person's *impertinent* interference 주제넘은 참견에 화를 내다 **impudent** impertinent보다 더 강도가 높은 「염치없고 파렴치한」의 뜻으로서 무례함을 나타낸다: an *impudent* young rascal 뻔뻔스러운 젊은 녀석 **insolent** 「무례한」의 뜻을 나타낸다: be ignored by an *insolent* waiter 무례한 웨이터에게 무시당하다

2 적절하지 못한, 관계없는 《*to*》: an ~ detail 관계없는 세부 사항 **3** 《폐어》 어리석은 **~·ly** *ad.* **~·ness** *n.*
▷ impértinence *n.*

im·per·turb·a·bil·i·ty [ìmpərtə̀ːrbəbíləti] *n.* Ⓤ 침착, 냉정, 태연함(calmness)

im·per·turb·a·ble [ìmpərtə́ːrbəbl] *a.* 침착한, 냉정한, 태연한; 쉽게 동요하지 않는, 흥분하지 않는: ~ composure 꿈쩍도 않는 태연함 **-bly** *ad.*

im·per·tur·ba·tion [ìmpəːrtərbéiʃən] *n.* Ⓤ 쉽게 동요하지 않음, 침착, 냉정

im·per·vi·ous [impə́ːrviəs] *a.* Ⓟ **1** 〈물질이〉 (물·공기 등을) 통과시키지 않는, 불침투성의 《*to*》: The pelt is ~ *to* rain. 그 생가죽은 빗물이 스며들지 않는다. **2** (…에) 상처를 입지 않는, 손상되지 않는 《*to*》: ~ *to* wear and tear 소모되지 않는, 오래가는 **3** 〈사람·마음이〉 (비평 등에) 영향받지 않는, 좌우되지 않는, 둔감한 《*to*》: ~ *to* reason 이성(理性)의 소리에 귀를 기울이려 하지 않는 **~·ly** *ad.* **~·ness** *n.*

im·pe·ti·go [ìmpətáigou] *n.* Ⓤ 〖병리〗 농가진(膿痂疹) **im·pe·tig·i·nous** [ìmpətídʒənəs] *a.*

im·pe·trate [ímpətrèit] *vt.* **1** 탄원하여 얻다, 기원[기도]하여 얻다 **2** 탄원하다, 간원(懇願)하다
ìm·pe·trá·tion *n.* **-trà·tor** *n.*

im·pet·u·os·i·ty [impètʃuɑ́səti | -tjuɔ́s-] *n.* (*pl.* **-ties**) **1** Ⓤ 격렬, 맹렬; 성급함 **2** 성급[격렬]한 언동

***im·pet·u·ous** [impétʃuəs] *a.* **1** 〈바람·흐름·속도 등이〉 **맹렬[격렬]한**(violent): ~ winds 폭풍 **2** 〈기질·행동 등이〉 열렬한, 성급한, 충동적인(rash): an ~ decision 성급한 결정 **~·ly** *ad.* **~·ness** *n.*
▷ impetuósity *n.*

***im·pe·tus** [ímpətəs] *n.* **1** ⓊⒸ (물체를 움직이는) 힘, 기동력, 기세; 자극, 충동 **2** Ⓤ 〖역학〗 운동력
give [***lend***] (***an***) **~ *to*** …에 자극을 주다, …을 촉진하다

impf. imperfect **imp. gal**(**l**). imperial gallon

implement *n.* tool, appliance, instrument, device —*v.* fulfill, execute, perform, carry out, accomplish, achieve, effect, enforce

im·pi [ímpi] *n.* (*pl.* **~es, ~s**) (남아프리카 Zulu 또는 Kafir족 전투원의) 대부대

im·pi·e·ty [impáiəti] *n.* (*pl.* **-ties**) **1** Ⓤ 신앙심이 없음, 경건하지 않음 **2** Ⓤ 불경, 불손, 무례 **3** 신앙심 없는[불경한, 불손한] 행위[말]

im·pig·no·rate [impígnərèit] *vt.* 저당 잡히다, 담보로 내놓다

im·pinge [impíndʒ] *vi.* **1** (…에) 영향을 미치다, 작용하다 《*on, upon*》: ideas that ~ *upon* the imagination 상상력을 유발하는 생각 **2** (남의 권리·재산 등을) 침범하다, 침해하다 《*on, upon*》: (~+전+명) ~ *on* the fundamental human rights 기본적인 인권을 침해하다 **3** 〈빛·파도 따위가〉 부딪치다, 충돌하다, 치다(strike) 《*on, upon, against*》: (~+전+명) The waves ~ *against* the rocks. 파도가 바위에 부딪친다. **~·ment** *n.*

im·ping·er [impíndʒər] *n.* 집진(集塵) 장치

im·pi·ous [ímpiəs, impáiəs] *a.* 신앙심 없는, 경건하지 않은; 불경한, 사악한; 불손한, 무례한
~·ly *ad.* **~·ness** *n.*

imp·ish [ímpiʃ] *a.* 꼬마 도깨비의[같은]; 개구쟁이의, 장난꾸러기의(mischievous) **~·ly** *ad.* **~·ness** *n.*

im·plac·a·bil·i·ty [implæ̀kəbíləti, -plèik-] *n.* Ⓤ 달래기 어려움; 〈노여움 등을〉 풀기 어려움; 앙심 깊음; 무자비함

im·plac·a·ble [implǽkəbl, -pléik-] *a.* 〈적·증오심 등이〉 달래기 어려운, 화해할 수 없는; 준엄한, 무자비한; 앙심 깊은: an ~ enemy 인정사정없는 적
~·ness *n.* **-bly** *ad.*

im·pla·cen·tal [ìmpləséntl] 〖동물〗 *a.* 무태반(無胎盤)의 —*n.* 무태반의 포유동물

im·plant [implǽnt, -plɑ́ːnt | -plɑ́ːnt] *vt.* **1** 꽂아 넣다, 박다; 〈씨 등을〉 심다, 뿌리다: (~+목+전+명) ~ a post in the soil 땅에 기둥을 박다 **2** 〈주의·사상 등을〉 주입하다, 불어넣다 《*in, into*》: ~ sound principles *in* one's mind 마음에 건전한 신념을 불어넣어 주다 **3** 〖의학〗 〈장기·피부 등을〉 이식하다; [수동형으로] 〈수정란을〉 자궁벽에 착상시키다; 〖치과〗 〈인공 치아를〉 심다: He had a new heart valve *~ed*. 그는 자기 몸에 새 심장 판막을 이식했다.
— [스] *n.* **1** 〖의학〗 신체에 이식되는 조직 조각; (라듐 등의) 방사 물질을 넣은 작은 관 《암 등의 치료를 위해 환자 체내에 삽입함》 **2** 〖치과〗 임플란트 《악골 내에 영구적으로 삽입된 인공 치아 부착용 금속 프레임》
~·a·ble *a.* **~·er** *n.*

implántable púmp 〖의학〗 매몰식 펌프 《체내에 삽입하여 약제를 주입하는 장치》

im·plan·ta·tion [ìmplæntéiʃən | -plɑːn-] *n.* ⓊⒸ **1** 부식(扶植), 이식; 주입, 고취(鼓吹) **2** 〖의학〗 피하 주입 **3** 〖병리〗 (체내) 이식; 이식성 전이(轉移) **4** 〖발생〗 (수정란의) 착상

im·plau·si·ble [implɔ́ːzəbl] *a.* 받아들이기[믿기] 어려운; 그럴듯하지 않은, 이상한: an ~ alibi 믿기 어려운 알리바이 **im·plàu·si·bíl·i·ty** *n.* **-bly** *ad.*

im·plead [implíːd] *vt.* **1** 고소하다, 기소하다 **2** 《드물게》 비난하다, 책망하다 **3** 《고어》 항변하다

***im·ple·ment** [ímpləmənt] [L 「속에 채우는 것」의 뜻에서] *n.* **1** **도구,** 용구, 기구(⇨ instrument 유의어); [*pl.*] 의복[가구] 한 벌: agricultural[farm] *~s* 농기구 **2** 수단, 방법; 앞잡이, 대리인 **3** 《스코》 〖법〗 이행(履行) **4** (가구 등의) 비품
— [-mènt, -mənt] *vt.* **1** …에게 도구[수단]를 주다 **2** …에게 필요한 권한을 주다, …에게 효력을 주다 **3** 〈약속·계약·계획 등을〉 이행하다, 실행[실시]하다: ~ campaign promises 선거 공약을 이행하다 **4** 〈요구·조건·필요 등을〉 충족시키다, 채우다
-mènt·er, -mèn·tor *n.*
▷ implementátion, implétion *n.*; impleméntal *a.*

im·ple·men·tal [ìmpləméntl] *a.* 도구의, 도구가 되는; 도움이 되는; 실현에 기여하는

im·ple·men·ta·tion [ìmpləməntéiʃən] *n.* Ⓤ 이

행, 실행; 완성, 성취; 충족: ~ of the reorganization plan 구조 조정 계획의 실시

im·ple·tion [implíːʃən] *n.* Ⓤ 《고어》 채우기; 충만

im·pli·cate [ímplikèit] [L 「안에 휩쓸어 넣다」의 뜻에서] *vt.* **1** [종종 수동형으로] (범죄 등에) 관련시키다, 휩쓸리게 하다, 연루시키다, 휩쓸어 넣다(involve) 《*in*》: *be ~d in* a crime 범죄에 연루되다 **2** 〈일·말 등이〉 〈뜻을〉 포함[함축]하다(imply) **3** 엉키게 하다, 서로 얽히게 하다 **4** 밀접하게 결합시키다; (결과적으로) 영향을 주다 **—** [-kət] *n.* 포함된 것 ▷ implicátion *n.*; ímplicative *a.*

im·pli·ca·tion** [implikéiʃən] *n.* **1** ⓊⒸ (뜻의) 함축, 내포, 언외(言外)의 의미; 암시: an ~ of dishonesty 불성실을 암시하고 있음 **2** 연루, 연좌; [보통 *pl.*] 밀접한 관계[관련] 《*in*》: the religious ~*s* of ancient astrology 고대 점성술과 종교의 밀접한 관련 ***by **~** 함축적[암시적]으로, 넌지시 **~·al** *a.* ▷ ímplicate *v.*

im·pli·ca·tive [ímpləkèitiv, implíkət- | implíkət-, ímplikèit-] *a.* 함축적인, 은연중에 내포하는, 언외의 뜻이 있는; 연루의 **~·ly** *ad.*

im·pli·ca·ture [ímplikətʃər] *n.* 〖철학·언어〗 함의(含意); 《특히》 말(言) 속의 함의

***im·plic·it** [implísit] *a.* **1** Ⓐ **맹목적인,** 절대적인, 무조건적인: ~ obedience 맹종 / ~ faith 맹신 《교리를 액면대로 받아들임》 / ~ trust 절대적인 신뢰 **2 함축적인,** 분명히 표현하지 않은, 암시적인(opp. *explicit*): give ~ consent 은연중에 승낙하다 / ~ agreement 암묵의 동의 **3 내재하는,** 잠재하는 《*in*》: the drama ~ *in* the occasion 그 상황에 잠재하는 극적인 요소 **4** 〖수학〗 음(陰)의, 음함수 표시의 **~·ly** *ad.* **~·ness** *n.*

implícit differentiátion 〖수학〗 음(陰)함수 미분법

implícit fúnction 〖수학〗 음함수

implícit fúnction thèorem 〖수학〗 음함수 정리

im·plied [impláid] *a.* **1** 함축된, 은연중의, 암시적인, 언외의(opp. *express*): an ~ rebuke 암묵의 비난 **2** 〖문학〗 상정상(想定上)의: an ~ author[reader] 상정상의 저자[독자] **im·pli·ed·ly** [impláiidli] *ad.*

implíed consént 암묵(暗默)의 동의, 묵낙(默諾); 〖미국법〗 묵시적 동의

implíed pówers (미) (헌법에 규정은 없으나 의회가 행사하는) 묵시적 권한

implíed wárranty 〖법〗 묵시적 담보[보증]

im·plode [implóud] *vi.* **1** 〈진공관 등이〉 안쪽으로 파열하다, 내파(內破)하다(opp. *explode*) **2** 〖음성〗 〈파열음이〉 내파하다 **—** *vt.* 〖음성〗 〈파열음을〉 내파시키다

im·plo·ra·tion [ìmplɔːréiʃən] *n.* Ⓤ 탄원, 애원

im·plo·ra·to·ry [implɔ́ːrətɔ̀ːri | -təri] *a.* 애원하는, 탄원하는

‡**im·plore** [implɔ́ːr] [L 「울부짖다」의 뜻에서] *vt.* **간청[탄원, 애원]하다**: ~ forgiveness[aid] 용서[도움]를 간청하다 // (~+목+전+명) I ~ God *for* mercy. 하느님의 자비를 빕니다. / ~ a judge *for* mercy 판사의 선처를 탄원하다 // (~+목+***to*** do) ~ a person *to* do …에게 …해 달라고 간청하다 / They ~*d* him *to* go. 그들은 그에게 가 달라고 간청했다.
— *vi.* 애원[탄원, 간청]하다: (~+전+명) ~ *for* one's life 살려 달라고 애원하다 // (~+전+명+***to*** do) ~ *of* a person *to* spare one's life …에게 목숨을 살려 달라고 애원하다 ▷ implorátion *n.*; implóratory, implóring *a.*

im·plor·ing [implɔ́ːriŋ] *a.* 탄원하는, 애원하는 (듯한): an ~ look 애원하는 듯한 표정 **~·ly** *ad.*

im·plo·sion [implóuʒən] *n.* ⓊⒸ (진공관의) 내파 (opp. *explosion*); 〖음성〗 (파열음의) 내파(on-glide) (cf. PLOSION)

implósion thérapy 〖정신의학〗 내파(內破) (요법) 《공포증의 체험 요법》

im·plo·sive [implóusiv] 〖음성〗 *a.* 〈파열음이〉 내파의(cf. IMPLODE) **—** *n.* 내파음 **~·ly** *ad.*

im·plu·vi·um [implúːviəm] *n.* (*pl.* **-vi·a** [-viə]) 〖고대로마〗 임플루비움 《현관 홀(atrium)의 천창(天窓)으로부터 빗물을 모으는 통이나 수반(水盤)》

‡**im·ply** [implái] [L 「안에 싸다」의 뜻에서] *vt.* (**-plied**) **1** (필연적으로) **포함하다,** 수반하다, 내포하다, 함축하다; 〈단어가〉 …을 뜻하다, **의미하다**(mean): Rights ~ obligations. 권리는 의무를 수반한다. / Silence often *implies* consent. 침묵은 종종 동의를 의미한다. **2 암시하다,** 넌지시 비치다(suggest) ▷ implicátion *n.*; ímplicative, implícit *a.*

im·po [ímpou] [*impo*sition] *n.* = IMPOSITION 2 b

im·pol·der [impóuldər] *vt.* 〈바다를〉 메우다(reclaim); 간척(干拓)하다

im·pol·i·cy [impɑ́ləsi | -pɔ́l-] *n.* (*pl.* **-cies**) **1** 졸책(拙策)(bad policy) **2** 무분별한 행동

***im·po·lite** [impəláit] *a.* **버릇없는,** 무례한: Such an action is considered rather ~. 그런 행동은 좀 버릇없다고 간주된다. **~·ly** *ad.* **~·ness** *n.*

im·pol·i·tic [impɑ́lətik | -pɔ́l-] *a.* 지각없는, 졸렬한 **~·ly** *ad.* 미련하게, 졸렬하게

im·pon·der·a·bil·i·a [impɑ̀ndərəbíliə | -pɔ̀n-] [L] *n. pl.* = IMPONDERABLE

im·pon·der·a·bil·i·ty [impɑ̀ndərəbíləti | -pɔ̀n-] *n.* Ⓤ 무게를 달 수 없음; 극히 가벼움; 평가할 수 없음

im·pon·der·a·ble [impɑ́ndərəbl | -pɔ́n-] *a.* **1** 무게를 달 수 없는; 극히 가벼운, 미량의 **2** (효과·중요성 등을) 평가할 수 없는; 헤아릴 수 없는: an ~ situation 전혀 상상이 안 가는 상황 **—** *n.* [보통 *pl.*] 〖물리〗 불가량물(不可量物) 《열·빛 등》; 계량[평가]할 수 없는 것 《성질·감정 등》 **-bly** *ad.*

im·pone [impóun] *vt.* 《폐어》 〈내기를〉 걸다

im·po·nent [impóunənt] *a., n.* 부과하는 (사람)

‡**im·port** [impɔ́ːrt] *v.*

L 「안으로 운반하여 들여오다」의 뜻에서
┌→「수입하다」 **1**
└→(가져오다) (나타내다) →「뜻하다」 **3**

— *vt.* **1** 〈상품을〉 **수입하다** 《*from, into*》(opp. *export*): ~*ed* articles[goods] 수입품 // (~+목+전+명) ~ cotton *from* India 인도에서 면화를 수입하다 / ~ goods *for* resale 재판매를 위해 상품을 수입하다 **2** 들여오다; 〈감정 등을〉 개입시키다, 이입(移入)하다: (~+목+전+명) foodstuffs ~*ed from* the farm 농장에서 들여온 식료품 / ~ one's feelings *into* a discussion 토론에 감정을 개입시키다 **3** …의 뜻을 내포하다, 뜻하다, 의미하다, 나타내다: Clouds ~ rain. 구름은 비를 뜻한다. / Her words ~*ed* a change of attitude. 그녀의 말은 태도의 변화를 의미했다. // (~+***that*** 절) His word ~*ed that* he wanted to quit the job. 그의 말은 그 일을 그만두겠다는 뜻이었다. **4** [종종 it을 주어로] 《고어》 (…에) 중요하다, 중대한 관계가 있다 《*to* do》: *It* ~*s* us *to* know. 아는 것이 우리에게는 중요하다.
— *vi.* 중요하다, 중대한 관계가 있다(matter)
— [ㅗ-] *n.* Ⓤ **1** 수입(importation); [보통 *pl.*] 수입품; 《캐나다·속어》 외국인 선수; [보통 *pl.*] 수입액: food ~*s* 수입 식품 **2** [종종 the ~] 취지, 의미(meaning): I felt *the* ~ of her words. 나는 그녀가 하는 말의 속뜻을 알아챘다. **3** 《문어》 중요(성): matters of great ~ 극히 중요한 문제 **~·a·ble** *a.* 수입할 수 있는 ▷ importátion *n.*

‡**im·por·tance** [impɔ́ːrtəns] *n.* Ⓤ [때로 an ~] **1**

thesaurus **implore** *v.* appeal to, beg, entreat, plead with, beseech, pray, ask, request, solicit
imply *v.* **1** 의미하다 mean, indicate, signify, denote, betoken **2** 암시하다 insinuate, hint, suggest, infer, intimate, signal
impolite *a.* unmannerly, rude, discourteous
important *a.* **1** 중요한 significant, critical, cru-

중요[중대]성, 의의, 가치: a work of vital ~ 매우 중대한 일/be of ~ 중요[중대, 유력]하다

유의어 **importance** 사람·사물이 큰 가치·세력을 가졌음을 나타내며, 가장 일반적인 말임: a matter of great *importance* 매우 중요한 문제 **consequence** importance와 같은 뜻인데 격식 차린 말: a matter of little *consequence* to me 내게는 중요하지 않은 문제 **moment**는 두드러지거나 자명한 중요성을 나타냄: a decision of great *moment* 매우 중요한 결단 **weight** 사람·사물의 상대적 중요성: The argument carried no *weight* with the judge. 그 논쟁은 판사에게 영향력을 주지 못했다. **significance** 큰 의의나 획기적인 중요성을 지녔으나 자명하거나 인정된 것이 아님: the treaty's *significance* 그 조약의 중요성

2 중요한 지위; 관록; 무게: a person[position] of ~ 중요 인물[지위] **3** 거드름, 오만, 거만한 태도
attach ~ to …을 중요시하다 ***be conscious of*** [***know, have a good idea of***] one***'s own ~*** 젠체하다, 거드름 피우다 ***of no ~*** 보잘것없는, 하찮은 ***with an air of ~*** 거드름 피우며, 대단한 것처럼
▷ impórtant *a.*

‡**im·por·tant** [impɔ́:rtənt] [L 「(결과를) 가지고 (들어)오다」의 뜻에서] *a.* **1 a** 중요한, 중대한, 소중한, 의미 있는 (*to*): an ~ event in world history 세계사에서 중대한 사건/The matter is ~ *to* us. 그 문제는 우리에게 중요하다./It is very ~ that students (should) read good books. 학생이 양서를 읽는 것은 매우 중요하다. ★ (구어)에서는 should를 쓰지 않는 경우가 많음. **b** [more ~, most ~로 삽입구적으로 사용하여] (더욱[가장]) 중요한 것은: He said it, and (what is) *more* ~, he actually did it. 그는 그렇게 말했고, 더 중요한 것은, 실제로 그렇게 했다는 것이다. **2** 〈사람·지위 등이〉 유력한, 영향력 있는, (사회적으로) 중요한, 저명한, 현저한, 탁월한: an ~ scientist 위대한 과학자/an ~ source of income 큰 수입원/a very ~ person 중요 인물 (略 VIP) **3** 거드름 피우는, 오만한: look ~ 젠체하다, 으스대다 **4** 아주 고가(高價)인 **~·ly** *ad.* ▷ impórtance *n.*

impórtant móney (속어) 큰 돈, 거금(heavy money)

im·por·ta·tion [ìmpɔ:rtéiʃən] *n.* Ⓤ 수입; Ⓒ 수입품(opp. *exportation*)

ímport bìll 수입 어음

ímport declaràtion 수입 신고

ímport dùty 수입 관세

im·pórt·ed fíre ànt [impɔ́:rtid-] 〖곤충〗 남미 원산의 마디개미 (미국 남동부의 해충)

im·por·tee [ìmpɔ:rtí:] *n.* 외국으로부터 초청된 사람; 수입품

im·port·er [impɔ́:rtər] *n.* 수입자[상], 수입국

ímport lìcense 수입 허가(서)

ímport restrìctions 수입 제한[규제]

ímport quòta 수입 할당[쿼터]

ímport sùrcharge[**sùrtax**] 수입 과징금

ímport tàriff 수입 관세율

im·por·tu·nate [impɔ́:rtʃunət] *a.* 성가신, 끈질긴, 귀찮게[추근추근] 조르는 **~·ly** *ad.* **~·ness** *n.*

im·por·tune [ìmpɔ:rtjú:n, impɔ́:rtʃən | impɔ́:tju:n] *vt.* 〈…에게〉 끈덕지게 조르다, 성가시게 부탁하다; 괴롭히다(worry), 귀찮게 하다, 강요하다: (~+목+전+명) He began to ~ her *with* offers of marriage. 그는 그녀에게 결혼해 달라고 성가시게 조르기 시작했다. **—** *vi.* 귀찮게 조르다; 이상하게 말을 걸고 접근하다 **—** *a.* = IMPORTUNATE
~·ly *ad.* **-tún·er** *n.*

im·por·tu·ni·ty [ìmpɔ:rtjú:nəti | -tjú:-] *n.* (*pl.* **-ties**) Ⓤ 끈덕짐; [*pl.*] 끈덕진 요구[간청]

‡**im·pose** [impóuz] [L 「위에 놓다」의 뜻에서] *vt.* **1** 〈의무·벌·세금 등을〉 지우다, 과하다, 부과하다(lay): (~+목+전+명) ~ taxes *on*[*upon*] a person's property …의 재산에 과세하다 **2 a** 〈의견 등을〉 강요[강제]하다(force) (*on, upon*): (~+목+전+명) ~ one's opinion *upon* others 자기 의견을 남에게 강요하다 **b** [~ one*self* 로] (다른 사람의 일에) 말참견하다, 주제넘게 나서다: ~ *oneself* uninvited 주제넘은 말참견을 하다 **3** 〈불량품을〉 떠맡기다, 속여서 사게 하다 (*on, upon*): (~+목+전+명) ~ bad wine *on* customers 손님에게 불량 포도주를 사게 하다 **4** (고어) (…(의 위)에) 놓다 **5** 〖인쇄〗 〈조판을〉 정판(整版)하다 **6** (폐어) 〖그리스도교〗 안수(按手)하다
— *vi.* **1** 속이다; (…에) 편승하다 (*on, upon*): (~+전+명) ~ *upon* a person's kindness …의 친절을 이용하다 **2** (남의 일에) 주제넘게 나서다, 말참견하다; 강요하다 **3** 위압하다, 탄복시키다 **~ *on*** [***upon***] (1) 위압[강요]하다 (2) 속이다 (3) 〈호의 등을〉 악용하다; 응석 부리다 **~ one*self on*** [***upon***] a person …의 일에 주제넘게 나서다; …에게 밀어닥치다, (불청객으로) 찾아가다 **im·pós·er** *n.* ▷ imposítion *n.*

***im·pos·ing** [impóuziŋ] *a.* 인상적인(impressive); 당당한, 훌륭한, 남의 눈을 끄는: an ~ mansion 화려한 저택 **~·ly** *ad.* **~·ness** *n.*

impósing stòne[**tàble**] 〖인쇄〗 조판대

im·po·si·tion [ìmpəzíʃən] *n.* **1** Ⓤ (의무·짐·세금 등을) 지움, 과함, 부과: the ~ of a 10% sales tax 10%의 판매세 부과 **2 a** 부과물, 세금; 부담, 짐: an ~ on imports 수입품세 **b** (영·구어) (학생에게) 벌로 과하는 과제 (impo 또는 impot로 줄임) **3** 둠, 놓음; 〖인쇄〗 조판; 〖그리스도교〗 안수: the ~ of hands 안수례(禮) **4** (남의 호의 등을 악용한) 기만, 사기, 협잡 **5** 강요, 강압

im·pos·si·bi·lism [impɑ́sibilìzm | -pɔ́s-] *n.* Ⓤ 사회 개혁 불가능론

***im·pos·si·bil·i·ty** [impɑ̀səbíləti, ìmpɑs- | impɔ̀s-, ìmpɔs-] *n.* (*pl.* **-ties**) Ⓤ 불가능(성); Ⓒ 불가능한 일: To walk there would have been a virtual ~. 거기까지 걸어가기는 사실상 불가능한 일이었을 것이다.

‡**im·pos·si·ble** [impɑ́səbl | -pɔ́s-] *a.* **1** 불가능한, 무리한 (*of, to* do): an ~ plan 불가능한 계획/~ *of* attainment[definition] 도달하기[정의하기] 어려운/next to[almost] ~ 거의 불가능한/It is ~ for him *to* do that. 그가 그것을 하기는 불가능하다. **2** 있을 수 없는, 믿기 어려운: an ~ story 있을 수 없는 이야기/an ~ rumor 믿을 수 없는 소문 **3** (구어) 〈사람·상황 등이〉 참을 수 없는, 몹시 싫은(intolerable): an ~ situation 도저히 견딜 수 없는 상황/an ~ person 몹시 싫은 사람 **4** 〈계획 등이〉 현실성 없는, 실행 불가능한: an ~ plan 너무 무리한 계획
— *n.* [the ~] 불가능한[하다고 생각되는] 일: attempt the ~ 불가능한 일에 도전하다 **~·ness** *n.*

impóssible árt 개념 예술(conceptual art)

impóssible fígure 〖컴퓨터〗 불가능 도형 (그림으로 그려진 입체 도형이지만 실제로는 있을 수 없는)

im·pos·si·bly [impɑ́səbli | -pɔ́s-] *ad.* **1** 불가능하게, 있을 것 같지도 않게: not ~ 경우에 따라서는, 어쩌면 **2** 어처구니없이, 극단적으로: an ~ cold morning 엄청나게 추운 아침

im·post[1] [ímpoust] *n.* **1** 부과금, 세금; (특히) 수입세, 관세 **2** 〖경마〗 부담 중량 (핸디캡으로서 경주마에 싣는 중량) **—** *vt.* (미) 〈수입품의〉 관세를 결정하다; (과세를 위해) 〈수입품을〉 분류하다

---

cial, momentous, serious, grave, valuable, necessary, essential **2** 저명한 prominent, eminent, outstanding, notable, powerful, influential
impossible *a.* **1** 불가능한 unimaginable, inconceivable, unachievable, unattainable, hopeless (opp. *possible, plausible*) **2** 믿기 어려운 unbelievable, incredible, absurd, ridiculous

impost² *n.* 〖건축〗 홍예[아치]굽 《홍예 밑을 받치는 돌》
im·pos·tor, -post·er [impάstər | -pɔ́s-] *n.* (타인을 사칭하는) 사기꾼, 협잡꾼(swindler)
im·pos·tume [impάstʃu:m, -tju:m | -pɔ́stju:m], **-thume** [-θu:m] *n.* 《고어》 **1** 농양(膿瘍) (abscess) **2** 《비유》 타락, 부패
im·pos·ture [impάstʃər | -pɔ́s-] *n.* UC (타인을 사칭하는) 사기 행위; 사기, 협잡
im·pot [ímpət] *n.* 《영·구어》 = IMPO
im·po·tence, -ten·cy [ímpətəns(i)] *n.* U **1** 무력, 무기력, 허약, 노쇠 **2** (남성의) 성교 불능, 음위(陰萎), 발기 부전 **3** 《폐어》 자제력이 없음
∗**im·po·tent** [ímpətənt] *a.* **1 a** 무력한, 무기력한; 허약한; 노쇠한: ~ feeling 무력감 **b** P (…할) 능력이 없는, 무능한 **2** 효과가 없는, 어떻게 해볼 수 없는 **3** 〈남성이〉 성교 불능의, 음위의, 발기 부전의
— *n.* **1** 허약자, 무력자; 노쇠자 **2** 성교 불능자
~·ly *ad.* **~·ness** *n.* ▷ ímpotence *n.*
im·pound [impáund] *vt.* **1** 〈밖에 잘못 나간 가축 등을〉 우리 속에 넣다; 〈물건을〉 둘러싸다, 〈사람을〉 가두다, 구류하다 **2** 〈물을〉 (관개용으로) 모으다, 받다: *~ed* water 저수(貯水) **3** 〖법〗 〈물건을〉 몰수[압수]하다(confiscate): ~ alien property 외국인의 재산을 몰수하다 **~·a·ble** *a.* **~·er** *n.* **~·ment** *n.*
∗**im·pov·er·ish** [impάvəriʃ | -pɔ́v-] *vt.* **1** [종종 수동형으로] 〈사람·국가 등을〉 가난하게 하다, 피폐하게 하다: a country *~ed* by war 전쟁으로 피폐해진 나라 **2** 〈토지 등을〉 메마르게 하다, 불모로 만들다: Crop rotation has not *~ed* the soil. 윤작(輪作)으로 토양이 황폐화되지 않았다. **3** 〈사람의 질·능력·활기 등을〉 저하시키다, 허약하게 하다; 〈흥미·매력 등을〉 잃게 하다, 지루하게[따분하게] 하다 **~·er** *n.* **~·ment** *n.*
im·pov·er·ished [impάvəriʃt | -pɔ́v-] *a.* **1** 가난하게 된; 메마른: ~ soil 메마른 땅 **2** 힘을 잃은, 허약해진, 빈약한: ~ memory 약해진 기억력 **3** 〈나라·지역 등이〉 동식물이 자라지 않는; 〈토지 등이〉 불모의 **4** (실험에서) 외부 자극이 (거의) 없는
im·pow·er [impáuər] *vt.* 《폐어》 = EMPOWER
im·prac·ti·ca·bil·i·ty [impræ̀ktikəbíləti] *n.* UC (*pl.* **-ties**) **1** 실행[실시] 불가능; 《드물게》 버거움, 억척스러움, 고집이 셈 **2** 실행 불가능한 일
∗**im·prac·ti·ca·ble** [impræ̀ktikəbl] *a.* **1** 실행 불가능한, 비실용적인: an ~ plan 실행 불가능한 계획 **2** 《드물게》 버거운, 억척스러운, 고집 센, 다룰 수 없는 **3** 〈토지·장소 등이〉 통행할 수 없는: ~ terrain 통행할 수 없는 지역 **~·ness** *n.* **-bly** *ad.*
▷ imprὰcticabílity *n.*
∗**im·prac·ti·cal** [impræ̀ktikəl] *a.* **1** 〈사람 등이〉 현실에 어두운, 실천력이 없는; 양식(良識)이 없는: an ~ person 실천력이 없는 사람 **2** 〈생각·계획 등이〉 실행할 수 없는, 비현실적인, 비실용적인(《영》 unpractical): an ~ plan 비현실적인 계획
— *n.* 〖연극〗 실제로 쓸 수 없는 소도구
~·ly *ad.* **~·ness** *n.* ▷ impracticálity *n.*
im·prac·ti·cal·i·ty [impræ̀ktikǽləti] *n.* (*pl.* **-ties**) **1** U 비실제성, 실행 불가능 **2** 현실성이 없는[실행 불가능한] 일
im·pre·cate [ímprikèit] *vt.* 〈재난·저주 등을〉 (…에게) 빌다, 방자하다 《*on, upon*》: 《~+목+전+명》 ~ evil *upon* a person …에게 재앙이 내리기를 빌다 / ~ curses *upon* a person …에게 저주가 있으라고 빌다 — *vi.* 저주하다
-cà·tor *n.* **-ca·to·ry** [-kətɔ̀:ri | -kèitəri] *a.*
im·pre·ca·tion [ìmprikéiʃən] *n.* **1** U (재난 등이 있도록) 빌기, 저주하기 **2** 저주(의 말)
im·pre·cise [ìmprisáis] *a.* 부정확한, 불명확한, 애매한, 막연한(vague): ~ contract terms 애매한 계약 조건 **~·ly** *ad.* **~·ness** *n.*
im·pre·ci·sion [ìmprisíʒən] *n.* **1** U 부정확, 불명확, 비정밀 **2** 부정확[불명확]한 것, 애매한 것
im·preg [ímpreg] *n.* 합성수지를 먹인 합판
im·preg·na·bil·i·ty [imprègnəbíləti] *n.* U 난공불락; 견고
im·preg·na·ble¹ [imprégnəbl] *a.* **1** 〈성 등이〉 난공불락의, 철벽의(invincible): an ~ fort 난공불락의 요새 **2** 〈신념·의론 등이〉 흔들리지 않는, 확고한
~·ness *n.* **-bly** *ad.*
impregnable² *a.* 〈알 등이〉 수정(受精)[수태] 가능한
im·preg·nant [imprégnənt] *n.* (직물·종이·나무 등에 침투시키는) 함침제(含浸劑)
im·preg·nate [imprégneit, ⌐–⌐] *vt.* **1** 〈사람·동물을〉 임신[수태]시키다; 〖생물〗 수정시키다: be [become] *~d* 임신하다 **2** …에 (…을) 스며들게 하다, 포화[충만]시키다 《*with*》: 《~+목+전+명》 ~ a handkerchief *with* perfume 손수건에 향수가 스며들게 하다 / The air of this room is *~d with* dampness. 이 방에는 습기가 가득 차 있다. **3** 〈마음 등에〉 스며들게 하다, 깊은 인상을 주다(impress); 〈사상 등을〉 불어넣다(inspire), 주입하다 《*with*》: 《~+목+전+명》 ~ his mind *with* new ideas 그에게 새로운 사상을 불어넣다 **4** 비옥하게 하다(fertilize)
— [imprégnət, -neit] *a.* **1** 임신한, 수태한 **2** P 스며든, 포화 상태의; 고취[주입]된 《*with*》
im·preg·na·tion [ìmpregnéiʃən] *n.* U **1** 수태; 수정 **2** 포화, 충만 **3** 고취, 주입
im·preg·na·tor [imprégneitər] *n.* 주입기(注入器)
im·pre·sa [impréizə] *n.* (*pl.* **~s, -se** [-zei]) 《폐어》 **1** (방패 위의) 문장(紋章) **2** 금언(金言)
im·pre·sa·ri·o [ìmprəsɑ́:riòu, -sέər- | -sɑ́:r-] [It. 「청부인(請負人)」의 뜻에서] *n.* (*pl.* **~s**) **1** (가극·음악회 등의) 흥행주, 주최자(organizer); (가극단·악단 등의) 감독, 지휘자 **2** 《일반적으로》 감독, 지휘자
im·pre·scrip·ti·ble [ìmpriskríptəbl] *a.* 〖법〗 〈권리 등이〉 시효로 소멸되지 않는; 법령에 의하여 움직일 수 없는; 불가침의, 절대적인(absolute) **-bly** *ad.*
‡**im·press¹** [imprés] [L 「위에 찍다」의 뜻에서] *vt.* (**~ed,** 《고어》 **-prest** [-prést]) **1** …에게 (깊은) 인상을 주다: 《~+목+***as*** 보》 She *~ed* us *as* sincere. 그녀는 우리들에게 성실하게 보였다. // 《~+목+전+명》 The scene was strongly *~ed on* my memory. 그 장면은 나의 기억에 강렬하게 남았다. **2** 감동시키다, 감명을 주다: The speech *~ed* the audience. 그 연설은 청중에게 깊은 감명을 주었다. **3** 〈도장 등을〉 찍다, 누르다: 《~+목+전+명》 He *~ed* the wax *with* a seal. = He *~ed* a seal *on* the wax. 그는 밀랍에 봉인을 찍었다. **4** 명심시키다, 통감시키다: 《~+목+전+명》 We *~ed on* her the importance of honesty. 우리는 그녀에게 정직의 중요성을 명심하게 했다. **5** 특징짓다, 특징을 부여하다
— *vi.* 좋은 인상을 주다, 관심을 끌다: a child's behavior intended to ~ 주목을 끌려는 아이의 행동
— [⌐–] *n.* 《문어》 **1** (도장 등을) 찍음, 날인; 흔적 **2** 특징; 인상; 감명, 영향
▷ impréssion *n.*; impréssive *a.*
im·press² [imprés] *vt.* (**~ed,** 《고어》 **-prest**) **1** (특히 해군에) 강제 징모하다(press) 《*into*》; 〈재산 등을〉 징발하다 **2** 〈의론(議論) 등에〉 인용[이용]하다; 〈사람을〉 말로 구슬려서 이용하다 《*into*》
— [⌐–] *n.* 강제 징용
im·pressed [imprést] *a.* 감명[감동]을 받은, (특히 좋은 인상을 받은 《*by, with*》: be favorably[unfavorably] ~ 좋은[나쁜] 인상을 받다 / He was suitably ~ *with* the novel. 그는 그 소설로 상당히 좋은 인상을 받았다.
im·press·i·ble [imprésəbl] *a.* 다감한, 감수성이

thesaurus **impression** *n.* **1** 인상 feeling, idea, awareness, notion, thought, belief, opinion **2** 영향 effect, influence, impact, power, sway
impressive *a.* moving, inspiring, affecting, touching, stirring, exciting, powerful, splendid
imprison *v.* jail, lock up, confine, detain

풍부한(susceptible) **im·prèss·i·bíl·i·ty** *n.* **-bly** *ad.*

‡**im·pres·sion** [impréʃən] *n.* **1** UC 인상; 감명, 감상: an agreeable ~ 호감/the first ~*s* 첫인상/visual ~*s* 시각적 인상 **2** [종종 the ~, an ~] (막연한) 느낌, 생각, 기억, 기분 **3** 《영》 [종종 the ~, an ~] 〖인쇄〗 인쇄; 인쇄물(의 일부); (같은 원판에 의한) …쇄(刷)(《미》 printing)(⇨ edition 유의어); 1회의 인쇄 총부수: *the* second ~ of the third edition 제3판의 제2쇄 **4** U 영향, 효과(effect) 《*on, upon*》; 결과 **5** UC 《문어》 날인, 인각(印刻) **6** 자국, 흔적 **7** 〖치과〗 의치의 본(mold) **8** C (연예인에 의한 유명 인사 언행의) 흉내내기(imitation), 성대 모사 《*of*》 **9** (페인트 등의) 도장(塗裝)

be under the ~ that …이라고 생각하고 있다 ***do an ~ of*** …의 흉내를 내다 ***give an ~ of*** …의 느낌을 주다; …에 대한 인상을 말하다 ***have an ~ that*** …이라는 느낌[생각]이 들다 ***make an ~ on*** …에게 인상을 주다, …을 감동시키다

▷ impréss[1] *v.*; impréssive *a.*

im·pres·sion·a·bil·i·ty [imprèʃənəbíləti] *n.* U 감수[감동]성, 민감성

*__im·pres·sion·a·ble__ [impréʃənəbl] *a.* **1** 감수성이 풍부한, 민감한, 다감한, 감동하기 쉬운: an ~ youngster 감수성이 풍부한 젊은이/at an ~ age 감수성이 예민한 나이에 **2** 가소성(可塑性)이 있는 **3** 〈종이 등이〉 인쇄에 적당한 **~·ness** *n.* **-bly** *ad.*

im·pres·sion·ism [impréʃənìzm] *n.* U 〖예술〗 인상파[주의]; 인상주의적 표현

im·pres·sion·ist [impréʃənist] *n.* **1** [보통 **I~**] 인상주의자; 인상파 화가[조각가, 작가] **2** 유명 인사의 흉내를 내는 연예인, 성대[형태(形態)] 모사 연예인

— *a.* [보통 **I~**] 인상파[주의]의

im·pres·sion·is·tic [imprèʃənístik] *a.* =IMPRESSIONIST; 인상에 근거한

‡**im·pres·sive** [imprésiv] *a.* 〈의식·경관 등이〉 강한 인상을 주는, 감명을 주는, 감동적인; 장엄한, 엄숙한 **~·ly** *ad.* 인상적으로, 인상 깊게 **~·ness** *n.*

▷ impréss[1] *v.*; impréssion *n.*

im·press·ment [imprésmənt] *n.* U 강제 징모, 모병; 징발, 징용, 수용(收用)

im·pres·sure [impréʃər] *n.* 《고어》 =IMPRESSION

im·prest [ímprest] *n.* 《영》 (원래 병사에게 주었던) 선불금, 특별 수당; (국고에서 내는) 전도금

im·pri·ma·tur [ìmprimá:tər, -méi-, -prai-] [L=let it be printed] *n.* **1** (특히 가톨릭 교회가 주는 저작물의) 인쇄[발행] 허가 **2** 허가, 인가, 면허, 승인

im·pri·ma·tu·ra [ìmprimətúərə], **-ma·ture** [-mətʃuər] [It.] *n.* 〖회화〗 밑칠

im·pri·mis [impráimis, -prí:-|-prái-] [L=in the first place] *ad.* 최초에, 맨 처음에, 우선

*__im·print__ [ímprint] *n.* **1** 누른[박은, 찍은] 자국, 인장 자국; 흔적: the ~ of a foot 발자국 **2** 인상, 모습 **3** 상표 **4** (서적 등의) 판권란, 출판 사항 《발행자·인쇄인의 주소·성명 등》

— [⸗́] *vt.* **1** 〈도장 등을〉 누르다, 찍다(stamp): (~+목+전+명) ~ a postmark *on* a letter =~ a letter *with* a postmark 편지에 소인(消印)을 찍다 **2** (마음·기억 등에) 명기(銘記)시키다, 감명시키다(impress): (~+목+전+명) He ~*ed* his words *upon* my memory. 그는 자기의 말을 내 기억에 강하게 남겼다. **3** 〈키스 등을〉 (…에게) 해주다, 하다 《*on, upon*》 **4** 《고어》 인쇄하다

— *vi.* 인상을 주다, 영향을 미치다 **~·er** *n.*

im·print·ing [impríntiŋ] *n.* 〖동물·심리〗 각인 《태어난 직후에 획득하는 행동 양식》

‡**im·pris·on** [imprízn] *vt.* **1** 교도소[감옥]에 넣다, 수감하다 **2** (비유) 가두다, 구속하다: remain ~*ed* at home 집에 갇혀 있다 ▷ imprísonment *n.*

im·pris·on·ment [impríznmənt] *n.* U **1** 투옥, 구금, 금고; 〖법〗 자유형(自由刑): ~ with hard labor 징역/life ~ 종신형/suffer ~ for one's offense 범죄로 금고형을 받다 **2** 강제적 구속, 감금, 유폐

im·prob·a·bil·i·ty [imprɑ̀bəbíləti|-prɔ̀b-] *n.* (*pl.* **-ties**) UC **1** 사실 같지 않음, 있음[일어남]직하지 않음 **2** 사실 같지 않은 일; 있을[일어날] 것 같지 않은 일: events once considered *improbabilities* 일어날 것 같지 않았던 사건들

*__im·prob·a·ble__ [imprɑ́bəbl|-prɔ́b-] *a.* 일어날 듯[있음직]하지 않은; 사실 같지 않은; 기발한: an ~ story 있음직하지 않은 이야기/not ~ 있을 수 있는/It seems ~ that ... …은 사실이 아닌 것 같다

im·prob·a·bly [imprɑ́bəbli|-prɔ́b-] *ad.* 있음직하지 않게: not ~ 어쩌면, 혹 (…인지도 모르다)

im·pro·bi·ty [impróubəti, -prɑ́b-|-próub-, -prɔ́b-] *n.* U 도의심의 결여; 《문어》 정직하지 않음; 불성실; 사악

im·promp·tu [imprɑ́mptju:|-prɔ́mptju:] [L=in readiness] *ad.* 즉석에서, 준비 없이; 즉흥적으로; 임시변통으로: verses written ~ 즉흥적으로 쓴 시/deliver a speech ~ 즉석에서 연설하다

— *a.* **1** 〈연설·시 등이〉 준비 없는, 즉석에서의, 즉흥적인: an ~ party 즉석 파티/~ verse 즉흥시 **2** 〈식사 등이〉 급히 지은, 임시로 마련한, 임시변통의

— *n.* 즉석에서 만들어진 것; 즉석 연설[연주], 즉흥시, 즉흥곡(improvisation)

*__im·prop·er__ [imprɑ́pər|-prɔ́p-] *a.* **1** (경우·목적 등에) 부적당한, 부적절한, 어울리지 않는: ~ attire for a formal dance 정식 무도회에 어울리지 않는 복장 **2** (사실·규칙 등에) 맞지 않는, 틀린, 타당하지 않은: draw ~ conclusions from the scant evidence 빈약한 증거로부터 잘못된 결론을 내리다 **3** 버릇없는; 보기 흉한; 상스러운; 부도덕한, 음란한, 불륜의: ~ conduct 버릇없는 행동 **4** 정상이 아닌, 이상한, 불규칙적인: ~ functioning of the speech mechanism 언어 기능 장애 **~·ly** *ad.* **~·ness** *n.*

▷ impropríety *n.*

impróper fráction 〖수학〗 가분수

impróper íntegral 〖수학〗 이상 적분(異常積分)

im·pro·pri·ate [impróuprièit] *vt.* 〖교회법〗 〈교회의 재산 등을〉 평신도 소유로 옮기다

— [-ət, -èit] *a.* 〈교회 재산이〉 평신도 손에 넘어간

im·prò·pri·á·tion *n.* **-à·tor** *n.* 교회 재산을 소유하는 평신도

im·pro·pri·e·ty [ìmprəpráiəti] *n.* (*pl.* **-ties**) UC **1** 부적당, 온당치 않음; 부정, 잘못; (단어의) 오용, 부정확한 용법 **2** 점잖지 못함, 상스러움, 도리에 어긋남; 보기 흉함; 버릇없는[상스러운, 음란한] 행위[말]

im·prov [ímprɑv|-prɔv] [*improv*isation] *n.* 《구어》 즉흥 연극[연주], 애드 리브

im·prov·a·bil·i·ty [imprù:vəbíləti] *n.* U 개량[개선]할 수 있음

im·prov·a·ble [imprú:vəbl] *a.* 개량[개선]할 수 있는 **~·ness** *n.* **-bly** *ad.*

‡**im·prove** [imprú:v] [OF 「이익으로」의 뜻에서] *vt.* **1** 개선[개량]하다; 증진하다, 진보[향상]시키다: ~ one's health 건강을 증진하다 // (~+목+전+명) ~ a pony *into* a racehorse 조랑말을 경마용 말로 키우다 **2** 〈시간·기회 등을〉 이용하다, 활용하다: ~ one's leisure by reading 여가를 이용하여 독서하다 **3** (경작·건설 등으로) 〈토지·부동산의〉 가치를 높이다: ~*d* farmland 개량 농지

— *vi.* **1** 나아지다, 개선되다, 향상[진보, 증진]하다 《*in*》: Your English has ~*d*. 당신의 영어는 향상되었다. // (~+전+명) He is *improving in* health. 그의 건강은 회복되고 있다. **2** 〈가치·수요 등이〉 증대하

---

improper *a.* **1** 부적당한 indecorous, unfitting, impolite, indecent, unsuitable inappropriate **2** 틀린 inaccurate, incorrect, wrong, false

improve *v.* **1** 개선하다 mend, amend, make better, reform, rectify, upgrade (opp. *worsen, deteriorate*) **2** 개선되다 advance, progress, develop

다, 오름세가 되다, 높아지다
~ ***away***[***off***] (a good quality) 개량하려다가 오히려 (좋은 품질을) 잃다[없애다] ***~ on*** …을 개량[개선]하다, 보다 좋은 것으로 만들다; 〈기록 등을〉 경신하다 ~ one***self*** 〈실력 등이〉 향상하다 《*in*》 ***~ the occasion*** 기회를 이용하다; 기회를 포착하여 설교하다
▷ impróvement *n.*

‡**im·prove·ment** [imprúːvmənt] *n.* **1 a** ⓊⒸ 개량, 개선 《*in*》; 진보, 증진, **향상** 《*in*》: crop ~ 작물 개량 / ~ *in* health 건강의 증진 **b** (동일물의) 개량[개선]된 것, 개량[개선](점) 《*in*》; (전의 것 등에 비하여) 향상된 것, 더 우수한 것[사람] 《*on, upon*》 **c** 개수(改修) (공사): make ~*s on* a house 집을 개수하다 **2** Ⓤ (토지·시간 등의) 이용, **활용**: the ~ of an occasion 기회의 이용 **3** [보통 *pl.*] 《남아공·캐나다》 (농장에 있는) 연못, 건조물, 농장

im·prov·er [imprúːvər] *n.* **1** 개량[개선]하는 사람[물건] **2** 식품 첨가물 《특히 방부제》 **3** 《주로 영》 수습공 《임금 없이 또는 저임금으로 기술을 배우는》

im·prov·i·dence [imprɑ́vədəns | -prɔ́v-] *n.* Ⓤ **1** 선견지명[지각]이 없음; 경솔함 **2** 절약 정신이 없음

im·prov·i·dent [imprɑ́vədənt | -prɔ́v-] *a.* **1** 선견지명이 없는; 경솔한, 부주의한 **2** (사람이 경제적으로) 장래에 대비하지 않는, 절약하지 않는(thriftless): The ~ worker saved no money. 낭비가 심한 그 일꾼은 저축을 하지 않았다. **~·ly** *ad.*

im·prov·ing [imprúːviŋ] *a.* 개량[개선]하는, 유익한, 도움이 되는

im·prov·i·sa·tion [imprɑ̀vəzéiʃən, ìmprə- | ìmprəvaiz-] *n.* Ⓤ 즉석에서 하기; Ⓒ 즉석에서 한[지은] 것 《즉흥시[곡], 즉석화(畫)[연주] 등》 **~·al** *a.*

im·prov·i·sa·tor [imprɑ́vəzèitər, ímprə- | imprɔ́v-, ímprə-] *n.* 즉흥 시인; 즉석 연주자

im·pro·vi·sa·to·re [imprɑ̀vəzətɔ́ːri | -rei] [It.] *n.* (*pl.* **-ri** [-ri], **~s**) = IMPROVISATOR

im·prov·i·sa·to·ri·al [imprɑ̀vəzətɔ́ːriəl | -prɔ̀v-] *a.* = IMPROVISATORY

im·prov·i·sa·to·ry [imprɑ́vəzətɔ̀ːri | -prɔ́vəzətəri] *a.* 〈곡 등이〉 즉석의, 즉석에서 한, 즉흥적인

***im·pro·vise** [ímprəvàiz] *vt.* **1** 〈시·곡 등을〉 **즉석에서 하다[짓다, 연주하다]**; 〈연설 등을〉 즉석에서 하다 (extemporize): ~ a sermon 즉석에서 설교하다 **2** 〈식사·좌석 등을〉 임시 대용으로 마련하다[만들다]: ~ a dinner 저녁 식사를 임시변통으로 마련하다
— *vi.* 즉석에서[즉흥적으로] 작곡[연주, 노래]하다
-vìsed *a.* 즉석에서 지은, 즉흥의 **-vìs·er** *n.*
▷ improvisátion *n.*; improvisatórial *a.*

***im·pru·dence** [imprúːdns] *n.* **1** Ⓤ **경솔**, 경망, 무분별, 조심성 없음, 무모함 **2** 경솔한 행동[말]
▷ imprúdent *a.*

im·pru·dent** [imprúːdnt] *a.* 〈사람·행위 등이〉 **경솔한**, 무모한, 분별없는, 경망스러운(indiscreet): an ~ remark 경솔한 말 / ~ behavior 경솔한 행동 // (~+of***+명(+***to*** do)) (~+***to*** do) It was ~ *of* you *to* say so. = You were ~ *to* say so. 네가 그런 말을 하다니 경솔했구나. **~·ly** *ad.* **~·ness** *n.*
▷ imprúdence *n.*

im·pu·dence** [ímpjudns] *n.* Ⓤ **뻔뻔스러움**, 몰염치; 건방짐, 무례함; ⓊⒸ 건방진 언동: (~+to*** do) She had the ~ *to* answer her teacher back. 그녀는 건방지게도 선생님에게 말대꾸를 했다. // None of your ~! 건방진 수작 마라!
▷ ímpudent *a.*

‡**im·pu·dent** [ímpjudnt] *a.* 〈행위 등이〉 **뻔뻔스러운**, 염치없는; 경솔한; 무례한, 건방진(⇨ impertinent 유의어): an ~ child 건방진 아이 // (~+***to*** do) He was ~ enough *to* ask me for a holiday. 그는 뻔뻔스럽게도 내게 휴가를 달라고 했다.
~·ly *ad.* **~·ness** *n.* ▷ ímpudence *n.*

im·pu·dic·i·ty [ìmpjudísəti] *n.* **1** Ⓤ 파렴치, 염치없음, 후안무치 **2** 음탕, 추행(immorality)

im·pugn [impjúːn] *vt.* **1** 《문어》 〈남의 행동·의견·성실성 등에〉 이의를 제기하다; 〈남의 언동·성격 등을〉 비난 공격하다, 논박하다(challenge): The lawyer ~*ed* the witness's story. 변호사는 증인의 이야기에 이의를 제기했다. **2** 《폐어》 (육체적으로) 습격하다
~·a·ble *a.* 비난[공격]의 여지가 있는 **~·ment** *n.*

im·pu·is·sance [impjúːəsəns, ìmpjuísns, impwísns | impjúːisns] *n.* Ⓤ 무기력, 허약, 무능
-sant *a.* 무기력한, 무능한, 허약한

‡**im·pulse** [ímpʌls] [L 「밀다」의 뜻에서] *n.* **1 추진**(력); (물리적인) **충격**; (외부로부터의) 자극 **2** ⓊⒸ (마음의) **충동**, 충동적인 행위; 변덕, 일시적 감정: a generous ~ 관대한 기분 / be swayed by ~ 충동에 좌우되다 / a man of ~ 충동적인 사람 // (~+***to*** do) He felt an irresistible ~ *to* cry out at the sight. 그는 그 광경을 보고 큰 소리로 외치고 싶은 억누를 수 없는 충동을 느꼈다. **3** 〖역학〗 순간력, 충격량 《힘과 시간과의 곱》 **4** 〖생리〗 충동; 욕구 **5** 〖전기〗 충격, 임펄스 ***give an ~ to*** …에 자극을 주다, …을 장려하다 ***on ~*** 충동적으로: buy a bag *on* ~ 충동적으로 가방을 사다 ***on the ~ of the moment*** 그때의 일시적 충동으로 ***under the ~ of*** …에 이끌려서
— *a.* **1** 충동적인 **2** 충동 구매의: ~ goods 충동 구매 상품 ▷ impúlsive *a.*

ímpulse bùyer 충동 구매자

ímpulse bùying[**pùrchase**] 충동 구매

ímpulse chárge 충격 장약(裝藥) 《로켓·미사일 등을 발사기에서 이탈시키는 데 쓰는 폭약》

ímpulse tùrbin 〖기계〗 충격 터빈

im·pul·sion [impʌ́lʃən] *n.* ⓊⒸ **1** 추진, 충동 **2** 충격, 고무, 격려, 자극 **3** 강제; 순간적인 동기[기분]

im·pul·sive [impʌ́lsiv] *a.* **1** 충동적인, 감정에 끌린: an ~ action 충동적인 행동 / an ~ person [remark] 충동적인 사람[말] **2** 〈힘 등이〉 추진력[작용]이 있는: ~ forces 추진력 **3** 행동을 자극하는, 고무적인 **4** 〖역학〗 순간력의, 비연속적인 **~·ly** *ad.* **~·ness** *n.*

im·pu·ni·ty** [impjúːnəti] *n.* Ⓤ **형벌[해, 손실]을 받지 않음**, 무사 ***with ~ 벌을 받지 않고, 무난히, 무사히

***im·pure** [impjúər] *a.* **1** 〈물·공기 등이〉 **더러운**, 불결한(dirty): ~ water 더러운 물 **2 a** 〈금속 등이〉 **순수하지 않은**, 불순물이 섞인 **b** 〈색이〉 혼색의 **c** 〈문체·어법 등이〉 관용적이 아닌 **3** 〈동기 등이〉 (도덕적으로) **불순한**, 부도덕한; 외설한, 타락한, 음란한(obscene): ~ thoughts 부도덕한 사상 / ~ intention 불순한 목적 / an ~ book 외설서 **4** (종교적으로) 더럽혀진, 성별(聖別)되지 않은, 부정한 **~·ly** *ad.* **~·ness** *n.*
▷ impúrity *n.*

***im·pu·ri·ty** [impjúərəti] *n.* (*pl.* **-ties**) **1** Ⓤ **불결**, **불순**; 음란, 외설(obscenity) **2** [종종 *pl.*] 불순물, 혼합물 **3** 불순한[부도덕한] 행위; 외설스러운 말: *impurities* in the drinking water 음료수 중의 불순물

im·put·a·bil·i·ty [impjùːtəbíləti] *n.* Ⓤ 전가시킬[책임지울] 수 있음

im·put·a·ble [impjúːtəbl] *a.* **1** Ⓟ (…의 탓으로) 돌릴 수 있는, 지울 수 있는, 전가할 수 있는 《*to*》: sins ~ *to* weakness 의지박약의 탓으로 돌릴 수 있는 죄 / No blame is ~ *to* him. 그에게는 아무런 허물[책임]이 없다. **2** 《고어》 비난[고발]할 수 있는
~·ness *n.* **-bly** *ad.*

im·pu·ta·tion [ìmpjutéiʃən] *n.* **1** Ⓤ 〈죄 등을〉 (…에게) 돌림, 전가(accusation) **2** 비난, 비방; 오명(汚名): cast an ~ on[make an ~ against] a person's good name …의 명성을 손상시키다

imputátion sỳstem 〖회계〗 (과세) 귀속 방식

im·put·a·tive [impjúːtətiv] *a.* …탓으로 돌려진; 덮어씌워진, 전가된 **~·ly** *ad.*

***im·pute** [impjúːt] *vt.* **1** 〈죄·불명예 등을〉 …에게 돌

thesaurus **impulse** *n.* **1** 추진력 momentum, force, thrust, push, surge, impetus **2** 충동 stimulus, inspiration, incitement, motivation, urge

리다, 씌우다, 전가하다, …의 탓으로 하다(ascribe) 《*to*》: 《~+目+前+名》 The police ~ the accident *to* the bus driver's carelessness. 경찰은 사고의 원인을 버스 운전사의 부주의로 돌리고 있다. **2** 〈성질·속성 등을〉 (…에게) 있다고 생각하다, 귀속시키다 《*to*》: 《~+目+前+名》 They ~*d* magical powers *to* the old woman. 그들은 그 노파에게 마법의 힘이 있다고 믿었다. **3** 〖법〗 〈사람에게〉 (타인의 행위에 대해 감독 책임자로서) 대리 책임을 지우다 **4** 〖경제〗 〈관념적 가치를〉 귀속시키다

im·pút·ed·ly *ad.* **im·pút·er** *n.*

▷ imputátion *n.*; impútative *a.*

im·pu·tres·ci·ble [ìmpju:trésəbl] *a.* 부패되기 어려운; 부패하지 않는

impv. imperative **IMT-2000** International Mobile Telecommunication 2000 첨단 이동 통신 단말기 시스템 **IMU** inertial measurement unit 〖우주공학〗 관성 측정 장치

‡**in** ⇨ in (p. 1290)

in [in] [L] *prep.* = IN

In 〖화학〗 indium **IN** 《미》 〖우편〗 Indiana; 〖컴퓨터〗 information network 《미국 IBM사의 고도(高度) VAN (부가 가치 통신망) 서비스》 **in.** inch(es)

in-[1] [in] *pref.* 「무(無)…; 불(不)…(not)」의 뜻(cf. UN-, NON-) ★ l 앞에서는 il-; b, m, p 앞에서는 im-; r 앞에서는 ir-가 됨: *in*correct

in-[2] *pref.* in, on, upon, into, against, toward의 뜻 ★ l 앞에서는 il-; b, m, p 앞에서는 im-; r 앞에서는 ir-가 됨: *im*bed, *in*fer

in-[3] 《연결형》 「안의; 속의」의 뜻: *in*-house

in-[4] 《연결형》 「최신 유행의」의 뜻: *in*-jargon 최신 유행의 전문어

-in[1] [in] *suf.* 「…에 속하는」의 뜻의 형용사 및 그 파생 명사를 만듦: coff*in*

-in[2] *suf.* **1** = -INE[2] **2** 화학·광물학의 학명에 사용되어 명사를 만듦: podophyll*in*

-in[3] 《연결형》 집단 항의[시위] 및 사교적 집회 또는 문화적 활동을 나타내는 복합어를 만듦: sit-*in*, teach-*in*, cook-*in*, sing-*in*

-ina [í:nə] *suf.* **1** 여성형 명사를 만듦: Georg*ina*, czar*ina* **2** 악기명을 만듦: concert*ina*

***in·a·bil·i·ty** [ìnəbíləti] *n.* Ⓤ 무능, 무력; …할 수 없음(disability): 《~+*to* do》 I must confess my ~ *to* help you. 당신을 도와드릴 수 없음을 솔직히 말씀드리지 않을 수 없습니다.

in ab·sen·tia [in-æbsénʃə, -ʃiə, -tiə] [L = in (one's) absence] *ad.* 부재중에

in·ac·ces·si·bil·i·ty [ìnəksèsəbíləti | -æk-, -ək-] *n.* Ⓤ 가까이 가기[접근하기, 닿기, 얻기] 어려움

***in·ac·ces·si·ble** [ìnəksésəbl | -æk-, -ək-] *a.* **1** 가까이 하기[도달하기, 얻기] 어려운; 〈장소가〉 (…에게는) 입장이 허락되지 않는 《*to*》: a library ~ *to* the people at large 일반인은 이용할 수 없는 도서관 **2** 〈사람이〉 친해지기 어려운; (감정 등에) 움직여지지 않는: an ~ personality 가까워지기 어려운 성격 **3** 〈작품 등이〉 난해한, 이해할 수 없는

~·ness *n.* **-bly** *ad.*

in·ac·cu·ra·cy [inǽkjurəsi] *n.* (*pl.* **-cies**) **1** Ⓤ 부정확, 정밀하지 않음 **2** [종종 *pl.*] 잘못, 틀림: The film is entertaining but full of historical *inaccuracies.* 그 영화는 재미는 있지만 사적(史的) 오류로 가득하다.

in·ac·cu·rate [inǽkjurət] *a.* 부정확한, 정밀하지 않은(inexact); 틀린: an ~ account 부정확한 보고[기술] **~·ly** *ad.* **~·ness** *n.* ▷ ináccuracy *n.*

in·ac·tion [inǽkʃən] *n.* Ⓤ 활동하지 않음; 게으름(idleness); 휴지(休止), 휴식

---

inadequate *a.* **1** 부적당한 incompetent, incapable, unfit, ineffective, unskillful **2** 불충분한 insufficient, deficient, short, scarce, incomplete

---

in·ac·ti·vate [inǽktəvèit] *vt.* **1** 활발하지 않게 하다 **2** 〖면역〗 〈혈청 등을〉 비활성화하다 **3** 〈부대·군함 등을〉 현역 해제하다, 전시(戰時) 편제를 풀다

in·àc·ti·vá·tion *n.*

***in·ac·tive** [inǽktiv] *a.* **1 a** 활동하지 않는, 활발하지 않은; 정지하고 있는: an ~ volcano 휴화산(休火山) **b** 〈시황이〉 한산한 **c** 〈기계 등이〉 움직이지 않는, 사용되지 않고 있는: an ~ mine 폐광

> 유의어 **inactive** 활동의 결여, 활동에 대한 소극성 또는 정지를 나타낸다. **dormant** 활동을 재개할 가능성이 있는 것의 정지 또는 휴지 상태. **idle** 사람이나 기계 등이 일의 실행을 서두르지 않거나 놀고 있다는 뜻이며, 「게으른」의 뜻으로는 보통 lazy를 쓴다. **inert** 자력(自力)으로 행동[운동]할 수 없는, 불활성의, 습관적으로 또는 본래 둔한. **sluggish** 본래의 활동이 느리거나 쉽게 또는 활발히 움직이지 않는. **torpid** 육체적 활동의 정지 상태, 특히 동면(冬眠)하는 동물의 무활동 상태를 나타낸다.

2 나태한, 게으른, 피동적인: an ~ personality 나태한 성격 **3** 〖화학·물리〗 비활성의; 불선광성(不旋光性)의; 〖물리〗 방사능이 없는 **4** 〖군사〗 현역이 아닌, 퇴역의 **~·ly** *ad.* **in·ac·tív·i·ty** *n.* ▷ ináctivate *v.*

in·a·dapt·a·bil·i·ty [ìnədæ̀ptəbíləti] *n.* Ⓤ 적응성이 없음, 적합하지 않음

in·a·dapt·a·ble [ìnədǽptəbl] *a.* 적응할 수 없는

in·ad·e·qua·cy [inǽdikwəsi] *n.* (*pl.* **-cies**) ⓊⒸ **1** 부적당; 불충분, 부족; 무능(incompetence): the ~ of the tax system 세제(稅制)의 미비 **2** [종종 *pl.*] 부적당[불충분]한 점[부분]; 결점, 결함

‡**in·ad·e·quate** [inǽdikwət] *a.* **1** Ⓟ 부적당한, 부적절한 《*to, for*》: He's ~ *for* the job. = He's ~ *to* do the job. 그는 그 일에는 부적당하다. **2** 불충분한 《*for*》; 무력한: ~ equipment 불충분한 설비 / ~ nutrition 불충분한 영양 // 《~+*to* do》 The production is wholly ~ *to* meet the demand. 그 생산고로는 도저히 수요를 감당할 수 없다. **3** 〖정신의학〗 〈사람이〉 (정신적·사회적으로) 적응성이 없는[부족한], 부적격의 **~·ly** *ad.* **~·ness** *n.* ▷ inádequacy *n.*

in·ad·mis·si·bil·i·ty [ìnədmìsəbíləti] *n.* Ⓤ 용납[승인]하기 어려움

in·ad·mis·si·ble [ìnədmísəbl] *a.* 용납할 수 없는, 승인할 수 없는; 〈자백 등이〉 증거로 채택할 수 없는, 인정할 수 없는 **-bly** *ad.*

in·ad·ver·tence, -ten·cy [ìnədvə́:rtns(i)] *n.* (*pl.* **-tenc·es**; **-cies**) **1** Ⓤ 부주의, 태만, 소홀 **2** Ⓒ (부주의에 따른) 실수, 잘못(oversight)

in·ad·ver·tent [ìnədvə́:rtnt] *a.* **1** 고의가 아닌, 우연의; 의도하지 않은(unintentional): an ~ mistake 무심코 저지른 실수 **2** 〈사람·성격이〉 부주의한, 소홀한(inattentive), 경솔한; 부주의에 의한 **~·ly** *ad.*

in·ad·vis·a·ble [ìnədváizəbl] *a.* 〈행위 등이〉 권할 수 없는, 유리하지 못한, 현명하지 않은

ìn·ad·vìs·a·bíl·i·ty *n.* **-bly** *ad.*

in ae·ter·num [in-i:tə́:rnəm] [L] *ad.* 영원히 (forever)

in·al·ien·a·ble [inéiljənəbl, -liə-] *a.* 〈권리 등이〉 양도할 수 없는, 빼앗을 수 없는: ~ rights 양도할 수 없는 권리 《미국 독립 선언문 중의 한 구절 Life, Liberty, and the pursuit of Happiness를 말함》

in·àl·ien·a·bíl·i·ty *n.* **~·ness** *n.* **-bly** *ad.*

in·al·ter·a·bil·i·ty [inɔ̀:ltərəbíləti] *n.* Ⓤ 변경할 수 없음, 불변성, 불역성(不易性)

in·al·ter·a·ble [inɔ́:ltərəbl] *a.* 변경할 수 없는, 불변(성)의 **-bly** *ad.*

in·am·o·ra·ta [inæ̀mərɑ́:tə, ìnæm-] [It.] *n.* 애인《여자》; 정부(情婦): keep an ~ 첩을 두다

in·am·o·ra·to [inæ̀mərɑ́:tou, ìnæm-] [It.] *n.* (*pl.* **~s**) 애인《남자》; 정부(情夫)

in-and-in [ínəndín] *a., ad.* 동종 교배의[로], 같은

in

in은 전치사와 부사로 널리 쓰이며, 부사로서는 이른바 전치사적 부사(prepositional adverb) 중의 하나로 취급된다.

1 전치사로서의 in은 위치 또는 장소 안에서의 운동을, into는 그 장소로의 운동을 나타낸다. 그러나 《구어》에서는 into 대신에 in을 쓰는 경우가 많다: Cut the cake *in* two. 그 케이크를 둘로 잘라라. / Let's go *in* the house. 집에 들어가자.

2 시간을 나타낼 때의 at는 때의 한 시점을, in은 비교적 긴 기간을, on은 특정의 날·아침·저녁 등을 나타낸다.

‡in *prep., ad., a., n.*

기본적으로는 「…의 안에서」의 뜻.
① [장소·상황을 나타내어] …안에서[에, 의], 속에서[을], 집안에(서) — 전 **1 a, 3 b** 부 **1 a, 2**
② [방향을 나타내어] …쪽에[으로] — 전 **1 b**
③ [시간을 나타내어] …의 사이에, …동안에 — 전 **7**
④ …을 입고, 착용하여 — 전 **5**
⑤ …을 이루어 — 전 **12**
⑥ …으로, …을 가지고 — 전 **10, 11**
⑦ …에 있어서; …에 관하여 — 전 **6**
⑧ [활동·종사를 나타내어] …하여 — 전 **4 a**

— [in, ən, ìn, ín | in] *prep.* **1** [장소·위치·방향 등을 나타내어] **a** …안[속]에[에서, 의]; …에서, …에: *in* the house 집안에[에서] / a bird *in* a cage 새장 안의 새 / a vase with flowers *in* it 꽃이 꽂혀진 꽃병 / *in* Korea 한국에서 / look up a word *in* a dictionary 사전에서 단어를 찾다 / *in* New York 뉴욕에(서) / meet a person *in* the street 거리에서 사람을 만나다 《*on* the street도 씀》 / There is some reason *in* what he says. 그가 하는 말에는 일리가 있다. **b** …쪽에[으로, 으로부터]: She looked *in* his direction. 그녀는 그가 있는 쪽을 바라보았다. / The sun rises *in* the east. 해는 동쪽에서 떠오른다. **c** (탈것 등)을[에] 타고(⇨ by[1] 3a; on 4a): *in* a car 차를 타고, 차로 **d** [장소의 기능을 생각하여 관사 없이] …중(에), …에(서): *in* [《영》 *at*] school 재학 중; 교내에 / *in* class 수업 중 / *in* bed 침상에서, 자고 / *in* office 재직 중에

2 [이동·변화의 동사 cast, fall, lay, put, throw, thrust, divide, split, break 등과 함께 행위·동작의 방향을 나타내어] …안[속]에: fall *in* a river 강물에 빠지다 / get *in* the car 차에 타다 / Throw it *in* the wastebasket. 그것을 휴지통에 버려라.

3 a [상태를 나타내어] …의 상태에[로]: *in* bad [good] health 건강이 나빠[좋아] / *in* confusion 혼란하여 / *in* full blossom 〈꽃이〉 만발하여 / *in* order 정돈되어 / *in* alarm 놀라서 / *in* haste 서둘러 / *in* ruins 폐허가 되어 / *in* despair 절망하여 **b** [공간·환경을 나타내어] …속에서[을]: grope *in* the dark for the key 어둠 속에서 열쇠를 더듬어 찾다 / walk *in* the rain 빗속을 걷다 / *in* the moonlight 달빛 속에, 달빛을 받고

4 a [행위·활동·종사를 나타내어] …하여, …에 종사하여 ★ 다음에 do*ing*이 올 경우에 《구어》에서는 in이 생략됨: *in* search of truth 진리를 추구하여 / spend much time *in* read*ing* 독서에 많은 시간을 할애하다 / They are busy (*in*) prepar*ing* for the examination. 그들은 시험 준비로 바쁘다. **b** [소속·직업을 나타내어] …하여, …에: *in* the army 입대하여, 군대에 / be *in* business 장사[사업]를 하다 / be *in* politics 정치에 몸담고 있다 / He is *in* computers. 그는 컴퓨터와 관련된 일을 하고 있다.

5 [착용을 나타내어] …을 입고[끼고, 신고], 착용하여: *in* uniform 제복[군복]을 입고 / a woman *in* black 검은 옷을 입은 여인 / a man *in* spectacles [an overcoat, a red tie] 안경을 낀[외투를 입은, 빨간 넥타이를 맨] 남자

6 a [범위를 나타내어] …에서, …안[속]에: *in* (one's) sight 시야 안에 / *in* one's power 세력 범위 내에, 힘닿는 데까지 / *in* the second chapter 제2장에 / *in* my opinion 내 의견[생각]으로는 **b** [특정 부분을 나타내어] …의, …에 관하여: a wound *in* the head 머리의 상처 / wounded *in* the leg 다리를 다쳐 / He is blind *in* one eye. 그는 한쪽 눈이 보이지 않는다. / He looked me *in* the face. 그는 내 얼굴을 똑바로 쳐다보았다. **c** [수량 등을 한정하여] …에서, …이: six feet *in* height 높이 6피트 / five *in* number 수는 다섯 / vary *in* size[color] 크기[빛깔]가 가지각색이다 / similar *in* shape 모양이 비슷한 **d** [성질·능력·기예 등의 분야를 한정하여] …에서, …이, …을: strong[weak] *in* algebra 대수를 잘하여[못하여] / rich *in* natural resources 천연자원이 풍부한 **e** [최상급(상당)의 형용사를 한정하여] …의 면에서: the *latest* thing *in* motorcycles 최신형의 오토바이

7 [시간을 나타내어] **a** …(사이)에, …동안, …(기간) 중에 ★ at보다 비교적 긴 시간을 나타냄: *in* another moment 순식간에 / *in* the morning[afternoon, evening] 오전[오후, 저녁]에 / *in* January 1월에 / *in* the late 1960s 1960년대 말에 / Around the World *in* Eighty Days 80일간의 세계 일주 / wake up several times *in* the night 밤중에 여러 번 잠을 깨다 / *in* (the) future 장래에, 장래에는, 장차 / *in* one's childhood 어린 시절에 / *in* one's life[lifetime] 생전에 / *in* one night 하룻밤 사이에 **b** …지나면, …후에 ★ 주로 미래 문장에 씀; 《미·구어》에서는 종종 within과 같은 뜻으로 씀: He will be back *in* a few days. 그는 2, 3일 후에 돌아올 겁니다. **c** 지난 …간[중, 동안]에: the coldest day *in* ten years 지난 10년 동안에 가장 추운 날 / I haven't seen him *in* more than a year. 그와는 1년 이상 동안 만나지 못했다.

8 a [전체와의 관계를 나타내어] …중에서, …가운데에서: the highest mountain *in* the world 세계에서 가장 높은 산 / the tallest boy *in* his class 반에서 가장 키 큰 소년 **b** [비율·정도를 나타내어] …마다, …당: sell *in* dozens 다스로 팔다 / packed *in* tens 10개씩 포장되어 / nine *in* ten 십중팔구 / Our chances of winning are one *in* five. 우리가 이길 가능성은 5분의 1이다.

9 [사람의 능력·성격·재능을 나타내어] (사람) 안[속]에, …에게는: with all the strength I have *in* me 내가 가진 온 힘을 다하여 / He had something of the businessman *in* his nature[*in* him]. 그에게는 다소 실업가다운 데가 있었다.

10 [도구·재료·표현 양식 등을 나타내어] …으로, …을 사용하여, …을 가지고, …으로 만든: paint *in* oils 유화로 그리다 / work *in* bronze 청동으로 제작[세공]하다 / a statue (done) *in* marble 대리석으로 만든 조각상 / write *in* pencil 연필로 쓰다 / How do you say that *in* English? 영어로는 어떻게 말합니까?

11 [방법·양식을 나타내어] …으로, …을 가지고: *in* that manner 그런 식으로 / *in* this way 이러한 방법으로, 이렇게 하여 / sing *in* a loud voice 큰 소리로 노래하다

12 [배치·형상을 나타내어] …을 **이루어**, …으로 되어: *in* a (big) circle (큰) 원을 이루어 / *in* a line 한 줄로 / cut an apple *in* two 사과를 둘로 자르다 / The villagers gathered *in* groups. 마을 사람들은 떼지어 모여들었다.
13 a [이유·동기를 나타내어] …**때문에**, …의 이유로: cry out *in* alarm 놀라서 소리지르다 / rejoice *in* one's recovery 회복을 기뻐하다 **b** [목적을 나타내어] …**의 목적으로**, …을 위해: *in* self-defense 자기 방어를 위하여 **c** …**으로서(의)**: *in* return for his present 그의 선물에 대한 답례로 / a letter *in* reply to an invitation 초대에 대한 답장 **d** [조건을 나타내어] …**하므로**, (만약 …의 경우)에는: *in* the circumstances 이러한 사정이므로 / *in* that case (만약) 그러한 경우에는
14 [동격 관계를 나타내어] …이라고 하는: I have found a friend *in* John. 나는 존이라는 친구를 얻었다. / *In* him you have a fine leader. 너희들에게는 그라는 훌륭한 지도자가 있다, 그는 너희들의 좋은 지도자다.
be in it (***up to the*** [one'***s***] ***neck***) 《구어》 (1) 〈사람이〉 딱한[난처한] 처지에 있다 (2) 〈사람이〉 깊이 빠져 있다, 관계하고 있다
be not in it 《구어》 (…에는) 도저히 당할 수 없다, 훨씬 못하다 《*with*》: He's got a fantastic car. A Rolls-Royce *isn't in it!* 그는 환상적인 차를 가지고 있어. 롤즈로이스라도 못 당할 거야!
have it in one (***to*** do) 《구어》 (…할) 능력[역량]이 있다: He *had it in him to* be a great scholar. 그는 위대한 학자가 될 역량이 있었다.
in all ⇨ all *pron.*
in as much as = INASMUCH AS
in itself 그 자체로서(는); 본래, 원래는, 본질적으로
in so far as [***that***] = INSOFAR as[that]
in so much that = INSOMUCH that
in that …이라는 점에서, …이므로(since, because): The conclusion is wrong *in that* it is based on false premises. 잘못된 전제에 근거하고 있다는 점에서 그 결론은 틀렸다.
(***There is***) ***not much*** [***little, nothing***] ***in it.*** 큰[거의, 전혀] 차이가 없다.
— [ín] *ad.* **1 a** [운동·방향을 나타내어] **안에[으로]**, 속에[으로](opp. *out*): Come *in* and sit down. 들어와서 앉으세요. / Come on *in*. 어서 들어오세요. / get *in* 안으로 들어가다 / She let him *in*. 그녀는 그를 안으로 들어오게 했다. / run *in* 뛰어들어오다 **b** (나중에) 넣어: You can write *in* the page numbers later. 페이지 번호는 나중에 적어 넣으면 된다.
2 집[사무실]에, 재택하여; 출근하여; 교도소에 들어가; 《미·속어》 체포되어: Is he *in*? 그분 계십니까[출근했습니까]? / We decided to stay *in*. 우리는 집에 있기로 결정했다. / This evening I am going to eat *in*. 오늘 저녁에는 집에서 식사할 겁니다. / She will be *in* soon. 그녀는 곧 돌아올 겁니다.
3 〈물건이〉 제자리에 놓여[끼워져]: fit the piece *in* 부품을 맞게 끼워 넣다
4 a 〈탈것이〉 도착하여: Is the train *in*? 열차가 도착했습니까? **b** 〈계절 등이〉 접어들어: The winter is *in*. 겨울이 왔다.
5 〈과일·식품 등이〉 제철이고(in season), 한창[한물]이고: Strawberries are now *in*. 지금은 딸기가 한창이다.
6 〈복장 등이〉 유행하고: Miniskirts are *in* again. 미니스커트가 다시 유행하고 있다.
7 a 〈정당이〉 정권을 잡아: The Liberals were *in*. 자유당이 정권을 잡고 있었다. **b** 〈정치가가〉 당선되어, 요직을 맡아: Martin is *in* again. 마틴이 또 당선되었다.
8 〈기사 등이〉 (책·잡지 등에) 실려, 게재되어: Is my article *in*? 내 논설은 실려 있나요?
9 《영》 〈불이〉 타고, 타올라, 〈등불이〉 켜지고: The fire is *in*. 불이 타고 있다. / Keep the fire *in* until I return. 돌아올 때까지 불을 계속 피워 두어라.
10 〈조수가〉 밀려와, 만조가 되어: The tide is *in*. 조수가 만조이다.
11 〖스포츠〗 공격할 차례에; 타석에 들어가: His side is *in*. 그의 편이 공격할 차례이다.
12 〖테니스·배구〗 〈공이〉 라인 안에(opp. *out*)
13 〖골프〗 (18홀 코스에서) 후반(9홀)을 마치고, 「인」이고
14 〖야구〗 〈수비가〉 (정위치보다) 홈 플레이트에 가까이: The third baseman played *in*, expecting a bunt. 3루수는 번트에 대비해 전진 수비를 했다.
15 (토지 등을) 소유하여, 점거하여
16 〈운이〉 돌아와, 좋아서: My luck was *in*. 운이 돌아왔다.
17 더하여, 포함하여
all in 《구어》 아주 지치고, 기진맥진하여
be in at (사냥감의 죽음이나 특별한 사건 현장에) 때마침 있다, (최후의 장면 등에) 참석[입회]하다: I *was in at* his death. 나는 그의 임종 자리에 있었다.
be in for (1) 《구어》 (험한 날씨나 달갑잖은 일 등에) 말려들 것 같다, …을 꼭 겪어야만 하다: We *are in for* a storm. 다가오는 폭풍을 면할 수 없다. (2) (경기 등에) 참가하기로 되어 있다; (일 등을) 신청하다
be in for it 《구어》 = 《영》 ***be for it*** (자신의 실수 등으로) 어쩔 도리가 없게 되다; (벌 등을) 면할 수 없게 되다: The teacher caught him cheating. He *is in for it* now. 선생님은 그가 부정 행위를 하는 것을 잡아내었다. 그는 혼나게 될 것이다.
be in on 《구어》 (1) (비밀 등을) 알고 있다 (2) (계획 등에) 관여[관계]하다: I *wasn't in on* his plan. 나는 그의 계획과 관련이 없었다.
breed in (***and in***) ⇨ breed
go in for = be IN for
have it in for a person ⇨ have
in and out (1) 들락날락: go *in and out* 들락날락하다 (2) 보였다 안 보였다; 꾸불꾸불: The brook winds *in and out* among the hills. 시냇물이 언덕 사이로 꾸불꾸불 흐르고 있다. (3) 안팎으로; 속속들이: He knows you *in and out*. 그는 당신을 속속들이 알고 있다. ⇨ in-and-out
in between ⇨ between *ad.*
in with (1) 《구어》 …와 친하게, 사이좋게: He is (well) *in with* his boss. 상사와 잘 지낸다. (2) [명령문으로] 안으로: *In with* you! 들어와!
— [ín] *a.* Ⓐ **1** 안의, 내부의: an *in* patient 입원 환자 / the *in* part of a mechanism 기계 장치의 내부
2 《구어》 상류층 대상의; 유행의; 인기 있는 〈가게 등〉: the *in* place to dine 상류층 사람들의 식사 장소 / *in* words 유행어 / *in* boots 유행하는 부츠
3 《구어》 특정한 내부자밖에는 모르는, 자기네끼리만의: an *in* vocabulary 자기네끼리만의 어휘
4 〖스포츠〗 공격(측)의: the *in* side[team] 공격측
5 〖골프〗 (18홀 코스에서) 후반(9홀)의, 「인」의(opp. *out*)
6 정권[권력, 지배권]을 잡고 있는 〈정당 등〉: a member of the *in* party 여당의 일원
7 들어오는, 도착하는: the *in* train 도착 열차
— [ín] *n.* **1** [the ~s] 여당, 집권당: *the ins* and the outs 여당과 야당(⇨ the INs and outs)
2 《미·구어》 연줄, 연고, 백 《*with*》: He has an *in with* the principal. 그는 교장과 연줄이 닿는다.
3 [the ~s] 〖스포츠〗 공격측
4 《미·구어》 입장권; 입장할 방법[수단]
5 〖야구〗 인커브
be on the in 《미·구어》 내부 정보를 알고 있다
the ins and outs (1) (강 등의) 굽이, 굴곡 (2) ⇨ *n.* 1 (3) 자세한 내용, 자초지종 《*of*》: learn *the ins and outs of* the tax laws 세법을 속속들이 배우다

혈통 내에서 되풀이된[되어]: ~ breeding 동종 교배
in-and-out [ìnəndáut] *a.* **1** 〖경영〗 단기로 매매하는 **2** 들쭉날쭉의; 구불구불한: ~ work 부정기적인 일 / an ~ street 구불구불한 길 **3** 〈경기자 등이〉 성적이 좋았다 나빴다 하는 — *n.* **1** 〖경마〗 폐쇄(閉鎖) 장애물 **2** 《속어》 성교
ín-and-óut bònd 〖석공〗 들쭉날쭉 쌓기
in-and-out·er [-əndáutər] *n.* (직장 따위를) 들락날락하는 사람; 《미·속어》 (컨디션이) 고르지 못한 선수[연예인]
in·ane [inéin] *a.* (**in·an·er**; **-est**) **1** 어리석은, 생각 없는: ~ questions 어리석은 질문 / an ~ look 바보 같은 얼굴 표정 **2** 공허한, 텅 빈; 거짓의; 알맹이 없는: ~ flattery 발림으로 하는 칭찬 / ~ space 허공 — *n.* [the ~] 허공, 《특히》 무한한 공간: a voyage into *the* limitless ~ 무한한 공간으로의 항해
~·ly *ad.* **~·ness** *n.*
***in·an·i·mate** [inǽnəmət] *a.* **1** 생명이 없는(lifeless); 무생물의; 죽은(dead): an ~ object 무생물체 / the ~ world 무생물계 **2** 활기 없는(dull), 생기 없는; 둔한: ~ conversation 맥 빠진 대화 / an ~ market 활기 없는 시장 **~·ly** *ad.* **~·ness** *n.*
▷ inanimátion *n.*
in·an·i·ma·tion [inæ̀nəméiʃən] *n.* Ⓤ 생명이 없음; 불활동, 무기력
in·a·ni·tion [ìnəníʃən] *n.* Ⓤ **1** 영양실조; 기아(starvation) **2** 텅 빔, 공허; 무기력
in·an·i·ty [inǽnəti] *n.* (*pl.* **-ties**) Ⓤ **1** 어리석음, 우둔 **2** 헛됨, 공허 **3** Ⓒ 지각없는 언행
in·ap·par·ent [ìnəpǽrənt, -péər-] *a.* 불분명한, 명백하지 않은; 〖의학〗 〈병 등이〉 불현성(不顯性)인: an ~ infection 불현성 감염 **~·ly** *ad.*
in·ap·peas·a·ble [ìnəpí:zəbl] *a.* 진정시킬 수 없는, 달랠 수 없는
in·ap·pel·la·ble [ìnəpéləbl] *a.* 상고[항소]할 수 없는; 도전할 수 없는
in·ap·pe·tence, -ten·cy [inǽpətəns(i)] *n.* Ⓤ 식욕 부진 **-tent** *a.*
in·ap·pli·ca·ble [inǽplikəbl] *a.* 응용[적용]할 수 없는, 들어맞지 않는, 부적당한 《*to*》: These regulations are ~ *to* visitors. 이 규정들은 방문객에게 적용할 수 없다. **in·àp·pli·ca·bíl·i·ty** *n.* **-bly** *ad.*
in·ap·po·site [inǽpəzit] *a.* 적절하지 않은; 엉뚱한; 관계가 없는 **~·ly** *ad.* **~·ness** *n.*
in·ap·pre·ci·a·ble [ìnəprí:ʃiəbl, -ʃə- | -ʃə-] *a.* 감지(感知)할 수 없을 정도의; 근소한; 보잘것없는: an ~ difference 약간의 차이점 **-bly** *ad.*
in·ap·pre·ci·a·tion [ìnəprì:ʃiéiʃən] *n.* Ⓤ 진가를 알지 못함, 몰이해
in·ap·pre·ci·a·tive [ìnəprí:ʃiətiv, -ʃièi-, -ʃə-] *a.* 올바르게 평가[이해]할 수 없는, 감식력이 없는 《*of*》 **~·ly** *ad.* **~·ness** *n.*
in·ap·pre·hen·si·ble [ìnæprihénsəbl] *a.* 이해할 수 없는, 불가해한
in·ap·pre·hen·sion [ìnæprihénʃən] *n.* Ⓤ 이해력의 결여, 불가해
in·ap·pre·hen·sive [ìnæprihénsiv] *a.* 이해력이 없는, 이해하지 못하는; (위험 등을) 알아차리지 못하는 《*of*》 **~·ly** *ad.* **~·ness** *n.*
in·ap·proach·a·ble [ìnəpróutʃəbl] *a.* **1** 가까이 갈 수 없는; 쌀쌀한 **2** 당해낼 수 없는, 무적의 **-bly** *ad.*
in·ap·pro·pri·ate [ìnəpróupriət] *a.* (…에게) 부적당한, 타당하지 않은, 어울리지 않는: an ~ gift *for* a child 어린이에게 부적당한 선물 **~·ly** *ad.* **~·ness** *n.*
in·apt [inǽpt] *a.* **1** (…에) 적절하지 않는, 부적당한(unfit) 《*for*》 **2** (…에) 적법성을 결여한, 《*for*》; 서투른(unskillful) 《*at, in*》 **~·ly** *ad.* **~·ness** *n.*
in·ap·ti·tude [inǽptətjù:d | -tjù:d] *n.* Ⓤ 적합하지 않음, 부적당 《*for*》; 서투름, 졸렬
in·arch [iná:rtʃ] *vt.* 〖원예〗 〈가지를〉 접붙이다
in·ar·gu·a·ble [iná:rgjuəbl] *a.* 논쟁의 여지가 없는, 명백한 **-bly** *ad.*
in·arm [iná:rm] *vt.* 《시어》 꼭 껴안다
***in·ar·tic·u·late** [ìna:rtíkjulət] *a.* **1** 발음이 분명하지 않은, 알아들을 수 없는: ~ mutterings 분명치 않게 중얼거리는 소리 **2** (노여움·흥분·고통 등으로) 말을 못하는, 말이 나오지 않는: ~ with rage[excitement] 격노[흥분]하여 말이 나오지 않는 **3** 생각·감정 등을 분명하게 표현할 수 없는, 모호한: politically ~ 정치적으로 발언권이 없는 **4** 〖해부〗 관절이 없는
— *n.* 〖동물〗 무관절류 동물 **~·ly** *ad.* **~·ness** *n.*
in ar·ti·cu·lo mor·tis [in-a:rtíkjulou-mɔ́:rtis] [L] *ad.*, *a.* 죽음의 순간에[의], 임종에[의]
in·ar·ti·fi·cial [inà:rtəfíʃəl] *a.* 기교가 없는, 기교를 가하지 않은; 천진난만한, 자연스러운; 비예술적인 **in·àr·ti·fi·ci·ál·i·ty** *n.* **~·ly** *ad.*
in·ar·tis·tic, -ti·cal [ìna:rtístik(əl)] *a.* 〈작품 등이〉 비예술적인; 예술을 모르는, 몰취미한(cf. UNARTISTIC) **-ti·cal·ly** *ad.*
***in·as·much as** [ìnəzmʌ́tʃ-əz, -ǽz] 《문어》 **1** …이므로, …인 까닭에(since, seeing that) **2** …하는 한은(insofar as)
in·at·ten·tion [ìnəténʃən] *n.* Ⓤ 부주의, 태만; 무뚝뚝함; 무심; 경솔한 행동: through ~ 부주의로 ***with*** ~ 부주의하게, 무심코, 깜빡
in·at·ten·tive [ìnəténtiv] *a.* 부주의한; 태만한; 등한시한; (…에게) 무뚝뚝한 《*to*》 **~·ly** *ad.* **~·ness** *n.*
in·au·di·bil·i·ty [inɔ̀:dəbíləti] *n.* Ⓤ 들리지 않음, 청취 불능
in·au·di·ble [inɔ́:dəbl] *a.* 알아들을 수 없는, 들리지 않는 **~·ness** *n.* **-bly** *ad.*
***in·au·gu·ral** [inɔ́:gjurəl] *a.* 취임(식)의; 개시[개회]의: an ~ address 취임 연설; 개회사 / an ~ ceremony 취임[개회, 개관]식 / an ~ ball 《미》 (취임 당일 또는 전날에 치르는) 대통령 취임 축하 무도회 / an ~ lecture (교수·회장 등의) 취임 기념 공개 강의[강연]
— *n.* **1** 취임사, 취임 연설 **2** 《미》 취임식; 《영》 (교수의) 취임 기념 공개 강의
in·au·gu·rate** [inɔ́:gjurèit] [L 「점(augur)을 치다」의 뜻에서] *vt.* **1** [보통 수동형으로] …의 취임식을 거행하다, 취임시키다 (《미》에서는 특히 대통령에게 씀): ~ a president 대통령[총장]의 취임식을 거행하다 // (~+목+as*** 보) be ~*d as* professor 교수에 취임하다 **2** …의 발회[개통, 준공, 제막]식을 행하다; 정식으로 발족시키다, 창시하다: ~ a monument[statue] 기념비[동상]의 제막식을 하다 / An air cargo route was ~*d*. 화물 항공 노선이 개설되었다. **3** 〈새 시대를〉 개시하다, …의 막을 열다: ~ the era of the Internet 인터넷 시대의 막을 열다
▷ ináugural *a.*; inaugurátion *n.*
***in·au·gu·ra·tion** [inɔ̀:gjuréiʃən] *n.* **1** Ⓤ Ⓒ (대통령·교수 등의) 취임(식): President Bush's ~ 부시 대통령의 취임식 **2** (신시대 등의) 개시 **3** (공공시설 등의) 정식 개시; 개업, 창업, 개통; 준공[개업, 개통, 제막]식
▷ ináugurate *v.*
Inaugurátion Dày [the ~] 《미》 대통령 취임식 날 《당선된 다음 해의 1월 20일》
in·au·gu·ra·tor [inɔ́:gjurèitər] *n.* **1** 개시자, 창시자 **2** 취임시키는 사람, 서임자(敍任者)
in·aus·pi·cious [ìnɔ:spíʃəs] *a.* 불길한; 불운[불행]한; 형편이 나쁜, 사정이 마땅치 않은: an ~ event 불길한 사건 **~·ly** *ad.* **~·ness** *n.*
in·au·then·tic [ìnɔ:θéntik] *a.* 진짜가 아닌; 진정이 아닌, 확실하지 않은: ~ jewelry 모조 보석
-ti·cal·ly *ad.* **ìn·au·then·tíc·i·ty** *n.*
in-bas·ket [ínbæ̀skit] *n.* 〖컴퓨터〗 메일 수신 상자
inbd. inboard (항공)기내의, 선내의
in·be·ing [ínbì:iŋ] *n.* Ⓤ 내재(內在); 내적 본질
in·be·tween [ìnbitwí:n] *a.* 개재하는, 중간의

thesaurus **inaugurate** *v.* initiate, begin, start, commence, launch, open, introduce

— *ad.* 중간에 **—** *n.* 중간적인 것[사람], 중개자(go-between, intermediary)

in·board [ínbɔ̀:rd] *a.*, *ad.* **1** 배 안의[에], 항공기 내의[에]; 〈엔진이〉 선체(船體)[기체(機體)] 내에 있는[있어](opp. *outboard*) **2** 〖기계〗 내측(內側)의[에] **3** 〖항공〗 비행기의 동체에 가까운 쪽의[에]

— *n.* 내측 발동기(가 달린 배)

in·board-out·board [ínbɔ̀:rdáutbɔ̀:rd] *a.*, *n.* 선미(船尾)의 추진기와 연결한 선내 발동기의 (배)

*__in·born__ [ínbɔ́:rn] *a.* **타고난**, 선천적인, 천성의(opp. *acquired*); 유전[선천]성의: ~ traits 선천적인 특질 / have an ~ talent for music 음악에 대해 타고난 재능이 있다

in·bound [ínbáund] *a.* **1** 본국행의, 귀항의(opp. *outbound*): ~ ships 귀항선 **2** 〈교통 기관 등이〉 시내로 가는 **3** 〈원고·책이〉 가제본의, 가철(假綴)의

in·bounds [ínbáundz] *a.* 〖스포츠〗 코트[필드] 안의; 〖농구〗 〈패스가〉 코트 밖에서 안으로 하는

ínbóunds lìne 〖미식축구〗 인바운즈 라인 《경기장을 세로로 3등분하는 2개의 점선》

in-box [ínbɑ̀ks | -bɔ̀ks] *n.* 미결 서류함, 서류받이

in·breathe [ínbrì:ð, ㅡㄹ] *vt.* **1** 들이마시다 **2** 〈생각 등을〉 불어넣다, 고취하다(inspire): ~ courage into a person …에게 용기를 불어넣다

in·bred [ínbréd] *a.* **1** 타고난 **2** 동종(同種) 번식의, 근친 교배의

in·breed [ínbrì:d, ㅡㄹ] *v.* (**-bred** [-brèd]) *vt.* **1** 〈가축을〉 동종 번식[교배]시키다 **2** 〈어떤 감정 등을〉 내부에 생기게 하다 **—** *vi.* 동종 번식[교배]하다

in·breed·ing [ínbrì:diŋ] *n.* Ⓤ **1** 동종 번식; 근친 교배 **2** (비유) 파벌 인사 《같은 계통의 사람들로 조직을 만드는 것》

in·built [ínbílt] *a.* = BUILT-IN

in·burst [ínbə̀:rst] *n.* (드물게) 돌입, 침입

in·by, -bye [ínbái] (스코) *ad.* 내부로, 안에

— *a.* 내부의, 안의

inc. inclosure; included; including; inclusive; income; incomplete; incorporated; increase

*__Inc., inc__ Incorporated (미) **주식회사**, 유한 책임 회사 《영국에서는 Ltd.를 주로 씀》: General Motors ~ 제너럴모터스사(社)

In·ca [íŋkə] *n.* **1** 잉카 제국 황제 《칭호》 **2** 잉카 족, 잉카 사람; 잉카 어(語)

In·ca·bloc [íŋkəblɑ̀k | -blɔ̀k] *n.* (손목시계의) 내진(耐震) 장치 《상표명》

In·ca·ic [iŋkéiik] *a.* 잉카 사람[제국]의

Incáic Émpire [the ~] 잉카 제국 《12-16세기 페루의 쿠스코(Cuzco)를 중심으로 잉카 족이 건설한 제국; 1532년 스페인의 피사로(Pizarro)에 의해 멸망》

in·cal·cu·la·bil·i·ty [inkæ̀lkjuləbíləti] *n.* Ⓤ **1** 셀 수 없음, 무수 **2** 예상[기대]할 수 없음

in·cal·cu·la·ble [inkǽlkjuləbl] *a.* **1** 헤아릴 수 없는, 무수[무량]한, 막대한: The consequences of a nuclear war are ~. 핵전쟁의 결과는 헤아릴 수 없을 만큼 엄청나다. **2** 예상[대중]할 수 없는 **3** 〈인물·성격 등이〉 믿을[기대할] 수 없는, 변덕스러운: a man of ~ temper 변덕쟁이 **~·ness** *n.* **-bly** *ad.*

in·ca·les·cence [ìnkəlésns] *n.* 가열; 더해가는 열정(熱情) **-cent** *a.*

In·can [íŋkən] *a.* 잉카 사람[제국, 문화]의

— *n.* 잉카 사람

in·can·desce [ìnkəndés | -kæn-] *vi.*, *vt.* 백열(白熱)하다[시키다]

in·can·des·cence, -cen·cy [ìnkəndésns(i) | -kæn-] *n.* Ⓤ 고온 발광; 백열광; (비유) (분노·격정 따위의) 불타오름

in·can·des·cent [ìnkəndésnt | -kæn-] *a.* **1** 백열의, 백열광을 내는 **2** 빛나는 **3** 열렬한

---

incapable *a.* incompetent, unsuited, inept, ineffective, inadequate, unfit, unable

incandéscent lámp 백열등[전구]

in·cant [inkǽnt] *vi.* 주문을 외다

in·can·ta·tion [ìnkæntéiʃən] *n.* ⓊⒸ **1** 주문(呪文)(을 욈) **2** 마법, 요술 **3** (빈약한 내용을 숨기려고) 중언부언하는 말 **4** [종종 *pl.*] 상투적인[틀에 박힌] 말

in·can·ta·to·ry [inkǽntətɔ̀:ri | -təri] *a.* 주문의

in·cap [ínkæp] *n.* (군대속어) = INCAPACITANT

in·ca·pa·bil·i·ty [inkèipəbíləti] *n.* Ⓤ 불능; 무능(력), 무자격

‡__in·ca·pa·ble__ [inkéipəbl] *a.* **1 할 수 없는**, 〈개선 등이〉 **불가능한**, 〈거짓말 등을〉 못하는 《*of*》(⇨ unable 유의어): (~+전+*-ing*) He is ~ *of* tell*ing* a lie. 그는 거짓말을 못한다. **2** 부적격한; 무능한, 무력한: As an administrator, he is simply ~. 그는 관리자로서 전혀 부적격하다. **3** 〖법〗 자격이 없는 《*of*》: be ~ *of* being elected 피선거권이 없다.

> 유의어 **incapable** 능력이 선천적 또는 영구적으로 모자라는 **incompetent** 일반적으로 사람에게만 사용하는 말로, 특정의 일에 대하여 부적임 또는 부적격인: an *incompetent* nurse 부적격인 간호사 **inefficient** 노력이나 힘을 헛되이 써서 능률적이 아닌: *inefficient* methods 비능률적인 방법 **unable** 보통 특정의 일을 할 수 없는 일시적 상태를 말함: be *unable* to sleep 잠을 이룰 수 없다

4 〈사정 등이〉 허용하지 않는, 받아들일 수 없는 《*of*》: These bags are ~ *of* repair. 이 가방들은 수리가 불가능하다. ***drunk and*** **~** 곤드레만드레 취한

— *n.* 무능자; 《특히》 지능에 결함이 있는 사람

~·ness *n.* **-bly** *ad.* ▷ incapabílity *n.*

in·ca·pa·cious [ìnkəpéiʃəs] *a.* **1** (드물게) (지적으로) 무능한 **2** (폐어) 용적이 작은; 좁은, 한정된

in·ca·pac·i·tant [ìnkəpǽsətənt] *n.* 〖약학·군사〗 행동 불능 화학제 《최루 가스·독가스 등》

in·ca·pac·i·tate [ìnkəpǽsətèit] *vt.* **1** 무능력[무력, 부적격]하게 하다: (~+목+전+명) His illness ~*d* him *from* working. = His illness ~*d* him *for* work. 그는 병들어 일할 수 없게 되었다. **2** 〖법〗 …에게서 (법적인) 자격을 박탈하다, 실격시키다(disqualify): (~+목+전+명) He was ~*d from* voting[being elected]. 그는 선거권[피선거권]을 잃었다.

-tà·tor *n.* = INCAPACITANT

in·ca·pac·i·ta·tion [ìnkəpæ̀sətéiʃən] *n.* Ⓤ 무능력[무자격]하게 함; 자격 박탈, 실격

in·ca·pac·i·ty [ìnkəpǽsəti] *n.* Ⓤ **1** 무능, 무력(inability); 부적격, 부적당; 무자격 《*for*, *to* do》: (~+전+*-ing*) ~ *for* work*ing* 일할 능력이 없음 // (~+*to* do) ~ *to* act so 그렇게 행동할 힘이 없음 **2** 〖법〗 행위 능력 상실, 무능력; 자격 박탈, 실격

in-car [ínkɑ̀:r] *a.* 자동차 안의[안에 있는], 차내의

in·car·cer·ate [inkɑ́:rsərèit] *vt.* 투옥하다; 감금[유폐]하다 **—** [-ət, -èit] *a.* (문어) 투옥[감금]된(imprisoned); 죄인의 **-à·tor** *n.*

in·car·cer·a·tion [inkɑ̀:rsəréiʃən] *n.* Ⓤ **1** 투옥, 감금, 유폐 **2** 〖병리〗 감돈(嵌頓) 《복부의 기관 일부가 조직의 틈으로 빠져나와 제자리로 돌아가지 못하는 상태》

in·car·di·nate [inkɑ́:rdənèit] *vt.* (로마 교황청의) 추기경으로 임명하다; 〈성직자를〉 (특정 교회의) (주임) 사제로 임명하다; 〈성직자를〉 타교구에 입적시키다

in·càr·di·ná·tion *n.*

in·car·na·dine [inkɑ́:rnədàin, -din, -dì:n | -dàin] (문어) *a.* 살색의(flesh-colored), 연분홍색의, 진홍색의 **—** *n.* Ⓤ 살색, 연분홍색, 진홍색

— *vt.* 붉게 물들이다(redden)

in·car·nate [inkɑ́:rnət, -neit] *a.* **1** 육체를 갖춘, 육체를 입은, 육체를 부여받은, 사람의 모습을 한: a devil ~ = an ~ fiend 악마의 화신(化身) / God ~ 신의 화신 **2** 〈관념·성질 등이〉 구체화한: Liberty ~ 자유의 권화(權化) **3** = INCARNADINE

— [-neit] *vt.* **1** 육체를 부여하다 《보통 수동형으로

「…의 육체[모습]를 가지다」의 뜻이 됨》: 《~+목+전+명》 the devil ~*d in* a black dog 검정개의 모습을 한 악마 / 《~+목+*as*+보》 the devil ~*d as* a serpent 뱀의 모습을 한 악마 **2** 〈사람이〉 …의 화신[구체화, 전형]이 되다 **3** 〈관념 등을〉 (…에) 구체화하다, 구현[실현]시키다 《*in*》

in·car·na·tion [ìnkɑːrnéiʃən] *n.* ⓊⒸ **1** 육체화한 것, 육체를 부여함; 인간화; 구체화한 모양; 구체화, 실현 **2** (성질·관념 등의) 구체화한 것으로서의 사람[사물], 화신 《*of*》: the poet as an ~ *of* the spirit of the age 시내 정신 그 자체인 시인 **3** 〖의학〗 육아(肉芽) 발생 **4** 〖신학〗 [the I~] 성육신 《신(神)이 인간의 모습으로 나타나는 것》

in·case [inkéis] *vt.* = ENCASE **~·ment** *n.*

in·cau·tion [inkɔ́ːʃən] *n.* Ⓤ 부주의, 경솔; 무분별, 무모: a piece of ~ 경솔한 행위

in·cau·tious [inkɔ́ːʃəs] *a.* 경솔한; 무모한(rash); 부주의한; 무분별한: a bold, ~ plan 대담하고 무모한 계획 **~·ly** *ad.* **~·ness** *n.*

in·cen·di·a·rism [inséndiərìzm] *n.* Ⓤ **1** 방화(放火)(cf. ARSON) **2** 선동, 교사(教唆)

in·cen·di·ar·y [inséndièri | -diəri] *a.* **1** 방화의; 불을 내는, 발연용의: an ~ fire 방화 / an ~ crime 방화죄 / an ~ bomb[shell] 소이탄 **2** 선동적인: ~ speeches 선동적인 연설 **3** 감각을 자극하는, 선정적인
— *n.* (*pl.* **-ar·ies**) **1** 방화범 **2** 선동자(agitator) **3** 소이탄[물질]; 발연제; 발연성 물질

in·cen·dive [inséndiv] *a.* 발화력이 있는

***in·cense**[1] [ínsens] [L 「태워진 것」의 뜻에서] *n.* Ⓤ **1** 향(香), 향료; 향 냄새[연기]; 방향(芳香) **2** 존경, 경의(homage); 추종; 아첨, 아부
— *vt.* **1** 〈향·꽃 등이〉 …에 향기를 풍기다 **2** …에 향을 피우다, 분향하다
— *vi.* 향을 피우다

in·cense[2] [inséns] [L 「태우다」의 뜻에서] *vt.* 《문어》 몹시 성나게 하다; [보통 수동형으로] (행위·말 등에) 격노하다 《*at, by*》, (사람에게) 격노하다 《*with, against*》 **~·ment** *n.*

íncense bòat 배 모양의 향합(香盒)

íncense bùrner 향로(香爐)

in·censed [insénst] *a.* 분개한, 격노한 《*at, by*》

íncense trèe 훈향목(薰香木) 《방향성 수지가 있는 각종 나무》

in·cen·so·ry [ínsensəri, -sənsɔ̀ːri | -səri] *n.* (*pl.* **-ries**) 달아매는 향로(censer)

in·cen·ter [ínsèntər] *n.* 〖수학〗 내심(內心)

***in·cen·tive** [inséntiv] *n.* **1** 격려, 자극, 유인(誘因), 동기 《*to*》(⇨ motive 유의어); 장려금, 보상물: financial[tax] ~*s* 재정적인[세제상의] 포상 **2** [보통 부정문에서] (하고자 하는) 의욕, 열의: He had *not* much ~ to study any longer. 그는 더 이상 연구하고자 하는 의욕이 별로 없었다. **3** 《미·속어》 코카인
— *a.* 자극적인, 고무하는, (능률 향상 등을) 격려하는, 보상의(encouraging): an ~ speech 격려사 / ~ goods[articles] 보상 물자 / ~ pay 장려금 / ~ wage system 장려 임금 제도

incéntive pày[wàge] 장려급[금(金)]

in·cen·tiv·ize [inséntəvàiz] *vt.* 〈…을〉 (보상금을 주어) 장려하다

in·cept [insépt] *vt.* **1** 〖생물〗 〈음식 등을〉 섭취하다 **2** 《고어》 시작하다 — *vi.* 《영》 (특히 Cambridge 대학에서) 석사[박사] 학위를 받다

in·cep·tion [insépʃən] *n.* ⓊⒸ **1** 시초, 발단, 개시 **2** 《영》 (특히 Cambridge 대학에서) 석사[박사] 학위 취득; 학위 수여식 ***at the* (*very*) *~ of*** …의 처음에, 당초에

in·cep·ti·sol [inséptəsɔ̀ːl, -sɑ̀l | -sɔ̀l] *n.* 인셉티솔 《툰드라 지대 등의 층위 분화가 갓 시작된 토양》

in·cep·tive [inséptiv] *a.* **1** 시초[발단]의 **2** 〖문법〗 동작[상태]의 개시를 나타내는, 기동(상)(起動(相))의
— *n.* 〖문법〗 기동상; 기동 동사 《begin, burst out, start 등》

in·cep·tor [inséptər] *n.* (Cambridge 대학의) 학위 취득 (후보)자

in·cer·ti·tude [insə́ːrtətjùːd | -tjùːd] *n.* Ⓤ **1** (마음의) 불확실; 부정(不定), 의혹 **2** (지위·상태 등의) 불안정, 불확실

‡in·ces·sant [insésnt] *a.* [보통 Ⓐ] 끊임없는, 그칠 새 없는, 쉴새 없는(constant): an ~ noise 끊임없는 소음 / ~ rain 끊임없이 내리는 비
-san·cy *n.* **~·ly** *ad.* **~·ness** *n.*

in·cest [insest] *n.* Ⓤ 근친상간(죄), 상피(相避)

in·ces·tu·ous [inséstʃuəs] *a.* 근친상간의, 상피(相避)의; (정상 기능을 서로 저해할 만큼) 밀접한: an ~ marriage 근친결혼 **~·ly** *ad.* **~·ness** *n.*

‡inch[1] [íntʃ] [L 「(1피트의) 1/12」의 뜻에서] *n.* **1** 인치 《1/12피트, 2.54 cm; 略 in.; 기호 "》: a square ~ 1제곱 인치 / a cubic[solid] ~ 1세제곱 인치 / an ~ of rain 1인치의 강우량 **2** [*pl.*] 신장, 키: a man of your ~*es* 키가 너만 한 사람 **3 a** [an ~] 근소한 거리; 소량, 소액, 조금: open the door *an* ~ 문을 조금 열다 / Give him *an* ~ and he'll take an ell [a yard, 《미》 a mile]. 《속담》 한 치를 주면 한 자를 달라고 한다; 친절을 베풀면 상투 위에 올라 앉으려 한다. **b** [부정문에서; 부사적으로] 조금도 (…않다): do*n't* yield[give, budge] an ~ 한 치도 물러서지[양보하지] 않다 ***an ~ of cold steel*** 단검으로 한 번 찌름 ***by ~es*** (1) 조금씩, 차츰 (2) 간신히, 아슬아슬하게 ***every ~*** 철두철미, 전혀 빈틈없는: know *every* ~ of Seoul 서울을 구석구석 알다 ***gather up*** one***'s ~es*** 똑바로 일어서다 ***~ by ~*** = by INCHes ***to an ~*** 조금도 틀리지 않게, 정밀하게 ***within an ~ of*** …의 바로 직전에, 하마터면 …할 정도로: He came *within an* ~ *of* getting killed in the accident. 그는 그 사고로 거의 죽을 뻔했다.
— *vi., vt.* 조금씩 움직이다[움직이게 하다]: 《~+목+부》 ~ one's way *forward* 조금씩 전진하다[다가가다] // 《~+보》 The door ~*ed* open. 문이 조금씩 움직여 열렸다. **~ *along*** 《미·속어》 조금씩 움직이다

inch[2] *n.* 《스코》 작은 섬; 《특히》 육지에 가까운 작은 섬

in·charge [íntʃɑːrdʒ] *n.* 《인도》 (한 부서의) 담당자, 책임자

inched [íntʃt] *a.* 인치 눈금이 있는; [보통 복합어를 이루어] …인치의: three-~ panels 두께 3인치의 판자들 / an ~ tape = INCH-TAPE

inch·er [íntʃər] *n.* [보통 복합어를 이루어] (길이·지름 등이) … 인치의 것: a six-~ 6인치 포(砲)

inch·meal [íntʃmìːl] *ad.* [종종 by ~] 조금씩, 서서히: die (*by*) ~ 서서히 죽어가다

in·cho·ate [inkóuət, -eit] *a.* **1** 방금 시작한 **2** 불완전한, 미완성의 **3** 조직되지 않은, 뒤죽박죽의 **4** 〖법〗 〈계약 등이〉 미완료의
— [-eit] *vt., vi.* 《고어》 시작하다, 창시(創始)하다
~·ly *ad.* **~·ness** *n.*

in·cho·a·tion [ìnkouéiʃən] *n.* Ⓤ 시작, 개시, 착수; 기원(起源)

in·cho·a·tive [inkóuətiv] *a.* 《고어》 시초의; 〖문법〗 동작의 개시를 나타내는: an ~ verb 기동(起動) 동사 — *n.* = INCEPTIVE **~·ly** *ad.*

ínch of mércury 인치 수은, 수은주 인치 《대기압의 측정 단위; 33.864헥토파스칼; 略 in.Hg》

inch-tape [íntʃtèip] *n.* 인치 눈금이 있는 줄자

inch·worm [íntʃwə̀ːrm] *n.* 〖곤충〗 자벌레

in·ci·dence [ínsədəns] *n.* **1** (사건·영향의) 범위, 발생, 발생률, 빈도, 발병률: the ~ of murder 살인 사건의 발생(률) **2** 〖경제〗 (세금 등의) 부담 (범위), 귀

thesaurus **incentive** *n.* inducement, incitement, stimulus, encouragement, motivation
incessant *a.* ceaseless, constant, continuous, endless, eternal, everlasting, persistent
incite *v.* provoke, stir up, encourage, urge, stim-

착(歸着): shifting and ~ of taxation 조세의 전가와 부담 / What is the ~ of the tax? 이 세금은 누구에게 물리느냐? **3** Ⓤⓒ 〖물리〗 투사(投射)[입사(入射)](각): an ~ indicator 입사계(入射計) ***angle of ~*** 〖물리〗 투사각, 입사각; 〖항공〗 영각(迎角) 《동체(胴體) 기준선에 대하여 주익(主翼)이 이루는 각》

íncidence màtrix 〖컴퓨터〗 접속 행렬

***in·ci·dent** [ínsədənt] [L 「떨어지는, (갑자기) 발생하는」의 뜻에서] *n.* **1 일어난 일, 사건;** 《특히》 **우발[부수]적 사건**, 작은 사건

> 유의어 **incident** 중대 사건으로 발전할 위험성이 있는 부수적인 사건: a minor wartime *incident* 전시의 사소한 사건 **accident** 뜻하지 않게 일어나는 사고: a traffic *accident* 교통사고 **event** 중요한 사건이나 행사: the *events* following the assassination 암살 후에 일어난 굵직굵직한 사건들

2 사변, (표면상으로는 대단해 보이지 않지만 중대한 사태로 발전할 수 있는) 사건 《전쟁·폭동 등》: a border [religious, diplomatic] ~ 국경[종교, 외교] 분쟁 **3** (극·소설 등의) 삽화(episode) **4** 〖법〗 부대 조건 《부수된 권리·의무 등》 **5** 《미·구어》 사생아 ***a daily ~*** 일상사 ***without ~*** 무사히

— *a.* **1** 일어나기 쉬운, (…에) 흔히 있는, 있기 쉬운 《*to*》: diseases ~ *to* childhood 어린이에게 걸리기 쉬운 질병 **2** 〖법〗 (…에) 부대적인, 부수적인 《*to*》 **3** 〖물리〗 〈빛·광선 등이〉 투사[입사]의 《*on, upon*》: an ~ angle 입사각 / ~ light[rays] 입사 광선 **4** 〈경찰의 수사 본부 등이〉 사건 현장 근처에 설치된

▷ incidéntal *a.*; incidéntally *ad.*

in·ci·den·tal** [ìnsədéntl] *a.* **1** (…에) **부수하여 일어나는**, 흔히 있는 《*to*》 **2 우연히 일어나는;** 중요하지 않은, 부차적인, 지엽적인: an ~ image 잔상(殘像) **3** 〈비용 등이〉 임시의, 불시의: ~ expenses 임시비, 잡비 ***~ on [***upon***] …에 부수하는

— *n.* 부수적[우발적] 사건; [종종 *pl.*] 잡비, 임시비

▷ íncident *n.*

***in·ci·den·tal·ly** [ìnsədéntəli] *ad.* **1 부수적으로;** 우연히 **2** [문장 수식어로] 말이 난 김에 (말하자면), 덧붙여 말하자면(by the way): *I* ~, this wine goes particularly well with cheese. 말이 나서 하는 말인데, 이 포도주는 치즈와 특히 잘 어울려.

▷ incidéntal *a.*

incidéntal músic (연극·영화 등의) 부수[반주] 음악

íncident ròom (범죄·재해·폭동 등의) 긴급 대책 본부(실)

in·cin·der·jell [insíndərdʒèl] *n.* 〖군사〗 발염(發炎) 젤리 《화염 방사기·소이탄용》

in·cin·er·ate [insínərèit] *vt.* **1** [종종 수동형으로] 태우다, 소각하다; 〈사체를〉 화장하다 **2** 〖화학〗 태워서 완전히 재가 되게 하다 — *vi.* 타서 재가 되다

in·cin·er·a·tion [insìnəréiʃən] *n.* Ⓤ **1** 소각; 《미》 화장(火葬) **2** 〖화학〗 회화(灰化)

in·cin·er·a·tor [insínərèitər] *n.* **1** (쓰레기 등의) 소각로(爐); 화장로 **2** 소각하는 사람; 화장하는 사람

in·cip·i·en·cy, -ence [insípiəns(i)] *n.* Ⓤ 《문어》 최초, 발단; (병 등의) 초기 (단계)

in·cip·i·ent [insípiənt] *a.* 시작의, 초기의, 발단의: the ~ stage of cancer 암의 초기 단계

in·ci·pit [ínsəpit] [L] *n.* (중세의 사본 등의) 모두(冒頭)(의 말); 시작

in·cir·cle [ínsə̀:rkl] *n.* 〖기하〗 내접원(內接圓)

in·cir·cuit [insə́:rkit] *a.* 전자 회로에 짜 넣은

in·cise [insáiz] *vt.* **1** 〖의학〗 베다, 째다, 절개(切開)하다 **2** 새기다, 조각하다

in·cised [insáizd] *a.* **1** 짼; 깊이 갈라진 **2** 새긴; 조각한 **3** 〖의학〗 예리하게 벤: an ~ wound 예리하게 벤 상처 **4** 〖식물〗 〈잎이〉 결각(缺刻)의: an ~ leaf 결각엽(缺刻葉)

in·ci·sion [insíʒən] *n.* Ⓤⓒ **1** 〖의학〗 절개(술) **2** 베기, 째기; 새기기; 파기; 짼[벤] 자국[상처] **3** 〖식물〗 (잎의) 결각(缺刻)

in·ci·sive [insáisiv] *a.* **1** 예리한; 예민한, 재빠른, 기민한 **2** 〈목소리 등이〉 날카로운, 〈말·문장 등이〉 통렬[신랄]한: an ~ tone of voice 째지는 소리 **3** 앞니의: the ~ teeth 앞니 **~·ly** *ad.* **~·ness** *n.*

in·ci·sor [insáizər] *n.* 〖치과〗 앞니

in·cis·ure [insíʒər] *n.* 벤 상처; 〖해부〗 절흔(切痕) 《뼈 등의 만입부》

in·cit·ant [insáitənt] *a.* 자극하는, 흥분시키는
— *n.* 자극물, 흥분제

in·ci·ta·tion [ìnsaitéiʃən, -si-] *n.* = INCITEMENT

in·cite** [insáit] [L 「안에서 심하게 움직이다」의 뜻에서] *vt.* **1 자극하다,** 격려하다, 고무하다, 선동하다 《*to, to* do》: 《~+목+전+명》 ~ a person *to* heroic deeds 용기 있는 행위를 하도록 격려하다 // 《~+목+to*** do》 ~ a person *to* work hard 격려하여 열심히 일하게 하다 **2** 〈분노·호기심을〉 일으키게 하다, 유발하다: ~ anger[curiosity] 분노[호기심]를 일게 하다 **-cít·a·ble** *a.* **in·cít·er** *n.*

▷ incítement, incitátion *n.*

in·cite·ment [insáitmənt] *n.* Ⓤⓒ **1** 자극, 고무(鼓舞), 선동 《*to*》 **2** 자극물; 유인(誘因), 동기 《*to*》: an ~ *to* riot 폭동의 유인

in·ci·vil·i·ty [ìnsəvíləti] *n.* (*pl.* **-ties**) **1** Ⓤ 무례, 버릇없음 **2** 무례한 짓[말]

in·ci·vism [ínsəvìzm] *n.* Ⓤ 시민 정신의 결여, 애국심[공덕심]의 결여; 비애국적 정신

incl. inclosure; included; including; inclusive(ly)

in·clear·ing [ínklìəriŋ] *n.* 《영》 [집합적] 수입(受入) 어음 (총액); 교환 수입 어음

in·clem·en·cy [inklémənsi] *n.* Ⓤ (날씨·기후 등의) 험악, 혹독함, 궂음; 무정함, 냉혹함

in·clem·ent [inklémənt] *a.* **1** 〈날씨가〉 험한, 거칠고 궂은, 〈기후가〉 혹독한, 추운 **2** 무정한(harsh), 냉혹한 **~·ly** *a.* **~·ness** *n.*

in·clin·a·ble [inkláinəbl] *a.* **1** (…하는) 경향이 있는, (…하고) 싶어하는 《*to*》: Fruit is ~ *to* decay. 과일은 상하기 쉽다. **2** (…에게) 호의를 품은 《*to*》: The committee was ~ *to* his petition. 위원회는 그의 청원에 호의적이었다. **3** 〈장치 등이〉 자유자재로 기울여지는[움직이는]: The telescope is ~ on all sides. 그 망원경은 어떤 방향으로든 기울일 수 있다.

in·cli·na·tion** [ìnklənéiʃən] *n.* Ⓤⓒ **1** (특히 정신적인) **경향,** 기질, 성향 《*for, toward*》; 기호(嗜好), 좋아하는 것; (…하고 싶은) 기분, 의향 《*to* do》: have an ~ *toward* conservatism 보수적 성향이 있다 // 《~+to*** do》 She felt no ~ *to* marry. 그녀는 결혼할 마음이 나지 않았다. **2** [an ~, the ~] (…하는) (체질적) 경향 《*to, to* do》 **3 a 기울어짐,** 기울기, 경사: an ~ of 20 degrees 20도의 경사 **b** 〈머리를〉 숙임 **c** 빗면; 물매; 사면 **4** 〖천문·기하〗 경사도[각], 복각(伏角) ▷ inclíne *v.*

in·cli·na·to·ry [inkláinətɔ̀:ri | -təri] *a.* 기울어져 있는, 경사의

***in·cline** [inkláin] *v., n.*

> (몸을) 「구부리다」 ㊖ **3**, 「기울다」 ㊋ **1**
> →(마음을 …에 기울이다)→「마음 내키게 하다」 ㊖ **1**

— *vt.* **1** 〈마음을〉 **내키게 하다;** 〈마음을〉 …으로 향하게 하다, …의 경향이 생기게 하다(⇨ inclined 1): 《~+목+***to*** do》 ~ a person's mind *to* do …에게 …할 마음이 내키게 하다 / His attitude ~*d* me *to* help him. 그의 태도를 보고 그를 도울 마음이 생겼다.

---

ulate, drive up, excite, arouse, inflame

inclination *n.* **1 경향** tendency, proneness, liableness, disposition, subjectability **2 기호** preference, attraction, fancy, liking, fondness, affection, love **3 경사** incline, slope, slant, bank, angle

2 기울이다, 경사지게 하다 3 〈몸을〉 구부리다, 〈머리를〉 숙이다; 〈귀를〉 기울이다, 들어주다 《*to*》 **~ one's ear to** …에 귀를 기울이다 **~ one's heart to** do …하도록 힘쓰다 **~ one's steps to** [**toward**] …로 발길을 돌리다

— *vi.* **1** 기울다, 비탈지다; 몸을 기울이다: ~ to one side 한쪽으로 기울다 **2** 〈색 등이〉 (…에) 가깝다, 비슷하다(approximate) 《*to, toward*》: (~+전+명) purple *inclining to*[*toward*] blue 푸른 빛이 도는 자주색 **3** …하고 싶어지다, …할 마음이 내키다, 〈사람이〉 (…로) 마음이 기울다[내키다]: (~+전+명) He is *inclining toward* my view. 그는 나의 의견으로 기울어지고 있다. // (~+**to** do) I ~ *to* believe that ... 나는 …이라고 믿고 싶다 **4** 〈성질·행동 등이〉 (…하는) 경향이 있다; …하는 체질이다, …하기 쉽다 《*to, toward*》: (~+전+명) ~ *to* leanness 야위는 체질이다 / He ~*s toward* conservatism. 그는 보수적인 성향이 있다.

— [ㅅ-, -ㅅ] *n.* **1** 경사, 기울기; 사면(斜面), 비탈: a steep ~ 가파른 경사면 **2** = INCLINED RAILWAY

▷ inclinátion *n.*

in·clined [inkláind] *a.* **1** Ⓟ (…하고) 싶어하는, …할 생각이 있는; (체질적으로) (…의) 경향[성향]이 있는 《*to*》: (~+**to** do) I am[feel] ~ *to* go for a walk. 산책을 하고 싶다. / I'm ~ *to* get tired easily. 나는 금세 피곤해지는 체질이다. **2** 기운, 경사진; 〈선·평면과〉 각도를 이루는

inclíned pláne **1** 사면(斜面) **2** (기울기가 약 45°의) 케이블 철도의 노면[궤도]

inclíned ràilway 《미》 (보통 기관차로는 오르지 못하는) 급경사 철도

in·clin·ing [inkláiniŋ] *n.* **1** 마음의 쏠림, 경향, 성향 **2** [집합적] 《고어》 지지자, 추종자; 자기편

in·cli·nom·e·ter [ìnklənámətər | -nɔ́m-] *n.* **1** 〖항공〗 경각계(傾角計), 경사계 **2** 〖물리〗 = DIP NEEDLE

in·clip [inklíp] *vt.* (**~ped**; **~·ping**) 《고어》 꽉 껴안다[잡다]; 둘러싸다

*__in·close__ [inklóuz] *vt.* = ENCLOSE

in·clo·sure [inklóuʒər] *n.* = ENCLOSURE

‡**in·clude** [inklú:d] [L 「안에 가두다」의 뜻에서] *vt.* (opp. *exclude*) **1** …을 (부분·요소 등으로서) 포함하다, 함유[포괄]하다(⇨ contain 유의어): all charges ~*d* 일체의 비용을 포함하여 / ~*d* angle 끼인각 / postage[tax] ~*d* 우송료[세금]를 포함하여 / The meal ~*s* dessert and coffee. 식사에는 디저트와 커피가 포함된다. **2** 넣다, (전체의 일부로서) 포함시키다, 끼우다; 계산하다: (~+목+전+명) He ~*s* me *among* his enemies. 그는 나를 적의 한 사람으로 생각한다. **3** [보통 수동형으로] 감금하다, 에워싸다(enclose) **~ out ... = ~ ... out** 《구어·익살》 …을 빼다, 제외하다 **in·clúd·a·ble, -i·ble** *a.*

▷ inclúsion *n.*; inclúsive *a.*

in·clud·ed [inklú:did] *a.* **1** 함유된, 포함된 **2** 〖식물〗 〈수술·암술이〉 꽃부리 밖으로 튀어나오지 않은

*__in·clud·ing__ [inklú:diŋ] *prep.* …을 포함하여[함께 넣어서](opp. *excluding*): Six were present, ~ the teacher. 선생님을 포함하여 6명이 출석하였다.

*__in·clu·sion__ [inklú:ʒən] *n.* **1** Ⓤ 포함, 포괄; 산입(算入); 〖논리〗 포섭 **2** 함유물 **3** 〖생물〗 세포 함유물 **4** 〖광물〗 포유물(包有物)

▷ inclúde *v.*; inclúsive *a.*

in·clu·sion·ar·y [inklú:dʒənèri | -dʒənəri] *a.* 〈주택·지역 개발 계획이〉 중간 소득층 대상의

inclúsion bòdy 〖병리〗 봉입체(封入體) 《세균이나 바이러스에 오염된 세포 중 염색 표본에서 확실히 구별되는 갖가지 미소체(微小體)》

inclúsion còmplex[**còmpound**] 〖화학〗 포접(包接) 화합물 《결정 격자에 다른 분자가 들어간 고용체》

inclúsion màp 〖수학〗 포함 사상(寫像)

*__in·clu·sive__ [inklú:siv] *a.* (opp. *exclusive*) **1** [수사 등의 뒤에 놓아] 포함하여, 함께 넣어, 함께 계산하여: pages 5 to 24 ~ (24페이지를 포함하여) 5페이지부터 24페이지까지 / from July 1 to 31 (both) ~ (1일과 31일도 포함하여) 7월 1일부터 31일까지 《(미)에서는 from July 1 through 31이라고도 함; 명확하게 하기 위해 both inclusive라고 할 때도 있음》 **2** 모든 것을 포함한[넣은], (거의) 모든, 포괄적인: ~ terms 식비 기타 일체를 포함한 숙박료 **~ of** …을 포함하여(including); …을 고려에 넣어: a party of ten, ~ *of* the host 주인을 포함한 10명의 일행 **~·ly** *ad.* 계산에 넣어서; 전부 통틀어 **~·ness** *n.*

inclúsive fítness 〖생물〗 포괄 적응도

inclúsive lánguage 남녀 포괄 용어 《언어 표현의 성차별을 피하여 chairman을 chairperson으로, man을 human being으로 하는 등》

in·co·er·ci·ble [ìnkouə́:rsəbl] *a.* 억제[제압]할 수 없는; 〖물리〗 〈기체가〉 액화할 수 없는

in·cog [inkág | -kɔ́g] *a., ad., n.* 《구어》 = INCOGNITA, INCOGNITO

incog. incognito

in·cog·i·ta·ble [inkádʒətəbl | -kɔ́dʒ-] *a.* 《드물게》 믿을[생각할] 수 없는 **in·còg·i·ta·bíl·i·ty** *n.*

in·cog·i·tant [inkádʒətənt | -kɔ́dʒ-] *a.* 지각없는, 무분별한; 사고력이 없는 **~·ly** *ad.*

in·cog·ni·ta [ìnkagní:tə | -kɔg-] *a., ad., n.* INCOGNITO의 여성형

in·cog·ni·to [ìnkagní:tou | -kɔg-] [It. 「알려져 있지 않은」의 뜻에서] *a., ad.* 익명의[으로], 가명의[으로]; 암행의[으로]: travel ~ 신분을 숨기고 다니다 / do good ~ 익명으로 선행을 하다

— *n.* (*pl.* **~s**) 익명(자), 가명(자); 암행(자)

drop one***'s*** **~** 신분을 밝히다

in·cog·ni·za·ble [inkágnəzəbl | -kɔ́g-] *a.* 감지할 수 없는, 알아채지 못하는 《*of*》

in·cog·ni·zant [inkágnəzənt | -kɔ́g-] *a.* (…을) 의식[감지]하지 않는, 알아채지 못하는 《*of*》 **-zance** *n.*

in·co·her·ence, -en·cy [ìnkouhíərəns(i), -hɛ́ər- | -híər-] *n.* **1** Ⓤ 조리가 서지 않음, 논리가 맞지 않음, 지리멸렬 **2** 모순된 생각[말]

in·co·her·ent [ìnkouhíərənt, -hér- | -híər-] *a.* **1** 〈의논 등이〉 조리가 서지 않는, 논리가 일관되지 않는, 모순된: His speech was ~ and badly prepared. 그의 연설은 조리가 없었고 제대로 준비된 것도 아니었다. **2** 점착[결합]력이 없는, 흐트러진 **3** 〈구성 요소에〉 통일이 없는, 조화가 없는 **~·ly** *ad.*

in·co·he·sive [ìnkouhí:siv] *a.* **1** 결합력[응집성]이 없는 **2** 〈세력 등이〉 분열하기 쉬운

in·com·bus·ti·bil·i·ty [ìnkəmbʌ̀stəbíləti] *n.* Ⓤ 불연성(不燃性)

in·com·bus·ti·ble [ìnkəmbʌ́stəbl] *a., n.* 불연성의 (물질) **~·ness** *n.* **-bly** *ad.*

‡**in·come** [ínkʌm] [ME 「안으로 들어오는 것」의 뜻에서] *n.* ⓊⒸ **1** (정기적, 특히 연간의) 수입, 소득(cf. REVENUE)(opp. *outgo, expenditure*): a gross [net] ~ 총[실]수입 / (an) earned[unearned] ~ 근로[불로] 소득 / a middle-~ family 중류 가정 / a fixed [fluctuating] ~ 고정[부정(不定)] 수입 / an annual ~ of 20,000 dollars 2만 달러의 연수입 **2** 《고어》 들어옴, 도래, 유입 ***be on a high***[***low***] **~** 수입이 많다[적다] ***live within***[***beyond***] one***'s*** **~** 수입에 맞는[맞지 않는] 생활을 하다 ★ income 대신 means를 쓰는 것이 일반적임. **~·less** *a.*

íncome accòunt 수익[이익] 계정; 손익 계정

thesaurus **include** *v.* **1** 포함하다 contain, hold, admit, embrace, encompass, comprise, comprehend, embody, take in (opp. *exclude, omit*) **2** 넣다 enter, allow for, add, insert, put in, introduce

income *n.* salary, pay, revenue, earnings, wages, profits, takings, gains

incomparable *a.* unequaled, matchless, unri-

íncome bònd 수익 사채[채권]《기업의 수익에 따라 이자 지급》
íncome distribùtion 소득 분포[분배]
íncome gròup 〖사회〗 소득층《동일 소득 세액 집단》
íncome màintenance 《미》(정부의 저소득자에 대한) 생활 보조금
in·com·er [ínkʌ̀mər] *n.* 새로 온[들어온] 사람; 이주민, 내주자; 후계자; 침입자
íncomes pòlicy 〖경제〗 소득 정책《임금 상승폭을 줄여 물가 상승을 억제함》
íncome stàtement 손익 계산서
íncome suppòrt 《영》(실업자·저소득자에 대한) 소득 원조, 생계 보조
íncome tàx 소득세
íncome tàx retúrn 소득세 신고
in·com·ing [ínkʌ̀miŋ] (opp. *outgoing*) *n.* **1** Ⓤ (들어)옴, 찾아듦; (…의) 도래《*of*》: the ~ *of* spring 봄이 옴 **2** [보통 *pl.*] 수입, 소득(income), 세입: ~*s* and outgoings 수입과 지출
— *a.* **1** 들어오는: the ~ tide 밀물 **2** 뒤를 잇는, 후임의: the ~ mayor 후임 시장 **3** 〈이자 등이〉 생기는 **4** 신입의; 갓 시작된 **5** 《영》 이주하여 오는
in·com·men·su·ra·bil·i·ty [ìnkəmènsərəbíləti | -ʃər-] *n.* Ⓤ 같은 표준으로 잴 수 없음; 〖수학〗 약분할 수 없음
in·com·men·su·ra·ble [ìnkəménsərəbl | -ʃər-] *a.* **1** 같은 표준으로 잴 수 없는; 비교할 수 없는, 현격한 차이가 나는《*with*》 **2** 〖수학〗 약분할 수 없는
— *n.* **1** 같은 표준으로 잴 수 없는 것 **2** 〖수학〗 약분할 수 없는 수[양] **-bly** *ad.*
in·com·men·su·rate [ìnkəménsərət | -ʃər-] *a.* **1** Ⓟ (…와) 어울리지 않는; (…에) 부적당한, 불충분한《*with, to*》 **2** = INCOMMENSURABLE
~·ly *ad.* **~·ness** *n.*
in·com·mode [ìnkəmóud] *vt.* …에게 불편을 느끼게 하다, 폐를 끼치다, 괴롭히다(trouble); 훼방하다
in·com·mo·di·ous [ìnkəmóudiəs] *a.* 불편한, 형편이 마땅치 않은; 〈방 등이〉 비좁은, 옹색한: ~ hotel accommodations 옹색하여 불편한 호텔 시설
~·ly *ad.* **~·ness** *n.*
in·com·mod·i·ty [ìnkəmɑ́dəti | -mɔ́d-] *n.* (*pl.* **-ties**) **1** [보통 *pl.*] 불편한 점 **2** Ⓤ 《폐어》 거북함, 불편, 형편이 마땅치 않음
in·com·mu·ni·ca·bil·i·ty [ìnkəmjù:nikəbíləti] *n.* Ⓤ 전달할 수 없음
in·com·mu·ni·ca·ble [ìnkəmjú:nikəbl] *a.* **1** 전달할 수 없는, 말로 표현할 수 없는: an ~ grief[joy] 말할 수 없을 정도의 슬픔[기쁨] **2** 말 없는, 입이 무거운 **3** 〈권리 등이〉 공유할 수 없는 **-bly** *ad.*
in·com·mu·ni·ca·do [ìnkəmjù:nikɑ́:dou] [Sp. = isolated] *a.*, *ad.* 《미》 〈특히 죄수가〉 외부와의 연락이 두절된[되어]; 독방에 감금된[되어]: a prisoner held ~ 독방에 감금되어 있는 죄수
in·com·mu·ni·ca·tive [ìnkəmjú:nikətiv, -kèit-] *a.* 말하기 싫어하는, 말수가 적은, 과묵한, 붙임성 없는
~·ly *ad.* **~·ness** *n.*
in·com·mut·a·ble [ìnkəmjú:təbl] *a.* 교환할 수 없는, 바꿀 수 없는; 불변의
ìn·com·mùt·a·bíl·i·ty *n.* **-bly** *ad.*
in·com·mu·ta·tion [ìnkəmjutéiʃən] *n.* 《미》 = REVERSE COMMUTING
in·com·pact [ìnkəmpǽkt] *a.* 짜임새 없는, 치밀하지 않은, 산만한(loose) **~·ly** *ad.* **~·ness** *n.*

valed, unparalleled, unsurpassed, superior
incompetent *a.* unable, incapable, unqualified, inefficient, inadequate, unfit, deficient, insufficient, useless, awkward, clumsy
incomplete *a.* unfinished, unaccomplished, partial, undone, unperformed, undeveloped, deficient, lacking, wanting, defective

in-com·pa·ny [ínkʌ̀mpəni] *a.* 회사 내의, 기업 내의(cf. IN-HOUSE): an ~ supervisor training session 사내 간부 연수회
***in·com·pa·ra·ble** [inkɑ́mpərəbl | -kɔ́m-] *a.* (…와) 비교할 수 없는《*with, to*》; 비길 데 없는 (matchless): ~ beauty 비길 데 없는 아름다움
in·còm·pa·ra·bíl·i·ty *n.* **~·ness** *n.* **-bly** *ad.*
in·com·pat·i·bil·i·ty [ìnkəmpæ̀təbíləti] *n.* (*pl.* **-ties**) Ⓤ 양립할 수 없음, 상반; 성격의 불일치; 〖식물〗 (수정의) 불화합성, (접목의) 불친화성; 〖컴퓨터〗 호환성이 없음; Ⓒ 상반된 점
in·com·pat·i·ble [ìnkəmpǽtəbl] *a.* **1** 〈사람이〉 (…와) 성미가 맞지 않는; 서로 용납하지 않는《*with*》 **2** 〖논리〗 양립할 수 없는; 〈일이〉 (…와) 양립하지 않는, 모순된《*with*》 **3** 〈색 등이〉 조화되지 않는: ~ colors 부조화한 색깔 **4** 〈임무 등이〉 겸직할 수 없는 **5** 〈컴퓨터 등이〉 호환성이 없는 **6** 〖약학〗 〈약제가〉 배합 금기의 **7** 〖의학〗 〈혈액형 등이〉 부적합한
— *n.* **1** [보통 *pl.*] 양립할 수 없는 사람[것] **2** 배합 금기의 약(藥) **3** [*pl.*] 〖논리〗 양립할 수 없는 명제
~·ness *n.* **-bly** *ad.*
in·com·pe·tence, -ten·cy [inkɑ́mpətəns(i) | -kɔ́m-] *n.* Ⓤ 무능력; 부적격; 〖법〗 무자격, 금치산; 〖병리〗 (기능) 부전(증)
***in·com·pe·tent** [inkɑ́mpətənt | -kɔ́m-] *a.* **1** 무능한, 쓸모없는, 능력 없는(incapable): 《~+*to* do》 《~+전+*-ing*》 He is ~ *to* manage[*for* managing] the hotel. 그는 호텔을 경영할 능력[자격]이 없다. **2** 〖법〗 무능력의, 무자격의: an ~ witness 자격 없는 증인 **3** 〖병리〗 (기능) 부전의
— *n.* 무능력자, 부적격자; 〖법〗 무자격자, 금치산자
~·ly *ad.* ▷ incómpetence *n.*
***in·com·plete** [ìnkəmplí:t] *a.* 불완전한, 불충분한, 미완성의, 미비의(imperfect); 〖문법〗 불완전한; 〖미식축구〗 〈패스가〉 실패한: an ~ (intransitive[transitive]) verb 〖문법〗 불완전 (자[타])동사 / be based on ~ information 불완전한 정보에 근거하고 있다
— *n.* 《미》 〖교육〗 불완전 이수(履修)
~·ly *ad.* **~·ness** *n.* ▷ incomplétion *n.*
incompléte dóminance 〖유전〗 불완전 우성(優性)(semidominance)
incompléte frácture 불완전 골절
in·com·ple·tion [ìnkəmplí:ʃən] *n.* Ⓤ 불완전, 미비, 미완성
in·com·pli·ant [ìnkəmpláiənt] *a.* 순종하지 않는, 승낙하지 않는; 고집이 센 **-ance, -an·cy** *n.*
in·com·pre·hen·si·bil·i·ty [ìnkɑmprihènsəbíləti, inkɑ̀m- | ìnkɔm-] *n.* Ⓤ 이해할 수 없음, 불가해성(不可解性)
***in·com·pre·hen·si·ble** [ìnkɑmprihénsəbl, inkɑ̀m- | ìnkɔm-, inkɔ̀m-] *a.* 이해할 수 없는; 《고어》 〈특히 신(神)의 능력 등이〉 무한한
~·ness *n.* **-bly** *ad.* 이해할 수 없게, 불가해하게
in·com·pre·hen·sion [ìnkɑmprihénʃən, inkɑ̀m- | ìnkɔm-] *n.* Ⓤ 이해할 수 없음, 불가해; 이해력의 부족, 몰이해
in·com·pre·hen·sive [ìnkɑmprihénsiv, inkɑ̀m- | ìnkɔm-] *a.* **1** 포괄적이지 않은, 범위가 좁은 **2** 이해가 더딘, 포용력이 없는
in·com·press·i·ble [ìnkəmprésəbl] *a.* 압축할 수 없는 **in·com·prèss·i·bíl·i·ty** *n.* **-bly** *ad.*
in·com·put·a·ble [ìnkəmpjú:təbl] *a.* 계산할 수 없는; 무수한 **-bly** *ad.*
in·con·ceiv·a·bil·i·ty [ìnkənsì:vəbíləti] *n.* Ⓤ 불가해(不可解), 상상도 할 수 없음
***in·con·ceiv·a·ble** [ìnkənsí:vəbl] *a.* **1** (…에게) 상상할 수도 없는, 생각조차 할 수 없는《*to*》: The idea that they might not win was ~ *to* them. 자기들이 이기지 못할 수도 있다는 생각은 그들에게 상상도 할 수 없는 것이었다. **2** 《구어》 터무니없는, 믿을 수 없는(incredible) **~·ness** *n.* **-bly** *ad.*

in·con·cin·ni·ty [ìnkənsínəti] *n.* Ⓤ 불일치, 부적합, 부조화

in·con·clu·sive [ìnkənklú:siv] *a.* 〈증거·의논 등이〉 결론에 이르지 못하는, 결정[확정]적이 아닌, 요령부득의 **~·ly** *ad.* **~·ness** *n.*

in·con·den·sa·ble, -i·ble [ìnkəndénsəbl] *a.* 응결[응축]할 수 없는

in·con·dite [inkándət, -dait | -kɔ́n-] *a.* **1** 〈문학 작품 등이〉 구성이 서투른, 생경한 **2** 《일반적으로》 조잡한, 미숙한 **~·ly** *ad.*

in·con·du·cive [ìnkəndjú:siv | djú:-] *a.* (…에) 도움이 되지 않는, 해로울 수 있는 《*to*》

in·con·form·i·ty [ìnkənfɔ́:rməti] *n.* Ⓤ = NONCONFORMITY

in·con·gru·ent [inkáŋgruənt, ìnkəngrú:- | inkɔ́ŋgru-] *a.* 맞지[일치하지] 않는, 조화[적합]하지 않는; 부적당한 **-ence** *n.* = INCONGRUITY **~·ly** *ad.*

in·con·gru·i·ty [ìnkəngrú:əti, -kəŋ- | -kɔŋ-] *n.* (*pl.* **-ties**) **1** Ⓤ 부조화, 모순, 부적합 **2** 부조화한 것

in·con·gru·ous [inkáŋgruəs | -kɔ́ŋ-] *a.* **1** 조화하지 않는; 어울리지 않는: ~ colors 부조화한 색 **2** 모순된, 부조리한, 앞뒤가 맞지 않는 《*with, to*》: an ~ alibi 앞뒤가 맞지 않는 알리바이 **~·ly** *ad.* **~·ness** *n.*

in·con·nu [ìnkənjú:, ìŋ- | -njú:] [F] *n.* **1** (*pl.* **~s** [-z]) 낯선 사람, 알려지지 않은 사람 《여성형은 inconnue》 **2** (*pl.* **~s,** [집합적] **~**) 〖어류〗 (북미산(産)) 연어과(科)의 식용어

in·con·scient [inkánʃənt | -kɔ́n-] *a.* = UNCONSCIOUS

in·con·sec·u·tive [ìnkənsékjutiv] *a.* 연속하지 않는; 일관성이 없는, 앞뒤가 안 맞는 **~·ly** *ad.* **~·ness** *n.*

in·con·se·quence [inkánsikwèns, -kwəns | -kɔ́nsikwəns] *n.* Ⓤ 논리적이 아님, 모순, 불합리; 부조화; 엉뚱함

in·con·se·quent [inkánsikwènt, -kwənt | -kɔ́nsikwənt] *a.* 비논리적인, 조리에 맞지 않는(illogical); 당찮은; 부조화의: ~ reasoning 비논리적인 추리 **~·ly** *ad.*

in·con·se·quen·tial [inkànsikwénʃəl, inkàn- | ìnkɔn-, inkɔ̀n-] *a.* **1** 하찮은 **2** 이치에 맞지 않는 **in·con·se·quèn·ti·ál·i·ty** *n.* **~·ly** *ad.*

in·con·sid·er·a·ble [ìnkənsídərəbl] *a.* 적은; 중요치 않은; 하찮은; 사소한(small): an ~ amount of money 얼마 안 되는 돈 **~·ness** *n.* **-bly** *ad.*

in·con·sid·er·ate [ìnkənsídərit] *a.* **1** 남을 배려할 줄 모르는, 무관심한, 인정없는 《*of*》 **2** 지각[분별, 사려]없는, 경솔한; 성급한 **~·ly** *ad.* **~·ness** *n.*

in·con·sid·er·a·tion [ìnkənsìdəréiʃən] *n.* Ⓤ 지각[분별, 사려] 없음, 경솔; 인정없음

in·con·sis·tence [ìnkənsístəns] *n.* = INCONSISTENCY

***in·con·sis·ten·cy** [ìnkənsístənsi] *n.* (*pl.* **-cies**) **1** Ⓤ 불일치, 모순; 일관성이 없음: There was a lot of ~ in what he said. 그가 한 말에는 모순이 많았다. **2** 모순된 사물[행위, 언어] **3** 〖논리〗 모순 ▷ inconsístent *a.*

***in·con·sis·tent** [ìnkənsístənt] *a.* **1** (…와) 일치하지 않는, 조화되지 않는 《*with*》: These findings are ~ *with* those of previous studies. 이 연구 결과들은 이전의 것과 일치하지 않는다. **2** 모순된(contradictory); 모순이 많은: ~ statement 모순된 진술 **3** 〈사람·언동 등이〉 일관성이 없는, 지조가 없는, 변덕스러운(changeable) **4** 〖수학〗 〈방정식이〉 불능의 **~·ly** *ad.* ▷ inconsístency *n.*

in·con·sol·a·ble [ìnkənsóuləbl] *a.* 위로할 길 없는, 슬픔에 잠긴 **~·ness** *n.* **-bly** *ad.*

in·con·so·nance [inkánsənəns | -kɔ́n-] *n.* Ⓤ 부조화, (소리의) 불협화

in·con·so·nant [inkánsənənt | -kɔ́n-] *a.* 〈행동·생각 등이〉 (…와) 조화[일치]하지 않는 《*with, to*》; 〈소리가〉 불협화의(discordant): be ~ *to* the ear 귀에 거슬리다 **~·ly** *ad.*

in·con·spic·u·ous [ìnkənspíkjuəs] *a.* 눈에 띄지 않는, 주의를 끌지 않는, 뚜렷하지 않은; 〖식물〗 꽃이 작고 빛깔이 엷은 **~·ly** *ad.* **~·ness** *n.*

in·con·stan·cy [inkánstənsi | -kɔ́n-] *n.* (*pl.* **-cies**) **1** Ⓤ 변하기 쉬움 **2** Ⓒ 변덕스러운 행위

in·con·stant [inkánstənt | -kɔ́n-] *a.* 변덕스러운; 변하기 쉬운, 일정하지 않은, 변화가 많은; 신의가 없는(unfaithful) **~·ly** *ad.*

in·con·sum·a·ble [ìnkənsú:məbl | -sjú:m-] *a.* 다 태워 버릴 수 없는; 다 소모[소비]할 수 없는; 소모품이 아닌, 내구재의 **-bly** *ad.*

in·con·test·a·bil·i·ty [ìnkəntèstəbíləti] *n.* Ⓤ 논쟁의 여지가 없음, 명백함

in·con·test·a·ble [ìnkəntéstəbl] *a.* 〈사실·증거 등이〉 논의의 여지가 없는, 논쟁할 필요 없는; 명백한, 부정할 수 없는 **~·ness** *n.* **-bly** *ad.* 명백히

incontéstable cláuse (생명·건강 보험의) 불가쟁(不可爭) 조항[약관]

in·con·ti·nence, -nen·cy [inkántənəns(i) | -kɔ́nti-] *n.* Ⓤ **1** 〖병리〗 (대소변의) 실금(失禁) **2** 자제할 수 없음; 음란: ~ of tongue[speech] 다변, 장광설 ***~ of urine*** 〖병리〗 요실금(尿失禁)

in·con·ti·nent[1] [inkántənənt | -kɔ́nti-] *a.* **1** 〖병리〗 (대소변) 실금의 **2** 자제[억제]할 수 없는; 〈비밀 등을〉 지키지 못하는 《*of*》 **3** 음란한 《*of*》

incontinent[2] *ad.* 《고어》 = INCONTINENTLY[2]

in·con·ti·nent·ly[1] [inkántənəntli | -kɔ́nti-] *ad.* 야무지지 못하게; 음란하게; 경솔하게

incontinently[2] *ad.* 《고어》 즉시

in·con·trol·la·ble [ìnkəntróuləbl] *a.* = UNCONTROLLABLE

in·con·tro·vert·i·ble [ìnkantrəvə́:rtəbl, inkàn- | ìnkɔn-, inkɔ̀n-] *a.* 논쟁의 여지가 없는, 부정할 수 없는(indisputable), 명백한: absolute and ~ truth 명백한 절대적 진리 **~·ness** *n.* **-bly** *ad.*

‡**in·con·ve·nience** [ìnkənví:njəns] *n.* **1** Ⓤ **불편,** 부자유; 폐, 귀찮음 《*to*》: the ~*s* of living in the suburbs 교외에서 사는 데 따르는 갖가지 불편 **2 불편한 것,** 귀찮은 일, 폐가 되는 일: if it's no ~ to you 폐가 되지 않는다면 ***at*** **~** 불편을 참고, 만사를 제쳐 놓고 ***cause* ~ *to*** a person = ***put*** a person ***to* ~** …에게 폐를 끼치다

— *vt.* …에게 불편을 느끼게 하다, 폐를 끼치다(trouble): I hope it won't ~ you. 폐가 안 되었으면 좋겠소만. ~ one***self*** 불편을 느끼다, 괴로워하다 ▷ inconvénient *a.*

in·con·ve·nien·cy [ìnkənví:njənsi] *n.* (*pl.* **-cies**) = INCONVENIENCE

‡**in·con·ve·nient** [ìnkənví:njənt] *a.* **1 불편한,** 부자유스러운: an ~ place 불편한 장소 **2** (…에게) **형편이 마땅치 않은,** 폐가 되는 《*to, for*》: if (it is) not ~ *to*[*for*] you 폐가 되지 않는다면 **3** (필요·목적 등에) 충족시키지 못하는, 맞지 않는: The house has an ~ layout. 그 집은 구조가 적절치 못하다. **~·ly** *ad.* 부자유스럽게, 불편하게 ▷ inconvénience *n.*

in·con·vert·i·bil·i·ty [ìnkənvə̀:rtəbíləti] *n.* Ⓤ 교환[태환(兌換)] 불능

in·con·vert·i·ble [ìnkənvə́:rtəbl] *a.* 〈지폐가〉 태환할 수 없는; 《일반적으로》 교환할 수 없는: an ~ note 불환(不換) 지폐 **-bly** *ad.*

in·con·vinc·i·ble [ìnkənvínsəbl] *a.* 납득시킬 수 없는, 벽창호인 **-bly** *ad.*

thesaurus **inconsistent** *a.* inconstant, unstable, unsteady, changeable, variable, irregular, capricious, fickle, erratic
inconvenient *a.* disturbing, troublesome, bothersome, annoying, untimely
incorporate *v.* merge, blend, mix, amalgamate,

in·co·or·di·nate [ìnkouɔ́ːrdənət] *a.* 동격이 아닌, 동등하지 않은, 조정되지 않은

in·co·or·di·na·tion [ìnkouɔ̀ːrdənéiʃən] *n.* Ⓤ **1** 동격이 아님, 불균형 **2** 〖병리〗 운동 실조증

incor., incorp. incorporated

in·cor·po·ra·ble [inkɔ́ːrpərəbl] *a.* 합병[합체, 편입]할 수 있는

‡**in·cor·po·rate**[1] [inkɔ́ːrpərèit] [L 「안에 육체를 주다」의 뜻에서] *vt.* **1 법인[단체 조직]으로 만들다;** 《미》 유한 (책임) 회사[주식 회사]로 하다: ~ a business 사업을 회사 조직으로 만들다 **2 통합[합동]시키다** 《*with*》; 합병하다, 편입하다; 짜 넣다 《*in, into*》: (~+목+전+명) a firm *~d with* another 다른 회사와 합병한 회사 / ~ revisions *into* a text 개정 사항을 본문에 추가하다 / Part of Germany was *~d into* Poland after World War I. 제1차 세계 대전 후 독일의 일부는 폴란드에 편입되었다. **3** 〈사람을〉 (단체 등에) 가입시키다: (~+목+(**as**) 보) be *~d* (*as*) a member of a society 협회의 회원이 되다 **4** 섞다, 혼합하다 《*with*》 **5** 〈생각 등을〉 구체화하다(embody) 《*in*》: (~+목+전+명) ~ one's thoughts *in* an article 논설에서 자기의 생각을 구체화하다 **6** 〖컴퓨터〗 〈기억 장치에〉 짜 넣다

— *vi.* **1** 법인이 되다; 《미》 유한 (책임) 회사[주식 회사]가 되다 **2** 합동[통합]하다, 결합하다; 섞이다 《*with*》: (~+전+명) His company *~d with* mine. 그의 회사는 나의 회사와 합병했다.

— [-pərət] *a.* **1** 법인의, 회사 조직의(incorporated) **2** 결합한, 일체화된

▷ incorporátion *n.*; incórporative *a.*

in·cor·po·rate[2] [inkɔ́ːrpərət] *a.* 《고어》 무형(無形)의, 영적(靈的)인(spiritual)

*****in·cor·po·rat·ed** [inkɔ́ːrpərèitid] *a.* **1** 《미》 〈회사가〉 **법인 조직의**; 유한 책임의 《★ Inc.로 약해서 회사명 뒤에 붙임》: The U.S. Steel Co., *Inc.* / an ~ company 유한 (책임) 회사(《영》 a limited(-liability) company) **2 합병한,** 합동한, 편입한 **~·ness** *n.*

in·cor·po·ra·tion [inkɔ̀ːrpəréiʃən] *n.* Ⓤ **1** 〖법〗 법인격 부여, 법인[《미》 회사] 설립; Ⓒ 결사, 법인 단체, 회사(corporation) **2** 결합, 합동, 합병; 편입 **3** 혼성, 혼합 **4** 〖언어〗 포합(抱合) **5** 〖정신분석〗 체내화 《대상을 자신의 내부로 받아들이는 것》

in·cor·po·ra·tive [inkɔ́ːrpərèitiv, -pərət- | -pərət-] *a.* **1** 합체적인, 합동적인, 결합적인 **2** 〖언어〗 포합적(抱合的)인(polysynthetic)

in·cor·po·ra·tor [inkɔ́ːrpərèitər] *n.* **1** 법인[《미》 유한[주식] 회사] 설립자; 법인[단체, 《미》 회사]의 일원 **2** 합병[편입]하는 사람

in·cor·po·re·al [ìnkɔːrpɔ́ːriəl] *a.* **1** 형체[육체]가 없는, 무형의; 영적인(spiritual) **2** 〖법〗 무체(無體)의: ~ hereditament 무체(無體) 유산 《특허권·저작권·독점 판매권 등》 **~·ly** *ad.*

in·cor·po·re·al·i·ty [ìnkɔːrpɔ̀ːriǽləti] *n.* = INCORPOREITY

in·cor·po·re·i·ty [ìnkɔːrpəríːəti] *n.* Ⓤ 실체[형태]가 없음, 무형; 비물질성; 무형적 존재

‡**in·cor·rect** [ìnkərékt] *a.* **1** 〈진술 등이〉 **부정확한,** 틀린: an ~ statement 부정확한 진술 **2** 〈행동 등이〉 온당치 못한, 관례상 어긋난: ~ behavior 온당치 못한 행동 / ~ attire 그 자리에 어울리지 않는 의상 **3** 〈책이〉 오자(誤字)가 많은; 〈말·표현이〉 오용의

~·ly *ad.* **~·ness** *n.*

in·cor·ri·gi·bil·i·ty [inkɔ̀ːridʒəbíləti, -kɑ̀r- | -kɔ̀r-] *n.* Ⓤ 고칠 수 없음, 선도[개선]할 수 없는 상태

in·cor·ri·gi·ble [inkɔ́ːridʒəbl, -kɑ́r- | -kɔ́r-] *a.* **1** 〈사람·성격 등이〉 교정(矯正)할 수 없는, 구제[선도]할 수 없는 **2** 다루기 힘든, 제멋대로 구는: an ~ child 제멋대로 구는 아이 **3** 〈습관 등이〉 고쳐지지 않는, 뿌리 깊은 **—** *n.* 구제할 수 없는 사람 **-bly** *ad.*

in·cor·rupt [ìnkərʌ́pt] *a.* **1** 타락하지 않은; 매수할 수 없는, 청렴한 **2** 〈언어가〉 순정한; 〈사본 등이〉 잘못이 없는 **3** 《폐어》 부패하지 않은 **~·ly** *ad.* **~·ness** *n.*

in·cor·rupt·ed [ìnkərʌ́ptid] *a.* = INCORRUPT

in·cor·rupt·i·bil·i·ty [ìnkərʌ̀ptəbíləti] *n.* Ⓤ 부패하지[매수되지] 않음; 청렴결백

in·cor·rupt·i·ble [ìnkərʌ́ptəbl] *a.* (도덕적으로) 부패[타락]하지 않는; 불후(不朽)[불멸]의; 매수되지 않는, 청렴결백한: The body is corruptible but the spirit is ~. 육체는 썩지만 정신은 불멸이다.

— *n.* 청렴결백한 사람; 부패하지 않는 것 **-bly** *ad.*

in·cor·rup·tion [ìnkərʌ́pʃən] *n.* Ⓤ 부패[타락]하지 않음; 청렴결백(opp. *corruption*)

In·co·terms [ínkoutəːrmz] [*in*ternational *com*mercial *terms*] *n.* 인코텀스 《무역 용어의 통일적 해석을 목표로 국제 상업회의소(I.C.C.)가 작성한 정의집》

in-coun·try [ínkʌ̀ntri] *a.* 국내의, 국내에서 일어나는: the ~ war 내전

incr. increase; increased

in·cras·sate [inkrǽseit] *vt.* 〖약학〗 (증발 등으로) 〈액체를〉 농축하다 **—** [-sət, -seit] *a.* 〖식물·곤충〗 비후(肥厚)한

in·creas·a·ble [inkríːsəbl] *a.* 증가[증대]할 수 있는

‡**in·crease** [inkríːs] [L 「…의 위에 자라다」의 뜻에서] *vi.* **1** 〈수량이〉 **늘다,** 불어나다, 증가[증대, 증진]하다; 〈정도가〉 커지다, 강해지다 《*in*》(opp. *decrease*): (~+전+명) ~ *in* number[power] 수가[힘이] 증가하다 // (~+부) ~ twofold 2배가 되다

> 유의어 **increase** 수량·정도 등이 증가[증대]하다: His waistline *increased* with age. 나이와 더불어 그의 허리 둘레가 늘었다. **enlarge** 크기·양 등이 증가하다: This city has *enlarged* to twice its original area. 이 시는 면적이 원래의 갑절로 커졌다. **augment** 조금 형식적인 표현으로, 특히 외부에서 더해지는 것에 의해 증대되다: His fortune is *augmented* by the inheritance. 그 유산으로 그의 재산은 불었다. **multiply** 수량이 배가하듯 늘어나다: With each attempt the problems *multiplied.* 시도할 때마다 문제들이 배가되었다.

2 번식하다, 증식하다: Her family *~d.* 그녀의 가족이 늘었다. **3** 〈달이〉 커지다, 차다(wax)

— *vt.* **1** 〈수량·범위·정도 등을〉 **늘리다,** 불리다, 증가시키다(opp. *diminish*): ~ one's efforts 노력을 더하다 / ~ taxes 증세하다 / ~ the speed 속도를 높이다 / the *~d* cost of living 증가된 생활비 **2** 〈영토 등을〉 확장하다; 증강하다; 〈국제 긴장 등을〉 고조시키다 **3** 〖편물〗 〈눈을〉 늘리다

— [ㅅ-] *n.* ⓊⒸ **1** (수·크기·양·강도 등의) **증가,** 증대, 증진 《*in, of*》: the ~ *of* crime 범죄의 증가 / an ~ *of* work 업무량 증대 **2** Ⓒ 증가액, 증대량; 증가 요인 《*in, of*》: a tax ~ of 10 percent 10퍼센트의 세금 인상액 **3** 이익, 이자 **4** 《고어》 생산물, 산물

***on the* ~** 증가하여, 증대하여

in·creas·er [inkríːsər] *n.* **1** 늘리는 사람[것] **2** 점대관(漸大管) 《연관(鉛管) 공사에서 소경관(小徑管)을 대경관에 연결하는 이음매》

in·creas·ing [inkríːsiŋ] *a.* **1** 증대[증가]하는(opp. *decreasing*): the ~ use of computers in the schools 학교에서의 컴퓨터 사용의 증가 **2** 〖수학〗 증가적인, 증가의 ***the law of ~ returns*** 〖경제〗 수확 체증의 법칙

*****in·creas·ing·ly** [inkríːsiŋli] *ad.* **점점,** 더욱 더: It became ~ easy for criminals to purchase

---

combine, unite, integrate, unify, fuse, coalesce

incorrect *a.* unreliable, wrong, inaccurate

increase *v.* **1** 늘다 grow, expand, extend, multiply, intensify, heighten, escalate, swell **2** 늘리다 boost, enhance, enlarge, spread, raise, strengthen, magnify (opp. *decrease, reduce*)

handguns. 범인들이 권총을 구입하기가 점점 쉬워졌다.
in·cre·ate [ìnkriéit, inkríːət] *a.* 《고어·시어》 창조되지 않은; (신(神)처럼) 창조되지 않고 본래부터 존재하는
in·cred·i·bil·i·ty [inkrèdəbíləti] *n.* Ⓤ 믿어지지 않음; 신용할 수 없음
‡**in·cred·i·ble** [inkrédəbl] *a.* **1** 《구어》 놀라운, (믿기 어려울 만큼) 훌륭한, 대단한, 굉장한: an ~ memory 굉장한 기억력 **2** 믿어지지 않는, 의심스러운: an ~ story 믿어지지 않는 이야기 **~·ness** *n.* **-bly** *ad.* 믿을 수 없을 만큼; 《구어》 대단히, 놀랍게도
in·cre·du·li·ty [ìnkrədjúːləti | -djúː-] *n* Ⓤ 쉽사리 믿지 않음, 의심 많음, 불신(disbelief)
*__in·cred·u·lous__ [inkrédʒuləs | -dju-] *a.* **1** 의심 많은, 쉽사리 믿지 않는, 회의적인 《*of*》 **2** 의심하는 듯한 《*of*, *about*》: an ~ smile 의심하는 듯한 미소 **~·ly** *ad.* **~·ness** *n.* ▷ incredúlity *n.*
in·cre·ment [ínkrəmənt, íŋ-] [L 「증가하다」의 뜻에서] (opp. *decrement*) *n.* **1** Ⓤ 증가, 증대, 증강, 증식 **2** 이익, 이윤, 이득 **3** 증가량, 증액: unearned ~ (땅값 등의) 자연[불로(不勞)] 증가 **4** Ⓤ 〚수학〛 증분(增分) **5** 〚컴퓨터〛 인크리먼트 《일정량[수]의 증분》
in·cre·mén·tal *a.*
in·cre·men·tal·ism [ìnkrəméntəlìzm, ìŋ-] *n.* Ⓤ (사회적·정치적) 점진주의(gradualism) **-ist** *n.*, *a.*
incremental plótter 〚컴퓨터〛 증분(增分) 플로터 《프로그램의 제어하에 컴퓨터의 출력을 문자와 같이 곡선과 점으로 나타내는 장치》
increméntal repetítion 〚운율〛 점증 반복 《민요의 반복구를 변화시켜 가면서 반복하는 것》
in·cres·cent [inkrésnt] *a.* 증대하는; 《특히》 〈달이〉 점점 차는, 상현의(opp. *decrescent*)
in·cre·tion [inkríːʃən] *n.* ⓊⒸ 〚생리〛 내분비물 《호르몬 등》; 내분비 (작용)
in·crim·i·nate [inkrímənèit] *vt.* **1** 〈남에게〉 죄를 씌우다; 유죄로 하다 **2** 〈…을〉 (사건 등에) 말려들게 하다, 연루시키다: The testimony of the defendant ~*d* many others. 피고인의 증언으로 여러 다른 사람들이 사건에 말려들었다. **3** (…의) 원인으로 간주하다[치다] ~ one***self*** 복죄(服罪)하다 **-nà·tor** *n.*
in·crim·i·na·tion [inkrìmənéiʃən] *n.* Ⓤ 죄를 씌움; Ⓒ 유죄로 하는 것
in·crim·i·na·to·ry [inkrímənətɔ̀ːri | -təri] *a.* 유죄로 하는, 죄를 씌우는
in·croach [inkróutʃ] *vi.* = ENCROACH
in·cross [ínkrɔ̀ːs | -krɔ̀s] *n.* 동종[근친] 번식에 의한 식물[동물] **—** *vt.* 동종[근친] 번식[교배]시키다
in·cross·bred [inkrɔ́ːsbrèd, -krɑ́s- | -krɔ́s-] *n.*, *a.* 〚유전〛 동종 교배종(의)
in-crowd [ínkràud] *n.* 내부 사정이나 유행을 잘 아는 사람; 배타적인 그룹, 파벌
in·crust [inkrʌ́st] *vt.* **1** 외피로 덮다; 외피를 형성하다 **2** 겉장식을 하다; …의 표면을 (보석 등으로) 장식하다 《*with*》 **—** *vi.* 외피[외층]를 이루다[만들다]
in·crus·ta·tion [ìnkrʌstéiʃən] *n.* **1** Ⓤ 외피로 덮음[덮임] **2** 피각, 겉껍질; 딱지(scab) **3** ⓊⒸ 상감(象嵌); 겉치장 **4** 《비유》 덮어씌워진 것; 퇴적층
*__in·cu·bate__ [ínkjubèit, íŋ-] *vt.* **1** 〈새가〉 〈알을〉 품다; 〈알을〉 (인공) 부화하다 **2** 〈세균 등을〉 배양하다 **3** 〈조산아 등을〉 보육기에 넣어 기르다 **4** 〈계획 등을〉 숙고하다, 궁리하다, 생각해 내다: She ~*d* the idea for a while, then announced it. 그녀는 그 안을 잠시 숙고한 뒤에 발표했다.
— *vi.* **1** 알을 품다, 둥우리에 들다; 〈알이〉 깨다; 인공 부화[배양]되다 **2** 〚의학〛 〈병이〉 잠복하다 **3** 〈생각 등이〉 구체화되다; 성장[발전]하다
in·cu·ba·tion [ìnkjubéiʃən, ìŋ-] *n.* Ⓤ **1** 알을 품음, 부화; 부화 기간; (미숙아 등의) 보육; (세균 등의) 배양: artificial ~ 인공 부화 **2** 기도, 계획 **3** 〚의학〛 잠복; Ⓒ 잠복기(= ~ period)
incubátion pàtch 포란반(抱卵斑) 《포란 중인 새의 복부에서 볼 수 있는, 털이 없는 부분》
incubátion pèriod 〚동물〛 부화 기간; 〚의학〛 = INCUBATION 3
in·cu·ba·tive [ínkjubèitiv, íŋ-] *a.* 부화의; 〚의학〛 잠복(기)의
in·cu·ba·tor [ínkjubèitər, íŋ-] *n.* **1** 부란기(器), 인공 부화기; 미숙아 보육기, 인큐베이터 **2** 세균 배양기 **3** 부화[배양, 보육]를 하는 사람; 알을 품는 새 **4** 〚화학〛 정온기(定溫器) **5** 〚경영〛 (벤처 기업) 창업 지원·육성 회사
íncubator facílity (벤처 기업 창업을 위한) 지원 육성 편의 시설
in·cu·ba·to·ry [ínkjubətɔ̀ːri, íŋ- | -bèitəri] *a.* = INCUBATIVE
in·cu·bus [ínkjubəs, íŋ-] *n.* (*pl.* **-bi** [-bài], **~·es**) **1** (특히 잠자는 여자를 범한다는 상상 속의) 몽마(夢魔)(cf. SUCCUBUS) **2** 가위; 악몽 **3** 압박하는 사람[것] 《빚·시험 등》
in·cu·des [inkjúːdiːz] *n.* INCUS의 복수
in·cul·cate [inkʌ́lkeit, ⌐-⌐] *vt.* **1** 〈감정·사상·지식 등을〉 (사람·마음에) 되풀이하여 가르치다, 열심히 설득하다 《*on*, *upon*, *in*》: (~+목+전+명) ~ ideas *on*[*upon*] a person[*in* a person's mind] 사상을 …에게[…의 마음에] 가르치다 **2** 〈사람·마음에〉 (사상·감정 등을) 주입하다, 심어 주다 《*with*》: (~+목+전+명) ~ students *with* love of knowledge 학생들에게 지식애를 고취하다 **-cúl·ca·tor** *n.*
in·cul·ca·tion [ìnkʌlkéiʃən] *n.* Ⓤ 설득함, 터득시킴, 가르쳐 줌 《*of*》
in·cul·pa·ble [inkʌ́lpəbl] *a.* 나무랄 데 없는, 죄 없는, 결백한 **~·ness** *n.* **-bly** *ad.*
in·cul·pate [inkʌ́lpeit, ⌐-⌐] *vt.* 죄를 씌우다; 비난하다; 연루(連累)시키다
in·cul·pa·tion [ìnkʌlpéiʃən] *n.* Ⓤ 고발, 비난; 연루시킴
in·cul·pa·to·ry [inkʌ́lpətɔ̀ːri | -təri] *a.* 죄를 씌우는; 비난하는; 연루시키는
in·cult [inkʌ́lt] *a.* **1** 〈특히 문체 등이〉 거친, 천한, 세련되지 않은, 교양 없는 **2** 〈토지가〉 미개간의, 경작되지 않은(uncultured)
in·cum·ben·cy [inkʌ́mbənsi] *n.* (*pl.* **-cies**) **1** (공직자·대학 교수 등의) 현직(의 지위); 재직[재임] 기간; 〚영국국교〛 (성직록을 소유하는) 성직자[교회 관리 사제]의 직[기간] **2** 의무, 책임
in·cum·bent [inkʌ́mbənt] *a.* **1** Ⓐ 현직[재직]의: the ~ governor 현직 주지사 **2** 의무로서 지워지는 《*on*, *upon*》: a duty ~ *upon* me 나에게 지워진 의무 / It is ~ *on*[*upon*] you (= It is your duty) to do so. 그렇게 하는 것이 너의 의무이다. **3** 《시어》 〈암석 등이〉 쑥 내밀고 있는(overhanging) **4** 《고어》 기대는, 의지하는 《*on*》
— *n.* **1** 《영》 성직록 소유자, 수록(受祿) 성직자, 교회[교구] 관리 목사 **2** 현직[재직]자, 재임자; 《미》 현직 의원 **3** 거주자, 점유자 **~·ly** *ad.*
in·cum·ber [inkʌ́mbər] *vt.* = ENCUMBER
in·cum·brance [inkʌ́mbrəns] *n.* = ENCUMBRANCE
in·cu·na·ble [inkjúːnəbl] *n.* incunabula의 한 권
in·cu·nab·u·la [ìnkjunǽbjulə, ìŋ-] *n. pl.* (*sing.* **-lum** [-ləm]) **1** 초기 간행본 《1501년 이전에 활판 인쇄되어 현존하는 책》 **2** 초기, 여명기, 요람기 **-lar** *a.*
‡**in·cur** [inkə́ːr] [L 「…에 부딪치다」의 뜻에서] *vt.* (**~red**; **~·ring**) **1** 〈분노·비난·위험을〉 초래하다: His lie ~*red* our displeasure. 그의 거짓말은 우리의 분노를 샀다. **2** 〈빚 등을〉 지다, 〈손실을〉 입다: ~ a huge number of debts 산더미 같은 빚을 지다 ▷ incúrrence *n.*
in·cur·a·bil·i·ty [inkjùərəbíləti] *n.* Ⓤ 불치(不治); 교정(矯正) 불능

thesaurus **indeed** *ad.* in fact, truly, actually, really, certainly, surely, absolutely

in·cur·a·ble [inkjúərəbl] *a.* **1** 불치의: an ~ disease 불치병 **2** 교정[개량, 선도] 불능의 **—** *n.* 불치의 환자; 구제 불능자 **~·ness** *n.* **-bly** *ad.*
in·cu·ri·os·i·ty [inkjùəriɑ́səti | -ɔ́s-] *n.* Ⓤ 호기심이 없음; 무관심
in·cu·ri·ous [inkjúəriəs] *a.* **1** 부주의한; 무관심한; 호기심 없는, 파고드는 것을 좋아하지 않는 **2** [보통 이중 부정형으로] 《고어》 재미없는(uninteresting): a *not* ~ story 꽤 재미있는 이야기
~·ly *ad.* **~·ness** *n.*
in·cur·rence [inkə́:rəns, -kʌ́r- | -kʌ́r-] *n.* Ⓤ (손해 등을) 입음, (책임·빚을) 짐, 초래함
in·cur·rent [inkə́:rənt, -kʌ́r- | -kʌ́r-] *a.* 〈관·구멍 등이〉 물이 흘러드는; 흐르는 물을 통하게 하는
in·cur·sion [inkə́:rʒən, -ʃən | -ʃən, -ʒən] *n.* **1** (갑작스러운) 침입; 습격(invasion) 《*on, upon, into*》 **2** (하천 등의) 유입(流入) 《*of*》 ***make ~s into*** [*on*] …에 침입하다, …을 습격하다
in·cur·sive [inkə́:rsiv] *a.* 침입하는, 침략적인; 〈강물이〉 유입하는
in·cur·vate [ínkə:rvèit, -´-] *vt.* (안으로) 굽히다, 만곡시키다 **—** *a.* [ínkə:rvèit, inkə́:rvət | inkə́:veit, -vət] 만곡된; 안으로 굽은 **ìn·cur·vá·tion** *n.*
in·curve [ínkə̀:rv] *n.* 안으로 굽음, 만곡; 〖야구〗 인커브(opp. *outcurve*) **—** [-´] *vt.* [주로 수동형으로] 안쪽으로 굽게 하다
in·curved [inkə́:rvd] *a.* 안으로 굽은
in·cus [íŋkəs] *n.* (*pl.* **-cu·des** [inkjú:di:z]) 〖해부〗 (중이(中耳)의) 침골(砧骨)(anvil)
in·cuse [inkjú:z, -kjú:s | -kjú:z] *a.* 각인(刻印)을 찍은 **—** *n.* (화폐 등의) 찍어낸 무늬, 각인
— *vt.* 〈주화에〉 각인을 새기다[찍다]
Ind [índ] *n.* 《고어·시어》 = INDIA; 《폐어》 = INDIES
IND *in nomine Dei* 《L = in the name of God》 하느님의 이름으로; investigational new drug 〖약학〗 연구용 신약 **ind.** independence; independent; index; indicated; indicative; indigo; industrial **Ind.** India(n); Indiana; Indies
ind- [ind], **indo-** [índou, -də] 《연결형》 「인디고(indigo)」의 뜻: *ind*amine
in·da·ba [indɑ́:bə] *n.* (남아프리카 원주민끼리 또는 그들과의) 회의, 협의; 《남아공·구어》 관심사, 화제
in·da·gate [índəgèit] *vt.* 《고어》 조사하다, 연구하다
in·da·mine [índəmì:n, -min] *n.* Ⓤ 〖화학〗 인다민 《청록색 염료 재료》
in·debt [indét] *vt.* …에게 빚을 지게 하다, …에게 은혜를 입히다
***in·debt·ed** [indétid] *a.* 부채가 있는, 빚진 《*to*》; 신세를 진(beholden) 《*to*》: heavily ~ 빚이 많은 / I am ~ *to* you *for* the situation I hold now. 지금의 지위를 얻은 것은 당신의 덕택입니다.
in·debt·ed·ness [indétidnis] *n.* Ⓤ 부채, 채무; 신세, 은혜; Ⓒ 부채액
in·de·cen·cy [indí:snsi] *n.* (*pl.* **-cies**) **1** Ⓤ 예절[버릇] 없음; 외설 **2** 추잡한 행위[말]
in·de·cent [indí:snt] *a.* 버릇없는, 점잖지 못한, 꼴불견의; 추잡한, 음란[외설]한: ~ language 추잡한 말씨 **~·ly** *ad.*
indécent assáult 〖법〗 강제 추행죄 《남성이 여성에게 범하는, 강간(rape)을 제외한 성범죄》
indécent expósure 〖법〗 공개적 음란죄
in·de·cid·u·ous [ìndisídʒuəs] *a.* 〖식물〗 잎이 지지 않는, 상록의(evergreen): ~ trees 상록수
in·de·ci·pher·a·ble [ìndisáifərəbl] *a.* **1** 〈암호 등이〉 판독[해독]할 수 없는(illegible) **2** 이해할 수 없는
~·ness *n.* **-bly** *ad.*
in·de·ci·sion [ìndisíʒən] *n.* Ⓤ 우유부단, 주저
in·de·ci·sive [ìndisáisiv] *a.* **1** 결정적이 아닌, 결말이 안 난(inconclusive) **2** 〈사람이〉 결단력이 없는, 우유부단한: a weak and ~ leader 우유부단한 지도자 **3** 〈윤곽이〉 뚜렷하지 않은, 흐릿한: the ~ outline 희미한 윤곽 **~·ness** *n.* **~·ly** *ad.*
indecl. indeclinable
in·de·clin·a·ble [ìndikláinəbl] 〖문법〗 *a.* 격(格) 변화를 하지 않는, 어미 변화를 하지 않는, 불변화의
— *n.* 불변화사(particle) 《격(格) 변화를 하지 않는 말》
in·de·com·pos·a·ble [ìndi:kəmpóuzəbl] *a.* 분해[분석]할 수 없는
in·dec·o·rous [indékərəs, ìndikɔ́:rəs] *a.* 버릇없는: ~ remarks 무례한 발언 **~·ly** *ad.* **~·ness** *n.*
in·de·co·rum [ìndikɔ́:rəm] *n.* **1** Ⓤ 버릇없음, 무례 **2** 버릇없는 행동(impropriety)
‡**in·deed** [indí:d] [in deed(실행상, 사실상)가 합친 것] *ad.* **1 a** [강조] **실로, 참으로,** 실제로: I am ~ glad. = I am glad ~. 정말 기쁘다. **b** [문장 전체, 또는 very+형용사·부사 뒤에서 그것을 다시 강조] 정말, 대단히: *I*~ it rained hard yesterday. 정말 어제 비가 몹시 왔다. / Did you ~ finish the job? 정말 그 일을 마쳤니? / Thank you *very* much ~. 정말 감사합니다. **c** [질문의 답을 강조] 정말, 아주: "Are you comfortable?"—"Yes, ~!" 편안합니까? — 네, 정말로 (편안합니다). **2** [앞의 말을 반복하여, 동감을 나타내어; 때로 반어적] **정말**: Who is this Mr. Smith?—Who is he, ~! 이 스미스 씨라는 분은 누구입니까? — [동감] 정말 누구일까요!; [반어적] 누구라니, 참 (아실 텐데)! **3** [양보] **하기는 그래,** 과연 그래; 정말; 확실히: I may, ~, be wrong. 하긴 내가 잘못일지도 모르겠다. / He may ~ not be clever, but he is sincere. 그는 정말 영리하지 않을지는 몰라도 성실하다. **4** [의심을 나타내어] 설마: *I~?* You would like to go home? 설마, 정말 집에 가겠다고? **5** [앞 문장의 서술을 확인·보충] **사실은 그것이 아니라** (오히려, 다시 말하면, 좀더 확실히 말하면): I broke up with him recently, ~, yesterday. 나는 그와 최근에 헤어졌어, 아니 사실은 어제야.
— *int.* [관심·회의·분개·빈정댐·의심 등을 나타내어] 저런; 설마; 정말: *I*~! I can scarcely believe it. 설마! 믿지 못하겠어.
indef. indefinite
in·de·fat·i·ga·bil·i·ty [ìndifæ̀tigəbíləti] *n.* Ⓤ 끈덕짐, 인내, 참을성
in·de·fat·i·ga·ble [ìndifǽtigəbl] *a.* 지치지 않는, 질리지 않는, 끈기 있는 **~·ness** *n.* **-bly** *ad.*
in·de·fea·si·bil·i·ty [ìndifì:zəbíləti] *n.* Ⓤ 파기[무효]할 수 없음
in·de·fea·si·ble [ìndifí:zəbl] *a.* 파기할 수 없는, 무효로 할 수 없는 **~·ness** *n.* **-bly** *ad.*
in·de·fect·i·ble [ìndiféktəbl] *a.* **1** 썩지 않는; 쇠(퇴)하지 않는 **2** 결점이 없는, 완벽한
in·de·fèct·i·bíl·i·ty *n.* **-bly** *ad.*
in·de·fen·si·bil·i·ty [ìndifènsəbíləti] *n.* Ⓤ 방어[변호]할 수 없음
in·de·fen·si·ble [ìndifénsəbl] *a.* 막기 어려운; 변호의 여지가 없는; 옹호할 수 없는
in·de·fin·a·ble [ìndifáinəbl] *a.* 정의[형용]하기 어려운; 막연한(vague): ~ sensations 복잡 미묘한 감정 **~·ness** *n.* **-bly** *ad.*
‡**in·def·i·nite** [indéfənit] *a.* **1** 〈수량·크기 등이〉 **일정치 않은, 한계가 없는;** 《특히》 〈시간·기한이〉 정해져 있지 않은: an ~ number 부정(不定)의 수 / an ~ date in the future 미래의 정해지지 않은 날짜 **2 명확[분명]하지 않은,** 애매한, 막연한: 《~+전+*-ing*》 She was ~ *about* join*ing* us for lunch. 그녀가 점심을 우리와 함께 할 것인지 분명치 않았다. **3** 〖문법〗 부정(不定)의 **4** 〖식물〗 〈수술의 수 따위가〉 부정수의
~·ness *n.* 무한정; 불확정; 부정(不定)
▷ indéfinitely *ad.*
indéfinite árticle 〖문법〗 부정 관사 《a, an; cf. DEFINITE ARTICLE》

indefinite *a.* undecided, unfixed, undetermined, unsettled, undefined, uncertain, vague, doubtful

indéfinite íntegral 〖수학〗 부정 적분
in·def·i·nite·ly [indéfənitli] *ad.* **1** 불명확하게, 막연히 **2** 무기한으로: postpone a meeting ~ 모임을 무기 연기하다
indéfinite prónoun 〖문법〗 부정 대명사 《some(body), any(thing), none 등》
indéfinite rélative cláuse 〖문법〗 부정 관계사절
indéfinite rélative prónoun 〖문법〗 부정 관계대명사
indéfinite ténse 〖문법〗 부정 시제 《완료·계속을 나타내지 않는 것》
in·de·his·cent [ìndihísnt] *a.* 〖식물〗 〈열매가〉 (여물어도) 열개(裂開)하지 않는: ~ fruits 폐과(閉果) 《도토리 등》 **-cence** *n.*
in·de·lib·er·ate [ìndilíbərət] *a.* 배려하지 않은, 신중하지 않은; 고의가 아닌 **~·ly** *ad.* **~·ness** *n.*
ìn·de·lìb·er·á·tion *n.*
in·del·i·bil·i·ty [indèləbíləti] *n.* Ⓤ 지울[씻을, 잊을] 수 없음
in·del·i·ble [indéləbl] *a.* 〈잉크·연필 자국 등이〉 지울[씻을] 수 없는; 〈오점·인상 등이〉 잊혀지지 않는; 지워지지 않는: an ~ stain 지워지지 않는 얼룩
-bly *ad.* **~·ness** *n.*
in·del·i·ca·cy [indélikəsi] *n.* (*pl.* **-cies**) Ⓤ 상스러움, 야비함, 버릇없음; 외설; Ⓒ 상스러운 언동
in·del·i·cate [indélikit] *a.* **1** 〈말이나 행동 등이〉 거칠고 천한, 상스러운; 버릇없는; 동정심이 없는, 야비한; 외설스런 **2** 섬세[미묘, 정교]하지 않은, 조잡한, 거친 **~·ly** *ad.* **~·ness** *n.*
in·dem·ni·fi·ca·tion [indèmnəfikéiʃən] *n.* **1** Ⓤ 보증, 보장; 면책; 배상, 보상 **2** 배상금, 보상물
in·dem·ni·fy [indémnəfài] *vt.* (**-fied**) **1** 보호하다, 보장하다 《*from, against*》: (~+목+전+명) ~ a person *from*[*against*] harm 해를 입지 않도록 …를 보호하다 **2** 갚다, 배상[변상, 보상]하다 《*for*》: (~+목+전+명) ~ a person *for* damage …에게 손해를 배상하다 **3** …의 법적 책임[형벌]을 면제하다, 면책의 보증을 하다 **-fi·er** *n.*
in·dem·ni·tee [indèmnətí:] *n.* (미) 피(被)보증자[회사], 피배상자[회사]
in·dem·ni·tor [indémnətər] *n.* (미) 보증자[회사], 배상자[회사]
in·dem·ni·ty [indémnəti] *n.* (*pl.* **-ties**) **1** ⓊⒸ 보장; 배상, 변상; Ⓤ (형벌의) 면책, 사면 **2** 보장되는 것; 보상금; 배상금 **3** 〖보험〗 손해 보상
in·de·mon·stra·ble [ìndimánstrəbl, indémən- | ìndimɔ́n-, indémən-] *a.* 증명[입증]할 수 없는; 자명한: ~ truths 자명한 진리 **-bly** *ad.*
in·dene [índi:n] *n.* 〖화학〗 인딘 《합성 수지의 원료》
***in·dent** [indént] [L 「이를 달다」의 뜻에서] *vt.* **1** 만입(灣入)시키다, 움푹 들어가게 하다 **2** 〖인쇄〗 〈새로 시작되는 줄의 첫머리를〉 안으로 약간 넣어 짜다: *I*~ the first line of a paragraph. 절(節)의 첫행을 들여 쓰시오. **3** 〈한 장에 정부(正副) 2통으로 작성한 계약서 등을〉 톱니꼴 절취선에 따라 떼다; 〈계약서 등을〉 정부(正副) 2통으로 작성하다 **4** 톱니 모양의 자국을 내다, 톱니 모양으로 만들다 **5** (영) 2통의 주문서로 주문하다 《한 통은 자기가 보관》
— *vi.* **1** 톱니 모양을 내다 **2** (영) 두 장 잇달린 주문서를 작성하다 《*on, upon*》: (~+전+명) ~ *upon* a person *for* goods …에게 물품을 주문하다
— [ㅅ-, -ㅅ] *n.* **1** 톱니 모양의 결각(缺刻)[자국]; 움푹 들어감[간 곳] **2** 두 장 잇달린 계약서 **3** (영) 신청(서), 청구(서); 상품 주문(서); 구매 위탁; 수탁(受託) 구매품; (해외로부터의) 주문 **4** 〖인쇄〗 (새로 시작되는 줄의 첫머리를) 들여 짜기
▷ indentátion, indéntion, indénture *n.*
in·den·ta·tion [ìndentéiʃən] *n.* **1** (해안선 등의) 만입(灣入) **2** Ⓤ 톱니 모양으로 만들기; 톱니 모양, 움푹 들어감, 벤 자국(notch): the ~ of a maple leaf 단풍잎의 톱니 모양 **3** 〖인쇄〗 = INDENTION 1
in·dent·ed [indéntid] *a.* **1** 톱니 모양의; 들쭉날쭉한: an ~ coastline 들쭉날쭉한 해안선 **2** 기한부 도제(徒弟)로 들어간
indénted móld 〖건축〗 맞물린 곡면(曲面)
in·den·tion [indénʃən] *n.* **1** Ⓤ 〖인쇄〗 (새 줄을) 들여 짬; Ⓒ (들여 짜서 생긴) 공백 **2** = INDENTATION
in·den·ture [indéntʃər] *n.* **1** (정부(正副) 2통으로 만들어서 날인한) 계약서, 정식 증서; 《일반적으로》 계약서, 증서, 주문서, 동의서 **2** [보통 *pl.*] 도제 계약 문서: take up[be out of] one's ~*s* 도제 기한을 마치다 **3** Ⓤ 새김눈을 붙임; 톱니 모양으로 만듦; Ⓒ 새김눈 — *vt.* …의 고용을 계약서로써 정하다; 기한부 도제로 받아들이다 **~·shìp** *n.*
in·dén·tured sérvant [indéntʃərd-] 〖미국사〗 (식민 시대에 미국으로 건너간) 연한(年限) 계약 노동자 《무임 도항 이주자·죄수·빈민 등》
in·dé·pen·dan·tiste [ændeipɑ:ndɑ:ntí:st] [F] *n.* (캐나다) Quebec주의 독립주의자(cf. PÉQUISTE)
‡**in·de·pen·dence** [ìndipéndəns] *n.* (opp. *dependence*) Ⓤ **1** 독립, 자주(自主), 자립; 독립심, 자립 정신 《*of, on, from*》: the ~ *of* India *from* Britain 영국으로부터 인도의 독립 / declare[lose] one's ~ 독립을 선언하다[잃다] **2** (고어) 독립해서 지낼 만한 수입 ***the Declaration of I~*** ⇨ declaration ▷ indepéndent *a.*
Indepéndence Dày (미) 독립 기념일 《7월 4일; the Fourth of July라고도 함》
Indepéndence Háll (미) 독립 기념관 《Philadelphia 소재; 제퍼슨의 독립 선언문이 채택된 곳》
in·de·pen·den·cy [ìndipéndənsi] *n.* (*pl.* **-cies**) **1** Ⓤ = INDEPENDENCE 1; [**I~**] Ⓒ 〖그리스도교〗 독립 교회주의; 독립 교회파 **2** 독립국
‡**in·de·pen·dent** [ìndipéndənt] *a.* **1** 〈국가·조직이〉 (…에서) 독립한, 자치적인, 자주의, 자유의 《*of*》: an ~ country 독립국 **2** 독립심이 강한; 자존심이 강한; 마음대로 하는 **3** 일하지 않고 지낼 수 있는 (자산[수입]이 있는); 〈사람이〉 자활하는: an ~ income 일하지 않아도 생활할 수 있을 만큼의 수입 / live ~ 자활하다 **4** 남에게 의존하지 않는, 독자적인; 자영(自營)의: an ~ conclusion 독자적 결론 / an ~ retail store 자영 소매점 **5** 〖그리스도교〗 독립 교회주의[파]의; (영) 조합 교회파의 **6** 〖정치〗 무소속의, 독립당의: an ~ candidate 무소속 입후보자 **7** 〖문법〗 〈절이〉 독립된
~ *of* …으로부터 독립하여, …와 관계없이(apart from)(opp. *dependent on*)
— *n.* **1** 독립한 사람[것]; 무소속자[의원] **2** [**I~**] 독립 교회파 신도; 독립 교회주의자; (영) 조합 교회 신도 **3** 자영의 소기업, 개인 경영 기업[가게]
▷ indepéndence, indepéndency *n.*
indepéndent adòption (미) 공적인 알선 기관을 통하지 않은 입양
indepéndent assórtment 〖유전〗 독립 유전
indepéndent áudit 〖회계〗 독립 감사 《회사 밖의 공인 회계사에 의한 회계 감사》
Indepéndent Bróadcasting Authòrity (영) 독립 방송 공사 《1972년 설립; 略 IBA》
indepéndent chúrch (주로 미) 〖그리스도교〗 독립 교회 《기성 교파에 속하지 않는》
indepéndent cláuse 〖문법〗 독립절, 주절
in·de·pen·den·tis·ta [independentí:stɑ:] [Sp.] *n.* (중남미의) 독립 운동가; 급진적 변혁주의자
in·de·pen·dent·ly** [ìndipéndəntli] *ad.* 독립하여, 자주적으로; …와 관계없이 《*of*》: two systems that operate ~ *of* each other 서로 독립적으로 운영되는 두 개의 시스템 **~ *of = INDEPENDENT of
indepéndent schóol (영) 정부 보조가 없는 사립학교
indepéndent suspénsion 독립 현가(懸架) 《자동차의 각 바퀴가 독립적으로 프레임에 장착된 형식》
Indepéndent Télevision Authòrity (영) 독립 텔레비전 공사 《현재는 Independent Broadcast-

ing Authority》
indepéndent váriable 〖수학〗 독립 변수
in·depth [índépθ] *a.* **1** 면밀한, 상세한; 완전한, 철저한: an ~ study 면밀한 연구 / ~ data 상세한 데이터 **2** 심층(深層)의; 완성도가 높은: ~ news coverage 심층 취재
in·de·scrib·a·bil·i·ty [ìndiskràibəbíləti] *n.* Ⓤ 형언할 수 없음
***in·de·scrib·a·ble** [ìndiskráibəbl] *a.* **형언할 수 없는;** 말로 표현할 수 없는: ~ joy 말할 수 없는 기쁨 ── *n.* 말로 표현할 수 없는 것 **~·ness** *n.* **-bly** *ad.*
in·de·struc·ti·bil·i·ty [ìndistrʌ̀ktəbíləti] *n.* Ⓤ 파괴할 수 없음, 불멸성
in·de·struc·ti·ble [ìndistrʌ́ktəbl] *a.* 파괴할 수 없는, 불멸의: an ~ faith in the possibility of progress 진보의 가능성에 대한 확고한 신념 **-bly** *ad.*
in·de·ter·mi·na·ble [ìnditə́:rmənəbl] *a.* 확정할 수 없는, 해결할 길이 없는; 확인할 수 없는: ~ disputes 결론이 나지 않는 논의
~·ness *n.* **-bly** *ad.*
in·de·ter·mi·na·cy [ìnditə́:rmənəsi] *n.* Ⓤ 불확정(성), 부정(不定)
indetérminacy prìnciple 〖물리〗 = UNCERTAINTY PRINCIPLE
in·de·ter·mi·nate [ìnditə́:rmənət] *a.* **1** 불확정한, 부정(不定)의; 막연한 **2** 〖음성〗 애매한: an ~ vowel 애매한 모음(母音)(schwa) 《ago의 a [ə] 등》 **3** 미해결의, 미정의 **4** 〖수학〗 〈양·방정식이〉 부정(不定)의 **5** 〖식물〗 〈꽃차례가〉 무한의 **~·ly** *ad.* **~·ness** *n.*
indetérminate séntence 〖법〗 부정기형(刑)
in·de·ter·mi·na·tion [ìnditə̀:rmənéiʃən] *n.* Ⓤ **1** 부정(不定), 불확정 **2** 결단력이 없음, 우유부단
in·de·ter·min·ism [ìnditə́:rmənìzm] *n.* Ⓤ 〖철학〗 비결정론(非決定論); 자유 의지론; 《일반적으로》 불확정, 《특히》 예측[예견] 불능(성) **-ist** *n., a.*
‡**in·dex** [índeks] [L 「가리키는 것, 집게손가락」의 뜻에서] *n.* (*pl.* **~·es, -di·ces** [-dəsì:z]) **1** (*pl.* **~·es**) **a** (책 등의) **색인**(索引); 반달 색인(= thumb ~) **b** 카드식 색인(= card ~); (출판 안내 등의) 목록: a library ~ 장서 카드 **2 a** 지시하는 것; (계기 등의) 눈금, 바늘 **b** 표시, 지침, 지표: Style is an ~ of the mind. 글은 마음의 거울이다. **3** = INDEX FINGER **4** 〖인쇄〗 손(가락)표 (☞) **5** 〖컴퓨터〗 인덱스 《데이터의 배열 중 또는 표(表) 중의 특정 요소를 나타내는 값》 **6** (*pl.* **-di·ces**) 〖수학〗 지수, (대수의) 지표; 율(率) **7** 〖통계〗 지수(= ~ number), …율(率): an ~ of growth 성장률 **8** [the I~] 〖가톨릭〗 금서 목록
~ of linguistic insecurity 〖언어〗 언어적 불안정도 지수 ***~ of refraction*** 〖광학〗 굴절률 ***uncomfortable***[***discomfort***] ***~*** 〖기상〗 불쾌 지수
── *vt.* **1** 〈책에〉 색인을 달다, 〈단어·항목을〉 색인에 올리다: an *~ed* book 색인이 붙은 책 **2** 〖경제〗 〈급여·이율·세금 등을〉 물가(지수)에 연동시키다 **3** 나타내다; 지적하다 **in·déx·i·cal** *a.* **~·less** *a.*
índex addrèssing 〖컴퓨터〗 색인 주소 지정
in·dex·a·tion [ìndekséiʃən] *n.* Ⓤ 〖경제〗 전면적 물가 연동제(制), 지수화(指數化) 방식에 의한 가치 수정
índex càrd 색인 카드
índex càse 〖의학〗 지침 증례(指針症例) 《어떤 질병의 최초의 증례》
índex crìme (미) (FBI의 연차 보고에 공표되는) 중대 범죄
in·dexed [índekst] *a.* 〖경제〗 물가 지수[생계비 지수]에 따라 조정을 한, 물가 연동 방식의
índexed sequèntial dáta sèt 〖컴퓨터〗 색인 순차 데이터 세트
índex èntry 〖컴퓨터〗 색인 등록
in·dex·er [índeksər] *n.* 색인 작성자
índex èrror 〖측량〗 (계기 눈금의) 지시 오차
In·dex Ex·pur·ga·to·ri·us [índeks-ikspə̀:rgətɔ́:riəs] [L = expurgatory index] 〖가톨릭〗 (삭제 부분 지정) 금서(禁書) 목록
índex fìnger 집게손가락(forefinger)
índex fòssil 〖지질〗 표준 화석(化石)(guide fossil)
índex fùnd (미) 〖증권〗 지표채(指標債)
índex fútures 〖증권〗 주가 지수 선물 거래
in·dex·ing [índeksiŋ] *n.* 〖경제〗 = INDEXATION
índexing sèrvice 색인 작성 서비스
In·dex Li·bro·rum Pro·hib·i·to·rum [índeks-laibrɔ́:rəm-prouhìbətɔ́:rəm] [L = index of prohibited books] 〖가톨릭〗 금서(禁書) 목록 《신자가 읽어서는 안 되는》
in·dex-link [índekslíŋk] *vt.* (영) 〖경제〗 〈연금·세금 등을〉 물가 (지수)에 연동시키다
-línked *a.* **-línk·ing** *n.* Ⓤ
índex nùmber 〖수학·경제·통계〗 지수: the ~ of prices 물가 지수
índex plàte 〖기계〗 인덱스 플레이트 《원에 눈금을 매기는 데 쓰는, 같은 간격으로 구멍이 뚫린 판》
índex sèt 〖수학〗 첨수(添數)[지수(指數)] 집합
índex tèrm 〖컴퓨터〗 색인 용어
‡**In·di·a** [índiə] [Gk 「인더스 강(Indus)」의 뜻에서] *n.* **1** 인도 (공화국) 《수도 New Delhi》; 인도 반도 **2** 〖통신〗 (국제 무선 통신 코드의) i(자) ***the Republic of ~*** 인도 공화국 ▷ Indian *a., n.*
Índia chíntz[**cótton**] 인도 사라사
Índia ínk [때로 **i- i-**] (미) 먹; 먹물(Chinese ink)
In·di·a·man [índiəmən] *n.* (*pl.* **-men** [-mən]) 〖역사〗 (동인도 회사의) 인도 무역선(船)
‡**In·di·an** [índiən] *a.* **1** 인도의, 인도제(製)의, 인도 사람의, 인도어(語)의; 인도 거주 유럽인의; 동인도(제도)의 **2** 아메리칸 인디언(어)의, 아메리칸 인디언 특유의 ── *n.* **1** 인도 사람; 인도어(語); 인도에 사는 유럽인 **2** (미) 아메리칸 인디언; Ⓤ 인디언 말 (略 Ind) ★ 아메리카 대륙을 발견했을 때 India로 착각하여 원주민을 Indian이라고 불렀음. **3** (미·구어) 옥수수(= ~ corn) **4** 〖천문〗 인도인자리 ***blanket ~*** (미) 미개화된 아메리칸 인디언 ***Red ~*** (영) 아메리칸 인디언
▷ India *n.*
***In·di·an·a** [ìndiǽnə] [NL 「인디언(Indian)의 땅」의 뜻에서] *n.* 인디애나 《미국 중부의 주; 주도 Indianapolis; 속칭 the Hoosier State; 略 Ind., 〖우편〗 IN》
Indiána bállot (미) 〖정치〗 정당별 후보자 명단이 적힌 투표지(party-column ballot)(cf. MASSACHUSETTS BALLOT)
Índian àgency 인디언 보호 사무소 《Indian agent의 본부》
Índian àgent (미·캐나다) 인디언 보호관[관리관]
In·di·an·ap·o·lis [ìndiənǽpəlis] *n.* 인디애나폴리스 《Indiana 주의 주도》
Índian brèad = TUCKAHOE
Índian clùb (체조용) 곤봉
Índian cóbra 인도코브라(spectacled cobra)
Índian còrn (미) 옥수수
관련 미국·캐나다·호주에서는 그냥 corn이라고 하며, 영국에서는 maize라고도 한다.
Índian cóuntry (미) 인디언 거주 지구 《특히 서부 개척 시대의》
Índian créss 〖식물〗 한련, 금련화
Índian Désert [the ~] 인도 사막
Índian élephant 〖동물〗 인도코끼리
Índian Émpire [the ~] 인도 제국 《독립 이전의 영국 식민지로서의 인도의 총칭; 1947년 붕괴되어 인도와 파키스탄으로 분리》
Índian fíle [아메리칸 인디언의 종렬 공격 대형에서] *n., ad* 일렬 종대(로)(single file)
Índian gìft (미·구어) 답례를 바라고 주는 선물
Índian gìver [아메리칸 인디언의 습관에서] (미·구어) 한번 준 것을 되찾는 사람, 보답을 바라고 서비스하는 사람 **Índian gìving** *n.*
Índian háy (미·속어) 마리화나(marijuana)
Índian hémp 〖식물〗 **1** 인도대마; 인도대마로 만드

는 마(취)약, 마리화나 **2** 《미》 개정향풀속(屬)의 관목
Índian ínk 《주로 영》 = INDIA INK
In·di·an·ism [índiənìzm] *n.* Ⓤ 아메리칸 인디언의 문화[특질]; (인디언의) 이익 확대[보호] 정책
In·di·an·i·za·tion [ìndiənizéiʃən] *n.* Ⓤ 인도인화(化) (정책)
In·di·an·ize [índiənàiz] *vt.* **1** 〈성격·습관·외모 등을〉 인도인화하다 **2** 〈영국인 지배하의 제도를〉 점차 인도인 지배에 맡기다
Índian lícorice 〖식물〗 콩과(科) 홍두속(紅豆屬)의 관목 《씨는 장식용 구슬로 씀; 동인도산(産)》
Índian lótus 〖식물〗 연(蓮)
Índian mállow 〖식물〗 어저귀 《아욱과의 1년생 들풀》
Índian méal 《주로 영》 = CORNMEAL 1
Índian Mútiny [the ~] = SEPOY MUTINY [REBELLION]
Índian Nátional Cóngress [the ~] 인도 국민 회의(파) 《1885년에 결성; Congress Party의 전신》
Índian Ócean [the ~] 인도양
Índian Pacífic 인디언 퍼시픽 《호주의 Sydney-Perth 간 대륙 횡단 열차; 4,352 km》
Índian pípe 〖식물〗 구상난풀속(屬) 《북미·아시아산》
Índian púdding 《미》 옥수수 가루 푸딩
Índian réd 누르스름한 적색 안료; 철(鐵)의 염류(塩類)를 산화시켜 만든 안료
Índian reservátion 《미》 인디언 보호 구역 《US Bureau of Indian Affairs의 관리하에 있음》
Índian ríce 〖식물〗 줄(풀)
Índian shót 〖식물〗 칸나(canna)
Índian sígn 《미》 (상대의 힘을 뺏는) 마법 ***have* [*put*] *the ~ on*** a person …에게 마법을 걸다; …을 꼼짝 못하게 하다
Índian sílk = INDIA SILK
Índian súmmer 1 (늦가을의) 봄날 같은 화창한 날씨 ★ 영국에서는 St. Martin's[Luke's] summer라고 함. **2** 평온한 만년(晩年); 말기의 전성기
Índian Térritory [the ~] 〖미국사〗 인디언 특별 보호구 《인디언 보호를 위해 특설한 준주(準州); 지금의 Oklahoma 동부 지방; 1907년에 폐지》
Índian tobácco 〖식물〗 로벨리아(Lobelia) 《북미 원산; 약용 식물》; 삼, 대마(hemp)
Índian túrnip = JACK-IN-THE-PULPIT
Índian Wárs [the ~] 〖미국사〗 인디언 전쟁 《18-19세기에 백인 이민자와 아메리칸 인디언 사이에 벌어진 일련의 전쟁》
Índian wéed [the ~] 담배(tobacco)
Índian wólf 〖동물〗 인도늑대 《인도 북부·이란·아라비아의 사막이나 고원에 서식함》
In·di·an-wres·tle [índiənrèsl] *vi.* 인디언 씨름(Indian wrestling)을 하다
Índian wrèstling 팔씨름; 인디언 씨름 《누워서 하는 발씨름》
Índia pàper 인도지(紙) 《얇고 불투명한 인쇄 용지; 사전 등에 씀》
Índia prìnt 인도 무늬로 날염한 평직 면직물
Índia rúbber [때로 **i- r-**] 지우개; 탄성 고무
Índia sílk 인도 비단
In·dic [índik] *a.* **1** 인도 (사람[반도])의 **2** = INDO-ARYAN **—** *n.* = INDO-ARYAN
indic. indicating; indicative; indicator
in·di·cant [índikənt] *a.* 표시[지시]하는 **—** *n.* 지시물; 〖의학〗 (적절한 치료법을 암시하는) 적응증, 징후
‡in·di·cate [índikèit] [L 「가리키다」의 뜻에서] *vt.* **1** (손가락·손 등으로) **가리키다, 지적하다, 지시하다**: (~+목+전+명) ~ a place *on* a map 지도에서 장소를 지적하다 **2 나타내다,** 보이다, 표시하다(show); 〈운전자·차가〉 (방향 지시기 등으로) 〈도는 방향을〉 표시하다: (~+*wh.* 절) This map ~*s where* the earthquake occurred. 이 지도를 보면 지진이 어디서 일어났는지를 알 수 있다. // (~+***that*** 절) The statistics ~ *that* auto accidents are on the decrease. 통계는 자동차 사고가 감소하고 있음을 보여 주고 있다. **3** (몸짓 등으로) 은연중 나타내다; 간단히 말하다: He ~*d* his disapproval but did not go into a detail. 그는 불찬성의 뜻을 표명했지만 자세한 언급은 하지 않았다. **4** 〈증상이〉 …의 징조를 나타내다, …의 징조이다: Fever ~*s* illness. 열이 나는 것은 병의 징조이다. **5** 〈필요한 또는 적절한 조치·대책을〉 나타내다, 제안하다: The facts ~ a need for action. 그 사실들은 구체적 행동이 필요함을 나타낸다. **6** 〖의학〗 〈병의 징후가〉 〈어떤 치료법을 사용할 것을〉 지시하다
— *vi.* 〈자동차·운전자가〉 (좌·우로 가는) 지시를 내다
▷ indicátion *n.*; indícative, indícatory *a.*
ín·di·ca·ted hórsepower [índikèitid-] 지시[도시(圖示)] 마력, 실(實)마력 《略 ihp, IHP》
***in·di·ca·tion** [ìndikéiʃən] *n.* ⓊⒸ **1 지시,** 지적; 암시; 표시; **징조,** 조짐 《*of*》: give an ~ *of* …의 조짐을 보이다 / Is that nod an ~ *of* your agreement? 그렇게 고개를 끄덕거리는 것은 동의의 표시입니까? **2** 〖의학〗 **징후,** 적응(증) 《*of*》 **3** (계기(計器)의) 시도(示度), **표시 도수**(度數) **4** Ⓒ 필요한 조치 **~·al** *a.*
▷ índicate *v.*; indícative, indícatory *a.*
in·dic·a·tive** [indíkətiv] *a.* **1** (…을) **나타내는,** 표시하는; 암시하는 《*of*》: (~+of***+명) behavior ~ *of* mental disorder 정신 착란을 나타내는 행동 **2** 〖문법〗 **직설법의**: the ~ mood 직설법
— *n.* 〖문법〗 직설법(의 동사형) **~·ly** *ad.*
▷ índicate *v.*; indicátion *n.*
***in·di·ca·tor** [índikèitər] *n.* **1 지시하는 사람[사물];** 지표, 표준, 척도: an ~ of the state's economic health 국가 경제의 건실함을 말해 주는 지표 **2** (계기의) 시도(示度); (신호) 표시기, 표지(標識); 《영》 (자동차의) 방향 지시기 **3** 기계의 상태를 나타내는 계기 **4** 〖화학〗 반응 지시약 《리트머스 시약 등》 **5** 압력 지시기, 지침 **6** 〖생태〗 지표 (생물) 《특정 지역의 환경 조건을 나타내는 동식물》 **7** 〖경제〗 경제 지표
in·dic·a·to·ry [indíkətɔ̀:ri | -təri] *a.* (…을) 지시[표시]하는(indicative) 《*of*》
***in·di·ces** [índəsì:z] *n.* INDEX의 복수
in·di·ci·a [indíʃiə] *n. pl.* (*sing.* **-ci·um** [-ʃiəm]) **1** 《미》 (요금 별납 우편물의) 증인(證印) 《우표·소인 대용》 **2** [종종 *sing.* 으로] 지시; 표시, 징후
in·di·cial [indíʃəl] *a.* **1** 색인(索引)의 **2** (…의) 징후가 있는; (…을) 가리키는, 암시하는 《*of*》 **~·ly** *ad.*
indícial equátion 〖수학〗 결정 방정식
in·di·ci·um [indíʃiəm] *n.* (*pl.* **-ci·a** [-ʃiə], **~s** [-z]) INDICIA의 단수형
in·dict [indáit] *vt.* **1** 〖법〗 기소[고발]하다 《*for, on*》: (~+목+전+명) The grand jury ~*ed* him *for* violence. 대배심은 그를 폭행으로 기소했다. // (~+목+***as*** 보) ~ a person *as* a murderer 살인자로 기소하다 **2** …의 (죄·악행 등을) 비난하다, 나무라다 **~·er, -díc·tor** *n.* 기소자
in·dict·a·ble [indáitəbl] *a.* **1** 〈죄가〉 기소되어야 할, 고소[고발] 대상의, 고소할 만한: an ~ offense 기소 범죄 / an offense not ~ 비기소 범죄 **2** 〈사람이〉 고발[기소]되어야 할
in·dict·ee [ìndaití:] *n.* 피기소자, 피고(인)
in·dic·tion [indíkʃən] *n.* ⓊⒸ (로마 제국의 15년마다의) 재산의 재평가(에 의한 세금); 그 15년기(期)
***in·dict·ment** [indáitmənt] *n.* **1** Ⓤ **기소** (절차), 고발 **2** Ⓒ 〖법〗 (대배심에 의한 정식의) 기소[고발](장), 공소(公訴): bring in an ~ against …을 (정식으로) 기소하다 **3** 《일반적으로》 비난, 징벌, 제재: an ~ of contemporary morality 현시대의 도덕성에 대한 비난

thesaurus **indicate** *v.* point to, show, evince, manifest, reveal, mark, signal, denote, connote, betoken, suggest, imply, demonstrate, exhibit
indictment *n.* accusation, charge, impeachment, prosecution, summons, incrimination

in·die [índi] [*ind*ependent+-*ie*] 《미·구어》 *n.* (영화·레코드 등의) 독립 프로덕션, 독립 방송국 (제작의 영화, 레코드) **—*a.*** 자영의(self-employed); 〈일이〉 개인 경영의, 독립의

*** In·dies** [índiz] *n. pl.* [the ~] **인도 제국**(諸國) 《인도·인도차이나·동인도 제도를 총칭하는 옛 이름》
the East [***West***] ~ 동[서]인도 제도(諸島)

‡ in·dif·fer·ence [indífərəns] *n.* Ⓤ **1** (…에 대한) 무관심, 냉담, 개의치 않음 《*to, toward, about*》: display ~ *toward* …에 냉담한 태도를 보이다 / show ~ *to* …을 아랑곳하지 않다 **2** 중립, 무차별 **3** 중요치 않음: a matter of ~ 아무래도 좋은 일
with ~ 무관심[냉담]하게
▷ indífferent *a.*

indífference cùrve 〖경제〗 무차별 곡선

in·dif·fer·en·cy [indífərənsi] *n.* 《고어》 = INDIFFERENCE

‡ in·dif·fer·ent [indífərənt] *a., n.*

> 어느 것도 「달리(different) 취급하지 않는」이라는 뜻에서 「치우치지 않는」 **3** → 「냉담한」, 「무관심한」 **1**의 뜻이 되었음.

—*a.* 1 무관심한, 냉담한, 개의치 않는 《*to, toward*》: be completely ~ *to* popular opinion 민중의 소리에 전혀 귀 기울이지 않다 / He remained ~ toward my proposal. 그는 내 제안에 무관심했다. **2 중요치 않은, 관계없는,** 아무래도 좋은 《*to*》: Dangers are ~ *to* us. 위험 같은 것은 우리 안중에 없다. **3 치우치지 않는,** 공평한, 중립의: an ~ judge 공정한 재판관 **4** 좋지도 나쁘지도 않은, 평범한; [very[but] ~로] 상당히 뒤떨어지는, 서투른, 시시한, 변변치 않은; 〈양·정도 등이〉 보통의: good, bad and ~ 좋은, 나쁜, 보통의 / an ~ performance 그저 그런 공연 / a *very* ~ player 아주 서투른 선수 **5** 〈화학적·전기적 성질이〉 중성(中性)의 **6** 〖생물〗 〈세포·조직이〉 미분화의
—*n.* 1 (종교·정치에) 무관심한 사람 **2** (윤리적·도덕적으로) 신경 쓰지 않는 행동 **~·ly** *ad.*
▷ indífference *n.*

in·dif·fer·ent·ism [indífərəntìzm] *n.* Ⓤ 무관심주의; 〖종교〗 신앙 무차별론; 〖철학〗 동일설(同一說)

in·di·gen [índidʒən] *n.* = INDIGENE

in·di·gence [índidʒəns] *n.* Ⓤ 극심한 곤궁, 극빈

in·di·gene [índidʒìːn] *n.* 본토박이, 토착민, 원주민 (native); 〖생물〗 원산종(原産種), 자생종(autochthon)

in·dig·e·nist [indídʒənist] *n.* 현지 우선주의자, 현지인 채용론자

in·dig·e·ni·za·tion [indìdʒənizéiʃən | -nai-] *n.* 현지 (기업) 우선, 현지인 우선 채용

in·dig·e·nize [indídʒənàiz] *vt.* **1** 〈정부·기업 등을〉 현지인화하다, …에 현지인을 우선 채용하다 **2** 토착화시키다, 토지 고유의 것으로 하다

in·dig·e·nous [indídʒənəs] *a.* **1** 토착의, (그) 지역 고유의 《*to*》; 원산의, 자생종의; 재래(在來)의 《*to*》 **2** 타고난, 고유의 《*to*》: feelings ~ *to* human beings 인간 고유의 감정 **~·ly** *ad.* 토착하여 **~·ness** *n.*

in·di·gent [índidʒənt] *a.* 《문어》 궁핍[빈곤]한 (poor); 《고어》 …이 없는[부족한] 《*of*》; 결함이 있는, 불완전한 **—*n.*** 궁핍자, 곤궁자 **~·ly** *ad.*

in·di·gest·ed [ìndidʒéstid, -dai-] *a.* **1** 질서가 없는, 혼란 상태의 **2** 〈음식물이〉 소화가 안 되는 **3** 〈계획 등이〉 충분히 고려되지 않은, 어설픈

*** in·di·gest·i·ble** [ìndidʒéstəbl, -dai-] *a.* **1 소화되지 않는,** 삭이기 힘든 **2** 〈학설 등이〉 이해되지 않는; 받아들이기 어려운 **3** 〈태도 등이〉 참을 수 없는; 불쾌한

ìn·di·gèst·i·bíl·i·ty *n.* **-bly** *ad.*

*** in·di·ges·tion** [ìndidʒéstʃən, -dai-] *n.* Ⓤ **1 소화불량(증)**(dyspepsia), 위약(胃弱): chronic ~ 만성 소화 불량 **2** 《비유》 (생각의) 미숙, 이해부족

in·di·ges·tive [ìndidʒéstiv, -dai-] *a.* 소화 불량의 [에 걸린](dyspeptic)

in·dign [indáin] *a.* 《고어》 가치 없는; 《고어》 〈벌·수난 등이〉 부당한; 《폐어》 수치스러운

*** in·dig·nant** [indígnənt] [L 「가치 없다고 보는」의 뜻에서] *a.* (악·부정·비열한 행위 등으로) **분개한,** 성난 《*at, with, over, about*》: be ~ *with* a person [*at* a thing] …에게[에] 화내다 **~·ly** *ad.*
▷ indignátion, indígnity *n.*

*** in·dig·na·tion** [ìndignéiʃən] *n.* Ⓤ **분개, 분노,** 의분 (義憤) 《*at, over, with, about*》: righteous ~ *at* [*over*] the injustice 부정에 대한 의분 ***in*** ~ 분개하여 ▷ indígnant *a.*

indignátion méeting 항의[궐기] 집회

*** in·dig·ni·ty** [indígnəti] *n.* (*pl.* **-ties**) **1** Ⓤ **모욕,** 경멸, 무례(insult); 모욕적인 대우, 냉대 **2** 《폐어》 품위 없음; 불명예; 수치스러운 행위 ***put*** a person ***to the ~ of*** do***ing*** …에게 …을 시켜서 면목을 잃게 하다 ***suffer an*** ~ 모욕을 당하다

*** in·di·go** [índigòu] [Gk 「인도의 (염료)」의 뜻에서] *n.* (*pl.* **~s, ~es**) **1** Ⓤ **인디고** 《남색 염료》; 남색, 쪽빛 **2** 〖식물〗 인도 쪽(= **~ plànt**)
—*a.* 남색의

índigo blúe 〖화학〗 인디고틴(indigotin); 남색
índigo-blúe *a.*

índigo búnting[**bírd, fínch**] 〖조류〗 멧새과(科)에 속하는 멧쟁이새의 일종 《북미·중미산(産)》

in·di·goid [índigɔ̀id] *a.* 인디고이드의, 인디고계(系)의 **—*n.*** 인디고이드 《건염(建染) 염료(vat dye)》

índigo snáke 《미》 〖동물〗 인디고 뱀 《미국 남부산(産)의 독 없는 구렁이》

in·di·got·ic [ìndigátik | -gɔ́t-] *a.* = INDIGO

in·dig·o·tin [indígətin, ìndigóutn] *n.* 〖화학〗 인디고틴 《천연람(藍) 성분》

índigo whíte 백람(白藍) 《남(藍)을 환원시켜 얻은 무색의 결정 분말》

‡ in·di·rect [ìndərékt, -dai-] *a.* (opp. *direct*) **1** 〈길 등이〉 똑바르지 않은, 우회하는: an ~ course in sailing 우회 항로 **2** 〈결과·효과·관계 등이〉 **간접적인,** 이차적인; 방계의(secondary): an ~ advantage [effect] 간접 이익[효과] **3** 〈행위·표현 등이〉 직접적이 아닌, 빙 둘러대는, 에두른: make an ~ allusion 넌지시 말하다 **4** 솔직하지 않은, 정직하지 않은 **5** 〖문법〗 간접 화법의; 간접적인 **~·ly** *ad.* **~·ness** *n.*
▷ indiréction *n.*

indirect addréss 〖컴퓨터〗 간접 번지 《기억 장치의 번지》

indirect aggréssion (대외) 방송전(radio war); (선전전 등의) 간접 침략, 비군사적 공격

indirect cóst 간접비

indirect díscourse 〖문법〗 간접 화법 《He said *that he was ill.* 등》

indirect évidence = CIRCUMSTANTIAL EVIDENCE

indirect fíre 〖군사〗 간접 조준 사격

indirect frée kìck 〖축구〗 간접 프리킥

indiréct inítiative 간접 발의(권)

in·di·rec·tion [ìndərékʃən, -dai-] *n.* ⓊⒸ 간접적인 행동[조치]; 에두름; 부정직, 사기; 부정 수단; 무목적: diplomatic ~*s* 외교상의 기만 ***by*** ~ 에둘러서

indirect lábor (생산에 직접 관계하지 않는) 간접 노동(cf. DIRECT LABOR)

indirect líghting 간접 조명

indirect narrátion = INDIRECT DISCOURSE

indirect óbject 〖문법〗 간접 목적어 《Give him the book.의 *him* 등》

indirect prímary 《미》 간접 예비 선거

---

indifferent *a.* apathetic, unconcerned, careless, uninterested, aloof, detached, distant, cold, emotionless, unfeeling, unsympathetic
indirect *a.* roundabout, deviant, divergent, curving, circuitous (opp. *direct, straight*)

índirect próof 〚논리〛 간접 증명, 귀류법(歸謬法)
índirect quéstion 〚문법〛 간접 의문문
índirect spéech 《영》 = INDIRECT DISCOURSE
índirect táx 간접세
índirect taxátion 간접 과세
in·dis·cern·i·ble [ìndisə́:rnəbl, -zə́:rn-] *a.* 식별할 수 없는, 분간하기 어려운, 잘 보이지 않는
— *n.* 분간하기 어려운 것 **~·ness** *n.* **-bly** *ad.*
in·dis·cerp·ti·ble [ìndisə́:rptəbl] *a.* 분해[해체]할 수 없는, 나눌 수 없는(indivisible)
in·dis·ci·pline [indísəplin] *n.* Ⓤ 규율이 없음, 훈련[자제심]의 결여, 무질서; 부실서한 행롱
in·dís·ci·plìn·a·ble *a.* **-plined** *a.*
in·dis·cov·er·a·ble [ìndiskʌ́vərəbl] *a.* 발견할 수 없는
***in·dis·creet** [ìndiskrí:t] *a.* 지각[분별]없는, 경솔한 (imprudent); 부주의한: an ~ remark 부주의한 말 **~·ly** *ad.* **~·ness** *n.* ▷ indiscrétion *n.*
in·dis·crete [ìndiskrí:t, ⌐⌐⌐] *a.* (따로따로) 나뉘어져 있지 않은, 밀착한(compact), 연속적인
***in·dis·cre·tion** [ìndiskréʃən] *n.* **1** Ⓤ 무분별, 지각 없음, 경솔함: (~+젠+*-ing*) I warned him against ~ *in* choos*ing* his friends. 친구를 선택할 때 경솔하지 말라고 그에게 주의시켰다. // (~+*to* do) He had the ~ *to* accept the money. 그는 분별없이 그 돈을 받았다. **2** 경솔한 언동, 근신하지 않는 행위: commit an ~ (특히 남녀 관계의) 과오를 범하다 **3** 비밀[기밀] 누설: calculated ~ 고의적 기밀 누설 ▷ indiscréet *a.*
in·dis·crim·i·nate [ìndiskrímənət] *a.* **1** 무차별의, 가리지 않는, 마구잡이의; 무계획적인: ~ reading habits 아무 책이나 읽는 습관 **2** 난잡한: ~ sexual behavior 난잡한 성행위 **~·ly** *ad.* **~·ness** *n.*
in·dis·crim·i·nat·ing [ìndiskrímənèitiŋ] *a.* 무차별의; 무분별의 **~·ly** *ad.*
in·dis·crim·i·na·tion [ìndiskrìmənéiʃən] *n.* Ⓤ 무차별; 무분별; 마구잡이
in·dis·crim·i·na·tive [ìndiskrímənèitiv] *a.* 무차별의(undiscriminating) **~·ly** *ad.*
in·dis·cuss·i·ble, -a·ble [ìndiskʌ́səbl] *a.* 토론의 대상이 되지 않는, 의논[협상]의 여지가 없는
in·dis·pen·sa·bil·i·ty [ìndispènsəbíləti] *n.* Ⓤ 긴요성, 필요; 불가결한 일
‡**in·dis·pen·sa·ble** [ìndispénsəbl] *a.* **1** 없어서는 안 되는, 필요 불가결한; 긴요한 《*to, for*》(⇨ necessary 유의어): things ~ *to* life 생필품 / Computers have become an ~ part of our lives. 컴퓨터는 우리 생활에 없어서는 안 될 부분이 되었다. **2** 〈의무·규칙 등이〉 피할 수 없는, 게을리 할 수 없는: an ~ obligation[duty] 피할 수 없는 의무
— *n.* 필요 불가결한 사람[것]
~·ness *n.* **-bly** *ad.*
in·dis·pose [ìndispóuz] *vt.* 《문어》 **1** (가벼운) 병이 나게 하다, 기분을 나쁘게 하다(⇨ indisposed 1) **2** 부적당[불가능]하게 하다 《*for, to* do》 **3** …할 마음을 없애다, 싫증나게 하다 《*to* do, *for, toward, from*》 (⇨ indisposed 2)
in·dis·posed [ìndispóuzd] *a.* Ⓟ **1** 기분이 언짢은, 몸이 좀 아픈 《*with*》: be ~ *with* a cold 감기로 몸이 좀 아프다 **2** 마음이 내키지 않는 《*for, to, toward*》
in·dis·po·si·tion [ìndispəzíʃən] *n.* ⓊⒸ **1** 기분이 언짢음, 가벼운 병 《두통·감기 등》 **2** 마음이 내키지 않음, 싫증(disinclination) 《*to, toward*》: (~+*to* do) I felt a certain ~ *to* go there. 나는 어쩐지 그곳에 가고 싶지 않았다. **3** 부적당, 알맞지 않음
in·dis·put·a·bil·i·ty [ìndispjù:təbíləti, indìspjut-] *n.* Ⓤ 명백함
in·dis·put·a·ble [ìndispjú:təbl, indíspjut-] *a.* 논란의 여지가 없는(unquestionable); 명백[확실]한 (certain): ~ evidence 명백한 증거 **-bly** *ad.*
in·dis·sol·u·bil·i·ty [ìndisɑ̀ljubíləti | -sɔ̀l-] *n.* Ⓤ 비분해[비용해]성; 영구[불변]성
in·dis·sol·u·ble [ìndisɑ́ljubl | -sɔ́l-] *a.* **1** 분해[분리, 용해]될 수 없는 **2** 확고한, 굳은, 영속적인, 불변의: the couple bound by ~ vows 굳은 서약으로 맺어진 한 쌍 **-bly** *ad.*
in·dis·tinct [ìndistíŋkt] *a.* 〈형상·기억 등이〉 뚜렷하지 않은, 희미한, 흐릿한: ~ memories 희미한 기억 / an ~ light in the distance 먼 곳의 흐릿한 불빛
~·ly *ad.* **~·ness** *n.*
in·dis·tinc·tion [ìndistíŋkʃən] *n.* 구별되지 않음, 차이가[특색이] 없음
in·dis·tinc·tive [ìndistíŋktiv] *a.* 두드러지지 않은, 흐릿한, 특색이 없는; 구별할 수 없는, 차별이 없는
~·ly *ad.* **~·ness** *n.*
in·dis·tin·guish·a·ble [ìndistíŋgwiʃəbl] *a.* 구별[분간]할 수 없는 **~·ness** *n.* **-bly** *ad.*
in·dis·trib·ut·a·ble [ìndistríbjutəbl] *a.* 분배할 수 없는
in·dite [indáit] *vt.* **1** 〈시·글 등을〉 짓다, 쓰다(compose); 《고어》 시적[문학적]으로 묘사하다 **2** 《폐어》 받아쓰게 하다 **~·ment** *n.* **in·dít·er** *n.*
in·di·um [índiəm] *n.* Ⓤ 〚화학〛 인듐 《희금속 원소; 주로 합금용; 기호 In, 번호 49》
índium án·ti·mo·nide [-ǽntimənaid] 〚화학〛 안티몬화(化) 인듐 《화합물 반도체》
indiv., individ. individual
in·di·vert·i·ble [ìndivə́:rtəbl, -dai-] *a.* (방향·주의·목적 등을) 딴 데로 돌릴[전환할] 수 없는 **-bly** *ad.*
‡**in·di·vid·u·al** [ìndəvídʒuəl] [L 「가를(divide) 수 없는」의 뜻에서] *n.* **1** (집단의 일원으로서의) 개인: a private ~ 한 개인(cf. SOCIETY, FAMILY) / the rights of the[an] ~ 개인의 권리 **2** [수식어와 함께] 《구어》 사람: an amusing ~ 재미있는 사람 **3** 〚철학〛 개체; (사물의) 한 단위; 〚생물〛 개체(cf. COLONY 6)
— *a.* **1** Ⓐ 개개의, 개별의, 일개의, 단일의; 〚철학〛 개체의: each ~ person 각 개인 / in the ~ case 개개의 경우에 있어서 **2** Ⓐ 개인의, 개인적인, 개인용의: an ~ locker 개인 보관함 / ~ difference 개인차 **3** 독특한, 특유의, 개성을 발휘한: an ~ style 독특한 문체 **4** 〈디자인 등이〉 각각 다른: a set of ~ coffee cups 각각 다른 커피잔 한 세트
▷ individuálity *n.*; indivídualize *v.*
***in·di·vid·u·al·ism** [ìndəvídʒuəlìzm] *n.* Ⓤ **1** 개인주의(cf. TOTALITARIANISM) **2** 이기주의(egoism) **3** 개성, 독자성(individuality)
in·di·vid·u·al·ist [ìndəvídʒuəlist] *n.* **1** 개인주의자 **2** 이기주의자(egoist) — *a.* 개인[이기]주의의
ìn·di·vìd·u·al·ís·tic *a.* 개인[이기]주의적인
***in·di·vid·u·al·i·ty** [ìndəvìdʒuǽləti] *n.* (*pl.* **-ties**) **1 a** Ⓤ 개성, (개인·개체물의) 특성, 인격(⇨ character 유의어) **b** 개인, 개체, 단일체 **2** [*pl.*] 개인적인 특성[특질] **3** 개성적인 것[사람] **4** (공공의 이익에 대해) 개인의 이익, 사익(私益) **5** 《고어》 불가분성(不可分性)
▷ indivídual *a.*
in·di·vid·u·al·i·za·tion [ìndəvìdʒuəlizéiʃən | -lai-] *n.* Ⓤ 개별[개성]화; 차별, 구별; 특기(特記)
in·di·vid·u·al·ize [ìndəvídʒuəlàiz] *vt.* **1** 개성[특성]을 발휘시키다[부여하다] **2** 개별적으로 취급하다; 특기(特記)하다 **3** 개인의 기호[개개의 사정]에 맞추다
in·di·vid·u·al·ized [ìndəvídʒuəlàizd] *a.* (특정한 개인이나 사물에 맞추어) 개별화된, 개별적인: ~ teaching 개별적 교수법
***in·di·vid·u·al·ly** [ìndəvídʒuəli] *ad.* **1** 개인으로, 개인적으로; 개별적으로, 하나하나, 낱낱이: need to be considered ~ 개별적으로 고려되어야 할 필요가

thesaurus **indiscreet** *a.* careless, incautious, unwary, hasty, rash, reckless, indecent, shameless, impudent, impolite, unguarded
indispensable *a.* essential, vital, imperative, crucial, key, necessary, required, important

있다 **2** 개성[독자성]을 발휘하여
indivídual médley (수영의) 개인 혼영 《略 IM》
indivídual psychólogy 개인 심리학
indivídual retírement accòunt 《미》 개인 퇴직금 적립 계정 《略 IRA》
in·di·vid·u·ate [ìndəvídʒuèit] *vt.* 낱낱으로 구별을 짓다, 개별[개체]화하다; 개성을 부여하다 **—** *vi.* **1** 구별하다: 《~+전+명》 ~ *among* one's students 각각의 학생의 특징을 파악하다 **2** 개성적으로 되다
in·di·vid·u·a·tion [ìndəvìdʒuéiʃən] *n.* **1** Ⓤ 개별[개체]화; 개성 형성 **2** 개별적 존재; 개성
in·di·vis·i·bil·i·ty [ìndəvìzəbíləti] *n.* Ⓤ 분할할 수 없음; 〖수학〗 나눌 수 없음
in·di·vis·i·ble [ìndəvízəbl] *a.* **1** 분할할 수 없는, 불가분(不可分)의 **2** 〖수학〗 나눌 수 없는
— *n.* 분할할 수 없는 것; 극미(極微) 분자, 극소량
~·ness *n.* **-bly** *ad.*
Indo- [índou, -də] 《연결형》 「인도(사람)의(Indian)」의 뜻
In·do-Ar·y·an [índouέəriən] *n., a.* 인도아리아 사람(의); Ⓤ 인도아리아 말(의)(cf. INDIC) ★ 언어는 인도 유럽 어족에 속하고 형질적 특징은 백색 인종.
In·do-Ca·na·di·an [ìndoukənéidiən, -də-] *n.* Ⓒ 《캐나다》 인도계 캐나다 사람
In·do·chi·na [índoutʃáinə] *n.* 인도차이나 반도 ★ 넓은 뜻으로 Vietnam, Cambodia, Laos, Myanmar 《Burma》, Thailand, Malay를 포함하는 경우와, 옛 프랑스령 인도차이나를 가리키는 경우가 있음.
In·do·chi·nese [índoutʃainí:z] *a.* 인도차이나의
— *n.* (*pl.* ~) 인도차이나 사람; 인도차이나 말 《語》
in·doc·ile [indásəl | -dóusail] *a.* 교육하기 힘든, 순종하지 않는, 말을 잘 듣지 않는
in·do·cil·i·ty [ìndasíləti | -dou-] *n.* Ⓤ 가르치기 힘듦, 순종하지 않음
in·doc·tri·nate [indáktrənèit | -dɔ́k-] *vt.* (교의(教義)·사상 등을) 주입하다(imbue), 가르치다 《*in, with*》: 《~+목+전+명》 ~ a person *in* dogmas [*with* an idea] …에게 교의를 가르치다[사상을 심어주다] **-nà·tor** *n.*
in·doc·tri·na·tion [indàktrənéiʃən | -dɔ̀k-] *n.* Ⓤ (교의 등의) 주입, 가르침, 교화; 세뇌(brainwashing)
In·do-Eu·ro·pe·an [índoujùərəpí:ən] *n.* Ⓤ, *a.* 인도유럽[인도게르만] 어족(의), 인구 어족(印歐語族)(의) 《인도·서남아시아·유럽 각국에 분포하는 언어의 대부분을 포함하는 대어족; 영어도 그 중의 하나》
In·do-Ger·man·ic [índoudʒə:rmǽnik] *n., a.* = INDO-EUROPEAN ★ 언어학 용어로서는 쓰지 않음.
In·do-Hit·tite [índouhítait] *n., a.* 인도히타이트 어족(의)
In·do-I·ra·ni·an [índouiréiniən] *n.* Ⓤ, *a.* 인도이란 어(의)
in·dole [índoul] *n.* Ⓤ 〖화학〗 인돌 《저온에서 녹는 무색 결정의 화합물; 향료·시약용》
in·dole·a·cé·tic ácid [indouləsí:tik-, -sét-] 〖생화학〗 인돌아세트산 《식물의 생장 호르몬; 略 IAA》
in·do·lence [índələns] *n.* Ⓤ **1** 게으름, 나태 **2** 〖병리〗 무통(성)(無痛(性)); (병의) 치유가 늦음
*****in·do·lent** [índələnt] *a.* **1** 게으른, 나태한, 빈둥빈둥하는(lazy); 무활동의(inactive) **2** 〖병리〗 무통(성)의; 〈병이〉 진행[치유]이 더딘
— *n.* 게으른 사람
~·ly *ad.* ▷ índolence *n.*
In·dol·o·gy [indálədʒi | -dɔ́l-] *n.* 인도학, 인도 연구 **-gist** *n.*
in·do·meth·a·cin [ìndouméθəsin] *n.* 〖약학〗 인도메타신 《관절염·신경통 치료제》
*****in·dom·i·ta·ble** [indámətəbl | -dɔ́m-] *a.* 굴복하지 않는, 불굴의; 지지 않으려는: an ~ warrior 불굴의 용사 **in·dòm·i·ta·bíl·i·ty** *n.* **~·ness** *n.* **-bly** *ad.*
*****In·do·ne·sia** [ìndəní:ʒə, -ʃə, -dou- | -ziə] *n.* 인도네시아 (공화국) 《동남아시아의 말레이 제도로 이루어진 공화국; 수도 Jakarta》
▷ Indonésian *a., n.*
In·do·ne·sian [ìndəní:ʒən, -ʃən, -dou- | -ziən] *a.* 인도네시아 (공화국)의, 인도네시아 사람[말]의
— *n.* 인도네시아 사람; Ⓤ 인도네시아 말
*****in·door** [índɔ̀:r] *a.* **1** 실내[옥내]의(opp. *outdoor*): ~ games 옥내[실내] 경기 **2** 〖영국사〗 구빈원(workhouse) 내의: ~ relief 원내(院內) 구조 《구빈원에 수용하여 구조했음》 ▷ indóors *ad.*
índoor báseball 《미》 실내 야구
índoor míle 옥내 1마일 레이스
in·door-out·door [-áutdɔ̀:r] *a.* 실내외 겸용의
‡**in·doors** [indɔ́:rz] *ad.* 옥내[실내]에(서) ***stay*** [***keep***] **~** 외출하지 않다 ***her*** **~** 《영·속어》 마누라
índoor sóccer 실내 축구
In·do-Pa·cif·ic [índoupəsífik] *a.* 인도양·서태평양 해역의 **—** *n.* 인도·태평양 어족 《태평양 지역의 비(非) 오스트로네시아 어(語) 일체를 포괄하는 대어족》
in·dorse [indɔ́:rs] *vt.* = ENDORSE
In·dra [índrə] *n.* 〖힌두교〗 인드라, 인타라(因陀羅) 《우레와 비를 주관하는 Veda의 주신(主神); 불교의 제석천에 해당》
in·draft [índræ̀ft, -drɑ̀:ft | -drɑ̀:ft] *n.* 끌어[빨아]들임; (공기·물의) 유입(流入): ~ of air[wind, water] 공기[바람, 물]의 유입
in·drawn [índrɔ̀:n] *a.* **1** 내성적인(introspective) **2** 숨을 들이마신: an ~ breath 흡기
in·dri [índri] *n.* 인드리 《Madagascar산(産)의 여우원숭이》
in·du·bi·ta·ble [indjú:bətəbl | -djú:-] *a.* 의심할 나위 없는, 확실[명백]한 **~·ness** *n.*
in·du·bi·ta·bly [indjú:bətəbli | -djú:-] *ad.* 《문어》 의심의 여지 없이, 확실히: He is, ~, the best player in our team. 그는 의심의 여지 없이 우리 팀 최고의 선수이다.
induc. induction
‡**in·duce** [indjú:s | -djú:s] [L 「이끌어들이다」의 뜻에서] *vt.* **1** 권유하다; 설득하여[권하여] …시키다(persuade): 《~+목+***to*** do》 Nothing shall ~ me *to* go. 어떠한 권유가 있더라도 나는 가지 않는다. // 《~+목+전+명》 ~ a person *to* an action …에게 어떤 행동을 하게 하다 **2** [종종 수동형으로] 야기하다, 일으키다, 유발(誘發)하다: This medicine ~*s* sleep. 이 약은 졸리게 한다. / an illness ~*d by* overwork 과로에 의한 병 **3** 〖논리〗 귀납하다(opp. *deduce*) **4** 〖유전〗 〈유전자를〉 유도하다; 〖생화학〗 〈단백질·효소를〉 유도하다 **5** 〈진통·분만을〉 인공적으로 일으키다; 《구어》 〈아기를〉 인공적으로 출산시키다: ~*d* labor 유도 분만 **6** 〖물리〗 〈전기·자기·방사능을〉 유도하다: an ~*d* current 유도 전류 / ~*d* charge 유도 전하
▷ indúcement, indúction *n.*; indúctive *a.*
indúced drág [indjú:st- | -djú:st-] 〖항공〗 유도 항력(抗力)
indúced radioactívity 〖물리〗 = ARTIFICIAL RADIOACTIVITY
indúced topólogy = RELATIVE TOPOLOGY
*****in·duce·ment** [indjú:smənt | -djú:s-] *n.* **1** Ⓤ 권유, 유도(誘導), 유인(誘引) **2** 유인(誘因); 유인[유도]하는 것; 자극; 동기 《*to*》(⇨ motive 유의어): an ~ *to* an action 어떤 행동을 유발하는 것[동기] // 《~+***to*** do》 She had no ~ *to* regenerate herself. 그녀에게는 갱생의 의욕을 자극하는 것이 아무것도 없었다. **3** 〖법〗 (소송에서의) 예비 진술 ***on any*** **~** 어떤 권유가 있어도
in·duc·er [indjú:sər | -djú:-] *n.* induce하는 사람

---

individual *a.* single, separate, sole, distinct, particular, specific, peculiar, characteristic, distinctive, personal, private, special
inducement *n.* incentive, attraction, encouragement, temptation, bait, lure

[것]; 〖생화학·유전〗 유도 인자[물질] 《세포 내에 유전 인자를 활동하게 하는 물질》

in·duc·i·ble [indjú:səbl | -djú:s-] *a.* **1** 유치[유인, 유도]할 수 있는; 귀납할 수 있는 **2** 〖생화학〗 〈효소가〉 유도성의; 〖생물〗 유발성의

in·duct [indʌ́kt] *vt.* **1** 인도(引導)하다, (자리에) 안내하다(lead) **2** 〈비결 등을〉 가르치다 《*to, into*》: (~+목+전+명) ~ students *into* the use of a foreign language 학생들이 외국어를 쓰도록 유도하다 **3** (문어) (의식을 거쳐 직무·성직·지위 등에) 취임시키다, 임명하다 《*into, in, as*》; 정식 입회시키다: (~+목+전+명) be *~ed into* the office of mayor 시장직에 취임하다 // (~+목+***as*** 보) He was *~ed as* chairman. 그는 의장에 취임했다. **4** (미) 병역에 복무시키다(draft) 《*into*》 **5** 〖전기〗 =INDUCE 6

in·duct·ance [indʌ́ktəns] *n.* UC 〖전기〗 인덕턴스, 유도 계수

in·duc·tee [ìndʌktí:] *n.* (미) 징집병, 응모병

in·duc·tile [indʌ́ktəl | -tail] *a.* 잡아 늘일 수 없는, 유연성이 없는 **ìn·duc·tíl·i·ty** *n.*

***in·duc·tion** [indʌ́kʃən] *n.* **1** 유도, 유발, 도입 **2** U 〖전기〗 유도, 감응 **3** UC 〖논리〗 귀납(법)(opp. *deduction*); 〖수학〗 귀납법 **4** 안내; (비결 따위의) 전수; =INDUCTION COURSE **5** (성직·공직 등의) 취임(식) **6** (미) 징병, 모병 **7** (진통·분만의) 인공적 유발 **8** 〖생화학〗 (효소) 유도 **9** (고어) 전제, 머리말; (초기 연극의) 서막 ▷ indúce, indúct *v.*; indúctive *a.*

indúction accèlerator =BETATRON

indúction còil 〖전기〗 유도[감응] 코일

indúction còurse (신입 사원 등의) 연수

indúction fùrnace 〖야금〗 유도로(爐)

indúction hàrdening 〖야금〗 고주파 경화(硬化) 담금질

indúction hèating 유도 가열 《전자기 유도로 전류를 도입하여 가열함》

indúction lòop 유도 고리 《극장 등에서 쓰이는 청취 보조 장치》

indúction mòtor 유도 전동기

in·duc·tive [indʌ́ktiv] *a.* **1** 〖논리〗 귀납의, 귀납적인(opp. *deductive*): ~ reasoning 귀납적 추리 / an ~ method 귀납적 방법 **2** 〖전기〗 유도의, 감응의 **3** 〖생물〗 (조직에) 반응을 유발하는

~·ly *ad.* **ìn·duc·tív·i·ty** *n.*

indúctive cóupling 〖전기〗 유도 결합

in·duc·tom·e·ter [ìndʌktɑ́mətər | -tɔ́m-] *n.* 〖전기〗 인덕턴스계(計) 《가변 유도기》

in·duc·tor [indʌ́ktər] *n.* **1** 직(職)을 수여하는 사람; 성직 수여자 **2** 〖전기〗 유도자(子); 〖화학〗 감응 물질, 유도질(質)

in·duc·to·ther·my [indʌ́ktəθə̀:rmi] *n.* 〖의학〗 전자 감응 발열 요법

in·due [indjú: | -djú:] *vt.* =ENDUE

‡**in·dulge** [indʌ́ldʒ] [L 「…에게 친절하다」의 뜻에서] *vt.* **1** [~ one*self* 로] (욕망·환락 등에) **빠지다, 탐닉하다** 《*in*》: (~+목+전+명) He *~d himself in* gambling. = He was *~d in* gambling. 그는 노름에 빠졌다. **2** 〈아이를〉 **버릇없이 기르다**(spoil), 마음대로 하게 하다: (~+목+전+명) You ~ your children *with* too much pleasure. 당신은 지나치게 아이들의 응석을 받아 줍니다. **3** 〈욕망 등을〉 **만족시키다**, 기쁘게[즐겁게] 하다: ~ one's hobby 도락에 빠지다 // (~+목+전+명) ~ the company *with* a song 노래를 불러 일행을 즐겁게 하다 **4** 〖상업〗 지불 유예를 주다 **5** (고어) 〖가톨릭〗 대사(大赦)를 베풀다

—*vi.* **1** (욕망·환락에) **빠지다, 탐닉하다**, 마음대로 하다 《*in*》: (~+전+명) ~ *in* pleasures 쾌락에 빠지다 **2** (구어) 술을 마음껏 마시다 **3** (…에) 종사하다 《*in*》

in·dúlg·er *n.* **in·dúlg·ing·ly** *ad.*

▷ indúlgent *a.*; indúlgence *n.*

in·dul·gence** [indʌ́ldʒəns] *n.* U **1** 마음대로 하게 함, 너그럽게 봐줌, 응석을 받음, 관대 **2** 방자, 방종, 탐닉, 빠짐(self-indulgence); C 도락 **3** 〖상업〗 지불 유예 **4** 〖가톨릭〗 대사, 은사; C 면죄부 **5** 〖영국사〗 신앙의 자유 ***the Declaration of I~ 신앙 자유의 선언 《1672년, 1678년에 선언됨》

—*vt.* 〖가톨릭〗 면죄부를 주다

▷ indúlge *v.*; indúlgent *a.*

in·dul·gen·cy [indʌ́ldʒənsi] *n.* (*pl.* **-cies**) = INDULGENCE

in·dul·gent** [indʌ́ldʒənt] *a.* 멋대로 하게 하는, 관대한, 엄하지 않은, 순한 《*to, toward, with, of*》: ~ parents 응석을 받아 주는 부모 / be ~ *to*[*toward*] a person …에게 관대하나 // (~+of*** | 명) be *of* a person's mistake …의 잘못을 너그러이 봐주다

~·ly *ad.* ▷ indúlge *v.*; indúlgence *n.*

in·dult [indʌ́lt] *n.* 〖가톨릭〗 (교황이 법률상의 의무를 면제하는) 은전, 특권, 특허

In·du·na [indú:nə] *n.* **1** (남아공) (Zulu 족의) 추장, 족장 **2** (공장·농원·광산 등의) 감독관

in·du·rate [índjurèit | -djuər-] *vt.* **1** 단단하게 하다, 경화(硬化)하다 **2** 〈사람·마음을〉 무감각하게 하다 **3** (고통 등에) 익숙하게 하다 《*to*》 **—*vi.*** **1** 단단해지다, 경화하다; 무감각하게 되다 **2** 익숙해지다

— [-rət] *a.* 경화된; 무감각한

in·du·ra·tion [ìndjuréiʃən | -dju-] *n.* **1** U 단단하게 됨, 경화; 냉혹; 완고 **2** 〖병리〗 경결(硬結) 《염증이나 종양의 침윤 등으로 국소가 경화하는 것》

in·du·ra·tive [índjurèitiv] *a.* 굳어지는, 경화성의; 완고한

In·dus[1] [índəs] *n.* [the ~] 인더스 강 《인도 북서부의 강; 길이 약 2,900 km》

Indus[2] *n.* 〖천문〗 인디언자리

indus. industrial; industry

in·du·si·um [indjú:ziəm, -ʒi- | -djú:zi-] *n.* (*pl.* **-si·a** [-ziə, -ʒiə | -ziə]) 〖식물〗 포막(包膜), 포피; 〖해부·동물〗 포막, 포피층

‡**in·dus·tri·al** [indʌ́striəl] *a.* **1** 산업(상)의, 공업(상)의: an ~ exhibition 산업 박람회 / ~ knowhow 산업 기술 / ~ waste 산업 폐기물 **2** 산업[공업]이 고도로 발달한: an ~ nation[country] 공업국 **3** 산업[공업]에 종사하고 있는; 산업[공업] 노동자의: ~ training 직업 훈련 / ~ workers 산업 근로자 / ~ welfare 산업 복지 / ~ disputes 노동 쟁의 **4** 공업[산업]용의: ~ diamonds 공업용 다이아몬드

—*n.* **1** 산업 근로자, 《특히》 직공 **2** 생산 회사, 생산업자 **3** 공업[산업] 제품 **4** [*pl.*] 공업주(株), 산업주

~·ly *ad.* ▷ índustry *n.*; indústrialize *v.*

indústrial áccident 산업 재해, 산재(産災)

indústrial áction (영) (노동자측의) 쟁의 행위 《(미) job action》

indústrial álcohol 공업용 알코올

indústrial archaeólogy 산업 고고학 《산업 혁명 초기의 공장·기계·제품을 연구》

indústrial árts [단수 취급] (미) (중고등학교·실업학교에서 하는) 공예 기술

indústrial bánk (미) 노동자의 저축·융자를 취급하는 금융 기관; (영) 소매상의 할부 판매에 대한 융자를 취급하는 금융 기관

indústrial cómplex 공업 단지, 콤비나트

indústrial cóuncil (영) 산업별 노사 협의회 (Whitley Council)

Indústrial Cóurt (영) 노동 재판소

indústrial demócracy 산업 민주주의 《노사가 협동하여 사원(社員) 복지의 방침을 정하는 것》

indústrial desígn 공업[산업] 디자인

indústrial desígner 공업[산업] 디자이너

indústrial dischárge 산업 폐기물

indústrial diséase 직업병

thesaurus **indulgent** *a.* tolerant, kind, understanding, liberal, merciful, easygoing, pampering, spoiling, lenient, fond

indústrial éffluent 공업 폐수
indústrial engineéring 생산 관리[경영, 산업] 공학 《略 IE》 **indústrial engineér**
indústrial éspionage 산업 스파이 (행위)
indústrial estáte 《영》 = INDUSTRIAL PARK
indústrial góods 산업용 제품 생산재
in·dus·tri·al·ism [indʌ́striəlìzm] *n.* Ⓤ 산업[공업]주의
in·dus·tri·al·ist [indʌ́striəlist] *n.* (특히, 생산 관계의) (대)기업[실업]가, 제조[생산]업자
in·dus·tri·al·i·za·tion [indʌ̀striəlizéiʃən] *n.* Ⓤ 산업[공업]화
in·dus·tri·al·ize [indʌ́striəlàiz] *vt., vi.* 산업[공업]화하다[되다]: a highly ~*d* country 고도로 산업화된 국가 ▷ indústrial *a.*
indústrial lífe insùrance 노동자 생명 보험
indústrial máintenance 실업자 구제 제도
indústrial márket 산업 용품 시장, 생산재 시장
indústrial médicine 산업 의료
indústrial mélanism 〖생태〗 공업 흑화(黑化)[암화(暗化)] 《오염 물질이 원인이 되어 나방 등에 나타나는 흑색 변이의 증가》
indústrial microbiólogy 〖생물〗 응용 미생물학
indústrial músic 전자 악기의 기계적 음을 강조한 록 음악
indústrial párk 《주로 미·캐나다》 공업 단지
indústrial pólicy 산업 정책
indústrial pollútion 산업 공해
indústrial psychólogy 산업 심리학
indústrial relátions 노사(勞使) 관계; 노무 관리
in·dús·tri·al-rév·e·nue bònd [-révənjù:-| -njù:-] 〖증권〗 산업 세입채(歲入債) 《산업 설비의 임대료 수입을 이자 지급 재원으로 하는 채권》
indústrial revolútion [보통 **I- R-**; the ~] 산업 혁명 《1760년경 영국에서 시작됨》
indústrial róbot 산업용 로봇
indústrial schòol 실업학교; 《미》 (비행 소년의 갱생을 위한) 직업 훈련 학교(cf. APPROVED SCHOOL)
indústrial shów (연예인에 의한) 상품 광고 쇼
indústrial sociólogy 산업 사회학
indústrial spý 산업 스파이
indústrial stóre = COMPANY STORE
in·dus·tri·al-strength [-stréŋkθ] *a.* 매우 강한, 효과가 강력한, 고성능의: ~ soap 강력한 효과의 비누
indústrial tribúnal 《영》 노동 심판소
indústrial únion 산업별 노동조합(cf. CRAFT UNION)
indústrial únionism 산업별 노동조합주의
***in·dus·tri·ous** [indʌ́striəs] *a.* **1** 근면한, 부지런한, 열심히 일하는(⇨ diligent 유의어) **2** 《폐어》 숙련된 **~·ly** *ad.* 부지런히, 열심히, 꾸준히 **~·ness** *n.*
‡in·dus·try [índəstri] *n.* (*pl.* **-tries**)

「근면」 **3** →(근면하고) 조직적인 노동, 특히 물건을 만들어 내는 일→「산업」 **1**

1 Ⓤ 산업, 공업; 제조업, 생산업; 사업, 기업; Ⓒ …업: the chemical ~ 화학 공업/a growth ~ 성장 산업/the shipbuilding ~ 조선업/the broadcasting ~ 방송 사업/the ~ for domestic demand 내수 산업/the tourist ~ 관광 산업/key *industries* 기간 산업/~-academic cooperation 산학 협동 ★1의 형용사는 INDUSTRIAL. **2** Ⓤ [집합적] **산업계**; 경영자측(management): friction between labor and ~ 노사간의 알력/both sides of ~ 노사 쌍방, 경영자측과 조합측 **3** Ⓤ **근면**, 열심, 노력(diligence): Poverty is a stranger to ~. 《속담》 부지런하면 가난이 있을 수 없다. ★ 3의 형용사는 INDUSTRIOUS. **4** 《구어》 (특정 작가·제목 등에 관한) 연구, 논술, 저술: the Shakespeare ~ 셰익스피어 연구 **5** (조직화된) 노동, 근로 **6** 〖고고학〗 선사 시대의 단일 집단의 것으로 인정된 유물군(群)의 전체
▷ indústrial, indústrious *a.*; indústrialize *v.*

industrious *a.* hardworking, diligent, steady, laborious, busy, energetic, vigorous
inedible *a.* unedible, uneatable, not fit to eat

in·dus·try·wide [índəstriwàid] *a., ad.* 산업(계) 전체의[에서]
Índus válley civilizàtion [the ~] 인더스 문명 《기원전 1500년에서 2500년경 인더스 강 유역에 번성한 고대 문명》
in·dwell [indwél] *vt., vi.* (**-dwelt** [-dwélt]) **1** (…의) 안에 살다(dwell in) **2** 〈정신·영혼 등이〉 (…에) 내재(內在)하다, 깃들다 《*in*》
~·er *n.* **~·ing** *a.* 내재하는
índwelling cátheter 〖의학〗 유치(留置) 도뇨관 《방광 내에 설치함》
in·dy [índi] *n.* = INDIE
In·dy [índi] *n.* 《구어》 **1** = INDIANAPOLIS **2** 인디카 레이싱 《경사진 경주로에서의 자동차 경주》(= **∠** (**cár**) **ràcing**)
In·dy·car [índikɑ̀(:)r] *n.* **1** = INDY 2 **2** 인디카 레이싱에 출전하는 자동차
-ine[1] *suf.* [i:n, ain, in] **1** [형용사 어미] 「…에 속하는; …성질의」의 뜻: serpent*ine* **2** [여성 명사 어미]: hero*ine* **3** [추상 명사 어미]: discipl*ine*, doctr*ine*
-ine[2] *suf.* 〖화학〗 [염기 및 원소명 어미]: anil*ine*, caffe*ine*, chlor*ine*, iod*ine*
in·earth [inə́:rθ] *vt.* 《고어·시어》 매장하다
in·e·bri·ant [iní:briənt] *a., n.* 취하게 하는 (것)(intoxicant)
in·e·bri·ate [iní:brièit] *vt.* 취하게 하다 ***the cups that cheer but not ~*** 활기를 주되 취하게 하지 않는 음료 《커피·홍차 등》 **—** [-ət] *a.* 취한
— [-ət] *n.* 대주가, 술꾼(drunkard)
in·e·bri·at·ed [iní:brièitid] *a.* 《문어·익살》 술에 취한
in·e·bri·a·tion [inì:briéiʃən] *n.* Ⓤ 만취, 술 취하게 함, 술 취한 상태; 음주벽
in·e·bri·e·ty [ìnəbráiəti | ìni:-] *n.* Ⓤ 취함, 명정(酩酊); 술 마시는 버릇(opp. *sobriety*)
in·ed·i·ble [inédəbl] *a.* 먹을 수 없는, 식용에 적합지 않은 **in·èd·i·bíl·i·ty** *n.*
in·ed·i·ta [inédətə] *n. pl.* 미간행본, 미발표 문학 작품
in·ed·it·ed [inéditid] *a.* 미간행의; 미편집의
in·ed·u·ca·ble [inédʒukəbl] *a.* (정신 장애 등으로 인해) 교육할 수 없는, 교육 불가능한
in·ed·u·ca·tion [inèdʒukéiʃən] *n.* Ⓤ 무교육, 무학
in·ef·fa·ble [inéfəbl] *a.* **1** 말로 표현할 수 없는: ~ joy[grief] 말할 수 없는 기쁨[슬픔] **2** 〈신(神)의 이름 등이〉 입에 올리기에도 황송한
in·èf·fa·bíl·i·ty *n.* **-bly** *ad.*
in·ef·face·a·ble [ìniféisəbl] *a.* 지울 수 없는, 지워지지 않는: an ~ impression 잊을 수 없는 인상
ìn·ef·fàce·a·bíl·i·ty *n.* **-bly** *ad.*
in·ef·fec·tive [ìniféktiv] *a.* **1** 무효의, 효과가 없는, 쓸모없는(useless) **2** 무능한, 무력한: an ~ manager 무능한 관리자 **~·ly** *ad.* **~·ness** *n.*
in·ef·fec·tu·al [ìniféktʃuəl] *a.* 효과가 없는, 쓸데없는; 무익한; 〈사람이〉 무력한 **~·ly** *ad.* **~·ness** *n.*
in·ef·fec·tu·al·i·ty [ìnifèktʃuǽləti] *n.* Ⓤ 무효, 무익; 무력
in·ef·fi·ca·cious [ìnefikéiʃəs] *a.* 〈약 등이〉 효력[효험, 효능]이 없는 **~·ly** *ad.* **~·ness** *n.*
in·ef·fi·ca·cy [inéfikəsi] *n.* Ⓤ 무효과, 무효력
in·ef·fi·cien·cy [ìnifíʃənsi] *n.* (*pl.* **-cies**) **1** Ⓤ 비능률, 무능, 무효력 **2** 비능률적인 것
in·ef·fi·cient [ìnifíʃənt] *a.* 〈사람이〉 무능한; 〈사물이〉 효력[효과]이 없는, 〈기계 등이〉 비능률적인; 낭비가 많은(⇨ incapable 유의어) **—** *n.* 무능한 사람 **~·ly** *ad.*
in·e·gal·i·tar·i·an [ìnigæ̀litéəriən] *a.* 불평등주의의, 반(反)평등주의의; 불평등한, 불공평한

in·e·las·tic [ìnilǽstik] *a.* **1** 탄력[탄성]이 없는; 적응력[융통성]이 없는(rigid); 〈사람이〉 완고한 **2** 〖경제〗 비탄력적인: ~ price 비탄력적 가격

inelástic collísion 〖물리〗 비탄성(非彈性) 충돌

in·e·las·tic·i·ty [ìnilæstísəti] *n.* Ⓤ 탄력[탄성]이 없음; 부적응성, 비융통성

inelástic scáttering 〖물리〗 비탄성 산란

in·el·e·gance, -gan·cy [inéligəns(i)] *n.* (*pl.* **-ganc·es**; **-cies**) Ⓤ 우아하지 못함, 멋없음, 몰취미, 무뚝뚝함; Ⓒ 운치 없는 행위[말, 문체]

in·el·e·gant [inéligənt] *a.* 우아하지 못한, 운치 없는, 멋없는; 세련되지 못한(unrefined) **~·ly** *ad.*

in·el·i·gi·bil·i·ty [inèlidʒəbíləti] *n.* Ⓤ (선출될) 자격이 없음, 무자격; 부적격, 부적임

in·el·i·gi·ble [inélidʒəbl] *a.* (…에 선출될) 자격이 없는, 부적당한; 부적격의(unqualified) 《*for*》: ~ *for* a prize 상을 받기에 적합하지 않은
— *n.* 부적격자 **~·ness** *n.* **-bly** *ad.*

in·el·o·quent [inéləkwənt] *a.* 능변이 아닌, 눌변의 **-quence** *n.* **~·ly** *ad.*

in·e·luc·ta·bil·i·ty [ìnilʌ̀ktəbíləti] *n.* Ⓤ 피할 수 없음, 불가항력; 필연성

in·e·luc·ta·ble [ìnilʌ́ktəbl] *a.* 불가피한, 면할 수 없는: an ~ destiny 피할 수 없는 운명 **-bly** *ad.*

in·e·lud·i·ble [ìnilú:dəbl] *a.* 피할 수 없는, 불가피한(inescapable) **-bly** *ad.*

in·e·nar·ra·ble [ìninǽrəbl] *a.* 말로 나타낼 수 없는, 묘사할 수 없는

in·ept [inépt] *a.* **1** 부적당한, 부적절한; 서투른 《*at, in*》 **2** 터무니없는, 어리석은, 바보 같은
~·ly *ad.* **~·ness** *n.*

in·ept·i·tude [inéptətjù:d | -tjù:d] *n.* **1** Ⓤ 부적당, 부조리 **2** 어리석음; Ⓒ 어리석은 행위[말]

in·eq·ua·ble [inékwəbl, iní:k-] *a.* 불균등한, 고르지 못한, 불평등한

*__in·e·qual·i·ty__ [ìnikwɑ́ləti | -kwɔ́l-] *n.* (cf. UNEQUAL) **1** ⓊⒸ 같지 않음, 고르지 못함, 불평등, 불균형, 불균등; 불공평, 편파: educational ~ 교육을 받을 기회의 불균등 **2** ⓊⒸ (표면이) 거칢, 고저, 기복; 기복[요철]이 있는 것 **3** (날씨·온도 등의) 변동: the ~ of the climate 기후의 변동 **4** Ⓤ 〖천문〗 균차(均差) **5** ⓊⒸ 〖수학〗 부등(식) **6** (개인 간의) 재능의 차

in·e·qui·lat·er·al [ini:kwəlǽtərəl] *a.* 부등변의: an ~ triangle 부등변 삼각형

in·eq·ui·ta·ble [inékwətəbl] *a.* 불공평한, 불공정한(unjust): ~ taxation 불공평한 과세
~·ness *n.* **-bly** *ad.*

in·eq·ui·ty [inékwəti] *n.* (*pl.* **-ties**) **1** Ⓤ 불공정, 불공평(unfairness) **2** 불공평한 사례[조치]

in·e·rad·i·ca·ble [ìnirǽdikəbl] *a.* 근절할 수 없는, 뿌리 깊은: an ~ prejudice 뿌리 깊은 편견 **-bly** *ad.*

in·e·ras·a·ble [ìniréisəbl | -réiz-] *a.* 지울 수 없는 **~·ness** *n.* **-bly** *ad.*

in·er·ra·ble [inérəbl, inə́:r- | inér-] *a.* 틀리지 않는 **~·ness** *n.* **-bly** *ad.*

in·er·ran·cy [inérənsi] *n.* **1** 잘못[틀림]이 없음 **2** 성서 무류설(無謬說) 《성서 내용은 과학적으로도 절대로 오류가 없다고 믿는 것》

in·er·rant [inérənt, inə́:r- | inér-] *a.* 잘못[틀림]이 없는 **~·ly** *ad.*

in·er·ran·tist [inérəntist] *n.* 성서 전면 신봉자 《성서 내용은 다 옳다고 믿는 사람》

in·er·rat·ic [ìnirǽtik] *a.* 방황하지 않는; 탈선하지 않는; 부동(不動)의: an ~ star 항성

*__in·ert__ [inə́:rt] [L 「기술이 없는」의 뜻에서] *a.* **1** 자동력(自動力)이 없는, 자력으로 행동[운동, 저항]할 수 없는(⇨ inactive 유의어) **2** 〖화학〗 활성이 없는, 화학 작용을 일으키지 않는 **3** 〖약학〗 〈환약 등이〉 비활성의, 약리(藥理) 작용을 보이지 않는 **4** (습관적·생태적으로) 둔한, 완만한, 활발치 못한, 느린(inactive): He was fat and ~. 그는 뚱뚱하고 둔했다
— *n.* 불활성 기체[물질]; 둔한 사람
~·ly *ad.* **~·ness** *n.* ▷ inértia *n.*

in·ert·ance [inə́:rtns] *n.* 〖음향〗 음향 관성

inért gás 〖화학〗 불활성 기체(noble gas)

in·er·tia [inə́:rʃə] *n.* Ⓤ **1** 활발하지 못함, 굼뜸, 지둔(遲鈍) (inactivity) **2** 〖물리〗 관성, 타성, 타력: the law of ~ 관성의 법칙 / electric ~ 전기적 관성 **3** 〖의학〗 무력(증), 이완

inértia efféct 〖경제〗 관성 효과

in·er·tial [inə́:rʃəl] *a.* 활발하지 못한; 타력(惰力)의; 관성의: ~ orbit 〖우주과학〗 관성 궤도

inértial fórce 〖물리〗 관성력(慣性力)

inértial fráme 〖물리〗 = INERTIAL SYSTEM

inértial guídance 〖항공·우주과학〗 (미사일·항공기 등의) 관성 유도

inértial máss 〖물리〗 관성 질량

inértial navigátion (sýstem) 〖항공·우주과학〗 관성 항법 (시스템)

inértial plátform 〖우주과학〗 관성 유도 장치의 설치대

inértial spáce 〖우주과학〗 관성 공간

inértial sýstem 〖물리〗 관성(좌표)계, 타성계(系)

inértia réel (영) 관성 릴[틀]

in·ér·tia-reel bèlt[sèat bèlt] [-rì:l-] (자동차 등의) 자동 잠김식 좌석 벨트

inértia sélling (영) 강매 《멋대로 상품을 보내 놓고 반품하지 않으면 대금을 청구하는 방식》

inértia stárter 〖기계〗 관성 시동기

*__in·es·cap·a·ble__ [ìnəskéipəbl] *a.* 피할 수 없는, 달아날 수 없는, 면할 수 없는, 불가피한
~·ness *n.* **-bly** *ad.*

in es·se [in-ési] [L] *ad.*, *a.* 실재(實在)하여[하는], 존재하여[하는](opp. *in posse*)

in·es·sen·tial [ìnisénʃəl] *a.* 긴요[중요]하지 않은, 없어도 무방한 《*to*》 — *n.* [종종 *pl.*] 없어도 되는 것, 불필요한 것 **in·es·sèn·ti·ál·i·ty** *n.*

*__in·es·ti·ma·ble__ [inéstəməbl] *a.* **1** 측량할 수 없는, 헤아릴 수 없는: the ~ number of stars 무수한 별들 **2** 평가할 수 없는, 더할 나위 없이 귀한
in·ès·ti·ma·bíl·i·ty *n.* **~·ness** *n.* **-bly** *ad.*

in·ev·i·ta·bil·i·ty [inèvətəbíləti] *n.* Ⓤ 피할 수 없음, 불가피함, 필연성

‡**in·ev·i·ta·ble** [inévətəbl] [L] *a.* **1** 피할 수 없는, 면하기 어려운, 부득이한; (논리적으로) 필연적인, 당연한: the ~ hour 죽는 때 / an ~ conclusion 당연한 결론 **2** 〈인물 묘사·이야기 줄거리가〉 납득이 가는, 지당한 **3** [one's ~, the ~] (구어) 변함없는, 어김없는, 판에 박은, 고정적인: with *his* ~ camera[cigar] 어김없이 카메라를 가지고[담배를 입에 물고]
— *n.* [the ~] 피할 길 없는 일, 어쩔 수 없는 운명: resignation to *the* ~ 피할 수 없는 것[죽음]의 감수

inévitable áccident 불가피한 사고, 피할 수 없는 사고; 천재지변

*__in·ev·i·ta·bly__ [inévətəbli] *ad.* 불가피하게, 필연적으로, 아무래도, 부득이, 반드시; 확실히: *I* ~, the situation didn't please him. 부득이하게도 그 상황은 그의 마음에 들지 않았다.

in·ex·act [ìnigzǽkt] *a.* 엄밀하지 못한, 부정확한
~·ly *ad.* **~·ness** *n.*

in·ex·act·i·tude [ìnigzǽktətjù:d | -tjù:d] *n.* Ⓤ 부정확(inexactness); 부정확한 것

in·ex·cit·a·ble [ìniksáitəbl] *a.* 냉정한(cool), 흥분하지 않는; 자극에 반응하지 않는, 자극을 느끼지 않는

in·ex·cus·a·ble [ìnikskjú:zəbl] *a.* 변명할 도리가 없는; 용서할 수 없는 **~·ness** *n.* **-bly** *ad.*

thesaurus **inequality** *n.* disparity, imbalance, unevenness, variation, difference, contrast, discrimination, dissimilarity, prejudice, bias
inevitable *a.* unavoidable, unpreventable,

in·ex·e·cut·a·ble [inéksəkjù:təbl] *a.* 실행[수행]하기 어려운, 실행 불가능한
in·ex·e·cu·tion [inèksəkjú:ʃən] *n.* Ⓤ (명령·법률의) 불이행
in·ex·er·tion [ìnigzə́:rʃən] *n.* Ⓤ 게으름, 노력 부족; 활발하지 못함
in·ex·haust·i·bil·i·ty [ìnigzɔ̀:stəbíləti] *n.* Ⓤ 무진장; 지칠 줄 모름, 끄떡없음, 굳셈
∗**in·ex·haust·i·ble** [ìnigzɔ́:stəbl] *a.* **1 무진장한,** 다함이 없는: an ~ supply of coal 무진장한 석탄 공급 **2 지칠 줄 모르는,** 끈기 있는 **~·ness** *n.* **-bly** *ad.*
in·ex·haus·tive [ìnigzɔ́:stiv] *a.* 《고어》 =INEXHAUSTIBLE; 철저[완전]하지 않은 **~·ly** *ad.*
in·ex·ist·ent [ìnigzístənt] *a.* 존재[실재, 현존]하지 않는 **-ence, -en·cy** *n.*
in·ex·o·ra·bil·i·ty [inèksərəbíləti] *n.* Ⓤ 사정없음, 용서 없음; 무정, 냉혹
∗**in·ex·o·ra·ble** [inéksərəbl] *a.* **1 냉혹[무정]한,** 용서 없는(relentless): an ~ creditor 냉혹한 채권자 **2** 굽힐 수 없는, 움직일 수 없는, 엄연한: ~ truth 불변의 진리 **~·ness** *n.* **-bly** *ad.*
in·ex·pec·tant [ìnikspéktənt] *a.* 기대하지[예기치] 않은
in·ex·pe·di·ence, -en·cy [ìnikspí:diəns(i)] *n.* Ⓤ 불편; 부적당, 부적절
in·ex·pe·di·ent [ìnikspí:diənt] *a.* Ⓟ 부적당한, 적절하지 않은; 불편한 **~·ly** *ad.*
∗**in·ex·pen·sive** [ìnikspénsiv] *a.* **비용이 많이 들지 않는,** (별로) 비싸지 않은; (가격에 비해) 품질이 좋은 (⇨ cheap 유의어) **~·ly** *ad.* **~·ness** *n.*
∗**in·ex·pe·ri·ence** [ìnikspíəriəns] *n.* Ⓤ **무경험,** 미숙, 서투름; 세상을 모름: one's youth and ~ of the world 젊고 세상 물정에 어두움 **-enced** [-t] *a.* 경험이 없는, 서투른 《*in, at*》
in·ex·pert [inékspə:rt, ìnikspə́:rt] *a.* 미숙한, 서투른, 솜씨 없는 ―*n.* 미숙한 사람, 신참 **~·ly** *ad.* 서투르게 **~·ness** *n.*
in·ex·pi·a·ble [inékspiəbl] *a.* **1** 속죄할 길 없는, 죄 많은 **2** 《고어》 〈분노 등이〉 달랠 길 없는, 앙심을 품은 **~·ness** *n.* **-bly** *ad.*
in·ex·plain·a·ble [ìnikspléinəbl] *a.* 설명할 수 없는, 불가해한(inexplicable)
in·ex·pli·ca·bil·i·ty [inèksplikəbíləti] *n.* Ⓤ 불가해, 설명할 수 없음
∗**in·ex·pli·ca·ble** [inéksplikəbl, ìniksplík-] *a.* **설명할 수 없는,** 불가해[불가사의]한 **~·ness** *n.*
in·ex·pli·ca·bly [inéksplikəbli, ìniksplík-] *ad.* 불가해하게; [문장 전체를 수식하여] 설명할 수 없는 일이지만, 알 수 없는 일이지만
in·ex·plic·it [ìniksplísit] *a.* 〈말이〉 명료하지 않은; 알쏭달쏭한, 막연한(cf. IMPLICIT) **~·ly** *ad.*
in·ex·plo·sive [ìniksplóusiv] *a.* 비폭발성의, 폭발하지 않는; 〈기질 등이〉 과격하지 않은
in·ex·press·i·ble [ìnikspresəbl] *a.* 말로 표현할 수 없는, 이루 말할 수 없는(indescribable): a scene of ~ beauty 뭐라 말할 수 없을 만큼 아름다운 광경 ―*n.* **1** 표현하기 어려운 것 **2** [*pl.*] 《고어·익살》 바지 **in·ex·prèss·i·bíl·i·ty** *n.* **-bly** *ad.*
in·ex·pres·sive [ìnikspresiv] *a.* **1** 무표정한; 말 없는, 뚱한 **2** 《고어》 =INEXPRESSIBLE **~·ly** *ad.* **~·ness** *n.*
in·ex·pug·na·ble [ìnikspʌ́gnəbl] *a.* 《문어》 정복[격파]하기 어려운, 난공불락의; 〈주장 등이〉 논파할 수 없는; 〈증오 등이〉 씻을 수 없는 **~·ness** *n.* **-bly** *ad.*
in·ex·pung·i·ble [ìnikspʌ́ndʒəbl] *a.* 지울 수 없는, 흔적을 없앨 수 없는
in·ex·ten·si·ble [ìnikstensəbl] *a.* 넓힐 수 없는, 확장할 수 없는, 길어지지 않는
in·ex·ten·sion [ìnikstenʃən] *n.* Ⓤ 불확장
in ex·ten·so [in-iksténsou] [L] *ad.* 상세히, 생략하지 않고, 완전하게
in·ex·tin·guish·a·ble [ìnikstíŋgwiʃəbl] *a.* 소멸[말살]할 수 없는; 〈불이〉 끌 수 없는; 〈감정이〉 억제할 수 없는: ~ rage 억제할 수 없는 분노
in·ex·tir·pa·ble [ìnikstə́:rpəbl] *a.* 근절할 수 없는: an ~ disease 완치할 수 없는 병 **~·ness** *n.*
in ex·tre·mis [in-ikstrí:mis] [L] *ad.* 임종시에, 죽음에 이르러; 극단적 상황에서
in·ex·tri·ca·ble [inékstrikəbl, ìnikstrík-] *a.* **1** 탈출할 수 없는(opp. *extricable*): an ~ maze 빠져나갈 수 없는 미로 **2** 풀 수 없는, 해결할 수 없는; 뒤얽힌; 풀리지 않는 **~·ness** *n.*
in·ex·tri·ca·bly [inékstrikəbli, ìnikstríkə-] *ad.* 뗄 수 없게, 불가분하게
I·nez, I·nes [áinez, í:nez] *n.* 여자 이름 《Agnes의 애칭》
INF intermediate-range nuclear forces 중거리 핵전력 **inf.** infantry; inferior; infield; 〖문법〗 infinitive; infinity; infirmary; information; *infra* 《L =below, after》
in·fall [ínfɔ̀:l] *n.* 침입, 침략; 합류(점); 유입
in·fal·li·bi·lism [infǽləbəlìzm] *n.* Ⓤ 〖가톨릭〗 교황 무류설(無謬說)
in·fal·li·bil·i·ty [infæ̀ləbíləti] *n.* Ⓤ **1** 무과실성; 절대 확실 **2** 〖가톨릭〗 (교황·공의회의) 무류성(無謬性) ***His I~*** 로마 교황의 존칭 ***papal ~*** 교황 무류설
∗**in·fal·li·ble** [infǽləbl] *a.* **1** 〈사람·판단 등이〉 **절대 오류가 없는;** 절대 확실한: an ~ memory 확실한 기억 **2** 〈효능·수술이〉 절대 보증할 수 있는: an ~ remedy 반드시 효과가 나타나는 약, 묘약 **3** 〖가톨릭〗 (신앙·도덕적 해석에서) 오류가 없는, 무류(無謬)의 ―*n.* 절대 오류가 없는 사람, 절대 확실한 것 **~·ness** *n.* **-bly** *ad.* ▷ infallibílity *n.*
∗**in·fa·mous** [ínfəməs] *a.* **1 수치스러운,** 불명예스러운, 부끄러워할 만한: an ~ deed 파렴치한 행위 **2** 악명 높은, 악랄한, 악독한, (나쁘기로) 이름난(notorious): an ~ outlaw 악명 높은 무법자 / London's ~ smog 악명 높은 런던의 스모그 **3** 《구어》 지긋지긋한, 지독한; 〈질이〉 아주 나쁜: ~ coffee 저질 커피 **4** 〖법〗 (유죄 판결로) 공민권을 박탈당한, 파렴치한: an ~ offense[crime] 《영》 파렴치 죄; 《미》 중죄 **~·ly** *ad.* 악명 높게; 불명예스럽게도 ▷ ínfamy *n.*
∗**in·fa·my** [ínfəmi] *n.* (*pl.* **-mies**) **1** Ⓤ **불명예,** 악명, 오명; 악평: live in ~ 불명예스럽게 살다 **2** [종종 *pl.*] 추행, 비행, 파렴치 행위; 불명예스러운 행동 **3** 〖법〗 (파렴치 죄에 의한) 공민권 박탈
‡**in·fan·cy** [ínfənsi] *n.* (*pl.* **-cies**) ⓊⒸ **1 유년;** 유소(幼少); 유년 시대; [집합적] 유아(infants) **2 초기;** 요람기 **3** 〖법〗 미성년(minority) ***in** one's* [***its***] ***~*** 어린아이 때에; 초기에 ***natural ~*** 〖법〗 유년 《보통 7세 미만》 ▷ ínfant, ínfantile *a.*
‡**in·fant** [ínfənt] [L 「말을 못하는」의 뜻에서] *n.* **1** (특히 걷기 전의) **유아**(乳兒), 갓난아기(cf. TODDLER); (7세 미만의) 유아(幼兒), 소아 **2** 〖법〗 미성년자(minor) 《《미》에서는 보통 21세 미만, 《영》에서는 18세 미만》 **3** 《비유》 초보자, 풋내기; 초기 (단계) ―*a.* Ⓐ **유아의,** 소아의; 유아용의; 유치한; 초기의; 〖법〗 미성년의 **~·hòod** *n.* **~·lìke** *a.* ▷ ínfancy *n.*; ínfantile *a.*
in·fan·ta [infǽntə] [Sp., Port.] *n.* 왕녀, 공주
in·fan·te [infǽntei | -ti] [Sp., Port.] *n.* 왕자, 대군 《왕세자를 제외한》
in·fan·ti·cid·al [infæ̀ntəsáidl] *a.* 유아[영아] 살해의
in·fan·ti·cide [infǽntəsàid] *n.* **1** Ⓤ 유아[영아] 살해 《범죄》 **2** 유아[영아] 살해범
in·fan·tile [ínfəntàil, -təl | -tàil] *a.* **1** 유아(기)의,

---

inescapable, fixed, settled, irrevocable, fated, destined, certain, sure, necessary
infamous *a.* notorious, ill-famed, ignominious, dishonorable, bad, wicked, vile, shameful

소아의 **2** 어린아이 같은, 유치한(childish) **3** 《비유》 초기의, 요람기의 **4** 〖지질〗 유년기의(youthful)

ìn·fan·tíl·i·ty *n.* Ⓤ 유아성(性)

ínfantile áutism 〖심리〗 소아[유아] 자폐증

ínfantile parálysis 〖병리〗 소아마비 《지금은 poliomyelitis라고 함》

ínfantile scúrvy 〖병리〗 유아 괴혈병(Barlow's disease)

in·fan·til·ism [ínfəntəlìzm, -tail-, infǽntəl- | infǽntil-] *n.* Ⓤ **1** 〖병리〗 유치증 《성인이면서도 지능이나 정서가 어린아이 같음》 **2** 어린아이 같은 언행

in·fan·til·ize [ínfəntəlàiz, -tail-, infǽntəl-] *vt.* **1** 초기 발달 단계에 머물게 하다[로 되돌리다] **2** 어린아이 취급을 하다

in·fan·tine [ínfəntàin, -tin | -tàin] *a.* =INFANTILE

ínfant mortàlity (1세 미만의) 유아 사망률

ínfant pródigy 천재아, 신동

‡in·fan·try [ínfəntri] [It. 「젊은이」의 뜻에서] *n.* (*pl.* **-tries**) **1** Ⓤ [집합적] **보병**; 보병대: an ~ division 보병 사단 / a regiment of ~ 보병 1개 연대 **2** [the I~] 보병 연대: *the* 3rd *I*~ 보병 제3연대

in·fan·try·man [ínfəntrimən] *n.* (*pl.* **-men** [-mən, -mèn]) (개개의) 보병(foot soldier)

ínfant(s') schòol 《영》 유아 학교 《보통 5-7세의 의무 교육 학교》(cf. PRIMARY SCHOOL)

in·farct [ínfɑ:rkt, -ˊ] *n.* 〖병리〗 경색(증)(硬塞(症)), 경색부(部) **~·ed** *a.*

in·farc·tion [infɑ́:rkʃən] *n.* ⓊⒸ 〖병리〗 경색; 경색 형성: myocardial ~ 심근(心筋) 경색

in·fat·u·ate [infǽtʃuèit | -tju-, -tʃu-] *vt.* 얼빠지게 만들다, 〈사람을〉 호리다, 열중하게 하다(⇨ infatuated) — [infǽtʃuət, -tʃuèit | -tju-, -tʃu-] *a., n.* 얼빠진[열중해 있는] (사람) **-à·tor** *n.*

in·fat·u·at·ed [infǽtʃuèitid | -tju-, -tʃu-] *a.* 얼빠진, 열중[도취]한; 홀린 《*with*》: an ~ girl (어떤 사람·일에) 열중해 있는 소녀 / be ~ *with* a woman 여자에게 반해 있다 **~·ly** *ad.*

in·fat·u·a·tion [infæ̀tʃuéiʃən | -tju-] *n.* **1** Ⓤ 정신을 잃게[열중하게] 함[됨]; 홀림; 심취 《*for, with*》 **2** 열중[심취]하게 하는 것[사람]

in·fau·na [ínfɔ̀:nə] *n.* (*pl.* **~s, -nae** [-ni:]) 내생(內生)[내서] 동물 《해양·호소(湖沼)·하천 등의 수역의 바닥 흙 속에서 사는 동물의 총칭》 **-nal** *a.*

in·fea·si·bil·i·ty [infì:zəbíləti] *n.* Ⓤ 실행 불가능(성)

in·fea·si·ble [infí:zəbl] *a.* 실행 불가능한

‡in·fect [infékt] [L 「안에 넣다, 더럽히다」의 뜻에서] *vt.* **1** 〈공기·물 등에〉 병독[병균]을 퍼뜨리다; (유해물 등으로) 오염시키다 《*with*》: (~+목+전+명) water ~*ed with* cholera 콜레라균이 혼입된 물 **2** 〈사람에게〉 (병을) 전염시키다, **감염시키다** 《*with*》: an ~*ed* area 전염병 유행 지역 // (~+목+전+명) She is ~*ed with* malaria. 그녀는 말라리아에 걸려 있다. **3** 〈사람을〉 (…로) 타락시키다; (나쁜 버릇에) 물들이다, 젖게 하다 《*with*》: (~+목+전+명) ~ a person *with* a radical idea …에게 과격한 사상을 불어넣다 **4** 영향을 미치다(affect), 감화하다 **5** 〖법〗 위법성을 띠게 하다; 범죄에 관여시키다 **6** 〖컴퓨터〗 〈바이러스 등이〉 〈메모리 등에〉 침입[잠입]하다, 〈컴퓨터의〉 메모리[데이터]를 감염시키다

— *vi.* 감염[오염]되다, 병독에 감염되다

in·féc·tor, ~·er *n.*

▷ inféction *n.*; inféctious, inféctive *a.*

in·fect·ed [inféktid] *a.* **1** 감염된, 오염된 **2** 〖컴퓨터〗 (바이러스 따위에) 감염된, 메모리[데이터]가 오염된

in·fec·tee [infektí:] *n.* (질병) 감염자

‡in·fec·tion [infékʃən] *n.* ⓊⒸ **1** (병독의) **공기 전염, 병균 감염** ★ contagion은 접촉에 의한 감염. **2** (도덕적으로) 나쁜 감화[영향], 타락시킴 **3** 감염, 오염 **4** Ⓒ 전염병, 감염증: viral ~ 병원균에 의한 감염 **5** 〖법〗 위법성을 띠게 함

▷ inféctious, inféctive *a.*

‡in·fec·tious [infékʃəs] *a.* **1** **전염성의,** 전염병의; 〈공기·물·의복·벌레 등이〉 병을 옮기는, 전염력을 가진 (⇨ contagious 유의어): an ~ disease 전염병 / an ~ hospital 전염병 (전문) 병원 **2** 〈영향·감정 등이〉 옮기[전달되기] 쉬운: Laughter is ~. 웃음은 옮는다. **3** 〖법〗 위법성을 띠게 하는 **~·ly** *ad.* **~·ness** *n.* Ⓤ

inféctious bóvine rhi·no·tra·che·í·tis [-ràinoutrèikiáitis] 〖수의학〗 소의 전염성 코기관염

inféctious hepatítis 〖병리〗 전염성[유행성] 간염 (hepatitis A)

inféctious mononucleósis 〖병리〗 전염성 단핵(單核)증(症)

in·fec·tive [inféktiv] *a.* =INFECTIOUS **~·ness** *n.*

in·fèc·tív·i·ty *n.* Ⓤ 전염[감염]력[성]

in·fe·cund [infí:kənd, -fék-] *a.* 열매를 맺지 않는, 불임(不姙)의, 불모의

in·fe·cun·di·ty [ìnfikʌ́ndəti] *n.* Ⓤ 불임, 불모

in·fe·lic·i·tous [ìnfəlísətəs] *a.* **1** 불행[불운]한 **2** 〈표현·행위 등이〉 부적절한: an ~ remark 부적절한 말 **~·ly** *ad.* **~·ness** *n.*

in·fe·lic·i·ty [ìnfəlísəti] *n.* (*pl.* **-ties**) **1** Ⓤ 불행; 불운 **2** 불운한 사태, 역경, 재난 **3** (표현·행동 등의) 부적절 《*of*》 **4** 부적절한 것[표현]

in·felt [ínfèlt] *a.* 《고어》 마음으로 깊이 느낀, 마음으로부터의

‡in·fer [infə́:r] [L 「안으로 운반하여 들여오다」의 뜻에서] *v.* (**~red**; **~·ring**) *vt.* **1** **추론하다,** 추리하다, 추단[추량]하다, 추측하다 《*from*》: (~+목+전+명) ~ an unknown fact *from* a known fact 기지의 사실에서 미지의 것을 추론하다

> **유의어** **infer** 기정의 사실이나 전제에 의거하여 추측하다: From that remark, I *inferred* that they knew each other. 그 말을 듣고서 나는 그들이 서로 아는 사이라고 추측했다. **deduce** 사실·가설 등으로부터 추측하다: The method was *deduced* from earlier experiments. 그 방법은 초기의 실험에서 추론되었다. **conclude** 전제에 의거하여 결론에 이르다: I must, therefore, *conclude* that you are wrong. 그러므로 당신이 틀렸다고 결론지어야 하겠다. **gather** 「추측하다」의 뜻의 구어적인 말이다: I *gathered* that she was happy. 그녀가 행복할 거라고 생각했다.

2 결론으로서 의미하다; 암시하다: Silence often ~*s* consent. 침묵은 종종 동의의 표시이다.

— *vi* 추론[추정]하다 ▷ ínference *n.*

in·fer·a·ble [infə́:rəbl] *a.* 추단(推斷)[추론, 추리]할 수 있는 《*from*》

‡in·fer·ence [ínfərəns] *n.* **1** Ⓤ **추론,** 추리; Ⓒ **추론의 결과; 추정,** 결론: the deductive[inductive] ~ 연역[귀납] 추리 **2** Ⓤ 함축된 의미(implication)

***draw*[*make*] *an* ~** 단정을 내리다, 추단하다

▷ infér *v.*; inferéntial *a.*

ínference èngine 〖컴퓨터〗 추론 기구

in·fer·en·tial [ìnfərénʃəl] *a.* 추리[추론](상)의; 추정[추리]에 의한 **~·ly** *ad.*

inferéntial statístics 추론적 통계

‡in·fe·ri·or [infíəriər] [L 「아래의」의 뜻의 비교급에서] *a.* (opp. *superior*) **1** 〈위치가〉 **하위의;** 〈계급·신분·등급 등이〉 아래쪽의; 하등(下等)의 《*to*》: an ~ officer 하급 장교 / Captain is an ~ rank *to* major 대위는 소령보다 낮은 계급이다. **2** 〈품질이〉 **열등한,** 하급의, …보다 못한, 이류의: an ~ product 열등품 **3** 〖식물〗 〈꽃받침[자방(子房)]이〉 하위의, 밑에 붙은 **4** 〖인쇄〗 밑에 붙는 《H_2, D_n의 $_2$, n 등》 **5** 〖해부〗 아래쪽의, 하위의 **6** 〖천문〗 (지구보다) 안쪽의 《태양과 지구 사이

thesaurus **infect** *v.* contaminate, poison, ulcerate, affect, influence, defile, taint

infiltrate *v.* pervade, penetrate, insinuate

궤도를 도는》; 지평선 아래의: Mercury is an ~ planet. 수성은 (지구보다) 안쪽 궤도를 도는 행성이다.
~ to …보다 열등한; …보다 하위[하급]의: feel ~ *to* others 타인에 대해 열등감을 느끼다
—*n.* **1** [보통 one's ~] 손아랫사람, 하급자, 열등한 사람[물건], 후배, 부하 **2** 〘인쇄〙 밑에 붙는 문자[숫자, 기호](subscript) **~·ly** *ad.* ▷ inferiórity *n.*

inférior conjúnction 〘천문〙 내합(內合)

inférior cóurt 〘법〙 하급 법원

inférior fígure 〘인쇄〙 밑에 붙는 숫자 《A_2의 $_2$ 같은 작은 숫자》

inférior góods 〘경제〙 하급[열등]재 《소득이 늘면 소비량이 주는 상품》

***in·fe·ri·or·i·ty** [infìəriɔ́:rəti, -ár- | -ɔ́r-] *n.* Ⓤ (opp. *superiority*) **1** 하위, 열등, 하급, 열세: a sense of ~ 열등감 **2** 조악(粗惡) ▷ inférior *a.*

inferiórity cὸmplex **1** 〘정신의학〙 열등 콤플렉스, 열등감(opp. *superiority complex*) **2** (구어) 주눅, 왜곡된 마음, 자신감 상실, 비하

inférior plánet 〘천문〙 내행성(內行星) 《지구와 태양 사이에 있는 수성·금성》

***in·fer·nal** [infə́:rnl] [L 「아래에 누운, 지하의」의 뜻에서] *a.* **1** 지옥의(opp. *supernal*); 〘그리스신화〙 지하의, 명계(冥界)의: the ~ regions 지옥 **2** 악마 같은, 비인간적인, 극악무도한, 악독한(hellish) **3** Ⓐ (구어) 지독한, 지긋지긋한(abominable)
—*n.* **1** [보통 *pl.*] (고어) 극악무도한 인간; 짜증스러운 사람 **2** [*pl.*] (폐어) 지옥

in·fer·nal·i·ty [ìnfə:rnǽləti] *n.* Ⓤ 극악무도

in·fer·nal·ly [infə́:rnəli] *ad.* 악마처럼, 지옥같이; (구어) 지독하게

inférnal machíne (살인·파괴를 목적으로 하는) 위장 폭파 장치[기구], 시한폭탄 ★ 지금은 보통 booby trap, time bomb 등으로 말함.

in·fer·no [infə́:rnou] [infernal과 같은 어원] *n.* (*pl.* **~s**) **1** [the I~] 지옥편(篇) 《Dante의 *Divina Commedia*(신곡)의 첫째편》 **2** 지옥(hell); 지옥 같은 곳

in·fe·ro·an·te·ri·or [ìnfərouæntíəriər] *a.* 아래 전면(前面)의

in·fer·rer [infə́:rər] *n.* 추론자, 추측자

in·fer·ri·ble [infə́:rəbl] *a.* = INFERABLE

in·fer·tile [infə́:rtl | -tail] *a.* 메마른; 불모(不毛)의; 불임의, 생식[번식]력이 없는: ~ soil 불모의 토양 / an ~ egg 무정란 **~·ly** *ad.* **~·ness** *n.*

in·fer·til·i·ty [ìnfərtíləti] *n.* Ⓤ 불모; 불임

***in·fest** [inféstl] [L 「공격하다, 못살게 굴다」의 뜻에서] *vt.* **1** [종종 수동형으로] 〈쥐·해충·해적·병 등이〉 …에 횡행(橫行)하다; 만연하다, 몰려들다, 꾀다; 창궐하다: a house *~ed with* rats 쥐가 극성부리는 집 / The sea *was ~ed by*[*with*] pirates. 그 해역은 해적이 들끓고 있었다. **2** (비유) (연이어서) 집중하다: a night *~ed with* alarms 경보가 계속 울리던 밤
~·er *n.* ▷ infestátion *n.*

in·fes·tant [inféstənt] *n.* 꼬이는 것[생물], 기생충 《좀·가루좀 등》

in·fes·ta·tion [ìnfestéiʃən] *n.* Ⓤ 침략; 횡행; 만연; (기생충 등의) 체내 침입

in·feu·da·tion [ìnfju:déiʃən] *n.* 〘영국법〙 Ⓤ 봉토 수여; 봉건적 군신 관계

in·fib·u·late [infíbjulèit] *vt.* 〈음부를〉 봉쇄하다; (성교를 못하도록) 〈성기에〉 정조대를 채우다
ìn·fib·u·lá·tion *n.*

in·fi·del [ínfədl, -dèl] *n.* **1** 〘종교〙 특정 신앙(특히 그리스도교)의 불신자; 〘역사〙 이교도, 이단자 《그리스도교도와 이슬람교도가 서로를 부르던 말》 **2** 《넓은 의미로》 특정 이론·신앙 등을 믿지 않는 사람, 회의론자
—*a.* 신앙심이 없는(unbelieving); 신을 믿지 않는, 이교도의, 이단자의

in·fi·del·i·ty [ìnfədéləti] *n.* (*pl.* **-ties**) ⓊⒸ **1** 신앙이 없음, 무신앙 《그리스도교를 믿지 않음》 **2** 불신, 배신; 부정(不貞), 불의(不義), 간통; Ⓒ 배신 행위

in·field [ínfì:ld] *n.* **1** 〘야구·크리켓〙 내야(內野); [집합적] 내야수(opp. *outfield*) **2** 농가 주변[부근]의 밭; 경작지 **~·er** *n.* 내야수(opp. *outfielder*)

ínfield flý 〘야구〙 인 필드[내야] 플라이

ínfield hít 〘야구〙 내야 안타

ínfield óut 〘야구〙 내야 땅볼 아웃

in·fight·er [ínfàitər] *n.* 〘권투〙 접근전에 능한 선수

in·fight·ing [ínfàitiŋ] *n.* Ⓤ **1** 〘권투〙 접근전 **2** 내부 항쟁, 내분 **3** 난투, 난전

in·fill [ínfìl] *vt.* 〈빈 장소·틈을〉 메우다, 막다, 채우다
—*n.* = INFILLING **—*a.*** (도시 계획의) 공지 이용의

in·fill·ing [ínfiliŋ] *n.* 〘건축〙 **1** 내부 건재 《기둥·지붕 이외의 건재》; 충전재 **2** 공한지 이용, 공간 메우기; 기존 건물 사이의 공간에 건물 짓기

in·fil·trate [infíltreit, ⌐-⌐ | ⌐-⌐] *vt.* **1** 침투[침입, 침윤]시키다, 스며들게 하다 《*through, into*》 **2** 〘군사〙 잠입시키다: The troops *~d* the enemy lines. 그 부대는 적의 전선에 잠입했다. **—*vi.*** **1** 침투하다, 스며들다; 〘병리〙 (조직·세포 등에) 침윤하다 **2** 〘군사〙 잠입하다 《*into*》 **—*n.*** 스며드는[침입하는] 것; 〘병리〙 침윤물; 침윤 병소(病巢)

in·fil·tra·tion [ìnfiltréiʃən] *n.* Ⓤ 침입, 침투; 〘군사〙 잠입; 〘병리〙 침윤: ~ of the lungs 폐 침윤

infiltrátion capàcity[**ràte**] 〘지질〙 흡수(吸水) 속도, 침투능(浸透能)

infiltrátion gàllery 지하수 수집 도관(導管) 《침수성 토양에 설치》

in·fil·tra·tive [infíltrèitiv, infíltrə-] *a.* 스며드는, 침투[침윤]하는; 침윤성의

in·fil·tra·tor [infíltreitər] *n.* (비밀) 침투[잠입] 요원

in·fil·trom·e·ter [ìnfiltrámətər | -trɔ́m-] *n.* 〘농업〙 흡수(吸水) 속도계

infin. infinitive

in fi·ne [in-fí:ne, -fáinèi] *ad.* 결국(에는)(finally) 《略 in f.》

⁑in·fi·nite [ínfənət] *a.* **1** 무한한, 무궁한, 끝없는 (boundless); 〈시간·공간이〉 무량(無量)의 **2** 막대한, 매우 큰[많은]: ~ sums of money 막대한 금액 **3** 〘수학〙 무한의: an ~ quantity 무한대 **4** 〘문법〙 부정형의, 부정의 《인칭·수·시제·법 등의 한정을 받지 않는 부정사·분사·동명사의 형태를 말함》: an ~ form [verb] 부정형[부정형 동사]
—*n.* **1** 무한한 것: an ~ of possibilities 무한한 가능성 **2** 〘수학〙 무한대 **3** [the ~] 무한한 공간[시간] **4** [the I~ (Being)] 조물주, 신(God)
~·ness *n.* ▷ infinity *n.*

infinite décimal 〘수학〙 무한 소수

infinite íntegral 〘수학〙 = IMPROPER INTEGRAL

infinite lóop (속어) 〘컴퓨터〙 무한 루프 《결코 종료시킬 수 없는 처리》

in·fi·nite·ly [ínfənətli] *ad.* **1** 무한히 **2** (구어) 대단히, 몹시, 지독히; [비교급 앞에서] 훨씬: It's ~ worse than I thought. 내가 생각했던 것보다 훨씬 못하다.

infinite próduct 〘수학〙 무한곱, 무한 승적(乘積)

infinite séries 〘수학〙 무한 급수

in·fin·i·tes·i·mal [ìnfinətésəməl] *a.* **1** 미소(微小)한, 극미한; 극미량의 **2** 〘수학〙 무한소(無限小)의, 미분의 **—*n.*** **1** 극미량 **2** 〘수학〙 무한소
~·ly *ad.* **~·ness** *n.*

infinitésimal cálculus 〘수학〙 미적분학

in·fin·i·ti·val [infìnətáivəl] *a.* 〘문법〙 부정사(infinitive)의 **~·ly** *ad.*

⁑in·fin·i·tive [infínətiv] [L 「한정되지 않는」의 뜻에서] 〘문법〙 *n.* ⓊⒸ **부정사** ★ I can go., I want to go.에 있어서의 *go, to go*; to가 붙은 것을 to-infinitive(to부정사), to가 붙지 않은 것을 bare[root] infinitive(원형부정사)라 함. (⇨ 문법 해설 (12))

---

infinite *a.* unlimited, incalculable, unbounded, limitless, boundless, extensive, countless, innumerable, enormous, vast, endless

— *a.* 부정사의; 부정사를 포함하는: an ~ construction 부정사 구문 **~·ly** *ad.* ▷ infinitíval *a.*

in·fin·i·tude [infínətjù:d | -tjù:d] *n.* **1** Ⓤ 무한(無限), 무궁(無窮) **2** Ⓒ 무한한 범위; 무한한 수량[넓이] ***an ~ of*** 무수한 …

in·fin·i·ty [infínəti] *n.* (*pl.* **-ties**) ⓊⒸ **1** = INFINITUDE **2** 〖수학〗 무한대 《기호 ∞》 **3** 〖사진〗 무한거리 《기호 ∞》 **4** [형용사적] 초고감도의: an ~ microphone[transmitter, bug] 고성능 마이크[송신기, 도청기] 《스파이용》 ***to ~*** 무한히

infínity pòol 인피니티 풀 《물이 수평선으로 흘러가는 것처럼 보이는 야외 수영장》

∗**in·firm** [infə́:rm] *a.* (**~·er**; **~·est**) **1** 약한, 허약한 (weak); 가냘픈; 연약한: be ~ *with* age 노쇠하다 **2** (정신적으로) 박약한; 결단력 없는, 우유부단한: (~+***of***+명) ~ *of* purpose 의지가 약한 **3** 〈기초 등이〉 견고하지 못한 **4** 〖법〗 〈의론(議論) 등이〉 근거가 박약한; 〈재산권 등이〉 무효의 **~·ly** *ad.* **~·ness** *n.*

in·fir·ma·ry [infə́:rməri] *n.* (*pl.* **-ries**) 진료소, 병원; (학교·공장 등의) 양호실, 의무실, 치료소

in·fir·ma·to·ry [infə́:rmətɔ̀:ri | -təri] *a.* (…의) (논거 등을) 약화시키는, 무효로 하는 《*of*》

∗**in·fir·mi·ty** [infə́:rməti] *n.* (*pl.* **-ties**) **1** Ⓤ 허약, 병약; 연약 **2** 질병, 질환 **3** (도덕적·성격적) 결점, 약점

in·fix [infíks, ´-] *vt.* **1** 고정시키다, 꽂아 넣다, 끼워 넣다; 스며들게 하다, 명심시키다 **2** 〖문법〗 〈삽입사를〉 삽입하다 — [´-] *n.* 〖문법〗 삽입사 《보기: whosoever의 *so*》

infl. influence(d)

in fla·gran·te [ìn-fləgrǽnti] [L] *ad.* 《문어·익살》 현장에서 《특히 성행위 등 나쁜 짓을 하는》

in flagrante de·lic·to [-dilíktou] [L = while the crime is blazing] *ad.* 현행범으로, 범행 중에

‡**in·flame** [infléim] [L 「불(flame)을 붙이다」의 뜻에서] *vt.* **1** 불태우다 **2** 〈사람을〉 노하게 하다, 흥분시키다; 〈감정·식욕 등을〉 자극하다(⇨ inflamed 2) **3** (흥분 등으로) 〈얼굴 등을〉 새빨개지게 하다(⇨ inflamed 3): He was ~*d with* wrath. 그는 분노로 얼굴이 새빨개졌다. **4** 〖의학〗 염증을 일으키다; 〈눈을〉 충혈시키다(⇨ inflamed 1): ~ the skin locally 피부에 국부적으로 염증을 일으키다 **5** 〈하늘 등을〉 (불길·불꽃으로) 새빨갛게 하다, (불타는 것처럼) 붉게 물들이다: The setting sun ~*s* the sky. 지는 해가 하늘을 붉게 물들이고 있다.

— *vi.* **1** 불타오르다 **2** 격노[흥분]하다 **3** 빨갛게 부어오르다 **4** 〖의학〗 염증이 생기다 **in·flám·er** *n.*

in·flamed [infléimd] *a.* **1** 염증을 일으킨; 충혈된: an ~ eye 충혈된 눈 **2** Ⓟ 흥분한 **3** 얼굴이 빨개진 **in·flam·ed·ness** [infléimidnis] *n.*

in·flam·ma·bil·i·ty [inflæ̀məbíləti] *n.* Ⓤ 연소성, 인화성; 흥분성

∗**in·flam·ma·ble** [inflǽməbl] *a.* **1** 불타기 쉬운, 가연성(可燃性)의, 인화성의(opp. *nonflammable*): ~ synthetic fiber 불타기 쉬운 합성 섬유 / ~ liquid 인화성 액체 **2** 〈감정·성질이〉 격분[흥분]하기 쉬운, 일촉즉발의: an ~ disposition 격하기 쉬운 성질

— *n.* 가연물, 인화 물질 **~·ness** *n.* **-bly** *ad.*

in·flam·ma·tion [ìnfləméiʃən] *n.* **1** ⓊⒸ 〖병리〗 염증: ~ of the lungs 폐렴(pneumonia) / cause ~ in …에 염증을 일으키다 **2** Ⓤ 점화(點火), 연소 **3** Ⓤ 격노, 흥분 **4** 왕성한 상태, 고양(高揚): the ~ of nationalism 국가주의의 고양

in·flam·ma·to·ry [inflǽmətɔ̀:ri | -təri] *a.* **1** 격앙시키는, 선동적인: ~ speeches 선동적 연설 **2** 〖병리〗 염증을 일으키는, 염증성의 **in·flàm·ma·tó·ri·ly** *ad.*

inflámmatory bówel disèase 〖병리〗 염증성 장(腸)질환 《略 IBD》

in·flat·a·ble [infléitəbl] *a.* (공기 등으로) 부풀게 할 수 있는; 사용 전에 부풀려야 하는

∗**in·flate** [infléit] [L 「불어넣다」의 뜻에서] (opp. *deflate*) *vt.* **1** 〈풍선·폐 등을〉 (공기·가스 등으로) 부풀게 하다: ~ a balloon[the lungs] 기구[폐]를 부풀게 하다 **2** [종종 수동형으로] 의기양양하게 하다: *be ~d with* pride 뽐내다, 우쭐거리다 **3** 〖경제〗 〈물가를〉 올리다; 〈통화를〉 팽창시키다 **4** 〈말을〉 과장하다

— *vi.* **1** 팽창하다, 부풀다 **2** 인플레이션이 일어나다

in·flát·er, in·flá·tor *n.*

in·flat·ed [infléitid] *a.* **1** (공기·기체로) 부푼, 팽창한: an ~ tire 팽창한 타이어 **2** 〈사람이〉 우쭐해진 **3** 〈문체·말투가〉 과장된 **4** 〈물가가〉 폭등한; 〈통화가〉 크게 팽창한: ~ prices 폭등 가격 **~·ly** *ad.* **~·ness** *n.*

‡**in·fla·tion** [infléiʃən] *n.* ⓊⒸ **1** 〖경제〗 인플레이션, 통화 팽창; (물가 등의) 폭등(opp. *deflation*, cf. REFLATION): runaway[galloping] ~ 급진적 인플레 / counter ~ 인플레를 방지하다

> 유의어 **inflation** 화폐의 가치가 떨어지고 물가가 오르는 것. **deflation** 통화의 양이 축소되고 물가가 지속적으로 떨어지는 상태. **reflation** 물가 하락의 상태를 타개하고 경기를 회복시키기 위해 적절하게 물가를 상승시키는 것.

2 팽창, 부풂(리)기 **3** 자만심, 득의(得意); 과장 **4** 《구어》 물가 상승률 ▷ infláte *v.*; inflátionary *a.*

inflátion accòunting 인플레이션 회계, 화폐 가치 변동 회계

inflátion allòwance 인플레이션 수당

in·fla·tion·ar·y [infléiʃənèri | -ʃənəri] *a.* 인플레[통화 팽창]의, 인플레를 일으키는: an ~ expectation 인플레 기대

inflátionary gáp 〖경제〗 인플레이션 갭 《총수요가 총공급을 웃돌았을 때의 차》

inflátion(ary) hèdge 〖경제〗 인플레이션 헤지 《화폐 가치 하락에 따르는 손실을 막기 위해 부동산·귀금속·주식 등을 사는 일》

inflátionary spíral 〖경제〗 악성 인플레이션

inflátionary úniverse 〖천문〗 인플레이션 우주 《빅뱅 후에 급격한 팽창을 일으킨 우주》

in·flá·tion-ìn·dexed bónd [infléiʃənìndekst-] 인플레이션 지수에 따른 (이자율 적용) 국채

in·fla·tion·ism [infléiʃənìzm] *n.* Ⓤ 인플레 정책; 통화 팽창론 **-ist** *n.* 통화 팽창론자

in·fla·tion-proof [infléiʃənprù:f] *a.* 인플레 방어 수단으로서의 — *vt.* 〈투자·저축 등을〉 인플레에서 지키다 《물가 슬라이드 방식 등에 의해》

in·flect [inflékt] *vt.* **1** 〈음성을〉 조절하다, 억양을 붙이다(modulate) **2** 〖문법〗 어미를 변화시키다, 활용하다: ~ a noun 명사를 어미 변화시키다 **3** 안으로 구부리다, 굴곡시키다(bend) **4** 〖음악〗 〈음을〉 반음 높이다[낮추다] — *vi.* 〖문법〗 〈낱말이〉 활용[어미 변화]하다 **~·a·ble** *a.*

in·flect·ed [infléktid] *a.* **1** 〈어미가〉 변화된, 〈어형이〉 굴절되는 **2** 〖동물·식물〗 = INFLEXED

∗**in·flec·tion** [inflékʃən] *n.* **1** Ⓤ 억양(intonation), 음성의 조절: an ~ of irony 비꼬는 억양 / a falling[rising] ~ 하강[상승]조(調) **2** 〖문법〗 **a** Ⓤ 굴절, 어형 변화 **b** Ⓒ 변화[활용]형, 어형 변화에 쓰이는 어미 **3** ⓊⒸ 굴곡, 굽음 **~·less** *a.*

in·flec·tion·al [inflékʃənl] *a.* 굴곡의; 〖문법〗 굴절[활용, 어미 변화]의[이 있는]; 억양의: an ~ language 굴절(언)어 《라틴 어·그리스 어 등》 **~·ly** *ad.*

infléction pòint 〖수학〗 변곡점

in·flec·tive [infléktiv] *a.* **1** 굴곡하는, 〈음이〉 억양이 있는 **2** 〖문법〗 어미 변화를 하는

in·flexed [inflékst] *a.* **1** 〖생물〗 축(軸)이 아래[안]쪽으로 구부러진 **2** 굽은, 굴곡 있는

thesaurus **inflame** *v.* incite, excite, arouse, stir up, agitate, ignite, kindle, provoke, stimulate, infuriate, anger, enrage, exasperate

inflate *v.* blow up, puff up, swell, dilate, increase, extend, amplify, augment, expand

in·flex·i·bil·i·ty [inflèksəbíləti] *n.* Ⓤ 굽힐 수 없음; 불요성(不撓性); 불요불굴, 확고부동; 강직, 단호한 태도; 불가변성

in·flex·i·ble [infléksəbl] *a.* **1** 구부러지지 않는; 경직된 **2** 〈사람·생각 등이〉 완고한, 유연성이 없는; 확고한, 부동의; (유혹·협박 등에) 동요하지 않는: ~ in interpretation of rules 규칙의 해석에 유연성이 없는 **3** 변경할 수 없는, 불(가)변의: ~ rules 변경할 수 없는 규칙 **~·ness** *n.* **-bly** *ad.*

in·flex·ion [inflékʃən] *n.* 《영》 =INFLECTION

⁑**in·flict** [inflíkt] *vt.* **1** 〈벌 등을〉 **주다, 과하다** 《*on*》: (~+목+전+명) ~ punishment[loss] *on* a person …을 벌하다[…에게 손해를 주다] **2** 〈싫은 것을〉 짊어지게 하다, 과하다; 괴롭히다: (~+목+전+명) ~ one's views *on*[*upon*] others 자기 의견을 남에게 강요하다 **3** 〈구타·상처 등을〉 가하다[입히다] 《*on, upon*》: (~+목+전+명) ~ a blow *on*[*upon*] a person …에게 일격을 가하다 **~ one*self*** [one***'s company***] ***on*** …에게 폐를 끼치다 **~·a·ble** *a.* **~·er, in·flíc·tor** *n.* ▷ inflíction *n.*; inflíctive *a.*

in·flic·tion [inflíkʃən] *n.* **1** Ⓤ (고통·벌·타격을) 가함[줌] 《*on*》: the ~ of punishment[pain] *on* a person …에게 벌[고통]을 가하기 / the ~ of a penalty by an association 협회의 처벌 **2** 형벌; 고통, 시련; 폐: ~*s* from Heaven[God] 천벌

in·flic·tive [inflíktiv] *a.* 보태는, 과하는; 형벌의, 고통의, 곤란한

in-flight [ínflàit] *a.* 비행 중의, 기상(機上)의: ~ meals 기내식 / ~ refueling 공중 급유

in·flo·res·cence [ìnflɔːrésns, -flə- | -flə-, -flɔː-] *n.* Ⓤ **1** 꽃이 핌, 개화(開花) **2** 〖식물〗 꽃차례, 화서(花序); 〖집합적〗 꽃 **-cent** *a.* 꽃이 핀

in·flow [ínflòu] *n.* 유입(influx); 유입물[량]: the ~ of money into banks 은행으로의 돈의 유입

⁑**in·flu·ence** [ínfluəns] *n., v.*

> L「흘러들다」의 뜻에서
> 「(천체로부터 사람의 마음에) 흘러드는 것, 흘러드는 일」→「감화」, 「영향」, 「영향력」이 되었음

—*n.* **1** ⓊⒸ **영향**, 감화; 작용, 효과; 설득 《*of*; *on, upon*》: the ~ *of* the mind *on*[*upon*] the body 육체에 미치는 정신의 영향 / the curative ~ *of* a drug 약의 치료적 효과 **2** Ⓤ **영향력**, 감화력; **세력**, 지배력; 명망(名望), 위력; 설득력 《*over, with*》: the sphere of ~ 세력 범위 / a man of ~ 실력자 / undue ~ 부당한 압력 **3** 영향을 끼치는 사람[사물], 세력가, 유력자: a dominant ~ in educational circles 교육계 제일의 실력자 / He's an ~ for (the) good. 그는 남을 선도하는 데 영향력이 큰 사람이다. **4** Ⓤ 〖전기〗 유도(誘導), 감응(induction) **5** Ⓤ 〖점성술〗 (천체로부터 발생하는 흐름이 사람의 성격·운명에 미친다고 하는) 감응력

have ~ on[***upon***] …에 영향을 끼치다, 감화를 주다 ***have ~ with***[***over***] …을 움직이는 힘이 있다, …을 좌우하는 세력이 있다 ***through*** one***'s ~*** …의 힘[덕]으로 ***under the ~*** 《구어》 술에 취하여: He was caught driving *under the* ~. 그는 음주 운전을 하다가 적발되었다. ***under the ~ of*** …의 영향을 받아, …에 힘입어 ***use***[***exercise***] one***'s ~ for*** …을 위하여 힘쓰다[운동하다]

—*vt.* **1** …에(게) 영향을 끼치다, 감화를 주다; 좌우하다, 움직이다: Outside factors ~*d* her to resign. 외부 요인들로 인해 그녀는 사직했다. **2** 《완곡》 뇌물을 바치다, 매수하다(bribe) **3** 《미·구어》 〈음료수에〉 술을 타다 **~·a·ble** *a.* **-enc·er** *n.* ▷ influéntial *a.*

in·flu·ence-buy·ing [ínfluənsbàiiŋ] *n.* 매수 《영향력을 돈으로 사는 일》

ínfluence pèddler 《미》 고관의 연줄을 이용하는 사람 **ínfluence pèddling**

in·flu·ent [ínfluənt] *a.* 유입하는, 흘러 들어가는 **—*n.*** **1** 지류(支流) **2** 〖생태〗 영향종(種) **3** 〖토목〗 유입수(流入水)

*__in·flu·en·tial__ [ìnfluénʃəl] *a.* **1** Ⓟ **영향력이 있는** 《*in*》 **2 세력 있는**, 유력한(powerful): in ~ quarters 유력층(有力層)에 **—*n.*** 《미》 (강한) 영향력을 가진 사람: according to ~*s* from the fashion industry 패션계의 거물들에 의하면 **~·ly** *ad.* 세력을 부려서, 위세를 떨쳐 ▷ ínfluence *n.*

⁑**in·flu·en·za** [ìnfluénzə] [It.] *n.* Ⓤ **1** 〖병리〗 **인플루엔자**, 유행성 감기(flu): have ~ 유행성 감기에 걸리다 **2** (사상적·경제적인) 유행 **in·flu·én·zal** *a.*

in·flux [ínflʌ̀ks] *n.* **1** 유입(流入)(opp. *efflux*) **2** [an ~] 밀어닥침, 쇄도(殺到) 《*of*》 **3** (본류와 지류가 합치는) 유입점(流入點), 강어귀(estuary)

in·fo [ínfou] *n.* 《구어》 =INFORMATION

in·fo·bahn [ínfoubɑ̀ːn] [*inf*ormation auto*bahn*] *n.* =INFORMATION SUPERHIGHWAY

in·fold [infóuld] *vt.* =ENFOLD

in·fo·mer·cial [ìnfəmə́ːrʃəl] [*inf*ormation+com*mercial*] *n.* (소비자의 이익을 위한) 정보 광고(informercial)

in·fo·pre·neur [ìnfouprənə́ːr] [*inf*ormation+entre*preneur*] *n.* 정보 통신 관련 기업가 **in·fò·pre·néur·i·al** *a.*

in-form [ínfɔ̀ːrm] *a.* 《영》 〈운동 선수가〉 컨디션이 좋은; 호조의

⁑**in·form**[1] [infɔ́ːrm] [L「…에 형태를 부여하다」의 뜻에서] *vt.* **1 알리다**, 알려 주다, **통지하다**, 기별하다(⇨ tell 유의어): (~+목+전+명) (~+목+***that*** 절) I ~*ed* him *of* her success. = I ~*ed* him *that* she had been successful. 나는 그에게 그녀의 성공을 알렸다. // (~+목+***wh.*** 절) The letter ~*ed* me *when* the man was coming. 그 편지로 그 남자가 언제 오는지를 알았다. // (~+목+***wh. to*** do) Please ~ me *what to* do next. 다음에는 무엇을 해야 할지 알려 주세요. **2** [~ one*self* 로] …에 정통하다, 알다, 분별하다(learn) 《*of*》: (~+목+전+명) He ~*ed himself of* all necessary procedures. 그는 모든 필요한 절차에 대해 알고 있었다. **3** 〈작품 등을〉 성격[특징]지우다, 〈특징·성격 등이〉 …에 충만하다 **4** 채우다, 불어넣다(fill) 《*with*》: (~+목+전+명) ~ a person *with* new life …에게 새 생명을 불어넣다

—*vi.* **1** 정보를[지식을] 제공하다; 계발하다 **2** (경찰 등에) 밀고하다, 고발하다 《*on, upon, against*》: (~+전+명) You must not ~ *against* him. 그를 고발해서는 안 된다. ***be ~ed of*** …을 통지받다, …을 들어서 알고 있다 ***I beg to ~ you that*** …에 관하여 알려 드립니다 ▷ informátion *n.*; infórmative *a.*

inform[2] *a.* 《고어》 **1** (분명한) 모양이 없는 **2** 보기 흉한 〈괴물 등〉

⁑**in·for·mal** [infɔ́ːrməl] *a.* **1 형식[격식]을 따지지 않는**, 탁 터놓은; 평상복의: an ~ gathering of friends 친구들과의 격의 없는 모임 **2 비공식의**, 약식의(opp. *formal*): an ~ visit[talk] 비공식 방문[회의] **3** 〈말 등이〉 평이한, 회화체[구어체]의: ~ English 알기 쉬운 영어 / an ~ style 회화체 ▷ informálity *n.*

*__in·for·mal·i·ty__ [ìnfɔːrmǽləti] *n.* (*pl.* **-ties**) **1** Ⓤ 비공식, 약식 **2** 약식 행위

in·for·mal·ly [infɔ́ːrməli] *ad.* **1** 비공식으로, 약식으로 **2** 형식에 구애되지 않고 **3** 구어(口語)로

infórmal séttlement 《남아공》 임시 주거지

infórmal vóte 《호주·뉴질》 무효 투표 (용지)

---

influence *n.* effect, impact, control, sway, power, domination, rule, direction, pressure
inform[1] *v.* advise, notify, instruct, tell
informal *a.* casual, unofficial, relaxed, easy, simple, unceremonious, colloquial, natural

***in·for·mant** [infɔ́:rmənt] *n.* **1** 통지자, 보도자, 정보 제공자; 밀고자 **2** 〖언어〗 피(被)조사자, (그 지방 고유의 문화·언어 등의) 정보[자료] 제공자

in for·ma pau·pe·ris [in-fɔ́:rmə-pɔ́:pəris] [L] *ad.* 〖법〗 (소송 비용을 면제받는) 극빈자로서, 극빈자의 자격으로: permission to sue ~ 빈곤에 따른 소송 비용 면제 허가

in·for·mat·ics [ìnfərmǽtiks] *n. pl.* [단수 취급] = INFORMATION SCIENCE

‡in·for·ma·tion [ìnfərméiʃən] *n.* Ⓤ **1** 정보, 보도, 소식; 자료 《*on, about*》: a valuable piece of ~ 귀중한 정보/useful ~ 유익한 정보/For further ~, call the number below. 더 많은 정보를 원하시면 아래의 번호로 전화하세요. **2** 지식, 견문, 학식: a man of wide[vast] ~ 박식한 사람 **3** (지식·정보의) 전달, 통지 **4** [*sing.*; 보통 무관사] 접수[안내]처[원] **5** 〖법〗 범죄 신고, 고발(charge), 고소; 밀고 **6** 〖컴퓨터〗 정보; 데이터 ***ask for*** ~ 문의하다, 조회하다 ***for your*** ~ 참고가 되도록 ***lodge*** [***lay***] ***an*** ~ ***against*** …을 고발[밀고]하다 **~·al** *a.* 정보의, 정보를 제공하는 **~·al·ly** *ad.* ▷ infórm *v.*; infórmative *a.*

informátion àge 정보화 시대

informátional pícketing (미) 홍보 피케팅 《요구·불만 등을 호소하는 피켓 시위》

informátion àrt 정보 예술 《정보의 전달·표현에 관한 예술》

informátion bànk 〖컴퓨터〗 데이터 뱅크 《정보 데이터 라이브러리의 집합체》

informátion bùreau 정보부[국]

informátion dèsk[**bòoth**] 안내소((영) inquiry office)

informátion explòsion 정보 폭발 《정보량의 폭발적 증가 현상》

informátion fatígue (**syndrome**) 정보성 피로 증후군 《과잉 정보를 받아들이는 데서 오는 정신적 스트레스; 略 IFS》

informátion gàp 정보 격차 《정보 기술의 국제적 차이》

informátion ìndustry 정보 산업

informátion márketplace 정보 시장

Informátion Nétwork Sỳstem 고도 정보 통신 시스템 《略 INS》

informátion òffice (역 등의) 안내소

informátion òfficer 공보관, 공보 장교

informátion òverload 〖심리〗 정보 과다

informátion pollùtion 정보 공해 《방송·출판 등으로 인한 정보 과다》

informátion pròcessing 〖컴퓨터〗 (컴퓨터 등에 의한) 정보 처리(cf. DATA PROCESSING)

informátion provìder 정보 제공(업)자

informátion retrìeval 〖컴퓨터〗 정보 검색 《略 IR》

informátion revolútion 정보 혁명

informátion scìence 정보 과학

informátion scìentist 정보 과학자

informátion socìety 〖컴퓨터〗 정보(화) 사회

informátion superhíghway [종종 **I- S-**] (미) 〖컴퓨터〗 초고속 정보 통신망

informátion sỳstem 정보 시스템, 《특히》 데이터 처리 시스템

informátion technòlogy 정보 기술[공학] 《컴퓨터 시스템과 전기 통신을 이용하여 정보를 수집·저장·이용·송출하는 기술; 略 IT》

informátion thèorist 정보 이론가

informátion thèory 정보 이론

informátion utìlity 〖컴퓨터〗 정보 설비

informátion wòrker 정보 노동자

***in·for·ma·tive** [infɔ́:rmətiv] *a.* **1** 정보를 제공하는, 소식을 알리는 **2** 지식을 주는, 교육적인, 유익한 (instructive): an ~ book[lecture] 유익한 책[강연] **~·ly** *ad.* **~·ness** *n.*
▷ infórm *v.*; informátion *n.*

in·for·ma·to·ry [infɔ́:rmətɔ̀:ri | -təri] *a.* = INFORMATIVE

in·formed [infɔ́:rmd] *a.* **1** 정보에 근거한; 견문이 넓은, 소식통의: a well-~ man 박식한 사람, 정보통 **2** 교양 있는; 학식이 풍부한, 박식한; 세련된: an ~ guess 정보에 입각한 추측/a woman of ~ taste 세련된 취미의 여성 **in·form·ed·ly** [infɔ́:rmidli] *ad.*

infórmed consént 〖의학〗 고지(告知)에 입각한 동의[승낙] 《수술·의학 실험에 대한 환자의》

infórmed sóurces 소식통

in·form·er [infɔ́:rmər] *n.* **1** 통지자; (특히 범죄의) 밀고자, 고발인, 스파이 **2** 정보 제공자

in·for·mer·cial [ìnfərmə́:rʃəl] [*inf*ormation+com*mercial*] *n.* = INFOMERCIAL

in·form·ing [infɔ́:rmiŋ] *a.* 통지하는; 유익한, 교육적인 **~·ly** *ad.*

infórming gùn 임검 통지포(砲) 《군함이 상선을 임검하려고 할 때 정선 명령의 뜻으로 쏘는 포》

in·fo·tain·ment [ìnfoutéinmənt] [*inf*orma-tion+enter*tainment*] *n.* 인포테인먼트 《정보와 오락을 함께 제공하는 TV프로그램》

in·fo·tech [ínfoutèk] *n.* (구어) = INFORMATION TECHNOLOGY

in·fra [ìnfrə] *n.* = INFRASTRUCTURE

in·fra [ínfrə] [L = below] *ad.* 아래에, 아래쪽에; (서적·논문에서) 아래에, 뒤에(opp. *supra*): See ~ p. 5. 아래의 5 페이지를 보시오.

infra- [ínfrə] *pref.* 「아래에, 아래쪽에(below); …안에」의 뜻: *infra*costal, *infra*human

in·fract [infrǽkt] *vt.* 〈법률 등을〉 어기다, 위반하다: ~ a compact[treaty] 계약[조약]을 위반하다/~ the rules 규칙을 깨다 **in·frác·tor** *n.*

in·frac·tion [infrǽkʃən] *n.* **1** Ⓤ 위반, 반칙, 침해, 침범: an ~ of the rules 규칙 위반 **2** Ⓤ 〖의학〗 불완전 골절

in·fra dig [ínfrə-díg] [L = beneath one's dignity] *a.* Ⓟ (구어) = INFRA DIGNITATEM

in·fra dig·ni·ta·tem [-dìgnətéitəm] [L = beneath one's dignity] *a.* Ⓟ (익살) 품격을 떨어뜨리는, 체면에 관계되는

in·fra·lap·sar·i·an [ìnfrəlæpsέəriən] *n., a.* 〖신학〗 (칼뱅파의) 후정론자(後定論者)(의) **~·ism** *n.*

in·fran·gi·ble [infrǽndʒəbl] *a.* **1** 파괴할 수 없는; 〈정신력이〉 강한: ~ moral strength 강한 정신력/~ tableware 깨지지 않는 식기류 **2** 침범해서는 안 되는, 배반해서는 안 되는: an ~ promise 어겨서는 안 될 약속 **~·ness** *n.* **-bly** *ad.*

in·fra·red [ìnfrəréd] 〖물리〗 *n.* Ⓤ 적외선
— *a.* 적외(선)의; 적외선에 민감한: ~ rays 적외선

infraréd astrónomy 적외선 천문학

infraréd detéctor 〖전자〗 적외선 탐지기

infraréd fílm 적외선 필름

infraréd gálaxy 〖천문〗 적외선 은하

infraréd guídance mìssile = HEAT SEEKER

infraréd pórt 〖컴퓨터〗 적외선 포트 《적외선을 이용하여 데이터를 주고받는》

infraréd radiátion 적외선

infraréd spectrómeter 적외 분광계

in·fra·son·ic [ìnfrəsɑ́nik | -sɔ́n-] *a.* (가청(可聽) 이하의) 초(超)저주파(음)의

in·fra·sound [ínfrəsàund] *n.* Ⓤ 〖물리〗 초(超)저주파 불가청음

in·fra·spe·cif·ic [ìnfrəspisífik] *a.* 종내(種內)의, 종 이하의 《아종(亞種)·변종 등의 하위 단위에 씀》

in·fra·struc·ture [ínfrəstrʌ̀ktʃər] *n.* ⓊⒸ **1** (단체 등의) 하부 조직[구조] **2** (사회의) 기본적 시설; (경제) 기반 《생산이나 생활의 기반을 형성하는 중요한 구조물로서, 도로·항만·철도·발전소·통신 시설 등의 산업

thesaurus **infringe** *v.* break, disobey, violate
ingenious *a.* clever, shrewd, astute, smart,

기반과 학교·병원·수도 등의 생활 기반이 있음》 (cf. SOCIAL OVERHEAD CAPITAL) **3** (NATO의) 영구적 기지[군사 시설]

in·fre·quen·cy, -quence [infríːkwəns(i)] *n.* Ⓤ 드묾(rarity)

in·fre·quent [infríːkwənt] *a.* 드문, 좀처럼 없는; 보통이 아닌, 진기한

in·fre·quent·ly [infríːkwəntli] *ad.* 드물게, 어쩌다 ***not*** **~** 종종, 가끔

*__in·fringe__ [infríndʒ] *vt.* 〈법·계약·의무 등을〉 어기다, 위반하다, 범하다, 침해하다: ~ a business contract 사업 계약을 어기다 / ~ a law 법률을 위반하다
— *vi.* 침해하다 《*on*》: (~+전+명) ~ *on*[*upon*] a person's privacy …의 프라이버시를 침해하다

in·fringe·ment [infríndʒmənt] *n.* Ⓤ (법규) 위반, 위배; (특허권·판권 등의) 침해; Ⓒ 위반[침해] 행위: an ~ of freedom of speech 언론 자유의 침해

in·fruc·tu·ous [infrʌ́ktʃuəs] *a.* **1** 열매를 맺지 않는, 불모의 **2** 무익한(useless) **~·ly** *ad.*

in·fu·la [ínfjulə] [L] *n.* (*pl.* **-lae** [-lìː]) **1** 주교관(主教冠)에 달아 늘어뜨린 장식 **2** (의식용) 소매 없는 외의(外衣)

in·fu·ri·ate [infjúərièit] *vt.* 격노하게 하다; 격분시키다 ***be ~d at*** …에 노발대발하다
~·ly *ad.* **in·fù·ri·á·tion** *n.*

in·fu·ri·at·ing [infjúərièitiŋ] *a.* 격분[분개]하게 하는, 격앙시키는 **~·ly** *ad.*

*__in·fuse__ [infjúːz] [L 「주입(注入)하다」의 뜻에서] *vt.* **1** 붓다, 부어 넣다 《*into*》: (~+목+전+명) ~ a liquid *into* a vessel 그릇에 액체를 부어 넣다 **2** 〈사상 등을〉 주입하다(inspire), 불어넣다, 고취하다: (~+목+전+명) ~ new hope *into* a person = ~ a person *with* new hope …의 마음에 새 희망을 불어넣다 **3** 〈약·차 등을〉 우리다: (~+목+전+명) ~ tea leaves *in* boiling water 찻잎을 끓는 물에 우리다
— *vi.* 〈약·차 등이〉 우러나다
▷ infúsion *n.*

in·fus·er [infjúːzər] *n.* **1** 주입자(注入者), 주입기; 우려내는 기구 **2** 고취자(鼓吹者)

in·fus·i·ble[1] [infjúːzəbl] *a.* 용해되지 않는, 불용해성의 **in·fùs·i·bíl·i·ty** *n.* **~·ness** *n.*

infusible[2] *a.* 주입[고취]할 수 있는

in·fu·sion [infjúːʒən] *n.* **1** Ⓤ 주입, 불어넣음, 고취 **2** 주입물, 혼합물 **3** 우려낸 물, 우려냄 **4** Ⓤ 〖의학〗 (정맥에의) 주입; 주입액

in·fu·sion·ism [infjúːʒənìzm] *n.* Ⓤ 〖신학〗 영혼 주입설 **-ist** *n.*

in·fu·sive [infjúːsiv] *a.* 주입력이 있는, 고무하는

In·fu·so·ri·a [ìnfjuzɔ́ːriə, -sɔ́ːr-] [L] *n. pl.* 〖동물〗 적충류(滴蟲類) 《원생 동물》 **-ri·an** *a., n.*

-ing [iŋ] *suf.* [현재분사·동명사를 만듦]: go*ing*; wash*ing*, read*ing*

in·gath·er [íngæðər, ⌐⌐] 《고어》 *vt.* 〈수확물 등을〉 거둬들이다, 모으다, 수확하다 — *vi.* 모이다

in·gath·er·ing [íngæ̀ðəriŋ] *n.* ⓊⒸ **1** (농산물의) 거둬들임, 수확 **2** (사람 등의) 집합, 집회

in·gem·i·nate [indʒémənèit] *vt.* 되풀이하다, 반복하다 **in·gèm·i·ná·tion** *n.*

in·gen·er·ate[1] [indʒénərət] *a.* 자생(自生)의; 자존(自存)의, 독립하여 존재하는

in·gen·er·ate[2] [indʒénərèit] *vt.* 생기게 하다, 발생시키다 — [-rət] *a.* 타고난, 생득의(innate) **~·ly** *ad.*

‡__in·gen·ious__ [indʒíːnjəs] [L 「타고난 재능」의 뜻에서] *a.* **1** 〈사람이〉 재간[재치] 있는, 영리한 **2** 〈발명품·장치·안 등이〉 독창적인, 창의력이 있는, 정교한, 교묘한 **~·ly** *ad.* **~·ness** *n.* = INGENUITY
▷ ingenúity *n.*

in·gé·nue, -ge- [ǽnʒənjùː | æ̀nʒeinjúː] [F] *n.* (*pl.* **~s** [-z]) **1** 천진난만[순진]한 소녀 **2** 그 역을 하는 여배우

*__in·ge·nu·i·ty__ [ìndʒənjúːəti | -njúː-] *n.* (*pl.* **-ties**) **1** Ⓤ 발명의 재주, 고안력, 독창력, 창의력 **2** Ⓤ 정교, 교묘함: a device of great ~ 대단히 정교한 장치 **3** [보통 *pl.*] 교묘한 장치[발명품] ▷ ingénious *a.*

*__in·gen·u·ous__ [indʒénjuəs] *a.* **1** 솔직 담백한, 꾸밈없는(artless) **2** 순진한, 천진난만한: an ~ smile 천진난만한 미소 **~·ly** *ad.* **~·ness** *n.*

in·gest [indʒést] *vt.* **1** 〈음식물 등을〉 섭취하다; 〈정보 등을〉 수집하다 **2** 〖항공〗 〈이물(異物)을〉 제트 엔진으로 빨아들이다

in·ges·ta [indʒéstə] *n. pl.* 섭취물

in·ges·tant [indʒéstənt] *n.* (특히 알레르기 반응을 일으키는) 섭취물

in·ges·tion [indʒéstʃən] *n.* Ⓤ (음식물 등의) 섭취

in·ges·tive [indʒéstiv] *a.* 음식 섭취의

in·gle [íŋgl] *n.* 《영·방언》 화롯불; 화로

in·gle·nook [íŋglnùk] *n.* 《영》 = CHIMNEY CORNER

in·glo·ri·ous [inglɔ́ːriəs] *a.* 《문어》 **1** 불명예스러운, 면목 없는, 창피한, 수치스러운(dishonorable) **2** 이름도 없는, 무명의 **~·ly** *ad.* **~·ness** *n.*

in-goal [íngòul] *n.* 〖럭비〗 인골 《골라인과 데드볼라인 사이의 트라이 가능 지역》

In Gód Wè Trúst 우리는 하느님을 믿는다 《(1) 미국 화폐에 새겨진 표어 (2) 미국 Florida 주의 표어》

in·go·ing [íngòuiŋ] *a.* **1** Ⓐ 들어오는, 취임하는: an ~ tenant 새로 세드는[땅을 빌리는] 사람 **2** 통찰력이 풍부한, 명민한: an ~ writer 통찰력 있는 작가
— *n.* **1** 들어옴(opp. *outgoing*) **2** 《영》 (새로 집·터를 빌린 사람이 치르는) 정착 물건비(物件費)

in·got [íŋgət] *n.* 주괴(鑄塊), 잉곳, 《특히》 금은괴
— *vt.* 〈지금(地金) 등을〉 금괴로 만들다

in·graft [ingrǽft, -gráːft | -gráːft] *vt., vi.* = ENGRAFT

in·grain [íngrèin] *a.* **1** 깊이 배어든, 뿌리 깊은; 생득의, 타고난: ~ vices 뿌리 깊은 악폐 **2** (감으로 짜기 전에) 염색한 — *n.* **1** 섬유에 물들인 실 **2** 《미》 물들인 실로 짠 양탄자(= ⌐ cárpet)
— [⌐⌐] *vt.* 〈습관·생각 등을〉 스며[배어]들게 하다

in·grained [ingréind, ⌐⌐] *a.* **1** 〈편견·미신·습관 등이〉 깊이 배어든; 뿌리 깊은; 타고난, 바탕부터의; 철저한: an ~ habit 몸에 밴 습관 / an ~ liar 상습적인 거짓말쟁이 / an ~ skeptic 본래 태생적으로 의심이 많은 사람 **2** 물이 든
in·gráin·ed·ly [-nidli] *ad.*

In·gram [íŋgrəm] *n.* 남자 이름

in·grate [íngreit | ⌐⌐, ⌐⌐] *a.* 《고어》 은혜를 모르는 — *n.* 은혜를 모르는[배은망덕한] 사람 **~·ly** *ad.*

in·gra·ti·ate [ingréiʃièit] *vt.* [~ one*self* 로] 환심을 사다, …의 비위를 맞추다 《*with*》 **in·grà·ti·á·tion** *n.* **in·gra·ti·a·to·ry** [ingréiʃiətɔ̀ːri | -təri] *a.*

in·gra·ti·at·ing [ingréiʃièitiŋ] *a.* **1** 매력 있는 **2** 알랑거리는, 애교 부리는 **~·ly** *ad.*

‡__in·grat·i·tude__ [ingrǽtətjùːd | -tjùːd] *n.* Ⓤ 배은망덕, 망은(忘恩) 《*to*》

in·gra·ves·cence [ìngrəvésns] *n.* Ⓤ 〖병리〗 악화, 앙진(昻進) **-cent** *a.*

*__in·gre·di·ent__ [ingríːdiənt] [L 「안으로 들어가는 것」의 뜻에서] *n.* **1** (혼합물의) 성분, 원료, 재료 《*of, for*》: the ~*s of*[*for* (making)] a cake 과자 (만드는) 재료 **2** 구성 요소[분자]: the ~*s* of political success 정치가로서 성공할 여러 요소

In·gres [ǽŋgrə] *n.* 앵그르 **Jean Auguste Dominique ~** (1780-1867) 《프랑스의 신고전파 화가》

in·gress [íngres] *n.* **1** Ⓤ 들어감[옴], 진입: the ~ of fresh air into rooms 신선한 공기가 방 안으로 들어옴 **2** 입장권(權), 입장의 자유(opp. *egress*) **3** 들어가는 수단, 입구 **4** 〖천문〗 (식(蝕)이 일어날 때 등의) 침입 — *vi., vt.* 《미》 (…에) 들어가다

in·gres·sion [ingréʃən] *n.* Ⓤ **1** 들어감, 진입 **2** 〖생

---

sharp, bright, brilliant, talented, creative, adroit, skillful, capable, resourceful

물] 이입, 내식(內殖)

in·gres·sive [ingrésiv] *a.* **1** 들어가는, 진입하는 **2** 〖문법〗 기동(起動)(상(相))의; 〖음성〗 흡기음의
— *n.* 〖음성〗 흡기음(吸氣音) **~·ly** *ad.* **~·ness** *n.*

In·grid [íŋgrid] *n.* 여자 이름

in-group [íngrù:p] *n.* 〖사회〗 배타적인 소집단; 내(內)집단(opp. *out-group*)

in·grow·ing [íngròuiŋ] *a.* Ⓐ ((영)) ((특히)) 〈발톱이〉 살 속으로 파고드는; 안으로 자라는

in·grown [íngròun] *a.* Ⓐ **1** ((미)) 〈발톱이〉 살로 파고든 **2** 안쪽으로 성장한; 천성의, 타고난 **3** 내향적인; 자의식 과잉의 **~·ness** *n.*

in·growth [íngròuθ] *n.* Ⓤ,Ⓒ 안으로 자람; 안으로 자란 것

in·gui·nal [íŋgwənl] *a.* 〖해부〗 사타구니 (부분)의, 서혜부(鼠蹊部)의 **~·ly** *ad.*

in·gulf, -gulph [ingʌ́lf] *vt.* = ENGULF

in·gur·gi·tate [ingə́:rdʒətèit] *vt.* **1** 탐식하다, 게걸스럽게 마구 들이켜다 **2** (소용돌이처럼) 빨아들이다, 삼키다(engulf) **in·gùr·gi·tá·tion** *n.*

In·gush [ingúːʃ] *n.* **1** (*pl.* **~·es,** [집합적] **~**) 잉구시인(人) ((러시아의 Caucasus 지방에 거주하는 이슬람교 수니파의 민족)) **2** Ⓤ 잉구시 어(語)

‡in·hab·it [inhǽbit] [L 「안에 살다」의 뜻에서] *vt.* **1** …에 살다, 거주[서식]하다 ★ live와는 달리 타동사로 쓰며, 보통 개인에는 쓰지 않고 집단에 씀. **2** ((비유)) …에 존재하다, …에 깃들다: My childhood memories ~ this attic. 내 어린 시절의 추억들이 이 다락방에 깃들어 있다 **3** 〈특정 분야·사고 등에〉 정통하다
— *vi.* ((고어)) 살다; 존재하다 **~·er** *n.*
▷ inhábitancy, inhabitátion *n.*

in·hab·it·a·ble [inhǽbitəbl] *a.* 살기에 적합한: an ~ area 거주 (가능) 지역

in·hab·it·an·cy [inhǽbətənsi] *n.* (*pl.* **-cies**) Ⓤ (특히 특정 기간의) 거주; 거처, 거주지

‡in·hab·it·ant [inhǽbətənt] *n.* **1** (장기 거주의) 주민, 거주자 ((*of*)) **2** 서식 동물 ((*of*))

in·hab·i·ta·tion [inhæ̀bətéiʃən] *n.* Ⓤ **1** 주거; 주소 **2** 거주, 서식(棲息)

in·hab·it·ed [inhǽbitid] *a.* 사람이 살고 있는: be thickly[thinly] ~ 인구가 많다[적다]/an ~ island 사람이 살고 있는 섬 **~·ness** *n.*

in·hal·ant [inhéilənt] *a.* 빨아들이는, 들이쉬는, 흡입용의 — *n.* **1** 흡입기[공(孔), 제(劑)] **2** 흡입 인자

in·ha·la·tion [ìnhəléiʃən] *n.* **1** Ⓤ 흡입(법)(opp. *exhalation*): the ~ of oxygen 산소 흡입 **2** 흡입제[약] **~·al** *a.*

inhalátion thèrapy (산소) 흡입 요법 ((천식 환자 등에 씀)) **inhalátion thèrapist** *n.*

in·ha·la·tor [ínhəlèitər] *n.* 〖의학·광산〗 흡입기[장치]

***in·hale** [inhéil] *vt.* **1** 〈공기·가스 등을〉 들이쉬다, 흡입하다: ~ the polluted air 오염된 공기를 들이마시다 **2** ((구어)) (열심히) 먹다
— *vi.* 숨을 들이쉬다; ((특히)) 담배 연기[공기]를 깊이 들이마시다
— [ㅡ́, ㅡ̀] *n.* 흡입; ((미)) (담배 연기를) 깊이 들이마심 ▷ inhálant *a.*; inhalátion *n.*

in·hal·er [inhéilər] *n.* **1** 흡입자; 흡입기 **2** 흡입용 마스크, 인공호흡기 **3** 공기 여과기

in·har·mon·ic, -i·cal [ìnhɑ:rmánik(əl) | -mɔ́n-] *a.* 조화되지 않은, 불협화의

in·har·mo·ni·ous [ìnhɑ:rmóuniəs] *a.* **1** 조화되지 않은, 가락[음]이 어울리지 않는, 불협화의 **2** 원만하지 않은, 불화의 **~·ly** *ad.* **~·ness** *n.*

in·har·mo·ny [inhɑ́:rməni] *n.* 부조화, 불협화, 불화

in·haul [ínhɔ̀:l] *n.* 〖항해〗 (범선의) 끄는 밧줄

in·here [inhíər] *vi.* 〈성질 등이〉 본래부터 타고나다; 〈권리 등이〉 부여되어 있다, 귀속되어 있다 ((*in*)); 〈뜻이〉 포함되어 있다 ((*in*))

in·her·ence [inhíərəns, -hér-] *n.* **1** Ⓤ 고유, 타고남, 천부(天賦) **2** 〖철학〗 내속(內屬) ((실체에 대한 그 속성의 관계))

in·her·en·cy [inhíərənsi, -hér-] *n.* (*pl.* **-cies**) **1** = INHERENCE **2** 고유의 성질, 본래의 속성

‡in·her·ent [inhíərənt, -hér-] *a.* 고유의, 본래부터의, 타고난: ~ rights 생득권/Love is ~ in a good marriage. 사랑은 행복한 결혼 생활에 내재해 있다. **~·ly** *ad.*
▷ inhére *v.*; inhérence, inhérency *n.*

‡in·her·it [inhérit] [L 「상속인으로서 소유하다」의 뜻에서] *vt.* **1** 〖법〗 〈재산·권리 등을〉 상속하다, 물려받다: ~ an estate 토지를 상속하다/~ the family business 가업을 물려받다 // (~+목+전+명) He ~*ed* a large fortune *from* his father. 그는 아버지로부터 많은 재산을 상속받았다. **2** 〈육체적·정신적 성질 등을〉 물려받다, 유전하다: an ~*ed* quality 유전 형질/Habits are ~*ed*. 습관은 유전한다. // (~+목+전+명) I ~ a weak heart *from* my mother. 어머니로부터의 유전으로 나는 심장이 약하다. **3** (전임자로부터) 인계받다, 물려받다 ((*from*))
— *vi.* 재산을 상속하다; 계승하다 ((*from*))
▷ inhéritance *n.*

in·her·it·a·bil·i·ty [inhèritəbíləti] *n.* Ⓤ 상속[계승]할 수 있음

in·her·it·a·ble [inhéritəbl] *a.* **1** 상속할 수 있는, 세습적인; 유전하는: an ~ title 상속되는 칭호/an ~ trait 유전하는 특성 **2** 상속권[자격]이 있는: ~ blood 상속할 자격이 있는 혈통

‡in·her·it·ance [inhérətəns] *n.* **1** [보통 단수형] 상속 재산, 유산; 물려받은 것: an ~ of $40,000 4만 달러의 유산 **2** 〖생물〗 유전적 성질[체질]; 유전: the ~ of musical talent from one's mother 어머니로부터 음악적 재능을 물려받음 **3** Ⓤ 〖법〗 (가독(家督)) 상속, 계승; 상속권 **4** (신·자연으로부터 받은) 혜택; 전통
by **~** 상속에 의하여 ▷ inhérit *v.*

inhéritance tàx 상속세(cf. ESTATE TAX)

in·her·i·tor [inhéritər] *n.* (유산) 상속인, 후계자(heir)

in·her·i·trix [inhérətrìks], **-tress** [-tris] *n.* INHERITOR의 여성형

in·he·sion [inhí:ʒən] *n.* = INHERENCE

***in·hib·it** [inhíbit] [L 「만류하다」의 뜻에서] *vt.* **1** 〈욕망·충동 등을〉 억제하다, 제지하다, 방해[방지]하다: (~+목+전+명) ~ one's desire *for* power 권력욕을 억제하다 **2** 금하다, 못하게 막다 ((*from*)): (~+목+전+*-ing*) The church ~*s* its people *from* smok*ing* and drink*ing*. 그 교회는 신자의 음주와 흡연을 금하고 있다. **3** 〖영국국교〗 〈성직자에게〉 성무(聖務) 집행을 금지시키다
-i·tive *a.* 억제하는(inhibitory)

in·hib·it·ed [inhíbitid] *a.* 〈사람·성격 등이〉 억제된, 억압된; 내성적인: an ~ person 감정을 겉으로 드러내지 않는 사람, (병적으로) 내성적인 사람 **~·ly** *ad.*

***in·hi·bi·tion** [ìnhəbíʃən] *n.* Ⓤ,Ⓒ **1** 금지, 금제(禁制): laugh without ~ 거리낌없이 웃다 **2** 〖심리·생리〗 억제, 억압 **3** 〖화학〗 (산화 반응 진행의) 억제, 저해, 방지: the ~ of oxidization 산화 방지, 산화 억제 **4** 〖영국국교〗 성무 집행 금지 명령 **5** 〖영국법〗 소송 진행 정지 영장

in·hib·i·tor [inhíbitər] *n.* 억제자[물]; 〖화학〗 반응 억제제

in·hib·i·to·ry [inhíbətɔ̀:ri | -təri] *a.* 금지의, 제지[억제]하는

in·hold·ing [ínhòuldiŋ] *n.* 국립공원 내의 (꽤 넓은 범위의) 사유지 **ín·hòld·er** *n.*

in-home [ínhòum] *a.* 집에서의, 집에서 할 수 있는

---

thesaurus **inhabitant** *n.* occupant, resident, dweller, settler, habitant, occupier
inhale *v.* breathe in, inspire, gasp
inherent *a.* inborn, innate, hereditary, inherited, intrinsic, basic, fundamental

in·ho·mo·ge·ne·i·ty [inhòumədʒəníːəti, -hàm- | -hɔ̀m-] *n.* Ⓤ 이질(성), 불균등(성)
in·ho·mo·ge·ne·ous [inhoumədʒíːniəs, -hɑm- | -hɔm-] *a.* 동질[균질, 등질]이 아닌
∗**in·hos·pi·ta·ble** [inhɑ́spitəbl, ìnhɑspít- | inhɔ́spit-, ìnhɔspít-] *a.* **1** 손님을 냉대하는, 야박한, 불친절한: Her greeting was cold and ~. 그녀의 인사는 쌀쌀맞고 불친절했다. **2** 머무를 곳이 없는, 황폐한 〈황야 등〉: an ~ humid climate 살기에 적합하지 않은 다습한 기후 **~·ness** *n.* **-bly** *ad.* ▷ inhospitálity *n.*
in·hos·pi·tal·i·ty [ìnhɑspətǽləti, inhɑ̀s- | ìnhɔs-, inhɔ̀s-] *n.* Ⓤ 푸대접, 냉대, 박절, 불친절
in-house *a.* [ínhàus], *ad.* [∸∸] 조직 내의[에서], 사내(社內)의[에서]: ~ training 사내 연수/an ~ medical specialist 기업 내 전문의(專門醫)
∗**in·hu·man** [inhjúːmən | -hjúː-] *a.* **1** 몰인정한, 냉혹한, 잔인한(cruel): an ~ master 무자비한 주인 **2** 비인간적인; 초인적인 **~·ly** *ad.* **~·ness** *n.*
in·hu·mane [ìnhjuːméin | -hjuː-] *a.* 몰인정한, 무자비한, 잔인한 **~·ly** *ad.*
in·hu·man·i·ty [ìnhjuːmǽnəti | -hjuː-] *n.* (*pl.* **-ties**) **1** Ⓤ 몰인정, 잔인, 무자비: man's ~ to man 인간에 대한 인간의 잔인함 **2** [종종 *pl.*] 몰인정한 행위, 잔인한 행위
in·hu·ma·tion [ìnhjuːméiʃən | -hjuː-] *n.* Ⓤ 매장(burial), 토장(土葬)(cf. CREMATION)
in·hume [inhjúːm | -hjúːm] *vt.* 《문어》 매장하다, 토장하다(⇨ bury 유의어)
in·im·i·cal [inímikəl] *a.* **1** 적대하는, 불리한, 해로운 (*to*): conditions ~ *to* one's interests 불리한 조건 **2** 적의가 있는, 반목하는, 불화한 (*to*) **~·ly** *ad.* **~·ness** *n.*
in·im·i·ta·ble [inímətəbl] *a.* 흉내낼 수 없는, 독특한, 추종을 불허하는 **~·ness** *n.* **-bly** *ad.*
I-9 fòrm [ainái n-] 《미》 (미국 체류 외국인의) 고용 자격 검증서
in·iq·ui·tous [iníkwətəs] *a.* 부정[불법]의; 사악한, 간악한 **~·ly** *ad.* **~·ness** *n.*
∗**in·iq·ui·ty** [iníkwəti] *n.* (*pl.* **-ties**) **1** Ⓤ 부정, 불법, 사악 **2** 부정[불법] 행위, 죄 ▷ iníquitous *a.*
init. initial; *initio* (L =at the beginning)
⁑**in·i·tial** [iníʃəl] [L 「안으로 들어가다, 시작하다」의 뜻에서] *a.* **1** 처음의, 최초의, 시초의: the ~ velocity 초속(初速)/the ~ expenditure 창업 비용/the ~ stage 초기, 제1기/an ~ fee 입회비/an ~ impression 첫인상 **2** 낱말 첫머리[어두]에 있는: an ~ letter 머리글자 **3** 머리글자에 의한[로 이루어지는]: an ~ signature 머리글자만의 서명
— *n.* **1** 머리글자; [보통 *pl.*] (성명의) 머리 글자 (John Smith를 생략한 J.S. 등) **2** 〖생물〗 원시 세포 (=∸ **cèll**)
— *vt.* (**~ed**; **~·ing** | **~led**; **~·ling**) 머리글자로 서명하다, 〈국제 협정을〉 가조인하다: ~ a handkerchief 손수건에 머리글자를 넣다 **~·ly** *ad.* 처음에, 시초에 ▷ initiate *v.*
in·i·tial·ism [iníʃəlìzm] *n.* 두문자어(acronym) (DDD, NATO 등의 머리글자로 된 약어)
in·i·tial·ize [iníʃəlàiz] *vt.* 〖컴퓨터〗 **1** 〈디스크·내부 기억 장치 등을〉 초기화하다 **2** 〈변수·카운터 등을〉 초기값에 맞추다 **in·ì·tial·i·zá·tion** *n.*
inítial téaching àlphabet [the ~; 종종 **I- T- A-**] (초등 교육용) 44문자의 표음(表音) 알파벳 (1자 1음식(式); 영국의 Sir James Pitman이 고안; 略 ITA, i.t.a.)

---

inheritance *n.* legacy, endowment, heritage
inhibit *v.* impede, hinder, hamper, interfere with, obstruct, restrict, restrain, prevent
initiate *v.* start off, begin, commence, open, institute, inaugurate, launch, trigger

inítial wórd = INITIALISM
∗**in·i·ti·ate** [iníʃièit] [L 「시작하다」의 뜻에서] *vt.* **1** 시작하다(begin), 일으키다, 창시하다: ~ a new business 새 사업을 시작하다 **2** 가입[입회]시키다: (~+목+전+명) ~ a person *into* a club …을 클럽에 입회시키다 **3** 초보[원리]를 가르치다 **4** 〈…에게〉 비법[비결]을 전하다, 전수하다: (~+목+전+명) The teacher ~*d* us *into* the mysteries[secrets] of taekwondo. 선생님은 우리에게 태권도의 비법을 가르쳐 주셨다. **5** 〈법령 등을〉 제안[발의]하다: ~ a constitutional amendment 헌법 개정을 제안하다
— [-ʃiət, -ʃièit] *a.* **1** 착수된, 시작된, 창업기의 **2** 초보 지도를 받은; 비법을 전수받은;
— [-ʃiət, -ʃièit] *n.* **1** 전수받은 사람 **2** 신입자, 입회자 ▷ inítial, inítiative, inítiatory *a.*; initiátion *n.*
∗**in·i·ti·a·tion** [iniʃiéiʃən] *n.* Ⓤ **1** 가입, 입회, 입문, 취임; Ⓒ 입회식, 입문식(=∸ **cèremony**): one's ~ into a club 클럽 가입/an ~ fee (클럽 등의) 입회[가입]금/the girls' ~ 여자의 성년식 **2** 개시, 창시, 창업 **3** 초보 지도; 비법[비결]을 전함, 전수(傳授)
⁑**in·i·ti·a·tive** [iníʃiətiv, -ʃət-] *n.* Ⓤ **1** [보통 the ~] 시작; 솔선, 선창, 주도(권) **2** 독창력, 창업의 재간, 기업심(起業心): lack[have] ~ 독창력이 부족하다[있다] **3** [보통 the ~] 〖정치〗 국민[주민] 발안; 의안 제출권, 발의권, 국민 발의권 **4** 〖군사〗 선제(先制), 기선(機先) ***have the ~*** 주도권을 쥐고 있다 ***on* one's *own ~*** 자진하여 ***take the ~*** 솔선해서 하다, 자발적으로 선수를 쓰다, 주도권을 잡다
— *a.* 처음의, 발단의(beginning): ~ steps 제1단계 ▷ initiate *v.*; initiátion *n.*
in·i·ti·a·tor [iníʃièitər] *n.* **1** 창시자, 발기인; 선창자 **2** 교도자, 전수자 **3** 기폭제(起爆劑)
in·i·ti·a·to·ry [iníʃiətɔ̀ːri | -təri] *a.* **1** 처음의; 초보 지도의 **2** 입회[입문]의: the ~ rites 입문[입회]식
in·i·ti·o [iníʃiòu] [L] *ad.* (책의 페이지·장·절 등의) 맨 앞에, 첫머리에 (略 init.)
∗**in·ject** [indʒékt] [L 「안으로 던져 넣다」의 뜻에서] *vt.* **1** 주사[주입]하다: (~+목+전+명) ~ medicine *into* a vein =~ a vein *with* medicine 정맥에 약을 주사하다 **2** 〈새것·다른 것을〉 삽입하다, 도입하다 (*into*): (~+목+전+명) ~ a remark *into* a person's talk …의 이야기에 말참견하다/~ humor *into* a situation 장면에 유머를 집어넣다 **3** 〖우주과학〗 〈인공위성 등을〉 (궤도에) 쏘아 올리다 (*into*): (~+목+전+명) They ~*ed* the satellite *into* its orbit. 그들은 인공위성을 궤도에 쏘아 올렸다.
~·ed [-id] *a.* 주사[삽입]된; 충혈된 ▷ injéction *n.*
in·ject·a·ble [indʒéktəbl] *a.* 〈약물이〉 주사 가능한
— *n.* 주사 가능 물질, 주입 가능 의약품
in·jec·tant [indʒéktənt] *n.* 경피(經皮) 물질 (벌레에 쏘인 독이나 페니실린 주사 등 알레르기 반응을 일으키는 것)
∗**in·jec·tion** [indʒékʃən] *n.* **1** ⓊⒸ 주입, 주사; 관장(灌腸): a hypodermic[subcutaneous] ~ 피하 주사 **2** 주사액; 관장약 **3** Ⓤ 〖우주과학〗 〈인공위성이나 우주선을〉 궤도에 진입시킴 **4** Ⓤ 〖기계〗 (연료·공기 등의) 분사 **5** 〖수학〗 단사(單射) 함수
injéction mòlding (금속·플라스틱 등의) 사출 성형(射出成形)
in·jec·tor [indʒéktər] *n.* 주사기; 주사 놓는 사람; (엔진의) 연료 분사 장치
injéctor ràzor (외날을 갈아 끼우는) 인젝터식 안전면도기
in-joke [índʒòuk] *n.* 특정 그룹에만 통용되는 조크
in·ju·di·cious [ìndʒuːdíʃəs] *a.* 분별없는(unwise), 지각없는 **~·ly** *ad.* **~·ness** *n.*
In·jun [índʒən] *n.* 《미·구어·방언》 아메리칸 인디언; ⇨ honest injun. ***get up* one's *~*** 《속어》 화를 내다 ***play ~*** 《미·속어》 도망치다, 숨다
in·junct [indʒʌ́ŋkt] *vt.* 《구어》 금지하다, 억제하다

‡in·junc·tion [indʒʌ́ŋkʃən] *n.* **1** 명령, 훈령, 지령: the ~*s* of the Lord 신의 명령 **2** 〖법〗 (법정의) 금지[강제] 명령 ▷ injúnct *v.*

in·junc·tive [indʒʌ́ŋktiv] *a.* 명령적인, 금지의

⁎in·jure [índʒər] *vt.* **1** 상처를 입히다, 다치게 하다, 부상을 입게 하다: crops ~*d by* the flood 홍수로 피해를 입은 작물

> 유의어 **injure** 「사람이나 동물의 신체·건강·감정·명성 등을 손상시키다, 해치다」의 뜻의 가장 일반적인 말이다: He was *injured* in the traffic accident. 그는 교통사고로 다쳤다. **hurt** injure와 거의 같은 뜻: Be careful not to *hurt* the animals. 동물을 해치지 않도록 조심해라. **wound** 「칼붙이·총포 등으로 상처를 입히다」의 뜻: Two soldiers were killed and three *wounded.* 군인 둘이 죽고 셋이 부상당했다. **damage** wound와 같은 뜻으로 무생물의 경우에 쓴다: a table *damaged* in shipping 수송 중에 손상된 테이블

2 〈명예·감정 등을〉 해치다, 손상시키다; 손해를 주다: ~ a friend's feelings 친구의 감정을 상하게 하다 **3** 〈사람을〉 학대하다; 화나게 하다 **ín·jur·er** *n.* ▷ ínjury *n.*; injúrious *a.*

⁎in·jured [índʒərd] *a.* **1 a** 상처 입은, 부상한, 다친 **b** [the ~; 명사적; 복수 취급] 부상[전상(戰傷)]자들: the dead and *the* ~ 사상자 **2** 감정이 상한; 〈명예가〉 손상된: an ~ look[voice] 감정이 상한 듯한 표정[목소리] **~ *innocence*** (1) 부당하게 누명을 쓴 사람 (2) (누명을 쓴 사람의) 화난 태도

ínjured párty 〖법〗 [the ~] 피해자

in·ju·ri·a [indʒúəriə] [L] *n.* (*pl.* **-ri·ae** [-riìː, -riài]) 〖법〗 권리 침해, 위법 행위

⁎in·ju·ri·ous [indʒúəriəs] *a.* **1** 해로운, 나쁜(harmful) 《*to*》: be ~ *to* the health 건강에 나쁘다 **2** 사악한; 불법의, 부정한(unjust) **3** 〈말이〉 무례한; 모욕적인, 중상적인 **~·ly** *ad.* **~·ness** *n.* ▷ ínjury *n.*; ínjure *v.*

‡in·ju·ry [índʒəri] [L 「부정(不正)」의 뜻에서] *n.* (*pl.* **-ries**) **1** 상해, 손상, 해, 위해, 손해: a cold ~ 냉해 / a high temperature ~ 고온 피해

> 유의어 **injury** 사고 등에 의한 상해, 손상: physical *injury* 신체적 상해 **wound** 칼붙이·총포 등에 의한 상처: a serious *wound* in the shoulder 어깨의 중상

2 〈감정·평판 등을〉 해침, 무례, 모욕, 명예 훼손 《*to*》; Ⓤ 악, 부정, 부당한 취급 《*to*》 **3** 〖법〗 Ⓤ 권리 침해; Ⓒ 위법 행위 ***be an ~ to*** …을 해치다, …에 해가 되다 ***do*** a person ***an ~*** …에게 위해를 가하다[손해를 주다] ***suffer injuries*** 부상당하다 《*to*》 ▷ ínjure *v.*; injúrious *a.*

ínjury bènefit (영) 산재(産災) 보험금

ínjury tìme (축구·럭비 등에서) 부상 등으로 소비한 시간만큼의 경기 시간의 연장

‡in·jus·tice [indʒʌ́stis] *n.* **1** Ⓤ 불법, 부정, 불공평: without ~ to anyone 누구에게도 불공평하지 않도록, 치우침 없이 **2** Ⓤ 권리 침해; 부당한 조치: in ~ to a person …의 권리를 침해하여; …를 부당하게 취급하여 **3** 부정[불법] 행위, 비행 ***do*** a person ***an ~*** …에게 부당한 짓을 하다, …을 불공평하게 판단하다, …을 오해하다

‡ink [íŋk] *n.* Ⓤ **1** (필기용·인쇄용의) 잉크: write in [with] red ~ 붉은 잉크로 쓰다 **2** 먹, 먹물; 〖동물〗 (오징어가 내뿜는) 먹물 **(*as*) *black as ~*** 새까만; 아주 불길한 ***China*** [***Chinese, India, Indian***] **~** 먹 ***sling ~*** (구어) 문인(文人) 노릇을 하다; 사무원 노릇을 하다(cf. INKSLINGER) ***sympathetic*** [***invisible***] **~** 은현(隱現) 잉크 《열·빛 등으로 빛깔을 나타냄》

—*vt.* **1** 잉크로 쓰다, 잉크를 칠하다; 잉크로 더럽히다[지우다] **2** (미·속어) 서명하다 **~ *in*** [***over***] 〈연필 밑그림을〉 잉크로 칠하다 **~ *out*** 〈오자 등을〉 잉크로 지우다 **~ *up*** 〈인쇄기에〉 잉크를 넣다 ▷ ínky *a.*

ínk bàg = INK SAC

ink·ber·ry [íŋkbèri, -bəri | -bèri] *n.* (*pl.* **-ries**) 〖식물〗 **1** 감탕나무속(屬)의 상록 관목; 그 열매 **2** 아메리카자리공; 그 열매

ink·blot [-blɑ̀t | -blɔ̀t] *n.* (심리 테스트용의) 잉크 얼룩

ínkblot tèst = RORSCHACH TEST

ink·bot·tle [-bɑ̀tl | -bɔ̀tl] *n.* 잉크병

inked [íŋkt] *a.* (속어) 곤드레만드레 취한

ink·er [íŋkər] *n.* **1** 〖인쇄〗 잉크롤러 **2** 〖통신〗 수신 인자기(印字機)

ink·fish [íŋkfìʃ] *n.* 〖동물〗 오징어(cuttlefish)

ink·hold·er [-hòuldər] *n.* 잉크 그릇, (만년필 속의) 잉크집

ink·horn [-hɔ̀ːrn] *n.* 뿔로 만든 잉크 그릇

inkhorn

ínkhorn tèrm 현학적인 용어, 학자연하는 말

in-kind [inkàind] *a.* (돈 대신) 현물로 주는, 현물 지급의; (거래를) 동종(同種) 교환식으로 하는

ink·ing [íŋkiŋ] *n.* Ⓤ **1** 〖제도〗 잉크로 그림: an ~ stand 잉크대(臺), 스탠드대 **2** 〖통신〗 인자(印字)

ink-jet [íŋkdʒèt] *a.* 〈프린터 등이〉 잉크 제트 방식의

ínk-jet príntíng 잉크 제트식 인쇄 《고속 인쇄 방식의 하나》 **ínk-jet prínter**

in·kle [íŋkl] *n.* (가두리 장식용의) 폭이 넓은 리넨 테이프

ink·ling [íŋkliŋ] *n.* **1** 어렴풋이 알고 있음 **2** 암시(hint), 넌지시 비춤 ***get*** [***have***] ***an ~ of*** …을 어렴풋이 알다, 눈치 채다 ***give*** a person ***an ~ of*** …에게 …을 넌지시 비추다

ink·pad [íŋkpæ̀d] *n.* 스탬프, 인주

ink·pot [-pɑ̀t | -pɔ̀t] *n.* (영) 잉크병(inkwell)

ínk sàc 〖동물〗 (오징어의) 먹물 주머니, 고락

ínk slàb 〖인쇄〗 잉크 개는 판; 벼루

ink·sling·er [-slìŋər] *n.* (속어) 삼류 작가, 마구 써 대는 사람; 작가, 편집자, 기자; (미·속어) (떠돌이 노동자 사이에서) 사무원

ink·stand [-stæ̀nd] *n.* 잉크스탠드; = INKWELL

ink·stick [-stìk] *n.* (미·속어) 만년필

ink·stone [-stòun] *n.* **1** 벼루 **2** Ⓤ 〖화학〗 녹반(綠礬)(green vitriol)

ink·well [-wèl] *n.* (책상에 박아 넣는) 잉크병

ink·y [íŋki] *a.* (**ink·i·er**; **-i·est**) **1** 잉크의, 잉크 같은; 새까만: ~ darkness 칠흑 같은 어둠 / ~ shadows 검은 그림자 **2** 잉크로 표를 한, 잉크 묻은 **3** (속어) 술 취한 **ínk·i·ness** *n.*

in·lace [inléis] *vt.* = ENLACE

⁎in·laid [ínlèid, ⌐⌐] *a.* 상감(象嵌) 세공을 한, (물건의 표면에) 박아 넣은: ~ work 상감 세공 / an ~ table 상감 모양의 테이블

‡in·land [ínlæ̀nd, -lənd] *n.* 내륙, 내지(內地), 국내, 오지(奧地)

—*ad.* 내륙으로[에], 국내로[에]

— [ínlənd] *a.* **1** (바다·국경에서 먼) 오지의, 내륙의: ~ cities 오지의 도시 / an ~ sea 내해(內海) **2** (영) 국내의, 내국(內國)의, 내지의: ~ commerce [trade] 국내 무역 / an ~ duty 내국세 **3** 국내에 한정된, 국내에서 발행·지불되는 **~·er** *n.* 내륙 사람

ínland bíll 내국 환어음

Ínland Révenue [the ~] (영) **1** 내국세 세입청 《정식명은 Board of Inland Revenue; 略 I.R.》

thesaurus **injury** *n.* harm, hurt, damage, impairment, affliction, wound, sore, bruise, cut

2 [i- r-] 내국세 수입(《미》 internal revenue)
in·laut [ínlàut] *n.* 〖음성〗 (음·음절의) 중간음
in-law [ínlɔ̀:] *n.* [보통 *pl.*] 《구어》 인척(姻戚) ★ son-*in-law*, cousin-*in-law* 등의 총칭.
— *a.* [보통 복합어를 이루어] 인척 관계의: a father-~ 장인, 시아버지, 양부 **~·ship** *n.* 인척 관계
ín-làw apàrtment[sùite] 《미·구어》 (본채에 딸린) 노부모용 별채(《영》 granny flat)
in·law [inlɔ́:] *vt.* 〖법〗 〈법익을 박탈당한 사람을〉 복권시키다, 사권(私權) 복귀시키다
in·law·ry [inlɔ́:ri] *n.* Ⓤ 〖법〗 사권 복귀
in·lay [ínlèi, ⌐⌐] *vt.* (**-laid**) **1** 박아 넣다; 상감(象嵌)하다, 새겨 넣다 《*with*》 **2** 아로새기다, 〈컷 등을〉 끼워 넣다: (~+목+전+명) ~ gems *in* a ring 반지에 보석을 박아 넣다 **3** 〖원예〗 〈접눈을〉 대목에 끼워 넣다 — [⌐⌐] *n.* ⓊⒸ **1** 상감 세공[재료]; 상감 모양 **2** 〖치과〗 충치의 봉 박기 **3** 〖원예〗 = INLAY GRAFT
~·er *n.* 상감공
ínlay gràft 〖원예〗 눈접붙이기
***in·let** [ínlet, -lit] *n.* **1** 후미, 작은 만 **2** 입구, 들이는 곳(opp. *outlet*): air ~ 공기 흡입구 / oil ~*s* 기름 주입구 **3** 박아 넣기[넣는 물건], 상감물
— [inlèt, ⌐⌐] *vt.* (~; **~·ting**) 박아[끼워] 넣다
in·li·er [ínlàiər] *n.* 〖지질〗 내좌층(內座層)
in-line [ínlàin] *a.* **1** 〖컴퓨터〗 인라인의, 그때마다 즉시 처리하는 **2** 〈내연 기관이〉 직렬의, 〈부품·장치가〉 일렬로 늘어선: an ~ engine 직렬 엔진
ín-line skátes 인라인 스케이트화 《롤러가 한 줄로 된 롤러스케이트화》

in-line skates

in loc. cit. *in loco citato* 《 L = in the place cited》 앞에 인용한 곳에
in lo·co pa·ren·tis [in-lóukou-pəréntis] [L = in the place of a parent] *ad.* 부모 대신에, 부모 입장이 되어
in·ly [ínli] *ad.* 《시어》 **1** 속으로, 내심(內心)에 **2** 충심으로; 친하게(intimately)
in·ly·ing [ínlàiiŋ] *a.* 안쪽[내부]의
in·mar·riage [ínmæ̀ridʒ] *n.* = ENDOGAMY
INMARSAT [ínmɑ:rsæ̀t] [*In*ternational *Mar*ine *Sat*ellite Organization] *n.* 〖우주과학·통신〗 국제 해사(海事) 위성 기구
***in·mate** [ínmèit] *n.* **1** (병원·교도소 등의) 피수용자, 입원 환자, 입소자, 수감자 **2** 《고어》 동거인, 한집 식구
in me·di·as res [in-mí:diəs-rí:z, -méidiɑ̀:s-réis] [L = in the middle of things] *ad.* 사건의 중심으로; 사건의 도중에서
in me·mo·ri·am [in-məmɔ́:riəm] [L = in memory (of)] *prep.* …의 기념으로; …을 추도하여
— *n.* 추도문, 묘비명
in·mesh [inméʃ] *vt.* = ENMESH
in·mi·grant [ínmàigrənt] *n.* 국내[영토 내] 이주자
— *a.* 〈노동자가〉 국내의 타지역에서 이주해 온
in·mi·grate [ìnmáigreit] *vi.* (같은 나라 안의 다른 지역으로부터) 이주해 오다 **ìn·mi·grá·tion** *n.*
in·most [ínmòust | -mòust, -məst] *a.* Ⓐ **1** 맨 안쪽의, 가장 깊은 속의: the ~ recesses of the forest 숲 속 가장 깊숙한 오지 **2** 마음 깊은 곳의, 내심의, 깊이 간직한 〈감정 등〉
‡**inn** [ín] [OE 「집, 숙소」의 뜻에서] *n.* **1** 여인숙, 여관; (작은) 호텔: run a country ~ 시골 작은 여관을 경영하다 **2** 《영》 선술집, 주막(tavern) **3** 《폐어》 주거, 주소 **4** [**I~**] 《영·고어》 법학생의 숙사
the I~s of Chancery 〖영국사〗 (런던의) 법학생용 숙사 ***the I~s of Court*** (변호사 임명을 전담하는) 런던의 4개의 법학원 《the Inner Temple, the Middle Temple, Lincoln's Inn, Gray's Inn》
in·nards [ínərz] *n. pl.* 《구어》 **1** 내장(內臟) **2** (기계 등의) 내부(inner parts), 내부 구조: an engine's ~ 엔진 내부
***in·nate** [inéit, ⌐⌐] *a.* **1** 〈성질 등을〉 타고난, 천부의, 선천적인(opp. *acquired*): an ~ instinct[characteristic] 타고난 본능[특성] **2** 고유의, 본질적인; 〖철학〗 본유적(本有的)인: ~ ideas[concepts] 본유 관념 **~·ly** *ad.* **~·ness** *n.*
‡**in·ner** [ínər] *a.* **1** 안의, 안쪽의(opp. *outer*): an ~ court 안뜰 **2** 보다 친한; 개인적인 **3** 내적인, 정신적인(spiritual); 주관적인: the ~ life 정신[영적] 생활 **4** 은밀한, 비밀의
— *n.* **1** 과녁의 내권 《과녁의 중심(bull's eye)과 외권(外圈) 사이의 부분》 **2** 내권 명중(탄) **~·ly** *ad.*
ínner bár [the ~] 〖영국법〗 칙선(勅選) 변호인단
ínner cábinet 《영》 (각내(閣內)의 실력자) 소내각
ínner chìld [one's ~] 내면의 어린이 《어른의 마음속에 존재하는 어린이 부분》
ínner círcle 권력 중추부의 측근 그룹(loop)
ínner cíty **1** 도심(부) **2** 《미》 대도시 중심부의 저소득층 거주 지역 **3** [the I- C-] (북경시의) 성내(城內)
ín·ner-cít·y *a.*
in·ner-di·rect·ed [ínərdiréktid] *a.* 〖사회〗 내부 지향적인, 비순응형의
ínner éar 〖해부〗 내이(內耳)(internal ear)
Ínner Líght [the ~] (퀘이커교에서) 내적(內的)인 빛 《마음속에 느끼는 그리스도의 빛》
ínner mán[wóman] [the ~] **1** 정신, 영혼 **2** 《익살》 밥통 《위》; 식욕: refresh[warm, satisfy] *the* ~ 배를 채우다
ínner míssion 내국(內國) 전도; (복음 교회의) 내국 사회 사업
Ínner Mongólia 내(內)몽골 《중국 자치령》
***in·ner·most** [ínərmòust] *a.* = INMOST
— *n.* 가장 깊은 부분 **~·ly** *ad.*
ínner plánet 〖천문〗 지구형 행성
ínner próduct 〖수학〗 내적(內積)
ínner resérve 〖회계〗 내부 적립금
ínner sánctum 《구어》 지성소(至聖所)(sanctum); 사실(私室), 서재
in·ner·sole [-sòul] *n.* = INSOLE
ínner spáce **1** 해면(海面) 밑의 세계; 대기권 **2** 〖심리〗 정신 세계, 잠재 의식의 영역
ínner spéech fòrm 〖언어〗 내부 언어 형식
in·ner·spring [-spriŋ] *a.* Ⓐ 《미》 〈매트리스 등이〉 속에 스프링이 든
Ínner Témple [the ~] 《영》 4법학원(Inns of Court) 중의 하나
ínner tùbe (자전거 등의) 튜브
in·ner·vate [inə́:rveit, ínərvèit] *vt.* **1** 신경이 통하게 하다; 신경을 분포[발달]시키다 **2** 〈신경·근육을〉 자극하다
in·ner·va·tion [ìnərvéiʃən] *n.* Ⓤ **1** 〖해부〗 신경 분포 **2** 〖생물〗 신경 감응; 신경 자극 전달 **~·al** *a.*
in·nerve [inə́:rv] *vt.* …에 활기를 주다, 고무하다; = INNERVATE
Ínner Wórd = INNER LIGHT
in·ness [ínnis] *n.* 《구어》 첨단적임; 입회 조건이 엄격한 집단의 일원임
inn·hold·er [ínhòuldər] *n.* = INNKEEPER
in·nie [íni] *n.* 《구어》 배타적 집단의 일원
in·ning** [íniŋ] *n.* **1** 〖야구〗 회(回), 이닝: the first [second] half of the seventh ~ 7회 초[말]; [*pl.*; 단수·복수 취급] 〖크리켓〗 타격 차례 **2** [종종 *pl.*; 단수·복수 취급] (정당의) 정권 담당 기간, (개인의) 재임[재직] 기간, 활동기, 좋은 기회 **3** 토지 개량; [*pl.*] 매립지, 간척지 ***have a good [***long***] ***~s*** (1) 대량 득점하다 (2) 행운을 즐기다; 장수하다; 오랫동

injustice *n.* unfairness, bias, prejudice, favoritism
inner *a.* interior, inside, spiritual, emotional

안 재직하다

in·nit [ínit] 《구어》 isn't it의 변형 《자기가 한 말을 강조하기 위해 평서문 끝에 덧붙임》

***inn·keep·er** [ínkì:pər] *n.* 여관 주인; 주막 주인

‡in·no·cence, -cen·cy [ínəsəns(i)] *n.* Ⓤ **1** 순결, 때묻지 않음; (도덕적) 무해(無害)(harmlessness) **2** 무죄, 결백 **3** 순진, 천진난만(simplicity) **4** 무지(無知); 무해, 무독(無毒) **5** 〖식물〗 북미산 꼭두서닛과(科)의 식물; 현삼속(屬)의 식물 ▷ ínnocent *a.*

‡in·no·cent [ínəsənt] 〖L 「상처가 없는」의 뜻에서〗 *a.* **1** 순진한, 천진난만한, 악의 없는; 사람 좋은, 〈머리가〉 단순한: an ~ misrepresentation[lie] 악의 없는 오보[거짓말] **2** 때 묻지 않은, 흠 없는, 순결한; 죄 없는, 결백한 《*of*》: (~+*of*+명) He was ~ *of* the crime. 그는 그 죄를 범하지 않았다. **3** 무해한; 〈병 등이〉 악성이 아닌 **4** Ⓟ 《구어》 …이 없는 《*of*》: (~+*of*+명) a swimming pool ~ *of* (=without) water 물이 없는 수영장 **5** 알지 못하는, 무지(無知)한; 알아채지 못하는 《*of*》: (~+*of*+명) be ~ *of* a danger 위험을 알아채지 못하다 ***play*** **~** 《미·구어》 결백한 체하다 **—** *n.* 결백한 사람; 천진난만한 아이, 호인; 바보 ***the massacre of the ~s*** (1) 무고한 어린이의 학살 《Bethlehem에서 있었던 Herod왕의 유아 대학살; 마태복음에서》 (2) 《영·속어》 의안의 묵살 《의회에서 폐회가 가까워 시간이 없는 탓으로》 **~·ly** *ad.* ▷ innocence *n.*

Ínnocents' Dày [the ~] = HOLY INNOCENTS' DAY

in·noc·u·ous [inákjuəs | inɔ́k-] *a.* **1** 〈뱀 등이〉 해[독]가 없는 **2** 악의 없는, 불쾌감을 주지 않는 **3** 〈작품 등이〉 재미없는 **~·ly** *ad.* **~·ness** *n.*

in·nom·i·nate [inámənət | inɔ́m-] *a.* 무명의, 익명의(anonymous): the ~ bone 〖해부〗 무명골(無名骨), 궁둥이뼈(hipbone)

innóminate ártery 〖해부〗 무명 동맥

in·no·vate [ínəvèit] *vi.* 혁신하다, 쇄신하다 《*in, on, upon*》: (~+전+명) ~ *on*[*in*] the present condition 현재의 상황을 일신하다 **—** *vt.* 〈새로운 사물을〉 처음으로 받아들이다, 도입하다, 시작하다

***in·no·va·tion** [ìnəvéiʃən] *n.* **1** Ⓤ 혁신, 쇄신, 일신, 기술 혁신 **2** 새 기틀, 새 제도; 새로 도입한 것 **~·al** *a.*

in·no·va·tive [ínəvèitiv] *a.* 혁신적인, 쇄신적인; 〈사람이〉 창조력이 풍부한 **~·ly** *ad.* **~·ness** *n.*

in·no·va·tor [ínəvèitər] *n.* 혁신자; 도입자: an ~ of a new technique 신기술 도입자

in·no·va·to·ry [ínəvətɔ̀:ri | -vèitəri] *a.* = INNOVATIVE

in·nox·ious [inákʃəs | inɔ́k-] *a.* 해가 없는, 독이 없는 **~·ly** *ad.* **~·ness** *n.*

Inns·bruck [ínzbruk] *n.* 인스브루크 《오스트리아의 관광 도시》

in nu·bi·bus [in-njú:bəbəs | -njú:-] 〖L =in the clouds〗 *a.* 구름 속의; 막연한

in·nu·en·do [ìnjuéndou] 〖L =by hinting〗 *n.* (*pl.* **~s, ~es**) 풍자, 빈정대는 말; 〖법〗 주석, 설명 조항 **—** *vi., vt.* 빈정거리다 **—** *ad.* 〖법〗 즉(namely)

In·nu·it [ínju:it | ínju:-] *n.* (*pl.* **~s, ~**) = INUIT

‡in·nu·mer·a·ble [injú:mərəbl | injú:-] *a.* 셀 수 없이 많은, 무수한 **~·ness** *n.* **-bly** *ad.*

in·nu·mer·a·cy [injú:mərəsi | injú:-] *n.* Ⓤ 헤아릴 수 없음[없는 상태]

in·nu·mer·ate [injú:mərət | injú:-] *a.* 수학[과학]을 모르는 **—** *n.* [종종 the ~] [집합적; 복수 취급] 수학을 모르는 사람

in·nu·mer·ous [injú:mərəs | injú:-] *a.* = INNUMERABLE

in·nu·tri·tion [ìnnju:tríʃən | ìnju:-] *n.* Ⓤ 자양분 결핍, 영양 불량[부족]

in·nu·tri·tious [ìnnju:tríʃəs | ìnju:-] *a.* 자양분[영양분]이 없는, 영양 불량의

inn·yard [ínjà:rd] *n.* 여관의 안뜰

in·ob·ser·vance [ìnəbzə́:rvəns] *n.* Ⓤ **1** 부주의, 태만(inattention) **2** (관습·법규 등의) 위반, 무시

in·ob·ser·vant [ìnəbzə́:rvənt] *a.* **1** 부주의한, 태만한 **2** 〈법규·관습·약속 등을〉 지키지 않는, 무시하는

in·oc·cu·pa·tion [inàkjupéiʃən | -ɔ̀k-] *n.* 무직

in·oc·u·la [inákjulə | -ɔ́k-] *n.* INOCULUM의 복수

in·oc·u·la·ble [inákjuləbl | -ɔ́k-] *a.* 병균 등을 심을 수 있는, 접종 가능한

in·oc·u·lant [inákjulənt | -ɔ́k-] *n.* = INOCULUM

in·oc·u·late [inákjulèit | -ɔ́k-] 〖L 「접목(接木)하다」의 뜻에서〗 *vt.* **1** 〈병균을〉 접종하다; 〈사람에게〉 (백신 등을) 접종하다; (토지 개량을 위해) 미생물을 섞어 넣다: (~+목+전+명) ~ a person *with* a virus = ~ a virus *into*[*upon*] a person …에게 병균을 (예방) 접종하다 / ~ a person *for*[*against*] the smallpox …에게 우두를 놓다 **2** 〈사람에게〉 (사상 등을) 심다, 부식(扶植)하다, 불어넣다 《*with*》: (~+목+전+명) ~ a person *with* new ideas …에게 새 사상을 불어넣다 **3** 접붙이다, 접목하다 **—** *vi.* 접종하다, 우두를 놓다 **-là·tor** *n.*

in·oc·u·la·tion [inàkjuléiʃən | -ɔ̀k-] *n.* ⓊⒸ **1** (예방) 접종, 종두: protective ~ 예방 접종 / vaccine ~ 종두 / have typhoid ~*s* 티푸스 예방 접종을 하다 **2** (사상 등의) 부식, 주입, 감화 **3** 접붙임, 접목 **4** 〖농업〗 토양의 개량

in·oc·u·la·tive [inákjulèitiv, -lət- | -ɔ́k-] *a.* (예방) 접종의, 종두의 **in·òc·u·la·tív·i·ty** *n.*

in·oc·u·lum [inákjuləm | -ɔ́k-] *n.* (*pl.* **-la** [-lə]) 접종물, 접종원 《세균·포자·바이러스 등》

in·o·dor·ous [inóudərəs] *a.* 향기[냄새]가 없는 **~·ly** *ad.* **~·ness** *n.*

in·of·fen·sive [ìnəfénsiv] *a.* **1** 〈동물·약 등이〉 해를 끼치지 않는, 해가 없는(innocuous) **2** 〈사람·행위가〉 악의가 없는, 불쾌감을 주지 않는; 〈말 등이〉 거슬리지 않는, 싫지 않은 **~·ly** *ad.* **~·ness** *n.*

in·of·fi·cious [ìnəfíʃəs] *a.* **1** 직책[임무]이 없는 **2** 〖법〗 도덕상의 의무를 다하지 않는, 인륜에 반(反)하는

inoffícious wíll[téstament] 〖법〗 반(反)도의적 유언 《충분한 사유없이 특정 근친자를 상속에서 제외시키는》

in·op·er·a·ble [inápərəbl | -ɔ́p-] *a.* **1** 실행[실천]할 수 없는 **2** 〖의학〗 수술 불가능한: an ~ cancer 수술 불가능한 암

in·op·er·a·tive [inápərətiv, -ápərèit- | -ɔ́pərət-] *a.* **1** 작용하지 않는 **2** 효력[효과]이 없는; 〈법률 등이〉 무효인 **~·ness** *n.*

in·op·por·tune [inàpərtjú:n | -ɔ́pətjù:n] *a.* 시기를 놓친, 시기가 나쁜(ill-timed); 부적당한, 형편이 나쁜 **~·ly** *ad.* **~·ness** *n.*

in·or·di·na·cy [inɔ́:rdənəsi] *n.* **1** Ⓤ 과도, 지나침; Ⓒ 과도한 행위 **2** 무질서, 혼란; 불규칙

in·or·di·nate [inɔ́:rdənət] *a.* **1** 지나친, 과도한(excessive): a sermon of ~ length 지나치게 긴 설교 **2** 난폭한; 무절제한; 불규칙한: keep ~ hours 불규칙한 생활을 하다 **~·ly** *ad.* **~·ness** *n.*

***in·or·gan·ic** [ìnɔ:rgǽnik] *a.* **1** 생활 기능이 없는, 무생물의(inanimate): the ~ world 무생물계 **2** 〈사회 등이〉 유기 조직이 없는, 비유기적인; 인위적인 **3** 〖화학〗 무기의, 무기성의: ~ matter[compounds] 무기물[화합물] **4** 본질과 관계없는; 관련 없는, 이질의 **—** *n.* 무기 화학 제품[약품] **-i·cal·ly** *ad.*

inorgánic chémistry 무기 화학(cf. ORGANIC CHEMISTRY)

in·or·gan·i·za·tion [inɔ̀:rgənizéiʃən | -naiz-] *n.* 무조직, 무체제

thesaurus **innocent** *a.* **1** 순진한 naive, artless, ingenuous, guileless, childlike, frank **2** 악의 없는 harmless, safe, noninjurious, unmalicious **3** 순결한 virtuous, pure, sinless, moral, decent, chaste, virginal, incorrupt **4** 결백한 guiltless, blameless,

in·or·nate [ìnɔːrnéit, ⌐⌐́] *a.* 꾸미지 않은, 간소한: ~ literary style 간소한 문체

in·os·cu·late [ináskjulèit | -ɔ́s-] *vi.* **1** 〈혈관 등이〉 접합(接合)하다 **2** 〈섬유 등이〉 서로 얽히다 **3** 밀접하게 결합하다 **—** *vt.* **1** 〈혈관 등을〉 접합시키다 **2** 〈섬유 등을〉 서로 얽히게 하다 **3** 합체시키다: ~ past and present 과거와 현재를 밀접하게 결합시키다

in·os·cu·la·tion [inɑ̀skjuléiʃən | -ɔ̀s-] *n.* Ⓤ **1** (혈관 등의) 접합 **2** 결합 **3** 합체

in·o·sín·ic ácid [ìnəsínik-, àin-] 〖생화학〗 이노신산(酸)

in·o·si·tol [inóusətɔ̀ːl, -tòul, ain- | -tɔ̀l] *n.* Ⓤ 〖생화학〗 이노시톨 《비타민 B 복합체의 하나》

in·o·trop·ic [ìnətrápik, -tróup-, àin- | -trɔ́p-] *a.* 근육의 수축을 지배하는

in·ox·i·diz·a·ble [inɑ́ksədàizəbl | -ɔ́k-] *a.* 〖화학〗 산화되지 않는, 산화 작용을 받지 않는

in·paint [ínpèint] *vt.* 〈그림의〉 파손·퇴색·소거된 부분을 복원하다

in·pa·tient [ínpèiʃənt] *n.* 입원 환자(opp. *outpatient*)

in per·pe·tu·um [in-pərpétʃuəm] [L =forever] *ad.* 영원히

in-per·son [ínpə́ːrsn] *a.* 생생한, 실황의; 직접의: an ~ performance 실연(實演)

in pet·to [-pétou] [It. = in(안에)+breast(가슴)에서] *a.* **1** 은밀한 **2** (교황이 추기경 임명에 대한) 의중(意中)을 드러내지 않는
— *ad.* **1** 남몰래, 은근히 **2** (교황의) 의중에

in·phase [ínfèiz] *a.* 〖전기〗 동상(同相)의

ín pláce [agent *in place*] 《미》 〖정치〗 (반대당에 잠입한) 스파이

in-plant [ínplæ̀nt | -plɑ̀ːnt] *a.* 공장 안의[에서 실시되는]: ~ training programs 공장 내 훈련 계획

in pos·se [in-pɑ́si | -pɔ́si] [L =in possibility] *ad.* 가능하게(opp. *in esse*)

in·pour [inpɔ́ːr] *vt., vi.* 주입하다; 흘러 들어가다, 유입하다 **—** *n.* ⓊⒸ 유입(流入) **~·ing** *n., a.*

in-pro·cess [ìnprɑ́ses, -próus-] *a.* (원료·완제품에 대하여) 제조 과정에 있는, 제조 과정의

in pro·pri·a per·so·na [in-próupriə-pərsóunə] [L =personally] *ad.* 스스로, 몸소, 친히; 〖법〗 (변호사를 통하지 않고) 당사자 본인에 의해

∗**in·put** [ínpùt] *n.* ⓊⒸ **1** 〖경제〗 **투입**(投入)(량) (opp. *output*): ~-output table 투입 산출표(表) **2** (기술적 문제의 해결을 위한) 정보, 데이터 **3** 〖기계·전자〗 **입력**; 〖컴퓨터〗 입력 (신호), 입력 조작 《*to*》 (opp. *output*) **4** 《스코》 기부(contribution)
— *vt., vi.* (**~, ~·ted; ~·ting**) **1** 〖컴퓨터〗 (정보 등을) 입력하다 **2** (의견·정보·제안 등을) 제공하다

ínput àrea 〖컴퓨터〗 입력 영역

ínput devìce 〖컴퓨터〗 입력 장치

ínput mòde 〖컴퓨터〗 입력 방식

in·put/out·put [ínpùtáutpùt] *n., a.* 〖컴퓨터〗 입출력(의) 《略 I/O》

ínput-óutput anàlysis 〖경제〗 투입 산출 분석, 산업 연관 분석

in·quest [ínkwest] *n.* **1** 〖법〗 (배심원 앞에서의) 심리(審理), 사문(査問) **2** (검시관이 행하는) 검시(檢屍)(=coroner's ~) **3** [집합적] 심문 위원, 배심; 검시 배심(coroner's jury); 검시 배심의 판정[평결]: the grand ~ 대배심 **4** 《구어》 조사, 음미 ***the grand ~ of the nation*** 《영》 하원 ***the Last*** [***Great***] ***I~*** 최후의 심판(the Last Judgment)

in·qui·e·tude [inkwáiətjùːd | -tjùːd] *n.* Ⓤ **1** 불안, 동요(restlessness) **2** [*pl.*] 근심

inculpable, unimpeachable, irreproachable
inquiry *n.* investigation, examination, exploration, probe, search, scrutiny, interrogation
inquisitive *a.* inquiring, questioning, probing, scrutinizing, interested, intrusive, prying

in·qui·line [ínkwəlàin, -lin | -làin] *n.* 〖동물〗 (다른 동물의 둥지·굴·몸에 공생하는) 공생 동물
— *a.* 공생 동물의; 남의 둥지에 서식하는

‡**in·quire** [inkwáiər] [L 「찾다」의 뜻에서] *vt.* 〈사물을〉 (…에게) **묻다**, 알아보다 《*of, from*》: ~ a person's name …의 이름을 묻다 // (~+전+명+***wh.*** 절) ~ *of* one's friend *what* one should do 친구에게 어찌하면 좋을지 물어보다 // (~+***wh. to*** do) I'll ~ *how to* get there. 그곳에 가는 방법을 물어보겠다.
— *vi.* **1** (…을 …에게) 질문을 하다, 묻다 《*about, of*》: (~+전+명) ~ *about* a person …의 일을 물어보다 **2** 조사하다 《*into*》: (~+전+명) ~ closely *into* the incident 면밀히 사건을 조사하다 ★ ask보다 격식을 차린 말(⇨ ask 유의어)
~ about …에 관하여 묻다 ***~ after*** …의 안부를 묻다, 문병하다; …에 관하여 묻다 ***~ for*** …을 방문하다, 면회를 청하다, 〈가게의 물품 유무를〉 문의하다; …의 안부를 묻다 ***~ into*** …을 조사하다 ***~ of*** …에게 묻다 ***~ out*** 조사하여 알아내다 ***I~ within.*** 《게시》 자세한 것은 안으로 (들어와 물어주십시오.)
▷ inquíry, inquisítion *n.*; inquísitive *a.*

∗**in·quir·er** [inkwáiərər] *n.* **묻는 사람**, 문의자; 조사원, 탐구자

in·quir·ing [inkwáiəriŋ] *a.* **1** 묻는 **2** 알고 싶어하는, 캐묻기 좋아하는(inquisitive), 호기심에 찬: an ~ mind 탐구적 정신(의 사람) **3** 미심쩍은: an ~ look 미심쩍은 얼굴 **~·ly** *ad.*

‡**in·quir·y** [inkwáiəri, ínkwəri | inkwáiəri] *n.* (*pl.* **-ies**) ⒸⓊ **1 연구**, 탐구 **2 조사**, 취조, 심리 **3 질문**, 문의, 조회 《*about*》 ***a court of ~*** 〖군사〗 사문(査問) 위원회 ***a writ of ~*** 조사 명령서 ***make inquiries*** 질문하다, 문의하다 《*about*》, 조사[취조]하다 《*into*》 ***on ~*** 물어[조사하여] 보니
▷ inquíre *v.*

inquíry àgency 《영》 흥신소

inquíry àgent 《영》 사설 탐정

inquíry òffice 《영》 (호텔·역 등의) 안내소

inquíry stàtion 〖컴퓨터〗 문의 단말기 《중앙 계산 시스템에 원격 문의를 보낼 수 있는》

∗**in·qui·si·tion** [ìnkwəzíʃən, ìŋ-] *n.* **1** (배심·공적 기관의) **심리**, 조사, 취조; 조사 (보고)서 **2** Ⓤ (엄격한) **조사**, 심문 **3** (개개의) 조사, 연구: propose an ~ into …의 조사를 제안하다 **4** [the I~] 〖가톨릭〗 (중세의 이단 심리의) 종교 재판(소), 이단 심문(소) **~·al** *a.*
▷ inquíre *v.*; inquísitive *a.*

∗**in·quis·i·tive** [inkwízətiv] *a.* **1 질문을**[**연구를**] **좋아하는**, 탐구적인; 알고[듣고] 싶어하는 《*about, after*》: be ~ *about*[*after*] everything 무엇이든지 알고 싶어하다 **2** 《경멸》 꼬치꼬치 캐묻기 좋아하는, 호기심이 많은(⇨ curious 유의어): with ~ eyes 호기심이 가득한 눈으로
— *n.* 조사[연구]를 좋아하는 사람; 호기심이 많은 사람 **~·ly** *ad.* **~·ness** *n.*
▷ inquíre *v.*; inquisítion *n.*

in·quis·i·tor [inkwízətər] *n.* **1** 조사자, 심문자 **2** [**I~**] 종교 재판관: the Grand *I~* 종교 재판소장 / the *I~* General (특히 스페인의) 종교 재판소장

in·quis·i·to·ri·al [inkwìzətɔ́ːriəl] *a.* **1** 심문자[종교 재판관]의[같은]; 조사[심문]의 **2** 캐묻기 좋아하는(inquisitive) **~·ly** *ad.* **~·ness** *n.*

in·quor·ate [inkwɔ́ːreit] *a.* 《영》 (회의에서) 출석 인원이 정족수 미달인

in·ra·di·us [ínrèidiəs] *n.* (*pl.* **-di·i** [-diài], **~·es**) 〖기하〗 (삼각형의) 내접원의 반지름

in re [in-ríː, -réi] [L =in the matter of] *prep.* 〖법〗 …의 소건(訴件)으로, …에 관하여

in-res·i·dence [inrézədəns] *a.* [명사 뒤에 놓여] (본업과의 다른 자격으로 대학 등에) 재직[거주]하는: a poet-~ at the university 대학에 재직하는 시인

INRI *Iesus Nazarenus, Rex Iudaeorum* 《L= Jesus of Nazareth, King of the Jews》

in·road [ínròud] *n.* [보통 *pl.*] **1** 침략, 침입, 내습 **2** 《비유》 (생활 등에 대한) 침해, 잠식; (새 영역 등으로의) 진출 《*upon, on, into*》 ***make ~s into*** [***on, upon***] …을 먹어 들어가다, …에 침입하다
in·rush [ínrʌ̀ʃ] *n.* 돌입, 침입, 난입; 유입(流入), 쇄도 **~·ing** *n., a.*
ins [íns] *n.* 〖컴퓨터〗 삽입 키(= ~ **kèy**)
INS Immigration and Naturalization Service (미) 연방 이민국; 〖항공〗 inertial navigation system; Information Network System; (미) International News Service **ins.** inches; inscribed; inspector; insulated; insulation; insulator; insulted; insurance
in·sal·i·vate [insǽləvèit] *vt.* (씹어서) 〈음식물에〉 침을 섞다
in·sal·i·va·tion [insæ̀ləvéiʃən] *n.* Ⓤ 침을 섞음, 타액 혼화(混和)
in·sa·lu·bri·ous [ìnsəlú:briəs] *a.* 〈기후·토지가〉 건강에 좋지 못한 **~·ly** *ad.*
in·sa·lu·bri·ty [ìnsəlú:brəti] *n.* Ⓤ 〈토지·기후 등이〉 건강에 부적당함, 비위생
in·sal·u·tar·y [insǽljutèri | -təri] *a.* 불건전한, 나쁜 영향을 미치는
íns and óuts [the ~] **1** 여당과 야당 **2** (도로 등의) 굴곡, 꼬불꼬불함 **3** (구어) 상세한 사정[내용]
in·sane [inséin] *a.* (**-san·er**; **-est**) **1 제정신이 아닌**, 미친, 광기의(mad)(opp. *sane*) **2** 정신 이상자를 위한; 정신 이상자 특유의: an ~ asylum[hospital] 정신 병원 ★ 현재는 보통 mental hospital이라고 함. **3** (구어) 미친 듯한, 어리석은, 몰상식한: an ~ plan 말도 안 되는 계획 **~·ly** *ad.* **~·ness** *n.*
▷ insánity *n.*
in·san·i·tar·y [insǽnətèri | -təri] *a.* 건강에 해로운, 비위생적인(unhealthy)
in·san·i·ta·tion [insæ̀nətéiʃən] *n.* Ⓤ 위생 설비[규칙]가 없음, 불결한 상태
in·san·i·ty [insǽnəti] *n.* (*pl.* **-ties**) **1** Ⓤ **광기**, 정신 이상[착란], (급성) 정신병 **2** (구어) 미친 짓, 어리석은 짓(folly) ~ ***of grandeur*** 과대망상증
▷ insáne *a.*
in·sa·tia·bil·i·ty [insèiʃəbíləti] *n.* Ⓤ 만족할 줄 모름, 탐욕
in·sa·tia·ble [inséiʃəbl, -ʃiə-] *a.* 만족할 줄 모르는, 탐욕스러운(greedy) **~·ness** *n.* **-bly** *ad.*
in·sa·ti·ate [inséiʃiət] *a.* = INSATIABLE **~·ly** *ad.* **~·ness** *n.*
in·scape [ínskèip] *n.* (예술 작품에서 표현되는) 인간의 본성, 사물의 본질
in·sci·ent [ínʃiənt] *a.* 무지한, 지식이 거의[전연] 없는 **ín·sci·ence** *n.*
in·scribe [inskráib] 〖L 「위[안]에 쓰다」의 뜻에서〗 *vt.* **1** 〈비석 등에〉 **새기다**, 파다: 《~+목+전+명》 ~ a gravestone *with* a name = ~ a name *on* a gravestone 묘비에 이름을 새기다 **2** 헌정[증정]하다: 《~+목+전+명》 ~ a book *to* a person …에게 책을 헌정[증정]하다 **3** 명심하다: 《~+목+전+명》 The scene is deeply *~d in* her memory. 그 광경은 그녀의 기억에 깊이 새겨져 있다. **4** (영) 〈주주·신청자의 이름을〉 등록하다; 〈성명을〉 (정식으로) 기입하다: an *~d* stock (영) 기명 공채[주식] **5** 〖수학〗 〈원 등을〉 내접(內接)시키다(opp. *circumscribe*): an *~d* circle 내접원 ▷ inscríption *n.*; inscríptive *a.*
in·scrip·tion [inskrípʃən] *n.* **1 명**(銘), 비명(碑銘), 비문; (화폐 등의) 명각(銘刻) **2** (책의) 제명(題銘) **3** (영) 공채[주식]의 등록, 기명; [*pl.*] 기명 공채[주식] **~·al** *a.* **~·less** *a.* ▷ inscríbe *v.*
in·scrip·tive [inskríptiv] *a.* 명(銘)의, 제명[비명]의 **~·ly** *ad.*
in·scru·ta·bil·i·ty [inskrù:təbíləti] *n.* Ⓤ 헤아릴 수 없음, 불가해, 불가사의; Ⓒ 불가사의한 것[일]
in·scru·ta·ble [inskrú:təbl] *a.* **1** 조사해도 알 수 없는 **2** 헤아릴 수 없는, 불가해한; 수수께끼 같은: an ~ smile 뜻 모를 미소 **~·ness** *n.* **-bly** *ad.*
in·sculp [inskʌ́lp] *vt.* (고어) 새기다, 조각하다
in·seam [ínsì:m] *n.* (바지·구두·장갑 등의) 안쪽 솔기
in·sect [ínsekt] 〖L 「안을 자르다」의 뜻에서; 몸에 마디가 있다고 해서〗 *n.* **1 곤충**; 《일반적으로》 벌레

> 유의어 **insect** 「곤충」을 뜻하는 가장 일반적인 말이다. **worm** 지렁이 등의 연충을 말한다. **beetle** 딱정벌레·풍뎅이 등의 갑충

2 벌레 같은 놈, 소인(cf. WORM)
— *a.* **1** 곤충(용)의; 곤충 같은; 살충[방충]용의: an ~ net 포충망 / ~ pests 해충(害蟲) **2** 인색한, 비열한
in·sec·tan [inséktən] *a.* **~·like** *a.*
in·sec·tar·i·um [ìnsektέəriəm] *n.* (*pl.* **~s, -i·a** [-iə]) (동물원 등의) 곤충 사육장, 곤충관(館)
in·sec·ti·cid·al [insèktəsáidl] *a.* 살충(제)의
in·sec·ti·cide [inséktəsàid] *n.* 살충제; 살충
in·sec·ti·fuge [inséktəfjù:dʒ] *n.* 구충제
in·sec·tile [inséktəl | -tail] *a.* 곤충의; 곤충 같은, 곤충에 관한
in·sec·ti·val [ìnsektáivəl] *a.* 곤충다운, 곤충 특유의
in·sec·ti·vore [inséktəvɔ̀:r] *n.* 식충(食蟲) 동물[식물]; 식충류 동물
in·sec·tiv·o·rous [ìnsektívərəs] *a.* 곤충을 먹는, 식충성의: an ~ plant 식충 식물
in·sec·tol·o·gy [ìnsektɑ́lədʒi | -tɔ́l-] *n.* Ⓤ 곤충학(entomology) **-ger** *n.*
ínsect pòwder 1 제충분(除蟲粉), 구충제 **2** 《특히》 제충국분(除蟲菊粉)
in·se·cure [ìnsikjúər] *a.* (**-cur·er**; **-est**) **1** 불안정한; 위태로운, 무너져 내릴 듯한: an ~ person 자신 없는 사람 / an ~ ladder 무너질 듯한 사닥다리 **2** 불안한, 걱정스러운, 확신이 안 가는 《*about, with*》: I was ~ *about* the final exam. 기말 고사가 걱정스러웠다 **~·ly** *ad.* **~·ness** *n.* ▷ insecúrity *n.*
in·se·cu·ri·ty [ìnsikjúərəti] *n.* (*pl.* **-ties**) **1** Ⓤ 불안(감), 확신이 없음; 불안정, 위험: a feeling of ~ 불안감 / political[economic] ~ 정치적[경제적] 불안정 **2** 불안정[불확실]한 것 ▷ insecúre *a.*
in·sem·i·nate [insémənèit] *vt.* **1** 수태[인공 수정]시키다 **2** 〈땅에〉 씨를 뿌리다; 〈사상 등을〉 (마음에) 심다
in·sem·i·na·tee [insèməneití:] *n.* 수정자
in·sem·i·na·tion [insèmənéiʃən] *n.* Ⓤ **1** 씨뿌림 **2** (인공) 수정(授精), 수태(受胎); 정액 주입: artificial ~ 인공 수정
in·sem·i·na·tor [insémənèitər] *n.* 수정시키는 수컷; 〖수의학〗 (가축의) 인공 수정 기술자
in·sen·sate [insénseit, -sət] *a.* **1** 감각이 없는 **2** 비정(非情)의; 무정[잔인]한; 감수성이 없는 《*to*》: a man ~ *to* beauty 미에 대한 감수성이 없는 사람 **3** 분별[이해력]이 없는(senseless) **~·ly** *ad.* **~·ness** *n.*
in·sen·si·bil·i·ty [insènsəbíləti] *n.* Ⓤ **1 무감각**, 무지각 《*to*》; 무의식, 인사불성: ~ *to* pain 통증을 느끼지 못함 **2** 감수성이 둔함; 무감동, 무신경, 태연, 냉담 《*to*》 ▷ insénsible *a.*
in·sen·si·ble [insénsəbl] *a.* **1** Ⓟ **무감각한**, 감지할 수 없는 《*to, of*》; **의식이 없는**, 인사불성의: be knocked ~ 맞아서 인사불성이 되다 / fall ~ 의식 불명이 되다 **2** (어떤 감정을) 느끼지 않는; 알아차리지 못하는; 이해하지 못하는 《*of, to*》: ~ *to*[*of*] shame 수치를 알지 못하는 **3** 감수성이 둔한, 둔감한; 무감동한, 냉담한 《*to*》: ~ *to* the beauties of nature 자연의 아름다움을 모르는 **4** 눈에 보이지[띄지] 않을 정도의: by ~ degrees 극히 서서히 **~·ness** *n.* **-bly** *ad.*

thesaurus **inscribe** *v.* imprint, mark, engrave, carve, impress, enter, register, enroll
insensible *a.* unconscious, insentient, senseless
insight *n.* intuition, perception, awareness, dis-

눈에 띄지 않을 정도로 (서서히) ▷ insensibílity *n.*

in·sen·si·tive [insénsətiv] *a.* **1** 무감각한, 둔감한 《*to*》: an ~ person 무신경한 사람 **2** 머리가 기민하게 돌지 않는; 반응 없는 **3** 영향을 받지 않는 《*to*》: ~ *to* light 비감광성의 **~·ly** *ad.* **~·ness** *n.*

in·sen·si·tiv·i·ty [insènsətívəti] *n.* Ⓤ 무감각, 둔감

in·sen·tience [insénʃiəns] *n.* Ⓤ 지각력이 없음; 비정(非情); 생기가 없음

in·sen·tient [insénʃiənt, -ʃənt] *a.* 지각[감각, 의식]이 없는; 비정의; 생명[생기]이 없는

in·sep·a·ra·bil·i·ty [insèpərəbíləti] *n.* Ⓤ 분리할 수 없음, 불가분성(不可分性)

∗**in·sep·a·ra·ble** [insépərəbl] *a.* **분리할 수 없는,** 나눌 수 없는; 떨어질 수 없는 《*from*》: ~ friends 떨어지고는 못 사는 친구들 / Rights are ~ *from* duties. 권리는 의무와 분리될 수가 없다.

—*n.* [보통 *pl.*] 분리할 수 없는 것; 떨어질 수 없는 사람[친구] **~·ness** *n.* **-bly** *ad.*

⁑**in·sert** [insə́:rt] [L 「안에 놓다」의 뜻에서] *vt.* **1** 끼워 넣다, 삽입하다, 꽂다 《*in, into, between*》: 《~+목+전+명》 ~ a coin *into* the slot 투입구에 동전을 집어넣다 / ~ a key *in*[*into*] a lock 자물쇠에 열쇠를 끼워 넣다 **2** 〈말 등을〉 써넣다, 〈신문 기사 등을〉 게재하다 《*in, into*》: 《~+목+전+명》 ~ an ad *in* a magazine 잡지에 광고를 싣다

— [∠—] *n.* 삽입물; (신문 등의) 삽입 광고; 〖영화·TV〗 삽입 자막(cut-in) **in·sért·er** *n.*
▷ insértion *n.*

in·sert·ed [insə́:rtid] *a.* **1** 끼워 넣은 **2** 〖식물〗 (꽃의 부분 등에) 착생(着生)한 **3** 〖해부〗 (근육의 한 부분에) 부착된

∗**in·ser·tion** [insə́:rʃən] *n.* **1** Ⓤ **삽입,** 끼워 넣음: the ~ of a coin in a vending machine 자동 판매기에 동전을 집어 넣음 **2** 삽입물, (어구 등을) 써넣은 것; (신문·잡지 등의) 삽입 광고 **3** ⓊⒸ 〖식물·동물〗 (기관(器官) 일부의) 착생(着生)(점(點)) **4** 〖해부〗 유착(癒着) **5** (레이스나 수놓은 것 등) 사이에 꿰매어 넣은 천 **~·al** *a.* ▷ insért *v.*

insértion èlement 〖유전〗 삽입 인자

insértion sèquence 〖유전·생화학〗 삽입 배열

ínsert kèy 〖컴퓨터〗 삽입 키

in-ser·vice [insə́:rvis, ∠∠—] *a.* Ⓐ 근무 중의, 현직의: ~ training 연수[현장] 교육 **—***vt.* 현직 훈련하다 **—***n.* 현직 연수[훈련]

in·ses·so·ri·al [ìnsesɔ́:riəl] *a.* **1** 〈새의 발이〉 나무에 앉기에 알맞은 **2** 〈새가〉 나무에 앉는 (습성을 가진)

in·set [insét] *vt.* (**~, ~·ted**; **~·ting**) 삽입하다, 끼워 넣다 **—** [∠∠] *n.* **1** 삽입 **2** (책장 사이의) 삽입지(挿入紙); 삽입 광고; 삽입화[도(圖), 사진] **3** (꿰매어 넣은) 헝겊 조각 **4** 유입(流入)(influx)

ínset inìtial 〖인쇄〗 장식[삽입] 머리글자

in·sev·er·a·ble [insévərəbl] *a.* 분리할 수 없는, 떼어놓을 수 없는 **-bly** *ad.*

in·shal·lah [inʃɑ́:lɑ:, ∠—∠, inʃǽlə] [Arab. =if Allah wills it] *int.* 〖이슬람교〗 알라신의 뜻이라면

in·shoot [ínʃù:t] *n.* 〖야구〗 인슈트, 인커브

in·shop [ínʃɑ̀p | -ʃɔ̀p] *a.* **1** 사업소 내의, 사업소 전속의 **2** 사업소 안에서 만든

in·shore [ínʃɔ́:r] *a., ad.* 해안에 가까운[가까이], 연해[근해]의[에서](opp. *offshore*): ~ fishing 연안 어업 ***~ of*** …보다 해안에 가깝게

in·shrine [inʃráin] *vt.* 《고어》 =ENSHRINE

⁂**in·side** [ìnsáid, ∠∠] (opp. *outside*) *n.* **1** [*sing.*; 보통 the ~] **안쪽, 내부**: *the* ~ of the house 집 안, 집 내부 **2** [보통 *pl.*] 《구어》 신체 내부, 배속 **3** (권력을 가진) 내부 집단; 내부 사정을 잘 아는 사람이나

cernment, understanding, penetration, acumen, perspicacity, judgement, sharpness, acuteness
insignificant *a.* unimportant, trivial, trifling, negligible, inconsiderable, meager, unsubstantial

그 위치: the man on the ~ 내부 권력자[소식통] **4** (도로 등의) 인가에 가까운 부분, 보도의 건물 쪽 **5** [*sing.*; 보통 the ~] 내막; 속마음, 본성: know *the* ~ of …의 속마음을 알게 되다 **6** (버스·마차 등의) 차내 좌석(의 승객) **7** 〖야구〗 인사이드, 내각(內角) ***~ out*** [부사적으로] (1) 뒤집어서 (2) 구석까지 샅샅이 ***on the ~*** 《미》 (1) 안쪽 사정을 알 수 있는[중요한] 위치에서 (2) 마음속으로는, 남몰래 ***the ~ of a week*** 《영》 주중(週中) 《월요일에서 금요일까지》

—*a.* Ⓐ **1** 내부에 있는, 내부[안쪽]의: an ~ seat (열차 등의) 안쪽 좌석 **2** 실내(용)의, 집 안에서 할 수 있는, 내근의 **3** 비밀의, 내면의: an ~ story 내막 / ~ information 내부 정보 **4** 〖야구〗 (투구가) 인사이드인 ***be ~ on a matter*** 일의 내막[정보]에 정통하다

—*ad.* **1** 내부[내면]에, 안쪽에 **2** 실내에서, 집 안에: We play ~ on rainy days. 비가 오는 날에는 집 안에서 논다. **3** 마음속으로, 내심으로 **4** 《영·구어》 교도소에 갇히어 **5** 〖야구〗 인사이드로: pitch ~ 인사이드로 던지다 ***get ~*** (1) 집 안으로 들어가다 (2) (조직 등의) 내부로 들어가다 (3) 안쪽 사정을 환히 알다 ***~ and out*** 안이나 밖이나, 완전히 ***~ of*** 《구어》 (1) …안에 (2) …이내에 ***Walk ~!*** 《구어》 들어오시오!

—*prep.* **1** …의 내부에[로], …의 안쪽에 **2** 《구어》 …이내에: ~ a month 1개월 이내에

ínside addréss 우편물 내부에 적는 주소

ínside báll 두뇌 야구 《도루·보내기 번트 등을 자주 쓰는 야구》

ínside bóok 내막을 적은 책, 내부 사정을 밝힌 책

ínside jób 1 《구어》 내부 (사람이 저지른) 범죄 **2** 내근 (작업)

ínside láne (도로의) 주행 차선

ínside lég 《영》 (바지의) 다리 안쪽의 길이(《미》 inseam)

ínside mán 《미·속어》 잠입 스파이

in·sid·er [ìnsáidər] *n.* (opp. *outsider*) **1** 내부 사람, 회원, 부원 **2** 《미·구어》 내막에 밝은 사람, 소식통

insíder dèaling 《영》 =INSIDER TRADING

insíder tràding 인사이더[내부자] 거래 《내부자에 의한 주식의 매매》 **insíder tràder**

ínside skínny 《미·속어》 기밀 정보; 내막, 내부 사정

ín·side-the-párk hómer [ínsaidðəpɑ́:rk-] 〖야구〗 펜스를 넘지 않는 홈런, 러닝 홈런

ínside tráck [the ~] **1** (경기장 등의) 안쪽 트랙 **2** 《구어》 유리한 입장[처지] ***have*** [***get, be on***] ***the ~*** 《구어》 안쪽 트랙을 달리다; 유리한 처지에 있다

in·sid·i·ous [insídiəs] *a.* **1** 교활한, 음흉한, 방심할 수 없는; 사람을 함정에 빠뜨리는, 흉계의: ~ wiles 간계(奸計) **2** 〈병 등이〉 잠행성(潛行性)의: the ~ approach of age 어느덧 늙어가는 나이
~·ly *ad.* **~·ness** *n.*

∗**in·sight** [ínsàit] *n.* ⓊⒸ **통찰, 간파; 통찰력,** 간파력, 견식, 식견: a man of ~ 통찰력이 있는 사람 ***gain*** [***have***] ***an ~ into*** …을 간파하다, 통찰하다

in·sight·ful [ínsàitfəl] *a.* 통찰력이 있는, 식견 있는 **~·ly** *ad.* **~·ness** *n.*

in·sig·ni·a [insígniə] [L 다른 것과의 구별을 나타내는 표지」의 뜻에서] *n.* (*pl.* **~, ~s**) [보통 단수 취급] 휘장(signs), 표장(標章), 표지, 기장(記章); 훈장

insignia

in·sig·nif·i·cance [ìnsignífikəns] *n.* Ⓤ **1** 무의미, 무가치; 사소한 일, 하찮음 **2** 비천한 신분

in·sig·nif·i·can·cy [ìnsignífikənsi] *n.* (*pl.* **-cies**) **1** =INSIGNIFICANCE **2** 하찮은 사람[것]

⁑**in·sig·nif·i·cant** [ìnsignífikənt] *a.* **1** **대수롭지 않은,** 하찮은, 시시한; 〈말 등이〉 무의미한(meaningless): an ~ matter[error] 하찮은 일[실수] / ~ phrases 의미 없는 말 **2** 〈신분 등이〉 천한

—*n.* 의미 없는 말; 이름 없는[변변치 못한] 사람

~·ly *ad.* ▷ insigníficance *n.*

in·sin·cere [ìnsinsíər] *a.* 성의 없는, 성실치 못한; 거짓의(deceitful) **~·ly** *ad.*

in·sin·cer·i·ty [ìnsinsérəti] *n.* (*pl.* **-ties**) **1** Ⓤ 불성실, 무성의; 위선 **2** 불성실한 언행

*__in·sin·u·ate__ [insínjuèit] [L「몸을 굽히고 들어가다」의 뜻에서] *vt.* **1** 넌지시 비치다, 둘러서 말하다, 빗대어 말하다 《*to*》(⇨ suggest 1 유의어): (~+*that* 절) He ~*s that* you are a liar. 그는 네가 거짓말쟁이라는 투로 말한다. **2** 〈사상·감정 등을〉 교묘하게 불어넣다, 스며들게 하다 《*into*》: (~+목+전+명) ~ doubt *into* a person …의 마음에 의심이 들게 하다 **3** [~ one*self* 로] 살며시 들어가다[스며들다]; 교묘하게 환심을 사다 《*into*》: (~+목+전+명) ~ *oneself into* a person's favor 교묘하게 …의 환심을 사다 **4** 〖법〗 〈증서·유언 등을〉 공식적으로 기록[제출]하다
— *vi.* 넌지시 비치다 **-à·tor** *n.* **in·sin·u·a·to·ry** [insínjuətɔ̀:ri | -təri] *a.*
▷ insinuátion *n.*; insínuative *a.*

in·sin·u·at·ing [insínjuèitiŋ] *a.* **1** 넌지시 비치는; 의심스러운: an ~ letter 의심스러운 편지 / an ~ remark 넌지시 비추는 이야기 **2** 교묘하게 환심을 사는, 간사한: an ~ voice 간사한 목소리 **~·ly** *ad.*

in·sin·u·a·tion [insìnjuéiʃən] *n.* Ⓤ **1** 암시, 풍자, 빗댐 **2** 교묘하게 환심을 삼, 아부 **3** 〈사상 등을〉 교묘하게 불어넣음 ***by*** **~** 넌지시 둘러서

in·sin·u·a·tive [insínjuèitiv, -njuət-] *a.* **1** 교묘하게 환심을 사는, 간사한 **2** 넌지시 말하는 **~·ly** *ad.*

in·si·nu·en·do [ìnsinjuéndou] *n.* (*pl.* **~s**) 《구어》 = INSINUATION

in·sip·id [insípid] *a.* **1** 무미건조한(dull), 재미없는, 활기 없는 **2** 풍미가 없는, 맛없는(tasteless)
~·ly *ad.* **~·ness** *n.*

in·si·pid·i·ty [ìnsipídəti] *n.* (*pl.* **-ties**) **1** Ⓤ 맛없음; 평범, 무미건조 **2** [종종 *pl.*] 평범한 말[생각]

in·sip·i·ence [insípiəns] *n.* Ⓤ 《고어》 무지, 우둔

‡**in·sist** [insíst] [L「…위에 놓다, …위를 누르다」의 뜻에서] *vi.* **1** 강요하다; 조르다 《*on, upon*》: (~+전+*-ing*) (~+전+명) I ~ *on* your be*ing* present [*on* your presence]. 꼭 출석해 주시기를 바라오. **2** 우기다, 주장하다, 고집하다, 단언하다; 역설[강조]하다 《*on, upon*》: (~+전+명) I ~ *on* this point. 나는 이 점을 강조한다. / I ~ *on* his innocence. 나는 그의 무죄를[그가 무죄라고] 주장한다.
— *vt.* 강력히 주장하다, 끝까지 우기다; 강요하다: (~+*that* 절) He ~*s* (*that*) he saw a UFO. 그는 비행접시를 보았다고 우긴다. / He ~*ed that* I (should) start at once. 그는 내가 즉시 출발해야 한다고 강력히 주장했다. ★ 《구어》에서는 보통 should를 생략함.
▷ insístent *a.*; insístence *n.*

*__in·sist·ence, -en·cy__ [insístəns(i)] *n.* Ⓤ **1** 주장, 고집, 강조 《*upon*》 **2** 강요 《*upon*》 ***with*** **~** 집요하게

*__in·sist·ent__ [insístənt] *a.* **1** 강요하는; 우기는, 끈질긴 《*on*》: an ~ demand 끈질긴 요구 / She was ~ *on* accompanying us. 그녀는 우리를 따라가겠다고 고집을 부렸다. **2** 주의를 끄는, 눈에 띄는, 뚜렷한 〈색·소리 등〉: an ~ tone 뛰어난 음색
— *n.* 집요한 사람 **~·ly** *ad.* 고집 세게, 끈질기게
▷ insist *v.*; insístence *n.*

in si·tu [in-sáitju:, -sí:- | -tju:] [L = in place] *ad.* 본래의 장소에, 원위치에

in·snare [insnέər] *vt.* 《고어》 = ENSNARE

in·so·bri·e·ty [ìnsəbráiəti] *n.* Ⓤ 무절제; 폭음(暴飮)

in·so·cia·ble [insóuʃəbl] *a.* = UNSOCIABLE **-bly** *ad.*

in·so·far [ìnsəfá:r, -sou-] *ad.* 《문어》 …하는 한에 있어서는 **~** ***as*** [***that***] …하는[인] 한에 있어서(는) ★ 《영》에서는 in so far as가 일반적이며, 《구어》에서는 as[so] far as가 일반적임.

insol. insoluble

in·so·late [ínsoulèit] *vt.* 햇빛에 쐬다

in·so·la·tion [ìnsouléiʃən] *n.* Ⓤ **1** 햇빛에 쬠[말림]; 일광욕 **2** 〖병리〗 일사병(sunstroke) **3** 〖기상〗 〈어떤 물체·지역에 대한〉 일사(日射); 일사율(日射率)

in·sole [ínsòul] *n.* 구두의 깔창[안창]; 깔개 가죽

*__in·so·lence__ [ínsələns] *n.* **1** Ⓤ 건방짐, 거만함, 오만, 무례 **2** 건방진 태도[말]: (~+*to* do) He had the ~ *to* tell me to leave the room. 그는 건방지게도 나더러 방에서 나가 달라고 했다.
▷ ínsolent *a.*

*__in·so·lent__ [ínsələnt] [L「익숙하지 않은」의 뜻에서] *a.* 건방진, 오만한(arrogant), 무례한(⇨ impertinent 유의어): an ~ reply 무례한 답변
— *n.* 무례한 사람 **~·ly** *ad.* **~·ness** *n.*
▷ ínsolence *n.*

in·sol·u·bil·i·ty [insàljubíləti | -sɔ̀l-] *n.* Ⓤ 불용해성, 해결할 수 없음

in·sol·u·bil·ize [insáljubəlàiz | -sɔ́l-] *vt.* 불용성(不溶性)으로 만들다, 녹지 않게 하다

*__in·sol·u·ble__ [insáljubl | -sɔ́l-] *a.* **1** 녹지 않는, 불용해성의: ~ salts 불용성 염류 / be ~ in water 물에 녹지 않다 **2** 풀 수 없는, 해결[설명, 해석]할 수 없는
— *n.* **1** 불용성 물질 **2** 해결[해명] 불가능한 사항[문제]
~·ness *n.* **-bly** *ad.* ▷ insolubílity *n.*

in·solv·a·ble [insálvəbl | -sɔ́l-] *a.* = INSOLUBLE

in·sol·ven·cy [insálvənsi | -sɔ́l-] *n.* Ⓤ 지불 불능, 채무 초과, 파산 (상태)

insólvency provìsion 《영》 회사 파산시의 임금 보장 규정

in·sol·vent [insálvənt | -sɔ́l-] *a.* 지불 불능인, 파산(자)의, 파산[파산자]에 관한; 〈자산 등이〉 부채를 갚기에 부족한 — *n.* 지불 불능자, 파산자

in·som·ni·a [insámniə | -sɔ́m-] *n.* Ⓤ 불면(증): suffer (from) ~ 불면증에 시달리다 **-ni·ous** *a.*

in·som·ni·ac [insámniæ̀k | -sɔ́m-] *n.* 불면증 환자 — *a.* 불면증의, 불면증에 걸린; 잠잘 수 없는: an ~ night 잠 못 이루는 밤 / the ~ heat of midsummer 불면의 원인이 되는 한여름의 열기

in·som·no·lence, -len·cy [insámnələns(i) | -sɔ́m-] *n.* 불면(증) **-lent** *a.* **-lent·ly** *ad.*

in·so·much [ìnsəmʌ́tʃ, -sou-] *ad.* **1** …할 정도까지, …만큼(to such a degree) 《*that, as*》 **2** 《문어》 …이므로, …이니까 《*as*》

in·son·i·fy [insánəfài | -sɔ́n-] *vt.* (**-fied**) 〖광학〗 (hologram 작성을 위하여) 〈…에〉 고주파를 발사하다

in·sou·ci·ance [insú:siəns] [F] *n.* Ⓤ 무관심; 태평, 걱정 없음

in·sou·ci·ant [insú:siənt] [F] *a.* 무관심한; 태평한, 걱정 없는 **~·ly** *ad.*

in·soul [insóul] *vt.* = ENSOUL

insp. inspected; inspector

in·span [inspǽn] *vt., vi.* (**~ned**; **~·ning**) 《남아공》 〈소 등에〉 달구지를 메우다(harness); 소를[말을] 수레에 매다

‡**in·spect** [inspékt] [L「안을 보다」의 뜻에서] *vt.* **1** 면밀하게 살피다, 점검[검사]하다: ~ every part of the motor 모터의 모든 부분을 점검하다 **2** 시찰하다, 검열하다, 사열하다: ~ troops 군대를 사열하다
~·a·ble *a.* **~·ing·ly** *ad.* ▷ inspéction *n.*

‡**in·spec·tion** [inspékʃən] *n.* ⓊⒸ **1** 정밀 검사[조사], 점검; (서류의) 열람: *I*~ declined[free]. 《게시》 열람 사절[자유]. / undergo a medical ~ 건강 검진을 받다 **2** (공식·정식) 시찰, 감찰, 검열, 사열: a tour of ~ 시찰 여행 / make an ~ of a university 대학을 시찰하다 ***on the first*** **~** 일단 조사한[한 번 본]

thesaurus **insist** *v.* demand, require, command, entreat, urge, maintain, assert, declare, proclaim, emphasize, stress
insolent *a.* rude, impertinent, disrespectful
inspect *v.* examine, check, go over, look over,

바로는 **~·al** *a.* ▷ inspéct *v.*
inspéction árms 〖군사〗 검사총 자세; 《구령》 앞에 총
inspéction càr 〖철도〗 궤도 검사차 《레일의 이상 유무를 조사》
inspéction chàmber 〖토목〗 검사구(口) 《보수 점검 작업을 위해 교각의 도리 등에 뚫어 놓은 구멍》
in·spec·tive [inspéktiv] *a.* **1** 주의 깊은 **2** 검사[시찰]하는; 검열[검사, 시찰]의
‡**in·spec·tor** [inspéktər] *n.* **1 검사자[관]**, 조사자[관], 시찰자: an ~ of sanitation 위생 검사관 **2** 검열[사열]관, 장학사(= school ~) **3** (경찰의) 경위
-to·ral, in·spec·tó·ri·al *a.* **~·shìp** *n.*
in·spec·tor·ate [inspéktərət] *n.* Ⓤ **1** inspector의 직(職)[지위, 임기, 관할 구역] **2** [집합적] 검사관 일행, 사찰단
inspéctor géneral (*pl.* **inspectors g-**) 〖군사〗 감찰관[감] 《略 IG》; 〖미군〗 장비 점검 사관(士官)
inspéctor of táxes 《영》 (내국세 수입청의) 소득 사정관
in·spec·tress [inspéktrəs] *n.* INSPECTOR의 여성형
in·spir·a·ble [inspáiərəbl] *a.* **1** 영감을 받을 수 있는 **2** 〈공기 등이〉 들이마시기에 알맞은
‡**in·spi·ra·tion** [ìnspəréiʃən] *n.* Ⓤ **1 영감**, 인스피레이션; Ⓒ 영감에 의한 착상; 《구어》 신통한 생각, 명안: get[derive, draw] ~ from a novel 소설에서 영감을 받다 **2** 고취, 고무, 격려, 감화; Ⓒ 격려가 되는 사람[일]: under the ~ of …에 고무되어 **3** 암시, 시사, 교시 **4** 〖그리스도교〗 성령 감응, 감화, 신성(神性) **5** 들이마시는 숨, 숨을 들이마심(opp. *expiration*)
~·al *a.* 영감의; 고무적인 **~·ìsm** *n.* Ⓤ 영감설(說)
~·ist *n.* 영감론자 ▷ inspíre *v.*; inspíratory *a.*
in·spi·ra·tor [ínspərèitər] *n.* **1** 활기를 주는 사람 **2** 흡입기; 주사기 **3** 〖기계〗 (증기 기관의) 주입기
in·spir·a·to·ry [inspáiərətɔ̀:ri | -təri] *a.* 흡기(성)의, 들이마시는: ~ organs 흡기 기관
‡**in·spire** [inspáiər] *v.*

> L「숨을 불어넣다」의 뜻에서
> (감동을)「불어넣다」 **2**→「격려하다」 **1**

— *vt.* **1** 고무[격려]하다: His success ~*d* us. 그의 성공은 우리를 고무했다. // (~+목+***to*** do) The teacher ~*d* us *to* work much harder. 선생님은 우리에게 더 열심히 공부하라고 격려해 주셨다. **2** 《문어》 〈사상·감정을〉 **불어넣다**, 고취하다 《*in, into*》: (~+목+전+명) ~ a thought *into* a person …에게 어떤 생각을 불어넣다 **3** 〈사람에게〉 (사상·감정을) 일어나게 하다 《*with*》: ~ a person *with* courage …에게 용기를 북돋우다 **4** 《문어》 **영감을 주다**(⇨ inspired 1) **5** 시사하다(suggest): (~+목+전+명) ~ false stories *about* a person …에 관하여 낭설을 퍼뜨리다 **6** 들이쉬다, 흡입하다(opp. *expire*)
— *vi.* **1** 고무하다, 영감을 주다 **2** 숨을 들이쉬다
in·spír·er *n.* ▷ inspirátion *n.*; inspíratory *a.*
in·spired [inspáiərd] *a.* **1** 영감을 받은, 영감으로 쓰인: a meeting ~ by God 신의 영감을 받은 집회/an ~ poem 영감을 받아서 쓰인 시 **2** 숨을 들이마신 **3 a** (어떤 계통의) 내의(內意)를 받은: an ~ article 어용 기사(御用記事) **b** 〈추측 등이〉 사실[확실한 정보]에 기인하지 않는
in·spir·ing [inspáiəriŋ] *a.* **1** 영감을 주는; 용기를 주는, 고무하는: an ~ sight 가슴이 설레는 광경 **2** [종종 복합어를 이루어] …한 감정을 불어넣는[일으키는]: awe-~ 두려움을 자아내는, 경외심을 일으키는 **3** 공기를 들이마시는 **~·ly** *ad.*
in·spir·it [inspírit] *vt.* 활기를 띠게 하다, 기운을 북돋우다, 고무하다 **~·ing** *a.* 기운을 북돋우는, 고무적인
in·spis·sate [inspíseit] *vt., vi.* 《고어》 (증발시켜) 짙게 하다[짙어지다], 농축시키다[되다]
in·spis·sat·ed [inspíseitid] *a.* 농후한, 농축된: ~ gloom 깊은 우울
in·spis·sa·tion [ìnspiséiʃən] *n.* Ⓤ 《문어》 짙게 함, 농화(濃化)
inst. installment; instant; instructor; instrument; instrumental **Inst.** Institute; Institution
in·sta·bil·i·ty [ìnstəbíləti] *n.* Ⓤ **1** 불안정한 성질[상태], 불안정: political ~ 정정(政情) 불안정 **2** (마음의) 불안정, 변덕, 우유부단: emotional ~ 정서 불안정
instabílity lìne 〖기상〗 불안정선(線)
in·sta·ble [instéibl] *a.* = UNSTABLE
‡**in·stall** [instɔ́:l] [L「…에 놓다」의 뜻에서] *vt.* **1** 〈기기 등을〉 **장치[설치]하다**: have a telephone ~*ed* 전화를 놓다 **2 취임시키다**, 임명하다; [~ one*self* 또는 수동형으로] 자리에 앉히다: ~ a chairman 의장에 임명하다 // (~+목+전+명) ~ a person *in* an office …을 어떤 직위에 취임시키다 / ~ *oneself*[be ~*ed*] *in* a seat 자리에 앉다 **3** 〖컴퓨터〗 〈소프트웨어 등을〉 인스톨하다 **~·er** *n.*
▷ installátion, instállment *n.*
in·stal·lant [instɔ́:lənt] *n.* 임명자
***in·stal·la·tion** [ìnstəléiʃən] *n.* **1** Ⓤ **설치**, 설비, 가설; Ⓒ [종종 *pl.*] (설비된) **장치**, 시설: a wireless ~ 무선 설비/water ~*s* 수리 시설 **2** Ⓤ 취임; 임명, 임관; Ⓒ 임명[임관]식 **3** 군사 시설[기지] **4** (예술 작품의) 전시; 전람회 ▷ instáll *v.*
installátion tìme 〖컴퓨터〗 (메이커가 구입처의 사무실·공장에 기계를 설치하는 데 필요한) 설치[도입] 시간
‡**in·stall·ment** | **-stal-** [instɔ́:lmənt] *n.* **1 분할 불입**(의 1회분), 분할 불입금: ~ buying[selling] 할부 구입[판매]/pay in monthly[yearly] ~*s* 월[연]부로 치르다 **2** (전집·연재물 등의) 1회분, 한 권: a serial in three ~*s* 3회 연재물 **3** 《고어》 = INSTALLATION
in* [*by*] ~*s 분납으로; 몇 번으로 나누어
instállment crèdit 할부 신용
instállment plàn [the ~] 《미》 할부 판매(법) (《영》 hire purchase): on *the* ~ 할부로, 월부로
In·sta·mat·ic [ìnstəmǽtik] *n.* 인스터매틱 《아마추어용 소형 고정 초점 카메라; 상표명》
‡**in·stance** [ínstəns] [L「눈앞의 사태」의 뜻에서] *n.* **1** 보기(example), **사례**, 경우, 실례, 실증: in most ~*s* 대개의 경우에는

> 유의어 **instance** 성질·특징 등을 나타내는 대표적인 예: an *instance* of history repeating itself 역사가 되풀이되는 예 **example** 일반적 원칙·사례 등을 나타내는 구체적인 예: a typical *example* of bureaucratic waste 관료적 낭비의 대표적 예

2 단계; 경우(case) **3** [*sing.*] 의뢰, 부탁(request); 권유, 제의(suggestion) **4** 〖법〗 소송 (사건)(suit); 소송 절차: a court of first ~ 제1심 법원
at the ~ of …의 의뢰에 따라, …의 발기로 ***for ~*** 이를테면 ***give*** a person ***for an ~*** 《미·구어》 예시하다, 예를 들다 ***in the first ~*** 〖법〗 제1심(審)에서; 첫째로, 우선 ***in the last ~*** 〖법〗 종심에서; 최후로 ***in this ~*** 이 경우에
— *vt.* 보기로 들다, 예거하다; [보통 수동형으로] 예증하다 (exemplify)
in·stan·cy [ínstənsi] *n.* (*pl.* **-cies**) ⓊⒸ 강요; 긴박, 절박; 즉각
‡**in·stant** [ínstənt] [L「가까이에 서다」의 뜻에서] *n.* **1 즉시**, 찰나; **순간**, 순식간: Come here this ~! 즉시 이곳으로 오시오! **2** Ⓤ 《구어》 인스턴트식품[음료], 《특히》 인스턴트커피 **3** [*pl.*] 《미·속어》 즉석 복권
for an ~ 잠시 동안, 일순간 ***in an ~*** 눈 깜짝할 사이

---

survey, scrutinize, audit, investigate
inspire *v.* stimulate, motivate, encourage, influence, inspirit, animate, rouse, stir, excite
instant *n.* moment, minute, second, time, point
— *a.* immediate, prompt, rapid, sudden

에, 즉시 ***in the ~ of** doing* …하는 순간에 ***on the ~*** 당장에, 즉시 I went ***that ~.*** 그 즉시 (나는 갔다). ***the ~*** (***that***) he saw me (그가 나를) 보자마자 ***this ~*** 지금 당장에
— *a.* **1** 즉각[즉시]의: ~ relief from a headache 신속한 두통 해소 / ~ death 즉사 **2** Ⓐ **긴급한,** 절박한 (urgent): ~ need 절박한 필요 **3** **인스턴트의,** 즉석 (요리용)의; 즉제[속성]의: ~ mashed potatoes 즉석 요리용의 으깬 감자 / ~ coffee 인스턴트커피 **4** 이달의 (《略 inst.》): the 13th *inst.* 이달 13일 ★ 지금은 상용문에서도 on the 13th of this month 또는 그 달의 이름을 씀(cf. ULT., PROX.)
— *ad.* = INSTANTLY
▷ instantáneous *a.*; ínstantly *ad.*

⁎**in·stan·ta·ne·ous** [ìnstəntéiniəs] *a.* **1** 즉시[즉석]의; 순간의, 즉시 일어나는: ~ effect 즉효 / ~ death 즉사 / an ~ photograph 즉석 사진 **2** 동시에 일어나는, 동시적인 **~·ly** *ad.* **~·ness** *n.*
▷ ínstant *n.*

instantáneous (**wáter**) **hèater** 순간 온수기

ínstant bóok 즉석본 (《재판(再版)처럼 편집이 거의 필요없는 책》)

ínstant cámera 인스턴트 카메라 (《촬영 즉시 인화되는 카메라》)

in·stan·ter [instǽntər] *ad.* (보통 익살) 즉시, 당장에(instantly)

in·stan·tial [instǽnʃəl] *a.* 구체적 예의, 예가 되는

in·stan·ti·ate [instǽnʃièit] *vt.* 〈학설 등을〉 예를 들어 설명하다, 예시하다

in·stant·ize [ínstəntàiz] *vt.* 〈재료를〉 인스턴트화하다

ínstant lóttery 즉석 복권

⁑**in·stant·ly** [ínstəntli] *ad.* **1** **즉시로,** 즉석에서: be ~ killed 즉사하다 **2** 절박하게
— *conj.* …하자마자(as soon as): I recognized her ~ she entered the room. 그녀가 방에 들어오자마자 곧 누구인지 알아보았다.

ínstant méssaging 〖컴퓨터〗 즉석 교신

in·stant·on [ínstæntɑ̀n | -ɔ̀n] *n.* 〖물리〗 인스탄톤 (《가설상의 양자 단위》)

ínstant photógraphy 즉석 사진술

ínstant réplay **1** (미) 〖TV〗 (스포츠 중계 등에서 특정 장면을 다시 보여주는) 비디오의 즉시 재생(《(영) action replay》) **2** (구어) (어떤 일이 일어난 직후의) 재현, 재연

in·star[1] [ínstɑːr] *n.* Ⓤ 〖동물〗 영(齡) (《곤충의 탈피와 탈피의 중간 단계》)

in·star[2] [instɑ́ːr] *vt.* (**~red**; **~·ring**) …에 별을 아로새기다, 별 같은 장식을 붙이다

in·state [instéit] *vt.* 〈사람을〉 임명하다, 취임시키다 **~·ment** *n.*

in sta·tu quo [in-stéitjuː-kwóu, -stǽtʃuː-] 〖L〗 *ad., a.* 현상 유지로[의], 원상태로[의](cf. STATUS QUO)

in·stau·ra·tion [ìnstɔːréiʃən] *n.* Ⓤ (고어) 복구, 회복, 재흥, 부흥 **ín·stau·rà·tor** *n.*

⁑**in·stead** [instéd] *ad.* **그 대신에;** 그보다도: Give me this ~. 대신 이것을 주시오. **~ *of*** …대신에; …하지 않고, …하기는커녕: use margarine ~ *of* butter 버터 대신 마가린을 쓰다 / watch TV ~ *of* studying 공부는 하지 않고 텔레비전을 보다

in·step [ínstèp] *n.* **1** 발등 **2** 구두[양말]의 등

in·sti·gate [ínstəgèit] *vt.* **1** 〈사건을〉 유발시키다, 조장하다: They *~d* a rebellion. 그들은 반란을 유발시켰다. **2** 〈남을〉 부추기다, 충동하다, 선동하여 …시키다(incite): (~+목+***to*** do) ~ workers *to* go on strike 근로자를 선동해서 파업을 시키다
-gà·tive *a.* 선동하는, 부추기는

in·sti·ga·tion [ìnstəgéiʃən] *n.* **1** Ⓤ 선동, 교사(敎唆) **2** 자극, 유인 ***at*** [***by***] ***the ~ of*** …에게 부추김을 받아, …의 선동으로

in·sti·ga·tor [ínstigèitər] *n.* (특히 나쁜 일의) 선동자, 교사자 (《*of*》)

⁎**in·still, in·stil** [instíl] *vt.* **1** **스며들게 하다,** 서서히 주입시키다 (《*into, in*》): (~+목+전+명) ~ ideas *into* a person's mind …에게 사상을 서서히 주입시키다 / ~ courtesy *in* a child 아이들에게 예의를 철저히 가르치다 **2** 한 방울씩 떨어뜨리다 (《*into, in*》) **~·er** *n.* **~·ment** *n.*

in·stil·la·tion [ìnstəléiʃən] *n.* ⓊⒸ **1** 한 방울씩 떨어뜨림, 적하(滴下); 〖의학〗 점적(點滴) 주입(법); 적하물 **2** 〈사상 등을〉 서서히 주입시킴

in·stil·la·tor [ínstəlèitər] *n.* 〖의학〗 점적기(點滴器)

⁑**in·stinct**[1] [ínstiŋkt] 〖L 「자극하다」의 뜻에서〗 *n.* ⓊⒸ **1** **본능**(natural impulse), 생득적인 행동 성향: the ~ of self-preservation 자기 보호 본능 / homing ~ 귀소 본능 / maternal ~ 모성 본능 **2** 타고난 재능[소질], 천분 (《*for*》): an ~ *for* art[mathematics] 예술적[수학적] 재능 **3** 직관, 직감: with the ~ of a scientist 과학자의 직관으로 ***act on ~*** 본능대로 행동하다 ***by*** [***from***] ***~*** 본능적으로 ***have an ~ for*** …에 재간[천성]이 있다
▷ instínctive, instínctual *a.*

in·stinct[2] [instíŋkt] *a.* Ⓟ 가득 찬, 넘치는, 배어든 (《*with*》): be ~ *with* life 생기에 넘치다

⁎**in·stinc·tive** [instíŋktiv] *a.* **1** **본능적인,** 직관적인; 무의식적인, (조건) 반사적인: ~ behavior 본능적 행동 **2** 본능[천성, 직관]에서 나오는 **~·ly** *ad.*
▷ ínstinct *n.*

in·stinc·tu·al [instíŋktʃuəl] *a.* = INSTINCTIVE

In·sti·net [ínstinèt] *n.* Ⓤ 인스티넷 (《증권 거래소 폐장 후에도 컴퓨터로 주식 거래를 할 수 있는 전자 네트워크; 상표명》)

⁑**in·sti·tute** [ínstətjùːt | -tjùːt] 〖L 「설립하다」의 뜻에서〗 *vt.* **1** **세우다, 설립하다**(establish), **제정하다:** ~ a government 정부를 조직하다 **2** (문어) 〈조사를〉 시작하다; 〈소송을〉 제기하다; 실행에 옮기다, 시행[실시]하다: ~ a new course 새로운 강좌를 개설하다 **3** 임명하다; …에게 성직을 수여하다: (~+목+전+명) ~ a person *into* a benefice …을 성직에 임명하다
— *n.* **1** (학술·미술 등의) 회(會), 협회, 연구소 **2** (학회 등의) 회관 **3** (이공과 계통의) 전문학교, 대학; (고도의 교육·연구를 위한) 대학 부속 연구소: a language ~ 어학 연구소 **4** (미) (교원 등의) 강습회, 집회 **5** 규칙, 관습, 원리; [*pl.*] (법률의) 원리 적요(摘要), (초보자를 위한) 법률 교과서 ***the I~s of Justinian*** 유스티니아누스 법전
▷ institútion *n.*

ínstitute of educátion [**I- of E-**] (영) 교원 양성 협회

⁑**in·sti·tu·tion** [ìnstətjúːʃən | -tjúː-] *n.* **1** **학회, 협회, 원**(院), **단**(團)(society); 그 건물, 회관: a charitable ~ 자선 단체 / a literary ~ 문예 협회 / a public ~ 공공 기관 **2** (공공)**시설** (《학교·병원·교회 등》): put a person into a ~ …을 시설[정신 병원]에 넣다 **3** (사회) **제도;** 법령, 관례: the ~ of the family 가족 제도 **4** (구어) 명물, 잘 알려진 사람[것, 일]: the *~s* of the city 도시의 명물 **5** Ⓤ **설립,** 창립; 제정, 설정; 〖그리스도교〗 성직 수임(聖職授任)(installation): the ~ of gold standard 금 본위제의 제정
▷ ínstitute, institútionalize *v.*; institútional, institútionary *a.*

⁎**in·sti·tu·tion·al** [ìnstətjúːʃənl | -tjúː-] *a.* **1** **제도상의,** 제도적인; 〖경제〗 기관(투자)의: an ~ delivery system 기관 투자가용의 대체 결제 시스템 (《略 ID》) **2** (공공)시설의, (공공) 기관[단체]의, 회(會)의 **3** 규격화된, 획일적인: ~ food 규격 식품 **4** (미) 〈광고가〉 (판매 증가보다는) 기업의 이미지를 살리기 위한 **5** (미) (사회 사업·교육 활동을 위해) 조직된: an ~ church

thesaurus **institute** *v.* set up, establish, found, launch, constitute, organize, start
instruct *v.* **1** 가르치다 teach, educate, tutor,

자선 사업을 주로 하는 교회
~·ism *n.* Ⓤ 제도[조직] 존중주의(opp. *individualism*) **~·ly** *ad.*
institútional ádvertising[ád] 기업 광고
institútional invéstor 〖경제〗 기관 투자가
in·sti·tu·tion·al·ize [ìnstətjúːʃənəlàiz | -tjúː-] *vt.* **1** 규정하다, 제도화하다 **2** 공공 단체로 만들다 **3** 《구어》 〈범죄자·정신병자 등을〉 공공시설에 수용하다; 공공시설의 생활에 익히게 하다
ìn·sti·tù·tion·al·i·zá·tion *n.*
in·sti·tu·tion·al·ized [ìnstətjúːʃənəlàizd | -tjúː-] *a.* **1** 《경멸》 제도화된, 관행화된: ~ racism 제도화된 인종 차별 **2** (공공시설에 오래 수용되어) 자립할 능력이 모자라는
in·sti·tu·tion·ar·y [ìnstətjúːʃənèri | -tjúːʃənəri] *a.* **1** 협회[학회, 공공 단체]의; 제도상의 **2** 설립[창설]의 **3** 성직 수여[서임]의
in·sti·tu·tive [ínstətjùːtiv | -tjùː-] *a.* **1** 제정[설립]에 관한: an ~ meeting 설립 준비회 **2** 관습[법]에 의하여 확립된; 관습적인 **~·ly** *ad.*
in·sti·tu·tor [ínstətjùːtər | -tjùː-] *n.* **1** 제정자, 설립자(founder) **2** 《미》 성직 수임자
instn. institution **instns.** instructions
in-store [ínstɔ̀ːr] *a.* 가게 안에 있는[설치된]
instr. instruction(s); instructor; instrument(s); instrumental
in·stroke [ínstròuk] *n.* 안쪽으로 향해 치기; (피스톤의) 내향 행정(內向行程)(opp. *outstroke*)
in·struct** [instrʌ́kt] [L 「쌓아 올리다」의 뜻에서] *vt.* **1** 가르치다, 교육하다 《*in*》(⇨ teach 유의어): ~ the young 젊은 사람들을 가르치다 // (~+목+전+명) ~ a person *in* a subject …에게 어떤 과목을 가르치다 **2** 지시[명령]하다: (~+목+to*** do) ~ a person *to* do something …에게 어떤 일을 하라고 지시[명령]하다 **3** 통고하다, 알리다(inform): (~+목+전+명) (~+목+***that*** 절) The company *~ed* him *of* his dismissal. = The company *~ed* him *that* he would be dismissed. 회사는 그에게 해고를 통고했다. **4** 〖컴퓨터〗 …에게 명령하다 ***be ~ed in*** …에 밝다, …에 정통하다
▷ instrúction *n.*; instrúctive *a.*
in·struc·tion** [instrʌ́kʃən] *n.* Ⓤ **1** 교수, 교육(⇨ education 유의어): mail ~ 통신 교육 / new theories of ~ 신교육 이론 **2** 교훈, 가르침 **3** [*pl.*] 훈령, 지령, 명령, 지시; [*pl.*] (제품 등의) 사용 설명서: detailed *~s* 상세한 설명 / read the *~s* for assembly 조립 설명서를 읽다 // (~+to*** do) He gave his men *~s to* start at once. 그는 부하들에게 즉시 출발하라고 명령했다. **4** [*pl.*] 〖법〗 소송 위임장 **5** Ⓒ 〖컴퓨터〗 명령(어) ***give*** [***receive***] ***~ in*** French (프랑스 어)의 교수를 하다[받다] ***give ~s to*** …에게 명령하다 **~·al** [-ʃənl] *a.* 교육(상)의
▷ instrúct *v.*; instrúctive *a.*
instrúction addrèss 〖컴퓨터〗 명령어 주소
instrúctional télevision 《미》 (유선 방송에 의한) 교육용 텔레비전 프로그램 《略 ITV》
instrúction cỳcle 〖컴퓨터〗 명령 사이클
instrúction decòder 〖컴퓨터〗 명령 해독기
instrúction fètch 〖컴퓨터〗 명령어 추출
instrúction sèt 〖컴퓨터〗 명령 집합
instrúction tìme 〖컴퓨터〗 명령 처리 시간
***in·struc·tive** [instrʌ́ktiv] *a.* 교육적인, 교훈적인, 유익한: an ~ experience 유익한 경험
~·ly *ad.* **~·ness** *n.*
***in·struc·tor** [instrʌ́ktər] *n.* (*fem.* **-tress** [-tris]) **1** 교사, 가르치는 사람, 지도자 《*in*》: an ~ *in* chemistry 화학 교사 **2** 《미》 (대학의) 전임 강사 ★ 대다수 미국 대학에서는 instructor, assistant professor, associate professor, professor의 차례임.
ìn·struc·tó·ri·al *a.* **~·shìp** *n.*
***in·stru·ment** [ínstrəmənt] [L 「연장, 도구」의 뜻에서] *n.* **1** (정밀) 기계, 기구, 도구: surgical *~s* 외과용 기구 / writing *~s* 필기 용구

> 유의어 **instrument** 복잡하고 정밀한 도구를 가리키는 경우가 많다: the dentist's *instruments* 치과용 기구 **implement** 어떤 목적이나 일을 위해 사용하는 도구를 가리키는 일반적인 말이다: farm *implements* 농기구 **tool** 직공 등이 사용하는 비교적 단순한 도구: a carpenter's *tools* 목수의 연장

2 (비행기 등의) 계기(計器): fly on *~s* 계기 비행을 하다 / nautical *~s* 항해용 계기 **3** 악기: musical *~s* 악기 / a stringed [wind] ~ 현악기[관악기] **4** 수단, 방법; 매개(자) **5** 〖법〗 증서, 문서, 유서, 계약서, 협정서, 위임장: *~s* of ratification (조약의) 비준서 **6** 앞잡이, 도구, 괴뢰(human tool)
— *vt.* **1** …에 기계를 설치하다 **2** 〈악곡을〉 기악용으로 편곡하다 ▷ instruméntal *a.*
***in·stru·men·tal** [ìnstrəméntl] *a.* **1** 수단이 되는; 동기가 되는; 도움이 되는 《*in*》 **2** 악기(용)의(opp. *vocal*): ~ music 기악 **3** 기계의[를 사용하는]: ~ errors 기계 오차 / ~ drawing 용기화(用器畫) **4** 〖문법〗 조격의 **5** 〖심리〗 (학습에서) 포상을 조건으로 하는
— *n.* **1** 〖문법〗 조격(助格) 《수단을 표시하는 격》(= ~ càse) **2** 기악(곡) **~·ly** *ad.*
▷ ínstrument, instrumentálity *n.*
instruméntal condítioning 〖심리·교육〗 도구적 조건 부여 《포상 등의 강화로 옳은 반응을 통하여 학습시킴》
in·stru·men·tal·ism [ìnstrəméntəlìzm] *n.* Ⓤ 〖철학〗 기구[도구]주의 《사상이나 관념은 환경 지배의 도구로서의 유용성에 따라 가치가 정해진다고 하는 John Dewey의 학설》
in·stru·men·tal·ist [ìnstrəméntəlist] *n.* **1** 기악 연주자(opp. *vocalist*) **2** 도구주의자 — *a.* 도구주의의
in·stru·men·tal·i·ty [ìnstrəmantǽləti] *n.* (*pl.* **-ties**) **1** Ⓤ 수단, 방편, 도움; 중개, 매개 **2** (정부 등의) 대행 기관 ***by*** [***through***] ***the ~ of*** …에 의해서, …의 도움으로
instruméntal léarning 〖심리·교육〗 도구적 학습(법) 《어떤 행위의 결과로 받는 상벌에 의하여 경험적으로 학습하는 방법》
in·stru·men·ta·tion [ìnstrəmentéiʃən] *n.* Ⓤ **1** 〖음악〗 기악 편성(법); 관현악법 **2** 수단, 방편(agency); 중개, 매개 **3** 기계[기구] 사용 ***by*** [***through***] ***the ~ of*** …의 도움[수단]으로
ínstrument bòard = INSTRUMENT PANEL
ínstrument flíght rùles 〖항공〗 계기 비행 규칙
ínstrument flýing 〖항공〗 계기 비행(opp. *contact flying*)
ínstrument lànding 〖항공〗 계기 착륙
ínstrument lánding sỳstem 〖항공〗 계기 착륙 장치[방식] 《略 ILS》
in·stru·men·tol·o·gy [ìnstrəmantálədʒi | -tɔ́l-] *n.* Ⓤ 계측기학(計測器學) **-gist** *n.* 계측기 학자
ínstrument pànel **1** (항공기 등의) 계기판 **2** 〖자동차〗 = DASHBOARD
in·sub·or·di·nate [ìnsəbɔ́ːrdənit] *a.* **1** 순종하지 않는, 반항하는: an ~ soldier 항명 병사 **2** 하위(下位)가 아닌 **~·ly** *ad.*
in·sub·or·di·na·tion [ìnsəbɔ̀ːrdənéiʃən] *n.* **1** Ⓤ 순종하지 않음, 반항 **2** [종종 *pl.*] 반항 행위
in·sub·stan·tial [ìnsəbstǽnʃəl] *a.* **1** 실체가 없는, 비현실적인, 내용이 없는, 박약한, 가공의: an ~ world of dreams 비현실적인 꿈의 세계 **2** 견고하지 않은, 무른 **3** 미량의, 적은 **in·sub·stàn·ti·ál·i·ty** *n.*
in·suf·fer·a·ble [insʌ́fərəbl] *a.* 참을 수 없는, 비위

---

coach, train, drill, guide, inform **2** 지시하다 tell, direct, order, command, demand, require
instrumental *a.* helpful, useful, contributory

에 거슬리는, 밉살스러운 **~·ness** *n.* **-bly** *ad.*
in·suf·fi·cien·cy [ìnsəfíʃənsi] *n.* **1** Ⓤ 불충분, 부족(lack); 부적임(不適任): ~ of supplies 식량[공급] 부족 **2** [종종 *pl.*] 불충분한 점, 결점 **3** Ⓤ 〖의학〗 (심장 등의) 기능 부전
‡**in·suf·fi·cient** [ìnsəfíʃənt] *a.* **1** 불충분한, 부족한: an ~ supply of fuel 연료의 공급 부족 **2** 부적당한, 능력이 없는 《*to, for*》: He is ~ *to*[*for*] the work. 그는 그 일에 적임이 아니다. **~·ly** *ad.*
in·suf·flate [insʌ́fleit, ínsəflèit] *vt.* **1** 〈기체·액체·가루 등을〉 불어넣다 《*into*》 **2** 〖의학〗 흡입법으로 치료하다 **ìn·suf·flá·tion** *n.*
in·suf·fla·tor [ínsəflèitər] *n.* **1** 취입기, 취분기(吹粉器) **2** (분말 살포에 의한) 지문 현출기(指紋現出器)
in·su·la [ínsələ, -sju-|-sju-] *n.* (*pl.* **-lae** [-lìː]) **1** (고대 로마의) 집단 주택 **2** 〖해부〗 (뇌·췌장의) 섬
in·su·lant [ínsələnt, -sju-|-sju-] *n.* 절연체[재료]
*****in·su·lar** [ínsələr, -sju-|-sju-] [L 「섬의」의 뜻에서] *a.* **1** 섬의, 섬 같은 **2** 섬에 (살고) 있는; 섬사람의, 섬나라 백성의 **3** 섬나라 근성의, 편협한: ~ prejudices 섬나라다운 편견 **4** 고립한, 점재(點在)하는 **5** 〖해부〗 (랑게르한스섬과 같은) 섬의, 섬상 세포군의, 섬상 내분비선 조직의 **~·ìsm** *n.* Ⓤ 섬나라 근성 **~·ly** *ad.* ▷ ísland, ísle, insulárity *n.*
in·su·lar·i·ty [ìnsəlǽrəti, -sju-|-sju-] *n.* Ⓤ 섬나라 근성, 편협
in·su·lar·ize [ínsələràiz, -sju-|-sju-] *vt.* 섬나라로 하다, 섬나라로 나타내다
in·su·late [ínsəlèit, -sju-|-sju-] [L 「섬으로 만들다」의 뜻에서] *vt.* **1** 〖물리·전기〗 절연[단열, 방음]하다 **2** 분리[격리]하다; 고립시키다: ~ a patient 환자를 격리하다
in·su·lat·ed [ínsəlèitid, -sju-|-sju-] *a.* **1** 격리된 **2** 〖전기〗 절연된: an ~ wire 절연 전선
in·su·lat·ing [ínsəleitiŋ, -sju-|-sju-] *a.* Ⓐ 절연[단열, 방음]의: ~ materials 단열[절연]재
ínsulating bòard 〖건축〗 단열판
ínsulating tàpe (영) = FRICTION TAPE
in·su·la·tion [ìnsəléiʃən, -sju-|-sju-] *n.* Ⓤ **1** 〖전기〗 절연; 절연체, 절연물[재(材)], 단열재, 뚱딴지 **2** 분리, 격리; 고립
insulátion resístance 〖전기〗 절연 저항
in·su·la·tor [ínsəlèitər, -sju-|-sju-] *n.* **1** 〖전기〗 절연체[물, 재], 뚱딴지 **2** 격리자[물]
in·su·lin [ínsəlin, -sju-|-sju-] *n.* Ⓤ 〖생화학〗 인슐린 《췌장 호르몬; 당뇨병의 특효약》
ín·su·lin-de·lív·ery pùmp [-dilívəri-] 〖의학〗 인슐린 방출 펌프 《당뇨병 환자 치료 기구》
in·su·lin-de·pen·dent diabétes mellìtus [-dipèndnt-] 〖병리〗 인슐린 의존성 당뇨병 《略 IDDM》
in·su·lin·ize [ínsəlinàiz, -sju-|-sju-] *vt.* 인슐린으로 치료하다
in·su·lin-like grówth fáctor [-láik-] 〖생화학〗 인슐린 유사 성장 인자 《略 IGF》
in·su·li·no·ma [ìnsələnóumə, -sju-|-sju-] *n.* (*pl.* **~s, -ma·ta** [-mətə]) 〖병리〗 기능성 췌도(膵島) 종양, 인슐린종(腫)
ínsulin resístance 〖생화학〗 인슐린 저항 《인슐린과 수용체 사이의 신호 체계에 이상이 생긴 것; 略 IR》
ínsulin resìstance sýndrome = METABOLIC SYNDROME
ínsulin shòck[**còma**] 〖병리〗 인슐린 쇼크[혼수] 《인슐린의 과잉 투여로 일어나는 쇼크》
‡**in·sult** [insʌ́lt] [L 「덤벼들다」의 뜻에서] *vt.* 모욕하다, 욕보이다, …에게 무례한 짓을 하다: (~+목+전+명) He *~ed* me *by* calling me a fool. 그는 나를 바보라고 부르며 모욕했다.
— [ᐩ-] *n.* **1** ⓊⒸ 모욕(적 언동), 무례: a personal ~ 인신 공격 **2** 〖의학〗 손상, 상해 ***add ~ to injury*** 혼내 주고 모욕까지 하다 **in·súlt·er** *n.*
in·sult·ing [insʌ́ltiŋ] *a.* 모욕적인, 무례한(insolent) **~·ly** *ad.* **~·ness** *n.*
in·su·per·a·ble [insúːpərəbl] *a.* 〈어려움 등이〉 이겨내기[극복하기] 어려운, 무적의: ~ heroes 무적의 영웅들 **in·sù·per·a·bíl·i·ty** *n.* **-bly** *ad.*
in·sup·port·a·ble [ìnsəpɔ́ːrtəbl] *a.* **1** 참을 수 없는, 지탱할 수 없는 **2** 지지할 수 없는 **-bly** *ad.*
in·sup·press·i·ble [ìnsəprésəbl] *a.* 억누를 수 없는, 억제할 수 없는 **-bly** *ad.*
in·sur·a·ble [inʃúərəbl] *a.* 보험에 넣을[들] 수 있는, 보험에 적합한: ~ property 피(被)보험 재산 / ~ value 보험 가액 **in·sùr·a·bíl·i·ty** *n.*
‡**in·sur·ance** [inʃúərəns] *n.* Ⓤ **1** 보험(cf. ASSURANCE): accident[endowment] ~ 상해[양로] 보험 / ~ for life 종신 보험 / life ~ 생명 보험 / take out ~ on[upon] one's house 집에 보험을 들다 **2** 보험금(액) **3** (실패·손실 등에 대한) 대비, 보호 《*against*》 ▷ insúre *v.*
insúrance adjùster = LOSS ADJUSTER
insúrance àgent 보험 대리점
insúrance bròker 보험 중개인
insúrance certìficate 보험 인수[계약]증
insúrance clàuses 보험 약관
insúrance pòlicy 보험 증권
insúrance prèmium 보험료
insúrance rùn 〖야구〗 승리를 굳히는 점수
insúrance sàlesman (보험 회사의) 생활 설계사
insúrance stàmp (영) 보험 인지(印紙)
in·sur·ant [inʃúərənt] *n.* 보험 계약자, (생명 보험의) 피보험자
‡**in·sure** [inʃúər] *vt.* **1** 보증하다, 보증이 되다(guarantee): ~ the safety of pedestrians 보행자의 안전을 보증하다 **2** (위험 등에서) 지키다, 안전하게 하다(ensure): (~+목+전+명) Care ~s us *against* errors. 주의만 하면 실수는 하지 않는다. / ~ a person *against*[*from*] risks …을 위험에서 지켜 주다 **3** 보험에 들다, 보험 계약을 하다 《*against, from, for*》: (~+목+전+명) ~ oneself[one's life] *for* fifty million won 5천만 원의 생명 보험에 들다 / ~ one's property *against* fire 소유물을 화재 보험에 들다 **4** 〈보험업자가〉 …의 보험을 맡다; 보험 증서를 발행하다: (~+목+전+명) The insurance company will ~ your jewelry *against* loss. 보험 회사가 당신의 보석에 대해 손해 보증을 합니다.
— *vi.* 보험에 가입하다; (…을) 방지할 수단을 강구하다
in·sured [inʃúərd] *a.* 보험이 걸린, 보험에 가입한
— *n.* [the ~] 보험 계약자, 피보험자, 보험금 수취인
in·sur·er [inʃúərər] *n.* 보험업자[회사](underwriter); 보증인
in·sur·gence [insə́ːrdʒəns] *n.* ⓊⒸ 모반, 폭동, 반란 (행위)
in·sur·gen·cy [insə́ːrdʒənsi] *n.* (*pl.* **-cies**) 폭동[반란] 상태; = INSURGENCE
in·sur·gent [insə́ːrdʒənt] *a.* **1** 반란[폭동]을 일으킨, 모반한, 반도(叛徒)의: ~ troops 반란군 **2** 《시어》 〈물결이〉 거친, 거센, 〈파도가〉 밀려오는 — *n.* **1** (특히 자국 정부에 대한) 폭도, 반란자 **2** 《미》 (정당 내의) 반대 분자; 〖국제법〗 반정부 운동가[집단]
in·súr·ing clàuse [inʃúəriŋ-] 보험 조항, 보험 인수 약관
in·sur·mount·a·ble [ìnsərmáuntəbl] *a.* 능가할 수 없는, 이겨내기 어려운 **-bly** *ad.*
*****in·sur·rec·tion** [ìnsərékʃən] *n.* ⓊⒸ 폭동, 봉기, 반란(cf. REBELLION); 반항, 반역 **~·al** *a.* **~·al·ly** *ad.*
in·sur·rec·tion·ar·y [ìnsərékʃənèri|-ʃənəri] *a.* **1** 폭동의, 반란의 **2** 폭동을 선동하는[일삼는]
— *n.* (*pl.* **-ar·ies**) 폭도, 반란자

thesaurus **insufficient** *a.* inadequate, deficient, scarce, meager, lacking, scanty, wanting
insult *v.* offend, hurt, abuse, injure, wound, mortify, humiliate (opp. *compliment, flatter*)

in·sur·rec·tion·ist [ìnsərékʃənist] *n.* 폭도, 반도, 폭동[반란] 선동자

in·sur·rec·tion·ize [ìnsərékʃənàiz] *vt.* 〈국민 등을〉 선동하여 폭동을 일으키게 하다; 〈국가 등에〉 폭동[반란]을 일으키다

in·sus·cep·ti·bil·i·ty [ìnsəsèptəbíləti] *n.* Ⓤ 무감각, 불감수성

in·sus·cep·ti·ble [ìnsəséptəbl] *a.* **1** 〈치료 등을〉 받아들이지 않는 《*of*》; 영향받지 않는 《*to*》 **2** 감동하지 않는, 느끼지 않는, 무신경한 《*of*, *to*》: a heart ~ *of* [*to*] pity 매정한 마음 **-bly** *ad.*

in·swept [ínswèpt] *a.* 〈비행기 날개·자동차 앞쪽 등이〉 끝이 가는

in·sy [ínzi] *n.* 《미·구어》 (움푹 들어간) 배꼽

int. integral; intelligence; intercept; interest; interim; interior; interjection; internal; international; interpreter; intransitive

in·tact [intǽkt] *a.* Ⓟ **1** 손대지 않은, 손상되지 않은 (complete): remain ~ 온전히 남아있다 **2** 〈의견 등이〉 그대로인, 변하지 않은 **3** (고스란히) 완전한, 건전한; 《특히》 〈동물이〉 거세되지 않은 **4** 처녀의
keep [***leave***] ~ 손을 대지 않고 그대로 두다
~·ly *ad.* **~·ness** *n.*

in·ta·gli·at·ed [intǽlièitid, -tɑ́:l-] *a.* 음각된

in·tagl·io [intǽljou, -tɑ́:l-] [It. = engraving] *n.* (*pl.* **~s, -ta·gli** [-tǽlji, -tɑ́:l-]) **1** Ⓤ 음각(陰刻), 요조(凹彫); ⓊⒸ 음각 무늬 **2** Ⓤ 〖인쇄〗 음각 인쇄[주형] **3** (보석·인장 등의) 음각 세공물(opp. *cameo*)
— *vt.* 〈무늬를〉 새겨 넣다, 음각하다

∗**in·take** [íntèik] *n.* **1** 〈물·공기 등을〉 **받아들이는 곳**; (탄갱 등의) 통풍 구멍(opp. *outlet*): an ~ of an aqueduct 도수관의 취수구 **2** 빨아들임, 흡입: an ~ of oxygen 산소 흡입 **3** 채용 인원(수) **4** ⓊⒸ 빨아 들이는 양, 섭취량 **5** 수입, 매출액 **6** (잘룩하게) 좁아진 부분(narrowing) **7** 《영·방언》 (늪이나 못의) 매립지

in·tan·gi·bil·i·ty [intæ̀ndʒəbíləti] *n.* Ⓤ **1** 손으로 만질 수 없음, 만져서 알 수 없는 것 **2** 막연하여 파악할 수 없음, 불가해(不可解)

∗**in·tan·gi·ble** [intǽndʒəbl] *a.* **1 손으로 만질 수 없는**, 감지할 수 없는; 실체가 없는, 무형의: an ~ cultural treasure[property] 무형 문화재 / The soul is ~. 영혼은 실체가 없다. **2** 파악할 수 없는, 막연한 (vague), 불가해한: an ~ awareness of danger 막연한 위험 의식 **~·ness** *n.* **-bly** *ad.*

intángible ásset[**próperty**] 무형 자산 《특허권·영업권 등》

in·tar·si·a [intɑ́:rsiə] *n.* Ⓤ 〖미술〗 (르네상스기에 발달한) 상감(象嵌) 세공

int. comb. internal combustion

in·te·ger [íntidʒər] *n.* **1** 〖수학〗 정수(整數)(opp. *fraction*) **2** 완전체, 완전한 것

in·te·gra·ble [íntigrəbl] *a.* 〖수학〗 적분 가능한, 가적분(可積分)의 **ìn·te·gra·bíl·i·ty** *n.*

∗**in·te·gral** [íntigrəl, intég-] [L 「완전한」의 뜻에서] *a.* Ⓐ **1** (완전체를 이루는 데) **없어서는 안 될**, 절대 필요한; 구성 요소로서의: The kitchen is an ~ part of a house. 부엌은 주택에 있어서 없어서는 안 될 부분이다. **2 완전한**, 완전체의; 결여된 부분이 없는: the ~ works of a writer 작가의 전집 **3** 〖수학〗 정수의 (cf. FRACTIONAL); 적분의(cf. DIFFERENTIAL)
— *n.* **1** 전체 **2** 〖수학〗 정수; 적분 : a definite[an indefinite] ~ 정[부정] 적분 **~·ly** *ad.*

íntegral cálculus 〖수학〗 적분학

íntegral domáin 〖수학〗 정역(整域)

íntegral equátion 〖수학〗 적분 방정식

íntegral fúnction 《영》 〖수학〗 정함수(整函數)

in·te·gral·ism [íntigrəlìzm] *n.* 인테그럴리즘 《개인의 종교적 확신이 그의 정치적·사회적 행동을 지배한다는 신조》

in·te·gral·i·ty [ìntəgrǽləti] *n.* Ⓤ **1** 완전(성) **2** 불가결성, 절대 필요성

íntegral tèst 〖수학〗 적분 판정법

in·te·grand [íntigræ̀nd] *n.* 〖수학〗 피(被)적분 함수

in·te·grant [íntigrənt] *a.* 구성 요소의, 성분의, 일부분을 이루는; 불가결한, 긴요한 — *n.* (통일체의) 구성 부분, 요소, 성분

in·te·grase [íntəgrèis, -grèiz] *n.* 〖생화학〗 인테그라아제 《숙주 세균의 DNA에 프로파지(prophage)의 주입을 촉매하는 효소》

∗**in·te·grate** [íntəgrèit] [L 「완전하게 하다」의 뜻에서] *vt.* **1** 〈부분·요소를〉 **통합하다**, 전체로 합치다: ~ one's experiences 경험을 통합하다 **2** (부족한 부분을 추가하여) 완전한 것으로 하다, 완성하다 **3** 차별 대우를 철폐하다; 〈인종별로 나누어진 학교·학급 등을〉 통합하다(desegregate)(opp. *segregate*); 〈군대·학교·상점 등에서의〉 인종 차별을 철폐하다: ~ a restaurant 레스토랑의 인종 차별을 철폐하여 개방하다 **4** 〈개인·단체 등을〉 (전체 중에) 흡수[통합]하다, 합병하다 《*into*》 **5** 〖수학〗 적분하다 **6** 〈계기가〉 (온도·풍속·면적 등의) 합계[평균치]를 나타내다
— *vi.* **1** 통합되다, 하나가 되다 **2** 〈학교·가게 등이〉 인종[종교]적 차별을 폐지하다
— *a.* 각 부분이 갖추어져 있는, 완전한

in·te·grat·ed [íntəgrèitid] *a.* **1** 통합된, 합성된; 완전한 **2** (학교 등에서) 인종 차별을 하지 않는(opp. *segregated*) **3** 〈회사 등이〉 일관 생산의 **4** 〖심리〗 〈인격이〉 원만한, 융화된

íntegrated báttlefield 〖군사〗 종합[통합] 전장(戰場) 《통상 병기, 화학·생물 병기, 핵병기가 사용되는 형태의 전장》

íntegrated círcuit 〖전자〗 집적 회로(集積回路) (microcircuit) 《略 IC》

íntegrated círcuitry 집적 회로 (부품)

íntegrated dáta pròcessing 〖컴퓨터〗 집중 데이터 처리 《略 IDP》

íntegrated fíre contròl 〖군사〗 통합 사격 통제

íntegrated injéction lògic 〖컴퓨터〗 집적 주입 논리 《반도체 집적 회로 논리의 한 형식; 略 IIL, I2L》

íntegrated óptics 〖물리〗 광(光)집적 회로

íntegrated pést mànagement 〖농업〗 병충해 집중 관리 《略 IPM》

íntegrated schòol 인종 무차별 학교

íntegrated sérvices dígital nètwork 〖통신〗 종합 정보 통신망 《略 ISDN》

íntegrated sóftware 〖컴퓨터〗 통합 소프트웨어 《복수의 응용 프로그램(application program) 사이의 데이터 교환을 할 수 있고 동시에 각 일(job)을 병행해 실행할 수 있는 소프트웨어》

íntegrated sýstem 〖전자〗 집적 시스템 《집적 회로 전반을 가리킴》

∗**in·te·gra·tion** [ìntəgréiʃən] *n.* Ⓤ **1** (부분·요소의) **통합**, 집성(集成); 완성, 완전: ~ of efforts 노력의 통합 **2** 〖심리〗 (인격의) 통합, 융합 **3** 〖수학〗 적분(법) (cf. DIFFERENTIATION) **4** 《미》 차별 철폐에 의한 인종 통합 (정책) **5** 〖경제〗 통합, 집중 **6** 〖교육〗 학과목 통합, 종합 학과제 **7** 〖전자〗 집적(화)

integrátion by párts 〖수학〗 부분 적분법

in·te·gra·tion·ist [ìntəgréiʃənist] *n.* 인종 차별 폐지론자 — *a.* 인종 차별 폐지론의

in·te·gra·tive [íntəgrèitiv] *a.* **1** 통합하는, 완전하게 하는 **2** 인종 차별 폐지의

in·te·gra·tor [íntəgrèitər] *n.* **1** 완성[통합]자[물] **2** 〖수학〗 적분기, 구적기(求積器); 〖컴퓨터〗 적분 회로망(網)

∗**in·teg·ri·ty** [intégrəti] [L 「완전」의 뜻에서] *n.* Ⓤ **1** 고결, 성실, 정직, 청렴: a man of high ~ 청렴결백한 사람 **2** 완전(한 상태), 흠 없음, 보전(保全); 본래

---

integrate *v.* unite, join, combine, blend, fuse, merge, mingle, incorporate

integrity *n.* uprightness, honesty, virtue, morality, honor, goodness, decency, fairness

의 모습: territorial ~ 영토 보전/preserve the ~ of …을 완전한 상태로 유지하다 **3** 〖컴퓨터〗 보전
in its ~ 꼭 그 모양대로

in·te·gro·dif·fer·en·tial [ìntəgroudìfərénʃəl, intèg-] *a.* 〖수학〗 적분 미분의, 미적분의

in·teg·u·ment [intégjumənt] *n.* **1** 〖해부·동물·식물〗 외피(外皮), 포피(包皮) **2** 《일반적으로》 외피(外皮), 씌우개 **in·tèg·u·mén·ta·ry** *a.*

in·tel [íntel] [*intel*ligence] *n.* 《구어》 (군사) 정보

In·tel [íntel] *n.* 인텔 《미국의 반도체·마이크로프로세서 메이커》(=~ **Corporàtion**)

***in·tel·lect** [íntəlèkt] [L 「식별, 이해」의 뜻에서] *n.* **1** Ⓤ 지력, 지성; 이해력, 사고력: a person endowed with little ~ 지성이 모자란 사람 **2** [the ~(s); 집합적] 지식인, 식자: *the* ~(*s*) of the age 당대의 지성인들 ▷ intelléctive, intelléctual *a.*

in·tel·lec·tion [ìntəlékʃən] *n.* **1** Ⓤ 사고 (작용), 이해 **2** 관념, 개념

in·tel·lec·tive [ìntəléktiv] *a.* 지력의, 지적인; 이지적인, 총명한 **~·ly** *ad.*

***in·tel·lec·tu·al** [ìntəléktʃuəl] *a.* **1** 지적인, 지력의 (cf. PHYSICAL, MORAL): ~ tastes 지적인 취미

> 유의어 **intellectual** 인간에 대해서만 사용하며, 날카로운 지성과 고도의 지식이 있는: *intellectual* interests 지적 흥미 **intelligent** 사람 외에 동물에게도 사용되며, 원래 전반적인 이해력이 뛰어난: an *intelligent* reader 총명한 독자

2 지성의, 머리[두뇌]를 쓰는, 지능을 요하는: the ~ faculties 지능 **3** 지력이 발달한, 이지적인: the ~ class 지식 계급
— *n.* **1** 지식인, 식자 **2** (작가·학자 등과 같은) 두뇌 노동자 **~·ly** *ad.* **~·ness** *n.*

in·tel·lec·tu·al·ism [ìntəléktʃuəlìzm] *n.* Ⓤ **1** 지적 작업 **2** 지성 편중, 지성주의 **3** 〖철학〗 주지주의, 이지주의 **-ist** *n.*

in·tel·lec·tu·al·i·ty [ìntəlèktʃuǽləti] *n.* (*pl.* **-ties**) Ⓤ 지력, 지성; 총명

in·tel·lec·tu·al·ize [ìntəléktʃuəlàiz] *vt.* **1** …의 합리성을 추구하다; 지적으로 하다; 지성적으로 처리[분석]하다 **2** (감정적·심리적 의미를 무시하고) 〈문제·행동 등을〉 이치로 설명하다 **—** *vi.* 이지적으로 말하다[쓰다]; 사색하다

intelléctual júnkfood 정크푸드 정보 《손쉽게 입수할 수 있지만 별로 가치 없는 정보》

intelléctual próperty 〖법〗 지적 재산; 지적 소유권[재산권](=~ **rìght**)

in·tel·li·gence** [intélədʒəns] *n.* Ⓤ **1** 지능, 이해력, 사고력: human ~ 인지(人智)/artificial ~ 인공지능 **2** 지성, 총명, 지혜: (~+*to* do) When a small fire broke out, he had the ~ *to* put it out with a fire extinguisher. 작은 화재가 일어났을 때 그는 머리를 써서 소화기로 불을 껐다. **3** 정보, 소식, 보도; 정보 수집: ~ sources 소식통/secret national ~ 국가 기밀 정보 **4** (특히 군사 기밀을 탐지하는) 정보 기관, 정보부: military ~ 군 정보 기관 **5** [종종 **I~**] 지적 존재, 《특히》 영(靈) ***exchange a look of ~ 서로 의미 있는 눈짓을 교환하다 ***the Supreme I~*** 신(神) ▷ intélligent *a.*

intélligence àgency 정보국, 정보[첩보]부 《특히 군사력에 관한 정보를 수집하는 정부 기관》

intélligence àgent 정보원, 첩보원, 간첩

intélligence depàrtment[bùreau] 정보부[국]

intélligence òffice **1** 정보국 **2** 《미》 직업 소개소

intélligence òfficer 정보 장교

intélligence quòtient 〖심리〗 지능 지수 《(정신연령÷생활연령)×100; 略 IQ, I.Q.》

in·tel·li·genc·er [intélədʒənsər] *n.* 정보 제공자; 내통자; (고어) 간첩

intélligence sátellite 첩보 위성

intélligence sèrvice = INTELLIGENCE AGENCY

intélligence tèst 〖심리〗 지능 검사

***in·tel·li·gent** [intélədʒənt] [L 「이해하다」의 뜻에서] *a.* **1** 이해력이 있는, 이성적인; 지적인(⇨ intellectual 유의어): ~ beings in outer space 지구 밖 우주에 사는 지적 생물 **2** 총명한, 재치 있는: an ~ reply 재치 있는 답변 **3** 〖컴퓨터〗 정보 처리 기능을 가진 **4** 〈사무실·빌딩 등이〉 난방·조명·전자·사무기기 등의 설비가 종합 조정되는 **~·ly** *ad.*

intélligent búilding = SMART BUILDING

intélligent cárd = SMART CARD

intélligent desígn 지적 설계(론) 《우주 만물이 지적 존재에 의해 창조되었다는 신념》

in·tel·li·gen·tial [intèlədʒénʃəl] *a.* **1** 지성의, 지적인; 지력을 가진[이 뛰어난] **2** 통보하는, 정보를 주는

intélligent knówledge-bàsed sýstem 〖컴퓨터〗 지능 지식 베이스 시스템 《略 IKBS》

intélligent prínter 〖컴퓨터〗 인텔리전트 프린터 《편집·연산 등 어느 정도의 처리 능력을 가지고 대형 컴퓨터 기능을 대신하는 프린터》

in·tel·li·gent·si·a, -zi·a [intèlədʒéntsiə, -gén-] [Russ.] *n.* [보통 the ~; 집합적] 지식 계급, 인텔리겐치아; 《일반적으로》 문화인, 지식인

intélligent términal 〖컴퓨터〗 인텔리전트 단말기 《자료의 입출력 외에 편집·연산·제어 등 어느 정도의 처리 능력을 가진 것》

in·tel·li·gi·bil·i·ty [intèlədʒəbíləti] *n.* (*pl.* **-ties**) Ⓤ 이해할 수 있음, 알기 쉬움, 명료(도); 명료한 것

in·tel·li·gi·ble [intélədʒəbl] *a.* **1** 이해할 수 있는, 알기 쉬운, 의미가 명료한 **2** 〖철학〗 지성에 의해 알 수 있는, 지성적인(cf. SENSIBLE) ***make oneself*** ~ 자기의 말[생각]을 이해시키다
— *n.* 지성[이해]의 대상물 **~·ness** *n.* **-bly** *ad.*

In·tel·post [íntelpòust] *n.* 《영》 인텔샛 위성(Intelsat)을 통한 국제 전자 우편

In·tel·sat [intélsæ̀t, ´-`] [*I*nternational *Tele*communications *Sat*ellite Organization] *n.* 국제 상업 위성 통신 기구; 인텔샛 통신 위성

in·tem·per·ance [intémpərəns] *n.* Ⓤ **1** 음주벽, 폭음, 대주(大酒): ~ in eating and drinking 폭음 폭식 **2** 무절제, 방종, 과도(excess)

in·tem·per·ate [intémpərit] *a.* **1** 절제하지 않는, 과도한: ~ language 폭언 **2** 사나운, 험악한: ~ weather 사나운 날씨 **3** 술에 빠지는: ~ habits 과음하는 버릇 **~·ly** *ad.* **~·ness** *n.*

***in·tend** [inténd] [L 「늘이다, 주의를 돌리다」의 뜻에서] *vt.* **1** …할 작정이다, …하려고 생각하다: (~+*-ing*) (~+*to* do) I ~ go*ing*. = I ~ *to* go. 나는 갈 작정이다. (cf. I ~*ed* to have gone. 갈 셈이었다. 《그러나 가지 못했다》) // (~+*that* 절) We ~ *that* it shall be done today. 우리는 그것을 오늘 할 작정이다.

> 유의어 **intend, mean, plan** 모두 「…할 작정이다」의 뜻이지만 intend가 하려는 결의를 가장 강하게 나타내므로 중요한 일을 의도할 때 사용된다.

2 의도하다, 기도(企圖)하다, 고의로 하다: (~+*to* do) I did not ~ *to* insult you at all. 당신을 모욕할 생각은 추호도 없었다. **3** 〈사람·물건을〉 어떤 목적에 쓰고자 하다, …할 셈이다, 예정하다, 지정하다(design) (*for*): (~+목+전+명) a fund ~*ed for* emergency use only 긴급한 경우에만 쓸 예정인 자금 // (~+목+*to* do) (~+*that* 절) I ~ him *to* go. = I ~ *that* he shall go. 나는 그를 보낼 작정이다. // (~+목+*to be* 보) I ~ him *to be* a writer. 나는

thesaurus **intelligent** *a.* clever, bright, sharp, smart, brilliant, discerning, knowledgeable
intense *a.* **1** 강렬한 acute, extreme, fierce, severe, harsh, strong, powerful, vigorous, great (opp. *mild, calm*) **2** 열정적인 earnest, eager,

그를 작가로 만들 작정이다. // (~+목+전+명) The gift was *~ed for* you. 그것은 자네에게 줄 선물이었다. // (~+목+**as** 보) This is not *~ed as* a joke. 이것은 농담이 아니다. **4** 의미하다, 가리키다(mean): (~+목+전+명) What do you *~ by* your words? 무슨 뜻으로 하는 말인가?
—*vi.* 목적[계획]을 가지다, 의도하다; 《고어》 출발하다 **~·er** *n.* ▷ inténtion, intént *n.*

in·tend·ance [inténdəns] *n.* **1** Ⓤ 감독, (행정) 관리; 경리(국) **2** 행정청, 지방청, 관리청

in·tend·an·cy [inténdənsi] *n.* (*pl.* **-cies**) ⓊⒸ **1** intendant의 직[지위, 신분, 관할구] **2** [집합적] 감독자 **3** 지방 행정구

in·tend·ant [inténdənt] *n.* 감독자[관]

in·tend·ed [inténdid] *a.* **1** 의도된, 계획된, 고의의 **2** 《구어》 미래의, 장래의; 약혼한: my ~ wife 나의 약혼녀 —*n.* [one's ~] 《구어》 약혼자
~·ly *ad.* **~·ness** *n.*

in·tend·ing [inténdiŋ] *a.* 미래의, 지망하는: an ~ teacher[immigrant] 교사 지망자[입국 희망자]

in·tend·ment [inténdmənt] *n.* **1** 〖법〗 (법률상의) 참뜻, 진의, (법의) 진의 해석 **2** 《폐어》 의도, 목적

in·ten·er·ate [inténərèit] *vt.* 부드럽게 하다, 연화(軟化)하다

‡**in·tense** [inténs] [L 「팽팽하게 친」의 뜻에서] *a.* (**-tens·er**; **-est**) **1** 강렬한, 격렬한, 심한: ~ cold 혹한 / an ~ gale 맹렬한 강풍 **2** 〈감정 등이〉 열정적인, 격앙된: ~ love 열렬한 사랑 **3** 긴장된, 집중한; 일사불란한 **4** 〈성격이〉 감정적인 **5** 〖사진〗 〈명암도가〉 강한; 〈색이〉 매우 짙은: ~ red 아주 진한 빨강
~·ly *ad.* **~·ness** *n.* ▷ inténsify *v.*; inténsity, inténsion *n.*; inténsive *a.*

in·ten·si·fi·ca·tion [intènsəfikéiʃən] *n.* Ⓤ **1** 강화, 극화, 증대 **2** 〖사진〗 보력(補力)

in·ten·si·fi·er [inténsəfàiər] *n.* **1** 강화[증강]시키는 것, 증강 장치 **2** 〖문법〗 강의어(强意語) **3** 〖사진〗 증감액[제(劑)]

⁎**in·ten·si·fy** [inténsəfài] *v.* (**-fied**) *vt.* **1** 세게 하다, 강렬하게 만들다, 증대하다 **2** 〖사진〗 보력(補力)하다, 명암도를 강화하다
—*vi.* 강해[격렬해]지다

in·ten·sion [inténʃən] *n.* Ⓤ **1** 강화, 보강 **2** 세기, 강도(强度) **3** (정신적) 긴장, 노력 **4** 〖논리〗 내포(內包)(connotation)(opp. *extension*) **5** 〖경제〗 집약적 경영 **~·al** *a.* 내포적[내재적]인 **~·al·ly** *ad.*

in·ten·si·tom·e·ter [intènsətámətər] *n.* X선 강도 측정 장치, 선량계(線量計)

‡**in·ten·si·ty** [inténsəti] *n.* (*pl.* **-ties**) Ⓤ **1** 강렬, 격렬, 맹렬 **2** 집중, 전심, 전념 **3** 세기, 강도(strength), 효력 **4** 〖사진〗 명암도, 농도 ***with*** (***great***) ~ 열심히
▷ inténse *a.*

⁎**in·ten·sive** [inténsiv] *a.* **1** 강한, 격렬한 **2** 집중적인, 철저한(opp. *extensive*): ~ reading 정독 / ~ bombardment 집중 포격 / ~ instruction 집중 교육 **3 a** 〖농업·경제〗 집약적인(opp. *extensive*): ~ agriculture 집약 농업 **b** [보통 복합어를 이루어] …집약적: capital-[technology-]~ 자본[기술] 집약적 / a labor-~ industry 노동 집약적 산업 **4** 〖문법〗 강의(强意)의, 강조하는(emphasizing): ~ adverbs 강조의 부사 《very, tremendously 등》 **5** 〖논리〗 내포적인(opp. *extensive*) **6** 〖의학〗 점진적인
—*n.* 강하게 하는 것[원인]; 〖문법〗 강의어 《very, awfully 등》 **~·ly** *ad.* **~·ness** *n.*

inténsive cáre 〖의학〗 집중 (강화) 치료

inténsive cáre ùnit 〖의학〗 집중 (강화) 치료부 [병동] 《略 ICU》

in·ten·siv·ism [inténsivìzm] *n.* (가축의) 집중 사육 《좁은 지역에서 동물을 집중적으로 번식·사육함》

‡**in·tent**[1] [intént] *n.* **1** Ⓤ 의지, 의향(intention); 목적, 계획: (~+**to** do) The swindler sold the house with ~ *to* cheat her. 사기꾼은 그녀를 속일 목적으로 그 집을 팔았다. **2** ⓊⒸ 의미, 취지: What is the ~ of this? 이 의미는 무엇인가? ***by*** ~ 의도적으로 ***to*** [***for***] ***all ~s and purposes*** 어느 점으로 보아도, 사실상 ***with evil*** [***good***] ~ 악의[선의]로 ***with ~ to*** …할 목적으로

‡**in·tent**[2] [intént] *a.* **1** 〈시선·주의 따위가〉 집중된: an ~ look 응시하는 눈 **2** 열심인; Ⓟ 열중하여, 여념이 없는(bent) 《*on*》: He is ~ *on* his task. 그는 일에 여념이 없다. **~·ness** *n.* ▷ inténd *v.*

‡**in·ten·tion** [inténʃən] *n.* **1** ⓊⒸ 의향, 의도, 목적, 계획: (~+전+**-ing**) I have no ~ *of* ignor*ing* your rights. 당신의 권리를 무시할 의사는 없다. // (~+**to** do) His ~ *to* study English was satisfactory to us. 영어를 공부하겠다는 그의 생각이 우리들에게는 만족스러웠다. **2** [*pl.*] 《구어》 속셈; 결혼할 의사 **3** 〖논리〗 개념: first[second] ~ 제1차[제2차] 개념 《직접[간접] 인식에 의한 개념》 **4** 〖의학〗 유합(癒合), 아뭄, 치유 **5** 《고어》 의미(meaning), 취지 ***by*** ~ 고의로 ***heal by*** [***with***] (***the***) ***first*** [***second***] ~ 〈골절·상처 등이〉 곪지 않고[곪고 난 다음에] 유합하다 ***special*** [***particular***] ~ 〖가톨릭〗 (미사의) 특별한 목적 ***with good ~s*** 선의로, 성의를 가지고 ***without*** ~ 무심히 ***with the ~ of*** do*ing* …할 작정으로
▷ inténd *v.*; inténtional *a.*

⁎**in·ten·tion·al** [inténʃənl] *a.* **1** 고의적인, 계획된(cf. ACCIDENTAL): an ~ insult 고의적인 모욕 **2** 〖철학〗 표상적(表象的)인, 지향적인
in·tèn·tion·ál·i·ty *n.* **~·ly** *ad.*

inténtional fóul 〖농구〗 고의 파울

inténtional wálk[**páss**] 〖야구〗 고의적인 4구(球)

in·ten·tioned [inténʃənd] *a.* [복합어를 이루어] …할 작정의: well-~ 선의(善意)의 / ill-~ 악의의

inténtion mòvement 〖동물행동학〗 의도 행동 《뛰어오르기 전의 구부리는 행동 등》

inténtion trèmor 〖의학〗 기도 진전(企圖震顫) 《수의 운동을 하려고 하면 일어나는 떨림》

⁎**in·tent·ly** [inténtli] *ad.* 골똘하게, 여념없이, 오로지

in·ter [intə́ːr] *vt.* (**~red**; **~·ring**) 《문어》 매장하다 (⇨ bury 유의어)

inter- [íntər] *pref.* 「속; 사이; 상호」의 뜻: *inter*collegiate, *inter*act

in·ter·a·bang [intérəbæ̀ŋ] *n.* = INTERROBANG

in·ter·act[1] [ìntərǽkt] *vi.* 상호 작용하다, 서로 영향을 끼치다 《*with*》

in·ter·act[2] [íntərækt] *n.* 막간(幕間); 막간극

in·ter·ac·tant [ìntərǽktənt] *n.* 상호 작용하는 것[사람]; 〖화학〗 반응물

in·ter·ac·tion [ìntərǽkʃən] *n.* ⓊⒸ **1** 상호 작용, 상호의 영향; 〖컴퓨터〗 대화: social ~ 사회적 상호 작용 **2** 〖물리〗 상호 작용 **~·al** *a.*

in·ter·ac·tion·ism [ìntərǽkʃənìzm] *n.* Ⓤ 〖철학〗 (마음과 신체의) 상호 영향론[작용설]

in·ter·ac·tive [ìntərǽktiv] *a.* 서로 작용하는[영향을 미치는]; 〖컴퓨터〗 대화식의; 〖통신〗 쌍방향의
~·ly *ad.* **ìn·ter·ac·tív·i·ty** *n.*

interáctive cáble tèlevision = TWO-WAY CABLE TELEVISION

interáctive fíction 〖컴퓨터〗 쌍방향[대화식] 소설 《플레이어가 스토리의 전개를 선택할 수 있는 비디오 게임》

interáctive informátion retrìeval 쌍방향 정보 검색

interáctive vídeo 쌍방향 비디오

in·ter·a·gen·cy [ìntəréidʒənsi] *n.* 중간적[중개] (정부) 기관 —*a.* 관계 부처 간의, 각 기관 간의; 관계 부처 합동의

---

ardent, keen, enthusiastic, passionate
intensify *v.* heighten, strengthen, increase, reinforce, magnify, enhance, extend, boost
intentional *a.* intended, deliberate, meant, purposeful, planned, designed, predetermined

in·ter a·li·a [íntər-éiliə, -ɑ́:liə] 〖L =among other things〗 *ad.* (사물에 대하여) 그 중에서도, 특히
in·ter a·li·os [íntər-éiliòus, -ɑ́:li-] 〖L =among other people〗 *ad.* (사람에 대해) 그 중에서도, 특히
in·ter·al·lied [ìntərəláid, -ǽlaid] *a.* 동맹국 간의, 연합국측의 《제1차 대전에서》
in·ter-A·mer·i·can [ìntərəmérikən] *a.* 미대륙 (국가들) 간의
Inter-Américan Devélopment Bánk 〖경제〗 미주 개발 은행 《略 IDB》
in·ter·a·tom·ic [ìntərətɑ́mik | -tɔ́m-] *a.* 원자 사이의[상호간의]
in·ter·bank [íntərbæ̀ŋk] *a.* 은행 간의
in·ter·bed [ìntərbéd] *vt.* …의 사이에 끼우다
in·ter·blend [ìntərblénd] *vt., vi.* (**~·ed, -blent** [-blént]) 섞다, 섞이다, 혼합하다 《*with*》
in·ter·bor·ough [íntərbə̀:rou, -bʌ̀rə] *a.* 자치 도시(borough) 간의(cf. INTERURBAN) **—*n.*** 자치 도시간 교통 《지하철·버스 등》
in·ter·brain [íntərbrèin] *n.* 〖의학〗 간뇌(間腦)
in·ter·breed [ìntərbrí:d] *vt., vi.* (**-bred** [-bréd]) 이종 교배(異種交配)시키다[하다]; 동계(同系)[근친] 교배시키다[하다]
in·ter·ca·lar·y [intə́:rkəlèri, ìntərkǽləri | intə́:kələri] *a.* Ⓐ **1** 윤(閏)(연·월·일)의: an ~ day 윤일 《2월 29일》 **2** 사이에 낀; 〖지질〗 다른 층 사이의; 〖식물〗 마디 사이의
in·ter·ca·late [intə́:rkəlèit] *vt.* **1** 윤일[달, 년]을 넣다 **2** 사이에 끼워넣다(insert)
in·ter·ca·la·tion [intə̀:rkəléiʃən] *n.* **1** 윤일[달]; Ⓤ 윤일[달]을 둠 **2** 사이에 끼움, 삽입; 삽입한 것 **3** 〖지질〗 다른 암질층 사이에 낀 층
in·ter·cár·di·nal póint [ìntərkɑ́:rdənl-] 4우점(四隅點) 《기본 방위 사이의 4점 중의 하나; 북동·남동·남서·북서》
in·ter·cede [ìntərsí:d] 〖L 「사이로 가다」의 뜻에서〗 *vi.* 중재하다, 조정하다: 《~+전+명》 ~ *with* a person *for*[*on behalf of*] his son …에게 그의 아들을 위해 잘 말해 주다 **-céd·er** *n.*
in·ter·cel·lu·lar [ìntərséljulər] *a.* 세포 사이에 있는 **~·ly** *ad.*
in·ter·cen·sal [ìntərsénsəl] *a.* 국세(國勢) 조사와 국세 조사 사이의
***in·ter·cept** [ìntərsépt] 〖L 「중간에서 잡다」의 뜻에서〗 *vt.* **1** 〈사람·물건을〉 **도중에서 잡다[빼앗다]**, 가로채다: ~ a messenger 전령을 도중에서 붙잡다 **2** 〈통신을〉 엿듣다; 〈방송을〉 수신[모니터]하다 **3** 〈빛·열 등을〉 가로막다, 방해하다, 차단하다 **4** 〖수학〗 두 점[선]으로 잘라내다, 구분하다 **5** 〖군사〗 〈적기를〉 요격하다
— [∠–∸] *n.* **1** 가로채기; 방해, 차단 **2** 도청 내용[장치] **3** 〖수학〗 절편(截片)
▷ intercéption *n.*; intercéptive *a.*
in·ter·cep·tion [ìntərsépʃən] *n.* ⓊⒸ **1** 도중에서 잡음[빼앗음], 가로챔 **2** 차단, 가로막음, 방해 **3** 〖군사〗 요격, 저지; (통신의) 방수(傍受), 도청 **4** 〖스포츠〗 (미식축구 등에서) 인터셉트당한 포워드 패스
in·ter·cep·tive [ìntərséptiv] *a.* 가로막는, 방해하는
in·ter·cep·tor, -cept·er [ìntərséptər] *n.* **1** 가로채는 사람[것]; 가로막는 사람[것] **2** 〖군사〗 요격기
in·ter·ces·sion [ìntərséʃən] *n.* ⓊⒸ **1** 중재, 조정, 알선 **2** (남을 위한) 기도[간청, 진정] ***make an ~ to*** A ***for*** B B를 위해 A에게 잘 말해 주다 **~·al** *a.*
in·ter·ces·sor [ìntərsésər, ∠–∸–] *n.* 중재자, 조정자, 알선자; [종종 **I~**] 중보자(仲保者)
in·ter·ces·so·ry [ìntərsésəri] *a.* 중재의, 알선의: an ~ prayer 중보의 기도
***in·ter·change** [ìntərtʃéindʒ] *vt.* **1** 서로 교환하다, 주고받다, 바꾸다: ~ presents 선물을 교환하다 / ~ opinions 의견을 교환하다 **2** 서로 바꾸어 놓다, 교대시키다 《*with*》; 번갈아 일어나게 하다: 《~+목+전+명》 Sad moments were *~d with* hours of merriment. 슬픔과 환락의 순간이 번갈아 왔다.
— [∠–∸] *n.* **1** ⓊⒸ 교환, 교역, 교체: the ~ of commodities 일용품 교환 **2** (고속도로의) 입체 교차(점), 인터체인지; (철도의) 환승역
-cháng·er *n.*
in·ter·change·a·bil·i·ty [ìntərtʃèindʒəbíləti] *n.* Ⓤ 교환[교대]할 수 있음
in·ter·change·a·ble [ìntərtʃéindʒəbl] *a.* 교환[교대]할 수 있는; 호환성이 있는 **~·ness** *n.* **-bly** *ad.*
in·ter·cit·y [ìntərsíti] *a.* Ⓐ 도시 간의[을 연결하는]: ~ traffic 도시 간[연락] 교통
in·ter·class [ìntərklǽs | -klɑ́:s] *a.* **1** 학급 간의, 학급 대항의 《경기 등》 **2** 계급 간의 《결혼 등》
in·ter·col·lege [ìntərkɑ́lidʒ | -kɔ́l-] *a.* = INTERCOLLEGIATE
in·ter·col·le·gi·ate [ìntərkəlí:dʒət, -dʒiət] *a.* 대학[전문 학교] 간의, 대학 대항의; 대학 연합의
—*n.* [*pl.*] 대학 대항 경기회
in·ter·co·lo·ni·al [ìntərkəlóuniəl] *a.* 식민지 (상호)간의 **~·ly** *ad.*
in·ter·co·lum·nar [ìntərkəlʌ́mnər] *a.* 기둥 사이의
in·ter·co·lum·ni·a·tion [ìntərkəlʌ̀mniéiʃən] *n.* Ⓤ 〖건축〗 기둥 사이, 기둥 배치 《기둥의 굵기·위치를 정하는 일》
in·ter·com [íntərkɑ̀m | -kɔ̀m] *n.* 《구어》 = INTERCOMMUNICATION SYSTEM
in·ter·com·mu·ni·cate [ìntərkəmjú:nəkèit] *vi.* **1** 서로 교제[통신]하다 《*with*》 **2** 〈방 등이〉 서로 통하다 《*with*》 **—*vt.*** 〈정보 등을〉 교환하다
in·ter·com·mu·ni·ca·tion [ìntərkəmjù:nəkéiʃən] *n.* Ⓤ 상호간의 교통, 교제, 연락 《*between, with*》
intercommunicátion sỳstem (배·비행기·전차 등의) 내부 통화 장치, 인터콤; 인터폰
in·ter·com·mu·nion [ìntərkəmjú:njən] *n.* Ⓤ **1** 친교(親交); 상호 교제[연락] **2** 〖그리스도교〗 다른 종파 교도간의 성찬식
in·ter·com·mu·ni·ty [ìntərkəmjú:nəti] *n.* Ⓤ **1** 공통성 **2** 공유(共有), 공동 사용, 공동 참가
—*a.* 공동체[공동 사회]간의, 공유의
in·ter·con·cep·tion·al [ìntərkənsépʃənl] *a.* 임신과 다음 임신 사이의[사이에 일어난]
in·ter·con·fes·sion·al [ìntərkənféʃənl] *a.* 다른 종파[교파] 사이의, 둘 이상의 종파에 공통되는
in·ter·con·nect [ìntərkənékt] *vt., vi.* 서로 연결[연락]시키다[하다] **—*a.*** 〈개인 전화기 등이〉 공동 전화망으로 연결된 **-néc·tion,** 《영》 **-néx·ion** *n.* Ⓤ
in·ter·con·ti·nen·tal [ìntərkɑ̀ntənéntl | -kɔ̀n-] *a.* 대륙 간의, 대륙을 잇는
intercontinéntal ballístic míssile 〖군사〗 대륙 간 탄도탄 《略 ICBM》
in·ter·con·vert [ìntərkənvə́:rt] *vt.* 상호 전환하다, 호환(互換)하다 **-con·vér·sion** *n.* **~·i·ble** *a.* 호환성이 있는
in·ter·cool·er [íntərkù:lər] *n.* 〖기계〗 (다단 압축기의) 중간 냉각기
in·ter·cos·tal [ìntərkɑ́stl | -kɔ́s-] *a.* **1** 〖해부〗 늑간(肋間)의: ~ neuralgia 늑간 신경통 **2** 〖식물〗 엽맥(葉脈) 사이의 **—*n.*** 늑간근; 늑간부 **~·ly** *ad.*
‡in·ter·course [íntərkɔ̀:rs] 〖L 「사이로 감」의 뜻에서〗 *n.* Ⓤ **1 교제,** 왕래, 교통: commercial ~ 통상(관계) / diplomatic ~ 외교 / friendly ~ 우호 관계, 교우(交友) / social ~ 사교 **2 성교,** 육체 관계(=sexual ~) **3** 영적인 교통, 영교 《*with*》 ★ 지금은 주로 2의 뜻으로 쓰이므로 1, 3의 경우 오해가 없도록 해야 한다. ***have*** [***hold***] **~ *with*** …와 교제하다
in·ter·crop [ìntərkrɑ́p | -krɔ́p] 〖농업〗 *vt., vi.*

thesaurus **intercept** *v.* stop, cut off, seize, catch, block, obstruct, check, impede
interchange *v.* exchange, trade, swap, barter
intercourse *n.* dealings, trade, traffic, com-

(~ped; ~·ping) 간작(間作)하다
— [⌐-⌐] *n.* 간작물

in·ter·cross [ìntərkrɔ́:s, -krɑ́s | -krɔ́s] *vt.* **1** 〈선 등을〉 서로 엇갈리게 하다, 서로 교차시키다 **2** 이종 교배시키다, 잡종을 만들다(interbreed) —*vi.* 서로 교차하다, 이종 교배하다
— [⌐-⌐] *n.* 이종 교배; 잡종

in·ter·cru·ral [ìntərkrúərəl] *a.* 〖해부〗 하지(下肢)[가랑이] 사이의

in·ter·cul·tur·al [ìntərkʌ́ltʃərəl] *a.* 이(종) 문화간의: ~ communication 이(종) 문화간의 커뮤니케이션

in·ter·cur·rent [ìntərkə́:rənt, -kʌ́r-] *a.* **1** 사이에 일어나는, 중간의[에 생기는] **2** 〖의학〗 〈병이〉 병발성의: an ~ disease 병발증 **~·ly** *ad.*

in·ter·cut [ìntərkʌ́t] *vt.* (~; ~·ting) 〖영화·TV〗 화면에 대조적인 장면을 삽입하다
— [⌐-⌐] *n.* 인터컷

in·ter·date [ìntərdéit] *vi., vt.* 《미》 (종교[종파]가 다른 사람과) 데이트하다

in·ter·de·nom·i·na·tion·al [ìntərdinɑ̀mənéiʃənl | -nɔ̀m-] *a.* 각 종파(宗派)간의

in·ter·den·tal [ìntərdéntl] *a.* **1** 〖해부〗 치간(齒間)의 **2** 〖음성〗 치간(음)의 《[θ], [ð]처럼 혀끝을 치간에 대고 발음하는》 —*n.* 〖음성〗 치간음 **~·ly** *ad.*

in·ter·de·part·men·tal [ìntərdipɑ̀:rtméntl] *a.* 각 부[국(局)]간의; (특히 교육 기관의) 각 학과[학부] 사이의

in·ter·de·pend [ìntərdipénd] *vi.* 서로 의존하다

in·ter·de·pen·dence, -den·cy [ìntərdipéndəns(i)] *n.* Ⓤ 상호 의존

in·ter·de·pen·dent [ìntərdipéndənt] *a.* 서로 의존하는 **~·ly** *ad.*

in·ter·dict [ìntərdíkt] *vt.* **1** 금지하다, 막다; 방해하다: (~+목+전+명) ~ a person *from* an action …에게 어떤 행동을 하는 것을 금하다 **2** 〖가톨릭〗 〈성직[성무]을〉 정지시키다 **3** 《미》 (폭격 등으로) 수송을 방해하다 — [⌐-⌐] *n.* **1** 금지 (명령), 금제(禁制) **2** 〖가톨릭〗 파문, 성직 정지

in·ter·dic·tion [ìntərdíkʃən] *n.* ⓊⒸ **1** 금지, 금제, 정지 명령 **2** 〖법〗 금치산 선고 **3** 통상 금지 **4** 〖군사〗 저지 《군사 행동을 저지하기 위한 포격·폭격》

in·ter·dic·tor [ìntərdíktər] *n.* 금지, 금제 **-to·ry** *a.*

in·ter·dig·it·al [ìntərdídʒitl] *a.* 손가락[발가락] 사이의 **~·ly** *ad.*

in·ter·dig·i·tate [ìntərdídʒətèit] *vi., vt.* (손가락 등을) 깍지 끼다, 서로 맞물(리게 하)다, 서로 얽히(게 하)다 **-dìg·i·tá·tion** *n.*

in·ter·dis·ci·pli·nar·y [ìntərdísəplənèri | -plìnəri] *a.* 둘 이상 분야에 걸치는, 이분야(異分野) 제휴의, 학제적(學際的)인

in·ter·dit [æ̃ŋtərdí:] [F] *a.* 금지된(prohibited)

‡**in·ter·est** [íntərəst, -tərèst] [L 「사이에 존재하다, 관계하다」의 뜻에서] *n., v.*

> 「관심」 **1** → 「흥미의 대상」 **2** → 「이해관계」 **4** → 「이익」 **5** → (원금에서의 이익) 「이자」 **9**

—*n.* **1** Ⓤ **관심, 흥미,** 감흥, 재미, 호기심 《*in*》: This has no ~ for me. 나는 이것에 흥미가 없다. / feel a great[not much] ~ *in* politics 정치에 많은 흥미를 갖다[별 흥미를 갖지 않다] / take an[no] ~ *in* …에 관심을 가지다[갖지 않다] **2 흥미의 대상,** 관심사, 취미: a man with wide ~*s* 다방면에 취미를 가진 사람 **3** Ⓤ **중요[중대]성:** a matter of primary ~ 가장 중대한 일 **4 이해관계** 《*in*》; 이익 관계, 물권(物權) 《*in*》; (법률상의) 권리, 이권, 권익; 주(株) 《*in*》 **5** [종종 *pl.*] 이익, 이(利), 득(得)(profit): public ~*s* 공익 / It is (to) your ~ to go. 가는 것이 너에게 이롭다. **6** [보통 the ~(s); 집합적] (같은 이해관계의) 동업자들, 주장을 같이하는 사람들, …당[파]: *the* banking[iron] ~ 은행[강철]업자 / *the* landed ~ 지주측 / *the* Protestant ~ 신교파 / *the* Ford ~ 포드 재벌 / (*the*) business ~*s* 대사업가들 **7** Ⓤ 사리, 사심, 사욕 (=self-~) **8** Ⓤ 세력, 지배[영향]력, 신용 《*with*》: gain a controlling ~ 지배권을 쥐다 **9** Ⓤ **이자** 《*at, on*》; 이자율: live on the ~ 이자로 생활하다 / annual[daily] ~ 연리[일변] / simple[compound] ~ 단[복]리

at **~** 이자를 붙여 ***buy an ~ in*** …의 주(株)를 사다, …의 주주가 되다 ***have an ~ in*** …에 이해관계를 가지다 ***have ~ with*** …에 세력[신용]이 있다 ***have*** a person***'s*** (***best***) **~*s at heart*** …에게 마음 쓰다 **~ *for delinquency*** 연체 이자 ***in the ~s of*** …을 위하여 ***know*** one***'s own ~*** 자기 이익을 잘 알다, 약삭빠르다 ***look after*** one***'s own ~s*** 사리를 도모하다 ***make ~ with*** …에게 운동하다, …에게 세력을 미치다 ***of ~*** 흥미 있는; 중요한: places *of* ~ 이름난 곳 ***through ~ with*** (…의) 연줄로 《취직하는 등》 ***use*** one***'s ~ with*** …에 있는 힘을 다하다 ***with ~*** (1) 흥미를 가지고 (2) 이자를 붙여서: return a blow *with* ~ 덤을 붙여 되때리다

—*vt.* **1** 〈…에게〉 **흥미를 일으키게 하다, 관심을 갖게 하다** 《*in*》(⇨ interested 1): a book that ~*ed* her 그녀의 흥미를 끈 책 // (~+목+전+명) ~ boys *in* science 소년들에게 과학에 대한 흥미를 갖게 하다 **2 a** 관계[가입]시키다, 관여하게 하다; 끌어넣다 《*in*》(⇨ interested 3): (~+목+전+명) Can I ~ you *in* chess? 장기 한 판 어떻습니까? **b** [~ one*self* 로] 관계하다, 가입하다 《*in*》: ~ *oneself in* the enterprise 사업에 관계하다

‡**in·ter·est·ed** [íntərəstid, -tərèst-] *a.* **1 흥미를 가진** 《*in, to* do》: ~ spectators 흥미있게 바라보는 구경꾼들 / I am very (much) ~ *in* music. 나는 음악에 많은 흥미가 있다. **2** Ⓐ 타산적인, 사심이 있는 (opp. *disinterested*): ~ motives 불순한 동기 **3** Ⓐ 이해관계가 있는: the ~ parties 사건의 이해관계자들, 당사자들 / He is ~ *in* the enterprise. 그는 그 사업에 관계하고 있다. ***the person ~*** 관계자
~·ly *ad.* 흥미[관심]를 갖고; 자기 이익을 위하여; 사심을 갖고 **~·ness** *n.*

in·ter·est-free [-frí:] *a., ad.* 무이자의[로]: ~ loans 무이자 대출

ínterest gròup 이익 집단, 압력 단체

‡**in·ter·est·ing** [íntərəstiŋ, -tərèst-] *a.* **흥미 있는,** 재미있는(⇨ funny[1] 유의어): an ~ book 재미있는 책 / (~+*to* do) Birds are ~ *to* watch. = It is ~ to watch birds. 조류 관찰은 재미있다. ***in an ~ condition***[***situation, state***] 《고어》 임신하여
~·ly *ad.* **~·ness** *n.*

ínterest ràte 금리, 이율

in·ter·eth·nic [ìntəréθnik] *a.* 이인종(異人種)[민족] 간의

in·ter·face [íntərfèis] *n.* **1** 경계면, 접점, 공유[접촉] 영역: the ~ between the scientist and society 과학자와 사회의 접점 **2** (이종간의) 대화, 연락, 의사소통 **3** 〖컴퓨터〗 인터페이스 《CPU와 단말 장치와의 연결 부분을 이루는 회로》
— [íntərfèis, ⌐-⌐] *vt.* **1** 조화시키다, 조정하다 **2** 〖컴퓨터〗 인터페이스로 접속[연결]하다
—*vi.* 결부하다, 조화되다

ínterface verificátion 인터페이스 검사 《로켓 발사시 관련 기기의 상호 작동을 점검하는 검사》

in·ter·fa·cial [ìntərféiʃəl] *a.* **1** (결정체의 모서리가) 면과 면 사이에 끼인 **2** 〖화학·물리〗 계면(界面)의

in·ter·fac·ing [íntərfèisiŋ] *n.* 〖복식〗 (접는 부분의) 심

in·ter·fac·tion·al [intərfǽkʃənl] *a.* 파벌 사이의

---

merce, communication, association, connection
interested *a.* **1 흥미를 가진** attentive, absorbed, engrossed, curious, fascinated, captivated **2 이해관계가 있는** concerned, involved, implicated

in·ter·faith [ìntərféiθ] *a.* 이종파(異宗派)[교도]간의, 종파를 초월한: an ~ service 이종파의 예배

*__in·ter·fere__ [ìntərfíər] [OF 「서로 치다」의 뜻에서] *vi.* **1** 방해하다, 훼방하다 (*with*); 〈이해 등이〉 충돌하다, 대립하다: Their interests *~d.* 그들의 이해가 충돌했다. // (~+전+명) ~ *with* cultural development 문화의 발전을 저해하다

> 유의어 **interfere** 쓸데없이 말참견하거나 간섭하여 방해하다: Noise *interfered* with my concentration. 소음 때문에 집중을 할 수 없었다. **meddle** 사기가 발참견할 권리가 없는 일이나 부탁받지 않은 일에 쓸데없이 참견하다: *meddle* in another's affairs 남의 일에 참견하다

2 손상하다, 해치다: (~+전+명) ~ *with* health 건강을 해치다 **3** 간섭하다, 참견하다 (*in*): (~+전+명) ~ *in* another's life 남의 생활에 간섭하다 **4** 중재[조정]하다 (*in*) **5** 〖물리〗 〈광선·음파 등이〉 간섭하다 **6** 〖스포츠〗 (불법으로) 방해하다 **7** 〖미국법〗 (동일 발명의) 우선권을 다투다 **ìn·ter·fér·er** *n.*
▷ interférence *n.*

*__in·ter·fer·ence__ [ìntərfíərəns] *n.* ⓊⒸ **1** 간섭, 방해, 참견, 저촉 **2** 〖스포츠〗 불법 방해 **3** 〖물리〗 (광파·음파·전파 등의) 간섭 **4** 〖통신〗 방해, 혼신(원(源)) **5** (동일 발명의) 우선권 다툼 ***run ~ for*** (1) 《구어》 (동료나 상사를 위해서) 시간이 걸리는 귀찮은 일을 처리하다 (2) (미식 축구에서) 공을 가진 선수와 함께 달리면서 적의 태클을 저지하다
▷ interfére *v.*

interférence dràg 〖항공〗 간섭 항력(抗力)

interférence mìcroscope 간섭 현미경 《빛의 간섭 현상을 이용하는》

in·ter·fe·ren·tial [ìntərfərénʃəl] *a.* 간섭의[에 관한]

in·ter·fer·ing [ìntərfíəriŋ] *a.* 간섭[방해]하는; 남의 일에 참견하는; 〖물리〗 간섭하는 **~·ly** *ad.*

in·ter·fer·om·e·ter [ìntərfərɑ́mətər | -rɔ́m-] *n.* 〖광학〗 간섭계(干涉計); 〖천문〗 간섭 관측기

in·ter·fer·on [ìntərfíərɑn | -rɔn] *n.* 〖생화학〗 인터페론 《바이러스 증식 억제 물질》

in·ter·fer·tile [ìntərfə́:rtl | -tail] *a.* 〖동물·식물〗 교배할 수 있는 **ìn·ter·fer·tíl·i·ty** *n.*

in·ter·file [ìntərfáil] *vt.* 〈서류·카드 등을〉 (항목별로) 정리하여 철하다

in·ter·flow [ìntərflóu] *vi.* 합류하다, 혼류하다; 혼합하다 — [⌐-⌐] *n.* 혼류; 혼합

in·ter·flu·ent [ìntərflú:ənt] *a.* 합류[혼류]하는; 혼합하는

in·ter·fold [ìntərfóuld] *vt.* 〈종이를〉 접어 넣다, 맞접다

in·ter·fuse [ìntərfjú:z] *vt.* **1** 배어들게 하다, 침투시키다 **2** 혼합시키다 **3** 섞어 넣다, 주입하다 — *vi.* 스며들다; 혼합하다 **in·ter·fú·sion** *n.*

in·ter·fu·tures [ìntərfjú:tʃərz] *n.* 인터퓨처스, 미래 상관(相關) 《OECD 가맹국의 전문가로 구성된 미래 예측 프로젝트》

in·ter·ga·lac·tic [ìntərgəlǽktik] *a.* 〖천문〗 은하계 (우주)간의

in·ter·gen·er·a·tion·al [ìntərdʒènəréiʃənl] *a.* 세대 사이의: ~ conflicts 세대 간 분쟁

in·ter·gla·cial [ìntərgléiʃəl] *a.* 〖지질〗 (두) 빙하 시대 중간의, 간빙기(間氷期)의

in·ter·gov·ern·men·tal [ìntərgʌ̀vərnméntl] *a.* 정부 간의: an ~ body 정부 간 기관

in·ter·gra·da·tion [ìntərgrədéiʃən] *n.* 이행 (과정), 변이(變移); 점진(적) 진화

in·ter·grade [íntərgrèid] *n.* 중간 단계[형식, 정도] — [⌐-⌐] *vi.* (진화 등으로 인하여) 〈종(種) 등이〉 서서히 다른 종류[단계]로 변화하다

in·ter·group [ìntərgrú:p] *a.* 그룹[집단] 사이의: ~ relationships 집단간의 관계

in·ter·growth [íntərgròuθ] *n.* 호생(互生), 합생(合生) 《서로 번갈아 가면서 자라기》

in·ter·im [íntərəm] [L =in the meantime] *n.* **1** [보통 the ~] 한동안, 중간기, 잠시 **2** 잠정 조치, 가협정 **3** [the I~] 〖그리스도교〗 잠정 협정 《1548년의 Augsburg의 가(假)종교 화약(和約) 따위》
in the ~ 그 사이에, 당분간
— *a.* 당분간[임시]의, 중간의; 가(假)…, 잠정의: an ~ certificate 가증서 / an ~ government 임시 정부 / an ~ report 중간 보고
— *ad.* 그 사이에, 그 안에

ínterim dívidend 〖보험〗 (결산기 전의) 중간 배당

in·ter·in·di·vid·u·al [ìntərindəvídʒuəl] *a.* 개인 간의, 개인 간에 일어나는

*__in·te·ri·or__ [intíəriər] [L 「안쪽의」의 뜻의 비교급에서] *a.* Ⓐ **1** 안의[에 있는], 내부의, 안쪽의(opp. *exterior*): an ~ view of a house 집안 풍경 **2** 내륙의, 내지의: the ~ towns of a country (한 나라의) 내륙에 있는 도시들 **3** 내국의, 국내의(opp. *foreign*): the ~ trade 국내 무역 **4** (인간의) 내면의, 정신적인: the ~ life 내면 생활 **5** 내밀한, 비밀의
— *n.* **1** [the ~] 내부, 안쪽; 실내(도) **2** [the ~] 내지, 오지 **3** [the ~] 내정(內政), 내무(內務) **4** (건물의) 내부 사진 **5** 내심, 본성; 《속어》 배(belly) **6** 〖건축〗 인테리어, 실내 장식 ***the Department*** [***Secretary***] ***of the I~*** 《미》 내무부[장관] **~·ly** *ad.*
▷ interiórity *n.*

intérior ángle 〖수학〗 내각(內角)

intérior ballístics [단수 취급] 내부 탄도학

intérior desígn[**decorátion**] 실내 장식

intérior desígner[**décorator**] 실내 장식가

intérior dráinage 〖지리〗 내지 배수(排水), 내륙 유역(流域)

in·te·ri·or·ism [intíəriərìzm] *n.* 〖철학〗 내관(內觀)주의

in·te·ri·or·i·ty [intìəriɔ́:rəti, -ɑ́r- | -ɔ́r-] *n.* Ⓤ 내적임, 내면[내부]성

in·te·ri·or·ize [intíəriəràiz] *vt.* 〖철학〗 〈감정 등을〉 내면화하다

intérior líneman 〖미식축구〗 인테리어 라인맨 《양 엔드를 제외한 공격측 5인 선수의 한 사람》

intérior mónologue 〖문학〗 내적 독백 《등장인물의 의식의 흐름을 나타내는 소설 내의 독백》

intérior plánet 〖천문〗 내(內)혹성

interj. interjection

in·ter·ja·cent [ìntərdʒéisnt] *a.* 사이에 있는, 개재하는(intervening) **-cence** *n.*

in·ter·ject [ìntərdʒékt] [L 「사이에 던져 넣다」의 뜻에서] *vt.* 〈말 따위를〉 불쑥 끼워 넣다, 던져 넣다, 사이에 끼우다 **-jéc·tor** *n.* ▷ interjéction *n.*

*__in·ter·jec·tion__ [ìntərdʒékʃən] *n.* **1** ⓊⒸ 갑자기 지르는 소리, 감탄의 말; 감탄 **2** 〖문법〗 감탄사 《ah!, eh?, Heavens!, Wonderful! 등》
~·al *a.* **~·al·ly** *ad.* ▷ interjéct *v.*; interjéctory *a.*

in·ter·jec·to·ry [ìntərdʒéktəri] *a.* **1** 감탄사의, 감탄사적인 **2** 갑자기 지르는 (소리의)

in·ter·knit [ìntərnít] *vt.* (**~, ~·ted**; **~·ting**) 짜[엮어] 맞추다

in·ter·lab·o·ra·to·ry [ìntərlǽbərətɔ̀:ri | -təri] *a.* 연구실 간의; (서로 다른) 학문 분야 간의

in·ter·lace [ìntərléis] *vt.* 서로 엇갈리게 짜다, 섞어 짜다; 얽히게 하다: (~+목+전+명) The narrative was *~d with* anecdotes. 그 이야기에는 군데군데 일화가 얽혀 있었다. — *vi.* 서로 엇갈리게 꼬이다, 섞어 짜지다; 얽히다

in·ter·laced [ìntərléist] *a.* (문장(紋章)에서) 〈도형이〉 섞어 짜여진

interláced scánning 〖TV〗 비월 주사(飛越走査) 《2개의 주사선(走査線)이 번갈아 주사하는 방식》

in·ter·lac·ing [ìntərléisiŋ] *n.* 〖TV〗 =INTERLACED SCANNING

in·ter·lam·i·nate [ìntərlǽmənèit] *vt.* 층 사이에 삽입하다, 번갈아 포개다

in·ter·lan·guage [íntərlæ̀ŋgwidʒ] *n.* 중간 언어 《제2외국어 또는 외국어를 배우는 과정에서 생기는 것으로 생각되는 언어; 2개 언어의 특징을 가진 언어》

in·ter·lard [ìntərlɑ́:rd] *vt.* 〈이야기 등에〉 섞다: (~+목+전+명) ~ one's speech *with* foreign words 외국어를 섞어 가며 이야기하다

in·ter·lay [ìntərléi] *vt.* (**-laid** [-léid]) …의 사이에 (끼워) 넣다; 사이에 넣어 장식하다 《*with*》

in·ter·leaf [íntərlì:f] *n.* (*pl.* **-leaves**) 책 갈피에 삽입한 백지, 간지(間紙)

in·ter·leave [ìntərlí:v] *vt.* **1** 〈책 등에〉 백지를 삽입하다; …에 (끼워) 넣다: (~+목+전+명) The dictionary is *~d with* a sheet of blank paper. 그 사전에는 백지가 한 장 끼워져 있다. **2** 〖컴퓨터〗 인터리브[상호 배치]하다 **—** *n.* 〖컴퓨터〗 인터리브, 상호 배치 《하드디스크 드라이브의 성능을 높이기 위해 데이터가 서로 인접하지 않도록 배열하는 방식》

in·ter·leu·kin [ìntərlú:kin] *n.* 〖생화학〗 인터류킨 《면역 담당 세포가 분비하는 면역 매개 물질》

in·ter·lí·brar·y lóan [ìntərláibrèri- | -brəri-] 도서관 상호 대출 (제도)

in·ter·line[1] [ìntərláin] *vt.* **1** 〈어구 등을〉 (책 등의) 행간에 써넣다: ~ a draft 초고의 행간에 글씨를 써넣다 **2** 〈책 등에〉 (어구 등을) 행간에 써넣다: (~+목+전+명) ~ a translation *in* a text 교과서의 행간에 해석을 써넣다

interline[2] *vt.* 〈의류 등에〉 심을 넣다: ~ a coat 코트에 심을 넣다

interline[3] *a.* 〈수송 기관·운임 등이〉 둘 이상의 노선에 걸치는[을 이용하는], 갈아타는: ~ flights 갈아타는 항공편

in·ter·lin·e·ar [ìntərlíniər] *a.* **1** (책 등의) 행간에 써넣은: an ~ gloss 행간 주석 / ~ translation 행간 번역 **2** 한 줄씩 띄어 쓴[인쇄한] **~·ly** *ad.*

in·ter·lin·e·a·tion [ìntərlìniéiʃən] *n.* UC 행간에 써넣음

interlíne pássenger (다른 항공 회사 비행기를) 갈아타는 승객

In·ter·lin·gua [ìntərlíŋgwə] *n.* U 과학자용 인공 국제어

in·ter·lin·gual [ìntərlíŋgwəl] *a.* 둘 이상의 언어에 관한[를 사용하는]

in·ter·lin·ing [íntərlàiniŋ] *n.* U (의복의) 겉과 안 사이에 넣은 심

in·ter·link [ìntərlíŋk] *vt.* 이어붙이다, 연결하다

in·ter·lock [ìntərlɑ́k | -lɔ́k] *vi.* **1** 〈기계 따위가〉 서로 맞물리다, 연동하다: an *~ing* device 연동 장치 **2** 서로 겹치다[포개지다] **3** 〖철도〗 〈신호기 등이〉 연동 장치로 작동하다: an *~ing* signal 연동 신호기
— *vt.* 연결하다[시키다], 결합하다, 맞얽히게 하다
— [∠-∠] *n.* **1** 맞물린 상태; 연결, 연동; (안전을 위한) 연동 장치 **2** 〖영화〗 (촬영과 녹음을 연동시킨) 동시 장치 **3** 〖컴퓨터〗 인터록 《현재 처리 중인 동작과 상태가 끝날 때까지 다른 동작이 개시되지 않도록 하는 일》

in·ter·lóck·ing diréctorate [ìntərlɑ́kiŋ- | -lɔ́k-] 겸직 임원 회의[제도]

in·ter·lo·cu·tion [ìntərləkjú:ʃən] *n.* UC 《문어》 대화, 문답(dialogue)

in·ter·loc·u·tor [ìntərlɑ́kjutər | -lɔ́k-] *n.* **1** 《문어》 대화[대담]자; 질문자 **2** 《미》 흑인 연주단의 사회자

in·ter·loc·u·to·ry [ìntərlɑ́kjutɔ̀:ri | -lɔ́kjutəri] *a.* **1** 대화(체)의, 문답체의: ~ instruction 대화 형식의 지도 **2** 〖법〗 중간 (판결)의(opp. *final*)

in·ter·loc·u·tress [ìntərlɑ́kjutris | -lɔ́k-], **-trix** [-triks] *n.* INTERLOCUTOR의 여성형

in·ter·lope [ìntərlóup] *vi.* **1** 허가 없이 영업하다 **2** (남의 일에) 참견하다; 주제넘게 나서다

in·ter·lop·er [ìntərlòupər] *n.* **1** 남의 일에 참견하고 나서는 사람 **2** (불법) 침입자 **3** 무면허 상인 《남의 특허권 등을 침범하는》

***in·ter·lude** [íntərlù:d] *n.* **1** (시간과 시간의) 사이, 중간, 짬; (두 사건) 사이에 일어난 일, 에피소드: brief *~s* of fair weather during the rainy season 장마철의 여우볕 **2** 막간(interval); 막간극(劇), 막간 여흥[촌극] **3** 중간극 《초창기의 희극》 **4** 〖음악〗 간주곡

in·ter·lu·nar [ìntərlú:nər] *a.* 〖천문〗 달이 보이지 않는 기간의 《음력 그믐·초승 사이의 약 4일간》

in·ter·lu·na·tion [ìntərlu:néiʃən] *n.* 달 없는 기간, 무월기간

in·ter·mar·riage [ìntərmǽridʒ] *n.* U **1** (다른 종족·계급·씨족 간의) 결혼: racial ~ 다른 인종간의 결혼 **2** 근친[혈족] 결혼; 내혼(內婚) 《관습·법률에 의한 특정 집단 내의 결혼》 **3** 〖법〗 결혼(marriage)

in·ter·mar·ry [ìntərmǽri] *vi.* (**-ried**) **1** (다른 종족 등과) 결혼하다 **2** 근친[혈족] 결혼을 하다

in·ter·max·il·lar·y [ìntərmǽksilèri] *a.* 〖해부〗 위턱뼈 사이에 있는

in·ter·med·dle [ìntərmédl] *vi.* 간섭하다, 참견하다, 주제넘게 나서다 《*with, in*》: (~+전+명) ~ *in* [*with*] a quarrel between man and wife 부부 싸움에 참견하다 **-dler** *n.*

in·ter·me·di·a [ìntərmí:diə] *n.* **1** INTERMEDIUM의 복수형 **2** U 인터미디어 《음악·영화·무용·회화 등을 복합한 예술》

in·ter·me·di·a·cy [ìntərmí:diəsi] *n.* 중간(성); 중개

in·ter·me·di·ar·y [ìntərmí:dièri | -diəri] *n.* (*pl.* **-ar·ies**) **1** 매개[중개]자[물]; 중재인: propose to a woman through an ~ 중매인을 통해서 여자에게 청혼하다 **2** 중개, 매개 **3** 중간 단계(의 형태), 중간물 ***through the ~ of*** …을 중개로 하여
— *a.* **1** 중간의 **2** 중계의, 중개[매개]의: an ~ power 중재국 / ~ service 중계

***in·ter·me·di·ate**[1] [ìntərmí:diət] *a.* 중간의, 개재하는; 중간에 일어나는, 중등학교의: the ~ examination (영) (대학의) 중간 시험 / ~ learners of English 중급 수준의 영어 학습자
— *n.* **1** 중간물, 중재[중개]자; 매개, 수단 **2** 중간 시험 **3** (미) 중형차 **4** 〖화학〗 중간 생성물, (반응) 중간체, 중간물 **~·ly** *ad.* **~·ness** *n.*

in·ter·me·di·ate[2] [ìntərmí:dièit] *vi.* **1** 사이에 들어가다(intervene) **2** 중재하다, 중개하다 《*between*》
▷ intermédiary *a.*; intermediátion *n.*

intermédiate fréquency 〖통신〗 중간 주파수

intermédiate hóst 〖생물〗 중간 숙주 《기생충의 유생기의 숙주; cf. DEFINITIVE HOST》

intermédiate rànge ballístic míssile 〖군사〗 중거리 탄도탄 (略 IRBM)

intermédiate schòol **1** (미) 중학교(junior high school) **2** (미·뉴질) 초등학교 4-6 학년 과정의 학교 **3** (영) 초등학교 상급과 중학교의 중간 학교 《12-14세 학생을 수용》

intermédiate technólogy 중간 공학 《소규모적이고 간단한 방법과 기술을 현대의 첨단 기술·기계에 결부시킨 공학》

in·ter·me·di·a·tion [ìntərmì:diéiʃən] *n.* U 중개, 매개, 중재

in·ter·me·di·a·tor [ìntərmí:dièitər] *n.* 중개[매개, 중재]자

in·ter·me·di·um [ìntərmí:diəm] *n.* (*pl.* **-di·a** [-diə], **~s**) 중개[매개]물

in·ter·ment [intə́:rmənt] *n.* UC 매장, 토장(土葬) (burial)

in·ter·mer·cial [ìntərmə́:rʃəl] [*inter*net+com*mercial*] *n.* 〖컴퓨터〗 인터넷상의 광고

in·ter·mesh [ìntərméʃ] *vi.* 〈톱니바퀴 등이〉 서로 맞물리다

in·ter·me·tál·lic cómpound [ìntərmətǽlik-] 금속간 화합물

in·ter·mez·zo [ìntərmétsou, -médzou] [It.] *n.* (*pl.* **-mez·zi** [-métsi, -médzi], **~s**) **1** (극·가극 등

의) 막간 연예 2 〖음악〗 (소나타·심포니 등의) 간주곡

in·ter·mi·gra·tion [ìntərmaigréiʃən] *n.* Ⓤ 상호 이주(移住)

in·ter·mi·na·ble [intə́:rmənəbl] *a.* **1** 끝없는, 한없는 **2** 지루하게 긴 **3** [the I~] 무한의 실재(實在), 신(God) **~·ness** *n.* **-bly** *ad.*

***in·ter·min·gle** [ìntərmíŋgl] *vt.* 섞다, 혼합하다: 《~+목+전+명》 ~ A *with* B A와 B를 혼합하다 **—** *vi.* 섞이다, 혼합되다(mingle, blend) 《*with*》: 《~+전+명》 They soon ~*d with* the crowd. 그들은 곧 군중 속에 섞였다. **~·ment** *n.*

in·ter·mis·sion** [ìntərmíʃən] *n.* **1** 《미》 (연극·영화 등의) 휴식 시간, 막간(《영》 interval); (수업 사이의) 휴식 시간(《영》 break); (TV의) 광고 시간 **2** ⓊⒸ 중지, 중단 **3** (열(熱) 발작의) 간헐[휴지]기 ***without ~ 끊임없이 ▷ intermít *v.*

in·ter·mit [ìntərmít] [L 「사이로 보내다」의 뜻에서] *v.* (**~·ted**; **~·ting**) *vt.* **1** 일시 멈추다 **2** 중절[중단]시키다(suspend) **—** *vi.* **1** 일시 멎다 **2** 〈열·아픔 등이〉 단속되다 **3** 〖의학〗 〈맥박이〉 결체(結滯)하다; 〈신열 따위가〉 단속(斷續)하다 **~·ter, ~·tor** *n.*

in·ter·mit·tence, -ten·cy [ìntərmítns(i)] *n.* Ⓤ 간간이 중단됨, 단속(斷續), 간헐(間歇) (상태)

in·ter·mit·tent [ìntərmítnt] *a.* 때때로 중단되는, 단속하는, 간헐성(性)의: an ~ spring 간헐천 / an ~ pulse 부정맥 **—** *n.* 〖병리〗 간헐열 **~·ly** *ad.*

intermíttent cúrrent 〖전기〗 단속 전류 《전신·초인종 등의》

intermíttent féver 〖병리〗 간헐열, 말라리아열

in·ter·mix [ìntərmíks] *vt., vi.* 섞다, 섞이다, 혼합하다(mix): 《~+목+전+명》 smiles ~*ed with* tears 울음 섞인 웃음

in·ter·mix·ture [ìntərmíkstʃər] *n.* 혼합물; Ⓤ 혼합

in·ter·mod·al [ìntərmóudl] *a.* 〖교통〗 각종 수송 기관을 통합한: ~ transportation (각종 수송 기관을 통합하여 이용하는) 협동 일관 수송

in·ter·mod·u·la·tion [ìntərmὰdʒuléiʃən | -mɔ̀dʒ-] *n.* 〖전기〗 상호 변조(變調): ~ distortion 상호 변조 왜곡, 혼(混)변조 왜곡

in·ter·mo·lec·u·lar [ìntərməlékjulər] *a.* 분자 사이의, 분자 사이에 있는[에 일어나는]

in·ter·mon·tane [ìntərmάntein | -mɔ́n-], **-moun·tain** [-máuntən] *a.* 산간의, 산맥 중에 있는: an ~ hamlet 산촌

in·ter·mun·dane [ìntərmʌ́ndein, -mʌndéin] *a.* 두[둘 이상의] 세계 사이에 있는; 천체 간에 있는

in·ter·mu·ral [ìntərmjúərəl] *a.* **1** 도시[단체] 사이의: an ~ athletics 기관[도시] 대항 운동 시합 **2** 벽 사이에 끼인

in·tern[1] [intə́:rn] *vt.* 〈포로 등을〉 (일정한 구역 안에) 구금[억류]하다 《*in*》 **—** [ㅡ] *n.* 피억류자(internee)

in·tern[2] [íntə:rn] 《미·캐나다》 *n.* **1** 인턴(interne), 수련의(醫)(《영》 houseman) (cf. RESIDENT 2) **2** 교육 실습생, 교생 **—** *vi.* 인턴으로 근무하다

‡**in·ter·nal** [intə́:rnl] *a.* **1** 내부의; 체내의: ~ troubles 내분 / an ~ airport telephone 공항 내선 전화 **2** 내면적인, 내재적인, 본질적인(opp. *external*); 정신적인, 심적인: ~ evidence 내재적 증거 / ~ malaise 정신적 불안 **3** 국내의, 내국의(opp. *foreign*): ~ debts[loans] 내국채(內國債) / ~ trade 국내 무역 / an ~ flight 국내 (비행)편 **4** 〖약학〗 경구의, 내복의(oral): an ~ remedy 내복약 / for ~ use 내복용 **—** *n.* **1** (사물의) 본질, 실질 **2** [*pl.*] 내장(內臟)

intérnal ángle 〖기하〗 내각(內角)(cf. EXTERNAL ANGLE)

intérnal áudit 〖회계〗 내부 감사

intérnal áuditory méatus 〖해부〗 내이도(內耳道)

intérnal clóck = BIOLOGICAL CLOCK

in·ter·nal-com·bus·tion [intə́:rnlkəmbʌ́stʃən] *a.* 〖기계〗 내연식의; 내연 기관의

intérnal-combústion èngine 내연 기관

intérnal convérsion 〖물리〗 내부 전환 《들뜬 상태의 원자핵이 에너지가 바닥 상태로 전이할 때 그 핵 주위에 에너지를 주어 궤도 전자를 방출하는 현상》

intérnal éar 〖해부〗 내이(內耳)

intérnal éxile 국내 유형 《구소련의 반체제파에 대한》

intérnal gèar 〖기계〗 내접 기어

in·ter·nal·i·ty [ìntə:rnǽləti] *n.* Ⓤ 내재(성), 내면성, 내적 성질

in·ter·nal·i·za·tion [intə̀:rnəlizéiʃən | -laiz-] *n.* **1** 내면화, 내재화 **2** 주관적으로 함 **3** 〖언어〗 내재화 **4** 《미》 〖증권〗 (거래의) 내부화 《주식의 매매를 거래소 아닌 증권 회사에서 함》

in·ter·nal·ize [intə́:rnəlàiz] *vt.* **1** 〈사상 등을〉 자기 것으로 하다, 내면화[주관화]하다 **2** 〈문화·습관 등을〉 흡수하다, 습득하다

in·ter·nal·ly [intə́:rnəli] *ad.* **1** 내부로; 내(면)적으로; 심적으로 **2** 국내에서; 부(部)내에: an ~ oriented post 내근 중심의 부서

intérnal márket 〖상업〗 내부 시장; 역내 시장

intérnal médicine 내과(학)

intérnal pollútion 체내 오염 《식품 유해 물질·약품 등을 과도하게 섭취하여 생기는》

intérnal respirátion 〖생리〗 내호흡 《체내에서의 세포와 혈액 간의 가스 교환》

intérnal révenue 《미》 내국세 수입(《영》 inland revenue)

Intérnal Révenue Sèrvice [the ~] 《미》 국세청 《略 IRS》

intérnal rhýme 〖운율〗 행간운(行間韻)

intérnal secrétion 〖생리〗 내분비(물), 호르몬

intérnal stórage 〖컴퓨터〗 내부 기억 장치

internat. international

‡**in·ter·na·tion·al** [ìntərnǽʃənl] *a.* **1** 국제(상)의, 국제적인, 국제간의, 만국의: an ~ conference 국제 회의 / an ~ exhibition 만국 박람회 / ~ games 국제 경기 / ~ trade 국제 무역 / an ~ call 국제 전화[통화] **2** 국제간에 정해진; 국제 신호의 **3** 〈조직 등이〉 국제적으로 회원을 가진; 국제적으로 활동하는: ~ staff (기업의) 해외 근무 스태프 **—** *n.* **1** [the I~] 국제 노동자 동맹, 인터내셔널(International Workingmen's Association) **2** 국제 경기 출전자; 국제 경기 대회 **3** [보통 **I~**] 국제 조직, 국제적 기업 **4** 국제 기업의 해외 근무 사원, 《특히》 중역 ***the First I~*** 제 1 인터내셔널 《런던에서 조직; 1864-76년》 ***the Second I~*** 제 2 인터내셔널 《파리에서 조직; 1889-1914》 ***the Third I~*** 제3인터내셔널 《모스크바에서 조직; 1919-43; 약칭 Comintern》 **~·ly** *ad.* 국제적으로, 국제간에 ▷ internationálity *n.*; internátionalize *v.*

Internátional Áir Trànsport Associàtion [the ~] 국제 항공 운송 협회 《略 IATA》

Internátional Ámateur Athlétic Federàtion [the ~] 국제 육상 경기 연맹 《略 IAAF》

Internátional Atómic Énergy Àgency [the ~] (UN의) 국제 원자력 기구 《略 IAEA》

internátional baccalàureate 국제 바칼로레아 《국제 공통 대학 입학 자격 제도; 略 IB》

Internátional Bánk for Reconstrúction and Devélopment [the ~] 국제 부흥 개발 은행 《통칭 the World Bank; 略 IBRD》

internátional cándle 〖광학〗 국제 표준 촉광 《1940년까지 사용된 광도 단위; 현재는 candela》

Internátional Chámber of Cómmerce [the ~] 국제 상업 회의소 《略 ICC》

Internátional Cívil Aviátion Organizàtion [the ~] (UN의) 국제 민간 항공 기구 《略 ICAO》

Internátional Códe [the ~] **1** (선박 등의) 국제 신호 **2** 국제 전신 부호

thesaurus **intermittent** *a.* fitful, spasmodic, recurrent, irregular, sporadic, occasional, peri-

International Committee of the Red Cross [the ~] 국제 적십자 위원회 《略 ICRC》
International Confederation of Free Trade Unions [the ~] 국제 자유 노동조합 연합 《略 ICFTU》
international copyright 국제 저작권
International Court of Justice [the ~] 국제 사법 재판소 《World Court의 공식명; 略 ICJ》
International Criminal Police Organization [the ~] = INTERPOL
International Criminal Tribunal 국제 형사 재판소
International Date Line [the ~] 국제 날짜 변경선 《略 IDL》
International Development Association [the ~] (UN의) 국제 개발 협회 《略 IDA》
international driving permit 국제 운전면허증 《略 IDP》
In·ter·na·tio·nale [ìntərnæ̀ʃənǽl, -nɑ́:l] [F= international (song)] *n.* **1** [the ~] 인터내셔널의 노래 《공산주의자들이 부르는 혁명가》 **2** 국제 노동자 동맹(International)
International Energy Agency [the ~] 국제 에너지 기구 《略 IEA》
International Federation of Information Processing [the ~] 〘컴퓨터〙 국제 정보 처리 연맹
International Film Festival 국제 영화제 《略 IFF》
International Geophysical Year [the ~] 국제 지구 관측년 《1957년 7월~1958년 12월의 18개 월간; 略 IGY》
International Institute for Strategic Studies [the ~] 《영》 국제 전략 연구소 《略 IISS》
in·ter·na·tion·al·ism [ìntərnǽʃənəlìzm] *n.* Ⓤ **1** 국제주의, 세계주의 **2** 국제성, 세계성, 국제 협력[관리] **3** [I~] (인터내셔널의) 국제 공산[사회]주의
in·ter·na·tion·al·ist [ìntərnǽʃənəlist] *n.* **1** 국제주의자 **2** 국제법 학자 **3** [I~] 국제 공산[사회]주의자 **4** 《영》 국제 경기 출전자 **—** *a.* 국제주의(자)의
in·ter·na·tion·al·i·ty [ìntərnæ̀ʃənǽləti] *n.* Ⓤ 국제적임, 국제성
in·ter·na·tion·al·ize [ìntərnǽʃənəlàiz] *vt.* **1** 국제화하다 **2** 국제 관리하에 두다 **—** *vi.* 국제적이 되다 **-nà·tion·al·i·zá·tion** *n.* Ⓤ 국제화; 국제 관리화
International Labor Organization [the ~] 국제 노동 기구 《略 ILO》
international law 국제법(law of nations)
International Maritime Organization [the ~] (유엔의) 국제 해사(海事) 기구 《略 IMO》
International Military Tribunal [the ~] 국제 군사 재판 《略 IMT》
International Monetary Fund [the ~] 국제 통화 기금 《1945년 설립; 略 IMF》
international Morse code 국제 모스 부호
international nautical mile 국제 해리(海里) 《1,852km》
International Olympic Committee [the ~] 국제 올림픽 위원회 《略 IOC》
International Organization for Standardization [the ~] 국제 표준화 기구 《略 ISO》
International Organization of Journalists [the ~] 국제 저널리스트 기구 《略 IOJ》
International Peace Conference [the ~] 만국 평화 회의(Hague Peace Conference) 《1899년 헤이그에서 열린》
International Phonetic Alphabet [the ~] 국제 음표 문자, 국제 음성 기호 《略 IPA》
International Phonetic Association [the ~] 국제 음성학 협회 《略 IPA》
international pitch 〘음악〙 국제 표준음(고)
International Press Institute [the ~] 국제 신문 편집인 협회 《略 IPI》
International Red Cross [the ~] 국제 적십자(사) 《略 IRC》
International Refugee Organization [the ~] 국제 난민 구제 기구
international relations **1** 국제 관계 **2** [단수 취급] 국제 관계론
international reply coupon 〘우편〙 국제 반신권(返信券)
international standard atmosphere 〘항공〙 국제 표준 대기 《항공기의 성능을 국제적으로 비교하기 위한; 略 ISA》
International Standard Book Number 국제 표준 도서 번호 《略 ISBN》
International Standard Serial Number 《미》 국제 표준 간행물 일련번호 《略 ISSN》
International System of Units 국제 단위계(系) 《略 SI》
International Telecommunications Satellite Organization [the ~] 국제 전기 통신 위성 기구(cf. INTELSAT)
International Telecommunication Union [the ~] 국제 전기 통신 연합 《略 ITU》
International Trade Organization [the ~] 국제 무역 기구 《略 ITO》
international unit 〘약학〙 국제 단위 《국제 규약으로 정한 열·전기 등의 단위; 略 IU》
international waters 공해(公海)
International Workingmen's Association [the ~] 국제 노동자 동맹 《First INTERNATIONAL의 공식 명칭》
in·terne [íntə:rn] *n.* 《미》 = INTERN[2]
in·ter·ne·cine [ìntərní:si:n, -sain, -nés- | -sain] *a.* **1** 서로 죽이는[파멸시키는]; 내분의 **2** 대량 살육적인(deadly): an ~ war 대살육전
in·tern·ee [ìntə:rní:] *n.* 피수용자, 피억류자
*__In·ter·net__ [íntərnèt] *n.* [the ~] 인터넷 《전자 메일 서비스를 중심으로 하는 국제적 컴퓨터 네트워크》: use *the* ~ 인터넷을 이용하다 / get information on *the* ~ 인터넷을 통해 정보를 수집하다 / enjoy surfing the ~ 인터넷을 즐겨하다 《★ enjoy the ~은 틀린 표현임.》
Internet access company 〘컴퓨터〙 인터넷 액세스 컴퍼니 《인터넷으로의 고속 접속을 컴퓨터 사용자에게 제공하는 회사》
Internet address 〘컴퓨터〙 인터넷 주소
Internet banking 〘컴퓨터〙 인터넷 뱅킹(online banking) 《은행이 제공하는 인터넷 업무 서비스》
Internet cafe 〘컴퓨터〙 인터넷 카페 《인터넷을 사용할 수 있는 카페》
Internet Explorer 〘컴퓨터〙 인터넷 익스플로러 《Microsoft사의 웹브라우저; 상표명》
Internet protocol 〘컴퓨터〙 인터넷 통신 규약
Internet service provider 〘컴퓨터〙 인터넷 접속 서비스 《略 ISP》
Internet Society [the ~] 〘컴퓨터〙 인터넷 협회 《인터넷 관련 기술의 개발·표준화 등을 위한 국제 기구; 略 ISOC》
Internet telephone 인터넷 전화
in·ter·nist [íntə:rnist, ⌐⌐] *n.* 《미》 **1** 내과 전문의 **2** (외과의와 구별하여) 일반의(《영》 GP)
in·tern·ment [intə́:rnmənt] *n.* Ⓤ 유치, 억류, 수용; 억류 기간
internment camp 《영》 포로 수용소(《미》 detention camp)
in·ter·node [íntərnòud] *n.* 〘해부·동물·식물〙 마디와 마디 사이(의 부분), 절간(節間) **in·ter·nód·al** *a.*
in·ter nos [ìntər-nóus] [L = between our-

odic, discontinuous (opp. *continuous, steady*)
internal *a.* inner, inside, interior, inward

selves] *ad.* 우리끼리 이야기지만, 이건 비밀인데

in·tern·ship [íntəːrnʃìp] *n.* Ⓤ **1** intern[2]의 신분[기간, 직, 지위] **2** 《일반적으로》 직업 연수[훈련] 계획: an ~ for management trainees 경영 관리 훈련생의 연수 계획

in·ter·nu·cle·ar [ìntərnjúːkliər | -njúː-] *a.* **1** 〖생물〗 세포핵 간의 **2** 〖물리〗 원자핵 간의

in·ter·nun·ci·al [ìntərnʌ́nʃəl] *a.* 〖해부〗 〈신경 세포가〉 개재하는, 각 기관을 연락하는

in·ter·nun·ci·o [ìntərnʌ́nʃiòu, -si-] *n.* (*pl.* **~s**) 로마 교황 대리 사절

in·ter·o·ce·an·ic [ìntərouʃiǽnik] *a.* 대양 사이의, 두 대양을 잇는: an ~ canal 두 대양을 연결하는 운하

in·ter·o·cep·tor [ìntərouséptər] *n.* 〖생리〗 내부 감각 수용기(受容器) 《체내에 발생하는 자극에 감응하는; cf. EXTEROCEPTOR》

in·ter·of·fice [ìntərɔ́ːfis | -ɔ́f-] *a.* (동일 조직 내에서) office와 office간의, 부국(部局)간의: an ~ phone[memo] 사내 전화[메모]

in·ter·op·er·a·bil·i·ty [ìntərɑ̀pərəbíləti | -ɔ̀p-] *n.* Ⓤ **1** 정보 처리 상호 운용(의 가능성) **2** 동맹국의 시설·서비스 상호 이용

in·ter·op·er·a·ble [ìntərɑ́pərəbl | -ɔ́p-] *a.* **1** 공동 이용이 가능한: ~ weapons systems 공동 사용 가능한 병기 시스템 **2** (다른 기기와) 조작[운전]이 공통인 《*with*》

in·ter·os·cu·late [ìntərɑ́skjulèit | -ɔ́s-] *vi.* **1** 서로 섞이다[침투하다] **2** 〈혈관 등이〉 접합[연결]하다 **3** (이종 생물간에) 공통성을 가지다 **-òs·cu·lá·tion** *n.*

in·ter·pan·dem·ic [ìntərpændémik] *a.* (병의) 대유행기 사이의

In·ter-Par·lia·mén·ta·ry Únion [-pɑ̀ːrləméntəri-] [the ~] 국제 의회(議會) 연맹 《略 IPU》

in·ter·par·ty [ìntərpɑ́ːrti] *a.* 정당 간의

in·ter·pel·lant [ìntərpélənt] *n.* = INTERPELLATOR

in·ter·pel·late [ìntərpéleit, intə́ːrpəlèit | intə́ː-pelèit] *vt.* 〖의회〗 〈장관에게〉 질문[질의]하다, 설명을 요구하다

in·ter·pel·la·tion [ìntərpəléiʃən, intə̀ːr- | intə̀ː-pel-] *n.* Ⓤⓒ (의회에서 장관에 대한) 질문, 설명 요구: address an ~ 질문 연설을 하다

in·ter·pel·la·tor [íntərpəlèitər, intə̀ːr- | intə́ːpel-] *n.* (의회에서의) (대표) 질문자

in·ter·pen·e·trate [ìntərpénətrèit] *vt.* **1** 상호 침투하다, 스며들다 **2** 서로 꿰뚫다 **-tra·ble** *a.*

in·ter·pen·e·tra·tion [ìntərpènətréiʃən] *n.* Ⓤ 상호 침투[관통]

in·ter·pen·e·tra·tive [ìntərpénətrèitiv | -trə-] *a.* 서로 관통[침투]하는

in·ter·per·son·al [ìntərpə́ːrsənl] *a.* 인간 사이에 존재하는[일어나는]; 대인 관계의: ~ relations 대인 관계 **~·ly** *ad.*

interpérsonal thèory 〖심리〗 대인 관계설

in·ter·phase [íntərfèiz] *n.* 〖생화학〗 (세포 분열의) 간기(間期), 휴지기

***in·ter·phone** [íntərfòun] *n.* 인터폰 《배·비행기·회사 내부의 통화 장치; 원래 상표명》(cf. INTERCOM)

in·ter·plane [íntərplèin] *a.* 〖항공〗 **1** 상하 두 날개 사이의 **2** 비행기 상호간의

in·ter·plan·e·tar·y [ìntərplǽnətèri | -təri] *a.* 〖천문〗 행성간의: ~ space[travel] 행성간의 우주 공간[여행]

in·ter·play [íntərplèi] *n.* Ⓤⓒ 상호 작용[운동], 교차 — [ˋ-ˊ, ˋ-ˊ | ˋ-ˊ] *vt.* 상호 작용[영향]하다

in·ter·plead [ìntərplíːd] *vi.* 〖법〗 경합(競合) 권리자 확인 수속을 밟다

In·ter·pol [íntərpòul | -pɔ̀l] *n.* 국제 형사 경찰 기구 《the International Criminal Police Organization의 통칭; 略 ICPO》

in·ter·po·lar [ìntərpóulər] *a.* 양극 사이의, 양극을 잇는

in·ter·po·late [intə́ːrpəlèit] [L 「사이에 장식하다」의 뜻에서] *vt.* **1** 〖수학〗 (급수에) 〈중간항(項)을〉 삽입하다 **2** 〈책·사본에〉 수정 어구를 써넣다; 〈이야기 등에〉 의견을 삽입하다 **—***vi.* 써넣다; 기입하다; 가필(加筆)하다 **-là·tive** *a.*

in·ter·po·la·tion [intə̀ːrpəléiʃən] *n.* **1** Ⓤ 써넣음; ⓒ 써넣은 어구[사항] **2** Ⓤ 〖수학〗 보간법(補間法), 내삽법(內挿法)

in·ter·po·lat·er, -la·tor [intə́ːrpəlèitər] *n.* (사본 등의) 가필[개찬]자

in·ter·pole [íntərpòul] *n.* 〖전기〗 보극(補極)

in·ter·pol·y·mer [ìntərpɑ́limər | -pɔ́l-] *n.* 〖화학〗 공중합체(共重合體)

in·ter·pop·u·la·tion·al [ìntərpɑ̀pjuléiʃənl | -pɔ̀p-] *a.* 이집단[이민족, 이문화] 간의

in·ter·pos·al [ìntərpóuzl] *n.* = INTERPOSITION

***in·ter·pose** [ìntərpóuz] [L 「사이에 놓다」의 뜻에서] *vt.* **1** 사이에 끼우다[두다], 삽입하다; 〈장애 등을〉 개입시키다 《*between, in, among*》: ~ oneself 사이에 끼어들다 / ~ one's authority 권력을 이용하여 간섭하다 // 《~+목+전+명》 A certain formality is ~*d between* the reader and the author. 어떤 딱딱함이 독자와 저자 사이에 개재되어 있다. **2** (이야기 도중에) 〈이의 등을〉 제기하다; 간섭[개입]하다 **3** 〖영화〗 〈화면을〉 중복 촬영하여 바꿔 넣다

—*vi.* **1** 중재하다, 조정에 나서다 《*between, in*》: 《~+전+명》 ~ *in* a dispute 분쟁을 중재하다 **2** 간섭하다, 개입하다 **3** 방해하다, 차단하다

-pós·a·ble *a.* **-pós·er** *n.* ▷ interposítion *n.*

in·ter·po·si·tion [ìntərpəzíʃən] *n.* Ⓤ **1** 사이에 넣음; ⓒ 삽입물 **2** 중재, 조정 **3** 간섭; 《미》 주권(州權) 우위설 《각 주(州)는 연방 정부의 조치에 반대할 수 있다는 주의》 ▷ interpóse *v.*

in·ter·pret** [intə́ːrprit] [L 「두 사람의 중개인이 되다」의 뜻에서] *vt.* **1** 해석하다, 설명하다; 해몽(解夢)하다: ~ the hidden meaning of a parable 우화의 숨은 의미를 밝히다 // 《~+목+전+명》 He ~*ed* those signs *to* me. 그는 그 부호를 나에게 설명해 주었다. **2** (…의 뜻으로) 이해하다, 판단하다: 《~+목+as*** 보》 I ~*ed* his silence *as* refusal. 나는 그의 침묵을 거절의 뜻으로 이해했다. **3** 〈외국어를〉 통역하다 **4** (자기 해석에 따라) 〈음악·연극 등을〉 연주[연출]하다 **5** 〖컴퓨터〗 〈데이터 등을〉 기계 번역하다

—*vi.* 통역을 하다; 설명하다, 해석하다: 《~+전+명》 He ~*ed for* the American tourist. 그는 미국 관광객에게 통역을 해 주었다.

▷ interpretátion *n.*; intérpretative *a.*

in·ter·pret·a·ble [intə́ːrpritəbl] *a.* 해석[설명, 통역]할 수 있는 **in·tèr·pret·a·bíl·i·ty** *n.* **~·ness** *n.* **-bly** *ad.*

in·ter·pret·ant [ìntərprítənt] *n.* **1** 〖철학〗 해석 경향 **2** = INTERPRETER

***in·ter·pre·ta·tion** [intə̀ːrprətéiʃən] *n.* Ⓤⓒ **1** 해석, 설명: ~ of a treaty 조약의 해석 **2** (꿈·수수께끼 등의) 판단 **3** 통역 **4** (극·음악 등의 자기 해석에 따른) 연출, 연주 ▷ intérpret *v.*; intérpretative *a.*

in·ter·pre·ta·tive [intə́ːrprətèitiv | -tət-] *a.* 해석의; 통역의; 해석[설명]적인(explanatory) **~·ly** *ad.*

***in·ter·pret·er** [intə́ːrpritər] *n.* **1** 해석자, 설명[해석]자 **2** 통역(자) **3** 〖컴퓨터〗 해석 프로그램 **~·ship** *n.*

in·ter·pre·tive [intə́ːrprətiv] *a.* = INTERPRETATIVE **~·ly** *ad.*

intérpretive cénter (관광지·사적지 등의) 자료관

intérpretive routíne 〖컴퓨터〗 해석 루틴 《원시 언어로 쓰인 명령을 해독하여 즉시 그 명령을 실행하는 루틴》

intérpretive semántics [단수 취급] 〖언어〗 해

thesaurus **interpose** *v.* insert, interject, add, intercede, intervene, arbitrate, mediate

interrogation *n.* questioning, quizzing, investiga-

석 의미론
in·ter·pre·tress [intə́ːrpritris] *n.* INTERPRETER의 여성형
in·ter·pro·vin·cial [ìntərprəvínʃəl] *a.* 주(州) 사이의[에 있는]
in·ter·pulse [ìntərpʌ́ls] *n.* 〖천문〗 중간 펄스 《맥동성(脈動星)이 발하는 두 가지 펄스 중 2차적인 펄스》
in·ter·ra·cial [ìntərréiʃəl] *a.* 이(異)인종 간의, 인종 혼합의 **~·ly** *ad.*
in·ter·ra·di·al [ìntərréidiəl] *a.* (극피 동물 등의) 사출부(radius) 간의
in·ter·reg·nal [ìntərrégnl] *a.* **1** (왕위 등의) 공위(空位) 기간의 **2** (정치의) 공백 기간의
in·ter·reg·num [ìntərrégnəm] [L 「치세(治世) 사이의」의 뜻에서] *n.* (*pl.* **~s, -na** [-nə]) **1** (제왕의 서거·폐위 등에 의한) 공위(空位) 기간; (내각 경질 등에 의한) 정치 공백 기간 **2** 권력[지배]으로부터 해방된 기간 **3** 휴지[중절, 중단] 기간
in·ter·re·late [ìntərriléit] *vt.* 상호 관계를 갖게 하다, 상호 관계에 두다
— *vi.* 상호 관계를 가지다 《*with*》
in·ter·re·lat·ed [ìntərriléitid] *a.* 서로 관계가 있는, 밀접한 관계의 **~·ly** *ad.* **~·ness** *n.*
in·ter·re·la·tion [ìntərriléiʃən] *n.* UC 상호 관계 《*between*》 **~·ship** *n.* U 상호 관계가 있음
in·ter·rex [íntərrèks] *n.* (*pl.* **-re·ges** [ìntərríːdʒiːz]) (공위(空位) 기간 중의) 집정자, 섭정
in·ter·ro·bang [intérəbæ̀ŋ] *n.* 감탄 의문 부호 《!?, ?!》 《bang은 인쇄 속어로, 감탄 부호》
interrog. interrogation; interrogative(ly)
*__in·ter·ro·gate__ [intérəgèit] [L 「물어보다」의 뜻에서] *vt.* **1** 심문하다; (계통적으로) 질문하다: ~ a witness 증인을 심문하다 《*about*》 **2** 〖컴퓨터〗 …에 신호를 보내다, 문의하다
— *vi.* 질문하다; 심문하다: the right to ~ 심문권 ▷ interrogátion *n.*; interrógative, interrógatory *a.*
‡**in·ter·ro·ga·tion** [intèrəgéiʃən] *n.* **1** UC 질문, 심문; 의문: ask in a tone of ~ 심문조로 묻다 **2** 의문 부호 **3** 질문장 ***note*** [***point, mark***] ***of*** **~** 물음표 《?》 ▷ intérrogate *v.*; interrógative *a.*
interrogátion màrk[**pòint**] 의문 부호, 물음표 (question mark)
‡**in·ter·rog·a·tive** [ìntərɑ́gətiv | -rɔ́g-] *a.* 의문의, 질문의, 의문을 나타내는, 미심쩍어하는; 〖문법〗 의문(문)의: an ~ suffix 의문 접미사
— *n.* 〖문법〗 의문사(⇨ 문법 해설 (13)), 《특히》 의문 대명사; 의문문 **~·ly** *ad.* 미심쩍게
▷ intérrogate *v.*; interrogátion *n.*
interrógative ádverb 〖문법〗 의문 부사 《when, where, why, how 등》
interrógative prónoun 〖문법〗 의문 대명사 《*What* is this? 의 what 등》
interrógative séntence 〖문법〗 의문문
in·ter·ro·ga·tor [intérəgèitər] *n.* 질문자, 심문자; 〖통신〗 질문[호출]기(機)
in·ter·rog·a·to·ry [ìntərɑ́gətɔ̀ːri | -rɔ́gətəri] *a.* 의문의, 질문의, 의문을 나타내는: in an ~ tone 질문조로 **—** *n.* (*pl.* **-ries**) 의문, 질문; 심문; [*pl.*] 〖법〗 (피고·증인에 대한) 질문서, 심문 조서
-ròg·a·tó·ri·ly *ad.* ▷ intérrogate *v.*
in·ter·ro·gee [intèrəgíː] *n.* 피(被)질문자
in ter·ro·rem [in-terɔ́ːrem] [L = in terror] *a.*, *ad.* 〖법〗 경고로서(의) (as a warning); 협박적인[으로]: ~ clause 협박적 조항 《유언에 대한 이의 신청자는 유산을 못 받는다는》
‡**in·ter·rupt** [ìntərʌ́pt] [L 「사이에서 꺾다」의 뜻에서] *vt.* 〈흐름·진행 등을〉 가로막다, 저지하다; 〈말 등을〉 도중에서 방해하다; 〈일 등을〉 중단하다; 〖컴퓨터〗 (다른 프로그램 수행을 위해) 일시적으로 중단하다: ~ an electric current 전류를 차단하다 / ~ the view 시야를 막다 / Please don't ~ me! 방해하지 마시오.
— *vi.* 방해하다, 중단하다
— [ㄴㅡㅅ] *n.* **1** 〖컴퓨터〗 인터럽트 **2** 중단; 방해
~·i·ble *a.* **-rúp·tive** *a.* ▷ interrúption *n.*
*__in·ter·rupt·ed__ [ìntərʌ́ptid] *a.* **1** 가로막힌, 중단된, 중절된; 단속적인 **2** 〖식물〗 비연속성의
~·ly *ad.* **~·ness** *n.*
interrúpted scréw 나선이 단속적으로 패인 나사못
in·ter·rupt·er, -rup·tor [ìntərʌ́ptər] *n.* 방해자; (전류) 단속기(斷續器); (무기의) 안전 장치
‡**in·ter·rup·tion** [ìntərʌ́pʃən] *n.* UC 중단, 방해; 중절, 불통: ~ of electric service 정전 / without ~ 끊임없이, 연달아 ▷ interrúpt *v.*
in·ter·scho·las·tic [ìntərskəlǽstik] *a.* A 학교 간의, 학교 대항의: ~ athletics 학교 대항 운동 경기
in·ter·school [íntərskùːl] *a.* A = INTERSCHOLASTIC
in·ter se [íntər-síː] [L = between themselves] *ad.* **1** 그들끼리만; 비밀리에 **2** 〖축산〗 동일 육종 간에
*__in·ter·sect__ [ìntərsékt] *vt.* 가로지르다, 가로질러 둘로 가르다, (…와) 교차하다
— *vi.* 〈선·면 등이〉 교차하다, 엇갈리다
in·ter·sec·tant [ìntərséktənt] *a.* 교차[횡단]하는
*__in·ter·sec·tion__ [ìntərsékʃən] *n.* **1** U 교차, 횡단 **2** (도로의) 교차점; 〖수학〗 교점(交點), 교선(交線): a store at the ~ 교차점에 면한 가게
in·ter·sec·tion·al[1] [ìntərsékʃənl] *a.* 교차하는, 공통 부분의
intersectional[2] *a.* 각 부[지역]간의: ~ games 지구(地區) 대항 경기
in·ter·sen·so·ry [ìntərsénsəri] *a.* 둘 이상의 감각 기능을 동시에 사용하는
in·ter·ser·vice [ìntərsə́ːrvis] *a.* 각 군(軍) 사이의, (육·해·공) 3군 사이의
in·ter·ses·sion [íntərsèʃən] *n.* 학기와 학기 사이
in·ter·sex [íntərsèks] *n.* **1** 〖생물〗 간성(間性)(의 생물) **2** = UNISEX
in·ter·sex·u·al [ìntərsékʃuəl] *a.* 이성(異性)간의; 〖생물〗 간성(間性)의: ~ love 이성애 / ~ competition 남녀간의 경쟁 **-sèx·u·ál·i·ty** *n.* **~·ly** *ad.*
in·ter·space [íntərspèis] *n.* U 사이의 공간[시간], 짬 **—** [ㅅㅡㄴ] *vt.* …의 사이에 공간을 두다[남기다]; 빈 데를 차지하다 **ìn·ter·spá·tial** *a.*
in·ter·spe·cif·ic [ìntərspisífik], **-spe·cies** [-spíːʃiːz] *a.* 〖생물〗 이종간의, 〈잡종 등이〉 두 종 사이에서 생긴
in·ter·sperse [ìntərspə́ːrs] [L 「사이에 흩뿌리다」의 뜻에서] *vt.* **1** (사이에) 흩뜨리다, 산재(散在)시키다, 점철(點綴)하다: (~+목+전+명) The grass is ~*d with* beds of flowers. 잔디밭 여기저기에 화단이 있다. / the sky ~*d with* stars 별로 수놓은 하늘 **2** 변화를 주다 《*with*》
in·ter·sper·sion [ìntərspə́ːrʒən | -ʃən] *n.* U 산포; 산재, 점재(點在)
in·ter·sta·di·al [ìntərstéidiəl] *n.* 아간빙기(亞間氷期) 《빙상(氷床)의 생장과 축소 사이의 휴지기》
*__in·ter·state__ [ìntərstéit] *a.* A (호주·미국 등에서) 각 주(州)간의, 각 주 연합의
— [ㄴㅡㅅ] *n.* 《미》 주간(州間) 고속도로(= ~ **hígh-way**)
Ínterstate Cómmerce Commíssion [the ~] 《미》 주간(州間) 통상 위원회 《略 ICC》
in·ter·stel·lar [ìntərstélər] *a.* A 별과 별 사이의, 성간(星間)의: ~ space 성간 공간 / ~ dust 성간 먼지
in·ter·ster·ile [ìntərstéril | -rail] *a.* 〖생물〗 이종(異種) 교배가 불가능한
in·ter·stice [intə́ːrstis] *n.* (*pl.* **-stic·es** [-stəsìːz, -stəsiz]) 틈, 틈새; 갈라진 데, 금, 열극(crevice); 구

---

tion, examination, probing, inquiry, inquisition
interrupt *v.* cut in, break in, barge in, intrude, disturb, interfere, discontinue, break, stop

명; (시간의) 간격

in·ter·sti·tial [ìntərstíʃəl] *a.* **1** 틈[금]의 **2** 〖해부〗 세포 사이의; 간질(間質)(성)의: ~ tissue 세포간 조직 **3** (결정(結晶)이) 격자 사이의, 침입형(侵入型)의: an ~ compound 침입형 화합물 **~·ly** *ad.*

in·ter·stí·tial-céll-stim·u·lat·ing hòrmone [-sélstìmjulèitiŋ-] 〖생화학〗 간세포(間細胞) 자극 호르몬 (略 ICSH)

in·ter·stock [íntərstὰk | -stɔ̀k] *n.* 〖원예〗 중간 대목(臺木)

in·ter·strat·i·fy [ìntərstrǽtəfài] *vi., vt.* 지층과 지층 사이에 개재하다[끼우다] **-stràt·i·fi·cá·tion** *n.*

in·ter·sub·jec·tive [ìntərsəbdʒéktiv] *a.* 〖철학〗 상호[공동, 집합] 주관적인, 간(間)주관적인

in·ter·term [íntərtə̀:rm] *n.* = INTERSESSION

in·ter·tex·tu·al·i·ty [ìntərtèkstʃuǽləti] *n.* Ⓤ 〖문학〗 텍스트 간의 관련성

in·ter·tex·ture [ìntərtékstʃər] *n.* Ⓤ 섞어 짬; Ⓒ 섞어 짠 것

in·ter·tid·al [ìntərtáidl] *a.* 만조와 간조 사이의, 한사리와 조금 사이의; 〈생물이〉 조간대(潮間帶) 해안에 서식하는 **~·ly** *ad.*

in·ter·trib·al [ìntərtráibəl] *a.* Ⓐ (다른) 종족 간의, 부족 간의: ~ warfare 부족[종족] 간의 분쟁

in·ter·tri·go [ìntərtráigou] *n.* 〖의학〗 간찰진(間擦疹)

in·ter·trop·i·cal [ìntərtrάpikəl | -trɔ́p-] *a.* 남북 양회귀선 사이의, 열대 지방의

in·ter·twine [ìntərtwáin] *vt.* 서로 얽히게 하다, 서로 엮다, 얽어 짜다, 한데 얽어 넣다(interlace): (~+목+전+명) There was a fence *~d with* ivy. 담쟁이덩굴이 얽힌 울타리가 있었다. **—** *vi.* 서로 뒤엉키다(entwine) **~·ment** *n.*

in·ter·twist [ìntərtwíst] *vt., vi.* 합쳐 꼬(이)다, 서로 얽히(게 하)다(intertwine)

In·ter·type [íntərtàip] *n.* 인터타이프(Linotype를 발전시켜 만든 인쇄기; 상표명)

in·ter·u·ni·ver·si·ty [ìntərjù:nəvə́:rsəti] *a.* 대학 간의(cf. INTERCOLLEGIATE)

in·ter·ur·ban [ìntərə́:rbən] *a.* Ⓐ 도시 간의: ~ trains 도시 간 연락 기차 **—** *n.* (미) 도시 간 연락 교통 기관 (열차, 전차, 버스 등)

‡in·ter·val [íntərvəl] [L 「성벽 사이(의 공간)」의 뜻에서] *n.* **1** (장소·시간의) 간격: at an ~ of five years 5년의 간격을 두고 / after a long ~ 오랜만에 **2** 틈; (영) (연극 등의) 막간, 휴식 시간((미) intermission); (발작 등의) 휴지기 **3** (정도·질·양 등의) 차, 거리 **4** 〖음악〗 음정 ***at ~s*** 띄엄띄엄, 여기저기에; 때때로, 이따금 ***at long[short] ~s*** 간혹[자주] ***at regular ~s*** 일정한 시간 간격을 두고 ***in the ~*** 그 사이에 ***in the ~s*** 틈틈이 (*of*)

in·ter·vale [íntərvèil] *n.* (미) (강가 또는 산과 산 사이의) 낮은 땅, 저지대

ínterval sígnal (라디오 프로 사이의) 송신 계속 신호

ínterval tràining 인터벌 트레이닝 (운동에 강약을 두어 반복하는 훈련 방법)

in·ter·var·si·ty [ìntərvά:rsəti] *a.* (영) = INTERUNIVERSITY

in·ter·vein [ìntərvéin] *vt.* (정맥처럼) 얽히게 하다, 교차시키다

‡in·ter·vene [ìntərví:n] [「사이에 오다」의 뜻에서] *vi.* **1** 사이에 들다, 사이에 일어나다, 끼다, 개재하다 (*between*): (~+전+명) Years *~d between* the two incidents. 그 두 사건 사이에는 몇 년이라는 세월이 끼어 있었다. **2** 〈어떤 일이〉 방해하다: I will see you tomorrow, should nothing ~. 지장이 생기지 않으면 내일 뵙겠습니다. **3** 중재하다, 간섭하다, 개입하다 (*between, in*): (~+전+명) ~ *in* a dispute 분쟁을 중재하다 / ~ *between* two persons who are quarreling 싸우고 있는 양자를 중재하다 **4** 〖경제〗 (특히 통화 안정을 위해) 시장 개입하다 **5** 〖법〗 소송에 참가하다 **-vén·er,** 〖법〗 **-vé·nor** *n.* 중재자, 간섭자; (특히) 소송의 참가자

▷ intervéntion *n.*; intervénient *a.*

in·ter·ven·ient [ìntərví:njənt] *a.* **1** 개재하는; 사이에 일어나는; 간섭하는 **2** 우연히 일어난; 외부로부터의 **—** *n.* 중간 개재물; 중재[간섭]자

in·ter·ven·ing [ìntərví:niŋ] *a.* = INTERVENIENT

intervéning séquence 〖유전〗 = INTRON

intervéning váriable 〖수학·심리〗 중개(仲介) 변수

∗in·ter·ven·tion [ìntərvénʃən] *n.* ⓊⒸ **1** 사이에 듦, 개재; 조정, 중재 **2** (타국의 내정 등에 대한) 개입, (내정) 간섭; (완곡) 무력 간섭: armed ~ = ~ by arms 무력 간섭 / ~ in another country 타국에 대한 (내정) 간섭 **3** 〖법〗 (제3자의) 소송 참가

▷ intervéne *v.*

in·ter·ven·tion·ist [ìntərvénʃənist] *n.* (내정) 간섭주의자 **—** *a.* 간섭주의의 **-ìsm** *n.*

in·ter·vér·te·bral dísk [ìntərvə́:rtəbrəl-] 〖해부〗 추간판(椎間板), 추간 연골

‡in·ter·view [íntərvjù:] [F 「서로 보다」의 뜻에서] *n.* **1** 회견, 대담, 인터뷰; 면접: a job ~ = an ~ for a job 구직자의 면접 / seek[ask] for an ~ with ...와의 회견을 요청하다 **2** (신문 기자의) 방문, 면담; 회견[방문] 기사 **3** = INTERVIEWEE

have[hold] an ~ with ...와 회견하다

— *vt.* 회견하다; 〈기자가〉 〈사람을〉 방문하다, 방문하여 의견을 묻다; 면접하다: ~ the president 대통령과 기자 회견을 하다 / ~ job candidates 구직자들과 면접을 보다

— *vi.* 면접[인터뷰]하다

~·er *n.* 회견자, 면담자; 탐방 기자

in·ter·view·ee [ìntərvju:í:, ⌐-⌐] *n.* 피회견자, 면접받는 사람

In·ter·vi·sion [íntərvìʒən] *n.* 인터비전 (동유럽 8개 텔레비전 방송국 간의 프로그램 교환 방식)

in·ter vi·vos [íntər-váivous, -ví:-] [L] *a., ad.* 〖법〗 생존자 사이의[에서]; 〈특히 증여·신탁이〉 당사자의 생존 중 효력이 있는

in·ter·vo·cal·ic [ìntərvoukǽlik] *a.* 〖음성〗 모음 간의, 〈자음이〉 모음 사이에 있는

in·ter·volve [ìntərvάlv | -vɔ́lv] *vt., vi.* 서로 얽히게 하다[뒤얽히다], 한데 감기게 하다[감다] **-vo·lú·tion** [-vəlú:ʃən] *n.*

in·ter·war [ìntərwɔ́:r] *a.* 1차·2차 대전 사이의

in·ter·weave [ìntərwí:v] *v.* (**-wove** [-wóuv], **~d**; **-wo·ven** [-wóuvən], **~d**) *vt.* **1** 〈실·끈 등을〉 짜넣다, 섞어 짜다 **2** 섞다: (~+목+전+명) ~ joy *with* sorrow 환희와 비애를 뒤섞다 **—** *vi.* 섞여 짜이다; 〈이문화(異文化) 등이〉 조화를 이루다, 뒤섞이다 **—** [⌐-⌐] *n.* 섞어 짬; 상호 조화: an ~ of Asian and American cultures 아시아 문화와 아메리카 문화의 상호 조화

in·ter·wind [ìntərwáind] *vt., vi.* (**-wound** [-wáund]) 한데 감다, 얽히(게 하)다

in·ter·work [ìntərwə́:rk] *v.* (**~ed, -wrought**) *vt.* 섞어 짜다, 짜넣다 **—** *vi.* 상호 작용하다

in·ter·zon·al [ìntərzóunl], **-zone** [-zóun] *a.* 지역 간의: an ~ competition 지역 간의 경쟁

in·tes·ta·cy [intéstəsi] *n.* Ⓤ 유언을 남기지 않고 죽음; 그 유산

in·tes·tate [intésteit, -tət] *a.* Ⓟ **1** 〈사람이〉 유언을 남기지 않은, (법적인) 유언장을 남기지 않은: die ~ 유언을 남기지 않고 죽다 **2** 〈재산이〉 유언에 의해 처분되지 않은: His property remains ~. 그의 재산은 유언에 의해 처분되지 않은 상태다.

— *n.* 유언 없이 죽은 사람

in·tes·ti·nal [intéstənl | intéstinl, ìntestáinl] *a.* 창자의, 장[腸]의[에 있는]; 장에 기생하는: ~ obstruc-

thesaurus **intervention** *n.* intercession, mediation, arbitration, negotiation, agency, involvement, interposition, interference, intrusion

tion 장폐색 / ~ worms 회충 《등》 **~·ly** *ad.*
intéstinal amebíasis 〖병리〗 아메바성 대장염
intéstinal bactéria 〖생물〗 장내 세균
intéstinal flóra 〖의학〗 장내에 자연 공생하는 박테리아
intéstinal flú 〖병리〗 설사를 일으키는 유행성 감기
intéstinal fórtitude 《미》 용기, 결단력, 인내, 끈기, 담력, 배짱(guts): have ~ 배짱이 있다
*__in·tes·tine__ [intéstin] *n.* **1** [보통 *pl.*] **창자**, 장; 소장(小腸)(small intestine); 대장(大腸)(large intestine) **2** (무척추동물 등의) 소화관
— *a.* Ⓐ 내부의, 체내의(internal); 〈전쟁 등이〉 국내의: ~ strife 내분 / an ~ war 내전 ▷ intéstinal *a.*
in·tex·ti·cated [intékstəkèitid] *a.* 문자 메시지를 읽고 쓰느라 정신이 팔린
in·thing [ínθiŋ] *n.* 유행하는 것
in·thral(l) [inθrɔ́:l] *vt.* (**-thralled**; **-thral·ling**) = ENTHRAL(L)
in·throne [inθróun] *vt.* = ENTHRONE
in·ti [íntə] *n.* 인티 《페루의 구 통화 단위》
in·ti·fa·da, -fa·deh [ìntəfɑ́:də] *n.* [종종 **I~**] 아랍인 반란 《1987년 Gaza Strip과 West Bank 이스라엘 점령 지역에서의 팔레스타인에 의한 반란》
in·ti·ma [íntəmə] *n.* (*pl.* **-mae** [-mì:], **~s**) 〖해부〗 (혈관 따위의) 내막(內膜), 맥관(脈管) 내막 **-mal** *a.*
*__in·ti·ma·cy__ [íntəməsi] *n.* (*pl.* **-cies**) Ⓤ **1 친밀**, 친교; 친한 사이 《*with*》: form an ~ *with* …와 친해지다 **2** (…에 관한) 상세한 지식, 조예 《*with*》 **3** 《완곡》 정교(情交), 육체 관계, 간통; [종종 *pl.*] 친밀함을 나타내는 행위 《포옹·키스 등》 ***be on terms of ~*** 친밀한 사이이다
‡__in·ti·mate__[1] [íntəmət] *a.*, *n.*

> L「가장 내면의」의 뜻에서
> 「충심의」→「친밀한」→「정을 통하는」

— *a.* **1 친밀한**, 친숙한(⇨ familiar 유의어): ~ friends[friendship] 친구[친교] **2** 마음속으로부터의, 충심의: one's ~ feelings 마음속 깊이 간직한 감정 **3** 일신상의, 개인적인: one's ~ affairs 사사로운 일 / ~ secrets 개인적인 비밀 **4** 친밀감이 드는; 아늑한: an ~ café 친숙하고 아늑한 카페 **5** 〈지식 등이〉 깊은, 자세한; 상세한(close): have an ~ knowledge of the facts 그 사실을 잘 알고 있다 **6** 〈연상·지식·이해 등이〉 개인적 체험에 근거한 **7** 깊은 관계에 있는, 〈남녀가〉 성적(性的) 관계에 있는 **8** 몸에 직접 걸치는 〈옷 등〉: ~ apparel 실내복, 잠옷 **9** 〈분자·원소 등이〉 밀접하게 결합한 **10** 본질적인, 근본적인: the ~ structure of an organism 유기체의 본질적 구조 ***be ~ with*** …와 친하다, 친교가 있다; (이성과) 깊은 관계에 있다 ***be on ~ terms with*** …와 친한 사이이다
— *n.* [보통 one's ~] 친한[허물없는] 친구 《*of*》
~·ness *n.* ▷ íntimacy *n.*; íntimately *ad.*
in·ti·mate[2] [íntəmèit] [L 「알리다」의 뜻에서] *vt.* **1** 암시하다, 넌지시 알리다(hint): 《~+목+전+명》 《~+***that*** 절》 He ~*d* (*to* them) *that* the casualties were heavier than we anticipated. 그는 사상자 수가 예상보다 많다고 넌지시 알렸다. **2** 《고어》 고시(告示)하다, 공표하다 《*that*》
*__in·ti·mate·ly__ [íntəmətli] *ad.* **친밀히**; 충심으로; 직접적으로, 상세하게
in·ti·ma·tion [ìntəméiʃən] *n.* ⓊⒸ 암시, 넌지시 비춤(hint); 《고어》 통고, 발표, 고시(announcement)
in·tim·i·date [intímədèit] *vt.* **1** 겁주다 **2** 협박하다 (⇨ threaten 유의어); 위협하여 …을 시키다 《*into* do*ing*》: 《~+목+전+***-ing***》 ~ a person *into* do*ing* something …을 위협하여 어떤 일을 하게 하다

intimate[1] *a.* close, near, dear, cherished, bosom, familiar, friendly, warm, amicable
intolerable *a.* unbearable, unendurable, insufferable

-dà·tor *n.* **-da·to·ry** [-dətɔ̀:ri | -təri] *a.*
in·tim·i·dat·ed [intímideitid] *a.* [보통 Ⓟ] 겁먹은, 위축된, 위협을 느낀
in·tim·i·dat·ing [intímideitiŋ] *a.* 위협적인, 겁을 주는: an ~ manner 위협적인 태도
in·tim·i·da·tion [intìmədéiʃən] *n.* Ⓤ 협박, 위협 ***surrender to ~*** 협박에 굴복하다
in·ti·mist [íntəmist] [F] *n.* 앵티미스트 《일상적 대상을 개인적인 정감을 강조하여 그리는 화가·작가》
— *a.* [종종 **I~**] 앵티미스트의; 〈소설이〉 심리를 그린
in·tim·i·ty [intímәti] *n.* Ⓤ 친밀; 은밀, 비밀
in·tinc·tion [intíŋkʃən] *n.* Ⓤ 〖가톨릭〗 성찬의 빵을 포도주에 적시기
in·tine [ínti:n, -tain] *n.* 〖식물〗 (포자, 특히 꽃가루 알맹이의) 내막(內膜), 내벽
in·ti·tle [intáitl] *vt.* = ENTITLE
in·tit·ule [intítʃu:l | -tju:l] *vt.* 《영》 〈특히 의회가〉 〈법안·책 등에〉 명칭[제목]을 붙이다
intl., int'l, intnl. international
‡__in·to__ ⇨ into (p. 1344)
in·toed [íntòud] *a.* 발가락이 안쪽으로 굽은
*__in·tol·er·a·ble__ [intɑ́lərəbl | -tɔ́l-] *a.* **1 참을 수 없는**, 견딜 수 없는(unbearable): ~ pain 견딜 수 없는 통증 **2** 《구어》 애타는, 약오르는; 과도한
~·ness *n.* **in·tòl·er·a·bíl·i·ty** *n.* **-bly** *ad.* 참을[견딜] 수 없이[없을 만큼]
in·tol·er·ance [intɑ́lərəns | -tɔ́l-] *n.* Ⓤ **1** (반대 의견·이교(異敎)·이민족에 대한) 편협(narrow-mindedness) **2** 참을 수 없음; 아량이 없음, 옹졸; 참을 수 없는 행위 **3** (식물·식품 등에 대한) 과민증, 알레르기 《*to*》
in·tol·er·ant [intɑ́lərənt | -tɔ́l-] *a.* **1** Ⓟ 참을 수 없는 《*of*》 **2** 옹졸한, 편협한; Ⓟ (이설(異說) 등을) 용납하지 않는 《*of*》 **—** *n.* 도량이 좁은 사람, 완고한 사람(bigot) **~·ly** *ad.* **~·ness** *n.*
in·tomb [intú:m] *vt.* = ENTOMB
in·to·nate [íntounèit, -tə-] *vt.* **1** 억양을 넣어서 말하다 **2** 박자에 맞추어 읽다, 영창(詠唱)하다
*__in·to·na·tion__ [ìntounéiʃən, -tə-] *n.* **1** ⓊⒸ (소리의) **억양**, 어조(cf. STRESS) **2** Ⓤ 〖음악〗 음의 정조법(整調法), 인토네이션; Ⓒ (성가의) 첫 악구(樂句) **3** Ⓤ 읊음, 영창, 음창(吟唱) **~·al** *a.* ▷ intóne *v.*
intonátion cóntour 〖언어〗 음조 곡선
intonátion pàttern 〖음악〗 억양형(型)
in·tone [intóun] *vt.*, *vi.* (기도문 등을) 읊다, 영창하다; 억양을 붙이다 **in·tón·er** *n.*
in to·to [in-tóutou] [L = on the whole] *ad.* 전체로서, 완전히, 전부
In·tour·ist [íntuərist] *n.* 러시아의 외국인 관광국 《국영 여행사》
in·town [íntàun] *a.* 도심부에 있는
in·toxed [intɑ́kst | -tɔ́k-] *a.* 《미·속어》 마리화나에 취한
in·tox·i·cant [intɑ́ksikənt | -tɔ́k-] *n.* (술·마약 등) 취하게 하는 것 **—** *a.* 취하게 하는
*__in·tox·i·cate__ [intɑ́ksikèit | -tɔ́k-] [L 「독을 바르다」의 뜻에서] *vt.* **1** 〈술·마약 등에〉 **취하게 하다**(⇨ intoxicated 1): 《~+목+전+명》 He ~*d* them *with* wine. 그는 포도주로 그들을 취하게 했다. **2** 흥분시키다, 열중[도취]시키다(⇨ intoxicated 2) **3** 〖병리〗 중독시키다 (poison)
— [-səkət, -kèit] *a.* 《고어》 = INTOXICATED
in·tox·i·cat·ed [intɑ́ksikèitid | -tɔ́k-] *a.* **1** 술[마약]에 취한: an ~ person 취한 사람 / be[get] ~ 취하다 **2** 흥분한, 도취된: be ~ with victory[by success] 승리[성공]에 도취하다 **~·ly** *ad.*
in·tox·i·cat·ing [intɑ́ksikèitiŋ | -tɔ́k-] *a.* 취하게 하는; 열중[도취]하게 하는 **~·ly** *ad.*
in·tox·i·ca·tion [intɑ̀ksikéiʃən | -tɔ̀k-] *n.* Ⓤ 취함; 취한 상태; 극도의 흥분, 열중, 도취; 〖병리〗 중독
In·tox·im·e·ter [intɑ́ksimì:tər] *n.* 음주 측정기 《상표명》

into

in은 전치사와 부사로 쓰이지만 into는 주로 전치사로 쓰인다. 전치사로서의 in이 장소와 방향을 나타내는 데 대해 into는 동작을 나타내는 동사와 함께 「밖에서 안으로」, 「어떤 상태에서 다른 상태로」의 뜻, 즉 「내부로의 운동·방향」 및 「변화」를 나타낸다.

in·to [(자음 앞) ìntə, (모음 앞) ìntu, (주로 문장 끝) íntu:] *prep.*, *a.*

① …의 속으로	**1 a**
② …으로 (바꾸다, 되다)	**2**

— *prep.* **1 a** [내부를 향한 운동·방향을 나타내어] …안[속]에[으로], …에[으로](opp. *out of*): come ~ the house 집(안)에 들어오다 / look ~ the kitchen 부엌(안)을 들여다보다 / inquire ~ a matter 사건을 조사하다 / get ~ difficulties 곤란에 빠지다 / get[run] ~ debt 빚을 지다 / go ~ teaching 교편을 잡다 / pour milk ~ the glass 컵에 우유를 따르다 **b** [시간의 추이를 나타내어] …까지: far[well] ~ the night 밤늦게까지
2 [변화·결과를 나타내어] …으로 (하다, 되다): change water ~ power 물을 전력으로 바꾸다 / make flour ~ bread 밀가루를 빵으로 만들다 / burst ~ tears[laughter] 울음[웃음]을 터뜨리다 / Translate this ~ English. 이것을 영어로 번역하시오. / The rain changed ~ snow. 비가 눈으로 바뀌었다. / A caterpillar turns ~ a butterfly. 애벌레는 나비가 된다. / Her death drove him ~ despair. 그녀의 죽음은 그를 절망에 빠지게 하였다.
3 [충돌을 나타내어] …에 부딪쳐: His car ran ~ a wall. 그의 차가 담에 부딪쳤다.
4 [나눗셈에 써서] 〖수학〗 …을 나누어: 3 ~ 9 goes 3 times[equals 3]. 9 나누기 3은 3.
5 (구어) …에 관심을 가지고, …에 열중하여: He is ~ yoga. 그는 요가에 열중하고 있다. / What are you ~? 무엇에 흥미를 가지고 있느냐?
***be* ~** (1) …에 열중하다, …을 무척 좋아하다: *I'm* really ~ in-line skating. 인라인스케이트에 푹 빠져 있다. (2) 《미·속어》 …에게 빚지고 있다 《*for*》: John's ~ me *for* $100. 존은 나한테 100달러 빚졌다.
— *a.* 〖수학〗 〈사상(寫像)·함수가〉 안으로의: an ~ mapping 안으로의 함수

intr. intransitive; introduce(d); introducing; introduction; introductory

intra- [íntrə] *pref.* 「안에, 내부[안쪽]에」의 뜻

in·tra·ab·dom·i·nal [ìntrəæbdɑ́mənl | -dɔ́m-] *a.* 〖해부〗 복강 내의 **~·ly** *ad.*

in·tra·ar·te·ri·al [ìntrəɑ:rtíəriəl] *a.* 〖해부〗 동맥 내의[을 통하는]; 동맥 주사의 **~·ly** *ad.*

in·tra·ar·tic·u·lar [ìntrəɑ:rtíkjulər] *a.* 〖해부〗 관절 내의

in·tra·cel·lu·lar [ìntrəséljulər] *a.* 〖생리·해부〗 세포 내[간]의 **~·ly** *ad.*

in·tra·cit·y [ìntrəsíti, ⌐–⌐–] *a.* 시내의; (대도시의) 과밀 지역의; (구 시내의) 중심부의

in·tra·cra·ni·al [ìntrəkréiniəl] *a.* 〖해부〗 두개(頭蓋) 내의 **~·ly** *ad.*

in·trac·ta·bil·i·ty [intræ̀ktəbíləti] *n.* Ⓤ 고집스러움; 다루기 힘듦; 처치 곤란

in·trac·ta·ble [intræ̀ktəbl] *a.* **1** 억지[고집]스러운, 완고한(stubborn) **2** 처치[가공]하기 어려운 **3** 〈병이〉 고치기 어려운 — *n.* 고집스러운[완고한] 사람 **~·ness** *n.* **-bly** *ad.*

in·tra·cu·ta·ne·ous [ìntrəkjutéiniəs] *a.* = INTRADERMAL

intracutáneous tést = INTRADERMAL TEST

in·tra·day [íntrədèi] *a.* 하루 동안에 일어나는, 하루(중)의

in·tra·der·mal [ìntrədə́:rməl], **-mic** [-mik] *a.* 피내(皮內)의 《略 ID》: an ~ injection 피내 주사 **-mal·ly, -mi·cal·ly** *ad.*

intradérmal tést 〖의학〗 피내 (면역) 테스트

in·tra·dos [íntrədɑ̀s, -dòus | intréidɔs] *n.* (*pl.* ~ [-dòuz | -douz], **~·es**) 〖건축〗 (아치의) 내륜(內輪), 안둘레(면)(opp. *extrados*)

in·tra·ga·lac·tic [ìntrəgəlǽktik] *a.* 은하 내의

in·tra·gen·ic [ìntrədʒénik] *a.* 〖유전〗 유전자 내의

in·tra·gov·ern·men·tal [ìntrəgʌ̀vərnméntl] *a.* 정부 내의 〈항쟁·협력〉

in·tra·mo·lec·u·lar [ìntrəməlékjulər] *a.* 〖화학〗 분자 내의[에서 일어나는] **~·ly** *ad.*

in·tra·mun·dane [ìntrəmʌ́ndein] *a.* 현세의, 물질계에서 일어나는(opp. *extramundane*)

in·tra·mu·ral [ìntrəmjúərəl] *a.* Ⓐ **1** 교내(校內)의 **2** 도시 안의; 건물 안의(opp. *extramural*): ~ burial 교회 내 매장(埋葬) **3** 〖해부〗 (기관·세포 등의) 벽내의 **4** 같은 무리 안의; 전문 분야 내의 **~·ly** *ad.*

in·tra mu·ros [íntrə-mjúərous] [L] *ad.* (도시의) 성 안에(서); (대학) 구내에서; 비밀로

in·tra·mus·cu·lar [ìntrəmʌ́skjulər] *a.* 근육 내의 《略 IM》: an ~ injection 근육 주사 **~·ly** *ad.*

in·tra·na·tion·al [ìntrənǽʃənl] *a.* 국내에 있는[에서 일어나는]

in·tra·net [íntrənèt] *n.* 〖컴퓨터〗 인트라넷 《기업 내 컴퓨터를 연결하는 종합 통신망》

intrans. intransitive

in·tran·si·gence, -gen·cy [intrǽnsədʒəns(i)] *n.* Ⓤ (정치상의) 비타협적인 태도, 타협[양보]하지 않음

in·tran·si·gent, -geant [intrǽnsədʒənt] *a.* 비타협적인, 양보하지 않는, 완고한, 고집스러운 — *n.* (특히 정치적으로) 비타협적인 사람 **~·ly** *ad.*

‡in·tran·si·tive [intrǽnsətiv] 〖문법〗 *a.* **1** 자동(사)의(opp. *transitive*) 《동사의 동작·작용이 주어에만 미치는》 **2** 〈형용사가〉 목적어를 동반하지 않는
— *n.* = INTRANSITIVE VERB
~·ly *ad.* 자동사로(서) **~·ness** *n.*

***intránsitive vérb** 〖문법〗 자동사 《略 v.i., vi.》

in·trant [íntrənt] *n.* (고어) = ENTRANT

in·tra·oc·u·lar [ìntrəɑ́kjulər | -ɔ́k-] *a.* 안(구) 내의: ~ pressure 안(내)압 **~·ly** *ad.*

intraócular léns 〖안과〗 안구내 렌즈

in·tra·op·er·a·tive [ìntrəɑ́pərèitiv | -ɔ́p-] *a.* 〖의학〗 수술 중의[에 행하는]

in·tra·par·ty [ìntrəpɑ́:rti] *a.* 정당 내의

in·tra·per·son·al [ìntrəpə́:rsənəl] *a.* 개인의 마음속에서 생기는, 개인 내의

in·tra·pop·u·la·tion [ìntrəpɑ̀pjuléiʃən | -pɔ̀p-] *a.* 주민 간에 생기는[행해지는]

in·tra·pre·neur [ìntrəprənə́:r] *n.* 〖경영〗 사내(社內) 기업가 **~·ship** *n.* Ⓤ 사내 기업제[기업가임]

in·tra·spe·cies [ìntrəspí:ʃi:z] *a.* 종(種)내의, 같은

thesaurus **intricate** *a.* tangled, twisted, knotty, complex, complicated, difficult
intrigue *n.* plot, conspiracy, scheme, trickery
intrinsic *a.* inherent, inborn, natural, built-in

생물종 내의

in·tra·state [ìntrəstéit] *a.* 《미》 주(州)내의

in·tra·u·ter·ine [ìntrəjú:tərin] *a.* 자궁 내의; 태아기의[에 일어나는]

intraúterine devìce 자궁 내 피임 기구, 피임링 《略 IUD》

in·tra·vas·cu·lar [ìntrəvǽskjulər] *a.* 혈관 내의

in·tra·ve·hic·u·lar [ìntrəvi:híkjulər] *a.* 탈것[우주선] 안의

in·tra·ve·nous [ìntrəví:nəs] *a.* 〖의학〗 정맥 내의; 정맥 주사의: an ~ injection 정맥 주사 / ~ feeding 정맥내 영양 보급 **—***n.* 정맥 주사 **~·ly** *ad.*

intravénous dríp 〖의학〗 (링거 등의) 정맥내 점적(點滴)

in-tray [íntrèi] *n.* (사무실의) 도착[미결] 서류함(cf. OUT-TRAY)

in·tra·zón·al sóil [ìntrəzóunl-] 간대(間帶)토양

in·treat [intrí:t] *v.* 《고어》 ＝ENTREAT

in·trench [intréntʃ] *v.* ＝ENTRENCH

in·trénch·ing tòol [intréntʃiŋ-] (병사의) 휴대용 삽

in·trep·id [intrépid] *a.* 무서움을 모르는, 용맹한, 대담한(fearless)(opp. *timid*) **~·ly** *ad.* **~·ness** *n.*

in·tre·pid·i·ty [ìntrəpídəti] *n.* **1** Ⓤ 대담, 용맹, 겁 없음 **2** 대담한 행위

Int. Rev. Internal Revenue

in·tri·ca·cy [íntrikəsi] *n.* (*pl.* **-cies**) **1** Ⓤ 복잡(함) **2** [*pl.*] 얽힌[복잡한] 일[행위]

*__in·tri·cate__ [íntrikət] [L 「얽힌」의 뜻에서] *a.* 얽힌, 복잡한(complicated); 난해한: an ~ knot 엉클어진 매듭 / an ~ problem 난제
—*vt.* 《고어》 복잡하게 만들다, 얽히게 하다
~·ly *ad.* **~·ness** *n.* ▷ íntricacy *n.*

in·tri·g(u)ant [íntrigənt] [F] *n.* (*fem.* **-g(u)ante** [ìntrigɑ́:nt]) 《고어》 책략[음모]가; 내통자

*__in·trigue__ [intrí:g, ⌐-] [L 「얽히게 하다」의 뜻에서] *n.* **1** ⓊⒸ 음모: political ~*s* 정치적 음모 **2** 밀통, 불의(不義) **3** Ⓤ (연극의) 줄거리
— [-⌐] *vi.* **1** 음모를 꾸미다, 술책을 쓰다 《*against*》: (~+전+명) ~ *against* Jones 존스에 대하여 음모를 꾸미다 **2** 밀통하다 《*with*》
—*vt.* **1** …의 호기심[흥미]을 돋우다(fascinate) **2** (음모·술책으로) 손에 넣다, 달성[성취]하다: (~+목+전+명) ~ oneself *into* a high position 음모를 꾸며 높은 자리에 오르다 **in·trí·guer** *n.*

in·trigued [intrí:gd] *a.* [보통 Ⓟ] 흥미 있는, 호기심을 가진: We all were ~ by her story. 우리 모두는 그녀의 이야기에 흥미를 가졌다.

in·tri·guing [intrí:giŋ] *a.* 흥미를 자아내는, 호기심을 자극하는 **~·ly** *ad.*

*__in·trin·sic, -si·cal__ [intrínsik(əl), -zik(əl)] [L 「내부의」의 뜻에서] *a.* **1** 본질적인, 본래 갖추어진, 고유의(inherent)(opp. *extrinsic*) 《*to, in*》: the beauty ~ *to*[*in*] a work of art 예술 작품의 본질을 이루는 미 **2** 〖해부〗 (근육·신경 등에) 내재하는(opp. *extrinsic*) **3** 〖전자〗 진성(眞性)의 **-si·cal·ly** *ad.*

intrínsic fàctor 〖생화학〗 내인자(內因子), 내재성(內在性) 요인

intrínsic semicondúctor 〖전자〗 진성 반도체 《N형도 P형도 아닌 반도체》

in·tro [íntrou] [*intro*duction] *n.* (*pl.* **~s**) **1** ＝INTRODUCTION **2** (음악 등의) 서주, 전주, 인트로
—*vt.* 소개하다

intro- [íntrou, -trə] *pref.* 「안으로」의 뜻: *intro*gression; *intro*pulsive

intro(d). introduce; introduced; introducing; introduction; introductory

---

introduce *v.* **1** 소개하다 present, make known, acquaint **2** 도입하다, 시작하다 bring in, launch, inaugurate, institute, initiate, establish, start, begin, commence, usher in, pioneer

---

⁑in·tro·duce [ìntrədjú:s | -djú:s] [L 「이끌어 들이다」의 뜻에서] *vt.* **1** 소개하다; 만나게 해 주다: (~+목+전+명) Let me ~ my brother *to* you. 동생을 소개하겠습니다. **2** 〈생각·유행 등을〉 창안[창출]하다, 시작하다; (처음으로) 들여오다, 도입하다; 처음으로 수입하다, 전하다; 채용하다 《*into, in*》: (~+목+전+명) ~ a new fashion *in* hats 모자에 새 유행을 도입하다 / Tobacco was ~*d into* Europe from America. 담배는 아메리카에서 유럽에 전해졌다. **3** 〈신제품 등을〉 발표하다; (사교계 등에) 공식적으로 소개하다, 데뷔시키다 **4** 처음으로 경험하게 하다, 입문시키다, 초보를 가르치다 《*to*》: (~+목+전+명) ~ a person *to* (the delights of) skiing …에게 스키(의 재미)를 처음으로 경험하게 하다 **5** 〈학설 등을〉 발표하다; 〈의안 등을〉 제출하다: (~+목+전+명) ~ a bill *into* Congress 법안을 의회에 제출하다 **6** 〈논문 등에〉 서론을 달다; 〈이야기 등을〉 …으로 시작하다 《*with*》 **7** 끼워 넣다 《*into*》, 삽입하다: (~+목+전+명) ~ a key *into* a lock 열쇠를 자물쇠에 끼우다 **8** (방·장소 등에) 안내하다 《*into*》: (~+목+전+명) ~ a person *into* a drawing room …을 응접실로 안내하다 **9** 〖문법〗 〈접속사가〉 〈절을〉 이끌다 **~ one*self*** 자기 소개를 하다: May I ~ my*self*? My name is Brad Miller. 제 소개를 할까요? 제 이름은 브래드 밀러입니다. **-dúc·er** *n.* **-dúc·i·ble** *a.*
▷ introdúction *n.*; introdúctory, introdúctive *a.*

⁑in·tro·duc·tion [ìntrədʌ́kʃən] *n.* **1** Ⓤ 도입; 채용; 창시; 첫 수입 《*into, to*》 **2** Ⓤ 소개, 피로(披露) 《*to*》: a letter of ~ 소개장 / start with an ~ 인사말로 시작하다 **3** 서론, 서설, (서두의) 해설 《*to*》

> 유의어 **introduction** 책의 일부를 형성하고 그 내용에 관해 정식으로 하는 예비적 해설; 항상 저자 자신이 작성: His purpose is stated in the *introduction.* 그의 의도는 서론에 설명되어 있다. **preface** 본론과는 독립하여 책의 목적·구성 등에 대해 해설한 것; 보통 저자 자신이 작성하지만 편자나 저자의 관계자에 의한 경우도 있다: a short *preface* 짤막한 머리말 **foreword** preface와 비슷한 것이지만 짧고 간단한 것으로, 종종 저자 이외의 인사가 기술한 것: an unusual *foreword* 색다른 머리말

4 입문(서), 개론 《*to*》: an ~ *to* botany 식물학 입문 **5** (의안 따위의) 제출 《*of*》 **6** 〖음악〗 서곡, 전주곡(prelude) **7** Ⓤ 끼워 넣음, 삽입(insertion) 《*into*》
make an ~ of A ***to*** B A를 B에게 소개하다
▷ introdúce *v.*; introdúctory, introdúctive *a.*

in·tro·duc·tive [ìntrədʌ́ktiv] *a.* ＝INTRODUCTORY

*__in·tro·duc·to·ry__ [ìntrədʌ́ktəri] *a.* 소개의; 서론의, 서두의, 예비의(preliminary); 입문의: ~ remarks 머리말, 서언(序言) **-ri·ly** *ad.* **-ri·ness** *n.*
▷ introdúce *v.*; introdúction *n.*

introdúctory príce 〖출판〗 시험 구독료 《새 구독자 개척을 위한 할인 대금》

in·tro·gres·sant [ìntrəgrésənt] 〖유전〗 *n.* 침투[이입] 유전자 **—***a.* 유전자 이입의

in·tro·gres·sion [ìntrəgréʃən] *n.* 〖유전〗 유전자 이입, 유전질 침투; 들어옴[감] **-grés·sive** *a.*

in·tro·it [íntrouit, -trɔit] [L＝entrance] *n.* **1** 〖가톨릭〗 입당송(入堂頌) **2** 〖영국국교〗 성찬식 전에 부르는 성가

in·tro·ject [ìntrədʒékt] *vt., vi.* 〖심리〗 (남의 특질·태도를) (무의식적으로) 자기 것으로 받아들이다

in·tro·jec·tion [ìntrədʒékʃən] *n.* Ⓤ 〖심리〗 받아들이기, 섭취 《대상의 속성을 자기 것으로 동화시킴》

in·tro·mis·sion [ìntrəmíʃən] *n.* Ⓤ 입장 허가, 가입 허가; 삽입, 들여보냄

in·tro·mit [ìntrəmít] *vt.* (**~·ted**; **~·ting**) 《고어》 삽입하다, 들여보내다 **~·tent** *a.* **~·ter** *n.*

in·tron [íntrɑn | -trɔn] *n.* 〖생화학〗 인트론, 개재(介

在) 배열(intervening sequence)

In·tro·pin [íntrəpin] *n.* 〖약학〗 인트로핀 《심장 활동 자극제; 상표명》

in·trorse [intrɔ́:rs] *a.* 〖식물〗 안으로 향하는, 내향의 (opp. *extrorse*) **~·ly** *ad.*

in·tro·spect [ìntrəspékt] *vi.* 내성(內省)하다 — *vt.* 자기 반성하다, 내관(內觀)하다

in·tro·spec·tion [ìntrəspékʃən] *n.* Ⓤ 내성(內省), 내관(內觀), 자기 반성(self-examination)(opp. *extrospection*) **~·al** *a.*

in·tro·spec·tion·ism [ìntrəspékʃənìzm] *n.* Ⓤ 〖심리〗 내관(內觀)[내성(內省)]주의 **-ist** *n.*, *a.*

in·tro·spec·tive [ìntrəspéktiv] *a.* 내성(內省)적인, 내관적(內觀的)인, 자기 반성의 **~·ly** *ad.* **~·ness** *n.*

in·tro·ver·si·ble [ìntrəvə́:rsəbl] *a.* 안으로 향하게 할 수 있는

in·tro·ver·sion [ìntrəvə́:rdʒən, -ʃən | -və́:ʃən] *n.* Ⓤ **1** 내향, 내성 **2** 〖의학〗 내전(內轉), 내반(內反) **3** 〖심리〗 내향성(opp. *extroversion*)

in·tro·ver·sive [ìntrəvə́:rsiv] *a.* 내향(적)인, 내성적인; 안으로 굽는 **~·ly** *ad.*

in·tro·vert [ìntrəvə́:rt] *vt.* 〈마음·생각을〉 안으로 향하게 하다, 내성시키다; 안으로 구부리다; 〖동물〗 〈기관을〉 내전(內轉)시키다 — [∸–̀] *n.* 내향적인 사람 (opp. *extrovert*) — [∸–̀] *a.* 안으로 향하는[굽은], 내성적인, 내향적인 **~·ed** *a.*

in·tro·ver·tive [ìntrəvə́:rtiv] *a.* = INTROVERSIVE

‡**in·trude** [intrú:d] [L 「안으로 밀어넣다」의 뜻에서] *vt.* **1** [~ one*self* 로] **억지로** (남의 곳에) **들이닥치다**, (사물에) 개입하다 《*upon, into*》: (~+目+前+名) The man ~*d* himself *into* our conversation. 그 사람은 우리들의 대화에 끼어들었다. **2** 〈의견 등을〉 강요하다, 강제하다 《*on, upon*》: (~+目+前+名) ~ one's opinion *upon* others 자기의 의견을 남에게 강요하다 **3** 〖지질〗 관입(貫入)시키다

— *vi.* **1** 억지로 밀고 들어가다, 침입하다 《*into*》: (~+前+名) ~ *into* a room 방으로 밀고 들어가다 **2** (남의 일에) 참견하다, 방해하다 《*upon*》: Would I be *intruding* if I came with you? 당신과 함께 가면 제가 방해가 될까요? // (~+前+名) ~ *upon* another's privacy 남의 사생활에 참견하다

▷ intrúsion *n.*; intrúsive *a.*

***in·trud·er** [intrú:dər] *n.* **침입자**, 난입자, 방해자; 강도; 〖군사〗 (야간의) 침입기(機)(의 조종사)

***in·tru·sion** [intrú:ʒən] *n.* ⓊⒸ **1** (의견 등의) **강요**; (장소에의) **침입** 《*into, upon*》; (사생활) 침해, 방해 **2** 〖법〗 (무권리자의) 토지 침입 점유; (교회 소유지의) 점유 횡령 **3** 〖지질〗 (암맥(岩脈)의) 관입(貫入) **~·al** *a.* ▷ intrúde *v.*; intrúsive *a.*

in·tru·sive [intrú:siv] *a.* (opp. *extrusive*) **1** 침입의; 주제넘게 참견하는, 방해하는 **2** 〖지질〗 관입(貫入)의: ~ rocks 관입암 **3** 〖음성〗 (비어원적으로) 끼어든, 감입적(嵌入的)인: an ~ r 감입적인 r음 《India office [índiərɔ́fis]의 [r]음》 **~·ly** *ad.* **~·ness** *n.*

in·trust [intrʌ́st] *vt.* = ENTRUST

in·tu·bate [ínt*j*ubèit | -tju-] *vt.* 〖의학〗 …에 관(管)을 삽입하다

in·tu·ba·tion [ìnt*j*ubéiʃən | -tju-] *n.* Ⓤ 〖의학〗 삽관법(揷管法)

in·tu·it [int*j*ú:it, ∸–– | intjú:-] [L 「보다」의 뜻에서] *vt.*, *vi.* 직각[직관]하다, 직관으로 알다[이해하다] **~·a·ble** *a.*

***in·tu·i·tion** [ìnt*j*u:íʃən | -tju:-] *n.* Ⓤ **1** 직각(直覺), 직관(直觀), 직감, 육감 **2** Ⓒ 직관적 행위[지식]: by ~ 직감적으로 ▷ intuítional, intúitive *a.*

in·tu·i·tion·al [ìnt*j*u:íʃənl | -tju:-] *a.* 직각(直覺)의, 직각[직관]적인 **~·ism** *n.* = INTUITIONISM **~·ist** *n.* = INTUITIONIST **~·ly** *ad.*

in·tu·i·tion·ism [ìnt*j*u:íʃənìzm | -tju:-] *n.* Ⓤ 〖심리·철학〗 직각설[론] 《외계의 사물은 직각적으로 인식된다는 설》 **-ist** *n.* 직관[직각]론자

in·tu·i·tive [int*j*ú:ətiv | -tjú:-] *a.* **1** 직관[지각]에 의한 **2** 직관[지각]에 의해 인식된 **3** 직관력 있는 **4** 직관적으로 지각[이해] 가능한 **~·ly** *ad.* **~·ness** *n.*

in·tu·i·tiv·ism [int*j*ú:ətivìzm | -tjú:-] *n.* Ⓤ 윤리적 직각주의 《윤리적인 원칙은 직감으로 확립된다는 설》; 직각적 인지, 통찰 **-ist** *n.*, *a.*

in·tu·mesce [ìnt*j*umés | -tju-] *vi.* (열 등으로) 부어[부풀어]오르다, 팽창하다; 거품이 일다, 비등하다

in·tu·mes·cence [ìnt*j*umésns | -tju-] *n.* Ⓤ 부어[부풀어]오름, 팽창; Ⓒ 부어오른 종기

in·tu·mes·cent [ìnt*j*umésnt | -tju-] *a.* 팽창성의, 부어오르는(swelling up)

in·tus·sus·cept [ìntəssəsépt] 〖병리〗 *vt.* 〈장관(腸管) 등을〉 (인접 부분에) 함입(陷入)시키다, 중적(重積)을 일으키다; 섭취하다 — *vi.* 함입하다, 중적(증)이 되다 **in·tus·sus·cép·tive** *a.*

in·tus·sus·cep·tion [ìntəssəsépʃən] *n.* Ⓤ **1** 〖생물〗 섭취 (작용) **2** 〖병리〗 중적(증), 《특히》 장중적(腸重積) **3** (사상의) 섭취, 동화

in·twine [intwáin] *v.* = ENTWINE

in·twist [intwíst] *vt.* = ENTWIST

In·u·it [ínjuːit | ínju:-] *n.* (*pl.* **~s**, ~) 이뉴잇 족(의 한 사람) 《북미·그린란드의 에스키모; 캐나다에서 부르는 에스키모 족의 공식 호칭》; 그 언어

I·nuk·ti·tut [inúktitut] *n.* Ⓤ 이뉴잇 족의 말[언어]

in·u·lin [ínjulin] *n.* Ⓤ 〖화학〗 이눌린 《달리아의 덩이뿌리 등에 함유된 저장 다당류》

in·unc·tion [inʌ́ŋkʃən] *n.* Ⓤ **1** 기름을 바름, 도유(塗油)(anointing) **2** 〖의학〗 (고약을) 문질러 바름; 그 치료법; 연고

in·un·dant [inʌ́ndənt] *a.* **1** 넘치는, 넘쳐흐르는 **2** (힘·수 등에서) 압도적인

in·un·date [ínəndèit, ínʌn- | ínʌndèit] *vt.* [주로 수동형으로] **1** 〈장소를〉 범람시키다, 물에 잠기게 하다: The whole district was ~*d with* water. 그 지역 전체가 침수되었다. **2** 〈장소에〉 몰려오다, 쇄도하다; 충만시키다, 넘치게 하다: a place ~*d with* visitors 방문객이 몰려드는 장소

-dà·tor *n.* **-da·to·ry** [inʌ́ndətɔ̀:ri | -təri] *a.*

in·un·da·tion [ìnəndéiʃən] *n.* ⓊⒸ 범람, 침수; 《비유》 충만, 쇄도 《*of*》: ~ disasters 수해

in·ur·bane [ìnə:rbéin] *a.* 도시적 품위가 없는, 세련되지 않은; 몰취미한, 촌스러운, 야비한 **~·ly** *ad.* **-ban·i·ty** [-bǽnəti] *n.*

in·ure [injúər | -júə] *vt.* [보통 ~ one*self* 또는 수동형으로] 익히다, 단련하다: (~+目+前+名) *be* ~*d to* distress 고난에 단련되어 있다 // (~+目+*to* do) ~ *oneself to* bear the sudden changes 급격한 변화에 익숙해지다 / ~ a person *to* do …을 하도록 길들이다 — *vi.* 〖법〗 효력을 발생하다; 도움이 되다: (~+前+名) The agreement ~*s to* the benefit of the employees. 그 협약은 종업원의 이익이 된다. **~·ment** *n.* Ⓤ 익힘, 익숙, 단련

in·urn [inə́:rn] *vt.* 납골 단지(urn)에 넣다; 매장하다

in u·ter·o [in-jú:təròu] *ad.*, *a.* 자궁 내에, 태 내(胎內)에 있는; 아직 태어나지 않은: a child ~ 태아 / ~ surgery 자궁 내 수술 《자궁 내의 태아 수술》

in·u·tile [injú:təl | -tail] *a.* 《문어》 무가치한, 무익한, 무용의 **~·ly** *ad.*

in·u·til·i·ty [ìnju:tíləti] *n.* (*pl.* **-ties**) Ⓤ 무익, 무용(uselessness); Ⓒ 쓸모없는 사람[물건]

inv invented; inventor; invoice

in va·cu·o [in-vǽkjuòu] [L] *ad.* 진공(眞空) 속에; 사실과 관계없이, 현실에서 유리되어

‡**in·vade** [invéid] [L 「안으로 들어가다」의 뜻에서] *vt.* **1** 〈남의 나라를〉 **침략하다**, 침입하다, 쳐들어가

thesaurus **invade** *v.* **1** 침략하다 attack, assail, assault, raid, plunder **2** 침해하다 interrupt, intrude on, infringe on, violate, trespass on
invalid¹ *a.* ill, sick, ailing, frail, feeble, weak

다: Iraq ~*d* Kuwait in 1990. 1990년에 이라크는 쿠웨이트를 침공했다. **2** 〈…에〉 **밀어닥치다,** 몰려들다(throng): be ~*d by* tourists 관광객이 밀어닥치다 **3** 〈권리 등을〉 **침해하다:** ~ a person's privacy …의 사생활을 침해하다 **4** 〈병·감정 등이〉 침범[엄습]하다, 내습하다; 〈소리·냄새 등이〉 퍼지다, 충만하다: Terror ~*d* our minds. 우리의 마음에 공포가 엄습했다.
—*vi.* 침입하다; 대거 몰려오다
▷ invásion *n.*; invásive *a.*

‡**in·vad·er** [invéidər] *n.* **침략자[군],** 침입자

in·vag·i·nate [invǽdʒənèit] *vt.* 칼집 (모양의 것)에 넣다(sheathe); 〖발생·병리〗 〈관·기관 등의 일부를〉 함입[중적]시키다 **—***vi.* (칼집·관 등에) 들어가다; 함입[중적]하다 **—** [-nət, -nèit] *a.* 함입[중적]한; 칼집 따위에 넣은

in·vag·i·na·tion [invæ̀dʒənéiʃən] *n.* **1** 칼집 (모양의 것)에 넣음[들어 있음] **2** 〖발생〗 함입; 〖병리〗 중적(重積)(증), 장(腸)중적; 함입부

‡**in·va·lid**[1] [ínvəlid | -lid, -lì:d] *a., n., v.*

> L 「강하지(valid) 않은」의 뜻에서
> →(몸이 약한)→「병약한」
> →(근거가 약한)→invalid[2] 「박약한」, 「무효의」

—*a.* **병약한,** 허약한; 환자용의: my ~ wife 병약한 아내 / ~ diets[food] 환자용 식사
—*n.* 병자, 병약자; 지체 부자유자
— [ínvəlid, ∠-∸ | -lì:d] *vt.* [보통 수동형으로] **1** 병약하게 하다; 병자[병약자]로 취급하다 **2** 《영》 〈군인을〉 병약자로서 면제[송환]하다, 상이군인 명부에 기입하다: (~+목+부) be ~*ed home* 상이군인으로 송환되다 // (~+목+전+명) be ~*ed out of* the army 상이병으로 제대하다
—*vi.* 병약하게 되다, 병약자 취급을 받다

in·val·id[2] [invǽlid] *a.* **1** 〈방법 등이〉 타당하지 않은, 실효성이 없는, 가치가 없는 **2** 〈의론 등이〉 박약한, 근거[설득력]가 없는 **3** 〈계약 등이〉 (법적으로) 무효의(void) **~·ly** *ad.* **~·ness** *n.*

in·val·i·date [invǽlədèit] *vt.* 무효로 만들다; …의 법적 효력을 없게 하다 **-dà·tor** *n.*

in·val·i·da·tion [invæ̀lədéiʃən] *n.* Ⓤ 무효로 함, 실효(失效)

ínvalid chàir 환자용 바퀴의자, 휠체어

in·va·lid·ism [ínvəlidìzm] *n.* Ⓤ **1** 병약(함), 허약 **2** (인구에 대한) 병자의 비율

in·va·lid·i·ty[1] [ìnvəlídəti] *n.* Ⓤ 무가치, 무효력

invalidity[2] *n.* Ⓤ 폐질(廢疾) (취업 불능); = INVALIDISM

invalídity bènefit 《영》 (국민 보험에 의한) 질병 급부 《略 IVB》

*__in·val·u·a·ble__ [invǽljuəbl] *a.* **값을 헤아릴 수 없는,** 평가 못할 만큼의, 매우 귀중한(cf. VALUELESS): ~ paintings 값을 헤아릴 수 없는 그림들 / ~ help 매우 귀중한 도움 **~·ness** *n.* **-bly** *ad.*

in·van·dra·re [ínvɑ̀ndrɑ:rə] [Swed.] *n.* (*pl.* ~) (스웨덴에서 일하는) 외국인 노동자

In·var [invɑ́:r] *n.* 불변강(不變鋼), 인바 《강철과 니켈의 합금; 상표명》

in·var·i·a·bil·i·ty [invɛ̀əriəbíləti] *n.* Ⓤ 불변(성)

*__in·var·i·a·ble__ [invɛ́əriəbl] *a.* **불변의,** 변화 없는; 〖수학〗 일정한, 상수(常數)의
—*n.* **변치 않는 것;** 〖수학〗 상수, 불변량 **~·ness** *n.*

‡**in·var·i·a·bly** [invɛ́əriəbli] *ad.* **변함없이,** 일정 불변하게; 늘, 반드시

in·var·i·ant [invɛ́əriənt] *a.* 불변의, 변화하지 않는 **—***n.* 〖수학〗 불변량, 불변식 **~·ly** *ad.*

---

invaluable *a.* priceless, precious, costly
invent *v.* **1** 발명하다 originate, create, innovate, discover, design, devise, contrive, conceive **2** 날조하다 make up, fabricate, concoct, hatch, forge

---

*__in·va·sion__ [invéiʒən] *n.* ⓊⒸ **1** (적군의) **침입,** 침공, 침략: make an ~ upon …에 침입하다, 습격하다 **2** (질병·재해 등의) 내습; 쇄도 **3** (권리 등의) **침해,** 침범: ~ of privacy 프라이버시의 침해 **4** 〖의학〗 (병원균 등의) 침입; (암세포의) 전이
▷ inváde *v.*; invásive *a.*

in·va·sive [invéisiv] *a.* 침입하는, 침략적인; 침해의

in·vec·tive [invéktiv] *n.* Ⓤ 비난; Ⓒ 독설, 비난의 말, 욕설 **—***a.* 독설의, 비난하는 **~·ly** *ad.* **~·ness** *n.*

in·veigh [invéi] *vi.* 통렬히 비난하다, 독설을 퍼붓다, 욕설하다 《*against*》 **~·er** *n.*

in·vei·gle [invéigl, -ví:-] *vt.* **1** 꾀다, 유인하다, 속이다: (~+목+전+*-ing*) ~ a person *into* do*ing* …을 속여서 …시키다 **2** 비위를 맞추어[감언으로] 얻어내다 《*from, out of*》 **~·ment** *n.* **-gler** *n.*

in·ve·nit [invéinit] [L] *n.* [발명자·고안자의 이름에 붙여] …작(作), …발명 《略 inv.》

‡**in·vent** [invént] [L 「마주치다, 찾아내다」의 뜻에서] *vt.* **1 발명하다,** 창안하다; 〈이야기 등을〉 (상상력으로) 만들다, 창조[창작]하다: J. Watt ~*ed* the steam engine. 와트는 증기 기관을 발명했다. **2 날조하다,** 조작하다: ~ an excuse 핑계를 꾸며내다 **3** 《미·속어》 훔치다(steal) **~·i·ble, ~·a·ble** *a.*
▷ invéntion *n.*; invéntive *a.*

‡**in·ven·tion** [invénʃən] *n.* **1** Ⓤ **발명,** 창안, 고안: make an ~ 발명하다 / Necessity is the mother of ~. 《속담》 필요는 발명의 어머니. **2 발명품,** 창안물: exhibit a new ~ 새 발명품을 전시하다 **3** ⓒⓊ **날조,** 조작한 것, 꾸며낸 일, 허구: a newspaper full of ~*s* 날조된 기사로 가득찬 신문 **4** Ⓤ 발명[창안]의 재능, 창안[창작]력 **5** Ⓤ (고어) 발견(discovery) ***the I~ of the Cross*** 〖그리스도교〗 성십자가 발견의 축일 《서기 326년 5월 3일 Constantine 대제의 어머니 St. Helena가 Jerusalem에서 십자가를 발견한 기념일》 ▷ invént *v.*; invéntive *a.*

*__in·ven·tive__ [invéntiv] *a.* **발명의 (재능이 있는),** 창의력이 풍부한, 독창적인 **~·ly** *ad.* **~·ness** *n.*

‡**in·ven·tor, -vent·er** [invéntər] *n.* **발명자,** 창출자, 고안자

*__in·ven·to·ry__ [ínvəntɔ̀:ri | -təri] [L 「사후(死後) 발견된 재산 목록」의 뜻에서] *n.* (*pl.* **-ries**) **1** (상품·재산 등의) **목록,** 재고품 목록; 표 《*of*》 **2** 재고품(총액); Ⓤ 《미》 재고 조사; 재고 조사 자산 **3** 천연 자원 조사 일람표; (카운슬링용) 인물 조사 기록
take [***make***] (***an***) ~ ***of*** …의 목록을 작성하다; 〈재고품 등을〉 조사하다; 〈기능·성격 등을〉 평가하다
—*vt.* (**-ried**) 〈비품·상품 등의〉 목록을 만들다, 목록에 기입하다; 《미》 재고품 조사를 하다
-ri·al *a.* **-ri·al·ly** *ad.*

ínventory contròl 재고 관리

ínventory tùrnover 〖경영〗 재고 자산 회전율

in·ven·tress [invéntris] *n.* INVENTOR의 여성형

in·ve·rac·i·ty [ìnvərǽsəti] *n.* (*pl.* **-ties**) **1** Ⓤ 참되지 않음, 불성실 **2** 허위, 거짓말

in·ver·ness [ìnvərnés, ∠-∸] *n.* 인버네스 《남자용의 소매가 없는 외투의 일종》(= ∸ **càpe** [**còat, clòak**])

inverness

in·verse [invə́:rs, ∠-] *a.* 역(逆)의, 반대의, 거꾸로 된; 〖수학〗 역(함)수의, 반비례의 **—***n.* 역, 역(함)수, 반대(의 것) **~·ly** *ad.* 거꾸로, 반대로, 역비례하여

ínverse féedback 〖컴퓨터〗 = NEGATIVE FEEDBACK

invérse fúnction 〖수학〗 역함수

invérse ímage 〖수학〗 역상(逆像)

invérse propórtion 〖수학〗 반[역]비례

ínverse rátio 〖수학〗 = INVERSE PROPORTION

ínverse squáre làw 〖물리〗 역제곱 법칙

in·ver·sion [invə́:rʒən, -ʃən | -ʃən] *n.* UC **1** 역, 전도(轉倒) **2** 〖문법〗 어순 전도, 도치(법)(⇨ 문법 해설 (14)) **3** 〖동물〗 역위(逆位) 《염색체의 어느 부분이 절단되어 반대 위치에 부착되는 현상》 **4** 〖논리〗 역환법(戾換法) **5** 〖음악〗 자리바꿈 **6** 〖물리〗 전화(轉化), 반전 **7** 〖음성〗 반전 **8** 〖정신의학〗 (성)도착, 동성애 **9** 〖컴퓨터〗 반전(反轉) 《구성 비트의 0을 1로, 1을 0으로 하는 일》 ▷ invért *v.*; invérse, invérsive *a.*

invérsion làyer 〖기상〗 (대기권의) 역전층

in·ver·sive [invə́:rsiv] *a.* 전도의, 역[정반대]의

*__in·vert__ [invə́:rt] [L 「역전하다」의 뜻에서] *vt.* **1** 거꾸로[반대로] 하다, 전도시키다, 뒤집다: ~ an hourglass 모래시계를 엎어 놓다 **2** 〖음악〗 전회(轉回)시키다; 〖화학〗 전화시키다

— [ㄴ-] *n.* **1** 거꾸로 된 것 **2** 〖건축〗 역 아치(invert-ed arch) **3** 〖화학〗 전화(轉化) **4** 〖정신의학〗 성도착자, 동성애자(homosexual) **5** 거꾸로 인쇄된 우표

— *a.* 〖화학〗 전화한 **~·i·ble** *a.*

▷ invérse, invérsive *a.*; invérsion *n.*

in·vert·ase [invə́:rteis, -teiz] *n.* UC 〖생화학〗 자당(蔗糖)[전화(轉化)] 효소

in·ver·te·brate [invə́:rtəbrət, -brèit] *a.* 〖동물〗 척추[척골]가 없는; 무척추동물의; 《비유》 줏대 없는, 우유부단한 — *n.* 무척추동물; 줏대 없는 사람

in·vert·ed [invə́:rtid] *a.* 역의, 반대의; 반전된; 동성애의, 성도착의

invérted árch 〖건축〗 역(逆)아치 《기초 등에 쓰는》

invérted cómma 역콤마 《', "》; [*pl.*] 《영》 인용부호(quotation marks)

invérted snóbbery 《영·경멸》 역속물 근성 《상류층을 경멸하는 태도》

in·vert·er [invə́:rtər] *n.* **1** invert하는 사람 **2** 〖전기〗 인버터, 변환 장치[기] **3** 〖컴퓨터〗 = NOT CIRCUIT

ínvert sóap 〖화학〗 양이온 세제

ínvert súgar 전화당(轉化糖)

‡**in·vest** [invést] [L 「옷을 입히다」의 뜻에서] *vt.* **1** 〈자본·돈 등을〉 **투자하다**, 운용하다 《*in*》: ~*ed* capital 투입 자본 // (~+목+전+명) ~ one's money *in* stocks 주식에 투자하다 **2** 〈시간·정력 등을〉 들이다, 쓰다, 바치다 《*in*》: (~+목+전+명) ~ time and energy *in* one's study 연구에 시간과 정력을 쏟다 **3** 〈권력·훈장 등을〉 주다, 수여하다 《*with*》; 〈권한 등을〉 부여하다, 〈관리 등을〉 맡기다, 주다 《*in*》: (~+목+전+명) ~ the president *with* the power of veto 대통령에게 거부권을 주다 / He ~*s* the management of the store *in* his agent. 그는 그 가게의 관리를 대리인에게 맡기고 있다. **4** 〈어떤 성질·능력 등을〉 지니게 하다, 부여하다 《*with*》: (~+목+전+명) a person ~*ed with* an air of dignity 위엄을 지닌 사람 **5** 《문어》 착용하게 하다, 입히다(dress) 《*with, in*》: (~+목+전+명) ~ a baby *in*[*with*] her dress 젖먹이에게 옷을 입히다 **6** 뒤덮다, 둘러싸다 《*with*》: a city ~*ed with* fog 안개에 싸인 도시 **7** 〖군사〗 〈도시·항구 등을〉 포위하다

— *vi.* **1 투자[출자]하다** 《*in*》; 돈을 쓰다 《*in*》: (~+전+명) ~ *in* stocks 주식에 투자하다 **2** 《구어·익살》 사다 《*in*》 **~·a·ble, ~·i·ble** *a.*

▷ invéstment, invéstiture *n.*

‡**in·ves·ti·gate** [invéstəgèit] [L 「안에서 흔적(vestige)을 더듬다」의 뜻에서] *vt., vi.* **조사하다**, 수사하다, 연구하다(⇨ examine 유의어): The police ~*d* the cause of the car accident. 경찰은 그 자동차 사고의 원인을 조사했다. **-ga·ble** *a.*

▷ investigátion *n.*; invéstigative *a.*

‡**in·ves·ti·ga·tion** [invèstəgéiʃən] *n.* **1** UC **조사**, 수사, 연구(examination) 《*of, into*》; 취조, 음미 **2** 연구 논문, 조사 보고 ***make an ~ into*** …을 조사하다 ***under ~*** 조사 중 ***upon***[***on***] ***~*** 조사해 보니 **~·al** *a.* ▷ invéstigate *v.*; invéstigative *a.*

in·ves·ti·ga·tive [invéstigèitiv] *a.* 조사의, 취조의, 연구의; (텔레비전·라디오의) 부정[불의] 폭로 보도의: an ~ reporter 부정 폭로 기자

invéstigative néw drúg 임상 시험용 신약

invéstigative repórting[**jóurnalism**] (신문·방송 등의) 독자적인 조사[추적] 보도 《범죄·부정 사건 등에 관한》

*__in·ves·ti·ga·tor__ [invéstigèitər] *n.* **조사자**, 연구자; 수사관

in·ves·ti·ga·to·ry [invéstigətɔ̀:ri | -gèitəri] *a.* = INVESTIGATIVE

in·ves·ti·tive [invéstətiv] *a.* **1** 투자의: an ~ act 투자 행위 **2** 관직[자격]을 수여하는; 임관[자격 부여]이[에 관한]

in·ves·ti·ture [invéstətʃər, -tʃùər] *n.* **1** UC 《영》 (관직·성직 등의) 수여(식), 임관 **2** U (자격의) 부여 《*with*》 **3** U 《문어》 차려입히기; 착용

‡**in·vest·ment** [invéstmənt] *n.* **1** UC **투자**, 출자 **2** C 투하 자본, 투자금, 투자 금액 《*in*》 **3** 투자 대상, 투자의 목적물: a good ~ 유리한 투자 대상 **4** U 입히기, 피복(clothing) **5** (시간·노력·열의 등의) 투입 **6** 〖생물〗 외피, 외층 **7** U 서임(敍任), 임명; 수여(investiture) **8** 〖군사〗 포위, 봉쇄 ▷ invést *v.*

invéstment ànalyst 투자 분석가

invéstment bànk 투자 은행

invéstment bànker 증권 인수업자

invéstment càsting 〖야금〗 매몰 주조(법), 정밀 주조(법)

invéstment clùb 투자 클럽 《회원의 공동 투자 자금으로, 정기적 회의에서 매매를 결정하는 그룹》

invéstment còmpany[**trùst**] 투자 (신탁) 회사

invéstment fùnd 투자 준비금, 투자 기금

invéstment gràde 〖증권〗 투자 적격 증권

invéstment retùrns 《미》 투자 수익

invéstment táx crèdit 〖경제〗 투자 세액 공제

*__in·ves·tor__ [invéstər] *n.* **1 투자자 2** 포위자 **3** 서임자, 수여자

in·vet·er·a·cy [invétərəsi] *n.* **1** U 〈습관 등이〉 뿌리 깊음; 끈덕진 원한, 숙원 **2** (병 등의) 만성, 고질

in·vet·er·ate [invétərət] [L 「오래된」의 뜻에서] *a.* A **1** 〈병·습관 등이〉 뿌리 깊은, 만성의, 상습적인: an ~ enemy 숙적 / an ~ disease 고질병 / an ~ habit 상습 / an ~ smoker 상습적 흡연가 **2** 〈감정 등이〉 뿌리 깊은; 집념 어린 **~·ly** *ad.* **~·ness** *n.*

in·vi·a·ble [inváiəbl] *a.* (유전적·재정적으로) 생존 불가능한 **in·vi·a·bíl·i·ty** *n.*

in·vid·i·ous [invídiəs] *a.* **1** 〈언동 등이〉 기분 나쁘게 만드는, 미워하게[화나게] 만드는 **2** 〈비평·비교 등이〉 불공평한, 부당한 **3** 〈지위·명예 등이〉 남의 시기[미움]를 살 만한 **~·ly** *ad.* **~·ness** *n.*

in·vig·i·late [invídʒəlèit] *vi., vt* 《영》 (시험) 감독을 하다; 《고어》 망을 보다, 경계하다

in·vig·i·lá·tion *n.* **-là·tor** *n.*

in·vig·or·ant [invígərənt] *n.* 강장제(tonic)

in·vig·or·ate [invígərèit] *vt.* 기운 나게[활기 띠게] 하다, 상쾌하게 하다, 고무하다

in·vig·or·at·ing [invígərèitiŋ] *a.* 기운 나게 하는; 〈공기·미풍 등이〉 상쾌한 **~·ly** *ad.*

in·vig·or·a·tion [invìgəréiʃən] *n.* U 기운 나게 함, 고무, 격려

in·vig·or·a·tive [invígərèitiv] *a.* 심신을 상쾌하게 하는, 고무하는 **~·ly** *ad.*

in·vig·or·a·tor [invígərèitər] *n.* 기운을 돋우어 주는 사람[것]; 자극물, 강장제

in·vin·ci·bil·i·ty [invìnsəbíləti] *n.* U 무적(無敵), 정복 불능

*__in·vin·ci·ble__ [invínsəbl] *a.* **1 정복할[이길] 수 없는**, 무적의: At tennis he is ~. 테니스에서는 그는 무적이다. **2** 〈정신 등이〉 불굴의; (장애 등을) 극복할 수 없는, 완강한 **~·ness** *n.* **-bly** *ad.*

thesaurus **investigate** *v.* research, probe, explore, search, scrutinize, inspect, study

Invíncible Armáda [the ~] (스페인의) 무적 함대 《1588년 영국 해군에 격파됨》
invíncible ígnorance (신학적 개념에 관한) 불가항력적 무지; 《익살》 구제 불능의 바보
in vi·no ve·ri·tas [in-ví:nou-véritæ̀s] [L=in wine there is truth] 술에 진실이 있다; 취하면 본성이 나타난다
in·vi·o·la·bil·i·ty [invàiələbíləti] *n.* Ⓤ 불가침(성), 신성
in·vi·o·la·ble [inváiələbl] *a.* (신성하여) 침범할 수 없는, 불가침의, 신성한 **~·ness** *n.* **-bly** *ad.*
in·vi·o·la·cy [inváiələsi] *n.* Ⓤ 침범당하여 있지 않음, 불가침
in·vi·o·late [inváiələt, -lèit] *a.* 침범당하지 않은; 신성한, 모독되지 않은, 더럽혀지지 않은
~·ly *ad.* **~·ness** *n.*
in·vis·cid [invísid] *a.* 〈유체(流體)가〉 점도(粘度)가 없는, 무점성(無粘性)의
in·vis·i·bil·i·ty [invìzəbíləti] *n.* Ⓤ 눈에 보이지 않음, 나타나 있지 않음
in·vis·i·ble** [invízəbl] *a.* **1 눈에 보이지 않는** 《*to*》: ~ *to* the naked eye 육안으로는 보이지 않는 / Air is ~. 공기는 눈에 보이지 않는다. **2** 얼굴을 보이지 않는, 모습을 나타내지 않는: He remains ~ when out of spirits. 그는 기분이 나쁘면 남을 만나지 않는다. **3** 분간[구별, 분별]이 잘 안 가는: ~ differences 분간하기 힘든 차이 **4** (재무제표·통계 등에) 명시되어 있지 않은; 무역 외의 **5** 세상에 알려지지 않은 **6** (검정과 거의 비슷한 정도로) 진한: ~ green 짙은 녹색 ***~ exports and imports 〖경제〗 무역 외 수지 《운임·보험료·수수료·관광객의 소비 등》(cf. INVISIBLE EXPORTS; INVISIBLE IMPORTS)
— *n.* **1** 눈에 보이지 않는 것[존재] **2** [the ~] 영계(靈界); [the I~] 신(God) **3** [*pl.*] 〖경제〗 무역 외 수지
~·ness *n.*
invísible bálance 〖경제〗 무역 외 수지
invísible cáp [the ~] 요술 모자 《이것을 쓰면 남의 눈에 보이지 않게 된다는 전설의》
invísible éxports 무역 외 수출, 무형 수출품 《특허료·수송료·보험료 등》
invísible gláss 불가시(不可視) 유리; 무반사(無反射) 유리
invísible gòvernment 《미》 보이지 않는 정부 《CIA의 별칭》
invísible hánd 〖경제〗 보이지 않는 손 《Adam Smith의 경제학에서》
invísible ímports 무역 외 수입, 무형 수입품(cf. INVISIBLE EXPORTS)
invísible ínk = SECRET INK
invísible ménding 자국이 남지 않게 수리하기, 짜깁기
invísible tráde 〖경제〗 무역 외 거래, 무형 무역 《관광·보험·운임 등》
in·vis·i·bly [invízəbli] *ad.* 눈에 보이지 않게[보이지 않을 정도로]
‡in·vi·ta·tion [ìnvətéiʃən] *n.* **1** ⓊⒸ **초대, 초빙**; Ⓒ **초대장**, 안내장 《*to*》: a letter of ~ 초대장 / admission by ~ only 입장은 초대 받은 사람에 한함 / send out ~*s* 초대장을 보내다 / accept[decline] an ~ (*to* a party) (파티에의) 초대에 응하다[를 사절하다] // (~+*to* do) He has accepted an ~ *to* take charge of the glass works. 그는 그 유리 공장의 경영을 맡아 달라는 초빙에 응했다. **2** 제안, 제창, 권장, 권유 **3** ⓊⒸ 매력, 유혹, 자극, 도전 《*to*》: an ~ *to* suicide 자살하고 싶은 유혹 **4** 유인(provocation) 《*for*》 ***at*[*on*] *the ~ of*** …의 초대로
in·vi·ta·tion·al [ìnvətéiʃənl] *a.* 초대받은 선수[팀]만이 참가하는: an ~ track meet 초대 육상 경기회
— *n.* 초대 선수 경기회; 초대 작가[화가] 전람회; 무료 초대의 리셉션[환영회]
invitátional tóurnament 초청 경기
in·vi·ta·to·ry [inváitətɔ̀:ri | -təri] *a.* 초대의, 초대를 위한, 초대의 뜻을 전하는 **—** *n.* 초문(招文), 초사(招詞) 《특히 시편 95》
‡in·vite [inváit] *vt.* **1 초청하다, 초대하다**(ask): (~+목+전+명) ~ a person *to* one's house …을 집에 초대하다 // (~+목+*to* do) We ~*d* her *to* have dinner with us. 우리는 그녀에게 만찬을 함께 하자고 초대했다. // (~+목+부) be ~*d out* 초대되어 가다 **2** 〈…에게〉 〈…할 것을〉 권하다; 안내하다 《*in, into*》: (~+목+*to* do) He ~*d* us *to* be seated. 그는 우리에게 앉을 것을 권했다. **3** (정중히) 부탁하다, 청하다: ~ an opinion 의견을 구하다 / ~ donations 기부를 부탁하다 / Questions are ~*d*. 질문이 있으면 해 주십시오. // (~+목+*to* do) ~ a person *to* sing 노래해 달라고 청하다 **4** 〈마음 등을〉 끌다, 쏠리게 하다, 〈관심을〉 자아내다: Every scene ~*s* the ravished eye. 어느 장면이나 다 보는 사람의 눈을 매혹한다. // (~+목+*to* do) The cool water of the lake ~*d* us *to* swim. 호수의 물이 시원해서 우리는 헤엄치고 싶어졌다. **5** 〈비난·위험 등을〉 가져오다, 초래하다, 당하다: She ~*d* the accident by fast driving. 그녀는 과속 운전을 해서 그 사고를 냈다.
— *vi.* 초대하다; 매혹하다, 끌다, 유혹하다
— [∠–] *n.* 《구어》 초대(장) **in·vi·tee** [ìnvití:, -vai- | -vai-], **in·vít·er, in·ví·tor** *n.*
▷ invitátion *n.*; invítatory *a.*
in·vit·ing [inváitiŋ] *a.* 초대하는; 유혹적인, 마음을 끄는, 마음이 동하는(tempting); 좋아[맛있어] 보이는
~·ly *ad.* **~·ness** *n.*
in vi·tro [in-ví:trou] [L = in glass] *ad., a.* 시험관[유리관] 안에(의); 〖생물〗 생체 (조건) 밖에서(의)(opp. *in vivo*): an ~ baby 시험관 아기
in vítro fertilizátion 체외 수정(受精)
in vi·vo [in-ví:vou] [L = in a living (thing)] *ad., a.* 〖생물〗 생체 (조건) 안에서(의)(opp. *in vitro*)
in·vo·cate [ínvəkèit] *vt.* 《고어》 = INVOKE
in·vo·ca·tion [ìnvəkéiʃən] *n.* ⓊⒸ **1** (신에의) 기도, 기원, 간구 **2** 탄원, 청원 **3** [the ~] 신의 강림을 기원하는 기도; 악마를 불러내는 주문(呪文) **4** (시의 첫머리의) 시신(詩神)의 영감을 비는 말 **5** (법의) 발동
in·voc·a·to·ry [invɑ́kətɔ̀:ri | -vɔ́kətəri] *a.* 기도[주문]의; 간곡한
***in·voice** [ínvɔis] *n.* 〖상업〗 **송장**(送狀)(에 의한 송부), (송장에 적힌) 화물, (명세 기입) 청구서: an ~ book 송장 대장 / make[generate] an ~ of …의 송장을 만들다[발행하다]
— *vt., vi.* (화물 등의) 송장을 만들다[보내다]
***in·voke** [invóuk] [L 「부르다」의 뜻에서] *vt.* **1** 〈천우신조 등을〉 빌다, 기원하다; 간절히 바라다, 염원하다: ~ God's mercy 신의 자비를 기원하다 **2** 〈법에〉 호소하다, 의지하다; 〈법을〉 실시[발동]하다: ~ martial law 계엄령을 선포하다 **3** 〈혼령 등을〉 불러내다; (마음에) 떠오르게 하다, 연상시키다 **4** 〈사고 등을〉 가져오다, 야기하다 **in·vók·er** *n.* ▷ invocátion *n.*
in·vol·u·cel [invɑ́ljusèl | -vɔ́l-] *n.* 〖식물〗 소총포(小總苞) **in·vòl·u·cél·ate, ~·at·ed** [-leitid] *a.*
in·vo·lu·cre [ínvəlù:kər] *n.* 〖해부〗 피막, 피포(被包); 〖식물〗 총포(總苞) **in·vo·lú·cral** *a.*
in·vo·lu·crum [ìnvəlú:krəm] *n.* (*pl.* **-cra** [-krə]) = INVOLUCRE
in·vol·un·tar·i·ly [invɑ́ləntèrəli, -vɑ̀ləntέər- | -vɔ́ləntər-] *ad.* 모르는 사이에, 부지불식간에; 본의 아니게
***in·vol·un·tar·y** [invɑ́ləntèri | -vɔ́ləntəri] *a.* **1** 본의 아닌, 마음이 내키지 않는(unwilling) **2** 무의식 중의, 부지불식간의: an ~ movement (놀랐을 때 등의) 무의식적[반사적] 동작 **3** 〖해부〗 불수의(不隨意)의 (opp. *voluntary*) **-tàr·i·ness** *n.* Ⓤ

---

invoice *n.* bill, statement, receipt, manifest
invoke *v.* beg, request, entreat, appeal to

invóluntary mánslaughter 〖법〗 과실 치사(죄)
invóluntary múscle 불수의근
in·vo·lute [ínvəlùːt] *a.* **1** 복잡한, 뒤얽힌 **2** 나선형의 **3** 〖식물〗 〈잎이〉 안쪽으로 말린[감긴], 내선(內旋)의 **4** 〖동물〗 소용돌이꼴로 말린, 나선의
— *n.* 〖수학〗 신개선(伸開線)
— *vi.* 안으로 말리다[감기다]; 〈출산 후 자궁이〉 원상태로 돌아가다 **-lut·ed** [-lùːtid] *a.* 뒤얽힌; 〈자궁 등이〉 원상태로 돌아간 **~·ly** *ad.*
*__in·vo·lu·tion__ [ìnvəlúːʃən] *n.* ⓊⒸ **1** 말아 넣음[넣은 선]; 안으로 말림, 회선(回旋) **2** 복잡, 혼란; 〖문법〗 복잡 구문 **3** 〖수학〗 거듭제곱법, 누승법(累乘法) **4** 〖생리〗 퇴화(degeneration); 〖의학〗 복구 작용; 퇴축(退縮) 《자궁 수축 따위》 **-tion·al** [-ʃənl] *a.*
involútional melanchólia 〖정신의학〗 퇴행기 울병(鬱病) 《주로 폐경기 여성에게 생김》
‡**in·volve** [inválv | -vɔ́lv] *vt.*

> L 「안으로 끌어들이다」의 뜻에서
> 「(속에) 포함하다」→(속에 포함하고 있다)→「의미하다」

1 포함하다, (필연적으로) 수반하다; 뜻하다, 필요로 하다: This work ~*s* long hours. 이 일은 오랜 시간을 필요로 한다. // (~+-*ing*) It ~*d* (my) borrow*ing* money from him. 그 일로 나는 그에게 돈을 꾸어야 했다. **2** 종사시키다(employ), 참가시키다 《*in*》 **3** 관계[관련]시키다 《*in, with*》 **4** 감다, 싸다 **5** …에 영향을 미치다 **6** [~ one*self* 로] 열중[몰두]시키다(⇨ involved 3); 밀접한 관계가 되다 《*with, in*》 **7** 〈사람을〉 (사건·논쟁 등에) 말려들게 하다, 휘말리게 하다 《*in, with*》, 연루[연좌]시키다 《*in*》(⇨ involved 2): (~+목+전+명) Don't ~ me *in* your quarrel. 네 싸움에 나를 끌어들이지 마. **8** 복잡하게 하다: ~ matters 문제를 복잡하게 하다 **in·vólv·er** *n.*
in·volved [inválvd | -vɔ́lvd] *a.* **1** 복잡한, 뒤얽힌; 혼란한: an ~ style 복잡[난해]한 문체 **2** (사건 등에) 깊이 관련된, 말려든 《*in*》: be ~ *in* an intrigue 음모에 관련되다 **3** 열중하여 《*in, with*》: (~+전+-*ing*) My son is ~ *in* work*ing* out the puzzle. 내 아들은 그 수수께끼를 푸는 데 열중하고 있다.
in·volv·ed·ly [inválvidli | -vɔ́l-] *ad.*
*__in·volve·ment__ [inválvmənt | -vɔ́lv-] *n.* Ⓤ **1** 말려들게 함, 휩쓸리게 함, 연루, 연좌 《*in*》; 어쩔 수 없는 관계 《*in*》 **2** 곤란한 일, 성가신 일; 재정 곤란
invt. inventory
in·vul·ner·a·ble [inválnərəbl] *a.* **1** 상하지 않는, 죽지 않는 **2** 공격할 수 없는, 이겨낼 수 없는 **3** 〈의논 등이〉 반박할 수 없는
in·vùl·ner·a·bíl·i·ty *n.* **~·ness** *n.* **-bly** *ad.*
in·vul·tu·a·tion [invʌltʃuéiʃən] *n.* 마법에 걸기 위해 인형을 만들거나 사용하기
in·wall [inwɔ́ːl] *vt.* 벽으로 두르다(enwall)
— [스] *n.* 내벽(內壁)
‡**in·ward** [ínwərd] *ad.* **1** 안으로, 속에서 **2** 마음속에서; 은밀히: turn one's thoughts ~ 내성(內省)하다
— *a.* **1** 안의, 내부의; 안쪽으로의, 내향의(opp. *outward*); 〖상업〗 수입(輸入)의: on the ~ side 안쪽에(서) / an ~ curve 안쪽으로의 만곡 **2** 내적인, 마음의: ~ peace[panic] 마음의 평정[공황] **3** 〈목소리가〉 (뱃속에서 나오는 듯이) 낮은
— *n.* **1** 내부; 내심 **2** [*pl.*] [ínərdz] 《구어》 창자, 내장 **3** [*pl.*] 《영》 수입세
ínward invéstment 〖경제〗 (특정 국가 내의) 대내(對內) 투자
Ínward Líght = INNER LIGHT
*__in·ward·ly__ [ínwərdli] *ad.* **1** 내부[안쪽]에[로]: bend[curve] ~ 안쪽으로 굽다 **2** 마음속에, 몰래; 작은 목소리로: speak ~ 작은 소리로 말하다 / *I* ~, I disliked him. 마음속으로는 그 사람이 싫었다. **3** 내부[안쪽, 중심]를 향하여
in·ward·ness [ínwərdnis] *n.* Ⓤ 본질(essence), 진의(眞意); 내적[정신적]임; 영성(靈性)(spirituality)
in·wards [ínwərdz] *ad.* = INWARD
in·weave [inwíːv] *vt.* (**-wove** [-wóuv], **~d**; **-wo·ven** [-wóuvən], 《드물게》 **-wove, ~d**) 짜 넣다, 한데 짜다, 섞어 짜다
in·wind [inwáind] *vt.* (**-wound** [-wáund]) = ENWIND
in·works [ínwɔ̀ːrks] *a.* 《영》 공장 내의[에서 일어나는]
in·wrap [inrǽp] *vt.* = ENWRAP
in·wreathe [inríːð] *vt.* = ENWREATHE
in·wrought [inrɔ́ːt] *a.* Ⓟ **1** 잘 뒤섞은 **2** 수놓은, 박아 넣은 《*in, on*》; 〈직물 등에〉 (무늬를) 짜 넣은 《*with*》; 잘 섞은 《*with*》
in·yan·ga [injáːŋə] *n.* (*pl.* **~s, iz·in·yan·ga** [ìzinjáːŋə]) 《남아공》 한의사, 약초의(醫)
in-your-face [injərféis] *a.* 《미·구어》 도전적인, 대결주의적인
I·o[1] [áiou, íːou] *n.* **1** 〖그리스신화〗 이오 《Zeus의 사랑을 받았으나 Hera의 미움을 받아 흰 암소로 변한 여자》 **2** 〖천문〗 목성의 제1위성
Io[2] *n.* (*pl.* **~s**) = IO MOTH
Io 〖화학〗 ionium **Io.** Iowa **I/O** input / output 〖컴퓨터〗 입출력 **IO** information officer 공보 장교
I/O bús 〖컴퓨터〗 입출력 모선(母線)
IOC International Olympic Committee
I/O contróller 〖컴퓨터〗 입출력 제어 장치
IOCS 〖컴퓨터〗 input / output control system
i·o·date [áiədèit] 〖화학〗 *n.* 요오드산염 — *vt.* 요오드로 처리하다(iodize) **ì·o·dá·tion** *n.*
i·od·ic [aiádik | -ɔ́d-] *a.* 〖화학〗 요오드의, 옥소의, 옥도의
iódic ácid 〖화학〗 요오드산(酸)
i·o·dide [áiədàid, -did | -dàid] *n.* 〖화학〗 요오드화물(化物)
i·o·dine [áiədàin, -din | -dìːn], **-din** [-din] *n.* Ⓤ 〖화학〗 요오드, 옥소 《기호 I》; 《구어》 요오드팅크(tincture of iodine): ~ preparation 요오드제(劑)
íodine vàlue 〖화학〗 요오드가(價)
í·o·dine-xé·non dàting [-zíːnɑn- | -zénɔn-] 〖지질〗 요오드·크세논 연대 측정법
i·o·dism [áiədìzm] *n.* Ⓤ 〖병리〗 요오드 중독(증)
i·o·dize [áiədàiz] *vt.* 요오드로 처리하다, 옥소를 가하다, 요오드화(化)하다
i·o·do·chlor·hy·drox·y·quin [àiədəklɔ̀ːrhaidráksikwin | -drɔ́k-] *n.* 〖약학〗 요오드 염화수소 퀴놀린
i·o·do·form [aióudəfɔ̀ːrm, aiád- | aiɔ́d-] *n.* Ⓤ 〖화학〗 요오드포름
i·o·do·phor [aióudəfɔ̀ːr] *n.* 〖약학〗 요오드포 《방부제·소독제용》
i·o·dop·sin [àiədápsin | -dɔ́p-] *n.* 〖생화학〗 요돕신 《닭의 망막에서 추출되는 감광 색소》
i·o·dous [aióudəs, aiád- | aiɔ́d-] *a.* 〖화학〗 요오드의; 요오드 같은[에 관한]
Iof·fé bár [jɑfíː-] 〖물리〗 요페 봉 《핵융합 장치에서 자기장 강화를 위해 쓰이는 봉》
I of M[W] Isle of Man[Wight] **IOGT** International Order of Good Templars **IOJ** International Organization of Journalists 《1946년 설립; 본부는 Prague》 **IOM** Isle of Man
Ío mòth 〖곤충〗 (미국산) 노란대형산누에나방
i·on [áiən, áiɑn | áiɔn] *n.* 〖화학〗 이온: a positive ~ 양이온(cation) / a negative ~ 음이온(anion)
-ion [-jən, ([ʃ, ʒ, tʃ, dʒ] 뒤에서는) -ən] *suf.* 라틴어계 동사 어미에 붙어서 「상태, 동작」을 나타내는 명사 어미: un*ion*; reg*ion*; miss*ion*
Ion. Ionic
íon èngine 〖항공〗 이온 엔진(ion rocket)
Io·nes·co [jənéskou] *n.* 이오네스코 **Eugene ~** (1912-94) 《루마니아 태생의 프랑스 극작가》

íon ètching 〖물리〗 이온 에칭 《금속 등에 고에너지 이온을 쬐어 부식시키기》

íon exchànge 〖물리·화학〗 이온 교환

i·on-ex·chang·er [áiənikstʃèindʒər] *n.* 〖화학〗 이온 교환체

í·on-ex·change résin [-ikstʃèindʒ-] 이온 교환 수지

íon gènerator 이온 발생기

I·o·ni·a [aióuniə] *n.* 이오니아 《그리스의 Athens를 중심으로 하는 지방》

I·o·ni·an [aióuniən] *a.* 이오니아 (사람)의; 〖음악〗 이오니아식의 **—** *n.* 이오니아 사람

Iónian Íslands [the ~] 이오니아 제도

Iónian Séa [the ~] 이오니아 해(海)

i·on·ic [aiάnik | -ɔ́n-] *a.* 〖물리·화학〗 이온의

I·on·ic [aiάnik | -ɔ́n-] *a.* 이오니아(식)의; 이오니아 방언의; 〖건축〗 이오니아식의; 〖운율〗 이오니아 운각(韻脚)의 **—** *n.* Ⓤ 이오니아 방언(=~ **díalect**); Ⓒ 〖운율〗 이오니아 운각

iónic bónd 〖화학〗 이온 결합

Iónic órder [the ~] 〖건축〗 이오니아 양식 《기둥면에 flute(세로 홈)이 있고 기둥머리 양쪽에 소용돌이꼴이 붙음》

íon implantàtion 〖물리〗 이온 주입(법) 《반도체를 얻는 방법의 하나》

i·o·ni·um [aióuniəm] *n.* Ⓤ 〖화학〗 이오늄 《방사성 우라늄의 동위 원소》

i·on·i·za·tion [àiənizéiʃən | -naiz-] *n.* Ⓤ 〖화학〗 이온화, 전리(電離)

ionizátion chàmber 전리함(函), 이온화함 《방사선 측정 장치의 하나》

i·on·ize [áiənàiz] *vt.* **1** 이온화하다, 전리하다 **2** 이온을 발생시키다 **í·on·ìz·a·ble** *a.*

i·on·iz·er [áiənàizər] *n.* 이온화[전리] 장치

í·on·iz·ing radiátion [áiənàiziŋ-] 〖물리〗 전리 방사선

íon mìlling = ION ETCHING

iono- [aiάnou, -nə | aiɔ́n-] 《연결형》 「이온, 이온화한, 전리급[층]」의 뜻

i·on·o·mer [aiάnəmər | aiɔ́n-] *n.* 〖화학〗 이오노머

i·on·o·phore [aiάnəfɔ̀:r | aiɔ́n-] *n.* 〖생화학〗 이온 투과 담체(擔體)

i·on·o·sonde [aiάnəsὰnd | -ɔ́nəsɔ̀nd] *n.* 이오노존데 《전리층 높이를 측정하는 장치》

i·on·o·sphere [aiάnəsfìər | aiɔ́n-] *n.* 〖천문·통신〗 전리층(電離層); 이온권(圈), 전리권

i·on·o·spher·ic [aiὰnəsférik | aiɔ̀n-] *a.* 전리층의[에 관한]; 이온권[전리권]의

ionosphéric wáve 〖통신〗 전리층파(波)

íon propùlsion (우주선 등의) 이온 추진

íon ròcket = ION ENGINE

i·on·to·pho·re·sis [aiὰntəfərí:sis | aiɔ̀n-] *n.* 이온토포레시스 《이온 도입법》

IOOF Independent Order of Odd Fellows(⇨ Odd Fellow) **IOP** input / output processor 〖컴퓨터〗 입출력 처리기

I/O pórt 〖컴퓨터〗 입출력 포트

-ior[1] [iər] *suf.* 형용사의 비교급을 나타냄: infer*ior*, super*ior*

-ior[2] [iər, jər] *suf.* 「…하는 사람」의 뜻: sav*ior*, pav*ior*

IORM Improved Order of Red Men **IOS** Intelligent Office System

i·o·ta [aióutə] *n.* **1** 이오타 《그리스 어 알파벳의 제9자(I, ι); 로마자의 I, i에 해당》 **2** 미소(微少)(bit); [부정문에서] 아주 조금 ***not an*** **~** 조금도 …않다[없다]

i·o·ta·cism [aióutəsìzm] *n.* 이오타화(化) 《현대 그리스 어에서 모음이나 이중 모음을 이오타음(영어의 [i:] 음)으로 발음하는 경향》

IOU [I owe you의 발음에서] *n.* (*pl.* **~s, ~'s**) 약식 차용증(서)

-iour [iər, jər] *suf.* 《영》 = -IOR[2]

-ious [iəs, jəs] *suf.* 「…의 특징을 가진; …으로 가득 찬」의 뜻: delic*ious*, prec*ious*

IOW in other words 바꾸어 말하면 《e-mail 등의 용어》; Isle of Wight

***I·o·wa** [áiəwə, -wèi | áiouə] [북미 인디언의 부족명에서] *n.* 아이오와 《미국 중부의 주; 주도 Des Moines [dəmɔ́in]》 ▷ Iowan *a., n.*

I·o·wan [áiəwən | áiouən] *a., n.* Iowa 주의 (사람)

IP information provider 〖컴퓨터〗 정보 제공자; initial point; 〖야구〗 innings pitched; intermediate pressure; Internet Protocol 〖컴퓨터〗 인터넷 규약

IPA International Phonetic Alphabet 국제 음표 문자; International Phonetic Association 국제 음성학 협회; International Publishers Association 국제 출판인 협회

ÍP addréss 〖컴퓨터〗 인터넷 규약 주소 《TCP / IP로 통신할 때 송신원이나 송신처를 식별하기 위한 주소》

ip·e·cac [ípikæ̀k], **ip·e·cac·u·an·ha** [ìpikæ̀kjuǽnə] *n.* 〖식물〗 토근(吐根) 《남미산 꼭두서닛과(科)의 관목》; Ⓤ 그 뿌리 《토제(吐劑)·하제(下劑)용》

Iph·i·ge·ni·a [ìfidʒənáiə, -ní:ə | -náiə] *n.* 〖그리스신화〗 이피게니아 《Agamemnon과 Clytemnestra의 딸》

IPI International Press Institute 국제 신문 편집자 협회 **ipm** inches per minute **IPM** Institute of Personnel Management **IPO** initial public offering

i·Pod, i·POD, I·Pod [áipɑd] *n.* 아이팟 《애플사에서 개발한 디지털 오디오 플레이어; 상표명》

ipr inches per revolution **IPR** Institute of Pacific Relations 태평양 문제 조사회 **ips** inches per second

IPSE [ípsi] [*i*ntegrated *p*roject *s*upport *e*nvironment] *n.* 〖컴퓨터〗 입시 《대규모의 시스템 개발을 지원하는 통합화 소프트웨어 환경》

ip·se dix·it [ípsi-díksit] [L = he himself said it] 독단적인 주장

ip·si·lat·er·al [ìpsəlǽtərəl] *a.* 〖해부〗 (신체의) 동측(同側)(성)의 **~·ly** *ad.*

ip·sis·si·ma ver·ba [ipsísəmə-vɔ́:rbə] [L = the very words] *pl.* 바로 그대로의 어구

ip·so fac·to [ípsou-fǽktou] [L = by the fact itself] *ad.* **1** 사실 그 자체에 의해 **2** 결과적으로

ip·so ju·re [ípsou-dʒúəri] [L = by the law itself] *ad.* 법률의 힘으로, 법률상

Ips·wich [ípswitʃ] *n.* 입스위치 《잉글랜드 Suffolk 주의 주도》

IP teléphony IP전화, 인터넷 전화(VoIP) 《기존의 회선 교환망 대신에 인터넷과 구내 정보 통신망(LAN) 같은 데이터 패킷망을 통하여 음성 통화를 하는 것》

IPU Inter-Parliamentary Union 국제 의원 연맹

IPY International Polar Year 국제 극년(極年)

IQ import quota 〖경제〗 수입 할당; intelligence quotient **i.q.** *idem quod* 《L = the same as》 **Ir** 〖화학〗 iridium **IR** 〖컴퓨터〗 information retrieval; 〖물리〗 infrared; investor relation 〖경영〗 투자가를 위한 홍보[설명회] **Ir.** Iran; Iranian; Ireland; Irish **I.R.** 《영》 Inland Revenue; intelligence ratio; 《미》 Internal Revenue

ir-[1] 《연결형》 IN-[1]의 변형 《r 앞에 올 때》: *ir*rational

ir-[2] 《연결형》 IN-[2]의 변형 《r 앞에 올 때》: *ir*rigate

I·ra [áiərə] *n.* 남자 이름

IRA 《미》 individual retirement account; Irish Republican Army

i·ra·de [irά:di] *n.* 터키 황제의 칙령(서)

I·rak [irǽk, irά:k | irά:k] *n.* = IRAQ

I·ra·ki [irǽki, irά:ki | irά:ki] *n., a.* = IRAQI

I·ran [irǽn, irά:n | irά:n] *n.* 이란 《아시아 남서부의 공화국; 수도 Teheran; 옛 이름 Persia》 ***the Plateau of*** **~** 이란 고원

I·ra·ni [iréni, iráː- | iráː-] *a.*, *n.* = IRANIAN; = PERSIAN
I·ra·ni·an [iréiniən, iráː-] *a.* 이란 (사람)의; 이란 말의 — *n.* 이란 사람; Ⓤ 이란[페르시아] 말
Irán-Iráq Wàr [the ~] 이란·이라크 전쟁(1980-88)
I·raq [irǽk, iráːk | iráːk] *n.* 이라크 《아시아 남서부의 공화국; 수도 Baghdad》
I·ra·qi [irǽki, iráːki | iráːki] *n.* (*pl.* ~**s**) 이라크 사람; Ⓤ 이라크 말 — *a.* 이라크 사람[말]의
IRAS Infrared Astronomical Satellite 〚천문〛 적외선 천문 위성
i·ras·ci·ble [irǽsəbl, ai-] *a.* 성마른, 화를 잘 내는, 성급한 **i·ràs·ci·bíl·i·ty** *n.* ~**·ness** *n.* **-bly** *ad.*
i·rate [airéit, ´-|-´] *a.* 《문어》 노한, 성난(angry) ~**·ly** *ad.* ~**·ness** *n.*
IRB Irish Republican Brotherhood **IRBM** Intermediate range ballistic missile **IRC** International Red Cross; Internet Relay Chat
ire [áiər] 《문어》 *n.* Ⓤ 화, 분노(anger)
— *vt.* …에 화를 내다
Ire. Ireland
ire·ful [áiərfəl] *a.* 《문어》 화난, 성난, 분노한(angry) ~**·ly** *ad.* ~**·ness** *n.*
‡**Ire·land** [áiərlənd] [OE 「아일랜드 사람(Irish)의 땅」의 뜻에서] *n.* **1** 아일랜드 (섬) 《the Republic of Ireland와 Northern Ireland로 된 섬》 **2** 아일랜드 (공화국)(= the Republic of ~) 《수도 Dublin》 ***Northern*** ~ 북아일랜드 《아일랜드 섬의 북부로 United Kingdom의 일부; 수도 Belfast》 ~**·er** *n.* ▷ Írish *a.*
I·rene¹ [airíːn | -ríːni] *n.* 여자 이름
I·re·ne² [airíːni] *n.* 〚그리스신화〛 평화의 여신 《로마신화의 Pax에 해당》
i·ren·ic, -i·cal [airénik(əl), -ríːn-] *a.* 평화의; 평화적인, 협조적인(peaceful) **-i·cal·ly** *ad.*
i·re·ni·con [airénikàn | airíːnikən, -kɔ̀n] *n.* (*pl.* **-ca** [-kə]) = EIRENICON
i·ren·ics [airéniks, -ríːn-] *n. pl.* [단수 취급] 평화[융화] 신학 《전체 그리스도교도·교파의 화합을 연구하는》
i·ren·ol·o·gy [àirənɑ́lədʒi | -nɔ́l-] *n.* 평화학 《국제관계론의 일부》
Ir. Gael. Irish Gaelic
Ir gène [áiɑ́ːr-] [*i*mmune *r*esponse] 〚생화학〛 Ir 유전자 《면역 응답 유전자》
ir·ghiz·ite [íərgəzàit] *n.* 〚지질〛 이르기스석(石) 《카자흐스탄 공화국에서 발견된 실리카가 풍부한 텍타이트(tektite)》
I·ri·an Ja·ya [íəriɑ̀ːn-dʒɑ́ːjɑː] 이리안 자야, 서(西)이리안 《New Guinea 섬 서반부의 인도네시아령》
irid- [írəd, áiər-] 《연결형》 [모음 앞에서] irido-의 이형: *irid*ectomy
ir·i·da·ceous [ìrədéiʃəs, àiər-] *a.* 〚식물〛 붓꽃과(科)의; 《특히》 iris속(屬)의
ir·i·dec·to·my [ìrədéktəmi, àiər-] *n.* (*pl.* **-mies**) 〚외과〛 홍채 절제(술)
ir·i·des [írədìːz, áiər-] *n.* IRIS의 복수
ir·i·des·cence [ìrədésns] *n.* Ⓤ 무지갯빛, 보는 각도에 따라 달라지는 빛, 훈색(暈色)
ir·i·des·cent [ìrədésnt] *a.* 무지개와 같이 색이 변화하는; 무지개 빛깔의, 진주빛의 ~**·ly** *ad.*
i·rid·ic [irídik, airíd-] *a.* 〚화학〛 이리듐(산)의[을 함유하는]; 〚해부〛 홍채(iris)의
i·rid·i·um [irídiəm, airíd-] *n.* Ⓤ 〚화학〛 이리듐 《금속 원소; 기호 Ir, 번호 77》
irido- [írədou, -də, áiərə-] 《연결형》 「무지개; 홍채; 이리듐」의 뜻
ir·i·dol·o·gy [ìrədɑ́lədʒi, àiər- | -dɔ́l-] *n.* (*pl.* **-gies**) 〚의학〛 홍채학, 홍채 진단법 **-gist** *n.*
ir·i·dos·mine [ìrədɑ́zmin, -dɑ́s-, àiər- | -dɔ́z-] *n.* Ⓤ 〚화학〛 이리도스민 《천연 오스뮴과 이리듐의 합금》
i·ri·o [íriɑː] *n.* Ⓤ 《동아프》 이리아 《옥수수·콩·완두콩 등을 섞어 만든 음식》
*‡**i·ris** [áiəris] [Gk 「무지개」의 뜻에서] *n.* (*pl.* ~**·es, ir·i·des** [írədìːz, áiər-]) **1** 〚해부〛 (눈알의) 홍채 **2** 〚식물〛 참붓꽃속(屬), 붓꽃; 〚광물〛 아이리스 《훈색[무지갯빛](의 석영(石英))》 **3** 《시어》 무지개 (모양의 것) **4** 〚광학·사진〛 = IRIS DIAPHRAGM
— *vt.*, *vi.* 〚영화·TV〛 (장면을) 조리개식으로 펴다[닫다] 《*in, out*》 **í·rised** *a.*
I·ris [áiəris] *n.* **1** 여자 이름 **2** 〚그리스신화〛 이리스 《무지개의 여신》
íris diaphragm 〚광학·사진〛 (렌즈의) 조리개
‡**I·rish** [áiəriʃ] *a.* 아일랜드(사람[말])의, 아일랜드풍의
— *n.* **1** Ⓤ 아일랜드 말 **2** [the ~] 아일랜드 국민, 아일랜드군(軍) ***get*** one***'s*** ~ ***up*** 《구어》 성을 내다, 분통을 터뜨리다 ***have the luck of the*** ~ ⇨ luck ~**·ly** *ad.* ▷ Íreland *n.*
I·rish-A·mer·i·can [áiəriʃəmérikən] *n.*, *a.* 아일랜드계 미국인(의)
Írish búll 그럴듯하나 모순된 말[표현]
Írish cóffee 아이리시 커피 《위스키를 타고 생크림을 띄운 뜨거운 커피》
Írish confétti 《속어》 (폭동 때의) 투석용 돌(조각)
Írish dáisy 〚식물〛 식용 민들레
Írish Énglish 아일랜드 영어
Írish Frée Stàte [the ~] 아일랜드 자유국(1922-37) 《the Republic of Ireland의 옛 이름》
Írish Gáelic 아일랜드에서 쓰는 게일 말
I·rish·ism [áiəriʃìzm] *n.* ⓊⒸ 아일랜드풍[기질]; 아일랜드 말투[사투리]
I·rish·ize [áiəriʃàiz] *vt.* 〈성질·풍습 등을〉 아일랜드화하다, 아일랜드풍으로 하다
I·rish·man [áiəriʃmən] *n.* (*pl.* **-men** [-mən, -mèn]) 아일랜드 사람
Írish móss 〚식물〛 식용 바닷말의 일종(carrageen)
Írish potáto 감자 《sweet potato와 구별하여》
Írish Renáissance [the ~] 아일랜드 문예 부흥 《19세기 말 Yeats, Synge 등이 일으킨 민족 문예 운동》
Írish Repúblic [the ~] 아일랜드 공화국 《정식 명칭은 the Republic of Ireland》
Írish Repúblican Ármy [the ~] 아일랜드 공화국군 《북아일랜드 민족주의자의 반영(反英) 조직; 略 IRA》
I·rish·ry [áiəriʃri] *n.* [집합적] 아일랜드 사람; 아일랜드인적 특징[기질]
Írish Séa [the ~] 아일랜드 해(海) 《아일랜드 섬과 잉글랜드 사이》
Írish sétter 적갈색의 새 사냥개
Írish stéw 양고기·감자·양파 등을 넣은 스튜
Írish térrier 아일랜드종의 테리어 《털이 붉고 곱슬곱슬한 작은 개》
Írish twéed 아이리시 트위드 《엷은 색 날실과 짙은 씨실로 짠 직물; 남자 양복감》
Írish wáter spàniel 아이리시워터스패니얼 《푸들과 비슷하게 생긴 개》
Írish whískey 아이리시 위스키 《주원료는 보리》
Írish wólfhound 몸집이 큰 사냥개의 일종
I·rish·wom·an [áiəriʃwùmən] *n.* (*pl.* **-wom·en** [-wìmin]) 아일랜드 여자
i·ris-in [áiərisìn] *n.* 〚영화〛 화면 중앙에서 점점 둥글게 펴지기
i·ris-out [áiərisàut] *n.* 〚영화〛 화면 주변에서 중앙으로 점점 좁아지기
íris shùtter (카메라의) 조리개 셔터
i·ri·tis [aiəráitis] *n.* Ⓤ 〚병리〛 홍채염(炎)
irk [ə́ːrk] *vt.* [보통 it을 주어로] 지루하게[지겹게] 하다: *It* ~*s* me to dress up. 정장하는 것은 질색이다.
irk·some [ə́ːrksəm] *a.* 진저리[싫증] 나는, 지루한(tedious) ~**·ly** *ad.* ~**·ness** *n.*
IRL in real life 《인터넷 채팅 약어》
Ir·ma [ə́ːrmə] *n.* 여자 이름
IRO 《영》 Inland Revenue Office 국세국; Interna-

tional Refugee Organization 국제 난민 구제 기구
i·ro·ko [iróukou] *n.* 〖식물〗 이로코 《수명이 긴 서아프리카산(産) 뽕나뭇과(科)의 나무》; 그 목재
‡i·ron [áiərn] *n.* **1** Ⓤ 철, 쇠 《금속 원소; 기호 Fe, 번호 26》: malleable[pig, wrought] ~ 가단[선, 연]철/the ~ and steel industry 철강 산업/Strike while the ~ is hot. 《속담》 쇠는 뜨거울 때 쳐라 《좋은 기회는 놓치지 말라는 뜻》 **2** (철과 같이) 단단하고 강한 것, 무정[냉혹]한 것: a man of ~ 의지가 강한 사람; 냉혹한 사람 **3** 철제 기구 **a** 아이론, 다리미, 인두: a curling ~ 머리 지지는 인두 **b** 〖골프〗 쇠머리가 달린 골프채: a 5-~ 5번 아이언 **c** [보통 *pl.*] 등자(鐙子)(stirrup); [*pl.*] 족쇄, 수갑 **d** [*pl.*] (철제의) 다리 교정기 **4** Ⓤ 〖약학〗 철제(鐵劑) **5** (영양소로서의) 철분 **6** 《속어》 자동차(car) **7** 《미·속어》 권총, 총, 작살(harpoon) **8** 《속어》 은화 **(as) hard as ~** 쇠같이 단단한; 엄격한, 냉혹한 ***have (too) many ~s in the fire*** 한꺼번에 여러 가지 일에 손대다 ***in ~s*** 수갑[족쇄]을 차고; 〖항해〗 (범선이 이물에 바람을 받고) 꼼짝못하여 ***muscles of ~*** 무쇠 같은 근육 ***pump ~*** 《구어》 바벨을 들어 올리다 ***rule with a rod of ~*** (사람·국가 따위를) 압제[학정]를 하다 ***The ~ entered into his soul.*** 〖성서〗 학대로 괴로워했다; 사로잡힌 몸이 되었다. ***will of ~*** 무쇠 같은[굳센] 의지
— *a.* Ⓐ **1** 철의, 철을 함유하는, 철제의: an ~ gate 철문 **2** 쇠 같은, 쇠같이 단단한[강한]: an ~ will 철석같은 의지 **3** 엄한 **4** 확고한, 흔들림이 없는, 완고한: ~ determination 확고부동한 결의
— *vt.* **1** 다림질하다(press): (~+목+목) (~+목+전+명) Won't you ~ me this suit? = Won't you ~ this suit *for* me? 이 옷을 다려 주지 않겠소? **2** 수갑[족쇄]을 채우다 **3** 〈…에〉 쇠를 입히다[대다], 장갑(裝甲)하다
— *vi.* 다림질하다; 〈옷이〉 다림질되다: (~+부) This shirt ~s *easily.* 이 셔츠는 다림질하기가 쉽다.
~ off 《미·속어》 지불하다(pay) ***~ out*** (1) 다리미로 다리다; 롤러로 〈길을〉 고르게 하다 (2) 《미》 원활하게 만들다; 〈곤란·문제 등을〉 제거하다, 해결[해소]하다 (3) (가격의) 변동을 억제하다 ▷ írony[2] *a.*
Íron Àge [the ~] **1** 〖고고학〗 철기 시대 **2** [때로 **i- a-**] 〖그리스신화〗 흑철(黑鐵) 시대 《golden age, silver age, bronze age에 계속되는 가장 타락했던 시대》 **3** [**i- a-**] 《일반적으로》 퇴폐·악덕의 시대, 말세
i·ron·bark [áiərnbɑ̀ːrk] *n.* (단단한 껍질과 재질을 가진) 유칼리나무
i·ron·bound [-báund] *a.* **1** 쇠를 씌운; 단단한, 굽혀지지 않는 **2** 〈해안 등이〉 바위가 많은: an ~ coast 바위가 많은 해안 **3** 〈규칙 등이〉 엄한: ~ rules 철칙
Íron Cháncellor [the ~] 철혈 재상(鐵血宰相) 《Bismarck》
i·ron·clad [-klǽd] *a.* **1** 철갑의, 장갑(裝甲)의, 철판으로 싼 **2** 《미》 〈규약·약속 등이〉 어길 수 없는, 엄한 **3** 《미》 〈식물이〉 불리한 조건하에 (추위 등을) 견딜 수 있는 — [스ㅡ] *n.* **1** 철[장]갑함(艦) **2** 엄격한 사람
Íron Cróss (독일의) 철십자 훈장
íron cúrtain [the ~; 때로 **I- C-**] 철의 장막 《구소련측과 서방측을 갈라놓는 정치적·사상적 벽; cf. BAMBOO CURTAIN》
Íron Dúke [the ~] Wellington 공작의 별명
i·ron·er [áiərnər] *n.* 다리미질하는 사람; (세탁용 마무리 기구인) 아이로너(mangle)
íron físt = IRON HAND
i·ron·fist·ed [áiərnfístid] *a.* 구두쇠인(stingy); 무정한; 냉혹한(ruthless)
i·ron-found·er [-fàundər] *n.* 주철 제조업자
íron fòundry 주철 공장
Íron Gáte [the ~] 철문 《루마니아와 구(舊)유고슬라비아 국경의 Danube 강에 있는 협곡》
íron gráy 철회색(鐵灰色) **í·ron-gráy** *a.* 철회색의
íron hánd 엄격, 압제, 가혹 ***the [an] ~ in the [a] velvet glove*** 외유내강 ***with an ~*** 강하게, 엄하게
i·ron·hand·ed [-hǽndid] *a.* 압제적인, 가혹한
i·ron·heart·ed [-hɑ́ːrtid] *a.* 무정한, 냉혹한
íron hórse [the ~] 《고어·익살》 기관차; 《미·속어》 전차(tank)
***i·ron·ic, -i·cal** [airɑ́nik(əl) | -rɔ́n-] *a.* 반어(反語)의, 반어적인; 빈정대는, 빗대는, 비꼬는
i·rón·i·cal·ness *n.* ▷ írony[1] *n.*
i·ron·i·cal·ly [airɑ́nikəli | -rɔ́n-] *ad.* **1** 비꼬아, 반어적으로 **2** [문장 전체를 수식하여] 얄궂게도
i·ron·ing [áiərniŋ] *n.* Ⓤ 다림질; [집합적] 다림질하는 옷[천]
íroning bòard 다리미[인두]판
i·ro·nist [áiərənist] *n.* 빈정대는 사람, 《특히》 풍자 작가
i·ro·nize[1] [áiərənàiz] *vt., vi.* 비꼬듯이 말[행동]하다
i·ron·ize[2] [áiərnàiz] *vt.* (영양소로) …에 철분을 섞다
Íron Lády [the ~] 철의 여인 《영국 수상 Margaret Thatcher의 별명》
íron láw of wáges 〖경제〗 임금 철칙 《임금은 최저 생활 유지선에 머무는 경향이 있다는 학설》
i·ron·like [áiərnlàik] *a.* 무쇠처럼 강한
íron lúng 철폐(鐵肺) 《철제 호흡 보조 장치》
íron máiden **1** [때로 **I- M-**] 여성의 형상을 한 상자로 안쪽에 못을 박아 놓은 고문 도구 **2** [**I- M-**] = IRON LADY
íron mán **1** 뛰어나게 힘이 센 사람, 철인; (야구의) 철완 투수 **2** 《미·속어》 1달러 (은화)
i·ron·mas·ter [áiərnmæ̀stər | -mɑ̀ːs-] *n.* 《영》 철기 제조업자
íron míke 《야구속어》 피칭 머신
íron mòld 쇠붙이의 녹, 잉크 얼룩
i·ron-mold [-mòuld] *vi.* 쇠녹 따위로[잉크 얼룩으로] 더럽히다
i·ron·mon·ger [-mʌ̀ŋgər, -mɑ̀ŋ- | -mʌ̀ŋ-] *n.* 《영》 철물상[장사](《미》 hardwareman)
i·ron·mon·ger·y [-mʌ̀ŋgəri, -mɑ̀ŋ- | -mʌ̀ŋ-] *n.* (*pl.* **-ger·ies**) Ⓤ 《영》 철기류(類), 철물(업); Ⓒ 철물점; 《속어》 총기(firearms)
i·ron-on [-ɔ̀ːn | -ɔ̀n] *a.* 아이론으로 고착시키는: an ~ T-shirt transfer 아이론으로 프린트하는 T셔츠용 전사 도안
íron óxide 〖화학〗 산화철(酸化鐵)
íron póny 《미·속어》 오토바이(motorcycle)
i·ron-pump·er [-pʌ̀mpər] *n.* 《구어》 역기 운동[보디 빌딩]을 하는 사람
íron pyríte(s) 〖광물〗 황철광(pyrite)
íron ràtion [종종 *pl.*] 《미》 비상 휴대 식량
íron rúle 냉혹한 통치
íron sànd 사철(砂鐵)
i·ron·side [-sàid] *n.* **1** 굳센 사람 **2** [**I~**; 보통 *pl.*] Cromwell이 거느렸던 철기병(鐵騎兵)
i·ron·smith [-smìθ] *n.* 대장장이(blacksmith)
i·ron·stone [-stòun] *n.* Ⓤ 철광석, 철광
íron súlfate 〖화학〗 황산철
íron tríangle 《미》 철의 삼각 지대 《정부에 압력을 가하는 기업·국회의원·관료의 3자》
i·ron·ware [-wɛ̀ər] *n.* Ⓤ [집합적] 철기(鐵器), 철물(hardware) 《특히 주방 용품》
i·ron·weed [-wìːd] *n.* **1** = KNAPWEED **2** = BLUEWEED **3** 국화과(科) veronica속(屬) 식물의 총칭
i·ron·wood [-wùd] *n.* ⓊⒸ 경질(硬質) 목재 《흑단 등》; 경질 수목
i·ron·work [-wə̀ːrk] *n.* **1** Ⓤ (구조물의) 철로 된 부분; 철제품 **2** [*pl.*; 단수·복수 취급] 제철소, 철공소
i·ron·work·er [-wə̀ːrkər] *n.* 철공(鐵工), 철공소[제철소] 공원 **í·ron·wòrk·ing** *n.* 철제품 제작(법)
‡i·ro·ny[1] [áiərəni, áiərni] [Gk 「모른 체하기」의 뜻에서] *n.* (*pl.* **-nies**) Ⓤ **1** (부드럽게) 빈정댐, 비꼼, 빗댐, 풍자; 비꼬는 말 **2** 반어(反語); 〖수사학〗 반어법 **3** Ⓒ (운명 등의) 예상 외의 전개[결과]: life's *ironies* 인생의 얄궂음 ***Socratic ~*** 소크라테스식 반어법 《무

지를 가장하고 질문·추구하여 상대방의 무지를 폭로시키는 변론법》 ***the ~ of fate*** [***circumstances***] 운명의 장난, 기구한 인연 ▷ irónic, irónical *a.*

i·ron·y² [áiərni] *a.* 쇠의, 쇠로 만든, 쇠를 포함한; 쇠 같은

Ir·o·quoi·an [ìrəkwɔ́iən] *a.* 이로쿼이 족[어족]의 ── *n.* Ⓤ 이로쿼이 어족 ; Ⓒ 이로쿼이 족의 사람

Ir·o·quois [írəkwɔ̀i, -kwɔ̀iz] *n.* (*pl.* ~) 이로쿼이 족(의 사람) 《New York 주에 살았던 아메리칸 인디언》; Ⓤ 이로쿼이 어족

IRP (이란) Islamic Republican Party

ir·ra·di·ance, -an·cy [iréidiəns(i)] *n.* Ⓤ 발광(發光), 광휘(光輝); 〖물리〗 (방사선의) 조사(照射); 〖전기〗 방사도(放射度)

ir·ra·di·ant [iréidiənt] *a.* 찬란히 빛나는, 빛을 발하는, 눈부신

ir·ra·di·ate [iréidièit] [L 「휘황하게 빛나다」의 뜻에서] *vt.* **1** 비추다, 밝히다 **2** 계몽하다, 지적[정신적]인 광명을 주다, 계발하다 **3** 〈얼굴 등을〉 기뻐서 빛나게 하다, 생기를 주다; 〈친절·애교 등을〉 부리다, 쏟다: a face *~d by*[*with*] smile 미소로 빛나는 얼굴 **4** 복사 에너지로 발하다 **5** (치료 등을 위해) 〈…에〉 방사선을 조사(照射)하다 ── *vi.* 《고어》 찬란히 빛나다; 밝아지다 **-àt·ed** *a.* 조사된 **-à·tive** *a.*

ir·ra·di·a·tion [irèidiéiʃən] *n.* Ⓤ **1** 빛을 투사함, 조사(照射), 방사; 발광 **2** 계발(啓發), 계몽 **3** 광선, 광속(beam) **4** 〖물리〗 광삼(光滲) 《배경을 어둡게 하면 발광체가 실물보다 크게 보이는 현상》 **5** 방사선 요법[조사, 치료]

ir·ra·di·a·tor [iréidièitər] *n.* 방사선 조사 장치

ir·rad·i·ca·ble [irǽdikəbl] *a.* 완전히 제거할 수 없는, 근절할 수 없는 **-bly** *ad.*

***ir·ra·tion·al** [irǽʃənl] *a.* **1** **이성을 잃은**; 도리를 모르는, 분별이 없는; **불합리한**, 바보 같은: an ~ fellow 도리를 모르는 녀석 **2** 〖수학〗 무리수의 ── *n.* **1** 〖수학〗 무리수 **2** 불합리함; 무분별 **~·ly** *ad.* **~·ness** *n.* ▷ irrationálity *n.*

ir·ra·tion·al·ism [irǽʃənəlìzm] *n.* Ⓤ 비합리주의; 무분별, 불합리 **-ist** *a.*, *n.* **ir·rà·tion·al·ís·tic** *a.*

ir·ra·tion·al·i·ty [iræ̀ʃənǽləti] *n.* (*pl.* **-ties**) ⓊⒸ 이성이 없음; 불합리, 부조리

ir·ra·tion·al·ize [irǽʃənəlàiz] *vt.* 불합리[부조리]하게 하다

irrátional númber 〖수학〗 무리수

Ir·ra·wad·dy [ìrəwɑ́di, -wɔ́:di | -wɔ́di] *n.* [the ~] 이라와디 강 《미얀마에서 벵골 만으로 흐르는 강》

ir·re·al [irí:əl | iríəl] *a.* 진실이 아닌; 실재하지 않는 (unreal) **ìr·re·ál·i·ty** *n.*

ir·re·al·iz·a·ble [irí:əlàizəbl | iríəl-] *a.* 실현[달성]할 수 없는

ir·re·but·ta·ble [ìribʌ́təbl] *a.* 반론할 수 없는, 논박[반증]의 여지가 없는

ir·re·claim·a·ble [ìrikléiməbl] *a.* **1** 〈토지가〉 개척[개간]할 수 없는, 메울[매립할] 수 없는 **2** 회복[교정, 개선]할 수 없는 **~·ness** *n.* **-bly** *ad.*

ir·rec·og·niz·a·ble [irékəgnàizəbl, ─̀─́──] *a.* 인식[분간]할 수 없는

ir·rec·on·cil·a·ble [irékənsàiləbl, ─̀─́──] *a.* **1** 조화하지 않는, 양립할 수 없는, 모순되는(conflicting) 《*to, with*》 **2** 타협[화해]할 수 없는, 융화하기 어려운 ── *n.* 비타협적인 사람, 완고한 사람; [종종 *pl.*] 서로 상충하는 생각[신념] **ir·rèc·on·cìl·a·bíl·i·ty** *n.* **~·ness** *n.* **-bly** *ad.*

ir·re·cov·er·a·ble [ìrikʌ́vərəbl] *a.* **1** 돌이킬 수 없는, 회수하기 어려운 **2** 불치의, 회복[복구]할 수 없는, 교정[수정]할 수 없는 **~·ness** *n.* **-bly** *ad.*

ir·re·cu·sa·ble [ìrikjú:zəbl] *a.* 반대[거부, 거절]할 수 없는 **-bly** *ad.*

ir·re·deem·a·ble [ìridí:məbl] *a.* **1** 되살 수 없는; 〈국채 등이〉 상환되지 않는 **2** 〈지폐가〉 불환(不換)의: ~ bank notes 불환 지폐 **3** 〈병 등이〉 불치의, 치료 불가능한 **4** 〈사람이〉 개심(改心)의 희망이 없는 ── *n.* 〖경제〗 무상환 공채, 정시 상환 채권 《기한 전에 앞당겨 상환하지 않는 채권》 **~·ness** *n.* **-bly** *ad.*

ir·re·den·ta [ìridéntə] *n.* 이레덴타, 미회수지 《민족적으로 동일하지만 다른 나라의 지배하에 있는 땅》

ir·re·den·tism [ìridéntizm] [It.] *n.* Ⓤ (이탈리아) 민족 통일주의, 실지(失地) 회복주의 《이탈리아의 미수복지(Italian irredenta)를 합병하려는 운동》 **-tist** *n.*, *a.*

ir·re·duc·i·ble [ìridjú:səbl | -djú:-] *a.* **1** 더 이상 축소[단순화]할 수 없는, 간할[삭감할] 수 없는 **2** 뜻하는 상태[형태]로 만들[돌릴] 수 없는 《*to*》 **3** 〖수학〗 약분할 수 없는 **4** 〖외과〗 정복(整復) 불능의; 비환납(성)의 **ìr·re·dùc·i·bíl·i·ty** *n.* **-bly** *ad.*

ir·re·flex·ive [ìrifléksiv] *a.* 재귀적이지 않은; 반사하지 않는, 반사적이 아닌 **~·ness** *n.* **ìr·re·flex·ív·i·ty** *n.*

ir·re·form·a·ble [ìrifɔ́:rməbl] *a.* 교정할 수 없는, 구제할 수 없는; 개선[변경]할 수 없는

ir·ref·ra·ga·ble [iréfrəgəbl] *a.* **1** 논쟁의 여지가 없는, 논박할 수 없는, 다툴 여지가 없는, 확실한 **2** 범할[어길] 수 없는 **ir·rèf·ra·ga·bíl·i·ty** *n.* **-bly** *ad.*

ir·re·fran·gi·ble [ìrifrǽndʒəbl] *a.* **1** 〈법률 등이〉 범할[어길] 수 없는 **2** 〈광선 등이〉 굴절하지 않는 **~·ness** *n.* **-bly** *ad.*

ir·ref·ut·a·ble [iréfjutəbl, ìrifjú:-] *a.* 반박할 수 없는 **ir·rèf·u·ta·bíl·i·ty** *n.* **-bly** *ad.*

irreg. irregular(ly)

ir·re·gard·less [ìrigɑ́:rdlis] *a.*, *ad.* 《오용》 = REGARDLESS

‡**ir·reg·u·lar** [irégjulər] *a.* **1** **불규칙한**, 변칙적인: an ~ heartbeat 불규칙적인 심장 박동 / an ~ liner 부정기선(船) **2** **고르지 못한**, 같지 않은, 갖추지 못한; 〈길 등이〉 울퉁불퉁한: ~ teeth 고르지 못한 치열 / an ~ road 울퉁불퉁한 길 **3** 〈행위 등이〉 불법의, 반칙의, 무효의: ~ procedure 반칙인 절차 **4** 규율이 없는, 난잡한: ~ conduct 난잡한 행실 **5** 정규가 아닌: ~ troops 비정규군 **6** 〖문법〗 불규칙 (변화)의: ~ verbs 불규칙 동사 **7** 〖식물〗 부정형(不整形)의 ── *n.* 불규칙; [보통 *pl.*] 비정규병(兵), 비정규군; [보통 *pl.*] 규격에 맞지 않는 상품, 2급품, 등외품 **~·ly** *ad.* ▷ irregulárity *n.*

irrégular gálaxy 〖천문〗 불규칙 은하 《특정한 형태를 갖지 않고 질량도 작은》

***ir·reg·u·lar·i·ty** [irègjulǽrəti] *n.* (*pl.* **-ties**) **1** Ⓤ **불규칙**, 변칙; 고르지 못함 **2** 불규칙적인 일[물건]; 반칙, 불법 **3** [*pl.*] 부정 행위[사건]; 난잡한 행실 **4** 생리 불순 ▷ irrégular *a.*

irrégular váriable 〖천문〗 불규칙 변광성

ir·rel·a·tive [irélətiv] *a.* **1** 관계[관련]가 없는; 연고가 없는 《*to*》 **2** 부적당한, 짐작이 틀리는(irrelevant) **~·ly** *ad.* **~·ness** *n.*

ir·rel·e·vance, -van·cy [iréləvəns(i)] *n.* (*pl.* **-vanc·es**; **-cies**) **1** Ⓤ 부적절, 엉뚱함; 무관계 **2** 엉뚱한 말[진술, 행위] **3** Ⓤ 현대성의 결여

ir·rel·e·vant [iréləvənt] *a.* **1** 대중이 틀린, 엉뚱한, 부적절한, 무관계한(unrelated) 《*to*》 **2** 〖법〗 〈증거 등이〉 소송의 쟁점과 관계없는 **3** 현대성이 없는, 시대에 뒤진; 무의미한 **~·ly** *ad.*

ir·re·liev·a·ble [ìrilí:vəbl] *a.* **1** 구조[구제]하기 어려운 **2** 〈고통 등이〉 경감되지 않는

ir·re·li·gion [ìrilídʒən] *n.* Ⓤ **1** 무종교, 무신앙 **2** 반(反)종교, 불경(不敬) **~·ist** *n.*

ir·re·li·gious [ìrilídʒəs] *a.* **1** 무종교의; 신앙심이 없는 **2** 반종교적인, 불경한 **~·ly** *ad.* **~·ness** *n.*

ir·rem·e·a·ble [irémiəbl, irí:miə-] *a.* 《문어》 되

thesaurus **irregular** *a.* **1** **불규칙한** unsteady, uneven, fitful, variable, inconsistent, sporadic, inconstant, erratic, intermittent, occasional **2** **고르지 못한** broken, ragged, crooked, curving, craggy, jagged, rough, unlevel, bumpy, lumpy

irresistible *a.* overwhelming, overpowering,

돌아갈 수 없는(irreversible) **-bly** *ad.*

ir·re·me·di·a·ble [ìrimí:diəbl] *a.* 치료할 수 없는, 불치의; 돌이킬 수 없는, 회복할 수 없는(irreparable) **~·ness** *n.* **-bly** *ad.*

ir·re·mis·si·ble [ìrimísəbl] *a.* **1** 용서하기 어려운 **2** 〈의무 등이〉 회피할 수 없는, 면할 수 없는 **-bly** *ad.*

ir·re·mov·a·ble [ìrimú:vəbl] *a.* 옮길[움직일] 수 없는; 제거할 수 없는; 면직할 수 없는, 종신직의 **ìr·re·mòv·a·bíl·i·ty** *n.* **-bly** *ad.*

ir·rep·a·ra·ble [irépərəbl] *a.* 수선[회복]할 수 없는, 돌이킬 수 없는 **~·ness** *n.* **-bly** *ad.*

ir·re·peal·a·ble [ìripí:ləbl] *a.* 〈법률이〉 폐지할 수 없는, 취소[철회]할 수 없는 **ìr·re·pèal·a·bíl·i·ty** *n.* **~·ness** *n.* **-bly** *ad.*

ir·re·place·a·ble [ìripléisəbl] *a.* 바꿀 수 없는, 대치할 사람[물건]이 없는 **-bly** *ad.*

ir·re·press·i·ble [ìriprésəbl] *a.* 억압할[억누를] 수 없는, 제어할 수 없는, 견딜 수 없는 **—** *n.* 《구어》 〈충격 등을〉 억제할 수 없는 사람 **ìr·re·prèss·i·bíl·i·ty** *n.* **~·ness** *n.* **-bly** *ad.*

ir·re·proach·a·ble [ìripróutʃəbl] *a.* 비난할 여지가 없는, 결점이 없는, 흠잡을 데 없는(blameless) **ìr·re·pròach·a·bíl·i·ty** *n.* **~·ness** *n.* **-bly** *ad.*

ir·re·pro·duc·i·ble [irì:prədjú:səbl | -djú:-] *a.* 재생[복사]할 수 없는 **ir·rè·pro·dùc·i·bíl·i·ty** *n.*

⁎**ir·re·sist·i·ble** [ìrizístəbl] *a.* **1** 저항할 수 없는; 억누를[억제할] 수 없는: an ~ force 불가항력 / an ~ impulse 억누를 수 없는 충동 **2** 사랑스러운, 사람을 녹이는; 뇌쇄적인 〈애교·매력 등〉 **3** 싫다 좋다 할 수 없는 **ìr·re·sìst·i·bíl·i·ty** *n.* **-bly** *ad.*

ir·re·sol·u·ble [ìrizάljubl, irézəl- | irézəl-] *a.* 해결[설명]할 수 없는

ir·res·o·lute [irézəlù:t] *a.* 결단력이 없는, 우유부단한, 우물쭈물하는 **~·ly** *ad.* **~·ness** *n.*

ir·res·o·lu·tion [irèzəlú:ʃən] *n.* Ⓤ 우유부단

ir·re·solv·a·ble [ìrizάlvəbl | -zɔ́lv-] *a.* 분해[분리, 분석]할 수 없는; 해결할 수 없는 **~·ness** *n.*

ir·re·spec·tive [ìrispéktiv] *a.* [보통 다음 성구로] ~ ***of*** …에 상관없이: ~ *of* sex[age] 성별[연령]에 관계없이 **~·ly** *ad.*

ir·res·pi·ra·ble [irésparəbl, ìrispáiərəbl] *a.* 〈공기·가스 등이〉 흡입할 수 없는, 호흡하기에 맞지 않는

ir·re·spon·si·bil·i·ty [ìrispὰnsəbíləti | -spɔ̀n-] *n.* Ⓤ 책임을 지지 않음, 무책임

⁎**ir·re·spon·si·ble** [ìrispάnsəbl | -spɔ́n-] *a.* **1** 〈언동 등이〉 무책임한, 신뢰할 수 없는: ~ accusations 무책임한 비난들 / show an ~ attitude 무책임한 태도를 보이다 **2** 책임을 질 수 없는 **3** 책임을 지지 않는, 책임(감)이 없는 《*for, to*》: He is ~ *for* the result. 그는 그 결과에 대해 책임질 필요가 없다. **—** *n.* 책임(감)이 없는 사람 **~·ness** *n.* **-bly** *ad.* ▷ irresponsibílity *n.*

ir·re·spon·sive [ìrispάnsiv | -spɔ́n-] *a.* 응답하지 않는, 반응이 없는 《*to*》 **~·ness** *n.*

ir·re·ten·tion [ìritén∫ən] *n.* Ⓤ 유지할 수 없음: ~ of urine 〖병리〗 요실금(尿失禁)

ir·re·ten·tive [ìriténtiv] *a.* (정신적으로) 유지할 수 없는 **~·ness** *n.*

ir·re·trace·a·ble [ìritréisəbl] *a.* 되돌아갈 수 없는, 돌이킬 수 없는, 기억해 낼 수 없는 **-bly** *ad.*

ir·re·triev·a·ble [ìritrí:vəbl] *a.* 회복할 수 없는, 만회할 가망이 없는 **ìr·re·trìev·a·bíl·i·ty** *n.* **-bly** *ad.*

ir·rev·er·ence [irévərəns] *n.* Ⓤ 불경(不敬), 불손; Ⓒ 불손한 언행

compelling, forceful, potent, imperative, urgent, unavoidable, inevitable, fascinating, enticing, seductive, captivating

irritate[1] *v.* **1** 짜증나게 하다 annoy, vex, provoke, peeve, infuriate, anger, enrage, disturb, bother **2** 자극하다 chafe, fret, rub, pain, hurt

ir·rev·er·ent [irévərənt] *a.* 불경한, 불손한: an ~ reply 불손한 대답 **~·ly** *ad.*

ir·re·vers·i·ble [ìrivə́:rsəbl] *a.* **1** 거꾸로 할[뒤집을] 수 없는; 역전[역행]할 수 없는 **2** 철회[취소, 변경]할 수 없는 **ìr·re·vèrs·i·bíl·i·ty** *n.* **-bly** *ad.*

ir·rev·o·ca·ble [irévəkəbl] *a.* 되부를 수 없는; 돌이킬 수 없는, 취소[변경]할 수 없는 **ir·rèv·o·ca·bíl·i·ty** *n.* **~·ness** *n.* **-bly** *ad.*

ir·ri·ga·ble [írigəbl] *a.* 〈토지가〉 물을 댈 수 있는, 관개(灌漑)할 수 있는 **-bly** *ad.*

⁎**ir·ri·gate** [írəgèit] [L 「…에 물을 끌다」의 뜻에서] *vt.* **1** 〈토지에〉 물을 대다, 관개하다(water) **2** 〖외과〗 〈상처 등을〉 관주(灌注)하다, 세척하다 **3** 생명을 주다, 비옥하게 하다 **4** 《비유》 윤택하게 하다 **—** *vi.* 관개하다; 관주하다 ▷ irrigátion *n.*

⁎**ir·ri·ga·tion** [ìrəgéiʃən] *n.* Ⓤ **1** 관개, 물을 끌어들임: an ~ canal[ditch] 관개 수로, 용수로 **2** 〖외과〗 관주법 **~·al** *a.* ▷ írrigate *v.*

ir·ri·ga·tive [írəgèitiv] *a.* 관개(용)의

ir·ri·ga·tor [írəgèitər] *n.* 관개하는 사람; 관개차(車); 〖외과〗 관주[세척]기(器)

ir·rig·u·ous [irígjuəs] *a.* 《고어》 **1** 〈토지가〉 비옥한 **2** 관개용의: ~ streams 관개 용수

ir·ri·ta·bil·i·ty [ìrətəbíləti] *n.* (*pl.* **-ties**) Ⓤ **1** 화를 잘 냄, 성급함 **2** 〖생리·생물〗 자극 감수성, 과민성

⁎**ir·ri·ta·ble** [írətəbl] *a.* **1** 화를 잘 내는, 성마른(touchy); 안달하는(fretful): an ~ disposition 성을 잘 내는 기질 **2** (자극에) 반응하는, 민감한; 〖병리〗 〈상처 등이〉 염증성의 **~·ness** *n.* **-bly** *ad.* ▷ irritabílity *n.*

írritable bówel sỳndrome 〖병리〗 과민성 장(腸) 증후군

írritable héart 〖병리〗 과민 심장

ir·ri·tan·cy [írətənsi] *n.* Ⓤ 짜증, 안달; 화남

ir·ri·tant [írətənt] *a.* Ⓐ 자극하는; 〈약 등이〉 자극성의 **—** *n.* 자극제, 자극물; 〖생리〗 자극원[약]

⁑**ir·ri·tate**[1] [írətèit] [L 「흥분시키다」의 뜻에서] *vt.* **1** 짜증나게[초조하게] 하다(annoy), 화나게 하다, 안달하게 하다(⇨ irritated 1) **2** 〖생리〗 자극하다; 염증을 일으키다: This soap may ~ the skin. 이 비누는 피부를 자극할 수도 있다. ▷ irritátion *n.*; írritative *a.*

irritate[2] *vt.* 〖법〗 무효로 하다, 실효시키다

ir·ri·tat·ed [írətèitid] *a.* **1** 신경질이 난: He was ~ *with*[*against*] you. 그는 당신에게 화나 있었다. **2** 자극받은; 염증을 일으킨, 따끔따끔한

ir·ri·tat·ing [írətèitiŋ] *a.* 흥분시키는, 자극하는; 아리게 하는(irritant); 화나는, 비위에 거슬리는, 신경질 나는, 짜증나는(vexing) **~·ly** *ad.*

⁎**ir·ri·ta·tion** [ìrətéiʃən] *n.* **1** Ⓤ 짜증나게 함; 짜증, 격앙, 화; Ⓒ 짜증나는 것, 자극하는 것 **2** Ⓤ 〖생리〗 자극 (상태), 흥분; 염증, 아픔, 과민증: eye ~*s* 눈의 염증 ▷ írritate[1] *v.*; írritative *a.*

ir·ri·ta·tive [írətèitiv] *a.* **1** 짜증나게 하는, 초조하게 하는 **2** 자극성의

ir·ro·ta·tion·al [ìroutéiʃənəl] *a.* 회전하지 않는, 비(非)회전(성)의

ir·rupt [irʌ́pt] *vi.* **1** 돌입[침입, 난입]하다 《*into*》 **2** 〈군중 등이〉 분노를 폭발하다 **3** 〖생태〗 〈개체 수가〉 급격히 증가하다

ir·rup·tion [irʌ́pʃən] *n.* **1** ⓊⒸ 돌입, 침입, 난입 《*into*》 **2** (동물의 개체 수의) 급증, 격증

ir·rup·tive [irʌ́ptiv] *a.* **1** 돌입[난입, 침입]하는 **2** 〖지질〗 = INTRUSIVE **~·ly** *ad.*

IRS Internal Revenue Service 《미》 국세청 **IRSG** International Rubber Study Group (유엔) 국제 고무 연구회

ir·tron [ə́:rtrɑn | -trɔn] *n.* 〖천문〗 적외선원(源)

Ir·ving [ə́:rviŋ] *n.* 어빙 **Washington** ~ (1783-1859) 《미국의 작가·역사가》

Ir·ving·ite [ə́:rviŋàit] *n.* 《경멸》 어빙파의 신도, 가톨릭 사도 교회의 신자(cf. CATHOLIC APOSTOLIC

CHURCH)

Ir·win [ə́ːrwin] *n.* 남자 이름

‡is [iz, (유성음 뒤) z, (무성음 뒤) s, ìz, íz] *vi.* BE의 3인칭 단수 현재 ⇨ be

is- [ais], **iso-** [áisou, -sə] 《연결형》「등(等), 동(同), 동질 이성체(同質異性體)」의 뜻 《모음 앞에서는 is-》: *iso*chronism 등시성(等時性)

is. island(s), isle(s) **Is.** 〖성서〗 Isaiah; island(s)

IS Intermediate School; Irish Society **ISA** individual savings account; Industry Standard Architecture 표준 구조 《IBM PC의 버스 설계 규격》; international standard atmosphere; International Sugar Agreement 국제 설탕 협정 **Isa.** 〖성서〗 Isaiah

I·saac [áizək] *n.* **1** 남자 이름 **2** 〖성서〗 이삭 《Abraham의 아들, Jacob과 Esau의 아버지》

Is·a·bel, -belle [ízəbèl], **Is·a·bel·la** [ìzəbélə] *n.* 여자 이름 《Elizabeth의 변형》

is·a·bel·la [ìzəbélə] *n.* Ⓤ, *a.* [종종 **I~**] 회황색(의), 밀짚색(의)

is·a·cous·tic [àisəkúːstik] *a.* 등음향(等音響)의

Is·a·do·ra [ìzədɔ́ːrə] *n.* 여자 이름

is·a·go·ge [áisəgòudʒi, ㅡㅡ́ㅡ] *n.* (학문에의) 입문, 길잡이

i·sa·gog·ic [àisəgádʒik | -gɔ́dʒ-] *a.* (특히 성서의 연혁을) 안내하는, 서설적인 **—** *n.* [*pl.*; 단수 취급] 성서 서론 《문헌학적 연구의 길잡이》

I·sa·iah [aizéiə | -záiə] *n.* **1** 남자 이름 **2** 〖성서〗 이사야 《히브리의 대예언자, 기원전 720년경의 사람》; (구약 성서 중의) 이사야서(書) 《略 Isa.》

is·al·lo·bar [aisǽləbɑ̀ːr] *n.* 〖기상〗 기압 등변화선

is·al·lo·therm [aisǽləθə̀ːrm] *n.* 〖기상〗 기온 등변화선

ISAM indexed sequential access method 〖컴퓨터〗 색인 순서 접근 방식

is·a·nom·al [àisənáməl | -nɔ́m-] *n.* 〖기상〗 등편차선(等偏差線) **-a·lous** *a.*

i·sa·tin [áisətin] *n.* Ⓤ 〖화학〗 이사틴 《염료용》

ISBN International Standard Book Number 국제 표준 도서 번호 **ISC** International Space Congress; International Student Conference

Is·car·i·ot [iskǽriət] *n.* **1** 〖성서〗 이스가리옷 《예수를 배반한 Judas의 성(姓)》 **2** 배반자, 모반자

is·ch(a)e·mi·a [iskíːmiə] *n.* Ⓤ 〖병리〗 (혈관 수축에 의한) 국소 빈혈, 허혈 **is·ch(a)e·mic** [iskíːmik] *a.*

is·chi·ad·ic [ìskiǽdik], **is·chi·al** [ískiəl], **is·chi·at·ic** [ìskiǽtik] *a.* 좌골(坐骨)(신경)의(sciatic)

is·chi·um [ískiəm] *n.* (*pl.* **-chi·a** [-kiə]) 〖해부〗 좌골(坐骨)

ISD international subscriber dialing 자동 전화 방식 **ISDN** integrated services digital network 〖컴퓨터〗 종합 정보 통신망

-ise[1] [aiz] *suf.* 《영》 = -IZE

-ise[2] *suf.* 「…의 성질, …의 조건, …의 기능」의 뜻: franch*ise*

is·en·thalp·ic [àisənθǽlpik, àizən- | àisen-] *a.* 〖물리〗 등(等)엔탈피의, 엔탈피가 일정한

is·en·trop·ic [àisəntrápik, -tróup-, àizən- | àisentrɔ́p-] *a.* 〖물리〗 **1** 등(等)엔트로피의, 일정한 엔트로피를 갖는 **2** 등엔트로피선(線)의

I·seult [isúːlt] *n.* 이졸데 《아서왕 전설에서 Cornwall 왕의 아내, Tristram의 애인》

ish[1] [íʃ] *n.* 《속어》 'shit'의 뜻 《방송용으로 편집된 힙합송에서 주로 사용》

ish[2] *ad.* 《영·구어》 대략, 거의 《앞의 말에 대한 불확실성을 추가》

-ish[1] [iʃ] *suf.* [형용사·명사에 자유로이 붙여서 쓰임] **1** 「…의, …에 속하는, …성(性)의」: Engl*ish*, Ir*ish* **2** 「…와 같은, …다운」: fool*ish*, child*ish* **3** 「약간 …을 띤, …의 기미가 있는」: whit*ish*, cold*ish* **4** 《구어》 「대략 …무렵, …쯤 되는」: 4: 30-*ish* 4시 반경의 / thirty*ish* 30세쯤 되는 / dinner*ish* 만찬을 먹을 무렵의

-ish[2] *suf.* [프랑스 어로부터 차용] -ir로 끝나는 동사의 어간에 붙여서 동사를 만듦: finn*ish*, rav*ish*

Ish·ma·el [íʃmiəl, -meiəl] *n.* **1** 〖성서〗 이스마엘 《Abraham의 아들》 **2** 추방당한 사람, 세상에서 버림받은 자, 사회의 적(outcast)

Ish·ma·el·ite [íʃmiəlàit, -meiəl-] *n.* 이스마엘의 자손; 추방당한 사람, 사회의 적(Ishmael)

Ish·tar [íʃtɑːr] *n.* 이슈타르 《앗시리아·바빌로니아의 사랑·풍요·전쟁의 여신》

Íshtar Tér·ra [-térə] 〖천문〗 이슈타르 육지 《금성의 북반구에 있는 고원 지대》

ISI Iron and Steel Institute

i·sin·glass [áizənglæ̀s, -glɑ̀ːs | -ziŋglɑ̀ːs] *n.* Ⓤ 부레풀 《물고기의 부레로 만듦》; 〖광물〗 운모(mica)

I·sis [áisis] *n.* 이시스 《고대 이집트의 풍요의 여신》

isl., Isl. island; isle

***Is·lam** [islɑ́ːm, iz-, ísləm | ízlɑːm] *n.* **1** 이슬람교, 마호메트교, 회교 **2** [집합적] 전(全)이슬람교도 **3** 이슬람 문화[문명]; 전체 이슬람교국

Is·lam·a·bad [islɑ́ːməbɑ̀ːd, -bæ̀d | izlɑ́ːmɑːbæ̀d] *n.* 이슬라마바드 《파키스탄의 수도》

Íslam[Islámic] fundaméntalism 이슬람 원리주의(Moslem fundamentalism)

Is·lam·ic [islǽmik, -lɑ́ːm- | izlǽm-] *a.* 이슬람교의, 회교(도)의

Islámic cálendar 이슬람력(曆)

Islámic Jihád 이슬라믹 지하드 《이슬람교 시아파의 과격 테러 활동 조직》

Is·lam·ism [islɑ́ːmizm, iz- | ízləmìzm] *n.* 이슬람교(신앙), 회교(신앙)(Mohammedanism)

Is·lam·ite [islɑ́ːmait, iz- | ízləmàit] *n.* 이슬람교도

Is·lam·it·ic [ìsləmítik | ìz-] *a.* = ISLAMIC

Is·lam·ize [ísləmàiz, íz- | ízləmàiz] *vt.* 이슬람(교)화하다; 이슬람교를 신봉시키다 **Ìs·lam·i·zá·tion** *n.*

Is·lam·o·fas·cism [ìzlɑːməfǽʃizm] *n.* 과격한 이슬람주의 **-fas·cist** *a.*, *n.*

‡is·land [áilənd] [OE 「물에 둘러싸인 땅」의 뜻에서] *n.* **1** 섬 《略 Is.》: a desert ~ 무인도 / an ~ country 섬나라 **2** 섬과 비슷한 것; 고립된 언덕; (가로상의) 안전지대; 《미》 대초원 속의 삼림지; 〖해부〗 (세포의) 섬, 세포군(群) **3** 〖항해〗 (항공모함 우현의) 사령탑 《브리지·포대·굴뚝 등을 포함하는 구조물》 **4** 〖철도〗 양쪽에 선로가 있는 플랫폼(= ~ **plátform**) **5** 오아시스 **6** [the ~] 《호주·뉴질》 남태평양의 섬들

the I~ of Saints 성인도(聖人島) 《아일랜드의 별명》 ***the I~s of the Blessed*** 〖그리스신화〗 극락도 《착한 사람이 죽은 후 가서 산다는》

— *vt.* **1** 섬으로 만들다; 고립시키다 **2** [보통 수동형으로] (섬처럼) 산재(散在)시키다 《*with*》 **3** 고립시키다, 격리하다(isolate) ▷ ínsular *a.*; ínsulate *v.*

ísland árc 호상(弧狀) 열도

is·land·er [áiləndər] *n.* 섬의 주민; 섬(나라) 사람

is·land-hop·ping [-hápiŋ | -hɔ́p-] *n.* Ⓤ (여행객들의) 섬 순례 여행

ísland úniverse 〖천문〗 섬우주(external galaxy) 《GALAXY의 옛이름》

isle** [áil] *n.* 《시어》 작은 섬; 섬 《산문(散文)에서는 고유명사하고만 함께 씀》 ***the I~ of Man 맨 섬 ***the I~ of Wight*** 와이트 섬

— *vt.* 작은 섬으로 만들다; 격리시키다

— *vi.* 작은 섬에 살다

is·let** [áilit] *n.* 작은 섬; 작은 섬 모양의[비슷한] 것 ***~ of Langerhans 〖해부〗 랑게르한스섬 《췌장 속에서 인슐린을 분비하는 세포군》

isls., Isls. islands; isles

ism [ízm] *n.* 《구어》 주의, 학설, 이즘(doctrine)

-ism [izm] *suf.* **1** [행동, 상태, 작용]: bapt*ism*, hero*ism* **2** [체계, 주의, 신앙]: Darwin*ism*, Calvin*ism* **3** [특성, 특징]: Irish*ism* **4** [병적 상태]: alcohol*ism* **5** [-ize 동사의 명사형]: bapt*ism*

Is·ma·'il·i, Is·ma·'il·i·an [ìsmeiíli(ən) | ìzmɑːíːli(ən)] *n.* 〖이슬람교〗 이스마일파의 신도
Is·ma·'i·li·ya [ìsmeiəlíːə, -maiəl- | ìzmail-] *n.* 〖이슬람교〗 이스마일파
‡**isn't** [íznt] is not의 단축형
i·so [áisou] [*iso*lation] *n.* (*pl.* **~s**) (미·속어) 독방
ISO Imperial Service Order (영) 문관 훈공장 《1993년 폐지》; International Standardization [Standards] Organization 국제 표준화 기구; International Sugar Organization (유엔) 국제 설탕 기구 《본부 London》
iso- [áisou, -sə] 《연결형》 = IS-
i·so·ag·glu·ti·na·tion [àisouəglùːtənéiʃən] *n.* Ⓤ 〖의학〗 (수혈에 의한) 동종 혈구 응집 반응[현상]
i·so·ag·glu·ti·nin [àisouəglúːtənin] *n.* Ⓤ 〖의학〗 (동종 응집 반응을 일으키는) 동종 응집소
i·so·ám·yl ácetate [àisouǽmil-] 〖화학〗 아세트산 이소아밀 《향료·향수·용제로 쓰이는 무색의 액체》
i·so·an·ti·gen [àisouǽntidʒən] *n.* 〖의학〗 동종항원(alloantigen)
i·so·bar [áisəbàːr] *n.* 〖기상〗 등압선(等壓線); 〖물리〗 동중체(同重體)[핵(核)]
i·so·bar·ic [àisəbǽrik] *a.* 〖기상〗 등압을 나타내는; 〖물리〗 동중 원소의, 동중핵의: an ~ line 등압선 / an ~ isotope 동중 동위 원소
i·so·bath [áisəbæ̀θ] *n.* (해저·지하의) 등심선(等深線) **ì·so·báth·ic** *a.*
i·so·bu·tane [àisəbjúːtein] *n.* 〖화학〗 이소부탄 《무색의 인화성 기체》
i·so·bu·tyl·ene [àisəbjúːtilən] *n.* 〖화학〗 이소부틸렌 《무색의 휘발성 액체》
i·so·bú·tyl nítrite [àisəbjúːtil-] 〖화학〗 질산 이소부틸 《마약 상용자의 마약 대용품》
i·so·car·box·a·zid [àisoukɑːrbɑ́ksəzid | -bɔ́k-] *n.* 〖약학〗 이소카복사지드 《항우울제》
i·so·cheim, -chime [áisəkàim] *n.* 〖기상〗 등한선(等寒線)
i·so·chro·mat·ic [àisəkrəmǽtik] *a.* 〖광학〗 등색(等色)의; 〖물리〗 일정한 파장(波長)[주파수]의
i·soch·ro·nal [aisɑ́krənl | -sɔ́k-], **-nous** [-nəs] *a.* 등시(성)의 **~·ly** *ad.*
i·soch·ro·nism [aisɑ́krənìzm | -sɔ́k-] *n.* Ⓤ 등시성(等時性), 등시 운동
i·soch·ro·nize [aisɑ́krənàiz | -sɔ́k-] *vt.* 등시적으로 하다
i·soch·ro·ous [aisɑ́krouəs | -sɔ́k-] *a.* 전체가 같은 색의, 동색의
i·so·cli·nal [àisəkláinl, àisou-] *a.* **1** 〖물리〗 등복각(等伏角)의 **2** 〖지질〗 등사(等斜)의; 등사 습곡(褶谷)의 **—** *n.* = ISOCLINIC LINE **~·ly** *ad.*
i·so·cline [áisəklàin] *n.* 〖지질〗 등사 습곡
i·so·clin·ic [àisəklínik, àisou-] *a.* = ISOCLINAL 2
isoclínic líne 〖물리〗 등복각선
i·soc·ra·cy [aisɑ́krəsi | -sɔ́k-] *n.* (*pl.* **-cies**) ⓊⒸ 권력 평등주의 **i·so·crat·ic** [àisəkrǽtik] *a.*
i·so·cy·a·nate [àisəsáiənèit] *n.* 〖화학〗 이소시아네이트 《플라스틱·접착제 등에 쓰임》
i·so·di·a·met·ric [àisədàiəmétrik] *a.* **1** 등직경의; 등축의 **2** 〈세포 등이〉 어떤 방향으로도 같은 직경을 갖는 **3** 〈결정체가〉 육방 정계의
i·so·dose [áisədòus] *a.* 등선량(等線量)의 《등량의 방사선을 받는 지점[지대]의》
i·so·dy·nam·ic, -i·cal [àisoudainǽmik(əl)] *a.* 〖물리〗 등력의; 등자력(等磁力)의
isodynámic líne 〖물리〗 등자력선
i·so·e·lec·tric [àisouiléktrik] *a.* 등전위(等電位)의
i·so·e·lec·tron·ic [àisouilèktrɑ́nik | -trɔ́n-] *a.* 〖화학·물리〗 전자수[전자가]가 같은
i·so·en·zyme [àisouénzaim] *n.* = ISOZYME
i·so·ga·mete [àisəgǽmiːt, -gəmíːt] *n.* 〖생물〗 동형 배우자(配偶子)
i·sog·a·mous [aisɑ́gəməs | -sɔ́g-] *a.* 〖생물〗 동형 배우자에 의하여 생식하는(opp. *heterogamous*)
i·sog·a·my [aisɑ́gəmi | -sɔ́g-] *n.* Ⓤ 〖생물〗 동형 배우자 생식, 동형 배우
i·so·ge·ne·ic [àisoudʒəníːik] *a.* = SYNGENEIC
i·so·gen·ic [àisədʒénik] *a.* 〖생물〗 동질 유전자형의, 동종 동계(同種同系)의
i·sog·e·nous [aisɑ́dʒənəs | -sɔ́dʒ-] *a.* 〖생물〗 동원(同原)의, 동생(同生)의
i·so·gloss [áisəglɑ̀s, -glɔ̀ːs | -glɔ̀s] *n.* 〖언어〗 등어선(等語線) 《언어 특징이 다른 두 지방을 분리하는 선》
i·so·glu·cose [àisəglúːkòus] *n.* 이소글루코오스 《전분질 곡물에서 얻는 설탕 대용품》
i·so·gon [áisəgɑ̀n | -gɔ̀n] *n.* 등각형 《모든 각도가 같은 다각형》
i·sog·o·nal [aisɑ́gənl | -sɔ́g-] *a.* 등편각(等偏角)의 **—** *n.* = ISOGONAL LINE
isógonal líne 등편각선, 등방위각선
i·so·gon·ic [àisəgɑ́nik | -gɔ́n-] *a.* **1** 등각의 **2** 등편각선의 **3** 〖생물〗 비례 성장의, 등생장(等生長)의 **—** *n.* = ISOGONAL LINE
i·so·gram [áisəgræ̀m] *n.* 〖기상·지리〗 등위선, 등치선(等値線)
i·so·hel [áisəhèl] *n.* 〖기상〗 등일조선(等日照線)
i·so·hy·et [àisəháiət] *n.* 〖기상〗 등(等)강수량선
i·so·la·ble [áisələbl, ís- | áis-] *a.* 고립[격리, 분리]시킬 수 있는
‡**i·so·late** [áisəlèit, ís- | áis-] [L 「섬처럼 고립된」의 뜻에서] *vt.* [종종 수동형으로] **1** 고립시키다, 격리[분리]시키다 《*from*》: (~+목+전+명) a community that had *been* ~*d from* civilization 문명으로부터 고립되었던 사회 / ~ oneself *from* all society 사회와 모든 교제를 끊다 **2** 〖의학〗 〈전염병 환자를〉 격리하다 **3** 〖전기〗 절연하다(insulate) **4** 〖화학〗 단리(單離)[유리]시키다; 〖세균〗 〈미생물을〉 분리하다
— *n.* [áisələt, -lèit, ís- | áis-] **1** 분리[고립]된 것[사람, 집단]; 〖생물〗 격리 집단 **2** 〖심리〗 고립자
— *a.* [áisələt, -lèit, ís- | áis-] = ISOLATED
*__i·so·lat·ed__ [áisəlèitid, ís- | áis-] *a.* 고립된, 격리된; 〖화학〗 단리된; 〖전기〗 절연된: an ~ house 외딴 집 / an ~ island 고도(孤島)
isolated cámera 부분 촬영용 비디오 카메라
isolated póint 〖수학〗 고립점
i·so·lat·ing [áisəlèitiŋ ís- | áis-] *a.* 〖언어〗 = ANALYTIC
isolating lànguage 고립어 《중국어 등》(cf. AGGLUTINATIVE language(교착어), INFLECTIONAL language(굴절어))
‡**i·so·la·tion** [àisəléiʃən, ìs- | àis-] *n.* ⓊⒸ **1** 격리, 분리; (교통) 차단 **2** 고립(감), 고독 **3** 〖화학〗 단리(單離) **4** 〖전기〗 절연 **5** 〖세균〗 (미생물의) 분리
in ~ 그것만 따로 분리해서 생각하면
isolátion bòoth (TV 스튜디오 안에 설치된) 격리 방음실(防音室)
isolátion hòspital 격리 병원
i·so·la·tion·ism [àisəléiʃənìzm, ìs- | àis-] *n.* Ⓤ 고립주의; (미) 〖정치〗 고립주의 (정책) 《유럽의 정치 간섭에 반대》 **-ist** *n., a.* 고립주의자(적인)
isolátion wàrd 격리 병동
i·so·la·tive [áisəlèitiv, ís- | áisələt-, -lèit-] *a.* **1** 〖언어〗 〈음 변화가〉 고립적으로 생기는, 고립성의(cf. COMBINATIVE) **2** 고립의, 격리적인
i·so·la·to [àisəléitou] *n.* (*pl.* **~es**) (신체적·정신적으로) 고립된 사람
i·so·la·tor [áisəlèitər, ís- | áis-] *n.* 격리하는 사람[물건]; 〖전기〗 절연체(insulator)
I·sol·de [isóuldə | izɔ́ldə] *n.* = ISEULT
I·so·lette [àisəlét] *n.* 미숙아 보육기 《상표명》
i·sol·o·gous [aisɑ́ləgəs | -sɔ́l-] *a.* 〖화학〗 동급체의 《구조는 같되 다른 원자(단)으로 된 화합물의》
i·so·mer [áisəmər] *n.* 〖화학〗 (동질) 이성체(異性體)

i·som·er·ase [aisámərèis, -rèiz | -sɔ́mərèis] *n.* 〖생화학〗 이성화(異性化) 효소
i·so·mer·ic [àisəmérik] *a.* 〖화학〗 이성체의
i·som·er·ism [aisámərìzm | -sɔ́m-] *n.* Ⓤ 〖화학〗 이성(異性); Ⓒ 〖물리〗 (핵종(nuclide)의) 핵(核)이성
i·som·er·ize [aisáməràiz | -sɔ́m-] *vi., vt.* 〖화학〗 이성화하다, 이성체로 바꾸다[바뀌다]
i·sòm·er·i·zá·tion *n.*
i·som·er·ous [aisámərəs | -sɔ́m-] *a.* 〈곤충 등의 다리가〉 같은 수의 부분으로 된; 〖식물〗 〈꽃·잎 등의 각 부분이〉 동수(同數)의; 〖화학〗 동질 이성의
i·so·met·ric [àisəmétrik] *a.* 같은 크기[길이, 각, 용적]의 **—***n.* **1** [*pl.*] = ISOMETRIC EXERCISE **2** = ISOMETRIC DRAWING **-ri·cal·ly** *ad.*
i·so·met·ri·cal [àisəmétrikəl] *a.* = ISOMETRIC
isométric dráwing 등거리 화법[도법(圖法)]
isométric éxercise 등척(等尺) 운동, 아이소메트릭스(isometrics) 《벽·책상 등 고정된 것을 세게 밀거나 당겨서 하는 근육 훈련》
isométric líne 등적(等積)[등용(等容)] 곡선 《일정 체적에서의 압력과 온도의 변화를 나타내는》
i·som·e·try [aisámətri | -sɔ́m-] *n.* **1** (양(量)·액(額)의) 균등 **2** 〖지리〗 (해발의) 등고(等高)
i·so·morph [áisəmɔ̀ːrf] *n.* 〖화학·결정〗 (이종) 동형체[물]
i·so·mor·phic [àisəmɔ́ːrfik] *a.* 같은 모양의, 동일 구조의, 등정형(等晶形)의
i·so·mor·phism [àisəmɔ́ːrfizm] *n.* Ⓤ 〖화학·결정〗 유질 동상(類質同像); 동형 이성(異性)
i·so·mor·phous [àisəmɔ́ːrfəs] *a.* 〖화학〗 〈화합물 등이〉 동형의, 등정형(等晶形)의
i·so·ni·a·zid [àisənáiəzid] *n.* Ⓤ 〖약학〗 이소니아지드, 이소니코틴산 히드라지드 《항결핵제》
i·so·nic·o·tín·ic ácid hýdrazide [àisənìkətínik-] 〖약학〗 이소니코틴산 히드라지드 《결핵 치료제; 略 INH》
i·son·o·my [aisánəmi | -sɔ́n-] *n.* Ⓤ (법적) 동권(同權), 권리 평등
i·so·oc·tane [àisouáktein | -ɔ́k-] *n.* Ⓤ 〖화학〗 이소옥탄 《휘발유의 내폭성(耐爆性) 판별의 표준에 쓰는 일종의 탄화수소》
i·so·pach [áisəpæ̀k] *n.* 〖지질〗 등층후선(等層厚線) 《특정 층의 두께가 같은 점을 이은 지도상의 선》
i·so·phote [áisəfòut] *n.* 〖광학〗 등광도선(等光度線)
i·so·pi·es·tic [àisoupaiéstik] 〖기상〗 *a.* 등압의 (isobaric) **—***n.* 등압선(isobar) **-ti·cal·ly** *ad.*
i·so·pleth [áisəplèθ] *n.* 〖수학·기상〗 등치선(等値線)
i·so·pod [áisəpàd | -pɔ̀d] 〖동물〗 *a., n.* 등각류(等脚類)의 (동물)
i·so·pol·i·ty [àisəpáləti | -pɔ́l-] *n.* Ⓤ (시민권 등의) 권리 평등, 상호 권리
i·so·prene [áisəprìːn] *n.* Ⓤ 〖화학〗 이소프렌 《인조 고무의 원료》
I·so·prin·o·sine [àisəprínəsìːn, -sin] *n.* 〖약학〗 이소프리노신 《실험용 항바이러스제; 상표명》
i·so·pro·pa·nol [àisəpróupənɔ̀ːl, -nɑ̀l | -nɔ̀l] *n.* 〖화학〗 = ISOPROPYL ALCOHOL
i·so·pro·pyl [àisəpróupil] *n., a.* 〖화학〗 이소프로필기(基) (C_3H_7-을 포함하는)
isoprópyl álcohol 〖화학〗 이소프로필 알코올 《살균제》
i·so·pro·ter·e·nol [àisəproutérənɔ̀ːl, -nɑ̀l | -nɔ̀l] *n.* 〖약학〗 이소프로테레놀
is·o·pyc·nic [àisəpíknik] *a.* 등(等)밀도의; 밀도 차를 이용한 분리 기술의
i·sos·ce·les [aisásəlìːz | -sɔ́s-] *a.* 〖기하〗 2등변의: an ~ triangle 이등변 삼각형
i·so·seis·mal [àisəsáizməl, -sáis-] *n., a.* 등진도선(等震度線)(의) **-mic** *a.*
i·sos·mot·ic [àisɑzmátik, -sɑs- | -sɔzmɔ́t-, -sɔs-] *a.* 〖물리·화학〗 = ISOTONIC 1

i·so·spin [áisəspìn] *n.* 〖물리〗 하전(荷電) 스핀, 아이소스핀(isotopic spin)
i·sos·ta·sy [aisástəsi | -sɔ́s-] *n.* Ⓤ 〖지질〗 (지각(地殼)의) 균형; 지각 균형설, 아이소스타시
i·so·stat·ic [àisəstǽtik] *a.* 지각 균형(설)의
i·so·ster·ic [àisəstérik] *a.* **1** 〖화학〗 등(배)전자의 **2** 〖항해〗 등비용(等比容)의 《대기와 해수의 밀도가 같은》
i·so·therm [áisəθə̀ːrm] *n.* 〖기상〗 등온선(等溫線)
i·so·ther·mal [àisəθə́ːrməl] *a.* 등온선의: the ~ layer[line, zone] 등온층[선, 대(帶)]
—*n.* 〖기상〗 등온선 **~·ly** *ad.*
isothérmal région = STRATOSPHERE 1
i·so·tone [áisətòun] *n.* 〖물리〗 동중성자핵
i·so·ton·ic [àisətánik | -tɔ́n-] *a.* **1** 〖화학·물리〗 〈용액이〉 등장(等張)의 **2** 〖생리〗 〈근육이〉 등(긴)장의 **3** 〖음악〗 등음(等音)의 **ì·so·to·níc·i·ty** *n.*
i·so·tope [áisətòup] *n.* 〖화학〗 동위 원소, 동위체; 핵종(核種)(nuclide)
i·so·top·ic [àisətápik | -tɔ́p-] *a.* 동위 원소의
isotópic spín = ISOSPIN
i·so·tron [áisətrɑ̀n | -trɔ̀n] *n.* 〖물리〗 아이소트론 《동위 원소의 전자 분리기의 일종》
i·so·trop·ic [àisətrápik, -tróup- | -trɔ́p-] *a.* 〖물리·동물〗 등방성(等方性)의
i·sot·ro·py [aisátrəpi | -sɔ́t-] *n.* Ⓤ 〖물리·동물〗 등방성 (opp. aeolotropy)
i·so·type [áisətàip] *n.* **1** 〖생물〗 동(同)기준 표본 **2** 아이소타이프 《그림 그래프의 단위가 되는 그림·도형》; 그림 그래프 **i·so·typ·ic** [àisətípik] *a.*
i·so·zyme [áisəzàim] *n.* 〖생화학〗 동질[동위] 효소 (isoenzyme) **ì·so·zým·ic** *a.*
ISP Internet service provider
ISP [ísp] [*i*mpulse *sp*ecific] *n.* Ⓤ (로켓의) 추진력
Í spý (영) 숨바꼭질(hide-and-seek)
Isr. Israel; Israeli
***Is·ra·el** [ízriəl, -reiəl | -reiəl] *n.* 《略 Isr.》 **1** 이스라엘 《아시아 남서부의 지중해에 면한 유대인의 공화국; 수도 Jerusalem》 **2** 〖성서〗 야곱(Jacob)의 별명 **3** [집합적; 복수 취급] 야곱(Jacob)의 자손; 이스라엘 사람, 유대 사람 **4** 하느님의 선민, 그리스도 교도
Is·rae·li [izréili] *n.* (*pl.* **~s,** [집합적] **~**) (현대의) 이스라엘 사람 **—***a.* (현대의) 이스라엘 (사람)의
Is·ra·el·ite [ízriəlàit, -reiəl-] *n.* 이스라엘 사람, 유대 사람(Jew); 하느님의 선민 **—***a.* 이스라엘의; 유대 (사람)의
Is·ra·el·it·ish [ízriəlàitiʃ, -reiəl-] *a.* = ISRAELITE
ISRD International Society for Rehabilitation of the Disabled 신체장애자 재활 국제 협회 **ISSN** (미) International Standard Serial Number
is·su·a·ble [íʃuəbl] *a.* **1** 발포[발행]할 수 있는 **2** 〖법〗 (소송의) 쟁점이 될 수 있는 **-bly** *ad.*
is·su·ance [íʃuəns] *n.* Ⓤ 배급, 배포; 발행, 간행
is·su·ant [íʃuənt] *a.* (태양에서) 광선을 방사하는
‡**is·sue** [íʃuː] *n., v.*

> L 「밖으로 나가다」의 뜻에서
> (밖으로 나감) → (유출)
> ┌ (액체의) 「유출」, 「유출물」 **4**
> ├ (공적인 것의) 「발행」, 「발행물」 **2, 1**
> ├ (혈통의 흐름) 「자손」 **7**
> └ (토론의 흐름에서 나온 것) 문제(점) **6**

—*n.* **1** 발행물; (특히 출판물의) 발행 부수, (제…)판[쇄]: the current ~ 최신[금월, 금주]호 / today's ~ of a paper 오늘 발행의 신문 / the March ~ of a magazine 잡지의 3월호 / the fourth ~ of the novel 그 소설의 4쇄 **2** Ⓤ Ⓒ 발행, 발포 《*of*》; (어음

thesaurus **issue** *n.* **1** 판, 쇄 edition, number, printing, copy, version **2** 발행 publication, circulation, distribution, supplying **3** 유출 outflow, dis-

등의) 발행: the ~ of an order 명령의 발포 / the ~ *of* stamps[a newspaper] 우표[신문]의 발행 **3** 유출점, 출구 《*of*》; 하구(河口) **4** ⓊⒸ **유출**, 배출, 방출, 쏟아져 나옴; Ⓒ 유출물: an ~ of blood = a bloody ~ 출혈(出血) **5** (과정·문제의) **결과**, 결말, 성과: bring a matter to an ~ 문제의 결말[끝]을 짓다 **6 논(쟁)점**, 계쟁(係爭)점, 문제(점)(⇨ question 유의어); 논쟁, 토론: a delicate[grave] ~ 미묘한[중대한] 문제 / political ~*s* 정치 문제 / point of ~ 논쟁점 **7** Ⓤ [집합적] 《고어》 〖법〗 자식, 자녀, 자손: die without male ~ 아들 없이 죽다 **8** [*pl.*] 〖영국법〗 (토지에서 나오는) 수익, 이득 **9** 〖병리〗 (피나 고름의) 배출, (피나 고름이 나오는) 궤양, 상처

abide the **~** 결과를 기다리다 ***at*** **~** (1) 계쟁[논쟁] 중에[의], 미해결로[의]: the point *at* ~ 당면의 문제점 (2) 불화로, 다투고; 모순되어 《*with*》 ***face the*** **~** 사실을 사실로 인정하고 대처하다 ***force the*** **~** 억지로 결말[결론]을 짓다 ***general*** **~** 〖법〗 일반 답변 ***have*** **~*s* *with*** …와 문제가 있다, 불화(不和)하다 ***in the*** (***last***) **~** 결국은, 요는 **~ *of fact*** [***law***] 〖법〗 사실[법률]면의 논쟁점 ***join*** **~** 의견이 대립하다, 논쟁하다 《*with*》; 〖법〗 논쟁점을 결정하다 ***make an*** **~ *of*** …을 문제화하다 ***take*** **~ *with*** …와 논쟁하다, (…의 의견에) 이의를 제기하다 《*about, on, over*》 ***the*** (***whole***) **~** 《구어》 모조리, 전부

— *vi.* **1 나오다**, 나서다, 유출하다, 분출하다 《*forth, out*》: 《~+전+명》 《~+부》 smoke *issuing forth from* a volcano 화산에서 분출되고 있는 연기 **2** (결과로) 끝나다, 결국 (…로) 되다(end) 《*in*》: 《~+전+명》 The attempt ~*d in* failure. 그 시도는 실패로 끝났다. **3 유래하다**, 비롯되다, 생기다(result): 《~+전+명》 The trouble ~*d from* her lack of knowledge. 말썽은 그녀의 무지에서 비롯되었다. **4** 〖법〗 (자손으로서) 태어나다, 나오다 《*from*》 **5** 〈통화·법령 등이〉 발행[발포]되다 **6** 〈서적 등이〉 출판[간행]되다 **7** (힘든 상황으로부터) 빠져나오다 《*from*》

— *vt.* **1** 〈명령·면허증 등을〉 **내다**, 내리다, 발행하다, 발포(發布)하다: 《~+목+전+명》 ~ an order *to* soldiers 병사에게 명령을 내리다 **2** 배급[지급]하다, 넘겨주다: 《~+목+전+명》 ~ ammunition *to* troops 군대에 탄약을 지급하다 **3** 간행[발행]하다, 출판하다; 유포시키다; 〈어음을〉 발행하다: 《~+목+전+명》 Cheap return tickets are ~*d to* all South Coast resorts. 남해안 모든 관광지에는 할인 왕복표가 발행되고 있다. **4** 〈연기·피·눈물 등을〉 내다

ís·su·er *n.* ▷ íssuance *n.*

is·sue·less [íʃuːlis] *a.* 자식이 없는; 결과가 없는; 쟁점이 없는

íssue pàr 〖금융〗 액면(額面)

íssue prìce (증권·채권 등의) 발행 가격

ís·su·ing hóuse [íʃuːiŋ-] 《영》 (증권의) 발행 회사

-ist [ist] *suf.* 「…하는 사람; …을 신봉하는 사람; …주의자; …가」의 뜻: cycl*ist*, novel*ist*, social*ist*

-ista [istə] *suf.* 「…에 열광하는 사람」의 뜻: fashion*ista*

Is·tan·bul [ìstɑːnbúːl, -tæn- | ìstænbúl, -búːl] *n.* 이스탄불 《터키의 옛 수도; 구칭은 Constantinople》

isth. isthmus

isth·mi·an [ísmiən] *a.* **1** 지협(地峽)의 **2** [**I~**] Corinth 지협의; Panama 지협의 — *n.* 지협에 사는 사람; 《특히》 파나마 지협 주민

Ísthmian Canál (**Zòne**) [the ~] 파나마 운하 (지대)

Ísthmian Gámes [the ~] 코린트 지협 경기 대회 《옛날 2년에 한 번씩 거행》

isth·mus [ísməs | ísm-, ísθm-] *n.* (*pl.* **~·es, -mi** [-mai]) **1** 지협; [the I~] 파나마 지협, 수에즈 지협 **2** 〖해부·식물·동물〗 협부(峽部) ▷ ísthmian *a.*

is·tle [ístli] *n.* Ⓤ 열대 아메리카산(産) 용설란 무리의 섬유 《밧줄 등의 원료》

Is·tri·a [ístriə] *n.* 이스트리아 《아드리아 해 북단의 반도》 **Ís·tri·an** *a., n.* 이스트리아 (인)의; 이스트리아 인

ISV International Scientific Vocabulary

⁑**it**[1] ⇨ it (p. 1360)

it[2] [ít] *n.* **1** (술래잡기의) 술래 **2** Ⓤ 《구어》 극치, 지상(至上), 이상(the ideal); 필요한 수완[능력]; 중요 인물, 제1인자: As a Christmas gift, this is really *it*. 크리스마스 선물치고는 이것이 정말 안성맞춤이다. / Among physicists he is *it*. 물리학자 중에서 그는 제1인자다. **3** Ⓤ 《속어》 성적 매력; 성교

That's it. 《구어》 (1) (바로) 그게 문제야, 바로 그거야. (2) 바로 그걸 원하는 거야. (3) 그로써 끝: *That's it* for today. 오늘은 이것으로써 끝. ***This is it.*** 《구어》 드디어 온다, 올 것이 왔다, 이거다. ***with it*** (1) 시대에 뒤떨어지지 않는, 유행을 잘 아는, 현대적인: get *with it* 시대에 뒤떨어지지 않도록 하다 (2) 이해가 빠른; 빈틈없는, 주의 깊은, 기민한 (3) 게다가: This book is very interesting — instructive *with it*. 이 책은 재미있다 — 게다가 유익하다.

it[3] *n.* Ⓤ 《영·구어》 = ITALIAN VERMOUTH: gin and *it* ⇨ gin[1]

IT information technology **It.** Italian; Italy

ITA International Tin Agreement **i.t.a., ITA** Initial Teaching Alphabet **ital.** italic(s) **Ital.** Italian; Italic; Italy

I·ta·lia [itáːljɑː] *n.* = ITALY

⁑**I·tal·ian** [itǽljən] *a.* 이탈리아 (사람·말)의
— *n.* 이탈리아 사람; Ⓤ 이탈리아 어(語)
▷ Ítaly *n.*

I·tal·ian·ate [itǽljənèit, -nət] *a.* 이탈리아화(化)한, 이탈리아식의

Itálian clóth 공단의 일종 《안감용》

Itálian diséase 〖병리〗 매독(syphilis)

Itálian dréssing 마늘·오리건(origan)으로 맛을 낸 샐러드 드레싱

Itálian fóotball 《미·속어》 (수제(手製)의 소형) 폭탄, 수류탄

Itálian gréyhound 이탈리아종 그레이하운드 《애완견》

Itálian hánd(**writing**) 이탈리아 서체 《중세 이탈리아에서 발달한 필기체》

I·tal·ian·ism [itǽljənìzm] *n.* ⓊⒸ 이탈리아식; 이탈리아 기질; 이탈리아 말투 **-ist** *n.*

I·tal·ian·ize [itǽljənàiz] *vt., vi.* **1** 이탈리아식으로 되다[하다], 이탈리아화하다 **2** 이탈리아 어로 말하다
I·tàl·ian·i·zá·tion *n.*

Itálian sándwich 《미·구어》 이탈리안 샌드위치 (submarine)

Itálian sónnet 〖운율〗 이탈리아식 소네트

Itálian vermóuth 이탈리안 베르무트 《단맛이 나는》

Itálian wárehouse 《영》 이탈리아 특산물점

Itálian wárehouseman 《영》 이탈리아 특산물 상인

*__i·tal·ic__ [itǽlik, ait- | it-] [L 「이탈리아(Italy)」의 뜻에서] *a.* **1** 〖인쇄〗 **이탤릭체의**, 사체(斜體)의 **2** [**I~**] (특히 고대) 이탈리아(사람·말)의; 〖언어〗 이탈리아 어계(語系)의

— *n.* **1** [종종 *pl.*] **이탤릭체**, 사체 활자(cf. ROMAN): in ~*s* 이탤릭체로 USAGE 배·신문·잡지·서적 등의 명칭 외에, 강조하는 방법으로서 쓰인다. **2** [**I~**] Ⓤ 〖언어〗 이탈리아 어계

I·tal·i·cism [itǽləsìzm] *n.* = ITALIANISM

i·tal·i·cize [itǽləsàiz, ait- | it-] *vt.* **1** 이탤릭체로 인쇄하다 **2** 이탤릭체를 지시하는 밑줄을 긋다 **3** 강조하다, 눈에 띄게 하다 — *vi.* 이탤릭체를 사용하다
i·tàl·i·ci·zá·tion *n.*

itálic týpe 〖인쇄〗 이탤릭체, 사체(斜體)

Italo- [itǽlou, -lə, ait-, ítəl-] 《연결형》 「이탈리

---

charge, effusion **4 결과** result, end, conclusion, consequence, effect **5 논쟁점** matter, question, problem, subject, topic, controversy, argument

it

대명사 it의 용법은 다음 세 가지로 대별할 수 있다:
1 이미 말한 사물을 가리키는 기본적인 용법
2 강조 구문을 포함하여, 뒤의 주어를 받는 형식주어로서의 용법
3 날씨·시간·거리·상황 등을 가리키는 비인칭 it(Impersonal 'it')로서의 용법 등이다.
한편 1의 경우 「그것」이라는 번역은, 「이것」에 대한 지시적(指示的)인 「그것(that)」과 구별해야 한다. 실제로 문맥에 따라 「저것」이나 「이것」으로 옮기는 것이 자연스런 경우가 많다.

‡**it**[1] [ɪt, ɪt] *pron.* 《소유격 **its,** 목적격 **it,** 복합인칭대명사 **itself**; ⇨ they; it의 소유대명사는 없음》

[주어로서]	
① 그것은[이]	**1, 3**
② [비인칭 동사의 주어로서]	**5**
③ [형식주어로서]	**4 a**
④ [강조구문에서]	**7**
[목적어로서]	
⑤ 그것을[에]	**2 a, b**
⑥ [형식목적어로서]	**4 b**

1 [3인칭 단수 중성 주격] **그것은[이]** ★ 앞서 언급한 무생물, 어구나 성별이 분명치 않거나 이를 고려하지 않을 경우의 어린이·동물을 가리킴: "Where is my cat?"—"*It* is in the kitchen." 내 고양이는 어디 있지? — 부엌에 있어요.
2 [3인칭 단수 중성 목적격] **a** [직접목적어] **그것을** 《용법은 1과 같음》: I ate *it.* 나는 그것을 먹었다. / I gave *it* her. 그녀에게 그것을 주었다. 《★ I gave her a book.이 보통 어순이지만, 간접목적어가 대명사인 경우에는 I gave her it.로 되지 않고 어순을 바꾼다. 단, 일반적으로는 I gave it to her.라고 함》 **b** [간접목적어] 그것에(게): I gave *it* food. 나는 그것에게 먹을 것을 주었다. **c** [전치사의 목적어]: I gave food to *it.* 나는 그것에게 먹을 것을 주었다.
3 [심중에 있거나 문제로 되어 있는 사람·물건·사정·사건·행동 등을 가리켜]: Who is *it*? 누구세요? / *It's* me. 《구어》 (그건) 나요. 《정식으로는 It's I.이지만, 이는 형식적인 표현》 / *It* says, "Keep to the left." 「좌측 통행」이라고 씌어 있다. / What's that noise? — *It's* the dog. 저 소리는 뭐지? — 개 짖는 소리야.
4 a [형식 주어로서 뒤에 나오는 사실상의 주어인 부정사구·동명사구·that 절 등을 대표하여]: *It* is impossible *to* master English in a month or two. 한두 달에 영어를 마스터하는 것은 불가능하다. / *It* is important (*for* you) *to* choose good friends. 좋은 친구를 고르는 것은 중요하다. / *It's* kind *of* you *to* help me. 나를 도와주다니 고맙습니다. / *It* is no use try*ing.* 해봐야 헛수고다. / *It* isn't certain *whether* he will pass the examination. 그가 시험에 합격할지는 확실치 않다. / *It* is strange *that* he says so. 그가 그런 말을 하다니 이상하군. / *It* is said *that* the earth is round. 지구는 둥글다고 한다. **b** [형식목적어로서 뒤에 나오는 사실상의 목적어인 부정사구·동명사구·that 절 등을 대표하여]: I make *it* a rule *to* get up early. 아침에 일찍 일어나기로 하고 있다. / They considered *it* impossible *for* us *to* climb the mountain. 그들은 우리가 그 산에 오르지 못할 것으로 생각했다. / She found *it* cheerful hav*ing* her meals in her room. 그녀는 자신의 방에서 식사를 하는 것이 얼마나 좋은지를 알게 되었다. / I think *it* necessary *that* you (should) do it at once. 당신이 그것을 즉각 할 필요가 있다고 생각합니다. 《《구어》에서는 should를 안 쓰는 경우가 많음》 / I take *it* (*that*) you wish to go home. 너는 집에 가고 싶은 거지. **c** [후속 어구를 가리켜]: *It* is a nuisance, this delay. 골치다, 이렇게 늦다니. 《It는 this delay를 가리킴》
5 [비인칭 동사(impersonal verb)의 주어로서] ★ 특별히 가리키는 것 없이 문장의 형식적 주어가 되며, 번역하지 않음. **a** [날씨·기온을 막연히 가리켜]: *It* is raining. 비가 오고 있다. / *It* is rather warm today. 오늘은 다소 따뜻하다. / *It* looks like snow. 눈이 내릴 것 같다. **b** [시간·시일을 막연히 가리켜]: *It* will soon be New Year. 곧 새해가 될 거다. / *It* is five o'clock. 5시다. / How long does *it* take from here to the station? 여기서 역까지 얼마나 걸리지요? / *It* takes time *to* get used to new shoes. 새 신이 길들려면 시간이 걸린다. **c** [거리를 막연히 가리켜]: *It* is 2 miles to the airport. 공항까지 2마일이다. **d** [명암을 막연히 가리켜]: *It* is dark here. 여기는 어둡다. **e** [사정·상황을 막연히 가리켜]: How's *it* going with you? 요새 어떠십니까? / Had *it* not been for you, what would I have done? 자네가 없었다면 나는 어떻게 했을까? **f** [seem[appear, happen, *etc.*] that ... 의 주어로서] 《that는 생략되기도 함》: *It seems* (*that*) he doesn't know anything about it. 그는 그것에 대해 아무것도 모르는 것 같다. / *It happened* (*that*) I was not in my house at that time. 마침 그때 나는 집에 없었다.
6 《구어》 **a** [어떤 동사의 무의미한 형식상 목적어로서]: Let's walk *it.* 걸어가자. / Damn *it* (all)! 제기랄, 빌어먹을! / You'll catch *it* from your father. 아버지한테 야단맞을 거야. / Fight *it* out! 끝까지 싸워라! / ⇨ GO it 성구 **b** [명사를 임시 동사로 하고 그 뒤에 무의미한 형식적 목적어로서]: cab[bus] *it* 《미》 택시[버스]로 가다 / We footed *it* back to home. 우리는 집까지 걸어서 돌아왔다. / lord *it* over ⇨ lord *vt.* / king *it* ⇨ king *vt.* / queen *it* ⇨ queen *vt.* 2 **c** [전치사의 무의미한 형식상 목적어로서]: I had a good time *of it.* 즐겁게 지냈다. / Out *with it*! 죄다 말해[자백해] 버려! / As soon as I saw his angry face, I knew I was in *for it.* 그의 화난 얼굴을 보자 야단맞겠구나 하고 생각했다.
7 [It is[was] ... that[who, whom, which, *etc.*] 의 구문으로 문장의 주어·(동사 또는 전치사의) 목적어·부사 어구를 강조하여] ★ 이 it 다음에 오는 be의 시제는 clause 안의 동사에 따라 is 또는 was가 되며, clause 안의 동사의 인칭은 바로 앞의 명사·대명사와 일치함: *It is* I *that*[*who*] am to blame. 잘못한 사람은 나야. / *It was* she *who* told me the story. 그 이야기를 나에게 해 준 사람은 바로 그녀였다. / *It was* Mary (*that*) we saw. 우리가 본 사람은 메리였다. 《종종 that와 같은 관계대명사가 생략됨》 / *It was* classical music *that* he listened to. 그가 들었던 것은 고전 음악이었다. / *It was* on Friday *that* Mrs. Smith came. 스미스 여사가 온 날은 금요일이었다. / *It was* wine (*that*) you drank, not water. = *It was* wine, not water, (*that*) you drank. 네가 마신 것은 포도주지 물이 아니었다.

at it 싸움을[장난 등을] 하고 있다; 《속어》 (사물에) 전념[열중]하다; 술에 빠지다
have had it ⇨ have *v.*
If it had not been for ⇨ if
If it were not for ⇨ if

아의, 이탈리아와 …간의」의 뜻

I·tal·o·phile [itǽləfàil, ítələ-] *a.*, *n.* 이탈리아를 좋아하는[편드는] (사람)

‡**It·a·ly** [ítəli] *n.* 이탈리아 《유럽 남부의 공화국; 수도 Rome》 ▷ Itálian *a.*, *n.*

IT&T International Telephone and Telegraph Corporation (미) 국제 전화 전신 회사

ITAR-Tass [ítɑːrtǽs, -tɑ́ːs | -tǽs] [*I*nformation *T*elegraph *A*gency of *R*ussia *Tass*] *n.* (러시아) 이타르타스 《러시아의 공식 통신사》

ITC Independent Television Commission (영) 독립 TV 위원회 《방송 산업 재정비를 위한 민간 TV 방송 규제 기관》; International Tin Council (유엔) 국제 주석 이사회 《본부 London》; International Trade Commission (미) 국제 무역 위원회; International Traders Club

*__itch__ [ítʃ] *n.* **1** 가려움; 〖병리〗 옴 **2** 참을 수 없는 욕망, 갈망 《*for*》: (~+*to* do) his ~ *to* get away and explore 탐험에 나서고 싶어 좀이 쑤시는 그의 기분 ***have an ~ for***[***to*** do] …하고 싶어 못 견디다
— *vi.* **1** 가렵다, 근질근질하다: My back ~*es.* 등이 가렵다. **2** [대개 진행형으로] (…하고 싶어) 못 견디다 《*for*》: (~+전+명) The boy *is ~ing for* a fight. 그 소년은 싸움이 하고 싶어서 못 견딘다. // (~+*to* do) She *was ~ing to* know the secret. 그녀는 그 비밀을 알고 싶어 좀이 쑤셨다. one***'s fingers ~ to*** do …하고 싶어서 손이 근질근질하다
— *vt.* **1** …에게 가려움증을 느끼게 하다 **2** (구어) 〈가려운 곳을〉 긁다: ~ a mosquito bite 모기에 물린 곳을 긁다 **3** 짜증나게 하다 ▷ ítchy *a.*

itch·ing [ítʃiŋ] *n.* ⓊⒸ 가려움; 하고 싶어 못 견딤, 갈망 — *a.* Ⓐ 가려운; …하고 싶어 못 견디는 ***have an ~ palm*** ⇨ palm[1]

ítch mìte 옴벌레, 개선충

itch·y [ítʃi] *a.* (**itch·i·er**; **-i·est**) **1** 옴에 걸린; 가려운, 근질근질한 **2** 탐이 나서 안달하는, 갈망하는
ítch·i·ness *n.*

ítchy fèet (속어) 여행을 하고 싶은 욕망, 방랑하는 습관 《특히 외국으로》

‡**it'd** [ítəd] (구어) it had[would]의 단축형

-ite[1] [ait] *suf.* [명사 어미] **1** 「…의 사람, …을 신봉하는 사람」의 뜻: Israel*ite*, Hitler*ite* **2** 「화석·염류·폭약·상품 등의 명칭」: ammon*ite*, sulf*ite*, dynam*ite*, ebon*ite* **3** 「수족, 몸의 일부, 기관」: som*ite*

-ite[2] [ət, ait] *suf.* [형용사·명사·동사 등의 어미]: pol*ite*; favor*ite*; un*ite*

‡**i·tem** [áitəm] [L 「마찬가지로」의 뜻에서] *n.* **1** 항목, 조목, 조항; 종목, 품목, 세목: ~*s* of business 영업 종목 / 30 ~*s* on the list 목록에 있는 30개 품목 **2** (신문 기사의) 1항, 한 절[항목]; 《일반적으로》 신문 기사: a news ~ 신문 기사 / a front-page ~ 제1면 기사 **3** (연극·영화 등의) 상연물 **4** 〖교육〗 아이템 《프로그램 학습의 기본 단위》 **5** (속어) 소문[이야기]거리 **6** 〖컴퓨터〗 데이터 항목 ***~ by ~*** 한 항목씩, 항목별로, 축조적으로 ***local ~s*** (신문의) 지방 (발신) 기사
— [áitem] *ad.* 하나… 《항목을 차례로 열거할 때》; 또 마찬가지로, 또한(also)
— *vt.* (고어) 항목별로 쓰다
▷ ítemize *v.*

i·tem·i·za·tion [àitəmizéiʃən | -mai-] *n.* Ⓤ 항목[조목]별 기재

i·tem·ize [áitəmàiz] *vt.* **1** 항목[조목]별로 쓰다, …의 명세를 적다: an ~*d* account 계산 명세서 **2** 〈증권 등을〉 상장하다

ítem vèto (미) (의결 법안의 일부에 대한 주지사의) 부분 거부권

thesaurus **itch** *n.* tingling, prickling, tickling, irritation, burning, crawling
itinerant *a.* traveling, journeying, wandering, roaming, roving, rambling, unsettled, nomadic

it·er [ítɛər, áit-] *n.* 〖해부〗 도관(導管)

it·er·ant [ítərənt] *a.* 반복하는(repeating) **-ance** *n.*

it·er·ate [ítərèit] *vt.* 되풀이하다(repeat); 〖컴퓨터〗 반복하다

it·er·a·tion [ìtəréiʃən] *n.* Ⓤⓒ 되풀이, 반복(repetition); 〖컴퓨터〗 반복

it·er·a·tive [ítərèitiv, -rət- | -rət-, -rèit-] *a.* 되풀이하는, 반복의; 〖문법〗 반복의(frequentative); 〖컴퓨터〗 (어떤 루프나 일련의 스텝 등을) 반복하는
~·ly *ad.* **~·ness** *n.*

ITF International Trade Fair 국제 무역 견본시; International Trade Federation 국제 운수 노조 연맹 《본부 London》

ít gírl (속어) 섹시한[매력적인] 젊은 여자

Ith·a·ca [íθəkə] *n.* 이타카 《그리스 서쪽의 섬; 신화의 Odysseus[Ulysses]의 고향》

I·thun(n) [íːðun] *n.* = IDUN

I·thú·ri·el's spéar [iθjúəriəlz-] 이수리엘의 창, 진위를 가리는 확실한 기준 《Milton의 *Paradise Lost*에서 마왕의 정체를 폭로한 천사의 창》

ith·y·phal·lic [ìθəfǽlik] *a.* **1** 주신 Bacchus 축제의, 축제에 쓰는 남근상(phallus)의 **2** 〈그림·조각이〉 발기한 페니스를 가진; 음란한 **3** Bacchus 찬가용 운율의
— *n.* Bacchus 찬가 운율의 시; 외설[음란]시(詩)

-itic [ítik] *suf.* **1** 「염(증)의」의 뜻: arthr*itic* **2** 「…의」의 뜻: Sem*itic*

i·tin·er·an·cy [aitínərənsi, itín-], **-a·cy** [-əsi] *n.* (*pl.* **-cies**) **1** Ⓤⓒ 순방(巡訪), 순회, 순력(巡歷), 편력 **2** 순회[순방]자의 단체; 순회 설교; 순회 제도 **3** 순회를 요하는 직무[임무]

*__i·tin·er·ant__ [aitínərənt, itín-] [L 「여행을 하는」의 뜻에서] *a.* Ⓐ **1** 순방[순회]하는, 편력 중인: an ~ judge[preacher] 순회 판사[설교자] / an ~ trader 행상인 **2** 순회의, 이동식의: an ~ library 순회 도서관
— *n.* 순방자, 편력자; 순회 설교자[판사]; 행상인, 지방 순회 공연 배우[흥행사] **~·ly** *ad.*
▷ itínerate *v.*

itínerant eléctron 〖물리〗 편력 전자

i·tin·er·ar·y [aitínərèri, itín- | -nərəri] *n.* (*pl.* **-ar·ies**) 여행 스케줄, 《특히》 방문지 리스트; 여정, 도정; 여행기, 여행 일기; 여행 안내서 — *a.* Ⓐ 순방[순회]하는, 편력하는; 여정의, 여로의

i·tin·er·ate [aitínərèit, itín-] *vi.* 순방[순회]하다, 순유하다, 순회 설교하다: an *itinerating* library 순회[이동] 도서관, 회람 문고 — *a.* = ITINERANT

i·tin·er·a·tion [aitìnəréiʃən, itìn-] *n.* = ITINERANCY

-ition [íʃən] *suf.* 「동작·상태」를 나타냄: pet*ition*, defin*ition*

-itious [íʃəs] *suf.* 「…의 (성질이 있는)」의 뜻: amb*itious*

-itis [áitis] *suf.* **1** 〖병리〗 「염증」의 뜻: bronch*itis* **2** (익살) 「…광」의 뜻: golf*itis*

-itive [itiv, ət-] *suf.* [라틴 어계의 형용사 및 명사 어미]: infin*itive*, pun*itive*

‡**it'll** [ítl] (구어) it will[《드물게》 shall]의 단축형

ITO International Trade Organization (유엔) 국제 무역 기구

-itol [ətɔ̀ːl, ətòul, ətɑ̀l | itɔ̀l] *suf.* 〖화학〗 수소기 1개 이상을 함유한 알코올: inos*itol*

-itous [-ətəs, it-] *suf.* -ITY(명사 어미)에 대응하는 형용사를 만듦: felic*itous*, calam*itous*

‡**its** [íts] *pron.* [it의 소유격] 그것의

‡**it's** [íts] (구어) it is, it has의 단축형

‡**it·self** [itsélf] *pron.* **1** [it의 강조형] 그것 자체, 바로 그것: Even the *well* ~ was empty. 우물조차도 말라 있었다. / She is *kindness* ~. 그녀는 친절 바로 그 자체이다. **2** [it의 재귀형] 그 자체를[에]: The hare hides ~. 토끼가 숨는다. **3** 평소의 그것, 정상적인 그것: My dog is not ~ today. 내 개가 오늘은 평소와는 다르다. ***by ~*** 그것만으로, 단독으로, 홀로;

저절로, 자연히 **for ~** 독력으로, 단독으로; 그 자체를 (위해서) **in ~** 그 자체로서; 원래, 본질적으로 **of ~** 《고어》 저절로, 자연히(by itself) **to ~** 그 자체에, 그 자체의 것으로서

it·sy-bit·sy [ítsibítsi] *a.* =ITTY-BITTY

ITT 〔의학〕 insulin tolerance test; International Telephone and Telegraph Corporation **ITTF** International Table Tennis Federation

it·ty-bit·ty [ítibíti] *a.* **1** Ⓐ 《익살》 조그마한, 하찮은 **2** 《구어》 (공들였으면서) 짜임새 없는 〈방·디자인 등〉

ITU International Telecommunication Union (유엔) 국제 전기 통신 동맹 **ITV** Independent Television 《영》 상업 텔레비전망; industrial television 공업용 텔레비전; instructional television 교육 텔레비전; interactive television 대화형 텔레비전

-ity [əti] *suf.* [추상명사 어미] 「상태·성질·정도」 등을 나타냄: prob*ity*(⇨ -ty²)

IU international unit(s) 〔생물〕 (비타민량 효과 측정용) 국제 단위 **IUCD** intrauterine contraceptive device (자궁 내) 피임 기구[링] ★ 현재는 IUD쪽이 많이 쓰인다. **IUD** intrauterine device

-ium [iəm, jəm] *suf.* **1** [라틴 어계 명사 어미]: med*ium*, prem*ium* **2** [화학 원소명 어미]: rad*ium*

IUS 〔우주과학〕 inertial upper stage **IV, i.v.** initial velocity; intravenous(ly); intravenous drip[injection]

IV [áivíː] [*i*ntra*v*enous] *n.* (*pl.* **IVs, IV's**) 전해질·약제·영양을 점적(點滴)하는 장치

I·van [áivən] *n.* 남자 이름

I·van·hoe [áivənhòu] *n.* 아이반호 《Walter Scott의 소설(1819), 또는 그 주인공》

I·van I·va·no·vi(t)ch [áivən ivɑ́ːnəvitʃ] (전형적인) 러시아 사람(cf. JOHN BULL, UNCLE SAM 2)

IVB invalidity benefit

‡**I've** [áiv] I have의 단축형

-ive [iv] *suf.* 「…한 경향·성질을 가진」의 뜻: nat*ive*, capt*ive*, fest*ive*, sport*ive*

IVF in vitro fertilization 체외 수정

i·vied [áivid] *a.* 담쟁이로 덮인, 담쟁이가 무성한

I·vor [áivər, íːvər] *n.* 남자 이름

I·vo·ri·an [áivəriən] *a.* 코트디부아르 (공화국) (Ivory Coast)의[에 관한] **—** *n.* 코트디부아르 (공화국)의 국민[주민]

i·vo·ried [áivərid] *a.* 상아 비슷한, 상아 같은

‡**i·vo·ry** [áivəri] *n.* (*pl.* **-ries**) **1** Ⓤ 상아; (하마·해마 등의) 긴 앞니: artificial ~ 인조 상아 **2** [종종 *pl.*] 《구어》 상아로 만든 것 《당구공·피아노 건반·주사위 등》 **3** 《속어》 이, 치아 **4** Ⓤ 상아색 **5** 〔야구〕 귀중한 전력이 되는 선수(들); 〔야구〕 고액 연봉의 루키 ***black ~*** 아프리카 흑인 노예 ***fossil ~*** 매머드(mammoth)의 엄니 (의 화석) ***show*** one***'s ivories*** 《속어》 이빨을 드러내다 ***tickle the ivories*** 《익살》 피아노를 치다 ***wash*** one***'s ivories*** 《속어》 술을 마시다
— *a.* Ⓐ 상아로 된[만든]; 상아 같은

í·vo·ry-billed wóodpecker [-bìld-] 큰 흑백색 딱따구리

ívory bláck 아이보리 블랙 《상아를 태워 만든 흑색 그림물감》

Ívory Cóast [the ~] 코트디부아르(Côte d'Ivoire)의 구칭

i·vo·ry-dome [-dóum] *n.* 《미·속어》 지식인, 전문가; 바보, 얼간이

ívory hùnter 《미·속어》 〔야구〕 신인 스카우트

ívory nùt ivory palm의 열매

ívory pàlm 〔식물〕 상아야자나무

ívory pàper 아이보리 페이퍼 《화가가 쓰는 고급 종이》

ívory ràider 《미·속어》 =IVORY HUNTER; 우수 학생에 대한 재학 중의 스카우트

i·vo·ry-thump·er [áivəriθʌ̀mpər] *n.* 《미·속어》 피아노 치는 사람

ívory tówer 상아탑 《실사회와 동떨어진 사색·몽상의 세계》; 초속적(超俗的)인 태도

i·vo·ry-tow·ered [-táuərd] *a.* 속세를 떠난, 상아탑에 사는; 멀리 인적이 끊긴

i·vo·ry-tow·er·ism [-táuərìzm] *n.* Ⓤ 현실 도피주의, 비현실적 태도

i·vo·ry·type [-tàip] *n.* 〔사진〕 아이보리 타입 《천연색 효과를 내는 예전의 사진 인화법》

ívory whíte 상아색, 유백색 **í·vo·ry-whíte** *a.*

*__i·vy__ [áivi] *n.* (*pl.* **i·vies**) **1** ⓊⒸ 〔식물〕 담쟁이덩굴 **2** [보통 **I~**] 《구어》 =IVY LEAGUE **3** 담쟁이색 ***the English ~*** 〔식물〕 서양담쟁이덩굴 ***the poison ~*** 〔식물〕 덩굴옻나무
— *a.* 학원의; 학구적인; [종종 **I~**] IVY LEAGUE의
— *vt.* 담쟁이로 장식하다[덮다]

Ívy Léague 1 [the ~] 아이비리그 《미국 북동부의 오랜 전통을 가진 명문 8대학: Harvard, Yale, Columbia, Princeton, Brown, Pennsylvania, Cornell, Dartmouth》 **2** [형용사적으로] 아이비리그의[적인]: leaders with ~ backgrounds 북동부 명문 대학 출신의 지도자들

Ívy Léaguer 아이비리그 대학의 학생[졸업생]

ívy vìne 〔식물〕 야생 포도의 일종 《미국 중부산》

IW index word; inside width; Isle of Wight; isotopic weight **IWA** International Whaling Agreement 국제 포경 협정 **IWC** International Whaling Commission; International Wheat Council (유엔) 국제 소맥 이사회

i·wi [íːwi] *n.* (*pl.* ~) 《뉴질》 마오리 족의 공동체; 그 부족민

i·wis [iwís] *ad.* 《고어》 꼭, 확실히(certainly)

IWTD Inland Water Transport Department 《영》 내국 수운 관리국 **IWW** Industrial Workers of the World

-ix [iks] *suf.* [-or(남성 명사)에 대한 여성 명사 어미](cf. -ESS¹): executr*ix*<execut*or*

ix·i·a [íksiə] *n.* 〔식물〕 익시아 《참붓꽃의 일종으로 남아프리카 원산》

Ix·i·on [iksáiən, íksiɑ̀n | iksáiən] *n.* **1** 〔그리스신화〕 익시온 《Hera를 범하려다 Zeus의 노염을 산 테살리아(Thessaly)의 왕》 **2** 〔물리〕 익사이온 《제어 핵융합 연구의 실험용 자기경(磁氣鏡)》

Ixíon's whèel 〔그리스신화〕 Zeus에 의해 Ixion이 묶인, 영원히 회전하는 불의 수레바퀴

ix·tle [íkstli] *n.* =ISTLE

I·yar [ijɑ́ːr, íːjɑːr] *n.* 이야르 《유대력(曆)의 8번째의 달》

IYC International Year of the child **IYHO** in your humble opinion 《비꼼》 자네의 하찮은 의견으로는 《e-mail 등의 용어》

-ization [izéiʃən | aiz-] *suf.* [-IZE(동사 어미)에 대응하는 명사 어미]: civil*ization*

iz·ba [izbɑ́ː] *n.* (러시아 시골의) 둥글고 조그만 집

-ize [aiz] *suf.* 「…으로 만들다, …화(化)하다」의 뜻: civil*ize*, critic*ize*, organ*ize* ★ 《영》에서는 -ise도 씀.

Iz·ves·ti·a [izvéstiə] [Russ. =news] *n.* 이즈베스티야 《구소련 정부 기관지; 1991년 독립지로 전환》

iz·zard [ízərd] *n.* 《고어·방언》 Z자 ***from A to ~*** 처음부터 끝까지

iz·zat [ízət] *n.* Ⓤ 《인도》 (개인의) 신망, 명성; (개인의) 위신, 체면, 자존(심)

iz·zat·so [izǽtsou] [*Is that so?* 의 발음에서] *int.* 《미·속어》 [반항·불신을 나타내어] 뭐라고, 아 그래?

iz·zy [ízi] *n.* 이지 《남자 이름; Israel, Isador(e), Isidor(e)의 애칭》

J j

j, J [dʒéi] *n.* (*pl.* **j's, js, J's, Js** [-z]) **1** 제이 《영어 알파벳의 열째 자》; J자 모양의 것, J 기호로 표시되는 것 **2** 열 번째(의 것) **3** Ⓤ (로마 숫자의) I의 이형(異形) **4** 〖수학〗 y축에 평행하는 단위 벡터
J (***pen***) J자 표가 있는 폭 넓은 펜 ***J for Jack*** Jack의 J 《국제 전화 통화 용어》

J, j 〖물리〗 joule

J. James; Journal; Judge; Justice

ja [já:] 〖G〗 *ad.* = YES

Ja. January **JA** joint account; Joint Agent; Judge Advocate

já·al góat [dʒéiəl-, já:əl-] 〖동물〗 얄 염소 《에티오피아산(産)》

jaap [já:p] *n.* 《남아공》 촌놈, 멍텅구리

jab [dʒǽb] *v.* (**~bed**; **~·bing**) *vt.* **1** (뾰족한 것으로) 콱[쿡] 찌르다(stab); 〈물건을〉 (…에) 콱 들이박다 《*into*》 **2** (주먹 등으로) 재빠르게 쥐어박다; 〖권투〗 잽을 먹이다
— *vi.* (…을) 찌르다, 찌르듯 치다 《*at*》; 잽을 먹이다
~ a vein 《미·속어》 마약 주사를 놓다 ***~ out*** (날카로운 것으로) 도려내다
— *n.* (콱) 찌르기; 〖권투〗 잽; 〖군사〗 (총검의) 겹찌르기; 《구어》 피하 주사, 접종

jab·ber[1] [dʒǽbər] *vi., vt.* 재잘거리다(babble); 〈원숭이 등이〉 깩깩거리다
— *n.* Ⓤ 빠르게 지껄임, 재잘거림(chatter)

jabber[2] *n.* 《구어》 (피하) 주사기

jab·ber·wock·y [dʒǽbərwɑ̀ki | -wɔ̀ki], **-wock** [-wɑ̀k | -wɔ̀k] *n.* (*pl.* **-wock·ies**; **~s**) Ⓤ 무의미한 말[글], 알아들을 수 없는 말[글]

jab·i·ru [dʒǽbərù:, ㅅ-ㅅ | ㅅ-ㅅ] *n.* 〖조류〗 검은머리황새

jab-off [dʒǽbɔ̀:f, -ɑ̀f | -ɔ̀f] *n.* 《미·속어》 마약 주사

ja·bo·ney [dʒəbóuni] *n.* 새로 온 외국인[이민]; (속기 쉬운) 봉; 악당; 폭력단원(muscleman)

jab·o·ran·di [dʒæ̀bərǽndi, -rændí: | -rǽndi] *n.* 〖식물〗 남미산(産) 운향과(科) 식물; Ⓤ 그 말린 잎 《이뇨·발한제》

ja·bot [ʒæbóu, dʒæ- | ʒǽbou] 〖F〗 *n.* **1** 여성복의 앞가슴 주름 장식 **2** (18세기의) 주름 장식 모양의 남자용 타이

jabot 2

jac [dʒǽk] *n.* 《구어》 = JACKET

JAC Junior Association of Commerce.

ja·cal [həkɑ́:l, hɑ:-] *n.* (*pl.* **-ca·les** [-kɑ́:leis], **~s**) 하칼 《미국 남서부·멕시코의 토벽 초가집》

jac·a·ran·da [dʒæ̀kərǽndə, -rændɑ́: | -rǽndə] *n.* 〖식물〗 자카란다나무 《열대 아메리카산(産) 능소화과(科)》; Ⓤ 그 목재 《장식용》

ja·cinth [dʒéisinθ, dʒǽs-] *n.* **1** = HYACINTH 3 **2** Ⓤ 적황색

jack**[1] [dʒǽk] 〖Jack의 전용(轉用)〗 *n.* **1** 잭 《나사 잭·수압 잭·자동차 잭 등》; (고기 굽는) 꼬치 돌리는 기구(smokejack); 장화 벗는 기구(bootjack); 피아노 줄을 치는 방망이 **2** 〖카드〗 잭(knave) 《카드 패의 일종》 **3 a** [**J~**] 사나이; 버릇없는 놈 **b** [보통 **J~**] 놈, 녀석, 소년 **c** 《구어》 [**J~**; 보통 호칭으로 쓰여] 여보게, 친구(buddy) **d** [종종 **J~**] 수병, 《애칭》 선원(jack-tar) **e** [때로 **J~**] 노동자, 고용인, 잡역부 **f** 벌목 인부(lumberjack) **g** 《영·호주·속어》 경찰관(policeman) **4 a** (jacks에 쓰는) 공깃돌 《돌·금속제》 **b** [*pl.*; 단수 취급] 공기놀이(jacks) **5** [복합어를 이루어] 보통보다 작은 것; (당나귀 등의) 수컷(opp. *jenny* 3); 송어 새끼; 연어 새끼의 수컷; = JACKDAW; = JACKRABBIT; = JACKSNIPE **6** 〖전기〗 잭 《플러그를 꽂는 장치》 **7** 《미·속어》 돈(money): He won a lot of ~ at the races. 그는 경주에서 많은 돈을 땄다. **8** 〖항해〗 선수기(船首旗) 《선박에 다는 국적을 나타내는 작은 기; cf. UNION JACK》 **9** 〖수영〗 = JACKKNIFE *n.* 2 **10** 《미》 사과 브랜디 **11** 《미》 = JACKLIGHT **12** = JACKPOT 1 **13** 《속어》 메틸알코올 ***every man J~ = ***every J~ one*** (***of them***) (남자는) 누구나 모두 ***J~ and Gill*** [***Jill***] 총각과 처녀, 젊은 남녀 ***~ at a pinch*** 《속어》 (급할 때의) 임시 고용인 ***J~ of all trades, and master of none.*** 《속담》 무엇이든지 다 할 수 있는 사람은 뛰어난 재주가 없다. (cf. JACK-OF-ALL-TRADES) ***not a J~*** 《구어》 무엇 하나 …이 아니다
— *vt.* **1** 〈차 등을〉 잭으로 들어 올리다 《*up*》 **2** 《미》 횃불[섬광등]을 써서 〈물고기·짐승을〉 유인하다[잡다]
— *vi.* 횃불[섬광등]로 밤 낚시질[사냥]하다, 《특히》 밤에 사슴 밀렵을 하다(jacklight) ***be ~ed up*** 《구어》 피곤해서 녹초가 되다 ***~ around*** 《미·학생속어》 시간을 헛되이 쓰다 ***~ in*** 《영·속어》 〈일 등을〉 그만두다, 치우다 ***~ off*** 《영·속어》 가 버리다; 《속어》 수음을 하다(masturbate) ***~ out*** 《속어》 총을 빼다 ***~ up*** (1) 잭으로 밀어 올리다 (2) 《미·구어》 〈값·품삯 등을〉 올리다(raise); 〈…의 질·정도를〉 높이다; 지지하다 (3) 《주로 영·속어》 〈일·계획 등을〉 갑자기 그만두다, 포기하다(give up) (4) 격려하다, 사기를 높이다 (5) 비행[태만]에 대하여 〈사람을〉 추궁하다, 꾸짖다(reproach)

jack[2] *n.* 《고어》 **1** (중세 보병이 입던) 소매 없는 가죽 상의 **2** (맥주용) 가죽제의 조끼(cf. BLACKJACK 1)

jack[3] *n.* 〖식물〗 = JACKFRUIT

Jack [dʒǽk] *n.* 남자 이름 《John[때로 James, Jacob]의 애칭》: Every ~ has his Gill [Jill]. 《속담》 짚신도 제짝이 있다.

jack-a-dan·dy [dʒæ̀kədǽndi] *n.* (*pl.* **-dies**) 멋쟁이(fop)

jack·al [dʒǽkəl, -ɔ:l] *n.* **1** 자칼 《갯과(科)의 야생 동물》 **2** 심부름꾼, 앞잡이 《jackal이 사자를 위하여 짐승 사냥을 해 준다고 믿은 데서》 — *vi.* (…의) 앞잡이 노릇을 하다 《*for*》

jack-a-lan·tern [dʒǽkəlæ̀ntərn] *n.* = JACK-O'-LANTERN

jack·a·napes [dʒǽkənèips] *n.* **1** 《고어》 원숭이 **2** (원숭이처럼) 건방진[뻔뻔스러운] 놈, 되바라진 아이

jack·a·roo [dʒæ̀kərú:] [*jack*+kang*aroo*] *n.* (*pl.* **~s**) 《호주·구어》 (양을 기르는 목장의) 신출내기 일꾼; 《미·속어》 카우보이 — *vi.* 목장에서 신출내기 일꾼으로 일하다

jack·ass [dʒǽkæ̀s] *n.* **1** 수탕나귀 **2** [《영》 보통 -ɑ̀:s] 바보, 멍청이 **3** 《호주》 = LAUGHING JACKASS

jack·boot [-bù:t] *n.* **1** (무릎 위까지 닿는 17-18세기의 기병용) 군화; (어부 등의) 긴 장화 **2** [the ~] = JACKBOOT TACTICS — *vt.* 강압으로 복종시키다
~·ed [-id] *a.*

jáckboot tàctics 강제적인[강압적인] 태도[수단], 협박 전술

Jáck chèese 《미》 = MONTEREY JACK

Jáck Dániel's 잭 다니엘스 《미국 Tennessee산

(産) 최고급 위스키; 상표명》

jack·daw [-dɔ̀:] *n.* **1** 〖조류〗 갈까마귀 《유럽산(産)》 **2** 수다쟁이

jacked [dʒǽkt] *a.* 《속어》 마약에 취한; 흥분한

jack·e·roo [dʒæ̀kərú:] *n.* =JACKAROO

⁑jack·et [dʒǽkit] *n.* **1 a** 재킷, 상의, 윗옷, 양복저고리(cf. NORFOLK[ETON, DINNER] JACKET): a sport(s) ~ 운동복 **b** 상반신을 덮는 것(cf. LIFE JACKET, STRAITJACKET) **2** 덮개, 피복물; 물 재킷 《엔진 등의 과열을 막는》; 포신(砲身) 피통(被筒); 탄피; (동물의) 모피, 외피 **3** 「보통 in their ~s로」 《특히》 삶은 감자 등의 껍질: potatoes boiled *in their ~s* 껍질째 삶은 감자 **4 a** (책 표지에 씌우는) 커버, 재킷(=book [dust] ~) ★ 우리말의 책의 '커버'는 영어 jacket에 해당하고, 영어의 cover는 표지를 뜻함. **b** 종이 책표지 《책의 앞 가장자리에서 안쪽으로 접어 넣은 것》; (소책자·목록 등의) 표지; 《미》 (레코드의) 재킷(《영》 sleeve) **c** 《미》 (서류 등을 넣은) 봉함하지 않은 봉투, 포장지 ***dust** a person's **~*** 《영·구어》 …을 두들겨 패다
— *vt.* **1** 재킷을 입히다; 덮어 싸다[씌우다], (책에) 커버를 씌우다 **2** 《구어》 후려 갈기다[치다](thrash)

jácket potáto 껍질째 삶은 감자

jack·fish [dʒǽkfìʃ] *n.* (*pl.* [집합적] **~, ~·es**) 〖어류〗 강꼬치고기(pike)의 속칭; 그 새끼

Jáck Fróst [의인법] 서리, 엄동 추위, 동장군

jack·fruit [-frù:t] *n.* 〖식물〗 잭프루트 《열대산(産) 뽕나뭇과(科)》; 그 열매

jack·ham·mer [-hæ̀mər] *n.* 휴대용 압축 공기식 드릴 [착암기(鑿巖機)]

Jack·ie [dʒǽki] *n.* 여자 이름 《Jacqueline의 애칭》

Jack·ie-O [dʒæ̀kióu] *a.* 《구어》 Jacqueline Kennedy Onassis의 (패션) 스타일의

jack-in-a-box [dʒǽkinəbɑ̀ks | -bɔ̀ks] *n.* (*pl.* **~·es, jacks-**) 《구어》 =JACK-IN-THE-BOX

jack-in-of·fice [dʒǽkinɔ̀:fis | -ɔ̀f-] *n.* (*pl.* **jacks-**) 《영·속어》 거드름 피우는[거만한] 하급 관리

jack-in-the-box [dʒǽkinðəbɑ̀ks | -bɔ̀ks] *n.* (*pl.* **~·es, jacks-**) 뚜껑을 열면 인형이 튀어나오는 장난감; (일종의) 꽃불; 〖기계〗 차동(差動) 장치

jack-in-the-green [dʒǽkinðəgrì:n] *n.* (*pl.* **~s, jacks-**) 《영》 May Day 놀이에서 푸른 잎이나 잔가지로 덮인 광주리 속에 들어 있는 사내(아이)

jack-in-the-pul·pit [dʒǽkinðəpúlpit] *n.* (*pl.* **~s, jacks-**) 〖식물〗 천남성류(類) 《북미산(産)》

jáck jòb **1** 《미·속어》부당한 취급 **2** 《비어》 용두질, 자위(masturbation)

Jack Ketch [dʒǽk-kétʃ] 《영·고어》 교수형 집행인(hangman)

jack·knife [dʒǽknàif] *n.* (*pl.* **-knives** [-nàivz]) **1** 잭나이프 《튼튼한 휴대용 접칼》, 해군 나이프 **2** 〖수영〗 잭나이프, 새우형 다이빙(=∠ **dìve**)
— *vt., vi.* **1** 잭나이프로 베다[자르다] **2** (jackknife처럼) 접다[접히다]; (사고나 급정지 등으로) 〈연결된 열차 등이〉 V자형으로 구부러지다

jáck làdder 줄사다리(Jacob's ladder)

jack·leg [-lèg] *a., n.* 《미남부》 미숙한 〈사람〉(unskilled); 임시변통의 (것)(makeshift)

jack·light [-làit] 《미》 *n.* 횃불, 섬광등 《사냥·야간 고기잡이용; jack이라고도 함》
— *v.* =JACK¹ *vt.* 2, *vi.*

jack·light·er[-làitər] *n.* jacklight를 써서 낚시질[사냥]하는 사람; 《특히》 사슴 야간 밀렵꾼

jáck màckerel 전갱이속(屬) 물고기의 일종(horse mackerel) 《북미 태평양 연안산(産)》

jack-of-all-trades [dʒæ̀kəvɔ́:ltrèidz] *n.* (*pl.* **jacks-**) [때로 **J~**] 만물박사, 팔방미인

jack-off [-ɔ̀:f | -ɔ̀f] *n.* 《미·비어》 용두질[자위]하는 녀석; 멍청이, 바보

jack-o'-lan·tern [dʒǽkəlæ̀ntərn] *n.* [종종 **J~**] **1** 도깨비불(will-o'-the-wisp) **2** 호박 초롱 《Halloween에 속을 판 호박에 눈·코·입 등의 모양을 뚫고 속에 촛불을 켜 놓음》

jáck plàne (큰) 막대패, 건목 대패

jáck plùg 〖전기〗 잭 플러그 《잭에 꽂아 전기를 접속시키는 플러그》

jack·pot [dʒǽkpɑ̀t | -pɔ̀t] *n.* **1** (포커에서) 계속해서 거는 돈(jack) **2** (bingo, slot machine에서의) 최고 히트, 대성공 **3** (정답자가 없어 쌓인) 거액의 상금 《퀴즈 등에서》 **4** 《구어》 (뜻밖의) 큰 성공, 횡재 **5** 공동 자금, 갈이 출자한 돈 **6** 《주로 미》 곤경, 궁지(tight spot) ***hit the ~*** 《구어》 (1) 쌓인 돈[상금]을 타다 (2) 땡잡다; 크게 성공하다; 히트를 치다

jáckpot jùstice 《미》 (변호사가 보수 목적으로) 손해 배상 청구액을 대폭 올리기

jáck ràbbit 《미》 산토끼 《북미산(産)의 대형 토끼》

jack·rab·bit [-ræ̀bit] *vi.* 《속어》 〈차 등이〉 갑자기 출발하다, 급발진하다 — *a.* 급발진하는

jáckrabbit stàrt 《구어》 급발진, 갑작스러운 출발

Jáck Róbinson [다음 성구로] ***before you* [*one*] *can* [*could*] *say ~*** 《구어》 눈 깜짝할 사이에; 별안간, 갑자기

jack·roll [-ròul] *vt.* 《속어》 〈취객이나 노인에게서〉 금품을 강탈하다

Jáck Rússell (**tèrrier**) 〖동물〗 잭 러셀 테리어 《흰 털에 갈색·검정색 반점이 있는 몸집이 작은 테리어》

jacks [dʒǽks] *n. pl.* [단수 취급] 공을 튕기면서 정해진 순서대로 공깃돌(jackstone)을 치뜨렸다 받았다 하는 아이들 놀이

jack·screw [dʒǽkskrù:] *n.* 〖기계〗 나사식 잭

jack·shaft [-ʃæ̀ft | -ʃɑ̀:ft] *n.* 〖기계〗 부축(副軸); 중간축

jáck shìt 《미·비어》 아무 가치도 없는 것; 어리석은 놈[녀석]

jack·sie, -sy [dʒǽksi] *n.* 《영·속어》 궁둥이, 똥구멍

jack·smelt [-smèlt] *n.* 《미》 (캘리포니아 연안산) 색줄멸과(科)의 대형 식용어

jack·snipe [-snàip] *n.* (*pl.* [집합적] **~, ~s**) 〖조류〗 꼬마도요

Jack·son [dʒǽksn] *n.* **1** 남자 이름 **2** 잭슨 **Andrew ~** (1767-1845) 《미국 제7대 대통령(1829-37)》

Jack·so·ni·an [dʒæksóuniən] *a., n.* Andrew Jackson의 (지지자)

jáck stàff 〖항해〗 이물 깃대(cf. JACK¹ *n.* 8)

jack·stay [dʒǽkstèi] *n.* 〖항해〗 **1** 잭스테이 《돛대의 활대·개프(gaff)·붐(boom)에 달려 있는 쇠막대》 **2** 돛의 오르내림을 원활하게 하는 고리

jack·stone [dʒǽkstòun] *n.* **1** =JACK¹ *n.* 4 a **2** [*pl.*; 단수 취급] =JACK¹ *n.* 4 b

jack·straw [-strɔ̀:] *n.* **1** [*pl.*; 단수 취급] 나무·뼈 조각 등을 상 위에 쌓아 놓고 다른 조각은 움직이지 않게 한 개씩만을 뽑아내는 놀이 **2** 그 나무·뼛조각 **3** 《폐어》 짚인형

jack-tar [-tɑ́:r] *n.* [종종 **J- T-**] 수병, 선원

Jáck the Lád 《영·속어》 자신만만하고 낙천적인 젊은이

Jáck the Rípper 〖영국사〗 토막 살인자 잭 《1888년 London에서 최소한 5명의 매춘부를 죽인 살인범》

jáck tòwel 회전식 타월(cf. ROLLER TOWEL)

jack-up [-ʌ̀p] *n.* 《구어》 **1** 《미》 증가, (물가 등의) 인상(引上) **2** 갑판 승강형[잭업식] 해저 유전 굴착용 장치(=∠ **rìg**)

***Ja·cob** [dʒéikəb] *n.* **1** 〖성서〗 야곱 《이삭의 아들, 아브라함의 손자》 **2** 남자 이름

Jac·o·be·an [dʒæ̀kəbí:ən] [James의 라틴 어 이름에서] *a.* **1** 영국왕 James 1세 시대(1603-25)의 **2** 〈가구가〉 암갈색[오크재(材)빛]의 — *n.* James 1세 시대 사람 《작가·정치가 등》

jack-o'-lantern 2

Ja·co·bi·an [dʒəkóubiən] [독일의 수학자 K.G. Jacobi에서] *n.* 〖수학〗 함수[야코비] 행렬식, 야코비안 (= ∠ **detèrminant**)
Jac·o·bin [dʒǽkəbin] *n.* **1** 자코뱅 당원《프랑스 혁명의 과격 공화주의자; 도미니크회의 St. Jacob 수도원에서 회합을 열었음》; 과격한 정치가, 파괴적 개혁자 **2** 〖가톨릭〗 (프랑스의) 도미니크회의 수사(Dominican friar) **3** [**j~**] 자코뱅종 집비둘기
Jac·o·bin·ic, -i·cal [dʒæ̀kəbínik(əl)] *a.* 자코뱅당[주의]의; 과격한
Jac·o·bin·ism [dʒǽkəbinìzm] *n.* Ⓤ **1** 자코뱅 주의 **2** (정치적) 과격 급진주의
Jac·o·bite [dʒǽkəbàit] *n., a.* 〖영국사〗 James 2 세파의 사람(의); Stuart 왕가 지지자(의)
Jac·o·bit·ic, -i·cal [dʒæ̀kəbítik(əl)] *a.* James 2 세파의, Stuart 왕가파의
Jácob's ládder 1 〖성서〗 (야곱이 꿈에 본 하늘까지 닿는) 야곱의 사닥다리 **2** 〖항해〗 줄사다리(rope ladder) **3** 〖식물〗 꽃고비
Já·cob·son's órgan [dʒéikəbsnz-] [덴마크의 해부학자 이름에서] 〖해부·동물〗 야콥슨 기관《척추동물의 비강(鼻腔)의 일부가 좌우로 부풀어 생긴 한 쌍의 주머니 모양의 후각 기관》
Jácob's stáff (측량기의) 외발 받침대; 거리[고도] 측정기
ja·co·bus [dʒəkóubəs] *n.* (*pl.* **~·es**) James 1세 시대의 금화《20-24실링에 해당》
jac·o·net [dʒǽkənèt] *n.* Ⓤ 엷은 흰 무명《인도 원산》; 한 쪽을 윤낸 염색한 무명
jac·quard [dʒǽkɑːrd] *n.* [종종 **J~**] = JACQUARD LOOM; 자카드 직물《자카드 직조기로 짠 문직물(紋織物)》
Jácquard lòom [프랑스의 발명자 이름에서] 자카드식 문직기(紋織機)
Jac·que·line [dʒǽkəlin, -lìːn, -kwə- | dʒǽkliːn] *n.* 여자 이름《애칭은 Jackie, Jacky》
Jac·que·rie [ʒɑːkəríː] [F Jacques = James (농민의 통칭)] *n.* **1** [the ~] 자크리의 난《1358년의 프랑스 북부의 농민 폭동》 **2** [**j~**] 《일반적으로》 농민 폭동[봉기]; 농민 계급
jac·ta·tion [dʒæktéiʃən] *n.* ⓊⒸ **1** 자랑, 허풍 **2** 〖병리〗 = JACTITATION 2
jac·ti·ta·tion [dʒæ̀ktətéiʃən] *n.* ⓊⒸ **1** 〖법〗 사칭: ~ of marriage 결혼 사칭 **2** 〖병리〗 (열병 환자 등의) 몸부림치기 **3** 허풍, 허세
jac·u·late [dʒǽkjulèit] *vt.* 〈창 따위를〉 던지다
Ja·cuz·zi [dʒəkúːzi] *n.* 저쿠지《분류식 기포(噴流式氣泡) 목욕(탕)[풀]; 상표명》(= ∠ **bàth**)
*__jade__[1] [dʒéid] *n.* **1** ⓊⒸ 비취, 옥(玉); 비취 세공(품) **2** Ⓤ 비취색, 옥색(= ~ green)
jade[2] *n.* **1** 야윈 말(馬), 쇠약한 말 **2** 《경멸·익살》 닳고 닳은 여자, 여자 건달, 계집년 **—***vt.* 〈말을〉 지치게 하다, 혹사하다 **—***vi.* 지칠 대로 지치다, 녹초가 되다
jad·ed [dʒéidid] *a.* 지칠 대로 지친; 진저리가 난, 물린; 〈여자가〉 닳고 닳은, 굴러먹은
~·ly *ad.* **~·ness** *n.*
jáde gréen 비취색《청록색》
jade·ite [dʒéidait] *n.* Ⓤ 〖광물〗 비취 휘석, 경옥(硬玉)(cf. NEPHRITE)
jae·ger [jéigər] *n.* **1** 〖조류〗 도둑갈매기(skua) **2** 저격병 **3** 사냥꾼(hunter)
Jae·ger [jéigər] *n.* Ⓤ 예거《순 모직물; 상표명》
Jaf·fa [dʒǽfə] *n.* **1** 야파《이스라엘 서부의 항구; 현재는 Tel Aviv의 일부》 **2** = JAFFA ORANGE
Jáffa órange 자파 오렌지《이스라엘산(産)의 알이 크고 껍질이 두꺼운 오렌지》
jag[1]**, jagg** [dʒǽg] *n.* (암석 등의) 뾰족한 끝; (톱니 같이) 뾰족뾰족함; (옷 가두리의) 들쭉날쭉한 천
—*v.* (**~ged**; **~·ging**) *vt.* (톱니처럼) 뾰족뾰족하게 만들다; …에 들쭉날쭉하게 자르다[베다] **—***vi.* 찔리다; 덜컹거리다
jag[2] *n.* **1** 《방언》 (건초·목재 등의) 소량의 짐 **2** 《속어》 취함; 주연, 술잔치; 한바탕 …하기 **3** 마약 맞기[피우기] **4** 남창(男娼) ***have a ~ on*** …에 취해 있다
Jag [dʒǽg] *n.* 《영·구어》 재규어(Jaguar) 《스포츠카》
JAG Judge Advocate General
ja·ger, jä·ger [jéigər] [G] *n.* = JAEGER
*__jag·ged__[1] [dʒǽgid] *a.* 뾰족[뾰족]한, 들쭉날쭉한; 귀에 거슬리는: ~ rocks 삐죽삐죽한 바위
~·ly *ad.* **~·ness** *n.*
jagged[2] *a.* 《미·속어》 (술·마약에) 취한
jag·ger·y [dʒǽgəri] *n.* Ⓤ 야자즙 조당(粗糖) 《인도산(産) 흑설탕》
jag·gy [dʒǽgi] *a.* (**-gi·er**; **-gi·est**) = JAGGED[1]
jág hòuse 《미·속어》 남성 동성애자를 위한 매음굴
jag·uar [dʒǽgwɑːr, -gjuɑ̀ːr | -gjuə] *n.* (*pl.* **~s,** ~) **1** 〖동물〗 재규어《중남미산(産), 아메리카 표범》 **2** [**J~**] 재규어《영국제 고급 스포츠카》
Jah·veh [jɑ́ːve | -vei], **Jah·weh** [jɑ́ːwe | -wei] *n.* = JEHOVAH
jai a·lai [hái-əlài, hài-əlái] [Sp.] *n.* 하이알라이《squash와 비슷한 스페인·중남미의 실내 구기(球技)》
‡**jail** [dʒéil] [L 「우리」의 뜻에서] *n.* **1** 교도소, 감옥, 구치소 ★ 《영》에서는 공용어로서 gaol을 쓰지만 보통은 두 가지 형을 구별 없이 사용함; 특히 《미》에서는 미결수와 경범 죄수를 구치하는 곳(cf. PRISON): detention ~ 구치소/police ~ 경찰서 유치장[보호실] **2** 구류, 감금, 구치 ***break*** (***out of***) ***~*** 탈옥하다 ***deliver a ~*** (순회 재판 등으로) 구치소에서 수용자 전원을 석방하다 ***get out of ~*** 출옥하다 ***in ~*** 수감되어
—*vt.* 투옥하다, 수감하다(imprison)
jail·bait [dʒéilbèit] *n.* 《속어》 성관계할 경우 미성년 강간죄로 처벌될 만큼 어린 소녀
jail·bird [-bə̀ːrd] *n.* 《구어》 죄수; 상습범, 전과자
jail·break [-brèik] *n.* 탈옥 **~·er** *n.* 탈옥수
jáil càptain 《속어》 교도소장
jáil delìvery 1 《미》 집단 탈옥, (폭력에 의한) 죄수 해방 **2** 《고어》 〖영국법〗 (순회 재판에 의한) 미결수 석방[심리]
*__jail·er, jail·or__ [dʒéilər] *n.* 《미》 (교도소의) 교도관; 감금하는 사람
jáil fèver 발진 티푸스《과거 감옥에서 많이 발생》
jail·house [dʒéilhàus] *n.* (*pl.* **-hous·es** [-hàuziz]) 《미》 교도소, 감옥
jáilhouse láwyer 《미·속어》 **1** 교도소 출입 변호사 **2** 《미·속어》 법률에 밝은 수감자[죄수]
Jain [dʒáin], **Jai·na** [dʒáinə] 〖종교〗 *a.* 자이나교(도)의 **—***n.* 자이나교도
Jain·ism [dʒáinizm] *n.* Ⓤ 자이나교《Buddhism 및 Brahminism과 공통된 교의를 가진 인도의 종파》
Ja·kar·ta [dʒəkɑ́ːrtə] *n.* 자카르타《인도네시아 공화국의 수도; 옛 이름 Batavia》 ★ Djakarta는 옛 표기.
-tan [-tən] *n.* 자카르타 시민
jake[1] [dʒéik] *a.* 《미·속어》 좋은, 훌륭한(satisfactory, fine), 나무랄 데 없는 **—***n.* 《미·속어》 착실한 놈, 신용할 수 있는 인물; (위스키 대용의) 밀조주; 《영·속어》 메틸 알코올을 섞은 대용주
jake[2] *n.* 《미·속어》 시골뜨기; 《경멸》 놈, 녀석
jáke flàke 《속어》 따분한[재미없는] 사람
jáke lèg 불량 밀주를 마신 뒤 일어나는 정신 마비
jakes [dʒéiks] *n. pl.* 《방언》 옥외 변소
Já·kob-Créutz·feldt disèase [jɑ́ːkəbkrɔ́its-felt-] = CREUTZFELDT-JAKOB DISEASE
JAL Japan Airlines 일본 항공
jal·ap [dʒǽləp, dʒɑ́ː- | dʒǽ-] *n.* Ⓤ 〖식물〗 할라파《멕시코산(産)》; 할라파제(劑)《할라파 뿌리를 말린 것; 하제(下劑)》
ja·la·pe·ño [hɑ̀ːləpéinjou] *n.* (*pl.* **~s**) 할라피뇨《멕시코의 매운 고추》
jal·op·y [dʒəlɑ́pi | -lɔ́pi] *n.* (*pl.* **-lop·ies**) 《구어·익살》 고물 자동차[비행기]; 구식 기계
jal·ou·sie [dʒǽləsìː | ʒǽluziː] [F] *n.* 미늘살창문, 베니션 블라이드

‡jam[1] [dʒǽm] *v.* (**~med**; **~·ming**) *vt.* **1** 쑤셔 넣다, 채워 넣다 《*into*》: get *~med* 처박히다, 짓눌리다 // 《~+목+전+명》 He *~med* all his clothes *into* a suitcase. 그는 옷을 모조리 가방에 쑤셔 넣었다. // 《~+목+부》 He *~med* his hat *on.* 그는 모자를 푹 눌러썼다. **2** 〈장소·통로를〉 막다[메우다](block up): Crowds *~med* the door. 군중들이 문간을 메웠다. // 《~+목+전+명》 The street was *~med with* people. 거리는 사람들로 꽉 차 있었다. // 《~+목+부》 The road was *~med up* with cars. 도로는 차로 통행이 막혀 버렸다. **3** 〈손가락 등을〉 (기계·문 등에) 끼다 《*in, between*》: 《~+목+전+명》 ~ one's finger *in* the door 문에 손가락이 끼이다 **4** (기계의 일부를 고장 내어) 움직이지 않게 하다 **5** 〖통신〗 〈방송·신호를〉 방해하다 **6** 〈법안 등을〉 다수의 힘을 빌어 억지로 통과시키다; 밀어붙이다 **7** 〈브레이크 등을〉 세게[급히] 밟다 《*on*》: 《~+목+전+명》 ~ one's foot *on* the brake 브레이크를 세게 밟다 **8** 《구어》 〈재즈 곡을〉 즉흥적으로 변주(變奏)하다 ***be ~med with*** …으로 붐비다 ***~med up*** 《구어》 곤경에 처하여
— *vi.* **1** (기계의 운전 부분에 무엇이 끼어) 움직이지 않게 되다; (좁은 곳에) 떼밀고 들어가다 **2** 《구어》 (재즈 연주 중에) 즉흥적으로 변주하다
— *n.* **1** 꽉 들어참, 붐빔, (차량 등의) 혼잡: a traffic ~ 교통 정체 **2** (기계의) 고장, 정지, 잼 **3** 《구어》 곤란, 궁지(difficulty): in a ~ 곤경에 처하여 **4** 《구어》 =JAM SESSION **5** Roller Derby의 1라운드 **6** 전파 방해 **7** 《미·속어》 훔치기 쉬운 작은 물건 《시계·반지 등》; 《미·속어》 코카인 ***kick out the ~s*** 《미·속어》 록 음악을 마음 내키는 대로 열정적으로 연주하다
— *a.* 《구어》 즉흥 재즈 연주회의; 즉흥적인
— *ad.* 《구어》 완전히, 철저히

‡jam[2] [dʒǽm] *n.* Ⓤ **1** 잼(cf. PRESERVE *n.*, JELLY): strawberry ~ 딸기 잼 / bread and ~ [brédn-] 잼 바른 빵 **2** 《영·구어》 유쾌한 일, 쉬운 일 ***have ~ on it*** 《영·구어》 대단히 운이 좋은 처지에 있다 ***~ tomorrow*** 《영·구어》 약속뿐이고 쉽게 실현되지 않는 즐거운 일 ***money for ~*** ⇨ money. ***real ~*** 《속어》 진수성찬; 아주 즐거운 일, 편안한 일
— *vt.* (**~med**; **~·ming**) 잼으로 만들다; 〈빵 등에〉 잼을 바르다 ▷ jámmy *a.*

Jam. Jamaica; James

Ja·mai·ca [dʒəméikə] *n.* **1** 자메이카 《서인도 제도의 독립국; 수도 Kingston》 **2** =JAMAICA RUM

Ja·mai·can [dʒəméikən] *a.* 자메이카(섬)의; 자메이카 사람의 — *n.* 자메이카 사람

Jamáica rúm 자메이카산(産) 럼주

jám àuction[pìtch] 《미·속어》 (가게 안에서의) 호객 행위; 싸구려[가짜]를 파는 가게

jamb, jambe [dʒǽm] *n.* 〖건축〗 문설주 《입구·창 등의 양쪽 옆기둥》; [*pl.*] 봇돌 《벽난로의 옆기둥》

jam·ba·lay·a [dʒʌ̀mbəláiə] *n.* Ⓤ **1** 햄·소시지·굴 등과 향료 식물을 넣고 지은 밥 **2** 《구어》 뒤범벅

jam·beau [dʒǽmbou] *n.* (*pl.* **~x** [-z]) =GREAVE

jam·bled [dʒǽmbld] *a.* 《미·속어》 (술에) 취한

jam·bo·ree [dʒæ̀mbəríː] *n.* **1** 《구어》 흥겹고 즐거운 모임 **2 a** (정당·스포츠 연맹 등의) 대회 **b** (전국적·국제적) 보이 스카우트 대회, 잼버리(cf. CAMPOREE)

Jam·cam [dʒǽmkæ̀m] *n.* 〖컴퓨터〗 정체 카메라 《웹사이트에 접속된 교통 정체를 알리는 카메라》

James [dʒéimz] *n.* **1** 남자 이름 **2** 〖성서〗 야고보 《12 사도 중의 한 사람》; 야고보서(書) 《신약 성서 중의 한 권》 **3** 제임스 **Henry ~** (1843-1916) 《미국의 소설가; 영국에 귀화》

Jámes Bónd 제임스 본드 《Ian Fleming의 소설 속 주인공인 영국의 첩보원; 코드명 007》

James·town [dʒéimztàun] *n.* 제임스타운 《미국 Virginia주 동부의 마을; 북미 최초의 영국 식민지》

jám jàr 《영》 잼을 담는 유리병[항아리]

jammed [dʒǽmd] *a.* 《미·구어》 술에 취한; 궁지에 몰린; 《미·속어》 체포된 **~ up** 《구어》 궁지에 몰린, 꼼짝 못하게 된; 배가 잔뜩 부른

jam·mer [dʒǽmər] *n.* **1** 방해 전파 (발신기) **2 a** 재머 《Roller Derby에서 상대 팀 선수를 앞지르려는 선수》 **b** 《재즈속어》 jam session 참가자

jam·ming [dʒǽmiŋ] *n.* 〖통신〗 전파 방해

jam·my [dʒǽmi] *a.* (**-mi·er**; **-mi·est**) **1** (잼처럼) 진득진득한 **2** 기분 좋은, 편안한; 쉬운

ja·moke [dʒəmóuk] [*java*+*mocha*] *n.* **1** 《미·군대속어》 (한 잔의) 커피 **2** 《미·속어》 사내, 녀석, 놈

jam-pack [dʒǽmpǽk] *vt.* 빈틈없이 꽉 채우다, 가득 채우다, 처박다(cram)

jam-packed [-pǽkt] *a.* 《미·구어》 빽빽하게 넣은, 콩나물시루처럼 꽉 찬

jams [dʒǽmz] *n. pl.* 《구어》 **1** =PAJAMAS **2** 파자마 모양의 수영 팬츠

jám sèssion 《미》 즉흥 재즈 연주회(cf. JAM[1] *v.*)

jam-up [dʒǽmʌ̀p] 《구어》 *a.* 최고급의, 일급의
— *n.* 교통 체증, 정체, 혼잡

***Jan.** January

jane [dʒéin] *n.* **1** [때로 **J~**] 《속어》 여자(woman), 처녀, 아가씨(girl) **2** 《미·속어》 (여자) 화장실

Jane [dʒéin] *n.* 여자 이름

Jáne Crów 《미·속어》 여성 차별

Jáne Dóe JOHN DOE의 여성형

Jane·ite, Jan·ite [dʒéinait] *n.* Jane Austen의 작품 찬양자(⇨ Austen.)

Jáne Q. Cítizen[Públic] 《속어》 평균[전형]적인 여성, 보통 여자(cf. JOHN Q. CITIZEN[PUBLIC])

Jan·et [dʒǽnit] *n.* 여자 이름

JANET [dʒǽnət] 〖컴퓨터〗 Joint Academic Network 공동 학습 네트워크

***jan·gle** [dʒǽŋgl] *vt., vi.* **1** 땡땡 울리다, 귀에 거슬리는[요란스러운] 소리를 내다 **2** 싸움[말다툼]하다
— *n.* **1** (종 등의) 어지러운 소음, 소란스러움 **2** 말다툼 **ján·gled** *a.* **-gler** *n.*

jan·is·sar·y [dʒǽnəsèri | -səri], **jan·i·zar·y** [-zèri | -zəri] *n.* (*pl.* **-sar·ies**; **-zar·ies**) [종종 **J~**] **1** 〖역사〗 터키의 친위 보병 《1826년 폐지》; 터키 병사 **2** (압제 등의) 앞잡이

‡jan·i·tor [dʒǽnətər] *n.* 문지기(doorkeeper); 수위; 《미》 (건물의) 관리인, 잡역부 **jàn·i·tó·ri·al** *a.*

jan·i·tress [dʒǽnətris] *n.* JANITOR의 여성형

jank [dʒǽŋk] *vi.* 《미·공군속어》 (대공 포화를 피하기 위해) 회피 비행을 하다, 지그재그로 날다

jan·kers [dʒǽŋkərz] *n.* 《영·군대속어》 (군기 위반자에 대한) 징벌; 군기 위반자; 영창: on ~ (군기 위반으로) 징벌을 받고

Jan·sen [dʒǽnsn] *n.* 얀센 **Cornelis ~** (1585-1638) 《네덜란드의 신학자·종교 개혁자》
~·ism *n.* Ⓤ 얀센주의 **~·ist** *n.* 얀센파 사람

‡Jan·u·ar·y [dʒǽnjuèri | -əri] [L 「Janus 신의 달」의 뜻에서] *n.* 1월 《略 Jan., Ja.》: in ~ 1월에 / on ~ 5 =on 5 ~ =on the 5th of ~ 1월 5일에
USAGE 《미》에서는 January 5, 《영》에서는 5 January가 일반적; January 5는 《미》에서는 January (the) fifth나 January five, 《영》에서는 January (the) fifth라 읽고, 5 January는 《미》에서는 five January, 《영》에서는 the fifth of January라 읽음.

Janus

Ja·nus [dʒéinəs] *n.* 〖로마신화〗 야누스 《두 얼굴을 가진 문·출입구의 수호신》

Ja·nus-faced [dʒéinəsfèist] *a.* 얼굴이 둘인; 표리가 있는, 이심(二心)을 품은(deceitful)

Jap [dʒǽp] *a., n.* 《속어·경멸》 =JAPANESE

JAP [dʒǽp] [*J*ewish *A*merican *P*rincess] *n.* 《속어·경멸》 유대계 미국인

공주 《부유한 아가씨》
Jap. Japan; Japanese
ja·pan [dʒəpǽn] *n.* Ⓤ **1** 칠(漆), 옻칠(lacquer) **2** 칠기, 일본제 도자기 ─*a.* 옻칠을 한; 칠기의: a ~ table 옻칠을 한 테이블 ─*vt.* (**~ned**; **~·ning**) 옻칠을 하다; 검은 니스를 칠하다 **~·ner** *n.* 칠장이
‡**Ja·pan** [dʒəpǽn] *n.* **일본(국)** 《아시아 동부의 섬나라; 수도 Tokyo; 略 Jap., Jpn.》 NOTE 스포츠 등 국가 의식이 강하게 작용할 때는 Nippon을 쓰는 일이 많다. 축구 등에서 일본 팀에 대한 열광적인 응원은 《미》에서 Nippon Express라 일컫는다.
▷ Japanése *a.*, *n.*; Jápanize *v.*
Ja·pan-bash·ing [dʒəpǽnbæ̀ʃiŋ] *n.* 일본 때리기, 대일(對日) 제재 《미일(對日) 무역 마찰 등에서》
japán bláck 흑칠(黑漆)
Japán clóver 〖식물〗 매듭풀 《아시아 원산의 미국 남부 동해안 지방의 목초》
Japán Cúrrent[**Stréam**] [the ~] 일본 해류
*__Jap·a·nese__ [dʒæ̀pəníːz, -níːs | -níːz] *a.* **일본의; 일본인[어]의**: ~ cars 일본 자동차
─*n.* (*pl.* ~) **1 일본인**: the ~ 일본인 전체 / a ~ 한 사람의 일본인 / many ~ 많은 일본인 **2** Ⓤ 일본어
▷ Japán *n.*
Jap·a·nese-A·mer·i·can [-əmérikən] *a.* **1** 일본·미국(간)의, 일미(日美)의 **2** 일본계 미국인의
─*n.* 일본계 미국인
Jápanese ápricot 〖식물〗 매화나무; 매실
Jápanese béetle 〖곤충〗 알풍뎅이
Jápanese cédar 〖식물〗 삼나무
Japanése encephalítis 〖병리〗 일본 뇌염
Jápanese ísinglass 한천(寒天), 우무
Jápanese ívy 〖식물〗 담쟁이덩굴(Boston ivy)
Japanése persímmon 〖식물〗 감나무; 감
Jápanese prínt 일본화 판화 《풍속화》
Jápanese quáil 〖조류〗 메추라기
Jápanese quínce 〖식물〗 모과(나무)
Jápanese ríver fèver 〖병리〗 털진드기병
Jap·a·ne·se·ry [dʒæ̀pəníːzəri] *n.* 일본 양식(의 작품); [*pl.*] 일본(식)의 장식품
Jap·a·nesque [dʒæ̀pənésk] *a.* 일본식[풍]의
Ja·pan·ism [dʒəpǽnizm] *n.* Ⓤ 일본식[풍], 일본(인)의 특질, 일본어 어법; 일본 애호[심취]
Jap·a·nize [dʒǽpənàiz] *vt.*, *vi.* 일본식으로 하다[되다], 일본화하다
Japano- [dʒəpǽnou, -nə] 《연결형》「일본(Japan)」의 뜻: *Japano*phile
Jap·a·nol·o·gy [dʒæ̀pənɑ́lədʒi | -nɔ́l-] *n.* Ⓤ 일본학, 일본 연구 **-gist** *n.*
Ja·pan·o·phile [dʒəpǽnəfàil] *n.*, *a.* 일본(인)을 좋아하는 사람(의), 친일가(의)
Japán wàx[**tàllow**] 목랍(木蠟)
jape [dʒéip] *n.*, *vi.* 《문어》 농담(을 하다)(joke)
jap·er·y [dʒéipəri] *n.* Ⓤ 농담, 익살(joke)
Ja·pheth [dʒéifiθ] *n.* **1** 남자 이름 **2** 〖성서〗 야벳 《Noah의 셋째 아들》
Ja·phet·ic [dʒəfétik, dʒei-] *a.* 야벳(Japheth)의
Jap·lish [dʒǽpliʃ] [*Ja*panese+Eng*lish*] *n.* Ⓤ, *a.* 일본식 영어(의)
ja·po·nai·se·rie [dʒæ̀pənèzəríː, -nézəri] [F] *n.* =JAPANESERY
Ja·pon·ic [dʒəpɑ́nik | -pɔ́n-] *a.* =JAPANESE
ja·pon·i·ca [dʒəpɑ́nikə | -pɔ́n-] *n.* 〖식물〗 **1** 동백나무 **2** 모과나무 **3** 백일홍
Jap·o·nism [dʒǽpənìzm] *n.* =JAPANISM
‡**jar**[1] [dʒɑ́ːr] [Arab. 「토기」의 뜻에서] *n.* **1** (아가리가 넓은) **병, 단지,** 항아리: a honey ~ 꿀단지 **2** 한 병[단지]의 양 《*of*》: a ~ *of* pickle 한 병의 피클
*__jar__[2] [dʒɑ́ːr] [의성어] *v.* (**~red**; **~·ring**) *vi.* **1** 삐걱거리다; (귀·신경 등에) 거슬리다 《*on, upon*》: (~+전+명) ~ *on* a person …의 신경을 자극하다, 감정이 나게 하다 / His loud laugh *~red on*[*upon*] my ears[nerves]. 그의 큰 웃음소리가 내 귀[신경]에 거슬렸다. **2** (거슬리는 소리를 내며) 부딪치다 《*against*》: (~+전+명) The iron gate *~red against* the wall. 그 철문은 삐거덕거리면서 담에 부딪쳤다. **3** 덜컹덜컹 흔들리다, 진동하다: The window *~red.* 창문이 덜컹덜컹 소리를 냈다. **4** 〈진술·행동 등이〉 (…와) 어긋나다, 충돌하다 《*with*》; 말다툼하다, 승강이하다(quarrel): (~+전+명) Your ideas ~ *with* mine. 네 생각은 내 생각과 일치하지 않는다.
─*vt.* **1** (불의의 타격 등으로) 깜짝 놀라게 하다; …에게 충격을 주다: The news *~red* them. 그 소식을 듣고 그들은 가슴이 덜컥했다. **2** (삐걱삐걱·덜커덕덜커덕) 진동시키다
─*n.* **1** (신경에 거슬리게) **삐걱거리는 소리,** (귀에 거슬리는) **잡음 2** 격렬한 진동, 충격(shock); (신체·정신에 대한) 충격, 쇼크(shock) **3** (의견 등의) 충돌, 불화, 알력: a family ~ 가정불화, 부부 싸움 ***be at*** (***a***) ~ 사이가 나쁘다
jar[3] *n.* 《고어》 회전 ★ 주로 다음 성구로. ***on the*** [***a***] ~ 〈문 등이〉 조금 열리어(ajar)
jar·di·niere [dʒɑ̀ːrdəníər, ʒɑ̀ːrdənjɛ́ər | ʒɑ̀ːdi-njɛ́ə] [F] *n.* 화분 《장식용》; 화분 받침대; (고기 요리에 곁들이는) 깍둑썰기하여 익힌 구미 야채
jar·ful [dʒɑ́ːrfùl] *n.* (*pl.* **~s, jars·ful**) 병[단지]에 가득함[가득한 양] 《*of*》
jar·gon[1] [dʒɑ́ːrgən, -gɑn | -gən] *n.* Ⓤ **1** ⓊⒸ (특정 집단의) 변말(cant), 은어; 전문어, 전문어투성이의 말 **2** 종잡을 수 없는 말; 허튼소리 **3** 지독한 사투리 **4** 혼합 방언 《Pidgin English 등》
─*vi.* 종잡을 수 없는 말을 지껄이다; 〈새가〉 지저귀다
jar·gon[2] [dʒɑ́ːrgɑn | -gɔn], **jar·goon** [dʒɑːr-gúːn] *n.* Ⓤ 〖광물〗 지르콘(zircon)의 변종 《보석》
jar·go·naut [dʒɑ́ːrgənɔ̀ːt] *n.* 《익살》 jargon[1]을 함부로 쓰는 사람
jar·go·nelle [dʒɑ̀ːrgənél] *n.* 올배의 한 품종
jar·gon·ize [dʒɑ́ːrgənàiz] *vi.* 뜻을 알 수 없는[어려운] 말을 쓰다 ─*vt.* 〈보통 어구를〉 전문어[어려운 말]로 바꿔 말하다[나타내다]
jar·head [dʒɑ́ːrhèd] *n.* 《미·속어》 노새(mule); 《미·군대속어》 해병대원
jarl [jɑ́ːrl] *n.* (중세 스칸디나비아의) 족장, 귀족
jarm·ing [dʒɑ́ːrmiŋ] *n.* 상체 운동
jar·o·vize [jɑ́ːrəvàiz] [Russ.] *vt.* =VERNALIZE
jar·rah [dʒǽrə] *n.* 〖식물〗 마호가니고무나무 《오스트레일리아 원산》; 그 나무의 목재
jar·ring [dʒɑ́ːriŋ] *n.* ⓊⒸ 삐걱거림, 진동; 부조화, 알력, 충돌 《이해 등의》 ─*a.* 삐걱거리는, 귀[신경]에 거슬리는; 〈색이〉 조화되지 않은; 알력의 **~·ly** *ad.*
jar·vey, jar·vie [dʒɑ́ːrvi] *n.* (*pl.* **~s**) 《영·구어》 전세 마차의 마부; (아일랜드의) 경장(輕裝) 이륜마차의 마부(cf. JAUNTING CAR)
Jar·vik-7 [dʒɑ́ːrviksévən] [설계자인 미국의 의사 이름에서] *n.* 자빅 7형 인공 심장 《상표명》
JAS Japan Air System; Japanese Agricultural Standard 일본 농림 규격
Jas. James 《성서》
jas·mine [dʒǽzmin, dʒǽs-] *n.* **1** 〖식물〗 재스민 《인도 원산의 상록 관목》 **2** Ⓤ 재스민 향수; 재스민색 《밝은 노랑》 **3** [**J~**] 여자 이름
jásmine téa 재스민 차
Ja·son [dʒéisn] *n.* **1** 남자 이름 **2** 〖그리스신화〗 이아손(Iason) 《금빛 양털(Golden Fleece)을 차지한 용사; cf. ARGONAUT》
Jáson's quést 불가능에 가까운 탐구[추구]
jas·pé [dʒæspéi] [F] *a.* 벽옥(jasper) 모양의; 《특히》 갖가지 색의 줄무늬를 넣은 〈면직물〉
jas·per [dʒǽspər] *n.* **1** 〖광물〗 Ⓤ 벽옥(碧玉) **2** 《미·속어》 사내, 녀석, 놈(fellow); 시골뜨기
Jas·per [dʒǽspər] *n.* 남자 이름
Ja·ta·ka [dʒɑ́ːtəkə] [Skt.] *n.* 〖불교〗 자타카, 본생경(本生經) 《부처의 전생을 이야기한 설화집》

ja·to, JATO [dʒéitou] [*j*et-*a*ssisted *t*ake*o*ff] *n.* (*pl.* **~s**) UC **1** 분사식 이륙 **2** =JATO UNIT
játo ùnit 〖항공〗 이륙용 보조 로켓《연료가 떨어지면 버림》(cf. JET PROPULSION)
jaun·dice [dʒɔ́:ndis, dʒɑ́:n-|dʒɔ́:n-] *n.* U **1** 〖병리〗 황달 **2** 옹졸한 생각, 질투, 편견 **—** *vt.* **1** 황달에 걸리게 하다 **2** …에게 옹졸한 생각[편견]을 갖게 하다
jaun·diced [dʒɔ́:ndist, dʒɑ́:n-|dʒɔ́:n-] *a.* **1** 황달에 걸린 **2** 편견을 가진: take a ~ view of …에 대하여 편견을 가지다
jaunt [dʒɔ́:nt, dʒɑ́:nt|dʒɔ́:nt] *n.*, *vi.* 《구어》 소풍(을 가다), (짧은) 유람 여행(을 하다)
jáunt·ing càr [dʒɔ́:ntiŋ-, dʒɑ́:nt-|dʒɔ́:nt-] (아일랜드의) 경장(輕裝) 이륜마차
jaun·ty [dʒɔ́:nti, dʒɑ́:n-|dʒɔ́:n-] *a.* (**-ti·er**; **-ti·est**) **1** 쾌활한, 명랑한, 유쾌한; 의기양양한, 뽐내는 **2** 멋진(stylish), 말쑥한
jáun·ti·ly *ad.* **jáun·ti·ness** *n.*
Jav. Java; Javanese
Ja·va [dʒɑ́:və] *n.* **1** 자바 《인도네시아 공화국의 본섬》 **2** U 자바산 커피 **3** [《미》 dʒǽvə] 《미·속어》 [종종 **j~**] 커피(coffee) **4** 자바종(의 검은색 큰 닭) **5** 〖컴퓨터〗 자바 《Sun Microsystems 사(社) 제품; 컴퓨터 프로그램 언어 소프트웨어》
▷ Jávan *a.*, *n.*; Javanése *a.*, *n.*
Jáva màn [the ~] 자바 원인(原人) 《1891년 Java에서 발굴된 화석 인류》
Ja·van [dʒɑ́:vən, dʒǽv-|dʒɑ́:v-] *a.*, *n.* =JAVANESE
Jav·a·nese [dʒæ̀vəní:z|dʒɑ̀:v-] *a.* **1** 자바의 **2** 자바 섬 사람의; 자바 어의
— *n.* (*pl.* ~) **1** 자바 섬 사람 **2** U 자바 어
Jáva Scrípt 〖컴퓨터〗 자바 스크립트 《미국 넷스케이프 커뮤니케이션스가 개발한 스크립트 언어》
Jáva Séa [the ~] 자바 해 《Java와 Borneo 사이》
Jáva spárrow[fínch] 〖조류〗 문조(文鳥)
***jav·e·lin** [dʒǽvəlin] *n.* **1** (무기로서의) 던지는 창; (경기용) 창(⇨ lance 유의어) **2** U [the ~] 〖경기〗 투창(=**~ thròw**) **3** (폭격기 등의) 종렬 비행 편대(=**~ formátion**) 《반드시 같은 고도는 아님》
Ja·vél(le) wàter [ʒəvél-, ʒæ-] 자벨수(水) 《차아(次亞) 염소산나트륨의 수용액; 표백·살균·방부용》
‡jaw[1] [dʒɔ́:] *n.* **1** 턱 《위턱·아래턱》: the lower [upper] ~ 아래[위]턱 **2** [*pl.*] (동물의) 입 《위·아래 턱뼈 및 이를 포함》 **3** [*pl.*] (골짜기 등의) 좁은 입구; (집게 등의) 물건을 끼워 잡는 부분; 사지(死地), 위기 **4** 《구어》 수다; 잔소리, 설교
get ~s tight 《구어》 성내다 ***give*** a person ***a ~*** 야단치다, 잔소리하다 ***hold*** [***stop***] one***'s ~*** 말을 그만하다, 입을 다물다: *Hold your* ~! 잠자코 있어! ***into*** [***out of***] ***the ~s of death*** 사지(死地)에 들어가[사지를 벗어나] ***set*** one***'s ~*** 덤비다 a person***'s ~ dropped*** [***fell, sagged***] 《구어》 크게 놀라서 입을 딱 벌리다
— *vi.*, *vt.* 《구어》 지껄이다; 지리하게 말하다; 설교하다, 타이르다
jaw[2] 《스코·북잉글》 *n.* 큰 파도, 놀(billow)
— *vi.* 〈액체가〉 파도처럼 밀려오다, 내뿜다
— *vt.* 〈액체를〉 붓다, 튀기다
ja·wan [dʒəwɑ́:n] *n.* 《인도》 군인, 병사; 젊은이
jaw·bone [dʒɔ́:bòun] *n.* 턱뼈, 악골; 《특히》 아래턱뼈, 하악골(mandible); 《미·속어》 수다쟁이; (재정상의) 신용(credit); 대부, 융자; 《구어》 설득 공작, 강력한 요청[압력] ***on ~*** 《속어》 외상으로, 신용 대부로
— *vt.*, *vi.* **1** 《속어》 〈정부 등이〉 설득 공작을 하다, 압력을 가하다; 《미·속어》 꾸짖다; 《미·군대속어》 시험 사격을 하다 **2** 《미·속어》 빌리다, 외상으로 사다
— *a.* 《속어》 설득 공작의 **—** *ad.* 《미·속어》 외상으로
jaw·bon·ing [-bòuniŋ] *n.* U 《미·구어》 (임금·가격 인상을 억제하기 위한 정부의) 강력한 설득[권고]
jaw·break·er [-brèikər] *n.* 《구어》 **1** 광석 파쇄기 **2** 발음하기 어려운 말 **3** 《미》 딱딱한 캔디[풍선껌]
jaw·break·ing [-brèikiŋ] *a.* 《구어》 발음하기 어려운 **~·ly** *ad.*
jaw·crack·er [-krækər] *n.* 《미·속어》 =JAWBREAKER
jaw-drop·ping [-drɑ́piŋ|-drɔ́p-] *a.* (입을 딱 벌릴 정도로) 크게 놀라운, 굉장한
jawed [dʒɔ́:d] *a.* [종종 복합어를 이루어] 턱이 있는; 턱이 …한: square-~ 턱이 네모진
jaw-jaw [dʒɔ́:dʒɔ̀:] 《영·속어》 *vi.* 장황하게 이야기하다 **—** *n* U 장황한 이야기, 장시간의 논의
jáw·less físh [dʒɔ́:lis-] =CYCLOSTOME
jaw·line [dʒɔ́:làin] *n.* 아래턱 윤곽
Jàws of Lífe 조스 오브 라이프 《사고 난 차 안에 갇힌 사람을 꺼내는 데 쓰는 공구; 상표명》
***jay**[1] [dʒéi] [의성어] *n.* **1** 〖조류〗 어치 《땅 위를 비스듬히 뛰어다님》 **2** 《구어》 **a** 잘 지껄이는 사람, 수다쟁이 **b** 얼간이, 풋내기
jay[2] *n.* **1** (알파벳의) J, j **2** 《미·속어》 마리화나(담배)
jay·bird [dʒéibə̀:rd] *n.* 《방언》 =JAY[1] 1
Jay·cee [dʒéisí:] [*j*unior *c*hamber] *n.* 청년 상공회의소(junior chamber of commerce)의 회원
jay·gee [dʒéidʒí:] [lieutenant *j*unior *g*rade] *n.* 《미·구어》 중위
Jay·hawk·er [dʒéihɔ̀:kər] *n.* **1** 《미·구어》 Kansas 주의 사람 《별명》 **2** [**j~**] 《미·속어》 약탈자; 게릴라 대원 《남북 전쟁 당시의》
jáy smòke 《미·속어》 마리화나 담배
jay·vee [dʒéiví:] [*j*unior *v*arsity] *n.* =JUNIOR VARSITY; [보통 *pl.*] 그 일원
jay·walk [dʒéiwɔ̀:k] [jay[1]의 걸음걸이에서] *vi.* 《구어》 길을 무단 횡단하다 **~·er** *n.* **~·ing** *n.*
‡jazz [dʒǽz] *n.* U **1** 〖음악〗 재즈; 재즈 댄스; 재즈풍 **2** 《속어》 소동, 흥분(excitement), 자극, 활기(liveliness) **3** 《속어》 호언장담, 허풍, 과장 ***... and all that ~*** 《구어》 그리고 그러한 것, 등등: I played baseball, tennis, golf, *and all that* ~. 나는 야구, 테니스, 골프 따위를 즐겼다.
— *a.* **1** 재즈의, 재즈적인, 재즈식의: a ~ band 재즈 악단 / ~ fans 재즈 팬 **2** 얼룩덜룩한
— *vi.* **1** 재즈를 연주하다; 재즈 댄스를 추다 **2** 《속어》 쾌활하게 행동하다, 신바람이 나다, 흥분하다
— *vt.* **1** 재즈풍으로 연주[편곡]하다; 재즈화하다 **2** 《속어》 허풍을 떨다 **3 a** 활기차게 하다, 흥분을 돋우다 **b** 가속(加速)하다
~ around 놀러 돌아다니다 ***~ it*** 《속어》 (열광적으로) 재즈를 연주하다 ***~ up*** 《미·속어》 재즈식으로 연주하다; 활기 있게 하다, 떠들썩하게 하다, 다채롭게 하다
~·er *n.* **~·lìke** *a.* ▷ jázzy *a.*
Jázz Àge [the ~] 《미》 재즈 시대 《제1차 대전 후부터 1920년대의 향락적이고 사치스러웠던 재즈 전성기》
jazz·bo [dʒǽzbou] *n.* (*pl.* **~s**) 《미·속어》 재즈 음악가, 재즈광
jazzed [dʒǽzd] *a.* 《미·속어》 활기찬(lively), 재미있는, 신나는(exciting)
jazzed-up [dʒǽzdʌ̀p|ㅅㅅ] *a.* 다채롭게 한, 요란한
jaz·zer·cise [dʒǽzərsàiz] *n.* 《미》 재저사이즈 《재즈 음악에 맞추어 하는 체조》
jazz-fu·sion [dʒǽzfjù:ʒən] *n.* 〖음악〗 =JAZZ-ROCK
jazz-funk [-fʌ̀ŋk] *n.* 〖음악〗 재즈 펑크 《재즈와 펑크를 합친 음악》
jazz·man [dʒǽzmæ̀n] *n.* (*pl.* **-men** [-mèn]) 재즈 연주가
jaz·zo·thèque [dʒǽzətèk] [*jazz*+disco*thèque*] *n.* 악단 연주의 재즈와 레코드 음악이 있는 나이트클럽
jazz-rock [dʒǽzrɑ̀k|-rɔ̀k] *n.* U 재즈록 《재즈와 록이 혼합된 음악》

thesaurus **jealous** *a.* **1** 시샘하는 begrudging, grudging, resentful, envious, green-eyed, cov-

jázz shòe 재즈 슈즈 《재즈를 출 때 신는, 굽이 낮은 남자용 구두; 또는 그와 비슷한 캐주얼 슈즈》
jázz sìnger 재즈 가수, 재즈 싱어
jazz·wo·man [dʒǽzwùmən] *n.* 여성 재즈 연주자
jazz·y [dʒǽzi] *a.* (**jazz·i·er**; **-i·est**) **1** 재즈식의; 재즈의 **2** 《구어》 마구 떠들어 대는, 활발한 **3** 장식적인, 화려한, 야한: a ~ sweater 야하고 화려한 스웨터
jázz·i·ly *ad.* **jázz·i·ness** *n.*
J-bar lìft [dʒéibɑ̀:*r*-] 《미》 《1인용》 J자형 스키 리프트
J.C., JC Jesus Christ; Julius Caesar; Jurisconsult
JCB [dʒèisi:bí:] *n.* 《영》 《긴 삽이 달린》 굴착기의 일종 《건설 장비; 상표명》
J.C.B. *Juris Canonici Baccalaureus* 《L =Bachelor of Canon Law》; *Juris Civilis Baccalaureus* 《L =Bachelor of Civil Law》 **J.C.C.** Junior Chamber of Commerce **J.C.D.** *Juris Canonici Doctor* 《L =Doctor of Canon Law》
JCL job control language 〖컴퓨터〗 작업 통제 언어; *Juris Canonici Lector*[*Licentiatus*] 《L= Reader[Licentiate] in Canon Law》
J-cloth [dʒéiklɔ̀:θ, -klɑ̀θ | -klɔ̀θ] *n.* 걸레[행주]용 타월 《상표명》
J.C.R. 《영》 Junior Common Room
JCS Joint Chiefs of Staff **jct**(**n**). junction
J-curve [dʒéikə̀:*r*v] *n.* 〖경제〗 J 커브 《환율 인하 후 처음에는 악화되지만 그 후 개선되는 효과를 나타내는 J형 그래프》
J.D. *Juris Doctor* 《L =Doctor of Law》; *Jurum Doctor* 《L =Doctor of Laws》; 〖법〗 juvenile delinquent **JDL** Jewish Defense League 유대인 방위 연맹 《우익 과격파 조직》 **Je.** June
⁑jeal·ous [dʒéləs] [L 「열심」의 뜻에서; zealous와 같은 어원] *a.* **1** 질투가 많은, 투기하는; 시샘하는, 선망하는(envious) 《*of*》: a ~ husband 질투심 많은 남편 / Tom is ~ *of* John's marks. 톰은 존의 성적을 샘내고 있다. **2** 〈권리·물건 등을〉 지키려고 몹시 경계하는 《*of*》, 방심하지 않는: be ~ *of* one's independence 자신의 독립을 지키려고 애쓰다 / watch with a ~ eye 방심 않고 지켜보다 / a city ~ *of* its rights 권리를 애써 지키는 도시 **3** 〖성서〗 다른 신을 믿는 것을 용서하지 않는 〈하느님〉 《출애굽기 34: 14》
~·ly *ad.* 질투하여; 빈틈없이 **~·ness** *n.*
⁑jeal·ou·sy [dʒéləsi] *n.* (*pl.* **-sies**) **1** ⓊⒸ 질투, 투기, 시샘

> 유의어 **jealousy** envy보다 개인적인 감정으로 우월한 자를 시기하며 증오하는 감정: His success aroused *jealousy* in them. 그의 성공은 그들 사이에 시기심을 일으켰다. **envy** 남이 갖고 있는 것을 자기도 갖고 싶다고 부러워하는 감정: feel *envy* at another's good fortune 남의 행운을 부러워하다

2 Ⓤ 빈틈없는 주의, 경계심
***jean** [dʒí:n] [ME 「이탈리아 제노바산의 (면포)」의 뜻에서] *n.* **1** [때로 *pl.*; 단수 취급] 진 《올이 가는 능직 면포; 운동복·작업복용》 **2** [*pl.*] 진[데님] 바지(cf. BLUE JEANS); 《일반적으로》 바지(trousers): a pair of ~*s* 진 바지 한 벌 **jeaned** [dʒí:nd] *a.* 진을 입은
Jean [dʒí:n] *n.* 여자 이름
Jeanne d'Arc [ʒɑ:n-dɑ́:*r*k] =JOAN OF ARC
Jean·nette, Jean·ette [dʒənét] *n.* 여자 이름 《애칭 Nettie》
jeans·wear [dʒí:nzwɛ̀ə*r*] *n.* Ⓤ 진 웨어 《진으로 만든 평상복》
jea·sly [dʒí:zli] *a.* 《미·속어》 보잘것없는, 시시한
Jed·da(**h**) [dʒédə] *n.* 제다 《사우디아라비아의 홍해 연안의 도시》
jee [dʒí:] *n.*, *int.* =GEE[1]

etous, desirous **2** 경계하는 protective, vigilant, watchful, heedful, mindful, careful

jeep [dʒí:p] [G.P. (*g*eneral *p*urpose)] *n.* 지프차; [**J~**] 그 상표명 **—** *vi.*, *vt.* 지프차로 가다[나르다]
jéep càrrier 〖미해군〗 대(對)잠수함 호위용 소형 항공모함
jee·pers [dʒí:pə*r*z] *int.* 《미》 이런, 저런, 아이고, 굉장하군 《놀람·열광의 표시》
jeep-jock·ey [dʒí:pdʒɑ̀ki | -dʒɔ̀ki] *n.* 《미·속어》 지프 운전사
jeep·ney [dʒí:pni] [*jeep*+jit*ney*] *n.* 지프니 《지프를 개조한 10인승 합승 버스》
***jeer**[1] [dʒíə*r*] *vi.* 조롱하다, 조소하다, 놀리다, 야유하다 《*at*》: 《~+전+명》 ~ *at* a person's idea …의 생각을 우습게 여기다
— *vt.* 조소하다, 조롱[희롱]하다: Don't ~ the losing team. 지고 있는 팀을 조롱하지 마라. // 《~+목+부》 They *~ed* me *out*. 그들은 나를 조롱하여 방에서 내쫓았다.
— *n.* 조롱, 희롱, 빈정거리는 말
~·er *n.* **~·ing·ly** *ad.* 조롱[희롱]하여
jeer[2] *n.* [종종 *pl.*] 〖항해〗 아랫돛 활대를 올리고 내리는 겹도르래
jee·ter [dʒí:tə*r*] *n.* 《미·속어》 버릇없고 단정치 못한 남자; 《미·육군속어》 중위, 소위(lieutenant)
Jeeves [dʒí:vz] *n.* 지브스 《P.G. Wodehouse의 코믹 단편 소설 Jeeves 시리즈에 나오는 재치 있는 집사》
jeez [dʒí:z] *int.* [때로 **J~**] 《속어》 이런, 저런, 어머나, 아이고 《가벼운 놀람·낙심》
je·fe [héifei] [Sp.] *n.* 지도자, 수령, 보스(boss)
Jeff [dʒéf] *n.* 남자 이름 《Jeffrey의 애칭》
Jef·fer·son [dʒéfə*r*sn] *n.* 제퍼슨 **Thomas ~** (1743-1826) 《미국 제3대 대통령(1801-9)》
Jéfferson Cíty 제퍼슨 시티 《미국 Missouri 주의 주도(州都)》
Jef·fer·so·ni·an [dʒèfə*r*sóuniən] *a.* 제퍼슨식 (민주주의)의 **—** *n.* 제퍼슨(주의) 숭배자[지지자]
Jef·frey [dʒéfri] *n.* 남자 이름 《애칭 Jeff》
jeg·ging [dʒégiŋ] [*j*ean+l*egging*] *n.* [보통 *pl.*] 제깅스 《진에 레깅스의 핏과 편안함을 더한 패션》
je·had [dʒihɑ́:d] *n.* =JIHAD
***Je·ho·vah** [dʒihóuvə] *n.* 〖성서〗 여호와, 야훼 《구약 성서의 신》, 전능하신 신(the Almighty)
Jehóvah's Wítnesses 여호와의 증인 《그리스도교의 한 종파》
Je·ho·vist [dʒihóuvist] *n.* =YAHWIST
Je·hu [dʒí:hju: | -hju:] *n.* **1** 〖성서〗 예후 《이스라엘 왕》 **2** [**j~**] 《익살》 마부, 운전사(driver); 마구 몰아대는 마부[운전사] ***drive like j~*** 《구어》 차를 난폭하게 몰다
je·june [dʒidʒú:n] *a.* 《문어》 **1 a** 영양분이 적은[낮은] **b** 〈땅이〉 불모의, 메마른(barren) **2** 무미건조한(dry), 재미없는 **3** 《미》 미숙한, 유치한(childish)
~·ly *ad.* **~·ness** *n.*
je·ju·nec·to·my [dʒidʒu:néktəmi, dʒì:dʒu-] *n.* (*pl.* **-mies**) ⓊⒸ 〖외과〗 공장(空腸) 절제(술)
je·ju·ni·ty [dʒidʒú:nəti] *n.* Ⓤ 빈약함; 무미건조
je·ju·num [dʒidʒú:nəm] *n.* (*pl.* **-na** [-nə]) 〖해부〗 공장(空腸)
Je·kyll [dʒékəl, dʒí:k-] *n.* 지킬 박사 **Dr. ~** 《Stevenson의 이중인격을 다룬 소설 *The Strange Case of Dr. Jekyll & Mr. Hyde*의 주인공》
Jékyll and Hýde [a ~] 이중인격자
Je·kyll-and-Hyde [-ənháid] *a.* 이중인격(자)의
jel [dʒél] *n.* 《미·속어》 바보, 얼간이
jell [dʒél] [jelly의 역성(逆成)] *vi.* 《구어》 **1** 젤리 타입으로 되다 **2** 〈계획·의견 등이〉 굳어지다 **—** *vt.* **1** 젤리 타입으로 굳히다 **2** 〈계획·의견 등을〉 굳히다, 구체화시키다 **—** *n.* =JELLY
jel·lied [dʒélid] *a.* 젤리 타입으로 굳힌; 젤리로 싼
jéllied gásoline 〖화학〗 =NAPALM
jel·li·fy [dʒéləfài] *vt.*, *vi.* (**-fied**) 젤리 타입으로 하다[되다]

Jell-O [dʒélou] *n.* Ⓤ 젤로 《과일의 맛과 빛깔과 향을 낸 디저트용 젤리; 상표명》
jel·loid [dʒélɔid] *n.* (구어) 기개가 없는 사람, 물컹이
‡**jel·ly** [dʒéli] [L 「얼리다」의 뜻에서] *n.* (*pl.* **-lies**) **1** Ⓤ 젤리, 젤리 잼, 우무; ⓊⒸ 젤리 《과자》 **2** ⓊⒸ 젤리 타입의 것 **3** (속어) 젤리 피임약 **4** (미·속어) 수월한 일, 수월하게 얻는 것 **5** (속어) 여자 친구; (비어) 여성의 성기, 섹스, 정액 **6** (영·구어) (진정제 등이) 약효가 나타나는 양 **7** [*pl.*] (속어) =JELLY SHOES
beat** a person **to**[**into**] **a** ~* …을 녹초가 되도록 두들겨 주다 ***feel [***be***] ***like*** ~ =***turn to*** ~ (무섭거나 불안하여) 다리가 떨리다 ***shake like a*** ~ (구어) 벌벌 떨다; 〈뚱뚱한 사람이〉 몸을 흔들며 웃다
— *v.* (**-lied**) *vi.* 젤리가 되다, 젤리 타입으로 되다
— *vt.* **1** 젤리 타입으로 만들다[굳히다] **2** 〈식품을〉 젤리에 넣다, 젤리로 덮다[채우다] **3** (미·속어) 빈들거리다; 멋대로 말하나 ▷ jéll *v.*
jélly bàby (영) (아기 모양의) 젤리 《과자》
jélly bàg 젤리 밭는 주머니
jel·ly·bean [dʒélibìːn] *n.* **1** 콩 모양의 젤리 과자 **2** (속어) 무기력한 사람, 화려하게 멋부린 사람; (야구 따위의) 미숙자; 암페타민 정제[캡슐]
jélly bèlly (미·속어) 배불뚝이; 겁쟁이
jélly bòmb 젤리 모양의 휘발유 소이탄
jélly dòughnut (속에 젤리나 잼을 넣은) 젤리 도넛
***jel·ly·fish** [dʒélifìʃ] *n.* (*pl.* [집합적] **~, ~·es**) 해파리; (구어) 의지가 약한 사람, 기골[기개]이 없는 사람
jélly ròll 1 젤리롤, 스위스롤 《젤리를 바른 스펀지케이크》 **2** (미·속어) 애인; (미·비어) 여성 성기; 《일반적으로》 성교
jélly shòes[**sàndals**] 젤리 슈즈 《빛깔이 다채로운 비닐제의 여성용 여름 신발》
jem·a·dar [dʒémədɑ̀ːr] *n.* (인도 원주민 부대의) 인도인 장교 《중위 상당》; 인도인 경관; 십장
jem·be [dʒémbe] *n.* 젬베 **1** (동아프) 괭이 **2** 서아프리카의 전통 북 **3** 서아프리카 음악의 한 형태
je·mi·mas [dʒəmáiməz] *n. pl.* (영) 고무장화
jem·my [dʒémi] *n.* (*pl.* **-mies**) (영) **1** =JIMMY **2** 구운 양의 머리
Jé·na gláss [jéinə-] [독일 도시 Jena에서] 예나 유리 《광학용 특수 유리》
je ne sais quoi [ʒə-nə-sɛ-kwɑ́ː] [F =I do not know what] 형언하기 어려운 것
Jen·ghis[**Jen·ghiz**] **Khan** [dʒéŋgis-kɑ́ːn, -giz-, dʒén-] =GENGHIS KHAN
Jen·ner [dʒénər] *n.* 제너 **Edward** ~ (1749-1823) 《영국의 의사; 종두의 창시자》
jen·net [dʒénit] *n.* 스페인종의 조랑말; 암탕나귀
jen·net·ing [dʒénətiŋ] *n.* 조생종 사과의 일종
jen·ny [dʒéni] [Jeeny의 전용(轉用)] *n.* (*pl.* **-nies**) **1** 자동 기중기 **2** 제니 방적기 **3** (여러 동물·새의) 암컷 (opp. *jack*[1]); 암탕나귀(=∠ **àss**) **4** [보통 **J~**] (미·속어) 훈련용 비행기 **5** 〖당구〗 쿠션 부근의 목표 공을 지나서 자기 포켓에 들어가게 치는 법
Jen·ny [dʒéni] *n.* 여자 이름 《Jane의 애칭》
Jen·sen·ism [dʒénsənìzm] [미국의 교육 심리학자 A.R. Jensen에서] *n.* 젠센 이론 《지능 지수는 주로 유전에 의한다는 설》
jeop·ard [dʒépərd] *vt.* (미) =JEOPARDIZE
***jeop·ard·ize** | **-·ise** [dʒépərdàiz] *vt.* 위태롭게 하다, 위험에 빠뜨리다(endanger)
jeop·ard·ous [dʒépərdəs] *a.* 위험한 **~·ly** *ad.*
***jeop·ard·y** [dʒépərdi] *n.* **1** Ⓤ [보통 in ~로] 위험(risk): be *in* ~ 위험에 빠지다 / put[place] … *in* ~ …을 위험에 빠뜨리다 **2** 〖미국법〗 (피고의) 유죄가 될 위험성
— *vt.* =JEOPARDIZE
Jeph·thah [dʒéfθə] *n.* 〖성서〗 입다 《이스라엘의 사사(士師); 사사기 11: 30-40》
je·quir·i·ty [dʒəkwírəti] *n.* (*pl.* **-ties**) 〖식물〗 홍두; 그 열매(=∠ **bèan**) 《비즈(beads)로 씀》

Jer. Jeremiah; Jeremy; Jerome; Jersey
jer·bo·a [dʒərbóuə, dʒɛər- | dʒəː-] *n.* 〖동물〗 날쥐 《북아프리카·아시아산으로 긴 꼬리와 뒷다리로 잘 뜀》
je·reed, jer·reed [dʒəríːd] *n.* =JERID
jer·e·mi·ad [dʒèrəmáiəd, -æd] *n.* (장황한) 넋두리[푸념], 한탄
Jer·e·mi·ah [dʒèrəmáiə] *n.* 〖성서〗 예레미야 《히브리의 예언자》; 예레미야서(書) 《구약 성서의 한 권; 略 Jer.》; [종종 **j~**] 비관론자
Jer·e·my [dʒérəmi] *n.* 남자 이름
Jer·i·cho [dʒérikòu] *n.* 〖성서〗 예리코 《팔레스타인의 옛 도시》 ***Go to ~!*** 꺼져, 없어져!
je·rid [dʒəríːd] *n.* **1** 투창 《터키·이란·아라비아 기병의 나무창》 **2** (마상) 투창 경기
‡**jerk**[1] [dʒə́ːrk] *n.* **1** 갑자기 잡아당김[밀침, 비틂, 찌름, 던짐]: give a ~ 홱 잡아당기다 **2** [*pl.*] (근육·관절 등의) 반사 운동, 경련; [the ~s] (종교적 감동 등에서 일어나는) 손발·안면 등의 경련, 약동; [*pl.*] (영·구어) 체조, 신체 운동(=physical ~s) **3** (속어·경멸) 세상 물정을 모르는 사람, 바보; (미·속어) =SODA JERK **4** [*pl.*] =CHOREA **5** 〖역도〗 용상 **6** (속어) (철도의) 지선(支線) ***put a ~ in it*** (구어) (일을) 활발하게 하다 ***with a ~*** 홱 하고, 갑자기: stop[pull] *with a* ~ 갑자기 서다[당기다]
— *vt.* **1** 갑자기 움직이다[당기다, 밀치다, 찌르다, 비틀다], 급히 흔들다, 홱 던지다: (~+목+전+명) She *~ed* the child *by* the hand. 그녀는 갑자기 아이의 손을 홱 잡아당겼다. **2** 내뱉듯이 말하다, 갑자기 말을 퍼붓다: (~+목+부) He *~ed out* an insult at me. 그는 갑자기 내게 욕을 퍼부었다. **3** 〈소다수 가게에서 아이스크림 소다수를〉 만들어서 내다
— *vi.* **1** 갑자기 움직이다, 덜커덩 흔들리면서 나아가다; 꿈틀거리다, 경련하다: (~+부) The train *~ed along.* 기차는 덜커덩거리며 나아갔다. // (~+보) The door *~ed* open. 문이 홱 열렸다. **2** 내뱉듯이 말하다, 더듬더듬 말하다 **~ *along*** 흔들리며[덜커덩거리며] 가다 **~ *around*** 혼란스럽게 하다, 당황하게 하다 **~ *off*** 시간을 헛되이 쓰다; 실수하다; (속어) 못쓰게 만들다; (비어) =MASTURBATE **~ *out*** 내뱉듯이 말하다, 띄엄띄엄 말하다 **~ *up*** 〈얼굴 등을〉 갑자기 쳐들다, 휙 잡아당기다 **~·er** *n.* ▷ jérky *a.*
jerk[2] *vt.* 〈쇠고기를〉 포로 만들다 《저장용》
— *n.* =JERKY[2]
jer·kin [dʒə́ːrkin] *n.* 〖역사〗 16-17세기의 남자용 짧은 상의 《주로 가죽》; 부녀자용 소매 없는 짧은 조끼
jer·kin·head [dʒə́ːrkinhèd] *n.* 〖건축〗 반(半) 박공
jerk-off [dʒə́ːrkɔ̀ːf | -ɔ̀f] (미·속어) *n.* 바보, 멍청이; (미·비어) 용두질하는 사람 — *a.* 자위용의; 시시한
jérk tòwn (미·속어) 조그만 시골 도시
jerk·wa·ter [dʒə́ːrkwɔ̀ːtər] (미·구어) *n.* **1** 지선(支線) 열차 **2** 시골 — *a.* **1** 지선의 **2** 시골의; 작은, 시시한: a ~ college 지방 대학
jerk·y[1] [dʒə́ːrki] *a.* (**jerk·i·er**; **-i·est**) 갑자기[덜커덩, 홱] 움직이는, 경련하는; 변덕스러운
— *n.* (*pl.* **jerk·ies**) (미) (스프링이 없는) 덜커덕거리는 마차 **jérk·i·ly** *ad.* **jérk·i·ness** *n.*
jerky[2] *n.* Ⓤ (미) 포육(jerked meat); 《특히》 쇠고기포(jerked beef)
Jer·o·bo·am [dʒèrəbóuəm] *n.* **1** 〖성서〗 여로보암 《북이스라엘 초대 왕》 **2** [**j~**] **a** (샴페인용) 큰 병 **b** (영) 실내 변기, 요강
Je·rome [dʒəróum] *n.* **1** 남자 이름 《애칭 Jerry》 **2** 성 제롬 **Saint** ~ (347?-420?) 《라틴어역 성서를 완성》
jer·ri·can [dʒérikæ̀n] *n.* **1** 〖미군〗 제리캔 《5갤런 통》 **2** (영) (4 1/2 영국 갤런들이) 용기
jer·ry[1] [dʒéri] *n.* (*pl.* **-ries**) (영·속어) 실내 변기, 요강(chamber pot)
jerry[2] *n.* (미·속어) **1** 육체 노동자; 철도 선로공 **2** 소

thesaurus **jeopardy** *n.* risk, peril, danger, endangerment, hazard, precariousness, insecuri-

형 권총 —*a.* (**-ri·er**; **-ri·est**) 값싸게 날림으로 지은 (=~-built); 빈약한, 임시변통의
Jer·ry [dʒéri] *n.* **1 a** 남자 이름 ((Gerald, Gerard, Jeremiah, Jeremy, Jerome의 애칭)) **b** 여자 이름 ((Geraldine의 애칭)) **2** ((영·구어)) 독일병, 독일 사람 ((별명))
jer·ry-build [dʒéribìld] *vt., vi.* (**-built** [-bìlt]) 〈집을〉 날림으로 짓다; 아무렇게나 만들다; 어름어름 해치우다 **~·er** *n.* 날림일 목수 **~·ing** *n.* Ⓤ 날림 공사; 날림 집 **jér·ry-bùilt** *a.* 날림으로 지은
jérry càn =JERRICAN
jer·ry·man·der [dʒérimæ̀ndər] *n., v.* =GERRYMANDER
jer·ry-shop [dʒériʃɑ̀p | -ʃɔ̀p] *n.* ((영)) 싸구려 맥주홀, 선술집
*__jer·sey__ [dʒə́ːrzi] [제조지인 Jersey 섬 이름에서] *n.* (*pl.* **~s**) **1** Ⓤ **저지** ((부드럽고 신축성 있는 양복감)) **2** 저지 셔츠 ((럭비·축구 선수용)); 저지 스웨터
—*a.* 털실로 짠, 메리야스의
Jer·sey [dʒə́ːrzi] *n.* **1** 저지 섬 ((영국 해협 제도 중 최대의 섬)); (이 섬에서 산출되는) 저지 젖소(=~ **còw**) **2** ((미)) =NEW JERSEY —*a.* Jersey 섬 (산(産))의
*__Je·ru·sa·lem__ [dʒirúːsələm, -zə-] *n.* **예루살렘** ((그리스도교도·유대교도·이슬람교도의 성도(聖都); 현재는 이스라엘의 수도))
Jerúsalem ártichoke 〖식물〗 뚱딴지 ((덩이줄기는 식용))
Jerúsalem cróss 예루살렘 십자가 ((네 가지 끝에 가로 막대가 있는 십자가))
Jerúsalem póny ((익살)) 당나귀(donkey)
Jes·per·sen [jéspərsn, dʒés-] *n.* 예스페르센 **Otto** ~ (1860-1943) ((덴마크의 언어학자·영어학자))
jess [dʒés] *n.* [보통 *pl.*] (매사냥에서 매의 발에 매는) 젓갖 —*vt.* 〈매에〉 젓갖을 매다
jes·sa·min(e) [dʒésəmin] *n.* =JASMINE
Jes·sa·myn [dʒésəmin] *n.* 여자 이름
Jes·se [dʒési] *n.* **1** 남자 이름 **2 a** 〖성서〗 이새 ((다윗왕의 아버지)) **b** =JESSE TREE **3** ⓊⒸ [때로 **j~**] ((미·속어)) 호된 꾸짖음[매질]
Jésse trèe 이새 가계의 계통수(樹) ((이새를 뿌리로 하여 예수까지의 계보를 나뭇가지로 나타낸 것))
Jésse wìndow 이새의 창 ((Jesse tree를 나타낸 장식 유리창))
Jes·si·ca [dʒésikə] *n.* 여자 이름
Jes·sie [dʒési] *n.* **1** 여자 이름 ((Jessica의 애칭)) **2** [종종 **j~**] ((영·구어)) 나약한 사내, 남자 동성애자
‡**jest** [dʒést] [L 「공로담」의 뜻에서] *n.* **1** **농담**(joke), 익살; 장난, 희롱: speak half in ~, half in earnest 농담 반 진담 반으로 말하다 **2** 조롱거리, 웃음거리
a dry ~ 진지한 표정으로 하는 농담 ***an offhand ~*** (경우에 딱 맞는) 즉흥적인[임기응변의] 말 ***be a standing ~*** 언제나 웃음거리가 되다 ***break*** [***drop***] ***a ~*** 농담을 하다, 익살 부리다 ***make a ~ of*** …을 희롱하다 ***say by way of ~*** 농담으로 말하다
—*vi.* **1** 농담하다(jeer), 익살 부리다 ((*about*)) **2** 놀리다, 희롱하다; 조롱하다 ((*with, at*)): (~+전+명) Don't ~ *with* him. 그를 희롱하지 마라.
—*vt.* …을 놀리다, 비웃다; 조롱하다
jest·book [dʒéstbùk] *n.* 만담집, 소화집(笑話集)
jest·er [dʒéstər] *n.* **1** 농담하는 사람 **2** 어릿광대 ((특히 중세의 왕후·귀족이 거느리던))
jest·ing [dʒéstiŋ] *n.* Ⓤ 익살, 시시덕거림; 희롱거림 —*a.* 농담의; 농담을 잘하는, 익살스러운(jocose); 시시한(trivial) **~·ly** *ad.*
Je·su [dʒíːzuː, -suː | -zjuː] *n.* ((문어)) =JESUS
Je·su·it [dʒéʒuit, -zju- | -zju-] *n.* **1** 〖가톨릭〗 예수회(Society of Jesus)의 일원[수사] **2** [종종 **j~**] ((경멸)) 음흉한 사람; 궤변가

---

ty, vulnerability, threat, menace
jerk[1] *v.* pull, tug, wrench, pluck, jolt, bump

Jes·u·it·ic, -i·cal [dʒèʒuítik(əl), -zju- | -zju-] *a.* **1** 예수회의 **2** [종종 **j~**] ((경멸)) 음흉한; 궤변적인
Jes·u·it·ism [dʒéʒuitìzm, -zju- | -zju-], **-it·ry** [-itri] *n.* Ⓤ 예수회주의[교의, 관행, 조직]; [종종 **j~**] ((경멸)) 음흉함; 궤변을 부림
Jésuit's bárk 기나 껍질(cinchona) ((키니네를 만듦))
‡**Je·sus** [dʒíːzəs, -zəz | -zəs] [Heb. 「여호와의 도움」의 뜻에서] *n.* **예수**(=~ Christ), 예수 그리스도
beat [***kick, knock***] ***the ~ out of*** a person ((미·속어)) …을 몹시 때리다[발길질하다, 치다] ~ (***Christ***)***!*** =***Holy ~!*** ((속어)) 이크, 제기랄! ~ ***wept!*** ((비어)) 원 이럴 수가 있나! ((분노·비탄의 소리)) ***the Society of ~*** 예수회 ((가톨릭 수도회의 하나; 略 SJ))
—*int.* =JESUS CHRIST
Jésus bòots[**shòes**] ((미·속어)) (히피 등이 신는) 남자용 샌들
Jésus bùg 〖곤충〗 소금쟁이(water strider) ((예수가 물 위를 걸은 데서))
Jésus Chríst **1** 예수 그리스도 **2** [감탄사적으로] 제기랄, 우라질, 세상에, 이럴 수가! ((놀람·실망·불신·공포·강조 등의 소리))
Jésus frèak ((미·구어)) 열광적인 그리스도교 원리주의자, 기독교 우익 과격파
Jésus Mòvement[**revolùtion**] [the ~] ((미)) 예수 그리스도 운동 ((젊은이들의 열광적인 무교회주의 그리스도교 운동))
Jésus péople ((미)) Jesus freak의 총칭
‡**jet**[1] [dʒét] *n., a., v.*

> L 「던지다」의 뜻에서 → (내뿜다) → 「분출」 → (분사 추진식 비행기) → 「제트기」

—*n.* **1** **분사**, 분출, 사출(spurt) ((*of*)); 사출[분출]물 ((가스·액체·증기·불꽃 등)): shoot a ~ *of* water from a squirt 물총에서 물을 쏘다 **2** **제트기**(=~ plane): a ~ pliot 제트기 조종사 **3** 분출구, 사출구, 노즐(nozzle), 물꼭지(spout) **4** =JET ENGINE
—*a.* **1** 분출하는, 분사하는, 분사 추진의 **2** 제트기의[에 의한], 제트 엔진의: a ~ trip 제트기 여행
—*v.* (**~·ted**; **~·ting**) *vt.* 내뿜다, 사출[분출]하다
—*vi.* **1** 분출하다, 뿜어나오다 ((*out*)) **2** 분사 추진으로 움직이다[나아가다]; 급속히 움직이다[나아가다]; 제트기로 여행하다[나르다]: (~+전+명) He ~*ted to* New York. 그는 제트기를 타고 뉴욕에 갔다.
~ ***about*** 제트기로 돌아다니다 ~ ***up*** 일을 척척 해치우다, 열심히 일하다
jet[2] *n.* Ⓤ **1** 흑옥(黑玉)(탄), 패갈탄(貝褐炭) ((새까만 석탄)) **2** 흑옥색, 칠흑 —*a.* 흑옥(제)의; 흑옥색의, 칠흑의: ~ beads 흑옥제 구슬
JET [dʒét] Joint European Torus ((EC 9개국의 공동 개발에 의한 Tokamak형 핵융합 실험 장치))
jet·a·bout [dʒétəbàut] *n.* 제트기 여행자
—*a.* 제트기를 많이 이용하는
jét àge 제트기 시대
jét áirliner 정기 제트 여객기
jét áirplane =JET PLANE
jét bèlt 인간 제트, 제트 벨트 ((개인용 제트 추진 비행 장치))
jet-black [-blǽk] *a.* 새까만, 칠흑의
jet·boat [-bòut] *n.* 제트 보트 ((제트 엔진 장비의 배))
jet-borne [-bɔ̀ːrn | -bɔ̀ːn] *a.* 제트기로 운반되는
jét éngine[**mótor**] 제트[분사 추진] 엔진
jét fatìgue[**exhàustion**] =JET LAG
jét fìghter 제트 전투기
jet·foil [-fɔ̀il] *n.* ((영)) 제트 수중익선(水中翼船)
jét gùn (소형의) 백신 주사기 ((압착식))
jet-hop [-hɑ̀p | -hɔ̀p] *vi.* 제트기 여행을 하다
jét làg (제트기 여행의) 시차(時差)로 인한 피로
jét-làgged *a.*
jet·lin·er [-làinər] *n.* 제트 여객기
jet·on [dʒétn] [F] *n.* (카드놀이 등에서) 득점 계산용

산가지(counter), 칩, 대용 동전(jetton)
jet·pack [dʒétpæ̀k] *n.* 제트팩《등에 메는 개인용 분사 추진기; 우주 유영 등에 사용》
jét pláne 제트기
jet·port [-pɔ̀ːrt] *n.* 제트기 비행장
jet-pro·pelled [-prəpéld] *a.* 분사 추진식의; 매우 빠른, 힘이 넘친
jét propúlsion (로켓식) 분사 반동 추진《略 JP; cf. JATO, JATO UNIT》
JETRO [dʒétrou] Japan External Trade Organization 일본 무역 진흥회
jet·sam [dʒétsəm] *n.* Ⓤ 〖해상보험〗 투하(投荷)《선박 조난시 바다에 버리는 화물》; 폐기물(cf. FLOTSAM)
jét sèt [보통 the ~] (구어) 제트족《제트 여객기로 세계를 돌아다니는 상류 계급》
jét sètter 제트족(jet set)의 한 사람
jét skì 제트 스키
jét-skì *vi.* 제트 스키를 타다
jét strèam 〖기상〗 제트 기류; 〖항공〗 (로켓 엔진의) 분류(噴流)
jét sỳndrome 제트기 증후군, 시차로 인한 피로(jet lag)
jet·ti·son [dʒétəsn, -zn] *vt.* 배·항공기에서 투하하다; 〈방해물 등을〉 내던지다, 버리다
—*n.* Ⓤ **1** 투하 (행위) **2** 폐기(물) **~·a·ble** *a.*
jet·ton [dʒétn] *n.* =JETON
jet·ty[1] [dʒéti] *n.* (*pl.* **-ties**) **1** 돌제(突堤); 방파제(breakwater): a ~ harbor 돌제항 **2** 선창; 부두(pier) **3** 〖건축〗 건물의 돌출부
jetty[2] *a.* (**-ti·er**; **-ti·est**) 흑옥색의; 칠흑의
jét wàsh (미·공군속어) 제트 엔진에서 나오는 공기의 후류(後流)
Jet·way [dʒétwèi] *n.* 제트웨이《여객기와 터미널 건물을 잇는 승강용 통로; 늘였다 줄였다 함; 상표명》
jeu [ʒəː] 〖F〗 *n.* 장난; 오락
jeu de mots [ʒəː-də-móu] 〖F =play on words〗 결말, 익살
jeu d'es·prit [ʒəː-desprίː] 〖F =play of wit〗 기발한 명구, 경구(警句)
jeu·nesse do·rée [ʒəːnés-dəːréi] 〖F =gilded youth〗 [집합적] 돈 많고 멋진 귀공자[청년]들
‡**Jew** [dʒúː] 〖Heb. 「Judah 사람」의 뜻에서〗 *n.* **1** 유대인, 히브리 인; 유대교 신자 **2** (고어·경멸) 고리대금업자, 간상배, 수전노: an unbelieving ~ 의심 많은 사람 / go to the ~*s* 고리대금업자에게 돈을 꾸러 가다 (***as***) ***rich as a*** ~ 큰 부자인
—*a.* (경멸) 유대인의(Jewish): a ~ boy 유대인 남자《연령에 관계없이》
—*vt.* [**j~**] (구어·경멸) 속이다, 협잡하다(cheat)
~ ***down*** (구어) 〈값을〉 깎다
▷ Jéwish *a.*
Jew. Jewish
Jew-bait·ing [dʒúːbèitiŋ] *n.* Ⓤ 조직적인 유대인 박해 **Jéw-bàit·er** *n.*
‡**jew·el** [dʒúːəl] *n.* **1** 보석(gem); (보석을 박은) 장신구, 보석 장식; (보)석(石)《시계·정밀 기계의 축받이돌인 루비 등》: a ring set with a ~ 보석 반지 / a watch of 17 ~*s* 17석의 손목시계 **2** 소중한 사람[물건], 보배 (같은 존재) **3** 보석 같은 것《별 등》 ***a ~ of*** …보석과 같이 귀중한, 보기 드문: *a ~ of* a boy 귀한 사내아이, 애지중지하는 아들 ***the ~ in the*** [***...'s***] ***crown*** (물건·사람의) 가장 훌륭한[중요한] 부분
—*vt.* (**~ed**; **~·ing** | **~led**; **~·ling**) [보통 과거분사형으로] **1** 보석으로 장식하다, 보석을 박아 넣다: a *~ed* crown 보석 왕관 **2** 〈손목시계 등에〉 축받이돌을 끼우다 **3** 〈언어 등을〉 (…로) 꾸미다, 〈경치에〉 윤색을 더하다 (*with*): the sky *~ed with* stars 별들로 아름답게 윤색된 하늘 **~·like** *a.*
jéwel bòx[**càse**] 보석함, 보석 상자
jew·eled [dʒúːəld] *a.* 보석으로 장식한, 보석을 박은: a ~ crown 보석을 박은 왕관
⁎**jew·el·er** | **jew·el·ler** [dʒúːələr] *n.* **1** 보석 세공인 **2** 보석 상인, 귀금속 상인 **3** 정밀 과학 기구 제작[수리] 전문가
⁎**jew·el·ry** | **jew·el·ler·y** [dʒúːəlri] *n.* Ⓤ **1** 보석류(jewels) **2** 보석 세공, 보석 장식; 장신구
jew·el·weed [dʒúːəlwìːd] *n.* 〖식물〗 물봉선화
Jew·ess [dʒúːis] *n.* (경멸) JEW의 여성형
jew·fish [dʒúːfìʃ] *n.* (*pl.* **~**, **~·es**) 〖어류〗 농엇과(科) 참바리속(屬)의 큰 물고기, 돗돔속(屬)의 큰 물고기
Jéw for Jésus 유대인 그리스도교도《예수를 유대인으로 인정하고 구세주임을 전도하는 교단의 일원》
⁎**Jew·ish** [dʒúːiʃ] *a.* **1** 유대인의; 유대인 특유의, 유대인식의, 유대인다운 **2** 유대교의
—*n.* (구어) =YIDDISH **~·ly** *ad.* **~·ness** *n.*
▷ Jéw *n.*
Jéwish cálendar [the ~] 유대력《천지 창조의 해인 B.C. 3761년을 유대의 기원으로 함》
Jéwish Chrístian 유대인 그리스도교도(의), 《특히》 Jew for Jesus(의)
Jew·ry [dʒúːri] *n.* (*pl.* **-ries**) **1** [집합적] 유대인[민족](the Jews) **2** 유대인 사회; 유대교, 유대인 문화 **3** (고어) 유대인 거주 지역
Jew's-ear [dʒúːzìər] *n.* 〖식물〗 목이(木栮)
Jéw's[**Jéws'**] **hàrp** 〖음악〗 구금(口琴)《입에 물고 손가락으로 타는 악기》
Jez·e·bel [dʒézəbèl, -bəl] *n.* **1** 〖성서〗 이세벨《Israel 왕 Ahab의 방종한 왕비》 **2** [종종 **j~**] 독부(毒婦), 요부, 음란한 여자
JFK John Fitzgerald Kennedy **jg, j.g.** junior grade (미·해군속어) 하급 **JHS** Jesus(cf. IHS)
Jiang Jie·shi [dʒiáːŋ-dʒièʃíː], **Chiang Kai-shek** [tʃǽŋ-káiʃék] 장제스(蔣介石) (1887-1975)《중국의 군인·정치가·중화민국 총통(1950-75)》
Jiang Ze·min [dʒjáːŋ-dzəːmín] 장쩌민(江澤民) (1926-)《중국의 국가 주석(1993-2003)》
jib[1], **jibb** [ʒíb] *n.* **1** 〖항해〗 지브, 이물의 삼각형 돛《제2사장(斜檣)의 지삭(支索)에 닮》 **2** 〖기계〗 지브《기중기의 돌출한 회전부》 ***slide*** one***'s ~*** (미·속어) 이성을 잃다, 머리가 돌다; 마구 얘기하다 ***the cut of*** one***'s ~*** (구어) 풍채, 몸차림
—*v.* (**~bed**; **~·bing**) *vt.* 〖항해〗 〈돛·활대를〉 한쪽 뱃전에서 다른 뱃전으로 돌리다 **—***vi.* 〈돛이〉 빙 돌다
jib[2] *vi.* (**~bed**; **~·bing**) **1** 〈말이〉 옆으로 날뛰거나 뒷걸음질치다(balk) (*at*), 나아가려 하지 않다; 〈기계가〉 딱 멈추다 **2** 주저하다, 어물어물하다, …하기 싫어하다 (*at*): (~+젼+명) He *~bed at* setting about the job. 그는 그 일에 착수하기를 망설였다.
jib·ba, -bah [dʒíbə] *n.* 지바《이슬람교도가 입는, 길고 칼라 없는 겉옷》
jib·ber [dʒíbər] *n.* 날뛰는 버릇이 있는 말; 뒷걸음질치는[주저주저하는] 말; 망설이는 사람
jíb bòom 〖항해〗 이물 제2사장(斜檣)
jíb cràne 지브 기중기
jíb dòor 〖건축〗 은문(隱門)《벽과 같은 평면에 달아 벽처럼 마무리하여 눈에 띄지 않게 한 문》
jibe[1] [dʒáib] *vi., vt.* (미) 〖항해〗 =JIB[1]
jibe[2] *n., v.* =GIBE
jibe[3] *vi.* (미·구어) 조화하다, 일치하다 (*with*)
jib-head·ed [dʒíbhèdid] *a.* 〖항해〗 〈돛이〉 끝이 뾰족한, 지브형의; 〈모든 돛이〉 삼각형인
Jid·da [dʒídə] *n.* =JEDDA(H)
jif·fy [dʒífi], **jiff** [dʒíf] (구어) *n.* 순간, 일순, 잠깐, 당장: Wait (half) a ~. 잠깐 기다려. / I'll be with you in a ~. 금방 갈게.
—*a.* 즉시의, 당장의, 순식간의
Jíffy bàg [dʒífi-] 지피 백《여행용 소형 가죽 가방》
jig [dʒíg] *n.* **1** 지그《빠르고 활발한 4분의 3박자의 춤》; 지그 춤곡; 댄스 파티 **2** 지그 낚시《상하 운동을 하는 제물낚시의 일종》 **3** 〖기계〗 지그《절삭 공구를 정해진 위치로 이끄는 장치》 **4** 〖광산〗 지그, 비중 선광기 ***in ~ time*** 신속히, 급속히(rapidly) ***on the ~***

《영·구어》 안절부절, 불안하게 ***The ~ is up.*** 《속어》 이젠 끝장이다; 모든 것이 헛수고가 되었다.
— *v.* (**~ged**; **~·ging**) *vt.* **1** 지그 춤을 추다, 지그 조로 노래부르다[연주하다] **2** 급격히 상하(전후)로 움직이게 하다 《*up, down*》: 《~+목+부》 He *~ged* his thumb *up* and *down.* 그는 엄지손가락을 상하로 흔들었다. **3** 지그 낚시로 낚다; 〈광석을〉 지그로 선광(選鑛)하다 — *vi.* **1** 지그 춤을 추다; 뛰어 돌아다니다 **2** 급격하게 상하[전후]로 움직이다

jig·a·boo [dʒígəbù:] *n.* (*pl.* **~s**) 《경멸》 검둥이

jig·a·ma·ree [dʒígəmərì:, ⌐‒‒⌐] *n.* 《미·속어》 새로 고안한 물건, 묘한 물건

jig·ger¹ [dʒígər] *n.* **1** 지그를 추는[연주하는] 사람 **2** 〖항해〗 보조돛, 작은 어선; 작은 고패; =JIGGERMAST **3** 〖통신〗 진동 변압기 **4** 〖광산〗 선광부, 선광 기구 **5** (도자기 제조용) 기계 녹로 **6** 〖염색〗 포염기(布染機) **7** 〖기계〗 (창고용) 작은 기중기 **8** 《미·구어》 (작은) 기계 장치; 대용물(gadget) 《무엇이라고 불러야 좋을지 모를 경우에 씀》 **9** 《미》 작은 컵 《칵테일 등의 계량용》; 그 용량 《$1^1/_2$ 온스》 **10** 〖낚시〗 지그 낚시 《상하 운동을 하는 제물낚시의 일종》 **11** 〖당구〗 큐걸이 **12** 〖골프〗 지거 《4번 아이언과 5번 아이언 사이의 클럽; cf. MIDIRON》 — *vt.* 《속어》 쓸데없이 참견하다, 방해하다; 못쓰게 망쳐놓다
— *int.* [종종 **~s**] 《미·속어》 조심해라, 도망쳐라

jigger² *n.* 〖곤충〗 모래벼룩(chigoe); 《미》 진드기의 일종(chigger)

jig·gered [dʒígərd] *a.* Ⓟ **1** 《구어》 =DAMNED: Well, I'm ~! 설마! / I'll be ~ if ... 천만에 (그런 일이 있을 리가 있나) **2** 《영·방언》 몹시 지친 《*up*》 **3** 《속어》 술에 취한 ***I'll be ~!*** 《영·구어》 깜짝이야!, 놀라 자빠지겠네!

jig·ger·man [dʒígərmən] *n.* (*pl.* **-men** [-mən]) 기계 녹로공; 《미·속어》 망보는 사람

jig·ger·mast [-mæ̀st | -mɑ̀:st] *n.* 〖항해〗 4[5]대 박이 돛배의 맨 뒤 돛대

jig·ger·y-pok·er·y [dʒígəripóukəri] *n.* 《영·구어》 속임수, 사기, 협잡

jig·gle [dʒígl] *vt., vi.* 가볍게 흔들다[흔들리다]
— *n.* 가볍게 흔듦

jig·gly [dʒígli] *a.* (**-gli·er**; **-gli·est**) 흔들리는, 불안정한; 《미·속어》 성적 흥미를 북돋우는 — *n.* 여배우가 도발적으로 몸을 움직이는 텔레비전 장면

jig·gy [dʒígi] *a.* 《미·속어》 멋진, 근사한 ***get ~*** 《미·속어》 (팝음악에 맞추어) 정열적으로 춤추다

jig-jog [dʒígdʒɑ̀g | -dʒɔ̀g], **jig-jig** [dʒígdʒìg] *n., vi.* 상하 움직임의 반복(하다); 《비어》 성교(하다)

jig·saw [dʒígsɔ̀:] *n.* **1** 실톱, 크랭크톱 《복잡한 곡선을 켜는 데 씀》 **2** =JIGSAW PUZZLE
— *vt.* 〈어떤 형태를〉 실톱으로 켜다

jígsaw pùzzle 조각 그림 맞추기

jig·time [-tàim] *n.* 《미·구어》 잠깐, 즉각(a short time) ***in ~*** 곧, 즉시

ji·had [dʒihɑ́:d] *n.* **1** (이슬람교도의) 성전(聖戰), 지하드 **2** (주의를 위한) 열광적[맹렬한] 활동; 《속어》 목숨을 건 공격[폭력] **~·ist** *n.*

jil·bab [dʒílbæb] *n.* 이슬람 여성의 긴 옷

jill [dʒíl] *n.* [때로 **J~**] 여자, 처녀; 애인

jill·a·roo, jill·e·roo [dʒìləru:] 《호주·구어》 *n.* (*pl.* **~s**) JACKAROO의 여성형 — *vi.* (목장에서) 신출내기 여자 일꾼으로 일하다

jil·lion [dʒíljən] *n., a.* 《구어》 막대[방대]한 수(의) (zillion)

jilt [dʒílt] *n.* 바람난 여자, 남자를 버리는 여자
— *vt.* 〈여자가 남자를〉 끝내 차 버리다 **~·er** *n.*

Jim [dʒím] *n.* 남자 이름 《James의 애칭》

Jím Crów 《미·구어》 *n.* **1** [때로 **j- c-**] 흑인 차별(정책) ★ Jim Crowism이 일반적. **2** [때로 **j- c-**] 《경멸》 검둥이 **3** [**j- c-**] 〖기계〗 레일 구부리는 기계
— *vt.* 〈흑인을〉 차별(대우)하다, 격리하다
— *a.* Ⓐ 흑인 차별의, 흑인을 차별하는; 흑인 전용의: a ~ car[coach] 흑인 전용차 / ~ laws 흑인 차별법 / a ~ school 흑인 학교

Jím Crów·ism [-króuizm] [때로 **j- c-**] 《미·구어》 흑인 차별주의[정책]

jim-dan·dy [-dǽndi] 《미·구어》 *n.* (*pl.* **-dies**) 굉장한 것[사람] — *a.* 굉장한: a ~ invention 굉장한 발명

jim·i·ny, jim·mi·ny [dʒímәni] *int.* 《구어》 허, 으악 《놀람·공포 등을 나타내어》

jim·jams [dʒímdʒæ̀mz] *n. pl.* [the ~] 《구어》 **1** =DELIRIUM TREMENS **2** 신경과민, 조마조마함, 오싹함; 《영·구어》 파자마

jim·my [dʒími] *n.* (*pl.* **-mies**) 《미》 조립식 쇠지렛대(《영》 jemmy) 《강도의 용구》
— *vt.* (**-mied**) 〈문 등을〉 쇠지렛대로 억지로 열다

Jim·my, Jim·mie [dʒími] *n.* **1** 남자 이름 《James의 애칭》 **2** 《구어》 =SCOT; 《스코·구어》 (이름 모르는 남자에 대해) 아저씨, 오빠

Jímmy Wóod·ser [-wúdsər] 《호주·구어》 혼자 술을 마시는 남자; 혼자 마시는 술

jimp [dʒímp] *a.* 《스코》 날씬한, 마른 편인; 부족한 (scanty) — *ad.* 거의 …없이

jim·son·weed [dʒímsnwì:d] *n.* [종종 **J~**] 〖식물〗 흰독말풀

Ji·nan [dʒì:nɑ́:n] *n.* 지난(濟南) 《중국 산둥 성의 성도(省都)》

Jin·ghis Khan [dʒíŋgiz-kɑ́:n] =GENGHIS KHAN

***jin·gle** [dʒíŋgl] [의성어] *n.* **1** 딸랑딸랑, 짤랑짤랑, 따르릉 《울리는 소리》; 그런 소리를 내는 것; 《미·속어》 전화벨 소리 **2** 비슷한 소리의 반복; 후렴 등이 딸린 외기[듣기] 좋은 시구; 어조가 듣기 좋게 배열된 말 《광고 등》 **3** (아일랜드 등의) 징글 마차 《말 한 필이 끄는 2륜 포장마차》
— *vt.* 딸랑딸랑[짤랑짤랑, 따르릉] 울리게 하다
— *vi.* **1** 짤랑짤랑 울리면서 움직이다[나아가다], 짤랑짤랑하는 소리를 내다: sleigh bells *jingling* 딸랑딸랑 소리나는 썰매 방울 **2** 듣기 좋게 울리다; (시의) 운이 맞다; 압운(押韻)하다(rhyme)
▷ jíngly *a.*

jíngle bèll **1** 딸랑거리는 방울; 썰매의 방울 **2** (선박의) 속력 지시용 벨

jin·gled [dʒíŋgld] *a.* 《미·속어》 술에 취한, 얼근한

jin·gle-jan·gle [dʒíŋgldʒǽŋgl] *n.* 딸랑딸랑[짤랑짤랑, 찌르릉찌르릉]하고 계속 울리는 소리

jin·gly [dʒíŋgli] *a.* 듣기 좋게[딸랑딸랑] 울리는

jin·go [dʒíŋgou] *n.* (*pl.* **~es**) 강경 외교론자, 주전론자, 맹목적 애국자(chauvinist) ***by*** (***the living***) ***~!*** 《구어》 절대로, 가당찮은! 《강의적 표현》
— *a.* 감정적인 대외 강경론의, 주전론의; 저돌적인
— *int.* 엇, 얏 《요술쟁이가 무언가를 꺼낼 때 내는 소리》

jin·go·ism [dʒíŋgouìzm] *n.* Ⓤ 호전적 애국주의, 침략적 배외주의 정책 **-ish** *a.* **-ist** *n., a.*

jin·go·is·tic [dʒìŋgouístik] *a.* 주전론적인, 대외 강경론의

jink [dʒíŋk] *vt., vi.* 《주로 영》 속이다; 날쌔게 몸을 피하다(dodge); 《속어》 〈비행기가〉 교묘하게 대공 포화를 피하다 — *n.* **1** 《주로 영》 쓱 피함, 날쌔게 비킴 **2** [*pl.*] 흥청망청 떠들기 ***high ~s*** 흥청망청 떠들어대는 판, 난장판, 야단법석

jin·ker [dʒíŋkər] *n.* 《호주》 경기용 1인승 2륜마차 (sulky); 목재 운반용 이륜[사륜]마차

jinn [dʒín] *n.* (*pl.* **~s,** [집합적] **~**) (이슬람교 신화의) 정령, 신령(genie)

jin·ni [dʒiní:, dʒíni], **jin·nee** [dʒiní:] *n.* =JINN

JINS [dʒínz] [*J*uvenile(s) *I*n *N*eed of *S*upervision] *n.* 《미》 감호를 요하는 소년 소녀

jinx [dʒíŋks] [그리스에서 마술에 쓰인 새 이름에서] *n.* 《미·속어》 (불운을 가져오는) 재수 없는 것[사람], 불운, 불길, 징크스: put a ~ on …에 불행을 가져오다 / break[smash] the ~ (경기에) 계속 지다가 이기다 — *vt.* …에게 불운을 가져오다; 트집을 잡다

jinxed [dʒíŋkst] *a.* (구어) 불운을 가져오는, 징크스가 있는
ji·pi·ja·pa [hì:pihɑ́:pɑ:] [Sp.] *n.* **1** 〖식물〗 파나마풀 《중남미산(産); 잎은 파나마모자의 재료》 **2** 파나마모자
jip·po [dʒípou] *n.* = GYPPO
jir·ga [dʒə́:rgə] *n.* (아프가니스탄의) 족장(族長) 회의
JIS Japanese Industrial Standards 일본 공업 규격
jism [dʒísm] *n.* (속어) 원기, 정력, 활력; (속어) 흥분; (비어) 정액
jis·som [dʒísəm] *n.* (비어) = JISM
JIT job instruction training; just-in-time
jit·ney [dʒítni] *n.* (미·구어) **1** 5센트 백통전(nickel) **2** (단거리 운행의) 요금이 싼 소형 버스(= ∠ **bùs**) 《원래는 요금이 5센트》; 털털이 고물차
— *a.* 5센트의, 값싼, 날림의
jit·ter [dʒítər] (구어) *vi.* **1** 안달하다, 안절부절못하다, 신경질적으로 행동하다; 덜덜 떨다 **2** 조금씩 움직이다 — *n.* **1** [the ~s] 신경과민, 초조, 공포감 **2** 〖전자〗 지터 《파형의 순간적인 흐트러짐》 ***have*** [***get, set***] ***the ~s*** 안절부절못하다, 초조해하다
— *a.* 겁내는, 신경질적인
jit·ter·bug [dʒítərbʌ̀g] (구어) *n.* **1** 재즈광, 스윙(음악)팬; 지르박 **2** 신경질적인 사람 — *vi.* (**~ged**; **~·ging**) 요란스레 춤추다, 지르박을 추다
jit·ter·y [dʒítəri] *a.* (**-ter·i·er**; **-ter·i·est**) (구어) 신경과민의
jive [dʒáiv] (속어) *n.* **1** Ⓤ 재즈, 스윙 (음악) **2** (미) 기만적이고 과장된 의미 없는 말, 허풍 **3** 번지르르한 싸구려 상품[복장]; (미) 마리화나 **4** (재즈계·마약 상용자 등의) 은어, 변말, 전문 용어
— *a.* 거짓의, 엉터리의, 믿을 수 없는
— *vt.* **1** 스윙을 연주하다; 스윙에 맞추어 춤추다 **2** (미·속어) 실없는[과장된] 말을 하다; 속이다, 놀리다
jív·er *n.* **jív·ey** *a.*
jive·stick [dʒáivstìk] *n.* (미·속어) 대마초 담배
jizz [dʒíz] *n.* (동식물을 식별하는) 외관상의 특징, 특징적 인상[외관]; (비어) 정액(semen)
JJ. Judges; Justices **Jl.** 〖성서〗 Joel; July **Jn** 〖성서〗 John; Junction; June
jna·na [dʒənɑ́:nə] *n.* 〖힌두교〗 (Brahman에 이르기 위한 명상·학습을 통한) 지식, 지(智)
JND 〖심리〗 just noticeable difference **Jno.** John **jnr.** junior **jnt.** joint
jo [dʒóu] *n.* (*pl.* **joes**) (스코) 애인, 연인
Jo [dʒóu] *n.* **1** 여자 이름 《Josephine의 애칭》 **2** 남자 이름 《Joseph의 애칭》
Jo. 〖성서〗 Joel; John; Joseph; Josephine
Jo·ab [dʒóuæb] *n.* 남자 이름
Joan [dʒóun], **Jo·an·na** [dʒouǽnə] *n.* 여자 이름
joan·ie [dʒóuni] *a.* (미·속어) 케케묵은, 낡은, (시대에) 뒤떨어진
Joan of Arc [dʒóun-əv-ɑ́:rk] 잔 다르크(Jeanne d'Arc) (1412-31) 《100년 전쟁에서 나라를 구한 프랑스의 성녀》
‡**job**[1] [dʒɑ́b | dʒɔ́b] *n.* **1 a** 일; 삯일, 품팔이; 도급 일, 청부 일, 특정한[정해진] 일 **b** 일터, (건축 등의) 현장 **c** (구어) 《일반적으로》 제품, 물건 《특히 성능이 좋은 기계·자동차·냉장고 등》: a nice little ~ 좋은 물품 ★ 이 용법은 주로 직업적 용어. **d** (속어) 사람(person) **2** (구어) 직업(employment), 직장, 일자리, 근무처, 지위(position)(⇨ occupation 유의어): He got a part-time ~ as a waiter. 그는 시간제 웨이터 자리를 얻었다. **3 a** 과업, 과제, 직무, 역할, 책임, 의무 **b** (구어) 대단한 노력이 필요한 것[일], 힘드는 일: I had a ~ getting him to agree. 나는 그가 동의하도록 만드는 데 애를 먹었다. **4** 임무의 완수[완성]: do a good ~ 훌륭히 임무를 완수하다 **5** [보통 a good [bad] ~] (주로 영·구어) 일(matter), 사건(affair), 사정, 사태; 운(luck) **6** (속어) 범죄, 도둑질(theft), 강도질(robbery), 폭행: pull a ~ 도둑질하다 **7** (주로 영) (공직을 이용한) 부정 행위[인사(人事)], 독직 **8** [*pl.*] 무더기로 팔아넘기는 싸구려 물품 《책 등》 **9** (미·속어) 큰 손해, 그르침: She did a real ~ on my hair. 그녀가 내 머리를 완전히 망쳐 놓았다. **10** 〖컴퓨터〗 작업(의 한 단위): a ~ scheduler 작업 스케줄러 / a ~ management program 작업 관리 프로그램
a bad ~ 난처한[어려운] 상태; 실패 ***a good ~*** 좋은 상태, 잘된 일: That's *a good* ~. 그것 잘 했다. ***a ~ of work*** (영·구어) (힘드는) 일(task) ***between ~s*** 실직 상태인 ***by the ~*** 품삯을 정하여, 도급으로 ***do a ~ on*** (속어) …을 비난하다, …을 쳐부수다, …을 엉망으로 만들다, 골탕 먹이다 ***do*** a person***'s ~ for*** him = ***do the ~ for*** a person (속어) …대신에 일을 해 주다; …을 골탕 먹이다; …을 파멸시키다[해치우다], 죽이다 ***fall down on the ~*** (구어) 제대로 일을 하지 않다 ***give up ... as a bad ~*** …을 희망 없다고 단념하다 ***Good ~!*** (미·구어) 잘했어, 애썼어! ***have a*** (***hard***[***tough***]) ***~*** (구어) …하기가 큰일이다, 애를 먹다 (*to* do, do*ing*): I *had a* ~ find*ing* the building. 그 건물을 찾는 데 애를 먹었다. ***it's more than my ~'s worth*** (***to*** do) (영·구어) …을 하면 해고될 수 있어 《그래서 할 수 없다는 뜻》 ***~s for the boys*** (구어) 같은 패끼리 이권을 나누어 가지기 ***just the ~*** (구어) 안성맞춤의 것 ***lie down on the ~*** 직무를 태만히 하다 ***make a good***[***bad***] ***~ of it*** 일을 요령 있게 잘 해내다[일을 망치다] ***make the best of a bad ~*** 어려운 사태를 잘 수습하다 ***off the ~*** 일을 쉬고 ***on the ~*** (구어) 일에 종사하고 (있는 동안에); (속어) 바쁘게 일하고, 부지런히 일하고; 빈틈없이 경계하여 ***out of a ~*** 실직하여 ***pay*** a person ***by the ~*** …에게 실적에 따라 지급하다 ***the ~ at***[(영) ***in***] ***hand*** 당면한 문제
— *v.* (**~bed**; **~·bing**) *vi.* **1** 삯[도급]일을 하다 **2** 주식 매매[중매]를 하다 **3** (공직을 이용하여) 부정한 돈벌이를 하다, 독직(瀆職)하다
— *vt.* **1** 〈일을〉 도급하다 (*out*): (~+목+전+명) He ~*bed* (*out*) the work *to* a number of building contractors. 그는 그 공사를 몇 명의 건축업자에게 도급하였다. **2** 주식을 매매[중매]하다, 도매하다 **3** (속어) 속이다(deceive), 사취하다: (~+목+전+명) He was ~*bed out of* his money. 그는 사기를 당해 돈을 떼였다. **4** (영) 직권을 이용하여 (어떤 자리에) 앉히다 (*into*): (~+목+전+명) He ~*bed* his nephew *into* a good post. 그는 직권을 이용하여 조카를 좋은 자리에 앉혔다. **5** (영) 〈말·마차 등을〉 세주다, 세놓다 **6** 쫓아내다
~ backwards (영) 뒤늦게 생각해 보다; 후에 얻은 지식으로 과거의 증권 거래를 가상적으로 다시 해 보다 ***~ off*** 〈물건을〉 헐값에 팔다, 싸게 팔아 치우다 ***~ out*** 〈일을〉 나누어서 도급하다
job[2] *vt., vi.* (**~bed**; **~·bing**) = JAB
Job [dʒóub] *n.* 〖성서〗 욥 《히브리의 족장; 인고(忍苦)·독신(篤信)의 전형》; (구약 성서의) 욥기(記)
the patience of ~ (욥과 같은) 대단한 인내
jób àction (미) 태업(sabotage), 준법 투쟁
jób anàlysis 〖경영〗 직무 분석 《작업의 순서·재료·기계류·작업원의 적성 등을 연구하는》; 〖컴퓨터〗 사무 분석
job·a·thon [dʒɑ́bəθɑ̀n | dʒɔ́bəθən] [*job*+mar*athon*] *n.* (미) 장시간에 걸친 TV 구인·구직 프로
jo·ba·tion [dʒoubéiʃən] *n.* (영·구어) 장황한 잔소리, 긴 사설
jób bànk 직업 소개 은행 《공공 기관의 직업 소개소》; (구직자용) 직업별 데이터 뱅크
job·ber [dʒɑ́bər | dʒɔ́b-] *n.* **1** 도매상인 **2** 삯일꾼(pieceworker) **3** (영) (거래소의) 장내 중매인(stockjobber)((미) dealer) **4** (공직을 이용하여) 사복을 채우는 자, 오리(汚吏) **5** (영) 말을 세놓는 사람

thesaurus **job**[1] *n.* **1** 일 work, task, undertaking, chore, assignment, activity, business, affair **2** 직업 occupation, profession, employment, voca-

job·ber·nowl [dʒábərnòul | dʒɔ́b-] *n.* 《영·구어》 바보, 얼간이, 멍텅구리
job·ber·y [dʒábəri | dʒɔ́b-] *n.* Ⓤ (공직을 이용한) 부정 이득, 부정 축재, 독직; 이권 운동
job·bie [dʒá:bi, dʒɔ́-] *n.* 《구어》 (특정한) 어떤 것[물건]: Her dress is one of those expensive designer ~*s*. 그녀의 드레스는 고급 디자이너의 것이다.
job·bing [dʒábiŋ | dʒɔ́b-] *a.* Ⓐ 삯일을 하는, 임시 고용의: a ~ gardener 임시 고용 정원사
job·by [dʒá:bi, dʒɔ́-] *n.* = JOBBIE
job·cen·ter [dʒábsèntər | dʒɔ́b-] *n.* 《영》 (공영) 직업 안내 센터(cf. JOB BANK)
jób classificàtion 〖경영〗 직무[직계] 분류
jób contròl lànguage 〖컴퓨터〗 작업 제어 언어 《略 JCL》
Jób Còrps 《미》 직업 부대 《직업 훈련 센터가 주관하는, 무직 청소년을 위한 기술 교육 기관》
jób còsting 개별 원가 계산(법)
jób creàtion (실업 대책으로서의) 일자리 창출[만들기]
jób descrìption 직무 내용 설명서
jób fèstival[fàir] 《미》 (대학 구내에서 구인 회사가 여는) 취직 설명회
job·hold·er [-hòuldər] *n.* 일정 직업을 가진 사람; 《미·구어》 공무원, 관리
job-hop [-hàp | -hɔ̀p] *vi.* 직장을 전전하다
job-hop·per [-hàpər | -hɔ̀pə] *n.* 《구어》 직장을 전전하는 사람
job-hop·ping [-hàpiŋ | -hɔ̀p-] *n.* 직업을 전전하기
job-hunt [-hʌ̀nt] *vi.* 직장을 찾다
job-hunt·er [-hʌ̀ntər] *n.* 《구어》 구직자
job-hunt·ing [-hʌ̀ntiŋ] *n.* Ⓤ 구직
jób ìnterview (취직) 면접 (시험)
job·less [dʒáblis | dʒɔ́b-] *a.* **1** 실직한(unemployed), 무직의; 실업자를 위한: ~ insurance 실업 보험 / a ~ rate 실업률 **2** [the ~; 집합적] 실직자들 **~·ness** *n.* Ⓤ 실직; 무직
jób lòck 《구어》 건강 보험의 자격 상실을 우려하여 이직·전직을 하지 못하는 것
jób lòt (한 무더기에 얼마하는) 싸구려 물건
jób màrket 구인 총수(總數); 인력 시장
job·mas·ter [-mæ̀stər | -mà:s-] *n.* 《영》 말[마차] 임대업자
jób òpening (직장의) 빈 자리
jób òrder 작업[제조] 지시서
Jób-or·der còsting [-ɔ̀:rdər-] 개별 원가 계산
jób prìnter (명함·초대장·전단 등) 잡물 인쇄업자
jób prìnting 잡물 인쇄
jób rotàtion 직무 순환 《서로 다른 여러 직무를 경험하여 능력과 자질을 높이는 인재 육성법의 하나》
jób satisfàction 작업[직업] 만족도[감]
Jób's cómforter [dʒóubz-] [성서 「욥기」에서] 욥의 위안자 《위로하는 체하면서 오히려 괴로움을 더 주는 사람; 욥기 16: 2》; 달갑잖은 친절
jób secùrity 고용 보장[확보]
job·seek·er [dʒábsì:kər | dʒɔ́b-] *n.* 구직자
jóbseeker's allówance 《영》 구직자 수당 《정부 지급의》
job-shar·ing [-ʃɛ̀əriŋ] *n.* 〖경영〗 일감 나누기 《1명분의 일감을 둘(이상)이 나누어 일하는 노동 형태》
job·sheet [-ʃì:t] *n.* 작업[업무] 일지, 작업표
jób shòp 주문[하청] 생산 공장, 잡종 인쇄소
Job's-tears [dʒóubztíərz] *n. pl.* **1** [단수 취급] 〖식물〗 율무 **2** [복수 취급] 그 열매
jób strèam 〖컴퓨터〗 작업 흐름
jobs·worth [dʒábswə(:)rθ | dʒɔ́bz-] *n.* 《영·구어》 규칙을 내세워 융통성 없는 공무원[직원]

---

tion, calling, career, position **3** 직무 duty, task, errand, responsibility, function, role, charge, commission, office

jób tìcket = JOBSHEET
jób wòrk 도급[삯]일; (명함·전단 등의) 잡물 인쇄
joc. jocose; jocular
Jo·cas·ta [dʒoukǽstə] *n.* 〖그리스신화〗 이오카스테 《아들인 줄도 모르고 Oedipus와 결혼한 테베의 왕비》
Joc·e·lyn [dʒásəlin | dʒɔ́s-] *n.* 여자 이름
jock [dʒák | dʒɔ́k] *n.* **1** 《구어》 〖경마〗 기수(jockey); = DISK JOCKEY **2** 《미·구어》 = JOCKSTRAP 1 **3** 《미》 (특히 고교·대학의) 운동선수
Jock [dʒák | dʒɔ́k] *n.* 《영·구어》 스코틀랜드 병사
jock·ette [dʒakét | dʒɔk-] *n.* 여자 경마 기수
∗**jock·ey** [dʒáki | dʒɔ́ki] *n.* **1** 〖경마〗 기수 **2** (엘리베이터·트럭 등의) 운전사, 조종자; = DISK JOCKEY **3** 《영》 젊은이, 아랫사람, 졸개 **4** (승마의) 안장깔개
— *vt.* **1** 〖경마〗 기수로서 〈말을〉 타다 **2** 《미·속어》 운전사[조종자]로서 〈차 등을〉 잘 운전[조종]하다, 〈기계를〉 조작하다 **3** 교묘하게 조정하여 움직이다[가져오다, 놓다] **4** 속이다, 협잡하다, 속여서 (…하게) 하다[(…을) 빼앗다] 《*into, out of*》: (~+목+전+명) He ~*ed* me *into* doing that. 그는 나를 속여서 그것을 하게 했다. / He ~*ed* me *out of* my property. 그는 나의 재산을 속여서 빼앗았다. **5** 위치를 바꾸다, 움직이다
— *vi.* **1** 기수로서 일하다 **2** 사기 치다, 협잡하다 **3** (…을 얻으려고) 책략을 쓰다 《*for*》: (~+전+명) ~ *for* power 권력을 얻으려고 책략을 쓰다
~ ***for position*** [***power***] (1) 〖경마〗 비집고 앞으로 나서려 하다; 〖요트〗 교묘하게 조종하여 앞지르려 하다 (2) 유리한 입장에 서려고 획책하다
jóckey càp 기수 모자
jóckey clùb 경마 클럽
jóck ìtch 《미·속어》 완선(頑癬)
jock·o [dʒákou | dʒɔ́k-] *n.* (*pl.* **~s**) 〖동물〗 **1** = CHIMPANZEE **2** = MONKEY
jock·strap [dʒákstræ̀p | dʒɔ́k-] *n.* **1** (남자 운동 선수용) 국부 서포터 **2** 《속어》 (남자) 운동선수
jo·cose [dʒoukóus, dʒə-] *a.* 우스꽝스러운, 익살맞은, 까부는(facetious) **~·ly** *ad.* **~·ness** *n.*
jo·cos·i·ty [dʒoukásəti, dʒə- | -kɔ́s-] *n.* (*pl.* **-ties**) Ⓤ 익살(맞음); Ⓒ 익살스러운 언행
joc·u·lar [dʒákjulər | dʒɔ́k-] [L 「작은 조크(joke)」의 뜻에서] *a.* 익살맞은, 우스꽝스러운(humorous)
joc·u·lar·i·ty [dʒàkjulǽrəti | dʒɔ̀k-] *n.* (*pl.* **-ties**) Ⓤ 익살, 우스꽝스러움; Ⓒ 익살맞은 언행
∗**jo·cund** [dʒákənd, dʒóu- | dʒɔ́-] *a.* 《문어》 명랑한, 쾌활한, 유쾌한(gay, merry) **~·ly** *ad.*
jo·cun·di·ty [dʒoukʌ́ndəti] *n.* (*pl.* **-ties**) 《문어》 Ⓤ 명랑, 쾌활; Ⓒ 명랑한 언행
jodh·pur [dʒádpər | dʒɔ́d-] *n.* **1** [*pl.*] 승마 바지 (= ∠ **brèeches**) **2** 승마 구두(= ∠ **bòot**)
Jo·dy [dʒóudi] *n.* 여자 또는 남자 이름
Joe [dʒóu] *n.* **1** 남자 이름 《Joseph의 애칭》 **2** 여보, 형씨 《이름을 모르는 사람을 부를 때》 **3** [때로 **j~**] 《구어》 남자, 녀석(guy); 《미·속어》 병사(cf. GI): He's a good ~. 좋은 놈이다. ***Not for ~!*** 《영·속어》 절대로 …아니야[싫다]!
— *vt.* 《미·속어》 〈남에게〉 알리다(inform)
Jóe Blów[Blóggs] **1** 《미·호주·속어》 보통 시민[남자]; 《미·속어》 아무개, 거시기 《이름을 모르는 사람》 **2** 《미·속어》 잘난 체하는 사람
Jóe Cóllege 《미·구어》 전형적인 남자 대학생
Jóe Dóakes [-dóuks] 《미·구어》 보통 남자; 아무개
Jo·el [dʒóuəl] *n.* **1** 남자 이름 **2** 〖성서〗 요엘 《히브리의 예언자》; 요엘서 《구약 성서의 한 권》
Jóe Míller **1** 소화집(笑話集) **2** (진부한) 농담
Jóe Públic 《영·구어》 보통 사람, 일반 대중
joe-pýe wèed [dʒòupái-] 〖식물〗 등골나물
Jóe Síx-pàck 《미·속어》 (깡통 맥주 6개들이를 사가지고 귀가하는) 보통의 미국인 《남자, 노동자》
Jóe Stórch 《미·속어》 = JOE DOAKES
jo·ey[1] [dʒóui] *n.* **1** 《호주》 새끼 캥거루; 새끼 짐승; 유아, 아기 **2** 《속어》 임시 고용원

joey[2] *n.* 《영·속어》 3펜스 동전

*__jog__[1] [dʒɑ́g | dʒɔ́g] *v., n.*

> 원래는 「무거운 물건을 흔들다」→(몸을 흔들듯이 하여 나아가다) 「천천히 달리다」 **1**

— *v.* (**~ged**; **~·ging**) *vt.* **1** 살짝 밀다[밀치다], …을 흔들다, 밀치고 움직이다 **2** (주의를 끌기 위하여) 쿡 찌르다(nudge); 《구어》 〈기억을〉 환기[상기]시키다, 일깨우다: ~ a person's elbow …의 팔꿈치를 살짝 찌르다 / ~ a person's memory …의 기억을 되살아나게 하다 **3** 〈말을〉 느린 속보로 몰다 **4** 〖인쇄〗 〈같은 크기의 종이 더미 등을〉 살짝[톡톡] 쳐서 모서리를 맞추다, 간추리다, 정돈하다

— *vi.* **1** 〈사람·말이〉 느리게[천천히] 달리다; (건강을 위하여) 조깅하다 《*on, along*》: I go *~ging* every morning to keep in shape. 건강을 유지하기 위해서 매일 아침 조깅을 한다. **2** 덜거덕거리며 나아가다, 터벅터벅 걸어가다[타고 가다]: 《~+副》 《~+前+名》 They *~ged down to* town on horseback. 그들은 말을 타고 터벅터벅 읍으로 갔다. **3** 출발하다(depart): We must be *~ging*. 이젠 출발해야지. **4** 그럭저럭 해 나가다[진척되다], 천천히 진행되다: 《~+副》 We are just *~ging along*[*on*]. 그럭저럭[그런대로] 해 나가고 있습니다.

~ *on* 터벅터벅 걸어가다 ***Matters ~ along somehow.*** 일이 그럭저럭 진척되고 있다.

— *n.* **1** 가벼운 흔들림; 슬쩍 밀기, (팔꿈치로) 찌르기(nudge), 가볍게 치기[흔들기]; 기억을 일깨워 주는 것, 가벼운 자극[충동] **2** (말의) 느린 속보(=~ trot); 조깅: go for a ~ 조깅하러 가다

jog[2] *n.* 《미》 울퉁불퉁함; 갑작스런 방향 전환
— *vi.* (**~ged**; **~·ging**) 급히 돌다: The road *~s* to the left there. 그 길은 거기서 왼쪽으로 꺾인다.

jog·a·thon [dʒɑ́gəθɑ̀n | dʒɔ́gəθɔ̀n] *n.* 조깅 마라톤, 장거리 조깅

Jog·bra [dʒɑ́gbrɑ: | dʒɔ́g-] *n.* 조깅용 브래지어 《상표명》

jog·ger [dʒɑ́gər | dʒɔ́g-] *n.* 터벅터벅 걸어가는 사람; 조깅하는 사람; 천천히 가는 것

jog·ging [dʒɑ́giŋ | dʒɔ́g-] *n.* Ⓤ 조깅, 느린 구보

jógging pànts 조깅 바지 《트레이닝 바지》

jógging shòes 조깅 슈즈 《쿠션 운동화》

jógging sùit 조깅 슈트, 조깅복

jog·gle[1] [dʒɑ́gl | dʒɔ́gl] *vt.* 흔들다 — *vi.* 흔들리다
— *n.* 가벼운 흔들림

joggle[2] *n., vt.* =DOWEL

jóg·gling bòard [dʒɑ́gliŋ- | dʒɔ́g-] **1** 도약대, 스프링보드 **2** =SEESAW **3** 《미·속어》 그네

jóg tròt **1** 터벅터벅 걸음; 〖승마〗 느린 규칙적인 속보 **2** 단조로운 방식[생활]
— *vi.* 〖승마〗 jog trot으로 나아가다

Jo·han·nes·burg [dʒouhǽnisbə̀ːrg] *n.* 요하네스버그 《남아프리카 공화국 북부의 도시; 금광의 산지》

Jo·han·nine [dʒouhǽnin, -nain] *a.* 〖성서〗 사도 요한의; 요한복음의

Jo·han·nis·berg·er [jouhǽnisbə̀ːrgər] *n.* Ⓤ 독일 Johannisberg산(産) 고급 백포도주

*__John__ [dʒɑ́n | dʒɔ́n] *n.* **1** 〖성서〗 세례 요한(=~ the Baptist) **2 St.** ~ 사도 요한 **3 a** 요한복음 **b** 요한의 편지 《1서, 2서, 3서》 **4** 남자 이름 **5** 존 왕 **~ Lackland** (1167?-1216) 《영국왕(1199-1216); Magna Carta의 서명자》 **6** [때로 **j~**] 남자(man), 놈, 녀석(fellow, guy); 《구어》 일반 시민 **7** 《주로 호주》 경찰관 **8** [**j~**] 《구어》 변소(toilet), 남자용 공중 변소 **9** 《속어》 창녀의 고객

Jóhn Bárleycorn ⇨ barleycorn

Jóhn Bírch Socìety [the ~] 《미》 존 버치 협회 《미국의 반공 극우 단체; 1958년 창설; 略 J.B.S.》

john·boat [dʒɑ́nbòut | dʒɔ́n-] *n.* 《미》 1인승 소형 보트

Jóhn Búll [John Arbuthnot의 풍자문 *The History of John Bull*에서] **1** 전형적인 영국인(cf. UNCLE SAM) **2** 영국, 영국민
Jóhn Búll·ish *a.* **Jóhn Búll·ism** *n.* 영국인 기질

John Bull 1

Jóhn Chínaman 《경멸》 중국인

Jóhn Cítizen 《구어》 일반 시민, 보통 사람

Jóhn Dóe **1** 〖영국법〗 존 도 《토지 회복 소송에서 원고의 가상적 이름; cf. RICHARD ROE》 **2** (거래·소송 등의) 한쪽의 가상적 이름 **3** 《미》 보통 사람

Jóhn Dóry 〖어류〗 =DORY[2]

Jóhn F. Kénnedy Internátional Áirport 케네디 국제공항 《New York시에 있는 국제공항; 롱아일랜드 남서쪽에 있음》

Jóhn Hán·cock [-hǽnkɑk | -kɔk] [John Hancock이 미국 독립 선언서의 서명자인데 그 굵은 글씨에서] 《미·구어》 자필 서명: Please put your ~ on that line. 그 선 위에 서명하시오.

Jóhn Hénry 《미》 **1** (*pl.* **-Henries**) 《구어》 자필 서명, 사인 **2** 《미·속어》 존 헨리 《뛰어난 완력과 체력을 지닌 전설적인 흑인 철도 부설공》

Jóhn Hóp 《영·호주·속어》 경관, 순경

John·i·an [dʒóuniən] *n.* (Cambridge 대학의) St. John's College의 학생[졸업생]

Jóhn Láw 《미·속어》 경찰; 경관

Jóhn·nie Wálker [dʒɑ́ni- | dʒɔ́ni-] 조니 워커 《스코틀랜드 John Walker & Sons제의 위스키; 상표명》

John·ny [dʒɑ́ni | dʒɔ́ni] *n.* (*pl.* **-nies**) **1** 남자 이름 《John의 애칭》 **2** =JOHN 6 **3** 멋쟁이(dandy); 《영》 고등 유민(遊民) **4** 《주로 호주》 =JOHN 7 **5** [**j~**] =JOHN 8 **6** [때로 **j~**] (입원 환자용의) 소매가 달린 짧은 가운 《등쪽이 터진》

Jóhnny Áp·ple·seed [-ǽplsìːd] *n.* 조니 애플시드(1774-1845) 《각지에 사과씨를 뿌리고 다녔다는 미국 개척 시대의 전설적 인물; 본명 John Chapman》

Jóhnny bàg 《영·속어》 콘돔

john·ny·cake [dʒɑ́nikèik | dʒɔ́n-] *n.* ⓊⒸ 《미》 옥수수빵

Jóhnny Canúck 《캐나다》 **1** 캐나다 《의인화한 표현》 **2** 《구어》 (전형적인) 캐나다 사람

jóhnny còllar (블라우스 등의) 세운 작은 깃

John·ny-come-late·ly [dʒɑ́nikʌ̀mléitli | dʒɔ́n-] *n.* (*pl.* **-lies, John·nies-**) 《속어》 풋내기, 신참자; 벼락부자, 어정뱅이(parvenu)

John·ny-jump-up [dʒɑ́nidʒʌ́mpʌ̀p | dʒɔ́n-] *n.* 《미》 〖식물〗 (야생) 팬지(pansy); 제비꽃

Jóhnny Óne-note 《구어》 한 가지밖에 생각하지 않는 남자, 생각이 좁은 녀석

John·ny-on-the-spot [-ɑnðəspɑ́t | -ɔnðəspɔ́t] *n.* 《구어》 기다렸다는 듯이 뭐든지 하는 사람, 즉석에서 대처할 수 있는 사람

Jóhnny Ráw 《구어》 신출내기, 초심자; 신병

Jóhnny Réb 《구어》 (남북 전쟁 당시의) 남군 병사; 《미·속어》 남부인(南部人)

Jóhn o'Gróat's (**Hòuse**) [-əgróuts(-)] Great Britain섬의 북쪽 끝 ***from ~ to Land's End*** 영국의 끝에서 끝까지(cf. from MAINE to California)

Jóhn Pául II [-ðə-sékənd] 요한 바오로 2세(1920-2005) 《제 264대 로마 교황(1978-2005)》

Jóhn Q. Públic[**Cítizen**] 《미·구어》 보통의 남자[시민], 일반 대중

thesaurus **join** *v.* **1** 결합하다 attach, tie, bind, couple, connect, unite, link (opp. *detach, separate*) **2** 합쳐지다 amalgamate, merge, combine, unify, ally, league, federate **3** 참가하다 enlist,

Jóhn Ráw 미숙한 사람, 초심자
Jóhns Hópkins Univérsity 존스 홉킨스 대학 《미국 Maryland주 Baltimore에 있는 사립 대학》
john·son [dʒɑ́nsn | dʒɔ́n-] *n.* 《미·속어》 페니스
John·son [dʒɑ́nsn | dʒɔ́n-] *n.* **1** 존슨 **Andrew ~** (1808-75) 《미국의 제17대 대통령(1865-69)》 **2** 존슨 **Lyndon Baines ~** (1908-73) 《미국의 제36대 대통령(1963-69)》 **3** 존슨 **Samuel ~** (1709-84) 《영국의 문인·사전 편찬가》
Jóhnson & Jóhnson 존슨 앤드 존슨 《미국의 소비자용 보건·의료품 제조 회사; 1867년 설립》
Jóhnson cóunter 〖컴퓨터〗 존슨 계수기
John·son·ese [dʒɑ̀nsəní:z, -ní:s | dʒɔ̀nsəní:z] *n.* Ⓤ Samuel Johnson의 문체 《라틴 어가 많고 과장된 문체》
John·so·ni·an [dʒɑnsóuniən | dʒɔn-] *a.* (새뮤얼) 존슨식의 〈문체 등〉 **—** *n.* 존슨 모방자[숭배자, 연구가]
Jóhn the Báptist 〖성서〗 세례 요한 《요단 강에서 예수에게 세례를 주었음; 마태복음 3 : 13-17》
joie de vi·vre [ʒwɑ́:-də-ví:vrə] [F =joy of living] 삶의 기쁨
‡**join** [dʒɔ́in] *vt.* **1 결합하다,** 맞붙이다, 단단히 고정시키다, 접합하다(fasten) 《*together, up, to*》(⇨ unite[1] 유의어): (~+목+전+명) ~ one thing *to* another 어떤 것을 딴 것과 결합하다 // (~+목+부) ~ two things *together* 두 개를 하나로 합치다 **2 연결하다,** 잇다, 갖다 붙이다(connect) 《*to*》; 연락하다: (~+목+전+명) ~ end *to* end 끝과 끝을 잇다 **3 참가하다,** 한패가 되다, 축에 끼다, 가입하다 《*in, for*》; (기다리고 있는 사람과) 만나다, 합류하다: ~ a club 클럽에 입회하다 // (~+목+전+명) Will you ~ us *for* [*in*] a game? 함께 게임을 하지 않겠습니까? **4** 입대하다, 〈배를〉 타다: ~ the Navy 해군에 들어가다 **5** 〈소속 부대·본선에〉 귀임하다 **6** (결혼 등으로) **맺어 주다,** 하나로 만들다, 결합시키다: (~+목+전+명) ~ two persons *in* marriage 두 사람을 결혼시키다 **7** 〈강·길이 …와〉 **합치다,** 합류하다: (~+목+전+명) The stream ~*s* the Han River just *below* the bridge. 그 내는 다리 바로 아래서 한강과 합친다. **8** 《구어》 …와 인접하다, 이웃하다(adjoin): His yard ~*s* mine. 그의 집 뜰은 우리 집 뜰과 인접해 있다. **9** 교전하다 **10** 〖기하〗 〈두 점을〉 (선으로) 맺다: ~ two points by a line 두 점을 선으로 잇다
— *vi.* **1 연결[결합]되다,** 합쳐지다(meet, come together) **2** 〈터 등이〉 인접하다, 접하다: (~+전+명) Our land ~*s along* the brook. 우리 땅은 개천에 접해 있다. **3** 행동을 같이하다 《*with*》, **참가하다** 《*in*》: (~+전+명) ~ *in* election campaign 선거 운동에 참가하다 / I must have you ~ *with* us *in* prayer. 당신들도 우리와 함께 기도 드려야겠습니다. **4** 합동하다, 동맹하다: (~+전+명) ~ *with* the enemy 적과 손을 잡다 **5** 군에 입대하다 《*up*》
~ hands with …와 제휴하다[손잡다] ***~ on*** 〈차량 따위를〉 연결[증결]하다 ***~ out*** 《속어》 가입하다, (서커스 등에) 입단하다; (운임만큼 일하며) 무전 여행하다 ***~ out the odds*** 《속어》 뚜쟁이 노릇을 하다 ***~ up*** 동맹[제휴]하다; 입회하다; 입대하다(enlist)
— *n.* **1** 접합, 합류, 연결 **2** 이은 자리[점, 선, 면], 이음매(joint), 합류 지점 **3** 〖수학〗 합집합, 합병 집합(union); 〖컴퓨터〗 골라 잇기 **~·a·ble** *a.* **~·ing** *n.*
▷ jóint, júnction *n.*
join·der [dʒɔ́indər] *n.* ⓊⒸ **1** 결합하기 **2** 〖법〗 공동소송; (상대방에 의한 소송의) 수리(受理)
joined-up [dʒɔ́indʌ̀p] *a.* **1** 《미·구어》 고도의, 성인(용)의, 상급의 **2** 《영》 필기체의 **3** 《영》 (각기 다른 다수가) 합동[종합]한, 제휴한, 연립한: ~ government 군소 연립 정부
join·er [dʒɔ́inər] *n.* **1** 결합자, 합류자, 참가자, 접합물 **2** 《영》 소목[가구]장이(《미》 carpenter) **3** 《미·구어》 많은 단체[회]에 가입하기를 좋아하는 사람
join·er·y [dʒɔ́inəri] *n.* Ⓤ 소목장이 일; 가구류; 가구 제조업
‡**joint** [dʒɔ́int] *n.* **1** 이음매, 이은 자리[점, 선, 면]; 접합(법); 〖목공〗 (목재의) 장부로 이은 부분; 〖기계〗 조인트 **2** 〖해부〗 **관절**: an elbow ~ 팔꿈치의 관절 **3** 〖식물〗 (가지·잎의) 마디 **4** 〖지질〗 (암석의) 절리 **5** (크게 자른) 뼈가 붙은 어깨·다리 고기(《미·속어》 roast) **6** 《미·속어》 **a** 무허가[싸구려] 술집, 노름집, 아편굴 **b** 집, 건물, 장소 **7** 〖전기〗 접속 (부분) **8** 《미·속어》 마리화나 담배 **9** [the ~] 《미·속어》 교도소, 감옥 **10** 《미·속어》 음경; 《속어》 레코드, 영화 ***out of ~*** 탈구하여, 관절이 빠져; 고장 나서, 혼란해져서
— *a.* Ⓐ **1 공동의; 합동[연합]의,** 공유의; 연대의: ~ offense 공범 / ~ ownership 공유권 / ~ responsibility[liability] 공동 책임, 연대 책임 **2** 〖수학〗 둘 이상의 변수를 갖는 **3** 《속어》 〈호텔·식당 등이〉 싼 ***during their ~ lives*** 〖법〗 두 사람이 (모두) 살아 있는 동안 ***the J~ Chiefs of Staff*** 《미》 합동 참모 본부(장 회의) 《略 JCS》
— *vt.* 잇대다; 이음새[마디]로 나누다; 〈고기를〉 관절에서 큰 덩어리로 자르다; 〖건축〗 〈접합부를〉 회칠하다, 〈판자를〉 맞춰 끼우다
— *vi.* 접합하다, 이음매로 이어지다, 합쳐지다
~·ly *ad.* 공동[연대적]으로
▷ jóin *v.*
jóint accóunt (주로 부부 명의의) 공동 예금 계좌
jóint áction 〖법〗 공동 소송
jóint áuthor 공저자(共著者)(의 한 사람)
jóint commíttee (양원의) 합동 위원회
jóint commúnique 공동 성명
jóint convéntion 《미》 양원 합동 회의
jóint cústody 〖법〗 (이혼한[별거 중인] 부모의) 공동 보호(권)
jóint declarátion 공동 선언
jóint degrée (두 개의 대학에서 주는) 공동 학위
joint·ed [dʒɔ́intid] *a.* 이음매[관절, 결절]가 있는: a ~ fishing rod 조립식 낚싯대
joint·er [dʒɔ́intər] *n.* 접합하는 사람[기구]; 〖목공〗 긴 대패 《판자의 이음 자리를 다듬는》; 톱날 세우는 줄; 〖석공〗 줄눈 흙손 《이음매 붙이는》; 〖농업〗 삼각 보습
jóint fàctory 《미·속어》 대마초 (담배) 파는 가게
jóint fámily[hóusehold] 합동[집합] 가족 《2세대 이상의 혈통자가 동거하는 가족 단위》(cf. COMPOSITE FAMILY, EXTENDED FAMILY)
jóint flóat (특히 EC의) 공동 변동 환율제
Jóint Fórce 〖미군〗 통합군 《육·해·공군 및 해병대 중 2개 이상의 주요 부대로 구성》
jóint ìll (망아지 등의) 농성(膿性) 패혈증, 관절증
jóint·ing rùle [dʒɔ́intiŋ-] 〖석공〗 접자
joint·less [dʒɔ́intlis] *a.* 이음매[관절]가 없는
jóint resolútion 《미》 (양원) 합동 결의(cf. CONCURRENT RESOLUTION)
joint·ress [dʒɔ́intris] *n.* 〖법〗 과부 급여(jointure)를 받는 여자
jóint retúrn (부부의) 소득세 합산 신고서
jóint séssion[méeting] 《미》 양원 합동 회의
jóint stóck 합자, 공동 출자; 주식 자본
jóint-stóck còmpany [dʒɔ́intstɑ́k- | -stɔ́k-] 《미》 합자 회사; 《영》 주식회사
jóint stòol 조립식 의자
join·ture [dʒɔ́intʃər] 〖법〗 *n.* 과부 급여 《남편 사후 처의 부양을 위해 설정한 부동산》
— *vt.* 〈처에게〉 과부 급여를 설정하다
jóint vénture 공동 사업(체); 합작 (사업), 합작 회사
joint·worm [-wə̀:rm] *n.* 좀벌과(科) 곤충의 유충
joist [dʒɔist] *n.* (마루청·천장 등을 받치는) 장선(長線), 들보 **—** *vt.* …에 장선을 놓다

---

enroll, sign up, participate in, take part in, partake in **4** 이웃하다 adjoin, conjoin, abut on, border, touch, meet, verge on, reach to
joint *n.* juncture, junction, intersection, nexus

~·**ed** [-id] *a.* 장선을 놓은; 장선을 단

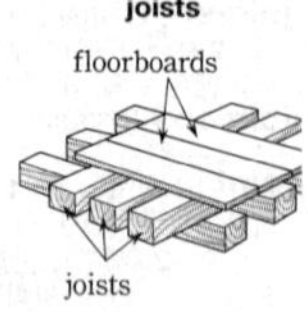

jo·jo·ba [houhóubə] 〖Sp.〗 *n.* 〖식물〗 호호바 《북미산(産) 회양목과의 관목; 종자에서 기름을 채취》

‡**joke** [dʒóuk] *n.* **1** 농담, 재담, 익살, 조크; 희롱, 놀림, 장난(jest): a good ~ 멋진 재담 / put on her mother's skirt as a ~ 장난삼아 어머니의 치마를 입다 **2** [보통 a[the] ~] 우스운 일[상황]; 웃음거리, 웃음가마리 《*of*》 《(어울리지 않거나 부끄러운 일로 인한) 조소·비난의 대상》: He is *the* ~ *of* the town. 그는 온 동네의 웃음거리이다. **3** 웃을 일, 하찮은 일, 아주 쉬운 것: The test was a ~. 그 시험은 아주 쉬웠다. / The loss was no ~. 손실액이 장난이 아니었다. ***as*** [***for***] ***a*** ~ 농담 삼아서: It was meant *for a* ~. 농담 삼아 한 말이었다. ***be*** [***get***] ***beyond a*** ~ 《구어》 웃을 일이 아니다, 중요한 일이다 ***crack*** [***cut, make***] ***a*** ~ 농담하다 ***in*** ~ 농담으로 ***It is no*** ~. 농담이 아니다, 심각한 일이다. ***make a*** ~ (***out***) ***of*** …을 웃어 넘기다 ***play a*** ~ ***on*** a person …을 놀리다 ***see a*** ~ 재담을 알아듣다 ***take a*** ~ 놀림을 받고도 화를 내지 않다, 농담을 웃음으로 받아들이다 ***The*** ~ ***is on*** a person 남에 대한 획책·장난이 자기에게 돌아오다 ***turn*** a matter ***into a*** ~ (일)을 농담으로 돌리다
— *vi.* 농담하다, 익살 부리다; 희롱하다
— *vt.* 놀리다(banter), 조롱하다, 비웃다: 《~+목+전+명》 ~ a person *on* his baldness[accent] …의 대머리[사투리]를 놀려 대다 // 《~+목+부》 The question was ~*d away* between them. 그 문제는 그들 사이에서 농담으로 처리되었다. ***joking apart*** [***aside***] 농담은 그만두고 ***You're joking.*** = ***You must be joking.*** = ***You've got to be joking.*** 《구어》 설마, 농담이겠지. ▷ jóky *a.*

joke·book [dʒóukbùk] *n.* 소화집(笑話集)

*__jok·er__ [dʒóukər] *n.* **1** 농담하는 사람, 익살꾼 **2** 《미》 (법안·약관·정관의) 모호한[의장(擬裝)] 조항 **3** 예기치 않은 곤란[어려움], 뜻밖의 장애 **4** 〖카드〗 조커 《특별 카드; 종종 으뜸패의 구실을 함》 **5** 《구어》 놈, 녀석(fellow); 잘난 체하는 사람(wiseacre) **6** 책략, 사기
the ~ ***in the pack*** 장차 어떻게 나올지 예측 불허의 사람[것, 일]

joke·smith [dʒóuksmìθ] *n.* 《구어》 개그 작가

joke·ster [dʒóukstər] *n.* 농담을 (잘)하는[좋아하는] 사람, 못된 장난을 하는 사람

jok·ing·ly [dʒóukiŋli] *ad.* 농담[장난]으로

jok·y, jok·ey [dʒóuki] *a.* (**jok·i·er**; **-i·est**) 농담을 좋아하는

jol [dʒάl] 《남아공·구어》 *n.* 잔치, 파티
— *vi.* (~**led**; ~**ling**) 즐겁게 보내다

jo·lie laide [ʒɔlíː-léid] 〖F〗 예쁘지 않으나 매력 있는 여자

Jo·liot-Cu·rie [ʒɔ́ːljoukjuríː] *n.* 졸리오 퀴리 **1** (**Jean**) **Frédéric** ~ (1900-58) 《프랑스의 물리학자; 노벨 화학상(1935)》 **2 Irène** ~ (1897-1956) 《Curie 부처의 장녀, 1의 아내; 프랑스의 물리학자; 노벨 화학상(1935)》

jol·li·er [dʒάliər | dʒɔ́l-] *n.* 추어올리는[놀리는, 야유하는] 사람

jol·li·fi·ca·tion [dʒὰləfikéiʃən | dʒɔ̀l-] *n.* **1** ⓊⒸ 흥청망청 놀기, 환락 **2** [종종 *pl.*; 단수 취급] 잔치판, 놀이

jol·li·fy [dʒάləfài | dʒɔ́l-] *vi., vt.* (**-fied**) 《술로》 신명이 나다[나게 하다], 즐겁게 떠들어 대다

jol·li·ly [dʒάlili | dʒɔ́l-] *ad.* 유쾌하게, 명랑하게

jol·li·ness [dʒάlinis | dʒɔ́l-] *n.* Ⓤ 명랑, 유쾌; 들뜸

jol·li·ty [dʒάləti | dʒɔ́l-] *n.* (*pl.* **-ties**) Ⓤ 즐거움, 유쾌; Ⓒ 《영》 술잔치, 떠들며 놀기

jóll·of ríce [dʒάːləf-ràis] 남아프리카의 스튜 요리 《쌀·칠리와 생선 또는 고기로 만든》

‡**jol·ly** [dʒάli | dʒɔ́li] 〔OF 「쾌활한」의 뜻에서〕 *a.* (**-li·er**; **-li·est**) **1** 즐거운, 유쾌한, 명랑한(merry) **2** (술로) 기분 좋은, 얼근한 **3** 《구어》 **a** 참으로 재미있는, 즐거운(pleasant, delightful): a ~ fellow (어울리면) 유쾌한 친구 **b** 큰(big) **c** [반어적] 대단한, 지독한: a ~ fool 멍텅구리, 지독한 바보 / What a ~ mess I am in! 형편없는 지경이 되고 말았구나!
the ~ ***god*** 주신(酒神) 《Bacchus》
— *ad.* 《영·구어》 매우, 대단히(very, altogether): a ~ good fellow 참 좋은 친구 / You will be ~ late. 자네는 꽤 늦어지겠군. ***J~ good!*** 《영·구어》 아주 좋아! 《상대의 말이 마음에 들 때 하는 말》 ~ ***well*** 《영·구어》 틀림없이, 반드시, 꼭; 썩 잘; 아주 건강하게
— *n.* (*pl.* **-lles**) **1** 《영·속어》 해병 대원(Royal Marine) **2** [*pl.*] 《속어》 흥청망청 (놀기) **3** = JOLLY BOAT ***get*** one***'s jollies*** 《속어》 즐기다, 신나게 놀다
— *vt.* (**-lied**) 《구어》 **1** (기분·비위 등을 맞춰) 즐겁게[기쁘게] 하다, 추어올리다(flatter) 《*along, up*》 **2** 놀리다, 야유하다(kid)
— *vi.* 농담하다; 놀리다

jólly bòat (선박 부속의) 작은 보트; (유람용) 작은 돛단배

Jólly Róger [the ~] 해적기(black flag) 《검은 바탕에 흰색으로 해골과 두 개의 뼈를 엇걸어 그린 기》

*__jolt__ [dʒóult] *vt.* **1** 〈마차 따위가 승객을〉 갑자기 세게 흔들다, 덜커덩거리게 하다: 《~+목+전+명》 The bus ~*ed* its passengers *over* the rough road. 버스는 울퉁불퉁한 길을 덜커덩거리며 승객을 태우고 갔다. **2** 세게 치다[두드리다]; (정신적) 충격을 주다, 놀라게 하다; 간섭하다; 〈기억 등을〉 갑자기 되살리다: 《~+목+보》 He tried to ~ the nail free. 그는 못을 쾅쾅 쳐서 흔들리게 하려고 했다. // 《~+목+전+명》 The event ~*ed* them *into* action. 그 사건으로 그들은 갑자기 행동을 취했다.
— *vi.* 심하게 흔들리다, 흔들리며 가다: 《~+부》 The car ~*ed along*. 차는 덜커덩덜커덩 흔들거리며 갔다.
— *n.* **1** 심한 상하 요동, 급격한 동요 **2** 정신적 충격, 쇼크; 놀람 **3** (갑작스럽고 예기치 않은) 역전, 후퇴, 실패, 좌절; 방해 **4** 《주로 미·속어》 (독한 술의) 한 모금: a ~ of whiskey 한 모금의 위스키 ~·**er** *n.*

jolt·er-head [dʒóultərhèd] *n.* 바보, 쑥맥

jolt·y [dʒóulti] *a.* (**jolt·i·er**; **-i·est**) 동요가 심한, 덜거덕덜거덕 흔들리는

Jon. 〖성서〗 Jonah; Jonathan

Jo·nah [dʒóunə] *n.* **1** 〖성서〗 요나 《히브리의 예언자》; 요나서(書) **2** 화·불행을 가져오는 사람

Jo·nas [dʒóunəs] *n.* = JONAH

Jon·a·than [dʒάnəθən | dʒɔ́n-] *n.* **1** 남자 이름 **2** 미국 사람, 《특히》 New England의 주민(cf. BROTHER JONATHAN, UNCLE SAM, JOHN BULL) **3** 〖성서〗 요나단 《Saul의 아들로서 David의 친구; 사무엘상 31》 **4** 《미》 홍옥 《사과의 품종》

Jones [dʒóunz] *n.* **1** 남자 이름 **2** [the ~] 보통의 [평범한] 가정; [the ~es] 이웃[동네] 사람들 **3** 존스 **Daniel** ~ (1881-1967) 《영국의 음성학자》 **4** [종종 the ~] 《미·속어》 **a** 마약 사용, 《특히》 헤로인 중독; 헤로인 **b** 강한 흥미 ***get*** one***'s j~*** 《속어》 갖고[하고,

thesaurus **joke** *n.* jest, witticism, gag, pun, prank, trick, hoax, fun, sport, play, whimsy
jolly *a.* gay, merry, joyful, joyous, jovial, happy, glad, cheerful, lively, bright, playful
jolt *v.* jar, lurch, jerk, bump, jounce

먹고] 싶은 것을 가지다[하다, 먹다] ***keep up with the ~es*** 이웃 사람들에게 지지 않으려고 허세를 부리다

jon·gleur [dʒáŋglər | dʒɔ́ŋ-] [F] *n.* (중세 프랑스·영국의) 방랑 시인, 음유 시인

jon·quil [dʒáŋkwil, dʒán- | dʒɔ́ŋ-] *n.* 〚식물〛 노랑수선화; Ⓤ 연한 황색(cf. DAFFODIL, NARCISSUS)

Jon·son [dʒánsn | dʒɔ́n-] *n.* 존슨 **Ben(jamin) ~** (1572-1637) 《영국의 시인·극작가》 **Jon·só·ni·an** *a.*

Jor·dan [dʒɔ́:rdn] *n.* **1** 요르단 《아시아 서남부의 왕국; 수도 Amman》 **2** [the ~] 요단 강 《Palestine의 강》(= **~ Ríver**) **3** 조던 **Michael ~** (1963-) 《미국의 프로 농구 선수》

Jórdan álmond (스페인산) 요르단종(種) 아몬드 《제과용》

Jor·da·ni·an [dʒɔ:rdéiniən] *n., a.* 요르단 사람(의)

jo·rum [dʒɔ́:rəm] *n.* 큰 잔; 그 한 잔(의 양) 《특히 punch⁴의》: a ~ of punch 펀치 한 잔

Jos. Joseph; Josephine; Josiah

Jo·sé [houséi] [Sp.] *n.* 남자 이름

∗**Jo·seph** [dʒóuzəf, -səf | -zif] *n.* **1 a** 〚성서〛 요셉 《야곱의 아들》 **b** 지조가 굳은 남자 **2** 〚성서〛 요셉 《그리스도의 어머니 마리아의 남편; 나사렛의 목수》 **3** 남자 이름 **4** [**j~**] 〚역사〛 케이프 달린 외투 《18세기의 여성 승마용》 **~ *of Arimathea*** 아리마데의 요셉 《예수의 시신을 장사 지냄》

Jo·se·phine [dʒóuzəfi:n, -sə- | -zi-] *n.* 여자 이름

Jo·seph·son [dʒóuzəfsən, -səf- | -zif-] *n.* 조지프슨 **Brian D(avid) ~** (1940-) 《영국의 이론 물리학자; 노벨 물리학상(1973)》

Jósephson effèct 〚물리〛 조지프슨 효과 《두 개의 초전도체가 절연막으로 격리되어 있을 때, 양자 사이에 전위차(電位差)가 없어도 전류가 흐르는 현상》

Jósephson jùnction 〚물리〛 조지프슨 접합 《조지프슨 효과를 가져오는 초전도체의 접합》

Jósephson (júnction) devìce 〚전자〛 조지프슨 접합 소자

josh [dʒáʃ | dʒɔ́ʃ] 《미·속어》 *n.* 악의 없는 농담[놀림] **—** *vt., vi.* 놀리다, 농담하다 **~·er** *n.*

Josh. 〚성서〛 Joshua

Josh·ua [dʒáʃuə, -ʃwə | dʒɔ́ʃ-] *n.* **1** 남자 이름 **2** 〚성서〛 여호수아 《이스라엘 민족의 지도자; 모세의 후계자》; 여호수아서(書) 《略 Josh.》

Jóshua trèe 〚식물〛 (북미 남서부 사막의) 유카(yucca)의 일종

Jo·si·ah [dʒousáiə] *n.* **1** 남자 이름 **2** 〚성서〛 요시야(640?-609? B.C.) 《종교 개혁을 수행한 유대왕》

Jo·sie [dʒóuzi, -si] *n.* 여자 이름 《Josephine의 애칭》

jos·kin [dʒáskin | dʒɔ́s-] *n.* 《영·속어》 시골뜨기

joss [dʒás | dʒɔ́s] *n.* (중국인이 섬기는) 우상, 신상

jos·ser [dʒásər | dʒɔ́s-] *n.* **1** 《영·속어》 바보, 멍텅구리; 녀석, 놈(fellow) **2** 《호주·속어》 성직자, 목사

jóss hòuse 중국의 절(Chinese temple)

jóss stìck joss 앞에 피우는 (선향(線香))

∗**jos·tle** [dʒásl | dʒɔ́sl] *vt.* **1** (난폭하게) 밀다, 밀치다, 떼밀다(push); 밀어제치며 나아가다 《*away, from, out of*》: (~+목+부) He ~*d* me *away.* 그는 나를 밀어제쳤다. // (~+목+전+명) He ~*d* his way *out of* the bus. 그는 사람들을 밀어제치고 버스에서 내렸다. **2** (이익·지위를 놓고) …와 겨루다, 경합하다: rivals *jostling* each other for advantage 이권을 놓고 경쟁하는 두 라이벌 **3** …와 인접하여 있다 **4** 《미·속어》 소매치기하다

— *vi.* **1** 밀다, 밀치다, 물리치다, 서로 밀다, 부딪다 《*against, with*》: (~+전+명) The students ~*d against* the police. 학생들은 경찰과 격돌했다. **2** 밀치고 (앞으로) 나아가다 **3** 다투다, 겨루다(compete) **~ *through*** a crowd (군중)을 헤치고 가다 **~ *with*** a person ***for*** a thing …와 (물건)을 가지고 다투다

— *n.* 밀치락달치락함, 혼잡; 서로 밀치기; 부딪침

jos·tler [dʒáslər | dʒɔ́s-] *n.* jostle하는 사람; 《미·속어》 소매치기

∗**jot** [dʒát | dʒɔ́t] *n.* [a ~; 보통 부정문에서] (매우) 적음, 조금: I do*n't* care *a* ~. 전혀 상관하지 않는다. ***not one*** [***a***] **~ *or tittle*** 조금도 …않다

— *vt.* (**~·ted**; **~·ting**) 간단히 몇 자 적어 두다, 메모하다 《*down*》: (~+목+부) ~ *down* one's passport number 여권의 번호를 적어 두다

jo·ta [hóutə] [Sp.] *n.* 호타 《스페인의 빠른 3박자 춤》; 그 춤곡

jot·ter [dʒátər | dʒɔ́t-] *n.* Ⓤ 메모하는 사람; 메모장, 메모지

jot·ting [dʒátiŋ | dʒɔ́t-] *n.* Ⓤ 대강 적어 두기; [보통 *pl.*] 메모, 비망록

Jo·tun [jɔ́:tun], **Jo·tunn, Jö·tunn** [jə́:tun] *n.* 〚북유럽신화〛 요툰 《신들과 자주 다툰 거인족》

Jo·tun·heim [jɔ́:tunhèim], **Jo·tunn·heim, Jö·tun·heim** [jə́:tunhèim] *n.* 〚북유럽신화〛 요툰헤임 《거인족 Jotun의 나라》

jou·al [ʒuǽl, -ɑ́:l | -ɑ́:l] [F] *n.* [종종 **J~**] Ⓤ 교양이 낮은 프랑스계 캐나다 인이 쓰는 프랑스 방언

joule [dʒú:l, dʒául] [James Prescot Joule (1818-89)의 이름에서] *n.* 〚물리〛 줄 《일과 에너지의 SI 단위; =10 million ergs; 기호 J》

Jóule's láw [dʒú:lz-] 〚물리〛 줄의 법칙

jounce [dʒáuns] *vt., vi.* 덜커덕덜커덕 흔들다[흔들리다], 덜커덕거리다

— *n.* (상하의) 동요, 진동

jour. journal; journalist; journey(man)

⁑**jour·nal** [dʒə́:rnl] *n.*

> L「매일의」 뜻에서
> 「나날의 일을 기록한 것」 ─ 일지 **1** / 일간 신문 **2** / 기관지 **3**

1 일지, 일기 《보통 diary보다 문학적인 것》: I decided to keep a ~ 나는 일기를 쓰기로 결심했다. **2** 신문, 일간 신문: the wall street *J*~ 월스트리트 저널 **3** 잡지(periodical), 정기 간행물 《특히 시사적 내용을 취급한 것》; (학술 단체 등의) 기관지: a monthly ~ 월간 잡지 **4** (의회·임원회 등의) 의사록, 의회 일지; [the J~s] 《영》 국회 의사록 **5** 〚항해〛 항해 일지(logbook)(=ship's ~) **6** 〚부기〛 분개장(分介帳) **7** 〚기계〛 저널 《굴대의 목 부분》

jóurnal bòx 〚기계〛 축받이 상자

jour·nal·ese [dʒə̀:rnəlí:z, -lí:s | -lí:z] *n.* Ⓤ 《경멸》 신문 잡지 기사체; 신문 기사식 논조; 신문[보도] 용어

⁑**jour·nal·ism** [dʒə́:rnəlìzm] *n.* Ⓤ **1** 저널리즘; 신문 잡지 편집[경영](업), 신문 잡지 기고[집필](업) **2** 신문 잡지계, 언론계 **3** 신문 잡지식 잡문 **4** [집합적] 신문 잡지 **5** (대학의) 신문학과

⁑**jour·nal·ist** [dʒə́:rnəlist] *n.* **1** 저널리스트, 보도 기자 《신문·잡지·방송 기자[기고가, 업무 종사자, 업자]》; 보도 관계자; 언론인 **2** 일기[일지]를 쓰는 사람

∗**jour·nal·is·tic** [dʒə̀:rnəlístik] *a.* 신문 잡지 같은, 신문 잡지 특유의, 신문 잡지 기자식의 **-ti·cal·ly** *ad.* ▷ jóurnalist *n.*

jour·nal·ize [dʒə́:rnəlàiz] *vt.* 일기에 적다; 〚부기〛 분개하다, 분개장에 써넣다 **—** *vi.* 일기를 적다; 〚부기〛 분개장에 써넣다 **-iz·er** *n.*

⁑**jour·ney** [dʒə́:rni] *n., v.*

> L「하루의 여행」의 뜻에서 → 「여정」 **2** → 「여행」 **1**

— *n.* **1** 여행(trip) 《보통 육로의 비교적 긴》(⇨ trav-

---

jostle *v.* bump against, bang into, collide with, jolt, push, shove, elbow, thrust, press

journal *n.* **1** 일지 diary, daybook, notebook, log, chronicle, record, register **2** 정기 간행물 periodical, magazine, review, publication

el 유의어): a ~ into the country 시골 여행 **2** 여행 일정, 일정 기간 동안의 여행, 여정; (인생의) 행로, 편력: a week's ~ 일주일 간의 여행 **3** (한 단계에서 다음 단계로의) 진전; (…으로의) 길, 도정(道程): the ~ to success 성공으로 이르는 길
break** one**'s** ~* 여행을 중단하다, 도중하차하다 ***go** [**start, set out**] **on a** ~* 여행을 떠나다 ***I wish you a pleasant ~. = ***A pleasant ~ to you!*** 잘 다녀오세요! ***make** [**take**] **a** ~* 여행을 하다 ***on a** ~* 여행에 나서서, 여행 중에 ***one's ~'s end*** (문어) 여로의 끝; (인생)행로의 종말
— *vi.* (문어) 여행하다 **~·er** *n.* 여행자

jour·ney·man [dʒə́:rnimən] *n.* (*pl.* **-men** [-mən]) **1** 장인, 기능인 《도제 수습을 마친》(cf. APPRENTICE) **2** 유능한 기능공 **3** (기상대의) 보조 시계(= **~ clóck**)

jour·ney·work [-wə̀:rk] *n.* Ⓤ (장인의) 일; 날품팔이 일; 허드렛일

journ·o [dʒə́:rnou] *n.* (*pl.* **~s**) (영·호주·구어) = JOURNALIST

joust [dʒáust, dʒʌ́st | dʒáust] *n.* 마상(馬上) 창시합 (tilt); [종종 *pl.*] 마상 창시합 대회
— *vi.* 마상 창시합을 하다; 시합[경기]에 참가하다

Jove [dʒóuv] *n.* = JUPITER 1, 2 ***By ~!*** (영·구어) (신에) 맹세코; 천만에! 《놀람·찬성·강조·기쁨·혐오 등을 나타냄》 ▷ jóvial, Jóvian[1] *a.*

jo·vi·al [dʒóuviəl] [본래 목성(Jove)은 유쾌한 기분을 감응시킨다고 생각한 데서] *a.* 명랑한, 즐거운, 유쾌한 (merry) **~·ly** *ad.* **~·ness** *n.*

jo·vi·al·i·ty [dʒòuviǽləti] *n.* (*pl.* **-ties**) **1** Ⓤ 즐거움, 유쾌, 명랑 **2** [*pl.*] 명랑한 말[행위]

Jo·vi·an[1] [dʒóuviən] *a.* **1** Jupiter 신의; (Jupiter 신처럼) 의젓한, 당당한 **2** 목성(Jupiter)의

Jovian[2] *n.* 요비아누스(331?-364) 《로마 황제(363-364)》

Jóvian plánet 〔천문〕 목성형의 행성 《4개의 큰 외행성; 목성, 토성, 천왕성, 해왕성》

Jo·vi·ol·o·gist [dʒòuviɑ́lədʒist | -ɔ́l-] *n.* 목성학자

jow [dʒáu, dʒóu] (스코) *n.* 종소리, 방울 소리
— *vi., vt.* 〈종·방울을[이]〉 울리다; 〈머리를〉 때리다

jowl [dʒául, dʒóul | dʒául] *n.* **1** 턱뼈(jawbone); 턱(jaw), 아래턱 **2** 뺨(cheek) **3** (소·돼지·새의) 늘어진 목살, 육수(肉垂) **4** 물고기의 대가리

jowl·y [dʒáuli, dʒóuli | dʒáuli] *a.* 아래턱이 발달한; 군턱의

‡**joy** [dʒɔ́i] *n.* **1** Ⓤ 기쁨, 즐거움, 행복, 환희(⇨ pleasure 유의어): tears of ~ 기쁨의 눈물 / to one's ~ 기쁘게도 **2** 기쁨을 가져다 주는 것, 기쁨의 근원: A thing of beauty is a ~ forever. 아름다운 것은 영원한 기쁨이다. 《Keats》 **3** Ⓤ [부정문·의문문에서] (영·구어) 일이 잘됨, 성공, 만족: do*n't* get any ~ 잘 안 되다 ***for** [**with**] ~* 기뻐서: jump *for* ~ 기뻐서 날뛰다 / She wept *for* ~. 그녀는 기뻐서 눈물을 쏟았다. ***full of the ~s of spring*** (구어) 매우 기뻐서, 몹시 기뻐하고 있는 ***in ~ and in sorrow*** 기쁠 때나 슬플 때나 ***I wish you ~ of*** your success. (성공)을 축하합니다. ***~s and sorrows*** 기쁨과 슬픔, 희비, 고락 ***no ~*** (구어) 불만족, 불운
— *vi.* (주로 시어) 기뻐하다(rejoice): (~+전+명) He *~ed in* my good luck. 그는 나의 행운을 기뻐해 주었다.
— *vt.* (폐어) 기쁘게 하다(gladden)

joy·ance [dʒɔ́iəns] *n.* (시어) 기쁨; 즐거움; 오락

joy-bells [dʒɔ́ibèlz] *n. pl.* (교회의) 경축의 종

joy·box [dʒɔ́ibɑ̀ks | -bɔ̀ks] *n.* (미·구어) 피아노

Joyce [dʒɔ́is] *n.* **1** 조이스 **James ~** (1882-1941) 《아일랜드의 소설가·시인》 **2** 남자·여자 이름

jóy dùst[**flàkes**] (미·속어) 가루 코카인

‡**joy·ful** [dʒɔ́ifəl] *a.* 〈사건·경치·소식 등이〉 기쁜, 기쁨에 찬, 반가운, 즐거운: a ~ look 기뻐하는 표정 / a ~ event 즐거운 행사[이벤트] / a ~ news 기쁜 소식 ***be ~ of*** …을 기뻐하다 **~·ly** *ad.* 기쁘게, 기쁨에 차서, 기뻐하여 **~·ness** *n.* ▷ jóy *n.*

joy·house [dʒɔ́ihàus] *n.* (미·속어) 매음굴

joy-juice [-dʒù:s] *n.* (속어) 술, 《특히》 맥주; 정액

joy·less [dʒɔ́ilis] *a.* 기쁨이 없는, 쓸쓸한(opp. *joyful*) **~·ly** *ad.* **~·ness** *n.*

***joy·ous** [dʒɔ́iəs] *a.* (문어) = JOYFUL
~·ly *ad.* = JOYFULLY **~·ness** *n.* = JOYFULNESS

joy·pad [dʒɔ́ipæ̀d] *n.* 조이패드 《컴퓨터 게임용 조종장치》

joy·pop [dʒɔ́ipɑ̀p | -pɔ̀p] *vi.* (**~ped**; **~·ping**) (속어) (중독이 안 될 정도로) 이따금 마약을 사용하다
~·per *n.*

joy-pow·der [-pàudər] *n.* (미·속어) 가루 마약 《모르핀, 헤로인, 코카인》

joy·ride [-ràid] *n.* **1** (구어) 폭주(暴走) 드라이브 《특히 남의 차를 훔쳐서 타는》 **2** (비용·결과를 무시한) 분방한 행동[행위]
— *vi.* (**-rode** [-ròud]; **-rid·den** [-rìdn]) (미·구어) (남의 차를 훔치거나 하여) 폭주 드라이브를 즐기다
jóy·rìd·er *n.* **jóy·rìd·ing** *n.*

jóy smòke (미·속어) 마리화나[대마초] 담배

joy·stick [dʒɔ́istìk] *n.* **1** (구어) (비행기의) 조종간 **2** (제어 장치·게임기 등의) 수동식 조작 장치, 조작용 손잡이; (hot rod의) 핸들 **3** (비어) 음경 **4** (속어) 아편[마리화나]용 파이프

jóy wàter (미·속어) (독한) 술, 알코올

JP jet propulsion; Justice of the Peace

JPEG [dʒéipég] [*J*oint *P*hotographic *E*xperts *G*roup] *n.* 〔컴퓨터〕 제이페그 《ISO와 ITUTSS에 의한 국제 기관, 또는 거기서 개발한 정지 화상 데이터 압축 방식》

JPL Jet Propulsion Laboratory (미) (NASA의) 제트 추진 연구소

J/psí pàrticle [dʒéisái-, -psái-] 〔물리〕 제이 프사이 입자 《전자 질량의 약 6,000배》

Jr., jr. junior

J. Rándom (해커속어) (이름을 확실히 모르는) 저, 어느

JRC Junior Red Cross 청소년 적십자 **JSA** Joint Security Area (판문점의) 공동 경비 구역

J.S.D. *Juris Scientiae Doctor* (L = Doctor of Juristic Science) 법학 박사

J smòke [때로 **j s-**] (미·속어) 마리화나[대마초] 담배

JSP 〔컴퓨터〕 Jackson structured programming

jt. joint **Ju.** June

jua kali [dʒúə-kǽli] *n.* (케냐에서 고철이나 목재 따위로 돈을 버는) 비공식적인 직업

ju·ba [dʒú:bə] *n.* 주바 《미국 남부 흑인 노예의 춤》

ju·bi·lance, -lan·cy [dʒú:bələns(i)] *n.* Ⓤ 환희

ju·bi·lant [dʒú:bələnt] *a.* (환호성을 올리며) 좋아하는, 기쁨에 넘치는 **~·ly** *ad.*

ju·bi·late [dʒú:bəlèit] *vi.* 환희하다(rejoice), 환호하다

Ju·bi·la·te [dʒù:bəléiti, jù:bəlɑ́:tei] 〔L〕 *n.* **1** [**j~**] 환희의 노래; 환호 **2** (성서의) 시편 제100편 《*Jubilate Deo* [dí:ou] = O be joyful in the Lord로 시작》; 그 악곡 **3** 부활절 후 제3 일요일(= **~ Súnday**)

ju·bi·la·tion [dʒù:bəléiʃən] *n.* Ⓤ 환희, 환호; Ⓒ 축하, 경축, 축제

ju·bi·lee** [dʒú:bəlì:, ⌐-⌐] *n.* **1** 〔성서〕 희년(禧年), 요벨[안식]의 해 《유대 민족이 Canaan에 들어간 해부터 기산(起算)하여 50년마다의 해》; 〔가톨릭〕 성년(聖年), 대사(大赦)의 해(= **~ yéar**) **2** 50[25]년제 **3** 축제, 축전 **4** Ⓤ 환희 ***the diamond ~ 60년제 ***the***

thesaurus **joy** *n.* delight, pleasure, gladness, enjoyment, gratification, happiness, rapture
judge *n.* **1** 재판관 justice, reviewer, magistrate **2** 심판관 adjudicator, umpire, referee, arbitrator, mediator **3** 감정가 appraiser, assessor, evaluator

***silver*[*golden*] ~** 25[50]년제
▷ júbilate *v.*
Jud. Judaism; 〖성서〗 Judges; Judgment; Judicial; Judith
Ju·dae·a [dʒuːdíːə | -díə] *n.* =JUDEA
Ju·dah [dʒúːdə] *n.* **1** 유다 (왕국) 《팔레스타인 남부의》 **2** 남자 이름 **3** 〖성서〗 유다 《Jacob의 넷째 아들》; 유다 족 《이스라엘 12부족 중의 한 부족》
Ju·dah·ite [dʒúːdəàit] *n.* 유다 족[왕국] 사람
— *a.* 유다 족[왕국]의
Ju·da·ic, -i·cal [dʒuːdéiik(əl)] *a.* 유대 (민족)의, 유대 사람[식]의(Jewish)
Ju·da·i·ca [dʒuːdéiikə] *n. pl.* 유대(교) 문헌, 유대인의 문물
Ju·da·ism [dʒúːdiìzm, -dei-, -də- | -dei-] *n.* Ⓤ **1** 유대교(의 교의(敎義)) **2** 유대주의, 유대인 기질, 유대 문화; [집합적] 유대인 **-ist** *n.* 유대교도
Ju·da·ize [dʒúːdiàiz, -dei-, -də- | -dei-] *vt., vi.* 유대인[유대교]식으로 하다[되다], 유대교로 개종하다 **Jù·da·i·zá·tion** *n.* **-iz·er** *n.*
Ju·das [dʒúːdəs] *n.* **1** 〖성서〗 가룟 유다 (Judas Iscariot; 예수의 12제자 중의 한 사람으로 예수를 배반; 마태복음 26: 14, 48); (우정을 가장한) 배반자, 배신자(traitor) **2** 예수의 형제 유다 **3** 유다 **Saint ~** 《가룟 유다가 아닌 예수의 제자 Jude》 **4** [보통 **j~**] (문 등의) 들여다보는 구멍(peephole)(=**j~ wìndow** [**hòle**]) ***play the ~*** 배반하다
Ju·das-col·ored [dʒúːdəskʌ̀lərd] [가룟 유다의 머리칼이 붉었다는 전설에서] *a.* 머리털이 붉은
Júdas kíss 〖성서〗 유다의 키스; (친절을 가장한) 배신 행위
Júdas trèe [유다가 이 나무에 목매었다는 전설에서] 〖식물〗 유다나무 《개소방목의 속명》
jud·der [dʒʌ́dər] *n.* 〖음악〗 (가수의) 성조의 돌연한 변화; 《영》 (엔진·기계의) 심한 진동
— *vi.* 《영》 심하게 진동하다
Jude [dʒúːd] *n.* **1** 남자 이름 **2** 〖성서〗 유다 **Saint ~** (Judas) 《예수의 12사도 중 한 사람》; (신약의) 유다서(書)
Ju·de·a [dʒuːdíːə | -díə] *n.* 고대 유대 《팔레스타인 남부에 있었던 고대 로마령(領)》
Ju·de·an [dʒuːdíːən | -díən] *n., a.* 고대 유대(의); 고대 유대인(의)
Ju·den·het·ze [júːdənhètsə] [G] *n.* 유대인 박해
Judeo- [dʒuːdéiou, -díː-, -ə] 《연결형》 「유대인[교]의[에 관한]; 유대와 …」의 뜻: *Judeo*-Christian
Judg. Judges 〖성서〗 사사기, 판관기
‡**judge** [dʒʌ́dʒ] *n.* **1 재판관, 법관, 판사**: a side ~ 배석 판사 / a preliminary[an examining] ~ 예심 판사 / the presiding ~ 재판장(cf. JUSTICE) **2** (경기·토론 등의) **심판관, 심사원**: the ~*s* of a beauty contest 미인 대회 심사원 **3 감정가,** 감식가, 전문가: a good ~ of wine[horse] 포도주[말] 감정가[감별사] **4** 〖성서〗 사사(士師), 판관(判官); [**J~s**; 단수 취급] 사사기(記), 판관기 《略 Jud(g).》 **5** (최고 절대의 심판자인) 신 **(*as*) *grave as a ~*** 자못 엄숙한, 진지한 체하는 ***be no*** [***a good***] ***~ of*** …의 감정(鑑定)을 할 수 없다[잘 하다]
— *vt.* **1 재판하다,** 심리[심판]하다(try); 재결하다, 판결하다: God will ~ all men. 하느님은 모든 사람을 심판한다. // (~+목+보) The court ~*d* him guilty. 법정은 그에게 유죄 판결을 내렸다. **2** (재판에서 판정을 내리기 위해 증인의) 증언이나 논쟁을 듣다 **3 판단하다,** 평가하다, 비판하다; …에 대해 소신을 품다: Don't ~ others too harshly. 남을 너무 심하게 비판하지 마라. // (~+목+전+명) You must not ~ a man *by* his income. 사람을 그의 수입으로 평가해선 안 된다. **4 심사하다**; 결정[판정]하다; 감정하다: She was ~*d* "Miss U.S.A." 그녀는 '미스 미국'으로 뽑혔다. **5** …이라고 판단하다, …이라고 생각하다(think): (~+목+(*to be*) 보) (~+*that* 절) I ~ him (*to be*) honest. =I ~ (*that*) he is honest. 나는 그가 정직하다고 생각한다.
— *vi.* **1** 재판하다, 판결을 내리다; 심판하다: *J*~ not, that ye be not ~*d*. 심판을 받지 않으려거든 남을 심판하지 마라. 《마태복음 7: 1》 // (~+전+명) ~ *at* a beauty contest 미인 대회에서 심사하다 **2** 판단하다, 판정하다, 판별하다: (~+전+명) Don't ~ *of* a man by his appearances. 외모로 남을 판단하지 마라. ***~ between*** 양자 중에서 가부를 판가름하다 ***~ by*** …으로 판단하다 ***judging from*** [***by***] the fact that ... (…이라는 사실)로 미루어 보면
júdg·er *n.* **~·shìp** *n.* Ⓤ 판사[심판관]의 지위[임기, 직(권)] ▷ júdgment *n.*
júdge ádvocate 〖군사〗 (군사 법원의) 법무관
jùdge ádvocate géneral 《미》 육군[해군, 공군] 법무감 《略 JAG》
judge-made [dʒʌ́dʒmèid] *a.* 판사가 내린 판례에 의하여 결정된: the ~ law 판례법
Júdges' rúles 〖영국법〗 재판관의 규제[판단 기준] 《경찰의 구류 중 피의자 처리에 대한 규제》
judg·mat·ic, -i·cal [dʒʌdʒmǽtik(əl)] *a.* 《구어》 사려 깊은, 분별[지각] 있는, 현명한 **-i·cal·ly** *ad.*
‡**judg·ment | judge·ment** [dʒʌ́dʒmənt] *n.* **1** Ⓤ **a 판단,** 심판, 심사, 감정, 평가; 추정: an error of ~ 판단 착오 **b 판단력,** 분별력, 견식: in my ~ 나의 판단[생각]으로는 **2 a** Ⓤ **재판,** 심판: ~ by default = default ~ 결석 재판 **b** ⓊⒸ **판결,** 선고 **c** ⓊⒸ 판결 결과 확정된 채무; Ⓒ 그 판결서: a written ~ 판결문 **3 의견,** 견해(opinion): form a ~ 견해를 가지다, …에 대해 자신의 소신을 가지다 《*on, of*》 **4** [(the) J~] 〖성서〗 최후의 심판(the Last Judgement)(cf. JUDGMENT DAY) **5** (신이 내리는) 천벌, 벌, 재앙: It is a ~ on you for getting up late. 늦잠을 자더니 천벌이 내린 거야. **6** 비판, 비난 **7** Ⓤ 〖성서〗 정의, 공정 ***against*** one***'s better ~*** 본의 아니게 ***pass*** [***give***] ***~ on*** [***upon***] a person[cases] 사람[사건]에 대해 판결을 내리다 ***sit in ~*** 재판하다 《*on*》; 판단을 내리다, 비판하다 《*upon*》 ***the ~ of God*** 신의(神意) 재판 《옛날의》 ***the J~ of Paris*** 〖그리스신화〗 파리스의 심판 《Paris가 황금 사과를 Aphrodite에게 주어 트로이 전쟁의 원인이 됨》
▷ júdge *v.*
judg·men·tal | judge- [dʒʌdʒméntl] *a.* 재판의[에 관한]; 도덕적 판단의
júdgment càll 〖스포츠〗 (의문의 여지가 있는 상황에서의) 심판의 판정; 개인적 의견[해석]
júdgment crèditor 〖법〗 판결 확정 채권자
Júdgment Dày [the ~] 최후의 심판 날 《이 세상의 종말》; [**j- d-**] 〖법〗 판결일
júdgment dèbt 〖법〗 판결에 의한 채무
júdgment dèbtor 〖법〗 판결 확정 채무자
Júdgment of Sólomon 아주 어려운 판단, '솔로몬의 심판'
júdgment sèat 판사석, 법정
júdgment sùmmons 〖영국법〗 (확정 판결에 의한 채무 불이행에 대한) 채무자 구속 영장
ju·di·ca·ble [dʒúːdikəbl] *a.* 재판으로 해결할 수 있는; 심판할 수 있는
ju·di·care [dʒúːdikɛ̀ər] *n.* 《미》 (빈곤층에 대한) 법률 서비스 (제도)
ju·di·ca·tive [dʒúːdikèitiv] *a.* 재판[판단]할 권한[능력]을 갖춘
ju·di·ca·tor [dʒúːdikèitər] *n.* 재판[심판]하는 사람, 법관(judge)
ju·di·ca·to·ry [dʒúːdikətɔ̀ːri | -təri] *a.* 재판의, 사

---

judgment *n.* **1 판단력** discernment, acumen, shrewdness, perception, wisdom, prudence **2 판결** verdict, decision, adjudication, ruling, decree, sentence **3 의견** opinion, view, belief, conviction, estimation, evaluation, assessment, appraisal

법의 **—***n.* (*pl.* **-ries**) **1** 법정, 재판소 **2** Ⓤ 사법

ju·di·ca·ture [dʒúːdikèitʃər, -kətʃùər | -kətʃər] *n.* **1** Ⓤ 사법[재판](권) **2** Ⓤ 법관의 권위[직권] **3** 재판 관할(구); Ⓤ 사법 사무 **4** 사법부, 법원; [집합적] 재판관(judges) ***the Supreme Court of J~*** ((영)) 최고 법원

*__ju·di·cial__ [dʒuːdíʃəl] *a.* **1** 사법의, 재판의; 법관[판사]의, 재판관의, 재판에 의한(cf. LEGISLATIVE, EXECUTIVE, ADMINISTRATIVE): the ~ bench 판사들[일동]/~ election 법관의 선거/~ police 사법 경찰/a ~ precedent 〚법〛 판례 **2** 법관 같은[다운]; 공정한, 공평한(impartial) **3** 편단력 있는, 분석적인, 구별[차별]하는, 비판적인(critical) **4** 천벌의, 신벌의
~·ly *ad.* 사법상; 재판에 의하여; 법관답게

judícial áctivism 〚미국법〛 사법 적극[행동]주의 ((새로운 법을 제정할 때 헌법의 문구대로 따를 필요가 없다는))

judícial múrder 사법 살인 ((부당한 사형 판결))

judícial restráint 〚미국법〛 사법 소극[자제]주의 ((대법원이나 그 밖의 법원 판사가 헌법에 의한 법률을 변경해서는 안 된다는))

judícial revíew ((미)) 사법 심사(권), 위헌 입법 심사(권)

judícial separátion 〚법〛 재판상의 부부 별거

ju·di·ci·ar·y [dʒuːdíʃièri, -ʃəri | -ʃiəri] *n.* (*pl.* **-ar·ies**) 사법부, 사법 제도; [집합적] 법관, 판사(judges) **—***a.* 사법의(judicial), 법원의, 법관의: ~ proceedings 재판[사법] 절차

ju·di·cious [dʒuːdíʃəs] *a.* 분별력 있는, 현명한(wise), 판단이 적절한 **~·ly** *ad.* **~·ness** *n.*

Ju·dith [dʒúːdiθ] *n.* **1** 여자 이름 **2** 유디트 ((Assyria의 장군 Holofernes를 죽이고 고대 유대를 구한 과부)) **3** (구약 경외서의) 유디트서(書) ((略 Jud.))

ju·do [dʒúːdou] [Jap.] *n.* 유도
~·ka, ~·ist *n.* 유도 선수

Ju·dy [dʒúːdi] *n.* **1** 여자 이름 ((Judith의 애칭)) **2** 인형극 *Punch and Judy*의 여주인공 **3** [종종 **j~**] ((영·구어)) 여자, 계집애, 아가씨 ***play a ~ of*** one***self*** ((구어)) 〈여자가〉 바보짓을 하다

‡**jug**[1] [dʒʌ́g] *n.* **1** ((영)) (주둥이가 넓고 손잡이가 달린) 물주전자, 물병(((미)) pitcher); ((미)) (코르크 마개가 있는) 물병; ((구어)) 큰 술병(에 든 포도주·위스키) **2** 큰 맥주잔, 조끼; 그 한 잔 **3** [the ~] ((속어)) 교도소, 구치소; ((미·속어)) 은행, 금고; (엔진의) 기화기(carburetor); [*pl.*] ((미·속어)) 유방
— *vt.* (**~ged**; **~·ging**) **1** 물병에 담다[넣다] **2** [보통 과거분사로] 〈토끼 고기 등을〉 단지[질냄비]에 넣고 삶다 **3** ((속어)) 감옥에 처넣다(imprison); ((속어)) 〈맥주·포도주를〉 따르다, 마시다
— *vi.* ((속어)) 많은 술을 마시다, 취해 버리다 ((*up*))

jug[2] *n.* (나이팅게일 등의) 지저귀는 소리
—*vi.* (**~ged**; **~·ging**) 짹짹 울다, 지저귀다

ju·ga [dʒúːgə] *n.* JUGUM의 복수

ju·gal [dʒúːgəl] *n., a.* 〚해부〛 광대뼈(의), 관골(의)

ju·gate [dʒúːgeit, -gət] *a.* 〚식물〛 대생엽(對生葉)이 있는 **—***n.* ((미)) (특히 대통령과 부통령 후보의 두 얼굴을 그린) 배지(badge)

júg bànd 저그 밴드 ((주전자 등 악기 대용품으로 연주하는))

jug-eared [dʒʌ́gìərd] *a.* ((속어)) 귀가 돌출한

jug·ful [dʒʌ́gfùl] *n.* 물주전자[조끼] 하나(의 분량)

jugged [dʒʌ́gd] *a.* ((속어)) [흔히 ~ up] 술에 취한; 교도소에 갇힌

jùgged háre 삶은 토끼 요리

jug·ger [dʒʌ́gər] *n.* ((미·속어)) 술고래, 술꾼

Jug·ger·naut [dʒʌ́gərnɔ̀ːt, -nɑ̀t | -nɔ̀ːt] *n.* **1** (인도 신화에서 비슈누(Vishnu)신의 제8 화신인) 크리슈나(Krishna) 신상(神像) **2** [종종 **j~**] 사람을 희생으로 요구하는 것 ((미신 등)); 불가항력 ((전쟁 등)); 거대한 괴물 ((군함·전차 등)); 거대 조직 **3** [**j~**] ((영)) 초대형 트럭 ((다른 차들에게 위협을 주는))

jug·gins [dʒʌ́ginz] *n.* ((영·속어)) 얼간이, 멍청이

*__jug·gle__ [dʒʌ́gl] *vt.* **1** (…으로) 요술을 부리다, (공·접시 등으로) 곡예를 하다: ((~+목+부)) ~ a cigarette *away* 요술을 부려 담배 한 개비를 없애다 **2** (속이기 위해) 조작하다, 바꾸다 **3** 속이다; 속여서 빼앗다(cheat): ((~+목+전+명)) ~ a person *out of* his[her] money 속여서 …의 돈을 빼앗다 **4** 〈시간·일 등을〉 잘 조절[처리]하다 **5** 〚야구〛 〈공을〉 저글하다 ((놓칠 뻔하다가 잡다))
— *vi.* **1** 요술[곡예]을 부리다: ((~+전+명)) ~ *with* three knives 칼 세 자루로 요술을 부리다 **2** 조작하다, 기만하다, 속이다(cheat): ((~+전+명)) ~ *with* the figures 숫자를 조작하다 **~ *away*** 요술로 없애다; 속여 빼앗다 **~ *into*** 요술을 부려 …으로 바꾸다 **~ *with*** 〈사람을〉 속이다; 〈사실을〉 왜곡하다
— *n.* ⓊⒸ **1** 요술 **2** 사기, 속임수 ▷ júgglery *n.*

jug·gler [dʒʌ́glər] *n.* 요술쟁이, 마술사; 사기꾼: a ~ with words 궤변가

jug·gler·y [dʒʌ́gləri] *n.* (*pl.* **-gler·ies**) ⓊⒸ 마술, 요술; 사기

jug·head [dʒʌ́ghèd] *n.* ((속어)) 노새(mule); 바보

Ju·go·slav, Ju·go-Slav [jùːgouslɑ́ːv, -slǽv | -slɑ̀ːv] *a., n.* = YUGOSLAV

Ju·go·sla·vi·a [jùːgouslɑ́ːviə] *n.* = YUGOSLAVIA

jug·u·lar [dʒʌ́gjulər, dʒúːg- | dʒʌ́g-] *a.* **1** 〚해부〛 경부(頸部)의; 인후부의; 경정맥(頸靜脈)의 **2** 〚어류〛 배지느러미가 목에 있는
—*n.* 경정맥(=**~ véin**); [the ~] (상대의) 약점, 급소 ***go for the ~*** ((구어)) 급소를 찌르다 ***have an instinct for the ~*** 상대의 약점을 알고 있다

jug·u·late [dʒúːgjulèit, dʒʌ́g- | dʒʌ́g-] *vt.* **1** 목을 따서 죽이다 **2** (과감한 치료로) …의 병세를 억제하다

ju·gum [dʒúːgəm] *n.* (*pl.* **-ga** [-gə], **~s**) 〚곤충〛 시수(翅垂), 계수(繫垂); 〚식물〛 우상 복엽(羽狀複葉)

júg wìne 값싼 포도주 ((1.5*l* 이상의 큰 병에 담아 판매되는))

‡**juice** [dʒúːs] *n.* Ⓤ **1** ⓊⒸ (과일·야채·고기 등의) 즙, 주스, 액 ((과즙의 경우는 100%의 것을 말하고, 100%가 안 되는 것은 drink)): fruit ~ 과즙/orange ~ 오렌지 주스 **2** 정수, 본질(essence) **3** (동물의) 분비액, [the ~s] 체액(cf. HUMOR *n.* 9): digestive ~(*s*) 소화액/gastric ~(*s*) 위액 **4** ((구어)) 기운, 활기, 정력: the ~ of life 생명력/a man full of ~ 정력적인 사람 **5** ((속어)) (동력원으로서의) 전기; [**J~**] ((영화·연극의)) 전기 담당자; 휘발유, 석유 ((기타 동력원이 되는 액체)) **6** ((미·속어)) **a** 판돈, 내기돈; 갈취한 돈; 뇌물 **b** 터무니없이 높은 이자 **7** ((속어)) 영향력, 힘 **8** 뒷공론, 소문(gossip, scandal) **9** [the ~] ((미·속어)) 술, 위스키; ((속어)) 마약(drug) ***step*** [***tread***] ***on the ~*** ((구어)) (차의) 속도를 올리다 ***stew in*** one***'s*** (***own***) **~** 자업자득으로 고생하다 ***suck up*** [***squeeze***] ***all the ~ from the poor*** 가난한 자들을 철저히 착취하다
— *vt.* **1** …의 즙을 짜다; …에 즙을 타다; 원활하게 하다 **2** ((방언·속어)) 〈소의〉 젖을 짜다 **3** ((미·속어)) (경기 전에) 〈말·사람에게〉 마약 주사를 놓다 **~ *up*** 기운나게 하다, 활기를 돋우다, 가속하다; 재미있게 하다, 취하게 하다, 마약의 효과가 나타나다
— *vi.* (지나치게 많이) 술을 마시다; ((미·속어)) 마약 주사를 놓다 **~·less** *a.* 즙이 없는

júice bàr 주스 바 ((생과일 주스를 파는 카페))

juiced [dʒúːst] *a.* **1** [보통 복합어를 이루어] …의 즙을 함유한 **2** ((미·속어)) 술에 취한, 마약에 취한, 흥분한

júice dèaler ((미·속어)) (불법적인) 고리대금업자

júice frèak ((미·속어)) 알코올 중독자

juice·head [dʒúːshèd] *n.* ((미·속어)) 모주꾼, 알코올 중독자, 술고래

júice hòuse ((미·흑인속어)) 술집

thesaurus **juicy** *a.* succulent, moist, lush, watery, wet, sappy, humid, dewy

júice jòint 《미·속어》 청량음료 매점; 《미·속어》 싸구려 바, 불법적인 술집
júice lòan 《미·속어》 고리채 (대부금)
júice màn 《미·속어》 고리대금업자; 빚을 받아내는 사람
juic·er [dʒúːsər] *n.* **1** (극장·TV·영화 등의) 조명[전기] 기사 **2** 과즙기 **3** 《속어》 술고래
júice ràcket 《미·속어》 고리대금
juic·i·ness [dʒúːsinis] *n.* Ⓤ 즙[수분]이 많음
*__juic·y__ [dʒúːsi] *a.* (**juic·i·er**; **-i·est**) **1** 즙 많은, 수분이 많은: a ~ pear 과즙이 많은 배 **2** 《구어》 벌이가 되는, 실속 있는, 수지맞는: a ~ contract 수지맞는 계약 **3** 《구어》 〈이야기가〉 흥미진진한, 외설적인 **4** 〖미술〗 〈빛깔이〉 윤택이 있는 **5** 원기 왕성한, 활기 있는 **6** 《구어》 〈날씨가〉 비 내리는, 촉촉한 **7** 《속어》 육감적인, 매력 있는 **júic·i·ly** *ad.* ▷ júice *n.*
Júil·li·ard Schóol [dʒúːliàːrd-, -ljàːrd-] 줄리아드 (음악) 학교 《뉴욕 시에 있는 음악 학교》
ju·jit·su, jiu·jit·su [dʒuːdʒítsuː] *n.* Ⓤ 일본 무술 형태의 하나 《유도에서 발전됨》
ju·ju [dʒúːdʒuː] *n.* **1** (서부 아프리카 원주민의) 부적(charm); 주문 **2** 액막이, 금기 **3** 〖음악〗 주주 뮤직 《아프리카의 리듬과 최신의 전자 사운드를 융합한 새로운 대중 음악》(= ∠ **mùsic**) **~·ism** *n.* **~·ist** *n.*
ju·jube [dʒúːdʒuːb] *n.* 〖식물〗 대추나무; 대추 《열매》; 대추 모양의 사탕
juke[1] [dʒuːk] 〖미식축구〗 *vt.* (상대방을 속이기 위한) 몸놀림을 하다 **—** *n.* 상대를 속이는 몸놀림(feint)
juke[2] *n.* 《미·속어》 = JUKEBOX; = JUKE HOUSE; = JUKE JOINT
juke·box [dʒúːkbɑ̀ks | -bɔ̀ks] *n.* 《미·속어》 자동 전축, 주크박스 《동전을 넣어 원하는 음악을 듣는 장치》
júke hòuse 《미남부》 싸구려 여인숙[술집]; 매음굴
júke jòint 《미·속어》 (jukebox가 있는) 대중식당; 자그마한 술집
Jukes [dʒúːks] *n. pl.* [the ~; 단수·복수 취급] 주크가(家) 《New York주에 실제로 있었던 한 집안에 주어진 가명(假名); 빈곤·범죄·병 등 악질 유전의 전형; cf. KALLIKAK》
Jul. Julius; July
ju·lep [dʒúːlip] *n.* Ⓤ 《미》 줄렙 《위스키에 설탕·박하 등을 넣은 청량음료》; 〖의학〗 물약; (먹기 힘든 약에 타는) 설탕물
Jul·ia [dʒúːljə] *n.* 여자 이름
Jul·ian [dʒúːljən] *n.* **1** 남자 이름 《애칭 Jule》 **2** 율리아누스(331-363) 《로마 황제(361-363); 이교(異教)로 개종하여 그리스도교도를 탄압》
— *a.* Julius Caesar의; 율리우스력(曆)의
Ju·li·an·a [dʒùːliǽnə | -ɑ́ːnə] *n.* 여자 이름
Júlian cálendar [the ~] 율리우스력(曆) 《Julius Caesar가 정한 옛 태양력; cf. GREGORIAN CALENDAR》
Ju·lie [dʒúːli] *n.* 여자 이름
ju·li·enne [dʒùːlién] [F] *n.* 잘게 썬 야채를 넣은 멀건 수프 **—** *a.* 잘게 썬[다져 놓은] 〈과일·야채 등〉: ~ potatoes[peaches] 잘게 썬 감자[복숭아]
— *vt.* 잘게 썰다, 채 치다
Ju·li·et [dʒúːliət, dʒùːliét] *n.* **1** 여자 이름 **2** [dʒúːljət] 줄리엣 《Shakespeare 작 *Romeo and Juliet*의 여자 주인공》

Juliet cap

Júliet càp 줄리엣 캡 《머리 뒷부분에 쓰는, 테 없는 여성용 소형 그물 모자; 신부 의상용》
Ju·lius [dʒúːljəs] *n.* 남자 이름
Július Cáesar = CAESAR
⁑**Ju·ly** [dʒuːlái, dʒu-, dʒə-] [Julius Caesar가 태어난 달] *n.* 7월 《略 Jul., Jy.》
ju·mar [dʒúːmər] [Swiss] *n.* 〖등산〗 유마르 《자일에 장착하여 쓰는, 자기 몸을 끌어올리는 기구》 **—** *vi.* 유마르를 써서 오르다
jum·bal [dʒʌ́mbəl] *n.* (고리 모양의) 얇은 쿠키
*__jum·ble__ [dʒʌ́mbl] *vt.* **1** 뒤범벅을 만들다, 난잡하게 [뒤죽박죽] 엉클어 놓다 《*up, together*》: (~+목+부) ~ *up* things in a box 상자 속의 것을 뒤범벅으로 만들다 **2** (정신적으로) 혼란스럽게 만들다, 당황하게 하다(muddle)
— *vi.* 뒤범벅이 되다; 부산하게 떠들어 대다; 질서 없이 떼를 지어 나아가다
— *n.* **1** 뒤범벅(이 된 물건), 긁어모은 것, 허섭스레기 **2** 혼란, 동요 **3** 《영》 = JUMBLE SALE
júm·bled [-d] *a.* 무질서한(chaotic) **júm·bler** *n.* ▷ júmbly *a.*
júmble sàle 《영》 (바자 등의) 잡동사니 판매, 싸구려 판매(《미》 rummage sale)
júmble shòp 《영》 잡화점, 싸구려 상점
jum·bly [dʒʌ́mbli] *n.* 《영·속어》 = JUMBLE SALE
jum·bo [dʒʌ́mbou] [19세기 말 미국의 서커스에서 부린 코끼리 이름에서] 《구어》 *n.* (*pl.* **~s**) **1** 덩치가 크고 꼴불견으로 생긴 것; 끔찍이 큰 사람[짐승] **2** 《영·속어》 크게 성공한 사람 **3** = JUMBO JET
— *a.* 거대한, 굉장히 큰(huge)
jum·bo·ize [dʒʌ́mbouàiz] *vt.* 초대형화하다
júmbo jèt 점보 제트기 《초대형 여객기》
jum·buck [dʒʌ́mbʌ̀k] *n.* 《호주·구어》 양(羊)
⁂**jump** [dʒʌ́mp] *vi.* **1** 뛰다, 뛰어오르다, 도약하다(leap); (갑자기 또는 빠르게) 이동하다, 움직이다; 〈동물이〉 장애물을 뛰어넘다: (~+부) ~ *down* 뛰어내리다 // (~+전+명) ~ *on* a moving bus 가고 있는 버스에 뛰어오르다 / I ~*ed* (*up*) *out of* the chair. 의자에서 벌떡 일어났다. **2** 약동하다, 뛰놀다; 소스라치다; 꿈틀하다; (놀라서) 움찔하다 《*at*》; 〈충치 등이〉 쑤시다: (~+전+명) My heart ~*ed at* the unexpected news. 그 뜻밖의 소식을 듣고 소스라쳤다. **3 a** 《구어》 (제의·기회 등에) 덤벼들다, 기꺼이 응하다 《*at*》 **b** (적극적으로) 복종하다, 복종하여 행동하다 《*to*》 **4** 《미·구어》 〈장소가〉 활기에 넘치다, 법석대다(bustle): The city is ~*ing* with excitement. 그 도시는 흥분으로 야단법석이다. **5** 갑자기 변하다; 〈물가 등이〉 폭등하다: (~+부) Prices ~*ed up.* 물가가 폭등했다. // (~+전+명) The conversation ~*ed from* one topic *to* another. 대화가 이 화제에서 저 화제로 이리저리 바뀌었다. **6** (중간 과정·고려를 생략하여) 서두르다, 비약하다: (~+전+명) ~ *to*[*at*] a conclusion 성급하게 결론을 내리다 **7** 직장을 전전하며 바꾸다: ~ from one job to another 갑작스레 이 직장에서 다른 직장으로 바꾸다 **8** 〈타자기의 글자 등이〉 건너뛰다; 중간을 빠뜨리다[빼먹다] **9** (비행기에서) 낙하하다 **10** 뛰어들다 《*into*》; 갑자기 덤비다, 심하게 비난[공격]하다 《*on, at*》 **11** (이례적으로) 승진[출세]하다; (급진적으로) 발전하다 **12** 〖체커〗 뛰어넘어 상대방의 말을 잡다; 〖영화〗 화면이 끊어져서 건너뛰다 **13** 일치하다(agree) 《*together, with*》: (~+전+명) Your statement doesn't ~ *with* the facts. 당신의 진술은 사실과 일치하지 않소. **14** 〖컴퓨터〗 건너뛰다 《프로그램의 어떤 일련의 명령에서 다른 것으로 건너뛰는 일》
— *vt.* **1** 뛰어넘다; 뛰어넘게 하다: ~ a narrow stream 좁은 개울을 뛰어넘다 // (~+목+전+명) ~ a horse *across* a ditch[*over* a fence] 말로 하여금 도랑[울타리]을 뛰어넘게 하다 **2** 건너뛰다, 피하다, 우회하다(bypass) **3** 《미》 〈중간 단계를〉 뛰어 승진시키다 《*into*》 **4** 《구어》 〈신호보다〉 먼저 나가다, 〈신호를〉 무시하다; 예상하다(anticipate) **5** 〖체커〗 뛰어넘어 〈상대방의 말을〉 잡다 **6** 〖카드〗 필요 이상으로 많은 돈을 대다 **7** 《미·속어》 〈도시 등에서〉 갑자기 떠나다, 달아나다 **8** 《미·속어》 〈기차 등에〉 뛰어오르다; 〈기차 등에서〉 뛰어내리다; 《미·구어》 무임승차하다; (갑작스레) 준비 없이 (비행기 등에) 올라타다 **9 a** 〈아이를〉 아래위로 흔들

---

jumble *n.* clutter, confusion, mixture, mess
jump *v.* spring, leap, bound, hop, bounce, skip

다[어르다](dandle); 〈카메라를〉 떨리게 하다: (~+목+부) ~ a baby *up* and *down* (on one's knees) 어린애를 (무릎 위에 놓고) 위아래로 흔들어 어르다 **b** 〈물가·급료 등을〉 크게 올리다 **c** 〈사냥감을〉 날아오르게[뛰어나오게] 하다 **d** 〈사람·신경을〉 펄쩍 뛰게[깜짝 놀라게] 하다(startle) **10** (미·속어) 피하다, 도피하다 **11** 〈책의 중간을〉 건너뛰어[띄엄띄엄] 읽다 **12** 〈사람을〉 속여 넘기다, 속여서 …하게 하다(hoodwink) (*into* do*ing*); 횡령하다; (폭력을 동원하여) 강제로 차지하다, 빼앗다 **13** [보통 과거분사로] 〈감자 등을〉 프라이팬으로 살짝 튀기다 **14** 〈신문 기사를〉 다른 페이지에 계속하다 **15** 살그머니 다가서다; (잠복하여 있다가) 예고 없이 공격하다, 매복 기습하다; (미·속어) 와락 달려들다, 덤벼들다

~ aboard [***on board***] 활동에 참가하다 ***~ about*** 뛰어 돌아다니다; 날뛰다, 우왕좌왕하다 ***~ all over*** a person (구어) …을 몹시 비난하다, 힐난하다, 다그쳐 추궁하다 ***~ a question on*** …에 질문을 던지다 ***~ aside*** 뛰어 비키다 ***~ at*** 공격하다; (초대·신청·일자리 등에) 혹하다, 쾌히 응하다 ***~ for joy*** 기뻐 날뛰다 ***~ in*** [***into***] …에 뛰어들다 ***~ in*** [***into***] ***... with both feet*** (구어) 〈활동·일 등에〉 신이 나서 참가하다 ***~ off*** 나서다, 시작하다; 〚군사〛 공격을 개시하다 ***~ on*** [***upon***] (사람 등에게) 덤벼들다; (구어) 〈사람 등을〉 맹렬히 비난[공격]하다, 호통 치다 ***~ out*** (***of***) one***'s skin*** (구어) 펄쩍 뛰다 (놀라거나 기뻐서) ***~ smooth*** (속어) 솔직해지다 ***~ the tracks*** [(영) ***rails***] (기차가) 탈선하다 ***~ to it*** (구어) [보통 명령문으로] 빨리빨리 착수하다, 서두르다 ***~ up*** 벌떡 일어서다 (*from*); 〈가격이〉 급등하다

— *n.* **1** 뜀, 뛰어오름, 도약, 점프 경기(leap)(cf. BROAD[LONG, POLE, (RUNNING) HIGH] JUMP) **2** 낙하산 강하 **3** (구어) (보통 비행기에 의한) 짧은 여행 **4** [보통 the ~s] (알코올 중독증 등의) 신경성 경련[떨림], 진전 섬망증(振顫譫妄症)(delirium tremens); 침착하지 못함; 무도병(chorea) **5** (토론 등의) 급전, (화제의) 비약, 중절, 중단(break): a ~ in the logic 논리의 비약 **6** (가격·시세 등의) 급등, 폭등, 급증: a ~ in the price of gold 금값의 급등 **7** 〚체커〛 (뛰어넘어) 상대방의 말을 잡는 수 **8** 〚건축〛 계단식으로 쌓기[깎기] (벽돌 쌓기·돌 다듬기에서) **9** (신문의) 기사가 어느 면으로 계속되는가를 나타내는 행(行), 기사가 다음 페이지로 연속되는 부분 **10** [the ~s] (구어) 안절부절못함; 신경과민; 걱정, 근심 **11** (미·속어) (시간·거리 등에 있어서의) 선발, 유리한 출발[착수, 개시]

all of a ~ (구어) (병적으로) 신경과민이 되어, 안절부절못하여 (***at a***) ***full ~*** 전속력으로 ***at a ~*** 훌쩍 뛰어, 일약 ***be*** [***stay***] ***one ~ ahead*** (구어) (상대의 의도를 알고) 선수 치다 ***for*** [***on***] ***the*** (***high***) ***~*** 〚군사〛 재판을 받을 예정인 ***from*** (***the***) ***~*** 처음부터 ***get*** [***have***] ***the ~ on*** (미·속어) (먼저 시작하였기 때문에) …보다 우세하다, 앞지르다 ***give*** a person ***the ~s*** (속어) …을 깜짝 놀라게 하다 ***have the ~s*** (미·속어) 깜짝 놀라다 ***one ~ ahead*** (***of***) (상대보다) 한 발 앞서 ***on the ~*** (미·구어) 바삐 뛰어다녀, 바쁘게, 눈코 뜰 사이 없이 ***put*** a person ***over the big ~*** (구어) …을 죽이다 ***take a ~ up the line*** (속어) 〈서커스·방랑자 등이〉 여행을 계속하다

— *a.* **1** 〚재즈〛 박자가 빠른, 급템포의 **2** (구어) 신경질적인 **3** 낙하산[공수] (부대)의

▷ júmpy *a.*

júmp àrea 〚군사〛 낙하산 부대의 강하지(降下地)

júmp bàll 〚농구〛 점프 볼

júmp bìd 〚카드〛 (bridge에서) 필요 이상으로 올리는 금액[점수]; 그 선언

júmp blùes 〚음악〛 점프 블루스 (1940년대에 발달한 리드미컬한 블루스)

júmp bòot 점프 부츠 (낙하산 대원이 신던 부츠)

júmp càbles (미·캐나다) (자동차 배터리 충전용) 부스터(booster) 케이블

júmp cùt 〚영화〛 장면의 급전, 비약 **júmp-cùt** *vi.*

jumped-up [dʒʌ́mptʌ́p] *a.* (영·구어) 신흥의, 벼락출세[부자]의; 우쭐대는

***jump·er**[1] [dʒʌ́mpər] *n.* **1** 뛰는 사람; 도약 선수; [보통 **J~**] (예배식에서) 뛰며 춤추는 사람 (Wales의 감리교도); 장애물 경주마 **2** 뛰는 벌레 (벼룩 등) **3** 〚항해〛 돛대 사이를 유지하는 밧줄 **4** 〚광산·석공〛 착암기; 정, 드릴 **5** (미) 소화물 배달원 (배달 화물 트럭으로부터) **6** (미) 간단한 썰매 **7** 〚전기〛 점프 (회로의 절단을 일시적으로 잇는 짧은 전선)

jump·er**[2] [dʒʌ́mpər] *n.* **1** 섬퍼, 잠바, 작업용 상의 **2** 점퍼 드레스[스커트] (여성·어린이용 소매 없는 원피스) **3** (영) (블라우스 위에 입는) 풀오버식 스웨터 **4** [*pl.*] 롬퍼스(rompers) (어린이용) ***stuff [***shove, stick***] ***it ... up*** one***'s*** [***your***] ***~*** …따위는 엿이나 먹어라, 멋대로 해라 (강한 거절이나 반감)

júmper càbles = JUMP CABLES

júmp hèad (신문·잡지의) 다른 페이지로 계속된 기사의 표제

júmp hòok 〚농구〛 점프 훅 (점프하면서 하는 hook shot)

jump·ing [dʒʌ́mpiŋ] *n.* Ⓤ, *a.* 도약(하는)

júmping bèan[**sèed**] 〚식물〛 멕시코산(產) 등대풀의 씨 (속에 든 벌레 때문에 씨가 춤추듯이 움직임)

júmping géne (구어) = TRANSPOSON

júmping jàck 1 춤추는 꼭두각시 (실로 조종하는) **2** 〚스포츠〛 거수 도약 운동 (차렷 자세에서 뛰면서 발을 벌리고 머리 위에서 양손을 마주쳤다가 다시 원상태로 돌아오는 동작)

júmp·ing-óff plàce[**pòint**] [dʒʌ́mpiŋɔ́:f- | -ɔ́f-] **1** (미) 문명 세계의 극한지; 외떨어진 곳 **2** 한계(점) **3** (연구 등의) 기점, 출발점 (*for*)

júmping ròpe (미) = SKIPPING-ROPE

júmp jèt (영·구어) 수직 이착륙 제트기

júmp jòckey (영) 〚경마〛 장애물 경주 기수

júmp lèads (주로 영) = JUMP CABLES

júmp lìne (신문·잡지의) 기사가 계속되는 페이지의 지시; 〚컴퓨터〛 점프 행(行)

jump·mas·ter [dʒʌ́mpmæ̀stər | -mὰ:s-] *n.* 〚군사〛 낙하산 부대 강하 지휘관

jump-off [-ɔ̀:f | -ɔ̀f] *n.* 뛰어내림, 강하; (경기의) 출발(점), (공격의) 개시; 〚승마〛 (장애물 경기에서 동점자의) 우승 결정전

júmp ròpe (미) 줄넘기; 줄넘기 줄

júmp-ròpe *vi.* (미) 줄넘기하다

júmp sèat (자동차의) 접좌석, 보조 좌석

júmp shòt 〚농구〛 점프 샷

jump-start [-stὰ:rt] *n.*, *vt.* **1** 〈자동차 엔진을〉 다른 차의 배터리와 연결하여[밀어서] 시동 걸기[걸다] **2** (구어) 활성화 하기[하다] ***give*** a person[thing] ***a ~*** …이 시작하도록 돕다

júmp strèet (미·속어) 처음, 시초, 시작: from ~ 처음부터

jump·suit [-sù:t | -sjù:t] *n.* (낙하산 강하용) 낙하복

júmp-ùp [-ʌ̀p] *n.* (미·군대속어) 급한 용무; (사육제 같은) 즐거운 축제 소동; 댄스파티

jump·y [dʒʌ́mpi] *a.* (**jump·i·er**; **-i·est**) 튀어오르는; 〈탈것이〉 흔들리는; 급변하는; (병적으로) 신경과민한, 경련성의 **júmp·i·ness** *n.*

Jun. June; Junior **junc., Junc.** junction

jun·co [dʒʌ́ŋkou] *n.* (*pl.* **~s**) 〚조류〛 검은방울새의 일종 (북미산(產))

***junc·tion** [dʒʌ́ŋkʃən] [L 「접합하다」의 뜻에서] *n.* **1 a** Ⓤ 접합, 연합, 결합, 연락 **b** 접합점; 교차점; (강의) 합류점 **2** 환승역 **3** Ⓤ 〚문법〛 연접(連接) (*barking dogs*와 같이 수식어와 피수식어의 결합으로 된 어군)(cf. NEXUS) **4** 〚전기〛 (회로의) 중계선; (반도체 등의) 접합부 **~·al** *a.* ▷ jóin *n.*

júnction bòx (가정의 전기선·케이블 보호용) 접속

thesaurus **junior** *a.* younger, subordinate, lesser, lower, minor, secondary, inferior

배선함
júnction transìstor 〖전자〗 접합형 트랜지스터
junc·ture** [dʒʌ́ŋktʃər] *n.* **1** Ⓤ 접합, 연결, 접속; Ⓒ 접합점, 이음매, 관절 **2** Ⓤ 시점, 시기; 전기(轉機); Ⓒ 중대한 시점[국면, 정세], 위기(crisis) **3** ⓊⒸ 〖언어〗 연접(連接) ***at this ~ 이 중대한 때에
‡June [dʒúːn] [L 「로마 신화의 Juno의 달」의 뜻에서] *n.* 6월 《略 Jun., Je.》
NOTE 영국에서는 가장 쾌적한 달이며, 사교계가 활발해지는 시기; 장미와 하지(夏至)를 연상케 하는 달.
June·ber·ry [dʒúːnbèri, -bəri] *n.* (*pl.* **-ries**) 〖식물〗 채진목류의 나무; 그 열매
Júne bríde 6월의 신부 《6월에 결혼한 신부는 행복해진다고 함》
Júne bùg[bèetle] 〖곤충〗 (유럽·북아메리카산(産)) 왕풍뎅이의 일종
JUNET [dʒúːnèt] [*J*apan *UN*IX *Net*work] *n.* 일본 유닉스 네트워크
Jung [júŋ] *n.* 융 **Carl Gustav ~** 《1875-1961: 스위스의 심리학자·정신 의학자》
Jung·frau [júŋfràu] *n.* [the ~] 융프라우 《스위스의 Bernese Alps 중의 최고봉; 해발 4,158 m》
‡jun·gle [dʒʌ́ŋgl] [Hind. 「사막, 미개의 삼림」의 뜻에서] *n.* **1** [보통 the ~] (인도·말레이 반도 등의) 밀림(숩)지대, 정글: the Amazon ~ 아마존 정글 **2** 미로, 혼란, 복잡; 미궁 **3** (대도시 등의) 번잡하고 소란한 곳; (미·속어) 냉혹한 생존 경쟁의 장: New York is a ~ after dark. 뉴욕은 어두워지면 살벌하고 위험한 곳이다. **4** (미·속어) 실직 노동자의 소굴[수용소] (hobo camp) **5** 〖음악〗 정글 《1990년대 초 영국에서 유행한, 빠른 댄스 음악》(=**~ mùsic**)
the law of the ~ 밀림[약육 강식]의 법칙
— *vi.* 정글에 살다; 실직 노동자의 소굴에서 살다 《*up*》
▷ júngly *a.*
júngle bùnny (미·속어·경멸) 아프리카계 흑인
júngle bùzzard (속어) 방랑자 수용소에서 다른 뜨내기를 등쳐 먹는 부랑자
júngle càt 〖동물〗 (아시아 남동부의) 살쾡이
jun·gled [dʒʌ́ŋgld] *a.* 밀림이 우거진; (미·속어) jungle juice로 취한
júngle féver 〖병리〗 밀림 열 《악성 말라리아》
júngle fòwl 멧닭 《동남아시아산(産) 야생닭》
júngle gỳm 정글짐 《철골 놀이 기구》(《영》 climbing frame)
júngle jùice 집에서 빚은 독한 술
jungle mòuth (미·속어) (지독한) 입 냄새
júngle ròt (속어) 열대의 피부병
júngle tèlegraph =BUSH TELEGRAPH
jun·gli [dʒʌ́ŋgli] *n.* (인도의) 정글 주민
— *a.* =JUNGLY
jun·gly [dʒʌ́ŋgli] *a.* 정글의, 밀림의[같은]
‡jun·ior [dʒúːnjər] [L 「젊은」의 뜻에서] *a.* **1** 손아래의, 연소한(younger): John Smith(,) ~ 손아래의 존 스미스 NOTE (미)에서는 두 형제 중 동생, 같은 이름의 부자(父子) 중 아들, 같은 이름의 학생 중 연소자를 가리키는데, 부자의 경우는 보통 Jr., Jun. 등으로 단축하여 John Smith, Jr.의 꼴을 취하며 콤마는 생략하는 경우가 많음. 여성의 경우는 Jr.의 이용법이 없음(cf. SENIOR). **2 a** (…보다) 연하의(younger) 《*to*》 《than은 쓰지 않음》: She is three years ~ *to* me. =She is ~ *to* me by three years. 그녀는 나보다 세 살 아래이다. **b** 〈제도·임명 등이〉 (…보다) 새로운; 〈날짜 등이〉 뒤인, 늦은 《*to*》: He is ~ *to* me by a year. 그는 나보다 1년 늦게 들어왔다. **3** 후배의, 후진의, 하위의(subordinate): a ~ partner (주식회사의) 하급 사원 **4** (미) **a** (4년제 대학·고등학교의) 3학년의 **b** (2년제 대학의) 1학년의: the ~ class (4년제 대학의) 3학년, (2년제 대학의) 1학년(cf. SENIOR classes) **5** 연소자용의, 〈옷 등이〉 주니어 (사이즈)의 **6** 소규모의, 소형의: a ~ hurricane 소형의 허리케인 **7** 〖금융〗 〈채권 등이〉 후(後)순위의
— *n.* **1** 연소자, 손아랫사람: He is my ~ by three years. 그는 나보다 세 살 아래다. **2 a** [때로 J~] (미·구어) 아들(son); 너, 자네 **b** 젊은 여자, 아가씨(junior miss): coats for teens and ~*s* 10대 소녀나 아가씨용 상의 **c** 주니어 사이즈 《여성복의 사이즈; 허리가 가는 젊은 여성에게 알맞은 치수》 **3** 후진, 후배, 하급자 **4** (미) (4년제 대학·고등학교의) 3학년생; (2년제 대학의) 1학년생; (영) 초등학교(junior school)의 학생 ★ 졸업 학년의 하나 앞 학년의 학생을 junior라고 함(cf. SENIOR, SOPHOMORE, FRESHMAN). **5** 〖영국법〗 하급 법정 변호사 **6** (속어) 젊은 친구야 《호칭으로》 ▷ juniórity *n.*
júnior cóllege (미) 2년제 대학, 전문대학; (4년제 대학의) 교양 학부; 성인 교육 학교
júnior combinátion[cómmon] ròom (Cambridge나 Oxford 대학의) 저학년 학생 사교실 《略 J.C.R.》
júnior dòctor (영) 수련의(醫), 인턴(cf. HOUSE OFFICER, INTERN)
júnior féatherweight 〖권투〗 주니어 페더급 (선수) 《한계 체중 55.34 kg》
júnior flýweight 〖권투〗 주니어 플라이급 (선수) 《한계 체중 48.99 kg》
júnior hígh (schòol) (미) 중학교 《7, 8, 9학년의 3년제; 그 위는 senior high (school)에 이어짐》
jun·ior·i·ty [dʒuːnjɔ́ːrəti, -jɑ́r- | -niɔ́r-] *n.* Ⓤ **1** 손아래임, 연소 **2** 후진[후배]임; 하급, 하위
Júnior Léague [the ~] (미) 여자 청년 연맹 《상류 여성들로 조직된 사회 봉사 단체》
júnior líghtweight 〖권투〗 주니어 라이트급 (선수) 《한계 체중 58.967 kg》
júnior míddleweight 〖권투〗 주니어 미들급 (선수) 《한계 체중 69.853 kg》
júnior míss (미) (13-16세의) 젊은 아가씨; 주니어 사이즈
júnior schòol (영) 초등학교(primary school)의 일부로서 7-10세의 어린이를 대상으로 하는 학교 《infant school에서 이어짐》
júnior technícian (영국의) 공군 병장
júnior vársity (미) 대학[고교] 2군 팀(cf. JAYVEE)
ju·ni·per [dʒúːnəpər] *n.* **1** 〖식물〗 노간주나무속(屬); 곱향나무 **2** 〖성서〗 로뎀나무 《열왕기상(上) 19: 4》
***junk¹** [dʒʌ́ŋk] *n.* Ⓤ **1** (구어) 폐물, 고물 《고철·휴지 등》, 허섭스레기; 시시한 것[일] **2** 〖항해〗 낡은 밧줄 토막 **3** 〖항해〗 소금에 절인 고기; (향유고래의) 머리 지방 조직 **4** Ⓒ (영) 덩어리(lump) 《*of*》 **5** (구어) 마약 《특히 헤로인》: be on the ~ 마약 중독에 빠져 있다
— *a.* (구어) 허섭스레기의, 고물의: a ~ car 고물차
— *vt.* (구어) (허섭스레기로) 내버리다
junk² *n.* 정크 《중국의 범선》

junk²

júnk àrt 정크 아트 《폐물 예술》
júnk àrtist *n.*
junk-ball [dʒʌ́ŋkbɔ̀ːl] *n.* (야구속어) 변칙 투구법의 속구
— *a.* 변칙 (투구)의
júnk bònd (미) 정크 본드 《수익률이 높지만 신용도가 낮은 채권》
júnk càll 판촉[상품 권유, 기부 부탁 등]의 전화
júnk dèaler (미) =JUNKMAN
júnk DNÁ 〖유전〗 정크 DNA 《유전자 기능이 없는》
júnked úp [dʒʌ́ŋkt-] *a.* (미·속어) 마약[헤로인]에 취한
junk·er [dʒʌ́ŋkər] *n.* 고물 자동차; (미·속어) 마약

---

junk¹ *n.* rubbish, refuse, litter, scrap, waste, garbage, trash, debris, leavings, leftovers

중독자[밀매자]
Jun·ker [júŋkər] [G] *n.* 융커 《독일의 귀공자》; 융커 당원 《19세기 중엽 프러시아 귀족》
jun·ket [dʒʌ́ŋkit] *n.* **1** 응유(凝乳) 식품 **2** 유람 여행, 환락; 잔치(feast); 《미》 (관비) 호화 유람 여행 **—** *vi.* 연회를 베풀다; 《미》 (관비로) 호화 여행을 하다
jun·ke·teer [dʒʌ̀ŋkitíər], **jun·ket·er** [dʒʌ́ŋkitər] *n.* 《미》 관비 호화 여행자
jun·ket·ing [dʒʌ́ŋkitiŋ] *n.* 흥겨워 떠들기, 연회; (공금에 의한) 호화 여행
júnk fàx 쓰레기[폐물] 팩스 《선전용으로 보내어지는》
júnk fòod 정크 푸드 《칼로리는 높으나 영양가가 낮은 인스턴트 식품 등》
júnk gùn (호신용) 소형 권총
junk·heap [dʒʌ́ŋkhì:p] *n.* =JUNKYARD; 《속어》 고물 자동차
junk·ie, junk·y [dʒʌ́ŋki] *n.* 《속어》 아편쟁이, 마약 중독자; 《구어》 …광(狂)
júnk jèwelry 《구어》 싸구려 장신구(류)
júnk màil 《미·구어》 쓰레기 취급을 받는 선전·광고 우편물
júnk màiler junk mail 발송 회사
junk·man [dʒʌ́ŋkmæ̀n] *n.* (*pl.* **-men** [-mèn]) 《미》 고철상, 고물상
júnk scìence 《미·속어》 엉터리 과학적 증거[이론]
júnk scùlpture =JUNK ART
júnk shòp 고물상, 중고품 가게
júnk spòrts 《미·속어》 준(準)스포츠 《TV 중계되는 프로 레슬링, 개조차 경주 따위》
júnk squàd 《미·속어》 (경찰의) 마약 단속반
junk·y [dʒʌ́ŋki] 《구어》 *n.* (*pl.* **junk·ies**) =JUNKIE **—** *a.* 허섭스레기[잡동사니]의; 2급품의
junk·yard [dʒʌ́ŋkjɑ̀:rd] *n.* 고물 집적소
Ju·no [dʒú:nou] *n.* **1** 〖로마신화〗 주노 《Jupiter의 아내로, 결혼한 여성의 수호신; 그리스 신화의 Hera》; 품위 있는 미인 **2** 〖천문〗 제3 소행성, 주노
Ju·no·esque [dʒù:nouésk] *a.* 〈여성이〉 Juno처럼 기품 있고 아름다운
Junr. junior
jun·ta [húntə, dʒʌ́n-, hʌ́n- | dʒʌ́n-] [Sp.] *n.* **1** (스페인·남미 등의) 의회 **2** (쿠데타 후의) 군사 정권, 임시 정부 **3** 위원회, 협의회(council) **4** =JUNTO
jun·to [dʒʌ́ntou] *n.* (*pl.* **~s**) (정치적) 비밀 결사, 파당(faction)
‡**Ju·pi·ter** [dʒú:pətər] *n.* **1** 〖로마신화〗 주피터 《모든 신의 우두머리로 하늘의 지배자, 그리스 신화의 Zeus》 (cf. JOVE, JUNO) **2** 〖천문〗 목성 **3** 주피터 《미육군의 중거리 탄도탄; 1950년대》 **4** [감탄사적으로 쓰여] 저런, 앗! ***By ~!*** 《고어》 =By JOVE!
ju·ra [dʒúərə] *n.* JUS의 복수
Ju·ra [dʒúərə] *n.* **1** [the ~] 쥐라 산맥 《프랑스와 스위스 사이에 있음》(=**~ Móuntains**) **2** =JURASSIC
ju·ral [dʒúərəl] *a.* **1** 법률상의(legal) **2** 권리·의무에 관한 **~·ly** *ad.*
ju·rant [dʒúərənt] *a.*, *n.* 〖법〗 선서하는 (사람)
Ju·ras·sic [dʒuəræ̋sik] 〖지질〗 *a.* 쥐라기[계(系)]의: the ~ period 쥐라기 / the ~ system 쥐라계 《쥐라기에 생긴 지층군》 **—** *n.* [the ~] 쥐라기[계]
ju·rat [dʒúəræt] *n.* 《영》 (특히 Cinque Ports의) 시정(市政) 참여관; (Channel Islands의) 종신 치안 판사; 〖법〗 (선서 진술서의) 결구(結句)
ju·ra·to·ry [dʒúərətɔ̀:ri | -təri] *a.* 〖법〗 선서의, 선서에서 말한
Jur.D. *Juris Doctor* (L =Doctor of Law)
ju·rid·i·cal, -ic [dʒuərídik(əl)] *a.* **1** 사법[재판]상의(judicial) **2** 법률상의(legal); 재판관 직무의, 판사 직의: a ~ person 법인 **-i·cal·ly** *ad.*
jurídical dàys 재판 개정일, 재판일
ju·ried [dʒúərid] *a.* 심사를 거친, 입선작(入選作)의
ju·ri·met·rics [dʒùərimétriks] *n. pl.* [단수 취급] 계량 법학 《과학적 분석법을 채택》
ju·ris·con·sult [dʒùəriskənsʌ́lt, -kɑ́nsʌlt | dʒúəriskənsʌ̀lt] *n.* (대륙법·국제법의) 법학자; 법률 고문
⁎**ju·ris·dic·tion** [dʒùərisdíkʃən] *n.* **1** Ⓤ 사법[재판]권; 지배(권); 관할, 권한; (경찰 등의) 관할권: have [exercise] ~ over …을 관할하다 **2** 관할구, 관구
ju·ris·dic·tion·al [dʒùərisdíkʃənl] *a.* 사법[재판]권의; 재판 관할상의; (노동조합 등의) 관할권에 관한 〈쟁의 등〉: ~ dispute 관할권 분쟁 **~·ly** *ad.*
Ju·ris Doc·tor [dʒúəris-] [L =Doctor of Law] 법학 박사
jurisp. jurisprudence
ju·ris·pru·dence [dʒùərisprú:dns, ⌐-⌐-] *n.* Ⓤ **1** 법률학, 법리학, 법학 이론; 법률 지식, 법률에 정통함 **2** 법률 체계, 법제(system of law) **3** 법원의 판결; 판결 기록 ***medical ~*** 법의학
ju·ris·pru·dent [dʒùərisprú:dnt] *a.* 법률[법리]에 정통한 **—** *n.* 법학 전공자, 법리학자 **~·ly** *ad.*
ju·ris·pru·den·tial [dʒùərispru:dénʃəl] *a.* 법학상의, 법리학상의 **~·ly** *ad.*
⁎**ju·rist** [dʒúərist] *n.* **1** 법학자 **2** 《영》 법학도; 법률 전문가 **3** 《미》 변호사(lawyer); 《특히》 판사(judge)
ju·ris·tic, -ti·cal [dʒurístik(əl)] *a.* 법학자다운, 법학도의; 법학의, 법률상의(legal) **-ti·cal·ly** *ad.*
jurístic áct 법률 행위
jurístic pérson 〖법〗 법인
ju·ror [dʒúərər, -rɔ:r | -rə] *n.* **1** 배심원(juryman) **2** 선서자(cf. NONJUROR) **3** 심사원 《경기·경연 등의》
⁎**ju·ry**[1] [dʒúəri] [L 「선서하다」의 뜻에서] *n.* (*pl.* **-ries**) [집합적] **1** 배심(원단) 《보통 시민 중에서 선정된 12명의 배심원으로 구성되어 피고가 유죄인가 무죄인가를 평결하여 재판장에게 답신함》 **2** 심사 위원회 《경기·경연·전시회 등의》 **3** 여론의 귀결 《공사(公事)에 관한》 ***common ~*** (민사의) 보통 배심 ***coroner's ~*** = ***~ of inquest*** 검시(檢屍) 배심 《사인(死因)을 평결》 ***grand ~*** 기소 배심 ***on a ~*** 배심원으로서 ***petty*** [***trial***] ***~*** 소배심 ***The ~ is*** (***still***) ***out on*** …에 대한 결론은 아직 나지 않았다.
— *vt.* 〈출품작 등을〉 심사하다, 평가하다; (미술전 등의) 전시 작품을 고르다, 선택하다
jury[2] *a.* 〖항해〗 임시변통의, 응급의
júry bòx (법정의) 배심원석
júry dùty 배심원으로서의 의무
júry fixer 《미·속어》 배심원 매수자
ju·ry·man [dʒúərimən] *n.* (*pl.* **-men** [-mən]) 배심원(juror)
júry màst 〖항해〗 임시 돛대, 응급 돛대
ju·ry-pack·ing [-pæ̀kiŋ] *n.* 《미》 배심원 매수
júry pròcess 〖법〗 배심원 소환 영장
ju·ry-rig [-rìg] *vt.* (**~ged**; **~·ging**) 임시방편으로 세우다[가설하다]
ju·ry-rigged [-rìgd] *a.* 〖항해〗 응급 장비의
júry ròom 배심원 협의실
júry sỳstem 배심 제도
ju·ry·wom·an [-wùmən] *n.* (*pl.* **-wom·en** [-wìmin]) 여자 배심원
jus [dʒʌ́s] [L] *n.* (*pl.* **ju·ra** [dʒúərə]) ⓊⒸ 〖법〗 법, 법률; 법적 권리
jus. justice
jus ca·no·ni·cum [dʒʌ́s-kənɑ́nikəm | -nɔ́n-] [L= cannon law] 교회법
jus ci·vi·le [-siváili, -ví:-] [L =civil law] 〖로마법〗 시민법
jus cri·mi·na·le [-krìmənɑ́:li] [L =criminal law] 형법
jus di·vi·num [-diváinəm] [L =divine law] 신법(神法); (제왕의) 신권(神權)

thesaurus **jurisdiction** *n.* authority, control, administration, command, leadership, power, dominion, rule, sway, influence, sovereignty
justice *n.* **1** 정의 justness, fairness, equity, impar-

jus gen·ti·um [-dʒénʃiəm] [L =law of the nations] 〖로마법〗 만민법; 국제법
jus na·tu·ra·le [-nætʃuréili:, -tju-] [L =natural law] 〖로마법〗 자연법
Ju·so [jú:sòu] [G *Ju*ngs*o*zialisten] *n.* (독일 사회 민주당의) 청년 좌파
jus san·gui·nis [-sǽŋgwənis] [L =right of blood] 〖법〗 혈통주의
jus·sive [dʒʌ́siv] 〖문법〗 *a.* 명령을 나타내는
— *n.* 명령형[법, 격, 구문, 어]
jus so·li [dʒʌ́s-sóulai, -li] [L =right of the soil] 〖법〗 출생지주의
‡**just**[1] [dʒʌ́st] *ad.*, *a.*

L 「법률(상)의」의 뜻에서 → 「틀림없이, 꼭」

— *ad.* **1** 바로, 틀림없이, 마침, 꼭(exactly, precisely): ~ then =~ at that time 바로 그때 / He looks ~ like his father. 그는 아버지를 꼭 닮았다. **2** 거의 …할 쯤에[시점에], 거의(nearly) **3** 오직, 단지, 조금, 다만(only): I came ~ because you asked me to come. 네가 오라고 하니까 왔을 따름이다. / *J*~ a moment, please. 잠깐만 기다려 주십시오. **4** [종종 only와 함께] 간신히, 겨우, 가까스로(barely); 아슬아슬하게: I (*only*) ~ caught the train. 겨우 기차를 잡아탔다. / The arrow ~ missed the mark. 화살은 아슬아슬하게 과녁을 벗어났다. **5** [완료형·과거형과 함께] 이제 방금, 막 (…하였다) USAGE 과거형과 함께 쓰는 것은 (미)인데, 현재는 (영)에서도 쓸 때가 있음: He *has* (*only*) ~ *come.* 그는 이제 막 왔다.(cf. JUST now) / The letter ~ *came*[*has* ~ *come*]. 편지가 지금 막 도착했다. **6** (구어) 정말(really), 아주(quite), 확실히(positively): I am ~ starving. 정말 배고파 죽을 지경이다. / It is ~ splendid. 정말 훌륭하다. **7** [부정문·의문문에 써서; 반어적] (속어) 아주, 대단히: Do you like beer? — Don't I, ~! 맥주 좋아하세요? — 좋아하다마다! **8** [명령형의 뜻을 부드럽게 해서] 잠깐만, 좀: *J*~ look at this picture. 이 그림을 한번 보십시오. / *J*~ fancy[think of it]. 좀 생각해 보게. **9** 아마: He ~ might pass the exam. 그는 아마 시험에 붙을 거야. **10** [의문사 앞에 놓아] 정확히 말해서: *J*~ *what* it is I don't know. 그것이 정확히 무엇인지는 모른다.
be ~ about to do 이제 막 …하려고 하고 있다 ***be ~ the thing*** 안성맞춤이다 (*for*) ***~ about*** (미·구어) (1) 그럭저럭 겨우, 간신히(barely), 거의 (2) [강조] 정말로, 아주(quite): ~ *about* everything 몽땅, 모조리 (3) [감탄사적으로 쓰여] 거의 다됐다 ***~ another*** (미·구어) 평범한 ***~ any*** [보통 부정문에서] 닥치는 대로, 아무나, 무엇이나 ***~ as*** …와 꼭 마찬가지로; 마침 …할 때: He is ~ *as* reliable. 그도 마찬가지로 믿을 만하다. ***~ as it is*** 바로 그대로 ***~ as you please*** 좋으실 대로 ***~ because*** 오로지 …때문에 ***~ come up*** (속어) 신출내기의, 풋내기의, 경험이 없는, 어리석은 ***~ in case*** 만약을 위해서 ***~ like that*** (미·구어) 쉽사리, 손쉽게; (미·구어) 말한 그대로이다 ***~ now*** [상태를 나타내는 현재형 동사와 함께] 바로 지금, 방금; [주로 동작을 나타내는 과거형과 함께] 바로 전에, 직전에: He came ~ *now.*(cf. JUST *ad.* 5); [미래형과 함께] 바로 ***~ on*** (영·구어) 거의, …가까이 ***~ so*** (1) 꼭 그대로(quite so) (2) 〈사물이〉 정리되어: Everything passed ~ *so.* 만사가 그렇게 되었답니다. (3) 신중하게, 아주 조심스럽게 (4) …라는 조건으로, …이면 ***~ there*** 바로 거기에 ***~ yet*** [부정어와 함께] 아직 도저히 (…않다): I *can't* leave the office ~ *yet.* 아직은 도저히 퇴근할 수가 없다. ***only ~ enough*** 겨우, 간신히, 겨우 충족될 만큼 ***That is ~ it*** [***the point***]. 바로 그것[그점]이다.
— *a.* **1** 〈사람·행위 등이〉 올바른, 공정한, 공평한(impartial), 공명정대한(⇨ fair[1] 유의어): a ~ decision 공정한 판결 **2** 〈행위가〉 정당한(lawful); 〈요구·보수 등이〉 정당한, 당연한: It's only ~ that he should claim it. 그가 그것을 요구하는 것은 지극히 당연한 일이다. **3** 〈생각 등이〉 충분히 근거가 있는: a ~ opinion 온당한 의견 **4** 〈값이〉 적정한, 적절한; 〈저울·숫자 등이〉 정확한: in ~ proportions 적정한 비율로 / a ~ balance 정확한 저울 **5** 진실의, 사실 그대로의: ~ report 진실한 보고서
▷ jústice, jústness *n.*; jústify *v.*; jústly *ad.*
just[2] *n.*, *vi.* =JOUST
just-folks [-fóuks] *a.* 싹싹한, 친절한, 잘난 체하지 않는
‡**jus·tice** [dʒʌ́stis] *n.* Ⓤ **1** 정의; 공정; 공평, 공명정대(fairness): a sense of ~ 정의감 **2** 정당(성), 타당(성), 적정, 조리, 이치: the ~ of a claim 요구의 정당성 **3** (당연한) 응보, 처벌 **4 a** 사법, 재판: the Department of *J*~ =the *J*~ Department (미) 법무부 (법무부 장관은 Attorney General) / the Minister of *J*~ 법무 장관 **b** Ⓒ 법관, 재판관(judge); 치안 판사; (영) 고등 법원 판사: a Supreme Court ~ 대법원 판사 **5** [**J~**] 정의의 여신 (두 손에 저울과 칼을 쥐고 눈가림한 상)

Justice 5

administer ~ 법을 집행하다 ***bring*** a person ***to ~*** …을 법에 비추어 처벌하다 ***deny*** a person ***~*** …을 공평하게 다루지 않다 ***do*** a person[thing] ***~*** = ***do ~ to*** a person[thing] (인정할 점은 인정하여) 정당하게 취급하다, 공평하게 평하다; 〈사람·물건을〉 실물대로 나타내다; (익살) 배불리 먹다: *do* ample ~ *to* the repast 음식을 충분히 먹다 / This picture does not *do* her ~. 이 사진은 그 여자의 실물대로 찍히지 않았다. (실물보다 못하다) ***do oneself ~*** 수완을 충분히 발휘하다 ***in ~ to*** a person = ***to do*** a person ***~*** …을 공평하게 평하자면 ***see ~ done*** 일의 공평을 기하다; 보복하다 ***with ~*** 공평하게; 도리에 맞게: complain *with* ~ 불평하는 것도 무리가 아니다
jústice cóurt =JUSTICE'S COURT
jústice of the péace 〖법〗 치안 판사 (경범 재판, 선서 확인 따위를 행하는 지방 판사; 略 J.P.)
jústice's cóurt 〖법〗 치안 재판소 (치안 판사가 다스리는)
jus·tice·ship [dʒʌ́stisʃip] *n.* Ⓤ 법관의 자격[지위, 신분]
jústice's wárrant 〖법〗 치안 판사의 영장
jus·ti·ci·a·ble [dʒʌstíʃiəbl] *a.* 재판에 회부되어야 할
jus·ti·ci·ar [dʒʌstíʃiər, -ɑ:r | -ɑ:] *n.* 〖영국사〗 (중세의) 법무 장관; 고등 법원 판사
jus·ti·ci·ar·y [dʒʌstíʃièri | -əri] *n.* (*pl.* **-ar·ies**) 법무 장관(justiciar)의 직[권한, 신분, 자격]; =JUSTICIAR **—** *a.* 사법상의(judicial)
jus·ti·fi·a·ble** [dʒʌ́stəfàiəbl, ⌐–⌐––] *a.* 정당하다고 인정할 수 있는, 정당한 ***~ homicide 정당하다고 인정할 수 있는 살인 (정당방위·사형 집행 등)
jùs·ti·fi·a·bíl·i·ty *n.* Ⓤ 정당시할 수 있음 **-bly** *ad.*
‡**jus·ti·fi·ca·tion** [dʒʌ̀stəfikéiʃən] *n.* Ⓤ **1** (행위의) 정당화, 정당성을 증명함, (정당하다고 하는) 변명, 변명의 사유 **2** 〖신학〗 의인(義認) **3** 〖인쇄〗 행 고르기 (행의 양 끝을 가지런하게 하기) **4** 〖컴퓨터〗 자리맞춤
in ~ of …을 정당화하기 위하여, …을 변호하여 ***~ by faith*** 〖가톨릭〗 신앙 의인(義認)

tiality, objectivity, neutrality, truth, equity, fairness uprightness, integrity, honesty, virtue **2** 정당성 validity, justification, reasonableness, lawfulness, legitimacy, legality

jus·ti·fi·ca·tive [dʒʌ́stəfikèitiv] *a.* ＝JUSTIFICATORY

jus·ti·fi·ca·to·ry [dʒʌstífikətɔ̀:ri | dʒʌ́stifikèitəri] *a.* 정당화하는, 정당화할 힘이 있는; 변명의

jus·ti·fied [dʒʌ́stəfàid] *a.* **1** 납득이 되는, 이치에 맞는 **2** 〖인쇄〗 행을 고른

jus·ti·fi·er [dʒʌ́stəfàiər] *n.* 정당화하는 사람, 변명자; 〖인쇄〗 정판공

‡jus·ti·fy [dʒʌ́stəfài] *v.* (**-fied**) *vt.* **1 a** 〈사람의 행위·진술 등을〉 옳다고 하다, 정당하다고 주장하다, 정당성을 증명하다 **b** …의 정당한 이유가 되다, 〈사정이 행위를〉 정당화하다: The fine quality *justifies* the high cost. 질이 좋기 때문에 값이 비싼 것은 당연하다. / The end *justifies* the means. 《속담》 목적은 수단을 정당화한다. // (～＋목＋전＋명) Nothing can ～ him *in* refusing it. 그가 그것을 거절한 것은 어떠한 사유로도 정당화될 수 없다. **2** 〖신학〗 〈신이〉 〈죄인을〉 의롭다고 하다 **3** 〖인쇄〗 〈활자 행의〉 길이를 고르다, 정판하다 **4** 〖컴퓨터〗 자리맞춤을 하다

be justified in** do**ing …하는 것은 정당하다[당연하다], …해도 무방하다 **～ one*self*** 자기의 행위를 변명하다, 자신의 옳음을 밝히다

— *vi.* **1** 〖법〗 충분한 근거를 보이다; 면책 사유를 대다, 보증(인)이 되다; 〖신학〗 〈신이〉 사람을 용서하고 받아들이다 **2** 〖인쇄〗 정판되다

▷ justificátion *n.*

Jus·tin [dʒʌ́stin] *n.* 남자 이름

Jus·ti·na [dʒʌstí:nə] *n.* 여자 이름

Jus·tin·i·an [dʒʌstíniən] 유스티니아누스 1세(483-565) 동로마 제국의 황제; 재위 527-565》

Justínian Códe [the ～] 유스티니아누스 법전

just-in-time [dʒʌ́st-in-táim] *n.* 〖경영〗 저스트 인 타임 (방식) 《재고 비용을 최소화하기 위해 입하된 재료를 곧바로 제품의 생산에 투입하는 상품 관리 방식; 略 JIT》: a ～ employee 임시 고용원

júst intonátion 〖음악〗 순정조(純正調)

jus·ti·ti·a om·ni·bus [dʒʌstíʃiə-ámnəbəs | -ɔ́m-] [L ＝justice for all] 만인에게 정의를 《Washington D.C.의 표어》

jus·tle [dʒʌ́sl] *vt., vi., n.* ＝JOSTLE

***just·ly** [dʒʌ́stli] *ad.* **1** 바르게, 정당[타당]하게, 공정하게; 정확하게: He has been ～ rewarded. 그는 정당한 보수를 받았다. **2** [문장 전체를 수식하여] 당연히, 당연하게도: She ～ said so. 그녀가 그렇게 말한 것은 당연한 일이다. ▷ júst[1] *a.*

just·ness [dʒʌ́stnis] *n.* Ⓤ 올바름, 공정; 타당, 정당

Jus·tus [dʒʌ́stəs] *n.* 남자 이름

***jut** [dʒʌ́t] *n.* 돌기, 돌출부, 돌출한 끝

— *vi., vt.* (**～·ted**; **～·ting**) 돌출하다[시키다], 튀어나오다(project) 《*out, forth*》

jute [dʒú:t] *n.* Ⓤ 〖식물〗 황마(黃麻), 주트; 주트 섬유 《범포(帆布)·밧줄·자루 등의 재료》

Jute [dʒú:t] *n.* 주트 사람; [the ～s] 주트 족 《5-6세기에 영국에 침입한 게르만 족》 **Jút·ish** *a.*

Jut·land [dʒʌ́tlənd] *n.* 유틀란트 반도 《독일 북부의 반도; 덴마크가 그 대부분을 차지함》

jut·ting [dʒʌ́tiŋ] *a.* 튀어나온: a ～ chin 튀어나온 턱

jut·ty [dʒʌ́ti] *n.* (건물의) 돌출부(jetty)

jut-win·dow [dʒʌ́twìndou] *n.* ＝BAY WINDOW

juv. juvenile

ju·ve·nes·cence [dʒù:vənésns] *n.* Ⓤ **1** 젊음, 청춘(youth) **2** 도로 젊어지기, 회춘

ju·ve·nes·cent [dʒù:vənésnt] *a.* 청년기에 달한; 새파랗게 젊은(youthful); 회춘하는

***ju·ve·nile** [dʒú:vənl, -nàil | -nàil] [L 「젊은」의 뜻에서] *a.* **1** 소년[소녀]의, 어린이다운; 소년[소녀]에 알맞은: ～ books 아동용 도서 / ～ literature 아동 문학 / a ～ part[role] 어린이 역 **2** 젊은; 유치한(childish), 미숙한 **3** 〖지질〗 〈물·가스 등이〉 초생(初生)의, 처음으로 지표에 나오는

— *n.* **1** 소년 소녀, 청소년(cf. YOUNG ADULT); 어린이 역; 젊은이 역을 연기하는 배우 **2** [*pl.*] 아동(용) 도서 **3** 〖동물〗 배내털이 남은 새; 두 살이 된 경주마

júvenile corréctive institútion 소년 갱생원, 소년원(《미·속어》 juvie, juvey)

júvenile cóurt 소년 심판소[법원] 《보통 18세 미만의 소년·소녀들을 위한 재판 소송》

júvenile delínquency 미성년[소년] 범죄[비행]

júvenile delínquent 미성년[소년] 범죄자, 비행 소년

júvenile diabétes 〖병리〗 연소자형[인슐린 의존성] 당뇨병《25세 이하에서 발병》

júvenile hórmone 〖생화학〗 유충 호르몬

júvenile òfficer (경찰의) 청소년 보도관(補導官)

jú·ve·nile-ón·set diabétes [-ɔ́:nset- | -ɔ́n-] 〖병리〗 ＝JUVENILE DIABETES

ju·ve·nil·i·a [dʒù:vəníliə, -níljə] *n. pl.* [때로 단수 취급] **1** 초기 작품(집) 《종종 저작 전집의 표제명으로 씀》 **2** 어린이용 도서

ju·ve·nil·i·ty [dʒù:vəníləti] *n.* (*pl.* **-ties**) **1** Ⓤ 연소; 젊음; [집합적] 소년 소녀(young persons) **2** [*pl.*] 소년 소녀다운 언행

ju·ve·noc·ra·cy [dʒù:vənákrəsi | -nɔ́k-] *n.* (*pl.* **-cies**) 젊은이(에 의한) 정치; 젊은이 정치가 행해지는 나라[사회]

ju·vie, ju·vey [dʒú:vi] *n.* 《미·속어》 비행 소년; 소년 갱생원, 소년원

juxta- [dʒʌ́kstə] 《연결형》 「가까운(next); 곁에(aside)」의 뜻

jux·ta·pose [dʒʌ́kstəpòuz, ⌐–⌐] *vt.* 병렬하다, 병치(竝置)하다

jux·ta·po·si·tion [dʒʌ̀kstəpəzíʃən] *n.* ⓊⒸ 병렬, 병치 **～·al** *a.*

JV junior varsity **JWB** Jewish Welfare Board

JX *Jesus Christus* 《L ＝Jesus Christ》 **Jy.** July

Jyl·land [jú:læn] *n.* Jutland의 덴마크 어 이름

K k

k, K [kéi] *n.* (*pl.* **k's, ks, K's, Ks** [-z]) **1** 케이 《영어 알파벳의 제11자》 **2** K자 모양의 것, K기호로 나타내는 것 **3** (연결한 것의) 제11 번째의 것 **4** 〚컴퓨터〛 1,024바이트《기억 용량의 단위; 2^{10} bytes》; 킬로바이트(kilobyte) **5** 1,000 《달러, 파운드 등》

k kilo- **K** 〚화학〛 kalium; 〚물리〛 Kelvin; kilo; King(s); knight; 〚음악〛 Köchel (number) **k., K.** karat; kilogram(me)(s); 〚체스·카드〛 king; knight; knot(s); kopeck(s)

ka [kɑ́:] *n.* 영(靈), 혼《고대 이집트인이 믿었던 사후의 부활을 위한 영적 부분》

ka., ka cathode

Kaa·ba, Ka'ba, Ka'bah, Ka'abah [kɑ́:bə] *n.* [the ~] 카바 신전 《Mecca에 있는 이슬람교도가 가장 신성시하는 신전》

kab [kǽb] *n.* 〚성서〛 갑(cab) 《고대 이스라엘의 건량(乾量) 단위; 약 2 quarts; 열왕기 하 6 : 25》

ka·bad·di [kʌ́bədi] *n.* Ⓤ 카바디 《남아시아 스포츠》

Kab·ar·di·no-Bal·kar [kæ̀bərdí:noubɔ́:lkɑr, -bǽl- | -bǽlkə] *n.* [the ~] 카바르디노발카르 (자치 공화국) 《러시아 연방 내의 자치 공화국》

ka(b)·ba·la(h) [kǽbələ | kəbɑ́:-] *n.* = CABALA

ka·bob [kəbɑ́b | -bɔ́b] *n.* [보통 *pl.*] (고기와 야채의) 산적(散炙) 요리; (인도의) 불고기

ka·boom [kəbú:m] *int.* 우르르 쾅 《천둥·폭발음》

ka·bu·ki [kɑ:búki | kæbú:ki] [Jap.] *n.* 가부키(歌舞伎) 《17세기부터 유래된 일본 고유의 대중극》

Ka·bul [kɑ́:bul | kəbúl] *n.* **1** 카불 《Afghanistan의 수도》 **2** [the ~] 카불 강 《Afghanistan 동부를 지나 Indus 강에 흘러듦》

Ka·byle [kəbáil] *n.* (북아프리카의) 커바일 사람; Ⓤ 커바일 말 《Berber 말의 하나》

ka·chi·na [kətʃí:nə] *n.* (*pl.* **~s,** ~) (미) 카치나 《Pueblo 인디언의 수호신으로서 비의 신》; 카치나 댄서 《카치나를 구현한 탈춤 추는 남자》(= **~ dàncer**)

ka·ching [kətʃíŋ] *n.* (뜻밖의) 큰 돈벌이(kerching)

kad·dish [kɑ́:diʃ] *n.* (*pl.* **-di·shim** [kɑ:díʃim]) [종종 **K~**] 〚유대교〛 카디시 《예배가 끝났을 때 드리는 송영; 사망한 근친을 위해 드리는 기도》

ka·di [kɑ́:di, kéi-] *n.* (*pl.* **~s**) = QADI

kaf·fee·klatsch [kɑ́:fiklɑ̀:tʃ, -klæ̀tʃ, kɔ́:-] [G] *n.* = COFFEE KLAT(S)CH

Kaf·fir [kǽfər] *n.* (*pl.* **~s,** [집합적] ~) **1 a** 카피르 사람 《남아프리카 Bantu 족의 하나》 **b** (경멸) 아프리카 흑인 **c** Ⓤ 카피르 말 **2** [*pl.*] (영) 남아프리카 광산주(株) **3** = KAFIR 4 **4** = KAFIR 2

kaf·fi·yeh [kəfí:ə] *n.* 카피에 《아랍 남성의 두건》

kaffiyeh

kaf·ir [kǽfər | kǽfiər] *n.* **1** 누리스탄 족(Nuristani) **2** 카피어 《이슬람교도가 비이슬람교도를 비하하여 칭하는 말》 **3** = KAFFIR 1 **4** 수수의 일종 《남아프리카산》(= **~ còrn**)

Kaf·ka [kɑ́:fkɑ:, -kə] *n.* 카프카 **Franz ~** (1883-1924) 《오스트리아의 유대인 소설가》

Kaf·ka·esque [kɑ̀:fkaésk] *a.* 카프카적인

kaf·tan [kǽftən, -tæn] *n.* = CAFTAN

ka·goul [kəgú:l] *n.* = CAGOULE

Káhn tèst [미국의 세균학자 이름에서] [the ~] 〚의학〛 칸 테스트 《매독의 혈청 침강 검사; cf. KLINE TEST》

ka·hu·na [kəhú:nə] *n.* (하와이 원주민의) 주술사(呪術師), 사제(司祭)

kai [kái] *n.* (뉴질) 음식(food)

kai·ak [káiæk] *n.* = KAYAK

kail [kéil] *n.* = KALE

kail·yard [kéiljɑ̀:rd] *n.* (스코) 채원(菜園)

káilyard schòol [the ~] 채원파(派) 《방언을 써서 스코틀랜드 농민 생활을 그린 19세기 말의 작가들》

kái·nic ácid [káinik-] 〚화학〛 카인산(酸) 《뇌의 뉴런 자극 실험용》

kai·nite [káinait, kéi-], **kai·nit** [kainí:t] *n.* Ⓤ 카이닛 《칼리염류의 원료》

* **kai·ser** [káizər] [L = Caesar(황제)] *n.* [종종 **K~**] **1** 황제(emperor) **2** 카이저 《신성 로마 제국·독일 제국·오스트리아 제국의 황제의 칭호》 **~·dom** *n.* 황제의 지위; 황제가 통치하는 지역 **~·ism** *n.* 황제 독재(주의) **~·ship** *n.* Ⓤ 황제의 지위[대권]

kai·ser·in [káizərin] *n.* [종종 **K~**] 황후

káiser ròll (주로 미) 대형 롤빵의 일종

KAIST [káist] [*K*orea *A*dvanced *I*nstitute of *S*cience and *T*echnology] *n.* 한국 과학 기술원

kai·zen [kàizén] [Jap.] *n.* Ⓤ 〚경제〛 카이젠 《지속적인 기업 경영 개선》

ka·jal [kʌ́dʒəl] *n.* Ⓤ (남아시아 여성이 눈가에 바르는) 아이라이너

ka·ka [kɑ́:kə] *n.* 〚조류〛 (뉴질랜드산(産)) 카카앵무새

kak·is·toc·ra·cy [kæ̀kəstɑ́krəsi | -tɔ́k-] *n.* Ⓤ 극악 정치, 악덕 정치

kak·o·to·pi·a [kæ̀kətóupiə] *n.* 절망향(絶望鄕) (opp. *Utopia*)

ka·ku·ro [kɑ̀:kúrou] [Jap.] *n.* CU (*pl.* **-ros**) 가쿠로 《숫자 퍼즐의 일종》

KAL Korean Air Lines 《Korean Air의 구칭》

ka·la-a·zar [kɑ̀:lɑ:ɑ:zɑ́:r, -ləǽzər] *n.* 〚병리〛 칼라아자르, 흑혈병 《동양 열대의 말라리아성 전염병》

Ka·la·ha·ri [kɑ̀:ləhɑ́:ri, kæ̀lə-] *n.* [the ~] 칼라하리 사막 《남아프리카 남서쪽에 위치》(= **~ Désert**)

Ka·lash·ni·kov [kəlǽʃnikɔ̀:f, -lɑ́:ʃ- | -kɔ̀f] *n.* 칼라슈니코프 《러시아의 경기관총; AK-47의 통칭》

kale [kéil] *n.* UC **1** 〚식물〛 케일 《무결구성(無結球性) 양배추의 일종》; (스코) 양배추류, 야채 **2** 양배추 수프 **3** (미·속어) 돈, 현금(cash)

ka·lei·do·scope [kəláidəskòup] *n.* **1** 주마등(走馬燈), 만화경(萬華鏡) **2** 끊임없이 변화하는 것: the ~ of life 변화무쌍한 인생

ka·lei·do·scop·ic, -i·cal [kəlàidəskɑ́pik(əl) | -skɔ́p-] *a.* **1** 〈경치·색 등이〉 주마등[만화경] 같은 **2** 〈효과·인상(印象) 등이〉 변화무쌍한 **-i·cal·ly** *ad.*

kal·ends [kǽləndz] *n. pl.* = CALENDS

Ka·le·va·la [kɑ̀:ləvɑ́:lə] [Finn.] *n.* [the ~] 칼레발라 《핀란드의 민족 서사시》

kale·yard [kéiljɑ̀:rd] *n.* = KAILYARD

kàleyard schòol = KAILYARD SCHOOL

ka·li [kɑ́:li] *n.* (*pl.* **~s**) 〚식물〛 = SALTWORT

Ka·li [kɑ́:li] *n.* 〚힌두교〛 칼리 《Siva신의 배우자; 파괴와 창조의 여신》

ka·liph [kéilif, kǽl-] *n.* = CALIPH

ka·li·um [kéiliəm] *n.* Ⓤ 〚화학〛 칼륨(potassium)

kal·li·din [kǽlədin] *n.* 〚생화학〛 칼리딘 《혈관 확장 물질》

Kal·li·kak [kǽləkæ̀k] *n.* [the ~] 캘리캑 집안 《미

국 New Jersey주의 한 집안의 가명; 배다른 자손의 한 쪽 가계는 우수한 인물이 배출되고 다른 쪽은 주정뱅이·저능아·범죄자가 속출하였음》

kal·li·krein [kǽləkràin] *n.* 〖생화학〗 칼리크레인 《혈장에서 키닌을 유리시키는 효소》

kal·mi·a [kǽlmiə] *n.* 〖식물〗 칼미아 《철쭉과(科)의 상록 관목》

ka·long [ká:lɔ:ŋ | -lɔŋ] *n.* 〖동물〗 큰박쥐 《동남아산》

kal·pa [kʌ́lpə | kǽl-] *n.* 〖힌두교〗 겁(劫) 《세상이 생겨서 끝날 때까지의 기간》

kal·so·mine [kǽlsəmàin] *n.*, *vt.* =CALCIMINE

Ka·ma [ká:mə] *n.* **1** 〖힌두교〗 카마 《사랑의 신》 **2** [**k~**] Ⓤ 욕망, 정욕

ka·ma·ai·na [kà:məáinə] [Haw.] *n.* 하와이에 오래 살고 있는 사람, 하와이 토박이

ka·ma·graph [ká:məgræ̀f | -grà:f] *n.* 〖인쇄〗 카마그래프 《원화(原畫) 복제기, 그 복제화》

ka·ma·gra·phy [kəmá:grəfi] *n.* Ⓤ 〖인쇄〗 카마그래프 원화 복제법

Ka·ma·su·tra [kà:məsú:trə] *n.* [the ~] 카마수트라 《고대 인도의 힌두 성전(性典)》

Kam·chat·ka [kæmtʃǽtkə] *n.* [the ~] 캄차카(반도) 《러시아의 북동 시베리아의》

kame [kéim] *n.* 〖지질〗 케임 《빙하로 운반된 모래나 자갈의 구릉 지형》

ka·meez [kəmí:z] *n.* (*pl.* **~**, **~es**) (남아시아 사람들이 입는) 긴 셔츠

ka·mi·ka·ze [kà:miká:zi] [Jap.] *n.* (태평양 전쟁시) 일본 가미카제(神風) 자살 특공기[대원]
— *a.* 가미카제 자살 특공기[대원]의[같은], 무모한

Kam·pa·la [ka:mpá:la:, kæm-] *n.* 캄팔라 《Uganda의 수도》

kam·pong [ká:mpɔ:ŋ | kæmpɔ́ŋ] *n.* (말레이시아의) 작은 촌락[마을]

Kam·pu·che·a [kæ̀mputʃí:ə] *n.* 캄푸치아 《Cambodia의 구칭(1975-88)》 **-ché·an** *a.*, *n.*

Kan. Kansas

Ka·nak·a [kənǽkə, -ná:kə] *n.* 카나카 사람 《하와이 및 남양 제도의 원주민》

kan·a·my·cin [kæ̀nəmáisn, -sin] *n.* 〖약학〗 카나마이신 《결핵에 유효한 항생 물질》

Kan·chen·jun·ga [kà:ntʃəndʒúŋgə] *n.* 칸첸중가 《히말라야 산맥의 세계 제3의 고봉(高峰)(8,598m)》

Kan·din·sky [kændínski] *n.* 칸딘스키 **Wassily** [**Vasili**] **~** (1866-1944) 《러시아의 화가》

kan·ga[1] [ká:ŋgə, -ga:] *n.* (동아프리카 여성이 몸에 두르는) 화려한 무늬의 면포

kan·ga[2] [kǽŋgə] [kangaroo의 단축형] *n.* 《호주·구어》 캥거루; 돈(money)

***kan·ga·roo** [kæ̀ŋgərú:] [호주 토어로 「뛰는 것」의 뜻에서] *n.* (*pl.* **~s,** [집합적] **~**) **1** 〖동물〗 캥거루 **2** [*pl.*] 《영》 호주 광산주(株)

kangaróo clósure [the ~] 《영》 캥거루식 토론 종결법 《위원장이 수정안을 선택하여 토의에 붙이고 다른 안은 버림》

kangaróo cóurt 《미·구어》 사적 재판, 린치, (린치식) 인민 재판

kangaróo dòg 캥거루 사냥용 대형 사냥개

kangaróo pòcket 캥거루 포켓 《의복의 전면 중앙에 다는 대형 포켓》

kangaróo ràt 〖동물〗 캥거루쥐 《북아메리카 서부·멕시코산(産)》; 쥐캥거루 《호주산(産)》

kan·ji [kǽndʒi, ká:n-] [Jap.] *n.* ⓊⒸ (*pl.* **~**) 간지 《한자에 근거한 일본어 쓰기 방식》

Kan·na·da [ká:nədə, kǽn-] *n.* 칸나다 어(語) 《인도 남부에서 쓰이는 드라비다 언어의 하나》

ka·noon [ka:nú:n] *n.* 〖음악〗 치터(zither) 비슷한 악기 《현이 50-60개 있음》

Kans. Kansas

Kan·san [kǽnzən] *a.*, *n.* Kansas주의 (사람)

Kan·sas [kǽnzəs] [아메리카 원주민 부족명에서] *n.* 캔자스 《미국 중부의 주; 주도 Topeka; 속칭 the Sunflower State; 略 Kans., Kan.》

Kánsas Cíty 캔자스시티 《Missouri주 서부에 있는 도시; Kansas 강과 Missouri 강의 합류점에 있음》

Kant [kǽnt] *n.* 칸트 **Immanuel ~** (1724-1804) 《독일의 철학자》 **~·ism** *n.* =KANTIANISM **~·ist** *n.*

kan·te·le [ká:ntələ] *n.* 〖음악〗 칸텔레 《핀란드의 전통적 하프(harp)》

Kant·i·an [kǽntiən] *a.* **1** 칸트의 **2** 칸트파 철학의
— *n.* 칸트학파의 사람 **~·ìsm** *n.* Ⓤ 칸트 철학

KANU [ká:nu] [*Kenya African National Union*] *n.* 케냐 아프리카 민족 동맹

kan·zu [kǽnzu:] *n.* 칸주 《동아프리카에서 남자가 입는 길고 흰 겉옷》

ka·o·li·ang [kàuliǽŋ] [Chin.] *n.* 〖식물〗 고량; 고량주

ka·o·lin(e) [kéiəlin] *n.* Ⓤ **1** 고령토, (백)도토(陶土) **2** 〖화학〗 카올린 《함수규산(含水珪酸) 알루미늄》

ka·on [kéiɑn | -ɔn] *n.* 〖물리〗 케이온, K 중간자

Ka·pell·meis·ter [ka:pélmàistər, kə-] [G= chapel master] *n.* **1** (성가대·합창단·관현악단 등의) 지휘자, 악장 **2** 《경멸》 어용 악장

ka·pok [kéipɑk | -pɔk] *n.* Ⓤ 케이폭 《판야나무(kapok tree)의 씨를 싸고 있는 솜》

kápok trèe 〖식물〗 판야나무

Ka·pó·si's sarcóma [kəpóusiz-, kǽpə-] [오스트리아의 의사 이름에서] 〖병리〗 카포지 육종 《다발성 출혈성 육종》

kap·pa [kǽpə] *n.* 그리스 자모의 제10자 《*K*, *κ*; 영어의 K, k에 해당》

ka·put [ka:pút, kə- | kæpút] [G] *a.* Ⓟ 《속어》 두들겨 맞은, 결딴난, 폐허화한; 구식의, 시대에 뒤진: go ~ 망가지다, 결딴나다

kar·a·bi·ner [kæ̀rəbí:nər] *n.* =CARABINER

Ka·ra·chi [kərá:tʃi] *n.* 카라치 《파키스탄 남부의 도시》

Ka·ra·jan [kǽrəjən] *n.* 카라얀 **Herbert von ~** (1908-89) 《오스트리아의 지휘자》

Ka·ra·ko·ram [kà:rəkɔ́:rəm, kæ̀r-] *n.* [the ~] 카라코람 산맥 《Kashmir 북부의 산맥》

Ka·ra·ko·rum [kà:rəkɔ́:rəm] *n.* 카라코람 《13세기 몽골 제국의 수도; 그 유적이 있음》

kar·a·kul [kǽrəkəl] *n.* [종종 **K~**] 〖동물〗 카라쿨양(羊) 《중앙 아시아산(産)》; Ⓤ 그 가죽

kar·a·o·ke [kà:rəóuki] [Jap.] *n.* (미리 녹음된 반주곡에 맞추어 노래하고 녹음할 수 있는) 음향 장치

karaóke machìne 가라오케 장치, 노래방 기계

Kára Séa [ká:rə-] [the ~] 카라 해 《Novaya Zemlya와 러시아 연방 북부 사이에 있는 북극해의 한 줄기》

kar·at [kǽrət] *n.* 《미》 캐럿(《영》 carat) 《순금 함유도를 나타내는 단위; 순금은 24 karats; 略 k., kt.》: 18-~ gold=gold 18 ~*s* fine 18금

ka·ra·te [kərá:ti] [Jap.] *n.* 가라테(空手) 《태권도 비슷한 일본의 호신술》

Ka·ren[1] [kərén] *n.* **1** (*pl.* **~s,** [집합적] **~**) 카렌 족(의 한 사람) 《미얀마 남동부에 분포하는 소수 민족》 **2** 카렌 어 **—** *a.* 카렌 족[어]의

Kar·en[2] [kǽrən, ká:r-] *n.* 여자 이름

kar·ma [ká:rmə] [Skt. 「행위」의 뜻에서] *n.* Ⓤ **1** 〖힌두교〗 갈마(羯磨), 업(業) **2** 〖불교〗 인과응보, 인연 **3** 숙명(론) **4** 《구어》 (사람·물건·장소가 풍기는) 특징적인 분위기 **kár·mic** *a.*

Kár·man cànnula[càtheter] [ká:rmən-] [미국의 고안자 이름에서] 〖의학〗 흡인법에 의한 낙태용 기구

ka·ro·shi [kəróuʃi, ka-] [Jap.] *n.* 과로사(過勞死)

ka·ross [kərás | -rɔ́s] *n.* (남아프리카 원주민의) 소매 없는 털가죽 외투, 깔개

Kar·roo [kərú:] *n.* (*pl.* **~s**) 남아프리카의 건조성 고원; 〖지질〗 카루계(系)(의 지층)

karst [ká:rst] *n.* 〖지질〗 카르스트 지형 《침식된 석회암 대지(臺地)》

kar·sy, kar·z(e)y [ká:rzi] *n.* 《영·속어》 화장실

(toilet); 화장실처럼 더러운 장소
kart [kɑ́:rt] *n.* =GO-KART
kar·tell [kɑ:rtél] *n.* =CARTEL 1
kart·ing [kɑ́:rtiŋ] *n.* 소형 자동차 경주
karyo-, caryo- [kǽriou, -riə] 《연결형》「핵(核), 인(仁)」의 뜻 《모음 앞에서는 kary-》
kar·y·og·a·my [kæ̀riɑ́gəmi | -ɔ́g-] *n.* Ⓤ 〖생물〗 핵융합 **kàr·y·o·gám·ic** *a.*
kar·y·o·gram [kǽriəgræ̀m] *n.* 〖유전〗 =KARYOTYPE; 《특히》 염색체도(圖)
kar·y·o·ki·ne·sis [kæ̀rioukiní:sis, -kai-] *n.* Ⓤ 〖생물〗 (간접) 핵분열(mitosis) **-net·ic** [-nétik] *a.*
kar·y·ol·o·gy [kæ̀riɑ́lədʒi | -ɔ́l-] *n.* Ⓤ 〖생물〗 (세포) 핵학(核學)
kar·y·ol·y·sis [kæ̀riɑ́ləsis | -ɔ́l-] *n.* 〖생물〗 핵융해
kar·y·o·plasm [kǽriəplæ̀zm] *n.* Ⓤ 〖유전〗 핵질
kar·y·o·some [kǽriəsòum] *n.* 〖생물〗 **1** 카리오솜, 염색인(染色仁) **2** 염색체(chromosome)
kar·y·o·tin [kǽriətin] *n.* Ⓤ 〖생물〗 핵질, 염색질
kar·y·o·type [kǽriətàip] *n.* 〖유전〗 핵형(核型) **kàr·y·o·týp·ic, -i·cal** *a.* **kàr·y·o·týp·i·cal·ly** *ad.*
kar·y·o·typ·ing [kǽriətàipiŋ] *n.* Ⓤ 염색체 분석
kas·bah [kǽzbɑ:] *n.* =CASBAH
ka·sha [kɑ́:ʃə] *n.* 카샤 《동유럽의 굵게 탄 메밀가루 등; 그 가루로 쑨 죽》
ka·sher [kɑ:ʃɑ́:r, kɑ́:ʃər] *a., n., vt.* =KOSHER
Kash·mir [kǽʃmiər, kǽʒ- | kæʃmíə] *n.* **1** 카슈미르 《인도 북서부의 지방》 **2** [**k~**] =CASHMERE
Kash·mir·i [kæʃmíəri, kæʒ- | kæʃ-] *n.* (*pl.* **~s,** [집합적] **~**) **1** Ⓤ 카슈미르 말 **2** 카슈미르 사람
Kash·mir·i·an [kæʃmíəriən, kæʒ- | kæʃ-] *a.* 카슈미르의, 카슈미르 사람의 **—***n.* 카슈미르 사람
kash·rut(h) [kɑ́:ʃrəθ, -rut, -rəs] *n.* (유대교의) 식사 계율
Ka·shu·bi·an [kəʃú:biən] *n.* 카슈비아 말 《폴란드어와 유사한 슬라브 어로 주로 폴란드 북부에서 쓰임》
kat [kɑ́:t] *n.* 〖식물〗 =KHAT
kat·a·bat·ic [kæ̀təbǽtik] *a.* 〖기상〗 〈바람·기류가〉 하강하는, 하강 기류로 인해 생기는(opp. *anabatic*)
ka·tab·o·lism [kətǽbəlìzm] *n.* =CATABOLISM
kat·a·kan·a [kæ̀təkɑ́:nə] [Jap.] *n.* Ⓤ 가타카나 《외국어 표기용 일본 문자; cf. HIRAGANA》
Ka·tan·ga [kətɑ́:ŋgə, -tǽŋ-] *n.* 카탕가 《Shaba의 구칭》
kat·a·ther·mom·e·ter [kæ̀təθərmɑ́mətər | -mɔ́m-] *n.* 카타[공랭(空冷)] 온도계 《공기의 냉각력이나 공기 흐름의 속도를 측정하는 온도계》
Kate [kéit] *n.* 여자 이름 《Katherine의 애칭》
ka·thar·sis [kəθɑ́:rsəs] *n.* (*pl.* **-ses** [-si:z]) =CATHARSIS
Kath·er·ine, Kath·a·rine [kǽθərin], **Kath·ryn** [kǽθrin] *n.* 여자 이름
Kath·leen [kæθlí:n, ∠– | ∠–] *n.* 여자 이름
kath·ode [kǽθoud] *n.* =CATHODE
Kath·y [kǽθi], **Ka·tie** [kéiti] *n.* 여자 이름 《Katherine의 애칭》
kat·i·on [kǽtàiən] *n.* 〖화학〗 =CATION
Kat·man·du, Kath- [kɑ̀:tmɑ:ndú:, kæ̀tmæn-] *n.* 카트만두 《네팔의 수도》
Kat·rine [kǽtrin] *n.* **Loch ~** 카트린 호(湖) 《스코틀랜드 중부의 아름다운 호수》
Kat·te·gat [kǽtigæ̀t, kɑ́:tigɑ̀:t] *n.* [the ~] 카테갓 해협 《스웨덴과 덴마크 사이의 해협》
KATUSA, Ka·tu·sa [kətú:sə] [*K*orean *Aug*mentation *t*o the *U*nited *S*tates *A*rmy] *n.* 카투사 《한국 주둔 미육군에 파견 근무하는 한국 군인》
ka·ty·did [kéitidìd] [의성어] *n.* 《미》 여칫과(科)의 곤충 《미국산(産)》
kat·zen·jam·mer [kǽtsəndʒæ̀mər] *n.* 《미·구어》 숙취; 불안, 고민; (불만·항의 등의) 대소동
kau·ri, -ry [káuri] *n.* (*pl.* **~s, -ries**) 〖식물〗 카우리소나무 《뉴질랜드산(産); 수지를 채취》(=**~ pìne**)
ka·va [kɑ́:və], **ka·va·ka·va** [kɑ́:vəkɑ́:və] *n.* 〖식물〗 카바 《폴리네시아산(産) 후추나무속의 관목》; Ⓤ 그 뿌리로 만든 마취성 음료
ka·vass [kəvɑ́:s] *n.* (터키의) 무장 경관
kay [kéi] *n.* (알파벳의) K; 《속어》 (복싱에서) 녹아웃
Kay [kéi] *n.* 남자[여자] 이름
kay·ak, kai·ak [káiæk] [Esk.] *n.* **1** 카약 《에스키모인의 가죽을 입힌 카누》 **2** (스포츠용) 카약
kay·o [kèióu, ∠∠] *n.* (*pl.* **~s**) =KO
—*vt.* [∠∠] =KO
Ka·zakh [kəzɑ́:k, -zǽk] *n.* 카자흐 족; 카자흐 말 《튀르크 어군(語群)의 일종》
Ka·zakh·stan [kɑ̀:zɑ:kstɑ́:n] *n.* 카자흐스탄 (공화국) 《서아시아 서부에 있는 독립국가 연합 가맹국; 수도 Alma-Ata》
ka·zoo [kəzú:] *n.* (*pl.* **~s**) **1** 《미》 커주 피리 《장난감》 **2** =WAZOO ***tootle*** one***'s own*** **~** 허풍 치다

kazoo 1

Kb 〖컴퓨터〗 kilobit(s) **KB** King's Bench; 〖체스〗 king's bishop; 〖컴퓨터〗 kilobyte(s); Knight Bachelor **K.B.E.** Knight Commander (of the Order) of the British Empire **KBP** 〖체스〗 king's bishop's pawn **kbps** kilobits per second **KBS** Korean Broadcasting System **kc** kilocycle **K.C.** Kansas City; King's College; King's Counsel; Knight Commander; Knight of Columbus **kcal, kcal.** kilocalorie(s) **K.C.B.** Knight Commander (of the Order) of the Bath **KCCI** Korea Chamber of Commerce and Industry **K.C.M.G.** Knight Commander (of the Order) of St. Michael and St. George **KCS** 〖컴퓨터〗 Kansas City Standard; 〖통신〗 thousand characters per second 《초당 1,000 문자; 문자의 전송 속도 단위》 **kc/s** kilocycles per second **K.C.S.I.** Knight Commander (of the Order) of the Star of India **K.C.V.O.** Knight Commander of the (Royal) Victorian Order **KD** 〖상업〗 kiln-dried; 〖상업〗 knocked-down **KD.** dinar(s) 《쿠웨이트의 화폐 단위》 **KDI** Korea Development Institute 한국 개발(연구)원 **KE** kinetic energy; Korean Air 대한항공 《항공 회사 코드》
ke·a [kéiə, kí:ə | kéiə] *n.* 케어 《잉꼬의 일종; 뉴질랜드산(産)》
Keats [kí:ts] *n.* 키츠 **John ~** (1795-1821) 《영국의 시인》
ke·bab, ke·bob [kəbɑ́b | -bǽb] *n.* =KABOB
ke·be·le [kəbéilei] *n.* 케벨레 《에티오피아의 도시[지방] 자치 조직》
keck [kék] *vi.* **1** 욕지기나다, 구역질나다 **2** 몹시 싫어하다 (*at*) **—***n.* 욕지기
ked·dah [kédə] *n.* (인도) 야생 코끼리를 몰아 가두어 잡는 울타리
kedge [kédʒ] 〖항해〗 *vt., vi.* 작은 닻의 닻줄을 잡아당겨 〈배를〉 이동시키다[하다] **—***n.* 작은 닻 《배를 kedge할 때 씀》(=**~ ànchor**)
ked·ge·ree, ke·ge·ree [kédʒərì:, ∠–∠] *n.* 케저리 《쌀·콩·양파·달걀·향신료 등을 넣은 인도 요리, 생선을 넣기도 함》
KEDO [ké:dou] [*K*orean Peninsula *E*nergy *D*evelopment *O*rganization] *n.* 한반도 에너지 개발 기구
keek [kí:k] *vi.* 《스코》 들여다보다, 엿보다(peep) **—***n.* 엿보기; 엿보는 사람, 스파이
keel** [kí:l] *n.* **1** (배나 비행기의) 용골(龍骨) **2** 《시어》 배 **3** (꽃의) 용골판(瓣); (새의) 용골 돌기(突起) **4** 밑이 평평한 배; 석탄 운반선 **5** [the K~] 〖천문〗 용골자리(Carina) ***lay down a ~ (1) 용골을 설치하다

(2) 배를 기공(起工)하다 ***on an even ~*** (1) 〖항해〗 흘수선이 수평이 되어[평형을 유지하여] (2) 안정되어, 원활히, 조용히

—*vt.* **1** (시어) 용골로 물결을 헤치고 달리게 하다 **2** 〈배를〉 뒤집어 엎다 《*over, up*》: (~+목+부) A blast of wind *~ed over* the yacht. 돌풍이 요트를 전복시켰다. **3** 넘어뜨리다, 졸도시키다 《*over*》: (~+목+부) The excessive heat *~ed over* the boy. 지독한 더위로 소년이 졸도했다.

—*vi.* **1** 〈배가〉 전복하다 《*over, up*》: (~+부) The yacht *~ed over.* 요트가 전복했다. **2** (구어) 졸도하다, 쓰러지다 《*over*》 **~·less** *a.*

keel·age [kíːlidʒ] *n.* Ⓤ 입항세, 정박세

keel·blocks [kíːlblɑ̀ks | -blɔ̀ks] *n. pl.* 〖조선〗 용골대(龍骨臺)

keel·boat [kíːlbòut] *n.* 《미》 큰 평저선(平底船) 《하천에서 사용되는 용골 있는 화물선》

Kée·ler pólygraph [kíːlər-] [미국의 발명자 이름에서] 킬러식 거짓말 탐지기

keel·haul [kíːlhɔ̀ːl] *vt.* **1** 〖항해〗 (벌로서) 〈사람을〉 밧줄로 묶어 배밑을 통과하게 하다 **2** 호되게 꾸짖다

kee·li·vine [kíːlivàin] *n.* (스코) 연필

kéel lìne 〖항해〗 용골선, 수미선(首尾線)

keel·son [kélsən, kíːl-] *n.* 〖조선〗 내(內)용골

:keen[1] [kíːn] *a.*

> (칼 등이) 「날카로운」 **1** (감각 등이) 「예민한」 **4** → (고통 등이) 「격렬한」 **3** → 「열심인」 **5**

1 〈칼 등이〉 **날카로운**, 예리한(sharp): a ~ edge of a razor 예리한 면도날 **2** 신랄한, 통렬한(incisive) **3** 〈바람·추위 등이〉 심한, 살을 에는 듯한(cutting); 〈고통·경쟁 등이〉 강렬한, 격렬한: ~ wind 살을 에는 듯한 바람 / ~ competition 격렬한 경쟁 **4** Ⓐ 〈감각 등이〉 **예민한**, 민감한(sensitive); 〈사람이〉 빈틈없는, 경계하는; 섬세하게 인식하는: ~ hearing 예민한 청력 / The dog is ~ of scent. 개는 후각이 예민하다. **5 열심인**; 열중한; 열망하는 《*about, on, for, to* do》 (⇨ eager 유의어): He is ~ *about* money. 그는 돈에 미쳐 있다. / He is ~ *on* promotion. 그는 승진을 몹시 바라고 있다. **6** 《영》 〈값이〉 경쟁적인, 싼 **7** (구어) 훌륭한, 멋진

(as) ~ as mustard 매우 열심인, 열망하여 ***~ about*** 《미》 …에 여념이 없는 ***~ on*** (do*ing*) …에 [하는 데] 매우 열중하여; …에 여념이 없는; …을 아주 좋아하는 **~·ness** *n.*

keen[2] *n.* (아일) (곡하며 부르는) 장례식 노래; (죽은 사람에 대한) 통곡, 곡; 울며 슬퍼함(lament)

—*vi., vt.* 슬퍼하며 울다, 통곡하다(bewail)

~·er *n.* (장례식에 고용된) 곡꾼

keen-edged [kíːnédʒd] *a.* 날이 날카로운, 예리한

keen-eyed [kíːnáid] *a.* 통찰력이 날카로운, 혜안의

keen·ly [kíːnli] *ad.* **1** 날카롭게; 예민하게; 강렬[격심]하게; 열심히; 빈틈없이 **2** 《영》 싸게

keen-set [kíːnsét] *a.* 배고픈; 갈망하는 《*for*》

:keep [kíːp] *v., n.*

> 기본적으로는 「유지하다」의 뜻.
> ① (계속) 보유하다; 간직하다 — 타 **1**
> ② (어떤 상태를) 유지하다 — 타 **3** 자 **1, 5**
> ③ (약속을) 지키다 — 타 **8** 자 **7**
> ④ (사용·양육을 위해) 두다, 갖고 있다; 치다; 부양하다 — 타 **5, 7**
> ⑤ 경영하다, 관리하다 — 타 **16**
> ⑥ 붙들어 두다 — 타 **4**

—*v.* (**kept** [képt]) *vt.* **1** (계속) **보유하다**, 계속 갖고 있다(reserve); 자기 것으로 갖다, 차지하다; 보존하다, 간직하다, 간수하다: ~ meat 고기를 (썩지 않게) 보존하다 / ~ old letters 옛 편지를 보존하다 // (~+목+전+명) ~ valuables *under* lock and key 귀중품을 자물쇠를 채워 보관하다 / I'll ~ this *for* future use. 이것을 나중에 쓸 수 있도록 간직해야겠다. **2** 〈어떤 상태·동작을〉 **계속하다**: ~ watch 계속 감시하다 / ~ silence 침묵을 지키다 **3** [목적격 보어와 함께] **a** 〈어떤 위치·관계·상태에〉 **두다**, …하여 두다, 유지하다: (~+목+보) ~ a razor sharp 면도칼을 예리하게 손질해 두다 / This garden is always *kept* well. 이 뜰은 언제나 깨끗이 손질되어 있다. // (~+목+부) ~ one's children *in* 아이들을 밖으로 내보내지 않다 // (~+목+전+명) ~ one*self in* good health 건강을 유지하다 // (~+목+***done***) *K~* the door *shut.* 문을 닫아두어라. **b** 계속 …하게 하다: (~+목+***-ing***) *K~* the light burn*ing.* 등불을 계속 켜 놓아라. / I'm sorry to have *kept* you wait*ing.* 기다리게 해서 미안합니다. **4 붙들어 두다**; 구류[감금]하다: (~+목+전+명) ~ a person *in* custody …을 구류하다 // (~+목+부) The snow *kept* them *indoors.* 눈 때문에 그들은 집안에 갇혀 있었다. / The work *kept* him *at the office.* 일 때문에 그는 사무실에 남아 있었다. **5** 〈상품을〉 갖추어 놓다; 상품으로서 팔다[취급하다]: Do you ~[sell] postcards? 엽서를 팝니까? **6 붙잡고[쥐고] 있다**; 유의하다, 명심하다(remember): (~+목+전+명) ~ something *in* mind …을 기억해 두다 **7 부양하다**(support); 〈하인 등을〉 고용해 두다; 〈첩을〉 두다; 〈마차·자동차 등을〉 가지고 있다; 〈개·고양이·꿀벌 등을〉 기르다, 치다: ~ one's family 가족을 부양하다 / She *~s* my cat when I travel. 여행가 있는 동안 그녀가 내 고양이를 돌봐준다. **8** 〈약속·비밀·조약 등을〉 **지키다**, 다하다(fulfill); 〈법률·규칙 등을〉 **따르다**(obey) **9** 사귀다, 교제하다 **10** 주지 않고 두다(withhold); 감추다(conceal); 억제하다, …시키지 않다: ~ the best wine for guest 손님을 위해 가장 좋은 술을 (아껴) 두다 // (~+목+전+명) ~ a child *away from* the fire 아이를 불에 가까이 못 가게 하다 / She could not ~ the tears *from* her eyes. 그녀는 눈물을 억제하지 못하였다. **11** (어떤 일·행동이 일어나지 못하게) 방해하다, 막다, 억제하다: (~+목+전+명) ~ the pipe *from* leaking 파이프가 새어나지 않도록 막다 **12** 조절[억제]하다(control), 조정하다: ~ one's temper 화를 참다 **13 a** 〈계산·일기 등을〉 **기입하다**, 적다: ~ books 기장[치부]하다 / ~ a diary 일기를 쓰다 **b** 〈시간을〉 기록하다 **14** 〈의식·제사 등을〉 올리다, 거행하다, 축하하다, 지내다(celebrate): ~ Christmas 크리스마스를 축하하다 **15** 〈집·방 등에〉 틀어박히다 **16** 〈상점·학교 등을〉 **관리[경영]하다**(manage) **17 a** …에서 떠나지 않다, 뜨지 않다: Please ~ your seats. 자리에서 뜨지 마십시오.《자리를 유지해 주십시오》 **b** 〈길 등을〉 계속 걷다; (코스·여정 등을) 계속 따르다, 따라가다 **18 수호하다**, 보호하다(guard, protect); 손질하다: God ~ you! 신의 가호가 있기를 빕니다! // (~+목+전+명) ~ a town *against* the enemy 적의 공격으로부터 읍을 지키다

—*vi.* **1** [보어와 함께] 〈어떤 상태·위치에〉 있다, 죽 …하고 있다; 계속해서 …하다: (~+전+명) ~ *at* home (나가지 않고) 집에 있다 // (~+보) ~ cool 진정하다 // (~+***-ing***) ~ cry*ing* 계속 울기만 하다 // (~+부) ~ *together* 서로 붙어 있다 **2** (특정한 장소에) 머물러 있다, 틀어박히다 **3 a** (썩지 않고) **견디다**(last), 유지하다 **b** 〈일·이야기 등이〉 뒤로 미루어도 되다 **4** (구어) 거주하다(dwell), 숙박하다: Where do you ~? 어디에 사십니까? **5** (미·구어) 〈수업 등이〉 계속해서 행해지다: School *~s* today. 오늘은 수업이 있다. **6** 그만두다, 삼가다 《*from*》; 떨어져 있다; …하지 않고 있다: (~+전+명) ~ *from* drinking 음주를 삼가다 **7** 〈비밀 등이〉 지켜지다, 새지 않다 **8** 〖크리켓〗 삼주문의 수비자 노릇을 하다

thesaurus **keen**[1] *a.* **1** 날카로운 sharp, sharpened, fine-edged, razor-sharp **2** 신랄한 acerbic, acid, biting, satirical **3** 민감한, 빈틈없는 acute,

How are you ~ing? 안녕하세요?(=How are you?) **~ after** (1) 〈범인 등을〉 계속해서 뒤쫓다; 〈여자의 꽁무니를〉 따라다니다 (2) …에 대해 잔소리하다[꾸짖다] 《*about*》 (3) …하라고 잔소리하다[조르다] **~ ahead** (경기 등에서) 상대보다 앞서다 《*in*》; (상대방·추적자보다) 먼저 가다 《*of*》 **~ at** (1) 〈사람에게〉 …을 계속해서 시키다; 〈일 등을〉 귀찮게 조르다, 애원하다 (2) 꾸준히 힘쓰다, 열심히 하다 **~ at it** 《구어》 견디어내다; 계속해서 …하다; [명령문으로] 힘내라, 끝까지 버텨! **~ away** (1) 가까이 못하게 하다 (2) 가까이하지 않다; 피하다 (3) 〈음식물을〉 입에 대지 않다 《*from*》 **~ back** (1) 억제하다 (2) 〈일부를〉 간직해 두다 (3) 〈돈 등을〉 …에서 공제하다 (4) 〈비밀·정보 등을〉 감추다 (5) 물러나 있다, 나서지 않다 **~ down** (1) 〈반란 등을〉 진압하다 (2) 〈감정 등을〉 억누르다 (3) 〈경비 등을〉 늘리지 않다 (4) 억압하다 (5) 〈음식물 등을〉 받아들이다 (6) 몸을 낮추다, 엎드리다 (7) 〈바람 등이〉 자다, 잠잠해지다 **~ from** 금하다, 억제하다, 삼가다; …에서 떨어져 있다 **~ going** (1) …에게 용기를 주다, 힘이 되다; 힘을 내다, 견디다 (2) 계속하다, 활동을 계속하다; …을 운영하다 (3) (잠시) (…의 배를) 채워주다 **~ in** (*vt.*) (1) 〈감정을〉 억제하다 (2) (집안에) 가두다; 〈벌로서 학생을〉 붙들어 두다 (3) 〈불을〉 피워 두다 (4) 〖인쇄〗 활자를 빽빽하게 짜다 (*vi.*) (5) 집안에 틀어박히다 (6) 〈불이〉 계속해서 타다 **~** do***ing*** 계속 …하다 《동작·상태의 계속》 **~** a fact ***in mind*** (사실)을 기억하고 있다 **~ *in with*** 《영·구어》 (자기 편의를 위해) …와 사이좋게 지내다 ***K~ it down!*** 《구어》 조용히 해! **~ *it up*** 《구어》 곤란을 무릅쓰고 계속하다 **~ *off*** (*vt.*) (1) 〈적·재해 등을〉 막다, 가까이 못 오게 하다 (2) 떼어놓다, 가까이 못하게 하다 (3) 〈음식물 등을〉 입에 대지 못하게 하다 (*vi.*) (4) 떨어져 있다, 가까이하지 않다; 〈비·눈 등이〉 오지 않다, 그치다 (5) …에서 떨어지다, …에 들어가지 않다 (6) 〈음식물 등을〉 먹지 않다 (7) 〈화제 등을〉 언급하지 않다, 피하다 **~ *on*** (1) 계속 고용해 두다 (2) 〈옷·모자 등을〉 입은[쓴] 채로 있다 (3) 〈집·자동차 등을〉 계속 소유[차용]하다 (4) 계속 나아가다[움직이다] (5) …을 계속 켠 채로 있다 (6) 계속 …하다 **~ *on about*** …을 성가시게 조르다; …에 대해 지껄여대다 **~ *on at*** …에게 귀아프게 잔소리하다 **~ *on*** do***ing*** 계속 …하다 《집요하게 반복되는 동작·상태의 계속》 **~ *out*** (1) 못 들어오게 하다 (2) 막다 (3) 〖인쇄〗 간격을 벌려 짜다 (4) 밖에 있다, 들어가지 않다 **~ *out of*** (1) …을 들여놓지 않다, 못 들어오게 하다 (2) 〈비·냉기 등을〉 들이지 않다 (3) 끼지 않(게 하)다, 피하다 (4) …의 밖에 있다, 들어가지 않다 **~** (one***self***) ***to*** one***self*** 남과 교제하지 않다, 혼자 있다; 싸움에 끼지 않다 **~ *to*** (1) …에 계속해 있다 (2) 〈길·진로 등을〉 따라 나아가다, 떠나지 않다 (3) 〈본론·화제 등에서〉 이탈하지 않다 (4) 〈계획·예정·약속 등을〉 지키다; 〈규칙·신념 등을〉 고수하다 (5) 〈집 등에〉 틀어박히다 **~ *together*** (1) 한데 모으다 (2) 〈집단을〉 단결시키다 **~ *to*** one***self*** (1) 〈물건 등을〉 독차지하다 (2) 〈정보 등을〉 남에게 알리지[말하지] 않다, 비밀로 하다 (3) 교제를 피하다, 혼자 있다 **~ *under*** 억제하다; 복종시키다; 〈불을〉 끄다; 진압하다 **~ *up*** (1) 가라앉지 않게 하다 (2) 〈가격·수준을〉 유지하다, 떨어뜨리지 않다 (3) 〈체면·원기 등을〉 유지하다 (4) 〈활동·상태 등을〉 지속하다, 유지하다: *K~ up* the good work! 앞으로도[계속해서] 잘해 보시오! (5) 〈가정·자동차 등을〉 유지하다 (6) …을 밤잠을 못 자게 하다 (7) 선 채로 있다 (8) 〈용기·원기 등이〉 꺾이지 않다, 쇠하지 않다; 버티어 내다 (9) 〈값이〉 오른 채로 있다 (10) 〈날씨·비가〉 계속되다 (11) 자지 않고 있다 (12) 뒤지지 않고 따라가다 (13) 〈활동·수업 등이〉 계속되다 **~ *up on*** (***with***) 〈사정 등을〉 잘 알고 있다, …에 대해 정보를 얻고 있다 **~ *up with*** (1) 〈사람·시대 흐름 등에〉 뒤떨어지지 않다, 지지 않다 (2) …와 (편지 등으로) 접촉을 유지하다, 교제를 계속하다 ***You can ~ it.*** 《구어》 (1) 그런 것에는 흥미가 없다. (2) 괜찮으니 받아 두시오.

— *n.* Ⓤ **1** 지님; 보존, 유지, 관리; 관리인, 감시인 **2** 생활 필수품, 식량, 양식; 생활비; (동물의) 사육비; (마소 등의) 사료의 저장 **3** Ⓒ (성(城)의) 본성(本城), 아성(牙城) **4** [*pl.*; 단수 취급] 따먹은 것은 돌려 주지 않는 진짜로 하는 구슬치기 **5** 〖미식축구〗 = keeper 4 ***be in bad***[***low***] **~** 보존이 잘 되어 있지 않다 ***be in good***[***high***] **~** 보존이 잘 되어 있다 ***be worth*** one***'s* ~** 보존[사육]할 가치가 있다 ***earn*** one***'s* ~** (1) 생활비를 벌다 (2) 채산이 맞다 ***for ~s*** (1) (놀이에서) 따먹은 것은 돌려 주지 않는 조건으로; 진지하게 (2) 《구어》 언제까지나

keep-a·way [kíːpəwèi] *n.* Ⓤ 《미》 (어린이의) 공뺏기 (놀이) 《둘이서 서로 던지는 공을 사이에서 가로채는 놀이》

keep·er [kíːpər] *n.* **1 a** 파수꾼, 간수; 지키는 사람 **b** 《영》 사냥터지기; (미친 사람의) 시중꾼, 보호자: a lighthouse ~ 등대지기 **2 a** 관리인, 보관자 **b** 경영자, 소유주 **c** (동물의) 사육자 **3** (축구·하키 등의) (골)키퍼; (타임) 기록원 **4** 〖미식축구〗 키퍼 《쿼터백이 공을 갖고 달리는 공격법》 **5** 보조 반지 《특히 결혼반지가 빠지지 않게 하는》 **6** (수레의) 제동 장치; 채우는 핀, 걸쇠; (문의) 빗장 구멍 **7** 저장에 견디는 과일[야채]: a good[bad] ~ 오래 가는[가지 않는] 과일[야채] **8** 《속어》 소유[보존]할 만한 가치가 있는 것[사람]
the K~ of the Exchange and Mint 《영》 조폐국장 ***the K~ of the Privy Seal*** 《영》 옥새 보관관 ***the Lord K~*** (***of the Great Seal***) 《영》 옥새 상서(玉璽尙書)

keep-fit [kíːpfít] 《영》 *a.* 건강 유지[체조]의: a ~ class 건강 체조 교실 — *n.* (건강을 위한) 운동, 체조

keep·ing [kíːpiŋ] *n.* Ⓤ **1** 지님, 보유; 보존, 저장; 유치; [*pl.*] 보류물(保留物) **2** 맡음; 관리, 보관 **3** 부양, 사육; 사료, 식량 **4** 조화, 일치, 상응 《*with*》 **5 a** (규칙 등을) 지키기, 준수 **b** (의식 등의) 거행, 축하: the ~ of a birthday 생일 축하 (행사)
have the ~ of …을 맡고 있다 ***in ~ with*** …와 조화[일치]하여 ***in*** one***'s ~*** 보관하여 ***out of ~ with*** …와 조화[일치]하지 않고

keep-lock [kíːplɑ̀k | -lɔ̀k] *n.* 《속어》 (수감자의) 독방 감금 징벌

keep·net [kíːpnèt] *n.* (낚은 물고기를 살려 두는) 살림망[그물]

***keep·sake** [kíːpsèik] *n.* **1** 기념품, 유품(遺品) (memento)(cf. SOUVENIR) **2** (19세기 초에 유행한) 선물용 장식책
— *a.* 선물용 책 같은, 허울뿐인

kees·hond [kéishɑ̀nd, kíːs- | -hɔ̀nd] *n.* (*pl.* **-hon·den** [-hɑ̀ndn | -hɔ̀n-]) 케이스혼드 개 《네덜란드 원산》

keet [kíːt] [의성어] *n.* 《미》 어린 뿔닭

kef [kéf, kéif] *n.* Ⓤ **1** 황홀한 도취, 몽환경 **2** 흡연용 마약 《마리화나 등》

kef·fi·yeh [kəfíːjə] *n.* = KAFFIYEH

ke·fir [kəfíər] *n.* 우유[양젖]를 발효시킨 음료

keg [kég] *n.* **1** 작은 나무통 《용량 5-10갤런》(⇨ barrel 유의어); 나무통에 든 생맥주(= ∠ **bèer**) **2** 케그 《못의 중량 단위; =100파운드》

kegged [kégd] *a.* 《미·속어》 몹시 취한

keg·ger [kégər] *n.* 《미·속어》 = KEG PARTY; [종종 *pl.*] 한 통의 맥주

keg·ler [kéglər] *n.* 《미·구어》 볼링 경기자(bowler)

keg·ling [kégliŋ] *n.* Ⓤ 《미·구어》 볼링(bowling)

kég pàrty 《구어》 맥주 파티

keis·ter, kees·ter [kíːstər] *n.* 《미·속어》 **1** 엉덩이(buttocks) **2** 금고, 슈트케이스, 가방

ke·jia [keidʒjɑ́ː] *n.* = HAKKA

Kel·ler [kélər] *n.* 켈러 **Helen** (**Adams**) **~** (1880-1968) 《미국의 여류 저술가·교육가; 농맹아(聾盲啞)의

---

discerning, perceptive, sensitive, discriminating, astute, shrewd, clever, smart **3** 열심인 eager, enthusiastic, avid, intent, earnest, fervid, fervent

3중고를 극복하여 사회 운동에 공헌함》
Kél·logg-Bri·ánd Páct [kélɔ:gbriɑ́:ŋ-] [미국과 프랑스의 정치가 F.B. Kellogg와 A. Briand의 이름에서] [the ~] 켈로그브리앙 조약《전쟁의 불법화와 국제 분쟁의 평화적 해결을 다짐한 조약; 1928년에 성립》
kél·ly gréen [kéli:-] 진한 황록색
ke·loid [kí:lɔid] *n.*, *a.* 〖병리〗 켈로이드(의)
ke·loid·al [ki:lɔ́idl] *a.* 켈로이드 (모양)의
kelp [kélp] *n.* Ⓤ **1** 켈프《다시마 등의 대형 갈조(褐藻)》 **2** 켈프[해초] 재(灰)《요오드를 채취함》
kel·pie[1], **-py** [kélpi] *n.* 《스코》 물귀신《말 모습으로 나타나 사람을 익사시키거나 익사를 예고함》
kelpie[2] *n.* 《호주》 켈피(개)《양 지키는 개》
kel·son [kélsn] *n.* 〖조선〗 =KEELSON
kelt [kélt] *n.* (산란 직후의) 연어[송어]
Kelt [kélt] *n.* =CELT
kel·ter [kéltər] *n.* =KILTER
Kelt·ic [kéltik] *a.*, *n.* =CELTIC
Kel·vin [kélvin] *n.* **1** 남자 이름 **2** 켈빈 **William Thomson ~** (1824-1907)《영국의 물리학자·수학자; 1st Baron》 **3** [**k~**] Ⓤ 〖물리〗 켈빈[절대] 온도《열역학 온도의 단위; 물의 3중점의 1/273.16; 기호 K》 **—** *a.* 켈빈[절대] 온도 (눈금)의
Kélvin scàle [the ~] 〖물리〗 켈빈[절대 온도] 눈금《온도의 시점(始點)은 -273.15° C; 0° C는 273.15 K》
Ke·mal Ata·türk [kəmɑ́l-ǽtətə̀:rk] 케말 아타튀르크(1881-1938)《터키 공화국의 초대 대통령(1923-38); Kemal Pasha라고도 함》
kemp [kémp] *n.* Ⓤ (양털에서 추려낸) 거친 털, 조모(粗毛)
Kem·pis [kémpis] *n.* 켐피스 **Thomas à ~** (1379?-1471)《독일의 수사(修士)·신비 사상가; *The Imitation of Christ*의 저자》
kempt [kémpt] *a.* 〈머리털 등이〉 빗질한; 〈집 등이〉 깨끗한, 말쑥한
*__ken__[1] [kén] *n.* ⓊⒸ **1** 시야, 안계(眼界) **2** (지식의) 범위; 이해; 지식 ***beyond***[***outside, out of***] one***'s*** ~ 시야 밖에; 지식의 범위 밖에, 이해하기 어렵게 ***in*** one***'s*** ~ 시야 안에; 이해할 수 있게
— *vt.*, *vi.* (**~ned, kent** [ként]; **~·ning**) 《스코》 알다, 알고 있다《*that, of, about*》
ken[2] *n.* 《속어》 (도둑·거지의) 소굴, 은신처(den)
Ken. Kentucky
ken·do [kéndou] [Jap.] *n.* Ⓤ (일본식) 검도
Kén dòll 《미》 **1** 켄 인형《Barbie doll의 남자 친구 인형》 **2** 전형적인[평범한] 미국인
Ken·nan [kénən] *n.* 케넌 **George Frost ~** (1904-2005)《미국의 외교관·역사가》
Ken·ne·dy [kénədi] *n.* 케네디 **John Fitzgerald ~** (1917-63)《미국의 제35대 대통령(1961-63); Dallas에서 암살됨》
Kénnedy Cénter [the ~] 《미》 케네디 센터《Washington, D.C. 소재 문화 전당; 공식명 John F. Kennedy Center for the Performing Arts》
Kénnedy (**Internátional**) **Áirport** =JOHN F. KENNEDY INTERNATIONAL AIRPORT
Kénnedy Róund [the ~] 〖경제〗 케네디 라운드《미국의 J.F. Kennedy 대통령이 제창; GATT의 관세 일괄 인하 협정》
Kénnedy Spáce Cènter (NASA의) 케네디 우주 센터《Florida주의 Cape Canaveral에 있음》
*__ken·nel__[1] [kénl] [L 「개」의 뜻에서] *n.* **1** 개집 **2** [*pl.*] (개·고양이 등의) 사육[훈련]장; (여우 등의) 굴(lair) **3** (땅을 파서 지은) 오두막; 노름집 **4** (사냥개 등의) 떼(pack) ***go to ~*** 〈여우 등이〉 굴에 숨다
— *v.* (**~ed**; **~·ing** | **~led**; **~·ling**) *vt.* 〈개를〉 개집에 넣다[에서 기르다]
— *vi.* 개집에 살다; 보금자리에 들다; 머무르다(lodge), (소굴에) 숨다(lurk)《*in*》
kennel[2] *n.* 《고어》 (길가의) 하수구, 도랑(gutter)
kénnel clùb 애견가 클럽[협회]

Kén·nel·ly-Héav·i·side làyer [kénəlihévisàid-] =HEAVISIDE LAYER
Ken·neth [kéniθ] *n.* 남자 이름
ken·ning [kéniŋ] *n.* Ⓤ 〖수사학〗 완곡 대칭(代稱)법《boat를 wave traveler로 표현하는 따위》
Kén·ny mèthod[**trèatment**] [kéni-] [오스트리아의 간호사 이름에서] 〖의학〗 케니 요법《소아마비의 치료법》
ke·no [kí:nou] *n.* Ⓤ (빙고 비슷한) 도박의 일종
ke·no·sis [kinóusis] *n.* Ⓤ 〖신학〗 (예수가 인간의 모습을 취함에 따른) 신성 포기, (예수의) 비하(卑下)
ken·o·tron [kénətrɑ̀n | -trɔ̀n] *n.* 〖전기〗 케노트론《고압 전류용 고진공 정류기》
Ken·sing·ton [kénziŋtən] *n.* 켄징턴《London 서부의 옛 자치구; Kensington Gardens로 유명》
Kénsington and Chélsea 켄징턴 첼시《Greater London 중부의 자치구》
ken·speck·le [kénspèkl], **-speck** [-spèk] *a.* 《스코·북잉글》 눈에 띄는, 명백한
Kent [ként] *n.* **1** 켄트《잉글랜드 남동부의 주(州); 고대 왕국》 **2** 켄트《미국산 담배; 상표명》
Ként bùgle =KEY BUGLE
Kent·ish [kéntiʃ] *a.* Kent주(州)의
Kéntish fíre 《영》 (청중의) 긴 박수《비난의 표시》
Kent·ish·man [kéntiʃmən] *n.* (*pl.* **-men** [-mən]) 《미》 (잉글랜드) 켄트 주의 사람
Kéntish rág[**rágstone**] 켄트산 석회암《건축재》
kent·ledge [kéntlidʒ] *n.* Ⓤ 〖항해〗 밸러스트용 선철(銑鐵)
Ken·tuck·i·an [kəntʌ́kiən | ken-] *a.*, *n.* Kentucky주(州)의 (주민); Kentucky 태생의 (사람)
*__Ken·tuck·y__ [kəntʌ́ki | ken-] *n.* **1** 켄터키《미국 남부의 주(州); 주도 Frankfort; 속칭 the Bluegrass State; 略 Ky., Ken.》 **2** [the ~] 켄터키 강《동 Kentucky에서 Ohio 강으로 흐름》
Kentúcky cóffee trèe 켄터키 커피나무《미국 동부산(産) 콩과(科)의 나무》
Kentúcky Dérby 《미》 켄터키 경마《Kentucky 주 Louisville에서 매년 5월에 열림》
Kentúcky Fríed Chícken 켄터키 프라이드 치킨《튀김닭의 패스트푸드 연쇄점 및 그 튀김닭; 상표명》
Ken·ya [kénjə, kí:n-] *n.* 케냐《동아프리카의 공화국; 수도 Nairobi》 **Kén·yan** *a.*, *n.* 케냐의 (주민)
Ken·ya·pith·e·cus [kènjəpíθikəs, kì:n-] *n.* 〖고고학〗 케냐피테쿠스《케냐에서 발견된 화석 유인원; 제3기 중세대 중기의 것》
Ké·ogh plàn [kí:ou-] [제안자인 미국 하원의원 E.J. Keogh의 이름에서] 《미》 키오 플랜《1962년 제정된 자영업자를 위한 퇴직 연금 제도》
kep·i [kéipi, képi] [F] *n.* 케피 모자《프랑스의 군모; 위가 평평함》

kepi

Kep·ler [képlər] *n.* 케플러 **Johann ~** (1571-1630)《독일의 천문학자; 행성 운동에 관한 세 가지 법칙(Kepler's laws)을 발견》
***__kept__ [képt] *v.* KEEP의 과거·과거분사
— *a.* **1** 유지[손질]된: a well-~ garden[furniture] 잘 손질된 정원[가구] **2** 원조를 받는; 몰래 부양받는: a ~ woman[mistress] 첩 / a ~ press 어용 신문
kept·ie [képti] *n.* 《미·속어》 첩(kept woman)
képt wóman 《고어·익살》 첩, 정부
ker- [kər] [의성어] *prep.* 《미》 「탁, 쿵, 털썩; 폭발」의 뜻: *ker*plunk, *ker*flooey
kerat- [kérət], **kerato-** [kérətou] 《연결형》 「뿔, 각막」의 뜻《모음 앞에서는 kerat-》
ker·a·tec·to·my [kèrətéktəmi] *n.* (*pl.* **-mies**) 〖외과〗 각막 절제(술)

ker·a·tin [kérətin] *n.* Ⓤ 〖생화학〗 각질(角質)

ke·rat·i·no·cyte [kərǽtənəsàit] *n.* 〖생화학〗 케라티노사이트, 켈틴 생성[합성] 세포

ke·rat·i·nous [kərǽtənəs] *a.* 케라틴(성)의, 각질의 (horny)

ker·a·ti·tis [kèrətáitis] *n.* Ⓤ 〖병리〗 각막염

ker·a·tode [kérətòud] *n.* Ⓤ 각질 섬유 물질

ker·a·tog·e·nous [kèrətɑ́dʒənəs | -tɔ́dʒ-] *a.* 뿔[각질(角質)]이 생기는

ker·a·to·plas·ty [kérətouplæ̀sti] *n.* Ⓤ 〖외과〗 각막 형성술, 《특히》 각막 이식술

ker·a·tose [kérətòus] *a.* 각질(角質)의; 각질 해면류의 **—***n.* Ⓤ (해면류의) 각질 섬유

ker·a·to·sis [kèrətóusis] *n.* (*pl.* **-ses** [-si:z]) 〖병리〗 각화증(角化症) 《피부 표피의 최상층에 있는 각질이 증식 변화하여 굳어지는 피부병의 총칭》

ker·a·tot·o·my [kèrətɑ́təmi | -tɔ́t-] *n.* (*pl.* **-mies**) 〖외과〗 각막 절개(술)

kerb [kə́:rb] *n.* 《영》 = CURB 5

kérb cràwler 《영》 거리를 걷는 여자를 차를 몰고 다니며 유혹하는 남자

kerb-crawl·ing [kə́:rbkrɔ̀:liŋ] *n.* Ⓤ 《영》 보도를 따라 차를 몰면서 윤락 여성을 찾는 행위

kérb drìll 《영》 (도로 횡단시의) 좌우 살펴보기

kerb·side [kə́:rbsàid] *n.* 《영》 = CURBSIDE

kerb·stone [kə́:rbstòun] *n.* 《영》 = CURBSTONE

ker·chief [kə́:rtʃif] *n.* (*pl.* **~s, -chieves** [-tʃi:vz]) **1** (여자의) 머릿수건, 스카프 **2** 목도리(neckerchief) **3** 손수건(handkerchief) **kér·chiefed** [-t] *a.* 머릿수건을 쓴

kerchief 1

ker·ching [kə́:rtʃiŋ] *n.* = KACHING

ker·choo [kərtʃú: | kə-] *int.* = AHCHOO

kerf [kə́:rf] *n.* **1** (도끼 등으로) 벤[찍은] 자국, (톱으로) 켠 자국; 나무의 잘린 자국 **2** 절단

ker·floo·ey [kərflú:i] *ad.* 《구어》 [다음 성구로] **go ~** (갑자기) 서다, 고장나다; 장단이 틀리다

ker·flop [kərflɑ́p | -flɔ́p] *ad.* 《구어》 털썩, 쿵 하고

ker·fuf·fle [kərfʌ́fl] *n.* ⒸⓊ 《영·속어》 (대)소동, 공연한 법석; 언쟁 **—***vt.* 《스코》 엉망으로 만들다

ker·mes [kə́:rmi:z] *n.* **1** 연지벌레(의 암컷) **2** Ⓤ 연지, 양홍(洋紅) 《선홍색 황화 안티몬》 **3** 〖화학〗 무정형 3황화 안티몬(= **∠ míneral**)

ker·mis, -mess [kə́:rmis] *n.* (네덜란드 등의) 축제일에 열리는 장; 《미》 자선시, 바자(bazaar)

kern[1], **kerne**[1] [kə́:rn] *n.* 〖인쇄〗 장식 꼬리 《이탤릭체 활자 *f*의 상단과 하단, *y*의 하단 등의》

kern[2], **kerne**[2] *n.* 〖역사〗 (중세 아일랜드의) 경보병(輕步兵) 《검과 투창만을 가진》

⁎**ker·nel** [kə́:rnl] [OE 「씨, 열매」의 뜻에서] *n.* **1** 인(仁) 《복숭아·매실 등의》 **2** (쌀·보리·밀 등의) 낟알, 곡식알(grain); (콩꼬투리 속의) 열매, 씨 **3** (문제의) 핵심, 중핵, 심수(心髓), 요점(gist) **4** 〖물리〗 핵(core); 〖수학〗 핵; 〖컴퓨터〗 커널 《OS의 중핵 부분》 **5** 〖언어〗 (굴절형의) 어간(stem); = KERNEL SENTENCE **—** *vt.* (**~ed**; **~·ing** | **~led**; **~·ling**) (핵처럼) …을 둘러싸다 **kér·nel(l)ed** [-d] *a.* **~·less** *a.* **~·ly** *ad.*

ker·nel·ize [kə́:rnlàiz] *vt.* 〖컴퓨터〗 커널라이즈하다 《OS의 중핵 부분인 커널을 최소한으로 축소》

kérnel sèntence 〖문법〗 핵문(核文) 《능동·긍정·평서의 가장 기본적인 구조의 단문》

kern·ite [kə́:rnait] [캘리포니아 주 Kern County라는 산지명에서] *n.* 커나이트 《무색 투명한 붕사 원광》

ker·o·gen [kérədʒən, -dʒèn] *n.* 유모(油母), 케로겐 《이것으로부터 혈암유(shale oil)를 얻음》

⁎**ker·o·sene, -sine** [kérəsì:n, ∠-∠] [Gk 「납, 밀」의 뜻에서] *n.* Ⓤ 《미》 등유, 등불용 석유(《영》 paraffin (oil))

ker·plunk [kərplʌ́ŋk] *ad.* 쿵하고, 무겁게

Ker·ry [kéri] *n.* **1** 케리 《아일랜드 남서부의 주(州)》 **2** 케리종(種)의 검은 소 《양종(良種)의 작은 젖소》 **3** 남자 이름

Kérry blúe (térrier) 케리테리어 개 《아일랜드 원산의 사냥 및 애완용 개》

ker·sey [kə́:rzi] *n.* (*pl.* **~s**) Ⓤ **1** 커지 직물 《두꺼운 모직물》 **2** [*pl.*] 커지직 바지 또는 작업복

ker·sey·mere [kə́:rzimìər] *n.* Ⓤ 커지미어 직물

ke·ryg·ma [kirígmə] *n.* (*pl.* **~·ta** [-tə]) 〖그리스도교〗 (복음의) 선교, 전도 **kèr·yg·mát·ic** *a.*

kes·trel [késtrəl] *n.* 〖조류〗 황조롱이

KET [két] [*K*ey *E*nglish *T*est] *n.* (케임브리지 대학의) 영어 말하기·쓰기 능력 테스트 《기초 단계의》

ket- [ket], **keto-** [kí:tou] 《연결형》 〖화학〗 「케톤」의 뜻 《모음 앞에서는 ket-》

ke·ta·mine [kí:təmì:n, -mìn] *n.* 〖약학〗 케타민 《가벼운 수술·분만·화상 치료에 쓰는 전신 마취제》

ketch [kétʃ] *n.* 〖항해〗 쌍돛대 범선(帆船)의 일종

ketch

⁎**ketch·up** [kétʃəp] *n.* Ⓤ (토마토 등의) 케첩(《미》 catsup) ***in the ~*** 《속어》 적자(赤字)인(in the red)

ke·to [kí:tou] *a.* ketone의 [으로 된]

ke·tone [kí:toun] *n.* 〖화학〗 케톤 **—***a.* 케톤기를 함유한 **ke·tón·ic** *a.*

kétone bòdy 〖생화학〗 케톤체(體)

kétone gròup 〖화학〗 케톤기(基)

ke·to·sis [kitóusis] *n.* (*pl.* **-ses** [-si:z]) 〖병리〗 케톤증(症), 케토시스

⁑**ket·tle** [kétl] *n.* **1 a** 솥, 탕관 **b** 쇠주전자 **2** 찻주전자(teakettle); [the ~] 탕관의 물 **3** = KETTLEDRUM 1 **4** 〖지질〗 구혈(歐穴) 《빙하 밑바닥의》(= **∠ hòle**) ***a fine*** [***pretty, nice***] ***~ of fish*** 《구어》 난처한[골치아픈] 일, 분규; 대혼란, 소동 ***another*** [***a different***] ***~ of fish*** 《구어》 별개 문제, 별개 사항 ***keep the ~ boiling*** 생계를 꾸려나가다; 경기 좋게 잘해 나가다 **~·fùl** *n.*

ket·tle·drum [kétldrʌ̀m] *n.* **1** 〖음악〗 케틀드럼 《반구형의 큰 북》(cf. TIMPANI) **2** 《속어》 오후의 다회(茶會) 《19세기에 유행》 **~·mer** *n.* 케틀드럼 주자(奏者)

kettledrum 1

ket·tle-hold·er [-hòuldər] *n.* (뜨거운) 쇠 주전자를 쥐는 행주

keV, kev 〖물리〗 kiloelectron volt

kev·el [kévəl] *n.* 〖항해〗 밧줄 거는 말뚝[돌출물]

Kev·in [kévin] *n.* 남자 이름

Kev·lar [kévlɑ:r] *n.* 케블라 섬유 《강한 합성 섬유; 타이어코드·방탄복용; 상표명》

Kéw Gárdens [kjú:-] [종종 단수 취급] (London 서부 교외 Kew에 있는) 큐 왕립 식물원

Kew·pie [kjú:pi] [Cupid의 변형] *n.* 큐피 (인형) 《상표명》(= **∠ dòll**)

⁑**key**[1] [kí:] *n.* **1** 열쇠: a master ~ (여러 자물쇠에 맞는) 곁쇠, 마스터 키 / a ~ chain 열쇠 꾸러미 **2** 열쇠꼴의 물건 **3** [the ~] 요소, 관문 《*to, of*》: Gibraltar is *the* ~ *to* the Mediterranean. 지브롤터는 지중해의 관문이다. **4 a** (문제·사건 등을 푸는) 열쇠, 실마리, 해답(clue) 《*to*》; (성공 등의) 비결 《*to*》: the ~ *to* happiness 행복을 얻는 비결 / the ~ *to* training a horse 말을 훈련시키는 방법 **b** 직역본 《외국 서적의》; 해답서, 자습서 《시험·연습 문제 등의》; 검색표(檢索表) 《동·식물의》 **c** 기호 풀이, 약어[기호]표 《지도·사전 등의》 **d** (암호의) 작성서, 해독법 **5** (시계의) 태엽 감개 (= watch ~), 나사; 스패너; 〖건축〗 쐐기 마개, 마개;

=KEYSTONE 1; 〖토목〗 산지못; (벽의 lath에 칠하는) 밑칠; (벽토·페인트 등이 잘 묻게 하는) 거친 면 **6** 키 《타자기 등의》; 〖통신〗 전건(電鍵), 키; (오르간·피아노·취주 악기의) 건(鍵); [*pl.*] 《속어》 피아노: a natural [chromatic] ~ (피아노의) 흰[검은] 건 **7** 〖음악〗 조(調) 《장단(長短)의》: major[minor] ~ 장[단]조 **8** 어조; 기조(tone) 《사상·표현의》, 양식(mode); (감정 등의) 격한 정도: in a minor ~ 침울한[슬픈 듯한] 어조로/all in the same ~ 모두 같은 목소리로, 단조롭게 **9 a** 〖사진〗 기조, 키 **b** 〖미술〗 (그림의) 색조 **10** 〖식물〗 시과(翅果) **11** 〖체스〗 =KEYMOVE **12** 《미·속어》 전형적인 Ivy League의 대학생 ***have*** [***get***] ***the ~ of the street*** 《익살》 밤중에 내쫓기다, 올데갈데 없게 되다 ***hold*** [***have***] (***in hand***) ***the ~ of*** (해결의) 열쇠를 거머쥐다, 급소를 쥐다 ***in ~*** (…와) 조화하여, (…에) 적절하여[한] 《*with*》 ***lay*** [***put***] ***the ~ under the door*** 문지방 밑에 열쇠를 놓다 《살림을 걷어치우고 떠나다》 ***out of ~*** (…와) 조화하지 않고, 부적절하여 《*with*》 ***St. Peter's ~s*** = CROSS KEYS. ***the House of K~s*** 영국 맨 섬(Isle of Man)의 입법 의회 ***the power of the ~s*** 〖가톨릭〗 교황권

— *a.* 기본적인(fundamental), 중요한, 기조(基調)의, 정수의, 본질적인(essential); 해결의 열쇠가 되는: a ~ color 기본색/~ issues 중요 문제

— *vt.* **1** 〈이야기·문장 등을〉 분위기에 맞추다(⇨ keyed 2); 적응시키다, 맞추다, 조정하다; 일치[통일]시키다 **2** 〈악기를〉 조율하다 **3** 〈문 등에〉 쇠를 채우다; 마개[쐐기]로 고정시키다 **4** 〈문제집 등에〉 해답을 달다 **5** (광고의 반향을 알기 위하여) 〈광고 속에〉 기호를 넣다; (신문·잡지의 레이아웃에서 광고의 자리를) 부호로 지시하다 **6** (아치에) 종석을 끼우다 《*in*》 **7** 〖컴퓨터〗 〈데이터를〉 (컴퓨터에) 입력하다 《*in, into*》 **8** (벽토·페인트 등이 잘 먹도록) 겉을 거칠게 하다

— *vi.* **1** 열쇠를 잠그다[사용하다] **2** 건반을 조작하다 (keyboard) **3** 〖미식축구〗 상대방의 움직임을 지켜보다 《*on*》 ***be ~ed up*** …에 흥분[긴장]해 있다 ***~ down*** 음조를 낮추다 ***~ up*** (1) 음조를 올리다 (2) 긴장[흥분]시키다, 고무하다 (3) 〈요구 등을〉 강화하다(raise)

key² *n.* 모래톱, 사주(砂洲); 산호초

kéy accòunt (회사 등의) 큰 단골, 주요 고객

kéy assìgnment 〖컴퓨터〗 키할당 《키보드상의 각 키에 대한 기능의 할당》

***key·board** [kíːbɔ̀ːrd] *n.* **1** (피아노의) 건반, (컴퓨터 등의) 키보드, 자판 **2** (대중 음악의) 건반 악기, 키보드 **3** (호텔의 접수처 등에서) 각 방의 열쇠를 걸어두는 판

— *vt.* **1** 〈컴퓨터 등의〉 키를 치다 **2** (컴퓨터 등에서) 키를 쳐서 〈데이터를〉 입력하다

— *vi.* 건반[키보드]을 조작하다

~·er *n.* (컴퓨터의) 데이터 입력자

key·board·ist [kíːbɔ̀ːrdist] *n.* 건반 악기 연주자

kéy bùgle (키 6개의) 유건(有鍵) 나팔

kéy càrd 키 카드 《전자식으로 자물쇠를 열거나 기계 등을 조작하는 자기(磁氣) 카드》

kéy càse (가죽 등으로 만든) 열쇠 주머니

kéy chìld 맞벌이 부모를 가진 아이

kéy clùb 《미》 (각자 열쇠를 가진) 회원제 나이트클럽, 식당, 카페 《등》

kéy cúrrency 〖경제〗 기축(基軸)[국제] 통화 《국제 거래에서 결제 수단으로 쓰이는 통화》

keyed [kíːd] *a.* **1** 건(鍵)이 있는: a ~ instrument 건반 악기, 유건(有鍵)악기 **2** Ⓟ 〈이야기·문장 등을〉 분위기[스타일]에 맞추어 《*to*》: His speech was ~ *to* the situation. 그의 이야기는 그 분위기에 맞춘 것이었다. **3** 〖기계〗 쐐기가 있는, 쐐기로 죈; 홍예머리로 죈 ***~ up*** 긴장[흥분]한, 불안한, 조마조마한 《*with, about, at*》; 〈술 따위에〉 취한: ~ (up) *to* the roof 술에 만취된

kéyed advertísement 기호 첨부 광고 《광고의 반응이 어느 신문[잡지]으로부터 왔는가를 광고주가 특정할 수 있도록 기호를 곁들인 광고》

kéy field 〖컴퓨터〗 키 필드, 식별 필드

kéy frùit 〖식물〗 =SAMARA

kéy grìp (주로 미) 키그립 《영화·TV 등에서 세트의 조립이나 카메라의 이동을 담당하는 기술자》

key·hole [kíːhòul] *n.* **1** 열쇠 구멍; 마개 구멍: look through[listen at] the ~(*s*) 열쇠 구멍으로 들여다보다[엿듣다] **2** 〖농구〗 (열쇠 모양의) 자유투 지역

— *a.* 〈기사 등이〉 내막을 캔, 〈기자가〉 내막을 캐는: ~ journalism (폭로성) 내막 추적 보도

kéyhole sàw (열쇠 구멍 등을 뚫기 위한) 둥근 톱

kéyhole súrgery 〖의학〗 키홀 수술 《아주 작은 절개부에서 파이버스코프와 기구를 삽입하여 하는 수술》

kéy índustry 기간 산업 《화학·전력·철강업 등》

key·less [kíːlis] *a.* 열쇠가 없는; 무건(無鍵)의: a ~ watch 《영》 용두로 감는 시계(《미》 stem-winder)

kéy lìght 〖사진·영화〗 (피사체를 비추는) 주(主)광선

kéy lìme píe [종종 K-] 키라임 파이 《연유와 라임즙으로 만든 미국 Florida주의 전통 요리》

key·line [kíːlàin] *n.* 〖광고〗 (교정쇄나 삽화 등의 복사물을 사용한) 인쇄 광고의 레이아웃

key·log·ger [kíːlɔ̀ːgər, -lɑ̀g-|-lɔ̀g-] *n.* 〖컴퓨터〗 키 자동 기록기 《컴퓨터상에서 키 작업 상태를 기록하는 소프트웨어나 하드웨어 장치》

key·man [kíːmæ̀n] *n.* (*pl.* **-men** [-mèn]) (기업 등의) 중심 인물, 간부

kéy màp 윤곽 지도, 개념도

kéy mòney 《영》 보증금, 권리금 《세입자가 내는》

key·move [-mùːv] *n.* 〖체스〗 승부를 결정짓는 첫 수

Keynes [kéinz] *n.* 케인스 **John Maynard ~** (1883-1946) 《영국의 경제학자》

Keynes·i·an [kéinziən] *a.* 케인스의, 케인스 학설의: ~ economics 케인스 경제학 — *n.* 케인스 학도, 케인스 경제학자 **~·ism** *n.* Ⓤ 케인스 (경제) 학설

key·note** [kíːnòut] *n.* **1** 〖음악〗 주음(主音), 으뜸음, 바탕음 《음계의 제1음》 **2** 요지 《연설 등의》; 기조(基調), 기본 방침 《행동·정책·성격 등의》, 원리 원칙 **3** =KEYNOTE ADDRESS. ***give the ~ to …의 기본 방침을 정하다 ***strike*** [***sound***] ***the ~ of*** …의 기조에 언급하다[를 살피다]

— *vt.* 《구어》 **1** 〈당 대회 등에서〉 기조 연설을 하다; 기본 정책[방침]을 발표하다; …의 으뜸음을 정하다 **2** 〈어떤 생각을〉 강조하다

— *vi.* 기본 방침[정책]을 발표하다 《기조 연설에서》

kéynote addréss[**spéech**] 《미》 (정당·회의 등의) 기조 연설

key·not·er [-nòutər] *n.* 《미》 =KEYNOTE SPEAKER

kéynote spèaker 기조 연설자

key·pad [-pæ̀d] *n.* **1** 키패드 《컴퓨터 등의 소형 키보드》 **2** (TV·비디오 등의) 리모컨

kéy pàl 《구어》 e-mail 친구

kéy pàttern 뇌문(雷紋), 만(卍)자 무늬(fret)

kéy pèrson 기간 요원, (조직·기관의) 중요 인물

key·phone [-fòun] *n.* 《영》 버튼식 전화기

key·punch [-pʌ̀ntʃ] *n.* 〖컴퓨터〗 천공기, 키펀치

— *vt.* 〈펀치 카드·테이프에〉 키펀치로 구멍을 내다

key·punch·er [-pʌ̀ntʃər] *n.* 키펀처, 천공기 조작자

kéy rìng 열쇠 (꿰는) 고리

kéy sèat 〖기계〗 키 홈 《키가 들어맞게 판 홈》

key·set [-sèt] *n.* (타자기·컴퓨터 등의) 한 벌의 키, 키보드

kéy sìgnature 〖음악〗 조호(調號), 조표 《악보 첫머리의 ♯, ♭의 기호》

key·smith [-smìθ] *n.* 열쇠 제조자; 열쇠 복제공

kéy stàtion 〖방송〗 키 스테이션, 본국(本局) 《네트워크 프로를 내보내는 중앙국》

key·stone [-stòun] *n.* **1** 〖건축〗 종석 《아치 꼭대기의》, 쐐기돌 **2** 요지(要旨), 근본 원리 **3** 《미·야구

keystone 1

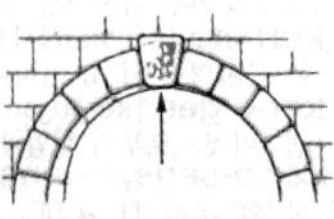

속어) 2루(=**~ sàck**): a ~ hit 2루타

Kéystone Státe [the ~] 미국 Pennsylvania 주의 속칭《독립 당시 13주의 중앙부에 위치했던 데서 생긴 말》

key·stroke [-stròuk] *n.* (타자기·컴퓨터 등의) 키치기 **—** *vt., vi.* (타자기 등의) 키를 치다

key·way [-wèi] *n.* 〖기계〗 축(軸) 등에 판 홈; (자물쇠의) 열쇠 구멍

Kéy Wést 키웨스트《미국 Florida주 남서단의 섬; 그 섬의 해항(海港); 미국 최남단의 도시》

key·word [kí:wə̀:rd] *n.* **1** (암호문 뜻풀이의) 열쇠가 되는 낱말 **2** (철자·발음 등의 설명에 쓰이는) 보기말 **3** 주요 단어《찾는 자료를 나타내는 어구·책명 등》

key·word-in-con·text [kí:wə̀:rdinkάntekst | -kɔ́n-] *a.* Ⓐ 표제어가 문맥 속에 표시된 형식의 〈색인 등〉 (cf. KWIC)

KFDA Korea Food and Drug Administration 한국 식품 의약청 **KFX** Korean Foreign Exchange 한국 정부 보유 외환 **kg, kg.** keg(s); kilogram(s) **K.G.** Knight (of the Order) of the Garter 가터 훈작사(勳爵士) **KGB** *Komitet Gosudarstvennoi Bezopasnosti* (구소련의) 국가 안보 위원회《Russ. = Committee of State Security; 비밀 경찰》 **KGPS, kgps** kilogram(s) per second

Kha·ba·rovsk [kəbάːrəfsk] *n.* 하바로프스크《시베리아 동부의 행정·경제·군사의 중심 도시》

khad·dar [kάːdər] *n.* Ⓤ 카다르 직물《손으로 짠 인도 무명》

khak·i** [kǽki, kάːki | kάːki] [Hindi 「먼지 색의」의 뜻에서] *a.* **1** 카키색[황갈색]의 **2** 카키색 천의 **—** *n.* **1** Ⓤ 카키색 **2 a** Ⓤ 카키색 옷감 **b** [보통 *pl.*] 카키색 군복[제복]; 카키색 바지 ***get into ~s 육군에 입대하다

kháki elèction 정략(政略) 선거《전쟁 중이나 직후에 애국심을 고양시켜 치르는 선거》

kha·lif [kéilif, kǽl-], **kha·li·fa** [kəlíːfə] *n.* = CALIPH

kha·li·fat [kéilifæ̀t, kǽl-], **-fate** [-fèit] *n.* = CALIPHATE

kham·sin [kæmsíːn] *n.* 캠신 열풍《3월 중순부터 사하라 사막에서 이집트로 불어오는 건조한 바람》

khan¹ [kάːn, kǽn] *n.* [종종 **K~**] 칸, 한(汗)《중앙아시아 제국(諸國)의 통치자[대관(大官)]의 존칭; 〖역사〗 몽골·터키 지방의 군주의 칭호》

khan² *n.* (터키 등의) 대상(隊商)의 숙소

khan·ate [kάːneit, kǽn-] *n.* 칸의 영토; Ⓤ 칸의 지위[권위, 통치권]

khan·ga [kάːŋgə] *n.* = KANGA¹

khan·sa·ma(h) [kὰːnsəmάː] *n.* (인도) 인도인 집사(執事)《영국인 가정의》

Khar·toum, -tum [kɑːrtúːm] *n.* 하르툼《수단(Sudan)의 수도》

khat [kάːt] *n.* 〖식물〗 카트《아라비아·아프리카산(産)의 화살나뭇과의 상록 관목; 마취제로 잎은 씹거나 차로 마심》 (kat, qat)

kha·zi [kάːzi] *n.* (영·속어) 화장실, 변소

khed·a(h) [kédə] *n.* = KEDDAH

khe·dive [kədíːv] *n.* 이집트 총독《터키 제국이 1867-1914년 이집트에 파견하였던》

khi [kái] *n.* = CHI

khich·ri [kítʃri] *n.* (인도) 키츠리《쌀밥에 양파·콩·양념을 넣어서 만든 음식》

Khir·bet Qum·ran [kíərbet-kúmrɑːn] 쿰란 동굴 유적《요르단 서부의 사해 북서안 근처의 유적; 사해 문서(Dead Sea Scrolls)가 발견된 곳》

Khmer [kəméər] *n.* **1** 크메르 족《중세에 번영했던 Cambodia의 주요 민족》 **2** Ⓤ 크메르 말

Khmér Róuge 크메르 루주《1975-79년까지 캄보디아를 통치하고 대량 학살한 급진 공산주의 혁명 단체》

Kho·mei·ni [kouméini] *n.* 호메이니 **Ayatollah Ruhollah ~** (1900-89)《이란의 이슬람교 시아파 지도자; 이란의 최고 지도자(1979-89)》

khoum [kúːm] *n.* (*pl.* **~s**) 쿰《모리타니아의 화폐 단위; = 1/5 ougiya》

Khru·shchev [krúːʃtʃef, -tʃɔːf] *n.* 흐루시초프 **Nikita ~** (1894-1971)《구소련의 지도자; 수상(1958-64)》

Khu·fu [kúːfuː] *n.* 쿠푸(2613?-2492? B.C.)《이집트 제4왕조의 제2대 왕; 대 피라미드를 건조함》

khur·ta [kə́ːrtə] *n.* = KURTA

khy·ber [káibər] *n.* [the ~] (영·속어) 궁둥이(ass)

Khý·ber Páss [káibər-] [the ~] 카이버 고개《파키스탄과 아프카니스탄을 잇는 주요 산길》

kHz kilohertz **Ki.** 〖성서〗 Kings **KIA** killed in action 〖군사〗 전사(자)

ki·a o·ra [kì:ə-ɔ́ːrə] (뉴질) 건강하십시오(Good health!)《마오리 족의 인사말》

ki·a·su [kíːəsù] [Chin.] *a.* (말레이·구어) 실패할까[질까] 봐 두려워 안달하는

kib·ble¹ [kíbl] *n.* (영) 두레박《광산용》

kibble² *vt.* 〈곡식을〉 굵게 갈다[빻다] **—** *n.* [*pl.*] (미·구어) (알갱이로 된) 개 먹이

kib·bled [kíbld] *a.* [보통 Ⓐ] 갈린, 빻아진 〈곡식〉

kib·butz [kibúts, -búːts] *n.* (*pl.* **-but·zim** [-butsíːm], **~·es**) 키부츠《이스라엘의 집단 농장》

kibe [káib] *n.* 〖의학〗 (특히 뒤꿈치의) 틈, 동상(凍傷) ***gall*** [***tread on***] a person***'s ~s*** …의 약점을 들추다, 감정을 해치다

ki·bit·ka [kibítkə] *n.* **1** 원형 천막, 파오(包)《몽고인의 원형 천막 집》 **2** (러시아의) 포장마차, 포장 달린 썰매

kib·itz [kíbits] *vi.* (미·구어) **1** (노름을 구경하며) 참견[훈수]하다 **2** 중뿔나다, 주제넘게 참견하다 **~·er** *n.*

kib·la(h) [kíblə] *n.* **1** (이슬람교도가 기도할 때 향하는) 메카 방향 **2** 메카 요배(遙拜)

ki·bosh [káibɑʃ, kibάʃ | káibɔʃ] *n.* [the ~] (구어) 끝(장), 종언, 파국; (구어) 억제하는 것 ***put the ~ on*** (속어) …에 결정타를 가하다, 아주 결딴내다, 끝장을 내다

*****kick¹** [kík] [ON 「무릎을 구부리다」의 뜻에서] *vt.* **1** 차다, 걷어차다; 차서 …한 상태가 되게 하다: (~+목+전+명) ~ a person *out of* a house …을 문밖으로 차서 내쫓다 // (~+목+부) ~ *off* one's shoes 신발을 차듯이 벗다 **2** 〖축구〗 공을 〈골에〉 차넣다, 차서 〈득점을〉 얻다: ~ a goal[point] 차서 1점을 얻다 **3** (특히 경주에서 자동차·말의) 속도를 갑자기 올리다: (~+목+전+명) I *~ed* the car *into* top gear. 기어를 고속으로 넣어 속도를 올렸다. **4** (구어) 〈마약·악습 등을〉 끊다, 극복하다 **5** 〈총이〉 반동으로 〈어깨 등을〉 치다 **6** (미) 비평하다, 깎아내리다; 저항하다, 반대하다; 불평하다(complain) **7** (미·구어) 〈구혼자 등을〉 차 버리다; 〈제의를〉 일축하다; 〈고용인을〉 해고하다 (*out*) **8** (미·속어) 석방[방면]하다

— *vi.* **1 a** 차다, 세게 차다[찌르다] (*at, in*) **b** 〈말이〉 차는 버릇이 있다, 차다: (~+전+명) ~ *at* a dog 개를 차다 **2** (구어) 물리치다, 반항하다(resist); 강력히 항의하다; (미·속어) 불평을 말하다, 반대하다 (*out, against, at*): (~+전+명) ~ *at* a rule 규칙에 반대하다 / ~ *against* restrictions 구속에 반항하다 **3** 〈총이〉 반동하다(recoil) **4** 〖럭비·축구〗 공을 차서 득점하다; 〖크리켓〗 〈공이〉 튀어오르다 (*up*) **5** (구어) (끝판에) 스퍼트를 내다; (속어) 뻗다, 죽다(die)

be ~ing (구어) 느긋하게 쉬다[놀다] ***be ~ing it*** (속어) …와 낭만적인 관계를 가지다 (*with*) ***~ about*** = KICK around. ***~ against*** [***at***] …을 향하여 차다, 덤비다; 반항하다 ***~ a man when he's down*** (1) 넘어진 사람을 차다 (2) 약점을 악용하여 나쁜 짓을 하다 ***~ around*** (미·구어) (1) 〈물건을〉 혹사하다; 함부로 다루다 (2) 〈제안 등을〉 이것저것 토의[검토]하다 (3) 〈사람이〉 배회[방랑]하다; (아직) 살아 있다 (4) 〈물건이〉 방치되어 있다; 입수할 수 있다 ***~ back*** (미) (1) 되차다; 역습하다 (*at*); 앙갚음하다 (2) 도로 튀다 (3) (임금·훔친 물건 등의 일부를) 돌려주다; 두목

에게 상납하다; 《구어》 〈돈의 일부를〉 리베이트로서 환불하다, 뇌물을 주다 (4) 《구어》 쉬다, 서두르지 않다 **~ *downstairs*** 〈아래층으로〉 차 내리다; 집에서 내쫓다 **~ *in*** (1) 〈물건을〉 차 넣다 (2) 〈문 등을〉 (밖에서) 차 부수다 (3) 《미·구어》 〈분담금을〉 내다 (4) 《속어》 뒈지다 (5) 《구어》 작동하다, 움직이다; 효력을 나타내다 **~ *it*** 《미·속어》 나쁜 습관을 끊다; 도망하다(escape) **~ *off*** (1) 걷어차다; 〈신을〉 차 벗다 (2) 〖축구〗 킥오프하다, 처음 차다(cf. KICKOFF) (3) 《미·구어》 〈회합 등을〉 시작하다 (4) 《미·구어》 떠나다 (5) 《미·구어》 죽다 **~ *out*** (1) 《구어》 쫓아내다; 해고하다 (2) 〖축구〗 공을 라인 밖으로 차내다(cf. KICKOUT) **~ *over*** (1) …을 뒤엎다 (2) …높이까지 발을 차 올리다 (3) 엔진이 걸리다, 시동하다; 《미·속어》 (돈을) 내다, 지불하다; 《미·속어》 강도짓을 하다 **~ *over the traces*** 〈말이〉 봇줄을 차 버리다; 구속[속박]을 벗어나다; 건잡을 수 없게 되다 **~** one***self*** …의 행동을 후회하다, 자신을 책하다 **~ *up*** (1) 차 올리다 (2) 아프기 시작하다 (3) 〈먼지 등을〉 일으키다; 《구어》 〈소동·혼란 등을〉 일으키다 **~ *up a row*** [***dust, fuss, shindy***] 《구어》 소동을 일으키다 **~** a person ***upstairs*** 《구어》 〈성가신 사람을〉 한직에 앉히다, 이름뿐인 높은 자리에 앉히다

— *n.* **1 a** 차기, 걷어차기, 발길질: give a person a ~ 남을 한 번 걷어차다 **b** 〖축구〗 (공의) 차기, 킥; 《영》 차는 사람 **2** 차는 힘; (말의) 차는 버릇; (헤엄칠 때) 차는 발의 규칙적인 움직임 **3** 《구어》 반대, 거절, 항의, 반항, 거부 **4** 《미·구어》 자극, 흥분, 스릴; Ⓤ 반발력, 원기, 정력, 기운; 《속어》 (강하지만 일시적인) 관심, 흥미; 《구어》 즐겁거나 흥분시키는 경험[사람]: get a ~ out of the journey 여행에서 짜릿한 흥분을 맛보다 **5** Ⓤ 《미·구어》 자극성 《위스키 등의》 **6** 반동 《발사한 총포의》 **7** [the ~] 《속어》 해고, 면직 **8** 《속어》 호주머니, 지갑 **9** [*pl.*] 《미·속어》 구두(shoes)

a ~ in the pants [***teeth***] 《미·속어》 비참한 패배[역전]; 스릴; 우스꽝스러움; 재미있는 사람 ***get a ~*** [one***'s ~s***] ***out of*** [***from***] something …이 자극적이다, …이 썩 재미있다 ***get*** [***receive***] ***more ~s than halfpence*** 《구어》 벌기는[즐겁기는, 치하받기는]커녕 단단히 혼나다 ***get*** [***give***] ***the ~*** 해고당하다[해고하다] ***give a ~ at*** …을 한 번 차다 ***have no ~ left in*** one 《구어》 이제 저항력이 없다, 더 할 기운이 없다 (***just***) ***for ~s*** [***a ~***] 재미 삼아, 스릴을 맛보려고 **~ *in*** one***'s gallop*** 《속어》 변덕 ***off a ~*** 《미·속어》 이미 열이 식어 ***on a ~*** 《미·속어》 한창 열을 올려 **~·a·ble** *a.* **~·less** *a.*

kick[2] *n.* (병의) 불룩한 바닥

kick-ass [kíkæ̀s] 《미·속어》 *a.* 강렬한, 공격[적극]적인 — *n.* 힘, 정력

kick·back [kíkbæ̀k] *n.* 《구어》 **1** 〖기계〗 (고장·오작동으로 인한) 역전, 반동; 강한 반동[부작용] **2** (훔친 물건의) 반환; 환불금, 리베이트(rebate) **3** (임금의 일부를) 가로채기, 삥땅; 정치 헌금, 상납(上納)

kick·ball [-bɔ̀ːl] *n.* 킥볼 《발로 하는 야구 비슷한 공놀이》; 그 공

kick·board [-bɔ̀ːrd] *n.* 〖수영〗 킥보드 《물차기 연습용의 널빤지》

kíck bòxing 킥복싱 《타이식 복싱》

kick·down [-dàun] *n.* 〖자동차〗 킥다운 장치 《자동 변속기 차에서, 가속 페달을 힘껏 밟고 기어를 변속하는》

kíck drùm 《구어》 (페달을 사용하는) 대형 드럼

kick·er [kíkər] *n.* **1 a** 차는 사람 **b** 차는 것, 차는 버릇이 있는 말 **2** 《구어》 끈질긴 반항[반대]자; 불평가; 탈당자 **3** 되튀는 것; 〖크리켓〗 높이 튀어 오른 공 **4** 《속어》 (보트 바깥에 다는) 엔진 **5** 《미·속어》 뜻밖의 결말; 의외의 난문제[장애, 함정]

kícker ròcket 키커 로켓 《인공위성을 궤도에 올리기 위한 booster rocket의 보조 로켓》

kíck frèak 《미·속어》 중독되지 않은 마약 사용자

kick·in', kick·ing [kíkiŋ] *a.* 《미·속어》 최고의, 뛰어난, 신나는 — *n.* 차기

kícking àss 《속어》 즐거운 시간: have a ~ 즐겁게[신나게] 보내다

kícking stràp 1 (말이 차지 못하게 궁둥이에 채운) 가죽띠 **2** [*pl.*] (군용) 배낭의 가죽끈

kick·off, kick-off [kíkɔ̀ːf | -ɔ̀f] *n.* **1** 〖축구〗 (시합 개시의) 킥오프 **2** 《구어》 시작, 개시(start): for a ~ 우선 첫째로

kíckoff spèech (선거의) 첫 유세 연설

kick·out [-àut] *n.* **1** 〖미식축구〗 킥아웃 《시합을 다시 시작할 때 공을 장외로 차내는 일》 **2** 《미·속어》 해고, (군내에서의) 추방

kíck pàd 《미·속어》 마약 갱생 시설

kíck pàrty 《미·속어》 LSD 파티

kíck plèat 킥 플리트 《걷기 편하게 통이 좁은 스커트에 잡은 주름》

kick·shaw [-ʃɔ̀ː] *n.* 쓸데없는 장식; (기발할 뿐) 시시한 것

kick·sort·er [-sɔ̀ːrtər] *n.* 《구어》 〖전기〗 파고(波高) 분석기

kick·stand [-stæ̀nd] *n.* 《구어》 (자전거·오토바이를 세워 놓을 때 발로 세우는) 받침대, 외발 스탠드

kick·start, kick-start [-stɑ̀ːrt] *vt.* **1** 〈오토바이 등을〉 킥 스타터를 밟아 시동을 걸다 **2** 《구어》 기합을 넣어[정신 차리게 해서] 시작하게 하다 — *n.* 발로 밟아 시동을 거는 방식; = KICK STARTER

kíck stàrter (오토바이 등의) 발로 밟는 시동 페달

kick·stick [-stìk] *n.* 《속어》 마리화나[대마초] 담배

kíck tùrn 킥 턴 《스키·스케이트보드에서 180°로 방향을 바꾸는 기술》

kick·up [kíkʌ̀p] *n.* 《구어》 (무용 등의) 차올리기; 《미·속어》 댄스 파티; 《구어》 법석, 소동(row)

kick·y [kíki] *a.* (**kick·i·er; -i·est**) 〈말이〉 차는 버릇이 있는; 《속어》 멋진, 재미있는, 자극적인, 원기 왕성한, 활기 있는; 《미·속어》 최신 유행의

‡kid[1] [kíd] *n., a., v.*

「새끼 염소」 **2** ─┬→「새끼 염소 가죽」 **3**
　　　　　　　　└→「새끼」→「아이」 **1a**→젊은이 **1b**

— *n.* **1 a** 《구어》 아이, 어린이(child); 아들, 딸 ★ 미국의 일상 생활에서는 child보다 많이 쓰이며, 호칭으로도 쓰임. **b** 《미·구어》 젊은이, 청년, 풋내기, 신인: a college ~ 대학생 **c** 신진(新進)… **2** 새끼 염소; 새끼 영양 **3** Ⓤ 새끼 염소 고기; 새끼 염소 가죽, 키드 가죽; [*pl.*] 키드 가죽 장갑[구두] **4** 《미·구어》 엉터리, 실없는 소리 **5** 친구, 애인 《나이가 어린 사람에게 친밀함을 나타낼 때》 **6** [the ~] 《속어》 나(I, me) ***a new ~ on the block*** 《미·속어》 신출내기, 신참자 ***no ~*** 농담 아니고, 정말로

— *a.* **1** 새끼 염소 가죽의 **2** 《미·구어》 미숙한; 손아래의(younger): one's ~ sister[brother] 여동생[남동생] ***in*** [***with***] **~ *gloves*** 점잖게; 미온적인 수단으로

— *vt., vi.* (**~·ded; ~·ding**) 〈염소 등이〉 새끼를 낳다

kid**[2] *v.* (**~·ded; ~·ding**) 《구어》 *vt.* 놀리다; 속이다 — *vi.* 놀리다, 장난치다(jest); 속임수를 쓰다 ***I ~ you not. 《구어》 심각해, 농담하는 게 아냐, 사실이야. **~ *around*** (***with***) 《구어》 농담하다, 장난치다 ***no ~ding*** 《구어》 (1) 농담[거짓말] 아니다, 정말이다; (동의의 뜻으로) 정말 그래 (2) (상대의 말에 대해) 농담 마, 설마, 그럴리가 ***You're ~ding!*** = ***You must be ~ding!*** 《구어》 = no KIDding (2) **~·der** *n.* **~·ding·ly** *ad.*

kid[3] *n.* 배식용(配食用) 나무통 《선원의》

Kidd [kíd] *n.* 키드 **William ~** (1645?-1701) 《스코틀랜드의 해적·항해가》

Kid·der·min·ster [kídərmìnstər] *n.* **1** 키더민스

thesaurus **kid**[1] *n.* child, youngster, baby, toddler, infant, adolescent, juvenile, teenager, youth

kidnap *v.* abduct, capture, seize, snatch, hold for ransom, take as hostage

kill[1] *v.* **1** 죽이다 slay, slaughter, murder, assassi-

터 《영국 중서부의 도시》 **2** Ⓤ 키더민스터 양탄자
kid·die [kídi] *n.* =KIDDY
kid·die-cam [kídikæ̀m] *n.* 키디캠 《부모가 외출한 곳에서 인터넷을 통해 집에 있는 아이를 살펴볼 수 있는 카메라》
kíddie càr (어린이용) 세발자전거
kid·di·er [kídiər] *n.* 《영·방언》 (야채 등의) 행상인
kid·dish [kídiʃ] *a.* =CHILDISH
~·ly *ad.* **~·ness** *n.*
kid·do [kídou] *n.* (*pl.* **~(e)s**) 《미·속어》 [친한 사이의 호칭어로서] 자네, 너, 야
kid·dy [kídi] *n.* (*pl.* **-dies**) **1** 새끼 염소 **2** 《구어》 아이
kíd glóve [보통 *pl.*] 키드 가죽 장갑
handle [***treat***] ***with ~s*** 《미·구어》 부드럽게 다루다; 신중히 대처하다
kid-glove [kídglʌ́v] *a.* 키드 장갑을 낀; 《구어》 아주 점잖은[멋진]; 신중한
kid·lit [kídlìt] [*kid lit*erature] *n.* 《구어》 아동 문학
*__kid·nap__ [kídnæp] [kid¹와 nap(채 가다)에서] *vt.* (**~(p)ed**; **~·(p)ing**) 유괴하다(abduct), 납치하다
— *n.* Ⓤ 유괴 **~·(p)er** *n.* **~·(p)ing** *n.*
*__kid·ney__ [kídni] *n.* **1 a** 〖해부〗 신장 **b** (식품으로서 소·양·돼지 등의) 콩팥 **2** 《문어》 기질, 종류, 형(type) **3** [*pl.*] (사람의) 허리 ***a man of that*** [***this***] **~** 그런[이런] 기질의 사람 ***a man of the right*** **~** 성질이 좋은 사람
kídney bèan 강낭콩
kid·ney-bust·er [kídnibʌ̀stər] *n.* 《미·속어》 (차가) 상하 좌우로 몹시 흔들리기; 울퉁불퉁한 길; 앉기에 불편한 트럭[차]; (차의) 앉아 있기 고약한 좌석
kídney machìne 인공 신장
kídney potàto 콩팥 모양의 감자 《품종》
kid·ney-shaped [-ʃèipt] *a.* 신장[강낭콩] 모양의
kídney stòne 〖병리〗 신장 결석(結石)
kídney trànsplant 〖의학〗 신장 이식
kídney vètch 〖식물〗 콩과 식물의 일종 《옛날 신장병 약으로 쓰임》
ki·dol·o·gy [kidɑ́lədʒi | -dɔ́l-] *n.* 《영·구어》 남을 속이기[속여 놀리기]; 우스운[웃기는, 익살스러운] 것
kid·porn [kídpɔ̀ːrn] *n.* 《미》 어린이 (출연) 포르노 《어린이를 모델로 한 불법적인 것》
kid·skin [-skìn] *n., a.* Ⓤ 새끼 염소 가죽(의), 키드 가죽(의)
kid·stakes [-stèiks] *n. pl.* [단수·복수 취급] 《호주·속어》 뻔한 속임(수)(humbug), 겉치레, 허튼소리
kíd[《영》 **kíd's**] **stúff** 《구어》 어린애 같은 짓; 아주 간단한[쉬운] 일
ki·dult [kidʌ́lt] [*kid*+adult] *a., n.* 어린이나 어른이나 즐길 수 있는 (TV [오락] 프로); (하는 짓이) 어린이 같은 어른(의)
kid·vid [kídvìd] [*kid*+*vid*eo] *n.* 《속어》 어린이용 TV 프로[비디오]
Kiel [kíːl] *n.* 킬 《독일 북부의 항구 도시》
kiel·ba·sa [kilbɑ́ːsə, kiːl-] *n.* (*pl.* **-ba·sy** [-si], **~s**) 폴란드의 마늘을 넣은 훈제 소시지
Kíel Canál [the ~] 킬 운하 《Elbe 강 하구(河口)와 발트 해(海)를 연결함》
kier [kíər] *n.* (표백·염색용) 큰 솥, 표백조(槽)
Kier·ke·gaard [kíərkəgɑ̀ːrd] *n.* 키에르케고르 **Sören Aabye ~** (1813-55) 《덴마크의 철학·신학자》
Kier·ke·gaard·i·an [kìərkəgɑ́ːrdiən] *a.* 키에르케고르 철학[신학]의 — *n.* 키에르케고르 철학[신학]의 지지자 **~·ìsm** *n.*
kie·sel·guhr [kíːzəlgùər] *n.* Ⓤ 〖지질〗 규조토(珪藻土)(cf. TRIPOLI)
Ki·ev [kíːef] *n.* 키예프 《우크라이나 공화국의 수도》
kif [kíf] *n.* =KEF
kife [káif] *vt.* 《속어》 속여서 빼앗다, 훔치다
Ki·ga·li [kigɑ́ːli] *n.* 키갈리 《Rwanda의 수도》
kike [káik] *n.* 《미·속어·경멸》 유대인(Jew)
ki·koi [kíːkɔi] *n.* 키코이 《동아프리카에서 몸에 걸치는 색줄 무늬의 면포》
Ki·ku·yu [kikúːjuː] *n.* (*pl.* **~s,** [집합적] **~**) (Kenya 지방의) 키쿠유 족; Ⓤ 키쿠유 말
kil. kilometer(s)
Ki·lau·e·a [kìːlauéiɑː] *n.* 킬라우에아 《미국 Hawaii 섬의 화산》
kil·der·kin [kíldərkin] *n.* 중형(中型) 물통 《16-18 갤런 들이》; 그 액량(液量)
ki·lim [kilíːm] *n.* 킬림 《터키·이란 등에서 생산되는, 색실로 짠 보풀이 없는 융단》
Kil·i·man·ja·ro [kìləməndʒɑ́ːrou] *n.* 킬리만자로 **Mount ~** 《Tanzania에 있는 아프리카의 최고봉; 5,895 m》
Kil·ken·ny [kilkéni] *n.* 킬케니 《아일랜드 동부의 주(州) 및 그 주도(州都); 略 Kilk.》
***__kill__¹ [kíl] *vt.* **1 a** 죽이다, 살해하다(slay); 〈동물을〉 도살하다, 잡다; 〈새·짐승을〉 쏴 죽이다; 〈식물을〉 말라 죽게 하다 **b** 〈사물이 생물의〉 목숨을 앗아가다; (사고 등으로) 〈생물을〉 죽게 하다 《보통은 수동형으로 쓰임》: A shot through the chest *~ed* him. 가슴을 관통한 총탄이 그를 죽게 했다. // She *was ~ed* in a traffic accident. 그녀는 교통사고로 죽었다.

> 유의어 **kill** 사람·동식물을 「죽이다, 말려 죽이다」의 일반적인 말: *kill* a person 사람을 죽이다 **murder** 사람을 불법·계획적으로 죽이다: be convicted of *murdering* a rival 경쟁자 살인죄의 판결을 받다 **massacre** 대량으로 학살하다: *massacre* the peasants of a region 한 지역의 농민들을 몰살하다 **assassinate** 정치적으로 암살하다: Terrorists *assassinated* the king. 테러리스트가 그 왕을 암살했다.

2 망치다(ruin); 없애다; 〈애정·희망 등을〉 멸절[소멸]시키다(extinguish); 〈고통 등을〉 가라앉히다: ~ a person's hopes 남의 희망을 앗아가다 **3** 《미》 **a** 〈빛깔 등을〉 중화하다(neutralize) **b** 〈음향 등을〉 지우다: The drum *~s* the strings. 북소리 때문에 현악기 소리가 죽는다. **c** 〈엔진 등을〉 멈추다, 끄다; 〈전기의〉 회로를 끊다 **d** 〈조명 등을〉 끄다 **4** 〈특성·효과를〉 약하게 하다; (용수철의) 탄력성을 없애다 **5** 〈남는 시간을〉 (뭔가 하면서) 보내다: I don't know how to ~ time. 시간을 어떻게 보내야 할지 모르겠다. **6 a** 〈복장·모양·눈초리 등이 사람을〉 뇌쇄하다, 황홀케 하다: (~+목+전+명) ~ a person *with* a glance 한 번의 눈길로 남을 뇌쇄하다 **b** 〈재미있는 이야기 등이〉 우스워 못견디게 하다: The funny play *~ed* me. 그 희극은 나를 포복절도케 했다. **c** 〈환부 등이〉 …에게 심한 고통을 주다 **d** 《구어》 〈사람에게〉 격심한 고통을 주다; 녹초가 되게 하다: The long walk *~ed* me. 나는 오래 걸어서 녹초가 되었다. **e** [부정문에서] 〈행위 등이〉 참을[견딜] 만하다 **7** 《속어》 〈음식을〉 먹어치우다; 〈술병을〉 비우다 **8** 〖테니스〗 〈공을〉 강타[스매시]하다(smash); 〖미식축구〗 〈공을〉 딱 멈추다; 《미》 〖인쇄〗 지우다, 삭제하다: ~ the story 기사를 삭제하다 **9** 〈의안 등을〉 부결하다, 깔아뭉개다; (악평으로) 공격하다, 매장하다; 망쳐놓다: ~ the bill 법안을 부결하다 **10** 〈바람·병 등의〉 기세를 꺾다, 가라앉히다
— *vi.* **1 a** 사람을 죽이다, 살생하다: Thou shalt not ~. 〖성서〗 살인하지 말라. **b** 죽다, 피살되다; 〈식물이〉 말라 죽다 **2** 《구어》 …하고 싶어 못 견디다, 죽도록 …하고 싶다: (~+***to*** do) I'd ~ *to* see her. 그녀를 보고 싶어서 못 견디겠다. **3** (완전히) 극복하다, 회복하다 **4** 쓰라린 고통을 느끼다 **5** 《구어》 사람을 뇌쇄하

---

nate, massacre, butcher, wipe out, erase, eradicate, exterminate, eliminate, execute, behead **2** 망치다 destroy, ruin, extinguish **3** (시간을) 보내다 pass, spend, expend, use up **4** 지치게 하다 exhaust, tire out, fatigue, wear out

다 6 (소·돼지 등을 도살하여 얼마의) 고기가 나다 **~ down** 죽이다, 말려 죽이다 **~ off[out]** 절멸시키다 **~ or cure** 《구어》 죽기 아니면 살기(로) **~ oneself** 자살하다 **~ oneself laughing** 《영·구어》 포복절도 하다 **~ well[badly]** 〈소·돼지 등을 잡았을 때〉 많은 고기가 나다[안 나다] **~ a person with kindness** 《구어》 친절이 지나쳐 도리어 화를 입히다; 〈어린 아이를〉 응석 받아 주어 버려놓다 **That ~s it.** 이것으로[이젠] 다 틀렸다, 망쳐 버렸다, 할 마음이 없어졌다. **to ~** 《구어》 넋을 잃을 정도로, 홀딱 반할 정도로; 멋지게; 극도로, 대단히

— *n.* **1** [the ~] 〈사냥에서 짐승을〉 (쏴) 죽이기 **2** (사냥에서) 잡은 사냥감 **3** 〖컴퓨터〗 지우기, 없앰 **4** (적기의) 격추, 격침; 격파된 적기[적함] **be in at the ~** (1) 사냥감을 쏴 죽이는 자리에 있다 (2) (사건 등을) 끝까지 지켜보다 (3) 승리[클라이맥스]의 순간 그 자리에 있다 **go[move, close] in for the ~** 상대에게 치명타를 주려고 기회를 노리다

kill² *n.* [종종 K~] 《미·방언》 수로(水路), 시내(creek) 《Cats*kill* 등 지명에 쓰임》

kíll-and-rún wár [kílənrʌ́n-] 게릴라전, 유격전

Kil·lar·ney [kilɑ́:rni] *n.* **Lakes of ~** 킬라니 호(湖) 《아일랜드 남서부에 있는 수로로 이어진 아름다운 세 개의 호수》

kill·deer [kíldìər] *n.* 〖조류〗 물떼새의 일종 《북미산(産)》(=~ plóver)

killed [kíld] *a.* 《미·속어》 (술·마약에) 취한

∗**kill·er** [kílər] *n.* **1** 죽이는 것[사람]; 살인마(murderer), 청부 살인업자; 도살자: a humane ~ 무통 도살기 **2** 강렬한[굉장한] 것; 《미·속어》 경이적인 사람[것]; 《미·속어》 사족을 못쓰게 하는 사람 **3** [보통 *pl.*] 《구어》 도축용 동물 **4** 〖동물〗 =KILLER WHALE **5** 《구어》 목숨을 앗아가는 일; 매우 힘든 일: High blood pressure is a ~. 고혈압은 목숨과 관계된다.

— *a.* **1** 〈기후·병 등이〉 독특한, 치명적인: a ~ cold 독감 **2** 강렬한, 인상적인: a ~ smile 인상적인 미소 **3** 다루기 힘든, 어려운: a ~ fastball 치기 힘든 강속구

kíller ápp 《컴퓨터속어》 킬러 앱 《새로운 테크놀로지의 보급에 결정적 계기가 되는 application》

kíller bée 《미》 킬러 비 《공격적인 아프리카 꿀벌》

kíller cèll 〖생물〗 살해 세포 《암세포 등을 파괴하는》

kill·er-dill·er [kílərdílər] *n.* 《속어》 이례적인[경이적인, 굉장한] 일[사람]

kíller instinct 살해 본능, 공격[흉포]성

kíller sàtellite 〖군사〗 킬러 위성, 위성 파괴 위성

kíller T cèll 〖의학〗 킬러 T세포 《암세포 등 해로운 세포를 파괴하여 면역 기능을 하는 T세포》

kíller wèed 《속어》 합성 헤로인(angel dust)

kíller whále 〖동물〗 범고래

kíll fèe 〖출판〗 사용되지 않은 원고의 집필[사진, 삽화]료

kill·file [kilfáil] *n.* 《정보·통신》 삭제 리스트 파일 《Usenet의 뉴스 리더로 읽고 싶지 않은 기사·주제·인물 등을 등록해 두는 리스트》

kil·lick [kílik] *n.* 닻 대신 쓰는 돌; 작은 닻, 닻

kil·li·fish [kílifiʃ] *n.* (*pl.* [집합적] **~, ~s**) 송사릿과(科)의 담수어

∗**kill·ing** [kíliŋ] *a.* **1** 죽이는, 파괴적인, 치사(致死)의(fatal); 말라 죽게 하는: ~ power 살상력 / a ~ disease 치명적인 질병 **2** 죽을 것 같은; 아주 힘드는, 지치게 하는(exhausting) **3 a** 《미·구어》 우스워 못 견딜 **b** 뇌쇄적인, 황홀하게 하는

— *n.* **1** ⓤⓒ 살해, 살인; 도살; (수렵 등에서) 잡은 것 **2** 《구어》 큰 벌이, (사업 등의) 대성공: a ~ in the stock market 주식 시장에서 거둔 큰 성공 **make a ~** 《구어》 단기간에 아주 많은 이익을 얻다, 돈을 많이 벌다 **~·ly** *ad.* 《구어》 못 견딜 정도로

kílling bòttle (채집한 곤충의) 살충병

kílling fíelds 대량 학살 현장, 인간 도살장

kílling zòne 〖군사〗 사망자 집중 지역; (사격으로 인한) 인체의 치명 범위

kill-joy [kíldʒɔ̀i] *n.* 흥을 깨는 사람[사물]

kil·lock [kílək] *n.* =KILLICK

kill·out [kílaut] *n.* 《미·속어》 =KILLER-DILLER

kíll ràte[ràtio] (전투에서 양측의) 사상자 비율

kíll shòt (테니스·탁구 등에서) 상대가 받아칠 수 없도록 친 결정구(winning shot)

kill-time [kíltàim] *a.*, *n.* 심심풀이의 (일·오락)

kiln [kíln] *n.* (굽거나 말리는) 가마, 화로(furnace): a brick[lime] ~ 벽돌[석회] 가마 / a hop ~ 홉 건조장

kiln-dry [kílndrài] *vt.* (**-dried**) 〈목재 등을〉 가마에 말리다, 인공 건조하다

Kíl·ner jár [kílnər-] [때로 **k- j-**] 식품 보존용의 밀폐식 유리 용기 《상표명》

ki·lo [kí:lou, kílou | kí:-] [kilogram, kilometer, kiloliter 등의 단축형] *n.* (*pl.* **~s**) 킬로

kilo- [kílou-, -lə] 《연결형》 「1,000」의 뜻

kil·o·am·pere [kíləæ̀mpiər | -pɛə] *n.* 〖전기〗 킬로암페어 《전류의 단위; =1,000 ampere; 略 kA》

kil·o·bar [kíləbɑ̀:r] *n.* 킬로바 《압력의 단위; 1평방 인치당 14,500파운드; 略 kb》

kil·o·base [kíləbèis] *n.* 〖유전〗 킬로베이스 《DNA 등 핵산 연쇄의 길이의 단위》

kil·o·baud [kíləbɔ̀:d] *n.* 〖통신〗 킬로보드 《통신 속도의 단위; 1초간에 1,000단위의 부호를 보내는 속도》

kil·o·bit [kíləbìt] *n.* 〖컴퓨터〗 킬로비트 《기억 용량의 단위; 1,024 bits; 略 Kb》

kil·o·byte [kíləbàit] *n.* 〖컴퓨터〗 킬로바이트 《1,024 bytes; 略 KB》

kil·o·cal·o·rie [kíləkæ̀ləri] *n.* 킬로칼로리 《1,000 칼로리; 略 kcal》

kil·o·cy·cle [kíləsàikl] *n.* 〖전기〗 킬로사이클 《주파수의 단위; 略 kc》

kíl·o·e·lec·tron vólt [kílouilèktrɑn- | -trɔn-] 〖물리〗 킬로 전자 볼트 《略 keV, kev》

kil·o·gauss [kíləgàus] *n.* 〖전기〗 킬로가우스 《자기(磁氣) 유도 단위; 1,000 gauss; 略 kG》

∗**kil·o·gram | -gramme** [kíləgræ̀m] *n.* 킬로그램 《1,000그램; 略 kg》

kil·o·gram-me·ter [kíləgræ̀mmí:tər] *n.* 〖물리〗 킬로그램미터 《일의 단위; 1킬로그램의 무게를 1미터 끌어올리는 일의 양; 略 kg-m》

kil·o·gray [kíləgrèi] *n.* 킬로그레이 《식물의 햇빛 등의 흡수 광선량의 단위》

∗**kil·o·hertz** [kíləhə̀:rts] *n.* 〖전기〗 킬로헤르츠 《1,000헤르츠; 주파수의 단위; 略 kHz》

kil·o·joule [kílədʒù:l] *n.* 〖물리〗 킬로줄 《일 또는 에너지의 양을 나타내는 단위; 1,000줄; 略 kJ》

∗**kil·o·li·ter | -tre** [kíləlì:tər] *n.* 킬로리터 《1,000리터; 略 kl》

kilom. kilometer(s)

∗**kil·o·me·ter | -tre** [kilɑ́mətər, kíləmì:- | kíləmì:-] *n.* 킬로미터 《1,000미터; 略 km》

kil·o·met·rage [kilɑ́mətridʒ | -lɔ́m-] *n.* (자동차·철도 열차 등의) 총 킬로수, 주행 킬로수

kil·o·met·ric, -ri·cal [kìləmétrik(əl)] *a.* 킬로미터의

kil·o·rad [kíləræ̀d] *n.* 〖물리〗 킬로래드 《1,000래드; 방사선의 흡수 선량; 略 krad》

kilos. kilograms; kilometers

kil·o·stere [kíləstìər] *n.* 〖물리〗 킬로스티어 《체적의 단위; 1,000입방 미터》

kil·o·ton [kílətʌ̀n] *n.* 1,000톤; 킬로톤 《TNT 1,000톤에 상당하는 원자탄·수소탄의 폭발력》

kil·o·volt [kíləvòult] *n.* 〖전기〗 킬로볼트 《전압의 단위; 略 kV, kv》

∗**kil·o·watt** [kíləwɑ̀t | -wɔ̀t] *n.* 〖전기〗 킬로와트 《1,000와트(전력의 단위); 略 kW, kw》

thesaurus **kind¹** *n.* **1** 종류 sort, type, variety, brand, class, category **2** 종 species, genus **3** 성질 nature, character, disposition, style

kil·o·watt-hour [kíləwɑ̀táuər | -wɔ̀t-] *n.* 〖전기〗 킬로와트시(時)《에너지·전력량의 단위; 略 kWh, kwh》

Kil·roy [kílrɔi] *n.* 정체불명[가공]의 인물

kilt [kílt] *n.* **1** 킬트《스코틀랜드 고지의 남자·군인이 입는 체크무늬의 주름치마》 **2** 킬트식 스커트; [the ~] 스코틀랜드 고지 사람들의 옷 **—** *vt.* 〈자락을〉 걷다; 세로 주름을 잡다(pleat)

kilt 1

kilt·ed [kíltid] *a.* 세로 주름을 잡은; 킬트를 입은

kil·ter [kíltər] *n.* Ⓤ (미·구어) 정상 상태, 순조, 호조 ***in*** [***out of***] **~** 〈엔진 등이〉 좋은[나쁜] 상태에

kilt·ie [kílti] *n.* (스코) 킬트(kilt)를 입은 사람; 스코틀랜드 고지의 병사

Kim·ber·ley [kímbərli] *n.* 킴벌리《남아프리카 공화국 중부의 도시; 다이아몬드 산지》

kim·chi, kim·chee [kímtʃi] *n.* (한국의) 김치

ki·mo·no [kəmóunə, ki- | kimóunou] *n.* 기모노(着物)《일본의 전통 의상》; (기모노 풍의) 화장 가운《매춘부들의 싸구려 실내복도 암시》

*__kin__ [kín] [OE「종족」의 뜻에서] *n.* Ⓤ **1** [집합적] 친척, 친족, 일가(relatives, kinsfolk) **2** (드물게) 혈족 관계, 친척[인척] 관계; 가문 **3** Ⓒ (고어) 일가 사람(kinsman) **4** 동질(同質), 동류, 동일 종족 ***count* ~ *with*** …의 친척이다 ***near of* ~** 근친인 ***next of* ~** (1) 최근친자 (2) [보통 the ~] 〖법〗 최근친 ***of* ~** (1) 친척의 (2) 같은 종류[종족]의(akin) 《*to*》
— *a.* Ⓟ **1** 동족인, 친족인(related), 혈족의 **2** 동질인, 동류인, 유사한 《*to*》 ***be* ~ *to*** …의 친척이다; …와 유사하다, …에 가깝다 ***more* ~ *than kind*** 친척이지만 애정이 없는《*Hamlet*에서》

-kin [kin] *suf.* 「…의 작은 것」의 뜻: lamb*kin*; Sim*kin*(<Simon, Samuel); Jen*kin*(<John)

ki·na [kíːnə] *n.* (*pl.* **~s**) 키나《파푸아뉴기니의 화폐 단위; =100 toeas; 기호 K》

kin·aes·the·sia [kìnəsθíːʒə, -ʒiə, kàin-], **-sis** [-sis] *n.* = KINESTHESIA

ki·nase [káineis, kín-] *n.* Ⓤ 〖생화학〗 키나아제《효소의 일종》

kin·chin [kíntʃin] *n.* (영·속어) 아이(child)

kin·cob [kíŋkɑb | -kɔb] *n.* (금실·은실로 수놓은) 인도 비단

‡**kind**[1] [káind] *n.*

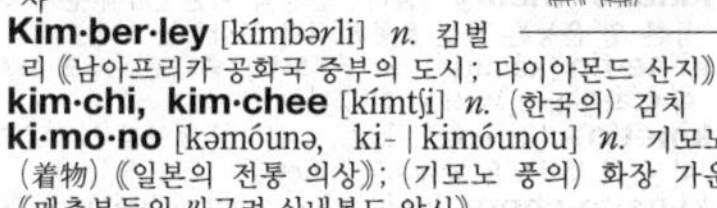
OE「태생」의 뜻에서
→(태생이 같은 것)→(동족, 친족) (cf. KIN, KINDRED)→「종류」 명
→(태생이 좋은)→KIND[2]「마음씨 고운」, 「친절한」 형

1 a 종류(class, sort, variety) 《*of*》 the best ~ *of* wine 최고급 포도주 **b** 성미에 맞는 사람 **c** (…한) 종류(의 사람): (~+***to*** do) He is not the ~ (of person) *to* do[who does] things by halves. 그는 일을 어중간하게 할 사람이 아니다. **2** (동·식물 등의) 유(類), 족(族) (race), 종(種)(species), 속(屬) (genus); 범주(category): the human ~ 인류 **3** Ⓤ 본질, 본성; 성질; 바탕(quality) **4** Ⓤ (고어) 자연; 타고난 성질: the laws of ~ 자연의 법칙 **5** Ⓤ (본래의) 버릇, (자기 특유의) 방법(manner, way) **6** 〖그리스도교〗 성찬의 하나《빵 또는 포도주》 **7** (돈이 아닌) 물건, 현물(現物) **8** 다수, 다량 《*of*》: that ~ *of* money 그렇게 많은 돈

kind[2] *a.* generous, charitable, benevolent, warm-hearted, humane, gentle, mild, merciful, friendly, genial, cordial (opp. *unkind, mean, nasty*)

after its [one's] **~** (고어) 그 본성에 따라서 ***a* ~ *of*** 일종의 …, 이른바, …와 같은; 막연한(cf. of a KIND): *a* ~ *of* gentleman 일종의 신사, 그래도 신사 ***all* ~*s of*** (1) 온갖 종류의: *all* ~*s of* books 모든 종류의 책 (2) 다수[다량]의(many, much): *all* ~*s of* money 두둑한[많은] 돈 ***anything of the* ~** [의문문·부정문에서] (어떤) 그와 같은 일[것] ***differ in* ~** 성질[본질]이 다르다 ***five of a* ~** (포커의) 파이브 카드《같은 패 4장에 wild card를 더한 수》 ***four of a* ~** (포커의) 포카드《같은 패 4장의 수》 ***in a* ~** 어느 정도는, 다소; 말하자면 ***in* ~** (1) 본래의 성질이, 본질적으로 (2) 〈지불이〉 (돈이 아니고) 물품으로: payment *in* ~ 물납(物納) (3) 같은 것[방법]으로 **~ *of*** (구어) 거의, 약간, 어느 쪽인가 하면: ~ *of* good 좋은 편인 / I ~ *of* expected it. 다소는 예상하고 있었다. ★ 와전해서 종종 kind of 대신에 kind o', kinda, kinder(발음은 모두 [káində])로 쓰며 주로 형용사, 때로는 동사를 동반(cf. SORT of). ***nothing of the* ~** 전혀 그런 것이 아님, 전혀 다른 일[것]: I shall do *nothing of the* ~. 그런 짓은 절대로 안 한다. ***of a* ~** (1) 같은 종류의 (2) (경멸) (저래도) 일종의, 이름뿐인, 엉터리의(cf. a KIND of): a gentleman *of a* ~ 저래도 신사 ***one of a* ~** 단 하나 뿐인 것, 독특한 것[사람] ***something of the* ~** (어떤) 그와 같은 일[것] ***that*** [***this***] **~ *of*** (bread, etc.) 그[이] 종류의 (빵 등), 저런[이런] … ***these*** [***those***] **~ *of*** things = things ***of this*** [***that***] **~** 이러한[그러한] (것) ★ 지금은 보통 this[that] kind of 또는 these [those] kinds of로 씀. ***three of a* ~** (포커의) 스리 카드《같은 수 3장의 패》 ***What* ~ *of*** ((구어) a) man is he? = ***Of what* ~** is the man? (그 사람)은 어떤 사람이오?

‡**kind**[2] [káind] [OE「본성에 따라」의 뜻에서] *a.* **1** 친절한, 상냥한, 동정심 있는(compassionate), 인정 있는: (~+***of***+명+***to*** do) It is very[so] ~ *of* you *to* lend me the book. 책을 빌려 주셔서 대단히 고맙습니다. // (~+***to*** do) Will you be ~ enough[so ~ as] *to* write this letter for me? 이 편지를 좀 써 주시겠습니까? **2** 신중한, 사려 깊은; 도움을 주는, 유익한; 인간적인, 인도적인 《*to*》 **3** 〈날씨·성질 등이〉 온화한, 부드러운, 따뜻한, 자애로운: ~ weather 따뜻한 날씨 **4** (편지 등에서) 정성 어린(cordial); (고어) 애정 있는(affectionate) **5** (주로 방언) 〈소·말 등이〉 다루기 쉬운(tractable), 순한; 순박한; 연한
Give my* ~(*est*) *regards to your brother. (형님)에게 안부 전해 주십시오. ***with* ~ *regards*** 재배(再拜)《편지의 맺음말》
▷ kíndly *a., ad.*; kíndness *n.*

kind·a [káində], **kind·er** [káindər] *ad.* (구어) = KIND[1] of《발음대로 철자한 것》

*__kin·der·gar·ten__ [kíndərgɑ̀ːrtn] [G「아이들의 정원」의 뜻에서] *n.* (미국의) 유치원

kin·der·gart·ner, -gar·ten·er [kíndərgɑ̀ːrtnər] *n.* **1** (유치원의) 보모 **2** (미) 유치원생

kind·heart·ed [kàindhɑ́ːrtid] *a.* 친절한, 마음씨 고운, 다정한(kindly, sympathetic) **~·ly** *ad.* **~·ness** *n.*

‡**kin·dle**[1] [kíndl] *vt.* **1** 불붙이다, 태우다, 불을 켜다: ~ a lamp 등불을 붙이다 **2** 밝게 하다, 빛내다: ~ the sky 하늘을 밝게 하다 / Happiness ~*d* her eyes. 그녀의 눈은 행복으로 빛났다. **3** 〈정열 따위를〉 타오르게 하다(inflame); 자극하다, 흥분시키다(excite), 부채질하다, 부추기다: (~+목+부) Her heart was ~*d up* with[to] sympathy. 그녀의 마음은 동정심으로 불탔다. // (~+목+전+명) The policy ~*d* them *to* revolt. 그 정책은 폭동을 유발했다.
— *vi.* **1** 불붙다, 타기 시작하다, 타오르다 《*up*》 **2** 흥분하다, 격하다 《*at*》 **3** 〈얼굴 등이〉 빛나다(glow), 화끈 달다, 뜨거워지다; 번쩍이다(flash)

kindle[2] *vt.* 〈토끼가 새끼를〉 낳다 **—** *vi.* 〈토끼가〉 새끼를 낳다 **—** *n.* (토끼·고양이 등의) 한배의 새끼

kin·dler [kíndlər] *n.* 점화자; 불쏘시개

kind·less [káindlis] *a.* 〈사람이〉 불쾌한, 마음에 안 드는; 〈풍토가〉 쾌적하지 않은; 《폐어》 무정한, 냉혹한; 《고어》 부자연스러운 **~·ly** *ad.*
kind·li·ly [káindlili] *ad.* 친절히, 다정하게, 상냥하게
kind·li·ness [káindlinis] *n.* **1 a** Ⓤ 친절, 온정 **b** 친절한 행위 **2** Ⓤ (기후의) 온화
▷ kíndly *a.*, *ad.*
kin·dling [kíndliŋ] *n.* **1** ⒸⓊ 점화; 발화; 흥분 **2** 불쏘시개(=**~ wòod**)
kíndling pòint 발화점
‡**kind·ly** [káindli] *a.* (**-li·er**; **-li·est**) **1** 싱냥한, 다정한, 인정 많은(considerate), 친절한(kind) 《★ 성격적으로 친절하고 상냥한, 특히 손아랫사람이나 약한 사람에게 친절하다는 뜻》: a ~ person 친절한 사람 **2** 〈기후·환경 등이〉 온화한, 쾌적한: a ~ climate 온화한 기후 **3** 〈토지 등이〉 …에 알맞은, 적합한 《*for*》 **4** 《고어》 자연의(natural), 타고난(innate); 《영·고어》 토착의, 토박이의
— *ad.* **1 친절하게**, 다정하게, 상냥하게: speak ~ to a person …에게 상냥하게 말을 걸다 **2 부디** 〈…해 주시오〉, 진심으로(cordially, heartily) **3** 쾌히(agreeably), 기꺼이, 호의적으로(favorably) **4** 자연히, 무리 없이(naturally) **5** 《미남부》 다소, 어느 정도 ***look ~ on*** [***upon***] …을 승인[찬성]하다 ***take*** (***it***) **~** 쾌히 받아들이다, 선의로 해석하다 ***take ~ to*** [종종 부정문에서] (자연히) …을 좋아하다, …에 정들다 ***Thank you ~.*** 대단히 감사합니다. ***Will*** [***Would***] ***you ~*** shut the door? (문 좀 닫아) 주시겠습니까?
▷ kíndlily *ad.*; kíndliness *n.*
‡**kind·ness** [káindnis] *n.* **1** Ⓤ **친절**, 상냥함 《*of*》; 애정(love), 좋아함(liking), 호의(goodwill), 우정: 《~+*to* do》 Would you have the ~ *to* pull up the window? 미안하지만 창문 좀 올려주시겠습니까? **2 친절한 행위**[태도]: return a ~ 친절에 보답하다 ***do*** a person ***a ~*** …에게 친절을 다하다: Will you *do* me *a* ~? 부탁이 하나 있는데요? ***have a ~ for*** a person …에게 호의를 갖다, …이 어쩐지 좋다 ***have the ~ to*** do 친절하게도 …하다 ***out of ~*** 친절심[호의]에서
kind o' [káində] *ad.* 《구어》 =KIND[1] of 《발음대로 철자한 것》
‡**kin·dred** [kíndrid] [OE 「친족(kin) 상태」의 뜻에서] *n.* **1** [보통 one's ~] **일족**, 집안(family, clan) **2** Ⓤ [집합적; 복수 취급] 일가, 친척(되는 사람들)(relatives, kinsfolk) **3** ⓊⒸ **혈연**, 혈족 관계(kinship), 친척 관계 **4** ⓊⒸ (질(質)의) 유사(類似), 동종(affinity) 《*with*》
— *a.* **1** 혈연의, 친척 관계의: ~ people 혈연인 사람들, 친척 **2** 같은 성질의; 동종[동질, 동류]의(similar); 〈신념·태도·정서 등이〉 유사한, 마음이 맞는: ~ spirits 관심사[목표]가 같은 사람들
kin·dy [kíndi] *n.* (*pl.* **-dies**) 《호주·뉴질·구어》 = KINDERGARTEN
kin·e [kíni] *n.* =KINESCOPE
kin·e·ma [kínəmə] *n.* 《영》 =CINEMA
kin·e·mat·ic, -i·cal [kìnəmǽtik(əl), kàin-] *a.* 〖물리〗 운동학(運動學)적인[상의] **-i·cal·ly** *ad.*
kin·e·mat·ics [kìnəmǽtiks, kàin-] *n. pl.* [단수 취급] 〖물리〗 운동학
kin·e·mat·o·graph [kìnəmǽtəgræ̀f, kàin- | -grɑ̀:f] *n.*, *vt.*, *vi.* =CINEMATOGRAPH
kin·e·scope [kínəskòup] *n.* 《미》 〖전자〗 키네스코프 《수신용 브라운관》; (그것을 사용한) 키네스코프 녹화
ki·ne·sic [kiní:sik, -zik, kai-] *a.* 동작학의[에 관한]
ki·ne·sics [kiní:siks, -ziks, kai-] *n. pl.* [단수 취급] 동작학(動作學) 《몸짓 등의 신체 언어의 연구》
ki·ne·si·ol·o·gy [kinì:siɑ́lədʒi, -zi-, kai- | -ɔ́l-] *n.* Ⓤ 신체 운동학, 운동 요법
ki·ne·sis [kiní:sis, kai-] *n.* (*pl.* **-ses** [-si:z]) 〖생리〗 무정위(無定位) 운동성; 동작, 몸짓
ki·ne·si·ther·a·py [kinì:siθérəpi, -zi-, kai-] *n.* 운동 요법
kin·es·the·sia [kìnəsθí:ʒə, -ʒiə, kàin-], **-sis** [-sis] *n.* Ⓤ 〖생리〗 운동 감각, 근각(筋覺)
kin·es·thet·ic [kìnəsθétik, kàin-] *a.* 〖생리〗 운동 감각(성)의
ki·net·ic [kinétik, kai-] *a.* **1** 〖물리〗 운동(학상)의; 동역학의 **2** 활동적인, 동적인
kinétic àrt 키네틱 아트, 움직이는 예술 《움직임을 도입한 조각·아상블라주(assemblage) 등의 예술 형식》
kinétic àrtist *n.* 키네틱 아티스트
kinétic énergy 〖물리〗 운동 에너지
ki·net·i·cism [kinétəsìzm, kai-] *n.* =KINETIC ART
ki·net·i·cist [kinétəsist, kai-] *n.* 동역학 전문가; kinetic art를 다루는 예술가
ki·net·ics [kinétiks, kai-] *n. pl.* [단수 취급] 〖물리〗 동역학(動力學)(opp. *statics*)
kinétic théory 〖물리〗 운동학 이론 《기체 분자 운동론·열 운동론·물질 운동론 등을 포함하는 이론》
ki·ne·tin [káinitin] *n.* 〖생화학〗 키네틴 《세포 노화 억제 작용이 있는 식물 호르몬》
kinet(**o**)**-** [kinét(ə), kai-, -t(ou)] 《연결형》 「움직이는」의 뜻 《모음 앞에서는 kinet-》
ki·ne·to·chore [kiní:təkɔ̀:r, -nét-, kai-] *n.* 〖생물〗 (염색체의) 동원체(動原體)(centromere)
ki·ne·to·plast [kiní:təplæ̀st, -nét-, kai-] *n.* 〖생물〗 운동핵(核), 동원핵(動原核) 《편모충류의 기관》
ki·ne·to·scope [kiní:təskòup, -nét-, kai-] *n.* (초기의) 활동 사진 영사기 《에디슨이 발명》
kin·folk(**s**) [kínfòuk(s)] *n.* (*pl.*) 《미·구어》 = KINSFOLK
‡**king** [kíŋ] *n.* **1** [종종 **K~**] **왕**, 국왕, 임금, 군주; [the K~] 신, 그리스도: *K~* George V 조지 5세 《영국왕》/ crown[make] a person ~ …을 왕으로 추대하다 **2 거물**, 거두; …왕, 왕에 비길 만한 것; 《미·속어》 교도소장: a railway[railroad] ~ 철도왕 / the ~ of the jungle 밀림의 왕 《호랑이》 **3** 최상품 《과실·식물 등의》 《*of*》 **4** 〖카드〗 킹; 〖체스〗 장, 장군: check the ~ 장을 꼼짝 못하게 하다 **5** [**K~**] 영국 문장원 장관 《King of Arms의 약칭》 **6** [the (Book of) K~s] 〖성서〗 열왕기(列王記) **7** 《미·구어》 =a KING-SIZE(D) cigarette **8** 〖곤충〗 생식 능력이 있는 흰개미의 수컷
the ~ of beasts 백수(百獸)의 왕 《사자》 ***the ~ of birds*** 백조(百鳥)의 왕 《독수리》 ***the ~ of day*** 태양 ***the K~ of Heaven*** 신(神) ***the K~ of Herald*** = KING-OF-ARMS. ***the K~ of K~s*** (1) 하느님; 예수 그리스도 (2) 왕중 왕, 황제 《옛 동방 여러 나라의 왕의 칭호》 ***the K~ of Misrule*** = the Abbot of MISRULE. ***the K~ of Terrors*** 〖성서〗 죽음(의 신) ***the k~ of the castle*** (1) 언덕 빼앗기 놀이 《높은 데서 서로 밀어 떨어뜨리는 놀이》 (2) 조직[그룹] 중의 중심 인물
— *a.* 가장 중요한; 킹사이즈의(king-size(d))
— *vt.* [보통 ~ it으로] 군림하다; 으스대다, 왕처럼 행동하다 《*over*》; 왕으로 삼다, …의 왕이 되다: ~ *it over* one's associates 동료들에게 군림하다
— *vi.* 왕으로 군림하다, 지배하다
▷ kíngly, kínglike *a.*, *ad.*
King [kíŋ] *n.* 킹 **Martin Luther ~, Jr.** (1929-68) 《미국의 목사·흑인 인권과 인종 차별 철폐 운동의 지도자로 암살됨; 노벨 평화상(1964)》
Kìng Árthur 아서 왕 《6세기 경의 전설적인 영국왕》
king-at-arms [kíŋətɑ́:rmz] *n.* (*pl.* **kings-**) =KING-OF-ARMS
king·bird [kíŋbə̀:rd] *n.* 《미》 〖조류〗 타이란새의 일종

thesaurus **kindly** *a.* generous, charitable, magnanimous, humane, gentle, friendly, genial
kindred *n.* kin, family, relatives, relations
king *n.* monarch, sovereign, ruler, majesty,

종《미국산 딱새의 무리》
king·bolt [-bòult] *n.* 〖기계·건축〗 킹[중심] 볼트
Kíng Chárles's hèad (벗어나지 못하는) 고정 관념《Dickens의 *David Copperfield*에서》
Kìng Chárles spániel 킹 찰스 스패니얼《몸집이 작은 애완용 개의 일종》
kíng cóbra 〖동물〗 킹코브라《동남아시아산(産); 세계 최대의 독사》
kíng cráb 〖동물〗 투구게(horseshoe crab); (북태평양산(産)) 왕게
king·craft [-kræ̀ft | -krɑ̀:ft] *n.* Ⓤ (왕의) 통치[정치적] 수완, 왕도(王道)
king·cup [-kʌ̀p] *n.* 〖식물〗 **1** = BUTTERCUP **2** 《영》 = MARSH MARIGOLD
‡**king·dom** [kíŋdəm] *n.* **1 왕국**, 왕토, 왕령(王領)(realm): the ~ of Sweden 스웨덴 왕국/the United *K*~ of Great Britain and Northern Ireland 연합 왕국《통칭 영국; 略 the UK》 **2 a** 지배하는 장소 **b** (학문·예술 등의) 세계, 범위, 영역: the ~ of thought 사고의 영역/the ~ of poetry 시의 영역 **3** 〖생물〗 (동식물 분류상의) 계(界): the animal[vegetable, mineral] ~ 동물[식물, 광물]계 **4** 왕의 통치, 왕정 **5** 〖신학〗 신정(神政), 하느님 나라: Thy ~ come. 나라가 임하옵소서.
come into** one**'s ~ 권력[세력]을 쥐다 ***the ~ of Heaven*** 하느님 나라, 천국
kíngdom cóme 《구어》 내세, 천국; 아득히 먼 곳[미래]; 죽음 ***blow*[*send*]** a person[thing] ***to ~*** …을 죽이다[철저히 파괴하다] ***until*[*till*] ~** 영원히
king·fish [kíŋfì∫] *n.* (*pl.* **~, ~·es**) **1** 민어과(科)의 바닷물고기《북미·오스트레일리아산(産)의 큰 물고기》 **2** 《구어》 거물, 거두(巨頭)
king·fish·er [-fì∫ər] *n.* 〖조류〗 물총새
king-hit [-hìt] 《호주·구어》 *n.* 등 뒤에서의 일격; KO 펀치 **—** *vt.* …에게 KO 펀치를 먹이다
Kìng Jámes Vérsion[**Bíble**] [the ~] = AUTHORIZED VERSION
Kíng Kóng [-kɔ́:ŋ, -kɑ́ŋ | -kɔ́ŋ] **1** 킹콩《미국 영화에 등장한 거대한 고릴라》 **2** 《속어》 싸구려 독주
Kíng Léar 리어왕《Shakespeare작 4대 비극의 하나; 1606년 작》; 그 주인공
king·less [kíŋlis] *a.* 국왕이 없는; 무정부 상태의
king·let [kíŋlit] *n.* **1** 소국(小國)의 왕[군주] **2** 〖조류〗 상모솔새
king·like [kíŋlàik] *a., ad.* 국왕[임금]다운(kingly); 《시어·드물게》 왕자답게
king·li·ness [kíŋlinis] *n.* Ⓤ 왕다움, 임금의 위엄
king·ling [kíŋliŋ] *n.* 작은 나라의 왕(petty king)
Kíng Lóg 무력[무능]한 왕《이솝 이야기에서》
***king·ly** [kíŋli] *a.* (**-li·er**; **-li·est**) **1 왕의**, 임금의, 왕자(王者)의: ~ power 왕권 **2 왕다운**(kinglike); 당당한, 위엄 있는: a ~ air 왕자다운[당당한] 태도 **—** *ad.* 왕답게, 위풍당당하게
▷ kíngliness *n.*
king·mak·er [kíŋmèikər] *n.* **1** 국왕 옹립자; [**K~**] 〖영국사〗 Earl of Warwick의 별칭《Henry 6세와 Edward 4세의 옹립자》 **2** 정계의 실력자《대통령·고위 공직자 등의 요직 취임에 영향력이 큰 사람》
king-of-arms [kìŋʌvɑ́:rmz] *n.* (영국의) 문장원(紋章院) 장관
kíng pènguin 〖조류〗 킹 펭귄《황제 펭귄 다음으로 큰》
king·pin [kíŋpìn] *n.* **1** 〖볼링〗 헤드핀, 5번 핀; 〖기계〗 = KINGBOLT **2** 중심인물, 우두머리
kíng pòst[**pìece**] 〖건축〗 마룻대공, 쪼구미
kíng sàlmon 《미》 〖어류〗 = CHINOOK SALMON
Kíng's Bénch (**Divìsion**) [the ~] 〖영국법〗 (고등 법원(High Court)의) 왕좌부(王座部); 왕좌 재판소
Kíng's Bírthday [the ~] 《영》 국왕 탄신일
Kíng's Cóunsel [the ~] 〖영국법〗 칙선 법정 변호사(단) 《여왕 통치 중은 Queen's Counsel; 略 KC》
Kíng's Énglish [the ~] (잉글랜드 남부의) 표준 영어, 순정(純正) 영어(cf. QUEEN'S ENGLISH)
kíng's évidence 〖영국법〗 공범 증언《검찰의 감형을 약속받고 하는 다른 공범자에게 불리한 증언》
kíng's évil [the ~] 《고어》 연주창(scrofula) 《옛적에 왕의 손이 닿으면 낫는다고 여겼음》
kíng's híghway [the ~] 《영》 공도(公道), 국도
king·ship [kíŋ∫ip] *n.* Ⓤ **1** 왕의 신분; 왕위, 왕권 **2** 왕정 **3** [his[your] K~으로] 국왕 폐하
king·side [kíŋsàid] *n.* 〖체스〗 (백(白)쪽에서 보아) 체스판의 우측 반쪽 부분
king-size(**d**) [kíŋsàiz(d)] *a.* 《미·구어》 **1** 〈담배·침대가〉 특대의: a ~ cigarette 표준보다 긴 담배 **2** 특대 침대용의
kíng snàke 《미》 〖동물〗 율모깃과(科)의 큰 뱀
kíng's ránsom [a ~] 왕의 몸값; 막대한 금액, 한 재산
Kíng's Regulátions 《영》 (군인에게 주는) 행동 규정
Kíng's Schólar 《영》 왕실 장학 기금의 장학생
Kíng's spéech [the ~] 《영》 (의회 개회 때의) 국왕 시정 방침 연설
Kings·ton [kíŋztən, kíŋs- | kíŋs-] *n.* 킹스턴《자메이카의 수도; 캐나다 Ontario주 남동부의 도시》
Kíngston upòn Thámes 킹스턴 어폰 템스《Surrey주의 주도; London boroughs의 하나》
Kíng Stórk 폭군(cf. KING LOG)《이솝 이야기에서》
kíng's wéather 《영·구어》 (의식 당일의) 좋은 날씨
kíng trùss 〖건축〗 마룻대공 지붕틀
ki·nin [káinin] *n.* 〖생화학·약학〗 키닌《근육 속에서 생기는 호르몬의 한 가지》; = CYTOKININ
kink [kíŋk] *n.* **1** (실·밧줄 등의) 꼬임, 비틀림, (머리털의) 곱슬곱슬함 **2** 《구어》 **a** (마음의) 비꼬임, 편협 **b** 변덕 **3** (근육의) 경련 **4** (계획 등의) 결함; 지장, 곤란; 변태 **—** *vi.* 〈밧줄 등이〉 꼬이다, 비틀리다 **—** *vt.* 〈밧줄 등을〉 꼬이게 하다, 비틀리게 하다《*up*》
kin·ka·jou [kíŋkədʒù:] *n.* 〖동물〗 킹카주《중·남미산(産)의 미국너구릿과(科)의 동물; 나무 위에서 삶》
kink·o [kíŋkou] *n.* (*pl.* **~s**) 《미·속어》 변태 성욕자
kink·y [kíŋki] *a.* (**kink·i·er**; **-i·est**) **1 a** 비꼬인, 비틀린, 엉클린(twisted); 꼬이기 쉬운 **b** 《미》 (짤막한) 곱슬머리의 **2** 《구어》 **a** 괴팍스러운, 괴상한(queer) **b** 변태적인 **3** 《속어》 부정한, 훔친
kínky bóot 《영》 (검은 가죽의) 여성용 긴 부츠
kínky héad[**nób**] 《경멸》 흑인
kin·less [kínlis] *a.* 친척이 없는
kin·ni·kin·nic(**k**) [kìnikəník] *n.* 《미》 키니키닉《마른 잎과 나무껍질의 혼합물; 인디언의 담배 대용품》
ki·no[1] [kí:nou] *n.* (*pl.* **~s**) 〖식물〗 키노나무《열대산(産) 콩과(科)의 교목》; 키노 수지(樹脂), 적교(赤膠)(= **~ gúm**)
kino[2] [G] *n.* (*pl.* **~s**) (유럽의) 영화관
-kins [kinz] *suf.* = -KIN
kín selèction 〖생물〗 혈연 선택[도태]
Kin·sey [kínzi] *n.* 킨제이 **Alfred Charles ~** (1894-1956)《미국의 동물학자; 미국인의 성생활에 대한 통계적인 조사 Kinsey Report로 유명》
kins·folk [kínzfòuk] *n. pl.* 친척, 일가
Kin·sha·sa [kin∫ɑ́:sə] *n.* 킨샤사《자이르(Zaire) 공화국의 수도; 자이르 강에 면한 항구 도시》
kin·ship [kín∫ip] *n.* ⓊⒸ **1** 친척 관계, 혈족 관계 **2** (성질 등의) 유사(類似)
***kins·man** [kínzmən] *n.* (*pl.* **-men** [-mən]) **1** 동족인 사람 **2** 일가[친척]의 남자 **3** 인척인 사람
kins·wom·an [kínzwùmən] *n.* (*pl.* **-wom·en** [-wìmin]) 일가[친척]의 여자; 동족의 여자
kion·do [kjɑ́ndɑ: | kjɔ́ndɔ] *n.* (*pl.* **~s**) 동아프리

---

emperor, sultan, overlord, prince
kingdom *n.* realm, empire, domain, country, land, nation, state, province, territory, possessions, principality, dominions, monarchy

카의 가방의 일종 ⟪사이잘삼(sisal)을 꼬아 엮어 만든⟫

ki·osk, -osque [kíːɑsk | -ɔsk] [Turk.] *n.* **1** 정자(亭子) ⟪터키 등지의⟫ **2** 키오스크 같은 간이 건물 ⟪가두 등에 있는 신문·잡지·담배 등의 매점⟫ **3** ⟪영⟫ 공중전화 박스 **4** ⟪미⟫ 광고탑 **5** ⟪호주⟫ (공원 등의) 청량 음료수 매점

kiosk 2

Ki·o·wa [káiəwə] *n.* (*pl.* [집합적] **~, ~s**) 카이오와 족 ⟪북미 서부의 유목 인디언⟫; Ⓤ 카이오와 어(語)

kip[1] [kíp] *n.* Ⓤ 킵 가죽 ⟪송아지 등 어린 짐승의 가죽⟫

kip[2] *n.* ⟪영⟫ **1** ⟪속어⟫ 하숙; 여인숙; 침상(寢床) **2** ⟪구어⟫ 잠, 수면 **3** ⟪미·속어⟫ 야경원, 경비원
— *vi.* (**~ped**; **~·ping**) ⟪구어⟫ 잠자다 ⟪*down*⟫
~ *out* 옥외에서 자다

kip[3] *n.* (*pl.* **~, ~s**) 킵 ⟪Laos의 화폐 단위; 略 K⟫

kip[4] *n.* 킵 ⟪무게 단위; 1,000파운드⟫

Kip·ling [kípliŋ] *n.* 키플링 **Rudyard ~** (1865-1936) ⟪영국의 단편 소설가·시인; 노벨 문학상(1907)⟫

kip·pa [kipɑ́ː] = YARMULKE

kip·per [kípər] *n.* **1** 산란기(후)의 연어[송어] 수컷 **2** 훈제 청어(kippered herring) **3** ⟪영·속어⟫ [호칭] 아가, 얘야 — *vt.* 훈제하다

kípper tìe ⟪영·구어⟫ 산뜻한 색의 폭넓은 넥타이

Kir [kíər] *n.* ⓊⒸ 키르 ⟪백포도주에 카시스(cassis)를 섞어서 만드는 칵테일⟫

kír·by grìp [kə́ːrbi-] 커비 머리핀 ⟪스프링이 달린 머리핀⟫

Kir·ghiz [kiərgíːz | kə́ːgiz] *n.* (*pl.* [집합적] **~, ~·es**) **1** 키르기스 사람 ⟪중앙 아시아 키르기스 초원 지방의 몽골계 종족⟫ **2** Ⓤ 키르기스 말

Ki·ri·ba·ti [kìəribɑ́ːti | kìribǽs] *n.* 키리바시 ⟪태평양 중서부의 공화국; 수도 Tarawa⟫

kirk [kə́ːrk] *n.* ⟪스코⟫ 교회(church); ⟪영⟫ [the K~] 스코틀랜드 장로교회

kirk·man [kə́ːrkmən] *n.* (*pl.* **-men** [-mən]) ⟪스코⟫ 스코틀랜드 장로교회의 신자; 성직자

kírk sèssion ⟪스코틀랜드 장로교회 및 타 장로교회의⟫ 최하급 장로 회의

Kír·li·an photógraphy [kíərliən-] [구소련의 발명자 이름에서] 키를리언 사진(술) ⟪전장(電場)에 놓은 생물 피사체에서 방사하는 빛을 필름에 기록함⟫

kir·mess [kə́ːrmis] *n.* = KERMIS

kir·pan [kiərpɑ́ːn | kiə-] *n.* (힌두교의 시크교도가 휴대하는) 단검

kirsch(·was·ser) [kíərʃ(vɑ̀ːsər)] [G] *n.* Ⓤ 키르시바서 ⟪으깬 버찌로 만든 무색의 브랜디⟫

kir·tle [kə́ːrtl] *n.* 커틀 ⟪중세기에 여성이 입던 길고 낙낙한 가운⟫; ⟪고어⟫ (남자용) 짧은 상의

Ki·shi·nev [kíʃənèf, -nèv] *n.* 키시뇨프 ⟪Moldova의 수도⟫

kish·ke, -ka [kíʃkə] *n.* **1** (유대 요리의) 순대(stuffed derma) **2** [*pl.*] ⟪미·속어⟫ 내장; 용기, 배짱

kis·met [kízmit, kís- | kízmet] [Turk.] *n.* Ⓤ ⟪문어⟫ 숙명, 운명(destiny), 알라신의 뜻

***kiss** [kís] *n.* **1** 키스, 입맞춤 **2 a** ⟪시어⟫ 가볍게 닿음; (산들바람 등이) 스침 **b** 〘당구〙 (공과 공의) 접촉, 키스 **3** ⟪유아어⟫ 거품 ⟪우유·차 등에 뜬⟫ **4** 키스 캔디 ⟪포일(foil)에 싼 작은 사탕[초콜릿] 과자⟫
blow a ~ to …에게 키스를 보내다 ***give a ~ to*** …에 키스하다 ***sealed with ~*** ⟪미·속어⟫ 키스도 함께 부칩니다 ⟪연애 편지에서 쓰는 말⟫ ***the ~ of death*** ⟪구어⟫ 죽음의 키스; (친절해 보이나 실은) 치명적인[위험한] 행위[관계]; ⟪미·정치속어⟫ 달갑지 않은 쪽으로부터의 (계략적인) 후보자 지지; 재앙의 근원 ***the ~ of life*** ⟪영⟫ (1) (입에 대서 하는) 인공호흡 (2) 기사회생책
— *vt.* **1** 키스하다, 입맞추다: (~+목+전+명) (~+목) ~ a person *on* the mouth[cheek] = ~ a person's mouth[cheek] …의 입[뺨]에 입맞추다 **2** 키스로 나타내다; 키스하여 …하다 **3** ⟪시어⟫ ⟨미풍·파도가⟩ 가볍게 스치다 **4** 〘당구〙 ⟨공이⟩ ⟨다른 공에⟩ 맞닿다: The wind *~ed* the trees. 바람이 나무들을 스쳤다.
— *vi.* **1** 입맞추다, 키스하다 **2** 〘당구〙 ⟨공이⟩ (다른 공에) 서로 맞닿다 **~ *and make up*** (과거를 잊고) 화해하다 **~ *and tell*** ⟪구어⟫ 비밀을 입밖에 내다, 서약을 깨다 **~ *away*** ⟨눈물·걱정·화 등을⟩ 키스로 훔쳐 버리다 **~** a person[place, thing] **~ *good-bye*** (1) …에게 이별의 키스를 하다 (2) ⟪구어·비꼼⟫ …을 버리고 떠나다; 단념하다; 가졌던 것을 내놓다 **~ *it better*** 키스하여 고치다 ⟪어린이의 아픈 곳에 키스해 주다⟫ ***K~ my ass!*** ⇨ ass[2]. **~ *off*** (1) 키스하여 ⟨상대방의 립스틱 등을⟩ 지워버리다 (2) ⟪미·구어⟫ ⟨사물을⟩ 없어진 것으로 생각하다[단념하다] (3) ⟪미·속어⟫ 해고하다(dismiss) (4) ⟪미·속어⟫ 거절하다, 무시하다; 피하다, 도망치다 ***K~ off!*** ⟪속어⟫ 가버려, 귀찮게 하지마! **~ *out*** ⟪미·속어⟫ ⟨남의⟩ 할당 몫을 주지 않다, 따돌리다 **~ *the Bible*[*Book*]** 성서에 키스하고 선서하다 **~ *the ground*** 땅에 엎드리다; 굴욕을 맛보다 **~ *up to*** ⟪속어⟫ …에게 아첨하다

KISS [kís] Keep it short and simple. 〘컴퓨터〙 간단 명료하게 ⟪프로그램·통신문의 용어⟫; Keep it simple, stupid. ⟪미·속어⟫ 이봐, 간단히 해.

kiss·a·ble [kísəbl] *a.* 키스하고 싶게 만드는

kiss-and-make-up [kísənmèikʌp] *a.* Ⓐ 화해의

kiss-and-tell [kísəntél] *a.* Ⓐ ⟨회고록 등이⟩ 내막물의, 비밀을 폭로하는

kiss-ass [kísæ̀s] *a.* Ⓐ ⟪비어⟫ 아첨하는

kíss cùrl ⟪영⟫ = SPIT CURL

kiss·er [kísər] *n.* **1** 키스하는 사람 **2** ⟪속어⟫ 입; 입술; 얼굴: a punch in the ~ 얼굴에 한 대 먹이기

kiss·ing [kísiŋ] *n.* 키스하기 — *a.* 키스하는
be ~ kind 키스할 정도로 친하다
~·ly *ad.* 가볍게, 상냥하게

kíssing bùg **1** 〘곤충〙 침노린재류의 흡혈(吸血) 곤충(conenose) **2** ⟪구어⟫ 키스광(狂), 키스욕(慾)

kiss·ing-com·fit [-kʌ̀mfit] *n.* 향료가 든 달콤한 사탕 과자

kíssing cóusin[kín, kínd] ⟪미·구어⟫ **1** 만나면 인사로 키스할 정도의 먼 친척 **2** 친한 사람

kíssing crùst ⟪구어⟫ 빵 껍질의 연한 부분 ⟪구울 때에 옆 덩어리와 밀착되어 생긴 부분⟫

kíssing disèase 키스병 ⟪전염성 단핵증⟫

Kis·sin·ger [kísəndʒər] *n.* 키신저 **Henry Alfred ~** (1923-) ⟪미국의 정치학자·외교관; 국무장관(1973-77); 노벨 평화상(1973)⟫

kíssing gàte ⟪영⟫ 좁게 열리는 문 ⟪한 사람씩 드나들 수 있음⟫

kiss-in-the-ring [kísinðəríŋ] *n.* Ⓤ 키스 놀이 ⟪남녀가 둘러 앉고 술래가 어느 이성 뒤에 수건을 떨어뜨리면 그 이성은 술래를 쫓아가 붙잡은 곳에서 키스함⟫

kiss-me-quick [kísmikwìk] *n.* **1** 〘식물〙 야생의 삼색제비꽃 **2** 뒷머리에 쓰는 테 없는 모자(= **~ hàt**) **3** = SPIT CURL

kiss-off [kísɔ̀ːf | -ɔ̀f] *n.* ⟪미·속어⟫ **1** 해고, 파면(dismissal) **2** 죽음 **3** 〘당구〙 키스

kis·so·gram [kísəgræ̀m] *n.* 키스 전보 ⟪여자[남자] 배달원이 수취인에게 서비스로 키스를 해주는 전보⟫; 그 배달원

KÍSS prìnciple [*K*eep *i*t *s*imple, *s*tupid] ⟪특히 미⟫ [the ~] KISS 원칙 ⟪제품 개발이나 광고는 단순하게 하라는 전략⟫

kis·sy [kísi] *a.* ⟪미·구어⟫ 키스하고 싶어 하는, 애정을 표현하는; 유혹적인 키스를 하는

kis·sy·face [kísifèis] *n.* ⟪미·속어⟫ 키스할 것 같은 사랑에 넘친 얼굴, 키스(해 달라고 입을 내민 얼굴)

thesaurus **kiosk** *n.* booth, stand, newsstand
kit[1] *n.* **1** 세트 assortment, selection, stock **2** 장비

play ~ 《미·속어》 서로 키스하며 사랑을 나타내다 — *vt.* …에 키스하다 — *a.* 키스하고 싶은

kist[1] [kíst] *n.* 《스코》 돈궤, 금고; 상자 《구급 용품을 두는》; 관(棺)

kist[2] *n.* = CIST[2]

KIST Korea Institute of Science and Technology 한국 과학 기술 연구원

kis·ter [kístər] *n.* 《미·속어》 = KEISTER

Ki·swa·hi·li [kìːswɑːhíːli] *n.* Ⓤ 스와힐리 말

kit**[1] [kít] *n.* **1 도구 한 벌**; 《여행·운동 등의》 용구 한 벌: a golfing ~ 골프 용구 한 세트 **2** 《모형 비행기 등의》 조립 용품 한 벌 **3** 《영》 나무통, 물건[시장] 바구니 **4** 《영》 **a** Ⓤ 〚군사〛 《무기 이외의》 장구(裝具) **b** Ⓤ 장비, 복장: ~ inspection 《군인의》 복장 검사 **c** 《군인 등의》 잡낭(= ~ bag) **5** 《구어》 한 벌, 전부 **6** 〚컴퓨터〛 맞춤짝 ***get[***take***] one***'s ~ off*** 옷을 벗다 ***keep*** one***'s ~ on*** 옷을 벗지 않고 있다 ***the whole ~*** (***and caboodle***) 《미·구어》 이것저것[이 사람 저 사람] 모두, 전부
— *vt.* (**~·ted**; **~·ting**) 《영》 …에 장비를 달다, 장비를 갖추다 《*out*, *up*》

kit[2] *n.* 소형 바이올린 《옛 댄스 교사용》

kit[3] *n.* 새끼 고양이 《kitten의 축약형》; 새끼 여우

Kit [kít] *n.* **1** 남자 이름 《Christopher의 애칭》 **2** 여자 이름 《Catharine, Katherine의 애칭》

kít bàg 〚군사〛 잡낭(雜囊); 여행 가방

kit-cat [kítkæ̀t] *n.* 반신보다 작은 초상화 《36×28 인치》(= **~ pòrtrait**)

Kít-Cat Clùb [kítkæ̀t-] [the ~] 키트캣 클럽 《1703년 런던에 설립된 Whig당원의 클럽》

‡kitch·en [kítʃən] [L 「요리하다」의 뜻에서] *n.* **1** 부엌, 취사장, 주방 **2** 《호텔 등의》 조리부, 조리장 **3** 《음악속어》 《오케스트라의》 타악기 부문
— *a.* Ⓐ **1** 부엌(용)의; 주방에서 일하는 **2** 〈말 등이〉 천한, 교양 없는 **3** 여러 가지가 섞인

kítchen càbinet 1 부엌 찬장 **2** [종종 **K- C-**] 《미·구어》 《대통령·주지사 등의》 사설 고문단, 브레인

kitch·en·er [kítʃənər] *n.* **1** 《영》 요리용 화덕(range) **2** 요리사; 취사인 《특히 성당의》

kitch·en·et(te) [kìtʃənét] *n.* 《아파트 등의》 간이 부엌

kítchen gàrden 《영》 채마밭, 채소밭

kítchen gàrdener 야채[과수] 재배가

kítchen knìfe 부엌칼

kitch·en·maid [kítʃənmèid] *n.* 부엌 하녀, 식모

kítchen mìdden 〚고고학〛 패총(貝塚)

kítchen pàper = KITCHEN ROLL

kítchen phỳsic 《병자용》 자양식, 영양식

kítchen políce 〚미군〛 **1** 취사반 근무 《종종 벌로서 과함; 略 K.P.》 **2** [집합적; 복수 취급] 취사(근무)병

kítchen pórter 《영》 《호텔·식당 등의》 주방 보조

kítchen rànge 취사용 화덕, 레인지

kítchen ròll 《영》 부엌용 두루마리 휴지(《미》 paper towel)

kítchen sínk 부엌의 싱크(대) ***everything***[***all***] ***but***[***except***] ***the ~*** 《영·구어》 이것저것 몽땅; 필요 이상으로 많은 것, 무엇이나 다

kitch·en-sink [-síŋk] *a.* 《생활상의 깨끗하지 못한 면을 묘사한》 극단적으로 사실주의적인 〈연극·그림 등〉

kítchen-sínk dràma 《영》 《1950-60년대의》 노동자 계급의 생활을 그린 연극

kítchen stùff 요리의 재료 《야채 등》; 부엌 찌꺼기

kítchen tèa 《호주·뉴질》 결혼 전의 축하 파티 《신부될 사람에게 부엌 용품 등의 선물을 하는 파티》

kítchen ùnit 부엌 설비 일습

kitch·en·ware [kítʃənwɛ̀ər] *n.* Ⓤ 부엌 세간 《냄비·솥 등》

kite** [káit] *n.* **1** 연 **2** 〚조류〛 솔개 **3** 《상업속어》 융통어음, 공(空)어음 **4** 협잡꾼, 욕심쟁이 **5** [*pl.*] 〚항해〛 제일 높은 돛 《바람이 약할 때에만 다는》 **6** 《영·속어》 비행기(aeroplane) (as***) ***high as a ~*** 《구어》 《술·마약에》 취한, 황홀한 ***fly a ~*** (1) 연을 날리다 (2) 융통어음을 발행하다 (3) 《여론의》 반응을 살피다(cf. BALLON D'ESSAI) ***Go fly a ~!*** 《미·속어》 꺼져 버려, 꿰져라!; 네 멋대로 해봐라!
— *vi.* **1** 솔개같이 빠르게 날다[움직이다]; 《주로 미》 〈가격 등이〉 급등하다 **2** 〚상업〛 융통 어음으로 돈을 마련하다, 공어음을 발행하다
— *vt.* 〚상업〛 〈어음을〉 융통 어음으로서 사용하다

kíte ballòon 〚군사〛 연 모양의 계류 기구(繫留氣球)

kite·board·ing [káitbɔ̀ːrdiŋ] *n.* 카이트보딩 《몸에 연을 달고 스케이트보드나 스노보드를 타는 스포츠; cf. KITE SURFING》

kit·ed [káitid] *a.* 《속어》 《술·마약에》 취한

kite·fly·ing [káitflàiiŋ] *n.* 연 날리기; 《영·구어》 여론 탐색; 〚상업〛 융통 어음의 발행

kite·mark [káitmɑ̀ːrk] *n.* [때로 **K~**] 《영》 카이트마크 《영국 규격 협회 검사증; 한국의 KS 마크에 해당》

ki·ten·ge [kiːtéŋge] *n.* 키텡게 《동아프리카 해안 지방에서 남성이 허리에 두르는 줄무늬의 천》

kíte sùrfing 〚스포츠〛 카이트 서핑 《큰 연에 매달린 채 하는 파도타기》

kith [kíθ] *n.* = KIN [다음 성구로] ***~ and kin*** 친척과 지인(知人); 일가친척

KITSAT-A [kítsætéi] *n.* 《한국이 1992년 발사한》 우리 별 1호의 국제 호칭

kitsch [kítʃ] [G] *n.* Ⓤ 저속한[저질] 작품

kitsch·y [kítʃi] *a.* (**kitsch·i·er**; **-i·est**) 《속어》 〈작품이〉 저속한, 저질의

‡kit·ten [kítn] *n.* **1** 새끼 고양이(⇨ cat[1] 관련); 《작은 동물의》 새끼 **2** 말괄량이 ***have*** (***a litter of***) ***~s*** = ***have a ~*** 《구어》 심히 걱정[당황]하다; 《미·속어》 발끈하다, 몹시 흥분하다
— *vi.*, *vt.* 〈고양이가〉 《새끼를》 낳다; 재롱부리다, 아양떨다 **~·like** *a.*

kítten hèels 《여성 구두의》 굴곡이 진 가는 굽

kit·ten·ish [kítniʃ] *a.* 고양이 새끼 같은; 재롱부리는; 말괄량이의; 교태부리는

kit·ti·wake [kítiwèik] *n.* 〚조류〛 세발가락갈매기

kit·tle [kítl] *a.* 《스코》 간지럼 타는; 다루기 어려운, 귀찮은; 침착하지 못한

kíttle cáttle 다루기 어려운 사람들[사물]; 《미·속어》 믿을 수 없는 놈(들)

***kit·ty**[1] [kíti] *n.* (*pl.* **-ties**) 새끼 고양이(kitten); 《유아어·애칭》 야옹, 나비야(⇨ cat[1] 관련)

kitty[2] *n.* (*pl.* **-ties**) **1** 〚카드〛 적립금 통 《딴 돈에서 자릿값·팁 등을 넣어 두는 통》; 〚카드〛 건 돈 전부 **2** 《구어》 공동 적립금

Kit·ty[1] [kíti] *n.* 여자 이름 《Catharine, Katherine의 애칭》

Kitty[2] *n.* 《미·속어》 캐딜락 차(Cadillac)

kit·ty-cor·ner(ed) [kìtikɔ́ːrnər(d)] *a.*, *ad.* 《미·구어》 = CATER-CORNER(ED)

ki·va [kíːvə] *n.* 《미》 키바 《북미 Pueblo 인디언의 지하실 큰 방; 종교 의식이나 회의에 씀》

Ki·wa·nis [kiwɑ́ːnis] *n.* 《미》 키와니스 클럽 《미국·캐나다 사업가들의 봉사 단체》 **-ni·an** *a.*, *n.*

ki·wi [kíːwi] *n.* **1** 〚조류〛 키위 **2** 《속어》 《비행대의》 지상 근무원 **3** [**K~**] 《영·구어》 뉴질랜드 사람(New Zealander) **4** = KIWI FRUIT

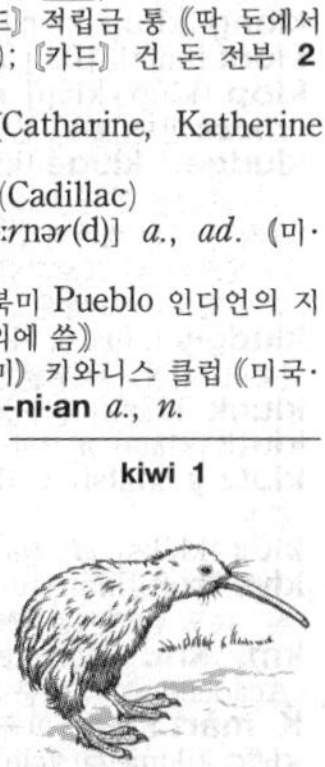

kiwi 1

kíwi frùit[**bèrry**] 〚식물〛 키위, 양다래 《뉴질랜드산(産) 과일》

kJ 〚물리〛 kilojoule(s)

K.J.V. King James Version

KKK Ku Klux Klan

KKt 〚체스〛 king's knight

KKtP 〚체스〛 king's knight's pawn

kl, kl. kiloliter(s)

---

material, tools, outfit

kitten *n.* pussy, kitty, puss, tabby

Klan [klǽn] *n.* =KU KLUX KLAN; 그 지부
Klans·man [klǽnzmən] *n.* (*pl.* **-men** [-mən]) KU KLUX KLAN의 회원
klap [klʌ́p] 《남아공·구어》 *n.*, 때림, 침 — *vt.* (~·**ped**; ~·**ping**) 때리다, 치다
klat(s)ch [klǽtʃ, klɑ́:tʃ] *n.* 《구어》 잡담회, 간담회 (cf. COFFEE KLAT(S)CH)
klax·on [klǽksən] *n.* (자동차용) 경적(警笛), 클랙슨《자동차용》; [**K~**] 그 상표명
Klee [kléi] *n.* 클레 **Paul** ~ (1879-1940) 《스위스의 추상파 화가》
Kleen·ex [klí:neks] *n.* 《미》 클리넥스 《tissue paper의 일종; 상표명》
Kléin bòttle [kláin-] [독일의 수학자 이름에서] 〔수학〕 클라인의 항아리
Klein·i·an [kláiniən] [오스트리아의 정신 분석학자 이름에서] *a.*, *n.* 〔정신의학〕 클라인학파의 (지지자)
Klem·per·er [klémpərər] *n.* 클렘페러 **Otto** ~ (1885-1973) 《독일의 지휘자》
klep·to [kléptou] [kleptomania의 단축형] *n.* (*pl.* ~**s**) 《속어》 절도광(竊盜狂)
klep·toc·ra·cy [kleptɑ́krəsi | -tɔ́k-] *n.* 〔정치〕 도둑 정치 《권력자가 막대한 부를 독점하는 정치 체제》
klep·to·crat [kléptəkræ̀t] *n.* 약탈형 정치가, 도둑 정치의 주역 **-cràt·ic** *a.*
klep·to·ma·ni·a [klèptəméiniə] *n.* Ⓤ (병적) 도벽(盜癖), 절도광
klep·to·ma·ni·ac [klèptəméiniæ̀k] *a.* 도벽이 있는, 절도광의 — *n.* 절도광
klick, klik [klík] *n.* 《미·군대속어》 킬로미터(kilometer) ★ click으로도 씀.
klíeg lìght [klí:g-] [미국의 발명자 이름에서] 《미》 영화 촬영용 아크등
Klíne·fel·ter's sỳndrome [kláinfeltərz-] [미국의 의사 이름에서] 〔병리〕 클라인펠터 증후군 《남성의 성염색체 이상으로 인한 선천성 질환의 하나》
Klíne tèst [kláin-] [미국의 병리학자 이름에서] 〔의학〕 클라인 시험 《매독 혈청의 침강 반응; cf. KAHN TEST》
klip·spring·er [klípsprìŋər] *n.* 〔동물〕 작은 영양(羚羊) 《남아프리카산(産)》
klis·ter [klístər] *n.* Ⓤ (스키용) 클리스터 왁스
KLM *Koninklijke Luchtvaart Maatschappij* (Du. =Royal Dutch Airlines)
Klon·dike [klɑ́ndaik | klɔ́n-] *n.* [the ~] 클론다이크 강 《캐나다 Yukon 강의 지류》; 그 유역의 금광 지대
klong [klɔ́:ŋ, klɑ́ŋ | klɔ́ŋ] *n.* (타이의) 운하
kloof [klú:f] [Du.] *n.* (깊은) 협곡 《남아프리카의》
klop [klɑ́p | klɔ́p] *n.* 《미·속어》 강타 ~ ***in the chops*** 안면(顔面) 강타, 맹렬한 공격
kludge, kluge [klú:dʒ] *n.* 《컴퓨터속어》 클루지 《(1) 호환성 없는 요소로 이루어진 장치 (2) 고물이지만 애착이 가는 컴퓨터 (3) 서투른 해결(법); 만지작거리다가 못쓰게 된 프로그램[시스템]》 — *a.* Ⓐ 〈해결책이〉 좋지[현명하지] 않은
kludg·y [klú:dʒi, klʌ́dʒi] *a.* (**kludg·i·er**; **-i·est**) 《속어》 복잡하게 뒤얽힌; 설계가 나쁜, 사용하기 불편한
klunk [klʌ́ŋk] [의성어] *int.* 쿵 《부딪치는 소리》
klutz [klʌ́ts] *n.* 《미·속어》 손재주 없는 사람, 얼간이
klutz·y [klʌ́tsi] *a.* (**klutz·i·er**; **-i·est**) 서투른, 바보 같은
klux [klʌ́ks] *vt.* 《미·속어》 때리다, 린치를 가하다
klys·tron [kláistrɑn | -trɔn] *n.* 〔전자〕 클라이스트론, 속도 변조관(速度變調管)
km, km. kilometer(s) **KMA** Korean Military Academy 한국 육군 사관 학교
K màrt K마트 《미국의 할인 연쇄점》
kMc kilomegacycle(s)
K-mes·on [kéimèzɑn | -mì:zɔn] *n.* 〔물리〕 K중간자(kaon) **K-mes·ic** [kéimèzik] *a.*
km/h, kmph kilometers per hour **kmps, km/sec** kilometers per second **kn** knot(s); krona; krone
knack** [nǽk] *n.* 《구어》 **1** 기교, 솜씨; 요령 《*of*, *for*》 **2** 기교를 요하는 일 **3** 습관, 버릇 **4** (물건이 깨질 때의) 날카로운 소리 **5** (마술사 등의) 재빠른 솜씨 **6** 하찮은 장식품 ***get the ~ of …의 요령을 터득하다 ▷ knácky *a.*
knack·er [nǽkər] *n.* 《영》 **1** 폐마 도축업자 **2** 고가(古家)[폐선(廢船)] 매입 해체업자 — *vt.* [보통 수동형으로] 《영·속어》 기진맥진케 하다; (오래 써서) 망가지다
knack·ered [nǽkərd] *a.* 《영·속어》 기진맥진한
knack·er·ing [nǽkəriŋ] *a.* 《영·구어》 기진맥진케 하는
knácker's yàrd 《영》 폐마(廢馬) 도축장(knackery); 잡동사니 두는 곳
knack·er·y [nǽkəri] *n.* (*pl.* **-er·ies**) 《영》 폐마(廢馬) 도축장
knack·wurst [nɑ́:kwə:rst | nɔ́kwə:st] *n.* 짧고 굵은 독일 소시지의 일종
knack·y [nǽki] *a.* (**knack·i·er**; **-i·est**) 요령을 터득한, 솜씨가 좋은; 교묘한
knag [nǽg] *n.* 옹이, 옹두리, 나무 마디; 말코지 (wooden peg) 《물건을 걸어 두는》
knag·gy [nǽgi] *a.* (**-gi·er**; **-gi·est**) 옹이가 많은; 울퉁불퉁한
knap[1] [nǽp] *vt.* (~**ped**; ~·**ping**) 세게 치다, 망치로 깨다; 탁 꺾다
knap[2] *n.* **1** (언덕의) 꼭대기, 정상 **2** 언덕, 작은 산
knap·per [nǽpər] *n.* 쳐부수는 사람; 돌 깨는 망치
***knap·sack** [nǽpsæ̀k] *n.* 배낭, 바랑
knap·weed [nǽpwì:d] *n.* 〔식물〕 수레국화
knar [nɑ́:r], **knaur** [nɔ́:r] *n.* 옹이, 옹두리, 마디
knave [néiv] [OE 「어린아이」의 뜻에서] *n.* **1** 악한, 악당 **2** 〔카드〕 잭(jack) ▷ knávish *a.*
knav·er·y [néivəri] *n.* (*pl.* **-er·ies**) **1** Ⓤ 악당 근성 **2** 나쁜 짓, 부정 행위
knav·ish [néiviʃ] *a.* **1** 악당 같은, 망나니의 **2** 부정한, 못된 ~·**ly** *ad.*
***knead** [ní:d] *vt.* **1 a** 반죽하다, 개다 **b** 〈빵·도자기를〉 반죽해서 만들다 **2** 〈근육 등을〉 주무르다, 안마하다 (massage) **3** 〈인격을〉 도야하다 ~·**a·ble** *a.* ~·**er** *n.*
knead·ing-trough [ní:diŋtrɔ̀:f | -trɔ̀f] *n.* (나무로 된) 반죽통
****knee** [ní:] *n.* **1** 무릎, 무릎 관절(⇨ lap[1] 유의어): on one's hands and ~*s* 네 발로 기어서 / kneel upon one's ~*s* 무릎을 꿇다 **2** (의복의) 무릎 부분 **3** (동물의) 무릎, (특히 말·개 등의) 완골(腕骨); (새의) 경골(脛骨) **4** 무릎 모양의 물건; 〔건축〕 까치발, 모나게 굽은 나무[쇠]; 곡재(曲材); (그래프의) 심한 굴곡부 ***at*** one***'s mother's ~s*** 어머니 슬하에서, 어렸을 적에 ***bend***[***bow***] ***the ~ to***[***before***] (1) …에게 무릎을 꿇고 탄원하다 (2) 굴종[굴복]하다 ***be on*** one***'s ~s*** 무릎을 꿇고 있다 ***bring***[***beat***] a person ***to his***[***her***] ***~s*** …을 굴복시키다 ***down on*** one***'s ~s*** 무릎을 꿇고 ***draw up the ~s*** 무릎을 세우다 ***drop the ~*** = ***fall***[***go*** (***down***)] ***on*** one***'s ~s*** (1) 무릎을 꿇다 (2) 무릎을 꿇고 탄원하다[절하다] ***give***[***offer***] ***a ~ to*** …을 무릎을 베고 쉬게 하다; (권투 시합에서) 세컨드(second)를 맡다 ***gone at the ~s*** (1) 《구어》 〈말·사람이〉 늙어 빠져서 (2) 《구어》 〈바지가〉 무릎이 닳아 해져 ~ ***to*** ~ (1) 무릎을 맞대고 (2) 나란히 get up ***off*** one***'s ~s*** 꿇어앉은 상태에서 (일어서다) ***on*** one***'s ~s*** (1) 무릎을 꿇고 (2) 지쳐서 ***on the ~s of the gods*** (1) 사람의 힘이 미치지 않는 (2) 미정의 ***put*** a person ***across***[***over***] one***'s ~*** (어린애 등을) 무릎에 뉘어 놓고 엉덩이를 때리다 ***rise on the ~s*** 무릎으로 서다 one***'s ~s knock*** (***together***) (무서워서) 무릎이 덜덜 떨리다 ***up to*** one***'s ~s*** 《구어》 (어떤 일에) 깊이 빠져 들어, 눈코 뜰 새 없어, 〈주문 등이〉 쇄도하여 ***weak at the ~s*** (감정·공포·병 등으

로) 일어서지 못할 정도로
—*v.* (**~d**; **~·ing**) *vt.* **1** 무릎으로 건드리다[찌르다, 밀다] **2** 〈틀 등에〉 까치발을 대다, 곡재(曲材)를 대다 **3** 《구어》 〈양복바지의〉 무릎을 부풀리다
—*vi.* 굽히다 《*over*》; 무릎 꿇다
▷ knéel *v.*
knée àction 〖자동차〗 니액션 《앞바퀴의 좌우가 따로따로 아래위로 움직이게 하는 장치》
knée bènd (손을 쓰지 않는) 무릎 굴신 운동
knée brèeches (무릎 밑에서 홀친) 반바지
knee·cap [ní:kæ̀p] *n.* **1** 슬개골(patella) **2** 무릎받이 《무릎 보호용》 —*vt.* (총으로) …의 무릎을 쏘다
knee·cap·ping [-kæ̀piŋ] *n.* (총·전기 드릴로) 슬개골에 골을 내는 처벌법; 무릎 쏘기 《죽이지 않고 무릎 부근을 쏘는 테러범의 수법》
knee-deep [-dí:p] *a.* **1** 무릎 깊이의, 무릎까지 빠지는 **2** 열중하여, 깊이 빠져 《*in*》: ~ *in* work 일에 열중한 ***be ~ in trouble*** 어려움에 빠져 있다
knee-high [-hái] *a.* 무릎 높이의 ***~ to a grasshopper*** 《구어》 〈사람이〉 꼬마인, 아주 어린
knee·hole [ní:hòul] *n.* (책상 밑 등의) 무릎 공간
knéehole dèsk 양쪽에 층층 서랍이 있는 책상
knée jèrk 〖의학〗 무릎 반사; 《미·속어》 반사적 반응
knee-jerk [ní:dʒə̀:rk] *a.* 《미》 **1** 〈반응 등이〉 반사적인 **2** 〈사람·행동 등이〉 판에 박은 반응을 나타내는
knée jòint **1** 무릎 관절 **2** 〖기계〗 = TOGGLE JOINT
‡**kneel** [ní:l] [OE 「무릎」의 뜻에서] *vi.* (**knelt** [nélt], **~ed**) **무릎 꿇다**, 무릎을 구부리다 ***~ at*** a person***'s feet*** 남의 발치에 무릎을 꿇다 ***~ down*** 꿇어 앉다 《*on*》; 굴복하다 《*to, before*》 ***~ to*** …앞에 무릎 꿇다; …을 간원하다 ***~ up*** 무릎을 짚고 일어서다
~·ing·ly *ad.* ▷ knée *n.*
kneel·er [ní:lər] *n.* 무릎 꿇는 사람; 무릎 방석; 〖건축〗 박공 받침돌
knee-length [ní:léŋkθ] *a.* 〈의복·부츠 등이〉 무릎까지 오는
knee·let [ní:lit] *n.* (보호용의) 무릎 덮개[커버]
knéel·ing bùs [ní:liŋ-] 《미》 승강구를 보도 높이까지 낮출 수 있는 신체 장애자용 버스
knee-mail [ní:mèil] *n.* 《미·속어》 무릎을 꿇고 하는 기도
knee·pad [-pæ̀d] *n.* 무릎받이
knee·pan [-pæ̀n] *n.* = KNEECAP 1
knee·piece [-pì:s] *n.* 갑옷의 무릎받이
knee·room [-rù(:)m] *n.* (자동차·비행기 좌석의) 무릎 공간
knee·sies [ní:ziz] *n. pl.* [다음 성구로] ***play ~*** (남녀가 식탁 밑으로) 무릎을 맞대거나 어루만지며 희롱거리다
knee-slap·per [ní:slæ̀pər] *n.* 《구어》 (무릎을 치고 웃을 만큼) 기막힌 농담
knee-socks [-sɑ̀ks | -sɔ̀ks] *n. pl.* 니속스 《무릎 아래까지 오는 여자용 양말》
knees-up [kní:zʌ̀p] *n.* 《영·구어》 즐거운 무도회
knée swèll[stòp] 〖음악〗 (오르간의) 무릎으로 미는 증음기(增音器)
knee-trem·bler [ní:trèmblər] *n.* 《영·속어》 (주로 야외에서) 서서 하는 자세의 성교
*__knell__ [nél] *n.* **1 종소리**; 조종(弔鐘) **2** (죽음·실패를 알리는) 소리, 신호 **3** 곡하는 소리, 애도하는 소리 **4** 흉조 ***ring[sound, toll] the ~ of*** (1) …의 조종을 울리다 (2) …의 소멸[몰락]을 알리다
—*vi.* **1** 조종이 울리다; 종을 울려 부르다; 슬픈 소리를 내다 **2** 불길하게 울리다
—*vt.* **1** 〈흉사 등을〉 알리다, 조종을 울리다 **2** 종을 울려 〈사람을〉 부르다
‡**knelt** [nélt] *v.* KNEEL의 과거·과거 분사
Knes·set(h) [knéset] *n.* [the ~] 이스라엘의 국회
‡**knew** [njú: | njú:] *v.* KNOW의 과거
knick·er·bock·er [níkərbɑ̀kər | -bɔ̀kə] *n.* 《미》 **1** [**K~**] 니커보커 이민 《지금의 New York에 이주한 네덜란드 사람》; 뉴욕 사람 《특히 네덜란드계의》 **2** [*pl.*] 니커바지(knickers) 《무릎 아래에서 홀치는 느슨한 반바지》

knickerbockers 2

Kníckerbocker Glóry 《영》 니커보커 글로리 《아이스크림·과일 등으로 만든 디저트의 일종》
knick·ers [níkərz] *n. pl.* **1** 《미·구어》 = KNICKERBOCKER 2 **2** 《영》 (블루머 같은) 여자[여아]용 내의 ***get[have]*** one***'s ~ in a twist*** 《영·속어·익살》 당혹하다; 화내다; 애태우다
—*int.* 《속어》 제기랄, 칫, 바보같이 《경멸·초조 등을 나타냄》
knick·knack [níknæ̀k] *n.* 《구어》 **1** (장식적인) 작은 물건; 자지레한 장신구, 패물 **2** (장식용) 골동품
knick·knack·er·y [níknæ̀kəri] *n.* [집합적] = KNICKKNACK
‡**knife** [náif] *n.* (*pl.* **knives** [náivz]) **1 나이프, 칼, 부엌칼**: a clasp ~ 접는 나이프
관련 kitchen knife 부엌용 식칼, carving knife 고기 써는 큰 칼, bread knife (톱니의) 빵 써는 칼, fruit knife 과도, paper knife 종이 자르는 칼, pocketknife 주머니칼, table knife 식탁용 나이프
2 《시어》 〖수사학〗 검(sword), 단검(dagger) **3** 〖기계〗 (절단기의) 날(blade) **4 a** 수술용 칼, 메스 **b** [the ~] 외과 수술 ***a ~ and fork*** 식탁용 나이프와 포크; 식사(meal) ***before you can say ~*** 《구어》 순식간에; 갑자기 ***cut like a ~*** 〈바람 등이〉 살을 에듯이 차다 ***get[have]*** one***'s ~ into[in]*** 《구어》 …에게 원한을 품다[적의를 나타내다] ***have the ~ out for*** …을 노리다, …을 비난[공격]의 목표로 삼다 ***~ in the teeth*** 적의(敵意) ***like a (hot) ~ through butter*** 《영·속어》 재빨리; 아주 간단하게 ***play a good [capital] ~ and fork*** 배불리 먹다 ***The knives are out.*** 《미·속어》 서로 적대심을 드러내고 있다; 사태가 험악하다. ***the night of the long knives*** 책략을 꾸미는 때 ***twist [turn] the ~ (in the wound)*** 싫은 것을 생각나게 하다, 옛 상처를 건드리다 ***under the ~*** (1) 수술을 받고: go[be] *under the ~* 수술을 받다[받고 있다] (2) 파멸로 치닫는, 〈계획 등이〉 축소되는 ***war to the ~*** 혈전(血戰), 사투
—*vt.* **1** 작은 칼[나이프]로 베다; 단도로 찌르다, 찔러 죽이다 **2** 《구어》 (음흉한 수단으로) 해치(려 하)다, 배신하(려 하)다
—*vi.* 《미》 칼로 베며 나아가다; (파도 등을) 헤치고 나아가다 ***~*** a person ***in the back*** …을 해치려[모함하려] 하다
knife·board [náifbɔ̀:rd] *n.* **1** (옛 식탁용) 칼 가는 대 **2** 《영》 등을 맞대고 앉는 좌석 《구식 이층 버스의》
knife-edge [-èdʒ] *n.* **1** 나이프의 날 **2** 칼날 같은 능선 ***on a ~*** (1) 〈일의 성패가〉 아슬아슬한 고비에 (2) 〈사람이〉 일의 성패를 몹시 걱정하고 《*about*》
knife-edged [-èdʒd] *a.* 칼날이 선; 칼날처럼 예리한
knífe grìnder 칼 가는 사람[회전 기구]
knífe machìne 칼 가는 기계
knífe plèat 나이프 플리트 《같은 방향으로 칼날처럼 곧게 세운 잔주름》
knife·point [-pɔ̀int] *n.* 나이프의 끝 ***at ~*** 칼을 들이대고, 칼로 위협받고
knífe rèst (식탁의) 칼 놓는 대
knífe switch 〖전기〗 칼날 모양의 개폐기
‡**knight** [náit] [OE 「하인, 종자」의 뜻에서] *n.* **1 a** (중세의) **기사(騎士)**; (귀부인을 따라 다닌) 무사 **b** 《영》 **나이트작(爵)**, 훈공작 ★ baronet 아래 자리로서 당대에 한한 영작(榮爵), Sir 칭호가 허용되어 Sir John Jones 《약식으로는 Sir John》라 불리고 처는 Dame 《항간에서는 Lady》의 칭호를 받음. **c** 훈작사(勳爵士) 《훈장에 의하여 훈위(勳位)를 나타내는》; 나이

트《정치 단체, 이를테면 Primrose League 등에서 회원에게 주는 칭호의 하나》 **d** (고대 로마의) 기병 대원《원로원 계급과 평민과의 중간에 위치한》; (고대 그리스의) 기마(騎馬) 계급민《아테네의 제2 계급 시민》 **2** 용사, 의협심 있는 사람; 여성에게 헌신적인 사람 **3** 〖체스〗 나이트 **4** 〖영국사〗 주(州)선출 대의원(=**~ of the shíre**) **5** (도구·장소 등과 함께 별명으로) …에 관계하는 사람 ***a ~ in shining armor*** (익살) 의협심이 강하고 여성에게 헌신적인 남자 ***~ of the air***[***brush, cue, needle***[***thimble***], ***pen***[***quill***], ***pestle, road, whip***] 비행가[화가, 당구가, 재봉사, 문필가, 약제사, 노상강도, 마부] ***the K~ of the Rueful Countenance*** 우수(憂愁)의 기사 《돈키호테》 ***the K~s of the Round Table*** 원탁의 기사단

— *vt.* …에게 나이트 작위를 수여하다(cf. DUB[1])

knight·age [náitidʒ] *n.* **1** [집합적] 기사단; 훈작사단(勳爵士團) **2** 훈작사 명부

knight báchelor (*pl.* **-(s) -s**) (영) 최하위 훈작사

knight bannerét (*pl.* **-s -s**) 배너렛 훈작사

knight commánder (*pl.* **-s -s**) (영) 중급 훈작사

knight-er·rant [náitérənt] *n.* (*pl.* **knights-**) **1** (중세의) 무사 수행자 **2** 협객; 돈키호테 같은 인물

knight-er·rant·ry [-érəntri] *n.* Ⓤ **1** 무사 수행(修行) **2** 의협적 행위

knight gránd cróss (*pl.* **knights g- c-**) (영) (bath 훈위(勳位)의) 최상급 훈작사(勳爵士)

***knight·hood** [náithùd] *n.* Ⓤ **1** 무사[기사]의 신분 **2** 기사 기질(氣質); 기사도(道) **3** 나이트 작위(爵位), 훈작사(勳爵士)임 **4** [the ~; 집합적] 훈작사단(團)

***knight·ly** [náitli] *a.* (**-li·er**; **-li·est**) **1** 기사의; 훈작사(勳爵士)의 **2** 기사다운; 의협적인

— *ad.* (고어) 기사답게; 의협적으로

Knights Hóspitalers [náitz-] [the ~] 호스피털 기사단《11세기에 십자군 상병(傷病)·성지 순례자의 구호와 보호를 목적으로 Jerusalem에서 결성》

Knights of Colúmbus [the ~] (미) 로마 가톨릭의 우애 공제회《1882년 설립》

Knights of Pýthias [the ~] (미) 우애 공제회《1864년 설립》

knight('s) sèrvice 〖역사〗 기사의 봉사《군주로부터 받은 토지의 대가로서 군무에 복역하기》

Knights Témplars [the ~] **1** 〖역사〗 (성지 순례와 성역 보호를 목적으로 하는) 템플 기사단 **2** 미국의 Freemason 비밀 결사

K-9 [kéináin] [canine의 발음에서] *n.* (미) 경찰[군용]견 (부대): a ~ dog 경찰견, 군용견

knish [kníʃ] *n.* 크니쉬《감자·쇠고기 등을 밀가루를 입혀서 튀기거나 구운 것; 유대 요리》

‡**knit** [nít] [OE 「매듭을 만들다」의 뜻에서] *v.* (**~, ~·ted**; **~·ting**) *vt.* **1** 뜨다, 짜다: (~+목+전+명) ~ gloves *out of* wool = ~ wool *into* gloves 털실로 장갑을 짜다 **2** 밀착시키다, 접합하다(join); (서로의 이익·결혼 등으로) 굳게 결합시키다(unite) 《*together*》: (~+목+부) ~ bricks *together* 벽돌들을 접합시키다 / The two families were ~ *together* by marriage. 두 집안은 결혼으로 결합되었다. **3** 〈눈살을〉 찌푸리다; 〈이마에〉 주름살을 짓다: ~ the brow[one's brows] 이맛살을 찌푸리다 **4** 짜내다, 만들어내다: ~ a new plan 새 계획을 짜내다 **5** [보통 과거분사 knit으로] 〈이론 등을〉 빈틈없게 하다; 잘 조립하다: a closely ~ argument 빈틈없이 잘 짜여진 이론 / a well-~ frame 균형잡힌 체격

— *vi.* **1** 뜨개질을 하다, 편물을 짜다 **2** 결합하다; 밀착하다, 유착(癒着)하다: (~(+부)) The broken bones ~ (*together*). 부러진 뼈는 이어진다[유착한다]. **3** 〈눈살이〉 찌푸려지다; (이마에) 주름살이 지다

~ in 짜넣다; 섞어 짜다 ***~ up*** (1) 짜깁다 (2) 〈토론 등을〉 끝맺다, 정리하다 (3) 〈털실 등이〉 잘 떠[짜]지다

knit·ted [nítid] *a.* 짠, 뜬, 뜨개것의; 메리야스의: ~ work 편물

knit·ter [nítər] *n.* **1** 짜는 사람, 메리야스 직공 **2** 편물[메리야스] 기계

knit·ting [nítiŋ] *n.* ⓊⒸ **1** 뜨개질 **2** 뜨개질 세공; 편물 **3** 니트, 메리야스

knítting machìne 메리야스 기계; 편물 기계

knítting nèedle 뜨개바늘

knit·wear [nítwὲər] *n.* Ⓤ 니트웨어《뜨개질한 의류의 총칭》

‡**knives** [náivz] *n.* KNIFE의 복수

***knob** [nάb | nɔ́b] *n.* **1** (문·서랍 등의 둥근) 손잡이, 노브, (깃대 등의) 둥근 꼭지, 깃봉; 〖건축〗 (기둥머리의) 모조 구슬 장식; (전기 기구의) 꼴손, 손잡이 **2** (설탕·버터·석탄 등의) 덩이 《*of*》 **3** (미) (고립된) 둥근 언덕, 작은 산; [*pl.*] 구릉지대 **4** (나무 줄기 등의) 혹, 마디 **5** (속어) 머리(nob); (비어) 음경(penis), 귀두

(***the***) ***same to you with*** (***brass***) ***~s*** 당신이야말로[자네야말로] 《비아냥거리는 말대꾸》 ***with*** (***brass***) ***~s on*** 게다가, 그뿐 아니라, 두드러지게

— *v.* (**~bed**; **~·bing**) *vt.* 손잡이를 달다

— *vi.* 혹이 생기다 《*out*》

▷ knóbby *a.*

knobbed [nάbd | nɔ́bd] *a.* 혹이 있는; (끝이) 혹 모양인; 손잡이가 달린

knob·bing [nάbiŋ | nɔ́b-] *n.* (석재(石材)의) 다듬질

knob·ble [nάbl | nɔ́bl] *n.* 작은 마디[혹]; 사마귀

knob·bly [nάbli | nɔ́b-] *a.* (**-bli·er**; **-bli·est**) = KNOBBY

knob·by [nάbi | nɔ́bi] *a.* (**-bi·er**; **-bi·est**) **1** 혹[마디]이 많은; 혹 같은; 우툴두툴한 **2** 둥근 언덕[작은 산]이 많은 **3** 곤란한

knob·ker·rie [nάbkèri | nɔ́b-] *n.* (남아프리카 원주민이 무기로 사용하는) 혹달린 곤봉

knob·stick [nάbstik | nɔ́b-] *n.* 끝에 혹이 달린 곤봉; = KNOBKERRIE

‡**knock** [nάk | nɔ́k] *v.*, *n.*

① 두드리다	타 **1** 자 **1**
② 부딪치다, 부딪히다	타 **3** 자 **2**

— *vt.* **1** 〈머리·공 등을〉 치다, 때리다, 〈문을〉 두드리다(⇨ strike 유의어): ~ the door 문을 두드리다 // (~+목+전+명) ~ a person *on* the head …의 머리를 때리다 **2** 쳐서 …이 되게 하다[을 만들다]: (~+목+전+명) ~ a hole *in* the door 쳐서 문에 구멍을 내다 // (~+목+보) They ~*ed* him senseless [unconscious]. 그들은 그를 때려 실신시켰다. **3** 부딪치다, 충돌시키다: (~+목+전+명) ~ one's head *against*[*on*] the door 머리를 문짝에 부딪치다 **4** (영·속어) 깜짝 놀라게 하다, 깊은 인상을 주다: His cool impudence ~*ed* me completely. 그의 태연한 뻔뻔스러움에는 정말 말문이 막혔다. **5** (구어) 깎아내리다, 흠잡다

— *vi.* **1** 때리다(beat, rap), 노크하다: (~+전+명) ~ *at*[*on*] the door 문을 (똑똑) 두드리다 **2** 부딪히다, 충돌하다(bump); …와 우연히 마주치다 《*against*》: (~+전+명) The waves ~*ed against* the rocks. 파도가 바위에 부딪쳤다. **3** 〈내연 기관이〉 노킹을 일으키다(cf. KNOCKING 2) **4** (미·속어) 험담하다, 비판하다 **5** (미) 카드놀이[게임]를 끝내다《gin rummy 등에서 손의 패를 보이면서》

~ about[***around***] (구어) (1) 마구 두들기다, 난타하다 (2) 〈파도·폭풍이 배를〉 뒤흔들다, 난폭하게 다루다 (3) 방랑하다 (4) [진행형으로] 〈물건·사람이〉 (어디엔가) 있다 (5) (속어) …와 동행이다; (이성과) 성적 관계가 있다 《*with*》 ***~ about together*** 〈두 사람이〉 동행하다; 〈남녀가〉 (성적으로) 관계하다 ***~ against*** …에 부딪치다, 우연히 만나다 ***~ at an open door*** 헛수고하다 ***~ away*** 두들겨서 떼다 ***~ back*** (영·구어) (1) 〈술을〉 꿀꺽꿀꺽 마시다 (2) …에게 지출시키다 (3)

thesaurus **knit** *v.* **1** 뜨다 sew, weave, crochet, purl, spin **2** 결합하다 join, intermingle, connect

…을 깜짝 놀라게 하다 ~ a person ***cold*** 《구어》 (1) …을 때려 기절시키다 (2) …을 깜짝 놀라게 하다 ~ a person ***dead*** …을 매우 즐겁게 하다, …을 감탄시키다; 《속어》 …을 뇌쇄하다 ~ ***down*** (1) …을 때려눕히다; 〈자동차 등이〉 …을 치어 넘어뜨리다 (2) 〈집 등을〉 헐어 넘어뜨리다 (3) 〖상업〗 〈기계 등을〉 분해[해체]하다(cf. SET up) (4) 〈이론 등을〉 뒤집어 엎다, 논파하다 (5) 《구어》 값을 내리다; 값을 깎다 (6) 〖경매〗 값을 깎아 부르다, 〈물건을〉 낙찰시키다 《*to*》 (7) 《영·구어》 〈사회자가〉 지명하다 《*for*》 (8) 《미·속어》 소개하다 《*to*》 (9) 《미》 〈차장 등이〉 횡령하다 (10) 《미·구어》 〈돈을〉 벌다 ~ [***cut***] a person ***down to size*** …을 납작하게 만들다, 분수를 알게끔 하다 ~ ***for admittance*** 문을 두드려 안내를 청하다 ~ ***head*** 절을 하다 ~ ***home*** (1) 〈못 등을〉 튼튼히 쳐박다 (2) 철저히 깎아내리다 ~ ***in*** (1) 〈못 등을〉 때려 박다 (2) 《영·속어》 폐문 후 문을 두드리고 들어가다 ~ ***into*** (1) 충돌하다 (2) 〈못 등을〉 박다 ~ something ***into a cocked hat*** ⇨ cocked hat. ~ a person[thing] ***into shape*** …을 정돈[정리]하다; (사람이 되도록) 잘 가르치다 ~ a person ***into the middle of next week*** …을 철저히 때려눕히다 ~ ***... into the head*** 어떤 일을 머릿속에 주입시키다 ***K~ it off!*** 《속어》 그만두어라; 잠자코 있거라! ~ ***it over the fence*** 《속어》 홈런을 치다; 대성공을 거두다 ~ ***off*** (1) 두드려 떨어버리다 (2) 《구어》 …을 파멸시키다; 《미》 …을 죽이다; 〈상대방을〉 해치우다 (3) 《영·구어》 〈물건을〉 훔치다 (4) 《구어》 …에 들어가 강도질하다, …에서 훔치다 (5) 불법 복제하다 (6) 〈금액을〉 깎다, 할인하다 (7) 〈남자가〉 여자와 성교하다 (8) 일을 그만두다[쉬다] (9) [명령문으로] 《속어》 그만두다; 닥치다 (10) 《구어》 일을 재빨리 끝내다, 척척 해치우다 ~ ***off*** a person***'s pins*** …을 몹시 놀라게 하다 ~ a person ***on the head*** (1) …의 머리를 때리다, 머리를 때려서 기절시키다[죽이다] (2) 〈계획·희망 등을〉 깨뜨리다 ~ ***out*** (1) 두들겨 내쫓다 (2) 〖권투〗 녹아웃시키다(cf. KNOCKOUT) (3) 〖야구〗 〈투수를〉 녹아웃시키다 (4) 〈팀 등을〉 탈락시키다, 패퇴시키다 (5) 《구어》 〈계획 등을〉 급히 생각해 내다; 〈곡 등을〉 (피아노로) 난폭하게[서투르게] 연주하다 (6) …을 깜짝 놀라게 하다 (7) 〈마약이〉 …을 잠들게 하다 (8) 《구어》 …을 기진맥진하게 하다, 피곤하게 하다 (9) …을 파괴하다 (10) 《영》 〖경매〗 서로 짜고 값을 깎아 부르다 (11) 《영·속어》 폐문 후 문을 두드려 나가다(cf. KNOCK in) ~ ***over*** (1) 뒤집어엎다, 때려눕히다; 지다 (2) 〈자동차 등이〉 …을 치어 넘어뜨리다 (3) …을 깜짝 놀라게 하다 (4) 《미·속어》 …을 훔치다; …에 들어가 강도질하다 ~ one***self out*** 《미·구어》 열심히 일하다, 많은 노력을 하다 ~ a person***'s hat off*** …을 깜짝 놀라게 하다 ~ a person***'s head off*** …을 때려눕히다; 《속어》 손쉽게 이기다 ~ ***the end in***[***off***] 망치다, 잡치다 ~ ***through*** 벽[칸막이 등]을 없애다 ~ ***together*** (1) 부딪치다 (2) 〈둘(이상의 것)을〉 부딪뜨리다 (3) 〈물건을〉 급히 만들어내다[짜맞추다] ~ ***under*** 항복하다 《*to*》 ~ ***up*** (1) 〈공 등을〉 쳐 올리다; 〈남의 팔을 쳐서〉 올리다 (2) 〖크리켓〗 《영·구어》 공을 마구 쳐서 〈점수를〉 따다 (3) 《영·구어》 …을 문을 두들겨 깨우다 (4) 《구어》 녹초가 되게 하다 (5) 급히 만들다 (6) 〖제본〗 (종이) 가장자리를 가지런히 하다 (7) 충돌하다, 마주치다 《*with*》 (8) 《미·속어》 임신시키다 (9) 《영·구어》 〈돈을〉 벌다 (10) 《영·구어》 (테니스 등에서 시합 전에) 연습으로 치고 받다 (11) 못쓰게 만들다, 망가뜨리다

— *n.* **1** 두드리기; [종종 a ~] (문의) 노크 (소리) **2** 구타(blow) 《*on*》; 타격 **3** 《구어》 혹평, 비난 **4** (엔진의) 노킹 (소리) **5** 〖야구〗 녹 《수비 연습 등을 위한 타구(打球)》 **6** 〖크리켓〗 타격 차례(innings) **7** 《구어》 (경제적·정신적) 타격, 불행, 실패 ***get the ~*** 《속어》 해고되다; 〈배우 등이〉 인기가 떨어지다 ***on the ~*** 《구어》 할부(割賦)로 ***take a*** (***hard***[***nasty***]) ~ 《속어》 타격을 받다; 돈에 궁하다

knock·a·bout [nάkəbàut | nɔ́k-] *n.* **1** 《속어》 법석떠는 희극 (배우) **2** (일종의) 소형 요트 — *a.* **1** 난타의; 소란한(noisy); 〈연주 등이〉 법석떠는 **2** 《구어》 방랑(생활)의(wandering) **3** 막일할 때 입는 《옷 등》

knock-back [-bæ̀k] *n.* 《호주·뉴질·구어》 거절, 퇴짜; 《영·속어》 가석방 신청의 각하(却下)

*__knock·down__ [nάkdàun | nɔ́k-] *n.* **1** 때려눕히기, 타도하는 일격 **2** 압도적인 것 **3** (가격·수량의) 할인, 삭감 **4** Ⓤ 《속어》 독한 술; 《미·속어》 최고급의 것 **5** 난투(亂鬪) **6** 《미》 조립식으로 된 것 《가구 등》 **7** 《미·속어》 소개, 초보, 안내; 초대

— *a.* Ⓐ **1** 타도하는, 타도할 정도의; 압도적인: a ~ blow 큰 타격[쇼크], 결정타 **2** 분해할 수 있는, 조립식(組立式)의: a ~ export (현지 조립을 위한) 기재의 분해 수출 **3** (경매 등에서) 〈가격이〉 최저의: a ~ price 최저 가격

knock-down-drag-out [nάkdàundræ̀g-àut | nɔ́k-] *a.* Ⓐ 가차없는, 철저한: a ~ fight 격전 — *n.* 가차없는 싸움, 철저한 논쟁

knocked-down [nάktdáun | nɔ́kt-] *a.* Ⓐ 〖상업〗 조립식 부품으로 된, 조립식의 〈가구 《등》〉 《略 K.D.》

knock·er [nάkər | nɔ́kə] *n.* **1** 두드리는 사람, 문을 노크하는 사람 《*at*》 **2** 노커 《현관의》, 문 두드리는 고리쇠 **3** 《미·속어·경멸》 독설가, 혹평가 **4** 《영·구어》 호별방문 외판원 **5** [*pl.*] 《속어》 유방, 젖퉁이 **6** 《속어》 중요 인물, 거물, 실력자 ***on the ~*** 《영·구어》 호별 방문[판매]하여 ***up to the ~*** 《영·속어》 더할 나위 없이

knóck-for-knóck agréement [nάkfərnάk- | -nɔ́k-] 《영》 〖보험〗 노크포노크 협정 《자동차 보험 회사 간의 협정; 손해 보상은 각각의 회사가 부담하고, 상대방 회사에 청구하지 않는다는 합의》

knock·ing [nάkiŋ | nɔ́k-] *n.* **1** 노크 (소리) **2** (엔진의) 노킹, 폭연(爆燃)

knócking còpy 경쟁사의 제품을 중상하는[깎아내리는] 광고

knócking shòp 《영·속어》 매음굴

knock-knee [nάknìː | nɔ́k-] *n.* 〖의학〗 외반슬(外反膝); [*pl.*] X각(脚), 안짱다리

knock-kneed [-nìːd] *a.* **1** 안짱다리의, X각의(cf. BANDY-LEGGED) **2** 신통치 않은 〈의론 등〉

knóck-knóck jòke [-nάk- | -nɔ́k-] 노크노크 조크 《knock, knock으로 시작하는 문답식 익살; 보기: 'Knock, knock!'—'Who's there?'로 이어짐》

knock-off [-ɔ̀ːf | -ɔ̀f] *n.* **1** (일 등의) 중지, 중지하는 시간 **2** 〖기계〗 작동 부조(不調)시의 자동 정지(장치) **3** 《미·속어》 (유명 메이커 의류 등의) 모조품, 가짜

knock-on [-ɔ̀ːn | -ɔ̀n] *a.* 〈전자(電子) 등이〉 충돌로 인해 방출되는 — *n.* **1** 도미노 효과, 연쇄 효과 **2** 〖럭비〗 녹온 《반칙》

*__knock·out__ [nάkàut | nɔ́k-] *n.* **1** 〖권투〗 녹아웃 《略 KO, K.O.》; 녹아웃시키기; 녹아웃된 상태 **2** 결정적인 타격 **3** 《구어》 매력적인 사람[것]; 성공한 사람; 크게 히트한 영화[상품] **4** 《영》 〖경매〗 서로 짜고 헐값에 낙찰시키기 **5** 《영》 실격(失格)제 경기, 토너먼트

— *a.* **1** 녹아웃의; 〈타격이〉 맹렬한: a ~ blow 맹렬한 일격 **2** 《구어》 굉장한, 훌륭한; 압도적인 **3** 〖경매〗 공모하여 헐값에 낙찰시키는 **4** 〖경기〗 실격제의, 토너먼트의

knóckout dròps 《미·속어》 몰래 음료에 타는 마취제

knóckout mòuse 특정 유전자가 결여되게 한 쥐

knock-o·ver [-òuvər] *n.* 《미·속어》 강도, 강탈

knock·up [nάkʌ̀p | nɔ́k-] *n.* 《영》 (테니스 등에서) 시합 개시 전에 하는 연습 (시간)

knock·wurst [-wəːrst] [G] *n.* = KNACKWURST

knoll [nóul] *n.* 작은 산, 둥근 언덕; 둔덕

knop [nάp | nɔ́p] *n.* **1** (문의) 손잡이(knob) **2** 〖건축〗 꽃봉오리 모양의 장식; (꽃·잎 등을 새긴) 기둥 머리

Knos·sos [nάsəs | nɔ́s-] *n.* 크노소스 《에게 문명의

---

knock *v.* tap, rap, bang, pound, hammer, strike, hit, slap, smack, punch

중심지로 번영하였던 Crete 섬의 고대 도시》
Knós·si·an *a.*

‡knot¹ [nát | nɔ́t] *n.* **1** 매듭, 고(tie, bow) 《*in*》: make[tie] a ~ 매다, 매듭을 짓다 **2** (장식용의) 매는 끈; 나비[꽃] 매듭; (견장 등의) 장식 매듭 **3** (사람·동물의) 무리, 집단(group), 일파 《*of*》: a ~ *of* spectators 일단의 관객들 **4** 혹, 사마귀; 나무 마디, 옹두리; 널빤지의 옹이 **5** 〖해부〗 (근육 등의) 결절 **6** 〖식물〗 혹병 **7** 난관, 난국, 난제(cf. GORDIAN KNOT); 엉킨 문제 **8** (사건·문제 등의) 요점, 핵심; (이야기·극의) 줄거리(plot) **9** 〖항해〗 측정선(測程線)의 마디; 노트 《1시간에 1해리를 달리는 속도》; 해리(海里) 《약 1,852m》 **10** 인연, 유대(bond): the nuptial ~ 부부의 유대 **11** 《영》 (짐을 운반할 때의) 어깨[머리] 받침(= porter's ~) ***a ~ in a play*** 연극의 절정 ***at a*[*the*] *rate of ~s*** 《영·구어》 매우 빨리 ***be tied up in ~s*** 《구어》 (1) 곤란한 상황에 처하다 (2) 감정적으로 혼란하다 ***cut the ~*** 현명한 판단을 내려 난관을 처리하다 ***in ~s*** 삼삼오오 ***seek a ~ in a rush*[*bulrush*]** 평지풍파를 일으키려 하다 ***tie the ~*** 《구어》 결혼하다(marry) ***tie*** a person (***up***) ***in*[*into*] *~s*** 《구어》 …을 곤경에 빠뜨리다, 당황[걱정]하게 하다
— *v.* (**~·ted**; **~·ting**) *vt.* **1** 〈끈 등을〉 매다; …에 매듭을 짓다; 〈짐을〉 싸서 묶다; 결합하다: ~ shoelaces 구두끈을 매다 // 《~+목+부》 ~ two strings *together* 두 가닥의 끈을 매다 **2** (매듭으로) 안전하게 하다, 단단하게 하다, 고정시키다 **3** …에 마디를 만들다 **4** 엮어 술을 만들다 **5** 〈눈살을〉 찌푸리다 **6** 얽히게 하다
— *vi.* **1** 매어지다; 맺어지다, 매듭을 짓다 **2** 매듭이 생기다 **3** 혹이 생기다 **4** 한 뭉치가 되다; (긴장 등으로) 〈근육이〉 뭉치다 **~·less** *a.* ▷ knótty *a.*

knot² *n.* 〖조류〗 붉은가슴도요

knót gàrden 〖원예〗 (정교한 구조의) 장식 정원

knot·grass [nátgræ̀s | nɔ́tgrɑ̀ːs] *n.* 〖식물〗 마디풀

knot·head [-hèd] *n.* 《미·속어》 얼간이, 팔푼이

knot·hole [-hòul] *n.* (목재의) 옹이 구멍

knot·ted [nátid | nɔ́t-] *a.* **1 a** 마디가 있는, 울퉁불퉁한 **b** 매듭[장식]이 있는 **2** 얽힌; 어려운 **3** 〈어깨가〉 결린 ***Get ~!*** 《영·구어》 귀찮아!, 시끄러워!, 꺼져!

knot·ter [nátər | nɔ́tə] *n.* **1** 매듭을 묶는 사람[물건] **2** 매듭 제거자[기]

knot·ti·ness [nátinis | nɔ́t-] *n.* Ⓤ 마디투성이; 분규(紛糾)

knot·ting [nátiŋ | nɔ́t-] *n.* ⓊⒸ **1** 결절(結節), 마디 **2** 매듭 세공; 매듭 장식; 매듭 매기 **3** 마디 제거

knot·ty [náti | nɔ́ti] *a.* (**-ti·er**; **-ti·est**) **1** 옹이가 있는, 마디가 많은, 혹투성이의; 매듭이 많은 **2** 〈문제 등이〉 분규 중인, 해결이 곤란한

knótty píne 《미》 (장식적인) 마디가 많은 송판 《인테리어 끝마무리와 가구에 사용》

knot·work [nátwə̀ːrk | nɔ́t-] *n.* Ⓤ 매듭 장식[세공], 매듭 레이스

knout [náut] *n.* 채찍 《옛날 러시아에서 가죽을 엮어 만든 형구(刑具)》; [the ~] 채찍형(刑)
— *vt.* 채찍질하다, 채찍형을 가하다

‡know [nóu] *v.*, *n.*

① 알고 있다; 알다	타 **1** 자 **1, 2**
② 아는 사이이다	타 **3**
③ 식별하다, 구별하다	타 **5**

— *v.* (**knew** [njúː | njúː]; **known** [nóun]) *vt.* **1** 알다, 알고 있다, 이해하다: 《~+목+***as*** 보》 She is *known as* a pop singer. 그녀는 팝송 가수로 알려져 있다. // 《~+목+***to be*** 보》 I ~ him *to be* honest. 그가 정직한 것을 알고 있다. // 《~+***that*** 절》 I ~ (*that*) she is a liar. 나는 그녀가 거짓말쟁이임을 알고 있다. // 《~+***wh. to*** do》 I ~ *how to* drive a car. 나는 차를 운전할 줄 안다. // 《~+***wh.*** 절》 I don't ~ *whether* he will come or not. 그가 올지 안 올지 알 수 없다. **2** (잘) 알고 있다, …에 정통하다: ~ French very well 프랑스어가 유창하다 **3** …와 아는 사이이다; …와 친하다: 《~+목+전+명》 ~ a man *by* sight[name] (이름[얼굴]은 모르나) 얼굴[이름]은 알고 있다 **4** 〈공포·고통 등을〉 알다, 경험하다; 경험해서 알고 있다, 체험하고 있다: 《~+목+(***to***) do》 I have *known* him (*to*) tell a lie. 그는 거짓말한 일이 있다. // 《~+***wh.*** 절》 We ~ *what* it is to be poor. 가난이 어떤 것인지를 체험해서 알고 있다. **5** 구별할 수 있다, 식별[분간]할 수 있다, 보고 〈…을〉 알다: 《~+목+전+명》 ~ a goat *from* a sheep 염소와 양을 구별할 수 있다 / ~ right *from* wrong 옳고 그름을 분간할 수 있다 **6** 《고어》 (여자를 성적으로) 알다: Adam *knew* Eve. 아담은 이브를 알았다. **7** 〖성서〗 염두에 두다(regard); 두둔하다, 지키다 **8** [무생물을 주어로 하여] 〈야심·욕망·호기심 등이〉 〈한계·예외 등을〉 알다
— *vi.* **1** (틀림없이) 알고 있다 《*about*, *of*》 **2** 알다, (상황·일어난 일 등을) 인식하다: 《~+전+명》 I don't ~ *about* that. 그 일에 관해서는 모른다.
all one ~s (***how***) 《구어》 (1) 할 수 있는 모든 것, 전력 (2) [부사적으로] 전력을 다하여 ***and I don't ~ what*[*who*] (*else*)** 《구어》 그 밖에 많은[여러 가지] 것[사람] ***and you ~ it*** 아시다시피, 잘 아시겠지만 ***as I ~ on*** 《미·구어》 내가 아는 한[알기에는] ***as you ~*** 아시다시피 ***before*** one ***~s where*** one ***is*** 《구어》 순식간에, 어느새 ***be not to ~*** 《영·구어》 알 도리가 없다 ***Don't I ~ it?*** 《구어》 (분해하면서) 그런 것은 알고 있어! ***don't you ~*** [삽입구·가벼운 결미구로] 정말, 전혀 ***for all*** [《고어·문어》 ***aught***] ***I ~*** (잘은 모르지만) 아마 ***God*[*Heaven, Who, Goodness*] *~s*** (1) 하느님만이 알고 있다, 아무도 모른다: *God ~s* why she didn't go herself. 그녀가 왜 가지 않았는지는 아무도 모른다 (2) 하느님께 맹세코, 정말로: *Goodness ~s*, I've never liked him. 하느님께 맹세코, 나는 절대로 그를 좋아한 적이 없다. ***he ~s*[*I ~*] *not what*[*who*] = *he does*[*I do*] *not ~ what*[*who*]** 알 수 없는 그 무엇[누구] ***How do you ~?*** 《구어》 어떻게 알 수 있지?; 어떻게 그런 말을 할 수 있지? ***How was I to ~?*** [변명으로서] 내가 어찌 알 수 있었겠느냐? ***if you ~ what I mean*** 이해해 주신다면, 아시겠지만 ***if you must ~*** (기어이) 알고 싶다면 말해 주겠네만 ***I ~.*** [동의를 나타내어] 그래, 알겠어(yes); [양보를 나타내어] 알겠는데; 좋은 생각이 떠올랐어, 알았어, 그렇다. ***I want to ~.*** 《미·구어》 저런 저런. 《놀라움을 표시》 ***I wouldn't ~.*** 《구어》 알 게 뭐야. ***~ ... backwards*** (***and forwards***) 《구어》 …을 아주 잘 알고 있다, 충분히 이해하고 있다 ***~ best*** (어떻게 해야 할지) 가장 잘 알다 ***~ better*** (***than that***) 더 철이 들어 있다 ***~ better*** (***than to*** do) …할 만큼 어리석지는 않다 ***~ different*[*otherwise*]** 《구어》 다른 정보[증거]를 갖고 있다 ***~ how to*** …에 능숙하다 ***~ no better*** 그 정도의 지혜밖에 없다 ***~ of*** …에 관해서 간접적으로[얻어듣고] 알다: I ~ *of* her, but I don't ~ her personality. 그녀에 관해서는 듣고 알지만 개인적으로는 모릅니다. ***~ right from wrong*** 선악을 구별하다 ***~ oneself*** 자신을 알다 ***~ one's own business*** 쓸데없는 짓을 하지 않다 ***~*** a person ***to speak to*** (만나면) 말을 건넬 정도의 사이이다 ***~ what*** one ***is about*[*doing*]** 《구어》 만사에 빈틈이 없다 ***let*** a person ***~*** …에게 알려 주다, 말해 주다: *Let me* ~ how I can help. 제가 어떻게 도울 수 있는지 알려 주세요. ***make ... known*** 《문어》 (1) 〈사물을〉 (…에게) 알리

thesaurus **know** *v.* **1** 알다 be aware of, notice, perceive, realize, sense, recognize, comprehend, understand, apprehend **2** 식별하다 discern, distinguish, differentiate, tell, identify, make out **3** …와 잘 아는 사이이다 be acquainted with, be familiar with, associate with, be friends with
know-how *n.* knowledge, experience, skill, pro-

다, 선언하다 ((to)) (2) …을 소개하다 ((to)); 자기 소개를 하다 ***Nobody ~s what*** may happen. 어떤 일이 (일어날지) 아무도 모른다. The man has gone ***nobody***[***God***] ***~s where.*** 어디론지 (가 버렸다). ***Not if I ~ it!*** ((구어)) 누가 그런 짓을 해, 천만의 말씀! ***not ~*** a person ***alive*** …을 무시하다, 상대하지 않다 ***not ~ any better*** 예의를 모르다 ***not ~*** [***can't tell***] ***… from a hole in the ground*** ((속어)) …에 대해 완전히 무지하다 (***not***) ***~ from nothing*** ((미·속어)) (…에 대해) 전혀 모르다 ((*about*)) ***not ~*** one ***is born*** ((구어)) (옛날에 비해) 편한 생활을 하다 ***not ~ the first thing about*** …에 대해서는 전혀 알지 못하다 ***not ~ where to put*** one***self***[one***'s face***] ((구어)) 있기에 거북하다, 멋쩍다 ***not ~ which end***[***way***] ***is up*** ((구어)) 매우 혼란스럽다, (무슨 일이 일어났는지 모를 정도로) 우둔하다 ***Not that I ~ of.*** ((구어)) 내가 아는 한 그렇지 않다. (***Well***) ***what do you ~*** (***about that***)***!*** ((구어)) 그것은 몰랐다, 놀랐다, 설마! ***who ~s*** 혹시 모르지, 어쩌면 ***Wouldn't you ~ it!*** ((구어)) 에이, 저런! ((복잡한 상황이나 예기치 못한 일에 대한 당혹감을 표시)) ***You must ~ that …*** …라고 알고 계십시오. ***you ~*** ((구어)) (1) [단지 간격을 두기 위해] 저, 에…: He is a bit, *you* ~, crazy. 그는 좀 정신이 이상한 거야. (2) [다짐하기 위해] …이겠죠, …일 거야: He is angry, *you* ~. 보다시피 그는 성이 났다. (3) [문두에서] 그런데 (말이야) ***you ~ who***[***what***] ⇨ you. ***you never ~*** ((구어)) 어쩌면, 아마도 ***You ~ what?*** 너 그거 알아? ((말하기 전에 관습상 붙이는 질문))

—*n.* ((구어)) 지식(knowledge), 숙지(熟知) ★ 다음 성구로. ***in the ~*** ((구어)) (기밀·내부 사정 등을) 잘 알고 있는

▷ knówledge *n.*

know·a·ble [nóuəbl] *a.* **1** 알 수 있는, 인식할 수 있는 **2** 가까이 하기 쉬운, 알기 쉬운

—*n.* [보통 *pl.*] 알 수 있는 사물

know-all [nóuɔ̀:l] *a., n.* = KNOW-IT-ALL

Know·bot [nóubɑ̀t, -bɑ̀t] [*know*ledge+ro*bot*] *n.* 지식 로봇 ((자동으로 인터넷 사이트를 검색해서 사용자가 지정한 기준에 맞는 정보를 모아 오는 프로그램))

know·er [nóuər] *n.* **1** 아는 사람, 이해하는 사람 **2** 〖철학〗 인식아(我)[주체]

***know-how** [nóuhàu] *n.* Ⓤ ((미·구어)) 실제적[전문적] 지식, 노하우, 기술 정보; (제조) 기술; 요령(skill): the ~ of space travel 우주 여행의 기술

⁑**know·ing** [nóuiŋ] *n.* Ⓤ **1** 앎 **2** 지식 ***There is no ~*** (how, etc.) 전혀 알 길이 없다.

—*a.* **1** 사물을 아는 **2** 아는 것이 많은, 학식 있는, 영리한 **3** 영악한; 아는 체하는: a ~ smile 알고 있는 듯한 미소 **4** 고의적인 **5** ((구어)) 〈모자 등이〉 멋있는

know·ing·ly [nóuiŋli] *ad.* **1** 아는 듯이, 아는 체하고; 영악하게 **2** 알고서, 고의로: ~ kill 〖법〗 고의로 죽이다 / You should not ~ give false statements. 고의로 거짓 진술을 하면 안 된다.

know-it-all [nóuitɔ̀:l] *a., n.* ((구어)) 아는 체하는 (사람), 똑똑한 체하는 (사람)

⁑**knowl·edge** [nɑ́lidʒ | nɔ́l-] *n.* Ⓤ **1 지식,** 아는 바: scientific ~ 과학 지식 / *K*~ is power. ((속담)) 아는 게 힘이다. / be starving for ~ 지식욕에 불타고 있다 **2 학식,** 견문(見聞), 학문: a good ~ of physics 물리학에 관한 깊은 학식 **3** 숙지(熟知), 정통(精通) **4** 인식, 이해 ((*of*)): intuitive ~ 직관력 **5** 알려진 것; 정보 **6** 소식, 보도 **7** 경험 ((*of*)): a ~ *of* life 인생 경험 **8** ((고어)) 성적(性的) 관계, 성교 ***come to*** a person***'s ~*** …에게 알려지다 ***have some***[***no***] ***~ of*** …을 다소 알고 있다[전혀 알고 있지 못하다] ***It is common ~ that …*** …라는 것은 주지의 사실이다 ***not to my ~*** 내가 아는 바로는 그렇지 않다(cf. not that I KNOW of) ***of common ~*** 널리 알려진, 누구나 알고 있는 ***of*** one***'s own ~*** …자신의 지식으로서, 직접적으로 ***to*** (***the best of***) one***'s ~*** …이 알고 있는 바로는, 확실히, 틀림없이 ***without*** a person***'s ~*** = ***without the ~ of*** a person …에게 알리지 않고, 말없이 **~·less** *a.* 지식이 없는, 무지한 ▷ knów *v.*

knowl·edg(e)·a·ble [nɑ́lidʒəbl | nɔ́l-] *a.* **1** 지식 있는; 아는 것이 많은 **2** 식견이 있는; 총명한

knówledge bàse 〖컴퓨터〗 지식 베이스 ((필요한 모든 지식을 일정한 format으로 정리·축적한 것))

knówl·edge-básed sóftware [nɑ́lidʒbéist- | nɔ́l-] 〖컴퓨터〗 지식 베이스 소프트웨어 ((작동 중에 배운 지식을 이용하여 더욱 효과적인 처리 방법을 찾아내는))

knówl·edge-básed sýstem 〖컴퓨터〗 지식 베이스 시스템 ((지식 베이스에 의거하여 추론(推論)하는 시스템))

knowl·edge-box [-bɑ̀ks | -bɔ̀ks] *n.* ((미·구어)) 지식 상자, 머리(head)

knówledge engineèr 지식 공학자 ((expert system(전문가 시스템)을 설계 개발하는 기술자))

knówledge engineèring 지식 공학 ((컴퓨터 과학을 바탕으로 인공 지능의 응용면을 개발하는 분야))

knówledge ìndustry 지식 산업 ((신문·통신·출판·인쇄·영화·음악·방송 등))

knówl·edge-in·tén·sive ìndustry [-inténsiv-] 지식 집약(형) 산업

⁑**known** [nóun] *v.* KNOW의 과거분사

—*a.* Ⓐ **알려진**; 이미 알고 있는: a ~ number 〖수학〗 기지수 / a ~ fact 주지[기지]의 사실 ***make ~*** 알리다, 밝히다, 공표[발표]하다

—*n.* 〖수학〗 기지수(known quantity)

know-noth·ing [nóunʌ̀θiŋ] *n.* **1** 무지[무식]한 사람, 문맹자 **2** 불가지론자 **3** [**K-N-**] 〖미국사〗 아메리카당(黨) ((이민자를 배척한 정치 단체(1849-55)))

—*a.* **1** 무식[무지]한, 문맹의 **2** 불가지론적인

knówn quántity 〖수학〗 기지수; 잘 알려진 사람[것], 유명인

know-why [nóu*h*wài] *n.* 원리의 구명(究明); ((구어)) 이유[동기]를 알고 있음

Knox [nɑ́ks | nɔ́ks] *n.* 녹스 **John ~** (1510?-72) ((스코틀랜드의 종교 개혁자·정치가·역사가))

Knt. 〖체스〗 knight

knuck·le** [nʌ́kl] *n.* **1** (특히 손가락 밑부분의) 손가락 관절[마디] **2** [the ~s] (주먹의) 손가락 관절부, 주먹 **3 a** (네발짐승의) 무릎 관절 돌기(突起) **b** (송아지·돼지의) 무릎도가니 **4** [*pl.*] = BRASS KNUCKLES **5** 〖기계〗 돌쩌귀 암쇠 ***give a wipe over the ~s 사납게 꾸짖다 ***near the ~*** 아슬아슬한, 노골적인 ***rap*** a person ***on***[***over***] ***the ~s*** = ***rap*** a person***'s ~s*** …을 꾸짖다 ((손가락 마디를 벌로 때리다에서))

—*vt.* 주먹으로 치다, 손가락 관절로 치다[누르다, 비비다]; 〈구슬을〉 튀기다

—*vi.* ((미)) (구슬치기할 때) 손가락 관절을 땅에 대다 ***~ down*** (1) (구슬치기할 때) 손가락 마디를 땅에 대다 (2) ((구어)) 열심히 일하기 시작하다 ((*to*)); 마음을 가다듬고 대들다 ((*to*)); 굴복하다 ((*to*)) ***~ under*** ((구어)) (…에) 굴복[항복]하다 ((*to*)) ***~ up*** ((속어)) 서로 주먹다짐하다, 치고받고 싸우다 **knúck·led** *a.*

knúckle bàll 〖야구〗 너클 볼 ((두[세] 손가락을 굽히고 공을 던지는 느린 공))

knuck·le·ball·er [nʌ́klbɔ̀:lər] *n.* 너클 볼을 잘 던지는 투수

knuck·le·bone [-bòun] *n.* **1** 손가락 마디뼈 **2** (네발짐승의) 지골(趾骨) **3** [*pl.*; 단수 취급] 지골 구슬로 하는 공기놀이 **4** (송아지·양 등의) 무릎도가니

---

ficiency, dexterity, aptitude, ability, capability, competence, talent

knowledge *n.* **1** 지식 learning, scholarship, education, enlightenment, wisdom **2** 이해 understanding, grasp, comprehension, apprehension, cognition, proficiency, know-how **3** 소식 information, intelligence, news, reports, rumors

knuck·le-drag·ger [-drӕgər] *n.* ⦅미·속어⦆ 거칠고 좀 모자라는 덩치 큰 남자; 고릴라
knuck·le-dust·er [-dʌstər] *n.* ⦅미⦆ **1** =BRASS KNUCKLES **2** 〖야구〗 타자의 손등 가까이로 던진 투구
knuck·le·head [-hèd] *n.* ⦅구어⦆ 바보, 멍청이 (dumbbell) **~·ed** [-id] *a.* 멍청한
knúckle jòint 〖기계〗 너클조인트, 연결쇠
knuck·ler [nʌklər] *n.* 〖야구〗 =KNUCKLE BALL; =KNUCKLEBALLER
knúckle sàndwich ⦅속어⦆ (상대방의 입·얼굴을) 주먹으로 침
knuck·le-walk [nʌklwɔ:k] *vi.* (고릴라·침팬지처럼) 앞다리 지관절(指關節)의 등을 땅에 대고 걷다
knur [nə́:r] *n.* **1** (나무의) 마디, 옹이; 단단한 혹 **2** 나무 공 ⦅공놀이의⦆
knurl [nə́:rl] *n.* **1** 마디, 옹이 **2** 도톨도톨한 알맹이 ⦅금속 표면의⦆; (동전 등의) 깔쭉깔쭉한 데
knúrled [-d] *a.* **~·ing** *n.* 마디의 융기, 마디 만들기
knurl·y [nə́:rli] *a.* (**knurl·i·er**; **-i·est**) 마디[옹이]가 많은
knut [*k*nʌt] *n.* ⦅영·익살⦆ 멋쟁이(nut)
KO [kéióu] [*k*nock*o*ut] *n.* (*pl.* **~'s**) ⦅구어⦆ 〖권투〗 녹아웃 **—** *vt.* (**~'s**; **~'d**; **~'ing**) 녹아웃시키다
k.o., K.O. knockout
ko·a [kóuə] *n.* 〖식물〗 코아아카시아 ⦅하와이산(産)⦆
ko·a·la [kouɑ́:lə] *n.* 〖동물〗 코알라 ⦅오스트레일리아산(産)⦆(=∠ **bèar**); 코알라 표피
ko·bo [kóubou] *n.* (*pl.* **~, ~s**) 코보 ⦅나이지리아의 화폐 단위; 1/100 naira⦆; 코보 동전
ko·bold [kóubɑld | kɔ́bould] *n.* (독일 전설의) 땅의 요정; 장난꾸러기 꼬마 요정
Kö·chel nùmber [kə́:ʃəl-] 〖음악〗 쾨헬 번호 ⦅Mozart의 전 작품을 쾨헬이 정리한 번호; 略 K.⦆
Ko·dak [kóudæk] *n.* 코닥 ⦅미국 Eastman Kodak 회사제 카메라 및 필름; 상표명⦆
Ko·di·ak [kóudiæ̀k] *n.* **1** 코디액 ⦅Alaska만의 섬⦆ **2** 〖동물〗 =KODIAK BEAR **3** ⦅미·속어⦆ 경관
Kódiak bèar 〖동물〗 코디액 불곰 ⦅Alaska산 큰 곰⦆
KOed, KO'd [kéióud] *a.* 〖권투〗 녹아웃된; ⦅미·속어⦆ (술·마약에) 취해 버린
ko·el [kóuil] *n.* 〖조류〗 뻐꾸기 ⦅인도·오스트레일리아산⦆
K. of C. Knight(s) of Columbus
kof·ta [kɑ́ftə | kɔ́f-] *n.* 〖인도요리〗 코프타 ⦅다진 고기나 야채를 둥글게 빚어 튀긴 요리⦆
Koh·i·noor [kóuənùər] [Pers. 「빛의 산」의 뜻에서] *n.* **1** [the ~] 코이누르 ⦅1849년 이래 영국 왕실 소장의 인도산 다이아몬드; 106 캐럿으로 세계 최대⦆ **2** [**k~**] 최고급품, 극상품 ⦅*of*⦆
kohl [kóul] *n.* Ⓤ 화장먹 ⦅안티몬 분말; 아랍 여인 등이 눈 언저리를 검게 칠하는 데 씀⦆
kohl·ra·bi [koulrɑ́:bi, -rǽbi | -rɑ́:-] *n.* (*pl.* **~es**) 〖식물〗 구경(球莖) 양배추
koi [kɔ́i] 〖어류〗 *n.* (*pl.* **~**) 코이 잉어 ⦅일본 원산⦆
Koi·ne [kɔinéi, ∠– | kɔ́ini:] *n.* Ⓤ 코이네 ⦅기원전 3세기-서기 5세기에 사용된 표준 그리스 말; 신약 성서는 이 말로 기록되었음⦆
ko·kan·ee [koukǽni] *n.* 〖어류〗 코카니송어 ⦅미국 서부산(産)의 소형 민물 송어⦆
ko·la [kóulə] *n.* 〖식물〗 콜라나무; 그 열매(=∠ **nùt**) ⦅청량음료의 자극제⦆; Ⓤ 콜라 ⦅청량음료⦆
ko·lin·sky [kəlínski] *n.* (*pl.* **-skies**) 〖동물〗 시베리아담비; Ⓤ 그 모피
kol·khoz, -khos [kɑlkɔ́:z | kɔl-] [Russ.] *n.* 콜호스 ⦅구소련의 집단 농장(collective farm)⦆
Köln [kœln] [G] *n.* 쾰른 ⦅Cologne의 독일 철자⦆
kom·bi [kɑ́:mbi] *n.* ⦅남아공⦆ 콤비 ⦅열 명 정도 탑승 가능한 승합차⦆
Ko·mi [kóumi] *n.* (*pl.* **~s,** [집합적] **~**) 코미 사람 ⦅러시아 북동 지역의 우랄계 민족⦆; Ⓤ 코미 어(語)
Kom·in·tern [kɑ́mintə̀:rn | kɔ́m-] *n.* =COMINTERN
kom·i·ta(d)·ji [kòumətɑ́:dʒi, kɑ̀m- | kòum-] *n.* (발칸 여러 나라의) 비정규병, 게릴라병
Ko·mó·do drágon[lízard] [kəmóudou-] 코모도왕도마뱀 ⦅인도네시아 코모도 섬에 서식; 세계 최대의 도마뱀⦆
Kom·so·mol [kɑ̀msəmɔ́:l | kɔ̀msəmɔ́l] [Russ.] *n.* (구소련의) 공산 청년 동맹
ko·na [kóunə] *n.* (하와이의) 겨울 남서풍
Kon·drá·tieff wàve[cỳcle] [kəndrɑ́:tièf-, -tjəf-] 〖경제〗 콘드라티에프파(波)[주기] ⦅공업국 경제의 50-60년 주기의 장기 경기 순환 파동설⦆
Kong·zi [kɔ̀:ŋzí:] *n.* 공자(孔子)(cf. CONFUCIUS)
ko·nim·e·ter [kounímətər] *n.* (대기 속의) 먼지량 측정기
ko·ni·ol·o·gy [kòuniɑ́lədʒi | -ɔ́l-] *n.* Ⓤ 진애학(塵埃學) ⦅대기 속의 먼지·기타 불순물의 영향을 연구함⦆
koo·doo [kú:du:] *n.* (*pl.* **~s,** [집합적] **~**) 〖동물〗 얼룩영양 ⦅남아프리카산(産)⦆
kook [kú:k] *n.* ⦅미·속어⦆ 기인(奇人), 괴짜, 미치광이
kook·a·bur·ra [kúkəbə̀:rə | -bʌ̀rə] *n.* 〖조류〗 (오스트레일리아산(産)) 물총새의 일종
kook·y, kook·ie [kú:ki] *a.* (**kook·i·er**; **-i·est**) ⦅미·속어⦆ 괴짜의, 머리가 좀 돈 **kóok·i·ness** *n.*
koo·lah [kú:lə] *n.* =KOALA
Koo·ri, -rie [kúri] *n.* ⦅호주⦆ 원주민
kop [kɑ́p | kɔ́p] *n.* (남아프리카의) 언덕, (작은) 산
ko·peck, -pek [kóupek] *n.* **1** 코펙 ⦅러시아의 화폐 단위; 1/100 ruble⦆ **2** 코펙 동전
kop·je, kop·pie [kɑ́pi | kɔ́pi] *n.* (남아프리카의) 작은 언덕[산]
Kor. Korea; Korean
ko·ra [kɔ́:rɑ:, -rə] *n.* 코라 ⦅류트(lute) 비슷한 21현의 아프리카 악기⦆
Ko·ran [kərɑ́:n, -rǽn | kɔ:rɑ́:n] [Arab. 「암송」의 뜻에서] *n.* [the ~] 코란 ⦅이슬람교의 경전⦆ **~·ic** *a.*
‡**Ko·re·a** [kərí:ə, kɔ:- | kəríə] [Kor. 「고려」가 변한 말] *n.* 한국 ⦅공식 명칭 the Republic of ~; 통칭 South Korea; 수도 Seoul; 略 ROK⦆ ▷ Koréan *a.*
Koréa Báy 한국만(灣)
‡**Ko·re·an** [kərí:ən, kɔ:- | kəríən] *a.* **1** 한국의; 한국 사람의, 한국계의, 한국적인: ~ food 한국 음식[요리] / of ~ make 한국제의 **2** 한국어의: ~ pronunciation 한국어의 발음
— *n.* (*pl.* **~s** [-z]) **1** 한국 사람; 한국계 사람: a second-generation ~ 한국계 2세 / A lot of ~*s* visit Japan. 많은 한국인이 일본을 방문한다. **2** [the ~s] 한국인 ⦅총칭⦆, 한국 국민[민족] **3** Ⓤ 한국어: speak in ~ 한국어로 말하다
Koréan Áir 대한 항공 (cf. KAL)
Koréan azálea 〖식물〗 산철쭉 ⦅진달랫과(科)⦆
Koréan bóx(wood) 〖식물〗 회양목
Koréan gínseng 고려 인삼
Koréan láwn gràss 〖식물〗 금잔디
Koréan les·pe·dé·za [-lèspədí:zə] 〖식물〗 싸리나무
Ko·re·a·nol·o·gy [kərì:ənɑ́lədʒi | -rìənɔ́l-] *n.* Ⓤ 한국학, 한국 연구
Koréan píne 〖식물〗 잣나무
Ko·ré·an·spice vibúrnum [kərí:ənspàis- | -ríən-] 〖식물〗 분꽃나무 ⦅인동과(科)⦆
Koréan vélvet gràss 〖식물〗 =KOREAN LAWN GRASS
Koréan Wár [the ~] 한국 전쟁(1950-53)
Koréa Stráit [the ~] 대한 해협
Ko·re·a·town [kərí:ətàun | -ríə-] *n.* (미국 도시에서) 한국인 거주지 ⦅Los Angeles에 있는 코리아타운 등⦆
korf·ball [kɔ́:rfbɔ̀:l] *n.* 코프볼 ⦅농구 비슷한 남녀 혼합 구기; 네덜란드에서 시작⦆
kor·ma [kɔ́:rmə] *n.* 〖인도요리〗 코르마 ⦅요구르트[크림]에 담근 고기를 채소와 함께 푹 끓인 요리⦆
Kór·sa·koff's psychósis[sýndrome]

[kɔ́:rsəkɔ̀:fs-, -kɑ̀vz-] 〖정신의학〗 코르사코프 정신병[증후군] 《만성 알코올 중독에서 나타나는 건망 증후군》
ko·ru·na [kɔ́:rənɑ̀:] *n.* (*pl.* **ko·run** [-ru:n], **ko·ru·ny** [-rəni], **~s**) 코루나 《체코와 슬로바키아의 화폐 단위; =100 halers; 略 Kčs.》
KOSDAQ, Kos·daq [kɔ́sdæk, kɔ́:z-] [*K*orea *S*ecurities *D*ealers *A*utomated *Q*uotations (System)] *n.* 코스닥 《한국 증권업 협회가 운영하는 시세 정보 시스템; 또는 한국 장외 주식 시장》
ko·sher [kóuʃər] *a.* 〖유대교〗 **1** 율법에 맞는, 적법의; 정결한 〈음식〉 **2** 정결한 음식을 판매하는 **3** 《구어》 순수한; 합법의 **—** *n.* 《구어》 정결한 음식물 (판매점) **—** *vt.* 적법하게 하다; 정결하게 하다
Ko·so·vo [kɔ́:səvòu] *n.* 코소보 《유고 연방 남동부 고원 지대로 Servia의 자치주; 발칸 전쟁·1차 세계 대전의 격전지》 **Kó·so·van** *n., a.* **-var** *n., a.*
KOSPI [kɔ́:spi] [*K*orea *C*omposite *S*tock *P*rice *I*ndex] *n.* 〖증권〗 한국 종합 주가 지수
Ko·sy·gin [kɑsí:gin | kɔ-] *n.* 코시긴 **Aleksei ~** (1904-80) 《구소련의 정치가·수상(1964-80)》
Ko·tex [kóutèks] *n.* 코텍스 《1회용 생리대; 상표명》
ko·tow [kóutáu, ⌐⌐] *n., vi.* =KOWTOW
KOTRA [kɔ́:trə] [*K*orea *Tra*de-Investment Promotion Agency] *n.* 대한 무역 투자 진흥 공사
kot·wal [kóutwɑ:l] *n.* 《인도》 경찰서 서장; 도시 장관(magistrate)
kot·wa·lee, -li [kóutwɑ:li] *n.* 《인도》 경찰서
kou·miss [kú:mis] *n.* Ⓤ 쿠미스, 마유주(馬乳酒) 《말·낙타 젖으로 만든 아시아 유목민의 술》
kour·bash [kúərbæʃ] *n., vt.* =KURBASH
kow·tow [káutáu, ⌐⌐] [Chin. 「고두(叩頭)」에서] *n.* 《옛 중국식》 고두 《머리로 조아려 하는 절》 **—** *vi.* **1** 고두하다 《*to*》 **2** 비굴하게 아부하다
KP 〖체스〗 king's pawn; kitchen police; Knight(s) of Pythias; Knight (of the Order) of St. Patrick
K pàrticle 〖물리〗 K입자(kaon)
kpc kiloparsec(s) **kph** kilometer(s) per hour
Kr 〖화학〗 krypton **Kr, kr** kreutzer; krona; krone(n); kroner **KR** 〖체스〗 king's rook
kraal [krɑ́:l] *n.* **1** (남아프리카 원주민의 울타리를 둘러친) 촌락 **2** 우리 《가축용》 **—** *vt.* 〈양·소 등을〉 우리에 가두다
kraft [kræft | krɑ́:ft] *n.* 크라프트 종이 《시멘트 부대 등에 씀》(=~ **pàper**)
krait [kráit] *n.* 〖동물〗 우산뱀 《인도·보르네오 등에 사는 코브라과(科)의 독사》
kra·ken [krɑ́:kən] *n.* [종종 **K~**] 크라켄 《노르웨이 바다에 나타난다는 전설적 괴물》
K ràtion 〖미군〗 K 휴대 식량 《3상자가 1일분; 2차 대전 중에 사용한 비상용 야외 전투 식량》
kraut [kráut] *n.* 《속어·경멸》 독일 사람[군인, 군속]
Krébs cỳcle [krébz-] [영국의 생화학자 이름에서] 〖생화학〗 크레브스 회로 《유기물의 대사 회로》
KREEP [krí:p] [*K*(potassium)+*r*are-*e*arth *e*lement+*P*(phosphorus)] *n.* 크리프 《달에서 채집된 황갈색의 유리 모양의 광물》
Krem·lin [krémlin] [Russ. 「성채(城砦)」의 뜻에서] *n.* **1** [the ~] **a** 크렘린 궁전 《Moscow에 있는 옛날 궁전》 **b** 구소련 정부 **2** [**k~**] 성채(城砦) 《러시아 도시의》
Krem·lin·ol·o·gy [krèmlinɑ́lədʒi | -nɔ́l-] *n.* Ⓤ 구소련학, 구소련 (정부) 연구 **-gist** *n.*
krep·lach [krépləк, -lɑ:k] *n. pl.* 치즈나 다진 육류 등을 만두 모양으로 피로 싸서 수프에 끓인 요리》
kreut·zer, kreu·zer [krɔ́itsər] *n.* 옛 독일·오스트리아에서 사용된 동전 《farthing과 같은 값》
krieg·spiel [krí:gspì:l, krí:k-] [G] *n.* [때로 **K~**] 전쟁 게임 《장교의 전술 지도용》
Kril·i·um [kríliəm] *n.* 크릴리엄 《토양 개량제; 상표명》
krill [kríl] *n.* (*pl.* **~**) 〖동물〗 크릴(새우) 《남극해산(産) 새우 무리의 갑각류; 고래의 먹이》

krim·mer [krímər] *n.* Ⓤ 새끼 양 모피 《Crimea 반도산(産)》
kris [krí:s] *n.* =CREESE
Krish·na [kríʃnə] *n.* 〖인도신화〗 크리슈나신(神) 《Vishnu의 제8 화신》 **~·ìsm** *n.* Ⓤ 크리슈나 숭배

Krishna

Kriss Krin·gle [krís-kríŋgl] [G] 《미》 =SANTA CLAUS
KRL knowledge representation language 〖컴퓨터〗 지식 표현 언어
kro·mes·ky [krouméski] [Russ.] *n.* 〖요리〗 러시아식 크로켓
kro·na¹ [króunə] *n.* (*pl.* **-nor** [-nɔ:r]) 크로나 《스웨덴의 화폐 단위; =100 öre; 기호 Kr.》; 크로나 은화
krona² *n.* (*pl.* **-nur** [-nər]) 크로나 《아이슬란드의 화폐 단위; =100 aurar; 기호 Kr.》; 크로나 동전
kro·ne¹ [króunə] *n.* (*pl.* **-ner** [-nər]) 크로네 《덴마크·노르웨이의 화폐 단위; =100 öre; 기호 Kr.》; 크로네 은화
krone² *n.* (*pl.* **-nen** [-nən]) 크로네 《(1) 옛 독일의 금화; =10 marks (2) 옛 오스트리아(1892-1925)의 은화; =100 heller》
Kroo, Kru [krú:] *n.* (*pl.* **~(s)**) 크루 족(族) 《리베리아 해안의 흑인 종족》 **—** *a.* 크루 사람의
Kroo·boy [krú:bɔ̀i] *n.* =KROOMAN
Kroo·man [krú:mən] *n.* (*pl.* **-men** [-mən]) 크루 사람
KRP 〖체스〗 king's rook's pawn
Kru·ger·rand [krú:gəræ̀nd, -rɑ̀:nd] *n.* 크루거란드 《남아프리카 공화국의 1온스 금화(金貨)》
krul·ler [krʌ́lər] *n.* =CRULLER
krumm·horn [krúmhɔ̀:rn, krʌ́m-] *n.* 〖음악〗 =CRUMHORN
kryp·ton [kríptɑn | -tɔn] *n.* Ⓤ 〖화학〗 크립톤 《무색 불활성 기체 원소; 기호 Kr; 번호 36》
kryp·ton·ite [kríptənait] *n.* Ⓤ (가까이 가면) 힘을 약하게 하는 화학 물질 《슈퍼맨 이야기에 나오는》
kry·tron [kráitrɑn | -trɔn] *n.* 크라이트론 《핵폭발의 기폭 장치용 스위치》
KS Korean (Industrial) Standards 한국 공업 규격; 〖미국우편〗 Kansas; King's Scholar **KSC** Kennedy Space Center 케네디 우주 센터 **KSE** Korea Stock Exchange 한국 증권 거래소
K selèction 〖생태〗 K 도태 《생물 개체군(群)이 증식하여 환경 수용력(K)에 가까운 고밀도 상태에서 이뤄지는 자연도태》
Kshat·ri·ya [kʃǽtriə] *n.* 크샤트리아 《인도 4성(姓)의 제2 계급; 귀족과 무사》
K-shell [kéiʃèl] *n.* 〖물리〗 K껍질 《원자핵에 가장 가까운 전자 껍질》
KST Korean Standard Time 한국 표준 시간 **kt** karat; kiloton(s); knot **Kt** 〖체스〗 Knight **K.T.** Knight (of the Order) of the Thistle; Knight(s) Templar(s)
K-12 [kéitwélv] *a., n.* 《미·속어》 유치원에서 고교 졸업까지의 (학생) 《「kindergarten에서 제12학년[고3]까지」의 뜻》
K2 [kéitú:] *n.* K2봉 《Karakoram 산맥에 있는 세계 제2의 고봉; 8,611m》
Kua·la Lum·pur [kwɑ́:lə-lumpúər | -lúmpuə] 쿠알라룸푸르 《말레이시아의 수도》
Ku·blai Khan [kú:blai-kɑ́:n] 쿠빌라이 칸(1216-94) 《원나라의 초대 황제; 1260-94》
ku·chen [kú:kən] [G] *n.* (*pl.* **~**) 쿠헨 《견과·과일을 넣어 구운 과자》
ku·do [kjú:dou | kjú:-] [Gk] *n.* (*pl.* **~s** [-z]) Ⓤ 《영·구어》 명성, 영예, 위신; 칭찬
ku·du [kú:du:] *n.* (*pl.* **~s,** [집합적] **~**) 〖동물〗 =

KOODOO

kud·zu [kúdzu:] [Jap.] *n.* 〖식물〗 칡 《다년생 덩굴 식물》(=∼ vìne)

Ku·fic [kjú:fik] *n.*, *a.* 고대 아라비아 문자(의)

Kú·gel·blitz [kú:gəlblìts] *n.* 〖기상〗 구상(球狀) 번개

Kúi·per bèlt [káipər-] [the ∼] 〖천문〗 카이퍼대(帶) 《태양계를 둘러싼 폭 1,440억 km의 먼지·얼음층》

Ku Klux·er [kú:-klʌ̀ksər | kjú:-] 3K단 단원

Ku Klux Klan [kú:-klʌ́ks-klǽn | kjú:-] 《미》 큐클럭스클랜, 3K단(團) 《미국의 천주교도·유대인·흑인 등을 배척하는 백인 지상주의 비밀 결사》

kuk·ri [kúkri] *n.* 구크리 칼 《네팔의 Gurkha 사람이 사용하는 날이 넓은 단검》

ku·lak [kulá:k, -lǽk] [Russ.] *n.* (*pl.* **~s, -la·ki** [-ki]) (제정 러시아의) 부농(富農); 매정한 상인[고리대금업자]

Kul·fi [kúlfi] *n.* UC 남아시아의 아이스크림의 일종

Kul·tur [kultúər] [G=culture] *n.* U 문화, (특히 나치 시대 국민 정신 고양에 사용된) 정신 문화, 독일 문화

Kul·tur·kampf [kultúərkɑ̀:mpf] [G] *n.* 〖역사〗 문화 투쟁 《비스마르크 정부와 가톨릭교회 사이에》

ku·ma·ra [kú:mərə] *n.* 《뉴질》 〖식물〗 고구마

Kùmbh Mél·a [kùm-méilə] 쿰브멜라 《12년마다 인도 북부 강가에서 행하는 힌두교의 순례 축제》

ku·miss [kú:mis] *n.* =KOUMISS

küm·mel [kíməl | kúm-] [G] *n.* U 퀴멜주(酒) 《파슬리 열매 등으로 조미한 술; 발트 해 동해안 지방산(産)》

kum·quat [kʌ́mkwɑt | -kwɔt] [Chin. 「金橘」에서] *n.* 〖식물〗 금귤나무; 그 열매

ku·na [kú:nə] *n.* (*pl.* **-ne** [-nə]) 쿠나 《크로아티아의 화폐 단위; =100 lipa》

kung fu [kʌ̀ŋ-fú:, kùŋ-] [Chin.] 쿵후(功夫) 《태권도 비슷한 중국의 호신 권법(拳法)》

kunz·ite [kúntsait] *n.* 〖광물〗 라일락 색을 띤 투명한 리티아 휘석의 변종 《보석으로 사용됨》

Kuo·min·tang [kwóumìntǽŋ, -tá:ŋ] [Chin.] *n.* [the ∼] (중국) 국민당 《1912년 손문(孫文)이 창당》

kur·bash [kúərbæʃ] *n.*, *vt.* (터키·이집트의) 가죽 채찍(으로 치다) ***under the* ~** 강제 노동으로

kur·cha·to·vi·um [kə̀:rtʃətóuviəm] *n.* 〖화학〗 쿠르차토븀 《rutherfordium의 구소련의 명칭; 기호 Ku》

Kurd [kə́:rd, kúərd | kə́:d] *n.* 쿠르드 사람 《Kurdistan 지방의 유목민으로 이슬람교도》

Kurd·ish [kə́:rdiʃ, kúər- | kə́:-] *a.* 쿠르드인[어]의, 쿠르디스탄(사람)의 —*n.* U 쿠르드어(語)

Kur·di·stan [kə́:rdəstæ̀n | kə̀:distá:n] *n.* (아시아 서남부 터키·이란·이라크에 걸친) 고원 지대 《주민은 주로 쿠르드 족》

Kú·ril(e) Íslands [kúəril- | kurí:l-] [the ∼] 쿠릴 열도 ★ the Kuril(e)s라고도 함.

Ku·ro·shi·o [kuróuʃiòu] *n.* 쿠로시오(黑潮), 일본 해류(Japan Current)(=∼ **Cúrrent**)

kur·saal [kə́:rzəl] [G] *n.* (해수욕장·온천장 등의 카지노를 완비한) 휴양 시설, 유원지; 카지노

kur·ta [kə́:rtə] *n.* 쿠르타 《기장이 길고 칼라가 없는 인도의 셔츠》

ku·ru [kúəru:] *n.* 〖병리〗 쿠루병 《동뉴기니 원주민에게 나타나는 치명적인 뇌신경병》

ku·rus [kurú:ʃ] *n.* (*pl.* ∼) 쿠루시 《터키의 화폐 단위; =$^1/_{100}$ lira》

Ku·wait, -weit [kuwéit] *n.* 쿠웨이트 《아라비아 동북부 페르시아 만에 면한 이슬람 군주국; 그 수도》

Ku·wai·ti [kuwéiti] *a.* 쿠웨이트(사람)의 —*n.* 쿠웨이트 사람

Kúz·nets cỳcle [kúznits-] [미국의 경제학자 이름에서] 〖경제〗 쿠즈네츠 사이클 《15-20년 주기의 경기 변동》

kv, kV, KV kilovolt(s) **kva, kVA** kilovolt-ampere(s) **kvar, kVAr** kilovar(s)

kvass [kvá:s, kwá:s] [Russ.] *n.* U (호밀 등으로 만드는) 러시아의 알코올성 청량음료

kvell [kvél] *vi.* 《속어》 마음껏 즐기다; 자랑스레 기뻐하다, 히죽히죽 웃다

kvetch [kvétʃ] 《속어》 *vi.* 늘 불평[군소리]만 하다, 투덜거리다 —*n.* 불평만 하는 사람; 불평

kW, kw kilowatt(s)

kwa·cha [kwá:tʃə] *n.* (*pl.* ∼) 크와차 《Zambia, Malawi의 화폐 단위; 기호 K》

kwai·to [kwáitou] *n.* U 크와이토 《힙합과 유사한 남아프리카 댄스 음악의 일종》

kwan·za [kwá:nzə] *n.* (*pl.* **∼, ∼s**) 콴자 《앙골라의 화폐 단위; 100 lwei》

Kwan·zaa [kwá:nzə] *n.* 크완자 《12월 26일에서 1월 1일까지 미국 흑인들의 축제》

kwash·i·or·kor [kwæ̀ʃiɔ́:rkɔ:r, -kər] *n.* U 〖병리〗 (아프리카의) 단백 결핍성 소아 영양 실조증

kwe·la [kwéilə] *n.* 퀠라 《남아프리카 Bantu 족의 비트 음악》

kWh, kwhr kilowatt-hour(s)

KWIC [kwík] [*k*ey *w*ord *i*n *c*ontext] *n.* 〖컴퓨터〗 표제어가 문맥에 포함된 채 배열된 색인

KWOC [kwák | kwɔ́k] [*k*ey *w*ord *o*ut of *c*ontext] *n.* 〖컴퓨터〗 표제어가 문맥의 앞에 나온 상태로 배열된 색인

KY 《미》 〖우편〗 Kentucky **Ky.** Kentucky

ky·ack[1], **kyak** [káiæk] *n.* =KAYAK

kyack[2] *n.* 《미》 길마 양쪽에 매다는 주머니

ky·a·nite [káiənàit] *n.* 〖광물〗 =CYANITE

ky·an·ize [káiənàiz] *vt.* 승홍수(昇汞水)를 주입하다, 승홍 용액으로 〈목재의〉 부식을 방지하다

kyat [kjá:t, kiá:t] *n.* 차트 《미얀마의 화폐 단위; =100 pyas; 기호 K》

kyle [káil] *n.* 《스코》 좁은 해협, 물길

ky·lie [káili] *n.* 《호주》 부메랑

ky·lin [kì:lín] *n.* 기린(麒麟) 《중국 도자기 등에 그려진 상상의 동물》

ky·loe [káilou] *n.* 《영》 〖동물〗 카일로 소 《스코틀랜드산(産)의 뿔이 긴 작은 소》

ky·mo·gram [káiməgræ̀m] *n.* 카이머그래프에 의한 화상(畫像) 기록

ky·mo·graph [káiməgræ̀f | -grɑ̀:f] *n.* 〖의학〗 카이머그래프, 동태(動態) 기록기 《맥박·혈압·근육의 움직임 등의 파동 곡선 기록기》

ky·oo·dle [kaiú:dl] *vi.* 〈개가〉 시끄럽게 짖어대다

ky·pho·sis [kaifóusis] *n.* U 〖의학〗 (척추) 후만증(後彎症) **ky·phot·ic** [-fátik | -fɔ́t-] *a.*

Kyr·gyz·stan [kìərgistǽn | kə̀:-] *n.* 키르기스스탄 《중앙아시아 동북부의 독립 국가 연합에 속하는 공화국; 수도 Bishkek》

Ky·ri·e [kíərièi] *n.* =KYRIE ELEISON

Kyr·i·e e·le·i·son [kírièi-eléiəsɔ̀:n, -sɑ̀n | -sɔ̀n] [Gk] [종종 **K- E-**] **1** 〖그리스도교〗 기리에, 「주여 불쌍히 여기소서」 뜻의 기도 문구 《가톨릭·그리스 정교의 미사 첫머리에 암송》 **2** 〖음악〗 기리에의 악곡

kyte [káit] *n.* 《스코·북잉글》 위(胃), 배

ky·toon [kaitú:n] [kite의 변형+balloon] *n.* 〖기상〗 (관측용) 기류형 계류 기구

Ky·zyl [kizíl] *n.* 키질 《러시아 연방 남부의 Tuva 자치 공화국의 수도》

L l

l, L[1] [él] *n.* (*pl.* **l's, ls, L's, Ls** [-z]) **1** 엘《영어 알파벳의 제12자》 **2** (연속된 것의) 열두번째(의 것); (J를 넣지 않을 때의) 열한번째(의 것) **3** (로마 숫자의) 50: *LVI*＝56

L[2] *n.* (*pl.* **L's, Ls** [-z]) **1 a** L자형(의 것) **b** 〖기계〗 L자 관(管) **c** 〖건축〗 L자형 결채《본채에 딸린》 **2** [the ~] 《미·구어》 고가 철도《elevated railroad의 약어; cf. EL[1]》: an *L* station 고가 철도역

L lambert(s); length; *libra(e)* 《L＝pound(s)》; longitude **l.** land; large; latitude; leaf; league; left (fielder); length; line; lira(s); lire; liter(s) **L.** Lady; Lake; Latin; Latitude; Law; Left; *liber* 《L＝book》; Liberal; Linnaeus; London; Lord; Low **£** *libra(e)* 《L＝pound(s) sterling》

*__la__[1] [lɑ́:] *n.* 〖음악〗 라《sol-fa식 계명 창법의 여섯째 음; cf. GAMUT》

la[2] [lɔ́:, lɑ́: | lɔ́:] *int.* 《고어》 보라, 저 봐, 야《강조 또는 놀람의 소리》

La 〖화학〗 lanthanum **LA** 〖우편〗 Louisiana **L.a.** Lane; Louisiana **L.A.** Latin America; Law Agent; Legislative Assembly; Library Association; Local Agent; Los Angeles **L/A** landing account 양륙 대리인; Letter of Authority; Lloyd's agent **L.A.A.** light antiaircraft

laa·ger [lɑ́:gər] 《남아공》 *n.* (짐마차 등을 둘러 방벽으로 하는) 야영지; (장갑차에 둘러싸인) 방어 진지, 차진(車陣) **—** *vt.* 차진으로 배치하다; 〈병사를〉 차진에 야영시키다. **—** *vi.* 차진을 치고 야영하다.

lab [lǽb] *n.* 《구어》 ＝LABORATORY

LAB Labor Advisory Board 노동 자문 위원회

lab. labor; laboratory; laborer **Lab.** Labor; Laborite; Labrador

La·ban [léibən] *n.* **1** 남자 이름 **2** 〖성서〗 라반 《Jacob의 외삼촌》

lab·a·rum [lǽbərəm] *n.* (*pl.* **-ra** [-rə]) **1** (종교적 행렬 등에서 들고 가는) 기(旗) **2** 로마 황제의 군기(軍旗), 《특히》 Constantine 대제(大帝)의 군기

láb-con·ceived báby [lǽbkənsì:vd-] ＝TEST-TUBE BABY

lab·e·fac·tion [læ̀bəfǽkʃən] *n.* Ⓤ 《문어》 동요(shake); 쇠약; 쇠미(衰微), 몰락(downfall)

‡**la·bel** [léibəl] [OF 「자투리」의 뜻에서] *n.* **1** 라벨, 레테르, 꼬리표, 부전(附箋): put *~s* on one's luggage 수하물에 짐표를 붙이다 **2** (사람·단체·유파·운동 등의 특색을 간단히 표시한) 부호, 표어, 표지(標識) **3** (사전에서 용법·전문어 등을 나타내는) 표시 《《구어》 〖식물〗 등》 **4** (레코드 회사 등의) 브랜드, 상표(trademark); 그 상표를 쓰는 제조업자 **5** 〖건축〗 (창 위에 있는) 낙수받잇돌(dripstone) **6** (후면에 고무풀을 칠한) 우표 **7** 장자의 신분을 나타내는 문장(紋章) 위에 붙인 무늬 **8** 〖컴퓨터〗 이름표, 라벨《수치가 아닌 문자 기호》
— *vt.* (**~ed**; **~·ing** | **~led**; **~·ling**) **1** …에 라벨을[표를] **붙이다**, 라벨로 나타내다: ~ a bottle 병에 라벨을 붙이다 // (~+목+전+명) ~ a trunk *for* Seoul 트렁크에 서울행 꼬리표를 달다 // (~+목+보) ~ a bottle 'Danger' 병에 「위험」이라는 라벨을 붙이다 **2** (라벨을 붙여서) 분류하다(classify); …을 (…이라고) 부르다(designate): (~+목+보) They ~ him a liar. 그들은 그를 거짓말쟁이라고 부른다. // (~+목+***as*** 보) It is unjust to ~ him *as* a mere agitator. 그를 단순한 선동자라고 부르는 것은 부당하다. **3** 〈원소·원자 등을〉 방사성 동위 원소 등을 써서 구별[식별]하다 **~·a·ble** *a.* **~·er** *n.*

lábel cònstant 〖컴퓨터〗 레이블 상수(常數)

lábel idéntifier 〖컴퓨터〗 레이블 식별자(識別子)

la·bel·lum [ləbéləm] *n.* (*pl.* **-la** [-lə]) **1** 〖식물〗 (난초과(科) 식물의) 순형 화판(脣形花瓣), 입술 꽃잎 **2** 〖곤충〗 파리의 입 끝 부분

la·bel·mate [léibəlmèit] *n.* 레이블메이트《같은 회사에서 음반을 낸 동료 가수[음악가]》

lábel vàriable 〖컴퓨터〗 레이블 변수(變數)

la·bi·a [léibiə] *n.* LABIUM의 복수

la·bi·al [léibiəl] *a.* **1** 〖해부·동물〗 입술의, 입술 모양의 **2** 〖음성〗 순음(脣音)의
— *n.* 순음(＝**~ sóund**) 《[p, b, m, f, v] 등》
~·ìsm *n.* Ⓤ 순음화(化)하는 경향 **~·ly** *ad.*

la·bi·al·ize [léibiəlàiz] *vt.* 〖음성〗 순음화하다

la·bi·al·i·za·tion [lèibiəlizéiʃən | -lai-] *n.*

la·bi·a ma·jo·ra [léibiə-mədʒɔ́:rə] [L] 〖해부〗 대음순

labia mi·no·ra [-minɔ́:rə] [L] 〖해부〗 소음순

la·bi·ate [léibiət, -bièit] 〖식물〗 *a.* 〈꽃부리 또는 꽃받침이〉 입술 모양을 한 **—** *n.* 광대나물과(科) 식물

la·bile [léibil, -bail] *a.* 〖화학·물리〗 불안정한(unstable), 화학 변화를 일으키기 쉬운

labio- [léibiou, -biə] 《연결형》 「입술」의 뜻

la·bi·o·den·tal [lèibioudéntl] 〖음성〗 *a.* 순치음(脣齒音)의 **—** *n.* 순치음《[f, v] 등》

la·bi·o·ve·lar [lèibiouví:lər] 〖음성〗 *a.* 양순 연구개음의 **—** *n.* 양순 연구개음《[w]처럼 입술과 연구개가 동시에 관여해서 발음되는 음》

la·bi·um [léibiəm] *n.* (*pl.* **-bi·a** [-biə]) **1** 입술 **2** 〖해부〗 음순(陰脣) **3** (곤충·갑각류 등의) 아랫입술(cf. LABRUM) **4** 〖식물〗 (입술꽃부리의) 하순판(下脣瓣)

la·bon·za [ləbɑ́nzə | -bɔ́n-] *n.* 《미·속어》 엉덩이, 궁둥이; 명치; 배

‡**la·bor | la·bour** [léibər] [L 「고생」의 뜻에서] *n.* Ⓤ **1** (임금을 얻기 위한) **노동**, 근로: physical ~ 육체 노동 **2** [종종 **L~**; 집합적] (자본가·기업에 대하여) 노동자; 노동 계급(cf. CAPITAL[1] 4): the rights of ~ 노동자(계급)의 권리 **3** (육체적·정신적) **수고**, 애씀, 고심, 노고, 노력 **4** Ⓒ 일, 업무(task, job) **5** [보통 **Labour**] 《영》 노동당(Labour Party) **6** [*pl.*] 《문어》 속세의 일, 세상사: His *~s* are over. 그의 이 세상의 일[일생]은 끝났다. **7** [또는 a ~] 해산, 분만, 진통: easy[hard] ~ 순산[난산] / go into ~ 진통이 시작되다 **8** 〖항해〗 배의 큰 요동
be in ~ 분만 중이다 ***hard ~*** (형벌로서의) 중(重)노동 ***L~ and Capital*** 노동자와 자본가, 노사(勞使) ***~ of Hercules*** ＝***Herculean ~*** 극히 어려운 큰일 ***~ of love*** 〖성서〗 사랑의 수고, 좋아서 하는 일, 독지(篤志) 사업 ***the Ministry of Labour*** 《영》 노동부
— *a.* Ⓐ **1** 노동의, 노동에 관한: ~ negotiations 노사 교섭 **2** [보통 **Labour**] 《영》 노동당의
— *vi.* **1** 노동하다, 일하다; 애쓰다, 노력하다, 힘쓰다(strive): (~+전+명) Let us ~ *for* a better future. 보다 나은 장래를 위해 노력하자. // (~+***to*** do) He *~ed to* complete the task. 그는 그 일을 완수하려고 힘을 다했다. **2** 〈사람·자동차 등이〉 헐떡이며 나아가다; 〈배가〉 몹시 흔들리다, 난항(難航)을 겪

thesaurus **labor** *n.* **1** 노동 work, employment, toil, exertion, effort **2** 업무 task, job, chore, undertaking, commission, assignment

다: ((~+전+명)) An old woman *~ed up* the hill. 노파는 애써 언덕을 올라갔다./The ship was *~ing through* the heavy seas. 배는 높은 파도 속에서 난항을 계속하고 있었다. **3** (질병 등으로) 고생하다(suffer); (오해·착각 등으로) 괴로워하다 ((*under*)): ((~+전+명)) *~ under* difficulties 곤경에 처해 고통을 겪다/He is *~ing under* misconception. 그는 오해하고 있다. **4** 산고(産苦)를 치르다, 진통을 겪다(travail): ((~+전+명)) She is *~ing with* child. 그녀는 진통을 겪고 있다.

— *vt.* **1** 자세히 설명하다, 장황하게 논하다: ~ the point 그 점에 대해 장황하게 설명하다. **2** …에 싫증나게 하다(tire); 괴롭히다(distress), …에게 부담을 지우다(burden): ((~+목+전+명)) I won't ~ you *with* the trifles. 하찮은 일로 당신을 괴롭히지 않겠다. **3** ((영·방언)) 〈땅을〉 갈다; ((고어)) 고심하여 만들다

~ *after* …을 얻으려고 애쓰다 **~ *at*[*over*]** (어려운 일에) 힘쓰다, 고심하다 **~ *for*** …을 얻으려고 애쓰다; …을 위해 노력하다 **~ one*'s way*** 곤란을 무릅쓰고 나아가다 **~ *through*[*in*]** ⇨ *vi.* 2 **~ *under*** ⇨ *vi.* 3 **~ *with*** ⇨ *vi.* 4

▷ labórious, láborsome *a.*; belábor *v.*

lábor agrèement (노사 간의) 노동 협약

lábor aristòcracy ((경멸)) 노동 귀족

lab·o·ra·to·ri·al [læ̀bərətɔ́ːriəl] *a.* 실험실의

****lab·o·ra·to·ry** [lǽbərətɔ̀ːri | ləbɔ́rətəri] [L 「작업장」의 뜻에서] *n.* (*pl.* **-ries**) **1** 실험실, 시험소 **2 a** (교육·사회 과학 등에서 설비가 갖추어진) 실습실, 연습실(演習室), 연구실[소], 랩(lab): a language ~ 어학 연습실 **b** (대학 과정에서의) 실험 (시간), 실습 **3** (약품 등의) 제조소; 〖군사〗 화약 제조소(cf. LAB)

— *a.* Ⓐ **1** 실험실(용)의: a ~ animal 실험용 동물 **2** 실습의, 연습의: a ~ course 실습 코스

láboratory disèase (실험용 동물 등에) 인위적으로 걸리게 한 병

láboratory schòol (교생 실습을 위한) 대학 부속 실험 학교

lábor autòcracy ((경멸)) 노동 독재

lábor bànk 노동 은행((노동 조합이 경영하는))

lábor càmp 1 (구소련 등의) 강제 노동 수용소 **2** (미국 서부의) 이주 노동자 합숙소

lábor cóntent 〖경제〗 (상품의 원가(原價) 중 원료 가치에 대하여) 가공[노동] 가치

Lábor Dày ((미·캐나다)) 노동절((9월의 첫째 월요일; 유럽의 May Day에 해당함))

Lábor Depàrtment 노동부(Department of Labor)

lábor dispùte 노동 쟁의

la·bored [léibərd] *a.* **1** 〈문장 등이〉 고심한 흔적이 있는 **2** 무리한, 억지로 갖다 붙인, 부자연스러운 **3** 〈동작·호흡 등이〉 하기 어려운, 괴로운, 힘드는

****la·bor·er** [léibərər] *n.* **1** 노동자, 인부; 임금 노동자, 육체 노동자 **2** 비숙련공, 숙련공의 조수

lábor fòrce 노동력; 노동 인구(work force)

la·bor·ing [léibəriŋ] *a.* **1** 노동에 종사하는: the ~ class(es) 노동 계급 **2** 고통을 겪고 있는 **3** 〈배가〉 난항 중인 **4** 산고(産苦)로 괴로워하는 ***tug*[*pull*] *the ~ oar*** (가장) 힘든 일을 맡다 **~·ly** *ad.* 애써서, 고생하여

la·bor-in·ten·sive [léibərinténsiv] *a.* 노동 집약적인, 많은 노동력을 요하는

***la·bo·ri·ous** [ləbɔ́ːriəs] *a.* **1** 힘드는, 어려운, 인내를 요하는, 귀찮은 **2** 〈문체 등이〉 고심한 흔적이 보이는, 공들인 **3** 열심히 일하는, 근면한, 부지런한(industrious) **~·ly** *ad.* **~·ness** *n.* ▷ lábor *n.*

La·bor·ism [léibərìzm] *n.* Ⓤ 노동당[노동조합] 주의[정책]

la·bor·ite [léibəràit] *n.* **1** 노동자 옹호 단체의 일원 **2** [L~] 노동자 옹호 정당원, 노동당원[지지자]

Lábor lèader 노동당[노동 조합] 간부

la·bor-man·age·ment [léibərmǽnidʒmənt] *n.* 노사(勞使) — *a.* 노사의: ~ issue 노사 간의 쟁점

Lábor-Mánagement Relátions Àct [the ~] 노사 관계법((미국의 현행 중요 노동법; Taft-Hartley Act의 공식 명칭))

lábor màrket [the ~] 노동 시장

lábor mòvement 노동 (조합) 운동

lábor pàins 진통; (사업·계획 등의) 창업기의 곤란

lábor pàrty 노동당

lábor relàtions 노사(勞使) 관계

la·bor·sav·ing [-sèiviŋ] *a.* 노동 절약의: a ~ device[appliance] 노동 절약 장치[기구]

lábor skàte ((미·속어)) 노동 조합원

la·bor·some [léibərsəm] *a.* 힘드는

lábor spỳ (회사가 고용하여 노조 활동을 감시하는) 노동 스파이

lábor tèmple ((미·구어·경멸)) 노동 조합 회관

lábor tùrnover 노동 이동(異動)((그만둔 노동자 대신에 고용된 신규 노동자(의 비율)))

lábor ùnion ((미)) 노동 조합(((영)) trade union)

lábor wàrd (병원의) 분만실

****la·bour** [léibər] *n., a., v.* ((영)) = LABOR

lábour exchànge [종종 **L- E-**] ((영·구어)) 공공 직업 안정소((현재의 정식 명칭은 Employment Service Exchange)); 노동 회관

La·bour·ite [léibəràit] *n.* ((영)) 노동당원(cf. CONSERVATIVE 2, LIBERAL 2)

Lábour Pàrty [the ~] (영국의) 노동당

la·bra [léibrə, lǽb-] *n.* LABRUM의 복수

lab·ra·doo·dle [lǽbrədùːdl] *n.* 〖동물〗 래브라두들((래브라도 레트리버와 푸들을 교배한 개))

Lab·ra·dor [lǽbrədɔ̀ːr] *n.* **1** 래브라도 반도[지방] ((북미 허드슨 만과 대서양 사이에 있는 반도)) **2** = LABRADOR RETRIEVER

lab·ra·dor·ite [lǽbrədɔːràit, ⌐—⌐—] *n.* Ⓤ 〖광물〗 조회장석(曹灰長石)

Lábrador retríever[dóg] 래브라도 레트리버 ((Newfoundland 원산의 사냥개))

la·bret [léibret] *n.* (미개 인종의) 입술 장식((조가비·나무토막 등))

la·brum [léibrəm, lǽb-] *n.* (*pl.* **-bra** [-brə]) **1** 입술; 입술 모양의 것 **2** 〖동물〗 상순(上脣)(cf. LABIUM); (조개류의) 외순(外脣)

la·bur·num [ləbə́ːrnəm] *n.* 〖식물〗 금사슬나무((부활절 장식에 쓰임))

labyrinth 1

lab·y·rinth [lǽbərìnθ] *n.* **1** 미궁(迷宮), 미로(maze) **2** 미로 정원; [the L~] 〖그리스 신화〗 라비린토스((Daedalus가 Crete왕 Minos의 명령에 의해 만든, Minotaur를 감금하기 위한 미로)) **3** 분규, 복잡한 관계, 몹시 복잡한 사건[건물 ((등))]: a ~ of streets 뒤얽혀 복잡한 거리 **4** [the ~] 〖해부〗 내이(內耳)

lab·y·rin·thine [læ̀bərínθi(ː)n | -θain], **-thi·an** [-θiən] *a.* Ⓐ 미궁[미로]의, 미로와 같은; 복잡한, 엉클어진

lab·y·rin·thi·tis [læ̀bərinθáitis] *n.* 〖병리〗 미로염(迷路炎), 내이염(內耳炎)

lac[1] [lǽk] *n.* Ⓤ **1** 〖도료〗 랙((랙깍지진디의 분비물; 니스의 원료)) **2** 〖염료〗 랙 염료

lac[2] [lɑ́ːk] *n.* ((인도)) **1** 10만; 10만 루피 **2** 굉장한 다수, 막대한 수

LAC, L.A.C. leading aircraftsman 공군 하사관

La·can [ləkǽn] *n.* 라캉 **Jacques ~** (1901-81) ((프랑스의 철학자·정신 분석학자))

thesaurus **laborious** *a.* **1** 힘든 hard, heavy, difficult, strenuous, tiring, wearisome, tedious **2** 열심히 일하는 painstaking, diligent, industrious, hardworking, assiduous, active

lac·co·lith [lǽkəlìθ], **-lite** [-làit] *n.* 〖지질〗 병반(餠盤), 라콜리스 《떡 모양의 암체(岩體)》

⁑lace [léis] [L 「올가미」의 뜻에서] *n.* **1** (구두 등의) 끈, 엮은[꼰] 끈, 짠 끈: shoe ~*s* 구두끈 **2** Ⓤ 레이스 **3** Ⓤ (군복 등을 장식하는) 몰: gold[silver] ~ 금[은]몰 ★ braid 쪽이 일반적임. **4** 소량의 브랜디[진] 《음식물·홍차·커피 따위에 넣는》

—*a.* Ⓐ 레이스의: a ~ curtain 레이스 커튼

—*vt.* **1** 끈으로 묶다[졸라매다]: 《~+목+부》 ~ (*up*) one's shoes 구두끈을 졸라매다 **2** 〈끈 등을〉 꿰다: 《~+목+전+명》 ~ a cord *through* a hole 구멍에 끈을 꿰다 **3** 엮다, 섞어 짜다(interlace), 수를 놓다(embroider) 《*with*》 **4** 줄무늬로 짜다(streak) 《*with*》 **5** 레이스로 장식하다; (몰·레이스 등으로) …에 가장자리 장식을 달다 **6** (소량의 알코올성 음료를) 〈마실 것에〉 가미하다(flavor) **7** 《구어》 매질하다, 치다 **8** (코르셋의 끈으로) 〈허리를〉 졸라매다: ~ one's waist in 허리를 끈으로 졸라매다

~ a person***'s jacket*** [***coat***] …을 채찍질하다

—*vi.* **1** 끈으로 매어지다; (끈으로) 허리를 졸라매다 **2** 치다, 매질하다; 비난하다, 공격하다, 깎아내리다, 헐뜯다 《*into*》: 《~+전+명》 ~ *into* a person …을 깎아내리다[공격하다, 비난하다, 헐뜯다]

~·like *a.* **lác·er** *n.* ▷ enláce *v.*

láce cùrtain 레이스 커튼

lace-cur·tain [léiskə̀:*r*tn] *a.* (노동자 계급에 대하여) 중산 계급의; 중산 계급 지향의; 젠 체하는

laced [léist] *a.* **1** 끈이 달린[으로 졸라맨]; 레이스로 장식된 **2** 알코올을 가미한

Lac·e·dae·mon [læ̀sədí:mən] *n.* **1** 〖그리스신화〗 라케다이몬 《Zeus의 아들》 **2** =SPARTA

Lac·e·dae·mo·ni·an [læ̀sədimóuniən] *a., n.* =SPARTAN

láce glàss 레이스 무늬가 박힌 유리그릇

láce pàper 가장자리에 레이스 무늬가 있는 종이

láce pìllow 레이스 짜는 받침 《무릎 위에 놓는》

lac·er·a·ble [lǽsərəbl] *a.* 찢을 수 있는, 잘 찢어지는

lac·er·ate [lǽsərèit] *vt.* **1** 〈얼굴·팔 등을〉 (손톱이나 유리 파편 등으로) 찢다, 잡아 찢다(tear) **2** 〈마음·감정 등을〉 상하게 하다, 괴롭히다

— [lǽsərèit, -rət] *a.* =LACERATED

lac·er·at·ed [lǽsərèitid] *a.* **1** 찢어진: a ~ wound 열상(裂傷) **2** 〖식물〗 〈잎 등이〉 가장자리에 톱니가 있는

lac·er·a·tion [læ̀səréiʃən] *n.* **1** Ⓤ 잡아 찢음, 갈가리 찢음; (감정 등을) 상하게 함, 괴롭힘; 고뇌 **2** 찢어진 상처, 열상, 찢어진 틈

la·cer·tian [ləsə́:*r*ʃən] *a., n.* =LACERTILIAN

lac·er·til·i·an [læ̀sə*r*tíliən, -ljən] *a., n.* 〖동물〗 도마뱀류의 (동물)

la·cet [leisét] *n.* (레이스 무늬를 넣은) 끈목

lace-up [léisʌ̀p] *a.* Ⓐ 〈구두가〉 끈으로 묶는

— *n.* [보통 *pl.*] 편상화, 부츠

lace·wing [-wìŋ] *n.* 〖곤충〗 풀잠자리

lace·work [-wə̀:*r*k] *n.* Ⓤ (속이 비치게 한) 레이스 세공

lach·es [lǽtʃiz, léitʃ-] *n. pl.* [단수 취급] **1** 〖법〗 태만(죄) **2** 의무 불이행

Lach·e·sis [lǽtʃəsis, lǽkə- | lǽki-] *n.* 〖그리스신화〗 라케시스 《운명의 3여신(Fates)의 하나; 인간 생명의 실의 길이를 정함》

lach·ry·mal, lac·ry- [lǽkrəməl] *a.* **1** 눈물의, 눈물을 잘 흘리는 **2** 〖해부〗 눈물을 분비하는(lacrimal): a ~ duct[canal] 눈물길, 누도(淚道) / a ~ gland 눈물샘, 누선(淚腺) / a ~ sac 눈물주머니, 누낭(淚囊)

— *n.* =LACHRYMATORY(=∠ **váse**); 눈물샘

lach·ry·ma·tion [læ̀krəméiʃən] *n.* Ⓤ 눈물을 흘림, 눈물을 흘리고 욺

lach·ry·ma·tor [lǽkrəmèitə*r*] *n.* 최루 가스, 최루탄

lach·ry·ma·to·ry [lǽkrəmətɔ̀:ri | -təri] *a.* 눈물의; 눈물을 흘리게 하는: ~ gas[shells] 최루 가스[가스탄] **—***n.* (*pl.* **-ries**) 눈물 단지 《고대 로마의 묘에서 발견되는 단지로서, 친구들의 눈물을 담았다고 함》

lach·ry·mose [lǽkrəmòus] *a.* 눈물을 잘 흘리는; 눈물을 자아내는, 가엾은 **~·ly** *ad.*

lac·ing [léisiŋ] *n.* ⓊⒸ **1** 끈 종류; 레이스(의 가장자리); 금[은]몰 **2** 레이스로 장식하기; 가장자리 장식을 달기 **3** 끈으로 잡아매기 **4** 색줄무늬 《*of*》 **5** [a ~] 《구어》 매질(thrashing) **6** (커피 등에 넣은) 약간의 알코올성 음료

la·cin·i·ate [ləsínièit, -niət], **-at·ed** [-èitid] *a.* **1** 가장자리에 술이 달린 **2** 〖식물·동물〗 톱니 모양의, 들쭉날쭉한

lác ìnsect 〖곤충〗 랙깍지진디 《성충은 거친 랙을 분비; 동남아시아산(産)》(cf. LAC[1])

⁂lack [lǽk] [MDu. 「결여」의 뜻에서] *n.* **1** Ⓤ 부족, 결핍(want), 결여: ~ of skill 기술 부족

> 유의어 **lack** 필요하거나 원하는 것이 전혀 없거나 불충분한 것: *lack* of sleep 수면 부족 **want, need** lack의 뜻에 더하여 그것을 보충할 필요가 절박한 것: dying plants from *want* of water 물 부족으로 죽어 가는 식물 / There is an urgent *need* for money. 돈이 급히 필요하다.

2 부족한[결핍된] 것

for [***by, from, through***] ***~ of*** …이 부족하기 때문에: It cannot be discussed here *for ~ of* space. 그것은 지면이 없기 때문에 여기서는 논할 수가 없다. ***have*** [***there is***] ***no ~ of*** food, etc. (음식 등이) 부족하지 않다, 많이 있다 ***~ of confidence*** 불신임 ***supply the ~*** 없는 것을 공급하다

—*vt.* **1** …이 없다, 결핍되다, 필요로 하다: A desert ~*s* water. 사막에는 물이 없다. / She ~*s* common sense. 그녀는 상식이 없다. / I ~*ed* the money with which to finish it. 그것을 끝마칠 돈이 없었다. **2** …만큼 모자라다: She ~*s* five votes to win. 그녀가 이기기에는 다섯 표가 모자란다. // 《~+목+전+명》 The vote ~*ed* three *of* (being) a majority. 투표는 과반수에 세 표 부족했다.

—*vi.* 결핍하다, 모자라다 《*in, for*》: 《~+전+명》 She is ~*ing in* common sense. 그녀는 상식이 없다. / You ~ *for* nothing. 너에게는 부족한 것이 아무것도 없다.

lack·a·dai·si·cal [læ̀kədéizikəl] *a.* **1** 기력이 없는, 〈태도 등이〉 열의 없는(languid) **2** 태도를 꾸민 **3** 게으른, 나태한 **~·ly** *ad.*

lack·a·day [lǽkədèi], **lack·a·dai·sy** [lǽkədèizi] *int.* 《고어》 아, 저런(alas) 《슬픔·후회 등을 나타내어》

lack·er [lǽkə*r*] *n., v.* =LACQUER

lack·ey [lǽki] *n.* **1** 하인(footman) 《보통 제복을 입힘》 **2** 추종자, 아첨자 **—***vt.* …에게 하인으로서 시중들다; 굽실거리다

***lack·ing** [lǽkiŋ] *a.* Ⓟ **1** 부족하여, 결핍되어; 모자라는 《*in*》: Money is ~ for the trip. 여행하기에는 돈이 모자란다. / He is ~ *in* common sense. 그는 상식이 부족하다. **2** 《영·구어》 머리[지혜]가 모자라는

—*prep.* 《문어》 …이 없다면, …없이, …없어서: *L*~ anything better, use what you have. 더 좋은 것이 없거든 지금 가진 것을 써라.

lack-in-of·fice [lǽkinɔ̀:fis | -ɔ̀f-] *n.* 관직을 구하는 사람, 엽관배(office seeker)

lack·land [lǽklæ̀nd] *a.* 땅이 없는; 영토를 잃은

— *n.* **1** 땅이 없는[영토를 잃은] 사람 **2** [**L~**] 무지왕(無地王) 《영국왕 John의 별명》

lack·lus·ter [-lʌ̀stə*r*] *a.* 광택[윤]이 없는; 〈눈 등이〉 흐리멍덩한, 혼탁한, 활기 없는(dull) **—** *n.* 광택[윤,

---

lack *n.* absence, want, need, deprivation, deficiency, insufficiency, shortage, scarcity (opp. *sufficiency, abundance, excess*)

lacking *a.* wanting, needed, missing, deprived of

활기]의 결여

La·co·ni·a [ləkóuniə] *n.* 라코니아 《그리스 남부에 있었던 고대 왕국; 수도 Sparta》 **-ni·an** *a., n.* = SPARTAN

la·con·ic [ləkánik | -kɔ́n-] [Laconia 사람은 말이 간결했다는 데서] *a.* **1** 간결한, 간명한(concise) **2** 말수가 적은 **-i·cal·ly** *ad.*

lac·o·nism [lǽkənìzm], **la·con·i·cism** [ləkánəsìzm | -kɔ́n-] *n.* **1** Ⓤ (표현의) 간결 **2** Ⓒ 간결한 언어[표현, 화술], 간명한 문장, 경구(警句)

lác òperon [lǽk-] 〖생화학〗 락토오스 오페론 《락토오스의 신진대사를 맡는 유전자군》

***lac·quer** [lǽkər] *n.* Ⓤ **1** 래커 **2** 옻(= **Jápanese** ~); 헤어 스프레이 **3** [집합적] 칠기(漆器)

— *vt.* **1** …에 래커를[옻을] 칠하다; 〈머리에〉 헤어 스프레이를 뿌리다 **2** 보기 좋게 하다, 윤내다 《*over*》; 〈잘못 등을〉 얼버무리다, …의 단점[결점]을 감추다 《*over*》: ~ *over* the terrible conditions 끔찍한 상황을 감추다 **~·er** *n.*

lac·quer·ware [lǽkərwὲər] *n.* 칠기(류)

lac·quer·work [lǽkərwə̀:rk] *n.* 칠기(lacquerware); 칠기 제조

lac·quey [lǽki] *n., v.* = LACKEY

lac·ri·mal [lǽkrəməl] *a., n.* = LACHRYMAL

lac·ri·ma·tion [læ̀krəméiʃən] *n.* = LACHRYMATION

lac·ri·ma·tor [lǽkrəmèitər] *n.* = LACHRYMATOR

lac·ri·ma·to·ry [lǽkrəmətɔ̀:ri | -təri] *a.* = LACHRYMATORY

la·crosse [ləkrɔ́:s, -krás | -krɔ́s] *n.* **1** Ⓤ 라크로스 《hockey와 비슷한 구기》 **2** [**L~**] 라크로스 유도탄

lact- [lǽkt] 《연결형》 = LACTO-

lac·ta·ry [lǽktəri] *a.* 《고어》 젖의[같은]

lac·tase [lǽkteis, -teiz] *n.* Ⓤ 〖화학〗 락타아제 《유당(乳糖) 분해 효소》

lac·tate [lǽkteit] *vi.* 젖을 분비하다

— *n.* 〖화학〗 유산염(乳酸塩)

lac·ta·tion [læktéiʃən] *n.* Ⓤ 젖의 분비(기(期)); 젖먹이기, 수유(授乳) (기간)

lac·te·al [lǽktiəl] *a.* **1** 젖의, 유즙(乳汁)의; 젖 모양의 **2** 〈림프관이〉 유미(乳糜)를 보내는[넣는]

— *n.* [*pl.*] 〖해부〗 유미관(= ~ **vèssels**) **~·ly** *ad.*

lácteal glànd 〖해부〗 젖샘, 유선(乳腺)

lac·te·ous [lǽktiəs] *a.* **1** 젖의[같은] **2** 《고어》 유백색(乳白色)의

lac·tes·cence [læktésns] *n.* Ⓤ **1** 유상화(乳狀化); 젖빛 **2** 〖식물〗 유즙액 (분비)

lac·tes·cent [læktésnt] *a.* **1** 젖 모양의, 유백색의 **2** 젖을 내는[분비하는] **3** 〖식물〗 유즙액을 분비하는

lac·tic [lǽktik] *a.* Ⓐ 〖화학〗 젖의; 유즙의; 젖에서 뽑아내는

láctic ácid 젖산, 유산(乳酸)

láctic ácid bactéria 젖산균, 유산균

lac·tif·er·ous [læktífərəs] *a.* 젖을[젖 같은 액체를] 내는

lac·tiv·ist [lǽktəvist] *n.* 이유식 외에 모유 양육을 장려하는 활동가

lacto- [lǽktou, -tə] 《연결형》 「젖·우유」의 뜻 《모음 앞에서는 lact-》

lac·to·ba·cil·lus [læ̀ktoubəsíləs] *n.* (*pl.* **-cil·li** [-silai]) 유산균

lac·to·fer·rin [læ̀ktəférin] *n.* 〖생화학〗 락토페린 《포유류의 모유에 있는 단백질의 하나》

lac·to·fla·vin [læ̀ktoufléivin, ⌐-⌐-] *n.* 〖생화학〗 락토플라빈(riboflavin)

lac·to·gen·ic [læ̀ktədʒénik] *a.* 젖이 나게 하는; 젖샘 자극성의

lac·to·glob·u·lin [læ̀ktəglábjulin | -glɔ́b-] *n.* 〖화학〗 락토글로불린 《젖에 함유된 글로불린의 총칭》

lac·tom·e·ter [læktámətər | -tɔ́m-] *n.* 검유기(檢乳器); 유지계(乳脂計), 유즙 비중[농도]계

lac·to-o·vo-veg·e·tar·i·an [læ̀ktouòuvouvèdʒətέəriən] *n.* 유란(乳卵) 채식주의자 《채소 외에 계란과 유제품은 먹는 채식주의자》 (ovolactarian)

lac·to·pro·tein [læ̀ktouprόuti:n] *n.* 〖생화학〗 유즙 단백질 《정신 분열증의 진정제》

lac·to·scope [lǽktouskòup] *n.* 검유기, 유지계

lac·tose [lǽktous, -touz] *n.* Ⓤ 락토오스, 유당(乳糖)

lac·to·veg·e·tar·i·an [læ̀ktouvèdʒətέəriən] *n.* 유(乳) 채식주의자 《치즈 등의 유제품은 먹는 채식주의자》

la·cu·na [ləkjú:nə] [L 「빈틈」의 뜻에서] *n.* (*pl.* **-nae** [-ni:], **~s**) **1 a** (원고·책 등의) 누락[탈락] (부분), 탈문 《*in*》; (인용문에서의) 원문의 생략 부분 《*in*》 **b** (지식 등의) 빈틈, 공백, 결함 《*in*》 **2** 〖해부〗 소와(小窩), 열공(裂孔) **la·cú·nal** *a.*

la·cu·nar [ləkjú:nər] *n.* (*pl.* **~s**) 〖건축〗 소란반자

la·cus·trine [ləkʌ́strin | -train] *a.* **1** 호수의 **2** 호상(湖上)에서 생활하는: the ~ age[period] 호상 생활 시대 **3** 〖생물〗 호수에 생기는[사는]

lac·y [léisi] *a.* (**lac·i·er**; **-i·est**) 레이스의, 레이스 같은[모양의]

‡**lad** [lǽd] *n.* **1** 젊은이, 소년, 청년(youth)(cf. LASS) **2** 《구어》 (연령과는 관계없이) 남자(man), 녀석, 친구 《친한 사이의 호칭》: my ~*s* 제군들, 자네들 **3** 착실한 녀석; 《경멸》 주책없는 남자 **4** 《영·구어》 원기 왕성한 남자, 대담한 남자: a bit of a ~ 다소 대담한 남자

‡**lad·der** [lǽdər] *n., v.*

> 사닥다리 ─ →(「위로 오르는 도구」의 뜻에서) 「출세의 수단」 **3**
> └→(모양이 비슷한 데서) 「(양말의) 올이 풀린 곳」 **5**

— *n.* **1** 사닥다리, 사다리: climb up[down] a ~ 사다리를 오르다[내리다] **2** 사다리 모양의 물건 **3** 출세의 연줄, 수단 《*of*》; 사회적 지위 **4** [보통 the ~] (신분·지위 등의) 단계 **5** 《영》 (스타킹의) 세로 올의 풀림 (《미》 run) ***begin from*** [***start at***] ***the bottom of the*** ~ 비천한 환경에서 입신 출세하다 ***get*** one***'s foot on the*** ~ 일을 착수하다 ***get up*** [***mount***] ***the*** ~ 사다리를 오르다; 《속어》 교수대에 오르다, 교수형에 처해지다 ***kick down*** [***away***] ***the*** ~ (***by which*** one ***rose***) 출세에 도움이 되었던 친구[직업 《등》]를 저버리다 ***the*** (***social***) ~ 사회 계층; 출셋길 ***the top of the*** ~ 최고의 지위, 정상(頂上)

— *vi.* **1** 출세하다 《*to*》 **2** 《영》 〈스타킹이〉 세로 올이 나가다(《미》 run)

— *vt.* **1** 사다리로 오르다 **2** …에 사다리를 걸다 **3** 《영》 〈스타킹을〉 세로 올이 나가게 하다

lad·der-back [lǽdərbæ̀k] *a.* (의자의) 등받이에 사다리 모양의 가로대를 댄

ládder còmpany (소방서의 사다리차를 조작하는) 사다리반(班)

ládder drèdge 버킷 드레지 《준설기》

lad·der-proof [-prù:f] *a.* 《영》 (스타킹의) 세로 올이 풀리지 않는

ládder stìtch 십자수(十字繡)

ládder tòurnament 사다리식 토너먼트

lad·der·tron [lǽdərtràn | -trɔ̀n] *n.* 〖물리〗 래더트론 《하전 입자 가속 장치의 하나》

ládder trùck 《미》 사다리 소방차 《hook and ladder, hook-and-ladder truck이라고도 함》

lad·die [lǽdi] *n.* 《스코》 젊은이, 총각(cf. LASSIE); 《속어》 자네(old chap)

lad·dish [lǽdiʃ] *a.* 젊은이다운, 소년 같은; 《영·구어》 (남자답게) 난폭한, 공격적인 **~·ness** *n.*

lad·dism [lǽdizm] *n.* Ⓤ 《영》 (음주·스포츠 등을 즐기는) 젊은이의 기질[행동]

lade [léid] *v.* (**lad·ed**; **lad·en** [léidn]) *vt.* **1** 〈배·

thesaurus **laconic** *a.* concise, taciturn, terse, short, brief, uncommunicative

차 등에〉 (화물·짐을) 싣다 《*with*》 **2** 〈화물·짐을〉 (배·차 등에) 싣다(load) 《*on*》 **3** [보통 수동형으로] 〈책임 등을〉 지우다; 괴롭히다 **4** [보통 수동형으로] 《문어》 충분히 채우다, 풍성하게 덮다 《*with*》: trees *laden with* fruit 많은 열매가 열린 나무 **5** 《드물게》 (국자 등으로) 떠내다, 퍼내다(ladle)
— *vi.* 짐을 싣다; 떠내다

*__lad·en__ [léidn] *a.* **1 a** **짐을 실은**, 화물을 적재한 **b** [복합어를 이루어] (책임·짐 등을) 지고 있는; (…을) 많이 가진, 충분히 지닌: famine-~ districts 흉작 지역 **2** (…으로) 괴로워[고민]하는 《*with*》

lad·ette [lædét] *n.* 《영·익살》 남자 같은 젊은 여자

la-di-da, la-de-da, lah-di-dah [lá:didá:] 《구어》 *n.* 젠 체하는[거드름빼는] 사람[언동, 이야기]
— *a.* **1** 젠 체하는, 거드름 빼는 **2** 품위 있는; 사치한
— *int.* (젠 체하는 태도를 빈정대어) 얼씨구

la·dies, La·dies' [léidiz] *n.* (*pl.* ~) [보통 the ~; 단수 취급] 《영·구어》 여성용 (공중) 화장실

ládies cháin [종종 **L- C-**] 스퀘어 댄스의 일종 《네 쌍이 하는》

Ládies' Dày [종종 **l- d-**] (스포츠·극장 등에서의) 여성 우대[초대]일

ládies' gállery 《영》 (하원의) 여성 방청석

ládies'[lády's] màn 여성과의 교제를 즐기는 남자, 난봉꾼, 바람둥이

ládies' nìght **1** 《미》 여성이 할인 요금으로 어떤 행사에 참석할 수 있는 밤 **2** 《영》 여성이 남성 전용 클럽에 게스트로 참가할 수 있는 특별한 밤

ládies' ròom [때로 **L- r-**] 《미》 (호텔·극장 등의) 여성용 화장실

ládies' trèsses = LADY'S-TRESSES

la·dies·wear [léidizwὲər] *n.* 여성복

la·di·fy [léidifài] *vt.* (**-fied**) **1** 귀부인으로 만들다; 귀부인 대우를 하다 **2** Lady 칭호로 부르다

lad·ing [léidiŋ] *n.* Ⓤ **1** 짐싣기, 적재, 선적(loading) **2** 뱃짐, 화물(freight) ***bill of*** ~ ⇨ bill[1]

la·dle [léidl] [OE 「떠내는 것」의 뜻에서] *n.* 국자, 구기; (주조용의) 쇳물 바가지
— *vt.* **1** 국자로 뜨다, 푸다(scoop); 떠내다 《*up, out*》: 《~+목+부》 ~ water *out* 물을 퍼내다 // 《~+목+전+명》 ~ soup *into* a plate 수프를 떠서 접시에 담다 **2** 《구어》 〈돈·선물 등을〉 무차별로[무턱대고] 주다 《*out*》: ~ *out* praise 찬사를 마구 보내다

la·dle·ful [léidlfùl] *n.* 국자 하나 가득 《*of*》

lád màg 《영》 청년 잡지

la dol·ce vit·a [lɑ:-doultʃei-ví:tə | -dɔl-] [It. = the sweet life] (근심 없고 풍요로운) 달콤한 인생, 나태하고 방종한 생활

__la·dy__ [léidi] [OE 「빵(loaf)을 반죽하여 만들다」의 뜻에서] *n.* (*pl.* **-dies) **1** [woman에 대한 정중한 대용어] **여자**, **여성**; **부인** **2** **귀부인**; **숙녀**: She is a ~ by birth. 그녀는 좋은 집안에서 태어났다.

> 유의어 **lady** 예의 바른 정숙한 부인을 말하는데, 최근에는 이런 뜻으로는 별로 쓰이지 않으며, 보통 여성을 나타내는 일반적인 말로서는 **woman**을 쓴다.

3 [Our L~] 성모 마리아 **4** [*pl.*] 《호칭》 숙녀 여러분: *Ladies* and gentlemen! 신사 숙녀 여러분! **5** 마님, 사모님, 아씨; 아가씨 **6** 《속어·고어》 주부; 아내 **7** 애인(ladylove) **8** [**L~**] 《영》 레이디 ★ 영국에서 후작·백작·자작·남작 및 baronet 또는 knight의 부인과 공작·후작·백작의 딸의 경칭으로 성명에 붙여 씀. **9** 여주인; 여자 영주 **10** [**L~**; 의인화하여] *L~* Luck 행운의 여신 **11** 《미·속어》 코카인
extra [***walking***] ~ 엑스트라 여배우 ~ ***of easy virtue*** [***of pleasure***] = ~ ***of the night*** 매춘부 ~ ***of leisure*** 유한 마담[부인] ~ ***of the bed chamber*** = LADY-IN-WAITING. ***my*** ~ 마나님, 아씨 《특히 귀부인에 대한 하인의 말》; 《속어》 마누라 ***my*** [***his***] ***young*** ~ 나의[그의] 약혼자 ***not*** (***quite***) ***a*** ~ 양가의 부인답지 않은; 초라한 차림의 ***Our Sovereign L~*** 《고어·시어》 여왕 ***the first*** ~ (***of the land***) 《미》 영부인 ***the L~ with the Lamp*** = Florence NIGHTINGALE. ***young*** ~ 《호칭》 아가씨 ***your good*** ~ 《고어·방언》 댁의 부인
— *a.* Ⓐ 여성 …, 여(류)…: a ~ aviator 여류 비행가 / a ~ dog 《익살》 암캐 ▷ ládylike *a.*

Lády àltar 성모 예배소의 제단

lády bèar 《미·속어》 여자 교통 경찰관

lády bèetle = LADYBUG

la·dy·boy [léidibɔ̀i] *n.* 《구어》 여장 남자(transvestite); 성전환자(transsexual)

la·dy·bug [léidibʌ̀g], **-bird** [-bə̀:rd] *n.* 〖곤충〗 무당벌레

lády chàir 손가마 《두 사람이 손을 마주 잡아 가마처럼 만든 것》

Lády chàpel 성모 예배소 《성당에 부속된》

Lády Dày **1** 〖가톨릭〗 성모 영보(領報) 대축일 《대천사 가브리엘이 성모 마리아에게 예수를 잉태하였음을 알린 날; 3월 25일》 **2** 《영》 quarter day의 하나

lády fèrn 〖식물〗 참새발고사리 《면마과(科)》

la·dy·fin·ger [léidifìŋgər] *n.* 손가락 모양의 작은 스펀지 케이크

lády frìend 여자 친구, 애인 《점잔 빼는 표현》

la·dy·fy [léidifài] *vt.* = LADIFY

Lády H 《미·속어》 헤로인(heroin)

la·dy-help [-hélp] *n.* 《영》 가정부

la·dy·hood [léidihùd] *n.* Ⓤ **1** 귀부인[숙녀]의 신분[품위] **2** [집합적] 귀부인들, 숙녀들

la·dy-in-wait·ing [léidiinwéitiŋ] *n.* (*pl.* **la·dies-**) (여왕·공주의) 여관(女官), 나인, 상궁, 시녀

la·dy-kill·er [-kìlər] *n.* 《속어》 여자를 잘 호리는 남자, 색한(色漢)

la·dy·kin [léidikin] *n.* **1** 작은 귀부인, 작은 숙녀(little lady) **2** 《애칭》 아가씨

la·dy·like [léidilàik] *a.* **1** 〈여자가〉 귀부인다운, 품위 있는; 정숙한 **2** 〈남자가〉 여자 같은, 연약한

la·dy·love [léidilʌ̀v] *n.* 사랑하는 여성, 연인, 애인(sweetheart)

lády máyor = MAYORESS

Lády Máyoress 《영》 런던 시장(Lord Mayor) 부인

lády of the hóuse [the ~] 주부, 안주인

lády páramount [the ~] 양궁 시합의 여자 선수 담당 임원

lády's compànion [léidiz-] 반짇고리

lády's fínger 〖식물〗 **1** 콩과(科) 식물의 일종 《옛날 신장병 치료약으로 쓰임》 (kidney vetch) **2** 오크라 (okra)

la·dy·ship [léidiʃìp] *n.* **1** Ⓤ 귀부인의 신분[품위] **2** [종종 **L~**] Lady 칭호를 가진 여성에 대한 경칭: your[her] ~(*s*) 영부인, 영애

lády's màid (귀부인의) 시녀, 몸종

la·dy's-slip·per [léidizslìpər] *n.* 〖식물〗 개불알꽃

la·dy's-smock [léidizsmɑ̀k | -smɔ̀k] *n.* 〖식물〗 황새냉이 무리의 잡초(cuckooflower)

lády's thùmb 〖식물〗 여뀌속(屬) 식물의 일종

la·dy's-tress·es [léidiztrèsiz] *n.* 〖식물〗 타래난초의 일종

la·e·trile [léiətril | -tràil] *n.* [종종 **L~**] 레이어트릴 《살구·복숭아 씨에서 얻는 항암제; 상표명》

laev·u·lose [lévjulòus] *n.* = LEVULOSE

La·fa·yette [læ̀fiét, -fei-, lɑ̀:- | lɑ̀:faiét] *n.* **1** 남자 이름 **2** 라파예트 **Marquis de** ~ (1757-1834) 《프랑스의 군인·정치가》

laff [læf, lɑ:f] *n.* 《속어》 웃음거리

Láf·fer cùrve [lǽfər-] 〖경제〗 래퍼 곡선 《세율과 세수(稅收)[경제 활동]의 상관 관계를 나타내는 그래프》

---

laden *a.* loaded, burdened, fully charged, weighted, full

La Fon·taine [lə-fantéin | -fɔn-] 라퐁텐 **Jean de ~** (1621-95) 《프랑스의 시인·우화(寓話) 작가》

LAFTA Latin American Free Trade Association 라틴 아메리카 자유 무역 연합

‡**lag**[1] [lǽg] *vi.* (**~ged**; **~·ging**) **1** 〈사람·일이〉 처지다, 뒤떨어지다 《*behind*》; 천천히 걷다, 꾸물거리다 (linger): 《~+전+명》 ~ behind schedule 일정에 뒤처지다 // 《~+부》 ~ *behind* in an embarrassment 당혹하여 꾸물거리다 **2** 〈경기 등이〉 침체하다 **3** 〈관심·흥미 등이〉 줄다, 엷어지다 **4** (당구·구슬치기 등에서 순번을 정하기 위해) 공을 치다, 구슬을 던지다
— *n.* **1** 뒤처짐; 뒤처진 사람 **2** [CU] 지연, 지연 정도 **3** 〚기계·전기〛 느림, 지체(량) **~ *of the tide*** 지조(遲潮) 시간 ***time* ~** 시간의 지체

lag[2] *n.* **1** 통의 널판 **2** (보일러 등의) 외피(外皮), 피복재(被覆材) — *vt.* (**~ged**; **~·ging**) 〈보일러·파이프 등을〉 (보온재 등으로) 싸다 《*with*》

lag[3] 《속어》 *vt.* (**~ged**; **~·ging**) **1** 투옥하다; 구류하다 **2** 체포하다(arrest) — *n.* **1** 죄수; 전과자: an old ~ 상습범 **2** 복역 기간

lag·an [lǽgən] *n.* [UC] 〚법〛 부표(浮標)가 달린 투하 화물 《조난 때의》

lág bòlt (대가리가 4각이나 6각인) 굵은 나사못

Lag b'O·mer [lɑ́:g-bəóumər | lǽg-] 〚유대교〛 제 33일절 《유월절 2일째부터 33일째 되는 날》

la·ger [lɑ́:gər, lɔ́:- | lɑ́:-] [G 「저장실의 맥주」의 뜻에서] *n.* [UC] 라거 비어, 저장 맥주(= ~ **béer**) 《저온으로 저장하여 익게 함; ale보다 약함》

La·ger·kvist [lɑ́:gərkfìst, -kwìst] *n.* 라게르크비스트 **Pär ~** (1891-1974) 《스웨덴의 작가·시인; Novel 문학상 수상(1951)》

láger lòut 《영》 많은 양의 맥주를 마시며 여가를 보내는 젊은이

lag·gard [lǽgərd] *n.* **1** 느린 사람[것]; 꾸물거리는 사람; 탈락자 **2** 〚증권〛 실기주(失機株); (경제 활동의) 정체 분야 — *a.* 느림보의, 꾸물거리는
~·ly *ad.* **~·ness** *n.*

lag·ger[1] [lǽgər] *n.* **1** = LAGGARD **2** 〚경제〛 = LAGGING INDICATOR[INDEX]

lagger[2] *n.* 《속어》 죄수, 《특히》 가출옥이 허락된 자

lag·ging[1] [lǽgiŋ] *a.* 뒤떨어지는, 늦은, 느린
— *n.* [U] 뒤떨어짐, 지체, 느림

lagging[2] *n.* [U] **1** 〚기계〛 래깅 《보일러·파이프 등의 보온을 위해 단열 피복재를 씌우기》 **2** 보온재, 피복재 **3** (아치·창문 등의) 틀살; 〚광학·토목〛 흙막이판

lagging[3] *n.* 《속어》 징역 기간, 형기

lágging ìndicator[**index**] 〚경제〛 지행 지표

La Gio·con·da [lɑ̀:-dʒoukɑ́ndə | -kɔ́n-] [It.] = MONA LISA

la·gniappe [lænjǽp, ⌐—] *n.* 《미》 **1** 덤, 경품 《물건을 산 손님에게 주는》 **2** 팁, 행하

lag·o·morph [lǽgəmɔ̀:rf] *n.* 토끼목(目) 포유동물의 총칭

la·goon [ləgú:n] *n.* **1** 석호(潟湖); 《미》 늪, 못 《강·호수 등으로 통하는》 **2** 초호(礁湖) 《환초(環礁)에 둘러싸인 얕은 바다》

La·gos [lɑ́:gous, léigas | léigɔs] *n.* 라고스 《Nigeria의 옛 수도》

La·grán·gi·an pòint [ləgréindʒiən-] 〚천문〛 칭동점(秤動點) 《두 천체 간의 인력과 원심력이 균형을 이루는 점》

lág scrèw (대가리가 볼트형인) 나무 나사

la·gu·na [ləgú:nə] *n.* 작은 호수, 못

la·gune [ləgú:n] *n.* = LAGOON

lah [lɑ́:] *n.* = LA[1]

la·har [lɑ́:hɑ:r] *n.* 〚지질〛 화산재 이류(泥流); 이류로 생긴 잔류(殘留) 퇴적물

lah-di-da(**h**), **lah-de-da**(**h**) [lɑ́:didɑ́:] *n.* = LA-DI-DA

Lahn·da [lɑ́:ndə] *n.* 란다 어(語) 《서(西)펀자브 어(語)》

LAIA Latin American Integration Association 중남미 통합 연합 《LAFTA의 후신으로 1981년 발족》

la·ic, la·i·cal [léiik(əl)] *a.* (성직자에 대해서) 신자의, 평신도의, 속인의(lay) — *n.* 속인, 평신도(layman) **-i·cal·ly** *ad.*

la·i·cism [léiəsìzm] *n.* 세속주의, 비성직권주의 《정치를 비성직자의 지배하에 두는 사상》

la·i·cize [léiəsàiz] *vt.* **1** 환속(還俗)[속화(俗化)]시키다(secularize) **2** 속인에게 맡기다; 〈공직 등을〉 속인에게 개방하다

‡**laid** [léid] *v.* LAY[1]의 과거·과거분사
— *a.* 가로놓힌, 가로놓인 **~ *up*** (1) 모아 둔, 간수해 둔 (2) 병으로 들어앉아 있는 (3) 〈배가〉 밧줄로 달아매어진, 독(dock) 안에 들어와 있는

laid-back [léidbǽk] *a.* 《미·구어》 **1** 〈음악 (연주) 등이〉 한가롭고 평온한, 느긋한 **2** 무감동적인, 냉담한

laid-off [-ɔ́:f | -ɔ́f] *a.* 일시 해고된

láid páper 평행 괘선이 비쳐 보이는 종이

‡**lain** [léin] *vi.* LIE[2]의 과거분사

laine [léin] 《미·속어》 *a.* 부적절한, 무능한
— *n.* 고리타분한 사람; 무능한[쓸모없는] 사람

lair[1] [lέər] *n.* **1** (들짐승의) 굴, 집(den) **2** (도둑 등의) 은신처, 잠복처, 소굴 **3** 《영》 (시장에 가는 도중에 소가 쉬는) 우리 **4** (사람의) 휴게소, 잠자리
— *vt.* 〈짐승을〉 굴에 들어가게 하다 — *vi.* 〈짐승이〉 굴[보금자리]에 들어가다, 굴에서 자다

lair[2] *n.* 《호주·속어》 한껏 멋을 부린 남자

lair[3] *n.* 《영·방언》 진흙, 진창
— *vi.*, *vt.* 진창[수렁]에 빠지다[빠지게 하다]

lair[4] *n.* 《스코》 (민간에 전해 내려온) 전승, 가르침, 지식

laird [lέərd] *n.* 《스코》 (대)지주

lair·y [lέəri | lέəri] *a.* 《영·속어》 화려하고 도도한

lais·ser-al·ler [léseiæléi], ***lais·sez-*** [léseiz-] [F=let go] *n.* 구속하지 않음, 방종

lais·sez-faire, lais·ser- [lèseifέər] [F =let do, leave alone] *n.* [U] 불간섭주의, (자유) 방임주의(의 정책) — *a.* 불간섭주의의, (자유) 방임주의의

lais·sez-pas·ser, lais·ser- [léseipæséi, léi-] [F =let pass] *n.* 통행 허가증, 통과증, 입장권

la·i·ty [léiəti] *n.* [the ~; 집합적; 복수 취급] **1** (성직자가 아닌) 속인들(laymen); 평신도 **2** 문외한, 아마추어 《전문가에 대하여》

La·ius [léiəs, léiiəs | láiəs] *n.* 〚그리스신화〛 라이오스 《Thebes의 왕, Oedipus의 아버지》

‡**lake**[1] [léik] *n.* **1** 호수(⇨ pond [유의어]) **2** (공원 등의) 샘물, 못 **3** [the L~s] = LAKE DISTRICT
Go* (*and*) *jump in the ~. [명령법] 《구어》 나가라, 저리 가라, 방해하지 마라. ***the Great L~s*** = GREAT LAKES ▷ láker *n.*; láky[1] *a.*

lake[2] *n.* [UC] **1** 레이크 《진홍색의 안료》 **2** 진홍색

láke bàsin 호수 분지, 호수 유역

Láke Dìstrict[**Còuntry**] [the ~] (잉글랜드 북서부의) 호수 지방(the Lakes)

láke dwèller (특히 선사 시대의) 호상(湖上) 생활자

láke dwèlling (선사 시대의) 호상 가옥

lake·front [léikfrʌ̀nt] *n.* [보통 the ~] 호반, 호안(湖岸)(에 연한 땅)

lake·land [-lənd] *n.* 호수 지방

lake·let [léiklit] *n.* 작은 호수

Láke Pòets [the ~] 호반(湖畔) 시인 《Lake District에 거주한 Wordsworth, Coleridge, Southey 등》

lak·er [léikər] *n.* 호수를 찾는 사람; [**L~**] 호반 시인; (특히 lake trout 따위의) 호수어(魚); 호수 운항선

Láke Schòol [the ~] 호반(시인)파

lake·shore [léikʃɔ̀:r] *n.* = LAKEFRONT

lake·side [-sàid] *n.* [the ~] 호안, 호반(lakefront)

Láke Stàte [the ~] 미국 Michigan 주의 속칭

thesaurus **lag** *v.* **1** 꾸물거리다 loiter, linger, straggle, dawdle, delay, move slowly **2** 줄다 wane, flag, ebb, diminish, decrease, ease up, let up, slacken, abate, falter, grow fainter

láke tròut 〖어류〗 (미국 5대호 산) 송어의 일종 《크고 회색임》
lakh [lǽk | lɑ́:k] *n.* =LAC²
La·ko·da [ləkóudə] *n.* Ⓤ 라코다 《물개의 모피》
lak·sa [lǽksɑ:] *n.* 〖요리〗 (말레이시아·싱가포르의) 쌀국수
lak·y¹ [léiki] *a.* (**lak·i·er**; **-i·est**) 호수의, 호수 모양의, 호수가 많은
laky² *a.* (**lak·i·er**; **-i·est**) 진홍색의
la-la [lɑ́:lɑ̀:] *n.* 《미·속어》 건방지지만 밉지 않은 녀석
lá-la lànd 《미·구어》 꿈의 나라, 비현실적인 세계 《특히, 영화·TV 산업과 연관지어 Los Angeles, Hollywood, 남캘리포니아를 가리킴》
Lal·lan [lǽlən] *a.* 《스코》 스코틀랜드 저지(低地)(Lowlands)의 ―*n.* [종종 *pl.*; 단수 취급] 스코틀랜드 저지의 사투리
la(l)·la·pa·loo·za [lɑ̀:ləpəlú:zə] *n.* 《미·속어》 월등히 우수한[기발한] 것[사람]; 모범으로 삼을 만한 걸작
lal·la·tion [læléiʃən] *n.* Ⓤ **1** 〖음성〗 r음을 l음으로 [l음을 r음 내지 w음으로] 잘못 발음하기 **2** 어린이의 [같은] 불완전한 말투[발음]
lal·ly·gag [lɑ́:ligæ̀g, lǽl- | lǽl-] *vi.* (**~ged**; **~·ging**) 《미·속어》 **1** 게으름 피우다, 빈둥거리다(loaf) **2** (남이 보는 앞에서) 껴안고 애무하다
lam¹ [lǽm] *vt., vi.* (**~med**; **~·ming**) 《속어》 (지팡이 등으로) 치다, 때리다, 매질하다; 〈남의 머리 등을〉 때리다, 갈기다 ~ ***into*** …을 매질하다
lam² 《미·속어》 *vi.* (**~med**; **~·ming**) 급히 도망치다, 내빼다 《*out*》; 탈옥하다
―*n.* [the ~] 도망, 급히 달아남 ★ 다음 성구로.
on the ~ (경찰에 쫓기어) 도주 중인 ***take it on the ~*** 냅다 달아나다, 줄행랑치다
lam. laminated **Lam.** Lamentations (of Jeremiah)
la·ma [lɑ́:mə] *n.* 라마승(僧) ⇨ DALAI LAMA ***the Dalai***[***Grand***] ***L~*** 달라이 라마, 대(大)라마
La·ma·ism [lɑ́:məìzm] *n.* Ⓤ 라마교 **-ist** *n.* 라마교도 **La·ma·is·tic** [lɑ̀:məístik] *a.*
La Man·cha [lə-mɑ́:ntʃə, -mǽn-] 라 만차 《스페인 중남부의 고원 지방》
La·marck [ləmɑ́:rk] *n.* 라마르크 **Jean de ~** (1744-1829) 《프랑스의 생물학자·진화론자》
~·i·an *a., n.* 라마르크 학설(의); 라마르크 학도 **~·ism** *n.* Ⓤ 라마르크의 진화론, 라마르크설
la·ma·ser·y [lɑ́:məsèri | -səri] *n.* (*pl.* **-ser·ies**) 라마교 사원(寺院)
La·maze [ləmɑ́:z] [프랑스의 의사 이름에서] *a.* 〖의학〗 라마즈(법)의: the ~ technique[method] 라마즈법 《무통 분만법의 일종》
‡**lamb** [lǽm] *n.* **1** 새끼 양(⇨ sheep 관련) **2** Ⓤ 새끼 양의 고기 **3** =LAMBSKIN **4** 《구어》 순진한 사람, 온순한 사람 **5** 《구어》 잘 속는 사람, 풋내기 투기꾼 **6** 교회의 어린 신자 **7** 《애칭》 아가, 귀염둥이
a wolf[***fox***] ***in a ~'s skin*** 양의 탈을 쓴 이리[여우], 위선자 ***in two shakes*** (***of a ~'s tail***) ⇨ shake *n.* ***like a ~*** (***to the slaughter***) 〖성서〗 (신변의 위험도 모르고) 온순하게 ***the L~*** (***of God***) 〖성서〗 하느님의 어린 양, 그리스도(Christ)
―*vi.* 〈양이〉 새끼를 낳다
―*vt.* 〈새끼 양을〉 낳다
▷ lámblike *a.*
Lamb [lǽm] *n.* 램 **Charles ~** (1775-1834) 《영국의 수필가·비평가; 필명 Elia》
lam·ba·da [læmbɑ́:də] *n.* **1** 람바다 《브라질의 빠르고 관능적인 춤》 **2** 람바다 춤곡
lam·baste, -bast [læmbéist, -bǽst] *vt.* 《구어》 **1** 몹시 때리다 **2** 깎아내리다, 비난하다, 꾸짖다

lame¹ *a.* **1 불구의** limping, hobbling, halting, crippled, disabled, defective **2 서투른** weak, feeble, flimsy, unconvincing, unsatisfactory, inadequate, insufficient, deficient

lamb·da [lǽmdə] *n.* 람다 《그리스 어의 열한째 자모 Λ, λ; 로마자의 L, l에 해당》
lamb·da·cism [lǽmdəsìzm] *n.* Ⓤ 〖음성〗 [l]음의 사용 과다(cf. LALLATION)
lámbda pàrticle 〖물리〗 람다 입자 《기호 Λ》
Lámb dìp 〖물리〗 램의 공명 진동 강하
lamb·doid [lǽmdɔid], **lamb·doi·dal** [læmdɔ́idl] *a.* 람다형(Λ)의, 삼각형의
lamb·dol·o·gy [læmdɑ́lədʒi | -dɔ́l-] *n.* 〖생물〗 람다 바이러스학(學)
lam·ben·cy [lǽmbənsi] *n.* (*pl.* **-cies**) Ⓤ **1** (불꽃·빛의) 나불거림 **2** (눈·하늘 등의) 부드럽게 빛남 **3** (기지 등의) 경묘함, (농담 등의) 재치 있음 **4** Ⓒ 부드럽게 빛나는 것
lam·bent [lǽmbənt] *a.* **1** 〈불꽃·빛이〉 나불거리는, 희미하게 빛나는 **2** 〈눈·하늘 등이〉 부드럽게 빛나는 **3** 〈농담 등이〉 재치 있는, 경묘한 **~·ly** *ad.*
lam·bert [lǽmbərt] [독일의 물리학자 이름에서] *n.* 〖광학〗 람베르트 《밝기의 cgs 단위》
Lam·beth [lǽmbəθ] *n.* 램버스 **1** 런던 남부의 자치구 **2** =LAMBETH PALACE
Lámbeth degrée Canterbury 대주교가 수여하는 명예 학위
Lámbeth Pálace 램버스 궁전 《Canterbury 대주교의 공저(公邸)》
lamb·ie [lǽmi] *n.* 어린양; 《미·속어》 애인, 연인
lamb·ing [lǽmiŋ] *n.* Ⓤ (양의) 분만[출산]
lamb·kin [lǽmkin] *n.* **1** 새끼 양 **2** 《애칭》 귀둥이
lamb·like [lǽmlàik] *a.* 새끼 양 같은; 유순한, 온화한, 부드러운; 순진한
lam·bre·quin [lǽmbrikin, lǽmbər-] *n.* **1** 《미》 (창·문 등의) 위쪽에서 드리운 장식천 **2** (중세 기사가 사용한 햇빛·습기 등을 막는) 투구 덮개[가리개]
lámb's frý (튀김용) 새끼 양의 고환[내장]
lamb·skin [lǽmskìn] *n.* **1** 새끼 양의 털가죽 《장식용》 **2** Ⓤ 새끼 양의 무두질한 가죽 **3** Ⓤ 고급 양피지
lámb's lèttuce 〖식물〗 =CORN SALAD
lamb's-quar·ters [lǽmzkwɔ̀:rtərz] *n.* (*pl.* **~**) 〖식물〗 명아주
lámb's wòol 새끼 양의 털(의 모직물)
‡**lame¹** [léim] *a.* **1 절름발이의,** 절뚝거리는, 불구의 《★ 다소 경멸적으로 느껴지기 때문에 (physically) handicapped를 쓰는 편이 좋다》: be ~ of[in] a leg 한쪽 다리를 절다 / go[walk] ~ 절뚝거리다 **2** 〈몸이〉 뻣뻣한, 뻐근한 **3** 〈설명·변명 등이〉 불충분한, 서투른: a ~ excuse 서투른 변명 **4** 《속어》 미치지 않는, 손에 닿지 않는 **5** 〈운율·시가〉 불완전한, 가락이 맞지 않는
―*vt.* **1** 절름발이로 만들다, 불완전[불충분]하게 하다 **2** 〈일을〉 망치다, 거덜나게 하다
―*n.* 《미·속어》 (시대에) 뒤떨어진 사람 **~·ness** *n.*
lame² *n.* (여러 금속 조각을 모아 갑옷 등을 만드는) 미늘, 갑옷미늘
la·mé [læméi | lɑ́:mei] [F = laminated] *n.* Ⓤ 라메 《금·은 등의 금속 실을 짜 넣은 직물》
lame·brain [léimbrèin] *n.* 《구어》 바보, 얼간이
láme·bràined *a.* 어리석은, 둔한
lamed [léimd] *a.* 《미·속어》 어리석은, 미련한
láme dúck 《구어》 **1** 《미》 (임기가 남아 있는) 낙선 의원[대통령] **2** 쓸모없는[없게 된] 사람[물건], 낙오자; 《속어》 파손된 비행기[배] **3** 파산자, 경영 부진 회사 **láme-dúck** *a.*
lamell- [ləmél], **lamelli-** [ləméli] 《연결형》 「lamella」의 뜻 《모음 앞에서는 lamell-》
la·mel·la [ləmélə] *n.* (*pl.* **-lae** [-li:], **~s**) **1** (뼈·동식물 조직 등의) 얇은 판(板)[층, 막] **2** 〖식물〗 (버섯의) 주름 **-lar** [-lər] *a.*
la·mel·late [ləméleit, lǽməlèit] *a.* lamella로 만든
la·mel·li·branch [ləméləbræ̀ŋk] *n.* 〖동물〗 판새류(瓣鰓類) 《굴·홍합 등》
la·mel·li·form [ləméləfɔ̀:rm] *a.* 박판[박편, 비늘] 모양의

lame·ly [léimli] *ad.* 절뚝거리며; 불안하게; 자신 없게, 확신 없이: 'I don't know at all,' he said ~. '난 아무것도 모르겠어.'라고 그는 자신 없게 말했다.

‡la·ment [ləmént] [L 「울다」의 뜻에서] *vt.* **1** 슬퍼하다, 비탄하다, 애도하다: ~ one's hard fate 자신의 불운을 슬퍼하다 / We ~ his death. 우리는 그의 죽음을 애도한다. **2** (깊이) 후회하다, 애석히 여기다, 안타까워하다: ~ one's folly 어리석은 행동을 후회하다
— *vi.* 슬퍼하다, 애도하다: (~+전+명) ~ *for*[*over*] the death of a friend 친구의 죽음을 애도하다
— *n.* **1** 비탄, 한탄 **2** 애도의 시, 애가(哀歌)(elegy), 만가(輓歌) ▷ lamentátion *n.*

***lam·en·ta·ble** [lǽməntəbl, ləmén-] *a.* **1** 슬퍼할, 슬픈 **2** 유감스러운, 한탄스러운(deplorable): a ~ decision 유감스러운 결정 **3** 《고어·시어》 구슬픈, 가엾은 **4** 초라한, 빈약한, 치사한 **~·ness** *n.* **-bly** *ad.*

***lam·en·ta·tion** [læ̀məntéiʃən | -men-] *n.* **1** Ⓤ 비탄, 애도 **2** 비탄의 소리; 애가 **3** [the L~s; 단수 취급] 〖성서〗 예레미야 애가 《구약 성서 중의 하나; 略 Lam.》 ▷ lamént *v.*

la·ment·ed [ləméntid] *a.* **1** 애도를 받는, 애석히 여겨지는 《고인에 대한 습관적 표현》: the late ~ 고인, 《특히》 작고한 남편 **2** 애석한, 한탄스러운 **~·ly** *ad.*

la·mi·a [léimiə] *n.* (*pl.* **~s, -mi·ae** [-miìː]) **1** 〖그리스·로마신화〗 여자 괴물 《상반신은 사람, 하반신은 뱀》 **2** 요부, 마녀; 흡혈귀

lam·i·na [lǽmənə] *n.* (*pl.* **-nae** [-nìː], **~s**) (금속·뼈·동식물 조직의) 얇은 조각[층, 막]

lam·i·nar [lǽmənər], **-nal** [-nl], **-nar·y** [-nèri | -nəri] *a.* 얇은 판(板)[조각, 층]을 이루는; 얇은 조각으로 된; 층류(層流)의

láminar flów 〖물리〗 층류(層流) 《층을 이루며 흩어짐이 없는 흐름》

lam·i·nate [lǽmənèit] *vt.* **1** 얇은 조각으로 자르다 **2** 얇은 판(板)으로 만들다[늘이다]; …에 얇은 판을 씌우다 **3** (열·압력을 가하여) 〈재료를〉 플라스틱으로 만들다
— *vi.* 얇은 조각으로 갈리다[찢어지다, 되다]
— [lǽmənèit, -nət] *a.* = LAMINATED
— [lǽminèit, -nət] *n.* ⓊⒸ 적층물(積層物), 적층 플라스틱, 박판(薄板) 제품

lam·i·nat·ed [lǽmənèitid] *a.* **1** 얇은 판[조각] 모양의 **2** 얇은 판[층]으로 된, 얇은 판이 겹쳐서 된

láminated gláss 합판 유리 《안전 유리의 일종》

láminated plástic 〖화학〗 적층(積層) 플라스틱 《종이·천 따위를 겹쳐 합성 수지로 굳힌 것》

láminated wóod 적층 목재, 합판재

lam·i·na·tion [læ̀mənéiʃən] *n.* **1** Ⓤ 얇은 판[조각]으로 만듦[됨]; 얇은 조각 모양 **2** 적층물, 적층 구조물 **3** 〖전기〗 전동자용(電動子用) 연철판(軟鐵板); 〖항공〗 층판(層板)

lam·ing·ton [lǽmiŋtən] *n.* 《호주》 래밍턴 《초콜릿을 바른 위에 마른 코코넛을 뿌린 네모진 스펀지 케이크》

Lam·mas [lǽməs] *n.* **1** 《영》 래머스 데이, 수확제(收穫祭)(=~ **Dày**) 《옛날 8월 1일에 행하여졌음》 **2** 〖가톨릭〗 베드로의 쇠사슬 기념일 《8월 1일》 ***latter*** **~** (실제로는 존재하지 않기 때문에) 결코 오지 않는 날

lam·mer·gei·er, -gey·er [lǽmərgàiər] *n.* 〖조류〗 수염수리 《유럽 최대의 맹조》

‡lamp [lǽmp] [Gk 「횃불」의 뜻에서] *n.* **1** (전기·가스·기름 등에 의한) 조명 장치, **램프, 등불**; 전기 스탠드; (의료용 등의) 전등: a spirit ~ 알코올 램프 / a fluorescent ~ 형광등 **2** (마음·지식 등의) 광명, 지식의 샘 **3** 《시어》 횃불; (해·달·별 등 빛을 내는) 천체 **4** [*pl.*] 《속어》 눈(eyes); 일견
pass [***hand***] ***on the*** **~** = hand on the TORCH
smell of the **~** 〈문장·작품 등이〉 밤이 깊도록 애쓴 흔적이 보이다 ***the*** **~** ***of heaven*** 천체; 태양, 달
— *vt.* **1** 램프를[등불을] 준비하다[갖추다] **2** 《시어》 비추다; 《미·속어》 보다(look at)
— *vi.* 빛나다, 번쩍이다

lam·pas¹ [lǽmpəs | -pəz] *n.* Ⓤ 〖수의학〗 (말의) 구개종(口蓋腫)

lam·pas² [lǽmpəs] *n.* Ⓤ 랑파 《정교한 실내 장식용 직물; 원래는 무늬 있는 명주》

lamp·black [lǽmpblæ̀k] *n.* Ⓤ 램프 그을음; 흑색 물감

lámp chìmney 램프의 등피

lám·per èel [lǽmpər-] = LAMPREY

lámp hòlder (전등의) 소켓

lamp·ing [lǽmpiŋ] *n.* 야간 사냥 《밝은 불빛을 사용하는》

lam·pi·on [lǽmpiən] *n.* (색유리로 된) 작은 램프

lamp·light [lǽmplàit] *n.* Ⓤ 램프[가로등]의 불빛, 등불, 등화

lamp·light·er [-làitər] *n.* **1** (가로등의) 점등원(點燈員) **2** (가스) 등불을 켜는 기구 《얇고 가는 나뭇조각, 꼰 종이 등》 ***run like a*** **~** 빨리 달리다

lamp·lit [lǽmplit] *a.* [보통 Ⓐ] 램프 빛에 비추이는; 램프 빛으로 보이는: a ~ room 램프가 켜진 방

lam·poon [læmpúːn] *n.* 풍자문[시]
— *vt.* 글[시]로써 풍자하다, 풍자문[시]으로 비방하다
~·er, ~·ist *n.* 풍자문 작가 **~·er·y** [-əri] *n.* Ⓤ 풍자문 쓰기; 풍자, 풍자 정신

lamp·post [lǽmppòust] *n.* 가로등의 기둥

lam·prey [lǽmpri] *n.* 〖어류〗 칠성장어

lamp·shade [lǽmpʃèid] *n.* (램프·전등의) 갓

lamp·stand [-stæ̀nd] *n.* 램프 스탠드

lamp·wick [-wìk] *n.* 램프 심지, 등심(燈心)

lam·ster [lǽmstər] *n.* 《속어》 (특히 법률로부터의) 도망자

LAN [lǽn] [*l*ocal *a*rea *n*etwork] *n.* 구내 정보 통신망 《빌딩·사무실 내 등의》

lan·ac [lǽnæk] [*l*aminar, *a*ir *n*avigation, and *a*nti*c*ollision] *n.* 〖항공〗 (착륙시의) 항공기 유도 레이더 시스템

la·na·i [lɑːnɑ́ːi, lənái] [Haw.] *n.* 베란다

la·nate, -nat·ed [léineit(id)] *a.* 양모 모양의; 양모[부드러운 털]로 덮인

Lan·ca·shire [lǽŋkəʃìər, -ʃər] *n.* 랭커셔 《잉글랜드 북서부의 주; 면업(綿業) 지대》

Láncashire hótpot 〖요리〗 랭커셔풍의 스튜 《양고기와 감자의 스튜》

Lan·cas·ter [lǽŋkəstər] *n.* **1** 랭커스터 왕가 《1399-1461년간의 영국 왕조》 **2** 랭커스터 《랭커셔 주의 옛 주도》

Lan·cas·tri·an [læŋkǽstriən] *a., n.* **1** (영국) Lancaster의 (주민); 랭커셔 주(州)의 (주민) **2** 〖영국사〗 (장미 전쟁 시대의) 랭커스터 왕가(출신)의 (사람); 랭커스터[붉은 장미]당(黨)의 (당원) 《장미 전쟁(Wars of the Roses) 동안 랭커스터 왕가를 원조했음》

‡lance [lǽns, lɑ́ːns | lɑ́ːns] *n.* **1** (옛날 창기병(槍騎兵)의) **창**(槍) **2** 창기병

> 유의어 **lance** 창기병(lancer)이 썼던 창 **spear** 무기로서 보통의 창 **javelin** 투창 경기의 창

3 (물고기나 고래를 잡는) 작살 **4** 〖외과〗 = LANCET 1 **5** [**L~**] 〖미군〗 단거리 지대지(地對地) 탄두 미사일
break a **~** ***with*** …와 시합[경쟁, 논쟁]하다
— *vt.* **1** 창으로 찌르다 **2** 〖외과〗 랜싯(lancet)으로 절개(切開)하다

Lance [lǽns | lɑ́ːns] *n.* 남자 이름 《Lancelot, Launcelot의 애칭》

lánce bombardìer 〖영국육군〗 (포병대의) 상병

lánce còrporal 〖영국육군〗 하사 근무 병장; 〖미해병〗 병장

lance-fish [lǽnsfìʃ | lɑ́ːns-] *n.* 〖어류〗 양미리

lance-jack [-dʒæ̀k] *n.* 《속어》 = LANCE CORPORAL

thesaurus **land** *n.* **1** 육지 ground, earth **2** (재산상의) 땅 real estate, property, grounds, realty **3** 나라 country, nation, fatherland, motherland,

lance·let [lǽnslit, lɑ́:ns- | lɑ́:ns-] *n.* 〖어류〗 창고기

Lan·ce·lot [lǽnsəlɑ̀t, -lɑ̀t, lɑ́:n- | lɑ́:nslət] *n.* **1** 남자 이름 **2** Arthur왕 전설의 원탁 기사 중 가장 훌륭한 용사 《왕비 Guinevere의 연인》

lan·ce·o·late [lǽnsiəlèit, -lət], **-o·lar** [-ələr] *a.* 〖생물〗 창끝 모양의, 창 모양의; 〈잎이〉 피침(披針) 모양의

lanc·er [lǽnsər, lɑ́:ns- | lɑ́:ns-] *n.* **1** 창기병; [*pl.*] 창기병 연대 **2** [*pl.*; 단수 취급] quadrille의 일종; 그 곡(曲)

lánce sèrgeant 〖영국육군〗 최하위 중사, 중사 근무 하사

lánce snàke = FER-DE-LANCE

lan·cet [lǽnsit, lɑ́:n- | lɑ́:n-] *n.* **1** 〖외과〗 랜싯, 피침(披針), 바소 **2** 〖건축〗 (위가 뾰족한) 예첨창(銳尖窓)(= **~ wíndow**); 첨두(尖頭) 아치(= **~ àrch**)

lance·wood [lǽnswùd | lɑ́:ns-] *n.* Ⓤ 미국·서인도산의 탄력성 있고 단단한 목재 《차축·활·낚싯대 등에 쓰임》

lan·ci·form [lǽnsəfɔ̀:rm | lɑ́:n-] *a.* 창[랜싯] 모양의

lan·ci·nate [lǽnsənèit | lɑ́:n-] *vt.* 《드물게》 찌르다, 꿰뚫다; 째다 **—***a.* 〈통증이〉 찌르는 듯한 **-nàt·ing** *a.*

lan·ci·na·tion [læ̀nsənéiʃən | lɑ̀:n-] *n.* Ⓤ 찌르기, 찢기; 찌르는 듯한 아픔, 심한 아픔

Lancs [lǽŋks] *n.* = LANCASHIRE

‡**land** [lǽnd] *n.*, *v.*

> 바다에 대한 「육지」 → (특정한 목적을 가진) 「땅」 → (지역·영역) → 「나라」

—*n.* **1** Ⓤ 뭍, 육지: reach ~ 육지에 닿다, 항해를 마치다 **2** Ⓤ **a** 토지, 땅 《토양·경작면에서 본》: arable [barren] ~ 경작[불모]지 **b** (농토로서의) 흙, 토양 **3** Ⓤ [종종 *pl.*] (소유물로서의) 토지, 땅: He owns ~(*s*). 그는 지주이다. **4** [the ~] 시골, 전원 **5 a** 나라, 국토: from all ~*s* 각국으로부터 / one's native ~ 고국(homeland) **b** 영토, 지방(region) **6** [the ~] 영역, (…의) 나라, 세계 《*of*》: *the* ~ *of* dreams 꿈나라; 이상향 **7** [집합적] (특정 지역의) 주민, 국민 **8** (밭·목초지·총신 내부의) 홈과 홈 사이의 평평한 부분 **9** Ⓤ 〖경제〗 (생산 요소로서의) 토지, 경작지, 자연 자원: work the ~ 농지를 갈다

by **~** 육로로(opp. *by sea*) ***clear the*** **~** 〈배가〉 육지를 떠나다 ***close with the*** **~** 〈배가〉 육지에 접근하다 ***for the ~'s sake*** 《미》 제발 ***go*** [***work***] ***on the*** **~** 농부가 되다 ***in the*** **~** ***of the living*** 현세[이승]에 있어서, 살아서 ***lay*** [***shut in***] ***the*** **~** 〖항해〗 육지가 보이지 않게 되다 ***make*** (***the***) **~** = ***sight the*** **~** 〖항해〗 〈배·선원이〉 육지를 보다, 육지가 보이는 데로 오다 ***on*** **~** 육지에서 ***on*** **~** ***or at sea*** 세계 도처에서 ***see*** [***find out***] ***how the*** **~** ***lies*** (미리) 형세를 살피다 ***set*** (***the***) **~** 육지의 방위(方位)를 재다 ***the*** **~** ***of bondage*** 〖성서〗 속박의 땅(이집트을 가리킴) ***the*** **~** ***of cakes*** 스코틀랜드 ***the L~ of Promise*** = the PROMISED LAND 2 ***the L~ of Regrets*** 인도 ***the L~ of the Rose*** [***Shamrock, Thistle***] 잉글랜드[아일랜드, 스코틀랜드]

—*vt.* **1** 상륙시키다, 양륙하다 **2** 착륙시키다, 착수시키다: 《~+목+전+명》 ~ an airplane *in* an airport 비행기를 공항에 착륙시키다 **3** 〈사람을〉 하선[하차]시키다, 차[배]에서 내리게 하다: 《~+목+전+명》 He was ~*ed on* a lonely island. 그는 외딴 섬에 내렸다. / The driver ~*ed* him *at* the railroad station. 운전사는 그를 철도역에서 내려 주었다. **4** …에게 (달갑지 않은 일 등을) 떠맡기다 《*with*》; 〈사람을〉 (곤경 등에) 빠뜨리다 《*in*》: 《~+목+전+명》 ~ a man *with* a coat that doesn't fit 맞지도 않는 코트를 입히다 / This ~*ed* me *in* great difficulties. 이것은 나를 몹시 난처하게 만들었다. **5** 《구어》 (노력의 결과로서) 획득하다: ~ a job[prize] 일자리를 얻다[상을 타다] **6** (물고기를 잡아) 끌어[낚아] 올리다: ~ a trout 송어를 낚아 올리다 **7** (어떤 지점에) 놓다, 두다(place) **8** 《구어》 〈타격 등을〉 가하다(deal): 《~+목+전+명》 ~ a punch *on* a person's head …의 머리에 일격을 가하다 // 《~+목+목》 He ~*ed* me a punch in the face. 그는 내 얼굴에 일격을 가했다. **9** 〈기수가〉 〈말을〉 결승점[1등]으로 들어가게 하다

—*vi.* **1** 〈배가〉 해안[항구]에 닿다, 〈비행기 등이〉 착륙[착수]하다, 《일반적으로》 도착하다 《*at, in*》: 《~+전+명》 The boat ~*ed at* the port. 배가 항구에 닿았다. / I ~*ed in* Busan at noon. 나는 정오에 부산에 도착했다. **2** (탈것에서) 내리다, 상륙하다: 《~+전+명》 ~ *from* a train 열차에서 내리다 / The U.N. troops ~*ed in* Korea. 유엔군은 한국에 상륙했다. **3** 뛰어내리다, 떨어지다, 땅에 부딪치다: 《~+전+명》 He ~*ed on* the head. 그는 거꾸로 떨어져서 머리를 부딪쳤다. **4** (달갑지 않은 장소·상태에) 이르다, 빠지다 《*in*; *up*》: 《~(+부)+전+명》 ~ *in* trouble 곤경에 빠지다 / After all he ~*ed up in* jail. 결국 그는 투옥되었다. **5** 〈말이〉 1등으로 들어오다

be nicely ~ed 《비꼼》 곤경에 빠져 있다 **~ *on*** = **~ *all over*** 《속어》 …을 몹시 꾸짖다, 혹평하다 **~ *on*** one***'s feet*** = **~ *like a cat*** 넘어지지 않고 바로 서다; 난관을 극복하다 **~ *up*** 〈수로·연못 등을〉 매장하다, 흙으로 덮다; 〈어떤 장소·상태에〉 이르다

> state **—***v.* **1** 상륙시키다 dock, reach the shore **2** 착륙시키다 bring[put, take] down **3** 착륙하다 touch down, make a landing **4** 내리다 disembark, debark

lánd àgency **1** 토지 매매 소개업, 부동산업 **2** 《영》 토지 관리(소)

lánd àgent **1** 토지 매매 소개업자, 부동산 업자 **2** 《영》 토지 관리인

lánd àrmy 《구어》 (전시의) 여성 농경 부대

lánd àrt = EARTH ART

lan·dau [lǽndɔ:, -dau | -dɔ:] [독일의 마을 이름에서] *n.* 랜도형 자동차; 랜도 마차 《2인승 4륜 마차》

lan·dau·let(te) [læ̀ndɔ:lét] *n.* 랜도형 자동차 《coupé의 일종》; 소형 랜도 마차

lánd bànk 토지[부동산] 저당 은행

land-based [lǽndbèist] *a.* 지상 기지 소속[발진]의 〈미사일 등〉

lánd brèeze 〖기상〗 육풍(陸風), 뭍바람

lánd brìdge 해륙 수송 《해상 운송과 육상 운송을 결합시킨 운송 방식》

lánd càrriage 육운(陸運), 육상 운수

lánd còntract 토지 매매 계약

lánd cràb 참게 《번식할 때만 바다로 감》

***land·ed** [lǽndid] *a.* Ⓐ **1** 토지를 가지고 있는: a ~ proprietor 지주 / the ~ classes 지주 계급 / the ~ interest 지주들, 지주측 **2** 토지의[로 된]: ~ estate [property] 토지, 소유지, 부동산 **3** 양륙(揚陸)된 **4** 궁지에 빠진, 재정이 곤란한

lánded ímmigrant 《캐나다》 영주 이민

land·er [lǽndər] *n.* **1** 상륙자; 양륙인; (달 등에의) 착륙선[기] **2** 〖광산〗 세로 갱구에서 짐을 부리는 광부

land·fall [lǽndfɔ̀:l] *n.* **1 a** (긴 항해·비행 후에) 처음 육지를 봄: make a good[bad] ~ 예측대로[예측과 달리] 육지를 찾다 **b** 그 육지 **2** (배의) 육지 접근, 상륙; (비행기 등의) 착륙 **3** 갑작스러운 토지 소유권 획득 《재산 상속에 의한》 **4** = LANDSLIDE

land·fast [lǽndfæ̀st] *a.* 육지로 이어진, 연육(連陸)의

land·fill [-fìl] *n.* ⓊⒸ **1** 매립식 쓰레기 처리 **2** (쓰레기로 메운) 매립지

lánd fòrce [종종 *pl.*] 육상 부대, 육군

land·form [-fɔ̀:rm] *n.* 지세, 지형 《지면의 고저·기복 상태》

lánd frèeze 토지 동결 《매매 금지 등》

lánd gìrl 《영》 (특히 전시에 농업에 종사하는) 젊은 부녀자

land·grab [lǽndgræ̀b] *n.* 토지 횡령[수탈]

land-grab·ber [-grӕbər] *n.* **1** 토지 횡령자, 토지 불법 점유자 **2** 《아일》 쫓겨난 소작인의 토지를 사는[빌리는] 사람
lánd grànt 《미》 (정부의) 무상 토지 불하; 그 토지
land·grave [-grèiv] *n.* (중세 독일의) 백작; (제정 독일의) 영주(領主)
land·gra·vine [-grəvìːn] *n.* landgrave의 부인; 여자 landgrave
land·hold·er [-hòuldər] *n.* 토지 소유자, 지주; 차지인(借地人)
land·hold·ing [-hòuldiŋ] *n.* Ⓤ, *a.* 토지 소유(의)
land-hun·ger [-hʌ̀ŋgər] *n.* UC 토지 소유욕[열], 영토 확장열
land-hun·gry [-hʌ́ŋgri] *a.* 토지 소유욕이 강한, 토지 소유[영토 확장]열에 들뜬
‡**land·ing** [lǽndiŋ] *n.* **1** UC 상륙; 양륙(揚陸) **2** UC 〖항공〗 착륙, 착수(touchdown) **3** = LANDING PLACE 1 **4** 층계참(站) ***blind*** ~ 계기(計器) 착륙 ***emergency***[***forced***] ~ 불시착 ***Happy*** ~***s!*** 《구어》 건배!; 행운을 빕니다! ***make***[***effect***] ***a*** ~ 상륙[착륙]하다 ***vertical*** ~ 수직 착륙
lánding bèam 〖항공〗 (계기) 착륙 유도 전파
lánding càrd (선원·승객에게 발부하는) 상륙 증명서[허가서]
lánding chàrge 화물 양륙비, 하역료
lánding clèrk (선박 회사의) 상륙 담당 직원
lánding cràft 〖해군〗 상륙용 주정(舟艇)
lánding field[**gròund**] 〖항공〗 발착장, 경비행장
lánding flàp 〖항공〗 착륙용 보조 날개
lánding fòrce 〖군사〗 (적전) 상륙 부대, 해병대
lánding gèar 〖항공·우주과학〗 착륙[착수] 장치
lánding light 〖항공〗 착륙등
lánding màt 《미》 (비행기의) 이착륙장에 사용하는 망상(網狀) 강철제 매트
lánding nèt (낚은 고기를 떠올리는) 그물
lánding pàge 〖인터넷〗 랜딩 페이지 《인터넷 링크 사이트를 클릭한 후 연결되는 첫 번째 페이지》
lánding pàrty 상륙자 일행; 상륙 전투 부대
lánding plàce **1** 상륙장, 양륙장, 부두 **2** (드물게) (계단의) 층계참
lánding shìp (장거리 항해가 가능한) 대형 상륙용 주정(舟艇), 상륙용 함정
lánding spèed 상륙 속도
lánding stàge 부잔교(浮棧橋)
lánding strìp 〖항공〗 가설 활주로
lánding vèhicle 달 착륙선(lander)
land-job·ber [lǽnddʒɑ̀bər | -dʒɔ̀bə] *n.* 토지 투기업자, 토지 중매인
‡**land·la·dy** [lǽndlèidi] *n.* (*pl.* **-dies**) **1** 안[여]주인 《여관·하숙집 등의》 **2** 여자 집주인 **3** 여자 지주
lánd làw [보통 *pl.*] 토지(소유)법
lánd lèague **1** 지적(地積) 리그 《3법정 마일》 **2** [**L- L-**] 《아일》 토지 동맹(1879-81)
lánd lègs 《구어》 (항해·비행기 여행 후) 땅 위를 걷는 능력
länd·ler [léntlər] [G] *n.* (*pl.* ~, ~**s**) 렌틀러 《남부 독일·오스트리아 고지의 3박자의 느린 민속춤; 그 곡》
land·less [lǽndlis] *a.* **1 a** 토지가 없는, 토지를 가지지 않은 **b** [the ~; 명사적; 복수 취급] 토지가 없는 사람들 **2** 육지가 없는
land-line [lǽndlàin] *n.* **1** (전신의) 지상 통신선 **2** 육지선 《땅과 바다[하늘]의 경계》, 지평선
land·locked [-lɑ̀kt | -lɔ̀kt] *a.* **1** 〈나라 등이〉 육지로 둘러싸인 **2** 〈물고기가〉 땅으로 싸인 물[민물]에 사는
land·lop·er [-lòupər], **-loup·er** [-làup-, -lùːp-] *n.* 부랑자, 방랑자, 떠돌이
‡**land·lord** [lǽndlɔ̀ːrd] *n.* **1** 주인 《하숙집·여관의》 **2** 집주인, 건물 소유주 **3** 지주(landowner) **~·ly** *a.*
land·lord·ism [lǽndlɔːrdìzm] *n.* Ⓤ 지주임; 지주 기질; 지주 제도
land·lub·ber [lǽndlʌ̀bər] *n.* 《구어》 〖항해〗 풋내기 선원; 육지 사람 **~·li·ly** *a.* **~·li·ness** *n.*
land·man [lǽndmən, -mæ̀n] *n.* (*pl.* **-men** [-mən, -mèn]) **1** = LANDSMAN **2** 《고어》 시골뜨기, 농사꾼
‡**land·mark** [lǽndmɑ̀ːrk] *n.* **1** 현저한[획기적인] 사건[발견]: a ~ study on cancer 암치료에 관한 획기적인 연구 **2** 경계표; 육표(陸標) **3** (문화재로 지정된) 역사적 건조물
land·mass [-mæ̀s] *n.* 광대한 땅, 《특히》 대륙
lánd mèasure **1** 〖측량〗 평방(平方) 계량법 **2** 토지 측량 단위 《acre, rod 따위》
lánd mìne 지뢰; 투하 폭탄(aerial mine)
land·oc·ra·cy [lændɑ́krəsi | -ɔ́k-] *n.* (*pl.* **-cies**) UC 《익살》 지주 계급
land·o·crat [lǽndəkræ̀t] *n.* 《익살》 지주 계급(의 사람)
Lánd of Enchántment [the ~] 미국 New Mexico 주의 속칭
lánd òffice 《미》 국유지 관리국
lánd-of·fice búsiness [lǽndɔ̀ːfis- | -ɔ̀f-] 《미·구어》 활기 있는 영업 활동; 급성장[인기 있는] 사업, 이익이 엄청난 사업
Lánd of Hópe and Glóry '희망과 영광의 나라' 《영국의 애국가》
lánd of mílk and hóney [the ~; 때로 **L- of M- and H-**] 〖성서〗 젖과 꿀이 흐르는 땅, 약속의 땅; = PROMISED LAND
lánd of Nód [the ~] **1** [**L~**] 〖성서〗 놋의 땅 《카인(Cain)이 살던》 **2** 잠과 꿈의 나라; 잠, 졸음(의 나라): Mother read the child to *the* ~. 어머니는 책을 읽어 주어 아이를 잠들게 했다.
lánd of the líving [the ~] **1** 〖성서〗 산 자의 땅, 인간 사회 《이사야 53: 8》 **2** 일상 사회
Lánd of the Mídnight Sún [the ~] **1** 백야의 나라 《노르웨이·스웨덴·핀란드》 **2** = LAPLAND
Lánd of the Mórning Cálm [the ~] 조용한 아침의 나라 《한국》
***land·own·er** [lǽndòunər] *n.* **토지 소유자, 지주** **~·shìp** *n.* 지주의 신분
land·own·ing [-òuniŋ] *n.* Ⓤ 토지 소유 **—** *a.* Ⓐ 토지를 소유하는, 지주(로서)의: ~ classes 지주 계급
lánd pàtent 토지 권리증
land-plane [-plèin] *n.* (수상 비행기에 대하여) 육상 비행기
land-poor [-pùər] *a.* 수익성이 없는 땅을 가져 가난한, 땅은 많아도 현금이 없는
lánd pòwer 지상 병력, 육군; 강력한 지상 병력을 가진 국가
lánd ràil 〖조류〗 흰눈썹뜸부기(corn crake)
lánd refòrm 토지[농지] 개혁
Lánd Règistry 《영》 부동산[토지] 등기소
Lánd Ròver 랜드 로버 《지프 비슷한 영국제 4륜 구동차; 상표명》
Land·sat [lǽndsæ̀t] [*Land*+*sat*ellite] *n.* 랜드샛 《미국의 지구 자원 탐사 위성》
‡**land·scape** [lǽndskèip] *n.* **1** 풍경(scenery), 경치; the beautiful ~ of mountains 아름다운 산 풍경 / C.E Lots of people chose to live here because of the beautiful scenery[*landscape*(×)]. 많은 사람들이 아름다운 경치 때문에 이곳에서의 삶을 택했다. **2** 풍경화 **3** Ⓤ 풍경화법 **4** 전망, 조망(prospect) **5** 조경술, 도시 계획 사업
— *vt.* (조경술로) 미화하다, 녹화(綠化)하다
— *vi.* 정원사 노릇을 하다
lándscape àrchitect 조경가[사], 경관 건축가
lándscape àrchitecture 조경술, 풍치 도시 계획술[법]

thesaurus **languid** *a.* **1** 기운이 없는 weak, faint, feeble, frail, fatigued **2** 활기가 없는 languishing, listless, spiritless, vigorless, torpid, idle, inac-

lándscape gàrdener 정원사, 조경사
lándscape gàrdening 조원술[법]
lándscape màrble 랜드스케이프 대리석 《나뭇가지 모양의 무늬가 있음》
lándscape pàinter 풍경화가
lándscape pàinting 풍경화(법)
land·scap·er [-skèipər] *n.* 정원사, 조경사
land·scap·ist [-skèipist] *n.* 풍경화가
Lánd's Énd [lǽndz-] [the ~] 랜즈 엔드 《England의 Cornwall주 서쪽 끝의 곶; 영국의 최서단(最西端); cf. JOHN O'GROAT'S HOUSE》
lánd shàrk **1** (상륙한 선원들을 등쳐 먹는) 부두 협잡꾼 **2** =LAND-GRABBER
land·sick [lǽndsìk] *a.* 〖항해〗 〈배가〉 육지에 너무 접근하여 행동하기 힘든; 육지를 그리워하는
land·side [lǽndsàid] *n.* (공항의) 출국 게이트 안쪽 편, 일반인 출입 허용 구역(cf. AIRSIDE)
*__land·slide__ [lǽndslàid] *n.* **1** 사태, 산사태 **2** 산사태로 무너진 토사 **3** (한 정당이나 후보자가) 압승을 거둔 선거; (선거의) 압도적인 승리
— *a.* Ⓐ 〈선거 등이〉 압도적인, 압승의
— *vi.* **1** 산사태가 나다 **2** (선거에서) 압승하다
land·slip [-slìp] *n.* 《영》 사태, 산사태(landslide)
lands·man [lǽndzmən] *n.* (*pl.* **-men** [-mən]) **1** 육상 생활자(cf. SEAMAN 1) **2** 〖항해〗 풋내기 선원
lánd stèward 토지 관리인
Land·sturm [lɑ́:ntʃtùrm] [G =land storm] *n.* (독일·스위스의) 전시의 국민군 (소집), 국가 총동원
lánd survèying 토지 측량(술)
lánd survèyor (토지) 측량사
lánd swèll (해안 가까이의) 놀, 너울
Land·tag [lɑ́:nttɑ̀:k] [G] *n.* (독일·오스트리아의) 주(州)의회
lánd tàx 지세(地稅), 지조(地租)
land-to-land [lǽndtəlǽnd] *a.* Ⓐ 〈미사일 등이〉 지대지(地對地)의: a ~ missile 지대지 미사일
land·wait·er [lǽndwèitər] *n.* 《영》 수출입세 담당 세관원; (세관의) 하역[양륙] 감시인
land·ward [lǽndwərd] *a.*, *ad.* 육지 쪽의[으로], 육지 가까이의[로]
land·wards [lǽndwərdz] *ad.* 《영》 =LANDWARD
land·wash [lǽndwɔ̀:ʃ, -wɑ̀ʃ | -wɔ̀ʃ] *n.* **1** (해변의) 고조선(高潮線) **2** (해변에 부딪는) 파도의 철썩임
Land·wehr [lɑ́:ntvèər] [G =country defense] *n.* 〖군사〗 예비군 《독일·스위스·오스트리아의》
lánd wìnd =LAND BREEZE
lánd yàcht =SAND YACHT
*__lane__ [léin] *n.* **1** (산울타리·집 등의 사이의) 좁은 길; 골목길(⇨ path 유의어): a blind ~ 막다른 골목 / It is a long ~ that has no turning. (속담) 구부러지지 않는 길은 없다; 참고 기다리면 좋은 일도 생긴다; 쥐구멍에도 볕 들 날 있다. **2** (사람이 늘어선 줄 사이의) 통로 **3** (기선·비행기 등의) 규정 항로 **4** (도로의) 차선(車線): exclusive bus ~*s* 버스 전용 차선 **5** (단거리 경주·경영의) 코스 **6** 〖볼링〗 레인; [*pl.*] 볼링장 **7** [the L~] 《영》 =DRURY LANE
láne chànge[chànging] (자동차의) 차선 변경
láne ròute 대양 항로(ocean lane)
lang [lǽŋ] *a.* 《스코》 =LONG[1]
lang. language(s)
lang·lauf [lɑ́:ŋlàuf] [G =long run] *n.* 〖스키〗 장거리 경주
lang·ley [lǽŋli] *n.* 〖물리〗 랭글리 《태양열 복사(輻射)의 단위; 1cm²당 1그램 칼로리》
Láng·muir pròbe [lǽŋmjuər-] 〖물리〗 랭뮤어 탐침 《플라스마 밀도 계측용》
lan·gouste [lɑ:ŋgú:st] *n.* 〖동물〗 닭새우(spiny lobster)
lan·gous·tine [lǽŋgəstí:n] *n.* 〖동물〗 (북대서양산(産)의) 잔 새우
lang·syne [lǽŋzáin, -sáin | -sáin] 《스코》 *n.*, *ad.* 옛날(에)(long ago)(cf. AULD LANG SYNE)
‡**lan·guage** [lǽŋgwidʒ] *n.* Ⓤ

> L 「혀, 언어」의 뜻에서
> 「말」 →(특정 지역·나라의 말) → 「국어」
> →(특정 목적의 말) → 「전문어」
> →(말의 용법) → 「말씨」

1 Ⓒ (한 나라·한 민족 등의) 국어, …말: a foreign ~ 외국어 / He speaks three ~*s.* 그는 3개 국어를 말한다. ★ 어떤 나라의 국어를 말할 때 the Korean [English, etc.] ~는 Korean[English, etc.]보다 딱딱한 표현. **2 a** 말, 의사 소통[전달] 《언어적 혹은 비언어적 의미 체계를 사용하는》 **b** 의사 소통 능력 **3** (음성·문자에 의한) 언어: *L*~ is an exclusive possession of man. 언어는 인간만의 소유물이다. **4** (비언어적) 전달 기호 체계 **5** 울음 소리 《새·짐승 등의》 **6** (꽃말·몸짓 등으로 하는) 말 **7** 어학, 언어학 **8** Ⓒ 술어, 전문어, (특수 사회[층]에서의) 통용어 **9** 어법, 문법, 말씨, 표현: fine ~ 아름답게 꾸민 표현, 화려한 문체 **10** 〖컴퓨터〗 (인공) 언어: artificial[machine] ~ 인공[기계] 언어 **11** 상스러운 말, 욕지거리
a dead [***living***] ~ 사어(死語)[현대어] ***in the ~ of*** …의 말을 빌면 ***long*** ~ 보통의 말 《부호·암호 등에 대하여》 ***speak the same*** [a person***'s***] ~ 생각 등이 일치해 있다, 기분이 서로 통하다 ***the ~ of flowers*** 꽃말 ***the ~ of the eyes*** 눈짓 《눈으로 마음을 알리는》 ***use*** (***bad***) ~ ***to*** …에게 악담[욕설]을 퍼붓다 ***Watch***[***Mind***] ***your ~!*** 말투에 주의해라!
lánguage àrts 《미》 (학과목으로서의) 국어, 언어 과목 《언어의 사용 능력 양성을 위한 읽기·쓰기·말하기 등》
lánguage engineéring 〖컴퓨터〗 언어 공학
lánguage làboratory[《구어》 làb] 어학 연습실
lánguage màster 어학 교사[강사]
lánguage òbject 〖컴퓨터〗 언어 대상(對象)
lánguage plànning 언어 계획[정책], 언어 표준화 계획 《표준어·맞춤법 등의 제정을 중심으로 하는》
lánguage pròcessor 〖컴퓨터〗 언어 프로세서, 언어 번역 프로그램
lánguage schòol 어학교, 언어 학교, 어학원
lánguage transfèr 〖언어〗 언어 전이 《외국어 학습에 있어 모국어 영향을 받는 현상》
lánguage univèrsal 언어의 보편적 특성
langue [lɑ́:ŋg] [F] *n.* Ⓤ 〖언어〗 랑그, 지식 언어 《한 언어 사회의 구성원이 공유하는 추상적 언어 체계; 체계로서 파악한 언어; cf. PAROLE 4》
langue d'oc [lɑ́:ŋg-dɔ́:k] [F] 오크 말 《중세 프랑스 남부에서 쓴 로망스 말; 지금의 프로방스 말》
langue d'oïl [-dɔ́il] [F] 오일 말 《중세 프랑스 북부에서 쓴 로망스 말; 지금의 프랑스 말》
lan·guet, -guette [lǽŋgwet] *n.* (악기 따위의) 혀 모양의 부품; 혀 모양의 물건; 설상(舌狀) 돌기
*__lan·guid__ [lǽŋgwid] *a.* **1** 나른한, 노곤한, 축 늘어진: feel ~ 나른하다 **2** 기운[맥]이 없는, 활기가 없는; 마음이 내키지 않는, 흥미[관심] 없는: a ~ market 활기 없는 시장 / be ~ about …에 대하여 열의가 없다 **3** 불경기의; 〈날씨 따위가〉 음울한
~·ly *ad.* **~·ness** *n.* ▷ lánguish *v.*; lánguor *n.*
*__lan·guish__ [lǽŋgwiʃ] *vi.* **1** 기운이[생기가] 없어지다, 나른해지다, 약해지다, 쇠약해지다: Conversation ~*ed.* 대화에 맥이 빠졌다. / My appetite ~*ed.* 식욕이 감퇴했다. **2** 못내 그리워하다; 동경하다 (*for*): (~+전+명) ~ *for* home 고향을 몹시 그리워하다 // (~+***to*** do) ~ *to* return 몹시 돌아가고 싶어하다 **3** 시들다; 초췌해지다; 풀 죽다 **4** (역경 등에서) 괴로워하다, 괴로운 생활을 하다, 번민하다: (~+전+명) ~ *in* poverty 가난에 시달리다 / ~ *in* prison 옥중에서

---

tive, inert, indolent, lazy, sluggish
languish *v.* droop, flag, wilt, wither, fade, fail, weaken, decline, waste away

고생하다 **5** 애달픈 기색을 보이다, 감상적인 표정을 짓다: 《~+前+名》 She *~ed at* him. 그녀는 감상적인 표정으로 그를 보았다. **6** 〈의안 등이〉 (무시되어) 미루어지다: the bill *~ed* in the Senate 상원에서 방치되어 있는 법안 **~·er** *n.* **~·ment** *n.* Ⓤ 쇠약; 초췌; 번민, 비탄; 답답함; 애타는 연모(戀慕)
▷ lánguid *a.*; lánguor *n.*

lan·guish·ing [lǽŋgwiʃiŋ] *a.* **1** 차츰 쇠약해지는 **2** 못내 그리워하는, 사모하는 **3** 〈질병 등이〉 질질 끄는, 오래가는 **~·ly** *ad.*

lan·guor [lǽŋgər] *n.* Ⓤ **1** 나른함, 권태, 무기력; 심체 **2** 음울함, 답답함; 활기 없음: the ~ of the sky 답답한 하늘 모양

lan·guor·ous [lǽŋgərəs] *a.* **1** 나른한, 노곤한, 피곤한 **2** 지루한, 울적한 **~·ly** *ad.*

lan·gur [lʌŋgúər] *n.* 〖동물〗 랑구르 《몸이 여윈 인도산 원숭이》

lan·iard [lǽnjərd] *n.* = LANYARD

la·ni·ar·y [léiniəri, lǽn- | lǽniəri] 〖해부〗 *n.* 송곳니 **—** *a.* 〈이빨이〉 물어뜯는 데 적합한

la·nif·er·ous [lənífərəs], **la·nig·er·ous** [lənídʒ-] *a.* 〖생물〗 (양털 모양의) 털이 있는

La Ni·ña [lɑ:-ní:njə] [Sp. 「여자 아이」의 뜻] 라니냐 현상 《엘니뇨의 반대현상으로, 적도 부근의 동부 태평양에서 해면의 수온이 급강하하는 현상; cf. EL NIÑO》

lank [lǽŋk] *a.* **1** 여윈, 호리호리한 **2** 길고 나긋나긋한 **3** 〈머리털이〉 곱슬곱슬하지 않은, 길고 부드러운

lank·y [lǽŋki] *a.* (**lank·i·er**; **-i·est**) 마르고 키 큰, 호리호리한 **lánk·i·ly** *ad.* **lánk·i·ness** *n.*

lan·ner [lǽnər] *n.* 〖조류〗 래너매 《북유럽산; 특히 매사냥용의 암매》

lan·ner·et [lǽnərèt] *n.* 〖조류〗 래너매의 수컷

lan·o·lin [lǽnəlin], **-line** [-lin, -lì:n] *n.* Ⓤ 〖화학〗 라놀린 《정제 양모지(羊毛脂); 연고·화장품의 원료》

lan·sign [lǽnsain] [*lan*guage *sign*] *n.* 〖언어〗 어떤 사물을 가리키는 말·문자·음 《등》

Lan·sing [lǽnsiŋ] *n.* 랜싱 《미국 Michigan주의 주도》

lans·que·net [lǽnskənèt] *n.* **1** 〖역사〗 용병(傭兵) 《16-17세기 경 독일 등의》 **2** Ⓤ 카드놀이의 일종

lan·ta·na [læntǽnə | -téi-, -tɑ́:-] *n.* 〖식물〗 란타나 《관상용》

‡**lan·tern** [lǽntərn] [Gk 「횃불, 등불」의 뜻에서] *n.* **1** 랜턴, 칸델라, 각등(角燈), 제등(提燈), 초롱(= Chinese ~): a ~ procession[parade] 제등 행렬 **2** (등대의) 등실(燈室) **3** 환등기(= magic ~) **4** 〖건축〗 채광창(採光窓); 정탑(頂塔)(= ∠ tòwer)
the Festival of L~s (중국의) 상원절(上元節) 《음력 1월 15일》

Lántern Fèstival = BON

lan·tern·fish [lǽntərnfìʃ] *n.* (*pl.* ~(·**es**)) 〖어류〗 샛비늘칫과(科)의 물고기 《심해성의 발광어(發光魚)》

lántern flỳ 〖곤충〗 상투벌렛과(科)의 매미류

lántern jàw 말라서 뾰족한[쑥 내민] 턱, 핼쑥한 얼굴

lan·tern-jawed [lǽntərndʒɔ̀:d] *a.* 갸름하고 뾰족한 턱의, 핼쑥한 얼굴의

lántern pìnion **1** 〖기계〗 랜턴 피니언 **2** (시계의) 작은 핀 톱니바퀴

lántern slìde 환등 슬라이드

lan·tha·nide [lǽnθənàid, -nid] *n.* Ⓤ 〖화학〗 란탄 계열 원소 《기호 Ln》

lánthanide sèries [the ~] 〖화학〗 란탄 계열

lan·tha·num [lǽnθənəm] *n.* Ⓤ 〖화학〗 란탄 《금속 원소의 일종; 기호 La; 번호 57》

lant·horn [lǽnthɔ̀:rn, lǽntərn] *n.* 《영》 = LANTERN

Lán·tian mán [lǽntjæ̀n-] 〖고고학〗 란톈 원인(原人) 《중국 산시 성(陝西省) 란톈 현(藍田縣)에서 발굴된 화석 인류》

la·nu·gi·nose [lənjú:dʒənòus | -njú:-], **-nous** [-nəs] *a.* 솜털의, 솜털이 난

la·nu·go [lənjú:gou | -njú:-] *n.* (*pl.* **~s**) (신생아 등의) 솜털

LANWAIR [lǽnwὲər] [*land*+*water*+*air*] *n.* 육해공항(陸海空港) 《철도역·버스 터미널·항구·공항을 유기적으로 결합한 거대 시설》

lan·yard [lǽnjərd] *n.* **1** 〖항해〗 매는 밧줄(rope) **2** (호각이나 칼 등을 매다는) 가는 끈 **3** 〖군사〗 (대포 발사용의) 방아끈

Lao [láu] *n.* (*pl.* **~s, ~**) 라오 족; Ⓤ 라오 말 《태국 북부에서 라오스에 걸쳐 쓰이는 말; 타이 어에 가까움》

La·oc·o·ön [leiɑ́kouɑ̀n | -ɔ́kouɔ̀n] *n.* 〖그리스신화〗 라오콘 《Troy의 Apollo 신전 사제(司祭); 그리스군의 목마의 계략을 알아냈으므로 두 아들과 함께 Athena가 보낸 해사(海蛇)에 감겨 죽었음》

La·od·i·ce·an [leiɑ̀dəsí:ən, lèiəd- | lèioudisíən] *a., n.* (종교·정치 등에) 냉담한 (사람) 《*in*》

La·os [lɑ́:ous, láus, léiɑs | láuz, láus] *n.* 라오스 《인도차이나 북서부의 공화국; 수도 Vientiane》

La·o·tian [leióuʃən, láu- | láuʃiən] *a.* 라오스 (사람·말)의 **—** *n.* **1** 라오스 사람 **2** Ⓤ 라오스 말

Lao-tzu [làudzʌ́ | -tsú:], **-tse** [-dzʌ́ | -tséi] *n.* 노자(老子)(604?-531 B.C.) 《중국의 철학자; cf. TAOISM》

‡**lap**[1] [lǽp] [OE 「내려뜨린 부분, 자락」의 뜻에서] *n.* **1** 무릎 《앉았을 때 허리에서 무릎마디까지; cf. KNEE》; (스커트 등의) 무릎 부분

> 유의어 **lap** 앉았을 때 허리에서 무릎까지의 넓적다리의 윗부분 전체를 말하며, 어린아이를 앉히거나 물건을 올려놓는 곳을 말한다: sit on a person's *lap* 무릎에 앉다 **knee** 무릎, 무릎마디를 말한다: injure one's *knee* 무릎을 다치다

2 a (의복·안장 등의) 내려뜨린 부분, 자락(flap) **b** 귓불(earlap) **3** (어머니의 무릎처럼) 보살피고 기르는 환경[장소], 안락한 장소 **4** 지배, 보호, 관리, 책임: Everything falls into his ~. 무엇이든지 그의 뜻대로 된다. **5** 《시어》 산간의 움푹 들어간 곳, 산골짜기; 면(面)(surface) 《*of*》: the ~ *of* a valley 골짜기의 깊은 곳 **6** (두 개의 물건의) 겹, 겹치는 부분 **7** 〖경기〗 (경주로의) 한 바퀴; (수영 경기장의) 한 왕복 **8** (보석·유리용) 회전식 원반 연마기, 랩
drop [***dump***] ***... in*** a person***'s ~*** 《구어》 …을 …에게[의 책임으로] 돌리다 ***drop*** [***fall***] ***in*** [***into***] a person***'s ~*** 〈행운 따위가〉 …에게 굴러 들어가다 ***in the ~ of Fortune*** = ***in Fortune's ~*** 행운을 타고나서 ***in the ~ of luxury*** 마음껏 사치를 하여 ***in the ~ of the gods*** 사람의 힘이 미치지 않는 ***the last ~*** 《미·구어》 최후의 단계[부분], 마지막 한 바퀴
— *v.* (**~ped**; **~·ping**) *vt.* **1** 휘감다, 싸다, 입다, 두르다(wrap) 《*about, around*》; 접다 《*up*》: 《~+目+副》 ~ a blanket *around* 담요를 몸에 두르다 / ~ *up* a letter 편지를 접다 // 《~+目+前+名》 ~ a bandage *around* the leg = ~ the leg *in* a bandage 다리에 붕대를 감다 **2** 겹치게 하다, 겹쳐 얹다(overlap); (지붕에) …을 이다 《*on, over*》: 《~+目+前+名》 ~ a board *over* another 한 장의 판자를 다른 판자에 겹쳐 얹다 **3** 〈보석·기계·부품 등을〉 연마반[랩]으로 닦아내다[갈다] **4** 〖경기〗 한 바퀴 (이상) 앞서다; 〈코스를〉 일주하다 **5** 둘러싸다(surround); 품다, 안다, 껴안다; 소중히 하다: 《~+目+前+名》 a house *~ped in* woods 숲에 둘러싸인 집 // 《~+目+副》 Joy *~ped* him *over.* 그는 기쁨에 싸여 있었다.
— *vi.* **1** 접혀 겹치다; 겹쳐지다, 덮이다; 비어져 나오다: 《~+副》 The shingles ~ *over* elegantly. 지붕 널이 우아하게 겹쳐져 있다. **2** (둘러)싸이다 **3** 〈장소 등이〉 (경계를 넘어 …으로) 펼쳐지다; 〈모임·시간이〉 (정

thesaurus **lapse** *n.* **1** 착오 slip, mistake, failure, error, fault, omission, oversight, negligence **2** (과거의) 짧은 기간 interval, gap, pause, intermis-

시를 지나 …까지) 연장되다 **4** 〖경기〗 한 바퀴 돌다, 일주하다, 한 번 왕복하다 ***be ~ped in luxury*** 호화롭게 살다 ***~ over*** = OVERLAP

*__lap__[2] [lǽp] [OE 「마시다」의 뜻에서] *v.* (**~ped**; **~·ping**) *vt.* **1** 〈개·고양이 등이〉 핥다(lick), 핥아 먹다, 게걸스럽게 먹다; 〈술 등을〉 꿀꺽꿀꺽 마시다 《*up*》: (~+목+부) The dog *~ped up* the milk. 개가 우유를 말끔히 핥아 먹었다. **2** 〈파도 등이〉 〈물가를〉 씻다, 찰싹거리다 **3** 〈겉치레말 등을〉 기꺼이 듣다, 열심히 듣다 《*up*》: (~+목+부) The students *~ped up* his illuminating lecture. 학생들은 그의 계몽적인 강연을 열심히 들었다.

— *vi.* **1** 핥다, 핥아먹다 **2** 〈파도가〉 씻다, 찰싹찰싹 밀려오다[소리를 내다]: (~+전+명) The lake *~ped* with low sounds *against* the shore. 호수가 기슭에 철썩철썩 나지막한 소리를 내고 있었다.

~ up [***down***] (1) 핥아[마셔] 버리다 (2) 〈겉치레말 등을〉 곧이곧대로 받아들이다, 〈정보 따위를〉 액면대로 알아듣다

— *n.* **1** 핥기; 한 번 핥는 분량: take a ~ 한 번 핥다 **2** Ⓤ [the ~] (기슭을 치는) 잔물결의 소리; (파도의) 밀어닥침 **3** (개에게 주는) 유동식(流動食) **4** 《속어》 약한 음료, 술 **~·per** *n.*

LAP [lǽp] [*l*ink *a*ccess *p*rotocol] *n.* 〖컴퓨터〗 링크 접속 프로토콜

la·pac·tic [ləpǽktik] 〖의학〗 *a.* 완하제(緩下劑)의, 설사를 일으키는 — *n.* 완하제, 설사약

lapar- [lǽpər], **laparo-** [lǽpərou, -rə] 《연결형》 「복부, 옆구리」의 뜻 《모음 앞에서는 lapar-》

lap·a·rec·to·my [læ̀pəréktəmi] *n.* ⓊⒸ 〖외과〗 복벽(腹壁) 절개술

lap·a·ro·scope [lǽpərəskòup] *n.* 〖의학〗 복강경 《직접 보고 수술하기 위하여 복벽에 삽입하는 광학 기계》

lap·a·ros·co·py [læ̀pərɑ́skəpi | -rɔ́s-] *n.* 복강경 검사(법); 복강경을 쓰는 수술 **làp·a·ro·scópic** *a.*

lap·a·rot·o·my [læ̀pərɑ́təmi | -rɔ́t-] *n.* (*pl.* **-mies**) ⓊⒸ 〖외과〗 복벽 절개, 개복(술)

La Paz [lə-pɑ́:z | lɑ:-pǽz] *n.* 라파스 《남미 볼리비아의 행정 수도》

láp bèlt 《미》 (자동차의) 무릎 위를 가로질러 매는 안전벨트

lap·board [lǽpbɔ̀:rd] *n.* (무릎에 올려놓는) 탁자 대용 판자

láp compùter 휴대용 컴퓨터(laptop)

láp dànce[**dàncing**] 랩 댄스 《누드 댄서가 관객의 무릎에 앉아 추는 선정적인 춤》

láp dissòlve 〖영화〗 랩 디졸브 《사라져 가는 한 화면 위에 새 화면이 천천히 겹치는 2중 영사 기법》

lap·dog [-dɔ̀:g | -dɔ̀g] *n.* (무릎에 올려놓고 귀여워하는) 애완용의 작은 개; 《구어》 졸졸 따라다니는 사람

la·pel [ləpél] *n.* [보통 *pl.*] (양복 저고리 등의) 접은 옷깃

lapel

la·pel(l)ed [ləpéld] *a.* 접은 옷깃의, 접은 옷깃이 달린

lapél mìke 옷깃[소형] 마이크(로폰)

lap·ful [lǽpfùl] *n.* (*pl.* **~s**) 무릎 위[앞치마] 가득(의 분량) 《*of*》

lap·i·cide [lǽpəsàid] *n.* 석공(石工), 비명(碑銘) 조각공

lap·i·dar·i·an [læ̀pədέəriən] *a.* = LAPIDARY

la·pid·ar·ist [ləpídərist] *n.* = LAPIDARY *n.* 2

lap·i·dar·y [lǽpədèri | -dəri] *a.* Ⓐ **1** 돌의, 보석의 **2** 구슬[보석] 세공의, 구슬에 새기는, 구슬을 닦는 **3** 돌에 새긴 **4** 비문(碑文)의, 비문체의, 비명(碑銘)에 적합한 — *n.* (*pl.* **-dar·ies**) **1** 보석 세공인, 보석공 **2** 보석 전문가[감정사] **3** Ⓤ 보석 세공술

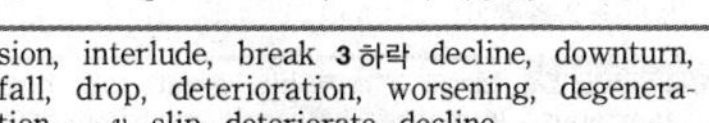
sion, interlude, break **3** 하락 decline, downturn, fall, drop, deterioration, worsening, degeneration — *v.* slip, deteriorate, decline

lap·i·date [lǽpədèit] *vt.* 《문어》 돌팔매질하다, 돌을 던져서 죽이다 **làp·i·dá·tion** *n.*

la·pid·i·fy [ləpídəfài] *vt., vi.* (**-fied**) 돌이 되게 하다[되다], 석화(石化)하다[되다](petrify)

lap·i·dist [lǽpədist] *n.* = LAPIDARY *n.* 1

la·pil·lus [ləpíləs] *n.* (*pl.* **-li** [-lai]) 〖지질〗 화산력(火山礫)

lap·in [lǽpin] *n.* **1** 〖동물〗 토끼, 《특히》 거세한 토끼 **2** Ⓤ 토끼의 모피

la·pis laz·u·li [lǽpis-lǽzjuli, -lài | -lǽzjulài] [L] **1** 〖광물〗 청금석(靑金石) **2** 〖색소〗 군청(群靑) 《청금석에서 빼내는 안료》 **3** 군청색, 유리(瑠璃)색(deep blue)

láp jòint 〖건축〗 겹이음

Lap·land [lǽplæ̀nd] *n.* 라플란드 《유럽 최북부의 지역》 **~·er** *n.* 라플란드 사람(Lapp)

La Pla·ta [lə-plɑ́:tə] **1** 라플라타 《아르헨티나 동부, 라플라타 강 어귀의 도시》 **2** 라플라타 강(Rio de la Plata)

La Pláta òtter 〖동물〗 라플라타 수달 《아르헨티나 산(産)이며 멸종 위기에 있음》

láp of hónour 《영》 승자가 경기장을 한 바퀴 돌기

Lapp [lǽp] *n.* **1** 라플란드 사람(Laplander) **2** Ⓤ 라플란드 말 — *a.* = LAPPISH

lap·pet [lǽpit] *n.* **1** (의복 등의) 단, 드림, 주름 **2** 늘어진 살; (칠면조 등의) 육수(肉垂); 귓불(lobe) **3** 〖방적〗 래핏; 래핏직(織)의 장식용 천 **~·ed** [-id] *a.*

Lapp·ish [lǽpiʃ] *a.* 라플란드(Lapland)(사람)의 — *n.* Ⓤ 라플란드 말

láp ròbe 《미》 무릎 덮개(《영》 rug) 《썰매 탈 때나 스포츠 관전 때 씀》

laps·a·ble, laps·i·ble [lǽpsəbl] *a.* **1** 타락하기 쉬운 **2** 변하기[흘러가 버리기] 쉬운 **3** 〖법〗 〈권리 따위가〉 무효가 되는, 실효[소멸]될 가능성이 있는

Láp·sang sóuchong [lǽpsæŋ-] [Chin] (연기 향내가 나는) 중국의 고급 홍차

‡**lapse** [lǽps] *n., v.*

> L 「미끄러져 떨어지다」의 뜻에서
> → (부주의로 실패하기) 「실수」 → 「타락」
> → (미끄러져 간다는 뜻에서) 「(시간의) 경과」

— *n.* **1** (기억·말 등의 사소한) **착오, 실수,** 잘못(slip): a ~ of the pen[tongue] 오기(誤記)[실언] / a ~ of memory 잘못된 기억 **2** (자신 등의) 상실; (관습 등의) 쇠퇴, 폐지 **3 a** (시간의) **경과,** 추이(cf. ELAPSE *v.*) **b** (과거의 짧은) 기간, 시간 **4** (정도(正道)에서) 우연히[일시적으로] 벗어나기, (죄악 등에) 빠짐, 일시적 타락 《*into*》; 배교(背敎): a ~ from virtue = a moral ~ 타락 **5** (지위·수량 등의) 감소, 하락; (고도 증가에 따른 기압·기온의) 저하 **6** 〖법〗 (권리·특권의) 소멸, 실효 **7** 《고어》 (물 등의) 조용한 흐름

— *vi.* **1** (정도에서) 벗어나다, (나쁜 길로) 빠지다, 타락하다; 실수하다: (~+전+명) ~ *into* a bad habit 나쁜 버릇이 붙다 **2** 멈추다, 끝내다(come to an end) **3** (…의) 상태가 되다, (…에) 빠지다 《*into*》: (~+전+명) ~ *into* silence 침묵하다 **4** 〈시간이〉 경과하다 《*away*》 **5** 〖법〗 〈권리·재산 등이〉 (남에게) 넘어가다 《*to*》; 실효(失效)[소멸]하다, 〈임기가〉 끝나다

▷ lápsus *n.*

lapsed [lǽpst] *a.* **1** 지나간, 없어진 **2** 타락한, 신앙을 잃은 **3** 〈관습 등이〉 쇠퇴한, 폐지된 **4** 〖법〗 〈권리·재산이〉 남의 손으로 넘어간, 실효(失效)한

lápse ràte 〖기상〗 (고도 증가에 따르는 기온·기압 등의) 체감률

lap-size(d) [lǽpsàiz(d)] *a.* 랩사이즈의, 무릎에 올려놓을 정도의 크기의

lap·stone [lǽpstòun] *n.* (제화공이 무릎에 끼고 가죽을 두드리는) 무릎돌

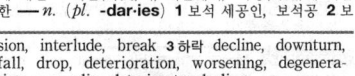

lap·strake [-strèik], **-streak** [-strì:k] *a.* 〈보트

가〉 겹판으로 만든 — *n.* 겹판 보트
láp stràp =LAP BELT
lap·sus [lǽpsəs] [L] *n.* (*pl.* ~) 잘못, 틀림, 실수(slip)
lap·sus ca·la·mi [-kǽləmài, -mìː] [L] 잘못 쓰기, 오기(誤記)
lapsus lin·guae [-líŋgwiː | -gwai] [L] 실언
láp tìme 〔경기〕 랩 타임《트랙을 한 바퀴 돌 때 걸리는 시간》
lap·top [lǽptɑ̀p | -tɔ̀p] *n.* 랩톱 컴퓨터(= **~ compùter**)《무릎 위에 올려놓을 수 있을 정도 크기의 휴대용 (퍼스널) 컴퓨터(cf. DESKTOP)》 — *a.* 〈컴퓨터가〉 휴대형의, 랩톱의
La·pu·ta [ləpjúːtə] *n.* 라퓨터 섬《공상에 잠긴 인간들이 사는, 공중에 떠 있는 섬; Swift작 *Gulliver's Travels*에서》
La·pu·tan [ləpjúːtən] *n.* 라퓨터 섬 사람; 공상가
— *a.* **1** 라퓨터 섬 사람의 **2** 공상적인, 터무니없는, 불합리한(absurd)
lap·wing [lǽpwìŋ] *n.* 〔조류〕 댕기물떼새(pewit)

lapwing

Lar [láːr] *n.* LARES의 단수
LARA, La·ra [láːrə] [*L*icensed *A*gency for *R*elief on *A*sia] *n.* 공인(公認) 아시아 구제 기관, 라라: ~ goods 라라 물자
la ra·za [lɑː-ráːsɑː] [Sp.] [복수 취급] 멕시코계 미국인; [단수 취급] 멕시코계 미국 문화
lar·board [láːrbɔ̀ːrd, -bərd] *n., a.* 《드물게》 〈선박의〉 왼쪽 뱃전(의) ★ 지금은 starboard와의 혼동을 피하여 port[3]로 대용함.
lar·ce·nist [láːrsənist], **-ner** [-nər] *n.* 절도범, 도둑
lar·ce·nous [láːrsənəs] *a.* 절도의, 절도질하는, 손버릇 나쁜 **~·ly** *ad.*
lar·ce·ny [láːrsəni] *n.* (*pl.* **-nies**) **1** 절도, 도둑질 **2** Ⓤ 〔법〕 절도죄[범](theft) ★ 《영》에서 지금은 theft를 씀. ***grand*** [***petty***] **~** 중[경]절도죄
larch [láːrtʃ] *n.* **1** 〔식물〕 낙엽송 **2** Ⓤ 낙엽송 재목
***lard** [láːrd] *n.* Ⓤ 라드《돼지비계를 녹여 정제한 반고체(半固體)의 기름; cf. FAT》, 돼지기름; 《구어》 〈인체의〉 여분의 지방
— *vt.* **1** 라드를 바르다 **2** 〈맛을 내려고 요리하기 전에〉 돼지고기를[베이컨을] 몇 점 넣다 **3** 〈말·문장 등을〉 (비유·인용 등으로) 꾸미다, 윤색하다 《*with*》: (~+목+전+명) ~ one's conversation *with* quotations 이야기를 인용문으로 꾸미다 **4** 풍부하게 하다
▷ lárdy *a.*
lar·da·ceous [lɑːrdéiʃəs] *a.* 라드 같은, 지방질의
lard·ass [láːrdæ̀s] *n.* 《미·속어》 **1** 얼간이, 멍청이 (lardhead) **2** 뚱보; 식충이
lar·der [láːrdər] *n.* **1** 고기 저장소; 식료품실 **2** 저장 식료품 **~·er** *n.* 식료품실 담당자
lard·head [láːrdhèd] *n.* 《미·속어》 바보, 얼간이, 멍청이
lard·ing·nee·dle [láːrdiŋnìːdl] *n.* 〈요리 때〉 베이컨[돼지기름]을 살코기에 끼워 넣는 도구
lárd òil 라드 기름《라드에서 뽑은 윤활유·등유》
lar·doon [lɑːrdúːn], **lar·don** [láːrdn] *n.* Ⓤ 돼지고기나 베이컨의 가느다란 조각《살코기 사이에 끼우는》
lard·y [láːrdi] *a.* (**lard·i·er**; **-i·est**) 라드의, 라드질(質)의; 〈돼지〉기름이 많은
lárdy càke 《영》 라드 과자《라드와 건과물로 만듦》
lar·dy-dar·dy [láːrdidáːrdi] *a.* 《속어》 뻰들뻰들한, 잘난 체하는, 아니꼬운
lar·es [léəriːz, léir- | léər-, láːr-] *n. pl.* (*sing.* **lar** [láːr]) [종종 **L~**] 〔고대로마〕 가정의 수호신
láres and penátes **1** 가정의 수호신들 **2** 가보(家寶), 귀중한 가재(家財), 가정(home)

‡large [láːrdʒ] *a., n., ad. v.*

> 「큰」→(양이 많은)→「다량의」

— *a.* (opp. *small, little*) **1 a** 큰(⇨ big 유의어): ~ of limb = with ~ limbs 팔다리가 큰 **b** 넓은(spacious); 광대한, 원대한, 대규모의: ~ insight 탁견(卓見) / a ~ area 광대한 지역 / on a ~ scale 대규모로 **c** 〈수·양·액수·인구 등이〉 많은, 다수의(numerous), 다량의; 풍부한(copious) **2** 〈상대적으로〉 큰 편의, 대…: a ~ family 대가족 **3** 도량이 넓은, 관대한; 〈권한 등이〉 광범위한 **4 a** 〔항해〕 〈바람이〉 순풍의(favorable) **b** 〈작품 등이〉 자유로운, 호방한 **5** 과장된, 허풍떠는: ~ talk 허풍 **6** 〈연예인이〉 인기 있는, 유명한 **7** 《폐어》 〈말·거동 등이〉 상스러운, 추잡한
a ~ sum [***amount***] ***of*** 거액의 (***as***) **~ *as life*** ⇨ LIFE. ***on the ~ side*** (비교적) 큰 쪽의, 상당히 큰
— *n.* [다음 성구로] ***at*** **~** (1) 상세히, 충분히 (2) 〈범인 등이〉 잡히지 않고, 도주 중인; 자유로운: The murderer is still *at* ~. 살인범은 아직 체포되지 않았다. (3) 뚜렷한 목적도 없이, 특정한 임무 없이: an ambassador *at* ~ 무임소 대사 (4) [명사 뒤에 써서] 전체로서, 일반적으로, 널리 일반에: the people *at* ~ 일반 국민 (5) 《고어》 미정으로 (6) 《미》 〈의원이〉 (분할된 선거구에서가 아니라) 주[군] 전체에서 선출된: a representative[congressman] *at* ~ 전주(全州) 선출 의원 《정원 증가에 의한 신의원은 주의 특정 선거구에서 선출하지 않고 주 전체에서 선출함》 ***in*** (***the***) **~** (1) 대규모로(cf. in LITTLE) (2) 대체로, 일반적으로
— *ad.* **1** 크게, 대대적으로: write ~ 크게 쓰다 **2** 허풍치며, 과장해서: talk ~ 호언장담하다 **3** 〔항해〕 순풍을 받아 ***by and*** **~** 전반적으로, 대체로
— *vt.* [다음 성구로] **~ *it*** (***up***) 《영·속어》 (술·춤 등으로) 즐기다 **~·ness** *n.*
▷ lárgely *ad.*; lárgeness *n.*; enlárge *v.*
large-cap [láːrdʒkæ̀p] [*large cap*ital] *n.* 대기업주(株) — *a.* 대자본의, 대기업의(opp. *small-cap*)
lárge chárge 비싼[많은] 청구; 《미·속어》 스릴(thrill); 《미·속어》 중요 인물, 거물; 《경멸》 거드름을 피우는 녀석
large-eyed [láːrdʒáid] *a.* (눈을 크게 뜨고) 깜짝 놀란(wide-eyed)
large-hand·ed [-hǽndid] *a.* 손이 큰; 후한(generous)
large-heart·ed [-háːrtid] *a.* 마음[도량]이 큰; 인정 많은, 박애의, 관대한 **~·ness** *n.*
lárge intéstine 〔해부〕 대장(大腸)
‡large·ly [láːrdʒli] *ad.* **1** 주로, 대부분(은) **2** 대량으로, 풍부하게, 후하게 **3** 크게; 대규모로 **4** 과장해서
large-mind·ed [láːrdʒmáindid] *a.* 도량이 큰, 관용하는, 관대한(tolerant) **~·ly** *ad.* **~·ness** *n.*
lárge òne 《미·속어》 1년의 교도소 생활
lárge páper edìtion 〔제본〕 대판(大版) 특제책, 호화판《보급판용의 조판을 그대로 써서 대판지에 인쇄·제본한 책》
large-print [-prìnt] *a.* 큰 활자 조판[인쇄]의
larg·er-than-life [láːrdʒərðənláif] *a.* **1** 실물보다 큰, 실지보다 과장된 **2** 영웅적인, 전설적인
lárger trúth 〔저널리즘〕 〈개개의 현상에 대하여〉 전체상, 종합적인 실정
large-scale [láːrdʒskéil] *a.* **1** 대규모의 **2** 〈지도가〉 대축척의, 축소 비율이 큰
lárge-scale integrátion 〔컴퓨터〕 대규모[고밀도] 집적 회로(略 LSI)
large-souled [-sóuld] *a.* =LARGE-HEARTED
lar·gess(**e**) [lɑːrdʒés, láːrdʒis] [F = large] *n.* ⓊⒸ (지위나 신분이 높은 사람의) 많은 부조; Ⓤ 아낌없이 금품을 주기

thesaurus **large** *a.* **1** 큰 big, great, tall, huge, enormous, immense, colossal, massive, vast,

large-stat·ured [lɑ́ːrdʒstǽtʃərd] *a.* 〈삼림이〉 교목과 관목으로 이루어진
lar·ghet·to [lɑːrgétou] [It.] 〖음악〗 *a., ad.* 라르게토의[로], 약간 느린[느리게] **—***n.* (*pl.* **~s**) 라르게토[약간 느린] 악곡[악장, 악절](cf. LARGO)
larg·ish [lɑ́ːrdʒiʃ] *a.* 약간 큰
lar·go [lɑ́ːrgou] [It.] 〖음악〗 *a., ad.* 라르고의[로], 아주 느린[느리게] **—***n.* (*pl.* **~s**) 라르고[아주 느린] 악곡[악장, 악절]
lar·i·at [lǽriət] *n., vt.* (미) =LASSO
la·rith·mics [ləríðmiks] *n. pl.* [단수 취급] 인구 집단학《인구의 양적인 면의 과학적 연구》
‡**lark**[1] [lɑ́ːrk] *n.* **1** 〖조류〗 종다리, 종달새(skylark); 그 종류의 새의 총칭; If the sky falls, we shall catch ~*s.* (속담) 하늘이 무너지면 종달새가 잡힐 테지.《공연히 미리 걱정할 것은 없다》 **2** 시인, 가수
(*as*) ***happy as a ~*** 매우 즐거운 ***rise*** [***be up, get up***] ***with the ~*** 아침 일찍 일어나다
lark[2] *n.* (구어) 희롱, 장난; 농담; 유쾌 ***for a ~*** 농담으로; 장난삼아 ***have a ~ with*** …에게 장난을 하다, …을 조롱하다 ***up to*** one***'s ~s*** 장난에 팔려 ***What a ~!*** 아이 재미있어!
—*vi.* 희롱하다, 장난하다, 놀다
~ about 장난치며 떠들어대다
lark·ish [lɑ́ːrkiʃ] *a.* 들뜬, 장난을 좋아하는
~·ly *ad.* **~·ness** *n.*
lark·some [lɑ́ːrksəm] *a.* 장난에 마음이 쏠린, 〈마음이〉 들뜬
lark·spur [lɑ́ːrkspə̀ːr] *n.* 〖식물〗 참제비고깔속(屬)
lark·y [lɑ́ːrki] *a.* (**lark·i·er**; **-i·est**) 장난치는, 까부는; 농담을 좋아하는
larn [lɑ́ːrn] (구어·익살) *vt.* **1** 공부하다, 배우다(learn) **2** 가르치다, 깨닫게 하다 **—***vi.* 공부하다, 배우다
lar·ney, -nie [lɑ́ːrni] *a.* (남아공) 똑똑한; 비싼
La·rousse [lərúːs] *n.* 라루스 **Pierre Athanase ~** (1817-75)《프랑스의 문법학자·사전 편찬가》
lar·ri·gan [lǽrigən] *n.* (미·캐나다) 래리건《벌목 인부 등이 신는 장화》
lar·ri·kin [lǽrikin] (호주·속어) *n.* 깡패, 불량배, 불량 소년 **—***a.* 난폭한, 불량기 있는
lar·rup [lǽrəp] (구어) *vt.* (실컷) 때리다, 패다; 때려눕히다(beat) **—***vi.* 꾸물꾸물[덜커덕덜커덕] 움직이다 **—***n.* 타격, 일격
lar·ry[1] [lǽri] (미·속어) *n.* [종종 **L~**] 엉터리[싸구려] 상품; (사지 않고) 구경만 하는 손님 **—***a.* 열등한, 이류의, 가짜의 〈물품〉
larry[2] *n.* 〖광산〗 바닥이 개폐되는 광차(鑛車)
Lar·ry [lǽri] *n.* 남자 이름《Laurence, Lawrence의 애칭》
Lars [lɑ́ːrz] *n.* 남자 이름
*__lar·va__ [lɑ́ːrvə] [L 「유령」의 뜻에서] *n.* (*pl.* **-vae** [-viː]) **1** 〖곤충〗 애벌레, 유충 **2** 〖생물〗 유생(幼生)《변태 동물의 어린 것; 올챙이 등》 ▷ lárval *a.*
lar·val [lɑ́ːrvəl] *a.* 애벌레의; 미숙한
lar·vi·cide [lɑ́ːrvəsàid] *n.* 유충을 죽이는 약제, 살충제 **—***vt.* 살충제로 처리하다
laryng- [ləríŋ], **laryngo-** [ləríŋgou, -gə] 《연결형》 「후두(larynx)」의 뜻《모음 앞에서는 laryng-》
la·ryn·ge·al [ləríndʒiəl, læ̀rindʒíːəl] *a.* 〖해부〗 후두(부)(喉頭(部))의; 후두 치료용의 **~·ly** *ad.*
la·ryn·ges [ləríndʒiːz] *n.* LARYNX의 복수
lar·yn·gi·tis [læ̀rindʒáitis] *n.* Ⓤ 〖병리〗 후두염
lar·yn·gol·o·gy [læ̀rəŋgɑ́lədʒi | -gɔ́l-] *n.* Ⓤ 〖의학〗 후두 과학 **-gist** *n.*
la·ryn·go·phone [ləríŋgəfòun] *n.* 목에 대는 송화기
la·ryn·go·scope [ləríŋgəskòup] *n.* 〖의학〗 후두경(喉頭鏡)
lar·yn·gos·co·py [læ̀riŋgɑ́skəpi | -gɔ́s-] *n.* 〖의학〗 후두경 검사(법)
lar·yn·got·o·my [læ̀riŋgɑ́təmi | -gɔ́t-] *n.* (*pl.* **-mies**) ⓊⒸ 〖외과〗 후두 절개(술)
lar·ynx [lǽriŋks] *n.* (*pl.* **~·es, la·ryn·ges** [ləríndʒiːz]) 〖해부〗 후두
la·sa·gna [ləzɑ́ːnjə, lɑː-] *n.* 라자냐《파스타·치즈·고기·토마토 소스 등으로 만드는 이탈리아 요리》
La Sca·la [lɑː-skɑ́ːlə] 스칼라 좌(座)《이탈리아 Milan에 있는 국립 오페라 하우스》
las·car [lǽskər] *n.* **1** (외국선을 타고 근무하는) 동(東)인도인 선원 **2** 〖영국군〗 인도인 포병
las·civ·i·ous [ləsíviəs] *a.* **1** 음란한, 음탕한, 호색의 **2** 도발적인, 선정적인, 외설적인
~·ly *ad.* **~·ness** *n.*
lase [léiz] *vi., vt.* 레이저(광선)을 발하다, 레이저(광선)을 쬐다 **lás·a·ble** *a.*
la·ser [léizər] [*l*ight *a*mplification by *s*timulated *e*mission of *r*adiation] *n.* 레이저(optical maser)《일정한 주파수의 위상(位相)으로 빛을 내는 장치》 **—***a.* Ⓐ 레이저의, 레이저에 의한
láser bèam 레이저 광선
láser bòmb 레이저 유도 폭탄, 레이저 수소 폭탄
láser càne 레이저 지팡이《맹인용》
láser càrd 레이저 카드《레이저 광선으로 데이터를 기록·재생하는 카드》
láser dìsc[**dìsk**] 레이저 디스크 (optical disc)
la·ser-driv·en [-drìvən] *a.* 〖컴퓨터〗 레이저로 구동 되는
láser fùsion 〖물리〗 레이저 핵융합
láser gùn 레이저 건《레이저 광선을 발생하는 장치》
láser mèmory 〖컴퓨터〗 레이저 기억 장치
láser pòinter 레이저 포인터[지시기]《레이저 빔을 발하는 펜 모양의 지시기》
láser prìnter 〖컴퓨터〗 레이저 프린터《고속·고해상도의 컴퓨터 프린터》
láser ràdar 레이저 레이더
láser rànger 레이저 거리 측정기
láser rànging 레이저 거리 측정법
la·ser·scope [léizərskòup] *n.* 〖외과〗 레이저 내시경, 레이저 메스
láser sùrgery 〖의학〗 레이저 수술《레이저 광선을 쬐어 세포를 파괴하는 수술》
láser vìsion 〖컴퓨터〗 레이저 비전《레이저 광선을 이용해서 화상이나 음성을 정밀하게 재생하는 시스템》
‡**lash**[1] [lǽʃ] *n.* **1 채찍 끈**, 채찍의 휘청거리는 부분 **2 a** 채찍질 **b** [the ~] (고어) 태형(笞刑) **3 심한** 비난; 빈정거리기 **4** [the ~] 심한 충돌; (비·바람·파도의) 몰아침: *the* ~ of waves against the rock 바위에 세차게 부딪히는 파도 **5** 속눈썹(eyelash) **6** (동물의) 꼬리치기 **7** 〖기계〗 인접한 가동(可動) 부품 사이의 틈새 **8** (호주·구어) 시도 ***have a ~*** (호주·구어) (…을) 시험해 보다, 한번 해보다《*at*》
—*vt.* **1 a 채찍으로 때리다**, 후려치다 **b** 부딪치다 **c** 자극하다: (~+목+전+명) ~ a person *to* fury [*into* a frenzy of anger] 사람을 격분[격노]하게 하다 / ~ oneself into a fury[rage] 격노하다 **d** 〈비·바람·파도가〉 …에 세차게 부딪히다, 몰아치다; 〈바람이〉 〈비 등을〉 몰아치게 하다 **2** 욕을 퍼붓다, 마구 빈정대다, 심하게 나무라다 (~+목+전+명) ~ a person *with* one's pen[tongue] 필봉[언변]으로 남을 통렬히 공격하다 **3** 앞뒤로 심하게 움직이다, 흔들다 **4** (영) 〈돈을〉 낭비하다 **5** 〈신문 따위를〉 (대량으로) 발행하다
—*vi.* **1** 심하게 때리다《*at*》 **2** 〈비·바람·파도가〉 세차게 부딪다; 〈비·눈물 등이〉 쏟아지다 **3** 심하게 움직이다[움직여 대다] **4** 비꼬다, 빈정대다; 심하게 욕설하다《*out*》 **5** 낭비하다 ***~ out*** (1) 격렬하게 덤벼들다, 맹렬히 공격하다《*at, against*》 (2) 욕[폭언]을 퍼붓다《*at, against*》 (3) (영·구어) 돈을 헛되이 쓰다, 낭비하다 (4) 〈말이〉 걷어차다《*at, against*》
lash[2] *vt.* (끈·밧줄 등으로) 묶다, 매다《*down, on*》: (~+목+부) ~ a thing *down* 어떤 것을 단단히 동

---

gigantic (opp. *little, small, tiny*) **2** 많은 abundant, copious, ample, plentiful

여매다 / ~ two things *together* 둘을 한데 묶다 // 《~+目+前+名》 ~ one thing *to* another 하나를 다른 것에 동여매다

LASH, lash³ [lǽʃ] [*l*ighter *a*board *sh*ip] *n.*, *a.* 래시선(船)[시스템](의) 《화물을 바지선(barge)을 그대로 탑재하는 화물선[해운 방식]》

lashed [lǽʃt] *a.* **1** 속눈썹이 있는; [보통 복합어를 이루어] 속눈썹이 …한: long-~ 속눈썹이 긴 **2** Ⓟ 《영·속어》 몹시 취한: get ~ 몹시 취하다

lash·er¹ [lǽʃər] *n.* **1** 《영》 둑; 둑에서 흘러내리는 물, 둑 밑의 웅덩이 **2** 채찍으로 치는 사람; 비난자; 길채자

lasher² *n.* (끈·밧줄 등으로) 묶는[잡아매는] 사람; 〖항해〗 잡아매는 밧줄

lash·ing¹ [lǽʃiŋ] *n.* **1 a** UC 매질, 채찍질 **b** 빈정거리기, 심한 꾸지람[비난] **2** [*pl.*] 《영·구어》 많음(plenty) 《*of*》: ~*s of* chocolate 많은 초콜릿
— *a.* 〈비·파도 따위가〉 세차게 부딪히는; 맹렬한

lashing² *n.* **1** UC 끈으로 묶기 **2** 끈, 밧줄

lash·less [lǽʃlis] *a.* 속눈썹이 없는

lash-up [lǽʃʌ̀p] *n.* **1** 급히 임시변통한 것; 즉석에서 고안한 것 **2** 장비, 설비 **3** 《속어》 실수, 실패
— *a.* 임시변통의

LASIK, La·sik [léisik] [*l*aser-*a*ssisted *i*n situ *k*eratomileusis] *n.* 〖의학〗 라식 수술; 레이저 각막 회복 수술

Las·ki [lǽski] *n.* 래스키 **Harold J.** ~ (1893-1950) 《영국의 사회주의자·경제학자·저술가》

L-as·pa·rag·i·nase [èlæspərǽdʒəneis] *n.* Ⓤ 〖생화학〗 엘 아스파라기나아제 《백혈병 치료용 효소》

lasque [lǽsk | lɑ́:sk] *n.* 얇고 모양이 좋지 않은 다이아몬드

‡**lass** [lǽs] *n.* 《스코》 **1** 젊은 여자, 계집애, 처녀, 소녀 (cf. LAD) **2** 아가씨 《친밀한 뜻의 호칭》 **3** 애인, 연인 《여자》 **4** 《스코》 하녀(maidservant)

Lás·sa féver [lɑ́:sə-] 〖병리〗 라사열 《서아프리카의 바이러스성 열병》

las·si [lǽsi] *n.* Ⓤ 라씨 《인도의 전통 요구르트 음료》

las·sie [lǽsi] *n.* 《스코》 계집애, 소녀; 《애칭》 아가씨(cf. LADDIE)

las·si·tude [lǽsətjù:d | -tjù:d] *n.* Ⓤ 나른함, 권태, 피로; 마음이 안 내킴

las·so [lǽsou, læsú:] [Sp. lace와 같은 어원] *n.* (*pl.* ~(**e**)**s**) 던지는 올가미, 올가미 밧줄 《끝이 고리로 된 긴 밧줄》 — *vt.* 〈가축·야생마 등을〉 올가미 밧줄로 잡다 **~·er** *n.*

‡**last¹** [lǽst, lɑ́:st | lɑ́:st] *a.*, *ad.*, *pron.*, *n.*

> 원래는 late의 최상급
> 「마지막의」 ┬ (지금까지의 것 중에서 마지막의)
> ├ 「최근의」
> └ (가능성이 가장 적은) 「가장 …아닌」

— *a.* **1** (순서상) 최후의, 맨 마지막의, 끝의: the ~ line of the page 그 페이지의 마지막 행

> 유의어 **last** 연속한 것의 가장 최후의 것을 나타내는데 그 일련의 사물의 완료·종결을 반드시 나타내는 것은 아니다: the *last* day of a month 달의 말일, 그믐날 **final** 일련의 상황이 그것으로 종결되는 것을 나타낸다: make a *final* attempt 마지막 시도를 하다 **ultimate** 어떤 긴 과정의 최종적인 단계를 나타내고, 그 이상은 계속하지 않음을 나타낸다: one's *ultimate* destination 최종 목적지

2 a [보통 the ~] (시간적으로) 최종의(cf. LATEST 2): see a person for *the* ~ time …을 마지막으로 보다, 다시 못 만나다 / She was *the* ~ to come. 그 여자가 제일 마지막에 왔다. **b** [보통 the ~] (행동 등이) 최후의 **c** 마지막 남은: the ~ half 후반 / one's ~ hope[chance] 마지막 희망[기회] / drink to the ~ drop 마지막 한 방울까지 마시다 / She spent her ~ cent. 그녀는 최후의 1센트까지 써 버렸다. **d** [보통 the ~, one's ~] 최종의; 생애의 마지막의, 임종의; 종말의: *his* ~ breath 그의 마지막 숨

> 유의어 **last** 한 가지 연속의 최후의 것; 그러므로 그 뒤에 더 계속되는 것은 없다 **latest** 일련의 것 중에서 마지막 것; 따라서 앞으로도 더 계속될 가능성이 있다(보기: I hope his *latest* book will not be his *last*. 그의 최근의 저서가 마지막 저서가 되지 않기를 바란다.) 그러나 실제로는 최후의 것이 동시에 최근의 것일 수 있는 경우가 얼마든지 있을 수 있으므로, 양자간에 구별이 없는 경우도 많다.

3 a 바로 요전의, 지난…, 작(昨)…, 전…: ~ evening 어제 저녁(cf. YESTERDAY) / ~ Monday = on Monday ~ 지난 월요일에 / in January ~ 지난 1월에 / ~ summer 작년 여름 / the ~ time I saw him 지난번 그를 만났을 때 **b** [보통 the ~, one's ~] 최근의: *the* ~ (news) I heard ... 최근의 소식은 … **c** [the ~] 최신(유행)의(newest): *the* ~ thing in hats 최신형 모자 **4** [the ~] 결코 …할 것 같지 않은; 가장 부적당한[안 어울리는]: *the* ~ man (in the world) I want to see 내가 가장 만나고 싶지 않은 사람 / He is *the* ~ man to succeed in the attempt. 그 사람은 해보았자 좀처럼 성공할 것 같지 않다. / She is *the* ~ wife for a farmer. 그녀는 농부에게는 도무지 어울리지 않는 부인이다. / The author should be *the* ~ man to talk about his work. 작가란 자기 저서에 대해서 말하기를 가장 꺼리는 사람이어야 한다. **5 a** [the ~] 최상의(supreme), 지극한, 대단한: It is of *the* ~ importance. 그것이 가장 중요하다. **b** [the ~] 최하위의, 최저의(lowest) **6** 〈결론·결정·제안 등이〉 결정적인, 최후의, 궁극의(final) **7** 개개의, 낱낱의: every ~ thing 이것저것 모두 ***for the ~ time*** 마지막으로 ***in one's ~ hours***[***moments***] 숨질 때에, 임종시에 ***in the ~ fortnight*** 지난 2주간에 ***in the ~ place*** 최후로, 마지막으로 ***~ night early in the morning*** 《미·구어》 오늘 아침 일찍 ***on one's ~ legs*** 마지막 길에, 파멸에 가까워 ***put the ~ hand to*** …을 끝내다[완성하다], …의 마지막 손질을 하다 ***the ~ but one***[***two***] 끝에서 두[세] 번째 ***the ~ days***[***times***] 죽을 무렵; (세계의) 말기[종말] ***the ~ two***[***three,*** etc.] 마지막 두 개[세 개 《등》] ***to the ~ man*** 마지막 한 사람까지; 철저하게
— *ad.* **1** 제일 끝으로(finally), 최후로, 맨 나중에; 결론으로, 마지막으로: ~ mentioned 최후에 말한 **2** 요전에, 지난번에, 최근에: since I saw you ~ 지난번 너와 만난[헤어진] 후로
first and ~ 전후를 통하여, 통틀어, 시종일관, 철두철미 ***~ but not least*** 마지막에 말하기는 하지만 아주 중요한, 중요한 말을 끝으로 한 마디 해 두는 바이지만 ***~ in, first out*** 후입선출(後入先出)의, 마지막에 채용된 사람이 먼저 해고되는 ***~ of all*** 최후로
— *pron.* **1** [보통 the ~; 단수·복수 취급] 최후의 것[사람]: Elizabeth I was *the* ~ of the Tudors. 엘리자베스 1세는 튜더 왕가 최후의 군주였다. // 《~+*to* do》 He was the first to come and *the* ~ *to* leave. 그는 맨 먼저 와서 맨 나중에 떠났다. / You are *the* ~ *to* criticize. 너에겐 비평할 자격이 없어. **2** [the ~, one's ~, this 《etc.》 ~] 마지막에 든 것[사람]; 최근의 것 《소식·농담·아이 등》: *These* ~ are my friends. 마지막에 든 이들이 내 친구이다. **3** [one's ~] 마지막 동작: breathe *one's* ~ 숨을 거두다, 죽다 / look *one's* ~ (…을) 마지막으로 보다 《*on*》 ***... before***

thesaurus **last²** *v.* **1** 계속하다 continue, go on, carry on, remain, persist, keep on **2** 존속하다 survive, exist, subsist, live, hold on
lasting *a.* enduring, lifelong, continuing, long-term, surviving, persisting, permanent, durable

~ 지지난 …, 전전…: the night[week, month, year, *etc.*] *before* ~ 지지난 밤[주, 달, 해《등》]
— *n.* **1** [the ~] 최후, 결말: to[till] *the* ~ 최후까지, 죽을 때까지 **2** [one's ~] 죽음, 임종: I thought every moment would be *my* ~. 지금 당장이라도 죽을 수 있다고 생각했다. **3** [the ~] 주말, 월말《반드시 최종일만을 가리키지는 않음; opp. *first*》
at* ~** 마침내, 드디어 ***at long* ~** 마침내, 드디어; (애쓴 끝에) 가까스로, 간신히 ***from first to* ~** 처음부터 끝까지, 시종 ***hear the* ~ *of it 끝까지 듣다: I shall never *hear the* ~ *of it.* 이 이야기는 끝없이 듣게 될 거다. ***see the* ~ *of*** …을 마지막으로 보다 ▷ lástly *ad.*

‡last[2] [lǽst, lɑ́:st | lɑ́:st] *vi.* **1 계속하다**; 지속[존속]하다: (~+副) (~+前+名) The lecture ~*ed* (*for*) two hours. 강연은 두 시간 동안 계속되었다. **2 견디다**, 상하지[쇠하지] 않다; 오래가다, 질기다: This color ~*s.* 이 색은 변치 않는다. **3 충분하다**, (얼마 동안) 쓰일 만하다 **~ *out*** 끝까지 견디다[가다]
— *vt.* **1** (얼마 동안) …에게 쓰이다, 쓰기에 충분하다: (~+目+目) This coat ~*ed* me full six years. 이 코트는 만 6년이나 입었다[입을 만했다]. **2** …의 끝까지 가다[견디다], 배겨내다《*out*》: (~+目+副) He could not ~ *out* the apprenticeship. 그는 도제살이를[견습 과정을] 끝까지 해내지 못했다.
— *n.* Ⓤ 지속력, 내구력, 참을성, 끈기

last[3] *n.* 구두골 ***stick to*** one***'s*** **~** 제 분수를 지키다, 쓸데없는 참견은 하지 않다
— *vi., vt.* 구두골에 맞추다 **~·er** *n.*

last[4] *n.* 라스트《중량의 단위; 보통 4,000 파운드》

lást acròss 달려오는 차[기차] 앞을 누가 맨 나중에 건너가는지를 겨루는 놀이

lást ágony 임종의 고통, 단말마(death agony)

lást cáll 1 (미) =LAST ORDERS **2** (공항의) 최종 탑승 안내 방송

lást crỳ [the ~] 최신 유행(의 것)

Lást Dáy [the ~] 최후 심판의 날(Judgment Day)

lást dítch 마지막 방어[저항] 장소

last-ditch [lǽstdítʃ | lɑ́:st-] *a.* Ⓐ 최후까지 버티는, 완강한; 막판에 다다른, 사력을 다한, 필사적인: a ~ effort 필사적인 노력 **~·er** *n.*

Las·tex [lǽsteks] *n.* 라스텍스《고무심이 든 실; 상표명》

last-gasp [lǽstgæ̀sp | lɑ́:st-] *a.* 최후에 하는, 막판에 행해지는

lást hurráh [미국의 작가 Edwin O'Connor가 쓴 소설 제목에서] 마지막 노력[시도]

lást-ín, fírst-óut 〖회계·컴퓨터〗 = LIFO

‡last·ing [lǽstiŋ, lɑ́:st- | lɑ́:st-] *a.* **영속하는**, 영구적인, 영구 불변의; 오래 견디는, 내구력 있는
— *n.* **1** 능직으로 짠 질긴 천 **2** (고어) 영속 **~·ly** *ad.* **~·ness** *n.* Ⓤ 영속성

Lást Júdgment [the ~] 최후의 심판(일)

lást láugh 최후의 승리

lást lícks (미·속어) (패배가 확정적인 쪽의) 마지막 기회; 《일반적으로》 최후의 기회

***last·ly** [lǽstli, lɑ́:st- | lɑ́:st-] *ad.* [문장 첫머리에 써서] (열거한 다음) **마지막으로**, 끝으로, 최후로, 드디어, 결국(finally)

lást mínute[móment] 최후의 순간, 막판

last-min·ute [lǽstmínit | lɑ́:st-] *a.* 최종 순간의, 막바지의: ~ shoppers 폐점 직전의 쇼핑객

***lást náme** 성(姓)(surname)

lást óffices [the ~] 장례식

lást órders (영) (술집에서 문 닫기 전에) 마지막 술 주문을 하라는 말

lást póst [the ~] **1** (영) (우체통·우체국의) 마지막 우편물 수집 **2** 〖영국군〗 소등 나팔(cf. FIRST POST); 장례식에서의 나팔 취주

lást quárter 〖천문〗 (달의) 하현

lást rítes [the ~] 〖가톨릭〗 병자 성사(病者聖事)《죽음에 임박한 신자가 받는 성사》

lást sléep [the ~] 죽음

lást stráw [the ~] (더 이상 견디지 못하게 되는) 마지막의 얼마 안 되는 부가물[부담], 인내의 한계를 넘게 하는 것: It is *the* ~ that breaks the camel's back. (속담) 한도를 넘으면 지푸라기 하나를 더 얹어도 낙타의 등뼈가 부러진다.

Lást Súpper [the ~] 〖그리스도교〗 최후의 만찬 (cf. MAUNDY THURSDAY); 그 그림《특히 da Vinci 작의》

lást thíng 1 [the ~] 최신 유행《*in*》 **2** [the L- T-s] 세상의 종말을 알리는 여러 사건 **3** [the (four) ~s] 〖그리스도교〗 사말(四末), 사종(四終)《죽음·심판·천국·지옥》 — *ad.* [(the) ~] (구어) 마지막으로, 《특히》 자기 전에

lást wórd [the ~] **1** 마지막 말; 결정적인 말[사실]; 결정권: have[say, give] *the* ~ 결정적인 발언을 하다 **2 a** 완전한[나무랄 데 없는] 것, 결정판 **b** (구어) 최신 유행품[발명품]; 최신식(의 것); 최신형; 최우량품《*in*》: *the* ~ *in* motorcars 최신 유행형의 자동차 **3** [the ~s, one's ~s] 유언, 임종의 말

Las Ve·gas [lɑ:s-véigəs | lǽs-] 라스베이거스《미국 Nevada주의 유흥 도시; 도박으로 유명》

Las Végas lìne [the ~] (구어) 미식축구 도박에 거는 돈의 비율

Las Végas nìght (구어) (공공 모금을 위한) 합법적인 도박 모임

lat [lɑ́:t] *n.* (*pl.* **~s, la·ti** [lɑ́:ti]) **1** 라트《Latvia의 옛 화폐 단위; =100 santimi》 **2** 1라트 은화

lat. latitude **Lat.** Latin; Latvia(n)

la·ta(h) [lɑ́:tə] *n.* 〖정신의학〗 라타《놀라움·충격 따위로 발작을 일으켜 타인의 행동·말을 충동적으로 모방하는 행동 유형》

Lat·a·ki·a [læ̀təkí:ə] *n.* Ⓤ 라타키아《터키산(産)의 고급 담배》

***latch** [lǽtʃ] [OE「붙잡다」의 뜻에서] *n.* **1 걸쇠**, 빗장 **2** 〖전자〗 래치 (회로) ***on*[*off*] *the* ~** 빗장을 걸고[벗기고] ***set the* ~** 빗장을 걸다
— *vt.* 걸쇠를 걸다
— *vi.* (문에) 걸쇠가 걸리다
~ *onto* (구어) (1) …을 꽉 쥐다, 쥐고 놓지 않다 (2) 〈물건을〉 손에 넣다, 입수하다 (3) 〈남에게〉 들러붙어 떨어지지 않다; …와 친하게 지내다; …에 집착하다; …이 마음에 들다 (4) …을 이해하다

latch·er-on [lǽtʃərɔ̀:n | -ɔ̀n] *n.* (구어) 치근치근 들러붙는 사람

latch·et [lǽtʃit] *n.* (고어) 〖성서〗 (특히 가죽으로 된) 신발 끈

latch·key [lǽtʃkì:] *n.* 걸쇠의 열쇠, 현관문의 열쇠

látchkey chìld[kìd] (열쇠를 가지고 다니는) 맞벌이 부부의 아이

latch·string [-strìŋ] *n.* **1** (밖에서 잡아당겨) 빗장을 벗기는 끈 **2** (구어) 환대 ***hang out*[*draw in*] *the* ~ *for*** (미) …에게 집에 자유로이 출입하는 것을 허락하다[허락하지 않다]

‡late [léit] *a., ad., n.*

> 「뒤진」; 「늦은」→(이처럼이나 늦은 시기에)→「최근의」

— *a.* (**lat·er** [léitər], **lat·ter** [lǽtər]; **lat·est** [léitist], **last** [lǽst, lɑ́:st | lɑ́:st]) ★ later, latest는 「때」의, latter, last는 「차례」의 관계를 나타냄(각 항 참조) **1 a 늦은, 지각한, 더딘**: be ~ for[at] school 학교에 지각하다 / (too) ~ for the train 기

---

lastly *ad.* finally, in conclusion, to sum up
late *a.* **1 늦은** unpunctual, behind time, behind, tardy, overdue, delayed, slow **2 최근의** recent, fresh, new, up-to-date **3 최근에 죽은** deceased, dead, departed, defunct

차 시간에 (너무) 늦어 / It is never too ~ to mend. 《속담》 잘못을 고치는 데 늦다는 법은 없다. **b** 여느 때보다 늦은; 밤이 된 후의; 철 늦은(backward): a ~ dinner 늦은 만찬 / a ~ marriage 만혼 / a ~ spring 늦봄 **2** 마지막에 가까운, 후기의, 말기의: the ~ Middle Ages 중세 후기 《★ 비교급을 쓰면 시기가 불명료해짐: the *later* Middle Ages 중세 말경》 **3** Ⓐ 최근의, 근래[요즈음]의(recent): the ~ storms 최근의 폭풍 **4** Ⓐ 이전의, 전의, 전임의, 전…(former, ex-): the ~ prime minister 전(前)총리 **5** [the ~, one's ~] 최근에 죽은, 고(故)…: *my* ~ father 선친
It is getting ~. 점점 늦어지고 있다. ***keep ~ hours*** 늦게 자고 늦게 일어나다 ***of ~ years*** 근년에, 이 몇 해 동안 (***rather, very***) ***~ in the day*** 느지막이, 늦어서, 뒤늦게; 기회를 놓쳐 ***the ~ period of*** one***'s life*** 만년(晩年), 늘그막

— *ad.* (**lat·er**; **lat·est, last**) **1** 늦게, 뒤늦게; 지각하여, 너무 늦어(too late): We arrived an hour [one train] ~. 한 시간[한 열차] 뒤늦게 도착했다. / Better ~ than never. 《속담》 늦어도 안하느니보다 낫다. **2** (시각이) 늦어져, 날이 저물어; 밤이 깊어[깊도록]: dine ~ 늦게 정찬을 들다 / ~ in the morning 아침 느지막이 **3 a** (시기가) 늦어: They were married ~ in life. 두 사람은 만혼이었다. **b** (시기의) 끝 가까운 무렵에: ~ in the eighteenth century 18세기 말에 **4** 최근에, 요즈음(lately) **5** 《문어》 전에는, 이전에(는)(formerly)
as ~ as ... 바로 …만큼 최근에 ***early and ~*** ⇨ early. ***~ of ...*** 《문어》 최근까지 …에 거주[근무, 소속]하고 있었던 ***soon*** [***early***] ***or ~*** 《드물게》 조만간

— *n.* [다음 성구로] ***of ~*** 최근에(lately) ***till ~*** 늦게까지: sit[stay] up *till* ~ 밤늦게까지 자지 않다
▷ látely *ad.*; láten *v.*

láte blíght 〖식물〗 잎마름병, 엽고병(葉枯病)

láte blóomer 만성형(晩成型)의 사람

late-bloom·ing [léitblú:miŋ] *a.* 늦게 피는; 늦게 번창하는; 만성형의

late·com·er [-kʌ̀mər] *n.* **1** 늦게 온 사람, 지각자 **2** 최근에 온 사람[물건], 신참자

láte devéloper 발육[발달, 성장]이 느린 사람; = LATE BLOOMER

la·teen [lætíːn, lə- | lə-] *n.* 〖항해〗 큰 삼각돛(= ~ **sàil**); 큰 삼각돛을 단 배
— *a.* 큰 삼각돛의

lateen

la·teen-rig·ged [lætíːn-rìgd | lə-] *a.* 〖항해〗 큰 삼각돛이 있는[을 단]

láte fée 《영》 시간 외 특별 우송료; 지체료

Láte Gréek 후기 그리스어

Láte Látin 후기 라틴 어

‡**late·ly** [léitli] *ad.* 요즈음, 최근에, 근래(of late)
USAGE 특히 《영》에서는 보통 부정문·의문문에서 쓰이고, 긍정문에서는 문장 머리에 오든가 only ~ 또는 as ~ as의 형태가 되는 경우가 많다.: I haven't seen him ~. 요즈음은 그를 만나지 못했다. / Has he been here ~? 그가 최근에 여기에 왔었나요? / She was here *only* ~. 그녀는 최근에야 이곳에 왔었다.
till ~ 최근까지

late-mod·el [léitmɑ̀dl | -mɔ̀dl] *a.* 신형의: a ~ car 신형차

Láte Módern Énglish 후기 현대 영어 《1700년에서 현재까지》

lat·en [léitn] *vt., vi.* 늦게 하다[되다]

la·ten·cy [léitnsi] *n.* Ⓤ 숨어 있음, 보이지 않음; 잠복, 잠재

látency pèriod 1 〖정신분석〗 잠재기(期) **2** 〖생물·심리〗 = LATENT PERIOD

látency tìme 〖컴퓨터〗 대기 시간, 호출 시간

late-night [léitnàit] *a.* 심야의, 심야 영업의: a ~ show (텔레비전·라디오의) 심야 쇼[프로]

la·ten·si·fy [leiténsəfài] *vt.* 〖사진〗 잠상(潛像)을 보력(補力)하다 **la·tèn·si·fi·cá·tion** *n.* 잠상 보력

*__la·tent__ [léitnt] *a.* **1** 숨어 있는, 보이지 않는, 잠재적인: ~ ability 잠재력 **2** 〖의학〗 잠복성의; 〖생물〗 잠복[휴면]의; 〖심리〗 잠재성의 **~·ly** *ad.*
▷ látency *n.*

látent ambigúity 〖법〗 잠재적 다의성(多義性), 잠재적 의미 불확정 《무언(文言) 자체의 뜻은 명확하나 어느 특정한 사실 관계에 적용될 경우 그 뜻이 확정 불능한 일》

látent demánd 〖경제〗 잠재 수요

látent héat 〖물리〗 잠열(潛熱)

látent ímage 〖사진〗 잠상(潛像) 《현상 전의 눈에 보이지 않는 상》

látent léarning 〖심리〗 잠재 학습

látent pèriod 1 〖의학〗 (병의) 잠복기 **2** 〖생물·심리〗 잠복기 《자극과 반응 간의 시간》

látent púrchasing pòwer 〖경제〗 잠재 구매력

látent róot 〖수학〗 (행렬의) 고윳값

látent unemplóyment 〖경제〗 잠재적 실업

late-on·set [léitɑ́nset | -ɔ́n-] *a.* 〖의학〗 늦게 발생하는, 후발성의, 고령에 발생하는

‡**lat·er** [léitər] [LATE의 비교급] *a.* 더 늦은, 더 뒤의; 더 최근의: at a ~ date 후일에
— *ad.* 뒤에, 나중에(afterward(s))
~ on 나중에 ***not*** [***no***] ***~ than...*** …까지는, …에는 (이미) ***See you ~.*** 안녕히 가세요, 또 만나요. ***sooner or ~*** 조만간

*__lat·er·al__ [lǽtərəl] *a.* **1** 옆의, 옆으로의, 옆으로부터의; 측면의(cf. LONGITUDINAL), 바깥(쪽)의 **2** (가계가) 방계(傍系)인; 〖식물〗 측생(側生)의: a ~ branch (친족의) 방계; 옆가지 **3** 〖음성〗 측음(側音)의: a ~ consonant 측음 《[l]》
— *n.* **1** 옆쪽; 옆쪽에 있는 것, 측면에서 나는 것 **2** 〖식물〗 곁순, 곁가지 **3** 〖음성〗 측음 **~·ly** *ad.*

lat·er·al·i·ty [læ̀tərǽləti] *n.* 좌우 차(左右差), 편측성(偏側性) 《대뇌·손 등 좌우 한 쌍 기관의 기능 분화》

lat·er·al·ize [lǽtərəlàiz] *vt.* [보통 수동형으로] 〈기능을〉 좌뇌(左腦)·우뇌 한쪽이 지배하다

láteral líne 〖어류〗 측선(側線)

láteral páss 〖미식축구〗 래터럴[측면] 패스 《골라인과 거의 평행인 패스》

láteral thínking 수평 사고 《상식·기성 관념에 근거를 두지 않는 사고 방식》

Lat·er·an [lǽtərən] *n.* [the ~] **1** 라테란 궁전 (= ~ **Pálace**) 《원래 로마 교황의 궁전; 지금은 미술관》 **2** 라테란 대성당 《가톨릭교회의 총본산》

Láteran Cóuncil 〖가톨릭〗 라테란 공회의(公會議)

lat·er-day [léitərdéi] *a.* = LATTER-DAY

lat·er·ite [lǽtəràit] *n.* Ⓤ 〖지질〗 라테라이트, 홍토(紅土) **lat·er·it·ic** [læ̀tərítik] *a.*

lat·er·i·za·tion [læ̀tərizéiʃən | -rai-] *n.* 〖지질〗 라테라이트화 (작용)

‡**lat·est** [léitist] *a.* **1** Ⓐ [보통 the ~, one's ~] 최신의, 최근의: ~ fashions 최신 유행 / *the* ~ thing 신기한 것, 최신 발명품 **2** 가장 늦은, 맨 뒤의, 최후의 (⇨ last[1] 유의어): the ~ arrival 마지막 도착자
— *ad.* 가장 늦게: He arrived (the) ~. 그는 제일 늦게 도착했다.
— *n.* [the ~] **1** 최신 유행품 **2** 최신 뉴스
at (***the***) ***~*** 늦어도 ***That's the ~.*** 《영·구어》 (비난·비웃음 등을 나타내어) 그거 참 놀랍군.

láte wòod 추재(秋材)(summerwood)

la·tex [léiteks] *n.* (*pl.* **lat·i·ces** [lǽtəsìːz], **~·es**) ⓊⒸ **1** 〖식물〗 (고무나무 등의) 유액(乳液) **2** 〖화학〗 라텍스 《탄성 고무》

thesaurus **latent** *a.* dormant, inactive, hidden, unrevealed, concealed, invisible, undeveloped, potential (opp. *active, operative, developed*)

lath [lǽθ, lɑ́:θ | lɑ́:θ] *n.* (*pl.* **~s** [lǽðz, lǽθs | lɑ́:θs, lɑ́:ðz]) **1** 〖건축〗 외(椳), 욋가지 《지붕·벽 속에 엮는 나무》, 잡장(雜杖) **2** 외(椳) 비슷한 것; 얇은 나무쪽 **3** 마른 사람 (*as*) *thin as a* ~ 말라빠져서 *~-and-plaster shed* 오막살이집 ~ *painted to look like iron* 허세를 부리는 겁쟁이
—*vt.* 〈천장·벽 등에〉 욋가지 엮음을 대다

lathe [léið] 〖기계〗 *n.* 선반(旋盤)(=turning ~)
—*vt.* 선반에 걸다

láthe dòg 〖기계〗 (선반의) 돌림쇠

lath·er[1] [lǽðər | lɑ́:-] *n.* **1** 비누 거품 **2** (말의) 거품 땀 (*all*) *in a* ~ 땀에 함빡 젖어서; (구어) 흥분하여 *get into a* ~ =*work* one*self* (*up*) *into a* ~ (구어) (쓸데없이) 걱정하다, 화내다
—*vt.* **1** (면도하기 위해) …에 비누 거품을 칠하다 **2** (구어) 후려갈기다 **3** (구어) 〈사람을〉 흥분시키다
—*vi.* **1** 〈비누가〉 거품이 일다 《*up*》 **2** 〈말이〉 땀투성이가 되다, 비지땀을 흘리다

lather[2] *n.* 외[잡장]를 만드는 사람

lath·er·y [lǽðəri | lɑ́:-] *a.* **1** 비누 거품의[같은]; 거품이 인, 거품투성이의 **2** 공허한

la·thi [lɑ́:ti] [Hindi] *n.* 나무[대나무] 곤봉

lath·ing [lǽθiŋ, lɑ́:θ- | lɑ́:θ-], **lath·work** [-wə̀:rk] *n.* Ⓤ **1** 외 엮기 **2** [집합적] 외(laths)

lath·y [lǽθi, lɑ́:θi | lɑ́:θi] *a.* (**lath·i·er**; **-i·est**) 외 같은; 말라빠진; 가늘고 긴

la·ti·ces [lǽtəsì:z] *n.* LATEX의 복수

la·tic·i·fer [leitísəfər] *n.* 〖식물〗 유액(latex)을 함유하는 식물 세포[도관(導管)]

lat·i·cif·er·ous [læ̀təsífərəs] *a.* 〖식물〗 유액(latex)을 분비[함유]하는

lat·i·fun·dism [læ̀təfʌ́ndizm] *n.* Ⓤ 대토지(大土地) 소유 **-dist** *n.* 대토지 소유자

lat·i·fun·di·um [læ̀təfʌ́ndiəm] *n.* (*pl.* **-di·a** [-diə]) 〖로마사〗 (지주가 노예를 써서 경영한) 광대한 소유지

lat·i·me·ri·a [læ̀təmíəriə] *n.* 〖어류〗 라티메리아 《화석어》

‡**Lat·in** [lǽtən] *a.* **1** 라틴 어의 **2** 라틴의, 라티움(Latium)의 **3** 라틴 사람의; 라틴계의: ~ peoples [races] 라틴 민족 《프랑스·스페인·포르투갈·이탈리아·루마니아의 여러 민족》 **4** (로마) 가톨릭(교회)의
—*n.* **1** 라틴계 사람, 라틴 사람; 고대 로마 사람 **2** Ⓤ 라틴 어 《略 L》 **3** (그리스 정교회 교도와 구별하여) (로마) 가톨릭 교도
Classical ~ 고전 라틴 어 《대략 75 B.C.-A.D. 175》 *Late* ~ 후기 라틴 어 《대략 175-600년 사이의 문학 용어》 *Low* [*Vulgar, Popular*] ~ 저속[속용] 라틴 어 《Late Latin과 같은 시대의 민간 용어》 *Medieval* [*Middle*] ~ 중세 라틴 어 《대략 600-1500년 사이》 *Modern* ~ 근대 라틴 어 《1500년 이후》 *Monks'* [*dog*] ~ 중세의 변칙 라틴 어 *Old* ~ 고대 라틴 어 《75 B.C. 이전》 *thieves'* ~ 도둑들의 은어
▷ Látinize *v.*; Latínity, Látium *n.*

La·ti·na [lətí:nə] *n.* 라틴 아메리카계(系)의 미국인 여성

Látin álphabet [the ~] 로마자

***Látin América** 라틴 아메리카 《스페인 어·포르투갈 어를 쓰는 중남미 나라들의 총칭》

Lat·in-A·mer·i·can [lǽtənəmérikən] *a.* 라틴 아메리카(사람)의

Látin Américan Frée Tráde Associàtion 중남미 자유 무역 연합 《1961년 발족; 略 LAFTA; 1981년 LAIA로 개편》

Lat·in·ate [lǽtənèit] *a.* **1** 라틴 어의 **2** 라틴 어에서 파생된; 라틴 어와 유사한

Látin Chúrch [the ~] 라틴식 전례(典禮)의 교회, 로마 가톨릭교회

Látin cróss 라틴 십자가 《세로대의 밑쪽이 긴; ✝》

La·ti·ne [lǽtin] [L =in Latin] *ad.* 라틴 어로 (말하면)

Lat·in·ism [lǽtənìzm] *n.* ⓊⒸ 라틴 어투[어법] **-ist** *n.* 라틴 어 학자

la·tin·i·ty [lətínəti] *n.* [종종 **L~**] Ⓤ 라틴 어 사용; 라틴 어투[어법]

lat·in·ize [lǽtənàiz] *vt.* [종종 **L~**] **1** 라틴 어투로 하다; 라틴(어)화하다; 라틴 어로 번역하다 **2** 고대 로마식으로 하다 **3** 로마 가톨릭식으로 하다 —*vi.* 라틴 어법을 쓰다 **lat·in·i·za·tion** [læ̀tənizéiʃən | -nai-] *n.*

Látin lóver (속어) 라틴 러버 《정열적이고 낭만적인 라틴 아메리카·유럽 지중해 연안 출신의 남자》

La·ti·no [lətí:nou, læ-] *n.* (*pl.* **~s**) (미) 라틴 아메리카 사람

Látin Quàrter [the ~] (파리의) 라틴구(區) 《학생·예술가가 많이 사는 구역》

Látin Ríte 라틴식 전례(典禮)

Látin róck 〖음악〗 라틴 록 《중남미 음악과 록과 재즈가 섞인 음악》

Látin schòol 라틴 어 학교 《라틴 어와 그리스 어 교육을 주목적으로 하는 중등 학교》

Látin squàre 〖수학〗 라틴 방진(方陣) 《n 종류의 기호[숫자 《등》]를 n×n의 정사각형으로 중복되지 않게 배열한 것》

lat·ish [léitiʃ] *a., ad.* 좀 늦은[늦게]; 느지막한[하게]

‡**lat·i·tude** [lǽtətjù:d | -tjù:d] [L 「폭, 넓이」의 뜻에서] *n.* **1** Ⓤ 〖지리〗 위도 《略 lat.; cf. LONGITUDE》: the north[south] ~ 북[남]위 **2** [보통 *pl.*] (위도상으로 본) 지방, 지대: cold ~*s* 한대 지방 / high ~*s* 극[고위도] 지방 / low ~*s* 적도[저위도] 지방 / This island lies at a ~ of ten degrees north. 이 섬은 북위 10도에 위치한다. **3** Ⓤ (견해·사상·행동 등의) 허용 범위[폭], 자유 **4** (드물게) 범위, 정도(程度) **5** (고어) 폭, 넓이(breadth) **6** 〖사진〗 (노출) 허용도 **7** 〖천문〗 황위(黃緯)(=celestial ~)
out of one*'s* ~ 분수[격, 본질]에 맞지 않게
▷ latitúdinal, latitudinárian *a.*

lat·i·tu·di·nal [læ̀tətjú:dnl | -tjú:-] *a.* 위도의 **~·ly** *ad.* 위도로 말하여[보아서]

lat·i·tu·di·nar·i·an [læ̀tətjù:dənέəriən | -tjù:-] *a.* **1** 〈사상·행동 등이〉 관용적인, 자유주의의 **2** 〖그리스도교〗 교의에 사로잡히지 않는, 광교파(廣敎派)의
—*n.* **1** 자유주의자 **2** 〖그리스도교〗 광교파의 사람 **~·ism** *n.* Ⓤ 자유주의; 광교주의

La·ti·um [léiʃiəm] *n.* 라티움 《지금의 로마 동남쪽에 있던 고대 국가》

lat·o·sol [lǽtəsɔ̀:l, -sɑ̀l | -sɔ̀l] *n.* 라토졸 《열대에서 생성되는 적황색 토양》

la·tri·a [lətráiə] *n.* 〖가톨릭〗 하느님에게만 바치는 최고의 예배

la·trine [lətrí:n] *n.* (수도가 없는) 변소 《특히 병사(兵舍)·병원·공장 등의》

latríne rùmor (속어) (변소에서의 잡담에서 퍼지는) 헛소문

latríne wìreless [the ~] (속어) 변소에서 소문을 주고받기[정보 교환]

-latry [lətri] 《연결형》 「숭배」의 뜻: mono*latry*, helio*latry*, bardo*latry*

lat·te [lǽtei, lɑ́:tei] *n.* 뜨거운[증기를 쐰] 우유를 탄 에스프레소(espresso) 커피

lat·ten, lat·tin [lǽtn] *n.* **1** (교회용 기구로 많이 쓰던) 황동(黃銅) 합금판 **2** 합석판, 《일반적으로》 얇은 금속판

‡**lat·ter** [lǽtər] [late의 비교급] *a.* Ⓐ **1** [the ~] **a** (시간적으로) 나중 쪽의, 뒤쪽의, 후반의, 마지막의, 끝의: *the* ~ half 후반부 / *the* ~ 10 days of May 5월 하순 **b** 요즈음의, 작금의, 최근의(recent) **2** [the ~] **a** (둘 중의) 후자의; (셋 이상 중의) 맨 나중의: I prefer *the* ~ proposition. (둘 중) 뒤의 제안이 더 좋

---

later *a.* after, subsequent, next, following, succeeding, successive, sequential
latest *ad.* newest, up-to-date, current, modern

다. / I prefer *the* ~ picture to the former. 전자의 그림보다 후자의 그림이 좋다. **b** [대명사적으로 써서] 후자(opp. *the former*): Of the two, the former is better than *the* ~. 양자 중 전자가 후자보다 좋다. **3** 《고어》 최후의, 임종의 ***in these ~ days*** 근래에는, 요즘에는 one***'s ~ end*** 죽음
▷ látterly *ad.*

lat·ter-day [lǽtərdèi] *a.* Ⓐ 《고어》 근대의, 현대의, 당세(當世)의

Látter-day Sáint 말일 성도(末日聖徒) 《모르몬 교도의 정식 호칭》

lat·ter·ly [lǽtərli] *ad.* **1** 요즈음에, 근래에, 최근에(lately) **2** 후기[말기]에

lat·ter·most [lǽtərmòust, -məst] *a.* 최후의

lat·ter-wit [lǽtərwìt] *n.* 뒷생각 《기회를 놓친 다음에 일어나는 생각》

*__lat·tice__ [lǽtis] *n.* **1** 격자(格子); 격자 모양의 것 **2** 격자창(= **~ wìndow**); 격자문(= **~ dòor**[**gàte**]) **3** = LATTICEWORK **4** (문장(紋章)의) 격자 모양의 무늬
— *vt.* …에 격자를 붙이다; 격자 모양으로 하다 **~·like** *a.*

lattice 1

lat·ticed [lǽtist] *a.* 격자로 한, 격자를 단

láttice gìrder[**fràme, bèam**] 〖건축〗 래티스보, 격자 들보

lat·tice·work [lǽtiswə̀ːrk] *n.* Ⓤ **1** 격자 세공 **2** [집합적] 격자

lat·tic·ing [lǽtəsiŋ] *n.* Ⓤ 격자 만들기[세공]

Lat·vi·a [lǽtviə, lɑ́ːt- | lǽt-] *n.* 라트비아 《발트 해 연안의 공화국; 1991년 구소련으로부터 독립; 수도 Riga》

Lat·vi·an [lǽtviən, lɑ́ːt- | lǽt-] *a.* 라트비아(사람·말)의 — *n.* **1** 라트비아 사람 **2** Ⓤ 라트비아 말

lau·an [lúːɑːn, ─ˊ, lauɑ́ːn] *n.* 〖식물〗 나왕; Ⓤ 나왕 목재 《필리핀 원산》

laud [lɔ́ːd] *vt.* 칭송하다(praise), 찬미[찬양]하다
— *n.* **1** Ⓤ 칭찬, 찬미, 《특히》 찬송가 **2** [*pl.*] (교회의) 아침 기도; (수도원의) 새벽 기도 《주로 성가를 부름》 **~·er** *n.* 찬미자

laud·a·ble [lɔ́ːdəbl] *a.* **1** 칭찬할 만한, 훌륭한, 갸륵한 **2** 《폐어》 〖의학〗 건전한 **làud·a·bíl·i·ty** *n.* **~·ness** *n.* **-bly** *ad.*

lau·da·num [lɔ́ːdənəm | lɔ́d-] *n.* Ⓤ 아편 팅크; 《일반적으로》 아편제(劑)

lau·da·tion [lɔːdéiʃən] *n.* Ⓤ 칭찬, 찬미

lau·da·tive [lɔ́ːdətiv] *a.* = LAUDATORY

lau·da·tor [lɔ́ːdeitər] *n.* 찬미자

lau·da·to·ry [lɔ́ːdətɔ̀ːri | -təri] *a.* 《문어》 칭찬[찬미]의, 기리는

‡**laugh** [lǽf, lɑ́ːf | lɑ́ːf] *vi.* **1** (소리 내어) 웃다: ~ silently to oneself 혼자 몰래 (속으로) 웃다 / He ~*s* best who ~*s* last. = He who ~*s* last ~*s* longest. 《속담》 최후에 웃는 자가 제일 잘 웃는다. 너무 성급히 웃지[기뻐하지] 마라.

> 유의어 **laugh** 「웃다」의 가장 일반적인 말로서, 「소리 내어 웃다」는 뜻이다: *laugh* heartily 실컷 웃다 **smile** 소리를 내지 않고 얼굴의 표정만으로 웃다: *smile* sweetly 생긋 웃다 **grin** smile보다 입을 크게 벌려 이를 드러내고 소리는 내지 않고 얼굴만으로 웃다: *grin* with pleasure 즐거워서 입을 벌리고 웃다 **chuckle** 「입을 벌리지 않고 낮은 소리로 만족한 듯 조용히 웃다」의 뜻으로서 종종 혼자 웃을 때 등을 말한다: *chuckle* while reading 읽으면서 혼자 킬킬 웃다 **giggle** 아이나 젊은 여인 등이 킥킥 웃다: Girls were *giggling* among themselves. 소녀들은 그들끼리 킥킥 웃고 있었다.

2 재미있어[만족스러워]하다, 흥겨워하다 **3** 〈물·경치·곡식 등이〉 미소 짓다, 생기가 넘치다: a stream ~*ing* in the sun 햇빛을 받으며 졸졸 흐르는 시냇물
— *vt.* **1** 웃으며 …을 나타내다: He ~*ed* assent. 그는 웃으며 승낙했다. // (~+목+부) ~ *out* a loud applause 폭소를 터뜨려 갈채하다 **2** …할 만큼 웃다; 〈남을〉 웃겨서 …하게 하다: (~+목+전+명) ~ one*self into* convulsions[*to* death] 배꼽이 빠지도록[숨이 넘어갈 만큼] 웃다 / ~ a child *into* a better humor 아이를 웃겨서 기분을 돌리게 하다 / They ~*ed* him *out of* his worry. 그들은 웃겨서 그가 근심을 떨쳐 버리도록 했다. // (~+목+보) ~ one*self* helpless 그칠 줄 모르고 웃다 **3** [동족 목적어를 동반하여] …한 웃음을 웃다: He ~*ed* a long, bitter *laugh.* 그는 긴 쓴웃음을 웃었다.

~ at (1) …을 보고[듣고] 웃다, 우스워하다 (2) …을 비웃다, 냉소하다: He ~*ed at* me[my proposal]. 그는 나를 비웃었다[내 제안을 일소에 부쳤다]. (3) 〈곤란·위험·위협 등을〉 아랑곳하지 않다, 무시하다 ***~ away*** (1) 일소에 부치다; 웃으며 넘기다[지내다] (2) 계속하여 웃다 ***~ down*** 웃어 대어 안 들리게[말 못하게] 하다 ***~ in*** a person***'s face*** 맞대 놓고 조소하다 ***~ in*** [***up***] one***'s sleeve*** 속으로 웃다[좋아하다] ***~ off*** 웃어넘기다, 일소에 부치다 ***~ on the wrong*** [***other***] ***side of*** one***'s face*** [(미) ***mouth***] 웃는가 했더니 갑자기 울상이 되다, 득의 양양했다가 갑자기 풀이 죽다 ***~ out*** 껄껄 웃다, 폭소하다 ***~*** a person ***out of*** 남의 …을 웃어서[비웃어서] 그만두게[버리게, 잊게] 하다 ***~ out of court*** 웃어 버리고 문제삼지 않다 ***~ over*** …을 생각하고[읽으며] 웃다, 웃으며 …을 논의하다 ***~*** one***'s head off*** 폭소하다, 포복절도하다; (남의 일을 가지고) 몹시 웃어 대다 ***~*** a person ***to scorn*** …을 비웃다, 냉소하다 ***not know whether to ~ or cry*** 웃어야 할지 울어야 할지 알 수 없다 ***you have to ~*** = ***you've got to ~*** 《구어》 (어떤 상황에서도) 밝은[좋은, 우스운] 면을 보다
— *n.* **1** 웃음; 웃음 소리; 웃는 투 **2** 웃음거리, 농담, 조소 **3** [*pl.*] 《구어》 기분 전환, 기분풀이: for ~*s* 재미로 ***burst*** [***break***] ***into a ~*** 웃음을 터뜨리다, 폭소하다 ***give a ~*** 웃음 소리를 내다 ***have a good*** [***hearty***] ***~*** 실컷 웃다, 대소하다 《*at, about, over*》 ***have the last ~*** 최후에 웃다, 결국은 승자가 되다 ***have*** [***get***] ***the ~ of*** [***on, at***] (1) …을 되웃어 주다 (2) …을 앞지르다; 형세를 역전시켜 이기다 ***have the ~ on*** one***'s side*** 〈먼저 웃음거리가 된 사람이〉 이번엔 웃을 차례가 되다; 이번에는 우위에 서다 ***join in the ~*** 〈놀림을 받던 사람이〉 다른 사람들과 함께 웃다 ***raise a ~*** 실소(失笑)하게 하다, 웃기다
▷ láughter *n.*

laugh·a·ble [lǽfəbl, lɑ́ːf- | lɑ́ːf-] *a.* **1** 우스운, 재미있는 **2** 우스꽝스러운, 어처구니없는 **~·ness** *n.* **-bly** *ad.*

laugh·er [lǽfər, lɑ́ːf- | lɑ́ːf-] *n.* **1** 웃는 사람 **2** 《미·구어》 일방적인 경기

laugh-in [lǽfin, lɑ́ːf- | lɑ́ːf-] *n.* 웃음거리; 코미디 프로; 웃으며 항의하는 데모

*__laugh·ing__ [lǽfiŋ, lɑ́ːf- | lɑ́ːf-] *a.* **1** 웃는, 웃는 듯한; 즐거운 듯한, 명랑한 **2** 웃을 만한, 우스운: It is no ~ matter. 웃을 일이 아니다
— *n.* Ⓤ 웃음(laughter)(cf. SMILE): hold one's ~ 웃음을 참다 ***burst out ~*** 폭소하다

láughing acádemy 《속어》 정신 병원

láughing gàs 〖화학〗 소기(笑氣) 《nitrous oxide (아산화질소)의 속칭》

láughing gúll 〖조류〗 **1** 붉은부리갈매기 **2** 웃는갈매기 《울음소리가 웃음소리 같은 북미산 갈매기》

láughing hyéna 〖동물〗 점박이하이에나 《짖는 소리가 악마의 웃음소리로 비유됨》

thesaurus **launch¹** *v.* **1** 진수시키다 float, set afloat **2** 착수하다 begin, start, commence, initiate,

láughing jáckass 〘조류〙 =KOOKABURRA

laugh·ing·ly [lǽfiŋli, lɑ́:f-|lɑ́:f-] *ad.* **1** 웃으며, 즐거운 듯이: He ~ agreed. 그는 웃으며 동의했다. **2** 우스개로, 실소하며 《★ 어울리지 않은 것을 칭하는 말》: I finally reached what we ~ call civilization. 나는 마침내 우리가 우스개로 문명이라 부르는 곳에 이르렀다.

Láughing Philósopher [the ~] 웃는 철인(哲人) (Democritus의 별명)

láughing sóup[**wáter, júice**] 《속어》 술, 샴페인

laugh·ing·stock [lǽfiŋstɑ̀k|lɑ́:fiŋstɔ̀k] *n.* 웃음거리, 조소의 대상

láugh lìne **1** (웃을 때 생기는) 눈가의 주름 **2** (짧은) 웃기는 말[대사]

laugh·mak·er [lǽfmèikər|lɑ́:f-] *n.* 《구어》 희극 작가[탤런트], 코미디언

laugh-out-loud [-àutláud] *a.* Ⓐ 《속어》 매우 웃기는 (略 LOL)

‡**laugh·ter** [lǽftər, lɑ́:f-|lɑ́:f-] *n.* Ⓤ 웃음; 웃음소리 ★ laugh보다 오래 계속되는 것으로, 웃는 행위와 소리에 중점을 두는 말: roars[peals] of ~ 큰 웃음 / *L*~ is the best medicine. 《속담》 웃음이 최고의 명약이다. ***burst***[***break out***] ***into*** (***fits of***) ~ 폭소하다, 웃음을 터뜨리다 ***roar with*** ~ 폭소하다

láugh tràck 〘방송〙 관객의 웃음소리의 녹음 테이프

launce [lǽns, lɑ́:ns|lɑ́:ns] *n.* =SAND LANCE

Laun·ce·lot [lǽnsələt, -lɑ̀t, lɑ́:n-|lɑ́:nslət] *n.* 남자 이름

‡**launch**[1] [lɔ́:ntʃ, lɑ́:ntʃ|lɔ́:ntʃ] *v., n.*

> OF 「창을 던지다」의 뜻으로 lance와 같은 어원. 「(창 등을) 던지다」, 「발사하다」 → (힘차게 내보내다) → 「진수시키다」 → 「(일을) 새로 시작하다」

— *vt.* **1** 〈새로 만든 배를〉 **진수(進水)시키다,** 〈보트 등을〉 물에 띄우다, 발진(發進)시키다: a ~*ing* ceremony 진수식 **2** 〈사람을〉 (세상 등에) **내보내다,** 나서게 하다, 진출시키다 (*into, in, on*): (~+목+전+명) ~ a person *in* business by lending him money …에게 돈을 대어 사업에 나서게 하다 **3** 〈기업·계획 등에〉 착수하다, 시작하다, 일으키다(begin); 〈신제품·상품 등을〉 시장에 내다; 〈책을〉 출판하다: ~ a scheme[an enterprise] 계획[기업]에 착수하다 **4** 〈화살·창 등을〉 쏘다, 던지다; 〈어뢰·유도탄·로켓 등을〉 발사하다, 쏘아 올리다(send forth); 〈비행기 등을〉 날려 보내다 **5** 〈타격·공격을〉 가하다; 〈욕설·비난 등을〉 퍼붓다; 〈명령을〉 내리다; 〘컴퓨터〙 〈응용 프로그램을〉 시작하다: (~+목+전+명) ~ threats[an invective] *against* a person 남을 위협하다[남에게 독설을 퍼붓다] **6** 〘야구〙 〈공을〉 (…으로) 날리다 (*into*)

— *vi.* **1** 날아오르다, 발진하다, 발사되다 (*out, forth*); 《고어》 진수하다 **2** (바다·사업 등에) 나서다, 착수하다, 진출하다 (*out, forth; on, into*); (위세 당당하게) 시작하다 (*into*): (~+전+명) ~ *into* politics 정계에 진출하다 // (~(+부)+전+명) ~ *out on* a voyage 항해에 나서다 **3** 돈을 헤프게 쓰다 (*out*) ~ (***out***) ***into*** …에 나서다, …을 시작하다

— *n.* **1** [보통 the ~] (배의) 진수; (미사일·로켓·우주선 등의) 발진, 발사 **2** 〘조선〙 진수대 **~·a·ble** *a.*

launch[2] *n.* **1** 론치 《함선에 싣는 대형 보트》 **2** 론치, 기정(汽艇) 《유람용 등》

láunch còmplex (인공 위성·우주선 등의) 발사 시설

láunch contròl cènter 발사 관제 센터

launch·er [lɔ́:ntʃər, lɑ́:n-|lɔ́:n-] *n.* 〘군사〙 **1** 발사통[대, 기, 장치] **2** 함재기 발사기

láunch·ing pàd [lɔ́:ntʃiŋ-, lɑ́:n-|lɔ́:n-] (미사일·로켓 등의) 발사대

láunching sìte (미사일·로켓·우주선 등의) 발사 기지

---

inaugurate, establish, set up, introduce **3** 쏘다 fire, discharge, propel, throw, cast

láunching wàys 〘조선〙 진수대

láunch pàd =LAUNCHING PAD

láunch vèhicle (미사일·인공위성·우주선 등의) 발사용 로켓

láunch wìndow **1** (로켓·우주선 등의) 발사 가능 시간대(帶) 《목표 도달 등을 위한》 **2** 《구어》 (사업 착수의) 호기

laun·der [lɔ́:ndər, lɑ́:n-|lɔ́:n-] [L 「씻다, 빨다」의 뜻에서] *vt.* **1** 세탁하다; 빨아 다리미질하다 **2** …의 때를 벗기다; …의 결점을 없애다; 정화하다; 검열하다 **3** 〘정치〙 〈불법적인 돈을〉 (외국 은행·제3자에게 이동시켜) 출처를 위장하다, 합법화하다, 돈세탁하다

— *vi.* **1** 세탁하다 **2** [부사를 수반하여] 세탁이 되다, 세탁에 견디다: (~+부) These socks ~ *well.* 이 양말은 세탁이 잘 된다. **~·er** *n.* 세탁자; 세탁소

laun·der·ette [lɔ̀:ndərét, lɑ̀:n-, ⌐⌐⌐|lɔ̀:ndərét] *n.* 셀프서비스식 세탁소 《동전을 넣고 사용하는》

laun·dress [lɔ́:ndris, lɑ́:n-|lɔ́:n-] *n.* 세탁부(婦)

Laun·dro·mat [lɔ́:ndrəmæ̀t, lɑ́:n-|lɔ́:n-] [*laundry*+auto*matic*] *n.* 《미》 **1** (동전을 넣고 사용하는) 자동 세탁기·건조기 《상표명》 **2** [**l~**] 빨래방 (launderette; coin laundry)

‡**laun·dry** [lɔ́:ndri, lɑ́:n-|lɔ́:n-] *n.* (*pl.* **-dries**) **1** [the ~; 집합적] **세탁물** **2** **세탁장, 세탁소[실]** **3** (부정한 돈을) 합법적으로 은닉하는 장소 **4** 《미·군대속어》 비행 훈련을 평가하는 교관 회의 《생도를 wash out(불합격시키다) 할 수 있는 데서》 ***hang out the*** ~ 《군대속어》 낙하산 부대를 강하시키다

láundry bàsket 빨래 광주리

láundry lìst **1** 세탁물 기입표 **2** 상세한 표

laun·dry·man [lɔ́:ndrimən, lɑ́:n-] *n.* (*pl.* **-men** [-mən]) 세탁업자; 세탁소 종업원

láundry ròom (가정의) 세탁실

laun·dry·wom·an [-wùmən] *n.* (*pl.* **-wom·en** [-wìmin]) =LAUNDRESS

lau·ra [lɑ́:vrə] *n.* 〘그리스정교〙 **1** 라우라, 독거(獨居) 수도원 **2** 라우라 《현대의 대수도원》

Lau·ra [lɔ́:rə] *n.* 여자 이름

Laur·a·sia [lɔ:réiʒə, -ʃə] *n.* 〘지질〙 로라시아 대륙 《유럽·북아메리카·아시아를 포함한 북반구의 가상적인 대륙》(cf. GONDWANA)

*****lau·re·ate** [lɔ́:riət, lɑ́r-|lɔ́:r-] *a.* **1** (명예의 상징인) **월계관을 쓴[받은];** 월계수로 만든 **2** [종종 명사 뒤에 두어] 〈시인이〉 명예[영관(榮冠)]를 받은

— *n.* **1** 영관을 받은 사람, 수상자: a Nobel prize ~ 노벨상 수상자 **2** 계관(桂冠) 시인(=poet ~)

— [-rièit] *vt.* 명예를[영관을] 주다; 계관 시인으로 임명하다 **~·shìp** *n.* Ⓤ 계관 시인의 지위[직]

lau·re·a·tion [lɔ̀:riéiʃən, lɑ̀r-|lɔ̀:r-] *n.* 계관 수여; 계관 시인의 임명; 《고어》 (대학의) 학위 수여

‡**lau·rel** [lɔ́:rəl, lɑ́r-|lɔ́r-] *n.* **1** 〘식물〙 **월계수** (bay); 《미》 서양만병초 **2** (승리의 표시로서의) 월계수 잎[가지], **월계관**(=~ wreath) **3** [*pl.*] 명예, 영관(榮冠); 승리 ***look to*** one***'s*** **~*s*** 명예를 잃지 않도록 조심하다 ***rest on*** one***'s*** **~*s*** 이미 얻은 명예에 만족하다 《더 이상의 노력을 하지 않다》 ***win***[***gain, reap***] **~*s*** 명예를 얻다, 찬양을 받다

— *vt.* (**~ed**; **~·ing**|**~led**; **~·ling**) …에게 월계관을 씌우다; …에게 명예를 주다 **láu·reled** *a.*

láurel wàter 계엽수(桂葉水) 《진통제로 쓰임》

láurel wrèath 월계관

Lau·rence [lɔ́:rəns, lɑ́r-|lɔ́r-] *n.* 남자 이름 (Lawrence의 별칭)

Lau·ret·ta [lərétə, lɔ:-|lɔ:-] *n.* 여자 이름 (Laura의 애칭)

láu·ric ácid [lɔ́:rik-, lɑ́r-|lɔ́:r-] 〘화학〙 라우르산(酸)

Lau·rie [lɔ́:ri] *n.* **1** 남자 이름 《Laurence, Lawrence의 애칭》 **2** 여자 이름 《Laura의 애칭》

lau·rus·ti·nus [lɔ̀:rəstáinəs, lɑ̀r-|lɔ̀r-] *n.* 〘식물〙 (남유럽산) 인동과(科)의 상록 관목

Lau·sanne [louzǽn] *n.* 로잔 《스위스 서부의 레만 호반의 도시》
laus De·o [lɔ́:s-dí:ou] [L =praise God] 하느님을 찬양하라, 하느님께 영광 있으라
lav [lǽv] *n.* 《영·구어》 =LAVATORY
lav. lavatory
***la·va** [lɑ́:və, lǽvə | lɑ́:və] [L 「씻다」의 뜻에서] *n.* Ⓤ (유동 상태의) **용암**; (응고한) 용암, 화산암: a ~ bed[field] 용암층[원(原)] **~·like** *a.*
la·va·bo [ləvéibou, -vɑ́:- | -véi-] *n.* (*pl.* ~(e)s) 【가톨릭】 **1** [종종 **L~**] 세수식(洗手式) 《미사 때 사제가 손을 씻는 의식》 **2** 세수식용의 수건; 손 씻는 대야
la·vage [ləvɑ́:ʒ, lǽvidʒ | lævɑ́:ʒ] *n.* UC 【의학】 (위·장 등의) 세척
láva làmp 라바 램프 《반고체 상태의 물질이 계속 위아래로 움직이는 전기 스탠드의 일종》
la·va·la·va [lɑ̀:vəlɑ́:və] *n.* 라발라바 《폴리네시아에서 입는 허리 두르개》
lav·a·liere, la·val·lière [lævəlíər, lɑ̀:v-] [F] *n.* **1** 목걸이 《보석이 박힌》 **2** (의복에 부착하는) 소형 마이크(=~ **micròphone**)
la·va·tion [leivéiʃən, lə- | læ-] *n.* Ⓤ 씻기, 세정(washing); 세정수
lav·a·to·ri·al [lævətɔ́:riəl] *a.* 화장실의, 공중화장실 같은; 〈유머·조크 등이〉 상스러운
***lav·a·to·ry** [lǽvətɔ̀:ri | -təri] [L 「씻다」의 뜻에서] *n.* (*pl.* **-ries**) **1 a** 세면장, 화장실 **b** (완곡) 변소 **c** 《영》 수세식 변기 **2** 《미》 (벽에 고정시킨) 세면대
lávatory páper =TOILET PAPER
lave[1] [léiv] *vt.* 《시어》 **1** 씻다, 물에 담그다 **2** 〈시내가〉 〈기슭을〉 씻다 **3** 〈액체를〉 붓다, 따르다 **—** *vi.* 《고어》 미역을 감다(bathe) **~·ment** *n.* =LAVAGE
lave[2] *n.* 《스코》 나머지, 잔여
***lav·en·der** [lǽvəndər] *n.* Ⓤ **1** 【식물】 **a** 라벤더 《향기가 좋은 꿀풀과(科)의 관목》 **b** 라벤더의 꽃[줄기, 잎] 《좀약·향수용》 **2** 라벤더 색 《엷은 자주색》
lay (***up***) ***in*** ~ (훗날에 쓰기 위해) 소중히 보존하다
— *a.* 라벤더(꽃)의; 라벤더 색의
lávender òil 라벤더 기름 《향료·약용》
lávender wàter 라벤더수(水)[향수]
la·ver[1] [léivər] *n.* **1** 【성서】 (유대의 사제(司祭)가 손 발을 씻는 데 쓰던) 놋대야 **2** 《고어》 세례반(盤)
laver[2] *n.* UC 【식물】 파래, 바닷말
láver brèad 레이버브레드 《파래로 만드는 웨일스 지방의 빵 비슷한 식품》
lav·er·ock [lǽvərək, léivərək], **lav·rock** [lǽvrək] *n.* 《스코》 종다리(lark)
La·vin·i·a [ləvíniə] *n.* 여자 이름
***lav·ish** [lǽviʃ] [OF 「폭우, 호우」의 뜻에서] *a.* **1** 아끼지 않는, 후한(generous) 《*of, in*》: ~ *in* kindness 친절을 아끼지 않는 **2** 낭비벽이 있는, 헤픈, 사치스러운 **3** 풍부한, 충분한, 넉넉한(abundant); 너무 많은, 남아도는, 무절제한: ~ expenditure 낭비
— *vt.* **1** 아낌없이[후하게] 주다 《*on, upon*》: 《~+목+전+명》 ~ money *on*[*upon*] the poor 가난한 사람들에게 아낌없이 돈을 주다 **2** 낭비하다 《*on, upon*》: ~ one's money *on*[*upon*] one's pleasure 유흥[쾌락]에 돈을 물 쓰듯 하다
~·er *n.* **~·ly** *ad.* 함부로 **~·ment** *n.* **~·ness** *n.*
La·voi·sier [ləvwɑ́:ziei] *n.* 라부아지에 **Antoine Laurent** ~ (1743-94) 《프랑스의 화학자; 근대 화학의 선구자》
‡**law**[1] [lɔ́:] [ON 「놓인 것, 정해진 것」의 뜻에서] *n.* **1 a** CU (개개의) **법률**, 법규: by ~ 법으로, 법률적으로 / A bill becomes a ~ when it passes the Parliament. 법안은 국회를 통과하면 법률이 된다. / His word is ~. 그의 말은 법률이다. 《절대 복종을 요구하는》 / Necessity[Hunger] knows[has] no ~. 《속담》 필요[굶주림] 앞에 법률은 없다. **b** CU [the ~] 법 《법률·법규의 전체》: *the* ~ of the land 국법 / *the* written[unwritten] ~ 성문법[불문법] / Everybody is equal before *the* ~. 법 앞에서는 만인이 평등하다. **c** Ⓤ 법률학, 법학(jurisprudence) **d** [보통 the ~] 법률업, 변호사업, 변호사의 직, 법조계

> 유의어 **law** 「법, 법률」을 나타내는 가장 일반적인 말. 권력이 뒷받침되어 복종의 의무가 있음을 뜻한다: obey the *law* 법을 지키다 **rule** 질서·기능 등을 유지하기 위해 지켜야 할 법칙: the *rules* of the game 경기 규칙 **regulation** 지방 공공 단체 등이 정하는 조례: *regulations* affecting nuclear power plants 원자력 발전소에 영향을 미치는 규제

2 Ⓤ 법률적 수단[절차], 소송, 기소; 법정 **3** 계율(戒律), 율법: the ~*s* of God 하느님의 율법 / the new[old] ~ 【성서】 신약[구약] **4** Ⓤ 《영》 (성문율과 불문율을 포함하는) 보통법 **5** Ⓤ (과학·철학상의) 법칙, 정칙(定則), 정률, 원리(principle): the ~ of gravity 중력의 법칙 / the ~*s* of motion 운동의 법칙 **6** (기술·예술상의) 법, 원칙 《*of*》; (운동 경기의) 규칙, 규정(rules); 관례, 관습, 상례(usages) 《*of*》: the ~*s of* honor 예의범절 **7** [the ~; 단수·복수 취급] 《구어》 경관, 경찰, 법의 집행자: *The* ~ caught the bank robbers. 경찰이 은행 강도들을 체포했다. **8** Ⓤ (약한 경기자에게 주는) 선발(先發) 시간, 앞선 거리; 유예(猶豫)
be a ~ unto one***self*** 제 마음대로 하다, 관례를 무시하다 ***be at ~*** 소송[재판] 중이다 ***be bred to the ~*** 변호사로[재판관으로] 양성되다 ***be good*** [***bad***] ***~*** 법률에 맞다[안 맞다] ***be learned in the ~*** 법률에 조예가 깊다 ***by ~*** 법률적으로 ***contend at ~*** 법정에서 다투다 ***Doctor of L~s*** 법학 박사 《略 LL.D.》 ***follow the ~*** 법률을 업으로 삼고 있다, 변호사가 되다 ***give the ~ to*** …을 복종시키다 ***go to ~ with***[***against***] = ***have***[***take***] ***the ~ of***[***on***] …을 기소[고소]하다 ***~s of thought*** 논리적 추론의 원칙 ***lay down the ~*** 명령적[독단적]으로 말하다; 꾸짖다, 야단치다; 규칙 준수를 요구하다 ***moral ~*** 도덕률 ***practice ~*** 변호사업을 하다 ***private***[***public***] ***~*** 사법[공법] ***read***[***study, go in for***] ***~*** 법률을 공부하다 ***take the ~ into*** one***'s own hands*** (법률의 힘을 빌리지 않고) 임의로 제재를 가하다, 린치를 가하다 ***the ~ of action and reaction*** 【물리】 작용 반작용의 법칙 ***the ~ of arms*** 무인(武人)의 범절 ***the ~ of averages*** 【통계】 평균의 법칙 ***the ~ of conservation of energy*** 【물리】 에너지 보존의 법칙 ***the ~ of conservation of mass*** 【물리】 질량 보존의 법칙 ***the ~ of diminishing marginal utility*** 【경제】 한계 효용 체감의 법칙 ***the ~ of diminishing returns*** 【경제】 수확 체감의 법칙 ***the ~ of dominance*** 【생물】 우성[우열]의 법칙 ***the ~ of independent assortment*** 【생물】 독립 유전의 법칙 ***the ~ of large numbers*** 【통계】 대수(大數)의 법칙 ***the ~ of mass action*** 【화학】 질량 작용의 법칙 ***the ~ of averages*** 【통계】 평균의 법칙 ***the ~ of mortality*** 생자필멸의 법칙 ***the L~ of Moses*** 【성서】 모세의 율법 ***the ~ of nations*** 국제(공)법 ***the ~ of nature*** (1) 【철학】 자연 법칙 (2) 【법】 자연법(natural law) ***the ~ of parsimony*** 【철학】 절약의 법칙 ***the ~ of segregation*** 【생물】 분리의 법칙 ***the ~ of supply and demand*** 【경제】 수요 공급의 법칙 ***the ~ of the jungle*** 정글의 법칙 《강한 자만이 생존[획득]한다는 원칙》 ***the L~ of the Medes and Persians*** 【성서】 바꾸기 힘든 제도[습관] ***the ~ of*** (***universal***) ***gravitation*** 【물리】 만유인력의 법칙 ***the ~ of war*** 【국제법】 전쟁 법규
▷ láwful *a.*

thesaurus **lavish** *a.* **1** 후한 generous, liberal, bountiful, openhanded **2** 헤픈 extravagant, excessive, immoderate, wasteful, thriftless **3** 풍부한 copious, abundant, plentiful, prolific
lawful *a.* legal, legitimate, just, valid, permissi-

law² *int.* (방언) 이런, 야단났다 《Lord의 변형; 놀람을 나타냄》
law-a·bid·ing [lɔ́:əbàidiŋ] *a.* 준법(遵法)의, 법을 지키는: ~ people (법률을 잘 지키는) 양민
~·ness *n.*
láw and órder 법과 질서, 치안
law-and-or·der [lɔ́:ənd5ɔ́:rdər] *a.* 법과 질서를 지키게 하는[존중하는]; 준엄한
law·book [lɔ́:bùk] *n.* 법률서, 법률 관계 서적
law·break·er [lɔ́:brèikər] *n.* 법률 위반자, 범법[위법]자, 범죄자
law·break·ing [-brèikiŋ] *n., a.* 법률 위반(의)
láw cèntre (영) (무료) 법률 상담소
láw clèrk 법학생; 변호사·판사 등의 서기
***láw còurt** 법정(court of law)
Láw Còurts [the ~] (영) 왕립 재판소(the Royal Courts of Justice)
láw dày 지급 기일(期日); (법률로 규정된) 영업일; 법정 개정일
Láw Dày (미) 법의 날 《1958년에 시작; 매년 5월 1일》
láw enfòrcement 법의 집행: a ~ officer 법의 집행자; 경찰관
law-en·forc·er [lɔ́:infɔ̀:rsər] *n.* 법의 집행자, 경찰관
láw fírm (미) (대규모의) 법률[변호사] 사무소
‡law·ful [lɔ́:fəl] *a.* **1** 합법[적법]의, 법률이 인정하는

> 유의어 **lawful** 법률에 의해 허가·인가되어 있는, 법률에 위반되지 않는: a *lawful* enterprise 합법적인 기업 **legal** 법률에 의해 처리가 되어 있는, 법률에 관한: a *legal* holiday 법정 공휴일 **legitimate** 자격이나 권리 등이 법률·사회 통념 등에 의해 정당하다고 인정받고 있는: a *legitimate* claim 정당한 요구

2 법률상 유효한[자격 있는], 법정(法定)의; 법률을 준수하는 **3** 정당한, 타당한 **~·ly** *ad.* **~·ness** *n.*
láwful áge 법정 연령, 성년
láwful móney 법정 화폐, 법화(法貨)
law·giv·er [lɔ́:gìvər] *n.* 입법자; 법전 제정자
law·giv·ing [-gìviŋ] *n., a.* 입법(의), 법률 제정(의)
law-hand [-hæ̀nd] *n.* 공문서체, 법률 문서체
lawk(s) [lɔ́:k(s)] *int.* (영·속어) 이런, 젠장, 이크, 큰일 났군
***law·less** [lɔ́:lis] *a.* **1** 법률이 없는[실행되지 않는], 법률을 지키지 않는 **2** 비합법적인, 불법의 **3** 〈사람이〉 무법의, 무지막지하게 구는: a ~ man 무법자
~·ly *ad.* **~·ness** *n.*
Láw Lòrd (영) (상원의) 법관 의원[귀족] 《최고 사법 기관으로서의 상원에서 재판관으로 임명함; 종신 귀족의 신분》
law·mak·er [lɔ́:mèikər] *n.* 입법자, (입법부의) 의원, 국회의원
law·mak·ing [-mèikiŋ] *n.* Ⓤ, *a.* 입법(의)
law·man [-mən] *n.* (*pl.* **-men** [-mən]) (미) 법 집행자; 보안관; 경관
láw mèrchant (*pl.* **laws merchant**) [the ~] 상(商)관습법, 상사법(mercantile law); 상법(commercial law)
‡lawn¹ [lɔ́:n] *n.* **1** 잔디, 잔디밭: mow the ~ 잔디를 깎다 / Keep off the ~. 잔디밭에 들어가지 말 것. **2** (고어·방언) 숲 속의 빈 터(glade)
▷ láwny¹ *a.*
lawn² *n.* Ⓤ 한랭사(寒冷紗), 론 천 《엷은 면포》
láwn bòwling 론 볼링 《잔디에서 하는 볼링》
láwn chàir (야외용) 접이식 의자

---

ble, allowable, rightful, proper, constitutional, sanctioned, warranted, approved
lawless *a.* **1** 법률이 없는 anarchic, disorderly, ungoverned, unruly **2** 불법의 unlawful, illegal, illicit, illegitimate, violating, transgressing

láwn mòwer 1 잔디 깎는 기계 **2** (야구속어) 땅볼(grounder) **3** (속어) 양
láwn pàrty (미) 원유회(園遊會)
láwn sìeve 론[한랭사, 명주] 체
láwn sléeves [단수·복수 취급] **1** (영국 국교회 주교의 법의(法衣)의) 한랭사로 만든 소매 **2** 주교의 직[지위]; 주교(들)
láwn sprìnkler 〖원예〗 스프링클러, 회전 살수기
láwn tènnis 1 론 테니스 《잔디 코트에서 하는》(cf. COURT TENNIS) **2** 테니스의 정식 명칭
lawn·y¹ [lɔ́:ni] *a.* 잔디의[같은], 잔디가 많은
lawny² *a.* **1** 한랭사로 만든, 한랭사 같은 **2** 영국 국교회 주교의
Láw of Extradítion 〖법〗 도망 범죄인 인도법
láw òffice (미) 법률[변호사] 사무소
láw òfficer 1 법무관 **2** (영) 《특히》 법무 장관[차관]
Law·rence [lɔ́:rəns, lɑ́r- | lɔ́r-] *n.* **1** 남자 이름 **2** 로렌스 **D.H. ~** (1885-1930) 《영국의 소설가·시인》
law·ren·ci·um [lɔ:rénsiəm | lɔr-] *n.* Ⓤ 〖화학〗 로렌슘 《인공 방사성 원소; 기호 Lr, 번호 103》
laws [lɔ́:z] *int.* =LAW²
láw schòol (미) 로스쿨 《미국의 대학원 레벨의 법률가 양성 기관》
Láw Socìety (영) 잉글랜드·스코틀랜드 사무 변호사 협회((미) Bar Association)
Láw·son critèrion [lɔ́:sn-] 〖물리〗 로슨 조건 《핵융합로에서 소요 에너지 이상의 에너지를 도출하는 데 필요한 조건》
láw stàtion (영·속어) 경찰서
láw stàtioner 법률가용의 문방구점 《법률용 서류를 취급》; (영) 대서인
law·suit [lɔ́:sù:t | -sjù:t] *n.* 소송, 고소: enter [bring in] a ~ against …에 대해 소송을 일으키다
láw tèrm 1 법률 용어 **2** 재판 개정기(開廷期)
‡law·yer [lɔ́:jər, lɔ́iər] *n.* **1** 법률가; 변호사; 법률학자(jurist); 법률통

> 유의어 **lawyer** 변호사를 뜻하는 가장 일반적인 말 (미) **counselor, advocate,** (영) **barrister** 법정에 서는 변호사. (미) **attorney,** (영) **solicitor** 사무적인 일을 하는 변호사

2 〖성서〗 모세 율법의 해석가 **3** 〖어류〗 =BURBOT
a good [***a poor, no***] ~ 법률에 밝은[어두운] 사람
law·yer·ing [lɔ́:jəriŋ, lɔ́iər-] *n.* 변호사[법률가]의 직[지위]; 법 실무
lax¹ [lǽks] [L =slack(느슨한)] *a.* **1** 느슨한, 헐거운(loose), 완만한 **2** 〈규율·사람 등이〉 엄격하지 못한; 단정치 않은, 트릿한, 방종한 **3 a** 〈직물 등이〉 촘촘하지 않은, 성긴 **b** 힘이 약한 **4** 정확하지 않은, 애매한 **5** 〈창자가〉 이완된; 〈사람이〉 설사하는 **6** 〖음성〗 이완(弛緩)된 (opp. *tense*) **—** *n.* **1** 〖음성〗 이완음 **2** (방언) 설사
~·ly *ad.* **~·ness** *n.*
lax² [lɑ́:ks] *n.* 〖어류〗 연어 《노르웨이·스웨덴산》
lax·a·tion [lækséiʃən] *n.* ⓊⒸ **1** 느슨해짐, 방종, 완만 **2** 변통(便通)
lax·a·tive [lǽksətiv] *a.* 설사하게 하는 **—** *n.* 완하제(緩下劑), 하제 **~·ly** *ad.* **~·ness** *n.*
lax·i·ty [lǽksəti] *n.* ⓊⒸ **1** 흘게 늦음, 이완, 단정치 않음, 방종됨 **2** 부정확함, 모호함 《말투·문체 등의》 **3** 부주의, 소홀함
‡lay¹ [léi] *v., n.*

> ㊍ 기본적으로는 「눕히다」의 뜻.
> ① 눕히다, (…의 위에) 놓다 **1**
> ② 설비하다 **2**
> ③ 〈알을〉 낳다 **6**

— *v.* (**laid** [léid]) *vt.* **1** 놓다; (눕히듯이) 두다(place), 눕히다 《*on*》(⇨ put¹ 유의어): 《~+목+전+명》 ~ a book *on* a desk 책을 책상 위에 놓다 / ~

one's hand *on* a person's shoulder 남의 어깨 위에 손을 얹다 **2**〈벽돌 등을〉 깔다, 쌓다; 〈기초 등을〉 두다; 부설[건조]하다; 설비하다: ~ a floor 마루를 깔다 / ~ bricks 벽돌을 쌓다 / ~ a railway 철도를 부설하다 **3** 《주로 영》 〈식탁·좌석 등을〉 준비하다, 〈식탁을〉 차리다(《미》 set); 〈난로의 불 등을〉 땔 준비를 하다: ~ the table = ~ the cloth 식탁을[식사를] 준비하다 **4**〈계획 등을〉 준비하다, 안출[고안]하다(devise) **5 a**〈애정·희망·신뢰·중점 등을〉 두다 《*to, on, upon*》: 《~+목+전+명》 ~ trust *upon* a person …을 신임하다 / ~ one's hopes *on* …에 희망을 걸다 / ~ emphasis[stress, weight] *on* …을 강조[중요시]하다 **b**〈이야기의 장면을〉 (어떤 위치·장소에) 놓다 (locate); 〈함정·덫을〉 놓다, 장치하다; 〈복병을〉 배치하다: ~ a trap[an ambush] 함정을 놓다[복병을 배치하다] // 《~+목+전+명》 He *laid* the scene of the story *in* the Far East. 그는 이야기의 무대를 극동에 두었다. **6**〈새·곤충이〉 〈알을〉 **낳다**: a new-*laid* egg 갓 낳은 알 **7 넘어뜨리다, 때려눕히다, 쓰러뜨리다**: The storm *laid* the crops. 폭풍으로 농작물이 쓰러졌다. // 《~+목+보》 《~+목+전+명》 ~ a person low[*in* the dust] 사람을 때려눕히다[땅에 쓰러뜨리다] / A single blow *laid* him *on* the floor. 단 한 방으로 그는 바닥에 쓰러졌다. **8 a**〈먼지 등을〉 가라앉히다: A shower has *laid* the dust. 한바탕 소나기가 오더니 먼지가 가라앉았다. **b**〈걱정·두려움·불안 등을〉 가라앉히다, 진정시키다 **c**〈유령 등을〉 영계(靈界)로 되돌아가게 하다, 달래다 **9**〈비난·고발을〉 하다; 〈죄·과실을〉 (…에게) **돌리다**, 전가(轉嫁)하다, 뒤집어씌우다(ascribe) 《*on, upon, to*》: 《~+목+전+명》 ~ an accusation *against* a person …을 고발[비난]하다 / ~ a crime *to* his charge 죄를 그의 책임으로 돌리다 / ~ blame *on* a person …에게 허물을 뒤집어씌우다 **10**〈생각·문제 등을〉 **제시하다, 제출하다**; 〈권리를〉 주장하다: 《~+목+전+명》 ~ claim *to* …의 권리를[소유권을] 주장하다 **11**〈손해를〉 산출하다: 《~+목+전+명》 The damage was *laid at* $100. 손해액은 100달러로 산출되었다. **12**〈돈 등을〉 걸다, 〈내기를〉 하다(bet) 《*on, down*》: ~ a bet 돈을 걸다 // 《~+목+전+명》 I ~ five dollars *on* it. 나는 그것에 5달러를 건다. // 《~+***that*** 절》 I'll ~ *that* he will not come. 그가 오지 않는다는 것에 내기를 해도 좋다. (그는 절대로 오지 않는다.) **13**〈새끼 등을〉 꼬다, 엮다, 짜다 《*up*》: ~ a rope 밧줄을 꼬다 // 《~+목+전+명》 ~ yarn *into* a rope 실을 꼬아 밧줄을 만들다 **14**〈겉을〉 덮다, 씌우다(cover, coat); …에 깔다 《*with, on*》; 〈색 등을〉 (겹쳐) 칠하다, 〈물감을〉 캔버스에 칠하다 《*on, over*》: 《~+목+전+명》 ~ a floor *with* a carpet = ~ a carpet *on* a floor 마루에 융단을 깔다 / The wind *laid* the garden *with* leaves. 바람이 정원에 나뭇잎을 흐트러뜨렸다[흩뿌렸다]. **15** 향하게 하다, 겨누다(aim): ~ a gun 총을 겨누다 **16**〈벌·명령·의무·무거운 짐을〉 과하다(impose); 〈채찍·폭력을〉 가하다 《*on, upon*》: Heavy taxes are *laid on* wine and tobacco. 술과 담배에 중세가 과해져 있다. **17** (종속·수동·폭로·위험 상태에) …을 놓다, 두다 《*in, to, under*》; 매장하다(bury): 《~+목+보》 ~ a secret bare 비밀을 폭로하다 / He *laid* himself open to the danger. 그는 위험에 몸을 드러내 놓았다. // 《~+목+전+명》 ~ a city *in* ashes 도시를 잿더미로 만들어 놓다 / ~ a friend *in* a churchyard 친구를 교회 묘지에 매장하다 **18** 〈(사냥)개에게〉 (냄새를) 추적하게 하다 《*on*》: ~ a dog *on* a scent 개에게 냄새 자국을 쫓게 하다 **19** 《비어》 …와 성교하다; 강간하다

— *vi.* **1**〈새·곤충이〉 **알을 낳다**[까다]: This hen ~*s* well. 이 닭은 알을 잘 낳는다. **2** 내기를 하다, 걸다 《*on*》; 보증하다 《*to*》: You may ~ *to* that. 틀림없다. **3** 전력을 기울이다, 전념하다 《*to*》 **4** 숨어 기다리다 《*for*》 **5** 《구어·방언》 준비하다, 계획하다(plan) 《*out, off*》; 꾀하다 **6** 마구 차다, 때리다 《*about, at, on*》 **7** 〖항해〗 배를 어떤 상태[위치]에 두다: ~ at anchor 닻을 내리고 정박하다

~ *about* (one) 사방팔방을 마구 휘둘러 치다, 격전하다 **~ *a course*** 〖항해〗 목표하는 방향에 일시적으로 나아가다; 계획에 따라 나아가다 **~ *a fire*** ⇨ fire. **~ *aft*** 〖항해〗 후퇴하다 **~ *an information against*** …을 고발하다 **~ *apart*** 《고어》 옆에 떼어 두다, 걷어치우다, 물리치다, 생략하다 **~ *aside*** (1) 간직해[떼어] 두다, 따로 제쳐 두다 《*for*》; 저축해 두다 (2) 버리다, 그만두다, 포기하다 (3) 감당 못하게 하다, 일하지 못하게 하다 **~ *asleep*** 잠재우다; 깊이 잠들게 하다; 방심하게 하다 **~ *at*** …을 향해 덤벼들다, 공격하다 **~ *... at* a person*'s door*** 〈죄·과실 등을〉 남의 탓으로 하다, 남에게 뒤집어씌우다 **~ *away*** 간직해 두다; 〈돈을〉 저축하다 **~ *bare*** (1) 벌거벗기다, 드러내다 (2) 터놓다; 입 밖에 내다, 누설하다; 폭로하다 **~ *before***〈사실 등을〉 털어놓다; 자기 의견을 말하다 **~ *by*** 저축하다, 불행에 대비하다 **~ *down*** (1) 아래에 놓다, 내리다; 〈붓을〉 놓다; 세우다 (2) 건조하다, 부설하다 (3)〈돈을〉 지불하다, 걸다 (4) 저장하다 (5) 주장하다, 단언하다 (6)〈무기 등을〉 버리다; 〈직장·일 등을〉 그만두다: ~ *down* one's arms 무기를 버리다, 항복하다 / ~ *down* an office 관직을 그만두다 / ~ *down* one's life 생명을 던지다 (7)〈규칙·원칙 등을〉 규정하다, 정하다 (8)〈농작물을〉 심다 **~ *eyes on*** …을 보다, 발견하다 **~ *fast*** 구속[속박]하다, 감금하다 **~ *field to field*** 소유지[재산]를 부쩍부쩍 늘리다 **~ *for*** 준비하다; 《미·구어》 숨어 기다리다, 매복하다 **~ *great store on*** [***by***] …을 매우 중히 여기다 **~ *heavy odds that ...*** …라고 단언[명언]하다 **~ *hold of*** [***on***] …을 붙잡다[쥐다] **~ *in*** (사서 모아) 저장하다; 《속어》 먹다; 〖원예〗 임시로 얕게 심다, 〈햇가지를〉 손질하다: ~ *in* by the heels 〖원예〗 가식(假植)하다 **~ *in for*** …을 신청하다, …을 손에 넣으려고 꾀하다 **~ *into*** 《구어》 때리다, 공격하다; 비난하다, 꾸짖다 **~ *it on*** (***thick***) (1) 세게 치다, 때리다 (2) = LAY it on with a trowel. **~ *it on with a trowel*** 과장하다, 허풍 떨다; 지나치게 칭찬하다, 아첨하다; 몹시 꾸짖다 **~ *off*** (1) 〖항해〗 〈해안 또는 다른 배로부터〉 떼다[떨어지다] (2) 따로 제쳐[간직해] 두다 (3) 《구어》 그만두다; 〈술·담배 등을〉 끊다 (4) 임시 해고하다 (5) 구획하다, 구분하다 (6) 《미》 〈외투 등을〉 벗다 (7) 일을 쉬다, 휴양하다 **~ *on*** (*vt.*) (1)〈타격 등을〉 가하다, 주다 (2)〈페인트 등을〉 칠하다, 바르다 (3) 《영》 〈가스·전기 등을〉 끌다, 부설하다 (4)〈세금·벌 등을〉 (부)과하다; 〈명령 등을〉 내리다, 발하다 (5)〈개에게 사냥감을〉 추적하게 하다 (6) 《영》 〈행사·요리 등을〉 마련하다, 준비하다 (*vi.*) (7) 후려갈기다; 공격[습격]하다 **~ *on the table***〈심의를〉 무기 연기하다 **~ *open*** 벌거벗기다, 드러나게 하다, 폭로하다, 절개(切開)하다 **~ *out*** (1) 펼치다, 진열하다 (2) 입관(入棺) 준비를 하다 (3) 《구어》 기절시키다, 때려눕히다; 죽이다 (4)〈정원·도시 등을〉 설계하다, 레이아웃하다 (5)〈책 등의〉 레이아웃을 하다 (6) 《구어》 〈돈을〉 대량으로 쓰다, 투자하다 **~ *over*** (*vt.*) (1) 바르다, 씌우다, 장식하다 (2) 《미》 연기하다 (3) 《미·방언·속어》 …보다 낫다 (*vt.*) (4) 《미》 연기되다 (5) 《미》 (환승 등을 위해) 도중하차하다 **~ one*'s bones*** 매장당하다, 죽다 **~ one*self down*** 눕다 **~ one*self open to*** …을 정면으로 받다, …에 몸을 드러내 놓다 **~ one*self out for*** [***to*** do] 《구어》 …을 위해[하려고] 노력하다, 나서다 **~ one*'s heart*** [***plans***] ***bare*** 털어놓고 얘기하다, 계획을 누설하다 **~ *siege to*** ⇨ siege. **~ one*'s plans*** 계획을 세우다 **~ *the foundation*(*s*) *of*** [***for***] …의 기초를 놓다, …을 개설[창설]하다 **~ *the odds*** (상대에게) 유리한 조건을 주고 내기하다 **~ *the papers*** 서류를 책상 위에 내놓다 《장관 등이 국회에 보고하기 위해》 **~ *to*** (1) 〖항해〗 (이물을 바람 불어오는 쪽으로 돌려) 정선(停船)시키다 (2)

thesaurus **layout** *n.* arrangement, plan, design, format, formation, geography

…에 힘차게 착수하다 ~ ***together*** (1) 한군데에 모으다 (2) 아울러 생각하다, 비교하다 ~ ***... to heart*** ⇨ heart. ~ a person ***to rest***[***sleep***] 쉬게 하다, 잠재우다; 매장하다 ~ ***to*** a person***'s charge*** = ~ ***to*** a person …에게 뒤집어씌우다 ~ a person ***under obligation*** …에게 은혜를 입히다 ~ a person ***under restraint*** …을 속박[구속]하다 ~ ***up*** (1) 쓰지 않고 제쳐 두다, 모으다 (2) 〈골치 아픈 일을〉 떠맡다 (3) 〈병이〉 〈사람을〉 일하지 못하게 하다, 앓아눕게 하다(cf. LAID up) (4) 〖항해〗 〈배를〉 (수리를 위해) 계선(繫船)하다, 일시 퇴역(退役)시키다

— *n.* **1** Ⓤ [종종 the ~] (사물이 놓인) 위치, 지형, 방향; 형세; 상태 **2** 《구어》 직업, 사업, 일 **3** (새끼 등의) 꼬임새 **4** 《미·구어》 대가, 값 **5** (어부 등이 급료 대신 받는) 배당, 어획 배당량

‡**lay²** [léi] *vi.* LIE²의 과거

lay³ [Gk 「인민의」의 뜻에서] *a.* **1** (성직자에 대하여) 속인의, 평신도의 (opp. *clerical*) **2** 전문[본직]이 아닌, 문외한의 **3** 〖카드〗 으뜸패가 아닌

lay⁴ *n.* **1** 이야기 시(詩), 담시(譚詩) **2** 《고어·시어》 노래, 시; 새의 지저귐

lay·a·bout [léiəbàut] *n.* 《영·구어》 게으름뱅이; 부랑자, 떠돌이

láy ánalyst (자격 없는) 아마추어 정신 분석가

lay·a·way [-əwèi] *n.* (예약 할부제에서) 대금 완불 시까지 보관되는 상품 《완납시에 납품》; 대금 적립 구입

láyaway plàn 예약 할부제

láy bròther 평수사(平修士) 《수도회에서 일반 노동을 하는》

lay-by [-bài] *n.* **1** 《영》 (고속도로 등의) 대피소 **2** 〖철도〗 대피선 **3** 강[운하]의 일시 정선소(停船所)

láy clérk 〖영국국교〗 대성당의 성가대원; 교구 서기

láy commúnion 속인으로서 교회원임; 평신도의 영성체(領聖體)

láy dàys **1** 〖상업〗 선적[정박] 기간 《이 기간이 지나면 초과 정박세를 냄》 **2** 〖항해〗 정박일

lay·down [-dàun] *n.* **1** 〖카드〗 (브리지에서) 패를 펴 보여도 승리가 확실한 끗수 **2** 《미·속어》 실패 **3** 《미·속어》 아편을 피우는 장소, 아편굴

‡**lay·er** [léiər] *n.* **1** 층(層), 쌓은[겹친, 칠한] 켜 **2** 놓는[쌓는, 까는] 사람; 계획자 **3** 〖경마〗 (여러 필의 말에) 돈 거는 사람, 사설 마권업자(bookmaker)(cf. BACKER) **4** 알을 낳는 닭, 새의 암컷 **5** 〖원예〗 휘묻이 **6** 굴 양식장

— *vt.* **1** 층으로 만들다, 층상으로 쌓아 올리다 **2** 〈옷을〉 껴입다 **3** 〖원예〗 휘묻이법으로 번식시키다

— *vi.* (땅과 접한) 가지 부분에서 뿌리를 내리다, 층을 이루다; 〈작물이〉 (비바람에) 쓰러지다

layer *n.* 5

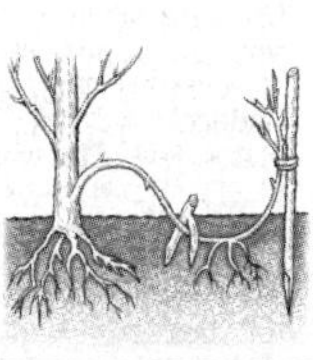

lay·er·age [léiəridʒ] *n.* 〖원예〗 휘묻이, 취목(取木)

láyer càke 레이어 케이크 《여러 켜 사이에 크림·잼 등을 넣은 스펀지 케이크》

lay·ered [léiərd] *a.* 층이 있는, 층을 이룬

láyered defénse 〖군사〗 (적의 미사일 등에 대한) 층상(層狀)[다층(多層)] 방위

láyered lóok 〖복식〗 겹쳐 입는 옷 스타일

lay·er·ing [léiəriŋ] *n.* (모양·색채적인 효과를 노려) 겹쳐 입기; 〖지도〗 (지형의) 단채식(段彩式) 표현법

lay·ette [leiét] [F] *n.* 갓난아이 용품 한 벌 《옷·기저귀·이불 등》

láy figure **1** (관절이 있는) 인체 모형 《미술가가 모델 대신 쓰는》; 마네킹 《옷 진열에 쓰는》 **2** 아무 쓸모없는 사람; (소설 따위의) 가상 인물

lay·ing [léiiŋ] *n.* **1** 쌓음; (가스 등을) 끌어 댐, 부설 **2** 애벌칠 **3** (실이나 새끼를) 꼬는 법 **4** (포의) 조준(照準) **5** 한배에서 까는 알(의 수)

láying ón of hánds 〖그리스도교〗 안수(按手)(례)

*__lay·man__ [léimən] *n.* (*pl.* **-men** [-mən]) **1** 속인(俗人); (성직자에 대하여) 평신도 **2** (전문가에 대하여) 아마추어, 문외한

lay·off [-ɔ̀:f | -ɔ̀f] *n.* **1** (일시적) 해고 (기간), 강제 휴업; 일시 귀휴, 자택 대기; 활동 휴지기 **2** (선수 등의) 시합[활동] 중지 기간, 시즌 오프 **3** 《미》 실업 중인 배우

láy of the lánd [the ~] **1** 지형, 지세 **2** 사태, 상황, 형세(《영》 lie of the land)

*__lay·out__ [léiàut] *n.* **1** ⓊⒸ **배치**(도), **설계**(법), (땅·공장 등의) 터잡이, 구획, 기획: an expert in ~ 설계[기획] 전문가 **2** ⓊⒸ (책·신문·잡지·광고 등의 편집상의) 지면 배정, 레이아웃; 〖컴퓨터〗 판짜기, 레이아웃 **3** 《미》 도박 용구 한 벌, 한 벌의 도구; (공들여) 늘어놓은 것(spread); (식탁상의) 배치 **4** 《미》 한패, 일당 **5** 《미·구어》 (큰 건조물의) 짜임새; 저택, 공장

lay·o·ver [-òuvər] *n.* 《미》 도중하차(stopover)

lay·per·son [-pə̀:rsn] *n.* **1** (성직자에 대하여) 일반 신도, 평신도; 속인 **2** (전문가에 대하여) 아마추어, 문외한

láy rèader **1** 〖영국국교〗 평신도 전례 집행자 **2** 일반 독자, 문외한 독자

lay·shaft [-ʃæ̀ft | -ʃɑ̀:ft] *n.* 〖기계〗 부축(副軸), 측축(側軸)(secondary shaft)

láy sister 평수녀 《수녀원에서 일반 노동을 하는》

lay·stall [-stɔ̀:l] *n.* 《영》 쓰레기 버리는 곳, 쓰레기장

lay·up [-ʌ̀p] *n.* **1** 쉼, 휴식 **2** (베니어 합판의) 짜맞추기 **3** 〖농구〗 바스켓 가까이서 한 손으로 하는 슛

láy vícar 〖영국국교〗 대성당의 서기

lay·wom·an [-wùmən] *n.* (*pl.* **-wom·en** [-wìmin]) LAYMAN의 여성형

laz·ar [lǽzər, léiz- | lǽz-] *n.* 병을 앓는 거지, 《특히》 문둥이 (거지): a ~ house 나(癩)병원

laz·a·ret·to [læ̀zərétou], **-ret(te)** [-rét] *n.* (*pl.* ~s) **1** 격리 병원, 《특히》 나병원 **2** 검역소[선] **3** 〖항해〗 (고물·갑판 사이 등의) (식료품) 저장실, 창고

Laz·a·rus [lǽzərəs] *n.* **1** 남자 이름 **2** 〖성서〗 나사로 《예수가 죽음에서 살린 남자》 **3** [때로 **l~**] (병든) 거지, 《특히》 나병 환자

laze [léiz] *vi., vt.* 게으름 피우다; 빈들빈들 지내다 ~ ***away*** 빈들빈들 지내다

— *n.* [a ~] 빈들빈들 지내는 시간; 잠시 쉬기

laz·u·li [lǽzuli, -lài, lǽʒu- | lǽzjulài] *n.* = LAPIS LAZULI

‡**la·zy** [léizi] *a.* (**-zi·er; -zi·est**) **1** 게으른, 나태한 (opp. *industrious*), 굼뜬: a ~ correspondent 편지를 잘 안 쓰는 사람

> 유의어 **lazy** 보통 「일하기를 싫어하는」의 나쁜 뜻으로 쓰인다: convenience foods for *lazy* cooks 게으른 요리사를 위한 인스턴트 식품 **idle** 태만하거나 또는 그밖의 사정으로 일하고 있지 않음을 나타내는데, 언제나 나쁜 뜻으로 쓰인다고는 할 수 없다: be *idle* because one is unemployed 실직 중이라 빈둥빈둥 놀고 있다

2 졸음이 오게 하는, 나른한 **3** 움직임[흐름]이 느린

— *vi., vt.* = LAZE **lá·zi·ly** *ad.* **lá·zi·ness** *n.*

la·zy·bones [léizibòunz] *n. pl.* [보통 단수 취급] 《구어》 게으름뱅이

lázy dáisy stìtch 〖자수〗 레이지 데이지 스티치 《가느다란 동그라미의 끝을 작은 스티치로 여미어 놓은 꽃잎 모양의 스티치》

lázy dóg [때로 **L- D-**] 《미·군대속어》 산열탄(散裂彈)

lázy éye 《구어》 사팔눈; 약시(amblyopia) 《lazy-eye blindness라고도 함》

lázy jàck 〖기계〗 굴신(屈伸) 잭

lázy Súsan [때로 **l- s-, L- S-**] 《미》 회전대[쟁반] 《음식이나 조미료를 올려놓고 돌리며 덜어 내게 한 것》

lazy *a.* indolent, idle, inactive, inert, sluggish, negligent (opp. *active, industrious*)

lázy tòngs (멀리 떨어져 있는 것을 집는 데 쓰는) 신축(伸縮) 집게

lazy tongs

laz·za·ro·ne [læ̀zəróunei] [It.] *n.* (*pl.* ***-ni*** [-ni:]) 부랑자, 거지

lb, lb. *libra*(*e*) 《L=pound(s) in weight》 **LB** letter box; Liberia; light bomber **L.B.** landing barge; *Lit*(*t*)*erarum Baccalaureus* 《L=Bachelor of Letters[Literature]》; local board

L-band [élbæ̀nd] *n.* 〖통신〗 엘밴드 《390-1550 MHz의 주파수대; 위성 통신에 씀》

L̀ bàr[**bèam**] L형 강철봉(鋼鐵棒)

L/Bdr. Lance Bombardier **lbf** pound force **LBP** 〖컴퓨터〗 laser beam printer **lbr** labor; lumber **LBS** Location Based Service 위치 기반 서비스 **lbs.** pounds **l.b.w.** 〖크리켓〗 leg before wicket **LC** lance corporal **LC, L.C.** (미) landing craft; (미) Library of Congress; (영) Lord Chamberlain[Chancellor] **l.c.** *loco citato* 《L=in the place cited》; 〖인쇄〗 lower case **L.C.** Lower Canada **L/C, l/c, L.C.** letter of credit **LCC** Landing Craft Control 〖미해군〗 양륙 지휘정; 〖우주과학〗 launch control center **L.C.C., LCC** London County Council **LCD, lcd** liquid crystal display[diode] 액정 표시 장치, 액정 소자 **L.C.D., l.c.d.** lowest common denominator 〖수학〗 최소 공분모(公分母) **LCDR** Lieutenant Commander **L.C.F., l.c.f.** lowest common factor 〖수학〗 최소 공인수(公因數) **L.C.J.** Lord Chief Justice **L.C.L., l.c.l.** 〖상업〗 less than carload lot **L.C.M., l.c.m.** lowest[least] common multiple **L.C.P.** Licentiate of the College of Preceptors; 〖컴퓨터〗 liquid crystal printer **L.Cpl.** Lance Corporal **LCT** Landing Craft Tank; local civil time **LD** *Laus Deo*; learning disability; learning-disabled; Low Dutch **Ld.** limited; Lord **L.D.** Lady Day; lethal dose 치사량; line of departure; long distance

'ld [d] (드물게) would의 단축형

LDC less developed country 저개발국 **LDDC** least developed among developing countries 후발 발전도상국 **LDEF** long duration exposure facility 〖우주과학〗 장시간 노출 위성 **LD 50** lethal dose 50% 《약물 독성 치사량 단위》 **ldg.** landing; leading; loading **LDL** low-density lipoprotein

L-do·pa [éldóupə] *n.* Ⓤ 〖약학〗 엘도파 《파킨슨병 치료약》

Ldp. Ladyship; Lordship **ldr.** leader

L-driv·er [éldràivər] [*L*earner-*driver*] *n.* (영) (교사가 동승한) 자동차 운전 실습자

LD-ROM [éldi:rɑ́m | -rɔ́m] [*l*aser *d*isk *r*ead-*o*nly *m*emory] *n.* 〖컴퓨터〗 레이저 디스크 롬

ldry. laundry **L.D.S.** Latter-day Saints; Licentiate in Dental Surgery **Le** 〖성서〗 Leviticus 레위기 **LE** language engineering **l.e.** 〖미식축구〗 left end **£E** 〖통화〗 Egyptian pound(s)

-le [l] *suf.* **1** 「작은」의 뜻: icic*le*, knuck*le* **2** 「…하는 사람」의 뜻: bead*le* **3** 「…하는 도구」의 뜻: gird*le*, lad*le* **4** 「반복」의 뜻: dazz*le*, fond*le*

lea¹ [lí:, léi | lí:] *n.* (시어) 초원, 풀밭, 목초지

lea² [lí:] *n.* 리 《실 길이의 단위》

lea. league; leather **L.E.A., LEA** (영) Local Education Authority

leach [lí:tʃ] *vt.* **1** (재 등으로) 〈액체를〉 거르다 **2** 〈광석 등을〉 여과수에 담그다 **3** 〈가용물(可溶物)을〉 걸러 내다 《*out, away*》
— *vi.* 걸러지다, 용해하다 《*away, out* (*of*), *in*(*to*)》
— *n.* **1** 거르기; 거른 액, 거르는 재 **2** 여과기

leach·ate [lí:tʃeit] *n.* 〖지질〗 침출수(浸出水); 거른 액체, 삼출액(滲出液)

leach·ing [lí:tʃiŋ] *n.* Ⓤ 걸러 내기, 침출(浸出)

leach·y [lí:tʃi] *a.* 다공질(多孔質)의(porous), 물을 통과시키는

⁑lead¹ [lí:d] *v., n., a.*

OE 「이끌다, 나르다」의 뜻에서
① 인도하다, 안내하다 — 타 1 자 1
② 지휘하다, 앞장서다 — 타 2
③ (어떤 결과에) 이르게 하다[되다] — 타 6 자 3
④ 지내다 — 타 7
⑤ (도로 등이 …에) 이르다 — 자 3

— *v.* (**led** [léd]) *vt.* **1** 인도하다, 안내하다(conduct); 데리고 가다, (손을 잡고) 이끌고[끌고] 가다, 〈말 등을〉 (고삐로) 끌다: (~+목+전+명) ~ a person *to* a place …을 어떤 장소로 데리고 가다 / ~ a person *by* the hand 손을 잡고 …을 이끌다 // (~+목+부) He kindly *led* me *in*[*out, back*]. 그는 친절하게 나를 안까지[바깥까지, 되돌아가게] 안내해 주었다.

유의어 **lead** 앞장서서 사람을 데리고 가다: He *led* his team to victory. 그는 팀을 승리로 이끌었다. **guide** 줄곧 붙어 다니며 안내하다: *guide* the scouts through the cave 소년단을 안내하여 동굴을 통과하다 **direct** 길·방향 등을 가리켜 주다: *direct* a person to the station 역으로 가는 길을 가리켜 주다 **conduct** 사람을 어떤 장소로 데리고 가다: *conduct* a guest to his room 손님을 방으로 모시고 가다

2 앞장서다, 지도하다, 지휘하다, 인솔하다(direct) **3** …의 선두에 서다, 〖경기〗 리드하다; …에서 첫째이다, 〈유행의〉 첨단을 가다: Iowa ~*s* the nation in corn production. 아이오와 주는 미국 제일가는 옥수수 산지이다. **4** 〈도로 등이〉 〈사람을〉 이르게 하다: (~+목+전+명) This road will ~ you *to* the station. 이 길을 따라 가면 정거장에 이릅니다. **5** 〈물·밧줄을〉 끌다, 통하게 하다, 꿰다: (~+목+전+명) ~ a rope *through* a hole 구멍에 밧줄을 꿰다 / ~ water *through* a pipe 파이프를 통해 물을 끌다 **6** [부정사를 동반하여] 꾀다, 끌어넣다; …할 생각이 나게 하다(induce); 유혹하다; 일으키다; (어떤 결과로) 이끌다, 이르게 하다: He was easily *led*. 그는 쉽사리 마음이 끌렸다[그럴 마음이 생겼다]. // (~+목+***to*** do) ~ a person *to* read books …에게 독서할 마음이 생기게 하다 / I am *led to* believe that ... (여러 가지 일로) 나는 …이라고 믿고 있다. / Fear *led* him *to* tell lies. 그는 무서워서 거짓말을 했다. **7** 지내다, 보내다, (어떻게) 살아가다(spend); 지내게 하다: ~ an easy life 편히 지내다 / He *led* a life of poverty for many years. 그는 여러 해 동안 가난한 생활을 했다. // (~+목+목) ~ a person a dog's life …에게 비참한 생활을 하게 하다 **8** 〖법〗 〈증인에게〉 유도 심문을 하다; 〖스코법〗 증언하다: ~ the witness 증인을 유도 심문하다 **9** 〈운동 등의〉 지도적 역할을 담당하다; 〈사건의〉 수석 변호인이 되다: ~ a case 소송 사건의 수석 변호인으로서 일하다 **10** 〈댄스·토론 등을〉 개시하다(begin) **11** 〈이동 목표의〉 전방을 겨누어 쏘다: ~ a duck (도망치는) 오리의 전방을 겨누어 쏘다 **12** 〖카드〗 〈특정한 패를〉 맨 처음의 패로 내다 **13** 〖권투〗 〈일격으로〉 연타를 개시하다
— *vi.* **1** 앞장서서 가다; 안내하다, 선도하다; 지휘하다, 이끌다; 〖음악〗 지휘자가 되다; (영) 제1 바이올린

thesaurus **lead¹** *v.* **1** 안내하다 conduct, escort, guide, pilot, steer, usher, precede, show the way **2** 지휘하다 command, direct, govern, head, manage, rule, regulate, supervise **3** 일으키다

연주를 맡다; 〖법〗 수석 변호인이 되다 《*for*》: The green car is ~*ing*. 녹색의 차가 선두를 달리고 있다. **2 a** 〖경기〗 선두에 서다, 리드하다 **b** (남보다) 뛰어나다 (excel), 수위를 차지하다 **3** 〈도로 등이〉 (…에) 이르다, 통하다; 〈일이〉 (어떤 결과로) 되다 《*to*》, (…의) 원인이 되다: (~+전+명) This road ~*s to* the city. 이 길은 그 도시로 통하고 있다. / All roads ~ *to* Rome. (속담) 모든 길은 로마로 통한다. / Idleness ~*s to* ruin. 나태는 결국 신세를 망친다. / That will only ~ *to* trouble. 그런 짓을 하면 귀찮아질 뿐이다. **4** 〖카드〗 맨 먼저 카드를 내놓다 **5** 〈말 등이〉 끌려가다, 〈동물이〉 다루기 쉽다: This horse ~*s* easily. 이 말은 다루기 쉽다. **6** 시작하다(begin) 《*off*》 **7** 〖권투〗 리드 펀치를 뻗어 공세를 취하다 《*with*》

~ a person ***a*** (***jolly*** [***pretty, merry***]) ***dance*** ⇨ dance. ~ ***anywhere*** [부정문에서] = ~ ***nowhere*** 아무 성과도 나지 않다, 허사가 되다 ~ ***astray*** ⇨ astray. ~ ***away*** 데려가다, 꾀어내다, 끌어넣다 ~ a person ***by the nose*** ⇨ nose. ~ a person ***captive*** …을 포로로 잡아 끌고 가다, 포로로 하다 ~ ***in*** [***into***] 이끌어 넣다, 끌어들이다 ~ ***off*** 시작하다, 개시하다; 데리고 가다 ~ ***on*** (1) (계속하여) 안내하다 (2) 꾀다, 속이다, 끌어넣다; 〈사람을〉 속여 …하게끔 하다 《*to* do》 ~ ***out*** 〈여자를〉 춤 상대로 삼다, 자리에서 이끌어 내다 ~ ***the van of*** ⇨ van². ~ ***the way*** 길을 안내하다 ~ a person ***to expect*** …으로 하여금 기대하게 하다 ~ a person ***to the altar*** …와 결혼하다 ~ ***up*** 앞지르다 ~ a person ***up*** [***down***] ***the garden path*** ⇨ garden. ~ ***up to*** 차츰 …에 이르다; 서서히 …으로 이야기를 돌리다 ~ ***with*** one***'s chin*** (미·속어) 스스로 곤경을 초래하다

—*n*. **1** [a ~] **선도**, 솔선, **지휘**, 지도적 지위; 통솔력 **2** 지시(directions); 조언; 모범, 본 **3** (구어) (문제 해결의) 계기, 실마리(clue) **4** [the ~] 〖경기〗 리드, 선두, 수위; 우세(priority); [a ~]리드 거리[시간]; 〖야구〗 (주자의) 리드: gain[have] *the* ~ in a race 레이스에서 1위가 되다[되어 있다] / have *a* long ~ *on* …을 훨씬 리드하다 **5** [the ~] 〖연극〗 주역(leading role), 주연 배우; 〖음악〗 (화성의) 주음부, 주선율 **6** [보통 the ~] 〖카드〗 맨 먼저 내놓는 카드, 선(先)(의 권리) **7** (물방아의) 도수구(導水溝) **8** (말·개 등을) 끄는 줄 **9** 〖전기〗 도선(導線); 앞서기(cf. LAG¹); 안테나의 옥내 도입선; 〖광산〗 광맥; 〖기계〗 리드 《증기 왕복기관에서 피스톤의 행정(行程)보다 판(瓣)의 행정이 앞서기》; 〖토목〗 운반 거리 **10** (신문 기사의) 머리글, 첫머리; 머리기사; 〖라디오〗 톱뉴스

follow the ~ of …의 본을 따다 ***give*** a person ***a ~*** …에게 본을 보이다, 모범을 보여서 격려하다 ***have the ~*** (미·구어) 주역을 맡아 하다, 리드하고 있다 ***take the ~*** 선두에 서다, 선도하다; 솔선하다, 주도권을 잡다 《*in, among*》

—*a*. Ⓐ **1** 앞서 가는, 선도하는(leading): the ~ car 선도차 **2** (신문·텔레비전 등의) 주요 기사의, 톱뉴스의: a ~ editorial 사설, 논설

‡**lead²** [léd] *n*. **1** Ⓤ 〖광물〗 **납** 《금속 원소; 기호 Pb; 번호 82》; Ⓒ 연제품(鉛製品) **2** 측연(測鉛)(plummet) **3** [*pl.*] (영) 지붕용 납판자; 함석 지붕; [*pl.*] (유리창의) 납틀 **4** Ⓤ [집합적] (납)탄환(bullets); (스토브 등을 닦는) 흑연(=black ~); ⓊⒸ 연필심: an ounce of ~ 탄환 **5** 〖인쇄〗 인테르 《활자의 줄 사이에 끼우는 납 조각》 (***as***) ***dull as ~*** (1) 납같이 흐린 빛깔의 (2) (구어) 아주 멍청한 (***as***) ***heavy as ~*** 매우 무거운 ***cast*** [***heave***] ***the ~*** 측연을 던져서 물 깊이를 재다 ***get the ~ out*** (***of*** one***'s ass*** [***feet, pants***]) (속어) 서두르다, 일에 착수하다 ~ ***in*** one***'s pants*** (미·속어) 엉덩이가 무거움, 동작이 굼뜸 ***swing the ~*** (영·속어) 꾀병을 부리다, 일에 꾀를 부리다 ***throw ~*** (속어) 쏘다, 사격하다 《*at*》

—*a*. Ⓐ 납으로 만든, 납의

—*vt*. **1** 납으로 씌우다, …에 납을 입히다 **2** 납으로 추를 달다; 〈창문에〉 납틀을 붙이다; …에 납을 채우다 **3** 〖인쇄〗 인테르를 끼우다 ▷ léaden, léady *a*.

léad ácetate [léd-] 〖화학〗 아세트산납

léad ársenate [léd-] 〖화학〗 비산납 《살충제》

léad ballóon [léd-] (속어) 실패

go over like a ~ 완전한 실패로 끝나다

léad cárbonate [léd-] 〖화학〗 탄산납

léad chrómate [léd-] 〖화학〗 크롬산납

léad dióxide [léd-] 〖화학〗 이산화납

lead·ed [lédid] *a*. **1** (특히 휘발유에) 납을 첨가한 **2** 납 중독에 걸린

léaded líght[**wíndow**] (영) (납으로 틀을 만든) 조각 유리 장식창

lead·en [lédn] *a*. **1** 납의, 납으로 만든 **2** 납빛의 **3** 뻐근한, 나른한; 답답한, 무기력한, 활발치 못한 **4** 무가치한 **~·ly** *ad*. **~·ness** *n*.

lead·en-eyed [lédnáid] *a*. 거슴츠레한 눈을 한, 눈이 흐리터분한

lead·en·heart·ed [lédnhɑ́:rtid] *a*. **1** 무자비한 (unfeeling) **2** 무기력한, 활기 없는

léaden séal 봉납 《물건을 묶은 철사 끝에 다는 각인된 납 조각》

‡**lead·er** [lí:dər] *n*. **1 지도자, 선도자**, 리더; 수령, 주장; 지휘관; 직공장 **2** (영) 주임 변호인; (순회 재판의) 수석 변호사 **3** 〖음악〗 **a** (관현악단의) 수석 제1 바이올린 연주자; (취주악단의) 제1 코넷 연주자; (합창단의) 제1소프라노 가수 **b** (미) (밴드 관현악단의) 지휘자 **4 a** (영) 사설, 논설: a ~ writer 논설 위원 **b** 〖영화·TV〗 리더 《필름이나 테이프의 끝 부분》; (화면에 넣는) 해설[설명] 자막 **c** (손님을 끌기 위한) 특매품 **d** 〖낚시〗 목줄; 어살에 물고기를 이끌어 들이는 그물 **5** (마차의) 선두의 말(opp. *wheeler*); 향도선(嚮導船) **6** 〖기계〗 주륜(主輪), 주동부(主動部); 도화선; (스팀·수도의) 도관(導管); 배수관 **7** 〖식물〗 어린 가지 **8** [*pl.*] 〖인쇄〗 점선 《…》, 대시 선 《—》 **9** 〖해부〗 건(腱), 힘줄 **10** 〖경제〗 =LEADING INDICATORS

the ~ of the House of Commons 〖영하원〗 (여당의) 원내 총무 《의사 진행을 맡아봄》 ***the ~ of the Opposition*** 〖영하원〗 야당 당수

léader bòard 〖골프〗 리더 보드 《선두 선수들의 이름과 성적을 적어 놓은 게시판》

lead·er·ene [lì:dərí:n] *n*. (영) (강력한) 여성 지도자

lead·er·ette [lì:dərét] *n*. (영) (신문의) 짧은 사설

lead·er·less [lí:dərlis] *a*. 리더[대표자]가 없는

‡**lead·er·ship** [lí:dərʃip] *n*. Ⓤ **1 지도자**[**지휘자**]의 **지위**[**임무**] **2 지도**(권); 지도(력), 통솔(력); 지휘, 통어 **3** [**집합적**] 지도자들, 지도부, 수뇌부

lead·foot [lédfùt] *n*. (*pl*. **~s, -feet**) (구어) (자동차의) 스피드광(狂), 폭주족

lead·foot·ed [lédfùtid] *a*. (구어) 꼴사나운, 어색한; 스피드광의

lead-free [lédfrì:] *a*. 〈휘발유가〉 무연(無鉛)의

léad glàss [léd-] 납유리 《산화납이 든》

léad guitár [lí:d-] 리드 기타 《여럿이 함께 연주할 때 중심 선율이나 독주를 맡는 기타》

lead-in [lí:dìn] *n*. **1** 〖전기〗 도입선(線), (안테나의) 인입선 **2 a** (독자·청중의 주의를 끌기 위한) 도입부, 전주 **b** (방송 광고의) 도입부 **—***a*. 끌어들이는; 도입의: a ~ wire (백열등 등의 전류) 도입선

‡**lead·ing¹** [lí:diŋ] *n*. Ⓤ **1 지도**, 선도, 지휘, 통솔 **2** 이끌기, 유도 **3** 통솔력(leadership); 지도적 수완: a man of light and ~ 계몽가, 지도자

—*a*. Ⓐ **1 이끄는**, 선도하는, 지도[지휘]하는, 지도적인 **2 손꼽히는**, 일류의, 뛰어난 **3 주요한**, 주된(chief); 주역(主役)의, 주연의: play the ~ part[role] 주역을 연기하다[맡다] **4** 유력한: a ~ figure in economic circles 경제계의 중진

---

cause, induce, move, persuade, influence

leader *n*. ruler, head, chief, commander, director, governor, principal, captain, manager, supervisor, foreman, innovator, pioneer

lead·ing² [lédiŋ] *n.* Ⓤ **1** 납세공; (창유리용의) 납틀 **2** [집합적] (지붕용의) 납 판자
léading áircraftman[áircraftwoman] [líːdiŋ-] 〖영국공군〗 이등병
léad·ing árticle [líːdiŋ-] **1 a** ((영)) 사설, 논설 **b** ((미)) 주요[톱] 기사 **2** ((영)) 손님을 끌기 위한 특매품 (loss leader)
léad·ing búsiness [líːdiŋ-] [집합적] 연극의 주역
léad·ing càse [líːdiŋ-] 〖법〗 (자주 언급되는 유명한) 주요 판례(判例)
léad·ing cóunsel [líːdiŋ-] ((영)) 수석 변호인; 왕실 변호사
léad·ing dóg [líːdiŋ-] (호주·뉴질) (양떼의) 선도견
léad·ing édge [líːdiŋ-] **1** 〖항공·기상〗 (프로펠러·날개·기단(氣團) 펄스의) 앞쪽 언저리 **2** 〖전기〗 (펄스의) 전연(前緣) **3** (문화적·기술적 진보에서의) 지도적인 위치, 지도자
lead·ing-edge [líːdiŋédʒ] *a.* 첨단 기술의
léad·ing índicators [líːdiŋ-] 〖경제〗 (경기 동향 지표의) 선행 지표
léad·ing lády [líːdiŋ-] 주연 여자 배우
léad·ing líght [líːdiŋ-] **1** (조직·교회 등에서) 지도자적 영향력을 가진 사람; 대가, 태두 **2** (항구·운하 등의) 유도등, 길잡이등
léad·ing mán [líːdiŋ-] 주연 남자 배우
léad·ing màrk [líːdiŋ-] 〖항해〗 (배의 항구 출입시의) 도표(道標)
léad·ing mótive [líːdiŋ-] **1** (행위의) 주요한 동기; 주목적, 중심 사상, 이상 **2** 〖음악〗 시도 동기(示導動機), 라이트모티프(leitmotif)
léad·ing nóte [líːdiŋ-] = LEADING TONE
léad·ing quéstion [líːdiŋ-] 〖법〗 유도 신문
léad·ing rèin [líːdiŋ-] **1** (말 등의) 고삐 **2** [*pl.*] = LEADING STRINGS
léad·ing séaman [líːdiŋ-] 〖영국해군〗 일등병
léad·ing stàff [líːdiŋ-] **1** 소의 코뚜레에 달아맨 막대기 **2** 지휘봉
léad·ing strìngs [líːdiŋ-] **1** 어린애가 잡고 걸음을 익히는 줄 **2** 지도; 속박: be in ~ 아직 혼자 힘으로 해나갈 수 없다
léad·ing tóne [líːdiŋ-] 〖음악〗 도음(導音) ((음계의 제7음))
lead·less [lédlis] *a.* **1** 〈휘발유가〉 무연(無鉛)의 **2** 탄환을 장전하지 않은
léad lìne [léd-] 〖항해〗 측연선(測鉛線), 측연삭(索) (sounding line) ((수심 측정용))
lead·man [líːdmən] *n.* (*pl.* **-men** [-mən]) (노동자의) 십장(foreman)
léad nítrate [léd-] 〖화학〗 질산납
lead-off [líːdɔ̀ːf | -ɔ̀f] *n.* **1** 개시, 착수 **2** 〖권투〗 선제의 일격; 〖야구〗 1번 타자; (각 회의) 선두 타자
— *a.* 최초의: the ~ batter[hitter, man] 선두 타자
léad óxide [léd-] 〖화학〗 산화납
léad péncil [léd-] 연필
léad-pipe cínch [lédpàip-] (미·속어) 매우 쉬운 [확실한] 일[것]
lead·plant [lédplæ̀nt | -plɑ̀ːnt] *n.* 〖식물〗 북미산(産)의 회화나무의 일종
léad póisoning [léd-] **1** 〖병리〗 납 중독 **2** (미·속어) 탄환으로 인한 사망
léads and lágs [líːdz-] 〖금융〗 리즈 앤드 래그즈 ((환시세 변동에 대처하기 위하여 결제나 상품의 수출입 시기를 앞당기거나 늦추는 현상))
léad scréw [líːd-] 〖기계〗 엄지 나사 ((선반의 왕복대를 움직이는 나사))
léad shòt [léd-] (수렵총의) 산탄(散彈)
léad sínger [líːd-] (록 그룹 따위의) 리드 보컬 ((사람))
leads·man [lédzmən] *n.* (*pl.* **-men** [-mən]) 〖항해〗 측연수(測鉛手), 측심원
léad stòry [líːd-] (신문 등의) 머리기사, 톱 뉴스
lead·swing·er [lédswìŋər] *n.* ((영·속어)) 꾀병쟁이, 게으름뱅이
lead·swing·ing [lédswìŋiŋ] *n.* Ⓤ ((영·속어)) 꾀병을 부리기, 게으름 피우기
léad tetraéthyl [léd-] = TETRAETHYLLEAD
léad tìme [líːd-] 리드 타임 ((기획에서 제품화까지의 소요 시간; 발주에서 배달까지의 시간; 기획에서 실시까지의 준비 기간))
lead-up [líːdʌ̀p] *n.* (다른 일의) 사전 준비가 되는 것, 앞서가는 것
léad whíte [léd-] 연백(鉛白) 안료(flake white)
léad wóol [léd-] 연면(鉛綿), 연모(鉛毛) ((철관의 이음매 등을 메우는))
lead·work [lédwə̀ːrk] *n.* **1** Ⓤ 납을 다루는 일 ((배관·유리 끼우기 등)) **2** 납세공, 납 제품, (수도관 등의) 납 용재(用材) **3** [*pl.*; 단수·복수 취급] 납 제련소
lead·wort [lédwə̀ːrt, -wɔ̀ːrt | -wəːt] *n.* 〖식물〗 **1** 갯질경잇과 갯질경이속의 관목 **2** = LEADPLANT
lead·y [lédi] *a.* (**lead·i·er**; **-i·est**) **1** 납 같은; 납빛의 **2** 납을 함유하는
‡**leaf** [líːf] *n.* (*pl.* **leaves** [líːvz]) **1** 잎, 나뭇잎, 풀잎: a ~ blade 엽편(葉片) **2** Ⓤ [집합적] **a** 군엽(群葉)(foliage) **b** (상품으로서의) 잎, ((특히)) 찻[담뱃]잎 **3** (구어) 꽃잎(petal); (미·속어) 상추(lettuce) **4** (책의) 한 장, 두 페이지; (접이식 테이블의) 자재판(自在板); 도개교(跳開橋)(= ~ **bridge**) **5** (금속의) 박(箔) (cf. FOIL[1]): a ~ gold 금박
come into ~ 잎이 피기 시작하다 ***in*** ~ 잎이 나서 ***in full*** ~ 완전히 자란 ***take a ~ from***[***out of***] a person***'s book*** …의 예[본]를 따르다, …을 모방하다 ***the fall of the*** ~ 낙엽의 철, 가을 ***turn over a new*** ~ 마음을 고쳐먹다, 생활을 일신하다
— *vi.* **1** 잎이 나다 **2** 책 등의 페이지를 빨리 넘기다
— *vt.* 〈책 등의 페이지를〉 빨리 넘기다 ~ ***through*** 쭉 페이지를 넘기다, 쭉 훑어보다
▷ léafy *a.*
leaf·age [líːfidʒ] *n.* Ⓤ [집합적] 잎(leaves, foliage); (도안 등의) 잎 장식
léaf bèetle 〖곤충〗 잎벌레 ((총칭))
léaf bùd 〖식물〗 잎눈, 엽아(葉芽)
leafed [líːft] *a.* [보통 복합어를 이루어] (…의) 잎이 있는[난, 달린]
léaf fàll **1** 잎이 떨어짐, 낙엽 **2** [집합적] 낙엽(들)
léaf fàt 엽상(葉狀) 지방 ((잎 모양의 지방, 특히 돼지 신장 주위의 지방층))(cf. LEAF LARD)
léaf grèen 엽록소(chlorophyll); 탁한 황록색
leaf·hop·per [líːfhɑ̀pər | -hɔ̀p-] *n.* 〖곤충〗 매미충, 멸구
leaf·i·ness [líːfinis] *n.* Ⓤ 잎의 무성(한 상태)
léaf làrd 리프 라드 ((leaf fat로 만든 중성 라드))
*__leaf·less__ [líːflis] *a.* 잎이 없는 **~·ness** *n.*
*__leaf·let__ [líːflit] *n.* **1** 작은[어린] 잎, 조각 잎 ((겹잎의 한 조각)) **2** 광고 전단; 낱장으로 된 인쇄물
— *vi.*, *vt.* (**~·ed**; **~·ing** | **~·ted**; **~·ting**) (사람·장소에) 광고 전단을 뿌리다
leaf·let·eer [lìːflitíər] *n.* ((종종 경멸)) **1** 광고 문안 작성자 **2** 광고 전단을 돌리는 사람
léaf mòld 부엽토(腐葉土), 부식토(腐植土)
léaf mùstard 〖식물〗 갓
leaf-rak·ing [líːfrèikiŋ] *n.* (실업자에게 일자리를 주기 위한) 필요 없는 일, 군일, 무익한 일
léaf sprìng 판(板) 용수철[스프링]
leaf·stalk [-stɔ̀ːk] *n.* 잎꼭지(petiole)
*__leaf·y__ [líːfi] *a.* (**leaf·i·er**; **-i·est**) **1** 잎이 많은, 잎이 무성한 **2** 잎으로 된, 잎이 이루는: a ~ shade 녹음, 나무 그늘 **3** 광엽(廣葉)의; 잎 모양의 ▷ léaf *n.*

thesaurus **leak** *n.* **1** 새는 구멍 hole, opening, puncture, crack, crevice, cut, gash, slit, break **2** 누출 leakage, drip, seeping, escape, percolation, discharge **3** 누설 disclosure, revelation, uncovering — *v.* **1** 새다 drip, escape, seep out,

‡**league**[1] [líːg] [L 「결속하다」의 뜻에서] *n.* **1** 연맹, 동맹, 리그; 맹약 **2** [집합적] 연맹 참가자[단체, 국] (leaguers) **3** (야구 등의) 경기 연맹: a ~ match 리그전(戰) **4** 《구어》 (동질의) 그룹, 조(組); 부류: He is not in the same ~ with[as] us. 그는 우리와 같은 그룹은 아니다. **5** [the L~] =the LEAGUE OF NATIONS ***in ~ with*** …와 동맹[맹약, 연합]하여, 결속[결탁]하여; (특히 불법·비도덕적인 일에) 빠져 ***the L~ of the Women Voters*** 《미》 여성 유권자 동맹
—*vi., vt.* 동맹[연맹, 맹약]하다[시키다]; 단결[연합]하다[시키다] 《*with*》: 《~+목+부》 We three were ~*d together*. 우리 3명은 동맹을 맺고 있었다. // 《~+목+전+명》 be ~*d with* low company 불량배들과 한 패가 되어 있다
league[2] *n.* **1** 리그 《거리의 단위; 영·미에서는 약 3마일》 **2** 평방 리그 《지적(地積)의 단위》
Léague of Nátions [the ~] 국제 연맹(1920-46) 《the United Nations의 전신》
lea·guer[1] [líːgər] *n.* **1** 연맹 가입자[단체, 국] **2** 〖야구〗 연맹의 선수
leaguer[2] 《고어》 *n.* 공위(攻圍); 포위진(陣)
—*vt.* 포위하다
léague tàble 《영》 (스포츠의) 연맹 참가 단체 성적순 일람표; 《일반적으로》 성적[실적] 대비 일람표
Le·ah [líːə | líə] *n.* **1** 여자 이름 **2** 〖성서〗 레아 《야곱의 첫 번째 아내》
∗**leak** [líːk] [ON 「방울져 떨어지다, 듣다」의 뜻에서] *n.* **1** 〈물·공기·빛 등이〉 새는 구멍[곳] 《*in*》 **2 a** 새는 물, 새어 나오는 증기[가스] **b** 누출; [보통 a ~] 누출량(leakage) **c** 〖전기〗 리크, 누전 **3** (비밀의) 누설; 누설된 비밀; (공적인 정보의 언론 기관에 대한) 누설, 누설 경로 **4** [a ~] 《속어》 배뇨(排尿), 방뇨(放尿)
take [***have, do***] ***a ~*** 《속어》 오줌 누다 ***spring*** [***start***] ***a ~*** 새는 구멍이 생기다, 새기 시작하다
—*vi.* **1** 〈지붕·배 등이〉 새다; 〈물·가스·광선 등이〉 새다, 새어 나오다 《*in, out*》; (눈[코]에서) 눈물[콧물]이 나다: The boat is ~*ing*. 배에 물이 새어 들어오고 있다. // 《~+전+명》 water ~*ing from* a pipe 파이프에서 새어 나오는 물 **2** 〈비밀 등이〉 누설되다 《*out*》: 《~+부》 The secret ~*ed out*. 비밀이 누설되었다. **3** 《속어》 오줌을 누다
—*vt.* **1** 〈물·공기 등을〉 새게 하다, 누출시키다: That pipe ~*s* gas. 저 파이프는 가스가 샌다. **2** 〈비밀·정보 등을〉 누설하다, 흘리다 《*out, to*》
~·er *n.* **~·less** *a.* ▷ léakage *n.*; léaky *a.*
leak·age [líːkidʒ] *n.* **1** Ⓤ 샘, 누출(漏出); (비밀 등의) 누설 **2** 새는 양, 누출량; 〖상업〗 누손(漏損); 새는 것, 누출물
leak·ance [líːkəns] *n.* 〖전기〗 리컨스 《전기의 누설을 나타내는 정수; 절연 저항의 역수》
leak·proof [líːkprùːf] *a.* **1** 새지 않는 **2** 기밀 누설 방지의, 비밀을 지킬 수 있는
leak·y [líːki] *a.* (**leak·i·er**; **-i·est**) **1 a** 〈물·가스 등이〉 새는 구멍이 있는, 새는, 새기 쉬운 **b** 오줌을 가리지[참지] 못하는 **2** 비밀을 누설시키기 쉬운: a ~ vessel 비밀을 지킬 수 없는 사람, 떠버리
léak·i·ly *ad.* **léak·i·ness** *n.*
leal [líːl] *a.* 《스코·시어》 충실[성실, 진실]한(loyal)
the land of the ~ 천국(天國) **~·ly** *ad.*
‡**lean**[1] [líːn] *v.* (**~ed** [líːnd | lént, líːnd], 《영》 **leant** [lént]) *vi.* **1 a** 기대다, 기대서다: 《~+전+명》 ~ *against* a wall 벽에 기대다 / ~ *on* a person's arm …의 팔에 기대다 / *L~ off* the chair. 의자에 기대지 마라. **b** 의지하다 《*against, on, upon*》: 《~+전+명》 ~ *on* the help of a friend 친구 도움에 기대를 걸다 / An old woman came along the road ~*ing on* her staff. 한 노파가 지팡이에 의지하면서 길을 걸어왔다. **2** (똑바른 자세에서) 상체를 굽히다, 앞으로 구부리다, 뒤로 젖히다: 《~+전+명》 ~ *out of* a window 창문에서 상체를 굽혀 내밀다 // 《~+부》 ~ *forward* in walking 앞으로 꾸부정하게 걷다 / ~ *back* 상체를 뒤로 젖히다 **3** 〈건물 등이〉 기울다, 비스듬해지다(slant, incline): 《~+전+명》 The tower ~*s to* the south. 탑이 남쪽으로 기울어져 있다. **4** 〈사람·관심 등이〉 (…으로) 기울어지다, 마음이 쏠리다, …쪽을 좋아하다, (…의) 경향이 있다 《*to, toward(s)*》: 《~+전+명》 ~ *toward* socialism 사회주의로 기울다 / I rather ~ *to* your view. 나는 오히려 당신의 의견에 동조한다. / His interest ~*s toward* politics. 그의 관심은 정치에 쏠리고 있다. **5** 《주로 스코》 앉다, 눕다 《*down*》
—*vt.* **1** 비스듬히 기대어 놓다, 기대어 세우다: 《~+목+전+명》 ~ one's stick *against* a wall 지팡이를 벽에 기대어 세우다 / ~ one's back *against* a tree 나무에 등을 기대다 **2** 기울게 하다, 굽히다: 《~+목+부》 ~ one's head *forward* 머리를 앞으로 숙이다
~ against …에 비우호적이다, 반대하다 ***~ on*** (1) …에 기대다 (2) …에 의지하다 (3) 《구어》 〈사람·회사 등이〉 …에 대해 압력을 가하다, …을 위협하다 ***~ over*** … 위로 상체를 구부리다 ***~ over backward***(***s***) 《구어》 (과오를 시정하기 위해) 극도로 반대의 태도를 취하다; 열심히 (…하려고) 노력하다 《*to* do》
—*n.* [a ~] 기울기, 경사; 치우침; 구부러짐
‡**lean**[2] [líːn] *a.* **1 a** 〈사람·동물이〉 야윈, 마른(⇨ thin 유의어): a ~ body 여윈 몸 **b** 〈고기가〉 기름기 없는, 살코기의(opp. *fleshy, fat*) **c** 〈회사가〉 (비용을) 절감한 **2** 결핍된, 수확이 적은, 흉작인: ~ crops 흉작 / a ~ year 흉년 **3 a** 영양분이 적은[없는] **b** 알맹이[실속]가 없는, 빈약한 **c** 〈땅이〉 메마른, 불모의 **4** 〈문장이〉 간결한 **5** 〈연료·석탄 등이〉 저질의(low-grade) **6** 〖인쇄〗 (글자의 획이) 가는
~ and mean 《미·속어》 (야망으로) 기를 쓰며
—*n.* **1** Ⓤ [종종 the ~] 기름기 없는 고기, 살코기 (opp. *fat*) **2** 〖인쇄〗 수지가 안 맞는 일[원고]
~·ly *ad.* **~·ness** *n.*
lean-burn [líːnbə̀ːrn] *a.* 〈엔진이〉 연비(燃費)가 좋은, 연료가 적게 드는: a ~ engine 고연비 엔진
léan concrète 시멘트의 비율이 적은 콘크리트
Le·an·der [liǽndər] *n.* **1** 남자 이름 **2** 〖그리스신화〗 레안드로스 《Hero의 연인》
lean·er [líːnər] *n.* 기대는 사람[것]; (남에게) 의지하는 사람
lean-faced [líːnféist] *a.* 갸름한 얼굴의, 마른 얼굴의; 〖인쇄〗 활자판이 가는
léan gréen 《미·학생속어》 돈, 달러 지폐
lean·ing [líːniŋ] *n.* **1** Ⓤ 기울기, 경사 **2** 경향, 성벽; 기호, 편애(偏愛) 《*to, toward*》: have a ~ *toward* the law (성향이) 법률에 맞는 데가 있다
Léaning Tówer of Písa [the ~] 피사의 사탑
∗**leant** [lént] *v.* 《영》 LEAN의 과거·과거분사
lean-to [líːntùː] *a.* Ⓐ 기대어 지은, 달개의: a ~ roof[shed] 기대어 지은 지붕[집]
—*n.* (*pl.* **~s**) 기대어 지은 집[지붕]

lean-to

‡**leap** [líːp] *v.* (**leapt** [lépt, líːpt], **~ed** [líːpt, lépt]) *vi.* **1** 껑충 뛰다, 날뛰다, 뛰어오르다, 도약하다: 《~+전+명》 ~ *at* a person …에게 달려들다[뛰어오르다] / ~ *over* a brook 시내를 껑충 뛰어넘다 / She ~*ed for*[*with*] joy at the news. 그녀는 그 소식을 듣고 기뻐 날뛰었다. // Look before you ~. 《속담》 돌다리도 두드려 보고 건너라. **2 a** 〈경기·가격 등이〉 급

discharge, issue, hush out **2** 누설하다 disclose, divulge, reveal, tell, make known, give away
lean[1] *v.* rest, be supported, recline, repose, incline, bend, slant, tilt, angle, slope, bank
leap *v.* jump, bound, bounce, hop, skip, spring

격히 상승하다 **b** 갑자기 (어떤 상태·화제에) 달하다, 미치다 《*to, into*》 **3** 〈마음·가슴이〉 뛰다, 약동하다 《*up*》: My heart *~s up* when I behold a rainbow in the sky. 하늘의 무지개를 볼 때 내 마음은 설렌다. ★ Wordsworth의 시에서. **4** 날듯이 가다[행동하다]; 휙 달리다[일어나다]; 갑자기 (…으로) 변하다[되다] 《*to, into*》: ~ *to* a conclusion 껑충 뛰어 결론에 도달하다 **5** (기회·제의 등에) 얼른 덤벼들다, 응하다 《*at*》 ★ 성구(成句) 이외에서는 jump가 보통.

— *vt.* [말에 대하여 쓸 때는 종종 [lép]로 발음] **1** 〈장애물 등을〉 뛰어넘다 **2** 뛰게 하다, 뛰어넘게 하다: 《~+목+전+명》 ~ a horse *across* a ditch 말에게 도랑을 뛰어넘게 하다 / The hunters *~ed* their horses *over* all the obstacles. 사냥꾼들은 말을 뛰게 하여 모든 장애물을 뛰어넘었다. **3** 〈짐승의 수컷이〉 교미(交尾)하다 **~ *at*** …에 달려들다; 달려들듯 응하다[이용하다] **~ *off*** 뛰어내리다 **~ *out*** (…의) 눈에 띄다 《*at*》 **~ *out of* one*'s skin*** (기뻐서) 껑충거리다 **~ *to* one*'s feet*** 후닥닥 일어서다 **~ *to the eye*** 대뜸 눈에 띄다, 금방 나타나다 **one*'s heart ~s into* one*'s mouth*** 깜짝 놀라다, 대경실색하다

— *n.* **1** 뜀, 도약(跳躍)(jump); 한 번 뛰는 거리[높이], 뛰어넘어야 할 것[장소]; 뛰는 자리, 도약대: take a ~ 도약하다 **2** 교미 **3** 〖광산〗 단맥(斷脈) **4** 급격한 증가[상승] ***a ~ in the dark*** 무모한 짓, 폭거 ***a ~ of faith*** 신앙[신념]의 도약, (불확실하지만) 믿어 봄 ***by*** [***in***] ***~s and bounds*** 껑충껑충 뛰듯 빨리, 급속도로 ***give a ~*** 껑충 뛰다[뛰어오르다] ***with a ~*** 껑충 뛰어, 단번에 **~·er** *n.*

léap dày 윤일(閏日) 《leap-year day라고도 함; 2월 29일》

leap·frog [lí:pfrɔ̀:g, -frɑ̀g | -frɔ̀g] *n.* Ⓤ 등 짚고 넘기 — *v.* (**~ged**; **~·ging**) *vi.* 등 짚고 넘기를 하다 《*over*》 — *vt.* **1** 뛰어넘다 **2** 〈장애물을〉 피하다 **3** (서로) 앞서거니 뒤서거니 하며 나아가다

Léap·ing Léna [lí:piŋ-] (야구속어) 외야수 앞에 떨어지는 플라이

léap sècond 〖천문〗 윤초(閏秒)

leapt [lépt, lí:pt] *v.* LEAP의 과거·과거분사

léap yèar 윤년(閏年)(cf. COMMON YEAR)

leap-year [lí:pjìər | -jə̀:] *a.* Ⓐ 윤년의: the ~ day 윤년의 2월 29일 / a ~ proposal 여자 편에서의 청혼 《윤년에만 허용됨》

lear [líər] *n.* 《스코》 학문; (배운) 지식; 교훈

Lear [líər] *n.* 리어(왕) 《Britain섬의 전설의 왕; Shakespeare작 *King Lear*의 주인공》

‡**learn** [lə́:rn] *v.* (**~ed** [-d | -t, -d], **learnt** [-t]) 《★ (미) learned가 일반적으로 쓰임. (영) learnt도 보통 쓰이는데 특히 과거분사로서는 형용사로서의 learned [lə́:rnid]와 구별하기 위해 learnt를 선호하는 경향이 있음.》 *vt.* **1** (공부·연습 등에 의해) 〈지식·기술 등을〉 **배우다**, 익히다, 습득하다: 《~+*to* do》 ~ *to* swim[ride] 수영을[승마를] 배우다[익히다] / I'm *~ing to* dance. 나는 춤을 익히고 있다.

> 유의어 **learn** 배워서 익히다, 지식을 얻다, 터득하다: *learn* a trade 장사를 배우다 **study** 노력하여 배우는 과정을 나타내므로 I *study* English very hard[every day].라고는 할 수 있어도 I *learn* English very hard[every day].라고는 하지 않는다.

2 (들어서) **알다**, **듣다** 《*from*》: ~ the truth 진실을 알다 // 《~+목+전+명》 I *~ed* it *from*[*of*] him that ... …이라는 것을 그에게서 들었다 // 《~+**that** 절》 I *~ed that* he had been sick. 그가 앓고 있었다는 것을 알았다. / I *~ed* (*from* her) *that* he had failed in the examination. 그가 시험에 실패했다는 것을 (그녀에게서) 들었다. // 《~+**wh.** 절》 He is[has] yet to ~ *where* she came from. 그녀가 어디서 왔는지 그는 아직 모른다. **3** 외우다, 암기하다, 기억하다 《(영) *up*》: 《~+목+전+명》 ~ a poem *by* heart 시를 암기하다 **4** 《고어·속어·익살》 가르치다(teach): 《~+목+**wh. to** do》 He *~ed* me *how to* play chess. 그는 체스를 두는 방법을 가르쳐 주었다.

— *vi.* **1** 배우다, 익히다, 공부하다, 외다 《*from, by*》: ~ *from* one's mistakes[experience] 실수[경험]로 배우다 / He *~s* rapidly[slowly]. 그는 배우는 것이 빠르다[더디다]. **2** (들어서) 알다, 듣다 《*of, about*; *from*》: 《~+전+명》 ~ *of* an accident 사고에 관하여 듣다[알다] / He *~ed of* her marriage *from* a friend. 그는 친구로부터 그녀의 결혼에 대해 들었다. **~ *a*** [**one*'s***] ***lesson*** (1) 학과를 공부하다 (2) 경험으로 배우다, 실수를 통해 깨닫다 **~ (*off*) *by heart*** 외다, 암기하다 **~ ... *the hard way*** 실수를[경험을] 통해 배우다 **~ *to* one*'s cost*** 혼이 나고서야 알다 **~·a·ble** *a.* ▷ léarned *a.*

‡**learn·ed** [lə́:rnid] *a.* **1 학문[학식]이 있는**, 박학한, 박식한: a ~ man 학자 **2** 학문(상)의, 학구적인: a ~ society 학회 / a ~ book 학술서 ***be ~ in*** …에 조예가 깊다 ***my ~ friend*** [***brother***] (영) 박학한 친구 《하원·법정 등에서 의원이나 변호사끼리의 경칭》 **~·ly** *ad.* **~·ness** *n.* ▷ léarn *v.*

léarned bórrowing 학문적 차용 《고전어에 약간의 형태 변화를 주어 현대어로 차용하기》

léarned proféssion 학문적 직업 《본래는 신학·법학·의학 중의 하나》(cf. PROFESSION 1)

‡**learn·er** [lə́:rnər] *n.* **1 배우는 사람**, 학습자, 학생; 제자 **2** 초학자, 초심자 **3** = LEARNER-DRIVER

learn·er-driv·er [lə́:rnərdráivər] *n.* (영) 임시 면허 운전자(cf. L-DRIVER)

léarner's pèrmit (영) 임시 운전면허증

‡**learn·ing** [lə́:rniŋ] *n.* **1** Ⓤ 배움, 학습, 습득 **2** Ⓤ [또는 a ~] 학문, 학식, 지식; 박학, 박식: a man of ~ 학자 / a center of ~ 학문적 중심지 / *A* little ~ is a dangerous thing. (속담) 선무당이 사람 잡는다.

léarning compùter 학습용 컴퓨터

léarning cùrve 〖심리·교육〗 학습 곡선 《숙련도·습득도를 그래프로 나타낸 것》

léarn·ing-cùrve prìcing [lə́:rniŋkə̀:rv-] 학습 곡선에 의한 가격 저하, 양산(量産)에 의한 가격 저감칙(低減則)

léarning difficulties 학습 장애

léarning disability 〖정신의학〗 학습 불능[곤란](증), 학습 장애

learn·ing-dis·a·bled [-disèibld] *a.* 〖정신의학〗 학습 불능(증)의, 학습 장애를 가진

‡**learnt** [lə́:rnt] *v.* LEARN의 과거·과거분사

lear·y [líəri] *a.* = LEERY

lease**[1] [lí:s] [L 「(토지를) 넓히다, 풀어놓다」의 뜻에서] *n.* **1** Ⓤ 차지(借地)[차가(借家)] **계약**, 임대차 (계약), 리스 **2** 임차권(賃借權); 차용[임대차] 기간 ***by [***on***] **~** 임대[임차]로 **~ *for three*** [***four,*** etc.] ***lives*** (영) 지명된 3[4…]명이 죽을 때까지 계속되는 임대차 ***put*** (***out***) ***to ~*** 임대하다 ***take*** [***get, have***] ***a new*** [***fresh***] **~ *on*** [(영) ***of***] ***life*** (1) (고질적인 병 등이 완쾌되어) 수명이 늘다; (사태가 호전되어) 보다 행복한 생활을 할 수 있다 (2) (물건이 수리 등으로) 더 오래 견디게 되다 ***take on ~*** 임차하다

— *vt.* 〈토지·가옥을〉 임대[임차]하다

léas·a·ble *a.* **léas·er** *n.*

lease[2] *n.* 직기의 날이 교차하는 곳; (길쌈의) 무늬(leash)

lease[3] [lí:z] *n.* 《방언》 공유지, 공동 방목장

lease·back [lí:sbæ̀k] *n.* 임대차 계약부 매각, 매각 차용(賣却借用) 《매각하고 임차하는 것; sale and leaseback, sale-leaseback이라고도 함》

thesaurus **learned** *a.* scholarly, well-educated, intellectual, academic, studious, sage, wise
leave[1] *v.* **1** 떠나다 go, depart, withdraw, retire, take off, exit, disappear (opp. *come, arrive,*

lease·hold [-hòuld] *n.* 차지(借地); 토지 임차권; 정기(定期) 대차권 **—** *a.* 임차의, 조차(租借)의 **~·er** *n.*

lease-lend [-lénd] *n., vt.* (영) =LEND-LEASE

lease-pur·chase [líːspə́ːrtʃəs] *n.* 임차 만기 구입 방식 《만기 전에 구입을 희망할 때에는 지급한 임차료를 가격에서 공제하는 방식》

leash [líːʃ] *n.* **1** (개 등을 매어 두는) 가죽끈[줄], 사슬 **2** [a ~] (한데 묶인 개 등의) 세 마리 한 조 **3** Ⓤ 속박, 구속 **4** (길쌈의) 무늬
hold [***have, keep***] ***in*** **~** 가죽끈으로 매어 두다; 속박[지배]하다 ***on*** [***in***] (***the*** [***a***]) **~** 〈개 등이〉 가죽끈에 매인[매이어] ***strain at the*** **~** 〈사냥개가〉 몸이 달아 가죽끈을 잡아당기다; 자유를 갈망하다
— *vt.* **1** 가죽끈으로 매다 **2** 속박하다, 억제하다

léash làw 임자의 소유지 밖에서는 개를 매어 두어야 한다는 조례(條例)

leas·ing [líːziŋ | líːs-] *n.* ⓊⒸ (고어) 거짓말(하기)

‡**least** [líːst] [LITTLE의 최상급] (opp. *most*) *a.* **1** 가장 작은, 가장 적은: the ~ distance 최단 거리 **2** 〈중요성·가치·지위가〉 가장 낮은 **3** (방언) 〈아이가〉 최연소의; 〈동식물이〉 소형종(小型種)의 **4** (미·속어) 시시한, 하찮은, 보잘것없는 ***not the*** **~** (1) 최소의 …도 없다, 조금도 …않다(not ... at all): There is *not the* ~ wind today. 오늘은 바람 한 점 없다. (2) [not을 강조하여] 적지 않은(great): There's *not the* ~ danger. 적지 않은 위험이 있다.
— *n.* [보통 the ~] 최소; 최소량[액, 정도]
at (***the***) **~** (1) [보통 수사 앞에 써서] 적어도; 하다못해(opp. *at most*) (2) [at least로] 아무튼, 어쨌든 ***not in the*** **~** 조금도 …않다, 전혀 …아니다(not at all)(cf. not the LEAST) ***to say the*** **~** (***of it***) 아무리 줄잡아 말하더라도
— *ad.* [때로 the ~] 가장 적게: (The) ~ said (the) soonest mended=The ~[less] said the better. (속담) 말은 적을수록 좋다.
last but not **~** ⇨ last[1]. **~ *of all*** 가장 …아니다, 무엇보다도 …않다: I like that ~ *of all.* 나는 그것이 제일 싫다. / *Least of all* do I want to hurt you. 너를 해치고 싶은 생각은 조금도 없다. / That is ~ important *of all.* 그것은 중요성이 가장 적다. ***not*** **~** 특히, 그 중에서도 ***not the*** **~** =not in the LEAST: He had *not the* ~ knowledge of me. 그는 나에 대해서는 전혀 아는 바가 없었다.

léast cómmon denóminator [the ~] 〖수학〗 최소 공통 분모 (略 L.C.D., l.c.d.)

léast cómmon múltiple [the ~] 〖수학〗 최소 공배수 (略 L.C.M., l.c.m.)

léast significant bít 〖컴퓨터〗 최하위 비트 (略 LSB)

léast significant dígit 최하위 숫자(cf. MOST SIGNIFICANT DIGIT) (略 LSD)

léast squáres 〖통계〗 최소 제곱법

léast úpper bóund [the ~] 〖수학〗 상한(上限)

least·ways [-wèiz] *ad.* (방언·구어) =LEASTWISE

least·wise [-wàiz] *ad.* (구어) 적어도(at least); 하여간, 어쨌든

least-worst [liːstwə́ːrst] *a.* 나쁜 것 중에서는 가장 나은

leat [líːt] *n.* (영·방언) (물을 대는) 수로[도랑]

‡**leath·er** [léðər] *n.* **1** Ⓤ (털을 제거하고 무두질한) 가죽 ★ 모조 가죽은 imitation leather 또는 Leatherette: a ~ dresser 무두질 직공 **2** 가죽 제품 **a** 가죽끈, 등자(鐙子) 가죽 **b** [the ~] (야구·크리켓·풋볼의) 공: ~ hunting 외야 수비 **c** [*pl.*] 가죽 반바지 **3** Ⓤ (속어) 피부(skin) **4** (속어) 지갑

stay) **2** 그만두다 give up, quit, abandon **3** 버리다 desert, forsake, discard **4** (재산을) 남기다 bequeath, endow, will, transfer, hand down **5** 맡기다 assign, allot, consign, hand over

hell for **~** ⇨ hell. **~ *and prunella*** [***prunello***] 아무래도 상관없는 일, 하찮은 것, 가치 없는 물건 ***lose*** **~** 살가죽이 까지다, 피부가 벗겨지다 ***Morocco*** **~** 모로코 가죽 《염소 가죽으로 만든 최고급품》(cf. PATENT LEATHER) (***There is***) ***nothing like*** **~!** 자기(것) 자랑, 자화자찬
— *vt.* **1** 무두질하다, …에 가죽을 붙이다 **2** 부드러운 가죽으로 닦다[훔치다] **3** (가죽끈 등으로) 때리다(flog)
— *a.* Ⓐ **1** 가죽(제)의 **2** (속어) 변태 성욕자의
▷ léathery, léathern *a.*

leath·er·back [léðərbæ̀k] *n.* 〖동물〗 장수거북 《거북 무리 중 가장 큼》(=~ turtle)

léatherback túrtle =LEATHERBACK

leath·er·bound [-bàund] *a.* 〈책이〉 가죽 장정[제본]의

leath·er·cloth [léðərklɔ̀ːθ, -klɑ̀θ | -klɔ̀θ] *n.* 레더클로스 《가죽 비슷하게 만든 천》

Leath·er·ette [lèðərét] *n.* **1** 재생피(再生皮), 모조 가죽 《상표명》 **2** 가죽처럼 만든 종이

leath·er-hard [léðərhɑ́ːrd] *a.* 〈점토가〉 가소성(可塑性)이 없는

leath·er·head [-hèd] *n.* (속어) 바보, 멍청이

leath·er·jack·et [-dʒæ̀kit] *n.* **1** 〖어류〗 쥐치 **2** (영) 〖곤충〗 꾸정모기[각다귀]의 애벌레

leath·er-lunged [-lʌ́ŋd] *a.* 큰 소리로 (장시간) 떠들 수 있는

léather mèdal (미·속어) 최하위상, 꼴찌상(booby prize)

leath·ern [léðərn] *a.* (고어) 가죽의, 가죽으로 만든; 혁질(革質)의: a ~ purse 가죽제 지갑

leath·er·neck [léðərnèk] *n.* **1** (미·속어) 해병대원 **2** 무뚝뚝한 사람; 튼튼한 선수
— *a.* 상스러운, 세련되지 않은

Leath·er·oid [léðərɔ̀id] *n.* 모조[인조] 가죽 《종이로 만듦; 상표명》

leath·er·ware [léðərwɛ̀ər] *n.* Ⓤ 피혁 제품

léather wédding 혁혼식(革婚式) 《결혼 4주년 기념》

leath·er·wood [léðərwùd] *n.* 〖식물〗 팥꽃나뭇과(科)의 관목(moosewood) 《미국산》

leath·er·y [léðəri] *a.* **1** 〈겉모양·감촉 등이〉 가죽 같은; 가죽 빛의 **2** 〈쇠고기 등이〉 (가죽같이) 질긴(tough)

‡**leave**[1] [líːv] *v.* (**left** [léft]; **leav·ing**)

기본적으로는 「떠나다; 방치하다」의 뜻.	
① 떠나다	타 **1** 자 **1**
② 두고 가다	타 **3**
③ 방치하다	타 **5**
④ (빼고 난 뒤에) 〈수를〉 남기다	타 **10**
⑤ 위탁하다	타 **11**

— *vt.* **1** 〈장소·사람·물건 등으로부터〉 **떠나다**, **출발하다** (*for*): I *left* home at eight. 나는 여덟 시에 집을 나왔다. // (~+목+전+명) I *left* London *for* New York. 나는 런던을 떠나 뉴욕으로 향했다. **2 a** 〈업무 등을〉 **그만두다**, 탈퇴하다; 〈학교를〉 그만두다, 퇴학하다; (영) 〈초·중·고교를〉 졸업하다: ~ one's job 일을 그만두다, 사직하다 / The boy had to ~ school. 소년은 학교를 그만둬야 했다. **b 그치다**, 그만두다(cease): (~+목+*-ing*) He *left* drink*ing* for nearly two years. 그는 술을 끊은 지 거의 2년이 된다. // (~+목+*to* do) He *left* law *to* study music. 그는 법학을 그만두고 음악을 공부했다. **3 남기다**, 〈편지 등을〉 두고 가다; 두고 오다: (~+목+전+명) ~ a book *on* the table 책상 위에 책을 놓고 가다 / ~ a card *on* a person …을 방문하고 명함을 두고 오다 / ~ one's umbrella *in* the train 기차에 우산을 두고 오다 **4** 〈사람·가정 등을〉 **버리다**, 저버리다, 버리고 가다: ~ one's wife and family 처자를 버리고 가다 **5** [보어를 동반하여] **…한 상태로 놓아 두다**, 방치하다; (어떤 상태가) 되게 하다: (~+목+보) ~ the door open 문을 열어 두다 / The insult *left* me speechless. 그 모욕을 받고 나는 말문이 막혀 버렸다. // (~+목+**done**) ~ it *undone* 하지 않은 채 두다/ Better ~ it *unsaid*. 말을 하지 않는 것이 상책. // (~+목+**-ing**) Don't ~ the baby cry*ing*. 아기를 우는 채로 놔 두지 마라. // (~+목+**as** 형) *L*~ things *as* they are. 현 상태로 놔두어라. **6** (간섭하지 않고) 〈남이〉 하는 대로 내버려 두다: (~+목+전+명) ~ a person *to* himself …에게 마음대로 하게 하다, 멋대로 하게 하다 // (~+목+**to** do) ~ a person *to* do as he pleases …을 자기가 좋을 대로 하게 두다/I shall ~ you *to* think what you like. 당신의 상상에 맡깁니다. **7** 〈결과·흔적·감정 등을〉 남기다: ~ a deep impression 깊은 인상을 남기다/The wound *left* a scar. 그 부상으로 흉터가 남았다. **8** 〈처자·재산·명성·기록 등을〉 남기고 죽다, 남기다 《*behind*》; (남에게) 〈재산을〉 남기다 《*to*》: ~ a wife and five children 아내와 다섯 자녀를 남기고 죽다 // (~+목+목) (~+목+전+명) ~ one's wife a large fortune = ~ a large fortune *to* one's wife 아내에게 큰 재산을 남기고 죽다/He *left* debt *behind* him. 그는 빚을 남기고 죽었다. // (~+목+보) He was *left* orphan at the age of five. 그는 다섯 살 때에 고아가 되었다. **9** 〈사물·판단 등을〉 **맡기다**, 위임하다 《*to*》: (~+목+전+명) He ~*s* such decisions (up) *to* me. 그는 그런 결정은 내게 맡기고 있다. / *L*~ it *to* me. 그것은 내게 맡겨 주시오. / It may be safely *left to* his judgment. 그것은 그의 판단에 맡겨도 틀림이 없을 것이다. **10** (빼고 난 뒤에) 〈수를〉 남기다; (사용한 뒤에) …을 남기다: Two from four ~*s* two. 4에서 2를 빼면 2가 남는다. / There is some coal *left*. 석탄이 조금 남아 있다. // (~+목+목) The payment of his debts *left* him nothing to live on. 빚을 갚고 나니 그는 먹고살아 갈 수가 없게 되었다. // (~+목+전+명) *L*~ some bone *for* the dog. 개에게 뼈를 좀 남겨 주어라. **11** 〈우편 집배원이〉 배달하다, 건네주다; 위탁하다: The postman *left* three letters. 우편 집배원이 3통의 편지를 놓고 갔다. // (~+목+전+명) ~ a message *with* a person …에게 전갈을 부탁[위탁]하다 **12** (일정한 방향을 유지하면서) 지나가다, 통과하다: ~ the church on the left 교회를 왼편에 보며 지나가다 **13** (미·구어) 〈남에게〉 (…을) 하게 하다, 시키다(let): (~+목+**do**) *L*~ us *go* now. 이젠 우리를 보내 주시오.

— *vi*. **1** 가 버리다, 사라지다(go away); 출발하다 (depart), 〈기차·배 등이〉 떠나다 《*for, from*》: ~ on a trip 여행을 가다/It's time to ~ now. 이제 떠날 시간이다. // (~+전+명) I'm *leaving for* America tomorrow. 내일 미국으로 출발합니다. **2 a** 일을 그만두다, 퇴직하다 **b** 퇴학하다; (영) 졸업하다

be left with …을 뒤에 남기다; (사건 등이 있은 뒤에) 〈어떤 감정·생각 등을〉 가지다 ***be nicely left*** 속다, 골탕 먹다 ***be well***[***badly***] ***left*** 충분한 유산을 받다[못 받다] ***get left*** (구어) 버림받다; 패배당하다 ***I*** (***will***) ~ ***it***[***that***] ***to you, sir.*** 셈은 생각대로 해 주십시오; 그 일은 선생님께 맡깁니다. ~ something ***about***[***around***] (물건을) 사용한 채 어질러 놓다 ~ ***alone*** 혼자 내버려 두다, 상관하지 않다, 간섭하지 않다 ~ a person ***alone to*** do …에게 상관하지 않고 …하게 내버려 두다; …을 신용하여 … 하게 두다 ~ ***… aside*** = ~ ***aside …*** 〈문제·비용 등을〉 고려하지 않다 ~ ***… be*** (미·구어) 내버려 두다, 상관하지 않다 ~ ***behind*** (1) 두고 가다, 둔 채 잊고 가다 (2) 〈처자·재산·명성·기록·피해 등을〉 남기고 죽다, 뒤에 남기다 (3) 통과하다, 지나가다 ~ a person ***cold***[***cool***] …에게 아무 인상도 주지 않다, 보아도[들어도] 흥미를 느끼지 않게 하다 ~ ***go***[***hold***] ***of*** (구어) …에서 손을 떼다 ~ ***in*** 〈자구(字句) 등을〉 (생략하지 않고) 그대로 두다, 남겨 두다 ~ ***in the air*** 미정인 상태로 두다; 불안을 느끼게 해 두다 ~ a person ***in the lurch*** ⇨ lurch[2]. ***L~ it at that.*** (구어) 그만큼만 해 두게. 《비평·행동 등에 대해》 ~ ***no stones unturned*** 백방으로 노력하다, 온갖 수단을 강구하다 ~ ***nothing***[***much***] ***to be desired*** ⇨ desire. ~ ***off*** (1) 그만두다; 금하다 (2) 〈옷을〉 입는 것을 그만두다, 벗은 채로 있다 (3) 빠뜨리다, 생략하다 ~ ***on*** …을 입은[켠, 둔] 채로 두다 ~ ***out*** (1) 내놓은 채 버려 두다 (2) 생략하다; 제외하다 (3) 무시하다; 잊다 (4) 가 버리다; 끝나다 ~ ***…*** (***out***) ***in the cold*** [보통 수동형으로] (1) …을 (밖의) 추운 곳에 방치하다 (2) …을 냉대하다, 따돌리다, 배제하다 ~ ***… out of …*** (1) …을 …에서 제외하다, 생략하다 (2) …을 (고려에서) 없애다, 무시하다 ~ ***over*** (1) 〈음식 능을〉 남기다 (2) 〈일 등을〉 미루다, 연기하다 ~ ***room for*** …의 여지가 있다 ~ ***severely alone*** 되도록 간섭[관계]하지 않다 ~ a person ***the bag to hold*** ⇨ bag[1]. ~ ***the best for last*** 가장 좋은 것을 가장 나중에 주다 ~ a person ***to*** do 상관않고[방임하여, 마음대로] …하게 하다 ~ a person ***to himself***[***to his own devices***] 좋을 대로 하게 내버려 두다, 방임하다 ~ ***well***[(미) ***well enough***] ***alone*** ⇨ alone. ~ ***word*** (미·구어) 전갈을 남기다 ***Take it or ~ it.*** (제시된 가격 등을 그대로 무조건) 받아들이든[사든] 말든 마음대로 해라.

‡**leave**[2] [líːv] [OE 「허가」의 뜻에서] *n*. Ⓤ **1** 허가 (permission): (~+**to** do) You have my ~ *to* act as you like. 내가 허락하겠으니 좋을 대로 해라. **2 a** (특히 공무원·군인이 받는) 휴가의 허가: maternity ~ 산휴/ask for ~ (of absence) 휴가를 신청하다 **b** ⓊⒸ (신청에 따른) 휴가 (기간): (a) six months' ~ (of absence) 6개월의 휴가/two ~*s* (in) a year 한 해에 두 번의 휴가 **3** 작별(farewell), 고별 ***a ticket of ~*** (영) 가출옥 허가증 ***by***[***with***] ***your ~*** 미안하지만, 실례지만 ***get*** one***'s ~*** 면직되다 ***have***[***go on***] ~ 휴가를 얻다 ***I beg ~ to*** inform you of it. (통지해) 드리는 바입니다. ~ ***off*** 휴양 허가 ~ ***out*** 외출[퇴출] 허가 ***neither with your ~ nor by your ~*** 네 마음에 들든 말든 ***on ~*** 휴가를 얻어, 휴가로 ***take French ~*** ⇨ French leave. ***take ~ of*** one***'s senses*** 미치다 ***take ~ to*** do 외람스레 …하다 ***take*** (one***'s***) ~ (***of***) (…에게) 작별을 고하다, 작별 인사를 하다, 인사하고 (…와) 헤어지다 ***without ~*** 무단으로

leave[3] *vi*. 〈식물이〉 잎을 내다, 잎이 나다(leaf) 《*out*》

leaved [líːvd] *a*. [보통 복합어를 이루어] **1** …의 잎이 있는; 잎이 …개인: a four-~ clover 네 잎 클로버 **2** 〈문짝 등이〉 …장의: a two-~ door 문짝이 둘인 문

leave·look·er [líːvlùkər] *n*. (영) (시(市)의) 시장(市場) 감시원

*__leav·en__ [lévən] [L 「들어올리다」의 뜻에서] *n*. **1** Ⓤ **a** 효모, 이스트, 발효소 **b** 발효한 밀가루 반죽 **c** 베이킹 파우더 **2** 『성서』 감화를[영향을] 주는 것 **3** (…의) 기미 (tinge) 《*of*》 ***of the same ~*** 같은 종류[성질]의 ***the old ~*** 『성서』 묵은 누룩; 고쳐지지 않는 낡은 습관

— *vt*. **1** 발효시키다 **2** 영향[잠세력(潛勢力)]을 미치다 《*with, by*》 **3** 스며들게 하다, (…의) 기미가 있게 하다 《*with*》 **~·less** *a*.

leav·en·ing [lévəniŋ] *n*. **1** Ⓤ 효모, 발효소 **2** 발효시키기 **3** 감화, 영향; (비유) 변화[영향, 감화]를 미치는 요소[성질]

léave of ábsence **1** 휴가[휴직, 결석]의 허가; (유급) 휴가: May I have ~ tomorrow? 내일 휴가를 낼 수 있겠습니까? **2** 휴가 기간(leave): on a two-week ~ 2주일 간의 휴가로

leav·er [líːvər] *n*. 떠나는[버리는] 사람

‡**leaves**[1] [líːvz] *n*. LEAF의 복수

leaves[2] *n. pl*. (미·속어) 블루진

leave-tak·ing [líːvtèikiŋ] *n*. Ⓤ 작별, 고별

leav·ing [líːviŋ] *n*. 남은 것; [*pl*.] 잔물(殘物), 쓰레기, 찌꺼기(refuse)

Leb·a·nese [lèbəníːz, -níːs] *a*. 레바논(사람)의

thesaurus **lecture** *n*. talk, speech, address, discourse, disquisition, lesson, sermon, homily

—*n.* (*pl.* ~) 레바논 사람
*__Leb·a·non__ [lébənən] *n.* **1** 레바논 《아시아 남서부, 지중해 동단(東端)의 공화국; 수도 Beirut》 **2** 미국 Pennsylvania주 남동부의 도시 ▷ Lebanése *a.*, *n.*
Lébanon cédar 〖식물〗 레바논 삼목(杉木)(= cedar of Lebanon) 《히말라야 삼목의 변종》
Lébanon Móuntains [the ~] 레바논 산맥
Le·bens·raum [léibənsràum, -bənz-] [G = living space] *n.* [종종 **l~**] **1** (국민) 생활권(圈) 《독일 나치스의 이념이었던》 **2** 《일반적으로》 생활권(living space)
Le·boy·er [ləbɔ́iər] *a.* 〖의학〗 르부아예 분만 방식의, 태아 보호 분만법의
lech [létʃ] (속어) *n.* Ⓤ,Ⓒ **1** [보통 a ~] 갈망(craving); 정욕, 호색 **2** 호색가 《남자》 —*vi.* 호색하다; 색정을 느끼다; 갈망하다 《*after, for*》
lech·er [létʃər] *n.* 호색가
lech·er·ous [létʃərəs] *a.* 호색의, 음란한; 색욕을 자극하는, 도발적인 **~·ly** *ad.* **~·ness** *n.*
lech·er·y [létʃəri] *n.* **1** Ⓤ 호색; 색욕(lust) **2** 음란한 행위
lech·ing [létʃiŋ] *a.* 품행이 나쁜, 방탕한
lec·i·thin [lésəθin] *n.* Ⓤ 〖생화학〗 레시틴 《신경 세포 및 알의 노른자위 속에 있는 지방 비슷한 화합물》; 레시틴 함유물
lec·i·thin·ase [lésəθinèis, -èiz] *n.* 〖생화학〗 레시티나아제 《인지질(燐脂質)을 가수 분해하는 효소》
lect. lecture; lecturer
lec·tern [léktərn] *n.* **1** 〖교회〗 성서대(podium) **2** 강의[연설]대
lec·tin [léktin] *n.* 〖생화학〗 렉틴 《동식물에서 추출된 단백질》
lec·tion [lékʃən] *n.* (교회에서 낭독되는) 성구(聖句)
lec·tion·ar·y [lékʃənèri | -ʃən-əri] *n.* (*pl.* **-ar·ies**) (교회에서 읽는) 성구집(聖句集), 일과표
lec·tor [léktər | -tɔ:] *n.* **1** 〖교회〗 성구를 읽는 사람 **2** (주로 유럽 대학의) 강사(lecturer) **~·shìp** *n.*
lec·trice [léktris | lektrí:s] *n.* (대학의) 여자 강사

lectern 1

‡**lec·ture** [léktʃər] [L 「읽기」의 뜻에서] *n.* **1** 강의, 강연, 강화(講話) 《*on, about*》; 강의[강연]의 원고 **2** 설교, 잔소리, 꾸지람, 훈계 《*on, about*》 ***have*** [***get***] ***a ~ from*** …에게서 훈계를 받다 ***read*** [***give***] a person ***a ~*** 훈계하다, 꾸짖다
—*vi.* 강의[강연]를 하다 《*on, about*》: (~+전+명) ~ *on* foreign affairs 외교 문제에 관하여 강의를 하다
—*vt.* **1** …에게 강의하다 **2** 설교하다, 훈계하다, 나무라다, 잔소리하다 《*for*》
lécture háll 강당; 큰 교실
‡**lec·tur·er** [léktʃərər] *n.* **1** 강연자; 훈계자 **2** (영) (대학 등의) 강사: a ~ in English at ... University …대학 영어 강사 **3** 〖영국국교〗 설교자, 설교사
lécture ròom 강의실, 강당
lec·ture·ship [léktʃərʃip] *n.* Ⓤ **1** 강사의 직[직위] **2** 〖영국국교〗 설교사의 직[지위] **3** 강좌 (운영 기금)
lécture thèater 계단식 교실[강의실]
*__led__ [léd] *v.* LEAD[1]의 과거·과거분사
—*a.* 지도[지배]되는, 이끌리는: a ~ horse 끌려가는 말, (바꿔타기 위한) 예비 말
LED light-emitting diode 발광 소자 《컴퓨터·전자시계 등에 씀》
Le·da [lí:də, léi-] *n.* 〖그리스신화〗 레다 《Zeus가 백조의 모습을 하여 사랑을 나누었던》
léd càptain 아첨하는 사람, 알랑쇠, 추종자
le·der·ho·sen [léidərhòuzən] [G = leather trousers] *n. pl.* (Bavaria 지방 등의) 무릎까지 오는 가죽 바지
‡**ledge** [lédʒ] *n.* **1** (벽·창 등에서 내민) 선반 **2** (암벽의 측면이나 특히 해안에 가까운 바다 속의) 암붕(岩棚) **3** 광맥(lode) **4** 〖건축〗 (굵은) 가로대; (배의) 부양재(副梁材) **lédged** *a.* 선반[암붕]이 있는
led·ger [lédʒər] *n.* **1** 〖회계〗 원장(元帳), 원부, 대장; 숙박부: a ~ balance 원장 잔고 **2** 〖건축〗 비계 여장(=∠ **bòard**) 《발판 횡목》 **3** (묘의) 대석(臺石) **4** = LEDGER BAIT **5** = LEDGER LINE
lédger bàit (낚시의) 바닥 미끼 《물 밑에 가라앉힘》
lédger lìne **1** 〖음악〗 덧줄, 가선(加線)(added line, leger line) **2** 바닥 미끼를 단 낚싯줄
ledg·er-tack·le [-tæ̀kl] *n.* 미끼와 낚싯봉을 물 밑 바닥에 정지시켜 놓기 위한 장치
ledg·y [lédʒi] *a.* 선반[암붕, 암초]이 있는[많은]
LÉD prìnter 〖컴퓨터〗 발광 다이오드 프린터
*__lee__ [lí:] *n.* [the ~] **1** 〖항해〗 바람 불어가는 쪽(opp. *windward*) **2** 바람이 닿지 않는[없는] 곳, 가려진 곳, 그늘(shelter) **3** 풍하(風下)
—*a.* Ⓐ 〖항해〗 바람 불어가는 쪽의: the ~ side 바람 불어가는 쪽 ***have the ~ of*** (1) …의 바람 불어가는 쪽에 있다 (2) …보다 낮은[못한] 자리에 있다, …보다 불리하다 ***under*** [***on***] ***the ~*** 바람 불어가는 쪽에 ***under the ~ of*** …의 그늘에 ▷ léeward *a.*
Lee [lí:] *n.* **1** 남자 이름 **2** 리 **Robert E**(**dward**) ~ (1807-70) 《미국 남북 전쟁 때의 남군 지휘관》
lee·board [lí:bɔ̀:rd] *n.* 〖항해〗 측판(側板) 《바람 불어가는 쪽으로 밀리지 않게 범선 중앙부 양현에 붙인 널》
*__leech__[1] [lí:tʃ] *n.* **1** 〖동물〗 거머리 **2 a** 흡혈귀, 고리대금업자 **b** (구어) (악랄한) 착취자, 기생충 (같은 사람) **3** (고어·익살) 의사 ***stick*** [***cling***] ***like a ~*** 달라붙어서 떨어지지 않다
—*vt.* **1** 거머리를 붙여 피를 빨아내다 **2** 〈사람·재산에〉 달라붙어 짜내다, 희생물로 하다
—*vi.* (사람·재산에) 달라붙어 떨어지지 않다 《*onto*》
~·lìke *a.* 거머리[흡혈귀] 같은
leech[2] *n.* 〖항해〗 (돛의) 세로의 가장자리
LEED [lí:d] [*l*ow *e*nergy *e*lectron *d*iffraction] *n.* 〖물리〗 리드, 저(低)에너지 전자 회절 《고체 표면을 연구하는 실험 수단으로 씀》
Lée-Ên·field (**rìfle**) [lí:énfi:ld-] 〖영국군〗 (1900년부터 군대에서 쓰는) 소총
leek [lí:k] *n.* 〖식물〗 부추 ***eat the ~*** 굴욕을 참다 ***not worth a ~*** 아무 가치도 없는
leek-green [lí:kgrí:n] *a.* 푸르무레한 초록색의
leer[1] [líər] *vi.* 곁눈질하다, 추파를 던지다; 흘기다 《*at, upon*》 —*n.* 곁눈질, 추파, 심술궂은 눈초리
leer[2] *a.* (영·방언) **1** 짐이 없는, 빈 **2** 배가 고파 힘이 없는, 허기진
leer[3] *n.* 유리 융해로(融解爐)
leer·ics [lí:riks] *n. pl.* (미·속어) 선정적인 가사
leer·ing [líəriŋ] *a.* 곁눈질하는, 심술궂게 보이는 눈초리의 **~·ly** *ad.*
leer·y [líəri] *a.* (**leer·i·er**; **-i·est**) **1** 상스러운 눈초리의 **2** (속어) 의심 많은, 조심[경계]하는 《*of*》 **3** (고어·방언) 교활한, 약삭빠른 ***a ~ old bird*** 교활한 남자 **léer·i·ly** *ad.* **léer·i·ness** *n.*
lees [lí:z] *n. pl.* (술 등의) 앙금, 찌꺼기
drink [***drain***] ***to the ~*** (1) 남김없이 마시다 (2) 갖은 고생을 다하다 ***the ~ of life*** 하찮은 여생
lée shòre 바람이 불어가는 쪽의 해안
leet[1] [lí:t] *n.* 〖영국사〗 영주의 재판소(의 관할 구역)(=court-~)
leet[2] *n.* (스코) 관직 후보자 선발 목록
lée tìde = LEEWARD TIDE
leet·speak [lí:tspì:k] *n.* 릿스피크 《숫자나 부호를 조합해 본래 단어처럼 들리게 만든 인터넷 속어》
lee·ward [lí:wərd; 〖항해〗 lú:ərd] *a.* 바람 불어가는 쪽의(opp. *windward*) 《*of*》 —*ad.* 바람 불어가는 쪽으로[에] —*n.* Ⓤ 바람 불어가는 쪽(opp. *windward*) ***on the ~ of*** …에서 바람 불어가는 쪽에 ***to***

led *a.* taken, escorted, guided
ledge *n.* shelf, mantle, jut, strip, bar

~ 바람 불어가는 쪽을 향하여 **~·ly** *ad.*
Lée·ward Íslands [lí:wərd-] [the ~] 리워드 제도 《서인도 제도의》
léeward tíde (바람이 부는 쪽으로 흐르는) 순풍 조수
lee·way [lí:wèi] *n.* Ⓤ **1** 〖항해〗 풍압(風壓); 풍압차(差)[각] 《배의 방향과 항로와의 각도》 **2** (시간의) 손실 **3** (구어) (공간·시간·돈 등의) 여유, 여지 ***have ~*** 바람 불어가는 쪽이 넓다; 활동의 여지가 있다 ***have much ~ to make up*** 일이 상당히 지체되어 있다 ***make up*** (***for***) ~ 뒤진 것을 만회하다; 곤경을 뚫고 나가다
‡**left**[1] [léft] [OE 「약한, 가치 없는」의 뜻에서] (opp. *right*) *a.* **1** Ⓐ **왼쪽의,** 왼편의: the ~ hand 왼손; 좌측, 왼쪽/the ~ bank (강의) 왼쪽 기슭 《하류를 향하여》 **2** [보통 **L~**] (정치적으로) 급진적인, 좌익의, 좌파의 **3** 〖수학〗 좌측의 ***have two ~ feet***[***hands***] (미·구어) 동작이 어설프다[솜씨가 서투르다] ***marry with the ~ hand*** 신분이 낮은 여자와 결혼하다(cf. LEFT-HANDED *a.* 3) ***on the ~ hand of*** …의 왼쪽에
— *ad.* **왼쪽에,** 왼편에, 좌측에: turn ~ 왼편을 향하다 ***Eyes ~!*** 좌로봐! ***L~ face***[***turn***]***!*** 좌향좌!
— *n.* **1** [the ~, one's ~] 좌(左), 좌측, 왼쪽, 왼편: turn to *the* ~ 왼쪽으로 구부러지다/sit on a person's ~ …의 왼편에 앉다 **2** [보통 the L~] 〖정치〗 좌익, 좌파 (세력), 좌파 정당 (의원), 혁신파, 급진당; 의장석 좌측의 의원들 **3** 〖군사〗 좌익 **4** 〖야구〗 좌익(수) **5** 레프트, 왼손(의 타격) ***at*** (***the***) ~ 왼쪽에[의] ***Keep to the ~.*** 좌측 통행. ***on the ~ of*** …의 좌측에 ***over the ~*** (***shoulder***) (속어) 거꾸로 말하면, 공무니부터 ***take***[***hang***] ***a ~*** 좌회전하다 ***to the ~ of*** …의 왼편에
‡**left**[2] [léft] *v.* LEAVE[1]의 과거·과거분사
Léft Bánk [the ~] (파리 센 강의) 좌안(左岸)(la Rive Gauche) 《화가들이 많이 삶》; 자유분방한 사람들이 사는 고장(cf. RIGHT BANK)
léft bráin 〖해부〗 좌뇌(左腦) 《대뇌의 좌반구(左半球)》
left-click [léftklík] *vi.* 〖컴퓨터〗 (마우스의) 왼쪽 버턴을 누르다 (*on*)
léft fíeld 〖야구〗 좌익(左翼), 레프트 필드
out of[***from***] ~ (미·속어) 생각지도 않은 곳에서, 뜻밖에 ***way out in ~*** 잘못된, 비현실적인
left-field [léftfì:ld] *a.* (특히 미·구어) 특이한, 색다른, 의외의: a ~ comedy 색다른 희극
léft fíelder 〖야구〗 좌익수
left-foot·ed [léftfútid] *a.* 왼발잡이의; 서투른 **~·ness** *n.*
left-hand [-hǽnd] *a.* Ⓐ 왼편[왼쪽]의; 왼손의, 왼손으로 하는; 왼쪽으로 돌리는: (a) ~ drive 왼쪽 핸들(의 차)
left-hand·ed [-hǽndid] *a.* Ⓐ **1** 왼손잡이의; 서투른 **2** 어정쩡한, 애매한, 성의 없는: a ~ compliment 겉치레의 칭찬 **3** 〈결혼이〉 신분 차이가 나는; 〈결혼이〉 불법적인, 내연의; (속어) 동성애의 **4** 〈나사못 등이〉 왼쪽으로 돌리는 **—** *ad.* 왼손으로, 왼손을 써서 **~·ly** *ad.* **~·ness** *n.*
left-hand·er [-hǽndər] *n.* **1** 왼손잡이; 〖야구〗 좌완 투수 **2** 왼손의 타격; 불의의 공격 **3** 겉치레의 칭찬
left·ie [léfti] *n.* (구어) = LEFTY
left·ish [léftiʃ] *a.* 좌경적인
left·ism [léftizm] *n.* Ⓤ 좌익주의
left·ist [léftist] *n.* **1** 좌파 (사람), 좌익, 급진파 **2** (미·속어) = LEFT-HANDER 1
— *a.* 좌파의, 좌익의(opp. *rightist*)
léft jústify 〖컴퓨터〗 좌측으로 행의 머리를 맞추는 타자 형식
left-jus·ti·fy [léftdʒʌ́stəfài] *vt.* 〖컴퓨터〗 〈행을〉 좌측으로 가지런히 하다
left-laid [-lèid] *a.* 〈밧줄이〉 왼쪽으로 꼬인
left-lean·ing [-lì:niŋ] *a.* (정치적으로) 좌경의
léft lúggage (영) (역의 임시 보관소 등에) 맡겨 둔 수하물
léft-lúg·gage òffice [-lʌ́gidʒ-] (영) 수하물 임시 보관소(checkroom)
left·most [léftmòust] *a.* 가장 왼편의, 극좌의
léft of cénter 중도 좌파
left-of-cen·ter [léftəvséntər] *a.* 중도 좌파의
left-off [léftɔ́:f | -ɔ́f] *a.* 내버린, 그만둔; 벗어 버린, 쓰지 않는
left·o·ver [-òuvər] *a.* 나머지의, 남은
— *n.* [보통 *pl.*] 나머지, 찌꺼기, (먹다) 남은 음식
léft stáge 〖연극〗 무대 왼쪽(stage left) 《객석에서 보아 오른쪽》
léft-ven·tríc·u·lar-as·síst devìce [-ventríkjulərəsíst-] 〖의학〗 인공 심장
left·ward [léftwərd] *a.* 왼쪽[좌측] 방향(에)의
— *ad.* 왼쪽에, 왼손으로
left·wards [léftwərdz] *ad.* = LEFTWARD
léft wíng 1 [the ~; 집합적] (정치의) 좌파, 좌익 **2** (축구 등의) 좌익, 레프드윙
left-wing [léftwíŋ] *a.* 좌파[좌익]의 **~·er** *n.*
left·y [léfti] *n.* (*pl.* **left·ies**) (구어) **1** 왼손잡이 《종종 별명》, 좌완 투수; 왼손잡이용 도구[용품] **2** 좌익[좌파]의 사람 **3** (미·속어) 왼쪽 장갑
‡**leg** [lég] *n.* **1** 다리 《엉덩이부터 발목까지, 넓게는 foot도 포함》; (식용 동물의) 다리; 다리 고기; 의족(義足): an artificial ~ 의족/She has nice ~*s.* 그녀는 다리가 늘씬하다. **2** 〖해부〗 다리 《무릎부터 발목까지》 **3 a** (형태·위치·기능이) 다리에 해당되는 것; (의복의) 다리 부분: the ~ of trousers 바지의 다리 부분, 바짓가랑이 **b** (의자·책상 등의) 다리 **c** (컴퍼스의) 다리 **d** 〖기하〗 (3각형의 밑변을 제외한) 변 **e** (기계 등의) 받침 부분, 지주(支柱) **4** (전 행정(行程) 중의) 한 구간; (구어) (장거리 비행의) 한 행정, 한 번 날기 **5** 〖항해〗 (배가) 갈지자로 나아갈 때의 한 직행 구간[거리] **6** 〖경기〗 **a** (2[3]회 째에 승부가 나는 경우의) 선승(先勝); (구어) (2게임으로 하나의 시합이 되는 경우의) 한 게임 **b** (릴레이 경주의) 한 구간 **7** 〖크리켓〗 타자의 왼쪽 뒤편의 필드; 그곳을 지키는 수비수 **8** (영·속어) 사기꾼(blackleg) **9** (미·군대속어) 보병(grunt) **10** [*pl.*] (미·속어) (영화 등의 흥행의) 지속력, 롱런 **11** (고어) (한쪽 다리를 뒤로 빼는) 절, 인사: make a ~ (한 발을 뒤로 빼고) 절을 하다
as fast as one***'s ~s would***[***will***] ***carry*** one 전속력으로 ***be***[***get***] ***a ~ upon ...*** (구어) …을 이기는 데 유리한 상황에 있다 ***be all ~s*** (***and wings***) 지나치게 성장하다[커지다] ***be*** (***up***) ***on*** one***'s ~s*** (오래도록) 서[걷고] 있다; (병이 나아서) 기동하게 되다 ***break a ~*** [다음 성구로]: I hope you *break a* ~. 성공을 빈다. ***change the ~s*** 〈말이〉 보조를 바꾸다 ***cost an arm and a ~*** (구어) 매우 비싸다 ***fall on*** one***'s ~s*** 어려움을 벗어나다, 용케 면하다; (운 좋게) 잘되어 가다 ***feel***[***find***] one***'s ~s*** 걷게 되다; 자신이 붙다[생기다] ***fight at the ~*** 비열한 수를 쓰다 ***get a ~ in*** (속어) …의 신용을 얻다, …의 환심을 사다 ***get*** a person ***back on his***[***her***] ***~s*** …의 건강을 회복시키다; 경제적으로 일어서게 하다 ***get on*** one***'s ~s*** (연설하기 위해) 일어서다; (회복되어) 걷게 되다; 번창하다 ***get up on*** one***'s*** (***hind***) ***~s*** 〈말이〉 뒷다리로 서다; 〈사람이〉 일어서다; 공격적이 되다, 격분하다; (구어) (공개 석상에서) 연설하기 위해 일어서다 ***give*** a person ***a ~ up*** …을 거들어서 말 등에 태우다, 지원하다 ***give*** a person ***~*** (미·속어) …을 속이다 ***hang a ~*** 꾸물거리다, 꽁무니를 빼다 ***have a ~ up on*** (미·속어) …보다 유리[우월]하다; …을 출발부터 앞서다 ***have ~s*** (구어) 〈배·말·경주자가〉 빠르다(는 평이 있다); 인내심이 강하다 ***have no***[***not have a***] ***~ to stand on***

thesaurus **legacy** *n.* bequest, inheritance, heritage, bequeathal, endowment, gift, tradition
legal *a.* lawful, legitimate, licit, legalized, valid, right, proper, permissible, allowable, accept-

《구어》 〈의론이〉 성립되지 않다, 입증할 수 없다 ***have the ~s of*** …보다 빨리 달릴 수 있다 ***in high ~*** 원기 왕성하여, 의기 양양하여 ***keep*** one***'s ~s*** 넘어지지 않고 있다, 계속해서 서 있다 ***~ and ~*** (경주에서) 백중지세인 ***~ before wicket*** 〖크리켓〗 타자가 발로 공을 받아 멈춤《반칙; 略 l.b.w.》 ***long***[***short***] ***~*** 〖크리켓〗 삼주문(三柱門)에서 먼[가까운] 야수(野手) 또는 수비 위치 ***off*** one***'s ~s*** 휴식하고 (있는) ***on*** one***'s***[***its***] ***last ~s*** 다 죽어가며, 기진맥진하여; 〈사물이〉 파멸되어 가고, 망가져 가고 ***on*** one***'s ~s*** (연설하기 위해) 일어서서 ***play ... to ~*** 《영·구어》 〈문제 등을〉 무시하다; 피하다 ***pull***[***draw***] a person***'s ~*** 《구어》 …을 놀리다, 속이다 ***put***[***set***] one***'s best ~ foremost*** 전속력으로 가다 ***run off*** one***'s ~s*** (일이 많아서) 지쳐 버리다 ***set*** a person ***on his ~s*** 일으켜 세우다; 건강을 회복시키다; 독립시키다 ***shake a ~*** 《고어》 춤추다; 《속어》 서두르다 ***shake a loose***[***free***] ***~*** 무절제한[방종한] 생활을 하다 ***show a ~*** 《속어》 (잠자리에서) 일어나다 ***stand on*** one***'s own ~s*** 혼자 힘으로 하다 ***stretch*** one***'s ~s*** 산책하다 ***take to*** one***'s ~s*** 달아나다 ***The boot is on the other ~.*** ⇨ boot[1]. ***try it on the other ~*** 《속어》 최후 수단을 써 보다 ***walk*** a person ***off his ~s*** …을 지칠 때까지 걷게 하다 ***without a ~ to stand on*** 정당한 근거 없이

— *v.* (**~ged**; **~·ging**) *vi.* [보통 ~ it으로] 《구어》 걷다; 달리다, 도망치다; 분발하다《*for*》

— *vt.* 발로 〈배를〉 움직여서 운하의 터널을 빠져나가다 ***~ out*** 〖야구〗 빠른 발로 히트를 얻다 ***~ up*** 말에 타도록 돕다; (시합 때 선수의) 몸의 상태가 최상이 되도록 지도 조절하다

▷ léggy *a.*

leg. legal; legate; legato; legend; legislation; legislative; legislature

*__leg·a·cy__ [légəsi] *n.* (*pl.* **-cies**) 유산, 유증 (재산); 물려받은 것: ~ duty 유산 상속세 / a ~ of hatred [ill will] 대대로 내려오는 원한

leg·a·cy-hunt·er [-hʌ̀ntər] *n.* 유산을 노린 구혼자

__le·gal__ [lí:gəl] *a.* (opp. *illegal*) **1 법률(상)의, 법률에 관한(⇨ lawful 유의어): the ~ profession 법조(계) **2** 합법의(lawful) **3** 법률이 요구[지정]하는, 법정의: the ~ limit (운전시 혈중 알코올 농도 등의) 법적 제한 수치 **4** 보통법상의(cf. EQUITABLE)

make it ~ 《속어》 동거하던 사람과 결혼하다

— *n.* **1** 법을 준수하는 사람 **2** 합법적 입국자 **3** [*pl.*] 법정 투자(legal investment) **4** 법적 요건 **5** (택시의) 팁 없는 요금[미터 요금] **~·ist** *n.*

▷ legálity *n.*; légalize *v.*

légal áction = LEGAL PROCEEDINGS

légal áge 법정 연령, 성년(lawful age)

légal áid 〖법〗 법률 구조(救助) 《극빈자에 대한 소송 비용의 원조》

légal cáp 법률 용지 《8 1/2×13-14인치; 22×33-36 cm》

légal clínic 법률 상담소

légal éagle 《미·구어》 유능한[민완] 변호사

le·gal·ese [lì:gəlí:z, -lí:s] *n.* Ⓤ 난해한 법률 문체 [용어, 표현법]

légal fíction 《미》 법적 의제(擬制) 《회사를 인격화하여 법인으로 하는 따위》

légal hóliday 법정 공휴일(《영》 bank holiday)

le·gal·ism [lí:gəlìzm] *n.* Ⓤ 〖신학〗 율법주의; (법률의 자의(字義)에 구애되는) 법률 존중[만능]주의; 관료적 형식주의(red-tapism)

le·gal·is·tic [lì:gəlístik] *a.* 법률을 존중하는, 형식에 구애되는

---

able, authorized, sanctioned, warranted, licensed (opp. *illegal, unlawful, criminal*)

legend *n.* myth, saga, epic, folk tale, story, narrative, fable, romance

le·gal·i·ty [ligǽləti] *n.* (*pl.* **-ties**) ⓊⒸ 적법, 합법, 정당함; 율법주의; [*pl.*] 법적 의무

le·gal·i·za·tion [lì:gəlizéiʃən | -laiz-] *n.* Ⓤ 적법화, 법률화; 공인(公認)

le·gal·ize [lí:gəlàiz] *vt.* 법률상 정당하다고 인정하다, 공인하다; 적법화하다

légal líst 〖법〗 법정 투자 종목 (리스트) 《기관 투자가들에게 적합한 투자 대상으로 지정된 증권 목록》

*__le·gal·ly__ [lí:gəli] *ad.* 법률적[합법적]으로, 법률상: be ~ married 정식으로 결혼하다

légal mán[**pérson**] 법인(法人)

légal médicine 법의학(forensic medicine)

légal mémory 〖법〗 법률적 기억 《관행이 법적 효력을 얻게 되는 최소한의 기간; 약 20년》

légal pád 법률 용지철 《황색 괘선지철》

légal procéedings 소송 절차(legal action)

légal represéntative 유언 집행자

légal resérve (은행의) 법정 준비금

légal separátion 법적 별거(judicial separation)

le·gal-size(d) [lí:gəlsàiz(d)] *a.* 〈용지·사무용품이〉 법정 규격인 《8 1/2×14인치; 22×36 cm》

légal ténder 법화(法貨), 법정 화폐

légal wéight (특히 수입품의) 법정 중량

lég àrt 《미·속어》 각선미를 강조한 사진, 누드 사진 (cheesecake)

leg·ate[1] [légət] *n.* (로마) 교황 특사; 공식 사절(envoy) **~·shìp** *n.*

le·gate[2] [ligéit] *vt.* 유증(遺贈)하다(bequeath)

leg·ate a la·te·re [légit-ɑ:-lɑ́:tərèi | -lǽt-, -lɑ́:t-] [L] 교황 전권 대사

leg·a·tee [lègətí:] *n.* 〖법〗 유산 수령인

leg·a·tine [légətin, -tàin | -tàin] *a.* 로마 교황 사절의

*__le·ga·tion__ [ligéiʃən] *n.* **1** 공사관(cf. EMBASSY) **2** [집합적] 공사관원 **3** Ⓤ 사절 파견

le·ga·to [ləgɑ́:tou] [It.] *ad.* 〖음악〗 끊지 않고 부드럽고 매끄럽게

le·ga·tor [ligéitər, lègətɔ́:r | lègətɔ́:] *n.* 유증자; 유언자

lég bàil 《속어》 도주, 탈주

give ~ 탈주하다, 탈옥하다(decamp)

lég bỳe 〖크리켓〗 공이 타자의 몸에 맞았을 때의 득점

__leg·end__ [lédʒənd] [L 「읽혀야 할 것」의 뜻에서] *n.* **1 전설; Ⓤ 전설 문학: the ~*s* of King Arthur and his knights 아더 왕과 그 기사들의 전설 **2** (기념비·문장(紋章)·그림 등의) 제명, 제목; 설명(문)(caption) **3** (도서·도표 등의) 범례 《사용 부호의 설명》 **4** (메달·화폐 표면 등의) 명(銘)(inscription) **5** (위인의) 일화집 **6** (전설·민화 등의) 주인공; 전설적 인물: He became a ~ in his own lifetime. 그는 생존시 이미 전설적인 인물이 되었다. **7** 《폐어》 성인 이야기, 성인전(聖人傳); 《일반적으로》 위인전

the (***Golden***) ***L~*** 〖역사〗 성인 전기집, 황금 전설

~·ist *n.* 전설 기록자 ▷ légendary *a.*

*__leg·end·ar·y__ [lédʒəndèri | -dəri] *a.* **1** 전설(상)의; 믿기 어려운(fictitious), 터무니없는 **2** 《구어》 전설로 남을 만한, 유명한《*for*》

— *n.* (*pl.* **-ar·ies**) 전설집, 《특히》 성인전(傳); 전설 편집자[작가]

leg·end·ize [lédʒəndàiz] *vt.* 전설화하다

leg·end·ry [lédʒəndri] *n.* Ⓤ [집합적] 전설류, 설화집

leg·er [lédʒər] *n.* = LEDGER BAIT

leg·er·de·main [lèdʒərdəméin] *n.* Ⓤ 손으로 하는 요술; 손으로 부리는 재주; 속임수; 허위

le·ger·i·ty [lədʒérəti] *n.* 민첩함, 기민함

léger lìne = LEDGER LINE 1

le·ges [lí:dʒi:z] *n.* LEX의 복수

-legged [légid | légd] 《연결형》 「…개의 다리가 있는, 다리가 …인, …다리를 가진」의 뜻: long-~ 다리가 긴 / four-~ 네 다리의

leg·ger [légər] *n.* =LEGMAN
∗**leg·ging** [légiŋ], **leg·gin** [légin] *n.* [보통 *pl.*] **1** (병사·기수·노동자 등의) 각반; 정강이받이 **2** 레깅스 《다리에 착 달라붙는 여성용·어린이용 보온 바지》

leggings 1

lég guàrd 〖크리켓·야구〗 (포수 등의) 정강이받이(cf. SHIN GUARD)
leg·gy [légi] *a.* (**-gi·er**; **-gi·est**) **1** 〈어린이·망아지 등이〉 다리가 긴 **2** 《구어》 〈여자가〉 다리가 날씬한 **3** 〖식물〗 줄기가 가늘고 긴 **lég·gi·ness** *n.*
leg·he·mo·glo·bin [leghí:məglòubin, -hémə-] [*legume*+*hemoglobin*] *n.* 〖식물〗 (콩과(科)의) 뿌리혹 헤모글로빈
lég-hold tràp [léghòuld-] (동물의 발을 덮치는) 족쇄 덫
leg·horn [léghɔ̀:rn] [이탈리아의 산지명에서] *n.* **1** [légərn, -hɔ̀:rn | legɔ́:n] [때로 **L~**] 레그혼종(種) 《닭》 **2** 밀짚 《이탈리아산(産) 세공용》; 밀짚모자
leg·i·bil·i·ty [lèdʒəbíləti] *n.* Ⓤ (문자의) 읽기 쉬움
leg·i·ble [lédʒəbl] *a.* **1** 〈필적·인쇄가〉 읽기 쉬운 (easily read)(cf. READABLE): a ~ hand 읽기 쉬운 필적 **2** 〈감정 등이〉 알기 쉽게 나타난
~·ness *n.* **-bly** *ad.* 읽기 쉽게
∗**le·gion** [lí:dʒən] [L 「골라내다」의 뜻에서] *n.* **1** 군대, 군단, 대군; 재향 군인회 **2** 〖고대로마〗 군단 《소수의 기병을 포함한 3,000-6,000의 병력의 보병 부대》 **3** 《문어》 다수(multitude): a ~ of people 많은 군중 **4** 〖생물〗 속(屬) 《동·식물 분류상의》
the British [***American***] ***L~*** 영국[미국] 재향 군인회 ***the Foreign L~*** 외인 부대 《프랑스 육군의》 ***the L~ of Honor*** (프랑스의) 레지옹 도뇌르 훈장(*la Légion d'honneur*) ***the L~ of Merit*** (미군의) 수훈장 ***the L~ of the lost*** (ones) (세상으로부터) 버려진 사람들
— *a.* Ⓟ 다수인, 무수하여: Anecdotes about him are ~. 그에 관한 일화는 무수하다.
lé·gioned *a.* 군단을 이룬 ▷ légionary *a.*
le·gion·ar·y [lí:dʒənèri | -nəri] *a.* **1** 고대 로마 군단의, 군단으로 이루어진 **2** 다수의, 무수한
— *n.* (*pl.* **-ar·ies**) **1** (고대 로마의) 군단병 **2** 영국 재향 군인회(the British Legion)의 회원
le·gion·el·la [lì:dʒənélə] *n.* Ⓤ 레지오넬라균
le·gion·naire [lì:dʒənέər] *n.* **1** 고대로마 군단병 **2** 미국 재향 군인회(the American Legion)의 회원 **3** 프랑스 외인 부대의 대원
legionnáires'[**legionnáire's**] **disèase** 〖병리〗 재향 군인병 《레지오넬라균에 의한 악성 폐렴의 일종》
leg-i·ron [légàiərn] *n.* 족쇄
legis. legislation; legislative; legislature
leg·is·late [lédʒislèit] *vi.* 법률을 제정하다 《*against*, *for*》: 《~+전+명》 ~ *against* abortion 낙태 금지법을 제정하다 — *vt.* 《미》 법률에 의해 (어떤 상태로) 하다; 법률을 만들어 통제하다: 《~+목+전+명》 ~ a person *into*[*out of*] office 법률로 임관[퇴임]시키다
~ ***for*** (1) ⇨ *vi.* (2) …을 고려하다
‡**leg·is·la·tion** [lèdʒisléiʃən] *n.* Ⓤ **법률 제정**, 입법 행위; [집합적] 법률, 법령
∗**leg·is·la·tive** [lédʒislèitiv, -lət- | -lət-] *a.* **1** 입법상의, 법률을 제정하는: ~ proceedings 입법 절차 **2** 입법권을 가진: a ~ body 입법부 《국회·의회》 **3** 입법부의[에 의해 만들어진]: a ~ bill 법률안
— *n.* Ⓤ 입법권; Ⓒ 입법부 **~·ly** *ad.*
Législative Assémbly [the ~] **1** 양원제 의회; 그 하원 **2** 단원제 의회 《특히 캐나다의 주(州)의회》
législative cóuncil **1** 《영》 (양원제의) 상원; (식민지 단원제의) 입법부 **2** 《미》 (주(州)의) 입법 심의회
législative véto 《미》 의회 거부권
∗**leg·is·la·tor** [lédʒislèitər] *n.* (*fem.* **-tress** [-tris]) **1** 입법자, 법률 제정자 **2** 입법부[국회] 의원
∗**leg·is·la·ture** [lédʒislèitʃər] *n.* [보통 the ~] 입법부; 《미》 《특히》 주의회
le·gist [lí:dʒist] *n.* (특히 고대의) 법률에 정통한 사람
le·git [lidʒít] 《구어》 *a.* =LEGITIMATE
— *n.* =LEGITIMATE DRAMA[STAGE, THEATER]
on the ~ 《구어》 정직한; 합법적인
le·git·i·ma·cy [lidʒítəməsi] *n.* Ⓤ **1** 합법성, 적법; 합리[타당]성 **2** 적출(嫡出); 정통, 정계(正系)
∗**le·git·i·mate** [lidʒítəmət] *a.* **1** 합법적인, 적법의, 정당한(⇨ lawful 유의어): the property's ~ owner 그 재산의 적법한 수유자 **2** 기존의 규칙[원칙, 기순]에 맞는 **3** 적출의(opp. *bastard*): a ~ son 적출자(嫡出子) **4** 이치에 맞는, 합리적인(reasonable): ~ self-defense 정당 방위 / a ~ conclusion 논리적인 결론 **5** 본격적인, 진정한, 정통의 **6** 〈형식·종류 등이〉 정규의 **7** 〖연극〗 정극(正劇)의
— [-mèit] *vt.* **1** 합법으로 인정하다, 합법[정당]화하다: Parliament ~*d* his accession to the throne. 의회는 그가 왕위에 오르는 것을 합법으로 인정했다. **2** 〈서자를〉 적출로 인정하다 **~·ly** *ad.*
▷ legítimacy, legitimátion *n.*
legítimate dráma[**stáge, théater**] [the ~] 정극(正劇) 《revue, farce, musical comedy 등과 구별한》; 무대극 《영화·TV에 대한》
le·git·i·ma·tion [lidʒìtəméiʃən] *n.* Ⓤ **1** 합법화, 정당화 **2** 적출로 인정하기
le·git·i·ma·tize [lidʒítəmətàiz] *vt.* =LEGITIMATE
le·git·i·mism [lidʒítəmìzm] *n.* Ⓤ 정통주의
-mist *n.* 정통주의자
le·git·i·mi·za·tion [lidʒìtəmizéiʃən | -mai-] *n.* =LEGITIMATION
le·git·i·mize [lidʒítəmàiz] *vt.* =LEGITIMATE
leg·less [léglis] *a.* **1** 다리가 없는 **2** Ⓟ 《영·구어》 몹시 취한
leg·man [légmæ̀n, -mən] *n.* (*pl.* **-men** [-mèn, -mən]) **1** 정보 수집이나 심부름을 하는 사람 **2** 《미》 〖신문〗 취재 기자 《기사는 쓰지 않음》 **3** 《미·속어》 여성의 각선미에 매력을 느끼는 남자
Leg·o [légou] *n.* 레고 《덴마크 Lego사의 플라스틱 조립 블록 완구; 상표명》
leg-of-mut·ton [légəvmʌ́tn], **-o'-** [-ə-] *a.* Ⓐ **1** 〈부인복의 소매가〉 (양(羊) 다리 모양처럼) 어깨 부분이 부풀고 소맷부리가 좁아진 **2** 〈돛이〉 3각형 모양의
le·gong [ləgɔ́:ŋ, -gɑ́ŋ | -gɔ́ŋ] *n.* 레공 《Bali 섬의 민속 무용》
leg-pull [légpùl] *n.* 《구어》 장난, 골탕 먹이기
leg·rest [-rèst] *n.* (환자용) 발받침
leg·room [-rù(:)m] *n.* Ⓤ (극장·자동차 등의 좌석 앞의) 다리를 뻗는[발치의] 공간
lég shòw 《구어》 각선미를 보이는 쇼
leg·ume [légju:m, ligjú:m] *n.* 콩과(科) 식물; 콩류; 꼬투리(pod)
le·gu·men [ligjú:min] *n.* (*pl.* **-mi·na** [-mənə], **~s**) =LEGUME
le·gu·min [ligjú:min] *n.* Ⓤ 〖생화학〗 레구민 《콩과(科) 식물의 씨 속의 단백질》
le·gu·mi·nous [ligjú:mənəs] *a.* 〖식물〗 콩과(科)의
lég ùp 《구어》 조력, 원조; =HEAD START
lég wàrmer 레그 워머 《발목에서 무릎까지 싸는 뜨개질한 방한구》
leg·work [légwə̀:rk] *n.* Ⓤ 《미·구어》 걷기, 걸어 돌아다니기; 춤; legman의 일, 탐방; (범죄의) 상세한 조사; (계획의) 실제적인 관리(opp. *planning*)
le·ha·yim, le·cha·yim [ləhɑ́:jim, -jí:m] [Heb.] *n.* 건배, 축배
le·hu·a [leihú:ɑ:] *n.* 〖식물〗 레후아 《다홍색 꽃이 피는

thesaurus **legislator** *n.* lawmaker, lawgiver, congressman, congresswoman, senator, parliamentarian, politician, assemblyman
legitimate *a.* legal, lawful, rightful, approved
leisure *n.* free time, spare time, idle hours,

상록수; 하와이 제도산(産))

lei[1] [léi, léiː] *n.* (하와이의) 레이, 화환

lei[1]

lei[2] [léi] *n.* LEU의 복수

Leib·niz, -nitz [láibnits] *n.* 라이프니츠 **Gottfried Wilhelm von ~** (1646-1716) 《독일의 철학자·수학자》

Lei·ca [láikə] *n.* 라이카 《독일제 카메라; 상표명》

Leices·ter [léstər] *n.* **1** 레스터 《영국 중부의 도시; Leicestershire의 주도》 **2** = LEICESTERSHIRE **3** 레스터종의 양(羊)

Leices·ter·shire [léstərʃiər, -ʃər] *n.* 레스터셔 《잉글랜드 중부의 주(州); 略 Leics.》

Leics. Leicestershire

Léi Dày 레이 데이 《하와이의 May Day》

Léi·den·frost phenòmenon [láidənfrɔ̀ːst-] [the ~] 〖물리〗 라이덴프로스트 현상 《고온 고체 표면의 액체가 증기층을 이루어 고체 표면에서 절연되는 현상》

Leigh [líː] *n.* 남자 이름 《Lee의 변형》

Lei·la [líːlə, léi- | líː-] *n.* 여자 이름

lei·o·my·o·ma [làioumaióumə] *n.* (*pl.* **-mas, -ma·ta** [-mətə]) 〖병리〗 평활근종(平滑筋腫) (cf. RHABDOMYOMA)

Leip. Leipzig

Leip·zig [láipsig, -sik | -zig, -sig] *n.* 라이프치히 《독일 중동부의 도시》

leis·ter [líːstər] *n.* (물고기를 찌르는) 작살
— *vt.* 작살로 찌르다

‡**lei·sure** [líːʒər, léʒ-, léiʒ- | léʒ-] [L 「허락되어 있다」의 뜻에서] *n.* Ⓤ **1** (일에서 해방된) **자유 시간,** 한가한 시간: a life of ~ 한가한 생활 / a lady [woman] of ~ 유한부인(有閑夫人) **2 틈,** 여가, 안일 《*for*》: wait a person's ~ …의 틈이 날 때까지 기다리다 // (~+*to* do) (~+전+-*ing*) I have no ~ *to* read[*for* read*ing*]. 책을 읽을 한가한 시간이 없다.
at ~ 한가하여; 서두르지 않고, 천천히 ***at*** one's ***~*** 한가한 때에, 느긋하게
— *a.* Ⓐ **1** 한가한, 여가가 있는, 볼일이 없는(free): ~ time 여가 / the ~ class 유한 계급 **2** 여가 때 입는; 레저용의: a ~ jacket 레저용 재킷
~·ful *a.* = LEISURELY **~·less** *a.* 틈[여가]이 없는, 분주한 **~·ness** *n.* ▷ léisured, léisurely *a.*

léisure cèntre (영) 레저 센터 《다양한 오락·스포츠 시설과 레스토랑 등을 갖춘 장소》

lei·sured [líːʒərd, léʒ-, léiʒ- | léʒ-] *a.* **1** 틈이 있는, 볼일이 없는, 한가한: the ~ class(es) 유한 계급 **2** = LEISURELY

***lei·sure·ly** [líːʒərli, léʒ-, léiʒ- | léʒ-] *a.* (**-li·er**; **-li·est**) 느긋한, 유유한, 여유 있는(⇨ slow [유의어]): a ~ manner 여유 있는 태도
— *ad.* 천천히, 유유히 **-li·ness** *n.* 느릿함, 유유함

léisure sùit 레저 슈트 《셔츠 재킷과 슬랙스로 된 캐주얼 슈트》

lei·sure-time [líːʒərtáim] *a.* 여가의

lei·sure·wear [-wὲər] *n.* Ⓤ [집합적] 레저웨어 《여가를 즐길 때 입는 옷》

leit·mo·tif, -tiv [láitmoutìːf] [G] *n.* 〖음악〗 주악상(主樂想), 시도 동기(示導動機); (문학 작품·행위 등에 일관해서 나타나는) 주요 동기, 중심 사상[테마]

lek[1] [lék] 〖동물〗 *n.* 번식기에 수컷이 모여 암컷에게 구애하는 장소; 그 행동
— *vi.* (**~ked**; **~·king**) 〈수컷이〉 구애 장소에 모이다

inactivity, relaxation, recreation, freedom, holiday, vacation (opp. *work, occupation*)
lend *v.* **1** 빌려주다 loan, advance **2** 제공하다 give, contribute, donate, grant, confer, bestow, provide, supply, furnish

lek[2] *n.* 렉 《알바니아의 화폐 단위》

lek·got·la [lexáːtlə] *n.* 《남아공》 (정치인이나 공무원들의) 중요 회의

lek·ker [lékər] *a.* 《남아공·구어》 즐거운, 좋은

lek·var [lékvaːr] *n.* [Hung.] 파이에 넣는 자두 잼

LEM, Lem [lém] [*l*unar *e*xcursion *m*odule] *n.* 달 착륙[탐사]선

lem·an [lémən, líːm- | lém-] *n.* 《영·고어》 애인; 정부(情婦[夫])

Le Mans [lə-máːŋ] 르망 《프랑스 북서부의 도시; 자동차 경주로 유명함》

lem·ma [lémə] *n.* (*pl.* **~s, ~·ta** [-tə]) **1** 보조 정리(定理), 부(副)명제 **2** 테마, 주제 **3** (사전 등의) 표제어(headword)

lem·ma·tize [lémətàiz] *vt.* 〖언어〗 〈corpus 속의 단어를〉 분류 정리하다

lem·me [lémi] 《구어》 let me의 단축형 《발음 철자》

lem·ming [lémiŋ] *n.* 〖동물〗 나그네쥐 《북유럽산》

‡**lem·on**[1] [lémən] *n.* **1** ⓊⒸ **레몬** (열매) **2** 〖식물〗 레몬나무(=~ trèe) **3** Ⓤ 레몬색, 엷은 황색(=~ yellow) **4** 《미·속어》 불쾌한 것[일]; 하찮은 것; 불량품, 결함 상품; 바보, 멍청이 **5** 《영·속어》 매력 없는 아가씨[여자]; [보통 *pl.*] (작은) 가슴 **6** 《구어》 혹평, 통렬한 반박 **7** 《미·흑인속어》 갈색 피부의 매력적인 흑인 여성 **8** 《미·군대속어》 수류탄 **9** 《미·속어》 순도가 낮은 마약; 가짜 마약 **10** 《속어》 머리(head)
hand a person ***a ~*** 《속어》 (거래에서) …을 속이다, 불량품을 주다 ***squeeze the ~*** 《미·속어》 소변을 보다 ***The answer is a ~.*** (그런 어리석은 질문에) 대답은 필요 없다.
— *a.* **1** Ⓐ 레몬이 든 **2** 레몬 빛의, 엷은 황색의

lemon[2] *n.* 〖어류〗 = LEMON SOLE

***lem·on·ade** [lèmənéid, ⌐-⌐ | ⌐-⌐] *n.* Ⓤ **레모네이드** 《레몬즙에 설탕과 물을 탄 청량 음료》

lémon bàlm 〖식물〗 레몬 밤 《레몬과 비슷한 향이 나서 아로마 치료용으로 쓰이는 다년초》

lémon cùrd[chèese] 레몬 커드 《레몬에 설탕·달걀을 넣어 잼 모양으로 만든 것》

lémon dròp 레몬 드롭 《알사탕》

lem·on·grass [léməngræ̀s | -gràːs] *n.* 〖식물〗 레몬그래스 《레몬 향기가 나는 볏과의 다년초》

lémon káli 《영》 레몬 칼리수(水)

lémon làw 《미·속어》 불량품법 《불량품의 교환 또는 환불을 규정한 소비자 보호법》

lémon lìme 레몬 라임 《무색 투명한 탄산 음료》

lémon sòda 《미》 레몬 소다 《레몬 맛이 나는 탄산 음료》

lémon sòle 〖어류〗 식용 가자미의 일종 《유럽산》

lémon squásh 《영》 레몬 스쿼시 《청량 음료》

lémon squèezer 레몬즙을 짜는 기구

lémon verbéna 〖식물〗 방취목(防臭木) 《잎에서 레몬 향기가 나는, 남미 원산의 마편초과의 관목》

lem·on·y [léməni] *a.* 레몬 맛[향]이 나는

lémon yéllow 담황색

lem·pi·ra [lempíərə] *n.* 렘피라 《Honduras의 화폐 단위; 기호 L; =100 centavos》

Lem·u·el [lémjuəl] *n.* 남자 이름

le·mur [líːmər] *n.* 〖동물〗 여우원숭이

lem·u·res [lémjurìːz] *n. pl.* (고대 로마의) 원혼(冤魂), 원귀(冤鬼) (cf. MANES)

lem·u·roid [lémjurɔ̀id] *a.* 여우원숭이의[같은]
— *n.* = LEMUR

Le·na [líːnə] *n.* **1** 여자 이름 《Helena, Magdalene의 애칭》 **2** [the ~] 레나 강 《시베리아 중동부의 강》

‡**lend** [lénd] [OE=loan] *v.* (**lent** [lént]) *vt.* **1 빌려 주다,** 대여하다 《*to*》(⇨ borrow [유의어]); (이자를 받고) 〈돈을〉 대출[대부]하다 (opp. *borrow*) 《*at, on*》: ~ a book 책을 빌려 주다 // (~+목+전+명) ~ money *at* interest[*on* goods] 이자를 받고 [물건을 저당잡고] 돈을 빌려 주다 / I can't ~ it *to* you. 그것은 네게 빌려 줄 수 없다. // (~+목+목) *L~*

me a nickel. 5센트 빌려 줘. / Will you ~ me your bicycle? =Will you ~ your bicycle *to* me? 자전거를 빌려 주시지 않겠습니까? **2** 〈원조 등을〉 제공하다, 주다; 보태다, 더하다(impart) (*to*): (~+목+전+명) ~ (one's) support[assistance, aid] *to* a person …을 도와주다, …에게 원조를 제공하다 / This fact ~*s* probability *to* the story. 이 사실로 보면 그 이야기는 있음직한 일로 생각된다. / ~ an ear[one's ear(s)] *to* …에 귀를 기울이다, 경청하다 // (~+목+목) Could you ~ me a hand with these parcels? 짐 꾸리는[푸는] 것을 좀 도와주시겠습니까? **3** 〈특징 등을〉 주다, 첨가하다 (*to*): (~+목+전+명) ~ enchantment[dignity] *to* …에 매력[기품]을 주다 / The furniture ~*s* elegance *to* the room. 가구로 인해 방이 우아해진다. **4** [~ one*self* 로] **a** 〈물건이〉 (…에) 도움이 되다, 적합하다 (*to*) **b** 〈물건이〉 (…에) 힘을 쏟다, 적극적으로 나서다 (*to*)

~ a* (*helping*) *hand in* [*at*]** …을 돕다, 거들다 ***~ an ear 귀를 기울이다 ***~ itself to*** …에 쓸모 있다, 적합하다; 〈사물이〉 (악용의) 대상이 되기 쉽다, …되기 쉽다: Some of his novels ~ *themselves to* adaptation as plays. 그의 소설 가운데 몇 편은 희곡으로 개작하기에 알맞다. ***~ oneself to*** …에 이바지하다; 〈주로 좋지 않은 일에〉 힘쓰다, …에 가담하다: Don't ~ *yourself to* such a scheme. 그런 계획에는 손을 대지 마라. ***~ one's name to*** …에 지지를 표명하다 ***~ weight* [*credence, plausibility*] *to*** …을 뒷받침[입증] 하다

— *vi.* 돈을 빌려 주다, 융자하다

— *n.* (구어) (일시적인) 대여, 차용

take a ~ of (영·구어) …을 속이다; 바보 취급하다

~·a·ble *a.* **~·er** *n.* 빌려 주는 사람; 고리 대금업자

lend·ing [léndiŋ] *n.* Ⓤ 빌려 주기; [*pl.*] 빌려 입은 옷

lénding lìbrary **1** =RENTAL LIBRARY **2** (영) (공립 도서관의) 대출부; 공립 도서관

lénding ràte 대출 금리

lend-lease [léndlí:s] *n.* Ⓤ (미) (동맹국에의) 무기(武器) 대여 — *vt.* 무기 대여법에 따라 대여하다

Lénd-Léase Àct [léndlí:s-] [the ~] (미) 무기 대여법 (1941년 제정)

le·nes [lí:ni:z, léi-] *n.* LENIS의 복수

‡**length** [léŋkθ, lénθ | léŋkθ] *n.* **1** Ⓤ 길이; 키(cf. BREADTH); Ⓒ (보트의) 정신(艇身), (경마의) 마신(馬身): (3 meters) in ~ 길이 (3미터) / win by a ~ 1정신[1마신]의 차로 이기다 / This river has a ~ of 100 kilometers. 이 강은 길이가 100킬로미터이다. **2** Ⓤ (시간적인) 길이, 기간 (*of*); (시간·거리의) 긺, 긴 상태; ⓊⒸ 〖음악·운율〗 (음의) 길이, 음량(quantity): a journey remarkable for its ~ 그 길이에서 특필할 만한 여행 / one's ~ of days =the ~ of one's days 장수(長壽) **3** (도로 등의 특정한) 부분, 구간 (*of*); (물건의) 특정한[표준] 길이 (*of*); [보통 복합어를 이루어] …길이의: a ~ *of* rope 한 발의 밧줄 / a three-quarter-~ coat 7부 길이 코트 **4** ⓊⒸ (행동·의견 등의) 범위, 정도: I will not go (to) the ~ of insisting on it. 그것을 주장하려고까지는 생각하지 않는다. **5** 〖크리켓〗 투구 거리 (3주문과 그곳에서 던진 공의 낙하점과의 거리); 〖궁술〗 사정(射程)

at arm's ~ 팔이 닿는 거리에; 거리를 두고, 멀리하여 ***at full ~*** (1) 팔다리를 쭉 펴고, 큰 대자로 (2) 장황하게, 지루하게 (3) 충분히, 상세히 ***at great ~*** 기다랗게, 장황하게 ***at ~*** 드디어, 마침내; 충분히, 상세히; 장황하게, 오랫동안 ***at some ~*** 상당히 상세하게[길게] ***find* [*get, have, know, take*] *the ~ of*** a person***'s foot*** …의 약점을 잡다[알다] ***go* (*to*) *all ~s* = *go* (*to*) *great* [*any*] *~*** 무슨 짓이든지 하다 ***go* (*to*) *the ~ of*** (do*ing*) …까지도 하다, …할 만큼 극단적이 되다 ***in ~ of time*** 시간이 경과함에 따라 ***measure*** one***'s* (*own*) *~*** 큰 대자로 넘어지다 ***of some ~*** 상당히 긴 ***over* [*through*] *the ~ and breadth of*** …을 남김없이, 샅샅이

▷ léngthen *v.*; lóng, léngthy *a.*; léngthwise *ad.*

‡**length·en** [léŋkθən, lénθ- | léŋkθ-] *vt.* **1** 길게 하다, 늘이다, 연장하다(make longer): a ~*ed* stay 오랜 체류 / ~ out 몹시 늘이다 / ~ a runway 주로를 연장하다 **2** 〈술 등을〉 물을 타서 양을 늘리다 (*out*)

— *vi.* **1** 길어지다, 늘어나다(grow longer): The days have begun to ~. 해가 길어지기 시작했다. / His face ~*ed*. 그는 언짢은 얼굴을 했다. / The shadows ~. 땅거미가 진다; 차차 늙어 간다; 죽을 때가 다가온다. **2** (늘어나) (…으로) 되다[바뀌다, 변천하다] (*into*): (~+전+명) Summer ~*s into* autumn. 여름이 지나고 가을이 된다.

length·man [léŋkθmæ̀n, lénθ-] *n.* (*pl.* **-men** [-mèn]) (영) (일정 구간의 선로[도로]) 보수원

length·ways [léŋkθwèiz, lénθ-] *ad.* 길게, 세로로

***length·wise** [léŋkθwàiz, lénθ-] *a.*, *ad.* 세로의[로], 긴[길게] ▷ léngth *n.*

***length·y** [léŋkθi, lénθi | léŋkθi] *a.* (**length·i·er**; **-i·est**) **1** 〈시간이〉 긴, 오랜 **2** 〈연설 등이〉 장황한; 지루한 **léngth·i·ly** *ad.* **léngth·i·ness** *n.*

le·nien·cy, -nience [lí:niəns(i)] *n.* (*pl.* **-cies**; **~s**) **1** Ⓤ 관대, 관용, 너그러움, 자비(로움) **2** 관대[인자]한 행위

le·ni·ent [lí:niənt] *a.* **1** 너그러운, 인자한, 관대한, 다정한 **2** (고어) 〈약·위로 등이〉 (통증·긴장 등을) 완화시키는, 진정시키는 **~·ly** *ad.*

Le·nin [lénin] *n.* 레닌 **Nikolai** ~ (1870-1924) (구소련의 혁명가)

Le·nin·grad [léningræ̀d] *n.* 레닌그라드 (구소련 북서 해안의 도시; St. Petersburg(상트페테르부르크)로 바뀜)

Le·nin·ism [léninìzm] *n.* Ⓤ 레닌주의

Le·nin·ist [léninist], **-ite** [-àit] *n.*, *a.* 레닌주의자(의)

le·nis [lí:nis, léi-] *n.*, *a.* (*pl.* **-nes** [-ni:z]) 〖음성〗 연음(軟音)(의) ([b], [d], [g] 등)

len·i·tion [liníʃən] *n.* 〖음성〗 연음화(軟音化)

len·i·tive [lénətiv] *a.* 〈약이〉 진정[완화]시키는 (soothing) — *n.* 〖의학〗 진정제, 완화제

len·i·ty [lénəti] *n.* (*pl.* **-ties**) Ⓤ 자비(로움), 관대함; Ⓒ 관대한 조치[행위]

Len·non [lénən] *n.* 레논 **John** (**Winston**) ~ (1940-1980) (영국의 가수·작곡가; the Beatles의 멤버)

le·no [lí:nou] *n.* (*pl.* **~s**) ⓊⒸ 일종의 얇은 면직물

‡**lens** [lénz] [L 「렌즈콩(lentil)」의 뜻이며, 모양이 비슷한 데서] *n.* **1** 렌즈; (사진기의) 복합 렌즈: a concave[convex] ~ 오목[볼록] 렌즈 **2** 〖해부〗 (눈알의) 수정체 **3** 〖구어〗 콘택트렌즈

léns hòod (카메라의) 렌즈 후드

lens·man [lénzmən] *n.* (*pl.* **-men** [-mən]) (구어) =PHOTOGRAPHER

‡**lent** [lént] *v.* LEND의 과거·과거분사

Lent [lént] *n.* **1** 〖그리스도교〗 사순절(四旬節) (Ash Wednesday부터 Easter Eve까지의 40일간; 광야의 그리스도를 기념하기 위하여 단식·참회를 함) **2** [*pl.*] (영) Cambridge 대학 춘계 보트 레이스

len·ta·men·te [lèntəméntei] [It.] *ad.*, *a.* 〖음악〗 느리게, 느린

len·tan·do [lentɑ́:ndou] [It.] *ad.*, *a.* 차츰 느리게[느린]

Lent·en [léntən] *a.* **1** 〖그리스도교〗 사순절(四旬節)의 **2** 고기를 넣지 않은; 검소한; 궁상스러운; 음울한: ~ fare 고기를 넣지 않은 요리

Lénten fáce [종종 **l- f-**] 음울한 표정

len·tic [léntik] *a.* 〖생태〗 정수(靜水)의; 정수에 서식하는, 정수성의(opp. *lotic*)

len·ti·cel [léntəsèl] *n.* 〖식물〗 피목(皮目)

thesaurus **length** *n.* **1** 길이 distance, extent, span, reach, space, range **2** (시간적인) 거리 period, stretch, duration, term, interval

len·ti·cel·late [lèntəsélit] *a.* 〚식물〛 피목(皮目)이 있는, 피목이 생기는

len·tic·u·lar [lentíkjulər] *a.* **1** 렌즈 모양의, 콩 모양의 **2** (안구의) 수정체의 **3** 렌즈의

lentícular núcleus 〚해부〛 랜즈 핵(核) 《대뇌 반구의 깊은 곳에 있는 커다란 회백질 덩어리》

len·ti·cule [léntikjù:l] *n.* **1** 〚사진〛 미소(微小) 볼록 렌즈 **2** 영사 스크린 위의 물결 무늬

len·ti·form [léntifɔ̀:rm] *a.* =LENTICULAR

len·ti·go [lentáigou] *n.* (*pl.* **-tig·i·nes** [-tídʒənì:z]) 〚의학〛 점, 기미, 주근깨(freckle)

len·til [léntil, -təl] *n.* 〚식물〛 렌즈콩

len·tisk, -tisc [léntisk] *n.* 〚식물〛 =MASTIC 2

len·tis·si·mo [lentísəmòu] *a.*, *ad.* 〚음악〛 아주 느린[느리게]

Lént líly 〚식물〛 **1** 《영·방언》 =DAFFODIL **2** 〚식물〛 =MADONNA LILY

len·to [léntou] [It.] *a.*, *ad.* 〚음악〛 느린, 느리게 (opp. *allegro*)

len·toid [léntɔid] *a.* 양면 볼록 렌즈 모양의

Lént róse =LENT LILY

Lént tèrm 《영》 봄 학기 《크리스마스 휴가 후에 시작되어 부활절 무렵에 끝남》

Le·o [lí:ou] *n.* **1** 남자 이름 **2** 〚천문〛 사자자리, 사자궁(宮) 《12궁의 제5궁》

Le·on [lí:ɑn | lí:ən, lí-] *n.* 남자 이름

Leon·ard [lénərd] *n.* 남자 이름

Le·o·nar·do da Vin·ci [lì:əná:rdou-də-víntʃi, lèi- | lì:ə-] 레오나르도 다빈치(1452-1519) 《이탈리아의 예술가·과학자》

Le·o·nid [lí:ənid | lí:ə-] *n.* (*pl.* **~s, Le·on·i·des** [liɑ́nidì:z | liɔ́n-]) [the ~s] 〚천문〛 사자자리의 유성군(流星群)

Le·on·i·das [liɑ́nidəs | liɔ́nidæs] *n.* 레오니다스 (?-480 B.C.) 《스파르타의 왕》

le·o·nine [lí:ənàin] [L 「사자의」의 뜻에서] *a.* 사자의, 사자 같은; 당당한, 용맹한; [**L~**] 로마 교황 Leo의

Le·o·no·ra [lì:ənɔ́:rə | lì:ə-, lìə-] *n.* 여자 이름

*__leop·ard__ [lépərd] *n.* 〚동물〛 표범(panther) ***American*** ~ 아메리카 표범(jaguar) ***Can the ~ change his spots?*** 〚성서〛 표범이 그 반점을 바꿀 수 있느뇨? 《본성은 고치지 못한다; 예레미야 13 : 23》 ***hunting*** ~ 치타(cheetah)

leop·ard-crawl [-krɔ̀:l] *vi.* 《남아공》 포복하다

leop·ard·ess [lépərdis] *n.* 암표범

léop·ard-skin céase-fire [-skìn-] 〚군사〛 쌍방이 점령 지역을 유지한 채로의 정전(停戰)

léopard spòt 〚군사〛 (정전(停戰) 때의) 산재하는 점령 지역

Le·o·pold [lí:əpòuld | líə-] *n.* 남자 이름

le·o·tard [lí:ətɑ̀:rd | líə-] [프랑스 곡예사의 이름에서] *n.* [종종 *pl.*] 몸에 착 붙는 옷 《곡예사·댄서가 입는》

LEP[1] [lép] [*l*arge *e*lectron-*p*ositron collider] *n.* 〚물리〛 대형 전자·양전자 충돌형 가속기

LEP[2] limited English proficient

Lep·cha [léptʃə] *n.* (*pl.* **~, ~s**) (히말라야 산지의) 렙차 사람; Ⓤ 렙차 어(語)

lep·er [lépər] *n.* **1** 나병 환자, 문둥이: a ~ colony (외딴섬 등의) 문둥이 수용소 **2** 세상에서 배척당하는 사람(outcast)

léper hòuse 나병 환자 병원

lepid- [lépəd], **lepido-** [lépədou, -də] 《연결형》 「비늘」의 뜻 《모음 앞에서는 lepid-》

le·pid·o·lite [lipídəlàit, lépəd-] *n.* Ⓤ 〚광물〛 레피도라이트, 리튬 운모

lep·i·dop·ter·an [lèpədɑ́ptərən | -dɔ́p-] 〚곤충〛 *a.* 인시목(鱗翅目)의, 인시를 가진 **—** *n.* (*pl.* **~s, -ter·a** [-tərə]) 인시목의 곤충, 인시류 《나비·나방》

lep·i·dop·ter·ist [lèpədɑ́ptərist | -dɔ́p-] *n.* 인시류 연구가[학자]

lep·i·dop·ter·ol·o·gy [lèpədɑ̀ptərɑ́lədʒi | -dɔ̀ptərɔ́l-] *n.* 인시류학

lep·i·dop·ter·ous [lèpədɑ́ptərəs | -dɔ́p-] *a.* 인시목의, 인시를 가진(lepidopteran)

lep·o·rine [lépəràin, -rin | -ràin] *a.* 토끼의[같은]

lep·py [lépi] *n.* (*pl.* **-pies**) 《미》 (소유자의) 낙인이 없는 송아지; 어미 잃은 송아지

lep·ra [léprə] *n.* Ⓤ 문둥병, 나병(leprosy)

lep·re·chaun [léprəkɔ̀:n, -kɑ̀n | -kɔ̀:n] *n.* 《아일》 장난을 좋아하는 작은 요정(妖精)

le·pro·ma [lepróumə] (*pl.* **~s, ~·ta** [-tə]) *n.* 〚병리〛 나종(癩腫), 나결절(癩結節)

lep·ro·sar·i·um [lèprəsέəriəm] *n.* (*pl.* **~s, -i·a** [-iə]) 나병원, 나병 요양소

lep·rose [léprous] *a.* 〚생물〛 비듬 같은; 비늘 모양의

lep·ro·sy [léprəsi] *n.* Ⓤ 나병, 문둥병: moral ~ (옮기 쉬운) 도덕적 부패, 타락

lep·rot·ic [leprɑ́tik | -rɔ́t-] *a.* 나병의, 문둥병에 걸린

lep·rous [léprəs] *a.* **1** 나병의, 문둥병에 걸린 **2** = LEPROSE **~·ly** *ad.* **~·ness** *n.*

lep·tin [léptin] *n.* 〚병리〛 렙틴 《체내 지방 용해 물질》

lepto- [léptou, -tə] 《연결형》 「얇은(thin), 세밀한(fine), 미미한」의 뜻 《모음 앞에서는 lept-》

lep·ton[1] [léptɑn | -tɔn] *n.* 〚물리〛 경(輕)입자

lepton[2] *n.* (*pl.* **-ta** [-tə]) 렙톤 《그리스의 화폐 단위; $^1/_{100}$ drachma》

lépton nùmber 〚물리〛 경입자수

lep·to·some [léptəsòum] *n.* 여윈 사람 **—** *a.* 여윈, 마른, 수척한

lep·to·spi·ro·sis [lèptouspaiəróusis] *n.* Ⓤ 〚병리〛 렙토스피라병(病)

lep·to·tene [léptətì:n] *n.* 〚생물〛 세사기(細絲期) 《감수 분열 전기의 최초의 시기》

Le·pus [lépəs, lí:p- | lí:p-] *n.* 〚천문〛 토끼자리(the Hare)

Le·roy [lərɔ́i, lí:rɔi] *n.* 남자 이름

les [léz] *n.*, *a.* 《구어》 =LESBIAN

les·bi·an [lézbiən] [Gk 「Lesbos 섬의」 뜻에서; 이 섬에 살던 여류 시인 Sappho가 제자들과 동성애를 했다는 전설에서] *a.* (여성끼리의) 동성애의(opp. *gay*): ~ love 여자 동성애 **—** *n.* 동성애에 빠진 여자 **~·ism** *n.* Ⓤ 여성 동성애

les·bo [lézbou] *n.* (*pl.* **~s**) 《구어》 =LESBIAN

lèse-ma·jes·té [lí:zmǽʒəstei | léizmǽdʒəstèi] [F =injured majesty] *n.* =LESE MAJESTY

lése májesty [lí:z-] *n.* Ⓤ **1** 〚법〛 불경죄, 대역죄 **2** 《구어》 불경스러운 행위; 모욕

le·sion [lí:ʒən] *n.* Ⓤ 〚병리〛 (조직·기능의) 장애, 손상(injury); 정신적 상해

Les·ley [lésli, léz- | léz-] *n.* 여자 이름

Les·lie [lésli, léz- | léz-] *n.* 남자·여자 이름

Le·so·tho [ləsú:tu: | -sóutou] *n.* 레소토 《남아프리카 공화국에 둘러싸인 왕국; 수도 Maseru》

***__less__ [lés] *a.* [LITTLE의 비교급] **1 a** 〈양·정도가〉 보다 적은(opp. *more*)(⇨ lesser 유의어): eat ~ meat 고기를 덜 먹다 / *L~* noise, please! 좀 더 조용히 해 주십시오! ★ 「수」의 경우에는 few를 사용함 《*less* people보다는 *fewer* people이 보통임》 / More haste, ~ speed. ⇨ haste. **b** 〈크기가〉 …보다 작은, 더 작은(opp. *greater*): May your shadow never grow[be] ~! 더욱 번성[건강]하시기를 빕니다! **c** [가산 명사의 복수형과 집합 명사에 붙어] …보다 소수인(fewer)(opp. *more*): ~ than a dozen 1다스보다 적은 **2** 〈중요성·신분·위신 등이〉 …보다 못한, 열등한: ~ lights 별로 중요하지 않은 인물들

— *n.*, *pron.* **1** Ⓤ 보다[더] 적은 수[양, 액]: *L~* than 20 of them remain. 그 중에서 남은 것은 20 명[개]도 안 된다. **2** 그다지 중요하지 않은 일[물건, 사

lengthen *v.* make longer, stretch, prolong, increase, extend, expand, stretch out, draw out (opp. *shorten, curtail, decrease*)

람]: He has been imprisoned for ~. 그는 대수롭지 않은 이유로 감금당했다.
in ~ than no time (익살) 당장에, 곧 ***~ of ...*** (1) ⇨ *n.* 1 (2) 그다지 …하지(도) 않음: He is ~ *of* a fool than he looks. 그는 겉으로 보이는 것만큼 어리석지는 않다. (3) [L~ of; 명령적] …을 그만둬라, 작작 해라: *L~ of* your nonsense! 허튼소리 작작 하게!
— *ad.* **1** [LITTLE의 비교급] **a** [형용사·부사를 수식하여] 보다 적게, 더 적게, …만 못하게 《*than*》: He is ~ clever *than* his elder brother. 그는 형만큼 영리하지 않다. **b** [동사를 수식하여] 적게: He was ~ hurt *than* surprised. 불쾌감을 느꼈다기보다는 오히려 놀랐다(=not so much hurt as surprised). **2** [부정문에 이어 much, still, even, far 등을 앞에 놓고] 하물며 …가 아니다: He could *barely* pay for his own lodging, *much* ~ for that of his friend. 자기 하숙비도 겨우 내는데 하물며 친구 것까지 낼 수는 없었다. / I do *not* suspect him of equivocation, *much* ~ of lying. 나는 그가 말을 얼버무린다고는 생각하지 않으며 더구나 거짓말을 한다고는 보지 않는다.
~ and ~ 차츰 줄어[적게] ***little*** [***hardly, barely, scarcely***] ***~ than*** …와 거의 같은 정도로 ***more or ~*** 얼마간, 다소(rather) ***no ~*** (1) (수량·정도가) 같은 정도로, 그 정도, 마찬가지로; (실로) …만큼이나: It is *no* ~ good. 그것도 마찬가지로 훌륭하다. / He won $500, *no* ~, at the races. 그는 경마에서 무려 500달러나 땄다. (2) 바로, 틀림없이 ***no ~ a person than*** 다름아닌 바로: He is *no ~ a person than* the king. 그 분은 다름아닌 바로 왕이시다. ***no ~ than*** …에 못지않게(even), …와 마찬가지로; [수사와 함께] …이나: He gave me *no ~ than* (=as much as) $500. 그는 나에게 500달러나 주었다. (cf. no MORE than(=only) $10 겨우 10달러) ***no ~ ... than*** …못지않게, …와 마찬가지로: She is *no* ~ beautiful *than* her sister. 그 여자는 언니 못지않게 아름답다. ***none the ~*** = ***not the ~*** = ***no ~*** 그래도 역시, 그럼에도 불구하고 ***not ... any the ~*** (그렇다고 해서) 조금도 …않다 ***nothing ~ than*** (1) 적어도 …정도는: We expected *nothing ~ than* an attack. 적어도 공격이 있으리라고 예상했다. (2) …이나 다름없는, …만큼의: It is *nothing ~ than* fraud. 그것은 사기나 마찬가지다. ***not ~ than*** (1) …보다 나을망정 못하지 않다(as ... as) (2) 적어도: It did *not* cost ~ *than* $100. 적어도 100달러는 들었다. ***think ~ of*** …을 낮게[못하게] 생각하다
— *prep.* (양·시간 따위를) 줄인[뺀](minus): a year ~ three days 3일 모자라는 1년 / ten dollars ~ tax 세금 빼고 10달러
▷ léssen *v.*

-less [lis, lès] *suf.* **1** [명사에 자유로이 붙여서 형용사를 만듦] …이 없는: end*less* **2** [동사에 붙여서 형용사를 만듦] …할 수 없는, …하기 어려운: cease*less*, resist*less* **3** [드물게 부사를 만듦] …없이: doubt*less*, peer*less*

less-de·vel·oped [lésdivéləpt] *a.* 저개발의: ~ countries 저개발 국가들 《略 LDC》

les·see [lesíː] *n.* 〖법〗 임차인(賃借人), 차지인(借地人), 세든 사람(tenant)(opp. *lessor*)

‡less·en [lésn] *vt.* **1** 적게 하다, 작게 하다, 줄이다 (diminish)(⇨ decrease 유의어): ~ the length of …의 길이를 줄이다 **2** (고어) 소홀히 여기다, 업신여기다, 경시하다; 헐뜯다(depreciate, disparage)
— *vi.* 적어지다, 작아지다, 줄다

Les·seps [lésəps] *n.* 레셉스 **Ferdinand Marie de ~** (1805-94) 《프랑스의 기술자·외교관; Suez 운하의 건설자》

***less·er** [lésər] *a.* Ⓐ [LITTLE의 이중 비교급] 더욱 작은[적은], 작은[적은] 편의(cf. GREATER); 더 못한, 시시한: Choose the ~ of two evils. 두 해악 중에서 덜한 쪽을 택해라.

> 유의어 **less**는 수량에, **lesser**는 가치·중요성에 대해 쓰이며, lesser는 서술적으로는 사용하지 않고 than이 따르지 않는다.

— *ad.* [보통 복합어를 이루어] 보다 적게: ~-known 별로 유명하지 않은

Lésser Antílles [the ~] 소(小)앤틸리스 열도 《서인도 제도 중의 열도; the Greater Antilles와 함께 앤틸리스 열도를 이룸》

Lésser Béar [the ~] 〖천문〗 작은곰자리(Ursa Minor)

Lésser Dóg [the ~] 〖천문〗 작은개자리(Canis Minor)

lésser pánda 〖동물〗 레서판다, 너구리 판다 《히말라야산의 작은 판다; cf. GIANT PANDA》

léss frèquent quálity = QUALITY NEWSPAPER

les·so [lésou] *n.* = KANGA[1]

‡les·son [lésn] [L 「읽기」의 뜻에서] *n.* **1** 학과, 과업; [종종 *pl.*] 수업, 연습, 레슨: three piano ~*s* a week 일주일에 세 번의 피아노 레슨 / give[teach] ~*s* in music 음악을 가르치다 / take[have] ~*s* in Latin 라틴 어를 배우다 **2** (교과서 중의) 과: *L~* Two 제2과 **3** 교훈, (경험 등으로 얻은) 지혜, 분별: learn one's ~ 경험으로 배우다 / Let her fate be a ~ to you. 그 여자의 운명을 교훈으로 삼아라. **4** 질책, 견책, 훈계: read[give, teach] a person a ~ …에게 훈계하다(cf. LECTURE) **5** 〖영국국교〗 일과 《아침 저녁 기도 때 읽는 성서 중의 일부분》: the first ~ 제1 일과 《구약 성서 중의 일부》 / the second ~ 제2 일과 《신약 성서 중의 일부》
— *vt.* 훈계하다; 견책하다; 교습[수업]하다

les·sor [lésɔːr, –́] *n.* 임대인, 대지인(貸地人), 대가인(貸家人)(opp. *lessee*)

less-than-car·load [lèsðənkáːrlòud] *a.* 〈화물 중량이〉 최저 적재량에 차지 않아서 할인 운임 요율을 적용 못하는 《略 LCL》

‡lest [lést] *conj.* **1** …하지 않게, …하면 안 되니까(for fear that ...): Hide it ~ he (*should*) see it. 그가 보면 안 되니 감추어라. / Be careful ~ you (*should*) fall from the tree. 나무에서 떨어지지 않도록 조심해라. ★ lest는 문어이며 보통 회화에서는 쓰지 않음. lest 다음에 (영)에서는 should를, (미·구어)에서는 가정법 현재를 쓰는 일이 많음. **2** [fear, afraid 등에 계속되어] …하지나 않을까 하고(that ...): I *fear* ~ he (*should*) die. 그가 죽지나 않을까 걱정이다. / I was *afraid* ~ he (*should*) come too late. 나는 그가 너무 늦게 오지 않을까 걱정하였다.

Les·ter [léstər] *n.* 남자 이름

‡let[1] [lét] *v.* (~; **~·ting**)

① …에게 …시키다, …하게 해 주다	㊏ **1**
② 가게[오게, 통과하게] 하다	㊏ **2**
③ 세놓다	㊏ **4**

— *vt.* **1 a** …에게 …시키다, …하게 해 주다, …할 것을 허용하다(allow to): (~+목+***do***) ~ a person know[hear] …에게 알리다[말해 주다] / I ~ them talk away. 그들로 하여금 멋대로 지껄이게 했다. / *L~* us[them] go. 우리들[그들]을 놓아 주시오. **b** [1인칭·3인칭의 명령법에 사용하여 「권유·명령·가정·허가」 등을 나타냄]: *L~* us[*L~*'s] go at once. 곧 갑시다. ★ 권유의 뜻일 때 구어에서는 흔히 Let's로 됨. 발음은 [léts]가 보통. / *L~* me hear you sing. 당신 노래를 들려 주시오. / *L~* him do his worst.

thesaurus **lessen** *v.* abate, decrease, diminish, subside, moderate, slacken, let up, die down, relieve, soothe, alleviate, ease, deaden

녀석 발악을 해 보라지. / *L*~ the two lines be parallel. 두 선이 평행이라고 가정하자. / *L*~ me[us] see. 그런데, 뭐랄까.

> 유의어 **let** 상대방의 뜻대로 하는 것을 허용하다: He *let* his wife work. 아내가 일을 하도록 허용해 주었다. **make** 강제적이든, 강제적이 아니든 상대방에게 시키다: I *made* them meet. 그들을 만나게 했다. **permit** 적극적으로 허용하다: *Permit* me to explain. 내가 설명하게 해 주시오. **allow** 금지하지 않음을 또는 묵인함을 뜻할 때에 쓴다: I cannot *allow* such conduct. 그런 행위를 용납할 수 없다.

2 들여보내다, 가게[오게, 통과하게, 움직이게] 하다 《*into, to, through*, etc.》: 《~+목+전+명》 He ~ me *into*[*in*] his study. 그는 나를 서재로 안내하였다. // 《~+목+부》 They would not ~ the cars *through*. 그들은 자동차를 통과시키려 하지 않았다. **3** 〈액체·공기·목소리 등을〉 내다, 새게 하다 《*off, out*》: ~ a sigh 한숨을 쉬다, 탄성을 발하다 / ~ blood (수술로) 피를 빼다, 방혈(放血)하다 // 《~+목+부》 ~ *out* a scream 고함을 지르다 / ~ *off* a joke 농담을 해 대다 **4** 《영》 〈토지·건물·방·가재 등을〉 세놓다, 임대하다(rent) 《*off, out*》: ~ a house 집을 세놓다 / House[Room] to ~. 《게시》 셋집[셋방] 있음. // 《~+목+부》 ~ *out* a car by the day 하루 계약으로 자동차를 세놓다 // They ~ their house for the winter. 그들은 겨울 동안 집을 세준다. **5** 〈일을〉 주다, 청부[도급] 맡게 하다 《*out, to*》: 《~+목+전+명》 ~ work *to* a carpenter 목수에게 일을 도급 주다 **6** (어떤 상태로) 되게 하다[해두다]: 《~+목+보》 You shouldn't ~ your dog loose. 개를 풀어 놓지 마라.
— *vi.* **1** 세놓아지다, 세들 사람이 있다: 《~+부》 The room ~*s well*. 저 방은 세들려는 사람이 많다. // 《~+전+명》 The house ~*s for* 200 dollars a month. 그 집의 집세는 한 달에 200 달러이다. **2** 〈비행기가〉 고도를 낮추다
~ ***alone*** ⇨ alone. ~ ***... be*** …을 그냥 내버려 두다, 상관하지 않다 ~ ***... by*** (1) …을 지나가게 하다: Please ~ me *by*. 미안합니다만 지나가게 해 주십시오. (2) 〈잘못 등을〉 눈감아주다, 그냥 봐주다 ~ ***down*** 《구어》 〈명예·체면·위신 등을〉 떨어뜨리다, 낮추다, 내리다; 〈사람을〉 낙심시키다, 실망시키다; 〈길이를〉 늘이다 This machine won't ~ you *down*. 이 기계는 당신을 실망시키지 않을 겁니다. ~ ***a person down easily***[***gently***] (굴욕을 느끼지 않게) …을 점잖게 깨우치다 ~ ***drive*** ⇨ drive. ~ ***fall***[***drop***] 떨어뜨리다; 흘리다; 무심코 입 밖에 내다[누설하다] ~ ***fly*** ⇨ fly². ~ ***go*** 해방하다, 놓아주다; 〈쥐었던 것을〉 놓다 《*of*》; 눈감아주다, 묵과하다; 해고하다 ~ ***... go by*** 지나가게 하다; 개의치 않다, 무시하다 ~ ***... go hang*** 《구어》 〈일·복장 등을〉 전혀 개의치 않게 되다 ~ ***go with*** 《미·구어》 시작하다 ~ a person ***have it*** 《미·속어》 …을 때리다 ~ ***in*** 〈사람을〉 들이다, 들여보내다; 끼워 넣다; 속이다; (손실·곤경 등에) 빠뜨리다 《*for*》: *Let* him *in*. 그를 안에 들여보내라. ~ ***in on*** 《미·구어》 〈비밀을〉 알리다, 일러 주다 ~ ***into*** (*vt.*) …에 넣다, 들이다, 삽입하다; 〈비밀 등을〉 가르쳐 주다, 일러 주다; (*vi.*) 《속어》 공격하다, 때리다, 욕하다 ~ ***it go at that*** 그 이상 문제 삼지 않기로 하다, 그쯤으로 해 두다 ~ ***loose*** 놓아 주다, 풀어 주다, 해방하다; 마음껏 하다; 드러내다 ~ ***off*** (1) 〈형벌을〉 면제하다 (2) 쏘다, 발사하다 (3) 〈농담 등을〉 마구 하다 (4) 풀어 주다 (5) (가볍게) 벌하다 《*with*》 (6) 〈흐름·불길 등을〉 끊어지게 하다, 끄다 ~ ***off stream*** 《구어》 울분을 토하다 ~ ***on*** 《구어》 고자질하다; 비밀을 누설하다, 진상을 폭로하다; 가장하다, (…인) 체하다 ~ ***out*** (*vt.*) (1) 〈비밀·정보 등을〉 흘러나오게 하다, 흘리다; 입 밖에 내다; 해방[방면]하다; 〈옷을〉 늘리다, 크게 고치다, 느슨하게 하다; 〈말 등을〉 빌려 주다, 세놓다: He ~ the air *out* of the tires. 그는 타이어의 바람을 뺐다. / My trousers need to be ~ *out* round the waist. 바지 허리를 늘릴 필요가 있다. (*vi.*) (2) 《구어》 맹렬히 치고 덤비다, 심하게 욕하다 《*at*》; 《미·구어》 〈학교·극장 등이〉 파하다, 해산하다, 끝나다(terminate, end) ~ ***... pass*** …을 간과하다, 눈감아 주다 ~ ***... ride*** 《구어》 〈사태 등을〉 그대로 두다, 방치하다 ~ ***rip*** 《구어》 (1) 〈차 등을〉 전속력으로 몰다: step on the gas and ~ her *rip*. 액셀러레이터를 밟아 전속력으로 몰아라. (2) 〈사태 등을〉 추세에 맡기다 ~ one***self go*** 자제를 잃다, 열중[열광]하다, 감행하다; 외모에 신경 쓰지 않다 ~ one***self in***[***into***] (집·방으로) 들어가다 ~ one***self in for*** 〈책임 등을〉 짊어지게 되다 ~ one***self loose*** 《속어》 거리낌없이[제멋대로] 말하다[하다] ~ one***self out*** 나가다 ~ one***'s hair down*** ⇨ hair. ~ ***slide*** 〈사태 등을〉 내버려 두다 ~ ***slip*** (1) 풀어 주다 (2) 〈기회 등을〉 놓치다 (3) 〈비밀을〉 무심코 누설하다 ~ ***through*** 통과시키다; 〈과오 등을〉 눈감아 주다 ~ ***up*** 《구어》 그만두다 《*on*》; 느스러지다; 〈폭풍우 등이〉 자다, 가라앉다 ~ ***well*** (***enough***) ***alone*** ⇨ alone. ***To L~.*** 《영》 셋집[셋방] 있음. (《미》 For Rent.)
— *n.* 《영》 빌려주기, 임대, 세놓기; 《영·구어》 세들 사람: get a ~ for the rooms 방에 세들 사람을 구하다

let² *vt.* (~, ~·**ted**; ~·**ting**) 《고어》 방해하다: ~ and hinder 방해하다 — *n.* **1** 〖테니스〗 네트에 스쳐 들어간 서브 공 **2** 《고어》 방해: without ~ or hindrance 〖법〗 아무런 장애 없이

-let [lit] *suf.* [명사 어미] 「소(小) …」의 뜻: ring*let*, stream*let*

letch [létʃ] *n.*, *vi.* = LECH

let·down [létdàun] *n.* **1** (속도·노력·분량·힘의) 감소, 감쇠, 감퇴: a ~ in sales 매상 감소 **2** 환멸, 기대 이하, 실망 **3** 의기소침, 슬럼프, 허탈감: I felt a terrible ~ after the party. 나는 파티 후에 심한 허탈감을 느꼈다. **4** (착륙을 위한) 강하

***le·thal** [lí:θəl] *a.* **1** 죽음의[에 이르는], 치사의: a ~ dose (약의) 치사량 / ~ ashes 죽음의 재 / ~ weapons 흉기; 죽음의 무기 《핵무기》 **2** 죽이기 위한: a ~ attack 필살의 공격 **3** 파괴적인, 치명적인(fatal): The disclosures were ~ to his reputation. 그 폭로는 그의 명성에 치명상을 입혔다. ~·**ly** *ad.*

léthal chàmber (동물용) 무통 도살실; (처형용) 가스실

léthal géne[**fáctor**] 〖유전〗 치사 유전자[인자]

léthal injèction 치사 주사 《사형 집행 방법으로서》

le·thal·i·ty [liθǽləti] *n.* Ⓤ 치명적임

léthal mutátion 치사 돌연변이

le·thar·gic, -gi·cal [ləθɑ́:rdʒik(əl) | le-] *a.* 기면(嗜眠)성[증]의; 혼수(상태)의; 무기력한, 활발하지 못한; 둔감한: ~ sleep 혼수 -**gi·cal·ly** *ad.*

leth·ar·gize [léθərdʒàiz] *vt.* 혼수 상태에 빠뜨리다; 무기력하게 하다

leth·ar·gy [léθərdʒi] *n.* Ⓤ **1** 기면(嗜眠), 혼수 (상태) **2** 무기력; 무감각; 권태(lassitude)

Le·the [lí:θi:] *n.* **1** [the ~] 〖그리스신화〗 망각의 강 《그 물을 마시면 생전의 모든 것을 잊어버린다는 Hades에 있는 강》 **2** Ⓤ [보통 **l~**] 《시어》 망각(oblivion)

Le·the·an [liθí:ən, lí:θiən] *a.* 망각의 강의; 과거를 잊게 하는

lét-in nóte [létìn-] 〖인쇄〗 할주(割注) 《본문 속의 주석》

Le·ti·tia [litíʃə, -tí:ʃə | -tíʃiə] *n.* 여자 이름

let-off [létɔ̀:f | -ɔ̀f] *n.* **1** 《구어》 넘치는 기운 **2** 싫은 일[마땅히 받아야 할 벌]을 면함, 방면(放免)

let-out [-áut] *n.* 《영》 빠져나갈 길

Let·ra·set [létrəsèt] *n.* 레트라셋 《인쇄용 사식(寫植) 문자; 하나씩 따붙이게 되어 있음; 상표명》

---

lesson *n.* **1** 수업 class **2** 교훈 example, message, moral, warning, precept **3** 지혜 knowledge, wisdom, enlightenment, experience, truths

‡let's [lèts] let us의 단축형 《권유의 뜻일 때》
Lett [lét] *n.* 레트 사람 《발트 해 연안의 주민》; Ⓤ 레트 말(Lettish)
Lett. Lettish
let·ta·ble [létəbl] *a.* 빌려 줄 수 있는, 빌려 주기에 알맞은
‡let·ter[1] [létər] *n., v.*

L 「글자」의 뜻에서
(글자로 쓴 것) ─┬→「편지」
└→「문학」

—*n.* **1 a** 편지, 서한, …장(狀): an open ~ 공개장/a ~ of thanks 감사장 **b** [종종 *pl.*] 증서, 면허장, …증, …장: a ~ of advice (송하(送荷) 또는 어음 발행 등의) 통지서/a ~ of attorney 위임장/a ~ of intent (매매 등의) 동의서, 가계약서/a ~ of introduction 소개장/a ~ of reference 추천서/a ~ of license 〖법〗 지급 기일 연기[채무 이행 유예] 계약(서)/~*s* of administration 〖법〗 유산 관리장/~*s* of citizenship 시민권 인정서/~(*s*) of credence 신임장 《대사·공사에게 주는》/a ~ of marque (and reprisal) 적국 선박 나포 면허장/~*s* of orders 〖그리스도교〗 성직 취임증 **2** 글자, 문자: a capital [small] ~ 대[소]문자 **3** 〖인쇄〗 활자(type); 자체(字體): italic ~*s* 이탤릭체 **4** [the ~] 자의(字義), 자구(字句): in ~ and in spirit 형식과 정신이 모두/*the* ~ of the law 법문의 자의(字義) **5** [*pl.*; 단수·복수 취급] 문학(literature); 교양, 학문; 학문의 초보; 문필업: arts and ~*s* 문예/a man of ~*s* 문학자, 저술가, 학자/be slow at one's ~*s* 학문의 습득이 더디다/the profession of ~*s* 저술업/the republic [commonwealth, world] of ~*s* 문학계, 문단 **6** 《미》 학교의 마크[머리글자] 《우수한 운동 선수에게 사용이 허락됨》: win one's ~ (우수) 선수가 되다 (cf. get[win] one's CAP) ***not know one's ~s*** 읽고 쓸 줄 모르다 ***to the ~*** 문자 그대로; 엄밀히
—*vt.* **1** …에 글자를 (박아) 넣다; 써넣다: ~ a poster 포스터에 글자를 넣다 // (~+목+전+명) He ~*ed* his name *on* the blank page. 그는 공백의 페이지에 자기 이름을 써넣었다. **2** 〈책 등에〉 표제를 넣다 **3** 인쇄체로 쓰다 **4** 글자로 분류하다
—*vi.* **1** 글자를 넣다 **2** 《미》 (우수 선수로서) 학교의 마크를 받다 ▷ líteral, líterate *a.*
letter[2] *n.* 세준 사람, 임대인
létter bàlance 우편물을 다는 저울
létter bòmb 우편 폭탄(mail bomb) 《우편물에 폭탄을 장치한 것》
létter bòok 서신 발송 대장
let·ter-bound [létərbàund] *a.* 자구(字句)에 구애된
let·ter·box, letter·boxed [létərbɑ̀ks(t) | -bɔ̀ks(t)] *a.* 레터 박스 포맷의 《와이드 스크린 영화를 가로 세로 비율 그대로 텔레비전에서 보는 방식》
lét·ter·box·ing *n.*
létter bòx 《영》 우편함(《미》 mail box); 우체통
let·ter·card [-kɑ̀ːrd] *n.* 《영》 봉함 엽서
létter càrrier 《미》 우편 집배원(《영》 postman) ★ mailman쪽이 일반적임.
létter càse (휴대용) 편지 케이스
létter chùte 레터 슈트 《고층 건물 등에서 우편물을 투입하여 한 곳에 모으는 장치》
létter dàter 일부인(日附印) 《회전식으로 날짜를 바꾸게 하는 고무 도장》
létter dròp 우편물 투입구
let·tered [létərd] *a.* **1** 글자를 넣은 **2** 학문[교양, 문학적 소양]이 있는(opp. *unlettered*)
létter file 편지철
let·ter·form [létərfɔ̀ːrm] *n.* 활자의 디자인; 편지지
létter fòunder 활자 주조공[업자]
let·ter·gram [-grӕm] *n.* 서신 전보
let·ter·head [-hèd] *n.* 편지지 위쪽의 인쇄 문구 《회사명·소재지·전화 번호 등》; 그것이 인쇄된 편지지
let·ter·ing [létəriŋ] *n.* Ⓤ **1** 글자 쓰기[새기기], 레터링 《문자 도안화》 **2** [집합적] 쓴[새긴] 글자, 명(銘); (쓰거나 새긴) 글자의 배치[체재]; 편지 쓰기
let·ter·less [létərlis] *a.* 무교육의, 문맹의
létter lòck 글자를 맞춰 여는 자물쇠
let·ter·man [létərmӕn, -mən] *n.* (*pl.* **-men** [-mèn, -mən]) (대학 간 경기에서) 모교의 약자 마크의 부착이 허락된 운동선수
létter míssive (상급자가 발행하는) 명령서, 허가서; (국왕이 교회에 내리는) 감독 후보자 지명서
létter of crédit 〖상업〗 신용장 《略 L/C》
létter òpener 《미》 =PAPER KNIFE
létter pàd (한 장씩 떼어 쓰게 된) 편지지철
létter pàper 편지지
let·ter-per·fect [-pə́ːrfikt] *a.* 《미》 **1** 〈배우·학생 등이〉 자기의 대사(臺詞)[학과]를 똑똑히 외고 있는 **2** 〈문서·교정 등이〉 완벽한, 정확한 **3** 말 그대로의, 축어적인(verbatim)
let·ter·press [-près] *n.* **1** Ⓤ 활판 인쇄(법); 인쇄한 자구(字句); Ⓒ 활판 인쇄기 **2** Ⓤ 본문 《삽화에 대하여》 **3** 편지 복사기
let·ter-qual·i·ty [-kwɑ́ləti | -kwɔ́l-] *a.* 〈인쇄가〉 선명도가 높은, 선명하고 깨끗한: The laser printer can produce ~ printing. 레이저 프린터는 선명하고 깨끗한 인쇄를 한다.
let·ter·set [-sèt] *n.* 〖인쇄〗 레터셋 인쇄(법); 드라이 오프셋(dry offset)
létter shèet 봉함 엽서(lettercard)
let·ter-size [-sàiz] *a.* 〈용지가〉 편지지 크기인 《8 ½ × 11인치》
létters pátent 《영》 (전매) 특허증
létters rógatory 〖법〗 (다른 법원에 대한) 증인 조사 의뢰장(狀), (외국 법원에 대한) 증거 조사 의뢰장
létter stàmp 편지의 소인(消印)
létters testaméntary 〖법〗 유언 집행장
létter stòck 《미》 〖증권〗 비공개주(株)
létter télegram (국제 전보의) 서신 전보 《요금은 싸나 보통 전보보다 늦음; 略 LT》
let·ter·weight [-wèit] *n.* 서진(書鎭); =LETTER BALANCE
létter wrìter **1** 편지 쓰는 사람, 편지 대서인 **2** 편지틀; 모범 서간문집
Let·tic [létik] *a.* =LETTISH
let·ting [létiŋ] *n.* 《영》 임대; 셋집, 임대 아파트
Lett·ish [létiʃ] *a.* 레트(Lett) 사람[말]의
—*n.* Ⓤ 레트 말
let·tre de ca·chet [létrə-də-kӕʃéi] [F] 체포 영장 《프랑스 국왕이 발부한》
***let·tuce** [létis] *n.* Ⓤ **1** 〖식물〗 상추, 양상추: a head of ~ 상추 한 개 **2** 《미·속어》 지폐, 현찰
Let·ty [léti] *n.* 여자 이름
let·up [létʌ̀p] *n.* 《미·구어》 (노력·강도 등의) 정지, 휴지, 완화; 감소, 감속 ***without (a) ~*** 끊임없이
le·u [léu] *n.* (*pl.* **lei** [léi]) 레우 《Rumania의 화폐 단위; 기호 L; =100 bani》
Leu 〖생화학〗 leucine
leuc- [luːk | ljuːk], **leuco-** [lúːkou, -kə | ljúː-] 《연결형》 「흰; 백혈구」의 뜻 《모음 앞에서는 leuc-》
leu·ce·mi·a [luːsíːmiə | ljuː-] *n.* =LEUKEMIA
leu·cine [lúːsiːn, -sin | ljúːsiːn] *n.* Ⓤ 〖생화학〗 류신, 로이친 《백색 결정성 아미노산; 略 Leu》
leu·cite [lúːsait | ljúː-] *n.* Ⓤ 백류석(白榴石)
leuco- [lúːkou, -kə | ljúː-] 《연결형》 =LEUC-
léu·co bàse [lúːkou- | ljúː-] 〖화학〗 류코 염기(塩基) 《물감을 환원시켜 수용성으로 만든 화합물》
leu·co·cyte [lúːkəsàit | ljúː-] *n.* =LEUKOCYTE

thesaurus **level** *n.* **1** 높이 height, highness, altitude, elevation, distance upward **2** 정도 extent, amount, quantity, measure, degree, vol-

leu·co·cy·to·sis [lù:kəsaitóusis | ljù:-] *n.* = LEUKOCYTOSIS

leu·con [lú:kɑn | ljú:kɔn] *n.* 〖동물〗 류콘형, 로이콘형《해면 동물의 한 형태》 **-co·nòid** *a.*

leu·co·plast [lú:kəplæ̀st | ljú:-] *n.* 〖식물〗 백색체

leu·cor·rhe·a [lù:kərí:ə | ljù:-] *n.* =LEUKORRHEA

leu·co·tome [lú:kətòum | ljú:-] *n.* 〖외과〗 뇌엽(腦葉) 절제용 메스

leu·cot·o·my [lu:kɑ́təmi | lju:kɔ́t-] *n.* (*pl.* **-mies**) = LEUKOTOMY

leu·ke·mi·a, -kae- [lu:kí:miə | lju:-] *n.* Ⓤ 〖병리〗 백혈병 **-mic** *a.*

leuk(o)- [lú:k(ə) | ljú:k(ə)] 《연결형》 =LEUC(O)-

leu·ko·cyte [lú:kəsàit | ljú:-] *n.* 백혈구(cf. PHAGOCYTE)

leu·ko·cy·to·sis [lù:kousaitóusis | ljù:-] *n.* Ⓤ 〖병리〗 백혈구 증가(증)

leu·ko·der·ma [lù:kədə́:rmə | ljù:-] *n.* 〖생리〗 = VITILIGO

leu·ko·ma [lu:kóumə | lju:-] *n.* 〖병리〗 각막 백반

leu·ko·pe·ni·a [lù:kəpí:niə | ljù:-] *n.* Ⓤ 〖병리〗 백혈구 감소(증)

leu·ko·pla·ki·a, -co- [lù:kəpléikiə | ljù:-] *n.* 〖병리〗 백반증

leu·ko·poi·e·sis [lù:koupɔií:sis | ljù:-] *n.* 〖병리〗 백혈구 형성[생성]

leu·kor·rhe·a [lù:kərí:ə | ljù:-] *n.* Ⓤ 〖병리〗 백대하(白帶下) **-rhe·al** [-rí:əl] *a.*

leu·ko·sis, -co- [lu:kóusis | lju:-] *n.* 〖병리〗 백혈병(leukemia)

leu·kot·o·my [lu:kɑ́təmi | lju:kɔ́t-] *n.* (*pl.* **-mies**) ⓊⒸ 〖외과〗 뇌엽 절제(술)(lobotomy)

lev [léf] *n.* (*pl.* **lev·a** [lévə]) 레프《Bulgaria의 화폐 단위; 기호 LV; =100 stotinka》

lev- [li:v], **levo-** [lí:vou] 《연결형》 「왼쪽의; 좌선성(左旋性)의」의 뜻《모음 앞에서는 lev-》

Lev. Levant; Leviticus

le·vam·i·sole [ləvǽməsòul] *n.* 〖약학〗 레바미솔《구충제》

le·vant [livǽnt] *vi.* 《영·속어》 (빚을 갚지 않고) 도망치다, 자취를 감추다(abscond)

Le·vant [livǽnt] *n.* [the ~] 레반트《동부 지중해 및 그 섬과 연안 제국》; [종종 **l~**] 고급 모로코 가죽(=~ **morócco**)

le·vant·er[1] [livǽntər] *n.* 도망자(cf. LEVANT)

levanter[2] *n.* 지중해의 강한 동풍(東風); [**L~**] 레반트(Levant) 사람, 레반트 선(船)

Le·van·tine [lévəntàin, -tì:n | lévəntàin] *a.* 레반트(Levant)의 **—** *n.* **1** 레반트 사람 **2** [**l~**] ⓊⒸ 튼튼한 능직 비단[무명]

le·va·tor [livéitər, -tɔ:r] *n.* (*pl.* **lev·a·to·res** [lèvətɔ́:ri:z], **~s**) **1** 〖해부〗 거근(擧筋)(=~ **mùscle**) **2** 〖외과〗 기자(起子)《두개골절의 함몰부를 들어 올리는 기구》

lev·ee[1] [lévi] *n.* **1** 충적제(沖積堤) **2** (강의) 제방, 둑(embankment), 논둑길 **3** 선창, 부두(quay) **—** *vt.* …에 제방을 쌓다

le·vee[2] [lévi, leví: | lévi, lévei] *n.* **1** 〖영국사〗 알현식《군주 또는 그 대리자가 이른 오후에 남자에게만 하는》; 프랑스 궁정의 집회 **2** 《미》 대통령의 접견회

‡**lev·el** [lévəl] *n., a., v., ad.*

> L 「작은 천칭; 수준기」의 뜻에서 (수준기에 나타난) 「수평면」, 나아가서 비유적 뜻인 「수준」이 되었음.

— *n.* **1** 수평; 수평면, 평면; 수평선: the ~ of the sea 해면 **2** 〖기계〗 수준기; (통신·측량의) 레벨 수준 측정: take a ~ (두 지점의) 고도차를 재다 **3** 동일 수준[수평]; (수평면의) 높이, 고도(altitude): at the ~ of one's eyes 눈높이에 / on a ~ with …와 동일 수준에, …와 동격으로 / Water finds its ~. 물은 수평으로 되게 마련이다. / The glasses were filled with water, each one at a different ~. 컵은 각각 다른 높이까지 물이 채워져 있었다. **4** 평지, 평원; 무변화, 단조: dead ~ 평탄지 / out of ~ 평탄하지 않은 **5** (사회적·정신적) 표준(standard), 수준, 정도: the ~ of living 생활 수준 / ~ of aspiration 〖심리〗 요구 수준《작업을 할 때 「자기는 이 정도의 성적은 딸 수 있다」고 기대[결심]하는 작업 성적의 수준》 **6** 〖광산〗 수평 갱도 **7** 〖의학〗 (어떤 물질의 체액 중) 농도; 입자수: a normal blood sugar ~ 정상적인 혈당 농도 ***find*** one***'s*** (***own***) **~** 분에 맞는 지위를 얻다, 알맞은 곳에 자리잡다 ***on the*** **~** 《구어》 공명정대하게, 정직하게; 참말로; [문장 전체를 수식하여] 《미》 정직하게 말해서 ***sink to*** a person***'s*** **~** (나쁜 사람 수준까지) 타락하다

— *a.* **1** 수평의(horizontal), 요철[기복]이 없는, 평평한, 평탄한: two ~ tablespoonfuls of sugar 찻숟가락 2개에 깎아 담은 분량의 설탕 / a ~ flight 〖항공〗 수평 비행 / a ~ road 평탄한 도로

> 유의어 **level** 표면이 수평인: The vast prairies are nearly *level.* 광대한 초원은 거의 평탄하다. **flat** 표면 일대에 기복이나 돌기가 없는 상태인데 표면 그 자체가 수평이라고만은 할 수 없다: The work surface must be *flat.* 조리대는 편평해야 한다. **even** 표면에 높낮이가 없고 한결같이 평평한: an *even* land surface with no hills 언덕이 없는 평지

2 같은 수준[높이]의, 동등한(equal) 《*with, to*》: a ~ race 막상막하의 경주 **3** 〖음악·음성〗 평조(平調)의, 〈색 등이〉 고른, 한결같은; 공평한: speak in ~ tones 억양 없이 말하다 **4** 〈어조 등이〉 차분한; 〈판단 등이〉 냉철한; 〈태도 등이〉 흔들리지[끄떡도] 않는: have [keep] a ~ head 분별이 있다 **5** 《속어》 솔직한, 정직한(plain): I am going to be ~ with you. 자네에게 솔직하게 말하지. ***do*** [***try***] one***'s*** **~** ***best*** 《구어》 최선을 다하다: He *did* his ~ *best* to please his father. 그는 아버지를 기쁘게 하려고 최선을 다했다.

— *v.* (**~ed**; **~·ing** | **~led**; **~·ling**) *vt.* **1** 〈표면 등을〉 평평하게 하다; 고르다: ~ the ground 땅을 고르다 **2** 수평으로 놓다, 같은 높이로 하다 《*up, down*》: (~+목+부) ~ a road *up*[*down*] before building 공사를 하기 전에 도로를 평평하게 돋우다[깎다] **3** 〈건물을〉 쓰러뜨리다(demolish), 무너뜨리다; 《구어》 〈사람을〉 때려눕히다(knock down): (~+목+전+명) The city was *~ed to*[*with*] the ground. 그 도시는 철저하게 파괴되었다. **4** 〈신분·지위·상태·차이 등을〉 평등하게 하다; 〈차별을〉 없애다(equalize) 《*out, off*》: ~ the various classes 계급의 차이를 없애다 **5** 〈색·어조 등을〉 평균하다; 고르게 하다; 단음화하다 **6** 〈총 등을〉 겨누다(aim); 돌리다, 〈비난·공격 등을〉 퍼붓다(direct) 《*at, against*》: (~+목+전+명) ~ a gun *at* …에게 총부리를 돌리다[겨누다] / ~ a satire *at* …을 빈정대다 **7** 〖측량〗 수준 측량하다

— *vi.* **1** 같은 높이로 하다, 평등하게 하다 **2** 겨냥하다, 조준하다 《*at*》: The ship's guns *~ed at* the lighthouse. 그 배의 대포는 등대에 조준을 맞췄다. **3** 수준 측량을 하다, 수준기로 땅의 고저를 측량하다 **4** 〖항공〗 (착륙 전에) 수평 비행이 되다 《*off*》 **5** 《속어》 사실대로 털어놓다, 솔직히 말하다[행동하다]; 공평히 다루다[대하다] 《*with*》: I'll ~ *with* you. 너에겐 사실대로 털어놓겠어. **~ *in the dust*** = **~ *to*** [***with***] ***the ground*** 〈건물 등을〉 넘어뜨리다, 무너뜨리다(⇨ *vt.* 3) **~ *off*** 평평하게 하다[되다]; 〖항공〗 (착륙 직전에) 수평 비행을 하다; 〈물가 등이〉 안정 상태가 되다 **~**

ume, size **3** (사회·정신적) 수준 position, rank, standing, status, grade, stage, standard **—** *v.* make level, even off, make flat, flatten

out (1) ＝LEVEL off (2) (차이를 없애어) 같은 수준으로[고르게] 하다
— *ad.* 수평이 되게, 평평하게; 똑바로, 일직선으로; 수평으로, 같은 높이로; 비등하게 《*with*》 ***draw*** ~ (***with***) (…와) 대등해지다; (경주에서) (…을) 따라 잡다
lével cróssing 《영》 (철도와 도로 등의) 평면 교차(《미》 grade crossing)
lev·el·er | **-el·ler** [lévələr] *n.* **1** 수평하게 하는 사람[것] **2** 평등주의자, 평등론자 **3** 수준 측량자
lev·el·head·ed [lévəlhédid] *a.* 온건한; 분별 있는 (sensible); 냉정한 **~·ness** *n.*
lev·el·ing | **-el·ling** [lévəliŋ] *n.* Ⓤ **1** 평평하게 함, 땅을 고름; 평등화 **2** 수준[고저] 측량: a ~ instrument 수준기 **3** 〖언어〗 (어형 변화의) 단순화
léveling ròd[stàff] 〖측량〗 수준 조척(水準照尺), 표척(標尺), 함척(函尺)
lev·el·ly [lévəli] *ad.* 차분하게, 침착하게: She looked at him ~. 그녀는 차분히 그를 바라보았다.
lev·el-off [lévəlɔ́:f] *n.* 〖항공〗 (순항 고도에 이르러) 수평 비행으로 옮기는 조작
lev·el-peg [lévəlpég] *vi.* 《영》 동점이다, 실력이 백중하다
lével pégging 《영》 동점임, 백중지세
lével plàying fíeld (상업상의) 공평한 경쟁의 장(場)
∗**lev·er** [lévər, lí:v- | lí:v-] [L「들어올리다」의 뜻에서] *n.* **1** 〖기계〗 지레, 레버: a control ~ 〖항공〗 조종간 **2** (목적 달성의) 수단, 방편
— *vt., vi.* 지레를 쓰다[로 움직이다] 《*along, away, out, over, up,* etc.》; (지레를 써서) 비집어 열다
lev·er·age [lévəridʒ, lí:v- | lí:v-] *n.* Ⓤ **1** 지레의 작용; 지레 장치; 지레의 힘; 지레의 비(比) **2** (목적 달성을 위한) 수단, 효력; 권력, 세력(influence) **3** 《미》 〖경제〗 차입 자본 이용, 레버리지(＝financial ~)(《영》 gearing) **—** *vt.* **1** …에게 영향을 주다 **2** …에 지레를 사용하다 **3** 《미》 〖경제〗 …에 차입금을 이용하여 투자하다
lév·er·aged búyout [lévəridʒid-, lí:v- | lí:v-] 〖경제〗 LBO식 기업 매수 《매수 예정 회사의 자본을 담보로 한 차입금에 의한 기업 매수》
lev·er·et [lévərit] *n.* 새끼[어린] 토끼(young hare)
léver scàles 대저울
Le·vi [lí:vai, léivi] *n.* 〖성서〗 레위 《야곱(Jacob)과 레아(Leah)의 셋째 아들》
lev·i·a·ble [léviəbl] *a.* 〈세금 등이〉 부과할 수 있는; 〈화물 등이〉 과세해야 할
le·vi·a·than [liváiəθən] *n.* **1** [종종 **L~**] 〖성서〗 거대한 바다짐승 **2** 거대한 것, 《특히》 고래, 거대한 배 **3** [**L~**] (전체주의적) 국가 **—** *a.* 거대한
lev·i·er [léviər] *n.* (세금 등을) 부과하는 사람, 과세자, 징세자
lev·i·gate [lévəgèit] *vt.* 가루로 만들다, 갈다; 〈잔알갱이를〉 액체 속에서 선별하다 **lèv·i·gá·tion** *n.*
lev·in [lévin] *n.* 《시어》 번갯불, 전광
lev·i·rate [lévərət, -rèit, lí:v- | lí:virit] *n.* Ⓤ 역연혼(逆緣婚) 《죽은 자의 형이나 아우가 그 미망인과 결혼하는 관습》
Le·vi's [lí:vaiz] *n.* 리바이스 《미국 Levi Strauss 제(製)의 진(jeans); 상표명》
Lé·vi-Strauss [léivistráus] *n.* 레비스트로스 **Claude ~** (1908-91) 《프랑스 문화 인류학자; 구조 인류학의 선구자》
Levit. Leviticus
lev·i·tate [lévətèit] *vi., vt.* 공중에 부양하다[시키다] **lèv·i·tá·tion** *n.* Ⓤ 공중 부양
Le·vite [lí:vait] *n.* **1** 〖성서〗 레위(Levi) 지파의 사람, 레위 사람 《특히 유대 신전에서 제사장을 보좌한 자》 **2** 《속어》 유대인
Le·vit·i·cal [livítikəl], **-ic** [-tik] *a.* 레위 사람[지파](Levite)의; 〖성서〗 레위기에 적힌 율법의[에 정해진]
Le·vit·i·cus [livítikəs] *n.* 〖성서〗 레위기(記) 《略 Lev.》
lev·i·ty [lévəti] *n.* (*pl.* **-ties**) Ⓤ 경솔; 변덕; [보통 *pl.*] 경거망동
le·vo [lí:vou] *a.* ＝LEVOROTATORY
levo- [lí:vou, -və] 《연결형》 ＝LEV-
le·vo·do·pa [lì:voudóupə] *n.* ＝L-DOPA
le·vo·ro·ta·tion [lì:vəroutéiʃən] *n.* 〖광학·화학〗 왼쪽으로 도는 성향, 좌선성(左旋性)
le·vo·ro·ta·to·ry [lì:vəróutətɔ̀:ri | -təri] *a.* 〖광학·화학·생화학〗 왼쪽으로 도는; 좌선성(左旋性)의
lev·u·lose [lévjulòus] *n.* Ⓤ 〖화학〗 과당(果糖)
∗**lev·y** [lévi] [F「들어올리다」의 뜻에서] *v.* (**lev·ied**) *vt.* **1** 〈세금·기부금 등을〉 징수하다, 부과하다, 할당하다, 거두다, 징발하다: ~ a large fine 많은 벌금을 부과하다 // (~＋목＋전＋명) ~ taxes *on* a person …에게 세금을 부과하다 / ~ a duty *on* imports 수입품에 관세를 매기다 **2** 〖법〗 압류하다(seize) **3** 〈군인을〉 소집하다, 징집[징모]하다 **4** 〈전쟁 등을〉 시작하다: (~＋목＋전＋명) ~ war *on*[*upon, against*] …에 대해 전쟁을 개시하다
— *vi.* 징세[과세]하다; 돈을 받아내다, 거두다, 압류[압수]하다 《*on*》
— *n.* (*pl.* **lev·ies**) ⓊⒸ **1** 부과, 징세; 징수(액): a capital ~ 자본 과세 **2** 〖군사〗 소집, 징용: ~ in mass 국가 총동원, 국민군 소집 **3** 소집 군대; [*pl.*] 병사; 소집 인원, 징모병 수(數) **lév·i·er** *n.* 과세자
∗**lewd** [lú:d] *a.* **1** 외설적인, 음탕한, 음란한 **2** 《폐어》 비천한; 비열한, 사악한 **~·ly** *ad.* **~·ness** *n.*
Lew·es [lú:is] *n.* 루이스 《잉글랜드 남부 East Sussex주의 주도》
lew·is [lú:is] *n.* 돌덩이 등을 끌어 올리고 내리는 쇠집게
Lew·is [lú:is] *n.* **1** 남자 이름 《Louis의 이형》 **2** 루이스 **Sinclair ~** (1885-1951) 《미국의 소설가》
Léwis gùn 루이스식 경기관총
Lew·i·sham [lú:iʃəm] *n.* 루이셤 《Thames 강 남쪽에 있는 런던 자치구; 주택지》
lew·is·ite [lú:isàit] *n.* Ⓤ 루이사이트 《미란성(糜爛性) 독가스》
lex [léks] [L] *n.* (*pl.* **le·ges** [lí:dʒi:z]) 법률(law)
lex. lexical; lexicon
lex·eme [léksi:m] *n.* 〖언어〗 어휘 항목, 어휘소(素)
lex·es [léksi:z] *n.* LEXIS의 복수
lex fo·ri [léks-fɔ́:ri] [L] 〖법〗 법정지법(法廷地法) 《소송이 행해지는 나라의 법률》
lex·i·ca [léksəkə] *n.* LEXICON의 복수
lex·i·cal [léksikəl] *a.* 어휘의; 사전(편찬)의(cf. GRAMMATICAL) **~·ly** *ad.* 사전적[식]으로
léxical ítem 〖언어〗 어휘 항목 《어휘 목록(lexicon)을 이루는 단위; 단어에 해당》
lex·i·cal·ize [léksikəlàiz] *vt.* 〖언어〗 〈접사·구 등을〉 어휘[항목]화하다
léxical méaning 〖언어〗 사전적 의미 《단어 그 자체의 본질적인 뜻》
léxical únit ＝LEXEME
lexicog. lexicographer; lexicographical; lexicography
lex·i·cog·ra·pher [lèksəkɑ́grəfər | -kɔ́g-] *n.* 사전 편찬자
lex·i·co·graph·ic, -cal [lèksəkougrǽfik(əl)] *a.* 사전 편찬상의 **-i·cal·ly** *ad.*
lex·i·cog·ra·phy [lèksəkɑ́grəfi | -kɔ́g-] *n.* Ⓤ 사전 편찬(법)
lex·i·col·o·gy [lèksəkɑ́lədʒi | -kɔ́l-] *n.* Ⓤ 어의학(語義學) **-gist** *n.* 어휘[어의] 학자
lex·i·con [léksəkɑ̀n, -kən | -kən] [Gk「낱말의」의 뜻에서] *n.* (*pl.* **-ca** [-kə], **~s**) **1** (특히 그리스어·라틴 어·히브리 어의) 사전 **2** (특정 작가·작품 등의) 어휘(집) **3** 〖언어〗 어휘 목록 **4** 목록; 대요

thesaurus **levy** *n.* **1** 징수하다 collect, gather, raise, impose, exact, demand, charge, tax **2** 징집하다 call up, draft, enlist, rally
lewd *a.* lecherous, lustful, licentious, lascivious,

lex·i·co·sta·tis·tics [lèksəkoustətístiks] *n. pl.* [단수 취급] 〖언어〗 어휘 통계학(cf. GLOTTOCHRONOLOGY)
lex·i·gram [léksəgræ̀m | -grɑ̀:m] *n.* 그림[기호] 문자《글자를 대신하는 그림[기호]》
lex·ig·ra·phy [leksígrəfi] *n.* (한자 같은) 일자 일어법(一字一語法)
Lex·ing·ton [léksiŋtən] *n.* 렉싱턴《미국 Massachusetts 주 동부의 소도시; 1775년 4월 19일, 독립 전쟁 최초의 전투가 있었음》
lex·is [léksis] *n.* (*pl.* **lex·es** [-si:z]) (특정 언어·작가 등의) 어휘; 용어집; 〖언어〗 어휘론
léx non scríp·ta [léks-nɑn-skríptə, -noun- | -nɔn-] [L] 〖법〗 불문율(不文律), 관습법
léx scríp·ta [-skríptə] [L] 〖법〗 성문법
léx ta·li·ó·nis [-tæ̀lióunis] [L] 복수법(復讐法), 동해(同害) 형법《피해와 같은 수단에 의한》
ley[1] [léi, lí: | léi] *n.* 목초지(lea)
ley[2] [léi] *n.* = LEU
Léy·den blúe [láidn-] = COBALT BLUE
Léyden jàr 〖전기〗 라이든 병《일종의 축전기》
léy fàrming 곡초식 윤작법《곡초와 목초를 번갈아 재배하기》
Léy·land cýpress [léilənd-] 〖식물〗 레이란디 삼나무
lez, lezz [léz], **lez·zie** [lézi] *n.* 《속어·경멸》 동성애를 하는 여자(lesbian)
léze májesty [lí:z-] = LÈSE-MAJESTÉ
lez·zy, lez·zie [lézi] 《특히 영·구어》 *n.* (*pl.* **lez·zies**) = LESBIAN **—** *a.* = LESBIAN
lf, l.f., LF, L.F. left field(er); left forward; 〖전기〗 low frequency **L.F.A.S.** Licentiate of the Faculty of Architects and Surveyors **LG, L.G.** Life Guards; Low German **lg.** large; long **l.g.** 〖미식축구〗 left guard **lge.** large **LGk** Late Greek **LGM** little green man 녹색 난쟁이《SF에서 외계의 지적 생명체》 **LGr.** Late Greek; Low Greek **lgth.** length **L.G.U.** Ladies' Golf Union
lh, l.h., lhb, l.h.b. 〖미식축구〗 left halfback
LH 〖생화학〗 luteinizing hormone 황체 형성 호르몬 **l.h., L.H.** 〖음악〗 left hand 왼손 (사용); lower half **L.H.A.** 《영》 Lord High Admiral
Lha·sa [lɑ́:sə, -sɑ:, lǽsə] *n.* 라사《티벳의 수도; 라마교의 성도(聖都)》
Lhása áp·so [-ǽpsou] 라사 압소《애완용의 작은 테리어종 개》
L.H.C. 《영》 Lord High Chancellor **lhd** left-hand drive **L.H.D.** *Litterarum Humaniorum Doctor* 《L = Doctor of Humanities》
L-head [élhèd] *a.* 〈엔진이〉 흡기와 배기의 양 밸브를 실린더 한쪽에 배치한, 엘헤드형의, L형의: ~ engine L형 (내연) 기관
LHRH 〖생화학〗 luteinizing hormone releasing hormone 황체 형성 호르몬 방출 호르몬[인자]
li [lí:] [Chin.] *n.* (*pl.* **~, ~s**) 리(里)《약 500미터》
Li 〖화학〗 lithium **li.** link(s) **L.I.** Light Infantry; Long Island
***li·a·bil·i·ty** [làiəbíləti] *n.* (*pl.* **-ties**) **1 a** Ⓤ 책임 있음, 책임; 부담, 의무 《*for*》: limited[unlimited] ~ 유한[무한] 책임 // 《~+*to* do》 ~ *to* pay taxes 납세 의무 **b** Ⓤ (…한) 경향이 있음, (…에) 빠지기[걸리기] 쉬움 《*to*》: ~ *to* disease 병에 걸리기 쉬운 체질 **2** [*pl.*] 부채, 채무(debts)(opp. *assets*) **3** 《구어》 불리한 일[사람](opp. *asset*): His lack of education is his biggest ~. 교육을 받지 못한 점이 그의 가장 큰 장애이다. // 《~+전+*-ing*》 Poor handwriting is a ~ *in* get*ting* a job. 악필은 취직하는 데 불리하다.
liabílity insùrance 책임 보험
liabílity lìmit 〖보험〗 책임 한도
‡li·a·ble [láiəbl] [L 「묶여 있는」의 뜻에서] *a.* Ⓟ **1** (법률상 부채·손해 등에 대해) **책임져야 할**, 책임 있는 《*for, to*》; (세금·벌금 등을) 납입할 의무가 있는; (…에) 처해져야 할, (…을) 당해야 할, (…을) 받아야 할, (…을) 면할 수 없는 《*to*》: be ~ *for* the debt (= *to* pay the debt) 부채를 갚을 의무가 있다 **2** 〈부동산 등이〉 차압당해야 할 **3** (병 등에) 걸리기 쉬운; (의심 등의) 여지가 있는 《*to*》: be ~ *to* heart disease 심장병에 걸리기 쉽다 **4 a 자칫하면 …하는** (apt): 《~+*to* do》 Difficulties are ~ *to* occur. 어려운 일은 일어나게 마련이다. / He is ~ *to* get angry. 그는 자칫하면 화를 낸다. ★ likely와 같은 뜻이지만 대개 좋지 않은 일에 관하여 씀. **b** 《미·구어》 (…할) 듯한, (…할) 것 같은: 《~+*to* do》 It is ~ *to* rain. 비가 올 것 같다.
li·aise [li:éiz | li-] *vi.* 《군대속어》 (사람과) 연락하다 《*between, with*》; 연락 장교로 근무하다
***li·ai·son** [lì:eizɔ́:ŋ, lí:əzɑ̀n | liéizɔn] [F 「연결」의 뜻에서] *n.* **1** ⓊⒸ 〖군사〗 **연락**, 접촉, 통신; (일반 조직의) 교섭, 연락 《*with*》 **2** 연락자, 연락계 **3** (남녀의) 사통(私通), 밀통 **4** 〖음성〗 연성(連聲), 연음, 리에종《특히 프랑스 어에서 앞 어미의 자음과 다음 말의 두모음(頭母音)을 잇는 발음, 또 영어에서 r음을 다음 말의 두(頭)모음과 잇는 발음》
— *vi.* 접촉하다, 관계하다
liaisón ófficer 〖군사〗 연락 장교
li·a·na [liɑ́:nə, -ǽnə | -ɑ́:nə], **li·ane** [liɑ́:n] *n.* 〖식물〗 리아나, 리아네《열대산 칡의 일종》
liang [ljɑ́:ŋ, ljǽŋ | liǽŋ] *n.* (*pl.* **~, ~s**) 량《중국의 중량 단위; 약 37g》
‡li·ar [láiər] [lie[1]에서] *n.* **거짓말쟁이**
líar('s) dìce 포커 다이스(poker dice)의 일종《상대방에게 주사위를 보이지 않고 던짐》
li·as [láiəs] *n.* 〖지질〗 **1** Ⓤ 청색 석회암《영국 남서부산》 **2** [**L~**] 리아스통(統); 흑쥐라통
Li·as·sic [laiǽsik] *a.*
lib [líb] [*lib*eration] 《구어》 *n.* Ⓤ, *a.* **1** (여성) 해방 운동(의) **2** = LIBBER
Lib, Lib. Liberal (Party) **lib.** *liber* 《L = book》; liberal; *libra* 《L = pound》; librarian; library
Lib. Liberal; Liberia(n)
li·ba·tion [laibéiʃən] *n.* Ⓤ **1** 제주(祭酒) **2** 《익살》 술, 음주
lib·ber [líbər] *n.* 《미·구어》 여성 해방 운동가
lib·bie [líbi] *n.* 《미·구어》 = LIBBER
Lib·by [líbi] *n.* 여자 이름《Elizabeth의 애칭》
lib. cat. library catalogue 장서 목록
Lib Dem [lìb-dém] [*Lib*eral *Dem*ocrat] 《영·구어》 **1** 자유 민주 당원 **2** [the ~*s*] 자유 민주당
li·bel [láibəl] *n.* **1** Ⓤ 〖법〗 문서 비방(죄); Ⓒ 명예훼손(의 글), 중상(하는 글) ★ slander는 구두에 의한 명예 훼손. **2** Ⓒ 《구어》 모욕이[불명예가] 되는 것, 모욕 《*on*》: This photograph is a ~ *on* him. 이 사진은 그의 실물보다 훨씬 못하다.
— *v.* (**~ed**; **~·ing** | **~led**; **~·ling**) *vt.* **1** 비방[중상]하다; …에 대한 비방 문서를 공표하다 **2** 《구어》 …의 품성·용모 등을 충분히 표현하지 못하다 **3** (해사(海事) [종교] 재판에서) 정식 문서로 소송을 제기하다
— *vi.* (…을) 중상[비방]하다 《*against, on*》: He ~*s against*[*on*] the king. 그는 왕을 비방한다.
~·(l)er, ~·(l)ist *n.* 중상자, 비방자
li·bel·(l)ant [láibələnt] *n.* 〖법〗 (해사(海事) [종교] 재판소에 있어서의) 민사 원고; 중상[비방]자(libeler)
li·bel·(l)ee [làibəlí:] *n.* 〖법〗 (해사(海事) [종교] 재판소에 있어서의) 민사 피고
li·bel·(l)ous [láibələs] *a.* 비방하는, 중상하는
li·ber[1] [láibər] *n.* 〖식물〗 = PHLOEM
liber[2] [L] *n.* (*pl.* **li·bri** [làibrái, -bri], **~s**) 책

---

promiscuous, prurient, salacious
liability *n.* **1** 책임 responsibility, obligation, owing, indebtedness **2** 경향이 있음 aptness, likelihood, inclination, tendency, disposition

(book), 공문서

‡**lib·er·al** [líbərəl] *a.*, *n.*

> L「자유로운」의 뜻에서
> →자유로운 (정신을 기르는)→(전문 교육에 대하여)「일반 교육의」
> →(너그럽고)「인심 좋은」
> →(구애받지 않는)「도량이 넓은」
> →(정치적으로)「자유주의의」

— *a.* **1** (정치·종교상의) 자유주의의: ~ democracy 자유 민주주의 / a ~ democrat 자유 민주주의자 **2** [**L~**] (진보적 개혁을 주창하는) 자유당의(cf. CONSERVATIVE) **3** (귀족제·군주제에 대해) 대의제 정치의 **4** (사법·행정상) 개인의 자유를 존중하는; (개인의 신앙·사상·표현에 있어) 활동의 자유를 인정하는 **5** 관대한, 너그러운, 도량이 넓은, 개방적인, 편견 없는: a ~ view 편견 없는 (자유로운) 견해 **6 a** 후한(generous); 인색하지 않은 (*of, with, in,* etc.): a ~ giver 아낌없이 주는 사람 **b** 많은, 풍부한(plentiful): a ~ table 맛있는 것이 많은 식탁 / in ~ quantities 충분히 **7** 자유로운, 자의(字義)에 구애되지 않는: a ~ translation 의역(意譯), 자유역(譯) / a ~ interpretation of a rule 규칙의 폭넓은 해석 **8** 일반 교양의, 〈교육 등이〉 신사에게 어울리는 **9** 〈신체 부분·윤곽 등이〉 큰, 풍만한: a woman of ~ outline 몸집이 큰 여자 **10** (구어) 대충 말하여 …; 대충의: a ~ four o'clock 4시경

— *n.* **1** 편견 없는 사람, 자유주의자 **2** [보통 **L~**] 자유 당원(cf. TORY, CONSERVATIVE)

▷ liberálity, líberty *n.*; líberate, líberalize *v.*

líberal árts [the ~] **1** (대학의) 교양 과목 **2** [seven ~] (중세의) 자유 7과목 (문법·논리학·수사학·산수·기하·천문·음악으로 구성된 중등·고등 교육 과정의 기초 과목)

líberal démocrat *n.* **1** 자유 민주주의자 **2** [**L-D-**] (영국의) 자유 민주당 당원 (略 Lib Dem); [the L- D-s] (영국의) 자유 민주당 (略 Lib Dems) (cf. CONSERVATIVE PARTY, LABOUR PARTY)

líberal educátion **1** [the ~] 일반 (교양) 교육 (인격 교육에 치중하는) **2** 광범위한 경험과 교육

líberal féminism 자유주의적 여권 확장론 (점진적 개량론)

***lib·er·al·ism** [líbərəlìzm] *n.* Ⓤ **1** 자유주의, 진보주의 **2** (행동·입장 등이) 관대함, 편견 없음: treat children with ~ 아이들을 관대하게 대하다 **3** [**L~**] (영·캐나다) 자유당 정책 **4** [종종 **L~**] (현대 프로테스탄티즘의) 자유주의 운동

lib·er·al·ist [líbərəlist] *n.* 자유주의자

— *a.* 자유주의적인

lib·er·al·is·tic [lìbərəlístik] *a.* 자유주의적인

lib·er·al·i·ty [lìbərǽləti] *n.* (*pl.* **-ties**) **1** Ⓤ 인색하지 않음, 후함 **2** 관대함, 너그러움; 공평무사 **3** 주는 것, 기증물

lib·er·al·ize [líbərəlàiz] *vt.* **1** …의 제약을 풀다, 자유화하다; 자유주의화하다 **2** 관대하게 하다

— *vi.* 자유로워지다; 개방적이 되다; 관대해지다

lìb·er·al·i·zá·tion *n.* Ⓤ 자유화 **-ìz·er** *n.*

lib·er·al·ly [líbərəli] *ad.* **1** 자유로이; 후하게; 관대히; 개방적으로; 편견 없이 **2** (구어) 대체로, 대충 말하여

lib·er·al-mind·ed [líbərəlmáindid] *a.* 마음이 넓은, 관대한

Líberal Párty [the ~] (영·호주·캐나다) 자유당

líberal stúdies (영) 일반 교양 과정(liberal arts)

***lib·er·ate** [líbərèit] *vt.* **1** (감금·구속으로부터) 자유롭게 만들다; 해방[석방, 방면]하다(set free)(⇨ free 유의어): ~ a slave 노예를 해방하다 // (~+목+전+명) ~ a person *from* bondage …을 석방하다 / ~ a person *from* anxiety …의 근심을 없애 주다 **2** 〈개인·집단을〉 (사회적 제약·차별 등으로부터) 해방하다 (*from*): (~+목+전+명) ~ the mind *from* prejudice 마음을 편견으로부터 해방하다 **3** 〖화학〗 유리(遊離)시키다 (*from*); 〖물리〗 〈힘을〉 작용시키다: (~+목+전+명) ~ oxygen *from* water 물에서 산소를 유리시키다 **4** (구어) 훔치다, 약탈하다 **-àt·ed** *a.* 자유로운

▷ líberal *a.*; liberátion *n.*

lib·er·a·tion [lìbəréiʃən] *n.* Ⓤ **1** 해방, 석방; 해방 운동 **2** 〖화학〗 유리(遊離) **~·ist** *n.*

liberátion theològian 해방 신학자

liberátion theòlogy 해방 신학

lib·er·a·tor [líbərèitər] *n.* 해방자

Li·be·ri·a [laibíəriə] *n.* 라이베리아 (아프리카 서부의 공화국; 수도 Monrovia)

Li·bé·ri·an *a.*, *n.* 라이베리아의 (사람)

Li·ber·man·ism [líːbərmənìzm] [구소련의 경제학자 이름에서] *n.* 리베르만주의 (사회주의 경제에의 이윤 동기 도입론)

li·be·ro [líːbèirou] [It] *n.* (*pl.* **~s**) 〖축구〗 스위퍼 (sweeper)

lib·er·tar·i·an [lìbərtέəriən] *n.* **1** (사상·행동의 자유를 주장하는) 자유론자, 자유주의자 **2** 자유 의지론자

— *a.* 자유를 옹호하는; 자유 의지론을 지지하는

li·ber·ti·cide [libə́ːrtəsàid] *n.* 자유 파괴(자)

— *a.* 자유를 파괴하는

lib·er·tin·age [líbərtìːnidʒ] *n.* = LIBERTINISM

lib·er·tine [líbərtìːn, -tin | -tìːn, -tàin] *n.* **1** 방탕한 사람, 난봉꾼 **2** (종교상의) 자유 사상가 — *a.* **1** 방탕한 **2** (종교상) 자유 사상의

lib·er·tin·ism [líbərtiːnìzm, -tin- | -tin-] *n.* Ⓤ 방탕, 난봉; 자유 사상

‡**lib·er·ty** [líbərti] [L「자유」의 뜻에서] *n.* (*pl.* **-ties**) **1** Ⓤ (압정(壓政)·폭력적 지배로부터의) 자유; 해방, 석방, 방면(opp. *captivity*)(⇨ freedom 유의어) ★ 엄밀히 따지면 freedom과는 달리 과거에 제한·억압 등이 있었음을 암시함. **2** (언론·행동·사상 등의) 자유, 임의(任意), 권리(opp. *slavery*): ~ of conscience 신교(信敎)[양심]의 자유 / ~ of speech [the press] 언론[출판]의 자유 / natural ~ 천부의 자유권 (자연법에만 복종하는 상태) / religious ~ 신앙의 자유 **3** Ⓤ 〖항해〗 (단기의) 상륙 허가; (일반적인) 허가(permission): a ~ day 상륙(허가)일 **4** [the ~] 출입의 자유: The visitors were given *the* ~ of the city. 방문자들은 그 도시를 자유롭게 돌아다닐 수 있도록 허가받았다. **5** 멋대로 함, 지나친 자유; [the ~] 무례(한 행동) (보통 take와 함께 쓰임): take[be guilty of] a ~ 마음대로[버릇없이] 행동하다 // (~+*to* do) I shall *take the* ~ *to* remind you of it. 그것을 상기하시도록 감히 말씀드리겠습니다. // (~+전+*-ing*) I *take the* ~ *of* tell*ing* you this. 당돌합니다만[실례를 무릅쓰고] 이 일을 말씀드리겠습니다. **6** [*pl.*] (문어) (칙허·시효로 얻은) 특권(privileges) (자치권·선거권 등) **7** (동전 등의) 자유의 여신상 **8** (영·고어) 특권을 가진 구역, 자유 구역

at **~** 자유로; 마음대로 (…)해도 좋은 (*to*); 한가하여; 비번인; 〈물건이〉 안 쓰이고 비어 (있는); (속어) 실직하여: set a person *at* ~ …을 자유롭게 해 주다, 방면하다 / You are *at* ~ *to* use it. 마음대로 그것을 써도 좋다. / I'm *at* ~ for a few hours. 두세 시간 한가합니다. ***take liberties*** (1) (…에게) 버릇없이 굴다; (…을) 마음대로 바꾸다, (사실을) 왜곡하다 (*with*): You shouldn't *take liberties with* your teacher. 선생님에게 너무 버릇없이 굴어서는 안 됩니다. (2) (…에게) 무모한 짓을 하다 (*with*): ***What a ~!*** (구어) 정말 제멋대로군! (무례하게 구는 사람에게)

Líberty Bèll [the ~] (미) 자유의 종 (1776년 7월 8일 미국 독립 선언이 공포되었을 때 울린)

líberty bòat (영) 〖항해〗 상륙 허가를 받은 선원을

thesaurus **liberal** *a.* **1** (정치적으로) 자유주의의 progressive, advanced, radical, reformist (opp. *conservative*) **2** 편견 없는 unprejudiced, unbiased, impartial, disinterested **3** 너그러운 generous, open-

나르는 보트

Líberty bònd 《미》 (제1차 세계 대전 중에 모집한) 자유[전시] 공채

líberty càp 자유의 모자 《자유를 상징하는 삼각 두건》

líberty hàll [종종 **L- H-**] 《구어》 손님이 마음대로 놀 수 있는 집; 마음대로 행동할 수 있는 장소[상황]

líberty hòrse (서커스의) 기수 없이 재주 부리는 말

Líberty Ísland 리버티 섬 《미국 New York만 내의 작은 섬; 자유의 여신상이 있음》

lib·er·ty·man [líbərtimæ̀n] *n.* (*pl.* **-men** [-mèn]) 《영》 상륙 허가를 받은 선원

líberty pòle 《미》 자유의 기둥 《독립 전쟁 때 자유의 모자와 깃발을 걸었음》

Líberty shìp 《미》 리버티 선(船) 《제2차 세계 대전 때 미국이 대량 건조한 수송선》

li·bid·i·nal [libídənəl] *a.* 리비도(libido)의

li·bid·i·nous [libídənəs] *a.* **1** 호색의(lustful); 선정적인 **2** = LIBIDINAL **~·ly** *ad.* **~·ness** *n.*

li·bi·do [libí:dou, -bái- | -bí:-] *n.* (*pl.* **~s**) **1** 〖정신분석〗 (성욕·생활력의 근원인) 생명력, 리비도 **2** 성적 충동, 성욕

Lib-Lab [líblæ̀b] *a., n.* 《영》 자유당과 노동당 제휴파의 (자유당원) 《19세기말의》 **~·ber·y** [-əri] *n.*

LIBOR [líbər, lái-] [*L*ondon *I*nter-*B*ank *O*ffered *R*ate] *n.* 런던 은행간 거래 금리

li·bra [láibrə, lí:-] [L] *n.* (*pl.* **-brae** [-bri:]) **1** 중량 파운드 《略 lb., lb》: 5 *lb*(*s*) 5파운드 **2** [lí:brə] 통화 파운드 《略 £》: £5 5파운드 **3** [**L~**] 〖천문〗 천칭자리(the Scales); 천칭궁(天秤宮) 《12궁의 일곱째》

***li·brar·i·an** [laibréəriən] *n.* 도서관원, 사서(司書) **~·shìp** *n.* Ⓤ 도서관원의 지위[직무]

‡**li·brar·y** [láibrèri, -brəri | -brəri] *n.* (*pl.* **-brar·ies** [-z])

> L「책」의 뜻에서
> (책을 놓는 곳) → (공공의 것) 「도서관」 / (개인의 것) 「서재」 / (책 전체) 「장서」

1 a 도서관, 도서실: a traveling ~ 순회 문고[도서관] / a reference ~ (대출은 안 되는) 열람 전용 도서관 **b** (신문사 등의) 자료실(morgue) **2** 장서; (개인의) 문고; 서재: a private ~ 개인 장서 **3** 지식의 보고, 정보원: a walking ~ 살아 있는 사전, 박식한 사람 **4** (레코드·필름 등의) 라이브러리 《수집물 또는 시설》 **5** 《미》 대본집 **6** (출판사의) 총서, 문고, 시리즈 **7** 〖생물〗 생물 자료관 **8** = CANON[1] 3 **9** 〖컴퓨터〗 (프로그램 등의) 라이브러리 **10** 〖유전〗 라이브러리 《복제 DNA 조각들의 집합체》

líbrary bìnding 도서관용 제본 《모양보다 견고성을 중시한》

líbrary càrd (도서관의) 대출 카드

líbrary edìtion 도서관판(版) 《인쇄·제본 특제판》; (장정이 같은) 전집판, 총서판

Líbrary of Cóngress [the ~] 《미》 국회 도서관: ~ classification 국회 도서관 분류법

líbrary pàste (서류용) 풀

líbrary pìctures *pl.* 〖방송〗 자료 영상(library shots)

líbrary ràte 《미》 도서관 요금 《서적이 도서관·교육 기관 등에 송부될 때의 우편 요금》

líbrary schòol (사서(司書) 양성을 위한) 도서관 학교

líbrary scíence 《미》 도서관학

líbrary shòts 〖방송〗 자료 영상 《수시로 이용할 수 있게 비치해 둔 해양·동물·기념 건조물 등 일반적 테마를 촬영한 필름》

líbrary stèps 서고용 사닥다리

li·brate [láibreit] *vi.* 흔들리다, 진동하다, 떨다; 균형이 잡히다

li·bra·tion [laibréiʃən] *n.* Ⓤ 균형, 진동(oscillation); (달의) 칭동(秤動) **~·al** *a.*

librátion póint 〖천문〗 칭동점

li·bra·to·ry [láibrətɔ̀:ri | -təri] *a.* 〖물리〗 진동하는; (천칭처럼) 평형을 이루는

li·bret·tist [librétist] *n.* 가극의 가사 작자

li·bret·to [librétou] *n.* (*pl.* **~s, -ti** [-ti:]) 가극의 가사[대본]

Li·bre·ville [lí:brəvìl] *n.* 리브르빌 《Gabon의 수도》

Lib·ri·um [líbriəm] *n.* 리브리엄 《정신 안정제의 일종; 상표명》

Lib·y·a [líbiə] *n.* 리비아 《아프리카 북부의 공화국; 수도 Tripoli》; 《고어》 아프리카 북부의 이집트 서부 지방

Lib·y·an [líbiən] *a.* 리비아(사람)의 **—** *n.* 리비아 사람

Líbyan Désert [the ~] 리비아 사막

lice [láis] *n.* LOUSE의 복수

li·cence [láisəns] *n., vt.* 《주로 영》 = LICENSE

‡**li·cense** [láisəns] [L「자유; 마음대로 할 수 있는 허가」의 뜻에서] *n.* **1** ⒸⓊ 면허, 인가; 승낙, 허락 《*to*》: under ~ 면허[허가]를 받고 **2** 면허장, 인가서, 감찰(鑑札): a ~ *to* practice medicine 의사의 개업 면허장 **3** Ⓤ [또는 a ~] 《문어》 (행동의) 자유: have *a* ~ to do …할 자유가 있다 **4** ⓊⒸ (문학 등의) 파격(破格): poetic ~ 시적 파격 어법 **5** 방종, 방자; 지나친 자유 **6** 타인 소유 특허를 사용할 법적 권리 ***be a ~ to print money*** 《미·속어》 (돈을 찍어 내듯) 돈이 잘 벌리다 ***on ~*** 《영》 가석방되어(《미》 on PAROLE)

— *vt.* 면허[인가, 허가, 특허]를 내주다; 면허장을 주다; 허용하다(allow): (~+目+**to** do) The office ~*d* me *to* sell tobacco. 관청은 내게 담배 판매를 허가했다. **lí·cens·a·ble** *a.* **~·less** *a.*

li·censed [láisənst] *a.* **1** 인가[허가]된, 면허를 받은, 감찰을 받은: a ~ retailer[shop] 주류 판매 허가점 **2** 세상이 인정하는: a ~ jester (임금 옆에 있으면서) 직언(直言)이 허용된 어릿광대

lícensed práctical núrse 《미》 면허 실무 간호사 《略 LPN》

lícensed prémises [단수·복수 취급] 《영》 주류 판매 허가점(店)[지역]

lícensed prógram 〖컴퓨터〗 라이선스 프로그램 《허가를 받고 제작이나 판매를 하는 프로그램》

lícensed víctualler 《영》 주류(酒類) 판매 면허가 있는 요식[숙박]업소 주인

lícensed vocátional núrse 《미》 (면허를 가진) 간병 전문 간호사 《略 LVN》

li·cen·see [làisənsí:] *n.* 면허[인가]받은 사람, 감찰을 받은 사람; 공인 주류 판매인

lícense nùmber (자동차) 번호판의 번호

lícense plàte 인가 번호판; 《미》 (자동차) 번호판 (《영》 number plate); 개패(牌) 《개의 목에 매어 둠》

li·cens·er, -cen·sor [láisənsər] *n.* 허가자, 인가자

li·cen·sing [láisənsiŋ] *a.* 《영》 주류 판매를 허용하는

Lícensing Làws [láisənsiŋ-] [the ~] 《영》 사전 허가제법 《주류 판매의 시간·장소를 규제》

li·cen·sure [láisənʃər, -ʃùər] *n.* (전문직 등의) 면허 교부, 개업 인가[허가]

li·cen·ti·ate [laisénʃiət, -ʃièit | -ʃiət] *n.* 면허장 소유자, (개업) 유자격자 《*in*》

li·cen·tious [laisénʃəs] *a.* 방탕한, 음탕한; 방자한, 방종한 **~·ly** *ad.* **~·ness** *n.*

li·cet [láiset] *a.* 허가된, 합법적인

lich [lítʃ] *n.* 《영·고어》 시체

li·chee [lí:tʃi: | làitʃí:] *n.* = LITCHI

***li·chen** [láikən] *n.* Ⓤ 〖식물〗 지의(地衣), 이끼; 〖병리〗 태선(苔蘚) **~ed** *a.* 지의가 난[낀] **~·ous** *a.* 지의의, 지의 같은, 지의가 많은

---

handed, unsparing, bountiful, beneficent, kind

license *n.* permission, consent, authority, sanction, approval, warranty, certification, entitlement, privilege, prerogative, right

lích gàte 묘지의 대문

lich-house [-hàus] *n.* 시체를 임시로 두는 곳, 영안실

lic·it [lísit] *a.* 《문어》 합법의, 정당한(opp. *illicit*)

‡**lick** [lík] *vt.* **1** 핥다 《*off, from; up*》; 핥아서 …하게 하다: ~ a postage stamp 우표를 핥아서 붙이다 / The dog *~ed* its paws. 개가 자기 발을 핥았다. // 《~+목+전+명》 ~ the honey *off*[*from*] one's lips 입술에 묻은 꿀을 핥아 먹다 // 《~+목+부》 ~ *up* sugar 설탕을 모두 핥아 먹다 // 《~+목+보》 The cat *~ed* the plate clean. 고양이가 접시를 말끔히 핥았다. **2** 〈파도가〉 …에 철썩거리다, 넘실거리다, 〈불길이〉 …에 날름거리다 **3** 《구어》 때리다, 매질하다(whip): be well *~ed* 호되게 얻어맞다 // 《~+목+전+명》 I cannot ~ a fault *out of* him. 아무리 때려도 그의 결점을 고칠 수 없다. **4** 《영·구어》 이해 못하게 하다: It *~s* me how he did it. 그가 어떻게 그것을 했는지 도무지 모르겠다. **5** 〈적·상대를〉 이기다, …보다 낫다: ~ creation[everything] 무엇보다도 낫다

— *vi.* **1** 핥듯이 움직이다, 날름거리다, 너울거리다, 살살 흔들리다 《*about*》: 《~+전+명》 The waves *~ed about* her feet. 그녀의 발밑에 물결이 넘실거렸다. **2** 《구어》 전속력으로 움직이다, 서두르다(hasten): ~ over to the drugstore 황급히 약국으로 가다 **3** 《구어》 이기다 (*as*) ***hard as*** one ***can*** ~ 전속력으로 ***~ … into shape*** 《구어》 매만져 완성하다, 제구실을 하게 하다, 형상을 만들다 《곰은 낳은 새끼를 핥아서 모양을 만든다는 데서》 ***L~ me!*** 《미·속어》 입 닥쳐! ***L~ my froth!*** 《미·속어》 꺼져! ~ one***'s chops***[***lips***] 입맛을 다시다 ~ a person***'s shoes***[***boots***] = 《속어》 ~ a person***'s spittle*** 아첨하다, 알랑거리다 ~ one***'s wounds*** 상처를 간호하다; 상심을 달래다; 패배[실패]에서 재기하려고 하다 ***~ the dust*** ⇨ dust. ***~ up***[***off***] 모조리[깨끗이] 핥아 먹다 (lap up) ***This ~s me.*** 이것에는 손들었어, 뭐가 뭔지 도무지 알 수 없다.(⇨ *vt.* 4)

— *n.* **1** 핥기, 한 번 핥음 **2** [a ~] 소량; (페인트 등의) 한 번 칠하기[하는 양] **3** 동물이 소금을 핥으러 가는 곳(=salt ~) **4** [a ~; 부정문으로] 전혀 (…이) 없음 《*of*》: say with *a ~ of* malice 전혀 악의가 없이 말하다 **5** 《구어》 강타, 일격; 《미·구어》 한바탕의 수고 **6** 《속어》 속력, 속도: at a great[tremendous] ~ =(at) full ~ 전속력으로, 급히 서둘러서 **7** [종종 *pl.*] 《미·속어》 기회: last *~s* 《구어》 (경기 등의) 마지막 회[기회] **8** 《속어》 (재즈 연주에 삽입한) 장식 악절 ***get in*** one***'s ~s*** 《미·구어》 기회를 잡다; 열심히 일하다[노력하다] ***give a ~ and a promise*** 《구어》 〈일을〉 날림으로 해치우다; 〈얼굴 등을〉 황급히 씻다

lick·er·ish [líkəriʃ] *a.* **1** 미식(美食)을 좋아하는; 가리는 것이 많은, 입이 짧은 **2** 게걸스러운 **3** 호색의: a ~ rogue 호색한 **~·ly** *ad.* **~·ness** *n.*

lick·e·ty-split [líkətisplít], **lick·e·ty-cut** [-kʌ́t] *ad.* 《구어》 전속력으로, 맹렬하게

lick·ing [líkiŋ] *n.* **1** U C (한 번) 핥기 **2** 《구어》 채찍질, 때리기; 패배: give[get] a good ~ 호되게 때리다[얻어맞다] — *ad.* 《속어》 몹시(exceedingly)

lick·pen·ny [líkpèni] *n.* 《고어》 돈이 많이 드는 것

lick·spit·tle [líkspìtl], **-spit** [-spìt] *n.* 알랑쇠 — *vt., vi.* 알랑거리다

lic·o·rice [líkəriʃ, -ris | -ris] *n.* 〖식물〗 감초; U 말린 감초 뿌리 《약·과자 등의 원료》

lícorice stìck 《속어》 클라리넷

lic·tor [líktər] *n.* 〖고대로마〗 릭토르 《fasces로 죄인을 다스리던 관리》

‡**lid** [líd] *n.* **1** 뚜껑: with the ~ off 내막[속]을 드러내 보인 채로 **2** 눈꺼풀(eyelid) **3** 《속어》 모자; (책의) 표지: dip[tip] one's ~ 《호주·구어》 (인사하며) 모자를 들다 **4** 《구어》 (경찰의) 단속, 규제, 억제 **5** 〖식물·패류〗 덮개, 딱지 **6** 《속어》 1온스의 마리화나 ***blow***[***lift, take***] ***the ~ off*** 《구어》 〈추문·내막 등을〉 폭로하다, …의 진실을 드러내 보이다 ***flip*** one***'s ~*** ⇨ flip. ***keep the ~ on*** …을 감추어 두다 ***put a***[***the***] ***~ on*** 《영·속어》 …을 단속[억제]하다; 《미·속어》 …을 감추다 ***put the*** (***tin***) ***~ on*** 《구어》 〈계획 등을〉 망쳐 놓다; …을 최고조[최악의 상태]에 이르게 하다; …을 끝장내다

— *vt.* (**~·ded**; **~·ding**) …에 뚜껑을 씌우다

~·ded *a.* 뚜껑[덮개]이 있는 **~·less** *a.* 뚜껑[눈꺼풀]이 없는; 《시어》 경계하는(vigilant)

li·dar [láidɑːr] [*l*ight+r*adar*] *n.* U 광선 레이더

li·do [líːdou] *n.* (*pl.* **~s**) 《영》 (특히 여객선의) 옥외 수영장; 해변 휴양지

li·do·caine [láidəkèin] *n.* 〖화학〗 리도카인 《국부 마취제로 쓰이는 결정 화합물》

‡**lie**[1] [lái] *n.* **1** (고의로 속이려는) 거짓말(opp. *truth*): a ~ with a latchet = a ~ (made) out of (the) whole cloth 새빨간 거짓말 / tell a ~ 거짓말하다 / a white[black] ~ 악의 없는[있는] 거짓말

> 유의어 **lie** 강한 비난의 감정이 담겨진 말이다: tell a *lie* about one's neighbor 이웃 사람에 관해서 거짓말을 하다 **fib** 실제로 해가 되지 않는 가벼운 거짓말: a polite *fib* 점잖은 사소한 거짓말 **falsehood** 부득이한 경우 일부러 하는 거짓말: tell a *falsehood* about one's ancestry 자기 가문에 대해 거짓말하다

2 속임, 사기(imposture): act a ~ (행동으로) 남을 속이다 **3** [the ~] 거짓말을 했다는 비난: I wouldn't take *the* ~. 내가 거짓말을 했다니 가만히 있을 수가 없어. **4** 그릇된 신념[관습]

give a person ***the ~*** 거짓말했다고 하여 …을 비난하다 ***give the*** (***direct***) ***~ to*** …을 거짓말쟁이라고 책망하다; …이 거짓임을 밝히다 ***live a ~*** 거짓 생활을 하다, 배신을 계속하다 ***nail a ~ to the counter*** 거짓임을 (규명하여) 폭로하다

— *v.* (**~d**; **ly·ing**) *vi.* **1** 거짓말하다 《*to, about*》: 《~+전+명》 You're *lying to* me. 너는 나에게 거짓말을 하고 있어. / He *~d about* his age. 그는 자기 나이를 속였다. **2** 〈사물이〉 사람을 속이다[어리둥절하게 하다, 걷잡을 수 없게 하다]: a *lying* rumor 현혹시키는 헛소문 / Mirages ~. 신기루는 사람의 눈을 속인다. / The car's sturdy appearance *~d.* 차의 튼튼한 겉모양은 실은 허울뿐이었다.

— *vt.* 거짓말하여[속여서] 빼앗다 《*away, out of*》; 속여서 (…을) 하게 하다 《*into*》: 《~+목+부》 ~ a person's reputation *away* 거짓말을 하여 남의 명성[평판]을 떨어뜨리다 // 《~+목+전+명》 ~ a person *out of* his[her] money 속여서 남의 돈을 빼앗다 / ~ a person *into* going 남을 속여서 가게 하다

~ in[***through***] one***'s teeth***[***throat***] 새빨간 거짓말을 하다 ~ one***self***[one***'s way***] ***out of …*** 거짓말을 하여 …에서 벗어나다: He *~d himself*[*his way*] *out of* the trouble. 그는 거짓말을 하여 그 시끄러운 일에서 빠져나왔다. / He managed to ~ *himself out of* difficulties. 그는 거짓말을 하여 겨우 곤경에서 벗어났다.

‡**lie**[2] [lái] *v., n.*

OE 「드러눕다」의 뜻에서	
① 드러눕다	**1 a**
② (…의 상태에) 있다	**3**
③ 〈일이〉 (…에) 의거하다, 달려 있다	**4 b**
④ 위치하다	**6 a**

— *vi.* (**lay** [léi]; **lain** [léin]; **ly·ing**) **1 a** 〈사람·동물이〉 눕다, 드러눕다, 누워 있다 《*down*》; 기대다 《*back*》: Let sleeping dogs ~. 자는 개를 건드리지 마라; 《속담》 긁어 부스럼 만들지 마라. // 《~+전+명》 ~ *on* one's back[face, side] 반듯이[엎드려, 모로] 눕다 / ~ *in* bed 침대에 눕다 / The dog was *lying on* the ground. 개는 땅에 누워 있었다. // 《~+부》 ~ *down* on the grass 풀밭에 드러눕다 / ~ *back* in an armchair 안락의자의 등에 기대다 **b** 〈송장이〉 묻혀 있다, 지하에서 잠자다 《*at, in*》; 〈물건이〉 잠자고[놀고] 있다: 《~+전+명》 the money *lying*[that ~*s*] *at*[*in*] the bank 은행에서 잠자고 있는 돈 / His ancestors ~ *in* the cemetery. 그의 조상은 공동 묘지에 묻혀 있다. // 《~+보》 ~ fallow 〈밭 등이〉 묵고 있다 **2** 〈물건이〉 가로놓이다: 《~+전+명》 a book that ~*s on* the floor 방바닥에 놓인 책 / a ladder *lying against* the wall 벽에 기대 세운 사다리 **3** [보어·구를 동반하여] (…의 상태에) 있다, (…한 상태로) 가로놓이다, 놓여 있다, (…한) 그대로이다(remain): 《~+보》 ~ asleep 누워서 자고 있다 / ~ ill (in bed) 앓아 누워 있다 / ~ dead 죽어 있다 / ~ open 열려 있다; (사람의 눈에) 띄다 / ~ under 〈의심 등을〉 받다, 당하다 // 《~+**done**》 ~ *hid*[*hidden*] 숨어 있다 // 《~+**-ing**》 ~ watch*ing* television 드러누워 텔레비전을 보고 있다 // 《~+ 전+명》 ~ *in* ambush 매복하다 / Snow *lay on* the ground. 눈이 지면에 쌓여 있었다. // 《~+부》 He left his papers *lying about*. 그는 서류를 흩어진 채로 두었다. **4 a** 〈책임 등이〉 (…에) 걸리다[달리다]; 압박하다(press, weigh); 〈음식이〉 소화되지 않고 위에 남아 있다 《*on, upon, over*》: ~ *on* one's mind 정신적으로 압박하다 **b** 〈일이〉 (…에) 의거하다, 달려 있다(depend) 《*on, upon*》: Our fortune ~*s upon* the outcome. 우리의 운명은 그 결과에 달려 있다. **5** 존재하다, 발견되다, (…의 관계에) 있다(exist, consist): 《~+전+명》 the mystery *lying behind* his action 그의 행동의 배후에 있는 수수께끼 / The choice ~*s between* death and dishonor. 죽음이냐 치욕이냐 둘 중에 하나를 택해야 한다. // 《~+보》 The real reason ~*s* deeper. 진짜 이유는 더 깊은 곳에 있다. // 《~+부》 Many difficulties *lay ahead*. 많은 곤란이 앞길에 가로놓여 있었다. **6 a** [장소의 부사(구)를 동반하여] 《문어》 〈토지 등이〉 (…에) 위치하다, 있다(be situated): Suwon ~*s south* of Seoul. 수원은 서울의 남쪽에 있다. // 《~+전+명》 a village *lying across* the mountain 산 너머 저편에 있는 마을 / Ireland ~*s to* the west of England. 아일랜드는 잉글랜드의 서쪽에 있다. **b** 〈토지·장소·인생·미래 등이〉 (…앞에) 펼쳐져 있다(stretch) 《*before, ahead of*》: the broad plain that ~*s before* us 우리 눈 앞에 펼쳐진 넓은 평원 / Life ~*s before* you. 여러분의 인생은 이제부터입니다. **c** 〈길이〉 통해 있다 《*through, by, along, among,* etc.》: 《~+전+명》 The path ~*s along* a stream[*through* the woods]. 길은 시내를 따라[숲을 통과하여] 뻗어 있다. **7** 〖법〗 〈항소 따위가〉 이유가 서다, 〈소송 등이〉 성립되다: This action will not ~. 이 소송은 성립되지 않을 것이다. **8** 〈새가〉 가만히 있다; 〈배가〉 정박하고 있다; 《고어》 〈군대가〉 야영[숙영]하고 있다 《*in, at*》: 《~+전+명》 The ship is *lying at* No. 3 Berth. 배는 제3 부두에 정박 중이다. **9** 《고어》 숙박하다; 체재하다

as far as in me ~s 내 힘이 미치는 한 ***Let it ~.*** 그대로 내버려 둬. ***~ about***[***around***] 어지럽게 방치해 두다; 빈둥빈둥 지내다 ***~ along*** 큰대(大)자로 눕다; 〖항해〗 옆바람을 받고 기울어지다 ***~ along the land***[***shore***] 〖항해〗 해안을 따라 항해하다 ***~ at death's door*** 《구어》 죽어 가고 있다 ***~ at*** a person***'s door*** 〈책임이〉 …에게 있다 ***~ at*** a person***'s heart*** …의 사모를 받고 있다; …의 걱정거리다 ***~ at the mercy of*** …의 마음대로다, …의 처분에 달려 있다 ***~ back*** 반듯이 눕다, 뒤로 기대다 ***~ before*** (1) ⇨ *vi.* 6 (2) …보다 중요하다 ***~ behind*** (1) 《문어》 과거에 일어난 일이다 (2) …의 배후에 과거로 남아 있다; 〈야망 등이〉 배후에 있다 (3) …의 이유이다 ***~ by*** …에 보관되어 있다; 꼼짝 않고 있다; 쓰이지 않고 있다, 치워져 있다; 〖항해〗 = LIE[2] to. ***~ close*** 숨어 있다; 한데 모이다, 뭉치다 ***~ down*** (휴식하려고) 눕다 《*on*》; 《구어》 굴복하다, 감수하다 《*under*》: ~ *down under* an insult 모욕을 감수하다 ***~ down on the job*** 《구어》 되는대로 하다, 적당히 하다, 일[의무]을 게을리 하다 ***~ in*** …에 있다(consist in); …에 달리다; …에 모이다; 《영》 평소보다 늦게까지 누워 있다; 《드물게》 산욕기(産褥期)에 있다: All their hopes ~ *in* him. 그들의 모든 희망이 그에게 집중되어 있다. / The time had come for her to ~ *in*. 그녀가 해산할 때가 왔다. ***~ in state*** 〈시신이〉 안치되다 ***~ low*** ⇨ low[1] ***~ off*** 〖항해〗 (육지 또는 다른 배로부터) 좀 떨어져 있다; 잠시 일을 쉬다, 휴식하다 ***~ on*** (a person***'s***) ***hand***(***s***) 〈물건 등이〉 팔리지 않고[남아돌고] 있다; 〈시간 등이〉 남아돌다, 지루하다 ***~ on the head of*** …이 한 짓이다, …의 책임이다 ***~ out of*** one***'s money***[***due***] 돈[받을 것]을 받지 못하고 있다 ***~ over*** 연기되다; (기일이 지나도) 〈어음 등이〉 지불되지 않고 있다 ***~ to*** 〖항해〗 정선(停船)하고 있다, 접근하다; …에 전력을 쏟다: ~ *to* the oars 죽을 힘을 다해서 노를 젓다 ***~ up*** 은퇴하다, 틀어박히다; (병으로) 드러눕다; 〈배가〉 선창에 들어가다, 선거(船渠)에 매여 있다 ***~ with*** …의 역할[의무, 죄]이다; 《고어》 …와 동침[동숙]하다: It ~*s with* you to do it. 그렇게 하고 안 하고는 네 자유다. ***take … lying down*** 《구어》 (항의·반론·저항 없이) 〈벌·모욕·도전 등을〉 인정하다, 감수하다: *take* an insult *lying down* 모욕을 감수하다

── *n.* **1** [보통 the ~] 《영》 방향, 위치, 향(向); 상태, 형세: *the* ~ of the land 지세; 형세, 사태 **2** 〖골프〗 (공의) 위치 **3** (동물의) 서식지, 사는 곳, 보금자리, 굴

lie·a·bed [láiəbèd] *n.* 《속어》 잠꾸러기

Líe álgebra [lí:-] 〖수학〗 리 대수(代數)

Lieb·frau·milch [lí:bfraumìlk, lí:p-] [G] *n.* 리프프라우밀히 《독일 Hesse 지방의 백포도주》

lie-by [láibài] *n.* 《영》 (철도의) 측선, 대피선

Liech·ten·stein [líktənstàin] *n.* 리히텐슈타인 《오스트리아와 스위스 사이에 있는 공국(公國)》

lied [lí:d] [G=song] *n.* (*pl.* **lie·der** [lí:dər]) 〖음악〗 리트, 가곡

Lie·der·kranz [lí:dərkrà:nts, -krænts] [G] *n.* 향기가 강한 치즈의 일종 《상표명》

líe detèctor 《구어》 거짓말 탐지기: give a person a ~ test …을 거짓말 탐지기로 조사하다

lie-down [láidàun] *n.* 《구어》 드러눕기, 선잠; 드러눕기 데모[파업](cf. SIT-DOWN)

lief [lí:f] *ad.* 《고어·문어》 기뻐서, 기꺼이(willingly) ★ 보통 다음 성구로. ***would***[***had***] ***as ~ … as …*** = ***would***[***had***] ***~er … than …*** …하느니 차라리 …하는 편이 낫다: I *would as* ~ go there *as* anywhere else. 어디 딴 곳에 가느니 차라리 그 곳으로 가는 편이 좋다. / I *would* ~*er* cut my throat *than* do it. 그런 짓을 하느니 차라리 목을 자르는 편이 낫겠다.

liege [lí:dʒ, lí:ʒ | lí:dʒ] *n.* **1** (봉건 제도에서의) 군주, 영주: My ~! 《호칭》 우리 임금님이시여, 전하! **2** (봉건 제도에서의) 가신(家臣): His Majesty's ~*s* 폐하의 신하 ── *a.* Ⓐ **1** 군주인, 지존(至尊)의: a ~ lord 영주 **2** 신하로서의, 신종(臣從)하는: ~ homage 신하로서의 충성 / a ~ subject 신하

liege·man [lí:dʒmən, -mæ̀n] *n.* (*pl.* **-men** [-mən, -mèn]) 충성을 맹세한 신하; 충실한 신하[부하]

Líe gròup [lí:-] 〖수학〗 리 군(群) 《위상군(位相群)의 구조를 가진 실(實)해석적 다양체》

lie-in [láiìn] *n.* **1** 《구어》 드러눕기 데모(lie-down) **2** 《영·구어》 늦잠, 아침잠

lien [lí:n, lí:ən | líən] *n.* 〖법〗 선취 특권(先取特權), 유치권 《*on*》; 담보권 **~·or** *n.*

li·er [láiər] *n.* 누워 있는 사람[것]

li·erne [liə́:rn] *n.* 〖건축〗 (둥근 천장을 잇는) 서까래

líe shèet 《미·속어》 트럭 운전 일지(log)

lieu [lú: | ljú:] *n.* Ⓤ 장소(place) ★ 다음 성구로. ***in ~ of*** …의 대신에(instead of): He gave us an IOU *in ~ of* cash. 그는 현금 대신 차용 증서를 주었다.

Lieut. (**Col.**) lieutenant (colonel)

Lieut. Comdr. lieutenant commander

lieu·ten·an·cy [lu:ténənsi | 〖육군〗 leftén-, 〖해군〗 lətén-] *n.* UC lieutenant의 직위[임기]

*__lieu·ten·ant__ [lu:ténənt | 〖육군〗 leftén-, 〖해군〗 lətén-] *n.* 《略 Lieut., 복합어의 경우는 Lt.》 **1 상관 대리,** 부관: If he can't attend, he will send his ~. 그가 참석할 수 없다면 그의 부관을 보낼 것이다. **2 a** 〖미육군·공군·해병대〗 **중위**(first lieutenant), 소위(second lieutenant); 〖영국육군〗 중위 **b** 〖미·영국 해군〗 대위: a sub*lieutenant* 해군 중위 **3** 《미》 (경찰·소방서의) 부서장(副署長)

lieuténant cólonel 〖육군·공군·해병대〗 중령

lieuténant commánder 〖해군〗 소령

lieuténant géneral 〖육군·공군·해병대〗 중장

lieuténant góvernor 《영》 (식민지의) 부총독, 총독 대리(deputy governor); 《미》 (주의) 부지사

lieuténant júnior gráde (*pl.* **lieutenants junior grade**) 〖미해군〗 중위

Lieut. Gen. lieutenant general **Lieut. Gov.** lieutenant governor

‡**life** [láif] *n.*, *a.*

「생명」 **1 a** →(생명이 있는 것)→「생물」 **1 d**
↓
「개체의 생명」 **1 b**
↓
「목숨」→(목숨 있는 기간)→「일생」, 「인생」 **2, 3**
→(인생을 살아가기)→「생활」 **5 a**
→(일생의 기록)→「전기」 **6**
↓
(목숨의 힘)→「원기」 **7**

— *n.* (*pl.* **lives** [láivz]) **1 a** U 《일반적으로》 **생명**: the origin of ~ 생명의 기원 / Where there is ~, there is hope. 《속담》 생명이 있는 한 희망이 있다. **b** (개인의) 목숨, 생존; CU 수명: a long ~ 장수 / a matter[case] of ~ and death 사활 문제, 생사에 관한 문제 / take ~ 죽이다 / take one's own ~ 자살하다 / the eternal[everlasting, immortal] ~ 영원한 생활; 영생 / the struggle for ~ 생존 경쟁 **c** (생명 있는) **사람,** 인명: Many *lives* were lost. 많은 사람이 죽었다. **d** U [집합적] **생물,** 생명체: animal[vegetable] ~ 동[식]물 / The waters swarm with ~. 바다와 강에는 생물이 많이 살고 있다. / There seems (to be) no ~ on the moon. 달에는 생물이 존재하는 것 같지 않다. **2** 세상 사람, 이 세상; U **인생**: see[learn] ~ 세상 물정을 알다 / start ~ 세상에 나오다, 태어나다 / the ~ of the world to come = the other ~ 저승, 내세 / this ~ 이승, 현세 / Such is[That's] ~. 인생이란 그런 것이다, 어쩔 도리가 없다. / He has seen nothing of ~. 그는 정말 세상 물정을 모르는 사람이다. / What a ~! 이게 뭐람, 아이고 맙소사! **3** (생애 중) 한 시기; [one's ~] (사람의) **일생,** 생애: a man in middle ~ 중년 남자 / He was single all *his* ~. 그는 평생을 독신으로 지냈다. **4** (기계·도로 등 무생물들의) 수명, 내구 기간; (임대 계약·품질 보존 등의) 유효 기간: a machine's ~ 기계의 수명 **5 a** CU [수식어를 동반하여] **생활** (상태), 살림살이: married[single] ~ 결혼[독신] 생활 / the simple ~ 간소한 생활 **b** U [보통 one's ~] 생계 (수단); 생활비: earn[make] *one's* ~ 생활비를 벌다 **c** [the ~, the L~] 《미·속어》 매춘업계 **6 전기**(傳記), 언행록: a ~ of Edison 에디슨 전기 **7** U **원기,** 정력, 활기, 생기: full of ~ 원기 왕성한, 생기 발랄한; 〈거리 등이〉 번화하여 / give ~ to …에 생기를 주다 / with ~ (and spirit) 활기차게 **8** [the ~] 《구어》 활기[생기]를 주는 것, 중심[인기 있는] 인물 《*of*》: *the* ~ *of* the party 파티의 중심 인물 / *the* ~ (and soul) *of* the party 일행 중의 가장 인기 있는 사람, 제1인자 **9** 탄력, 탄성; 신축성: This spring still keeps its ~. 이 용수철은 아직 탄력이 있다. **10** [the ~ of] 권위[인기]를 얻는 기간, 임기, 수명: *the* ~ *of* a best seller 베스트셀러의 수명 **11** 《속어》 종신형(life imprisonment) **12** 《고어》 (목숨만큼) 소중한 사람; [My ~] 내 사랑 《호칭》 **13** U (식품의) 신선함, 싱싱함; (포도주 등의) 기포 **14** U (미술 작품의 모델과 주제가 되는) **실물,** 산모습, 실물 크기(의 모양): taken from (the) ~ 실물을 그대로 사생한 / paint to the ~ 실물 그대로[생생하게] 그리다 / true to ~ 박진(迫眞)하여; 현실 그대로 **15** 〖야구〗 살아남음; 〖당구〗 (한 번 다시 하는) 기회 **16** 〖그리스도교〗 구원; 새 생명, 재생 **17** [L~] (Christian Science에서) 생명 《신을 의미함》 **18** 〖보험〗 피보험자: a good[bad] ~ 평균 예상 수명에 도달할 가망이 있는[없는] 피보험자

all** one's* ~ (through***) = ***through*** ~ 평생토록 ***as I have*** ~ 절대로, 틀림없이 (***as***) ***large***[***big***] ***as*** ~ 실물 크기의; 틀림없이, 정말로; 몸소 《오다 등》 ***breathe*** ~ ***into*** …에 생기를 불어넣다 ***bring ... to*** ~ …을 소생시키다; 활기를 띠게 하다 ***come to*** ~ 소생하다; 활기를 띠다 ***escape with*** ~ ***and limb*** 대수로운 손해[상해]를 받지 않고 모면하다 ***expectation of*** ~ = LIFE EXPECTANCY. ***for*** ~ 종신(終身)의, 무기의 ***for** one's* ~ = ***for dear***[***very***] ~ 목숨을 걸고, 죽을 힘을 다해서, 가까스로 ***for the*** ~ ***of*** one [보통 부정문에서] 《구어》 아무리 해도 (…않다): I *can't for the ~ of* me understand it. 나로서는 아무리 해도 그걸 알 수가 없다. ***Get a*** ~***!*** 《미·구어》 정신 좀 차려라! 《어리석은 행동에 대한 질책》 ***go for your*** ~ [명령문] 《호주·구어》 힘내 ***have a*** ~ ***of** one's **own*** 매우 두드러지다 ***have the time of** one's* ~ 《구어》 어느 때보다도 신나게 지내다 ***How's*** ~***?*** 《구어》 = HOW are you? ***in after*** ~ 내세에서 ***in*** ~ (1) 살고 있는 동안, 이 세상에서: late *in* ~ 노년에 (2) [all, no를 강조하여] 아주, 전혀 ⇨ with all the pleasure in LIFE, nothing in LIFE. ***in** one's* ~ [보통 부정문에서] 살아 있는 동안, 일생 동안: He has *never* been away from the village *in his* ~. 그는 일생 동안 마을 밖을 나간 적이 없다. ***larger than*** ~ 실물보다 큰; 과장된 ***lay***[***put***] *one's* ~ ***on the line*** 《미》 목숨 걸고 하다 ***make*** ~ ***easy*** 문제를 일으키지 않고 지내다 ***nothing in*** ~ 전무(全無): *Nothing in* ~ will induce him to give up the plan. 아무 것도 그로 하여금 그 계획을 포기하도록 하지는 못할 것이다. ***Not on your*** ~***.*** 《구어》 어림도 없다, 당치도 않다. ***on your*** ~ 반드시, 꼭(by all means) ***put*** ~ ***into** one's **work*** 일에 온 정성을 쏟다 ***safe in*** ~ ***and limb*** 신체 생명에는 별 이상 없이 ***take** one's* ~ ***in** one's **hands*** (위험을 알면서) 목숨을 걸고 하다 ***the change of*** ~ 갱년기, 폐경기 ***the water of*** ~ 〖성서〗 생명수 ***upon***['***pon***] ***my*** ~ (1) 목숨을 걸고, 맹세코 (2) 아이 깜짝이야, 이것 놀랐는걸 ***What a*** ~***!*** 멋지다!, 아이고! 《슬픔·행복의 표현》 ***with all the pleasure in*** ~ 몹시[크게] 기뻐하여 ***You*** (***can***) ***bet your*** (***sweet***) ~***.*** [that절과 함께] 《구어》 틀림없이 …이다.

— *a.* A **1** 평생[일생]의, 종신의 **2** 생명의; 생명 보험의 **3** 긴급 구제를 위한 〈재정 조치〉

▷ líve *v.*; lívely *a.*

life-and-death [láifəndéθ] *a.* A 생사에 관계되는, 지극히 중요한

lífe annùity 종신 연금

lífe assùrance 《영》 = LIFE INSURANCE

lífe bèlt 안전벨트; 《영》 구명 기구(life preserver)

life·blood [láifblʌ̀d] *n.* **1** 생혈(生血) **2** 원기[활력]의 근원 **3** 입술[눈꺼풀]의 경련

*__life·boat__ [láifbòut] *n.* **구명보트,** 구조선

lífeboat èthic(s) 「구명보트의 윤리」 《위급시에 인도주의 긴급성·편의성을 중시하는 사고방식》

life·boat·man [láifbòutmən, -mæ̀n] *n.* 구명보트

thesaurus **life** *n.* **1** 생명 existence, being, animation, aliveness **2** (생명 있는) 사람 person, human being, individual, mortal, soul **3** 생명체

담당 승무원

life brèath 목숨을 지탱하는 호흡; 영감(靈感)을 주는 힘, 정신의 양식

life bùoy 구명 부표(浮標)

life càr 해난 구조용 수밀(水密) 컨테이너

life càre (미) 라이프 케어 《평생 의료 서비스가 있는 아파트·맨션》

life clàss 실제 모델을 사용하는 미술 교실

life còach 라이프 코치 《인생의 전반적인 문제에 대해 조언과 코치를 해주는 사람[직업]》

life cỳcle 〖생물〗 라이프사이클, 생활사(史); (제품·조직 따위의) 수명

life·en·han·cing [láifinhæ̀nsiŋ] *a.* 삶을 고양[고무]시키는

life estàte 〖법〗 종신 물권[부동산]

life expèctancy 평균 여명(餘命)

life fòrce 생명력

life fòrm 〖생태〗 생활형(型), 생물 형태

life·ful [láiffəl] *a.* (고어) 생기 넘치는

life-giv·ing [láifgìviŋ] *a.* 생명을[생기를] 주는; 활기를 띠게 하는

life·guard [-gɑ̀ːrd] *n.* **1** (미) 수영장의 감시[구조]원((영) lifesaver) **2** 경호원, 호위병 **3** (기관차의) 배장기(排障器) **—** *vt.* 〈사람의〉 목숨을 지키다 **—** *vi.* lifeguard로서 근무하다

Life Guàrds [the ~] (영) 근위 기병 연대

Life Guàrdsman (영) 근위 기병

life hístory 〖생물〗 생활사

life imprísonment 종신형, 무기 금고형

life ínstinct 〖정신분석〗 생의 본능 《종족 보존 본능과 자기 보존 본능》

life insùrance (미) 생명 보험

life ìnterest 〖법〗 종신 재산 소유권

life jàcket 구명 재킷(life vest)

⁎**life·less** [láiflis] *a.* **1** 생명 없는(inanimate): ~ matter 무생물 **2** 생물이 살지 않는: a ~ planet 생물이 살지 않는 행성 **3** 죽은, 생명을 빼앗긴 **4** 활기 없는, 맥 빠진(dull) **5** 기절한 ***fall*** **~** 까무러치다, 기절하다 **~·ly** *ad.* **~·ness** *n.*

life·like [láiflàik] *a.* 살아 있는 것 같은; 바로 그대로의, 실물 그대로 그린; 꼭 닮은

life·line [láiflàin] *n.* **1** 구명 밧줄; (잠수부·우주 유영자의) 생명줄 **2** 보급로, 생명선 《중요한 항로·수송로 등》 **3** (손금의) 생명선

life lìst 들새의 관찰 기록

life·long [-lɔ̀ːŋ | -lɔ̀ŋ] *a.* Ⓐ 일생의, 필생의: a ~ study 평생의 연구 / ~ regret 일생의 후회

lifelong educátion 평생 교육

life·man·ship [láifmənʃìp] *n.* Ⓤ **1** 인생[일, 인간관계]을 성공으로 이끄는 능력 **2** 허세(부리기)

life màsk 라이프 마스크 《석고로 본떠서 만든 산 사람의 얼굴》(cf. DEATH MASK)

life-mem·ber [-mèmbər] *n.* 종신 회원[사원]

life-mem·ber·ship [-mèmbərʃip] *n.* 종신 회원의 신분; 종신 회원 수; 전(全)종신 회원

life nèt (소방용의) 구명망

life òffice 생명 보험 회사

life of Rí·ley[Réi·lly] [-ráili] (구어) 안락하고 편안한 삶, 즐거운 생활 방식

life-or-death [láifɔːrdéθ] *a.* = LIFE-AND-DEATH

life pèer (영) 일대(一代) 귀족 《세습이 아닌》

life pèerage 일대 귀족의 작위

life plànt = AIR PLANT

life pòlicy 생명 보험 증서

life presèrver (미) 구명 기구; (영) (끝에 납 등을 박은) 호신용 단장

life prèsident [종종 **L- P-**] (아프리카 국가 등의) 종신 대통령

lif·er [láifər] *n.* **1** (속어) 무기 징역수; 종신형의 선고 **2** (미·경멸) 직업 군인 **3** (한 직업·연구 등에) 일생을 건 사람

life ràft 구명 뗏목

life-risk·ing [láifrìskiŋ] *a.* 목숨을 건

life·sav·er [-sèivər] *n.* **1** 인명 구조자 **2 a** (미·구어) 수난[해난] 구조 대원 **b** (영·호주) = LIFEGUARD 1 **3** (구어) 곤경에서 구해 주는 사람[것], 구원자

life·sav·ing [-sèiviŋ] *a.* Ⓐ 구명(救命)의; (미) 수난[해난] 구조의: the *L*~ Service 수난[해난] 구조대 **—** *n.* Ⓤ 수난[인명] 구조(법)

life scíence [보통 *pl.*] 생명 과학 《생물학·생화학·의학·심리학 등》 **life scíentist** *n.* 생명 과학자

life séntence 종신형, 무기 징역

life-size(d) [-sáiz(d)] *a.* 실물 크기의, 등신대(等身大)의: a ~ statue 등신대상

life spàce 〖심리〗 생활 공간

life spàn 수명 《생물체의》

life·spring [-sprìŋ] *n.* 생명의 근원[원천]

life stóry 전기, 신상(身上) 이야기

life-strings [-strìŋz] *n. pl.* 생명줄, 목숨

life·style [-stàil] *n.* (개성적) 생활양식

life suppòrt 생명 유지 장치, 연명 조처

life-sup·port [-səpɔ̀ːrt] *a.* 생명 유지 장치의, 생명 유지를 위한; 〖생물〗 (야생 동·식물의) 생명을 유지하는: ~ technology 생활 지원 기술 《신체 장애자·노인의 생활을 위한》

life-support sỳstem[machìne] (우주선 등의) 생명 유지 장치

life's wórk (영) = LIFEWORK

life tàble 〖보험〗 생명표(mortality table)

life tènant 〖법〗 종신 부동산권자

life tèst 내구(耐久) 시험

life-threat·en·ing [-θrètniŋ] *a.* 생명을 위협하는

⁑**life·time** [láiftàim] *n.* 일생, 생애; 수명: once in a ~ 일생에 한번 / It is all in a[one's] ~. 만사가 팔자소관이다. 《체념의 말》 ***not in this*** **~** (구어) [부정문에서] 절대로, 천만에(not at all) **—** *a.* Ⓐ 일생의: ~ employment 종신 고용

life vèst (영) = LIFE JACKET

life·way [-wèi] *n.* 생활 방식

life·work [-wə̀ːrk] *n.* (미) 필생의 사업

life zòne 생활대, 생물 분포대

LIFO, lifo [láifou] [*l*ast-*i*n, *f*irst-*o*ut] *n.* Ⓤ 〖회계·컴퓨터〗 후입 선출법(後入先出法)

⁑**lift** [líft] [ON 「하늘」의 뜻에서] *vt.* **1** 올리다, 들어올리다; 〈값 등을〉 올리다 《*up, off, out*》, 들다; 들어서 내리다 《*down, from*》; 안아 올리다: (~+목+부) (~+목+전+명) ~ a box *down from* the shelf 선반에서 상자를 내리다 / ~ a load *out of* a truck 트럭에서 짐을 부리다 / ~ a child *over* a ditch 아이를 안아 도랑을 건네 주다 / ~ one's hat 모자를 약간 쳐들다 《인사》 / ~ the phone 수화기를 들다

> 유의어 **lift** 물건을 들어올리다: *lift* a package 짐을 들어올리다 **raise** 특히 한쪽 끝을 들어 수직으로 세우거나 또는 높은 위치로 올리다: *raise* a ladder 사닥다리를 세우다 **hoist** 무거운 것을 특히 기계 등의 힘을 빌려 들어올리다: *hoist* steel beams 강철 들보를 들어올리다

2 〈눈·얼굴 등을〉 들다(raise), 위를 향하게 하다, 〈탑 등을〉 솟아오르게 하다 《*up, from*》: The church ~*s* its spire. 교회의 뾰족탑이 높이 솟아 있다. // (~+목+부) ~ (*up*) one's eyes 올려다보다 // (~+목+전+명) ~ one's face *from* a book 책에서 얼굴을 들다 **3 a** 〈금지령·세금 등을〉 철폐하다; 〈자격 등을〉 (일정 기간) 취소하다 **b** 〈무거운 짐·아픔 등을〉 덜어내다 《*from*》 **c** 〈보이콧·봉쇄 등을〉 풀다; 〈천막을〉 걷어치우다, 제거하다(remove); 〈포위 등을〉 풀다: ~ a

---

living things, living creatures **4** 일생 lifetime, days, duration of life, life span, career

lifeless *a.* dead, deceased, gone, cold, defunct

siege[the controls] 포위[규제]를 풀다 // (~+몸+전+명) ~ anxiety *from* a person …의 불안을 없애 주다 **4** (구어) 〈기·돛 등을〉 달다, 올리다(hoist) **5** (문어) **a 향상시키다**, 고상하게 하다 **b** [~ one*self* 로] 입신하다, 향상하다: (~+몸+전+명) ~ *oneself from* poverty 빈곤에서 출세하다 / ~ a man *out of* obscurity 무명 인사를 출세시키다 / It *~ed* him *to* national recognition. 그것 덕분에 그는 전국적인 인정을 받았다. **c** 〈기운을〉 돋우다 (*up*) **6** (문어) 〈목소리를〉 높이다, 소리지르다 (*up*): (~+몸+부) ~ (*up*) one's voice[a shout, a cry] 소리치다, 고함을 지르다 / ~ (*up*) one's voice against …에 항의하다 **7** (구어) 훔치다(steal), 〈남의 문장을〉 표절하다: ~ a shop 가게에서 훔치다 / She had her purse *~ed*. 그녀는 지갑을 도둑맞았다. // (~+몸+전+명) ~ a passage *from* Milton 밀턴의 한 구절을 표절하다 **8** (전시·기근시 등에) 공중 수송하다(airlift); 나르다, 태우고 가다 (*to*) **9** 〈농작물을〉 캐내다; 〈모종을〉 뽑아내다 **10** (미) 〈저당 잡힌 것을〉 찾아내다; 〈부채를〉 지불하다: ~ a mortgage 저당 잡힌 것을 찾다 **11** 〈크리켓의 공을〉 쳐 올리다; 〈골프 공을〉 쳐 올리다 **12** (미) 성형 수술에 의하여 〈얼굴의〉 주름살을 없애다[펴다] (facelift): have one's face *~ed* 성형 미안술(美顔術)을 받다 **13** 〖군사〗 〈포격의〉 목표를 바꾸다; 〈포화를〉 일시 멈추다(cease) **14** (여우 사냥에서) 〈사냥개를〉 불러들이다

— *vi.* **1** [보통 부정문에서] **올라가다**, 들리다, 열리다 (*off*): The lid wo*n't* ~ (*off*). 뚜껑이 열리지 않는다. **2** (무거운 것을) 들어올리다 (*at*) **3** 〈구름·안개·비 등이〉 개다, 걷히다: The darkness *~ed*. 밝아졌다. / The fog soon *~ed*. 안개는 곧 걷혔다. **4** 〈기분이〉 고조되다; 〈표정이〉 밝아지다 **5** 〈육지 등이〉 수평선상에 보이기 시작하다 **6** 〈마루·깔개 등이〉 휘어[부풀어] 오르다 **7** 〈비행기·우주선 등이〉 이륙하다; 발진하다 (*off*): The airplane *~ed from* Kennedy Airport at 10 a.m. 비행기는 오전 10시에 케네디 공항에서 이륙했다. **8** 〈배가〉 파도를 타다 ***~ a hand*** ⇨ hand. ***~ one's hand*** 맹세하다, 선서하다 ***~ one's hand to*** [***against***] ⇨ hand. ***~*** (***up***) ***a finger*** (속어) 노력하다(make an effort); 원조하다(assist) ***~*** (***up***) ***one's hands*** [***heart***] 기도를 올리다 ***~*** (***up***) ***one's*** [***its***] ***head*** (1) 두각을 나타내다 (2) 원기를 회복하다 (3) 자랑으로 생각하다, 자존심을 가지다 ***~ up one's heel against*** …을 뒷발로 걷어차려 하다; 괴롭히다 ***~ up one's horn*** 야심을 품다, 거드름 피우다, 뽐내다 ***~*** (***up***) ***the hand*** 한 손을 들고 선서하다

— *n.* **1** [보통 a ~] **a 올림, 들어올림**: give a stone *a* ~ 돌을 들어올리다 **b** 승진, 승급, 입신출세(rise) (*in*); (물가의) 상승 (*in*): *a* ~ *in* his career 입신출세 **2 a** 들어올린 거리, 상승 거리 (*of*) **b** (한 번에 들어올리는[올라가는]) 중량(의 물건), 짐 **3** 〖항공〗 상승력, 양력(揚力) **4** [보통 a ~] (걸어가는 사람을) **차에 태워 줌**; 도움, 거들기: give a person *a* ~ 〈보행자를〉 태워 주다; 도움의 손길을 내밀다 / Thanks for the ~. 태워 줘서 고마워요. **5** [a ~] (정신의) 앙양, (감정의) 고조; (미·구어) 원기를 돋움: Those words gave me quite *a* ~. 이 말로 크게 기운을 얻었다. **6** (영) **승강기**, 엘리베이터((미) elevator); (작은) 화물 엘리베이터; 기중기; 〖항해〗 활대의 줄; 스키 리프트 (= ski ~) **7** (구어) 훔치기, 들치기 **8** 토지의 융기 **9** (구두의) 뒤축을 이루는 가죽의 한 장 **10** 공수(airlift), 수송 ***on the ~*** (미·방언) 병상에 누워서, 빈사 상태에

lift·back [líftbæ̀k] *n.* = HATCHBACK

lift·boy [-bɔ̀i] *n.* (영) 엘리베이터 보이

líft brìdge 승개교(昇開橋)

lift·er [líftər] *n.* 들어올리는 것[사람]; (속어) 들치기, 좀도둑

lift·girl [líftgə̀ːrl] *n.* (영) 엘리베이터 걸

lift·ies [líftiz] *n. pl.* (미·속어) 창을 높인 구두

líft·ing bòdy [líftiŋ-] 〖우주과학〗 항공 겸용 우주선 《대기 중에서는 양력을 발생하는 로켓 추진의 무익기(無翼機); 우주 공간과 대기권 비행용》

lift·man [líftmæ̀n] *n.* (*pl.* **-men** [-mèn]) (영) 엘리베이터 운전사((미) elevator operator)

lift·off [-ɔ̀ːf, -ɑ̀f | -ɔ̀f] *n.* 〖우주과학〗 (로켓 등의) 수직 이륙, 발진, 발사 (순간)(cf. TAKEOFF)

líft pùmp = SUCTION PUMP

lift-slab [-slæ̀b] *a.* 리프트슬래브 공법의 《지붕 따위의 슬래브를 평지에서 만들어 제 위치에 달아올리는 공법》

líft trùck 리프트 트럭, 적재용 트럭(forklift)

lift-up [-ʌ̀p] *n.* (미·속어) (마약으로 인한) 고양, 황홀감(lift)

lig [líg] *vi.* (**~ged**; **~·ging**) (영·구어) 식객 노릇을 하다, 빌붙다; (파티에) 입장권 없이 들어가다

lig·a·ment [lígəmənt] *n.* **1** 〖해부〗 인대(靭帶) **2** 유대(tie); 단결력, 결속력 **lìg·a·mén·tous** *a.*

li·gan, -gen [láigən] *n.* = LAGAN

li·gand [láigənd, líg-] *n.* 〖생화학〗 리간드 《수용체에 결합하는 항체·호르몬·약제 등의 분자》

li·gase [láigeis, -geiz] *n.* 〖생화학〗 리가아제 《핵산 분자를 결합하는 효소》

li·gate [láigeit] *vt.* 〖의학〗 〈출혈 동맥 등을〉 잡아매다, 동이다, 결찰(結紮)하다

li·ga·tion [laigéiʃən] *n.* Ⓤ 〖의학〗 (출혈 동맥 등의) 결찰(법); 잡아매기; Ⓒ 잡아매는 것

lig·a·tive [lígətiv] *a.*

lig·a·ture [lígətʃər, -tʃùər] *n.* **1** Ⓤ 동여[묶어] 맴 **2** 끈, 띠; 연줄(bond); 〖외과〗 봉합사 **3** 〖음악〗 연결선 **4** 〖인쇄〗 합자 《œ, fi 등》

— *vt.* 묶다, 동이다, 매다(tie)

li·ger [láigər] [*li*on+*tiger*] *n.* 라이거 《수사자와 암호랑이의 새끼; cf. TIGON》

lig·ger [lígər] *n.* (영·구어) (파티 등의) 식객; 공짜 광고물품을 얻는 사람

⁑**light¹** [láit] *n.* **1** Ⓤ 빛: All colors depend on ~. 모든 색은 빛에 의해 존재한다. **2** 〖물리〗 광선; 밝음 **3 a 발광체**, 광원; 천체; [집합적] 등불, 등화: turn [switch, put] on[off] the ~ 전등을 켜다[끄다] / put out the ~ 등불을 끄다 **b** Ⓤ 광명, 광휘, 빛남; 밝은 곳: in ~ 빛을 받고, 비치어 / view the portrait in dim ~ 희미한 조명으로 초상화를 보다 **4** Ⓤ **일광**; 대낮; 새벽: at first ~ 동이 트자마자 / before ~ 동트기 전에 / Summer has more hours of ~. 여름은 낮시간이 길다. **5** (발화를 돕는) **불꽃**, 화염; 점화물; 담뱃불; 성냥: a box of *~s* 성냥 한 갑 / put *a* ~ to …에 불을 켜다, 불 붙이다 / May I have *a* ~, please? 담뱃불 좀 빌립시다. **6 a** 신호등(traffic light); (컴퓨터 등의) 표시등 **b** 등대; 봉화 **7** [보통 a ~, the ~] (문어) 관점, 견해; 양상(aspect): look at the situation in *a* better ~ 사태를 낙관하다 / look in *a* favorable ~ 곱게 보다 / see[view] a thing in *a* new ~ 새로운 견해로 보다 **8 a** Ⓤ 밝힘, 명백, 노출, 탄로(exposure): give ~ on[upon] …을 밝히다 **b** [*pl.*] (무대의) 각광(footlights): before the *~s* 무대에 나가, 각광을 받고 **9** 지도[모범]적인 인물, 대가, 권위자: shining *~s* 대가들 **10** Ⓤ 〖미술〗 빛의 효과; 밝은 부분(cf. SHADE) **11 a** 계몽의 빛; 진리: the ~ of truth 진실의 빛 **b** Ⓤ 〖종교〗 천광(天光), 영광(靈光), 빛 (*of*); 〖성서〗 영광, 축복, 은총 **12** [*pl.*] 정신적 능력, 재능; [*pl.*] (문어) 지식, 식견; Ⓤ 지성, 명지(明知): We need more ~ on this subject. 이 문제에 대해서는 좀 더 알 필요가 있다. **13** (채광용) 창문, 채광창 **14** [*pl.*] (문제 해명의) 광명, (해결의) 실마리가 되는 사실[발견] (*upon*) **15** Ⓤ 〖법〗 일조

thesaurus **light¹** *n.* **1** 빛 radiance, illumination, shining, gleaming, brightness, brilliance, glowing, blaze, glare **2** 등불 lamp, flashlight, lantern, beacon, candle, torch **3** 대낮 daytime, day, daylight **4** 관점 aspect, point of view, angle — *v.* **1** 불을 붙이다 set fire to, ignite, kindle **2** 빛나다 illuminate, brighten, lighten, irradiate

권, 채광권 **16** Ⓤ 시신경의 지각; 《고어》 시력; [*pl.*] 《미·구어》 눈(eyes)
according to one***'s ~s*** 각자의 지식에 따라서, 자기 나름대로: He was an honest man *according to his ~s.* 그는 자기 나름대로 정직한 사람이었다. ***bring to ~*** 폭로하다 ***by the ~ of nature*** 직감으로, 자연히 ***come to ~*** 《구어》 나타나다, 드러나다 ***get a ~*** 불을 빌다; 《속어》 신용을 얻다 ***get out of the ~*** 《구어》 방해가 되지 않도록 하다 ***get the green ~*** 《구어》 (착수·실시 등의) 허가를 얻다 ***hide*** one***'s ~ under a bushel*** ⇨ bushel[1]. ***in a good*** [***bad***] ***~*** 《문어》 잘 보이는[보이지 않는] 곳에, 좋은[나쁜] 면을 강조하여 ***in*** one***'s true ~*** 있는 그대로 ***in the*** (***cold***) ***~ of day*** [***dawn, reason***] 현실적이되어 [냉철하게] 생각해 보니 ***in*** (***the***) ***~ of*** 《문어》 …로서(as); …의 견지에서; …에 비추어서, …로 미루어 보아: He explained the phenomenon *in the ~ of* recent scientific knowledge. 그는 그 현상을 최근의 과학 지식에 비추어서[의 입장에서] 설명했다. ***knock*** a person***'s ~s out*** 마구 때리다; 〈이야기 등이〉 간담을 서늘하게 하다 ***~ and shade*** 명암; 천양지차 ***~ out*** 《미·속어》 끝, 죽음 ***out like a ~*** 《미·구어》 (특히 머리를 호되게 맞아서) 까무러친, 넋나간 ***place*** [***put***] a thing ***in a good*** [***bad***] ***~*** …을 유리하게[불리하게] 보이게 하다 ***punch*** [***put***] a person***'s ~s out*** 《속어》 …을 때려서 실신시키다, 때려눕히다 ***see ~*** [***daylight***] 《구어》 (문제 해결의) 실마리를 찾다, 돌파구가 보이다 ***see the ~*** (***of day***) 《구어》 (1) 태어나다; 세상에 나오다: His book of poetry will *see the ~* (*of day*) before long. 그의 시집은 머지않아 햇빛을 보게 될 것이다. (2) 이해하다: Now I *see the ~*. 이제 납득이 갑니다. (3) (종교적으로) 깨닫다; 개종(改宗)하다 ***see the red ~*** 《구어》 위험이 닥쳐올 것을 예지하다 ***set ~ to*** …에 불을 붙이다 ***shoot the ~s*** 《속어》 (황색 신호 때) 신호를 무시하고 달리다 ***stand*** [***get, be***] ***in*** a person***'s ~*** …의 앞에서 빛을 가로막다; …의 출세를[행복을] 방해하다 ***stand in*** one***'s own ~*** 《구어》 (분별없는 행위로) 스스로 자신의 출세[성공, 이익 《등》]를 방해하다 ***strike a ~*** (성냥 등으로) 그어서 불을 켜다 ***the bright ~s*** 《구어》 (도시의) 환락가; (연예계 등의) 화려한 세계 ***the ~ of*** one***'s eyes*** 썩 마음에 드는 것, 가장 사랑하는 사람 ***the ~ on the will*** 《호주》 오랜 고생 끝의 광명 ***throw*** [***shed***] ***~ on*** [***upon***] …의 해명에 도움을 주다, …을 해명하다, …에 광명을 던지다
— *a.* (opp. *dark*) **1** 밝은(bright) **2** 〈색이〉 연한, 엷은(pale): ~ brown 연한 갈색, 담갈색 **3** 〈커피·홍차가〉 크림이 많이 들어간
— *v.* (**~·ed, lit** [lít]) *vt.* ★ 《영》에서는 과거에 lit, 과거분사·형용사에는 lighted, 《미》에서는 과거에도 lighted를 쓰는 일이 많음. **1 a** 불을 붙이다, 점화하다, 켜다 《*up*》 **b** 〈불을〉 지피다, 때다(kindle) **2** 등불을 켜다, 비추다 《*up*》: Gas lamps *lit* the streets. 가스등이 거리를 비추고 있었다. **3** 밝게 하다; 명랑하게 하다, 활기를 띠게 하다 《*up*》: (~+목+부) Her face was *lit up* by a smile. 그녀의 얼굴은 미소를 지음으로써 밝아졌다. **4** 등불을 켜서 〈사람을〉 안내하다 《*to*》: (~+목+전+명) a candle to ~ you *to* bed 당신을 침대로 안내해 줄 촛불 // (~+목+부) ~ a person *upstairs* 등불을 켜서 …을 2층으로 안내하다
— *vi.* **1** (등)불이 붙다, 켜지다 《*up*》: This table lamp won't ~. 이 테이블 램프는 (스위치를 눌러도) 켜지지 않는다. // (~+부) The street *lit up.* 거리에 불이 켜졌다. **2** 밝아지다, 빛나다, 비치다 《*up*》: (~+부) The sky ~*s up* at sunset. 하늘은 일몰시에 밝아진다. **3** 〈얼굴·눈이〉 빛나다, 명랑해지다 《*up*》: (~+부) His eyes *lit up* with joy. 그의 눈은 기쁨으로 빛났다. **4** 불붙다, 불타다; (담배·파이프에) 불을 붙이다 《*up*》: (~+부) take out a cigar and ~ *up* 시가를 꺼내서 불을 붙이다 ▷ líghten[1] *v.*; líghtsome[2] *a.*; alíght[2] *ad., a.*; líghtness[1] *n.*

light[2] *a.* **1** 가벼운 nonheavy, easy to carry, portable **2** 수월한 moderate, easy, simple, undemanding, effortless **3** 경미한 mild, nonsevere, slight **4** 오락적인 entertaining, recreative, pleasing, amusing, humorous **5** 날씬한 thin, slender, underweight **6** (동작이) 기민한 nimble, agile, supple, spry **7** 쾌활한 cheerful, happy, gay, merry

‡**light**[2] [láit] *a., ad.*

「(무게가) 가벼운」 → (사람의 동작·마음이 가벼운) / 「홀가분한」 → 「경솔한」 / 「분량이 적은」 / 「(힘 등이) 약한」

— *a.* **1** 가벼운(opp. *heavy*): (as) ~ as air[a feather] 매우 가벼운 // (~+*to* do) This baggage is ~ *to* lift. 이 수하물은 가볍게 들어올릴 수 있다. **2 a** 〈비중·밀도 등이〉 작은, 올차지 않은 **b** 〈화폐·저울추 등이〉 법정 중량에 모자라는: ~ weight 무게 부족 / give ~ weight 무게를 속이다 **3** 〈양이〉 적은; 〈강도가〉 약한; 〈잠이〉 선잠인; 〈작업 등이〉 쉬운, 수월한: a ~ rain 보슬비 / ~ work 수월한 작업 / ~ in hand 다루기 쉬운 **4** 〈문자 등이〉 확실하지 않은, 희미한; 〈향기가〉 은은한 **5** 〈의무·세금·비용 등이〉 가벼운; 〈벌 등이〉 심하지 않은, 관대한; 경미한, 사소한: a ~ offense 경범죄 **6** 〈문학·음악 등이〉 힘들지 않은, 오락적인; 재치 있는: a ~ novel 가벼운 소설, 오락 소설 **7** 〈음식이〉 소화가 잘 되는; 양이 적은; 알코올 성분이 적은: a ~ meal 가벼운 식사 / a ~ eater 소식가(小食家) **8** 〈빵이〉 말랑말랑한; 충분히 발효된 **9** 〈흙이〉 부슬부슬한, 부스러지기 쉬운 **10** 〈건물·몸매 등이〉 우아한, 날씬한 **11** 〈동작이〉 기민한, 경쾌한, 홀가분한: with ~ footsteps 가벼운 걸음으로 / ~ of foot [heel] 발걸음이 가벼운, 걸음이 사뿐한[빠른] / have a ~ hand[touch] 솜씨가 좋다; 수완이 있다 **12** 즐거워하는, 걱정[불편]이 없는; 쾌활한; 마음이 들뜬: in a ~ mood 들뜬 마음으로 / ~ of heart 걱정이 없는, 쾌활한 / with a ~ heart 쾌활하게; 선선히 **13** 경솔한, 차분하지 않은; 변덕스러운; 품행이 좋지 않은: ~ conducts 경솔한 행위 / ~ of ear 귀가 여린, 잘 믿는 / ~ of fingers 손버릇이 나쁜 **14** 〈머리가〉 핑핑 도는, 현기증이 나는: ~ in the head 머리가 도는, 현기증이 나는; 어리석은 **15** 〈수송 기관이〉 짐이 가벼운, 적재량이 적은: a ~ truck 경트럭 **16** 〖군사〗 경무장한, 경장비한: ~ cavalry 경기병(輕騎兵) **17** 경공업의 **18** 〈목소리가〉 맑고 경쾌한; 〖음성〗 강세가 없는, 약음의 **19** 〖카드〗 (포커에서) 돈을 빌려 거는: go ~ 빌린 돈으로 걸다 ***~ on*** 《영》 …이 충분하지 않은, 부족하여 ***make ~ of*** …을 얕보다, …을 경시하다
— *ad.* 가볍게; 경장(輕裝)으로; 〈잠이〉 깨기 쉽게; 수월하게(easily), 쉽사리, 간단히 ***get off ~*** 《구어》 가벼운 벌로 끝나다 ***L~ come, ~ go.*** = LIGHTLY come, LIGHTLY go. ▷ líghten[2] *v.*; líghtsome[1] *a.*; líghtly *ad.*; líghtness[2] *n.*

light[3] *v.* (**~·ed, lit** [lít]) *vi.* **1** (말·차 등에서) 내리다 《*from*》 **2** (장소 위에) 머물다; 착륙하다 《*on, upon*》: (~+전+명) The bird ~*ed on* the branch. 새가 나뭇가지에 내려앉았다. / My eyes ~*ed on* some friends in the crowd. 군중 속에 있는 몇몇 친구들에게 나의 시선이 멈췄다. **3** 우연히 만나다, 우연히 보다 《*on*》; (싼 물건·단서 등을) 우연히 얻게 되다 《*on*》: (~+전+명) ~ *on* a clue 우연히 실마리를 발견하다 **4** 〈불행·행운 등이〉 닥치다 《*on, upon*》 ***~ into*** 《미·구어》 …에게 덤비다, …을 공격하다; 꾸짖다 ***~ on*** one***'s feet*** [***legs***] (떨어졌을 때) 발로 서다; 운수가 좋다, 성공하다 ***~ out*** 《미·구어》 급히 떠나다, 도망치다 《*for*》; 전속력으로 달리다
— *vt.* 〖항해〗 〈밧줄 등을〉 잡아당기다

líght adaptàtion (눈의) 명순응(明順應) 《어두운

곳에서 밝은 곳으로 나왔을 때의 눈의 순응)(cf. DARK ADAPTATION)
light-a·dapt·ed [láitədæptid] *a.* 〈눈이〉 명순응한
líght áir 〖기상〗 실바람
líght áirplane[áircraft] 경비행기(lightplane)
líght ále 라이트 에일 《영국제 병맥주》
light-armed [-á:rmd] *a.* 〖군사〗 경장비의
líght artíllery 〖군사〗 경포(輕砲) 《구경 105밀리 이하》
líght blúe 담청색, 밝은 청색
líght bómber 〖군사〗 경폭격기
líght bréeze 〖기상〗 남실바람 《시속 4-7마일》
líght bùlb 백열 전구 ***have a ~ go on*** 《구어》 〈아이디어 등이〉 번득이다, 번쩍 떠오르다
líght chàin (면역 글로불린의) 경쇄(輕鎖), L사슬 (cf. HEAVY CHAIN)
líght cólonel 《미·군대속어》 =LIEUTENANT COLONEL
light-col·ored [-kʌ́lərd] *a.* 밝은[옅은] 색의
líght créam 유지방분이 적은 크림
light-day [-dèi] *n.* 〖천문〗 광일(光日) 《1광년(light-year)의 1일에 상당》
light-du·ty [-djú:ti | -djú:-] *a.* 경량용의
líght-e·mit·ting díode [-imìtiŋ-] 〖전자〗 발광 다이오드 《略 LED》
‡**light·en**[1] [láitn] *vt.* **1** 밝게 하다, 비추다; 점화하다: A full moon *~ed* the road. 보름달이 길을 밝게 비추었다. **2** 명백히 하다, 밝히다, 알기 쉽게 하다 **3** …의 빛깔을 엷게 하다, 그림자를 희미하게 하다 **4** 〈얼굴을〉 밝게[환하게] 하다, 〈눈을〉 빛나게 하다
— *vi.* **1** 밝아지다, 빛나다, 비치다; 개다 **2** [it을 주어로] 번갯불이 번쩍이다
‡**light·en**[2] [láitn] *vt.* **1** 가볍게 하다; 〈배 따위의 짐을〉 덜다 **2** 〈세금·부담 등을〉 완화[경감]하다; 부드럽게 하다: ~ taxes 조세를 경감하다 **3** 기운나게 하다, 기쁘게[즐겁게] 하다: Such news *~s* my heart. 그런 소식을 들으면 내 마음이 가벼워진다.
— *vi.* 〈짐·배 등이〉 가벼워지다; 쾌활한 기분이 되다 *~ up* 《미·속어》 (…을) 심각하게 생각하지 않다, 기분을 풀다, 느긋해지다 《*on*》
líght éngine (차량을 달지 않은) 단행(單行) 기관차
*****light·er**[1] [láitər] [light[1]에서] *n.* **1** 불을 붙이는 사람[것] **2** 라이터, 점등[점화]기; 불쏘시개
lighter[2] *n., vt.* 〖항해〗 거룻배(로 운반하다)
light·er·age [láitəridʒ] *n.* Ⓤ 거룻배 삯; 거룻배 운반; [집합적] 거룻배
light·er·man [láitərmən] *n.* (*pl.* **-men** [-mən]) 거룻배 사공
light·er-than-air [láitərðənέər] *a.* 〖항공〗 공기보다 가벼운; 비행선[기구]의: a ~ craft 경비행기
light·face [láitfèis] *n.* Ⓤ 〖인쇄〗 획이 가는 활자 (opp. *boldface*) **líght·fàced** [-t] *a.*
light·fast [-fæ̀st | -fɑ̀:st] *a.* 내광성(耐光性)의, 빛에 색이 바래지 않는 **~·ness** *n.*
light-fin·gered [-fíŋgərd] *a.* 손재주가 있는; 손버릇이 나쁜: a ~ gentleman 소매치기
líght flýweight 라이트 플라이급의 권투 선수 《아마추어의 48kg 이하》
light-foot [-fùt] *a.* 《시어》 =LIGHT-FOOTED
light-foot·ed [-fútid] *a.* 발걸음이 가벼운, 걸음이 빠른; 민첩한(nimble) **~·ly** *ad.* **~·ness** *n.*
líght guìde =OPTICAL FIBER
líght gùn 〖컴퓨터〗 (컴퓨터 게임을 할 때 화면에 쏘는) 광선 총
light-hand·ed [-hǽndid] *a.* **1** 〈배·공장 등이〉 일손이 부족한(short-handed) **2** 빈손의 **3** 손재주가 있는, 솜씨 좋은 **~·ness** *n.*
light·head [-hèd] *n.* 생각이 모자라는 사람; 머리가 몽롱한 사람
light·head·ed [-hédid] *a.* 머리가 어찔어찔한; 변덕스러운; 경솔한, 생각이 모자라는 **~·ly** *ad.* **~·ness** *n.*
light·heart·ed [-hɑ́:rtid] *a.* 근심 걱정 없는, 마음 편한; 쾌활한, 명랑한(cheerful) **~·ly** *ad.* **~·ness** *n.*
líght héavyweight (권투·레슬링 등의) 라이트 헤비급 (선수)
líght hórse 경(輕)기병대
light-horse·man [-hɔ̀:rsmən] *n.* (*pl.* **-men** [-mən]) 경기병(輕騎兵)
light-hour [-àuər] *n.* 〖천문〗 광시(光時)
‡**light·house** [láithàus] *n.* (*pl.* **-hous·es** [-hàuziz]) 등대
líghthouse kèeper 등대지기
líght hóusekeeping 단출한 살림; 《속어》 (남녀의) 동거 생활
líght índustry 경공업(opp. *heavy industry*)
líght ínfantry 경(輕)보병대
*****light·ing** [láitiŋ] *n.* Ⓤ **1** 조명(법); 조명 장치; [집합적] 무대 조명: ~ fixtures 조명 기구 **2** 점화; 점등 **3** (사진·그림 등에서) 빛의 배치, 명암
líghting èngineer (극장·방송 등의) 조명 담당자
líght·ing-up tìme [-ʌ̀p-] 《영》 (도로·차의) 점등 시각
light·ish[1] [láitiʃ] *a.* 〈색이〉 다소[좀] 밝은
lightish[2] *a.* 〈중량이〉 약간 부족한; 적재 화물이 좀 적은
light-leg·ged [láitlégid] *a.* 걸음이 빠른
light·less [láitlis] *a.* 빛이 없는, 어두운: ~ light 〖물리〗 흑광(黑光)(black light) **~·ness** *n.* Ⓤ 어두움
‡**light·ly** [láitli] *ad.* **1** 가볍게, 사뿐히, 조용히; 부드럽게, 온화하게: push ~ 가볍게 밀다 **2** 약간: ~ fried eggs 살짝 프라이한 달걀 **3** 민첩하게, 재빠르게 **4** 경솔히, 신중하지 않게: behave ~ 경솔히 행동하다 **5** 무관심하게, 냉담하게; 얕보고, 소홀히: think ~ of …을 경시하다 **6** 명랑하게, 경쾌하게, 들떠서; 예사로: take bad news ~ 나쁜 소식을 가볍게 받아들이다 **7** [종종 부정문에서] 함부로, 쉽게: an offer *not* to be refused ~ 쉽게 거절할 수 없는 제의 **8** 노력 없이, 수월하게: *L~* come, ~ go. 《속담》 얻기 쉬운 것은 잃기도 쉽다. ***get off ~*** = get off LIGHT[2].
líght machíne gùn (구경 0.3인치 이하의) 경(輕)기관총
líght mèat 흰 살코기(white meat)
líght métal 경금속 《비중 4.0 이하》
líght mèter 노출계(exposure meter); 광도계
líght míddleweight 〖권투〗 라이트 미들급 (선수) 《67-71kg급》
light-mind·ed [láitmáindid] *a.* 경솔[경박]한, 무책임한 **~·ly** *ad.* **~·ness** *n.*
líght mìneral 〖지질〗 백색 광물 《비중이 2.8보다 적은 조암(造岩) 광물》
light-min·ute [-mínit] *n.* 〖천문〗 광분(光分) 《빛이 1분간에 나아가는 거리》
light-month [-mʌ̀nθ] *n.* 〖천문〗 광월(光月) 《빛이 한 달 동안에 나아가는 거리》
líght músic 경음악
light·ness[1] [láitnis] *n.* Ⓤ **1** 밝음; 밝기 **2** (빛깔의) 엷음, 연함
lightness[2] *n.* Ⓤ **1** 가벼움 **2** 민첩, 날램 **3** 수완 좋음 **4** 경솔, 경거(輕擧); 행실이 나쁨 **5** 부드러움; 온화 **6** 소화하기 쉬움
‡**light·ning** [láitniŋ] *n.* Ⓤ **1** 번개, 번갯불, 전광(⇨ thunder 유의어): The ~ has struck a house. 집에 벼락이 떨어졌다. **2** 《속어》 질이 나쁜 위스키; 《속어》 =AMPHETAMINE **3** 뜻밖의 행운
forked[chain(ed)] ~ 차상(叉狀) 전광 ***like (greased[a streak of]) ~*** 번개같이 ***ride the ~*** 《미·속어》 전기 의자로 처형당하다
— *a.* Ⓐ 번개의[같은]; 매우 빠른: at[with] ~ speed 전광석화로, 번개같이 / ~ flashes 섬광
líghtning arrèster (전기 기구에 부착시키는) 피뢰기(器)(arrester)

thesaurus **lighten**[2] *v.* **1** 가볍게 하다 make lighter, lessen, reduce **2** 부담을 덜다 ease, alleviate,

líghtning bùg[bèetle] (미) 〖곤충〗 반딧불이
líghtning chèss 번개같이 두는 체스
líghtning condùctor (영) =LIGHTNING ROD
líghtning engineèr 조명 기사
líghtning operàtion 전격 작전
líghtning ròd **1** (미) 피뢰침((영) lightning conductor) **2** 비판[공격]을 대신 받는 사람
líghtning stríke **1** 낙뢰, 벼락 **2** 전격 파업
líghtning wàr 전격전(blitzkrieg)
líght óil 경유, 경질(輕質) 원유
light-o'-love [láitəlʌ́v] *n.* (*pl.* **light-o'-loves**) 바람난 여자; 매춘부; 애인
líght ópera 경가극(輕歌劇)(operetta)
líght pèn 〖컴퓨터〗 라이트펜《스크린 상에 문자나 도형을 수정하거나 이동시킬 수 있는 펜 모양의 수동(手動) 입력 장치》; 바코드(bar code) 판독기
líght pìpe 〖광학〗 광도파관(光導波管)
light·plane [láitplèin] *n.* (자가용) 경비행기
líght plòt 무대 조명법
líght pollùtion 광해(光害)《천체 관측 등에 지장을 주는 도시 인공광》
light·proof [-prú:f] *a.* 광선이 안 통하는
líght quántum 〖물리〗 광양자(光量子)
líght ráil 경(輕)철도《전기로 움직이는》
líght ráilway (영) 경편(輕便)철도
líght reàction 〖식물〗 명반응(明反應)《광합성의 제1단계; cf. DARK REACTION》; 〖동물〗 (빛에 대한) 조사(照射) 반응
lights [láits] [다른 내장보다 가벼운 데서] *n. pl.* 가축의 허파《개·고양이 등의 먹이》
light-sculp·ture [láitskʌ̀lptʃər] *n.* 빛의 조각《투명 소재와 전기 조명이 어우러지게 제작한 조각 작품》
light-sec·ond [-sèkənd] *n.* 〖천문〗 광초(光秒)
light-sen·si·tive [-sénsətiv] *a.* 빛에 민감한, 빛을 잘 느끼는
light·ship [-ʃìp] *n.* 〖항해〗 등대선(船)

lightship

líght shòw 다채로운 빛에 의한 전위 예술 표현[환상적인 연출]
light·some¹ [láitsəm] [light²에서] *a.* (고어·시어) **1** 〈형태·동작 등이〉 경쾌한, 민첩한; 부드러운, 고상한, 우아한 **2** 쾌활한, 즐거운 **3** 경박한 **~·ly** *ad.* **~·ness** *n.*
lightsome² [light¹에서] *a.* 빛나는(luminous); 밝게 조명된, 밝은(bright)
líghts óut 〖군사〗 소등(消燈) 신호[나팔]; 소등 시간; 정전 — *vi.* (속어) 죽다
light·speed [láitspì:d] *n.* 광속(光速)《초당 약 30만 km》; [형용사적으로] 광속의, 대단히 빠른
líght stìck =GLOWSTICK
light-struck [láitstrʌ̀k] *a.* 〖사진〗 (필름 등에) 광선이 새어든, 광선이 새어 들어 못 쓰게 된
líght stúff (미·구어) 알코올 도수가 낮은 술; (미·속어) 중독성 없는 약, 대마초
líght tàble 라이트 테이블《아래 쪽에서 조명을 비춰 필름 검사 등에 사용하는 테이블》
light·tight [láittàit] *a.* 빛이 통하지 않는(lightproof)
líght tìme 〖천문〗 (천체의 빛이 관측자에게 도달하기까지의) 광행(光行) 시간
líght tràcer 예광탄(曳光彈)
líght tràp 유아등(誘蛾燈); 〖사진〗 차광 장치
líght wáter 〖화학〗 경수(輕水)《중수(重水)(heavy water)에 대한 보통 물》
líght wáter (núclear) reàctor 경수로, 경수형 원자로
líght wàve 〖광학〗 광파(光波)
light-week [-wì:k] *n.* 〖천문〗 광주(光週)《빛이 1주일간에 진행하는 거리》
light·weight [-wèit] *n.* **1** 표준 중량 이하의 사람[동물] **2** (권투·레슬링·역도 등의) 라이트급 선수 **3** (미·구어) 쓸모없는[시시한] 사람
— *a.* **1** 경량의; 라이트급의 **2** (미·구어) 진지하지 못한; 시시한, 별것 아닌
líght wèll 〖건축〗 채광정(井), 채광통
líght wélterweight 〖권투〗 라이트 웰터급 (선수) 《아마추어의 체중 60-63.5 kg》
líght whísky 라이트 위스키《알코올 도수가 낮고 향기가 순한 미국산 위스키》
light·wood [-wùd] *n.* Ⓤ 불쏘시개(lighter); 불붙기 쉬운 나무; 가벼운 재질의 나무
light-year [-jìər] *n.* **1** 〖천문〗 광년 **2** [*pl.*; 단수 취급] (구어) 큰 격차; 긴 시간; 큰 발전: It seems like ~*s* ago. 그것은 꽤 오래 전의 것처럼 보인다.
lign- [lign], **ligni-** [lígnə] 《연결형》「나무(wood)」의 뜻《모음 앞에서는 lign-》
lig·ne·ous [lígniəs] *a.* 〖식물〗 〈풀이〉 나무같이 생긴; 목질(木質)의(woody)(cf. HERBACEOUS)
lig·ni·fi·ca·tion [lìgnəfikéiʃən] *n.* Ⓤ 목질화(化)
lig·ni·form [lígnifɔ̀:rm] *a.* 나무 형태의
lig·ni·fy [lígnəfài] *vt., vi.* (**-fied**) 〖식물〗 (고등식물이) 목(질)화하다
lig·nin [lígnin] *n.* Ⓤ 〖식물〗 목질소(木質素), 리그닌
lig·nite [lígnait] *n.* Ⓤ 갈탄(brown coal), 아탄(亞炭) **lig·nit·ic** [lignítik] *a.*
lig·no·caine [lígnəkèin] *n.* (영) 〖화학〗 리그노카인(lidocaine)
lig·no·cel·lu·lose [lìgnəséljulous] *n.* 〖식물〗 목질섬유소
lig·nose [lígnous] *n.* 〖화학〗 리그노스《lignin의 한 성분》; 폭발물(의 일종)
lig·num vi·tae [lígnəm-váiti, -ví:tai] 〖식물〗 유창목(癒瘡木)《열대산》; 그 재목
lig·ro·in(e) [lígrouin] *n.* 〖화학〗 리그로인《석유 에테르의 일종; 용제로 씀》
lig·u·la [lígjulə] *n.* (*pl.* **-lae** [-lì:], **~s**) 〖식물〗 = LIGULE; 〖곤충〗 순설(脣舌)
lig·u·late [lígjulət, -lèit] *a.* 〖식물〗 설상(舌狀)의, 혀 모양의
lig·ule [lígju:l] *n.* 〖식물〗 엽설(葉舌), 잎혀
lik·a·ble, like- [láikəbl] *a.* 호감이 가는, 마음에 드는 **~·ness** *n.*
like¹ [láik] *a., ad., prep., conj., n., int.*

OE「닮은」의 뜻에서
① 닮은 형 **2** ② …같은[같이] 전 **1, 2**
③ …다운 전 **3** ④ 비슷한 형 **1**

— *a.* (**more ~, most ~**; (드물게·시어) **lik·er, -est**) ★ 종종 목적어를 동반함; 이 경우는 전치사라고도 볼 수 있음. **1** Ⓐ 〈형태·외견·종류·성질이〉 같은, 동일한(equal); 비슷한, 유사한(similar): a ~ sum 동액(同額) / in ~ manner[fashion] 꼭 같이 / I cannot cite a ~ instance. 비슷한 예가 생각나지 않는다. **2** Ⓟ 〈두 개 (이상)의 것이〉 닮은; Ⓐ (…와) 같은: drawings, paintings, and ~ arts 데생, 회화, 그리고 그와 비슷한 예술 / (as) ~ as (two) peas 꼭 닮아, 쌍둥이같이 닮은 / What is he ~? 그는 어떤 사람인가? / These two pictures are very ~. 이 두 그림은 아주 흡사하다. **3** Ⓟ (고어·방언) 아마 (*to* do, *that* ...): It is ~ *that* we shall see him no more. 아마 이제는 그를 만나지 못할 것이다.
— *ad.* **1** (구어) 약, 거의: The house is more ~ 40 years old. 그 집은 지은 지 약 40년 정도 지났다. **2** [~ enough의 형태로] (구어) 아마, 십중팔구(probably): *L~ enough* he'll come with us. 아

relieve (opp. *increase, intensify*) **3** 기쁘게 하다 brighten, cheer up, gladden, lift, elate, inspire

마 그는 우리와 함께 갈 것이다. **3** [보통 문장 끝에 쓰여 앞말을 부드럽게] …처럼, …와 같이: He seemed so friendly ~. 그는 무척 친절해 보였다. **4** (고어) 말하자면, 마치, …듯이
(as) ~ as not (속어) 아마도, 십중팔구 ***~ as*** (고어·방언) 꼭 …처럼 ★ 형용사의 경우와 같이 목적격의 낱말을 취할 때는 전치사로도 생각됨.
— *prep.* **1** …와 같이, …처럼: swim ~ a fish 물고기처럼 헤엄치다 / work ~ a beaver 비버처럼 열심히 일하다 / I cannot do it ~ you. 자네처럼은 할 수 없어. **2** 〈모양·외관 등이〉 마치 …같이: Your necklace is ~ mine. 당신 목걸이는 내 것과 똑같군요. **3** …의 특징을 나타내는, …다운: Such behavior is ~ him. 이런 행동은 (과연) 그 사람답다. / It would be ~ him to forget our appointment. 약속을 잊다니 정말 그 사람다운 짓이다. **4 a** …할 것 같은: It looks ~ rain(*ing*). 비가 올 것 같다. **b** …하고 싶은: I feel ~ go*ing* out for a walk. 산책이나 하고 싶다. **5** [상호 관계가 있는 양자의 유사성을 나타내기 위해] *L*~ father, ~ son. 부전자전 / *L*~ master, ~ man. (속담) 그 주인에 그 부하, 용장(勇將)에 약졸(弱卒) 없다. **6** (구어) …와 같은(such as): a subject ~ physics 물리학과 같은 과목
anything ~ ⇨ anything. ***~ a book*** (미·속어) 충분히, 완전히; 꼼꼼하게; 정확하게; 주의 깊게; 서슴지 않고 ***~ anything*** [***crazy, mad, the devil***] (구어) 맹렬히, 몹시, 아주 ***~ nothing on earth*** 몹시 드문, 특히 두드러진, 출중한 ***~ so many*** ⇨ many *a.* ***~ that*** (1) 그렇게: Don't talk to her ~ *that*. 그녀에게 그런 식으로 말하지 마라. (2) 문제없이, 쉽게: He did it ~ *that*. 그는 그것을 수월하게 해냈다. ***make ~*** (미·구어) …인 체하다, 흉내내다 ***more ~*** (앞에 나온 수량보다) 오히려 …에 가까운: *More* ~ five dollars. 오히려 5달러에 가깝다. ***nothing ~*** ⇨ nothing. ***nothing ~ as good*** 견줄 것이 없는 ***something ~*** (1) 약간 …비슷한; 거의, 약(about) (2) [like에 악센트를 두어] (구어) 훌륭한 것: *something líke* a dinner 굉장한 성찬(《미》 sóme [sʌ́m] dinner) / This is *something líke*! 이것은 참 훌륭하군! ***That's more ~ it.*** (구어) 그쪽이 더 낫다.

> 유의어 **like**는 A, B가 서로 「비슷함」을 나타내나, **as**는 A와 B가 「동일함」을 나타낸다: They lived *like* brothers. 「형제처럼」 They lived *as* brothers. 「형제로서」

— *conj.* **1** (구어) …(하)듯이, …같이(as): I cannot do it ~ you do. 당신이 하듯 그렇게 할 수는 없습니다. **2** (미·구어) 마치, 흡사(as if): It looks ~ he means to go. 그는 가려나 봐. / He acted ~ he was afraid. 그는 두려워하는 듯이 행동했다. **3** (구어) (…라는) 느낌으로; (…비슷하게) 말한: He was ~, "No way am I going to do that." 그는 "그런 일은 절대 안 하겠다"는 듯이 말했다.
— *n.* **1** [the ~, one's ~] 비슷한 사람[것]; 같은 사람[것]; 동류; 필적하는[동등한] 것 (*of*): Did you ever hear *the* ~ *of* it? 당신은 그런 것을 들어 본 일이 있어요? / *L*~ cures ~. (속담) 독은 독으로 제거한다. / *L*~ for ~. (속담) 은혜는 은혜로, 원한은 원한으로 갚다. / *L*~ attracts ~. (속담) 유유상종(類類相從), 끼리끼리 모인다. **2** [보통 one's ~] 같은 부류[유형]의 사람[것]: I despise moochers and *their* ~. 나는 남의 것을 뜯어내는 사람이나 그런 유형의 인간들을 경멸한다. **3** [the ~] 〖골프〗 동수타(同數打)
and the ~ 기타 같은 종류의 것 (etc.보다 형식적인 표현) ***in ~*** (속어) 꽤 사이좋은 ***or the ~*** 또는 그런 종류의 다른 것; … 등등 ***the ~s of me*** (구어) 나 같은 (하찮은) 것들, 소인들, 나 같은 놈 ***the ~s of you*** (구어) 당신 같은 (훌륭한) 분들
— *int.* [대화의 시작, 연결 등 특별한 의미 없이] (구어) 저-, 있잖아, 음- (허물없는 회화에서 무의식적·습관적으로 사용됨): *L*~, why didn't you write to me? 음-, 왜 내게 편지 쓰지 않았어?
▷ líkely *a.*; líken *v.*; líkewise *ad.*

‡like² [láik] *v.*, *n.*

> OE 「…의 마음에 들다」의 뜻에서
> ① 좋아하다 타 **1 a, b**
> ② 바라다 타 **1 c, d**
> ③ 마음에 들다 자

— *vt.* **1 a** 〈물건·사람을〉 좋아하다: I ~ it best of all my suits. 나는 내 양복 중에서 그것을 가장 좋아한다. / Well, I ~ that! (구어·반어) 설마!, 세상에 (그럴 수가)!, 그것 놀랍군! / I ~ your impudence. (반어적) 건방진 수작 작작 해. **b** (…하는 것을) 좋아하다: (~+*-ing*) (~+***to*** do) He ~*s* smok*ing*[*to* smoke]. 그는 담배 피우기를 좋아한다. **c** 〈남이〉 (…해 주기를) 바라다, 원하다 (*to* do, do*ing*): (~+목+***to*** do) I ~ boys *to* be lively. 남자 아이들은 활달한게 좋다. **d** [형용사·과거분사를 써서] 〈물건·일이〉 (…이기를) 바라다, 원하다: (~+목+보) I ~ my tea hot. 홍차는 따끈한 것이 좋다.

> 유의어 **like** 「좋아하다」는 뜻의 일반적인 말로서, 강한 느낌은 나타내지 않는다: *like* baseball 야구를 좋아하다 **love** 「사랑하다」의 뜻으로서, 강한 애정의 관념을 나타낸다: *love* one's country 조국을 사랑하다

2 [보통 부정문] 〈음식이〉 …의 건강에 좋다(suit), 체질에 맞다: I ~ oysters, but they do*n't* ~ me. 굴은 좋아하지만 체질에 맞지 않는다. **3** [비인칭 구문] (고어·방언) …의 마음에 들다, 기쁘게 하다: *It* ~*s* me not. 그것은 마음에 안 든다.(I do not like it.)
— *vi.* 마음에 들다, 마음이 내키다(be pleased)
as you ~ 마음대로, 좋을 대로 ***How do you ~ …?*** (1) …을 좋아하세요, …은 어떻습니까: *How do you* ~ my new dress? 내 새 옷이 마음에 드십니까? (2) …을 어떻게 할까요: *How do you* ~ your tea? —I ~ my tea iced. 차는 어떻게 해 드릴까요? — 얼음을 채워 주시오. (3) [예기치 않은 결과에 놀람을 나타내어] (구어) 깜짝이야, 저런: (Well,) *how do you* ~ that! 아이구, 깜짝이야! ***if you ~*** 좋으시다면; 그렇게 말하고 싶다면: You will come, *if you* ~. 괜찮으시다면 오십시오. / I am shy *if you* ~. [shy를 강조하면] 내가 부끄럼을 탄다고 말하고 싶다면 그렇게 말해도 좋다. (그렇게 말해도 상관없다 등); [I를 강조하면] 나라면 부끄럼 탄다고 해도 괜찮지만 (그러나 여기 있는 딴 사람은 그렇지 않다 등) ***~ it or lump it*** (속어) 좋든 싫든 간에; [명령형] 포기해라, 선택의 여지가 없다 ***~ it or not*** 좋아하든 좋아하지 않든 간에 ***would*** [***should***] ***~ …*** (1) …을 원하다: I *would*[*I'd*] ~ a cup of coffee. 커피 한 잔 마시고 싶은데요. (2) …하고 싶다; 〈사람·물건에〉 …시키고 싶다: I'*d* ~ to speak to Mr. Olson, please. 올슨 씨하고 통화하고 싶은데요. / I *would* ~ you to be my friend. 당신이 친구가 돼 주었으면 좋겠어요. ★ (미)에서는 would가 보통이며, (구어)에서는 I'd like …가 자주 쓰임.
— *n.* [보통 *pl.*] 좋아하는 것, 기호(likings)

-like [làik] *suf.* [명사에 자유롭게 붙여서 형용사를 만듦] 「…같은, …다운」의 뜻: gold*like*, woman*like*

like·a·ble [láikəbl] *a.* = LIKABLE

***like·li·hood** [láiklihùd], **-li·ness** [-linis] *n.* U 있음직함, 가능성, 가망(probability): in all ~ 아마, 십중팔구 / reduce the ~ of system failure. 시스

thesaurus **likely** *a.* **1** …할 것 같은 apt, inclined, tending, disposed, liable, prone **2** 있음직한 probable, possible, reasonable, plausible, feasible, acceptable, credible, believable, conceivable

템 장애의 가능성을 줄이다

:like·ly [láikli] *a.* (**-li·er**; **-li·est**) **1** …할 것 같은: (~+*to* do) He is ~ *to* lose the game. 그는 경기에 질 것 같다. / It is ~ *to* rain. 비가 올 것 같다. / He is not ~ *to* come. =It is not ~ (that) he will come. 그는 올 것 같지 않다. **2** 있음직한, …함직한 (probable); 정말 같은: A ~ story! 《종종 반어적》 설마! **3** 적당한(suitable), 알맞은 《*for*》: I called at every ~ house. 그럴싸한 집은 다 가 보았다. // (~+*to* do) I could not find any ~ place *to* fish near there. 그 근처에서는 낚시질할 만한 곳을 찾을 수 없었다. **4** 가망 있는, 유망한(promising): a ~ young man 유망한 청년

more ~ than not 어느 쪽이냐 하면, 아마 ***Not ~!*** 《구어》 어림없는 소리, 당치도 않아, 설마!

—*ad.* [종종 very, most를 앞에 붙여서] 아마 (probably): We will *very* ~ stay home this evening. 오늘 밤엔 아마 집에 있을 것 같다. / ~ enough 아마 (그럴 것이다)

(***as***) ***~ as not*** 어쩌면 …일지도 모르다, 아마: He'll fail, *as* ~ *as not*. 아마 그는 실패할 것이다.

▷ líke¹ *a.*; líkelihood *n.*

like·ly-look·ing [láiklilúkiŋ] *a.* (**like·li·er-, like·li·est-; more ~, most ~**) 적당해 보이는

like-mind·ed [láikmáindid] *a.* 같은 생각[의견, 취미]의: be ~ with …와 마음이 맞다

~·ly *ad.* **~·ness** *n.*

lik·en [láikən] *vt.* (…에) 비유하다, 비기다 《*to*》

:like·ness [láiknis] *n.* **1** Ⓤ 비슷함, 닮음, 유사 《*between, to*》; Ⓒ 닮은 것, 유사점: a family ~ 가족들의 닮은 생김새 / bear the ~ *to* …와 흡사하다 **2** 초상(肖像), 화상, 사진; 흡사한 사람[물건]: a good [bad, flattering] ~ 꼭 닮은[닮지 않은, 실물보다 잘 된] 사진[초상] / a living ~ 판에 박은 듯 닮은 것 **3** Ⓤ 외관, 탈, 가장: in the ~ of …을 가장한[하여] / an enemy in the ~ of a friend 친구의 탈을 쓴 원수

like-new [làiknjúː | -njúː] *a.* 신품이나 다름없는

:like·wise [láikwàiz] *ad.* **1** 같이, 마찬가지로 **2** 또, 역시(also), 그리고, 게다가 **3** [동의를 나타내어] 《구어》 (나도) 마찬가지[동감]이다 ▷ líke¹ *a.*

lik·ing** [láikiŋ] *n.* ⓊⒸ **1** 좋아함, 애호 《*for, to*》 **2** 취미(taste), 취향 **3** (몸의) 상태; 건강 ***have a ~ for …을 좋아하다, …에 취미를 갖다 ***on*** (***the***) ***~*** 견습[시험]용의; (해 보고) 마음에 들면 ***take a ~ for*** [***to***] …이 마음에 들다 ***to*** one***'s ~*** 마음에 들어, 취미에 맞아(서)

Li·kud [líːkuːd, likúːd] [Heb. =alliance] *n.* 리쿠드 《이스라엘의 우익 연합 정당》

li·lac [láilək, -lɑːk, -læk | -lək] *n.* 〖식물〗 라일락, 자정향(紫丁香); Ⓤ 엷은 자색 —*a.* 엷은 자색의

li·la·ceous [lailéiʃəs] *a.* 라일락색의[같은]

lil·i·a·ceous [lìliéiʃəs] *a.* 나리의[같은], 백합과(科)의

lil·ied [lílid] *a.* 《시어》 백합 같은, 백합이 많은

Lil·ith [líliθ] *n.* **1** 여자 이름 **2** 〖셈족신화〗 릴리스 《황야에 살며 어린이를 습격하는 여자 악령》 **3** 〖유대전설〗 릴리스 《아담의 첫 아내; 이브에게 쫓겨남》

Lil·li·put [lílipʌ̀t, -pət] *n.* 릴리퍼트 《Swift작 *Gulliver's Travels*에 나오는 난쟁이 나라》

Lil·li·pu·tian [lìlipjúːʃən | -ʃiən] *a.* 릴리퍼트의 —*n.* Lilliput 사람; 난쟁이

Li·lo [láilou] *n.* (*pl.* **~s**) 《영》 라일로 《플라스틱[고무]제의 에어매트리스; 상표명》

LILO last in, last out

lilt [lílt] *n.* 즐겁고 쾌활한 곡조[리듬, 가락, 동작] —*vi.* 즐겁게[쾌활하게] 노래하다[지껄이다]; 경쾌하게 움직이다 —*vt.* 〈노래를〉 경쾌한 리듬으로 부르다

---

likeness *n.* alikeness, resemblance, similarity, sameness, correspondence, analogy, parallelism

likewise *ad.* **1** 마찬가지로 in the same way, similarly **2** 게다가 in addition, besides, moreover

---

lilt·ing [líltiŋ] *a.* Ⓐ 〈노래·목소리 등이〉 경쾌한 (리듬의), 즐겁고 신나는 **~·ly** *ad.* **~·ness** *n.*

:lil·y [líli] *n.* (*pl.* **lil·ies**) **1** 〖식물〗 나리, 백합; 나리꽃, 백합꽃: a tiger ~ 참나리 / a ~ of the valley 은방울꽃 **2** 순결한 사람; 순백한 것 **3** [종종 *pl.*] 나리무늬 《프랑스 왕가의》 ***gild*** [***paint***] ***the ~*** 이미 완벽한 것에 쓸데없이 손을 보다 ***the lilies and roses*** 《비유》 아름다운 얼굴, 미모

—*a.* Ⓐ **1** 나리의 **2** 나리꽃 같은; 순백한, 청순한

Lil·y [líli] *n.* 여자 이름

lil·y-liv·ered [líliliv̀ərd] *a.* 겁 많은

líly pàd 《미》 물 위에 뜬 큰 수련 잎

lil·y-white [-*h*wáit] *a.* **1** 나리같이 흰 **2** 결점 없는, 순진한, 순수한 **3** 《미·구어》 백인들만으로 이루어진; 유색 인종을 제외시키는: the '~' movement 《미》 〖정치〗 전백인(全白人) 운동 《흑인 배척의》

Li·ma [líːmə] *n.* 리마 《페루의 수도》

líma bèan [láimə-] 〖식물〗 라이머콩

li·man [limɑ́ːn, -mǽn] *n.* 〖지질〗 익곡(溺谷)

:limb¹ [lím] *n.* **1** 사지(四肢), 팔다리, 날개(wing); [*pl.*] 《미·구어》 날씬한 여자 다리: ~ from ~ 갈기갈기, 여러 가닥으로[갈래로] 〈찢다〉 **2** 큰 가지(bough) **3** 돌출부, 뻗어 나온 부분: the four ~*s* of a cross 십자가의 네 가지 **4** 일부, 일원; 분자: a ~ of the central committee 중앙 위원회의 분과 **5** (문장의) 구(句), 절(節)(clause) **6** 《구어》 앞잡이, 부하; 장난꾸러기: the ~ of the law[the bar] 법률의 수족 《경관·법률가·법관·변호사》

a ~ of the devil [***of Satan***] 악마의 앞잡이 《개구쟁이 등》 ***escape with life and ~*** ⇨ life. ***out on a ~*** 《미·구어》 극히 불리한[위험한] 처지에 ***sound in wind and ~*** 더할 나위 없이 건강한

—*vt.* …의 팔다리를 자르다; …의 가지를 치다

~·less *a.* 팔다리[날개, 가지]가 없는

limb² *n.* 〖천문〗 가장자리, 둘레 《해·달의》; 눈금 있는 언저리, 분도권(分度圈) 《사분의(四分儀) 등의》; 〖식물〗 엽편(葉片)

lim·ba [límbə] *n.* 〖식물〗 림바 《터미날리아속의 황갈색 아프리카 나무》; 그 목재

lim·bate [límbeit] *a.* 〖생물·식물〗 (색이 다른) 가장자리가 있는

limbed [límd] *a.* [보통 복합어를 이루어] …한 다리[가지]가 있는: crooked-~ 가지가 굽은 / a long-~ dancer 팔다리가 긴 무용수

lim·ber¹ [límbər] *a.* **1** 〈근육 등이〉 나긋나긋한, 유연한 **2** 경쾌한 **3** 〈생각·조건 따위가〉 융통성 있는

—*vt.* 유연하게 하다 《*up*》 —*vi.* 몸을 유연하게 하다, 준비 운동을 하다 《*up*》: ~ *up* before the game 경기 전에 준비 운동을 하다

limber² *n.* **1** 〖군사〗 (대포의) 앞차 **2** [보통 *pl.*] 〖항해〗 뱃바닥의 오수로(汚水路)

—*vt., vi.* 〈포가(砲架)에〉 앞차를 매달다; 포와 앞차를 연결시키다 《*up*》

lim·bic [límbik] *a.* 〖해부〗 대뇌 변연계(邊緣系)의

límbic sỳstem 〖해부〗 대뇌 변연계

lim·bo¹ [límbou] *n.* (*pl.* **~s**) **1** Ⓤ [종종 **L~**] 〖가톨릭〗 지옥의 변방 《지옥과 천국 사이에 있으며 그리스도교를 믿을 기회를 얻지 못했던 착한 사람 또는 세례를 받지 못한 어린이·백치 등의 영혼이 머무는 곳》 **2** ⓊⒸ 유치장, 교도소(prison) **3** 망각의 구렁[장소]; 중간 상태[장소] ***in ~*** 불확실한 상태로

limbo² *n.* (*pl.* **~s**) 림보 《서인도 제도의 춤》

límb regeneràtion 〖생물〗 (도마뱀 등의) 사지(四肢) 재생

Lim·burg·er [límbə̀ːrgər] *n.* Ⓤ (벨기에산(産)의 연한) 림버거 치즈(=∠ chèese)

lim·bus [límbəs] *n.* (*pl.* **~·es, -bi** [-bai]) 〖생물〗 가장자리, 둘레

:lime¹ [láim] *n.* Ⓤ **1** 석회: caustic[burnt] ~ 생석회 / fat[rich] ~ 부(富)석회 / ~ and water 석회수 / slaked ~ 소(消)석회 **2** 새 잡는 끈끈이(birdlime)

— *vt.* **1** 석회를 뿌리다, 석회로 소독하다; 석회수에 담그다 **2** 새 잡는 끈끈이를 칠하다; 끈끈이로 잡다; 덫에 걸리게 하다 ▷ límy *a.*

lime[2] *n.* **1** 〖식물〗 라임 《운향과(科)의 관목》; 그 열매 《라임 주스의 원료》 **2** = LIME JUICE

lime[3] *n.* 〖식물〗 = LINDEN

lime·ade [làiméid] *n.* Ⓤ (미) 라임에이드 《라임 과즙에 설탕·물 등을 혼합한 음료》

lime-burn·er [láimbə̀:rnər] *n.* 석회 제조자

líme glàss 석회 유리

líme gréen 연녹색, 황록색

Lime·house [láimhàus] *n.* 라임하우스 《London 동부, East End의 빈민가》

líme hỳdrate 소석회(slaked lime)

líme jùice 라임 주스 《라임 과즙》

lime-juic·er [láimdʒù:sər] *n.* (호주) 새로 온 영국인; (미·속어) 영국 수병, 영국 배; 영국인

lime·kiln [-kìln] *n.* 석회 가마

lime·light [-làit] *n.* **1** Ⓤ 석회광(石灰光) 《석회로 만든 막대기 또는 공을 산수소 불꽃에 대면 생기는 강렬한 백광(白光)》; 회백등(灰白燈) 《무대 조명용》 **2** [the ~] (비유) 각광[주목]의 대상: in *the* ~ 각광을 받고, 눈에 띄게, 남의 주목을 끌고 / be fond of *the* ~ 남의 이목을 끌기 좋아하다

— *vt.* …에 스포트라이트를 비추다

li·men [láimən | -men] [L] *n.* (*pl.* **~s, lim·i·na** [límənə]) 〖심리〗 역(閾) 《의식의 한계》

líme pìt 석회갱(坑); 석회 가마; 석회수조(槽) 《짐승 가죽을 담가서 털을 뽑는》

lim·er·ick [límərik] *n.* 리머릭 《예전에 아일랜드에서 유행된 5행 희시(戲詩)》

li·mes [láimi:s] *n.* (*pl.* **lim·i·tes** [límətì:z]) 경계; 국경

lime·scale [láimskèil] *n.* Ⓤ (미) 물때

lime·stone [láimstòun] *n.* Ⓤ 석회암, 석회석

límestone càve[càvern] 석회동, 종유굴

líme sùlfur 〖화학〗 석회황합제(黃合劑) 《살균·살충제》

líme trèe 〖식물〗 = LINDEN

líme twìg 끈끈이를 바른 나뭇가지; 덫

lime·wash [-wɔ̀:ʃ, -wɑ̀ʃ | -wɔ̀ʃ] 〖건축〗 *n.* (벽에 칠하는) 석회 도료, 회칠

— *vt.* …에 석회 도료를 칠하다, 회칠하다

lime·wa·ter [-wɔ̀:tər] *n.* Ⓤ 석회수(石灰水)

lime·wood [láimwùd] *n.* 린덴 재목

lim·ey [láimi] 〔원래 영국 수병에게 괴혈병 예방을 위해 라임 주스를 준 데서〕 (미·속어) *n.* 영국 수병[선원]; 영국인; 영국 배 — *a.* 영국(인)의

li·mic·o·line [laimíkəlàin, -lin] *a.* 〈새 등이〉 해안가에 서식하는

lim·i·na [límənə] *n.* LIMEN의 복수

lim·i·nal [límənl, láim-] *a.* limen의

lim·ing [láimiŋ] *n.* 라이밍 《산성비 대책으로 하천이나 호수에 석회를 살포하여 중화시키는 일》

lim·it [límit] 〔L 「경계」의 뜻에서〕 *n.* **1** 한계(선), 극한, 한도; 제한: the upper[lower] ~ 상한[하한] / inferior[superior] ~ 최소[최대]한 / out of all ~*s* 무제한으로, 터무니없이 / to the utmost ~ 극한까지 / without ~ 한없이, 제한 없이 / go to any ~ 어떠한 일이라도 하다 / set ~*s* to …을 제한하다 / There is a ~ to everything. 모든 일에는 한계가 있는 법이다. **2** [종종 *pl.*] (미) (나라·토지·구역 등의) 경계; 범위, 구역: within the ~ of …의 범위 내에서 **3** 〖수학〗 극한(치) **4** [the ~] (속어) (참을 수 있는) 한도, (참을 수 없게) 화나게 만드는 사람[일]: That's[He's] *the* ~. 이건[저 녀석은] 참을 수 없는데. **5** (노름판에 거는) 최대액 **6** [the ~] 〖야구·복싱〗 최종회까지의 시간 **7** 〖상업〗 지정 가격: at[within] your ~*s* 지정 가격으로[이내로]

go the ~ (구어) 철저하게 하다, 갈 데까지 다 가다; 〈여성이[남녀가]〉 최후의 선을 넘다: The boxer couldn't go *the* ~. 그 권투 선수는 최종 라운드까지 버티지 못했다. ***off*** [***on***] ***~s*** (미) 출입 금지[자유](의) ***The sky's the ~.*** (구어) 제한 없다; 한도가 없다; (내기에) 얼마든지 걸겠다. ***to the ~*** (미) 극단적으로; 최대한 ***within ~s*** 적당하게

— *vt.* 한정하다; 제한하다(restrict), …에 한계를 두다: (~+목+전+명) ~ one sentence *to* 15 words 한 문장을 15단어로 제한하다 / The conversation was ~*ed to* everyday affairs. 대화는 일상사의 범위를 벗어나지 못했다. **~·a·ble** *a.*

▷ limitátion *n.*; límitary, límitless *a.*

lim·i·tar·i·an [lìmətέəriən] *n.* 제한하는 사람; 〖신학〗 (선택된 사람만이 구원받을 수 있다고 믿는) 제한설론자(opp. *universalist*) — *a.* 제한설의

lim·i·tar·y [límətèri | -təri] *a.* 제한하는, 제한적인; 경계(상)의; 한정된, 유한의

lim·i·ta·tion [lìmətéiʃən] *n.* **1** ⓊⒸ 한정, 제한; 극한; Ⓒ 제한하는 것: armament ~*s* 군축 / put ~ on …에 제한을 두다 **2** 한도, 한계 《지혜·능력 등의》: know one's ~*s* 자기의 한계를 알다 **3** 〖법〗 출소 기한(出訴期限) 《*of*》

▷ límit *v.*; límitative *a.*

lim·i·ta·tive [límətèitiv] *a.* 한정적인

lim·it·ed [límitid] *a.* **1** 〈수·양 등이〉 한정된, 유한한(restricted); 얼마 안 되는, 좁은: ~ resources 한정된 자원 **2** (법률과 헌법에 의해) 제한을 받는, 입헌의 **3** 〈지성·창조력 등이〉 부족한, 결여된: He was a bit ~. 그는 조금 머리가 나빴다. **4** (미) 〈열차 등이〉 승객을 제한한, 특별한 **5** 〈회사가〉 유한 책임의 《略 Ltd.; cf. (미) INCORPORATED 1》

— *n.* (미) 특별 열차[버스] **~·ly** *ad.* **~·ness** *n.*

lím·it·ed-ác·cess hìghway [límitidǽkses-] 고속 도로(expressway)

límited cómpany (영) 유한 (책임) 회사 《회사명 뒤에 Limited 또는 약어 Ltd.를 붙임; limited liability company라고도 함》

límited edítion 한정판

límited eugénics 한정 우생학 《세포의 유전자 구조를 바꾸어 결함 아동의 출생·기형·질병 등을 막으려는 시도》

límited liabílity (회사 등의) 유한 책임

lím·it·ed-lìne stóre [-làin-] 한정 품종 상점

límited mónarchy 입헌 군주 정체[국]

límited pártner 유한 책임 조합원

límited pártnership 유한 책임 조합, 합자 회사

límited wár (범위가 한정된) 국지전

lim·it·er [límitər] *n.* 제한하는 사람[것]; 〖전기〗 리미터 《진폭 제한 회로》

lim·i·tes [límətì:z] *n.* LIMES의 복수

lim·it·ing [límitiŋ] *a.* **1** 제한하는: a ~ adjective 〖문법〗 제한적 형용사 《명사를 한정하는 구실뿐인 this, some, certain 등》 **2** 극단적인: a ~ case 극단적인 경우

límiting fàctor 〖생물〗 제한 인자 《생물의 생장·활동 등을 제한하는》

límiting nùtrient 〖생태〗 제한적 영양 물질 《호수의 부(富)영양화를 지연시키는 물질》

lim·it·less [límitlis] *a.* 무한한; 무기한의; 망막한 **~·ly** *ad.* **~·ness** *n.*

límit lìne (미) 횡단보도의 흰 선

límit màn (스포츠·게임에서) 최대의 핸디캡을 가진 경기자

límit of resolútion 〖광학〗 분해능(分解能), 해상력

límit òrder 〖증권〗 지정가(指定價) 주문

lim·i·trophe [límətròuf] *a.* 국경의

lím·its-to-grówth mòdel [límitstəgróuθ-] 〖경제〗 성장 한계설

limn [lím] *vt.* 〈그림을〉 그리다; (문어) 묘사하다 《*in*》

lim·ner [límnər] *n.* 화공, 초상화가

thesaurus **limit** *n.* **1** 한계, 제한 maximum, limitation, restriction, curb, check, restraint **2** 경계

lim·nol·o·gy [limnɑ́lədʒi | -nɔ́l-] *n.* Ⓤ 육수학(陸水學); 호소학(湖沼學)
lim·o [límou] *n.* (*pl.* **~s**) (구어) =LIMOUSINE
Li·moges [limóuʒ] [프랑스의 산지명에서] *n.* Ⓤ 리모주 도자기
li·mo·nite [láimənàit] *n.* Ⓤ 〖광물〗 갈철석(褐鐵石) (brown hematite)
Li·mou·sin [lì:mu:zǽŋ] [F] *n.* 리무쟁종(種)의 소 《프랑스 원산의 육우》
lim·ou·sine [líməzì:n, ⌐—⌐] *n.* 리무진 《운전대와 객석 사이를 (열리는) 유리로 막은 대형 세단 자동차》; (전속 운전사가 있는) 대형 고급 승용차; 여객 수송용 소형 공항 버스(⇨ bus 관련); 5인승 고급 택시
—*vi.* 리무진으로 가다
límousine líberal (미) 부유한 자유주의자
:limp[1] [límp] *vi.* **1** 절뚝거리다; 〈배가〉 느릿느릿 가다: The old car *~ed* along. 그 중고차는 느릿느릿 나아갔다. **2** 〈작업·경기 등이〉 진척이 안 되다 **3** 〈시가(詩歌)의 음률[억양]이〉 흐트러지다
—*n.* [a ~] 절뚝거리기: have *a* bad ~ 발을 몹시 절다 **~·er** *n.* **~·ing·ly** *ad.*
limp[2] *a.* **1** 흐느적거리는, 부드러운(opp. *stiff*), 낭창낭창한(flexible) **2** 약한, 기운이 없는(spiritless); 맥 빠진; 지친: go ~ 축 늘어지다 / ~ prose 힘 없는 산문(散文) **3** 〖제본〗 판지를 쓰지 않은 〈표지 등〉: a Bible in a ~ leather binding 부드러운 가죽 장정의 성경 (***as***) ***~ as a doll***[***rag***] 기진맥진하여, 지칠 대로 지쳐 **~·ly** *ad.* **~·ness** *n.*
limp·en [límpən] *vi.* 절름발이가 되다
lim·pet [límpit] *n.* **1** 〖패류〗 삿갓조개 무리 **2** 《익살》 의자에 늘 붙어 있는 공무원 《지위·관직에 집착하여》; =LIMPET MINE ***hold on***[***hang on, cling, stick***] ***like a ~ to*** …에 꽉 달라붙다, 달라붙어 떨어지지 않다
límpet mìne[**bòmb**] 〖군사〗 (배 밑에 접착하는) 흡착(吸着) 폭탄
lim·pid [límpid] *a.* (문어) **1** 맑은(clear), 투명한 **2** 애매모호하지 않은, 명쾌한 **3** 평온한; 걱정 없는 **~·ly** *ad.* **~·ness** *n.*
lim·pid·i·ty [limpídəti] *n.* Ⓤ 투명; 명쾌
limp·kin [límpkin] *n.* 〖조류〗 뜸부깃과(科)의 새 《미국 동남부·서인도 제도 등지에 사는》
límp wrìst (미·속어·경멸) 연약한 남자, 호모
limp-wrist·ed [límprìstid] *a.* (미·속어·경멸) 여자 같은, 호모의; 연약한
lim·y [láimi] *a.* (**lim·i·er**; **-i·est**) **1** 석회질의; 석회로 덮인; 석회를 함유한 **2** 끈끈이를 바른; 끈적끈적한
lin [lín] *n.* =LINN
lin. lineal; linear; liniment
lin·a·ble, line·a·ble [láinəbl] *a.* 한 줄로 세울 수 있는
lin·ac [línæk] *n.* 〖물리〗 =LINEAR ACCELERATOR
lin·age [láinidʒ] *n.* Ⓤ 일렬(一列) 정렬[정돈], 일직선; 행수(行數) 《인쇄물의》; 행수에 의한 계산 《원고료의》
li·nar [láinɑ:r] *n.* 〖천문〗 라이너 《특별한 스펙트럼선을 지속하는 전파 별》
LINC [líŋk] [*L*anguage *I*nstruction for *N*ewcomers to *C*anada] *n.* 링크 《정부에서 운영하는, 캐나다 이민자들을 위한 무료 영어 교육 프로그램》
linch·pin [líntʃpìn] *n.* (차의) 바퀴 고정 핀; (부채의) 사북; (결합에) 요긴한 것
Lin·coln [líŋkən] *n.* **1** 남자 이름 **2** 링컨 **Abraham ~** (1809-65) 《미국의 제16대 대통령(1861-65)》 **3** =LINCOLNSHIRE **4** 〖동물〗 링컨종(種)의 양 《식용》
Líncoln Cénter [the ~] 링컨 센터 《New York 시의 Manhattan에 있는 종합 공연 예술 센터》
Lin·coln·esque [lìŋkənésk] *a.* 링컨풍(風)의, 링컨과 같은

border, boundary, bound, frontier, edge **—***v.* restrain, restrict, control, confine, reduce

Líncoln gréen 올리브 그린색
Lin·coln·i·an·a [liŋkòuniǽnə, -ɑ́:nə, lìŋkən- | -ɑ́:nə] *n.* 링컨 대통령에 관련된 것
Líncoln Memórial [the ~] 링컨 기념관 《워싱턴 시의 Mall에 있는 링컨 대통령 기념관》
Líncoln's Bírthday 링컨 탄생일 《2월 12일; 미국의 여러 주에서 법정 공휴일》
Lin·coln·shire [líŋkənʃiər, -ʃər] *n.* 링컨셔 《영국 동부의 주(州); 略 Lincs.》
Líncoln's Ínn 링컨스인 법학원(cf. INNS of Court)
lin·co·my·cin [lìŋkəmáisn | -sin] *n.* Ⓤ 링코마이신 《페니실린 저항균에 효과 있는 항생 물질》
lin·crus·ta [linkrʌ́stə] *n.* 린크러스터 《장식 도안을 프린트한 두꺼운 벽지》
Lincs. Lincolnshire
linc·tus [líŋktəs] *n.* Ⓤ 〖약학〗 목 아플 때 먹는 시럽, 기침 물약
Lin·da [líndə] *n.* 여자 이름
lin·dane [líndein] *n.* Ⓤ 〖화학〗 린데인 《살충제·제초제》
Lind·bergh [líndbə:rg] *n.* 린드버그 **Charles A. ~** (1902-74) 《1927년에 처음으로 대서양을 무착륙 비행한 미국의 비행가》
Líndbergh Áct [the ~] 〖미국법〗 주외(州外) 유괴자 처벌법
***lin·den** [líndən] *n.* 〖식물〗 린덴 《보리수·참피나무 무리》
Lind·say, -sey [líndzi] *n.* 남자 이름
lin·dy [líndi] *n.* (*pl.* **-dies**) 린디 《격렬한 지르박 춤의 일종》(=**∠ hòp**)
:line[1] [láin] *n.*, *v.*

> L「린네르 밧줄」의 뜻에서
> 「끈」→「줄」→(줄 모양의 것)
> →(사람·물건의 줄)「열(列)」
> →(글자의 줄)「행」
> →(진로)→(방향)→「방면」, 「직업」

—*n.* **1 a** 끈, 노끈, 밧줄 **b** 낚싯줄: throw a good ~ 낚시질을 잘하다 / wet one's ~ 낚싯줄을 드리우다 **2** 측연선(測鉛線); 전선, 통신선; 전화선; 전화: The *~s* are crossed. 전화가 혼선이다. **3** 선, 줄, 라인; 묘선(描線); 〖기하〗 (직)선; 〖음악〗 (오선지의) 선; [*pl.*] 〖항해〗 선체선도(船體線圖); 솔기(seam); 주름살(wrinkle) 《얼굴 등의》; 손금: a ship of fine *~s* 멋진 선형의 배 / ~ and color 선과 색 《회화(繪畫)의 두 요소》 / the ~ of fortune[(the) Sun] (손금의) 성공선 / the ~ of life (손금의) 생명선 / the *~s* of the palm 손금, 수상(手相) **4** [종종 *pl.*] 윤곽(outline); [종종 *pl.*] (드레스 등의) 라인, 스타일: a dress cut on the princess ~ 프린세스 라인의 드레스 / have good *~s* in one's face 얼굴 생김새가 반듯하다 / ~ of beauty 〖미술〗 미의 선 《S자 모양의 곡선》 **5 a** (글자의) 행(行); 한 절(節), 일필(一筆), 짧은 편지(note); 〖컴퓨터〗 (프로그램의) 행(行): Drop me a ~ sometime. 가끔 편지라도 보내 주세요. **b** (시의) 한 줄, 시구(詩句)(verse); [*pl.*] 단시(短詩) **c** [*pl.*] (영) 벌과(罰課) 《학생에게 필사[암기]시키는 라틴어 시 등》 **d** [*pl.*] (영) 결혼 증명서(=marriage ~s) **e** [보통 *pl.*] 대사(臺詞) **6** 계열, 역대; 계통, 가계; (동물의) 혈통; (식물의) 계통: come of a good ~ 가문이 좋다 / a ~ of kings 역대 왕 / in a[the] direct ~ 직계의 / the male[female] ~ 남계[여계] **7** 노정(路程), 진로, 길(course, route): an air ~ 항공로 **8** 노선 《기차·버스 등의》; (정기) 항로; 선로, 궤도; 운송 회사: the main[branch] ~ 본[지]선 / the up[down] ~ 상행[하행]선 / a steamship ~ 기선 회사 **9** [종종 *pl.*] 방침, 주의; 경향, 방향: a neutral policy ~ 중립 정책 방침 / go on wrong *~s* 방침을 잘못 잡다 / on economical[these] *~s* 경제적인[이러한] 방침으로[방면에] / take a strong ~ 강경한 수단을 쓰다 **10 a** 장사, 직업(trade, profession): in the banking ~ 은

행가로서/be in the grocery ~ 식품 잡화상을 하고 있다/What ~ (of business) are you in? = ((구어)) What's your ~? 직업은 무엇입니까? **b** [종종 one's ~] 기호(嗜好), 취미; 전문 **11** 경계선; 경계(border); 한계: go over the ~ 한도를 넘다 **12 a** 열, 줄(row); ((미)) (순번을 기다리는) 사람의 열(((영)) queue); 생산 라인(=assembly ~): in a ~ 일렬로, 정렬하여/a ~ of trees 가로수/draw ... up in (a) ~ 한 줄로 정렬시키다/fall into ~ 한 줄로 서다; (남과) 행동을 같이 하다 ((*with*))/form into ~ 정렬하다/jump the ~ ((미)) 새치기하다/stand in ~ 일렬로 나란히 서다 **b** 〖군사〗 횡대(橫隊)(cf. COLUMN): form ~ 횡대를 짓다/draw up in ~ 횡대로 서다 **c** 〖군사〗 전투선(線), 방어선: a ~ of battle 전열, 전/behind [within] the enemy's ~*s* 적진의 배후[가운데]에/~ of communication(s) (기지와의 후방) 연락선, 병참선; 통신 (수단) **d** 참호; [*pl.*] 야보(野堡), ((영)) 야영 천막의 열 **13** [*pl.*] ((영)) 처지, 운, 운명: hard ~*s* 불운, 불행 **14** [척 도의 단위] 라인 ((1/12인치)) **15** 〖상업〗 상품의 종류; 재고품: a cheap ~ in hats 값이 싼 모자 **16** [the ~] **a** 〖영국육군〗 전열 보병(戰列步兵), 상비병 ((근위병·포병·기병·공병 이외의 전부)) **b** 〖미육군〗 전투부대 **17** [the ~] 〖지리〗 적도(赤道)(the equator): cross *the* ~ 적도를 통과하다 **18** ((미)) 〖구기〗 =GOAL LINE; 〖미식축구〗 스크럼 라인 **19** 〖TV〗 주사선(走査線) **20** ((구어)) 정보, 내막의 소식 ((*on*)): have a ~ *on* …에 대한 정보를 갖고 있다/I've got a ~ *on* a good used car. 좋은 중고차 파는 곳을 알고 있다. **21** ((구어)) (시선을 끌기 위한) 과장된 말(투); 허세; 입에 발린 말: He handed her a ~ about his rich relatives. 그는 자신의 부자 친척들에 대한 것을 그녀에게 요란하게 떠들었다. **22** (기획·조언 등을 주는 부문(staff)에 대해) 경영 부문, 라인: ~ and staff organization 〖경영〗 직계 참모 조직 ((직접 명령 계통과 측면에서 보좌하는 팀을 합친 조직; cf. LINE ORGANIZATION)) **23** ((속어)) 코카인 1회 분량

all* (*the way*) *along the* ~** 전선(全線)에 걸친 〈승리 ((등))〉; 도처에, 남김없이 모두: Our stocks have advanced *all along the* ~. 우리들의 주가는 모두 올랐다. ***be in* [*down*] *one's* ~** ((구어)) (…의) 장기[전문]이다 ***below the* ~** 일정한 표준에 미치지 못하는 ***between the* ~*s 짐작으로; 암암리에; 간접적으로 ***bring ... into* ~** 정렬시키다; 일치[협력]시키다 ***by* (*rule and*) ~** 정확히 ***come* [*fall, get*] *into* ~** 줄을 서다, 정렬하다; 일치[협력]하다 ((*with*)) ***do a* ~** ((아일·호주)) (…와) 교제하다 ((*with*)) ***down the* ~** (1) 도시의 중심부로 (2) 줄곧, 전폭적으로 ***draw the* [*a*] ~** (1) 선을 긋다; (…을) 구별하다 ((*between*)) (2) (…에) 한계를 두다, (…까지는) 하지 않다 ((*at*)): One must *draw the* ~ somewhere. 참는 것도 한도가 있다./I *draw the* ~ *at* (using) violence. 폭력 (사용)은 인정하지 않는다. ***drop* [*send*] *a* ~ [*a few* ~*s*]** 몇 줄 적어 보내다 ***fire a* ~** ((미·속어)) 코카인을 코로 흡입하다 ***get a* ~ *on*** …에 관한 정보를 모으다 ***get* [*have*] *one's* [*the*] ~*s crossed*** ((구어)) 의도가 제대로 전달되지 않다 ***give* [*feed, hand*] *a person a* ~** …을 속이다 ***give a person a* ~ *enough*** (나중에 후려잡으려고) …을 당분간 내버려두다 ***go down the* ~** ((미)) 전폭적으로 지지하다 ((*for, with*)) ***go up in* [((영)) *on*] *one's* ~*s*** 대사를 잊다 ***go up the* ~** 〖군사〗 전선으로 나가다 ***hit the* ~** 〖미식축구〗 공을 가지고 상대방 라인을 뚫으려고 시도하다; 굳세게[용감하게] 일을 시도하다 ***hold the* ~** (전화를) 끊지 않고 기다리다; 입장[방침]을 지키다, 물러서지 않다 ***in a direct* ~** 직계의 ***in* ~** (1) 한 줄로 ((*with*)); 줄을 서서 〈기다리다〉 ((*for*)); 횡대를 이루어 (2) (…와) 일치[조화]하여 ((*with*)) ***in* ~ *for*** (1) =in LINE[1] (1). (2) ((미)) …을 얻을 가망이 있어, …에 승산이 있어 ***in* [*out of*] *one's* ~** (이해) 관계가 있는[없는]; 성격에 맞는[맞지 않는]; 잘하는[못하는]: It is not *in my* ~ to interfere. 간섭 하는 것은 내가 할 일이 아니다. ***in* (*the*) ~ *of duty*** 직무 중에, 공용으로 ***keep in* ~** 정렬해 있다[하게 하다]; 규칙[관행]을 지키(게 하)다 ***keep the* ~ *on*** …을 억누르다, …을 단속하다 ***know when* [*where*] *to draw the* ~** 분수를 알다, 턱없는 짓을 하지 않다 ***lay* [*put, place*] *... on the* ~** ((구어)) (1) 솔직히 말하다: I'll *lay* it *on the* ~ for you. 너를 위해 솔직히 말해 두지. (2) 〈목숨·명예 등을〉 걸다 (3) 〈돈을〉 전액 다 치르다 ***lay* [*put*] *some sweet* ~*s on*** ((미·구어)) 부드럽게 말을 걸다; 치켜세우다 ***~ of fire*** 탄도(彈道); 공격을 받기 쉬운 진지 ***~ upon ~*** 〖성서〗 착착 ***on a* ~** 같은 평면[높이]에(서); 대등하게; 〖야구〗 〈공이〉 직선으로 ***on the* ~** (1) 관람자의 눈높이에 ((걸어 둔 그림 등)) (2) 어느 쪽도 아닌 채로 (3) ((구어)) 즉시 (4) 전화를 받고 ***on the* ~*s of*** (1) …의 선[방침]에 따라[따른] (2) …와 (꼭) 닮은, 같은 ***on the same* ~*s*** 같은 방침으로 ***on top* ~** 최고의 상태에 ***out of* ~** 한 줄이 아닌; 일치[조화]되지 않은 ***reach the end of the* ~** 〈관계 등이〉 끊어지다, 끝장나다 ***read between the* ~*s*** 글[말] 속의 숨은 뜻을 알아내다 ***run down some* ~*s*** ((미·속어)) (…와) 떠들다, 대화하다 ((*with*)); (이성을) 유혹하다 ***shoot a* ~** ((속어)) 자랑하다, 큰소리치다 ***shoot a person a* ~** ((미·속어)) 교묘한 말로 속이다 ***step out of* ~** (집단·정당 등의) 방침에 위배되는 행동을 하다 ***the thin red* [*blue*] ~** (어떤 장소·주의를 끝까지 지키는) 소수의 용감한 사람들 ***toe the* ~** ⇨ toe *v.*

— *vt.* **1** …에 선[줄]을 긋다; 선을 그어 나누다 ((*in, off, out*)); [보통 과거분사로] 〈얼굴 등에〉 주름살을 짓다: a face ~*d* by [with] age 늙어 주름살이 잡힌 얼굴 **2** 선으로 그리다, (선으로) …의 윤곽을 그리다; 〈눈에〉 아이라인을 그리다: ~ a silhouette 실루엣을 그리다 **3** (말·글로) …의 대략을 말[묘사]하다(outline) ((*out*)) **4** [종종 ~ up] 일렬로 세우다, 정렬시키다: (~+목+부) The general ~*d up* his troops. 장군은 그의 부대를 정렬시켰다. **5** 〈벽·길가 등에〉 늘어세우다[서다] ((*with*)): Cars ~*d* the road for a mile. 자동차가 도로에 1마일이나 늘어섰다. // (~+목+전+명) ~ the walk *with* flowers 인도를 따라 꽃을 심다/be ~*d with* people 사람이 줄줄이 서다/a street ~*d with* trees = a tree-~*d* street 가로수가 늘어선 길 **6** 〈일·사람 등을〉 확보[예약]하다, 입수하다 ((*up*)) **7** 할당하다(assign) ((*to*)) **8** 〈찬송가 등을〉 한 줄 한 줄 읽다 **9** 〖야구〗 〈공을〉 라이너로 치다

— *vi.* **1** 줄 서다, 정렬하다 ((*up*)) **2** 〖야구〗 라이너로 공을 치다[쳐서 아웃이 되다]

~ *in* (그림에 세부를) 선으로 그려 넣다 **~ *off*** …을 선으로 구획하다 **~ *one*** 〖야구〗 라이너로 공을 치다 **~ *out*** 〈설계도·그림의〉 대강을 베끼다; 줄을 그어 지우다; 〖야구〗 라이너로 공을 쳐서 아웃이 되다 **~ *through*** 줄을 그어 지우다 **~ *up*** (1) 한 줄로 늘어서다(cf. *vt.* 4, *vi.* 1) (2) 전원 집합하다 ((구기에서)); 〈지지(자) 등을〉 모으다; 〈증거 등을〉 확보하다 **~ *up against*** …에 반대하여 결속하다 **~ *up alongside* [*with*]** ((구어)) …의 동맹자[한패]가 되다, 손을 잡다 **~ *up behind*** ((구어)) 단결하여 지지하다

▷ líneal, línear, líneate, líny *a.*; líneament *n.*

***line**[2] [láin] [안감으로 linen을 사용한 데서] *vt.* **1** …에 안감을 대다, 안을 붙이다 ((*with*)): (~+목+전+명) ~ a coat *with* silk 코트에 명주 안감을 대다 **2** 가득 채우다, …에 집어[밀어, 쑤셔]넣다: (~+목+전+명) a study ~*d with* books 책으로 빽빽이 채워진 서재 **~ *one's purse* [*pocket*(*s*)]** ((구어)) 호주머니를 채우다, 사욕을 채우다

line[3] *vt.* 〈수컷이〉 〈암컷과〉 교미하다

líne abréast (군함의) 횡진(橫陣)

lin·e·age[1] [líniidʒ] *n.* Ⓤ 혈통, 계통

line·age[2] [láinidʒ] *n.* =LINAGE

líne ahéad (군함의) 종진(縱陣)

lin·e·al [líniəl] *a.* **1** 직계의, 정통(正統)의(opp. *collateral*): a ~ ascendant[descendant] 직계 존속[비

속] **2** 조상 대대로 이어온 **3** 선 (모양)의(linear)
— *n.* 직계 비속 **~·ly** *ad.*
líneal promótion (관리의) 선임순(先任順) 승진
lin·e·a·ment [líniəmənt] *n.* [보통 *pl.*] **1** 얼굴 모양, 생김새; 외형, 윤곽: fine ~*s* 단정한 용모 **2** 특징: the ~*s* of the time 세태(世態)
lìn·e·a·mén·tal *a.* ▷ líne¹ *v.*
*** lin·e·ar** [líniər] *a.* **1 선의,** 직선의; 선 모양의; 일직선으로 늘어선 **2** 1차원의, 길이와 관계하는 **3** 〖미술〗 선적인 **4** 〖수학〗 1차의; 〖컴퓨터〗 선(線)형의 **5** 〖동물·식물〗 실 모양의 **~·ly** *ad.*
Línear Á [líniər-] 선형 문자 A 《기원전 18-15세기경 크레타 섬에서 사용된 문자》
línear accélerator 〖물리〗 선형 가속 장치
línear álgebra 〖수학〗 선형 대수(학)
Línear B́ 선형 문자 B 《기원전 15-12세기경 사용되고 있던 그리스어를 표기하는 음절 문자》(cf. LINEAR A)
línear combinátion 〖수학〗 일차 결합 《몇 개의 문자에 관한 일차 등차의 다항식》
línear differéntial equátion 〖수학〗 선형 미분 방정식
línear equátion 〖수학〗 1차 방정식
línear fúnction 〖수학〗 =LINEAR TRANSFORMATION
línear ÍĆ [-áisí:] 〖전자〗 리니어 집적 회로(opp. *digital IC*)
línear indúction mótor =LINEAR MOTOR
lin·e·ar·ize [líniəràiz] *vt.* 선 (모양)으로 만들다
línear líst 〖컴퓨터〗 선형 목록
línear méasure 길이; 척도(법)
línear mótor 〖전자〗 리니어 모터 《추력(推力)을 직선에 생기게 하는 전동기》
línear mótor càr 리니어 모터카
línear óperator 〖수학〗 선형 작용표
línear pàrk 선형(線形) 공원
línear perspéctive 〖수학〗 직선 원근법
línear prógramming 〖수학〗 선형(線型) 계획(법) 《경제·기술·군사 등의 계획에서의》; 〖컴퓨터〗 선형 프로그래밍
línear regréssion anàlysis 〖통계〗 선형 회귀 분석
línear spáce 〖수학〗 선형 공간
líne àrt 선화(線畫)(cf. HALFTONE)
línear transformátion 〖수학〗 일차 변환
líne astérn (군함의) 종진(縱陣)
lin·e·ate [líniət, -nièit], **-at·ed** [-èitid] *a.* (평행한) 줄무늬가 있는
lin·e·a·tion [lìniéiʃən] *n.* Ⓤ 직선 긋기, 선을 그어 나누기; 윤곽; 선의 배열
line·back·er [láinbæ̀kər] *n.* 〖미식축구〗 라인배커 《스크럼 라인의 후방을 지키는 선수》
line·bred [-brèd] *a.* 동종 이계(同種異系)로 교배된
line·breed·ing [-brì:diŋ] *n.* 〖생물〗 동종 이계(同種異系) 번식
line-cast·ing [-kæ̀stiŋ] *n.* 〖인쇄〗 행주(行鑄)
líne contròl 〖통신〗 회선 제어
líne còpy 〖인쇄〗 선화(線畫)(cf. HALFTONE) 《중간색 없이 두 가지 색으로 인쇄한 문자나 표》
line·cut [-kʌ̀t] *n.* 〖인쇄〗 선화 볼록판
lined¹ [láind] *a.* 선[줄]을 그은: ~ paper 괘선지
lined² *a.* 안(감)을 댄
líne dàncing 라인 댄스 《미국에서 시작된, 여러 사람들이 줄지어 서서 추는 춤》
líne dràwing 선화(線畫) 《펜·연필 등의》
líne dríve 〖야구〗 라이너, 직선 타구(liner)
líne dròp 〖전기〗 선로 전압 하강
líne èditor (저자와 긴밀한 연락을 유지하며 완성된 원고를 일일이 점검하는) 편집자
líne engràving 〖미술〗 선조(화)(線彫(畫))
líne fèed 〖컴퓨터〗 라인피드 《모니터의 커서 위치나 프린터의 인쇄 위치를 한 줄 아래로 내리는 일; 略 LF》
líne fishing 낚시에 의한 고기잡이
líne gàuge 배수척(倍數尺) 《활자 조판용 도구》
líne gràph 선(線) 그래프
line-haul [láinhɔ̀:l] *a.* 터미널간 화물 수송의
line-haul·er [-hɔ̀:lər] *n.* 터미널간 화물 수송용 트럭
líne ìntegral 〖수학〗 선(線)적분
líne ítem 〖상업〗 품목명 《주문서나 송장에 기재되는 상품명》
líne-i·tem véto [-àitəm-] 《미》 (대통령의) 개별 조항 거부권
líne jùdge 〖미식축구〗 선심(線審)
line·man [-mən] *n.* (*pl.* **-men** [-mən, -mèn]) **1** 가선공(架線工), 보선공(保線工), 철도원; 〖측량〗 측선수(測線手) **2** 〖미식축구〗 라인맨 《공격선·방어선에 있는 선수》
líne mànagement (생산·판매 등 기업의 기본 업무를 담당하는) 라인 관리 (부문), 라인 관리직
líne mànager (기업의) 라인 관리자; [one's ~] 직속 상사(上司)
líne màrk 라인 마크 《특정한 생산 라인의 모든 품목을 포괄하는 상표》
⁑ lin·en [línin] *n.* Ⓤ **1** 아마포(亞麻布), 리넨; 아마사(絲) **2** [집합적] 리넨류, 리넨 제품 《셔츠·시트 등》; (특히 흰색의) 하의: a ~ shower 《미》 (신부에게 주는) 리넨 제품의 선물 **3** =LINEN PAPER
***wash* [*air*] one's *dirty ~ at home* [*in public*]** 집안의 수치를 외부에 드러내지 않다[드러내다]
— *a.* Ⓐ 리넨의; 리넨처럼 흰
línen bàsket =LAUNDRY BASKET
línen dràper 《영》 리넨[셔츠류] 상인
línen páper 리넨지(紙)
línen wédding 아마(亞麻)혼식 《결혼 12주년 기념》
líne of báttle 〖군사〗 제일선, 전선
líne of crédit =CREDIT LINE 2
líne òfficer **1** 〖군사〗 전열(戰列) 장교 《전투를 주요 임무로 하는 병과에 속하는 장교; cf. STAFF OFFICER》 **2** 〖미해군〗 (배를 지휘하는) 장교
líne of fórce 〖물리〗 (전기장·자장 따위의) 역선(力線)(field line)
líne of indúction 〖물리〗 자기 유도선, 자력선(線)
líne of scrímmage 〖미식축구〗 스크리미지 선 《경기가 시작될 때 공의 중앙을 지나 사이드라인에서 사이드라인까지 뻗는 가공의 선》
líne of síght **1** (사격·측량 등의) 조준선, 목시선(目視線)(=**líne of síghting**) **2** 〖천문〗 시선(視線) 《천체와 관찰자를 연결하는 직선》 **3** 〖통신〗 송신·수신용의 두 안테나를 잇는 직선 **4** 〖안과〗 =LINE OF VISION
líne of vísion 〖안과〗 시선(line of sight)
lin·e·o·late [líniəlèit] *a.* 〖동물·식물〗 가는 선이 있는
líne organizàtion 〖경영〗 직계 조직(cf. STAFF ORGANIZATION)
line-out [láinàut] *n.* 〖럭비〗 라인아웃 《터치라인 밖으로 나간 공을 스로인하기(throw-in)》
líne prìnter 〖컴퓨터〗 행 인쇄기, 라인 프린터
líne prìnting 〖컴퓨터〗 **1** 라인 프린터로 출력하여 인쇄하기 **2** 행 단위 인쇄 《한 줄 전체를 하나의 단위로 하여 인쇄하는 것》
*** lin·er**¹ [láinər] [line¹에서] *n.* **1 정기선(船)** 《특히 대양 항해의 대형 쾌속선; cf. TRAMP *n.* 4》, **정기 항공기;** 전열함; 컨테이너 열차(freightliner) **2** =EYELINER **3** 〖야구〗 직선 타구(line drive) **4** 선을 긋는 사람[기구]
liner² [line²에서] *n.* **1** 안(감)을 대는 사람; 안에 대는 것, 안감; (뗐다 댔다 하는) 안, 라이너 **2** (마찰 방지용) 덧입힘쇠, 깔판 **3** (해설이 있는) 레코드 재킷
líner nòte [보통 **~s**] 《미》 (레코드·CD·카세트 테이프의) 라이너 노트 《음악의 감상을 돕는 해설》 (《영》 sleeve note)
líner pòol (뜰에 판 구덩이 안쪽에 비닐을 댄) 간이 수영장
lin·er·train [-trèin] *n.* 《영》 (컨테이너 수송용) 급행

화물 열차(freightliner)
líne scòre 〖야구〗 (득점·안타·에러를 기록한) 경기 기록[결과]표(cf. BOX SCORE)
líne sègment 〖수학〗 선분(線分)
line-shoot [láinʃùːt] 《속어》 *vt.* 자랑하다
— *n.* 자랑, 허풍 **~·er** *n.* 자랑하는 사람
lines·man [láinzmən] *n.* (*pl.* **-men** [-mən, -mèn]) 〖군사〗 전열 보병(戰列步兵); 보선공(保線工); 〖구기〗 선심, 라인즈맨
líne spàcing 〖컴퓨터〗 줄띄(우)기
líne squàll 〖기상〗 선 스콜 《한랭 전선을 따라 일어나는 스콜》
line·up [láinʌ̀p] *n.* **1** 사람[물건]의 열[늘어서기] **2** 《미》 (혐의자의) 얼굴을 살피기 위한 정렬 (《영》 identification parade) **3** 〖구기〗 (시합 개시 때의) 정렬; 진용, 라인업; 인원, 구성 **4** (방송·행사·활동 등의) 전체 예정표: the ~ of TV program TV 방송 예정표 **5** (회사의) 제품 일람표
líne wòrk (작품으로서의) 선화(線畫), 선화 작품
line·y [láini] *a.* (**lin·i·er**; **-i·est**) = LINY
ling[1] [líŋ] *n.* 〖식물〗 히스(heather)의 일종
ling[2] *n.* (*pl.* **~, ~s**) 〖어류〗 수염대구 무리
-ling[1] [líŋ] *suf.* **1** [명사에 붙여서 종종 경멸적인 지소사(指小辭)를 만듦]: duck*ling*, prince*ling* **2** [명사·형용사·부사에 붙여서 「…에 속하는[관계 있는] 사람·물건」의 뜻의 명사를 만듦]: nurs(e)*ling*, dar*ling*
-ling[2] *suf.* [「방향; 상태」 등을 나타내는 부사를 만듦]: side*ling*, dark*ling*
ling. linguistic; linguistics
lin·gam [líŋgəm], **lin·ga** [líŋgə] *n.* 〖힌두교〗 (Siva신의 상징으로서의) 남근상(男根像)
ling·cod [líŋkɑ̀d | -kɔ̀d] *n.* (*pl.* **~, ~s**) 〖어류〗 (북태평양 연안산) 쥐노래밋과(科)의 물고기
‡**lin·ger** [líŋgər] [OE 「지체시키다」의 뜻에서] *vi.* **1** (아쉬운 듯이) 남아 있다, (떠나지 않고) 꾸물거리다 《*round, about, over, upon*》; 서성대다 《*on*》: (~+副) They *~ed about* in the garden after dark. 어두워진 뒤에도 그들은 정원에 남아 있었다. **2** 〈겨울·눈·의심 등이〉 좀처럼 사라지지 않다[없어지지 않다], 질질 끌다 《*on*》; 〈습관이〉 좀처럼 버려지지 않다 《*on*》; 〈숙환인 병자가〉 명을 이어나가다 《*on*》 **3** 언제까지나 생각에 잠겨 있다; 즐거움을 맛보고 있다 《*on, over*》; (…하기를) 망설이고 있다: (~+*to* do) ~ *to* say good-by 작별을 망설이고 있다 **4** 시간이 소비되다, 지체되다; 〈교통이〉 정체하다; 〈행동이〉 느리다: (~+前+名) ~ *over* one's work 우물쭈물 일을 하다 **5** (어슬렁어슬렁) 걷다, 산책하다: ~ home 어슬렁어슬렁 집에 돌아가다
— *vt.* **1** 〈시간을〉 하는 일 없이[어정버정] 보내다 《*away, out*》: (~+目+副) ~ *out* one's life 하는 일 없이 살아가다 **2** 《고어》 질질 끌다 **~·er** *n.*
lin·ge·rie [lɑ̀ːnʒəréi, lǽnʒərìː, -dʒə- | lǽnʒəriː] [F =linen] *n.* Ⓤ 리넨 제품; (여성용) 속옷류, 란제리
lin·ger·ing [líŋgəriŋ] *a.* **1** 질질 끄는, 우물쭈물하는: a ~ disease 오래 끄는 병, 숙환(宿患) / ~ snow 잔설(殘雪) **2** 망설이는, 미련이 있는 듯한 **~·ly** *ad.*
lin·go [líŋgou] *n.* (*pl.* **~es**) 《경멸》 알[알아들을] 수 없는 말; 외국어, 술어(術語); 전문 용어(jargon)
-lings [líŋz] *suf.* = -LING[2]
lin·gua [líŋgwə] [L] *n.* (*pl.* **-guae** [-gwiː]) 혀, 혀같이 생긴 기관; 언어(language)
língua fráń·ca [-frǽŋkə] [It. =Frankish language] (*pl.* **~s, lin·guae fran·cae** [líŋgwiː-frǽŋkiː, -siː]) **1** 동지중해에서 쓰는 이탈리아 어·프랑스 어·그리스 어·스페인 어의 혼합어 **2** 혼성 상업어; 국제 (혼성) 공용어
lin·gual [líŋgwəl] *a.* **1** 혀의: ~ inflammation 혀의 염증 **2** 말의, 언어의(linguistic) **3** 〖음성〗 설음(舌音)의: ~ sounds 설음(舌音) — *n.* 설음, 설음자(字) 《t, d, th, s, n, l, r》 **~·ly** *ad.*
Lin·gua·phone [líŋgwəfòun] *n.* 링거폰 《어학 자습용 레코드; 상표명》
lin·gui·form [líŋgwəfɔ̀ːrm] *a.* 혀 모양의
lin·gui·ne, -ni [liŋgwíːni] *n. pl.* 링귀니 《납작하게 뽑은 파스타(pasta); 그 요리》
*****lin·guist** [líŋgwist] *n.* (언)어학자; 외국어에 능통한 사람: a good[bad] ~ 어학에 능통한[능통하지 못한] 사람 **~·er** *n.* 통역
*****lin·guis·tic, -ti·cal** [liŋgwístik(əl)] *a.* 말의, 언어의; (언)어학(상)의: ~ change 언어의 변화 **-ti·cal·ly** *ad.*
linguístic átlas 〖언어〗 언어 지도
linguístic fórm 〖언어〗 언어 형식(speech form)
linguístic geógraphy 언어 지리학
lin·guis·ti·cian [lìŋgwəstíʃən] *n.* 《드물게》 언어학자(linguist)
linguístic insecúrity 〖언어〗 언어적 불안 《자기가 하는 말에 자신이 없음》
linguístic rélativism 〖언어〗 언어 상대설[론] 《사고는 언어에 의해 상대화된다는 주장》
*****lin·guis·tics** [liŋgwístiks] *n. pl.* [단수 취급] 언어학, 어학
linguístic stóck 어계(語系); 어떤 어계의 언어를 말하는 민족
linguístic univérsal 〖언어〗 = LANGUAGE UNIVERSAL
lin·gu·late [líŋgjulət, -lèit], **-lat·ed** [-lèitid] *a.* 혀 모양의(ligulate)
lin·i·ment [línəmənt] *n.* ⓊⒸ 〖약학〗 (액체·반액체의) 바르는 약
li·nin [láinin] *n.* 〖화학〗 리닌; 〖생물〗 핵사(核絲)
*****lin·ing**[1] [láiniŋ] [line[2]에서] *n.* **1** Ⓤ 안(감) 대기, 안받치기 **2** ⓊⒸ 안, 안감: Every cloud has a silver ~. ⇨ cloud. **3** 〖제본〗 등 붙이기 **4** (지갑·주머니·위 등의) 알맹이, 내용물 **5** [*pl.*] 《영·방언》 속옷, 《특히》 속바지(drawers) **6 a** 내층, 내면 **b** Ⓤ 〖기계〗 기투(汽套); 〖항해〗 돛에 대는 천; 〖건축〗 판벽
lining[2] [line[1]에서] *n.* ⓊⒸ 줄 치기; 줄로 표[장식]하기; 줄무늬 (장식); 〖군사〗 정렬시키는 일
‡**link**[1] [líŋk] *n.* **1** (사슬의) 고리, 고리 모양의 것; [*pl.*] 커프스 버튼(=cuff ~s); (뜨개질의) 코, 끈 꿰는 구멍; (순대 등의) 한 토막: heavy *~s* 무거운 사슬 고리 **2** 결합시키는 사람[것]; 연결, 유대, 관련 《*between*》: the ~ of brotherhood 형제간의 유대 **3** (간선 도로·철도·항공로 등을 연결하는) 접속로; (사람과의) 통신 수단 **4** 〖컴퓨터〗 링크, 연계(return address) **5** 〖기계〗 링크, 연접봉(連接棒), 연동(連動) 장치; 〖전기〗 퓨즈 링크 《가용(可溶) 부분》; 〖화학〗 결합(bond); 〖측량〗 링크 《1/100 chain》
let out the ~s 마음대로 행동하다; 더욱 노력하다
— *vt.* **1** 연결[연접]하다, 잇다 《*together, up; to, with*》: (~+目+前+名) ~ the human heart *with* nature 인간의 마음과 자연을 이어주다 / The ferryboat *~s* the island *to* the mainland. 그 연락선은 섬과 본토를 연결한다. **2** 〈손을〉 맞잡다(clasp); 〈팔을〉 끼다(hook) 《*in, through*》: (~+目+前+名) ~ one's arm *in*[*through*] another's 남과 팔을 끼다 **3** 《영》 (프로그램 따위의) 사회를 보다
— *vi.* 연결되다, 이어지다 《*up, together; with*》
~ up with …와 연결[연합, 동맹]하다
▷ línkage *n.*; enlínk *v.*
link[2] *n.* 《고어》 횃불(torch)
link·age [líŋkidʒ] *n.* 결합, 연쇄(連鎖), 연계; 〖기계〗 연동 장치; 〖컴퓨터〗 연계 《몇 개의 program, routine을 연결하여 하나의 프로그램으로 함》; (국제 협상에서) 서로 다른 정치적 쟁점을 조종하기
línkage èditor 〖컴퓨터〗 연계(連繫) 편집기(編輯

thesaurus **linger** *v.* stay, remain, wait around, hang around, delay, dawdle, loiter, tarry
lining[1] *n.* facing, insulation, filling, quilting
link[1] *n.* bond, fastener, joint, knot, tie, ring, loop,

機)《여러 개의 프로그램들을 결합시켜 하나의 완전한 프로그램으로 편집하는 시스템 프로그램》
línkage gròup 〖유전〗 연쇄군(群)《한 단위로 유전되는 유전자군》
línkage màp 〖유전〗 연쇄 지도
link·boy [líŋkbɔ̀i] *n.* (옛날의) 횃불 드는 소년
linked [líŋkt] *a.* 〖유전〗 〈유전자가〉 연쇄된, 연계된
línked líst 〖컴퓨터〗 연결 리스트《각 항목이 데이터와 그 인접 항목의 포인터를 갖고 있는 리스트》
link·er [líŋkər] *n.* **1** 〖컴퓨터〗 링커, 연계기(linkage editor) **2** (체계 문법에서) 연결어
línk·ing vèrb [líŋkiŋ-] 〖문법〗 연결 동사(copula), 계사(繫詞)
link·man [líŋkmən] *n.* (*pl.* **-men** [-mən, -mèn]) **1** 횃불 드는 사람 **2** (극장 등에서 차(車)를 돌보는) 안내원, 시중꾼 **3** (영) (축구·럭비·하키에서) 센터포워드와 백의 중간을 이어주는 선수 **4** (영) (방송의) 사회자; 중개자
línk mòtion 〖기계〗 링크 장치, 연동 장치
links [líŋks] *n. pl.* **1** [단수·복수 취급] 골프장(golf course) **2** (스코) (기복이 있는) 해안의 모래땅[언덕]
links·man [líŋksmən] *n.* (*pl.* **-men** [-mən, -mèn]) 골프 치는 사람(golfer)
Línk tráiner 링크 트레이너《지상에서의 비행 연습장치; 자동차 운전 모의 연습 장치; 상표명》
link·up [líŋkʌ̀p] *n.* **1** 연결, 연합; (우주선의) 도킹 **2** 연결 장치; 연결부 **3** 〖TV·라디오〗 다원 중계 방송
línk vèrb =LINKING VERB
link·work [-wə̀:rk] *n.* Ⓤ 고리[사슬] 세공; 〖기계〗 연동 장치(linkage)
linn [lín] *n.* (스코) 폭포(cascade); 용소; 계곡; 절벽
Linn. Linn(a)ean; Linnaeus
Lin·nae·an, -ne·an [liní:ən] *a.* 린네(Linnaeus)의, 린네식 식물 분류법의 **—** *n.* 린네식 식물 분류법을 따르는 사람
Lin·nae·us [liní:əs] *n.* 린네 **Carolus ~** (1707-78)《스웨덴의 식물학자》
lin·net [línit] *n.* 〖조류〗 홍방울새
li·no [láinou] *n.* (*pl.* **~s**) (영·구어) **1** =LINOLEUM **2** =LINOTYPE
li·no·cut [láinəkʌ̀t] *n.* 리놀륨 판화
li·no·le·ate [linóulièit] *n.* 〖화학〗 리놀레산염
lin·o·lé·ic ácid [lìnəlí:ik-, lənóuliik-] 〖화학〗 리놀레산(酸)《건성유·반건성유에 많이 포함된 불포화 지방산》
lin·o·le·nate [lìnəlí:neit, -léin-] *n.* 〖화학〗 리놀렌산염
lin·o·lé·nic ácid [lìnəlí:nik-, -léin-] 〖화학〗 리놀렌산(酸)
*****li·no·le·um** [linóuliəm] [L 「아마(亞麻) 기름」의 뜻에서] *n.* Ⓤ 리놀륨《마룻바닥에 까는 것; 줄여서 lino라고도 함》
Lin·o·type [láinətàip] 〖인쇄〗 *n.* 주조 식자기(鑄造植字機), 라이노타이프《상표명》; Ⓤ 라이노타이프 인쇄(법) **—** *vt.* [**l~**] 라이노타이프로 식자하다
lín·o·tỳp·er, -tỳp·ist *n.*
lin·sang [línsæŋ] *n.* 〖동물〗 사향고양이《아시아산》
*****lin·seed** [línsì:d] *n.* Ⓤ 아마(亞麻)씨, 아마인(亞麻仁)(flaxseed)
línseed càke 아마인 깻묵《가축 사료》
línseed mèal 아마인 가루
línseed òil 아마인유(油)
lin·sey(-wool·sey) [línzi(wúlzi)] *n.* Ⓤ 면모(綿毛)[마모(麻毛)] 교직물
lin·stock [línstɑ̀k | -stɔ̀k] *n.* 화승간(火繩桿)《구식 대포의 인화선에 연결된 막대》

---

coupling, coupler, section, seam, weld, ligation, connective, hitch, intersection **—** *v.* join, connect, attach, bind, unite, couple, associate, relate (opp. *detach, separate*)

lint [línt] *n.* Ⓤ 린트 천《붕대용 메리야스 천》; 면화의 긴 섬유, 조면(繰綿)(ginned cotton); 솜부스러기; 실보무라지, 보풀(fuzz)

lin·tel [líntl] *n.* **1** 〖건축〗 상인방(上引枋)《문·창 등의 위로 가로지른 나무》 **2** 〖건축〗 상인방돌 **3** 〖인쇄〗 린텔
lin·tel(l)ed [líntld] *a.* 상인방(돌)이 있는
lint·er [líntər] *n.* 솜부스러기 채취기; [*pl.*] (조면기로 긴 섬유를 앗은 뒤 씨에 남은) 잔솜털
lint·y [línti] *a.* (**lint·i·er**; **-i·est**) 조면(lint)이 많은; 조면 같은
LINUX, Li·nux [línəks, lí:n-] *n.* 〖컴퓨터〗 리눅스《PC용 UNIX 호환 운영 시스템(OS)》
lin·y [láini] *a.* (**lin·i·er**; **-i·est**) 선을 그은; 선[주름]이 많은; 〖미술〗 선을 지나치게 쓴
‡**li·on** [láiən] *n.* (*fem.* **~·ess** [-is]) **1** 〖동물〗 사자 **2 a** 용맹한 사람 **b** 유명한 사람, 인기 연예인, 인기 작가《등》: a literary ~ 문학계의 명사 / the ~ of the day 당대의 명사[인기인], 시대의 총아 **3** [the L~] 〖천문〗 사자자리(Leo) **4** [**L~**] 라이온스 클럽 회원 **5** [*pl.*] (영) (도시 등의) 명승, 명물, 유명한 것 **6** (문장(紋章)의) 사자문(紋) **7** (스코) (표면에 사자상(像)이 새겨진) 금화 ***a ~ in the way***[***path***] 앞길에 가로놓인 난관《특히 상상(想像)의》 (***as***) ***bold***[***brave***] ***as a ~*** 대담무쌍한 ***beard the ~ in his den*** ⇨ beard *v.* ***like a ~*** 용맹스럽게 ***~ and unicorn*** 영국 왕실의 문장(紋章)을 받드는 동물 ***~'s skin*** 허세, 호가호위(狐假虎威)《이솝 우화에서》 ***make a ~ of*** a person …을 추어올리다, 치켜세우다 ***put***[***place***] one***'s head into the ~'s mouth*** 대모험을 하다 ***see***[***show***] ***the ~s*** 명승지를 구경[안내]하다 ***the British L~*** 영국 (국민) ***the ~'s den*** 다루기 힘든 상대와 맞닥뜨려야 하는 곤란한 상황 ***throw*** a person ***to the ~s*** …을 태연히 희생시키다[죽게 내버려두다] ***twist the ~'s tail*** 영국에 대한 욕을 하다[쓰다]《특히 미국 신문 기자가》
▷ líonlike *a.*; líonize *v.*
li·on·ess [láiənis] *n.* 암사자
li·on·et [láiənèt] *n.* 새끼 사자
li·on·heart [láiənhɑ̀:rt] *n.* **1** 용맹스러운 사람 **2** [the L~] 사자왕《영국왕 Richard 1세의 별명》
li·on·heart·ed [-hɑ̀:rtid] *a.* 용맹한 **~·ness** *n.*
li·on·hood [láiənhùd], **li·on·ship** [-ʃip] *n.* Ⓤ 인기 있는 사람[명사(名士)]임
li·on-hunt·er [láiənhʌ̀ntər] *n.* **1** 사자 사냥꾼 **2** 명사와 사귀고자 하는 사람, (과시하기 위해) 명사를 초대하고 싶어하는 주최자
li·on·ize [láiənàiz] *vt.* **1** 추어올리다, 명사 대우를 하다 **2** (영) …의 명승지를 구경하다, …에게 명승지를 안내하다: ~ the town 마을의 명소에 가보다[명소를 안내하다] **—** *vi.* **1** 명사와 교제하고 싶어하다 **2** (영) 명승지를 구경하다 **li·on·i·za·tion** [làiənizéiʃən | -nai-] *n.* **-ìz·er** *n.*
li·on·like [láiənlàik] *a.* 사자 같은
Líons Clùb 라이온스 클럽《Lions International의 지부》
Líons Internátional [협회의 표어 *L*iberty, *I*ntelligence, *O*ur *N*ation's *S*afety에서] 국제 라이온스 협회《1917년 시카고에서 발족한 세계적 봉사 단체》
líon's móuth [the ~] 위험천만인 장소: ⇨ put one's head into the LION's mouth
líon's províder (고어) =JACKAL; 아첨꾼; 앞잡이
líon's shàre [이솝 우화에서] [the ~] 제일 좋은[큰] 몫, 알짜: take[win, keep] *the* ~ 가장 좋은 부분을 갖다
líon tàmer 사자 부리는 사람

:lip [líp] *n.* **1** 입술; [*pl.*] (발음 기관으로서의) 입 : a slip of the ~[tongue] 말의 실수 / one's upper [lower, under] ~ 윗[아랫]입술 / open one's *~s* 입을 열다 / My *~s* are sealed. 나는 절대 말하지 않겠다. 《비밀을 지키겠다는 의미》 **2** 《속어》 수다, 주제넘은 [뻔뻔스러운] 말: None of your ~! 건방진 소리 마라! **3** 《미·속어》 (특히 형사 사건 전문의) 변호사 **4** 〖음악〗 (관악기의) 주둥이, 취구(吹口)(embouchure) **5** 입술 모양의 것; (잔·구멍·오목한 곳 등의) 가장자리, (물그릇의) 귀때; 〖해부〗 음순; 〖식물〗 입술 모양의 꽃잎; 〖동물〗 아가리; (공구의) 날 ***be steeped to the ~s*** (악덕·죄 등이) 완전히 몸에 배어 있다 《*in*》 ***bite*** one***'s ~*(*s*)** 노여움·괴로움·웃음 등을 억제하다 ***button*** (***up***) one***'s ~*(*s*)** 《속어》 (비밀을 말하지 않게) 입 다물다; 감정을 내색하지 않다 ***carry*** [***have, keep***] ***a stiff upper ~*** (궁지에 몰려도) 까딱하지 않다, 용감히 버티다, 의연하다 ***curl*** one***'s ~*(*s*)** 입술을 비죽거리다 《경멸의 표정》 ***escape*** [***pass***] one***'s ~s*** (1) 무심코 지껄이다 (2) 〈음식 따위가〉 입에 들어가다 ***get*** one***'s ~*** 《미·구어》 (관악기를 불 때의) 입술 대는 법을 터득하다 ***hand*** one***'s ~*** 혀를 날름 내밀다 《언짢아서, 난처해서》 ***hang on*** a person***'s ~s*** = ***hang on the ~s of*** a person …의 말에 마음이 쏠리다, …의 이야기를 감탄하여 듣다 ***make*** (***up***) ***a ~*** 입을 비죽거리다 《불평·모욕을 표시하여》 ***on everyon's ~s*** 모두의 입에 오르내리는, 누구나 관심을 갖고 있는 ***put*** [***lay***] one***'s finger to*** one***'s ~s*** 입술에 손가락을 대다 《침묵을 지키라는 신호》 ***shoot out the ~*** 〖성서〗 입술을 비죽거리다 《경멸하여》 ***smack*** [***lick***] one***'s ~s*** 입맛을 다시다; 기뻐하다

— *a.* Ⓐ **1** 입술의; 입술용의: ~ rouge[ointment] 립스틱 **2** 〖음성〗 순음(脣音)의(labial) **3** 말뿐인: ~ religion[devotion] 말뿐인 신앙

— *v.* (**~ped**; **~·ping**) *vt.* **1** …에 입술을 대다; 《시어》 입 맞추다 **2** 〖골프〗 공을 쳐서 〈홀(hole)〉의 가장자리에 대다 **3** 중얼거리다, 소근거리다; 《구어》 〈사람을〉 매도하다, 욕하다 **4** 〈물·파도가〉 〈물가를〉 철썩철썩 치다(lap)

— *vi.* **1** 입술을 쓰다 《관악기를 연주할 때》 《*up*》 **2** 입술 모양이 되다 **3** (…에게) 키스하다 《*at*》 **4** 〈물이〉 철썩철썩 소리를 내다

lip- [lip, laip], **lipo-** [lípou, -pə, láip-] 《연결형》 「지방(脂肪)」의 뜻 《모음 앞에서는 lip-》

li·pase [láipeis, líp-] *n.* Ⓤ 〖생화학〗 리파아제 《췌액(膵液)·아주까리씨 등에 포함된 지방 분해 효소》

lip-balm [lípbɑ̀:m] *n.* Ⓤ 《영》 입술용 크림(《미》 chapstick)

lip·brush [lípbrʌ̀ʃ] *n.* 립브러시 《립스틱을 바르는 붓》

líp còmfort 말뿐인 위안

líp contròl 〖음악〗 립 컨트롤 《트럼펫 등 관악기에서 입술 모양을 바꾸어 음색을 변화시키기》

lip-deep [-dí:p] *a.* 말뿐인, 입에 발린

lip·ec·to·my [lipéktəmi] *n.* (*pl.* **-mies**) 〖외과〗 (비만 부위의) 지방 제거(술)

li·pe·mi·a [lipí:miə] *n.* = HYPERLIPEMIA

líp glòss 립글로스 《입술 화장품》

li·pid [lípid, láip-], **lip·ide** [lípaid, -pid, láip-] *n.* Ⓤ 〖생화학〗 지질(脂質) **li·pid·ic** [lipídik] *a.*

Lip·iz·zan(·er), Lip·pi·zan(·er) [lìpətsɑ́:n(ər)] *n.* 리피차너 종(種)의 말 《몸집이 작고 날씬함》

líp lànguage 시화(視話) 《농아자가 입술의 움직임으로 행하는 말》

líp lìner 립라이너 《입술 라인을 그리는 화장품》

líp mìcrophone 입술 가까이에 대는 마이크로폰 《잡음이 섞이는 것을 막기 위한》

líp mòver 《미·속어》 멍텅구리, 멍청이

Li Po [lí:-póu] 이백(李白) (701?-762) 《중국 당(唐) 대의 시인; 이태백》

lip·o·chrome [lípəkròum, láip-] *n.* 지방 색소

lip·o·cyte [lípəsàit, láip-] *n.* = FAT CELL

lip·o·fill·ing [lípəfìliŋ] *n.* 〖외과〗 지방 충전술 《지방 세포를 얼굴 등으로 자가 이식하기》

li·pog·ra·phy [lipɑ́grəfi, lai- | -pɔ́g-] *n.* 부주의에 의한 탈자(脫字)[음절 탈락](cf. HAPLOGRAPHY)

li·pó·ic ácid [lipóuik-, lai-] 〖생화학〗 리포산(酸)

lip·oid [lípɔid, láip-] 〖생화학〗 *a.* 유지질(類脂質)의 — *n.* 리포이드, 유지질

li·pol·y·sis [lipɑ́ləsis, lai- | -pɔ́l-] *n.* 〖화학〗 지방 분해

li·po·ma [lipóumə, lai-] *n.* (*pl.* **~s, ~·ta** [-tə]) 〖병리〗 지방종(腫)(fatty tumor)

lip·o·phil·ic [lìpəfílik, làip-] *a.* **1** 지방 친화성의 **2** 친유성(親油性)의

lip·o·pro·tein [lìpəpróuti:n, làip-] *n.* 〖생화학〗 지(脂)단백질, 리포 단백질

lip·o·some [lípəsòum, láip-] *n.* 〖화학〗 리포솜 《인지질(燐脂質)의 현탁액에 초음파 진동을 가하여 생기는 미세한 피막 입자》

lip·o·suc·tion [lìpəsʌ́kʃən, làipə-] *n.* 지방 흡입술 《미용[성형] 수술의 한 기법》

lip·o·trop·ic [lìpətrɑ́pik, -tróup-, làip- | -trɔ́p-] *a.* 〖화학〗 지방친화(성)의

lip·o·tro·pin [lìpətróupin] *n.* 〖생화학〗 리포트로핀 《뇌하수체에서 분비되는 지방 분해 호르몬》

lipped [lípt] *a.* **1** 입술이 있는, 〈그릇이〉 귀때가 달린: a ~ jug 귀때 물그릇 **2** [보통 복합어를 이루어] 입술이 …한: red-~ 입술이 붉은 **3** 〖식물〗 = LABIATE

lip·per [lípər] *n.* 〖항해〗 (해면의) 잔 물결

Líp·pes lòop [lípəs-] 리퍼스 루프 《S자형의 플라스틱제 피임구》

lip·pie [lípi] *n.* 《호주·속어》 립스틱(lipstick)

líp prìnt 입술 자국, 순문(脣紋)

lip·py [lípi] *a.* (**-pi·er**; **-pi·est**) 《구어》 입술이 두툼한; 건방진 (소리를 하는), 수다스러운

— *n.* Ⓤ 《영·구어》 립스틱(lipstick): put a bit of ~ on 립스틱을 좀 바르다

lip·read [lípri:d] *vt.* (**lip·read** [-rèd]) 독순술(讀脣術)로 해독하다

lip·read·er [-rì:dər] *n.* 독순술에 능한 사람

lip·read·ing [-rì:diŋ] *n.* Ⓤ 독순술, 시화(視話) 《농아자의》

lip-round·ing [-ràundiŋ] *n.* 〖음성〗 (발음을 위해) 입술을 동그랗게 함, 원순(圓脣)

LIPS, Lips, lips [líps] [*l*ogical *i*nferences *p*er *s*econd] *n.* 〖컴퓨터〗 립스 《1초당의 추론 연산 횟수》

lip·salve [lípsæ̀v, -sɑ̀:v | -sæ̀lv, -sɑ̀:v] *n.* Ⓤ 입술 연고(軟膏); 입에 발린 말, 아첨(flattery)

líp sèrver 말뿐인 충성자[신앙인], 말로만 친절한 사람

líp sèrvice 말뿐인 호의, 빈 인사; 말뿐인 신앙: pay ~ to …에 대해 말뿐인 호의를 보이다

líp spèaker 순화자(脣話者) 《입술 움직임으로 말을 전하는 사람》

líp spèaking 순화(술)

***lip·stick** [lípstìk] *n.* ⓊⒸ (막대 모양의) 입술 연지, 립스틱: put on ~ 립스틱을 바르다

— *vt.* …에 입술 연지를 바르다

líp·stìcked [-t] *a.* 입술 연지를 바른

lípstick lèsbian 《구어·경멸》 여장(女裝) 레즈비언 《남장 레즈비언과 대비하여》

lip-sync(h) [lípsìŋk] [*lip synch*ronization] *vt., vi.* 녹음[녹화]에 맞추어 말[노래]하다 — *n.* Ⓤ (녹음[녹화]에) 입맞추기, 맞추어 노래[말]하기

li·pu·ri·a [lipjúəriə] *n.* 〖병리〗 지방뇨(尿)

liq. liquid; liquor

li·quate [láikweit] *vt.* 〖야금〗 녹이다, 용해하다; 용석(溶析)[용출(溶出)]하다

li·qua·tion [laikwéiʃən, -ʒən | -ʃən] *n.* Ⓤ 〖야금〗

thesaurus **liquid** *n.* fluid, liquor, solution, juice, sap — *a.* fluid, flowing, runny, watery, melted, dissolved, hydrous (opp. *solid*)

용석, 용출

liq·ue·fa·cient [lìkwəféiʃənt] *n.* 액화[용해]제

liq·ue·fac·tion [lìkwəfǽkʃən] *n.* Ⓤ 액화, 용해: ~ of coal 석탄 액화

liq·ue·fac·tive [lìkwəfǽktiv] *a.* 액화(성)의, 용해성의, 액화하기 쉬운

liq·ue·fi·a·ble [líkwəfàiəbl] *a.* 액화[용해]할 수 있는

líq·ue·fied nátural gàs [líkwəfàid-] 액화 천연가스 (略 LNG)

líquefied petróleum gàs 액화 석유 가스 (略 LPG)

liq·ue·fy, -ui·fy [líkwəfài] *vt., vi.* (**-fied**) 녹(이)다; 용해시키다; 액화하다 **-fi·er** *n.*

li·ques·cence, -cen·cy [likwésəns(i)] *n.* Ⓤ 액화 (상태)

li·ques·cent [likwésənt] *a.* 액화하기 쉬운; 액화 상태의

li·queur [likə́:r | -kjúə] [F =liquor] *n.* Ⓤ 리큐어 (식물성 향료·단맛 등을 가한 강한 알코올 음료; 주로 식후에 작은 잔으로 마심) —*vt.* 리큐어로 맛들이다

liquéur glàss 리큐어 잔

‡**liq·uid** [líkwid] [L 「흐르고 있다」의 뜻에서] *n.* **1** ⓊⒸ 액체, 유(동)체(fluid) **2** 〖음성〗 유음(流音); 유음문자 ([l, r]; 때로는 [m, n, ŋ] 등)

—*a.* **1** 액체의; 유동체의(cf. SOLID 1, GASEOUS): ~ fuel (로켓의) 액체 연료 / ~ medicine 물약(⇨ medicine 관련) / ~ soap 액체 비누 **2** 투명한, 맑은 〈하늘 등〉: the ~ sky 투명한 하늘 **3** 〈소리·시 등이〉 유창한, 흐르는 듯한; 〖음성〗 유음의 **4** 유동성의, 움직이기 쉬운, 불안정한(unstable); 융통성 있는; 〈재산·담보 등이〉 현금화하기 쉬운: ~ assets[capital] 유동자산[자본] **5** 〈방침·신념·의견 등이〉 쉽게 변하는, 확고하지 않은: ~ principles 흔들리는 원칙 **6** 〈운동·동작 등이〉 매끄러운, 우아한 **~·ly** *ad.* **~·ness** *n.*

▷ liquídity *n.*; líquidize *v.*

líquid áir 액체 공기 (냉동제)

liq·ui·date [líkwidèit] *vt.* **1** 〈빚 등을〉 청산하다, 갚다: ~ a claim 청구액을 갚다 **2** 〈빚 등의〉 금액을 결정하다 **3** (속어) 〈증권을〉 현금으로 바꾸다: ~ one's securities 유가 증권을 현금화하다 **4** 없애다, 폐지[일소]하다; (완곡) 해치우다, 죽이다(murder) **5** 〈회사의 부채·자산을〉 정리하다; 〈조합·회사 등을〉 해체하다

—*vi.* 정리하다, 청산하다; 〈회사 등이〉 도산하다

-dà·tor *n.* 청산인

liq·ui·da·tion [lìkwidéiʃən] *n.* Ⓤ **1** (부채의) 청산, 정리; (회사의) 파산, 해체 **2** 일소, 타파; 제거, 살해, 근절 ***go into ~*** 〈회사가〉 청산[파산]하다

líquid chromatógraphy 〖화학〗 액체 크로마토그래피

líquid córk (속어) 설사 (멈추는) 약

líquid crýstal 〖물리〗 액정(液晶): ~ display 액정 표시 (장치) (略 LCD)

líquid díet 유동식 (환자용)

líquid fíre 〖군사〗 액화(液火) (화염 방사기용 액체)

líquid gláss 물유리 (규산나트륨의 농수용액(濃))

li·quid·i·ty [likwídəti] *n.* Ⓤ **1** 유동성; 유창함 **2** 〖경제〗 유동성, 환금성; 유동 자산을 보유함

liquídity prèference 〖경제〗 유동성 선호 (자산을 증권 등이 아니고 현금·당좌 예금 등으로 보유하는 일)

liquídity ràtio 유동성 비율 (은행의 유동 자산의 총예금에 대한 비율)

liq·uid·ize [líkwidàiz] *vt.* **1** 액화하다, 믹서로 액상화하다 **2** 자극하다; …을 활발하게 하다

liq·uid·iz·er [líkwidàizər] *n.* (영) (요리용) 믹서 ((미) blender)

líquid làser 〖물리〗 액체 레이저

líquid méasure 액량 (단위)(cf. DRY MEASURE)

líquid mémbrane 〖약학〗 액상막(液狀膜)

líquid óxygen 〖화학〗 액체[액화] 산소

líquid petrolátum[paráffin] 〖화학〗 유동 파라핀

líquid propéllant 〖로켓〗 액체 추진약

líquid prótein 액체 단백질

‡**liq·uor** [líkər] [L 「액체 상태」의 뜻에서] *n.* **1** ⓊⒸ 알코올 음료; (미) 술, 독주, 증류주: the ~ traffic 주류 판매 **2** Ⓤ 분비액; 달인 즙, 진국, 육즙(肉汁); 양조용 물 **3** Ⓤ 〖약학〗 물약; 용액; 염료[매염(媒染)]액: ~ ammoniac 암모니아수

be in ~ = be (the) worse for ~ 술에 취해 있다 ***intoxicating ~*** 술 ***malt ~*** 맥주 (ale, beer, porter 등) ***spirituous ~*** 증류주, 화주(火酒) (brandy, whiskey, rum, gin 등) ***take[have] a ~ (up)*** (속어) 한잔하다 ***vinous ~*** 포도주

—*vt.* **1** (구어) 독주를 마시게 하다, 취하게 하다 (*up*) **2** 〈엿기름·약초 등을〉 용액에 담그다; 〈구두 따위의 가죽 제품에〉 기름을 칠하다

—*vi.* (구어) 독주를 많이 마시다, 술에 취하다 (*up*)

▷ líquorish *a.*

liq·uo·rice [líkəriʃ, -ris | -ris] *n.* (영) =LICORICE

líquorice állsorts (영) (여러 가지 모양의) 감초맛 사탕 과자

li·quor·ish [líkəriʃ] *a.* =LICKERISH; 술을 좋아하는 **~·ly** *ad.* **~·ness** *n.*

líquor stòre (미) 주류 판매 면허점((영) off-license)

li·ra [líərə] [It.; L *libra*(=pound)에서] *n.* (*pl.* **li·re** [-rei | -ri], **~s**) 리라 **1** 이탈리아의 예전 화폐 단위 (기호 L, Lit.; =100 centesimi); 1리라 화폐[지폐] **2** 터키의 예전 화폐 단위

Li·sa [líːsə, -zə | líːzə, lái-] *n.* 여자 이름 (Elizabeth의 애칭)

Lis·bon [lízbən] *n.* 리스본 (포르투갈의 수도)

Li·se [líːsə, -zə], **Li·sette** [liːsét, -zét] *n.* 여자 이름 (Elizabeth의 애칭)

lisle [láil] *n.* **1** 라일사(絲) 편물류 (장갑·양말 등) **2** 라일사(絲), 레이스사(絲)(=~ thread)

—*a.* 라일사로 짠

lísle thrèad 라일사(絲), 레이스 사(絲) (질긴 무명실)

lisp [lísp] *vi., vt.* 혀짤배기 소리로 ([s]를 [θ]처럼) 발음하다; 혀 짧은 소리로 말하다 (*out*); 〈잎·물결 등이〉 살랑거리며 울리다 —*n.* 혀 짧은 발음; 살랑거리는 소리 (잎·물결 등의) **~·er** *n.*

LISP [lísp] [*list*+*processor*[*processing*]] *n.* 〖컴퓨터〗 리스프 (리스트 처리용 프로그래밍 언어)

lisp·ing [líspiŋ] *n.* Ⓤ 혀 짧은 발음; 혀짤배기말

—*a.* 혀가 잘 돌지 않는 **~·ly** *ad.*

lis·som(e) [lísəm] *a.* 유연한, 부드러운, 나긋나긋한; 민첩한(agile) **~·ly** *ad.* **~·ness** *n.*

‡**list**[1] [líst] *n.* 목록(catalog(ue)), 명부, 명단, 표, 일람표, 명세서, 가격표(=price ~); 〖컴퓨터〗 (데이터) 리스트, 목록 (데이터 항목의 순서를 모은); 〖증권〗 상장주 일람표: a ~ of members 회원 명부

close the ~ 모집을 마감하다 ***free ~*** 무료 입장자 명부; 면세품 목록 ***lead[head] the ~*** 수석이다, 첫째이다 ***make[draw up] a ~ of*** …의 표를 작성하다 ***on the active[reserve, retired] ~*** 현역[예비역, 퇴역]으로 ***on[in] the ~*** 명부[표]에 실려서: pass first[last] *on the* ~ 첫째[꼴찌]로 급제하다 ***on the sick ~*** 앓고 있는

—*vt.* **1** 목록[명부]에 올리다[기입하다]; …의 일람표를 만들다, 열거하다; (감시·제한의 대상자로) 명단에 올리다, 기재하다; 〈주식을〉 상장주 명부에 올리다 **2** (고어) =ENLIST **3** [~ one*self*로] 스스로를 (…의) 일원으로 하다 (*as*)

—*vi.* **1** (목록·명부·가격표에) 오르다 (*at, for*): (~+전+명) This dictionary ~*s at* 30,000 won. 이 사전은 (가격표에 의하면) 3만 원이다. **2** (고어) = ENLIST

list[2] *n.* **1** 직물의 가장자리, 변폭(邊幅), 식서(飾緖) **2** 가늘고 긴 조각(strip); 띠 모양의 것(band) **3** 얼룩 무

---

liquor *n.* alcohol, drink, intoxicant, booze

list[1] *n.* catalog, record, register, roll, file, index, table, schedule, calendar, program

늬 **4** (미) (밭의) 이랑 **5** [*pl.*] 울짱; 시합장; 경기장 ***enter the ~s*** 도전하다; 도전에 응하다; 논쟁[경쟁]에 참가하다 《*against*》
— *vt.* **1** …에 변폭[식서]를 달다 **2** lister²로 밭에 이랑을 세우다[씨를 뿌리다]
list³ *vi.* 기울다, 비스듬해지다 — *vt.* 기울이다
— *n.* 기울기, 경사
list⁴ *v.* (**~·ed,** (고어) ~; **~·ed**; [3인칭 단수 현재] **~, ~·eth**) (고어) *vt.* …의 마음에 들다; (…하기를) 바라다, (…하고) 싶어하다 《*to* do》 — *vi.* 바라다: The wind bloweth where it *~eth.* 「성서」 바람은 마음대로 분다. ▷ lístless *a.*
list⁵ *vt., vi.* (고어) 듣다, 귀를 기울이다, 귀담아듣다
líst bòx 〖컴퓨터〗 리스트 박스 《GUI 환경에서, 텍스트 박스로부터 풀다운식으로 표시되는 입력 후보 리스트》
líst bròker (direct mail용) 고객 명단을 임대하는 업자
list·ed [lístid] *a.* 표[명단]에 실린; 전화 번호부에 실려 있는; 〖증권〗 상장(上場)된
lísted búilding (영) 문화재로 지정된 건조물
lísted cómpany 상장(上場) 회사
lísted stóck 상장주(上場株)((영) listed shares)
list·ee [listíː] *n.* 리스트에 실린 사람[용건 《등》]
lis·tel [lístl, listél] *n.* 〖건축〗 (좁은) 테두리(fillet)
⁑lis·ten [lísn] *vi.* **1** 듣다, 귀를 기울이다, 귀담아듣다 《*to*》(⇨ hear 유의어); 주의하다: (~+전+명) ~ *to* the band playing 악단이 연주하는 것을 듣다 **2** 들어주다, (충고·요구 등을) 듣다, 따르다 《*to*》: (~+전+명) ~ *to* advice[reason] 충고[이성]에 따르다 / ~ *to* protests 항의를 들어주다 **3** (미·구어) (…처럼) 들리다, 생각되다(sound): That *~s.* 과연 그렇군요. // (~+보) It doesn't ~ reasonable to me. 그것은 나에게는 옳다고 생각되지 않는다. **4** [감탄사적] 좀 들어 보시오, 뭐냐 하면
— *vt.* (고어) 경청하다, …에 귀를 기울이다
~ ***for*** (…을 기대하고) 귀를 기울이다 ~ ***in*** 〈재학생 이외의 사람이〉 청강하다; (라디오) 청취하다 《*to*》; 도청하다 《*on, to*》: ~ *in to* the radio[wireless] 라디오를 듣다 ★ 이 뜻으로는 ~ *to* the radio로 쓰는 것이 일반적임. ~ ***out*** [대개 명령형] 잘[주의해서] 듣다 《*for*》: *L~ out for* your name to be called. 자네 이름을 부르는 것을 듣지 못하는 일이 없도록 해요. ***L~ to you!*** (구어) 뭐라고, 설마, 바보 같은! ~ ***up*** 주의를 기울이다
— *n.* 듣기: Have a ~. 들어 보시오.
lis·ten·a·ble [lísnəbl] *a.* 듣기 쉬운, 듣기 좋은
⁑lis·ten·er [lísnər] *n.* **1** 경청자; (라디오의) 청취자; (대학의) 청강생(auditor): ~ research 인기 프로 조사 **2** (속어) 귀
lis·ten·er-in [lísnərín] *n.* (*pl.* **lis·ten·ers-in**) 라디오 청취자; 도청자
lis·ten·er·ship [lísnərʃip] *n.* [집합적] 청취자
lis·ten-in [lísnìn] *n.* Ⓤ (라디오 등의) 청취; 도청
∗lis·ten·ing [lísniŋ] *n.* Ⓤ 청취, 귀를 기울임, 경청
— *a.* 주의 깊은; 골똘한, 열중한
lístening devìce 도청기[장치]
lístening pòst 〖군사〗 청음(聽音) 초소; 정보 수집 초소
list·er¹ [lístər] [list¹에서] *n.* **1** 리스트[카탈로그]를 만드는 사람 **2** 세액 사정자(稅額査定者)
lister² [list²에서] *n.* (미) 이랑을 일구는 농기구
Lis·ter [lístər] *n.* 리스터 **Joseph ~** (1827-1912) 《영국의 외과의; 살균 소독법의 완성자》
lis·te·ri·a [listíəriə] *n.* 〖세균〗 리스테리아균
lis·te·ri·o·sis [listìərióusis] *n.* (*pl.* **-ses** [-siːz]) 〖수의학〗 선회병(旋回病)(circling disease)
Lis·ter·ism [lístərizm] *n.* Ⓤ 리스터 소독법 《석탄산(酸)에 의한》
Lis·ter·ize [lístəràiz] *vt.* 〈상처에〉 리스터식 소독을 하다
list·ing¹ [lístiŋ] *n.* **1** Ⓤ 리스트 작성; 명부에 올림, 기재, 기입 **2** 일람표, 목록
listing² *n.* Ⓤ **1** (직물 따위의) 귀[가장자리 천] **2** (밭 따위의) 이랑 만들기
listing³ *a.* 기우는, 몰락하는
list·less [lístlis] *a.* **1** 마음 내키지 않는, 무관심한, 개의치 않는 **2** 생기[활기] 없는, 맥 풀린, 나른한 **~·ly** *ad.* **~·ness** *n.*
líst príce 표시[기재] 가격, 정가
líst procéssing 〖컴퓨터〗 리스트 처리
líst procéssor 〖컴퓨터〗 리스트 프로세서 《리스트 처리를 위해 설계된 시스템》
lists [lísts] *n. pl.* = LIST² 5
list·serv, LISTSERV [lístsəːrv] *n.* 〖컴퓨터〗 리스트서브 《특정 그룹 전원에게 메시지를 전자 우편으로 자동 전송하는 시스템》
Liszt [líst] *n.* 리스트 **Franz ~** (1811-86) 《헝가리의 작곡가》
⁑lit¹ [lít] *v.* LIGHT¹·³의 과거·과거분사
— *a.* **1** 빛나는, 불 밝힌, 불이 켜진 **2** (속어) 취한 《*up*》
lit² (구어) *n.* Ⓤ 문학(literature)
— *a.* 문학의(literary)
lit. literal; literally; literary; literature; liter(s)
lit·a·ny [lítni] *n.* (*pl.* **-nies**) **1** 〖교회〗 연도(連禱), 호칭 기도 《사제가 읊은 기도문을 따라 신도들도 읊는 형식》; [the L~] 기도서 중의 연도 **2** 장황한[같은 말을 되풀이하는] 설명, 지겨운[지루한] 이야기
Lit. B. = LITT. B.
li·tchi [líːtʃiː | làitʃíː] *n.* 〖식물〗 여지(荔枝)(의 열매)
lít crìt (구어) **1** 문학 평론(literary criticism) **2** 문학 평론가
Lit. D. = LITT. D.
lite [lait] *a.* (구어) 칼로리[알코올 성분, 니코틴 《등》]가 적은(light); (미·구어) 내용이 없는, 가벼운: ~ beer 라이트 맥주
— *n.* Ⓤ 라이트 맥주 **~·ness** *n.*
-lite, -lyte [làit] 《연결형》 「돌《石》, 광물, 화석」의 뜻: chryso*lite*, dendro*lite*
li·te pen·den·te [láitiː-pendéntiː] 〖법〗 심리 중
∗li·ter | -tre [líːtər] *n.* 리터 《부피의 단위; 1,000 cc; 略 l, lit.》
∗lit·er·a·cy [lítərəsi] *n.* Ⓤ **1** 읽고 쓸 줄 앎, 식자(識字)(opp. *illiteracy*): a ~ rate 식자율(率) **2** 교양 있음, 교육받음 **3** (특정 분야·문제에 관한) 지식, 능력: information ~ (특히 도서관과 컴퓨터를 활용하는) 정보 활용 능력
líteracy tèst 읽기와 쓰기 능력 검사
⁑lit·er·al [lítərəl] [L 「글자의」의 뜻에서] *a.* **1** 글자대로의(opp. *figurative*): the ~ meaning of a word 말의 문자 그대로의 의미 **2** 〈번역·해석 등이〉 원문 어구에 충실한(opp. *free*): a ~ translation 직역 **3** 〈설명·정보·기술 등이〉 정확한, 엄밀한; 있는 그대로의; (구어) 정말인, 순전한 **4** 융통성 없는, 상상력 없는, 산문적인, 멋없는 **5** 문자(상)의; 문자로 표현된 ***in the ~ sense of the word*** 그 단어의 뜻 그대로
— *n.* **1** (영) 오자(誤字), 오식(誤植)(= ~ **èrror**) **2** 〖컴퓨터〗 리터럴, 상수 **~·ness** *n.*
lit·er·al·ism [lítərəlìzm] *n.* Ⓤ **1** 문자대로 해석함; 직해(直解)[직역]주의 **2** 〖미술·문학〗 직사(直寫)주의 **-ist** *n.* **lìt·er·al·ís·tic** *a.* 직해주의의; 직사주의의 ▷ literálity *n.*; líteralize *v.*
lit·er·al·i·ty [lìtərǽləti] *n.* ⓊⒸ 글자대로임; 글자대로의 해석[뜻]
lit·er·al·ize [lítərəlàiz] *vt.* 글자 뜻대로 해석하다, 글자 뜻에 구애되다 **lìt·er·al·i·zá·tion** *n.*
⁑lit·er·al·ly [lítərəli] *ad.* **1** 글자 뜻대로; 축어적으로,

thesaurus **literacy** *n.* reading ability, learning, education, culture, knowledge, enlightenment
literature *n.* written works, printed works
litigation *n.* legal case, lawsuit, case, suit

글자 한자 한자 씩; 문자에 구애되어: translate ~ 직역하다 **2** [강조하여] 사실상, 정말로, 완전히, 실제로: be ~ destroyed 완전히 파괴되다

lit·er·al-mind·ed [lítərəlmàindid] *a.* 상상력이 없는, 무미건조한

lit·er·ar·ism [lítərərìzm] *n.* =LITERARYISM; 문학[인문학] 본위

***lit·er·ar·y** [lítərèri | -rəri] [L「글자」의 뜻에서] *a.* **1** 문학의, 문학적인, 문필의, 문예의; 학문(상)의: ~ works[writings] 문학 작품, 저작물 / a ~ prize 문학상(賞) / a ~ property 저작권 / ~ criticism 문학 평론 **2** 문어의, 문어적인(opp. *colloquial*): ~ style 문어체 **3** Ⓐ 문학에 능통한[조예가 깊은]; 저술을 직업으로 하는: a ~ man 문학자, 학자, 저술가

-àr·i·ly *ad.* 문학상[학술상]으로 **-àr·i·ness** *n.* Ⓤ 문학적임 ▷ líterature *n.*

líterary ágency 저작권 대리점[업]

líterary ágent 저작권 대리인[업자]

líterary exécutor 유저(遺著) 관리자《사망한 저작자의 미발표 작품이나 저작물의 관리를 위탁받은 사람》

lit·er·ar·y·ism [lítərerìizm | -rəri-] *n.* 문어(文語) 취미[주의]

lit·er·ate [lítərət] *a.* **1** 글을 읽고 쓸 줄 아는(opp. *illiterate*) **2** 교양 있는; 박식한 **3** (특정 분야에 관해) 지식이 있는: ~ in computer usage 컴퓨터 사용 기술을 가진 **4** 교육을 받은

— *n.* **1** 글을 아는 사람; 유식한 사람, 학자 **2** 〖영국국교〗 학위 없이 성직 취임을 허락받은 사람

lit·e·ra·ti [lìtərɑ́ːtiː, -réi- | -rɑ́ː-] [L] *n. pl.* (*sing.* **-tus** [-təs]) 지식 계급; 문학자들

lit·e·ra·tim [lìtəréitim | -rɑ́ː-] [L] *ad.* 한 자 한 자씩, 축자적으로(letter for letter), 문자대로(literally)

— *a.* 글자대로의, 축자적인, 원문대로의

lit·er·a·tion [lìtəréiʃən] *n.* (음성·말의) 문자 표기, 문자화

lit·er·a·tor [lítərèitər] *n.* 문인, 문학자, 저술가

****lit·er·a·ture** [lítərətʃər, -tʃùər | -tʃə] [L「쓴 것」의 뜻에서] *n.* Ⓤ **1 a** ⓊⒸ 문학, 문예: dramatic ~ 극문학 / light ~ 경(輕)문학, 대중 문학 / polite ~ 순(純)문학 / yellow-covered ~ 《속어》 통속 문학 / a doctor of ~ 문학 박사 **b** 저술, 문필업: follow ~ 문필을 업으로 삼다 **2** 문헌; 조사[연구]보고서, 논문: the ~ of chemistry 화학 논문[문헌] **3** 《속어》 인쇄물《광고 전단 등의》: campaign ~ 선거 운동용 인쇄물 **4** 《고어》 학문, 학식 ▷ literary *a.*

lith. lithograph; lithographic; lithography **Lith.** Lithuania; Lithuanian

lith- [líθ], **litho-** [líθou, -θə] 《연결형》「돌(石); 결석; 〖화학〗 암석(의)」의 뜻《모음 앞에서는 lith-》

-lith [lìθ] 《연결형》「돌로 만든 것」의 뜻

lith·arge [líθɑːrdʒ, ⌐-| ⌐-] *n.* Ⓤ 〖화학〗 일산화납《밀타승(密陀僧)》

lithe [láið] *a.* 나긋나긋한, 유연한

~**·ly** *ad.* ~**·ness** *n.*

lithe·some [láiðsəm] *a.* =LISSOM(E)

lith·i·a [líθiə] *n.* Ⓤ 〖화학〗 산화(酸化) 리튬

li·thi·a·sis [liθáiəsis] *n.* 〖병리〗 결석증

líthia wáter 리튬 염수(鹽水)《통풍약》

lith·ic [líθik] *a.* 돌의; 결석(結石)의, 방광(膀胱) 결석의; 리튬의

-lithic [líθik] 《연결형》「…석기 문화의」의 뜻

lith·i·fi·ca·tion [lìθəfikéiʃən] *n.* 〖지질〗 석화 작용

lith·i·fy [líθəfài] *vt.* 석화(石化)하다 — *vi.* 석화되다

lith·i·um [líθiəm] *n.* Ⓤ 〖화학〗 리튬《가장 가벼운 금속 원소; 기호 Li, 번호 3》

lith·o [líθou, láiθ-] 《구어》 *n.* (*pl.* **~s**) =LITHOGRAPH; LITHOGRAPHY — *a.* =LITHOGRAPHIC — *vt.* =LITHOGRAPH

litho(g). lithographic; lithograph(y)

li·thog·e·nous [liθɑ́dʒənəs | -θɔ́dʒ-] *a.* 〖지질〗 암석을 만드는, 암석에서 유래된

lith·o·graph [líθəgræ̀f, -grɑ̀ːf | -grɑ̀ːf, -græ̀f] *n.* 석판(화) — *vt.* 석판으로 인쇄하다

li·thog·ra·pher [liθɑ́grəfər | -θɔ́g-] *n.* 석판 인쇄공

lith·o·graph·ic, -i·cal [lìθəgrǽfik(əl)] *a.* 석판술의 **-i·cal·ly** *ad.*

li·thog·ra·phy [liθɑ́grəfi | -θɔ́g-] *n.* Ⓤ 석판술, 석판 인쇄

lith·oid [líθɔid], **li·thoi·dal** [liθɔ́idl] *a.* 돌 모양의, 석질(石質)의

li·thol·o·gy [liθɑ́lədʒi | -θɔ́l-] *n.* Ⓤ 〖지질〗 암석학; 〖의학〗 결석학 **lith·o·log·ic** [lìθəlɑ́dʒik | -lɔ́dʒ-] *a.*

lith·o·phyte [líθəfàit] *n.* 〖생태〗 암생(岩生) 식물《이끼류》 **lith·o·phyt·ic** [lìθəfítik] *a.*

lith·o·pone [líθəpòun] *n.* 〖화학〗 리소폰《백색 안료》

lith·o·print [líθəprìnt] *vt.* 석판으로 인쇄하다

— *n.* 석판으로 인쇄한 책

lith·o·sphere [líθəsfìər] *n.* 암석권(圈), 지각(地殼)

li·thot·o·my [liθɑ́təmi | -θɔ́t-] *n.* (*pl.* **-mies**) ⓊⒸ 〖외과〗 (방광 결석의) 쇄석술(碎石術)

lith·o·trip·sy [líθətrìpsi] *n.* (*pl.* **-sies**) 〖의학〗 쇄석술《쇄석기를 이용해 신장 결석을 제거》

lith·o·trip·ter, -tor [líθətrìptər] *n.* 〖의학〗 (특히 충격파에 의한) 쇄석기

li·thot·ri·ty [liθɑ́trəti | -θɔ́t-] *n.* (*pl.* **-ties**) 〖외과〗 (방광 결석의) 쇄석술

Lith·u·a·ni·a [lìθuéiniə | -θju-] *n.* 리투아니아《발트 해 연안의 공화국; 수도 Vilnius》

Lith·u·a·ni·an [lìθuéiniən | -θju-] *a.* 리투아니아 (사람[말])의 — *n.* 리투아니아 사람; Ⓤ 리투아니아 말

Lit. Hum. [lít-hʌ́m] *literae humaniores* 《L= human literature》

lith·y [láiði] *a.* (**lith·i·er**; **-i·est**) 《고어》 나긋나긋한, 유연한(lithe)

lit·i·ga·ble [lítigəbl] *a.* 법정에서 다툴 수 있는, 소송할 수 있는

lit·i·gant [lítəgənt] *a.* 소송에 관계 있는: ~ parties 소송 당사자 — *n.* 소송 당사자《원고 또는 피고》

lit·i·gate [lítəgèit] *vi.* 소송을 제기하다

— *vt.* **1** 〈문제를〉 법정에서 다투다 **2** 《고어》 〈어떤 문제점·주장 등을〉 논쟁하다(dispute)

-gà·tor *n.* 소송자, 기소자

lit·i·ga·tion [lìtəgéiʃən] *n.* Ⓤ 소송, 기소

li·ti·gious [litídʒəs] *a.* 소송[논쟁]하기 좋아하는; 소송할 수 있는[해야 할]; 소송(상)의 ~**·ly** *ad.* ~**·ness** *n.*

lit·mus [lítməs] [ON「색소 이끼」의 뜻에서] *n.* Ⓤ 〖화학〗 리트머스《청색 염료》

lit·mus·less [lítməslis] *a.* 긍정도 부정도 하지 않는, 중립적인: a ~ position 중립적인 입장

lítmus pàper 〖화학〗 리트머스 시험지

lítmus tèst 〖화학〗 리트머스 시험; 그것만 보면 사태[본질]가 분명해지는 일; 《비유적》 시금석

li·to·tes [láitətìːz] *n.* Ⓤ 〖수사학〗 곡언법(曲言法) 《*not bad*(=pretty good)와 같이 반의어의 부정으로 강한 긍정을 나타내는》

***li·tre** [líːtər] *n.* 《영》 =LITER

Litt. B. *Lit(t)erarum Baccalaureus* 《L= Bachelor of Letters[Literature]》 문학사

Litt. D. *Lit(t)erarum Doctor* 《L =Doctor of Letters[Literature]》 문학 박사

***lit·ter** [lítər] [L「침대」의 뜻에서] *n.* **1** Ⓤ 어질러진 물건, 잡동사니; 쓰레기, 찌꺼기: a ~ receptacle 쓰레기통 **2** 난잡, 혼란 **3** (개·돼지 등의) 한배 새끼: a ~ of puppies 한배에서 태어난 강아지 **4** 가마; (병자·부상자용) 들것(stretcher) **5** Ⓤ (가축의) 깃, 깔짚; 마구간의 두엄; (나무 뿌리 부분의) 덮개짚

at a [***one***] ~ 한배에 〈몇 마리 낳다 등〉 ***in a*** ~ 어지럽

---

litter *n.* **1** 쓰레기 trash, rubbish, debris, refuge, junk, fragments **2** 난잡 disorder, untidiness, clutter, jumble, confusion, mess, disarray, disorganization — *v.* mess up, disarrange, scatter

게, 지저분하게 ***in*** **~** 〈개·돼지 등이〉 새끼를 밴 ***No L~.*** 《게시》 쓰레기를 버리지 마시오.
— *vt.* **1** 〈방 안 등을〉 어질러 놓다 《*up*; *with*》: (~+목+부) (~+목+전+명) ~ *up* one's room *with* books and papers 방을 책과 서류로 어질러 놓다 **2** 〈물건을〉 흩뜨리다 《*about*, *around*》: (~+목+전+명) ~ toys *about* the room 방 안에 장난감을 흩뜨리다 **3** 〈방 등에〉 흩어지다; 어수선하게 하다 《*up*》: (~+목+부) Toys ~*ed up* the floor. 장난감이 방바닥에 흩어져 있었다. **4** 〈동물이〉 〈새끼를〉 낳다 **5** 〈동물·외양간·마루 등에〉 짚을 깔다; 깃을 깔아 주다 《*down*》: (~+목+ 부) ~ *down* a horse[stable] 말[마구간]에 깃을 깔아 주다
— *vi.* **1** 〈동물이〉 새끼를 낳다; 《속어》 아이를 낳다 **2** 《드물게》 (짚 위에서) 자다 **3** 물건을 흩뜨리다
▷ lìttery *a.*

lit·te·rae hu·ma·ni·o·res [lítəri:-hju:mæ̀nió:ri:z] [L] 인문학 《특히 Oxford 대학의 고전 연구 또는 그 B.A. 학위를 얻기 위한 시험; 略 Lit. Hum.》

lit·té·ra·teur [lìtərətə́:r] [F = lettered person] *n.* 문학자, 문인

lit·ter·bag [lítərbæ̀g] *n.* (비행기·자동차 안 등에서 쓰는) 쓰레기 주머니[봉지]

lit·ter·bas·ket [-bæ̀skit | -bɑ̀:s-] *n.* = LITTER-BIN

lit·ter-bin [-bìn] *n.* 《영》 (공원 등의) 휴지통

lit·ter·bug [-bʌ̀g] *n.* 《미》 (거리·공원 등 공공장소에) 휴지·쓰레기를 버리는 사람

lit·ter·er [lítərər] *n.* = LITTERBUG

lit·ter·lout [lítərlàut] *n.* 《구어》 = LITTERBUG

lit·ter·mate [-mèit] *n.* 한배 새끼 《개·돼지 등의》

lit·ter·y [lítəri] *a.* **1** 난잡한(untidy), 어질러 놓은, 지저분한 **2** 깔짚(투성이)의 **lít·ter·i·ness** *n.*

‡lit·tle ⇨ little (p. 1483)

Líttle América 미국 남극 탐험대 기지 《남극 Ross 해 남부의 Whales만에 면한》

Líttle Assémbly [the ~] 《구어》 (국제 연합) 소총회, 소위원회

Líttle Béar [the ~] 【천문】 작은곰자리 (cf. GREAT BEAR)

líttle Bíghorn [the ~] 리틀 빅혼강 《미국 Montana 주의 강》

lit·tle-bit·ty [lítlbíti] *a.* 《구어》 아주 작은, 조그마한

Líttle Bóy 리틀 보이 《히로시마에 투하된 원자 폭탄의 별명; 암호명에서》

líttle bóys' ròom 《속어》 남자 화장실

líttle bróther 남동생; 【항해】 부(副)열대성 저기압

Líttle Córporal [the ~] 작은 하사 《나폴레옹 1세의 별명》

Líttle Dípper [the ~] 【천문】 소북두칠성 《작은곰자리의 7개 별》

Líttle Dóg [the ~] 【천문】 작은개자리(Canis Minor)

Líttle Énglander 브리튼(Britain) 독립주의자 《Little Englandism을 주장하는 일파》

Líttle Éng·land·ism [-íŋgləndìzm] 브리튼(Britain) 독립주의 《옛 식민지는 분리시키고 영국 본토의 이익만을 생각하자는 주의》

líttle fínger 새끼손가락

líttle gírls' ròom 《속어》 여자 화장실

líttle gò [the ~] 《영》 (Cambridge, Oxford 대학에서의) B.A.학위 취득 제1차 시험(cf. GREAT GO)

líttle gréen màn (지능을 가진) 우주인, 외계인(alien) 《略 LGM》; 별난 꼴을 한 사람

Líttle Lèague [the ~] 《미》 (8-12세의) 소년 야구 리그(cf. PONY LEAGUE)

líttle magazíne (판형이 작은) 동인(同人) 잡지

líttle màn[gùy] **1** 평범한[보통] 사람 **2** 《구어》 (대형 투자 회사에 대(對)한) 일반 투자가

líttle Máry 《영·구어》 배, 위(stomach)

líttle móther (동생들의 뒷바라지를 하는) 어머니 역할을 하는 딸

lit·tle·neck [lítlnèk] *n.* 대합의 새끼 조개

Líttle Néddy 《영》 Neddy(= NEDC)의 전문[분과] 위원회

líttle óffice [종종 **L- O-**] 【가톨릭】 (성모 마리아의) 소성무(小聖務) 일과

líttle ówl 【동물】 금눈쇠올빼미

líttle pèople[fòlk] [the ~] **1** 작은 요정들(fairies) **2** 소시민, 일반 서민 **3** 어린이들 **4** 소인들(midgets)

líttle pínkie[pínky] 《미·구어》 새끼손가락

líttle revíew (특히 비평·소개 등이 중심이 된) 동인 잡시(little magazine)

Líttle Rhód·y [-róudi] [the ~] 미국 Rhode Island주의 속칭

Líttle Ròck 리틀 록 《미국 Arkansas 주의 주도》

Líttle Rússia 소러시아 《주로 우크라이나 지방》

líttle slám 【카드】 (브리지에서) 13트릭 중 12트릭을 따기(cf. GRAND SLAM 1)

líttle théater **1** (특정 관객을 겨냥한) 실험적인 연극; 비상업적 연극 **2** 소극장; 소극장용 연극

líttle tóe 새끼발가락

líttle wóman [the ~] 《구어》 아내, 집사람

lit·to·ral [lítərəl] *a.* **1** 해안의, 연해(沿海)의 **2** 【생태】 해안에 사는, 물가에 사는 ***the L~ Province*** 연해주
— *n.* **1** 연해 지방 **2** 【생태】 연해대(沿海帶), 《특히》 조간대(潮間帶) **~·ly** *ad.* 연해에

li·tur·gic, -gi·cal [litə́:rdʒik(əl)] *a.* **1** 예배식의 **2** 예배식[전례]의 규정에 의한; 성찬식의 **3** 전례학의 **-gi·cal·ly** *ad.*

li·tur·gics [litə́:rdʒiks] *n. pl.* [단수 취급] 예배학; 전례학, 전례론

lit·ur·gist [lítərdʒist] *n.* **1** 전례[예배]학자; 기도식문(式文) 편집자 **2** 전례주의자 **3** 예배식 사회 목사

lit·ur·gy [lítərdʒi] *n.* (*pl.* **-gies**) **1** 예배식, 전례; 기도식문 **2** [the L~] 【영국국교】 기도서 **3** [the L~] (그리스 정교의) 성찬식

liv·a·bil·i·ty [lìvəbíləti] *n.* **1** (가축의) 생존율 **2** (사람이) 살기 좋음, 거주 적합성

liv·a·ble, live·a·ble [lívəbl] *a.* **1** 사는 보람이 있는 **2** 살기에 알맞은, 살기 좋은 **3** 같이 살 수 있는; 사귀기 쉬운 **~·ness** *n.*

‡live[1] [lív] *vi.* **1** 살아 있다 《지금은 보통 be alive 또는 be living》 **2 a** 오래 살다, 살아남다(remain alive): (~+전+명) ~ *to* a ripe old age 고령까지 장수하다 // (~+***to*** do) He ~*d to* see his grandchildren. 그는 오래 살아 손자들을 보았다. **b** 〈그려진 인물 등이〉 생생하다, 산 사람 같다 **3** 〈물건의 존재·상태·활동 등이〉 계속되다; 〈기억 등이〉 남아 있다 《*on*, *in*》; (원상태 그대로) 남다, 존속하다; 〈배 등이〉 파손되지 않고 있다: His memory ~*s*. 그는 지금도 기억에서 사라지지 않고 있다. / His name ~*s in* our memory. 그의 이름은 지금도 우리의 기억에 남아 있다. // (~+보) No boat could ~ afloat. 침몰을 면한 배는 한 척도 없었다. **4** 살다(dwell) 《*in*, *at*》: Where do you ~? 어디 사십니까? / He ~*s in* London. 그는 런던에 살고 있다. ★ be living의 형식은 보통 일시적 거주에 씀. **5** 함께 살다, 동거하다 《*together*, *with*》: ~ *with* one's grandparents 조부모와 함께 살다 **6** (…을) 주식으로 하다, 먹고 살다 《*on*, *upon*》: ~ *on* rice 쌀을 주식으로 하다 **7** 처신하다, 살아가다; (…로) 생계를 이어가다 《*on*, *upon*, *by*》: (~+전+명) ~ *on* one's income[thirty dollars a week] 자기 수입으로[주 30달러로] 생활하다 / ~ *on* one's friend 친구의 도움으로 살아가다 / ~ *by* teaching French 프랑스 어를 가르쳐서 생계를 이어가다 **8** [부사(구)·보어를 동반하여] (…로서) 살다; (…한) 생활[생활 방식]을 하다: (~+부) ~ *happily* 행복하게 살다 / ~ *alone* 혼자 살다 // (~+보) He ~*d* and died a bachelor. 그

thesaurus **live**[1] *v.* **1** 살아 있다 breathe, exist, survive, last, endure, persist, continue **2** 살다, 거주하다 dwell, reside, lodge, be settled

little

little의 중심 뜻은 ① 크기가 「작은」, ② 양이 「적은」이다.
① 「크기가 작은」의 뜻으로는 small과 뜻이 비슷한 형용사이지만, small의 반의어는 large, great이고, little의 반의어는 big, large이다. 그리고 little은 단순히 작다는 뜻의 small보다는 귀여운 느낌이 있는 「조그마한」의 tiny의 뜻에 더 가깝다.
② 「양이 적은」의 뜻일 경우에는 형용사·부사·명사 등 여러 품사의 기능이 있다. 부정관사 a가 붙으면 「약간의」라는 긍정적인 뜻을, a가 붙지 않으면 「거의 없다」는 부정적인 뜻을 갖는 점은 형용사·명사로서의 few와 같다. 그런데 few는 「수의 적음」을 뜻하므로 many와 대조를 이루어 복수 가산 명사(countable)를 동반하지만, little은 much와 대조를 이루어 물질 명사·추상 명사 등 불가산 명사(uncountable)와 함께 쓰여 단수로 취급된다.

‡**lit·tle** [lítl] *a.*, *ad.*, *n.*

① [a를 붙이지 않고] 조금밖에 없는; 거의 …않다; 조금밖에 [거의] 없음 형 **B 2** 부 **1** 명 **1**
② [a ~의 형태로] 조금은 있는; 조금은; 약간 형 **B 1** 부 **2** 명 **2**

— *a.* **A** [가산 명사, people 등의 집합 명사를 수식하여] (★ 비교 변화는 형상을 나타내는 경우에는 일반적으로 smaller; smallest를 대용함; **littler**; **littlest**는 (미·구어)에서 쓰이나 (영)에서는 (속어) 또는 (방언); cf. LESSER) **1** [lìtl, lítl] Ⓐ **a** 〈형상·규모가〉 **작은**(opp. *big*, *large*), (작고) 귀여운 (small보다도 감정적 요소가 들어감): a ~ bird 작은 새/a ~ village 작은 마을/a ~ farm 자그마한 농장/⇨ LITTLE TOE, LITTLE FINGER, LITTLE PEOPLE

유의어 **little** big, large의 반의어로, 크기·길이·수량·시간·정도 등에 관해 광범위하게 쓰이는 일반적인 말. **small** large, great의 반의어로, 대개의 경우 little을 대신 쓸 수 있지만, 특히 크기가 한정돼 있거나 표준 이하일 때 쓴다. **diminutive** 비정상적으로 작은 것을 말하며 섬세함을 암시: The *diminutive* gymnast outshone her larger competitors. 그 조그마한 체조 선수는 그녀보다 큰 경쟁자들을 압도했다. **minute** 너무 작아서 식별이 어려운, 미세한 점에까지 주의를 기울이는: a beverage with only a *minute* amount of caffeine 극미량의 카페인이 든 음료 **tiny** 아주 작아 귀여운: a *tiny* baby 조그마한 (귀여운) 아기

b 어린, 나이가 적은(young): a ~ girl 어린 소녀/our ~ ones 우리집 아이들/the ~ Smiths 스미스네 아이들/one's ~ brother[sister] 남동생[누이동생]/my ~*st* sister 나의 막내 여동생
2 Ⓐ 〈시간·거리 등이〉 **짧은, 잠시의**(brief): a ~ walk 짧은 산책/our ~ life 우리들의 짧은 목숨/He will be back in a ~ while. 그는 잠시 후면 돌아올 것입니다./I'll go a ~ way with you. 잠깐 동행하겠습니다./It's only a ~ way from here. 여기에서 짧은 거리입니다.
3 〈목소리·소리·웃음 등이〉 힘이 없는, 약한: a ~ voice 가는 목소리/a ~ smile 엷은 미소
4 a 하찮은, 어린애 같은; 옹졸한, 쩨쩨한: a ~ mind 좁은 마음/a ~ coward 쩨쩨한 겁쟁이/We know his ~ ways. 그의 쩨쩨한 수법을 잘 알고 있다./*L*~ things amuse ~ minds. (속담) 소인배는 하찮은 일에 흥겨워한다. **b** [the ~; 명사적; 복수 취급] 중요하지 않은[권력이 없는] 사람들
5 귀여운, 사랑스러운: my ~ darling 나의 사랑하는 사람/the[my] ~ woman 아내, 부인/Bless your ~ heart! (구어) 아, 이거 참! (감사·위로 등을 나타냄)
6 우스꽝스러운, 어리석은, 뻔한 〈처리 방법·책략 등〉: a funny ~ way of laughing 바보스러운 웃음짓/my boy's ~ tricks 아들의 천진한 장난
— **B** [불가산 명사를 수식하여] ★ 비교 변화는 **less**; **least**. Ⓐ **1** [a ~의 형태로 긍정적 용법으로] **조금은 (있는)**, 적으나마 (있는), 약간의(opp. *no*, *none*; cf. FEW *a.* 2): We're having *a* ~ difficulty. 우리는 약간의 애로점을 갖고 있다./There is *a* ~ hope. 약간의 희망은 있다.
2 [a를 붙이지 않고 부정적 용법으로] **조금밖에 없는,** 거의 없는(opp. *much*; cf. FEW *a.* 1): There was ~ applause. 박수가 거의 없었다./We had (very) ~ snow last year. 작년에는 눈이 (매우) 적었다./I have but ~ money. 돈이 조금밖에 없다./We have very ~ information. 우리에게는 정보가 거의 없다./We have too ~ free time. 우리에게는 자유 시간이 너무 없다.
USAGE (1) a little과 little의 차이는 기분의 문제로, 전자는 「있는 쪽」, 후자는 「없는 쪽」을 강조한다(cf. FEW *a.* USAGE). (2) 때로는 의례적 형식으로서 some의 대용이 된다: May I have *a* ~ coffee? 커피를 좀 마실 수 있을까요?/Let me give you *a* ~ mutton. 양고기를 조금 드리겠습니다./May I have *a* ~ money? 돈을 좀 얻을 수 있을까요?
3 [the ~ (that) 또는 what ~로] 적지만 있는 대로의: I gave him *the* ~ money (*that*) I had. =I gave him *what* ~ money I had. 적지만 가진 돈을 모두 그에게 주었다.
a ~ bit ⇨ bit[2]
go but a (***very***) ***~ way to***[***toward***] …에 불충분하다, 부족하다
~ game (구어) 비밀스런 의도[방식]: So that's your ~ *game.* 그런 식으로 할[속일] 셈이군.
~ …, if any = ***~ or no …*** 있어도 극히 적은 …, 거의 없는: I have ~ hope, *if any.* =I have ~ *or no* hope. 가망은 거의 없다.
(***my***) ***~ man*** 얘야 (남자 아이를 부르는 말)
(***my***) ***~ woman*** 아가씨 (여자 아이를 부르는 말)
no ~ = ***not a ~*** 적지 않은, 상당한, 많은(very much): You've been *no* ~ help (to me). 덕택으로 (내게는) 적지 않은 도움이 되었습니다.
only a ~ = ***but ~*** 극히 적은, 조금뿐인: There is *only a* ~ wine. 포도주가 조금밖에 없다.
quite a ~ (미·구어) 많은, 상당한: He saved *quite a* ~ pile (of money). 그는 (돈을) 잔뜩 저축하였다.
some ~ 꽤 많은; 다소의: There was *some* ~ money left. 돈은 꽤 남아 있었다.
what ~ … = ***the ~ …*** (***that***) ⇨ B 3
— *ad.* (**less**; **least**) **1** [a를 붙이지 않고 부정적 용법으로] **a** [know, think, care, suspect 등의 동사 앞에서] **전혀** …**않다**(not at all): I ~ *knew* what awaited me. 무엇이 나를 기다리고 있는지 나는 조금도 몰랐다./*L*~ did I *dream* a letter would come from him. 그로부터 편지가 오리라고는 꿈에도 생각지 못했다. ★ 문두에 오면 도치하는 점에 주의. **b** 거의 …**않다**: a ~ known work of art 무명에 가까운 예술 작품/They see each other very ~. 그들은 좀처럼 만나는 일이 없다.
2 [a ~의 형태로 긍정적 용법으로; 때때로 비교급의 형용사·부사와 함께] **조금**, 약간, 다소: *a* ~ before noon 정오 조금 전에/He is *a* ~ over fifty. 그는

쉰 살이 조금 넘었다. / I play the piano *a* ~. 나는 피아노를 조금은 친다. / She seemed to be *a* ~ afraid. 그녀는 약간 무서워하고 있는 것처럼 보였다. / He is *a* ~ *better*. 그는 몸이 약간 좋아졌다. / *A* ~ *more*[*less*] sugar, please. 설탕을 좀 더[덜] 넣어 주십시오. / She was *a* ~ old*er* than he. 그녀는 그보다 약간 나이가 많았다.

~ better than ... …와 거의 같은 정도로 나쁜[못한], …이나 다름없는: It is ~ *better than* begging. 그것은 구걸이나 다름없다.

~ less than ... …와 같을 정도로 큰; 거의 …인[된]: I saved ~ *less than* 1,000 dollars. 나는 천 달러 가까이 모았다.

~ more than ... …와 거의 마찬가지로 적은[짧은], …정도, …가량: It costs ~ *more than* a dollar. 값은 1달러 가량이다.

not a ~ 적지 않게, 매우: He was *not a* ~ perplexed. 그는 적잖이 당황하였다.

— *n.* (**less**; **least**) **1** [a를 붙이지 않고 부정적 용법으로] 〈정도·양이〉 **조금**(밖에 없음), 소량, 약간 《우리말로 옮길 때에는 부정으로》: He has seen ~ of life. 그는 세상 물정을 잘 모른다. / *L*~ remains to be said. 더 할 말은 거의 없다. / There is ~ to choose between them. 어느 것이나 비슷비슷하다. / Knowledge has ~ to do with wisdom. 지식은 지혜와 별로 관계가 없다.

USAGE 본래 형용사이기 때문에 very, rather, so, as, too, how 등과 같은 부사에 의해 수식된다: *Very* ~ is known about him. 그 사람에 관해서는 거의 알려진 것이 없다. / I got *but*[*very, rather*] ~ out of him. 그로부터 얻을 수 있는 것은 거의 없었다.

2 [a ~의 형태로 긍정적 용법으로] **a** 〈정도·양이〉 **조금**(은 있음): He drank *a* ~ of the water. 그는 물을 조금 마셨다. / Every ~ helps. 《속담》 티끌 모아 태산. **b** 〈시간·거리가〉 **잠깐**, 잠시; 조금, 약간 《부사적으로도 쓰임》: after *a* ~ 잠시 후 / for *a* ~ 잠시 동안 / Wait *a* ~. 잠깐 기다려라. / Move *a* ~ to the right. 오른쪽으로 약간 움직여 주시오.

3 [the ~ (that) 또는 what ~로] 적으나마 있는 것 모두. I did *the* ~ *that* I could. = I did *what* ~ I could. 미력하나마 전력을 다하였다.

in ~ 소규모의[로]; 정밀화로 그린[그려서], 축소[축사(縮寫)]한[하여](cf. in LARGE)

~ by ~ = ***by ~ and ~*** 조금씩, 점점: The water level rose ~ *by* ~. 수위는 점점 높아졌다.

~ if anything = ***~ or nothing*** (비록 있다고 해도) 거의 없는

make ~ of (1) …을 얕보다, 업신여기다 (2) …을 거의 이해 못하다: I could *make* ~ *of* what he said. 그가 한 말을 거의 이해할 수 없었다.

not a ~ 적잖은 양[물건, 일]: He lost *not a* ~ on the races. 그는 경마로 적지 않은 돈을 잃었다.

quite a ~ 《미·구어》 다량, 많은 것, 풍부: He knew *quite a* ~ about her. 그는 그녀에 관해서 많은 것을 알고 있었다.

think ~ of (1) …을 얕잡다, 경시하다, 대수롭게 여기지 않다 (2) …을 서슴지 않다

what[***the***] ***~*** ⇨ *n.* 3

는 일생을 독신으로 지냈다. // 《~+전+명》 ~ *by* faith 신앙으로 살다 / ~ *in* comfort[luxury] 편안하게[사치스럽게] 살다 / ~ *beyond* one's means 자기 분수에 넘치는 생활을 하다 / ~ *by* the golden rule 황금률에 따라 생활하다 **9 인생을 즐기다**; 재미나게 살다: Let us ~ while we may. 살아 있는 동안 재미나게 지내자. / I have never really ~*d*. 정말로 인생을 즐겨 본 일이 한 번도 없다.

— *vt.* **1** [동족 목적어를 동반하여] …**한 생활을 하다**(pass): ~ an idle *life* 게으른 생활을 하다 / ~ a double *life* 이중 생활을 하다, 이중 인격자이다 / He ~*d* a rich and comfortable *life* in the country. 그는 시골에서 유복하고 쾌적한 생활을 했다. **2** (자기 생활 속에) 나타내다, 실행하다: What other people preached he ~*d*. 다른 사람들이 설교한 바를 그는 실천하였다. **3** 〈배우가〉 〈맡은 역을〉 잘 해내다: ~ a role in a play 연극에서 맡은 역을 열연하다

(***as sure***) ***as I ~*** 틀림없이, 확실히 ***be living on borrowed time*** 뜻밖에[예상 보다] 오래 살다 ***~ a lie*** 거짓 생활을 하다 ***~ and learn*** (1) [well, you[we] 다음에 쓰여] 오래 살다 보니 별꼴을 다 보는군 (2) 실수를 통해서 배우다 ***~ and let ~*** 서로 간섭하지 않고 공존하다[관대히 하다], 공존공영 ***~ apart*** 〈부부가〉 별거하다 ***~ by doing*** (something) (어떤 일을) 하여 생계를 이어 나가다 ***~ by one's hands***[***fingers' ends***] 손일을 하여[손끝 일로] 입에 풀칠을 하다 ***~ by***[***on***] ***one's wits*** 요모조모로 수단을 다하여 (특히 속임수로) 생계를 유지하다 ***~ carefully*** 검소하게[알뜰하게] 살아가다 ***~ close*** 절약하여[빠듯하게] 살아가다 ***~ down*** 〈오명 등을〉 여러 해에 걸쳐 씻다; 〈슬픔 등을〉 잊게 되다 ***~ for*** …을 위해 살다, 헌신하다 ***~ free from care*** 걱정 없는 생활을 하다 ***~ hard*** 방탕한 생활을 하다; 고난을 견디다 ***~ high*** = ***~ high off***[***on***] ***the hog*** 사치스럽게 지내다 ***~ in*** 《영》 기숙하면서 근무하다(cf. LIVE out) ***~ in a small way*** 검소하게 살다 ***~ in ease*** 편히 지내다, 안락하게 살다 ***~ in***[***within***] ***oneself*** 고독하게 살다; 혼자 벌어먹고 살다 ***~ in the past*** 지난 일만 추억하며 지내다 ***~ it*** (경주에서) 뒤지지 않고 따라가다 《*with*》 ***~ it up*** 《구어》 인생을 즐기다; 사치스럽게[방탕하게] 지내다 ***~ off*** (1) …에게 폐를 끼치다, 얹혀살다 (2) …으로 생계를 잇다 ***~ off the fat of the land*** (돈이 많아) 아주 호화롭게 살다 ***~ off the land*** 직접 기르거나 키운 것을 먹고 살다 ***~ on***[***upon***] ⇨ *vi.* 6 ***~ on air*** 아무것도 먹지 않고 있다 ***~ on the cross*** 《속어》 (나쁜 짓을 하여) 세상을 비뚜로 살아가다 ***~ or die by*** 맹신하다 ***~ out*** (1) 통근하다(cf. LIVE in) (2) 〈평생을〉 살아남다; 〈환자가〉 〈어느 시기를〉 지탱하다 ***~ over again*** 〈경험 등을〉 다시 한 번 회상하다; 〈과거의〉 추억에 잠기다 ***~ rough*** 괴로운 생활을 하다 ***~ single*** 독신으로 지내다 ***~ through*** 살아남다, 목숨을 부지하다; 〈전쟁 등을〉 겪고 지내다: He will not be able to ~ *through* this winter. 그의 목숨은 이번 겨울도 넘기기 어렵다. ***~ together*** 동거하다 ***~ to see***[***fight***] ***another day*** (실패 등에) 꺾이지 않고 분발하다 ***~ to oneself*** 고독하게 살다; 이기적 생활을 하다 ***~ under*** …의 지배하에 살다; …의 세든 사람[소작인]이다 ***~ up to*** …에 맞는 생활을 하다; 〈주의 등에〉 따라[부끄럽지 않은] 행동을 하다 ***~ well*** 넉넉하게 지내다; 고결한 생활을 하다 ***~ with*** …와 함께 살다, …에 기숙하다; 〈상황 등을〉 받아들이다, 참다: You must ~ *with* your sorrow. 너는 슬픔을 견뎌내며 살아가지 않으면 안 된다. ***~ with oneself*** 자존심을 지니다 ***where one ~s*** 《미·속어》 급소를[에]: The word goes right *where I* ~. 그것은 나의 급소를 찌르는 말이다.

▷ life *n.*

***live**[2] [láiv] [alive의 두음 소실(頭音消失)] *a.* **1** Ⓐ **살아 있는**(living); [real ~로] 《익살》 진짜의, 산 (그대로의): ~ bait (낚시의) 산 미끼 / a *real* ~ burglar 진짜 강도 **2 생생한**, 활기 있는; 활동적인, 활달한, 똑똑한, 기운찬: with ~ eyes 생기 있는 눈으로 **3** 빈틈이 없는, 시세에 뒤지지 않은, 현대적인 **4** 〈불 등이〉 일어나고 있는, 불타고 있는; 〈화산이〉 활동 중인: ~ coals in the fireplace 난로에서 타고 있는 석탄 **5** Ⓐ 〈문제 등이〉 한창 토론 중인, 당면한: a ~ issue 당면한 문제

thesaurus **lively** *a.* active, animated, cheerful, energetic, enthusiastic, alive, vigorous, spirited, keen, buoyant, frisky, agile, nimble (opp. *list-*

6 〈고무공 등이〉 탄력 있는 7 〈총알이〉 아직 폭발하지 않은; 〈성냥이〉 아직 켜지 않은: a ~ bullet 실탄/a ~ bomb 실폭탄; 불발탄 8 유효한 9 〈방송·연주 등이〉 녹음[녹화]이 아닌; 〈연극이〉 실연하는; 〈텔레비전[라디오]의 스튜디오에 모인 관중[청중] 이〉 반응이 있는: a ~ satellite telecast 위성 생중계 10 〈색이〉 선명한; 〈공기가〉 신선한: (a) ~ green 선명한 녹색 11 운전하는, 일하는: a ~ machine 작동 중인 기계 12 〈전선·회로 등이〉 전기가 통하고 있는 13 〈바위 따위가〉 천연 그대로의, 아직 캐내지 않은(native), 땅에 박힌: ~ rocks 아직 캐내지 않은 바위들 14 〖스포츠〗 경기 중인 —*ad.* 생방송으로, 실황으로 **~·ness** *n.*
▷ enlíven, líven *v.*; lívely *a.*

live-ac·tion [láivǽkʃən] *a.* 1 《구어》 생중계의, 실황의, 녹음[녹화]이 아닌, 실연(實演)의 2 애니메이션의, 동화(動畫)의

live·a·ble [lívəbl] *a.* =LIVABLE

líve áxle [láiv-] 〖기계〗 활축(活軸)

líve báll [láiv-] 〖야구〗 플레이 중인 공

live·bear·er [láivbὲərər] *n.* 태생어(胎生魚)

lìve bírth [làiv-] 정상 출산(cf. STILLBIRTH)

live-born [láivbɔ́ːrn] *a.* 살아서[정상으로] 태어난 (cf. STILLBORN)

líve cènter [láiv-] (선반(旋盤)의 주축인) 회전 센터

lived [láivd, lívd | lívd] *a.* [보통 복합어를 이루어] 생명이 …한: long-[short-]~ 목숨이 긴[단명의]

lived-in [lívdìn] *a.* (오랫동안) 사람이 살고 있는 (듯한); 익숙한 듯한, 오래 사용한 듯한; 연륜이 느껴지는

líve fíre [láiv-] *a.* 실탄 사용의

live-in [lívìn] *a.* Ⓐ 입주하고 있는 〈종업원 등〉; 동거하는 〈애인〉 —*n.* 동거인, 애인

∗**live·li·hood** [láivlihùd] *n.* [보통 a ~, one's ~] 생계, 살림, 호구지책: write for *a* ~ 글을 써서 생활하다 ***earn*** [***gain, get, make***] ***a*** [***one's***] ***~ by*** writing (문필로) 생계를 꾸리다 ***earn an honest ~*** 정직하게 벌어먹고 살다 ***pick up a scanty ~*** 구차한 생활을 하다

líve lóad [láiv-] 〖토목·건축〗 활하중(活荷重), 동하중(動荷重)(opp. *dead load*)

live·long [lívlɔ̀ːŋ | -lɔ̀ŋ] *a.* Ⓐ 《시어》 〈시간이〉 긴; 온[꼬박] …, … 내내: the ~ day 하루 종일, 온종일

‡**live·ly** [láivli] *a.* (**-li·er**; **-li·est**) 1 생기[활기]에 넘친, 기운찬, 활발한; 〈곡 등이〉 명랑한, 경쾌한: a ~ discussion 활발한 토론 2 선명한, 강렬한; 살아 움직이는듯한; 〈감정 등이〉 격렬한: a ~ sense of gratitude 깊은 감사의 마음 3 〈와인 등이〉 거품이 이는; 상쾌한 향미의 4 〈공이〉 잘 튀는 5 〖항해〗 〈배 등이〉 가볍게 물결을 타는; 〈바람 등이〉 상쾌한: a ~ breeze 상쾌한 바람 6 《익살》 아슬아슬한, 난처한
(***as***) ***~*** [***merry***] ***as a grig*** ⇨ grig. ***be ~ with*** (the crowd) (군중)으로 활기에 차 있다 ***have a ~ time of it*** 대활약을 하다; 곤란을 겪다, 혼나다 ***Look ~!*** 《구어》 (좀 더) 활기차게 움직여[일해]! ***make things*** [***it***] ***~ for*** …을 곤란하게 만들다, 괴롭히다
—*ad.* 힘차게; 생생하게
líve·li·ly *ad.* **líve·li·ness** *n.*

liv·en [láivən] *vt., vi.* 명랑[쾌활]하게 하다, 활기를 북돋우다 《*up*》, 들뜨다, 활기를 띠다 《*up*》 **~·er** *n.*

líve òak [láiv-] 〖식물〗 북미 남부산(産)의 참나무속(屬)의 수목

líve òne [láiv-] 《미·속어》 1 활기찬[재미있는] 곳[사람] 2 괴짜; 별난 사람 3 돈 잘 쓰는 사람, 속기[봉이 되기] 쉬운 사람

live-out [lívàut] *a.* Ⓐ 출퇴근하는(cf. LIVE-IN): a ~ cook 출퇴근하는 요리사

líve párking [láiv-] 운전자가 탄 채로의 주차

‡**liv·er¹** [lívər] *n.* 1 〖해부〗 간장(肝臟): a ~ complaint 간장병 2 Ⓤ (소·돼지·닭 등의) 간, 리버 《식용》 3 Ⓤ 간장색, 적갈색 ***a hot*** [***cold***] ***~*** 열정[냉담] ***a white*** [***lily***] ***~*** 겁 많음
—*a.* 간장색의, 적갈색의
~·less *a.* ▷ líverish, lívery² *a.*

∗**liv·er²** [lívər] *n.* 1 생활자, …식으로 생활하는 사람: a fast ~ 방탕한 사람/a good ~ 인격자; 미식가/a hearty ~ 대식가 2 《특히 미》 사는 사람, 거주자

liv·er-col·ored [lívərkʌ̀lərd] *a.* 간장색의, 적갈색의

líve recórding [láiv-] 실황 녹음

liv·ered [lívərd] *a.* [보통 복합어를 이루어] …한 간장[기질]을 지닌: white-~ 겁 많은

líver èxtract 간장 엑스 《빈혈 치료용》

líver flùke 간흡충(肝吸蟲)

liv·er·ied [lívərid] *a.* 제복[정복]을 입은 〈하인 등〉

liv·er·ish [lívəriʃ] *a.* 《구어》 1 간장색과 비슷한, 적갈색에 가까운 2 간장병의 3 화를 잘 내는, 심술궂은, 까다로운(peevish)

líver òil 간유

Liv·er·pool [lívərpùːl] *n.* 리버풀 《잉글랜드 북서부 Merseyside주의 주도》

Liv·er·pud·li·an [lìvərpʌ́dliən] *a., n.* Liverpool의 (시민)

líver sàlts 《영》 소화 불량증에 먹는 미네랄 소금

líver sáusage 간(肝) 소시지, 간 순대

líver spòts 〖병리〗 간반(肝斑), 기미

líver wìng 《익살》 오른팔

liv·er·wort [lívərwə̀ːrt, -wɔ̀ːrt | -wə̀ːt] *n.* 〖식물〗 우산이끼

liv·er·wurst [-wə̀ːrst, -wùərst | -wə̀ːst] [G= liver sausage] *n.* ⓊⒸ 《미》 =LIVER SAUSAGE

∗**liv·er·y¹** [lívəri] *n.* (*pl.* **-er·ies**) 1 ⓊⒸ 제복, 정복(正服) 2 Ⓤ 《시어》 (특징 있는) 복장, 장식, 차림새 3 Ⓤ (삯을 받고) 말을 맡기[기르기] 4 Ⓤ 마차[말] 대여업; 《미》 =LIVERY STABLE; 《미》 보트[자전거] 대여업 5 Ⓤ 〖법〗 교부, 양여(讓與) 6 《영》 =LIVERY COMPANY ***at ~*** 〈말이〉 사료 대금을 받고 사육되는 ***change ~*** 《속어》 소속 팀을 바꾸다, 이적하다 ***in ~*** 정복을 입고 ***out of ~*** 평복[사복]을 입고 ***take up one's ~*** 주인을 정하여 섬기다; (London 시의) 동업 조합원이 되다 ***the ~ of grief*** [***woe***] 상복(喪服)

livery² *a.* 1 간장 같은; 간장병의; 간장색의 2 화를 잘 내는

lívery còmpany 《영》 (런던의) 동업 조합 《조합원들은 특수한 제복(livery)을 입었음》

lívery cùpboard (중세의 식량 저장용) 찬장

liv·er·y·man [lívərimən] *n.* (*pl.* **-men** [-mən, -mèn]) 1 마차 전세업자 2 《영》 (런던의) 동업 조합원 3 《고어》 (제복을 입은) 종

lívery sèrvant 제복을 입은 고용인[하인]

lívery stàble[**bàrn**] 《미》 말을[마차를] 세놓는 집; 사료값을 받고 말을 보관하는 집

‡**lives** [láivz] *n.* LIFE의 복수

líve stéam [láiv-] (보일러에서 갓 나온 압력이 센) (생)증기

∗**live·stock** [láivstɑ̀k | -stɔ̀k] *n.* Ⓤ [집합적; 단수·복수 취급] 가축, 가축류 (cf. DEADSTOCK): ~ farming 목축, 축산

live·trap [láivtræ̀p] *n., vt.* 생포용 덫(으로 사로잡다)

live·ware [láivwὲər] *n.* 〖컴퓨터〗 컴퓨터 종사자[요원](cf. HARDWARE, SOFTWARE)

live·weight [láivwèit] *n.* 생체중 《도살 전의 가축의 체중》

líve wíre [láiv-] 1 활선(活線) 《전기가 통하고 있는 전선》 2 《구어》 활동가, 정력가 3 《속어》 돈을 헤프게 쓰는 사람

live·yere [lívjər] *n.* =LIVYER

liv·id [lívid] *a.* 1 납빛의, 흙빛의; (멍같이) 검푸른 2 《구어》 노발대발한, 격노한 **~·ly** *ad.* **~·ness** *n.*

li·vid·i·ty [livídəti] *n.* Ⓤ 흙빛, 납빛

---

less, lifeless, slow, apathetic)
livery¹ *n.* uniform, attire, costume, clothes
livestock *n.* cattle, herd, cow, sheep

‡liv·ing [líviŋ] *a.* **1 a** 살아 있는(opp. *dead*), 생명이 있는; 〈동식물이〉 생존한, 죽지 않은: a ~ model 산 귀감/all ~ things 생명을 가진 모든 것/a ~ corpse 산 송장 **b** [the ~; 명사적; 복수 취급] 산 사람, 생존자: in the land of *the* ~ 〖성서〗 (이 세상에) 살아서, 생존하여 **2** 현대의, 현존하는, 현재 쓰이고 있는: ~ English 현대 영어/a ~ language 현용 언어/a ~ institution 현행 제도 **3** 활발한, 활기 있는(lively), 힘찬; 〈감정·신앙 등이〉 강렬한, 강한; 〈공기·태양 등이〉 생명[활기]을 주는: a ~ faith 두터운 신앙 **4** 〈물 등이〉 흐르고 있는; 〈숯 등이〉 불붙은; 〈바위 등이〉 자연 그대로의, 아직 캐내지 않은 **5** 〈초상(肖像) 등이〉 꼭 닮은, 실물과 같은: the ~ image of his father 그의 아버지와 꼭 닮은 모습 **6** 〈연극·연기 등이〉 실연(實演)의 **7** 생활의, 거주의: ~ conditions 생활 상태/~ expenses 생활비/~ quarters 거처, 숙소 **8** [강조적으로] 정말, 전적인: a ~ angel 정말 친절한 사람 ***be ~ proof of*** …의 좋은 본보기이다 ***within*** [***in***] ***~ memory*** 현존하는 사람들의 기억에 있는, 아직도 기억에 생생한
— *n.* **1** Ⓤ 생활; 생존 **2** [종종 복합어를 이루어] 생활 양식, 살아가는 방식[형편]: high ~ 상류 사회의 생활/urban[suburban] ~ 도시[교외] 생활 **3** [a ~, one's ~] 생계, 살림, 생활비; 수입: What does he do for *a* ~? 그는 무엇을 해서 생계를 꾸려 나가고 있습니까? **4** 〖영국국교〗 성직록(聖職祿)
earn [***get, make***] ***a*** [***one's***] ***~*** 생계를 꾸리다 ***style*** [***rate***] ***of ~*** 살아가는 방식
~·ly *ad.* **~·ness** *n.* Ⓤ 생기(vigor)
líving bánk 장기(臟器) 은행
líving cóst 생계비
líving déath 죽음과 다름없는 생활
líving dóll (미·속어) 아주 좋은[기분 좋은, 도움이 되는] 사람; 절세미인
líving énd [the ~] (속어) 가장 매력적인[아름다운] 사람[것]; 최고; 극한
líving fóssil 1 살아 있는 화석, 화석 동물 **2** (구어) 시대에 뒤떨어진 사람
líving héll 생지옥, 처참한 상황
liv·ing-in [líviŋìn] *a.* 입주하는(live-in)
liv·ing-out [-àut] *a.* 통근하는(live-out)(cf. LIVING-IN)
líving pícture 활인화(活人畫), 영화
líving ròof =GREEN ROOF
líving ròom 1 거실(parlor) **2** 생활권; 생활 공간
líving spàce 1 생활권 《한 나라의 생활 유지에 필요한 영토》 **2** 생활 공간, (주택의) 거주 부분
líving stàndard 생활 수준
Liv·ing·stone [líviŋstən] *n.* 리빙스턴 **David ~** (1813-73) 《스코틀랜드의 선교사·아프리카 탐험가》
líving théater [the ~] 연극 《TV·영화에 대해》
líving únit 일가족이 사용하는 주거[주택]
líving wáge 최저 생활 임금
líving wíll 〖미국법〗 사망 선택 유언, 생전(生前) 유서 《식물 인간보다는 죽기를 원한다는 뜻의 문서》
li·vre [lí:vər] [F =pound] *n.* (*pl.* **~s** [-z]) **1** 리브르 《옛날 프랑스의 화폐 단위》 **2** 리브르 금화[은화, 동화]
Liv·y [lívi] *n.* 리비우스(59 B.C.-A.D. 17) 《로마의 역사가; Latin 이름은 Titus Livius》
liv·yer [lívjər], **liv(e)·yere** [lívjέər, ㅅ-] *n.* (캐나다) (어획기(期)에 찾아오는 어부에 대하여) 정주자(定住者)
lix·iv·i·ate [liksívièit] *vt.* 〖화학〗 〈고체 혼합물에서〉 가용 물질을 용액으로서 분리하다 **lix·ìv·i·á·tion** *n.*
Liz [líz], **Li·za** [láizə] *n.* 여자 이름 《Elizabeth의 애칭》
∗liz·ard [lízərd] *n.* **1** 〖동물〗 도마뱀 **2** Ⓤ 도마뱀 가죽 **3** =LOUNGE LIZARD **4** [the L~] 〖천문〗 도마뱀자리
liz·zie [lízi] *n.* (미·속어) **1** 레즈비언 **2** (값싼) 소형 자동차 《포드 자동차의 별명》 **3** 게으른 사람
Liz·zie, -zy [lízi] *n.* 여자 이름 《Elizabeth의 애칭》

L.J. (영) Lord Justice **Lk.** 〖성서〗 Luke **LL, L.L.** Late Latin; law Latin; lending library; limited liability; Lord Lieutenant; loose-leaf; lower left; Low Latin **ll.** leaves; lines **l.l.** *loco laudato* 《L =in the place cited》; loose-leaf
'll [l] will[shall]의 단축형: I'*ll*, he'*ll*, that'*ll*
lla·ma [lá:mə] *n.* **1** 〖동물〗 라마, 아메리카낙타 《남미산(産)》 **2** Ⓤ 라마의 털(로 만든 천)
lla·ne·ro [lɑ:nέərou] *n.* (*pl.* **~s**) llano의 주민
lla·no [lá:nou, lǽn-|lá:n-] [L 「평원」의 뜻에서] *n.* (*pl.* **~s**) 나무가 없는 대초원 《남미 Amazon 강 이북의》
LL.B. *Legum Baccalaureus* 《L = Bachelor of Laws》 **LL.D.** *Legum Doctor* 《L = Doctor of Laws》 **LLDC** least less-developed countries 후발 도상국
Llew·el·lyn [lu:élin] *n.* 남자 이름
LL.JJ. Lords Justices (영) 고등 법원 판사
LL.M. *Legum Magister* 《L =Master of Laws》
Lloyd [lɔ́id] *n.* 남자 이름
Llòyd Géorge 로이드 조지 **David ~** (1863-1945) 《영국의 정치가; 수상(1916-22)》
Lloyd's [lɔ́idz] *n.* **1** 로이즈 (해상 보험) 조합 《선주와 보험업자의 조합》 **2** =LLOYD'S REGISTER
Llóyd's Líst 로이즈 해사 일보(海事日報)
Llóyd's Régister 1 로이즈 (선급(船級)) 협회 《공익 법인》 **2** 로이즈 선박 등록부[통계]
Llóyd's únderwriter 로이즈 보험업자
LLTV low-light (level) TV 〖전자〗 저광량 텔레비전
lm 〖광학〗 lumen(s) **LM** lunar module 달 착륙선
L.M. Licentiate in Medicine; Licentiate in Midwifery; 〖운율〗 long meter[measure]; Lord Mayor **LME** London Metal Exchange 런던 금속 거래소 **LMG** light machine gun 경기관총 **lm-hr** 〖광학〗 lumen-hour(s) **LMO** living genetically modified organism 유전자 변형 유기[생명]체 **L.M.P.** last menstrual period 〖의학〗 최종 월경 **LMS** (영) local management of schools; London Missionary Society **L.M.S.(R.)** London Midland & Scottish (Railway) **LMT** local mean time 지방 평균시(時) **ln** 〖수학〗 natural logarithm **Ln** 〖화학〗 lanthanide **lndry** laundry **L.N.E.R.** London & North-Eastern Railway **LNG** liquefied natural gas 액화 천연 가스
∗lo [lóu] *int.* (고어) 보라!, 자!, 이봐! ***Lo and behold!*** 자 보시라! 《놀랄 만한 사실을 말할 때》
loach [lóutʃ] *n.* 〖어류〗 미꾸라지
‡load [lóud] [OE 「길」 「물건을 나르는 동작」의 뜻에서] *n.* **1** 적재 하물(burden), 짐 《*of*》: a dump truck with a full ~ *of* sand 모래를 가득 실은 덤프트럭 **2** [보통 복합어를 이루어] 한 짐[바리, 차(車)]; 적재량 《*of*》: a truck-~ *of* hay 트럭 한 대분의 건초 **3** (사람·기계에 할당된) 작업량; 부담: reasonable ~ of work 타당한 업무량 **4** (정신적인) 무거운 짐, 심로(心勞) 《*of*》: a ~ *of* debt[grief, guilt] 빚[슬픔, 죄]의 무거운 짐 **5** [~s of ... 또는 a ~ of ...로] (구어) 담뿍, 가득: He has ~*s of* money. 그는 많은 돈을 가지고 있다. **6** 장전(裝塡) 《화약·필름 등의》, 장약(裝藥), 장탄(裝彈) **7** [a ~] (미·속어) 충분히 취할 정도의 술의 양(jag); 취함 **8** 〖물리·기계〗 하중(荷重), 부하(負荷); 〖전기〗 부하 **9** 〖컴퓨터〗 로드 《외부의 보조 기억 장치에 저장된 프로그램이나 데이터를 읽어서 주기억 장치에 기억시키는 것》 **10** 〖상업〗 (판매) 부가금; 부가 보험료, 할증 보험(료)
dead [***live***] ***~*** 정(靜)[동(動)]하중 ***get a ~ of*** [종종 명령법] (속어) (1) …을 보다, 주시하다 (2) …을 주의하여 듣다 ***have a ~ on*** (미·속어) 취해 있다 ***have a ~ on*** one***'s mind*** [***conscience***] 마음에

thesaurus **load** *n.* cargo, freight, charge, burden, lading, contents, consignment, shipment

걸리는[양심에 거리끼는] 일이 있다 ***moving*** [***rolling***] ~ 이동 하중 ***static*** ~ 정(靜)하중 ***take*** [***get***] ***a*** ~ ***off*** (one***'s feet***) (구어) 걸터앉아, 드러눕다, 편히 하다 ***take a ~ off*** one***'s mind*** 마음의 짐을 덜다, 안심하다 ***working*** ~ 사용 하중

— *vt.* **1** 〈짐을〉 싣다, …에 **짐을 싣다**; 적재하다: (~+목+전+명) ~ a cargo of cotton *into* a car[*on* a boat] 목화를 차[배]에 싣다 / ~ a ship *with* coal 배에 석탄을 싣다 **2** 〈테이블 등에〉 잔뜩 올려놓다, 쌓아 올리다 (heap up); 〈배 속에〉 (음식을) 채우다 (*with*): (~+목+전+명) ~ a table[one's stomach] *with* food 음식을 식탁에 잔뜩 올려놓다[배 속에 채워 넣다] / a plate *~ed with* cherries 체리를 산처럼 쌓아 놓은 접시 **3** 〈사람에게〉 (…을) 마구 주다 (*with*); 〈사람을〉 괴롭히다 (*with*); …에게 무거운 부담을 지우다 (*on*): (~+목+전+명) ~ a person *with* favors[insults] …에게 곤란할 정도로 많은 은혜를 베풀다[…을 형편없이 모욕하다] / ~ heavy work *on* a person …에게 힘든 일을 시키다 **4 탄알을 재다**, …에 장전하다(charge); 〈카메라에〉 필름을 넣다; 〖컴퓨터〗 〈프로그램·데이터를〉 로드하다, 올리다, 시작하다 **5** 〈주사위·단장 등에〉 납을 박다; 〈술에〉 다른 것을 섞다 **6** 〖보험〗 〈순(純)보험료에〉 (제(諸) 비용을) 부가하다 **7** 〖야구〗 만루로 만들다: His hit *~ed* the bases. 그의 안타로 만루가 되었다. **8** 〈진술·질문 등에〉 부가적 의미를 덧붙이다; 〈제도·상황 등을〉 특정 사람들에게 유리하게 하다

— *vi.* **1** 짐을 싣다; 사람을 태우다; 짐을 지다, 짐을 지우다 (*up*): The bus *~s* at the left door. 버스는 왼쪽 문으로 사람을 태운다. **2** 장전하다; 〈총포가〉 장탄할 수 있다: This movie camera *~s* instantly[easily]. 이 무비 카메라는 즉석에서[쉽게] 필름이 장전된다. **3** (속어) 잔뜩 틀어넣다, 마구 채워 넣다 **4** 〈사람이〉 (…에) 올라타다 (*into*)

~ up 짐을 싣다, 잔뜩 쌓이다; 잔뜩 처넣다, 양껏 먹다

LoAD [lóuæ̀d] [*low altitude defense*] *n.* 〖미육군〗 저공 방위 《미사일 요격 시스템 개발 계획》

lóad displàcement 〖항해〗 만재 배수량[톤수]

lóad dràft 〖항해〗 만재 흘수선

load·ed [lóudid] *a.* **1** 짐을 실은[진]; 〈탈것이〉 만원인; 〖야구〗 만루의: a ~ bus 만원 버스 / bases ~ 만루 **2** 탄알을 잰, 장전한; 〈카메라가〉 필름이 든; (납 등을) 박은: a ~ cane 납을 박은 단장 / a ~ dice (납을 박은) 부정 주사위 **3** 〈진술·논의가〉 한쪽에 치우친; 〈질문 등이〉 숨은 저의가 있는: a ~ question 유도 질문 **4** 〈술 등이〉 섞음질을 한 **5** Ⓟ (속어) (술·마약 등에) 취한 **6** Ⓟ (속어) 돈이 많은 **7** 〈자동차 등이〉 부속품을 완전히 갖춘, 모든 특수 장비를 장착한

be ~ for bear (속어) 필요한 것이 갖추어져 있다; 취해 있다; 화가 나 있다

load·er [lóudər] *n.* **1** 짐을 싣는 사람; 적하기(積荷機) **2** (총포의) 장전자 **3** [복합어를 이루어] 〖군사〗 …장전식 총[포] **4** 〖컴퓨터〗 로더 《외부 매체로부터 프로그램 등을 주(主)기억 장치에 넣기 위한 루틴》

lóad fàctor 〖전기〗 부하율; 〖항공〗 좌석 이용률

lóad fùnd 로드 펀드 《판매 수수료를 포함시킨 가격으로 판매되는 투자 신탁》

load·ie, load·y [lóudi] *n.* (미·속어) 마약[알코올] 중독자

load·ing [lóudiŋ] *n.* Ⓤ **1** 짐싣기, 적재; 선적; 하역; 선하(船荷) **2** (탄약의) 장전, 장약(裝藥) **3** 〖전기〗 장하(裝荷); 〖컴퓨터〗 올리기; (VTR에) 테이프를 넣기 《녹화·재생할 수 있도록》 **4** 〖보험〗 부가 보험료 **5** 〖항공〗 익면(翼面) 하중

lóading bày 적재 구획 《가게·공장 등의 트럭이 짐을 적재하는 장소》

lóading brìdge 탑승교 《공항의 터미널 빌딩에서 항공기까지 연결하는 피복된 통로》

---

loan[1] *n.* lending, advance, credit, mortgage (opp. *promise, borrowing, pledge*)

lóading còil 〖전기〗 장하(裝荷) 코일

lóading prògram[**routìne**] 〖컴퓨터〗 로딩 프로그램[루틴](loader)

lóad lìne 〖항해〗 만재 흘수선

load·mas·ter [lóudmæ̀stər | -mɑ̀:s-] *n.* 〖항공〗 기상 수송원, 탑재물 관리 책임자

load-shed·ding [-ʃèdiŋ] *n.* 〖전기〗 전력 평균 분배(법)

load·star [-stɑ̀:r] *n.* = LODESTAR

load·stone [-stòun] *n.* = LODESTONE

‡loaf[1] [lóuf] [OE 「빵」의 뜻에서] *n.* (*pl.* **loaves** [lóuvz]) **1** (일정한 크기를 틀에 넣어 구운) **한 덩어리의 빵**(cf. BREAD, ROLL): a brown[white] ~ 검은[흰] 빵 한 덩어리 / five *loaves* of cake 케이크 5개 / Half a ~ is better than no bread. (속담) 반이라도 없느니보다 낫다. **2** 원뿔꼴 백설탕(=~-sugar); (영) (양배추 등의) 통포기 **3** (영·속어) 머리; 두뇌

~ of bread (영·속어) 머리 ***loaves and fishes*** 〖성서〗 자신의 이익, 세속적 이득 ***use*** one***'s ~*** 머리를 쓰다, 잘 생각하다

loaf[2] *vi.* **1** (일을) 빈둥거리며 하다 (*on*): (~+전+명) ~ *on* one's job 빈둥빈둥 일을 하다 / ~ *on* a person (미·구어) …의 돈으로 놀고 지내다, 식객 노릇을 하다 **2** 어슬렁거리다; 배회하다 (*about, around*): (~+부) ~ *about* 빈둥빈둥 돌아다니다 // (~+전+명) ~ *along* a street 거리를 어슬렁거리다 / ~ *through* life 빈둥거리며 일생을 보내다 — *vt.* 〈시간을〉 놀며 보내다 (*away*): (~+목+부) ~ one's life *away* 일생을 놀고 지내다 — *n.* [a ~] 놀며 지냄; 빈둥거림 ***on the ~*** 빈둥거리고

lóaf càke (미) 막대 모양의 케이크

loaf·er [lóufər] *n.* 놈팡이, 건달, 게으름뱅이(idler); 부랑자(tramp)

Loaf·er [lóufər] *n.* [보통 *pl.*] (미) (moccasin 비슷한) 간편화

loaf-sug·ar [-ʃúgər] *n.* 막대 설탕, 원뿔꼴의 설탕(sugarloaf)

loam [lóum] [OE 「진흙」의 뜻에서] *n.* Ⓤ **1** 양토(壤土), 롬 《진흙·모래·유기물로 된 흙》 **2** 찰흙 《모래·진흙·톱밥·짚 등의 혼합물; 벽토 등을 만듦》 **~·less** *a.*

loam·y [lóumi] *a.* (**loam·i·er**; **-i·est**) 롬(질)의 **lóam·i·ness** *n.*

‡loan[1] [lóun] *n.* **1** Ⓤ 대부(貸付), 대여: get a ~ of money from a person …에게서 돈을 빌리다 **2** 대부금; 공채, 차관: a ~ insurance 대부금 보험 / a ~ syndicate 차관 인수 재단 **3** 대차물(貸借物) **4** 외래어(loanword); 외래의 풍습

ask [***apply***] ***for the ~ of*** …의 차용을 청하다 ***domestic*** [***foreign***] ~ 내국[외국]채(債) ***have the ~ of*** …을 차용하다 ***issue a ~*** 공채를 발행하다 ***on ~*** 대부하여; 차입하여 ***public*** [***government***] ~ 공[국]채 ***raise a ~*** 공채를 모집하다

— *vt., vi.* (미) 대부하다, 빌려 주다 (*to*)(⇨ borrow 유의어) **~·a·ble** *a.*

loan[2] *n.* = LOANING

loan·back [lóunbæ̀k] *n.* 〖보험〗 (개인 연금 적립금에서의) 융자 제도, 연금 대출 제도

lóan collèction (전시할 목적의) 차용 미술품

lóan còmpany (개인에게 융자하는) 금융 회사

loan·ee [louní:] *n.* 채무자, 빌리는 사람

loan·er [lóunər] *n.* **1** 대부자, 대여자 **2** (수리하는 동안에 빌려 주는) 대체품 《자동차 등》 **3** 차용어

loan·hold·er [lóunhòuldər] *n.* 공채 증서 소유자; 채권자, 저당권자

loan·ing [lóuniŋ] *n.* (스코) **1** 좁은 길(lane) **2** (소의) 젖 짜는 곳, 착유소

lóan òffice **1** 금융 사무소 **2** 전당포 **3** 공채 모집소

loan-out [lóunàut] *n.* (미·속어) (계약한 영화 배우를 타사에) 빌려 줌

lóan shàrk (구어) 고리대금업자(usurer)

loan-shark·ing [-ʃɑ̀:rkiŋ] *n.* (구어) 고리대금업

loan·shift [-ʃìft] *n.* 〖언어〗 **1** 차용 전의(轉義) 《외국어의 영향에 의한 언어의 의미 변화》 **2** 차용 전의어(語)
lóan translàtion 〖언어〗 차용 번역 (어구) 《외국어를 문자 그대로 번역하는 일; 독일 어의 Übermensch를 superman으로 하는 등》
lóan vàlue 〖보험〗 대부 가액(貸付價額) 《생명 보험 증권을 담보로 계약자가 빌릴 수 있는 최고 금액》
loan·word [-wə̀:rd] *n.* 외래어, 차용어
*__loath__ [lóuθ, lóuð | lóuθ] [OE 「싫어하는」의 뜻에서] *a.* Ⓟ 지긋지긋하여, 싫어서, 질색으로(⇨ reluctant 유의어): (~ | *to* do) He is ~ *to* go there. 그는 그곳에 가기를 싫어한다. / The boy was ~ *to* be left alone. 그 소년은 혼자 떨어져 있는 것이 싫었다. ***nothing*** ~ 싫기는커녕, 기꺼이 **~·ness** *n.*
▷ lóathe *v.*; lóathly, lóathful, lóathsome *a.*
*__loathe__ [lóuð] *vt.* 몹시 싫어하다; 지긋지긋하도록 싫다; 지겨워하다, 질색하다 ★ dislike, hate, abhor보다 뜻이 강한 말. **lóath·er** *n.*
loath·ful [lóuðfəl] *a.* **1** 《스코》 싫은(reluctant) **2** 《드물게》 = LOATHSOME
loath·ing [lóuðiŋ] *n.* Ⓤ 강한 혐오, 질색: be filled with ~ 싫어서 견딜 수 없다 **~·ly** *ad.*
loath·ly [lóuðli, lóuθ- | lóuð-] *a.* 《고어》 = LOATHSOME **lóath·li·ness** *n.*
*__loath·some__ [lóuðsəm, lóuθ- | lóuð-] *a.* **1** 싫은, 싫어서 견딜 수 없는 **2** (육체적으로) 기분 나쁜, 메스꺼운 **~·ly** *ad.* **~·ness** *n.*
*__loaves__ [lóuvz] *n.* LOAF[1]의 복수
lob[1] [láb | lɔ́b] *vt., vi.* (**~bed**; **~·bing**) **1** 〖테니스〗 높고 느린 공을 보내다 《코트 구석에 떨어지도록》; 〖크리켓〗 낮고 느리게 던지다 **2** 느릿느릿[맥없이] 걷다[뛰다, 움직이다] **—** *n.* **1** 〖테니스〗 로브, 높고 느린 공; 〖크리켓〗 낮고 느린 공 **2** 《영·방언》 굼뜬[서투른] 사람
lob[2] *n.* = LUGWORM
LOB 〖야구〗 left on bases 잔루(殘壘)
lo·bar [lóubər, -bɑ:r] *a.* **1** 귓불의 **2** 〖식물〗 열편(裂片)의 **3** 〖의학〗 (뇌·폐·간 등의) 엽성(葉性)의
lo·bate [lóubeit], **-bat·ed** [-beitid] *a.* **1** 〖식물〗 열편이 있는, 열편 모양의 **2** 〖조류〗 발가락에 잎 모양의 막이 있는
lo·ba·tion [loubéiʃən] *n.* **1** Ⓤ 〖생물〗 열편 형성 **2** 귓불; 열편, 판(瓣)
‡**lob·by** [lábi | lɔ́bi] [L 「주랑(柱廊), 현관」의 뜻에서] *n.* (*pl.* **-bies**) **1** 로비, (현관의) 홀 《휴게실·응접실 등으로 사용되는》 **2** 로비 《의원이 외부 사람과 만날 때 사용하는; cf. CLOAKROOM 2》 **3** 《영》 투표 대기 복도 (=division ~) **4** (의회에 출입하여 의원에게 진정·탄원 등을 하는) 로비, 원외단(院外團), 압력 단체; [집합적] 원외단의 사람들, 로비스트들
on a ~ basis 《영》 비공식적으로
— *v.* (**-bied**) *vi.* **1** (의회의 lobby에서) (…에 찬성[반대]의) 운동[로비 활동]을 하다 **2** 압력을 가하다, 이면 공작을 하다
— *vt.* **1** 〈의원에게〉 압력을 가하다 **2** 〈법안의〉 통과 운동을 하다 **~·er** *n.*
lóbby correspóndent 《영》 의회 출입 기자, 정치 기자
lob·by-fod·der [lábifɑ́dər | lɔ́bifɔ́də] *n.* 《영·경멸》 이익 집단에 대한 봉사에만 전념하는 의원(들)
lob·by·gow [lábigàu | lɔ́b-] *n.* 《속어》 (주로 중국인 거리에 모여 있는) 심부름하는 소년
Lób·by·ing Regulátion Áct [lábiiŋ- | lɔ́b-] 《미》 로비 활동 규제법 《1946년 제정》
lob·by·ism [lábiìzm | lɔ́b-] *n.* Ⓤ **1** (원외에서의) 의안 통과[부결] 운동 **2** 진정 운동, 압력 행사, 의회 공작
lob·by·ist [lábiist | lɔ́b-] *n.* 《미》 의안 통과[부결] 운동자, 진정자, 로비스트; 《영》 정치 기자(lobby correspondent)
lobe [lóub] *n.* **1** 둥근 돌출부; 귓불 **2** 〖해부〗 엽(葉) 《폐엽·간엽 등》 **3** 〖식물〗 (주로 잎의) 열편(裂片), 판(瓣) **4** 〖기계〗 로브, 돌출부 **5** 〖항공〗 = STABILIZER

lo·bec·to·my [loubéktəmi] *n.* (*pl.* **-mies**) ⓊⒸ 〖외과〗 폐엽 절제술
lobed [lóubd] *a.* 〖식물〗 잎 모양의; 열편의
lo·bel·ia [loubí:ljə] [플랑드르의 식물학자 Matthias de Lobel의 이름에서] *n.* 〖식물〗 로벨리아, 숫잔대 무리
lob·lol·ly [láblɑ̀li | lɔ́blɔ̀li] *n.* (*pl.* **-lies**) **1** Ⓤ 《미남부·방언》 된죽 **2** 《미남부·방언》 진흙 구덩이, 진창 **3** = LOBLOLLY PINE
lóblolly bòy 《미·고어》 선의(船醫) 조수
lóblolly píne 〖식물〗 미송(美松)의 일종
lo·bo [lóubou] *n.* (*pl.* **~s**) 〖동물〗 큰 회색 이리 《미국 서부산(産)》
lo·bo·la, -lo [lóubələ | ləbóulə] *n.* (*pl.* **~s**) (신부 아버지에게 주는 가축 따위의) 혼비(婚費)(bride price) 《남아프리카의 반투 어를 쓰는 부족 간의 풍습》
lo·bot·o·mize [ləbɑ́təmàiz, lou- | -bɔ́t-] *vt.* (대뇌의) 백질 절제 수술을 하다, 엽절단을 하다
lo·bot·o·mized [ləbɑ́təmàizd, lou- | -bɔ́t-] *a.* **1** (대뇌의) 백질 절제 수술(lobotomy)을 받은 **2** 《구어》 생기 없는, 멍한
lo·bot·o·my [ləbɑ́təmi, lou- | -bɔ́t-] *n.* (*pl.* **-mies**) ⓊⒸ 〖외과〗 (대뇌의) 백질 절제(술), 엽절단
lob·scouse [lábskaus | lɔ́b-] *n.* Ⓤ 고기·야채·비스킷 등으로 만든 스튜 《선원의 음식》
*__lob·ster__ [lábstər | lɔ́b-] [OE 「거미」의 뜻에서; 그 모양이 비슷하므로] *n.* (*pl.* **~s,** ~) **1** 〖동물〗 바닷가재; 대하, 왕새우(=spiny ~) **2** Ⓤ 바닷가재[대하]의 살 《식용》 **3** 《경멸》 영국 병정 《붉은 군복에서》; 《미·속어》 얼간이; 불그무레한 얼굴의 사람
(***as***) ***red as a*** ~ 새빨간 〈얼굴 등〉
— *vi.* 바닷가재를 잡다
lob·ster-eyed [lábstəràid | lɔ́b-] *a.* 눈이 튀어나온, 퉁방울눈의
lóbster jòint (파이프 등의) 자재(自在) 접합부
lob·ster·man [-mən] *n.* (*pl.* **-men** [-mən, -mèn]) 바닷가재잡이 업자[어부]
lóbster pòt[**tràp**] 왕새우잡이 통발
lóbster shìft[**trìck**] 《미·구어》 (신문사 등의) 심야 근무
lóbster thér·mi·dor [-θə́:rmədɔ̀:r] 바닷가재 크림 구이 《바닷가재의 살·송이 등을 크림 소스에 버무려 그 껍질에 담고, 치즈를 뿌려 오븐에 구운 요리》
lob·u·lar [lábjulər | lɔ́b-] *a.* 소열편(小裂片)의; 소엽(小葉)의
lob·ule [lábju:l | lɔ́b-] *n.* **1** 귓불 **2** 〖식물〗 소열편 **3** 〖해부〗 소엽
lob·worm [lábwə̀:rm | lɔ́b-] *n.* = LUGWORM
LOC line of communications 〖군사〗 병참선, 후방 연락선
‡**lo·cal** [lóukəl] [L 「장소」의 뜻에서] *a.* **1** 공간의, 장소의: the ~ situation 위치 / ~ adverbs 장소 부사 《here, there 따위》 **2** (특정한) 지방의, 고장의, 지구(地區)의, 지방적인, 한 지방 특유의: a ~ custom 지방의 관습 / ~ taxes 지방세 / ~ community 지역 사회 / ~ news (신문의) 지방 기사

> 유의어 **local** 「전국, 전역」에 대한 「지방」의 뜻이므로, 수도 또한 한 local이다. 수도에 대한 소위 「지방」의 뜻에는 **provincial**이 쓰인다.

3 〖철도〗 (급행에 대하여) 역마다 정거하는, 완행의(cf. EXPRESS): a ~ train 보통[완행] 열차 **4** 〈병 등이〉 국부의, 국부적인: a ~ pain 국부적인 통증 **5** 〈생각 등이〉 좁은, 편협한: a ~ outlook 편협한 견해 **6** 《영》 동일 구내의, 근거리의, 시내 배달의 《봉투에 쓰는 말》;

thesaurus **loathsome** *a.* hateful, disgusting, revolting, offensive, detestable, gross
lobby *v.* procure, sway, persuade, influence
local *a.* **1** 지방의 community, district, regional,

〈전화 등이〉 시내의, 특정 지역 내의 **7** 〖수학〗 궤적(軌跡)의 **8** 〖컴퓨터〗 로컬 《통신 회선을 통하지 않고 직접 채널을 통하여 컴퓨터와 접속된 상태》
— *n.* **1** 보통 열차[버스 《등》] **2** 《미》 노동조합 지부 **3** [종종 *pl.*] 지방민 **4** 지방 설교자[전도사]; 지방 개업 의사[변호사] **5** 지방 기사 《신문의》; 지방 프로 《TV의》 **6** [보통 *pl.*] 지방 팀 **7** [*pl.*] 《영》 =LOCAL EXAMINATIONS **8** [the ~] 《영·구어》 집 근처의 술집
lo·cal [lóukǽl, -ǽl] *a.* 《구어》 =LOW-CAL
lócal áction 〖법〗 속지적 소송 《특정 지역에 관련된 원인에 의한 소송; 토지 침해에 관련된 소송 등; cf. TRANSITORY ACTION》
lócal anesthétic 〖의학〗 국부 마취약(cf. GENERAL ANESTHETIC)
lócal área nétwork 근거리 통신망 《略 LAN》
lócal authórity 지방 (자치 단체) 당국
lócal bús 시내 버스; 〖컴퓨터〗 로컬 버스 《CPU와 직결된 고속 데이터 선로》
lócal cáll 시내 통화 《기본 요금에 포함되는 구역 내에서의 통화》
lócal cólor **1** 지방[향토]색 **2** (그림 등의) 부분적 색채; 고유색
lo·cal-con·tent [lóukəlkάntent | -kɔ́n-] *a.* (자동차 부품 생산 등의) 현지 조달률의
lócal cóntent bill 《미》 부품 (일정량) 현지 조달 법안 《미국에서 제품을 생산·판매하는 메이커에게 일정 비율의 미국산 부품 사용을 의무화하는 법안》
lo·cale [loukǽl, -kά:l | -kά:l] *n.* **1** (사건 등의) 현장, 장소 **2** (극·소설·영화 등의) 장면, 배경, 무대
lócal examinátions 《영》 지방 시행 시험 《대학 감독하에 실시해 학생에게 자격증을 수여》
lócal góvernment **1** 지방 자치 **2** 지방 자치 단체; [집합적] 지방 자치 단체의 직원
lócal gróup [때로 **L- G-**] 〖천문〗 국부 은하군 《은하계의 마젤란운(雲)·안드로메다 성운(星雲)을 포함하는 소(小)우주단》
lo·cal·ism [lóukəlìzm] *n.* Ⓤ **1** 향토 편애, 지방[향토]주의 **2** 지방적 편협성 **3** Ⓒ 지방색, 지방 사투리 **-ist** *n.* **lò·cal·ís·tic** *a.*
lo·cal·ite [lóukəlàit] *n.* 지방 사람[주민]
lo·cal·i·ty** [loukǽləti] *n.* (*pl.* **-ties**) **1 장소,** 소재(所在) **2** 부근, 근처 **3** 소재지; (사건 등의) 현장; 산지(産地) **4** (풍습 등의) 지방성 ***a sense of ~ 〖심리〗 장소의 감각, 방향감
lo·cal·i·za·tion [lòukəlizéiʃən | -lai-] *n.* Ⓤ **1** 지방 분권, 지방화 **2** 국한(局限), 한정, 국재성(局在性) **3** 국지 해결 **4** 위치 측정 **5** 〖의학〗 (병소) 부위
lo·cal·ize [lóukəlàiz] *vt.* **1** …에 지방적 특색을 주다, 지방화하다 **2** 어떤 장소에 배치하다 **3** 한 지방[국부]에 제한하다: ~ a disturbance 난동을 확대시키지 않고 국부적으로 진압하다 **4** 〈주의를〉 집중하다 《*upon*》 — *vi.* 한 지역에 모이다 **-ìz·a·ble** *a.*
lo·cal·ized [lóukəlàizd] *a.* 국지화된, 국부적인
lo·cal·iz·er [lóukəlàizər] *n.* 〖항공〗 로컬라이저 《계기 착륙용 유도 전파 발신기》
lo·cal·ly [lóukəli] *ad.* **1** 장소[위치]상으로, 지방[국부]적으로; 지방주의로: more popular overseas than they are ~ 국내에서보다는 해외에서 더 인기가 있는 **2** 가까이에, 근처에
lócal óption 《미》 〖정치〗 지방 선택권 《주류 판매 등에 관해 주민이 투표로 결정하는 권리》
lócal préacher 《영》 지방 설교사 《지방에서 순회 목사가 오지 않는 기간 동안 설교를 맡는 평신도》
lócal rádio (라디오의) 지방 방송
lócal tálent [the ~] 《구어》 (상대할 만한) 지방[고장]의 젊은이

city, town, municipal, provincial **2** 근거리의 nearby, near, neighborhood, close by, at hand
location *n.* position, place, situation, site, spot
lock[1] *v.* bolt, fasten, bar, secure, padlock

lócal tìme 지방 시간, 현지 시간
lócal véto 지방 거부권 《주류 판매 등에 대해 주민 투표에 의한》
lócal wár 국지전(局地戰)
lócal wínd 국지풍(局地風)
lócal yókel 《미·속어》 **1** 지방 경찰관 《주(州)경찰관 또는 고속도로 순찰자에 대하여》 **2** 시골뜨기, 지방 사람
Lo·car·no [loukά:rnou] *n.* 로카르노 《스위스의 남동부에 있는 도시》 ***the spirit of ~*** 로카르노 정신 《특히 독일·프랑스 간의 숙원(宿怨) 포기를 의미》
‡lo·cate [lóukeit, ─́ | ─́] [L 「(장소에) 놓다」의 뜻에서] *vt.* **1** 〈상점·사무소 등을〉 (어떤 장소에) **정하다,** (…에) 차리다[두다] 《*on, in*》: (~+목+전+명) ~ one's office *on* Main Street[*in* Chicago] 사무실을 중심가[시카고]에 차리다 / The office is centrally ~*d in* Paris. 사무실은 파리의 중심부에 있다. **2** 〈물건의 위치 등을〉 알아내다, 밝혀내다, 발견하다: *L*~ Seoul on a map. 지도에서 서울의 위치를 찾아라. **3** 《미》 〈토지의〉 권리를 주장하다, 〈토지를〉 점거하다; 〈토지·광구 등의〉 장소[경계]를 정하다
— *vi.* 《미》 거처를 정하다(settle) **~ one*self*** 위치를 차지하다 **lo·cát·a·ble** *a.*
lo·ca·tion** [loukéiʃən] *n.* **1** Ⓤ **위치 선정**; (어떤 장소에) 둠; 정주(定住) **2 위치,** 소재; (특정의) 장소; 주거지, 주소: a fine ~ for a house 집을 짓기에 알맞은 장소 **3** (토지의) 구획, 측량; (도로의) 측량 설계 **4** ⓊⒸ [보통 on ~] 〖영화〗 야외 촬영(지), 로케이션(을 가는 장소): be *on* ~ in Rome 로마에서 촬영 중이다 **5** Ⓤ 〖법〗 (토지·가옥 등의) 임대 **6** 〖컴퓨터〗 (데이터의) 기억 장소[위치] ***~ in space 〖항공〗 공간 정위(定位) **~·al** *a.* **~·al·ly** *ad.* ▷ lócate *v.*
loc·a·tive [lάkətiv | lɔ́k-] 〖문법〗 *a.* 위치를 나타내는 — *n.* 위치격(位置格), 방위격(方位格), 처격(處格)
lo·ca·tor, -cat·er [lóukeitər, ─́ | ─́] *n.* **1** 《미》 토지[광구(鑛區)] 경계 설정자 **2** 전파 탐지기, 청음기(=**sóund ~**); 위치 탐사 장치
lo·ca·vore [lóukəvɔ̀:r] [*local*+*vore*(=eat)] *n.* 자기 지역에서 생산된 식재료만 먹는 사람
loc. cit. [lάk-sít | lɔ́k-] *loco citato*
loch, Loch [lάk, lάx | lɔ́k, lɔ́x] [Gael. 「호수」의 뜻에서] *n.* 《스코》 **1** 호수 **2** (좁다란) 협만(狹灣)
lo·chi·a [lóukiə, lάk- | lɔ́k-] *n.* (*pl.* ~) 〖의학〗 오로(惡露) 《분만 후에 배출되는 배설물》 **ló·chi·al** *a.*
Lóch Nèss mónster [the ~] 네스 호(湖)의 괴수, 네시(Nessie) 《스코틀랜드 Ness 호에 있다고 함》
lo·ci [lóusai, -kai] *n.* LOCUS의 복수
‡lock[1] [lάk | lɔ́k] [OE 「가두다」의 뜻에서] *n.* **1 자물쇠**: Please check the ~. 자물쇠가 잠겨져 있는지 점검해 주세요. **2** 《일반적으로》 고정하는 장치; (자동차의) 제륜(制輪) 장치 **3** (총의) 발사 장치; 안전 장치 **4** 맞붙음, 맞닥뜨림, 드잡이 **5** (교통 등의) 정체, 체증 **6** 수문, 갑문(閘門)(=~ gate); 〖기계〗 기갑(氣閘)(=air ~) **7** 〖레슬링〗 조르기 **8 a** 확실한 성공[취득] 《*on*》 **b** [a ~] 《속어》 확실히 성공하는 것[사람](sure thing) **9** 구치소, 유치장 **10** =LOCK HOSPITAL
have a ~ on 《구어》 …에서 성공할 것을 확신하다; …을 틀림없이 차지하리라 믿다 ***keep*** [***place***] ***… under ~ and key*** …을 자물쇠로 잠가 두다 ***~, stock, and barrel*** 전부, 모조리 《「총의 각 부분 모두」의 뜻에서》 ***on*** [***off***] ***the ~*** 자물쇠를 채우고[채우지 않고] ***walk ~ and ~*** 팔장을 끼고 걷다
— *vt.* **1** 자물쇠를 채우다; 잠그다, 닫다(shut): ~ the stable door after the steed is stolen 《속담》 소 잃고 외양간 고치다 **2** 〈물건을〉 챙겨 넣다 《*away*》, 가두어 넣다 《*up; in, into*》: (~+목+부) ~ *up* a prisoner in a cell 죄수를 독방에 가두다 // (~+목+전+명) She ~*ed* the secret *in* her heart. 그녀는 그 비밀을 가슴속에 간직했다. **3** 고정시키다, 고착시키다; 바퀴를 못 돌게 하다 **4** 맞게 꼭 끼우다, 맞물려서 움직이지 않게 하다: (~+목+전+명) I can't ~ this key *in* the socket. 이 열쇠는 자물쇠 구멍에 끼워지

지 않는다. **5** 맞닥뜨리다, 맞붙다, 붙잡다; 껴안다: (~+목+전+명) ~ a child *in* one's arms 아이를 팔에 꼭 껴안다 **6** 〈운하 등에〉 수문[둑]을 만들다; 〈배를〉 수문을 통과하게 하다(convey)
— *vi.* **1** 자물쇠가 잠기다, 닫히다: The door ~*s* automatically. 그 문은 자동적으로 잠겨진다. **2** 움직이지 않게 되다, 고착되다 **3** 서로 얽히다 **4** 〈배가〉 수문을 통과하다 **5** 〖군사〗 밀집 대형으로 전진하다
~ assholes (미·속어) 싸우다 *~ away* (자물쇠를 채워) 안전하게 저장하다; 〈남을〉 투옥[격리]하다 *~ horns* ⇨ horn. *~ in* 가두다, 감금하다; 간수하다 *off* 〈수로를〉 막다 *~ on* 〖항공〗 〈레이더·미사일 등이〉 (목표를) 자동 추적하다 ((*to*)) *~ out* (쫓아내어) 못 들어오게 잠가버리다; 〈공장을〉 폐쇄하다(cf. LOCKOUT 1); (열쇠를 두고 나와) 들어가지 못하게 되다 *~ oneself up in* one's room (방)안에 틀어박히다 *~ up* (1) 문을 닫다, 폐쇄하다 (2) 감금하다; 감옥에 보내다 (3) 〈자본을〉 고정시키다: capital *~ed up* in land 토지에 고정된 자본 (4) 완전히 장악하다
~·a·ble *a.* **~ed** [-t] *a.* **~·less** *a.*

lock[2] *n.* **1** (머리의) 타래, 머리채 **2** [*pl.*] (시어) 머리털 **3** (양모·마른 풀 등의) 약간의 양, 한 줌

lock·a·ble [lάkəbl | lɔ́k-] *a.* 자물쇠를 채울 수 있는, 열쇠가 딸린. **-bíl·i·ty** *n.*

lock·age [lάkidʒ | lɔ́k-] *n.* UC **1** 수문의 구축[사용, 개폐] **2** 수문 통과(세) **3** 수문 내외의 수위차

lock·a·way [lάkəwèi | lɔ́k-] *n.* (영) 장기 증권

lock·box [lάkbὰks | lɔ́kbɔ̀ks] *n.* **1** (금고·사서함 따위) 자물쇠로 잠기는 상자 **2** 〖TV〗 록박스 ((어린이의 음란 프로 시청을 막기 위해 부착된 잠금 장치(=**lóck-out bòx**) **3** 사용 목적 지정 신탁 기금

lock·down [-dàun] *n.* (미) (죄수의 감방 내에서의) 엄중한 감금

Locke [lάk | lɔ́k] *n.* 로크 **John** ~ (1632-1704) ((영국의 철학자))

locked-in [lάktín | lɔ́kt-] *a.* **1** 태도 불변의; 태도를 확실히 표명한 **2** 고정된, 변경할 수 없는, 철회할 수 없는 **3** (자본 이득이 생기면 과세되기 때문에) 투자금을 움직일 수 없는[움직이지 않는]

***lock·er** [lάkər | lɔ́k-] *n.* **1** 로커, (자물쇠가 달린) 사물함, 작은 벽장 **2** 〖항해〗 (선원들이 제각기 옷·무기 등을 넣는) 장, 궤 **3** (locker plant의) 칸막이 냉동 저장고 **4** 잠그는 사람[물건] *go to Davy Jones'(s) ~* ⇨ Davy Jones'(s) locker. *laid in the ~s* 죽어서 *not a shot in the ~* ⇨ shot[1]

lócker pàper 냉동 식품용 포장지

lócker plànt (유료) 냉동 식품 저장소

lócker ròom **1** (체육 시설·클럽 등의) 로커룸, 탈의실 **2** (locker plant의) 냉동 저장실

lock·er-room [lάkərrù:m | lɔ́k-] *a.* (탈의실에서 주고받는) 야비한[상스러운] 〈말·농담〉

lock·et [lάkit | lɔ́k-] [OF 「걸쇠」의 뜻에서] *n.* 로켓 ((조그마한 사진·머리카락·기념물 등을 넣어 목걸이 등에 다는 금속제 곽))

lóck fórward 〖럭비〗 로크 포워드 ((스크럼 제2열째의 선수[위치]))

lóck gàte 수문, 갑문(閘門)

Lock·heed Mártin [lάkhi:d- | lɔ́k-] (미) 록히드 마틴사(社) ((미국의 군수 회사))

lóck hòspital (영) 성병(性病) 병원

lock-in [lάkìn | lɔ́k-] *n.* (미) **1** 변경 불능, 고정화, 요지부동; 속박, 제약 **2** 점거 농성

lóck·ing plìers [lάkiŋ- | lɔ́k-] 로킹 플라이어 ((볼트와 너트의 구경(口徑)에 맞게 조절할 수 있는 손잡이 뒤쪽의 나사))

lock·jaw [lάkdʒɔ̀: | lɔ́k-] *n.* U 〖병리〗 파상풍(tetanus); 아관 경련(牙關痙攣)(trismus)

lock·keep·er [-kì:pər] *n.* 수문 관리인

lock·mas·ter [lάkmæ̀stər | lɔ́kmὰ:s-] *n.* = LOCKKEEPER

lóck nùt 〖기계〗 (다른 나사 위에 끼우는) 고정 나사, 보조 나사

lock-on [-ὰn, -ɔ̀:n | -ɔ̀n] *n.* UC **1** 〖항공〗 레이더에 의한 자동 추적 **2** 잠수함과 구조정 사이의 기밀(氣密) 수중 통로의 연결

lock·out [-àut] *n.* UC **1** 공장 폐쇄, 로크아웃 **2** 축출 **3** 〖컴퓨터〗 로크아웃, 잠금

lock(s)·man [lάk(s)mən | lɔ́k(s)-] *n.* (*pl.* **-men** [-mən, -mèn]) 수문지기(lockkeeper)

lock·smith [lάksmìθ | lɔ́k-] *n.* 자물쇠 제조공[장수] **~·ing** *n.*

lock·step [-stèp] *n.* U **1** (앞사람과의 거리를 좁혀 나아가는) 밀집 행진법 **2** 틀에 박힌 방법 *in ~* 엄격하게 — *a.* 딱딱한, 융통성이 없는

lóck stìtch (재봉틀의) 박음질[감침질]

lock·up [-ʌ̀p] *n.* **1** (구어) 유치장, 구치소, 교도소 **2** UC 감금; 자물쇠를 잠금, 폐문; 문닫는 시간 **3** (자본의) 고정; 고정 자본(액) **4** 〖인쇄〗 **a** (인쇄할 수 있도록) 고정시킨 조판 **b** 꽉 조임 ((조판을 조여서 고정하는 것)) **5** 임대 차고[점포] — *a.* Ⓐ 자물쇠가 걸리는[를 채운]

lóck wàsher **1** 〖기계〗 용수철 따리쇠 **2** 〖생물〗 (단백질 내에 전위(轉位)로 생기는) 나선형 구조

lo·co[1] [lóukou] [Sp. 「미친」의 뜻에서] *n.* (*pl.* **~(e)s**) **1** = LOCOWEED **2** = LOCOISM — *vt.* **1** 로코초(草) 중독에 걸리게 하다 **2** (속어) 미치게 하다
— *a.* **1** (속어) 미친, 정신 이상의 **2** 〈가축이〉 로코병(locoism)에 걸린

loco[2] *n.* (*pl.* **~s**) (구어) 기관차(locomotive engine)

lo·co [lóukou] [L = in the place] *a.* 〖상업〗 현장 인도의

loco- [lóukou, -kə] [L = from place to place] ((연결형)) 「이동」의 뜻: *loco*motion

lo·co ci·ta·to [lóukou-saitéitou, -sitά:-] [L = in the place cited] *ad.* 인용문 중에 ((略 l.c., loc. cit.))

lóco disèase 〖수의학〗 = LOCOISM

lo·coed [lóukoud] *a.* (미·속어) 미친

Lo·co·fo·co [lòukoufóukou] *n.* **1** [때로 **l~**] **a** (미) (1835년에 결성된) 민주당 급진파(의 한 사람) **b** ((일반적으로)) 미국 민주당원 **2** [**l~**] **a** 로코포코 성냥 ((19세기에 만들어진 마찰 점화식 성냥)) **b** (자연 점화의) 로코포코 여송연

lo·co·ism [lóukouìzm] *n.* U 〖수의학〗 로코병 ((가축이 로코초(草)를 먹고 걸리는 신경병))

lo·co·man [lóukoumən] *n.* (영·구어) ((특히)) 기관사, 철도원

lo·co·mo·bile [lòukəmóubəl, -bi:l | -bail] *n.* 자동 추진차[기관]; (미) 자동차 — *a.* 이동하는[할 수 있는]: a ~ crane 이동 크레인

lo·co·mote [lóukəmòut] *vi.* 이리저리 움직이다

lo·co·mo·tion [lòukəmóuʃən] *n.* U **1** 운동, 이동; 운전; 운동[운전]력 **2** 교통 기관 **3** 여행: a ~ on foot 도보 여행

‡lo·co·mo·tive [lòukəmóutiv | ∠-∠-] [L 「장소를 옮기다」의 뜻에서] *n.* **1** 기관차(= **∠ èngine**) **2** (미) 기관차식 응원 ((점차 강하고 빠르게 진행되는)) **3** [*pl.*] (속어) 다리(legs): Use your ~*s*! 걸어라!
— *a.* **1** 기관차의: a ~ tender 탄수(炭水)차 **2** 운동의, 이동하는; 운전의; 운동[이동]성의: ~ faculty [power] 이동력 / the ~ organs 이동 기관 ((다리 등)) **3** (익살) 여행의; 여행을 즐기는
~·ly *ad.* **~·ness** *n.* ▷ locomótion *n.*

locomótive engineèr (미) 기관사((영) engine driver)

lo·co·mo·tor [lòukəmóutər] *n.* **1** 운동[운전]력이 있는 사람 **2** 이동 발동기 **3** 이동물
— *a.* **1** 전위(轉位)의, 이동하는 **2** 운전하는

locomótor atáxia 〖병리〗 보행성 운동 실조(증)

lo·co·mo·to·ry [lòukəmóutəri] *a.* = LOCOMOTOR

lo·co·weed [lóukouwì:d] *n.* 〖식물〗 로코초(草)

thesaurus **lodge** *n.* abode, dwelling place, home, stopover, inn — *v.* **1** 묵다 stay, reside,

《미국산의 유독(有毒) 콩과(科) 식물》
loc·u·lar [lɑ́kjulər | lɔ́k-] *a.* 〚생물〛 소실(小室)[소포(小胞), 소방(小房)]의[이 있는]
loc·ule [lɑ́kjuːl | lɔ́k-] *n.* 〚생물〛 =LOCULUS
loc·u·lus [lɑ́kjuləs | lɔ́k-] 〚L =little place, box〛 *n.* (*pl.* **-li** [-lài]) **1** 〚동물·해부·식물〛 포(胞), 방(房), 소실(小室) **2** 〚고고학〛 고분(古墳) 내의 시체실
lo·cum [lóukəm] *n.* 《영·구어》 =LOCUM TENENS
lo·cum te·nens [lóukəm-tíːnenz, -téninz] 〚L〛 (*pl.* **lo·cum te·nen·tes** [-tənéntiːz]) 《영》 임시 대리인; 대리 목사, 대진(代診) 의사
lo·cus [lóukəs] 〚L =place〛 *n.* (*pl.* **lo·ci** [lóusai, -kai], **-ca** [-kə]) **1** 〚법〛 현장; 장소, 위치; 활동의 중심: ~ of responsibility 책임의 소재 **2** 〚수학〛 궤적(軌跡) **3** 〚유전〛 (염색체 내의) 유전자 자리
lo·cus ci·ta·tus [lóukəs-sitéitəs] 〚L =passage quoted〛 인용구(引用句)
lo·cus clas·si·cus [-klǽsikəs] 〚L =classical passage〛 (*pl.* ***lo·ci clas·si·ci*** [lóusai-klǽsisài, lóukai-klǽsikài]) 표준구(標準句), 전거가 있는 글귀
lo·cus in quo [-in-kwóu] 〚L =place in which〛 〚법〛 사건의 현장
lo·cus stan·di [-stǽndi, -dai] 〚L〛 **1** 인정된 입장 **2** 〚법〛 제소권, 고소권
∗**lo·cust** [lóukəst] *n.* **1** 〚곤충〛 **메뚜기,** 방아깨비 **2** 〚곤충〛 《미》 매미(cicada) **3** 〚식물〛 개아카시아(=∼ **trèe**) 《북미산(産)》 **4** 탐식자; 파괴적인 인물
lócust yèars 〚성서〛 결핍과 고난의 세월, 궁핍의 세월 《요엘 2 : 25》
lo·cu·tion [loukjúːʃən] *n.* **1** Ⓤ 말투, 말씨, 화법; 어법, 표현법 **2** 관용어법
lo·cu·tion·ar·y [loukjúːʃənèri | -ʃənəri] *a.* 〚언어〛 발화(發話)의, 발화적인: a ~ act 발화 행위
loc·u·to·ry [lɑ́kjutɔ̀ːri | lɔ́kjutəri] *n.* (*pl.* **-ries**) 담화실 《수도원 등의》
lode [lóud] *n.* **1** 광맥: copper ~*s* 동광맥 **2** 원천 **3** 《영·방언》 수로(水路), 수도(水道)(watercourse) **4** =LODESTONE
lo·den [lóudn] *n.* **1** 로덴 《두꺼운 방수·순모 외투감》 **2** 암녹색(暗綠色)
lode·star [lóudstɑ̀ːr] *n.* **1** 길잡이가 되는 별; [the ~] 북극성 **2** 지침, 지표, 지도 원리
lode·stone [-stòun] *n.* **1** ⓊⒸ 천연 자석(natural magnet) **2** 흡인력 있는 물건, 사람을 끄는 것
‡**lodge** [lɑ́dʒ | lɔ́dʒ] 〚OF 「오두막집」의 뜻에서〛 *n.* **1** **조그만 집,** 오두막; 《미》 (행락지 등의) 여관, 소규모 별장; (캠프 등의) 주요 건물: a lakeside ~ 호반의 별장 **2** (큰 집의) 문간방, 문간채; 수위실 **3** (공제 조합·비밀 결사 등의) 지부 (집회소); [집합적] 지부 회원들 **4** 《영》 (Cambridge 대학의) 학장 사택(cf. LODGING 3) **5** (북미 인디언의) 천막으로 된 오막살이 **6** (동물, 특히 비버의) 굴 **7** 〚광산〛 선광장(選鑛場)
— *vi.* **1** (일시적으로) **숙박하다,** 묵다, 머무르다; 《영》 하숙[기숙]하다 《*at, with*》: (~+전+명) ~ *at* a hotel 호텔에 묵다 / He ~*d at* Mrs. Smith's [*with* a French family] during his school days. 학생 시절 그는 스미스 부인의 집[프랑스 사람 가정]에 하숙했다. **2** 〈총알 등이〉 (체내에) 박히다; 〈화살 등이〉 꽂히다 《*in*》: (~+전+명) The fishbone ~*d in* his throat. 생선 가시가 그의 목구멍에 박혔다. / The fact ~*d in* his mind. 그 사실은 그의 마음속에 박혀 있었다. **3** 〈농작물 등이〉 쓰러지다
— *vt.* **1** (일시적으로) **숙박시키다,** 묵게 하다; 하숙[동거]시키다 《*at, in, with*》: a house *lodging* students 학생용 하숙집 / Could you ~ me for the night? 하룻밤 묵게 해 주지 않겠습니까? **2** 〈돈 등을〉 (은행에) 맡기다, 예치하다 《*in, with*》: (~+목+전+명) ~ money *in* a bank[*with* a person] 돈을 은행에[…에게] 맡기다 / ~ one's valuables *in* a hotel safe 귀중품을 호텔 금고에 맡기다 **3** 〈총알 등을〉 쏘아 넣다; 〈화살을〉 꽂다, 박아 넣다 《*in*》 **4** 〈권능 등을〉 위임하다 《*with, in*》: (~+목+전+명) ~ power *in* a person …에게 권능을 위임하다 **5** 〈고소장·신고서 등을〉 제출하다, 〈반대·항의 등을〉 제기하다 《*against, with, before*》: (~+목+전+명) ~ a complaint *against* a person *with* the police …에 대한 고소를 경찰에 제출하다 **6** 〈바람이〉 〈농작물을〉 쓰러뜨리다 **7** [부사 well, ill과 함께 과거분사로] 〈호텔 등이〉 설비가 좋다[나쁘다]: The hotel is *well* ~*d.* 그 호텔은 설비가 좋다. **8** 〈사슴 등을〉 굴까지 뒤쫓다, 몰아넣다
~ *out* 철도 승무원이 도착역 숙사에 숙박하다
▷ lódg(e)ment *n.*

dwell, sojourn **2** 숙박시키다 house, accommodate
loft *n.* attic, garret, hayloft, storage area

lodge·ment [lɑ́dʒmənt | lɔ́dʒ-] *n.* 《영》 =LODGMENT
lodg·er [lɑ́dʒər | lɔ́dʒə] *n.* 숙박인, 하숙인, 동거인, 세든 사람: take in ~*s* 하숙인을 두다
‡**lodg·ing** [lɑ́dʒiŋ | lɔ́dʒ-] *n.* **1** ⒸⓊ **하숙;** (일시적인) 숙박: ask for a night's ~ 하룻밤의 숙박을 청하다 **2** (셋방의) 숙박 설비 **3** [*pl.*] 《영》 (Oxford 대학의) 학장 사택(cf. LODGE *n.* 4) **4** (일시적인) 주소, 숙소; [*pl.*] 전셋방, 하숙집
board and ~ 식사를 제공하는 하숙 ***dry ~*** 식사 없이 잠만 자는 하숙 ***live in*** [***at private***] ***~s*** 세들어 있다 ***make*** [***take*** (***up***)] one***'s ~s*** 하숙하다
lódging hòuse (주로 식사 없는) 하숙집

> 유의어 여러 날 체류하는 여행자는 비용을 절약하기 위해 hotel보다 **lodging house**에 방을 빌리는데, **boarding house**(식사를 제공하는 하숙집)는 이보다 고급이며, **common lodging house**(간이 숙박소)는 일박(一泊)하는 사람들이 찾아드는 식사 없는 싼 숙박소이다.

lódging tùrn 〚철도〛 (승무원이 도착역에서 일박하는) 외박 근무
lodg·ment | **lodge-** [lɑ́dʒmənt | lɔ́dʒ-] *n.* **1** 숙박; 숙소; 숙박 시설, 셋방 **2** 퇴적(堆積)(물), 침적(沈積)(물) **3** 〚군사〛 점령, 점거; 점령 후의 응급 방어 공사, 거점, 발판 **4** 〚법〛 공탁 《담보 등의》; 예금
effect [***find, make***] ***a ~*** 진지를 점령하다
lo·ess [lóues, lés | lóuis] *n.* Ⓤ 〚지질〛 뢰스, 황토 《바람에 날려온 loam 질의 퇴적토》 **~·al, ~·i·al** *a.*
L of C line of communication
lo-fi [lóufái] 〚*low-fidelity*〛 *a.* 《구어》 〈녹음 재생이〉 하이파이(hi-fi)가 아닌, 충실도가 낮은
— *n.* (녹음 재생의) 저충실도, 로파이
∗**loft** [lɔ́ːft, lɑ́ft | lɔ́ft] 〚ON 「하늘, 위층 방」의 뜻에서〛 *n.* **1** **지붕밑 방**(attic), 다락방; 더그매; (헛간·외양간의) 다락 《짚·건초 등을 저장하는》 **2** (교회·회관·강당 등의) 위층, (극장의) 맨 위층 보통 관람석(gallery); 《미》 (공장·창고 등의) 맨 위층 **3** 비둘기 집(pigeon house); [집합적] 비둘기 떼 **4** 〚골프〛 로프트 《골프채 머리 부분의 후방 경사(後方傾斜)》; (공의) 쳐올리기 **5** 〚미식축구〛 높게 멀리 던져져 체공 시간이 긴 패스
— *vt.* **1** 다락에 저장하다 **2** 비둘기장에 넣다; 비둘기를 기르다 **3** 〚골프〛 〈골프채에〉 경사를 만들다; 〈공을〉 높이 쳐올리다, (공을 높이 쳐서) 〈장애를〉 넘기다 **4** 〈위성 등을〉 쏘아 올리다
— *vi.* **1** 〚골프〛 공을 높이 쳐올리다, 공을 높이 쳐서 (장애를) 넘다 **2** 높이 날다
LOFT [lɔ́ːft, lɑ́ft | lɔ́ft] 〚*low frequency radio telescope*〛 *n.* 〚천문〛 저주파 전파 망원경 《0.5-1 MHz의 전파를 관측하는》
lóft bómbing 〚공군〛 로프트 폭격법 《비행기의 안전을 위해 저공으로 접근했다가 급상승하며 폭탄을 투하》
loft·er [lɔ́ːftər, lɑ́ft- | lɔ́ft-] *n.* 〚골프〛 로프터 《쳐올리기용 아이언 클럽》
lóft jàzz 로프트 재즈 《창고 위층 등에서 연주하는 참신하고 반상업적인 재즈》

ˈloft·y [lɔ́:fti, lάfti | lɔ́fti] *a.* (**loft·i·er**; **-i·est**) **1** 매우 높은, 우뚝[높이] 솟은(towering): ~ mountains 우뚝 솟은 산들 **2** 고상한, 고원(高遠)한, 당당한; 거만한: ~ contempt[disdain] 거들떠보지도 않음 **lóft·i·ly** *ad.* **lóft·i·ness** *n.*

ˈlog¹ [lɔ́:g, lάg | lɔ́g] *n.* **1** 통나무: (as) easy as rolling off a ~ ((미)) 매우 쉬운/keep the ~ rolling 사태를 그대로 진행시켜 두다 **2** 동작이 느린 사람; 무감각한 것, 움직임이 없는 것: be like a ~ 완전히 무기력하다/sleep like a ~ 통나무같이 꼼짝 않고 정신없이 잠자다 **3** 항해[항공] 일지; 여행 일기; (엔진·보일러 등의) 공정(工程) 일지; (실험 등의) 기록 **4** (재봉 직공·품팔이꾼의) 노동 시간표 **5** 〚항해〛 (배의 속도를 재는) 측정기(測程器) **6** 〚컴퓨터〛 로그, 경과 기록 ((입출력 정보 등을 기록한 데이터)) ***heave***[***throw***] ***the*** **~** 측정기로 배의 속도를 측정하다 ***in the*** **~** 통나무째로 ***King L~*** 이름뿐인 무능한 왕 ((이솝 우화에서)) ***roll ~s for*** a person 동료끼리 서로 칭찬을 하다

— *v.* (**~ged**; **~ging**) *vt.* **1** 통나무로 자르다; 〈재목을〉 베어내다 **2** …의 항해[항공, 공정] 일지를 쓰다; ((일반적으로)) 기록하다 **3** 〈배·비행기가〉 …의 속도로 항해[비행]하다, …의 거리[시간]를 항해[비행]하다

— *vi.* 나무를 베어 통나무를 만들다; 목재를 벌채하다 **~ *in***[***on***] 〚컴퓨터〛 접속하다, 사용 개시하다 ((이름과 암호 등 식별 자료를 복수 사용자용 시스템에 입력하고 그 시스템이 쓰일 수 있게 함)) **~ *off***[***out***] 〚컴퓨터〛 사용을 종료하다 ((복수 사용자용 시스템 사용을 끝마침))

log² *n.* = LOGARITHM

log- [lɔ́:g, lάg | lɔ́g], **logo-** [lɔ́:gou, -gə, lάg- | lɔ́g-] [Gk = word, speech] ((연결형)) 「말」의 뜻 ((모음 앞에서는 log-))

-log [lɔ̀:g, lὰg | lɔ̀g] ((연결형)) ((미)) = -LOGUE

log. 〚수학〛 logarithm; logarithmic; logic; logistic

lo·gan·ber·ry [lóugənbèri | -bəri] *n.* (*pl.* **-ries**) 〚식물〛 로건베리 ((raspberry와 blackberry의 잡종))

lóg·an stòne [lάgən- | lɔ́g-] 〚지질〛 요암(搖岩), 흔들바위(rocking stone)

log·a·oe·dic [lɔ̀:gəí:dik, lὰg- | lɔ̀g-] *a.*, *n.* 산문 시체의 (시)

log·a·rithm [lɔ́:gərìðm, -rìθm, lάg- | lɔ́g-] *n.* 〚수학〛 대수(對數) ***common ~s*** 상용 로그

log·a·rith·mic, -mi·cal [lɔ̀:gəríðmik(əl), -ríθ-, lὰg- | lɔ̀g-] *a.* 대수의 **-mi·cal·ly** *ad.*

logaríthmic fúnction 〚수학〛 로그 함수

logaríthmic scále 대수 계산자

log·book [lɔ́:gbùk, lάg- | lɔ́g-] *n.* 항해[항공] 일지; 업무 일지(log); ((영)) (자동차의) 등록증

lóg càbin[**hòuse**] 통나무 오두막집

lóg chìp 〚항해〛 측정판(測程板)

loge [lóuʒ] [F] *n.* (극장의) 칸막이 관람석, 특별석

lóg·gan stòne [lάgən- | lɔ́g-] 〚지질〛 = LOGAN STONE

logged [lɔ́:gd, lάgd | lɔ́gd] *a.* **1** 움직임이 둔해진; 〈재목·배 등이〉 물에 젖어 무거워진 **2** 〈땅이〉 질퍽질퍽한

log·ger¹ [lɔ́:gər, lάg- | lɔ́gə] *n.* **1** ((미)) 벌목꾼 **2** 통나무 적재기; 통나무 운반 트랙터

logger² *a.* ((스코)) 〈머리가〉 둔한, 어리석은

log·ger·head [lɔ́:gərhèd, lάg- | lɔ́g-] *n.* **1** (고어·방언) 멍텅구리, 바보 **2** 〚동물〛 붉은바다거북(= **~ túrtle**); 〚조류〛 때까치의 일종 ((아메리카산(産))) **3** 작살 밧줄을 감는 기둥; (보트의) 밧줄을 거는 기둥 **4** 철구봉(鐵球棒) ((가열하여 타르 등을 녹임)) ***at ~s*** (***with***) (…와) 다투는, 언쟁하여 ***fall***[***get, go***] ***to ~s*** (고어) 치고받기 시작하다, 격투를 벌이다

log·gi·a [lóudʒiə, lάdʒə | lɔ́dʒə, -dʒiə] [It. = lodge] *n.* (*pl.* **~s, -gie** [-dʒei]) 〚건축〛 로지아 ((한 쪽이 트인 주랑(柱廊)))

log·ging [lɔ́:giŋ, lάg- | lɔ́g-] *n.* **1** Ⓤ 재목 벌채 **2** 벌목량(量)

lo·gi·a [lóugiə, lάg- | lɔ́g-] *n.* LOGION의 복수

ˈlog·ic [lάdʒik | lɔ́dʒ-] *n.* Ⓤ **1** 논리학; Ⓒ 논리학 서적: formal[pure] ~ 형식[순수] 논리학 **2** [또는 a ~] 논리, 논법 **3** 조리(條理), 이치, (꼼짝 못하게 하는) 사실 또는 필연의 힘, 타당성 ((*of*)): the irresistible ~ *of* facts 움직일 수 없는 사실의 힘, 꼼짝 못하게 하는 사실의 증명 **4** 〚컴퓨터〛 논리 ((컴퓨터에서의 진리표, 명제의 상호 관계, 개폐 회로 요소의 상호 접속 등에 관한 기준 원칙과 응용)) ***chop ~*** 이유를 붙이다, 궤변을 늘어놓다 ***deductive***[***inductive***] **~** 연역[귀납] 논리학 ***the ~ of the situation*** 상황 판단[분석, 파악]

-logic, -logical [lάdʒik(əl) | lɔ́dʒ-] ((연결형)) -logy로 끝나는 명사에서 형용사를 만든다: geo*logic*, geo*logical*

ˈlog·i·cal [lάdʒikəl | lɔ́dʒ-] *a.* **1** 논리학(상)의, 논리(상)의; 논리적인; (논리상) 필연적인: ~ thinking 논리적 사고/a ~ treatise 논리학 논문 **2** 〚컴퓨터〛 논리(회로)의 **~·ness** *n.*

lógical átomism 〚철학〛 논리적 원자론 ((모든 명제는 독립된 단일 요소로 분석할 수 있다는 이론))

lógical dríve 〚컴퓨터〛 논리 드라이브

lógical empíricism = LOGICAL POSITIVISM

lógical fórmat 〚컴퓨터〛 논리 포맷

log·i·cal·i·ty [lὰdʒəkǽləti | lɔ̀dʒ-] *n.* Ⓤ 논리성, 논리적 타당성; 논리[추리]의 적정(성)

***log·i·cal·ly** [lάdʒikəli | lɔ́dʒ-] *ad.* 논리적으로, 논리상; 필연적으로

lógical nétwork 〚컴퓨터〛 논리 네트워크

lógical operátion 〚컴퓨터〛 논리 연산

lógical pósitivism 〚철학〛 논리실증주의

lógic ànalyzer 〚전자〛 로직 애널라이저 ((마이크로프로세서 등의 논리 회로 동작을 조사하는 시험 장치))

lógic arrày 〚컴퓨터·전자〛 논리 배열 ((고객의 특별 요구 사항에 쉽게 대응하기 위하여, 대량 생산된 칩 위에 전자 회로를 구성한 것))

lógic bòmb 〚컴퓨터〛 논리 폭탄 ((프로그램에 삽입된 비밀 명령어로, 일정한 조건이 충족되었을 때 실행되며, 대개 컴퓨터 시스템에 파괴적인 결과를 초래함))

lógic cìrcuit 〚컴퓨터〛 논리 회로

lógic gàte 〚전자〛 논리 게이트

lo·gi·cian [loudʒíʃən] *n.* 논리학자

lo·gie [lóugi] *n.* 가짜 보석 ((연극에서 사용하는))

log-in [-ìn] *n.* 〚컴퓨터〛 로그인; 접속하기(log-on)

lo·gi·on [lóugiὰn, -dʒi-, lάgi- | lɔ́giɔ̀n] *n.* (*pl.* **-gi·a** [lóugiə, -dʒiə, lάgiə | lɔ́giə], **~s**) (성경에 수록되지 않은) 그리스도의 말

-logist [lədʒist] ((연결형)) 「…학자, …연구자」의 뜻 (cf. -LOGY): geo*logist*, philo*logist*

lo·gis·tic¹, -ti·cal [loudʒístik(əl), lə-] *a.* 병참(학)의 **lo·gís·ti·cal·ly** *ad.*

logistic² *n.* Ⓤ 기호(記號) 논리학

— *a.* 기호 논리학의; 논리주의의

lo·gis·tics [loudʒístiks, lə-] *n. pl.* [단수·복수 취급] **1** 〚군사〛 병참술[학]; 병참 업무 **2** (업무의) 세부 계획 **3** 〚경영〛 로지스틱스, 물류 관리

log·jam [lɔ́:gdʒæ̀m, lάg- | lɔ́g-] *n.* ((미)) **1** (강물에 떠내려간) 통나무가 한 곳에서 몰림 **2** 정체(停滯) (deadlock); 정지, 봉쇄

lóg lìne 〚항해〛 측정선[밧줄]

log·nor·mal [lɔːgnɔ́:rməl, lɑg- | lɔg-] *a.* 〚수학〛 로그 정규(定規)의 ((변수인 대수가 정규 분포하는)) **~·ly** *ad.* **lòg·nor·mál·i·ty** *n.*

lo·go [lóugou] *n.* ((구어)) **1** = LOGOGRAM **2** 〚인쇄〛 = LOGOTYPE **3** 모토; 표어

LOGO, Lo·go [lóugou] *n.* 〚컴퓨터〛 로고 ((그래픽 기능이 뛰어난 프로그래밍 언어; 주로 교육·인공 지능 연구용))

logo- [lɔ́:gou, -gə, lάg- | lɔ́g-] ((연결형)) = LOG-

lo·go·cen·trism [lòugəséntrizm] *n.* 로고스 중심

thesaurus **lofty** *a.* **1** 매우 높은 towering, soaring, tall, high, elevated, skyscraping **2** 고상한 noble, exalted, grand, sublime **3** 거만한 arrogant,

주의《문자 언어보다 음성 언어를 중시》

log-off [lɔ́:gɔ̀:f, lɑ́g-|lɔ́gɔ̀f] *n.* 〔컴퓨터〕 단말의 사용을 종료하는 기계 조작의 절차

log·o·gram [lɔ́:gəgræ̀m, lɑ́g-|lɔ́g-] *n.* **1** 표어 문자[기호], 어표(語標)《dollar를 $로 표시하는 등》; 약호(略號)《cent의 c. 등》 **2** 속기용 약자 **lòg·o·gram·mát·ic** *a.*

log·o·graph [-græ̀f|-grɑ̀:f] *n.* **1** =LOGOGRAM **2** =LOGOTYPE

lo·gog·ra·pher [lougɑ́grəfər|-gɔ́g-] *n.* **1** 고대 그리스의 산문 작가[사가(史家)] **2** (직업적) 연설 기초자

lo·gom·a·chy [lougɑ́məki|lɔgɔ́m-] *n.* (*pl.* **-chies**) ⓊⒸ 말다툼, 입씨름; (미) 글자 맞추기 놀이

log·o·ma·ni·a [lɔ̀:gəméiniə, lɑ̀g-|lɔ̀g-] *n.* = LOGORRHEA

log-on [lɔ́:gɔ̀:n, lɑ́g-|lɔ́gɔ̀n] *n.* 〔컴퓨터〕 로그온《단말 사용에서 메인 컴퓨터에 접속하기 위한 절차》

log·o·phile [lɔ́:gəfàil, lɑ́g-|lɔ́g-] *n.* 언어 애호자

log·o·pho·bi·a [lɔ̀:gəfóubiə, lɑ̀g-|lɔ̀g-] *n.* Ⓤ 언어 공포[불신]

log·or·rhe·a [lɔ̀:gərí:ə, lɑ̀g-|lɔ̀g-] *n.* 〔정신의학〕 병적 다변증(多辯症) **lòg·or·rhé·ic** *a.*

lo·gos [lóugɑs, -gous, lɑ́gɑs|lɔ́gɔs] [Gk 「언어」의 뜻에서] *n.* **1** [종종 **L~**] 〔철학〕 이성(理性), 로고스 **2** [**L~**] 〔신학〕 **a** 하느님의 말씀(the Word) **b** (삼위일체의 제2위인) 그리스도(Christ)

log·o·ther·a·py [lɔ̀:gəθérəpi, lɑ̀g-|lɔ̀g-] *n.* 〔정신의학〕 실존 분석적 정신 요법

log·o·type [lɔ́:gətàip, lɑ́g-|lɔ́g-] *n.* **1** 〔인쇄〕 합자(合字) 활자《in, an 등 한 낱말 또는 한 음절을 한 개로 주조한 활자》 **2** (회사의) 사장(社章), (상표 등의) 심벌 마크 **lóg·o·tỳp·y** *n.* logotype의 사용

log-out [-àut] *n.* 〔컴퓨터〕 로그아웃; 사용 종료하기(log-off)

log·roll [lɔ́:gròul, lɑ́g-|lɔ́g-] *vt.* (미) 〈의안·제안·주장을〉 협력[결탁]하여 통과시키다 **—** *vi.* **1** (미) 의안을 통과시키기 위해 서로 협력[결탁]하다 **2** 통나무 굴리기에 참가하다 **~·er** *n.* 협력해서 의안을 통과시키는 의원

log·roll·ing [-ròuliŋ] *n.* Ⓤ (구어) **1 a** (협력해서 하는) 통나무 굴리기 **b** 통나무 타기《경기》 **2** (미) (특히 정치적으로의) 협력, 결탁, 서로 돕기; (작가끼리) 서로 칭찬하기

-logue [lɔ̀:g, lɑ̀g|lɔ̀g] [Gk =word] 《연결형》 「담화; 편찬; 연구자」의 뜻: mono*logue*; cata*logue*; Sino*logue*

log·way [lɔ́:gwèi, lɑ́g-|lɔ́g-] *n.* =GANGWAY

log·wood [lɔ́:gwùd, lɑ́g-|lɔ́g-] *n.* Ⓤ 〔식물〕 로그우드《콩과(科)의 작은 교목》

lo·gy [lóugi] *a.* (**-gi·er**; **-gi·est**) (미·구어) 〈동작·지능이〉 느린, 둔한(dull); 탄력이 없는

-logy [lədʒi] 《연결형》 **1** 「말함, 말, 담화」의 뜻: eu*logy* **2** 「학문; …론(論), …학」의 뜻: geo*logy*; philo*logy*

loid [lɔ́id] [cellu*loid*] (속어) *n.* (밤도둑이 자물쇠를 열 때 사용하는) 얇은 셀룰로이드 조각
— *vt.* 셀룰로이드 조각으로 〈문의〉 자물쇠를 열다

⁎**loin** [lɔ́in] *n.* **1** [보통 *pl.*] 허리, 요부(腰部): a pain in the *~s* 허리의 통증 **2** Ⓤ (짐승의) 허리 고기 **3** [*pl.*] 음부(陰部) ***a fruit***[***child***] ***of*** one***'s ~s*** 자기의 자식 ***be sprung from*** a person***'s ~s*** …의 자식으로 태어나다 ***gird*** (***up***) one***'s ~s*** (문어) 〔성서〕 (전투에 대비하여) 마음을 긴장시키다, (마음을 긴장시켜) 대기하다《열왕기 상 18: 46》

loin·cloth [lɔ́inklɔ̀:θ|-klɔ̀θ] *n.* (*pl.* **~s**) (미개인 등이) 허리에 두르는 것, 간단한 옷

loir [lɔ́iər, lwɑ́:r] *n.* 〔동물〕 (유럽산(産)의) 큰 산쥐

Lo·is [lóuis] *n.* 여자 이름

---

haughty, proud, self-important, conceited
loiter *v.* linger, dawdle, dally, idle, lag, saunter, stroll, waste time (opp. *hurry, hasten*)

⁑**loi·ter** [lɔ́itər] [MDu. 「꾸물거리다」의 뜻에서] *vi.* **1** 빈둥거리다, 어슬렁어슬렁 걷다, 쉬엄쉬엄 가다: Don't ~ on your way home. 귀가 도중 빈둥거리지 마라. // (~+副) ~ *along* 어슬렁어슬렁 걷다 // (~+前+名) They were *~ing around* the park. 그들은 공원에서 여기저기 어슬렁거리고 있었다. **2** 빈둥빈둥 시간을 보내다, 게으름 피우다, 더디게 굴다, 늑장 부리다(loaf) 《*on, over*》: (~+前+名) ~ *over* one's homework 숙제를 늑장 부리며 하다
— *vt.* 〈시간을〉 빈둥거리며 보내다 《*away*》: (~+名+副) ~ *away* the afternoon[one's time] 오후를[시간을] 빈둥거리며 보내다 **~ *with intent*** 〔영국법〕 (범죄를 저지를 생각으로) 배회하다
~·er *n.* **~·ing·ly** *ad.*

Lo·ki [lóuki] *n.* 〔북유럽신화〕 로키《파괴·재난의 신》

Lok Sa·bha [lɔ́:k-sʌ́bhɑ:] (인도 국회의) 하원

LOL 〔전자우편〕 (속어) laughing out loud

Lo·la [lóulə], **Lo·le·ta** [loulí:tə] *n.* 여자 이름 《Charlotte, Dolores의 애칭》

Lo·li·ta [loulí:tə] *n.* 롤리타 **1** 여자 이름 **2** V. Nabokov의 동명의 소설에 나오는 성적으로 조숙한 소녀

loll [lɑ́l|lɔ́l] [의성어] *vi.* **1** 하는 일 없이 빈둥거리다 《*about*》 **2** 축 늘어져 기대다[앉다]: (~+前+名) ~ *on* a sofa[*in* a chair] 소파[의자]에 털썩 기대다[앉다] / ~ *against* a wall 벽에 볼품없이 기대다 **3** 〈혀 등이〉 축 늘어지다 《*out*》: (~+副) The dog's tongue was *~ing out.* 개의 혀가 축 늘어져 있었다.
— *vt.* **1** 〈혀·머리·손발 등을〉 축 늘어뜨리다 《*out*》: (~+名+副) The dog was *~ing* its tongue *out.* 개가 혀를 축 늘어뜨리고 있었다. **2** 빈둥거리며 지내다 《*away*》 **~·er** *n.* **~·ing·ly** *ad.*

lol·la·pa·loo·za, -sa [lɑ̀ləpəlú:zə|lɔ̀l-] *n.* = LALAPALOOZA

Lol·lard [lɑ́lərd|lɔ́l-] *n.* 〔영국사〕 롤라드《14-15세기의 John Wycliffe파의 교도》 **~·ism** *n.* Ⓤ 위클리프주의《개혁을 부르짖어 이단시 당함》 **Lól·lard·y** *n.*

lol·li·pop, lol·ly- [lɑ́lipɑ̀p|lɔ́lipɔ̀p] *n.* **1** (영) (가는 막대 끝에 붙인) 사탕 **2** (영·구어) (아동 교통 정리원이 갖고 있는) 「멈춤」 표지판《Stop, Children Crossing이라고 써 있음》; 아동 교통 정리원
— *vt., vi.* (동료를) 밀고하다(shop)

lóllipop màn[**wòman**] (영·구어) 아동 도로 횡단 감시원, 아동 교통 정리원

lol·lop [lɑ́ləp|lɔ́l-] *vi.* (구어) **1** 느릿느릿[터벅터벅] 걷다 **2** 튕기듯 나아가다
— *n.* (미·속어) **1** 강타 **2** (음식의) 고봉

lol·ly [lɑ́li|lɔ́li] *n.* (*pl.* **-lies**) **1** (구어) =LOLLIPOP 1 **2** Ⓤ (속어) 돈(money)

Lol·ly [lɑ́li|lɔ́li] *n.* 여자 이름《Laura의 애칭》

lol·ly·gag [lɑ́ligæ̀g|lɔ́l-] *vi.* (구어) =LALLYGAG

lol·ly·wa·ter [-wɔ̀:tər] *n.* (호주·구어) (착색) 청량음료수

Lo-Lo [lóulóu] [*l*ift *o*n, *l*ift *o*ff] *n.* 수직형 하역 방식《크레인·데릭 등을 사용하는 컨테이너선의 하역 방식》

Lom·bard [lɑ́mbɑ:rd, -bərd, lʌ́m-|lɔ́m-] *n.* **1** 〔역사〕 롬바르드 족(族)《6세기에 이탈리아를 정복한 게르만계의 일족》 **2** Lombardy 사람 **3** 대금업자, 은행가 **—** *a.* =LOMBARDIC

Lom·bar·dic [lɑmbɑ́:rdik|lɔm-] *a.* Lombardy (사람)의; 〔미술·건축〕 Lombardy식의

Lómbard Strèet 1 롬바르드 가(街)《런던의 은행가(街); cf. WALL STREET》 **2** 런던의 금융계 **3** 《일반적으로》 금융계[시장] **~ *to a China orange*** 확실한 일, 십중팔구 틀림없는 일

Lom·bard·y [lɑ́mbərdi, lʌ́m-|lɔ́m-] *n.* 롬바르디아《이탈리아 북부의 주; 주도 Milan》

Lómbardy póplar 〔식물〕 양버들

Lo·mé [louméi] *n.* 로메《서아프리카 Togo의 수도》

Lomé Convention 〔경제〕 로메 협정《1975년 Togo의 수도 로메에서 체결된 EEC와 ACP 제국간의 경제 발전 원조 협정; EEC의 ACP 산품(産品)에 대한

우대 조치가 골자》
lo·ment [lóument] *n.* 〘식물〙 분리과(分離果)
Lo·mond [lóumənd] *n.* 로몬드 호 《스코틀랜드 서부의 호수》(=**Lóch ~**)
Lo·mo·til [loumóutl] *n.* 로모틸 《특히 여행자용 설사약; 상표명》
lon. longitude **Lond.** London; Londonderry
Londin. *Londiniensis* 《L =of London》
‡**Lon·don** [lʌ́ndən] *n.* **1** 런던 《영국의 수도; cf. GREATER LONDON》 **2** 런던 **Jack ~** (1876-1916) 《미국의 작가》 **~·er** *n.* 런던 사람 **~·ism** *n.* Ⓤ 런던시(式)[말투, 사투리]
Lóndon Áirport = HEATHROW AIRPORT
Lóndon Brídge the City of London과 템스 강 남안 지구를 연결하는 다리
Lóndon bróil (미) 〘요리〙 런던 브로일 《소의 옆구리살을 얇게 썰어 구운 스테이크》
Lon·don·der·ry [lʌ́ndəndèri, ⌐–⌐–] *n.* 런던데리 《북아일랜드의 주; 그 주도》
Lon·don·i·stan [lʌ́ndənistæ̀n] [Skt. stan = land; *London+stan*] *n.* 런더니스탄 《과격 이슬람인의 기지가 된 런던》
Lóndon ívy (고어) 런던의 짙은 안개[매연]
Lon·don·ize [lʌ́ndənàiz] *vt.* 런던화하다; 런던풍으로 하다
Lóndon partícular (구어) 런던 특유의 짙은 안개
Lóndon príde 〘식물〙 범의귀, 바위취
lóndon smóke [종종 **L- s-**] 거무스름한 회색
Lóndon wéighting 런던 수당 《생활비가 비싼 런던에서 근무하는 사람에 대한 수당》
lone [lóun] [alone의 두음 소실(頭音消失)] *a.* Ⓐ 《시어》 **1** 고독한, 혼자의: a ~ traveler 고독한 여행자 **2** 고립된, 인적이 드문 **3** 적막한, 쓸쓸한 **4** 독신의, 배우자가 없는, 과부의 **~·ness** *n.*
lóne hánd 혼자서 일을 하는 사람 ***play a ~*** (1) 〘카드〙 (여러 사람을 상대로) 혼자서 승부하다 (2) 단독으로 행동하다
*__lone·li·ness__ [lóunlinis] *n.* Ⓤ 고독; 외로움: live in ~ 혼자 외롭게 살다

> 유의어 **loneliness** 친구나 동료가 없어 혼자이며 적적한 기분을 나타내는데 **solitude**에는 loneliness가 지니는 적적한 기분은 포함되지 않는다.

‡**lone·ly** [lóunli] *a.* (**-li·er**; **-li·est**) **1** 고독한, 고립된, 외로운: She was extremely ~ in the deep, dark night. 그녀는 심야의 어둠 속에서 몹시 고독했다. **2** 쓸쓸한; 인적이 드문: a ~ road 사람이 거의 다니지 않는 길 ***feel ~*** 쓸쓸하다, 외롭다
lóne·li·hòod *n.* **lóne·li·ly** *ad.*
lone·ly-hearts [-hɑ̀ːrts] *n. pl., a.* 친구나 연인을 찾는 사람들(의)
lónely páy (미·속어) (자동화에 따르는 노동 시간 감소로 인한) 수입 감소를 보충하기 위한 임금 인상
lóne-pàrent fámily [-pɛ̀ərənt-] = ONE-PARENT FAMILY
lon·er [lóunər] *n.* (구어) 고독한 사람[동물]
Lóne Ránger [the ~] 론 레인저 《미국 TV·영화 등의 서부극의 주인공》
‡**lone·some** [lóunsəm] *a.* **1** 쓸쓸한, 외로운, 적적한: a ~ evening at home 집에서의 쓸쓸한 저녁 **2** 고독한; 인적이 드문 ★ lonely보다도 의미가 강함.
— *n.* (구어) 혼자(self) (***all***) ***by***[***on***] one***'s ~*** 혼자서 **~·ly** *ad.* **~·ness** *n.*
Lóne Stár Stàte [주기(州旗)에 별이 하나인 데서] [the ~] 미국 Texas 주의 속칭
lóne wólf **1** 외톨이 늑대 **2** (구어) 고립주의자[사업가]; (파티에서) 파트너가 없는 사람; 독신자; 단독범
‡**long**[1] ⇨ long (p. 1495) ▷ léngth *n.*
‡**long**[2] [lɔ́ːŋ, lɑ́ŋ | lɔ́ŋ] [OE 「나에게는 길게 보이다」의 뜻에서] *vi.* 애타게 바라다; 열망[갈망]하다(*for*): (~+전+명) ~ *for* something new 새로운 뭔가를 열망하다 // (~+전+명+***to*** do) I ~*ed for* him *to* say something. 나는 그가 뭔가 말을 해 줄 것을 애타게 바랐다. // (~+***to*** do) I ~ *to* go home. 집에 돌아가고 싶은 생각이 간절하다.
long. longitude
-long [lɔːŋ | lɔŋ] 《연결형》 「…쪽으로」의 뜻: head*long*; end*long*
long-act·ing [-ǽktiŋ] *a.* 〈약품 등이〉 장시간 작용하는, 지속적 작용성의
long-a·go [-əgóu] *a.* Ⓐ 옛날의: in the ~ days 옛날에
lon·gan [lɑ́ŋgən | lɔ́ŋ-] *n.* 〘식물〙 용안; Ⓤ 용안육(肉)
lon·ga·nim·i·ty [lɑ̀ŋgəníməti | lɔ̀ŋ-] *n.* (드물게) 강한 참을성, 인내
lóng árm **1** 긴 팔; (비유) 멀리까지 미치는 힘: make a ~ (물건을 잡으려고) 팔을 뻗다 **2** (손이 닿지 않는 곳에 페인트 등을 칠하는) 긴 보조봉 **3** [the ~] (미·속어) 경찰관: *the* ~ of the law 경찰력
long-a·wait·ed [lɔ́ːŋəwéitid | lɔ́ŋ-] *a.* 대망(待望)의, 기다린 지 오랜
lóng báll 〘야구〙 홈런; 〘축구〙 롱 패스
Lóng Bèach 롱비치 《미국 California주 Los Angeles 남쪽의 도시; 해수욕장》
lóng bíll 〘상업〙 (30일 이상의) 장기 어음
long·bill [-bìl] *n.* 〘조류〙 부리가 긴 새, 《특히》 도요새
long·board [lɔ́ːŋbɔ̀ːrd | lɔ́ŋ-] *n.* 긴 서핑 보드
long·boat [-bòut] *n.* (범선에 싣는) 대형 보트
long·bow [-bòu] *n.* 큰 활, 긴 활 ***draw***[***pull***] ***the ~*** 허풍 떨다
long·cloth [-klɔ̀ːθ | -klɔ̀θ] *n.* Ⓤ 얇고 가벼운 고급 무명 《유아 의류용》
lóng clóthes[**còats**] (갓난아이) 배내옷, 깃저고리
lóng dáte 〘상업〙 장기의 지불[상환] 기일
long-dat·ed [-déitid] *a.* 장기(長期)의 〈어음·채권 등〉
lóng dístance 장거리 전화; 장거리 전화 교환수 [국]: by ~ 장거리 전화로
long-dis·tance [-dístəns] *a.* Ⓐ **1** 장거리의: a ~ call (미) 장거리 (전화) 통화((영) trunk call)/a ~ cruise 원양 항해/a ~ flight[race, telephone] 장거리 비행[경주, 전화] **2** (영) 〈일기 예보가〉 장기(長期)의 **—** *ad.* 장거리 전화로: call a person ~ …에게 장거리 전화를 걸다
long-dístance fóotpath (시골, 해안가의) 장거리 오솔길
lóng divísion 〘수학〙 장제법(長除法) 《12 이상의 수로 나누는 나눗셈》
lóng dózen 13, 13개(baker's dozen)
long-drawn-out [lɔ́ːŋdrɔ́ːnáut | lɔ́ŋ-], **-drawn** [-drɔ́ːn] *a.* 길게 끈[잡아 늘인], 길게 이어지는
lóng drínk 탄산수 등을 탄 술 《하이볼 등》
longe [lʌ́ndʒ, lɑ́ndʒ | lʌ́ndʒ, lɔ́ndʒ] *n.* **1** 조마용(調馬用) 줄[로프] **2** (원형) 조마장
— *vt.* 조마용 줄로[조마장에서] 길들이다
long-eared [lɔ́ːŋíərd | lɔ́ŋ-] *a.* **1** 기다란 귀를 가진 **2** 당나귀 같은, 멍청한(stupid)
lóng éars **1** (비유) 밝은 귀 **2** 당나귀; 바보, 얼간이
longed-for [lɔ́ːŋdfɔ̀ːr] *a.* 갈망하던, 대망(待望)의
lon·ge·ron [lɑ́ndʒərən | lɔ́n-] [F =girder] *n.* [보통 *pl.*] 〘항공〙 (비행기 동체의) 세로 뼈대
lon·ge·val [lɑndʒíːvəl | lɔn-] *a.* (고어) 수명이 긴
*__lon·gev·i·ty__ [lɑndʒévəti | lɔn-] [L =long age] *n.* Ⓤ **1** 장수, 장명 **2** 수명, 생명: ~ pay 〘미군〙 연공 가봉(年功加俸)
lon·ge·vous [lɑndʒíːvəs, lɔːn- | lɔn-] *a.* (고어) 장

> **thesaurus** **lonely** *a.* **1** 고독한 friendless, lonesome, forlorn, forsaken, abandoned, isolated, despondent, solitary **2** 인적이 드문 desolate, barren, remote, secluded, deserted, uninhabited, unpopulated, unfrequented

long

long은 형용사·부사·명사로 쓰이는데 형용사와 부사 용법이 중요하다. '길이·거리·시간' 등에서 쓰이며, 「긴·먼·오랜·오랫동안」 등의 뜻을 나타내는 말이다.
특히 비교급·최상급의 발음에 주의해야 한다.

‡**long** [lɔ́ːŋ | lɔ́ŋ] *a.* (**~·er** [lɔ́ːŋgər | lɔ́ŋg-] ; **~·est** [lɔ́ːŋgist | lɔ́ŋg-]) **1 긴**(opp. *short*) **a** 〈물건·거리 등이〉 긴, 멀고 긴 《★ 물건의 길이를 물을 때에는 How *long* (...)?, 거리를 물을 때에는 보통 How far (...)?를 씀; ⇨ how》: a ~ train 긴 열차/a ~ distance 먼 거리/~ hair 긴 머리/⇨ LONG FACE, LONG ROBE/How ~ is the ladder? 그 사다리는 길이가 얼마나 됩니까? / We (still) have a ~ way to go. 아직도 갈 길이 멀다, 아직 전도가 요원하다. / His house is a ~ way from here. 그의 집은 여기서 멀다. ★ 긍정문에서는 far from보다 a long way from, a great distance from이 일반적. **b** 〈시간·과정·행위 등이〉 긴, 장기간에 걸치는 《시간의 길이를 물을 때에는 How *long* (...)?을 씀; ⇨ long *ad.*》: a ~ conversation 긴 대화/a ~ leave 장기 휴가/a grievance of ~ standing 장기간의 불만/~ years 다년(간)/wait (for) a ~ time 오래 기다리다/take a ~ breath 긴 숨을 쉬다/It's a ~ story to tell. 얘기하자면 긴 이야기다. / It is[has been] a ~ time since I saw you last. 지난번에 만난 후로 오랜 시간이 지났군요, 오래간만입니다. / How ~ is the interval? 막간은 얼마 동안입니까? / It will be[not be] ~ before we know the truth. 진상을 좀처럼 알 수 없을 것이다[곧 알게 될 것이다]. **c** Ⓟ (…하는 데에) **오래 걸리는** 《*in*》 《in은 흔히 생략됨》: 《~(+전)+**-ing**》 Spring is ~ (*in*) com*ing* this year. 금년은 봄이 좀처럼 오지 않는다. / I won't be ~ unpack*ing*. 짐을 푸는 데에 오래 걸리지 않을 것입니다. / He wasn't ~ (*in*) get*ting* hungry. 그는 이윽고 배가 고파졌다.

2 a [보통 수량을 나타내는 명사와 함께] 〈길이·거리·시간 등이〉 **…의 길이인, 길이가 …인**: eight hours ~ 여덟 시간의/a book 300 pages ~ 300페이지의 책/a drama three acts ~ 3막의 연극/The crater is 7 miles ~, 3 miles across[wide] and half a mile deep. 분화구는 세로 7마일, 가로 3마일, 깊이가 반 마일이다. / My trip was a month ~. 나의 여행은 한 달간이었다. **b** 〈모양이〉 길쭉한; 긴 컵에 담아내는: a ~ cold drink 긴 컵에 담아 주는 찬 음료 **c** 《구어》 〈사람이〉 키가 큰

3 a 〈시간·행위 등이〉 **길게 느껴지는**, 지루한: a ~ lecture 지루한 강의/Today was a ~ day. 오늘은 길게 느껴지는 하루였다. **b** Ⓟ 꾸물대는, 오래 걸리는, 우물거리는 《*about, over*》: 《~+전+명》 He is ~ *about* his work. 그는 일을 하는 데에 오래 걸린다. / He is not ~ *for* this world. 그는 오래 살지 못할 것이다.

4 a 넉넉한, …이상: a ~ hour 한 시간 이상/a ~ mile 넉넉히 1마일/⇨ LONG DOZEN **b** 〈리스트·계산서 등이〉 항목이 많은: a ~ list 항목이 많은 리스트/a ~ list of complaints 많은 불만

5 《구어》 Ⓟ (…을) 충분히[많이] 가진 《*on*》: 《~+전+명》 be ~ *on* brains 머리가 좋다/He is ~ *on* common sense. 그는 상식이 풍부하다. / The article was ~ *on* spite and short on fact. 그 기사는 사실보다는 악의적인 면이 많았다.

6 a 〈시력·청력·식견·타구 등이〉 멀리까지 미치는: a ~ sight 원시/a ~ hit 〖야구〗 장타(長打)/⇨ take a[the] LONG view **b** 〈기억이〉 먼 옛날까지 미치는: He has a ~ memory. 그는 대단한 기억력을 가지고 있다[기억력이 좋다].

7 a 〈내기에 이길 확률이〉 큰 차이가 있는: ~ odds 낮은 확률 **b** 〈일이 이루어질 가능성이〉 희박한; 〈추측 등이〉 제멋대로의: a ~ guess 억측/It's a ~ chance that the plan will succeed. 그 계획이 성공할 가망은 희박하다.

8 강렬한; 철저한, 집중적인: take a ~ hard look at oneself 철저히 자신을 돌아보다

9 〖음성〗 장음의: ~ vowels 장모음

10 〖운율〗 강음(强音)의

11 〖금융〗 (매기·가격 등귀의 예상하에) 강세인; 상품[주식]을 보유하고 있는 (상태의)

(as) broad as it's ~ = ***(as) ~ as it is broad*** ⇨ broad

at ~ last ⇨ last[1]

at (the) ~est (아무리) 길게 보아도, 얼마 걸린다 해도, 기껏(해야)

be ~[a ~ time] (in) doing …하는 것이 늦다, 좀처럼 …하지 않다 ⇨ 1 c

be ~ on 《미·속어》 …을 많이 가지고 있다: He *is ~ on* human understanding. 그는 인간에 대한 이해가 풍부하다.

by a ~ chalk ⇨ chalk

by a ~ way ⇨ way

Don't be ~! 꾸물거리지 마라, 빨리 해!

go a ~ way ⇨ go

have a ~ tongue ⇨ tongue

How ~ is a piece of string? 《영·구어》 글쎄 《질문에 대해 분명한 답을 못할 때》

in the ~ run 긴 안목으로 보면, 결국은

in the ~ term 장기적으로 보아

~ in the tooth ⇨ tooth

L~ time no see. 《구어》 오랜만입니다.

make a ~ nose at ⇨ nose

take a[the] ~ view (of life) 먼 장래 일을 생각하다, 긴 안목으로 보다

— *n.* **1** Ⓤ **오랫동안**, 장기간: for ~ 장기간/It will not take ~. 오래 걸리지는 않을 것이다. 《take long은 보통 의문문·부정문에 씀, 긍정문에 쓰는 것은 문어적 표현》

2 (모스 부호·호각 등의) 긴 신호: The signal was two ~*s* and a short. 신호는 2개의 장음과 1개의 단음이었다. / He blew two ~*s* on his whistle. 그는 호각을 두 번 길게 불었다.

3 [보통 *pl.*] (의류의) 장신용 사이즈(의 옷)

4 〖운율〗 장음

5 〖음성〗 장모음, 장음절

6 〖금융〗 [*pl.*] 《영》 장기 우량 증권 《상환 기한 15년 이상의 국채·정부 보증채》; (상품[증권]의 등귀를 기대하는) 강세쪽의 사람

7 [the L~] 《영·구어》 (대학의) 여름 방학; (법정의) 하기 휴정

before ~ 머지않아, 이윽고(soon)(cf. LONG before ⇨ *ad.* 3): We shall know the truth *before* ~. 머지않아 진상을 알게 될 것입니다.

for (very) ~ [주로 부정문·의문문 또는 조건절에서] 오랫동안 《이들 구(句)에 있어서의 long은 형용사의 독립 용법이므로 그 앞에 very 등의 부사를 놓을 수 있음》: He won't be away *for very* ~. 그는 그리 오래 떠나 있지 않을 것이다.

take ~ ⇨ *n.* 1

that ~ 《구어》 그만한 시간: It will take at least ten times *that* ~ to go there on foot. 걸어서 그곳에 가려면 적어도 그 시간의 10배는 걸릴 것이다.

the ~ and (the) short of it 요점, 요지; 본질: *The ~ and (the) short of it* is that the plan

was a failure. 요컨대 그 계획은 실패한 것이다.
— *ad.* (**~·er**; **~·est**) **1 a** 오래: live ~ 오래 살다/He has been ~ dead. 그가 죽은 지 오래되었다./"How ~ have you been in the army?"—"I haven't been in it ~." 군대에 들어간 지 얼마나 됩니까?—오래되지 않았습니다. **b** 길게; 멀리(까지), 아득히 멀리: a ~-traveled person 멀리까지 여행한 사람
2 [기간을 나타내는 명사 앞에 all과 함께] …**동안 줄곧**: *all* day[night] ~ 온종일[밤새도록]/*all* one's life ~ 일생 동안 줄곧/*all* summer ~ 한여름 내내 ★ long이 생략될 때도 있음.
3 [때를 나타내는 부사 또는 접속사 앞에서] (어떤 때보다) **훨씬** (전에 또는 후에): ~ ago 먼 옛날에/~ since 훨씬 전[옛날]에/~ before 훨씬 전에(cf. BEFORE long)
4 〖금융〗 (상품·증권의 등귀를 기대하여) 미리 사두어
as ~ as ... (1) …만큼 오래, …하는 동안: Stay here *as* ~ *as* you want to. 있고 싶은 만큼 여기 머물러 있어라. (2) …하기만 하면; …하는 한: *As* ~ *as* you're going, I'll go too. 네가 가기만 한다면 나도 가겠다.
~ gone 〈사물·사람이〉 떠난[없어진] 지 오래되어: By the time we got there the train was ~ *gone.* 우리가 그곳에 도착했을 때는 열차는 떠난 지 오래였다.
L~ live (***the king***[***the Republic***])! 만세!
no ~er = 《구어》 ***not ... any ~er*** 더 이상 …않다[아니다]: I could wait for him *no ~er.* = I could *not* wait for him *any ~er.* 더 이상 그를 기다릴 수 없었다./A visit to the moon is *no ~er* a fantastic dream. 달 여행은 이제 더 이상 공상적인 꿈이 아니다.
So ~! 안녕(good-bye), 그럼 또! ★ 윗사람에게는 쓰지 않는 것이 좋음.
so ~ as ... …하는 동안은, …하는 한은, …하기만 하면: You may stay here *so* ~ *as* you keep quiet. 조용히 하고 있는다면 여기에 있어도 좋다.

수의, 수명이 긴
lóng fáce 시무룩[침통]한 얼굴
long-faced [lɔ́:ŋféist | lɔ́ŋ-] *a.* **1** 슬픈 얼굴의, 침울한; 엄숙한(solemn) **2** 얼굴이 긴
Long·fel·low [lɔ́:ŋfèlou, lάŋ- | lɔ́ŋ-] *n.* 롱펠로 **Henry Wadsworth ~** (1807-82) 《미국의 시인》
lóng fíeld 〖크리켓〗 외야 《long off나 long on》
lóng fínger 가운뎃손가락, 중지(中指)
lóng fírm 《영》 엉터리[사기] 회사
lóng gàme 〖골프〗 나는 거리를 겨루는 게임
lóng gréen [the ~] 《미·속어》 (달러) 지폐(greenback); 현금, 《특히》 큰돈
long·hair [lɔ́:ŋhὲər | lɔ́ŋ-] *n.* 《구어》 **1** 《미》 **a** 인텔리, 지식인 **b** 클래식 음악 애호가[연주가] **2** 《미》 장발족; 머리가 긴 예술가 **3** 히피
— *a.* **1** 장발의 **2 a** 지식 계급의, 인텔리의 **b** (재즈보다) 클래식 음악을 좋아하는[연주하는] **3** 젊고 반사회적인, 히피적인 《longhaired라고도 함》
long·hand [-hæ̀nd] *n.* Ⓤ (속기에 대하여) 보통 서법(書法)(의 필적)(cf. SHORTHAND)
lóng hául **1** 장거리 (수송) **2** [the ~] (괴로운) 장시간 **3** 장기에 걸친 일[어려움] ***over the ~*** 오랜만에, 오랫동안 **lóng-hául** *a.*
long·head [-hèd] *n.* **1** 머리가 길쭉한 사람; 장두(長頭) **2** 《영·속어》 선견지명
long·head·ed [-hédid] *a.* **1** 머리가 길쭉한 **2** 선견지명이 있는; 총명한 **~·ly** *ad.* **~·ness** *n.*
lóng hítter 《미·속어》 대주가(大酒家); 술고래
lóng hóp 〖크리켓〗 튀었다가 멀리 나는 공
long·horn [-hɔ̀:rn] *n.* **1 a** 롱혼 《미국 남서부의 뿔이 긴 소》; [**L~**] 《미·속어》 텍사스 사람(Texan) **b** [**L~**] 롱혼 종 《영국 원산의 육우》 **2** 체더 치즈의 일종
lóng hòrse 〖체조〗 뜀틀; 뜀틀 경기(vaulting horse)
lóng hóurs [the ~] 밤 11시, 12시 《시계가 시간을 길게 치는 시간; cf. SMALL HOURS》
lóng hòuse (일자형의) 공동 주택 《북아메리카 인디언의》
lóng húndred 120(great hundred)
lóng húndredweight 《영》 112파운드 《50.8kg; 중량 단위》
longi- [lάndʒi | lɔ́n-] 《연결형》 「긴(long)」의 뜻: *longi*corn
lon·gi·corn [lάndʒikɔ̀:rn | lɔ́n-] 〖곤충〗 *a.* 촉각이 긴 — *n.* 긴 촉각의 풍뎅이
long·ies [lɔ́:ŋiz, lάŋ- | lɔ́ŋ-] *n. pl.* 《구어》 (겨울용) 긴 내의(內衣); (남자 어린이용) 긴 바지
‡**long·ing** [lɔ́:ŋiŋ, lάŋ- | lɔ́ŋ-] *n.* ⓊⒸ **갈망**, 열망, 동경 (*for*): She has a great ~ *for* home. 그녀는 고향을 몹시 그리워하고 있다. // (~+*to* do) His ~ *to* see his native country became stronger. 고국을 보고 싶어하는 그의 열망은 더욱 간절해졌다.
— *a.* Ⓐ 간절히 바라는, 동경하는: a ~ look 갈망하는 눈빛 **~·ly** *ad.*
long·ish [lɔ́:ŋiʃ, lάŋ- | lɔ́ŋ-] *a.* 기름한, 길쭉한
Lòng Ísland 롱아일랜드 《미국 New York주 남동부의 섬》
***lon·gi·tude** [lάndʒətjù:d | lɔ́ndʒitjù:d] [L 「길이, 세로」의 뜻에서] *n.* Ⓤ **1** 〖지리〗 **경도**(經度), 경선(經線) 《略 lon(g).; cf. LATITUDE 1》 **2** 〖천문〗 황경(黃經) **3** 《익살》 세로, 길이
lon·gi·tu·di·nal [lὰndʒətjú:dənl | lɔ̀ndʒitjú:-] *a.* **1** 경도[경선]의: ~ measurement 경도 측정(법) **2** 길이의; 세로의(opp. *lateral*) **3** 〈연구가〉 장기적인
— *n.* (선체 따위의) 세로 뼈대 **~·ly** *ad.*
longitúdinal redúndancy chèck 〖컴퓨터〗 세로 중복 검사 《전송 오류를 파악하기 위해 패리티(parity)를 검사하는 시스템; 略 LRC》
longitúdinal redúndancy chèck chár·acter 〖컴퓨터〗 세로 중복 검사 문자
longitúdinal séction 종단면(도)
longitúdinal sùrvey 추적 조사
longitúdinal wáve 〖물리〗 종파(縱波), 소밀파(疎密波) (cf. TRANSVERSE WAVE)
Lóng Jóhn 《미·속어》 키다리
lóng jòhns 《구어》 (손목·발목까지 덮는) 긴 내의
lóng jùmp [the ~] 《영》 〖육상〗 멀리뛰기(《미》 broad jump)
long-last·ing [lɔ́:ŋlǽstiŋ | lɔ́ŋlά:st-] *a.* **1** 길게 계속되는, 장기간에 걸친 **2** 효과가 비교적 오래 지속되는
lóng·leaf píne [lɔ́:ŋlì:f-], **lóng·leaved píne** [-lì:vd-] **1** 〖식물〗 왕솔나무 《미국 남부산(産)》 **2** 왕솔나무 목재
long-legged [lɔ́:ŋlégd] *a.* **1** 다리가 긴 **2** 《구어》 발이 빠른
long-life [lɔ́:ŋlàif] *a.* 〈소모품이〉 수명이 긴, 오래가는: ~ milk 특별히 오래가도록 처리한 우유
long·line [-làin] *n.* 〖어업〗 연승(延繩), 주낙
long-lin·er [-làinər] *n.* 《캐나다》 주낙 어선[어부]
long-lived [-láivd, -lívd | -lívd] *a.* 수명이 긴; 오래 계속하는, 지속하는: a ~ battery 수명이 긴 전지 **~·ness** *n.*
long-lost [-lɔ̀:st] *a.* 장기간 행방불명의
lóng màn 〖미식축구〗 롱맨 《하나의 패스 플레이에서 가장 깊숙한 지점까지 달리는 리시버》
Lóng Márch [the ~] (중국 공산당의) 대장정 《1934 ~36년에 장시 성(江西省)에서 산시 성(陝西省) 북부까지 이동함》
lóng méasure 척도, 길이의 단위
lóng méter 〖운율〗 장률(長律) 《보통 약강격 8음절

4행으로 된 찬송가조(調); 略 L.M.》
lóng móss =SPANISH MOSS
long·neck [lɔ́:ŋnèk | lɔ́ŋ-] *n.* 《미·구어》 병맥주, (맥주) 큰 병
lóng ódds 일방적 승률, 큰 차이(long shot)
by ~ 모든 점에서, 아무리 보아도; 확실히, 훨씬
long-off [lɔ́:ŋɔ́:f | -ɔ́f] *n.* 〘크리켓〙 투수의 좌후방의 야수
long-on [-ɑ́n | -ɔ́n] *n.* 〘크리켓〙 투수의 우후방의 야수
lóng píg (식인종이 먹는) 인육(人肉), 인체
lóng pláy LP반(盤) 레코드 《略 LP》
long-play·ing [-pléiiŋ] *a.* 장시간 연주 레코드의, LP반의 《매분 33 1/3 회전; cf. EP》: a ~ record LP반 레코드
lóng posítion 상승 기대주(株)를 매입·보유하는 사람[상태]
lóng púll 1 장기에 걸친 일[시련] **2** 장거리 (여행) **3** 《영》 (술집에서 손님을 끌기 위해) 양을 후하게 주기, 한 잔 더 주기
long-range [lɔ́:ŋréindʒ] *a.* Ⓐ **1** 원대한, 장기(長期)의: a ~ outlook 장기적인 전망 **2** 〈로켓 등이〉 장거리에 달하는
long·reach [lɔ́:ŋrì:tʃ] *a.* 멀리까지 이르는[걸치는], 멀리까지 세력이 미치는
lóng róbe [the ~] **1** 장의(長衣) 《성직자·법관의 옷; cf. SHORT ROBE》 **2** [집합적] 성직자, 법률가: gentlemen of *the* ~ 변호사들, 재판관들
lóng rùn 1 장기간 **2** 〘연극·영화〙 장기 공연, 롱런
long-run [lɔ́:ŋrʌ́n] *a.* 긴 안목으로 본; 장기간에 걸친; 장기 공연[흥행]의
long-run·ning [-rʌ́niŋ] *a.* 장기간에 걸친
lóng sále 〘증권〙 현물 매매, 실매(實賣)
long-ser·ving [-sə́:rviŋ] *a.* Ⓐ 장기간 근무[재직]한: ~ employees 장기 근무 종업원
long·ship [lɔ́:ŋʃìp | lɔ́ŋ-] *n.* 〘역사〙 (Viking 등이 쓰던) 폭이 좁고 긴 galley 선 비슷한 배
long·shore [lɔ́:ŋʃɔ̀:r | lɔ́ŋ-] [along shore의 두음 소실(頭音消失)] *a.* Ⓐ 연안의, 항만의; 해안에서 일하는: ~ fishery 연안 어업 **—** *ad.* 연안에서
lóngshore dríft 〘지질〙 (파도의 작용으로) 해안을 따라 침적물이 이동하는 일
long·shore·man [lɔ́:ŋʃɔ̀:rmən | lɔ́ŋ-] *n.* (*pl.* **-men** [-mən, -mèn]) **1** 《미》 부두 노동자, 부두 인부 **2** 근해 어부
long-shor·ing [lɔ́:ŋʃɔ̀:riŋ | lɔ́ŋ-] *n.* 부두 노동, 연안 어업
lóng-shórt (stòry) [-ʃɔ́:rt-] (보통 것보다) 긴 단편(소설), 중편 (소설)
lóng shòt 1 〘영화·TV〙 원사(遠寫)(cf. MEDIUM SHOT, CLOSE SHOT) **2** [a ~] 《미》 모험을 건[승산 없는] 시도; (경마에서) 승산이 없는 말; (도박·내기 등에서의) (기대와 결과의) 큰 차이(long odds)
by a ~ 크게, 뛰어나게: John was the best runner in the race, *by a* ~. 존은 경주에서 단연 뛰어난 주자였다. ***not by a*** ~ ⇨ shot
lóng síght 《영》 **1** 멀리까지 보임; 원시(遠視) **2** 선견지명, 통찰력
long·sight·ed [-sáitid] *a.* 《영》 **1** 먼 데 것을 볼 수 있는; 원시(遠視)의(farsighted) **2** 선견지명이 있는, 탁견(卓見)이 있는, 현명한 **~·ly** *ad.* **~·ness** *n.*
long·some [lɔ́:ŋsəm, lɑ́ŋ- | lɔ́ŋ-] *a.* 《고어·방언》 기다란 **~·ly** *ad.* **~·ness** *n.*
long-spun [lɔ́:ŋspʌ́n | lɔ́ŋ-] *a.* **1** 길게 잡아 늘인; 기다란 **2** 지루한
long·stand·ing [lɔ́:ŋstǽndiŋ] *a.* Ⓐ 다년간의, 여러 해 동안에 걸친; 오래 계속되는
long-stay [-stèi] *a.* [보통 Ⓐ] **1** 장기 입원의: ~ patients 장기 입원 환자 **2** 장시간[기간] 주차의: ~ parking 장시간 주차
lóng stòp 1 〘크리켓〙 롱 스톱 《wicketkeeper 바로 뒤에서 그가 놓친 공을 잡는 야수; 그 수비 위치》 **2** 《비유》 (바람직하지 않은 일을) 최종적으로 저지[억제]하는 사람[것], 최후 수단, 비장의 솜씨
long-suf·fer·ing [-sʌ́fəriŋ] *a.* 참을성이 많은
— *n.* Ⓤ 인고(忍苦), 인내 **~·ly** *ad.*
lóng súit 1 〘카드〙 4장 이상의 짝지워진 패 **2** [one's ~] 《구어》 장점, 특기, 전문: English is *her* ~. 영어는 그녀의 특기 과목이다.
lóng swéetening 《미》 액상 감미료
long-term [-tə́:rm] *a.* 장기(長期)의(opp. *short-term*); 장기 만기의
lóng-term mémory 〘심리〙 장기(간) 기억
long·time [-tàim] *a.* Ⓐ 오랫동안의(longstanding)
long·tim·er [-táimər] *n.* 고참자; 장기형(刑)의 죄수
lóng tóm [보통 **L- T-**] **1** 사금(砂金)을 이는 긴 홈통 **2** 《육군속어》 대형 야포, 장거리포 **3** (옛날의) 함재(艦載)포 **4** 《속어》 고성능 망원 렌즈
lóng tón 영국톤, 대(大)톤 《2,240파운드, 약 1,016 kg; 略 L/T; ⇨ TON[1] 1a》
lóng tóngue 장광설, 수다스러움
long-tongued [-tʌ́ŋd] *a.* **1** 혀가 긴 **2** 수다스러운 (talkative)
longue ha·leine [lɔ́:ŋ-æléin] [F =long breath] 오랜 시일, 오랫동안의 노력: a work of ~ 부단한 노력을 요하는 일[저작]
lon·guette [lɔ:ŋgét, lɑŋ- | lɔŋ-] [F =somewhat long] *n.* 미디(midi)의 스커트[드레스]
lon·gueur [lɔ:ŋgə́:r, lɑŋ- | lɔŋ-] [F =length] *n.* [보통 *pl.*] (소설·음악 등의) 지루한 부분
lóng únderwear 《미·속어》 **1** 통속적[감상적]으로 연주하는 재즈 **2** (즉흥 연주는 못하는) 서투른 재즈 연주자 **3** (미리 씌어진) 편곡; 클래식 음악
lóng vác 《영·구어》 =LONG VACATION
lóng vacátion 《영》 (법정·대학 등의) 하기 휴가 《보통 8, 9, 10월의 3개월》
lóng víew 장기적 전망
long waist (의복의) 낮은 허리 (라인)
long-waist·ed [lɔ́:ŋwèistid | lɔ́ŋ-] *a.* **1** 〈사람·배 등이〉 동체가 긴 **2** 〈의복이〉 허리가 길게 되어 있는
lóng wàve 〘통신〙 장파 《파장이 60 m 이상의 전자파》
long·ways [lɔ́:ŋwèiz | lɔ́ŋ-] *ad.* 세로로, 길이로
long-wear·ing [lɔ́:ŋwέəriŋ | lɔ́ŋ-] *a.* 《미》 〈옷 등이〉 질긴, 내구성 있는(《영》 hardwearing)
lóng wéekend 긴 연휴[휴가] 《3일 이상 연결된》
long-wind·ed [-wíndid] *a.* **1** 말이 긴; 행동이 느린; 지루한 **2** 숨이 오래 지속되는 **~·ly** *ad.* **~·ness** *n.*
lóng-wíre antènna[àerial] [-wáiər-] 〘통신〙 장도파(長導波) 안테나[공중선] 《파장의 몇 배의 길이를 가짐》
long·wise [lɔ́:ŋwàiz | lɔ́ŋ-] *ad.* =LONGWAYS
long·wool [lɔ́:ŋwùl | lɔ́ŋ-] *n.* 길고 거친 털을 가진 양
loo[1] [lú:] *n.* (*pl.* **~s**) 루 《일종의 카드놀이》
— *vt.* 벌금을 물리다 《루 놀이에서》
loo[2] *n.* (*pl.* **~s**) 《영·구어》 변소, 화장실(toilet)
loo·by [lú:bi] *n.* (*pl.* **-bies**) 《영·방언》 바보, 얼간이
loo·fa(h) [lú:fə] *n.* =LUFFA(H)
loo·gan [lú:gən] *n.* 《미·속어》 **1** 얼간이, 멍청이 **2** 프로 복서 **3** 졸때기, 무뢰한 **4** 맥주
loo·ie, loo·ey [lú:i] *n.* 《미·군대속어》 =LIEUTENANT
‡look [lúk] *v.*, *n.*

① (주의하여) 보다; 봄, 보기	㉶ **1** ㉥ **1**
② (…으로) 보이다; 눈빛, 외관	㉶ **5** ㉥ **2**
③ (…에) 면하다	㉶ **6**
④ 조사해 보다	㉸ **5**

— *vi.* **1** 보다, 바라보다, 응시하다 《*at*》, 시선을 돌리다; (놀라서) 눈을 크게 뜨다: (~+㉮) ~ *off* 눈을 딴 곳으로 돌리다 / ~ *aside* 옆을 보다 // (~+㉯+㉥) ~ *at* a picture 그림을 보다 / What are you ~*ing* *at*? 무엇을 보고 있습니까?

> 유의어 **look, watch**는 주의해서 본다는 자발적인 행위를 나타내는데, look는 정지해 있는 것에 대해, watch는 움직이고 있는 것에 대해 쓰는 것이 보통이다: *look* at articles displayed for sale 진열된 상품을 잘 보다 / *watch* while a procession passes 행렬이 지나갈 동안 바라보다 **see** 단순히 보인다는 뜻이다: She looked but didn't *see* it. 그녀는 보았지만 그것이 보이지 않았다. **gaze** 놀람·칭찬 등의 감정으로 응시하다: *gaze* at scenery 경치를 (경탄의 눈으로) 바라보다 **stare** 놀람·칭찬·공포 등의 기분으로 특히 눈을 크게 뜨고 열심히 보다: *stare* unbelievably 믿어지지 않는 눈으로 쳐다보다 **glance** 흘긋 보다: He *glanced* at her and *glanced* away. 그녀를 흘긋 보고서는 얼른 눈을 떼었다.

2 주시하다, 주목하다, 유의하다: (~+전+명) ~ *at* the facts 사실에 주목하다 // (~+***that*** 절) *L~ that* nothing is wanting. 부족한 것이 없도록 유의해라. / *L~* (to it) *that* everything is ready. 만반의 준비를 갖춰 두어라. **3** 살피다, 조사[검토, 고찰]하다 (*into*); 확인하다 (*if, how, who*): ~ deeper 더 깊이 고찰하다 // (~+전+명) ~ *into* the population problem 인구 문제를 조사하다 / The workmen have come to ~ *at* the drains. 일꾼들이 하수 시설을 살피러 왔다. **4** 〈사실·정세 등이〉 (…에) 기울어지다, 경향이다(tend) (*to, toward*): (~+전+명) Conditions ~ *toward* war. 전쟁이 날 것 같은 정세이다. **5** [보어 또는 부사구[절]를 수반하여] 얼굴[모양]이 (…으로) 보이다, (…으로) 생각되다(⇨ seem 유의어): (~+보) ~ glum 시무룩한 얼굴을 하다 / He *~s* very ill. 그는 몹시 편찮은 모양이다. / It *~s* as though we should have a storm. 폭풍우라도 올 것 같은 날씨다. // (~+전+명) It *~s like* rain. 비가 올 것 같다. / Which team *~s like* winning? 어느 팀이 이길 것 같습니까? **6** 〈집 등이〉 (…)향(向)이다, (…에) 면하다(face): (~+부) The terrace *~s seaward*. 테라스는 바다를 향하고 있다. // (~+전+명) The room *~s to* the south. 그 방은 남향이다.

— *vt.* **1** 자세히 보다, 주시[응시]하다 (*in*): (~+목+전+명) He *~ed* me straight *in* the face. 그는 내 얼굴을 정면으로 응시했다. **2** …에 어울리게 보이다: ~ oneself again 이전대로 된 것처럼 보이다, 회복된 것 같다 **3** …한 눈치를[표정을] 보이다; 눈치로[표정으로] 나타내다: ~ one's thanks 감사의 뜻을 눈치로 나타내다 **4** 노려[흘겨]보아 …시키다 (*to, into, out of*): (~+목+전+명) ~ a person *out of* countenance 남을 뚫어지게 보아 당황하게 하다 / I *~ed* him *to* shame. 그를 노려보아 무안하게 만들었다. / The policeman *~ed* him *into* silence. 경관은 눈을 흘겨 그의 말문을 막았다. **5** 확인하다, 조사해 보다: (~+***wh.*** 절) *L~ who* it is. 누구인지 알아봐라. / *L~ whether* the postman has come yet. 우편집배원이 벌써 왔는지 가 보아라. // (~+목+부) ~ a person *through and through* …을 철저하게 조사하다 **6** 기대하다(expect): (~+***to*** do) I did not ~ *to* meet you here. 여기서 너를 만날 줄은 몰랐다. **7** 찾다, 구하다(seek) (*up*)

L~! 저것 (봐), 저런, 어마! **~ *about*** 이리저리 둘러보다; 두리번거리며 찾다 (*for*) **~ *about* one** 자기의 주변을 둘러보다; 신중히 고려하다 **~ *after*** …의 뒤를 지켜보다, …에 주의하다; …을 보살피다[돌보다] **~ *ahead*** 앞쪽을 바라보다; 앞일을 생각하다 ***L~ alive!*** ⇨ alive. **~ *around*** = LOOK round. **~ *as if*** (마치) …처럼 보이다 **~ *at*** (1) …을 보다, 바라보다, 자세히 보다: ~ *at* the train steaming past 증기를 내뿜으며 지나가는 기차를 지켜보다 (2) 고찰하다; 돌이켜보다 (3) …을 조사하다, 진찰하다 **~ *away*** 눈길[얼굴]을 돌리다 (*from*) **~ *back*** (1) 뒤돌아보다 (2) 회고하다 (*on, upon, to, at*) (3) 주춤거리다 (4) [부정어와 함께] 전진[진보]하지 않다, 발전이 없다, 제자리걸음하다: Since then, she *never ~ed* back. 그 이후로 그녀는 더욱 성공했다. ***L~ before you leap.*** ⇨ leap. **~ *beyond the grave*** 죽은 후의 일을 생각하다 **~ *black*** 전망이 어둡다, 비관적이다; 무뚝뚝하다 **~ *down*** 내려다보다; 하락하다 **~ *down on*[*upon*]** …을 낮추어 보다, 경멸하다; …에 냉담하다 **~ *down* one's *nose at*** ⇨ nose. **~ *for*** (1) 찾다 (2) 기다리다 (3) 귀찮은 일이 생길 것 같다 (4) 기대하다, 예기하다 **~ *forward*** 앞을 보다, 장래를 생각하다 **~ *forward to*** do***ing*** [종종 진행형으로] …을 기대하다, (기대를 갖고) 기다리다: I'm *~ing forward to* see*ing* you again. 당신을 다시 만나길 기대합니다. **~ *high and low for*** (미·구어) 샅샅이[두루] 찾다 **~ *in*** 잠깐 들여다보다; 들르다 (*at*); 텔레비전을 보다 (*at*) **~ *in on*** …을 방문하다 **~ *into*** …을 들여다보다; …을 조사하다, 연구하다 **~ *it*** 그렇게 보이다 **~ *kindly on*** [***upon***] [부정어와 함께] (문어) …을 찬성[지지]하다: We do*n't* ~ *kindly on* people who cheat us. 우리는 우리를 속이는 사람들을 지지하지 않는다. **~ *like*** …와 (모양이) 비슷하다; …인 것 같이 보이다, …할 것 같다: What does it ~ *like*? 어떻게 생긴 것이냐? / It *~s like* rain. 비가 올 것 같다. / He *~s like* a philosopher. 그는 철학자 같은 풍채다. **~ (*like*)** one***self*** 평상시와 다름없는 모습이다, 여느 때처럼 건강한 모습이다 **~ *off*** …에서 눈을 떼다 **~ *on*** 관찰[방관]하다, 지켜보다 **~ *on as*** …으로 간주하다; …이라고 생각하다; (어떤 기분으로) 보다 (*with*) **~ *on the bright*[*dark*] *side of*** …을 낙관[비관]하다 **~ *onto*** 〈방향이〉 …으로 면하다 **~ *out*** 바깥을 내다보다, 주의를 딴 데로 돌리다; 경계하다, 주의하다 (*for*): ~ *out* (of) the window 창으로부터 바깥을 내다보다 / *L~ out!* 주의해라! **~ *out on*[*upon*]** (미·구어) …을 향하다, …을 마주 보다 **~ *over*** …을 대충 훑어보다; 일일이 조사[음미]하다; 눈감아 주다 **~ *round*** 주위를 살펴보다; 숙고하다 **~ one's *age*** 제 나이로 보이다 **~ *sharp*** [주로 명령형으로] (영·구어) (1) 정신차리다, 주의하다 (2) 서두르다 **~ *small*** ⇨ small. **~ *through*** (1) …을 통하여 보다[보이다]; 간파하다: ~ *through* one's eye 〈마음 등이〉 눈에 나타나다 / His greed *~s through* his eyes. 그의 탐욕이 눈에 나타나 있다. (2) …을 못 본 체하다; 알아채지 못하다 (3) …을 대충 살펴보다 **~ *to*** (1) …에 시선을 돌리다 (2) …에 주의[감시]하다, …을 보살피다[돌보다] (3) …을 기대하다 (*for, to* do) (4) 의지하다, …을 믿다 (5) (미) …에 기울어지다, …을 목표로 삼다 (6) 〈건물이〉 …으로 면하다 **~ *to be*** (미) …인 것 같다: It *~ed to be* about eight feet tall. 그것은 높이가 8피트쯤 되어 보였다. **~ *to it that …*** …하도록 주의하다, 주선하다 **~ *toward*(*s*)** (속어·비어) …을 위하여 축배를 들다, …의 건강을 축원하다; (미) …로 기울어지다, …쪽을 향하다, …을 면하다; 기대하다 **~ *up*** (*vt.*) 방문하다; (사전 등으로) 찾아보다; (*vi.*) 큰 뜻을 품다; 쳐다보다; 개선하다; 〈물가 등이〉 오르다 **~ *up and down*** …을 샅샅이 찾아보다; …을 자세히 훑어보다 **~ *up at*** 쳐다보다 **~ *upon*** = LOOK on. **~ *up to*** …을 쳐다보다; 존경하다 **~ *well*[*ill*]** 건강해[편찮아] 보이다; 〈일이〉 잘[잘 안] 될 것 같다 ***L~ who's talking!*** (구어) 사돈 남(의) 말 하지 마라, 네 일이나 잘해라! ***L~ you!*** 조심해라(mind)! ***to ~ at*** him (구어) (그)의 모양으로 판단하건대

— *n.* **1** [보통 *sing*] 봄, 바라봄 (*at*); 일별(一瞥)(glance) **2 a** [보통 *sing*] 눈빛, 눈치; 얼굴 표정, 안색; 모양, 외관: the ~ in his face 그의 안색 / the ~ of the sky 날씨 / I don't like the ~ of him. 그의 외모가 마음에 안 든다. **b** [보통 *pl.*] 용모, 모습 **3** (유행 등의) 형, 디자인, 룩

a black*[(구어) *dirty*] ~** 성난 얼굴 ***by the ~(s) of it*[*him, her*]** 그[그의, 그녀의] 모습으로 판단하여, 아마도 ***cast*[*shoot*] *a ~ at …을 힐끗 보다 ***for***

the ~ of the thing (구어) 체재상 ***good ~s*** 미모 ***have*** [***take, give***] ***a ~ at*** …을 훑어보다 ***have a ~ of*** …와 비슷하다, 외관이 …하다 ***~ of age*** 고색(古色), (예스러운) 풍치 ***take on an ugly ~*** 사태가 험악해지다

look-a·head [lúkəhèd] *n.* **1** 〖컴퓨터〗 예견 능력, 예지 능력 **2** 선견지명, 통찰력
— *a.* 〖컴퓨터〗 예견 능력이 있는, 예지 능력에 의한

look-a·like [-əlàik] *n.* 매우 흡사한 사람[것]
— *a.* 꼭 빼닮은

look-and-say [lùkən*d*séi] *n.* Ⓤ 보고 말하기 《소리와 철자의 관계 대신 단어 전체를 보고 말하게 하는 교수법》 (cf. PHONICS)

lóok-down rádar [-dàun-] 〖군사〗 (항공기에 탑재한) 하방(下方) 탐사 레이더 《저공의 이동 물체를 탐사》

look·er [lúkər] *n.* **1** (구어) 보는 사람 **2** 풍채가 (…한) 사람 **3** (구어) 미인, 미남자(good-looker)

look·er-on [lùkərɔ́:n | -ɔ́n] *n.* (*pl.* **look·ers-on**) 방관자, 구경꾼(spectator): *Lookers-on* see most of the game. (속담) 구경꾼이 한 수 더 본다.

look·ie-lou [lúkilù:] *n.* (미·속어) 방관자, 구경꾼

look-in [lúkìn] *n.* **1** 잠깐 들여다봄; 잠깐 동안의 방문 **2** 조사, 검토 **3** (구어) 승리의 가망성, 승산: have a ~ 이길 것 같다 **4** (모험 등의) 참가 기회 **5** 〖미식축구〗 필드 가운데 쪽으로 비스듬히 달리는 자기편 선수에게 공을 재빨리 패스하기

look·ing [lúkiŋ] *a.* [보통 복합어를 이루어] …으로 보이는, …한 얼굴을 한: angry-~ 화난 얼굴을 한

lóoking glàss **1** 거울, 면경(mirror): see one's face in the ~ 거울로 자신의 얼굴을 보다 **2** 거울 유리

look·ing-glass [lúkiŋglæ̀s | -glɑ̀:s] *a.* (구어) 거꾸로의, 반대의

look·ism [lúkizm] *n.* 얼굴 생김새로 사람을 판단하는 것; 용모에 따른 차별 **-ist** *n., a.*

look·it [lúkit] (미·구어) *vt.* [명령문으로] 보아라(look at) — *int.* 들어라, 들어봐!

∗**look·out** [lúkàut] *n.* **1** 망보기, 조심, 경계(watch) 《*for*》 **2** 조망, 전망 **3** (영) 가망, 전도(前途)(prospect): It's a bad ~ for him. 그의 전도가 걱정이다. **4** 망대, 망루; 화산 활동 감시소(primary lookout) **5** 망꾼, 감시인; 감시선 **6** [one's ~] (구어) 임무, 일: That is *my* ~. 그것은 내가 알아서 하겠다. 《네 알 바 아니다》 ***keep*** [***take***] ***a sharp*** [***good***] ***~ for*** …을 빈틈없이 조심하다, 경계하다 ***on the ~*** 망을 보고, 경계하여 《*for, to* do》

Lóokout Bóok (미) 입국 금지자 명단

look-o·ver [-òuvər] *n.* 검토, 음미: give it a thorough ~ 그것을 철저히 조사하다

look-see [-sì:] *n.* (속어) **1** 죽 훑어봄, 검사, 감찰, 조사; 시찰: have[take] a ~ 점검하다, 시찰하다 **2** (거리의 약장수 등의 휴대용) 의사 면허증; (병사의) 통행증; 《일반적으로》 허가증, 면허증 **~ *pidgin*** 얌전한 체함, 과시

look·up [-ʌ̀p] *n.* 검색, 색인(索引)

look·y [lúki] *int.* (구어) 저것 봐, 자, 보아라!

∗**loom**[1] [lú:m] [OE 「도구」의 뜻에서] *n.* **1** 베틀, 직기: a power ~ 동력 직기 **2** (보트의) 노 자루
— *vt.* 직기로 짜다

∗**loom**[2] [lú:m] *vi.* **1** 어렴풋이 나타나다, 흐릿하게 보이다: (~+전+명) Through the fog a ship *~ed on* our port bow. 안개 속에서 한 척의 배가 좌현 전방에 어렴풋이 나타났다. **2** 〈거대한 것이〉 불쑥 나타나다: (~+부) The peak *~ed up* in front of us. 우리들의 정면에 산봉우리가 불쑥 그 거대한 모습을 드러냈다. **3** [종종 ~ large로] 〈위험·근심 등이〉 불안하게 다가오다; 〈사물이〉 매우 중대하게[확대되어] 보이다: (~+부) anxieties *~ing ahead* 다가오는 근심거리/War is *~ing ahead.* 전쟁의 그림자가 다가오고 있다. // (~+보) Trifles ~ *large* to an anxious mind. 사소한 일이라도 근심을 하고 있는 사람에게는 매우 중대하게 생각된다.
— *n.* [a ~] 몽롱하게 나타남

loom[3] *n.* (영·방언·고어) 〖조류〗 **1** =LOON[1] **2** = GUILLEMOT **3** =AUK

L.O.O.M. (미) Loyal Order of Moose 《1888년 Kentucky주에 설립된 우애 조합》

∗**loon**[1] [lú:n] *n.* (미) 〖조류〗 아비(阿比) 《물새의 일종》

loon[2] *n.* **1** (구어) 얼간이, 바보; 미치광이 **2** 게으름뱅이; 건달, 부랑자 **3** (스코) **a** 사내아이, 젊은이 **b** 매춘부 (***as***) ***crazy as a ~*** 정신 나간, 미친
— *vi.* (영·속어) **1** 어리석은 짓을 하다 **2** 법석을 떨다, 시시덕거리다

loon·ie [lú:ni] *n.* (캐나다) 캐나다 달러; 캐나다 1달러짜리 동전

lóon pànts[**tròusers**] (영) 몸에 꼭 끼는 나팔바지

loon·y, loo·ney [lú:ni] *n.* (*pl.* **loon·ies**; **~s**) (구어) 미치광이(lunatic); 얼간이, 바보
— *a.* (**loon·i·er**; **-i·est**) 미친; 얼간이의, 바보의

lóony bìn (속어) 정신 병원

loon·y-tune(**s**) [lú:nitjù:n(z) | -tjù:n(z)] *n.* (미·속어) 미친 사람

∗**loop**[1] [lú:p] *n.* **1** (실이나 끈 등으로 만든) 고리, 올가미 **2** 고리 모양으로 생긴 것; 〖철도·전신〗 측선(側線) 《본선에서 갈라졌다가 다시 합치는 선로》, (도로의) 환상선(環狀線); 〖전기〗 폐[환상]회로; (도로·하천 등의) 만곡(부): a ~ of road 도로의 만곡부 **3** (피륙의) 귀; (장대 등을 꿰는) 고리 **4** 〖스케이트〗 루프; 만곡선 **5** 〖수학〗 자폐선(自閉線) **6** 〖항공〗 공중제비 (비행) (loop-the-loop) **7** 〖물리〗 (진폭의) 파복(波腹) 《정규 진동 또는 정상파(定常波)에 있어서》 **8** [the L~] 미국 Chicago 시의 상업 중심 지구; 《일반적으로》 도심, 중심 지구 **9** [the ~] 자궁 안의 피임용 링 **10** (영화용) 순환 필름; (녹음된) 순환 테이프 **11** 〖컴퓨터〗 루프 《프로그램 중에서 되풀이해서 실행할 수 있도록 되어 있는 일군의 명령》 **12** [the ~] (구어) 실세(實勢) 그룹, (권력의) 측근 그룹(inner circle) ***in*** [***out of***] ***the ~*** (구어) 의사 결정 과정에 개입하는[하지 않는] ***knock*** [***throw***] ***for a ~*** (미·속어) 놀라게 하다, 어이없게 만들다, 아연실색케 하다
— *vt.* **1** 〈끈 등을〉 고리로 만들다; 고리로 두르다 **2** 귀를 달다 **3** (고리로) 묶다 《*up, back*》; 고리로 매다 《*together*》 **4** 〈비행기를〉 공중제비를 넘게 하다 **5** 〖전기〗 폐[환상]회로로 하다 《*in*》 ***~ the ~*** 공중제비(비행)을 하다; (자전거로) 공중 곡예를 하다
— *vi.* **1** 동그라미를 만들다, 고리가 되다 **2** 공중제비를 하다; 원을 그리며 비행하다
▷ lóopy *a.*

loop[2] *n.* (고어) =LOOPHOLE

lóop antènna[**àerial**] 〖통신〗 루프 안테나

looped [lú:pt] *a.* 동그라미가 된, 고리가 달린; (미·속어) 취한(drunk); 열중하는

loop·er [lú:pər] *n.* **1** 고리를 만드는 사람[것] **2** 〖곤충〗 자벌레 **3** (재봉틀 등의) 실 고리를 만드는 장치, 메리야스의 코를 잡아 매는 기계 장치 **4** 〖야구〗 (크게[높게]) 원을 그리는 공 **5** (미·속어) (골프의) 캐디

∗**loop·hole** [lú:phòul] *n.* **1** 총안(銃眼), 공기 빼는 구멍, 엿보는 구멍 **2** 틈새기(opening); 도망갈 길, 빠지는 구멍: a ~ in the law 법의 허점/leave a person a ~ …에게 도망갈 길을 남겨 두다
— *vt.* 〈벽 등에〉 총안을 만들다

loop·ing [lú:piŋ] *a.* (미·속어) 술에 취한(looped)

lóop knòt 루프 매듭 《가장 간단히 매는 법의 일종》

loop-legged [-lègid, -lègd] *a.* (속어) 취해서 비틀거리는, 갈지자걸음의

lóop lìne 〖철도·전신〗 환상선(環狀線) (cf. BELT LINE)

lóop stìtch 루프 스티치 《chain stitch 등, 고리를 만들어 하는 바느질의 총칭》

loop-the-loop [lú:pðəlú:p] *n.* **1** 〖항공〗 공중제비 **2** (유원지의) 루프차 (타기)

loop·y [lú:pi] *a.* (**loop·i·er**; **-i·est**) **1** 테(loop)가 많은 **2** (속어) 미친(crazy)

lóopy dùst =ANGEL DUST

$^{*}_{*}$loose [lú:s] *a., ad., n., v.*

매여[묶여] 있지 않은→「느슨한」→「단정치 못한」

—*a.* **1** 풀린, 벗겨진; 매여 있지 않은, 떼어 놓은; 묶여[닫혀] 있지 않은, 포장이 안 된, 흩어진: a ~ cat 묶어 놓지 않은 고양이 / ~ coffee 달아서 파는 커피 **2** 헐거운, 느슨한, 느즈러진(slack): a ~ sweater 헐렁한 스웨터 **3** 〖화학〗 유리된 **4** (구어) 〈자금 등이〉 자유롭게 쓸 수 있는, 이용할 수 있는; 〈시간이〉 빈, 예정이 없는, 한가한: ~ funds 유휴 자금 **5** 〈문 이빨 기계의 부분 등이〉 흔들리는, **꽉 죄지 않는**, 성긴: a ~ tooth 흔들흔들하는 치아 **6** (육체적으로) 축 처진, 〈근육 등이〉 물렁물렁한; 설사를 하는 《*in*》: ~ bowels 설사 **7** 〈직물 등이〉 눈이 굵은; 〈흙 등이〉 푸석푸석한: ~ soil 푸석푸석한 흙 **8** 〈대형(隊形) 등이〉 산개(散開)한: in ~ order 〖군사〗 산개 대형으로 **9** (정신적으로) 해이한, 주의력이 산만한; 〈말·생각 등이〉 부정확한; 〈문체가〉 산만한; 〈단결이〉 견고하지 않은: in a ~ sense 막연한 뜻으로 / a ~ style 산만한 문체 **10** (경멸) 〈사람·언동 등이〉 단정치 못한, 품행이 나쁜(opp. *strict*), 신뢰할 수 없는: a ~ fish 난봉꾼 / ~ morals 단정하지 못한 품행 **11** 〖크리켓〗 빈틈[결점]이 있는 ★ LOSE와 이음이의어. ***a screw ~*** ⇨ screw. ***at a ~ end*** = ***at ~ ends*** ⇨ loose end. ***be on a ~ pulley*** 놀고 있다, 빈둥거리고 있다 ***break ~*** 속박에서 벗어나다, 자유의 몸이 되다; (…에서) 도망치다 《*from*》: *break* ~ *from* prison 탈옥하다 / All hell will *break* ~. 대혼란에 빠질 것이다. / The dog *broke* ~. 매어 둔 개가 도망쳤다. ***cast ~*** 풀어 놓아주다, (스스로) 풀려나오다 ***come ~*** 풀리다, 느슨해지다 ***cut ~*** 가르다; 관계를 끊다; 도망치다; 흥겨워 떠들어 대다 ***get ~*** 달아나다 ***hang ~*** ⇨ hang. ***have a ~ tongue*** 수다스럽다, 입이 가볍다 ***keep*** one***'s money ~ in*** one***'s pocket*** 잔돈을 호주머니 속에 넣어두다 ***let [turn] ~*** 도망치게 하다, 놓아주다; 〈노여움·웃음 등을〉 폭발시키다 ***~ in the beam [upper story]*** (미·속어) 얼굴이 우스꽝스럽다 ***set ~*** (풀어) 놓아주다 ***shake*** one***self ~*** 몸을 뒤흔들어 벗어나다 ***sit ~*** (1) …에 무관심하다 《*to*》 (2) 〈사물이〉 (…에게) 부담이 안되다 《*on, upon*》: Patriotism *sat* ~ *on* them. 애국심이란 그들에겐 알 바가 아니었다. ***with a ~ rein*** 고삐를 늦추고; 자유롭게 풀어놓고

—*ad.* 느슨하게(loosely) ***play fast and ~*** ⇨ fast[1] *ad.* ***work ~*** 〈나사 등이〉 느슨해지다

—*n.* **1** Ⓤⓒ 방임, 방종, 해방 **2** 발사, (활을) 내쏨 ***be on the ~*** (1) 흥겹게 떠들어 대다, 마음대로 하다 (2) 〈죄수가〉 도망치다 ***give (a) ~ to*** 〈감정·공상이〉 쏠리는대로 두다

—*vt.* **1** 〈매듭 등을〉 풀다, 끄르다, 늦추다: ~ a knot 매듭을 풀다 **2** 놓아주다, 자유롭게 하다; 풀어놓다: (~+목+전+명) ~ a horse *in* a field 말을 들에 풀어놓다 / ~ a boat *from* its moorings 계류구(繫留具)를 끌러 배를 풀어놓다 **3** 〈활·총을〉 쏘다, 발사하다 《*off, out*》: (~+목+전+명) ~ an arrow *at* an enemy 적에게 활을 쏘다 // (~+목+부) ~ *off* a pistol 권총을 발사하다 **4** (주로 스코) (요금을 지불하여) 자유롭게 하다 ***~ one's hold (of)*** (…에서) 손을 늦추다, 자유롭게 하다

—*vi.* **1** 총을 쏘다 《*off*》 **2** (고어) 느슨해지다 **3** 출범하다 **4** 쥐고 있던 것을 놓다

~·ness *n.* **lóos·ish** *a.* 풀어질 듯한, 느슨해 보이는

loose-bod·ied [lú:sbɑ́did | -bɔ́d-] *a.* 〈의복 등이〉 느슨한, 헐렁한

loose-box [-bɑ̀ks | -bɔ̀ks] *n.* (영) (소·말 등을 매지 않고 자유롭게) 놓아 기르는 외양간(box stall)

lóose cánnon (미·속어) (조직 내에서) 통제 불능인 사람, 무책임한 사람, 요주의 인물

lóose chánge (호주머니 속 등에 있는) 잔돈, 푼돈

lóose cóver (영) = SLIPCOVER 1

lóose énd **1** (끈·밧줄의) 매지 않은 쪽 끝 **2** [보통 *pl.*] 결말이 나지 않은 것, 미해결 부분 ***at a ~*** = (미) ***at ~s*** 일정한 직업이 없이; 어찌할 바를 몰라서; 미결인 채로; 무질서하게 ***tie [clear] up (the) ~s*** 결말을 짓다, 매듭짓다, 끝마무리하다

loose-fit·ting [-fítiŋ] *a.* 〈의복이〉 헐렁한, 느슨한 (opp. *close-fitting*)

lóose fórward 〖럭비〗 루스 포워드 《스크럼의 후미에서 뛰는 선수》

lóose héad 〖럭비〗 루스 헤드 《볼에서 가장 가까운 스크럼 앞줄에서 뛰는 선수》

loose-joint·ed [-dʒɔ́intid] *a.* 관절이 헐거운; 자유롭게 움직이는; 짜임새가 느슨한

loose-leaf [-lì:f] *a.* 루스리프식의 《페이지를 마음대로 뺐다 끼웠다 하게 되어 있는》

loose-limbed [-límd] *a.* 팔다리가 유연한 〈운동 선수 등〉

$_{*}$**loose·ly** [lú:sli] *ad.* **1** 느슨하게, 헐겁게, 축 (늘어져) **2** 막연히, 대충, 부정확하게 **3** 짜임새 없이, 단정치 못하게: live ~ 방종한 생활을 하다

$^{*}_{*}$**loos·en** [lú:sn] *vt.* **1** 풀다, 놓다, 놓아주다 《*up*》: ~ a knot 매듭을 풀다 **2** 늦추다, 느슨하게 하다, 흐트러뜨리다: I took off my jacket and ~*ed* my tie. 나는 재킷을 벗고 넥타이를 느슨하게 했다. **3** …의 손을 늦추다, 〈억제 등을〉 완화하다 《*from*》 **4** 〈장(腸)에〉 변(便)이 통하게 하다

—*vi.* **1** 느슨해지다 **2** 늘어지다; 흩어지다, 흐트러지다 ***~ up*** (미) (1) 인색하게 굴지 않고 돈을 내놓다 (2) (솔직히) 터놓고 얘기하다, 마음을 편하게 먹다 (3) (미) (경기 전에) 근육을 풀다: ~ oneself *up* (경기 등을 앞두고) 몸을 풀다

loose-prin·ci·pled [lú:sprínsəpld] *a.* 지조가 없는, 무절조한

lóose séntence 〖수사학〗 산열문(散列文) 《주절이 먼저 나오고 종속절이나 수식 어구가 뒤따르는 문장》 (opp. *periodic sentence*)

loose·strife [-stràif] *n.* 〖식물〗 까치수염속(屬), 《특히》 좁쌀풀

loose-tongued [-tʌ́ŋd] *a.* 입이 가벼운, 수다스러운

loose·y-goose·y [lú:sigú:si] *a.* (미·속어) 느긋한, 느슨한

loot [lú:t] *n.* Ⓤ **1** 전리품, 약탈품 **2** (관리의) 부정 이득, 횡령품; 장물 **3** 강탈, 약탈 (행위) **4** (속어) 돈

—*vt.* **1** 〈도시·집 등에서〉 약탈하다(plunder) **2** 부정하게 취득하다, 횡령하다

—*vi.* 약탈하다; 부정하게 취득하다

loot·er [lú:tər] *n.* **1** 약탈자; 도둑 **2** 부정 취득자

lop[1] [lɑ́p | lɔ́p] *v.* (**~ped**; **~·ping**) *vt.* **1** 〈가지를〉 베다 《*off, away*》; 〈가지를〉 치다, 〈나무를〉 정지(整枝)하다(trim): ~ a tree 나무를 정지하다 // (~+목+부) ~ branches *off* [*away*] 가지를 치다 **2** 〈목·손발 등을〉 잘라 버리다; …의 일부를 잘라 버리다; 〈불필요한 것을〉 깎다, 삭감하다 《*off, away*》: (~+목+부) ~ *off* a page 한 페이지를 삭제하다 / ~ *off* the head of an enemy 적의 머리를 베다

—*vi.* 나무의 가지 등을 치다; (일부를) 잘라내다

—*n.* **1** 가지치기, 정지(整枝) **2** 베어낸 가지

lop[2] *vi.* (**~ped**; **~·ping**) **1** (축) 늘어지다, 드리우다 **2** 축 늘어져 자다[기대다] **3** 빈둥거리다 《*about, around, round*》 **4** 깡충깡충 뛰다(lope)

—*a.* 축 늘어진 —*n.* 귀가 축 늘어진 토끼

lop[3] *vi.* (**~ped**; **~·ping**) 〈잔물결이〉 일다

—*n.* 잔물결

LOP 〖항해·항공〗 line of position

lope [lóup] *vi., vt.* 〈토끼 등이〉 껑충껑충 뛰다[뛰게 하다] 《*along*》; 〈말 등이〉 완만하게 달리다, 〈사람이〉 성큼성큼 걷다[뛰다] —*n.* 도약; 껑충껑충 뛰어가기, 가볍고 보폭이 큰 구보

lóp èar **1** 늘어진 귀 **2** 귀가 늘어진 토끼

thesaurus **loose** *a.* **1** 풀린 free, unconfined, untied, unchained, unsecured, unfastened, unre-

lop-eared [lɑ́pìərd | lɔ́p-] *a.* 귀가 늘어진 〈토끼 등〉
loph·o·phor·ate [lɑ̀fəfɔ́:rət, lòuf- | lɔ̀f-] 【동물】 *a.* 촉수관의, 총담의 **—** *n.* 촉수관 동물
loph·o·phore [lɑ́fəfɔ̀:r, lóuf- | lóuf-] *n.* (이끼벌레류의 입 주위를 둘러싼) 촉수관, 총담(總擔)
Lop Nor [lɑ́p-nɔ́:r | lɔ́p-] 뤄부포 호(羅布泊湖) 《중국 북서부 Tarim 분지에 있는 함수호(鹹水湖)》
lop·pings [lɑ́piŋz | lɔ́p-] *n. pl.* 잘라낸 가지
lop·py [lɑ́pi | lɔ́pi] *a.* (**-pi·er**; **-pi·est**) 축 늘어진
lop·sid·ed [lɑ́psáidid | lɔ́p-] *a.* 한쪽으로 기울어진; 균형을 잃은(uneven): ~ trade 일방 무역 **~·ly** *ad.* **~·ness** *n.*
loq. *loquitur*
lo·qua·cious [loukwéiʃəs] *a.* 수다스러운, 말이 많은; 떠들썩한 **~·ly** *ad.* **~·ness** *n.*
lo·quac·i·ty [loukwǽsəti] *n.* Ⓤ 수다, 다변(多辯)
lo·quat [lóukwɑt, -kwæt | -kwɔt] *n.* 【식물】 비파나무(의 열매)
lo·qui·tur [lɑ́kwitər | lɔ́k-] [L = he[she] speaks] *vi.* 【연극】 (…가) 말하다 《배우의 이름 뒤에서 무대 지시어로 씀; 略 loq.》
lor, lor' [lɔ́:r] *int.* 《영·속어》 어머, 어
Lo·ra [lɔ́:rə] *n.* 여자 이름
lo·ral [lɔ́:rəl] *a.* 【동물】 콧등(lore)의
lo·ran [lɔ́:rən] [*long range navigation*] *n.* ⓊⒸ 로란 《배·항공기가 2개의 무선 전신국으로부터 받는 전파의 시간차를 측정하여 자신의 위치를 산출하는 장치》
lor·cha [lɔ́:rtʃə] *n.* 서양식 선체의 중국 배
‡lord [lɔ́:rd] *n., v.*

> OE 「(가족을 위해) 빵(loaf)을 확보하는 사람」의 뜻에서
> 「주인」→「영주」, 「지배자」 ─┬→「귀족」
> └→「주」, 「신」

— *n.* **1** 주(主), 장(長), 지배자, 주인 **2** (업계·직업 등 그 분야의) 중요 인물, 거물, …왕(王): a cotton ~ 면업왕(綿業王)(cf. KING) **3** 임금, 군주 《국왕에 대한 존칭》: our ~ the King 우리 국왕 **4** 【역사】 영주(領主) **5** 《영》 귀족(peer); [the L~s] 《영》 상원 (의원); [**L~**] 경(卿) 《후작·백작·자작·남작 및 공작·후작의 자식, 백작의 맏아들, 상원 의원, archbishop, bishop의 존칭》; 《호칭》 ⇨ my LORD. **6** 《시어·익살》 남편 **7** [보통 the L~] 하느님(God); [보통 our L~] 구세주, 그리스도 **8** 《익살》 시인 **9** 【점성술】 사성(司星), 우세한 별
act a ~ 원님[부자] 티를 내다 (***as***) ***drunk as a ~*** 곤드레만드레 취하여 ***be ~ of*** …을 영유(領有)하다 ***Good L~!*** = ***L~ bless me*** [***us, you, my soul***]! = ***L~ have mercy!*** 아아, 오오! 《놀람의 소리》 ***in the year of our L~*** 2008 서기 (2008)년에 ***live like a ~*** 호화롭게 살다 ***L~ knows.*** 하느님만이 아신다. ***my L~*** [~] [mi-lɔ́:rd; (변호사의 발언은 종종) mi-lʌ́d] 각하 ★ 후작 이하의 귀족, bishop, Lord Mayor, 고등 법원 판사의 경칭; 지금은 bishop 및 법정에서 고등 법원 판사에 대하여 쓰는 것 이외에는 의식적(儀式的)인 때에만 씀. ***O*** [***oh***] ***L~!*** 오오, 아이쿠! 《놀람·만족 등에서》 ***our sovereign ~ the King*** 국왕 폐하 one***'s ~ and master*** 《익살》 남편 ***swear like a ~*** 함부로 맹세[욕설]하다 ***take it as easy as a L~ Mayor*** 《속어》 천하태평인 태도를 취하다 ***the L~ of L~s*** 그리스도 ***the L~ of Misrule*** ⇨ misrule. ***treat like a ~*** 정중히[호화롭게] 대접하다, 상감 모시듯이 하다
— *vi.* 주인으로서 행동하다; 주인인 체하다, 잘난 체하다, 뽐내다 (*over*)
— *vt.* **1** 귀족으로 삼다(ennoble); 귀족 취급을 하다 **2** 《고어》 지배하다; 사회를 보다, 주재하다: ~ the Christmas festivities 크리스마스 제전을 주재하다 ~ (***it***) ***over*** …에 군림하다[뽐내다] ▷ lórdly *a.*
Lòrd Ádvocate [the ~] 《스코》 검찰 총장, 법무장관 《잉글랜드의 Attorney General에 해당》
Lòrd Bíshop 주교(主教) 《공식 호칭》
Lòrd Chámberlain [the ~ (of the Household)] 《영》 시종장, 궁내 장관 《略 LC》
Lórd Chìef Jústice [the ~ (of England)] 《영》 수석 재판관 《略 L.C.J.》
Lórd Commíssioner 《영》 (해군성·재무부 등의) 최고 집행위원
Lòrd Háw-Haw [-hɔ́:hɔ̀:] 호호경(卿) 《제2차 대전 중 독일에서 영국으로 선전 방송을 한 William Joyce의 별명》
Lòrd Hígh Ádmiral 【영국사】 해군 사령 장관
Lórd (**Hìgh**) **Cháncellor** 《영》 대법관 《상원 의장으로 국새(國璽)를 보관하며 재판관으로서도 최고의 관직; 略 L.H.C., L.C.》
lord-in-wait·ing [lɔ́:rdinwéitiŋ] *n.* (*pl.* **lords-in-wait·ing**) (영국 왕실의) 시종 《귀족 출신의 남자》
Lórd Lieuténant 1 《영》 주(州)(county) 지사 **2** 아일랜드 총독 《1922년까지》
lord·ling [lɔ́:rdliŋ] *n.* 소(小)군주; 시시한 귀족
***lord·ly** [lɔ́:rdli] *a.* (**-li·er**; **-li·est**) **1** 귀족[군주]다운, 위엄 있는, 당당한: the ~, lovely Rhine 장대하고 아름다운 라인 강 **2** 도도한, 오만한 **3** 귀족의 **lórd·li·ness** *n.*
Lòrd Máyor [the ~] (영국 런던 및 대도시의) 시장
lor·do·sis [lɔ:rdóusis] *n.* Ⓤ 【병리】 척주 전만(脊柱前彎) **lor·dot·ic** [lɔ:rdɑ́tik | -dɔ́t-] *a.*
Lòrd Président 《스코》 최고 민사 법원장
Lòrd Président of the Cóuncil [the ~] 《영》 추밀원 의장
Lórd Prívy Séal [the ~] 《영》 옥새 상서
Lórd Protéctor [the ~ (of the Commonwealth)] 【영국사】 호민관(護民官) 《공화 정치 시대의 Oliver Cromwell과 그의 아들 Richard의 칭호》
Lòrd Próvost [the ~] (스코틀랜드의 대도시의) 시장
Lord's [lɔ́:rdz] *n.* Lord's Cricket Ground (London의 크리켓 경기장)의 약칭
Lórds Commíssioners [the ~] 《영》 (해군성·재무부의) 최고 위원회 위원
Lórd's dày [the ~] 주일, 일요일
***lord·ship** [lɔ́:rdʃip] *n.* Ⓤ **1** [종종 **L~**; 보통 his ~, your ~로] Ⓒ 《영·호칭》 각하 《공작을 제외한 귀족 및 재판관의 존칭이나, 농담으로는 보통 사람에게도 씀; cf. LORD》 **2** 통치권, 영주(領主)의 권력 (*over*); 지배 (*over*) **3** 귀족[군주]임 **4** Ⓒ 영지(領地)
Lòrd Spíritual (*pl.* **Lords Spiritual**) 《영》 (상원의) 성직자 의원 《대주교 또는 주교》
Lórd's Práyer [the ~] 【성서】 주기도문 《마태복음 6: 9-13, 누가복음 11: 2-4》
Lórd's Súpper [the ~] **1** 주(主)의 만찬, 최후의 만찬(the Last Supper) **2** 성찬(식)
Lórd's táble 성찬대; 성찬식
Lórds·town sỳndrome [lɔ́:rdztàun-] 《미》 자동 조립 라인에서 일하는 노동자의 욕구 불만 증상 《미국 Ohio주 Lordstown의 GM 공장의 파업에서》
Lòrd Témporal (*pl.* **Lords Temporal**) 《영》 (상원의) 귀족 의원
lord·y [lɔ́:rdi] *int.* 저런, 어머 《놀람·경탄·실망 등》
lore**[1] [lɔ́:r] [OE 「가르침」의 뜻에서] *n.* ⓊⒸ **1** (전승(傳承)적) 지식; 민간 전승(cf. FOLKLORE): the ~ of herbs 약초에 관한 지식 **2** 《일반적으로》 학문, 지식 **3** 《고어》 가르침, 교훈 ***animal ~ 동물에 대한 지식 ***doctor's ~*** 전승 의학 ***ghost ~*** 괴담집
lore[2] *n.* 【동물】 콧등 《새의 눈과 윗부리 사이나 뱀·물고기의 눈과 콧구멍 사이》
Lor·e·lei [lɔ́:rəlài] *n.* **1** 로렐라이 《라인 강의 바위에 출몰하여 아름다운 노래로 뱃사람을 유혹하여 파선시켰다고 하는 독일 전설의 마녀》 **2** 여자 이름
Ló·rentz fòrce [lɔ́:rents-] 【물리】 로렌츠 힘 《자

---

stricted, unbound, liberated, released **2** 헐거운 easy-fitting, slack, baggy, sagging, sloppy

장을 통하는 하전 입자에 가해지는 힘》
Ló·renz cùrve [lɔ́:rənz-] 〖경제〗 로렌츠 곡선《소득 배분의 불평등도를 나타내는 도표》
Lo·ren·zo [lərénzou, lɔ:-|lɔ-] *n.* 남자 이름
lo-res [lòuréz] *a.* 〖컴퓨터〗 =LOW-RESOLUTION
Lo·ret·ta [lərétə, lɔ:-|lər-, lɔ-] *n.* 여자 이름
lor·gnette [lɔ:rnjét] [F 「곁눈으로 보다」의 뜻에서] *n.* **1** 손에 쥐는 테가 달린 안경 **2** 손잡이가 달린 쌍안경; 오페라글라스

lorgnette 1

lor·gnon [lɔ:rnjɑ́n|-jɔ́n] [F] *n.* **1** 안경, 《특히》 코안경 **2** =LORGNETTE
lo·ri·ca [ləráikə, lɔ:-|lɔ-] *n.* (*pl.* **-cae** [-si:, -ki:]) 〖동물〗 피갑(被甲)
lor·i·cate [lɔ́:rikèit, -kət|lɔ́r-] 〖동물〗 *a.* 피갑(被甲)(lorica)으로 덮인[이 있는]
— *n.* 피갑이 있는 동물
lor·i·keet [lɔ́:rikì:t, lɑ́r-, ⌐-⌐|lɔ́r-] *n.* 〖조류〗 진홍잉꼬《호주산(産)》
lo·ris [lɔ́:ris] *n.* (*pl.* **~**) 〖동물〗 로리스원숭이《남부 아시아산(産)》
lorn [lɔ́:rn] *a.* 《시어》 고독한, 의지할 데 없는; 적적한, 외로운 **~·ness** *n.*
Lor·na [lɔ́:rnə] *n.* 여자 이름
Lor·raine [ləréin, lɔ:-|lɔ-] *n.* **1** 여자 이름 **2** 로렌《프랑스 동부의 지방》
*__lor·ry__ [lɔ́:ri, lɑ́ri|lɔ́ri] *n.* (*pl.* **-ries**) **1** 《영》 화물자동차(《미》 truck) **2** 《철도의》 무개 화차; 《광산 철도의》 광차 **3** 4륜 짐마차
lor·ry-hop [lɔ́:rihɑ̀p|lɔ́rihɔ̀p] *vi.* (**~ped**; **~·ping**) 《영·속어》 트럭(lorry) 편승 여행[무전 여행]을 하다(cf. HITCHHIKE)
lórry pàrk 《영》 트럭 주차장
lo·ry [lɔ́:ri] *n.* (*pl.* **-ries**) 〖조류〗 빛깔이 선명한 앵무샛과의 새《호주산(産)》
LOS 〖미식축구〗 line of scrimmage; line of sight 조준선; loss of signal 신호 중단
los·a·ble [lú:zəbl] *a.* 잃기[없어지기] 쉬운
Los Al·a·mos [lɔ:s-ǽləmòus, lɑs-|lɔs-] 로스앨러모스《미국 New Mexico주 북부의 도시; 원자력 연구의 중심지》
Los An·ge·le·no [lɔ:s-æ̀ndʒəlí:nou, lɑs-|lɔs-], **Los Ange·le·an** [lɔ:s-æ̀ndʒəlí:ən, lɑs-|lɔs-] 로스앤젤레스 사람(Angeleno)
Los An·ge·les [lɔ:s-ǽndʒələs, -lì:z|lɔs-ǽndʒəlì:z] 로스앤젤레스《미국 California주의 공업 도시; Hollywood를 포함함; 略 L.A.》
‡**lose** [lú:z] *v.* (**lost** [lɔ́:st, lɑ́st|lɔ́st])(cf. LOSS *n.*)

OE 「잃다」의 뜻에서	
① 잃다	타 **1, 5**
② 〈시계가〉 늦다	타 **11** 자 **4**
③ 지다	타 **8** 자 **2**
④ 놓치다	타 **7 a, 10**
⑤ 낭비하다	타 **9**

— *vt.* **1** 잃다; 상실[분실]하다: ~ one's life 목숨을 잃다, 죽다 / ~ a fortune at the gambling table 도박으로 재산을 탕진하다 **2** 유지[지속]할 수 없게 되다; 〈건강·능력·신용 등을〉 잃다 《*by* do*ing*》(opp. *control*) **3** 〈병·공포 등을〉 벗어나다: ~ one's fear 무서움이 가시다 **4** [보통 수동형으로] 멸망시키다, 파괴하다: Ship and crew *were lost.* 배는 선원들을 태운 채 침몰했다. **5** 〈길을〉 잃다; [~ one*self*로] 길을 잃다: ~ one*self* in a wood 숲속에서 길을 잃다 **6** …의 기억을 잃다, 잊어버리다(forget) **7 a** 볼[들을] 기회를 놓치다(miss) **b** [~ one*self* 또는 수동형으로] 모습을 감추다; 모습이 보이지 않게 되다: He *was* quite *lost* in the crowd. 그는 군중 속에 휩쓸려 보이지 않았다. **8** 지다; 〈상 등을〉 받지 못하다; [이중 목적어와 함께] 잃게 하다(cost): (~+목+목) This *lost* them the victory. 이것 때문에 그들은 승리를 놓쳤다. / That mistake *lost* him his job. 그 실책으로 그는 직장을 잃었다. **9** 낭비하다(waste): There is not a moment to ~[to be *lost*]. 한시도 지체할 수 없다. **10** 〈차를〉 놓치다; 《사냥에서 잡지 못하고》 놓치다 **11** 〈시계가〉 늦게 가다(opp. *gain*): ~ five minutes a day 하루에 5분 늦다 / My watch ~*s* ten minutes a day. 내 시계는 하루 10분 늦는다. **12** [~ one*self*로] …에 정신이 팔리다, 열중[몰두]하다 《*in*》(⇨ lost 6): (~+목+전+명) ~ one*self in* thought 사색에 잠기다 **13** 《속어》 피하다, 따돌리다
— *vi.* **1** 손해를 입다, 손해 보다 《*by*》 **2** 지다; 실패하다(fail): ~ at cards 카드놀이에서 지다 / I *lost* (to him). 나는 (그에게) 졌다. **3** 쇠하다, 약해지다; 〈가치·효력 등이〉 감소하다 《*in*》: The invalid is *losing.* 그 병자는 쇠약해지고 있다. // (~+전+명) ~ *in* speed 속력이 줄어들다 **4** 〈시계가〉 늦어지다(opp. *gain*): (~+전+명) This watch ~*s by* twenty minutes a day. 이 시계는 하루에 20분 늦어진다.
~ *a patient* 〈의사가〉 환자 하나를 잃다[죽게 하다] **~ *in the telling*** 사실보다 줄여서 이야기하다: A story does not ~ *in the telling.* 이야기는 하는 동안에 내용이 점점 많아지는 법이다[꼬리가 붙게 마련이다]. **~ *it*** 《속어》 자제력을 잃다, 감정을 못 이기다 : You really *lost it* last night. 너 어젯밤에 굉장히 화났더라. **~ *out*** 《구어》 지다; 실패하다 **~ *out on*** …에게 지다, …을 놓치다 **~ one*'s character*** 신용을 잃다 **~ one*self*** 길을 잃다; 정신 팔리다 《*in*》; 보이지 않게 되다 《*in*》 **~ one*'s hair*** (1) 머리가 벗어지다 (2) 와락 성미를 내다 **~ one*'s head*** (1) 흥분하다, 머릿속이 혼란해지다 (2) 참수형을 당하다 **~ one*'s heart* (*to*)** (…)와 사랑에 빠지다, (…에) 반하다 **~ one*'s patience*** 더 이상 참지 못하다 **~ one*'s place*** 지위를 잃다 **~ one*'s temper* (*with*)** (…에게) 잔뜩 화내다 **~ one*'s way*** 길을 잃다 **~ *way*** 〖항해〗 속력을 잃다, 실속(失速)하다 ▷ lóss *n.*
lo·sel [lóuzəl] *n.* 《고어·방언》 방탕한 사람; 무뢰한
— *a.* 쓸모없는; 방탕한
*__los·er__ [lú:zər] *n.* **1** 실패자; 손실자, 분실자: a ~ at marriage 결혼에 실패한 사람 / You shall not be the ~ by it. 그것 때문에 너에게 손해를 끼치지는 않겠다. **2** 진 편 《경기에서》, 진 말 《경마에서》; 패자: *L*~*s* are always in the wrong. 《속담》 이기면 충신, 지면 역적. **3** 《영》 〖당구〗 =HAZARD 3 **4** 《구어》 전과자(前科者): a two-time ~ 전과 2범자 **5** 전혀 쓸모가 없는 것[사람] ***a good*[*bad*] ~** 깨끗이 지는[지고 군소리 많은] 사람
los·ing [lú:ziŋ] *a.* Ⓐ 지는; 손해 보는: a ~ game [pitcher] 이길 가망이 없는 경기[패전 투수]
— *n.* **1** Ⓤ 실패, 패배 **2** [*pl.*] 《특히 투기(投機) 등의》 손실 **~·ly** *ad.*
lósing báttle 승산 없는 싸움, 헛된 노력
lósing strèak 〖스포츠〗 연패(opp. *winning streak*): a six-game ~ 6연패
‡**loss** [lɔ́:s, lɑ́s|lɔ́s] [OE 「파괴」의 뜻에서] *n.* ⓊⒸ **1** 분실, 유실; 손실, 손해: a partial ~ 부분적 손해 / bear the ~ of a robbery 도난 손해를 부담하다 / ~ of memory 기억 상실 **2** 손실물; 손실 액수 **3** 감소, 감손(減損), 줄어듦; 낭비(waste): ~ in weight =weight ~ 무게[중량]의 감소, 감량 **4** 실패, 패배: the ~ of a battle 전투에서의 패배 **5** 〖보험〗 **a** 사망, 상해, 손해 **b** 손실액 **6** [*pl.*] 〖군사〗 사상(자 수), 손

thesaurus **loss** *n.* **1** 분실 mislaying, misplacement, dropping, forgetting **2** 손실 losing, deprivation, forfeiture, bereavement, disappearance **3** 손해 disadvantage, damage, injury, harm, hurt **4** 사

해: suffer heavy ~*es* 큰 손해를 입다
at a **~** (1) 당황하여, 어찌할 바를 몰라 《*for*, *to* do, *wh*- 절(구)》: I was *at a* ~ *for* answer. 나는 대답할 바를 몰랐다. / He was *at a* ~ *to* discover it. 그는 그것을 찾지 못하여 난처했다. / I was *at a* ~ *what to* do. 어찌할 바를 몰라 쩔쩔맸다. (2) 〈사냥개가〉 짐승 냄새의 자취를 잃어(버린) (3) 손해를 보고: sell *at a* ~ 손해를 보고 팔다 ***be a dead*** **~** 《구어》 전혀 가치가 없다, 전혀 쓸모가 없다 ***be no*** **~** 아무런 손해[손실]도 되지 않다: He *is no* ~. 그가 없어도 아무런 타격도 없다. ***cut*** one***'s*** **~*es*** 〈투기·파산 회사 등에서〉 손을 떼다 ***for a*** **~** 우울한, 지칠 대로 지친 **~ *of face*** 체면 손상 ***without*** **~ *of time*** 지체 없이, 당장, 곧 ▷ lóse *v.*

löss [lés, lʌ́s, lǝ́:s] *n.* =LOESS

lóss adjùster 〚보험〛 손해 사정인(査定人)

lóss lèader 〚상업〛 (손님을 끌기 위해 밑지고 파는) 특매품(《영》 leading article)

loss·less [lɔ́:slis, lάs-|lɔ́s-] *a.* 〚전기〛 무손실의; 〚컴퓨터〛 〈화상·음성 데이터의 압축이〉 손실 없는

loss·mak·er [lɔ́:smèikǝr, lάs-|lɔ́s-] *n.* 《영》 적자 기업

loss·mak·ing [-mèikiŋ] *a.* 《영》 계속 적자가 나는

lóss ràtio 〚보험〛 손해율 《지불 보험금의 수입 보험료에 대한 비율》

loss·y [lɔ́:si, lάsi|lɔ́si] *a.* 〚전기〛 〈소재·운송 경로가〉 손실이 많은

⁑**lost** [lɔ́:st, lάst|lɔ́st] *v.* LOSE의 과거·과거분사
—*a.* **1** 잃은, 분실한; 행방불명의(missing): ~ territory 실지(失地) / ~ articles 유실물 **2** 길을 잃은; 당황[방황]하는: a ~ child 미아(迷兒) / ~ sheep 길 잃은 양 《죄인》 **3** (경기 등에서) 진; 놓쳐 버린 **4** 헛된, 보람 없는: ~ labor 헛수고, 도로(徒勞) **5** 죽은, 멸망한, 파멸된 **6** Ⓟ 정신이 팔린 《*in*》: He was ~ *in* reverie [thought]. 그는 공상[사색]에 잠겨 있었다. **7** Ⓟ 《문어》 영향을 받지 않는, 느끼지 않는 《*to*》: He was ~ *to* pity. 그는 아무런 동정도 느끼지 않았다.
be [***get***] **~ *in*** thought (생각)에 몰두하다(⇨ *a.* 6) ***be*** **~ *on*** [***upon***] …에 효과[효력]가 없다: The advice *was* ~ *on* him. 그 충고는 그에게 효과가 없었다. ***be*** **~ *to*** 이제는 …의 영향을 받지 않다, …을 느끼지 않다: *be* ~ *to* sight 보이지 않게 되다(⇨ *a.* 7) ***be*** **~ *to the world*** 세상 모르고 열중하다 ***get*** **~** 길을 잃다, 미아가 되다, 어찌할 바를 모르다; 《속어》 자취를 감추다; [명령형으로] 《속어》 냉큼 꺼져버려[나가] ***give up for*** **~** 죽은 것으로[가망 없다고] 단념하다

lóst and fóund 《미》 분실물 취급소(《영》 lost property office)

lóst-and-fóund bàdge 《속어》 (군인의) 인식표

lóst cáuse 실패로 돌아간[성공할 가망이 없는] 목표 [주장, 운동]

lóst clúster 〚컴퓨터〛 파손 클러스터 《하드 디스크나 플로피 디스크 등의 저장 장치에서 디스크에 데이터를 저장해 두는 부분인 클러스터가 외부에서 가한 충격으로 인해서 손상된 것》

Lóst Generátion **1** [the ~] 잃어버린 세대 《제1차 세계 대전 무렵의 환멸과 회의에 찬 미국의 젊은 세대》 **2** [집합적] 잃어버린 세대의 사람들[작가들] 《Hemingway, Fitzgerald, Dos Passos 등》 **3** 《일반적으로》 가치관을 잃은 세대

lóst mótion **1** 공전(空轉) **2** 시간[에너지]의 낭비

lóst próperty [집합적] 유실[분실]물: a ~ office 《영》 유실물 취급소(《미》 lost and found)

lóst ríver 흐르다가 없어진 강 《건조 지대에서 볼 수 있음》

lóst sóul 지옥에 떨어진 영혼

망자 casualty, fatality, dead, death toll
lot *n.* **1** 몫 share, portion, ration, percentage, part, piece **2** 운 chance, luck, accident, serendipity **3** 운명 fate, destiny, fortune, doom

---

lóst tríbes (**of Ísrael**) [the ~] 〚성서〛 (기원전 722년경 앗시리아의 포로가 된) 이스라엘의 사라진 10 지파

lóst wéekend 잃어버린[허송세월한] 주말

⁑**lot** [lάt|lɔ́t] [OE 「할당」의 뜻에서] *n.* **1** 제비; Ⓤ 제비뽑기; 추첨: The ~ fell upon me. 내가 당첨되었다. **2** 제비로 할당된 것; 몫(share) **3** 운, 운명 **4** 지구(地區), 부지(敷地); 《미》 토지의 한 구획: house ~*s* 주택용지 / a parking[burial] ~ 주차장[묘지] **5** 《미》 영화 촬영장, 스튜디오 **6** (상품·경매품의) 한 벌[무더기, 몫] **7** (사람·물건의) 떼, 패: a ~ of cattle 한 떼의 소 **8** [a ~; 종종 *pl.*] 《구어》 많음, 다수, 다량 《*of*》: *a* ~[~*s*] *of* books 많은 책 / There are *a* ~ *of*[~*s of*] nice parks in San Francisco. 샌프란시스코에는 멋진 공원들이 많이 있습니다. **9** 《속어》 놈, 녀석: a bad ~ 나쁜 놈, 악질 **10** [the ~] 《구어》 모두, 전부: That's *the* ~. 그것이 전부다. **11** Ⓤ 《영》 세(稅), 과세(課稅)(tax)
a fat **~** 《속어·반어》 조금도 …않다(not at all) 《*of*》: *A fat* ~ you know about it! 아무것도 모르는 주제에! / *A fat* ~ *of* use[good] that will be[do]! 그런 게 쓸모가 있을까. ***all over the*** **~** ⇨ all over the PLACE ***a*** **~ *of*** = **~*s of*** = **~*s and*** **~*s of*** = ***a good*** **~ *of*** 《구어》 많은(⇨ *n.* 8) ***by*** **~** 제비로 ***by*** [***in***] **~*s*** 따로따로 나누어서, 몫으로 나누어서 ***cast*** [***throw***] ***in*** one***'s*** **~ *with*** …와 동맹[연합]하다; …와 운명을 같이하다 ***cast*** [***draw***] **~*s*** 주사위를 던져서[제비를 뽑아서] 정하다 ***It falls to*** [***It is***] one***'s*** **~ *to*** do …이 …하게 되다, …할 운명이다 one***'s house and*** **~** 《미》 가옥과 대지
—*v.* (**~·ted**; **~·ting**) *vt.* **1** 제비뽑기로 정하다 **2** 할당하다, 나누다 **3** 〈토지 등을〉 구분하다 《*out*》
—*vi.* 제비뽑기를 하다
~ *on* [***upon***] 《미·속어》 …을 기대하다, …에 의지하다 **~ *out*** 〈상품 등을〉 구분하다, 따로따로 나누다
—*ad.* [a ~; *pl.*] 《구어》 **1** 크게, 굉장히, 매우, 훨씬: *a* ~ more[better] 훨씬 많은[좋은] / You've changed *a* ~. 당신도 꽤 변했군요. **2** 종종, 빈번히: go out *a* ~ 빈번히 외출하다

Lot [lάt|lɔ́t] *n.* **1** 남자 이름 **2** 〚성서〛 롯 《Abraham의 조카; 그의 처는 Sodom을 피해 나오다가 뒤돌아보아 소금 기둥이 되었음; 창세기 13: 1-12, 19: 1-26》

lo·ta(h) [lóutǝ] *n.* (인도의 놋쇠·구리로 만든) 둥근 물단지

lo-tech [lòuték] *a.* =LOW-TECH

loth [lóuθ, lóuð|lóuθ] *a.* =LOATH

Lo·thar·i·o [louθέǝriòu|-θά:r-] *n.* (*pl.* **~s**) [종종 **l~**] 색마(色魔); 난봉꾼 《N. Rowe의 희곡 *The Fair Penitent*에 나오는 인물》

lót hòpper 《속어》 (영화의) 엑스트라

lo·tic [lóutik] *a.* 유수(流水)의; 흐르는 물에서 사는

*__lo·tion__ [lóuʃǝn] *n.* ⓊⒸ **1** 세척제, 외용 물약; 화장수, 로션 **2** 《속어》 술

lót nùmber 제품 번호(batch number) 《보통 알파벳과 숫자의 조합》

lo·tos [lóutǝs] *n.* =LOTUS

lots [lάts|lɔ́ts] *ad.* 《구어》 매우; [비교급과 함께] 훨씬 더(much) **—*n.*** ⇨ LOT

lot·ta [lάtǝ|lɔ́tǝ] *a.* 《미·속어》 많은(a lot of)

*__lot·ter·y__ [lάtǝri|lɔ́t-] *n.* (*pl.* **-ter·ies**) **1** 제비뽑기, 복권 뽑기; 추첨 분배: a ~ ticket 복권 **2** 운, 재수 **3** 카드놀이의 일종

lóttery whèel (북 모양의) 회전식 추첨기

Lot·tie, Lot·ty [lάti|lɔ́ti] *n.* 여자 이름 《Charlotte의 애칭》

lot·to [lάtou|lɔ́t-] *n.* (*pl.* **~s**) **1** Ⓤ 숫자 카드 맞추기 놀이 《빙고 게임의 일종으로, 숫자 읽는 사람(caller)이 읽는 수와 자기 카드 숫자가 맞아서 일렬로 5개 나열하면 이김》 **2** 로토 복권 《직접 번호들을 고르고 그것이 당첨 번호와 일치하면 당첨금을 받는 방식의 복권》

*__lo·tus__ [lóutǝs] *n.* **1** 〚식물〛 연(蓮): ~ blossom 연

꽃 **2** 〖그리스신화〗 로터스, 로터스의 열매 《그 열매를 먹으면 이 세상의 괴로움을 잊고 즐거운 꿈을 꾼다고 여겨진 상상의 식물》 **3** 〖건축〗 연꽃 무늬

lo·tus-eat·er [lóutəsìːtər] *n.* **1** 〖그리스신화〗 lotus의 열매를 먹고 모든 괴로움을 잊은 사람 **2** 안일(安逸)을 일삼는 사람, 몽상가

lo·tus-eat·ing [-ìːtiŋ] *n.* Ⓤ, *a.* 일락(을 일삼는)

lótus lànd 일락(逸樂)의 나라, 도원경

Lotus 1-2-3 〖컴퓨터〗 로터스 1-2-3 《스프레드 시트를 기본으로 데이터베이스, 그래프 기능 등이 통합되어 있는 IBM PC용이 통합 소프트웨어》

lótus position[pòsture] 〖힌두교〗 연화좌(蓮花座), 결가부좌(結跏趺坐)

Lou [lúː] *n.* **1** 남자 이름 《Louis의 애칭》 **2** 여자 이름 《Louisa, Louise의 애칭》

louche [lúːʃ] [F] *a.* 수상한

‡**loud** [láud] *a.* **1** 소리가 큰, 큰 목소리의, 큰 소리를 내는: in a ~ voice 큰 소리로 / a ~ trumpet 소리가 큰 트럼펫 **2** 시끄러운(noisy): a ~ party 소란스러운 파티 **3** 귀찮게 구는, 추근추근한: He was ~ in his demands[in denouncing it]. 그는 귀찮게 계속 요구했다[그것을 비난했다]. **4** 〈색·의복이〉 화려한, 유난히 눈에 띄는, 난한, 뻔뻔한, 허식을 부리는(showy): ~ clothes 화려한 옷 **5** (구어) 〈태도 등이〉 야비한(vulgar): a ~ lie 새빨간 거짓말 **6** (미) 〈냄새가〉 구린, 지독한: a ~ fish smell 코를 찌르는 생선 냄새

— *ad.* 큰 소리로, 고성으로: talk ~ 큰 소리로 말하다 ~ ***and clear*** (구어) 명백하게, 오해의 여지가 없이; 강조하여 ***Louder!*** (미) 더 큰 소리로 말하시오! ***out*** ~ 소리를 내서, 큰 소리로(aloud)

▷ alóud *ad.*

loud·en [láudn] *vi., vt.* 목소리가 커지다[를 크게 하다], 떠들썩하게 되다[하다]

loud-hail·er [láudhéilər] *n.* (영) (앰프가 내장된) 휴대용 확성기((미) bullhorn)

loud·ish [láudiʃ] *a.* **1** 약간 소리가 큰, 떠들썩한 **2** 야한, 좀 지나치게 화려한

‡**loud·ly** [láudli] *ad.* **1** 큰 소리로, 소리 높이; 소란하게: cry ~ for help 큰 소리로 도움을 청하다 **2** 사치스럽게, 화려하게, 난하게: be ~ dressed 옷을 화려하게 입고 있다

loud·mouth [láudmàuθ] *n.* (구어) 큰 소리로 떠드는 사람, 무분별하게 지껄이는 사람; 변호사

— *vt.* …에게 큰 소리로 말하다

loud·mouthed [-màuðd, -màuθt] *a.* (구어) 큰 목소리의[로 이야기하는]; 소란스러운, 입살스럽게 큰소리치는[잘난 체하는]

*****loud·ness** [láudnis] *n.* Ⓤ **1** 큰 목소리; 소란스러움; 소리의 세기 **2** 지나치게 화려함, 난함, 사치(스러움)

*****loud·speak·er** [láudspìːkər] *n.* **1** 확성기, 스피커 **2** (미·속어) 입심 좋은 여자

lóudspeaker vàn (영) (확성기를 단) 선전차, 홍보차((미) sound truck)

loud-spo·ken [-spóukən] *a.* 목소리가 큰

Lóu Géh·rig's disèase [lúː-gérigz-] [죽은 환자 이름에서] 〖의학〗 루게릭병 《근(筋)위축성 측색(側索) 경화(증)》

lough [lák, lɑ́x | lɔ́k, lɔ́x] [Ir. =lake] *n.* =LOCH

lou·ie [lúːi] *n.* =LOOIE

Lou·ie [lúːi] *n.* 남자 이름 《Louis의 애칭》

Lou·is *n.* **1** [lúːis] 남자 이름 **2** [lúːi] [**l~**] =LOUIS D'OR **3** [lúːi] 루이 왕(王) 《프랑스의 왕; 1세에서 18세까지》 **4** [lúːis] 루이스 **Joe ~** (1914-81) 《미국의 헤비급 복서》

Lou·i·sa [luíːzə], **Lou·ise** [-íːz] *n.* 여자 이름 《Louis의 여성형》

lou·is d'or [lùːi-dɔ́ːr] [F =gold Louis] 〖역사〗 루이도르 《대혁명 때까지 통용된 프랑스의 금화; 20프랑》

Lou·i·si·an·a [luìːziǽnə, lùːi- | luːìː-] *n.* 루이지애나 《미국 남부의 주; 略 La.》 **-an·an** [-ǽnən], **-an·i·an** [-ǽniən] *a., n.* 루이지애나의 (사람)

Louisiána Púrchase [the ~] 〖미국사〗 루이지애나 구입지(購入地) 《1803년 프랑스로부터 사들인 미국 중앙부의 광대한 지역》

Lou·is Qua·torze [lúːi-kətɔ́ːrz] *a.* 루이 14세 시대(풍)의 〈건축·장식 양식 등〉; 바로크 양식의

Louis Quinze [-kǽnz] *a.* 루이 15세 시대(풍)의; 로코코 양식의

Louis Seize [-séz] *a.* 루이 16세 시대(풍)의; 신고전주의 양식의

Louis Treize [-tréz] *a.* 루이 13세 시대(풍)의; 르네상스 후기의 양식의

*****lounge** [láundʒ] *v., n.*

> 「느긋하게 이리저리 거닐다」에서 그 목적에 사용되는 장소 등의 뜻으로 「담화실」, 「안락의자」가 됨.

— *vi.* **1** 어슬렁어슬렁 거닐다 《*around, along*》: ~ *around* the hotel lobby 호텔 로비를 어슬렁거리다 **2** 빈둥빈둥 놀고 지내다(idle) 《*about, around*》 **3** 축 늘어져서 기대다[눕다] 《*in, on*》: (~+전+명) ~ *on* a sofa[*in* the sun] 소파에 늘어져서 기대다[편히 양지에 드러눕다]

— *vt.* [보통 ~ away로] 〈시간을〉 빈둥빈둥 보내다 《*away, out*》: (~+목+부) We ~*d away* the afternoon at the seashore. 우리들은 바닷가에서 오후 시간을 빈둥빈둥 보냈다.

— *n.* **1** 어슬렁어슬렁 거닒, 만보(漫步) **2** (호텔 등의) 로비, 사교실, (여관·클럽 등의) 휴게실; 거실; (공항 등의) 대합실: ~ hall (개인 집의) 오락실 **3** 긴 의자, 안락 의자 **4** (영) 신사복

lóunge bàr (영) 퍼브(pub)[호텔] 내의) 고급 바

lóunge càr (미) (휴게용) 특등 객차 《안락 의자·바 등이 있음》

lóunge chàir 안락 의자 《easy chair, chaise longue 등 느긋하게 쉴 수 있는 의자》

lóunge lìzard (속어) **1** 놈팡이 **2** =GIGOLO

lóunge mùsic (1940-50년대의) 경음악

loung·er [láundʒər] *n.* **1** 거니는 사람 **2** (빈둥거리는) 놈팡이(idler)

lóunge sùit (영) 신사복((미) business suit)

lounge·wear [láundʒwɛ̀ər] *n.* 평상복 《특히 집에서 편하게 입는 옷》

loung·ing [láundʒiŋ] *a.* **1** 〈옷이〉 편하게 입을 수 있는, 레저용의 **2** 활기[기운] 없는; 게으른 **~·ly** *ad.*

loupe [lúːp] *n.* 루페 《보석상·시계 수선공 등의 소형 확대경》

lour [láuər] *vi., n.* =LOWER[3]

lour·ing [láuəriŋ] *a.* =LOWERING[2]

lour·y [láuəri] *a.* =LOWERY

louse [láus] *n.* (*pl.* **lice** [láis]) **1** 〖곤충〗 이 **2** 기생충 《새·물고기·식물 등의》 **3** (*pl.* **lous·es** [láusiz]) (속어) 천한[못된] 녀석

— [láus, láuz] *vt.* …에서 이를 잡다(delouse)

~ ***up*** (미·속어) 망치다, 엉망으로 만들다(spoil)

louse·wort [láuswə̀ːrt, -wɔ̀ːrt | -wə̀ːt] *n.* 〖식물〗 송이풀(속(屬)의 풀)

lous·y [láuzi] *a.* (**lous·i·er**; **-i·est**) **1** 이가 들끓는 **2** (구어) **a** 비열한, 혐오스러운 **b** 형편없는, 저질의: a ~ car 형편없는 차 **c** 몸이 안 좋은; 나쁜: feel ~ 몸[기분]이 안 좋다 **3** [부정문에서 강조어로] …조차도: It's *not* worth one ~ dollar. 그것은 1달러의 가치조차도 없다. **4** 〈실크가〉 보풀이 인 ***be ~ at*** …이 서투르다 ~ ***with*** (속어) …가 지천으로 널린, 많이 있는: a place ~ *with* cops 경찰이 우글거리는 장소

lóus·i·ly *ad.* **lóus·i·ness** *n.*

lout [láut] *n.* 촌스러운 사람, 시골뜨기

thesaurus **loud** *a.* deafening, blaring, booming, noisy, resounding, sonorous, roaring
love *n.* affection, fondness, care, concern, attachment, regard, warmth, intimacy, devo-

lout·ish [láutiʃ] *a.* 촌스러운, 투박한; 너저분한 **~·ly** *ad.* **~·ness** *n.*

lou·ver, -vre [lú:vər] *n.* **1** 〖건축〗 지붕창(窓) 《채광·통풍용》; 정탑(頂塔) **2** (자동차의) 방열공(放熱孔) **3** [*pl.*] 〖건축〗 미늘살(=~ **bòards**); 미늘살 문[창] **lou·vered, -vred** [lú:vərd] *a.*

Lou·vre [lú:vrə] *n.* [the ~] (Paris의) 루브르 박물관

*__lov·a·ble__ [lʌ́vəbl] *a.* 사랑스러운, 귀여운, 매력적인 **lòv·a·bíl·i·ty** *n.* **~·ness** *n.* **-bly** *ad.*

lov·age [lʌ́vidʒ] *n.* 〖식물〗 당귀류의 약초

lov·as·ta·tin [lʌ̀vəstéitin] *n.* 〖약학〗 로바스타틴 《항(抗)콜레스테롤 약》

love** [lʌ́v] *n.* Ⓤ **1** 사랑, 애정, 호의 《*for, of, to, toward(s)*》: Platonic ~ 플라토닉 러브 / ~ *of* (one's) country 조국애, 애국심 **2** [보통 one's ~] (안부를 전하는) 인사말: Give *my* ~ to George. 조지에게 안부 인사 전해 주세요. **3 a** 연애, 사랑 《*of, for, to, toward(s)*》 **b** 성욕; 색정; 성교 **c** Ⓒ 정사, 정욕 **4 a** [또는 a ~] (사물에 대한) 애호, 좋아함, 취미 《*of, for*》 **b** Ⓒ 좋아하는 것[일] **5** Ⓒ 사랑하는 사람 (darling); 애인, 연인 《보통 여성》(sweetheart)(cf. LOVER) **6** [**L~**] 연애의 신, 큐피드(Cupid) **7** (신의) 사랑, 자비; (신에 대한) 경애, 공경 **8** Ⓒ (구어) 유쾌한 사람, 예쁜[귀여운] 물건[사람]; [*pl.*] 어린애들: What a ~ of a dog! 야아 참 예쁜[귀여운] 개로구나! **9** 〖테니스〗 영점, 무득점: ~ all 0대 0 / ~ forty 0대 40 ***be [***fall***] ***in ~ with*** …에게 반해 있다[…을 사랑하(게 되)다] ***for ~*** 좋아하여; 무료로; (아무것도) 걸지 않고 ***for ~ or money*** [부정문에서] (구어) 아무리 하여도 (…않다): You can*not* get it *for ~ or money.* 어떤 방법을 다 써도 그건 가질 수 없다. ***for the ~ of*** …을 위하여, …때문에 ***for the ~ of Heaven*** [***your children,*** etc.] 제발 ***free ~*** 자유연애(론) ***have a ~ of*** …을 좋아하다 ***make ~*** 애정 행위[키스, 포옹 《등》]를 하다; 성교하다 《*to*》; (여성에게) 구애하다 ***my ~*** 여보, 당신 《부부간의 호칭》; 얘야 《애들을 부르는 말》 ***out of ~*** (구어) 사랑하는 마음에서, 좋아하니까 ***out of ~ with*** …이 싫어져서 ***send*** [***give***] one***'s ~ to*** …에게 안부를 전하다 ***There is no ~ lost between them.*** (구어) 그들 사이에는 처음부터 아무런 애정도 없다, 두 사람은 사이가 나쁘다. 《(고어)에서는 사랑하고 있다는 뜻이었음》

— *vt.* **1** 사랑하다, 귀여워하다, 소중히 하다; 그리다, 사모하다: *L~* me, ~ my dog. (속담) 아내가 귀여우면 처갓집 말뚝 보고도 절한다. **2** 좋아하다(like), 기뻐하다(⇨ like² 유의어); 찬미[찬양]하다: ~ music 음악을 좋아하다 // (~+*-ing*) ~ play*ing* bridge 브리지 놀이를 좋아하다 // (~+*to* do) She ~*s to* go dancing. 그녀는 춤추러 가는 것을 좋아한다. **3** 〈동식물이〉 〈빛 등을〉 좋아하다, 필요로 하다: The rose ~*s* sunlight. 장미는 햇빛을 좋아한다. **4** …에게 구애하다; …와 성 관계를 갖다 **5** 껴안다, 어루만져 귀여워하다

— *vi.* 사랑하다; 연애하다; 사모하다; 좋아하다

He ~d his love with all the letters of the alphabet. 그는 자기 애인을 더없이 철저하게 사랑하였다. 《forfeits 놀이에서 I ~ my love with an A [a B, etc.] because she is amiable [beautiful, etc.]라고 부르는 말에서》 ***Lord ~ you!*** 저런, 어이구! 《다른 사람의 잘못 등을 보고 놀랐을 때》 time to ***~ you and leave you*** (구어) 아쉽지만 일어나실 시간입니다.

▷ lóveless *a.*

*__love·a·ble__ [lʌ́vəbl] *a.* =LOVABLE

lóve affàir **1** 연애 사건, 정사 《*with*》 **2** 열중 《*with*》: my ~ *with* sailing 항해에 대한 열의

lóve àpple (고어) 토마토

---

tion, adoration, passion, ardor, desire, lust, yearning — *v.* care for, be fond of, like, adore, worship, idolize, treasure, cherish, desire, want, long for, be attracted to

lóve bèads (사랑·평화를 상징하는) 목걸이, 염주 《반체제 젊은이들이 착용》

love-be·got·ten [lʌ́vbigɑ́tn | -gɔ́tn] *a.* 사생(私生)의, 서자(庶子)의

love·bird [-bə̀:rd] *n.* **1** 〖조류〗 모란앵무 《암컷과 수컷이 거의 언제나 붙어 다님》 **2** [*pl.*] (구어) 열애 중인 남녀; 잉꼬부부

love·bite [lʌ́vbàit] *n.* (영) 키스한 자국, 키스 마크 ((미) hickey)

love-bomb·ing [-bɑ̀miŋ | -bɔ̀m-] *n.* (미) (사이비 종교집단(cult)의 신자 획득을 위한) 애정 공세

lóve bòmbs (미·속어) 애정의 확인[표명], 애정 공세

love·bug [-bʌ̀g] *n.* 〖곤충〗 날벌레의 일종 《미국 멕시코만 연안 주에 서식하는 흑색 곤충; 교미기[봄]에는 떼지어 다니며 종종 교통에 장애가 됨》

lóve chìld 사생아

love-crossed [-krɔ̀:st] *a.* 사랑이 깨진, 실연한

lóved òne [lʌ́vd-] **1** 가장 사랑하는 사람, 연인; [*pl.*] 가족, 친척 **2** [종종 **L- O-**] 사망한 가족[친척]

lóve drùg (미·속어) 최음제, 미약(媚藥)

loved-up [lʌ̀vdʌ́p] *a.* (구어) **1** (마약으로) 황홀경에 빠진 **2** 사랑에 푹 빠진

lóve fèast 〖그리스도교〗 애찬(愛餐) 《초기의 그리스도교도들이 우애의 표시로 베푼 음식 대접》, 종교적 회식; 우정의 술잔치

lóve gàme 〖테니스〗 제로 게임 《패자가 1포인트도 얻지 못한 게임》, 완승; 완패

lóve generátion [the ~] 히피족 《그들의 자칭어》

lóve hàndles (미·속어) 아랫배의 군살

love-hate [lʌ́vhéit] *n., a.* (동일 대상에 대한) 강한 애증(의)

lóve-háte relàtionship 애증의 관계 《사랑과 미움이 공존하는》

love-in [-ìn] *n.* (속어) 러브인 《히피 등의 사랑의 모임》

love-in-a-mist [lʌ́vinəmíst] *n.* 〖식물〗 니겔라

love-in-i·dle·ness [lʌ́vináidlnis] *n.* 〖식물〗 야생의 삼색제비꽃

lóve ìnterest (영화·소설 등의 테마나 삽화(插話)로서의) 연애; 그것을 연기하는 배우[연기자]

love·juice [lʌ́vdʒù:s] *n.* **1** 미약(媚藥), 최음약 **2** 애액(愛液), 체액, 정액

lóve knòt 사랑 매듭 《애정을 나타내기 위한 리본의 장식 매듭》

Love·lace [lʌ́vlèis] [Samuel Richardson의 소설 *Clarissa Harlowe* 중의 인물에서] *n.* 난봉꾼, 색마

love·less [lʌ́vlis] *a.* **1** 사랑이 없는; 무정한, 박정한: a ~ marriage 애정 없는 결혼 **2** 호감이 가지 않는, 귀염성이 없는 **~·ly** *ad.* **~·ness** *n.*

lóve lètter 연애편지, 러브 레터

love-lies-bleed·ing [lʌ́vlàizblí:diŋ] *n.* 〖식물〗 줄맨드라미

lóve lìfe (구어) 성생활

love·lock [lʌ́vlɑ̀k | -lɔ̀k] *n.* **1** (여자의) 애교머리 《이마 등에 늘어뜨린》 **2** 〖역사〗 (17-18세기 조신(朝臣)들이) 어깨까지 늘어뜨린 머리

love·lorn [-lɔ̀:rn] *a.* 애인에게 버림받은; 실연한, 사랑에 번민하는 **~·ness** *n.*

love·ly** [lʌ́vli] *a.* (**-li·er**; **-li·est**) **1** 귀여운, 사랑스러운, 아름다운, 애교 있는(charming); 감미로운(⇨ beautiful 유의어) **2** (속어) 즐거운, 멋진, 유쾌한 (delightful): ~ weather 매우 좋은 날씨 / We had a ~ time together. 함께 즐거운 때를 보냈다. **3** 순결한; (정신적으로) 뛰어난, 훌륭한: a ~ character 훌륭한 성격 ***~ and ... (구어) 기분이 상쾌할 정도로 …한, 근사한; 매우, 몹시

— *n.* (*pl.* **-lies**) (구어) 미인, 아름다운 소녀

lóve·li·ly *ad.* **lóve·li·ness** *n.*

love·mak·ing [lʌ́vmèikiŋ] *n.* Ⓤ **1** 성교, 성행위 **2** 애무, 포옹 **3** (고어) 구애, 구혼

lóve màtch 연애 결혼

lóve nèst 사랑의 보금자리

love-phil·ter [-fìltər] *n.* 미약(媚藥)
love-po·tion [-pòuʃən] *n.* = LOVE-PHILTER
‡**lov·er** [lʌ́vər] *n.* **1** 연인, 애인 《단수일 때는 남성》

> 유의어 **lover** 「애인」이 남자면 one's boyfriend, one's boy, 여자면 one's girlfriend, one's girl 이라고 하는 것이 일반적이며, love나 sweetheart를 쓰는 것은 좀 예스러운 표현이다.

2 정부(情夫); (때로) 정부(情婦) **3** 애호자 《*of*》: a ~ *of* music 음악 애호가 ***a pair of ~s*** = ***two ~s*** 서로 사랑하고 있는 두 사람
~·less *a.* **~·ly** *a.*, *ad.* 연인 같은[같이]
lóver bòy 《속어》 남자 애인, 보이프렌드; 멋쟁이 남자, 난봉꾼
lóver's knòt = LOVE KNOT
lóvers' láne 사랑의 산책길 《공원 등의 으슥한 길》
lóver's léap 실연한 사람이 투신 자살하는 낭떠러지
lóve scène 러브 신, 사랑의 장면
lóve sèat 러브 시트 《2인용 의자 또는 소파》

love seat

lóve sèt 〖테니스〗 러브 세트 《한 편이 1게임도 못 얻은 세트》
love·sick [lʌ́vsìk] *a.* 사랑에 번민하는[애태우는], 상사병의: a ~ adolescent 사랑에 애태우는 청년 **~·ness** *n.* Ⓤ 상사병
love·some [lʌ́vsəm] *a.* 《고어·방언》 **1** 사랑스러운, 아름다운 **2** 귀여운; 애교 있는; 요염한
lóve sòng 사랑의 노래, 연가
lóve stòry 연애 소설, 사랑 이야기
love-strick·en [-strìkən], **-struck** [-strʌ̀k] *a.* 사랑에 사로잡힌, 사랑의 포로가 된
lóve tòken 사랑의 정표(로서의 선물)
lóve trìangle (남녀의) 삼각 관계
love·wor·thy [lʌ́vwə̀ːrði] *a.* 사랑할 만한
lov·ey [lʌ́vi] *n.* 《영·구어》 애인; 여보(darling)
love·y-dove·y [lʌ́vidʌ́vi] *a.* 《구어》 **1** (맹목적으로) 사랑한, 홀딱 반한 **2** 지나치게 감상적인, 매우 달콤한 **—** *n.* **1** = LOVEY **2** 우애
‡**lov·ing** [lʌ́viŋ] *a.* **1** 애정 있는, 정다운, 친애하는 **2** [one's ~] 충실한, 충성스러운: *His Majesty's* ~ subjects 폐하의 충성스런 신하들 **3** [종종 복합어를 이루어] (…을) 사랑하는: a peace-~ people 평화를 사랑하는 국민 ***Your ~ friend*** 그대의 친애하는 벗으로부터 《친구간의 편지의 끝말》 **~·ly** *ad.* **~·ness** *n.*
lóving cùp 우의의 술잔, 돌려 가며 마시는 큰 잔 《지금은 우승배》
lov·ing·est [lʌ́viŋist] *a.* 《구어》 끔찍이 사랑하는
lov·ing-kind·ness [lʌ́viŋkáindnis] *n.* Ⓤ **1** (신의) 자애 **2** 친애, 인정, 인자
‡**low**[1] [lóu] *a.*, *ad.*, *n.*

> 기본적으로는 「〈위치가〉 낮은」의 뜻.

— *a.* **1** 〈키·위치·온도·위도(緯度) 등이〉 낮은(opp. *high*): a ~(-ceilinged) room 천장이 낮은 방 / The glass is ~. 수은주가 내려가 있다. **2** 〈물이〉 준; 썰물의: The Blue Nile is ~ in the winter months. 청나일 강은 겨울에는 수위가 낮다[감수한다]. **3** 〈깃이〉 깊이 팬 **4** 〈소리·음성이〉 낮은, 저음의 **5** 〈계급·위치 등이〉 낮은, 천한: of ~ birth 천하게 태어난 / ~ life 하층 생활 **6** 〈평가·가치가〉 낮은, 뒤떨어진: a ~ grade of a fabric 조악한 직물 **7** 기운 없는, 침울한; 〈신체가〉 약한: ~ spirits 무기력, 의기 소침 **8** 영양이 적은, 빈약한: a ~ diet 조식(粗食) **9** 〈생물 등이〉 미발달의, 단순한; 미개의, 하등의 **10** 〈조각 새김이〉 얕은 **11** 〈사고·표현·행동 등이〉 점잖지 못한, 저급한; 야비한; 음란한, 추잡한(⇨ mean[2] 유의어): a ~ trick[motive] 비열한 책략[동기] **12** 〈값이〉 싼(cheap); 적은 **13** 〈열·압력 등이〉 약한, 낮은 **14** 〖음성〗 혀의 위치가 낮은 **15** 〈지갑이〉 빈, 돈이 거의 없는 **16** 〖자동차〗 저속의 **17** [주로 비교급으로] 최근의(recent): of a ~*er* date 보다 근년의 **18** [보통 L~] 《영》 저교회(低敎會)파의(⇨ Low Church) **19** 〖권투〗 〈타격이〉 벨트 아래인 ***a ~ [bottom] man on the totem pole*** 《구어》 (조직의) 말단, 하급의 사람 ***be ~ in*** one***'s pocket*** 주머니 사정이 나쁘다, 호주머니가 비다 ***be ~ on*** 조금 남아 있다 ***feel ~*** 마음이 우울하다, 기운이 없다 ***have a ~ opinion of*** …을 대수롭지 않게 여기다, 경시하다 ***lay ~*** 망치다; 타도하다 ***lie ~*** 쭈그리고 앉다; 나가떨어져 있다, 죽어 있다; 《속어》 호기(好機)를 엿보고 있다 ***~ forms of life*** 하등 동물
— *ad.* **1** 낮게: fly ~ 저공 비행하다 **2** 싸게(cheaply) **3** 낮은 음성으로, 작은 소리로(opp. *loud*) **4** 조식(粗食)하여 **5** 천하게, 비열하게 **6** 소액의 (노름) 밑천으로 **7** 수평선[지평선] 가까이에, 적도 가까이에 **8** 풀이 죽어 **9** 근년에
bring ~ (재산·건강·위치 등을) 줄게 하다, 쇠하게 하다, 몰락[영락]하게 하다: His greed *brought* him ~. 탐욕이 그를 몰락시켰다. ***fall ~*** 타락하다 ***high and ~*** (1) 상하 귀천을 막론하고 (2) 모든 곳을[에, 에서], 도처에 ***~ down*** 훨씬 아래에; 천대하여, 냉대하여 ***play it ~ (down) on [upon]*** …에게 비열한 짓을 하다, …을 냉대하다 ***play ~*** 적은 돈으로 내기를 하다 ***run ~*** 〈자금 등이〉 고갈하다, 결핍하다
— *n.* **1** 낮은 것 **2** 《미》 최저 수준[기록, 숫자], 최저 가격(cf. HIGH): an all-time ~ 최저 수준[상태] / hit a new ~ 최저점에 이르다 **3** Ⓤ (자동차의) 저속(低速)[제1] 기어: put it in ~ 저속 기어를 넣다 **4** 〖카드〗 끗수가 가장 낮은 으뜸패; 최저의 득점 **5** 〖기상〗 저기압권(cf. HIGH)
▷ lówer *v.*; lówly *a.*
low[2] *vi.* 〈소가〉 음매 울다(moo) **—** *vt.* 울부짖듯 말하다 《*forth*》 **—** *n.* (소의) 음매하고 우는 소리
low[3], **lowe** [lóu] 《스코》 *n.* 불꽃 **—** *vi.* 불타다
low·ball [lóubɔ̀ːl] *n.* **1** 〖카드〗 로볼 《draw poker의 일종》 **2** 고의로 싼 가격[견적가]을 제시하는 것; 엉터리 가격[견적] **3** 〖야구〗 (타자의 무릎 아래의) 낮은 공 **—** *vt.* 〈고객에게〉 고의로 싼 가격[견적]을 제시하다; 엉터리 가격[견적]을 내다; 과소평가하다
— *a.* 실제보다 싸게 어림한; (잔의) 운두가 낮은
lów béam (자동차 헤드라이트의) 하향 광선(cf. HIGH BEAM)
lów blóod prèssure 〖병리〗 저혈압(hypotension)
lów blów **1** 〖권투〗 로 블로 《벨트 라인 아래를 치는 반칙》 **2** 비열한 짓
low·born [lóubɔ́ːrn] *a.* 태생이 천한, 천하게 태어난
low·boy [-bɔ̀i] *n.* 《미》 다리가 달린 낮은 옷장 《약 3피트 높이의》(cf. HIGHBOY)

low·bred [-bréd] *a.* 버릇없이 자란, 버릇없는, 막된
low·brow [-bràu] *a.*, *n.* 《미·속어》 교양[지성]이 낮은 (사람)(opp. *highbrow*)
low·browed [-bráud] *a.* **1** 이마가 좁은 **2** 〈바위가〉 쑥 나온; 〈건물이〉 입구가 낮은 **3** 《미·속어》 교양이 낮은
low-budg·et [-bʌ́dʒit] *a.* 저예산의: a ~ film 저예산 영화
low-cal [-kǽl, -kæ̀l] *a.* 저칼로리의 〈식사〉
lów cámp (예술적으로) 진부한 것을 무의식적으로 그대로 사용함 (cf. HIGH CAMP)

thesaurus **loving** *a.* admiring, respecting, valuing, liking, fond, tend, kind, enamored
lower[1] *v.* **1** 낮추다 let down, drop, let fall **2** 떨어뜨

Lów Chúrch [the ~] 저(低)교회파《영국 국교회의 한 파; 의식을 경시하며 복음을 강조함》(cf. BROAD CHURCH, HIGH CHURCH)
Lów Chúrchman 저교회파 사람
low-class [-klǽs | -klɑ́:s] *a.* =LOWER-CLASS
lów comédian 저속한 희극 배우
lów cómedy 익살극, 저속한 희극
low-cost [-kɔ́:st | -kɔ́st] *a.* 비용이 적게 드는, 값싼
Lów Còuntries [the ~] (북해 연안의) 낮은 지대《지금의 Benelux 지역》
low-coun·try [-kʌ̀ntri] *a.* Low Countries의
low-cut [-kʌ́t] *a.* (옷의) 목둘레를 깊이 판; 〈구두가〉 얕은
lów-dén·si·ty lipoprótein [-dénsəti-] 〖생화학〗 저(低)밀도 리포 단백질《혈중 콜레스테롤을 운반; 略 LDL》
low-down [-dàun] *n.* [the ~] 《구어》 실정, 내막, 진상; 기밀 정보: get[give] the ~ on …의 내막을 알다[알리다] **—** *a.* Ⓐ 《구어》 천한, 비열[야비]한
Lów Dútch =LOW GERMAN
lów éarth òrbit 〖우주과학〗 저(低)지구 궤도《보통 지상 144-900 km의 원(圓)궤도》
Low·ell [lóuəl] *n.* 남자 이름
low-end [lóuènd] *a.* 《구어》 (비교적) 싼; 저급의
‡**low·er**[1] [lóuər] *vt.* **1** 낮추다, 내리다(opp. *heighten*); 〈보트 등을〉 내리다(opp. *raise*): ask the government to ~ taxes 정부에 세금을 내리라고 요구하다 / ~ a boat 보트를 내리다 **2** 〈가치·정도 등을〉 떨어뜨리다(degrade) **3** 〈기(旗) 등을〉 끌어 내리다, 〈수위 등을〉 내리다: ~ the flag 기를 내리다 / ~ the water in a canal 운하의 수위를 낮추다 **4** 내리 누르다, 〈목표·희망 따위를〉 낮추다, 꺾다: ~ one's hopes 희망을 낮추다 **5** …의 힘[체력]을 감소시키다[약하게 하다] **6** 〈속도·저항 등을〉 줄이다; 〖음악〗 …의 가락을 낮추다; 〈값을〉 싸게 하다 **7** 〈눈을〉 내리뜨다 **8** 〈음식을〉 삼키다(swallow); 《구어》 〈술을〉 마시다
— *vi.* **1** 내려지다, 낮아지다 **2** 〖항해〗 보트[돛, 돛대]를 내리다 **3** 줄다 **4** 〈값 등이〉 떨어지다: Stock prices rise and ~ constantly. 주가는 등락을 되풀이한다. **5** 〖음악〗 가락이 내리다 **~ *away*** [종종 명령형] 〖항해〗 보트[돛, 돛대]를 내리다 **~ one*self*** 몸을 굽히다, 자기 고집을 굽히다, 굴복하다 **~ *the boom*** 《미》 호되게 혼내 주다, 맹렬히 비난하다
‡**low·er**[2] [lóuər] [low[1]의 비교급] *a.* Ⓐ **1** 아래쪽의, 하부의(opp. *upper*): the ~ lip 아랫입술 **2** 하급의, 열등한, 하층의: ~ animals 하등 동물 / a ~ boy 《영》 (public school의) 하급생 **3** (강의) 하류의; 《미》 남부의 **4** [L~] 〖지질〗 전기(前期)의(earlier)
— *n.* 아랫니용의 의치; (배·열차 등의) 하단 침대
low·er[3] [láuər] [ME 「찌푸리다」의 뜻에서] *vi.* **1** 얼굴 표정을 찌푸리다(frown) 《*at, on, upon*》 **2** 〈날씨가〉 험악해지다; 〈구름·우레 등이〉 내리 덮칠 듯하다
— *n.* **1** 찡그린 얼굴, 언짢은 얼굴(scowl) **2** 험악한[찌푸린] 날씨
Lówer Califórnia 바하 캘리포니아(Baja California)의 영어 이름《태평양과 캘리포니아 만 사이의 반도》
Lówer Cánada 캐나다 Quebec주의 구칭
low·er·case [lóuərkèis] 〖인쇄〗 *a.* 소문자의, 소문자로 인쇄한[짠, 쓴]: ~ letters 소문자
— *vt.* 소문자로 인쇄하다[짜다, 쓰다]; 〈대문자를〉 소문자로 바꾸다
— *n.* Ⓤ 소문자 (활자) 《略 lc, l.c.》
Lówer Chámber =LOWER HOUSE
lówer cláss **1** 하층 계급, 노동자 계급 **2** [the ~es] 하층 사회 (사람들)
low·er-class [-klǽs | -klɑ́:s] *a.* 하층 계급의

리다 reduce, bring down, decrease, lessen, cut, slash (opp. *raise, increase, boost*) **3** 줄다 abate, die down, subside, let up, dwindle

low·er·class·man [-klǽsmən | -klɑ́:s-] *n.* (*pl.* **-men** [-mən, -mèn]) 4년제 대학의 1·2년생(underclassman)
lówer cóurt 하급 법원
lówer críticism 하부 비평《성서의 여러 사본을 대상으로 한 본문 비평; cf. HIGHER CRITICISM》
lówer déck **1** 〖항해〗 하갑판 **2** [the ~; 집합적] 《영》 수병 **3** (신문의 헤드라인 다음의) 부표제
Lówer Éast síde =EAST SIDE
Lówer Émpire [the ~] 동로마 제국
Lówer 48 [-fɔ́:rtiéit] Alaska를 제외한 북미 대륙의 미국 48주
Lówer Hóuse [the ~] 하원
low·er·ing[1] [lóuəriŋ] [lower[1]에서] *a.* 저하[타락]시키는; 체력을 약하게 하는 **—** *n.* ⓊⒸ 저하, 하락
low·er·ing[2] [láuəriŋ] [lower[3]에서] *a.* **1** 〈날씨가〉 험악한, 비·눈 등이 막 쏟아질 듯한 **2** 기분이 언짢은, 침울한 **~·ly** *ad.*
low·er·most [lóuərmòust] *a.* 최저의, 밑바닥의
lówer órders [the ~] =LOWER CLASS 2
lówer régions [the ~] 지옥
lówer schòol 《영》 public school의 5학년(fifth form) 이하의 학급; 《미》 (상급 학교의 예비 단계로서의) 예비[하급] 학교
lówer wórld [the ~] **1** 저승, 지하계 **2** 이승, 현세
low·er·y [láuəri] *a.* **1** 〈날씨가〉 험상궂은 **2** 음울한, 기분이 좋지 않은
low·est [lóuist] [low[1]의 최상급] *a.* 최하의, 최저의; 최소의; 제일 싼 ***at the ~*** 적어도; 낮아도
lówest cómmon denóminator [the ~] 〖수학〗 최소 공분모《略 L.C.D.》
lówest cómmon múltiple [the ~] 〖수학〗 최소 공배수《略 L.C.M.》
lówest térms 〖수학〗 기약 분수
lów explósive 저성능 화약[폭약]
low-fat [lóufǽt] *a.* 저지방의: ~ milk[diet] 저지방유[식]
low-fly·ing [-fláiiŋ] *a.* 저공 비행의
lów fréquency 〖통신〗 저주파《30-300 kHz; 略 LF》 **lów-fré·quen·cy** *a.*
lów géar 《미》 (자동차의) 저속 기어(《영》 bottom gear) (cf. HIGH GEAR)
Lów Gérman 저지 독일어《High German에 대하여 북부 독일에서 쓰는 방언; 略 LG, L.G.》
low-grade [-gréid] *a.* 질이 낮은, 저질의; 정도가 낮은, 경도(輕度)의
low-im·pact [-ímpækt] *a.* (몸·환경 따위에) 부담을 주지 않는, 영향이 적은
low-in·come [-ínkʌm] *a.* 저소득의: a ~ group 저소득층
low·ing [lóuiŋ] *a.* 음매하고 우는
— *n.* Ⓤ 소의 울음소리
low-key [lóukí:], **low-keyed** [-kí:d] *a.* **1** 자제하는, 감정을 내색하지 않는 **2** 〖사진〗 〈화면이〉 어둡고 명암의 대비가 적은
∗**low·land** [lóulənd] *n.* **1** [주로 *pl.*] 저지(低地) (opp. *highland*) **2** [the L~s] 스코틀랜드 남동부의 저지 지방(cf. the HIGHLANDS)
— *a.* 저지의; [**L~**] 스코틀랜드 저지 지방의 **~·er** *n.* 저지에서 사는 사람; [**L~**] 스코틀랜드 저지 지방 사람
Lów Látin 저(低)라틴 어《고전 라틴 어 이외의 라틴 어; 略 L.L.》
low-lev·el [-lévəl] *a.* Ⓐ **1** 저지(低地)의 **2** 저수준의, 하급의, 하층(부)의: a ~ officer 하급 직원 **3** 소량의 **4** 저공의: ~ bombing 저공 폭격
lów-lével lánguage 〖컴퓨터〗 저수준 언어《인간 언어보다 기계어에 가까운 프로그램 언어》
lów-lével wàste 저(低)레벨 (방사성) 폐기물
low·life [-làif] *n.* (*pl.* **~s, -lives** [-làivz]) 《미·속어》 **1** 비열한 녀석, 못된 놈 **2** 범죄자 **3** 하층민; 《미》 하급생 **lów-life** *a.*

low·light [-lài t] *n.* [종종 *pl.*] (밝은 색의 머리카락 속의) 어두운 빛의 머리카락 오라기, 진하게 물들인 부분; 특히 불쾌한 사건[부분]; 《구어》 (사건 등의) 두드러지지 않은[흥미를 끌지 못하는] 부분
low-lived [-láivd, -lívd | -lívd] *a.* **1** 하층 생활을 하는 **2** 천한, 비열한
*__low·ly__ [lóuli] *a.* (**-li·er**; **-li·est**) **1** 지위가 낮은, 천한(humble); 초라한: a ~ cleaner 초라한 청소부 **2** 자기를 낮추는, 겸손한(modest) **3** 〈생물·사회 등이〉 발달 정도가 낮은, 낮은 단계의
— *ad.* **1** 〈신분 따위가〉 천하게, 초라하게 **2** 겸손하게 **3** 작은[낮은] 목소리로
lów·li·ly *ad.* **lów·li·ness** *n.*
low-ly·ing [lóuláiiŋ] *a.* 낮은, 저지(低地)의
low-main·te·nance [-méintənəns] *a.* 관리[유지]하기 쉬운: a ~ garden 가꾸기 쉬운 정원
Lów Máss 《가톨릭》 (음악·성가대 합창이 없는) 독창(讀唱) 미사(cf. HIGH MASS)
low-mind·ed [-máindid] *a.* 마음씨가 더러운, 치사한, 비열한(mean) **~·ly** *ad.* **~·ness** *n.*
low-neck(ed) [-nék(t)] *a.* 〈여자 옷이〉 목부분이 깊이 파인
low·ness [lóunis] *n.* Ⓤ **1** 낮음: the ~ of the temperature 낮은 온도 **2** 비천, 신분이 낮음 **3** 풀이 죽음, 기운 없음 **4** 저조; 미약
low-num·bered [-nʌ́mbərd] *a.* 번호가 앞쪽의
low-paid [-péid] *a.* 임금이 싼
lów pítch 《음악》 국제 표준음, 표준 음고(音高)
low-pitched [-pítʃt] *a.* **1** 가락이 낮은, 낮은 음역의, 저조(低調)의 **2** 경사[물매]가 뜬
lów póint 최저[최악]의 상태
lów pósture 저자세(low profile)
low-pow·er [-páuər] *a.* 저출력의, 마력이 적은
low-pres·sure [-préʃər] *a.* Ⓐ **1** 저압의, 저기압의: a ~ storm 저기압에 의한 폭풍 **2** 유유한, 만사태평한 **3** 온건하며 설득력이 있는, 부드러운 분위기의
low-priced [-práist] *a.* 값싼, 저가(低價)의
lów prófile 저자세(인 사람), 삼가는 태도(를 취하는 사람) ***keep*[*maintain*] *a* ~** 저자세를 취하다
low-pro·file [-próufail] *a.* 눈에 띄지 않는 태도의, 삼가는 태도의, 나서지 않는(cf. HIGH-PROFILE)
lów-prófile tíre 편평(扁平) 타이어 《높이에 비해서 폭이 넓음》
low-rank·ing [-rǽŋkiŋ] *a.* 하급의; 보잘것없는: a ~ officer[official] 하급 장교[공무원]
lów relíef 얕은 돋을 새김
low-rent [-rént] *a.* 《미·속어》 〈품질·가격 등이〉 싸구려의, 낮은: a ~ movie 저질 영화
low-res [-réz] [*low*+*res*olution] *a.* 《구어》 신통치 못한, 시원치 않은, 눈을 끌지 못하는
low-res·o·lu·tion [-rèzəlú:ʃən] *a.* 《컴퓨터》 〈화면·프린터 따위가〉 저해상도의
low·rid·er [-ràidər] *n.* 《미·속어》 **1** 차대(chassis)를 낮춘 차; 그 차의 운전자; 핸들을 높인 오토바이 운전자 **2** 슬럼가의 (난폭한) 젊은이; (죄수들 돈을 갈취하는) 교도소 내의 깡패
low·rid·ing [-ràidiŋ] *n.* Ⓤ 《미》 차대를 낮춘 차를 몰고 다님
low-rise [-ráiz] *a.* Ⓐ 〈건물이〉 층수가 적은, 저층의
— *n.* 저층 건물
low-risk [-rísk] *a.* [보통 Ⓐ] 위험[실패]할 가능성이 낮은: a ~ investment 저위험 투자
lów séason [보통 the ~] (행락 등의) 한산기, 시즌 오프, 비철; 가격이 가장 싼 시기
lów shóe [보통 *pl.*] 《미》 단화(短靴)
low-slung [lóuslʌ́ŋ] *a.* 〈건물 따위가〉 낮은, 지면에 가까운; 〈차가〉 차대가 낮은
low-so·di·um [-sóudiəm] *a.* 저염분(低鹽分)의
low-spir·it·ed [-spíritid] *a.* 기운 없는, 우울한, 풀이 죽은, 시들한 **~·ly** *ad.* **~·ness** *n.*
lów-súl·fur crúde óil [-sʌ́lfər-] 저유황 원유, LS 원유 《유황분이 중량의 1% 이하인 것》
Lów Súnday 부활절 다음의 첫 일요일, 부활 제2주일
lów-tár [-tá:r] *a.* 〈담배가〉 저(低)타르의, 타르 함유량이 적은 — [스스] *n.* 저타르 담배
lów tèa = PLAIN TEA
low-tech·nol·o·gy [-teknálədʒi | -nɔ́l-], **low-tech** [-tèk] *a.* (일용품 생산에 이용되는 정도의) 수준이 낮은 기술의
lów ténsion 《전기》 저전압
low-ten·sion [-ténʃən] *a.* 《전기》 저압[저전압](용)의
low-test [-tést] *a.* 〈휘발유가〉 비등점이 높은, 휘발도가 낮은
low-tick·et [-tíkit] *a.* 《구어》 〈상품이〉 저가격(대)의
lów tíde 간조 (시간), 썰물; 최저점, 밑바닥
low·veld [lóufelt, -velt] *n.* [종종 **L~** 또는 **Low-Veld**] 《남아공》 Transvaal 주 동부나 Swaziland의 저지(低地)
lów wáter **1** 저조(低潮), 간조 **2** (강·호수 등의) 저수위 **3** 부진[최저] 상태 ***in* (*dead*) ~** 돈에 궁색하여, 의기 소침하여
lów-wá·ter màrk [-wɔ́:tər-] **1** 간조표(干潮標) **2** 최저[최부진] 상태, 아주 궁색한 지경
Lów Wéek 부활절(Easter) 다음 일요일부터 시작되는 1주일간
lox[1] [lɑ́ks | lɔ́ks] [*l*iquid *ox*ygen] *n.* Ⓤ 《화학》 액체[액화] 산소
lox[2] *n.* (*pl.* **~, ~·es**) 《미》 훈제한 연어(smoked salmon)
lox·o·drom·ic [lɑ̀ksədrámik | lɔ̀ksədrɔ́m-] *a.* 《항해》 등사(等斜) 항법의; 등사 곡선의
lox·y·gen [lɑ́ksədʒən, -dʒèn | lɔ́k-] [*l*iquid *ox-ygen*] *n.* Ⓤ 액체[액화] 산소
‡**loy·al** [lɔ́iəl] [L 「법률의」의 뜻에서] *a.* **1** (국가·군주 등에) 충성스러운 《*to, for*》: the ~ toast 《영》 (국왕 등에의) 충성을 나타내는 건배 **2** (약속·의무 등에) 성실한, 충실한 《*to, for*》: one's ~ husband 성실한 남편 / be ~ *to* a vow 맹세를 충실히 지키다 **3** 정직한
— *n.* 충신, 애국자, 성실한 사람
~·ìsm *n.* Ⓤ 충성, 충의(忠義) **~·ly** *ad.* 충성스럽게
▷ lóyalty *n.*
loy·al·ist [lɔ́iəlist] *n.* **1** 충성스러운[충실한] 사람; 충신, 애국자 **2** [**L~**] **a** 《영국사》 왕[보수]당원 **b** 《미국사》 (독립 전쟁 때의) 영국당원 **c** (스페인 내란 때의) 국왕 지지자, 반(反)프랑코 장군파
*__loy·al·ty__ [lɔ́iəlti] *n.* (*pl.* **-ties**) ⓊⒸ **1** 충성, 충의, 충절 **2** 성실, 충실 **3** 애국적 행위[언동]
▷ lóyal *a.*
lóyalty càrd 고객 (우대) 카드 《자동 판독식 자기(磁氣) 카드로, 물품 구입액에 따라 점수를 매기고 이를 누적하여 장래 구입 대금의 충당·할인의 기초로 삼음》
lóyalty òath 《미》 (공직 취임자가 반체제 활동을 않겠다는) 충성 선서 《보통 강제적》
Loy·o·la [lɔióulə] *n.* 로욜라 **Ignatius ~** (1491-1556) 《스페인의 성직자; 예수회(Society of Jesus)의 창설자》
loz·enge [lázindʒ | lɔ́z-] *n.* **1** 마름모꼴(diamond) **2** 마름모꼴로 생긴 것; (보석의) 마름모꼴 면; 마름모꼴 창유리; (문장(紋章)에서) 마름모꼴의 문장 도형 **3** 마름모꼴 사탕과자; 《약학》 (마름모꼴) 알약
LP [élpí:] [*l*ong *p*laying record] *n.* (*pl.* **~s, ~'s**) (레코드의) 엘피반(盤)
LP linear programming; line printer **l.p.** large paper; 《인쇄》 long primer **L.P.** Labour Party **L.P., l.p.** low pressure **LPC** Lord President of the Council **LPG** liquefied petroleum gas 액화 석유 가스 **LPGA** Ladies Professional Golf Association 《미》 여자 프로 골프 협회

thesaurus **loyal** *a.* faithful, true, trustworthy, trusty, steadfast, dependable, reliable, devoted, dutiful, patriotic, constant, unchanging, firm,

LP-gas [élpìːgæ̀s] *n.* 액화 석유 가스, LP 가스, LPG
L-plate [élplèit] [*L*earner-*plate*] *n.* 《영》 (자동차의) 임시 면허[초보 운전] 표지판
LPM, lpm lines per minute 〖컴퓨터〗 행/분
LPN, L.P.N. licensed practical nurse 면허 실무 간호사 **LPO** London Philharmonic Orchestra
LPT 《해커 속어》 line printer **Lr.** 〖화학〗 lawrencium **L.R.** living room; Lloyd's Register; long run; lower right **L.R.A.M.** Licentiate of the Royal Academy of Music **LRBM** long-range ballistic missile **LRC** 〖컴퓨터〗 longitudinal redundancy check **L.R.C.S.** League of Red Cross Societies 적십자 연맹; Licentiate of the Royal College of Surgeons **LRF** 〖생화학〗 luteinizing hormone-releasing factor **LRL** Lunar Receiving Laboratory **LRV** lunar roving vehicle 월면(月面) 작업차 **l.s., L.S.** left side; letter signed; *locus sigilli* 《L = place of the seal》; long shot **L.S.** Licentiate in Surgery; Linnaean Society **LSA** Linguistic Society of America **LSAT** Law School Admission Test
LSB 〖컴퓨터〗 least significant bit 최하위 비트
LSD[1] [élèsdíː] [*l*ysergic acid *d*iethylamide] *n.* 〖약학〗 엘에스디 《환각제》
LSD[2] [*l*anding *s*hip *d*eck] *n.* 〖미해군〗 상륙용 주정 모함
£.s.d., l.s.d., L.S.D. [élèsdíː] [L *librae*, *solidi*, *denarii*(=pounds, shillings, pence)의 약어] *n.* **1** (영국의 구용화 제도의) 파운드·실링·펜스 ★ 보통 구두점은 £5. 6s. 5d. **2** 《속어》 돈; 부(富)
a matter of **~** 금전 문제, 돈만 있으면 되는 일 ***a worshipper of*** **~** 금전의 노예
L.S.De·ism [élesdíːizm] *n.* 《익살》 배금(拜金)주의, 금전 제일주의(⇨ £.s.d.)
LSE London School of Economics and Political Science 런던대학교 사회 과학 대학 **LSI** large-scale integration 대규모 집적 회로 **LSM** letter-sorting machine **LSO** London Symphony Orchestra **LSS** Lifesaving Service 구명 작업대; 〖우주과학〗 life support system 생명 유지 장치
LST [èlèstíː] [*l*anding *s*hip *t*ank] *n.* (병사·전차 등의) 상륙용 주정
LST, l.s.t. local standard time 지방 표준시 **LT** letter telegram 서신 전보 **Lt.** Lieutenant **l.t., L.T.** left tackle; local time; long ton; low tension **'lt** wilt; shalt **£T** Turkish pound(s)
LTA 〖항공〗 lighter-than-air **L.T.A.** Lawn Tennis Association **Lt. Col., LTC** Lieutenant Colonel **Lt. Com.** Lieutenant Commander **Ltd., ltd.** Limited **Lt. Gen., LTG** Lieutenant General **Lt. Gov.** Lieutenant Governor **L. Th.** Licentiate in Theology **LTJG** Lieutenant Junior Grade **LTL** 〖상업〗 less-than-truckload lot **LTR** living together relationship 《속어》 동거 관계, 내연 관계 **ltr.** letter; lighter
Lu [lúː] *n.* 남자 또는 여자 이름 《Louisa, Louise의 애칭》
Lu 〖화학〗 lutetium **LU** 〖물리〗 loudness unit 《음량의 단위》
Lu·an·da [luǽndə, -ɑ́ːn- | -ǽn-] *n.* 루안다 《Angola의 수도》
lu·au [luːáu, ∠-] *n.* 《미》 하와이식 파티
lub. lubricant; lubricating
Lu·ba [lúːbə] *n.* (*pl.* **~, ~s**) **1** 루바 족 《자이르 남동부에 사는 흑인족의 하나》 **2** Ⓤ 루바 어 《Bantu어의 하나, 특히 Tshiluba》

stable (opp. *disloyal, treacherous*)
lucid *a.* **1** 맑은 clear, obvious, pellucid, transparent **2** 밝은 bright, shining, luminous

lub·ber [lʌ́bər] *n.* **1** (덩치 큰) 미련퉁이, 느림보 **2** 풋내기 선원(landlubber) **—** *a.* = LUBBERLY
lub·ber·ly [lʌ́bərli] *a., ad.* 무뚝뚝한[하게], 볼품없는[없게], 데퉁스러운[스럽게]; 선원답지 않은[않게]
lúb·ber's hóle [lʌ́bərz-] 〖항해〗 장루(檣樓) 승강구
lúbber's lìne[màrk] 〖항해〗 방위 기선(方位基線) 《이물 방향 표시의 나침반상의 선》
lube [lúːb] [*lub*ricating oil] *n.* 《미·구어》 Ⓤ 윤활유(= **∠ òil**) **—** *vt.* …에 윤활유를 치다, 주유하다
lu·bra [lúːbrə] *n.* 《호주》 원주민 여자; 《속어》 《일반적으로》 여자
lu·bri·cant [lúːbrikənt] *a.* 미끄럽게 하는: **~** oil 윤활유 **—** *n.* 원활하게 하는 것; 윤활유, 윤활제(劑)
lu·bri·cate [lúːbrəkèit] [L 「미끄럽게 하다」의 뜻에서] *vt.* **1** 〈기계 등에〉 기름을 치다[바르다](oil) **2** 〖사진〗 …에 광택제를 바르다 **3** 〈피부 등을〉 매끄럽게 하다 **4** 《속어》 …에게 술을 권하다; 매수하다 **—** *vi.* **1** 윤활제 구실을 하다 **2** 《속어》 취하다
lú·bri·cat·ing óil [lúːbrəkèitiŋ-] 윤활유
lu·bri·ca·tion [lùːbrəkéiʃən] *n.* Ⓤ 미끄럽게 함, 윤활; 주유[급유](법)
lu·bri·ca·tive [lúːbrəkèitiv] *a.* 미끄럽게 하는, 윤활성의
lu·bri·ca·tor [lúːbrəkèitər] *n.* **1** 미끄럽게 하는 사람[것] **2** 윤활 장치; 주유기, 급유기 **3** 〖사진〗 광택제
lu·bri·cious [luːbríʃəs] *a.* = LUBRICOUS
~·ly *ad.*
lu·bric·i·ty [luːbrísəti] *n.* (*pl.* **-ties**) ⓊⒸ **1** 매끄러움, 평평하고 미끄러움 **2** 포착하기 어려움, 불확실성; (정신적) 불안정, 동요 **3** 음탕, 음란
lu·bri·cous [lúːbrikəs] *a.* **1** 미끄러운; 포착하기 어려운 **2** 정해지지 않은, 덧없는, 무상한 **3** 음탕한, 외설적인, 호색의
lu·bri·to·ri·um [lùːbrətɔ́ːriəm] *n.* 《미·구어》 주유소
Lu·can, -kan [lúːkən] *a.* 성(聖)누가(St. Luke)의
Lu·cas [lúːkəs] *n.* 남자 이름
luce [lúːs] *n.* 〖어류〗 창꼬치
lu·cen·cy [lúːsnsi] *n.* Ⓤ 광휘(光輝); 투명(성)
lu·cent [lúːsnt] *a.* **1** 빛을 내는, 번쩍이는(bright) **2** 빛을 통하는, 투명한 **~·ly** *ad.*
lu·cern(e) [luːsə́ːrn] *n.* 《영》 〖식물〗 자주개자리 (《미》 alfalfa)
lu·ces [lúːsiːz] *n.* LUX의 복수
Lu·cia [lúːʃə, -ʃiə, -siə | -siə] *n.* 여자 이름
Lu·cian [lúːʃən | -siən] *n.* 남자 이름
***lu·cid** [lúːsid] [L 「빛나는」의 뜻에서] *a.* **1** 맑은, 투명한(clear): **~** water 맑은 물 **2** 명쾌한, 알기 쉬운: a **~** explanation 명쾌한 설명 **3** 두뇌가 명석한, 이해력이 뛰어난; 〖정신의학〗 〈정신병자가〉 의식이 맑은; 제정신인 **4** 《시어》 번쩍이는, 밝은 **5** 〖천문〗 육안으로 보이는 **6** 〖식물·곤충〗 매끄럽고 윤이 나는
~·ly *ad.* **~·ness** *n.*
lúcid dréam 〖심리〗 명석몽(明晳夢), 자각몽(自覺夢) 《꿈꾸고 있음을 자각하면서 꾸는 꿈》
lúcid ínterval 〖의학〗 의식 청명기 《정신병의 관해기(寬解期)》; (혼란 사이의) 평온기
lu·cid·i·ty [luːsídəti] *n.* Ⓤ **1** 명료, 명석 **2** 평정(平靜) 《미친 사람의》, 본정신, 제정신 **3** 밝기, 광명 **4** 맑음, 청명, 투명
Lu·ci·fer [lúːsəfər] [L 「빛을 가져오는」의 뜻에서] *n.* **1** 샛별, 금성(Venus) **2** 〖성서〗 마왕(Satan): (as) proud as **~** 마왕처럼 오만한 **3** [**l~**] 황린(黃燐) 성냥(= **l∠ màtch**)
lu·cif·er·ase [luːsífərèis] *n.* Ⓤ 〖생화학〗 루시페라아제, 발광 효소
lu·cif·er·in [luːsífərin] *n.* Ⓤ 〖생화학〗 발광소(發光素) 《개똥벌레 등의》
lu·cif·er·ous [luːsífərəs] *a.* 《고어》 **1** 빛나는, 번쩍이는 **2** 빛을 주는, 계발(啓發)하는
lu·cif·u·gous [luːsífjugəs] *a.* 〖생물〗 일광을 피하는, 배일성(背日性)의

Lu·cil(l)e [lusíːl] *n.* 여자 이름
Lu·cin·da [luːsíndə] *n.* 여자 이름
Lu·cite [lúːsait] *n.* 투명 합성수지(樹脂) 《반사경·비행기의 창 등에 쓰임; 상표명》
Lu·cius [lúːʃəs | -siəs] *n.* 남자 이름
‡**luck** [lʌ́k] *n.*, *v.*

> ME 「운명, 행복」의 뜻에서
> 좋고 나쁜 것에 관계없이 「운」→(특히 좋은 운) 「행운」

— *n.* Ⓤ **1** 운(chance), 운세; 운명, 천명, 천운: a man who has no ~ with women 여복이 없는 남자/My ~'s in[out]. 《구어》 나는 운이 좋다[나쁘다]. **2** 행운, 성공: (~+*to* do) I had the ~ *to* see her there. 운 좋게 그곳에서 그녀를 만났다./There's ~ in leisure. 《속담》 기다리면 행운이 온다. **3** Ⓒ 《고어》 행운을 가져오는 물건 《술잔 등》
Any [***No***] ***~?*** 《구어》 잘됐어? ***as ~ would have it*** 운수 좋게도 《★ luck 앞에 good, ill을 쓰기도 함》 ***bad*** [***hard, ill***] ***~*** 불운, 액운: *Bad* ~ to you [him]! 이[저] 빌어먹을 놈! ***be in ~'s way*** 운이 좋아지고 있다 ***by good ~*** 다행히도 ***chance*** one***'s ~*** [***arm***] 《미·구어》 (실패를 각오하고) 해보다 ***crowd*** [***press, push, ride***] one***'s ~*** 《미·구어》 기회를 지나치게 이용하다, 운에 맡기고 위험한 짓을 하다 ***down on*** one***'s ~*** 《구어》 운이 나빠서, 운수가 사나워서 ***for ~*** 재수 있기를 빌며, 운수 좋으라고 ***Good ~*** (***to you***)***!*** 행운을 빕니다, 행운이 있기를! ***have no ~*** 운이 나쁘다 ***have the ~ of the devil*** [***the devil's own ~, the ~ of the Irish***] 《구어》 몹시 운이 좋다 ***have the ~ to*** do 다행히 …할 수 있다(⇨ *n.* 2) ***in*** [***out of, off***] ***~*** 운이 좋아[나빠서] ***Just my ~!*** 또 글렀다! ***L~ favored me, and*** I won. 다행히도 (나는 이겼다). ***No such ~!*** 《구어》 운이 없군! 《바라던 일이 이루어지지 않아 실망스러울 때 하는 말》 ***try*** one***'s ~*** 운수를 시험해 보다, 되든 안 되든 운수에 맡기고 해보다 ***worse ~*** 《구어》 공교롭게도, 재수 없이
— *vi.* 《미·구어》 〈사람이〉 운이 좋다, 재수 있다 《*out*》; 운 좋게 성공하다, 《용케》 찾아내다 《*out*》
~ into 《구어》 운 좋게 얻어내다[획득하다]
▷ lúcky, lúckless *a.*
‡**luck·i·ly** [lʌ́kili] *ad.* **1** 운 좋게 **2** [문장이나 절을 수식하여] 다행히도: *L~* she was at home. 다행히도 그녀는 집에 있었다. ▷ lúcky *a.*
luck·i·ness [lʌ́kinis] *n.* Ⓤ 운이 좋음, 행운
*****luck·less** [lʌ́klis] *a.* 《문어》 불운한, 불행한, 재수 없는 **~·ly** *ad.* **~·ness** *n.*
luck·mon·ey [-mʌ̀ni] *n.* = LUCKPENNY
luck·pen·ny [lʌ́kpèni] *n.* Ⓤ 《영》 행운의 돈 《재수 좋으라고 가지고 다니는 주화, 또는 거래 성립시에 파는 사람이 사는 사람에게 돌려주는 돈》
‡**luck·y** [lʌ́ki] *a.* (**luck·i·er**; **-i·est**) **1** 행운의, 운수 좋은(⇨ happy 유의어): a ~ beggar[dog] 행운아/a ~ day 길일(吉日)/a ~ guess[hit, shot] 요행수로 맞히기/by a ~ chance 운좋게, 행운으로 // (~+*to* do) He was ~ *to* escape being killed in that accident. 그 사고에서도 죽지 않았다니 그는 참 운이 좋았다. // (~+*that* 절) You were ~ *that* you met him then. 그때 그를 만났다니 너는 운이 좋았다./I was ~ *that* I had missed the boat that was wrecked. 조난 당한 배를 놓쳐서 못 탔으니 운이 좋았다. **2** 행운을 가져오는: a ~ penny 행운의 동전
L~ me! 됐다, 다행이다! You[He, etc.] ***should be so ~!*** 《구어》 [반어적으로] 안됐군, 자만은[기우는] 그만하시지.
— *n.* (*pl.* **luck·ies**) **1** 운이 좋은 것, 행운을 가져오는 것 **2** 《미·속어》 도망(escape) **3** 《스코》 할머니 《부를 때 쓰는 말》 ***cut*** [***make***] one***'s ~*** 도망치다
▷ lúck, lúckiness *n.*; lúckily *ad.*
lúcky bág[《영》 **díp**] **1** 보물찾기 주머니, 복주머니 (《미》 grab bag) **2** [a ~] 운수 소관
lúcky bréak 운(運), 행운
lúcky chárm 행운의 마스코트; 부적
lúcky séventh 〖야구〗 행운의 7회, 러키 세븐
lu·cra·tive [lúːkrətiv] *a.* **1** 유리한, 돈이 벌리는 (profitable) **2** 〖법〗 무상으로 얻은
~·ly *ad.* **~·ness** *n.*
lu·cre [lúːkər] [L = gain] *n.* Ⓤ 《경멸》 이익, 이득 (profit); 부, 재물(riches); 돈: filthy ~ 부정 이득
Lu·cre·tia [luːkríːʃə, -ʃiə] *n.* **1** 여자 이름 **2** 루크레티아 《고대 로마 전설에 나오는 열녀의 이름》 **3** 《일반적으로》 열녀, 정숙한 여자의 귀감
lu·cu·brate [lúːkjubrèit] *vi.* 《주로 문어》 **1** 밤늦게까지 열심히 공부하다[일하다] **2** 노작(勞作)을 만들어 내다 **-brà·tor** *n.* **-brá·tion** *n.* Ⓤ 열심히 공부[일]하기
lu·cu·lent [lúːkjulənt] *a.* **1** 〈설명 등이〉 명쾌한, 명료한; 설득력 있는 **2** 《드물게》 빛나는, 밝은 **~·ly** *ad.*
Lu·cul·lan [luːkʌ́lən], **Lu·cul·li·an** [luːkʌ́liən] *a.* 〈음식이〉 호화로운, 사치스러운
lu·cus a non lu·cen·do [lúːkəs-ei-nɑ́n-luːséndou] [L] **1** 모순적인 어원설(語源說) **2** 터무니없는 억설, 조리 없는 말
Lu·cy [lúːsi] *n.* **1** 여자 이름 **2** 루시 《1974년 에티오피아 동부에서 발견된 원인(原人)의 화석에 붙인 이름》
Lúcy Stón·er [-stóunər] [제창자 Lucy Stone에서] 여권 옹호론자, 《특히》 여자는 결혼해도 성을 바꿔서는 안 된다고 주장하는 사람
lud [lʌ́d] *n.* 《영》 = LORD ***My ~*** 재판장님 《변호사가 재판장을 부르는 호칭》
Lud·dite [lʌ́dait] [파괴 활동의 지도자 Ned Ludd에서] *n.* **1** 러다이트 《영국의 산업 혁명 당시(1811-16) 실직을 염려하여 기계 파괴 운동을 일으킨 직공단(團)》 **2** [**l~**] 기계화·자동화에 반대하는 사람
Lud·dism [lʌ́dizm], **Lúd·dit·ism** *n.* **Lúd·dit·ish** *a.*
lude [lúːd] *n.* 《미·속어》 = QUAALUDE
lu·dic [lúːdik] [F] *a.* 놀이의, 놀기 좋아하는
*****lu·di·crous** [lúːdəkrəs] *a.* 웃기는, 우스꽝스러운, 익살 부리는; 가소로운; 바보같은 (⇨ funny 유의어)
~·ly *ad.* **~·ness** *n.*
lu·do [lúːdou] *n.* 《영》 Ⓤ 주사위로 하는 점수 따기 놀이
lu·es [lúːiːz] [L] *n.* Ⓤ **1** 〖병리〗 매독 (syphilis)(= **~ ven·é·rea** [-viníəriə]) **2** 역병(疫病), 전염병
lu·et·ic [luːétik] *a.* 매독의[에 걸린] **-i·cal·ly** *ad.*
luff [lʌ́f] *vi.* 뱃머리를 바람이 불어오는 쪽으로 돌리다
— *vt.* 〖요트경기〗 〈상대방의〉 바람 불어오는 쪽으로 나아가다 ***~ the helm*** 바람 부는 쪽으로 이물을 돌리다
— *n.* 〖항해〗 **1** 《배를》 바람이 불어오는 쪽으로 돌림 **2** 《영》 이물의 만곡부(部); 종범(縱帆)의 앞 가장자리
luf·fa(h) [lúːfə, lʌ́fə | lʌ́fə] *n.* 〖식물〗 수세미외; 그 열매
Lúft·han·sa Gérman Áirlines [lúfthɑ̀ːnzə-] 루프트한자 독일 항공 《略 LH》
Luft·waf·fe [lúftvɑ̀ːfə] [G] *n.* (*pl.* **-fen** [-fən]) (나치스 시대의) 독일 공군
lug[1] [lʌ́g] *v.* (**~ged**; **~·ging**) *vt.* **1** 힘껏 끌어당기다 《*about, along*》; 질질 끌다, 억지로 데리고 가다 《*along*》: ~ a suitcase upstairs 여행 가방을 위층으로 끌어올리다 **2** 《구어》 〈관계없는 말 등을〉 꺼내다 《*in, into*》 — *vi.* **1** 세게 당기다 《*at*》 **2** 무거운 것이 느릿느릿 움직이다
— *n.* **1** 힘껏 당김 **2** 《미·속어》 (강제적인) 정치 헌금 ***put*** [***drop***] ***the ~ on*** a person 《미·속어》 …에게 정치 헌금을 강요하다
lug[2] *n.* **1** 《영·스코·구어》 귀, 귓불 **2** 돌기(突起), 귀처럼 쑥 나온 부분 **3** 손잡이, 자루: a ~ bolt 귀 달린 볼트 **4** 《속어》 게으름뱅이, 느림보 **5** 《미·속어》 우쭐댐 **6** 《속어》 얼간이, 둔한[단순한] 사람

thesaurus **lucky** *a.* fortunate, blessed, favored, successful, prosperous, happy, advantaged
ludicrous *a.* laughable, ridiculous, derisible,

lug[3] *n.* =LUGSAIL
lug[4] *n.* =LUGWORM
luge [lúːʒ] *n.*, *vi.* (스위스식) 1인용 경기 썰매(로 달리다) **lúg·er** *n.*
Lu·ger [lúːgər] *n.* 루거 《독일제 반자동 권총; 상표명》
lug·ga·ble [lʌ́gəbl] *n.* 힘겹게 운반할 정도로 무거운 것
‡**lug·gage** [lʌ́gidʒ] *n.* 《영》 =BAGGAGE
lúggage ràck 《영》 (전철 등의) 그물 선반
lúggage vàn 《영》 =BAGGAGE CAR
lug·ger [lʌ́gər] *n.* 〖항해〗 lugsail을 단 소형 돛배
lug·hole [lʌ́ghòul] *n.* 《영·구어》 귓구멍
lúg nùt 큰 너트 《자동차 바퀴용》
lug·sail [-sèil, 〖항해〗 -səl] *n.* 〖항해〗 러그세일 《네모꼴 돛의 일종》
lu·gu·bri·ous [lugjúː-briəs] *a.* 가련한, 애처로운, 불쌍한(sad); 우울한(dismal) **~·ly** *ad.* **~·ness** *n.*

lugger

lug·worm [lʌ́gwə̀ːrm] *n.* 갯지렁이 《낚시 미끼》
Luke [lúːk] *n.* **1** 〖성서〗 누가; 누가복음 **2** 남자 이름
luke·warm [lúːkwɔ́ːrm] *a.* **1** 〈액체가〉 미지근한 **2** 마음이 내키지 않는(halfhearted), 미온적인, 열의가 없는, 냉담한, 적당히[되는대로] 해치우는: be ~ about …에 무관심하다 **—** *n.* 냉담한 사람
~·ly *ad.* **~·ness** *n.*
LULAC League of United Latin-American Citizens 《미》 라틴 아메리카 시민 연맹
‡**lull** [lʌ́l] [의성어] *vt.* **1** 〈어린애〉 달래다, 어르다; 〈남을〉 달래어 …하게 하다 《*to, into*》: 《~+목+전+명》 ~ a person *into* contentment …을 달래어 만족하게 하다 / ~ a crying baby *to* sleep 우는 아이를 달래어 재우다 **2** 〈사람·마음을〉 안심[진정]시키다 **3** [보통 수동형으로] 〈파도·폭풍우 등을〉 가라앉히다, 누이다: The waves *were* ~*ed*. 파도가 잠잠해졌다. **4** 〈남을〉 속여서 안심시키다 《*into*》
— *vi.* 가라앉다, 멎다, 〈물결이〉 자다
— *n.* **1** (비·바람·폭풍우 등의) **진정, 잠잠함,** 뜸함 《*in*》: a ~ *in* the wind 바람이 멎음 **2** 일시적인 고요, (병의) 소강(小康), 중간 휴식; 일시적 불경기 《*in*》: the ~ before the storm 폭풍 전의 고요 **3** 기분 좋게 들리는 소리 **4** 《고어》 자장가
***lull·a·by** [lʌ́ləbài] *n.* (*pl.* **-bies**) **1** 자장가(cradlesong) **2** 졸음을 자아내는 노래[소리]; 미풍 소리
— *vt.* (**-bied**) 자장가를 불러 잠들게 하다
lull·ing [lʌ́liŋ] *a.* 달래는[어르는] (듯한) **~·ly** *ad.*
lu·lu [lúːluː] 《미·속어》 **1** 뛰어난 사람, 일품, 미인 **2** (주 의원 등에게 주는) 특별 수당
Lu·lu [lúːluː] *n.* 여자 이름 《Louisa, Louise의 애칭》
LULU locally unwanted[undesirable] land uses 《쓰레기 처리장, 교도소, 도로 따위》
lumb- [lʌmb], **lumbo-** [lʌ́mbou, -bə] 《연결형》 「loin(허리)」의 뜻 《모음 앞에서는 lumb-》: *lumb*ago
lum·ba·go [lʌmbéigou] *n.* Ⓤ 〖병리〗 요통
lum·ba·gi·nous [lʌmbéidʒinəs] *a.*
lum·bar [lʌ́mbər, -bɑːr] 〖해부〗 *a.* Ⓐ 허리 (부분)의: the ~ vertebra 요추(腰椎) / ~ nerve 요신경
— *n.* 요동맥[정맥]; 요신경; 요추
lúmbar pùncture 〖의학〗 척수 천자(穿刺)(spinal tap) 《척수액을 뽑아내는 일》
‡**lum·ber**[1] [lʌ́mbər] [Lombard(전당포 주인)에서; 롬바르드 사람이 전당포를 경영하면서 쓸데없는 물건을 모은 데서] *n.* Ⓤ **1** 잡동사니, 쓸데없는 물건; 《주로 영》 오래된 가구 《등》 **2** 《미·캐나다》 **재목,** 톱으로 켠 나무, 판재(板材)(《영》 timber) **3** 《특히》 말의 여분의 지방 **4** 《속어》 집, 방; (장물의) 은닉처 ***in*** **~** 《속어》 투옥되어 ***in*** [***into***] (***dead***) **~** 《구어》 곤란한 입장에
— *vt.* **1** 〈재목을〉 벌채하다, 제재하다 **2** 〈방·장소 등을〉 차지하다, 비좁게 하다 《*up, over*》; 〈방에〉 잡동사니를 처넣다, 어지르다 《*up*》: 《~+목+부》 《~+목+전+명》 ~ *up* a room *with* papers 방을 서류로 어질러 놓다 **3** 아무렇게나 쌓아올리다
— *vi.* **1** 《미·캐나다》 나무를 벌채하다, 제재하다 **2** 잡동사니로 장소를 차지하다, 〈물건이〉 잡동사니가 되다
~ a person ***with*** 《영·구어》 (골칫거리를) …에게 떠맡기다 **~·er** *n.* 제재[벌목]업자 **~·ing**[1] *n.* Ⓤ 제재[벌목]업 **~·less** *a.*
lumber[2] *vi.* 쿵쿵 걷다, 〈전차가〉 굉음을 내며 나아가다, 육중하게 움직이다 《*along, by, past, up*》
~·ing[2] *a.* 덜거덕거리며[육중하게] 가는 **~·ing·ly** *ad.*
lum·ber·jack [lʌ́mbərdʒæ̀k] *n.* 벌목하는 사람; =LUMBER JACKET
lúmber jàcket 럼버 재킷 《나무꾼의 작업복을 본뜬, 허리까지 닿는 상의》
lum·ber·man [-mən] *n.* (*pl.* **-men** [-mən, -mèn]) **1** 벌목하는 사람(lumberjack) **2** 제재업자 **3** 《미·속어》 지팡이를 짚은 거지
lum·ber·mill [-mìl] *n.* 제재소(sawmill)
lúmber ròom 《영》 헛간, 광
lum·ber·some [lʌ́mbərsəm] *a.* =CUMBERSOME
lum·ber·yard [lʌ́mbərjɑ̀ːrd] *n.* 《미》 재목 저장소[하치장](《영》 timberyard)
lum·bo [lʌ́mbou] *n.* 《미·속어》 콜롬비아산(産) 대마초
lu·men [lúːmin] [L] *n.* (*pl.* **-mi·na** [-mənə]) 〖광학〗 루멘 《광속(光束)의 단위; 略 lm》
Lu·mière [lumjɛ́ər] *n.* 뤼미에르 **Auguste Marie Louis Nicolas ~** (1862-1954), **Louis Jean ~** (1864-1948) 《프랑스의 화학자 형제; 영화 촬영기·영사기 발명》
lu·mi·naire [lùːmənɛ́ər] *n.* (전등·갓·소켓 따위 한 벌로 된) 조명 기구
lú·mi·nal árt [lúːmənəl-] 전광(電光) 예술, 빛의 예술 《채색 전광에 의한 시각 예술》
lu·mi·nance [lúːmənəns] *n.* **1** 광휘, 발광성(發光性) **2** 〖광학〗 휘도(輝度)
lu·mi·nant [lúːmənənt] *a.* 빛나는, 빛을 내는, 광채를 내는 **—** *n.* 발광체
lu·mi·nar·i·a [lùːmənɛ́əriə] [Sp.] *n.* (*pl.* **~s** [-z]) 루미나리아 《멕시코의 크리스마스 장식용 등(燈)》
lu·mi·nar·ist [lúːmənərist] *n.* 빛을 잘 다루는 화가
lu·mi·nar·y [lúːmənèri | -nəri] *n.* (*pl.* **-nar·ies**) **1** 《문어》 발광체 《특히 태양·달》 **2** 등불, 인공 조명 **3** 권위자, 선각자, (빛이 되는) 위대한 지도자; 유명인
lu·mi·nesce [lùːmənés] *vi.* 냉광(冷光)을 발하다
lu·mi·nes·cence [lùːmənésns] *n.* Ⓤ 발광; 〖물리〗 냉광(冷光) 《열이 없음》
lu·mi·nes·cent [lùːmənésnt] *a.* 발광성의; 냉광성의: ~ creatures 발광 생물
lu·mi·nif·er·ous [lùːmənífərəs] *a.* 빛을 내는[전달하는], 발광성의
lu·mi·nism [lúːmənìzm] *n.* [때로 **L~**] 루미니즘 《19세기 미국의 풍경화 양식 또는 19세기 프랑스 인상파의 한 파》 **lú·min·ist** *n.*
lu·mi·nos·i·ty [lùːmənɑ́səti | -nɔ́s-] *n.* (*pl.* **-ties**) **1** Ⓤ 광명, 광휘, 발광(성) **2** 발광물(체); 빛나는[걸출한, 훌륭한] 것 **3** Ⓤ (항성의) 광도 **4** 총명, 재기 발랄함
‡**lu·mi·nous** [lúːmənəs] [L 「빛이 가득한」의 뜻에서] *a.* **1 a** 빛을 내는, 빛나는, 반짝이는; 야광의: a ~ body 발광체 **b** 밝은; 조명을 받은 《*with*》 **2** 〈작가·작품 등이〉 지적으로 뛰어난, 총명한, 계몽적인 **3** 이해하기 쉬운; 명쾌한: a ~ remark[explanation] 알기 쉬운 말[설명] / a concise, ~ report 간결하고 명쾌한 보고서 **4** 〖광학〗 시각(視覺)의 **~·ly** *ad.* **~·ness** *n.*
▷ luminósity *n.*

---

comic, silly, funny, humorous, amusing
luminous *a.* lighted, illuminated, shining, bright, brilliant, radiant, dazzling, glowing

lúminous emíttance 〔광학〕 광속(光束) 발산도
lúminous énergy 〔광학〕 가시 광선
lúminous flúx 〔광학〕 광속 《보통 lumen으로 표시》
lúminous inténsity 〔광학〕 광도 《보통 candela로 표시》
lúminous páint 발광[야광] 도료
lum·me, -my [lʌ́mi] *int.* 《속어》 아이고, 야아, 아아, 오오 《강조·놀람의 소리》
lum·mox, -mux [lʌ́məks] *n.* 《구어》 재치 없고 둔팍한 녀석, 굼벵이, 멍청이(lump)
‡**lump**[1] [lʌ́mp] *n.* **1** 덩어리, 덩이: a ~ of coal 석탄 한 덩이 **2** 각설탕: a ~ of sugar 각설탕 (한 개)/How many ~*s* in your coffee, Jane? 제인, 커피에 설탕 몇 개 넣을까? **3** [a ~] 《속어》 다량, 듬뿍: a ~ of money 많은 돈 **4** 〔병리〕 혹, 부어오른 멍: a blow that raised a ~ on his head 그의 머리에 혹을 만든 한 방 **5** [때로 *pl.*] 다수, 대다수 (majority) **6** [*pl.*] 《미·구어》 (격렬한) 비판; 채찍질(의 벌), 당연한 응보 **7** 《구어·경멸》 땅딸보; 멍청이 **8** [the ~; 집합적] 《영·구어》 임시 건설 노동자
all of a **~** 통틀어, 한 덩어리가 되어; 온통 부어올라 ***a ~ of clay*** 한 덩어리의 진흙; 〔성서〕 사람 ***a ~ of selfishness*** 이기심의 덩어리 ***feel a ~ in the*** [one's] ***throat*** 목이 메다 《감동하여》, 가슴이 벅차다 ***get*** [***take***] one's ***~s*** 《미·구어》 호되게 맞다[벌받다] ***give*** one's ***~s*** 《미·구어》 몹시 혼내다 ***in a*** [***one***] **~** 한꺼번에, 일괄적으로 ***in*** [***by***] ***the ~*** 통틀어, 몽땅, 전반적으로 보면
— *a.* Ⓐ 덩어리의; 한 무더기의; 한 번에 지불하는: ~ sugar 각설탕/~ work 일괄하여 청부 맡은 일, 도급
— *vt.* **1** 한 덩어리로 만들다; 일괄하다; (차이를 무시하고) 일률적으로 다루다 《*together, with, in with, under*》: Let us ~ all the expenses. 비용은 전부 일괄합시다.// (~+목+전+명) They ~*ed* the old things *with* the new. 그들은 낡은 것과 새 것을 한데 합쳐 취급했다. **2** 덩어리로 부풀게 하다, 덩어리로 만들다: (~+목+전+명) His pockets were ~*ed with* balls. 그의 호주머니는 공으로 불룩해 있었다. **3** 〈돈을〉 전부를 걸다 《*on*》 **4** 싣다 《*on*》
— *vi.* **1** 한 덩어리[일단]가 되다, 덩이지다 **2** 육중하게[뒤룩뒤룩] 움직이다 《*along*》; 털썩 앉다 《*down*》
▷ lúmpish, lúmpy *a.*
lump[2] *vt.* 《구어》 〈불쾌한 일을〉 참다, 인내하다
like it or ~ it 좋아하든 좋아하지 않든 ***L~ it!*** 참아라, 얌전하게 굴어!
lump[3] *n.* = LUMPFISH
lump·ec·to·my [lʌmpéktəmi] *n.* Ⓤ 〔의학〕 유방 종양 절제술, 유선종류(乳腺腫瘤) 적출(술)
lum·pen [lʌ́mpən] [G] *a.* 사회적 지위를 잃은 사람의, 부랑 생활을 하는, 룸펜의
— *n.* 부랑 생활자, 룸펜
lum·pen·prole [lʌ́mpənpròul] *n.* = LUMPEN
lum·pen·pro·le·tar·i·at [-pròulitέəriət] *n.* [때로 **L~**] 부랑 노동자 《마르크스 이론에서 계급 의식이 희박하여 혁명 세력이 못 되는 노동자층》
lump·er [lʌ́mpər] *n.* **1** 부두 노무자, 하역 인부 **2** 《영》 소(小)청부업자 **3** 《구어》 〔생물〕 (생물 분류상의) 병합파(併合派) 분류학자(opp. *splitter*)
lump·fish [lʌ́mpfiʃ] *n.* (*pl.* **~, ~·es**) 〔어류〕 새알고기 《북대서양산(産)》
lump·ing [lʌ́mpiŋ] *a.* 《구어》 많은; 무거운; 부피가 큰, 커다란 **~·ly** *ad.* 무거운 듯이; 어색하게
lump·ish [lʌ́mpiʃ] *a.* **1** 덩어리[뭉치] 같은; 뭉뚝한, 육중한; 묵직한 **2** 멍청한, 아둔한, 둔팍한 **3** 〈소리가〉 무거운, 둔탁한 **~·ly** *ad.* **~·ness** *n.*
lump·off [lʌ́mpɔ:f] *n.* 《미·속어》 멍청이, 등신
lúmp súm (일괄하여 일시에 지불하는) 총액, 일괄[일시]불(의 금액): in a ~ 일괄해서; 〈꽤 큰 금액을〉 즉시에 모두 다 **lúmp-súm** *a.*
lump·us [lʌ́mpəs] *n.* 《미·구어》 바보
lump·y [lʌ́mpi] *a.* (**lump·i·er**; **-i·est**) **1** 덩어리진, 덩어리 투성이의, 혹투성이의; 울퉁불퉁한 **2** 바람에 잔 물결이 이는 **3** 육중하고 둔팍한; 땅딸막한 **4** 〈문체 등이〉 생경한, 어색한 **5** 〈보석 등이〉 큼직한; 큼직하게 잘린 **lúmp·i·ly** *ad.* **lúmp·i·ness** *n.*
lúmpy jáw 〔수의학〕 (가축 등의) 방선균병(放線菌病)
Lu·na [lú:nə] [L 「달」의 뜻에서] *n.* **1** 〔로마신화〕 달의 여신; 달(cf. DIANA, ARTEMIS) **2** [종종 **l~**] 은(銀) **3** [**l~**] 〔가톨릭〕 반월형 성체 그릇 **4** [**l~**] = LUNA MOTH **5** 루나 《러시아의 달 탐사선》
lu·na·base [lú:nəbèis] *n., a.* 〔천문〕 달의 바다 부분[평탄부](의)(opp. *lunarite*)
lu·na·cy [lú:nəsi] *n.* **1** Ⓤ 간헐성(間歇性) 정신병; 정신 이상; 광기, 광증 **2** [보통 *pl.*] 미친 짓, 어리석은 짓 **3** 〔법〕 정신 장애, 심신 상실
lúna mòth 〔곤충〕 대형 멧누에나방 《북미산(産)》
lu·na·naut [lú:nənɔ̀:t] *n.* = LUNARNAUT
*__lu·nar__ [lú:nər] [L 「달의」의 뜻에서] *a.* **1** 달의, 태음(太陰)의(cf. SOLAR): a ~ landing ship[lander] 달 착륙선 **2** 달 같은; 초승달[반달] 모양의 **3** 달의 작용에 의한 **4** 〈빛 등이〉 푸르스름한, 엷은(pallid) **5** 은(銀)의[을 함유하는] **6** 〔의학〕 반월형 뼈의
lúnar cálendar 태음력(太陰曆)
lúnar cáustic 〔의학·화학〕 (막대 모양의) 질산은(銀)
lúnar cýcle 〔천문〕 태음 주기
lúnar dáy 태음일 《약 24시간 50분》
lúnar dístance 〔항해〕 월거(月距) 《달과 태양[별]과의 각거리(角距離)》
lúnar eclípse 〔천문〕 월식
lúnar (**excúrsion**) **mòdule** 〔우주 과학〕 (Apollo 우주선의) 달 착륙선 《略 L(E)M》
lu·nar·i·an [lu:nέəriən] *n.* **1** (상상적인) 달나라 주민 **2** 달 전문가, 달 물리학자
lu·na·rite [lú:nəràit] *n., a.* 〔천문〕 달의 고지(高地) 부분(의)(opp. *lunabase*)
lúnar máss 〔천문〕 달의 질량 《주로 행성의 위성 질량 측정 단위; $= 7.35 \times 10^{25}$g》
lúnar mónth 태음월(太陰月), 음력 달 《약 29일 12시간 44분》
lu·nar·naut [lú:nərnɔ̀:t] *n.* 달 탐색 우주 비행사
lúnar nódes 〔천문〕 달의 교점(交点) 《달의 궤도가 황도(黃道)와 교차하는 점》
lúnar observátion 〔항해〕 태음 관측 《월거(lunar distance)에 의한 경도 결정》
lúnar órbit **1** 〔천문〕 달의 공전 궤도 **2** (달 탐사선의) 달 주위를 도는 궤도
Lúnar Órbiter 달 궤도 탐색 인공위성
lúnar pólitics 가공적인 문제, 비현실적인 일
lúnar próbe 달 탐사(선)
lúnar ráinbow 달무지개, 월홍(月虹)(moonbow)
lúnar róver 월면(月面) 작업차
lu·nar·scape [lú:nərskèip] *n.* 월면 광경
lúnar yéar 태음년(太陰年) 《lunar month에 의한 12개월; solar year보다 약 11일 짧음》
lu·nate [lú:neit] *a.* 초승달 모양의
— *n.* 〔해부〕 (손목의) 초승달 모양의 뼈(=**~ bóne**); 〔고고학〕 루네이트 《초승달 모양 세석기(細石器)의 총칭》 **~·ly** *ad.*
*__lu·na·tic__ [lú:nətik] [L 「달의 영향을 받은」의 뜻에서; 옛날에는 달에서 나오는 영기(靈氣)에 닿으면 미친다고 여겨졌음] *n.* 미치광이; 괴팍한 사람, 괴짜, 바보; 〔법〕 정신 이상자 《법적 책임을 물을 수 없는》
— *a.* **1** 정신 이상의(insane); 〈행동 등이〉 미치광이 같은, 엉뚱한, 어리석기 짝이 없는; 정신 이상자를 위한: a ~ asylum 정신 병원 **2** 들썽들썽한, 들뜬; 색다른, 별난 **3** 〈말이〉 월맹증(月盲症)에 걸린(moon-blind)
▷ lúnacy *n.*
lúnatic frínge [보통 the ~; 집합적] 소수 과격파[열광자들]

thesaurus **lump**[1] *n.* **1** 덩어리 mass, chunk, hunk, piece **2** 혹, 멍 bump, swelling, bruise, hump

lu·na·tion [lu:néiʃən] *n.* 태음월, 삭망월(朔望月) 《초승달부터 다음 초승달까지의 기간》

‡**lunch** [lʌ́ntʃ] [*lunch*eon] *n.* **1** U.C (dinner를 저녁에 먹는 사람의) **점심**(luncheon), 《영》 (낮에 dinner를 먹을 때는 아침과 dinner 사이의) 경식사, 스낵 **2** U.C 《미》 **간단한 식사** 《시간을 가리지 않는》, 도시락 **3** 《미》 간이식당, 경식당(lunchroom)
blow (one***'s***) **~** 《미·속어》 토하다 ***eat***[***have***] a person***'s*** **~** …을 철저히 혼내 주다 ***loose***[***shoot, spill, toss***] one***'s*** **~** = blow (one's) LUNCH. ***open*** one***'s*** **~** 《호주·비어》 방귀를 뀌다 ***out to*** **~** 점심 먹으러 외출 중인; 《미·속어》 머리가 멍하여, 속수무책으로, 정신이 이상해져서; 시대에 뒤진
— *vi., vt.* 점심을 먹다[…에게 주다] **~** ***in***[***out***] 집[밖]에서 점심을 먹다 **~ *off*** …을 점심 식사로 하다 **~·er** *n.* 도시락집[가게] **~·less** *a.*

lunch·box [lʌ́ntʃbɑ̀ks | -bɔ̀ks] *n.* 도시락

lúnch brèak = LUNCH HOUR

lunch·buck·et [lʌ́ntʃbʌ́kit] *n.* 도시락(lunchbox) **—** *a.* 《미·속어》 노동자 계급의 (이익을 옹호하는)

lúnch còunter 《미》 간이 식당(의 식탁)

‡**lunch·eon** [lʌ́ntʃən] [ME *nuncheon*(정오의 음료)의 뜻에서; n이 와전됨] *n.* **1** U.C **점심**(lunch); 오찬 모임 《특히 정식의》: hold a ~ 오찬회를 열다 **2** (노동자의) 간단한 식사 《빵과 치즈 또는 베이컨 등의 간단한 것》 **3** 《미》 (늦은) 야식
— *vi.* 점심을 먹다 **~·less** *a.*

lúncheon bàr 《영》 = SNACK BAR

lunch·eon·ette [lʌ̀ntʃənét] *n.* 《미》 간이 식당, 경식당, 스낵 바; (학교·공장 등의) 구내 식당

lúncheon mèat 인스턴트 가공육 《샌드위치·샐러드용 소시지 등》

lúncheon vòucher 《영》 식권 《회사 등에서 고용인에게 지급되는》

lúnch hòme 《인도》 식당(restaurant)

lúnch hòur 점심[휴식] 시간

lúnch làdy 《미》 학교 급식 담당 여성

lunch·pail [lʌ́ntʃpèil] *n.* 도시락 (그릇)

lunch·room [lʌ́ntʃrù:m] *n.* 《미》 간이 식당; (학교·공장 등의) 구내 식당

lunch·time [-tàim] *n.* U 점심 시간

lúnchtime abòrtion 《구어》 진공 흡인식 임신 중절 《소요 시간이 짧은 데서》

lúnch wàgon 《미》 이동식 간이 식당

lune [lú:n] [F = moon] *n.* **1** 〖기하〗 활꼴; 반달 모양의 것 **2** 달 **3** [*pl.*] 광기의 발작 **4** 〖가톨릭〗 = LUNA 3

lu·nette [lu:nét] *n.* **1** 초승달 모양의 물건[공간] **2** 〖건축〗 아치형 채광창(vault) **3** (둥근 지붕이 벽과 접촉되는 곳에 생긴) 반원 공간 **4** 〖축성〗 안경보(眼鏡堡) **5** 견인차의 접속용 고리 **6** 〖가톨릭〗 = LUNA 3 **7** (시계의) 평면 유리 뚜껑 **8** (말의) 눈가리개

‡**lung** [lʌ́ŋ] [OE 「가벼운 기관(器官)」의 뜻에서] *n.* **1** 〖해부〗 폐, 허파: a ~ disease[illness] 폐 질환, 폐병 **2** 〖동물〗 폐낭, 서폐(書肺)(= book ~) **3** [보통 *pl.*] 《영》 (대도시 내외의) 공기가 신선한 공터: the ~s of London 런던 시내 또는 부근의 공터·광장·공원 **4** 인공 호흡 장치 **5** 잠수함 탈출 장치 ***at the top of*** one***'s*** **~*s*** (목청이 터지도록) 큰 소리로, 소리 지르며 ***have good*** **~*s*** 목소리가 크다 **~*s of oak*** = LUNGWORT. ***try*** one***'s*** **~*s*** 힘껏 소리 지르다

lunge[1] [lʌ́ndʒ] *n.* **1** (특히 펜싱 따위의) 찌르기(thrust) **2** 돌입, 돌진(plunge)
— *vi.* **1** 찌르다 《*at*》 **2** 돌진하다 **3** 〈말이〉 차다(kick) 《*out*》 **4** 〖권투〗 스트레이트로 치다 《*at, on*》 **5** 〈차 등이〉 갑자기 튀어나오다 《*out, forward*》
— *vt.* 〈칼·손가락 등을〉 쑥 내밀다; 돌진시키다: ~ a finger accusingly 비난하듯이 손가락을 쑥 내밀다

lunge[2] *n., vt.* = LONGE

---

lunatic *a.* **1** 정신 이상의 demented, deranged, psychotic, insane **2** 어리석은 stupid, idiotic, irrational

lunged [lʌ́ŋd] *a.* 폐가 있는, 폐와 같은; [보통 복합어를 이루어] 폐가 …한: weak-~ 폐가 약한

lung·er[1] [lʌ́ndʒər] *n.* 돌진하는 사람

lung·er[2] [lʌ́ŋər] *n.* 《미·속어》 폐병 환자

lung·fish [lʌ́ŋfiʃ] *n.* (*pl.* **~, ~·es**) 〖어류〗 폐어(肺魚)

lung·ful [lʌ́ŋfùl] *n.* (*pl.* **~s, lungs·ful**) 폐[가슴] 가득함; 폐에 가득 들이마신 담배 연기

lung-ham·mock [-hæ̀mək] *n.* 《미·속어》 브래지어

lun·gi, lun·gyi, lung·ee [lúŋgi, lúndʒi | lúŋgi] *n.* (인도의) 남자용 허리두르개

lung-pow·er [lʌ́ŋpàuər] *n.* 《영》 발성력(發聲力), 성량; (발성으로 본) 폐의 힘

lúng sác 폐낭(肺囊)

lung·worm [-wə̀:rm] *n.* 폐선충

lung·wort [-wə̀:rt, -wɔ̀:rt | -wə̀:t] *n.* 〖식물〗 지칫과(科)의 식물

luni- [lú:ni] 《연결형》 「달」의 뜻

lu·ni·form [lú:nəfɔ̀:rm] *a.* 달 모양의, 반달 모양의

Lu·nik [lú:nik] *n.* **1** 루니크 《구소련의 달 탐사기; 제1호는 1959년에 쏘아 올림; 4호 이후는 Luna로 개칭》 **2** [**l~**] 《미·구어》 달 로켓

lu·ni·log·i·cal [lù:nəlɑ́dʒikəl | -lɔ́dʒ-] *a.* 달 연구의, 《특히》 달 지질 연구의

lu·ni·so·lar [lù:nəsóulər] *a.* 해와 달의; 태음 태양의

lunisólar périod 〖천문〗 태음 태양 주기 《태음력과 태양력이 순환하여 일치하는 주기; 532년》

lu·ni·tid·al [lù:nətáidl] *a.* 월조(月潮)의, 태음조(太陰潮)의

lunitídal ínterval 〖천문〗 월조 간격

lunk [lʌ́ŋk] *n.* 《구어》 바보, 멍청이

lun·ker [lʌ́ŋkər] *n.* 《구어》 큰 것(whopper), 《특히 낚시의》 대어; 《미·속어》 고물 자동차

lunk·head [lʌ́ŋkhèd] *n.* 《미·속어》 바보 **~·ed** [-hédid] *a.* 멍청한

Lu·no·khod [lù:nəxɔ́:t] *n.* 루노호트 《구소련의 자동 무인 월면(月面)차》

lu·nu·la [lú:njulə] *n.* (*pl.* **-lae** [-lì:]) **1** 초승달 모양의 것[무늬]; 초승달 모양의 장식품 **2** 속손톱 **3** 〖기하〗 활꼴 **4** 〖천문〗 위성 **lú·nu·lar** *a.* 초승달 모양의

lu·nu·late, -lat·ed [lú:njulèit(id)] *a.* 초승달 모양의 얼룩무늬가 있는; 초승달 모양의

lun·y [lú:ni] *n., a.* = LOONY

lu·pa·nar [lu:péinər, -pɑ́:-] *n.* 매춘집(brothel)

Lu·pin [lu:pǽŋ] *n.* 뤼팽 **Arsène ~** 《프랑스의 M. Leblanc이 쓴 탐정 소설의 주인공》

lu·pine[1], **-pin** [lú:pin] *n.* 〖식물〗 루핀, 층층이부채꽃; [보통 *pl.*] 루핀의 씨

lu·pine[2] [lú:pain] *a.* **1** 이리의[같은](wolfish) **2** 무지막지한, 사나운(fierce)

lu·pous [lú:pəs] *a.* 〖병리〗 낭창성(狼瘡性)의, 결핵성 부스럼의

lu·pus [lú:pəs] *n.* **1** U 〖병리〗 낭창 《피부 결핵》 **2** [**L~**] 〖천문〗 이리자리

lúpus er·y·the·ma·tó·sus [-èrəθì:mətóusəs, -θèmə-] 〖병리〗 홍반성 낭창

lúpus vul·gá·ris [-vʌlgέərəs] 〖병리〗 심상성(尋常性) 낭창

lurch[1] [lə́:rtʃ] *n.* **1** (배·차 등의) 갑자기 기울어짐; 갑자기 비틀거림(stagger), 흔들거림, 갈지자걸음 **2** 《미》 경향, 버릇; 강한 충동
— *vi.* 갑자기 기울어지다; 비틀거리다, 비틀거리며 걷다 **~ *against*** 비틀거리며 …에 기대다

lurch[2] *n.* 《드물게》 무득점; 대패(大敗) 《경기의》; 불리한 입장, 곤경, 당혹(embarrassment) ***leave*** a person ***in the*** **~** 곤경에 빠진 사람을 내버려 두다, 돕지 않고 내버려 두다

lurch·er [lə́:rtʃər] *n.* **1** 좀도둑; 건달, 부랑자 **2** 사기꾼; 스파이; 밀렵꾼 **3** 《영》 밀렵용 잡종 사냥개

lur·dan(e) [lə́:rdn] 《고어》 *n.* 게으름뱅이; 어리석은 녀석; 촌뜨기 녀석 **—** *a.* 게으른; 어리석은; 쓸모없는

‡**lure** [lúər | ljúər] *n.* **1** 유혹물; [the ~] 매혹, 매력: *the* ~ of adventure 모험의 매력 **2** 미끼새 ((매를 불러들일 때 쓰는 새 모양의 물건)); 가짜 미끼; 루어, (물고기의) 유인 장치 **3** 덫, 올가미; 함정
— *vt.* **1** 유혹하다, 불러들이다[내다], 꾀내다, 농락하다 ((*away, into, on*)): (~+목+전+명) Don't let money ~ you *into* a job you don't like. 돈에 홀려 좋아하지도 않는 직장에 들어가지 마라. **2** 〈매를〉 미끼새로 불러들이다 **lúr·er** *n.*

Lur·ex [lúəreks | ljúər-] *n.* 루렉스 ((플라스틱에 알루미늄 피막을 한 의복·가구용 섬유; 상표명))

lur·gy, -gi [lə́:rgi] *n.* (익살) [보통 the dreaded ~] 병 ((영국의 라디오 코미디 프로 *The Goon Show* 에서 만들어져 유행어가 된 가공의 전염병))

lu·rid [lúərid | ljúər-] *a.* **1** 〈이야기·범죄 등이〉 소름이 끼치는, 으시시한, 무서운, 끔찍한: ~ crimes 끔찍한 범죄 **2** 선정적인, 야한: books with ~ covers 표지가 선정적인 책 **3** 〈하늘 등이〉 타는 듯이 붉은: a ~ sunset 타는 듯이 붉은 석양 **4** 창백한, 핼쑥해진
cast a ~ light on the facts[a person's character] (사실[인물의 성격])을 무시무시하게 보이게 하다
~·ly *ad.* **~·ness** *n.*

‡**lurk** [lə́:rk] *vi.* **1** 숨다; 숨어 기다리다, 잠복하다(hide) ((*about, in, under*)): (~+전+명) ~ *in* the mountains 산악 지대에 잠복하다 **2** 남의 눈을 피해 가만가만 가다, 살금살금 걷다 ((*about, along, out*)): (~+전+명) ~ *about* the country 시골에서 남의 눈을 피해 다니다 **3** 남의 눈에 띄지 않다(exist unobserved), 잠재해 있다: (~+전+명) Resentment ~*ed in* his heart. 원한이 그의 가슴 속에 잠재해 있었다. **4** 〖컴퓨터〗 러크하다 ((chat room 등에서 남의 글을 읽기만 하고 자기 의견은 제시하지 않다))
— *n.* **1** (영) 잠복; 밀행(密行); (영·속어) 잠복 장소, 거처 **2** (영) 협잡; 사기 **3** (호주·뉴질·속어) (잘하기 위한) 작전, 계략; 일 **4** 〖컴퓨터〗 러크하기 ***on the ~*** (속어) 남몰래 노리고 (있는)(spying) **~·er** *n.*

lurk·ing [lə́:rkiŋ] *a.* 숨어[잠복해] 있는: a ~ place 잠복 장소, 은신처 **~·ly** *ad.*

lurv [lə́:rv] *n.* Ⓤ, *vt.* (영·구어·익살) 사랑(하다) ((love의 틀린 발음에서))

lur·ve[lə́:rv] *n.* Ⓤ (영·속어·익살) 사랑 ((love의 비표준형 철자))

lus·cious [lʌ́ʃəs] *a.* **1** 달콤한, 맛있는, 향기가 좋은: ~ peaches 달콤한 복숭아 **2** (감각적으로) 기분이 좋은, 쾌적한; 감미로운 **3** 〈표현·문체 등이〉 지나치게 꾸민, 화려한 **4** 〈여자가〉 뇌쇄적인, 육감적인, 관능적인, 요염한, 현란한, 야한 **~·ly** *ad.* **~·ness** *n.*

lush[1] [lʌ́ʃ] *a.* **1** 싱싱한, 싱싱하게 푸른: ~ vegetables 싱싱한 채소 **2** 〈장소가〉 푸른 풀이 많은, 무성한, 우거진 **3** (구어) 풍부한(abundant) **4** 번성하는; 이익을 올리는 **5** 맛이 좋은; 향기가 그윽한 **6** 〈문장 등이〉 너무 미사여구를 쓴 **7** 〈여성이〉 관능적인 **8** (구어) 매력적인, 멋있는 **~·ly** *ad.* **~·ness** *n.*

lush[2] (속어) *n.* **1** Ⓤ 술 **2** 술 취한 사람
— *vt., vi.* 술을 먹이다; 술을 들이켜다

lúsh ròller[**wòrker**] (속어) 취한을 노리는 도둑[소매치기]

lush·y [lʌ́ʃi] *a.* (**lush·i·er**; **-i·est**) (속어) 술 취한(drunk) — *n.* 술주정뱅이, 모주꾼

Lu·si·ta·ni·a [lù:sətéiniə] *n.* 루시타니아 ((이베리아 반도에 있던 고대 로마령; 지금의 포르투갈))

lu·so·phone [lú:səfoun] *a.* 〖언어〗 〈나라가〉 포르투갈 어를 사용하는, 포르투갈 어권의

‡**lust** [lʌ́st] *n.* ⓊⒸ **1** 강한 욕망, 갈망 (desire) ((*of, for*)): a ~ *for* power[money] 권력[금전]욕 / the ~ *of* conquest 정복욕 **2** [종종 *pl.*] 정욕, 육욕, 색욕: the ~*s* of the flesh 정욕 / driven by ~ 색정에 이끌려 **3** (…에의) 열의, 강한 흥미(zest, relish) ((*for, of*)) **4** (폐어) 기쁨; 욕구; 원망(願望); (식물 등의) 생장력; (토지의) 비옥 **5** 〖신학〗 번뇌, 고민
— *vi.* **1** 갈망하다, 절실히 바라다 ((*after, for*)) **2** 정욕을 느끼다 ((*after*)) ▷ lústful, lústy *a.*

lus·ter[1] [lʌ́stər] *n.* 호색한; 갈망하는 사람

‡**lus·ter**[2] | **lus·tre** [lʌ́stər] [L 「빛나다」의 뜻에서] *n.* Ⓤ **1** 광택, 윤; 광채, 빛남: the ~ of satin 공단의 광택 **2** 영광 **3** 윤내는 약, 광택제 **4** 윤이 나는 모직물; 광택 처리된 직물 **5** Ⓒ 샹들리에; 가지 달린 촛대 **6** 도기 표면의 유약에 의한 금속 피막 **7** = LUSTERWARE
add ~ to …에 빛[영광]을 더하다 ***throw***[***shed***] ***~ on*** …에 광택을 주다; …에 영예를 주다
— *vt.* 광[윤]내다, (마무리로서) 윤나게 닦다, 갈고 닦다; …에 영광[명성]을 주다
— *vi.* 광이 나다, 빛나다
~·less *a.* 광택이 없는 ▷ lústrous *a.*

luster[3] *n.* = LUSTRUM 3

lus·tered [lʌ́stərd] *a.* 광택 있는

lus·ter·ing [lʌ́stəriŋ] *n.* **1** 광내기 **2** 광이 나는 견직(물)

lus·ter·ware [lʌ́stərwὲər] *n.* Ⓤ 진주 광택이 나는 도자기(=**lúster pòttery**)

lust·ful [lʌ́stfəl] *a.* **1** 호색적인, 육욕적인(lewd); 탐욕스런, 아등바등하는, 〈눈 등이〉 욕심스러운; (…을) 갖고 싶은 ((*for, after, of*)): ~ *of* power 권력욕이 많은 **2** (고어) 원기 좋은 **~·ly** *ad.* **~·ness** *n.*

lus·tra [lʌ́strə] *n.* LUSTRUM의 복수

lus·tral [lʌ́strəl] *a.* **1** 깨끗이 하는, 정(淨)하게 하는: ~ water 정한수 **2** 5년마다의, 5년에 한 번의

lus·trate [lʌ́streit] *vt.* 깨끗이 하다, 정하게 하다
lus·trá·tion *n.*

‡**lus·tre**[1] [lʌ́stər] *n.* = LUSTER[2]

lustre[2] *n.* = LUSTRUM 3

lus·tring[1] [lʌ́striŋ], **lus·trine** [lʌ́stri:n] *n.* = LUTESTRING[2]

lus·tring[2] [lʌ́stəriŋ] *n.* Ⓤ (실·천 등의) 윤내기 최종 공정

lus·trous [lʌ́strəs] *a.* **1** 광택 있는, 번쩍번쩍하는, 빛나는: ~ hair 윤기가 흐르는 머리카락 **2** 〈업적 등이〉 빛나는, 훌륭한; 매력적인; 저명한; 우수한: a ~ career 빛나는 경력 **~·ly** *ad.* **~·ness** *n.*

lus·trum [lʌ́strəm] *n.* (*pl.* **lus·tra** [-trə], **~s**) **1** 재계(식)(齋戒(式)) ((특히 고대 로마에서 5년마다 행한)) **2** (고대 로마의) 인구 조사 **3** (고어·시어) 5년간

***lust·y** [lʌ́sti] *a.* (**lust·i·er**; **-i·est**) **1** 건장한, 튼튼한 **2** 원기 좋은, 활발한 **3** 〈식사 등이〉 풍족한, 실컷 먹은 **4** 호색적인, 욕정적인(lustful) **5** 〈사람이〉 몸집이 큰, 거구의 **lúst·i·hòod** *n.* **lúst·i·ly** *ad.* **lúst·i·ness** *n.*

lu·sus na·tu·rae [lú:səs-nət*j*úəri | -tjúəri] [L] 조화(造化)의 장난; 기형아; 〖생물〗 기형물

lu·ta·nist [lú:tənist] *n.* 류트 연주자(lutenist)

lute[1] [lú:t] *n.* 류트 ((guitar 비슷한 14-17세기의 현악기))

lute[1]

lute[2] *n.* **1** Ⓤ 봉니(封泥) ((진흙이나 끈끈한 물질로 만들어서 공기가 새지 못하게 하는)) **2** (병마개 등의 밀봉용) (고무) 패킹 **3** 〖치과〗 (접착용) 시멘트
— *vt.* …에 봉니를 바르다

lu·te·al [lú:tiəl] *a.* 황체(corpus luteum)의[를 지닌]

lu·te·ci·um [lu:tí:ʃiəm] *n.* = LUTETIUM

lu·te·in [lú:tiin] *n.* Ⓤ 〖생화학〗 루테인 ((혈청·노른자 등의 황색소))

lu·te·in·ize [lú:tiənàiz] 〖생화학〗 *vt.* …에 황체를 형성시키다 — *vi.* 황체를 형성하다
lù·te·in·i·zá·tion *n.*

lú·te·in·iz·ing hòrmone [lú:tiənàiziŋ-] 〖생화

thesaurus **lure** *n.* entice, attract, induce, draw, lead, allure, tempt, seduce, beguile, ensnare
luster[2] *n.* sheen, gloss, shine, burnish, glow, gleam, sparkle, shimmer, brightness

학〗 황체(黃體) 형성 호르몬
lúteinizing hórmone-relèasing hórmone [fáctor] 〖생화학〗 황체 형성 호르몬 방출 호르몬[인자]
lu·te·nist [lú:tənist] *n.* ＝LUTANIST
lu·te·o·ly·sin [lù:tiəláisin] *n.* 〖생화학〗 황체 융해소
lu·te·o·tro·phic [lù:tiətráfik, -tróu-|-trɔ́-], **-tro·pic** [-pik] *a.* 황체(黃體)를 자극하는
lu·te·o·tro·phin [lù:tiətróufin], **-pin** [-pin] *n.* 〖생화학〗 황체 자극 호르몬
lu·te·ous [lú:tiəs] *a.* 진한 주황색의
lute·string[1] [lú:tstrìŋ] *n.* lute[1]의 현(絃)
lutestring[2] *n.* Ⓤ 윤이 나는 견직물
Lu·te·ti·an [lu:tí:ʃiən] *a.* 파리의(Parisian)
lu·te·tium [lu:tí:ʃiəm] *n.* Ⓤ 〖화학〗 루테튬《금속 원소의 하나; 기호 Lu, 원자 번호 71》
Luth. Lutheran
Lu·ther [lú:θər] *n.* **1** 남자 이름 **2** 루터 **Martin ~** (1483-1546)《독일의 신학자·종교 개혁의 지도자》
Lu·ther·an [lú:θərən] *a.* 루터(Luther)의, 루터교(파)의: the ~ Church 루터 교회
— *n.* 루터 신봉자, 루터교도 **~·ism** *n.* Ⓤ 루터교
lu·thern [lú:θərn] *n.* 〖건축〗 지붕창, 천창(天窓)
lu·thi·er [lú:tiər] *n.* 현악기 제작자
lut·ist [lú:tist] *n.* **1** ＝LUTANIST **2** 류트 제조인
Lutz [lʌ́ts] *n.* [때로 **l~**] 〖스케이팅〗 루츠 점프《한쪽 스케이트의 바깥날로 뛰어올라 공중에서 한 바퀴 돌고 다른 쪽 스케이트의 바깥날로 착빙함》
luv [lʌ́v] [love의 발음 철자] *n.* 《영·속어》 여보, 당신
luv·vy, luv·vie [lʌ́vi] *n.* 《영·구어》 **1** Ⓒ 허풍스러운 배우 **2** ＝LOVEY
lux [lʌ́ks] [L 「빛」의 뜻에서] *n.* (*pl.* **~, ~·es** [lʌ́ksiz], **lu·ces** [lú:si:z]) 〖광학〗 럭스《조도의 국제 단위; 略 lx》
Lux. Luxemb(o)urg
lux·ate [lʌ́kseit] *vt.* 〈관절 등을〉 삐다, 탈구시키다
lux·a·tion [lʌkséiʃən] *n.* Ⓤ 〖의학〗 탈구(脫臼)
luxe [lúks, lʌ́ks] *n.* Ⓤ 화려하고 아름다움(elegance), 사치; 우아, 고상함 (cf. DELUXE)
— *a.* 사치스러운, 호화스러운, 고급의
Lux·em·b(o)urg [lʌ́ksəmbə̀:rg] *n.* 룩셈부르크《벨기에·프랑스·독일 3국에 인접한 대공국(大公國); 그 수도》 **~·er** *n.*
Lux·em·b(o)urg·i·an [lʌ́ksəmbə̀:rdʒiən, ⌐—⌐—] *n., a.* 룩셈부르크(의), 룩셈부르크 사람[말](의)
lux·o [lʌ́ksou] *a.* 《미·속어》 호화스러운(luxurious)
lux·o-barge [-bɑ́:rdʒ] *n.* 《미》 호화로운 대형 승용차
lux·on [lúksɑn|-sɔn] *n.* 〖물리〗 룩손《질량이 0이며, 광속도로 운동하는 입자의 총칭》
lux·u·ri·ance, -an·cy [lʌgʒúəriəns(i), lʌkʃúər-|lʌgzjúər-] *n.* Ⓤ **1** 무성, 풍부, 다산, 번무(繁茂) **2** (문체의) 화려
***lux·u·ri·ant** [lʌgʒúəriənt, lʌkʃúər-|lʌgzjúər-] *a.* **1** 무성한, 울창한: be of ~ growth 풍요롭게 잘 자라고 있다 **2** 다산(多産)의, 기름진 **3** 풍부한, 넘칠 듯한 **4** 〈상상력 등이〉 풍부한: a ~ imagination 풍부한 상상력 **5** 〈의장·장식·문체 등이〉 화려한, 현란한, 호화로운; 분방한 **~·ly** *ad.*
lux·u·ri·ate [lʌgʒúərièit, lʌkʃúər-|lʌgzjúər-] *vi.* **1** 무성하다, 우거지다; 〈세포 등이〉 증식하다; 현저하게[눈에 띄게] 확대되다 **2** 사치스럽게 지내다, 호사하다 **3** 즐기다, 탐닉하다 《*in, on*》 **lux·ù·ri·á·tion** *n.*
‡**lux·u·ri·ous** [lʌgʒúəriəs, lʌkʃúər-|lʌgzjúər-] *a.* **1** 사치스러운, 호화로운(opp. *squalid*): ~ food 사치스러운 음식/a person with ~ tastes 미식가, 취미가 사치스러운 사람 **2** 아주 기분 좋은, 쾌적한 **3** (관능적) 쾌락을 구하는, 호색적인(lecherous) **4** 풍부한, 충분한: a ~ harvest 풍작 **5** 〈문체 등이〉 너무 화려한 **~·ly** *ad.* **~·ness** *n.* ▷ lúxury *n.*
‡**lux·u·ry** [lʌ́kʃəri, lʌ́gʒə-|lʌ́kʃəri] [L 「풍부」의 뜻에서] *n.* (*pl.* **-ries**) **1** Ⓤ 사치, 호사: live in ~ 사치스럽게 살다/a life of ~ 사치스러운 생활 **2** 사치품, 고급품 **3** Ⓤ 유쾌, 쾌락, 만족(감): the ~ of health 건강의 기쁨 **4** 방종 **5** 《고어》 외설, 호색
— *a.* Ⓐ 사치(품)의, 고급(품)의: a ~ car 고급차/a ~ hotel 호화 호텔
▷ luxúrious *a.*; luxúriate *v.*
lúxury gòods [items] 사치품
lúxury tàx 특별 소비세
Lu·zon [lu:zɑ́n|-zɔ́n] *n.* 루손 섬《필리핀 군도의 주도(主島)》
lv. leave(s); livre(s) **LV.** lev; leva; luncheon voucher **LVN, L.V.N.** licensed vocational nurse **Lw** 〖화학〗 lawrencium《현재는 Lr이 보통》 **L.W., LW** long wave; low water **l/w** lumen(s) per watt **LWM, l.w.m.** low water mark **lwop** leave without pay 무급 휴가 **LWV, L.W.V.** League of Women Voters **lx** 〖광학〗 lux **LXX** Septuagint (Version of the Bible)
-ly[1] [li, (l로 끝나는 단어에서는) i] *suf.* [형용사·명사에 붙여 부사를 만듦]: bold*ly*; part*ly*
-ly[2] *suf.* [명사에 자유로이 붙여서 형용사를 만듦] **1** …다운, …한 성질을 가진: king*ly*, man*ly* **2** 되풀이해서 일어나는: dai*ly*
ly·ase [láieis, -eiz] *n.* 〖생화학〗 리아제《탈탄산 효소(decarboxylase) 등의 효소》
ly·can·thrope [láikənθròup, laikǽnθroup] *n.* 〖정신의학〗 이리 들린 사람《자기가 이리가 되었다고 믿는 미친 사람》; 이리가 된 사람
ly·can·thro·py [laikǽnθrəpi] *n.* Ⓤ **1** (전설·이야기상의) 인간이 마법에 의해 이리로 변하는 것[능력] (cf. WER(E)WOLF) **2** 〖정신의학〗 낭광(狼狂)《자신을 이리라고 여기는 정신병》 **-throp·ic** [làikənθrɑ́pik] *a.*
ly·cée [liséi|lí:sei] [F] *n.* (*pl.* **~s** [-z]) (프랑스의) 국립 고등학교, 대학 예비 학교
ly·ce·um [laisí:əm|-síəm] *n.* **1 a** 학원; 문화 회관 **b** 강당, 공회당 **2** 《미》 (강연·공개 토론·음악회 등으로 교양의 향상을 도모하는) 문화 단체[운동] **3** [the L~] (아리스토텔레스가 철학을 가르친) 아테네의 학원 **4** [the L~] 아리스토텔레스 학파 **5** ＝LYCÉE
lych [lítʃ] *n.* ＝LICH
ly·chee [lí:tʃi:|làitʃí:] *n.* ＝LITCHI
lých gàte ＝LICH GATE
lych·nis [líknis] *n.* 〖식물〗 홍매동자꽃속(屬)
Ly·ci·a [líʃiə|-siə] *n.* 리키아《고대 소아시아의 한 지방》
ly·co·pene [láikəpì:n] *n.* 〖생화학〗 리코펜《토마토 따위의 붉은 색소》
ly·co·pod [láikəpɑ̀d|-pɔ̀d] *n.* 〖식물〗 석송속(屬)의 식물
ly·co·po·di·um [làikəpóudiəm] *n.* 〖식물〗 석송속(石松屬)
Ly·cra [láikrə] *n.* 라이크라《스판덱스(spandex)의 상표명》
lydd·ite [lídait] *n.* Ⓤ 리다이트《주로 피클린산(酸)으로 된 고성능 폭약》
Lyd·i·a [lídiə] *n.* **1** 리디아《소아시아의 고대 국가》 **2** 여자 이름
Lyd·i·an [lídiən] *a.* **1** Lydia의; 리디아 사람[말]의 **2** 〈음악이〉 감미로운; 슬픈 듯한: ~ airs 애조, 애곡(哀曲) **—** *n.* **1** 리디아 사람 **2** Ⓤ 리디아 말
Lýdian stóne 규판암(珪板岩), 시금석(touchstone)
lye [lái] *n.* Ⓤ 잿물; (세탁용) 알칼리액
ly·ing[1] [láiiŋ] [lie[1]에서] *n.* Ⓤ, *a.* 거짓말(하는); 거짓(의): a ~ rumor 근거 없는 소문 **~·ly** *ad.*
‡**ly·ing**[2] [láiiŋ] *v.* LIE[2]의 현재분사
— *n.* Ⓤ 드러누움; 드러눕는 자리, 침소
— *a.* 드러누워 있는

---

luxuriant *a.* abundant, profuse, dense, thick, prolific, lush, overgrown (opp. *barren*)
luxurious *a.* affluent, sumptuous, costly, rich, deluxe, splendid, lavish, extravagant, ornate

ly·ing-in [-ín] *n.* (*pl.* **ly·ings-, ~s**) UC 출산 자리에 눕기; 출산, 분만
— *a.* A 출산의[을 위한]; 산부인과의: a ~ hospital 산부인과 (병원)
ly·ing-in-state [-instéit] *n.* (매장 전의) 유해의 정장(正裝) 안치
lyke-wake [láikwèik] *n.* (스코) 철야, 밤샘
Lýme disèase [láim-] 〖병리〗 라임 병 《발진·발열·관절통·만성 피로감·국부 마비 등을 보이는 감염 질환; 전에는 Lyme arthritis라고 했음》
lýme gràss [láim-] 〖식물〗 갯보리류(類)
lymph [límf] *n.* **1** 〖해부·생물〗 임파(액); (상처에서 나오는) 액체; 혈청 **2** 《고어》 (식물의) 수액 **3** 《고어》 (시내·샘의) 맑은 물 **~·ous** *a.*
lymph- [limf], **lympho-** [límfou, -fə] 《연결형》 「림프」의 뜻 《모음 앞에서는 lymph-》
lym·phad·e·ni·tis [limfæ̀dənáitis, lìmfəd- | limfæ̀d-] *n.* 〖병리〗 임파선염
lym·phad·e·nop·a·thy [limfæ̀dənɑ́pəθi, lìmfəd- | -nɔ́p-] *n.* 〖병리〗 **1** 림프샘 장애[질환] **2** = HODGKIN'S DISEASE
lym·phad·e·nóp·a·thy-as·sò·ci·at·ed vírus [-əsóuʃieitid-] 〖병리〗 HIV의 별종 《略 LAV》
lym·phan·gi·og·ra·phy [limfæ̀ndʒiɑ́grəfi | -ɔ́g-] *n.* = LYMPHOGRAPHY
lym·phan·gi·tis [lìmfændʒáitis] *n.* 〖병리〗 임파선염
lym·phat·ic [limfǽtik] *a.* **1** 〖생리〗 림프(액)의; 림프액을 분비하는: a ~ gland 림프샘, 임파선 **2** 〈선병질(腺病質)로〉 피부가 창백한 **3** 〈성질이〉 점액질인, 임파성(체질)의; 둔중한, 지둔한: a ~ temperament 점액질 — *n.* **1** 〖해부〗 림프샘, 임파선; 림프관 **2** 미치광이 **-i·cal·ly** *ad.*
lýmph cèll[còrpuscle] 〖해부〗 림프 세포
lýmph glànd[nòde] 〖해부〗 림프샘, 임파선
lýmph nòdule 〖해부〗 림프 소절(小節)
lym·pho·cyte [límfəsàit] *n.* 〖해부〗 림프구(球)
lym·pho·cy·to·sis [lìmfəsaitóusis] *n.* 〖병리〗 림프구 증가증(症)
lym·pho·gran·u·lo·ma [lìmfəgræ̀njulóumə] *n.* (*pl.* **~s, ~·ta** [-tə]) 〖병리〗 림프 육아종(肉芽腫); = LYMPHOGRANULOMA VENEREUM; 《폐어》 = HODGKIN'S DISEASE
lymphogranulóma ve·né·re·um [-vəníəriəm] 〖병리〗 서혜[성병성] 림프 육아종 《제4성병; 略 LGV》
lym·phog·ra·phy [limfɑ́grəfi | -fɔ́g-] *n.* U 〖의학〗 림프관 조영[촬영](법)
lym·phoid [límfɔid] *a.* 림프(성)의; 림프(구) 모양의
lym·pho·kine [límfəkàin] *n.* 〖생화학〗 림포카인 《T세포가 분비하는 화학 물질, interferon 등》
lym·pho·ma [limfóumə] *n.* (*pl.* **~s, ~·ta** [-tə]) 〖병리〗 림프종(腫)
lym·pho·ma·to·sis [lìmfoumətóusis] *n.* 〖병리〗 림프종증(症)
lym·pho·pe·ni·a [lìmfoupí:niə, -njə] *n.* 〖병리·수의〗 림프[임파]구 감소(증)
lym·pho·poi·e·sis [lìmfoupɔií:sis] *n.* (*pl.* **-ses** [-si:z]) 〖의학〗 림프[임파]구 생성[신생]
lym·pho·sar·co·ma [lìmfəsɑ:rkóumə] *n.* 〖의학〗 림프 육종
lym·pho·tox·in [lìmfətɑ́ksin | -tɔ́k-] *n.* 〖생화학〗 림포톡신, 세포 장애 인자
lymph·ous [límfəs] *a.* = LYMPHOID
lýmph vèssel 〖해부〗 림프관(lymphatic)
lyn·ce·an [linsí:ən] *a.* 스라소니 같은 눈을 한; 눈이 날카로운[매서운]
*__lynch__ [líntʃ] [미국 Virginia주의 치안 판사 이름에서] *vt.* 〈…에게〉 린치를 가하다; 린치로 죽이다; 격렬히 비방하다 **~·er** *n.*
lynch·ing [líntʃiŋ] *n.* UC 폭력적인 사적 제재 《특히 교수형》
lýnch làw 사형(私刑), 린치
lýnch mòb 린치 집단[패거리]
lynch·pin [líntʃpìn] *n.* = LINCHPIN
Lynd [línd] *n.* 린드 **Robert ~** (1879-1949) 《아일랜드 태생의 영국 수필가·비평가》
Lyn·da [líndə] *n.* 여자 이름
Lyn·don [líndən] *n.* 남자 이름
Lynn [lín] *n.* **1** 남자 이름 《Lincoln의 애칭》 **2** 여자 이름 《Caroline, Carolyn의 애칭》
*__lynx__ [líŋks] [L] *n.* (*pl.* **~·es,** [집합적] ~) **1** 〖동물〗 스라소니; U 그 모피 **2** [the L~] 〖천문〗 살쾡이자리 《略 Lyn》
Lynx [líŋks] *n.* [종종 **l-**] 〖컴퓨터〗 링크스 《관련 문서를 쉽게 찾을 수 있는 소프트웨어》
lynx-eyed [líŋksàid] *a.* 눈이 날카로운
Ly·on [láiən] *n.* 스코틀랜드 문장원(紋章院) 장관 (= **~ Kíng of Árms**)
ly·on·naise [làiənéiz] *a.* 〖요리〗 리옹풍의, 〈특히 감자를〉 얇게 썬 양파와 함께 넣어 튀겨진
Ly·on·nesse [làiənés] *n.* 〖전설〗 리오네스, 라이오네스 《카멜롯의 전설 중 트리스탄이 태어난 전설적인 곳》
Ly·ons [láiənz] *n.* 리옹 《프랑스 남동부의 도시》
ly·o·phile [láiəfail] *a.* **1** 〖화학〗 = LYOPHILIC **2** 냉동 건조의; 냉동 건조에 의해 얻어지는
— *vt.* = LYOPHILIZE
ly·o·phil·ic [làiəfílik] *a.* 〖화학〗 〈콜로이드가〉 친액성(親液性)의, 친화성(親和性)이 강한
ly·oph·i·lize [laiɑ́fəlàiz | -ɔ́f-] *vt.* 〖생화학〗 〈조직·혈액·혈청 등을〉 감압하에 동결 건조하다(freeze-dry)
ly·òph·i·li·zá·tion *n.* **-lìz·er** *n.* 동결 건조기
ly·o·pho·bic [làiəfóubik] *a.* 〖화학〗 〈콜로이드가〉 소액성(疏液性)의, 친화성(親和性)이 약한
Ly·ra [láiərə] *n.* **1** 〖천문〗 거문고자리(the Lyre) 《略 Lyr》 **2** 여자 이름 **3** [**l~**] = GLOCKENSPIEL
ly·rate [láiəreit, -rət], **-rat·ed** [-reitəd] *a.* 〖생물〗 수금(竪琴) 모양의
*__lyre__ [láiər] *n.* **1** (고대 그리스의) 수금(竪琴) 《4-11줄》 **2** [the ~] 서정시 **3** [the L~] 〖천문〗 거문고자리(Lyra) **4** 〖음악〗 악보대 《취주 악대용》
▷ lýric, lýrical *a.*

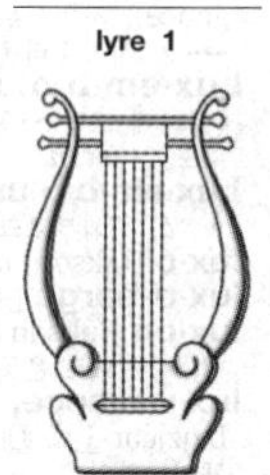
lyre 1

lyre·bird [láiərbə̀:rd] *n.* 〖조류〗 금조(琴鳥) 《호주산》
lyre·flow·er [láiərflàuər] *n.* 〖식물〗 금낭화(錦囊花)(bleeding heart)
*__lyr·ic__ [lírik] [Gk 「수금(lyre)에 맞추어서 노래 부르는」의 뜻에서] *a.* **1** 서정(시)의, 서정적인(cf. EPIC): a ~ poet 서정 시인/~ poetry 서정시 **2** 음악적인, 오페라풍의: the ~ drama 가극 **3** 수금의; 수금에 맞추어 노래하는: ancient Greek ~ odes 수금 반주에 맞추어서 노래하는 고대 그리스의 시가
— *n.* 서정시(= **~ póem**); [*pl.*] (유행가 따위의) 가사
▷ lýre *n.*; lýrical *a.*
*__lyr·i·cal__ [lírikəl] *a.* **1** 서정시 같은[풍의]; 서정적인, 감상적인; (…에) 열성적인, 열렬한 《*about*》 **2** = LYRIC
~·ly *ad.* **~·ness** *n.*
lyr·i·cism [lírəsìzm] *n.* **1** U 서정시체, (용어·표현의) 서정시풍; 서정성 **2** 서정미; 고조된 감정, 열광
lyr·i·cist [lírəsist] *n.* 서정 시인; (유행가 등의) 작사가
lyr·i·cize [lírəsàiz] *vi.* 서정시로 쓰다; 서정적으로 표현하다 — *vt.* 서정시 형태로 하다; 서정적으로 다루다[표현하다]
lýric ténor 〖음악〗 경쾌하고 높은 테너 음성; 그런 테너 가수
lýric théater 오페라 극장; [the ~] 오페라

lyr·i·form [láirəfɔ̀:rm] *a.* 수금 모양의

lyr·ism [lírizm] *n.* **1** =LYRICISM **2** [láiərizm] 수금 연주; 수금에 맞추어 부르는 노래

lyr·ist[1] [lírist] *n.* =LYRICIST

lyr·ist[2] [láiərist] *n.* 수금 탄주자(彈奏者)

lys- [lais] 《연결형》「용해, 분해」의 뜻: *lysin*

ly·sate [láiseit] *n.* 〖생화학〗 (세포 따위의) 용해[분리]물

lyse [láis] *vi., vt.* 〖면역·생화학〗 용해[분리]하다

Ly·sen·ko·ism [lisénkouìzm] *n.* 리셍코 학설 《구소련의 농학자 T. D. Lysenko(1898-1976)가 환경의 영향으로 체세포가 다음 대에 유전된다고 주장한 학설》

ly·sér·gic ácid [laisə́:rdʒik-, li-] 〖화학〗 리세르그산(酸)

lysérgic ácid di·eth·yl·ám·ide [-daièθəlǽmaid, -éθələmàid] 〖화학〗 리세르그산 디에틸아미드 《LSD의 정식 명칭》

lysi [láisi] 《연결형》 =LYS-: *lysi*meter

ly·sim·e·ter [laisímətər] *n.* 침루계(浸漏計) 《토양 중의 수용성(水溶性) 물질의 양을 측정함》

ly·sin [láisin] *n.* 〖생화학〗 **1** 세포 용해소(溶解素) **2** =LYSINE

ly·sine [láisi:n, -sin] *n.* Ⓤ 〖생화학〗 리신 《아미노산의 일종》

ly·sis [láisis] *n.* (*pl.* **-ses** [-si:z]) ⓊⒸ **1** 〖생화학〗 (lysin에 의한) 세포의 용해 **2** 〖의학〗 병세 감퇴, 열이 서서히 내림

-lysis [ləsis] 《연결형》「분해, 용해, 파괴」의 뜻: ana*lysis*, para*lysis*, electro*lysis*

lyso- [láisou, -sə], **lysi-** [láisi] 《연결형》 [자음 앞에서] 「분해; 용해」의 뜻: *lyso*gen

ly·so·cline [láisəklàin] *n.* 〖생태〗 화학 물질이 용해를 일으키는 심해의 층

ly·so·gen [láisədʒən, -dʒèn] *n.* 〖미생물〗 용원(溶原), 리소겐

ly·so·gen·e·sis [làisədʒénəsis] *n.* 〖미생물〗 용원화(溶原化)

ly·so·gen·ic [làisədʒénik] *a.* 〖미생물〗 〈바이러스·세균이〉 용원성(溶原性)인

lysogénic convérsion 〖미생물〗 용원화(化) 변환

ly·sog·e·nize [laisɑ́dʒənàiz | -sɔ́dʒ-] *vt.* 〖미생물〗 용원화하다

ly·sog·e·ny [laisɑ́dʒəni | -sɔ́dʒ-] *n.* Ⓤ 〖미생물〗 용원성

Ly·sol [láisɔ:l, -sɑl | -sɔl] *n.* Ⓤ 〖약학〗 리졸 《소독제; 상표명》

ly·so·some [láisəsòum] *n.* 〖생화학〗 리소좀 《세포질 내의 과립이며 가수 분해 효소를 함유》

lỳ·so·só·mal *a.*

ly·so·staph·in [làisəstǽfin] *n.* 〖생화학〗 리소스타핀 《포도상 구균에서 얻는 항균성 효소》

ly·so·zyme [láisəzàim] *n.* 〖생화학〗 리소자임 《박테리아 용해 효소의 일종》

lys·sa [lísə] [Gk] *n.* Ⓤ 〖병리〗 광견병, 공수병

-lyte[1] [làit] 《연결형》「분해물」의 뜻: electro*lyte*

-lyte[2] 《연결형》 =-LITE

lyt·ic [lítik] *a.* 용해(lysis)의; 용해소(lysin)의

-lytic [lítik] 《연결형》 [-lysis에 대응하는 형용사를 만드는 어미]: ana*lytic*

lyt·ta [lítə] *n.* (*pl.* **~s, -tae** [-ti:]) 리타 《육식 동물 혀에 있는 벌레 모양의 연골성 조직》

-lyze [làiz] 《연결형》 [-lysis에 대응하는 타동사를 만드는 어미]: ana*lyze*

LZ, L.Z. landing zone

M m

m, M [ém] *n.* (*pl.* **m's, ms, M's, Ms** [-z]) **1** 엠 《영어 알파벳의 제13자》; M, m으로 표시되는 발음 기호[m] **2** M자형(의 것); (인쇄·스탬프의) M, m자 **3** 연속된 것의 제13번째의 것 **4** (로마 숫자의) 1,000: *MCM*LXXXVIII = 1988 **5** 〖인쇄〗 = EM[1]

m meter(s); milli-; mist; 〖화학〗 molarity **m.** maiden (over); male; manual; mare; mark(s); married; masculine; mass; mate; measure; medicine; medieval; medium; memorandum; meridian; meter(s); midday; middle; midnight; mile(s); mill; million(s); minimum; minute(s); mix; mixture; modification; modulus; molar; month; moon; morning; mort; mountain; mouth **M.** Majesty; Manitoba; markka; Marquis; Marshal; Master; Medicine; Medium; Member; Militia; Monday; *Monsieur*; (영) motorway

M'- [mək, mæk, ([k], [g] 앞에서) mə, mæ] *pref.* = MAC-

'm (구어) **1** [m] am의 단축형 **2** [əm] ma'am의 단축형: Yes'*m* 예, 부인. / No'*m.* 아니오, 마님. **3** [im, əm] him의 단축형

*__ma__ [mɑ́ː] [mama의 단축형] *n.* (구어) 엄마: What's for lunch, ~? 엄마, 점심 메뉴는 뭐야?

ma, mA milliampere(s) **Ma** 〖화학〗 masurium

MA 〖우편〗 Massachusetts; Master of Arts; mental age 〖심리〗 정신 연령; Middle Ages; Military Academy **MAA** Master of Applied Arts

Máa·lox mòment [méilɑks-|-lɔks-] [미국산(産) 위장약 Maalox에서] [a ~] (미·익살) 갑작스런 스트레스로 배가 아픈[위장약을 찾을] 때

‡**ma'am** [mǽm, mɑ́ːm; (약하게) məm] [madam의 중간음 소실형] *n.* **1** (미) 마님, 아주머니, 아가씨, 선생님 《하녀가 안주인에게, 점원이 여자 손님에게, 학생이 여교사에 대한 호칭》: Yes, ~. 네, 마님[선생님]. USAGE 보통은 25세 이상의 여성에 대해, 미혼·기혼의 구별없이 쓴다; Miss보다 정중하나 Madam보다 덜 딱딱한 말; 일반적으로 자기보다 젊은 여성에게는 Miss, 자기보다 나이 많은 여성에게는 Ma'am을 쓰면 된다. **2** (영) 마마 《여왕·왕녀에 대한 호칭》

ma-and-pa [mɑ́ːənpɑ́ː] *a.* = MOM-AND-POP

maar [mɑ́ːr] *n.* (*pl.* **~s, maa·re** [mɑ́ːrə]) 〖지질〗 마르 《한 번의 폭발로 생긴 둥글고 판판한 분화구》

ma·a·riv [mɑ́ːriv] [Heb.] *n.* 〖유대교〗 마리브 《유대교도의 저녁 예배》

maas [mɑ́ːs] *n.* = AMASI

Máas·tricht Tréaty [mɑ́ːstrikt-] 마스트리히트 조약 《1991년 EC를 EU로 개칭한 조약》

MABE Master of Agricultural Business and Economics 농업 경영학 석사

Ma·bel [méibəl] *n.* 여자 이름

Má Béll (미·구어) 벨 아줌마 《미국의 전화 전신 회사 AT&T의 애칭》

mábe pèarl [méib-] 반구형(半球形) 양식 진주

mac[1] [mǽk] *n.* (영·구어) = MACKINTOSH

mac[2] *vi.* (미·속어) MacDonald 햄버거를 먹다, 《일반적으로》 패스트푸드점에서 먹다 **~ *on*** (미·속어) …을 맥도날드에서 먹다 **~ *out*** (미·속어) …을 실컷 먹다

Mac [mǽk] *n.* **1** 남자 이름 **2** (미·속어) 자네, 이봐 《이름을 모르는 남성에 대한 호칭》 **3** (구어·익살) 스코틀랜드 사람; 아일랜드 사람 **4** 맥 《미국 Apple Computer 회사 컴퓨터인 Macintosh의 약어·애칭; 상표명》

MAC [mǽk] *n.* 자치체 원조 공사(Municipal Assistance Corporation) 《New York 시의 재정 위기 완화를 위해 1975년 설립》

MAc Master of Accounting **MAC** Master of Arts in Communications; Military Armistice Commission 군사 정전 위원회; Military Airlift Command 〖미군〗 공수 공군, 공수 항공 군단; [mǽk] multiplexed analogue components **Mac.** Maccabees

Mac- [mək, mæk, ([k, g] 앞에서) mə, mæ] *pref.* 「…의 아들」의 뜻 《스코틀랜드 또는 아일랜드인의 성에 붙임; Mc-, M[c]-, M'-이라고도 씀》: *Mac*-Donald, *Mac*kenzie

ma·ca·bre [məkɑ́ːbrə, -kɑ́ːbər], **-ber** [-bər] [F] *a.* 무시무시한, 소름끼치는

ma·ca·co [məkɑ́ːkou, -kéi-] *n.* (*pl.* **~s**) 〖동물〗 여우원숭이(lemur)

mac·ad·am [məkǽdəm] [스코틀랜드의 도로 기사의 이름에서] *n.* 〖토목〗 머캐덤 포장 도로(= **~ ròad**); Ⓤ (머캐덤 포장 도로용) 자갈

mac·a·da·mi·a [mækədéimiə] *n.* 〖식물〗 (호주산) 마카다미아나무 《상록수》; 그 열매(= **~ nùt**)

mac·ad·am·ize [məkǽdəmàiz] *vt.* 〈도로에〉 자갈을 깔다 **mac·àd·am·i·zá·tion** *n.* Ⓤ 머캐덤 포장법

Ma·cao [məkáu] *n.* 마카오 《442년간 포르투갈 식민지였다가 1999년 12월에 중국에 반환된 중국 남부의 해항》 **Mac·a·nese** [mækəníːz, -s] *n.*

ma·caque [məkǽk, -kɑ́ːk] *n.* 〖동물〗 짧은꼬리원숭이 《아시아·아프리카산(産)》

*__mac·a·ro·ni, mac·ca-__ [mæ̀kəróuni] [It.] *n.* (*pl.* **~(e)s**) **1** Ⓤ 마카로니(cf. SPAGHETTI); 마카로니 비슷한 것 《라디오의 안테나·튜브 등》 **2** (18세기의 영국에서) 유럽 대륙식 멋쟁이 **3** 《속어》 이탈리아인 **4** 《미·속어》 톱밥(sawdust)

macaróni (and) chéese 치즈를 섞어서 구운 마카로니

mac·a·ron·ic [mæ̀kərɑ́nik|-rɔ́n-] *a.* 라틴어나 라틴어 어미를 현대어에 섞은 혼효체(混淆體)의; 〈문학 작품 등이〉 (두 가지 이상의 언어가) 섞인
— *n.* [보통 *pl.*] 아속(雅俗)[2개 국어] 혼효체의 광시(狂詩); 혼효어(語)

macaróni mills (미·속어) 제재소(sawmill)

mac·a·roon [mæ̀kərúːn] *n.* 마카롱 《달걀 흰자·설탕·살구씨 등으로 만든 과자》

Mac·Ar·thur [məkɑ́ːrθər] *n.* 맥아더 **Douglas ~** (1880-1964) 《미국 육군 원수》

ma·cás·sar òil [məkǽsər-] 마카사르유(油) 《실론오크나무의 종자에서 얻는 기름; 머릿기름》

Ma·cau·lay [məkɔ́ːli] *n.* 매콜리 **Thomas Babington ~** (1800-59) 《영국의 문호·정치가》

ma·caw [məkɔ́ː] *n.* **1** 〖조류〗 마코앵무 《열대 아메리카산(産)》 **2** 〖식물〗 마코야자(= **~ pàlm**)

Mac·beth [məkbéθ, mæk-] *n.* 맥베스 《Shakespeare 작의 4대 비극의 하나; 그 주인공》

Macc. Maccabees

Mac·ca·bae·us [mæ̀kəbíːəs] *n.* 마카바이오 **Judas ~** (?-160 B.C.) 《유대의 애국자》

Mac·ca·be·an [mæ̀kəbíːən] *a.* Maccabaeus의; Maccabees의

Mac·ca·bees [mǽkəbìːz] *n. pl.* **1** Maccabaeus의 일족 《시리아 왕의 학정으로부터 유대를 구한》 **2** [단수 취급] 〖성서〗 마카베오서(書) 《외경(外經)》

mac·ca·boy [mǽkəbɔ̀i], **mac·ca·baw** [-bɔ̀ː]

n. Ⓤ (장미 향이 나는) 코담배의 일종 《서인도 제도산》

Mac·Don·ald [məkdánəld | -dɔ́n-] *n.* 맥도널드 **James Ramsay ~** (1866-1937) 《영국의 정치가; 노동당 당수; 수상(1924, 1929-35)》

mace¹ [méis] *n.* **1** 〖역사〗 철퇴, 전곤(戰棍) 《끝에 갈고리가 있는 중세의 갑옷을 부수는 무기》 **2** 곤봉 모양의 권표(權標) 《시장·대학 총장 등의 직권의 상징》; [the M~] 《영》 하원 의장의 직장(職杖) **3** = MACE-BEARER **4** 〖당구〗 (옛날의) 당구봉 **5** 〖야구〗 = BAT¹

maces¹ 1 2

mace² *n.* Ⓤ 육두구(nutmeg)의 씨껍질을 말린 향미료

Mace [méis] *n.* 최루 가스 《상표명》 **—** *vt.* [m~] 〈폭도 등을〉 최루 가스로 공격[진압]하다

mace-bear·er [méisbɛ̀ərər] *n.* 권표[직장]를 받드는 사람

Maced. Macedonia(n)

ma·cé·doine [mæ̀sədwáːn] [F] *n.* **1** (젤리로 굳힌) 야채[과일] 샐러드 **2** 뒤범벅

Mac·e·do·ni·a [mæ̀sədóuniə, -njə] *n.* **1** 마케도니아 (공화국) 《유고 연방에서 독립; 수도 Skopje》 **2** 마케도니아 《그리스의 북부 지방; Balkan 반도의 옛 왕국》

Mac·e·do·ni·an [mæ̀sədóuniən, -njən] *a.* 마케도니아(사람[말])의 **—** *n.* 마케도니아 사람; Ⓤ 마케도니아 말

mac·er·ate [mǽsərèit] *vt., vi.* **1** 물[액체]에 담가 부드럽게 하다[되다], 불리다; 〈딱딱한 것을〉 풀다, 분해하다 **2** (단식·걱정거리로) 쇠약케 하다[쇠약해지다]

mac·er·a·tion [mæ̀səréiʃən] *n.* Ⓤ 물에 담가서 부드럽게 함; 단식하여[심로로] 수척해짐

mac·er·a·tor, -at·er [mǽsərèitər] *n.* macerate 하는 사람; 펄프 제조 장치

Mach [máːk, mǽk] [오스트리아의 물리학자 Ernst Mach(1838-1916)에서] *n.* 〖물리〗 마하수(= ~ number) 《물체 속도의 음속에 대한 비; 略 M》

mach. machine; machinery; machinist

ma·chet·e [məʃéti, -tʃéti] *n.* **1** (중남미 원주민이 벌채에 쓰는) 칼, 만도(蠻刀) **2** 〖어류〗 당멸치의 일종 《태평양 동부산》 **3** 마체테 《포루투갈의 소형 현악기》

machete 1

Ma·chi·a·vel·li [mæ̀kiəvéli] *n.* 마키아벨리 **Niccolò di Bernardo ~** (1469-1527) 《이탈리아 Florence의 외교가·정치가》

Ma·chi·a·vel·li·an [mæ̀kiəvéliən] *a.* 마키아벨리주의의; 권모술수의, 책략적인; 교활한 **—** *n.* 마키아벨리주의자, 권모술수주의자

Ma·chi·a·vel·lism [mæ̀kiəvélizm] *n.* Ⓤ 마키아벨리주의 《정치 목적을 위해서는 수단을 가리지 않기》 **-list** *n.* 마키아벨리주의자, 책모가

machicolation

ma·chic·o·late [mətʃíkəlèit] *vt.* 총안(銃眼)(machicolation)을 만들다 **-làt·ed** *a.*

ma·chic·o·la·tion [mətʃìkəléiʃən], **ma·chi·cou·lis** [mɑ̀ːʃəkuːlíː] *n.* (입구·통로 위에) 돌출한 총안 《적의 공격을 방어할 때 여기에서 불·돌·열탕 등을 퍼부었음》

ma·chin(e)·a·ble [məʃíːnəbl] *a.* **1** 〈재료가〉 공작 기계로 절삭[성형]할 수 있는, 공구(工具)로 가공할 수 있는 **2** 〈우편물·소포 등이〉 기계로 분류할 수 있는 **ma·chìn·a·bíl·i·ty** *n.*

mach·i·nate [mǽkənèit] *vt.* 〈음모를〉 꾸미다, 모의하다(contrive) **-nà·tor** *n.* 모사

mach·i·na·tion [mæ̀kənéiʃən] *n.* [보통 *pl.*] (나쁜 일의) 음모, 책모

‡**ma·chine** [məʃíːn] [Gk 「장치」의 뜻에서] *n.* **1** 기계, 기계 장치: by ~ 기계로/a washing ~ 세탁기 **2** 〖공학〗 **a** 힘·운동을 전달하거나 방향을 바꾸어 주는 장치 **b** 단순 기계(= simple ~); 복합 기계(= **complex ~**) **3** 재봉틀(= sewing ~); 자전거; 자동차; 비행기; 타이프라이터; 자동 판매기(= vending ~); 《영》 인쇄 기계(《미》 press); 컴퓨터; 《미·속어》 증기 펌프 **4** (시·극 등에 나타나는) 초자연의 힘[인물] **5 a** 기관, 기구, 장치: the ~ of government 정부 기관/the social ~ 사회 기구 **b** 《미》 (정당 등의) 지배 세력, 간부(집단) **6** 기계적으로 행동하는 사람, 기계적 인간 ***the god from the ~*** = DEUS EX MACHINA **—** *a.* Ⓐ **1** 기계의, 기계에 의한, 기계용의: ~ parts 기계 부품 **2** 기계적인, 틀에 박힌 **—** *vt.* 기계로 만들다[마무르다], 재봉틀로 박다, 인쇄기에 걸다; 기계화하다; 틀에 맞게 만들다; 규격화하다 《*down*》 ▷ mechánical *a.*; méchanize *v.*

machíne àge [the ~] 기계 (문명의) 시대

machíne àrt 기계 예술

machíne bòlt 〖기계〗 머신 볼트

machíne chéck 〖컴퓨터〗 (내장된 기구에 의한) 기계 검사

machíne còde = MACHINE LANGUAGE

machíne còtton (재봉틀용) 무명실

machíne fínish 〖제지〗 머신 마무리 《초지기(抄紙機)에 달린 롤러로 종이에 광을 내는 공정》

machíne gùn 기관총, 기총

ma·chine-gun [məʃíːngʌ̀n] *vt.* (**~ned**; **~·ning**) 기관총으로 쏘다, 기총 소사(掃射)하다 **—** *a.* 기관총처럼 속사하는 〈질문 등〉

machíne gùnner 기관총 사수

ma·chine-hour [-áuər] *n.* 기계의 1시간당 작업량

ma·chine-in·de·pend·ent [-ìndipéndənt] *a.* 〖컴퓨터〗 기계 독립적인

machíne instrùction 〖컴퓨터〗 기계어 명령

machíne intèlligence 〖컴퓨터〗 기계 지능

machíne lànguage 〖컴퓨터〗 기계어 《컴퓨터가 읽을 수 있는 명령어》

machíne lèarning 〖컴퓨터〗 기계 학습 《자신의 동작을 스스로 개선할 수 있는 슈퍼 컴퓨터의 능력》

ma·chine·like [məʃíːnlàik] *a.* 기계 같은, 기계적인; 〈행동이〉 정확한, 규칙적인; 〈생산이〉 규격에 맞는

ma·chine-made [məʃíːnméid] *a.* 기계로 만든 (opp. *handmade*); 틀에 박힌

ma·chine·man [məʃíːnmən, -mæ̀n] *n.* (*pl.* **-men** [-mən, -mèn]) 기계공; 《영》 인쇄공(《미》 pressman)

machíne pìstol 자동 권총; 경(輕)기관총

machíne pòlitics 기구[조직] 정치 《조직의 힘으로 선거의 승리나 입법을 도모하는 일》 **machíne pòliticism** *n.* = MACHIAVELLISM

ma·chine·read·a·ble [məʃíːnrìːdəbl] *a.* 〖컴퓨터〗 기계 판독이 가능한

machíne rìfle = AUTOMATIC RIFLE

ma·chine-room [məʃíːnrù(ː)m] *n.* 《영》 인쇄실(《미》 pressroom)

‡**ma·chin·er·y** [məʃíːnəri] *n.* (*pl.* **-er·ies**) Ⓤ **1** [집합적] 기계류(machines): ~ insurance 기계 보험/install much ~ 기계를 많이 설비하다 **2** (기계의) 장치: the ~ of a watch 시계의 기계 장치 **3** (사회·정치 등의) 조직, 기구, 기관: the ~ of government 정부 기구 **4** 꾸밈, 수법 《소설·극 등의》 **5** 복잡한 일련의 절차: the ~ of divorce 복잡한 이혼 절차 **6** (…을 위해서) 고안된 방법, 유효한 수단 《*for*》

machíne scrèw 기계 나사

ma·chine-sewed [məʃíːnsòud] *a.* 재봉틀로 박은

machíne shòp 기계 (조립) 공장

machíne tìme (컴퓨터 등의) 총 작동 시간

machíne tòol 공작 기계, 전동(電動) 공구

machíne translàtion 기계 번역 《略 MT》

machíne vìsion 〖컴퓨터〗 기계 시각
ma·chine-wash [məʃíːnwɑ̀ʃ | -wɔ̀ʃ] *vt., vi.* 〈옷 등을〉 세탁기로 빨다 **~·a·ble** *a.* 세탁기로 빨 수 있는
machíne wòrd 〖컴퓨터〗 기계어[단어]
ma·chine·work [-wə̀ːrk] *n.* Ⓤ 기계로 하는 일
ma·chin·ing [məʃíːniŋ] *n.* Ⓤ 기계 가공
ma·chin·ist [məʃíːnist] *n.* **1** 기계 운전자[숙련공]; 기계 제작[수리]공 **2** 《영》 재봉공 **3** 〖미해군〗 기관 준위(准尉) **4** 《고어》 (극장의) 기계 담당자
ma·chis·mo [mɑːtʃíːzmou] [Sp.] *n.* 남자다움, 남사의 사부심[사랑], 남자의 과시욕
Mach·me·ter [mɑ́ːkmìːtər, mǽk-] *n.* [때로 **m~**] 〖물리〗 마하계(計) 《음속보다도 빠른 속도를 잼》
Mách nùmber 〖물리〗 마하수(數) 《물체 속도의 음속에 대한 비》
ma·cho [mɑ́ːtʃou] 《미·구어》 *n.* (*pl.* **~s**) 남성적인 사람(=**~ màn**) **—** *a.* 남성적인, 남자다움을 과시하는 **—** *v.* ★ 다음 성구로. **~ *it out*** 사나이답게 행동하다 **~ *up*** 자기의 대담함을 과시하다
mácho blòckbuster 《구어》 터프 가이(tough guy)가 주연인 대작 영화
macht·po·li·tik [mɑ́ːktpoulitìːk] [G] *n.* 무력[강력] 정치
Ma·chu Pic·chu [mɑ́ːtʃuː-píːktʃuː] 마추픽추 《페루 중남부 안데스 산맥에 있는 잉카 후기의 유적》
-machy [-məki] 《연결형》 「싸움」의 뜻: logo*machy*
Mac·in·tosh [mǽkintɑ̀ʃ | -tɔ̀ʃ] *n.* **1** 매킨토시 《미국 Apple Computer사의 컴퓨터; 상표명》 **2** [**m~**] =MACKINTOSH
mack[1] [mǽk] *n.* 《구어》 =MACKINTOSH
mack[2] *n.* 《속어》 뚜쟁이(pimp)
Mack [mǽk] *n.* **1** [때로 **m~**] 《미·속어》 이봐, 여보, 자네 《남자에 대한 호칭》 **2** 남자 이름 **3** 《미》 맥 《Mack Trucks Inc.의 대형 트럭·트랙터; 상표명》
Mac·ken·zie [məkénzi] *n.* [the ~] 매켄지 강(=**~ Ríver**) 《캐나다 서부에서 북극해로 흐르는 강》
Mackénzie Móuntains [the ~] 매켄지 산맥 《캐나다 북서부에 위치; 최고봉 Keele Peak(2,971m)》
mack·er·el [mǽkərəl] *n.* (*pl.* **~, ~s**) 〖어류〗 고등어
máckerel bréeze[gále] 고등어 바람 《고등어 낚시에 좋다고 하는 다소 센 바람》
máckerel shàrk 〖어류〗 악상어(porbeagle)
máckerel ský 비늘구름이 덮인 하늘
mack·i·naw [mǽkənɔ̀ː] *n.* 《미》 두꺼운 모직 반코트(=**~ còat**); 체크 무늬 담요(=**~ blànket**); 평저선(平底船)(=**~ bòat**) 《예전에 5대호에서 쓰이던 것》
Máckinaw tròut =LAKE TROUT
mack·in·tosh [mǽkintɑ̀ʃ | -tɔ̀ʃ] [고안자의 이름에서] *n.* Ⓤ 고무 방수포; Ⓒ 방수 외투 《略 mac(k)》
mack·le [mǽkl] [macle의 변형] 〖인쇄〗 *n.* 얼룩; 잘못된 인쇄, 이중 인쇄 **—** *vt., vi.* 얼룩지게 하다[얼룩지다]; 잘못 인쇄하다, 이중 인쇄되다
mack·man [mǽkmæ̀n, -mən] *n.* 《속어》 뚜쟁이
ma·cle [mǽkl] *n.* 〖광물〗 쌍정(雙晶)(twin crystal); (광물의) 얼룩, 변색 **má·cled** [-d] *a.*
Mac·leod [məkláud] *n.* 남자 이름
Mac·mil·lan [məkmílən] *n.* 맥밀란 **Harold ~** (1894-1986) 《영국의 정치가; 수상(1957-63)》
ma·co [mɑ́ːkou] *n.* (*pl.* **~s**) 마코 《특히 내의류 제조에 쓰이는 이집트 면》
ma·con [méikən] [*m*utton+b*acon*] *n.* 《제2차 대전 중의》 양고기 베이컨
Mâ·con [mɑːkɔ́ːŋ] [F] *n.* Ⓤ 프랑스산(産) 포도주
Mac·Pa·per [məkpéipər] *n.* =MCPAPER
macr- [mækr], **macro-** [mǽkrou, -rə] 《연결형》 「큰…, 긴…, 거대한, 거시적인, 과대한; 초(超)…」의 뜻 《모음 앞에서는 macr-》
mac·ra·me, -mé [mǽkrəmèi] [F] *n.* Ⓤ 마크라메 레이스, 매듭 (레이스); 매듭 레이스 기술
mac·ro [mǽkrou] *n.* (*pl.* **~s**) **1** (그 종류 중에서) 대형의 것 **2** =MACROINSTRUCTION **3** 〖사진〗 =MACRO LENS **4** =MACROECONOMICS **—** *a.* 대형의, 대규모의; 거시적인
mac·ro·a·nal·y·sis [mæ̀krouənǽləsis] *n.* (*pl.* **-ses** [-sìːz]) Ⓤ 〖화학〗 보통량 분석; 〖경제〗 거시적 분석(cf. MICROANALYSIS)
mac·ro·bi·o·sis [-baióusis] *n.* Ⓤ 〖의학〗 장수(長壽)
mac·ro·bi·ot·ic [-baiɑ́tik | -ɔ́t-] *a.* **1** 장수(長壽)의; 장수식(食)의, 자연식의: ~ food 장수[자연] 식품 《무농약의 곡물·야채 중심의》 **2** 〈종자 등이〉 장기 보존의 **—** *n.* 장수식 신봉[실천]자 **-i·cal·ly** *ad.*
mac·ro·bi·ot·ics [-baiɑ́tiks | -ɔ́t-] *n. pl.* [단수 취급] 장수식 연구, 장수 식품학
mac·ro·ceph·a·lous [-séfələs], **-ce·phal·ic** [-səfǽlik] *a.* 대두(大頭)의
mac·ro·ceph·a·ly [mæ̀krouséfəli] *n.* Ⓤ 〖인류〗 이상 대두(大頭); 〖병리〗 대두증(症)
mac·ro·chem·is·try [mæ̀kroukémistri] *n.* 거시 화학(opp. *microchemistry*)
mac·ro·cli·mate [mǽkroukləàimit] *n.* 대(大)기후 《대륙·국가 따위의 광역 기후》(opp. *microclimate*) **màc·ro·cli·mát·ic** *a.* **-cli·mát·i·cal·ly** *ad.*
mac·ro·code [mǽkroukòud] *n.* 〖컴퓨터〗 매크로 코드 《macroinstruction의 단위》
mac·ro·cosm [mǽkrəkɑ̀zm | -kɔ̀zm] *n.* **1** [the ~] 대우주(opp. *microcosm*) **2** 전체, 종합적 체계 **3** 확대 모형: consider the state as the ~ of the family 국가를 가정의 확대 모형으로 보다 **màc·ro·cós·mic** *a.*
mac·ro·cyte [mǽkrəsàit] *n.* 〖병리〗 대(大)적혈구 《빈혈증으로 인해 발생》 **màc·ro·cýt·ic** *a.*
mac·ro·cy·to·sis [mæ̀krousaitóusis] *n.* (*pl.* **-ses** [-siːz]) 〖병리〗 대(적혈)구증(大(赤血)球症)
mac·ro·ec·o·nom·ic [-èkənɑ́mik | -nɔ́m-] *a.* 거시[매크로] 경제의
mac·ro·ec·o·nom·ics [-èkənɑ́miks | -nɔ́m-] *n. pl.* [단수 취급] 〖경제〗 거시 경제학(opp. *microeconomics*) **màc·ro·e·cón·o·mist** *n.*
mac·ro·e·con·o·my [-ikɑ́nəmi | -kɔ́n-] *n.* 거시 경제
mac·ro·en·gi·neer·ing [-èndʒiníəriŋ] *n.* Ⓤ 거대 (프로젝트) 공학
mac·ro·ev·o·lu·tion [-èvəlúːʃən] *n.* 〖생물〗 대진화(大進化) 《종(種) 이상의 분류군 레벨에서 일어나는 커다란 진화상의 변화》 **~·àr·y** *a.*
mac·ro·fos·sil [-fɑ́səl | -fɔ́s-] *n.* 대형 화석 《육안으로 형태나 특징을 판별할 수 있는 화석》
mac·ro·gam·ete [-gǽmiːt] *n.* 〖생물〗 대배우자(大配偶者) 《자성(雌性) 배우자》
mac·ro·glob·u·lin [-glɑ́bjulin | -glɔ́b-] *n.* 매크로글로불린 《분자량 약 40만 이상의 글로불린》
mac·ro·graph [mǽkrəgræ̀f | -grɑ̀ːf] *n.* 육안도(肉眼圖)(opp. *micrograph*); 확대도
ma·crog·ra·phy [məkrɑ́grəfi | -rɔ́g-] *n.* Ⓤ **1** 육안 검사(opp. *micrography*) **2** 〖병리〗 이상 대서증(大書症) 《정신 이상 때문》
mac·ro·in·struc·tion [mæ̀krouinstrʌ́kʃən] *n.* 〖컴퓨터〗 매크로 명령
mácro lèns 〖사진〗 매크로 렌즈, 접사(接寫)용 렌즈
mac·ro·lin·guis·tics [mæ̀krouliŋgwístiks] *n. pl.* [단수 취급] 대언어학 《언어 연구 부문의 총칭》
mac·ro·me·te·o·rol·o·gy [-mìːtiərɑ́lədʒi | -rɔ́l-] *n.* Ⓤ 거시 기상학 **-gist** *n.*
ma·crom·e·ter [məkrɑ́mətər | -rɔ́m-] *n.* 〖광학〗 측거기(測距器)
mac·ro·mol·e·cule [mæ̀krəmɑ́likjuːl | -mɔ́l-] *n.* 〖화학〗 거대 분자, 고분자 **-mo·léc·u·lar** *a.*
mac·ro·mu·tant [mæ̀kroumjúːtnt] 〖유전〗 *a.* **1** 복합 돌연변이를 일으키는 **2** 복합 돌연변이에 의한

thesaurus **mad** *a.* **1** 미친 insane, lunatic, crazed, deranged, demented, frenzied, frantic, hysterical

— *n.* 복합 돌연변이체[종(種)]
mac·ro·mu·ta·tion [-mju:téiʃən] *n.* 〖유전〗 복합 돌연변이
ma·cron [méikrɑn, mǽk- | mǽkrɔn] *n.* 〖음성〗 (모음 위쪽에 붙이는) 장음 기호(¯) 《보기: cāme, bē; cf. BREVE》
mac·ro·nu·cle·us [mæ̀krounjú:kliəs | -njú:-] *n.* 〖생물〗 대핵 《섬모충의 핵으로서 영양핵의 기능을 가짐》
mac·ro·nu·tri·ent [-njú:triənt | -njú:-] *n.* 〖식물〗 다량 영양소 《식물의 생장에 크게 요구되는 탄소·수소·산소·질소 등의 원소》
mac·ro·or·gan·ism [-ɔ́:rgənìzm] *n.* 〖생물〗 육안으로 보이는 생물(cf. MICROORGANISM)
mac·ro·phage [mǽkrəfèidʒ] *n.* 〖생물〗 대식 세포(大食細胞) **màc·ro·phág·ic** *a.*
mac·ro·pho·tog·ra·phy [mæ̀kroufətɑ́grəfi | -tɔ́g-] *n.* (저배율(低倍率)의) 확대 사진술
màc·ro·phó·to·graph *n.* 확대 사진
mac·ro·phys·ics [-fíziks] *n. pl.* [단수 취급] 거시 물리학(cf. MICROPHYSICS)
mac·ro·phyte [mǽkrəfàit] *n.* 〖식물〗 대형 (수생) 식물 《특히 해조류》 **màc·ro·phýt·ic** *a.*
mac·ro·scale [mǽkrouskèil] *n.* 대규모, 거시적 규모
mac·ro·scop·ic, -i·cal [mæ̀krəskɑ́pik(əl) | -skɔ́p-] *a.* **1** 육안으로 보이는(opp. *microscopic*) **2** 〖물리·수학〗 거시적인 **-i·cal·ly** *ad.*
mac·ro·so·ci·ol·o·gy [mæ̀krousòusiɑ́lədʒi, -ʃi- | -ɔ́l-] *n.* Ⓤ 거시 사회학
mac·ro·spore [mǽkrəspɔ̀:r] *n.* 〖식물〗 =MEGASPORE
mac·ro·struc·ture [mǽkrəstrʌ̀ktʃər] *n.* 매크로 구조, 육안적 구조[조직] **màc·ro·strúc·tur·al** *a.*
mácro vìrus 〖컴퓨터〗 매크로 바이러스 《특정한 매크로 프로그램에 숨어서 감염되는 컴퓨터 바이러스》
MACT Master of Arts in College Teaching
mac·u·la [mǽkjulə] *n.* (*pl.* **-lae** [-lì:]) 흑점 《태양·달 등의》; (광물의) 흠(flaw); (피부의) 반점(spot), 기미; 〖안과〗 망막 황반(黃斑); 각막 백반(白斑)
mac·u·lar [mǽkjulər] *a.* 반점이 있는
mácular degenerátion (노화에 따른) 시력 감퇴
mac·u·late [mǽkjulèit] *vt.* …에 반점을 묻히다; 더럽히다(defile) **—** [-lət] *a.* =MACULAR
mac·u·la·tion [mæ̀kjuléiʃən] *n.* Ⓤ 반점을 묻힘, 반점 있음; Ⓒ 반점, 오점; (동식물의) 반점 무늬
mac·ule [mǽkju:l] *n.* 〖해부〗 (피부의) 반점(macula); 〖인쇄〗 =MACKLE **—** *vt., vi.* =MACKLE
ma·cum·ba [məkúmbə] *n.* 마쿰바 《브라질에서 행해지는 부두교(敎)와 그리스도교가 혼합된 주술》
Ma·cy's [méisiz] *n.* 메이시 백화점 《체인점; 특히 뉴욕의 점포는 세계 최대의 규모임》
‡mad [mǽd] *a.* (**~·der**; **~·dest**) **1 a** 미친(crazy): a ~ man 미치광이 // (~+*to* do) He must be ~ *to* do such an imprudent thing. 그런 경솔한 짓을 하다니 그 사람 돌았군. **b** 무모한, 어리석은, 무분별한: have some ~ idea 어리석은 생각을 하다 **2 미친 것 같은, 몹시 흥분한,** 눈이 뒤집힌 《*with*》: be ~ *with* jealousy 질투로 미친 것 같다 **3** (구어) (몹시) **화난,** 격노한 《*at, with, about*》: Don't be ~ *at* me. 나한테 화내지 마라.

> 유의어 **mad**를 「화가 난」의 뜻으로 쓰는 것은 구어이며 표준적인 영어에서는 **angry**를 사용한다. 또 「미친」의 뜻으로서의 mad는 경멸이나 혐오감이 따르는 것이 보통이며 의학 용어로서는 부적당하다(cf. CRAZY).

4 〈동물 등이〉 광포한; 광견병[공수병]에 걸린: a ~ dog 광견병에 걸린 개 **5 열광한, 열중한**; 정신이 나간, 몹시 열망하는 《*for, after, about, on*》: He was ~ *for* a new car. 그는 새 차를 몹시 갖고 싶어 했다. **6** 신이 난 **7** 〈바람·태풍 등이〉 몹시 심한, 맹렬한: a ~ storm 심한 폭풍
(**as**) **~ as a hatter**[**a** (**March**) **hare**] ⇨ hatter, hare. (**as**) **~ as ~** (구어) 노발대발하여 **be ~ keen** (영·구어) (…을) 열렬히 좋아하다; (…에) 열광하다 《*on*》 **be ~ with joy** 몹시 기뻐하다 **be** (**stark**) **raving ~** (구어) 완전히 미치다 **drive**[**send**] a person **~** …을 미칠 지경으로 만들다 **go**[**run**] **~** 미치다 **go**[**run**] **~ after**[**over**] …에 열중하다 **like ~** 미치광이처럼; 맹렬히: sell *like* ~ 불티나게 팔리다 **~ as a wet hen** (미·구어) 격노한 **~ for** ⇨ *a.* 5
— *n.* 화, 성 **have a ~ on** (미·구어) …에 화내다
— *vt.* (**~·ded**; **~·ding**) (미·속어) 격노[발광]시키다

2 화난 furious, infuriated, enraged, incensed, wrathful, indignant, exasperated

MAD [mǽd] [*m*utual *a*ssured *d*estruction] *n.* 〖군사〗 상호 확증 파괴 《핵강대국 사이에서 적이 핵 공격을 가할 경우 상대편도 전멸시키는 보복 전략》
Mad. Madam
Mad·a·gas·can [mæ̀dəgǽskən] *a.* 마다가스카르(Madagascar)(사람)의 **—** *n.* 마다가스카르 사람
Mad·a·gas·car [mæ̀dəgǽskər] *n.* 마다가스카르 《아프리카 남동의 섬·공화국; 수도 Antananarivo》
‡mad·am [mǽdəm] [OF=my lady] *n.* (*pl.* **mes·dames** [meidǽm, -dɑ́:m | méidæm]) **1** 아씨, 부인 ★ 정중한 호칭, Madam 또는 Dear Madam으로 써서 여성에 대한 편지의 호칭으로 쓰며, 축약형은 ma'am임: *M*~ Chairman 여성 의장 / *M*~ President 대통령 영부인 **2** (미) 주부, 아내 **3** (영·구어) 건방진 계집애 **4** 여자 포주
***mad·ame** [mǽdəm, mədǽm, -dɑ́:m | mǽdəm] [F] *n.* (*pl.* **mes·dames** [meidǽm, -dɑ́:m | méidæm]) 부인, 마님, …부인 《프랑스에서 기혼에 대한 호칭; 성·칭호 앞에 붙이는 경칭; 영어의 Mrs.와 거의 같음; 略 Mme., (*pl.*) Mmes.》: *M*~ Curie 퀴리 부인
Mádame Tussáud's (런던의) 터소 밀랍 인형관
mád ápple 〖식물〗 가지(eggplant)
mad-brained [mǽdbréind] *a.* 격하기 쉬운, 물불을 가리지 않는, 무모한
mad·cap [-kæ̀p] *a., n.* 물불을 가리지 않는 (사람)
màd ców disèase (구어) 광우병(狂牛病)(bovine spongiform encephalopathy)
MADD [mǽd] [*M*others *A*gainst *D*runk *D*riving] *n.* (미) 음주 운전 반대 어머니회
***mad·den** [mǽdn] *vt.* [종종 수동형으로] 미치게 하다 《*with, by*》; 격노하게 하다: He *was* ~*ed with* joy. 그는 미친 듯이 기뻐했다.
— *vi.* 미치다; 격노하다 ▷ mád *a.*
***mad·den·ing** [mǽdniŋ] *a.* **1** 미치게 하는: a ~ thirst 미칠 듯한 갈증 **2** 격노하게 하는, 화나는 **3** (구어) 광포한 **~·ly** *ad.* 미칠 듯이 **~·ness** *n.*
mad·der [mǽdər] *n.* **1** 〖식물〗 꼭두서니 **2** 〖염료〗 꼭두서니 물감, 빨간 인조 물감 **3** 주황색
mádder láke 짙은 적자색(赤紫色) (염료)
mad·ding [mǽdiŋ] *a.* **1** 광기(狂氣)의, 미친, 광란의: the ~ crowd 광란의 무리들 **2** 미치게 하는
mád dóg (미·속어) 광포한[미친 것 같은] 사람
mad-dog [mǽddɔ̀:g] *vt.* (미·속어) (위협하듯이) 노려보다
‡made [méid] *v.* make의 과거·과거분사 ★ 보통 be made *of* (wood, etc.)는 재료의 형태를 보존하고 있을 경우, be made *from* (grapes, etc.)은 재료의 형태를 알 수 없게 되었을 경우에 씀.
— *a.* **1** [보통 복합어를 이루어] **몸집이 …한**(built): slightly-~ 몸이 여윈 **2** [보통 복합어를 이루어] …작의; …제의: American-~ cars 미국제 자동차 / home-~ goods 국산품 / ready-~ clothes 기성복 / hand-~ 수제의 **3** Ⓐ 인공의, 인조의; 여러 가지 섞은 《요리 등》: ~ fur 인조 모피 / a ~ dish 모듬 요리 **4** (미) 꾸며낸, 조작한: a ~ story 꾸며낸 이야기 **5** (구어) 성공[행운]이 확실한 **6** …하기에 안성맞춤의 《*for*》

7 메운, 매립한: ~ ground 매립지 ***have*** (***got***) ***it*** ~ 《구어》 성공할 것이 확실하다

Ma·dei·ra [mədíərə] *n.* 마데이라 《아프리카 서북 해상의 제도 및 그 주도; 포르투갈령》; Ⓤ 마데이라에서 만든 백포도주(=~ **wine**)

Madéira càke 《영》 마데이라 케이크(《미》 pound cake) 《카스텔라식 케이크》

Madéira tópaz 〖광물〗 황수정(citrine)

mad·e·leine [mǽdəlin, -lèin, mæ̀dəléin] [프랑스의 과자 제조인의 이름에서] *n.* 마들렌 《소형 스펀지 케이크의 일종》

máde mán **1** 성공자; 성공이 확실한 사람 **2** 《미·속어》 마피아의 정식 멤버[일원]

∗**mad·e·moi·selle** [mæ̀dəməzél, mæ̀dmwə-|mæ̀dmwə-] [F] *n.* (*pl.* **~s** [-z] **mes·de·moi·selles** [mèidəməzél, mèidmwə-|mèidmwə-]) **1** …양(孃), 영애(令愛), [호칭으로] 아가씨 《Miss에 해당함; 略 Mlle., (*pl.*) Mlles.》 **2** 《영》 프랑스인 여자 (가정)교사

made-to-mea·sure [méidtəméʒər] *a.* 〈옷·구두가〉 치수를 재어 맞춘(tailor-made); 성미에 딱 맞는

made-to-or·der [méidtəɔ́:rdər] *a.* **1** 주문받아 만든, 맞춤의(opp. *ready-made*): a ~ suit 맞춤 정장 **2** 딱 맞는, 일치하는

made-up [méidʌ́p] *a.* **1** 만들어 낸, 날조한(fabricated): a ~ story 꾸며낸 이야기 **2** 완성된; 〈넥타이가〉 미리 매 놓은 **3** 결심한 **4** 화장한 **5** 〈고서(古書) 등이〉 보수(補修)된 **6** 《영》 포장된(paved)

máde-úp tie 보타이(bow tie), 나비넥타이

máde wìne 수입 과즙으로 만든 와인

Madge [mǽdʒ] *n.* 여자 이름 《Margaret의 애칭》

Mád Hátter's disèase 〖병리〗 미나마타병 (Minamata disease) 《공해병의 하나; cf. HATTER'S SHAKES》

mad·house [mǽdhàus] *n.* (*pl.* **-hous·es** [-hàuziz]) 《구어》 정신 병원; 소란한 곳

Mad·i·son [mǽdəsn] *n.* 매디슨 **James** ~ (1751-1836) 《미국의 정치가, 제4대 대통령(1809-17)》

Mádison Ávenue **1** New York 시의 미국 광고업 중심지 **2** (미국의) 광고업(계)

Mádison Squáre Gárden New York 시에 위치한 옥내 스포츠 센터

∗**mad·ly** [mǽdli] *ad.* **1** 미친 듯이(insanely), 미치광이처럼 **2** 《구어》 열광적으로, 맹렬히, 필사적으로: be ~ in love with …에게 미친 듯 반해 있다 **3** 어리석게 **4** 《구어》 극단적으로, 매우, 굉장히(extremely): ~ expensive 엄청나게 비싼

Madm. Madam

∗**mad·man** [mǽdmæ̀n, -mən] *n.* (*pl.* **-men** [-mèn, -mən]) **1** 미친 사람(lunatic) **2** 상식을 벗어난 사람, 무모한 사람; 멍청이, 바보 같은 놈

mád mòney 《구어》 큰 마음 먹고 낭비하려고 작정한 돈; 여자가 데이트 상대와 싸워서 혼자 귀가할 때를 대비한 돈

‡**mad·ness** [mǽdnis] *n.* Ⓤ **1** 광기, 광란 상태, 정신 착란: He was driven to ~. 그는 미치고 말았다. **2** 무모한 짓, 바보짓 **3** 격노; 열광, 광희; 심취, 도취 **4** 광견병(rabies) ***love to*** ~ 열렬히 사랑하다

∗**Ma·don·na** [mədɑ́nə|-dɔ́nə] *n.* **1** [the ~] 성모 마리아 **2** 성모 마리아상 《그림·조각의》

Madónna and Chíld 〖미술〗 (성모 마리아가 아기 예수를 품에 안은) 성모자상(聖母子像)

Madónna lily 〖식물〗 흰백합(white lily) 《처녀의 상징》

Ma·dras [mədrǽs, -drɑ́:s] *n.* **1** 마드라스 《인도 동남부에 있는 주(州); 그 주도》 **2** [**m~**] ⓊⒸ (와이셔츠 감으로 쓰는) 고운 무명

ma·dra·sa, -sah [mədrǽsə] *n.* 〖이슬람교〗 (학자·지도자를 양성하기 위한) 고등 교육 기관

ma·dre [mɑ́:drei] [Sp. =mother] *n.* (*pl.* **~s** [-z]) 어머니

mad·re·pore [mǽdrəpɔ̀:r|∸-∠] *n.* 〖동물〗 녹석(綠石) 《돌산호과(科)의 일종》

Ma·drid [mədríd] *n.* 마드리드 《스페인의 수도》

mad·ri·gal [mǽdrigəl] [It.] *n.* **1** 서정의 단시(短詩), 짧은 연가 **2** 〖음악〗 마드리갈 《보통 5성부(聲部)로 된 무반주 합창》 **~·ist** *n.* 마드리갈 작곡가[가수]

ma·dri·lene [mæ̀drəlén, -léin] [F] *n.* 마드릴렌 《토마토로 맛들인 콩소메》

mád scíentist (SF나 괴기물에서) 과학을 악용하는 과학자

ma·du·ro [mədúərou] [Sp.] *a., n.* (*pl.* **~s**) 암갈색의 독한 (엽궐련)

mad·wom·an [mǽdwùmən] *n.* (*pl.* **-wom·en** [-wìmin]) 미친 여자

mad·wort [-wə̀:rt, -wɔ̀:rt|-wə̀:t] *n.* 〖식물〗 알리섬뜰냉이 《겨잣과(科)》; 양구슬냉이의 일종》

Mae [méi] *n.* 여자 이름 《Mary의 애칭》

MAE Master of Aeronautical[Aerospace] Engineering; Master of Art Education; Master of Arts in Education[Elocution]

Mae·ce·nas [mi:sí:nəs, mái-|-næs] *n.* 마이케나스 (70?-8 B.C.) 《고대 로마의 정치가, 예술의 보호자》

MAEd Master of Arts in Education

mael·strom [méilstrəm|-strɔm, -stroum] *n.* **1** 큰 소용돌이 **2** 큰 동요, 대혼란 《*of*》 **3** [the M~] 노르웨이 서해안의 크게 소용돌이치며 흐르는 물

mae·nad [mí:næd] *n.* **1** =BACCHANTE **2** 《일반적으로》 열광한[광란의] 여자

mae·sto·so [maistóusou] [It.] 〖음악〗 *a.* 장엄한 — *ad.* 장엄하게(stately)

mae·stro [máistrou] [It. =master] *n.* (*pl.* **~s, -stri** [-stri:]; *fem.* **-stra** [-strə]) **1** 대음악가, 명지휘자: Toscanini and other great ~*s.* 토스카니니와 다른 위대한 명지휘자들 **2** [**M~**] 1에 대한 경칭 **3** (예술의) 명인, 거장

Mae·ter·linck [méitərlìŋk] *n.* 마테를링크 **Comte Maurice** ~ (1862-1949) 《벨기에의 극작가·시인》

Máe Wést [méi-] [유방이 큰 미국의 여배우 이름에서] [종종 **m- w-**] 《속어》 해상 구명조끼

MAFF Ministry of Agriculture, Fisheries and Food 《영》 농업 수산 식품부

Maf·féi gálaxy [mɑ:féii-] 〖천문〗 마페이 은하 《페르세우스자리와 카시오페이아자리 사이의》

maf·fick [mǽfik] *vi.* 《영》 축제 기분이 되다, 축제 소동을 벌이다

Ma·fi·a, Maf·fi·a [mɑ́:fiə, mǽf-] [It.] *n.* **1** [the ~; 집합적] 마피아 《이탈리아·미국을 중심으로 하는 국제적 범죄 조직》; 《일반적으로》 범죄인의 비밀결사 **2** [**m~**] 과격한 반정부 감정 **3** [종종 **m~**] (특정 분야에서의) 배타적 집단, 파벌(clique)

Ma·fi·ol·o·gy [mɑ̀:fiɑ́lədʒi|mæ̀fiɔ́l-] *n.* Ⓤ 마피아학, 마피아 연구, 범죄 조직학

ma·fi·o·so [mɑ:fióusou] [It.] *n.* (*pl.* **-si** [-si]) [때로 **M~**] 마피아(단)의 한 사람

ma foi [mɑ́:-fwɑ́:] [F =my faith] *int.* 맹세코, 정말로; 이키 놀랐어!

mag[1] [mǽg] *n.* 《영·속어》 반 페니(화폐)(halfpenny)

mag[2] *n.* **1** 《구어》 =MAGAZINE **2** =MAGNETO

mag[3] [*mag*netic] *a.* 〖컴퓨터〗 자기(磁氣)의, 자성(磁性)을 띤: ~ tape 자기 테이프 — *n.* 자성체

mag[4] [*mag*pie] *n.* **1** =CHATTER **2** =MAGPIE — *vi.* =CHATTER

Mag [mǽg] *n.* 여자 이름 《Margaret의 애칭》

mag. magazine; magnetism; magnitude

mag·a·log, -logue [mǽgəlɔ̀:g, -lɑ̀g|-lɔ̀g] [*mag*azine+cat*alog*(*ue*)] *n.* (통신 판매용의) 카탈로그 잡지

‡**mag·a·zine** [mæ̀gəzí:n, ∠-∸] [Arab. 「창고」의 뜻

thesaurus **magic** *n.* **1** 마법 sorcery, witchcraft, wizardry, enchantment, necromancy **2** 마술 conjur-

에서] *n.* **1 a** 잡지: a weekly[monthly] ~ 주간[월간] 잡지 / women's ~*s* 여성지 **b** 〖신문〗 (일요판의) 문예 작품[평론]란 **c** [one's ~] 잡지사
USAGE (1) 일반적인 주간[월간]지가 magazine이며, 전문적인 잡지·기관지는 journal이라 한다. (2) 《미》에서는 잡지[주간지]명이 1단어의 경우에는 뒤에 magazine을 붙여 The *Time*[*Newsweek*] magazine이라 하고, 2단어 이상인 경우에는 The *Reader's Digest*처럼 magazine을 붙이지 않는 경우가 많다.
2 〖TV·라디오〗 뉴스 매거진 프로(= ~ programme); 버라이어티 프로 **3** = MAGAZINE SECTION **4** 〖군사〗 창고, 《특히》 탄약고, 무기고; (연발총의) 탄창 **5** (연료 자급 난로의) 연료실 **6** 〖영화·사진〗 필름[슬라이드] 자동 감는 장치[틀]

mag·a·zine-for·mat [mǽgəzi:nfɔ̀:rmæt] *a.* 〈텔레비전 프로가〉 잡지 형식의, 잡지식 구성의

magazíne prògramme 《영》 통상적 TV·라디오 프로(magazine)

magazíne sèction (일간 신문의) 일요판

mag·a·zin·ist [mæ̀gəzí:nist] *n.* 잡지 편집자[기자]

mág càrd = MAGNETIC CARD

mag·con [mǽgkɑn | -kɔn] *n.* 〖천문〗 자석 집중 (현상) 《달·행성 표면에 자기 물질이 모이는 것》

Mag·da [mǽgdə] *n.* 여자 이름 《Magdalene의 애칭》

Mag·da·la [mǽgdələ] *n.* 〖성서〗 막달라 《팔레스티나(Palestine) 북부의 마을》

Mag·da·len [mǽgdəlin], **Mag·da·lene** [mǽgdəli:n, -lən, mæ̀gdəlí:ni] *n.* **1** [보통 the ~] 〖성서〗 막달라 마리아(=Mary ~) **2** [**m~**] 개심(改心)한 매춘부; 매춘부 갱생원 **3** 여자 이름

Mag·da·le·ni·an [mæ̀gdəlí:niən] *a.* 〖고고학〗 (구석기 시대 최후기인) 마들렌기(期)의 〈문화〉

Mág·de·burg hémisphere [mǽgdəbə̀:rg-] 〖물리〗 마그데부르크의 반구(半球)

mage [méidʒ] *n.* 《고어》 마법사; 학자

Mag·el·lan [mədʒélən | -gél-] *n.* **1** 마젤란 **Ferdinand ~** (1480?-1521) 《포르투갈의 항해자》 **2** 〖항공〗 항공사, 조종사 ***the Strait of ~*** 마젤란 해협 《남미 대륙 남단의》

Mag·el·lán·ic Clóud [mæ̀dʒəlǽnik- | -gel-] 〖천문〗 마젤란(성)운

Má·gen Dávid [mɑ́:gən-] [Heb.] 〖유대교〗 다윗의 별(star of David)

ma·gen·ta [mədʒéntə] *n.* **1** = FUCHSIN(E) **2** 마젠타색(色), 자홍색

Mag·gie [mǽgi] *n.* 여자 이름 《Margaret의 애칭》

Mággie's dràwers 《미·군대속어》 빗나간 사격

mag·got [mǽgət] *n.* **1** 구더기 **2** 변덕, 기상(奇想)(whim) **3** 《미·속어》 담배꽁초 **4** 《속어》 비열한 녀석 **5** 《영·속어》 돈(money) ***have a ~ in*** one***'s head*** [***brain***] 변덕스러운 생각을 품다 ***when the ~ bites*** 마음 내킬 때

mag·got·y [mǽgəti] *a.* **1** 구더기 천지의 **2** 《고어》 변덕스러운; 기묘한 생각을 지닌 **3** 《호주·뉴질·속어》 성난, 언짢은 **4** 《미·속어》 곤드레만드레 취한

Mag·gy [mǽgi] *n.* 여자 이름 《Margaret의 애칭》

Ma·ghreb, -ghrib [mʌ́grəb] *n.* [the ~] 머그레브 《북아프리카의 모로코·알제리·튀니지에 걸친 지방》
Ma·ghre·bi, Ma·ghri·bi [mʌ́grəbi] *a.*, *n.*

Ma·gi [méidʒai] *n. pl.* (*sing.* **-gus** [-gəs]) **1** [the (three) ~] 〖성서〗 (예수 탄신을 축하하러 온) 동방의 세 박사 《마태 복음 2: 1》 **2** [the ~] 마기 족(族) 《고대 페르시아의 사제 계급》 **3** [**m~**] 마법사들, 점성술사

Ma·gi·an [méidʒiən] *a.* 마기(계급)의; 《드물게》 = MAGICAL **—** *n.* 마기의 한 사람; [**m~**] 마법사
~·ism *n.* Ⓤ (고대 페르시아의) 마기교(敎)(Zoroastrianism)

---

ing, illusion, deception, trickery, juggling **3** 마력 allure, enchantment, fascination, charm, glamour

‡**mag·ic** [mǽdʒik] *n.* Ⓤ **1** 마법, 마술, 주술(呪術): practice[work, make] ~ 마법을 걸다 **2** 기술(奇術), 요술: pull a rabbit out of a hat by ~ 요술로 모자에서 토끼를 꺼내다 **3** 마력, 신비한 힘; 《일반적으로》 불가사의한 힘; 매력 (*of*): the ~ *of* fame 명예가 지닌 마력[신비한 힘] ***as*** (***if***) ***by ~*** = ***like ~*** 당장에, 이상하게도
— *a.* Ⓐ 마술의[같은]; 마법의; 매력 있는, 신비한; 요술의; 《영·구어》 굉장한: a ~ mirror 마법의 거울 《먼 곳이나 미래를 비추는》/ a ~ trick 요술의 속임수
▷ mágical *a.*

***mag·i·cal** [mǽdʒikəl] *a.* **1** 마술적인, 마술에 걸린 (듯한); 마술의, 마법의(magic) **2** 신비한: Its effect was ~. 그 효과는 신기했다. **3** 매혹적인: a ~ night 매혹적인 밤 **~·ly** *ad.*

mágical réalism 〖미술〗 = MAGIC REALISM

mágic búllet 마법의 탄환 《부작용 없이 병원균·암세포만 파괴하는 약제》; (문제의) 해결책

mágic cárpet 마술의 양탄자

mágic círcle 마술의 동그라미 《마법사가 땅에 그리는 원; 그 안의 사람은 마술에 걸린다는》

Mágic Éye [때로 **m- e-**] (라디오 수신기의) 동조(同調) 지시용 진공관 《상표명》

‡**ma·gi·cian** [mədʒíʃən] *n.* **1** 마술사, 요술쟁이 **2** 마술적인 기량이 있는 사람: a word ~ 언어의 마술사 ***the M~ of the North*** 「북방의 마술사」 《Sir Walter Scott의 별명》

mágic lántern 환등기 《오늘날의 projector》

Mágic Márker [때로 **m- m-**] 매직펜 《상표명》

mágic múshroom 《구어》 (먹으면 도취 효과가 있는) 환각 버섯

mágic númber 1 〖야구〗 매직 넘버 **2** 〖물리〗 마법수(數)

mágic réalism 〖미술〗 환상적 사실주의

mágic squáre 마방진(魔方陣) 《가로·세로·대각선 수의 합이 모두 같은 숫자 배열표》

mag·i·cube [mǽdʒikjù:b] *n.* 〖사진〗 입방체 플래시 《Kodak사 제품; 상표명》

mágic wánd 마술 지팡이

mágic wórd 〖야구〗 매직 워드 《주심에게 내뱉다가는 거의 틀림없이 퇴장당할 말》

ma·gilp [məgílp] *n.* = MEGILP

Má·gi·not Lìne [mǽʒənòu-] 마지노선 《2차 대전 때 프랑스·독일 국경에 있었던 방어선》

Ma·gi·not-mind·ed [mæ̀dʒənoumáindid] *a.* 현상 유지에 급급한

mag·is·te·ri·al [mæ̀dʒəstíəriəl] *a.* **1** 주인[스승]다운; 〈의견 등이〉 권위 있는; 고압적인 **2** 행정 장관의 **3** 치안 판사의[다운], 공평한 **~·ly** *ad.* **~·ness** *n.*

mag·is·te·ri·um [mæ̀dʒəstíəriəm] *n.* 〖가톨릭〗 교학권(敎學權), 교도직(敎導職)

mag·is·tra·cy [mǽdʒəstrəsi] *n.* (*pl.* **-cies**) **1** Ⓤ 장관·치안관의 직[임기, 권위, 관구] **2** [the ~] [집합적] 장관, 치안관(magistrate)

ma·gis·tral [mǽdʒəstrəl] *a.* **1** = MAGISTERIAL **2** 〖약학〗 (의사의) 특별 처방의 **~·ly** *ad.*

‡**mag·is·trate** [mǽdʒəstrèit, -trət] [L 「고관」의 뜻에서] *n.* **1** (사법권을 가진) 행정 장관, 지사, 시장 **2** 치안 판사, 하급 판사 《경범죄를 판결함; 보통은 명예직; 유급은 police magistrate》 ***a civil ~*** 문관 ***the Chief*** [***First***] ***M~*** 원수, 대통령, 지사
~·shìp *n.* Ⓤ magistrate의 직[지위, 임기]
mag·is·trat·i·cal [mæ̀dʒəstrǽtikəl] *a.* **màg·is·trát·i·cal·ly** *ad.* ▷ magistérial *a.*

mágistrate's cóurt 치안 판사 법원

Mag·le·mo·si·an, -se·an [mæ̀gləmóusiən, -ʃən | -ziən] *n.*, *a.* 〖고고학〗 마글레모제 문화(의) 《중석기 시대 중기의 북유럽 문화의》

mag·lev [mǽglèv] [*mag*netic *lev*itation] *n.* [종종 **M~**] 자기 부상(磁氣浮上) (철도)

mag·ma [mǽgmə] *n.* (*pl.* **~s, ~·ta** [-tə]) 연괴

(軟塊)《광물·유기 물질의》; 〖지질〗 암장(岩漿), 마그마

magn. magnetic; magnetism; magneto

magn- [mægn], **magni-** [mǽgnə] 《연결형》 「큰, 위대한」의 뜻 《모음 앞에서는 magn-》

Mag·na Char·ta[Car·ta] [mǽgnə-kɑ́ːrtə] [L =great charter] **1** 〖영국사〗 [the ~] 마그나카르타, 대헌장 《1215년 John 왕이 승인한 국민의 자유 칙허장(勅許狀); 영국 헌법의 기초》 **2** 《일반적으로》 국민의 권리·자유를 보장하는 기본법

mag·na cum lau·de [mǽgnə-kʌm-lɔ́ːdi] [L] *ad.*, *a.* 〈대학 졸업 성적이〉 우등으로[의] 《3단계 우등상에서 제2단계임: cf. CUM LAUDE, SUMMA CUM LAUDE》

mag·na·li·um [mægnéiliəm] *n.* Ⓤ 〖화학〗 마그날륨 《마그네슘과 알루미늄의 합금》

mag·na·nim·i·ty [mæ̀gnənímәti] *n.* (*pl.* **-ties**) **1** Ⓤ 아량(이 넓음), 관대함, 담대함 **2** [보통 *pl.*] 아량이 있는 언동, 관대한 행위

mag·nan·i·mous [mægnǽnəməs] *a.* 〈사람·행위 등이〉 도량이 큰, 관대한, 아량 있는; 활달한; 고결한; 기품에서 우러나오는: be ~ toward one's enemies 적에게 관대하다 **~·ly** *ad.* **~·ness** *n.*

*__mag·nate__ [mǽgneit, -nət] *n.* **1** 거물, …왕; 고관; 부호: an oil ~ 석유왕 **2** 〖야구〗 구단주

mag·ne·sia [mægníːʒə, -ʃə | -ʃə] *n.* Ⓤ 마그네시아, 고토(苦土), 산화마그네슘: carbonate of ~ = ~ alba 탄산마그네슘 **-sian** [-ʒən, -ʃən | -ʃən] *a.*

mag·ne·site [mǽgnəsàit] *n.* 〖광물〗 마그네사이트 《마그네슘의 원광석》

*__mag·ne·si·um__ [mægníːziəm, -ʒəm] *n.* Ⓤ 마그네슘 《금속 원소; 기호 Mg, 번호 12》: ~ carbonate 탄산마그네슘 / ~ sulfate 황산마그네슘, 사리염(瀉利鹽) 《하제(下劑)》

magnésium chlóride 〖화학〗 염화마그네슘

magnésium hydróxide 〖화학〗 수산화마그네슘

magnésium lìght 마그네슘광(光) 《사진 촬영용》

magnésium óxide 〖화학〗 산화마그네슘

magnésium peróxide 〖화학〗 과산화마그네슘

magnésium sílicate 〖화학〗 규산마그네슘

⁑__mag·net__ [mǽgnit] [Gk 「터키의 Magnesia 산 (돌)」의 뜻에서] *n.* **1** 자석, 자철(석)(lodestone): a bar ~ 막대 자석 / a horseshoe[U] ~ 말굽 자석 / a natural ~ 천연 자석 **2** 사람의 마음을 끄는 사람[물건]: the best ~*s* to attract customers 고객을 끌 만한 최고 인기 상품 ▷ magnétic *a.*; mágnetize *v.*

magnet- [mægníːt, -nét | mægníːt, məg-], **magneto-** [-tou] 《연결형》 「자력; 자기, 자성; 자기학」의 뜻 《모음 앞에서는 magnet-》

*__mag·net·ic__ [mægnétik] *a.* **1** 자석의, 자기(磁氣)의; 자성을 띤; 〈금속 등이〉 자화(磁化)되기 쉬운, 지구 자장의, 지자기의; 자침 방위의 **2** 매력 있는: a ~ personality 매력 있는 인품 **-i·cal·ly** *ad.*

magnétic ámplifier 〖전자〗 자기(磁氣) 증폭기

magnétic anómaly 〖지질〗 (지구 자장(磁場)의) 자기 이상

magnétic béaring 〖항해〗 자침(磁針) 방위

magnétic bóttle 〖물리〗 (플라스마를 가두어 두는) 자기병(磁氣瓶)

magnétic búbble 〖전자〗 포자구(泡磁區) 《자성재(材) 안에 나타나는 원주꼴의 자기 구역》 **~ *memory*** 〖컴퓨터〗 자기 버블 메모리 《정보 기억 소자》

magnétic cárd 〖컴퓨터〗 자기 카드

magnétic círcuit 〖물리〗 자기 회로

magnétic cómpass 자기 컴퍼스[나침의]

magnétic córe 〖컴퓨터〗 자기 코어 《기억 소자의 일종》; 〖전기〗 자심(磁心), 자극 철심

magnétic cóurse 〖항해·항공〗 자침로(磁針路)

magnétic declinátion 〖지질〗 자기 편차

magnétic detéctor 자침 검파기

magnétic dípole móment 〖전기〗 자기 쌍곡자(雙曲子) 모멘트(magnetic moment)

magnétic dísk 〖컴퓨터〗 자기 디스크 《표면이 자성 재료로 덮인 원판상(狀)의 기록 매체》

magnétic domáin 〖물리〗 (강자성체의) 자구(磁區)

magnétic drúm 〖컴퓨터〗 자기 드럼

magnétic equátor 〖지질〗 (지자기의) 자기 적도

magnétic explorátion 〖지질〗 자기 탐광(探鑛)(법)

magnétic fíeld 〖물리·전기〗 자장(磁場), 자계(磁界)

magnétic flúx 〖물리〗 자속(磁束); 자장

magnétic flúx dènsity 〖물리〗 자속 밀도

magnétic fórce 자(기)력

magnétic héad (테이프 레코더의) 자기 헤드; 〖컴퓨터〗 자기 헤드 《읽기·쓰기 헤드》

magnétic indúction 〖물리〗 자기 유도; 〖전기〗 자속 밀도(magnetic flux density)

magnétic ínk 자기[자성] 잉크

magnétic ínk cháracter recognìtion 자기(磁氣) 잉크 문자 식별[인식] 《略 MICR》

magnétic inténsity 〖물리〗 자계(磁界) 강도

magnétic léns 〖물리〗 자기 렌즈 《전자 빔의 초점을 맞추기 위한 자장을 이용한 렌즈》

magnétic levitátion 자기 부상(浮上); (철도의) 자기 부상 추진 시스템 《linear motor에 의한 것; cf. MAGLEV》

magnétic média 자기 매체 《데이터 기록용 테이프·디스크 등》

magnétic merídian 〖지질〗 자기 자오선

magnétic míne 〖해군〗 자기 기뢰

magnétic mírror 〖물리〗 자기경(鏡) 《자기병 속의 자장이 갑자기 강해진 곳; 하전 입자를 반사시킴》

magnétic móment 〖물리〗 자기 모멘트

magnétic néedle 자침(磁針)

magnétic nórth 자북(磁北) 《略 MN》

magnétic permeabílity 〖물리〗 투자율(透磁率)

magnétic píckup (전축의) 자석식 픽업

magnétic póle 〖물리〗 자극(磁極)

magnétic poténtial 〖전기〗 자위(磁位)

magnétic quántum nùmber 〖물리〗 자기 양자수(磁氣量子數)(cf. AZIMUTHAL QUANTUM NUMBER)

magnétic recórder 자기(磁氣) 녹음기

magnétic recórding 자기(磁氣) 녹음[기록]

magnétic résonance 〖물리〗 자기 공명(共鳴)

magnétic résonance ìmaging 자기 공명(共鳴) 화상법[단층 촬영법] 《略 MRI》

magnétic résonance scànner 〖의학〗 자기 공명 단층 촬영 장치(MR scanner)

mag·net·ics [mægnétiks] *n. pl.* [단수 취급] 자기학(磁氣學)

magnétic shíelding 자기(磁氣) 차폐(遮蔽)물

magnétic stórm 자기 폭풍 《태양 활동으로 인한》

magnétic stríp[strípe] 자기대(磁氣帶) 《신용카드 등의 비밀 번호를 기억해 두는 흑갈색의 띠》

magnétic susceptibílity 〖전자〗 자화율(磁化率)

magnétic tápe 자기 테이프: a ~ drive 자기 테이프 구동 장치

magnétic tápe ùnit 〖컴퓨터〗 자기 테이프 장치

magnétic variátion 〖지질〗 자기 변화; 〖항해〗 자기 편차

magnétic wíre 자기 와이어 《자기 녹음용 철사》: a ~ recorder 자기 와이어 녹음기

*__mag·ne·tism__ [mǽgnətìzm] *n.* Ⓤ **1** 자기, 자성(磁性), 자력, 자기 작용: induced ~ 유도[감응] 자기 / terrestrial ~ 지자기 **2** 자기학 **3** 최면술 **4** (지적·도덕적인) 매력: the ~ of Italy 이탈리아의 매력 **-tist** *n.* 자기학자

mag·ne·tite [mǽgnətàit] *n.* Ⓤ 〖광물〗 자철석

mag·net·ize [mǽgnətàiz] *vt.* **1** 자기를 띠게 하다,

thesaurus **magnificent** *a.* **1** 웅장한 splendid, grand, impressive, striking, glorious, superb, majestic, noble, stately, exalted, elegant, gorgeous **2** 훌륭한 excellent, fine, marvelous, wonderful

자화(磁化)하다: become *~d* 자기를 띠다 **2** 〈사람·마음을〉 끌다, 매료시키다 — *vi.* 자기를 띠다 **-ìz·a·ble** *a.* **màg·net·i·zá·tion** *n.* Ⓤ 자화 **-ìz·er** *n.*
mág·net·iz·ing fórce [mǽgnətàiziŋ-] 〖물리〗 자화력(磁化力); 자계 강도(磁界强度)
mag·ne·to [mægníːtou] [*magneto*electric machine] *n.* (*pl.* **~s**) 〖전기〗 (내연 기관의) 마그네토 [고압 자석] 발전기
magneto- [mægníːtou] 《연결형》 = MAGNET-
magnéto béll 〖전기〗 자석종, 자석식 벨
mag·ne·to·ca·lór·ic effèct [mægnìːtoukəlɔ́ːrik-] 〖물리〗 자기 열량 효과
mag·ne·to·car·di·o·graph [mægnìːtoukɑ́ːrdiougræ̀f | -grɑ̀ːf] *n.* 〖의학〗 자기 심전계
mag·ne·to·chem·is·try [mægnìːtoukémәstri] *n.* Ⓤ 자기 화학
mag·ne·to·disk [mægnìːtoudísk] *n.* 〖천문〗 자기 디스크 《행성의 자기권 주변부에 있는 강력한 자력선에 의해 형성된 장(長)원통형의 구역》
mag·ne·to·dy·na·mo [mægnìːtoudáinəmou] *n.* (*pl.* **~s**) 자석 발전기
mag·ne·to·e·lec·tric, -tri·cal [mægnìːtouiléktrik(əl)] *a.* 자전기(磁電氣)의
mag·ne·to·e·lec·tric·i·ty [mægnìːtouilektrísəti] *n.* Ⓤ 자전기(磁電氣), 자기전기학
mag·ne·to·en·ceph·a·lo·gram [-enséfələgræ̀m] *n.* 전자식(電磁式) 뇌활영도 《略 MEG》
mag·ne·to·gas·dy·nam·ics [mægnìːtougæ̀sdainǽmiks] *n. pl.* [단수 취급] 〖물리〗 = MAGNETOHYDRODYNAMICS
mag·ne·to·gram [mægníːtəgræ̀m] *n.* 자력 기록
mag·ne·to·graph [-græ̀f | -grɑ̀ːf] *n.* 자력 기록(기)
mag·ne·to·hy·dro·dy·nam·ics [mægnìːtouhàidroudainǽmiks] *n. pl.* [단수 취급] 〖물리〗 전자 유체(電磁流體) 역학 《略 MHD》 **-nám·ic** *a.*
mag·ne·tom·e·ter [mæ̀gnətɑ́mətər | -tɔ́m-] *n.* 자기계(磁氣計), 자력계; 자기 탐지기 **mag·nè·to·mét·ric** *a.*
mag·ne·tom·e·try [mæ̀gnətɑ́mətri | -tɔ́m-] *n.* Ⓤ 자기[자력] 측정
mag·ne·to·mo·tive [mægnìːtoumóutiv] *a.* 기자성(起磁性)의, 동자력(動磁力)의: ~ force 기자력
mag·ne·ton [mǽgnətɑ̀n | -tɔ̀n] *n.* 〖물리〗 자자(磁子)
mag·ne·to·op·tics [mægnìːtouɑ́ptiks | -ɔ́p-] *n. pl.* [단수 취급] 자기 광학(光學)
mag·ne·to·pause [mægníːtəpɔ̀ːz] *n.* 자기권 계면(界面) 《자기권의 외측 경계》
mag·ne·to·plas·ma·dy·nam·ics [mægníːtouplæ̀zmədainǽmiks] *n. pl.* [단수 취급] = MAGNETOHYDRODYNAMICS
mag·ne·to·re·sist·ance [mægnìːtourizístəns] *n.* 〖물리〗 자기 저항 (효과) **-re·sís·tive** [-rizístiv-] *a.*
magnetoresístive héad 〖컴퓨터〗 자기 저항 헤드 《코일의 전자(電磁) 유도 대신에 자기 저항 효과를 이용한 헤드》
mag·ne·to·sheath [mægníːtouʃìːθ] *n.* 〖천문〗 자기초(鞘), 자기권의 외피층(外被層)
mag·ne·to·sphere [mægníːtəsfìər] *n.* 〖천문〗 [the ~] 자기권(圈) **-sphèr·ic** *a.*
mag·ne·to·stat·ic [mægnìːtoustǽtik] *a.* 정자기(靜磁氣)의, 정자장(靜磁場)의
mag·ne·to·stat·ics [mægnìːtoustǽtiks] *n. pl.* [단수 취급] 정자기학(靜磁氣學)
mag·ne·to·stric·tion [mægnìːtoustríkʃən] *n.* Ⓤ 〖물리〗 자기 변형 《자기에 의한 신축》 **-tive** *a.*

---

magnitude *n.* **1** 크기 size, extent, measure, dimensions, volume, weight, quantity, mass, bulk, amplitude **2** 거대함 greatness, largeness, immensity, vastness, hugeness, enormity

magnéto sỳstem (전화의) 자석식
mag·ne·to·tac·tic [mægnìːtoutǽktik] *a.* 〖생물〗 〈생체가〉 주자성(走磁性)의, 지축을 향하는 성질을 가진, 향자극성(向磁極性)의
mag·ne·to·tail [mægnìːtətèil] *n.* 〖천문〗 지자기(地磁氣) 꼬리 《태양 반대 방향으로 뻗은 지자기권 부분》
mag·ne·to·tax·is [mægnìːtoutǽksis] *n.* 〖생물〗 (생물의) 주자성(走磁性), 향자장성(向磁場性)
mag·ne·to·tel·e·phone [mægnìːtoutéləfòun] *n.* 자석식전화기
mag·ne·tron [mǽgnətrɑ̀n | -trɔ̀n] *n.* 〖전자〗 마그네트론, 전자관(電磁管)
mágnet schòol (미) 마그넷 스쿨 《뛰어난 설비와 교육과정을 갖춘 공립 학교》
magni- [mǽgnə] 《연결형》 = MAGN-
mag·ni·cide [mǽgnəsàid] *n.* 요인 암살[살해]
mag·ni·fi·a·ble [mǽgnəfàiəbl] *a.* 확대할 수 있는
Mag·nif·i·cat [mægnífikæ̀t] *n.* **1** [the ~] 〖가톨릭〗 성모 마리아 송가 《저녁 기도(Vespers)에 부름》 **2** [m~] 《일반적으로》 송가 ***sing ~ at matins*** 때와 장소를 가리지 않다
mag·ni·fi·ca·tion [mæ̀gnəfikéiʃən] *n.* Ⓤ **1** 확대; 과장; Ⓒ 확대도, 확대력 **2** 〖광학〗 = MAGNIFYING POWER **3** 칭찬, 찬미
∗**mag·nif·i·cence** [mægnífəsns] *n.* Ⓤ **1** 장려(壯麗), 웅장, 장엄; 호화; 장엄한 분위기; (문장·예술품 등의) 기품 **2** (구어) 훌륭함 **3** [M~] [황제·왕·고관 등의 경칭으로] 각하, 전하(cf. MAJESTY, HIGHNESS) ***in ~*** 장려하게, 호화롭게 ▷ magníficent *a.*
⁑**mag·nif·i·cent** [mægnífəsnt] *a.* **1** 장려한, 웅장한, 장엄한, 장대한(⇨ grand 유의어): a ~ sight 장관 **2** (구어) 훌륭한, 굉장히 좋은, 멋진, 비할 데 없는 (superb): a ~ opportunity 절호의 기회 / earn a ~ reward 막대한 보수를 받다 **3** 격조 높은, 숭고한: a ~ art 격조 높은 예술 **4** [보통 **M~**] 위대한: Lorenzo the *M~* 위대한 로렌조 **~·ly** *ad.*
mag·nif·i·co [mægnífikòu] *n.* (*pl.* **~(e)s**) **1** (옛 베니스 공화국의) 귀족 **2** 고관, 귀인, 거물
mag·ni·fi·er [mǽgnəfàiər] *n.* 확대하는 사람[것]; 확대경, 돋보기
⁑**mag·ni·fy** [mǽgnəfài] *vt.* (**-fied**) **1** 확대하다, 확대하여 보여 주다 《*with*》: This microscope *magnifies* an object 200 times. 이 현미경은 물체를 200배로 확대한다. / The chart was *magnified* several times. 그 지도는 몇 배로 확대되었다. **2** 과장하다 (exaggerate): ~ losses 손실을 과장하다 **3** (고어) 찬미하다 **4** (드물게) 증대하다 **~ one*self*** 뽐내다 《*against*》 ▷ magnificátion *n.*
mág·ni·fy·ing glàss [mǽgnəfàiiŋ-] 확대경, 돋보기
mágnifying pòwer 〖광학〗 배율(倍率)
mag·nil·o·quence [mægníləkwəns] *n.* **1** Ⓤ 호언장담, 과장, 허풍 **2** 과장된 말[문체]
mag·nil·o·quent [mægníləkwənt] *a.* 호언장담하는, 과장하는, 과장된 **~·ly** *ad.*
∗**mag·ni·tude** [mǽgnətjùːd | -tjùːd] *n.* **1** ⓊⒸ 크기, 크고 작음(size); Ⓤ 큼, 거대함: the ~ of the universe 우주의 거대함 **2** Ⓤ 중요성(importance); 위대함, 고결: the ~ of a problem 문제의 중대성 **3** ⓊⒸ 〖천문〗 (항성의) 광도, (광도의) 등급 **4** (지진의) 매그니튜드, 지진 규모 《10등급의 분류 단위》: an earthquake of ~ 5 진도 5의 지진 ***of the first ~*** 일등성(星)의; 가장 중요한; 일류의
mag·no·lia [mægnóuljə-] *n.* 〖식물〗 목련속(屬)의 나무; 《미남부》 태산목(泰山木)
Mag·nó·lia Stàte [mægnóuljə, -liə] [the ~] 미국 Mississippi 주의 속칭
mag·non [mǽgnɑn | -nɔn] *n.* 〖물리〗 매그논 《spin wave를 양자화한 준(準)입자》
mag·nox [mǽgnɑks | -nɔks] *n.* 마그녹스 《마그네슘 합금의 일종》

mag·num [mǽgnəm] *n.* **1** 큰 술병 《약 1.5리터들이》; 그 양 **2** 매그넘 탄약통[화기]
mágnum ópus [L =great work] 《문어》 대작, 대표작, 최고 걸작
ma·goo [məgú:] *n.* 《미·속어》 (코미디언 등이 얼굴에 던지는) 커스터드 파이; 중요 인물
ma·got [mægóu, mɑ:-, mǽgət] *n.* **1** (도자기·상아 등으로 만든) 괴상한 상(像) 《포대화상(布袋和尙) 등》 **2** 〖동물〗 =BARBARY APE
*__mag·pie__ [mǽgpài] *n.* **1** 〖조류〗 까치 **2** 수다쟁이; 잡동사니 수집가 **3** 《영·군대속어》 표적의 밖에서 두 번째 범위(에 명중한 탄환); 《영·속어》 반 페니(halfpenny) **4 a** 흑백 얼룩의 젖소 **b** [형용사적] 흑백 얼룩의 **5** 《익살》 (영국 국교회의) 주교
MAgr Master of Agriculture
Mag·say·say [mɑ:gsáisai] *n.* 막사이사이 **Ramón** ~ (1907-57) 《필리핀의 정치가, 대통령(1953-57)》
mags·man [mǽgzmən] *n.* (*pl.* **-men** [-mən, -mèn]) 《영·속어》 사기꾼, 협잡꾼
mag·stripe [mǽgstràip] [*mag*netic *stripe*] *n.*, *a.* 자기(磁氣) 스트라이프; 자기(磁氣) 판독식의
mág tàpe 《구어》 =MAGNETIC TAPE
ma·guey [mǽgwei, məgéi] *n.* 〖식물〗 용설란; 용설란의 섬유 또는 그것으로 만든 밧줄
Ma·gus [méigəs] *n.* (*pl.* **Ma·gi** [-dʒai]) **1** 동방 박사의 한 사람; 마기족의 사람 **2** [**m~**] 마법사
mág whèel 《미》 마그네슘 합금제 자동차 바퀴 《스포츠카 등의》
Mag·yar [mǽgjɑ:*r*, mɑ́:g- | mǽg-] *n.*, *a.* **1** 마자르 사람(의); Ⓤ 마자르 말(의), 헝가리 말(의) **2** 〖복식〗 마자르 식[브라우스](의)
Ma·ha·bha·ra·ta [məhɑ́:bɑ́:rətə], **-tum** [-təm] [Skt.] *n.* 마하바라다(摩訶婆羅多) 《옛 인도의 대서사시》
ma·hal [məhɑ́:l] *n.* 《인도》 마할 《저택, 궁전》: the Taj *M*~ 타지마할
ma·ha·ra·ja(h) [mɑ̀:hərɑ́:dʒə, -ʒə] [Skt.] *n.* (인도의) 대왕, 《특히》 토후국의 왕
ma·ha·ra·ni, -nee [mɑ̀:hərɑ́:ni] [Skt.] *n.* maharaja(h)의 부인; 대공주(大公主), 대왕비
ma·ha·ri·shi [mɑ̀:hərí:ʃi, məhɑ́:rə-] [Skt.] *n.* 〖힌두교〗 수도사
ma·hat·ma [məhɑ́:tmə, -hǽt-] [Skt.] *n.* **1** (바라문교의) 성자, 대성(大聖) **2** [**M~**] (인도에서) 고귀한 사람 이름에 덧붙이는 경칭: *M*~ Gandhi 마하트마 간디 **3** (…의) 대가(大家), 권위 **~·ìsm** *n.*
Ma·ha·ya·na [mɑ̀:həjɑ́:nə] [Skt. =Great Vehicle] *n.* 대승(大乘) 불교(cf. HINAYANA)(=∠ **Búddhism**) **Ma·ha·yá·nist** *n.*
Mah·di [mɑ́:di] *n.* (이슬람교의) 구세주; 구세주를 자칭하는 지도자 **Máh·dism** *n.* Ⓤ 구세주 강림의 신앙
Ma·hi·can [məhí:kən] *n.* (*pl.* **~, ~s**) **1** [the ~(s)] 모히칸 족의 사람(Mohican) 《북미 인디언》 **2** Ⓤ 모히칸 말
mah-jong(g) [mɑ̀:dʒɔ́:ŋ, -dʒɑ́ŋ | -dʒɔ́ŋ] [Chin.] *n.* Ⓤ 마작(麻雀) **—** *vi.* 마작에서 이기다
Mah·ler [mɑ́:lə*r*] *n.* 말러 **Gustav** ~ (1860-1911) 《오스트리아의 작곡가·지휘자》
mahl·stick [mɑ́:lstìk, mɔ́:l- | mɔ́:l-] *n.* =MAULSTICK
*__ma·hog·a·ny__ [məhɑ́gəni | -hɔ́g-] *n.* (*pl.* **-nies**) **1** 〖식물〗 마호가니; Ⓤ 마호가니재(材); Ⓤ 마호가니색(reddish brown) 《적갈색》 **2** [the ~] 《영·구어》 마호가니재 식탁(=∠ **tàble**) **3** 《미·속어》 (피부색이) 그다지 검지 않은 흑인
have one***'s knees under*** a person***'s*** ~ …와 함께 식사하다 ***put*** [***stretch***] one***'s legs under*** a person***'s*** ~ …의 대접을 받다 ***with*** one***'s knees under the*** ~ 식탁에 앉아서
— *a.* **1** 마호가니재의 **2** 마호가니색의, 적갈색의
Ma·hom·et [məhɑ́mit | -hɔ́m-], **-ed** [-id] *n.* =MUHAMMAD
Ma·hom·e·tan [məhɑ́mitn | -hɔ́m-], **-hom·i·dan** [-dən] *a.*, *n.* =MUHAMMADAN
ma·hout [məháut] *n.* (인도의) 코끼리 부리는 사람
‡**maid** [méid] [*maid*en] *n.* **1** 하녀, 가정부 **2** 《문어》 소녀, 아가씨 **3** [old ~] (혼기가 지난) 노처녀(spinster) 《old miss는 틀린 영어》 **4** 《고어》 미혼 여자, 처녀 ***a ~ of all work*** 잡일하는 하녀, 잡역부(雜役婦) ***a ~ of honor*** (1) 궁녀, 시녀 (2) 《미》 신부 들러리 서는 미혼 여자(cf. BEST MAN) ***the M~ of Orléans*** 오를레앙의 소녀(Joan of Arc)
hòod *n.* Ⓤ =MAIDENHOOD; 하녀의 신분
mai·dan [maidɑ́:n] *n.* 《인도》 광장(廣場)
‡**maid·en** [méidn] [ME 「젊은 처녀」의 뜻에서] *n.* **1** 《문어》 소녀, 처녀; 독신 여성(spinster) **2** 우승 경험이 없는 경주마; 그 경주 **3** 1년째의 나무 **4** (옛날 스코틀랜드의) 단두대 **5** 〖크리켓〗 =MAIDEN OVER
— *a.* Ⓐ **1** 소녀의, 처녀의, 미혼의: ~ innocence 소녀다운 천진함 **2** 처음인, 미경험의; 이겨보지 못한; 아직 쓰지 않은; 〈요새 등이〉 점령된 적이 없는: a ~ battle (난생) 처음의 전투/a ~ work 처녀작/a ~ voyage[flight] 처녀 항해[비행]/a ~ horse 이긴 적이 없는 경주마 《그런 말들끼리의 경주를 a ~ race라고 함》 **3** 《영》 재판 사건이 없는 〈순회 재판〉 **4** 〈식물이〉 종자에서 나온 **5** 〈암컷이〉 미경산(未經産)의, 교미의 경험이 없는 **~·shìp** *n.* ▷ máid *n.*; máidenly *a.*
máiden áunt 《고어》 미혼의 이모[고모]
maid·en·hair [méidnhɛ̀ə*r*] *n.* 〖식물〗 공작고사리(=∠ **fèrn**)
máidenhair trèe 〖식물〗 은행나무(gingko)
maid·en·head [méidnhèd] *n.* Ⓤ 《고어》 처녀임(virginity); Ⓒ 〖해부〗 처녀막(hymen)
maid·en·hood [méidnhùd] *n.* Ⓤ 처녀임, 처녀성; 처녀 시절
maid·en·ish [méidniʃ] *a.* 《경멸》 처녀티 나는, 처녀 같은, 처녀티 내는
máiden lády (혼기가 지난) 미혼 여성, 노처녀
maid·en·like [méidnlàik] *a.*, *ad.* 소녀[아가씨]의, 처녀다운[답게], 조심성 있는[있게], 수줍은[게]
maid·en·ly [méidnli] *a.* **1** 처녀(시절)의 **2** =MAIDENLIKE **-li·ness** *n.*
máiden náme (여성의) 결혼 전[처녀 때]의 성(姓)(cf. NEE)
máiden óver 〖크리켓〗 득점 없는 오버
máiden pìnk 〖식물〗 각시패랭이꽃
máiden spéech (의회에서의) 처녀 연설
maid-in-wait·ing [méidinwéitiŋ] *n.* (*pl.* **maids-**) 시녀, 여관(女官), 궁녀
maid·ish [méidiʃ] *a.* =MAIDENISH
Máid Márian **1** (morris dance의) 5월의 여왕 **2** Robin Hood의 애인[약혼녀]
maid·ser·vant [méidsə̀:*r*vənt] *n.* 하녀
Maid·stone [méidstən, -stòun] *n.* 메이드스톤 《잉글랜드 동남부 Kent 주의 주도(州都)》
ma·ieu·tic, -ti·cal [meijú:tik(əl)] *a.* 〖철학〗 (소크라테스의) 산파술의 《마음 속의 막연한 생각을 끌어내어 문답으로 명확히 인식시키는 방법의》
mai·gre [méigə*r*] *a.* 〖가톨릭〗 소찬의, 고기 없는
mai·hem [méihem] *n.* =MAYHEM
‡**mail**[1] [méil] [OF 「부대」의 뜻에서] *n.* **1** Ⓤ [집합적] 우편물; Ⓒ (1회에 집배되는) 우편물(《영》 post): a piece of ~ 한 통의 우편물/take the ~*s* 우편물을 받다 **2** Ⓤ **a** 우편; [종종 *pl.*] 우편 제도 ★ 주로 《미》에서 씀; 《영》에서는 post를 쓰는데 외국 우편에는 mail을 씀.: send by air[surface] ~ 〈우편물을〉 항공[육상, 해상]편으로 보내다 **b** (전자) 우편, 이메일(e-mail) **3** 우편 열차[선, 비행기, 집배원]; 《고어》 우편 행낭: a night ~ 야간 우편 열차[비행기] **4** [보통 the ~] (특정 시간에 행해지는) 우편물 배달[수집]: the 8

thesaurus **maim** *v.* wound, injure, hurt, cripple, disable, lame, impair, mar, disfigure

o'clock ~ 8시의 우편 배달 **5** =MAILBAG **6** [**M~**] [신문명에 써서] …신문: the *Daily M~* 데일리 메일지(紙) ***by ~*** 《미》 우편으로
—*a.* Ⓐ 우편의, 우편물을 나르는[취급하는]: ~ matter 우편물
—*vt.* **1** 《미》 우송하다(《영》 post), 우편으로 보내다: (~+목+전+명) (~+목+목) ~ a book *to* him =~ him a book 책을 그에게 우송하다 **2** 전자우편으로 보내다

mail[2] [L 「그물의 코」의 뜻에서] *n.* (거북이의) 등딱지; 쇠사슬[미늘] 갑옷; 직조 방법의 일종
—*vt.* …에게 쇠사슬 갑옷을 입히다, 무장시키다

mail·a·ble [méiləbl] *a.* 《미》 우송할 수 있는, 우송이 인가된 **màil·a·bíl·i·ty** *n.*

mail·bag [méilbæ̀g] *n.* (수송용) 우편 행낭; 《미》 (배달원의) 우편 가방

máil bòat 우편선(船)

máil bòmb 〖인터넷〗 메일 폭탄 《1개의 어드레스에 시스템이 지장을 초래할 정도로 다량으로 보내지는 이메일》; (개봉하면 폭발하는) 우편 폭탄

máil bòmbing 〖인터넷〗 우편 폭탄 보내기

⁎**mail·box** [méilbɑ̀ks | -bɔ̀ks] *n.* **1** 《미》 **우체통**, 포스트(《영》 postbox): mail a letter at a ~ 편지를 우체통에 넣다 **2** (가정의) 우편함 **3** (컴퓨터의) 우편함

máil càll (군대에서의) 우편물 배포

máil càr 《미》 (철도의) 우편차

máil càrrier 《미》 **1** =MAILMAN **2** 우편물 수송차

mail-cart [méilkɑ̀ːrt] *n.* 《영·고어》 (손으로 미는) 우편차; 유모차

máil chùte 메일 슈트 《우편물을 빌딩 각 층에서 아래로 내려 보내는 관》

mail·clad [méilklæ̀d] *a.* 쇠사슬[미늘] 갑옷을 입은

máil clèrk 《미》 우체국 직원; 우편물 담당자

máil clìent 〖컴퓨터〗 이메일 고객 《이메일 송수신 서비스를 받는 컴퓨터》

mail-coach [méilkòutʃ] *n.* 《영》 (철도의) 우편차; 《고어》 우편 마차

máil dày 우편 배달일

máil dròp 《미》 **1** (가정의) 우편함; 편지 넣는 곳 **2** 우편 연락처

mailed [méild] *a.* 쇠사슬 갑옷을 입은, 장갑한

máiled físt [the ~] 완력, 무력 (행사); 위압

mail·er [méilər] *n.* **1** 우송자, 우편 이용자 **2** (선전용의) 우송 광고지 **3** =MAILING MACHINE **4** =MAIL BOAT **5** =MAILING TUBE

máil flàg 〖항해〗 우편기(旗)

Mail·gram [méilgræ̀m] *n.* [종종 **m~**] 《미》 메일그램 《전화로 전신문을 알리면 받는 쪽의 우체국으로 송신되어 그곳에서 보통 우편으로 배달됨; 상표명》
—*vt.* …에게 메일그램을 보내다

mail-in [méilìn] *a.* 우송의[에 의한]
—*n.* 우송으로 처리되는 것 《투표·앙케트 등》

mail·ing[1] [méiliŋ] *n.* Ⓤ 우송; 1회에 보내는 동일 우편물 《광고지 등》 ***~ card*** 《미》 우편 엽서(postcard) ***~ table*** 우편물 분류대(臺)

mailing[2] *n.* 《스코》 소작 농지; 소작료

máiling làbel 수신인 주소 성명용 라벨

máiling lìst 우편 수취자 명단; 〖인터넷〗 메일링 리스트 《전자 메일을 전송하기 위한 전자 우편 주소록》

máiling lìst mànager 〖컴퓨터〗 메일링 리스트 매니저 《mailing list를 관리·운영하는 소프트웨어》

máiling machìne 우편물 처리기 《무게 달기, 소인 찍기, 수취인 주소·성명 인쇄 등》

máiling tùbe (신문·잡지) 우송용 원통

mail·lot [mɑːjóu, mæ-] [F] *n.* (무용·체조용) 타이츠; (원피스로 어깨끈 없는) 여자 수영복; 저지 스웨터

⁑**mail·man** [méilmæ̀n] *n.* (*pl.* **-men** [-mèn]) 《미》 **우편 집배원**(《영》 postman)

---

main[1] *a.* head, chief, principal, leading, foremost, central, prime, primary, crucial, critical

mail·merge [méilmə̀ːrdʒ] *n.* 〖컴퓨터〗 메일머지 《문서 중에 기호로 기입된 주소 성명 등을 다른 파일의 실제 데이터로 바꾸어 넣어 문서를 완성시키는 기능》

máil mèssenger 우편물 운송 회사의 배달인

máil òrder 통신 판매

mail-or·der [méilɔ̀ːrdər] *a.* 통신 판매 제도의
—*vt.* 통신 판매로 주문하다

máil-order hòuse[《영》 **firm**] 통신 판매 회사

mail·out [méilàut] *n.* 우편 발송, 발송 우편물

mail·per·son [méilpə̀ːrsn] *n.* 《주로 미》 우편 집배원 《성별 없는 말》

mail·plane [méilplèin] *n.* 우편 비행기

mail·pouch [méilpàutʃ] *n.* 《미》 우편 가방[행낭] (mailbag)

máil sèrver 〖컴퓨터〗 메일 서버 《이메일의 배송(配送)을 관리하는 호스트 컴퓨터》

mail·shot [méilʃɑ̀t | -ʃɔ̀t] *n.* (광고의) 우편 공세; 그 다이렉트 메일

máil slòt 《미》 우편물 투입구(《영》 letter box)

mail·ster [méilstər] *n.* 우편 집배원이 사용하는 삼륜(三輪) 스쿠터

máil tràin 우편 열차

mail·van [méilvæ̀n] *n.* 우편(수송)차

⁎**maim** [méim] *vt.* **1** (손·발을 잘라) **불구로 만들다**; 쓸모없게 하다 **2** 〈사물을〉 손상하다(impair) **3** 〖법〗 …에게 상해를 입히다 **máimed** *a.* **~·er** *n.*

⁑**main**[1] [méin] [OE 「힘」의 뜻에서] *a.* **1 주된, 주요한**; 주요부[중심]를 이루는: a ~ event[《속어》 go] 본시합 / the ~ building 본관 / the ~ office 본사, 본점 / the ~ body 〖군사〗 주력 부대, 본부대; (서류의) 본문 / the ~ force 〖군사〗 주력 / the ~ plot (희곡 등의) 본줄거리(cf. SUBPLOT) / the ~ road 주요 도로; 간선, 본선 / (the) ~ street 《미》 (도시의) 중심가, 주요 거리 / the ~ title 〖영화〗 주자막(字幕)

> 유의어 **main** 사물의 크기·중요함이 다른 것보다 큰 **chief** 사람에 관한 경우에는 제1의 우위를 차지하고 있다는 뜻이며, 사물에 대해서는 main과 비슷한 뜻이다: his *chief* merit 그의 으뜸가는 장점

2 전력을 다한 **3** 《미·속어》 가장 좋아하는[마음에 드는] ***by ~ force***[***strength***] 전력을 다해, 힘껏 ***for the ~ part*** 대부분은, 대체로
—*n.* **1** [종종 *pl.*] (가스·수도·하수·전기 등의) **본관**, 간선: a gas[water] ~ 가스[수도] 본관 **2** Ⓤ 힘, 세력 **3** [the ~] 주요 부분, 요점: 《시어》 망망대해 **4** 본토 **5** 〖항해〗 큰 돛대: a ~ beam (배의) 전폭(全幅) ***for***[***in***] ***the ~*** 대체로 ***turn on the ~*** 《익살》 울음보를 터뜨리다 ***with***[***by***] ***might and ~*** 전력을 다하여
—*vt.* 《속어》 〈도로를〉 간선도로로 만들다; 〈헤로인 등을〉 정맥에 주사하다(mainline) ▷ máinly *ad.*

main[2] *n.* **1** 부름 수 《hazard에서 주사위 던지는 사람이 미리 예언하는 5에서 9까지의 임의의 수》 **2** 투계(cockfighting) **3** 궁술[권투] 시합

máin bráce main yard를 돌리는 밧줄 ***splice the ~*** 《해군속어》 선원에게 술을 특별히 내다; 술을 진탕 마시다

máin chánce [the ~] (돈버는) 절호의 기회; 사리(私利) ***have***[***keep***] ***an eye to the ~*** 자기 이익에 영악하다

máin cláuse 〖문법〗 주절(主節)(opp. *subordinate clause*)

máin cóurse (식사의) 주요리; 〖항해〗 주범(主帆)

máin cróp 〖농업〗 주요 작물 《조생·만생과 구별하여 한창 수확되는 작물[품종]》

máin déck 〖선박〗 주갑판(主甲板)

máin drág 《미·속어》 번화가, 중심가

Maine [méin] [「New England의 본토(mainland)」의 뜻에서] *n.* **1** 메인 《미국 동북부의 주; 略 Me.》 **2** 메인 《프랑스 북서부의 지방》 ***from ~ to California*** 전 미국을 통하여(cf. from JOHN O'GROAT'S to

Land's End)
máin éntry 1 주(主)표제어 2 〖도서관〗 기본 기입
main-force [méinfɔ́:rs] *a.* 정규 부대의
main·frame [méinfrèim] *n.* 〖컴퓨터〗 메인프레임 《다양한 데이터 처리용 대형 컴퓨터》(=~ **compúter**)
máin hátch 〖선박〗 주 창구(主艙口), 주(主) 승강구
*__main·land__ [méinlæ̀nd, -lənd | -lənd] *n.* [the ~] 1 본토 《부근 섬·반도와 구별하여》: a ferry service between the islands and the ~ 섬들과 본토를 연결하는 연락선 운항 2 [형용사적으로] 본토의: ~ China 중국 본토 **~·er** *n.* 본토인
máin líne 1 (철도·도로 등의) 간선, 본선(opp. *branch line*); 주요 버스 노선[정기 항공로]; 《속어》 (주사하기 쉬운) 정맥; 마약의 정맥 주사 2 《미·속어》 돈
main·line [méinlàin] *vi., vt.* 1 《미·속어》 (마약을) 정맥에 주사하다 2 몰두하다, 푹 빠지다; 남용하다: 《~+전+명》 ~ *on* TV animations 텔레비전 만화 영화에 푹 빠지다 — *a.* 간선의[에 면한], 주요한; 주류의(mainstream)
main·lin·er [méinlàinər] *n.* 간선 운행 교통 수단; 《속어》 마약을 정맥에 주사하는 사람; 《미·속어》 주류(主流)에 속하는 사람, 엘리트
‡**main·ly** [méinli] *ad.* 주로; 대부분은, 대개는 (chiefly): We deal ~ in imports. 주로 수입품을 취급합니다. / The audience were ~ women. 청중은 대부분 여자였다.
máin mán 《미·구어》 1 (남자) 연인, 보호자 2 (믿을 만한) 요원, 보스
main·mast [méinmæ̀st, -mɑ̀:st | -mɑ̀:st; 〖항해〗 -məst] *n.* 〖항해〗 메인마스트, 큰 돛대, 주장(主檣)
máin mémory 〖컴퓨터〗 주기억 (장치)
máin pláne 〖항공〗 주익(主翼)
máin quéen 《미·속어》 (항상) 정해진 여자 친구; (인기 있는) 여자역 게이
máin rìgging 〖항해〗 큰 돛대 삭구(索具)
main·sail [-səl] *n.* 〖항해〗 큰 돛대의 돛, 주범(主帆)
main·sheet [méinʃì:t] *n.* 〖항해〗 메인시트 《mainsail을 조종하는 밧줄[아딧줄]》
main·spring [méinsprìŋ] *n.* 1 (시계의) 큰 태엽 (cf. HAIRSPRING) 2 주요 원인[동기] 《*of*》
máin squéeze 《미·속어》 (조직의) 중요 인물, 우두머리, 보스; (정해진) 걸[보이] 프렌드
main·stay [méinstèi] *n.* [보통 *sing.*] 1 〖항해〗 큰 돛 받침줄; 〖기계〗 주된 버팀줄 2 가장 중요한 의지물, 기둥, 대들보(chief support); 주요 생업, 기간 산업
máin stém 《미·속어》 (철도의) 본선; 《구어》 큰 거리; 주류; 번화가
máin stóre[stórage] 〖컴퓨터〗 주기억 장치
*__main·stream__ [méinstrì:m] *n.* 1 (강 등의) 주류 2 [the ~] (활동·사상의) 주류, 주체; (사회의) 대세 — *a.* Ⓐ 주류의, 정통파의 **~ *culture*** 주류 문화 — *vt., vi.* 《미》 〈장애아·천재아를〉 보통 학급에 넣다, 특별[차별] 교육을 하지 않다; 주류에 순응시키다
main·stream·er [-strì:mər] *n.* 주류파의 사람
main·stream·ing [-strì:miŋ] *n.* Ⓤ (장애·특수 아동의) 특별[차별] 교육 철폐(론)
máinstream smóke 주류 연기 《흡연자가 직접 마시는 연기》(cf. SIDESTREAM SMOKE)
máin strèet 《미》 (소도시의) 큰거리, 중심가; [때로 **M- S-**] (소도시의) 인습적·실리주의적 사회 《Sinclair Lewis의 소설에서》 — *a.* Ⓐ 인습적이며 실리적인
main·street·ing [méinstrì:tiŋ] *n.* 《미·캐나다》 도시의 중심가에서 하는 선거 운동
‡**main·tain** [meintéin, mən-] *vt.*

L 「손으로 떠받치다」의 뜻에서 → 「유지하다」 2
→ (어떤 상태를 유지하다) → 「지속하다」 1
→ (생활을 유지하다) → 「부양하다」 5
→ (입장을 유지하다) → 「주장하다」 4

1 **지속[계속]하다**: ~ neighborly relations 우호[선린] 관계를 지속하다 / ~ an attack 공격을 계속하다 2 **유지하다**, 지탱하다: ~ a correct posture 바른 자세를 유지하다 / Maintaining your current weight through exercise is important. 운동을 통해 너의 현재 체중을 유지하는 것은 중요하다. 3 (보수(補修)하여) **간수하다**, 건사하다, 정비하다, 보존하다, 보전하다 4 **주장하다**, 단언하다, 내세우다(assert): ~ one's own innocence 자신의 결백을 주장하다 // 《~+*that* 절》 He ~*ed that* he was right. 그는 자기가 옳다고 주장했다 5 **부양하다**, 먹여 살리다(support): ~ one's family 가족을 부양하다 6 **지지하다**, 후원[옹호]하다: ~ a person's opinion 남의 의견을 지지하다 / ~ one's rights 권리를 지키다 7 (공격·위험으로부터) 지키다, 버티게 하다
~ one*self* 자활(自活)하다 **~ one*'s ground against*** …에 대하여 자기 입장을 지키다[버티다]
▷ máintenance *n.*
main·tain·a·ble [meintéinəbl, mən-] *a.* 계속[유지, 부양, 주장]할 수 있는 **main·tàin·a·bíl·i·ty** *n.*
main·tained [meintéind] *a.* 재정 지원을 받는
maintáined schóol 《영》 공립 학교
main·tain·er [meintéinər] *n.* maintain하는 사람; = MAINTAINOR
main·tain·or [meintéinər] *n.* 〖법〗 소송 방조자
*__main·te·nance__ [méintənəns] *n.* Ⓤ 1 **지속**, 속행 2 **유지**, 보존, **보수 관리**, **정비**, 간수, 건사: the ~ of a building 건물의 보수 관리 / car ~ 차의 정비 3 주장, 고집; 지지, 옹호 4 부양, 생계; 부양료, 생활비; 《미》 위자료, 양육비: a ~ allowance 생활 보조비 / ⇨ SEPARATE MAINTENANCE 5 〖법〗 (소송의) 불법 원조 《소송 당사자에게 국외자가 주는》
a ~ shop 정비 공장 ***~ of membership*** 〖노동〗 조합원 계속 협정 ***~ of way*** 〖철도〗 보선(保線)
▷ maintáin *v.*
máintenance drùg 유지약 《금단 증상을 완화키 위한 합법적 마약》
main·te·nance-free [méintənənsfrì:] *a.* 정비[보수, 관리]가 필요 없는
máintenance màn (공공시설·건물의) 보수원, 정비원[공]
máintenance òrder 〖법〗 부양 명령
main·top [méintɑ̀p | -tɔ̀p] *n.* 〖항해〗 큰 돛대의 장루(檣樓)
main-top·gal·lant [méintɑpgǽlənt | -tɔp-; 〖항해〗 méintəgǽlənt] *n.* 〖항해〗 큰 돛대의 윗 돛대
main-top·gal·lant·mast [méintɑpgǽlənt-mæ̀st, -mɑ́:st | -tɔpgǽləntmɑ̀:st; 〖항해〗 méin-təgǽləntməst] *n.* = MAIN-TOPGALLANT
main-top·mast [meintɑ́pmæ̀st, -məst | -tɔ́p-mɑ̀:st] *n.* 〖항해〗 큰 돛대의 중간 돛대
main-top·sail [meintɑ́psèil | -tɔ́p-; 〖항해〗 -səl] *n.* 〖항해〗 큰 돛대의 중간 돛
máin vérb 〖문법〗 본동사, 주동사 《조동사와 구별하거나 종속절의 동사와 구별하여 주절의 동사》
máin yàrd 〖항해〗 큰 돛대의 하활
mai·son·ette [mèizənét] [F 「작은 집」의 뜻에서] *n.* 1 소주택 2 《영》 (상하층 공용으로 된) 복층 아파트 (《미》 duplex apartment)
mai tai [mái-tài] [Tahitian] (*pl.* **~s**) 마이타이주(酒) 《럼·큐라소·과즙 등의 칵테일》
maî·tre d' [mèitər-dí:, mèitrə- | mètrə-] [F]

thesaurus **mainly** *ad.* mostly, predominantly, chiefly, principally, overall, generally, usually, commonly, substantially, largely, on the whole
mainspring *n.* motivation, incentive, driving force, cause, reason, prime mover, generator
maintain *v.* 1 지속하다 continue, keep going, keep up, preserve, conserve, prolong, sustain 2 주장하다 insist on, declare, assert, state, announce,

(*pl.* **~s** [-z]) 《구어》 = MAÎTRE D'HÔTEL

maî·tre d'hô·tel [mèitər-doutél, mèitrə-] [F] **1** = MAJORDOMO **2** (식당의) 급사장 **3** 메트르 도텔 《버터 소스의 일종》

Mai·tre·ya [maitréijə] [Skt.] *n.* 〖불교〗 미륵(彌勒) (보살), 미래불

maize [méiz] [Sp.] *n.* **1** 《영》 〖식물〗 옥수수 (열매)(Indian corn) 《미국·캐나다·호주에서는 보통 corn이라 함》: ~ oil 옥수수 기름(corn oil) **2** Ⓤ 옥수숫빛, 담황색

maj. majority **Maj.** Major

⁑**ma·jes·tic, -ti·cal** [mədʒéstik(əl)] *a.* 위엄 있는, 장엄[장중]한, 당당한, 웅장한(⇨ grand 유의어): The Rocky Mountains in the western United States are ~. 미국 서부의 로키 산맥은 장대하다. **-ti·cal·ly** *ad.* ▷ májesty *n.*

⁑**maj·es·ty** [mǽdʒəsti] [L 「위대함」의 뜻에서] *n.* (*pl.* **-ties**) **1** Ⓤ 위엄(dignity); 장엄, 웅장[웅대]함: with ~ 위엄 있게 / ~ of bearing 위엄 있는 태도 **2** [집합적] 왕족; [보통 his[her, your, their] M~] 폐하 《국왕·왕비의 존칭》 **3** Ⓤ [보통 the ~] 주권, 지상권(至上權) 《*of*》: *the* ~ *of* the law 법의 지상권 **4** 〖미술〗 광륜에 싸인 옥좌에 앉은 그리스도의 그림 (= Christ in M~) ***Her M~ the Queen*** 여왕 폐하 《이름을 붙일 때는 Her Majesty Queen Elizabeth식으로 씀》 ***His M~'s guests*** 《속어》 죄수 ***His*** [***Her***] ***M~'s Ship*** 영국 군함 《略 HMS》 ▷ majéstic *a.*

Maj. Gen. Major General

maj·lis [mɑ́:dʒlis] *n.* [종종 **M~**] (북아프리카·서남아시아의) 집회, 협의회, 법정; (특히 이란의) 국회

ma·jol·i·ca [mədʒɑ́likə | -dʒɔ́l-, -jɔ́l-] [이탈리아 산지명에서] *n.* ⓊⒸ 마욜리카 도자기 《이탈리아산 화려한 장식용 도자기》; 모조 마욜리카식 도자기

⁂**ma·jor** [méidʒər] [L 「위대한」의 뜻의 비교급에서] *a.* (opp. *minor*) **1** (둘 중에서) **큰 쪽의,** 보다 많은, 대다수의, 과반수의: the ~ parts 대부분 / the ~ opinion 다수 의견 **2 주요한,** 일류의; 〈효과·범위 등이〉 큰, 두드러진: a ~ talent 두드러진 재능 / a ~ question 중요한 문제 / the ~ industries 주요 산업 **3** 〈수술 등이〉 (보통보다) 위험한: a ~ operation 대수술 **4** 성년이 된 **5** 〖음악〗 장음계의, 장조의: a ~ third 장음 3도 / ~ interval 장음정 **6** 《미》 〈대학의 과목이〉 전공의: a history ~ 역사 전공 **7** [**M~**] 《영》 (학교에서 성이 같은 학생 중) 연장(年長)의(cf. SENIOR); (형제 중) 형인 **8** 《미·학생속어》 굉장한, 훌륭한: a ~ babe 굉장한 미인 **9** 〖논리〗 대전제의

— *n.* (opp. *minor*) **1** (육군[공군]) **소령**; 《군대속어》 원사(= sergeant ~); 〖군사〗 (특수 부문의) 장(長); 《미》 (경찰의) 총경 **2** (집단 중의) 상급자, 선배, 상관 **3** 《미》 (학위를 따기 위한) 전공 과목; …전공 학생: take philosophy as one's ~ 철학을 전공하다 / She is a psychology ~. 그녀는 심리학 전공 학생이다. **4** 성년자, 성인 **5** 〖음악〗 [종종 the ~] 장음계, 장조 **6** [the ~s] 《미》 = MAJOR LEAGUE **7** [the M~s] 메이저 《국제 석유 자본》, 대기업 **8** 〖논리〗 대전제(= ~ premise)

— *vi.* **1** 《미》 **전공하다**(《영》 specialize) 《*in*》: (~+전+명) She is ~*ing in* economics. 그녀는 경제학을 전공하고 있다. **2** 거드럭거리며 걷다, 우쭐거리다 **~·ship** *n.* Ⓤ 육군 소령의 직(위) ▷ majórity *n.*

Ma·jor [méidʒər] *n.* 메이저 **John** (**Roy**) ~ (1943-) 《영국의 정치가; 수상(1990-97)》

májor áxis 〖수학〗 (원뿔 곡선의) 장축(長軸)

Ma·jor·ca [mədʒɔ́:rkə, -jɔ́:r-] *n.* 마조르카 《지중해 서부의 Balearic 제도 중 가장 큰 섬》

ma·jor·do·mo [mèidʒərdóumou] *n.* (*pl.* **~s**) **1** (왕가·귀족의) 청지기, 집사장(執事長) **2** 《익살》 하인 우두머리(butler), 지배인(steward) **3** 《미》 (농장·목장의) 감독자; 관리인, 후견인

ma·jor·ette [mèidʒərét] *n.* = DRUM MAJORETTE

májor géneral (육군·미해병대·공군의) 소장 《略 Maj. Gen.》

májor histocompatibílity cómplex 〖면역〗 주요 조직 적합 유전자 복합체 《略 MHC》

ma·jor·i·tar·i·an [mədʒɔ̀:rətέəriən, -dʒɑ̀r- | -dʒɔ̀r-] *n., a.* 다수결주의(자)(의); 말없는 다수의 일원(의)(silent majoritarian) **~·ism** *n.* Ⓤ 다수결주의

⁂**ma·jor·i·ty** [mədʒɔ́:rəti, -dʒɑ́r- | -dʒɔ́r-] *n.* (*pl.* **-ties**) (opp. *minority*) **1** [보통 복수 취급, 때로 단수 취급] **대부분, 대다수,** 태반 《*of*》 ★ 집합체로 생각할 때는 단수, 구성 요소를 생각할 때는 복수 취급: The ~ *of* people prefer peace to war. 대다수 사람들은 전쟁보다 평화를 좋아한다. **2 과반수,** 절대 다수: an absolute ~ 절대 다수 **3** [보통 a ~] (이긴) 득표차 (cf. PLURALITY): by *a* large ~ 큰 표수 차로 **4** 다수당, 다수파, 다수 집단[민족] **5** Ⓤ 〖법〗 성년: reach one's ~ 성년이 되다 **6** Ⓤ 육군[공군] 소령의 계급[직위] ***be in the ~*** (***by …***) (몇 사람[표]만큼) 많다 ***in the ~ of cases*** 대개의 경우에 ***join*** [***go over to, pass over to***] ***the*** (***great***) ***~*** 망자축에 끼다, 죽다

— *a.* **1** 다수의, 과반수의: a ~ decision 다수결(에 의한 결정) **2** 다수파의, 여당의 ▷ májor *a.*

majórity cárrier 〖전자〗 (반도체 내의) 다수 캐리어

majórity léader 《미》 다수당의 원내 총무

majórity rúle 〖정치〗 다수결 원칙

majórity sháreholder 〖증권〗 과반수[지배] 주주

majórity vérdict (배심원의) 과반수 평결

májor kéy 〖음악〗 장조

májor léague 《미》 메이저[대]리그 《2대 프로 야구 연맹의 하나; American League 또는 National League》(cf. MINOR LEAGUE)

ma·jor-lea·guer [méidʒərlí:gər] *n.* 《미》 메이저리그의 선수

ma·jor·ly [méidʒərli] *ad.* 극히, 중대히; 주로

ma·jor-med·i·cal [-médikəl] *n., a.* 《미》 고액 의료비 보험(의)

májor móde **1** = MAJOR SCALE **2** = MAJOR KEY

májor órder 〖가톨릭〗 상위 성품 《주교(bishop)·사제(priest)·부제(deacon)의 성직》

májor párty 다수당, 대정당

májor pénalty 〖아이스하키〗 메이저 페널티 《반칙한 선수를 5분간 퇴장시키는 벌칙》(cf. MINOR PENALTY)

májor píece 〖체스〗 큰 말 《퀸(queen) 또는 루크(rook)》

májor plánet 〖천문〗 대행성 《목성·토성·천왕성·해왕성》

májor prémise 〖논리〗 (3단 논법의) 대전제

Májor Próphets [the ~] (구약 성서의) 대예언서 《Isaiah, Jeremiah, Ezekiel, (Daniel)의 4[3]서; cf. MINOR PROPHETS》; [때로 the m- p-] 대예언자, 대선지자

májor scále 〖음악〗 장음계

májor séminary 〖가톨릭〗 (6년제) 대신학교, 신학대학

májor séventh 〖음악〗 장7도

májor súit 〖카드〗 모두가 스페이드[하트]인 패 《bridge 놀이에서 득점이 많음》

májor térm 〖논리〗 대명사(大名辭)

májor tríad 〖음악〗 장3화음(和音)

ma·jus·cule [mæʒʌ́skju:l, mǽdʒəskjù:l | mǽdʒəskjù:l] *n., a.* 대문자(의)(cf. MINUSCULE)

---

affirm, claim, allege, contend **3** 부양하다 support, finance, feed, nurture, provide for

majestic *a.* regal, kingly, lordly, imperial, stately, exalted, princely, august

major *a.* **1** 대다수의 larger, bigger, greater, main **2** 중요한 significant, important, crucial, vital **3** 일류의 greatest, best, leading, foremost, chief, outstanding, first-rate, notable, eminent, supreme

Ma·ka·lu [mʌ́kəlùː] *n.* 마칼루 산 ((네팔과 티베트 국경에 있는 히말라야 산맥 중의 고봉(8,470 m)))

mak·ar [mǽkər] *n.* ((스코)) 예술가, ((특히)) 시인

‡**make** [méik] *v., n.*

기본적으로는 「만들다」, 「…시키다」의 뜻	
① 만들다, 만들어 내다	타 **1, 2, 3, 4**
② [make+명사] …을 하다	타 **6 b**
③ …을 …로 만들다[나타내다, 어림하다]	타 **7, 11**
④ …이 되다	타 **10, 12**
⑤ [사역의 뜻으로] …에게 …하게 하다[시키다]	타 **8, 9**
⑥ …에게 …을 만들어 주다	타 **14 b**

— *v.* (**made** [méid]) *vt.* **1 a 만들다,** 짓다, 제작[제조]하다, 조립하다, 건설[건조]하다(⇨ build 유의어); 〈관계를〉 이루다; 창조하다; 창작하다, 저작하다; 작성하다; 제정하다: God *made* man. 신이 인간을 창조했다. / I am not *made* that way. 나는 그런 성격의 사람이 아니다. / ~ a poem 시를 짓다[쓰다] / ~ laws 법을 제정하다 // (~+목+전+명) ~ an instrument *with* glass 유리로 기구를 만들다 / a house *made of* stone 돌로 지은 집 / ~ a boat *out of* wood 나무로 보트를 건조하다 / ~ a vice *into* a virtue 악덕을 미덕으로 만들다 **b** 만들어 내다, 달성하다, 이룩하다, 발달시키다: ~ one's own life 생활 방침[일생의 운명]을 정하다 **c** 고안하다, 안출하다; (마음에) 작정하다; 〖상업〗 〈값을〉 정하다(fix); 〈일시를〉 정하다 **2 준비하다,** 마련하다, 정돈하다: ~ tea 차를 마련하다 / ~ dinner 저녁 식사를 준비하다 **3** 〈돈 등을〉 **벌다,** 얻다, 만들다; 〖경기〗 득점하다: ~ money 돈을 벌다 / ~ a good salary 돈을 잘 벌다 / ~ one's reputation 명성을 얻다 / ~ a fortune 한 재산 벌다 / ~ good marks at school 학교에서 좋은 성적을 얻다 **4 일으키다,** 생기게 하다, 만들어 내다, …의 원인이 되다: ~ a noise 소음을 내다 / ~ trouble 문제를 일으키다 **5** (…상태에서) …으로 바꾸다 ((*of*)); 〈사람·사물을〉 …으로 하다 ((*of, out of*)): (~+목+전+명) ~ a friend *of* an enemy 적을 친구로 만들다 **6 a** 〈전쟁·동작·몸짓·거래·연설·여행을〉 **하다,** 실행하다; 체결하다; 진행시키다; 말하다; 내다; 내놓다, 제출하다; (조정 경기에서) 잘 젓다 **b** [*make*+명사 = 동사] …하다: ~ (*an*) *answer* = answer / ~ (*a*) *reply* = reply / ~ *a pause* = pause / ~ *haste* = hasten / ~ *progress* = progress **c** …처럼 행동하다, …(한 것)으로 치다 **7** …을 …로 나타내다[그리다]; …을 …으로 보이게 하다; …을 (…상태)로 하다; 〈일시를〉 …으로 정하다: (~+목+보) ~ a person ill …을 병들게 하다 / This portrait ~*s* him too old. 이 초상화에서 그는 너무 나이가 들어 보인다. / You have *made* my face too long. 내 얼굴을 너무 길게 그렸다. **8** [강제적으로 또는 비강제적으로] (…으로 하여금) …**시키다,** …**하게 하다**(⇨ let 유의어): (~+목+***do***) [수동에서는 to부정사] ~ him *drink* 그에게 마시게 하다 / He *was made to* drink. 그는 마시기를 강요당했다. **9** 〈사람을〉 …**시키다,** 〈…에게〉 하도록 하다: (~+목+***done***) Too much wine ~*s* men *drunk.* 과음은 사람을 취하게 한다. / I *made* myself *understood* in English. 영어로 의사소통을 했다. **10** (합계) …**이 되다,** 〈어느 수량에〉 달하다; **이루다,** 구성하다(form), …번째가 되다: Two and two ~(*s*) four. 2+2는 4. / One hundred pence ~ a pound. 100펜스는 1파운드이다. **11** 계산[측정]하다, 어림[견적]하다; 생각하다, 여기다, 추단하다; 마음에 품다 ((*of, about*)); 인정[인식]하다: (~+목+보) What time do you ~ it? 몇 시라고 생각하나? / I ~ it 5 kilometers. 5킬로미터라고 생각한다. // (~+목+전+명) I could ~ nothing *of* his words. 나는 그의 말을 도무지 이해할 수 없었다. / What do you ~ *of* this? 너는 이것을 어떻게 생각하니? **12** (발달하여) …**이 되다:** He will ~ an excellent scholar. 그는 훌륭한 학자가 될 것이다. **13** (…구성하기에) 충분하다, …에 도움이 되다: One swallow does not ~ a summer. ⇨ swallow² / One story does not ~ a writer. 단편소설 한 편으로 작가가 되었다고 할 수 없다. / ~ good reading 재미있는 읽을거리를 제공하다 // (~+목+목) This length of cloth will ~ you a suit. 이만한 길이의 옷감이면 네 옷 한 벌 짓겠다. **14 a** …의 성공을 약속하다[이끌다]: That investment *made* him. 그 투자로 그는 부자가 되었다. **b** …**에게** …**을 만들어 주다;** …에게 …이 되다: (~+목+목) (~+목+전+명) I *made* him a new suit. = I *made* a new suit *for* him. 그에게 새 양복을 지어 주었다. / She will ~ him a good wife. = She will ~ a good wife *for* him. 그 여자는 그의 좋은 아내가 될 것이다. **15 a** …**에 도착하다;** …이 보이기 시작하다; ((구어)) …시간 안에 가다, (놓치지 않고) 잡아 타다; 〈어떤 속도를〉 내다: ~ (a) port 입항하다 / Hurry, or we'll never ~ the train. 서둘지 않으면 절대로 기차 시간에 대지 못한다. **b** 가다, 나아가다, 답파(踏破)하다 **16** ((구어)) (신문 등에) 실리다, …면을 장식하다; 〈작품명이〉 게재되다; …의 회원이 되다: The robbery *made* the front page. 그 강도 사건이 1면 기사로 실렸다. / He *made* the A team. 그는 A팀의 회원으로 선출되었다. **17** 〖카드〗 〈으뜸패를〉 부리다; (카드 1매로) 술수를 부리다; 달성하다; 〈카드를〉 섞어서 치다(shuffle) **18** ((미·속어)) (경찰이나 암흑가에서) (용의자임을) 알아채다; 적발하다; 붙잡다; 〈사람·흉기 등을〉 찾아내다, 조회하다 **19** ((속어·비어)) …와 성교하다; 유혹하다 **20** 〖전기〗 〈회로를〉 닫다 **21** ((미남부)) 〈작물을〉 재배하다 **22** 〖항해〗 〈다른 배나 육지 등을〉 발견하다, 인지하다 **23** ((미·속어)) 〈물건을〉 훔치다

— *vi.* **1 a** (…으로) 하다, (…상태로) 하다: (~+보) ~ sure 확인하다 **b** (…처럼) 행동하다, (…하는) 체하다: ⇨ MAKE as if[as though] **2** …하기 시작하다, …하려고 하다: (~+***to*** do) ~ *to* act like a barbarian 야만인처럼 굴려고 하다 / He *made to* strike her and then stopped. 그는 그녀를 치려고 하다가 멈추었다. **3** 〈사물이〉 (가공되어) …이 되다, 만들어지다 ((*up, into*)): (~+전+명) This fabric ~*s into* beautiful drapes. 이 직물은 훌륭한 커튼이 된다. **4** (보통 급히) **나아가다,** 향하여 가다 ((*for*)); 가려고 하다: (~+전+명) They *made for* the land. 그들은 육지로 향했다. **5** 만들다; 만들어져 있다 **6 a** 지시하다 **b** (유리·불리하게) 작용하다 ((*for, against, with*)): (~+전+명) It ~*s for*[*against*] his advantage. 그것은 그에게 이익[불이익]이 된다. **7 a** 〈조수(潮水)가〉 차다; 〈밀물이〉 밀려들기 시작하다, 〈썰물이〉 지기 시작하다: (~+부) The tide is *making* fast. 조수가 빠르게 밀려들고 있다. **b** 진행중이다 **c** 〈깊이·체적 등이〉 늘다 **8** 〈작물이〉 열매 맺다; 생장하다 **9** 〖광물〗 〈광맥이〉 출현하다 **10** ((속어)) 소변[대변]을 보다

have* (*got*) *it made ⇨ made. **~ *after*** …을 추격하다 **~ *anything of*** [의문문·부정문에서 can과 함께] …을 이해하다: *Can* you ~ *anything of* what he's saying? 당신은 그가 하는 말을 알아듣겠어요? **~ *as if*[*as though*]** …인 것처럼 행동하다(pretend) ((*to* do)): We will ~ *as if to* leave. 떠나는 것처럼 할 것이다. / He *made as though* he were[is] not aware of my presence. 그는 마치 나의 존재를 알아차리지 못하는 듯했다. **~ *at*** …을 향하여 나가다, 덤벼들다, 공격하다 **~ *away*** 급히 가버리다[달아나다] **~ *away with*** …을 갖고 달아나다, 채가다; 제거하다, 멸망시키다, 죽이다; 〈돈을〉 탕진하다 **~ *back*** 돌아가다 **~ *believe*** ⇨ believe. **~ *do*** 그런대로 때우다[견디다]: ~ *do* with[on] 〈대용품 등으로〉

thesaurus **maker** *n.* manufacturer, builder, constructor, producer, creator, fabricator, author
makeshift *a.* stopgap, provisional, temporary,

때우다, 변통해 나가다 / ~ *do* without …없이 지내다 **~ down** 《주로 Pennsylvania 주 독일어권》 비[눈]가 오다: It's *making down* hard. 비[눈]가 세차게 온다. **~ felt** 〈힘·영향 등을〉 미치다 **~ for** …쪽으로 가다; …을 공격하다; …에 이바지하다, 도움이 되다: ~ nothing *for* …에 이바지하는 바가 없다 **~ … from** …을 …을 재료로 하여[본따서] 만들다 《원료·재료가 변할 경우》 **~ good** ⇨ good *a.* **~ in** …에 들어가다 **~ a thing into** …을 (원료·물건·사람 등에 가공·제작·감화·영향을 주어) …으로 만들다 **~ it** 《구어》 (1) 제시간에 도착하다, (장소에) 이르다, 나타나다 (2) 제대로 수행하다, 성공하다 (3) (서로) 만나기로 하다 (4) (병후에) 회복하다 (5) 출석하다, 오다 **~ it good upon** a person …에게 우겨다짐으로 제 주장을 강요하다 **~ it in** 〈항공기가〉 제대로 착륙하다 **~ it out** 《구어》 도망치다 **~ it pay** 이득[보답]을 가져오게 하다 **~ it to** a place (어느 장소)에 도착하다 ***M~ it two.*** [주문할 때] 같은 것으로 주세요. **~ it up** 화해하다; 《구어》 (…에게) 변상하다, 물어주다 《*to*》; (호의 등에) 답례하다 《*to, for*》 **~ it** (**with**) 《속어·비어》 (…와) 성교하다 **~ like** 《속어》 흉내 내다, 본뜨다 ***M~ mine …*** 저는 …으로 주세요. **~ much of** ⇨ much. **~ … of** (1) …을 …으로 만들다 《재료가 변질하지 않을 경우》: We ~ bottles (out) *of* glass. 병은 유리로 만든다. (2) 〈사람을〉 …으로 만들다: ~ a teacher *of* one's son 아들을 교사로 만들다 (3) …을 …이라고 생각하다: What do you ~ *of* this? 이것을 어떻게 생각하나? **~ off** 급히 가다, 도망치다 **~ off with** = MAKE away with. **~ … on** 《주로 Pennsylvania 주 독일어권》 〈불·조명을〉 켜다: ~ the light *on* 불을 켜다 **~ or break**[**mar**] …의 성패[운명]를 좌우하다 **~ out** (1) 기초하다, 작성하다, 쓰다 (2) 성취[달성]하다; 성장해 가다 (3) …처럼 말하다; …인 체하다 (4) 이해하다; 알아보다[듣다]; (보아서) 분간하다; 입증하다, …라고 주장하다 (5) 〈시간을〉 보내다 (6) 《미·구어》 변통해 나가다, 그럭저럭 지내다 (7) 《구어》 (이성과) 성교하다 《*with*》 (8) (결과가) …으로 되다(turn out) **~ … out of** = MAKE … of (1). **~ over** (1) (…로) 양도[이관(移管)]하다 《*to*》 (2) 변경하다, 다시 하다[만들다] (3) 《미》 〈아이를〉 (지나치게) 애지중지하다 **~ one*self* felt** 《미·구어》 좋은 인상을 주다 **~ a person sit up** 《미·구어》 …을 깜짝 놀라게 하다 **~ a person*'s life a misery*** …의 인생을 괴롭게[엉망으로] 만들다 **~ …** (**out**) **of** 《구어》 …을 놓고 싸움[시비]을 걸다; …으로 꼬투리를 잡다 **~ through with** …을 성취하다 **~ toward**(**s**) …을 향하여 가다 **~ up** (1) 수선하다 (2) 메우다, 벌충하다, 만회하다; (…의) 대역을 하다; (보충해서) 완전하게 하다, 보완하다 《*for*》: ~ *up* the deficit 부족분을 보충하다 / ~ *up for* lost time 잃어버린 시간을 만회하다 (3) 준비하다, 챙기다; 한데 모으다, 꾸리다 (4) 〈옷을〉 짓다, (여러 요소를 가지고) 구성하다, 맞추어 놓다, (지시·처방에 따라) 만들다, 조제(調劑)하다 (5) 〖인쇄〗 〈난(欄)이나 페이지를〉 짜다 (6) 〈차량을〉 연결하다; 〈연료를〉 보충하다 (7) 작성[편집, 기초]하다; 〈이야기·구실 따위를〉 창작하다 (8) 〈수지를〉 조정하다, 정산하다; 〈말·핑계를〉 날조하다 (9) 토론하다 (10) 화장하다; 〖연극〗 분장(扮裝)하다, 메이크업하다(cf. MAKEUP); 〈도로를〉 포장하다 (11) 청산하다 (12) 약정[체결]하다 (13) 〈분쟁·싸움 등을〉 원만히 해결하다, 화해하다 (14) 《미·학생》 (재시험으로서) 〈시험을〉 다시 치르다; 〈코스를〉 다시 잡다 (15) 〈카드를〉 섞어 쳐서 준비하다 **~ a thing up out of** 《미·구어》 …으로 〈물건을〉 만들다 **~ up to** …에 접근하다, 아첨하다; …에게 변상하다 **~ up with** …와 화해하다 **~ with** 《미·속어》 〈생각 등을〉 제안하다, 갖게 하다; 〈신체를〉 움직이다; (변함없이) 사용하다; …을 만들다, 보이다 ★ 목적어는 「the+명사」: ~ *with the* lunch 점심을 만들다[내놓다] / ~ *with the* big ideas 대단한 아이디어를 생각해 내다 ***That ~s two of us.*** 《구어》 그것은 나에게도 해당이 된다; 나도 마찬가지다.

— *n.* ⓊⒸ **1 a** 만듦새, 지음새, …제; 제작법; 모양, 형(型), 꼴, 형상: the newest ~ of car 최신형 자동차 / of Korean[American] ~ 국산[미제]의 / be of foreign[home] ~ 외제[국산]이다 / our own ~ 자가제(自家製) **b** 구조, 구성, 조직 **c** 형식, 양식 **2** 체격; 성격, 기질 **3** 제작[제조] 수량, 생산량 **4** 〖전기〗 회로의 접속(opp. *break*), 전류를 통하기: ~ and break 전기 회로의 개폐(開閉) **5** 〖카드〗 으뜸패의 선언; 카드를 섞어 치는 것 **6** 《미·속어》 확인, 조회 **7** 〖군사〗 승진; 임무 **8** 《미·속어》 성교의 상대(여자)

~ and mend 《영·해군속어》 한가한 시기 **on the ~** 〈사물이〉 형성[성장, 증가, 개선] 중인; 《구어》 이익[승진]에 급급하여; 《속어》 애인을 얻으려고 기를 써서 **put the ~ on** 《속어》 …을 성적(性的)으로 유혹하다 **run a ~ on** a person 《미·경찰속어》 …의 신원을 조회[확인]하다

mák(**e**)**·a·ble** *a.*

make-and-break [méikənbréik] *a.*, *n.* 〖전기〗 (접점) 자동 개폐식(開閉式)의 (장치); 전기 회로의 개폐

make-be·lieve [-bilìːv] *n.* Ⓤ 가장(假裝), …하는 체하기, 겉꾸미기, 위장(僞裝); Ⓒ …하는 체하는 사람; 〖심리〗 공상가 **—** *a.* Ⓐ 거짓의, 위장한; 가공(架空)의, 공상의: a ~ story 가공의 이야기

make-do [-dùː] *a.*, *n.* (*pl.* **~s**) 임시변통의 (물건), 대용의 (물건)

make·fast [-fæ̀st | -fɑ̀ːst] *n.* 《미》 배를 매어 두는 계선 부표[말뚝]

make-game [-gèim] *n.* 웃음거리, 조롱거리

make-or-break [-ərbréik] *a.* 성패(成敗) 양단간의, 운명을 좌우하는

máke-out àrtist [-àut-] 《미·속어》 여자를 잘 낚는 남자; 섹스를 잘하는 남자; 아첨꾼

make·o·ver [méikòuvər] *n.* 수리, 수선; (헤어스타일 등의) 변모, 변신; (외모의) 개조 《전문가에 의한》

mákeover TV (전문 기술자에 의한) 집[정원] 모양의 개조를 돕는 TV 프로그램

‡mak·er [méikər] *n.* **1 만드는 사람, 제작[제조]자,** 메이커; [종종 *pl.*; 복합어를 이루어] …제조 회사: a ~ of neckties 넥타이 제조 회사 / a car ~ 자동차 회사 **2** [the M~, one's M~] 조물주, 신 **3** 〖상업〗 약속어음 발행인; 〖법〗 증서 작성인 ***meet***[***go to***] ***one's M~*** 죽다

make·read·y [méikrèdi] *n.* **1** 〖인쇄〗 (인쇄 직전의) 판 고르기 **2** 조정, 정비, 보정

mak·er-up [méikərʌ́p] *n.* (*pl.* **makers-up**) 〖인쇄〗 정판공(整版工)

***make·shift** [méikʃìft] *n.* **임시변통** (수단), 미봉책, 일시적 방편: a ~ for a table 임시 식탁

— *a.* **임시변통의,** 일시적인

***make·up** [méikʌ̀p] *n.* **1** ⓊⒸ **화장**; (배우 등의) 분장, 메이크업; 화장품(cosmetics), 분장 용구(用具); 가장, 겉치레 **2 짜임새, 구성,** 조립, 구조; 체격: the ~ of a committee 위원회의 구성 **3** 성질, 기질, 체질: a national ~ 국민성 **4** 〖인쇄〗 (책·페이지 등의) 레이아웃, (신문의) 대판(大判) 짜기; 조판물 **5** 《미·구어》 재[추가]시험(= ~ **exám**) **6** 날조한 이야기 **7** 결산, 청산; 차액(balance)

make·weight [méikwèit] *n.* **1** 중량을 채우려고 보태는 것; 균형 잡히게 하는 것, 평형추(平衡錘) **2** 무가치한 것; 대신[대리]하는 것; 메울 거리, 대역

make-work [méikwə̀ːrk] *a.*, *n.* Ⓤ 《미》 (노동자의 실직 대책으로서 시키는) 불요불급한 (일·고용)

máke-work prógram 고용[일자리] 창출 계획

***mak·ing** [méikiŋ] *n.* **1 a** Ⓤ **제작** (과정), 제조, 만들기, 생산 **b** 제작물; ⓊⒸ 1회의 제조량(batch) **2** 구조: the ~ of a machine 기계의 구조 **3** 발전[발달] 과정 《*of*》; [the ~] 성공의 원인[수단] **4** [*pl.*] 요소,

---

standby, substitute, improvised

making *n.* manufacture, building, construction, production, fabrication, creation, forming

소질: He has the ~*s* of a first-rate officer. 그는 일급 장교가 될 소질이 있다. **5** [보통 *pl.*] 원료, 재료 《*for*》; [*pl.*] 《미》 담배 말아 피울 재료 **6** [*pl.*] 이익, 이득, 벌이 ***be the ~ of*** …의 성공의 원인이 되다 ***have the ~s of*** …의 소질[자질]이 있다 ***in the ~*** 제조[형성] 중의, 발달[발전] 중의; 준비된

ma·ko [méikou, mɑ́:- | mɑ́:-] *n.* (*pl.* **~s**) 〖어류〗 청상아리(= **~ shàrk**)

ma·ku·ti [mækú:ti] *n. pl.* 마쿠티 《울타리나 바구니 따위를 만드는데 쓰이는 야자나무 잎》

Mal. 〖성서〗 Malachi, Malay(an); Malta

mal- [mæl] 《연결형》 「악, 불규칙, 불량, 불완전, 이상」의 뜻

Ma·la·bo [məlɑ́:bou] *n.* 말라보 《Equatorial Guinea의 수도》

mal·ab·sorp·tion [mæləbsɔ́:rpʃən] *n.* Ⓤ 〖병리〗 (영양분의) 흡수 불량

Ma·lac·ca [məlǽkə, -lɑ́:kə | -lǽkə] *n.* 말라카 《말레이 연방의 한 주; 이 주의 주도》 ***the Strait of ~*** 말라카 해협 《Malay 반도와 Sumatra 섬 사이》 **—***a.* [**m~**] 등나무의[로 만든] **-can** *a.*

Malácca cáne 등나무 지팡이

Mal·a·chi [mǽləkài] *n.* 〖성서〗 말라기 《유대의 예언자》; 말라기서(書) 《略 Mal.》

mal·a·chite [mǽləkàit] *n.* Ⓤ 〖광물〗 공작석(孔雀石)

mal·a·col·o·gy [mæ̀ləkɑ́lədʒi | -kɔ́l-] *n.* Ⓤ 〖동물〗 연체 동물학

mal·a·dapt [mæ̀lədǽpt] *vt.* 〈과학적 발견 등을〉 잘못 응용[적용]하다, 부당하게 이용하다, 악용하다

mal·ad·ap·ta·tion [mæ̀lædəptéiʃən] *n.* ⓊⒸ 순응 불량, 부적응

mal·a·dapt·ed [mæ̀lədǽptid] *a.* (환경·조건 등에) 순응[적응]이 안되는, 부적합한 《*to*》

mal·a·dap·tive [mæ̀lədǽptiv] *a.* 순응성[적응성]이 없는, 부적응의

mal·ad·dress [mæ̀lədrés] *n.* Ⓤ 서투름, 재치 없음

mal·ad·ept [mæ̀lədépt] *a.* 충분한 능력이 없는, 서투른, 적격이 아닌 《*to* do》

mal·ad·just·ed [mæ̀lədʒʌ́stid] *a.* **1** 조절[조정] 불량의 **2** 〖심리〗 환경에 적응 못하는 〈어린이 등〉

mal·ad·jus·tive [mæ̀lədʒʌ́stiv] *a.* 조절 불량의; 부적응의

mal·ad·just·ment [mæ̀lədʒʌ́stmənt] *n.* ⓊⒸ **1** 조절[조정] 불량 **2** 〖심리〗 부적응; 부조화, 불균형

mal·ad·min·is·ter [mæ̀lədmínistər] *vt.* 〈공무의〉 처리를 그르치다; 〈정치·경영을〉 잘못하다

mal·ad·min·is·tra·tion [mæ̀lədmìnəstréiʃən] *n.* Ⓤ 실정(失政), 악정, 졸렬한 경영

mal·a·droit [mæ̀lədrɔ́it] *a.* 서투른, 솜씨 없는, 요령없는; 재치 없는 **~·ly** *ad.* **~·ness** *n.*

***mal·a·dy** [mǽlədi] [L 「몸이 불편한」의 뜻에서] *n.* (*pl.* **-dies**) **1** 《문어》 (특히 만성적인) 병(disease), 만성병 **2** (사회적) 병폐, 폐해; 결함: a social ~ 사회적 병폐

ma·la fi·de [méilə-fáidi] [L] *ad.*, *a.* 불성실하게[한], 악의로[의](opp. *bona fide*)

ma·la fi·des [-fáidi:z] [L] 불성실, 악의(opp. *bona fides*)

Ma·la·ga [mǽləgə] *n.* (스페인 남부의 주(州)) 말라가(Málaga)산 포도; Ⓤ 말라가 백포도주

Mal·a·gas·y [mæ̀ləgǽsi] *a.* Madagascar(사람[말])의 **—***n.* (*pl.* **~, -gas·ies**) 마다가스카르 사람; Ⓤ 마다가스카르 말

ma·la·gue·na [mæ̀ləgéinjə, -gwéin-] [Sp.] *n.* 말라게냐 《스페인 Málaga 지방의 무용》

mal·aise [mæléiz, məl-] [F 「불쾌」의 뜻에서] *n.* ⓊⒸ (육체적) 불쾌(감); (사회의) 침체 (상태); [보통 a ~] 불안(감)

mal·a·mute [mǽləmjù:t] *n.* [때로 **M~**] = ALASKAN MALAMUTE

mal·ap·por·tioned [mæ̀ləpɔ́:rʃənd] *a.* 〈입법 의원이〉 불균형 할당의

mal·ap·por·tion·ment [mæ̀ləpɔ́:rʃənmənt] *n.* 의원 정수(定數)의 불균형

mal·a·prop [mǽləprɑ̀p | -prɔ̀p] *n.* **1** [Mrs. M~] R.B. Sheridan의 희곡 *The Rivals*에 나오는 인물 《말의 오용으로 유명한 노부인》 **2** = MALAPROPISM **—***a.* = MALAPROPIAN

mal·a·prop·i·an [mæ̀ləprɑ́piən | -prɔ́p-] *a.* 말을 우습게 잘못 쓰는

mal·a·prop·ism [mǽləprɑpìzm | -prɔp-] *n.* ⓊⒸ **1** 말의 우스꽝스러운 오용 《발음은 비슷하나 뜻이 다른》 **2** 우습게 잘못 쓰인 말

mal·ap·ro·pos [mæ̀læprəpóu] [F] *a.* 시기가 부적당한, 계제가 아닌 **—***ad.* 계제가 아니게, 부적당하게 **—***n.* 시기에 안 맞음; 부적당한 것[언행]

ma·lar [méilər] *n.*, *a.* 뺨(의), 광대뼈(의)

***ma·lar·i·a** [məlέəriə] [It. 「(소택지의) 독기」의 뜻에서] *n.* Ⓤ 말라리아, 학질

ma·lar·i·al [məlέəriəl], **-i·an, -i·ous** *a.*

malárial féver 〖병리〗 말라리아 열

ma·lar·i·ol·o·gy [məlὲəriɑ́lədʒi | -ɔ́l-] *n.* Ⓤ 말라리아학[연구]

ma·lar·k(e)y [məlɑ́:rki] *n.* 《속어》 허튼소리

mal·as·sim·i·la·tion [mæ̀ləsìməléiʃən] *n.* Ⓤ 〖병리〗 동화(同化)[영양] 불량

mal·ate [mǽleit, méil-] *n.* 〖화학〗 말산염(酸鹽), 말산에스테르

mal·a·thi·on [mæ̀ləθáiɑn | -ɔn] *n.* Ⓤ 말라티온 《황색 살충액; 상표명》

Ma·la·wi [məlɑ́:wi] *n.* 말라위 《동남아프리카의 공화국; 수도 Lilongwe》 **~·an** [-ən] *a.*, *n.*

Ma·lay** [méilei, məléi | məléi] *a.* **1** 말레이 사람[말]의 **2** 말레이 반도의 **—n.* **1** 말레이 사람 **2** Ⓤ 말레이 말

Ma·lay·a [məléiə] *n.* 말레이 반도

Mal·a·ya·lam [mæ̀ləjɑ́:ləm | mæ̀liɑ́:-] *n.* Ⓤ 말라얄람 말 《인도 남서 지방 Malabar에서 쓰는 언어》

Ma·lay·an [məléiən] *n.* 말레이 사람 **—***a.* = MALAY

Maláy Archipélago [the ~] 말레이 제도

Ma·la·yo-Pol·y·ne·sian [məléioupɑ̀ləní:ʒən | -pɔ̀liní:zjən] *n.*, *a.* 말레이 폴리네시아 사람[어족](의)

Málay Península [the ~] 말레이 반도

Ma·lay·sia [məléiʒə, -ʃə | -ziə] *n.* **1** = MALAY ARCHIPELAGO **2** 말레이시아 (연방) 《아시아 남동부의 입헌 군주국; 수도 Kuala Lumpur》

Ma·lay·sian [məléiʒən, -ʃən | -ziən] *n.*, *a.* 말레이시아[말레이 제도](의); 말레이시아[말레이 제도] 사람(의)

Mal·colm [mǽlkəm] *n.* 남자 이름

Málcolm X 맬컴 엑스(1925-65) 《미국의 흑인 인권 지도자》

mal·con·for·ma·tion [mæ̀lkɑnfɔ:rméiʃən | -kɔ̀n-] *n.* Ⓤ 보기 흉한 모양, 볼품없음

mal·con·tent [mæ̀lkəntént] *a.* = MALCONTENTED **—***n.* 불평가; (권력·체제에 대한) 불평 분자, 반항자

mal·con·tent·ed [mæ̀lkənténtid] *a.* 불평하는; (특히 권력·체제에 대하여) 불만인, 반항적인

mal de mer [mǽl-də-mέər] [F] 뱃멀미

mal·dis·tri·bu·tion [mæ̀ldistrəbjú:ʃən] *n.* Ⓤ 부적정[불평등] 배치[배급, 분배]

Mal·dives [mɔ́:ldi:vz, mǽldaivz | mɔ́:ldivz] *n. pl.* 몰디브 《인도양의 영연방 내의 공화국; 수도 Male》 **Mal·dív·i·an** *a.*, *n.*

mal du siè·cle [mæ̀l-du-sjέkl] [F = sickness of the age] 세기병, 염세

‡male [méil] *n.* 남자, 남성; 수컷; 웅성 식물, 수꽃 **—***a.* **1** 남자의, 남성의; 수컷의(opp. *female*): the ~ sex 남성 / a ~ dog 수캐 **2** 〖식물〗 수술만 가진,

thesaurus **malady** *n.* disease, disorder, illness, sickness, complaint, ailment, infection

웅성의: a ~ flower 수꽃 **3** 남성적인, 남자로 구성된: a ~ choir 남성 성가대 / a ~ voice 남자다운 목소리 **4** 〖기계〗 〈부품이〉 수…: a ~ screw 수나사 **~·ness** *n.* Ⓤ 남성다움

male- [mǽlə] 《연결형》 「나쁜(ill-)」의 뜻(opp. *bene-*): *male*diction

Ma·le [mɑ́:lei, -li] *n.* 말리 《Maldives의 수도》

mále álto 〖음악〗 = COUNTERTENOR

mále bónding 남자끼리의 유대[동료 의식]

mále cháuvinism 남성 우월[중심]주의

mále cháuvinist 남성 우월주의자

mále cháuvinist píg[pórker] 《경멸》 남성 우월주의자 《略 MCP》

mal·e·dic·tion [mæ̀lədíkʃən] *n.* 《문어》 저주, 악담, 비방, 욕(opp. *benediction*) **-díc·tive** *a.*

mal·e·dic·to·ry [mæ̀lədíktəri] *a.* 저주의, 악담의

male-dom·i·nated [méildɑ́məneitid | -dɔ́m-] *a.*, *n.* Ⓤ 남성 주도형[우위]의 (사회)

mal·e·fac·tion [mæ̀ləfǽkʃən] *n.* ⓊⒸ 나쁜 짓, 범죄, 비행

mal·e·fac·tor [mǽləfæ̀ktər] *n.* (*fem.* **-tress** [-tris]) 악인; 범인(opp. *benefactor*)

mále férn 〖식물〗 관중 《구충제; 유럽산(産)》

ma·lef·ic [məléfik] *a.* 사악한, 유해한: a ~ spell 재앙을 부르는 주문 **—** *n.* 〖점성술〗 흉성

ma·lef·i·cence [məléfəsəns] *n.* ⓊⒸ 유해; 나쁜 일[짓], 악행; 해악, 유해성

ma·lef·i·cent [məléfəsənt] *a.* 해로운 《*to*》; 나쁜 짓을 하는(opp. *beneficent*)

ma·lé·ic ácid [məlí:ik-] 〖화학〗 말레산(酸)

mále ménopause 남성의 갱년기(metapause)

mal·e·mute [mǽləmjù:t] *n.* [때로 **M~**] = ALASKAN MALAMUTE

male-ster·ile [méilstéril | -stérail] *a.* 〖생물〗 웅성 불임(雄性不稔)의; 〖생리〗 남성 불임(증)의

ma·lev·o·lence [məlévələns] *n.* Ⓤ 악의, 나쁜 마음, 적의, 증오(hatred)

ma·lev·o·lent [məlévələnt] *a.* 악의 있는(opp. *benevolent*); 남의 불행을 기뻐하는 **~·ly** *ad.*

mal·fea·sance [mælfí:zns] *n.* **1** ⓊⒸ 〖법〗 불법[부정] 행위 《특히 공무원의》 **2** Ⓤ 나쁜 짓

mal·fea·sant [mælfí:zənt] *a.* 불법의; 나쁜 짓을 하는 **—** *n.* 불법 행위자, 범죄자

mal·for·ma·tion [mæ̀lfɔ:rméiʃən] *n.* **1** Ⓤ 꼴이 흉함, 꼴불견 **2** 꼴이 흉하게 생긴 것; 기형 (부분), 변형

mal·formed [mælfɔ́:rmd] *a.* 꼴이 흉한, 기형의

mal·func·tion [mælfʌ́ŋkʃən] *n.* Ⓤ (장기(臟器)·기계 등의) 기능 부전, 고장; 〖컴퓨터〗 기능 불량 **—** *vi.* 〈장기·기계 등이〉 제대로 작동하지 않다

Ma·li [mɑ́:li] *n.* 말리 (공화국) 《공식 명칭은 the Republic of Mali; 아프리카 서부; 수도 Bamako》 **~·an** *a.*, *n.* 말리의 (사람)

Mal·i·bu [mǽləbù:] *n.* 말리부 《미국 Los Angeles 서쪽의 해양 휴양지·고급 주택지; 서핑으로 유명》

Málibu bòard 말리부 보드 《약 2.6m의 유선형 플라스틱제 서프보드(surfboard)》

ma·lic [mǽlik, méil-] *a.* 사과의, 사과에서 채취한; 〖화학〗 말산(酸)[사과산]의

málic ácid 〖화학〗 말산, 사과산

mal·ice** [mǽlis] [L 「악, 악의」의 뜻에서] *n.* Ⓤ **1** 악의, 앙심, 적의, 원한 **2** 〖법〗 범의(犯意), 살의 ***bear ~ against [***to, toward***] (a person ***for*** something) (어떤 일로 …에게) 앙심[원한]을 품다

málice afórethought [**prepénse**] 〖법〗 계획적 범행 의사[살의(殺意)]

***ma·li·cious** [məlíʃəs] *a.* **1** 악의 있는, 심술궂은: ~ rumors 악의적인 유언비어 **2** 〖법〗 고의의; 부당한 〈체포 등〉: ~ mischief 고의적인 기물 파손 **~·ly** *ad.* 악의를 갖고, 심술궂게 **~·ness** *n.* = MALICE

***ma·lign** [məláin] *a.* Ⓐ 해로운, 악의 있는(opp. *benign*); 〖병리〗 악성의 **—** *vt.* 헐뜯다(speak ill of), 중상하다: His face ~*s* him. 그는 얼굴 생김새와는 달리 좋은 사람이다. **~·er** *n.* **~·ly** *ad.*

ma·lig·nan·cy, -nance [məlígnəns(i)] *n.* Ⓤ **1** 악의, 적의, 격렬한 증오 **2** (병의) 악성; 악성 종양 **3** 〖점성술〗 불길, 흉(凶), 악영향

***ma·lig·nant** [məlígnənt] *a.* **1** 악의[적의]가 있는; 해로운; 〈병이〉 악성의(opp. *benign*): a ~ disease 악성 질환 《암 등》 / a ~ tumor 악성 종양 **2** 불길한, 매우 위험한; 매우 유해한 **—** *n.* 악의를 품은 사람; [**M~**] 〖영국사〗 왕당원(王黨員) 《Charles 1세를 지지하는》 **~·ly** *ad.* ▷ malígn *v.*; malígnity *n.*

malígnant melanóma 〖의학〗 악성 흑색종(腫) 《피부암의 일종》

malígnant pústule 〖의학〗 악성 농포(膿疱)

ma·lig·ni·ty [məlígnəti] *n.* (*pl.* **-ties**) **1** Ⓤ 악의, 앙심, 원한; Ⓒ 악의 있는 언동 **2** Ⓤ 악성; 불치

ma·li·hi·ni [mɑ̀:lihí:ni] *n.* (*pl.* **~s**) 《하와이》 신참자, 타관 사람

ma·line [məlí:n | mæ-] *n.* = MALINES 1

ma·lines [məlí:n] [F] *n.* [때로 **M~**] **1** Ⓤ 말린 《벨기에산의 얇은 비단 망사》 **2** = MECHLIN LACE

ma·lin·ger [məlíŋgər] *vi.* 〈특히 병사 등이〉 꾀병을 부리다 **~·er** *n.* **ma·lin·ger·y** *n.* Ⓤ 꾀병

ma·lism [méilizm] *n.* Ⓤ 악세설(惡世說) 《세상은 악에 차 있다는 비관주의》

***mall** [mɔ́:l | mɔ́:l, mǽl] *n.* **1** 《미》 쇼핑 몰 《충분한 주차장을 갖춘 보행자 전용 상점가》, 쇼핑 센터(= shopping ~) **2** 나무 그늘이 진 산책길; [《영》 mǽl] [The M~] 런던 St. James 공원의 나무 그늘 우거진 산책길 **3** 《영》 팰맬(pall-mall) 놀이(터); 팰맬 놀이에 쓰는 나무 망치 **4** (고속도로의) 중앙 분리대

mal·lam, mal·am [mǽləm, -əm] *n.* (서아프리카에서) 학자, 선생

mal·lard [mǽlərd] *n.* (*pl.* **~s,** [집합적] **~**) 〖조류〗 청둥오리 《wild duck의 일종》; Ⓤ 청둥오리 고기

Mal·lar·mé [mæ̀lɑ:rméi] *n.* 말라르메 **Stéphane** ~ (1842-98) 《프랑스의 시인》

mal·le·a·bil·i·ty [mæ̀liəbíləti] *n.* Ⓤ (금속의) 가단성(可鍛性), 전성(展性); 유연성, 순응(성)

mal·le·a·ble [mǽliəbl] *a.* **1** 〈쇠를〉 불릴 수 있는, 단련할 수 있는, 두들겨 펼 수 있는 **2** 유순한(pliable), 영향받기 쉬운; 융통성 있는 **~·ness** *n.*

málleable cást íron 〖야금〗 가단(可鍛) 주철

málleable íron **1** = MALLEABLE CAST IRON **2** = WROUGHT IRON

mal·le·ate [mǽlièit] *vt.* 〈금속 등을〉 망치로 두들기다, 망치질하여 만들다

mal·lee [mǽli] *n.* **1** 말리나무 《남오스트레일리아산(産) 유칼리속(屬)의 관목》 **2** 말리나무 덤불이 우거진 곳

mal·le·i [mǽliài] *n.* MALLEUS의 복수

mal·le·o·lus [məlí:ələs] *n.* (*pl.* **-li** [-lài]) 〖해부〗 복사뼈

mal·let [mǽlit] *n.* **1** 나무메; 공치는 망치 《polo 등의》 **2** (타악기용) 작은 채

mal·le·us [mǽliəs] *n.* (*pl.* **mal·le·i** [-liài]) 〖해부〗 (중이(中耳)의) 추골(槌骨)

mall·ing [mɔ́:liŋ] *n.* Ⓤ 쇼핑 몰에서 시간 보내기; 몰화(化) 《어떤 지역이 쇼핑 몰이 생김으로써 특색 없이 획일화되기》

mal·low [mǽlou] *n.* 〖식물〗 당아욱속(屬)

máll ràt 《속어》 쇼핑 몰에서 시간 보내는 10대 젊은이

malm [mɑ́:m] *n.* Ⓤ 부드러운 백악암(白堊岩), 백악토; 백악 벽돌(= ~ **brìck**): the ~ epoch[series] 〖지질〗 백쥐라기(紀)[통(統)]

malm·sey [mɑ́:mzi] *n.* Ⓤ 맘지 《Madeira 원산의 단 포도주》

---

malignant *a.* malicious, evil, hostile, spiteful, dangerous, harmful, hurtful, deadly, fatal, lethal

mal·nour·ished [mælnə́:riʃt, -nʌ́r-] *a.* 영양 부족[실조]의: a ~ infant 영양실조아
mal·nu·tri·tion [mælnju:tríʃən | -nju:-] *n.* Ⓤ 영양 부족, 영양실조: die of ~ 영양실조로 죽다
mal·oc·clu·sion [mæ̀ləklú:ʒən] *n.* Ⓤ 〖치과〗 부정교합(不正咬合) **màl·oc·clúd·ed** [-klú:did] *a.*
mal·o·dor [mælóudər] *n.* 악취, 고약한 냄새
mal·o·dor·ant [mælóudərənt] *a.*, *n.* 고약한 냄새가 나는 (물건)
mal·o·dor·ous [mælóudərəs] *a.* **1** 악취를 풍기는 **2** (법적·사회적으로) 용납될 수 없는, 언어도단의
mal·o·lac·tic [mæ̀loulǽktik, mèi-] *a.* (포도주의) 말산(酸)이 젖산으로 변하는[발효하는]
Mal·o·ry [mǽləri] *n.* 맬러리 **Sir Thomas ~** (1408-71) 《영국의 작가》
Mal·pígh·i·an còrpuscle[bòdy] [mælpígiən-] 〖해부〗 말피기 소체, 신소체(腎小體)
Malpíghian láyer 〖해부〗 말피기층, 배아층(胚芽層)
Malpíghian túbe[túbule, véssel] [보통 *pl.*] 〖동물〗 말피기관(管) 《곤충의 노폐물 배설 기관》
mal·po·si·tion [mæ̀lpəzíʃən] *n.* Ⓤ 위치가 나쁨; 〖의학〗 이상 위치, (태아의) 변위
mal·prac·tice [mælprǽktis] *n.* **1** (의사의) 부정 치료; 의료 과오 **2** 〖법〗 배임 행위; 비행
malpráctice sùit 의료 과오 소송
mal·prac·ti·tion·er [mæ̀lpræktíʃənər] *n.* 배임[위법, 부정] 행위자; 부정 요법 시행 의사
Mal·raux [mælróu] *n.* 말로 **André ~** (1901-76) 《프랑스의 저술가·정치가》
mal·re·port·ing [mælripɔ́:rtiŋ] *n.* 부당 보도
Mal $ Malaysian dollar(s)
mal·sta·tion [mælstéiʃən] *vt.* 배치를 잘못하다[그르치다]
∗**malt** [mɔ́:lt] *n.* Ⓤ **1** 엿기름, 맥아(麥芽) **2** 《구어》 =MALT LIQUOR **3** 《구어》 =MALT WHISKEY **4** 《미》 =MALTED MILK
—*a.* 엿기름의[을 넣은, 으로 만든]
—*vt.* 엿기름으로 만들다, …에 엿기름[맥아]을 섞다, 〈술을〉 엿기름으로 빚다
—*vi.* 엿기름이 되다; 엿기름을 만들다
Mal·ta [mɔ́:ltə] *n.* **1** 몰타 (공화국) 《수도 Valletta》 **2** 몰타 섬 《지중해에 있는 섬》
Málta féver 〖병리〗 몰타열(brucellosis)
malt·ase [mɔ́:lteis, -teiz] *n.* Ⓤ 〖생화학〗 말타아제 《맥아당을 포도당으로 분해하는 효소》
málted (mílk) [mɔ́:ltid-] 맥아(를 섞은) 분유; 《미》 몰트 밀크 《맥아 분유를 우유에 탄 음료》
Mal·tese [mɔ:ltí:z, -tí:s | -tí:z] *a.* 몰타(섬)의
—*n.* (*pl.* ~) **1** 몰타 사람 **2** Ⓤ 몰타 말 **3** 몰타 종(種)(의 동물)
Máltese cát 몰타 고양이 《회청색에 털이 짧음》
Máltese cróss 몰타 십자 《십자가의 일종; ✠》
Máltese dóg[térrier] 몰티즈 개 《털이 길며 소형의 애완견》
mált èxtract 맥아엑스, 맥아추출물
mal·tha [mǽlθə] *n.* Ⓤ 말사 《천연 아스팔트》
malt·house [mɔ́:lthàus] *n.* 맥아 제조소[저장소]
Mal·thus [mǽlθəs] *n.* 맬서스 **Thomas Robert ~** (1766-1834) 《영국의 경제학자》
Mal·thu·sian [mælθú:ʒən, -ziən | -θjú:-] *a.* 맬서스(주의[학파])의 —*n.* 맬서스주의자
~·ìsm *n.* Ⓤ 맬서스주의, 맬서스의 인구론
malt·ing [mɔ́:ltiŋ] *n.* **1** Ⓤ 맥아 제조(법) **2** 《영》 =MALTHOUSE
mált lìquor 맥아주 《ale, beer 등》
malt·man [mɔ́:ltmən] *n.* (*pl.* **-men** [-mən]) 맥아 제조인(maltster)
malt·ose [mɔ́:ltous] *n.* Ⓤ 〖화학〗 말토오스, 엿당
mal·treat [mæltrí:t] *vt.* 학대[혹사]하다(abuse)
~·er *n.* **~·ment** *n.*
mált shòp 맥아 분유 음료(malted milk)를 파는 아이스크림 가게
malt·ster [mɔ́:ltstər] *n.* 맥아 제조[판매]인
mált sùgar =MALTOSE
mált vínegar 맥아 식초
mált whìskey 몰트위스키
malt·y [mɔ́:lti] *a.* (**malt·i·er**; **-i·est**) **1** 엿기름의[비슷한] **2** 애주가인
mal·va·ceous [mælvéiʃəs] *a.* 〖식물〗 당아욱과(科)의; 아욱속(屬)의
mal·ver·sa·tion [mæ̀lvərséiʃən] *n.* Ⓤ 독직(瀆職), 공금 유용, 배임(corruption); 부패 정치
mal·voi·sie [mǽlvɔizi, -və-] *n.* =MALMSEY, 맘지포도
mal·ware [mǽlwὲər] [*mal*icious+soft*ware*] *n.* 〖컴퓨터〗 악성 코드 《컴퓨터 시스템 파괴 소프트웨어》
mam [mǽm] *n.* 《영·구어》 =MAMA 1(cf. DAD)
∗**ma·ma** [mɑ́:mə | məmɑ́:] *n.* **1** 《소아어》 엄마(cf. PAPA) **2** 《미·속어》 **a** 여자, 성적 매력이 있는 여자 **b** 마누라 **3** 《미·속어》 폭주족(暴走族)의 여자
go home to ~ 《미·속어》 중도에서 그만두다[포기하다]; 이혼하여 친정으로 가다
ma·ma-and-pa·pa [mɑ́:məənpɑ́:pə] *a.* =MOM-AND-POP
máma béar 《미·속어》 여자 경찰관
máma's bòy 《미·구어》 여성적인[나약한] 남자
mam·ba [mɑ́:mbɑ:, mǽmbə | mǽmbə] *n.* 〖동물〗 맘바 《남아프리카산 코브라과(科)의 큰 독사》
mam·bo [mɑ́:mbou | mǽm-] *n.* (*pl.* **~s**) 맘보(춤); 그 곡 —*vi.* 맘보를 추다
mam·e·lon [mǽmələn] *n.* 젖꼭지 모양의 돌기; 〖지질〗 유방[종] 모양의 산
mam·e·luke [mǽməlù:k] *n.* **1** 백인 노예 《이슬람 국가의》 **2** [**M~**] 〖역사〗 맘루크 왕조 《중세 이집트의 노예 군인 출신이 세운 왕조》; 노예 군인
Ma·mie [méimi] *n.* 여자 이름 《Mary의 애칭》
⁑**mam·ma**[1] [mɑ́:mə, məmɑ́:] *n.* =MAMA
mam·ma[2] [mǽmə] *n.* (*pl.* **-mae** [-mi:]) **1** (포유동물의) 유방(udder) **2** [복수 취급] 〖기상〗 유방구름
∗**mam·mal** [mǽməl] *n.* 포유동물: Whales are ~s. 고래는 포유동물이다. ▷ mámmary *a.*
Mam·ma·li·a [məméiliə, -ljə] *n. pl.* 포유류
mam·ma·li·an [məméiliən, -ljən] *a.*, *n.* 포유류의 (동물)
mam·ma·lif·er·ous [mæ̀məlífərəs] *a.* 〖지질〗 〈지층이〉 포유동물의 화석을 포함한
mam·mal·o·gy [məmǽlədʒi] *n.* Ⓤ 포유 동물학
-gist *n.*
mam·ma·ry [mǽməri] *a.* 유방의, 유방 모양의: ~ cancer 유방암
mámmary glànd 〖해부〗 젖샘, 유선(乳腺)
mam·ma·to·cu·mu·lus [mæmèitoukjú:mjələs], **mam·ma·tus** [mæméitəs] *n.* 〖기상〗 유방 적운(乳房積雲)
mam·mec·to·my [məméktəmi] *n.* 〖외과〗 유방[유선] 절제(술)(mastectomy)
mam·mee [mɑméi, -mí: | mæmí:] *n.* 〖식물〗 물레나물과(科)의 교목 《열대 아메리카산》; 그 열매
mam·mif·er·ous [mæmífərəs] *a.* 유방이 있는; =MAMMALIAN
mam·mi·form [mǽməfɔ̀:rm] *a.* 유방[젖꼭지] 모양의
mam·mil·la [mæmílə] *n.* (*pl.* **-lae** [-li:]) 〖해부〗 젖꼭지(같은 돌기(突起)), 유두
mam·mil·lar·y [mǽməlèri | -ləri] *a.* 유두[유방]의, 유방[젖꼭지] 모양의
mam·(m)il·late [mǽməlèit], **-lat·ed** [-lèitid] *a.* 유두가 있는, 유두 모양의 돌기[기관]가 있는
mam·mo·gram [mǽməgræ̀m], **-graph**

thesaurus **mammoth** *a.* huge, enormous, giant, gigantic, vast, immense, mighty, colossal,

[-græ̀f | -grɑ̀:f] *n.* Ⓤ 〚의학〛 유방 X선 사진
mam·mog·ra·phy [mæmɑ́grəfi | -mɔ́g-] *n.* Ⓤ 유방 X선 촬영(법)
mam·mon [mǽmən] *n.* **1** Ⓤ 〚성서〛 (악덕으로서의) 부(富), 재물 《물욕의 의인적 상징; 마태복음 6: 24》 **2** [**M~**] 부와 물욕의 신(神)
mam·mon·ish [mǽməniʃ] *a.* **1** mammon의 **2** 배금주의의, 황금 만능주의의
mam·mon·ism [mǽmənìzm] *n.* Ⓤ 배금주의 **-ist, -ite** [-àit] *n.* 배금주의자
mam·mo·plas·ty [mǽməplæ̀sti] *n.* Ⓤ 유방 성형 수술
∗**mam·moth** [mǽməθ] *n.* **1** 〚동물〛 매머드 《신생대의 큰 코끼리》 **2** 거대한 것
—*a.* 거대한(huge): today's ~ industrial corporations 오늘날의 거대 기업들
Mámmoth Cáve 미국 Kentucky 주 중서부에 있는 석회암의 큰 동굴 《국립 공원의 일부》
mam·my [mǽmi] *n.* (*pl.* **-mies**) 《구어·소아어》 엄마(cf. DADDY); 《미남부》 (옛 백인 가정의) 늙은 흑인 하녀[유모]; [종종 경멸조로] 흑인 여자
mámmy bòy = MOTHER'S BOY
mámmy chàir 《해군속어》 보트에 손님을 실어 올리고 내리는 광주리[의자]
mámmy clòth (아프리카 흑인이 몸에 감는) 알록달록한 무명
mámmy wàgon[**lòrry, bùs**] (서아프리카의 사람·짐 운반용) 소형 버스[트럭]
mam·pa·ra [mɑ:mpɑ́:rə] *n.* 《남아공·구어》 바보, 무능한 사람, 솜씨없는 흑인
mam·zer, mom·zer, mom·ser [mɑ́mzər | mɔ́m-] *n.* (*pl.* **~s, -ze·rim**) **1** 유대교에서 금지하는 결혼에서 태어난 아이, 서자 **2** 《속어》 악당, 망나니
⁑**man** [mǽn] *n., vt., int.*

> 본래는 「사람」 **2, 3**의 뜻에서 「남자」 **1**로 되었음.

—*n.* (*pl.* **men** [mén]) **1 a** (성년) **남자,** 남성, 사나이(opp. *woman*): *men* and women 남자와 여자 **b** Ⓤ [관사 없이; 집합적] **남자** (전체) **2** [관사 없이] (남녀를 불문하고) **사람, 인간,** 인류: prehistoric ~ 선사시대 인간 / *M~* is mortal. 사람은 죽게 마련이다. / *M~* cannot live by bread alone. 〚성서〛 사람은 빵만으로는 살 수 없다.
USAGE 내용상으로 「(남녀를 불문하고) 사람, 인간」의 뜻이기는 하나, 현실적으로 1의 「남자, 남성」의 뜻이 숨어 있어서 여성은 그림자같이 되어 성차별과 통한다고 하여 최근에는 a person, a human being, people, human beings, we 등을 써서 man을 피하는 경향이 일반화되고 있다.
3 a [부정 대명사적] 사람, 아무(one): any[no] ~ 누구든지[아무도 (…않다)] / What can a ~ do in such a case? 이런 경우에는 어찌하면 좋은가? **b** 개인, (어떤) 사람, …가(家): a ~ of action 활동가 **4** [보통 ~ and wife로] 남편(husband); 《구어》 여자와 동거하는 남자, 애인: They are ~ *and wife.* 그들은 부부이다. **5 a** 남자 하인, 종, 머슴: Like master, like ~. 《속담》 그 주인에 그 하인 **b** [보통 *pl.*] (남자) 부하, 노동자, 고용인, 종업원 **c** 〚역사〛 가신(家臣) **6** 제 구실하는 남자, 한 사람의 남자; 대장부; 중요한[저명한] 사람 **7** [*pl.*] 병사, 수병, 《특히》 사병 《officer에 대하여》 **8** (팀의) 일원, 선수 **9** 지지자, 신봉자; 애호가; 전문가: a classics ~ 클래식 애호가 **10** 《속어》 (남자) 친구: my main ~ 가장 친한 친구 **11** [호칭] 여보게, 이 사람아: *M~*, take it easy. 여보게 좀 진정하게. **12** (대학의) 재학생; 출신자, 졸업생 **13** [the (very) ~, one's ~] 안성맞춤의 사람; 적임 **14** [one's ~] **a** 주재원, 특파원, 대표 **b** 적, 쫓는 사람 **15** [the ~, the M~] 《미·속어》 경찰; (백인) 고용주, 주인 **16** 《미·속어》 1달러 **17** 남자다움, 씩씩함 **18** (장기·체커 등의) 말(piece)
a ~ about town ⇨ man-about-town. ***a ~ and a brother*** 동료, 동포 ***a ~ of*** (어디) 태생의 사람 ***a ~ of affairs*** 사무가; 실무가 ***a ~ of God*** 성인, 예언자; 성직자 ***a ~ of hands*** 손재주 있는 사람; 무예가 ***a ~ of his word*** 약속을 지키는 사람, 믿을 수 있는 사람 ***a ~ of honor*** 신의를 존중하는 사람, 신사 ***a ~ of letters*** 문학자, 저술가 ***a ~ of*** [***among***] ***men*** 사나이 중의 사나이, 훌륭한 사람 ***a ~ of pleasure*** 환락을 추구하는 사람, 탕아 ***a ~ of rank*** 지위가 높은 사람 ***a ~ on horseback*** ⇨ horseback. ***as a ~*** 일개인으로서; 일치 협력하여 ***as men go*** 일반적으로는, 보통으로 말하여, 흔히 이르기를 ***as one ~*** 일치 협력하여 ***be a ~*** 사나이답게 굴다 ***be ~ enough*** …하기에 충분한 능력[용기]이 있는 《*for, to* do》 ***be*** one***'s own ~*** 남의 지배를 받지 않다; 주체성이 있다; 자제할 수 있다 ***Be the whole ~*** at the work. (일)에 전심전력을 다하라. ***between ~ and ~*** 남자 대 남자로, 사나이끼리의 ***every ~ for himself*** 《구어》 (남에게 의지하지 않고) 자신만의 안전[이익]을 도모하지 않으면 안되는 위급한[급박한] 상황 ***feel*** one***'s own ~*** 《구어》 기분 좋은, 상쾌한 ***hit*** [***kick***] ***a ~ when he's down*** ⇨ hit. ***make a ~ of*** a person …을 버젓한 사나이로 만들다, 훌륭한 남자로 만들다 ***~ and boy*** 소년 시절부터 ***~ for ~*** 일대 일로서는; 한 사람 한 사람 비교하면 ***~ of all work*** ⇨ man-of-all-work. ***~'s best friend*** 개 ***~ to ~*** 개인 대 개인으로; 솔직하게 ***mistake*** one***'s ~*** 상대방을 잘못 보다 ***my good ~*** 이봐, 자네 ***my little ~*** (호칭) 얘야(my dear boy) ***My ~!*** 이봐! 《손아랫 사람에게》 ***of all men*** (1) 누구보다도 우선 (2) 그 많은 사람 중에서 하필 ***old ~*** (호칭) 여보게 ***play the ~*** = be a MAN. ***separate*** [***sort out, tell***] ***the ~ from the boys*** 《구어》 〈사건이〉 진정으로 용감한[역량 있는] 사람을 가려내다 one***'s ~ of business*** 대리인; 법정 외(法廷外) 변호사 one***'s old ~*** 《속어·종종 경멸》 (1) 아버지, 부친 (2) 남편, 애인 《남자》 ***the ~ behind the gun*** 후방 사람 ***the ~ in the street*** 보통 사람, 일반인; 여론 ***the M~ of Blood and Iron*** 철혈 재상 《비스마르크》 ***the ~ of the match*** [***game***] 경기의 최우수 선수 ***the M~ upstairs*** 《구어》 신, 하느님 ***to a ~*** = ***to the last ~*** 만장일치로, 마지막 한 사람까지 ***You the*** [***da***] ***~!*** = ***You're the ~!*** 《미·구어》 (너) 장하다!, (너) 잘했다!
—*vt.* (**~ned**; **~·ning**) **1** …에 **인원[병력]을 배치하다** 《근무나 방위를 위하여》; 〈배·인공위성 등에〉 승무원을 태우다: ~ a ship 배에 선원을 태우다 **2** (지위·관직 등에) 취임시키다 **3** [보통 one*self* 로] 용기를 돋우다, 격려하다: ~ *oneself* 스스로 격려하다, 분발하다 **4** 〈매 등을〉 길들이다
—*int.* 《구어》 [놀라움·열광·낙담을 표현] 야, 이런, 어머나: *M~*, what a car! 어머나, 웬 차야!
▷ mánlike, mánly, mánnish, mánful *a.*
Man [mǽn] *n.* **the Isle of ~** 맨 섬 《아일랜드와 잉글랜드 사이에 있음》 ▷ Mánx
man. manual
-man [mən, mæ̀n] 《연결형》 (*pl.* **-men** [mən, mèn]) **1** 「직업이 …인 사람」의 뜻: post*man*, clergy*man* **2** 「…선(船)」의 뜻: merchant*man* ★ [-mən]이라고 발음되는 단어의 복수는 [-mən], [-mæn]이라고 발음되는 단어의 복수는 [-men].
ma·na [mɑ́:nə] *n.* **1** (우주의) 초자연적·신비적인 힘 **2** 위광(威光), 권위
man-a·bout-town [mǽnəbàuttáun] *n.* (*pl.* **men-** [mén-]) **1** 플레이보이, 사교가, 한량 **2** (London 사교계의) 멋쟁이 신사
man·a·cle [mǽnəkl] *n.* [보통 *pl.*] 수갑; 속박
—*vt.* 〈…의 손에〉 수갑을 채우다; 속박[제약]하다

massive, gargantuan, prodigious, monumental, mountainous, elephantine, kingsize

man·age [mǽnidʒ] *v.*

「(말을) 잘 부리다」의 뜻에서
→「잘 다루다」 **3**
→「조종하다」 **4**→「경영하다」 **2**
→「이럭저럭 해내다」 **1**

— *vt.* **1** 이럭저럭 해내다, 용케 …해내다; 《비꼼》 어리석게도 …하다; 간신히[억지로] …하다: I'll ~ it somehow. 어떻게든 해보겠다. // 《~+**to** do》 ~ *to* be in time 어떻게 해서든 시간에 대다 / He ~*d*[was foolish enough] *to* make a mess of it. 《비꼼》 그 녀석 결국 엉망진창을 만들어 놓았군. **2** 〈사업 등을〉 경영[관리]하다, 운영하다; 〈팀 등을〉 감독하다: ~ investment 투자 자금을 운용하다 **3** 〈사람을〉 잘 다루다, 조종하다; 〈가시를〉 잘 헤가다; 〈말 등을〉 부리다, 조련하다: ~ the child 아이를 잘 다루다 **4** (손으로) 다루다, 취급하다, 〈기계 등을〉 조종하다, 조작하다: He ~*d* the boat efficiently. 그는 보트를 매우 잘 조종했다. **5** [can, could, be able to와 함께] 해치우다, 처리하다, 해내다; 먹다(eat): *Can* you ~ another? 하나 더 먹을 수 있겠나? / I *can* ~ my affairs. 내 일은 내가 처리할 수 있다.

— *vi.* **1** 〈사람이〉 잘 해 나가다, 그럭저럭 꾸려나가다 《*with, without*》; 〈일이〉 잘 처리되다: ~ on his salary 그의 급료로 이럭저럭 꾸려나가다 / 《~+副》 He will ~ better than she. 그는 그녀보다 잘 해 나갈 것이다. // 《~+前+名》 We can ~ *without* it. 그것 없이도 해 나갈 수 있다. **2** 일을 처리하다; 경영하다, 관리하다 ▷ mánagement *n.*

man·age·a·ble [mǽnidʒəbl] *a.* 다루기[제어하기] 쉬운; 순종하는; 처리하기 쉬운
~·ness *n.* **màn·age·a·bíl·ity** *n.* **-bly** *ad.*

mán·aged cáre [mǽnidʒd-] 관리 의료 《어떤 집단의 의료를 의사 집단에게 도급 주는 건강 관리 방식》

mánaged cáre provìder (미) 관리 의료 제공자 《managed care를 맡은 병원이나 의사》

mánaged cúrrency 〔경제〕 관리 통화

mánaged fúnd 관리 운용 펀드 《보험 회사 등이 투자가를 대신해서 운용하는 투자 신탁》

mánaged néws (속어) (정부 사정에 맞게 내용을 조작한) 정부 발표 뉴스

man·age·ment [mǽnidʒmənt] *n.* **1** Ⓤ 경영, 관리, 지배, 감독; 경영[지배]력, 경영 수완, 처리 능력, 행정력: personnel ~ 인사 관리 **2** ⓊⒸ [the ~; 집합적] 경영진, 경영자측, 회사; 경영자, 관리자: *The* ~ refused to come to terms. 경영자측은 타협을 거부했다. **3 a** Ⓤ 취급, 처리; 통어, 조종: the skillful ~ of a gun 총을 다루는 숙련된 솜씨 **b** Ⓤ 변통; 술책
màn·age·mén·tal *a.*

mánagement accòunting 〔회계〕 원가 계산

mánagement búyout 〔경영〕 (경영자에 의한) 자사주 매점(買占) 《타사에 의한 매수·합병에 대한 자구책》

mánagement by objéctives 〔경영〕 (노사 합의·협력의) 목표 달성 관리 《略 MBO》

mánagement by wálking abóut 〔경영〕 순회 관리 《현장[노사 관계] 중시의 경영 관리 방식》

mánagement còmpany 〔증권〕 (투자 신탁의 자산 운용을 하는) 관리 회사

mánagement consùltant 경영 컨설턴트

mánagement enginèering 경영[관리] 공학

mánagement informátion sỳstem 〔컴퓨터〕 경영 정보 시스템 《略 MIS》

mánagement rìght 〔경영〕 경영권

mánagement science 〔경영〕 경영 과학

mánagement shàres (영) 임원주(任員株)

mánagement sỳstem 〔컴퓨터〕 경영 관리 시스템

man·ag·er [mǽnidʒər] *n.* **1** 지배인, 경영자, 책임자, 간사; (은행의) 지점장; (팀 등의) 감독, (연예인 등의) 매니저; (극장의) 흥행주, 프로듀서; (회사의) 부장, 과장, 국장: a general[an assistant] ~ 총[부]지배인 / the ~ of our team 우리 팀의 감독 / a stage ~ 무대 감독 **2** [보통 형용사와 함께] (살림 등을) 꾸려 나가는 사람: a good[bad] ~ 살림을 잘[못]하는 사람 **3** 〔영국법〕 관재인(管財人); [*pl.*] (영국 의회의) 양원 협의회 위원 **~·shìp** *n.* Ⓤ manager의 직위[지위, 임기] ▷ managérial *a.*

man·ag·er·ess [mǽnidʒəris | mæ̀nidʒərés, ∸−−∸] *n.* 여지배인; 여자 감독; 여자 흥행주

man·a·ge·ri·al [mæ̀nidʒíəriəl] *a.* **1** manager의 **2** 취급[경영](자)의; 관리[감독, 처리]의 **~·ly** *ad.*

man·a·ge·ri·al·ist [mæ̀nədʒíəriəlist] *n.* 관리 정책 신봉자, 통제주의자

man·ag·ing [mǽnidʒiŋ] *n.* Ⓤ manage하기
— *a.* **1** 처리[경영, 관리]하는, 수뇌(首腦)의 **2** 경영[처리]을 잘하는 **3** Ⓐ 간섭하고 싶어하는

mánaging diréctor 전무[상무] 이사; (영) 사장 《略 MD》

mánaging éditor 편집장, 편집 주간

mánaging pártner 업무 집행 사원(cf. SILENT PARTNER)

Ma·na·gua [mənɑ́:gwə] *n.* **1** 마나과 《Nicaragua의 수도》 **2 Lake ~** 마나과 호 **Ma·ná·guan** *a.*

man·a·kin [mǽnəkin] *n.* **1** 〔조류〕 마나킨새 《중·남미산(産)》 **2** = MANIKIN

Ma·na·ma [mənǽmə | -nɑ́:-] *n.* 마나마 《Bahrain의 수도》

ma·ña·na [mənjɑ́:nə] 〔Sp.〕 *n., ad.* 내일; 근간에, 언젠가: hasta ~ 내일 또

Man·a·slu [mǽnəslù:] *n.* 마나슬루 《히말라야 산맥의 제8위의 고봉; 해발 8,125 m》

Ma·nas·seh [mənǽsə] *n.* 〔성서〕 므낫세 《Joseph의 장남》

man-at-arms [mǽnətɑ́:rmz] *n.* (*pl.* **men-** [mén-]) 〔역사〕 병사, (특히 중세의) 중기병(重騎兵)

man·a·tee [mǽnəti: | ∸−∸] *n.* 〔동물〕 해우(海牛)

manatee

ma·nav·el·ins [mənǽvəlinz] *n. pl.* 《항해속어》 잡동사니 선구(船具)

mán bàg 남자들이 쓰는 핸드백

Man·ches·ter [mǽntʃèstər, -tʃis-] *n.* **1** 맨체스터 **a** 영국 Lancashire주의 상공업 도시 **b** 미국 New Hampshire주 남부의 도시 **c** 미국 Connecticut주 중부의 소도시》 **2** [**m~**] 《호주·뉴질》 가정용 면제품(《미》 dry goods)(= ∸ gòods) **~ *department*** 무명 제품 판매부
~·ìsm *n.* Ⓤ 자유 무역주의 ▷ Mancúnian *a., n.*

Mánchester Schòol [the ~] 〔경제사〕 맨체스터 학파 《1830년대의 자유 무역주의파》

Mánchester térrier 맨체스터 테리어(black-and-tan terrier) 《검은 바탕에 갈색 반점이 있는 애완견》

man-child [mǽntʃàild] *n.* (*pl.* **men-chil·dren** [méntʃìldrən]) 남자 아이, 아들(son)

man·chi·neel [mæ̀ntʃəní:l] *n.* 〔식물〕 대극과(科)의 나무 《수액과 열매에 독이 있음; 열대 아메리카산》

Man·chu [mæntʃú:] *n.* (*pl.* **~, ~s**) 만주 사람; Ⓤ 만주 말 — *a.* 만주의; 만주 사람[말]의

Man·chu·ri·a [mæntʃúəriə] *n.* 만주 《중국 동북부의 구칭》 **-ri·an** *a., n.* 만주의; 만주 사람(의)

man·ci·ple [mǽnsəpl] *n.* 식료품 구입 담당자, 조달인(steward) 《대학·수도원 등의》

Man·cu·ni·an [mæŋkjú:niən, -njən] *a., n.* Manchester의 (주민)

-mancy [mæ̀nsi] 《연결형》 「…점(占)」의 뜻: necro-

thesaurus **manage** *v.* **1** 이럭저럭 …해내다 succeed, achieve, accomplish, carry on, survive, make do **2** 경영하다 run, direct, lead, govern, rule, command, supervise, oversee, administer,

mancy

M & A merger(s) and acquisition(s) 기업 인수 합병

man·da·la [mʌ́ndələ] *n.* 〖불교〗 만다라(曼陀羅)

man·da·mus [mændéiməs] *n.* 〖법〗 직무 집행 영장 (mandate) ── *vt.* …에게 직무 집행 영장을 발부하다

man·da·rin [mǽndərin] *n.* **1** (중국 청조 시대의) 관리; [**M~**] Ⓤ 북경 관화(官話) 《중국의 표준어》 **2** 《비꼼》 요인(要人); (인습에 사로잡힌) 정당 당수; 반동적인 거물 **3** 고개를 끄덕이는 중국 인형; 만다린 자기(磁器) **4** 〖식물〗 만다린 귤나무[귤](=∼ **órange**); 귤색

man·da·rin·ate [mǽndərənèit] *n.* [집합적] 중국 관료; 고급 관료; 고급 관료 정치

mándarin cóllar 〖복식〗 만다린 칼라 《중국 옷처럼 폭이 좁고 곧추선 옷깃》

mandarin collar

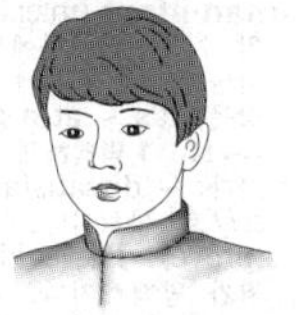

mándarin dúck 〖조류〗 원앙새

man·da·rine [mǽndərin] *n.* 〖식물〗 만다린 귤 (mandarin)

mándarin sléeve (중국 옷처럼) 헐렁하고 넓은 소매

man·da·tar·y [mǽndətèri | -təri] *n.* (*pl.* **-tar·ies**) **1** (국제 연맹의) 위임 통치국 **2** 〖법〗 수임(受任)자[국]; 대리인[국] **3** 명령을 받은 사람

∗**man·date** [mǽndeit, -dit] 〚L 「손에 주다」의 뜻에서〛 *n.* **1 a** 명령, 지령, 지시; 임무: a royal ∼ 국왕의 칙령 **b** (상급 법원에서 하급 법원으로 보내는) 직무 집행 영장 **2** (선거민이 의회 등에 부여하는) 권한 **3** 〖법〗 위임(장); (국제 연맹의) 위임 통치(령(領)); (은행의) 지급 위임 **4** (교황의) 성직 수임(授任) 명령
── *vt.* **1** 위임 통치국으로 지정하다: a ∼*d* territory 위임 통치령 **2** 권한을 위양하다 **3** 명령[요구]하다

man·da·tor [mændéitər] *n.* 명령자, 위임자

man·da·to·ry [mǽndətɔ̀:ri | -təri] *a.* **1** 명령의 **2** 통치를 위임받은: a ∼ power 위임 통치국 / ∼ rule [administration] 위임 통치 **3** 강제의, 의무의(obligatory); 필수의 (*for*) ── *n.* (*pl.* **-ries**) 수임자, 위임 통치국(mandatary) **màn·da·tó·ri·ly** *ad.*

man-day [mǽndéi] *n.* 〖노동〗 인일(人日) 《1인의 하루 노동량》(cf. MAN-HOUR); 연(延)일수

man·da·zi [mændɑ́:zi] *n.* (*pl.* ∼) 《동아프》 만다지 《도넛 모양의 작은 튀긴 빵》

Man·de·la [mændélə] *n.* 만델라 **Nelson** (**Rolihlahla**) ∼ (1918-) 《남아프리카 공화국의 대통령(1994-98); 노벨 평화상 수상(1993)》

m and g =MEET-AND-GREET

man·di·ble [mǽndəbl] *n.* (포유류·어류의) 하악(골)(下顎(骨)) (절지동물의) 대악(大顎); 〖조류〗 아랫[윗]부리 **man·dib·u·lar** [mændíbjulər] *a.*

man·dib·u·late [mændíbjulət, -lèit] 〖동물〗 *a.* 큰 턱의; 대악류의 ── *n.* 대악류의 곤충

Man·din·go [mændíŋgou] *n.* (*pl.* **∼s, ∼es**) 만딩고 족[사람] 《아프리카 서부 Niger 강 상류 지역의 부족》; Ⓤ 만딩고 말 ── *a.* 만딩고 족[사람]의, 만딩고 말의

man·dir [mǽndiər] *n.* 《인도》 사원, 절(temple)

man·do·la, -ra [mændóulə] *n.* 〖음악〗 만돌라 《대형 만돌린》

man·do·lin [mǽndəlin, ⌐─⌐], **-line** [mændəlí:n, ⌐─⌐] *n.* 〖음악〗 만돌린 **màn·do·lín·ist** *n.*

man·drake [mǽndreik], **man·drag·o·ra** [mændrǽgərə, mæ̀ndrəgɔ́:rə] *n.* 〖식물〗 **1** 맨드레이크 《뿌리는 마취제》 **2** 《미》 =MAYAPPLE

man·drel, -dril [mǽndrəl] *n.* 〖광산〗 곡괭이 (pick); 〖기계〗 굴대, 주축, (주조용) 심축(心軸)

organize, conduct, superintend **3** 잘 다루다 cope with, deal with, handle, control, master

mandate *n.* direction, instruction, order, command, bidding, dictate, injunction

man·drill [mǽndril] *n.* 〖동물〗 만드릴 《서아프리카산(産) 큰 비비(狒狒)》

man·du·cate [mǽndʒukèit | -dju-] *vt.* 《문어》 씹다(chew), 먹다 **màn·du·cá·tion** *n.* **-ca·to·ry** [-kətɔ̀:ri | -kèitəri] *a.*

∗**mane** [méin] *n.* (말·사자의) 갈기; (갈기 같은) 긴 머리털; 〖조류〗 후두부 깃털 ***make neither ∼ nor tail of*** …이 무엇인지 도무지 알 수 없다 **∼·less** *a.*

man-eat·er [mǽnì:tər] *n.* **1** 식인종 **2** 식인 동물 《호랑이·사자·상어 등》, 백상어 **3** 《구어》 사람을 무는 말 **4** 《구어》 남자라면 무조건 좋아하는 여자

man-eat·ing [-ì:tiŋ] *a.* 사람을 잡아먹는, 식인의

maned [méind] *a.* 갈기가 있는

ma·nege [mænéʒ, -néiʒ | -néiʒ] 〚F=manage〛 *n.* **1** Ⓤ 마술(馬術) **2** 마술(馬術) 연습소 **3** Ⓤ 조련된 말의 동작과 걸음걸이

ma·nes [méini:z, mɑ́:neiz] *n. pl.* [종종 **M~**] (고대 로마의) 조상[망자]의 영혼

Ma·net [mænéi] *n.* 마네 **Édouard** ∼ (1832-83) 《프랑스의 인상파 화가》

∗**ma·neu·ver | ma·noeu·vre** [mənú:vər] 〚L 「손으로 일하다」의 뜻에서〛 *n.* **1** 책략, 술책, 공작, 책동, 교묘한 조작[조치]: try various ∼*s* 온갖 수를 쓰다 **2** 〖군사〗 작전 행동 **3** [*pl.*] 기동 연습
── *vt.* 연습시키다, 작전적으로 행동하게 하다, 교묘히 이동시키다; 계략을 써서 (…)하게 하다; 조종하다; 〈비행기를〉 곡예 비행시키다 (*into, out of, into* do*ing*): (∼+목+전+명) ∼ a car *into* the garage 차를 몰아 차고에 넣다 / ∼ a car *out of* the garage 차를 몰아 차고에서 나오다 / ∼ a person *out of* office …을 교묘히 직장에서 몰아내다 / ∼ a person *into* confess*ing* …을 교묘히 자백시키다
── *vi.* 작전 행동을 취하다, 연습하다; 책략을 쓰다, 책동하다; (교묘하게) 처리하다 **∼·er** *n.* 책략가

ma·neu·ver·a·ble [mənú:vərəbl] *a.* 조종[운용, 기동]할 수 있는 **ma·nèu·ver·a·bíl·i·ty** *n.* Ⓤ 기동성

mán flù 《경멸》 감기에 호들갑 떠는 남자

mán-for-mán defénse [mǽnfərmǽn-] = MAN-TO-MAN DEFENSE

mán Fríday 〚Robinson Crusoe의 충실한 하인의 이름에서〛 충실한 하인; 심복, 측근; 오른팔이 되는 사람 (cf. GIRL FRIDAY)

man·ful [mǽnfəl] *a.* 남자다운, 씩씩한, 용감한, 단호한(cf. MANLY) **∼·ly** *ad.* **∼·ness** *n.*

man·ga [mǽŋgə] 〚Jap.〛 *n.* ⒸⓊ (폭력적이고 선정적인 내용의) 만화

man·ga·nate [mǽŋgənèit] *n.* 망간산염(酸鹽)

man·ga·nese [mǽŋgənì:s, -nì:z | mæ̀ŋgəní:z] *n.* Ⓤ 〖화학〗 망간 《금속 원소; 기호 Mn, 번호 25》: ∼ steel 망간강(鋼)

mánganese brónze 〖야금〗 망간 청동

mánganese dióxide[peróxide] 〖화학〗 이산화망간 《산화제·염료 제조·건전지 등에 널리 쓰임》

mánganese nódule (해저의) 망간 단괴(團塊)

man·gan·ic [mæŋgǽnik, mæŋ-] *a.* 〖화학〗 망간의[을 함유한]

man·ga·nif·er·ous [mæ̀ŋgənífərəs] *a.* 〖광물〗 망간을 함유한

man·ga·nite [mǽŋgənàit] *n.* **1** 수(水)망간광(鑛) **2** 〖화학〗 아망간산염(酸鹽)

mange [méindʒ] *n.* Ⓤ 〖수의학〗 (개·소 등의) 옴

man·gel(-wur·zel) [mǽŋgəl(wə́:rzl)] *n.* 《영》 〖식물〗 비트(beet) 《가축 사료》

man·ger [méindʒər] *n.* 여물통, 구유; 〖선박〗 이물의 파도막이 ***a dog in the ∼*** ⇨ dog. ***live at hack*** [***heck, rack***] ***and ∼*** 사치스럽게 생활하다

mánger bòard 〖선박〗 이물의 물막이 판자

mange·tout [mɑ̀:nʒtú:] *n.* [보통 *pl.*] 《영》 = SNOW PEA

∗**man·gle**[1] [mǽŋgl] *vt.* **1** 난도질하다, 토막토막 내다 **2** 엉망으로 만들다, 망가뜨리다(spoil): My new jumper got ~*d* in the washing machine. 내 새 점퍼가 세탁기 안에서 엉망이 되었다. **mán·gler** *n.*

mangle[2] *n.* (시트 등의) 주름 펴는 기계, 압착 롤러; 탈수기
— *vt.* 압착 롤러에 걸다

mangle[2]

man·go [mǽŋgou] *n.* (*pl.* ~(**e**)**s**) **1** 〖식물〗 망고나무 《열대산(産)》(=~ **trèe**); 그 열매 **2** 각종 피클스의 총칭 **3** =SWEET PEPPER

man-god [mǽngɑ̀d | -gɔ̀d] *n.* (*pl.* **men-gods** [méngɑ̀dz | -gɔ̀dz]) 신인(神人)(cf. DEMIGOD)

man·gold(-wur·zel) [mǽŋgəld(wə́:rzl)] *n.* = MANGEL(-WURZEL)

man·go·nel [mǽŋgənèl] *n.* 투석기(投石機) 《중세의》

man·go·steen [mǽŋgəstì:n] *n.* 〖식물〗 망고스틴 나무 《열대 아시아산(産)》; 그 열매

man·grove [mǽŋgròuv, mǽn-] *n.* 맹그로브, 홍수림(紅樹林) 《열대 강어구·해변에 생기는 숲》

man·gy, -gey [méindʒi] *a.* (**-gi·er**; **-gi·est**) **1** 옴 오른 **2** 지저분한, 초라한; 〈카펫 등이〉 낡아빠진 **3** 《구어》 열악한 **mán·gi·ly** *ad.*

man·han·dle [mǽnhæ̀ndl] *vt.* 인력으로 움직이다[운전하다]; 거칠게 다루다, 학대하다: ~ a car 인력으로 차를 움직이다 **-dler** *n.*

man-hat·er [mǽnhèitər] *n.* 사람을 싫어하는 사람; 남자를 싫어하는 사람

***Man·hat·tan** [mænhǽtn, mən-] *n.* **1** 맨해튼 《New York 시의 섬; 그 시의 주요부인 한 구(區)》 **2** [종종 **m~**] UC 칵테일의 일종 《위스키와 베르무트(vermouth)에 쓴맛을 가한》(=~ **còcktail**) **3** 맨해튼족 《북미 원주민》

Manháttan clám chówder 맨해튼 클램 차우더 《대합·간 돼지고기·토마토 등으로 만드는 진한 수프》

Man·hat·tan·ite [mænhǽtənàit, mən-] *n.* Manhattan 출신[주민], 뉴욕내기

Man·hat·tan·ize [mænhǽtənàiz] *vt.* 〈도시를〉 고층화(化)하다 **Man·hàt·tan·i·zá·tion** *n.*

Manháttan Pròject 맨해튼 계획 《제2차 대전 중 미국 육군의 원자탄 개발 계획》

***man·hole** [mǽnhòul] *n.* **1** (도로 등의) 맨홀; 출입구멍 **2** 〖철도〗 (터널 내벽의) 대피 공간

mánhole còver 《미·구어》 (핫케이크·레코드판 등처럼) 원반형의 납작한 것

‡**man·hood** [mǽnhùd] *n.* U **1** (남자의) 성년, 장년, 성인임: arrive at[come to] ~ 성년이 되다 **2** 사나이다움, 용감한(manliness): be in the prime of ~ 남자로서 한창때다 **3** U 《완곡》 (남자의) 성적 능력; C 남근 **4** [집합적] (한 나라의 성인) 남자들 **5** 인성(人性), 인격

mánhood súffrage 성년 남자 참정권

man-hour [mǽnàuər] *n.* 〖노동〗 인시(人時) 《1인의 한 시간당 일의 양》(cf. MAN-DAY); 연(延)시간수

man·hunt [-hʌ̀nt] *n.* 《미》 (조직적인) 범인 수색

***ma·ni·a** [méiniə, -njə] *n.* **1** U 〖정신의학〗 조병(躁病) **2** UC 열광, …광[열], 마니아 《*for*》 《사람의 뜻은 없음》: The country has a ~ *for* soccer. 그 나라는 축구에 열광적이다.

-mania [méiniə, -njə] 《연결형》 「…광(狂); 열광적 성벽, 심취(心醉)」의 뜻: klepto*mania*, biblio*mania*

ma·ni·ac [méiniæ̀k] *a.* A 광적인, 광기의, 광란의
— *n.* 《구어》 열광자, 마니아; 미치광이

ma·ni·a·cal [mənáiəkəl] *a.* =MANIAC

man·ic [mǽnik] *a.* 〖정신의학〗 조병(躁病)의; 흥분한, 열광적인, 부자연스러운 — *n.* 조병 환자 **-i·cal·ly** *ad.*

mánic depréssion 〖정신의학〗 조울병(躁鬱病)

man·ic-de·pres·sive [mǽnikdiprésiv] 〖정신의학〗 *a.* 조울병(躁鬱病)의: ~ psychosis 조울병
— *n.* 조울병 환자

Man·i·ch(a)e·an [mæ̀nəkí:ən] *n.*, *a.* 마니교도(의); 〖철학〗 이원론자(의)

Man·i·ch(a)e·ism [mǽnikì:izm] *n.* U 마니교 《3세기경 창시된 페르시아의 종교》

Man·i·chee [mǽnəkì:] *n.* 마니교도

***man·i·cure** [mǽnəkjùər] [L 「손을 손질하기」의 뜻에서] *n.* **1** U 매니큐어, 미조술(美爪術): a ~ parlor 미조원 **2** 미조술사(manicurist)
— *vt.* 매니큐어를 칠하다, 미조술을 하다; 〈잔디·생울타리를〉 깎다; 《미·속어》 〈대마초를〉 흡연용으로 다듬다 **-cùred** [-d] *a.* **-cùr·ist** *n.*

‡**man·i·fest** [mǽnəfèst] [L 「손에 쥐어진 → 분명히 알 수 있는」의 뜻에서] *a.* 명백한, 일목요연한, 분명히 나타난; 〖정신의학〗 의식에 나타난: a ~ error 명백한 잘못 / It's ~ at a glance. 일목요연하다.
— *vt.* **1** 명백하게 하다, 명시하다; 〈감정 등을〉 표명하다: ~ dissatisfaction 불만을 나타내다 **2** [~ one*self* 로] 밝혀지다; 〈유령·징조가〉 나타나다 **3** 증명하다(prove): The evidence ~*s* the guilt. 그 증거로 유죄가 명백해지다. **4** 〖상업〗 적하 목록에 기재하다
— *vi.* **1** 〈유령 등이〉 나타나다 **2** 의견을 공표하다
— *n.* **1** 〖상업〗 (선박·항공기의) 적하 목록[송장] **2** 승객 명단 **3** 《미·캐나다》 급행 화물 열차 《식품·가축 등의》 **~·a·ble** *a.* **~·er** *n.* **~·ly** *ad.*
▷ manifestátion *n.*; maniféstative *a.*

man·i·fes·tant [mæ̀nəféstənt] *n.* 시위 운동 참가자, 시위자

***man·i·fes·ta·tion** [mæ̀nəfistéiʃən, -fes- | -fes-, -fəs-] *n.* UC **1 a** 표명, 명시 **b** 나타남, 징후, 조짐(indication) 《*of*》 **2** 정견 발표; 시위운동, 데모 **3** 현시(顯示)(revelation); 영혼의 형태화 **4** 〖유전〗 (형질의) 발현 ▷ mánifest *v.*; maniféstative *a.*

man·i·fes·ta·tive [mæ̀nəféstətiv] *a.* 표명[명시]하는, 분명히 나타내는

mánifest déstiny **1** [**M- D-**] 〖미국사〗 명백한 사명(설) 《미국이 북미 전체를 지배할 운명을 갖고 있다는 주장》 **2** 《일반적으로》 영토 확장론

man·i·fes·to [mæ̀nəféstou] [It.] *n.* (*pl.* ~(**e**)**s**) 선언(서), 성명(서): issue a ~ 성명을 내다
— *vi.* 성명을 발표하다

***man·i·fold** [mǽnəfòuld] [OE 「many (많은)와 -fold (배[겹])」의 뜻에서] *a.* **1** 가지각색의, 잡다한, 여러 가지의, 다방면의(various): ~ interests 다방면의 흥미 / Their problems are ~. 그들의 문제는 여러 가지이다. **2** 많은, 다수의; 복합의; 동시에 여러 일을 하는 **3** (묵지를 끼워) 복사용지를 겹친 **4** (여러 이유로) 그렇게 불릴 만한: a ~ enemy 그야말로 적 같은 적
— *n.* **1** 다양한 것[부문] **2** 복사한 사본 **3** 〖기계〗 다기관(多岐管) **4** 〖철학〗 (칸트 철학의) 다양성 **5** 〖수학〗 다양체: n-dimensional ~*s* n차원 다면체
— *vt.* **1** 〈편지 등을〉 복사기[지]로 복사하여 많은 사본을 만들다 《현재는 duplicate가 일반적》 **2** 〈액체를〉 다기관으로 집배(集配)하다 **~·ly** *ad.* **~·ness** *n.*

man·i·fold·er [mǽnəfòuldər] *n.* 복사기, 등사기

mánifold pàper 복사지, 카본지(紙)

mánifold writer 복사기, 등사기

man·i·form [mǽnəfɔ̀:rm] *a.* 손 모양을 한

man·i·kin [mǽnikin] [Du. 「난쟁이」의 뜻에서] *n.* **1** 난쟁이(dwarf) **2** 인체 해부 모형 **3** =MANNEQUIN

Ma·nil·a [mənílə] *n.* **1** 마닐라 《필리핀의 수도》 **2** [때로 **m~**] U =MANILA HEMP; U =MANILA PAPER; C =MANILA ROPE; 마닐라 엽궐련, 여송연(=~ **cigár**)

thesaurus **manifest** *a.* evident, apparent, clear, plain, noticeable, perceptible, distinct, visible, obvious, transparent, conspicuous, patent, unmistakable, blatant, glaring

Maníla fòlder 마닐라 폴더 《서류철》
Maníla hémp 마닐라삼 《abaca 잎에서 뽑은 섬유》
Maníla páper 마닐라지(紙) 《(1) 갈색의 질긴 종이 (2) 얇은 복사지》
Maníla rópe 마닐라 로프
ma·nil·la [məníla] *n.* = MANILA
man-in-the-street [mǽninðəstríːt] *a.* 평균적인 사람의, 일반인의: a ~ interview 가두(街頭) 인터뷰
man·i·oc [mǽniɑ̀k | -ɔ̀k] *n.* = CASSAVA
man·i·ple [mǽnəpl] *n.* 수대(手帶) 《가톨릭 사제가 왼팔에 걸치는》; (고대 로마의) 보병 중대 《60-120명》
ma·nip·u·la·ble [mənípjuləbl] *a.* 다룰 수 있는, 조종[조작]할 수 있는(manipulatable)
ma·nìp·u·la·bíl·i·ty *n.*
ma·nip·u·lar [mənípjulər] *a.* **1** (고대 로마의) 보병 중대의 **2** = MANIPULATIVE **—** *n.* (고대 로마의) 보병 중대 대원
ma·nip·u·lat·a·ble [mənípjulèitəbl] *a.* = MANIPULABLE
*__ma·nip·u·late__ [mənípjulèit] [manipulation의 역성(逆成)] *vt.* **1** 교묘하게 다루다; 〈문제 등을〉 솜씨 있게 처리하다 **2** 〈여론 등을〉 조종하다; 〈시장·가격 등을〉 교묘하게 조작하다 **3** 〈장부 등을〉 조작하여 속이다: ~ accounts 계정을 조작하다 **4** 〖의학〗 촉진(觸診)하다 **5** 〈성기를〉 자극하다; [~ one*self*로] 자위하다
*__ma·nip·u·la·tion__ [mənìpjuléiʃən] *n.* UC **1** 교묘한 처리, 솜씨 있는 취급[조종] **2** 〖상업〗 시장 조작, 조작된 가격 **3** 조작, 속임수 **4** 〖의학〗 촉진, 수기(手技)
ma·nip·u·la·tive [mənípjulèitiv], **-la·to·ry** [-lətɔ̀ːri | -lətəri] *a.* 손끝으로 다루는; 교묘하게 다루는; 속임수의 **-tive·ly** *ad.*
ma·nip·u·la·tor [mənípjulèitər] *n.* **1** 손으로 교묘하게 다루는 사람; 조종자; 시세 조작자 **2** 사기꾼, 협잡꾼 **3** 〖사진〗 판가(板架), 보판기(保板器) **4** = MASTER-SLAVE MANIPULATOR
man·i·to [mǽnətòu] *n.* (*pl.* **~s**) = MANIT(O)U
Man·i·to·ba [mæ̀nətóubə] *n.* **1** 매니토바 주 《캐나다 중부의 주》 **2 Lake ~** 매니토바 호(湖)
man·i·t(o)u [mǽnətùː] *n.* (북미 인디언의) 신(神), 영(靈), 초자연력
mán jáck 《구어》 (남자) 개인(cf. JACK[1])
‡**man·kind** [mǽnkáind] *n.* [단수·복수 취급] **1** 인류; [집합적] 인간: love for all ~ 인류애
USAGE 이 뜻으로는 성 차별적이므로 대신에 humankind, humanity, human race, human beings, humans, people 등을 쓰는 일이 일반화되어 가고 있다.
2 [ㅅㅡ] [집합적] 남자, 사나이(men)(opp. *womankind*): ~ and womankind at large 일반 남녀
mank·y, -ey [mǽŋki] *a.* 《영》 더러운; 형편없는
man·less [mǽnlis] *a.* 사람이 없는; 〈여성이〉 남편[남자]이 없는 **~·ly** *ad.* **~·ness** *n.*
man·like [mǽnlàik] *a.* **1** 사람 같은 **2** 남자다운(manly); 남성용의: ~ fortitude 남자다운 불굴의 정신 **3** 〈여자가〉 남자 같은(mannish)
‡**man·ly** [mǽnli] *a.* (**-li·er**; **-li·est**) **1** 남자다운, 사내다운, 씩씩한, 용맹스러운; 명예를 존중하는, 고결한; 단호한, 힘센: a ~ bearing 남자다운 태도 **2** 남성적인, 남성용의: ~ sports 남성 스포츠 **3** 〈여자가〉 남자 같은, 여장부의 **mán·li·ness** *n.*
mán-ma·chine sýstem [mǽnməʃìːn-] 〖전자〗 인간·기계 시스템 《인간과 기계가 하나의 시스템으로 통합되어 문제 해결의 기능이 인정되는 체계》
man-made [-méid] *a.* **1** 인조(人造)의, 인공의(artificial): a ~ moon[satellite] 인공위성 / a ~ lake 인공 호수 **2** 합성의: a ~ fiber 합성 섬유
mán-máde calámity 인재(人災)

manipulate *v.* **1** 교묘하게 다루다 handle, wield, work, ply, operate, use, employ, utilize, exercise **2** 조종하다 influence, control, exploit, maneuver, engineer, steer, direct, guide

man-man·age·ment [-mǽnidʒmənt] *n.* 인재(人才) 관리
man-mil·li·ner [-mílənər] *n.* (*pl.* **~s, men-mil·li·ners**) 여성 모자류 제조 판매업자 《남자》
man-min·ute [-mìnit] *n.* 〖노동〗 인분(人分) 《한 사람의 1분간 작업량》
man-month [-mʌ̀nθ] *n.* 〖노동〗 인월(人月) 《한 사람의 1개월간 작업량》
Mann [mɑ́ːn, mǽn | mǽn] *n.* 만 **Thomas ~** (1875-1955) 《독일의 소설가》
man·na [mǽnə] *n.* U **1** 〖성서〗 만나 《이스라엘 사람들이 광야에서 하늘로부터 받은 양식; 출애굽기 16:14-36》; 신이 주는 양식, 마음의 양식; 만나 같은 것, 뜻밖의 은혜[조언], 횡재 **2** 만나 《manna ash에서 우려낸 달콤한 설사약》
mánna àsh 〖식물〗 만나나무 《남부 유럽·소아시아산(産) 물푸레나뭇속(屬); 달콤한 수액을 분비함》
mánna sùgar = MANNITOL
manned [mǽnd] *a.* 사람을 실은, 유인(有人)의: ~ expedition 유인 탐사 / a ~ (space) flight 유인 (우주) 비행 / a ~ spacecraft 유인 우주선
man·ne·quin [mǽnikin] [manikin의 프랑스어형] *n.* **1** (양장점 등의) 마네킹 《인형》 **2** 패션모델
‡**man·ner** [mǽnər] *n.*

L 「손의(manual)」의 뜻에서 「(손으로) 다루는 법」
방법 **1** ┬→(행동 방식)→태도 **4** →예의범절 **3**
├→(사회적 방식)→풍습 **2**
└→(특수한 방식)→양식 **5**

1 방법, 방식(⇨ method 유의어) 《*of*》 **2** [*pl.*] **풍습**, 습관: ~*s* and customs 풍습과 관습 **3** [*pl.*] **예의범절**, 예절: learn table ~*s* 식사 예절을 익히다 / He has no ~*s.* 그는 예절을 모른다. / Where are your ~*s*? 왜 점잖치 못하게 구니? / She has good ~*s.* 그녀는 예의가 바르다. **4** [보통 one's ~, a ~] **태도**, 몸가짐, 거동, 기품: *a* kind ~ 친절한 태도

유의어 **manner** 사람의 습관적 또는 특색으로 되어 있는 태도나 말씨 등을 말한다: a gracious *manner* 정중한 태도 **bearing** 몸짓·버릇·자세·걸음걸이 등의 특징: a noble *bearing* 기품 있는 몸가짐 **demeanor** 사람의 태도나 특성을 나타내는 몸가짐: assume a haughty *demeanor* 거만한 태도를 취하다

5 a (예술 등의) 수법, 유(流), 양식: a house built in the 19th-century ~ 19세기 양식으로 지어진 집 **b** (문장의) 습성, 버릇(mannerism): develop a ~ of one's own 독자적인 작풍을 열다 **6** U 《문어》 종류 《*of*》 《현재는 kind, sort가 일반적》
adverb of ~ = MANNER ADVERB. ***after a ~*** 그런대로; 다소 ***after the ~ of*** …류(流)의 ***after this ~*** 이런 식으로 ***all ~ of*** 모든 종류의(all kinds of) ***by all ~ of means*** 반드시, 꼭 ***by no ~ of means*** 결코 …아니다 ***develop a ~ of one's own*** 일가를 이루다, 일파를 일으키다 ***have no ~ of*** 아무런 …도 없다 ***in a ~*** 《고어》 어떤 의미로는; 어느 정도(는) ***in a ~ of speaking*** 어떤 의미에서는, 요컨대, 말하자면 ***in like ~*** 마찬가지로 (또한) ***in no ~*** 결코 …가 아닌: *In no ~* could he have caused himself such pain. 그가 그렇게 고통받는 줄은 상상도 못했다. ***in this*** [***what***] ***~*** 이와 같이[어떻게] ***make*** [***do***] ***one's ~s*** 《속어》 절[인사]하다 ***not by any ~ of means*** = by no MANNER of means. ***to the ~ born*** 타고난, 나면서부터 …에 알맞은 ***under heavy ~*** 《속어》 억압당하고 ***What ~ of*** man is he? (그는) 어떤 사람인가?
▷ mánnerly, mánnerless *a.*
mánner àdverb 〖문법〗 양태(樣態)의 부사 《carefully, fast 등》

man·nered [mǽnərd] *a.* **1** [복합어를 이루어] 몸가짐이 …한: well-[ill-]~ 예의 바른[버릇없는] **2** 매너리즘에 빠진, 타성적인, 틀에 박힌
man·ner·ism [mǽnərìzm] *n.* Ⓤ **1** 매너리즘 《문학·예술의 표현 수단이 틀에 박힘》 **2** (말씨·동작 등의 무의식적인) 독특한 버릇, 특징 **3** [**M~**] Ⓤ 〖미술〗 (16세기의) 마니에리슴 **-ist** *n.* 매너리즘[마니에리슴]의 작가; 독특한 버릇이 있는 사람
man·ner·is·tic [mæ̀nərístik] *a.* 독특한 버릇이 있는; 매너리즘의, 습관적인
man·ner·less [mǽnərlis] *a.* 예의[버릇] 없는
man·ner·ly [mǽnərli] *a., ad.* 예절 바른[바르게] **-li·ness** *n.*
man·ni·kin [mǽnikin] *n.* =MANIKIN
man·nish [mǽniʃ] *a.* **1** 〈여자가〉 남자 같은, 여자답지 않은: She has a ~ walk. 그녀는 남자처럼 걷는다. **2** 〈아이가〉 어른 같은: a ~ youth 어른스러운 젊은이 **~·ly** *ad.* **~·ness** *n.*
man·ni·tol [mǽnətɔ̀:l, -tɑ̀l | -tɔ̀l], **man·nite** [mǽnait] *n.* Ⓤ 〖화학·약학〗 마니톨 《만나당(糖)》
ma·no [mɑ́:nou] [Sp. =hand] *n.* (*pl.* **~s** [-z]) (손으로 돌리는 맷돌의) 위짝(cf. METATE)
ma·no a ma·no [mɑ́:nou-ə-mɑ́:nou] [Sp. = hand to hand] *n.* (*pl.* ***ma·nos a ma·nos***) **1** 두 투우사가 교대로 싸우는 투우 **2** 1대 1의 대결
— *a.* 정면 대결의, 1대 1의: go ~ with …와 1대 1로 맞서다 — *ad.* 정면[1대 1의] 대결에서
⁑**ma·noeu·vre** [mənú:vər] *n., v.* 《영》 =MANEUVER
man-of-all-work [mǽnəvɔ́:lwə̀:rk] *n.* (*pl.* **men-**) (가정에 고용되어) 잡일을 하는 사람, 잡역부
màn of létters 문인, 문필가; 학자
màn of the péople 서민들에게 인기 있는 정치인
man-of-war [mǽnəvwɔ́:r] *n.* (*pl.* **men-** [mén-]) 《고어》 군함 ★ 현재는 warship이 일반적.
ma·nom·e·ter [mənɑ́mətər | -nɔ́m-] *n.* (기체·증기의) 압력계; 혈압계 **ma·nóm·e·try** *n.*
man·o·met·ric [mæ̀nəmétrik] *a.* 압력계로 잰 **-mét·ri·cal** *a.* **-ri·cal·ly** *ad.*
man-on-man [mǽnənmǽn] *a.* 《미·캐나다》 상대방 선수를 1대 1로 마크하는
man-on-the-street [mǽnənðəstrí:t] *a.* 《미》 = MAN-IN-THE-STREET
ma non trop·po [mɑ́:-nɑ́n-trɑ́pou | -nɔ́n-trɔ́pou] [It.] *ad.* 〖음악〗 그러나 너무 지나치지 않게
⁎**man·or** [mǽnər] [L 「묵다, 살다」의 뜻에서] *n.* 《영》 장원; (영주의) 영지, 영토; 《미》 (식민 시대의) 영대 차지(永代借地); (소유지·대농원의) 저택; 《영·속어》 (경찰의) 관할구 ***the lord of the ~*** 장원 영주
mánor hòuse[sèat] 장원 영주의 저택
ma·no·ri·al [mənɔ́:riəl] *a.* 영지의, 장원의: a ~ court 영주 재판소 **~·ism** *n.* Ⓤ 장원 제도
man·o·stat [mǽnəstæ̀t] *n.* 〖물리〗 (압력차를 이용한) 가스 정류량(定流量) 장치
man-o'-war [mǽnəwɔ́:r] *n.* =MAN-OF-WAR
mán-o'-wár bìrd[hàwk] 〖조류〗 군함새(frigate bird) 《열대산(産)》
man·pack [mǽnpæ̀k] *a.* 혼자서 나를 수 있는, 휴대용의: a ~ color TV set 휴대용 컬러 텔레비전 세트
man-por·ta·ble [mǽnpɔ́:rtəbl] *a.* 〈무기 등이〉 혼자서 운반 가능한: a ~ missile 휴대용 미사일
mán pòwer 〖기계〗 인력 《일률의 단위로 1/10마력》
man·pow·er [mǽnpàuər] *n.* Ⓤ **1** 동원 가능한 인원수[병력], 유효 총인원; 인적 자원: the ~ of a country 한 나라의 노동력 **2** =MAN POWER
mán pùrse =MAN BAG
man·qué [mɑ:ŋkéi] [F] *a.* [명사 뒤에 붙여] 되다 만, 덜된: a poet ~ 덜된 시인
man-rad [mǽnræ̀d] *n.* 인(人)라드 《방사선 흡수량의 단위; 1인당 1 rad의 방사선량》
man-rate [-rèit] *vt.* 〈로켓·우주선을〉 유인(有人) 비행해도 안전하다고 증명하다
man-rem [-rèm] *n.* 인(人)렘 《방사선 흡수량의 단위; 1인당 1 rem의 방사선량》
man·rope [mǽnròup] *n.* 〖항해〗 (현문(舷門)·사다리 등의) 난간 밧줄
man·sard [mǽnsɑ:rd, -sərd] *n.* 〖건축〗 만사드 지붕 《2단 경사 지붕》(=~ **ròof**); 그 다락방(attic)
manse [mǽns] *n.* 목사관 《스코틀랜드 장로교회의》
man·ser·vant [mǽnsə̀:rvənt] *n.* (*pl.* **men·ser·vants** [ménsə̀:rvənts]) 하인(cf. MAIDSERVANT)
man·shift [-ʃift] *n.* (교대제 근무의) 한 사람의 노동량
-manship [mənʃip] 《연결형》 「…의 재주, …의 기량」의 뜻: sports*manship*
⁑**man·sion** [mǽnʃən] [L 「체재」의 뜻에서] *n.* **1** (개인의) 대저택; 저택(manor house) **2** [*pl.*] 《영》 아파트(《미》 apartment house) **3** 〖천문〗 성수(星宿) 《천구(天球)를 구분한 28수(宿)의 하나》
mánsion hòuse 《영》 **1** =MANOR HOUSE **2** [the M- H-] London 시장의 관저
man-size(d) [mǽnsàiz(d)] *a.* Ⓐ 《구어》 **1** 어른용의, 대형의, 큰 **2** 〈일이〉 어른[남자]이 할, 고된: a ~ job 어른[성인 남자]이 할 일
man·slaugh·ter [mǽnslɔ̀:tər] *n.* Ⓤ 《일반적으로》 살인(homicide); 〖법〗 과실 치사(죄), 고살(故殺)(죄) ★ MURDER보다 가벼운 죄.
man·slay·er [mǽnslèiər] *n.* 살인자
mán's mán 남자다운 남자, 남자에게 인기 있는 남자
man·steal·ing [mǽnstì:liŋ] *n.* 유괴
man·ta [mǽntə] [Sp.] *n.* **1** (스페인·중남미에서 쓰는) 외투, 어깨걸이; (짐·말 등에 덮는) 투박한 캔버스 천 **2** 〖군사〗 =MANTELET 2 **3** 〖어류〗 쥐가오리(devilfish)(=~ **rày**)
man-tai·lored [mǽntéilərd] *a.* 〈여성복이〉 남성복식으로 만들어진
man·teau [mǽntou, ─́ | ─́] [F] *n.* (*pl.* **~s, ~x** [-z]) (옛날의 주로 숙녀용) 망토(mantle)
man·tel [mǽntl] *n.* **1** 벽난로의 앞장식(mantelpiece) **2** 벽난로 선반(mantelshelf)
man·tel·et [mǽntlèt, -lit] *n.* **1** 짧은 망토 **2** 〖군사〗 휴대용 탄환막이, 방탄 방패
⁎**man·tel·piece** [mǽntlpì:s] *n.* **1** 맨틀피스 《벽난로 앞면 주위의 장식적 구조 전체》 **2** =MANTEL 2
man·tel·shelf [mǽntlʃèlf] *n.* (*pl.* **-shelves** [-ʃèlvz]) = MANTEL 2
man·tel·tree [mǽntltrì:] *n.* 벽난로 상인방 《아치》
man·tic [mǽntik] *a.* 예언의, 예언적인, 예언력이 있는; 점(占)의: ~ art 점 — *n.* 점술(占術)
man·tid [mǽntid] *n.* =MANTIS
man·til·la [mæntílə] *n.* (스페인·멕시코 여자의) 머리부터 어깨까지 덮는 큰 베일; 소형 망토
man·tis [mǽntis] *n.* (*pl.* **~·es, -tes** [-ti:z]) 〖곤충〗 사마귀(=praying ~)
man·tis·sa [mæntísə] *n.* 〖수학〗 가수(假數)
mántis shrìmp[cràb, pràwn] 갯가재(squilla)
⁑**man·tle** [mǽntl] [L 「천, 외투」의 뜻에서] *n.* **1** 망토, (소매 없는) 외투 **2** 덮개, 덮는 것, 막(幕): the ~ of night 밤의 장막 **3** 〖지질〗 맨틀 《지각과 중심핵의 중간부》 **4** 〖동물·식물〗 외피, 외투(막) **5** 가스 맨틀; (용광로의) 외벽(外壁) **6** 〖조류〗 어깨깃 **7** =MANTEL **8** 〖해부〗 대뇌피질(cerebral cortex) One***'s ~ falls on*** [***descends to***] another. 어떤 사람의 정신적 감화[영향]가 (남)에게 미친다. ***take the ~*** (***and the ring***) 〈과부가〉 평생 수절할 것을 맹세하다
— *vt.* 망토를 입히다, 망토로 감싸다; 덮다, 가리다; 〈얼굴을〉 붉히다
— *vi.* 〈액체가〉 더껑이가 생기다; 〈얼굴이〉 달아오르다; 〈새가〉 먹잇감을 날개와 꼬리로 뒤덮다
man·tle·piece [mǽntlpì:s] *n.* =MANTELPIECE
mántle plùme 〖지질〗 맨틀 융기 《지구 맨틀에서 지표로 분출한 원통형의 용암》
man·tle·rock [mǽntlrɑ̀k | -rɔ̀k] *n.* 〖지질〗 (토양 체의) 표토(regolith)

mant·let [mǽntlit] *n.* 〖군사〗 =MANTELET
man-to-man [mǽntəmǽn] *a., ad.* 직접 대면한[하고], 솔직한[히]; 남자 대 남자의[로]; 1대 1의[로], 맨투맨의[으로]: a ~ talk 솔직한 대담
mán-to-mán defénse (농구·축구 등에서) 대인[1대 1의] 방어(cf. ZONE DEFENSE)
Man·tóux tést [mæntúː-] [프랑스 의사 이름에서] 〖의학〗 망투 반응, 투베르쿨린 반응《결핵 검사의 일종》
man·tra [mǽntrə, mɑ́ːn- | mǽn-] *n.* (불교·힌두교의) 기도, 진언, 주문(呪文) **mán·tric** *a.*
man-trap [mǽntræ̀p] *n.* **1** 〖영국사〗 사람 잡는 함정《영내(領內) 침입자를 잡기 위한》 **2** 사람에게 위험한 장소; 유혹의 장소《도박장 등》 **3** (구어) 유혹적인 여자, 요부
man·tu·a [mǽntʃuə] *n.* (17-18세기경의) 헐거운 여성용 가운[웃옷]; 망토
man·tu·a-mak·er [mǽntʃuəmèikər] *n.* 드레스메이커, 양재사
*****man·u·al** [mǽnjuəl] [L 「손의」의 뜻에서] *a.* **1** 손의; 손으로 하는, 수동의; 인력을 요하는; 수공의: ~ dexterity 손재간이 있음/a ~ fire engine 수동 소화 펌프/a ~ gearshift (차의) 수동 기어/~ labor 수공일, 육체 노동/a ~ worker 육체 노동자 **2** 〖법〗 현재 있는, 수중에 있는 **3** 〈책이〉 소형의, 편람식의
— *n.* **1** 소책자; 취급 설명서, 편람, 안내서, 입문서, 지도서 **2** 〖군사〗 (교련) 교범 **3** 수동 소화 펌프 **4** 〖음악〗 (오르간의) 건반 **5** =MANUAL TRANSMISSION **6** 〖컴퓨터〗 수동 **~·ly** *ad.* 손으로; 수공으로
mánual álphabet 수화(手話) 문자《농아자용》
mánual éxercise 〖군사〗 집총 훈련
mánual tráining (학교의) 공작(과)
mánual transmíssion (자동차의) 수동 변속기
man·u·code [mǽnjukòud] *n.* 〖조류〗 극락조
man·u·duc·tion [mæ̀njudʌ́kʃən] *n.* **1** 안내; 지도 **2** 안내[지도]하는 것; 입문서, 지도서
manuf. manufactory; manufacture(d); manufacturer; manufacturing
man·u·fac·to·ry [mæ̀njufǽktəri] *n.* (*pl.* **-ries**) (고어) 제조소, 공장 ★ factory가 일반적.
*****man·u·fac·ture** [mæ̀njufǽktʃər] [L 「손으로 만들기」의 뜻에서] *n.* **1** Ⓤ (대규모의) 제조, 제작; 생산; 형성; 제조업: steel ~ 제강업/of domestic[foreign] ~ 국산[외제]의 **2** [*pl.*] 제품, 제조품: cotton ~*s* 면제품 **3** Ⓤ 《경멸》 (문학 작품 등의) 남작(濫作)
— *vt.* **1** (대규모로) 제조[제작]하다: ~*d* goods (생산) 제품 **2** 〈문학 작품 등을〉 남작하다 **3** 〈이야기를〉 날조하다, 조작하다: ~ some excuse to leave 구실을 만들어 떠나다 **-tur·a·ble** *a.* **-tur·al** *a.*
man·u·fác·tured gás [mæ̀njufǽktʃərd-] (천연가스와 대비하여) 제조[도시] 가스
manufáctured hóme[hóusing] **1** 조립식 주택 **2** =MOBILE HOME
*****man·u·fac·tur·er** [mæ̀njufǽktʃərər] *n.* **1** (대규모의) 제조업자[회사], 공장주; 제작자 **2** (이야기 등을) 날조하는 사람; (작품을) 기계적으로 만드는 사람
manufácturer's àgent 제조 회사[메이커] 대리점
man·u·fac·tur·ing [mæ̀njufǽktʃəriŋ] *a.* 제조(업)의: the ~ industry 제조 공업 — *n.* Ⓤ 제조 (공업) 《略 mfg.》
man·u·mis·sion [mæ̀njumíʃən] *n.* Ⓤ (노예·농노의) 해방
man·u·mit [mæ̀njumít] *vt.* (**~·ted**; **~·ting**) (고어) 〈노예·농노를〉 해방하다 **~·ter** *n.*
man·u·mo·tive [mæ̀njumóutiv] *a.* 손으로 운전하는, 수동(手動)의
*****ma·nure** [mən*j*úər | -njúə] *n.* Ⓤ (유기질) 비료, 거름, 퇴비: artificial ~ 인조 비료(cf. FERTILIZER)/barnyard[farmyard] ~ 퇴비/green ~ 녹비
— *vt.* 〈땅에〉 비료[거름]를 주다 **ma·núr·er** *n.* 시비(施肥)하는 사람 **ma·nú·ri·al** *a.*
ma·nus [méinəs] *n.* (*pl.* ~) **1** 〖해부〗 (척추 동물의) 앞발, 손 **2** 〖로마법〗 수권(手權); 재산 소유권
******man·u·script** [mǽnjuskrìpt] [L 「손으로 쓴」의 뜻에서] *n.* **1 a** 원고 《略 MS, (*pl.*) MSS》 **b** 손으로 쓴 것, 사본: ~*s* of Chaucer 초서의 사본 **2** Ⓤ 손으로 쓰기 ***in*** **~** 원고의 형태로, 인쇄되지 않고: The work is still *in* ~. 그 작품은 아직 원고대로 있다.
— *a.* Ⓐ 손으로 쓴, 필사한, 타이프 친; 사본의, 원고의
mánuscript pàper 악보 작성용 오선지
man·ward [mǽnwərd] *ad.* 인간을 향해서, 인간에 대해 — *a.* 인간에게로 향해진
man·watch·ing [mǽnwɑ̀tʃiŋ | -wɔ̀tʃ-] *n.* Ⓤ 인간 행동학, 인간 행동의 관찰
man-week [-wìːk] *n.* 〖노동〗 인주(人週)《한 사람이 1주간에 하는 작업량; cf. MAN-DAY, MAN-MONTH》
man·wise [mǽnwàiz] *ad.* 인간적으로; 남자답게
Manx [mǽŋks] *a.* Man 섬(태생)의; Man 섬 말의
— *n.* **1** Ⓤ Man 섬 말 **2** [the ~; 집합적; 복수 취급] Man 섬 사람 **3** =MANX CAT
Mánx cát 망크스 고양이《꼬리가 없음》

Manx cat

Manx·man [mǽnksmən, -mæ̀n] *n.* (*pl.* **-men** [-mən, -mèn]) Man 섬 사람[남자]
Manx·wo·man [mǽŋkswùmən] *n.* Man 섬 여자
******many** ⇨ many (p. 1542)
man-year [mǽnjìər] *n.* 〖노동〗 인년(人年)《한 사람이 1년에 하는 작업량》
man·y·fold [ménifòuld] *ad.* 몇 배나; 여러 겹으로
man·y-head·ed [ménihédid] *a.* 다두(多頭)의 ***the ~ beast[monster]*** 《경멸》 민중, 대중
man·y·plies [méniplàiz] *n. pl.* [단수 취급] 〖동물〗 겹주름위, 중판위(重瓣胃)《반추동물의 셋째 위》
man·y-sid·ed [-sáidid] *a.* **1** 다방면의[에 걸친], 다재다능한 **2** 〖기하〗 다변(多邊)의: ~ figures 다변도형 **~·ness** *n.*
man·y-val·ued [-vǽljuːd] *a.* 〖수학〗 다가(多價)의
man·za·nil·la [mæ̀nzəníːljə, -níːlə | -nílə] [Sp.] *n.* Ⓤ 만자니야《스페인산(産) 쌉쌀한 셰리주》
man·za·ni·ta [mæ̀nzəníːtə] *n.* 〖식물〗 철쭉속(屬)의 상록 관목《미국 서부산(産)》
Mao [máu] *a.* 〈옷이〉 중국식의: a ~ jacket 인민복
MAOI monoamine oxidase inhibitor 모노아민 옥시다아제《항울제·혈압 강하제》
Mao·ism [máuizm] *n.* Ⓤ 모택동주의
Mao·ist [máuist] *a.* 모택동사상[주의]의
— *n.* 모택동주의자
Ma·o·ri [mɑ́ːɔːri, máuri | máuri] *a.* 마오리 사람의; 마오리 말의 — *n.* [the ~(s)] 마오리 사람《뉴질랜드의 원주민》; Ⓤ 마오리 말
Ma·o·ri·land [-læ̀nd] *n.* (고어) 뉴질랜드
mao-tai [máutái] *n.* Ⓤ 마오타이주(酒)《밀과 수수를 원료로 한 독한 중국의 증류주》
Mao Ze·dong [máu-zədúŋ, -dzə-], **Mao Tse-tung** [-tsətúŋ, -dzədúŋ] 마오쩌둥(毛澤東)(1893-1976)《중화 인민 공화국 주석(1949-59), 중국 공산당 주석(1945-76)》
******map** [mǽp] [L 「냅킨, 천」의 뜻에서] *n.* **1** 지도; 지도식 도표, 도해(圖解): consult a ~ 지도를 살피다

> 유의어 **map** 한 장 한 장의 지도: a *map* of Korea 한국 지도 **atlas** 지도책, 한 장씩의 지도(map)를 책으로 엮은 것: a world *atlas* 세계 지도책 **chart** 해도, 항공도 등을 말한다: a weather *chart* 일기도

2 천체도 **3** 〖수학〗 함수(function) **4** (미·속어) 얼굴, 낯짝(face) **5** =GENETIC MAP **6** (미·속어) 수표

many

many는 가산명사의 복수형과 함께 써서 사람이나 사물의 수가 많음을 나타낸다. 따라서 복수 취급한다. much는 불가산 명사와 함께 써서 양의 많음을 나타내며 단수 취급한다. 그러나 many나 much의 비교급은 more, 최상급은 most로 공통이다.
또한 many에 대한 「적은」의 뜻을 나타내는 반의어는 few이며, much에 대한 「적은」의 뜻의 반의어는 little이다.

‡**man·y** [méni] *a.*, *pron.*, *n.*
— *a.* (**more**[mɔ́:r]; **most**[móust]) **1** [복수명사 앞에서] 많은, 다수의(opp. *few*; cf. MUCH)
USAGE (1) 《구어》에서는 주로 부정·의문문에서 사용하고 긍정문에는 보통 a lot of, lots of, a great [good] many, a (large) number of, plenty of 등의 구를 대신 쓰는 경향이 있다: I haven't seen her for *a good* ~ years. 나는 그녀를 꽤 여러 해 동안이나 만나지 못했다. / He wrote *a great* ~ novels. 그는 꽤 많은 수의 소설을 썼다. (2) 긍정문에서는 주어의 수식어로서, 막연한 다수를 나타낼 때, 또는 how, too, so, as와 함께 쓰인다》: *M~* people die of cancer. 많은 사람들이 암으로 죽는다. / There were *too* ~ competitors. 수많은 경쟁자들이 있었다. / *How* ~ languages can you speak? 몇 개 국어를 말할 수 있습니까? / He has three times *as* ~ books as I do. 그는 나보다 3배나 많은 책을 갖고 있다. (3) 응답의 한 마디로서는 쓰지 않는다: How ~ CDs do you have? — A lot [Lots]. 시디를 얼마나 갖고 있니? — 많이 있어. 《이때 A lot[Lots] 대신에 Many라고 하지 않는다.》

유의어 **many** 「많은」을 뜻하는 일반적인 말 **numerous** many보다는 딱딱한 표현으로 수가 매우 많거나 매우 많은 구성 단위를 포함한 것을 나타낸다: letters too *numerous* to mention 일일이 열거할 수 없을 만큼 많은 편지들 **innumerable** 셀 수 없을 정도로 많은: the *innumerable* stars in the sky 하늘의 무수한 별들 **manifold** 수가 많은 것 외에 다양성이나 복잡성을 내포하고 있는: *manifold* activities 다종 다양한 활동 **numberless** 셀 수 없는 **copious** 많은, 넘쳐 흐를 만큼의, 공급·사상 등이 마르는 일이 없다는 뜻으로 시간이나 장소에는 쓰지 않는다 **ample** 충분한, 다소 남음이 있을 만큼 많은

2 《문어》 [many a[an]가 단수형 명사·동사와 함께; 단수 취급] 수많은, 허다한 《불특정 다수의 것을 개별적으로 표현하는 방법으로써 1보다 의미가 강함》: ~ and ~ *a* time 셀 수 없이 여러 번 / *M~ a* man has failed. 실패한 사람들이 허다하다. / I've been there ~ *a* time. 그곳에 여러 번 갔었다.
a good ~ ... 꽤 많은, 상당한 수의(cf. a good FEW, a great MANY)
a great ~ ... 아주 많은, 수많은 ★ a good MANY보다 뜻이 강함.
as ~ ... 같은 수의, 동수의: There were ten accidents in *as* ~ days. 10일 동안에 10건의 사고가 일어났었다.
as ~ as ... [수사를 수반하여]: *As* ~ *as* fifty students gathered to hear his lecture. 50명이나 되는 학생이 그의 강의를 들으려고 모였다.
as ~ ... as ... (1) …와 같은 수의, 동수의: She has *as* ~[twice *as* ~] foreign stamps *as* I have. 그녀는 나만큼이나[갑절만큼이나] 외국 우표를 갖고 있다. (2) …할 만큼의 수의: Take *as* ~ candies *as* you want. 먹고 싶은 대로 사탕을 가져라.
as*[*like*] *so ~ ... 같은 수의, 동수의; …처럼: Three hours went by *like so* ~ minutes. 3시간이 마치 3분처럼 지나가버렸다.
be one too ~ 하나만큼 더 많다, 방해가 되다, 쓸데없는 것이다 《one이 two, three 등이 되는 수가 있음》: There *is one too* ~ in the car; it can only seat four. 이 차에는 한 사람이 더 많다, 네 사람 밖에 못 탄다.
be (***one***) ***too ~ for ...*** 〈상대방〉보다 뛰어나다, …의 힘에 겹다, 벅차다: He *was* (*one*) *too* ~ *for* me. 그는 내게는 벅찼다.
M~'s*[*M~ is*] *the ... (***that***) ***...*** …한 일이 여러 번 있다, 자주 …하곤 하였다: *M~'s the* time we've had to borrow money from him. 여러 번 그에게 돈을 꾸어야만 했었다.
not ~ ... 그리 많지 않은; 《속어》 조금의
so ~ ... (1) 같은 수의, 동수의, 그만큼의(수의)(as many): ⇨ in so many WORDS / *So* ~ men, *so* ~ minds. 《속담》 십인십색(十人十色) (2) 그토록 많은: I didn't know she had *so* ~ debts. 그녀가 그토록 많은 빚을 지고 있는 줄을 몰랐다.
— *pron.* [복수 취급] **다수(의 사람[것])**: *M~* of us were tired. 우리 대다수가 지쳐 있었다. / How ~ have you got? 몇 개 가지고 있습니까? / *M~* were unable to attend. 많은 사람이 참석하지 못했다. / Like ~ who met him in those days I was soon charmed. 그 당시 그를 만났던 여느 사람들처럼 나도 곧 매료되었다.
a good ~ 꽤 많음, 상당수
a great ~ 아주 많음, 다수 ★ a good MANY보다 뜻이 강함: There are *a great* ~ of them. 그것들이 아주 많이 있다.
as ~ again 두 배의, 갑절의: There were three of us and *as* ~ *again* of them. 우리는 세 사람이었고 그들은 배가 되는 여섯 사람이었다.
as ~ as …와 같은[만큼의] 수: I have *as* ~ *as* you. 자네와 같은 수만큼 갖고 있다. / *as* ~ *as* you need 당신이 필요한 (수)만큼
have one too ~ 《구어》 과음하다
so ~ (1) 그토록 많은 것[사람]: Were there *so* ~? 그토록 많은 사람이 있었나? (2) 어떤 일정한 수: I can make only *so* ~ an hour. 한 시간에 어느 일정한 수 밖에 못 만든다. (3) 몇 (개)의: sell oranges at *so* ~ (for) a dollar 1달러에 몇 개 하는 식으로 오렌지를 팔다
— *n.* **1** [the ~; 복수 취급] 대다수의 사람, 대중, 서민(opp. *the few*): the rights of *the* ~ 대중의 권리 **2** 많은 것[일]: Do you have ~ to finish? 마무리할 것이 많아요?

off the ~ 《구어》 외딴 곳에; (지도에서) 사라진; 문제가 안 되는 ***on the ~*** 《구어》 중요한, 유명한; 최고의, 훌륭한 ***put ... on the ~*** …을 세상에 알게 하다, 유명하게 하다***throw a ~*** 《미·속어》 먹은 것을 게우다 ***wipe ... off the ~*** 《구어》 파괴하다, 전멸시키다
— *vt.* (**~ped**; **~·ping**) …의 지도[천체도]를 만들다; (지도 작성을 위해) 측량하다 ***~ down*** 자세히 적다[묘사하다] ***~ out*** 〈토지·통로 등을 지도에〉 정밀하게 표하다; …의 계획을 세밀히 세우다 **~·pa·ble** *a.*
MAP 〖컴퓨터〗 manufacturing automation protocol; modified American plan
MAPI [èméipì:ái] [*M*essaging *A*pplication *Pro-*

gram *I*nterface] *n.* 〖컴퓨터〗 엠에이피아이 《Microsoft 사의 전자 메일 프로그램이 다른 회사의 프로그램과도 메일을 주고받을 수 있게 하는 API》
‡ma·ple [méipl] *n.* **1** **단풍나무**(=~ **trée**); Ⓤ 그 재목 **2** Ⓤ 단풍당(밀)의 풍미 **3** 담갈색, 재황색
máple lèaf 단풍나무 잎 《Canada 국기의 표장》
máple súgar 단풍당(糖)
máple sỳrup 단풍 당밀
map·mak·er [mǽpmèikər] *n.* 지도 제작자[작성자] **-mak·ing** [-mèikiŋ] *n.*
map·per [mǽpər], **-pist** [mǽpist] *n.* 지도 작성자
map·ping [mǽpiŋ] *n.* Ⓤ 지도 제작; 〖수학〗 사상(寫像), 함수
map-read·er [mǽprìːdər] *n.* 지도를 볼 줄 아는 사람
máp rèference 지점(地點) 표시 《지도상의 지점을 나타내는 숫자와 문자의 조합》
Ma·pu·to [məpúːtou] *n.* 마푸토 《모잠비크의 수도》
ma·quette [mækét] *n.* (조각·건축의) 축소 모형
ma·qui·la·do·ra [məkìːlədɔ́ːrə] [Sp.] *n.* 마킬라도라 《값싼 노동력을 이용, 조립·수출하는 멕시코의 외국계 공장》
ma·quil·lage [mæ̀kijáːʒ] [F] *n.* 메이크업, 화장(품)
ma·quis [maːkíː, mæ-] [F] *n.* (*pl.* ~) **1** [종종 **M~**] 마키 《제2차 대전 중 프랑스의 반독(反獨) 유격대》; 그 대원 **2** 마키 《지중해 연안의 관목 지대》
ma·qui·sard [mæ̀kizáːrd] [F] *n.* maquis의 일원
***mar** [máːr] *vt.* (**~red**; **~·ring**) **흠가게 하다**; 훼손하다; **망쳐놓다**, 못 쓰게 만들다(ruin, spoil): That billboard ~*s* the view. 저 광고판이 경관을 망치고 있다. / My pride was much ~*red* (up) by his words. 그의 말로 내 자존심이 크게 상했다. / A frown ~*red* his handsome feature. 찌푸린 얼굴이 그의 잘생긴 얼굴을 망쳐놨다.
— *n.* 흠, 오점, 결점; 고장 《*to*》
MAR Master of Arts in Religion; memory address register 〖컴퓨터〗 메모리 번지 레지스터
mar. marine; maritime; married **Mar., Mar** March; Maria
mar·a·bou, -bout[1] [mǽrəbùː] *n.* **1** 〖조류〗 대머리황새 **2** Ⓤ 그 깃; Ⓒ 그 깃으로 만든 장식품
mar·a·bout[2] [mǽrəbùː, -bùːt] *n.* (특히 북아프리카 이슬람교의) 도사, 은사(隱士); 그의 무덤
ma·ra·ca [məráːkə, -rǽkə] *n.* [보통 *pl.*] **1** 〖음악〗 마라카스 《쿠바 기원의 리듬 악기》 **2** 《미·속어》 유방; 《영·속어》 고환
már·ag·ing stèel [máːrèidʒiŋ-] [*mar*tensite+*aging*] 마레이징 강철 《강도 높은 강철의 일종》
ma·ras·ca [mərǽskə] *n.* 〖식물〗 마라스카 《오스트리아산(産) 야생 버찌》(=~ **chèrry**)
mar·a·schi·no [mæ̀rəskíːnou, -ʃíː-] *n.* Ⓤ 마라스키노 술 《marasca로 만든 리큐르 주》; 마라스키노 체리 《마라스키노에 담갔던 버찌에 설탕을 뿌린 것; 케이크 장식에 씀》(=~ **chérry**)
ma·ras·mus [mərǽzməs] *n.* Ⓤ 〖병리〗 (유아의) 소모(증)(emaciation) **ma·rás·mic** *a.*
Ma·ra·thi [məráːti, -rǽti] *n.* Ⓤ 마라티 어 《인도어파에 속하며 Maharashtra 주의 공용어》
— *a.* Maharashtra주(민)의, 마라티 어의
***mar·a·thon** [mǽrəθɑ̀n | -θən] [그리스의 지명 Marathon에서] *n.* **1** [종종 the ~] **마라톤 경주**(=~ **ràce**) 《표준 거리는 26마일 385야드; 42.195 km》 **2** 장거리 경주 **3** (댄스·스키 등의) 장시간에 걸친 경쟁
— *a.* Ⓐ **1** 마라톤의: a ~ runner 마라톤 선수 **2** 《구어》 장시간에 걸친, 지구력을 요하는: a ~ sermon 지루하게 계속되는 설교 **~·er** *n.*
Mar·a·thon [mǽrəθɑ̀n | -θən] *n.* 마라톤 평원 《아테네 북동의 평원; 기원전 490년에 아테네군이 페르시아의 대군을 격파한 곳》
ma·raud [mərɔ́ːd] *vi.*, *vt.* 약탈[습격]하다 《*on*, *upon*》 — *n.* 《고어》 습격, 약탈 **~·er** *n.*
ma·raud·ing [mərɔ́ːdiŋ] *a.* Ⓐ 약탈[습격]을 일삼는
mar·a·ve·di [mæ̀rəvéidi] *n.* 〖역사〗 스페인의 옛 금화[동화] 《11-12세기》
‡mar·ble [máːrbl] [Gk 「희게 빛나는 돌」의 뜻에서] *n.* **1** Ⓤ **대리석** 《종종 냉혹 무정한 자에게 비유됨》: a statue in ~ 대리석 입상 **2** 대리석 조각물; 대리석 무늬 **3** 냉혹[무정]한 것 **4** **구슬** 《아이들의 장난감》; [*pl.*; 단수 취급] 구슬치기: play ~*s* 구슬치기를 하다 **5** [*pl.*] 《속어》 분별, 이성
a heart of **~** 냉혹[무정]한 마음 ***as hard*** [***cold***] ***as*** **~** 돌처럼 굳은[차가운]; 냉혹무정한 ***have all*** one***'s*** **~*s*** 《속어》 지각이 있다 《종종 부정문·조건문에서》 ***lose*** one***'s*** **~*s*** 《속어》 실성하다, 분별을 잃다: He completely *lost his* ~*s* after the stock market crash. 그는 주가 폭락으로 완전히 실성했다.
— *a.* **1** 대리석의[으로 만든]; 대리석 비슷한 **2** 딱딱한; 희고 매끄러운 **3** 무정한
— *vt.* …에 대리석 무늬를 넣다 **már·bler** *n.*
▷ márbleize *v.*; márbly *a.*
márble càke 대리석 무늬의 카스텔라
Márble Cìty =MARBLE ORCHARD
mar·bled [máːrbld] *a.* 대리석 무늬의; 〈고기가〉 차돌박이인
mar·ble-edged [máːrblédʒd] *a.* 〖제본〗 대리석 무늬가 그려진 마구리의
mar·ble·heart·ed [-hɑ́ːrtid] *a.* 무정한, 냉혹한
mar·ble·ize [máːrblàiz] *vt.* =MARBLE
márble òrchard[**tòwn**] 《미·속어》 묘지(cemetery)
mar·bling [máːrbliŋ] *n.* Ⓤ 대리석 무늬의 착색, 마블 염색; ⓊⒸ (책 마구리·종이·비누 등의) 대리석 무늬; (식육의) 차돌박이
mar·bly [máːrbli] *a.* **1** 대리석의[같은], 대리석질(質)의 **2** 굳은, 차가운, 냉정한
Már·burg disèase [máːrbəːrg-] [독일의 지명에서] 〖병리〗 마르부르크병 《고열·출혈 동반》
marc [máːrk] *n.* Ⓤ (포도 등의) 짜낸 찌꺼기; 그것으로 만든 브랜디; 〖약학〗 (생약의 유효 성분 추출 후의) 찌끼
MARC [máːrk] [*ma*chine *r*eadable *c*atalog] *n.* 〖도서관〗 마크, (출판물의) 기계 가독(可讀) 목록
Mar·can [máːrkən] *a.* 성(聖) 마가(St. Mark)의
mar·can·do [maːrkáːndou] [It.] *a.*, *ad.* 〖음악〗 =MARCATO
mar·ca·site [máːrkəsàit] *n.* Ⓤ 〖광물〗 백철석
mar·ca·to [maːrkáːtou] [It.] *a.*, *ad.* 〖음악〗 마르카토의[로], 강조된[되게]
mar·cel [maːrsél] *n.* 물결 모양의 웨이브(=~ **wàve**) — *vt.* (**~led**; **~·ling**) 〈머리를〉 물결 모양으로 지지다
mar·cel·la [maːrsélə] *n.* **1** Ⓤ 마르셀라 《무늬 있는 무명[삼베]》 **2** [**M~**] 여자 이름
mar·ces·cent [maːrsésnt] *a.* 〖식물〗 〈식물의 한 부분이〉 지지 않고 시드는, 조위(凋萎)하는
‡march[1] [máːrtʃ] [F 「걷다」의 뜻에서] *vi.* **1** **행진하다**; 진군하다, 행군하다; 진격하다: a ~*ing* song 행진가 // (~+副) The enemy troops ~*ed in*[*out*]. 적군이 행진하여 들어왔다[나갔다]. // (~+前+名) They ~*ed into*[*out of*] the town. 그들은 행진하여 도시로 들어왔다[도시에서 나갔다]. **2** 당당하게 걷다 **3** 〈사물이〉 진행되다, 진전하다: (~+副) Time ~*es on.* 시간이 점점 흐른다. **4** (나무 따위가) 정연하게 늘어서 있다 **5** 〈말·행동이〉 …와 일치[조화]되다: (~+前+名) His words ~ *with* his actions. 그는 언행이 일치한다.
— *vt.* **1** **행군시키다**, 나아가게 하다; 줄지어 들여보내다 《*in*, *into*》, 줄지어 내보내다 《*out*》 **2** 끌고 가다, 구속(拘束)하다 《*off*, *away*》: (~+目+副) (~+目+前+名) He was ~*ed off to* prison. 그는 감옥으로 끌려갔다.
~ on 계속 행진하다 ***start*** **~*ing*** 행군을 시작하다; 행동을 개시하다
— *n.* **1** 〖군사〗 **행진**, **행군**: a forced ~ 강행군 / a

double[quick, slow] ~ 구보[속보, 완보] **2** 1일 행정(行程) **3** [the ~] **진보**, 진전, 발달 《*of*》: *the* ~ of events 사건의 진전 / *the* ~ of time 시간의 흐름 **4** 〚음악〛 **행진곡**: a dead[funeral] ~ 장송곡 **5** 길고 고된 여행 **6** (행진의) 보조, 걸음걸이 **7** 데모 행진: a peace ~ =a ~ for peace 평화 행진
be on [***in***] ***the ~*** 진행 중이다 ***steal*** [***get, gain***] ***a ~ on*** [***upon***] …에 살금살금 다가가다; …을 살그머니 앞지르다 ***the M~ of Dimes*** 《미》 소아마비 구제[연구] 모금 유동

march[2] *n.* (분쟁 중의) 국경, 경계; [보통 *pl.*] 경계 지방(cf. BORDER, FRONTIER); [the M~es] (잉글랜드와 스코틀랜드 또는 웨일스와의) 경계 지방
— *vi.* 경계를 이루다 《*upon*》, 접경하다 《*with*》

‡**March** [mɑ́ːrtʃ] [L 「군신 Mars의 달」의 뜻에서] *n.* 3월 《略 Mar.》; [형용사적으로] 3월의 (***as***) ***mad as a ~ hare*** ⇨ hare

March. marchioness

Mär·chen [mέərkən, -xən] [G] *n.* (*pl.* **~**) [때로 **m~**] 이야기(tale), 동화; 민화, 전설(folktale)

march·er[1] [mɑ́ːrtʃər] *n.* 행진하는 사람

marcher[2] *n.* 국경 지대 거주자, 변경 주민; (잉글랜드의) 국경 관할관, 변경 지방 영주

márch·ing bànd [mɑ́ːrtʃiŋ-] 행진 악대

márching òrders **1** 〚군사〛 행군[진격] 명령 **2** 《영·구어》 해고 통지(《미·구어》 walking papers); (연인 등의) 결별 선언

márching sèason (북아일) 행진의 계절 《17세기 구교에 대한 신교도들의 승리를 기념하는 7~8월의 행진 기간》

mar·chio·ness [mɑ́ːrʃənis, mɑ̀ːrʃənés] *n.* 후작(侯爵) 부인[미망인](cf. MARQUESS); 여자 후작

march·land [mɑ́ːrtʃlæ̀nd, -lənd] *n.* 국경 지대

Márch Màdness 《미·구어》 3월의 광란 《전미 대학 경기 협회(NCAA)의 농구 경기가 열리는 시기》

march-past [-pæ̀st | -pɑ̀ːst] *n.* 분열 행진, 분열식(分列式), 퍼레이드 **—** *vi.* 분열 행진하다

Mar·cia [mɑ́ːrʃə] *n.* 여자 이름

mar·co·ni [mɑːrkóuni] [It.] *n.* 《구어》 = MARCONIGRAM **—** *vi., vt.* 무선으로 송신[교신]하다

Mar·co·ni [mɑːrkóuni] *n.* 마르코니 **Guglielmo ~** (1874-1937) 《이탈리아의 전기 기사·무선 전신 발명자; 노벨 물리학상 수상(1909)》

mar·co·ni·gram [mɑːrkóunigræ̀m] *n.* 《고어》 무선 전보(radiogram)

mar·co·ni·graph [mɑːrkóunigræ̀f, -grɑ̀ːf] *n.* 《고어》 (마르코니식) 무선 전신기

Márco Pólo [mɑ́ːrkou-] ⇨ Polo

Mar·cos [mɑ́ːrkous] *n.* 마르코스 **Ferdinand (Edralin) ~** (1917-89) 《필리핀 대통령(1965-86)》

Mar·cus [mɑ́ːrkəs] *n.* 남자 이름

Márcus Au·ré·li·us [-ɔːríːliəs, -ljəs] 마르쿠스 아우렐리우스(121-180) 《로마 황제 및 스토아 철학자》

Mar·cu·se [mɑːrkúːzə] *n.* 마르쿠제 **Herbert ~** (1898-1979) 《독일 태생의 미국 철학자》

Mar·di Gras [mɑ́ːrdi-grɑ̀ː, -grɑ́ː | -grɑ́ː] [「육식하는 화요일」의 뜻에서] 참회 화요일(Shrove Tuesday) 《사육제 마지막 날》

mard·y [mɑ́ːrdi] *a.* 《영·속어·방언》 응석받이로 자란, 곧잘 토라지는; 성마른; 울보의

mare**[1] [mέər] *n.* **1** (성장한 말·나귀 등의) **암컷**, 《특히》 **암말**(⇨ horse 관련): Money makes the ~ (to) go. 《속담》 돈만 있으면 귀신도 부릴 수 있다. **2** 《영·속어·경멸》 여자 ***Whose ~'s dead? 《속어》 어떻게 된 거냐? ***win the ~ or lose the halter*** 되든 안 되든 해보다

ma·re[2] [mɑ́ːrei, mέəri] [L 「바다」의 뜻에서] *n.* (*pl.* **ma·ri·a** [-riə], **~s**) 〚천문〛 바다 《화성·달 표면의 어두운 부분》

ma·re clau·sum [mɑ́ːrei-klɔ́ːsəm, mέəri-] [L] 영해(領海)

ma·re li·be·rum [mɑ́ːrei-líːbərəm, mέəri-] [L] 공해(公海)

ma·rem·ma [məréмə] *n.* (*pl.* **-me** [-miː]) (이탈리아 서부 해안의) 습지; (습지의) 독기(毒氣)

ma·ren·go [məréŋgou] *n., a.* [때로 **M~**] 〚요리〛 마렝고(의) 《버섯·토마토·올리브·포도주 등으로 만든 소스》, 마렝고(를 친)

máre's nèst [mέərz-] **1** (대발견처럼 보이지만 실은) 별것 아닌 것 **2** 분규[혼란] 사태, 난잡한 곳

máre's tàil [mέərz-] 〚식물〛 쇠뜨기말; 〚기상〛 말꼬리구름

Ma·re Tran·quil·li·ta·tis [mɑ́ːrei-træŋkwìlitɑ́ːtis] [L] 고요의 바다(Sea of Tranquillity)

Ma·ré·va injùnction [məríːvə-] [재판에 승소한 영국인 이름에서] 〚법〛 마레바형(型) 압류 명령 《피고의 재산을 일시 동결시키는 명령》

Már·fan sỳndrome [mɑ́ːrfæn-] [프랑스 의사 이름에서] 〚병리〛 마르판 증후군 《유전성 질환; 사지가 비정상으로 길어지는 등이 특징》

marg [mɑ́ːrdʒ] *n.* 《영·구어》 마가린(margarine)

marg. margin(al)

Mar·ga·ret [mɑ́ːrgərit] *n.* 여자 이름 《애칭 Maggie, Meg, Peg, Peggy》

mar·gar·ic [mɑːrgǽrik] *a.* 진주의[같은]

margáric ácid 〚화학〛 마르가르산(酸)

mar·ga·rine, -rin [mɑ́ːrdʒərin, -dʒərìːn | mɑ̀ːdʒəríːn] [F 「진주색의」의 뜻에서] *n.* Ⓤ 마가린, 인조버터

mar·ga·ri·ta [mɑ̀ːrgəríːtə] *n.* Ⓤ 마르가리타 《테킬라(tequila)술과 레몬즙의 칵테일》

mar·ga·rite [mɑ́ːrgəràit] *n.* 〚광물〛 진주 운모; (유리질 화성암의) 쇄상 정자(鎖狀晶子), 마가라이트

mar·gay [mɑ́ːrgei] *n.* 〚동물〛 얼룩살쾡이 《남미산》

marge[1] [mɑ́ːrdʒ] *n.* 《고어》 가장자리(edge)

marge[2] *n.* 《영·구어》 = MARGARINE

Marge [mɑ́ːrdʒ] *n.* 여자 이름 《Margaret, Margery의 애칭》

mar·gent [mɑ́ːrdʒənt] *n.* 《고어》 = MARGIN

Mar·ger·y [mɑ́ːrdʒəri] *n.* 여자 이름 《애칭 Marge, Margie》

Mar·gie [mɑ́ːrdʒi] *n.* 여자 이름 《Margery의 애칭》

‡**mar·gin** [mɑ́ːrdʒin] *n.*

> 원래 「변경 지대」의 뜻에서
> →「가, 가장자리」 **4** →(여분) ─┬→「여백」 **1**
> └→「여유」 **2**

1 여백, 난외(欄外), 마진: notes written in the ~ 여백에 쓴 주석 **2** (시간·경비 등의) **여유**, (활동 등의) 여지: leave a ~ of ten minutes 10분의 여유를 두다 **3** 최저 한도, 한계, 극한: the ~ of endurance 인내의 한계 **4** 《문어》 **가장자리**, 변두리, 가, 끝; 끝[가장자리]에 잇닿은 부분, 물가: the ~ of a glacier 빙하의 끝 **5** 자기 자금액; 〚증권〛 증거금 **6** 〚은행〛 여유액(餘裕額) **7** 〚상업〛 **매매 차익금, 이문**, 마진: a fair ~ of profit 상당한 이익 **8** (시간의) 차; (득표 등의) 차; 허용 범위, 오차 **9** 〚경제〛 한계 수익점 **10** 특별 수당, 특수 기능 수당 ***buying on ~*** 투기(投機) 매입 ***by a narrow ~*** 아슬아슬하게, 간신히 ***go near the ~*** (도덕상) 아슬아슬한 짓을 하다 ***on the ~ of bare subsistence*** 겨우겨우 살아가는
— *vt.* **1** …에 가장자리를 붙이다; …의 난외에 주(註) 등을 적다, 방주(旁註)를 달다 **2** 〚증권〛 (주식의) 위탁 증거금을 치르다 《*up*》; 〈거래에〉 이익을 붙이다
▷ márginal *a.*

márgin accòunt 〚증권〛 증거금 계정 《신용 거래 계좌》

***mar·gin·al** [mɑ́ːrdʒinl] *a.* **1** 변두리[가장자리, 가, 끝]의 **2** 주변의; 접경에 가까운; 〈문제 등이〉 주변적

thesaurus **margin** *n.* **1** 여유 room, scope, space, allowance, extra, surplus **2** 가장자리 edge, side,

인; 별로 중요하지 않은 **3 a** 〈자격·능력 등이〉 한계의, 최저의: ~ ability 한계 능력 **b** (영) 〈국회의 의석·선거구 등을〉 근소한 득표차로 얻은: a ~ seat 근소한 차로 얻은 의석 **4** 난외에 적은: ~ notes 방주(旁註) **5** 〖경제〗 한계 수익점의: ~ profits 한계 수익 **6** 〈토지가〉 생산력이 거의 없는: ~ land 불모지 **7** 〖심리〗 의식과 무의식이 넘나드는 경계의 **màr·gin·ál·i·ty** *n.* **~·ly** *ad.* 변두리[가장자리]에; 난외에

márginal cóst 〖경제〗 한계 비용[생산가]

mar·gi·na·li·a [mɑ̀:rdʒənéiliə] *n. pl.* 방주(旁註) (marginal notes); 이차적인 것

mar·gin·al·ize [mɑ́:rdʒinəlàiz] *vt.* 사회의 주류에서 몰아내다, 사회적으로 무시[과소평가]하다 **màr·gin·al·i·zá·tion** *n.*

márginal mán 한계인, 주변인 《이질적 두 문화 속에서 어느 쪽에도 동화되지 않은 사람》

márginal próduct 〖경제〗 한계 생산물

márginal productívity 〖경제〗 한계 생산력

márginal révenue 〖경제〗 한계 수입 《수입한 단위 증대시의 매출 증대분》

márginal séa 〖국제법〗 연안 영해 《해안선으로부터 3.5 법정 마일 이내의 해역》

márginal táx ràte 〖회계〗 한계 세율

márginal utílity 〖경제〗 한계 효용

mar·gin·ate [mɑ́:rdʒənèit], **-at·ed** [-nèitid] *a.* 가장자리가 있는; 〖곤충〗 특수한 색[모양]의 가장자리가 있는 **—** *vt.* …에 가장자리를 달다; 〖상업〗 마진[이윤]을 붙이다 **mar·gin·a·tion** [mɑ̀:rdʒənéiʃən] *n.* 단을 댐, 테를 두름

márgin càll 〖증권〗 마진콜, 추가 증거금 청구

márgin of érror 오차(誤差)

márgin relèase 마진 릴리스 《타자기의》

márgin requìrement 〖증권〗 증거금률

mar·go·sa [mɑ:rgóusə] *n.* 〖식물〗 인도먹구슬나무

Mar·got [mɑ́:rgou, -gət] *n.* 여자 이름

mar·grave [mɑ́:rgreiv] *n.* 〖역사〗 (신성 로마 제국의) 후작(侯爵), 변경 태수(太守)

mar·gra·vine [mɑ́:rgrəvì:n] *n.* margrave의 부인[미망인]

Mar·gue·rite [mɑ̀:rgərí:t] *n.* **1** 여자 이름 **2** [**m~**] 〖식물〗 마거리트 《daisy의 일종》

ma·ri·a [mɑ́:riə, mέər- | mɑ́:r-] *n.* MARE²의 복수

Ma·ri·a [mərí:ə, -ráiə | məráiə, -ríə] *n.* 여자 이름

ma·ri·a·chi [mɑ̀:riɑ́:tʃi] *n.* (멕시코의) 길거리 음악단; 그 악사[악단원]; 그 음악 **—** *a.* 길거리 악단[음악]의

ma·ri·age de con·ve·nance [mɑ̀:riɑ́:ʒ-də-kɔ̃:nvənɑ́:ns] [F] 정략 결혼

Mar·i·an¹ [mέəriən] *n.* 여자 이름

Marian² *a.* **1** 성모 마리아의 **2** (잉글랜드 또는 스코틀랜드의) Mary 여왕의 **—** *n.* **1** 성모 마리아 숭배자 **2** Mary 여왕 당원 《스코틀랜드의》 **~·ism** *n.* Ⓤ 성모 마리아 숭배

Marian³ 〖로마사〗 *a.* 마리우스(Marius)(당)의 **—** *n.* 마리우스 당원

Ma·ri·án·a Íslands [mὲəriǽnə-, mæ̀r-] [the ~] 마리아나 제도 《필리핀 군도 동쪽의 제도》

Mariána Trénch 마리아나 해구(海溝) 《마리아나 제도 동쪽에 있는 해구; 최대 깊이 11,034 m》

Mar·i·anne [mæ̀riǽn, mὲər-], **-an·na** [-ǽnə] *n.* 여자 이름

María Therésa 마리아 테레사(1717-80) 《오스트리아 대공비(大公妃), Marie Antoinette의 어머니》

mar·i·cul·ture [mǽrəkʌ̀ltʃər] *n.* Ⓤ 해양 식물[동물] 양식(養殖) **màr·i·cúl·tur·al** *a.* **-tur·ist** *n.*

Ma·rie [mərí:] *n.* 여자 이름

Marie An·toi·nette [mərí:-æ̀ntwənét, -æ̀ntə-] 마리 앙투아네트(1755-93) 《프랑스 왕 루이 16세의 왕비; 프랑스 혁명 때 처형당함》

---

verge, border, perimeter, boundary, limits, brink, brim, periphery (opp. *center*)

Mar·i·et·ta [mὲəriétə] *n.* 여자 이름

Mar·i·gold [mǽrigòuld] *n.* **1** 여자 이름 **2** [**m~**] 〖식물〗 천수국, 만수국; 금잔화

***mar·i·hua·na, -jua-** [mæ̀rə*h*wɑ́:nə] *n.* Ⓤ 삼, 대마(hemp) 《인도산》; 그 건조한 잎과 꽃(으로 만든 마약), 마리화나, 대마초: smoke ~ 대마초를 피우다

Mar·i·lyn [mǽrəlin] *n.* 여자 이름

ma·rim·ba [mərímbə] *n.* 마림바 《목금의 일종》 **ma·rím·bist** *n.*

marimba

ma·ri·na [mərí:nə] *n.* **1** (해안의) 산책길 **2** (미) (요트·모터 보트의) 정박지

Ma·ri·na [mərí:nə] *n.* 여자 이름

mar·i·nade [mæ̀rənéid] *n.* 매리네이드 《식초·포도주·향신료를 넣은 액체; 여기에 고기나 생선을 담금》; 매리네이드에 절인 고기[생선] **—** [ˊ-ˋ] *vt.* 매리네이드에 담그다(marinate)

mar·i·na·ra [mæ̀rənǽrə, mɑ̀:rənɑ́:rə] [It.] *n.* Ⓤ 〖요리〗 마리나라 《토마토·마늘·향신료로 만든 이탈리아 소스》(= ~ **sáuce**) **—** *a.* 마리나라를 친

mar·i·nate [mǽrənèit] *vt.* 〈고기·생선을〉 매리네이드에 담그다[절이다]

ma·rine** [mərí:n] [L 「바다의」의 뜻에서] *a.* Ⓐ **1** 바다[해양]의; 바다에 사는, 해산(海産)의: ~ life 해양 생물 / a ~ cable 해저 전선 / a ~ laboratory 해양 연구소 / ~ products 해산물 / ~ soap 해수용 비누 **2** 해사(海事)의, 해운업의; 선박의, 해상 무역의: a ~ barometer 선박용 기압계 / ~ transport(ation) 해운 / a ~ chart 해도 / the ~ court 해난 심판소 **3** 항행의, 해상 근무의; 해병대의, 해군의: ~ power 해군력 / a ~ force 해병대 **—** *n.* **1** 해병대원; [the M~s] 해병대(《미》 M~ Corps, 《영》 Royal M~s) **2** [집합적] (한 나라 소속의) 총 선박, 해상[해군] 세력 **3** 〖회화〗 바다 그림 **4** 해사(海事), 해운업 **5** Ⓤ (유럽 대륙 여러 나라의) 해군부 **6** (속어) 빈 병, 빈 술병(=dead ~) ***Tell that* [*it*] *to the* (*horse*) *~s!* = *That will do for the ~s! (구어) 그 따위 소리를 누가 믿는담, 거짓말 마라! ▷ máritime *a.*

maríne bèlt [the ~] 영해(territorial waters)

maríne biólogy 해양 생물학

Maríne Còrps [the ~] (미) 해병대

maríne engineér 조선 기사; 〖항해〗 선박 기관사

maríne engineéring 선박 공학

maríne geólogy 해양 지질학

maríne glùe 머린 글루, 내수(耐水) 접착제 《나무 갑판의 틈을 메운 후에 바르는 타르 모양의 물질》

maríne insùrance 해상 보험

maríne làw 해상법, 항해법

maríne léague 해양 리그 《거리의 단위; 3해리를 1단위로 함》

maríne lóok 〖복식〗 머린 루크 《세일러복처럼 바다와 관련된 복장》

***mar·i·ner** [mǽrənər] *n.* **1** 《문어》 선원, 수부(水夫), 해원(海員): a ~'s card 해도(海圖) / ~'s needle 나침 / a master ~ 선장 **2** 해양 걸스카우트 단원 **3** [**M~**] 《미》 매리너 《화성·금성 탐색용의 무인 우주선》 **4** [the M~s] 매리너즈 《미국의 구단(球團)인 시애틀 구단(the Seattle Mariners)의 이름》

maríne ráilway 인양 선가(引揚船架)

maríne recrùit[**òfficer**] (미·속어) (맥주 등의) 빈 병

máriner's cònpass 나침반

maríne scíence 해양 과학

maríne snów 바다눈 《플랑크톤의 시체가 바다 밑으로 눈처럼 침전하는 현상》

maríne stòre 선박용 물자, 선박용품; 중고 선구(船具)(를 취급하는 상점)

maríne superintèndent 해사(海事) 감독관

Mar·i·ol·a·try [mὲəriάlətri | -ɔ́l-] *n.* Ⓤ 《경멸》 (극단적) 성모 숭배; 여성 숭배 **Màr·i·ól·a·ter** *n.*

Mar·i·ol·o·gy [mὲəriάlədʒi | -ɔ́l-] *n.* 마리아학, 성모신학

Mar·i·on [mǽriən, mέər-] *n.* 여자[남자] 이름

mar·i·o·nette [mæ̀riənét] *n.* 망석중, 꼭두각시(puppet)

marionette

mar·i·pó·sa lìly[tùlip] [mæ̀rəpóuzə-, -sə-] 〖식물〗 나비나리 《미서부·멕시코산(産) 나리과 식물》

Mar·i·sat [mǽrəsæ̀t] [*mari*time+*sat*ellite] *n.* 《미》 해사(海事) 통신 위성

Mar·ist [mέərist, mǽr- | mέər-] *n.* 〖가톨릭〗 마리스트회 회원 《마리아 수도회 회원》

mar·i·tal [mǽrətl] *a.* **1** Ⓐ **a** 혼의; 결혼 생활의; 부부의: ~ portion 결혼 지참금, 한 집안의 자산(資産) / ~ vows 부부간의 맹세 **2** 《고어》 남편의 **~·ly** *ad.* 혼인으로, 부부로서

márital rápe 부부 사이의 강간

márital státus [the ~] 결혼 여부 《미혼·기혼·이혼 등》

márital thérapy 부부 요법 《부부 생활에 관한 문제의 해결을 위한 심리 요법》

***mar·i·time** [mǽrətàim] [L 「바다 가까이의」의 뜻에서] *a.* **1** 바다(위)의, 해사(海事)의, 해운상의; 해상 무역의: ~ affairs 해사 / ~ insurance 해상 보험 / ~ power 제해권 / ~ weather 해양성 날씨 **2** 해안 가까이 사는, 연해(沿海)의, 해변의; 바다에 접한: a ~ nation 해양 국가 / ~ plants 해양 식물 / ~ people 해양 민족 **3** 선원 특유의, 뱃사람다운
▷ maríne *n., a.*

máritime clímate 해양(성) 기후

máritime làw 해사법(海事法)

Máritime Próvinces [the ~] 《캐나다》 연해주(沿海州) 《Nova Scotia, New Brunswick, Prince Edward Island의 3주》

Máritime Térritory [the ~] (러시아의) 연해주 《Primorsky Kray의 영어명》

Mar·i·us [mέəriəs, mǽr-] *n.* 마리우스 **Gaius ~** (155?-86 B.C.) 《로마의 장군·집정관》

mar·jo·ram [mάːrdʒərəm] *n.* Ⓤ 〖식물〗 마저럼, 마요라나 《꿀풀과의 식물; 약용·향미용》

Mar·jo·rie [mάːrdʒəri] *n.* 여자 이름

‡**mark**[1] [mάːrk] *n., v.*

> OE 「경계(境界)(표시)」의 뜻에서
> 「표(를 하다)」 명 **2**; 타 **2**
> ┌「안표(를 붙이다)」 명 **3**; 타 **2**
> ┤(뒤에 남는 표) → 「자국(을 남기다)」 명 **1**; 타 **2**
> └(평가의 표) → 「평점」 명 **4**, 「채점하다」 타 **1**

— *n.* **1** (외관상 얼룩 같은) **표, 흔적,** 자국, 흠집; 상처 자국; 반점, 멍: a ~ of the lash 채찍 자국 **2 기호,** 부호, **표,** 마크; 인장(印章), 상표, 라벨, 검인, 소인; 〖컴퓨터〗 마크, 표시: punctuation ~*s* 구두점(句讀點) / put a ~ on …에 부호를 붙이다 **3 안표**(眼標), (길)표지; **표적,** 과녁(target), 조준(照準)의 목적물(aim): miss the ~ 과녁을 벗어나다 / the half way ~ 중간 표시 **4 점수,** 평점, 성적: a black ~ 벌점 / a ~ of B in history 역사 과목에서의 B학점 / get high ~*s* 높은 점수를 얻다 **5** [the ~] 한계(점), 수준, 표준, 기준: above the ~ 표준 이상으로 **6** (글을 못 쓰는 사람이 서명 대신에 쓰는) 기호 《보통 십자표》 **7** 〖경기〗 출발점; 〖럭비〗 공을 찰 선수가 뒤꿈치로 땅에 그리는 표; [the ~] 〖권투〗 명치: On your ~*s*! 제자리에! **8** 감화, 영향, 감명, 인상: The experience had left its ~ on her. 그 경험은 그녀에게 감명을 주었다. **9** 〖역사〗 경계선, 변경(邊境) **10** 〖항해〗 측표(測標) **11** (성질·감정 등의) **표시**(sign), 증거, 특징: bow as a ~ of respect 존경의 표시로 머리를 숙이다 / ~*s* of old age on a face 얼굴에 나타난 늙은 티 **12** Ⓤ 유명, 저명, 주목, 중요성: begin to make a ~ 주목받기 시작하다 **13** [종종 **M~**] (무기·자동차·기계 등의) 형(型)(model), 형식 기호: a *M*~ III tank 3호 전차 **14** 〖볼링〗 1구 또는 2구로 핀을 모두 쓰러뜨리기 **15** (조소의) 대상, 농락[조롱]감: an easy ~ 잘 속는 사람

a man of ~ 유명한 사람, 주요 인물 ***below [beneath] the ~*** 표준 이하로 ***beside the ~*** 〈총탄 등이〉 표적을 빗나간; 예상이 틀린, 엉뚱한 ***beyond the ~*** 과도하게 ***cut the ~*** 〈화살이〉 과녁까지 미치지 못하다[못하고 떨어지다] ***get off the ~*** 스타트를 끊다, 착수하다 ***God [Heaven] bless [save] the ~!*** 이거 참 실례했소; 고마워라; 아니 저런! 《놀람·비웃음·비꼼 등》 ***have a ~ on*** …을 좋아하다 ***hit [miss] the ~*** 적중하다[빗맞다], 목적을 달성하다[달성하지 못하다] ***leave*** one***'s [a] ~*** (…에) 발자취를 남기다, …에 강한 영향을 미치다 《*on*》 ***make*** one***'s ~*** 이름을 내다, 성공하다 ***near [close to] the ~*** 거의 정확한, 진실에 가까운 ***on the ~*** 적중하여, 정확하게 ***On your ~s, get set, go!*** 제자리, 준비, 땅! 《경기의 출발 신호》 ***overshoot [overstep] the ~*** 도를 지나치다 ***over the ~*** 허용 범위를 넘어 ***quick off the ~*** 스타트를 빨리 끊어 ***short of the ~*** 과녁[표준]에 못 미치는 ***take*** one***'s ~ amiss*** 겨냥을 잘못하다, 실패하다 ***the ~ of mouth*** = MARK TOOTH. ***toe the ~*** 스타트 전에 발끝으로 구획선을 밟다 ***up to the ~*** 표준에 달하여, 나무랄 데 없이 ***wide of the ~*** = ***way off the ~*** = beside the MARK[1] ***within the ~*** 예상이 어긋나지 않은

— *vt.* **1 채점하다,** 〈득점을〉 기록하다: ~ exams 시험을 채점하다 **2 a** …에 **표[기호]를 하다;** 〈표면 등에〉 **자국[흠집]을 남기다;** 악센트를 표시하다; 나타내다: ~ a person absent …을 결석이라고 표시하다 / ~ the sheep 양에 소유자의 표를 하다 / ~ passages to be memorized 기억할 만한 문구에 표시를 하다 // 《~+목+전+명》 a face ~*ed with* smallpox 얽은 얼굴 / ~ approval *with* a nod 고개를 끄덕여 찬성의 뜻을 나타내다 **b** 인장[스탬프]을 찍다; 이름[번호]을 적다: 《~+목+전+명》 ~ one's clothes *with* one's name = ~ one's name *on* one's clothes 옷에 이름을 표시하다 // 《~+목+보》 the door ~*ed* W.E. John W.E. 존이라는 문패가 걸려 있는 문 **c** 〖군사〗 향도(嚮導)[선회축(旋回軸)]를 지정하다 **d** 《영》 (축구 등에서) 〈상대를〉 마크하다, 방해하다 **e** 〖사냥〗 〈짐승을〉 도망간 곳에 표를 하여 기억하다 《*down*》 **3 a** …의 한계를 정하다, 구분하다; 〈장소 등을〉 지정[선정]하다 **b** [종종 수동형으로] 특징 짓다; 눈에 뜨이게 하다: A spirit of progress ~*ed* the 19th century. 진보 정신이 19세기를 특징지웠다. / His manner *was* ~*ed* by great quietness. 그의 태도는 아주 침착한 것이 특징이었다. **4** 축하[기념]하다: ~ the occasion 행사를 기념하다 **5** …에 주의를 기울이다; 주목하다: ~ a change in the weather 날씨의 변화에 주목하다 // 《~+**wh.** 절》 *M*~ my words, boys. = *M*~ *what* I am telling you, boys. 제군, 내 말을 잘 들으시오. **6** 《영》 〖스포츠〗 〈상대를〉 마크하다

— *vi.* **1** 표를 하다, 자국이 남다 **2** 주의하다, 조심하다 **3** 득점을 기록하다; 답안을 채점하다

~ down (1) 적어 놓다; 표를 하다 (2) 내린 가격표를

thesaurus **mark**[1] *n.* **1** 자국, 흔적 blemish, blot, smear, trace, spot, scratch, scar **2** 감화 impres-

달다, 가격 인하하다 (3) 낮은 점수를 주다 (4) …에 대해 (…라는) 인상을 받다 ((as)) **~ off** (경계선 등으로) 구별[구획]하다; 끝난 표시를 하다 **~ out** 구획[설계, 계획]하다; 선으로 지우다; [보통 수동형으로] …으로 선발하다, …의 운명을 정하다 ((for)) **~ time** (1) 〈일이〉 진척되지 않다, 답보 상태에 있다; 〈사람이〉 관망하다, 〈행동·활동을〉 삼가다 (2) 〖군사〗 제자리 걸음하다 **~ up** 값을 올리다; 추가로 적어 넣다; 평점을 올리다 **~ you** [삽입적으로 써서] ((영)) 알겠니, 잘 기억해 둬

mark² *n.* 마르크 ((독일의 전 화폐 단위; 略 M; cf. DEUTSCHE MARK, OSTMARK)); 마르크 화폐[지폐]

Mark [máːrk] *n.* **1** 남자 이름 **2** [St. ~] 성(聖) 마가 ((마가복음의 저자)); 〖성서〗 마가복음

Mark·an [máːrkən] *a.* =MARCAN

márk càrd 〖컴퓨터〗 마크 카드 ((광학 판독기를 써서 데이터를 입력하기 위한 카드))

mark·down [máːrkdàun] *n.* 〖상업〗 정찰(正札)의 가격 인하(액)(opp. *markup*)

***marked** [máːrkt] *a.* **1** Ⓐ **두드러진**, 현저한; 주목받는, 주의를 끄는: a ~ difference 현격한 차이 / a ~ man 요주의 인물, 표적이 된 사람 **2** 표적[기호]이 있는: ~ birds 반점이 있는 새

mark·ed·ness [máːrkidnis] *n.*

márked càr ((미)) 경찰의 순찰차(patrol car)

mark·ed·ly [máːrkidli] *ad.* 현저하게, 두드러지게, 뚜렷하게

mark·er** [máːrkər] *n.* **1 표를 하는 사람**[도구]; 마커 펜 ((형광 펜 등))(=~ pen); 수를 기록하는 기구; (카드 놀이의) 점수 기록자[기]; ((영)) 출석 점검원, 점호하는 사람 **2 득점 기록원**(scorer); 〖당구〗 게임 계산하는 사람; ((미)) (시험의) **채점자**; 〖영국군〗 (폭격할 때의) 조명탄(flare); 〖군사〗 위치 표시물[원] **3 안표**(眼標), 표적; 묘비, 묘석, 기념비; 이정표; 서표(bookmarker); ((미)) 기념표 **4** 면밀한 관찰가 **5** 〖언어〗 표지(標識) **6** 유전 표지(=genetic ~) ***be not a ~ to [***on***] ((속어)) …와 비교가 안 되다

márker crúde 기준 원유

márker pèn 마커 펜, 매직펜 ((형광 펜 따위))

márker gène 〖유전〗 표지 유전자

⁂**mar·ket** [máːrkit] [L 「매매, 장사」의 뜻에서] *n.* **1 a 장** ((특히 가축·식료품의)), **시장**: a cattle[a fish, a flower] ~ 가축[생선, 꽃] 시장 **b** 장날(=~ day) **c** 시장에 모인 사람들 **2 시황**(市況), 경기; 시가(市價), **시세**: a bull ~ 강세 / an active[a brisk, a dull, a steady] ~ 활발한[활기 있는, 침체된, 건실한] 시장 **3** (특정 상품의) 매매, 거래 **4** 시장성, 요구, 수요(需要) ((for)): a dwindling ~ *for* leather goods 줄어드는 피혁 제품의 수요 **5 판로**, 수요지; 구매층; …시장 ((for)): the cotton ~ 면화 시장 / the health food ~ 건강 식품의 구매층 / the foreign ~ 외국 시장 / seek a new ~ *for* …의 새 판로를 찾다 **6 식료품 가게**, 슈퍼마켓: a meat ~ 고깃간 **7** [the M~] ((영)) (유럽) 공동 시장(=the Common M~) **8** [one's ~] 매매의 기회, 상기(商機)

at the ~ 시가로 ***be in***[***on***] ***the ~*** 〈물건이〉 시장에 나와 있다 ***be in the ~ for*** 〈사람이〉 …을 사려고 하다 ***bring*** one***'s eggs***[***hogs, goods***] ***to a bad***[***the wrong***] ***~*** 예상 착오를 하다, 오산하다 ***bring to ~*** = ***put***[***place***] ***on the ~*** 팔려고 시장에 내놓다 ***come into***[***on*** (***to***)] ***the ~*** 〈상품이〉 시장에 나오다 ***corner the ~*** 주(株)[상품]를 매점하다 ***engross***[***forestall***] ***the ~*** 매점하다 ***feed ... to ~*** 〈가축을〉 시장 판매용으로 사육하다 ***find a ~ for*** …의 판로를 찾다, 살 사람이 나서다 ***go badly to ~*** 손해 보는 거래를 하다 ***go to ~*** 장보러 가다; ((구어)) 일을 꾸미다, 해보다 ***hold the ~*** 매점하여 시장을 좌우하다 ***in ~*** 매매되고 ***in the ~ for*** …을 사려고, 구하여: I'm *in the ~ for* a new computer. 새 컴퓨터를 사려고 한다. ***make a ~*** 〖증권〗 인기를 돋우다 ***make a***[one***'s***] ***~ of*** 〈물건·기회를〉 이용하여 이득을 보다, 이용하다 ***mar*** a person***'s***[one***'s***] ***~*** 남[자기]의 장사를 망쳐 놓다 ***mend*** one***'s ~*** 거래를 유리하게 만들다 ***on the open ~*** (제한 없이) 자유롭게 살 수 있는 ***play the ~*** 증권 투자를 하다 ***raid the ~*** ((속어)) 시세를 혼란시키다 ***raise the ~ upon*** ((속어)) …에 비싼 값을 부르다 ***rig the ~*** ((속어)) (인위적으로) 시세를 조종[조작]하다

— *vi.* **1** 시장에서 매매하다, 거래하다, 팔다, 사다 **2** ((미)) 식료품 등을 사러 가다, 쇼핑하다

— *vt.* **1** 〈상품을〉 시장에 내놓다 **2** ((미)) 팔다

mar·ket·a·bil·i·ty [mὰːrkitəbíləti] *n.* Ⓤ 시장성

mar·ket·a·ble [máːrkitəbl] *a.* 잘 팔리는, 시장성이 높은; 시장의, 매매상의 **-bly** *ad.*

márket anàlysis 〖상업〗 시장 분석

márket bàsket 장바구니; 〖경제〗 마켓 바스켓 ((생계비 변동을 산출하기 위해 지표가 되는 연도를 100으로 한 어떤 연도의 비교 구매 능력))

márket bòat (어선에서 시장까지의) 어류 수송선; 배에 물자를 공급하는 작은 배

márket dày 장날, 장이 서는 날

márket ecònomy 시장 경제

mar·ke·teer [mὰːrkitíər] *n.* 시장 상인(market dealer); ((영)) (영국의) 유럽 공동 시장 가입 지지자

mar·ket·er [máːrkitər] *n.* 장보러 가는 사람; 시장에서 매매하는 사람[회사]; 시장 경영자, 마케팅 담당자

márket fórces 시장의 여러 힘[요소]

márket gàrden ((영)) 시장 판매용 채원[농원](((미)) truck farm)

márket gàrdener ((영)) 시장 판매용 채원[농원] 경영자

márket gàrdening ((영)) 시장 판매용 원예

***mar·ket·ing** [máːrkitiŋ] *n.* Ⓤ **1** (시장에서의) 매매, 시장 거래[활동]: do one's ~ 장보다 / go ~ 시장에 물건을 사러[팔러] 가다 **2** ((미)) 물건 사기, 쇼핑 **3** 마케팅 ((제조 계획에서 최종 판매까지의 전 과정)): He is in charge of ~. 그는 마케팅을 담당하고 있다. **4** [집합적] 시장에서 매매되는 상품

márketing coòperative 〖상업〗 판매 협동 조합

márketing mìx 마케팅 믹스 ((통제 가능한 마케팅 요소를 유기적으로 통합하기))

márketing resèarch 마케팅 리서치, 다각적 시장 조사 ((market research보다 광범위함))

márketing stràtegy 마케팅 전략

mar·ket·ize [máːrkitàiz] *vt.* 자유 시장 경제로 전환하다, 사유 시장화하다 **màr·ket·i·zá·tion** *n.*

márket lèader 〖상업〗 시장 지배 기업[제품] ((특정 제품·분야·지역에서 시장 점유율 최대의 기업·제품))

márket lètter (증권사·은행이 발행하는) 시황 안내[소식]

márket màker 〖증권〗 특정의 주식을 소유하고 항상 매매에 응할 용의가 있는 업자, 투자 전문가[기관]

márket òrder 〖증권〗 시세대로의 매매 주문

mar·ket-o·ri·ent·ed [-ɔ́ːrientid] *a.* 시장 지향의

márket óvert 〖법〗 공개 시장

***mar·ket·place** [máːrkitplèis] *n.* **1 시장** ((장소)), 장터 **2** [the ~] **a** 시장; 경제[상업]계 **b** (지적 활동의) 경쟁의 장: *the* ~ of ideas 아이디어 경쟁의 장

márket potèntial 시장의 잠재력

márket prìce 시장 가격, 시가, 시세

márket ràte 〖금융〗 시장 시세

márket rèsearch (제품을 매출하기 전의) 시장 조사(cf. MARKETING RESEARCH)

mar·ket-ripe [máːrkitràip] *a.* 미숙한, 아직 덜 익은 ((시장에 나올 때에야 알맞게 익을 정도))

márket segmentàtion 시장 세분화

márket shàre 시장 점유율

márket tòwn 시장이 설치된 시(市); 장이 서는 읍

márket vàlue 시장 가치(opp. *book value*)

mar·khor [máːrkɔːr] *n.* 〖동물〗 (히말라야 지방산)

---

sion, effect, impact, influence **3 표시** sign, symbol, indication, symptom, feature, token

산양의 일종
mark·ing [mɑ́ːrkiŋ] *n.* **1** Ⓤ 표하기; 채점: the ~ of papers 답안지 채점 **2 a** 표(mark), 점 **b** (짐승 가축·새·깃 등의) 반점, (얼룩) 무늬; (항공기 등의) 심벌 마크 **—** *a.* 특징 있는, 특출한
márking gàuge 〖목공예〗 줄치는 자막대기
márking ìnk (의류용) 불변색 잉크
márking ìron 낙인(烙印), 화인(火印)
márking pèn = MARKER (PEN)
mark·ka [mɑ́ːrkɑː] *n.* (*pl.* **-kaa** [-kɑː], **~s**) 마르카 《Finland의 화폐 단위; 略 M., MK; = 100 pennia》
Már·kov[**Már·koff**] **chàin** [mɑ́ːrkɔːf-, -kɔv- | -kɔf-] [러시아의 수학자 이름에서] 〖통계〗 마르코프 연쇄
Márkov[**Márkoff**] **pròcess** 〖통계〗 마르코프 과정
márk rèader 〖컴퓨터〗 마크 판독기 《특정한 카드나 용지에 표시된 마크를 감지하는 장치》
márk sènse 〖컴퓨터〗 표시 감지, 마크 센스: a ~ card 마크 센스 카드
márk sènsing 〖컴퓨터〗 마크 센싱[감지]
marks·man [mɑ́ːrksmən] *n.* (*pl.* **-men** [-mən]) 사격[활]의 명수; 저격병, 사수(射手); 〖미군〗 하급 사수 **~·shìp** *n.* Ⓤ 사격 솜씨; 사격술
marks·wom·an [mɑ́ːrkswùmən] *n.* (*pl.* **-wom·en**[-wìmin]) 여자 (명)사수
Márk Táp·ley [-tǽpli] [Dickens작 *Martin Chuzzlewit* 중의 인물 이름에서] 매우 쾌활한 사람
márk tòoth 말의 앞니 《나이를 나타내는 홈이 있음》
Mark Twain [mɑ́ːrk-twéin] 마크 트웨인(1835-1910) 《미국 작가 Samuel L. Clemens의 필명》
mark·up [mɑ́ːrkʌ̀p] *n.* **1** 〖상업〗 가격 인상(opp. *markdown*); 가격 인상액[폭]; 이윤폭 **2** (미) 법안의 최종적 심의(회) **3** 〖인쇄〗 조판 지시
márkup lánguage 〖컴퓨터〗 마크업 언어 《HTML, SGML 등》
marl[1] [mɑ́ːrl] *n.* Ⓤ 이회토(泥灰土) 《비료로 씀》 ***the burning ~*** 초열 지옥(焦熱地獄)의 고통
— *vt.* 이회토로 걸게 하다
marl[2] *vt.* 〖항해〗 marline으로 감다
mar·la·ceous [mɑːrléiʃəs] *a.* 이회질(泥灰質)의
marl·ber·ry [mɑ́ːrlbèri | -bəri] *n.* 자금우속(屬)의 작은관목 《북미 원산》
Márl·bor·ough Hòuse [mɑ́ːrlbə̀ːrou-, -bʌ̀r- | -bərə-] London의 영국 왕실 별궁(別宮)
marled [mɑ́ːrld] *a.* 이회토(泥灰土)로 비옥하게 한
Mar·lene [mɑːrlíːn | mɑ́ːliːn] *n.* 여자 이름
mar·lin[1] [mɑ́ːrlin] *n.* (*pl.* **~, ~s**) 〖어류〗 녹새치·청새치류(類)
mar·line, -lin[2] [mɑ́ːrlin], **-ling** [-liŋ] *n.* 〖항해〗 (두 가닥으로 꼰) 가는 밧줄
mar·line·spike, -lin- [mɑ́ːrlinspàik], **-ling-** [-liŋ-] *n.* 〖항해〗 가는 밧줄을 꿰는 굵은 바늘
marl·ite [mɑ́ːrlait] *n.* = MARLSTONE
Mar·lowe [mɑ́ːrlou] *n.* 말로 **Christopher ~** (1564-93) 《영국의 극작가·시인》
marl·pit [mɑ́ːrlpìt] *n.* 이회토 채취장
marl·stone [mɑ́ːrlstòun] *n.* Ⓤ 〖암석〗 이회암
marl·y [mɑ́ːrli] *a.* (**marl·i·er**; **-i·est**) 이회암 모양의; 이회질의; 이회암으로 된
marm [mɑ́ːrm] *n.* (방언) = MA'AM
***mar·ma·lade** [mɑ́ːrməlèid, ⌐–⌐ | ⌐–⌐] *n.* Ⓤ 마멀레이드 《오렌지·레몬 등의 잼》
MARMAP [mɑ́ːrmæ̀p] [*Ma*rine *R*esources *M*onitoring *A*ssessment and *P*rediction] *n.* (미) 해양 생물 자원 조사 (계획)
Mar·ma·ra [mɑ́ːrmərə] *n.* **the Sea of ~** 마르마라 해 《터키 서북부에 있는 내해(內海)》
mar·ma·tite [mɑ́ːrmətàit] *n.* Ⓤ 철섬아연광(鐵閃亞鉛鑛)
Már·mes màn [mɑ́ːrməs-] 마메스 원인(原人) 《1965년 Washington 주에서 화석으로 발견, 11,000년 전의 것으로 추정》
mar·mite [mɑ́ːrmait] *n.* **1** (금속·도자기의) 큰 냄비, (1인용) 냄비; 이 냄비에 담은 수프 **2** [**M~**] (영) 마마이트 《조미료로 쓰이는 이스트; 상표명》
mar·mo·lite [mɑ́ːrməlàit] *n.* Ⓤ 백온석(白溫石)
mar·mo·re·al [mɑːrmɔ́ːriəl], **-re·an** [-riən] *a.* 《시어》 대리석의[같은]; 반들반들한, 흰, 차가운 **~·ly** *ad.*
mar·mo·set [mɑ́ːrməsèt, -zèt] *n.* 〖동물〗 명주원숭이 《중남미산(産)》
mar·mot [mɑ́ːrmət] *n.* 〖동물〗 마멋 《유럽의 산중에 사는》 ★ 모르모트(guinea pig)와는 다름.

marmot

mar·o·cain [mǽrəkèin, ⌐–⌐] *n.* Ⓤ 크레이프 옷감의 일종 《비단 또는 모직》
Mar·o·nite [mǽrənàit] *n.* 마론파 교도 《주로 레바논에 거주하며, 동방 의식을 채용하고 있는 로마 가톨릭 교회의 일파》
ma·roon[1] [mərúːn] [F 「밤」의 뜻에서] *n.* **1** Ⓤ 밤색, 고동색, 적갈색 **2** (영) 불꽃[폭죽]의 일종 《경보용 등》
— *a.* 밤색[고동색, 적갈색]의
maroon[2] *n.* **1** [종종 **M~**] 마룬 《서인도 제도 산중에 사는 흑인; 원래는 탈주한 노예》 **2** 고도(孤島)에 버려진 사람 **3** (미남부) 캠프 여행
— *vt.* **1** 섬에 버리다; [be *~ed* 또는 ~ one*self* 로] 고립 무원이 되다: *be ~ed* on a desolate island 섬에 버려지다 **2** 〈홍수 등이〉 고립시키다
— *vi.* **1** (미남부) 캠프 여행을 하다 **2** 빈둥빈둥 놀다
~·er *n.* 해적
mar·plot [mɑ́ːrplɑ̀t | -plɔ̀t] *n.* 쓸데없이 참견하여 계획을 망쳐놓는 사람, 헤살꾼
Marq. Marquess; Marquis
marque[1] [mɑ́ːrk] *n.* (적선) 나포(拿捕) 면허장(letters of ~ (and reprisal))
marque[2] *n.* (고급차 등의) 형(型), 차종, 모델; 브랜드
mar·quee [mɑːrkíː] *n.* **1** (미) 건물 입구의 차양 《극장·호텔 등의》 **2** (서커스 등의) 큰 천막

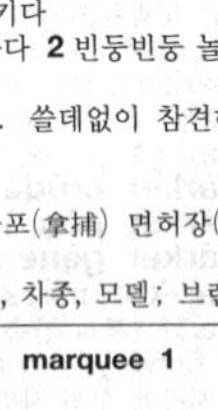
marquee 1

***mar·quess** [mɑ́ːrkwis] *n.* (영) 후작(侯爵); …후(侯) (cf. MARCHIONESS)
mar·que·try, -te·rie [mɑ́ːrkətri] *n.* Ⓤ (나무 조각·자개·상아 등의) 상감(象嵌), 상감 세공
***mar·quis** [mɑ́ːrkwis] *n.* (영국 이외의) 후작

mar·quis·ate [mɑ́ːrkwəzət] *n.* Ⓤ 후작의 신분; Ⓒ 후작령(領)
mar·quise [mɑːrkíːz] *n.* **1** (영) 외국의 후작 부인[미망인]; (영국 이외의) 여(女)후작 **2** (끝이 뾰족한 타원꼴의) 보석[다이아몬드]; 그 보석을 박은 반지
mar·qui·sette [mɑ̀ːrkwəzét] *n.* Ⓤ 얇고 투명한 천의 일종 《커튼·모기장 등에 씀》
Márquis of Quéensberry rùles [the ~] 〖권투〗 근대 권투의 기본 법칙(Queensberry rules)
már·quois scàle [mɑ́ːrkwɔiz-] 〖측량〗 (측량시에) 평행선을 긋는 기구
mar·ram [mǽrəm] *n.* 〖식물〗 물대 《바닷가에서 나는》(= ⌐ **gràss**)
Mar·ra·no [mərɑ́ːnou] *n.* (*pl.* **~s**) 마라노 《중세 스페인·포르투갈에서 그리스도교로 개종당한 유대인》
‡**mar·riage** [mǽridʒ] *n.* **1** ⓊⒸ 결혼, 혼인: an arranged[a love] ~ 중매[연애] 결혼 / a civil

[church] ~ 신고[교회] 결혼 / a common-law ~ 관습법적인 결혼, 내연(內緣)

> 유의어 **marriage** 결혼(식)을 말하는 일반적인 말이다: announce the *marriage* of a son 아들의 결혼을 알리다 **wedding** 결혼식 또는 그 축연: a reception after the *wedding* 결혼식 뒤의 피로연 **matrimony** 격식 차린 말로서 특히 결혼의 의식이나 결혼에 따르는 종교적·정신적인 권리나 의무를 강조한다: unite a young couple in holy *matrimony* 젊은 남녀를 정식으로 결혼시키다

2 Ⓤ 결혼 생활, 부부 관계: in ~ 결혼해서 / enter into a ~ 결혼 생활에 들어가다 **3** 결혼식(wedding), 혼례(婚禮) **4** 밀접한 결합, 융합, 조화 《*of*》 **5** 〖카드〗 같은 패의 King과 Queen의 짝 ***his*** [***her***] ***uncle by ~*** 시[처]삼촌 《등》 ***give*** [***take***] ***a person in ~*** …을 며느리[사위]로 주다[삼다] ▷ márry¹ *v.*

mar·riage·a·ble [mǽridʒəbl] *a.* 혼기(婚期)에 달한; 결혼할 수 있는, 결혼에 적당한: ~ age 혼기, 과년

márriage àrticles 결혼 약정서 《결혼 전에 재산권·상속권을 정함》

márriage bèd 부부의 침상; 부부의 결합; 결혼 생활의 권리와 의무

mar·riage-bro·ker [mǽridʒbròukər] *n.* 결혼 중매인 《특히 보수를 받고 하는》

márriage bùreau 결혼 상담소

márriage certìficate 결혼 증명서

márriage còntract **1** 혼인전 (재산) 계약 **2** = MARRIAGE SETTLEMENT

márriage encòunter 결혼 생활 대화 모임 《몇 쌍의 부부가 문제를 토의하여 관계를 개선하려는 방법》

márriage guìdance 결혼 생활 지도

márriage lìcense 결혼 허가증

márriage lìnes [단수 취급] 《영》 결혼 증명서

márriage màrket 결혼 시장 《결혼 적령기에 있는 남녀의 수요와 공급》

márriage of convénience 지위·재산을 목적으로한 결혼, 정략 결혼

márriage pártner 결혼 상대자, 배우자

márriage pòrtion 결혼 지참금(dowry)

márriage sèrvices (교회에서의) 결혼식

márriage sèttlement 〖법〗 혼인(전) 계승적 부동산 처분; 부부 재산 계약

‡**mar·ried** [mǽrid] *a.* **1** 결혼한, 아내[남편] 있는, 기혼의(cf. SINGLE): a ~ man[woman] 유부남[유부녀] / a new ~ couple 신혼부부 / He got ~ soon after that. 그는 그 후 곧 결혼했다. / She is ~ to a rich man. 그녀는 돈많은 남자와 결혼해 살고 있다. **2** 부부(간)의, 결혼의(connubial): ~ life 결혼 생활 / ~ love 부부애(夫婦愛) **3** 밀접한 관계가 있는
— *n.* (*pl.* **~s,** ~) [보통 *pl.*] 부부, 기혼자: young ~*s* 신혼 부부

márried prìnt 《영》 녹음을 끝낸 영화 필름

mar·ron [məróun, mərɔ́:ŋ | mǽrən] [F] *n.* **1** (유럽산) 달고 굵은 밤 **2** = MARRONS GLACÉS

mar·rons gla·cés [mærɔ́:ŋ-glæséi] [F] *pl.* 마롱글라세 《밤을 설탕 절임한 과자》

*****mar·row** [mǽrou] *n.* Ⓤ **1** 〖해부〗 골수, 뼈골 **2** 정수(精髓), 정화(精華), 알짜, 주요부, 중심부 **3** 자양분이 많은 음식, 영양식 **4** 원기, 활력, 힘: the ~ of the land 국력 **5** ⓊⒸ 《영》 페포호박(=vegetable ~) ***the pith and ~*** 정수, 알짜 ***to the ~*** (***of*** one***'s bones***) 골수까지; 철저하게 ▷ márrowy *a.*

márrow bèan 강낭콩 《알이 굵은》

mar·row·bone [mǽroubòun] *n.* 골수가 든 뼈 《요리용》; [*pl.*] (익살) 무릎(knees) ***Bring him to his ~s!*** 그를 때려 눕혀라, 굴복시켜라! ***get*** [***go***] ***down on*** one***'s ~s*** 무릎을 꿇다

mar·row·fat [mǽroufæ̀t] *n.* 알이 굵은 완두의 일종(=**~ pèa**)

márrow squàsh 《미·캐나다》 페포호박(vegetable marrow)

mar·row·y [mǽroui] *a.* **1** 골수가 있는 **2** 〈문장·변론 등이〉 강한; 간결하고 힘찬

‡**mar·ry¹** [mǽri] [L 「남편, 신부를 얻은」의 뜻에서] *v.* (**-ried**) *vt.* **1** …와 결혼하다: ~ an actress 여배우와 결혼하다 / ~ money 부자와 결혼하다 / get *married* to …와 결혼하다 **2** 결혼시키다 《*to*》; 시집[장가] 보내다 《*off*》: (~+목+부) ~ *off* all their children 자식들을 모두 출가시키다 / She has three daughters to ~ (*off*). 그녀는 출가시킬 딸이 셋 있다. // (~+목+전+명) He *married* his daughter *off to* a young lawyer. 그는 딸을 젊은 변호사에게 시집 보냈다. **3** 〈목사·관리 등이〉 …의 결혼식을 주례하다 **4** 굳게 결합시키다, 합체시키다 《*with, to*》 **5** 〖항해〗 〈밧줄 따위를〉 꼬아 잇다
— *vi.* 결혼하다, 출가하다, 장가[시집]가다; 며느리[사위]를 보다: *M*~ in haste, repent at leisure. 《속담》 서둘러 결혼하고 두고두고 후회해라. // (~+보) ~ young 젊어서 결혼하다 // (~+전+명) She *married into* a rich family. 그녀는 부자집으로 시집갔다.
~ for money 돈을 보고 결혼하다 ***~ into*** 결혼해서 …의 일원이 되다, 출가하다 ***~ into the purple*** 고귀한 집안과 사돈이 되다 ***~ out*** (***of***) 《미·구어》 (자기 종파를 떠나) 다른 종파의 신도와 결혼하다 ***~ up*** 결혼[약혼]시키다 ▷ márriage *n.*

marry² *int.* 《고어》 저런, 어머나 《놀람·분노 등》

mar·ry·ing [mǽriŋ] *a.* 결혼하는, 결혼할(것 같은) ***~ income*** 결혼할 만한 수입 ***~ man*** 《구어》 결혼을 희망하는 남자

*****Mars** [mɑ́:rz] *n.* **1** 〖로마신화〗 마르스 《군신(軍神); 그리스 신화의 Ares》; 전쟁; 무용(武勇) **2** 〖천문〗 화성 ▷ Mártian, Mártial *a.*

Mar·sa·la [mɑ:rsɑ́:lə] [시칠리아 섬의 도시명에서] *n.* Ⓤ 마르살라 포도주

Mar·seil·laise [mɑ̀:rsəléiz, -seiéiz | -seiéiz] [F] *n.* [보통 La ~] 라마르세예즈 《프랑스 국가(國歌)》

Mar·seilles [mɑ:rséi, -séilz] *n.* **1** 마르세유 《프랑스 지중해안의 항구 도시》 **2** [**m~**] Ⓤ 마르세유 무명

mar·sel·la [mɑ:rsélə] *n.* = MARCELLA

‡**marsh** [mɑ́:rʃ] *n.* 늪, 소택지(대), 습지(대) ▷ márshy *a.*

‡**mar·shal** [mɑ́:rʃəl] [OHG 「마부」의 뜻에서] *n.* **1** 〖군사〗 (육군) 원수(元帥) 《《미》에서는 General of the Army, 《영》에서는 Field-Marshal》; 군최고 사령관: the ~ of France 프랑스 육군 원수 **2 a** 《미》 연방 보안관 《연방 법원의 집행관》; (어떤 주에서) 경찰[소방] 서장 **b** 《영》 사법 비서관 **3** 《영》 공군 원수(M~ of the Royal Air Force): an air chief ~ 공군 대장 / an air ~ 공군 중장 / an air vice ~ 공군 소장 **4** (행사의) 의전계(儀典係), 진행계, 사회자 **5** 전례관(典禮官) **6** 헌병 사령관(=provost ~) **7** 《영》 문장원(紋章院) 총재(=Earl M~) **8** 《영》 학생감의 종자(從者)
— *v.* (**~ed**; **~·ing** | **~led**; **~·ling**) *vt.* **1** 〈사람·군대를〉 정렬시키다; 집결시키다: (~+목+전+명) ~ people *into* a line 사람들을 일렬로 정렬시키다 **2** 〈사실·서류 등을〉 정돈[정리]하다: ~ facts 사실을 정리하다 **3** (격식을 차리고) 안내하다, 인도하다 《*into*》 **4** 〈문장(紋章)을〉 문지(紋地)에 배열하다 **5** 〖법〗 배당 순위를 정하다
— *vi.* 정렬[집합]하다; 정리[정돈]되다

mar·shal·cy [mɑ́:rʃəlsi], **-shal·ship** [-ʃìp] *n.* Ⓤ marshal의 직[지위]

már·shal·ling yàrd [mɑ́:rʃəliŋ-] 《영》 〖철도〗 (특히 화차의) 조차장(操車場)(《미》 switchyard); 〖무역〗 컨테이너를 정렬·보관하는 장소

Már·shall Ìslands [mɑ́:rʃəl-] [the ~] 마샬 군도 《서태평양의 산호섬》; 마샬 군도 공화국 《정식명 the Republic of ~; 수도 Majuro》

Márshall Plàn [the ~] 마샬 안(案) 《미국 국무장관 G.C. Marshall의 의한 유럽 부흥 계획(1948-52)

(European Recovery Program))
mársh bùggy = SWAMP BUGGY
mársh èlder (미국의 염수(鹽水) 소택지에 나는) 국화과 Iva속 식물의 총칭
mársh fèver 말라리아(malaria)
mársh gàs 소기(沼氣), 메탄(methane)
mársh hàrrier 〖조류〗 개구리매
mársh hàwk 〖조류〗 회색개구리매; 개구리매
mársh hèn 〖조류〗 뜸부깃과의 새
marsh·land [mɑ́ːrʃlæ̀nd] *n.* 습지대, 소택지
marsh·mal·low [mɑ́ːrʃmèlou, -mæ̀l-|mɑ̀ːʃmǽl-] *n.* **1** 〖식물〗 양아욱 《무궁화과(科)》 **2** 마시멜로 《전에는 양아욱의 뿌리로, 지금은 녹말·시럽·설탕·젤라틴 등으로 만드는 과자》 **3** 《미·흑인속어》 백인
mársh màrigold 〖식물〗 눈동이나물
*__marsh·y__ [mɑ́ːrʃi] *a.* (**marsh·i·er**; **-i·est**) **1** 늪[습지]의, 늪 같은; 축축한 땅의 **2** 늪이 많은 **3** 늪에서 나는[사는]: ~ vegetation 습지 식물 ▷ mársh *n.*
Mar·so·khod [mɑ̀ːrsəxɔ́ːt] *n.* (러시아의) 화성 표면 탐사차
Mars·quake [mɑ́ːrskwèik] *n.* 화성의 지진
mar·su·pi·al [mɑːrsúːpiəl|-sjúː-] 〖동물〗 *a.* **1** 주머니의, 포대의, 주머니 모양의 **2** 유대(류)(有袋(類))의
— *n.* 유대류의 포유 동물 《캥거루 등》
marsúpial móuse 〖동물〗 (호주산) 주머니쥐
mar·su·pi·um [mɑːrsúːpiəm|-sjúː-] *n.* (*pl.* **-pi·a** [-piə]) 〖동물〗 육아낭(育兒囊) 《유대 동물의》
*__mart__ [mɑ́ːrt] *n.* **상업 중심지**; (활기 찬) 시장; 경매실(auction room); = SUPERMARKET
Mart [mɑ́ːrt] *n.* 여자 이름 《Martha의 애칭》
Mart. Martial
mar·tel [mɑ́ːrtel, ⌐⌐|⌐⌐] *n.* (무기용) 망치
mar·tel·lo [mɑːrtélou] *n.* [종종 **M~**] 〖역사〗 (해안 방어용) 원형 포탑(砲塔)(= ~ **tòwer**)
mar·ten [mɑ́ːrtən] *n.* (*pl.* **~, ~s**) **1** 〖동물〗 담비 **2** Ⓤ 담비의 모피
mar·tens·ite [mɑ́ːrtnzàit] *n.* 〖야금〗 마텐자이트 《담금질 강철의 주요 경도 성분》
Mar·tha [mɑ́ːrθə] *n.* 여자 이름 《애칭 Mart, Marty, Mat, Matty, Pat, Patty》
Mártha's Víneyard 마서즈 빈야드 《미국 Massachusetts주 Cape Code 연안의 섬; 고급 휴양·피서지》
*__mar·tial__ [mɑ́ːrʃəl] [L 「군신 마르스(Mars)의」의 뜻에서] *a.* **1 전쟁의[에 적합한]** **2** 상무(尙武)의, 호전적인(warlike), 무용(武勇)의 **3** 군인다운: a ~ stride 군인다운 걸음 **4** 무(武)의, 군의(opp. *civil*), 군사의, 육해군의: ~ rule 군정 / ~ music 군악 **5** [**M~**] 군신 마르스의 **6** [**M~**] 〖천문〗 화성의(Martian) **~·ism** *n.* Ⓤ 상무 (정신) **~·ist** *n.* 군인 **~·ly** *ad.* 용감하게
mártial árt 무도(武道), 격투기 《태권도·유도·쿵후 등》
mártial ártist 격투기 선수, 무술가
mar·tial·ize [mɑ́ːrʃəlàiz] *vt.* …에 전쟁 준비[군비]를 갖추게 하다; …의 사기를 고무하다
mártial láw 계엄령; 〖국제법〗 교전 법규
mártial spírit 군인 정신, 사기(士氣)
Mar·tian [mɑ́ːrʃən] *n.* (SF 소설 등의) 화성인
— *a.* **1** 군신 마르스(Mars)의 **2** 화성(인)의
Mar·tian·ol·o·gist [mɑ̀ːrʃənɑ́lədʒist|-nɔ́l-] *n.* 화성(火星)학자
mar·tin [mɑ́ːrtn|-tin] *n.* 〖조류〗 흰털발제비
Mar·tin [mɑ́ːrtən|-tin] *n.* **1** 남자 이름 **2 St. ~** 성 마르티누스(315?-397) 《프랑스 Tours의 주교》
mar·ti·net [mɑ̀ːrtənét, ⌐⌐⌐|⌐⌐⌐] *n.* 훈련을 엄하게 시키는 사람[군인]; 규율에 까다로운 사람
mar·tin·gale [mɑ́ːrtəngèil], **-gal** [-gæ̀l] *n.* **1** (마구(馬具)의) 가슴걸이 **2** 〖항해〗 제2기움 돛대를 고정시키는 버팀줄 **3** 질 때마다 거는 돈을 곱해 가는 노름
mar·ti·ni [mɑːrtíːni] [It.] *n.* ⓊⒸ 마티니 《칵테일의 일종; 베르무트·진의 혼합주》(= ~ **cócktail**); [**M~**] 마르티니 《상표명》
Mar·ti·ni·que [mɑ̀ːrtəníːk] *n.* 마르티니크 《서인도제도 남동부의 프랑스령 섬》
Mártin Lúther Kíng Dày 《미》 킹 목사의 탄생일 《1월의 제3 월요일; 1986년부터 공휴일로 지정됨》
Mar·tin·mas [mɑ́ːrtənməs] *n.* 성(聖) 마르틴의 축일(St. Martin's Day)
mart·let [mɑ́ːrtlit] *n.* 〖조류〗 흰털발제비(martin); 발없는 새 《분가한 넷째 아들의 문장(紋章)》
Mar·ty [mɑ́ːrti] *n.* 여자 이름 《Martha의 애칭》
*__mar·tyr__ [mɑ́ːrtər] [Gk 「증인」의 뜻에서] *n.* **1** (특히 기독교의) **순교자**; 순난자(殉難者), 희생자 《*to*》: die a ~ *to* one's principle 주의를 위하여 목숨을 바치다 **2** (병 등으로) 늘 고통받는 사람 《*to*》: a ~ *to* severe headaches 심한 두통으로 늘 괴로워하는 사람 ***be a ~ to*** …로 괴로워하다 ***make a ~ of*** …을 희생시키다, 괴롭히다 ***make a ~ of*** one***self*** (신용·평판 등을 위해) 순교자인 체하다
— *vt.* **1** 〈사람을〉 주의[신앙] 때문에 죽이다 **2** 박해하다, 괴롭히다 **~·ish** *a.* **~·ly** *ad.*, *a.*
mar·tyr·dom [mɑ́ːrtərdəm] *n.* ⓊⒸ **1** 순교, 순난; 순사(殉死): suffer ~ for faith 신앙 때문에 순교자가 되다 **2** 수난, 고통, 고뇌, 고난
mar·tyr·i·um [mɑːrtíriəm] *n.* (*pl.* **-tyr·i·a** [-tíriə]) 순교자 유품[유골] 보관소; 순교자 기념 성당
mar·tyr·ize [mɑ́ːrtəràiz] *vt.* 순교자로서 죽이다, 희생시키다; 괴롭히다, 박해하다(torment)
— *vi.* 순교자가 되다; 순교자인 체하다
mar·tyr·ol·a·try [mɑ̀ːrtərɑ́lətri|-rɔ́l-] *n.* Ⓤ 순교자 숭배
mar·tyr·ol·o·gy [mɑ̀ːrtərɑ́lədʒi|-rɔ́l-] *n.* **1** Ⓤ 순교사(殉敎史)(학); Ⓒ 순교자 열전 **2** 순교록
mar·tyr·y [mɑ́ːrtəri] *n.* (*pl.* **-tyr·ies**) 순교자의 묘소[예배당]
MARV [mɑ́ːrv] [*Ma*neuverable *R*eentry *V*ehicle] 〖군사〗 *n.* 기동식 재돌입 핵탄두 (미사일)
— *vt.* …에 기동식 핵탄두를 장치하다
‡**mar·vel** [mɑ́ːrvəl] [L 「놀람」의 뜻에서] *n.* **1 놀라운 일**, **경이**(驚異), 불가사의함: The ~ is that .... 신기한 일은 …인 것이다. / ~*s* of nature 자연의 경이 **2** [보통 a ~] 놀라운 사람[물건], 비범한 사람[재능]: *a* ~ of patience 놀라울 만큼 참을성 있는 사람 / *an* engineering ~ 공학 기술의 경이
— *v.* (**~ed**; **~·ing**|**~led**; **~·ling**) *vi.* 《문어》 놀라다, 경탄하다 《*at*》: (~+전+명) ~ *at* his courage 그의 용기에 놀라다
— *vt.* 이상하게 여기다(wonder), 놀라다, 경탄하다: (~+***that*** 절) I ~ *that* he could do so. 그가 그렇게 할 수 있었다니 놀랍다. // (~+***wh.*** 절) The police ~*ed how* the prisoner had escaped. 경찰은 그 죄수가 어떻게 탈옥했을까 하고 이상하게 생각했다.
▷ márvelous *a.*
mar·vel-of-Pe·ru [mɑ́ːrvələvpərúː] *n.* 〖식물〗 분꽃
‡**mar·vel·ous**|**-vel·lous** [mɑ́ːrvələs] *a.* **1** 놀라운, 믿기 어려운, 신기한, 기묘한, 기적적인, 초자연적인 **2** 《구어》 훌륭한, 우수한: a ~ show 멋진 쇼 **3** [the ~; 명사적; 단수 취급] 괴이(怪異), 거짓말 같은 사건 **~·ly** *ad.* **~·ness** *n.* ▷ márvel *n.*
mar·vie, mar·vy [mɑ́ːrvi] *a.* 《미·속어》 멋진
Mar·vin [mɑ́ːrvin] *n.* 남자 이름
Marx [mɑ́ːrks] *n.* 마르크스 **Karl ~** (1818-83) 《독일의 경제학자·사회주의자》
Marx·i·an [mɑ́ːrksiən] *a.* 마르크스(주의)의
— *n.* 마르크스주의자
Marx·ism [mɑ́ːrksizm] *n.* Ⓤ 마르크스주의, 마르크시즘 《Marx의 역사·경제·사회 학설》
Marx·ism-Le·nin·ism [mɑ́ːrksizmléninìzəm] *n.* 마르크스 레닌주의 **Márx·ist-Lé·nin·ist** *n.*, *a.*
Marx·ist [mɑ́ːrksist] *n.* 마르크스주의자
— *a.* 마르크스주의(자)의

thesaurus **marvelous** *a.* **1** 놀라운 amazing, astounding, astonishing, awesome, breathtaking,

***Mar·y** [mέəri] *n.* **1** 성모 마리아 **2** 여자 이름 《애칭 Molly》 **3** ~ **I** 메리 1세(1516-58)(Mary Tudor, Bloody Mary) 《잉글랜드 및 아일랜드의 여왕(1553-58)》 **4** ~ **II** 메리 2세(1662-94) 《영국 여왕(1689-94); 명예 혁명으로 William 3세와 공동 즉위함》 **5** 《속어》 호모; 레즈비언 **6** 《미·속어》 마리화나 **7** 《호주·속어》 원주민 여자

Máry Ánn **1** 《속어》 =MARY JANE **2** 《속어》 택시의 요금 미터기 《운전 기사 용어》

Màry[Màrie] Celéste [실제 발견되었던 배 이름에서] 사람들이 불가사의하게 한꺼번에 사라진 곳

Máry Jáne 《속어》 마리화나, 대마초

***Mar·y·land** [mérələnd | mέərilæ̀nd] *n.* 메릴랜드 《미국 동부 대서양 연안의 주; 略 Md.》

Mar·y·le·bone [mǽrələbən, mǽrəbən] *n.* 런던 중서부의 한 지구 《Westminster 구의》

Máry Mágdalene 〚성서〛 막달라 마리아 《그리스도의 감화로 회개한 여자》

Mar·y·mass [mέərimæ̀s] *n.* 성모 마리아 수태 고지 축일 《3월 25일》

Máry Stúart 메리 스튜어트(1542-87) 《스코틀랜드의 여왕》

Máry Túdor =MARY 3

Máry Wárner 《속어》 마리화나(marijuana)

mar·zi·pan [mɑ́:rzəpæ̀n] *n.* Ⓤ,Ⓒ 아몬드와 설탕·달걀을 이겨 만든 과자

márzipan sèt [the ~] 《영·속어》 중간 관리직

-mas [məs] 《연결형》 「…절(節), 축일」의 뜻: Christ*mas*

mas., masc. masculine

Ma·sa·da [məsɑ́:də] *n.* 마사다 《이스라엘의 사해 남서쪽 벼랑 위에 있는 고대 유적; 기원전 2세기 후반 마가바이오스조(朝)의 요새》

Ma·sai [mɑ:sái | ─́─] *n.* (*pl.* **~, ~s**) 마사이 족의 사람 《남아프리카 Kenya 등지에 사는》; Ⓤ 마사이 말

ma·sa·la [məsɑ́:lə] *n.* Ⓤ **1** 《남아시아 요리에 쓰이는》 톡 쏘는 향신료 **2** 1을 넣은 요리

mas·car·a [mæskǽrə | -kɑ́:rə] [Sp. 「가면」의 뜻에서] *n.* Ⓤ 마스카라 《여성용 눈썹 화장품》
— *vt.* …에 마스카라를 칠하다: a ~*ed* eye 마스카라를 칠한 눈

mas·car·po·ne [mæ̀skɑ:rpóuni] [It.] *n.* 부드럽고 순한 크림치즈 《이탈리아 Lombardy 산(産)》

mas·con [mǽskɑ̀n | -kɔ̀n] [*mass*+*con*centration] *n.* 〚천문〛 마스콘 《달 표면 아래에 일부 집적된 고밀도 물질》

***mas·cot** [mǽskɑt | -kət] *n.* 마스코트, 행운을 가져다 주는 사람[동물, 물건]; 복의 신

***mas·cu·line** [mǽskjulin] [L 「남성의」의 뜻에서] *a.* (opp. *feminine*) **1** 남자의, 남성의: ~ pride 남자로서의 자존심 **2 a** 남자다운, 힘센, 용맹한: a deep, ~ voice 굵고 남성다운 목소리 **b** 〈여자가〉 남자 같은 **3** 〚문법〛 남성의 **4** 《시(詩)에서》 남성 행말[압운]의
— *n.* **1** 〚문법〛 [the ~] 남성, 남성형[어], 남성 명사[대명사 《등》] **2** 남자 **~·ly** *ad.* **~·ness** *n.*
▷ masculínity *n.*; másculinize *v.*

másculine énding 남성 행말 《시행의 끝 음절에 강세를 두는 것》

másculine génder [the ~] 〚문법〛 남성

másculine rhýme 남성운(韻) 《행 끝의 강세가 있는 음절만으로 압운하기》

mas·cu·lin·ism [mǽskjulinìzm] *n.* =MASCULISM

mas·cu·lin·ist [mǽskjulinist] *n.* 남권(男權)주의자, 남성 우위주의자(opp. *feminist*)

mas·cu·lin·i·ty [mæ̀skjulínəti] *n.* Ⓤ 남자임; 남자다움

mas·cu·lin·ize [mǽskjulənàiz] *vt.* 〚생물〛 〈암컷·미숙한 동물을〉 웅성화(雄性化)하다(opp. *feminize*)

mas·cul·ism [mǽskjulìzm] *n.* Ⓤ 남권주의, 남성 우위론 **más·cul·ist** *n.*

mase [méiz] *vi.* 마이크로파(波)를 증폭하다, 분자 증폭기[메이저] 역할을 하다

Mase·field [méisfì:ld, méiz-] *n.* 메이스필드 **John** ~ (1878-1967) 《영국의 계관(桂冠) 시인·소설가》

ma·ser [méizər] [*m*icrowave *a*mplification by *s*timulated *e*mission of *r*adiation] *n.* 〚전자〛 메이저, 분자 증폭기

Ma·se·ra·ti [mɑ̀:zərɑ́:ti] *n.* 마세라티 《이탈리아의 스포츠카[고급 승용차]; 상표명》

Mas·e·ru [mɑ̀:sərú:, mǽzərù: | məsíəru:] *n.* 마세루 《Lesotho의 수도》

mash** [mǽʃ] *n.* Ⓤ **1** 짓이겨서 걸쭉하게 만든 것[상태]; 곤죽처럼 된 것 **2 a** 《곡식·밀기울 등을 섞어 삶은》 사료 **b** Ⓒ 그 사료의 1회분 **3** 매시, 엿기름 물 《위스키·맥주의 원료》 **4** 《영·구어》 매시트 포테이토; 《영·속어》 홍차 ***all to (***a***) **~** 아주 곤죽이 되도록
— *vt.* **1** 〈감자 등을〉 짓찧다, 짓이기다 **2** 〈엿기름에〉 끓는 물을 타다; 《영·속어》 〈차를〉 달이다
~ *up* (1) 〈감자 등을〉 충분히 으깨다 (2) 엉망진창으로 부수뜨리다

MASH [mǽʃ] [*m*obile *a*rmy *s*urgical *h*ospital] *n.* 〚군사〛 육군 이동 외과 병원

mashed [mǽʃt] *a.* 《속어》 (술에) 취해; (…에게) 반한 《*on*》

máshed potátoes 매시트 포테이토 《삶은 감자에 우유와 버터를 넣고 으깬 음식》

mash·er[1] [mǽʃər] *n.* 매셔 《감자 등을 으깨는 기구》

masher[2] *n.* 《속어》 엽색가, 플레이 보이

Mash·had [mæʃhǽd] 마슈하드 《이란 동북부의 도시; 이슬람교 시아파의 성지》

mash·ie [mǽʃi] *n.* 〚골프〛 매시 《5번 아이언》

máshie ìron 〚골프〛 매시 아이언 《4번 아이언》

máshie nìblick 〚골프〛 매시 니블릭 《6번 아이언》

másh nòte 《속어》 《설득하려는》 연애 편지

másh tùn[tùb] 엿기름물을 넣는 통

mash·y [mǽʃi] *n.* (*pl.* **mash·ies**) =MASHIE

mas·jid [mʌ́sdʒid] [Arab. =temple] *n.* 회교 성원 (mosque)

***mask** [mǽsk | mɑ́:sk] *n.* **1** 《변장용》 복면; 가면, 탈; party ~*s* 파티용 가면 **2** 《보호용》 마스크; 방독 마스크(=gas ~); 데스마스크(=death ~); 수중 마스크 **3** 가장자(假裝者); 탈 쓴 사람; 가장 무도회; 가면극; 야단법석 **4** 덮어 가리는 것; 위장, 겉치레; 핑계, 구실: His politeness is a ~ for anger. 그의 공손함은 노여움을 감추려는 겉꾸밈이었다. **5** 〚사냥〛 《여우 사냥 기념용》 여우 머리 **6** 《성(城)의 포대(砲臺)의》 엄폐물 **7** 《미·속어》 얼굴, 낯 **8** 〚사진〛 《사진·영상의 크기를 정하는》 마스크; 〚인쇄〛 불투명 스크린; 〚전자〛 마스크 《회로 패턴이 인쇄된 유리판; 집적회로 제조용》; 〚컴퓨터〛 마스크 《어떤 문자 패턴의 한 부분의 보존·소거의 제어에 쓰이는 문자 패턴》
assume [***put on, wear***] ***a*** **~** 가면을 쓰다; 정체를 감추다 ***throw off*** [***take off, pull off, drop***] ***one's*** **~** 가면을 벗다; 정체를 드러내다 ***under the ~ of*** …의 가면을 쓰고, …을 핑계로
— *vt.* **1** …에 가면을 씌우다, 가면으로 가리다(⇨ masked 1) **2** 〈감정 등을〉 감추다, 가장하다: ~ one's intentions 본심을 감추다 // 《~+목+전+명》 ~ one's anger *with* a grin 씩 웃어 노여움을 감추다 **3** 〚군사〛 **a** 〈포열(砲列) 등을〉 엄폐하다 **b** 〈적을〉 감시하여 행동을 방해하다 **4** 〚요리〛 소스를 치다
— *vi.* 가면을 쓰다; 가장하다; 본심을 숨기다

masked [mǽskt | mɑ́:skt] *a.* **1** 가면을 쓴, 복면한, 가장한(disguised): He was ~. 그는 가면을 쓰고 있었다. **2** 감춘; 숨은: ~ treachery 감춰진 음모 **3** 〚군사〛 엄폐[차폐]한 **4** 〚의학〛 불명(不明)의, 잠복성의 **5** 〚식물〛 가면 모양의

másked báll 가면[가장] 무도회

---

remarkable, spectacular, wondrous, extraordinary **2** 훌륭한 excellent, splendid, wonderful

mask·er [mǽskər | mɑ́:sk-] *n.* **1** 복면한 사람 **2** 가장 무도회 참가자; 가면극 배우

mask·ing [mǽskiŋ | mɑ́:sk-] *n.* Ⓤ **1** 가장 **2** 〘생리〙 차폐 (효과) 《어떤 자극이 다른 자극으로 인해 억제되는 일》 **3** 〘사진〙 마스킹; 〘인쇄〙 마스킹

másking tàpe 마스킹[보호] 테이프

másk màn 〘야구〙 캐처(catcher)

másk réad-ònly mémory = MASK ROM

másk RÒM 〘컴퓨터〙 마스크 롬 《제조 단계에서 읽기 전용의 내용을 고정한 ROM》

mas·lin [mǽzlin] *n.* Ⓤ.Ⓒ 《영 방언》 밀과 호밀로 만든 빵; 잡곡(의 혼합물)

mas·och·ism [mǽsəkìzm, mǽz-] [이를 묘사한 소설가 이름에서] *n.* Ⓤ **1** 피학대 성애(性愛), 마조히즘 《이성(異性)에게 학대당하고 쾌감을 느끼는》(cf. SADISM) **2** 자기 학대, 피학적 경향 **-ist** *n.* 피학대 성애자

màs·och·ís·tic *a.* **màs·och·ís·ti·cal·ly** *ad.*

‡**ma·son** [méisn] *n.* **1** 석공(石工); 벽돌공 **2** [**M~**] 비밀 공제 조합원(Freemason)

— *vt.* 돌[벽돌]로 만들다[짓다]

Ma·son [méisn] *n.* 남자 이름

máson bèe 진흙·모래《등》으로 집을 짓는 벌

Má·son-Díx·on lìne [-díksən-] [the ~] 메이슨 딕슨선(線) 《미국 Maryland 주와 Pennsylvania 주와의 경계선; 남부와 북부의 경계》

Ma·son·ic [məsɑ́nik | -sɔ́n-] *a.* 프리메이슨 (Freemason)(주의)의 — *n.* 프리메이슨의 집회 《가수·배우가 출연하는》

Ma·son·ite [méisənàit] *n.* 압착한 목질(木質) 섬유판 《건축 재료; 상표명》

Máson jàr 아가리가 넓은 식품 보존용 유리병

⁎**ma·son·ry** [méisnri] *n.* (*pl.* **-ries**) Ⓤ **1** 석공술; 석공[벽돌공]직; 벽돌 쌓기 **2** 돌[벽돌] 공사; 석조 건축 **3** [**M~**] = FREEMASONRY 1

ma·son·work [méisənwə̀:rk] *n.* = MASONRY 1, 2

Ma·so·ra(h) [məsɔ́:rə] *n.* 〘성서〙 마소라 《구약 성서의 히브리어 원전(原典)에 주석을 덧붙인 것》

Mas·qat [mʌskǽt] *n.* = MUSCAT

masque [mǽsk | mɑ́:sk] *n.* (16-17세기 영국의) 가면극(의 각본); = MASQUERADE 1

masqu·er [mǽskər | mɑ́:s-] *n.* = MASKER

⁎**mas·quer·ade** [mæ̀skəréid] [Sp. 「가면의 모임」의 뜻에서] *n.* **1** 가면[가장] 무도회 **2** 가장(용 의상) **3** 겉치레, 허구(虛構), 구실

— *vi.* **1** 가면[가장] 무도회에 참가하다 **2** …으로 변장하다, 가장하다; …인 체하다: (~+*as*+명) ~ *as* a prince 왕자로 가장하다

-ád·er *n.* 가면 무도회 참가자

‡**mass**[1] [mǽs] [Gk 「보리로 만든 케이크」의 뜻에서] *n.* **1** 큰 덩어리(lump): a ~ of dough 반죽 덩어리 **2** 모임; 밀집, 집단, 다량, 다수 《*of*》: a ~ *of* letters 산더미같이 쌓인 편지/a ~ *of* errors 많은 실수, 잘못투성이 **3** [the ~] 대부분, 주요부: *the* great ~ of American films 미국 영화의 대부분 **4** [the ~es] 일반 대중, 서민, 근로자 계급, 하층민 **5** Ⓤ 크기, 양, 부피(bulk): towers of great ~ and strength 엄청나게 크고 견고한 탑 **6** Ⓤ 〘물리〙 질량 **7** 〘약학〙 연약(煉藥), 부형약(賦形藥) **8** 〘미술〙 매스 ***be a ~ of*** …투성이이다 ***in a ~*** 일시불로, 하나로 합쳐서 ***in the ~*** 통틀어, 대체로, 전체로: People, *in the* ~, mean well. 인간은 전체적으로는 선의를 가지고 있다.

— *a.* **1** 대중의[에 의한], 대중을 대상으로 한: ~ communications 대중 매체 **2** 대량의, 대규모의; 집단의: ~ unemployment 대량 실업/~ demonstration 대중 시위/a ~ game 단체 경기, 매스 게임

— *vt.* **1** 한 덩어리[일단(一團)]로 만들다, 모으다: (~+목+전+명) houses ~*ed in* blocks 여러 블록을 이루고 있는 집들 **2** 〈군대 등을〉 집결시키다

— *vi.* **1** 한 덩어리가 되다 **2** 집합하다

▷ mássive, mássy *a.*

⁎**Mass, mass**[2] [mǽs] *n.* **1** Ⓤ 〘가톨릭〙 미사 《천주교의 성찬식》 **2** 미사 의식[서(書), 곡(曲)] ***by the ~*** 맹세코 ***go to ~*** 미사에 참례하다 ***High*** [***Solemn***] ***M~*** 장엄 미사 《분향(焚香)·주악(奏樂)이 있음》 ***Low*** [***Private***] ***M~*** 평(平)미사 《분향·주악이 없음》 ***~ for the dead*** 고인을 위한 미사 ***read*** [***say***] ~ 미사를 올리다

Mass. Massachusetts

mas·sa [mǽsə] *n.* 《미남부》 = MASTER[1]

⁎**Mas·sa·chu·setts** [mæ̀sətʃú:sits] *n.* 매사추세츠 《미국 북동부의 주; 주도 Boston; 속칭 Puritan State; 略 Mass. 우편 MA》

Massachúsetts bállot 《미》 〘정치〙 후보자 이름을 정당 표시와 함께 알파벳순으로 배열한 투표지(cf. INDIANA BALLOT, OFFICE-BLOCK BALLOT)

Massachúsetts Ìnstitute of Technólogy [the ~] 매사추세츠 공과 대학《略 MIT》

⁎**mas·sa·cre** [mǽsəkər] [OF 「도살(屠殺)」의 뜻에서] *n.* **1** 대량 학살 **2** (경기 등의) 완패, 참패 ***the M~ of St. Bartholomew*** 성 바돌로매 축일의 대학살 《1572년 8월 24일에 시작된 구교도에 의한 신교도의 대학살》 ***the M~ of the Innocents*** (Herod 왕의) 유아(乳兒) 대학살

— *vt.* **1** 〈많은 사람·동물 등을〉 학살하다(⇨ kill 유의어) **2** 〈규칙·법 등을〉 무시하다, 짓밟다 **3** 《구어》 압승하다, 완패시키다

máss àction 〘화학〙 질량 작용; 〘심리〙 (뇌 기능의) 양작용설(量作用說); 〘사회〙 대중 행동

⁎**mas·sage** [məsɑ́:ʒ, -sɑ́:dʒ] [F 「이기다, 반죽하다」의 뜻에서] *n.* **1** Ⓤ.Ⓒ 마사지, 안마(按摩), 안마 치료 **2** (숫자·데이터 등의) 조작

— *vt.* **1** …에게 마사지하다 **2** 〈…의 긴장·편견 등을〉 풀어주다, 완화하다; …의 비위를 맞추다 **3** 〈데이터·숫자 등을〉 조작[분식]하다 **4** 《미·속어》 때리다

-ság·er *n.* 마사지사(師); 마사지 기계 **-ság·ist** *n.*

masságe párlor 안마[마사지] 시술소; 《완곡》 매춘업소

máss bálance 물질 밸런스[수지] 《공정·설비·기계 등의 투입량과 산출량을 나타내는 수학적 등식·도표》

máss behávior 〘심리〙 대중 행동

mass-bell [mǽsbèl] *n.* 미사의 종(鐘)

Máss bòok 미사 전례서

máss càrd 〘가톨릭〙 미사 카드 《어떤 특정인을 위해 올리는 미사의 날짜를 알리는 통지》

máss communicátion 대중[대량] 전달, 매스컴 《신문·라디오·텔레비전 등에 의한》

mass·cult [mǽskʌ̀lt] [*mass*+*cult*ure] *n.*, *a.* Ⓤ 《구어》 대중 문화(의)

máss dèfect 〘물리〙 질량 결손

máss drìver 〘우주과학〙 우주 기재 발사 장치

mas·sé [mæséi | mǽsi] [F] *n.* 〘당구〙 마세 《큐를 수직으로 세워 치기》(= ~ **shòt**)

massed [mǽst] *a.* 밀집한; 한 덩어리가 된; 집결한

máss énergy 〘물리〙 질량 에너지

máss-én·er·gy equàtion [mǽsénərdʒi-] 〘물리〙 질량 에너지 방정식

máss-énergy equìvalence 〘물리〙 질량 에너지 등가성(等價性)

mas·se·ter [mæsí:tər] *n.* 〘해부〙 교근(咬筋)

Mas·se·net [mæ̀sənéi] [F] *n.* 마스네 **Jules ~** (1842-1912) 《프랑스의 오페라 작곡가》

mas·seur [məsə́:r | mæ-] [F] *n.* (*fem.* **-seuse** [-sə́:z]) 안마사, 마사지사

máss examinátion 집단 검진

máss gráve 공동 묘지

máss hystéria 〘심리〙 집단 히스테리

thesaurus **massacre** *n.* mass slaughter, wholesale slaughter, mass murder, mass slaying, carnage, butchery, annihilation, extermination

massive *a.* huge, immense, enormous, vast, extensive, gigantic, bulky, big, large, great

mas·si·cot [mǽsəkɑ̀t | -kɔ̀t] *n.* 〖광물〗 마시콧, 금밀타(金密陀) 《일산화연(鉛)으로 된 광물; 안료·건조제용》
mas·sif [mæsíːf, mǽsif] [F] *n.* 〖지질〗 중앙 산괴(山塊) 《산맥의 중심 봉우리》; 단층 지괴(地塊)
***mas·sive** [mǽsiv] *a.* **1** 크고 무거운[단단한], 큰 덩어리의; 육중한: ~ columns 큰 기둥 **2 a** 〈머리·체격 등이〉 큼직한, 우람한, 크게 보이는: a ~ chest 떡 벌어진 가슴 **b** 〈정신·행동 등이〉 굳센, 당당한, 중후한; 강력한 **3** 대규모의, 대량의: a ~ dose 정량 이상의 일회분 **4** 〈감각·의식 상태 등이〉 중량감[중압감]이 있는 **5** 〖지질〗 덩어리 모양의 괴상(塊狀)의 **6** 〖의학〗 〈병이〉 조직에 광범위하게 미치는, 중증의 **7** 《영·속어》 굉장히 좋은: a ~ song 굉장히 좋은 노래
~·ly *ad.* 육중하게, 단단하게 **~·ness** *n.*
mássive retaliátion 〖군사〗 대량 보복 (전략)
máss léave (항의 수단으로 하는) 일제 휴가
mass·less [mǽslis] *a.* 〖물리〗 〈소립자가〉 질량 없는
máss mán 〖사회〗 대중 사회의 인간 《mass society의 전형적인 사람》
máss márket 대중 시장, 대량 판매 시장
mass-mar·ket [mǽsmɑ́ːrkit] *a.* 대중 시장의, 대량 판매용의 **—** *vt.* 〈상품을〉 대량 판매하다
máss márketing 대량 판매, 대량 공급
máss màrket páperback (염가) 문고판[본]
máss média [단수·복수 취급] 매스 미디어, 대중 전달 매체 《신문·라디오·텔레비전 등》
máss medicátion (상수도에 약물을 넣는 식의) 집단 투약
máss méeting (특히 정치적) 대중 집회
máss móvement 집단 이동; 〖사회〗 대중 운동
máss nòun 〖문법〗 질량 명사 《불가산 물질명사》
máss nùmber 〖물리〗 질량수 《원자핵 내의》
máss observátion 《영》 여론 조사 《略 MO》
mas·so·ther·a·py [mæ̀souθérəpi] *n.* 마사지 요법
máss príest 미사를 집전하는 사제; 가톨릭 사제
mass-pro·duce [mæ̀sprədjúːs] *vt., vi.* 대량 생산하다, 양산(量産)하다
máss prodúction 대량 생산, 양산
máss psychólogy 군중 심리(학)
máss radiógraphy 집단 X선 검진[촬영]
máss rátio 〖우주과학〗 질량비 《(1) 로켓 본체에 대한 총중량의 비율 (2) 추진약 충전율》
máss socíety 대중 사회 《산업화·도시화된 사회》
máss spéctrograph 〖물리〗 질량 분석기
máss spectrómeter 〖물리〗 질량 분석계
máss spectrómetry 〖물리〗 질량 분석(법)
máss spéctroscope 〖물리〗 질량 분광기
máss spéctrum 〖물리〗 질량 스펙트럼
máss stórage 〖컴퓨터〗 대용량 기억 (장치): a ~ device 대용량 기억 장치
máss tránsit (대도시의) 대량 수송 수단[기관]
máss tránsport 대량 수송
máss vòlume vèrtical drínking 《영》 꽉 메운 젊은이들의 선 채로 퍼마시기
mass·y [mǽsi] *a.* (**mass·i·er**; **-i·est**) 《시어·문어》 = MASSIVE 1 **máss·i·ness** *n.*
***mast¹** [mǽst, mɑ́ːst | mɑ́ːst] *n.* **1** 〖항해〗 돛대, 마스트 **2** (돛대 모양의) 기둥, 장대; (안테나용) 철탑; (비행선의) 계류(繫留) 기둥(= mooring ~)
afore [***before***] ***the ~*** 평선원으로서 ***at half ~*** ⇨ half-mast.
— *vt.* …에 돛대를 세우다
mast² *n.* Ⓤ 떡갈나무·너도밤나무 등의 열매 《돼지 사료》
mas·ta·ba(h) [mǽstəbə] *n.* 〖고대 이집트〗 마스타바, 석실 분묘 《돌·벽돌로 만든 귀인의 분묘》

master *n.* **1** 주인 lord, ruler, overseer, superintendent, director, manager, governor, commander, captain, chief, head, owner, employer **2** 대가 expert, professional, pundit, maestro **3** (정신적) 지도자 guru, teacher, spiritual leader, guide

mást cèll 〖생물〗 비만 세포
mas·tec·to·my [mæstéktəmi] *n.* (*pl.* **-mies**) 〖외과〗 유방 절제(술)
-masted [mǽstid, mɑ́ːst- | mɑ́ːst-] 《연결형》 …돛대의, 돛대를 갖춘: three-~ ship 세 돛대의 배
***mas·ter** [mǽstər, mɑ́ːs- | mɑ́ːs-] *n., a., v.*

「지배자」 ─┬→「주인」 **1**
　　　　　└→(기예를 터득한 사람) →
「명인」 **2 b** ─┬→「선생」 **2 a**
　　　　　　└→「석사」 **5**

— *n.* **1** 주인; 지배자, 지배권을 가진 사람; (상선의) 선장; 고용주; (노예의) 소유주; (동물의) 임자; (일가의) 가장, 세대주(cf. MISTRESS); 교장: a ~ and man 주인과 하인 / the ~ of house 가장(家長) / Like ~, like man. 《속담》 그 주인에 그 머슴; 용장 밑에 약졸 없다. **2 a** 《주로 영》 선생, (남자) 교사 《★ 초·중등 학교의 교사를 지칭하나 지금은 일반적으로 teacher를 씀》: a drawing ~ 그림 선생 **b** (특수 기예의) 스승; 대가, 명인, 명수, 거장: the great ~ of modern art 현대 미술의 위대한 거장 **c** 명수[대가]의 작품 **d** (장인(匠人)의) 우두머리, 숙수 **e** (종교적·정신적) 지도자: a zen ~ 선(禪)의 지도자 **f** [the M~, our M~] 주 예수 그리스도 **3 a** (Oxford·Cambridge 등 대학의) 기숙사 사감 **b** (각종 단체의) 회장, 단장, 원장 **4** [**M~**] 도련님 《하인 등이 미성년자인 주인을 부를 때의 경칭》: *M~* Tom[Davy] 톰[데이비] 도련님 **5** [때로 **M~**] 석사(학위) 《doctor와 bachelor의 중간》: *M~* of Arts 문학 석사 《略 MA》 / *M~* of Science 이학 석사 《略 MS, MSc》 **6** 자유로이 구사할 수 있는 사람; 승리자(victor), 정복자: be ~ of three languages 3개 국어를 구사할 수 있다 **7** 〖영국법〗 (법원의) 판사 보좌관 **8** 《스코》 자작[남작]의 장남 **9** (사진의) 원판(=~ film); (레코드의) 원반; (테이프의) 마스터 테이프 **10** 〖기계〗 (다른 장치를 통제하는) 주(主)장치, 마스터 컨트롤; 〖통신〗 주국(主局) **11** [보통 **M~**] 사냥개 책임자
be ~ in one***'s own house*** 일가의 주인이다, 남의 간섭을 받지 않다 ***be ~ of*** (1) …의 소유자이다 (2) …을 자유로이 할 수 있다(⇨ *n.* 6) (3) …에 통달하다 ***be ~ of*** one***self*** 자제하다 ***be ~ of the situation*** 사태에 잘 대처해 나갈 수 있다 ***be*** one***'s own ~*** 남의 속박을 받지 않다 ***make*** one***self ~ of*** …에 숙달하다, …에 정통하다; …을 자유로이 하다 ***~ of ceremonies*** 사회자, 진행자 《略 MC》; [M- of C-] 《영》 의전관 ***M~ of the Rolls*** 〖영국법〗 기록 보관관 《지금은 항소 법원 판사》 ***serve two ~s*** [종종 cannot과 함께] 두 주인을 섬기다; 상반된 두 주의를 신봉하다 ***the M~ of the High Court*** 고등 법원 주사(主事) ***the M~ of the Horse*** 《영》 사마관(司馬官) 《왕실 제3위의 고관》 ***the ~ of the Temple*** London의 템플 교회 배속 목사
— *a.* **1** 주인의, 지배자의, 우두머리의; 주인다운 **2** 명인의, 숙달한(excellent): a ~ carpenter 도목수 **3** 지배적인, 주된, 주요한: one's ~ passion 지배적 감정 / a ~ list 중요 리스트
— *vt.* **1 a** …의 주인이 되다, 지배하다; 정복하다; 〈정욕 등을〉 억제하다: ~ one's pride 자존심을 누르다 **b** 〈동물을〉 길들이다 **2** 〈기예 등에〉 숙달하다, 통달하다: ~ a language 언어에 정통하다
▷ másterless, másterly *a.*; mástery *n.*
-master [mǽstər | mɑ́ːs-] 《연결형》 …돛대의 배: a four-~ 4돛대의 배
máster álloy 〖야금〗 모합금(母合金)
mas·ter-at-arms [mǽstərətɑ́ːrmz | mɑ́ːs-] *n.* (*pl.* **mas·ters-**) 〖해군〗 선임 위병 하사관
máster báth 안방에 딸린 욕실
máster bédroom 주(主)침실 《부부용》
máster buílder **1** 건축 청부업자 **2** 뛰어난 건축가
máster cárd (카드의) 으뜸패; 최상의 수단[방법]

Mas·ter·Card [mǽstərkɑ̀ːrd] *n.* 마스터카드 《미국의 대표적 신용 카드의 하나; 상표명》
máster chíef pétty òfficer 〖미해군〗 (연안 경비대의) 최선임 하사관
máster clàss (일류 음악가가 지도하는) 상급 음악 클래스[교실]
máster clóck 어미 시계 《전자·전기 시계의》
mas·ter·dom [mǽstərdəm | mɑ́ːs-] *n.* Ⓤ **1** 교사의 신분[직] **2** 석사 학위 **3** 《드물게》 지배(력)
máster file 〖컴퓨터〗 마스터 파일 《컴퓨터의 데이터 처리에서 중심이 되는 데이터 파일》
máster film 필름 원판, 네거티브 필름
mas·ter·ful [mǽstərfəl, mɑ́ːs- | mɑ́ːs-] *a.* **1** 주인 행세하는, 거드름 부리는, 권위적인, 오만한 **2** =MASTERLY: a ~ speech 명연설 **~·ly** *ad.* **~·ness** *n.*
máster glànd 〖해부〗 뇌하수체(pituitary gland)
máster gúnnery sérgeant 〖미해병대〗 1등 상사
mas·ter-hand [mǽstərhæ̀nd, mɑ́ːs- | mɑ́ːs-] *n.* **1** 명공, 명수(expert): a ~ at diplomacy 외교의 달인 **2** 명인기(技), 전문가의 솜씨
mas·ter·hood [mǽstərhùd, mɑ́ːs- | mɑ́ːs-] *n.* =MASTERSHIP
máster kèy **1** (여러 자물쇠에 맞는) 곁쇠, 맞쇠, 마스터 키 **2** (난문제 등의) 해결의 열쇠
mas·ter·less [mǽstərlis, mɑ́ːs- | mɑ́ːs-] *a.* 주인 없는, 〈동물 등이〉 임자 없는
***mas·ter·ly** [mǽstərli, mɑ́ːs- | mɑ́ːs-] *a.* **대가[명인]다운; 능란한, 훌륭한**: a ~ skill 훌륭한 솜씨 — *ad.* 대가답게; 능란하게, 훌륭히; 교묘하게
máster máriner (상선의) 선장
máster máson 숙련된 석공(石工); [**M- M-**] 비밀 공제 조합원(Freemason)의 제3급 회원
máster mechánic 직공장(職工長), 기능장; 숙련공
mas·ter·mind [mǽstərmàind | mɑ́ːs-] *n.* **1** 위대한 지능(의 소유자) **2** (계획 등의) 지도자, 입안자; (나쁜 짓의) 주모자 — *vt.* 〈계획 등을〉 (교묘히) 입안 지도하다, 주모자로서 지휘하다
‡**mas·ter·piece** [mǽstərpìːs, mɑ́ːs- | mɑ́ːs-] *n.* **1 걸작, 명작, 대표작**: a ~ of improvisation 즉흥시의 걸작 **2** 명인기(技)
máster plán 기본 계획; 종합 계획, 마스터 플랜
máster pòlicy 〖보험〗 (단체 보험의) 주(主)증권, 일괄 증권
máster ràce 지배자 민족 《나치스가 자부했던》
máster's (degrèe) [mǽstərz(-), mɑ́ːs- | mɑ́ːs-] 석사 (학위)
máster sérgeant 〖미육군·해병대〗 상사; 〖미공군〗 1등 중사
mas·ter·ship [mǽstərʃìp, mɑ́ːs- | mɑ́ːs-] *n.* Ⓤ **1** master임 **2** master의 직[지위, 권위] **3** 지배(력), 통제, 통어(統御) **4** 숙달, 정통 《*of, in*》
mas·ter·sing·er [mǽstərsìŋər, mɑ́ːs- | mɑ́ːs-] *n.* =MEISTERSINGER
más·ter-sláve manìpulator [-sléiv-] 매직 핸드 《방사성 물질 같은 위험한 물체를 취급하는 장치》
Más·ters Tóurnament [mǽstərz-, mɑ́ːs- | mɑ́ːs-] [the ~] 《미》 마스터즈 대회 《세계 4대 골프 대회의 하나》
mas·ter·stroke [mǽstərstròuk, mɑ́ːs- | mɑ́ːs-] *n.* (정치·외교 등에서의) 훌륭한 솜씨[수완] 멋진[절묘한] 조처
máster tàpe 〖컴퓨터〗 마스터 테이프 《지워서는 안 되는 기본이 되는 데이터를 담은 자기(磁氣) 테이프》
máster tòuch 천재의 번득임; 입신(入神)의 솜씨
mas·ter·work [-wə̀ːrk] *n.* =MASTERPIECE
máster wórkman 직공장; 숙련공; 명장(名匠)
mas·ter·y** [mǽstəri, mɑ́ːs- | mɑ́ːs-] *n.* Ⓤ **1 지배(력), 통제, 제어; 통제력**: the ~ of the skies[seas] 제공[제해]권 **2 숙달, 정통;** Ⓒ **전문적 지식[기술]**: a ~ of French 불어에 정통함 **3 승리, 정복; 우월, 우세; 우승** 《*over, of*》: the ~ of the seas 제해권(制海權) / ~ *over* one's enemies 적에 대한 승리 ***gain [***get, obtain***] ***the*** **~** 지배권[력]을 얻다; 이기다; 통달하다 《*of, over*》
mast·head [mǽsthèd | mɑ́ːst-] *n.* **1** 〖항해〗 돛대 꼭대기; 돛대 꼭대기의 감시원 **2** (신문·잡지 등의) 발행인란 《발행인·편집인·소재지 등이 기재됨》 — *vt.* **1** 〈선원을〉 벌로 돛대 꼭대기에 오르게 하다 **2** 〖항해〗 〈돛·기 등을〉 돛대 (꼭대기)에 올리다[달다]
mást hòuse 돛대 제작소; 돛대 부근의 갑판실
mas·tic [mǽstik] *n.* Ⓤ **1** 유향 수지(乳香樹脂)(액) **2** Ⓒ 유향수(=~ **trèe**) 《지중해산 상록 관목》 **3** 유향주(酒), 마스티카 《터키·그리스의 진(gin)의 일종》 **4** 〖건축〗 매스틱 《회반죽의 일종》
mas·ti·ca·ble [mǽstəkəbəl] *a.* 씹을[저작(咀嚼)할] 수 있는 **màs·ti·ca·bíl·i·ty** *n.*
mas·ti·cate [mǽstəkèit] *vt.* **1** 〈음식 등을〉 씹다(chew), 저작하다 **2** 〈고무 등을〉 곤죽으로 만들다
mas·ti·ca·tion [mæ̀stəkéiʃən] *n.* Ⓤ 씹음, 저작
mas·ti·ca·tor [mǽstəkèitər] *n.* 씹는 사람; 《익살》 이, 턱; 분쇄기, 고기 써는 기계
mas·ti·ca·to·ry [mǽstəkətɔ̀ːri | -təri] *a.* 씹는, 저작의, 씹기에 알맞은; 저작 기관의 — *n.* (*pl.* **-ries**) 씹는 것 《껌·씹는 담배 등》
mas·tiff [mǽstif, mɑ́ːs-] *n.* 매스티프 《몸집이 크고 털이 짧은 맹견; 영국 원산》

mastiff

mas·ti·goph·o·ran [mæ̀stigɑ́fərən | -gɔ́f-] *a., n.* 편모충류의 (동물)
mas·ti·tis [mæstáitis] *n.* (*pl.* **-tit·i·des** [-títədìːz]) 〖병리〗 유선염(乳腺炎), 유방염 **mas·tít·ic** *a.*
masto- [mǽstə, -tou] 《연결형》 「유방; 유두」의 뜻
mas·to·don [mǽstədɑ̀n | -dɔ̀n] *n.* 〖고생물〗 마스토돈 《코끼리 비슷한 동물》 **màs·to·dón·tic** *a.*
mas·toid [mǽstɔid] *a.* 젖꼭지[유두] 모양의; 유양(乳樣) 돌기의: a ~ operation 유양 돌기 절제(切除) — *n.* 유양 돌기; 《구어》 =MASTOIDITIS
mástoid bòne =MASTOID PROCESS
mástoid céll 〖해부〗 유양 (돌기) 봉소(蜂巢)
mas·toid·ec·to·my [mæ̀stɔidéktəmi] *n.* (*pl.* **-mies**) 〖외과〗 유양 돌기 개방술(開放術)
mas·toid·i·tis [mæ̀stɔidáitis] *n.* 〖병리〗 유양 돌기염
mástoid prócess 〖해부〗 유양 돌기
mas·tur·bate [mǽstərbèit] *vi., vt.* 수음을 하다, 자위 행위를 하다 **-bà·tor** *n.*
mas·tur·ba·tion [mæ̀stərbéiʃən] *n.* Ⓤ 수음
mas·tur·ba·to·ry [mǽstərbətɔ̀ːri | mæ̀stəbéitəri] *a.* 수음의; 자기 도취적인
ma·su·ri·um [məzúəriəm, -súər- | -súər-] *n.* Ⓤ 〖화학〗 마수륨 《technetium의 별칭; 기호 Ma》
‡**mat**[1] [mǽt] *n.* **1 매트, 거적, 돗자리** **2** 현관의 매트(doormat), 욕실용 매트(=bath ~) **3** (꽃병·접시 등의) 받침 **4** (커피·설탕 등의) 포대; 한 포대의 양 **5** 〖항해〗 (삭구(索具)의 파손을 방지하는) 받침 거적; 《미·해군속어》 (항공 모함 등의) 갑판 **6** (머리카락·잡초 등의) 엉킴: a ~ of hair 엉클어진 머리털 **7** (레슬링·체조용) 매트 **8** 《미·속어》 여자, 마누라 **9** 〖건축〗 전면에 깐 기초 ***go to the*** **~ *with*** …와 논쟁하다; (레슬링 등으로) …와 겨루다 ***leave*** a person ***on the*** **~** 사람을 문간에서 쫓아버리다 ***on the*** **~** (견책·심문 받기 위해) 소환되어, 처벌받아

thesaurus **masterly** *a.* expert, consummate, adept, skillful, deft, dexterous, accomplished, excellent, superlative, first-rate, talented, gifted
mat[1] *n.* doormat, welcome mat, rug, carpet
match[2] *n.* **1** 경기 contest, competition, game, tournament, event, test, trial **2** 짝 mate, fellow,

— *v.* (**~·ted**; **~·ting**) *vt.* **1** 돗자리를 깔다; 돗자리로 덮다 **2** 〈머리털 등을〉 엉클어지게 하다(⇨ matted[1] 2)
— *vi.* 엉클어지다
mat[2] *n.* 《구어》 지형(紙型)(matrix)
mat[3] *n.* (사진·그림 등에 받치는) 대지(臺紙)
— *vt.* (**~·ted**; **~·ting**) 〈사진·그림 등에〉 대지를 대다
mat[4], **matt(e)** [mǽt] *a.* 〈색·광택 등이〉 뿌연, 광택이 없는, 윤을 지운 — *n.* **1** 윤을 지우기[지운 면] **2** 윤 지우는 기구 — *vt.* (**~·ted**; **~·ting**) 〈금속면 따위를〉 뿌옇게 흐리게 하다; 윤을 지우다(frost)
Mat [mǽt] *n.* 여자 이름 《Martha의 애칭》
MAT Master of Arts in Teaching
mat. material; matinée; matins; maturity
mat·a·dor [mǽtədɔ̀:r] [Sp. 「죽이다」의 뜻에서] *n.* **1** 투우사 《소를 찔러죽이는 주역 투우사》 **2** 〖카드〗 으뜸패의 일종 **3** [**M~**] 〖군사〗 지대지 전술 미사일
Ma·ta Ha·ri [mɑ́:tə-hɑ́:ri, mǽtə-hǽri] 마타 하리(1876-1917) 《1차 세계 대전 때 독일 여간첩》
ma·ta·tu [mətǽtu:] *n.* (케냐의) 소형 버스형 택시
mát bòard 액자용 대지
‡**match**[1] [mǽtʃ] [L 「초의 심지」의 뜻에서] *n.* **1** 성냥 (한 개비): a box of *~es* 성냥 한 갑 / a safety ~ 안전 성냥 **2** 《고어》 화승(火繩) ***light***[***strike***] ***a ~*** 성냥을 켜다[긋다] ***put a ~ to*** …에 불을 댕기다
‡**match**[2] [mǽtʃ] *n.*, *v.*

> 「어울리는 짝[사람, 것]」 **2** →(대등한 사람)→「경쟁 상대」 **3** →「시합」 **1**

— *n.* **1** 경기, 시합, 매치(⇨ game 유의어): a tennis ~ 테니스 경기 / play a ~ 경기하다 **2** (짝·상대로서) 어울리는 사람[것]; (어울리는) 배우자; 짝, 한 쌍의 한 쪽, 꼭 닮은 것: a good ~ 더할 나위 없는 결혼 상대 / They are right *~es.* 그들은 꼭 어울리는 한 쌍이다. **3** 경쟁 상대, 호적수; (성질 등이) 대등한[필적하는] 사람[것]: He never met his ~. 그는 진 적이 없다. **4** 결연, 결혼 《marriage보다 다소 예스러운 말》: a ~ made in heaven 천생연분
be a ~ for …에 필적하다: He *is* more than *a ~ for* me. 그는 내게 힘에 겨운 상대다. She ***has made a good ~.*** (그 여자는) 좋은 배필을 만났다. ***make a ~*** 중매하다 ***make a ~ of it*** 〈두 사람이〉 결혼하다 ***meet***[***find***] one***'s ~*** (1) 호적수를 만나다 (2) 난국[난문제]에 부닥치다
— *vt.* **1** …에 필적하다, 대등하다(equal): 《~+목+전+명》 No one *~es* him *in* English. 영어에 있어서는 그에 필적할 자가 없다. **2** …와 조화하다, 어울리다; 조화시키다, 맞추다; …에 어울리는 것을 차다: ~ actions and beliefs 행동과 이념을 일치시키다 // 《~+목+목》 Please ~ (me) this silk. 이 실크와 어울리는 것을 골라 주시오. // 《~+목+전+명》 ~ this *to*[*with*] that 이것과 저것을 조화시키다 **3** 경쟁[대항]시키다 《*with, against*》: 《~+목+전+명》 ~ this team *with*[*against*] that team 이 팀을 저 팀과 경기시키다 **4** 〈기대 등에〉 부응하다: ~ his expectations 그의 기대에 부응하다 **5** 《고어》 결혼시키다(marry) 《*with, to*》 **6** 《미》 (일을 결정하는 데) 동전을 던지다 **7** 〖컴퓨터〗 〈지정된 패턴과〉 부합[일치]하다
— *vi.* **1** 조화되다, 어울리다(agree): Let beggars ~ with beggars. 《속담》 유유상종(類類相從). // 《~+전+명》 Your necktie *~es* well *with* your coat. 당신 넥타이는 상의와 잘 어울립니다. **2** 《고어》 부부가 되다 《*with*》 ***a well***[***an ill***] ***~ed pair*** 어울리는[어울리지 않는] 부부 ***mix and ~*** ⇨ mix. ~ ***up*** 조화하다; 조화시키다 ~ ***up to*** 〈예상한 바와〉 일치하다, 같다; 기대한 대로이다
~·a·ble *a.* 필적하는; 어울리는
match·board [mǽtʃbɔ̀:rd] *n.* 〖목공〗 은촉물림 판자
match·board·ing [-bɔ̀:rdiŋ] *n.* Ⓤ 〖목공〗 은촉물림
match·book [-bùk] *n.* 매치북 《한 개피씩 떼어 쓰게 된 종이 성냥》
match·box [-bɑ̀ks | -bɔ̀ks] *n.* 성냥갑[통]
mátched órder [mǽtʃt-] 〖증권〗 담합 매매
match·er [mǽtʃər] *n.* 잘 어울리는 사람[물건]; match[2] (*v.*)하는 사람
match·et [mǽtʃit] *n.* = MACHETE 1
match·ing [mǽtʃiŋ] *a.* 〈색·외관이〉 어울리는, 조화된, 걸맞는
— *n.* **1** 〖목공〗 매칭 《나뭇결 무늬의 반복을 강조하는 무늬목의 배열》 **2** 〖전기〗 정합(整合)
mátching fùnd (일반 기부 모금에 부응하여 단체·개인 등이 내는 일정 비율의) 부응 기금
match-joint [mǽtʃdʒɔ̀int] *n.* 〖목공〗 사개물림
***match·less** [mǽtʃlis] *a.* 무적의, 비길 데 없는: a ~ beauty 절세미인 **~·ly** *ad.* **~·ness** *n.*
match·lock [mǽtʃlɑ̀k | -lɔ̀k] *n.* **1** 화승총 **2** 화승식 발화 장치
match·mak·er[1] [mǽtʃmèikər] *n.* 성냥 제조인
matchmaker[2] *n.* **1** 결혼 중매인 **2** 경기의 대전표를 짜는 사람
match·mak·ing[1] [mǽtʃmèikiŋ] *n.* Ⓤ 성냥 제조
matchmaking[2] *n.* Ⓤ **1** 결혼 중매 **2** (경기의) 대전표 짜기
match·mark [mǽtʃmɑ̀:rk] *n.* (기계 부품 등에 표시하는) 조립 부호, 합표(合標)
— *vt.* …에 합표를 붙이다
mátch plày 〖골프〗 득점 경기 《쌍방이 이긴 홀의 수대로 득점을 계산》(cf. MEDAL PLAY)
mátch póint **1** 매치 포인트 《테니스·배구 등에서 한 match의 결승을 결정하는 1점》 **2** (카드 놀이에서) 득점 단위
match·stick [mǽtʃstìk] *n.* 성냥개비
mátchstick fígure 《영》 = STICK FIGURE
match-up [-ʌ̀p] *n.* 균형(이 잡혀 있음); 짝짓기, 결합; 대전(對戰); 비교, 대조
match·wood [mǽtʃwùd] *n.* Ⓤ 성냥개비 재료; 지저깨비, 산산조각 ***make ~ of ...*** = ***reduce ... to ~*** …을 박살내다, 산산이 부수다
‡**mate**[1] [méit] *n.* **1** (노동자 등의) 동료, 친구; 《영·구어》 여보게, 형씨 《노동자·뱃사람끼리의 친밀한 호칭》 **2** 배우자, 배필 《남편 또는 아내》; 짝[한 쌍]의 한쪽: a ~ of a glove 장갑의 한쪽 **3** 〖항해〗 (상선의) 항해사: the chief[first] ~ 일등 항해사 **4** 〖항해·해군〗 조수; 〖미해군〗 하사관: a cook's ~ 요리사 조수
go ~s with ... 《영》 …와 한패가 되다
— *vt.* **1 a** 부부가 되게 하다; 동료로 만들다 《*with*》 **b** 〈새 등을〉 짝지어주다(pair) 《*with*》 **2** 일치시키다: ~ one's words and deeds 언행을 일치시키다
— *vi.* **1** 결혼하다, 동료가 되다 《*with*》 **2** 〈동물이〉 교미하다 《*with*》 ▷ máteship *n.*
mate[2] *n.*, *vt.*, *vi.* 〖체스〗 외통 장군(을 부르다[을 당하다])(cf. STALEMATE) ***forced***[***smothered***] ***~*** 몰리어 꼼짝 못하는 형세 ***give*** (***the***) ***~*** (***to***) 〈…을〉 꼼짝 못하게 하다
ma·té, ma·te[3] [mɑ́:tei, mǽtei] [Sp.] *n.* **1** Ⓤ 마테차(茶); Ⓒ 〖식물〗 마테나무 **2** 마테차 그릇
mat·e·las·sé [mɑ̀:tələsèi] [F] *n.* Ⓤ 일종의 견모교직(絹毛交織)
— *a.* 돋을무늬가 있는 〈비단 등〉
mate·lot [mǽtlou, mǽtəlòu] *n.* 《영·속어》 수부(水夫), 선원
ma·te·lote [mǽtəlòut] *n.* Ⓤ 〖요리〗 양파·허브를 넣고 와인 소스로 지진 생선 요리
ma·ter [méitər] *n.* (*pl.* **~s, -tres** [-tri:z]) 《영·속어》 어머니; 〖해부〗 뇌막(腦膜)(=dura ~)

---

companion, twin, counterpart, pair **3** 경쟁 상대 equal, equivalent, peer, rival, competitor
matchless *a.* incomparable, unparalleled, unrivaled, unequaled, unsurpassed, perfect
mate[1] *n.* husband, wife, spouse, partner, companion, lover, coworker, colleague, helpmate

Ma·ter Do·lo·ro·sa [méitər-dòulərόusə] [L= sorrowful mother] 슬픔에 잠긴 성모 《그림·조각 등에서 십자가 밑의 슬픔에 잠긴 마리아상》

ma·ter·fa·mil·i·as [mèitərfəmíliəs] [L= mother of a family] *n.* 모친, 주부

‡ma·te·ri·al [mətíəriəl] [L 「물질(의)」의 뜻에서] *n.* **1** ⓊⒸ 재료, 물질, 원료(= raw ~): a fire-resisting ~ 내화 재료 **2** [*pl.*] 용구(用具), 도구: writing ~*s* 필기 용구 《붓·먹·종이 등》 **3** ⓊⒸ (양복) 감 **4** Ⓤ 인격적 요소; 인재, 인물: splendid human ~ 뛰어난 인재 **5** Ⓤ 사료, 세재(題材), 소재, 요소, 자료 《*for*》: gather ~ *for* a book 책의 제재를 모으다

— *a.* (cf. MATTER) **1** 물질의, 물질에 관한, 물질적인(opp. *spiritual*); 유형(有形)의, 구체적인: a ~ being 물적 존재, 유형물 / ~ civilization 물질 문명 / the ~ world 물질계 / in a ~ way 구체적으로 **2** 비정신적인, 육체의; 감각적인, 관능적인; 세속적인: ~ pleasure 육체적 쾌락 / ~ comforts 육체에 위안을 주는 것 **3** 〖논리〗 질료적(質料的)인, 실질적인(opp. *formal*); 〖법〗 판결에 영향을 주는, 실질적인, 중대한: ~ evidence (판결을 좌우할) 중대한 증거, 물적 증거 **4** 중요한, 필수적인, 불가결한 《*to*》, 본질적인: make a ~ difference 중요한 차이를 만들다 / a ~ question 본질적인 문제 ***be ~ to*** …에게 중요하다 **~·ness** *n.*

▷ matérialize *v.*; mátter, materiálity *n.*; matérially *ad.*

matérial cáuse [the ~] 〖철학〗 질료인(質料因)

matérial cúlture 〖사회〗 물질 문화

matérial implicátion 〖논리〗 실질 함의(含意)

ma·te·ri·al·ism [mətíəriəlìzm] *n.* Ⓤ **1** 물질주의, 실리주의 **2** 〖철학〗 유물론, 유물주의(opp. *idealism*) **3** 〖윤리〗 이기주의 **4** 〖미술〗 실물주의

ma·te·ri·al·ist [mətíəriəlist] *n.* 유물론자, 물질주의자 — *a.* 유물론(자)의

ma·te·ri·al·is·tic [mətìəriəlístik] *a.* 유물론(자)적인 **-ti·cal·ly** *ad.*

ma·te·ri·al·i·ty [mətìəriǽləti] *n.* (*pl.* **-ties**) **1** Ⓤ 물질성; 유형성, 구체성; 중요성 **2** 유형물

ma·te·ri·al·i·za·tion [mətìəriəlizéiʃən | -lai-] *n.* Ⓤ 구체화, 체현, 물질화, 구현, 실현

ma·te·ri·al·ize [mətíəriəlàiz] *vt.* **1** …에 형체를 부여하다, 구체화[실현]하다 **2** 〈영혼을〉 육체적으로 나타내다, 체현(體現)시키다 **3** 물질[실리]적으로 하다

— *vi.* **1** 〈영혼이〉 육체적으로 나타나다, 체현하다 **2** 〈소원·계획 등이〉 실현되다: Our plan never ~*d.* 우리의 계획은 결코 실현되지 않았다. **3** 나타나다

▷ matérial *a., n.*; materializátion *n.*

***ma·te·ri·al·ly** [mətíəriəli] *ad.* **1** 실질적으로(opp. *formally*), 〖철학·논리〗 질료적으로 **2** 물질[유형]적으로, 구체적으로; 육체적으로(opp. *spiritually*): live well ~ 물질적으로 풍요로운 생활을 하다 **3** 대단히, 현저하게(considerably)

matérial nóun 〖문법〗 물질 명사

matérials hàndling 〖경영〗 자재 운반 관리 《공장에서의 자재의 이동·보관 등》

matérials ìndustry 소재(素材) 산업

ma·te·ri·als-in·ten·sive [mətíəriəlzinténsiv] *a.* 재료 집약적인, 원자재 대량 소비(형)의

matérials scìence 재료 과학

matérial wítness 중요 증인[참고인]

ma·te·ri·a med·i·ca [mətíəriə-médikə] [L= medical material] *n.* [집합적] 의약품, 약물, 약종(藥種)(drugs); [단수 취급] 약물학

ma·té·ri·el, -te- [mətìəriél] [F] *n.* Ⓤ 물질적 재료, 설비, 시설; 군수품

***ma·ter·nal** [mətə́ːrnl] [L 「어머니의」의 뜻에서] *a.* **1** 어머니의, 어머니로서의, 어머니다운(motherly)(opp. *paternal*): a ~ association 어머니회 / ~ love 모성애 / ~ instincts 모성 본능 **2** Ⓐ 모계의, 외가의, 어머니로부터 받은: his ~ aunt 그의 외숙모[이모] **3** 〖언어〗 모어(母語)의 **~·ism** *n.* Ⓤ 모성(애); 익애(溺愛) **~·ly** *ad.* ▷ matérnity *n.*

matérnal immúnity 모자간 면역

***ma·ter·ni·ty** [mətə́ːrnəti] *n.* (*pl.* **-ties**) **1** Ⓤ 어머니임(motherhood), 어머니가 됨; 모성, 어머니다움 **2** 산과(産科) 병원(= ~ hòspital[hòme])

— *a.* 임산부의[를 위한], 출산의: a ~ apparatus 분만 기구 / a ~ center 임부 상담소 / a ~ dress[wear] 임부복

matérnity allòwance (영) 출산 수당

matérnity bénefit (국민 보험의) 출산 수당

matérnity lèave 출산 휴가, 산휴(産休)

matérnity nùrse 조산원

matérnity pày (영) 산휴(産休) 수당 《고용주가 주는》

matérnity rìghts 출산에 관한 법정 권리

matérnity wàrd 산부인과 병동; 분만실

mate·ship [méitʃìp] *n.* 《호주》 동료임, 동료로서의 연대[친목], 동료 의식, (남자의) 우정

mat·ey [méiti] *a.* 《영·구어》 **1** 친구의, 친한 《*with*》 **2** 소탈한, 허물없는

— *n.* [호칭으로] 친구, 동무

math [mǽθ] *n.* 《미·구어》 = MATHEMATICS 1

math. mathematical; mathematician; mathematics

‡math·e·mat·i·cal [mæ̀θəmǽtikəl], **-ic** [-ik] *a.* **1** 수학(상)의, 수리적(數理的)인: a ~ problem 수학 문제 / ~ economics 수리 경제학 **2** 아주 정확한, 엄밀한(rigorously exact): ~ accuracy 아주 정확함 **3** 있을 것 같지 않은: a ~ chance 아주 드문 기회 **-i·cal·ly** *ad.* 수학적으로, 수학상; 아주 정확히

▷ mathemátics *n.*

mathemátical expectátion 〖수학〗 기대치

mathemátical lógic 수리[기호] 논리학

mathemátical tábles 수표(數表) 《로그표·삼각함수표 등》

***math·e·ma·ti·cian** [mæ̀θəmətíʃən] *n.* 수학자

‡math·e·mat·ics [mæ̀θəmǽtiks] [Gk 「학문에 적합한」의 뜻에서] *n. pl.* **1** Ⓤ [단수 취급] 수학: applied[mixed] ~ 응용 수학 ★ 학과로서의 「수학」은 보통 math[《영》 maths]를 씀. **2** [보통 one's ~; 복수 취급] 수학의 운용, 계산, 수학적 처리: My ~ are weak. 나는 계산을 잘 못한다.

math·e·ma·ti·za·tion [mæ̀θəmətizéiʃən | -tài-] *n.* Ⓤ 수식화(數式化)

maths [mǽθs] *n. pl.* Ⓤ 《영·구어》 = MATHEMATICS 1

ma·ti·co [mətíːkou] *n.* (*pl.* **~s**) 〖식물〗 마티코 《열대 아메리카산 후춧과(科)의 초본; 잎은 지혈용》

ma·tière [mæ̀tiέər, mɑ̀ːt-] [F =matter] *n.* 소재, 재료, 화재(畫材), 마티에르

ma·til·da [mətíldə] *n.* 《호주·구어》 (여행자·방랑자 등의) 보따리(swag)

Ma·til·da, -thil- [mətíldə] *n.* 여자 이름 《애칭 Matty, Pat, Patty, Tilda》

mat·in [mǽtn | -tin] *n.* **1** [*pl.*; 보통 단수 취급; 종종 **M~s**] **a** 〖영국국교〗 아침 예배[기도] (Morning Prayer) **b** 〖가톨릭〗 조과(朝課) 《성무일도(聖務日禱)의 제1시(時)》 **2** 《시어》 (새의) 아침 노래

mat·in·al [mǽtənəl] *a.* 아침의; 아침 기도의

***mat·i·nee, -née** [mæ̀tənéi | ∸∸∸] [F =morning] *n.* **1** (연주·음악회 등의) 낮 흥행, 마티네(cf. SOIRÉE) **2** (여자가 오전 중에 입는) 실내복

matinée còat[jàcket] 마티네 코트 《유아용 모직 상의》

matinée ìdol (여자들에게 인기 있는) 미남 배우

mat·ing [méitiŋ] *n.* Ⓤ 교배, 교미, 짝짓기: the ~

thesaurus **material** *n.* **1** 물질, 재료 matter, substance, stuff, medium, constituent, elements **2** 옷감 fabric, cloth, textile, stuff **3** 자료 data, information, facts, evidence, details, notes
matter *n.* **1** 물질 material, substance, stuff **2** 소재,

season 교미기

Ma·tisse [mɑ́tis] [F.] *n.* 마티스 **Henry ~** (1869-1954) 《프랑스의 화가·조각가》

mat·lo(w) [mǽtlou] *n.* 《영》 = MATELOT

mat·man [mǽtmən] *n.* (*pl.* **-men** [-mən]) 《속어》 레슬링 선수

ma·to·ke [mɑtɑ́kei | -tɔ́-] *n.* 〖요리〗 마토케 《바나나 등을 찌고 으깨서 만든 우간다의 주식》

mat·rass [mǽtrəs] *n.* 〖화학〗 목이 긴 둥근 플라스크; (한쪽 끝이 막힌 분석 시험용) 유리관

matri- [mǽtrə, méit-] 《연결형》 「어머니」의 뜻(cf. PATRI-)

ma·tri·arch [méitriɑ̀ːrk] *n.* 여자 가장[족장](cf. PATRIARCH 1); 리더격인 여성 **mà·tri·ár·chal** *a.*

ma·tri·ar·chate [méitriɑ̀ːrkət, -keit] *n.* 여가장제(사회)

ma·tri·ar·chy [méitriɑ̀ːrki] *n.* (*pl.* **-chies**) **1** Ⓤ 여가장제, 여족장제; 모권제(母權制) **2** 모권 사회

ma·tric [mətrík] *n.* 《영·구어》 = MATRICULATION

mat·ri·cen·tric [mæ̀trəséntrik, mèit-] *a.* 어머니 중심의

ma·tri·ces [méitrəsìːz, mǽt-] *n.* matrix의 복수

matríc exémption 《남아공》 (대학 진학에 필요한) 최종 학년 이수

ma·tri·cid·al [mæ̀trəsáidl, mèi-] *a.* 어머니를 죽인

ma·tri·cide [mǽtrəsàid, méi-] *n.* **1** Ⓤ 어머니를 죽임; 모친 살해죄 **2** 모친 살해 범인

ma·tric·u·lant [mətríkjulənt] *n.* 대학 입학(지원)자

ma·tric·u·late [mətríkjulèit] *vt.* …에게 (대학) 입학을 허가하다, 입학시키다 — *vi.* (대학에) 입학하다: ~ in a college 대학 입학을 허가받다 — [-lət] *n.* 대학 입학자, 대학 입학을 허가받은 사람

ma·tric·u·la·tion [mətrìkjuléiʃən] *n.* **1** ⓊⒸ 대학 입학 허가; 입학식 **2** Ⓤ 《영》 대학 입학 시험 《현재는 GCE로 바뀜》

ma·tri·fo·cal [mæ̀trəfóukəl, mèi-] *a.* 〈가족·사회가〉 어머니 중심의

ma·tri·lat·er·al [mæ̀trəlǽtərəl] *a.* 〈친척 등이〉 어머니쪽의, 외가의

ma·tri·lin·e·age [mæ̀trəlíniidʒ, mèi-] *n.* 모계, 모계도(圖)[족보]

ma·tri·lin·e·al [mæ̀trəlíniəl] *a.* 모계(주의)의: a ~ society 모계 사회 **~·ly** *ad.*

ma·tri·lin·y [mǽtrəlìni, -làini] *n.* 모계제; 모계 족보를 더듬어보기

ma·tri·lo·cal [mæ̀trəlóukəl, mèi-] *a.* 〖사회〗 처가 거주의: ~ marriage 모처혼(母處婚)

mat·ri·mo·ni·al [mæ̀trəmóuniəl] *a.* Ⓐ 결혼의, 부부간의: a ~ agency 결혼 상담소 / ~ problems 결혼 문제 **~·ly** *ad.* 결혼으로, 부부로서

∗**mat·ri·mo·ny** [mǽtrəmòuni | -məni] [L 「어머니임」의 뜻에서] *n.* Ⓤ **1 결혼**, 혼인(⇨ marriage 유의어) **2** 부부 관계, 결혼 생활; 《고어》 혼례: the (holy) estate of ~ 남편[아내]이 있는 몸 **3** (카드 놀이에서) 킹과 퀸의 짝짓기 ***enter into ~*** 결혼하다

∗**ma·trix** [méitriks, mǽt-] [L 「자궁, 모체」의 뜻에서] *n.* (*pl.* **-tri·ces** [-trəsìːz], **~·es**) **1 a 주형**(鑄型); 각인기(刻印機) **b** 〖인쇄〗 (활자의) **자모**, 모형(母型), 지형(紙型) **2 a** 《고어》 자궁(womb) **b** 모체, 기반 **3** 〖생물〗 세포간질(間質) **4** 〖광산〗 모암, 맥석(gangue); (암석의) 소지(素地) **5** (레코드의) 원반 **6** 〖컴퓨터〗 매트릭스 《입력·출력 도선의 회로망》; 〖수학〗 행렬 ***the ~ of a nail*** 〖해부〗 조모(爪母)

mátrix mechànics [단수 취급] 〖물리〗 행렬 역학

mátrix prìnter 〖컴퓨터〗 매트릭스 프린터

내용 subject, topic, issue, question, point, case, theme, content **3 사정, 상황** affair, situation, circumstance, event, happening, incident, occasion **4 중요성** importance, consequence, significance **5 큰일** trouble, problem, difficulty, complication

---

mátrix sèntence 〖언어〗 모형문(母型文) 《The book that I want is gone.의 the book is gone》

∗**ma·tron** [méitrən] [L 「기혼 부인」의 뜻에서] *n.* **1** (나이 지긋하고 점잖은) **기혼 부인**, 주부 **2** (간호) 부장, 수간호사; (공공 시설의) 가정부장(家政婦長), (여자 종업원의) 여감독, 여사감, 보모: a police ~ (교도소의) 여자 간수 **~·shìp** *n.* matron의 직[지위, 임무]; matron임 ▷ mátronly *a.*

ma·tron·age [méitrənidʒ, mǽt-] *n.* Ⓤ 기혼 부인임; [집합적] 기혼 부인들, (간호) 부장[여사감, 보모]들

ma·tron·al [méitrənl, mǽt-] *a.* matron의

ma·tron·ize [méitrənàiz] *vt.* matron답게 만들다; matron으로서 감독[관리]하다, 〈젊은 여성을〉 따라다니며 돌보다 — *vi.* matron이 되다; matron 노릇을 하다

ma·tron·ly [méitrənli] *a.* 기혼 부인다운; 품위 있는, 위엄 있는(dignified), 마나님다운, 침착한; 〈젊은 여성이〉 뚱뚱한(portly) **-li·ness** *n.*

mátron of hónor 신부의 시중을 드는 기혼 여성

mat·ro·nym·ic [mæ̀trənímik] *a., n.* 어머니[모계 조상]의 이름에서 딴 (이름)

MATS Military Air Transport Service 〖미공군〗 항공 수송 본부

matt [mǽt] *a., n., vt.* = MAT[4]

Matt [mǽt] *n.* 남자 이름

Matt. Matthew; Matthias

mat·ta·more [mǽtəmɔ̀ːr] *n.* 지하실; 지하 창고

matte [mǽt] *a., n., vt.* = MAT[4]

mat·ted[1] [mǽtid] *a.* **1** 매트(mat[1])를 깐 **2** 텁수룩한, 〈머리털 등이〉 헝클어진: ~ hair 텁수룩한 머리

matted[2] *a.* 윤[광택]을 없앤, 흐린

‡**mat·ter** [mǽtər] *n., v.*

> L 「물질」 **1** 의 뜻 → (물체)
> → (물체의 내용) → 「일, 사건」, 「문제」 **6**, 「사정」 **7**
> → (해명이 필요한 일) → 「난처한 일」 **8** 「중요성, 중요한 일」 **9** → 「문제가 되다」, 「중요하다」 ㉠ **1**
> → 「인쇄물」 **4 b**

— *n.* **1** Ⓤ **a 물질**, 물체(opp. *spirit*); 성분, 요소(⇨ substance 유의어) **b** 재료(material); [수식어와 함께] …질(質), …소(素), …체(體): animal ~ 동물질 / coloring ~ 색소 / solid ~ 고체 **2** Ⓤ (종기·상처의) 고름(pus) **3** Ⓤ 〖철학〗 질료(質料)(opp. *form*); 〖논리〗 명제(命題)의 본질 **4** Ⓤ **a 제재**(題材), 소재; (논문·책 등의) 내용(substance) **b** [집합적] …물(物); 인쇄물, 우편물: printed ~ 인쇄물 / postal ~ 우편물 / first-class ~ 제1종 우편물 **5** Ⓤ 〖인쇄〗 조판(組版); 원고(copy) **6 문제**(subject), **일**, **사건**: a trivial ~ 사소한 일 / ~ in dispute[question] 논의중인 문제 / It is another ~. 그것은 별개 문제다. **7** [*pl.*] (막연하게) **사정**, 사태, 상황 **8** [the ~] **난처한 일**, 지장, 곤란, 사고(trouble): What's *the* ~ (= wrong) with you? 어찌 된 일이냐? / Nothing is *the* ~ (with me). 아무렇지도 않다. **9** Ⓤ [형용사와 함께] 중요성; Ⓒ 중요한[큰] 일: decisions of little ~ 중요하지 않은 결정 / It is[makes] no ~. 아무 일도 아니다.

a ~ of ... (1) …에 관한 문제: *a ~ of* opinion 견해에 관한 문제 (2) 대략, 대개(about) ***a ~ of life and death*** 사활이 걸린 문제, 중대사 (***as***) ***a ~ of course*** 자연적인 추세(로), 당연한 일[결과](로서) (***as***) ***a ~ of fact*** 실제(에 있어서), 사실(상) ***be another***[***a different***] ***~*** 별개의 문제다, 완전히 다른 상황[문제]이다 ***for that ~*** = 《드물게》 ***for the ~ of that*** 그 일이라면, 그 문제에 관해서는 ***in the ~ of*** …에 관해서는(as regards) ***let the ~ drop***[***rest***] 내버려두다, 방치하다 ***~ in hand*** 당면 문제 ***no ~*** 대수롭지 않은 일 ***no ~ what*** (***happens***) 무슨 일이 있어도: I'll call you tonight, *no ~ what.* 무슨 일이 있어도 오늘밤에 네게 전화할게. ***no ~ what***[***which, who, where, when, why, how***]

비록 무엇이[어느 것이, 누가, 어디에, 언제, 왜, 어떻게] …할지라도[일지라도]: *No ~ what*(=Whatever) he says, don't go. 비록 그가 뭐라 해도 가지 마라. / *no ~ how* we try 아무리 시도해도 ***take ~s easy*** [***seriously***] 매사를 쉽게[심각하게] 생각하다 ***take ~s into*** one***'s own hands*** (종종 분명한 생각 없이) 스스로 행동을 취하다 ***What ~?*** = ***No ~!*** 걱정 마라, 별것 아니야.

— *vi.* **1** [주로 의문·부정·조건문에서 it을 주어로] 문제가 되다, 중요하다: What does *it ~*? 그것이 뭐가 문제가 되냐? 《중요하지 않다는 의미》/ *It* does*n't ~* if we are late. 늦어도 상관없다. // 《~+副》 *It ~s little* to me. 나와는 상관 없다. // 《~+전+명》 *It* does*n't ~ about* me. 나는 아무렇지도 않다. **2** 《드물게》 〈상처가〉 곪다, 고름이 나오다

▷ matérial, máttery *a.*

Mat·ter·horn [mǽtərhɔ̀:rn] *n.* [the ~] 마터호른 《Pennine Alps 중의 고봉; 4,478 m》

mat·ter-of-course [mǽtərəvkɔ́:rs] *a.* 당연한, 말할 나위 없는; 당연하다는 〈태도〉

mat·ter-of-fact [mǽtərəvfǽkt] *a.* 사실의, 실제적인; 사무적인; 평범한, 무미건조한 **~·ly** *ad.*

mátter of láw 〖법〗 법률 문제

mátter of récord 〖법〗 기록 사항; 기록된 사실

mat·ter·y [mǽtəri] *a.* 고름투성이의, 고름이 나는

*__Mat·thew__ [mǽθju:] *n.* **1** 〖성서〗 (신약의) 마태[마태오]복음 《略 Matt.》 **2** [St. ~] 〖성서〗 마태 《그리스도 12사도 중의 한 사람》 **3** 남자 이름

Mat·thi·as [məθáiəs] *n.* 남자 이름

mat·ting[1] [mǽtiŋ] *n.* Ⓤ **1** 매트 재료 **2** [집합적] 매트, 돗자리, 거적 《등》

matting[2] *n.* 윤 지우기, 윤을 지운 것[면]; (그림틀의 윤을 지운) 금 테두리, 장식 테두리

mat·tins [mǽtnz, -tinz] *n. pl.* 《영》 =MATIN 1

mat·tock [mǽtək] *n.* 곡괭이의 일종

mat·toid [mǽtɔid] *n.* (미친 사람에 가까운) 성격 이상자

*__mat·tress__ [mǽtris] [Arab. 「물건을 두는 곳」의 뜻에서] *n.* **1** 매트리스, (짚[털]으로 된) 침대요 **2** 〖토목〗 침상(沈床) 《호안(護岸) 공사용; 섶나뭇가지 침상, 목공(木工) 침상 등이 있음》

Mat·ty [mǽti] *n.* 여자 이름 《Martha, Matilda의 애칭》

mat·u·rate [mǽtʃurèit] *vi.* **1** 〖의학〗 곪다 **2** 성숙하다 — *vt.* **1** 〖의학〗 곪게 하다 **2** 성숙하게 하다

mat·u·ra·tion [mæ̀tʃuréiʃən] *n.* Ⓤ 화농; 성숙(기), 원숙(기); 〖생물〗 성숙 분열 **~·al** *a.*

ma·tu·ra·tive [mətʃúərətiv] *a.* 〖의학〗 화농을 촉진하는; 성숙시키는

‡**ma·ture** [mətjúər, -tʃúər | -tjúə, -tʃúə] [L 「익은」의 뜻에서] *a.* (**ma·tur·er**; **-est**) **1** 〈과일 등이〉 익은, 성숙한, 잘 발육한(⇨ ripe 유의어); 〈포도주·치즈 등이〉 숙성한: ~ wine 숙성된 포도주 **2** 〈사람·동물이〉 완전히 발달한; 원숙한, 분별 있는: ~ plants 완전히 자란 식물 / a ~ appearance 성숙한 모습 **3** 〈계획·생각 등이〉 심사숙고한: 현명한; 신중한: ~ plans 신중한 계획 **4** 〖상업〗 〈어음 따위가〉 만기가 된(due) **5** 〖지질〗 (지형적으로) 장년기의 **6** 〖의학〗 곪은 ***the ~ age*** [***years***] 분별 있는 나이

— *vt.* **1** 성숙[발달]시키다(ripen); 익히다: Experience has *~d* him. 경험이 그를 성숙시켰다. **2** 〈계획 등을〉 완성하다: ~ a plan 계획을 완성하다 **3** 《폐어》 곪게 하다

— *vi.* **1** 〈과일·치즈 등이〉 익다, 성숙[원숙]하다 **2** 〖상업〗 〈어음이〉 만기가 되다

~·ly *ad.* **~·ness** *n.* ▷ matúrity *n.*

matúre stúdent 《영》 25세 이상의 대학생

*__ma·tu·ri·ty__ [mətʃúərəti, -tjúər- | -tjúər-, -tʃúər-] *n.* Ⓤ **1** 성숙(기), 원숙(기), 완성(기), 완전한 발달[발육]: ~ of judg(e)ment 원숙한 판단[분별] / ~ of age 성년 **2** 〖상업〗 (어음 등의) 만기일: the date of ~ 만기일 **3** 〖토지〗 (지표 침식의) 장년기 ***come to*** [***reach***] ~ 성숙하다, 원숙해지다 ▷ matúre *a., v.*

matúrity márket 중·노년층 시장 《45-65세의 연령층을 대상으로 하는 미개척 시장》

ma·tú·ri·ty-ón·set diabétes [-ɔ́:nsèt- | -ɔ́n-] 〖의학〗 성인기 발병 당뇨병

matúrity-ónset diabétic *a., n.* 성인기 발병 당뇨병의 (환자)

ma·tu·ti·nal [mətjú:tənəl, mæ̀tjutáinl | mæ̀tjutáinl] *a.* (이른) 아침의, 이른 **~·ly** *ad.*

MATV master antenna TV system

ma·ty [méiti] *a.* =MATEY

mat·za(h) [má:tsə | mɔ́t-, mǽt-] *n.* (*pl.* **~s**) =MATZO(H)

mat·zo(h) [má:tsə | mɔ́t-, mǽt-] *n.* (*pl.* **~s, -zoth** [-sout, -souθ]) (유월절(Passover)에 유대인이 먹는) 무교병

maud [mɔ́:d] *n.* (스코틀랜드의 양치기가 걸치는) 회색 체크 무늬의 모직 어깨걸이; 그와 비슷한 여행용 담요

Maud(e) [mɔ́:d] *n.* 여자 이름

maud·lin [mɔ́:dlin] *a.* 잘 우는; 취하면 우는[감상적이 되는]; 〈노래 등이〉 감상적인: a ~ story 감상적인 이야기 **~·ism** *n.* Ⓤ 잘 욺; 감상적임 **~·ly** *ad.*

Maugham [mɔ́:m] *n.* 몸 **William Somerset ~** (1874-1965) 《영국의 소설가·극작가》

Mau·i [máui] *n.* 마우이섬 《하와이 군도의 한 섬》

maul [mɔ́:l] *n.* 큰 나무망치, 메

— *vt.* **1** (큰 망치로 상처가 나도록) 치다, 〈짐승 등이〉 할퀴어 상처내다; 째다; 〈나무를〉 쳐서 빼개다 **2** 거칠게[난폭하게] 다루다 **3** 혹평하다

maul·er [mɔ́:lər] *n.* 《영·속어》 손, 주먹

Maul·er [mɔ́:lər] *n.* 〖미군〗 지대공(地對空) 요격 미사일의 일종

maul·ey [mɔ́:li] *n.* 《속어》 손(hand), 주먹(fist)

maul·stick [mɔ́:lstìk] *n.* (화가의) 팔받침 《왼손에 들고 오른손을 지탱하는 막대기》

maul·vi [máulvi] *n.* =MOULVI

Mau Mau [máu-màu] **1** 마우마우단 《1950년대 Kenya의 반(反)백인 비밀 결사》 **2** 마우마우단원

mau-mau [máumàu] *vt.* 《미·속어》 위협하다(terrorize)

maund [mɔ́:nd] *n.* 몬드 《인도·중동 국가 등의 무게의 단위; 9.5-37.3 kg》

maun·der [mɔ́:ndər] *vi.* **1** 두서없는 말을 늘어놓다 **2** 배회하다, 멍하니 방황하다 《*along, about*》

Máunder mínimum 〖천문〗 (1645-1715년의) 태양의 불규칙 활동기 《태양의 흑점이 거의 소멸한 시기》

maun·dy [mɔ́:ndi] *n.* 〖그리스도교〗 세족식(洗足式) 《성목요일에 행하는》

máundy mòney 《영》 세족식 날 왕실이 베푸는 빈민 구제금

Máundy Thúrsday 〖그리스도교〗 세족 목요일, 성목요일 《Easter 직전의 목요일》

Mau·pas·sant [móupəsɑ̀:nt] *n.* 모파상 **Guy de ~** (1850-93) 《프랑스의 작가》

Mau·reen [mɔ:rí:n] *n.* 여자 이름

Mau·riac [mɔ:rjá:k] *n.* 모리악 **François ~** (1885-1970) 《프랑스의 소설가》

Mau·rice [mɔ́:ris | mɔ́r-] *n.* 여자 이름

Mau·ri·ta·ni·a [mɔ̀:ritéiniə | mɔ̀r-] *n.* 모리타니아 《아프리카 북서부의 공화국; 수도 Nouakchott》

Mau·ri·tius [mɔ:ríʃəs, -ʃiəs | məríʃəs] *n.* 모리셔스 《아프리카 동쪽의 섬나라; 수도 Port Louis》

Mau·rois [mɔ:rwá:] *n.* 모루아 **André ~** (1885-1967) 《프랑스의 소설가·전기 작가》

Mau·ser [máuzər] [독일의 발명자 이름에서] *n.* 모제르 총 《상표명》

thesaurus **mature** *a.* **1** 익은 ripe, ripened, mellow, seasoned **2** 성장한 adult, grown, full-grown, grown-up, of age **3** 분별 있는 sensible, wise,

mau·so·le·um [mɔ̀ːsəlíːəm, -zə- | -səlíəm] *n.* (*pl.* **-le·a** [-líːə], **~s**) 웅장한 무덤, 영묘(靈廟), 능; 크고 음침한 건물[방]
mau·vaise honte [móuveiz-ɔ́ːnt] [F =bad shame] 수줍음; 거짓 겸손
mau·vais goût [móuvei-gú] [F] 악취미
mau·vais quart d'heure [móuvei-káːr-dɔ́ːr] [F] 《영》 괴로운[싫은, 불쾌한] 15분[순간]
mauve [móuv] *n.* Ⓤ **1** 연한 자줏빛 **2** 담자색(淡紫色)의 아닐린 물감 **—** *a.* 연한 자줏빛의
ma·ven, ma·vin [méivən] *n.* 《미·속어》 숙달한 사람, 프로, 명수(expert)
mav·er·ick [mǽvərik] [송아지에게 낙인을 찍지 않았던 Texas의 목장주 이름에서] *n.* 《미》 **1** 낙인 찍히지 않은 송아지; 어미에게서 떨어진 송아지 **2** 《구어》 [종종 형용사적으로] 독립 독행하는 사람; 무소속 정치가[예술가 등], 이단자, 반체제파의 사람 **3** [**M~**] 매버릭 《미국의 대전차 공격용 공대지 미사일》
ma·vis [méivis] *n.* **1** 《스코·시어》 〖조류〗 개똥지빠귀의 일종 **2** [**M~**] 여자 이름
ma·vour·neen, -nin [məvúərniːn, -vɔ́ːr- | -vúə-] *n.*, *int.* 《아일》 내 사랑(my darling); 여보
maw[1] [mɔ́ː] *n.* **1** 《동물의》 위, 주름위 《반추동물의 넷째 위》 **2** 《새의》 멀떠구니 **3** 《게걸스러운 사람[동물]의》 위, 입 **4** 《문어》 《삼켜 버리는》 심연(深淵), 나락
maw[2] *n.* 《미중남부》 어머니, 엄마(ma)
mawk·ish [mɔ́ːkiʃ] *a.* **1** 역겨운, 구역질 나는 **2** 몹시 감상적인, 잘 우는 **~·ly** *ad.* **~·ness** *n.*
mawl [mɔ́ːl] *n.* =MAUL
máw sèed 앵속자 《양귀비의 씨; 새 모이》
maw·worm [mɔ́ːwɔ̀ːrm] *n.* 〖동물〗 회충, 기생충
max [mǽks] 《속어》 *n.* =MAXIMUM
***to the* ~** 완전히, 최고도로, 극도로; 힘껏
— *a.* 최대의, 최고의 **—** *ad.* 최대한으로
— *vt.*, *vi.* 끝까지 하다, 전력을 다하다 《*out*》 **~ *out*** (1) 최고점에 달하다; 한계에 달하다 (2) 최대한 활용하다
Max [mǽks] *n.* 남자 이름
max. maximum
max·i [mǽksi] *n.* 긴 치마, 맥시 스커트[코트] 《발목까지 닿는》; 몹시 큰 것 **—** *a.* 맥시의, 보통보다 큰[긴]
maxi- [mǽksi] 《연결형》 「큰…, 긴…」의 뜻(opp. *mini-*): *maxi*skirt 맥시 스커트
max·il·la [mæksílə] *n.* (*pl.* **-lae** [-liː]) **1** 〖해부〗 위턱, 턱뼈 **2** 〖동물〗 **a** 《척추동물의》 상악골(上顎骨) **b** 《절지동물의》 작은 턱
max·il·lar·y [mǽksəlèri, mæksíləri | mæksíləri] *a.* maxilla의 **—** *n.* (*pl.* **-lar·ies**) 턱뼈, 상악골
max·il·lo·fa·cial [mæksìlouféiʃəl] *a.* 턱과 얼굴의[에 관한]
*__max·im__ [mǽksim] [L 「최대의 (전제)」의 뜻에서] *n.* **1** 격언, 금언(⇨ proverb 유의어); 처세훈, 좌우명 **2** 처세법, 주의(主義)
max·i·ma [mǽksəmə] *n.* maximum의 복수
max·i·mal [mǽksəməl] *a.* 가장 효과적인[완전한]; 최고의, 최대한의, 극대의(opp. *minimal*)
max·i·mal·ist [mǽksəməlist] *n.* 타협을 배제하고 최대한을 요구하는 자, 과격주의자
Máx·im gùn [mǽksim-] [영국의 발명자 이름에서] 맥심 포(砲) 《구식의 속사 기관총》
Max·i·mil·ian [mæ̀ksəmíljən] *n.* 남자 이름
max·i·min [mǽksəmin] *n.* 〖경제〗 맥시민 《게임 이론에서 최소의 이득을 최대로 확대하는 전략》
max·i·mize [mǽksəmàiz] *vt.* 극한까지 증가[확대, 강화]하다, 최대한으로 (활용)하다, 최대[극대]화하다 (opp. *minimize*); 《함수의》 최대값을 구하다: ~ profits 이익을 극대화하다 **—** *vi.* 〈교리 등을〉 가능한 한 광의로 해석하다 **màx·i·mi·zá·tion** *n.*

---

responsible, practical, shrewd, sagacious
maxim *n.* aphorism, adage, proverb, saying, precept, axiom, gnome, saw, epigram

‡**max·i·mum** [mǽksəməm] [L 「최대의」의 뜻에서] (opp. *minimum*) *n.* (*pl.* **~s, -ma** [-mə]) **1** 최대한, 최대량, 최대수, 최고점, 최댓값, 최고액, 극한: the ~ of ten years in prison 최고 10년 형(刑) / to the ~ 최대한으로 **2** 〖수학〗 극대(점)
— *a.* 최대의, 최고의; 극대의: the ~ value 〖수학〗 극댓값 / ~ temperature 최고 기온 / the ~ water stage 최고 수위 **~·ly** *ad.*
▷ máximal *a.*; máximize *v.*
máximum permíssible dòsage 《방사능》 최대 허용 조사량(照射量)
max·i·mum-se·cu·ri·ty [mǽksəməmsikjúəriti] *a.* 경비[감시]가 가장 엄중한, 최대 경비의
máximum thermómeter 〖물리〗 최고 온도계
Max·ine [mæksíːn, ⌐⌐] *n.* 여자 이름
max·i-se·ries [mǽksisìəriːz] *n.* 《30회 등의》 장기 연속 텔레비전 드라마 프로그램(opp. *miniseries*)
max·i·sin·gle [mǽksisìŋgl] *n.* EP판 《레코드》
max·i·skirt [mǽksiskə̀ːrt] *n.* 맥시 스커트
ma·xixe [mæksíːks, məʃíːʃ] *n.* (*pl.* **-xi·xes** [-síːkʃʌz, -ʃíːʃs]) 《브라질의》 머시셔 춤
max·well [mǽkswel, -wəl] [영국의 물리학자 이름에서] *n.* 〖물리〗 맥스웰 《자속(磁束)의 단위》
‡**may** ⇨ may (p. 1560)
‡**May** [méi] [L 'Maia 《번식·성장의 여신의 이름》의 달」의 뜻에서] *n.* **1 a** 5월 **b** =MAY DAY **2** [one's ~] 《시어》 청춘, 인생의 봄: the ~ of my life 나의 청춘 시대 **3** [**m~**] 〖식물〗 산사나무, 아가위나무(hawthorn)(의 꽃)(cf. MAYFLOWER) **4** [*pl.*] 《Cambridge 대학의》 5월 시험; 5월 조정 경기 **5** 여자 이름
***the Queen of* (*the*) ~** =MAY QUEEN
— *vi.* [**m~**] **1** 5월제에 참가하다, 5월제를 축하하다 **2** 5월[봄]에 꽃을 따다
ma·ya [máːjɑː, -jə] *n.* 〖힌두교〗 **1** Ⓤ 마야 《현상 세계를 움직이는 원동력》; 환영(幻影), 현상 세계 **2** [**M~**] 마야를 상징하는 여신 **má·yan** *a.*
Ma·ya [máːjə] *n.* (*pl.* **~, ~s**) **1** 마야 사람 《중미 원주민의 한 종족》 **2** Ⓤ 마야 말
Ma·yan [máːjən] *a.*, *n.* 마야 사람[족, 말](의)
may·ap·ple [méiæ̀pl] *n.* 〖식물〗 포도필룸속(屬)의 식물 《5월에 달걀 모양의 노란 열매를 맺음》; 그 열매
‡**may·be** [méibi] [it MAY be에서] *ad.* 어쩌면, 아마 (⇨ perhaps 유의어): *M*~ I'll go, too. 어쩌면 나도 갈지 모른다. ***And I don't mean* ~.** 《미·구어》 농담이 아니란 말이야. 《문미에 놓아 협박조로》
Máy bèetle[bùg] 〖곤충〗 =COCKCHAFER
máy blòssom 산사나무 꽃
Máy Dày **1** 5월제 《5월 1일》 **2** 메이데이, 노동절
May·day [méidèi] [F m'aider(=help me)의 변형] *n.* Ⓤ 《선박·항공기의 국제 무선》 조난[구조 요청] 신호(cf. SOS)
Máy-De·cém·ber affàir [méidisémbər-] 젊은 여자와 늙은 남자의 연애
Máy-Decémber màrriage 《젊은 여자와 늙은 남자의 결혼처럼》 연령 차가 많아 어울리지 않는 결혼
Máy dèw 5월 (1일)의 아침 이슬 《미용에 좋고 의약적 효과가 있다고 믿었음》
may·est [méiist] *auxil. v.* 《고어》 MAY[1]의 직설법 2인칭 단수 현재형 《주어는 thou》: thou ~ =you may
May·fair [méifɛ̀ər] *n.* London의 Hyde Park 동쪽의 고급 주택지 《옛날 여기서 5월에 정기시가 열렸음》; London 사교계
may·flow·er [méiflàuər] *n.* **1** [**m~**] 〖식물〗 5월에 꽃피는 초목; 《특히》 《영》 산사나무, 《미》 노루귀(hepatica), 아네모네 **2** [the ~] 메이플라워호 《1620년 Pilgrim Fathers를 태우고 영국에서 신대륙으로 건너간 배》
may·fly [méiflài] *n.* (*pl.* **-flies**) **1** 〖곤충〗 **a** 하루살이(ephemera) **b** 《영》 강날도래 **2** 〖낚시〗 《하루살이와 비슷하게 만든》 제물낚시

may

조동사 may의 중요한 용법은 (1) '허가·용인'의 「…해도 좋다[상관없다]」 (2) '추측·가능성'의 「…일지도 모른다」의 두 가지이다.
주의해야 할 것은 not이 들어가는 부정 용법인데, 이 용법은 특히 잘 익혀 두어야 한다.

‡may [méi] *auxil. v.* ([부정형] **may not, mayn't,** 과거형 **might,** [부정형] **might not, mightn't**)

기본적으로는 「추측·가능」을 나타냄.	
① …일지도 모르다	**1, 4**
② …해도 좋다	**2**
③ …할 수 있다	**8**
④ [의문문에서] …일까	**7**

1 [불확실한 추측을 나타내어] **a** …**일지[할지]도 모르다,** 아마 …일[할] 것이다 《이 뜻의 부정은 may not》: It ~ be true. 사실일지도 모른다, 아마 사실일 것이다. / He ~ come, or he ~ *not.* 그는 올지도 모르고 안 올지도 모른다. / It ~ be that he will come tomorrow. 그는 어쩌면 내일 올지도 모른다. **b** [may have+*p.p.*로 과거의 불확실한 추측을 나타내어] …했을[었을]지도 모르다: Her weight ~ *have gone* down. 그녀의 체중이 줄었을지도 모른다. / You ~ *have been* right. 네가 맞았을지도 모른다.
2 a [허가를 나타내어] …**해도 좋다,** …해도 괜찮다 《USAGE (1) 부정에는 「불허가」의 뜻의 may not과 「금지」의 뜻의 must not이 쓰임 (2) may 대신에 can을 쓰는 수가 흔히 있음 (3) 간접화법은 차치하고 「허가」의 뜻의 과거형에는 might가 쓰이지 않기 때문에 was allowed to 등을 씀》: You ~ go there at any moment. 언제라도 그곳에 가도 좋다. / You ~ enter. 들어와도 좋다. 《가벼운 명령을 나타냄》/ "*M*~ I smoke here?" — "Yes, you ~ (smoke)." 여기서 담배를 피워도 좋습니까? — 예, (피워도) 좋습니다. ★ "Yes, you ~."는 손윗사람이 손아랫사람에게 말하는 경우이며, 매우 무뚝뚝한 대답으로서 「피워도 되지만 안 피웠으면 좋겠다」의 뜻이 포함됨; 일반적으로 "Yes, certainly[please]."나 "Sure."를 쓰면 됨. / "*M*~ I use your phone?" — "No, you ~ not." 전화 좀 써도 되겠습니까? — 아니, 안 됩니다. USAGE may not은 must not보다도 부드러운 불허의 표현으로 구어체로는 cannot이 자주 쓰임; 일반적으로 "No, I'm sorry."나 "I'm afraid you cannot."을 쓰면 됨. / *M*~ I help you? (점원이 손님에게) 어서 오십시오. / How much did it cost, if I ~ ask? 실례가 안 될지 모르지만 그것은 얼마입니까? ★ May I …?는 Can I …?에 비해 정중한 인상을 주지만 《미·구어》에서는 Can I …?를 쓰는 경우가 많음. Might I …?는 May I …?보다 더욱 정중한 표현임. **b** [흔히 ~ well로 용인을 나타내어] …**라고 해도 무방하다,** …**하는 것은 당연하다** 《이 뜻의 부정은 cannot》: You ~ *well* think so. 당신이 그렇게 생각하는 것은 당연하다.
3 [목적·결과를 나타내는 that절에서] …**하기 위하여,** …**할 수 있도록** ★ 《구어》에서는 종종 may 대신에 can을 씀.: Let's agree on this proposal *so that* we ~ go home safely. 집에 무사히 갈 수 있도록 이 제안에 동의합시다.
4 [양보를 나타내어] **a** [뒤에 등위접속사 but 등을 동반하여] …**인지 모르지만,** …라고 할 수는 있지만: He ~ be rich *but* he is not refined. 그는 부자인지는 몰라도 세련되지는 못하다. / You ~ call him a genius, *but* you cannot call him a man of character. 그를 천재라고 말할 수 있을지 모르지만 인격자라고 말할 수는 없다. **b** [양보를 나타내는 부사절에서] 《설사》 …**일지[할지]라도**: Try as he ~, he will not succeed. 그가 아무리 노력해 보았자 성공하지 못할 것이다. / Whoever ~ say so[No matter who ~ say so], you need not believe it. 누가 그렇게 말하더라도 그것을 믿을 필요는 없다. ★ 《구어》에서는 종종 may를 쓰지 않고, Whoever *says* so [No matter who *says* so] …로 씀.
5 [감탄문에서 기원·소망·저주를 나타내어] 《문어》 바라건대 …하기를, …하여 주소서 《USAGE 이 용법에서 may는 언제나 주어 앞에 둠; 격식차린 표현으로서 현대 영어에서는 잘 쓰지 않음; I wish 등을 씀》: *M*~ he rest in peace! 그의 영혼이여 고이 잠드소서! / *M*~ you always be happy and healthy! 언제나 행복하시고 건강하시길 바랍니다!
6 [희망·불안 등을 나타내는 주절에 따르는 명사절에서] 《문어》 …하도록, …하지 않을까: I only pray that she ~ be in time. 그녀가 제 시간에 댈 수 있도록 진심으로 빈다. ★ 《미》에서는 이 경우 may가 종종 생략됨 / I fear lest the rumor ~ be true. 그 소문이 사실일까 걱정이다.
7 a [의문문에서 불확실의 뜻을 강조하여] (도대체·누구·무엇·왜) …일까, …인지: Who ~ you be? 누구였더라? 《무례한 말투》 **b** [표현을 부드럽게 하여] …일까: What ~ I do for you? 무슨 용무이시지요?
8 [타당성·가능을 나타내어] …**할 수 있다** ★ 예스러운 용법이며 오늘날에는 일반적으로 can을 씀: Gather roses while you ~. 할 수 있을[젊었을] 때 장미꽃을 모아라. 《즐길 수 있을 때 즐겨라, 젊음은 다시 오지 않는다》/ Life ~ be compared to a voyage. 인생은 항해에 비유할 수 있으리라.
as best one ~ 할 수 있는 한; 이럭저럭
be that as it ~ 그것은 그렇다 치고, 어쨌든 간에
come what ~ 어떤 일이 있더라도
if I ~ [문미에 놓여] (만약) 괜찮다면: I'd like to go with you, *if I* ~. 괜찮으시다면 같이 가고 싶습니다만.
~ (*just*) *as well* do (***as*** …) ⇨ well[1] *ad.*
~ *well* do …라고 해도 무방하다, …하는 것은 당연하다 (⇨ 2 b)

may·hap [mèihǽp | ⌐⌐] *ad.* 《고어》 = PERHAPS
may·hem [méihem, méiəm | méihem] *n.* Ⓤ **1** 〖법〗 신체 상해(죄) **2 a** (고의의) 손상, 파괴, 폭력 **b** 《구어》 소란
May·ing [méiiŋ] *n.* [때로 **m~**] Ⓤ 5월제의 축하(에 참가하기); 5월제의 꽃따기
Máy mèetings 5월 집회 《19세기에 영국 복음파의 사람들이 London에서 매년 5월에 개최했던 종교 집회》
May·nard [méinərd] *n.* 남자 이름
mayn't [méiənt, méint] 《구어》 may not의 단축형
may·o [méiou] *n.* 《구어》 = MAYONNAISE
Máy·o Clìnic [méiou-] [the ~] 메이요 의료원 《미국 미네소타 주 Rochester 소재; 세계 최대의 병원》
***may·on·naise** [méiənèiz, ⌐⌐⌐ | ⌐⌐⌐] [F] *n.* Ⓤ **1** 마요네즈 **2** 마요네즈 요리
‡may·or [méiər, mέər | mέə] [L 「보다 큰」의 뜻에서] *n.* **시장**(市長), 읍장, 면장; (지방 자치단체의) 행정장관: a deputy ~ 부시[읍, 면]장
~·al *a.* 시장(직)의 **~·shìp** *n.* Ⓤ 시장의 직[임기]
may·or·al·ty [méiərəlti, mέər- | mέər-] *n.* Ⓤ 시장의 직[임기]: during one's ~ 시장 임기 중
may·or·ess [méiəris, mέər- | mέər-] *n.* 여시

장; 시장 부인(Lady Mayor)
máyor's còurt (시장이 재판관이 되는) 시장 법원
may·pole [méipòul] *n.* [종종 **M~**] 5월제의 기둥(꽃·리본 등으로 장식하고 그 주위에서 춤을 춤)

maypole

may·pop [méipɑ̀p | -pɔ̀p] *n.* 〖식물〗 꽃시계덩굴; 그 열매
Máy quèen[**Quèen**] [the ~] 5월의 여왕(5월제의 여왕으로 뽑힌 처녀, 화관을 씀)
mayst [méist] *auxil. v.* (고어) = MAYEST
May·tide [méitàid], **-time** [-tàim] *n.* Ⓤ 5월(의 계절)
Máy trèe (영) 〖식물〗 = HAWTHORN
may've [méiv] (구어) may have의 단축형
maz·a·rine [mæ̀zəríːn, ㅅ-ㅅ | mæ̀zəríːn] *n.*, *a.* Ⓤ 짙은 남빛(의); ⓊⒸ 짙은 남빛 옷(감)
Maz·da [mǽzdə] *n.* **1** 〖조로아스터교〗 = AHURA MAZDA **2** (암흑에 대한) 광명 **3** (영국제) 백열전구 (상표명)
Maz·da·ism [mǽzdəìzm] *n.* = ZOROASTRIANISM
***maze** [méiz] [amaze의 두음 소실] *n.* **1** 미로(迷路), 미궁; 미로같이 복잡함, 얽히고설킴: a ~ of railway lines 미로 같은 철도망 **2** [a ~] 당혹, 혼란; 분규: *a* ~ of new regulations 새 규칙에 대한 혼란
— *vt.* [보통 수동형으로] 혼란하게 하다
▷ mázy *a.*
ma·zel [mɑ́ːzəl] *n.* (미·속어) 운, 행운
mázel tòv [-tɔ̀ːv | -tɔ̀v] [Heb.] *int.* 축하합니다, 행운을 빕니다(유대인의 축하와 축원의 말)
ma·zu·ma [məzúːmə] *n.* Ⓤ (미·속어) 돈, 현금
ma·zur·ka, -zour- [məzə́ːrkə, -zúər- | -zə́ː-] *n.* 마주르카(폴란드의 3박자의 무용); 그 무곡
ma·zut [məzúːt] *n.* Ⓤ 연료유(fuel oil)
maz·y [méizi] *a.* (**maz·i·er**; **-i·est**) **1** 미로 같은, 구불구불한; 복잡한 **2** (영·방언) 어지러운; 혼란스러운
má·zi·ly *ad.*
mb millibar(s) **Mb** megabit(s) **MB** *Medicinae Baccalaureus* (L = Bachelor of Medicine); megabyte(s) **MBA** Master of Business Administration 경영학 석사
Mba·ba·ne [èmbəbɑ́ːnei | əmbəbɑ́ːni] *n.* 음바바네(아프리카 Swaziland의 수도)
MBE Member (of the Order) of the British Empire **MBFR** 〖군사〗 Mutual and Balanced Force Reduction
mbi·ra [əmbíːrə] *n.* 〖음악〗 엠비라, 므비라(나무·금속 조각으로 된 아프리카의 악기)
MBO management buyout; management by objectives 목표 관리 **MBS** Mutual Broadcasting System(미국 방송사의 하나) **MBSc** Master of Business Science **mbyte** megabyte(s) **mc** megacurie(s); megacycle(s); millicurie(s); millicycle(s)
Mc- [mək, mæk] *pref.* = MAC-
MC [èmsíː] [*m*aster of *c*eremonies] *n.* = EMCEE
— *vt.* (**~'d**; **~'ing**) = EMCEE
MC Marine Corps; master of ceremonies 사회자; Medical Corps; (미) Member of Congress; (영) Military Cross **MCAT** [émkæ̀t] Medical College Admission Test **MCC** Marylebone Cricket Club
Mc·Car·thy·ism [məkɑ́ːrθiìzm] [미국 공화당 상원 의원 J. R. McCarthy(1908-57)에서] *n.* Ⓤ 극단적인 반공(反共) 운동, 매카시 선풍[수법], 매카시즘
Mc·Cart·ney [məkɑ́ːrtni] *n.* 매카트니 **Paul ~** (1942-)(영국의 록 가수; the Beatles의 일원)
Mc·Coy [məkɔ́i] *n.* [the (real) ~] (구어) (가짜가 아닌) 틀림없는 본인, 진짜
Mc·Don·ald's [məkdɑ́nəldz | -dɔ́n-] *n.* **1** 맥도널드(미국의 햄버거 체인점) **2** 맥도널드 햄버거(상표명)
Mc·D's [məkdíːz] *n.* (미·속어) 맥도널드 가게
mcf one thousand cubic feet **mcg** microgram(s) **MCh** *Magister Chirurgiae* (L = Master of Surgery) **mCi** millicurie(s) **MCI** 〖컴퓨터〗 Media Control Interface
Mc·In·tosh [mǽkintɑ̀ʃ | -tɔ̀ʃ] *n.* (초가을에 익는) 빨간 고급 사과(미국산)(= ∠ **rèd**)
Mc·Job [məkdʒɑ́b | -dʒɔ́b] *n.* (서비스 업종처럼) 단조롭고 급료가 낮은 일, 장래성이 없는 직업
Mc·Kén·zie fríend [məkénzi-] 법정에 출두해 소송 당사자를 도와 조언을 하는 사람
Mc·Kin·ley [məkínli] *n.* 매킨리 산 **Mount ~** (Alaska에 있는 북미 대륙 최고봉(6,194m))
MCL Marine Corps League; Master of Civil [Comparative] Law
Mc·Lu·han [məklúːən] *n.* 맥루언 **Marshall ~** (1911-80)(캐나다의 사회학자·커뮤니케이션 이론가)
Mc·Man·sion [məkmǽnʃən] *n.* 작은 부지에 크고 화려하게 지은 저택(맥도널드 햄버거 체인처럼 주위에 편재하는)(starter castle)
MCom Master of Commerce
m-com·merce [émkɑ̀mərs | -kɔ̀m-] [*m*obile+ *commerce*] *n.* [종종 **M~**] 이동 전자 상거래(휴대 전화, PDA 등 휴대 단말기를 이용한)
MCP (구어) male chauvinist pig; 〖컴퓨터〗 message control program
Mc·Pa·per [məkpéipər] *n.* (미·속어) 어느 지역에서나 같은 기사를 볼 수 있는 전국적인 신문; 미국의 전국지 *USA Today*의 애칭
MCS Master of Commercial Science **Mc/s** megacycles per second **Md** 〖화학〗 mendelevium
MD [èmdíː] *n.* (미·속어) Dr. Pepper(청량음료; 카운터에서의 용어)
MD Managing Director; 〖우편〗 Maryland; Medical Department; *Medicinae Doctor* (L = Doctor of Medicine); mental deficiency[defective]; mentally deficient[defective]; Middle Dutch; MiniDisc; musical director **Md.** Maryland **M/d** month's[months after] date 일부(日附)후 …개월 **MDA** (속어) methyl diamphetamine; methylene dioxyamphetamine(환각제); Mutual Defense Assistance 상호 방위 원조
M-day [émdèi] [*m*obilization *day*] *n.* 〖군사〗 동원 개시일
MDF Medium Density Fiberboard 중밀도 섬유판(목재에서 섬유질을 추출하고 접착제를 넣어 층을 쌓아 눌러 만든 판) **MDiv** Master of Divinity **Mdlle.** Mademoiselle **Mdm.** Madam **MDMA** methylene dioxymethamphetamine(환각제 ecstacy의 화학명) **Mdme.** Madame **mdnt.** midnight **MDR** minimum daily requirement **MDS** Master of Dental Surgery **mdse.** merchandise **MDT** (영) Mountain Daylight Time
‡**me** [míː] *pron.* **1** [I의 목적격] 나에게; 나를: They asked *me* to the party. 그들은 나를 파티에 초대해 주었다. / Give *me* your hand. 결혼해 주세요. **2** (구어) **a** [주격 보어] 나(I): It's *me.* 나요., 접니다. **b** [as, than, but 뒤에서] = I: You're as tall as [taller than] *me.* 키가 나와 같다[나보다 더 크다]. / Nobody else went but *me.* 나밖에 아무도 가지 않았다. **3** (구어) [동명사의 의미상의 주어로서] 나의(my): Father is very proud of *me* hav*ing* succeeded him. 아버지는 내가 그의 대를 이은 것을 매우 자랑스럽게 여기신다. / Did you hear about *me* gett*ing* promoted? 내가 승진한 것을 들었습니까? **4** (구어·고어·시어) 나 자신에게[을](myself): I got *me* a wife. 아내를 얻었다. / I looked about

me. 주위를 둘러보았다. / If I don't respect *me*, nobody else will. 자존심이 없으면 아무도 존경해 주지 않는다. **5** [감탄사적으로]: Ah *me*! 아! / Dear *me*! 이런!
It may be just me, but ... 나만 그런지 모르지만: *It may be just me, but* isn't it a bit cold here? 나만 그런지 모르지만 여기는 좀 춥지 않아요? ***Me and you!*** (미·속어) (싸울 때) 자, 1대 1로 대결하자! ★ It's going to be *me and you.*의 단축형. ***Me, either.*** (구어) [상대가 부정한 말에 대해] 나도 그렇다. ***Me, too.*** (구어) [상대의 말에 동조하여] 나도요., 나도 그렇다.
— *a.* Ⓐ 자기 중심의: the *me* decade 자기 중심주의의 10년간 《1970년대》

Me 〔화학〕 methyl **ME** (미) 〔우편〕 Maine; managing editor; Marine Engineer; Master of Education; Master of Engineering; Mechanical [Mining, Military] Engineer; medical examiner; Methodist Episcopal; Middle English; Most Excellent; myalgic encephalomyelitis 〔병리〕 근육통성 뇌척수염 **Me.** Maine **Mea.** Meath 《아일랜드의 주(州)》

mea·con [míːkən] 【*m*islead+b*eacon*】 *vt.* 잘못 신호하다

me·a cul·pa [méiə-kʌ́lpə, míːə- | míːə-] 【L= through my fault】 내 잘못 《자기 과실의 인정》

mead[1] [míːd] *n.* (시어) =MEADOW

mead[2] *n.* Ⓤ 벌꿀술

‡**mead·ow** [médou] *n.* ⓊⒸ **1 목초지, 초원**(⇨ pasture 유의어) **2** 《특히》 강변의 낮은 풀밭 **3** 삼림 한계선에 접한 초원

méadow fòxtail 〔식물〕 큰독새풀 《목초》

méadow gràss 〔식물〕 왕포아풀 《볏과》

mead·ow·land [médoulæ̀nd] *n.* 목초지

mead·ow·lark [-lɑ̀ːrk] *n.* 〔조류〕 들종다리 《북미산》

méadow mòuse 〔동물〕 들쥐 《field mouse》

méadow rùe 〔식물〕 꿩의 다리

méadow mùffin (미·속어) 쇠똥

méadow mùshroom 〔식물〕 주름버섯의 일종 《식용》

mead·ow·sweet [-swìːt] *n.* 〔식물〕 조팝나뭇속(屬)의 식물; 터리풀속의 식물

mead·ow·y [médoui] *a.* 목초지[초원, 초지]의, 풀밭이 많은

*__mea·ger__ | **-gre** [míːgər] 【L 「야윈」의 뜻에서】 *a.* **1** 메마른 **2 a** 빈약한, 결핍한, 야윈; 불충분한; 풍부하지 못한; 부적격한: ~ fare 조식(粗食) / a ~ salary 얼마 안 되는 월급 **b** 〈작품 등이〉 무미건조한
~·ly *ad.* **~·ness** *n.*

‡**meal**[1] [míːl] 【OE 「정해진 시각」의 뜻에서】 *n.* **1** 식사; 식사 시간: have[take] a ~ 식사하다 **2** 한 끼니(분): a light[a heavy] ~ 가벼운[든든한] 식사
at ~s 식사때에[마다] ***eat between ~s*** 간식하다 ***have*** [***take***] ***a ~*** 식사하다 ***make a ~ of*** ... (1) …을 먹다 (2) 〈일 등을〉 실제 이상으로 과장하여 보이다; …에 필요 이상의 시간[노력]을 들이다 ***~s on wheels*** (자선 단체·정부에 의한 환자나 노인을 위한) 가정 급식 서비스

‡**meal**[2] [míːl] *n.* Ⓤ **1 a** (체로 치지 않은) **거칠게[굵게] 빻은 곡식**(cf. FLOUR); 굵은 가루: barley ~ 굵은 보릿가루 **b** (미) 거칠게 간 옥수수(cornmeal) **c** (스코·아일) =OATMEAL **2** (견과(堅果)나 씨를) 빻은 것; (깻묵 등의) 가루

-meal [mìːl, míːl] 《연결형》 「한 번에 일정량씩」의 뜻

mea·lie [míːli] *n.* [종종 *pl.*] (남아공) 옥수수

méal pàck (미) (가열만 하면 먹을 수 있게 된) 냉동 포장 식품

méal tìcket **1** 식권 **2** (구어) 살림 기반[기둥], 수입원: Her voice was her ~. 그녀에게 있어서 목소리는 생활의 기반이었다.

meal·time [míːltàim] *n.* Ⓤ 식사 시간

meal·worm [míːlwə̀ːrm] *n.* 〔동물〕 갈색쌀거저리의 유충 《낚시용 미끼 또는 새 먹이용으로 많이 사육》

meal·y [míːli] *a.* (**meal·i·er**; **-i·est**) **1** 거친 가루의[같은] **2** 가루가 나오는; 가루를 뿌린; 〔생물〕 흰 가루로 덮인: flowers ~ with their pollen 꽃가루 투성이의 꽃 **3** 〈말이〉 얼룩이 있는 **4** 〈안색이〉 창백한(pale) **5** (구어) =MEALYMOUTHED

meal·y·bug [míːlibʌ̀g] *n.* 〔곤충〕 벚나무깍지벌레 《수액(樹液)을 먹는 작은 진디의 일종》

meal·y·mouthed [míːlimàuðd, -màuθt | -màuðd] *a.* 완곡하게 말하는, 말주변이 좋은

‡**mean**[1] [míːn] *v.* (**meant** [mént]) *vt.* **1 a** 의미하다, …의 뜻이다; …의 뜻으로 말하다, 빗대어 말하다: What does this ~? 이것은 무슨 뜻인가? / I ~ what I say. =I ~ it. (농담이 아니고) 진심으로 하는 말이다. / I see what you ~. 네가 무슨 말을 하는지 알겠다. // (~+목+전+명) What do you ~ *by* that? 그것은 무슨 뜻인가? / I *meant* it *for*[*as*] a joke. 농담으로 한 말이다. // (~+***that*** 절) I ~ *that* you are a liar. 너는 거짓말쟁이란 말이다. **b** (…에게) 〈얼마만한〉 **의미[중요성]를 가지다** 《*to*》: (~+목+전+명) Your sympathy will ~ much[a great deal] *to* him. 당신의 동정은 그에게 매우 소중할 것입니다. / Money ~*s* everything *to* them. 돈은 그들에게 있어 무엇보다 중요하다. **2 a 의도하다, …할 작정이다**(⇨ intend 유의어); 예정[계획]하다, 꾀하다: ~ mischief 좋지 않은 일을 꾀하다 // (~+목+목) I ~ him no offense. 그에 대해 아무런 악의도 없다. // (~+목+전+명) I ~ this house *for* my son. 이 집은 아들에게 줄 생각이다. // (~+***to*** do) What do you ~ *to* do? 무엇을 할 작정입니까? / I didn't ~ to upset you. 널 화나게 할 생각은 아니었어. **b** [수동형으로] 나타낼 생각이다; 〈사람·물건을〉 어떤 용도에 예정하다, 운명짓다; …이 되게 할 생각이다 《*for*》: (~+목+전+명) (~+목+***to be***+보) He was *meant for*[*to be*] a soldier. 그는 군인이 되게 태어났다. / They were *meant for* each other. 그들은 운명에 의해 연결되어 있었다. **3** …라는 결과를 낳다, …하게 되다; …의 전조이다 **4** 〈의도·감정 등을〉 마음에 품다, 가지다
— *vi.* [보통 well, ill을 수반하여] …한 마음을 품다: (~+부) (~+전+명) She *meant well*[*ill*] *by*[*to*] you. 그녀는 (실은) 너에게 호의[악의]를 품고 있었다.
be meant to do (영) 〈사람이〉 …하기로 되어 있다; …하지 않으면 안 되다 ***I ~*** [삽입구로] 즉, 아니 그 《보충 설명을 하거나 잘못 말한 것을 바로잡을 때 씀》: Can I talk to Jim ... *I* ~, Mr. Brown? 짐, 아니, 브라운씨 계십니까? ***I ~ to say.*** (영·구어) 무슨 소리야!, 어림없어! ***~ a great deal*** [***much***] 깊은 뜻이 있다 ***~*** (a person) ***no harm*** …에게 악의는 없다 ***~ well*** (비록 좋은 결과를 가져오지 않았지만) 남에게 호의를 가지다, 친절하게 하다, 도움이 되려고 하다 ***You don't ~ to say so!*** 설마! 《농담이겠지》

‡**mean**[2] [míːn] *a.*

> 원래는 「공통의」의 뜻(cf. COMMON) → (보통의) → (특별히 우수하지는 않은) → 「뒤떨어진」 **4**
> ┌→ (품성이) 「비열한」 **1**, 「마음이 좁은」 **2**
> └→ (외관이) 초라한 **6**

1 〈사람·행위 등이〉 **비열한**, 상스러운, 더러운; (미·구

thesaurus **meager** *a.* **1** 메마른 thin, lean, skinny (opp. *fat, plump, obese*) **2** 빈약한 sparse, scanty, inadequate, insufficient, short, little, small, slender, poor (opp. *abundant, copious*)
mean[1] *v.* **1** 의미하다 indicate, denote, signify, betoken, express, convey, show, represent, symbolize, imply, suggest **2** 의도하다 intend, purpose, plan, aim, desire, want, wish, design
mean[2] *a.* **1** 심술궂은 nasty, cantankerous,

어) 성질이 나쁜, 심술궂은, 짓궂은: Don't be so ~! 그렇게 짓궂게 굴지 마라!

> 유의어 **mean** 도량이 좁고 비열하며 경멸할 만한: a *mean* trick 비열한 술책 **low** mean보다 뜻이 강해서 「천하고 거친, 타락해서 비열한」: *low* talk 추잡한 이야기

2 인색한, 쩨쩨한: be ~ over[about] money 돈에 인색하다 / He's too ~ to buy a present for his wife. 그는 아내 선물을 사는 데 너무 인색하다. **3** 〈정도·재능 등이〉 보통의, 평범한, 대단치 않은 **4** 뒤떨어진, 천한: of ~ birth 태생이 천한 **5** 별로 중요치 않은 **6** Ⓐ 〈건물·옷차림 등이〉 초라한: a ~ cottage 누옥 **7** Ⓐ 떳떳하지 못한, 부끄러운 **8** ((미·구어)) 기분[몸]이 시원치 않은: feel ~ with a cold 감기에 걸려서 몸이 좋지 않다 **9** ((미)) 〈개·말 등이〉 다루기 힘든, 사나운 **10** ((미·속어)) 잘하는, 솜씨가 뛰어난: play a ~ game of tennis 테니스 실력이 뛰어나다 ***have a ~ opinion of*** …을 업신여기다[경멸하다] ***no ~*** 꽤 훌륭한, 대단한; 만만찮은: He is *no* ~ scholar. 그는 꽤 훌륭한 학자이다.

▷ méanly *ad.*; méanness *n.*

‡**mean³** [míːn] 〔L 「중간의」의 뜻에서〕 *a.* Ⓐ **1** 평균의: the ~ temperature 평균 온도 / The ~ annual rainfall was 800mm. 평균 연간 강수량은 800mm였다. **2** 〈위치·순서·시간·수량·정도 등이〉 중간의[에 위치한]; 보통의(average): a man of ~ stature 중키의 남자 **3** 중용의: take a ~ course 중용의 길을 택하다 ***for the ~ time*** 그동안, 일시적으로 ***in the ~ time*** [***while***] = in the MEANTIME

— *n.* **1** 〖수학〗 평균, 평균치, 중수(中數) **2 a** (두 끝의) 중간, 중앙; 중등 **b** 중용 **3** 〖통계〗 기대치 **4** 〖논리〗 중명사(中名辭), 매사(媒辭)(= ∸ **térm**) **5** 〖음악〗 중음부(中音部)

méan béan ((미·속어)) 전문가, 명인

méan cálorie 평균 칼로리

me·an·der [miǽndər] 〔소아시아의 옛 Phrygia를 흐르는 강 이름(지금의 Menderes)에서〕 *vi.* **1** 굽이쳐 흐르다; 〈눈이〉 펄펄 흩날리다 **2** 정처 없이 헤매다 ((*along*)); 〈이야기 등이〉 두서없이[산만하게] 진행되다

— *n.* **1** [*pl.*] (강의) 곡류(曲流); 구불구불한 길 **2** 정처 없이 거닐기; [보통 *pl.*] 우회 (여행) **3** 〖건축〗 뇌문(雷紋), 만자(卍字) 무늬 **~·er** *n.*

me·an·der·ing [miǽndəriŋ] *n.* [*pl.*] **1** 구불구불한 길 **2** 정처 없이 거닐기 **3** 두서없이 이야기하기, 만담

— *a.* **1** 곡류하는 **2** 종잡을 수 없는; 두서없이 이야기하는 **~·ly** *ad.* 구불구불하게; 정처 없이

meánder lìne (하천·호수·늪 따위의) 대강의 가장자리를 나타내기 위해서 그어진 꼬불꼬불한 트래버스(traverse)

méan[**áverage**] **deviátion** 〖통계〗 평균 편차

méan dístance [the ~] 〖천문〗 평균 거리 ((근일점(近日點) 거리와 원일점(遠日點) 거리와의 평균)); (연성(連星)의) 평균 거리

me·an·drous [miǽndrəs] *a.* = MEANDERING

méan frée páth 〖물리〗 (분자의) 평균 자유 경로; 〖전자〗 평균 자유 행정(行程)

mean·ie [míːni] *n.* (*pl.* **~s**) ((구어)) **1** 쩨쩨한[옹졸한] 놈, 깍쟁이 **2** 심술쟁이; (연극·소설 등에서의) 악당, 악역

unfriendly, crabbed, ill-natured, bad-tempered, grumpy **2** 인색한 miserly, niggardly, ungenerous, stingy **3** 천한 low, humble, common, base, obscure **4** 비참한 poor, wretched, dismal, miserable

meaningful *a.* suggestive, expressive, significant, important, relevant, worthwhile, valid

meaningless *a.* senseless, incomprehensible, purposeless, irrational, empty, futile, pointless, aimless, valueless, insignificant, motiveless

‡**mean·ing** [míːniŋ] *n.* ⓊⒸ **1** 의미(sense), 뜻, 취지: a figurative[literal] ~ 비유적[문자대로의] 뜻

> 유의어 **meaning** 말·행위·기호·그림 등에 의해 표현되어 사람이 이해할 수 있도록 의도된 것으로서 「뜻」을 나타내는 가장 일반적인 말이다: the *meaning* of a word 단어의 뜻 **sense** 특히 어떤 어구가 지닌 특별한 뜻이다: The word is frequently used in this *sense.* 그 단어는 이 뜻으로 자주 쓰인다. **significance** 표면에 분명히 나타나는 뜻에 대해 어구·기호·행위 등의 배후에 숨겨진 함축성·주요성: the *significance* of her glance 그녀의 일별(一瞥)에 담긴 의미

2 의의, 중요성; 의도, 목적(purport): the ~ of life 인생의 의의 / the ~ of education 교육의 목적 / with ~ 의미 있는 듯이 / What's the ~ of this? 이것은 무슨 뜻이냐?; 이건 어찌된 일이냐? ((성을 내어)) **3** 효력, 효능: a law with no ~ 유명무실한 법률

— *a.* **1** 〈눈매 등이〉 의미심장한, 의미 있는: a ~ look 의미심장한 표정 **2** [보통 복합어를 이루어] …할 생각[작정]인: well-[ill-]~ 선의[악의]의 **~·ly** *ad.*

***mean·ing·ful** [míːniŋfəl] *a.* **1** 의미심장한, 뜻있는(significant): a ~ choice 의미심장한 선택 **2** 의의 있는, 중요한: a ~ experience 의의 있는 경험 **~·ly** *ad.* 의미 있게; 의의 있게, 유효하게 **~·ness** *n.*

***mean·ing·less** [míːniŋlis] *a.* 뜻[목적] 없는, 무의미한; 무익한: a ~ chatter 의미 없는 수다 / a ~ training 무의미한 훈련 **~·ly** *ad.* **~·ness** *n.*

mean·ly [míːnli] *ad.* **1** 빈약하게, 불충분하게; 초라하게: live ~ 초라하게 살다 **2** 천하게, 비열하게 **3** 쩨쩨하게 ***think ~ of*** …을 멸시하다

mean·ness [míːnnis] *n.* **1** Ⓤ 하찮음, 조악(粗惡), 빈약; 천함, 비열; 쩨쩨함 **2** 비열한[심술궂은] 짓

méan príce (매매의) 평균 가격; (투자의) 시장 가격

méan propórtional 〖수학〗 비례 중항, 기하 평균

‡**means** [míːnz] *n. pl.* **1** [단수·복수 취급] 방법, 매체, 수단(way) ((*of, to, for*)): a ~ *to* an end 목적을 이루는 수단 // (~+*to* do) Do you know of any ~ *to* get there? 거기에 도착할 방법을 알고 있느냐? // (~+전+*-ing*) There is[are] no ~ *of* learn*ing* the truth. 진상을 알 방법이 없다. **2** [복수 취급] 〔「생활의 수단」의 뜻에서〕 자력, 부, 재산, 수입 ***a man of ~*** 재산가 ***by all*** (***manner of***) ***~*** (1) 반드시 (2) [대답을 강조하여] 좋고말고, 부디, 꼭 ***by any ~*** [부정문에서] 아무리 해도 ***by fair ~ or foul*** 수단 방법을 가리지 않고 ***by ~ of*** …에 의하여, …으로 ***by no*** (***manner of***) ***~*** 결코 …않다[아니다] ***by some ~ or other*** 어떻게 해서든지, 이럭저럭 해서 ***by what ~*** 어떻게(how) ***live beyond*** [***within***] ***one's ~*** 수입 이상[이내]의 생활을 하다 ***the ~ of grace*** 〖신학〗 하느님의 은총을 받는 방법 ((기도·예배 등)) ***ways and ~*** 방법, 수단; 세입의 방도, 재원(財源)

méan séa lèvel 평균 해면 ((해발 기준))

méans of prodúction 〖경제〗 (마르크스 경제학의) 생산 수단

méan sólar dáy 〖천문〗 평균 태양일

méan sólar tìme 〖천문〗 평균 태양시

mean-spir·it·ed [míːnspíritid] *a.* 비열한, 천한(base), 옹졸한 **~·ness** *n.*

méan squáre 〖통계〗 평균 제곱

méans tèst ((영)) (생활 보호 대상자의) 수입[자산] 조사

means-test [míːnztèst] *vt.* ((영)) 〈실업 수당 등 신청자의〉 수입[자산]을 조사하다

méan sún 〖천문〗 평균 태양 ((천구의 적도를 평균 각속도로 움직이는 가상 태양))

‡**meant** [mént] *v.* MEAN[1]의 과거·과거분사

méan tìme = MEAN SOLAR TIME

‡**mean·time** [míːntàim], **mean·while** [-*h*wàil] *n.* [the ~] Ⓤ 그동안, 중간 시간

***for the* ~** 우선, 당장 ***in the* ~** (1) 그 사이에, 그럭저럭하는 동안에 (2) (한편) 이야기는 바뀌어
— *ad.* **1** 그동안[사이]에, 그럭저럭하는 동안에; 동시에 **2** 한편 **3** (지금부터) 그때까지는 ★ 대개 meantime은 명사, meanwhile은 부사로 쓰임.

méan válue 《수학》 평균값

mean·y [míːni] *n.* (*pl.* **mean·ies**) = MEANIE

meas. measurable; measure; measurement

mea·sle [míːzl] *n.* (낭충증을 일으키는) 촌충의 유충

mea·sled [míːzld] *a.* 홍역에 걸린; 낭충증에 걸린

*__mea·sles__ [míːzlz] *n. pl.* [단수 취급] **1** 《병리》 홍역; 홍역의 빨간 반점 **2** 《수의학》 (가축의) 낭충증(囊蟲症) ***German*[*French, false*] ~** 풍진(風疹)

mea·sly [míːzli] *a.* (**-sli·er**; **-sli·est**) **1** 《구어》 **a** 빈약한 **b** 사소한, 하찮은 **2** 홍역의[에 걸린] **3** 《수의학》 낭충증에 걸린 **méa·sli·ness** *n.*

*__meas·ur·a·ble__ [méʒərəbl] *a.* **1 잴[측정할] 수 있는 2** 예측[추측]이 가능한; 기간[시간]이 한정된 **3** 상당히 중요한, 무시할 수 없는: a ~ figure 중요한 인물 **4** 알맞은, 중용(中庸)의 **5** 〈수가〉 나누어 떨어지는 ***come within a* ~ *distance of*** …에 접근하다
-bly *ad.* 측정할 수 있게; 어느 정도

‡**meas·ure** [méʒər] [L 「측정하다」의 뜻에서] *vt.* **1** 재다, 측정하다; …의 치수를 재다: ~ a piece of ground 토지를 측량하다 / ~ a room 방의 치수를 재다 // (~+목+전+명) The tailor *~d* me *for* new clothes. 재단사는 새 옷을 지으려고 내 치수를 쟀다. **2** (어느 분량에) 맞추어 나가다 《*off*》; 〈분량을〉 재서 꺼내다 《*out*》: (~+목+부) ~ *off* a foot of cloth 옷감 1피트를 재서 끊다 **3 a** (일정 기준에 따라) 어림잡다, 판정[평가]하다 **b** 〈사람을〉 유심히[빤히] 보다 **4 a** 〈인물 등을〉 (…의 기준에 비추어) 평가하다; 판단하다 《*by*》 **b** (비교하여) …의 우열을 가리다 **5** 〈사물이〉 〈수치를〉 나타내다; …의 척도가 되다 **6** 적응시키다, 조화하게 하다: (~+목+전+명) *M*~ your desire *by*[*to*] your fortune. 욕망을 재력에 맞추어라. **7** 신중히 선택하다; (규칙 등에 따라) 규제하다: ~ one's words and acts 언행에 신중을 기하다 **8** 《시어》 건다, 답파하다
— *vi.* **1 측정하다,** 치수를 재다 **2** …의 길이[폭, 높이]이다: (~+보) The room *~s* 20 feet wide. 방은 폭이 20피트이다. **3** 잴[측정할] 수 있다: (~+부) Rice *~s* more easily than flour. 쌀은 밀가루보다 재기가 쉽다. **~ this *against* that** (이것)과 (저것)을 비교 평가하다 **~ *back*** 후퇴하다, 되돌아가다 **~ *off*** 재어서 자르다(⇨ *vt.* 2); 구획하다 **~ *out*** 재어서 나누다 **~ one*'s length* (*on the ground*)** 큰 대(大)자로 넘어지다[눕다] **~ one*'s strength with*[*against*]** …와 힘을 겨루다 **~ *swords*** (결투 전에) 칼의 길이를 재다; 싸우다 《*with*》 **~ *up*** (1) …의 치수를 (정확하게) 재다 (2) 〈가능성 등을〉 추정하다 (3) 필요한 능력[자격]이 있다 **~ *up to*** (1) 길이[폭, 높이]가 …에 달하다 (2) 〈희망·이상·표준 등에〉 들어맞다, …에 달하다; …에 일치[부합]하다 **~ a person *with* one*'s eye*** …을 위아래로 훑어보다

「치수」, 「계량」	→「(계량의)「단위」 **3**→(계량의)「기준」 **6** →(적정한)「한도」 **7** 「측정 기구」 **4** →(깊이 생각하다)→「조치」→「대책」 **9**

— *n.* **1** Ⓤ **측정,** 계측, 측량, 계량(measurement): a ~ of the distance 거리의 측정 **2** Ⓤ **계량법, 도량법 3** Ⓒ **계량의 단위** 《inch, bushel 등》 **4** 측정 기구, 계량기 《되, 자, 줄자 등》 **5 a** (측정된) 치수, 크기, 넓이, 길이; 양, 무게, 됫수: heaped ~ 고봉 **b** 일정한 액수[양 등]: a ~ of wine 와인 한 잔 **6** (계량[측정, 평가, 판단]의) 기준, 표준, 척도 **7** ⓊⒸ 적량(適量), 적도(適度); (어느) 정도, (적당한) 한계, 한도: have no ~ 한계를 모르다, 끝이 없다 **8** [종종 a ~] 분량, 정도, 비율: in (*a*) great[large] ~ 크게, 대단히 **9** [보통 *pl.*] **수단, 대책,** 조치: a temporary ~ 임시 조치 (~+**to** do) The government has taken *~s to* preserve order. 정부는 질서 유지의 대책을 세웠다. **10** 법안; 법령, 조례 **11 a** Ⓤ 운율(meter) **b** 《시어》 곡, 선율 **c** 《음악》 소절(bar); 박자 **12** Ⓤ 《인쇄》 페이지[행]의 폭 **13** [*pl.*] 《지질》 (지)층 **14** 《수학》 약수: common ~ 공약수
above*[*beyond, out of*] ~** 터무니없이, 지나치게 ***by* ~** 치수를 재어 ***fill up the* ~ *of 〈부정(不正) 등을〉 해내다; 〈불행 등을〉 실컷 맛보다 ***for good* ~** 분량을 넉넉하게, 덤으로 ***full*[*good*] ~** 가득한[넉넉한] 분량 ***give short* ~** 계량을 모자라게 하다 ***give*[*show*] *the* ~ *of*** …한 정도[역량]를 나타내다 ***have* a person*'s* ~ (*to an inch*)** …의 기량[사람됨]을 속속들이 알고 있다 ***in a great*[*large*] ~** 상당히, 대부분 ***in a*[*some*] ~** 다소, 얼마간 ***keep* ~(*s*)** 박자를 맞추다; 중용을 지키다 ***made to* ~** 〈의복 등이〉 치수에 맞추어 지은, 맞춤의 **~ *for* ~** 되갚음, 보복 ***set* ~*s to*** …을 제한하다 ***take* ~*s*** 조치를 취하다 ***take*[*get*] a person*'s* ~ = *take*[*get*] *the* ~ *of*** a person (1) …의 치수를 재다 (2) …의 인물을 재다[평가하다], …의 사람됨을 보다 ***take the* ~ *of*** a person*'s foot* …의 인물[역량]을 저울질하다 ***tread*[*trip*] *a* ~** 《고어》 춤추다 ***within*[*without*] ~** 알맞게[지나치게] ▷ méasurement *n.*

meas·ured [méʒərd] *a.* **1** 정확히 잰; 알맞은 **2** 잘 생각한, 신중한: speak in ~ terms 신중하게 말하다 **3 a** 정연한, 박자가 맞는: walk with ~ tread 보조를 맞춰 걷다 **b** 율동적인 **~·ly** *ad.*

meas·ure·less [méʒərlis] *a.* **1** 무한한, 무한량의 **2** 대단한, 엄청난

‡**meas·ure·ment** [méʒərmənt] *n.* **1** Ⓤ **측량,** 측정: the metric system of ~ 미터법 **2** [보통 *pl.*] ⒸⓊ **양, 치수,** 크기, 넓이, 길이, 두께, 깊이: inside [outside] ~ 안[바깥] 치수 **3** Ⓤ 도량법

méasurement gòods 용적 (계산) 화물

méasurement tòn 용적톤 《40 cu.ft.》

meas·ur·er [méʒərər] *n.* **1** 측량하는 사람 **2** 계량기

méas·ur·ing cùp [méʒəriŋ-] (눈금 있는) 계량컵

méasuring jùg 《영》 (요리용) 액체 계량컵

méasuring spòon (요리용) 계량 스푼

méasuring tàpe 줄자

méasuring wòrm 《곤충》 자벌레

‡**meat** [míːt] [원래 「음식, 식사」의 뜻에서] *n.* Ⓤ **1** 고기, 식육: chilled ~ 냉장육 / ground ~ 저민 고기 / butcher's ~ 가축의 고기
관련 **[동물과 그 고기]** cow, ox, bull(소)의 고기는 beef. calf(송아지)의 고기는 veal. sheep(양)의 고기는 mutton. pig, hog(돼지)의 고기는 pork. deer(사슴)의 고기는 venison. lamb(어린 양)의 고기는 lamb.
2 《미》 (게·새우·조개·달걀·밤 등의) 살, 속, 과육(果肉): the ~ of a walnut 호도 속 / inside ~ 내장 **3** [the ~] 알맹이, 요점, 골자: *the* ~ of a story 이야기의 골자 **4** (책 등의) 내용, 실질(substance) **5** 《속어》 (야구 방망이 등의) 심 《가장 굵은 부분》: hit a ball on [with] the ~ 공을 방망이 심으로 치다 **6** 《미남부》 돼지고기, 《특히》 베이컨 **7** 좋아하는 것; 즐거움 **8** 쉽게 이길 수 있는 상대: an easy ~ 간단한 일; 속이기 쉬운 상대 **9** 《고어》 먹을 것, 식사(meal); 《특히》 만찬(dinner): at[before, after] ~ 식사 중[식전, 식후]에 / sit at[down to] ~ 식탁에 앉다 / One man's ~ is another man's poison. 《속담》 갑의 약은 을의 독. **10** 《비어·경멸》 (성적 대상으로서의) 여자; 《비어》 = GENITAL

thesaurus **measure** *v.* calculate. compute, estimate, weigh, evaluate, rate, assess, appraise, gauge, quantify — *n.* **1** 치수, 크기 size, dimension, proportions, magnitude, mass, bulk, volume, capacity, quantity, weight, amplitude, extent **2** 수단 action, act, course, deed, proceed-

as full of** errors **as an egg is of ~ (잘못) 투성이인 ***be ~ and drink to** a person* …에게 더할 나위 없는 낙이다 ***be ~ for** one's **master*** 과분하게 좋다 ***jump on** a person's **~*** ((미·속어)) …에게 호통치다 ***~ and two veg*** ((영)) (고기 한 가지와 야채 두 가지의) 전형적인 식사
▷ méaty *a.*

méat and bóne mèal 육골분 사료

méat and potátoes [단수·복수 취급] **1** 중심부, 기초, 기본 **2** 좋아하는[마음에 드는] 것

meat-and-po·ta·toes [míːtən*d*pətéitouz] *a.* (가장) 기본적인, 중요한

mèat and two vég ((영·구어)) (고기에 감자와 야채를 곁들인) 전형적인 영국식 식사

meat-ax(e) [míːtæ̀ks] *n.* **1** 고기 베는 큰 식칼 (cleaver) **2** (예산 등의) 대폭 삭감
— *vt.* 대폭 삭감하다

meat·ball [míːtbɔ̀ːl] *n.* **1** 고기완자, 미트볼 **2** ((속어)) 지겨운 녀석, 얼간이 **3** 〖미해군〗 표창 페넌트

méat càrd ((미·속어)) 식권(meal ticket)

meat·eat·er [míːtìːtər] *n.* 고기 먹는 사람[동물]; 식충 식물; ((미·속어)) (뇌물을 요구하는) 부패 경찰관

méat flỳ 〖곤충〗 쉬파리(flesh fly)

méat grìnder **1** 고기 가는[다지는] 기계 **2** (적군에 대한) 궤멸 작전 **3** 가혹한 제도[조직]

meat·head [míːthèd] *n.* ((미·속어)) 바보, 얼뜨기

méat hòoks ((미·속어)) 손, 주먹

meat·less [míːtlis] *a.* 〈식사가〉 고기가 없는; 〈날이〉 고기를 먹으면 안 되는

méat lòaf ((미)) 미트 로프 ((다진 고기·계란·야채를 섞어 덩어리로 오븐에서 구운 것))

meat·man [míːtmæ̀n] *n.* (*pl.* **-men** [-mèn]) 푸주한, 정육점 주인(butcher)

méat márket **1** 식육 시장; ((미)) 정육점, 푸주(((영)) butcher's shop) **2** ((속어)) 섹스 상대를 물색하는 장소 ((술집·나이트클럽 등))

méat òffering 〖성서〗 (옛 유대의) 제수(祭需), 제물 ((밀가루와 기름으로 만든 것))

meat-pack·er [-pæ̀kər] *n.* ((미)) 정육업자

meat-pack·ing [-pæ̀kiŋ] *n.* Ⓤ ((미)) (도축에서 가공·도매까지 하는) 정육업

meat-pie [-pái] *n.* 고기 파이, 미트파이

méat ràck ((미·속어)) 남성 동성애자의 집합소

méat sàfe ((영)) (고기를 넣어 두는) 찬장

méat shòw ((미·속어)) (나이트클럽 등의) 플로어쇼

meat·space [míːtspèis] *n.* Ⓤ 실제 생활 공간 (opp. *cyberspace*)

méat tèa ((영)) = HIGH TEA

me·a·tus [miéitəs] *n.* (*pl.* **~·es, ~**) 〖해부〗 도(道), 관(管): the urethral ~ 요도(尿道)

méat wàgon ((속어)) 구급차; 영구차; 죄수 호송차

meat·ware [míːtwɛ̀ər] *n.* ((컴퓨터속어)) (사람의) 신체

meat·y [míːti] *a.* (**meat·i·er; -i·est**) **1** 고기의, 고기가 많은; 살찐 **2** 내용이 충실한 **3** ((속어)) 포르노적인, 에로틱한 **méat·i·ness** *n.*

mec, mech [mék] *n.* ((미·구어)) = MECHANIC

Mec·ca [mékə] *n.* **1** 메카 ((사우디아라비아 서부의 도시; 마호메트의 탄생지)) **2** [종종 **m~**] 성지, 많은 사람이 찾아가는 곳; 동경의 땅[대상]; 발상[기원]지

Mécca bàlsam = BALM OF GILEAD

Mec·ca·no [mekáːnou] *n.* 메카노세트 ((강철[플라스틱]의 조립 완구; 상표명))

mech. mechanical; mechanics; mechanism

---

ing, procedure, step, means
mechanism *n.* **1** 기계 장치 machine, apparatus, appliance, tool, device, instrument, gadget, contrivance **2** 메커니즘 process, procedure, system, operation, method, technique, workings, means, medium, agency, channel

---

***me·chan·ic** [məkǽnik] *n.* **1** 수리공, 정비사, 기계공, 공원(工員), 직공, 숙련공 **2** ((속어)) 카드의 명인, 사기 카드 도박꾼 **3** ((영·속어)) 살인 청부업자

me·chan·i·cal** [məkǽnikəl] *a.* **1 a** 기계(상)의, 기계에 의한; 기계로 만든: ~ invention 기계의 발명 **b** 기계 장치의, 기계 조작의: a ~ saw 기계 톱 **2** 기계 조작에 능숙한; 도구를 다룰 줄 아는: ~ skill 기계 조작 기술 **3 a** 기계적인, 무의식의, 자동적인: be tired of ~ work 기계적인 작업에 싫증이 나다 **b** 무표정한, 무감정의, 소극적인 **4** 사소한, 작은 일에 연연하는 **5** 기계학[역학]의 **6** 물리적 힘에 의한, 마찰에 의한: ~ pressure 물리적 압력 **7** 〈철학 이론이〉 기계론적인; 물질 우선의, 유물주의적인(materialistic) ***the ~ equivalent of heat 〖물리〗 열의 일 당량(當量)
— *n.* **1** 기계적인 부분[구조], 기구(機構); [*pl.*] = MECHANICS; = MECHANICAL BANK **2** 〖인쇄〗 (사진 촬영용) OK지(紙) **~·ness** *n.*
▷ machíne *n.*; méchanize *v.*

mechánical advántage 〖기계〗 기계적 확대율 ((지레·도르래·수압기 등의 기기에 의한 힘의 확대율))

mechánical bánk 기계 장치 저금통 ((장난감))

mechánical dráwing 기계 제도; 용기화(用器畫)

mechánical enginéer 기계 공학자; 기계 기사

mechánical enginéering 기계 공학

***me·chan·i·cal·ly** [məkǽnikəli] *ad.* 기계(장치)로, 기계적으로

mechánical métallurgy 기계 야금학(冶金學)

mechánical péncil ((미)) 샤프펜슬(automatic pencil, ((영)) propelling pencil)

mechánical scánning 〖TV〗 기계적 주사(走査)

mech·a·ni·cian [mèkəníʃən] *n.* 기계 기사; 기계공(mechanic)

***me·chan·ics** [məkǽniks] *n. pl.* **1** [단수 취급] 역학; 기계학: applied ~ 응용 역학 **2** [보통 the ~; 복수 취급] 기계적인 부분; 메커니즘, 기구(機構); (제작) 기술, 기법: the ~ of basketball 농구의 기술

mechánic's líen 〖법〗 (건물 공사 등의) 선취 특권

***mech·a·nism** [mékənìzm] *n.* **1** 기계 장치: the ~ of a clock 시계의 기계 장치 **2** 메커니즘, 기구(機構): the ~ of government 정치 기구 **3** 기계 부품; Ⓤ 기계 작용 **4** (정해진) 절차, 방법 **5** 〖예술〗 **a** 기계적 처리[연주] **b** 기교, 수법, 테크닉 **6** 〖생리·심리〗 심리 과정, (심적) 기제(機制) **7** 〖철학〗 기계론(opp. *vitalism*) **8** 〖언어〗 메커니즘(opp. *mentalism*)

mech·a·nist [mékənist] *n.* **1** = MECHANICIAN **2** 〖철학〗 기계론자, 유물론자

mech·a·nis·tic [mèkənístik] *a.* **1** 기계 작용의 **2** 기계론[주의](자)의 **3** 기계(학)적인: the ~ theory 기계론

mech·a·ni·za·tion [mèkənizéiʃən | -nai-] *n.* Ⓤ 기계화; (특히 육군 부대의) 기계화, 기동화

mech·a·nize [mékənàiz] *vt.* **1** 〈반응 등을〉 기계적으로 하다 **2** 기계로 제조하다 **3** 〈공장 등을〉 기계화하다 **4** 〖군사〗 〈군대를〉 기갑화하다: a ~*d* unit 기계화 부대 **-nìz·er** *n.*

mechano- [mékənou, -nə] ((연결형)) 「기계; 기계의」의 뜻: *mechano*receptor

mech·a·no·chem·is·try [mèkənoukémistri] *n.* 기계 화학 ((화학 에너지의 기계화로의 변환을 다룸))

mech·a·no·re·cep·tor [mèkənouriséptər] *n.* 〖생리〗 기계적 자극의 수용기(受容器)

mech·a·no·ther·a·py [mèkənouθérəpi] *n.* Ⓤ 〖의학〗 기계(적) 요법 ((마사지 등))

mech·a·tron·ics [mèkətrániks | -trɔ́-] *n. pl.* [단수 취급] 메커트로닉스 ((기계 공학과 전자 공학을 통합한 학문 분야))

Méch·lin láce [méklin-] [벨기에의 산지명에서] 메클린 레이스

me·com·e·tor [mikámətər | -kɔ́m-] *n.* 〖의학〗 신생아 신장 측정기

MEcon Master of Economics

me·co·ni·um [mikóuniəm] *n.* **1** 〚의학〛 (신생아의) 태변(胎便) **2** 〚곤충〛 용변(蛹便) 《번데기가 될 때 배출하는 액체》 **3** 아편

med [méd] *a.* 《구어》 의학의, 의료의(medical)
— *n.* 약; 의학(medicine); 《속어》 의과 대학생

Med [méd] *n.* 《구어》 [the ~] 지중해 (지방)(Mediterranean)

MEd Master of Education **med.** medical; medicine; medieval; medium

⁑**med·al** [médl] *n.* **1** 메달; 훈장; 기장(記章): award a ~ to a person 훈장을 수여하다 / a prize ~ 상패 **2** (성자의 모습을 그린) 성패
the M~ for Merit 《미》 공로장 《일반 시민에게 수여》 ***the M~ of Freedom*** 《미》 자유 훈장 《국가 보안·세계 평화·문화 등의 공헌자에게 대통령이 수여하는 훈장》 ***the M~ of Honor*** 《미》 명예 훈장 《전투원에게, 의회의 이름으로 대통령이 수여하는 최고 훈장》 ***the other***[***reverse***] ***side of the ~*** 문제의 이면
— *v.* (**~ed**; **~·ing** | **~led**; **~·ling**) *vt.* …에게 메달을 수여하다
— *vi.* (스포츠에서) 메달을 따다

méd·al(l)ed *a.* 메달을 받은, 기장을 단

med·al·et [mèdəlét] *n.* 작은 메달

med·al·ist | **med·al·list** [médəlist] *n.* **1** 메달 수령자, 메달리스트 **2** 〚골프〛 medal play의 승자 **3** 메달 제작자[의장가(意匠家)]

me·dal·lic [mədǽlik] *a.* 메달의, 메달에 관한

me·dal·lion [mədǽljən] *n.* **1** 대형 메달 **2** (초상화 등의) 원형의 양각; 원형 초상화 **3** 《미》 택시 영업 면허증; 택시 운전 기사

medallion 2

médal plày 〚골프〛 메달 플레이(stroke play) 《한 코스의 타수가 가장 적은 쪽부터 순위를 정함》

⁑**med·dle** [médl] 〚L 「섞다」의 뜻에서〛 *vi.* **1** 간섭[참견]하다, 관여하다 《*in, with*》(⇨ interfere 유의어): He is always *meddling.* 그는 항상 쓸데없는 참견을 한다. // (~+전+명) ~ *in* other people's affairs 남의 일에 간섭하다 **2** 〈남의 것을〉 만지작거리다, 주무르다 《*with*》: (~+전+명) Don't ~ *with* my gun. 내 총을 만지지 마라. ***neither make nor ~*** 《속어》 일체 관계[간섭]하지 않다 **méd·dler** *n.* 참견하는 사람

med·dle·some [médlsəm] *a.* 지겹게 참견하는(⇨ curious 유의어)

med·dling [médliŋ] *n.* Ⓤ (쓸데없는) 간섭, 참견
— *a.* 참견하는, 간섭하는

Mede [mí:d] *n.* Media 사람[주민]

Me·de·a [midí:ə | -díə] *n.* 〚그리스신화〛 메데아 《Jason이 Golden Fleece를 손에 넣는 것을 도와준 여자 마법사》

mé dècade 《미》 자기 중심주의의 시대 《사람들이 개인적 행복과 만족의 추구에 골몰한 1970년대》

med·e·vac [médəvæ̀k] [*med*ical *evac*uation] *n.* 〚미군〛 (부상자 구출용) 구급 헬리콥터

Med·fly [médflài] *n.* 〚곤충〛 = MEDITERRANEAN FRUIT FLY

medi- [mí:di], **medio-** [mí:diou] 《연결형》 「중간」의 뜻 《모음 앞에서는 medi-》

me·di·a[1] [mí:diə] *n.* **1** medium의 복수 **2** [종종 the ~] = MASS MEDIA

media[2] *n.* (*pl.* **-di·ae** [-diì:]) **1** 〚해부〛 (혈관의) 중막(中膜) **2** 〚곤충〛 (날개의) 중맥(中脈) **3** 〚언어〛 중음(中音) 《유성 폐쇄음》

Me·di·a [mí:diə] *n.* 메디아 《카스피 해의 남쪽에 있었던 고대 왕국》

média blitz 미디어 블리츠 《매스컴을 총동원하여 집중적으로 하는 대선전》

média cìrcus (판매 부수·시청률 신장을 노린) 매스미디어의 흥미 위주 보도 (태도)

média còverage (특정 사건에 대한) 매스컴의 보도(량)

me·di·ac·ra·cy [mì:diǽkrəsi] *n.* Ⓤ 미디어크라시 《신문·방송 등이 막대한 힘을 가지게 된 경향》

me·di·a·cy [mí:diəsi] *n.* Ⓤ 개재, 매개; 조정(調停)

⁑**me·di·ae·val** [mì:dií:vəl, mèd- | mèd-] *a.* = MEDIEVAL

média evènt 매스컴이 만들어낸 사건[화제]; 매스컴용의 행사

me·di·a·gen·ic [mì:diədʒénik] *a.* 매스미디어[텔레비전]에 맞는

média hỳpe 《미·속어》 (기업·후보자 등의) 집중적[과잉] 선전[홍보], 미디어 동원 홍보

me·di·al [mí:diəl] *a.* **1** 중간[중앙]의: a ~ consonant 〚음성〛 중간 자음(자(字)) **2** 평균의, 보통의 **3** 〚해부〛 중막(中膜)의; 〚곤충〛 중맥(中脈)의 **~·ly** *ad.*

médial stríp = MEDIAN STRIP

média mìx 미디어믹스 《필름·테이프·슬라이드 등을 동시에 이용하는 행사[기획]》

me·di·a·mor·pho·sis [mì:diəmɔ́:rfəsis] *n.* 미디어에 의한 사실의 왜곡, 왜곡 보도

me·di·an [mí:diən] *a.* **1** 이등분한 면의; 중앙의, 중간의: the ~ artery[vein] 정중(正中) 동맥[정맥] **2** 〚통계〛 중앙값의 **—** *n.* **1** 〚해부〛 정중(正中) 동맥[정맥, 신경] **2** 〚통계〛 중앙값; 〚수학〛 중수(中數), 중점, 중선(中線) **3** 《미》 = MEDIAN STRIP

Me·di·an [mí:diən] *a.* Media (사람)의
— *n.* Media의 사람[주민](Mede); Ⓤ Media 말

médian léthal dóse (약물·전리 방사선 등의) 반수(半數) 치사량 《일정 시간내에 실험 동물의 반수를 사망시키는 양》

médian pòint [the ~] 〚수학〛 중점(中點)

médian stríp 《미》 (고속도로의) 중앙 분리대(《영》 central reserve)

me·di·a·per·son [mí:diəpə̀:rsn] *n.* 신문[잡지, 텔레비전] 기자, 보도원, 리포터, 특파원

me·di·a-shy [mí:diəʃài] *a.* 매스컴 공포증의, 매스컴[인터뷰]을 싫어하는

me·di·as·ti·num [mì:diæstáinəm] *n.* (*pl.* **-na** [-nə]) 〚해부〛 (양쪽 폐 사이의) 종격(縱隔)(막)

média stùdies [단수·복수 취급] 매스미디어학

me·di·ate [mí:dièit] 〚L 「한가운데에 두다」의 뜻에서〛 *vi.* (중간에서) 조정[중재]하다, 화해시키다 《*between*》; (중간에) 개재(介在)하다
— *vt.* **1 a** 〈쟁의 등을〉 조정하다, 중재하다 **b** 〈협정 등을〉 (조정하여) 성립시키다 **2 a** 〈선물 등을〉 중간에서 전달하다 **b** 〈정보 등을〉 전달하다
— [-diət] *a.* 중개(仲介)에 의한; 중간에 위치한; 간접적인(opp. *immediate*)
~·ly *ad.* 간접적으로 **~·ness** *n.*

me·di·a·tion [mì:diéiʃən] *n.* Ⓤ 조정(調停), 중재; 중개, 매개, 화해(공작)

me·di·a·tize [mí:diətàiz] *vt.* 〚역사〛 〈공국(公國)을〉 종속시키다; 〈대국이〉 〈소국을〉 합병하다

me·di·a·tor [mí:dièitər] *n.* **1** 중재인, 조정자, 매개자; [the M~] 하느님과 사람 사이의 중개자 《그리스도》 **2** 〚화학·생물〛 매개 물질

me·di·a·to·ri·al [mì:diətɔ́:riəl] *a.* = MEDIATORY

me·di·a·to·ry [mí:diətɔ̀:ri | -təri] *a.* 중재[조정]의

me·di·a·tress, -trice [mí:dièitris] *n.* = MEDIATRIX

me·di·a·trix [mì:diéitriks] *n.* (*pl.* **-tri·ces** [-diətráisi:z, -diéitrisì:z], **~·es**) mediator의 여성형 《특히 성모 마리아》

Med·i·bank [médəbæ̀ŋk] *n.* 《호주》 국민 건강 보험 (제도)

thesaurus **meddle** *v.* interfere, butt in, intrude, invade, intervene, interlope, pry, nose
mediator *n.* arbitrator, negotiator, go-between,

med·ic[1] [médik] *n.* 〖식물〗 거여목속(屬)의 식물
medic[2] *n.* 《구어》 **1 a** 의사(doctor) **b** 의대생; 인턴 **2** 《미》 위생병
med·i·ca·ble [médikəbl] *a.* 치료할 수 있는
Med·i·caid [médikèid] [*medical*+*aid*] *n.* Ⓤ [때로 **m~**] 《미》 (65세 미만의 저소득자·신체 장애자를 대상으로 하는) 국민 의료 보조 (제도)
‡**med·i·cal** [médikəl] 〖L 「의사의」의 뜻에서〗 *a.* **1** 의학의, 의료의, 의사의; 의약의: ~ equipment 의료 기구/a ~ student 의과 대학생/a ~ practitioner 개업의(醫)/~ science 의학 **2** 건강 진단의: a ~ certificate 진단서/~ inspection 검역 **3** 내과의(opp. *surgical*): a ~ case 내과 환자/a ~ ward 내과 병동
—*n.* 《구어》 **1 a** 개업의(醫) **b** 의대생; 의학 시험 **2** 진료, 건강 진단 **~·ly** *ad.*
médical advìser 의사 《doctor의 품위 있는 말》
médical càre 의료, 건강 관리(health care)
Médical Cènter 《주로 미》 의료 센터 《의과 대학과 부속 병원 등의 총칭》; [**m- c-**] 《일반》 병원(hospital)
médical cóllege 의과 대학
médical examinátion[**chéckup**] 건강 진단
médical exáminer (보험 회사의) 검사의(醫); 《미》 검시관(檢屍官); 회사의 촉탁 의사
médical hàll 《인도·속어》 약국(drugstore)
médical imáging 의학 화상(畫像) 《초음파 단층장치 등의 기계를 이용하여 체내의 상태를 화상화하는 방법》
med·i·cal·ize [médikəlàiz] *vt.* 치료하다; 환자로 받아들이다 **med·i·cà·li·zá·tion** *n.*
médical jurisprúdence 법의학
médical ófficer 보건소장[직원]; 군의관
médical órderly 병원의 잡역부
médical schóol 의과 대학, (대학의) 의학부
me·di·ca·ment [mədíkəmənt, médik-] *n.* 약, 약제, 의약 **mè·di·ca·mén·tous** *a.*
Med·i·care [médikὲər] [*medical*+*care*] *n.* [때로 **m~**] Ⓤ 《미》 노인 의료 보험 (제도) 《65세 이상의 노인을 대상으로 하는》
med·i·cas·ter [médikæ̀stər] *n.* 가짜 의사
med·i·cate [médəkèit] *vt.* **1** 〈환자에게〉 의료를 베풀다 **2** …에 약물을 넣다[섞다]; 《고어》 독물을 섞다: a ~*d* bath 약물을 섞은 욕탕
med·i·cat·ed [médəkèitid] *a.* 의약용의
*****med·i·ca·tion** [mèdəkéiʃən] *n.* **1** ⓊⒸ **약제,** 약물 **2** Ⓤ 투약, 약물 치료: be on ~ 약물 치료를 받고 있다
med·i·ca·tive [médəkèitiv] *a.* =MEDICINAL
Med·i·ci [médətʃi:] *n.* [the ~] 메디치가(家) 《15-16세기 이탈리아 Florence의 명문으로 문예·미술의 보호에 공헌했음》 **Med·i·ce·an** [mèdəsí:ən, -tʃí:-] *a.* 메디치가의
med·i·cide [médisàid] *n.* 《속어》 의사의 도움에 의한 자살; 의료 사고에 의한 살인
me·dic·i·nal [mədísənl | me-] *a.* **1** 약의, 약용의; 약효 있는, 치유력이 있는(curative): a ~ herb 약초/~ properties 약효 성분/~ substances 약물 **2** 건강에 좋은(salutary) **3** 불쾌한; 맛없는: a ~ taste 고약한 맛 ***for ~ purposes*** 《익살》 약으로서 《술 마실 때의 핑계》 **~·ly** *ad.*
‡**med·i·cine** [médəsin | médsin] 〖L 「치료의 기술」의 뜻에서〗 *n.* **1** ⓊⒸ 약; 《특히》 내복약: a patent ~ 특허 의약품; 매약(賣藥)

> 유의어 **medicine** 병의 치료·방지를 위한 약: a *medicine* for indigestion 소화제 **drug** medicine의 바탕이 되는 재료로서, 건강에 도움이 되는 약뿐 아니라 독물도 포함: poisonous *drugs* 독약류

관련 가루약은 powder, 정제는 tablet, 알약은 pill, 물약은 liquid medicine이라고 한다.
2 Ⓤ 의학, 의술; 의업, 의사직: clinical ~ 임상 의학 **3** Ⓤ 내과 (치료): domestic ~ 가정 치료 **4** Ⓤ (북미 인디언의) 주술, 마법; 마력이 있는 것 **5** 《속어》 술 ***give*** a person ***a dose***[***taste***] ***of his***[***her***] ***own ~*** 《구어》 …에게 같은 수법으로 앙갚음하다 ***practice ~*** 〈의사가〉 개업하고 있다 ***take ~*** 복약하다 ***take*** one***'s ~*** (당연한) 벌을 받다; (자기 탓으로 돌리고) 싫은 일을 참다 ***the virtue of ~*** 약의 효과
—*vt.* …에게 약을 주다, 투약하다
▷ médical, medícinal *a.*
médicine bàll 1 메디신 볼 《큰 가죽 공을 순차적으로 던지는 운동》 **2** 1의 공
médicine càbinet (세면장의) 약품 수납 선반
médicine chèst (가정용의) 구급 상자
médicine dànce (북미 인디언 등의 병마를 쫓기 위한) 무당춤, 주술춤
médicine dròpper (안약) 점적기(點滴器)
médicine màn (미개 사회의) 주술사; (19세기의) 행상 약장수
médicine shòw (행상 약장수가 연예인을 써서 하는) 의약품 선전 판매 쇼 《특히 19세기 미국에서 유행》
med·ick [médik] *n.* =MEDIC[2]
med·i·co [médikòu] *n.* (*pl.* **~s**) 《구어》 의사; 의대생
medico- [médikòu] 《연결형》 「의학」의 뜻
med·i·co·le·gal [mèdikoulí:gəl] *a.* 법의학의
‡**me·di·e·val** [mì:dií:vəl, mèd- | mèdií:-] 〖L 「중간의 시대의」의 뜻에서〗 *a.* **1 중세의,** 중세풍의: ~ literature 중세 문학 **2** 《구어》 고풍의, 구식의, 케케묵은(antiquated) **~·ly** *ad.* 중세풍으로 ▷ mediévalize *v.*
Mediéval Gréek 중세 그리스어
mediéval hístory 중세사
me·di·e·val·ism [mì:dií:vəlìzm, mèd- | mèdií:-] *n.* Ⓤ **1** 중세 시대 정신[사조], 중세적 신앙[문화], 중세적 관습 **2** 중세 취미
me·di·e·val·ist [mì:dií:vəlist, mèd- | mèdií:-] *n.* **1** 중세 연구가, 중세 사학자 **2** (예술·종교 등의) 중세 찬미자
me·di·e·val·ize [mì:dií:vəlàiz, mèd- | mèdií:-] *vt.* 중세풍으로 하다 **—***vi.* 중세를 연구하다; 중세의 이상·습관 등을 좇다
Mediéval Látin 중세 라틴어
med·i·gap [médəgæ̀p] *n.* 《미》 메디갭 《Medicare나 Medicaid로 보조받지 못하는 의료비의 부족분을 메우는 민간 의료 보험》
Me·di·na [mədí:nə | me-] *n.* 메디나 《사우디아라비아 서부의 도시; Mohammed의 묘가 있음》
medio- [mí:diou, -ə] 《연결형》 =MEDI-
me·di·oc·ra·cy [mì:diɑ́krəsi | -ɔ́k-] *n.* Ⓤ 평범한 사람[집단]에 의한 통치[지배]
me·di·o·cre [mì:dióukər, ⌐–⌐–] *a.* 보통의, 평범한, 범용한(commonplace); 2류의
me·di·oc·ri·tize [mì:diɑ́krətàiz | -ɔ́k-] *vt.* 평범[범용]하게 하다, 시시하게 하다, 진부하게 하다
*****me·di·oc·ri·ty** [mì:diɑ́krəti | -ɔ́k-] *n.* (*pl.* **-ties**) **1** Ⓤ **평범,** 보통, 범용; 범재(凡才) **2** 평범한 사람, 범인
▷ mediócre *a.*
Medit. Mediterranean
‡**med·i·tate** [médətèit] 〖L 「숙고하다」의 뜻에서〗 *vt.* **1 꾀하다,** 기도하다, 계획하다: She was *meditating* a journey to Japan. 그녀는 일본 여행을 계획하고 있었다. **2** 《드물게》 숙고[묵상]하다: ~ the Muse 시상(詩想)에 잠기다
—*vi.* **명상[묵상]하다,** 회상하다; 숙고하다(ponder) 《*on, upon*》: (~+전+명) ~ *on*[*upon*] one's experience 경험한 일을 곰곰이 생각해 보다
▷ meditátion *n.*; méditative *a.*
‡**med·i·ta·tion** [mèdətéiʃən] *n.* **1** Ⓤ **명상,** 묵상 《*on, upon*》: be buried in ~ 명상에 잠기다 **2** Ⓤ 심

---

middleman, peacemaker, intervenor, referee
meditation *n.* contemplation, thought, musing, pondering, consideration, reflection, deliberation

사숙고, 숙려, 고찰: in careful ~ 면밀히 생각하여 **3** [종종 *pl.*] 명상록 ▷ méditate *v.*

***med·i·ta·tive** [médətèitiv] *a.* **명상적인**; 명상에 잠기는, 심사숙고하는(thoughtful)(⇨ pensive 유의어); 사색을 즐기는 **~·ly** *ad.* **~·ness** *n.* ▷ méditate *v.*; meditátion *n.*

med·i·ta·tor [médətèitər] *n.* 묵상가; 명상가

***Med·i·ter·ra·ne·an** [mèdətəréiniən] [L 「육지의 중간에 있는」의 뜻에서] *a.* **1** 지중해의; 지중해 연안의 **2** 지중해 연안 주민(특유)의 **3** 〖기상〗 지중해성 기후의 **4** [m~] 〈바나가〉 육지에 둘러싸인

— *n.* **1** [the ~] = MEDITERRANEAN SEA **2** [the ~; 집합적] 《구어》 지중해의 섬들[나라들]

Mediterránean clìmate 〖기상〗 지중해성 기후

Mediterránean féver 〖의학〗 지중해열 《지중해 연안 지방에 발생하는 각종 열병》

Mediterránean frúit flỳ 〖곤충〗 지중해열매파리 《유충이 오렌지 등을 먹어치움》

Mediterránean ráce [the ~] 지중해 인종[민족] 《연안의 코카서스 인종》

Mediterránean Séa [the ~] 지중해

me·di·um** [mí:diəm] [L 「중간의」의 뜻에서] *n.* (*pl.* **~s, -di·a** [-diə]) **1** 수단, 방편(means): a ~ of communication 전달[통신]의 수단 **2** 매개물, 매질(媒質), 매체, 도체(導體) **3** 중위(中位), 중간, 중용 **4 a** 중간물 **b** 《구어》 중간 크기의 의복 **5** (주변) 환경(environment), 생활 조건 **6** 매개자, 중개자(go-between) **7** 〖생물〗 배양기(培養基), 배지(培地); (보존용) 보존액 **8** (*pl.* **~s**) 무당, 영매(靈媒) **9** 〖회화〗 착색제 **10** 중판(中判) 《종이의 크기》 **11** (고속도로의) 중앙 분리대 (median strip) **12** 〖극장〗 (무대에 색광(色光)을 투사하기 위한) 라이트용 컬러 필터 **13** 〖논리〗 매사(媒辭) ***by [***through***] ***the ~ of*** …의 매개로, …을 통하여 ***in ~*** 〖영화·TV〗 중거리 촬영으로, 주연 배우를 중거리에 배치하여 ***strike a happy ~*** 중용을 얻다, 중간 타협점을 찾다 ***the ~ of circulation*** 통화

— *a.* **1** 중위[중등, 중간]의; 보통의(average): He is of ~ height. 그는 키가 보통이다. **2** 〈스테이크가〉 미디엄의, 중간 정도로 구워진 ▷ médial, médian *a.*

médium artíllery 〖군사〗 중구경(中口經)포 《구경 105-155 밀리》

médium bómber 〖군사〗 중형 폭격기

médium fréquency 〖통신〗 중주파(中周波) 《300-3,000 kilohertz; 略 MF》

me·di·um·ism [mí:diəmìzm] *n.* Ⓤ 영매법(靈媒法)

me·di·um·is·tic [mì:diəmístik] *a.* 무당의, 영매의, 강령술의

me·di·um·ize [mí:diəmàiz] *vt.* 영매로 삼다, 영매 상태로 이끌다

médium of exchánge [the ~] 교환 매개물, 교환 수단, 《특히》 화폐

me·di·um-range [mí:diəmréindʒ] *a.* 중거리용의: a ~ ballistic missile 중거리 탄도 미사일

mé·di·um-scale integrátion [-skèil-] 〖전자〗 중규모 집적 회로 《略 MSI》

me·di·um·ship [mí:diəmʃìp] *n.* Ⓤ 영매의 능력[역할, 직]

médium shòt 〖영화·TV〗 반신(半身)[7분신(分身)] 촬영 《무릎 위를 찍는 인물 촬영법》

me·di·um-sized [-sáizd] *a.* 중형의, 중판의

me·di·um-term [-tə́rm] *a.* 중기(中期)의

médium wáve 〖통신〗 중파(中波) 《파장이 100-1,000 m》

med·lar [médlər] *n.* 〖식물〗 서양모과나무(의 열매) ***Japanese ~*** 비파나무(loquat)

***med·ley** [médli] *n.* **1** 잡동사니, 뒤범벅; 잡다한 집단: a ~ of furniture, Korean and foreign 한·양식이 뒤섞인 잡다한 가구류 **2** 〖음악〗 접속곡, 메들리 **3** 잡문집, 잡록(雜錄) **4** = MEDLEY RELAY

— *a.* 《고어》 그러모은

— *vt.* 뒤섞다, 혼합하다

médley rèlay[**ràce**] (육상·수영의) 메들리 릴레이

Mé·doc [meidɑ́k | -dɔ́k] [F 산지명에서] *n.* Ⓤ 메독 (와인) 《적포도주》

méd schòol 《미·속어》 = MEDICAL SCHOOL

me·dul·la [mədʌ́lə] *n.* (*pl.* **~s, -lae** [-li:]) **1** 〖해부〗 수질(髓質) **2** 〖동물〗 모수(毛髓) **3** 〖식물〗 고갱이

medulla ob·long·a·ta [-ɑ̀blɔ:ŋgɑ́:tə, -lɑŋ- | -ɔ̀blɔŋ-] [L] (*pl.* **me·dul·la ob·lon·ga·tas, me·dul·lae ob·long·a·tae**) [the ~] 〖해부〗 연수(延髓)

med·ul·lar·y [médəlèri | medʌ́ləri] *a.* 수질의

med·ul·lat·ed [médəlèitid] *a.* 〖해부〗 골수[연수]가 있는; 수초(髓鞘)가 있는; 〖식물〗 고갱이가 있는

Me·du·sa [mədjú:sə, -zə | -djú:zə, -sə] *n.* **1** 〖그리스신화〗 메두사 《세 자매 괴물(Gorgons)의 하나; cf. PERSEUS》 **2** [m~] (*pl.* **~s, -sae** [-si:, -zi:]) 〖동물〗 해파리(jellyfish)

meed [mí:d] *n.* 《시어》 보상, 보수(reward)

mee·ja(h) [mí:dʒə] *n.* [the ~] 《영·속어·경멸》 매스미디어

meek** [mí:k] [ON 「부드러운」의 뜻에서] *a.* **1** 순한, 유순한, 온순한: be ~ in temper 성질이 순하다 **2** 기백[패기] 없는, 굴종적인 (*as*) ***~ as a lamb [***a maid, Moses***] 지극히 온순한 ***~ and mild*** (1) 유순한, 말 잘 듣는 (2) 기백 없는, 패기 없는

~·ly *ad.* 온순하게 **~·ness** *n.*

meer·kat [míərkæ̀t] *n.* 미어캣 《몽구스류의 작은 육식 동물; 남아프리카산(産)》

meer·schaum [míərʃəm, -ʃɔ:m | -ʃəm] [G 「바다의 거품」의 뜻에서] *n.* **1** Ⓤ 해포석(海泡石) **2** Ⓒ 해포석 담배 파이프

‡meet[1] [mí:t] *v.*, *n.*

① 만나다; 면회하다; 회합하다	타 **1, 4**	자 **1, 2**
② 합치다; 교차하다; 접촉하다	타 **2, 3**	자 **4, 5**
③ 직면하다, 대항하다	타 **5**	
④ 마중 나가다	타 **6**	
⑤ 아는 사이가 되다	타 **7**	자 **3**
⑥ 충족시키다	타 **8**	

— *v.* (**met** [mét]) *vt.* **1** 만나다, (우연히) 마주치다, 스쳐 지나다: I *met* him unexpectedly. 뜻밖에 그를 만났다. **2** 〈길·강 등이〉 …와 만나다, 교차하다, 합류하다: Where does this road ~ the highway? 이 도로는 어디에서 고속도로와 만납니까? **3** …와 접촉하다, 부딪치다; 〈눈·귀에〉 보이다, 들리다; 〈시선과〉 만나다; 〈탈것이〉 …에 연락하다 **4** 회견[면회]하다, 회합하다 **5** 직면[대항]하다, 대처하다; …와 회전[대전]하다: ~ one's fate calmly 태연히 운명을 맞다[죽다] **6** 마중하다, …의 도착을 기다리다: The hotel bus ~*s* (you off) the train. 호텔의 버스가 열차(에서 내리는 당신)의 도착을 기다립니다. **7** (처음으로) 상면하다; (소개받아) 아는 사이가 되다 **8** 만족시키다, 〈필요·의무·요구 등에〉 응하다, 충족시키다(satisfy), 〈뜻·소원에〉 맞다: ~ the federal regulation 연방 기준을 맞추다 **9** 〈빚·계산을〉 지급하다(pay), 갚다 **10** 변명하다 **11** …에 조우하다, 경험하다 ★ 이 뜻으로는 meet with가 일반적임.

— *vi.* **1** 만나다, 마주치다: (~+전+명) We *met on* the street. 우리는 거리에서 만났다.

> 유의어 **meet**는 우연이든 약속에서든 「사람」을 만나는 데 쓴다. 회화에서는 흔히 **see**를 대신 쓰나 see에는 meet처럼 「우연」의 뜻은 없다.

2 회합하다; 〈집회·수업 등이〉 열리다: (~+부) They

thesaurus **meek** *a.* **1** 유순한 gentle, peaceful, docile, modest, humble, patient, forbearing **2** 굴종적인 submissive, yielding, compliant

meet[1] *v.* **1** 마주치다 encounter, run into, run

~ *together* once a year. 그들은 1년에 한 번씩 모인다. **3** (소개받아) 아는 사이가 되다 **4** 〈선·도로 등이〉 만나다, 교차[합류]하다; 〈복수의 것이〉 접촉하다; 〈양 끝이〉 한 점으로 모이다, 상접하다: (~+전+명) This belt won't ~ *round* my waist. 이 혁대는 짧아서 허리에 모자란다. **5** 〈여러 성질이〉 하나로 결합하다, 겸비하다 **6** 대전[대결]하다, 경쟁하다

~ a person ***halfway*** ⇨ halfway. ~ a person ***in the face*** …와 우연히 만나다 **~ *up*** (구어) …와 (우연히) 만나다, (동물 등과) 마주치다 (*with*) **~ *with*** (1) 경험하다, 맛보다, …을 받다 (2) 〈불의의 사태·불행 등을〉 만나다, 당하다 (3) (문어) …와 (우연히) 만나다 (4) (약속하고) 만나다, 회견하다; 회담하다 ***more*** (***to***[***in***] ***…***) ***than ~s the eye***[***ear***] 보이는[들리는] 것 이상의 것, 숨겨진 것, 깊은 사연

— *n.* **1** 회합, 모임; (미) (운동)회, 대회((영) meeting): an air ~ 비행 대회 / an athletic ~ 운동회 **2** [집합적] 회중(會衆); 회장(會場) **3** 〖기하〗 교점(交點), 교선; (미) (선로의) 교차점 **4** (영) (사냥 출발 전의) 총집합 **5** (호주) (일시·장소 등의) 지정; 밀회(密會)

meet² *a.* Ⓟ (고어) 적당한 (*for, to*) **~·ly** *ad.*

meet-and-greet [míːtəngríːt] *n.* **1** 만남과 대화의 행사 (유명 음악가·저술가·미술가 등과 팬 사이의) **2** (공항에서의) 손님의 마중[환영]; (학부모의) 학교 방문 (행사)

meet·ing [míːtiŋ] *n.* **1 a** (특별한 목적의) 모임, 집합, 회합, 회의, 대회, 집회: emergency ~ 비상 회의 / attend a ~ 모임에 참석하다

> 유의어 **meeting** 토론·결정 등을 목적으로 하는 모임: a general *meeting* 총회 **party** 사교를 목적으로 하는 모임: an informal *party* 격식 없는 파티 **conference** 특정한 문제에 대해 의견을 교환하고 토의하기 위한 회의: a *conference* between a student and his adviser 학생과 지도 교사 간의 회담 **gathering** 비공식적이며 주로 사교적인 허물없는 집회: a social *gathering* 사교적인 모임, 간친회

b [the ~; 집합적] 모인 사람, 회중(會衆): address *the* ~ 회중에게 인사말을 하다 **2 a** 만남, 면회, 조우: our first ~ 우리의 첫 번째 만남 **b** 경기, 시합, 대회 **c** 회전(會戰), 대전(對戰); (고어) 결투 **3** Ⓒ 접합[연락, 교차, 합류]점 **4** Ⓒ (특히 퀘이커 교도의) 예배회

call a ~ 회의를 소집하다 ***have***[***reach***] ***a ~ of minds*** 의견 일치를 보다, 합의하다 ***hold***[***have***] ***a ~*** 회의를 개최하다 ***open a ~*** 개회사를 하다 ***speak in ~*** (미) (공식적으로) 의견을 발표하다

méeting gròund (지식이나 관심의) 공통 영역

meet·ing·house [míːtiŋhàus] *n.* (*pl.* **-hous·es** [-hàuziz]) **1** (영) 비국교도(非國敎徒)의 예배당 **2** (미) 공회당; 퀘이커 교도의 예배당

meet·ing-place [-plèis] *n.* 회장, 집회소; 합류점

mef·e·nám·ic ácid [mèfənǽmik-] 〖약학〗 메페남산(酸) (백색 분말의 소염·진통·해열제)

mef·lo·quine [méflоukwin] *n.* 〖약학〗 메플로퀸 (항말라리아제)

meg [még] *n.* [종종 **M~**] 〖전기〗 소형 절연 시험기 (상표명)

meg megabyte; megohm(s)

Meg [még] *n.* 여자 이름 (Margaret의 애칭)

meg·a [mégə] *a.* (구어) 매우 큰[중요한], 대규모의; 멋진, 최고의

mega- [mégə], **meg-** [még] (연결형) 「큰, 커다란; 〖물리〗 100만(배)의」의 뜻 (모음 앞에서는 meg-)

meg·a·bar [mégəbàːr] *n.* 〖물리·기상〗 메가바 (기압의 단위; 10^6 bars; 略 mbar)

meg·a·bit [mégəbìt] *n.* 〖컴퓨터〗 메가비트 (2^{20}(1,048,576) bits); 100만 비트 (略 Mb)

meg·a·buck [mégəbʌ̀k] *n.* (미·구어) 100만 달러; 거금

meg·a·byte [mégəbàit] *n.* 〖컴퓨터〗 메가바이트 (2^{20}(1,048,576) bytes); 100만 바이트 (略 MB)

meg·a·ce·phal·ic [mègəsəfǽlik], **-ceph·a·lous** [-séfələs] *a.* 거대한 두개(頭蓋)의, 머리가 큰

meg·a·cit·y [mégəsìti] *n.* (*pl.* **-cit·ies**) 인구 1,000만 이상의 도시

meg·a·cor·po·ra·tion [mégəkɔ̀ːrpəréiʃən] *n.* 거대 기업

meg·a·cu·rie [mégəkjùəri] *n.* 〖물리〗 메가큐리 (100만 큐리; 略 mc)

meg·a·cy·cle [mégəsàikl] *n.* 〖통신〗 메가사이클 (1초에 100만 사이클; 略 mc)

meg·a·deal [mégədìːl] *n.* 대형 거래[계약, 상담]

meg·a·death [mégədèθ] *n.* Ⓤ Ⓒ 100만인의 죽음; 대량사(大量死)

meg·a·dose [mégədòuz] *n.* (약제·비타민 등의) 대량 투여(량) — *vt.* 대량 투여하다

meg·a·dyne [mégədàin] *n.* 〖물리〗 메가다인 (CGS 단위계의 힘의 단위; 100만 다인)

meg·a·flick [mégəflìk] *n.* 대작 영화

meg·a·flop [mégəflɑ̀p | -flɔ̀p] *n.* (구어) 완전한 실패

meg·a·flops [mégəflɑ̀ps | -flɔ̀ps] *n.* 〖컴퓨터〗 메가플롭스 (연산 능력의 단위)

meg·a·fog [mégəfɔ̀ːg, -fɑ̀g | -fɔ̀g] *n.* 확성기에 의한 안개 경보 장치

meg·a·hertz [mégəhə̀ːrts] *n.* (*pl.* **~, ~·es**) 〖통신〗 메가헤르츠 (주파수 단위; 100만 헤르츠; 略 MHz)

meg·a·hit [mégəhìt] *n.* (영화 등의) 대히트 (작품)

meg·a·lith [mégəlìθ] *n.* 〖고고학〗 유사 이전의 거석(巨石)

megalith

mèg·a·líth·ic *a.* 거석의, 거석 문화 시대의

megalo- [mégəlou, -lə] (연결형) 「큰, 거대한, 강력한」의 뜻

meg·a·lo·ma·ni·a [mègəlouméiniə] *n.* Ⓤ **1** 과장하는 버릇 **2** 〖정신의학〗 과대망상(증)

meg·a·lo·ma·ni·ac [mègəlouméiniæ̀k] *n.* **1** 과장하는 버릇이 있는 사람 **2** 과대망상 환자 — *a.* 과대망상의

meg·a·lop·o·lis [mègəlɑ́pəlis | -lɔ́p-] *n.* 거대(巨大) 도시; (몇 개의 위성 도시를 포함한) 거대 도시권

meg·a·lo·pol·i·tan [mègəloupɑ́litən | -pɔ́l-] *a., n.* 거대 도시의 (주민), 거대 도시권의 (주민)

meg·a·lo·saur [mégələsɔ̀ːr] *n.* 〖고생물〗 거룡(巨龍)

-megaly [mégəli] *suf.* 「비대」, 「거대」의 뜻: acro*megaly* 말단 비대증

***meg·a·phone** [mégəfòun] [Gk. 「큰 목소리」의 뜻에서] *n.* 메가폰, 확성기; 대변자 — *vt., vi.* 메가폰[확성기]으로 알리다

meg·a·pix·el [mégəpìksəl] *n.* 〖전자〗 100만 화소: a 15 ~ digital camera ~ 1,500만 화소의 디지털 카메라

meg·a·rad [mégəræ̀d] *n.* 메가래드 (100만 래드; 방사선의 흡수선량의 단위)

meg·a·scope [mégəskòup] *n.* 확대용 카메라

meg·a·scop·ic [mègəskɑ́pik | -skɔ́p-] *a.* 확대된; 육안으로 보이는 **-scóp·i·cal·ly** *ad.*

meg·a·spore [mégəspɔ̀ːr] *n.* 〖식물〗 거대 포자(胞子); 배낭(胚囊)

meg·a·star [mégəstɑ̀ːr] *n.* (부와 명성이 있는) 대스타 (영화인·TV 배우 등)

---

across, come across[upon], chance[happen] upon **2** 회합하다 gather, come together, assemble, congregate, convene, convoke, rally **3** 직면하다 face, confront, undergo, experience, go through, bear

meg·a·store [mégəstɔ̀ːr] *n.* 거대 상점[점포]
meg·a·struc·ture [-strʌ̀ktʃər] *n.* 거대 고층 건물
meg·a·ton [mégətʌ̀n] *n.* **1** 100만 톤 **2** 메가톤 《TNT 100만 톤에 상당하는 폭발력》
meg·a·ton·nage [mégətʌ̀nidʒ] *n.* 메가톤 수 《메가톤을 단위로 측정한 핵무기의 파괴력》
meg·a·trend [mégətrènd] *n.* 주류(主流), 대세(大勢)
meg·a·tron [mégətràn | -trɔ̀n] *n.* 〖물리〗 메가트론, 등대관(燈臺管) 《등대 모양의 진공관》
meg·a·ver·si·ty [mégəvə̀ːrsəti] *n.* (*pl.* **-ties**) 초내형 종합 대학교
meg·a·vi·ta·min [mégəvàitəmin] *a.* 비타민 대량 투여의[에 의한] **—** *n.* [*pl.*] 대량의 비타민
meg·a·volt [mégəvòult] *n.* 〖전기〗 메가볼트 《100만 볼트; 略 MV》
meg·a·watt [mégəwàt] *n.* 〖전기〗 메가와트 《100만 와트; 略 MW》
mé generàtion [때로 **M- G-**] (미) 미 제너레이션, 자기 중심주의 세대 《1970년대의》
Meg·ger [mégər] *n.* [때로 **m~**] 〖전기〗 절연 저항계 《상표명》
Me·gid·do [məgídou] *n.* 메기도 《이스라엘 북부의 고대 도시; 성경의 Armageddon이 이곳이라고도 함》
Me·gil·lah [məgílə] *n.* **1** (*pl.* **-gil·loth** [-gilɔ́ːt]) 〖성서〗 메길라 《에스더기(the Book of Esther)가 수록된 유대의 두루마리 책; Purim제에 유대 교회에서 읽음》 **2** [**m~**] (속어) 장광설, 장황한 이야기[설명]
me·gilp [məgílp] *n.* Ⓤ 메길프 《유화용 휘발성 기름》
MEGO [míːgou] [*m*y *e*yes *g*laze *o*ver] *n.* (*pl.* **~s**) (눈이 흐려지도록) 시시한 일; (어려워서) 잘 이해가 안 되는 일
MEGO·GIGO [míːgougáigou] [MEGO+GIGO] *int.* (미·10대속어) 지겹다, 진절머리난다
meg·ohm [mégòum] *n.* 〖전기〗 메그옴 《전기 저항의 단위; 100만 옴》
meg·ohm·me·ter [mégoumìːtər] *n.* 〖전기〗 절연 저항계
me·grim [míːgrim] *n.* (고어) **1** ⓊⒸ 〖병리〗 편두통 **2** [*pl.*] 우울 **3** ⓊⒸ 공상, 변덕
mei·o·sis [maióusis] *n.* (*pl.* **-ses** [-siːz]) ⓊⒸ **1** 〖생물〗 (세포핵의) 감수[환원] 분열 **2** 〖수사학〗 = LITOTES **mei·ot·ic** [maiátik | -ɔ́t-] *a.*
Me·ir [meiíər, máiər] *n.* 메이어 **Golda ~** (1898-1978) 《이스라엘의 여류 정치인; 수상(1969-74)》
me·ism [míːizm] *n.* (1970년대의) 자기 중심주의
Méiss·ner effèct [máisnər-] [독일의 물리학자 이름에서] 〖물리〗 마이스너 효과 《초전도체를 임계 온도로 냉각시키면 자성(磁性)을 잃는 현상》
-meister [máistər] 《연결형》 「전문가, 대가(大家), …통(通)」의 뜻: schlock*meister*; spin*meister*
Mei·ster·sing·er [máistərsìŋər, -zìŋ- | -sìŋ-] *n.* (*pl.* **~, ~s**) 마이스터징거 《14-16세기 독일의 장인들이 시와 음악 수업을 위해 만든 조합의 일원》
meit·ne·ri·um [máitnəriəm] *n.* 〖화학〗 마이트네륨 《인공 방사성 원소; 기호 Mt, 원자 번호 109》
Mé·ji·co [méhikɔː] [Sp.] *n.* = MEXICO
MEK 〖화학〗 methyl ethyl ketone
Mek·ka [mékə] *n.* = MECCA
me·kom·e·ter [məkámətər | -kɔ́m-] *n.* 메코미터 《광선에 의한 거리 측정 장치》
Me·kong [méikáŋ | míːkɔ́ŋ] *n.* [the ~] 메콩 강 《인도차이나 반도를 거쳐 중국해로 흐르는 강》
Mékong Délta [the ~] 메콩 강 삼각주
mel·a·mine [méləmìːn] *n.* Ⓤ 〖화학〗 멜라민 《석회질소로 만드는 화합물》; 멜라민 수지(= ∠ **rèsin**)
mel·an·cho·li·a [mèlənkóuliə, -ljə] *n.* Ⓤ (특히 체중 감소·불면 등에서 오는) 우울증
mel·an·cho·li·ac [mèlənkóuliæ̀k] *n.* 우울증 환자 **—** *a.* 우울증에 걸린
mel·an·chol·ic [mèlənkálik | -kɔ́l-] *a., n.* 우울한 (사람); 우울증의 (환자); 우울하게 하는 (사람)
‡mel·an·chol·y [méləṇkàli | -kəli] [Gk. 「검은 담즙」의 뜻에서] *n.* Ⓤ **1** (습관적·체질적인) 우울(증), 침울: When she left, he sank into ~. 그녀가 떠나자 그는 우울해졌다. **2** 깊은 생각; 애수 **3** = MELANCHOLIA **—** *a.* **1** 우울한, 음침한; 슬픈, 구슬픈: a ~ mood 우울한 기분 / feel ~ 우울해지다 **2** 우울하게 하는: a ~ occasion 우울하게 만드는 사건
▷ melanchólic *a.*
Mel·a·ne·sia [mèləníːʒə, -ʃə | -ziə, -ʒə] [Gk. 「검은 섬」의 뜻에서] *n.* 멜라네시아 《대양주 동북쪽의 여러 섬들》
Mel·a·ne·sian [mèləníːʒən, -ʃən | -ziən, ʒən] *a.* 멜라네시아 (사람·말)의
— *n.* **1** 멜라네시아 사람 **2** Ⓤ 멜라네시아 말
mé·lange [meilɑ́ːŋʒ, -lɑ́ːndʒ] [F 「섞다」의 뜻에서] *n.* 혼합물, 뒤범벅; 그러모은 것; 잡록(雜錄)
me·la·ni·an [məléiniən] *a.* 흑색의; [보통 **M~**] 흑인종의
me·lan·ic [məlǽnik] *a.* **1** = MELANIAN **2** 〖병리〗 흑색증의 **—** *n.* 흑색증 환자; 흑인(종)
Mel·a·nie [méləni] *n.* 여자 이름
mel·a·nin [mélənin] *n.* Ⓤ 〖생물〗 멜라닌, 흑색소 《피부·머리털·눈 등의 흑갈색 색소》
mel·a·nism [mélənìzm] *n.* Ⓤ **1** 〖동물·인류〗 흑성(黑性), 흑화(黑化), 흑색소[멜라닌] 침착 **2** 〖병리〗 흑색증, 흑색소 침착증 **mèl·a·nís·tic** *a.*
mel·a·nite [mélənàit] *n.* 〖광물〗 흑석류석
mel·a·nize [mélənàiz] *vt.* 멜라닌화하다, 흑화(黑化)하다; 검게 하다 **mèl·a·ni·zá·tion** *n.*
melano- [məlǽnou, -nə] 《연결형》 「검은, 어두운」의 뜻 《모음 앞에서는 melan-》: *melano*sis; *melan*in
me·lan·o·blast [məlǽnəblæ̀st, mélənə-] *n.* 〖식물〗 멜라닌[흑색소(黑色素)] 싹세포
mel·a·noch·ro·i [mèlənákrouài | -nɔ́k-] *n. pl.* [때로 **M~**] 〖인류〗 (코카서스 인종 중에서) 얼굴이 희고 머리가 검은 종족
me·lan·o·cyte [məlǽnəsàit, mélənə-] *n.* 〖동물〗 멜라노사이트, 멜라닌 (형성) 세포
me·lán·o·cyte-stim·u·lat·ing hòrmone [-stìmjuleitiŋ-] 〖생화학〗 멜라닌 세포 자극 호르몬 《略 MSH》
mel·a·noid [mélənɔ̀id] *a.* **1** 흑피증(黑皮症)의 **2** 흑색소로 인한, 거무스름한 **—** *n.* 멜라노이드 《멜라닌 비슷한 물질》
mel·a·no·ma [mèlənóumə] *n.* (*pl.* **~s, ~·ta** [-tə]) 〖병리〗 흑색종(腫)
me·lan·o·phore [məlǽnəfɔ̀ːr, mélənə-] *n.* 〖동물〗 (특히 어류·양서류·파충류의) 흑색소[멜라닌] 세포
mel·a·no·sis [mèlənóusis] *n.* Ⓤ 〖병리〗 흑색증, 흑색소 침착증
mel·a·not·ic [mèlənátik | -nɔ́t-] *a.* 흑색증의, 흑색증에 걸린
mel·a·nous [mélənəs] *a.* 〖인류〗 검은 머리와 거무스름한 피부를 가진
mel·a·to·nin [mèlətóunin] *n.* 〖생화학〗 멜라토닌 《소의 송과선(松果腺)에서 분비되는 호르몬》
Mél·ba tòast [mélbə-] [호주의 소프라노 가수 이름에서] 바삭바삭하게 구운 얇은 토스트
Mel·bourne [mélbərn] *n.* 멜버른 《호주 동남부의 항구 도시》
meld[1] [méld] 〖카드〗 *vt., vi.* (패를) 보이고 득점을 선언하다 **—** *n.* 패를 내보임, 득점의 선언; 득점이 되는 패 맞추기
meld[2] *vt.* 혼합[결합, 융합]시키다 **—** *vi.* 혼합[결합, 융합]하다 **—** *n.* 혼합물
me·lee, mê·lée [méilei, –∠ | mélei] [F] *n.*

thesaurus **melancholy** *a.* despondent, dejected, depressed, downcast, gloomy, miserable, dismal, dispirited, blue, mournful, woeful, doleful, disconsolate, glum, somber

1 a 난투, 혼전 **b** 격렬한 논쟁 **2** 혼란, 혼잡

me·le·na [məlíːnə] *n.* 〖의학〗 흑색변(便), 하혈

mel·ic [mélik] *a.* 노래하기에 적합한, 가창(歌唱)용의; 기원전의 그리스 서정시 형식의

mel·i·lite [méləlàit] *n.* Ⓤ 〖광물〗 황장석(黃長石)

mel·i·nite [mélənàit] *n.* Ⓤ 멜리나이트 《프랑스에서 발명된 강력 폭약》

me·lio·rate [míːljərèit] *vt.* 《문어》 개량하다, 개선하다 **—***vi.* 좋아지다 **-ra·ble** *a.* **-ra·tive** [-rèitiv | -rət-] *a.* 개선하는, 개선적인

me·lio·ra·tion [mìːljəréiʃən | -liə-] *n.* ⓊⒸ 개량, 개선(amelioration)

me·lio·rism [míːljərìzm | -liə-] *n.* Ⓤ 〖윤리〗 사회 개량론, 세계 개선론 **-rist** *n., a.* **mè·lio·rís·tic** *a.* 세계 개선론의

me·lis·ma [milízmə] *n.* (*pl.* **~s, ~·ta** [-tə]) 〖음악〗 **1** 선율이 화려하고 아름다운 음악 **2** = CADENZA

Me·lis·sa [məlísə] *n.* 여자 이름

mel·ler [mélər] *n.* 《미·속어》 = MELODRAMA

mel·lif·er·ous [məlífərəs] *a.* 꿀이 나는; 〈말·음악 따위가〉 달콤한(sweet)

mel·lif·ic [məlífik] *a.* = MELLIFEROUS

mel·lif·lu·ence [məlífluːəns] *n.* Ⓤ 매끄러움, 유창함; 달콤함

mel·lif·lu·ent [məlífluənt] *a.* = MELLIFLUOUS

mel·lif·lu·ous [melífluəs] *a.* 〈목소리·음악 등이〉 매끄러운, 유창한; 감미로운

mel·lo·phone [méləfòun] *n.* 〖음악〗 멜로폰 《프렌치호른을 단순화한 것; 군악대 등에서 사용》

Mel·lo·tron [mélətrɑ̀n | -trɔ̀n] *n.* 멜로트론 《컴퓨터로 프로그래밍한 전자 건반 악기; 상표명》

‡**mel·low** [mélou] *a.* (**~·er**; **~·est**) **1** 〈과실이〉 **익은** (⇨ ripe 유의어); (말랑말랑하고) **달콤한**; 부드러운: a ~ peach 물이 많고 달콤한 복숭아 **2** 〈술이〉 향기로운, 감칠맛 나는: ~ wine 익어서 향긋한 포도주 **3** 〈음성·소리·문체 등이〉 부드럽고 아름다운; 〈빛깔·표면이〉 오래되어 부드럽고 매끄러운: a ~ color 부드러운 색조 **4** 〈사람이〉 (나이가 들고 경험을 쌓아) 원숙한, 온건한; 침착한 **5** 〈토질이〉 부드러운, 기름진: ~ soil 기름진 땅 **6** 《구어》 (술로) 거나한, 즐거운, 명랑한

—*vt.* **1** 익히다 **2** 원숙하게 하다

—*vi.* **1** 익다 **2** 원숙해지다

~ *out* 《미·속어》 긴장이 풀리(게 하)다, 느긋해지다

~·ly *ad.* 달콤하게, 부드럽게, 원숙하게 **~·ness** *n.*

mel·o [mélou] *n.* (*pl.* **~s**) 《구어》 = MELODRAMA

melo- [mélou, -lə] 《연결형》 「노래」의 뜻

me·lo·de·on [məlóudiən] *n.* 〖음악〗 **1** 멜로디언 《아코디언의 일종》 **2** 페달식의 리드 오르간의 일종 (American organ)

me·lo·di·a [məlóudiə] *n.* **1** 선율, 가창 **2** 〖음악〗 멜로디아 《플루트의 일종》

me·lod·ic [məlɑ́dik | -lɔ́d-] *a.* **1** 선율의 **2** 곡조가 아름다운(melodious) **-i·cal·ly** *ad.*

me·lod·i·ca [məlɑ́dikə | -lɔ́d-] *n.* 멜로디카 《건반이 있는 소형 취주 악기》

me·lod·ics [məlɑ́diks | -lɔ́d-] *n. pl.* [단수 취급] 〖음악〗 선율학[법]

me·lo·di·on [məlóudiən] *n.* 〖음악〗 멜로디언 《1806년 독일의 Dietz가 발명한 소형 건반악기》; = MELODEON 2

*__me·lo·di·ous__ [məlóudiəs] *a.* **1 선율적인 2** 곡조[가락]가 아름다운(sweet-sounding), 음악적인(musical) **~·ly** *ad.* **~·ness** *n.* ▷ mélody *n.*

mel·o·dist [mélədist] *n.* 선율이 아름다운 작곡가[성악가]

mel·o·dize [mélədàiz] *vt.* …에 선율을 붙이다; 감미로운 선율로 하다 **—***vi.* 가곡을 연주하다[노래하다]; 선율(melody)을 만들다 **-dìz·er** *n.*

*__mel·o·dra·ma__ [mélədrɑ̀ːmə, -drӕmə | -drɑ̀ːmə] [F 「음악극」의 뜻에서] *n.* ⓊⒸ **1 a** 멜로드라마 《감상적인 통속극》 **b** (연극의 형식으로서의) 멜로드라마; 멜로드라마적 수법 **2** 멜로드라마적 사건[행동]

▷ melodramátic *a.*; melodrámatize *v.*

mel·o·dra·mat·ic [mèlədrəmǽtik] *a.* 멜로드라마식의; 신파조의 **-i·cal·ly** *ad.*

mel·o·dra·mat·ics [mèlədrəmǽtiks] *n. pl.* [단수·복수 취급] 멜로드라마적 연극; 연극조의 행동

mel·o·dra·ma·tist [mèlədrǽmətist, -drɑ́ː- | -drǽ-] *n.* 멜로드라마 작가

mel·o·dra·ma·tize [mèlədrǽmətàiz, -drɑ́ː- | -drǽ-] *vt.* 멜로드라마식으로 하다

‡**mel·o·dy** [mélədi] [Gk 「노래」의 뜻에서] *n.* (*pl.* **-dies**) ⓊⒸ **1** 〖음악〗 **멜로디,** 선율(tune): the ~ of singing birds 새들의 아름다운 지저귐 **2** 해조(諧調); 아름다운 음악 **3** 가곡, 곡조, 가락

▷ melódious, melódic *a.*; mélodize *v.*

mel·o·ma·ni·a [mèləméiniə, -njə] *n.* Ⓤ 음악광

*__mel·on__ [mélən] [Gk 「사과 모양의 박」의 뜻에서] *n.* **1** 멜론(muskmelon); 수박(watermelon) **2** 황적색, 홍색 **3** 《미·속어》 (주주에의) 특별 배당금; (분배할) 이익, 소득 **4** 《미·속어》 머리; [*pl.*] 《비어》 (여성의) 풍만한 유방 ***cut*** (***up***)[***carve***] ***a*** **~** 《미·속어》 이익[노획물]을 나누다; 〈주주에게〉 특별 배당하다 ***cut the*** **~** (1) 문제를 해결하다 (2) = cut (up) a MELON

mel·on·head [-hèd] *n.* 《학생속어》 머리 나쁜 놈

mélon sèed 《미》 (New Jersey 부근 늪 지대에서 쓰던) 사냥용의 작은 너벅선

Mel·pom·e·ne [melpɑ́mənìː | -pɔ́m-] *n.* 〖그리스 신화〗 멜포메네 《비극의 여신; Nine Muses의 하나》

‡**melt** [mélt] *n.* 용해; 용해 작용; 용해물; 용해량

—*v.* (**~·ed**; **~·ed, mol·ten** [móultn]) *vi.* **1** 〈고체가〉 (열에) **녹다, 용해하다:** The ice *~ed.* 얼음이 녹았다. // (~+전+명) Sugar *~s in* water. 설탕은 물에 녹는다. / Gold *~s at* 1945° F. 금은 화씨 1945도에서 녹는다. **2** 차차 **없어지다**[사라지다, 묽어지다]; 점점 변하다[섞이다]: (~+부) The snow soon *~ed away.* 눈은 곧 녹아 없어졌다. // (~+전+명) Ice *~s into* water. 얼음은 녹아서 물이 된다. / The clouds *~ed into* rain. 구름은 비로 변했다. **3** 〈감정 등이〉 누그러지다; (…가) 측은한 생각이 들다 《*with, at*》; 〈용기 등이〉 약해지다: (~+전+명) Her heart *~ed with* pity. 그녀의 마음은 동정심으로 누그러졌다. **4** [종종 진행형으로] 《구어》 찌는 듯이 덥다: I'm simply *~ing.* 더워서 몸이 녹을 지경이다. **5** 〈소리가〉 부드럽게 울리다

—*vt.* **1** (열로) 〈고체를〉 **녹이다, 용해하다 2** 〈감정 등을〉 **누그러지게 하다,** 감동시키다: Pity *~ed* her heart. 동정심이 그녀의 마음을 누그러뜨렸다. **3** 사라지게 하다; 묽게 하다 《*away*》 **4** 《영·속어》 〈돈을〉 낭비하다

~ *away* (1) 서서히 사라지다[가버리다] (2) …을 흩뜨리다, 소산시키다; (서서히) 사라져 없어지게 하다 **~ *down*** 〈주물 등을〉 녹이다; 《속어》 〈재산을〉 현금으로 바꾸다; 폭락하다; 삭감하다 **~ *in*** a person***'s mouth*** 입에서 살살 녹다, 기막히게 맛있다 **~ *into tears*** 하염없이 울다 **~ *up*** 《미》 녹이다

~·a·ble *a.* **mèlt·a·bíl·i·ty** *n.*

melt·age [méltidʒ] *n.* 용해; 용해물; 용해량

melt·down [méltdàun] *n.* **1** (원자로의) 노심(爐心) 용해; (금속의) 용융(熔融) **2** 《미·구어》 (제도·기업의) 완전 붕괴, (주가의) 대폭락, 끝장남

melt·ed [méltid] *v.* MELT의 과거·과거분사

— *a.* 녹은, 용해된; 《미·속어》 곤드레만드레 취한

~ *out* 《미·속어》 빈털터리가 된, 파산한

melt·er [méltər] *n.* 용해 장치; 용융실; 용해업자

melt·ing [méltiŋ] *a.* **1** 녹는, 녹기 시작한; 누그러지게 하는, 감동시키는: the ~ mood 울고 싶은 심정, 감상적인 기분 **2** 〈얼굴·표정이〉 감상적인 **3** 〈목소리·말

---

mellow *a.* ripe, mature, soft, juicy, sweet

melodious *a.* musical, tuneful, lyrical, dulcet, silvery, euphonious, melodic, sweet-toned

melt *v.* liquefy, dissolve, thaw, unfreeze, defrost

등이〉 부드러운 **—** *n.* Ⓤ 용해, 융해 **~·ly** *ad.*

mélting pòint [the ~] 〖물리〗 융점(融點), 녹는점

mélting pòt **1** 도가니(crucible) **2** (비유) (인종·문화 등 여러 다른 요소가) 융합·동화되어 있는 장소, 《특히》 미국 ***go into the ~*** 〈제도 등이〉 전면적으로 변혁[개조]되다 ***in the ~*** 고정되지 않고, 유동적이고 ***put*** [***cast***] ***into the ~*** 다시 만들다, 전적으로 다시 하다

mel·ton [méltən] [잉글랜드의 읍 이름에서] *n.* Ⓤ 멜턴 《모직물의 일종》(=**~ clòth**)

Mél·ton Mów·bray [méltən-móubri] [잉글랜드의 읍 이름에서] 《영》 고기 파이의 일종(=**~ pìe**)

melt·wa·ter [méltwɔ̀:tər] *n.* Ⓤ 눈이나 얼음[《특히》 빙하]이 녹은 물, 해빙수(解氷水)

melt·y [mélti] *a.* (**melt·i·er**; **-i·est**) 녹기 시작한, 녹아 가는: I like ice cream ~. 아이스크림은 (굳은 것보다) 녹아 가는 것이 좋다.

Mel·ville [mélvil] *n.* 멜빌 **Herman ~** (1819-91) 《미국의 소설가; *Moby Dick*의 작가》

mem [mém] *n.* 멤 《히브리어 알파벳의 제13자; 영어의 m에 해당》

mem. member; memento; memoir; memorandum; memorial

⁑**mem·ber** [mémbər] [L 「팔·다리, 일부」의 뜻에서] *n.* **1** (집단의) 일원; 회원, 사원: a life ~ 종신 회원 / a ~ of the family 가족의 한 사람 / The association has two thousand ~*s*. 그 협회는 회원 수가 2천이다. **2** [**M~**] (영국·미국 하원의) 의원 **3** (사람·동물의) 신체의 일부, 일부 기관(器官); 《특히》 팔다리; (식물의) (구성) 요소 **4** 〖건축〗 부재(部材), 구조재(構造材); 〖지리〗 부층(部層) **5** 〖수학〗 항(項), 변(邊); 〖집합의〗 요소 **6** 정당 지부 **7** 〖문법〗 절(clause), 구 **8** (미·속어) 흑인; (비어) 남근(penis): the male ~ 남근 ***a ~ of Christ*** 그리스도교도 ***a M~ of Parliament*** [***Congress***] (영국[미국]의) 국회의원, 《특히》 하원 의원 《略 MP[MC]》 ***~s in good standing*** 〖노동〗 조합비를 지불한 조합원 ***the unruly ~*** (고어) 길들일 수 없는 기관 《혀를 뜻함; 야고보서3: 5-8》
~·less *a.*

mémber bànk (미) 회원 은행 《연방 준비 제도 가맹 은행》; 어음 교환 가맹 은행

mémber còuntry 가맹국

mem·bered [mémbərd] *a.* **1** 몇 부분으로 이루어진[갈라진] **2** [보통 복합어를 이루어] …의 회원이 있는: many-~ 많은 회원을 가진

⁑**mem·ber·ship** [mémbərʃip] *n.* **1** Ⓤ 회원[사원, 의원]임, 회원의 지위[자격]: a ~ card 회원증 **2** (총) 회원수 **3** [집합적] (전)회원 ***have a large ~*** 많은 회원을 가지다

mem·bral [mémbrəl] *a.* 구성원[회원]의

mem·bra·na·ceous [mèmbrənéiʃəs] *a.* =MEMBRANOUS **~·ly** *ad.*

mem·bran·al [membréinəl] *a.* (얇은) 막(모양)의; 세포막에 관한, 세포막질(質)의

⁎**mem·brane** [mémbrein] *n.* 〖해부〗 **1** (얇은) 막(膜): the mucous ~ 점막 **2** Ⓤ 막 조직; 〖생물〗 세포막 **3** Ⓤ 양피지(parchment) (한 장)
▷ mémbranous *a.*

mémbrane bòne 〖해부〗 (결합 조직내의) 막골(膜骨); 〖동물〗 피골(皮骨) 《거북의 등딱지, 물고기의 비늘 등》

mem·bra·ne·ous [membréiniəs] *a.* =MEMBRANOUS

mem·bra·nous [mémbrənəs, -bréi-] *a.* 막(모양)의; 막을 형성하는

mem·brum (***vi·ri·le***) [mémbrəm(-viráili)] [L =(male) member] 〖해부〗 남근(penis)

mem·con [mémkàn | -kɔ̀n] *n.* (미·구어) 비공식 회담용 메모

meme [mí:m] *n.* (*pl.* **~s** [-z]) 문화 구성 요소, 밈 《생물체의 유전자처럼 재현·모방을 되풀이하며 이어가는 사회 관습·문화》

Me·me·di·a [-mí:diə] *n.* 1인 미디어

me·men·to [məméntou] [L 「생각해내다」의 뜻에서] *n.* (*pl.* **~(e)s**) 기념물, 유품; 추억거리; 경고(하는 것); (익살) 기억, 추억

memento mo·ri [-mɔ́:rai, -mɔ́:ri] [L] **1** 죽음의 경고 **2** (*pl.* ~) 죽음의 상징; 해골

me·met·ics [mí:mətiks] *n. pl.* [단수 취급] 문화 구성 요소학, 밈(meme) 연구 **mé·me·ti·cist** *n.*

Mem·non [mémnan | -nɔn] *n.* **1** 〖그리스신화〗 멤논 《트로이 전쟁에서 Achilles에게 살해된 에티오피아 왕》 **2** 멤논 《이집트왕 Amenhotep 3세의 거대한 상》

mem·o [mémou | mém-, mí:m-] [*memo*randum] *n.* (*pl.* **~s**) (구어) 메모, 비망록: The meeting has been cancelled. Didn't you get my ~? 회의는 취소됐어. 내 메모 못 받았니?

⁎**mem·oir** [mémwa:r, -wɔ:r | -wa:] [F =memory] *n.* **1 a** [*pl.*] (필자 자신의) **회고록,** 회상록, 자서전 **b** (본인의 친지·친척 등에 의한) **전기,** 약전 **2 a** 연구 논문[보고] **b** [*pl.*] (학회 등의) 논문집, 학회지 **3** (고인의) 언행록 **~·ist** *n.* 회고록[전기] 집필자

mem·o·ra·bil·i·a [mèmərəbíliə, -ljə] [L] *n. pl.* 기억[기록]할 만한 사건; (대사건 등의) 기록; 큰 인물의 언행록; 기념품

mem·o·ra·bil·i·ty [mèmərəbíləti] *n.* Ⓤ 잊혀지지 않는 일[사람]; 인상적인[감명을 주는] 일[사람]

⁎**mem·o·ra·ble** [mémərəbl] *a.* **1 기억할 만한,** 잊혀지지 않는, 인상적인: a ~ speech 기억에 남는 연설 **2 주목할 만한,** 현저한 **-bly** *ad.*

⁎**mem·o·ran·dum** [mèmərǽndəm] [L 「기억해야 할 것」의 뜻에서] *n.* (*pl.* **~s, -da** [-də]) **1 비망록,** 메모, 각서 **2** 기록 **3** (구어) (회사내의) 연락 통신, 회장(回章) **4** 〖법〗 (거래의) 적요(摘要); (조합의) 규약, (회사의) 정관(定款) **5** (외교상의) 각서 **6** 〖상업〗 각서 송장(送狀), 위탁 판매품의 송장

⁑**me·mo·ri·al** [məmɔ́:riəl] *n.* **1 기념물,** 기념관, 기념비; 기념일[행사, 식]: a war ~ 전쟁 기념비[일] **2** (드물게) 청원서, 진정서(petition): submit a ~ to Congress 국회에 의견서를 제출하다 **3** [보통 *pl.*] 각서, 기록, 연대기
— *a.* **기념의;** 추도의: a ~ service 추도회
~·ly *ad.* ▷ mémory *n.*; memórialize *v.*

Memórial Dày (미) 전몰 장병 기념일(Decoration Day) 《대다수의 주에서 5월의 마지막 월요일》

me·mo·ri·al·ist [məmɔ́:riəlist] *n.* 청원서 기초자; 진정(陳情)자; 회고록 작자(作者)

me·mo·ri·al·ize [məmɔ́:riəlàiz] *vt.* **1** …을 위해 기념식을 거행하다, 기념하다 **2** …에게 청원서를 제출하다, 건의하다, 진정하다
me·mò·ri·al·i·zá·tion *n.* **-ìz·er** *n.*

memórial párk (미) 묘지(cemetery)

me·mo·ri·a tech·ni·ca [mimɔ́:riə-téknikə] [L] 기억술, 기억법

mem·o·ried [mémərid] *a.* 추억이 많은; [보통 복합어를 이루어] 기억(력)이 …한: a short-~ person 기억력이 안 좋은 사람

mem·o·rist [mémərist] *n.* 기억력이 뛰어난 사람

me·mo·ri·ter [məmɔ́:rətər, -tὲər | -tə] *a., ad.* 암기에 의한[의하여]: a ~ course 암기 과목

⁑**mem·o·rize** [méməràiz] *vt.* **1 기억하다, 암기하다:** ~ a poem 시 한 편을 암기하다 **2** (드물게) 기록하다; 기념하다 **mèm·o·ri·zá·tion** *n.* **-rìz·er** *n.*
▷ mémory *n.*

⁑**mem·o·ry** [méməri] [L 「잊지 않고 있음」의 뜻에서] *n.* (*pl.* **-ries**) **1** Ⓤ 기억, 상기; Ⓒ (개인이 가진) 기억력: a photographic ~ 사진처럼 정확한 기억

thesaurus **member** *n.* associate, adherent
memory *n.* remembrance, recollection, recall, reminiscence, retention, reflection, flashback
menace *n.* threat, ominousness, intimidation,

력/a man of short ~ 잘 잊어버리는 사람/My ~ is not as good as it was once. 나의 기억력은 예전만큼 좋지 못하다.

> 유의어 **memory** 배운 것을 기억해 두는 것 또는 생각해 내는 힘: gifted with a remarkable *memory* 비상한 기억력을 타고난 **remembrance** 사물을 생각해 내는, 또는 그것을 기억해 두는 것: Any *remembrance* of his deceased wife was painful. 그의 죽은 아내에 대한 추억은 어떤 것이라도 고통스러웠다. **recollection** 잊고 있었던 것을 노력하여 생각해 내는 것: I had an abrupt *recollection* of that fuss. 갑자기 그 소란을 상기했다.

2 Ⓒ [보통 *pl.*] **추억**; 추억의 사람: childhood *memories* 유년 시절의 추억 **3** [종종 the ~] 기억의 범위 **4** Ⓤ 사후의 명성, 평판 **5** Ⓒ 기념; 유품; 기념물 **6** 〚컴퓨터〛 Ⓤ 기억(력); 기억 용량(=~ **capàcity**); Ⓒ 기억 장치, 메모리 **7** (금속·플라스틱 등의) 복원력: ~ alloy 형상 기억 합금
bear [***have, hold, keep***] ***... in ~*** …을 기억하고 있다, 잊지 않고 있다 ***beyond*** [***within***] ***the ~ of men*** [***man***] 유사(有史) 이전[이후]의 ***come to*** one***'s ~*** 떠오르다, 생각나다 ***commit to ~*** 기억[암기]하다 ***from ~*** 기억으로서, 기억을 갖고 ***have a good*** [***bad, poor***] ***~*** 기억력이 좋다[나쁘다] ***if my ~ serves me*** (***correctly***) 내 기억에 틀림이 없다면 ***in living ~*** = within living MEMORY. ***in ~ of*** …의 기념으로, …을 기념하여 ***Keep your ~ alive.*** 잊지 않도록 하라. ***of blessed*** [***happy, glorious,*** etc.] ***~*** 고(故)… 《죽은 왕후(王侯)·명사·위인에 대한 송덕(頌德)의 말》 ***to the best of*** one***'s ~*** …이 기억하고 있는 한(은) ***to the ~ of ...*** = ***to*** a person***'s ~*** …의 영전에 바치어, …을 추모하여 ***within living ~*** (1) 사람들의 기억에 (아직도) 남아 있는 시절에는 (2) 사람들이 아직도 기억하고 있는 한의[한에서는]
▷ memórial *a.*; mémorize *v.*
mémory addréss règister 〚컴퓨터〛 기억 장치 주소 레지스터 《데이터의 메모리 번지가 저장된 CPU 내의 레지스터; 略 MAR》
mémory bànk 〚컴퓨터〛 기억 장치, 데이터 뱅크
mémory bòok (미) **1** = SCRAPBOOK **2** 사인첩
mémory càrd 〚컴퓨터〛 메모리 카드
mémory cèll **1** 〚면역〛 기억 세포 **2** 〚컴퓨터〛 기억 소자, 메모리 셀
mémory chìp 〚컴퓨터〛 메모리 칩
mémory drùm 〚컴퓨터〛 기억 드럼
mémory effèct 〚전기〛 기억 효과 《니켈카드뮴 전지에서 발생하는 현상; 방전이 충분하지 않은 상태에서 재충전하면 전지의 실질 용량이 감소하고 마는 일》
mémory hòg (컴퓨터구어) **1** 메모리 용량이 큰 프로그램 **2** (네트워크 상의 다른 사용자에게 폐가 될 만큼) 전력이 많이 소요되는 프로그램 사용자
mém·o·ry-hòg·ging *a.*
mémory jògger 기억을 되살아나게 해주는 것
mémory láne (과거로) 더듬어 가는 기억: take a trip[stroll, walk] down ~ 추억의 뒤안길을 찾아가다, 그리운 옛날을 되돌아보다
mémory màpping 〚컴퓨터〛 메모리 매핑 《주변장치를 주기억 장치의 일부처럼 주소로 호출하는 일》
mémory spàn 〚심리〛 기억 범위
Mémory Stìck 〚컴퓨터〛 플래시 기억 장치 형태의 기록 미디어《전원이 끊어져도 데이터를 상실하지 않는》
mémory tràce 〚심리〛 기억 흔적(engram)
mémory vèrse (주일 학교 학생들의) 암송용 성구(聖句)

---

warning, danger, peril, risk, hazard, jeopardy
mend *v.* **1** 수선하다 repair, patch, fix, renew, heal, cure, renovate **2** 개선하다 rectify, improve, make better, correct, amend, ameliorate, reform

---

Mem·phis [mémfis] *n.* 멤피스 **1** 이집트의 Cairo 남쪽, Nile 강 유역에 있던 고대 이집트의 수도 **2** 미국 Tennessee 주의 미시시피 강에 면한 도시
mem·sa·hib [mémsɑ̀:hib, -hi:b | -sɑ̀:hib, -sɑ:b] *n.* (인도) 마님 《인도에서 백인 부인에 대한 경칭》
***men** [mén] *n.* man의 복수
men- [men], **meno-** [ménou, -nə] 《연결형》 〚생리〛 「월경 (기간)」의 뜻 《모음 앞에서는 men-》
***men·ace** [ménis] [L 「쑥 내밀다」의 뜻에서] *n.* **1** ⓊⒸ **협박, 위협,** 공갈(threat); 위험한 것[사람]: a ~ to peace 평화에 대한 위협 **2** [a ~] 《구어》 귀찮은 것, 골칫거리, 말썽꾸러기
— *vt.* 위협하다, 으르다, 협박하다(⇨ threaten 유의어): (~+목+전+명) ~ a person *with* immediate dismissal …을 당장 해고하겠다고 위협하다/ C.E Nowadays world peace is threatened[*menaced*(×)]. 요즘 세계 평화가 위협받고 있다.
men·ac·ing [ménəsiŋ] *a.* 위협적인, 공갈하는, 으르는: a ~ face[tone] 위협적인 얼굴[말투] **~·ly** *ad.*
men·ac·me [mənǽkmi, mi:n-] *n.* 〚생리〛 월경 연령 《일생에서 월경이 있는 나이의 기간》
me·nad [mí:næd] *n.* = MAENAD
men·a·di·one [mènədáioun] *n.* 〚약학〛 메나디온 (vitamin K_3)
mé·nage [meinɑ́:ʒ] [F] *n.* (*pl.* **~s**) 가정, 살림; 가사, 가정(家政)
ménage à trois [-ɑ:-trwɑ́:] [F] (부부와 그 한쪽의 애인과의) 3인 가족, 삼각 관계
me·nag·er·ie [mənǽdʒəri, -nǽʒ- | -nǽdʒ-] [F 「가정(家政)」의 뜻에서] *n.* **1 a** (서커스 등의) 동물원 **b** [집합적] (동물원 등의) 동물 (떼) **2** [집합적] 별난 사람들(의 무리)
men·a·qui·none [mènəkwínoun] *n.* 〚생화학〛 메나퀴논(vitamin K_2)
men·ar·che [mənɑ́:rki, men-] *n.* 〚생리〛 초조(初潮), 초경(初經) **~·al, men·ár·chi·al** *a.*
Men·ci·us [ménʃiəs] *n.* 맹자 (372?-289 B.C.) 《중국의 유교 사상가》
Menck·en [méŋkən, mén-] *n.* 멩컨 **H**(**enry**) **L**(**ouis**) **~** (1880-1956) 《미국의 문필가·편집자》
***mend** [ménd] [amend의 두음 소실] *vt.* **1** 수선하다, 수리하다, 고치다; 〈옷 등을〉 깁다: Her shoes need *~ing.* 그녀의 신은 수선을 해야 한다.

> 유의어 **mend** 작은 구멍·찢어진 곳 등을 간단히 수리하다: *mend* a tear in an apron 앞치마의 찢어진 곳을 수선하다 **repair** 시계·자동차·기계류 등을 수리하다: *repair* a motor 모터를 수리하다

2 a 〈행실 등을〉 **고치다,** 바루다: ~ one's manners [ways] 태도[행실]를 고치다 **b** 개선하다, 개량하다: ~ matters 사태를 개선하다 **3** 〈걸음을〉 빠르게 하다: ~ one's pace 걸음을 재촉하다
— *vi.* **1** 〈결함·오류 등이〉 **고쳐지다** **2** 개심하다: It is never too late to ~. 《속담》 마음 고쳐 먹는 데 너무 늦다는 법은 없다. **3** (구어) 〈환자 등이〉 나아지다, 좋아지다; 〈사태가〉 호전되다: Things are *~ing.* 사태가 호전되고 있다. ***~ or end*** (1) 개선하느냐 폐지하느냐 (2) (고어) 죽이느냐 살리느냐 ***~ one's fences*** (…와의) 관계를 개선하다 《*with*》 ***~ the fire*** (연료를 지펴) 꺼져가는 불을 되살리다
— *n.* **1** 수선; 개량 **2** 수선한 부분 ***be on the ~*** (1) 〈병세에〉 차도가 있다 (2) 〈사태가〉 호전되다
~·a·ble *a.* 고칠[수선할, 개량할] 수 있는
men·da·cious [mendéiʃəs] *a.* (문어) 〈말 등이〉 거짓의; 〈사람이〉 거짓말하는 **~·ly** *ad.* **~·ness** *n.*
men·dac·i·ty [mendǽsəti] *n.* (*pl.* **-ties**) (문어) **1** Ⓤ 거짓말하는 것[버릇, 성격] **2** Ⓒ 허위, 거짓말
Men·del [méndl] *n.* 멘델 **Gregor J. ~** (1822-84) 《오스트리아의 유전학자》
Men·de·le·ev, -le·yev [mèndəléiəf] *n.* 멘델레

예프 **Dmitri Ivanovich ~** (1834-1907) 《러시아의 화학자; 1869년에 주기율을 발표》
Mendeléev's láw 〖화학〗 = PERIODIC LAW
men·de·le·vi·um [mèndəlí:viəm] *n.* Ⓤ 멘델레븀 《방사성 원소; 기호 Md, 번호 101》
Men·de·li·an [mendí:liən, -ljən] *a.* 〖생물〗 멘델(의 법칙)의 **—** *n.* 멘델 학설 지지자
Men·del·ism [méndəlìzm] *n.* Ⓤ 멘델의 유전학설 **-ist** *n.*
Méndel's láw 〖생물〗 멘델의 (유전) 법칙
Men·dels·sohn [méndlsən] *n.* 멘델스존 **Felix ~** (1809-47) 《독일의 작곡가》
mend·er [méndər] *n.* **1** 수선자, 수리인 **2** 개량[개선]자
men·di·can·cy [méndikənsi] *n.* Ⓤ **1** 거지 (생활) **2** 탁발; 구걸
men·di·cant [méndikənt] *a.* 《문어》 **1** 구걸하는 **2** 탁발의: a ~ friar 탁발 수도사 / ~ orders 탁발 수도회 **—** *n.* **1** 거지 **2** 탁발 수도사
men·dic·i·ty [mendísəti] *n.* = MENDICANCY
mend·ing [méndiŋ] *n.* **1** Ⓤ 고치는 일; 수선: the ~ of the chair 의자 수리 **2** [집합적] 수선할 것, 파손품; 수선 부분
Men·e·la·us [mènəléiəs] *n.* 〖그리스신화〗 메넬라오스 《스파르타의 왕; Helen의 남편》
men·folk(s) [ménfòuk(s)] *n. pl.* [보통 the ~] 《구어》 (한 가족·한 지방의) 남자[사내]들
MEng Master of Engineering
Meng·zi [mʌ̀ŋzí:], **Meng·tzu, -tze, -tse** [mʌ̀ŋdzə́:] *n.* 맹자(孟子)(Mencius)
men·ha·den [menhéidn] *n.* (*pl.* **~, ~s**) 〖어류〗 청어의 일종 《비료 또는 채유(採油)용》
men·hir [ménhiər] *n.* 〖고고학〗 선돌, 멘히르 《거석(巨石)을 땅에 세운 유사 이전의 유적》
me·ni·al [mí:niəl, -njəl] *a.* **1** 〈일 등이〉 시시한, 지루한; 천한(mean): a ~ task 천한 일 **2** 천한 일을 하는 **3** 노예 근성의, 비굴한: ~ attitudes 비굴한 태도 **—** *n.* 《경멸》 머슴, 하인, 하녀 **~·ly** *ad.*
Mé·nière's sỳndrome[disèase] [meinjέərz-] 〖병리〗 메니에르 증후군, 메니에르병 《알레르기성 미로수증(迷路水症); 난청·현기증·구역질 등이 따름》
me·nin·ge·al [minínd3iəl] *a.* 뇌막의
me·nin·ges [minínd3i:z] *n.* MENINX의 복수
me·nin·gi·o·ma [mənìnd3ióumə] *n.* (*pl.* **~s, ~·ta** [-tə]) 〖병리〗 수막종(髓膜腫)
men·in·gi·tis [mènind3áitis] *n.* Ⓤ 〖병리〗 뇌막염, 뇌척수막염(髓膜炎)
me·nin·go·cele [məníŋgəsì:l] *n.* 〖병리〗 수막류(瘤), 수막헤르니아
me·nin·go·coc·cus [mənìŋgəkɑ́kəs | -kɔ́k-] *n.* (*pl.* **-coc·ci** [-kɑ́ksai | -kɔ́k-]) 〖세균〗 뇌척수막염균(菌) **-cóc·cal, -cóc·cic** *a.*
me·nin·go·en·ceph·a·li·tis [mənìŋgəensèfəláitis] *n.* (*pl.* **-lít·i·des** [-láitədì:z]) 〖병리〗 수막뇌염 **-en·cèph·a·lít·ic** *a.*
me·ninx [mí:niŋks] *n.* (*pl.* **-nin·ges** [minínd3i:z]) 〖해부〗 뇌막, 수막(髓膜)
me·nis·cus [minískəs] *n.* (*pl.* **-ci** [-sai, -kai, -ki:], **~·es**) **1** 〖물리〗 메니스커스 《원통 안의 액체의 요(凹)[철(凸)]면》 **2** 〖광학〗 요철 렌즈 **3** 〖해부〗 (관절의) 반월판(板) **4** 《드물게》 초승달 모양(의 것)
Men·no·nite [ménənàit] [지도자명 Menno에서] *n.* 메노파 신도 《그리스도교의 개신교의 일파》
meno-[1] [ménou, -nə] 《연결형》 = MEN-
meno-[2] 《연결형》 〖생물〗 「남아 있는」의 뜻
me·nol·o·gy [minɑ́ləd3i | -nɔ́l-] *n.* 성인 축일표(聖人祝日表)
me·no mos·so [méino-mɔ́:sou] [It. = less rapid] *a., ad.* 〖음악〗 덜 빠른[빠르게]
men·o·paus·al [mènəpɔ́:zəl] *a.* 〖생리〗 폐경기의
men·o·pause [ménəpɔ̀:z] *n.* Ⓤ 〖생리〗 폐경기
me·no·rah [mənɔ́:rə] *n.* 〖유대교〗 7[9]개의 가지가 있는 장식 촛대

menorah

men·or·rha·gi·a [menəréid3iə] *n.* Ⓤ 〖병리〗 월경 과다(증)
men·or·rhe·a, -rhoe·a [mènərí:ə] *n.* 〖생리〗 (정상적인) 월경; 〖병리〗 월경 과다(증)
men's [ménz] *n.* (*pl.* **~**) **1** 신사용 사이즈; 신사복 (매장) **2** 《미》 = MEN'S ROOM
Men·sa [ménsə] *n.* 멘사 《지능 지수가 전체 인구의 상위 2% 안에 드는 사람들로 구성된 국제적 친목 단체》
men·sal[1] [ménsəl] *a.* 식탁(용)의
mensal[2] *a.* 《드물게》 매월[다달]의(monthly)
mensch [ménʃ] [G] *n.* (*pl.* **~·en** [ménʃən], **~·es**) 《미·속어》 훌륭한[고결한] 사람, 명사; 정력가
men·ses [ménsi:z] *n. pl.* [the ~; 단수·복수 취급] 〖생리〗 월경, 멘스
Men·she·vik [ménʃəvìk] *n.* (*pl.* **~s, -vi·ki** [mènʃəví(:)ki | -víki]) 멘셰비키 《러시아 사회 민주 노동당의 소수파(의 일원); cf. BOLSHEVIK》
Men·she·vism [ménʃəvìzm] *n.* Ⓤ 멘셰비키의 주의[사상] **-vist** *n., a.*
mén's jòhn 《미·속어》 남자 화장실
mén's líb[liberátion] [종종 **M- L-**] 《미》 남성 해방 운동 (동맹) 《전통적으로 남성에게만 부과된 역할에서의 해방》
mens re·a [ménz-rí:ə] [L = guilty mind] 〖법〗 범의(犯意)
*__mén's ròom__ [보통 the ~] 《미》 (공중변소의) **남성용 화장실**(《영》 gents) 《restroom보다 점잖은 말; cf. WOMEN'S ROOM》
mens sa·na in cor·po·re sa·no [menz-séinə:-in-kɔ́:rpərì:-séinou] [L = a sound mind in a sound body] 건전한 신체에 건전한 정신을 《교육의 이상》
men·stru·al [ménstruəl, -strəl | -struəl] [L 「매월의」의 뜻에서] *a.* **1** 월경의: a ~ cycle 월경 주기 **2** 《고어》 달마다의(monthly)
ménstrual extráction (임신 초기 단계에 하는) 자궁 흡인(吸引) 중절법
ménstrual périod(s) 월경 기간(cf. PERIOD 7)
men·stru·ate [ménstruèit, -streit | -struèit] *vi.* 월경하다
men·stru·a·tion [mènstruéiʃən, -stréi- | -stru-éi-] *n.* ⓊⒸ 월경; Ⓒ 월경 기간
men·stru·ous [ménstruəs] *a.* 월경의, 월경이 있는
men·stru·um [ménstruəm] *n.* (*pl.* **~s, -stru·a** [-struə]) 용매(溶媒), 용제(溶劑)(solvent)
men·sur·a·ble [ménʃərəbl] *a.* **1** 측정할 수 있는 **2** = MENSURAL 2 **mèn·sur·a·bíl·i·ty** *n.*
men·su·ral [ménʃərəl, -sər- | -ʃər-] *a.* **1** 도량(度量)에 관한 **2** 〖음악〗 정률(定律)이 있는
men·su·ra·tion [mènʃəréiʃən, -sə- | -ʃə-] *n.* Ⓤ **1** 계량; 측정 **2** 〖수학〗 측정법, 측량법, 구적법(求積法)
mens·wear [ménzwὲər] *n.* 남성용 의류, 신사복
mén's wèar = MENSWEAR
-ment [mənt] *suf.* **1** [대개 동사에 붙어 결과·상태·동작·수단 등을 나타내는 명사를 만듦]: move*ment*, pay*ment* **2** [mènt] [동일 어형의 명사의 동사]: compli*ment*, experi*ment*
‡**men·tal[1]** [méntl] [L 「정신의」의 뜻에서] *a.* **1** 마음의, 정신의, 심적인, 내적인(opp. *physical*): ~ effort(s) 정신적 노력 / a ~ worker 정신 노동자 / ~ hygiene 정신 위생 **2 a** Ⓐ **정신병의**, 정신병을 다루는: a ~ specialist 정신병 전문의 / a ~ case[patient] 정신병 환자 **b** Ⓟ 《구어》 정신박약의; 《영·구어》 머리가 돈, 미친 **3 지능의**, 지력의, 지적인 **4** Ⓐ 암기로 하는, 머

리로 하는: ~ calculation 암산
go ~ (속어) 머리가 이상해지다, 바보 같은 짓을 하다
make a ~ note of …을 외워[기억해] 두다
—*n.* (구어) 정신병 환자, 정신박약자 ***throw a ~*** (미·속어) 발끈 화를 내다 ▷ mentálity *n.*
mental² *a.* 〖해부〗 턱의(genial)
méntal áge 〖심리〗 정신[지능] 연령 (略 MA)
méntal aríthmetic (수의) 암산
méntal blóck 〖심리〗 정신적 블록 (감정적 요인에 의한 생각·기억의 차단)
méntal bréakdown 신경 쇠약
méntal crúelty 정신적 학대
méntal cúlture 정신 수양
méntal defé ctive 정신박약[장애]자
méntal defíciency 〖심리〗 지능 장애, 정신박약[장애] (현재는 mental retardation이라고 함)
méntal diséase[disórder, íllness] 정신병, 정신 장애
méntal gíant (미·속어) 수재, 천재
méntal hándicap 〖심리〗 정신 (발달) 장애
méntal héaling 정신 치료
méntal héalth 정신 건강
méntal héalth dày (미·구어) 정신 건강의 날, 집에서 쉬는 날
méntal hóme[hóspital] 정신 병원
men·tal·ism [méntəlìzm] *n.* Ⓤ 〖철학〗 유심론(唯心論); 〖심리·언어〗 멘탈리즘, 심리주의(cf. BEHAVIORISM) **-ist** *n.* 유심론자 **mèn·tal·ís·tic** *a.*
***men·tal·i·ty** [mentǽləti] *n.* (*pl.* **-ties**) **1** Ⓤ 지력(知力), 지성, 지능 **2** ⓊⒸ 심적[정신] 상태, 심리; 사고 방식, 성향, 성격: the female ~ 여성 심리
méntal jób (미·속어) 정신 이상자
méntal léxicon 심적(心的) 어휘 (머리 속의 어휘 목록)
***men·tal·ly** [méntəli] *ad.* 정신적으로; 마음속으로; 지적으로, 지력상(opp. *physically*): be ~ ill[handicapped] 정신 장애가 있다
méntally hándicapped *a.* (고어) 정신 (지체) 장애가 있는
méntal mídget (미·속어) 바보, 멍청이
méntal reservátion 〖법〗 심중 유보(心中留保) (진술·선서에서 중대한 관련 사항을 숨기는 일)
méntal retardátion 〖심리〗 정신 지체 (정도에 따라 borderline, mild, moderate, severe, profound의 5단계로 나누어짐)
méntal telépathy 정신 감응, 독심술
méntal tést 지능 검사, 멘탈 테스트
men·ta·tion [mentéiʃən] *n.* Ⓤ 정신 작용[기능], 지적 활동(성); 심리[정신] 상태
men·thene [ménθi:n] *n.* Ⓤ 〖화학〗 멘텐
men·thol [ménθɔ:l, -θɑl | -θɔl] *n.* Ⓤ 〖화학〗 멘톨, 박하뇌(薄荷腦); 박하향 담배
men·tho·lat·ed [ménθəlèitid] *a.* 멘톨을 함유한, 박하뇌가 든; 멘톨로 처리한
men·ti·cide [méntəsàid] *n.* Ⓤ 〖심리〗 두뇌 살해 (정신적·육체적 고통을 주어 정신을 파괴하는 일)
*****men·tion** [ménʃən] [L 「마음에 말하기」의 뜻에서] *vt.* **1** (구두 또는 문서로 이야기 등을 하는 김에) 간단히 말하다, 언급하다: as *~ed* above 위에서 말한 바와 같이 / to ~ a single example 단 하나의 예를 들면 // (~+목+전+명) I only just *~ed* it *to* him. 나는 그 일을 그에게 간단히 언급했을 뿐이다. // (~+***that*** 절) I need hardly ~ *that* his views are broader than the average. 그의 견해가 일반 사람들보다 폭넓다는 것은 거의 말할 필요도 없다. **2** …의 이름을 들다[들먹이다]: be *~d* in the newspapers 신문에 이름이 나다 **3** …라고 하다[말하다]: (~+***-ing***) He *~ed* hav*ing* done that. 그는 그렇게 했다고 말했다. // (~+***that*** 절) He *~ed* (to me) *that* he would go fishing. 그는 낚시하러 갈 것이라고 (내게) 말했다. **4** 〈공적·업적 등을 올린 사람에게〉 공식적으로 언급하다, …에게 경의를 표하다, 칭찬하다
Don't ~ it. 천만의 말씀입니다. (감사나 사과에 대해서 답하는 말) ★ (미)에서는 You are welcome.쪽이 일반적. ***I hate to ~ it, but ...*** = ***If you don't mind my ~ing it, ...*** 말하기 황송하오나 …, 외람된 말이오나… ***not to ~*** = ***without ~ing*** …은 그렇다 치고, …은 말할 것도 없고 ***to ~ only a few*** 단지 몇 가지만 들먹여도 ***worth ~ing*** 특히 말할 가치가 있는
—*n.* **1** [보통 *sing.*] ⓊⒸ 언급, 진술, 기재; 이름을 듦 **2** Ⓒ 표창; 선외 가작(=honorable ~)
at the ~ of …의 이야기가 나오면, …을 말하면
make ~ of …을 들다, …을 들어 말하다, …에 언급하다 ***M~ was made of it.*** 그 이야기가 나왔다.
~·a·ble *a.* **~·er** *n.*
men·tioned [ménʃənd] *a.* [보통 복합어를 이루어] 언급한: above-~ =~ above 전술한, 상기한
Men·tor [méntɔ:r, -tər | -tɔ:] *n.* **1** 〖그리스신화〗 멘토르 (Odysseus가 아들의 교육을 맡긴 지도자) **2** [**m~**] 선도자(善導者), 좋은 조언자; (지도) 교사, 스승
***men·u** [ménju:, méinju: | ménju:] [F 「상세한 표」의 뜻에서] *n.* **1** 식단표, 메뉴 **2** 음식, 요리; 식사: a light ~ 가벼운 요리 **3** (비유) (연극 등의) 프로그램, 예정표; 〖컴퓨터〗 메뉴 (기능 선택의 일람 표시)
ménu bàr 〖컴퓨터〗 메뉴 바 (pull-down menu의 화면상의 맨 위 행; 보기: 'File', 'View', 'Help' 등)
men·u-driv·en [ménju:drìvən] *a.* 〖컴퓨터〗 메뉴(menu)에 따라 조작하는 구조의
Men·u·hin [ménju:in] *n.* 메뉴인 **Yehudi ~** (1916-99) (미국 출생의 영국 바이올리니스트)
ménu òption 〖컴퓨터〗 메뉴 선택 (pull-down menu에서의 기능 항목의 선택의 하나)
me·ow [miáu, mjáu] [의성어] *n.*, *vi.* (고양이가) 야옹(하고 울다)
mep, m.e.p. mean effective pressure 평균 유효 압력 **MEP** Member of the European Parliament 유럽 의회 의원
me·per·i·dine [məpérədì:n, -din] *n.* 〖약학〗 메페리딘 (합성 진통제·진경제(鎭痙劑))
Meph·i·stoph·e·les [mèfəstɑ́fəlì:z | -stɔ́f-] *n.* **1** 메피스토펠레스 (Faust 전설, 특히 Goethe의 *Faust* 중의 악마) **2** 지극히 악한[음흉한] 사람; 유혹자
Meph·is·to·phe·li·an, -le- [mèfəstəfí:liən, məfìstə- | mèfistə-] *a.* 메피스토펠레스의; 악마적인, 음험한; 냉소적인
me·phit·ic, -i·cal [məfítik(əl)] *a.* 악취가 나는; 유독한, 유해한(poisonous) **-i·cal·ly** *ad.*
me·phi·tis [məfáitis] *n.* **1** Ⓤ (땅속부터의) 독기; 유독한 악취 **2** [**M~**] 〖로마신화〗 메피티스 (역병에서 지키는 여신)
me·pro·ba·mate [məpróubəmèit] *n.* Ⓤ 〖약학〗 메프로바메이트 (정신 안정제의 일종)
meq. milliequivalent **mer.** meridian; meridional
mer·bro·min [mərbróumin] *n.* 〖약학〗 메르브로민 (방부제·살균제로 씀)
merc [mə́:rk, mə́:rs] [*mer*cenary] *n.* (속어) 용병; 돈이면 무엇이든지 하는 사람
Merc [mə́:rs, mə́:rk] *n.* (구어) = MERCEDES-BENZ
Mer·cál·li scále [mərkɑ́:li-] [이탈리아의 지질학자 이름에서] 〖지질〗 메르칼리 진도(震度) 계급 (I에서 XII까지 있음)
***mer·can·tile** [mə́:rkəntì:l, -tàil | -tàil] [F 「상인(merchant)의」의 뜻에서] *a.* **1** 상업의; 상인의, 무역의 **2** 〖경제〗 중상주의의 **3** 돈벌이에 급급한
mércantile àgency 상사 대리점; 상업 흥신소
mércantile àgent 〖상업〗 상사(商事) 대리인
mércantile crèdit 〖상업〗 상업 신용 대출
mércantile làw 상사법(商事法), 상관습법
mércantile maríne = MERCHANT MARINE
mércantile pàper 〖상업〗 상업 어음

mércantile sỳstem 중상주의(mercantilism)
mer·can·til·ism [mə́ːrkəntilìzm, -tàil-] *n.* Ⓤ **1** 중상주의 **2** 상업주의; 상술, 상인 기질 **-ist** *n.*
mer·cap·tan [mərkǽptæn | məː-] *n.* = THIOL
mer·cap·to·pu·rine [məːrkæ̀ptoupjúəri(ː)n] *n.* 〚약학〛 메르캅토퓨린 《백혈병 따위의 종양 치료에 쓰임》
Mer·ca·tor [mərkéitər | məː-] *n.* 메르카토르 **Gerhardus** ~ (1512-94) 《네덜란드의 지리학자》
Mercátor('s) projéction 〚지도〛 메르카토르(식 투영) 도법
Mer·ce·des [mərséidiːz | mə́ːsidìːz] *n.* **1** 여자 이름 **2** = MERCEDES-BENZ
Mer·ce·des-Benz [-bénz, -bénts] *n.* 메르세데스 벤츠 《독일제 고급 승용차; 상표명》
mer·ce·nar·i·ly [mə̀ːrsənέərəli, mə́ːrsənèr- | mə́ːsinər-] *ad.* 돈[보수]만을 바라고[위하여]
***mer·ce·nar·y** [mə́ːrsənèri | -nəri] [L 「임금이 지불된」의 뜻에서] *a.* **1** 보수[돈]를 목적으로 하는, 돈을 위한: ~ motives 금전상의 동기 **2** Ⓐ (외국 군대에) 고용된(hired): a ~ soldier 용병
— *n.* (*pl.* **-nar·ies**) **1** 돈을 위해 일하는 사람 **2** (외인 부대의) 용병(傭兵) **mér·ce·nàr·i·ness** *n.*
mer·cer [mə́ːrsər] *n.* (영) 포목상, 《특히》 비단장수
mer·cer·i·za·tion [mə̀ːrsərizéiʃən | -rai-] *n.* Ⓤ 머서법[가공] 《무명류에 광택을 내는 소다 처리법》
mer·cer·ize [mə́ːrsəràiz] *vt.* 〈무명류를〉 실크 가공 처리하다, 머서 가공하다: ~*d* cotton 광택 가공 무명
mer·cer·y [mə́ːrsəri] *n.* (*pl.* **-cer·ies**) (영) **1** Ⓤ 포목, 비단 **2** 포목점
⁑**mer·chan·dise** [mə́ːrtʃəndàiz, -dàis] *n.* Ⓤ [집합적] 상품, 《특히》 제품; 재고품: general ~ 잡화
— *v.* [mə́ːrtʃəndàiz] *vi.* 장사하다: run a *merchandising* firm 상사(商社)를 운영하다
— *vt.* **1** 〈상품을〉 매매[거래]하다 **2** 〈상품·서비스의〉 판매를 계획·촉진하다; 〈상품을〉 광고 선전하다 **-dìs·er** *n.*
mer·chan·dis·ing [mə́ːrtʃəndàiziŋ] *n.* Ⓤ 〚상업〛 상품화[판매] 계획, (효과적) 판촉; (영화·이벤트 등의) 관련 상품
⁑**mer·chant** [mə́ːrtʃənt] [L 「장사하다」의 뜻에서] *n.* **1** 상인, 《특히》 무역 상인; (영) 도매 상인(wholesaler): a coal ~ 석탄 상인 **2** (미) 소매 상인 **3** (구어) 사람, 녀석(fellow) **4** (속어) …광: a speed ~ (자동차의) 스피드광 ~ ***of death*** 죽음의 상인 《전쟁으로 이득을 보는 무기 제조·판매인》 ***The M~ of Venice*** 「베니스의 상인」 《Shakespeare 작의 희극》
— *a.* Ⓐ **1** 상업(용)의; 무역의; 상인의: a ~ town 상업 도시 **2** 상선의 **3** 〈봉강(棒鋼) 등이〉 표준 규격의; 〈공장이〉 표준 규격의 지금(地金)을 제작하는
— *vt.* 매매하다, 장사하다
mer·chant·a·ble [mə́ːrtʃəntəbl] *a.* 팔리는; 시장성 있는 **mèr·chant·a·bíl·i·ty** *n.*
mérchant accóunt 〚금융〛 신용 카드 가맹점의 은행 계좌
mérchant advénturer **1** (옛날의 재외 상관(商館)을 만들었던) 무역상 **2** [**M- A-**] 〚영국사〛 모험 상인 조합 《중세의 모직물 수출을 독점》
mérchant bànk (영) 상인 은행 《환어음의 인수와 증권 발행 업무 등을 하는 금융 기관》
mérchant guìld (중세의) 상인 길드[조합]
mer·chant·man [mə́ːrtʃəntmən] *n.* (*pl.* **-men** [-mən, -mèn]) 상선(merchant ship)
mérchant maríne [the ~; 집합적] (미) **1** (한 나라의) 전체 상선 **2** 상선대의 승무원
mérchant návy (영) = MERCHANT MARINE
mérchant prínce 대상인(大商人), 호상(豪商)
mérchant séaman 상선 대원, 상선 선원
mérchant sèrvice 해운업; (한 나라의) 전체 상선[승무원](merchant marine)
mérchant shíp[véssel] 상선(merchantman)
mer·ci [mɛərsíː] [F = thank you] *int.* 고맙소 ~ ***beaucoup*** [-boukúː] 대단히 고맙습니다.
Mer·ci·a [mə́ːrʃiə, -ʃə] *n.* 머시아 《영국 중부의 옛 왕국(7-8세기)》
Mer·ci·an [mə́ːrʃiən, -ʃən] *a.* Mercia (사람·방언)의 — *n.* Mercia 사람; Ⓤ Mercia 방언
⁑**mer·ci·ful** [mə́ːrsifəl] *a.* **1** 자비로운, 인정 많은 《*to*》: He is ~ *to* others. 그는 남에게 인정이 많다. **2** 하느님[행운] 덕택의: a ~ death 고통 없는 죽음, 안락사 **~·ness** *n.* ▷ mércy *n.*
***mer·ci·ful·ly** [mə́ːrsifəli] *ad.* **1** 인정 많게, 자비롭게, 관대히 **2** [문장 전체를 수식하여] 다행히도: *M~*, he survived the accident. 다행히도 그는 그 사고에서 살아남았다.
***mer·ci·less** [mə́ːrsilis] *a.* 무자비한, 무정한, 잔인한, 용서하지 않는 《*to*》 **~·ly** *ad.* **~·ness** *n.*
mer·cu·rate [mə́ːrkjurèit] 〚화학〛 *vt.* 수은(염)으로 처리하다, 수은과 화합시키다
— [-rət] *n.* 제 2 수은염류
mer·cu·ri·al [mərkjúəriəl | məː-] *a.* **1** 경박한, 변덕스러운 **2** 민활한, 재치 있는; 쾌활한, 명랑한, 활기 있는 **3** 수은의, 수은을 함유한: ~ poisoning 수은 중독 **4** [**M~**] 수성(水星)의; Mercury 신(神)의
— *n.* Ⓤ 〚약학〛 수은제(劑) **~·ism** *n.* Ⓤ 수은 중독 **~·ly** *ad.* **1** 민활[쾌활, 명랑]하게, 활기 있게 **2** 수은으로, 수은제로 **~·ness** *n.*
mercúrial barómeter 수은 기압계
mer·cu·ri·al·i·ty [mərkjùəriǽləti | məː-] *n.* Ⓤ **1** 민활, 쾌활, 명랑함 **2** 변덕(fickleness)
mer·cu·ri·al·ize [mərkjúəriəlàiz | məː-] *vt.* **1** 〚의학〛 수은제로 치료하다; 〚사진〛 수은으로 처리하다, 수은 증기에 쐬다 **2** 〈기분 등을〉 활발[쾌활]하게 하다
Mer·cu·ri·an [mərkjúəriən | məː-] *a.* (고어) = MERCURIAL 4 — *n.* **1** 〚점성〛 수성을 수호성(星)으로 태어난 사람 **2** 〚수상〛 수성운(運)이 좋은 사람 《활발하여 실업계·정계에 맞음》
mer·cu·ric [mərkjúərik | məː-] *a.* Ⓐ **1** 수은의[을 함유한] **2** 〚화학〛 제2수은의
mercúric chlóride 염화제2수은, 승홍(昇汞)
mer·cu·rize [mə́ːrkjuràiz] *vt.* 〚화학〛 수은과 화합시키다, 수은으로 처리하다(mercurate)
Mer·cu·ro·chrome [mərkjúərəkròum | məː-kjúər-] *n.* 〚약학〛 머큐로크롬 《merbromin의 상표명》
mer·cu·rous [mərkjúərəs | mə́ːkjur-] *a.* **1** = MERCURIC 1 **2** 〚화학〛 제1수은의
mercúrous chlóride 염화 제1수은, 감홍(甘汞)
⁑**mer·cu·ry** [mə́ːrkjuri] *n.* (*pl.* **-ries**) **1 a** Ⓤ 〚화학〛 수은 《유일한 액체 금속; 기호 Hg, 번호 80》 **b** (기압계·온도계의) 수은주; 기압계, 온도계 **c** 수은제: The ~ fell to 5°F. 온도계는 화씨 5도까지 내려갔다. **2** [**M~**] 〚로마신화〛 머큐리신 《사자신(使者神), 웅변가·장인·상인·도둑의 수호신; 그리스 신화의 Hermes》 **3** [**M~**] 〚천문〛 수성(水星) **4** [종종 **M~**] (고어) 사자(使者); [종종 **M~**] 보도자 《흔히 신문·잡지의 명칭》 **5** (폐어) 활기, 쾌활; 변덕 **6** [**M~**] 〚우주과학〛 미국의 1인승 우주선 **7** [**M~**] 머큐리 《Ford사에서 만든 승용차》 ***The ~ is rising.*** (1) 온도가 올라가고 있다. (2) 경기가 좋아지고 있다. (3) 기분[심기]이 좋아지고 있다. (4) 흥분이 고조되고 있다. ▷ mercúrial, Mercúrian, mercúric, mercúrous *a.*; mércurize *v.*
mércury àrc 수은 아크 《수은 증기 속의 아크 방전》
mércury barómeter 수은 기압계
mércury cèll 수은 전지

thesaurus **merchandise** *n.* wares, goods, commodities, stock, vendibles, produce — *v.* market, sell, retail, distribute, vend, deal in
merchant *n.* trader, dealer, trafficker, wholesaler, broker, seller, vendor, retailer, shopkeeper, storekeeper, salesperson, distributer
mercy *n.* leniency, clemency, compassion, pity, charity, forgiveness, humanity, kindness, sympa-

mércury chlóride 〖화학〗 염화수은
mércury póisoning 수은 중독
mércury swítch 〖전기〗 수은 스위치
mér·cu·ry(-vá·por) làmp [mə́ːrkjuri(-véipər)-] 수은(증기)등, 수은 램프
mer·cy** [mə́ːrsi] [L「보수」의 뜻에서] *n.* (*pl.* **-cies**) **1** Ⓤ 자비(심), 인정, 연민의 정: I spared him out of ~. 나는 그를 가엾이 여겨 용서해 주었다. **2** (재판관의) 사면의 재량권; (사형 예정자에 대한) 감형, 사면(의 조치) **3** [보통 *sing.*] 행운, 은혜, (신의) 은총 **4** 고뇌를 덜어줌, 안락 **5** [놀람·공포를 나타내는 감탄사로서] 아이구, 이런, 저런! ***at the ~ of … = ***at*** a person***'s ~*** …의 처분[마음]대로 ***be grateful*** [***thankful***] ***for small mercies*** 그만하기로[불행중] 다행이라고 안도하다 ***be left to the*** (***tender***) ***mercies*** [~] ***of …*** = ***be left to*** a person***'s*** (***tender***) ***mercies*** [~] (반어) …이 하라는 대로 되다[당하다], …에 의해 단단히 혼나다 ***for ~'s sake*** 불쌍히 여기셔서, 제발 (***Have***) ***~ on us!*** = ***M~!*** 아이구, 저런! ***have ~ upon*** = ***show ~ to*** …에게 자비를 베풀다 ***It's a ~.*** 다행이다. ***That's a ~!*** 그것 참 고마운 일이구나! ***throw*** one***self on*** a person***'s ~*** …의 자비를 빌다[에 매달리다] ***What a ~ that …!*** …이라니 고맙기도 해라! ***without ~*** 무자비하게 ▷ mérciful *a.*
mércy flìght 구급 비행 《벽지의 중환자나 부상자를 비행기로 병원까지 운반하는 것》
mércy kìlling 안락사(euthanasia)
mércy sèat 1 〖성서〗 속죄소(贖罪所) 《계약의 궤의 순금 뚜껑》 **2** 〖신학〗 하느님의 보좌(寶座)
mércy stròke 최후의 일격(coup de grâce) 《사형 집행자가 처형자의 고통을 빨리 끝내 주기 위해 가하는 일격》
merde [mɛ́ərd] [F] *n.* 배설물, 대변; 시시한 것
— *int.* 제기랄!
‡**mere**[1] [míər] [L「순수한」의 뜻에서] *a.* Ⓐ (**mer·est**) 단순한, 순전한, 단지 …에 불과한: She's a ~ child. 그녀는 아직 어린애에 불과하다. / That is the *merest* folly. 그야말로 어리석기 이를 데 없는 짓이다. ★ 이 최상급은 강조하기 위한 것이며, 강조하기 위해 비교급은 쓰지 않음. ~ ***nothing*** 아무 것도 아닌 것 ▷ mérely *ad.*
mere[2] *n.* 《시어·방언》 호수, 못(lake)
-mere [miər] 《연결형》「부분」의 뜻: blast*mere*
Mer·e·dith [mérədiθ] *n.* 메레디스 **George ~** (1828-1909) 《영국의 시인·소설가》
‡**mere·ly** [míərli] *ad.* 단지 (…에 불과한), 다만 (…뿐인)(only): say ~ as a joke 그냥 농담으로 말하다 / It's ~ a problem of style. 그것은 단지 문체의 문제이다. ***not ~ … but*** (***also***) …뿐만 아니라 …도
me·ren·gue [məréŋgei] *n.* 메렝게 《아이티·도미니카의 춤[리듬]》 **—** *vi.* 메렝게를 추다
me·re·ol·o·gy [mìriɑ́lədʒi | -ɔ́l-] *n.* 메레올로지 《부분과 전체 사이의 관계를 추상적으로 연구하는 학문》
mére rìght 〖법〗 이론상의 권리
mer·e·tri·cious [mèrətríʃəs] *a.* **1** 〈장식·문체 등이〉 저속한, 야한 **2** 〈아첨 등이〉 겉발림의; 불성실한 **~·ly** *ad.* **~·ness** *n.*
mer·gan·ser [məːrgǽnsər] *n.* (*pl.* **~s,** ~) 〖조류〗 비오리 《오리의 일종》
***merge** [mə́ːrdʒ] [L「잠기게 하다, 가라앉히다」의 뜻에서] *vt.* **1** 〈2개(이상)의 것을〉 합병하다, 병합하다 《*together, in, into, with*》: ~ the two companies (*together*) 그 두 회사를 합병하다 **2** (서서히) 바꾸다; 녹아들게 하다, 융합시키다, 몰입(沒入)시키다 《*in, into, with*》(⇨ mix 유의어): 《~+목+전+명》 ~ one's views *with* another's 자신의 생각을 남의 생각에 맞춰 동화시키다
— *vi.* **1** (…와) 합병[병합]하다 《*together, with*》; 〈도로·강 등이〉 합류하다 《*together*》: *M~.* 《게시》 (전방에) 도로 합류 (주의). **2** 〈2개(이상)의 것이〉 융합하다 《*together*》; (…으로) 녹아들다, (녹아들듯) 차츰 …이 되다 《*in, into*》: Dawn ~*d into* day. 차차 날이 밝아졌다. / He ~*d into* the crowds. 그는 군중 속으로 스며들었다. **3** 《미·속어》 결혼하다
▷ mérgence *n.*
merg·ee [məːrdʒíː] *n.* 합병의 상대방 (회사)
mer·gence [mə́ːrdʒəns] *n.* Ⓤ 몰입; 융합; 합병
merg·er [mə́ːrdʒər] *n.* ⓊⒸ **1** (특히 회사·사업의) (흡수) 합병, 합동 **2** 〖법〗 (권리의) 혼동
merg·er·ma·ni·a [mə̀ːrdʒərméiniə] *n.* 기업 합병열, 합병 붐
mérgers and acquisítions 〖경영〗 기업 인수 합병 (略 M&A)
mer·i·carp [mérəkɑ̀ːrp] *n.* 〖식물〗 분과(分果), 분열과
me·rid·i·an** [mərídiən] [L「정오의, 남쪽의」의 뜻에서] *n.* **1** 자오선, 경선(經線) **2** 《고어》 정오 **3** [the ~] **a** (태양·별의) 최고점 **b** 절정, 극점, 한창: *the* ~ of life 전성기, 한창때 **4** = MAGNETIC MERIDIAN. ***calculated to [***for***] ***the ~ of*** …의 취미[습관, 능력 등]에 알맞도록 의도된 ***the first*** [***prime***] ***~*** 본초 자오선 《경도 0도의 선; 영국의 Greenwich를 통과함》
— *a.* Ⓐ **1** 자오선의 **2** 정오의: the ~ sun 정오의 태양 **3** 전성기의, 정점의: one's ~ glory 영광의 정점 / arrive at one's ~ fame 명성의 정점에 달하다
▷ merídional *a.*
merídian áltitude 〖천문〗 자오선 고도
merídian ángle 〖천문〗 자오선 각도
merídian círcle 〖천문〗 자오환(子午環)
merídian pàssage 〖천문〗 자오선 통과
me·rid·i·o·nal [mərídiənl] *a.* Ⓐ **1** 자오선의 **2** 남유럽 (사람)의, 남프랑스 사람의 **3** 남쪽의
— *n.* 남국[남유럽] 사람, 남프랑스 사람 **~·ly** *ad.*
Mé·ri·mée [mérime] [F] *n.* 메리메 **Prosper ~** (1803-70) 《프랑스의 작가》
me·ringue [məræ̃ŋ] [F] *n.* **1** Ⓤ 머랭 《설탕과 거품 일게 한 흰자위 등을 섞은 것; 파이 등에 얹음》 **2** 머랭 과자
me·ri·no [məríːnou] *n.* (*pl.* **~s**) **1** [종종 **M~**] Ⓒ 메리노 양(羊)(= **~ shéep**) 《스페인 원산》 **2** Ⓤ 메리노 양모(羊毛); 메리노 모사(毛絲); 메리노 모직물
— *a.* 메리노 양모[모사, 모직물]로 만든
mer·i·stem [mérəstèm] *n.* Ⓤ 〖식물〗 분열 조직(分裂組織) **mèr·i·ste·mát·ic** *a.*
‡**mer·it** [mérit] [L「보수」의 뜻에서] *n.* **1 a** 장점, 취할 점(opp. *demerit*): The plan is without ~. 그 계획에는 취할 만한 점이 없다. **b** ⓊⒸ [종종 *pl.*] 공적, 공로, 공훈: according to one's ~ 공로에 따라 **c** (학교 등에서 벌점에 대한) 상점(賞點) **2** Ⓤ (칭찬할 만한) 가치, 우수성: literary ~ 문학적 가치 **3** [*pl.*] 〖법〗 (청구의) 실태(實態); (소송의) 본안(本案), 시비(곡직) **4** [종종 *pl.*] 《고어·시어》 마땅히 받을 만한 상[벌], 공죄(功罪) ***make a ~ of*** = ***take ~ to*** one***self for*** …을 자기 공로로서 자랑하다 ***on*** one***'s own ~s*** 자기 실력으로, 진가를 발휘하여 ***on the ~s of the case*** 사건의 시비곡직에 따라 ***the ~s and demerits of*** capital punishment (극형)의 공과[득실, 장단점] ***the Order of M~*** 《영》 메리트 훈장[훈위] (略 OM)
— *vt.* **1** 공로로 얻다 **2** 〈상·벌·감사·비난 등을〉 마땅히 받을 만하다(deserve)
▷ meritórious *a.*

---

thy, tolerance, generosity, forbearance
merge *v.* **1** 합병하다 join together, amalgamate, unite, combine, incorporate, coalesce, team up (opp. *split, separate, diverge*) **2** 융합시키다 blend, fuse, mingle, mix, intermix, homogenize
merit *n.* **1** 장점 good point, strong point, advantage, asset, plus **2** 가치 goodness, quality, worth, worthiness, value, excellence

mer·it·ed [méritid] *a.* 가치 있는, 당연한, 상응한: win ~ praise 당연한 칭찬을 받다 **~·ly** *ad.*
mérit ìncrease[**ràise**] 능률제 승급
mer·i·toc·ra·cy [mèritɑ́krəsi | -tɔ́k-] *n.* (*pl.* **-cies**) ⓊⒸ **1** 수재[엘리트] 교육 제도 《월반 제도 등》 **2** 실력 사회, 능력 위주 사회 **3** Ⓤ [보통 the ~; 집합적] 엘리트들, 엘리트 지배층
mer·it·o·crat [méritəkræ̀t] *n.* 엘리트, 실력자
mer·i·to·ri·ous [mèritɔ́:riəs] *a.* 가치[공적, 공훈] 있는, 칭찬할 만한, 기특한; (문예 비평 등에서 다소 경멸적으로) 잘 된 **~·ly** *ad.* **~·ness** *n.*
mérit ràting 인사 고과, 근무 평정
mérit sỳstem [the ~] 《미》 (임용·승진의) 실적[성적]제, 실력 본위 제도
mer·kin [mə́:rkən] *n.* (여자의) 거웃, 인조 거웃
merl(**e**) [mə́:rl] *n.* 《고어·스코》 = BLACKBIRD 1
mer·lin [mə́:rlin] *n.* 〖조류〗 쇠황조롱이 《매의 일종》
Mer·lin [mə́:rlin] *n.* 멀린 《Arthur 왕 이야기에 나오는 예언자·마법사》
mer·lon [mə́:rlən] *n.* (성의) 총안(銃眼) 사이의 철부(凸部) 벽
⁎**mer·maid** [mə́:rmèid] *n.* **1** (여자) 인어(cf. MERMAN) **2** 수영 잘하는 여자; 여자 수영 선수
mer·man [mə́:rmæ̀n] *n.* (*pl.* **-men** [-mèn]) **1** (남자) 인어(cf. MERMAID) **2** 수영 잘하는 남자; 남자 수영 선수
mer·o·blast [mérəblæ̀st] *n.* 〖생물〗 부분할(部分割), 부분 할란(割卵) **mèr·o·blás·tic** *a.*
mer·o·mor·phic [mèrəmɔ́:rfik] *a.* 〖수학〗 유리형(有理型)의
me·ro·pi·a [məróupiə] *n.* 〖안과〗 부분맹(部分盲)
-merous [mərəs] 《연결형》 〖식물〗 「…으로 갈라진」의 뜻: tri*merous*
Mer·o·vin·gi·an [mèrəvíndʒiən, -dʒən] *a.*, *n.* 메로빙 왕조 《486-751년간의 프랑크 왕조》의 (왕)(cf. CAROLINGIAN)
mer·o·zo·ite [mèrəzóuait] *n.* 〖동물〗 (포자충류의) 낭충(娘蟲), 메로조이트
⁑**mer·ri·ly** [mérəli] *ad.* 즐겁게, 흥겹게, 유쾌하게
⁎**mer·ri·ment** [mérimənt] *n.* Ⓤ 명랑함, 흥겹게 떠듦; 왁자지껄하게 놂[웃기]; 환락
⁑**mer·ry** [méri] [OE 「단시간 계속되는, 즐거운」의 뜻에서] *a.* (**-ri·er**; **-ri·est**) **1** 명랑한, 유쾌한, 재미있는 (⇨ happy 유의어): a ~ voice 명랑한 목소리 **2** 웃고 즐기는, 왁자지껄한, 축제 기분의 **3** Ⓟ (영·구어) 기분 좋게 취한 **4** (고어) 즐거운; 남을 즐겁게 해주는 (***as***) **~ *as a cricket***[***grig, lark***] 아주 명랑한, 흥에 겨운 ***I wish you a ~ Christmas.*** = (***A***) ***M~ Christmas*** (***to you***)***!*** 크리스마스를 축하합니다! ***make ~*** (먹고 마시며) 흥겹게 떠들다, 흥청망청 놀다 ***make ~ over***[***of***] …을 놀리다, 조롱하다 ***The M~ Wives of Windsor*** 「윈저의 즐거운 아낙네들」 《Shakespeare 작의 희극》 ***The more the merrier.*** 많을수록 더욱 즐겁다; 다다익선(多多益善).
mér·ri·ness *n.* ▷ mérriment *n.*; mérrily *ad.*
mer·ry-an·drew [mériǽndru:] *n.* (옛날의) 거리의 약장수의 앞잡이; 어릿광대
mérry dáncers 《스코》 북극광(aurora borealis)
Mérry Éngland 살기 좋은 영국 《옛날부터의 별칭》
⁎**mer·ry-go-round** [mérigouràund] *n.* **1** 회전목마(《미》 carousel, 《영》 roundabout) **2 a** 선회, 급회전 **b** (일 등의) 어지러운 연속[움직임]
mer·ry·mak·er [mérimèikər] *n.* 흥청거리는 사람
mer·ry·mak·ing [-mèikiŋ] *n.* Ⓤ 환락, 술잔치, 잔치놀이
mer·ry·man [-mən] (*pl.* **-men** [-mən]) *n.* 《고어》 어릿광대
mérry mén 《구어》 (기사(騎士) 등의) 종자, 부하; 무법자들
mer·ry·thought [-θɔ̀:t] *n.* 《영》 = WISHBONE
Mer·sey [mə́:rzi] *n.* 머지 강 《아이리시 해(海)로 흘러드는 강; 강구에 Liverpool이 있음》
Mer·sey·side [mə́:rzisàid] *n.* 머지사이드 주(州) 《잉글랜드 북서부의 주; 주도는 Liverpool》
Mérsey sòund [the ~] 머지 사운드 《1960년대에 Liverpool 출신의 Beatles 등 팝 그룹의 음악》
Mer·thi·o·late [mərθáiəlèit] *n.* 메르티올레이트 《살균 소독제; 상표명》
Mer·vin [mə́:rvin] *n.* 남자 이름
me·sa [méisə] [Sp. = table] *n.* 〖지질〗 메사, 탁상(卓狀) 대지(臺地)[암구(岩丘)]
més·al·li·ance [mèizəláiəns, meizǽliəns | mezǽli-] [F] *n.* 신분이 낮은 자와의 결혼, 강혼(降婚)
mesc [mésk] *n.* 《미·속어》 = MESCALINE
mes·cal [meskǽl] *n.* **1** Ⓤ 메스칼주(酒) 《멕시코의 화주》 **2** 〖식물〗 **a** 메스칼 《선인장의 일종; 먹으면 환각 증상을 일으킴》 **b** 용설란(agave)
mescál bùtton 메스칼 선인장 꼭지의 단추 모양의 것 《멕시코 인디언이 말려서 환각제로 씀》
mes·ca·line [méskəlì:n, -lin] *n.* Ⓤ 메스칼린 《mescal에서 뽑은 알칼로이드; 흥분제》
mes·dames [meidɑ́:m, -dǽm | méidæm] [F] *n.* MADAM[MADAME, MRS.]의 복수
mes·de·moi·selles [mèidəməzél, -dmwə- | -dmwə-] *n.* MADEMOISELLE의 복수
me·seems [misí:mz] *vi.* (**-seemed** [-sí:md]) 《고어》 생각건대 …이다 《비인칭의 it이 없는 형태로, 현재는 it seems to me를 씀: cf. METHINKS》
me·sem·bry·an·the·mum [məzèmbriǽnθəməm] *n.* 〖식물〗 사철채송화
mes·en·ceph·a·lon [mèsenséfəlɑ̀n | -lɔ̀n] *n.* 〖해부〗 중뇌(midbrain) **-ce·phal·ic** [-səfǽlik] *a.*
mes·en·ter·on [meséntərɑ̀n, mez- | meséntərɔ̀n] *n.* (*pl.* **-ter·a** [-tərə]) 〖해부〗 = MIDGUT
mes·en·ter·y [mésəntèri, méz- | -təri] *n.* (*pl.* **-ter·ies**) 〖해부〗 장간막(腸間膜)
⁎**mesh** [méʃ] *n.* **1** [보통 *pl.*] 그물코, 체눈 **2** 망상 직물[편물]; 그물 세공; [*pl.*] 그물, 망, 그물실 **3** [보통 *pl.*] **a** (남을 빠뜨리는) 망, 올가미: be caught in the ~*es* of a woman 여자의 유혹에 걸려들다 **b** 복잡한 기구(機構), 망상 조직 **4** Ⓤ 〖기계〗 톱니바퀴의 맞물림 ***in***[***out of***] **~** 톱니바퀴가 맞물려[맞물리지 않고] ***the ~es of the law*** 법망
— *a.* Ⓐ 그물코의: ~ shoes 망사 구두
— *vt.*, *vi.* 그물로 잡다, 그물에 걸리다; 〖기계〗 〈톱니바퀴를〉 맞물리다, 〈톱니바퀴가〉 맞물다 (*with*)
Me·shed [məʃéd] *n.* Mashhad의 영어명
mesh·e·goss [méʃəgɑ̀s | -gɔ̀s] *n.* = MISHEGOSS
me·shu·ga·na [məʃúgənə], **me·shug·ge·ner** [məʃúgənər] *n.* 《속어》 미치광이
me·shu(**g**)**·ga, -ge** [məʃúgə] [Heb.] *a.* 《속어》 머리가 돈, 미친
mesh·work [méʃwə̀:rk] *n.* Ⓤ 그물 세공, 네트워크
mesh·y [méʃi] *a.* (**mesh·i·er**; **-i·est**) 그물코로 된; 그물 세공의
me·si·al [mí:ziəl, -siəl] *a.* **1** 〖동물〗 중앙의, 중간의, 종행(縱行)의 **2** 〖치과〗 근심(近心)의(opp. *distal*)
mes·ic[1] [mézik, mí:z-, -sik | mí:z-] *a.* 〖생태〗 중습성(中濕性)의, 중생(中生)의
mesic[2] *a.* 〖물리〗 중간자(中間子)의
mes·mer·ic [mezmérik, més- | méz-] *a.* **1** 최면술의 **2** 황홀케 하는, 매혹적인 **-i·cal·ly** *ad.*
mes·mer·ism [mézmərìzm, més- | méz-] [오스트리아의 의사 Mesmer에서] *n.* Ⓤ **1** 최면술; 최면 (상태) **2** 황홀케 하는 매력, 매혹 **-ist** *n.* 최면술사
mes·mer·i·za·tion [mèzməraizéiʃən, mès- | mèz-] *n.* Ⓤ 최면술의 시술; 최면 상태
mes·mer·ize [mézməràiz, més- | méz-] *vt.* **1** …에게 최면술을 걸다 **2** [보통 수동형으로] 매혹시키

thesaurus **mess** *n.* **1** 혼란, 난잡 disorder, untidiness, disarray, dirtiness, filthiness, clutter, lit-

다; 감화시키다: The audience *was ~d.* 청중은 매료되었다. **3** (꼼짝달싹 못할 정도로) 놀라게 하다
-iz·er *n.* **-iz·ing** *a.*

mesne [míːn] *a.* 〖법〗 중간의(intermediate): a ~ process (소송의) 중간 영장/~ profits 중간 이득
— *n.* 〖역사〗 중간 영주(=~ **lórd**)

meso- [mézou, míː- | mésou, -sə] 《연결형》 「중앙, 중간」의 뜻 《모음 앞에서 mes-》

Mes·o·a·mer·i·ca [mèzouəmérikə, mi-] *n.* = CENTRAL AMERICA

mes·o·blast [mézəblæ̀st | mésə-] *n.* 〖생물〗 = MESODERM

mes·o·carp [mézəkɑ̀ːrp | més-] *n.* 〖식물〗 중과피(中果皮)(cf. PERICARP)

mes·o·cy·clone [mèzəsáikloun | mès-] *n.* 〖기상〗 메조사이클론 《직경 약 16km까지의 작은 사이클론》

mes·o·derm [mézədə̀ːrm | mésə-] *n.* 〖생물〗 중배엽(中胚葉) **mè·so·dérm·al** *a.* **-dérm·ic** *a.*

mes·o·gas·tri·um [mèzəgǽstriəm, mìːzə-, -sə- | mès-] *n.* (*pl.* **-tri·a** [-triə]) 〖해부〗 중복부(中腹部), 위간막(胃間膜) **-gás·tric** *a.*

mes·o·lect [mézəlèkt | mésə-] *n.* 〖언어〗 중층 방언 《크리올어(creole)의 상층 방언(acrolect)과 하층 방언(basilect)의 중간에 있는 변종 방언》

Mes·o·lith·ic [mèzəlíθik | mèsə-] *a.* 〖고고학〗 중석기 시대의(cf. NEOLITHIC)

mes·o·morph [mézəmɔ̀ːrf | mésə-] *n.* **1** 〖식물〗 중생(中生) 식물 **2** 〖심리〗 (근골이 발달한) 중배엽형(中胚葉型)의 사람

mes·o·mor·phic [mèzəmɔ́ːrfik | mèsə-] *a.* **1** 〖심리〗 중배엽형의 **2** 〖식물〗 중생 식물적인

me·son [míːzɑn, mézɑn, -sɑn | míːzɔn] *n.* **1** 〖물리〗 중간자(中間子)(mesotron) **2** 〖동물〗 종행면(縱行面), 정중면(正中面)(mesial plane)

mes·o·neph·ros [mèzənéfrɑs | -néfrəs] *n.* (*pl.* **-roi** [-rɔi]) 〖발생〗 중신(中腎) **-néph·ric** *a.*

mes·o·pause [mézəpɔ̀ːz] *n.* 〖기상〗 중간권 경계면 《mesosphere와 thermosphere 사이의 경계면》

mes·o·pe·lag·ic [mèzəpilǽdʒik, mès-] *a.* 중심해(中深海)의 《200-1,000m 깊이의》

mes·o·phile [mézəfàil, més-] *n.* 〖생물〗 중온성균(中溫性菌) **—** *a.* = MESOPHILIC

mes·o·phil·ic [mèzəfílik, -mès-] *a.* 〖생물〗 〈세균이〉 중온성의 《25-40°C에서 잘 번식하는》

mes·o·phyll [mézəfìl, mésə-] *n.* 〖식물〗 잎살

mes·o·phyte [mézəfàit, mésə-] *n.* 〖생태〗 중생(中生) 식물 **mès·o·phýt·ic** *a.*

Mes·o·po·ta·mi·a [mèsəpətéimiə] [Gk 「두 강 사이에 있는」의 뜻에서] *n.* **1** 메소포타미아 《아시아 남서부 Tigris, Euphrates 두 강의 하류에 있었던 고대 왕국; 현재의 이라크와 거의 같은 지역》 **2** [**m~**] 두 강 사이에 끼인 지역 **-mi·an** *a., n.* 메소포타미아의 (사람)

mes·o·scale [mézəskèil, mésə-] *a.* 〖기상〗 〈태풍·구름 등이〉 중간 규모의

mes·o·scaph(e) [mézəskæ̀f, mésə-] *n.* 중심해(中深海) 잠수정

mes·o·sphere [mézəsfìər, mésə-] *n.* [the ~] 〖기상〗 중간층[권] 《성층권과 열권의 중간》

mes·o·the·li·o·ma [mèzəθìːlióumə, -sə- | mèsə-] *n.* (*pl.* **~s, ~·ta** [-tə]) 〖의학〗 중피종(中皮腫)

mes·o·the·li·um [mèzəθíːliəm, -sə- | mès-] *n.* (*pl.* **-li·a**) 〖해부〗 중피(中皮)

mes·o·tho·rax [mèzəθɔ́ːræks, mèsə-] *n.* 〖곤충〗 가운데가슴, 중흉(中胸) **mès·o·tho·rác·ic** *a.*

mes·o·tron [mézətrɑ̀n, mésə- | -trɔ̀n] *n.* 〖물리〗 중간자 《meson의 구칭》

Mes·o·zo·a [mèzəzóuə, mèsə-] *n. pl.* 〖동물〗 중생(中生) 동물문(門) **mès·o·zó·an** *a.*

ter, muddle, chaos, confusion, **2** 곤경 difficulty, predicament, plight, trouble, dilemma

Mes·o·zo·ic [mèzəzóuik, mèsə-] 〖지질〗 *a.* 중생대의 **—** *n.* [the ~] **1** 중생대 **2** 중생대의 지층

Mesozóic éra [the ~] 〖지질〗 중생대

mes·quit(e) [məskíːt, mes-] *n.* 〖식물〗 메스키트 《콩과(科) 식물의 관목》

‡mess [més] [OF 「식탁에 놓다」의 뜻에서] *n.* **1** 난잡, 뒤죽박죽, 엉망진창; [a ~] **난잡해진[어질러 놓은] 것**: make *a* ~ in the kitchen 부엌을 어질러 놓다 **2** [a ~] 《구어》 **난처한 처지**, 곤경, 분규, 궁지: We are in *a* ~. 우리는 궁지에 빠져 있다. **3** 흘린 것, 더러운 것; (개나 고양이의) 똥; 칠칠맞지 못한 사람 **4** (군대 식당에서 같이 식사하는) 회식자; (군대 등의) 식당; 회식; 《일반적으로》 식사: be at ~ 회식 중이다/go to ~ 회식하다 **5** 음식물 《특히 유동성이 있는 것》; (사냥개 등에게 주는) 혼합식
a ~ (of ...) 《구어》 다량의(much), 많은(many) ***a ~ of pottage*** 〖성서〗 죽 한 그릇 《창세기 25: 29-34》; 값비싼 희생으로 얻은 사소한 물질적 이익[쾌락] ***at ~*** 회식하여, 식사 중에 ***get into a ~*** 곤란에 빠지다, 혼란[분규]에 빠지다 ***in a ~*** 뒤죽박죽이 되어, 혼란[분규]에 빠져서; 진흙투성이가 되어; 곤란에 빠져서, 당황하여: This room is *in a* ~. 이 방은 엉망으로 어질러져 있다. ***lose the number of*** one***'s ~*** 《속어》 죽다, 살해되다 ***make a ~ of*** 《구어》 …을 망쳐 놓다 ***make a ~ of it*** 《구어》 실수[실패]하다
— *vt.* **1** 난잡하게 하다, 어질러 놓다, 더럽히다 《*up*》; 망쳐 놓다 《*up*》 **2** 거칠게 다루다 **3** 급식하다
— *vi.* **1** 회식하다 《*with, together*》 **2** 엉망으로 만들다, 더럽히다 **3** 《구어》 실수[실패]하다; 무모한 짓을 하다 《*up*》 **4** 물[흙]장난을 하다
~ around [***about***] 《구어》 (1) 빈둥거리다, 게으름피우다 (2) (일 등을) 꾸물거리다, 느릿느릿 하다 《*with*》 (3) 실수하다; 바보같이 말하다, 바보짓하다 (4) 쓸데없이 참견하다, 간섭하다; 장난삼아 해보다 《*with, in*》: ~ *about with*[*in*] politics 정치에 손대다 (5) (…을) 만지작거리다, 집적거리다 《*with*》 (6) …을 거칠게 다루다; 서툴게[아무렇게나] 다루다 (7) 《미》 (…와) 놀아나다; 성적인 관계를 갖다 《*with*》 ***~ up*** (1) ⇨ *vt.* 1, *vi.* 3. (2) …에 정신적 충격을 주다, 걱정을 끼치다, 신경증에 걸리도록 만들다 ***no ~ing*** 《구어》 정말이야; 문제없어, 식은 죽 먹기지.

‡mes·sage [mésidʒ] [L 「보내다」의 뜻에서] *n.* **1 a** 통신, 메시지; 전갈, 전언; 서신, 전보: a congratulatory ~ 축전, 축사/an oral[a verbal] ~ 말로 전하는 소식 **b** 《미》 (TV·라디오의) 광고 방송(commercial) **2** 《미》 (대통령의) 교서 《*to*》; (공식) 메시지 **3 a** [the ~] (예언자에 의하여 전해지는) 신탁(神託), 탁선(託宣), 교훈 **b** (문학 작품·음악 등의) 취지, 의도 **4** (심부름하는 사람이 맡은) 용건 **5 a** 〖컴퓨터〗 메시지 **b** 〖생화학〗 전달 암호, 메시지 《아미노산이 단백질 합성을 하는 순서를 지정하는 유전 정보》
do [***go on***] ***a ~*** 심부름가다 ***get the ~*** 《구어》 (상대방의) 진의[참뜻, 함축한 뜻 등]를 알다[파악하다] ***keep to the ~*** 〈정치가가〉 (유권자의 지지를 얻기 위해) 당의 주요 이념을 계속 강조하다 ***leave a ~ with*** …에게 전할 말을 부탁하고 가다 ***send*** a person ***on a ~*** …을 심부름 보내다
— *vt.* 통신[신호]하다; 통신으로 보내다[명령하다]

méssage bòard 전언판, 게시판(bulletin board)

méssage cènter 통신 센터; 〖군사〗 통신반

méssage cὸncentrator 〖컴퓨터〗 메시지 집배신(集配信) 장치

méssage hándling sỳstem = MHS

méssage swítching 〖컴퓨터〗 메시지 교환

méssage ùnit 《미》 (전화 요금 계산의) 통화 단위

mes·sag·ing [mésidʒiŋ] *n.* Ⓤ 전달; (전화·컴퓨터 등에 의한) 전기[전자] 통신

mes·sa·line [mèsəlíːn, ⌐-⌐] *n.* Ⓤ 메살린 《능직(綾織)의 부드럽고 얇은 견직물》

mess·deck [-dèk] *n.* 《영》 〖항해〗 하갑판 《하급 선원들의 거실 겸 식당이 있는 갑판》

Mes·sei·gneurs, m- [mèiseinjə́:rz | mèsenjə́:] *n.* MONSEIGNEUR의 복수

‡**mes·sen·ger** [mésəndʒər] 〔ME 「message를 전하는 사람」의 뜻에서〕 *n.* **1 a** 사자(使者), 전령(傳令); 심부름꾼: send a letter by a ~ 심부름꾼을 통해 편지를 보내다 **b** (우편)집배원 **c** 《고어》 선구자 **2** 〖항해〗 보조 밧줄; 전달 추 **3** 〖생화학〗 전달자(子) 《유전 정보 전달 물질》 ***kill***[***shoot***] ***the*** ~ 《미·속어》 나쁜 소식을 가져온 사람에게 화를 내다 ***King's***[***Queen's***] ***M***~ 《영》 치서 송달리(吏)

méssenger RNÁ 〖생화학〗 메신저 리보 핵산

méss gèar = MESS KIT

méss hàll (군대·공장 등의) 식당

Mes·si·ah [misáiə] *n.* **1** [the ~] 구세주, (유대인이 대망하는) 메시아, (그리스도교에서의) 그리스도 **2** [m~] (피압박 민족 등의) 구원자, 해방자 ~**·shìp** *n.*

Mes·si·an·ic [mèsiǽnik] *a.* 구세주의, 구세주 예수 그리스도의; (이상 시대의) 구세주적인

mes·si·a·nism [mésiənìzm, məsáiə-] *n.* Ⓤ **1** [종종 M~] 메시아 신앙 **2** (어떤 주의·신조에의) 절대적 지지[심취, 신앙]

Mes·si·as [misáiəs] *n.* = MESSIAH 1

Més·sier cátalog [mésièi-] [the ~] 〖천문〗 메시에 목록 《프랑스 천문학자 Charles Messier(1730-1817)가 작성한 성단(星團)·성운(星雲)의 목록》

mes·sieurs [meisjə́:z, mésərz] 〔F〕 *n. pl.* (*sing.* **mon·sieur** [məsjə́:r]) 제군, 여러분

méss jàcket (군인·급사용의) 앞이 트인 짧은 상의

méss kìt 휴대용 식기 세트

mess·mate [mésmèit] *n.* (주로 군대·배의) 식사[한솥밥] 동료

mess·room [mésrù:m] *n.* = MESS HALL

***Messrs.** [mésərz] *n. pl.* MESSIEURS의 약어 《MR.의 복수형으로 씀》

mess·tin [méstìn] *n.* 휴대용 식기, 반합

mes·suage [méswidʒ] *n.* 〖법〗 (건물과 주위의 밭 등을 포함한) 가옥과 대지

mess-up [mésʌ̀p] *n.* 《구어》 혼란; 분규; 실수

mess·y [mési] *a.* (**mess·i·er**; **-i·est**) **1** 어질러진, 흐트러진, 산란한 **2** 지저분한, 너절한 **3** 〈일 등이〉 성가신, 귀찮은; 몸을 더럽히는 **4** (너무) 감상적인 **méss·i·ly** *ad.* **méss·i·ness** *n.*

mes·ti·za [mestí:zə, mis-] *n.* MESTIZO의 여성형

mes·ti·zo [mestí:zou] 〔Sp. 「혼혈의」의 뜻에서〕 *n.* (*pl.* ~(**e**)**s**) (특히 스페인 사람[백인]과 아메리칸 인디언과의) 혼혈아

mes·tra·nol [méstrənɔ̀:l, -nɑ̀l | -nɔ̀l] *n.* 〖약학〗 메스트라놀 《경구 피임약》

‡**met**[1] [mét] *v.* MEET[1]의 과거·과거분사

met[2] 《구어》 *a.* = METEOROLOGICAL: a ~ man 일기 예보관 **—** *n.* [the ~] 일기 예보

Met [mét] *n.* 《미·구어》 [the ~] 《미》 = METROPOLITAN OPERA HOUSE; [the ~] = METROPOLITAN MUSEUM OF ART; 《영·구어》 [the ~] 기상청(= ~ **Òffice**), 런던시 경찰국

met. metaphor; metaphysics; meteorological; meteorology; metrological; metropolitan

met- [met], **meta-** [métə] *pref.* 「after, beyond, with, change 등」의 뜻 《모음 앞에서는 met-》

met·a [métə] *a.* 〖화학〗 메타의 《벤젠환의 1, 3위의》

me·tab·a·sis [mətǽbəsis] *n.* (*pl.* **-ses** [-sì:z]) ⓊⒸ 〖의학〗 증변(症變), 전이(轉移); 〖수사학〗 주제 전이

méta bìt 〖컴퓨터〗 메타 비트 《1 바이트 내의 가장 상위의 비트》

met·a·bol·ic [mètəbɑ́lik | -bɔ́l-] *a.* Ⓐ 〖생물〗 물질[신진]대사의; 〖동물〗 변태의 **-ból·i·cal·ly** *ad.*

metabólic páthway 〖생리〗 대사(代謝) 경로

metabólic sýndrome 〖의학〗 메타볼릭 신드롬 《내장 지방의 축적으로 고혈압·당뇨병 등의 성인병으로 이어지는 상태; = INSULIN RESISTANCE SYNDROME》

me·tab·o·lism [mətǽbəlìzm] *n.* Ⓤ 〖생물〗 (물질)대사 (작용), 신진대사(cf. CATABOLISM, ANABOLISM)

me·tab·o·lite [mətǽbəlàit] *n.* 〖생화학〗 대사 산물; 신진대사에 필요한 물질

me·tab·o·lize [mətǽbəlàiz] *vt.* 〖생물〗 물질대사로 변화시키다, 신진대사시키다

met·a·car·pal [mètəkɑ́:rpəl] 〖해부〗 *n.* 손바닥뼈, 장골(掌骨) **—** *a.* 손바닥뼈의, 중수(中手)의

met·a·car·pus [mètəkɑ́:rpəs] *n.* (*pl.* **-pi** [-pai]) 〖해부〗 중수(中手), 장부(掌部), 장골

met·a·cen·ter [métəsèntər] *n.* 〖조선〗 (부력(浮力)의) 경심(傾心)

met·a·cen·tric [mètəséntrik] *a.* 〖조선〗 경심의; 〖생화학〗 중부 동원체(中部動原體)의

met·a·chro·ma·tism [mètəkróumətìzm] *n.* (특히 체온 변화에 의한) 변색 **mèt·a·chro·mát·ic** *a.*

met·a·com·mu·ni·ca·tion [mètəkəmjù:nəkéiʃən] *n.* 〖심리〗 초(超)커뮤니케이션 《말이 아니라 시선·동작·몸짓·태도 등에 의한 커뮤니케이션》

met·a·da·ta [mètədéitə] *n. pl.* Ⓤ 〖컴퓨터〗 메타데이터 《데이터베이스 시스템에서, 데이터 관리상 필요한 작성자·목적·저장 장소 등 속성에 관한 데이터》

met·a·eth·ics [mètəéθiks] *n. pl.* [단수 취급] 도덕 철학 **mèt·a·éth·i·cal** *a.*

met·a·fe·male [mètəfí:meil] *n.* 초자(超雌) (superfemale) 《X 염색체의 수가 보통보다 많은 암컷》

met·a·fic·tion [mètəfíkʃən] *n.* 메타픽션 《픽션의 구축 방법이나 픽션의 허구성 자체를 주제로 하는 소설》 ~**·al** *a.* ~**·ist** *n.*

met·a·file [métəfàil] *n.* 〖컴퓨터〗 메타파일 《본 데이터를 생성하기 전의 중간 파일》

met·a·gal·ax·y [mètəgǽləksi] *n.* (*pl.* **-ax·ies**) 〖천문〗 전(全) 우주 《은하계 밖의 우주 전체》 **-ga·lác·tic** *a.* 전 우주의

met·age [mí:tidʒ] *n.* Ⓤ (공공 기관에서 행하는 적하(積荷)의) 검량, 계량; 검량세

met·a·gen·e·sis [mètədʒénəsis] *n.* Ⓤ 〖생물〗 순정(純正) 세대 교번

met·a·ge·net·ic [mètədʒənétik] *a.* 〖생물〗 순정 세대 교번의 **-nét·i·cal·ly** *ad.*

méta kéy 〖컴퓨터〗 메타키 《키보드에서 컨트롤(Ctrl)이나 알트(Alt) 키와 동시에 눌러졌을 때 다르게 기능하는 키》

‡**met·al** [métl] 〔L 「광물」의 뜻에서〕 *n.* ⓊⒸ **1** 금속; 금속 원소; 합금(alloy); 금속 제품: made of ~ 금속으로 만든 / a worker in ~*s* 금속 세공인 / base ~*s* 비(卑)금속 《구리·쇠·납 등》 / heavy[light] ~*s* 중[경]금속 / noble[precious] ~*s* 귀금속 《금·은 등》 / sheet ~ 금속판, 판금 **2** [*pl.*] 《영》 궤조(軌條), 레일: leave[run off, jump] the ~*s* 〈열차가〉 탈선하다 **3** (용해 중의) 주철; 녹은 유리 **4** 《영》 = ROAD METAL **5** (본)바탕, 본질, 본성: be made of true ~ 본성은 정직하다 **6** 〖인쇄〗 금속 활자, 활자 합금 **7** (군함의) 총포수(總砲數) **8** 《미·속어》 = HEAVY METAL 4 **—** *a.* Ⓐ 금속(제)의: a ~ door 금속제의 문 **—** *v.* (~**ed**; ~**·ing** | ~**led**; ~**·ling**) *vt.* …에 금속을 입히다; 《영》 〈도로에〉 자갈을 깔다: a ~*ed* road 자갈을 깐 도로 **—** *vi.* 《미·속어》 헤비메탈을 하다[연주하다]

met·a·lan·guage [métəlæ̀ŋgwidʒ] *n.* ⓊⒸ 〖언어〗 메타언어, 언어 분석[실험]용 언어 《어떤 언어를 분석·기술하는 데 사용되는 보다 고차원의 언어[기호] 체계》

métal cómposite 강철선이나 유리 섬유가 함유된 금속

métal detèctor 금속 탐지기

métal fatìgue 금속의 피로

me·tal·head [métlhèd] *n.* 《속어》 헤비메탈 광[팬]

met·a·lin·guis·tic [mètəliŋgwístik] *a.* 〖언어〗 메

thesaurus **messenger** *n.* courier, runner, envoy, emissary, agent, go-between, herald
metamorphosis *n.* change, transformation,

타 언어(학)의

met·a·lin·guis·tics [mètəliŋgwístiks] *n. pl.* [단수 취급] 〖언어〗 메타언어학 《언어와 언어 이외의 문화면과의 관계를 연구하는 분야》

met·al·ist, -al·list [métəlist] *n.* **1** 금속 세공사[장인] **2** 〖경제〗 (금속 화폐의 사용을 주장하는) 금속주의자

metal(l). metallurgical; metallurgy

met·alled [métld] *a.* 〈도로를〉 자갈로 포장한

*__me·tal·lic__ [mətǽlik] *a.* **1** 금속의; 금속을 함유한; 금속제의: a ~ element 금속 원소 **2** 〈소리가〉 금속성의; 금속 특유의, 금속 같은[비슷한] **-li·cal·ly** *ad.*

metállic bónd 〖화학〗 금속 결합

metállic cúrrency 경화(硬貨)

met·al·lic·i·ty [mètəlísəti] *n.* Ⓤ 금속성

me·tal·li·cize [mətǽləsàiz] *vt.* 〖물리〗 금속화하다

metállic léns 〖통신〗 금속 렌즈 《전자파·음파 방향을 일정하게 집중시키는 장치》

metállic róad 포장도로(《영》 metalled road)

metállic óxide 〖화학〗 금속 산화물

metállic sóap 금속 비누 《도료 건조제·방수 가공용》

met·al·lide [métəlàid] *vt.* 〈금속을〉 표층 경화(表層硬化)하다

met·al·lid·ing [métəlàidiŋ] *n.* 〖야금〗 표층 경화(법)

met·al·lif·er·ous [mètəlífərəs] *a.* 금속을 함유한[산출하는]: a ~ mine 금속 광산

met·al·line [métəlàin, -lin] *a.* 금속의, 금속과 같은; 금속을 함유한[산출하는]

met·al·lize, -al·ize [métəlàiz] *vt.* 금속화하다; 〈표면에〉 금속을 입히다 **mèt·al·li·zá·tion** *n.*

me·tal·lo·en·zyme [mətǽləènzaim] *n.* 〖생화학〗 금속 효소

me·tal·lo·graph [mətǽləgræ̀f | -grɑ̀:f] *n.* **1** 〖야금〗 금속 현미경 《금속 검사용》 **2** 금속 표면 확대도

met·al·log·ra·phy [mètəlɑ́grəfi | -lɔ́g-] *n.* Ⓤ **1** 금속학, 금속 조직학 **2** 〖인쇄〗 금속판술

met·al·loid [métəlɔ̀id] *a.* 비(非)금속의; 금속 같은; 〖화학〗 반(半)금속의 《규소·비소 따위》
— *n.* 〖화학〗 메탈로이드, 반금속

me·tal·lo·phone [mətǽləfòun] *n.* 철금(鐵琴)

met·al·lur·gi·cal, -gic [mètələ́:rdʒik(əl)] *a.* 야금(술·학)의 **-gi·cal·ly** *ad.*

met·al·lur·gy [métələ̀:rdʒi | metǽlədʒi] *n.* Ⓤ 야금, 야금술; 야금학 **-gist** *n.* 야금가, 야금학자

métal óxide semicondúctor 〖전자〗 금속 산화막 반도체 《略 MOS》

métal skí 메탈 스키 《경합금으로 된 스키》

met·al·smith [métlsmìθ] *n.* 금속 세공사

métal spràying 금속 용사(溶射)[스프레이] 《금속 용액을 표면에 뿜어 칠하는 방법》

métal tápe 〖전자〗 메탈 테이프 《고밀도 자기 테이프》

met·al·ware [métlwɛ̀ər] *n.* Ⓤ [집합적] 금속 제품 《특히 부엌용품·식기류》

met·al·work [-wə̀:rk] *n.* Ⓤ **1** [집합적] 금속 세공품 **2** (특히 학과로서의) 금속 가공, 금공(金工) **~·er** *n.* 금속 세공인[직공], 금속공 **~·ing** *n.* Ⓤ 금속 세공(술), 금공(업)

met·a·male [mètəméil] *n.* 초웅(超雄)(supermale) 《상(常)염색체 수가 보통보다 많은 수컷》

met·a·math·e·mat·ics [mètəmæθəmǽtiks] *n. pl.* [단수 취급] 초(超)수학 《수학의 기본 개념에 대한 연구》

met·a·mer [métəmər] *n.* **1** 〖화학〗 (구조[동족]) 이성체(異性體) **2** 〖광학〗 조건 등색(等色)을 나타내는 색

met·a·mere [métəmìər] *n.* 〖동물〗 (지렁이·곤충 등의) 체절(體節)

met·a·mer·ic [mètəmérik] *a.* **1** 〖화학〗 구조[동족] 이성(異性)의 **2** 〖광학〗 조건 등색의 **3** 〖동물〗 체절의

---

transfiguration, alteration, conversion, mutation

metaphor *n.* figure of speech, image, allegory, analogy, symbol, emblem, trope

me·tam·er·ism [mətǽmərìzm] *n.* Ⓤ **1** 〖화학〗 (구조[동족]) 이성(異性), 메타메리즘 **2** 〖광학〗 조건 등색(條件等色) 《분광 조성이 다른 2개의 색이 같은 색으로 보이는 현상》 **3** 〖동물〗 체절제(制)

met·a·mor·phic [mètəmɔ́:rfik] *a.* **1** 변화의, 변성(變性)의, 변태의 **2** 〖지질〗 변성(變成)의: ~ rocks 변성암

met·a·mor·phism [mètəmɔ́:rfizm] *n.* Ⓤ **1** 〖지질〗 변성(變成) (작용) **2** = METAMORPHOSIS

met·a·mor·phose [mètəmɔ́:rfouz, -fous] *vt.* **1** 〈형태·성격 등을〉 일변시키다; 변태시키다, 변형시키다(transform) 《*to, into*》 **2** 〖지질〗 변성시키다
— *vi.* (…으로) 변태[변형]하다 《*into*》

met·a·mor·pho·sis [mètəmɔ́:rfəsis] *n.* (*pl.* **-ses** [-sì:z]) ⓊⒸ **1 a** (마력·초자연력에 의한) 변형(작용) **b** (두드러진) 변질, 변용(變容) **2** 〖생물〗 변태; 〖병리〗 변성, 변태 ▷ metamórphose *v.*; metamórphic, metamórphous *a.*

met·a·mor·phous [mètəmɔ́:rfəs] *a.* = METAMORPHIC

met·a·nal·y·sis [mètənǽləsis] *n.* (*pl.* **-ses** [-sì:z]) 〖언어〗 이분석(異分析) 《보기: ME an ekename>Mod. E a nickname》

met·a·neph·ros [mètənéfrɑs | -rɔs] *n.* (*pl.* **-roi** [-rɔi]) 〖발생〗 후신(後腎)(cf. MESONEPHROS, PRONEPHROS) **-néph·ric** *a.*

met·a·pause [métəpɔ̀:z] *n.* 남성의 갱년기

metaph. metaphor(ical); metaphysical; metaphysics

met·a·phase [métəfèiz] *n.* 〖생물〗 (유사(有絲) 분열의) 중기(中期)

métaphase plàte 〖생물〗 중기판(中期板)(cf. EQUATORIAL PLATE)

*__met·a·phor__ [métəfɔ̀:r, -fər] [Gk 「옮겨 바꾸다」의 뜻에서] *n.* ⓊⒸ 〖수사학〗 은유(隱喩), 암유(暗喩)(cf. SIMILE) 《like, as 따위를 쓰지 않고 비유가 암시되어 있는 것; 보기: All nature *smiled.* 만물이 모두 미소지었다.》; 상징(하는 것) 《*for*》 ***mixed*** **~** 혼유(混喩) ▷ metaphóric(al) *a.*

met·a·phor·ic, -i·cal [mètəfɔ́:rik(əl) | -fɔ́r-] *a.* 은유의; 은유[비유]적인 **-i·cal·ly** *ad.*

met·a·phrase [métəfrèiz] *n., vt.* 직역(하다), 축어역(하다)(cf. PARAPHRASE)

met·a·phrast [métəfræ̀st] *n.* 번역자, (산문을 운문으로 옮기는) 전역자(轉譯者) **mèt·a·phrás·tic, -ti·cal** *a.* 직역적인 **-ti·cal·ly** *ad.*

metaphys. metaphysics

met·a·phys·ic [mètəfízik] *n.* **1** = METAPHYSICS **2** (학문·연구의) 원리 체계 — *a.* = METAPHYSICAL

*__met·a·phys·i·cal__ [mètəfízikəl] *a.* **1** 형이상학의, 순정[순수] 철학의; 철학적인 **2** 극히 추상적인, 난해한 **3** [종종 **M~**] 〈시인이〉 형이상학파(派)의 **4** 《고어》 초자연적인; 공상적인
— *n.* [종종 **M~**] 형이상학파 시인 **~·ly** *ad.*

metaphỳsical póets 형이상학파 시인들 《17세기 영국에서 인생과 세계의 본질을 탐구한 시인 그룹》

met·a·phy·si·cian [mètəfəzíʃən], **-phys·i·cist** [-fízəsist] *n.* 형이상학자, 순정(純正) 철학자

*__met·a·phys·ics__ [mètəfíziks] [Gk 「물리학 뒤의 것」의 뜻에서] *n. pl.* [단수 취급] **1** 형이상학, 순정(純正) 철학 **2** (학문·연구의) 원리 체계; 기본적 원리 **3** 《구어》 추상론, 추상적 논의, 탁상공론

met·a·pla·sia [mètəpléiʒə] *n.* 〖병리〗 화생(化生), 변질 형성

met·a·plasm [métəplæ̀zm] *n.* ⓊⒸ **1** Ⓤ 〖생물〗 후형질(後形質) **2** 〖문법〗 어형 변이(語形變異) **mèt·a·plás·mic** *a.*

met·a·plas·tic [mètəplǽstik] *a.* **1** 〖생리〗 화생(化生)의 **2** 〖생물〗 후형질의 **3** 〖문법〗 어형 변이의

met·a·pol·i·tics [mètəpɑ́lətiks | -pɔ́l-] *n. pl.* [단수 취급] 정치 철학; 《경멸》 탁상 정치학

met·a·psy·chic [mètəsáikik], **-chi·cal** [-kikəl] *a.* 심령 연구의
met·a·psy·chics [mètəsáikiks] *n. pl.* [단수 취급] 심령 연구
met·a·psy·chol·o·gy [mètəsaikɑ́lədʒi | -kɔ́l-] *n.* Ⓤ 〖심리〗 메타심리학 《무의식을 연구하는》
met·a·se·quoi·a [mètəsikwɔ́iə] *n.* 〖식물〗 메타세쿼이아 《화석 식물로 생각되다가 중국에서 자생종이 발견된 낙엽 침엽 교목》
met·a·so·ma·tism [mètəsóumətìzm] *n.* 〖지질〗 (광물·암석의) 교대 작용 **mèt·a·so·mát·ic** *a.*
met·a·sta·ble [mètəstéibl] 〖화학·물리·야금〗 *a.* 준(準)안정의 **—** *n.* 준안정 원자[분자, 이온, 원자핵《등》] **mèt·a·sta·bíl·i·ty** *n.* **-bly** *ad.*
me·tas·ta·sis [mətǽstəsis] *n.* (*pl.* **-ses** [-sì:z]) **1** 〖의학〗 (암 등의) 전이(轉移) **2** 〖물리〗 (전자 등의) 전이 **3** 〖수사학〗 (화제의) 급전환
mèt·a·stát·ic *a.* **-i·cal·ly** *ad.*
me·tas·ta·size [mətǽstəsàiz] *vi.* 〖의학〗 전이하다
met·a·tar·sal [mètətɑ́:rsəl] *a.* 중족(中足)의; 중족골(中足骨)의 **—** *n.* 중족골, 척골 **~·ly** *ad.*
met·a·tar·sus [mètətɑ́:rsəs] *n.* (*pl.* **-si** [-sài]) **1** 〖해부〗 중족(中足); 중족골(中足骨), 척골(蹠骨) **2** 〖곤충〗 척절(蹠節)
me·ta·te [mətɑ́:ti] [Sp.] *n.* (옥수수를 빻는 맷돌의) 아래짝 (cf. MANO)
met·a·the·o·ry [mètəθí:əri] *n.* Ⓤ 메타 이론 《이론 체계 그 자체를 분석 대상으로 하는 이론》
me·tath·e·sis [mətǽθəsis] *n.* (*pl.* **-ses** [-sì:z]) ⓊⒸ **1** 〖음성〗 자위(字位)[음위(音位)] 전환 《보기: ax >ask》 **2** 〖화학〗 복분해 **mèt·a·thét·i·cal** [mètəθétikəl], **-thet·ic** [-tik] *a.* **-i·cal·ly** *ad.*
met·a·tho·rax [mètəθɔ́:ræks] *n.* 〖곤충〗 후흉(後胸) **-tho·rac·ic** [-θɔ:rǽsik] *a.*
mé·ta·yage [mètəjɑ́:ʒ, mèi-] [F] *n.* Ⓤ 〖농업〗 분익(分益) 농법, 반타작 제도
mé·ta·yer [mètəjéi, mèi-] [F] *n.* 분익 농부
Met·a·zo·a [mètəzóuə] *n. pl.* 〖동물〗 후생(後生)동물 **mèt·a·zó·an** *n., a.* 후생동물(의)
Metch·ni·koff [métʃnəkɔ̀:f] *n.* 메치니코프 **Elie ~** (1845-1916) 《러시아 출신의 프랑스 동물·세균학자》
mete[1] [mí:t] *vt.* 《문어》 〈상벌·보수 등을〉 할당[배당]하다(allot) 《*out*》: ~ *out* punishment 벌을 주다
— *n.* 계측, 계량
mete[2] *n.* 경계표, 경계석; 경계, 한계
~s and bounds 〖법〗 토지 경계
met·em·pir·ic [mètempírik] *a.* =METEMPIRICAL
met·em·pir·i·cal [mètempírikəl] *a.* 경험을 초월한, 선험(先驗)적인(transcendental) **~·ly** *ad.*
met·em·pir·i·cism [mètempírisizm] *n.* 〖철학〗 =METEMPIRICS
met·em·pir·ics [mètempíriks] *n. pl.* [단수 취급] 초경험론, 선험 철학 **-pír·i·cist** *n.* 초경험론자
me·tem·psy·cho·sis [mətèm*p*səkóusis] *n.* (*pl.* **-ses** [-sìz]) ⓊⒸ 영혼의 재생, 윤회
met·en·ceph·a·lon [mètenséfəlɑ̀n | -lɔ̀n] *n.* (*pl.* **~s, -la** [-lə]) 〖해부〗 후뇌(後腦); 소뇌
-en·ce·phal·ic [-ensəfǽlik] *a.*
met·en·keph·a·lin [mètenkéfəlin] *n.* 〖생화학〗 메트엔케팔린 《뇌에서 생기는 진통성 물질》
***me·te·or** [mí:tiər, -tiɔ̀:r] [Gk 「하늘 높이 올려진」의 뜻에서] *n.* **1** 〖천문〗 유성(falling star); 유성체; 운석 **2** 《비유》 화려하게 나타났다가 덧없이 사라지는 것 **3** (번개·무지개·눈 등의) 대기(大氣) 현상
▷ meteóric *a.*
meteor. meteorogical; meteorology
me·te·or·ic [mì:tiɔ́:rik, -tiɑ́r- | -ɔ́r-] *a.* **1** 유성의: ~ iron[stone] 운철[운석] / a ~ fall 유성 낙하 **2** 유성 같은; 화려하게 나타났다가 사라지는 **3** 대기의, 기상(상)의: a ~ phenomenon 대기 현상 / ~ water 〖지질〗 천수(天水) **-i·cal·ly** *ad.*
meteóric shówer 〖천문〗 =METEOR SHOWER
me·te·or·ism [mí:tiərìzm] *n.* Ⓤ 〖병리〗 고창(鼓脹)
me·te·or·ist [mì:tiɑ́rist | -ɔ́r-] *n.* 유성 연구가[학자]
***me·te·or·ite** [mí:tiəràit] *n.* **1** 〖지질〗 운석 **2** 〖천문〗 유성체 **me·te·or·it·ic** [mì:tiərítik] *a.*
me·te·or·it·ics [mì:tiərítiks] *n. pl.* [단수 취급] 〖천문〗 유성학, 운석학 **mè·te·or·ít·i·cist** *n.* 운석학자
me·te·or·o·graph [mì:tiɔ́:rəgræ̀f | mí:tiərəgrɑ̀:f] *n.* (고층) 기상 자동 기록기
me·te·or·oid [mí:tiərɔ̀id] *n.* 〖천문〗 유성체, 운성체(隕星體) **mè·te·or·ói·dal** *a.*
meteorol. meteorological; meteorology
me·te·or·o·lite [mì:tiɔ́:rəlàit | mí:tiərə-] *n.* 석질(石質) 운석, 메테오롤라이트
me·te·or·o·log·ic, -i·cal [mì:tiərəlɑ́dʒik(əl) | -lɔ́dʒ-] *a.* 기상(학상)의: a *meteorological* balloon [observatory, station] 기상 관측 기구[기상대, 측후소] **-i·cal·ly** *ad.*
Meteorológical Óffice [the ~] 《영》 기상청 (the Met)
meteorológical sátellite 기상 위성
me·te·o·rol·o·gy [mì:tiərɑ́lədʒi | -rɔ́l-] *n.* Ⓤ 기상학; (특정한 지방의) 기상 **-gist** *n.* 기상학자
méteor shòwer 〖천문〗 유성우(流星雨)
‡**me·ter**[1] | **me·tre**[1] [mí:tər] [F] *n.* 미터 《길이의 단위; =100 cm》: seven ~*s* long 길이 7미터
▷ métric[1] *a.*
meter[2] | **metre**[2] [Gk 「측정」의 뜻에서] *n.* **1** Ⓤ 〖음악〗 박자(musical time) **2** 〖시학〗 Ⓤ 운율; Ⓒ 보격(步格) 《운율의 단위》 ▷ métric[2], métrical *a.*
***me·ter**[3] [mí:tər] [mete[1]에서] *n.* **1 a** (전기·가스의) 계량기, 계기, 미터: a gas ~ 가스 계량기 **b** =PARKING METER **2** 계량원, 계량 담당관
— *vt.* **1** 계량기로 재다: a ~*ed* parking zone 미터제 주차 구역 **2** 〈우편물을〉 (요금 미터로) 처리하다
— *vi.* 계량하다
-meter[1] [mətər] 《연결형》 「…계(기); 미터」의 뜻: baro*meter*; gaso*meter*; kilo*meter*
-meter[2] 《연결형》 《시어》 「…보격(의)」의 뜻: penta*meter*
me·ter·age [mí:təridʒ] *n.* Ⓤ **1** 계량 **2** 미터로 측정한 양; 미터 요금
mé·tered máil [mí:tərd-] 《미》 요금 별납 우편
me·ter-kil·o·gram-sec·ond [mí:tərkíləgræmsékənd] *a.* 〖물리·화학〗 미터·킬로그램·초 단위계의, MKS 단위계의
méter màid 주차 위반 단속 여자 경관
méter ràte (전기·가스의) 종량(從量) 요금제
mete·wand [mí:twɑ̀nd | -wɔ̀nd], **mete·yard** [-jɑ̀:rd] *n.* 《문어》 계량[평가] 기준
meth [méθ] *n.* 《미·구어》 =METHAMPHETAMINE; METHEDRINE
meth- [meθ], **metho-** [méθou, -θə] 《연결형》 〖화학〗 「메틸(methyl)」의 뜻 《모음 앞에서는 meth-》
meth. method; methedrine **Meth.** Methodist
meth·ac·ry·late [meθǽkrəlèit] *n.* 〖화학〗 메타크릴산염, 메타크릴산 에스테르
meth·a·cryl·ic ácid [mèθəkrílik-] 〖화학〗 메타크릴산
meth·a·done [méθədòun], **-don** [-dɑ̀n | -dɔ̀n] *n.* Ⓤ 〖약학〗 메타돈 《합성 마약; 헤로인 중독 치료제》
meth·am·phet·a·mine [mèθæmfétəmì:n] *n.* Ⓤ 〖약학〗 메탐페타민 《각성제》
meth·a·na·tion [mèθənéiʃən] *n.* Ⓤ 메탄 생성
meth·ane [méθein | mí:θ-] *n.* Ⓤ 〖화학〗 메탄
méthane sèries 〖화학〗 메탄 계열
meth·an·o·gen [meθǽnədʒən, -dʒèn] *n.* 〖생물〗 메탄 생성 미생물

thesaurus **method** *n.* **1** 방법 procedure, technique, practice, process, approach, way, style,

meth·a·nol [méθənɔ̀:l | -nɔ̀l] *n.* Ⓤ 〖화학〗 메탄올(methyl alcohol)

meth·a·qua·lone [məθǽkwəlòun] *n.* 〖약학〗 메타콸론 《수면·진통제; 근육 이완제》

Meth·e·drine [méθədrì:n, -drin] *n.* 메테드린 《methamphetamine의 상표명》

me·theg·lin [məθéglin] *n.* Ⓤ 벌꿀술(mead)

méth hèad (마약속어) 메테드린 중독자

meth·i·cil·lin [mèθəsílin] *n.* 〖약학〗 메티실린 《포도상 구균에 효과가 있는 합성 페니실린》

me·thinks [miθíŋks] *vi.* (**-thought** [-θɔ́:t]) 《고어》 (내게는) …라고 생각된다 《비인칭의 it이 없는 형태로, 현재는 it seems to me를 씀》

me·thi·o·nine [meθáiənì:n, -nən] *n.* 〖생화학〗 메티오닌 《필수아미노산의 하나》

meth·o[1] [méθou, -θə] *n.* (*pl.* **~s**) 《호주·구어》 = METHYLATED SPIRIT

metho[2] *n.* 《호주》 = METHODIST

metho- [méθou] 《연결형》 = METH-

‡meth·od [méθəd] [Gk 「뒤따름」의 뜻에서] *n.* **1** (조직적인) 방법, 방식: after the American ~ 미국식으로 / an effective ~ of teaching algebra 대수의 효과적인 교수법 / the oral ~ (외국어의) 구두 교수법

> 유의어 **method** 교수법·연구 등의 논리적으로 조직된 방법 **way** 방식·방법을 나타내는 가장 뜻이 넓은 일반적인 말: live in a frugal *way* 검소하게 살다 **manner** 개인적인 또는 독특한 방식·방법: have a strange *manner* of speaking 말하는 투에 좀 별난 데가 있다

2 Ⓤ (일정한) 순서; (생각 등의) 조리; 체계, 질서 (정연함); 규칙 바름: without ~ 조리없이, 엉터리로 / a man of ~ 매사에 찬찬한 사람 / work with ~ 체계 있게 일을 하다 **3** 〖생물〗 분류법 **4** [the M~] 〖연극〗 스타니슬라프스키(Stanislavsky) 방식 《배우가 경험·감정을 살려 맡은 역에 완전히 몰입하기》

the ~ of residues 〖수학〗 잉여법 ***There is ~ in his madness.*** 미쳤어도 조리가 있다, 보기처럼 무모하지는 않다. 《Shakespeare작 *Hamlet*에서》

~·less *a.* ▷ methodize *v.*; methódical *a.*

Method. Methodist

méthod àcting 맡은 배역에 몰입하여 연기하는 것; 그 연기법

méthod àctor 스타니슬라프스키(Stanislavsky) 방식으로 연기하는 배우

***me·thod·i·cal** [məθɑ́dikəl | -θɔ́d-], **-ic** [-ik] *a.* **1** 조직적 방식의, 질서 정연한, 계통적인 **2** 규칙적인, 찬찬한(orderly) **-i·cal·ly** *ad.* **-i·cal·ness** *n.*

Meth·od·ism [méθədìzm] *n.* Ⓤ 〖그리스도교〗 감리교파(의 교리)

***Meth·od·ist** [méθədist] [종교상의 「새로운 방법(method)을 믿는 사람」의 뜻에서] *n.* **1** 〖그리스도교〗 감리교도 **2** [m~] (경멸) 종교적으로 엄격한 사람; 《드물게》 형식에 얽매인 사람 **3** 〖생물〗 계통적 분류가 **—** *a.* 감리교파의 ▷ methodístic *a.*

Méthodist Chúrch [the ~] 감리 교회

meth·od·is·tic, -ti·cal [mèθədístik(əl)] *a.* **1** [M~] 감리교파의 **2** 규율[형식]을 중히 여기는, 엄격한 **-ti·cal·ly** *ad.*

meth·od·ize [méθədàiz] *vt.* 방식화하다, 순서[조직, 계통]를 세우다, 질서있게 하다 **-iz·er** *n.*

meth·od·o·log·i·cal [mèθədəlɑ́dʒikəl | -lɔ́dʒ-] *a.* 방법론의, 방법론적인 **-i·cal·ly** *ad.*

meth·od·ol·o·gy [mèθədɑ́lədʒi | -ɔ́l-] *n.* Ⓤ **1** 방법론 **2** 〖생물〗 계통적 분류법 **-gist** *n.* 방법론 학자

meth·o·trex·ate [mèθoutrékseit] *n.* 〖약학〗 메토트렉사트 《제암제, 백혈병 치료제》

manner, mode **2** 체계 order, organization, arrangement, structure, form, system, pattern

me·thought [miθɔ́:t] *vi.* METHINKS의 과거

me·thox·y·flu·rane [meθɑ̀ksiflúərein | -θɔ̀ksi-] *n.* 〖약학〗 메톡시플루란 《전신 마취제》

meths [méθs] [*meth*ylated spirits] *n. pl.* [단수 취급] 《영·구어》 변성 알코올

Me·thu·se·lah [məθú:zələ | -θjú:-] *n.* **1** 〖성서〗 므두셀라 《969세까지 산 유대의 족장; 창세기 5: 27》 **2** 장수자; 시대에 뒤진 사람 **3** [m~] 208온스들이 포도주병 (***as***) ***old as*** ~ 아주 나이 많은

meth·yl [méθəl] 〖화학〗 *n.* Ⓤ 메틸, 메틸기(基) **—** *a.* 메틸기를 함유한

méthyl ácetate 〖화학〗 아세트산메틸

méthyl álcohol 〖화학〗 메틸알코올(wood alcohol)

meth·yl·ate [méθəlèit] 〖화학〗 *vt.* **1** 메틸화하다 **2** 〈알코올에〉 메틸을 섞다 **—** *n.* 메틸레이트 《메틸알코올의 유도체》 **méth·yl·à·tor** *n.* **mèth·yl·á·tion** *n.*

méth·yl·at·ed spírit(s) [méθəlèitid-] 변성 알코올 《마실 수 없음; 램프나 히터용》

méthyl blúe 메틸청(靑) 《청색의 유기염료》

méthyl brómide 〖화학〗 브롬화메틸 《무색의 유독 가스》

méthyl chlóride 〖화학〗 염화메틸 《유독 기체》

meth·yl·do·pa [mèθildóupə] *n.* 〖약학〗 메틸도파 《혈압 강하제》

meth·y·lene [méθəlì:n] *n.* Ⓤ 〖화학〗 메틸렌(기)

méthylene blúe 〖화학〗 메틸렌블루 《청색 염료》

méthylene chlóride 〖화학〗 염화메틸렌 《무색 액체; 주로 용제에 씀》

me·thyl·ic [meθílik] *a.* 〖화학〗 메틸의, 메틸을 함유한

meth·yl·mer·cu·ry [mèθilmə́:rkjəri] *n.* Ⓤ 〖화학·약학〗 메틸수은 《살충제 등에 씀》

méthyl methácrylate 〖화학〗 메타크릴산 메틸 《무색의 휘발성·인화성 액체》

méthyl parathíon 〖약학〗 메틸파라티온 《살충제》

meth·yl·tes·tos·ter·one [mèθəltestɑ́stəròun | -tɔ́s-] *n.* 〖약학〗 메틸테스토스테론 《남성 성기능 부전이나 안드로겐 부전 질환 또는 여성 유방암 치료용》

me·ti·cal [métikəl] *n.* 메티칼 《모잠비크의 통화 단위》

me·tic·u·lous [mətíkjuləs] [L 「두려움에 찬」의 뜻에서] *a.* **1** 꼼꼼한, 세심한; 정확한: a ~ craftsman 일이 꼼꼼한 장인 **2** 사소한 일에 마음을 쓰는, 너무 신중한, 좀스러운, 소심한(overscrupulous) **~·ly** *ad.* 꼼꼼하게; 좀스럽게 **~·ness** *n.*

mé·tier [méitjei, mét-] [F = business] *n.* 직업, 일; 전문 (분야); 특기; 전문 기술: Writing poems is not my ~. 시를 짓는 것은 내 전문이 아니다.

mé·tis [meití:s, -tí: | metí:s] [F] *n.* (*pl.* ~; *fem.* **-tisse** [meití:s]) (특히 캐나다의 프랑스인과 아메리칸 인디언간의) 혼혈아; 《미》 = OCTOROON; 잡종 동물

Mét Óffice [the ~] 《영·구어》 기상청

Me·tol [mí:tɔ:l, -tɑl | -tɔl] [*met*hyl-amino-creso*l*-sulphate] *n.* 메톨 《사진 현상약; 상표명》

Me·tón·ic cýcle [metɑ́nik- | -tɔ́n-] [아테네의 천문학자 Meton에서] 〖천문〗 메톤 주기(lunar cycle) 《달이 같은 위상을 되풀이하는 19년의 주기》

met·o·nym [métənìm] *n.* 〖수사학〗 환유어(換喩語)

met·o·nym·ic, -i·cal [mètənímik(əl)] *a.* 환유적인 **-i·cal·ly** *ad.*

me·ton·y·my [mitɑ́nəmi | -tɔ́n-] [Gk 「이름을 바꾸기」의 뜻에서] *n.* Ⓤ 〖수사학〗 환유(換喩)(법), 전유(轉喩) 《king 대신에 crown을 쓰는 등》

me-too [mí:tú:] [me too(나도 또한)에서] 《구어》 *a.* 흉내내는, 모방하는, 추종하는: a ~ product 모방[유사] 제품 **—** *vt.* 흉내내다(imitate) **~·er** *n.*

me-too·ism [-tú:izm] *n.* Ⓤ 《구어》 (타인·정책 등의) 모방주의, 대세 순응주의

me-too·ist [-tú:ist] *n.* 《구어》 모방주의자

met·o·pe [métəpì:, -toup | -toup, -təpi] *n.* 〖건축〗 메토프 《도리아식에서 두 triglyph 사이의 벽면》

metr- [metr], **metro-** [mí:trou, mét-, -trə] 《연결형》「자궁; 핵, 핵심」의 뜻 《모음 앞에서는 metr-》
MetR Metropolitan Railway
Met·ra·zol [métrəzɔ̀:l, -zɑ̀l | -zɔ̀l] *n.* 〖약학〗 메트라졸 《중추 신경 흥분제; 상표명》
‡me·tre [mí:tər] *n.* 《영》 = METER[1, 2]
＊met·ric[1] [métrik] *a.* **1** 미터(법)의 **2** 〈나라·사람이〉 미터법을 실시하는 ***go*** ~ 《구어》 미터법을 채택하다
—*n.* 미터법: in ~ 미터법으로
▷ méter[1] *n.*
metric[2] *a.* **1** 계량[측량]의; 계량용의: ~ geometry 계량 기하학 **2** = METRICAL **—***n.* **1** 〖수학〗 계량, 거리 (함수) **2** 측정의 기준
-metric, -metrical [métrik(əl)] 《연결형》「계량기의, 계량의」의 뜻
met·ri·cal [métrikəl] *a.* **1** 운율의, 운문의: ~ accent 운율 강세 / a ~ unit 운율 단위 **2** 계량[측량]의 **~·ly** *ad.* ▷ méter[2] *n.*
met·ri·cate [métrikèit] *vt., vi.* 미터법으로 바꾸다; 미터법으로 바뀌다, 미터법을 채용하다(metricize)
met·ri·ca·tion [mètrikéiʃən] *n.* Ⓤ 미터법화[이행]
me·tri·cian [mitríʃən, mə-] *n.* = METRIST
met·ri·cize [métrəsàiz] *vt.* **1** 운문으로 하다, 운율적으로 하다 **2** 미터법으로 바꾸다[환산하다]
—*vi.* 미터법으로 바뀌다
métric míle (육상·수영 종목의) 1,500미터 경주
met·rics [métriks] *n. pl.* [단수 취급] **1** 운율학 **2** 작시법
métric sỳstem [the ~] 미터법
métric tón 미터톤 《1,000 kg》(tonne)
met·rist [métrist] *n.* 운율학자; 작시가(作詩家)
me·tri·tis [mitráitis, mə-] *n.* 〖병리〗 자궁염(炎)
met·ro[1], **Met·ro**[1] [métrou] [F 「도시의 (철도)」의 뜻에서] *n.* (*pl.* **~s**) [the ~] 《구어》 (파리 등의) 지하철(subway): by ~ 지하철로
metro[2], **Metro**[2] *n.* (*pl.* **~s**) **1** 대도시(권) **2** 《미·캐나다》 대도시권의 행정청 **3** (대도시의) 경찰, 경관
—*a.* **1** 《구어》 = METROPOLITAN **2** 《미·캐나다》 대도시권 행정청의
metro-[1] [métrou, -rə] 《연결형》「계측(計測)」의 뜻
metro-[2] [mí:trou, mét-, -trə] 《연결형》 = METR-
metro-[3] [métrou, -rə] 《연결형》「대도시(권)의」의 뜻
Met·ro-Gold·wyn-May·er [métrəgòuldwən-méiər] *n.* 메트로 골드윈 메이어 《미국 영화사; 略 MGM》
met·ro·land [métroulæ̀nd] *n.* **1** [종종 **M~**] (런던의) 지하철 지구 《도심부》 **2** 그 지구의 주민 **~·er** *n.*
Met·ro·lin·er [métroulàinər] *n.* 《미》 메트로라이너 《New York과 Washington, D.C.를 잇는 고속 철도》
me·trol·o·gy [mitrɑ́lədʒi, me- | -trɔ́l-] *n.* Ⓤ 도량형학, 계측학; 도량형 **mèt·ro·lóg·i·cal** *a.* **-i·cal·ly** *ad.* **me·tról·o·gist** *n.*
met·ro·ma·ni·a [mètrouméiniə] *n.* Ⓤ 작시광(作詩狂)
met·ro·ni·da·zole [mètrənáidəzòul] *n.* 〖약학〗 메트로니다졸 《trichomoniasis의 치료제》
met·ro·nome [métrənòum] *n.* 〖음악〗 메트로놈, 박절기(拍節器)
met·ro·nom·ic, -i·cal [mètrənɑ́mik(əl) | -nɔ́m-] *a.* **1** 메트로놈의 **2** 〈템포가〉 기계적으로 규칙적인 **-i·cal·ly** *ad.*
me·tro·nym·ic [mì:trənímik, mèt-] *a., n.* = MATRONYMIC
Met·ro·plex [métrəplèks] [*metro-*[3]+com*plex*] *n.* [때로 **m~**] 복합[광역] 대도시권
‡me·trop·o·lis [mitrɑ́pəlis | -trɔ́p-] [Gk. 「어머니인 도시」의 뜻에서] *n.* **1 a** [the ~] (국가·주의) 주요 도시, 대도시; 수도(capital) **b** [the M~] 《영》 런던(London) **2** (문화·경제의) 중심지: the music ~ of France 프랑스 음악의 중심지 **3** 〖그리스도교〗 (수도) 대주교[대감독] 관구 **4** 〖생물〗 종속(種屬) 중심지

‡met·ro·pol·i·tan [mètrəpɑ́litən | -pɔ́l-] *a.* **1 a** 주요 도시의; 대도시의, 수도의; 도시(인)의, 도시적인, 수도[대도시] 특유의: ~ newspapers 중앙지(紙) 《지방지(紙)에 대하여》/ the New York ~ area 뉴욕시 지역 **b** [**M~**] 《영》 런던의 **2** (식민지에 대하여) 모국의, 본국의 **3** 〖그리스도교〗 대주교[대감독] 관구의; (동방 교회의) 수석 대주교의
—*n.* **1** 주요 도시[대도시]의 시민, 도시인 **2** 〖그리스도교〗 (수도) 대주교[대감독]
~·ìsm *n.* ▷ metrópolis *n.*
metropólitan área 대도시권, 수도권
metropólitan cóunty 《영》 대도시권 주(州) 《대도시를 중심으로 하는 주; 행정구로서는 1986년 폐지》
metropólitan dístrict 《영》 특별시 자치구 《metropolitan county의 행정구》
met·ro·pol·i·tan·ize [mètrəpɑ́litənàiz | -pɔ́l-] *vt.* 대도시화하다 **mèt·ro·pòl·i·tan·i·zá·tion** *n.*
metropólitan mágistrate 《영》 (유급의) 런던시 치안 판사
Metropólitan Maníla (Quezon City를 포함한) 수도권 마닐라
Metropólitan Muséum of Árt [the ~] (New York 시 Manhattan의) 메트로폴리탄 미술관
Metropólitan Ópera Hòuse [the ~] (New York 시의) 메트로폴리탄 오페라 극장 《1966년부터는 Lincoln Center에 있음》
Metropólitan Políce Fòrce [the ~] 《영》 런던 (시) 경찰국
Metropólitan Ráilway [the ~] 런던 지하철 《略 MetR》
me·tror·rha·gi·a [mì:trəréidʒiə, -dʒə] *n.* 〖병리〗 (월경시 이외의) 자궁 출혈
met·ro·sex·u·al [métrousèkʃuəl] *n., a.* 메트로섹슈얼(의) 《패션과 외모에 관심을 많이 기울이는 남자》
-metry [-mətri] 《연결형》「측정법[학, 술]」의 뜻: geo*metry*
Met·ter·nich [métərnìk] *n.* 메테르니히 **Prince von ~** (1773-1859) 《오스트리아의 정치가》
Met·tie [méti] *n.* 여자 이름 《Matilda, Martha의 애칭》
met·tle [métl] [metal의 변형] *n.* Ⓤ **1** 용기, 원기, 기개; 정열: a man of ~ 기개가 있는 사람 / test a person's ~ …의 근성을 시험하다 **2** 성미, 기질
on [***upon***] one***'s ~*** 분발하여 ***put*** [***set***] a person ***on*** [***upon, to***] ***his*** [***her***] ***~*** …을 격려하다
met·tled [métld] *a.* [보통 복합어를 이루어] 기개[기질]가 …한: high-~ 기개가 충만한
met·tle·some [métlsəm] *a.* 기운찬, 위세 있는, 성깔 있는, 분발한, 혈기 왕성한(spirited)
me·um et tu·um [mí:əm-et-tjú:əm] [L= mine and thine] 내 것과 네 것, 자타의 소유(권)
meu·nière [mənjɛ́ər] [F] *a.* 〖요리〗 뫼니에르로 한 《밀가루를 발라 버터로 구운》
mev, MeV, MEV [mév] [*m*illion[*m*ega] *e*lectron *v*olts] *n.* 〖물리〗 100만[메가] 전자볼트
mew[1] [mjú:] [의성어] *vi.* 〈고양이 등이〉 야옹야옹하고 울다 **—***vt.* 고양이 등이 우는 것 같은 소리로 말하다 **—***n.* 야옹야옹(하고 우는 소리)(⇨ cat 관련)
mew[2] [의성어] *n.* 〖조류〗 갈매기(= ~ **gùll**)
mew[3] *n.* **1** 매장 《매가 털갈이할 때 가두어 두는 장》 **2** 은신처 **—***vt.* **1** 〈사람 등을〉 가두다 《*up*》 **2** 《고어》 〈매를〉 조롱 속에 넣다
mewl [mjú:l] [의성어] *vi.* **1** = MEW[1] **2** 〈갓난애가〉 힘없이 울다 **—***n.* 가냘픈 울음소리 **~·er** *n.*
mews [mjú:z] *n. pl.* [단수 취급] 《영》 (길 양쪽에 늘어선) 마구간; (마구간을 개조한) 집
méws hòuse 《영》 = CARRIAGE HOUSE
Mex [méks] *n., a.* 《미·구어》 멕시코 사람(의)
Mex. Mexican; Mexico
‡Mex·i·can [méksikən] *a.* 멕시코의; 멕시코 사람의; 멕시코 말의

— *n.* **1** Ⓒ 멕시코 사람 **2** Ⓤ 멕시코 말 **3** 멕시코 달러 《略 Mex.》

Méx·i·can(-)A·mér·i·can [-əmérikən] *n.*, *a.* 멕시코계 미국인(의)

Méxican brówn 《미·속어》 멕시코산(產) 흑갈색 헤로인

Méxican promótion[ráise] 《미·속어》 (대우 개선이 따르지 않는) 명목상의 승진

Méxican Spánish 멕시코에서 사용되는 스페인 말

Méxican stándoff 《미·구어·경멸》 비김, 무승부; 막다름, 궁지

Méxican Wár [the ~] 멕시코 전쟁 《미국과 멕시코와의 싸움(1846-48)》

Méxican[México] wáve (경기장에서의) 파도타기 응원 《1986년 Mexico World Cup에서 유래》

***Mex·i·co** [méksikòu] *n.* **멕시코** (**공화국**) 《북미 남부의 공화국; 정식명 the United Mexican States; 수도 Mexico City; 略 Mex.》 ▷ Méxican *a.*, *n.*

México Cíty 멕시코시티 《멕시코의 수도》

MEZ *Mitteleuropäische Zeit* 《G =Central European Time》 중앙 유럽 표준시

me·ze [mèzéi, méizei] *n.* 메제 《그리스·중동·터키지방의 애피타이저》

me·zu·ma [məzúːmə] *n.* =MAZUMA

me·zu·za(h) [məzúzə] *n.* (*pl.* **~s, -zu·zot** [-zout], **-zu·zoth** [-zouθ]) 〖유대교〗 메이즈자 《신명기의 몇 절을 기록한 양피지 조각》

mezz [méz] *n.* 《미·속어》 마리화나

mez·za·nine [mézənìːn, ⌐-⌐] *n.* **1** 〖건축〗 중2층 (中二層) 《1층과 2층 사이》(=**~ flòor**) **2** 〖극장〗 **a** 《미》 중2층 좌석 **b** 《영》 무대 아래

mez·zo [métsou, médzou] [It. 「중용」의 뜻에서] 〖음악〗 *a.* 중간의, 반반의 —*ad.* 적당히 —*n.* (*pl.* **~s**) 《구어》 =MEZZO-SOPRANO

mézzo fórte 〖음악〗 조금 강하게[강한] 《略 mf》

mézzo piáno 〖음악〗 조금 약하게[약한] 《略 mp》

mez·zo-re·lie·vo [métsourilíːvou, médzou-] [It.] *n.* (*pl.* **~s**) 〖미술〗 반양각(半陽刻), 반돋을새김

mez·zo-so·pra·no [-səprǽnou, -prɑ́ːnou] [It.] *n.* (*pl.* **~s, -ni** [-niː]) 〖음악〗 **1** Ⓤ 메조소프라노, 차고음(次高音) 《soprano와 alto의 중간》 **2** 메조소프라노[차고음] 가수 —*a.* 메조소프라노의; 메조소프라노 가수의

mez·zo·tint [métsoutìnt, médzou-] *n.* **1** Ⓤ 메조틴트 기법 《명암의 해조(諧調)에 주력하는 동판술》 **2** 메조틴트판(版) —*vt.* 메조틴트판으로 새기다

mf 〖음악〗 mezzo forte **mF** millifarad(s) **mf, mF** 〖전기〗 microfarad(s) **mf, MF** medium frequency; microfiche **MF** machine finish; Microfarad(s); Middle French **m/f, M/F** male or female **MFA** Master of Fine Arts **mfd** manufactured; microfarad(s) **mfg** manufacturing **MFH** Master of Foxhounds; mobile field hospital **MFN** Most Favored Nation 〖무역〗 최혜국 **mfr** manufacture(r) **MFS** Master of Food Science; Master of Foreign Service[Study] **mg** milligram(s) **Mg** 〖화학〗 magnesium **MG** machine gun; major general; Military Government 군사정부; motor generator **MGk** Medieval Greek **MGM** Metro-Goldwyn-Mayer **mgr** manager **Mgr** Manager; Monseigneur; Monsignor **MGr** Medieval Greek **mgt** management **mh, mH** millihenry; millihenries **MH** Master of Humanities; Master of Hygiene; Medal of Honor; mental health; military hospital; Ministry of Health; mobile home; Most Honorable **M.H.A.** 《호주》 Member of the House of Assembly **MHC** 〖면역〗 major histocompatibility complex **MHD** magnetohydrodynamics **MHG** Middle High German 중세 고지 독일어

mhm [əmhm] *int.* 응, 음 《동의할 때》: "Can I borrow your pen?"—"*M*~." 네 펜 좀 빌려도 될까?—응.

mho [móu] [ohm을 거꾸로 쓴 것] *n.* (*pl.* **~s**) 〖전기〗 모 《전기 전도율의 단위》

MHR 《미·호주》 Member of the House of Representatives **MHS** 〖컴퓨터〗 message handling system 《서로 다른 정보 단말장치끼리의 상호 통신을 위한 변환 시스템》 **MHW** mean high water **mHz** millihertz **Mhz, MHz** megahertz

***mi** [míː] *n.* 〖음악〗 (도레미파 창법의) 미 《전음계적 장음계의 제3음》; 마 음

mi- [mái] 《연결형》 「보다 작은, 보다 적은, 보다 (질이) 나쁜」의 뜻

MI Management Improvement; 〖우편〗 Michigan; Military Intelligence **mi.** mile(s); mill(s)

MIA missing in action 〖군사〗 전투 중 행방 불명(자)

Mi·am·i[1] [maiǽmi] *n.* 마이애미 《미국 Florida 주 남동부의 도시; 피한지》

Miami[2] *n.* (*pl.* **~, ~s**) **1** (아메리칸 인디언의) 마이애미족 (사람) **2** Ⓤ 마이애미 말

Mi·am·i·an [maiǽmiən] *a.*, *n.* 마이애미의 (주민)

Miámi Béach 마이애미 비치 《미국 Florida 주 남동부 Miami 부근의 도시; 피한지》

mi·aow, -aou [miáu, mjáu] *n.*, *vi.* =MEOW

mi·as·ma [maiǽzmə, mi-|mi-] *n.* (*pl.* **~·ta** [-tə], **~s**) **1** (소택지 등에서 발생하는) 독기(毒氣), 장기(瘴氣) **2** 나쁜 영향(을 주는 분위기), 불건전한 분위기

mi·as·mic [maiǽzmik], **mi·as·mal** [maiǽzməl], **mi·as·mat·ic** [màiæzmǽtik] *a.* **1** 독기의[같은] **2** 해로운, 유해한 ***miasmatic fever*** 말라리아열(熱)

mi·aul [miául, miɔ́ːl] *vi.* =MEOW; =CATERWAUL

mic [máik] *n.* 마이크(microphone)

Mic. 〖성서〗 Micah

mi·ca [máikə] *n.* Ⓤ 〖광물〗 운모(雲母), 돌비늘

mi·ca·ceous [maikéiʃəs] *a.* **1** 운모(모양)의, 운모를 함유한 **2** 반짝이는(sparkling)

Mi·cah [máikə] *n.* **1** 〖성서〗 미가 《Hebrew의 예언자》 **2** 미가서(書) 《略 Mic.》 **3** 남자 이름

míca schìst[slàte] 〖광물〗 운모 편암[점판암]

Mi·caw·ber·ism [mikɔ́ːbərìzəm] *n.* Ⓤ 공상적 낙천주의 《Dickens의 *David Copperfield*에 나오는 인물 Micawber에서》

***mice** [máis] *n.* MOUSE의 복수

mi·cell(e) [misél], **-cel·la** [-sélə] *n.* 〖물리·화학·생물〗 교질(膠質) 입자, 미셀

Mich. Michaelmas; Michigan

Mi·chael [máikəl] *n.* **1** [St. ~] 〖성서〗 천사장 미가엘 **2** 남자 이름 《애칭 Mickey, Mike》

Mich·ael·mas [míkəlməs] *n.* (대천사) 미가엘 축일 《9월 29일; 《영》 quarter days의 하나》: ~ goose 미가엘 축일에 먹는 거위

Míchaelmas dáisy 〖식물〗 갯개미취, 아스터

Míchaelmas tèrm 《영》 가을 학기 《제1학기; 보통 10월-12월》

Mi·chel·an·ge·lo [màikəlǽndʒəlòu, mìk-] *n.* 미켈란젤로 ~ **Buonarroti** (1475-1564) 《이탈리아의 조각가·화가·건축가·시인》

Mich·e·lin man [mítʃəlin-, míʃ-] [다음 성구로] ***like the[a]*** ~ 몸집이 뚱뚱하고 배가 불룩 튀어나온 《미쉐린 타이어 회사의 캐릭터처럼》

Mi·chel(l)e [miːʃél] *n.* 여자 이름

Mich·e·ner [mítʃənər] *n.* 미체너 **James A(lbert)** ~ (1907-97) 《미국의 작가》

míller-cycle éngine [-sàikl-] 저압축 고팽창비 엔진 《연료비가 절감됨》

***Mich·i·gan** [míʃigən] [북미 인디언 말 「큰 호수」의 뜻에서] *n.* **1** 미시간 주(州) 《미국 중북부의 주; 속칭 the Wolverine[Lake] State; 주도 Lansing; 略 Mich.》 **2 Lake ~** 미시간 호 《북미 5대호의 하나》 **3** 《미》 〖카드〗 미시간 《3-8명이 하는 stop계(系) 게임》

Míchigan bánkroll[róll] 《미·속어》 고액권을 한

장 없은 가짜[소액권] 돈 뭉치

Mich·i·gan·der [mìʃigǽndər], **Mich·i·gan·ite** [míʃigənàit] *n.* 미시간 주 사람

Mich·i·ga·ni·an [mìʃigéiniən, -gǽn-] *a.* 미시간 주(州)(사람)의 — *n.* 미시간 주 사람

Mick, mick [mík] [아일랜드 남자의 대표명 Michael에서] *n.* (속어·경멸) 아일랜드 사람; 가톨릭 교도

Mick·ey [míki] *n.* **1** 남자 이름 《Michael의 애칭》 **2** [종종 **m~**] (속어) = MICK **3** = MICKEY FINN **4** [**m~**] 감자(potato) ***slip*** a person ***a*** ~ (미·속어) …의 술에 몰래 마약을 타다 ***take the ~ out of ...*** (구어) …을 놀리다, 골리다, 비웃다

Míckey Fínn [때로 **m- f-**] (속어) 미키핀 《마약이나 하제(下劑)를 탄 술》

Míckey Móuse **1** 미키 마우스 《W. Disney의 만화 주인공》 **2** (속어) 쉬운 일; (학생속어) 쉬운 과목 **3** 《영·공군속어》 전동(電動) 폭탄 투하 장치; (속어) 시시한 것 — *a.* [종종 **m- m-**] (구어) 〈음악 등이〉 케케묵은; 유치한, 하찮은, 시시한; 〈과목 등이〉 쉬운, 수월한

mick·ey-mouse [mìkimáus] *vt.* (구어) (만화 영화 등에서) 배경 음악을 넣다

mick·le [míkl] *n.*, *a.* (고어·스코) 대량(의): Many a little[pickle] makes a ~. = Every little makes a ~. (속담) 티끌 모아 태산.

Mic·mac [míkmæk] *n.* (*pl.* **~**, **~s**) **1** (캐나다 남동부 인디언의) 미크맥 족 **2** Ⓤ 그들이 쓰는 알공킨 말

MICR 〚컴퓨터〛 magnetic ink character recognition

micr- [maikr], **micro-** [máikrou, -krə] 《연결형》 「소…, 미(微)…; 〚전기〛 100만분의 1 …」의 뜻 (opp. *macr(o)-*)

mi·cra [máikrə] *n.* MICRON의 복수

mi·cro [máikrou] *n.* (*pl.* **~s**) **1** 아주 작은 것, 극소의 것; 초미니스커트[드레스 등] **2** (구어) = MICROCOMPUTER; = MICROPROCESSOR; = MICROECONOMICS — *a.* **1** 아주 작은, 극소의 **2** 마이크로컴퓨터[프로세서]의; 미시 경제학의

mi·cro·am·me·ter [-ǽmitər] *n.* 마이크로암페어계(計)

mi·cro·am·pere [màikrouǽmpiər | -pɛə] *n.* 〚전기〛 마이크로 암페어 《100만분의 1암페어; 기호 μA》

mi·cro·a·nal·y·sis [-ənǽləsis] *n.* (*pl.* **-ses** [-si:z]) Ⓤ 〚화학〛 미량(微量) 분석; 〚경제〛 미시 분석

mi·cro·a·nat·o·my [-ənǽtəmi] *n.* Ⓤ 조직학(histology) **-an·a·tóm·i·cal** *a.*

mi·cro·bal·ance [-bǽləns] *n.* 〚화학〛 미량 천칭[저울]

mi·cro·bar [máikroubɑ̀:r] *n.* 〚물리〛 마이크로바 《압력의 단위; 100만분의 1바》

mic·ro·bar·o·graph [màikroubǽrəgræf] *n.* 자기(自記) 마소 기압계

*__mi·crobe__ [máikroub] *n.* 미생물, 세균; 병원균: ~ bombs[warfare] 세균탄[전]

mi·cro·bi·al [maikróubiəl], **-bi·an** [-biən], **-bic** [-bik] *a.* 미생물의, 세균의, 세균에 의한: ~ genetics 미생물 유전학

mi·cro·bi·cide [maikróubəsàid] *n.* 살균제

mi·cro·bi·ol·o·gy [màikroubaiɑ́lədʒi | -ɔ́l-] *n.* Ⓤ 미생물학, 세균학(bacteriology) **-bi·o·lóg·i·cal** *a.* **-gist** *n.* 미생물학자, 세균학자

mi·crob·ism [máikroubìzəm] *n.* Ⓤ 〚병리〛 세균 감염(증)

mi·cro·blog [máikroublɑ̀:g | -blɔ̀g] *n.* 미니블로그 《짧은 메시지를 이용하여 여러 사람들과 소통할 수 있는 소셜 네트워크 서비스의 일종; twitter 따위》 — *vi.* 미니블로그에 게재하다[포스팅하다] **-blòg·ging** *n.* **-blòg·ger** *n.*

mi·cro·book [-bùk] *n.* (확대경으로 보는) 극소본, 마이크로북

mi·cro·brew·er·y [màikroubrú:əri] *n.* (맥주 등의) 소형[지역] 양조장[업자]

mi·cro·burst [máikroubə̀:rst] *n.* 〚기상〛 순간 돌풍 《국지적인 강한 하강 기류; 비행기 사고의 주원인》

mi·cro·bus [-bʌ̀s] *n.* 마이크로버스, 소형 버스

mi·cro·cam·er·a [-kǽmərə] *n.* 현미경 사진용 카메라

mi·cro·cap·sule [-kǽpsju:l] *n.* (약품 등의) 미소[마이크로] 캡슐

Mi·cro·card [-kɑ̀:rd] *n.* (도서관의) 마이크로카드 《축사(縮寫) 사진 카드; 상표명》

mi·cro·cas·sette [-kæsèt] *n.* 마이크로 카세트 《초소형 카세트테이프 또는 테이프 리코더》

mi·cro·ce·phal·ic [màikrousəfǽlik], **-ceph·a·lous** [-séfələs] *a.* 〚인류·병리〛 이상 소두(小頭)의

mi·cro·ceph·a·ly [-séfəli] *n.* Ⓤ 〚병리〛 (이상) 소두(小頭)증

mi·cro·chem·is·try [-kémistri] *n.* Ⓤ 미량 화학 (opp. *macrochemistry*) **-chém·i·cal** *a.*

mi·cro·chip [máikroutʃìp] *n.* 〚전자〛 마이크로칩, 극미(極微) 박편 《전자 회로의 구성 요소가 되는 아주 작은 기능 회로》

mi·cro·chro·nom·e·ter [màikroukrənɑ́mitər | -nɔ́m-] *n.* 초(秒)시계

mi·cro·cir·cuit [máikrousə̀:rkit] *n.* 〚전자〛 초소형[마이크로] 회로

mi·cro·cir·cuit·ry [màikrousə́:rkitri] *n.* (*pl.* **-ries**) **1** = INTEGRATED CIRCUITRY **2** [집합적] 마이크로 회로

mi·cro·cli·mate [máikrouklàimit] *n.* 소[미]기후 《한 국지(局地)의 기후》 **mì·cro·cli·mát·ic** *a.*

mi·cro·cli·ma·tol·o·gy [màikrouklàimətɑ́lədʒi | -tɔ́l-] *n.* Ⓤ 소[미]기후학

mi·cro·coc·cus [màikrəkɑ́kəs | -kɔ́k-] *n.* (*pl.* **-coc·ci** [-kɑ́ksai | -kɔ́k-]) 미구균(微球菌), 단(單)구균 **-cóc·cal** [-kəl] *a.*

mi·cro·code [máikroukòud] *n.* 〚컴퓨터〛 마이크로코드 《마이크로 프로그래밍의 코드》

mi·cro·com·po·nent [màikroukəmpóunənt] *n.* 마이크로컴포넌트 《minicomponent보다 작은 기기》

mi·cro·com·put·er [-kəmpjú:tər] *n.* 초소형 컴퓨터, 마이크로 컴퓨터

mi·cro·con·stit·u·ent [-kənstítʃuənt] *n.* (금속·합금의) 미시적 성분

mi·cro·con·ti·nent [-kɑ́ntənənt | -kɔ́n-] *n.* 〚지질〛 미소 대륙, 대륙형 소암반

mi·cro·cop·y [máikroukɑ̀pi | -kɔ̀pi] *n.* (*pl.* **-cop·ies**) 축소 복사(판) 《microfilm으로 축사(縮寫)한 것》 — *vt.* 축소 복사하다 **-còp·y·ing** *n.*

mi·cro-cór·ne·al léns [màikroukɔ́:rniəl-] (각막만을 덮는) 소형 각막 렌즈(cf. HAPTIC LENS)

mi·cro·cosm [máikrəkɑ̀zm | -kɔ̀zm] *n.* **1** 소우주, 소세계(opp. *macrocosm*) **2** 축도; (우주의 축도로서의) 인간 (사회) **3** 〚생태〛 미소(微少) 생태계 ***in*** ~ 소규모로, 축소된 **mì·cro·cós·mic** *a.*

microcósmic sált 〚화학〛 인염(燐鹽)

mi·cro·crack [máikroukræ̀k] *n.* (유리 등의) 미소 균열 — *vi.*, *vt.* 미소 균열이 생기다[생기게 하다]

mi·cro·crys·tal [-krìstl] *n.* 미세 결정(微細結晶)

mi·cro·crys·tal·line [màikroukrístələn | -làin] *a.* 〚광물〛 미정질(微晶質)의 **-crỳs·tal·lín·i·ty** *n.*

mi·cro·cul·ture [máikroukʌ̀ltʃər] *n.* **1** ⓊⒸ 협역(狹域) 문화(권) 《문화 단위로서의 소집단의 문화》 **2** Ⓤ 극미 유기체의 배양 **mì·cro·cúl·tur·al** *a.*

mi·cro·cu·rie [-kjùəri, -kjurì:] *n.* 〚물리〛 마이크로퀴리 《방사능 강도의 단위; 100만분의 1퀴리》

mi·cro·cyte [máikrəsàit] *n.* **1** 미소(微小) 세포 **2** 〚병리〛 소적혈구 **mi·cro·cyt·ic** [màikrəsítik] *a.*

mi·cro·de·tec·tor [máikrouditèktər] *n.* 미량[미동] 측정기

mi·cro·dis·sec·tion [màikroudisékʃən] *n.* Ⓤ 현미(顯微) 해부

mi·cro·dis·tri·bu·tion [-distrəbjú:ʃən] *n.* 〚생태〛 미소 분포

mi·cro·dot [máikroudɑ̀t | -dɔ̀t] *n.* 마이크로도트 《점 크기만한 미소 사진》 — *vt.* (~·**ted**; ~·**ting**) 〈사진·그림 등을〉 마이크로도트화하다
mi·cro·earth·quake [màikrouə́:rθkwèik] *n.* 미소 지진
mi·cro·ec·o·nom·ics [-ì:kənɑ́miks | -nɔ́m-] *n. pl.* [단수 취급] 〖경제〗 미시(微視)[미크로] 경제학 (opp. *macroeconomics*) **-nóm·ic** *a.*
mi·cro·e·lec·trode [-ilektroud] *n.* 미소 전극(電極)
mi·cro·e·lec·tron·ic [-ilektrɑ́nik | -trɔ́n-] *a.* 마이크로 전자 공학의
mi·cro·e·lec·tron·ics [-ilektrɑ́niks | -trɔ́n-] *n. pl.* [단수 취급] 극소[마이크로] 전자 공학
mi·cro·el·e·ment [-éləmənt] *n.* 〖생화학〗 미량(微量) 원소(trace element)
mi·cro·en·cap·su·late [-inkǽpsəlèit] *vt.* 〈약 등을〉 마이크로 캡슐에 넣다 **-càp·su·lá·tion** *n.*
mi·cro·en·gi·neer·ing [-endʒiníəriŋ] *n.* Ⓤ 마이크로 공학 《미소(微小) 구조·기계의 연구》
mi·cro·en·vi·ron·ment [-envái*ə*rənmənt] *n.* 〖생태〗 미소 서식 환경(microhabitat) **-mént·al** *a.*
mi·cro·ev·o·lu·tion [-èvəlú:ʃən | -ì:və-] *n.* 〖생물〗 소(小)진화 ~·**àr·y** *a.*
mi·cro·far·ad [-fǽrəd] *n.* 〖전기〗 마이크로패럿 《100만분의 1 패럿; 기호 μF》
mi·cro·fer·ti·li·za·tion [-fə̀:rtəlizéiʃən] *n.* 현미(경 하에서의) 수정
mi·cro·fi·ber [-fàibər] *n.* 마이크로파이버 《지름이 몇 미크론 굵기의 초미세 합성 섬유》
mi·cro·fiche [máikrəfì:ʃ] *n.* (*pl.* ~, ~**s**) (서적 등의 여러 페이지분을 수록하는) 마이크로필름 카드
mi·cro·fil·a·ment [màikrəfíləmənt] *n.* 〖생물〗 (세포질의) 미세 섬유
mi·cro·film [máikrəfìlm] *n.* ⓊⒸ 〖사진〗 마이크로필름 — *vt.* 마이크로필름에 찍다 ~·**a·ble** *a.* ~·**er** *n.*
mícrofilm rèader 마이크로필름 투영 장치
mi·cro·fi·nance [màikroufáinæns] *n.* Ⓤ (세계 은행 등의) 소액 금융 (지원) 《저개발국의 소기업 육성을 위한》
mi·cro·fine tóner [máikroufàin-] (레이저 프린터 등의) 초미립자 토너
mi·cro·flop·py [-flɑ̀pi | -flɔ̀pi] *n.* 〖컴퓨터〗 마이크로 플로피(= ~ **dísk**) 《지름 3.5인치》
mi·cro·flo·ra [màikrouflɔ́:rə] *n.* (육안으로 안 보이는) 미소 식물(군); 미소 식물상(相)
mi·cro·form [máikroufɔ̀:rm] *n.* Ⓤ 마이크로폼, 미소 축쇄(판)(縮刷(版))
mi·cro·fos·sil [màikroufɑ́sl | -fɔ́sl] *n.* 〖생물〗 미화석(微化石)
mi·cro·fun·gus [-fʌ́ŋgəs] *n.* 〖식물〗 극미균(極微菌)
mi·cro·gam·ete [-gǽmi:t] *n.* 〖생물〗 소(小)배우자
mi·cro·ga·me·to·cyte [-gəmí:təsàit] *n.* 〖생물〗 소배우자 모세포
mi·cro·gauss [máikrougàus] *n.* 〖전기〗 마이크로가우스 《100만분의 1 가우스》
mi·cro·gram[1] [máikrəgræ̀m] *n.* 마이크로그램 《100만분의 1 그램; 기호 μg》
microgram[2] *n.* = MICROGRAPH 2
mi·cro·graph [-grǽf | -grɑ̀:f, -grǽf] *n.* **1** 세서(細書) 용구(opp. *macrograph*) **2** 〖광학〗 현미경 사진 — *vt.* 현미경 사진으로 찍다
mi·cro·graph·ics [màikrəgrǽfiks] *n. pl.* [단수 취급] microform에 의한 미소 축쇄(微小縮刷)(업)
mi·crog·ra·phy [maikrɑ́grəfi | -krɔ́g-] *n.* Ⓤ **1** 현미경 관찰물의 촬영[묘사, 연구](법); 현미경 검사 (opp. *macrography*) **2** 세서술(細書術) **-pher** *n.*
mi·cro·grav·i·ty [máikrougræ̀vəti] *n.* (*pl.* **-ties**) 극미 중력 《인력이 거의 없는 우주 궤도의 상태》
mi·cro·green [máikrougrì:n] *n.* 샐러드에 사용하는 채소류의 싹
mi·cro·groove [-grù:v] *n.* (LP 음반의) 미세한 홈
mi·cro·hab·i·tat [màikrouhǽbitæ̀t] *n.* 〖생태〗 미소(微小) 서식 환경 《미생물·곤충 등의 서식에 적합한 곳》
mi·cro·im·age [máikrouìmidʒ] *n.* (마이크로필름 등으로 찍은) 극소도(圖)[사진]
mi·cro·in·ject [màikrouindʒékt] *vt.* (현미경 하에서) 미량 주사하다
mi·cro·in·jec·tion [-indʒékʃən] *n.* ⓊⒸ 〖생물〗 현미(顯微)[미량] 주사
mi·cro·in·struc·tion [-instrʌ́kʃən] *n.* 〖컴퓨터〗 (마이크로프로그래밍의) 마이크로 명령
mi·cro·lens [máikrəlènz] *n.* 〖사진〗 마이크로렌즈, 극소 사진 촬영용 렌즈

microlight

mi·cro·light [máikroulàit] *n.* 초경량 비행기(ultralight)
mi·cro·li·ter [-lì:tər] *n.* 마이크로리터 《100만분의 1리터; 기호 μl》
mi·cro·lith [máikrəlìθ] *n.* **1** 〖고고학〗 잔석기, 세(細)석기 **2** 〖의학〗 소(小)결석
mì·cro·líth·ic *a.*
mi·cro·loan [máikrəlòun] *n.* Ⓤ (저개발국 정부의) 소액 융자 《소자본으로 사업을 하려는 사람에게 대주는》
mi·crol·o·gy [maikrɑ́lədʒi | -krɔ́l-] *n.* Ⓤ **1** 미물학(微物學) **2** 꼬치꼬치 캠, 사소한 일에 구애됨
mi·cro·ma·chin·ing [màikrouməʃí:niŋ] *n.* Ⓤ 〖기계〗 (실리콘 등의) 미세[마이크로] 기계 가공
mi·cro·man·age [màikroumǽnidʒ] *vt.* 세세한 점까지 관리하다 ~·**ment** *n.* **-ag·er** *n.*
mi·cro·ma·nip·u·la·tion [màikroumənìpjuléiʃən] *n.* Ⓤ 현미 조작[수술] 《현미경을 이용한 해부·주사 등의 조작》 **-ma·níp·u·là·tor** *n.* 현미 조작 장치
mi·cro·mere [máikrəmìər] *n.* 〖발생〗 소할구(小割球)
mi·cro·mesh [máikroumèʃ] *a.* Ⓐ 〈스타킹 등이〉 그물눈이 아주 작은 — *n.* Ⓤ 미세 그물눈(의 천)
mi·cro·me·te·or·ite [màikroumí:tiəràit] *n.* 〖천문〗 미소 운석(隕石); 유성진(流星塵); 우주진(塵)(cosmic dust) **-mè·te·or·ít·ic** *a.*
mi·cro·me·te·or·oid [-mí:tiərɔ̀id] *n.* 〖천문〗 미소 유성체(流星體), 유성진(micrometeorite)
mi·cro·me·te·o·rol·o·gy [-mì:tiərɑ́lədʒi | -rɔ́l-] *n.* Ⓤ 《미》 미(微)기상학 **-ro·lóg·i·cal** *a.* **-gist** *n.*
mi·crom·e·ter[1] [maikrɑ́mətər | -krɔ́m-] *n.* **1** 마이크로미터, 측미계(測微計): a ~ microscope 측미(測微) 현미경 **2** = MICROMETER CALIPER
mi·cro·me·ter[2] [máikroumì:tər] *n.* 마이크로미터(micron) 《$=10^{-6}$m; 기호 μm》
micrómeter cáliper 〖기계〗 측미(測微)[마이크로미터] 캘리퍼스
micrómeter scrèw 〖기계〗 측미 나사
mi·cro·meth·od [màikrəméθəd] *n.* (현미경 이용 등에 의한) 측미법(測微法)
mi·crom·e·try [maikrɑ́mətri | -krɔ́m-] *n.* Ⓤ (마이크로미터에 의한) 측미법(測微法)[술]
mi·cro·mi·cron [màikroumáikrɑn | -krɔn] *n.* 마이크로미크론 《micron의 100만분의 1; 기호 μμ》
mi·cro·mil·li·me·ter [-míləmì:tər] *n.* 마이크로밀리미터(millimicron) 《100만분의 1 밀리미터; 기호 μmm》
mi·cro·min·i [-míni] 《구어》 *a.* 〈전자 장치가〉 초소형의 — *n.* 초소형의 물건; 초미니스커트
mi·cro·min·i·a·ture [-míniətʃər] *a.* 〈전자 부품이〉 초소형의, 초소형화한
mi·cro·min·i·a·tur·ize [-míniətʃəràiz] *vt.* 〈전자 기기를〉 초소형화하다 **-mìn·i·a·tur·i·zá·tion** *n.*
mi·cro·mod·ule [-mɑ́dʒu:l | -mɔ́dju:l] *n.* 〖전자〗 마이크로모듈 《초소형 전자 회로의 단위》
mi·cro·mole [máikrəmòul] *n.* 마이크로몰 《100만분의 1 몰》 **mì·cro·mó·lar** *a.*

mi·cro·mor·phol·o·gy [màikroumɔːrfάlədʒi | -fɔ́l-] *n.* Ⓤ 미세 구조; 미세 구조 형태학 **-mor·pho·lóg·i·cal** *a.*
mi·cro·mount [máikroumàunt] *n.* (광물의) 현미(顯微) 표본
mi·cron [máikran | -krɔn] *n.* (*pl.* **~s, -cra** [-krə]) **1** 미크론《100만분의 1미터; 기호 μ》 **2** 〖화학〗 미크론《지름 0.2-10μ의 콜로이드 미립자》; 〖물리〗 미크론
mi·cro·nee·dle [máikrouniːdl] *n.* 〖생물〗 (현미경 조작에 사용되는) 현미침(顯微針)
Mi·cro·ne·sia [màikrəníːʒə, -ʃə | -ziə] [Gk 「작은 섬의 나라」의 뜻에서] *n.* **1** 미크로네시아《대양주 북서부의 군도(群島); Mariana, Caroline, Marshall 등의 제도를 포함함》 **2** 미크로네시아 (연방)《공식명 Federated States of ~; 수도 Palikir》
Mi·cro·ne·sian [màikrəníːʒən, -ʃən | -ziən] *a.* 미크로네시아(사람[말])의
— *n.* 미크로네시아 사람; Ⓤ 미크로네시아 말
mi·cron·ize [máikrənàiz] *vt.* (미크론 정도로) 미분(微粉)[미소]화하다 **mì·cro·ni·zá·tion** *n.*
mi·cro·nu·cle·us [màikrounјúːkliəs] *n.* (*pl.* **-cle·i** [-kliài]) 〖동물〗 (특히 섬모충의) 소핵, 부핵(副核) **-nú·cle·ar** *a.*
mi·cro·nu·tri·ent [-njúːtriənt] *n.*, *a.* 〖생화학〗 미량 영양소(의); 미량 원소(의)
mi·cro·or·gan·ism [-ɔ́ːrgənìzəm] *n.* 〖생물〗 미생물(cf. MACROORGANISM) **-or·gán·ic** *a.*
mi·cro·pa·le·on·tol·o·gy [-peiliantάlədʒi | -ɔntɔ́l-] *n.* Ⓤ 미고생물학(微古生物學) **-gist** *n.*
mi·cro·par·a·site [-pǽrəsait] *n.* 기생 미생물 **-par·a·sít·ic** *a.*
mi·cro·par·ti·cle [-pάːrtikl] *n.* 극미립자
mi·cro·pa·thol·o·gy [-pəθάlədʒi | -θɔ́l-] *n.* Ⓤ 현미(顯微) 병리학
mi·cro·phage [máikrəfèidʒ, -fὰːʒ] *n.* 〖면역〗 소(小)식세포
mi·cro·pho·bi·a [màikroufóubiə] *n.* 〖정신의학〗 미생물[미소물] 공포증
***mi·cro·phone** [máikrəfòun] [「소리(phone)를 크게 하는 것」의 뜻에서] *n.* **마이크로폰**, 마이크(mike), 확성기, (라디오 등의) 송화기: speak at[into] a ~ 마이크에 대고 말하다 **mì·cro·phón·ic** *a.*
mícrophone bòom 〖TV〗 마이크로폰 붐《마이크로폰을 매다는 틀》
mi·cro·phon·ics [màikrəfάniks | -fɔ́n-] *n. pl.* 〖전자〗 (전자 장치의 진동으로 인한) 스피커의 소음
mi·cro·pho·to·graph [màikroufóutəgræ̀f | -grὰːf] *n.* **1** 축소[마이크로] 사진(판) **2** 현미(경) 사진 (photomicrograph) **-phò·to·gráph·ic** *a.*
mi·cro·phyll [máikrəfil] *n.* 〖식물〗 소엽(小葉) **mì·cro·phýl·lous** *a.*
mi·cro·phys·ics [màikroufíziks] *n. pl.* [단수 취급] 미시적 물리학(cf. MACROPHYSICS) **-phýs·i·cal** *a.*
mi·cro·phyte [máikrəfàit] *n.* 미소 식물, 《특히》 박테리아 **mì·cro·phýt·ic** *a.*
mi·cro·plank·ton [màikroupláŋktən] *n.* 〖생물〗 (현미경으로만 볼 수 있는) 극미 플랑크톤
mi·crop·o·lis [maikrάpələs | -krɔ́p-] *n.* (대도시 주변에서 도시 기능을 갖춘) 초소형 도시
mi·cro·pop·u·la·tion [màikroupὰpjuléiʃən | -pɔ̀p-] *n.* 〖생태〗 (특정 환경 내의) 미생물 개체군; 협역(狹域) 생물 집단
mi·cro·pore [máikrəpɔ̀ːr] *n.* 세공(細孔), 미소공(微小孔)
mi·cro·po·rous [màikroupɔ́ːrəs] *a.* 미소공성의: ~ synthetic rubber 미소공성 합성 고무
mi·cro·print [máikrouprìnt] *n.* 마이크로프린트, 축소 사진 인화 — *vt.* 마이크로프린트로 만들다
mi·cro·prism [-prìzm] *n.* 〖사진〗 마이크로프리즘《초점 스크린 위에 있는 미소 프리즘》
mi·cro·probe [-pròub] *n.* 〖물리〗 마이크로프로브《전자 빔을 이용한 미량 분석 장치》
mi·cro·próc·ess·ing ùnit [màikrouprάsesiŋ- | -próu-] 〖컴퓨터〗 극소 연산 처리 장치
mi·cro·pro·ces·sor [máikrouprὰsesər | -pròu-] *n.* 〖컴퓨터〗 마이크로프로세서, 극소 연산 처리 장치
mi·cro·pro·gram [-pròugræm] *n.* 〖컴퓨터〗 마이크로 프로그램《마이크로프로그래밍에서 쓰이는 통로[루틴]》 — *vt.* 〈컴퓨터에〉 마이크로프로그램을 짜넣다 **-pró·gram·ma·ble** *a.*
mi·cro·pro·gram·ming [-pròugræmiŋ] *n.* Ⓤ 〖컴퓨터〗 마이크로프로그래밍《기본 명령을 다시 기본적 동작으로 분석하여 기본 명령을 프로그래밍하는 일》
mi·cro·pub·li·ca·tion [màikroupʌblikéiʃən] *n.* **1** Ⓤ 마이크로 출판 **2** 마이크로 출판물
mi·cro·pub·lish [máikroupʌ̀bliʃ] *vi.*, *vt.* 마이크로폼(microform)으로 출판하다 **~·er** *n.* **~·ing** *n.*
mi·cro·pul·sa·tion [màikroupʌlséiʃən] *n.* 〖지구물리〗 (지자기의) 미맥동(微脈動), 초단(超短) 맥동
mi·cro·quake [máikroukwèik] *n.* 미소 지진 (microearthquake)
mi·cro·ra·di·o·graph [màikrouréidiəgræ̀f, -grὰːf] *n.* 미세 X선 사진《초미립자 고해상도 건판을 사용한 X선 사진》 **-rà·di·o·gráph·ic** *a.* **-rà·di·óg·ra·phy** *n.*
mi·cro·read·er [máikrourìːdər] *n.* 마이크로 리더《마이크로필름의 확대 투사 장치》
mi·cro·re·pro·duc·tion [màikrourìːprədʌ́kʃən] *n.* 마이크로 복제(물)
micros. microscopy
mi·cro·scale [máikrouskèil] *a.* 미소 규모의
mi·cro·scope** [máikrəskòup] *n.* **현미경**: a binocular ~ 쌍안 현미경 / a compound ~ 복식[합성] 현미경 / an electronic ~ 전자 현미경 / life under the ~ 현미경으로 본 생물 ***put ... under the ~ 〈사람·사물을〉 자세히 조사하다
▷ microscópic *a.*
míсroscope slìde (현미경용) 슬라이드 (유리)
***mi·cro·scop·ic, -i·cal** [màikrəskάpik(əl) | -skɔ́p-] *a.* **1 현미경의[에 의한]**; 현미경으로만 볼 수 있는, 미시적인(opp. *macroscopic*): a ~ examination 현미경 검사 **2** (구어) 극히 작은, 초소형의: a ~ organism 미생물 **3** 〈연구 등이〉 미세한 부분에까지 이르는; 미시적인 **-i·cal·ly** *ad.*
mi·cros·co·pist [maikrάskəpist | -krɔ́s-] *n.* 현미경 사용(숙련)자
mi·cros·co·py [maikrάskəpi | -krɔ́s-] *n.* Ⓤ 현미경 사용(법); 검경(檢鏡): by ~ 현미경 검사로
mi·cro·sec·ond [máikrousèkənd] *n.* 마이크로초(秒)《시간의 단위; 100만분의 1초; 기호 μs》
mi·cro·sec·tion [màikrousékʃən] *n.* 검경용 박절편(薄切片), 현미 절편(切片)
mi·cro·seism [máikrousàizəm] *n.* 〖지구물리〗 맥동(脈動)《지진 이외의 원인에 의한 지각의 미약한 진동》 **mì·cro·séis·mic, -mi·cal** [-sáizmik(əl)] *a.*
mi·cro·seis·mo·graph [màikrousáizməgræ̀f, -grὰːf] *n.* 미진계(微震計)
mi·cro·seis·mom·e·try [-saizmάmətri | -mɔ́m-] *n.* Ⓤ 미진 측정법
mi·cro·skirt [máikrouskə̀ːrt] *n.* 마이크로 스커트, 초미니 스커트
mi·cro·sleep [-slìːp] *n.* 〖생리〗 마이크로 수면《깨어 있을 때의 순간적인 잠》
mi·cro·slide [-slàid] *n.* 미소[마이크로] 슬라이드《초미생물의 현미경 검사용》
mi·cro·so·ci·ol·o·gy [màikrousousiάlədʒi, -ʃi- | -ɔ́l-] *n.* 미시 사회학(cf. MACROSOCIOLOGY)
Mi·cro·soft [máikrousɔ̀ːft, -sὰft | -sɔ̀ft] *n.* 마이크로소프트《미국의 소프트웨어 회사》(= **~ Corporátion**)
Mícrosoft Wíndows 마이크로소프트 윈도스《미

국 Microsoft사의 컴퓨터 운영 체제)

mi·cro·some [máikrəsòum] *n.* 〖생물〗 마이크로솜 《세포질 속의 미립체》 **mì·cro·sóm·al** *a.*

mi·cro·spec·tro·pho·tom·e·ter [màikrouspèktrəfoutɑ́mətər | -tɔ́m-] *n.* 〖광학〗 현미[미소] 분광 광도계

mi·cro·spec·tro·scope [-spéktrəskòup] *n.* 〖광학〗 현미 분광기(分光器)

mi·cro·sphere [máikrousfìər] *n.* **1** 〖생물〗 마이크로스피어 《중심 소체(小體)를 둘러싼 투명한 부위》 **2** 미소 구체(球體) **mì·cro·sphér·i·cal** *a.*

mi·cro·spore [-spɔ̀:r] *n.* 〖식물〗 소포자(小胞子), 작은 홀씨 **mì·cro·spó·rous** *a.*

mi·cro·state [-stèit] *n.* 미소(微小)국가 《특히 최근에 독립한 아시아·아프리카의 소국》

mi·cro·struc·ture [-strʌ̀ktʃər] *n.* 미세 구조 《현미경을 사용하지 않으면 보이지 않는 생물·금속·광물 등의 구조》

mi·cro·stud·y [-stʌ̀di] *n.* Ⓤ 극소 부분의 연구, 특수 연구

mi·cro·sur·ger·y [-sɔ̀:rdʒəri] *n.* Ⓤ 〖의학〗 현미 외과[수술] **mì·cro·súr·gi·cal** *a.*

mi·cro·switch [-swìtʃ] *n.* 마이크로 스위치 《자동 제어 장치의 고감도 스위치》

mi·cro·teach·ing [-tì:tʃiŋ] *n.* Ⓤ 〖교육〗 마이크로 티칭 《교직 실습생이 수명의 학생을 5-20분간 가르치고 이를 녹화하여 나중에 평가함》

mi·cro·tech·nic [-tèknik], **mi·cro·tech·nique** [màikroutekní:k] *n.* 마이크로 기술 《광학[전자] 현미경을 이용, 조작하는 기술》

mi·cro·tech·nol·o·gy [màikrouteknɑ́lədʒi | -nɔ́l-] *n.* Ⓤ 마이크로 공학 《초소형 전자 공학(microelectronics)을 사용하는 기술》

mi·cro·tek·tite [-téktait] *n.* 〖항해〗 미소 텍타이트 《해저 침전물 중의 우주진(塵)의 일종》

mi·cro·text [máikroutèkst] *n.* 마이크로텍스트 《microform으로 만들어 놓은 텍스트》

mi·cro·tex·ture [-tèkstʃər] *n.* (암석·금속 등의) 미소 구조 **mì·cro·téx·tur·al** *a.*

mi·cro·tome [máikrətòum] *n.* 마이크로톰 《검경용의 박편(薄片) 절단기》 **mì·cro·tóm·ic, -i·cal** *a.*

mi·cro·tone [máikroutòun] *n.* 〖음악〗 미(微)분음 《반음보다 작은 음정; 특히 4분음》 **mì·cro·tón·al** *a.*

mi·cro·trans·mit·ter [-trænsmìtər] *n.* (추적 등에 쓰는) 초소형 전자 송신기

mi·cro·tu·bule [màikroutjú:bju:l] *n.* 〖생물〗 (세포 내의) 미소관(微小管) **mì·cro·tú·bu·lar** *a.*

mi·cro·vas·cu·lar [-vǽskjulər] *a.* 〖해부〗 미세 혈관의[에 관한]

mi·cro·vil·lus [-víləs] *n.* (*pl.* **-li** [-lai]) 〖생물〗 미세 융모(絨毛) 《동물 세포 표면에 있는 세포질의 가는 털 모양의 돌기》 **-víl·lar, -víl·lous** *a.*

mi·cro·volt [máikrouvòult] *n.* 〖전기〗 100만분의 1볼트 《기호 μV》

mi·cro·watt [-wɑ̀t | -wɔ̀t] *n.* 〖전기〗 100만분의 1와트 《기호 μW》

mi·cro·wave [-wèiv] *n.* **1** 〖통신〗 극초단파, 마이크로파(波) 《파장 1mm-1m》 **2** = MICROWAVE OVEN
— *a.* Ⓐ 마이크로파의: a ~ detector 마이크로파 검출기 — *vt., vi.* 전자 레인지로 조리[가열]하다

mícrowave òven 전자 레인지

mícrowave sìckness 〖병리〗 극초단파병 《극초단파를 항상 몸에 쬠으로써 생기는 순환기계·중추 신경계 등의 장애》

mi·cro·world [-wɔ̀:rld] *n.* (현미경 하의) 미소한 세계

mi·cro·writ·er [-ràitər] *n.* (휴대용) 소형 워드프로세서

mi·cro·zyme [-zàim] *n.* 발효(醱酵) 미생물

mi·crur·gy [máikrə:rdʒi] *n.* **1** Ⓤ 현미 조작(법) **2** 〖생물·의학〗 현미 해부

mic·tu·rate [míktʃurèit] *vi.* 배뇨하다(urinate)

mic·tu·ri·tion [mìktʃuríʃən] *n.* Ⓤ 〖생리〗 배뇨(排尿)

*__mid__[1] [míd] *a.* **1** 중앙의, 중간의, 중부의, 가운데의, 중… **2** 〖음성〗 중모음의 **3** 〈색이〉 중간의 ★ 현재는 주로 복합어에 쓰이며, 그 이외는 middle을 씀: ~ October 10월 중순 ***in ~ air*** 중천에, 공중에 ▷ míddle *n.*

mid[2], **'mid** *prep.* 《시어》 = AMID

mid- [míd] 《연결형》 「중간의, 중앙의, 중간 부분의」의 뜻: *mid*-June

mid. middle; midshipman

mid·af·ter·noon [mídæftərnú:n, -ɑ̀:f-] *n.* Ⓤ, *a.* 오후 중반(의) 《3-4 P.M. 전후》

mid·air [midέər] *n.* Ⓤ 공중, 중천: a ~ collision 공중 충돌 / a balloon suspended in ~ 공중에 머물러 있는 기구

Mid·a·mer·i·ca [mìdəmérikə] *n.* 미국 중서부 (Midwest)

Mi·das [máidəs | -dæs, -dəs] *n.* **1** 〖그리스신화〗 미다스 《손에 닿는 것을 모두 금으로 변하게 한 Phrygia의 왕》 **2** 큰 부자 ***the ~ touch*** 돈버는 재주

MIDAS [máidəs] 〖미군〗 Missile Defense Alarm System 미사일 방어 경보 시스템

mid-At·lan·tic [mídətlǽntik] *a.* 〈영어가〉 영어와 미어의 중간적 성격의

mid·band [mídbæ̀nd] *n.* 〖전자〗 중간 주파대

mid·brain [mídbrèin] *n.* 〖해부〗 중뇌(中腦)

mid·course [mídkɔ̀:rs] 〖우주과학〗 *a.* Ⓐ 코스의 중간점의; (로켓의) 중간 궤도의
— *n.* 코스의 중간점; (로켓의) 중간 궤도

mídcourse corréction (로켓 등의) 중간 궤도 수정

mid·cult [mídkʌ̀lt] *n.* **1** [*mid*dlebrow *cult*ure] [보통 **M~**] 《구어》 중류 문화 《고급 문화와 대중 문화 사이》 **2** [*mid*dle-class *cult*ure] 중류 사회 문화

*__mid·day__ [míddèi, ∠∠] *n.* Ⓤ 정오, 한낮(noon): at ~ 정오에
— *a.* Ⓐ 정오의, 한낮의: a ~ nap 낮잠

mid·den [mídn] *n.* **1** 《영》 쓰레기 더미; 똥 무더기 (dunghill) **2** 〖고고학〗 조개무지, 패총(貝塚)

***__mid·dle__ [mídl] *a.* **1** 한가운데의, 중앙의, 중간의: the ~ point of a line 선의 중점 **2** 중위(中位)의, 중등의, 중류의, 평균의: of ~ size 중간 치수[크기]의 **3** [**M~**] 〖역사〗 중기(中期)의, 중세의
— *n.* **1** [the ~] 중앙; 중부; (행위 등의) 중도, 한창 때: in *the* ~ of (the) night 한밤중에

> 유의어 **middle** 점이나 부분 또는 시간이 각각의 변이나 끝에서 등거리에 있는 것을 말한다: the *middle* of the room 방의 한가운데 **center** 원이나 공 등의 중심점을 나타내는 데에 쓰이는 경우가 많다: the *center* of a circle 원의 중심

2 [the ~, one's ~] 《구어》 (인체의) 몸통, 동체, 허리 **3** [the ~] 중간물, 매개자, 중재자 **4** 〖스포츠〗 (전열의) 중앙; 〖야구〗 2루와 유격수 사이 **5** [the ~] 중도(中道) **6** 〖논리〗 중명사(中名辭) ***down the ~*** 한복판에; 반반으로, 둘로 (갈라져)(in half) ***in the ~ of*** …의 도중에; …의 한복판에, …의 중앙에: *in the ~ of* May 5월 중순에 ***the ~ of nowhere*** 《구어》 외딴 곳, 벽지
— *vt.* **1** 한복판[중앙, 중간]에 놓다 **2** 〖축구〗 〈공을〉 라이트[레프트] 윙에서 전위(forward)의 중앙으로 차서 보내다

míddle áge 중년 《보통 40-60세》

mid·dle-age(d) [mídléidʒ(d)] *a.* 중년의; 중년다운, 중년에 어울리는

míddle-àged spréad 중년에 살찌기[배가 나오기]

Míddle Áges [the ~] 〖역사〗 중세(中世)

Míddle América 1 중부 아메리카 《멕시코와 Central America와, 보통은 서인도 제도도 포함》 **2** 미국 중서부 **3** 미국의 중산 계급

Míddle(-)Américan *a.*

Míddle Américan 중부 아메리카의 사람
míddle árticle 《영》 (신문·주간지 등의) 문학적 수필 《사설과 서평(書評)의 중간에 게재되는》
Míddle Atlántic Státes [the ~] 미국 중부 대서양 연안의 여러 주
mid·dle·break·er [-brèikər] *n.* = LISTER[2]
mid·dle·brow [-bràu] *a.*, *n.* 《구어》 지식[교양]이 중간쯤 되는 (사람)(cf. HIGHBROW, LOWBROW)
míddle C 〖음악〗 (건반) 중앙 「다」음
míddle cláss **1** [the ~(es); 집합적] 중류 계급(의 사람들), 중산층(cf. UNDERCLASS): the upper [lower] ~ 상위[하위] 중산층 **2** 중급, 중등
***mid·dle-class** [mídlklǽs | -klɑ́:s] *a.* 중류[중산] 계급의; 《경멸》 소시민적인: ~ taste[morality] 중산 계급적인 취미[도덕] **~·ness** *n.*
míddle cóurse [the ~] 중도(中道), 중용(中庸)
míddle dístance **1** [the ~] 〖미술〗 중경(中景) (cf. BACKGROUND, FOREGROUND) **2** 〖경기〗 중거리 《보통 400-1,500m 경주》
mid·dle-dis·tance [-dístəns] *a.* 〖미술〗 중경(中景)의; 〖경기〗 중거리 경주 (선수)의
míddle dístillate 중간 유분(溜分) 《등유나 경유》
Míddle Dútch 중세[중기] 네덜란드 말 《略 MD》
míddle éar [종종 the ~] 〖해부〗 중이(中耳)
mid·dle-earth [-ɔ́:rθ] *n.* 《시어》 (천국과 지옥 사이의) 이승, 지구
***Míddle Éast** [the ~] 중동(中東) 《리비아에서 아프가니스탄에 이르는 지역; cf. NEAR EAST》
Míddle Éastern *a.* 중동의
Míddle Émpire [the ~] = MIDDLE KINGDOM
Míddle Éngland (보수적인) 영국 중산층
Míddle Énglish 중기 영어 《약 1,100-1,500년경; 略 ME》
Mid·dle-Eu·ro·pe·an [-juərəpí:ən, -jə:r- | -juər-] *a.* 중부 유럽[유럽인]의
míddle fínger 가운뎃손가락, 중지(中指)
Míddle Flémish 중기 플랑드르 말 《14-16세기경》
Míddle Frénch 중기 프랑스어 《14-16세기경; 略 MF》
míddle gàme (체스 등 board game의) 중반전
Míddle Gréek = MEDIEVAL GREEK
míddle gróund **1** [the ~] = MIDDLE DISTANCE 1 **2** 중용, 중도 **3** (하천의) 중주(中州)
mid·dle-ground·er [-gràundər] *n.* 중용을 지키는 사람, 중도파
míddle guárd 〖미식축구〗 미들 가드, 중앙 수비수
Míddle Hígh Gérman 중세[중기] 고지 독일어 《11-15세기경; 略 MHG》
Míddle Kíngdom [the ~] **1** (고대 이집트의) 중기 왕국(Middle Empire) **2** 《옛》 중국, 중화(中華)
Míddle Látin = MEDIEVAL LATIN
míddle lèg 《비어》 음경
mid·dle-lev·el [-lèvəl] *a.* 중위의, 중간에 위치하는
míddle lífe **1** 중년(middle age) **2** 《영》 중류 생활
Míddle Lów Gérman 중기 저지 독일어 《11-15세기경; 略 MLG》
mid·dle·man [-mæ̀n] *n.* (*pl.* **-men**[-mèn]) **1** 중간[도매] 상인, 중매인(仲買人), 브로커 **2** 중용을 취하는 사람 **3** 중개자, 매개자 **4** 《미》 〖야구〗 중간 계투
míddle mánagement 중간 관리(직)
míddle mánager 중간 관리자
mid·dle·most [-mòust] *a.* Ⓐ 한복판의, 한가운데의(midmost)
***míddle nàme** **1** 중간 이름 《보기: John Fitzgerald Kennedy의 Fitzgerald》 **2** [one's ~] 《구어》 (사람의) 두드러진 특징[성격]: Obstinacy is *her* ~. 그녀의 고집이란 말도 못한다.
mid·dle-of-the-road [-əvðəróud] *a.* Ⓐ 〈정책·정치가 등이〉 중도(中道)의, 중용의, 온건한; 무난한, 대중적인 《略 MOR》 **~·er** *n.* 중도파[중간 노선]의 사람
Míddle Paleolíthic 〖고고학〗 중기 석기 시대
míddle pássage [종종 **M- P-**] [the ~] 〖역사〗 (아프리카 서해안과 서인도 제도 사이의) 중간 항로
Míddle Páth [the ~] 〖불교〗 (쾌락과 금욕의 양 극단에 치우치지 않는) 중도(中道)
míddle póint 〖수학〗 중점
mid·dle-rank·ing [-ræ̀ŋkiŋ] *a.* Ⓐ 중견(中堅)의
míddle relíef pítcher 〖야구〗 중간 계투 투수
mid·dle-road·er [-róudər] *n.* = MIDDLE-OF-THE-ROADER
mid·dl·es·cence [mìdəlésəns] *n.* (사람의) 중년기 **-és·cent** *a.*
míddle schòol 중학교(junior high school)
Mid·dle·sex [mídlsèks] *n.* 미들섹스 《잉글랜드 남동부의 옛 주; 1965년 Greater London에 편입》
mid·dle-sized [-sàizd] *a.* 중형(中型)의
Míddle Státes [the ~] = MIDDLE ATLANTIC STATES
míddle térm 〖논리〗 (3단 논법의) 중명사(中名辭); 〖수학〗 중항
mid·dle·ware [-wɛ̀ər] *n.* 〖컴퓨터〗 미들웨어 《제어 프로그램과 응용 프로그램의 중간적 기능을 가진 소프트웨어》
míddle wátch [the ~] 〖항해〗 야간 당직 《오전 0시부터 4시까지》
Míddle Wáy = MIDDLE PATH
mid·dle·weight [-wèit] *n.* **1** 〖권투·레슬링〗 미들급 (선수) **2** 평균 체중을 가진 사람
— *a.* Ⓐ **1** 평균 체중의 **2** 〖권투·레슬링〗 미들급의
Míddle Wést [the ~] 《미》 중서부 지방 《애팔래치아 산맥의 서쪽, 로키 산맥의 동쪽, Ohio 강·Missouri·Kansas 주 이북의 지역》
Míddle Wéstern *a.* 《미》 중서부의
Míddle Wésterner 《미》 중서부의 주민
mid·dling [mídliŋ] *a.* **1** 중간치의, 중등의, 보통의; 2류의 **2** Ⓟ 《구어》 건강 상태가 그만그만한, 웬만큼 건강한 — *ad.* 《구어》 중간으로, 웬만큼, 제법
— *n.* [보통 *pl.*] 〖상업〗 **1** 중등품, 2급품 **2** (밀기울이 섞인) 거친 밀가루 **3** [종종 *pl.*] 《미중남부》 소금에 절인 돼지고기(= ~ **mèat**) ***fair to ~*** ⇨ fair[1] *a.*
Middx. Middlesex
mid·dy [mídi] *n.* (*pl.* **-dies**) 《구어》 **1** = MIDSHIPMAN **2** = MIDDY BLOUSE
míddy blòuse 세일러복형의 블라우스
Mid·east [mìdí:st] *n.* [the ~] = MIDDLE EAST
Mid·east·ern [mìdí:stərn] *a.* 중동의
mid-en·gined [mìdéndʒind] *a.* (차체의) 중앙부 [운전석 바로 뒤]에 엔진이 달린
mid-Eu·ro·pe·an [mídjùərəpí:ən] *a.* 중부 유럽의
mid·field [mídfi:ld] *n.* (축구 경기장 등의) 중앙부, 미드필드 **~·er** *n.*
Mid·gard [mídgɑ:rd] *n.* 〖북유럽신화〗 인간 세계
midge [mídʒ] *n.* **1** (모기·각다귀 등의) 작은 날벌레 **2** 난쟁이, 꼬마
midg·et [mídʒit] *a.* Ⓐ 소형의, 극소형의; 《미》 〈스포츠가〉 어린이용의: a ~ lamp 꼬마 전등 / a ~ submarine 소형 잠수함 — *n.* **1** 난쟁이, 꼬마 **2** 극소형의 물건 《자동차·잠수함 등》
mid·gut [mídgʌ̀t] *n.* 〖생물〗 중장(中腸)
mid·heav·en [mídhèvn] *n.* Ⓤ 중공(中空), 중천(中天)
mid·i [mídi] *n.* 중간 길이의 스커트[드레스, 코트 등], 미디 — *a.* Ⓐ 미디의
Mi·di [mi:dí:] [F] *n.* 남프랑스; 남부
MIDI [mídi] [*m*usical *i*nstrument *d*igital *i*nterface] *n.* 〖음악〗 미디 《전자 악기를 컴퓨터로 제어하기 위한 인터페이스》
midi- [mídi] 《연결형》 「중형의」의 뜻: *midi*carrier
mid·i·bus [mídibʌ̀s] *n.* 25인승의 소형 버스
mid·i·coat [-kòut] *n.* 미디코트
mid·i·nette [mìdənét] [F] *n.* (파리의) 여자 점원
mid·i·ron [mídàiərn] *n.* 〖골프〗 미드아이언 《2번 아이언》

mid·i·skirt [mídiskə̀:rt] *n.* 미디스커트(midi)
mídi sỳstem 미디 시스템 ((mini system보다 좀 큰 콤팩트 오디오 시스템))
MidL, Midl. Midlothian
****mid·land** [mídlənd] *n.* **1 a** [보통 the ~] 중부 지방, 내륙부 **b** [the M~s] 잉글랜드 중부 지방 **c** [the M~] 미국 중부 지방 **2** [**M~**] =MIDLAND DIALECT
— *a.* Ⓐ **1** 중부[내륙] 지방의 **2** [**M~**] **a** 잉글랜드 중부 지방의; 미국 중부 지방의 **b** 중부 방언의
Mídland díalect [the ~] **1** 잉글랜드 중부 방언 **2** 미국 중부 방언
Mídland séa [the ~] ((시어)) 지중해
mid·leg [mídlèg] *n.* 다리의 중앙부; 곤충의 가운뎃다리 **—** *ad.* [⌐⌐] 다리의 중앙부까지
Míd-Lent Súnday [mídlènt-] 〚그리스도교〛 사순절(Lent)의 넷째 일요일
mid-lev·el [mídlèvəl] *a.* 중위의(middle-level)
mid-life [mídláif] *n., a.* 중년(의)
mídlife crísis 중년의 위기 ((청년기가 지나서 목적과 자신감의 상실))
mid·line [mídlàin] *n.* (신체 등의) 정중선(正中線)
Mid·lo·thi·an [midlóuðiən] *n.* 미들로디언 ((스코틀랜드의 옛 주))
mid-mash·ie [mídmæ̀ʃi] *n.* 〚골프〛 미드 매시 ((3번 아이언))
mid·morn·ing [mídmɔ́:rniŋ] *n.* Ⓤ 오전의 중반, 아침나절 ((9, 10시경)) **—** *a., ad.* 오전의 중반의[에]
mid·most [mídmòust] *a.* Ⓐ **1** 한복판의; 중심부에 가장 가까운 **2** 극비의 **—** *ad.* 중심부에, 한복판에
— *n.* 중심부, 한복판
midn. midshipman
*****mid·night** [mídnàit] *n.* Ⓤ 한밤중, 야반, 자정; 암흑: at ~ 한밤중에 (***as***) ***dark*** [***black***] ***as ~*** 캄캄한
— *a.* Ⓐ **1** 한밤중의, 야반의: a ~ call 한밤중의 전화/a ~ matinée 심야 흥행 **2** 캄캄한, 칠흑 같은
burn the ~ oil ⇨ oil. **~·ly** *ad., a.*
mídnight blúe 암청색
mídnight féast (기숙사 학생 등이) 심야에 몰래 먹는 음식
mídnight sún [the ~] 〚기상〛 (극권 내에서 한여름에 볼 수 있는) 한밤중의 태양
mid·noon [mídnú:n] *n.* Ⓤ 정오, 한낮
míd-o·cean rídge [mídòuʃən-] 〚지질〛 중앙 해령(海嶺)
míd óff 〚크리켓〛 투수의 왼쪽에 있는 야수(의 위치)
míd ón 〚크리켓〛 투수의 오른쪽에 있는 야수(의 위치)
mid·point [mídpɔ̀int] *n.* (선·공간의) 중심점, 중앙; (시간·활동의) 중간(점)
mid-range [mídrèindʒ] *a.* Ⓐ, *n.* 중 정도의[평균적인](것); (오디오의) 중음(의); 〚통계〛 중간 범위
mid·rib [mídrìb] *n.* 〚식물〛 (잎의) 주맥(主脈)
mid·riff [mídrif] *n., a.* **1** 〚해부〛 횡격막(diaphragm)(의) **2** ((구어)) 동체의 중간부(의) **3** ((미)) 미드리프(의) ((몸통 중앙부가 드러나보이는 여성복))
mid·rise [mídràiz] *a.* 〈빌딩이〉 중층(中層)의
— *n.* (5-10층의) 중층 빌딩
mid·road [mídròud] *a.* 중도의, 중립의
mid·sec·tion [mídsèkʃən] *n.* 중간부; 동체의 중간부(midriff)
mid·se·mes·ter [mídsiméstər] *n., a.* ((미)) 학기 중간(의)
mid·ship [mídʃìp] *n.* [the ~] 배의 중앙부
— *a.* Ⓐ 배의 중앙부의
mid·ship·man [mídʃìpmən, ⌐⌐⌐] *n.* (*pl.* **-men** [-mən]) **1** ((미)) 해군 사관 학교 생도 **2** ((영)) 해군 사관 후보생
mid·ships [mídʃìps] *ad.* =AMIDSHIPS
mid·size [mídsàiz] *a.* 중형의 **—** *n.* 중형차
****midst** [mídst] *n.* [보통 the ~, one's ~] ((문어)) 중앙, 한복판, 한가운데 ***from*** [***out of***] ***the ~ of*** …의 한가운데로부터 ***in the ~ of us*** [***you, them***] = ***in our*** [***your, their***] ***~*** 우리들[너희들, 그들] 가운데에 ***in***(***to***) ***the ~ of*** …의 가운데에[로]
— *prep.* ((시어)) =AMIDST
— *ad.* 가운데에 ***first, ~, and last*** 시종 일관
mid·stream [mídstrí:m] *n.* Ⓤ **1** 흐름의 한가운데; 중류(中流) **2** (일의) 도중; (기간의) 중간쯤: the ~ of life 인생의 절반께
— *a., ad.* 흐름의 중간쯤의[에서], 중도의[에서]: a ~ entry ((미)) (선거에서) 중간에 출마하기
****mid·sum·mer** [mídsʌ́mər] *n.* Ⓤ 한여름, 복중(伏中), 성하(盛夏); 하지(夏至) 무렵
— *a.* Ⓐ 한여름의 ***A M~ Night's Dream*** 「한여름 밤의 꿈」 ((Shakespeare 작 희극))
Mídsummer Dáy, Mídsummer's Dáy ((영)) 세례 요한 축일 ((6월 24일; St. John's Day라고도 함; quarter day의 하나))
Mídsummer Éve[**Níght**] ((영)) Midsummer Day의 전야(前夜)
mídsummer mádness 극도의 광란
mid·teen [mídtí:n] *a.* (15-17세의) 10대 중반의
— *n.* **1** 10대 중반의 청소년 **2** [*pl.*] 13부터 19정도의 수[양, 나이]
mid·term [mídtə̀:rm] *a.* Ⓐ (학기·임기 등의) 중간의: a ~ exam 중간고사(⇨ examination 관련)
— *n.* **1** Ⓤ (학기·임기 등의) 중간(기) **2** [종종 *pl.*] ((미·구어)) (대학 등의) 중간고사
mídterm eléction ((미)) 중간 선거(off-year election) ((대통령 임기 중간에 실시되는 선거로 상원의원 3분의 1, 하원의원 전부, 주지사 일부를 다시 선출함))
mid·town [mídtàun] *n.* ((미)) (상업 지구와 주택 지구의) 중간 지구 **—** *a.* Ⓐ 중간 지구의
— [⌐⌐] *ad.* 중간 지구에[에서, 로]
mid-Vic·to·ri·an [mídviktɔ́:riən] *a.* **1** 빅토리아 왕조 중기의 **2** 구식의; 근엄한 **—** *n.* **1** 빅토리아 왕조 중기의 사람 **2** 구식인[근엄한] 사람
****mid·way** [mídwéi] *ad.* 중도(中途)에, 중간쯤에
— *a.* Ⓐ 중도의, 중간쯤의: the ~ point in a trip 여행의 중간 지점
— [⌐⌐] *n.* **1** ((미)) (박람회 등의) 오락장[여흥장] 거리 **2** ((미·속어)) 복도, 통로
Mídway Íslands [the ~] 미드웨이 제도 ((Hawaii의 북서쪽에 있음; 미국령))
mid·week [mídwì:k] *n.* **1** Ⓤ 주의 중간쯤 **2** [**M~**] (퀘이커교도 사이에서의) 수요일
— *a.* Ⓐ 주의 중간쯤의 **~·ly** *a., ad.*
Mid·west [mídwést] *n.* [the ~] ((미)) =MIDDLE WEST
Mid·west·ern [mídwéstərn] *a.* ((미)) 중서부의
~·er *n.*
mid·wife [mídwàif] [OE 「여자와 함께」의 뜻에서] *n.* (*pl.* **-wives** [-wàivz]) **1** 조산사, 산파 **2** (일의 성사를 돕는) 산파역 **—** *vt.* **1** …의 출산을 돕다 **2** ((비유)) 〈새로운 일의〉 산출[창출]을 돕다, 산파역을 맡다
mid·wife·ry [mídwìfəri, mídwàifəri | mídwìfəri] *n.* Ⓤ 조산술, 산파술; ((고어)) 산과학(産科學)
****mid·win·ter** [mídwíntər] *n.* Ⓤ **1** 한겨울, 엄동 **2** 동지 무렵
— *a.* Ⓐ 한겨울의[같은]
mid·year [mídjìər] *a.* Ⓐ 1년의 중간쯤의; 학년 중간의 **—** *n.* **1** Ⓤ 1년의 중간쯤; 학년의 중간 **2** [*pl.*] ((미·구어)) 중간고사(⇨ examination 관련)
mien [mí:n] *n.* ((문어)) 풍채, 모습; 태도, 거동
miff [míf] [의성어] ((구어)) *n.* [a ~] 부질없는 싸움, 승강이; 불끈 화를 냄: get[have, take] *a* ~ 욱하다, 발끈하다 ***in a ~*** 불끈 화를 내어
— *vt.* 발끈하게 하다 **—** *vi.* 발끈하다 ((*at, with*))
miffed [míft] *a.* ((구어)) 발끈한, 화가 난
miff·y [mífi] *a.* (**miff·i·er**; **-i·est**) ((구어)) 화난; 화를 잘 내는
MI5 Military Intelligence, Section 5 ((영)) 군사 정보부 제5부 ((국내·영연방 담당; cf. MI6))

mig, migg [míg] *n.* 《방언》 **1** 공기돌의 일종 **2** [*pl.*; 단수 취급] 공기놀이
Mig, MiG, MIG [míg] [두 설계자 *Mi*koyan (and) *G*urevich에서] *n.* 미그 《구 소련제 제트기》
mig·gle [mígl] *n.* =MIG
‡might¹ ⇨ might (p. 1593)
‡might² [máit] *n.* Ⓤ 힘, 세력, 권력, 실력(⇨ power 유의어); 완력; 우세: The ~ of that athlete is impressive. 그 선수의 힘은 인상적이다. / *M*~ is right. 《속담》 힘이 정의이다. ***by* ~** 완력으로 ***with all one's* ~** =(***with***) **~ *and main*** 힘껏, 전력을 다하여 **~·less** *a.* ▷ míghty *a.*
might-have-been [máitəvbìn] *n.* 그렇게 되었을지도 모를 일, 더 훌륭[유명]해졌을는지도 모를 사람
might·i·ly [máitəli] *ad.* **1** 강하게, 맹렬히, 힘차게 **2** 《구어》 대단히(very): be ~ important 매우 중요하다 / desire something ~ 무엇인가를 강렬히 원하다
might·i·ness [máitinis] *n.* **1** Ⓤ 강력, 강대, 위대 **2** [**M**~] 《호칭》 각하, 전하 ***His High M~*** 《반어》 각하 《거만한 사람을 가리켜》
mightn't [máitnt] 《구어》 might not의 단축형
‡might·y [máiti] *a.* (**might·i·er**; **-i·est**) **1** 강력한, 힘센, 강대한; 거대한; 중대한: a ~ wind 강풍 / ~ works 〖성서〗 기적(miracles) **2** 《구어》 굉장한, 대단한(great): a ~ hit 대히트, 대성공
high and* ~** 대단히 거만한 ***make a* ~ *bother 몹시 귀찮은[난처한] 일을 저지르다
— *ad.* 《구어》 몹시, 대단히(mightily): It is ~ easy. 무척 쉽다. ▷ míght *n.*
mig·ma·tite [mígmətàit] *n.* (*pl.* ~(**s**)) 〖지질〗 혼성암, 미그마타이트
mi·gnon [minjɑ́n | mínjɔn] [F =little] *a.* 작고 예쁘장한[귀여운]
mi·gnon·ette [mìnjənét] *n.* ⓊⒸ **1** 〖식물〗 목서초(木犀草); 회록색(gray green) **2** 미뇨네트 《가는 실로 뜬 프랑스 레이스의 일종》 — *a.* 회록색의
mi·graine [máigrein | mí:-] [F] *n.* ⓊⒸ 편두통
mi·grain·eur [máigreinər | mí:-] [F] *n.* 편두통 환자
mi·grant [máigrənt] *a.* 이주(移住)하는; 《특히》 〈새가〉 이주성의: ~ birds 철새
— *n.* **1** 이주자; 계절 (농장) 노동자 **2** 철새, 후조
mígrant wórker 계절 노동자
‡mi·grate [máigreit, ─́] [L 「장소를 바꾸다」의 뜻에서] *vi.* **1** 이주하다 (*from*; *to*): ~ *from* the Northern *to* the Southern States 북부 주에서 남부 주로 이주하다

> 유의어 **migrate** 사람·동물이 한 지방에서 다른 지방으로 이주하다 **emigrate** 사람이 타국으로 이주하다: They *emigrated* from Korea to Brazil. 그들은 한국에서 브라질로 이민갔다. **immigrate** 사람이 타국에서 이주해오다: *immigrate* to South America 남미로 이민 오다

2 〈새·짐승·물고기가〉 철따라 정기적으로 이주하다: (~+전+명) Some birds ~ *to* warmer countries in (the) winter. 어떤 새들은 겨울에는 따뜻한 지방으로 이주한다. **3** (계절마다 일을 구해) 이동하다 **4** (시스템·조작 방법·기획 등을) 새로 바꾸다
mi·grat·ing [máigreitiŋ] *a.* 이주하는, 이동하는: a ~ balloon 자유 기구(氣球)
‡mi·gra·tion [maigréiʃən] *n.* **1** ⓊⒸ 이주, 이동; 이사; 〈새 등이〉 철따라 이주함: the right of ~ 이주권 / seasonal ~ (사람·동물의) 계절에 따른 이주[이동] **2** [집합적] 이주자군(群), 이동하는 새·동물의 떼
~·al *a.* ▷ mígrate *v.*
mi·gra·tive [máigrətiv] *a.* =MIGRATORY
mi·gra·tor [máigreitər] *n.* 이주자; 철새, 후조(候鳥)
mi·gra·to·ry [máigrətɔ̀:ri | -təri] *a.* **1** 이주하는, 이주성의: a ~ bird 철새 **2** 방랑벽이 있는

mi·ka·do [mikɑ́:dou | -dəu] [Jap.] *n.* (*pl.* **-dos**) 미카도 《옛 일본 천황에 대한 칭호》
***mike¹** [máik] 《구어》 *n.* **1** 마이크(microphone): a ~-side account 실황 방송 **2** 현미경(microscope); 마이크로그램(microgram); 미측계(micrometer)
— *vt.* …에 마이크를 쓰다, 〈사람에게〉 마이크를 주다[쓰게 하다, 달다]; 미측계로 재다
— *vi.* 마이크를 쓰다
mike² 《영·속어》 *vi.* 게으름 피우다, 빈둥거리다
— *n.* 게으름, 빈둥거림 ***make a* ~** 《영·속어》 빈둥거리다, 농땡이 부리다 ***on the* ~** 《영·속어》 빈둥빈둥
Mike [máik] *n.* 남자 이름 《Michael의 애칭》
Míke Fínk 마이크 핑크(1770?-1823) 《미국의 서부 개척자, 전설적 영웅》
míke fright 《구어》 마이크 공포증
mil [míl] [L 「천」의 뜻에서] *n.* **1** =MILLILITER **2** 밀 《전선의 지름을 재는 단위; 1,000분의 1인치》 **3** 《속어》 100만 달러
mil. mileage; military; militia; million
mi·la·dy, -di [miléidi] *n.* (*pl.* **-dies**; **~s**) **1** [종종 **M**~] 마님, 아씨, 부인(cf. MILORD) 《유럽 사람이 영국 귀부인에 대해 쓰던 호칭》 **2** 《미》 상류층 여성
mil·age [máilidʒ] *n.* =MILEAGE
mi·lah [milɑ́:] *n.* 〖유대교〗 할례(circumcision)
Mi·lan [milǽn, -lɑ́:n | -lǽn] *n.* 밀라노 《이탈리아 북부 Lombardy의 주도(州都)》
Mil·a·nese [mìləní:z, -ní:s | -ní:z] *a.* 밀라노(사람[방언])의 — *n.* (*pl.* ~) **1** 밀라노 사람 **2** Ⓤ 밀라노 방언 **3** [**m**~] 밀라니즈 《명주·나일론의 일종의 메리야스 직물》
milch [míltʃ] *a.* Ⓐ 〈가축 등이〉 젖이 나는
mílch còw **1** 젖소 **2** 《구어》 돈 벌어 주는 사람, 돈줄, 달러 박스
mílch glàss 젖빛 유리
***mild** [máild] *a.* **1** 〈성질·태도가〉 온후한, 온화한, 상냥한, 얌전한 (*of*, *in*): (as) ~ as a lamb[a dove, May, milk] 매우 온화한 / a ~ voice 부드러운 목소리 **2** 관대한, 너그러운, 〈정도가〉 가벼운: a ~ punishment 가벼운 벌 / a ~ case 경증(輕症) **3** 〈기후 등이〉 온화한, 따뜻한, 포근한: a ~ winter 포근한 겨울 **4** 〈음식·담배 등이〉 자극성이 적은, 순한, 부드러운, 단맛이 도는: a ~ cigarette 순한 담배 **5** 〈약이〉 효과가 느린, 자극성이 적은 ***draw it* ~** 《구어》 조심스럽게[부드럽게] 말하다
— *n.* 《영》 =MILD ALE **~·ness** *n.*
míld àle 마일드 에일 《씁쓸한 맛이 적고 부드러운 맥주》
mild-and-bit·ter [máildnbítər] *n.* Ⓤ 《영》 단맛 쓴맛이 반반 섞인 맥주
mild-cured [-kjúərd] *a.* 〈베이컨·햄 등이〉 소금을 덜 친
mild·en [máildən] *vt.*, *vi.* 온화하게 하다[되다]
mil·dew [míldjù: | -djù:] *n.* Ⓤ **1** 흰곰팡이 **2** 〖식물〗 흰가루병; 버짐병 — *vi.*, *vt.* 흰곰팡이가 피다[피게 하다]; 흰가루병에 걸리다[걸리게 하다]
míl·dew·y, míl·dewed *a.* 흰곰팡이가 난
***mild·ly** [máildli] *ad.* **1** 온화하게, 부드럽게, 상냥하게; 조심스럽게 **2** 다소, 약간 ***to put it* ~** 조심스럽게[삼가서] 말하면
mild-man·nered [máildmǽnərd | ─́─] *a.* 태도가 부드러운[온후한]
Mil·dred [míldrəd] *n.* 여자 이름
míld stéel 연강(軟鋼)(soft steel)
‡mile [máil] [L 「1000보」의 뜻에서] *n.* **1** 마일 《약 1.609 km》; =NAUTICAL MILE: cover[do, make] four ~*s* in an hour 한 시간에 4마일 가다[걷다]

thesaurus **mighty** *a.* **1** 힘센 forceful, powerful, strong, tough, vigorous, potent, robust, sturdy, muscular, lusty (opp. *feeble*) **2** 거대한 huge, massive, enormous, vast, gigantic (opp. *tiny*)
migrate *v.* emigrate, move, resettle, relocate, go

might

might는 조동사 may의 과거형이다. 직설법에서는 보통 시제를 일치시켜서 종속절에서 쓰고, 가정법에서는 should, would, could처럼 시제·인칭에 따른 어형 변화 없이 쓴다.

⁑might [máit] *auxil. v.* may의 과거형

① …인지도 모르다	**A 1 a**; **B 1 b, c, 2 c**
② …해도 좋다; 만일 …해도 된다면	**A 1 b**; **B 1 a, 2 d**
③ …하기 위하여; …할 수 있을지도 모르다	**A 2, 3**; **B 2 b**
④ [wh. 절에서] …일까	**A 1 c**; **B 2 f**

— A [직설법에서] **1** [간접화법에서 may가 과거형으로 쓰여] **a** [불확실한 추측을 나타내어] …**할지[일지]도 모르다**: I was afraid he ~ have lost his way home. 그가 집에 오는 길을 잃어버리지나 않았나 하고 걱정했다. / I said that it ~ rain. 나는 비가 올지도 모른다고 말했다. 《I said, "It may rain."으로 고쳐 쓸 수 있음》 / You ~ be right. 네가 옳을지도 모른다. **b** [허가를 나타내어] …**해도 좋다**: I told him that he ~ go. 나는 그에게 가도 좋다고 말했다. 《I said to him, "You may go."로 바꿔 쓸 수 있음》 **c** [의문문에서 불확실의 뜻을 강조하여] (도대체) …**일까[할까]**: She asked what the price ~ be. 그녀는 대관절 가격이 얼마냐고 물었다. 《She said, "What may the price be?"로 고쳐 쓸 수 있음》
2 [목적·결과를 나타내어] [과거형의 주절의 시제의 일치에 따라 종속절의 may가 과거형으로 쓰여] …**하기 위해**, …**할 수 있도록**: Tom worked hard *so that* his mother ~ enjoy her old age. 톰은 어머니가 노후에 즐겁게 사실 수 있도록 열심히 일하였다. (cf. MAY 3)
3 [양보를 나타내어] **a** [뒤에 등위접속사 but를 동반하여] …**이었는지[하였는지] 모르지만**(cf. MAY 4): He ~ be rich *but* he was not refined. 그는 부자였는지는 몰라도 세련되지는 못하였다. **b** [양보를 나타내는 부사절에서] **비록 …하였[이었]을지라도**: Difficult as it ~ be, we managed to do it. 아무리 그것이 어려운 것일지라도 우리는 그것을 결국 해내었다.
— B [가정법에서] **1** [현재의 사실과 반대되는 가정에서] **a** [허가를 나타내어] …**해도 좋다(면)**: I would go if I ~. 가도 좋다면 가겠는데. **b** [현재의 추측을 나타내어] …**할지도 모르다**: I ~ do it if I wanted to. 하고 싶으면 할 수 있겠지만 (사실은 하지 않는다). / You ~ fail if you were lazy. 게으르면 실패할지도 모른다. **c** [might have+*p.p.*로 과거 사실에 반대되는 추측의 가정의 귀결절에] …**하였을지도 모르다**: I ~ *have come* there if I had wanted to. 가고 싶었더라면 갈 수 있었겠지만 (사실은 가지 않았다).
2 [조건절의 내용을 내포한 주절만의 문장에서; 완곡하게] **a** [가벼운 부탁·허물없는 제안을 나타내어] …**해주겠나**, …**하면 어떨까**: You ~ post this for me. 이것 좀 우체통에 넣어주겠나. 《이 용법으로 may를 쓰지 않음》 / We ~ ask him to be chairman. 그에게 의장이 되어 달라고 부탁하면 어떨까. **b** [비난·유감의 뜻을 나타내어] …**하여도 좋을 텐데**: You ~ at least apologize. 적어도 사과쯤은 해도 좋을 텐데. / I ~ have been a rich man. (마음만 먹었으면) 부자가 될 수 있었을 텐데 (그러나 이제는 늦다). **c** [may보다 약한 가능성을 나타내어] (어쩌면) …**인지도 모르다**: It ~ be true. 어쩌면 사실인지도 모른다. / Things ~ be better. 상황은 호전될지도 모른다. / It's so quiet (that) you ~ hear a pin drop. 핀이 떨어지는 소리라도 들릴 정도로 조용하다. **d** [may보다 정중한 허가를 나타내어] …**해도 좋다**: *M*~ I speak to you for a moment? 잠깐 말씀 드려도 되겠습니까? / "*M*~ I come in?" — "Yes, certainly." 들어가도 되겠습니까? — 예, 들어오세요. 《May I …?보다 정중한 표현, 독립절로는 의문문으로만 쓰이고 You might come.으로 쓰지 않음》 **e** [타당성을 일부 인정하여] …**해도 나쁜 것은 아니다**: You ~ say that. 그렇게도 말할 수 있다. **f** [의문문에서 불확실한 기분을 나타내어] (도대체) …**일까[할까]**: How old ~ she be? 그녀는 대관절 몇 살이나 될까?
as ~ be [***have been***] ***expected*** (1) [문 전체를 수식하여] 예상한 대로[바이지만], 아니나 다를까: *As ~ have been expected* he got angry with his son. 예상한 바이지만 그는 아들에게 화를 냈다. (2) 과연 …이니 만큼 《*of*》: *as ~ be expected of* a scholar 과연 학자이니 만큼
~ (*just*) *as well* do (***as …***) ⇨ well¹ *ad.*

2 [a ~ 또는 *pl.*] 먼[상당한] 거리; [부사적] 훨씬: *a ~ off* 상당히 멀리에 / I'm feeling *~s* better than yesterday. 어제보다 한결 기분이 낫다. **3** [the ~] 1마일 경주(=**~ ràce**)
be ~s away 《영·구어》 (멍하니) 생각에 잠겨 있다, 정신은 딴데 있다 ***be ~s out*** 〈계측 등이〉 엄토당토않다 ***go the extra ~*** 《미·속어》 (1) 더 한층 노력하다 (2) 전력을 다하다 ***~s and ~s*** 훨씬, 상당한 동안 ***~s from anywhere*** [***nowhere***] 멀리 떨어진 곳에서, 고립하여 ***not a hundred ~s from*** 그다지 멀지 않다 ***run a ~*** (…에서) 달아나다; (…을) 피하다, 경원하다 《*from*》 ***stand*** [***stick***] ***out a ~*** 명명백백하다; 〈사람 등이〉 두드러지게 드러나다 ***talk a ~ a minute*** 《구어》 계속 지껄여대다 ***tell*** [***see***] ***… a ~ away*** [***off***] 《구어》 금방[간단히] 알 수 있다

mile·age** [máilidʒ] *n.* Ⓤ **1** [또는 a ~] 총마일 수(數); **주행 거리**: unlimited ~ for a full week 일주일 동안의 무제한 주행 거리 **2** **연비**(燃費) 《1갤런[리터]의 휘발유로 달리는 마일수》; (일정 시간의) 마일 표시 거리 **3** (렌터카·철도 등의) 마일당 요금 **4** (의류·가구 등의) 내구성, 효율; 이익; 유효 기간 **5** = MILEAGE ALLOWANCE ***get ~ out of 《구어》 …을 이용하다, …에서 이익을 얻다

míleage allòwance 마일당 여비 수당
míleage pòint[**crèdit**] 《구어》 (항공사의) 마일리지 포인트
míleage sèrvice 마일리지 서비스 《탑승 거리에 따라 항공사가 제공하는 서비스》
míleage sùrcharge 항공 운임 할증금
míleage tìcket (마일당 일정 요금의) 회수권
míle màrker 《미·속어》 주간(州間) 간선 도로변의 마일 표지
mile·om·e·ter [mailɑ́mətər | -ɔ́m-] *n.* 《영》 (자동차의) 마일 주행 거리계(《미》 odometer)
mile·post [máilpòust] *n.* **1** (도로의) 마일표, 이정표 **2** (역사·인생 등의) 획기적인 사건
mil·er [máilər] *n.* 《구어》 1마일 경주 선수[말]
Miles [máilz] *n.* 남자 이름
Mi·le·sian [milíːʒən, -ʃən, mai- | mailíːziən] *a.* **1** 밀레토스(Miletus)의 **2** 〖철학〗 밀레토스 학파의

abroad, travel, rove, roam, wander, drift
mild *a.* **1** 온후한 tender, gentle, compassionate, meek, docile, calm, peaceful, easygoing, genial, humane, soft **2** (기후가) 온화한 soft, moderate, warm **3** (음식 등이) 순한 bland, spiceless, tasteless

—*n.* 밀레토스 사람; 밀레토스학파의 사람

*__mile·stone__ [máilstòun] *n.* **1** (돌로 된) 마일 표, **이정표**(里程標) **2** (역사·인생 등의) 획기적인 사건

milestone 1

Mi·le·tus [mailí:təs, mi-] *n.* **1** 밀레토스 《소아시아 Ionia 지방의 고대 도시》 **2** 〚그리스신화〛 밀레토스 《Apollo의 아들로 Miletus 도시의 건설자》

mil·foil [mílfɔ̀il] *n.* 〚식물〛 서양톱풀 《엉거싯과(科)》

mil·i·a [míliə] *n.* MILIUM의 복수

mil·i·ar·i·a [mìliɛ́əriə] *n.* Ⓤ 〚병리〛 땀띠, 한진(汗疹), 속립진(粟粒疹); 속립진열(miliary fever)

mil·i·ar·y [mílièri, -ljəri] *a.* **1** 좁쌀 모양의, 좁쌀만한 **2** 〚의학〛 속립성(粟粒性)의: the ~ gland 속립선(粟粒腺)/~ tuberculosis 속립 결핵/~ fever 속립진열

mi·lieu [miljú, mi:l-|mí:ljə] [F 「중간」의 뜻에서] *n.* (*pl.* **~s, ~x** [-z]) 주위, 환경(environment)

miliéu thèrapy 〚심리〛 (생활 환경을 바꾸는) 환경요법

milit. military

mil·i·tan·cy [mílətənsi(:)] *n.* Ⓤ 교전 상태; 투쟁성, 호전성, 투지

*__mil·i·tant__ [mílətənt] *a.* **1 교전 상태의**, 교전[전투] 중인: ~ powers 교전 중인 열강 **2** (주의·운동 등의 달성을 위하여) **투쟁적인**, 호전적인
—*n.* 투쟁[호전]적인 사람, 투사
~·ly *ad.* **~·ness** *n.*

Mílitant Téndency (영) 노동당내의 트로츠키파 그룹

mil·i·tar·i·a [mìlətɛ́əriə] *n. pl.* 군수품 수집물 《화기·군복·기장 등》

mil·i·tar·i·ly [mìlətɛ́ərəli, mílətèr-|mílitər-] *ad.* 군사적으로; 군대식으로; 군사적 입장에서

*__mil·i·ta·rism__ [mílətərìzm] *n.* Ⓤ **1 군국주의**; 군국적 풍조 **2** 군인 정신(cf. PACIFISM)

mil·i·ta·rist [mílətərist] *n., a.* **1** 군국주의자(의) **2** 군사 전문가[연구가](의)

mil·i·ta·ris·tic [mìlətərístik] *a.* 군국주의(자)의 **-ti·cal·ly** *ad.*

mil·i·ta·ri·za·tion [mìlətərizéiʃən|-rai-] *n.* Ⓤ 군국화, 군대화; 군국주의의 고취(鼓吹)

mil·i·ta·rize [mílətəràiz] *vt.* **1 a** 군국화하다; …에 군비를 갖추다: a ~*d* frontier 무장된 국경 지대 **b** 군국주의를 고취하다, 군사 교육을 시키다 **2** 군대화하다 **3** 군용화하다

‡__mil·i·tar·y__ [milítèri|-təri] [L 「군인의」의 뜻에서] *a.* **1** Ⓐ **군**(대)의(opp. *civil*), 군사(상)의, 군인의, 군용의: ~ affairs 군사(軍事)/a ~ review 열병식/~ discipline 군대의 규범[규율] **2** Ⓐ **육군의**(cf. NAVAL) ***M~ Armistice Commission*** 군사 정전 위원회 《略 MAC》 ***M~ Assistance Advisory Group*** (미) 군사고문단 《略 MAAG》 ***the M~ Knights of Windsor*** (영) 윈저 기사단 《빈곤한 수훈 퇴역 군인단》
—*n.* (*pl.* **-tar·ies**) [집합적] **1** [the ~; 보통 복수 취급] 군대; 군, 군부 **2** [the ~; 복수 취급] 군인; 《특히》 육군 장교 ▷ mílitarize *v.*

mílitary acàdemy **1** [the M- A-] 육군 사관 학교 **2** (미) 군대식 사립 고등학교

mílitary àge 징병 연령

mílitary attaché 대[공]사관부 육군 무관

mílitary bánd 육군 군악대; 취주 악대

mílitary brúsh (손잡이가 없는) 남자용 머리솔

mílitary buíldup 군비 증강

mílitary chést 군대 금고, 군자금

Mílitary Cróss (영) 전공 십자훈장 《略 MC》

mílitary engineéring 군사공학, 공병학

mílitary góvernment 군사 정부, 군정

mílitary góvernor (점령 지역의) 군정 장관

mílitary hónors 군장(軍葬)의 예(禮)

mílitary hóspital 육군 병원

míl·i·tar·y-in·dús·tri·al cómplex [mílətèri-indʌ́striəl-] 군·산업 복합체

mílitary intélligence 군사 정보(부)

mílitary láw 군법

mílitary márch 군대 행진곡

mílitary páce 군대 보폭 《행진 때의 한 걸음의 너비; 보통 미국의 경우 2.5 피트에서 3피트》

mílitary políce [the ~; 종종 **M- P-**; 집합적] 헌병대 《略 MP》

mílitary pólìceman 헌병 《略 MP》

mílitary schòol =MILITARY ACADEMY

mílitary scíence 군사학[과학]; 군사 교련

mílitary sérvice **1** 병역 **2** 〚역사〛 (중세의 차지인(借地人)의) 군역(軍役) **3** [*pl.*] 무공

mílitary téstament [**wíll**] (군인이 전쟁터에서 하는) 구두 유언

mílitary tóp (군함의) 전투 장루(檣樓)

mil·i·tate [mílətèit] *vi.* 작용하다, 영향을 미치다: (~+전+명) ~ *against* success 성공에 방해가 되다/~ *in favor of* …에 도움이 되다

*__mi·li·tia__ [milíʃə] *n.* [보통 the ~; 집합적] **1** (정규군과 대비하여) **민병대** **2** (미) **국민군**, 주(州) 방위군 (cf. NATIONAL Guard) **3** 무장 사병 조직

mi·li·tia·man [milíʃəmən] *n.* (*pl.* **-men** [-mən]) 민병; 국민병, 향군

mi·li·tia·wom·an [-wùmən] *n.* (*pl.* **-wom·en** [-wìmin]) 여자 민병[국민병]

mil·i·um [míliəm] *n.* (*pl.* **mil·i·a** [-iə]) 〚병리〛 패립종(稗粒腫)(whitehead)

‡__milk__ [mílk] *n.* Ⓤ **1 젖; 우유**: a glass of ~ 우유 한 잔/(as) white as ~ (젖처럼) 하얀/breast [mother's] ~ 모유/⇨ dry milk
NOTE (1) 주로 차게 마시며, 데워서 마시더라도 그릇은 cup이 아니고 glass를 씀. 어린이용으로 좋다고 해서, 어른이 커피를 마시는 자리에서 어린이에게는 우유를 내놓는 경우가 많음. 커피에 타는 것은 milk라 하지 않고 cream이라 함. (2) 미국에서 시판되는 milk에는 4종류가 있음: ① whole milk(지방 4% 함유) ② two percent fat content(지방 2% 함유) ③ one percent fat content(지방 1% 함유) ④ skim milk(무지방)
2 〚식물〛 유액, 수액(樹液); (약용) 유제(乳劑): coconut ~ 코코넛 열매의 유액/~ of almonds 〚약학〛 편도유(扁桃乳)/~ of lime[sulfur] 석회[황]유/~ of magnesia 마그네시아 유제 《완하제·제산제》 **3** (비어) 정액(精液)
a land of ~ and honey 〚성서〛 젖과 꿀이 흐르는 땅 《출애굽기 3: 8》 ***as like as ~ to ~*** (문어) 꼭 그대로 ***bring*** a person ***to his***[***her***] ***~*** 의무[분수]를 깨닫게 하다 ***come home with the ~*** (영·익살) (철야 파티를 마치고) 아침에 귀가하다 ***go off ~*** 〈젖소 등이〉 젖이 나오지 않게 되다 ***in ~*** 〈소가〉 젖이 나오는 (상태로) ***~ and roses*** 〈혈색이〉 장밋빛의 ***~ and water*** (영) 물을 탄 우유; 김빠진 이야기; 지나친 감상(感傷) ***~ for babes*** 〈책·설교·의견 등이〉 아이들 상대의 것, 초보적인 것 《고린도 전서 3: 2》(opp. *strong meat*) ***the ~ in the coconut*** (구어) 요점, 핵심 ***the ~ of human kindness*** 타고난[자연스러운] 인정 《Shakespeare의 *Macbeth*에서》
—*vt.* **1** …의 젖을 짜다: ~ a cow 우유를 짜다 **2** (뱀·나무 등에서) 독[즙]을 뽑다 **3** (비어) 사정(射精)시키다, 용두질하다 **4** (구어) 〈돈·정보 등을〉 짜내다, 끌어내다, 착취하다 《*from, out of, of, for*》 **5** 〈입장 등을〉 가능한 한 이용하다 **6** 《영·속어》 도청하다

thesaurus **militant** *a.* **1** 교전 상태의 fighting, warring, combating, contending, in conflict,

—*vi.* 젖을 짜다; 젖이 나다
~ *...* ***dry*** 〈돈·정보 등을〉 끝까지 짜내다 ~ *...* ***for all it's worth*** 〈사태 등을〉 최대한으로 이용하다 ~ ***the bull***[***ram***] 가망 없는 일을 하다 ~ ***the market***[***street***] 《미·구어》 증권 시장을 조작하여 이익을 취하다 ▷ mílky *a.*

milk-and-wa·ter [mílkən*d*wɔ́:tər, -wɑ́t- | -wɔ́:tə] *a.* Ⓐ 김빠진, 맥없는; 몹시 감상적인

mílk bàr 밀크 바 《우유·아이스크림 등을 파는 가게》

mílk chòcolate 밀크 초콜릿

mílk chùrn 《영》 〈운반용〉 큰 우유 용기

mílk còw **1** 젖소 **2** 《구어》 계속적인 수입원, 돈줄, 달러 박스

milk·er [mílkər] *n.* **1** 젖 짜는 사람; 착유기(搾乳器) **2** 젖소, 젖을 내는 가축; 유액을 내는 나무

mílk fèver 〖병리〗 젖몸살, 유열(乳熱)

mílk flòat 《영》 우유 배달차

mílk glàss 젖빛 유리

mílk hòuse 〈유제품 공장의〉 우유 보존실

milk·i·ness [mílkinis] *n.* Ⓤ **1** 〈액체의〉 유상(乳狀)(성); 불투명; 〈외관·구성이〉 젖 같음 **2** 유약(柔弱)

milk·ing [mílkiŋ] *n.* 우유 짜기, 착유; 1회분의 착유량: do the ~ 우유를 짜다

mílking machìne 착유기(milker)

mílking pàrlor 〈낙농장의〉 착유실, 채유장

mílking stòol 착유용 3각(脚) 걸상

mílk jélly 과일이 든 밀크 젤리

mílk lèg 〖병리〗 〈산후의〉 고간백종(股間白腫)

milk-liv·ered [mílklívərd] *a.* 소심한, 겁 많은

mílk lòaf 《영》 밀크빵 《우유를 섞은 흰 과자빵》

*__milk·maid__ [mílkmèid] *n.* 《문어》 **젖 짜는 여자,** 낙농장에서 일하는 여자

milk·man [-mæ̀n | -mən] *n.* (*pl.* **-men** [-mèn | -mən]) **1** 우유 장수, 우유 배달인 **2** 젖 짜는 남자

mílk of magnésia 《영》 마그네시아 유제(乳劑) 《완하제·제산제로 사용》

mílk pòwder 《영》 분유(dry milk)

mílk próducts 유제품

mílk púdding 《영》 밀크 푸딩

mílk pùnch 밀크 펀치 《우유·술·설탕 등을 섞은 음료》

mílk rànch 《미》 낙농장

mílk ròund **1** 《영》 우유 배달원의 배달 구역 **2** [the ~] 《영·속어》 〈대학에서의〉 회사 취업 설명회

mílk rùn [「우유 배달」의 뜻에서] **1** 《영·구어》 늘 여행하는[다니는] 길 **2** 《공군속어》 〈새벽마다의 규칙적인〉 정기 폭격[정찰] 비행

mílk shàke 밀크셰이크

milk·shed [-ʃèd] *n.* 〈특정 도시 등에 대한〉 우유 공급 낙농 지대

mílk sìckness 〖병리〗 우유병 《독초를 먹은 소의 젖을 마셔서 일어나는 병》

mílk snàke 무독의 작은 회색 뱀 《미국 동부산(産)》

milk·sop [-sɑ̀p | -sɔ̀p] *n.* **1** 우유에 적신 빵 한 조각 **2** 나약한 남자, 졸장부(sissy)

mílk sùgar 유당(乳糖), 락토오스(lactose)

mílk thístle 〖식물〗 큰엉겅퀴

mílk tòast 《미》 밀크 토스트 《뜨거운 밀크에 담근 버터 바른 토스트》

milk-toast [-tòust] 《미》 *a.* 나약한, 무기력한, 활기 없는; 미온적인
—*n.* = MILQUETOAST

mílk tòoth 젖니(baby[deciduous] tooth)

mílk tràin 우유 열차 《새벽 완행 열차》; 완행 열차; 《공군속어》 새벽 정찰 비행

mílk vètch 〖식물〗 자운영(紫雲英)

mílk wàgon 《미·속어》 죄수[체포자] 호송차

milk-walk [-wɔ̀:k] *n.* 우유 배달 구역

milk·weed [-wì:d] *n.* 〖식물〗 유액을 분비하는 식물

---

clashing, embattled, belligerent **2 투쟁적인** combative, active, aggressive, assertive, vigorous

---

milk-white [-*h*wáit] *a.* 유백색의

milk·wood [-wùd] *n.* 유액(乳液)을 분비하는 각종 열대 식물의 총칭

milk·wort [-wə̀:rt] [우유를 많이 나게 한다고 믿었던 데서] *n.* 〖식물〗 원지, 등대풀 《등》

*__milk·y__ [mílki] *a.* (**milk·i·er**; **-i·est**) **1 젖 같은;** 젖빛깔의, 유백색의: ~ skin 유백색 피부 / ~ quartz 젖빛 석영 **2** 젖을 섞은 **3** 〈식물이〉 유액을 분비하는 **4** 연약한, 무기력한, 뱅충맞은
—*n.* 《영·속어·유아어》 **1** 우유 배달인 **2** 우유

*__Mílky Wáy__ [the ~] 〖천문〗 **1 은하(수)**(the Galaxy) **2** 은하계(= ~ **gálaxy**)

‡**mill**[1] [míl] [원래 「물방앗간」에서, 「제조 공장」의 뜻이 되었음] *n.* **1 제조 공장,** 제작소(⇨ factory 유의어); 제재소: a steel[paper] ~ 제강[제지] 공장 **2 물방앗간,** 제분소 《물·바람 등을 이용한》: a water ~ 물방앗간 / Much water runs by the ~ that the miller knows not of. 《속담》 사람이 모르는 사이에 여러 가지 변화가 생기는 법이다, 등잔 밑이 어둡다. **3** 맷돌, 제분기, 분쇄기: a coffee[pepper] ~ 커피[후추] 분쇄기 / No ~, no meal. 《속담》 부뚜막의 소금도 집어넣어야 짜다. / The ~*s* of God grind slowly. 《속담》 신의 맷돌은 느리게 돌아간다. 《하늘의 벌은 늦어도 반드시 온다》 **4** 〈과일·야채의 즙을 짜는〉 압착기 **5** 〈비교적 단순한〉 제작기 《조폐기, 압연기 등》: a lapidary ~ 보석 연마기 **6** 〈사람·물건을〉 기계적으로 만들어내는 곳[시설], 〈졸업장·면허장 등의〉 남발소 **7** 〈동전 등의〉 깔쭉깔쭉한 부분 **8** 《속어》 〈자동차·배·비행기의〉 엔진; 《속어》 타자기; 《속어》 권투 시합, 치고받기
draw water to one***'s*** ~ 아전인수하다 ***go***[***put*** a person] ***through the*** ~ 《구어》 쓰라린[고된] 경험을 하다[하게 하다], 단련받다[받게 하다] ***run of the*** ~ ⇨ run-of-the-mill
—*vt.* **1** 〈곡물을〉 **맷돌로 갈다,** 〈제분기[물방아, 기계]로〉 **빻다;** 제분하다, 분쇄하다: ~ grain 곡물을 빻다 **2** 기계로 만들다; 〈강철을 압연하여〉 막대 모양으로 만들다; 축융기(縮絨機)로 〈천의〉 올을 배게 하다: ~ paper 종이를 만들다 **3** 〈주화의〉 가장자리를 깔쭉깔쭉하게 하다; 〈금속을〉 밀링하다 **4** 《구어》 주먹으로 때리다; 싸움하다 **5** 〈초콜릿을〉 휘저어 거품이 일게 하다
—*vi.* **1** 맷돌[제분기]을 쓰다, 맷돌[제분기]에서 빻아지다 **2** 《속어》 치고받다, 주먹질하다 **3** 〈가축·사람이〉 떼지어 돌아다니다[몰려다니다] 《*around*, *about*》 **4** 〈고래가〉 갑자기 방향을 바꾸다

mill[2] *n.* **1** 《미》 밀 《화폐의 계산 단위; 1,000분의 1달러》 **2** 《미·속어》 100만 달러

Mill [míl] *n.* 밀 **John Stuart** ~ (1806-73) 《영국의 경제학자·철학자》

mill·age [mílidʒ] *n.* Ⓤ 〖세법〗 달러당 1,000분의 1의 과세율 《특히 부동산 매매에 쓰이는》

mill·board [mílbɔ̀:rd | -bɔ̀:d] *n.* Ⓤ 〖제본〗 표지용 판지

mill·dam [-dæ̀m] *n.* 물방아용의 둑[못]

milled [míld] *a.* **1** 〈공장에서〉 가공한 **2** 〈경화 가장자리가〉 깔쭉깔쭉한; 화폐 타출기(打出機)로 만든

mille-feuille [mí:lfə́:i] [F] *n.* 크림·잼이 켜켜이 든 파이(《미》 napoleon)

mil·le·nar·i·an [mìlənέəriən] *a.* 천(년)의; 〖그리스도교〗 천년 왕국의; 천년 왕국설을 믿는
—*n.* 〖그리스도교〗 천년 왕국설 신봉자

mil·le·nar·i·an·ism [mìlənέəriənìzm] *n.* 〖그리스도교〗 Ⓤ 천년 왕국설(의 신앙)

mil·le·nar·y [mílənèri | milénəri] *a.* **1** 천(千)의[으로 된], 천년간의: a ~ occurrence 천 년에 한 번 일어나는 일 **2** 천년 왕국의
—*n.* (*pl.* **-nar·ies**) **1** 천년간; 천년제 **2** 〖그리스도교〗 천년 왕국(설 신봉자)(cf. CENTENARY)

mil·len·ni·al [miléniəl] *a.* 천년간의; 〖그리스도교〗 천년 왕국의 **~·ìsm** *n.* = MILLENARIANISM **~·ist** *n.* = MILLENARIAN

mil·len·ni·um [miléniəm] *n.* (*pl.* **~s, -ni·a**

[-niə]) **1** 천년간 **2** [the ~] 〚그리스도교〛 천년 왕국, 지복 천년 《그리스도가 재림하여 지상을 통치한다는 천년간》 **3** (상상의) 황금 시대 **4** 천년제(祭)
millénnium bùg 〚컴퓨터〛 밀레니엄 버그 《컴퓨터가 2000년을 1900년으로 잘못 인식하는 현상; Y2K》
millénnium dòme 밀레니엄 돔 《새천년을 기념하기 위해 런던 북부 템스 강변에 세워진 높이 53m 건축물》
mil·le·pede [míləpi:d] *n.* 〚동물〛 =MILLIPEDE
mil·le·pore [míləpɔ̀:r] *n.* 〚동물〛 의혈산호(擬穴珊瑚)
‡**mill·er** [mílər] *n.* **1** 제분업자, 물방앗간 주인, 가루 빻는 사람: Every ~ draws water to his own mill. (속담) 아전인수 / Too much water drowned the ~. (속담) 지나침은 모자람만 못하다. **2** [집합적] 날개에 가루가 있는 각종 나방 **3** 〚기계〛 프레이즈반(盤)
Mil·ler [mílər] *n.* 밀러 **1 Arthur ~** (1915-2005) 《미국의 극작가》 **2 Henry ~** (1891-1980) 《미국의 작가》
míll·er-cy·cle éngine [-sàikl-] 저압축 고팽창비 엔진 《연료비가 절감됨》
mil·ler·ite [mílərài t] *n.* Ⓤ 〚광물〛 침상(針狀) 니켈광(鑛)
mill·er's-thumb [mílərzθʌ́m] *n.* 〚어류〛 둑중개 《민물고기》
mil·les·i·mal [milésəməl] *n., a.* 1,000분의 1(의) (thousandth) **~·ly** *ad.*
*__mil·let__ [mílit] *n.* Ⓤ 〚식물〛 기장 ***African*** [***Indian***] ~ 수수 ***German*** [***Italian***] ~ 조
Mil·let [miléi] *n.* 밀레 **Jean François ~** (1814-75) 《프랑스의 화가》
míllet gràss 〚식물〛 나도겨이삭
míll fìnish (용지의) 광택면(光澤面)
mill-hand [mílhæ̀nd] *n.* 제분공; 직공, 방적공
mill-horse [-hɔ̀:rs] *n.* 연자매 말
mill·house [-hàus] *n.* (*pl.* **-hous·es** [-hàuziz]) (공장의) 프레이즈반을 설치한 곳
milli- [mílə, -li] 《연결형》 (미터법(法)에서) 「…의 1,000분의 1」의 뜻
mil·li·am·pere [mìliǽmpiər, -æmpíər] *n.* 〚전기〛 밀리암페어 《1,000분의 1 암페어; 기호 mA》
mil·liard [míljərd | -liɑ:d] *n.* (영) 10억 ((미) billion) **—** *a.* 10억의
mil·li·bar [míləbɑ̀:r] *n.* 〚기상〛 밀리바 《기압의 단위; 1,000분의 1바; 현재는 hectopascal을 씀; 기호 mb》
Mil·li·cent [míləsənt] *n.* 여자 이름
mil·li·cu·rie [míləkjùəri] *n.* 〚물리〛 밀리퀴리 《1퀴리의 $^1/_{1000}$; 기호 mCur》
mil·li·cy·cle [míləsàikl] *n.* 〚전기〛 밀리사이클 《1사이클의 $^1/_{1000}$; 기호 mc》
mil·li·de·gree [mílidigrì:] *n.* 1,000분의 1도 《온도의 단위》
mil·li·gal [míligæ̀l] *n.* 〚물리〛 밀리갈 《가속도의 단위》
mil·li·gram | **-gramme** [míləgræ̀m] *n.* 밀리그램 《1그램의 $^1/_{1000}$; 기호 mg》
mil·li·hen·ry [míləhènri] *n.* 〚전기〛 밀리헨리 《$^1/_{1000}$ henry; 기호 mH》
mil·li·li·ter | **-tre** [míləlì:tər] *n.* 밀리리터 《1리터의 $^1/_{1000}$; 기호 ml》
*__mil·li·me·ter__ | **-tre** [míləmì:tər] *n.* 밀리미터 《1미터의 $^1/_{1000}$; 기호 mm》
millimicro- [mìləmáikrou, -krə] 《연결형》 「10억분의 1」의 뜻
mil·li·mi·cron [míləmàikrɑn | -krɔn] (*pl.* **~s, -cra** [-krə]) *n.* 밀리미크론 《$^1/_{1000}$미크론; 기호 $m\mu$》
mil·li·mole [míləmòul] *n.* 〚화학〛 밀리몰 《$^1/_{1000}$ 몰; 기호 mH》
mil·line [míllàin, ⌐⌐] *n.* 〚광고〛 밀라인 《발행 부수 100만부 당 1 agate line의 스페이스 단위》
mil·li·ner [mílənər] *n.* 여성 모자 상인 《제조·수선·판매를 함; 보통 여성》
mílline ràte 〚광고〛 1 milline 당의 광고료
mil·li·ner·y [mílənèri, -nəri | -nəri] *n.* Ⓤ **1** [집합적] 여성 모자류 **2** 여성 모자업
mill·ing [míliŋ] *n.* Ⓤ **1** 맷돌로 갈기, 제분 **2** 프레이즈반으로 깎기, (금속 등의) 평삭(平削); (모직의) 축융(fulling) **3** (화폐의) 가장자리를 깔쭉깔쭉하게 깎기
mílling cùtter 〚기계〛 프레이즈반(盤)용 커터
mílling machìne 〚기계〛 프레이즈반, 밀링 머신; 〚방적〛 축융기(縮絨機)
‡**mil·lion** [míljən] [L 「천」의 뜻에서] *n.* (*pl.* **~s,** [수사 다음에서는] ~) **1** 100만; 100만 파운드[달러, 프랑, 원 《등》]: five and a half ~ 550만
USAGE (1) 수사 또는 수량 형용사 다음에서는 복수형은 쓰지 않음: three *million* 300만 / several *million* 수백만 (2) 끝수가 달리거나, 명사를 수식할 때도 복수형을 쓰지 않음: five *million,* three hundred and four thousand 530만 4천 / three *million* dollars 3백만 달러
2 [*pl.*] 수백만, 다수, 무수 **3** [the ~(s)] 대중(the masses)
a ~ and one (구어) 엄청 많은 ***in a ~*** 극히 드문, 최고의: a chance *in a* ~ 천재일우의 기회
— *pron.* [*pl.*] 100만 개, 100만 명
— *a.* Ⓐ **1** 100만의 **2** [보통 a ~] 다수의, 무수한: *a* ~ things to do 해야 할 무수한 일들 ***like a ~ dollars*** [***bucks***] (미·구어) 매우 기분이 좋아, 기분 최고의; 〈사람·사물이〉 훌륭하여, 멋지게
mil·lion·fold [míljənfòuld] *a., ad.* 100만 배의[로]
‡**mil·lion·(n)aire** [mìljənέər] *n.* (*fem.* **-(n)air·ess** [-nέəris]) 백만장자, 큰 부자(cf. BILLIONAIRE): He is a ~ from Texas. 그는 텍사스 출신의 백만장자다.
mil·lionth [míljənθ] *a.* **1** [보통 the ~] 100만 번째의 **2** 100만분의 1의 **—** *n.* **1** Ⓤ [보통 the ~] 제 100만, 100만 번째 **2** 100만분의 1
— *pron.* [the ~] 100만 번째의 사람[것]
mil·li·pede [míləpì:d], **-ped** [-pèd] [L 「천의 발」의 뜻에서] *n.* 〚동물〛 노래기(millepede)
mil·li·rem [míləràm] *n.* 〚물리〛 밀리렘 《방사선의 작용을 나타내는 단위; 1렘의 $^1/_{1000}$; 기호 mrem》
mil·li·roent·gen [mìləréntgən] *n.* 〚물리〛 밀리뢴트겐 《X선의 광도 단위; 기호 mR, mr》
mil·li·sec·ond [míləsèkənd] *n.* 밀리세컨드 《1초의 1,000분의 1; 기호 ms》
mil·li·volt [míləvòult] *n.* 〚전기〛 밀리볼트 《1,000분의 1볼트; 기호 mV, mv》
mil·li·watt [míləwɑ̀t | -wɔ̀t] *n.* 〚전기〛 밀리와트 《1와트의 1,000분의 1; 기호 mW, mw》
mill·pond [mílpɑ̀nd | -pɔ̀nd], **-pool** [-pù:l] *n.* 물방아용 저수지 (***as***) ***calm*** [***smooth***] ***as a ~*** = ***like a ~*** 〈바다 등이〉 (거울처럼) 고요한, 잔잔한
mill·race [mílrèis] *n.* 물방아를 돌리는 물[용수로]
míll rùn 1 시험 선광(選鑛) **2** =MILLRACE **3** (공장에서 나오는) 보통품; 보통 물건[사람]
mill-run [mílrʌ́n] *a.* (미) **1** 공장에서 갓 나온 **2** 평범한, 보통의(average)
Mílls and Bóon [mì:lz-ənd-bú:n] 밀즈앤분 출판사 《주로 대중 연애 소설을 출판; 상표명》: He was tall and handsome, like a ~ hero. 그는 키가 크고 잘생겨서 대중 연애 소설의 주인공 같다.
míll scàle 〚야금〛 흑피(黑皮) 《강재(鋼材)를 열간 압연(熱間壓延)할 때 표면에 생기는 산화철 피막》
Míls grenàde[**bòmb**] [mílz-] [발명자인 영국인 이름에서] 〚군사〛 밀스 수류탄 《강력한 폭탄》
*__mill·stone__ [mílstòun] *n.* **1** 맷돌 **2** 〚성서〛 무거운 짐 ***a ~ around*** [***round***] ***one's neck*** (비유) 아무에게 무거운 짐 (***as***) ***hard as the nether ~*** 아주 무자비한 ***between the upper and the nether ~***

thesaurus **millstone** *n.* load, burden, weight, duty, tax, responsibility, obligation, affliction
mime *n.* **1** 팬터마임 pantomime, mumery **2** 팬터마임 배우 mummer, pantomimist, mime artist

옴짝달싹 못할 궁지에 빠져서 ***dive into a ~ = look into [through] a ~ = see far in [into, through] a ~*** 《보통 비꼼》 감각[시력, 통찰력]이 매우 예민하다, 날카롭고 빈틈없다

míllstone grìt 맷돌용 바위; 〖광물〗 (잉글랜드 Pennine 지방의) 규질암(珪質岩)

mill·stream [mílstrìːm] *n.* =MILLRACE

mill·tail [míltèil] *n.* **1** 물방아를 거쳐 나간 물 **2** (물방아의) 배수로

míll whèel 물방아 바퀴

mill·work [mílwə̀ːrk] *n.* Ⓤ **1** 물방아[제조소]의 기계(작업) **2** [집합적] (공장의) 목공 제품 《문·창틀 등》

mill·wright [mílràit] *n.* **1** 물방아[풍차] 목수[장인] **2** (공장의) 기계 수리[설치] 기술자

Mil·ly [míli] *n.* 여자 이름 《Milicent, Mildred의 애칭》

mi·lo [máilou] *n.* (*pl.* **~s**) 〖식물〗 마일로 《곡식용 수수의 일종》(=**~ màize**)

mil·om·e·ter [mailɑ́mətər | -ɔ́m-] *n.* 《영》 =MILEOMETER

mi·lord [milɔ́ːrd] [F =my lord] *n.* **1** 각하 《영국 귀족·신사에 대해 유럽인이 쓰던 경칭》 **2** 영국 신사

Mi·los [míːlɔːs] *n.* 밀로스 섬 《에게 해의 Cyclades 제도 중의 한 섬; 「밀로의 비너스」가 발견된 곳》

milque·toast [mílktòust] *n.* [종종 **M~**] 《미》 대가 약한 남자[사람], 변변치 못한 남자

mil·reis [mílrèis] *n.* (*pl.* **~**) **1** 밀레이스 《브라질의 옛 경화; 그 화폐 단위》 **2** 밀레이스 《옛 포르투갈 금화》

milt [mílt] *n.* Ⓤ (물고기 수컷의) 이리, 어백(魚白)

— *a.* 〈물고기 수컷이〉 번식기인

— *vt.* 〈물고기의 알을〉 수정시키다

~·er *n.* 번식기의 물고기 수컷

Mil·ton [míltən] *n.* **1** 남자 이름 **2** 밀턴 **John ~** (1608-74) 《영국의 시인》

▷ Miltónic, Miltónian *a.*

Mil·ton·ic [miltɑ́nik | -tɔ́n-], **Mil·to·ni·an** [-tóuniən] *a.* **1** 밀턴의 **2** 밀턴식[시풍]의; (밀턴의 문체처럼) 장중한, 웅장한

Mil·town [míltàun] *n.* 〖약학〗 밀타운 《진정제 메프로바메이트의 상표명》

Mil·wau·kee [milwɔ́ːki] *n.* 밀워키 《미국 Wisconsin 주 남동부 Michigan 호반의 도시》 **~·an** *n.*

Milwáukee gòiter 《미·속어》 맥주배 《맥주 생산지인 밀워키에 특히 많은 갑상선종》

mim [mím] *a.* 《영·방언》 삼가는, 시침 떼는

MIM mobile interceptor missile 〖군사〗 지상 이동식 대공(對空) 미사일 **mim.** mimeograph(ed)

mime [máim, míːm | máim] *n.* **1** ⓊⒸ (팬터)마임; 그 배우(=**~ àrtist**) **2** (고대 그리스·로마의) 무언극, 무언의 광대극; 그 배우, 광대; 흉내쟁이

— *vi.* 무언극을 하다, 광대짓을 하다 **—** *vt.* 무언의 몸짓으로 나타내다; 흉내내다 **mím·er** *n.*

MIME [máim] [*M*ultipurpose *I*nternet *M*ail *E*xtensions] *n.* 〖컴퓨터〗 마임 《전자 메일의 표준 형식》

mim·e·o [mímiòu] *n.* (*pl.* **~s**) 등사판; 등사판 인쇄물 **—** *vt.* =MIMEOGRAPH

mim·e·o·graph [mímiəgræ̀f | -grɑ̀ːf] *n.* **1** 등사판 **2** 등사판 인쇄물 **—** *vt.* 등사판으로 인쇄하다

mi·me·sis [məmíːsis, mai-] *n.* Ⓤ **1** 〖예술·수사학〗 모의, 모방; 모사 **2** 〖생물〗 의태(擬態)(imitation)

mi·met·ic [məmétik, mai-] *a.* 모방의; 〖생물〗 의태의: ~ crystal 〖광물〗 의정(擬晶) / a ~ war 모의전 / ~ organisms 의태 생물 **-i·cal·ly** *ad.*

mimétic díagram 〖전자〗 (기계의 작동 상태 등을 램프의 명멸 등으로 표시하는) 모식도, 모식 표시판

mim·e·tism [mímətìzm, máim-] *n.* =MIMICRY 1, 3

---

mimic *n.* mimicker, impersonator, imitator, impressionist, parodist, copyist, parrot, ape **—** *v.* impersonate, imitate, copy, ape, parody

mince *v.* grind, crumble, hash, whack, dice

***mim·ic** [mímik] *a.* Ⓐ **1** 흉내를 (잘) 내는; 모조(模造)한, 가짜의; 모방한, 본뜬, 모의의(imitated): ~ tears 거짓 눈물 / the ~ stage 흉내 연극, 광대극 / a ~ trial 모의 재판 **2** 의태의

— *n.* **1** 모방자, 흉내쟁이[광대]: Children are often good ~*s.* 아이들은 흔히 흉내를 잘 낸다. **2** 사람을 흉내내는 동물; 사람 목소리를 흉내내는 새

— *vt.* (**-icked**; **-ick·ing**) **1** 흉내내다, 흉내내어 조롱하다(⇨ imitate 유의어): ~ his voice 그의 목소리를 흉내내다 **2** 꼭 닮다; 〖생물〗 의태(擬態)하다: an insect that ~*s* a twig 잔가지를 의태한 곤충

▷ mímicry *n.*

mímic bóard 미믹 보드 《컴퓨터를 이용하여 복잡한 시스템을 램프의 명멸 등으로 도식화하는 표시판》

mim·ick·er [mímikər] *n.* 흉내내는 사람

***mim·ic·ry** [mímikri] *n.* (*pl.* **-ries**) Ⓤ **1** 흉내: in ~ of …을 흉내내어 **2** 〖생물〗 의태 **3** Ⓒ 모조품

▷ mímic *a.*

mim·i·ny-pim·i·ny [mímənipíməni] *a.* 〈취미 등이〉 몹시 까다로운; 지나치게 점잖은[고상한]

Mi·mir [míːmiər] *n.* 미미르 《북유럽 신화에 나오는 거인족의 현인(賢人)》

mim-mem [mímmém] [*mim*icry+*mem*orization] *a.* 〈외국어 학습이〉 모방 기억 반복 연습의[에 의한]

mi·mo·sa [mimóusə, -zə] *n.* 〖식물〗 **1** 함수초, 미모사, 신경초; Ⓤ 미모사 꽃 **2** 미모사아카시아

min. mineralogy; minim(s); minimum; mining; minor; minute(s) **Min.** Minister; Ministry

mi·na[1] [máinə] *n.* (*pl.* **~s, -nae** [-niː]) (고대 그리스) 화폐 단위 《약 4파운드》; 무게의 단위 《약 1파운드》

mina[2] *n.* =MYNA(H)

Mi·na [míːnə, máinə] *n.* 여자 이름 《Wilhelmina의 애칭》

min·a·ble, mine·a·ble [máinəbl] *a.* 채굴할 수 있는, 채굴할 만한

mi·na·cious [minéiʃəs] *a.* 《문어》 위협적인, 공갈하는 **~·ly** *ad.*

mi·nac·i·ty [minǽsəti] *n.* Ⓤ 위협(threat)

mi·nah [máinə] *n.* =MYNA(H)

Min·a·má·ta disèase [miːnəmɑ́ːtə-] [일본의 발생지명에서] 미나마타병(Mad Hatter's disease)

mi·nar [minɑ́ːr] [Arab. 「등대」의 뜻에서] *n.* (인도 건축 등의) 작은 탑

min·a·ret [mìnərét, ⌐–⌐] *n.* (이슬람 사원의) 첨탑(尖塔)

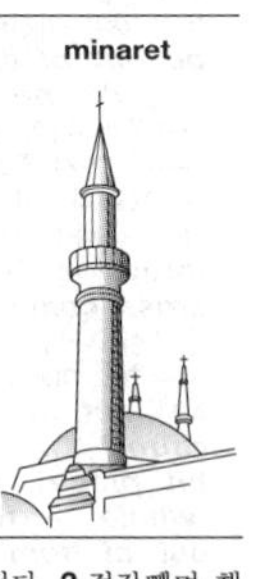
minaret

mi·na·to·ry [mínətɔ̀ːri | -təri] *a.* 《문어》 위협하는, 협박적인

min·au·dière [mìːnoudjɛ́ər] [F =affected] *n.* 미노디에르 《여성용의 금속제 소형 화장품·보석 통》

***mince** [míns] [L 「작게 하다」의 뜻에서] *vt.* **1** 〈고기·야채 등을〉 잘게 썰다[다지다] 《chop보다 잘게》 **2** 조심스레[점잖게, 완곡하게] 말하다: ~ one's words 말을 완곡하게 하다 **3** 점잔빼며 발음하다[말하다] ***not ~ matters* [*one's words*]** 단도직입적으로 말하다

— *vi.* **1** 점잔빼며 종종 걸음으로 걷다 **2** 점잔빼며 행동[말]하다

— *n.* **1** ⒸⓊ 《영》 잘게 썬[다진] 고기(minced meat) **2** 《미》 =MINCEMEAT **3** 《미·속어》 답답한 사람, 하찮은 녀석

mince·meat [mínsmìːt] *n.* Ⓤ 민스미트 《민스파이의 소[고물]; 건포도·설탕·사과·향료 등과 잘게 다진 고기를 섞은 것으로 만듦》 ***make ~ of*** (1) …을 잘게 썰다[저미다] (2) 〈토론 등에서 의견 등을〉 분쇄하다 (3) 〈남을〉 찍소리 못하게 하다

mínce píe 민스 파이 《mincemeat가 든 파이》

minc·er [mínsər] *n.* 잘게 써는[다지는] 기계

minc·ing [mínsiŋ] *a.* **1** 점잔빼는, 짐짓 …인 체하는: talk in the ~ tones 점잔빼는 어조로 말하다 **2** 점잔빼며 걷는; 종종걸음치는 **~·ly** *ad.*

míncing machìne = MINCER

‡mind [máind] [OE「기억, 사고」의 뜻에서] *n., v.*

「기억」 **6**	(기억되어 있는 일)→「생각」「의향」 **4**
	(기억하는 능력)→「지성」 **2**→「마음」 **1**
동 (마음에 두다)	「신경 쓰다」「싫어하다」 **3**
	「주의하다」 **1**→「돌보다」 **2**

— *n.* **1** Ⓤ (body와 대비하여) **마음, 정신**: ~ and body 심신(心身) / a frame of ~ 기분 / a turn of ~ 마음씨, 기질 / a state of ~ 정신 상태

> 유의어 **mind** 사고·의지 등의 작용을 하는 마음: compose one's *mind* 마음을 진정시키다 **heart** 감정·정서를 뜻하는 마음: touch a person's *heart* 남의 마음을 움직이다

2 a (heart와 대비하여) **지성,** 지력(知力): will, emotion and ~ 의지, 감정 및 지성 **b** Ⓤ 정상적 정신 상태, 제정신: absence of ~ 방심한 상태 / lose one's ~ 발광하다, 미치다 **c** (어떤 지성의) 소유자, 사람: a noble ~ 고결한 사람 **3** 사고방식; 심적 경향[특질], 기질: a liberal ~ 자유로운 사고방식 / the English ~ 영국인 기질 / the criminal ~ 범죄자의 심리 **4 a** [보통 a ~, one's ~] **의견,** 생각 《*about*》; 의향, 의도, 의사, 의지: the popular ~ 일반 인심, 민심 / change *one's* ~ 생각을 바꾸다 **b** (…하고픈) 마음, 성향, 바람 《*for, to* do》 **5** 주의, 집중, 사고, 고려 《*on*》 **6** Ⓤ **기억**(력), 회상: come to ~ 생각이 떠오르다

after one***'s ~*** 마음에 드는 ***apply***[***bend***] ***the ~ to*** …에 마음을 쓰다, …에 고심하다 ***at the back of*** one***'s ~*** 마음 깊은 곳에, 심중에 ***awake to*** one***'s full ~*** 눈을 뜨다, 제정신이 들다 ***be all in a*** person***'s ~*** 〈병·어려움 등이〉 상상의 산물이다, 쓸데없는 생각뿐이다 ***bear***[***have, keep***] ***... in ~*** …을 마음에 간직하다, 기억하고 있다, 잊지 않다 ***be of***[***in***] ***a***[***one***] ***~*** 같은 생각[의견]이다 《*with*》 《a = the same》 ***be of a ~ to*** do …하고 싶은 마음이다[이들다] ***be of the same ~*** (1) (그전과) 의견이 똑같다 (2) 〈복수의 사람이〉 같은 의견이다 ***be of your ~*** 너와 같은 의견이다 ***be***[***go, pass***] ***out of ~*** 잊다 ***be out of*** one***'s ~*** 제정신이 아니다, 미쳤다, 광포(狂暴)하다 ***be somewhere at*** one***'s ~*** 〈사물이〉 어렴풋이 기억이 있다 ***blow*** a person***'s***[one***'s***] ***~*** 《구어》 몹시 흥분시키다[하다]; 《속어》 (마약·음악 등으로) 도취시키다[하다] ***bring***[***call***] ***... to ~*** …을 생각해 내다; 〈사물이〉 생각나게 하다 ***cast***[***carry, throw***] one***'s ~ back to*** 이전의 일을 상기하다 ***cross***[***come into, enter, come to***] one***'s ~*** 생각이 나다, 생각이 떠오르다 ***disclose*** one***'s ~*** = tell one's MIND. ***fix ... in*** one***'s ~*** …을 유념하다 ***get ... out of*** one***'s ~*** 잊다 ***get*** one***'s ~ round ...*** …을 이해하다 ***give*** a person ***a bit***[***piece***] ***of*** one***'s ~*** ⇨ bit². ***give*** one***'s***(***whole***) ***~ to*** = set one's MIND to ***go***[***pass***] ***out of***[***from***] one***'s ~*** (1) 잊혀지다 (2) 《구어》 마음이 바뀌다; 발광하다 ***have a good***[***great***] ***~ to*** do (불만이나 화가 나서) 몹시 …하고 싶어하다 ***have a ~ of*** one***'s own*** 어엿한 자기 의견을 갖고 있다 ***have a***[***no, little***] ***~ to*** do …할 생각[마음]이 있다[없다], …하고 싶어하다[하지 않다] ***have a one-track ~*** 《구어》 (성욕·돈 등) 한 가지만 생각하다 ***have half a ~ to*** do …할까 생각하다, …할 마음이 조금 있다 ***have ... in ~*** (1) = bear ... in MIND. (2) …의 일을 생각하고[계획하고] 있다 ***have*** one***'s ~ on*** 마음이 …에 쏠리고 있다 ***have*** something ***upon*** one***'s ~*** 걱정하다, 염려하다 ***in*** one***'s ~*** …의 생각으로는 ***in*** one***'s ~'s eye*** ⇨ eye. ***in*** one***'s right***[***sound***] ***~*** 제정신으로, 본심으로 ***in the back of*** one***'s ~*** 《미·구어》 깜빡 잊고 ***in***[***of***] ***two***[***several***] ***~s*** 마음이 흔들리어, 결단을 내릴 수 없어, 망설여 ***keep an open ~*** 결정하지 않고 있다 ***keep*** a fact ***in ~*** 유의하다, 기억해 두다 ***keep***[***have, set***] one***'s ~ on*** …에 전념하다, …을 늘 마음에 두다 ***know*** one***'s own ~*** 결심이 되어 있다 ***lose*** one***'s ~*** (1) 미치다, 실성하다 (2) 열망하다, 열광하다 ***make up*** one***'s ~*** (1) 결심하다, 결단을 내리다 《*to* do》 (2) 인정하다, 각오하다 ***~ over matter*** 정신력에 의한 물질[육체]의 지배(를 믿기), (물질보다) 강한 정신력 ***off*** one***'s ~*** 마음을 떠나, 잊혀져서 ***on*** one***'s ~*** 마음에 걸려 ***open*** one***'s ~ to*** …에게 마음[심중]을 터놓다, 생각하는 바를 기탄없이 말하다 ***out of*** one***'s ~*** 《구어》 정신이 돌아; (슬픔 등으로) 미친 것 같은 《*with*》; 정신없이 취하여, 몹시 지루해하여 ***put***[***keep***] a person ***in ~ of*** …에게 …을 생각나게 하다, 상기시키다 ***put***[***set***] ***a person's ~ at rest***[***ease***] ⇨ rest. ***rush upon*** one***'s ~*** 문득 생각나다 ***set*** one***'s ~ on*** 〈…하기로〉 굳게 결심하다; …을 열망하다 ***set***[***give, put, turn***] one***'s ~ to*** …에 주의를 돌리다, …에 전념하다 ***take a load off*** one***'s ~*** 《구어》 한시름 놓다 ***take*** one***'s ~ off*** 관심을 딴 데로 돌리다, …을 주의하지 않게 하다 ***tell***[***say, speak***] one***'s ~*** 심중을 털어놓고 말하다[이야기하다] ***time out of ~*** 아득한 옛날(부터) ***to*** one***'s ~*** (1) 자기 생각에는 (2) = after one's MIND. ***weigh on*** one***'s ~*** 마음에 걸리다 ***with*** something ***in ~*** …을 마음[염두]에 두고

— *vt.* **1** [종종 명령문] **주의하다, 유의하다,** 염두에 두다, 조심하다: *M~* the step. 발밑을 조심하시오. / *M~* what I tell you. 내 말을 잘 들어라. // (~ + *that* 절) *M~* (*that*) you do so. 반드시 그렇게 해야 돼. ★ that은 보통 생략. **2** 돌보다; 지키다: *M~* the house[children] while I'm out. 내가 외출한 동안 집[아이들]을 봐주십시오. / Would you ~ my bags for a few minutes? 잠깐만 내 가방들을 지켜주시겠습니까? **3** [부정·의문·조건문에서] **신경 쓰다,** 꺼림칙하게 생각하다; **싫어하다:** Never ~ the expense. 비용에 대해서는 신경 쓰지 마라. / Never ~ him. 그 사람 걱정은 마라. / I should not ~ a glass of beer. 맥주 한 잔쯤은 괜찮겠지. / I don't ~ hard work, but I do [dú:] ~ insufficient pay. 아무리 힘든 일이라도 괜찮지만 보수가 적은 것은 싫다. // (~ + *-ing*) Would[Should] you ~ shut*ting* the door? 미안하지만 문 좀 닫아 주시겠습니까? / Do[Would] you ~ my smok*ing*? 담배를 피워도 괜찮습니까? ★ 대답은 보통 No, I don't (*mind*). 괜찮습니다, 피우세요. // (~ + *-ing*) (~ + 목 + *-ing*) I don't ~ your[you] be*ing* a swindler. 당신이 사기꾼이라고 해도 나는 개의치 않소. **4** …의 명령을 따르다; 〈명령 등을〉 지키다, 좇다: You should ~ your parents. 부모님 말씀대로 해라. / *M~* the rules. 규칙을 지켜라.

— *vi.* **1 주의하다,** 조심하다: *M~!* You'll slip. 조심하시오, 미끄러집니다. **2** 《주로 미》 말을 잘 듣다, 〈명령 등을〉 잘 따르다: (~ + 부) This dog *~s well.* 이 개는 말을 잘 듣는다. **3** [보통 부정·의문문에서] 반대하다(object); 마음에 꺼리다, 걱정하다, 염려하다: We'll rest here if you don't ~. 괜찮으시다면 여기서 쉽시다. // (~ + 전 + 명) Never ~ *about* that. 그것에 대해서는 조금도 염려 마시오. // C.E It was raining but we didn't *mind*[*mind* it(×)]. 비가 내리고 있었지만 우리는 개의치 않았다.

Don't ~ me. (1) 내 걱정은 하지 마세요, 마음대로 [좋도록] 하십시오. (2) [반어적] 조심하시오, 심하군요, 내 생각도 조금 해야지. ***I don't ~ if I*** do. (음식물 등을 권유받을 때의 답으로) 네, 기꺼이 받겠습니다[먹겠습니다]. ***M~ and*** do. 《구어》 꼭 …해라. ***M~ out!*** 《영》 정신차려, 비켜! ***~*** one***'s P's and Q's*** ⇨ P. ***M~ what you are about.*** 쓸데없는 참견

마라. ***M~ (you)!*** 알겠니, 잘 들어. 《양보 또는 조건 제시에 따르는 삽입 문구》 ***M~ your eye [helm]!*** 《영·구어》 정신 차려! ***M~ your own business.*** 참견 마라, 네 일이나 잘 해라. ***never ~*** (1) 신경 쓰지 마라, 걱정하지 마라, 괜찮다 (2) 《구어》 …은 말할 것도 없고, …은 커녕 ***Never you ~ (…).*** 《구어》 (…은) 네가 알 바 아니다. ***Would you ~ if …?*** …해도 괜찮겠습니까? ▷ míndful *a.*

mind-al·ter·ing [máindɔ̀:ltəriŋ] *a.* 〈환각제 등〉 정신에 변화를 주는, 향정신(向精神) 작용성의

Min·da·na·o [mìndənɑ́:ou, -náu] *n.* 민다나오 《필리핀 제도 남부에 있는 제2의 큰 섬》

mind-bend·er [máindbèndər] *n.* 《구어》 **1** 환각제; 환각제 사용자 **2** 깜짝 놀라게 하는 것 **3** 회유책을 쓰는 사람

mind-bend·ing [-bèndiŋ] *a.* 《구어》 **1** 환각을 일으키게 하는; 정신을 착란시키는 **2** 깜짝 놀라게 하는, 압도적으로 강렬한 **3** 굉장히 어려운 **~·ly** *ad.*

mind-blow [-blòu] *vt.* (**-blew** [-blù:]; **-blown** [-blòun]) 《구어》 〈남에게〉 극도의 충격을 주다, 흥분시키다

mínd blòwer 《구어》 환각제 (사용자); 황홀한 체험

mind-blow·ing [-blòuiŋ] *a.* 《구어》 **1** 몹시 자극적인, 압도하는 **2** 환각 작용을 하는; 환각제의: a ~ drug 환각제

mínd-bód·y pròblem [-bɑ́di- | -bɔ́di-] 〖철학·심리학〗 심신 관계 문제 《정신과 육체 간의 문제》

mind-bog·gling [-bɑ̀gəliŋ | -bɔ̀g-] *a.* 《구어》 **1** 굉장히 난해한 **2** 경탄스러운, 상상을 초월한 **~·ly** *ad.* **mínd-bòg·gler** *n.*

mínd cùre 정신 요법

mind·ed [máindid] *a.* **1** [복합어를 이루어] **a** 마음이 …한: feeble-~ 의지가 박약한 **b** …에 열심인: air-~ 항공 사업에 관심을 가진 **2** Ⓟ (…하고 싶은) 마음이 있는: If you are so ~, you may do it. 그렇게 하고 싶으면 해도 됩니다.

mind·er [máindər] *n.* [보통 복합어를 이루어] 《주로 영》 돌보는 사람, 지키는 사람: a baby-~ 아기 봐주는 사람

mind-ex·pand·er [máindikspæ̀ndər] *n.* 환각제

mind-ex·pand·ing [-ikspæ̀ndiŋ] *a.* 〈약이〉 의식을 확대시키는, 정신 확장의; 환각 상태가 되게 하는

mínd explòrer 《마약속어》 LSD사용자(cf. MIND OPENER)

mind·ful** [máindfəl] *a.* Ⓟ **염두에 두는,** 유념하는, 잊지 않는, 주의하는 (*of*): (~+to*** do) Be ~ *to* follow my advice. 정신을 차려서 내 충고를 따르도록 하여라. // (~+***of***+명) ~ *of* one's responsibilities 자신의 책임을 잊지 않는 **~·ly** *ad.* **~·ness** *n.*

mínd gàme 1 [종종 ~s] 심리 조작[전술] **2** 심리전

mind-game [máindgèim] *vt.* 《미·속어》 심리적으로 몰아세우다, 일부러 신경질나게 하다

mind-heal·ing [-hì:liŋ] *n.* 정신 요법

mind·less [máindlis] *a.* **1 a** 생각[지각] 없는, 어리석은(stupid): ~ violence 어리석은 폭력 **b** 머리를 쓰지 않는 〈일〉 **2 a** 〈자연력 등이〉 지성이 없는, 무심한 **b** 〈폭력 등이〉 까닭[이유] 없는 **3** Ⓟ 무관심한, 부주의한 (*of*) **~·ly** *ad.* **~·ness** *n.*

mind-numb·ing [máindnʌ̀miŋ] *a.* 지루하고 시시해서 죽을 지경인, 정신이 멍해질 만큼의 **~·ly** *ad.*

mínd òpener 《마약속어》 LSD사용자[판매자](cf. MIND EXPLORER)

mind-read [-rì:d] *vt.* 〈남의〉 마음을 읽다, 독심(讀心)하다 **mínd rèader** *n.* 독심술자

mínd rèading 독심술

mind-set [-sèt] *n.* (습성이 된) 심적 경향[태도], (고정된) 사고방식; 태도, 기호, 버릇

mínd's éye [one's ~] 마음의 눈, 심안(心眼), 상상: in one's ~ 마음 속으로, 상상으로

mínd spàcer 《미·속어》 환각제

mínd tòol 컴퓨터

‡**mine**[1] [máin] *pron.* (*pl.* ~) [I에 대응하는 소유대명사] **나의 것;** 나의 가족[편지, 책무 《등》]: a friend of ~ 나의 친구 《부정(不定)의 사람에 대하여》 / this book of ~ 나의 이 책 / He was kind to me and ~. 그는 나와 내 가족에게 친절했다. / *M~* is a gold watch. 《문어》 내 시계는 금시계이다. (《구어》 = My watch is a gold one.) ***make ~ …*** 나는 …로 하겠소. 《식당 등의 주문에서》 ***The game is ~.*** 이 시합은 내가 이긴 것이다.

— *a.* 《고어·시어》 [I의 소유격; 모음 또는 h로 시작하는 명사 앞, 또는 명사 뒤에 써서] 나의(my): ~ eyes 나의 눈

‡**mine**[2] [máin] *n., v.*

> 「광산」 **1** ┬→(지하 자원)→「보고」 **2**
> └→(갱)→(적진 폭발용의 지하갱) →「지뢰」, 「기뢰」 **4**

— *n.* **1 광산,** 광업소; 탄갱; 《영》 탄광: a gold ~ 금광 / an abandoned ~ 폐광 **2** [a ~] **풍부한 자원,** 보고(寶庫) (*of*): a ~ *of* information 정보의 보고 **3** [the ~s] 광업, 광산업 **4** 〖육군〗 (적진 밑까지 파들어가 지뢰를 묻는) 갱도, 땅굴; 지뢰(=land ~); 〖해군〗 수뢰, 기뢰: a floating[drifting, surface] ~ 부유 기뢰(浮遊機雷) / a submarine ~ 부설 수뢰(敷設水雷) ***lay a ~ for*** …에 지뢰[수뢰]를 부설하다; …을 오싹하게 할 계략을 짜다 ***spring a ~ on*** …에 지뢰를 폭발시키다; …을 기습하다 ***strike a ~*** 지뢰를 밟다 ***work a ~*** 광산을 채굴하다

— *vt.* **1** 〈광석·석탄 등을〉 **채굴하다,** (채굴하기 위해) 〈땅에〉 갱도를 파다; 〖군사〗 (적진까지) 땅굴을 파다: (~+목+전+명) ~ the ground *for* coal 석탄을 캐기 위해 땅을 파다 **2** …에 지뢰[기뢰]를 부설하다; 지뢰[기뢰]로 폭파하다 **3** (비밀 수단·계략으로) 전복[파괴]하다, 음모로 실각시키다 **4** 〈자료 등을〉 뒤지다, 조사하다 **5** 〈자원을〉 고갈시키다 (*out*)

— *vi.* **1 채굴하다** (*for*); 갱도를 파다: (~+전+명) ~ *for* coal 석탄을 채굴하다 **2** 지뢰를 부설하다 **~·a·ble** *a.*

míne detèctor (전자식의) 지뢰[기뢰] 탐지기

míne dispósal 지뢰[기뢰] 처리

míne dùmp 《남아공》 채광 폐기물 더미(dump)

mine·field [máinfì:ld] *n.* **1** 광석 매장 구역 **2** 〖군사〗 지뢰밭 **3** 보이지 않는 위험이 많은 곳

mine-hunt·er [-hʌ̀ntər] *n.* 기뢰 제거정(艇)

mine·lay·er [-lèiər] *n.* 〖해군〗 기뢰 부설함(艦)[기]

‡**min·er** [máinər] *n.* **1** 《영》 **광부,** 갱부, 광산 노동자; 광산업자: My father was a coal ~. 나의 아버지는 석탄을 캐는 광부였다. **2** 〖군사〗 지뢰 부설병(cf. SAPPER) **3** 채광기, 채탄기

‡**min·er·al** [mínərəl] [L 「광산」의 뜻에서] *n.* **1 광물** (cf. ANIMAL, PLANT); 광석(ore); 〖화학〗 무기물: Hot springs often contain many ~*s.* 온천에는 흔히 많은 무기물이 함유되어 있다. **2** Ⓤⓒ (영양소로서의) 광물질, 미네랄 **3** 《영·구어》 [보통 *pl.*] = MINERAL WATER

— *a.* Ⓐ **1** 광물(성)의, 광물을 함유한: ~ resources 광물 자원 **2** 〖화학〗 무기(無機)의 ▷ míneralize *v.*

mineral. mineralogical; mineralogy

míneral chárcoal 천연 목탄

min·er·al·ize [mínərəlàiz] *vt.* 광물화하다, 광물질을 함유시키다: ~*d* organic matter 무기물을 함유한 유기물질 — *vi.* 광물을 채집[연구]하다; 광물화되다 **mìn·er·al·i·zá·tion** *n.*

min·er·al·iz·er [mínərəlàizər] *n.* 〖화학〗 광소(鑛素), 조광소(造鑛素); 〖지질〗 광화제(鑛化劑)

míneral jèlly 〖화학〗 미네랄 젤리 《석유에서 채취하는 점성(粘性) 물질; 폭약 안정제용》

míneral kìngdom [the ~] 광물계(界)

min·er·al·og·i·cal [mìnərəlɑ́dʒikəl | -lɔ́dʒ-], **-og·ic** [-dʒik] *a.* 광물학(상)의, 광물학적인

-óg·i·cal·ly *ad.*
min·er·al·o·gy [mìnərɑ́lədʒi, -rǽl- | -rǽl-] *n.* Ⓤ 광물학 **-gist** *n.* 광물학자
min·er·al·oid [mínərəlɔ̀id] *n.* 준광물(準鑛物), 미네랄로이드
míneral òil 광유(鑛油), 석유
míneral pìtch 천연 아스팔트(asphalt)
míneral rìght 〖법〗 채굴권
míneral sprìng 광천(鑛泉)
míneral tàr 광물 타르
míneral vèin 광맥
míneral wàter 천연 광천수, 광수(鑛水); 인공 광수; [종종 *pl.*] 《영》 탄산수, (탄산) 청량 음료
míneral wàx 광랍(鑛蠟), 지랍(地蠟)(ozocerite)
míneral wòol 광물면(綿) 《방음·단열재》
míner's rìght 《호주》 (금광) 채굴 허가증
Mi·ner·va [minə́ːrvə] *n.* **1** 〖로마신화〗 미네르바 《지혜와 무용(武勇)의 여신; 그리스 신화의 Athena》 **2** 여자 이름
mine's [máinz] 《구어》 mine is의 단축형
mine·shaft [máinʃæ̀ft | -ʃɑ̀ːft] *n.* (광산의) 수직 갱도
min·e·stro·ne [mìnəstróuni] [It. 「수프」의 뜻에서] *n.* Ⓤ (채소 등을 넣은) 진한 수프
mine·sweep·er [máinswìːpər] *n.* 〖해군〗 소해정(掃海艇)
mine·sweep·ing [-swìːpiŋ] *n.* Ⓤ 〖해군〗 소해(작업); 지뢰 제거
míne thròwer 박격포(trench mortar)
min·e·ver [mínəvər] *n.* = MINIVER
míne wàter 〖광산〗 갱내수(坑內水)
míne wòrker 광산 노동자, 광부(miner)
Ming [míŋ] *n.* (중국의) 명(明)나라, 명조(明朝); [m~] 명조 자기(磁器) **—** *a.* 명조(예술)의
minge [míndʒ] *n.* 《영·비어》 여성 성기; 여자
ming·er [míŋər] *n.* 《영·구어》 매력 없는 사람; 불쾌한 사람
ming·ing [míŋiŋ] *a.* 《영·구어》 몹시 불쾌한[더러운], 냄새 고약한
***min·gle** [míŋgl] *vt.* (두가지 이상의 것을) 섞다, 혼합하다(⇨ mix 유의어): ~ wine and soda 술에 소다를 섞다 // (~+목+전+명) truth ~*d with* falsehood 거짓이 섞인 진실
— *vi.* 섞이다 《*with*》; 교제하다, 어울리다, 사귀다; 참가하다 《*with, in*》: (~+전+명) ~ *in*[*with*] the crowd 군중 속에 섞이다, 군중 속으로 사라지다
~d feelings 기쁨과 슬픔이 뒤섞인 감정 ***~ tears*** 함께 울다 **~·ment** *n.* **mín·gler** *n.*
min·gle-man·gle [míŋglmǽŋgl] *n.* 뒤범벅
míng trèe [míŋ-] 분재(盆栽)
min·gy [míndʒi] *a.* (**-gi·er**; **-gi·est**) 《영·구어》 인색한, 구두쇠의(stingy) **-gi·ly** *ad.* **-gi·ness** *n.*
Min·hah, Min·chah [mínxə] [Heb.] *n.* [종종 m~] 〖유대교〗 민하 《오후의 예배》
min·i [míni] 《구어》 *n.* 미니스커트[드레스, 코트]; 소형 자동차, 미니카; 미니컴퓨터
— *a.* 미니의, 아주 작은, 소형의
mini- [mínə, -ni] 《연결형》 **1** 「작은, 소형의」의 뜻: *mini*car **2** 소규모의, 단기간의: *mini*course
min·i·ate [mínièit] *vt.* 〈사본 등에〉 붉은 색을 칠하다, 금(金)문자로 장식하다 **mín·i·à·tor** *n.*
***min·i·a·ture** [míniətʃər, -tʃùər, mínətʃər | -nətʃə] [L 「연단(鉛丹)으로 그린」의 뜻에서] *n.* **1** 축소 모형; 축소물 《*of*》: a ~ *of* the White House 백악관 모형 **2** 세밀화(細密畫); 소화상(小畫像); Ⓤ 세밀화법 **3** (사본(寫本)의) 채식(彩飾), 채식화(畫)[문자] **4** (35밀리 필름을 사용하는) 소형 카메라
***in* ~** 소규모로[의], 축소한[하여]
— *a.* Ⓐ **1** 소형의, 소규모의: a ~ decoration 약장(略章) 《약식의 훈장이나 휘장》 **2** 세밀화의
— *vt.* 세밀화로 그리다, 축사(縮寫)하다

míniature cámera (35밀리 이하의 필름을 쓰는) 소형 카메라
míniature gólf (putter만으로 하는) 미니골프
míniature photógraphy 소형 카메라 사진술
míniature pínscher 미니어처 핀셔 《소형의 애완견》
min·i·a·tur·ist [míniətʃərist, -nə- | -nə-] *n.* 세밀화가; 미니어처 제작자[수집가]
min·i·a·tur·ize [míniətʃəràiz, -nə- | -nə-] *vt.* 소형[축소]화하다 **mìn·i·a·tur·i·zá·tion** *n.*
min·i·bar [mínibɑ̀ːr] *n.* (호텔 객실 등의) 주류 상비용 소형 냉장고
min·i·bike [mínəbàik] *n.* 《미》 소형 오토바이
min·i-black-hole [mínəblæ̀khoul] *n.* 〖천문〗 미니 블랙홀 《10만분의 1그램 정도의 질량인 극소형》
min·i·budg·et [mínəbʌ̀dʒit] *n.* 소형 추가 경정 예산
min·i·bus [mínəbʌ̀s] *n.* 소형 버스(⇨ bus 관련)
min·i·cab [mínəkæ̀b] *n.* 《영》 소형 택시
min·i·cal·cu·la·tor [mìnəkǽlkjulèitər] *n.* 미니[소형] 계산기(pocket calculator)
min·i·cam(·er·a) [mínəkæ̀m(ərə)] *n.* = MINIATURE CAMERA
min·i·car [mínəkɑ̀ːr] *n.* 소형 자동차; (장난감) 미니카, 모형 자동차
min·i·cell [mínəsèl] *n.* 〖생물〗 미니 세포 《염색체 DNA가 없는 작은 박테리아 세포》
min·i·com·put·er [mínəkəmpjùːtər] *n.* 소형 컴퓨터
min·i·course [mínəkɔ̀ːrs] *n.* 단기 강좌[강습]
min·i·cy·cle [mínəsàikl] *n.* 경량 소형 오토바이
min·i·dose [mínədòus] *n.* (소립의) 복용약
min·i·disc [mínədìsk] *n.* 미니[소형] 디스크
min·i·dra·ma [mínədrɑ̀ːmə] *n.* 미니드라마
min·i·dress [mínidrès] *n.* 미니드레스
min·i·fes·ti·val [mínəfèstivəl] *n.* 《주로 미》 (대개 야외에서 열리는) 소규모 연회[기념제]
min·i·fy [mínəfài] *vt.* (**-fied**) 작게 하다, 축소하다 (opp. *magnify*); 삭감하다; 중요성을 낮추다; 낮게 평가하다 **mìn·i·fi·cá·tion** *n.*
min·i·golf [mínəgɑ̀lf | -gɔ̀lf] *n.* = MINIATURE GOLF
min·i·kin [mínikin] *n.* 작은 것[생물], 미물
— *a.* 작은, 소형의, 꼬마의; 점잔 빼는
min·i·lab [mínəlæ̀b] *n.* 소규모 현상소, DP점
min·im [mínəm] *n.* **1** 미님 《액량(液量)의 단위; 1드램의 1/60; 略 min》 **2** 《영》 〖음악〗 2분 음표(《미》 half note) **3** (펜글씨의) 위에서 아래로 내리긋는 선; 미량, 미세(한 것); 시시한 것[사람] **—** *a.* 아주 작은, 소형의
min·i·ma [mínəmə] *n.* MINIMUM의 복수
min·i·mag·a·zine [mínəmæ̀gəzìːn] *n.* (특정 독자만을 위해 발행되는) 미니 잡지
min·i·mal [mínəməl] *a.* **1** 최소(한도)의, 극소의 (opp. *maximal*) **2** minimal art의 **—** *n.* **1** 〖수학〗 최소[극소]값 **2** Ⓤ = MINIMAL ART **~·ly** *ad.*
mínimal árt [종종 **M- A-**] 미니멀 아트 《최소한의 재료·수단를 사용한 조형 예술》; 그 작품
mínimal bráin dysfùnction 〖의학〗 미세 뇌기능 장애 《아동의 학습 장애의 하나; 略 MBD》
min·i·mal·ism [mínəməlìzm] *n.* **1** (예술에서의) 미니멀리즘, 최소한 표현주의 《최소한의 요소로 최대 효과를 올리려는》 **2** = MINIMAL ART
min·i·mal·ist [mínəməlist] *n.* **1** (예술에서의) 미니멀리스트, 미니멀 아트 작가 **2** (목표 달성에서) 최소한의 기대 밖에 안하는 사람 **—** *a.* 미니멀리즘[미니멀리스트]의
min·i·mal·ize [mínəməlàiz] *vt.* = MINIMIZE
mínimal páir 〖언어〗 최소 대어(對語) 《bet와 bed처럼 같은 위치의 한 가지 소리만 다른 한 쌍의 낱말》

thesaurus **minimize** *v.* reduce, decrease, curtail, cut back on, slash, diminish, shrink, prune

min·i·mar·ket [mínəmɑ̀ːrkit] *n.* 식품 잡화점
min·i·mart [mínəmɑ̀ːrt] *n.* = MINIMARKET; 《미》 편의점
min·i·max [mínəmæ̀ks] *n.* **1** (게임 이론에서) 미니맥스 《추정되는 최대의 손실을 최소화하는 기법》 **2** 〖수학〗 미니맥스 《어떤 한 조의 극대치 중의 최소치》
mínimax prìnciple 미니맥스 원리 《어떤 행위 중의 하나를 선택할 때에는 최악의 경우의 손해가 최소가 되도록 하는 행동 선택의 원칙》
min·i·mill [mínəmìl] *n.* 소규모 공장, 고철 재생 공장
min·i·mind·ed [mínəmáindid] *a.* 생각이 모자라는, 어리석은
min·i·mine [mínəmìːn] *n.* 〖약학〗 미니민 《벌의 독에서 추출한 유독 물질》
∗**min·i·mize** [mínəmàiz] *vt.* **1** 최소[최저]로 하다, 극소화하다(opp. *maximize*): ~ the attendance 참석자를 최소한으로 줄이다 **2** 최소[최저]로 추산하다, 과소평가하다; 얕보다 **mìn·i·mi·zá·tion** *n.* **-mìz·er** *n.*
‡**min·i·mum** [mínəməm] [L 「최소의」의 뜻에서] *n.* (*pl.* **-i·ma** [-mə], **~s**)(opp. *maximum*) **1** 최소[최저] 한도, 최저액, 최저치, 최소량: an annual bonus of $4,000 ~ 연간 최저 4,000달러의 보너스 **2** 〖수학〗 극소 ***to a ~*** 최소한도로: keep conversations *to a* ~ 대화를 가급적 줄이다
—*a.* Ⓐ 최소의, 최소[최저]한의: a ~ price 최저 가격
mínimum áccess prògramming 〖컴퓨터〗 최소 시간 프로그래밍 《호출 시간(access time)이 최소가 되도록 프로그램을 작성하기》
mínimum dóse 〖의학〗 최소 투약량
mínimum lénding ràte 《영》 (잉글랜드 은행의) 최저 대출 금리 《略 MLR》
mínimum ráte 〖운수〗 최저 운송 요율, 최저 운임
min·i·mum-se·cu·ri·ty [-sikjúərəti] *a.* 〈교도소가〉 최소 경비(警備)의
mínimum secúrity prìson 《미》 (최소 경비(警備) 상태의) 개방 교도소(open prison)
mínimum thermómeter 최저 온도계
mínimum wáge **1** 최저 임금: a ~ system 최저 임금제 **2** (최저) 생활 임금(living wage)
min·i·mus [mínəməs] *a.* 《영》 최연소자의, 가장 나이가 어린 《이름이 같은 학생이나 형제 중에서》: Jones ~ 막내 존스 **—***n.* (*pl.* **-mi** [-mài]) 최소의 것; 〖해부〗 새끼손[발]가락
∗**min·ing** [máiniŋ] *n.* **1** Ⓤ 채광(採鑛), 채굴; 광업: coal ~ 탄광업, 채탄 **2** Ⓤ 〖군사〗 지뢰[기뢰] 부설
—*a.* 광업의, 광산의: the ~ industry 광업 / ~ rights 채굴권
míning engineèr 광산 기술자
míning engineèring 광산(공)학
míning geòlogy 광산 지질학
mini-note [-nòut] *n.* = SUBNOTEBOOK
min·i·nuke [mínənùːk] *n.* 《미·속어》 소형 핵무기
min·ion [mínjən] *n.* **1** 《경멸》 마음에 드는 사람 《총아·총신 등》; 부하, 앞잡이, 추종자 **2** 말괄량이 **3** Ⓤ 〖인쇄〗 미니언 활자 《7포인트》 ***a ~ of fortune*** 행운아 ***the ~s of the law*** 법의 앞잡이들, 경관, 교도관
—*a.* 우아한, 고상한; 귀여운
min·i·park [mínəpɑ̀ːrk] *n.* (도시의) 소공원
min·i·pig [mínəpìg] *n.* 미니 돼지 《실험용》
min·i·pill [mínəpìl] *n.* 〖약학〗 알이 작은 경구 피임약
min·i·plan·et [mínəplæ̀nit] *n.* 〖천문〗 소행성
min·i·round·a·bout [mínəráundəbàut] *n.* 《영》 미니로터리 《소규모의 환상 교차로》
min·i·school [mínəskùːl] *n.* 미니스쿨 《개별 지도를 하는 실험 학교》
min·is·cule [mínəskjùːl] *a.*, *n.* = MINUSCULE
mini·se·ries [mínəsìəriːz] *n.* 〖TV〗 미니시리즈 《몇 날에서 몇 주일로 끝나는》

---

minister *n.* clergyman, priest, preacher, pastor, rector, chaplain, vicar, cleric, ecclesiastic

min·i·ski [mínəskìː] *n.* (특히 초심자용) 짧은 스키
min·i·skirt [mínəskə̀ːrt] *n.* 미니스커트 **~·ed** *a.*
min·i·state [mínəstèit] *n.* 극소[미니] 국가
‡**min·is·ter** [mínəstər] *n.*, *v.*

> L 「사용인」의 뜻에서
> ┌(하느님의 사용인) → 「목사」 **1**
> └(국왕의 사용인) → 「장관」 **2**

—*n.* **1** 성직자, 목사; 《영》 비(非)국교파 목사: a ~ of religion 목사, 승려, 종교가 **2** 장관, 대신: the Prime *M*~ 국무총리, 수상(Premier) **3** 공사; 외교 사절; = MINISTER of state **4** 《문어》 대리인, 대행자, 앞잡이: a ~ of evil 악의 앞잡이 ***~ of state*** 《영》 부장관; [**M- of S-**] 장관, 대신 ***~ of the Crown*** 《영》 각료 ***~ without portfolio*** 무임소 장관 ***the M~ for Defense*** 국방 장관 ***the M~ of*** [***for***] ***Foreign Affairs*** 외무 장관
—*vi.* **1** 성직자[목사, 대리인 《등》] 노릇을 하다 **2** 섬기다, 봉사하다 《*to*》: (~+前+名) ~ *to* the sick 병자를 보살피다 **3** (위안·행복 등에) 기여하다, 공헌하다 《*to*》: ~ *to* one's vanity 허영심을 만족시키다 / ~ *to* a person's comfort 위안을 주는 데 일조하다
~·shìp *n.*
mínister géneral 수도회 총회장
min·is·te·ri·al [mìnəstíəriəl] *a.* **1** 성직자[목사]의 (clerical) **2** 정부측의, 여당의; 행정(상)의: the ~ benches 《영》 (하원의) 여당석 / a ~ conference of the member countries 회원국 각료 회담 **3** 대리의, 보좌의 **4** 이바지하는, 수단이 되는 《*to*》 **~·ly** *ad.* 목사로서; 장관[대신]으로서
mín·is·ter·ing ángel [mínistəriŋ-] 구원의 천사 《친절한 간호사 등》
mínister plenipoténtiary 전권 공사
mínister résident 변리(辨理) 공사 《전권 공사의 다음 자리》
min·is·trant [mínəstrənt] *a.* 《문어》 봉사하는, 보좌역의 **—***n.* 봉사자, 보좌역
min·is·tra·tion [mìnəstréiʃən] *n.* ⓊⒸ 《특히》 목사의 직무, 목회; 봉사, 원조; 돌보기
min·is·tra·tive [mínəstrèitiv | -trə-] *a.* = MINISTRANT
min·is·tress [mínəstris] *n.* MINISTER의 여성형
min·i·stroke [mínəstròuk] *n.* 〖의학〗 = TRANSIENT ISCHEMIC ATTACK
‡**min·is·try** [mínəstri] [L 「근무, 봉직(奉職)」의 뜻에서] *n.* (*pl.* **-tries**) **1** [보통 **M~**] (정부의) 부, 성(省); 부의 건물 ★ 영국은 Ministry 외에 Department, Office 등을 쓰고, 미국에서는 Department를 씀. **2** 내각; 장관의 직무[임기]; [the M~; 집합적] 전체 장관: form a new party ~ 신정당 내각을 조직하다 **3** [the ~] 목사의 직[임기], 목회; [집합적] 성직자들: go into[enter] *the* ~ 성직에 취임하다, 목사가 되다 **4** Ⓤ 구조, 봉사
min·i·sub [mínəsʌ̀b] *n.* 소형 잠수함
míni sỳstem (소형의 고성능 오디오) 미니 시스템
min·i·tank [mínətæ̀ŋk] *n.* 〖군사〗 미니탱크, 경량의 고속 전차
min·i·tank·er [mínətæ̀ŋkər] *n.* 《영》 소형 탱커[트럭] 《액체 수송용》
min·i·track [mínətræ̀k] *n.* 미니트랙 《인공위성 등에서 발하는 전파를 추적하는 장치; 상표명》
min·i·um [míniəm] *n.* Ⓤ 〖화학〗 연단(鉛丹), 광명단(光明丹); 연단색, 선홍색
min·i·vac·u·um [mínəvæ̀kjuəm] *n.* (손에 들고 쓰는) 소형 진공 청소기
min·i·van [mínəvæ̀n] *n.* 《미》 미니밴 《van과 station wagon의 특징을 절충한 차》
min·i·ver [mínəvər] *n.* Ⓤ (귀족 예복의) 흰 모피
min·i·vet [mínəvèt] *n.* 〖조류〗 할미새사촌
∗**mink** [míŋk] *n.* (*pl.* **~**, **~s**) **1** 〖동물〗 밍크 《족제

비 무리》 **2** Ⓤ 밍크 모피; Ⓒ 밍크 코트[목도리《등》]

min·ke [míŋki] *n.* 〖동물〗 밍크고래(= ~ **whále**)

Min·ków·ski wòrld[ùniverse] [miŋkɔ́:fski | -kɔ̃f-] [독일의 수학자 이름에서] 〖수학〗 민코프스키 우주《4차원의 좌표에 따라 기술되는 공간》

Minn. Minnesota

Min·na [mínə] *n.* 여자 이름

Min·ne·ap·o·lis [mìniǽpəlis] *n.* 미니애폴리스《미국 Minnesota 주 남동부의 도시》

min·ne·sing·er [mínəsìŋər] [G] *n.* (중세 독일의) 음유[시정] 시인

***Min·ne·so·ta** [mìnəsóutə] [북미 원주민 말 「젖빛을 띤 푸른 물」의 뜻에서] *n.* **1** 미네소타《미국 중북부의 주; 속칭 the Gopher[North Star] State; 주도 St. Paul; 略 Minn.》 **2** [the ~] 미네소타 강(= ~ **Ríver**) **-tan** *n., a.* 미네소타 주 사람(의)

Minnesóta Multiphásic Personálity Ìnventory 〖심리〗 미네소타 다면(多面) 인격 목록《미네소타 대학이 개발한 성격 검사법; 略 MMPI》

Min·nie [míni] *n.* 여자 이름《Mary의 애칭》

min·now [mínou] *n.* (*pl.* **~, ~s**) **1** 〖어류〗 연준모치 무리 **2** 잔챙이, 잡어; 하찮은 사람[것] ***throw out a ~ to catch a whale*** 새우로 고래를 잡다, 큰 이익을 위하여 사소한 희생을 하다

Mi·no·an [minóuən, mai-] *a.* **1** 미노스[크레타] 문명의《B.C. 3000-1100년경》 **2** 미노스 문자의, 선 문자의 **—** *n.* 고대 크레타 사람; 미노아 사람

‡**mi·nor** [máinər] [L 「보다 작은」(비교급)의 뜻에서] (opp. *major*) *a.* **1 작은 편의**; 소(小, 少)… (smaller, lesser): a ~ party 소수당 **2 중요치 않은**, 둘째 가는, 2류의, 소(小)…(inferior); 〖의학〗 〈수술 등〉 위험이 따르지 않는: a ~ poet 2류 시인 / a ~ wound [injury] 경상 **3** 《영》 손아래의《같은 이름의 두 학생 중의》: Brown ~ 어린[작은] 브라운 **4** 미성년의 **5** Ⓐ 〖음악〗 단조(短調)의: G ~ 「사」 단조 **6** 《미》 (대학의) 부전공의: a ~ subject 부전공 과목

— *n.* **1** 〖법〗 **미성년자**: No ~*s.* 《게시》 미성년자 사절. **2** 《미》 부전공 과목《전공 과목(major)보다 적은 단위의 것》; 부전공 학생 **3** 〖논리〗 소명사; 소전제 **4** 〖음악〗 단음계(= ~ scale) **5** = MINOR LEAGUE **6** [**M~**] 〖가톨릭〗 = MINORITE

— *vi.* 《미》 (대학에서 …을) 부전공하다《*in*》

~·ship *n.*

mínor áxis (원뿔 곡선의) 단축(短軸)

Mi·nor·ca [minɔ́:rkə] *n.* 미노르카 섬《지중해 Balearic 군도 중의 스페인령(領)》; 미노르카 닭

mínor cóin 비(卑)금속 경화(硬貨)

mínor élement **1** 〖지질〗 미량 원소 **2** 〖생화학〗 미량 원소(trace element)

mínor ínterval 〖음악〗 단(短)음정

Mi·nor·ite [máinəràit] *n.* 프란체스코회의 수사

‡**mi·nor·i·ty** [minɔ́:rəti, mai- | mainɔ́:r-, mi-] *n.* (*pl.* **-ties**) **1 소수**; 소수당[파](opp. *majority*); 소수 민족; 소수 투표수: a small ~ of juveniles 극소수의 소년 소녀 **2** Ⓤ 〖법〗 미성년(기)

a ~ of one 단 한 사람인 소수파, 고립무원임 ***be in the ~*** 소수(파)이다

— *a.* Ⓐ 소수의, 소수파[당]의: a ~ opinion 소수의 의견 / a ~ party 소수당

minórity càrrier 〖물리〗 (반도체의) 소수 담체(擔體)

minórity gòvernment 소수당 정부

minórity gròup (한 나라 내의) 소수 집단[민족]

minórity lèader 《미》 소수당의 원내 총무

minórity prògram 저(低)시청률 프로그램

minórity repòrt (소수파의) 반대 의견서

minórity whìp 《미》 소수당의 원내 부총무

mínor kéy **1** 〖음악〗 단조(短調) **2** 음침한 기분 **3** 소규모: a farm in a ~ 소규모 농장 ***in a ~*** 〖음악〗 단조로; 음침한 기분으로[인]

mínor léague [*pl.*] 《미》 마이너 리그《2류 프로 야구단 연맹; cf. MAJOR LEAGUE》

mi·nor-league [máinərlí:g] *a.* 《미》 minor league의; 《미·구어》 2류의, 좀 못한

mínor léaguer 《미》 마이너 리그의 선수; 《미·구어》 2류의 사람, 곁다리

mínor offénse 경범죄

mínor órders 〖가톨릭〗 (신품) 소품(小品)《수문·강경·구마·시종의 네 품》

mínor pénalty 〖아이스하키〗 마이너 페널티《2분간의 퇴장에다, 대신 선수의 출장은 인정되지 않음》

mínor pìece 〖체스〗 작은 말《bishop 또는 knight》

mínor plánet 〖천문〗 소행성(asteroid)

mínor prémise 〖논리〗 소전제(小前提)

Mínor Próphets [the ~] (구약의 12인의) 소선지자; 소선지[소예언]서(cf. MAJOR PROPHETS)

mínor scále 〖음악〗 단음계

mínor séntence 〖문법〗 단문(短文)《주부나 술부 또는 둘다 없는 문장》

mínor súit (브리지에서) 다이아몬드[클럽]의 짝패《득점이 적음》

mínor térm 〖논리〗 소명사(小名辭)

mínor tránquilizer 〖약학〗 약(弱) 진정제

Mi·nos [máinəs, -nas | -nɔs] *n.* 〖그리스신화〗 미노스《크레타(Crete) 섬의 왕》

Mi·no·taur [mínətɔ̀:r, mái- | mái-] *n.* **1** [the ~] 〖그리스신화〗 사람 몸에 쇠머리를 가진 괴물 **2** 《일반적으로》 파괴자, 괴물

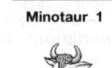

Minotaur 1

min·ox·i·dil [minɑ́ksidìl | -nɔ́k-] *n.* 〖약학〗 미녹시딜《혈압 강하 및 모발 발육 촉진제》

MINS [mínz] [*m*inor(s) *i*n *n*eed of *S*upervision] *n.* 〖미국법〗 보호를 필요로 하는 미성년자

min·ster [mínstər] *n.* 《영》 수도원 부속 교회당; 대성당(cathedral)

***min·strel** [mínstrəl] [L 「하인」의 뜻에서] *n.* **1** (중세의) 음유(吟遊) 시인 **2** 《시어》 시인 **3** [*pl.*] minstrel show의 악극단(원); = MINSTREL SHOW

mínstrel shòw 흑인으로 분장하고 흑인 가곡 등을 부르는 백인의 쇼

min·strel·sy [mínstrəlsi] *n.* Ⓤ **1** 음유 시인의 시 또는 노래 **2** [집합적] 음유 시인

***mint**[1] [mínt] *n.* 〖식물〗 **박하**(薄荷); 박하 향미료; 박하 사탕 **mínt·y** *a.* 박하 맛[향기]의

***mint**[2] [mínt] [L 「화폐, 돈」의 뜻에서] *n.* **1 조폐국**(造幣局): the Royal[U.S.] ~ 영국[미국] 조폐국 **2** 원천, 근원(source) **3** [a ~] 《구어》 거액, 다량《*of*》: *a ~ of* money 거액의 돈

— *a.* Ⓐ 〈화폐·우표·서적 등이〉 갓 발행한, 깔깔한 새것의; 조폐국의 ***in ~ state***[***condition***] 갓 발행된, 아직 사용하지 않은

— *vt.* 〈화폐를〉 **주조하다**; 〈새 말을〉 만들어 내다: ~ silver coinage 은화를 주조하다 / ~ a phrase 어구를 만들어 내다

mint·age [míntidʒ] *n.* **1** Ⓤ 화폐 주조(coinage); [집합적] (일시에 주조된) 화폐, 주화; 조폐비(造幣費) **2** 조폐 각인(刻印)(mintmark) **3** Ⓤ 조어(造語)

mint-con·di·tion [míntkəndìʃən] *a.* 제조 직후의 상태와 같은, 아주 새로운

mint·er [míntər] *n.* 화폐 주조자, 조폐자

mint-fresh [-frèʃ] *a.* 갓 만든, 깔깔한 새것인

mínt júlep 《미》 민트 줄렙《위스키[브랜디]에 설탕·박하를 탄 칵테일》

mint·mark [-mɑ̀:rk] *n.* (경화의) 조폐소 각인(刻印)

thesaurus **minor** *a.* **1** 작은 slight, small, trivial, trifling **2** 중요하지 않은 unknown, lesser, insignificant, inferior, unimportant, subordinate

minute[2] *a.* **1** 미세한 tiny, microscopic, little, small **2** 사소한 negligible, trifling, trivial, petty,

mint·mas·ter [-mæ̀stər, -mɑ̀:s-] *n.* 조폐국장
mínt sàuce 민트 소스 《박하·설탕·식초를 섞은 것으로 새끼 양의 불고기에 침》
min·u·end [mínjuènd] *n.* 〖수학〗 피감수(被減數) (opp. *subtrahend*)
min·u·et [mìnjuét] *n.* 미뉴에트 《3박자의 느리고 우아한 춤; 그 음악》
‡**mi·nus** [máinəs] 〔L 「보다 작은」의 뜻에서〕 *a.* **1** Ⓐ 마이너스의[를 나타내는](opp. *plus*) **2** Ⓐ 음(陰)의 (negative)(opp. *positive*): ~ charge 〖전기〗 음전하 / ~ electricity 음전기 **3** [성적 평가에서 후치(後置)하여] …의 하(下), …에서 다소 못한: A ~ A 마이너스, A의 하 《A⁻라고 씀》 **4** 《구어》 부족한; 불리한; (전보다) 손해보는: a ~ environment 유해 환경
— *prep.* **1** …을 뺀, …마이너스(less): 8 ~ 3 is 5. 8빼기 3은 5이다. **2** 《구어》 …이 없는[없이](wanting): He came ~ his hat. 그는 모자를 안 쓰고 왔다. **3** 빙점하…, 영하…: The temperature is ~ ten degrees. 온도는 영하 10도이다.
— *n.* **1** 마이너스, 음호(陰號)(=~ sign); 음량(陰量), 음수(陰數)(=~ **quántity**) **2** 부족, 결손: a terrible ~ 대량 손실
mi·nus·cule [mínəskjù:l, minʌ́skju:l] *n.* (고사본(古寫本)의) 소문자체; 〖인쇄〗 소문자 — *a.* 소문자의; 아주 작은, 하찮은
mínus sìgn 마이너스 기호 《−》(opp. *plus sign*)
‡**min·ute**¹ [mínit] 〔L 「작은 부분[구분]」의 뜻에서〕 *n.* **1** 분(分) 《1시간 또는 1도의 1/60; cf. HOUR, SECOND²》: 5 ~*s* to[before, 《미》 of] six 6시 5분 전 / 10 ~*s* past[《영·방언·미》 after] five 5시 10분 / 12° 10′ = twelve degrees and ten ~*s* 12도 10분 **2** 《구어》 순간(moment); [a ~; 부사적] 잠깐 (동안): Wait (half) *a* ~. 좀[잠깐만] 기다리시오. / Come here (at) this (very) ~! 지금 곧 오시오! **3** 각서(覺書), 적요(摘要), 초고(草稿); [*pl.*] 의사록: the ~*s* of the convention 대회 의사록
(at) any ~ 지금 당장에라도, 언제라도 ***at that (very) ~*** 바로 그때 ***at the last ~*** 마지막 순간에, 막판에 가서 ***at the ~*** 《영·구어》 지금[현재]로서는 ***be on the ~s*** 의사록에 실려 있다 ***by the ~*** 시시각각으로 ***in a few ~s*** 수분 안으로; 곧, 즉시 ***in a ~*** 곧, 즉시 ***make a ~ of*** …을 적어두다, 적바림하다 ***~ after ~*** 계속하여 ***not for a[one] ~*** 조금도 …않다 ***take[do] (the) ~s of*** 의사록을 기록하다 ***the ~ (that)*** …와 동시에, …하자마자(as soon as): I knew him *the* ~ I saw him. 보자마자 그인 줄 알았다. ***this ~*** 지금 곧 ***to the ~*** 정각 (그 시간)에 ***up to the ~*** 최신의, 최신 정보의(up-to-date) ***within ~s*** 곧, 이내
— *a.* 급히 만든, 즉석의: ~ pudding 즉석 푸딩
— *vt.* **1** 정밀하게 …의 시간을 재다: ~ the speed of a car 차의 속도를 정확하게 측정하다 **2** 적어두다, 적바림하다 《*down*》 **3** 의사록에 기록하다
‡**mi·nute**² [mainjú:t, mi- | -njú:t] 〔L 「작게 하다」의 뜻에서〕 *a.* (**-nut·er**; **-est**) **1** 미소한, 미세한: ~ particles 미립자 **2** 사소한, 하찮은: ~ differences 사소한 차이 **3** 상세한, 자세한; 정밀한; 세심한: in ~ detail 아주 상세하게 / with ~ attention 세심한 주의를 기울여 **~·ness** *n.* ▷ minútiae *n.*
mín·ute bèll [mínit-] 분시종(分時鐘) 《죽음·장례식을 알리기 위해 1분마다 울리는》
mín·ute bòok [mínit-] 기록부; 의사록
min·ute-glass [mínitglæ̀s | -glɑ̀:s] *n.* 1분 모래시계
mín·ute gùn [mínit-] 분시포(分時砲) 《조난 또는 장례식 때 1분마다 쏘는 대포》
mín·ute hànd [mínit-] (시계의) 분침, 긴 바늘
min·ute·ly¹ [mínitli] *ad.* 1분마다
— *a.* 1분마다 일어나는, 끊임없는
mi·nute·ly² [mainjú:tli, mi-] *ad.* 자세하게, 상세하게, 정밀하게
min·ute·man [mínitmæ̀n] *n.* (*pl.* **-men** [-mèn]) 〖미국사〗 독립 전쟁 때 즉시 동원 가능한 민병(民兵); [**M~**] 《미》 대륙간 탄도탄
mín·ute of árc [mínit-] 분(分) 《1도의 1/60의 각도》
mín·ute stèak [mínit-] (즉시 구울 수 있게) 얇게 저민 스테이크
mi·nu·ti·ae [minjú:ʃiì:, -ʃə, mai- | -njú:-] *n. pl.* (*sing.* **-ti·a** [-ʃiə]) 자세한 점, 상세; 사소한 일
minx [míŋks] *n.* 말괄량이, 건방진 아가씨
MIO minimum identifiable ordor
Mi·o·cene [máiəsì:n] 〖지질〗 *a.* 중신세[통](中新世[統])의 — *n.* [the ~] 중신세[통]
mi·om·bo [maiɑ́mbou | miɔ́m-] *n.* (*pl.* **~s**) 〖생태〗 미옴보 《동아프리카의 낙엽수가 산재한 건조 지대》
mi·o·sis [maióusis] *n.* (*pl.* **-ses** [-si:z]) 〖병리〗 동공(瞳孔) 축소, 축동(縮瞳)
mi·ot·ic [maiɑ́tik | -ɔ́t-] *a.* 동공 축소의[를 일으키는] — *n.* 동공 축소제
MIP Marine Insurance Policy; 〖컴퓨터〗 mixed integer programming; Monthly Investment Plan 《미》 적립식 증권 투자법
MIPS [míps] 〔*m*illion *i*nstructions *p*er *s*econd〕 *n.* 〖컴퓨터〗 100만 명령 / 초 《연산 속도의 단위》
mir [míər] 〔Russ. = commune〕 *n.* (*pl.* **~s, mi·ri** [míri:]) 미르 《제정(帝政) 러시아의 촌락 공동체》
Mir [míər] 〔Russ. = peace〕 *n.* 미르 《러시아의 유인 우주 정거장; 1986년 2월에 발사》
mir·a·belle [mìrəbél, ⌐–⌐] 〔F〕 *n.* 미라벨 《프랑스 Alsace산(産)의 쌉쌀한 브랜디》
mi·ra·bi·le dic·tu [mirǽbəli-díktju:] 〔L = strange to say〕 말하기에도 이상한, 이상한 말이지만
mi·ra·bi·le vi·su [-ví:su:] 〔L = wonderful to see〕 보기에도 신기한
mi·ra·bi·li·a [mìrəbíliə] 〔L〕 *n. pl.* 신기한 일[것], 기적
‡**mir·a·cle** [mírəkl] 〔L 「신기하게 생각하다」의 뜻에서〕 *n.* **1** 기적: the ~*s* of Christ 그리스도의 기적 **2** 불가사의한[놀랄 만한] 사물[사람], 경이(驚異) **3** = MIRACLE PLAY ***by a ~*** 기적에 의해, 기적적으로 ***to a ~*** 《고어》 놀랄 만큼 훌륭하게 ***work[do] a ~*** 기적을 행하다 ▷ miráculous *a.*
míracle drùg 특효약, 영약(靈藥)(wonder drug)
míracle frùit 〖식물〗 적철과(赤鐵科)의 관목(의 과일) 《이것을 먹고 신 것을 먹으면 단맛이 남》
míracle màn 기적을 행하는 사람; 경이적인 기량을 가진 사람
míracle míle (최신 유행의) 고급 상점가
míracle plày 기적극(劇) 《그리스도·성도·순교자의 사적·기적을 다룬 중세의 연극》
míracle rìce 〖농업〗 기적의 벼 《재래종의 2-3배의 수확량이 나오는 새 품종》
míracle wórker 기적[경이적인 일]을 행하는 사람
*__mi·rac·u·lous__ [mirǽkjuləs] *a.* 기적적인, 초자연적인; 놀랄 만한; 기적을 행하는 (힘이 있는)
~·ly *ad.* 기적적으로 **~·ness** *n.* ▷ míracle *n.*
mi·rage [mirɑ́:ʒ | ⌐–, –⌐] 〔L 「(거울로) 보다」의 뜻에서〕 *n.* **1** 신기루; 망상(delusion), 공중누각 **2** [**M~**] 미라주 《프랑스제 제트 전투기》
Mi·ran·da [mirǽndə] *n.* **1** 여자 이름 **2** 〖천문〗 천왕성의 제5위성 — *a.* 《미》 Ⓐ (피의자의) 인권 옹호적인
Mirándа cárd [1963년 판결을 받은 멕시코계 이주민 이름에서] 《미》 미랜더 카드 《Miranda rights가 적힌 명함 크기의 카드; 경찰관이 휴대》
Miránda ríghts 《미》 미랜더 권리 《묵비권·변호인 접견권 등 피의자의 권리》

---

insignificant, slight, minimal, inconsequential
miraculous *a.* fantastic, magical, wonderful, wondrous, amazing, astounding, remarkable, extraordinary, incredible, unbelievable, supernatural, inexplicable, phenomenal

Miránda rúle 〖미국법〗 미랜더 준칙[원칙] 《Miranda warnings를 말하지 않고 얻은 심문 진술은 증거 능력이 없다는 것》
Miránda wárnings 〖미국법〗 미랜더 경고 《피의자 체포시 경찰관에 의한 Miranda rights의 통고》
Mi·ran·dize [mirǽndaiz] *vt.* [**m~**] 《미·속어》 〈체포한 피의자에게〉 미랜더 권리를 알려주다
MIRAS [máirəs, -ræs] [*m*ortgage *i*nterest *r*elief *a*t *s*ource] *n.* 《영》 주택 구입 대부금 감세 정책
mire** [máiər] *n.* **1** Ⓤ **진창**, 수렁; 진흙 **2** [the ~] 오욕, 궁지, 곤경: sink in deep ~ 싶은 곤경에 빠지다 ***drag a person[a person***'s name***] ***through the*** ~ …의 이름을 더럽히다, …을 욕되게 하다 ***find one-self in the*** ~ = ***stick in the*** ~ 곤경에 빠지다
— *vt., vi.* 진흙으로 더럽히다[더러워지다], 진창에 빠뜨리다[빠지다] ***be ~d in*** difficulties (곤경)에 빠지다 ▷ míry *a.*
mired [máiərd] *a.* Ⓟ 《문어》 **1** 곤경[궁지]에 빠진 《*in*》: The country was ~ *in* recession. 그 나라는 경기 침체의 수렁에 빠졌다. **2** 진창[수렁]에 빠진
mirk [mə́:rk] *n., a.* = MURK
mirk·y [mə́:rki] *a.* (**mirk·i·er**; **-i·est**) = MURKY
Mi·ró [miróu] *n.* 미로 **Joan** ~ (1893-1983) 《스페인의 초현실파 화가》
‡**mir·ror** [mírər] [L 「보다, 신기해하다」의 뜻에서] *n.* **1** 거울; 반사경: a three-folded ~ 삼면경 **2** 있는 그대로 반영하는 것: Literature is a ~ of society. 문학은 사회상을 반영한다. **3** 모범, 귀감: a ~ of chivalry 기사도의 귀감 (***as***) ***smooth as*** ~ 〈수면 등이〉 거울 같이 반반한 ***hold the*** ~ ***up to nature*** 자연 그대로 비추다 ***with ~s*** 마법으로, 불가사의하게
— *vt.* 《문어》 **1** (거울처럼) 비추다, 반사하다, 반영하다 **2** …와 흡사하다
mírror bàll 미러 볼 《나이트 클럽 등의, 수많은 작은 거울을 붙인 회전식 장신구(球)》
mírror ìmage 〖물리〗 경상(鏡像) 《좌우가 반대로 된 상》; 좌우대칭의 상
mírror sèrver 〖컴퓨터〗 미러 서버 《원래의 서버와 같은 콘텐츠나 접근 권한을 가진 서버》
mírror sìte 〖컴퓨터〗 (인터넷의) 미러 사이트 《특정 사이트의 백업·혼잡 회피를 위해 설치》
mírror sỳmmetry 거울면 대칭
mírror wrìting 역서(逆書), 거울 문자 《거울에 비추면 바르게 보이게 쓰기》
‡**mirth** [mə́:rθ] *n.* Ⓤ **환희**, 명랑, 희희낙락; 흥청망청 ▷ mírthful *a.*
***mirth·ful** [mə́:rθfəl] *a.* **유쾌한**, 명랑한, 즐거운, 희희낙락한(merry) **~·ly** *ad.* **~·ness** *n.*
mirth·less [mə́:rθlis] *a.* 즐거움이 없는, 우울한 (joyless) **~·ly** *ad.* **~·ness** *n.*
MIRV [mə́:rv] [*m*ultiple *i*ndependently-targeted *r*eentry *v*ehicle] *n.* 다탄두 각개 목표 재돌입 미사일
— *vt., vi.* (…에) MIRV를 장비하다
mir·y [máiəri] *a.* (**mir·i·er**; **-i·est**) 진창 같은, 수렁 같은, 진흙투성이의; 더러운 **mír·i·ness** *n.*
MIS management information system 경영 정보 시스템; marketing information system
mis-[1] [mìs] *pref.* [동사·형용사·부사·명사 등에 붙여] **1** 「그릇된…, 나쁜…, 불리한…」의 뜻: *mis*read **2** 「불(不)…」의 뜻: *mis*trust
mis-[2] [mis], **miso-** [mísou, -sə] 《연결형》 「…싫음」의 뜻 《모음 앞에서는 mis-》
mis·ad·dress [mìsədrés] *vt.* (**~ed, -drest**) **1** 〈남의〉 호칭을 잘못 부르다; 〈말 등을〉 잘못 걸다 《*to*》 **2** 〈편지에〉 수신인 주소를 틀리게 쓰다
mis·ad·min·is·tra·tion [mìsədmìnistréiʃən] *n.* Ⓤ 실정(失政), 관리[행정] 잘못
mis·ad·ven·ture [mìsədvéntʃər] *n.* ⓊⒸ **1** 불운, 불행; 불운한 사건, 재난 **2** 〖법〗 사고사; 우발 사고 ***by*** ~ 운수 나쁘게, 잘못하여 ***homicide*** [***death***] ***by*** ~ 〖법〗 사고사, 과실 치사 ***without*** ~ 무사히
mis·ad·vise [mìsədváiz] *vt.* …에게 나쁜 권고를 하다, 그릇된 충고를 하다 **mìs·ad·více** *n.*
mis·a·ligned [mìsəláind] *a.* 정렬되지 않은; 조정 불량의
mis·al·li·ance [mìsəláiəns] *n.* Ⓤ 부적당한[어울리지 않는] 결혼; = MÉSALLIANCE
mis·al·lo·cate [mìsǽləkeit] *vt.* 잘못[부적당하게] 배분하다; 잘못 할당하다
mis·al·ly [mìsəlái] *vt.* (**-lied**) 부적당하게 결합[결혼]시키다
mis·an·dry [mísəændri | ´-] *n.* Ⓤ 남성 혐오 **-drist** *n.*
mis·an·thrope [mísənθròup, míz-], **mis·an·thro·pist** [misǽnθrəpist, miz-] *n.* 인간을 싫어하는 사람, 염세가
mis·an·throp·ic, -i·cal [mìsənθrápik(əl), mìz- | -θrɔ́p-] *a.* 인간을 싫어하는, 염세적인 **-i·cal·ly** *ad.*
mis·an·thro·pize [misǽnθrəpàiz, miz-] *vi.* 사람을 싫어하다
mis·an·thro·py [misǽnθrəpi, miz-] *n.* Ⓤ 사람을 싫어함, 염세(cf. PHILANTHROPY)
mis·ap·pli·ca·tion [mìsæplikéiʃən] *n.* ⓊⒸ 오용, 악용, 남용; 부정(不正) 사용
mis·ap·ply [mìsəplái] *vt.* (**-plied**) 잘못 적용하다, 오용[악용]하다; 부정하게 사용하다: ~ the best part of the fund 기금의 대부분을 부정하게 써 버리다 **-plíed** *a.* 오용[악용]된
mis·ap·pre·hend [mìsæprihénd] *vt.* 잘못 생각하다, 오해하다(misunderstand) **-hén·sion** *n.* ⓊⒸ 오해, 잘못 생각하기
mis·ap·pre·hen·sive [mìsæprihénsiv] *a.* 오해하기 쉬운 **~·ly** *ad.* **~·ness** *n.*
mis·ap·pro·pri·ate [mìsəpróuprièit] *vt.* 남용[유용]하다, 사용(私用)에 쓰다; 착복하다; 〖법〗 횡령하다
mis·ap·pro·pri·a·tion [mìsəpròupriéiʃən] *n.* ⓊⒸ 남용, 부정 유용; 착복; 횡령
mis·ar·range [mìsəréindʒ] *vt.* 잘못 배열[배치]하다 **~·ment** *n.*
mis·at·trib·ute [mìsətríbjut | -bju:t] *vt.* 실수하여[잘못하여] 다른 사람[것]의 탓으로 돌리다
mis·be·come [mìsbikʌ́m] *vt.* (**-came** [-kéim]; **~**) 어울리지 않다, 적합하지 않다
mis·be·com·ing [mìsbikʌ́miŋ] *a.* 어울리지 않는; 적합하지 않은(unbecoming)
mis·be·got·ten [mìsbigátn | -gɔ́tn], **-got** [-gát | -gɔ́t] *a.* **1** 서출(庶出)의, 사생아의(illegitimate); 불운한 태생의: his ~ son 그의 서출 아들 **2** Ⓐ 《경멸·익살》 〈사람이〉 꼴사나운, 치사한; 〈계획·생각 등이〉 덜된, 엉터리의, 형편없는
mis·be·have [mìsbihéiv] *vi.* **1** 못된 짓을 하다, 품행이 좋지 못하다, 방탕하다 **2** 〈실험 재료 등이〉 예상 외의 행동[반응]을 하다 — *vt.* [~ one*self* 로] 못되게 굴다; 방탕하다 **-háv·er** *n.*
mis·be·haved [mìsbihéivd] *a.* 버릇없는; 품행이 나쁜(ill-behaved)
mis·be·hav·ior [mìsbihéivjər] *n.* Ⓤ 버릇없음; 품행 나쁨, 부정 행위
mis·be·lief [mìsbilí:f] *n.* (*pl.* **~s**) ⓊⒸ 이교(異教) [사교(邪教)] 신앙; 그릇된 확신[의견]
mis·be·lieve [mìsbilí:v] *vi.* 그릇 믿다; 이교[사교]를 믿다 — *vt.* 의심하다(disbelieve), 믿지 않다
mis·be·liev·er [mìsbilí:vər] *n.* 그릇된 신앙을 가진 사람; 이교도(heretic)
mis·be·liev·ing [mìsbilí:viŋ] *a.* 그릇되게 믿는, 이교 신앙의
mis·be·stow [mìsbistóu] *vt.* 부당하게 수여하다

thesaurus **mirth** *n.* gaiety, hilarity, joyment
miscellaneous *a.* varied, assorted, mixed, diverse, diversified, jumbled, confused, indis-

mis·birth [mìsbə́:rθ] *n.* UC 유산(abortion)
mis·brand [mìsbrǽnd] *vt.* 틀린 낙인을 찍다, 그릇된[가짜] 상표[라벨]를 붙이다
mis·bránd·ed drúg [mìsbrǽndid-] 〖약학〗 부정 표시 의약품《허위·과대 광고 등을 한》
misc. miscellaneous; miscellany
mis·cal·cu·late [miskǽlkjəlèit] *vt., vi.* 오산하다, 계산[예상] 착오를 하다 **mìs·cal·cu·lá·tion** *n.*
mis·call [miskɔ́:l] *vt.* 틀린 이름으로 부르다; 잘못 부르다[일컫다]: ~ a whale a fish 고래를 물고기라고 잘못 일컫다
mis·car·riage [mìskǽridʒ] *n.* UC **1** (자연) 유산《임신 12주로부터 28주의 기간 내의》: have a ~ 유산하다 **2** 실패; 실책, 과실(error): a ~ of justice 오심(誤審) **3** (물품 등의) 배달 착오
mis·car·ry [mìskǽri] *vi.* (**-ried**) **1** (자연) 유산하다《*of*》 **2** 〈사람·계획 등이〉 실패하다, 성공하지 못하다: a *miscarried* strike 실패로 돌아간 파업 **3** 〈편지 등이〉 도착하지 않다, 도중에 분실되다
mis·cast [mìskǽst, -kɑ́:st] *vt.* (**mis·cast**) 〈배우에게〉 부적당한 역을 맡기다, 〈연극의〉 배역을 그르치다
mis·ce [mísi, mí:s] [L =mix] *v.* (처방전에서) 혼합하라
mis·ce·ge·na·tion [mìsidʒənéiʃən] *n.* UC 이종족 혼교, 잡혼《특히 백인과 흑인과의》; 혼혈 **~·al** *a.*
mis·cel·la·ne·a [mìsəléiniə] *n. pl.* [종종 단수 취급] (특히 문학 작품의) 잡집(雜集), 잡록(雜錄)
*__mis·cel·la·neous__ [mìsəléiniəs] [L「혼합된」의 뜻에서] *a.* **1** 잡다한, 갖가지의: ~ business[goods, news] 잡무[잡화, 잡보(雜報)] **2** 다방면의(many-sided): a ~ collection 다방면에 걸친 수집
~·ly *ad.* **~·ness** *n.*
mis·cel·la·nist [mísəlèinist | misélə-] *n.* 잡록[잡보] 기자, 잡문가
mis·cel·la·ny [mísəlèini | miséləni] *n.* (*pl.* **-nies**) **1** 잡다한 것 **2** 문집, 잡록; [*pl.*] (논문집·문집에 수록된) 논문, 글: a literary ~ 문학 선집
mis·chance [mistʃǽns | -tʃɑ́:ns] *n.* UC 불행, 불운, 불의의 화[재난] ***by*** **~** 운 나쁘게
mis·char·ac·ter·ize [mìskǽrəktəraiz] *vt.* …의 특성[성격]에 대하여 잘못된 묘사를 하다
‡**mis·chief** [místʃif] [OF「잘못되다」의 뜻에서] *n.* (*pl.* **~s**) **1** U 장난, 못된 짓; 까붊, 익살부리기; C 《구어》 장난꾸러기: out of pure ~ 순전히 장난으로 / full of ~ 장난기로 가득찬 / go[get] into ~ 장난을 시작하다 **2** U 해악(harm), 해독; UC 손해, 재해, 화(禍), 위해(危害); 악영향; C (신체·기계 등의) 고장: inflict great ~ on the community 사회에 큰 해악을 끼치다 / One ~ comes on the neck of another. 《속담》 엎친 데 덮친다, 설상가상. **3** [the ~; 강조어로서 의문사 뒤에서] 《구어》 도대체
come to **~** 재난을 당하다, 폐를 입다 ***do*** **a person (*a*) ~ =** ***do*** **(*a*) ~** ***to*** **a person** 《구어》 …에게 위해를 가하다; …을 죽이다 ***do*** **~** 해를 끼치다, 장난하다 ***do*** **one*self a*** **~** 《영·익살》 다치다 ***go to the*** **~** 《구어》 타락하다 ***like the*** **~** 《구어》 기어코, 몹시 ***make*** **[*get up to*] ~** 이간질하다《*between*》 ***mean*** **~** 해칠 마음을 품다, 앙심을 가지다 ***play the*** **~** ***with*** 《영·구어》 …의 건강을 해치다, …에게 화[해]를 끼치다; 〈기계 등에〉 고장을 일으키다; 엉망으로 만들다 ***raise*** **(*the*) ~** ⇨ raise. ***The ~ is that …*** 곤란[난처]한 일은 …인 것이다 ***up to*** **~** 못된 짓을 꾀하여 ***work*** **[*produce*] ~** 해악을 끼치다; 재난을 가져오다 ***What*** **[*Why*] *the ~ do you want?*** 도대체 뭐가 [어째서] 필요하냐? ▷ míschievous *a.*
mis·chief-mak·er [místʃifmèikər] *n.* 이간질하는 사람, 이간자

criminate, heterogeneous, sundry, multifarious
mischief *n.* naughtiness, badness, misbehavior, misconduct, pranks, wrongdoing, delinquency

mis·chief-mak·ing [-mèikiŋ] *n.* U, *a.* 이간질(하는)
*__mis·chie·vous__ [místʃivəs] *a.* **1** 장난이 심한, 개구쟁이의; 〈눈·웃음 등이〉 장난기가 있는, 장난기 어린 **2** 〈언행 등이〉 화를 미치는, 해치는: a ~ action [influence] 유해한 행위[영향] **~·ly** *ad.* **~·ness** *n.* ▷ míschief *n.*
mísch mètal [míʃ-] 〖야금〗 미슈 메탈《희토류 금속으로 된 합금; 예광탄이나 라이터 돌로 쓰임》
mis·choose [mistʃú:z] *vt., vi.* (…의) 선택을 그르치다
mis·ci·bil·i·ty [mìsəbíləti] *n.* U 혼화성(混和性)
mis·ci·ble [mísəbəl] *a.* 〖화학〗 섞일[혼화할] 수 있는《*with*》
mis·cite [missáit] *vt.* 잘못 인용하다
mis·code [miskóud] *vt.* **1** 〖컴퓨터〗 (데이터 처리 따위에서) 코드화(化)를 틀리게 하다 **2** 〖유전〗 잘못된 유전 암호를 주다
mis·col·or [miskʌ́lər] *vt.* **1** …에 부적당한 색을 칠하다 **2** 〈사실 따위를〉 잘못 전하다
mis·com·mu·ni·cate [mìskəmjú:nəkeit] *vt., vi.* 잘못[그릇되게] 전달하다
mìs·com·mu·ni·cá·tion *n.*
mis·com·pre·hend [mìskɑmprihénd | -kɔm-] *vt.* 오해하다(misunderstand) **-hén·sion** *n.*
mis·con·ceive [mìskənsí:v] *vt., vi.* 잘못 생각하다, 오해하다(misunderstand)
mis·con·ceived [mìskənsí:vd] *a.* 잘못 판단한, 오해한; 신중하지 못한: a ~ education policy 잘못 판단한 교육 정책
mis·con·cep·tion [mìskənsépʃən] *n.* UC 오해; 잘못된 생각
mis·con·duct [miskɑ́ndʌkt | -kɔ́n-] *n.* U **1** 비행(非行), 불량 행위; 〖법〗 간통(adultery): commit ~ with …와 간통하다 **2** 위법 행위, 직권 남용: official ~ 공권 남용 **3** (기업 등의) 잘못된 관리[경영]
— [mìskəndʌ́kt] *vt.* **1** 잘못 처리[경영]하다 **2** [~ one*self* 로] 품행이 나쁘다; 간통하다《*with*》
mis·con·nect [miskənékt] *vt.* 잘못 접합[접속]하다 **mis·con·néc·tion** *n.*
mis·con·struc·tion [mìskənstrʌ́kʃən] *n.* UC 잘못된 구성; 잘못된 해석, 오해: be subject to a ~ 오해를 받다 / be open to ~ 오해를 부르기 쉽다
mis·con·strue [mìskənstrú: | miskɔ̀nstrú:] *vt.* 잘못 해석하다; 오해하다(misunderstand)
mis·cop·y [miskɑ́pi | -kɔ́pi] *vt.* 잘못 베끼다[복사하다] — *n.* 복사 착오
mis·coun·sel [miskáunsəl] *vt.* …에게 잘못된 조언을 하다, 잘못 자문하다
mis·count [miskáunt] *vt., vi.* 잘못 세다, 계산 착오하다(miscalculate) — [⌒] *n.* 계산 착오, 오산
mis·cre·ant [mískriənt] *n.* 악한; 《고어》 이단자 — *a.* 사악한; 《고어》 이단의
mis·cre·at·ed [mìskriéitid] *a.* 잘못 만들어진, 불구의(ill-formed)
mis·cue [miskjú:] *n.* 〖당구〗 공을 잘못 치기; 《구어》 실책, 실수, 에러; 〖연극〗 대사의 큐를 잘못 받기 — *vi.* 〖당구〗 잘못 치다; 〖스포츠〗 에러를 범하다; 〖연극〗 대사의 큐를 잘못 받다
MISD 〖컴퓨터〗 multi-instruction, single data stream 다중 명령, 단일 데이터 처리 방식
mis·date [misdéit] *vt.* …에 날짜를 틀리게 쓰다; 〈사건 등의〉 연대를 틀리다 — *n.* 틀린 날짜
mis·deal [misdí:l] *vt., vi., n.* (**-dealt** [-délt]) 〖카드〗 〈패를〉 잘못 돌리다[돌리기] **~·er** *n.*
mis·deed [misdí:d] *n.* 나쁜 짓, 악행, 비행, 범죄
mis·deem [misdí:m] *vt., vi.* 《고어·시어》 잘못 판단하다, 오해하다; 잘못 보다《*for*》
mis·de·fine [mìsdifáin] *vt.* …의 정의(定義)를 잘못 내리다
mis·de·liv·er [mìsdilívər] *vt.* 잘못 배달하다

mis·de·mean [mìsdimíːn] *vt.* [드물게 ~ one*self* 로] 못된 짓을 하게 하다, 몸가짐을 그르치게 하다
— *n.* 《고어》 비행, 품행이 나쁨
mis·de·mean·ant [mìsdimíːnənt] *n.* **1** 비행자, 소행이 나쁜 사람 **2** 〖법〗 경범자
mis·de·mean·or [mìsdimíːnər] *n.* **1** 〖법〗 경범죄 (cf. FELONY) **2** 비행, 못된 짓
mis·de·scribe [mìsdiskráib] *vt.* 잘못 기술하다
mis·de·scrip·tion [mìsdiskrípʃən] *n.* ⓊⒸ 미비한 기술(記述); (계약의) 오기(誤記)
mis·di·ag·nose [misdáiəgnòus, -nòuz] *vt.* 오진(誤診)하다 **mìs·di·ag·nó·sis** *n.* 오진
mis·di·al [misdáiəl] *vi.* 〈전화의〉 다이얼을 잘못 돌리다
mis·di·rect [mìsdirékt] *vt.* **1** 〈장소·길을〉 잘못 가리키다 **2** 〈편지 등의〉 주소 성명을 잘못 쓰다 **3** 〈판사가 배심원에게〉 잘못 지시하다 **4** 〈정력·재능 등을〉 그릇된 방향으로 쏟다; 겨냥이 틀리다
mis·di·rec·tion [mìsdirékʃən] *n.* ⓊⒸ 잘못된 지시; 주소 성명의 오기; (판사의) 부당 지시; 그릇된 방향
mis·do [misdúː] *vt., vi.* (**-did** [-díd]; **-done** [-dʌ́n]) 잘못[서투르게] 하다, 실수하다 **~·er** *n.*
mis·do·ing [misdúː(ː)iŋ] *n.* [보통 *pl.*] 나쁜 짓, 비행
mis·doubt [misdáut] *vt., n.* 《고어》 = DOUBT; = SUSPECT
mise [míːz, máiz] *n.* **1** 협정, 협약 **2** 〖법〗 토지 권리 소송 영장(writ of right)에 있어서의 쟁점
mis·ed·u·cate [misédʒukèit] *vt.* …에게 잘못된 교육을 하다
mise-en-scène [míːzɑːnsén] [F = setting on the stage] *n.* **1** 무대 장치; 연출 **2** 《문어》 상황, 배경
mis·em·ploy [mìsimplɔ́i] *vt.* 오용(誤用)하다 **~·ment** *n.* Ⓤ 오용
mis·en·try [mìséntri] *n.* 〖부기〗 (장부의) 오기(誤記)
‡**mi·ser** [máizər] [L 「가련한」의 뜻에서] *n.* 구두쇠, 수전노 ▷ míserly *a.*
‡**mis·er·a·ble** [mízərəbl] *a.* (cf. MISERY) **1 a** 불쌍한, 비참한, 불행한, 가련한, 아주 딱한, 가엾은(pitiable), 슬픈; (육체적으로) 괴로운, 고생스러운: ~ sinners 불쌍한 죄인들 / lead a ~ life 비참한 생활을 보내다 / Go and be ~. 이 자식아, 꺼져. / ~ victims of war 전쟁의 비참한 희생자 **b** 〈날씨 등이〉 고약한, 구질구질한 **2** Ⓐ 빈약한, 보잘것없는; 형편없는, 초라한; 궁핍한; 극빈의, 빈궁한: a ~ house 초라한 집 / a ~ meal 빈약한 식사 **3** 비열한, 치사한, 파렴치한(shameful): a ~ coward 비열한 겁쟁이 **4** Ⓟ 《구어》 몸이 불편한: I feel ~. 몸이 좀 불편하다.
— *n.* [the ~; 집합적] 불쌍한 사람, 곤궁한 사람
~·ness *n.*
***mis·er·a·bly** [mízərəbli] *ad.* **1** 비참하게, 불쌍하게; 초라하게: She was ~ dressed. 그녀는 초라한 옷차림을 하고 있었다. **2** 비참할 만큼; 형편없이, 지독히: be ~ paid 형편없는 저임금이다
Mi·se·re·re [mìzəréəri, -ríəri] *n.* [L] **1** 〖성서〗 미제레레 《시편 제51편》; 미제레레의 악곡 **2** [**m~**] 애원 **3** [**m~**] = MISERICORD(E) 3
mi·ser·i·cord(e) [mìzərikɔ́ːrd, mizérəkɔ̀ːrd | mizérikɔ̀ːd] *n.* **1** ⓊⒸ 수도원의 면계실(免戒室) 《수도사가 특별히 허용된 음식을 먹는 방》; 특면(特免) **2** (중세 기사의) 단검 《최후의 일격을 가하는》 **3** 성직자 좌석 뒤의 기대는 받침대
mi·ser·ly [máizərli] *a.* 인색한, 욕심 사나운, 쩨쩨한 **-li·ness** *n.*
‡**mis·er·y** [mízəri] *n.* (*pl.* **-er·ies**) ⓊⒸ **1** 비참(함), 궁상(窮狀), 곤궁: live in ~ 비참하게 살다 / make a person's life a ~ …의 인생을 괴롭게[엉망으로] 만들다 **2** (정신적) 고통, 괴로움, 비탄: the *miseries* of war 전화(戰禍) **3** 《문어》 (육체적) 고통 **4** [종종 *pl.*] 불행(의 원인), 고난, 재화: *miseries* of mankind 인류의 불행 **5** 《영·구어》 불평가, 우는 소리 하는 사람
be in ~ with [***from***] …으로 괴로워하다 ***M~ loves company.*** 《속담》 동병상련. ***M~ me!*** 이게 뭐람! 《탄식하여》 ***put … out of its*** [***his***] ***~*** 〈괴로워하는 사람·동물을〉 죽임으로써 편안하게 해 주다; 〈고민하는 사람에게〉 사실을 말해줌으로써 안심시키다
mísery ìndex 〖경제〗 궁핍 지수(指數)
mis·es·teem [mìsestíːm] *vt.* 부당하게 얕보다, 과소평가하다 — *n.* Ⓤ 과소평가
mis·es·ti·mate [miséstəmèit] *vt.* 잘못 평가하다 **mis·ès·ti·má·tion** *n.* Ⓤ 잘못된 평가
mis·ev·o·lu·tion [mìsevəlúːʃən] *n.* 〖생물〗 (세포 등의) 이상 생장[진화]
mis·fea·sance [misfíːzəns] *n.* Ⓤ 〖법〗 불법[부당] 행위, 직권 남용; 과실(cf. MALFEASANCE)
mis·fea·sor [misfíːzər] *n.* 〖법〗 불법[부당] 행위자
mis·fea·ture [misfíːtʃər] *n.* 〖컴퓨터〗 형편없는[불충분한] 사양
mis·file [misfáil] *vt.* 잘못 철하다[정리하다]
mis·fire [misfáiər, ╲╱] *vi.* **1** 〈총포 등이〉 불발하다; 〈내연 기관이〉 점화되지 않다 **2** 〈계획이〉 주효하지 않다, 실패하다 — *n.* 불발; 점화되지 않음; 실패
mis·fit [mísfit, ╲╱] *n.* **1** (옷 등이) 맞지 않음; 맞지 않는 옷[신] **2** (환경에) 적응하지 못하는 사람
— [╲╱] *vt., vi.* (**~·ted**; **~·ting**) 잘 맞지 않다
mis·form [misfɔ́ːrm] *vt.* 잘못 만들다
‡**mis·for·tune** [misfɔ́ːrtʃən] *n.* **1** Ⓤ 불운, 불행, 박명(薄命), 역경: (~+***to*** do) When I was very young, I had the ~ *to* lose my father. 아주 어릴 적에 불행하게도 아버지를 여의었다. // endure [bear] ~ 불행을 참고 견디다 **2** 불행[불운]한 일, 재난: *M~s* never come single[singly]. = One ~ rides upon another's back. 《속담》 엎친 데 덮치기, 설상가상., 화불단행(禍不單行)
by ~ 불운[불행]하게도 ***have*** [***meet with***] ***a ~*** 《구어》 사생아를 낳다
mis·fu·el [misfjúːəl] *vt.* 〈자동차에〉 종류가 다른 휘발유를 잘못 급유하다
mis·give [misgív] *vt.* (**-gave** [-géiv]; **-given** [-gívən]) …에게 공포[의심, 걱정]를 일으키다: My mind[heart] ~*s* me about the result. 결과가 걱정된다. — *vi.* 의심을 품다, 염려[걱정]되다
***mis·giv·ing** [misgíviŋ] *n.* ⓊⒸ [종종 *pl.*] 불안, 의심, 걱정, 염려: dispel ~*s* 불안을 떨쳐버리다
have ~s about …에 대하여 의심[불안]을 품다 ***with ~*** 불안한 마음으로 **~·ly** *ad.*
mis·gov·ern [misgʌ́vərn] *vt.* 지배[통치]를 잘못하다, 악정을 펴다 **~·ment** *n.* Ⓤ 실정, 악정
mis·guide [misgáid] *vt.* 그릇되게 지도하다, 잘못 이끌다(mislead); 잘못 인식시키다 《*about*》
mis·guíd·ance *n.* Ⓤ 그릇된 지도 **mis·guíd·er** *n.*
mis·guid·ed [misgáidid] *a.* 잘못 지도된, 잘못 안 **~·ly** *ad.* 잘못 지도되어, 잘못 알고 **~·ness** *n.*
mis·han·dle [mishǽndl] *vt.* 잘못 다루다, 난폭하게[서투르게] 다루다; 학대[혹사]하다(ill-treat); 잘못 처리하다: ~ a dog 개를 학대하다
mis·hap** [míshæp, ─╱] *n.* ⓊⒸ (가벼운) 사고, 재난, 불상사(mischance); 불운: haps and ~*s* of life 인생의 화복(禍福) / a series of ~*s* 잇단 사고 ***without ~ 무사히
mis·hear [mishíər] *vt., vi.* (**-heard** [-hə́ːrd]) 잘못 듣다, 잘못 알아듣다
mish·e·goss [míʃəgɑ̀s | -gɔ̀s], **mesh-** [méʃ-] *n.* 《미·속어》 바보 짓, 미친 짓
mis·hit [mishít] *vt.* (~; **~·ting**) 〈공을〉 잘못 치다
— *n.* 〖구기〗 잘못 치기, 범타

thesaurus **miserable** *a.* unhappy, sorrowful, dejected, depressed, downcast, despondent, desolate, gloomy, dismal, melancholy, mournful
misfortune *n.* bad luck, ill[poor, hard] luck, accident, misadventure, mischance, trouble,

mish·mash [míʃmɑ̀ːʃ, -mæ̀ʃ | -mæ̀ʃ] *n.* 뒤범벅, 잡동사니(medley)
Mish·na(h) [míʃnə] *n.* (*pl.* **-na·yoth** [mìʃnəjóus]) [the ~] 미슈나 《유대교의 구전(口傳) 율법》
mish·u·gah [míʃugɑ̀ː], **mish·oo·geh** [-gèi] *a.* 《미·속어》 머리가 돈, 미친
mis·i·den·ti·fy [mìsaidéntəfai] *vt.* 오인하다, 잘못 확인하다
mis·im·pres·sion [mìsimpréʃən] *n.* 잘못된 인상(印象); 오인, 오해
mis·in·form [mìsinfɔ́ːrm] *vt.* 오보(誤報)를 전하다 《*about*》 **mìs·in·for·má·tion** *n.* Ⓤ 오보 **~·er** *n.*
mis·in·for·mant [mìsinfɔ́ːrmənt] *n.* 오보자
mis·in·ter·pret [mìsintə́ːrprit] *vt.* 오해하다(misunderstand); 오역하다 **~·er** *n.*
mis·in·ter·pre·ta·tion [mìsintəːrpritéiʃən] *n.* ⓊⒸ 오해; 오역(誤譯)
MI6 (영) Military Intelligence, section six 군사 정보부 제6부 《대외 정보 담당; cf. MI5》
mis·judge [misdʒʌ́dʒ] *vt.* 잘못 판단[어림]하다 — *vi.* 판단을 그르치다 **mis·júdg(e)·ment** *n.*
mis·key [mìskíː] *vt.* (타이프에서) 오타를 치다
mis·know [misnóu] *vt.* 잘못 알다[인지하다]; 오해하다(misunderstand)
mis·la·bel [misléibəl] *vt.* …에 라벨을 잘못 붙이다
mis·lay [misléi] *vt.* (**-laid** [-léid]) 잘못 두다[두고 잊어버리다], 둔 곳을 잊다 **~·er** *n.*
***mis·lead** [mislíːd] *vt.* (**-led** [-léd]) **오도하다**, 잘못 인도하다; 나쁜 일에 꾀어들이다; 오해시키다; 속이다: be *misled* by a map 지도를 의지하다가 길을 잃다 // (~+목+전+*-ing*) His lies *misled* me *into* adopt*ing* the project. 그의 거짓말에 속아 나는 그 계획안을 채택하였다. **~·er** *n.*
***mis·lead·ing** [mislíːdiŋ] *a.* **오도하는**, 오해시키는, 그릇된 인상을 주는; 현혹시키는, 혼동케 하는 **~·ly** *ad.* 오해시킬 만큼 **~·ness** *n.*
mis·leared [mislíərd] *a.* 《스코·북잉글》 버릇없는, 거칠고 촌스러운, 본데없이 자란
mis·like [misláik] *vt.*, *n.* 《고어》 = DISLIKE
mis·lo·cate [mislóukeit, ⌐–⌐] *vt.* 잘못 놓다; …의 위치를 착각하다
mis·man·age [mismǽnidʒ] *vt.* …의 관리[처리]를 잘못하다, 부당하게[서투르게] 처리하다 **~·ment** *n.* 그릇된 처리, 실수 **-ag·er** *n.*
mis·match [mismǽtʃ] *n.* 부적당한 짝; 어울리지 않는 결혼 — *vt.* 부적당하게 짝지우다; …에게 어울리지 않는 결혼을 시키다
mis·mate [misméit] *vt.*, *vi.* 짝을 잘못 짓다; 어울리지 않는 결혼을 시키다[하다]
mis·meas·ure [misméʒər] *vt.* …의 계측[견적]을 틀리게 하다
mis·move [mismúːv] *n.* (게임 따위의) 잘못된 수; 잘못된 조처
mis·name [misnéim] *vt.* 틀린 이름으로 부르다
mis·no·mer [misnóumər] *n.* 오칭(誤稱); 인명 오기(誤記)
mis·o [míːsou] *n.* Ⓤ (일본 요리의) 미소 (된장)
miso- [mísou, -sə, máis-] 《연결형》 = MIS-[2]
mis·o·cai·ne·a [mìsoukáiniə, màis-] *n.* 새것[신사상(新思想)]을 싫어하기
mi·sog·a·my [misɑ́gəmi, mai- | -sɔ́g-] *n.* Ⓤ 결혼을 싫어함 **-mist** *n.* 결혼 혐오자
mi·sog·y·ny [misɑ́dʒəni, mai- | -sɔ́dʒ-] *n.* Ⓤ 여자를 싫어함(opp. *philogyny*) **-nist** *n.* 여자를 싫어하는 사람 **-nous** *a.*

adversity, mishap, disaster, tragedy, misery
mislead *v.* delude, misinform, misguide, misdirect, deceive, fool, take in, lead astray
miss[1] *v.* **1** 빗맞히다 let go, bungle, botch, muff **2** 놓치다 fail to catch, be too late for

mi·sol·o·gy [misɑ́lədʒi, mai- | -sɔ́l-] *n.* Ⓤ 이론[토론]을 싫어함 **-gist** *n.* 이론 혐오자
mis·o·ne·ism [mìsouníːizm, màisou-] *n.* Ⓤ 새것[개혁]을 싫어함, 보수주의
mis·o·pe·di·a [mìsoupíːdiə, màis-] *n.* (부모의) 자식 싫어하기 **-dist** *n.*
mis·o·ri·ent [misɔ́ːrient] *vt.* 그릇된 방향으로 돌리다, 오도하다
mis·per·ceive [mìspərsíːv] *vt.* 오인하다; 오해하다 **mìs·per·cép·tion** *n.*
mis·place [mispléis] *vt.* **1** …의 놓을 장소가 틀리다, 잘못 두다; 둔 곳을 잊다 **2** [주로 과거분사로] 〈신용·애정 등을〉 엉뚱한 사람에게 주다, 잘못 주다 《*in*, *on*》 **~·ment** *n.* ⓊⒸ 잘못 두기; 당치 않음, 오해
mis·placed [míspleist] *a.* 〈신용·애정 등이〉 엉뚱한; 〈위치가〉 잘못된: a ~ modifier 〖문법〗 위치가 잘못된 수식 어구
mis·play [mispléi] *n.* 《미》 (경기 등의) 실수, 미스, 에러; 반칙: make a ~ 실책을 하다 — *vt.*, *vi.* 〈놀이·연주 등을〉 잘못하다; 에러를 하다
mis·plead [misplíːd] *vt.*, *vi.* (~(·**ed**), **-pled**) 그릇된 변호를 하다, 부당 항변[변호]하다
mis·plead·ing [misplíːdiŋ] *n.* 〖법〗 잘못된[틀린] 소답(訴答)
mis·print [mísprìnt, –⌐] *n.* 미스프린트, 오식(誤植) — [–⌐] *vt.* 오식하다
mis·pri·sion[1] [mispríʒən] *n.* Ⓤ **1** (특히 공무원의) 직무 태만, 부정 행위 **2** 〖법〗 범죄 은닉: ~ of felony [treason] 중죄범[대역범] 은닉 **3** 오해
misprision[2] *n.* Ⓤ 《고어》 경멸, 경시 《*of*》
mis·prize [mispráiz] *vt.* 경멸[경시]하다
mis·pro·nounce [mìsprənáuns] *vt.*, *vi.* …의 발음을 잘못하다, 틀린 발음을 하다 **mìs·pro·nùn·ci·á·tion** [-nʌ̀nsiéiʃən] *n.* 틀린 발음
mis·pro·por·tion [mìsprəpɔ́ːrʃən] *n.* Ⓤ 불균형
mis·quote [miskwóut] *vt.*, *vi.* 잘못 인용하다 — *n.* 잘못된 인용 **mìs·quo·tá·tion** *n.*
mis·read [misríːd] *vt.* (**-read** [-réd]) 잘못 읽다; 오해하다(misinterpret), 잘못 해석하다
mis·reck·on [misrékən] *vt.*, *vi.* 잘못 세다
mis·re·mem·ber [mìsrimémbər] *vt.*, *vi.* 잘못 기억하다; 《방언》 잊다(forget)
mis·re·port [mìsripɔ́ːrt] *vt.* 잘못 보고하다, 그릇 전하다: ~ the result of the investigation 조사 결과를 잘못 보고하다 — *n.* ⓊⒸ 오보, 허위 보고
mis·rep·re·sent [mìsreprizént] *vt.* **1** 잘못[거짓] 전하다, 부정확하게 말하다 **2** 대표 역할을 제대로 못하다 **~·er** *n.*
mis·rep·re·sen·ta·tion [mìsreprizentéiʃən] *n.* ⓊⒸ 와전(訛傳), 그릇된 설명; 〖법〗 허위 진술 **mìs·rep·re·sén·ta·tive** *a.*
mis·route [misrúːt] *vt.* 잘못된 경로로 부치다
mis·rule [misrúːl] *n.* Ⓤ **1** 실정(失政), 악정 **2** 무질서, 혼란, 무정부 상태 ***the Lord*** [***Abbot, Master, King***] ***of M~*** 〖영국사〗 크리스마스 파티의 사회자 — *vt.* 잘못 통치[정치]하다, 실정하다 **mis·rúl·er** *n.*
‡**miss**[1] [mís] *v.*, *n.*

OE 「빗맞히다」의 뜻에서
┌「(빗맞혀) 놓치다」 **1** →「(탈것을) 놓치다」 **2**
│「(기회를) 놓치다」 **3**
├ (필요한 것을) 「빼놓다」 **4** → (없음을 알게 되다)
│ →「없어서 섭섭하게 생각하다」 **6**
└ (싫은 일을) 「모면하다」 **5**

— *vt.* **1** 〈노렸던 것을〉 **놓치다**, **빗맞히다**, 못 맞히다, 〈목적·위치·표준·욕망에〉 못 미치다; …에 닿지[이르지] 못하다: ~ a bird 새를 빗맞히다 / ~ one's aim 겨냥이 빗나가다 **2** 〈탈것을〉 **놓치다**; 〈사람을〉 만나지 못하다; 듣지[보지] 못하다; 이해하지 못하다; 〈약속·의무

등을〉 지키지 못하다: I *~ed* the train. 기차를 놓쳤다. / I *~ed* the point of his speech. 그의 연설의 요점을 이해할 수 없었다. / ~ each other by second at the airport 간발의 차로 공항에서 서로 만나지 못하다 **3 a** 〈기회를〉 **놓치다**: ~ an opportunity[a chance] 기회를 놓치다 **b** 〈…할 것을〉 놓치다, 〈…하지〉 못하다: ~ breakfast 아침을 먹지 못하다 // 《~+***-ing***》 I *~ed* see*ing* the sight. 그 광경을 못 보고 말았다. / I never ~ go*ing* there. 그 곳에 가는 것을 거르는 일이 없다. **4 빠뜨리다,** 빼놓다 《*out, out of*》; 〈수업에〉 결석하다: 《~+目+副》 《~+目+前+名》 Don't ~ my name *out* (*of* your list). (당신의 명단에서) 내 이름을 빠뜨리지 마시오. **5 모면하다,** 피하다: ~ a traffic accident 교통사고를 모면하다 // 《~+***-ing***》 He just *~ed* be*ing* run over by a car. 그는 아슬아슬하게 차에 치이는 것을 면했다. **6** …이 없어서 섭섭하게[아쉽게] 생각하다; 그리워하다: We will ~ you badly. 네가 없으면 모두들 몹시 섭섭해할 것이다. **7** [보통 부정·의문문에서] …이 없음을 깨닫다: When did you first ~ the necklace? 목걸이가 없어진 것을 언제 처음 알았나요?

— *vi.* **1** 과녁에서 빗나가다; 실패하다 **2** (사업 등에서) 실패하다 《*out; in, on*》: ~ *in* business 사업에 실패하다 **3** 〈엔진이〉 점화되지 않다(misfire)

~ by a mile (구어) 겨냥이 크게 빗나가다; (구어) 크게 실패하다 ***~ out*** (1) ⇨ *vt.* 4 (2) 기회를 놓치다, 실패하다 《*on*》; 보지[얻지, 경험하지] 못하다 《*on*》 ***~ one's way*** 길을 잃다 ***not ~ much*** 방심하지 않고 [정신차리고] 있다 ***You can't ~ it.*** 곧[금방] 알[찾을] 수 있어.

— *n.* **1 실수,** 실패; 〖당구〗 미스: have a ~ 실수를 하다 / A ~ is as good as a mile. (속담) 조금이라도 빗나간 것은 빗나간 것이다, 오십보백보 **2** 회피, 모면 **3** (속어) 없어서 섭섭함, 아쉬움 **4** (영·구어) 유산(流産)(miscarriage) **5** 누락, 탈락

give ... a ~ 〈사람을〉 (고의로) 피하다; 간과하다, 내버려 두다; 〈식사 코스의 일부를〉 빠뜨리다, 건너뛰다; 〈회의에〉 결석하다, 〈…을〉 쉬다, 빼먹다

‡**miss**[2] [mìs] [mistress의 단축형] *n.* (*pl.* **~·es** [-iz]) **1** [**M~**] …양(孃), …씨 《원칙적으로는 미혼 여자의 성·성명 앞에 붙이는 경칭이나, 현재는 결혼 여부를 구별할 수 없거나 독신인 여성에게도 씀》 USAGE (1) 여자 형제를 함께 말할 경우 문어에서는 the Misses Brown, 구어에서는 the Miss Browns라고함. (2) *pl.*의 발음은 Mrs. [mísiz]와 구별하여 [mísi:z]라고 할 때도 있음. **2** [독립적으로] **a** 아가씨 《여자 점원 등에게 또는 점원 등이 여자 손님에 대한 호칭으로》 **b** 선생님 《여선생에 대한 호칭》 **c** (영·경멸) 소녀, 여학생, 미혼 여성: She's a saucy ~. 건방진 계집애다. **3** [**M~**] [지명 등에 붙여서] 미스… 《미인 콘테스트 등의 우승자》: *M~* Korea 미스 코리아 **4** [*pl.*] (젊은) 여성복의 표준 사이즈 **~·hood** *n.*

Miss. Mississippi

mis·sa can·ta·ta [mísə-kəntɑ́:tə] [L =sung mass] 〖가톨릭〗 노래 미사, 장엄 미사(High Mass)

mis·sal [mísəl] *n.* 〖가톨릭〗 미사 경본(經本)

míssal stànd (제단 위의) 미사 전서 낭독대

Mis·sa So·lem·nis [mísə-soulémnis] [L = solemn mass] 장엄 미사(High Mass); 장엄 미사곡

mís·sel thrùsh [mísəl-] = MISTLE THRUSH

Mìss Émma (미·속어) 모르핀

mis·send [missénd] *vt., vi.* (**-sent** [-sént]) 잘못 보내다

mis·sense [míssèns] *n.* 〖유전〗 미스센스 《DNA 암호가 바뀌어 본래와 다른 아미노산을 지정하게 되는 돌연변이 암호》

míssense mutátion 〖유전〗 미스센스 돌연변이

mis·shape [misʃéip] *vt.* 보기 흉하게[기형으로] 만들다

mis·shap·en [misʃéipən] *a.* 보기 흉한, 꼴불견의, 기형의(deformed) **~·ly** *ad.*

‡**mis·sile** [mísəl | -sail] [L 「던질 수 있는」의 뜻에서] *n.* 미사일, 유도탄; 날아가는 무기 《화살·탄환·돌 등》: a guided[cruise] ~ 유도[순항] 미사일

— *a.* Ⓐ 발사할 수 있는; 유도탄(용)의: a ~ base[site] 미사일 기지 / ~ rattling 미사일에 의한 위협

mis·sil·eer [mìsəlíər | -sail-] *n.* = MISSILEMAN

mis·sile·man [mísəlmən | -sail-] *n.* (*pl.* **-men** [-mən, -mèn]) 미사일 설계[제작, 조작]자; 미사일 학자

mis·sil(e)·ry [mísəlri | -sail-] *n.* Ⓤ [집합적] 미사일; 미사일 공학, 미사일 연구[실험, 사용]

míssile sìlo 미사일 격납고

míssile wárhead 미사일 핵탄두

‡**miss·ing** [mísiŋ] *a.* **1** 있어야 할 곳에 없는, 없어진, 보이지 않는, 분실한: a ~ page 낙장(落張), 빠진 페이지 / There is a page ~. = A page is ~. 한 페이지가 빠져 있다. **2 a** 행방불명인: a ~ child 미아 / Twenty men are ~. 20명이 행방불명이다. **b** [the ~; 복수 취급] 행방불명자들 ***among the ~*** (전쟁으로) 행방불명인; (미·구어) 결석한 ***come*** [***turn***] ***up ~*** (미·구어) 모습을 보이지 않다, 결근하다 ***go ~*** 행방불명이 되다 ***~ in action*** 전투 중에 실종된

míssing línk [the ~] **1** 〖인류〗 잃어버린 고리 《유인원(類人猿)과 인간의 중간에 있었다고 가상되는 생물》 **2** 계열을 이루는 데 빠진 것 《*in*》

míssing pérson 1 행방불명자, 실종자, 가출자 **2** [**M- P-s**] (경찰 내) 행방불명자 수색과(課)

mis·si·ol·o·gy [mìsiɑ́lədʒi | -ɔ́l-] *n.* Ⓤ 〖그리스도교〗 선교[포교]학, 전도학

‡**mis·sion** [míʃən] *n., a., v.*

> L 「보내기, 보내어지기」의 뜻에서
> →「사절(단)」 **1**→(사절에게 부과된 일)→「사명」 **2**

— *n.* **1** (특별한) **사절(단)**; (미) 재외 사절단[공관]: dispatch an economic ~ to India 인도에 경제 사절단을 파견하다 **2** (사절의) **사명,** 임무; (일생의) 사명, **천직**(calling): carry out one's ~ 임무를 수행하다 **3** 〖군사〗 특명, 임무; 〖공군〗 (특별 사명을 띤) 비행 작전[대]; (우주선에 의한) 특무 비행 《*to*》: a ~ *to* the moon 달 탐사 비행 **4 전도,** 포교; [*pl.*] 전도 사업; 전도사의 파견; (외국에의) 전도[선교] 단체(본부) **5** 전도[선교]구(區); 빈민 구제 시설, (종교적) 사회 사업단 **6** 〖신학〗 성령을 보냄 ***follow the sacred ~*** 포교에 종사하다, 선교사가 되다 ***M~ accomplished.*** (구어) 임무 완수.

— *a.* **1** 전도(단)의: a ~ school (미) 전도 학교; 선교사 양성소 / ~ work 전도, 포교 **2** 미션 양식의 《미국 남서부의 초기 스페인 전도사의 가구처럼 거무스름하고 질박한》: ~ furniture 미션 양식의 가구

— *vt.* **1** 임무를 맡기다, 파견하다 **2** …에서 포교 활동[전도]을 하다

— *vi.* 사절 노릇을 하다

‡**mis·sion·ar·y** [míʃənèri | -nəri] *n.* (*pl.* **-ar·ies**) **1** 선교사, 전도사 **2** (어느 주의·사상의) 선전자; 사절

— *a.* Ⓐ 전도의, 선교(사)의; 열성적인, 광신적인: a ~ meeting 전도[포교] 집회

míssionary apostólic 〖가톨릭〗 교황 파견 선교사

míssionary posìtion (구어) (성교의) 정상 체위

míssionary sàlesperson (미) 순회[판촉] 판매원

míssion commànder 우주선 선장

míssion contròl (지상의) 우주 비행 관제 센터

míssion crèep 미션 크립 **1** 〖군사〗 인권 문제 등을 우려한 미국의 외국 개입이 재난을 가져오는 현상 **2** 스스로 위험을 창출하면서 권한을 확대 재생산해 나가는 (정부) 조직

mis·sion-crit·i·cal [mìʃənkrítikəl] *a.* (임무 수

---

thesaurus **missing** *a.* lost, misplaced, absent, gone, mislaid, gone astray, not present
mission *n.* assignment, commission, task, job,

행에 있어) 핵심의, 불가결한: ~ employees 핵심 사원들

mis·sion·er [míʃənər] *n.* =MISSIONARY

mis·sion·ize [míʃənàiz] *vt.* …에 전도[선전]하다
— *vi.* 선교사로 복무하다

míssion spècialist (미) 우주선 탑승 운용 기술자

míssion stàtement (회사·조직의) 사명(使命) 선언 《사회적 사명·기업 목적 따위의 표명》

mis·sis [mísiz, -sis] [mistress의 단축형] *n.* (구어) **1** …부인 《기혼 여성의 성 앞에 붙여서; Mrs.라고 씀》 **2** 마나님; [the ~, one's ~] (익살) 마누라

miss·ish [mísiʃ] *a.* 여학생 같은; 감상적인, 얌전 빼는, 새침부리는 **~·ness** *n.*

Mis·sis·sip·pi [mìsəsípi] [북미 인디언 말 「큰 강」의 뜻에서] *n.* **1** 미시시피 주 《미국 중남부의 주; 속칭 the Magnolia State; 주도 Jackson; 略 Miss.》 **2** [the ~] 미시시피 강 《미국 중부에서 멕시코 만으로 흐르는 큰 강》(=∠ **Ríver**) **~·an** [-ən] *a.*, *n.* 미시시피 강의, 미시시피 주의 (사람)

mis·sive [mísiv] (문어·익살) *a.* 보내진(sent), 공문의 ***letter(s)*** ~ 국왕이 교회에 발송하는 감독 후보자 지명서 — *n.* 서한, 편지, 신서(信書) 《특히》 공문서(official letter)

Mìss Lóne·ly·hearts [-lóunlihὰ:rts] 인생 상담의 여성 회답자

Mìss Náncy 계집애 같은 남자

*__Mis·sou·ri__ [mizúəri, -rə] [북미 인디언 말 「큰 카누를 타는 사람」의 뜻에서] *n.* **1** 미주리 주 《미국 중부의 주; 속칭 the Show Me State, the Bullion State; 주도 Jefferson City; 略 Mo.》 **2** [the ~] 미주리 강 《Mississippi 강의 지류》(=∠ **Ríver**)
be[come] from ~ (미·구어) 의심이 많다, 증거를 보일 때까지 믿지 않다
~·an [-ən] *a.*, *n.* 미주리 주의 (사람)

miss·out [mísàut] *n.* 〖도박〗 (크랩스(craps) 노름에서) 건 돈을 잃는 주사위 던지기

mis·speak [misspí:k] *vt.*, *vi.* (**-spoke** [-spóuk]; **-spo·ken** [-spóukən]) 잘못 말하다; 잘못 발음하다; 부정확하게[부적당하게] 말하다

mis·spell [misspél] *vt.* (**~ed, -spelt** [-spélt]) …의 철자를 잘못 쓰다, 잘못 철자하다 **~·ing** *n.*

mis·spend [misspénd] *vt.* (**-spent** [-spént]) 잘못 소비하다, 낭비하다 **~·er** *n.*

Mìss Ríght (구어) (결혼 상대로서) 이상적인 여성

mis·state [misstéit] *vt.* 잘못 진술하다, 허위 진술하다 **~·ment** *n.*

mis·step [misstép] *n.* 실족(失足); 과실, 실수; (여자가) 몸을 그르침, 《특히》 사생아를 낳음
— *vi.* (**~ped**; **~·ping**) 잘못[헛] 디디다; 잘못을 저지르다

mis·strike [misstráik] *n.* 〖화폐〗 (무늬가 중심에서 벗어난) 불량 주화

mis·sus [mísəz, -səs] *n.* =MISSIS

miss·y [mísi] *n.* (*pl.* **miss·ies**) (구어) 아가씨
— *a.* 소녀다운, 아가씨의

‡**mist** [míst] [OE 「암흑」의 뜻에서] *n.* **1** ⓊⒸ **a** 안개 《★ fog보다 엷고, haze보다 짙음》: (a) heavy [thick] ~ 짙은 안개 **b** (미) 가랑비, 이슬비 **2** ⓊⒸ (수증기로 인한 유리의) 흐림, 김에 서림; Ⓒ (눈의) 흐림 **3** 뜻[판단, 이해, 기억]을 흐릿하게 하는 것, 정신을 못 차리게 하는 것 **4** [the ~s] (문어) 안개에 싸인 과거, 태고 **5** (향수·약 등의) 분무(제) 《*of*》
be lost in the ~s of time 세월의 뒤안길에 잊혀지다 ***throw[cast] a ~ before*** a person***'s eyes*** …의 눈을 속이다
— *vt.* 안개로 덮다; 흐리게 하다, 희미하게 하다: *~ed* glasses 김이 서린 안경

errand, work, business, undertaking, operation, duty, charge, trust, goal, aim, purpose, chore
mistake *n.* error, fault, slip, blunder, oversight

— *vi.* **1** 안개가 끼다; 흐려지다 《*up, over*》 **2** [it을 주어로 하여] 안개가 끼다; 는개[이슬비]가 내리다
~ *over* (1) ⇨ *vi.* 1 (2) 〈시야·눈이〉 흐려지다, 〈안경에〉 김이 서리다
~·less *a.* ▷ místy *a.*

mis·tak·a·ble [mistéikəbl] *a.* 틀리기 쉬운, 오해받기 쉬운

‡**mis·take** [mistéik] [ON 「잘못 가지다」의 뜻에서] *n.* **1** 잘못, 틀림; 착오, 착각, 오해(⇨ error 유의어): in ~ for …으로 잘못 알고[착각하여] / make a ~ 실수하다, 착각하다 / There is no ~ about it. 그것은 틀림없다. **2** 〖법〗 착오; 〖컴퓨터〗 (사람의 조작) 실수 ***and no ~*** (구어) 틀림없이: It's hot today, *and no ~*! 오늘은 정말 덥다! ***beyond ~*** 확실히 (undoubtedly) ***by ~*** 잘못하여, 실수로 ***learn by ~*** 시행착오하다 ***Make no ~,*** it's got to be done. 알았지, (어떤 일이 있어도 해야 된다).
— *v.* (**-took** [-túk]; **-tak·en** [-téikən]) *vt.* **1** 〈장소·날짜 등을〉 틀리다, 잘못 알다; 오해하다, …의 해석을 잘못하다: She has *mistaken* me. 그 여자는 내 말을 오해하였다. **2** 착각하다, 잘못 생각하다; 혼동하다: (~+목+전+명) ~ sugar *for* the salt 설탕을 소금으로 착각하다 / He *mistook* me *for* Kim. 그는 나를 김씨로 잘못 알았다.
— *vi.* 오해하다, 착각하다
There is no mistaking. 틀릴 리가 없다.
mis·ták·er *n.*

mistáke hìtter 〖야구〗 실투를 놓치지 않는 타자

‡**mis·tak·en** [mistéikən] *vt.* MISTAKE의 과거분사
— *a.* 틀린, 오해한; 판단이 잘못된: ~ kindness 잘못 베푼 친절, 귀찮은 친절 ***unless I'm*** (***very much***) ~ 잘못되지 않았다면 ***You are ~.*** 너는 잘못 생각하고 있다, 오해하고 있다.
~·ly *ad.* 잘못하여, 실수로 **~·ness** *n.*

mistàken idéntity 잘못 알아봄; 신원 오해

mist·bow [místbòu] *n.* 〖기상〗 흰무지개(fogbow)

mis·teach [mistí:tʃ] *vt.* (**-taught** [-tɔ́:t]) [주로 과거분사로] 잘못 가르치다 **~·er** *n.*

‡**mis·ter**[1] [místər] [master의 변형] *n.* **1** [**M~**] 씨, 군, 선생, 님, 귀하 《남자의 성·성명 또는 관직명 앞에 붙임; 흔히 Mr.로 씀》: Don't call me ~; it's very distant. 「씨」를 붙여 부르지 말게, 서먹서먹한 것 같네. **2** [호칭] (구어) 여보세요, 선생님, 아저씨: *M~*, is this your wallet? 여보세요, 이 지갑 당신 것입니까? **3** [the ~, one's ~] (구어) 남편 **4** (Mr. 이외에는 경칭이 없는) 평민: be he prince or mere ~ 그 사람이 왕자든 평민이든 **5** (미) 육군 준사관(warrant officer), 사관 후보생; 해군 소령 이하의 해군 사관에 대한 호칭; 공군 하급 중위에 대한 호칭
— *vt.* (구어) 씨[님]를 붙이다: Don't ~ me. 내 이름에 「씨」 자를 붙이지 말게.

mister[2] *n.* (원예용) 분무기

Míster Bíg (미·속어) (숨은) 보스, 거물

Míster Chárley[Chárlie] (미·흑인속어) 백인

mis·te·ri·o·so [mistèrióusou] [It.] *a.*, *ad.* 〖음악〗 신비적인[으로]

mis·term [mistə́:rm] *vt.* …에 잘못된 이름을 붙이다, 오칭하다

Míster Ríght (구어) (여성의) 이상적 남편감

mis·ter·y [místəri] *n.* =MYSTERY[2]

mist·ful [místfəl] *a.* 안개가 짙은[자욱한]

mist·i·ly [místili] *ad.* 안개가 짙게[자욱하게], 안개 모양으로; 어렴풋이; 모호하게

mis·time [mistáim] *vt.* 좋지 않은 때에 …하다, 시기를 놓치다; 〈공을〉 칠 타이밍을 놓치다: ~ one's visit 좋지 않은 때에 방문하다

mis·timed [mistáimd] *a.* 시기를 놓친, 때가 좋지 않은

mist·i·ness [místinis] *n.* Ⓤ 안개가 짙음; 어렴풋함

mís·tle thrùsh [mísl-] 〖조류〗 대형 지빠귀의 일종 《유럽산(産)》

∗mis·tle·toe [mísltòu] *n.* Ⓤ 〚식물〛 **겨우살이** 《크리스마스 장식용》 ***kissing under the ~*** 겨우살이 밑에서의 키스 《크리스마스 장식의 겨우살이 밑에 있는 소녀에게는 아무나 키스해도 좋다는 풍습》

‡mis·took [mistúk] *vt.* MISTAKE의 과거

mis·tral [místrəl, mistrɑ́:l] *n.* [the ~] 미스트랄 《프랑스 등지의 지중해 연안에 부는 찬 북서풍》

mis·trans·late [mìstrænsléit, -trænz-] *vt.* 오역하다 **mìs·trans·lá·tion** *n.* ⓊⒸ 오역

mis·treat [mistrí:t] *vt.* 학대하다, 혹사하다(maltreat) **~·ment** *n.*

‡mis·tress [místris] [master의 여성형] *n.* **1** (opp. *master*) (한 가정의) **주부**, 여주인; (동물의) 여주인 **2 여자 애인**, 정부(情婦); 《시어》 애인, 연인 **3** 지배하는 여자, 여왕: be one's own ~ 〈여성이〉 자유로운 몸이다; 냉철하다 / a ~ of society 사교계의 여왕 **4** 여류 대가[명사]: a ~ of cooking 요리의 대가 **5** 《영》 여교사: a classics ~ 고전 담당 여교사 **6** [**M~**] 《고어》 = MRS., MADAM, MISS

be ~ of …을 지배[소유]하고 있다; …에 정통해 있다 ***~ of ceremonies*** 여성 사회자 ***the ~ of the Adriatic*** 아드리아 해(海)의 여왕 《Venice의 속칭》 ***the M~ of the night*** 밤의 여왕 《달》 ***the M~ of the Robes*** 《영》 여왕의 의상 관리자 ***the M~ of the Seas*** 영국의 속칭 **~·shìp** *n.* Ⓤ mistress의 신분[지위]

mis·tri·al [mìstráiəl] *n.* 〚법〛 **1** (절차상의 착오로 인한) 무효 심리 **2** 《미》 (배심원의 의견 불일치로 인한) 미결정 심리

∗mis·trust [mistrʌ́st] *vt.* **1 신용하지 않다**, 불신하다; 의심하다 **2** 추측하다
— *vi.* 의심을 품다
— *n.* Ⓤ **불신**, 의혹 《*of, in*》: intensify one's ~ 불신의 도를 더하다 **~·ing·ly** *ad.*

mis·trust·ful [mistrʌ́stfəl] *a.* 의심 많은, 신용하지 않는 《*of*》 **~·ly** *ad.* **~·ness** *n.*

mis·tryst [mistráist] 《스코·북잉글》 *vt.* 〈…와〉 만날 약속을 어기다 — *vi.* 약속을 어기다

∗mist·y [místi] *a.* (**mist·i·er**; **-i·est**) **1 안개가 짙은**, 안개 자욱한: a ~ morning 안개 자욱한 아침 **2** 눈물 어린 **3** 희미한, 몽롱한, 어렴풋한, 막연한: ~ memories of one's early days 어린 시절의 희미한 추억 ▷ míst *n.*

mist·y-eyed [místiáid] *a.* (눈물로) 눈이 흐릿한; 곧잘 눈물을 글썽거리는, 감상적인

‡mis·un·der·stand [mìsʌndərstǽnd] *v.* (**-stood** [-stúd]) *vt.* **오해하다**; 진가[본성]를 못 알아보다: She *misunderstood* me. 그녀는 내 말을 오해했다.
— *vi.* 오해를 하다 **~·er** *n.*

∗mis·un·der·stand·ing [mìsʌndərstǽndiŋ] *n.* ⓊⒸ **1 오해**, 잘못 생각함 《*of*》: by[through] a gross ~ 지나친 오해로 인해 / There's been a ~. 오해가 있었다. **2** 불화, 의견 차이, 싸움 《*between, with*》 ***have a ~ of***[***about***] …을 오해하고 있다 **~·ly** *ad.*

∗mis·un·der·stood [mìsʌndərstúd] *v.* MISUNDERSTAND의 과거·과거분사
— *a.* 오해된; 진가를 인정받지 못하는

mis·us·age [misjú:sidʒ, -jú:z-] *n.* ⓊⒸ 오용, 악용; 학대, 혹사(ill-treatment)

∗mis·use [misjú:s] *n.* = MISUSAGE
— [-jú:z] *vt.* **오용[악용]하다**; 학대[혹사]하다(ill-treat) ▷ misúsage *n.*

mis·us·er [misjú:zər] *n.* Ⓤ 〚법〛 (특권·직권·은전 따위의) 남용; Ⓒ 오용자, 남용자; 학대자

mis·val·ue [misvǽlju:] *vt.* 잘못 평가하다, 과소평가하다

mis·ven·ture [misvéntʃər] *n.* 불운한 사업[시도]; 불운, 재난

mis·word [miswə́:rd] *vt.* …의 말을 오용하다; 부적당한 말로 나타내다

MIT, M.I.T. [émàití:] Massachusetts Institute of Technology 매사추세츠 공과 대학

Mit·be·stim·mung [mítbəʃtìmuŋ] [G] *n.* (독일 등에서 노동자의) 경영 참가(권)

mitch, mich [mítʃ] *vi.* 《방언》 학교를 빼먹다

Mitch·ell [mítʃəl] *n.* **1** 남자[여자] 이름 **2** 미첼 **Margaret ~** (1900-49) 《미국의 여류 작가》

mite[1] [máit] *n.* 진드기, 치즈벌레

mite[2] *n.* **1** 적으나마 정성어린 성금 **2** 잔돈; 《영·속어》 반 파딩 (1/2 farthing) **3** 《구어》 아주 작은 것; 꼬마 **4** [a ~; 부사적] 소량, 조금: He is *a* ~ taller than I. 그는 나보다 조금 키가 크다.
a ~ of a child 조그만 (아이) ***not a ~*** 《속어》 조금도 …않다

miter *n.* 1

mi·ter | mi·tre [máitər] *n.* **1** 〚가톨릭〛 주교관(主敎冠); 주교의 직[지위] **2** 〚목공〛 연귀, 연귀이음 — *vt.* **1** 주교로 임명하다 **2** 연귀 이음으로 하다

míter bòx 〚목공〛 연귀이음통 《톱의 각도를 고정시키는》

mi·tered [máitərd] *a.* **1** 주교관을 쓴[수여 받은] **2** 연귀 이음을 한

mítered jíb 〚항해〛 마이터 지브, 연귀 이음 지브

míter jòint 〚목공〛 연귀이음, 사접(斜接) 《액자 모서리처럼 2등분각으로 잇기》

míter squàre 〚목공〛 45도 자 (尺)

Mith·ra [míθrə], **-ras** [-ræs] *n.* 〚페르시아신화〛 미트라 《빛·진리의 신; 후에는 태양신》

Mith·rae·um [miθrí:əm] *n.* (*pl.* **-rae·a** [-rí:ə], **~s**) 미트라(Mithras)의 신전

Mith·ra·ism [míθrəìzm], **Mith·ra·i·cism** [miθréiəsìzm] *n.* Ⓤ 마트라교[신앙]
Míth·ra·ist *n.*

mith·ra·my·cin [mìθrəmáisin] *n.* 〚약학〛 미스라마이신 《항(抗)종양 항생 물질》

mith·ri·date [míθridèit] *n.* Ⓤ (고대의) 해독제, 항독제

mith·ri·da·tism [míθrədèitizm] *n.* Ⓤ 면독법(免毒法) 《독의 복용량을 점차 늘리면서 얻는 면역법》

mith·ri·da·tize [míθrədèitaiz] *vt.* 면독성[내독성]을 기르다

∗mit·i·gate [mítəgèit] *vt.* **1 완화하다**, 누그러뜨리다, 덜어주다, 진정시키다: ~ pain[grief] 고통[슬픔]을 덜다 **2** 〈형벌 등을〉 가볍게 하다
mit·i·ga·ble [mítigəbl] *a.* **-gà·tor** *n.*

mit·i·gat·ing [mítəgèitiŋ] *a.* Ⓐ (형기를) 가볍게 하는; 완화하는, 누그러뜨리는: ~ factors 〚법〛 (형기를 경감하는) 정상 참작 요인

mítigating círcumstances 〚법〛 (형기 등의) 경감 사유, 정상 참작 상황

mit·i·ga·tion [mìtəgéiʃən] *n.* **1** Ⓤ 완화, 진정; (형벌 등의) 경감 **2** 완화[진정]하는 것

mit·i·ga·tive [mítəgèitiv] *a.* 완화시키는

mit·i·ga·to·ry [mítigətɔ̀:ri | -gèitə-] *a.* = MITIGATIVE

mi·to·chon·dri·on [màitəkɑ́ndriən | -kɔ́n-] *n.* (*pl.* **-dri·a** [-driə]) 〚생물〛 미토콘드리아 **-dri·al** *a.*

mi·to·gen [máitədʒən, -dʒèn] *n.* 〚생물〛 미토겐 《유사 분열 촉진[유발] 물질》 **mì·to·gén·ic** *a.*

mi·to·my·cin [màitoumáisn] *n.* Ⓤ 〚약학〛 마이토마이신 《제암 작용이 있는 항생 물질》

thesaurus **misty** *a.* hazy, foggy, cloudy, dim, vague, blurred, fuzzy, indistinct (opp. *clear*)
misunderstand *v.* misapprehend, misinterpret, misread, misconstrue, confuse, miscomprehend
misuse *v.* misapply, misemploy, abuse, exploit,

mi·tose [máitous] *vi.* 〖생물〗 유사 분열하다

mi·to·sis [maitóusis] *n.* (*pl.* **-ses** [-si:z]) ⓊⒸ 〖생물〗 유사 분열(有絲分裂)(cf. AMITOSIS)

mi·tot·ic [maitɑ́tik | -tɔ́t-] *a.* 유사 분열의: a ~ spindle 방추체(紡錘體) **-i·cal·ly** *ad.*

mi·tral [máitrəl] *a.* **1** 주교관(miter)의; 승모(僧帽) 모양의 **2** 〖해부〗 (심장의) 이첨판의, 승모판의

mítral vàlve 〖해부〗 (심장의) 이첨판, 승모판(瓣)

mi·tre [máitər] *n., vt.* 《영》 =MITER

‡mitt [mít] [mitten의 미음(尾音) 소실] *n.* **1** =MITTEN **2** 《속어》 주먹, 손(fist, hand) **3** 〖야구〗 미트 《포수·1루수용》; 〖권투〗 글러브 **4** (요리용의) 손가락 부분이 없는 긴 장갑 《내열 천으로 된》

get the frozen ~ =get the (frozen) MITTEN. ***give*** [***hand***] a person ***the frozen*** ~ =give a person the (frozen) MITTEN. ***tip*** one***'s*** ~ 《속어》 속내[계획]를 보이다, 밀고하다

mítt càmp[**jòint**] 《미·속어》 손금[신수] 보는 (천막)집

***mit·ten** [mítn] *n.* 벙어리장갑 《엄지손가락만 떨어져 있는》; (여자용의) 긴 장갑 《팔꿈치까지 덮는》

get the (***frozen***) ~ 《속어》 (애인에게) 퇴짜 맞다; 해고당하다 ***give*** a person ***the*** (***frozen***) ~ 《속어》 …에게 퇴짜 놓다; …을 해고하다 ***handle without*** ~***s*** 사정없이 다루다 ***the glad*** ~ 환영, 환대

mit·ti·mus [mítəməs] [L =we send] *n.* 〖법〗 수감 영장, 소송 기록 이송 영장; 《영·고어》 해고(통지)(dismissal) ***get*** one***'s*** ~ 해고당하다

mítt rèader 《미·속어》 손금쟁이, 운세 점치는 사람

Mit·ty [míti] [J. Thurber의 소설 주인공 이름에서] *n.* 몽상가, 자기를 대단한 영웅으로 꿈꾸는 소심자 (=Walter ~) **Mìt·ty·ésque, ~·ish** *a.*

mitz·vah [mítsvə] [Heb.] *n.* (*pl.* **-voth** [-vous], **~s**) 〖유대교〗 (성경·율법 학자의) 계율; 선행(善行) (cf. BAR MITZVAH)

‡mix [míks] [mixed에서의 역성] *v.* (**~ed,** 《고어》 **mixt** [míkst]) *vt.* **1** 섞다, 혼합하다 《*with, in*》: ~ whiskey and water 위스키에 물을 섞다 / ~ paints 그림물감을 섞다 // (~+목+전+명) ~ water *with* [*in*] whiskey 위스키에 물을 타다

> 유의어 **mix** 「섞다」의 뜻으로는 가장 일반적인 말로서 결과적으로 각 요소가 (대체로) 같은 것이 될 때에 쓴다: *mix* fruit juices 과즙을 섞다 **mingle** 분리해서 식별할 수 있는 요소를 섞다: *mingle* voices 혼성하다 **merge** 혼합하여 각 요소가 구별할 수 없게 되거나 어떤 것이 다른 것 속에 흡수되다: In his mind reality and fantasy *merged.* 그의 정신에서는 현실과 환상이 하나로 녹아버렸다. **blend** 다른 종류의 것을 섞어서 희망하는 품질의 것을 만들어내다: *blend* fragrances 향수를 혼합하다

2 (섞어서) 만들다, 조제하다; 〈재료 등을〉 섞어 넣다: ~ a drink 칵테일 등을 만들다 / ~ a poison 독약을 조제하다 / ~ a salad 샐러드를 만들다 // (~+목+목) (~+목+전+명) The nurse ~*ed* him a bottle of medicine. =The nurse ~*ed* a bottle of medicine *for* him. 간호사는 그에게 한 병의 물약을 조제해 주었다. **3** 〖동물〗 〈동물을〉 이종 교배시키다 **4** 〈사람들을〉 서로 사귀게 하다, 어울리게 하다, 교제시키다 《*with, among*》; 조화[양립]시키다 《*with*》: Sports help to ~ all sorts of people. 스포츠는 모든 사람을 융화시키는 데 도움이 된다. / ~ work and play =(~+목+전+명) ~ work *with* play 일과 놀이를 조화시키다

---

squander, waste, mistreat, mishandle, harm
mix *v.* blend, admix, put together, combine, mingle, compound, homogenize, alloy, merge, unite, join, amalgamate, fuse, coalesce, interweave (opp. *separate, divide*)

5 〖영화·방송〗 믹싱 녹음[녹화]하다

— *vi.* **1** 섞이다, 혼합되다: Oil and water will not ~. =(~+전+명) Oil will not ~ *with* water. 기름과 물은 섞이지 않는다. **2 a** 사이좋게 어울리다; 교제하다, 친하게 사귀다 《*with*》: (~+부) The husband and wife do not ~ *well.* 저 부부는 금실이 좋지 않다. // (~+전+명) He only ~*es with* his equals. 그는 자기와 대등한 사람들하고만 사귄다. / ~ *with* the other guests at a party 파티에서 다른 손님들과 어울리다 **b** 참가하다, 관계하다 《*in, into*》: (~+전+명) ~ *in* politics 정치에 깊이 관계하다 **3** [보통 부정어와 함께] 적합하다, 맞다, 조화되다 《*with*》 **4** 〈동물이〉 이종 교배되다[하다]

be [***get, become***] ***~ed up*** 머리가 혼란되다, 뭐가 뭔지 알 수 없다[없게 되다]; (좋지 못한 일에[사람과]) 관계하다, 연루되다 《*in, with*》 **~ *and match*** 〈옷을〉 서로 어울리지 않는 것끼리 짝지어 착용하다 **~ *in*** 〈다른 재료를〉 섞어 넣다; 다른 사람들과 사이좋게 어울리다; (파티 등에서) 여러 사람과 어울리다 **~ *in society*** 사교계에 출입하다 **~ *it*** (***up***) 《속어》 (…와) 싸움을 하다, 맹렬히 치고받다 《*with*》 **~ *like oil and water*** 기름과 물과 같은 관계다, 서로 어울리지 않다 **~ one*'s drinks*** 술을 이것저것 마시다 **~ *up*** 잘 섞다, 뒤섞다; 혼란시키다, 갈피를 못잡게 하다; 혼동하다, 오인하다, 착각하다; (나쁜 일에) 관계하다 《*with*》: ~ *up* the twins 쌍둥이들을 혼동하다

— *n.* **1** 혼합; 혼합물: a ~ of two to one 2대 1의 혼합 **2** 《미·구어》 즉석 조리 식품, 인스턴트 식품; 술에 타는 음료 《소다수 등》: an ice cream ~ 아이스크림 믹스 **3** 혼합비(比) **4** 《구어》 혼란, 뒤죽박죽 **5** 믹싱 녹음[녹화]; 믹싱 녹음한 레코드[테이프]

míx·a·ble *a.* ▷ míxture *n.*

mix-down [míksdàun] *n.* 〖음향〗 믹스다운 《멀티 트랙 녹음에서 믹싱으로 단일 트랙의 프로그램으로 제작하기》

‡mixed [míkst] *a.* **1** 혼합한, 혼성의, 잡다한: a ~ brigade 혼성 여단 / ~ motives 잡다한 동기 **2** 각양각색의, 잡다한 인간으로 이루어진; 이종족(異種族) 간의: ~ residence 잡거(雜居) **3** 남녀 혼합의; 남녀 공학의; 〖음악〗 혼성(混聲)의: a ~ school 남녀 공학 학교 / a ~ chorus 혼성 합창 **4** 이종 교배한: a horse of ~ breed 잡종 말 **5** 《구어》 머리가 혼란한, 술 취한 ***have ~ feelings*** 착잡한 느낌을 가지다

mix·ed·ness [míksidnis] *n.* Ⓤ 뒤죽박죽, 혼합, 혼성

mixed-a·bil·i·ty [míkstəbíləti] *a.* 능력 차가 있는; 우열 혼성 (방식)의

míxed bág[**búnch**] 《구어》 뒤범벅, 잡다한 것[사람]

míxed bléssing 이해(利害)가 엇비슷한 것[일], 유리하지만 불리함도 따르는 사태

míxed bóat 화객선(貨客船) 《사람과 짐을 같이 싣는》

míxed búd 〖식물〗 섞인눈, 혼합아(芽) 《줄기·잎과 동시에 꽃도 피는 싹》

míxed chálice (의식용) 포도주에 물을 탄 성배(聖杯)

míxed crỳstal 〖결정〗 혼정(混晶)

míxed dóubles (테니스의) 혼합 복식 (경기)

míxed drínk 혼합주, 칵테일

míxed ecónomy 혼합 경제 《자본주의와 사회주의의》

míxed fárming 혼합 농업 《축산업과 농업의 혼합 경영》

míxed gríll 간·소시지 등의 육류와 토마토·버섯 등의 채소를 섞어 불판에 구운 요리

míxed lánguage 혼합 언어 《pidgin, Creole 따위》

míxed márket ecònomy 혼합 시장 경제

míxed márriage 이(異)종교[민족]간의 결혼

míxed média **1** 혼합 매체 《영상(映像)·회화(繪畫)·음악 등의》 **2** 〖회화〗 (수채화 물감·크레용 등의) 병용(한 그림) **míxed-mé·di·a** *a.*

míxed métaphor 〖수사학〗 혼유(混喩) 《둘 이상의 조화가 안 된 metaphor의 혼용》

míxed nérve 〖해부〗 혼합 신경 《지각 신경 섬유와 운동 신경 섬유로 이루어진》
míxed númber 〖수학〗 혼수 《대(帶)분수 및 대소수》
mixed-race [-réis] *a.* 《특히 영》 혼혈의(《미》 biracial): a ~ child 부모가 혼혈인 아이
míxed títhe 〖영국법〗 (가축류에서의 수익에 대한) 10분의 1의 세(稅)
míxed tráin (객차와 화차의) 혼성 열차
mixed-up [-ʌ́p] *a.* 《구어》 머리가 혼란한, 불안정한; 노이로제 기미의
mixed-use [-jú:s] *a.* 다목적 이용의
mix·er [míksər] *n.* **1** 혼합하는 사람; 바텐더 **2** 《구어》 교제가, 사교가: a good[bad] ~ 교제술이 좋은[없는] 사람 **3** 혼합기, (콘크리트 등의) 믹서 ★ 주스 등을 만드는 「믹서」는 《미》 blender, 《영》 liquidizer라 함. **4** 〖라디오·TV〗 음량[영상] 조정자
mix·i [míksi] *n.* 믹시 《미니·미디·맥시를 합친 양상블》
mix-in [míksìn] *n.* 《미·구어》 전투, 싸움, 분쟁
mix·ing [míksiŋ] *n.* **1** 〖영화〗 (음성과 음악 등의) 혼성(混成), 믹싱 **2** 〖라디오·TV〗 음량[영상] 조정
míxing bòwl (샐러드 등을) 섞는 주발
míxing fàucet 온·냉수 혼합 수도꼭지
míxing ràtio 혼합비(比) 《공기중의 수증기 혼합률》
míxing vàlve (온수와 냉수의) 혼합 밸브
mix·ol·o·gy [miksɑ́lədʒi | -ɔ́l-] *n.* Ⓤ 《미·익살》 칵테일 만드는 기술 **-gist** *n.* 칵테일 만드는 기술자
mix·o·ploid [míksəplɔ̀id] *n.* 〖생물〗 혼합 염색체, 혼수체(混數體) **-ploi·dy** *n.* Ⓤ 혼수성(性)
mixt [míkst] *v.* 《고어》 mix의 과거·과거분사
Mix·tec [mí:stek] *n.* (*pl.* **~, ~s**) 미스텍 족 《멕시코의 아메리칸 인디언》; Ⓤ 미스텍 말
mix·ture** [míkstʃər] *n.* **1** ⓊⒸ 혼합, 혼화(混和): with a ~ of sorrow and anger 슬픔과 노염이 뒤섞여 **2** 혼합물(cf. COMPOUND): a smoking ~ 혼합 담배 **3** 혼합(물)약; (내연 기관 내의) 혼합 가스: a cough ~ 기침 약 **4** 감정의 교착(交錯) ***the ~ as before 《영·구어》 여전한 조치[대책], 구태의연한 짓
mix-up [míksʌ̀p] *n.* 혼란; 《구어》 혼전, 난투
miz·(z)en [mízn] *n.* 〖항해〗 **1** 뒷돛대에 치는 세로돛 (= **~ sàil**) **2** = MIZZENMAST **—** *a.* 뒷돛대의, 뒷돛대에 치는: ~ rigging 뒷돛대의 삭구 / a ~ top [yard] 뒷돛대의 꼭대기[활대]
miz·zen·mast [míznmæ̀st | -mɑ̀:st; 〖항해〗 -məst] *n.* 〖항해〗 (세 돛대 배의) 뒷돛대
miz·zle[1] [mízl] *n.*, *vi.* 《영·속어》 도망(하다)
mizzle[2] *n.*, *vi.* 《방언》 = DRIZZLE
miz·zly [mízli] *a.* 《방언》 = DRIZZLY
MJB [émdʒèibí:] *n.* 엠제이비 《미국산 커피; 상표명》
mk mark (자동차·무기 등의 형(型)) **Mk** 〖성서〗 Mark **mkd.** marked **mks, MKS** 〖물리〗 meter-kilogram-second **mkt** market **ml** milliliter(s) **ML** Master of Laws[Letters]; Medieva[Middle] Latin; Ministry of Labour **ml.** mail **MLA** 《캐나다》 Member of the Legislative Assembly; Modern Language Association 《미》 현대어 협회 **MLB** 《미》 Major League Baseball; 〖미식축구〗 middle linebacker **MLC** Member of the Legislative Council **MLD** minimum lethal dose 최소 치사량 **MLF** multilateral (nuclear) force (북대서양 조약 기구의) 다변 핵군(多邊核軍) **MLG** Middle Low German **M.Litt.** *Magister Litterarum* 《L = Master of Letters》 **Mlle., Mille** Mademoiselle **Mlles.** Mesdemoiselles **MLR** 《영》 minimum lending rate **MLS** 《미》 Major League Soccer; Master of Library Science; microwave landing system; 〖부동산〗 Multiple Listing Service **ML$** Malaysian dollar(s)
M'lud [məlʌ́d] *n.* 《영》 법정에서 판사에 대한 경칭: My client pleads guilty, ~. 의뢰인의 유죄를 인정합니다. 판사님.
MLW mean low water **mm** millimeter(s) **MM** Master of Music; Medal of Merit; Military Medal **MM.** (Their) Majesties; *Messieurs* 《F = Sirs》
m'm [mm̩] *int.* 음, 흥 《맞장구·찬성의 뜻》; 에에 《말을 시작할 때》
MMC money market certificates 시장 금리 연동형 예금; 《영》 Monopolies and Mergers Commission **Mme** Madame **Mmes** Mesdames **mmf, m.m.f.** magnetomotive force **MMF** money management fund **mmfd** micromicrofarad(s)
mmm [mmm] *int.* (생각에 잠겨서) 음음
MMPI Minnesota Multiphasic Personality Inventory **MMR** measles, mumps, rubella 〖병리〗 홍역·볼거리·풍진 예방 주사
MMS [èmemés] [*M*ultimedia *M*essaging *S*ervice] *n.* ⓊⒸ 〖전자〗 멀티미디어메시징 서비스 《음성·텍스트·동영상 등이 통합된 멀티미디어 서비스 기능》
MMS Methodist Missionary Society **MMT** Multiple Mirror Telescope **MMU** 〖우주〗 manned maneuvering unit **MMus** Master of Music **MMX** 〖컴퓨터〗 multimedia extension **Mn** 〖화학〗 manganese **MN** magnetic north; 《영》 Merchant Navy; 《미》 〖우편〗 Minnesota **MNA** 《캐나다》 Member of the National Assembly **MNC** multinational corporation 다국적 기업 **MNE** Master of Nuclear Engineering
mne·me [ní:mi] *n.* 〖심리〗 므네메 《개인의 기억과 종(種)의 기억을 합친 것》
mne·mon [ní:mɑn | -mɔn] *n.* 기억소(記憶素) 《뇌·신경계 정보의 최소 단위》
mne·mon·ic [nimɑ́nik | -mɔ́n-] *a.* 기억의, 기억을 돕는; 기억술의: a ~ system 기억법 **—** *n.* 기억을 돕는 것; 기억 부호; 〖컴퓨터〗 연상 기호 《인간이 암기하기 쉬운 형으로 간략화한 코드》 **-i·cal·ly** *ad.*
mnemónic códe 〖컴퓨터〗 연상 기호 코드
mne·mon·ics [nimɑ́niks | -mɔ́n-] *n. pl.* [단수 취급] 기억술, 암기법
Mne·mos·y·ne [ni:mɑ́sənì:, -mɑ́z- | -mɔ́z-, -mɔ́s-] *n.* 〖그리스신화〗 므네모시네 《기억의 신; 뮤즈 신의 어머니》
mngr manager **Mngr** Monsignor **MNI** Ministry of National Insurance
mo[1] [móu] [*moment*] *n.* (*pl.* **~s**) 《속어》 순간: Just[Half] a ~. 잠깐 기다려.
mo[2] *n.* 《호주·뉴질·속어》 = MUSTACHE
mo[3] *n.* 《미·속어》 호모(homo)
mo[4] *a.*, *ad.* 《미·흑인속어》 = MORE
Mo 〖화학〗 molybdenum **MO** 〖컴퓨터〗 magnet-optical (disk); Master of Obstetrics; medical officer; Meteorological Office; 《미》 〖우편〗 Missouri **mo.** month(s) **Mo.** Missouri; moderato **M.O., m.o.** mail order; *modus operandi* 《L = mode of operation》; money order
mo' [móu] *a.* 《미·구어》 more의 단축형 《특히 rap music 관계자의 용어》
-mo [mòu] *suf.* 〖제본〗 「…절(折), …절판(折判)」의 뜻: 16 *mo*, duodecimo(cf. FOLIO)
mo·a [móuə] *n.* 〖고생물〗 모아, 공조(恐鳥) 《지금은 멸종된 New Zealand산(産)의 타조 비슷한 큰 새》
Mo·ab [móuæb] *n.* 모아브 《사해(死海) 동쪽에 있었던 시리아의 고대 왕국》
Mo·ab·ite [móuəbàit] *n.* 모아브 사람; 모아브 어(語) **—** *a.* 모아브 사람의
Móabite stòne 모아브 비석 《Moab왕 Mesha가 이스라엘인에게서 거둔 승리를 적은 기념비》
mo·ai [móuai] *n.* 모아이 《남태평양의 Easter 섬에 있는 거대 석상으로 6-15세기 경에 제작됨》

thesaurus **moan** *v.* **1** 신음하다 groan, wail, whimper, whine **2** 불평하다 complain, carp, whine
mob *n.* crowd, horde, multitude, rabble, mass, throng, pack, gang, herd, flock, gathering

‡moan [móun] *vi.* **1** 신음하다, 끙끙대다 **2** 불평을 하다, 한탄하다 《*about*》
—*vt.* **1** 〈불행 등을〉 한탄하다; 〈죽은 사람을〉 애도하다 **2** 신음하며[투덜투덜] 말하다 《*out*》
—*n.* **1** (고통·슬픔의) 신음 (소리) ★ groan보다 그 정도가 약함. **2** [the ~] (바람·물 등의) 울부짖는 소리, 구슬픈 소리 **3** 불평, 불만, 한탄 ***have a ~*** (영·구어) 불평을 하다 ***put on the ~*** (미·속어) 불평을 말하다
~·er *n.* 비탄하는 사람; 불평가 **~·ing·ly** *ad.*

moan·ful [móunfəl] *a.* 구슬프게 신음하는; 슬퍼하는 **~·ly** *ad.*

∗moat [móut] *n.* 해자(垓子), 외호(外壕) 《도시·성곽 둘레를 판 못》
—*vt.* 〈성 등에〉 해자를 두르다

‡mob [mάb | mɔ́b] [L 「변하는 (군중)」의 뜻에서] *n.* **1** [집합적] 폭도; (폭도화할 것 같은) 군중, 집단: a ~ of angry workers 성난 노동자 무리

> 유의어 **mob** 파괴적 행위를 불사하는 무질서한 군중: He was beaten by the *mob.* 그는 폭도에게 얻어맞았다. **crowd** 많은 사람들이 밀집하는 군중: A *crowd* gathered to listen to the speech. 군중이 연설을 들으려고 모였다.

2 [the ~] (경멸) 하층민; 민중 **3** (속어) (도둑 등의) 일단, 패거리; [the ~] 폭력단 **4** [the M~] 마피아 ***the heavy ~*** (영) 폭력단
—*a.* Ⓐ **1** 폭도[군중]의 **2** 대중 대상의
—*v.* (**~bed**; **~bing**) *vt.* **1** 떼 지어 습격하다; 떼 지어 환호[야유]하다 **2** 떼 지어 모이다, 쇄도하다
—*vi.* 〈폭도가〉 떼를 짓다 ***be ~bed up*** (미·속어) 폭력단[범죄 조직]과 관련이 있다 ▷ móbbish *a.*

mob·bish [mάbiʃ | mɔ́b-] *a.* 폭도와 같은; 무질서한, 떠들썩한

mob·cap [mάbkæ̀p | mɔ́b-] *n.* 모브캡 《18-19세기에 유행한 실내용 여성 모자》

mob-hand·ed [mάbhǽndid | mɔ́b-] *a.* (영·속어) 집단적인, 여럿인

∗mo·bile [móubəl, -bi:l | -bail] [L 「움직이는」의 뜻에서] *a.* **1** 〈물건이〉 이동할 수 있는, 이동성을 가진, 가동[이동]성의; 〈사람이〉 움직여 다닐 수 있는, 움직이기 쉬운; 자동차로 이동하는: a ~ shop 이동 매점 / the ~ police 기동 경찰대 / the ~ parts of a machine 기계의 가동 부분 **2** 〖군사〗 기동력 있는, 기동성의: ~ troops 기동 부대 **3** 〈마음·표정 등이〉 변하기 쉬운, 변덕스러운; 〈얼굴이〉 표정이 풍부한; 활동적인 **4** 〖미술〗 모빌의 《추상파 조각에서 금속 조각을 매달아 운동을 나타내는》
—*n.* **1** (영) 이동 전화(=~ phone) **2** 〖미술〗 움직이는 조각(彫刻), 모빌(=~ **scúlpture**) **3** 동원(動源), 가동물(可動物); 〖기계〗 가동 장치
▷ mobílity *n.*; móbilize *v.*

-mobile [moubì:l, mə-] 《연결형》 「차(車)」의 뜻

móbile communicátions 이동 통신

móbile compúting 〖컴퓨터〗 모바일 컴퓨팅 《이동 장소에서 네트워크에 연결하여 컴퓨터를 이용하기》

móbile gàs[òil] (미) 자동차용 휘발유

móbile hóme (미) (설치 장소로) 이동 가능한 간이 주택; (영) 트레일러 하우스(《미》 trailer house)

móbile líbrary 이동 도서관(bookmobile)

móbile phóne[télephone] (영) 이동 전화, 휴대 전화, 핸드폰(cellular phone, cellphone); 카폰

móbile státion 〖통신〗 이동 (무선)국

móbile ùnit 이동 설비차 《순회 진료차·TV 중계차 등》; (자동차 등의) 무선 송수신기, 트랜스시버

∗mo·bil·i·ty [moubíləti] *n.* Ⓤ **1** 이동성, 운동성, 움직이기[옮기기] 쉬움; 기동력[성] **2** 〖사회〗 (주민의 주소·직업 등의) 유동(성), 이동 **3** 변덕; (얼굴 등의) 표정이 풍부함 **4** 〖물리·화학〗 이동도(移動度)
▷ móbile *a.*; móbilize *v.*

> **mock** *v.* **1** 조롱하다 ridicule, jeer at, sneer at, deride, scorn, make fun of, laugh at, tease, insult, taunt, flout, treat contemptuously **2** 흉내내며 놀리다 imitate, mimic, parody, burlesque

mobílity allòwance (영) 신체 장애자 교통 수당

mobílity gàp 〖물리〗 이동도(移動度) 갭

mo·bi·li·za·tion [mòubəlizéiʃən | -lai-] *n.* Ⓤ **1** 동원: industrial ~ 산업 동원 / ~ orders 동원령 **2** (금융의) 유통 **3** 〖법〗 (부동산의) 동산화

mo·bi·lize [móubəlàiz] *vt.* **1** 동원하다; 〈산업·자원 등을〉 전시 체제로 하다; 〈지지·힘 등을〉 결집하다 **2** 〈재화(財貨) 등을〉 유통시키다 **—***vi.* 〈군대 등이〉 동원되다 **-lìz·er** *n.*

Mö·bi·us strìp[bànd, lòop] [mə́:biəs-, méi-, móu-] [독일의 수학자 이름에서] 〖수학〗 뫼비우스의 띠 《긴 종이 띠를 180° 비틀어서 양끝을 붙인 것; 면이 하나 뿐임》

mób làw[rùle] 폭민(暴民)[우민] 정치, 사형(私刑)

mob·log [móublὰ:g | -blɔ̀g] [*mobile*+*blog*] *n.* 〖인터넷〗 모블로그 《휴대 전화를 이용하여 글이나 그림 등을 올릴 수 있는 웹 사이트》

mob·oc·ra·cy [mɑbάkrəsi | mɔbɔ́k-] *n.* Ⓤ 폭민[우민] 정치

mob·o·crat [mάbəkræ̀t | mɔ́b-] *n.* 폭민 정치가[주의자]; 우민 지도자

mób psychòlogy 군중[군집] 심리

MOBS [mάbz | mɔ́bz] [*M*ultiple *O*rbit *B*ombardment *S*ystem] *n.* 〖군사〗 다수 궤도 폭격 시스템

mób scène (영화 등의) 군중 장면; (미·속어) 몹시 붐비는 곳[파티]

mobs·man [mάbzmən | mɔ́bz-] *n.* (*pl.* **-men** [-mən]) 폭도[군중]의 한 사람

mob·ster [mάbstər | mɔ́b-] *n.* (미·속어) 폭력[갱]단의 한 사람

mo·by [móubi] *a.* (미·속어) 거대한, 복잡한; 초(超)…, 제일급의: a ~ win 대성공 **—***n.* (컴퓨터속어) 메가바이트

mo·camp [moukǽmp] *n.* (미) 트레일러 캠프장 《여행자용 각종 설비를 갖춘》

moc·ca·sin [mάkəsin, -zən | mɔ́k-] *n.* **1** 모카신 《북미 인디언이 신는 밑이 평평한 노루 가죽신; 그것과 비슷한 신》 **2** 〖동물〗 독사의 일종 《미국 남부산》

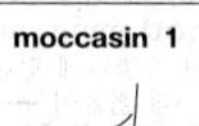
moccasin 1

móccasin flòwer 〖식물〗 참개불알꽃 《난초과》

móccasin tèlegraph[tèlegram] (캐나다·구어) 소문의 전파, 입소문

mo·cha [móukə] *n.* Ⓤ **1** 모카커피(=~ **còffee**) 《원래 아라비아 남서부의 항구 Mocha에서 실어 내었음》; (구어) 커피 **2** 아라비아염소 가죽 《장갑용》 **3** 커피색 **—***a.* **1** Ⓐ 커피(와 초콜릿으)로 맛들인 **2** 초콜릿색의, 커피색의

mo·chi·la [moutʃí:lə] *n.* **1** 안장주머니; (안낭이 달린) 안장 덮개 **2** =KNAPSACK

‡mock [mάk | mɔ́k] *vt.* **1** 조롱[우롱]하다, 비웃다: ~ the poor 가난한 사람들을 조롱하다 **2** 흉내 내며 놀리다; 흉내 내다: ~ a person's way of walking 걸음걸이를 흉내 내며 놀리다 **3** 무시[경시]하다 **4** 〈희망 등을〉 꺾다, 실망시키다; 〈노력을〉 헛되게 만들다: ~ another's hopes 다른 사람의 기대를 저버리다
—*vi.* 조롱하다, 놀리다 《*at*》: (~+전+명) He *~ed at* my fears. 그는 내가 무서워하는 것을 놀렸다.
~ up …의 실물 크기의 모형을 만들다
—*n.* **1** ⓊⒸ 조롱; Ⓒ 조롱감, 놀림감, 웃음거리 **2** 모조품, 가짜, 흉내 ***make a ~ of[at]*** = make a MOCKERY of[at]. ***make ~ of*** (문어) …을 비웃다
—*a.* Ⓐ 가짜의, 거짓의(sham): a ~ trial 모의 재판 / ~ majesty 허세, 허장성세 / ~ modesty 거짓 겸

손/with ~ seriousness 진지한 체하며
—*ad.* [보통 복합어를 이루어] 의사(擬似)…, 짐짓: in a ~-serious manner 짐짓 진지한 체하며
▷ móckery *n.*
mock- [mɑk | mɔk] 《연결형》「거짓의, 가장의」 뜻; ⇨ mock *ad.*
móck àuction 값을 차츰 낮추어 가는 경매(Dutch auction); (서로 짜고) 값을 올리게 하는 협잡 경매
móck épic 의사(擬似)영웅시, 의(擬)서사시
mock·er [mɑ́kər | mɔ́k-] *n.* **1** 조롱하는[놀리는] 사람, 흉내내는 사람 **2** = MOCKINGBIRD ***put the ~s on*** 《영·속어》 …을 망치다, 잡치다
mock·er·y** [mɑ́kəri | mɔ́k-] *n.* (*pl.* **-er·ies**) **1** ⓊⒸ 조롱, 놀림 **2** Ⓒ 조롱거리, 웃음거리 **3** 가짜, 흉내낸 것, 모방: a ~ of a trial 명색뿐인 재판 **4** 헛수고 ***hold … up to ~ …을 비웃다, 놀림감으로 삼다 ***make a ~ of*** [***at***] …을 비웃다; 〈노력 등을〉 헛고생으로 끝나게 하다; …이 가짜[속임수]임을 나타내다
▷ móck *v.*
mock-fight·ing [mɑ́kfàitiŋ | mɔ́k-] *n.* 〖군사〗 모의 전투
mock-he·ro·ic [-hiróuik] *a.* 영웅풍[시체(詩體)]을 모방한 —*n.* 영웅인 체함; 영웅시체를 모방하여 쓴 작품[행동] **móck-he·ró·i·cal·ly** *ad.*
mock·ing [mɑ́kiŋ | mɔ́k-] *a.* 조롱하는 (듯한); 흉내내는 **~·ly** *ad.* 조롱하듯이, 희롱하여
mock·ing·bird [mɑ́kiŋbə̀ːrd | mɔ́k-] *n.* 〖조류〗 흉내지빠귀 《북미산(産)》
móck móon 〖기상〗 환월(幻月)(paraselene)
mock·ney [mɑ́kni | mɔ́k-] [*mock*+cock*ney*] *n.* Ⓤ 《영》 모크니 말투 《런던의 상류·중류 계급의 사람이 노동자 계급의 말투를 흉내내기》
móck órange 〖식물〗 고광나무(syringa)
móck sún 〖기상〗 환일(幻日)(parhelion)
mock·tail [mɑ́kteil] *n.* 목테일 《비알코올 청량음료》
móck tùrtle sóup 가짜 거북 수프 《거북 대신 송아지 머리로 만든 것》
mock-up [mɑ́kʌ̀p | mɔ́k-] *n.* 실물 크기의 모형: a ~ of an aircraft 항공기의 실물 크기 모형
móck-up stàge 실험 단계
mod [mɑd | mɔd] [*mod*ern] [때로 **M~**] 《구어》 *n.* Ⓤ 유별나게 만든 최신 복장 스타일; Ⓒ 그런 옷을 입은 10대 젊은이 —*a.* 현대적인; 〈복장 등이〉 전위적인
MoD 《영》 Ministry of Defence **mod.** model; moderate; 〖음악〗 moderato; modern; modification; modulus
mod·a·cryl·ic [mɑ̀dəkrílik | mɔ̀d-] [*mod*ified *acrylic*] *n.* 모드[수정] 아크릴 섬유(=∠ **fíber**)
mod·al [móudl] *a.* **1** 양식의, 형식(상)의, 형태상의 **2** 〖음악〗 선법(旋法)의, 음계의 **3** 〖문법〗 법(mood)의, 서법(敍法)의: a ~ adverb (서)법 부사 **4** 〖논리〗 양상(樣相)의; 〖통계〗 최빈값의 **5** 〖법〗 (유언·계약 등에) 실행 방법이 지정된: a ~ legacy 용도 지정 유산
~ìsm *n.* Ⓤ 〖신학〗 그리스도 양태론(樣態論) 《삼위는 한 하느님의 세 형태에 불과하다는》 **~·ist** *n.* (그리스도) 양태론자 **~·ly** *ad.*
módal auxíliary 〖문법〗 (서)법 조동사 《may, can, must, would, should 등》
mo·dal·i·ty [moudǽləti] *n.* (*pl.* **-ties**) ⓊⒸ 양식적임; 〖논리〗 (판단의) 양상(樣相), 양식
mód cóns [*mod*ern *con*veniences] 《영·구어》 최신 설비 《신문의 매가(賣家) 광고에서》
‡**mode**[1] [móud] [L 「방법」의 뜻에서] *n.* **1** 방법, 양식, 형식, 형태, 방식, 식: a strange ~ of life 색다른 생활 방식 **2** (일·문제 처리 등에 관한) 특정 상태: a machine in the automatic ~ 자동 작동 상태의 기계 **3 a** 〖문법〗 = MOOD[2] 1 **b** 〖논리〗 양상 **4** 〖음악〗 선법(旋法); 음계: the major[minor] ~ 장[단] 음계 **5** 〖컴퓨터〗 모드 **6** 〖통계〗 최빈값, 최다치 모드
authentic [***plagal***] ***~s*** 〖음악〗 정격[변격] 선법
▷ módal *a.*

mode[2] [F] *n.* Ⓤ [보통 the ~] 유행(의 스타일), 모드 ***all the ~*** 대유행인 ***in ~*** 유행하고 있는 ***out of ~*** 유행이 지난
ModE, Mod.E. Modern English
‡**mod·el** [mɑ́dl | mɔ́dl] [L 「방법, 양식」의 뜻에서] *n.* **1 a** 모형, 모델, 원형; 설계도: a ~ in clay 점토로 만든 모형 **b** 《영》 꼭 닮은 사람[것] **2** 모범, 귀감: a ~ of written style 문체의 모범 **3** (화가·조각가의) 모델; 마네킨 (인형); 《영》 (모델이 입는) 의상: be a ~ for a painting 그림의 모델이 되다 **4** 《영·속어》 아주 닮은 사람[물건] **5** 방식, 방법; (자동차 등의) 형(型): the 1987 ~ of a car 1987년형의 자동차 **6** 〖컴퓨터〗 모형, 모델 ***after*** [***on***] ***the ~ of*** …을 모범으로 하여 ***clay ~*** 점토 원형 ***make a ~ of*** …을 본보기로 삼다 ***stand ~*** 모델대(臺)에 서다, 모델 노릇을 하다 ***working ~*** 기계의 운전 모형
—*a.* Ⓐ **1** 모형의, 모델이 되는: a ~ car 모형 자동차/a ~ house 《미》 모델 하우스, 견본 주택 **2** 모범[귀감]이 되는, 모범적인; 완벽한: a ~ father 모범적인 아버지/a ~ school 모범[시범] 학교
—*v.* (**~ed**; **~·ing** | **~led**; **~·ling**) *vt.* **1** …의 모형을 만들다 **2** (본에 맞추어) 만들다; 모양으로 나타내다, 설계하다: (~+목+전+명) ~ animals *in* clay 점토로 동물을 만들다 **3** 〈행동을〉 모범에 맞추다, 본받다 (*after, on, upon*): (~+목+전+명) ~ one's manners *on* those of the old school 구식 예법을 본받다 **4** 〈드레스 등을〉 입어 보이다, …의 모델을 하다 **5** 〈그림·조각 등에〉 입체감을 주다
—*vi.* 모형을 만들다 (*in*); 모델 노릇을 하다; 〈그림·조각 등이〉 입체감을 가지다
delicately ~(l)ed features [***limbs***] 섬세한 용모[팔다리] ***~ oneself upon*** [***on, after***] …을 귀감으로 삼다 **~·(l)er** *n.* 모형을 만드는 사람
módel hòme 《미》 모델 하우스(show house)
mod·el·ing | -el·ling [mɑ́dəliŋ | mɔ́d-] *n.* Ⓤ **1** 모형 제작; 조형, 소상술; 〖미술〗 입체감 표현(법); (조각의) 살 붙임: the ~ of a person's features 용모의 부각 **2** 〖컴퓨터〗 (어떤 현상의) 모형화 **3** (패션) 모델업: take up ~ as a profession 직업으로 모델을 선택하다 **4** 〖심리〗 모델링(imitation) 《심리 요법의 일종》
mod·el·ist [mɑ́dəlist | mɔ́d-] *n.* (비행기 따위의) 모형 제작자
mo·del·lo [moudélou] [It.] *n.* (*pl.* **~s**) 대작을 위한 스케치; 미술의 대작을 모방한 소품
Módel T [the ~] T형 자동차 《Ford사가 만든 초기의 자동차》; 초기[구식] 스타일
—*a.* 초기 단계의; 《미·속어》 구식의, 시대에 뒤진: ~ computer 초기 컴퓨터
módel thèory 〖논리〗 모델 이론 《이론에 모델을 취급하는 분야》
módel víllage **1** 소형 모형 마을 **2** 《고어》 주택 단지 《특히 18세기 영국에서 고용인들에게 제공한》
mo·dem [móudem, -dəm] [*mo*dulator+*dem*odulator] *n.* 〖컴퓨터〗 변복조(變復調) 장치, 모뎀 《전화 회선을 통하여 인터넷에 접속하는 장치》
mo·de·na [móudənə | mɔ́d-] *n.* Ⓤ 짙은 심홍색
Mo·de·na [móudənə | mɔ́d-] *n.* 모데나 《이탈리아 북부의 도시; 옛 모데나 공국의 수도》
***mod·er·ate** [mɑ́dərət | mɔ́d-] [L 「틀(mode)에 맞추어 억제하다」의 뜻에서] *a.* **1** 절제[절도] 있는, 온건한 (*in*)(opp. *extreme*): be ~ *in* drinking 절도 있게 술을 마시다/a man of ~ opinions 온건한 생

thesaurus **moderate** *a.* **1** 절제 있는 restrained, controlled, temperate, sober, steady **2** 적당한 nonexcessive, reasonable, fair, acceptable, modest, adequate **3** 보통의 average, middling, ordinary, tolerable, passable, mediocre **4** 온건파의 nonextreme, middle-of-the-road, nonradical
modest *a.* **1** 겸손한 humble, unpretentious, unas-

각을 가진 사람

> 유의어 **moderate** 「극단으로 달리지 않는」이라는 소극적인 뜻: a *moderate* drinker 과음하지 않는 술꾼 **temperate** 자신을 억제하여 일정한 한도 내에 머무른다는 뜻으로서 특히 감정이나 음식에 대해서 씀: *temperate* in eating and drinking 음식을 절제하는

2 알맞은, 적당한(opp. *excessive*); 〈질·크기 등이〉 보통의, 중간 정도의; 〈값이〉 알맞은, 싼: ~ prices 적당한 값, 싼값 / ~ exercise 적당한 운동 / ~ talent 평범한 재능 **3** 〈기후 등이〉 온화한: a ~ winter 온화한 겨울 **4** (정치·종교에서) 온건[중도]파의
— *n.* 온건한 사람, 온건주의자
— *v.* [mádərèit | mɔ́d-] *vt.* **1** 절제하다, 완화하다: ~ prices 가격을 낮추다 **2** …의 의장역을 맡다
— *vi.* **1** 완화되다; 〈바람이〉 잔잔해지다 **2** 조정역[의장]을 맡다, 사회하다 **~·ness** *n.*
▷ moderátion *n.*; móderately *ad.*

móderate bréeze 〖기상〗 건들바람 《초속 5.5-7.9 m》

móderate gále 〖기상〗 센바람 《초속 13.9-17.1 m》

*__mod·er·ate·ly__ [mádərətli | mɔ́d-] *ad.* 알맞게, 적당히; 온건하게, 삼가서: a ~ hot day 다소 더운 날

*__mod·er·a·tion__ [màdəréiʃən | mɔ̀d-] *n.* Ⓤ **1** (정도에) 알맞음, 중용(中庸); 온건, 온화: a ~ of attitude 온건한 태도 **2** 절제, 완화, 경감: ~ in eating and drinking 폭음폭식을 삼감 **3** [**M~s**] (Oxford 대학의) B.A.의 공식 제1차 시험 《略 Mods》 **4** (장로 교회의) 목사 임명 **5** 〖컴퓨터〗 사회(司會) 《뉴스 그룹 등에서 모아지는 메시지 중에서 의미 있는 것만을 고르는 일》 **6** Ⓤ 〖물리〗 (중성자 따위의) 감속 ***in*** **~** 알맞게, 적당히, 절도 있게 ▷ móderate *v.*, *a.*

mod·er·at·ism [mádərətìzm | mɔ́d-] *n.* Ⓤ 온건주의 《특히 정치·종교상의》 **-ist** *n.*

mo·der·a·to [màdərá:tou | mɔ̀-] [It.] *ad.* 〖음악〗 모데라토, 알맞은 속도로: allegro ~ 적당히 빠르게
— *n.* (*pl.* **~s**) 모데라토(곡)

mod·er·a·tor [mádərèitər | mɔ́d-] *n.* **1** 중재[조정]자; 조절[조정]기 **2** (토론 등의) 사회자; (미) (읍민회 등의) 의장 **3** 〖물리〗 (원자로의) 중성자 감속제 **4** (영) (Oxford 대학의) Moderations의 시험관; (Cambridge 대학의) 수학 우등 시험 감독관 **5** (장로 교회의) 총회 의장 **~·shìp** *n.*

‡**mod·ern** [mádərn | mɔ́d-] [L 「바로 지금」의 뜻에서] *a.* **1** 근대의, 근세의; 현대의 《ancient, medieval과 대비하여》: ~ poetry 현대시 / ~ times 현대 / ~ city life 현대의 도시 생활 **2** 현대식의, 최신의(up-to-date), 현대적인: ~ technology 최신 기술
— *n.* **1** [종종 *pl.*] 현대인; 신사상을 가진 사람 **2** Ⓤ 〖인쇄〗 모던 《활자체의 일종》 **~·ly** *ad.* **~·ness** *n.*
▷ modérnity *n.*; módernize *v.*

módern cùt 〖보석〗 모던 컷 《브릴리언트 컷·스텝 컷·테이블 컷을 수정 또는 결합한 절단법》

módern dánce 현대 무용 《자유롭고 자연스러운 동작으로 내면을 표현하려는 예술 무용》

mod·ern-day [-dèi] *a.* 오늘의, 현대의

mo·derne [moudéərn, mə-] [F] *a.* 〈건축·장식 등이〉 극단적으로 현대풍인

Módern Énglish 근대 영어 《1500년 이후의 영어; 略 Mod.E. 또는 ModE》: Early ~ 초기 근대 영어

módern gréats [종종 **M- G-**] (Oxford 대학의) 철학·정치학·경제학의 우등 코스; B.A. 최종 시험

Módern Gréek 근대[현대] 그리스 어 《1500년경부터 현재까지》

Módern Hébrew 현대 히브리 어 《이스라엘 말》

módern hístory 근대사 《르네상스 이후의》

mod·ern·ism [mádərnìzm | mɔ́d-] *n.* Ⓤ **1** 현대 사상, 근대적인 태도[주장]; 〖가톨릭〗 근대주의 **2** 현대적인 표현[말], 현대적 습관 **3** (문학·미술 등의) 모더니즘

mod·ern·ist [mádərnist | mɔ́d-] *n.* 현대풍[식]의 사람; 근대주의자

mod·ern·is·tic [màdərnístik | mɔ̀d-] *a.* 근대[현대]적인(modern); 근대주의(자)의 **-ti·cal·ly** *ad.*

mo·der·ni·ty [madə́:rnəti, mou- | mɔ-] *n.* ⓊⒸ 현대성, 현대풍; 현대[근대]적인 것: a spirit of ~ 현대적 정신

mod·ern·i·za·tion [màdərnizéiʃən | mɔ̀dənai-] *n.* Ⓤ 현대화, 근대화

*__mod·ern·ize__ [mádərnàiz | mɔ́d-] *vt.* 현대화하다, 현대적으로 하다; 〈고전 등을〉 현대어로 변역하다
— *vi.* 현대적이 되다, 현대화되다 **-ìz·er** *n.*
▷ módern *a.*; modernizátion *n.*

módern jázz 모던 재즈 《1940년대 이후의》

módern lánguages (영) (대학의) 현대어

módern pentáthlon [the ~] 근대 5종 경기 《펜싱, 사격, 4000 m 크로스컨트리, 300 m 자유형 수영, 5000 m 마술의 총득점을 겨룸》

módern schòol = SECONDARY MODERN SCHOOL

*__mod·est__ [mádist | mɔ́d-] [L 「적당한 척도를 지킨」의 뜻에서] *a.* **1** 겸손한, 신중한, 조심성 있는 《*in, about*》(⇨ shy 유의어): be ~ *in* one's speech 말을 조심하다 / be ~ *about* one's success 성공을 자랑하지 않다 **2** 〈주로 여성이〉 정숙한, 기품 있는: ~ in speech 말씨가 품위 있는 **3** 적당한, 온당한; 삼가는(moderate); 〈질·양·정도 등이〉 별로 많지[크지] 않은, 수수한 〈선물 등〉

*__mod·est·ly__ [mádistli | mɔ́d-] *ad.* 겸손하게, 얌전하게, 삼가서

‡**mod·es·ty** [mádəsti | mɔ́d-] *n.* Ⓤ **1** 겸손; 수줍음 **2** 정숙, 얌전함 **3** 수수함, 소박함; 적당함 ***in all*** **~** 자랑(하는 것)은 아니지만; 줄잡아 말하면[말해도]
▷ módest *a.*

módesty pànel (앉은 사람의 다리 등이 안 보이게 책상 앞에 대는) 가림 판

mo·di [móudi:, -dai] *n.* MODUS의 복수

mo·di·cum [mádikəm | mɔ́d-] *n.* 소량, 근소; 다소, 약간, 어느 정도 《*of*》

mod·i·fi·a·ble [mádəfàiəbl | mɔ́d-] *a.* 변경[수식, 한정, 경감]할 수 있는 **mòd·i·fi·a·bíl·i·ty** *n.*

mod·i·fi·cand [mádəfikæ̀nd | mɔ́d-] *n.* 〖문법〗 피수식어[구, 절]

*__mod·i·fi·ca·tion__ [màdəfikéiʃən | mɔ̀d-] *n.* ⓊⒸ (부분적) 변경, 변형, 변용; 조절, 완화; 제한; 〖문법〗 수식, 한정; 〖생물〗 일시적인 변이
▷ módify *v.*; módificatory *a.*

mod·i·fi·ca·to·ry [mádəfikətɔ̀:ri | mɔ́difikèitəri] *a.* 한정[조절]하는; 변경[수정]하는(modifying)

mód·i·fied Américan plàn [mádəfàid- | mɔ́d-] [the ~] 수정 미국 방식 《대실료·조석 식대를 매일[매주] 정액으로 청구하는 호텔 요금제; 略 MAP》

mod·i·fi·er [mádəfàiər | mɔ́d-] *n.* 수정[변경]하는 사람[것]; 〖문법〗 수식어구; 〖컴퓨터〗 변경자(變更子)

‡**mod·i·fy** [mádəfài | mɔ́d-] [L 「척도에 맞추다」의 뜻에서] *v.* (**-fied**) *vt.* **1** (일부) 변경하다, 수정하다(⇨ change 유의어): ~ a contract 계약을 일부 변경하다 **2** 〈조건·요구 등을〉 완화하다, 조절하다: ~ the terms of a treaty 조약 조건을 바꾸다 **3** (물체의) 모양[성질]을 바꾸다, 개조하다 《*into*》 **4** 〖문법〗 〈단어·구를〉 수식[한정]하다(qualify); 〖언어〗 〈모음을〉 umlaut에 의해 변화시키다; 〖철학〗 한정하다; 〖컴퓨터〗 〈명령의 일부를〉 변경하다

---

suming **2** 정숙한 decorous, decent, seemly, proper, discreet, chaste, virtuous **3** 적당한 moderate, fair, tolerable, adequate, satisfactory, acceptable

modify *v.* **1** 수정하다 change, alter, adjust, adapt, vary, revise, reform, reshape, revamp, transform **2** 완화하다 lessen, reduce, decrease, diminish, lower, abate, soften, limit, moderate

—*vi.* 변경되다, 수정되다
Mo·di·glia·ni [moudìːliáːni, mòudiljáː-] *n.* 모딜리아니 **Amedeo** ~ (1884-1920) 《이탈리아의 화가》
mo·dil·lion [moudíljən, mə-] *n.* 〚건축〛 처마 까치발 《코린트 양식의》
mod·ish [móudiʃ] *a.* 유행을 따르는, 현대풍의(fashionable): a ~ hat 유행하는 모자 / a ~ writer 유행 작가 **~·ly** *ad.* **~·ness** *n.*
mo·diste [moudíːst] [F] *n.* 여성 유행복[모자] 제조[판매]업자(dressmaker)
Mód lòok 모드 룩(cf. MOD)
mód póster 《미·학생속어》 복장만 유행을 좇는 사람
Mods [mádz | mɔ́dz] *n. pl.* [때로 **m~**] 《구어》 = MODERATION 3
mod·u·lar [mádʒulər | mɔ́dju-] *a.* module의; modulus의
módular aríthmetic 〚컴퓨터〛 모듈러 연산[산수]
módular coordinàtion 모듈에 의한 치수 조정
mod·u·lar·i·ty [mɑ̀dʒulǽrəti | mɔ̀dju-] *n.* 〚전자〛 모듈성(性), 모듈 방식
mod·u·lar·ize [mádʒulərὰiz | mɔ́dju-] *vt.* 모듈 방식으로 하다[조립하다], 모듈화하다
módular jáck (전화선의) 모듈러 잭
mod·u·late [mádʒulèit | mɔ́dju-] [L 「척도에 맞추다」의 뜻에서] *vt.* 조정[조절]하다; 〈음색·음조 등을〉 변화시키다 —*vi.* 〚음악〛 전조(轉調)하다; 〚전자〛 변조(變調)하다
mod·u·la·tion [mɑ̀dʒuléiʃən | mɔ̀dju-] *n.* Ⓤⓒ 조절, 조정, 조음(調音); 〚음악〛 전조; (음성·리듬의)변화, 억양(법); 〚건축〛 모듈을 정하는 비율; 〚전자〛 변조
mod·u·la·tor [mádʒulèitər | mɔ́dju-] *n.* 조절자[물]; 〚음악〛 음계도(圖); 〚전자〛 변조기
mod·u·la·to·ry [mádʒulətɔ̀ːri | mɔ́djulèitəri] *a.* 조절의; 변조를 일으키는
mod·ule [mádʒuːl | mɔ́djuːl] *n.* **1** (건축 재료·가구 제작 등의) 기준 치수, 기본 단위; 〚건축〛 도(度) 《원주(圓柱) 등의 비례도 측정의 단위》 **2** 〚컴퓨터〛 모듈 《독자적 기능을 가진 교환 가능한 구성 요소》 **3** 〚우주〛 모듈 《모선(母船)에서 독립하여 기능을 수행하는 것》: a lunar ~ 달 착륙선 **4** 《주로 영》 모듈 《대학 학과의 과정이 분할된 이수 단위》
módule plàte (마른 안주 등을 담는) 칸막이 접시
mod·u·lo [mádʒulòu | mɔ́dju-] *prep.* 〚수학〛 …을 법(法)으로 하여[한] —*n.* 〚컴퓨터〛 모듈로
mod·u·lus [mádʒuləs | mɔ́dju-] *n.* (*pl.* **-li** [-lai]) **1** 〚물리〛 율, 계수: the ~ expansion 팽창 계수 **2** 〚수학〛 대수(對數) 계수; (합동식에서의) 법; (복소수의) 절대값(absolute value) **3** 표준, 기준(norm)
módulus of elastícity 〚물리〛 탄성률(彈性率)
módulus of rigídity[**tórsion**] 〚물리〛 전단(剪斷) 탄성 계수(shear modulus)
mo·dus [móudəs] [L =mode] *n.* (*pl.* **-di** [-diː, -dai]) 방식, 양식
mo·dus o·pe·ran·di [móudəs-ɑ̀pərǽndi, -dai | -ɔ̀pə-] [L =mode of operating] (*pl.* **mo·di o·pe·ran·di** [móudiː-]) **1** [종종 one's ~] (일의) 처리[작업] 방식, 절차, 운용법 **2** (범인의) (상투적) 수법 《略 MO》
mo·dus vi·ven·di [-vivéndiː, -dai] [L =manner of living] (*pl.* **mo·di vi·ven·di** [móudiː-]) **1** [종종 one's ~] 생활 방식 **2** 잠정 협정
Móe·bius strìp = MÖBIUS STRIP
mo(f)·fette [moufét] *n.* 〚지질〛 (화산의) 탄산공(炭酸孔); 탄산공 분기(噴氣)
mog[1] [mág | mɔ́g] *v.* (**~ged**; **~·ging**) 《방언》 *vi.* **1** 출발하다, 떠나가다 《*off, on*》 **2** 조용히 걷다[전진하다] —*vt.* 이동시키다
mog[2] *n.* 《영·속어》 고양이(moggy)
Mog·a·di·shu [mɑ̀gədíʃuː, -díːʃuː | mɔ̀g-], **-di·scio** [-ʃɔː] *n.* 모가디슈, 모가디시오 《아프리카 Somalia의 수도》

mog·gy, -gie [mági | mɔ́gi] *n.* 《영·방언》 **1** 고양이 **2** 젖소, 송아지
mog·i·la·li·a [mɑ̀dʒəléiliə | mɔ̀dʒ-] *n.* (말더듬 따위의) 언어 장애, 발음 곤란증
mo·gul [móugəl] *n.* 〚스키〛 **1** 모굴 《슬로프의 융기[단단한 눈더미]》 **2** [**~s**] 모굴 《프리 스타일 경기 종목의 하나》
Mo·gul [móugəl, -gʌl, mougʌ́l] *n.* **1** [**m~**] 중요 인물, 거물 **2** 무굴 사람 《특히 인도에 제국을 세운》; 몽골 사람 **3** [**m~**] 화물 열차용 기관차의 일종 ***the Great***[***Grand***] ~ 무굴 황제
—*a.* 무굴 사람[제국]의
mo·gul·dom [móugʌldəm] *n.* 거물급들
Mógul Émpire [the ~] 무굴 제국 《1526년 무굴족이 인도에 세운 제국; 1857년 영국에 의해 멸망》
MOH 《영》 Medical Officer of Health
mo·hair [móuhɛər] *n.* **1** Ⓤ 모헤어 《소아시아의 앙고라염소의 털》; Ⓤⓒ 모헤어직(織)(cf. CAMLET); 그 모조품 **2** 모헤어직의 옷
Mo·ham·med [muhǽmid, -háːmid, mou- | mouhǽmid] *n.* = MUHAMMAD
Mo·ham·med·an [muhǽmidn, mou- | mou-] *a., n.* = MUHAMMADAN **~·ism** *n.* **~·ize** *vt.*
mo·has·ky [məhǽski] 《미·속어》 *n.* 마리화나
—*a.* 마리화나에 취한
Mo·ha·ve [mouháːvi] *n.* (*pl.* **~, ~s**) [the ~(s)] 모하비족 《아메리칸 인디언의 한 종족》; Ⓤ 모하비 말
Moháve Désert [the ~] = MOJAVE DESERT
Mo·hawk [móuhɔːk] *n.* (*pl.* **~, ~s**) **1** [the ~(s)] 모호크 족(의 사람) 《북미 인디언의 한 종족》; Ⓤ 모호크 말 **2** ⓒ 〚스케이트〛 피겨 스케이팅의 기술의 일종 **3** [종종 **m~**] 모호크 머리 《중앙에 한 줄 짧은 머리를 남기고 나머지는 삭발함》(=~ **hàircut**)
Mo·he·gan [mouhíːgən] *n.* (*pl.* **~, ~s**) [the ~(s)] 모히간 족(의 사람) 《북미 인디언의 한 종족》; Ⓤ 모히간 말
Mo·hen·jo-Da·ro [mouhéndʒoudáːrou] *n.* 모헨조다로 《파키스탄의 Indus 강 근처에 있는 유적》
Mo·hi·can [mouhíːkən | móui-] *n.* (*pl.* **~, ~s**) = MAHICAN
Moh·ism [móuizm] *n.* (고대 중국의) 묵자(墨子)의 사상[가르침] **-ist** *n., a.*
Mo·ho [móuhou] *n.* (*pl.* **~s**) 〚지질〛 모호면(面), 모호로비치치 불연속면(Mohorovicic discontinuity)
Mo·hock [móuhɑk | -hɔk] *n.* [Mohawk의 변형] 〚역사〛 모호크단원(團員) 《18세기초 런던 시내를 밤에 휩쓸고 다닌 흉포한 귀족 도당들》 **~·ìsm** *n.*
Mo·hole [móuhòul] *n.* 〚지질〛 모홀 계획 《미국 과학 아카데미의 지구 내부 구조 규명 계획》
Mo·ho·ro·vi·cic discontinúity [mòuhəróuvətʃitʃ-] [유고슬라비아의 지질학자 이름에서] = MOHO
Móhs' scàle [móuz-] [독일의 광물학자 이름에서] 모스 경도계(硬度計) 《광석의 경도 측정용》
moi [mwáː] [F] *pron.* 〚익살〛 나, 자신 《점잖은 체하는 투》
MOI 《영》 Ministry of Information 《현재의 COI》
moi·der [mɔ́idər], **moi·ther** [mɔ́iðər] 《영·방언》 *vt.* 당황하게 하다, 곤란하게 하다, 괴롭히다
—*vi.* 끝없이 지껄이다
moi·dore [mɔidɔ́ːr] *n.* 포르투갈·브라질의 옛 금화
moi·e·ty [mɔ́iəti] (*pl.* **-ties**) *n.* **1** 〚법〛 《문어》 반(half), $^1/_2$ **2** 일부분(part) **3** 〚인류〛 반족(半族)
moil [mɔil] *vi.* **1** 열심히 일하다 **2** 끊임없이 격렬하게 일하다 ***toil and*** ~ 뼈빠지게[악착같이] 일하다
—*n.* **1** 힘든 일, 고역(苦役) **2** 소란, 혼란 **~·er** *n.* **~·ing·ly** *ad.*
Moi·ra [mɔ́irə] *n.* **1** 여자 이름 **2** (*pl.* **-rai** [-rai])

thesaurus **moisture** *n.* water, liquid, wetness, dampness, humidity, dankness, dew, sweat
mold[1] *n.* cast, die, form, matrix, shape

〖그리스신화〗 모이라《운명의 여신(Fate)》; [보통 **m~**] (개인의) 숙명
moire [mwɑ́:r, mɔ́:r | mwɑ́:] [F] *n.* Ⓤ **1** =MOHAIR **2** 물결 무늬 명주; (금속 표면의) 구름[물결] 무늬
moi·ré [mwɑréi, mɔ́:rei | mwɑ́:rei] [F] *n.* ⓊⒸ 물결[구름] 무늬; 〖인쇄〗 무아레《망점끼리 겹쳐진 혼탁》 **—** *a.* 물결[구름] 무늬가 있는
‡**moist** [mɔ́ist] *a.* **1 축축한,** 습한, 습기 있는(⇨ wet 유의어); 〈음식 등이〉 알맞게 물기가 있는; 〈계절·지역 등이〉 비가 많은(rainy): leaves ~ with dew 이슬에 젖은 잎/a ~ season 우기 **2** 눈물 젖은, 눈물이 글썽한: eyes ~ with tears 눈물 젖은 눈 **3** 〈병이〉 습성의, 분비물이 많은 **~ *around the edges*** (미·구어) (술·마약에) 얼근히[기분 좋게] 취한
~·ly *ad.* **~·ness** *n.* ▷ móisten *v.*; móisture *n.*
*__moist·en__ [mɔ́isn] *vt.* **축축하게 하다,** 적게 하다, 적시다: ~ one's lips[throat] 목을 축이다, 술을 마시다 **—** *vi.* 젖다, 축축해지다: (~+전+명) ~ *at* one's eyes 눈물짓다, 눈물이 글썽해지다 **~·er** *n.*
‡**mois·ture** [mɔ́istʃər] *n.* Ⓤ **습기,** 수분, 물기, (공기 중의) 수증기 **~·less** *a.* 습기 없는, 건조한
mois·ture·proof [mɔ́istʃərprù:f] *a.* 방습의
mois·ture-sen·si·tive [-sénsətiv] *a.* 습기를 잘 타는; 습기로 변질되기 쉬운
mois·tur·ize [mɔ́istʃəràiz] *vt., vi.* 습기를 공급하다, 가습하다; (화장품으로) 〈피부에〉 습기를 주다: *moisturizing* cream 보습(保濕) 크림 **-ìz·er** *n.* 피부에 습기를 주는 화장품; 가습기
moit [mɔ́it] *n.* 양털 속에 섞인 티[불순물] **—** *vt.* 〈양털에서〉 불순물을 제거하다 **móit·y** *a.*
Mo·já·ve Désert [mouhɑ́:vi-] [the ~] 모하비 사막(Mohave Desert) 《미국 California 남부의》
mo·jo[1] [móudʒou] *n.* (미) (*pl.* **~(e)s**) 마법, 주술; 액막이, 부적; 마력; 힘, 운
mojo[2] (미·속어) 마약, 《특히》 모르핀; 마약 중독자
moke [móuk] *n.* **1** (미·속어) 흑인, 검둥이(Negro) **2** (미·속어) 멍청이 **3** (영·속어) 당나귀(donkey)
mo·ksha, mo·ksa [móukʃə] [Skt.] *n.* 〖불교·힌두교〗 해탈(解脫), 열반(涅槃)
mo·kus [móukəs] (미·속어) *a.* 술 취한 **—** *n.* Ⓤ 술
mol [móul] *n.* 〖화학〗 =MOLE[4]
MOL Manned Orbiting Laboratory 유인 궤도 실험실 **mol.** molecular; molecule
mo·lal [móuləl] *a.* 〖화학〗 몰(mol)의, 그램분자의; 중량 몰 농도의
mo·lal·i·ty [moulǽliti] *n.* Ⓤ 〖화학〗 중량 몰 농도
mo·lar[1] [móulər] [L 「맷돌의」의 뜻에서] *a.* 갈아 부수는, 씹어 으깨는; 어금니의 **—** *n.* 어금니, 구치(臼齒)(=~ **tòoth**) ***false*** ~ 작은 어금니, 소구치
molar[2] *a.* 〖물리〗 질량(상)의; 〖화학〗 몰의, 그램분자의
mo·lar·i·ty [moulǽrəti] *n.* Ⓤ 〖화학〗 몰 농도; 〖물리〗 질량
mo·las·ses [məlǽsiz] *n. pl.* [단수 취급] **1** Ⓤ (미) 당밀(糖蜜)((영) treacle) **2** (미·속어) (손님을 끌기 위해 전시한) 보기 좋은 차 (***as***) ***slow as*** **~** (***in winter***) 〈동작·머리 회전 등이〉 매우 느린
‡**mold**[1] | **mould**[1] [móuld] [L 「척도, 규범」의 뜻에서] *n.* **1** (소조(塑造)·주조(鑄造)용의) **틀, 주형**(鑄型), 거푸집; (미장이·콘크리트공이 쓰는) 형판(型板); 제리(jerry) 틀 **2** 틀에 넣어 만든 것, 주물; 꼴, 만듦새(cast), 모습; 인체 **3** ⓊⒸ 성질, 성격: a man cast *in* a heroic ~ 영웅 기질의 사람/of gentle ~ 성질이 점잖은 **4** 원형; 전형; 선례 **5** 〖건축〗 쇠시리(molding) ***break the*** **~** (기존의) 틀을 깨다
— *vt.* **1 거푸집[틀]에 넣어 만들다,** 본뜨다: (~+목+전+명) ~ clay *into* busts 점토로 흉상을 뜨다/~ a face *in*[*out of*] clay 점토로 사람 얼굴을 만들다 **2** 〈성격을〉 형성하다; (성격 등의) 형성에 큰 영향을 미치다; 〈인격을〉 도야하다: ~ the character of a child 아이의 성격을 형성하다 **~ *on***[***upon***] …을 본뜨다 **~·a·ble** *a.*
mold[2] | **mould**[2] *n.* Ⓤ 곰팡이; 사상균(絲狀菌) **—** *vi., vt.* 곰팡나(게 하)다
mold[3] | **mould**[3] *n.* Ⓤ **1** 부식토(腐植土), 옥토, 양토(壤土) **2** (고어·시어) 땅, 흙, 토지 ***a man of*** **~** (죽으면 흙이 되는) 인간 **—** *vt.* …에 흙을 덮다 (*up*)
Mol·da·vi·a [mɑldéiviə, -vjə | mɔl-] *n.* **1** 몰다비아《루마니아의 옛 공국》 **2** Moldova의 구칭 **-vi·an** *a.*
mold·board | **mould-** [móuldbɔ̀:rd] *n.* 〖농업〗 보습 위에 비스듬히 댄 넓적한 쇠; 불도저의 흙밀이 판
mold·ed-in [móuldidín | ⌐-⌐] *a.* 메워 넣어 성형된
mold·er[1] | **mould·er**[1] [móuldər] *n.* 틀을 만드는 사람, 주형공(鑄型工); 형성자
molder[2] | **moulder**[2] *vi.* **1** (문어) (서서히) 썩다, 붕괴하다 (*away*) **2** 〈계획 등이〉 묻혀 사라지다 (*away*) **—** *vt.* 썩게[허물어지게] 하다
mold·ing[1] [móuldiŋ] *n.* Ⓤ 조형, 소조, 주형(鑄型)(법); Ⓒ 소조[주조]물; [종종 *pl.*] 〖건축〗 쇠시리
molding[2] *n.* Ⓤ 복토(覆土); 덮는[북주는] 흙
mólding bòard =BREADBOARD 1
mólding plàne 〖목공〗 쇠시리용 대패
móld lòft (조선·항공기 제작의) 현도장(現圖場)
Mol·do·va [mɔ:ldɔ́:və] *n.* 몰도바《루마니아 동부의 공화국; 수도 Kishinev》 **-van** *a., n.*
mold·y [móuldi] *a.* (**mold·i·er**; **-i·est**) **1** 곰팡이가 핀, 곰팡내 나는; 케케묵은 **2** (영·속어) 시시한; (영·소아어) 쩨쩨한, 적은, 보잘것없는 〈돈 등〉 **3** (속어) 심술궂은, 괘씸한 **móld·i·ness** *n.*
móldy fíg 정통파 재즈의 애호가; (속어) 유행에 뒤진 사람[것]
*__mole__[1] [móul] *n.* **1** 〖동물〗 **두더지 2** (잠복해 있는) 스파이; (신문사 등에) 비밀 정보를 제공하는 사람 **3** 〖기계〗 터널 굴착기 (***as***) ***blind as a*** **~** ⇨ blind.
mole[2] *n.* 사마귀; 검은 점《피부의》
mole[3] *n.* 방파제; (방파제를 쌓은) 인공 항구
mole[4] *n.* 〖화학〗 몰, 《특히》 그램분자 《기호 mol》
móle crìcket 〖곤충〗 땅강아지
*__mo·lec·u·lar__ [məlékjulər] *a.* **분자의,** 분자로 된, 분자에 의한: ~ attraction 분자 인력/a ~ model 분자 구조 모형/~ force 분자력 **~·ly** *ad.*
molécular astrónomy 분자 천문학
molécular béam[**ráy**] 〖물리〗 분자선(線)
molécular biólogy 〖생물〗 분자 생물학
molécular clóck 분자 시계 《진화 과정에서 단백질의 아미노산 배열에 생기는 변화》
molécular electrónics =MOLE-ELECTRONICS
molécular fílm 〖화학〗 분자막
molécular fórmula 〖화학〗 분자식
molécular genétics 〖생물〗 분자 유전학
mo·lec·u·lar·i·ty [məlèkjulǽrəti] *n.* Ⓤ 분자상(狀), 분자성(性), 분자도(度)
molécular knífe 〖병리〗 분자 나이프 《RNA 효소를 써서 DNA의 일부 등 단백질 분자를 자를 수 있는 물질》
molécular síeve 〖화학〗 분자 여과기, 분자체
molécular strúcture 분자 구조
molécular wéight 〖화학〗 분자량
*__mol·e·cule__ [mɑ́ləkjù:l | mɔ́l-] *n.* **1** 〖화학·물리〗 분자 **2** 〖화학〗 그램분자(gram molecule) **3** 미립자; 미량 ▷ molécular *a.*
mole·e·lec·tron·ics [mɑ̀lilektrɑ́niks | mɔ̀lilektrɔ́n-] [*mol*ecular *electronics*] *n. pl.* [단수 취급] 극소[미소] 전자 공학
mole·hill [móulhìl] *n.* **1** 두더지가 파놓은 흙두둑 **2** 사소한 일 ***make a mountain*** (***out***) ***of a*** **~** = ***make mountains out of*** **~*s*** 하찮은 일을 과장하여 말하다, 침소봉대하다
móle plòw 두더지 쟁기《보습 대신 뾰족한 날이 있음》

moldy *a.* mildewed, musty, fusty, decaying, rotten, spoiled, bad, dank
molecule *n.* jot, atom, whit, grain, speck, crumb

móle ràt 〖동물〗 뒤쥐

mole·skin [-skìn] *n.* Ⓤ 두더지 가죽; 몰스킨 《질긴 면포》; [*pl.*] 몰스킨제 바지; (발에 붙이는) 반창고

∗**mo·lest** [məlést] *vt.* **1** 괴롭히다, 못살게 굴다; 방해하다 **2** 〈여자·어린아이를〉 성희롱하다, 강간하다

mo·les·ta·tion [mòulestéiʃən] *n.* Ⓤ 방해, 괴롭힘; (부녀자) 희롱, 추행, 폭행

mol·et [málit | mɔ́l-] *n.* = MULLET[2]

Mo·lière [mouljέər | mɔ́liὲə] *n.* 몰리에르 (1622-73) 《프랑스의 희극 작가》

moll[1] [mál | mɔ́l] *n.* 《속어》 (도둑·깡패 등의) 정부(情婦); 《속어》 매춘부; 《미·속어》 여자

moll[2] [mɔ́:l] [G] *a.* 〖음악〗 단조의(minor)

Moll [mál | mɔ́l] *n.* 여자 이름 《Mary의 애칭》

mol·lah [mɔ́:lə | mɔ́lə] *n.* = MULLAH

móll bùzzer 《미·속어》 여자 것을 낚아채는 도둑, 여자를 등쳐먹는 남자

mol·les·cent [məlésnt] *a.* 연화(軟化)되기 쉬운, 유연해지는 **mol·lés·cence** *n.*

mol·li·fi·ca·tion [màləfikéiʃən | mɔ̀l-] *n.* ⓊⒸ 누그러뜨리기, 가라앉히기, 달래기, 완화

mol·li·fied [máləfàid | mɔ̀l-] *a.* 화가 누그러진, 감정이 진정된

mol·li·fy [máləfài | mɔ́l-] *vt.* (**-fied**) 〈사람·감정 등을〉 누그러뜨리다, 완화시키다, 달래다, 진정시키다

mol·li·fy·ing [máləfàiiŋ | mɔ̀l-] *a.* 누그러뜨리는, 진정시키는 (듯한) **~·ly** *ad.*

mol·li·sol [máləsɔ̀:l, -sàl | mɔ́l-] *n.* 〖지질〗 연토양(軟土壤) 《보통 풍부한 곡류를 산출하는》

mol·lusc [máləsk | mɔ́l-] *n.* = MOLLUSK

Mol·lus·ca [məlʌ́skə | mɔl-] *n. pl.* 연체동물문(門)

mol·lus·can [məlʌ́skən] *n., a.* 〖동물〗 연체동물(문)(의)

mol·lus·coid [məlʌ́skɔid] *a.* 연체동물같이 생긴
— *n.* 의(擬)연체동물

mol·lus·cous [məlʌ́skəs] *a.* = MOLLUSCAN

mol·lus·cum [məlʌ́skəm | mɔl-] *n.* (*pl.* **-ca** [-kə]) 〖병리〗 연속종(軟屬腫), 연성(軟性) 종양

mol·lusk [máləsk | mɔ́l-] *n.* 〖동물〗 연체동물

mol·lus·kan [məlʌ́skən] *n., a.* = MOLLUSCAN

Mol·ly [máli | mɔ́li] *n.* 여자 이름 《Mary의 애칭》

mol·ly·cod·dle [málikàdl | mɔ́likɔ̀dl] *n.* 나약한 남자(아이), 겁쟁이; = GOODY-GOODY
— *vt.* 어하다, 오냐오냐하다

Mo·loch [málək, móulɑk | móulɔk] *n.* **1** 〖성서〗 몰록 《아이를 제물로 바치고 섬긴 신》; 《비유》 큰 희생을 요구하는 것 **2** [**m~**] 〖동물〗 가시도마뱀 《호주산》

Mó·lo·tov bréadbasket [málətɔ̀:f- | mɔ́lətɔ̀f-] [구소련의 정치가 이름에서] 〖군사〗 모자(母子) 소이탄 《제2차 세계 대전 때 쓴 특수 투하 폭탄》

Mólotov cócktail 화염병

molt | moult [móult] *vi.* 〈새가〉 털을 갈다, 〈곤충 등이〉 탈피하다, 허물 벗다; 〈동물이〉 뿔을 갈다
— *vt.* 〈깃·털·허물 등을〉 벗다(cast off)
— *n.* Ⓤ 털갈이, 탈피; 그 시기; 빠진 털, 벗은 허물
~·er *n.* 털[뿔]을 가는 시기의 새[곤충, 동물]

∗**mol·ten** [móultən] *v.* MELT의 과거분사
— *a.* Ⓐ **1** 〈금속 등이〉 녹은 《버터·눈처럼 녹기 쉬운 것은 melted》; (용해시켜) 주조(鑄造)한: a ~ image 주상(鑄像) / ~ iron 주철, 무쇠 **2** 《문어》 〈정열 등이〉 타는 듯한 **~·ly** *ad.*

mol·to [móultou | mɔ́l-] [It. = much] *ad.* 〖음악〗 아주, 대단히: ~ adagio 아주 느리게

Mo·lúc·ca Íslands [məlʌ́kə-] = MOLUCCAS

Mo·luc·cas [məlʌ́kəz] *n. pl.* [the ~] 몰루카 제도

mo·ly [móuli] *n.* (*pl.* **-lies**) 〖그리스신화〗 흰 꽃과 검은 뿌리를 가진 전설상의 마초(魔草)

mo·lyb·de·nite [məlíbdənàit] *n.* Ⓤ 〖광물〗 몰리브덴광(鑛), 휘수연석(輝水鉛石)

mo·lyb·de·num [məlíbdənəm] *n.* Ⓤ 〖화학〗 몰리브덴 《금속 원소; 기호 Mo; 번호 42》

mo·lyb·dic [məlíbdik] *a.* 〖화학〗 3[6]가(價)의 몰리브덴의[을 함유한], 몰리브덴산(酸)의

‡**mom** [mʌ́m | mɔ́m] *n.* 《미·구어·소아어》 엄마(《영·구어》 mum) **NOTE** momma의 단축형; 호칭으로도 쓰임; 아이가 자람에 따라 보통은 mamma-mommy-mom의 순으로 씀.

MOM middle of month; milk of magnesia

mom-and-pop [mʌ́mənpʌ́p | mɔ́mənpɔ́p] *a.* Ⓐ 《미·구어》 〈가게가〉 부부[가족]끼리 경영하는, 소규모의, 영세한: a ~ store 구멍가게, 소규모 자영업체
— *n.* (*pl.* **~s**) 소규모 자영업체, 가족 경영의 가게

‡**mo·ment** [móumənt] *n.* **1 a** 순간(instant) **b** [a ~; 부사적] 잠깐 (동안): Just wait *a* ~. 잠깐만 기다리시오. (⇨ One MOMENT.) **c** [the (very) ~; 접속사적] …한[하는] 순간에, …하자마자: I will tell him *the* (*very*) ~ he comes in. 그가 들어오면 곧 말하겠다. **2 a** (어느 특정한) 때, 시기, 기회, 경우: in the ~ of crisis 위기의 순간에 **b** [the ~] 지금, 현재: at this ~ (in time) 지금, 현재 **3** Ⓤ [of ~] 중요(성)(⇨ importance 유의어): *of* little[no great] ~ 그다지 중요하지 않은 / affairs *of* great ~ 중대 사건 **4** 〖철학〗 (사물의) 국면, 계기 **5** Ⓤ [the ~] 〖물리〗 모멘트, 능률; 〖통계〗 적률(積率): *the* magnetic ~ 자기 모멘트 / *the* ~ of a force 힘의 모멘트

at any* ~** 언제 어느 때나, 하시라도 ***at every* ~** 끊임없이, 언제나 ***at* ~*s 때때로, 가끔 ***at the last* [*critical*] ~** 위급한 순간에, 막판에 ***at the* (*very*) ~** 당장에는; 현재, 바로 지금; 바로 그때: He is not here *at the* ~. 그는 지금 여기 없다. ***for a* ~** 잠시 동안; [부정 구문에서] 일순간이라도[조금도] (…않다) ***for the* ~** 우선, 당장에는 ***from one* ~ *to the next*** 빈번히, 곧잘 ***have* one*'s* [*its*] ~*s*** 《구어·익살》 〈사람·사물이〉 특별히 신날[행복한, 최고의] 때가 있다 ***in a few* ~*s*** 곧 ***in a* ~** 순식간에, 곧 ***in a* ~ *of anger*** 화가 난 김에 ***in a rash* ~** 결과를 충분히 생각해 보지 않고, 경솔히 ***in the* ~ *of danger*** 유사시에 ***of no* ~** ⇨ *n.* 3. ***of the* ~** 목하의, 현재의 ***One* ~.** = ***Half a* ~.** = ***Wait a* ~.** = ***Just a* ~.** 잠깐만 기다리시오. ***on* [*upon*] *the* ~** 즉석에서, 당장 ***the man of the* ~** 때의 인물 ***the next* ~** [부사적] 다음 순간에, 순식간에 ***the* (*very*) ~** ⇨ *n.* 1c. ***this* (*very*) ~** 지금 곧; (바로) 방금 ***to the* (*very*) ~** 어김없이, 정각에 ▷ mómentary, moméntous, moméntal *a.*; mómently *ad.*

mo·men·ta [mouméntə] *n.* MOMENTUM의 복수

mo·men·tal [mouméntl] *a.* 〖기계〗 모멘트의

mo·men·tar·i·ly [mòuməntérəli, ⏤⏤⏤ | móuməntərəli] *ad.* **1** 잠시, 잠깐 (동안): pause ~ 잠시 휴지(休止)하다 **2** 이제나저제나 하고; 시시각각으로 **3** 순간적으로; 곧, 즉각

‡**mo·men·tar·y** [móumәntèri | -təri] *a.* **1** 순식간의, 순간적인, 찰나의, 덧없는: a ~ impulse 순간적인 충동 / a ~ joy 찰나의 기쁨

> 유의어 **momentary** 한 순간의, 극히 짧은 사이의: My feelings of guilt were only *momentary.* 내 죄책감은 순간적인 것에 불과했다. **temporary** 임시변통의 뜻으로서 곧 끝나서 불필요하게 됨을 암시한다: a *temporary* job 임시직 **transient** 일시적인 것으로서 곧 변천하는: a hotel catering to *transient* guests 단기 체재객을 대상으로 하는 호텔

2 Ⓐ 시시각각의, 끊임없는

mo·ment·ly [móuməntli] *ad.* **1** 시시각각으로; 이제나저제나 하고 **2** 잠시, 잠깐 **3** 즉시, 즉각; 순식간에

móment of inértia 〖물리〗 관성 모멘트

thesaurus **molest** *v.* annoy, pester, nag, harass, torment, badger, bother, worry, trouble
moment *n.* minute, short time, second, instant

móment of moméntum 〖물리〗 운동량 모멘트

móment of trúth **1** (투우사의) 최후의 일격의 순간 **2** 《비유》 결정적 순간; 위기, 시련의 시기

*__mo·men·tous__ [mouméntəs] *a.* 중대한, 중요한, 심상치 않은: a ~ decision 중대한 결정
~·ly *ad.* **~·ness** *n.*

*__mo·men·tum__ [mouméntəm] *n.* (*pl.* **-ta** [-tə], **~s**) **1** Ⓤ 〖물리〗 운동량 **2** ⓊⒸ (움직이고 있는 물체 등의) 타성; 힘, 여세, 추진력 **3** 〖철학〗 = MOMENT 4
gain [***gather***] ~ 탄력이 붙다, 세(勢)를 얻다

mom·ism [mámizəm | mɔ́m-] *n.* Ⓤ 〖사회〗 모친 중심주의, 어머니에 의한 아들의 과보호

mom·ma [mámə | mɔ́mə] *n.* **1** 《미·구어·소아어》 엄마 **2** 《미·속어》 여자 **3** 《속어》 폭주족의 여성 멤버

mom·mick [mámik | mɔ́m-] *vt.* 《미·속어》 혼란시키다, 엉망으로 만들다 (*up*)

mom·my [mámi | mɔ́mi] *n.* (*pl.* **-mies**) 《미·구어·소아어》 엄마(《영》 mummy)

mómmy tràck 어머니의 취업 형태 《육아 등을 위해 출퇴근 시간을 조절할 수 있되 승진·승급의 기회는 적음》

mo·mo [móumòu] *n.* 《미·속어》 얼간이

mom·pa·ra [màmpɑ́:rə | mɔ̀m-] *n.* = MAMPARA

Mo·mus [móuməs] *n.* **1** 〖그리스신화〗 모무스 《조롱·비난의 신》 **2** (*pl.* **~·es, -mi** [-mai]) [종종 **m~**] 흠잡기 좋아하는 사람

mom·zer, -ser [mámzər | mɔ́m-] *n.* = MAMZER

mon. monastery; monetary **Mon.** Monastery; Monday; Monsignor

mon- [man, moun | mɔn] 《연결형》 MONO-의 변형

Mo·na [móunə] *n.* 여자 이름

mon·a·c(h)al [mánəkəl | mɔ́n-] *a.* = MONASTIC

mon·a·chism [mánəkìzm | mɔ́n-] *n.* Ⓤ 수도원 생활[제도] **-chist** *a.*

mon·ac·id [manǽsid | mɔn-] *a.* = MONOACID

Mon·a·co [mánəkòu, mənɑ́:kou | mɔ́n-] *n.* 모나코 《지중해 북안의 공국(公國); 그 수도》 **-can** *a.*

mo·nad [mánæd, móun- | mɔ́n-, móun-] *n.* **1** 〖생물〗 단세포 생물 **2** 〖화학〗 1가(價)의 원소[원자, 기] **3** 〖철학〗 모나드, 단자(單子) **4** 단일체, 개체(unity)
mo·nád·ic *a.* **-i·cal** *a.* **-i·cal·ly** *ad.*

mon·a·del·phous [mànədélfəs | mɔ̀n-] *a.* 〖식물〗 〈수술이〉 단체(單體)인; 〈꽃이〉 단체 수술인

mon·ad·ism [mánədìzm | mɔ́nə-] *n.* Ⓤ 〖철학〗 모나드론(論), 단자론

mo·nad·nock [mənǽdnak | -nɔk] *n.* 〖지질〗 (침식) 잔구(殘丘)

mon·ad·ol·o·gy [mànədálədʒi | mɔ̀nədɔ́l-] *n.* 〖철학〗 = MONADISM

Mo·na Li·sa [móunə-lí:zə, -lí:sə] [It. Mona = Madam, Lisa는 Gioconda의 부인 이름] [the ~] 모나리자 《Leonardo da Vinci가 그린 여인상》

mon·an·drous [mənǽndrəs | mɔ-] *a.* 〖식물〗 홑수술의; 일부제(一夫制)의

mon·an·dry [mənǽndri | mɔ-] *n.* (*pl.* **-dries**) **1** Ⓤ 일부제(一夫制)(cf. POLYANDRY) **2** 〖식물〗 홑수술

‡**mon·arch** [mánərk, -ɑ:rk | mɔ́nək] [Gk 「혼자서 지배하는 사람」의 뜻에서] *n.* **1** 군주, 주권자, 제왕; 《비유》 최고 지배자, 거물, 왕자: an absolute ~ 전제 군주 **2** 〖곤충〗 = MONARCH BUTTERFLY. ***the ~ of the forest*** 삼림의 왕 《떡갈나무》 ***the ~ of the glen*** 계곡의 왕 《수사슴》

mo·nar·chal [mənɑ́:rkəl | mɔ-, mə-], **-chi·al** [-kiəl] *a.* 제왕[군주]의; 군주다운(royal)

mónarch bùtterfly 〖곤충〗 제주왕나빗과(科)의 나비의 일종

mo·nar·chi·cal [mənɑ́:rkikəl | mɔ-, mə-], **-chic** [-kik] *a.* 군주(국)의; 군주제의 **-chi·cal·ly** *ad.*

---

momentous *a.* crucial, critical, vital, decisive, serious, important, grave, significant, weighty
monarchy *n.* kingdom, realm, empire, principality

---

mon·ar·chism [mánərkìzm | mɔ́n-] *n.* Ⓤ 군주(제)주의 **-chist** *n.* 군주제주의자 **mòn·ar·chís·tic** *a.*

*__mon·ar·chy__ [mánərki | mɔ́n-] *n.* (*pl.* **-chies**) Ⓤ 군주 정체[정치], 군주제; Ⓒ 군주국: an absolute[a despotic] ~ 전제 군주국 / a limited[constitutional] ~ 입헌 군주국

mon·as·te·ri·al [mànəstíəriəl | mɔ̀n-] *a.* 수도원의, 수도원 생활의

*__mon·as·ter·y__ [mánəstèri | mɔ́nəstəri] [Gk 「혼자서 생활하다」의 뜻에서] *n.* (*pl.* **-ter·ies**) 수도원 《주로 남자의》; 수(도)사 단체: enter a ~ 수사가 되다
★ 수녀원은 보통 nunnery 또는 convent라 함.

*__mo·nas·tic__ [mənǽstik] *a.* **1** 수도원의; 수(도)사의: ~ vows 수도 서원(誓願) 《청빈·동정·순종의 3개조》 / a ~ order 수도회 **2** 수도 생활의; 세상을 피해서 숨어 사는, 금욕적인
— *n.* 수도사, 수사(monk)
-ti·cal *a.* **-ti·cal·ly** *ad.* 수도원처럼, 금욕적으로

mo·nas·ti·cism [mənǽstəsìzm] *n.* Ⓤ 수도원 생활, 수도[금욕] 생활; 수도원 제도

mo·nas·ti·cize [mənǽstəsàiz] *vt.* 수도원식[금욕적]으로 하다

mon·a·tom·ic [mànətámik | mɔ̀nətɔ́m-] *a.* 〖화학〗 〈분자가〉 1원자로 된; 1가(價)의

mon·au·ral [manɔ́:rəl | mɔn-] *a.* 〈녹음이〉 모노럴의, 단청(單聽)의(cf. BINAURAL, STEREOPHONIC); 한쪽 귀(용)의: ~ deafness 한쪽 귀 난청 **~·ly** *ad.*

mon·daine [mɔ:ndéin] [F] *a., n.* 사교계의 (여성), 세속적인 (여성)

‡**Mon·day** [mʌ́ndei, -di] [OE 「달(moon)의 날」의 뜻에서] *n.* 월요일 (略 Mon.): next[last] ~ = on ~ next[last] 다음[지난] 월요일에 《뒤쪽 형태는 주로 《영》》 / on ~ 월요일에 / on ~*s* 월요일마다
— *a.* Ⓐ 월요일의: on ~ afternoon 월요일 오후에
— *ad.* 《미》 월요일에

Mónday Clùbber [영국 보수당 우익 클럽 Monday Club에서] 《영》 월요회 회원, 우파 보수당원

Mon·day·ish [mʌ́ndiiʃ, -dèi-] *a.* 《구어》 일할 마음이 나지 않는

Mon·day·ize [mʌ́ndiàiz] *vt.* (휴일이 일요일이어서) 월요일로 바꾸다

Mónday màn 《미·속어》 세탁물 도둑

Mónday mórning fèeling (일하기 싫다는) 월요일 아침의 우울한 기분

Mónday mórning quárterback 《미·구어》 나중에 이러쿵저러쿵 비판하는 사람

Mon·days [mʌ́ndiz, -deiz] *ad.* 《미》 월요일마다

monde [mɔ́:nd] [F = world] *n.* 세상, 사회; 사교계, 상류 사회

mon·de·green [mándigrì:n] *n.* 동음으로 인한 노래가사를 오역하는 것 《스코틀랜드 민요 laid him on the green을 lady Mondegreen으로 오역한데서 유래》

mond·i·al [mándiəl | mɔ́n-] *a.* 전세계의

mon Dieu [mɔ:n-djú: | -djú:] [F = my God] *int.* 어머, 저런

mon·do [mándou | mɔ́n-] 《미·속어》 *ad.* 완전히; 결국; 매우, 몹시 **—** *a.* 큰; 멋진, 대단한

Mónd pròcess [mánd- | mɔ́nd-] [독일의 화학자 이름에서] 〖야금〗 몬드법 《니켈 광석에서 니켈을 채취하기 위한 정련 방법》

Mon·dri·an [mɔ́:ndriɑ̀:n, mán- | mɔ́n-] *n.* 몬드리안 **Piet** ~ (1872-1944) 《네덜란드의 추상파 화가》

M1 [émwʌ́n] *n.* 기본 통화 공급량 《유통 현금 통화와 예금 통화를 합친 것》

M-1 [émwʌ́n] *n.* (*pl.* **~'s**) 〖미군〗 엠원 소총 《제2차 세계 대전과 한국 전쟁 때 사용한 반 자동식 소총》

mon·e·cious [məní:ʃəs, mou- | mɔ-] *a.* = MONOECIOUS

mon·el·lin [mánəlin | mɔ́nə-] *n.* 모넬린 《단백질 감미료의 일종》

Mo·nél Mètal [mounél-] 모넬메탈 《니켈·구리 등

의 합금; 산에 강함; 상표명》
mo·neme [móuniːm] *n.* 〖언어〗 기호소(記號素)
mo·nen·sin [mounénsin] *n.* 모넨신《육우용 사료의 첨가물》
Mo·ne·ra [məníərə] *n. pl.* 〖생물〗 모네라계(界)《생물계 분류의 하나》
mon·er·gy [mʌ́nərdʒi] [*money*+en*ergy*] *n.* 에너지의 경제적 사용; (가정에서 비용 효과를 위한) 연료 보존
M-1 rìfle 〖미군〗 =M-1
mon·es·trous [mɑnéstrəs | mɔn-] *a.* 단(單) 발정성의《1년에 한 번 발정하는》
Mo·net [mounéi] *n.* 모네 **Claude** ~ (1840-1926)《프랑스의 인상파 화가》
mon·e·tar·ism [mɑ́nətərìzm, mʌ́n- | mʌ́n-] *n.* Ⓤ 〖경제〗 통화주의 **-ist** *n., a.* 통화주의자(의)
mon·e·tar·y** [mɑ́nətèri, mʌ́n- | mʌ́nitəri] *a.* **1** 화폐의, 통화의: the ~ system 화폐 제도 / a ~ crisis 통화 위기 / a ~ unit 화폐 단위 **2** 금전(상)의; 금융의, 재정(상)의(financial): ~ value 금전적 가치 ***in ~ difficulties 재정난에 빠진
mon·e·tar·i·ly [mɑ̀nitérəli, mʌ̀n- | mʌ́nitəri-] *ad.*
▷ móney *n.*
mónetary ággregate 통화 유통량[총량]
mónetary pólicy 통화[화폐] 정책
mon·e·ti·za·tion [mɑ̀nətizéiʃən, mʌ̀n- | mʌ̀nitai-] *n.* Ⓤ 화폐 주조; 통화 제정
mon·e·tize [mɑ́nətàiz, mʌ́n- | mʌ́n-] *vt.* 〈금속을〉 화폐로 주조하다; 화폐[통화]로 정하다
‡mon·ey [mʌ́ni] [옛날에 Juno Moneta(로마의 충고의 여신)의 신전에서 주조된 데서] *n.* (*pl.* **~s,** (드물게) **mon·ies**) **1** Ⓤ 돈, 금전; 화폐, 통화: hard ~ 경화(硬貨) / paper[(미·구어) soft] ~ 지폐 / standard [subsidiary] ~ 본위[보조] 화폐 / small ~ 잔돈 / change ~ 환전하다 / Time is ~. (속담) 시간은 돈이다. **2** ⓊⒸ 〖경제〗 화물 화폐, 교환 매개물《미개인의 「보배고둥」 등》 **3** 급료, 임금 **4** Ⓤ 재산, 부(wealth); 수입; (경마 등의) 상금; [집합적] 큰 부자, 부유층 ***any man's ~*** 돈이면 무슨 짓이든 하는 (사람) ***at the ~*** (지불한) 그 돈[값]으로는 ***be in the ~*** 부자와 친해지다[한잔하다]; 부유해지다, 성공하다; (경주 등에서) 입상하다 ***be made of ~*** (구어) 돈을 엄청나게 많이 가지고 있다 ***be out of ~*** 돈에 쪼들리다, 돈이 없다; 입상하지 못하다, (…만큼) 손해보다 《*by*》 ***burn*** one***'s ~*** ⇨ burn. ***cheap at*** [***for***] ***the ~*** 그 가격으로는 싼 ***coin*** [***mint***] (***the***) ~ (***in***) (구어) 돈을 그러모으듯 벌다 ***covered ~*** (미) 국고 예금 ***for ~*** 돈을 위하여; (영) 〖상업〗 직접 거래로 ***for*** one***'s ~*** (구어) 자기 생각으로는; 안성맞춤의 ***get*** one***'s ~'s worth*** (노력·비용 등의) 본전을 찾다 ***have ~ to burn*** 돈이 썩을 만큼[얼마든지] 있다 ***in the ~*** (구어) 재정적으로 성공한; 풍부한 ***keep in ~*** 돈을 대주다 ***lie out of*** one***'s ~*** 지급을 못 받고 있다 ***lose ~*** 손해를 보다 《*on*》 ***lucky ~*** 행운을 가져온다고 몸에 지니는 돈 ***make ~*** (***out***) ***of ...*** …을 팔아 돈을 장만하다, …로 돈을 벌다, 부자가 되다 ***marry ~*** 부자와 결혼하다 ***M~ begets ~.*** ⇨ beget 2. ***~ down*** = ***~ out of hand*** = ***ready ~*** 맞돈(으로), 현금(으로) ***~ for jam*** [***old rope***] (영·구어) 큰 보수[벌이], 노다지; 식은 죽 먹기 ***M~ is no object.*** (구어) 금액은 문제가 아니다. ***~ of account*** (통화로서 발행되지 않는) 계산 화폐 《(영)의 GUINEA나 (미)의 MILL² 등》 ***M~ talks.*** 돈이면 안 되는 일이 없다. (***not***) ***everybody's*** [***everyman's***] ***~*** (구어) 어디서나 통용하는 [인기 있는] 것(이라고 할 수 없다), 만인에게 좋은 것(이라고 할 수 없다) ***pay good ~*** (***for***) (…에) 비싼 돈을 치르다 ***put ~ into*** …에 투자하다 ***put ~ on*** …에 돈을 걸다 ***put*** one***'s ~ where*** one***'s mouth is*** (구어) (자금을 대거나 하여) 공약《등》을 실천하다 (***right***) ***on the ~*** (구어) 바로 그 시간[장소]에 ***run into ~*** (미·구어) 돈이 들다 ***sink ~*** 쓸데없이 돈을 쓰다 ***There is ~ in it.*** 그것은 돈벌이가 된다. ***throw good ~ after bad*** 실패한 사업에 더욱더 돈을 쏟아붓다 ***throw ~ at*** (사태 해결을 위해) …에 (큰) 돈을 투입하다[내놓다] ***throw*** one***'s ~ about*** [***around***] (부자임을 과시하기 위해) 돈을 뿌리듯 쓰다 ***What's the ~?*** (가격은) 얼마예요?
— *a.* Ⓐ 돈의, 금전(상)의: ~ matters 금전 문제
▷ mónetary *a.*; mónetize *v.*
mon·ey-back [mʌ́nibæ̀k] *a.* 환불이 가능한
móney-back guárantee 환불 보증
mon·ey·bag [-bæ̀g] *n.* **1** 돈주머니, 지갑 **2** [*pl.*; 단수·복수 취급] (구어) 재산; 부자; 욕심쟁이
móney bèlt (돈 숨기는 주머니가 있는) 혁대
móney bìll 재정 법안
móney bòx 돈궤(cashbox), 금고, 저금통; 헌금함
móney chànger 환전상(換錢商); 환전기
móney chànging 환전
móney clìp 지폐 클립《접은 지폐를 끼우는 클립으로 지갑 대신 사용함》
móney cròp (미) 환금 작물(cash crop)
mon·eyed [mʌ́nid] *a.* Ⓐ 돈 많은, 부자의(wealthy); 금전(상)의: the ~ interest 금전적인 이해; [집합적] 재계(財界), 자본가들
móney flòw análysis 자금 흐름 분석
mon·ey·grub·ber [mʌ́nigrʌ̀bər] *n.* 축재가, 수전노
mon·ey·grub·bing [-grʌ̀biŋ] *a., n.* Ⓤ 악착같이 돈을 모으는[모으기]
mon·ey-hun·gry [-hʌ̀ŋgri] *a.* (구어) 돈에 허기진, 악착같이 돈을 벌려는
móney làundering Ⓤ 돈[자금] 세탁(money washing)
mon·ey·lend·er [-lèndər] *n.* 빚을 주는 사람, 금융업자; 고리대금업자
mon·ey·less [mʌ́nilis] *a.* 돈 없는
móney machìne 현금 자동 지급기
mon·ey·mak·er [mʌ́nimèikər] *n.* 축재가; 돈벌이 되는 일
mon·ey·mak·ing [-mèikiŋ] *n.* Ⓤ 돈벌이, 축재
— *a.* Ⓐ 돈을 잘 버는; 돈벌이가 되는
mon·ey·man [-mæ̀n] *n.* (*pl.* **-men** [-mèn]) = FINANCIER
móney màrket (단기) 금융 시장
món·ey-mar·ket certìficate [-mɑ̀ːrkit-] (은행의) 시장 금리 연동제 예금《略 MMC》
móney-market fùnd 금리 연동제 (단기) 투자 신탁
móney òrder 우편환(換): a telegraphic[bank] ~ 전신[은행]환
móney plàyer (속어) (경기 등의) 경합에 강한 사람; 큰 돈벌이에 능한 사람; 〖야구〗 고액 연봉 선수
móney pòlitics 금권(金權) 정치(plutocracy)
mon·ey-sav·ing [-séiviŋ] *a.* 돈을 절약[저축]하는
móney smàsh (미·야구속어) 홈런
móney spìder 작은 거미의 일종《몸에 붙으면 돈을 가져다 준다고 믿음》
móney spìnner **1** 돈벌이 되는[수지 맞는] 일 **2** 〖동물〗 작은 빨강거미《행운을 가져다 준다고 함》
móney supplỳ 〖경제〗 통화 공급(량)
móney wàges 〖경제〗 명목 임금
móney wàshing = MONEY LAUNDERING
mon·ey·wort [-wə̀ːrt] *n.* 〖식물〗 금좁쌀풀류(類)의 덩굴풀
'mong [mʌŋ, mɑ́ŋ] *prep.* (시어) = AMONG
mon·ger [mʌ́ŋgər, mɑ́ŋ- | mʌ́ŋ-] [OE 「장사하다」의 뜻에서] *n.* [복합어를 이루어] **1** (시시한 일을) 세상에 퍼뜨리는 사람: a news*monger* 소문내기 좋아하는 사람 **2** …상인, …장수: an iron*monger* 철물 상인
mon·go [mɑ́ŋgou | mɔ́ŋ-] *n.* (*pl.* **~s**) 몽고《몽골 인민 공화국의 화폐 단위; = $^1/_{100}$ tugrik》
Mon·gol [mɑ́ŋgəl | mɔ́ŋ-] *n.* **1** 몽골 사람; 몽골 인종; Ⓤ 몽골 말 **2** [종종 **m~**] 《경멸》 다운 증후군 환자(mongoloid) **— *a.*** = MONGOLIAN
Móngol Émpire [the ~] 몽고 제국《13세기 초

Genghis Khan이 세운 대제국)
Mon·go·li·a [maŋgóuliə, man- | mɔŋ-] *n.* **1** 몽골 《아시아 중동부의 광대한 지역》 **2** 몽골(국)(the Mongolian People's Republic) ***Inner*** ~ 내몽골 《중국의 자치령》 ***Outer*** ~ 외몽골 《몽골국의 구칭》
Mon·go·li·an [maŋgóuliən, man- | mɔŋ-] *n.* 〖인류〗 몽골 인종 사람, 몽골 사람; Ⓤ 몽골 말
— *a.* **1** 몽골인(종)의; 몽골 말의 **2** [종종 **m~**] 《경멸》 다운 증후군의
Mongólian ídiocy = MONGOLISM
Mongólian ídiot 《경멸》 다운 증후군 환자(cf. MONGOLISM)
Mongólian Péople's Repúblic [the ~] 몽고 인민 공화국 《몽골의 공식 명칭; 수도 Ulan Bator》
Mongólian spót 〖의학〗 몽고반(斑)(blue spot)
Mon·gol·ic [maŋgálik, man- | mɔŋgɔ́l-] *n.* 몽골 어군(群) 《알타이 어족에 속하며 Mongolian, Buryat, Kalmuck을 포함》 — *a.* 〖인류〗 = MONGOLOID 1
Mon·gol·ism [máŋgəlìzm, mán- | mɔ́ŋ-] *n.* [종종 **m~**] Ⓤ 〖병리〗 《경멸》 몽고증 《다운 증후군(Down's syndrome)의 구칭》
Mon·gol·oid [máŋgəlɔ̀id, mán- | mɔ́ŋ-] *a.* **1** 몽골 사람을 닮은; 몽골 인종적인 **2** [종종 **m~**] 〖병리〗 《경멸》 다운 증후군의 — *n.* **1** 몽골 인종에 속한 사람 (cf. CAUCASOID, NEGROID) **2** [종종 **m~**] 〖병리〗 《경멸》 다운 증후군 환자
mon·goose [máŋgù:s, mán- | mɔ́ŋ-] *n.* (*pl.* **-goos·es**) 〖동물〗 몽구스 《독사의 천적》
mon·grel [mʌ́ŋgrəl, máŋ- | mʌ́ŋ-] *n.* **1** 잡종, 《특히》 잡종개; 잡종 식물 **2** 《경멸》 혼혈아, 튀기
— *a.* Ⓐ 잡종의; 《경멸》 튀기의: a ~ dog 잡종개
mon·grel·ize [mʌ́ŋgrəlàiz, máŋ- | mʌ́ŋ-] *vt.* 잡종으로 만들다; 《경멸》 〈인종의 성격을〉 잡종화하다
'mongst [mʌ̀ŋst, mʌ́ŋst] *prep.* 《시어》 = AMONGST
mon·ic [mánik | mɔ́n-] *a.* 〖수학〗 (다항식의) 주계수가 1인
Mon·i·ca [mánikə | mɔ́n-] *n.* 여자 이름
mon·ied [mʌ́nid] *a.* = MONEYED
mon·ies [mʌ́niz] *n.* 《드물게》 MONEY의 복수
mon·i·ker, -i·ck·er [mánəkər | mɔ́n-] *n.* 《미·속어》 이름; 별명
mo·nil·i·al [məníliəl] *a.* 〖의학〗 모닐리아(성)의 《칸디다속(屬)의 진균으로 인한》
mon·i·li·a·sis [mànəláiəsis | mɔ̀n-] *n.* (*pl.* **-ses** [-sì:z]) 〖병리〗 모닐리아증(症)
mo·nil·i·form [mouníləfɔ̀:rm | mɔ-] *a.* 〖식물〗 〈뿌리·줄기 등이〉 염주 모양의; 염주 비슷한 **~·ly** *ad.*
mon·ism [móunizm, má- | mɔ́-] *n.* Ⓤ 〖철학〗 일원론(一元論)(cf. DUALISM, PLURALISM)
món·ist *n.* 일원론자
mo·nis·tic, -i·cal [mənístik(əl), mou- | mɔ-] *a.* 일원론의 **-ti·cal·ly** *ad.*
mo·ni·tion [məníʃən, mou- | mou-] *n.* ⓊⒸ **1** 충고, 권고, 경고(warning); (종교 재판소의) 계고(戒告) **2** 공식 통고, 법적인 고지(告知) **3** 〖법〗 소환
‡**mon·i·tor** [mánətər | mɔ́n-] [L 「충고하는 사람」의 뜻에서] *n.* **1** (학급의) 반장, 학급 위원; 감독생, 기율(紀律) 부원 **2** 충고자, 훈계자; 경고가 되는 것, 주의를 주는 것 **3** 모니터 요원 《이용자 중에서 선발되어 제품에 대한 감상·비평을 제공하는 사람》 **4** (원자력 공장 종업원의) 유도(誘導) 방사능 검출기(檢出器); (유독) 가스 검출기 **5** 〖라디오·TV〗 모니터 《방송 내용 등을 감시·보고하는 사람》, 송신 상태 감시기; (텔레비전 송신 상태의) 감시용 화면(= ~ **scrèen**) **6** 〖컴퓨터〗 모니터 《단말의 스크린》; 〖컴퓨터〗 감시 프로그램(= ~ **prò·gram**) **7** 자유 회전 분출구 《소방용》 **8** (19세기의) 모니터함(艦) **9** 〖동물〗 큰도마뱀 《남아시아·아프리카·오스트레일리아산(産)》 **10** 외국 방송 청취원
— *vt.* **1** 〖통신〗 〈라디오·텔레비전의 송신을〉 모니터하다; 〈녹음의〉 상태를 체크하다 **2** 〈기계 등을〉 감시[조정]하다; 〈사람·일 등을〉 감시[관리]하다; …의 방사선의 세기를 측정하다 **3** 〈외국 방송을〉 청취[방수(傍受)]하다 **4** 〈환자 상태를〉 모니터하다
— *vi.* 모니터[감독] 노릇을 하다 **~·ship** *n.* Ⓤ 감독생[반장]의 역할[임무, 임기] ▷ monitórial *a.*
mon·i·to·ri·al [mànətɔ́:riəl | mɔ̀n-] *a.* **1** 감독생의 **2** = MONITORY **~·ly** *ad.*
mon·i·tor·ing [mánitəriŋ | mɔ́n-] *n.* Ⓤ 감시, 관찰; 〖컴퓨터〗 감시, 모니터링 《프로그램 수행 중 일어날 수 있는 여러 오류에 대비하기》 — *a.* 모니터(용)의: a ~ program 감시[모니터] 프로그램
mon·i·to·ry [mánətɔ̀:ri | mɔ́nitəri] *a.* 권고의, 훈계의, 권고하는 — *n.* (*pl.* **-ries**) (주교·교황의) 계고장(戒告狀)(= ~ **lètter**)
mon·i·tress [mánətris | mɔ́n-] *n.* monitor의 여성형
‡**monk** [mʌ́ŋk] [Gk. 「혼자서 사는」의 뜻에서] *n.* **1** 수도사(cf. FRIAR), 수사 **2** = MONKEY **3** 《미·속어》 《경멸》 중국인, 중국계 미국인 ▷ mónkish *a.*
monk·er·y [mʌ́ŋkəri] *n.* (*pl.* **-er·ies**) **1** Ⓤ 수(도)사 생활; Ⓒ 수(도)사의 관행[신조 《등》] **2** Ⓤ [집합적] 수(도)사; 수도원
‡**mon·key** [mʌ́ŋki] *n.* (*pl.* **~s**) **1** 〖동물〗 (꼬리 있는) 원숭이(cf. APE); 털이 긴 원숭이 모피 **2** 장난꾸러기: You little ~! 요 장난꾸러기야! **3** 《속어》 (보통) 사람; 놀림받는 사람[바보] **4** (말뚝 박는) 드롭 해머; 도가니 《유리 제품을 만드는》 **5** (탄갱의) 작은 통로[통기공] **6** 《속어》 마약 중독자 **7** 《영·속어》 500파운드[달러] ***get*** [***have***] one***'s ~ up*** 《영·구어》 성내다 ***get the ~ off*** one***'s back*** 《미·속어》 마약을 그만두다 ***have a ~ on*** one***'s back*** 《속어》 마약 중독이 되어 있다; 원한을 품다; 곤란하게 되다 ***make a ~*** (***out***) ***of*** a person 《구어》 …을 조롱하다, 놀리다 ***not give*** [***care***] ***a ~'s*** (***fuck*** [***balls, fart, toss***]) 《영·속어》 문제 삼지 않다, 전혀 관심이 없다 ***put*** a person***'s ~ up*** 《영·구어》 …을 성나게 하다 ***suck*** [***sup***] ***the ~*** 《영·속어》 병[술통]에 입을 대고 마시다
— *vt.* 흉내 내다, 조롱하다
— *vi.* 《구어》 장난하다, 만지작거리다; 까불다, 까불거리다 ~ ***around*** [***about***] ***with*** …을 갖고 놀다, 만지작거리다; …에게 장난을 치다, …을 놀리다
mónkey bàrs = JUNGLE GYM
mónkey blòck 〖항해〗 고리 달린 도르래
mónkey brèad baobab 나무(의 열매)
mónkey bùsiness 《구어》 **1** 짓궂은 장난; 바보 같은 짓 **2** 부정 행위, 기만, 사기
mónkey càge 《미·속어》 감옥(prison)
mónkey clòthes 《미·군대속어》 정장(正裝) 군복
mónkey èngine 《영》 항타기, 말뚝 박는 기계
mon·key-faced [mʌ́ŋkifèist] *a.* 원숭이 같은 얼굴을 한
mónkey-faced ówl 가면올빼미(barn owl)
mónkey flòwer 〖식물〗 물꽈리아재비
mónkey in the míddle 《미》 = PIGGY IN THE MIDDLE
mon·key·ish [mʌ́ŋkiiʃ] *a.* 원숭이 같은; 흉내 잘 내는, 장난 잘 치는(mischievous) **~·ly** *ad.*
mon·key·ism [mʌ́ŋkiìzm] *n.* 원숭이 같은 짓(거리)
mónkey jàcket **1** = MESS JACKET; (옛날 선원이 입던) 짧은 상의 **2** 《미·병원속어》 환자용 가운
mónkey mèat 《미·군대속어》 통조림 쇠고기
mon·key-nut [mʌ́ŋkinʌ̀t] *n.* 《영》 땅콩(peanut)
mon·key·pox [-pàks | -pɔ̀ks] *n.* 원두(猿痘) 《원숭이의 수두 비슷한 전염병》
mónkey pùzzle 〖식물〗 칠레소나무
mónkey's físt 공 모양의 매듭 《장식용 또는 밧줄 끝을 무겁게 하려고 만든》
mon·key·shine [-ʃàin] *n.* [보통 *pl.*] 《미·속어》 짓궂은 장난, 놀림
mónkey sùit 《구어》 제복; = TUXEDO
mónkey's wédding 《남아공》 여우비 《해가 떠 있는 상태에서 비가 내리는 현상》

mónkey swìll (미·속어) 싸구려 술, 독주
mónkey tìme (미·속어·방언) 서머타임
mónkey trìal (미) 원숭이 재판 《진화론파와 천지창조파 간에 벌이고 있는 재판》
mónkey trìcks = MONKEY BUSINESS
mónkey wrènch 멍키렌치; (구어) 장애물 ***throw a ~ into***[***in***] (미·구어) 〈계획·개혁 등을〉 방해하다
monk·fish [mʌ́ŋkfìʃ] *n.* (*pl.* **~, ~·es**) 〖어류〗 아귀; 전자리상어
monk·hood [mʌ́ŋkhùd] *n.* Ⓤ 수(도)사의 신분; [집합적] 수(도)사
monk·ish [mʌ́ŋkiʃ] *a.* (보통 경멸) 수(도)사의, 수도원의, 수도원 같은, 승려 냄새 나는
mónk's clòth (커튼·침대 시트용) 올이 굵은 면직
monks·hood [mʌ́ŋkshùd] *n.* 〖식물〗 투구꽃 무리
mon·ni·ker [mánikər | mɔ́n-] *n.* = MONIKER
mon·o[1] [mánou | mɔ́nou] *n.* (구어) = (INFECTIOUS) MONONUCLEOSIS
mono[2] *a.* **1** = MONAURAL **2** = MONOPHONIC — *n.* (*pl.* **~s**) 모노럴 레코드; Ⓤ 모노럴음 재생
mono- [mánou, -nə | mɔ́n-] 《연결형》 「단일의; 단분자의; 〖화학〗 1원자를 함유한」의 뜻(opp. *poly-*) 《모음 앞에서는 mon-》
mon·o·ac·id [mànouǽsid | mɔ̀n-] *a.* 〖화학〗 1산(酸)의
mon·o·a·mine [mànouəmíːn] *n.* 〖생화학〗 모노아민 《1개의 아미노기(基)를 가진 아민 화합물》
mon·o·ba·sic [mànəbéisik | mɔ̀n-] *a.* 〖화학〗 1염기(鹽基)의
mon·o·brow [mánəbràu | mɔ̀n-] *n.* (구어) 일자 눈썹 《두 눈썹이 하나처럼 보이는》
mon·o·bu·oy [mánəbùːi | mɔ́nəbɔ̀i] *n.* 〖항해〗 모노부이 《항구에 입항할 수 없는 대형 유조선 등을 계류하기 위한 앞바다의 부표》
mon·o·ca·ble [mánəkèibl | mɔ́n-] *n.* 단선식 공중 케이블
mon·o·car·pic [mànəkáːrpik | mɔ̀n-] *a.* 한 번 열매를 맺고 죽는
Mo·noc·er·os [mənásərəs | -nɔ́s-] *n.* 〖천문〗 외뿔소자리(Unicorn)
mon·o·chord [mánəkɔ̀ːrd | mɔ́n-] *n.* 일현금(一弦琴); 일현의 음향 측정기
mon·o·chro·mat [mànəkroumæ̀t | mɔ̀n-] *n.* 전(全)색맹자, 단색형 색각자 **~·ìsm** *n.* Ⓤ 전색맹, 단색형 색각
mon·o·chro·mat·ic [mànəkroumǽtik | mɔ̀n-] *a.* 단색의, 단채(單彩)의; 단색성의
mon·o·chrome [mánəkròum | mɔ́n-] *n.* 단색화, 흑백 사진; Ⓤ 단색화[사진]법 ***in ~*** 단색[흑백]으로 — *a.* 단색의; 〈사진·텔레비전 등이〉 흑백의
mòn·o·chró·mic *a.* 단색의, 단색으로 그린
mon·o·cle [mánəkəl | mɔ́n-] *n.* 외알 안경

monocle

mon·o·cled [mánəkld | mɔ́n-] *a.* 외알 안경을 낀
mon·o·cli·nal [mànəkláinəl | mɔ̀n-] *a.* 〖지질〗 〈지층이〉 단사(單斜)의: a ~ valley 단사 계곡 — *n.* = MONOCLINE **~·ly** *ad.*
mon·o·cline [mánəklàin | mɔ́n-] *n.* 〖지질〗 단사(單斜)
mon·o·clin·ic [mànəklínik | mɔ̀n-] *a.* 〖결정〗 단사정계의
mon·o·cli·nous [mànəkláinəs, ⌐-⌐- | mɔ̀n-] *a.* 〖식물〗 자웅 동화(雌雄同花)의, 양성화(兩性花)의
mon·o·clo·nal [mànəklóunəl | mɔ̀n-] *a.* 〖생물〗 단일 세포에서 생성되는 세포군의, 단일 클론의 — *n.* = MONOCLONAL ANTIBODY
monoclónal ántibody 〖생화학〗 단일 클론 항체

mon·o·coque [mánəkòuk, -kàk | mɔ́nəkɔ̀k] *n.* **1** 〖항공〗 모노코크 《외판(外板)만으로 외압을 견디는 구조》 **2** 〖자동차〗 모노코크 《차체와 차대가 일체가 된 차의 구조》
mon·o·cot·y·le·don [mànəkàtəlíːdən | mɔ̀nəkɔ̀t-] *n.* 〖식물〗 단자엽(單子葉)[외떡잎] 식물(cf. DICOTYLEDON) **~·ous** [-əs] *a.*
mo·noc·ra·cy [mənákrəsi, mou- | mounɔ́k-] *n.* Ⓤ 독재 정치(autocracy)
mon·o·crat [mánəkræ̀t | mɔ́n-] *n.* 독재자; 독재 정치 지지자
mon·o·crat·ic [mànəkrǽtik | mɔ̀n-] *a.* 독재 정치의
mon·oc·u·lar [mənákjələr | mənɔ́k-] *a.* 단안(單眼)(용)의, 외눈의: a ~ microscope 단안 현미경 — *n.* 단안용 기구 **~·ly** *ad.*
mon·o·cul·ture [mánəkʌ̀ltʃər | mɔ́n-] *n.* **1** Ⓤ 〖농업〗 단일 재배, 단종(單種) 재배 **2** 단일 문화
món·o·cùl·tur·al *a.* 단일 재배의; 단일 문화의
mon·o·cy·cle [mánəsàikəl | mɔ́n-] *n.* 1륜차
mon·o·cyte [mánəsàit | mɔ́n-] *n.* 〖생물〗 단핵 세포[백혈구] **mon·o·cyt·ic** [mànəsítik | mɔ̀nə-] *a.*
mon·o·dac·ty·lous [mànədǽktələs] *a.* 〖동물〗 발[손]가락이 하나의, 단지(單指)의
mo·nod·ic, -i·cal [mənádik(əl) | mənɔ́d-] *a.* monody의
mo·nod·o·mous [mənádəməs | -nɔ́d-] *a.* 〈곤충이〉 한 집속에 집단 생활하는, 단소성(單巢性)의
mon·o·dra·ma [mánədrɑ̀ːmə, -dræ̀mə | mɔ́n-] *n.* 1인극 **mòn·o·dra·mát·ic** *a.*
mon·o·dy [mánədi | mɔ́n-] *n.* (*pl.* **-dies**) **1** (그리스 비극의) 독창가(歌) **2** 애도시, 만가 **3** 〖음악〗 단선율(의 악곡) **-dist** *n.* monody의 작가[가수]
mo·noe·cious [məníːʃəs | mɔ-, mə-] *a.* 〖식물〗 자웅 동주[암수한그루]의; 〖동물〗 자웅 동체의 **mo·nóe·cism, mo·nóe·cy** *n.*
mon·o·fil [mánəfìl | mɔ́n-], **-fil·a·ment** [-fìləmənt] *n.* 단(單)섬유
mo·nog·a·mist [mənágəmist | mənɔ́g-, mə-] *n.* 일부일처주의자
mo·nog·a·mous [mənágəməs | mənɔ́g-, mə-] *a.* 일부일처의; 〖동물〗 일자일웅(一雌一雄)의 **~·ly** *ad.*
mo·nog·a·my [mənágəmi | mənɔ́g-, mə-] *n.* Ⓤ 일부일처(주의)(cf. POLYGAMY 1), (사람·동물의) 단혼(單婚)
mon·o·gen·e·sis [mànədʒénəsis | mɔ̀n-] *n.* Ⓤ **1** 일원(一元) **2** 〖생물〗 일원 발생설 **3** 〖생물〗 단성(單性)[무성(無性)] 생식
mon·o·ge·net·ic [mànoudʒənétik] *a.* **1** 단일 기원의 **2** 〖동물〗 단생목(目) 흡충류의 **3** 〖지질〗 단성의
mon·o·gen·ic [mànədʒénik | mɔ̀n-] *a.* **1** 〖생물〗 단성의 《한쪽 성만 생기는》 **2** 〖유전〗 단일 유전자의
mo·nog·e·nism [mənádʒənìzm | mənɔ́dʒ-, mə-] *n.* Ⓤ 인류 일조설(一祖說) **-nist** *n.*
mo·nog·e·ny [mənádʒəni | mənɔ́dʒ-] *n.* **1** = MONOGENESIS **2** = MONOGENISM
mon·o·glot [mánəglàt | mɔ́nəglɔ̀t] *a., n.* 한 언어만 하는 (사람)(cf. POLYGLOT)
mo·nog·o·ny [mənágəni | -nɔ́g-] *n.* 〖생물〗 단성[무성] 생식
mon·o·gram [mánəgræ̀m | mɔ́n-] *n.* (성명 첫 글자 등을 짜맞춘) 결합 문자
mon·o·gram·mat·ic [mànəgrəmǽtik | mɔ̀n-] *a.* 결합 문자(모양)의

monogram

mon·o·graph [mánəgræ̀f, -grɑ̀ːf | mɔ́n-] *n.* **1** (한정된 단일 분야를 테마로 삼는) 모노그래프, 특수 연구서, 전공 논문: scholarly *~s* 학술 논문 **2** 동식물의 어떤 분류군에 관한 기술(記述)

mo·nog·ra·pher [mənágrəfər | mɔnɔ́g-], **-phist** [-fist] *n.* 전공 논문 집필자
mon·o·graph·ic, -i·cal [mànəgrǽfik(əl) | mɔ̀n-] *a.* 전공 논문의
mo·nog·y·nous [mənádʒənəs | mənɔ́dʒ-] *a.* 일처(주의)의, 일처제의
mo·nog·y·ny [mənádʒəni | mənɔ́dʒ-] *n.* Ⓤ 일처주의(一妻主義), 일처제(cf. POLYGYNY 1); (사회성 곤충의) 단일 여왕제; 〖식물〗 일자성(一雌性)
mon·o·hull [mánəhʌ̀l | mɔ́n-] *n.* 〖조선〗 단선체선(單船體船)
mon·o·hy·brid [mànəháibrid | mɔ̀n-] *n., a.* 〖유전〗 1유전자 잡종[단성 잡종, 단인자 잡종](의)
mon·o·ki·ni [mànəkí:ni | mɔ̀n-] *n.* 모노키니 《토플리스 비키니》; (남성용의) 아주 짧은 팬츠
mo·nol·a·try [mənálətri | mɔnɔ́l-, mə-] *n.* Ⓤ 일신(一神) 숭배
mon·o·lin·gual [mànəlíŋgwəl | mɔ̀n-] *a., n.* 1개 국어를 사용하는 (사람)
mon·o·lith [mánəlìθ | mɔ́n-] *n.* 한 암석으로 된 기둥[비석]; 〖건축〗 중공(中空) 초석, 단일체(單一體)
mon·o·lith·ic [mànəlíθik | mɔ̀n-] *a.* **1** 하나의 암석으로 된; 〖건축〗 중공 초석의 **2** 〈조직·단결 등이〉 단일체의, 한 덩어리로 뭉친 **3** 획일적이고 자유가 없는 〈사회〉: a ~ society 획일적 사회 **4** 〖전자〗 단일 결정(結晶)으로 된 〈칩〉, 모놀리식의 〈회로〉: a ~ (integrated) circuit 모놀리식 집적 회로
— *n.* 모놀리식 집적 회로 **-i·cal·ly** *ad.*
monolíthic technólogy 〖전자〗 반도체 기술
mo·no·lo·gist [mánəlɔ̀:gist, mənálədʒist | mɔ́nəlɔ̀-, mənɔ́lə-] *n.* 독연자(獨演者), 독백자; 회화를 독차지하는 사람
mo·nol·o·gize [mənálədʒàiz | mɔnɔ́l-, mə-] *vi.* 독백하다, 혼잣말을 하다; 회화를 독점하다
mon·o·logue, (미) **-log** [mánəlɔ̀:g, -làg | mɔ́nəlɔ̀g] *n.* **1** 독백극, 1인극; 독백; 독백 형식의 시《등》 **2** (구어) 혼자서만 하는 긴 이야기, 이야기의 독점
— *vi.* = MONOLOGIZE
mon·o·log·ic [mànəládʒik | mɔ̀nəlɔ́dʒ-] *a.*
mon·o·logu·ist [mánəlɔ̀:gist, -làg- | mɔ́nəlɔ̀g-] *n.* = MONOLOGIST
mo·nol·o·gy [mənálədʒi | mɔnɔ́l-] *n.* **1** 혼잣말하는 버릇, 독어벽(獨語癖) **2** (폐어) = MONOLOGUE
mon·o·ma·ni·a [mànəméiniə, -njə | mɔ̀n-] *n.* Ⓤ 한가지 일에만 열중[집착]함, 편집병, 외곬으로 빠짐
mon·o·ma·ni·a·cal [-mənáiəkəl] *a.* 편집광적인
mon·o·ma·ni·ac [mànəméiniæ̀k | mɔ̀n-] *n.* 편집광(偏執狂); 한 가지 일에만 열중[집착]하는 사람
mon·o·mark [mánəmà:rk | mɔ́n-] *n.* (영) 모노마크《상품 등의 등록에 쓰는 문자·숫자의 결합 기호》
mon·o·mer [mánəmər | mɔ́n-] *n.* 〖화학〗 단량체(單量體), 모노머(cf. POLYMER) **~·ic** *a.*
mon·o·me·tal·lic [mànoumətǽlik | mɔ̀n-] *a.* 단일 금속의; 〖경제〗 단본위제(單本位制)의(cf. BIMETALLIC): a ~ currency 단본위 화폐
mon·o·met·al·lism [mànəmétəlìzm | mɔ̀n-] *n.* Ⓤ 〖경제〗 (화폐의) 단본위제(cf. BIMETALLISM)
-list *n.* 단본위제론자
mo·no·mi·al [mounóumiəl | mɔ-] *a.* 〖수학〗 단항(單項)의; 〖생물〗 단일 명칭의: a ~ expression 단항식 **—** *n.* 〖수학〗 단항식; 〖생물〗 단일 명칭
mon·o·mode [mánəmòud | mɔ́n-] *a.* 단일 모드의《중심부 지름이 몇 미크론의 광섬유》
mon·o·mo·lec·u·lar [mànouməlékjələr | mɔ̀n-] *a.* 〖물리·화학〗 한 분자의 두께의; 한 분자의: a ~ film[layer] 분자막[층] **~·ly** *ad.*
mon·o·mor·phe·mic [mànoumɔ:rfí:mik] *a.* 〖언어〗 단일 형태소로 이루어진
mon·o·nu·cle·ar [mànənjú:kliər | -njú:-] *a.* **1** 〖생물〗 〈세포가〉 단핵의 **2** 〖화학〗 단환(單環)의
— *n.* 단핵 세포, 《특히》 단핵 백혈구
mon·o·nu·cle·o·sis [mànənjù:klióusis | mɔ̀nənjù:-] *n.* Ⓤ 〖병리〗 단핵(세포)증, 《특히》 전염성 단핵증(=infectious ~)
mon·o·pho·bi·a [mànəfóubiə | mɔ̀nə-] *n.* Ⓤ 〖정신의학〗 고독 공포증
mon·o·pho·nic [mànəfánik | mɔ̀nəfɔ́-] *a.* **1** 〖음악〗 단(單) 선율(곡)의 **2** 〈녹음·재생 장치가〉 모노럴의 (cf. STEREOPHONIC)
mo·noph·o·ny [mənáfəni | -nɔ́f-] *n.* 〖음악〗 모노포니, 단선율(곡)(monody)(cf. POLYPHONY)
mon·o·phos·phate [mànəfásfeit | mɔ̀nəfɔ́s-] *n.* 〖화학〗 1인산염
mon·oph·thong [mánəfθɔ̀:ŋ | mɔ́nəfθɔ̀ŋ] *n.* 〖음성〗 단모음(cf. DIPHTHONG) **-thòn·gal** [-gəl] *a.*
mon·oph·thong·ize [mánəfθɔ:ŋgàiz | mɔ́nəfθɔŋg-] *vt.* 〈이중 모음을〉 단모음으로 발음하다, 단모음화하다 **—** *vi.* 단모음이 되다
mon·o·plane [mánəplèin | mɔ́n-] *n.* 단엽 비행기 (cf. BIPLANE, TRIPLANE)
mon·o·pole [mánəpòul | mɔ́n-] *n.* 〖전기〗 단극(單極); 〖물리〗 자기 단극; 모노폴 안테나
mo·nop·o·lism [mənápəlìzm | -nɔ́p-] *n.* Ⓤ 독점주의[조직], 전매 제도
-list *n.* 독점[전매]자; 독점[전매]론자
mo·nop·o·lis·tic [mənàpəlístik | -nɔ̀p-] *a.* 독점적인, 전매의, 독점주의(자)의 **-ti·cal·ly** *ad.*
*__mo·nop·o·lize__ [mənápəlàiz | -nɔ́p-] *vt.* 〈상품·사업 등의〉 **독점[전매]권을 얻다,** 〈시장 등을〉 독점하다; 〈이야기 등을〉 독차지하다: ~ the conversation 대화를 독점하다 **mo·nòp·o·li·zá·tion** *n.* Ⓤ 독점, 전매
▷ monópoly *n.*
‡mo·nop·o·ly [mənápəli | -nɔ́p-] *n.* (*pl.* **-lies**) **1 a** [a ~] (상품·사업 등의) **전매, 독점**; 독차지 《*of*, (미) *on*》: the ~ prohibition law 독점 금지법 **b** 전매권, 독점권 《*of*, *in*, (미) *on*》: have a ~ *of*[*in*, *on*] …의 독점권을 가지다 **2** 전매[독점] 회사[조합, 기업]: the Office of *M*~ 전매청 **3** 전매[독점]품
make a ~ of …을 독점하다
▷ monopolístic *a.*; monópolize *v.*
Mo·nop·o·ly [mənápəli | -nɔ́p-] *n.* (놀이판에서 하는) 부동산 취득 게임《상표명》
monópoly cápitalism 〖경제〗 독점 자본주의
mon·o·pol·y·logue [mànəpálilɔ̀:g | mɔ̀nəpɔ́l-] *n.* (혼자서 여러 배역을 하는) 1인극[연예]
Monópoly mòney (모노폴리) 게임용 화폐《실재하지 않거나 가치가 없는》: Inflation was so high that the notes were like ~. 인플레가 너무 높아 화폐가 아무런 가치가 없었다.
mon·o·pro·pel·lant [mànouprəpélənt | mɔ̀n-] *n.* (로켓의) 일원(一元) 추진제[약]
mo·nop·so·ny [mənápsəni | -nɔ́p-] *n.* (*pl.* **-nies**) 〖경제〗 구매자 독점《수요자가 하나인 경우》
mon·o·psy·chism [mànəsáikizm | mɔ̀n-] *n.* Ⓤ 심령 일원설
mon·o·rail [mánərèil | mɔ́n-] *n.* 모노레일, 단궤(單軌) 철도
mon·o·se·my [mánəsì:mi] *n.* Ⓤ 〖언어〗 (어구 등의) 단의성(單義性)
mon·o·sex·u·al [mànəsékʃuəl | mɔ̀nəséksjuəl] *a.* 남녀 한 쪽만의; 동성들만의 〈파티·학교 등〉
mon·o·ski [mánəskì: | mɔ́n-] *n.* 모노스키《한 판에 두 발을 올려놓는 넓은 스키판》 **~·ing** *n.* 모노스키 경기, 모노스키 타기
mon·o·só·di·um glútamate [mànəsóudi-əm- | mɔ̀n-] 글루타민산소다《화학 조미료; 略 MSG》
mon·o·some [mánəsòum | mɔ́n-] *n.* 〖생물〗 1염색체, 《특히》 (짝이 없는) X염색체; 단일 리보솜
mòn·o·só·mic *a.*
món·o·spaced fònt [mánəspèist- | mɔ́n-] 〖컴퓨터〗 고정폭[등폭(等幅)] 폰트
mon·o·stich [mánəstìk | mɔ́n-] 〖시학〗 *n.* 단행시

(單行詩); 시의 1행 **—** *a.* 1행으로 된

mon·o·syl·lab·ic [mɑ̀nəsilǽbik | mɔ̀n-] *a.* 단음절의, 단음절어의; 단음절어를 쓰는; 〈말이〉 짧고 퉁명스러운: a ~ language 단음절 언어 / a ~ reply 퉁명스런 대답 **-i·cal·ly** *ad.*

mon·o·syl·la·bism [mɑ̀nəsíləbìzm | mɔ̀n-] *n.* Ⓤ 단음절어 사용(하는 버릇), 단음절어적 경향

mon·o·syl·la·ble [mɑ́nəsìləbl | mɔ́n-] *n.* 1음절; 단음절어: answer in ~*s* 「예스」 또는 「노」라고만 말하다; 퉁명스럽게 대답하다

mon·o·tech·nic [mɑ̀nətéknik | mɔ̀n-] *a.* 단과(單科) 전문의 **—** *n.* 단과 전문 대학

mon·o·the·ism [mɑ́nəθi:ìzm | mɔ́n-] *n.* Ⓤ 일신교(cf. POLYTHEISM) **-ist** *n., a.* 일신교도(의)

mon·o·the·is·tic [mɑ̀nəθi:ístik | mɔ̀n-] *a.* 일신교의

mon·o·the·mat·ic [mɑ̀nəθimǽtik | mɔ̀n-] *a.* 단주제(單主題)의

mon·o·tint [mɑ́nətìnt | mɔ́n-] *n.* =MONOCHROME

mon·o·tone [mɑ́nətòun | mɔ́n-] *n.* (색채·문체의) 단조(로움); 〖음악〗 단조(單調)(음) **—** *a.* 단조로운; 일정한, 단조의, 단색의

— *vt., vi.* 단조롭게 읽다[말하다, 노래하다]

mo·not·o·nize [mənɑ́tənàiz | -nɔ́t-] *vt.* 단조롭게[지루하게] 하다

‡**mo·not·o·nous** [mənɑ́tənəs | -nɔ́t-] *a.* **단조로운**; 변화 없는, 지루한: ~ work 단조로운 일 / the ~ scenery 단조로운 풍경 **~·ly** *ad.* 단조롭게 **~·ness** *n.*

*****mo·not·o·ny** [mənɑ́təni | -nɔ́t-] *n.* Ⓤ **1** (일·풍경·색채·문체 등의) **단조로움,** 한결같음[같은 반복]; 지루함: break the ~ 단조로움을 깨다 **2** 〖음악〗 단음, 단조(monotone)

mon·o·tran·si·tive [mɑ̀nətrǽnsətiv | mɔ̀n-] *a.* 직접 목적어만을 취하는 〈동사〉

mon·o·trem·a·tous [mɑ̀nətrémətəs | mɔ̀n-] *a.* 〖동물〗 단공류(單孔類)의

mon·o·treme [mɑ́nətrì:m | mɔ́n-] *n.* 단공류의 동물 《오리너구리·바늘두더지 등》

mon·o·type [mɑ́nətàip | mɔ́n-] *n.* **1** [**M~**] 〖인쇄〗 모노타이프 《자동 주조 식자기》(cf. LINOTYPE); 모노타이프에 의한 인쇄(법), 모노타이프 활자 **2** 〖생물〗 단형(單型) **mòn·o·týp·ic** [-típik] *a.*

mon·o·un·sat·u·rat·ed [mɑ̀nouʌ̀nsǽtʃərèitid | mɔ̀n-] *a.* 〈기름·지방 등이〉 단일 불포화의

monounsáturated fát 단일 불포화 지방산(cf. POLYUNSATURATED FAT, SATURATED FAT, TRANS FAT)

mon·o·va·lence, -len·cy [mɑ̀nəvéiləns(i) | mɔ̀n-] *n.* Ⓤ **1** 〖화학〗 1가(價)(임) **2** 〖면역〗 (특정 병균에 대한) 항균력(抗菌力)

mon·o·va·lent [mɑ̀nəvéilənt | mɔ̀n-] *a.* 〖화학〗 1가(價)의; 〖면역〗 〈항체가〉 1가의

mon·ov·u·lar [mɑnɑ́vjulər, -óuv- | mɔnóuv-] *a.* 〖의학〗 일란성(一卵性)의; 일란성 쌍생아에 특유한 (cf. BIOVULAR): ~ twins 일란성 쌍생아

mon·ox·ide [mɑnɑ́ksaid | mɔnɔ́k-] *n.* 〖화학〗 일산화물(一酸化物)

mon·o·zy·got·ic [mɑ̀nəzaigɑ́tik, -zi- | mɔ̀nəzaigɔ́t-, -zi-] *a.* 〈쌍둥이가〉 일란성의

monozygotic twin 일란성 쌍둥이(identical twin)(cf. DIZYGOTIC TWIN)

mon·o·zy·gous twin [mɑ̀:nouzáigəs-] = MONOZYGOTIC TWIN

Mon·roe [mənróu] *n.* 먼로 **1 James ~** (1758-1831) 《미국의 제5대 대통령(1817-25)》 **2 Marilyn ~** (1926-62) 《미국의 여배우》

~·ìsm *n.* =MONROE DOCTRINE

Monróe Dóctrine [the ~] 먼로주의 《1823년 미국의 Monroe 대통령이 제창한, 유럽 제국과 미주 제국이 서로 정치에 간섭하지 않는다는 주의》

Mon·ro·vi·a [mənróuviə] *n.* 몬로비아 《Liberia의 수도》

mons [mɑ́nz | mɔ́nz] [L =mount²] *n.* (*pl.* **mon·tes** [mɑ́nti:z | mɔ́n-]) 〖해부〗 불두덩, 치구(恥丘)

Mons. Monsieur

Mon·sei·gneur, m- [mɔ:ŋseinjə́:r] [F] *n.* (*pl.* **Mes·sei·gneurs, m-** [mèiseinjə́:r, -njə́:rz]) 각하, 전하, 예하(猊下) 《왕족·추기경·(대)주교를 부르는 경칭》

*****mon·sieur** [məsjə́:r] [F =my lord] *n.* (*pl.* **mes·sieurs** [meisjə́:rz]) **1** …씨, 님, 귀하 《Mr. 또는 호칭의 Sir에 해당하는 경칭; 略 M., *pl.* Messrs., MM.》 **2** (경멸) 프랑스 사람(Frenchman)

Mon·si·gnor, m- [mɑnsí:njər | mɔn-] [It.] *n.* (*pl.* **~s, -gno·ri** [mɑ̀nsi:njɔ́:ri | mɔ̀n-]) 〖가톨릭〗 고위 성직자에 대한 경칭(을 가진 사람) 《略 Mgr》

mon·soon [mɑnsú:n | mɔn-] *n.* **1** [the ~] 몬순, 계절풍 《특히 인도양에서 여름은 남서에서, 겨울은 북동에서 불어오는》 **2** [the ~] 인도의 우기(雨期) **3** (구어) 호우 ***the dry*** [***wet***] **~** 겨울[여름] 계절풍 **~·al** *a.*

monsóon lów 몬순 저기압

mons pu·bis [mɑ́nz-pjú:bis | mɔ́nz-] [L= mount of pubes] (*pl.* **mon·tes pu·bis** [mɑ́nti:z- | mɔ́n-]) 〖해부〗 (특히 여성의) 불두덩, 치구(恥丘)

‡**mon·ster** [mɑ́nstər | mɔ́n-] [L 「불행의 경고자」의 뜻에서] *n.* **1 괴물,** 도깨비 **2** 기형 동물[식물]; 〖의학〗 기형(아); 괴상한[거대한] 것: a ~ of a dog 거대한 개 **3** 극악무도한 사람: a ~ of cruelty 극악무도한 사람 **4** (미·속어) 신경 중추에 작용하는 마약 **5** (미·속어) 슈퍼스타 가수, 폭발적 인기 상품 《레코드 등》

create a ~ 골치 아픈 상황을 만들다

— *a.* **1** Ⓐ 거대한(gigantic): a ~ ship 엄청나게 큰 배 **2** 〈마약이〉 강한, 중독성의: ~ weed 강력한 마리화나 ▷ mónstrous *a.*

mónster bàck[**màn**] 〖미식축구〗 정수비 위치가 없는 라인백

mónster trúck 초대형 바퀴를 장착한 픽업트럭 《경주용》

mon·strance [mɑ́nstrəns | mɔ́n-] *n.* 〖가톨릭〗 성체 안치기(聖體安置器)

mon·stre sa·cré [mɔ́:nstrə-sɑ:kréi] [F] (*pl.* **-s -s** [~]) (천하가 다 아는) 기인(奇人), 괴짜

mon·stros·i·ty [mɑnstrɑ́səti | mɔnstrɔ́s-] *n.* (*pl.* **-ties**) **1** Ⓤ 기괴, 괴이 **2 a** 거대한 것, 괴물(monster); 기형 동물[식물] **b** 끔찍한 행위, 극악무도

*****mon·strous** [mɑ́nstrəs | mɔ́n-] *a.* **1 기괴한,** 기형의; 괴물 같은 **2 극악무도한**(atrocious), 끔찍한: ~ crimes 극악무도한 범죄 **3** 거대한, (구어) 엄청난, 터무니없는: a ~ tidal wave 엄청나게 큰 해일 / a ~ blunder 터무니없는 대실패

— *ad.* (고어) 몹시 **~·ly** *ad.* (구어) 굉장히, 몹시 **~·ness** *n.* ▷ mónster, monstrósity *n.*

mons ve·ne·ris [mɑ́nz-vénəris | mɔ́nz-] [L= eminence of Venus] (*pl.* **mon·tes ve·ne·ris** [mɑ́nti:z- | mɔ́n-]) 〖해부〗 여자의 치구(恥丘)

Mont. Montana; Montgomeryshire

mon·tage [mɑntɑ́:ʒ | mɔn-] [F 「박아넣기(mounting)」의 뜻에서] *n.* ⓊⒸ **1** 〖영화〗 몽타주 (기법) 《급속히 소(小)화면을 연속시키는 구성》 **2** 합성 사진, 몽타주 사진(photomontage), 〖미술〗 합성화, 몽타주 작품 [음악, 문학] **3** 〖방송〗 혼성 음향 효과

— *vt.* 몽타주로 합성하다; 몽타주 기법으로 묘사하다

Mon·ta·gnard [mɑ̀ntənjɑ́:rd, -njɑ́:r | mɔ̀n-] *n., a.* **1** [the ~(s)] (캐나다의) 로키 산맥 속에 사는 북미 인디언족(族)(의) **2** [때로 **m~**] (베트남의) 산지인(山地人)(의)

Mon·taigne [mɑntéin | mɔn-] *n.* 몽테뉴 **Michel Eyquem de ~** (1533-92) 《프랑스의 수필가·사상가》

Mon·tan·a [mɑntǽnə | mɔn-] [Sp. 「산악 지대」의

thesaurus **monotonous** *a.* unvarying, unchanging, repetitious, uniform, commonplace, dull, boring, routine, uninteresting, tedious, mechanical

뜻에서] *n.* 몬태나 《미국 북서부의 주; 속칭 the Treasure[Bonanza] State; 주도 Helena; 略 Mont.》

Mon·tan·an [-tǽnən] *a., n.* 몬태나 주의 (사람)

mon·tane [mɑ́ntein | mɔ́n-] *a.* 산지의, 산이 많은; 저산대(低山帶)에 사는 **—** *n.* 저산대(=**∼ bélt**)

món·tan wàx [mɑ́ntæn- | mɔ́n-] 몬탄 왁스 《레코드·양초·광택제의 원료가 되는 광랍》

Mont Blanc [mɔːŋ-blɑ́ːŋ] 몽블랑 산 《Alps 산계(山系)의 최고봉; 4,810 m》

mont·bre·ti·a [mɑn(t)bríːʃiə, -ʃə | mɔnbríː-] *n.* 〖식물〗 몬트브레티아 《붓꽃과(科)》

mon·te [mɑ́nti | mɔ́n-] *n.* Ⓤ (스페인에서 비롯한) 카드 도박(=**∼ bànk**)

Mon·te Car·lo [mɑ̀nti-kɑ́ːrlou | mɔ̀n-] 몬테카를로 《모나코 공국(公國)의 도시; 관영 도박장으로 유명》

Mònte Cárlo mèthod 〖수학〗 몬테카를로법 《복잡한 물리 현상을 수학적으로 풀기 위하여 난수표를 사용하는 방법》

Mon·te·ne·gro [mɑ̀ntəníːgrou, -nég- | mɔ̀n-] *n.* 몬테네그로 《구 Yugoslavia 연방 구성 공화국의 하나; 원래 왕국》 **-grin** [-grin] *a., n.*

Món·te·rey Báy [mɑ̀ntəréi- | mɔ̀n-] 몬테레이만 《미국 California 주 서부, 태평양에 면한 후미》

Mónterey Chéese = MONTEREY JACK

Mónterey Jáck [산지명에서] [종종 **m- j-**] 몬테레이잭 《반고형의 연한 노란색의 부드러운 치즈》

Mon·tes·quieu [mɑ́ntəskjùː | mɔ̀nteskjúː] *n.* 몽테스키외 **Charles ∼** (1689-1755) 《프랑스의 사상가·정치 철학자》

Mon·tes·só·ri mèthod[sỳstem] [mɑ̀ntəsɔ́ːri- | mɔ̀n-] [이탈리아의 여성 교육가 이름에서] 몬테소리식 교육법 《아동의 자주성의 신장을 중시한 교육법》

Mon·te·ver·di [mɑ̀ntəvέərdi | mɔ̀n-] *n.* 몬테베르디 **Claudio Giovanni Antonio ∼** (1567-1643) 《이탈리아의 작곡가》

Mon·te·vi·de·o [mɑ̀ntəvidéiou, -vídiòu | mɔ̀n-] *n.* 몬테비데오 《남미 Uruguay 공화국의 수도》

Mon·te·zú·ma's revénge [mɑ̀ntəzúːməz- | mɔ̀n-] [멕시코 Aztec 제국 최후의 황제 이름에서] 《익살》 몬테수마의 복수 《멕시코 여행자가 걸리는 설사》

mont·gol·fi·er [mɑntgɑ́lfiər | mɔntgɔ́l-] [프랑스의 발명가 이름에서] *n.* 몽골피에식 열기구 《불로 가열한 공기로 상승》

Mont·gom·er·y [mɑntgʌ́məri | mənt-] *n.* 몽고메리 **1** 미국 Alabama 주의 주도 **2 Bernard Law, 1st Viscount ∼ of Alamein** (1887-1976) 《영국의 육군 원수; 제2차 세계 대전 당시 유럽 총사령관》 **3** 남자 이름

‡**month** [mʌnθ] [OE 「달(moon)」의 뜻에서] *n.* (*pl.* **∼s** [mʌnθs, mʌnts]) **1** 달, 1개월(cf. DAY, YEAR): a lunar[solar] ∼ 태음[태양]월 / in two ∼*s* 두 달이 지나서 **2** 임신한 개월: a woman in her 8th ∼ 임신 8개월인 부인 ***in a ∼ of Sundays*** [주로 부정문] 《구어》 아주 오랫동안; 《속어》 좀처럼 없는 기회; 결코 …(않다): You wo*n't* find it, *in a ∼ of Sundays.* 평생 가도 넌 그것을 찾지 못할 걸. ***by the ∼*** 한 달 얼마로, 월세로 **∼ *by*[*after*] ∼**달마다 **∼ *in*, ∼ *out*** 달이면 달마다, 매달 ***the ∼ after next*** 내훗달 ***the ∼ before last*** 전전달 ***this day ∼*** = ***today ∼*** 내[전] 달의 오늘 ***this*[*last, next*] ∼** 이[전, 내]달 ▷ mónthly *a., ad.*

month·ling [mʌ́nθliŋ] *n.* 생후 1개월 된 아기; 한 달 계속되는 것

month·long [mʌ́nθlɔ́ːŋ] *a.* 한 달간 계속되는

‡**month·ly** [mʌ́nθli] *a.* **1** 매달의, 한 달에 한 번의: one's ∼ salary 월급 / a ∼ magazine 월간 잡지 **2** 한 달 동안의: a ∼ pass[season ticket] (유효 기간) 한 달치의 정기권 **3** 《구어》 월경의(menstrual)
— *ad.* 한 달에 한 번, 매달: pay ∼ 매달 지불하다
— *n.* (*pl.* **-lies**) 월간지; [*pl.*] 월경(menses)

mónthly núrse 《영》 산모 간호사 《산후 1개월간》

mónthly périod [종종 *pl.*] 월경 (기간)

mónthly róse 〖식물〗 월계화(China rose)

mónth's mínd 〖가톨릭〗 (사후 1개월 만의) 추도 미사

mon·ti·cule [mɑ́ntikjùːl | mɔ́n-] *n.* 작은 산[언덕]; 기생 화산(寄生火山), 화산구(丘)

Mont·mar·tre [mɔːŋmɑ́ːrtrə] *n.* 몽마르트르 《파리 북부의 고지대; 화가·작가의 거주지로 유명했음》

Mont·par·nasse [mɔːŋpɑːrnɑ́ːs] *n.* 몽파르나스 《파리 남서부의 고지대; 예술가의 집들이 많음》

Mont·re·al [mɑ̀ntriɔ́ːl, mʌ̀nt- | mɔ̀nt-] *n.* 몬트리올 《캐나다 남동부의 도시》

mon·tu·no [mɑntúnou] *n.* (*pl.* **∼s**) 몬투노 《흰색의 면 반바지와 수가 놓인 셔츠로 된 파나마 전통의 남자 의상》

mon·ty [mɑ́nti | mɔ́n-] *n.* 《영·호주·속어》 (경마에서) 우승이 확실한 말; 확실한 것

‡**mon·u·ment** [mɑ́njumənt | mɔ́n-] [L 「생각나게 하는 것」의 뜻에서] *n.* **1 a** 기념비[탑], 기념 건조물: a national ∼ 국가 기념 건조물 **b** [the M∼] (1666년의) London 대화재 기념 원탑 **2** (역사적) 기념물, 유물, 유적, 무덤: an ancient[a natural] ∼ 고대[천연] 기념물 **3** 불후의 업적[저작], 금자탑; [반어적] 비길 데 없는 것, 현저한 예 《*of*, *to*》: a ∼ *of* learning 학문의 금자탑 **4** 구체화 《*of*》 **5** (사후에 받는) 감사장, 상장 **6** 《미》 경계표 ▷ monuméntal *a.*

***mon·u·men·tal** [mɑ̀njuméntl | mɔ̀n-] *a.* **1** Ⓐ 기념비의: a ∼ mason 묘비 제작자 **2** 기념이 되는, 불후[불멸]의: a ∼ work 불후의 작품 **3** 역사적 의미가 있는: a ∼ victory 역사적 승리 **4** [강의적으로] 《구어》 터무니없는, 엄청난, 어처구니없는: ∼ stupidity 터무니없는 어리석음 **∼·ize** [-təlàiz] *vt.* 기념하다, 영원히 전하다 **∼·ly** *ad.* 기념비로서; 기념으로; 《구어》 터무니없이 ▷ mónument *n.*

mon·y [mʌ́ni | mɔ́ni] *a., pron., n.* 《스코·북잉글》 = MANY

-mony [mòuni | məni] *suf.* [결과·상태·동작을 나타내는 명사 어미]: cere*mony*, testi*mony*

moo [múː] [의성어] *n.* (*pl.* **∼s**) **1** (소의) 울음 소리, 음매(⇨ cow¹ 관련); 《속어》 소, 쇠고기, 소젖 **2** 《영·속어》 어리석은[쓸모없는] 여자
— *vi.* 〈소가〉 음매 하고 울다(low)

moo·cah [múːkɑː] *n.* 《미·속어》 마리화나

mooch [múːtʃ] 《속어》 *vi.* 살금살금 걷다; 어슬렁거리다, 배회하다, 돌아다니다(loiter) 《*about*, *along*, *around*》 **—** *vt.* 훔치다(steal), 《미》 달라고 조르다 《*from*, *off*》 **—** *n.* = MOOCHER; 《미》 속기 쉬운 사람

mooch·er [múːtʃər] *n.* 《속어》 살금살금 걷는 사람; 떠돌이, 부랑자; 거지

moo-cow [múːkàu] *n.* 《소아어》 음매 《암소》

‡**mood**¹ [múːd] [OE 「마음, 정신」의 뜻에서] *n.* **1** (일시적인) 기분, 심기, 감정, 기색; (…하려는) 마음, 의향 《*for*》: (∼+***to*** do) I am not in the ∼ *to* read just now. 지금은 책을 읽고 싶은 생각이 없다. // (∼+전+***-ing***) He was in no ∼ *for* jok*ing*. 그는 농담할 기분이 아니었다.

> 유의어 **mood** 일시적인 마음의 상태나 사람의 언동을 좌우하는 감정: be in a good *mood* 기분이 좋다 **humor** 변덕스러운 마음의 상태: He was not in *humor* to talk. 그는 이야기할 기분이 아니었다. **temper** 강한 감정, 특히 노여움: control one's *temper* 노여움을 참다

2 (모임·작품 등의) 분위기, 무드: The ∼ of the meeting was hopeful. 회의의 분위기는 희망적이었다. **3** [보통 the ∼] (세간의 일반적인) 풍조, 경향: *the* country's ∼ 국민 감정 **4** [*pl.*] 변덕, 시무룩함, 침울

---

monstrous *a.* **1** 기괴한 miscreated, malformed, abnormal, grotesque, gruesome, freakish **2** 거대한 huge, vast, enormous, massive, immense

한[뚱한] 기분; 《고어》 노염: have bad ~*s* 기분이 언짢다 / have great ~*s* 감정의 기복이 심하다
a man of ~s 변덕꾸러기 ***change*** one***'s ~*** 기분을 바꾸다 ***in a laughing***[***melancholy***] ***~*** 쾌활[울적]한 기분으로 ***in a ~*** 《구어》 기분이 좋지 않은 ***in no ~*** (…할) 마음이 없어 《*for, to* do》 ***in the ~ for*** = ***in the ~ to*** do …할 기분이 나서: "Let's get dinner?" — "Sounds good. What are you *in the ~ for*?" 저녁식사하러 가자. — 그래. 뭐 먹고 싶니?

mood[2] [mú:d] [mode[1]의 변형; mood[1]와의 연상(聯想)에서] *n.* **1** 〖문법〗 (동사의) 법(法)(cf. INDICATIVE, IMPERATIVE, SUBJUNCTIVE; ⇨ 문법 해설 (15)) **2** 〖논리〗 논식(論式), 식; 〖음악〗 선법(旋法), 음계(mode)

mood-al·ter·ing [mú:dɔ̀:ltəriŋ] *a.* 〈약 따위가〉 감정 상태를 바꿀 수 있는

móod drùg 정신 신경용 약 《흥분제·진정제 등》

móod mùsic 무드 음악

móod rìng 무드 링 《끼고 있는 사람의 마음의 움직임에 따라 색이 변한다는 반지》

móod swìng 〖정신의학〗 (조울증 등에서 볼 수 있는) 기분의 두드러진 변화

*__mood·y__ [mú:di] *a.* (**mood·i·er**; **-i·est**) **1** 침울한, 언짢은 기분의, 뚱한, 시무룩한: a ~ silence 침울한 침묵 **2** 변덕스러운 **móod·i·ly** *ad.* **móod·i·ness** *n.*

Móody's Invéstors Sèrvice 《미》 무디스 인베스터스 서비스(사) 《미국의 금융 정보 서비스 및 신용 평가 회사》

Móog sýnthesizer [móug-] [미국의 발명가 이름에서] 전자음 합성 장치

móo jùice 《미·속어》 우유(milk)

mook [múːk] [*m*agazine+b*ook*] *n.* 무크, 서적풍의 잡지, 잡지풍의 서적

mool [mú:l] *n.* 《스코·북잉글》 **1** (부드럽고 부스러지기 쉬운) 경토(耕土), 옥토, 부식토 **2** 묘토(墓土); 묘

moo·la(h) [mú:lə] *n.* Ⓤ 《미·속어》 돈, 금전

moo·li [mú:li] *n.* ⓊⒸ 무의 일종(daikon)

mool·vee, -vie [mú:lvi] *n.* 《인도》 이슬람교 율법학자; 학자, 선생 《경칭》

‡**moon** [mú:n] *n.* (cf. LUNAR) **1** [보통 the ~] (천체의) 달: a trip to *the* ~ 달 여행 / the age of *the* ~ 월령(月齡) ★ 달의 한 양상 또는 특정한 때·장소의 달을 말할 때는 부정관사도 씀. (cf. FULL MOON, HARVEST MOON, NEW MOON, HALF-MOON) **2** 태음월(太陰月)(lunar month); [보통 *pl.*] 《시어》 한 달: for three ~*s* 3개월간 **3** 위성(satellite): an artificial ~ 인공위성 **4** 달[초승달] 모양의 것; 신월기(新月旗) 《터키의 국기》 **5** 달빛(moonlight) **6** [종종 *pl.*] 《속어》 (노출한) 엉덩이 **7** 《미·속어》 (밀조) 위스키(moonshine)
aim [***level***] ***at the ~*** 터무니없는 야심을 품다 ***ask*** [***cry, wish***] ***for the ~*** 불가능한 것을 요구하다, 없는 것을 바라다 ***bark at the ~*** ⇨ bark[1] ***bay*** (***at***) ***the ~*** ⇨ bay[3] ***believe that the ~ is made of green cheese*** 터무니없는 일을 믿다 ***below the ~*** 달 아래(의), 이 세상에(의) ***beyond the ~*** 손이 닿지 않는 (곳에); 터무니없이 ***many ~s ago*** 오래[훨씬] 전에 ***once in a blue ~*** 《구어》 아주 드물게 ***over the ~*** (달 너머로 날아오를 만큼) 아주 행복하여[기뻐]; 몹시 흥분하여 ***promise*** a person ***the ~*** …에게 지키지도 못할 약속을 하다 ***shoot the ~*** 《영·속어》 야반도주하다 ***the man in the ~*** 달 표면의 반점 《사람처럼 보이는》; 가상의 인물: She doesn't know it any more than *the man in the* ~. 그녀는 그것을 전혀 모른다. ***the old ~ in the new ~'s arms*** 상현(上弦)달의 암흑면이 지구의 반사광으로 희미하게 보이는 것 ***There is a*** [***no***] ***~.*** 달이 떠 있다[없다].
— *vt.* 〈때를[시간을]〉 멍하니 보내다[지내다] 《*away*》: (~+목+부) ~ the evening *away* 저녁 나절을 멍하니 보내다
— *vi.* **1** 부질없이 돌아다니다, 멍하니 바라보다 《*about, around*》 **2** (열중하여) 정신없이 시간을 보내다 《*over*》 **3** 《미·속어》 (…에게) 엉덩이를 드러내보이다 《*at*》 **~·less** *a.* 달 없는 ▷ móonish, móony *a.*

moon·ball [mú:nbɔ̀:l] *n.* 〖테니스〗 높게 둥근 원을 그리는 샷

moon·beam [-bì:m] *n.* (한 줄기의) 달빛, 월광

moon-blind [-blàind] *a.* 〈말이〉 밤눈이 어두운, 〈사람이〉 야맹증인

móon blìndness 1 〖수의학〗 월맹증(月盲症), 밤눈 어두움 **2** 〖병리〗 야맹증(夜盲症)(nyctalopia)

móon bòot 문 부츠 《두툼한 겨울용 장화》

moon-bound [-bàund] *a.* 달로 가는[향하는]

moon·bow [-bòu] *n.* 달빛의 굴절로 생기는 무지개

moon·bug [-bʌ̀g] *n.* 《구어》 달 착륙선

móon bùggy 월면차(月面車)(lunar rover)

moon·calf [-kæ̀f | -kɑ̀:f] [G 「달의 영향을 받은 사람」의 뜻에서] *n.* (*pl.* **-calves** [-kæ̀vz | -kɑ̀:vz]) 선천적인 바보, 백치; 멍하게 시간을 보내는 사람

móon càr 월면차(lunar rover)

móon chìld 〖점성학〗 게자리 태생의 사람

moon·craft [-kræ̀ft | -krɑ̀:ft] *n.* = MOONSHIP

móon cràter 월면의 분화구

móon cràwler 월면차

móon dòg 〖천문〗 무리달, 환월(幻月)(paraselene)

moon·down [-dàun] *n.* = MOONSET

moon·er [mú:nər] *n.* **1** 어슬렁어슬렁 방황하는 사람; (건물·차의 창문에서) 엉덩이를 내보이는 사람 **2** 《미·경찰속어》 병적인 결함을 가진 범죄자 《만월 때 행동을 함》

móon exploràtion 달 탐험

moon·eye [mú:nài] *n.* 〖수의학〗 월맹증(月盲症)의 눈

moon-eyed [-áid] *a.* **1** (공포·감탄 때문에) 눈이 휘둥그래진 **2** = MOON-BLIND

moon·face [-fèis] *n.* 둥근 얼굴

moon·faced [-fèist] *a.* 얼굴이 둥근

moon·fall [-fɔ̀:l] *n.* 달 착륙

Móon Fèstival 중국의 추석 명절

moon·fish [-fìʃ] *n.* (*pl.* **~, ~·es**) 〖어류〗 전갱잇과(科)의 은빛의 둥그스름한 물고기

moon·flight [-flàit] *n.* 달 여행, 달 비행

moon·flow·er [-flàuər] *n.* 〖식물〗 **1** 《미》 밤메꽃 《열대 아메리카산(産)》 **2** 《영》 데이지

moong [mú:ŋ] *n.* = MUNG BEAN

móon gàte (중국 건축물의) 원형문

moon·ie [mú:ni] *n.* [다음 성구로] ***do a ~*** 《영·구어》 대중 앞에서 벗은 엉덩이를 보이다

Moon·ie [mú:ni] *n.* (한국의) 통일 교회(the Unification Church) 신자, 원리 운동 지지자(cf. MOONISM); [the ~s] 《속어》 통일 교회

moon·ik [mú:nik] *n.* 《미·구어》 = LUNIK 2

moon·ing [mú:niŋ] *n.* 《속어》 (달리는 차 등의 창문에서) 엉덩이를 내보이기

moon·ish [mú:niʃ] *a.* 달 같은; 변덕스러운; 통통한 **~·ly** *ad.*

Moon·ism [mú:nizm] [교주 Sun Myung Moon (문선명)에서] *n.* 세계 기독교 통일 신령 협회 주의, 원리 운동

móon jèep 월면차(月面車)

móon knìfe 〖제혁〗 (가죽을 부드럽게 하는 데 쓰이는) 속이 빈 초승달 모양의 칼

moon·let [mú:nlit] *n.* (자연 또는 인공의) 작은 위성

‡**moon·light** [mú:nlàit] *n.* **1** Ⓤ 달빛, 월광 **2** = MOONLIGHT FLIT. ***be not all ~ and roses*** 좋은[즐거운] 일만 있는 것은 아니다 ***by ~*** 달빛에[으로] ***do a ~*** (***flit***) 《영·구어》 야반도주하다 ***in the ~*** 달빛을 받고, 달빛 아래 ***let ~ into*** a person 《미·속어》 …에게 (총을 쏘아) 몸에 구멍을 내주다

thesaurus **moody** *a.* **1** 침울한 bad-tempered, irritable, cross, touchy, sullen, sulky, gloomy, depressed, melancholic **2** 변덕스러운 changeable, unpredictable, unstable, fitful, impulsive, capri-

— *a.* Ⓐ 달빛의, 달밤의; 야간의: a ~ ramble 달밤의 산책 / a ~ school ⦅미⦆ (남부의) 야간 학교 ⦅문맹자를 위한⦆ / the *M*~ Sonata 월광곡 ⦅베토벤의⦆
— *vi.* **1** ⦅구어⦆ (밤에) 부업을 하다: ~ as a bartender 바텐더로 야간 아르바이트하다 **2** ⦅영·구어⦆ 야반도주하다

moon·light·er [-làitər] *n.* **1** 월광단원(月光團員) ⦅1880년경 아일랜드의 농민단원⦆ **2** 야습 참가자 **3** ⦅구어⦆ (밤에) 부업을 하는 사람; = MOONSHINER **4** ⦅영·구어⦆ 야반도주하는 사람 **5** ⦅속어⦆ 중혼자(重婚子) (bigamist)

móonlight flít(ting) ⦅영·구어⦆ 야반도주

móonlight jób (야간) 부업, 아르바이트

moon·light·ing [-làitiŋ] *n.* Ⓤ **1** 야습(夜襲) **2** ⦅구어⦆ 야간의 부업

*__moon·lit__ [múːnlìt] *a.* Ⓐ **달빛에 비친,** 달빛을 받은: on a ~ night 달 밝은 밤에, 달밤에

moon·man [múːnmæ̀n] *n.* (*pl.* **-men** [-mèn]) 월인(月人) ⦅달에 착륙했다가 돌아온 우주인⦆

móon mònth 태음월(lunar month)

móon pìllar 〖천문〗 달기둥, 월주(月柱) ⦅달의 위아래로 수직된 빛의 기둥이 나타나는 무리(halo) 현상⦆

móon pòol 문풀 ⦅심해 굴착선 중앙의 원통상 공동(空洞) 설비; 기재를 오르내리는 곳⦆

moon·port [-pɔ̀ːrt] *n.* 달 로켓 발사 기지

móon pròbe ⦅미⦆ = LUNAR PROBE

moon·quake [-kwèik] *n.* 월진(月震)

moon·rise [-ràiz] *n.* ⓊⒸ 달이 뜸, 월출; 월출 시각

moon·rock [-rɑ̀k | -rɔ̀k] *n.* 월석(月石) ⦅달에서 갖고 온 암석 표본⦆

móon ròcket 달 로켓

móon ròver 〖우주〗 = LUNAR ROVER

moon·scape [-skèip] *n.* 월면 풍경; 월면 사진[풍경화 ⦅등⦆]

moon·scoop·er [-skùːpər] *n.* 자동 월면(月面) 물질 채집선

moon·set [-sèt] *n.* ⓊⒸ 달이 짐, 월몰; 월몰 시각

moon·shee [múːnʃiː] *n.* ⦅인도⦆ = MUNSHI

*__moon·shine__ [múːnʃàin] *n.* Ⓤ **1** 달빛 **2** ⦅미·구어⦆ 밀수입한 술; ⦅미⦆ 밀조한 위스키 **3** 어리석고 공상적인 생각, 허튼[바보 같은] 소리
— *vt., vi.* ⦅미·구어⦆ 〈술을〉 밀조하다

moon·shin·er [múːnʃàinər] *n.* ⦅미·구어⦆ 주류 밀수[밀조]업자; 밤에 위법 행위를 하는 사람

moon·shin·y [-ʃàini] *a.* 달빛이 비치는; 달빛 같은; 공상적인: a ~ enterprise 비현실적인 기획

moon·ship [-ʃìp] *n.* 달 여행용 우주선(mooncraft)

móon shòot = MOONSHOT

moon·shot [-ʃɑ̀t | -ʃɔ̀t] *n.* 달 탐측선 발사

moon·stone [-stòun] *n.* ⓊⒸ 〖광물〗 월장석

moon·stroll·ing [-stròuliŋ] *n.* 월면(月面) 보행

moon·struck [-strʌ̀k], **-strick·en** [-strìkən] [옛 점성학에서는 발광은 달빛의 작용으로 여겨진 데서] *a.* **1** 미친, 발광한(lunatic) **2** 감상적 생각에 빠진; 멍한, 꿈결 같은: ~ love 꿈결 같은 사랑

Móon tỳpe [영국인 고안자 이름에서] 점자, 점자법 ⦅시각 장애자를 위한 서체·인쇄법⦆

moon·walk [-wɔ̀ːk] *n.* **1** 월면 보행, 달 산책 **2** 〖브레이크댄스〗 문워크 ⦅실제로는 뒤로 가는데 마치 앞으로 가는 듯한 걸음의 춤⦆
— *vi.* 〈우주 비행사가〉 월면을 걷다 **~·er** *n.* 월면 보행자; 월면차

moon·ward(s) [múːnwərd(z)] *ad.* 달을 향해서

moon·y [múːni] *a.* (**moon·i·er**; **-i·est**) 달의[같은]; 달 밝은; 꿈결 같은, 멍한, 넋 잃은
— *n.* **1** [**M~**] ⦅속어⦆ = MOONIE **2** ⦅미·속어⦆ 밀조 위스키 **móon·i·ly** *ad.* **móon·i·ness** *n.*

‡**moor**[1] [múər] *n.* ⓊⒸ **1** [종종 *pl.*] ⦅영⦆ (heather가 자란) **황무지,** 황야 ⦅특히 뇌조(grouse)의 사냥터⦆ **2** ⦅미⦆ 습지, 습원(濕原)
▷ móory, móorish *a.*

*__moor__[2] [múər] *vt.* 〈배를〉 **잡아매다,** 계류하다, 정박시키다; 〈비행선을〉 계류탑에 매다 (*at, to*): (~+목+전+명) ~ a ship *at* the pier 배를 선창에 계류시키다
— *vi.* 배를 잡아매다; 〈배가〉 정박하다; 밧줄로 매어지다 ▷ móorage *n.*

Moor [múər] *n.* 무어 사람 ⦅Morocco에 사는 이슬람교 인종⦆; 흑인; (인도의) 이슬람교도 **~·ish** *a.*

moor·age [múəridʒ] *n.* ⓊⒸ (배 등의) 계류(繫留), 정박; 정박소; 정박소 사용료

moor·cock [múərkɑ̀k | -kɔ̀k] *n.* 〖조류〗 붉은뇌조의 수컷

Móore's làw [múərz-] 무어의 법칙 ⦅마이크로 칩의 저장 용량이 2년마다 배로 증가한다는 Intel 사의 G. Moore가 제창한 법칙⦆

moor·fowl [múərfàul] *n.* (*pl.* **~s,** ~) 〖조류〗 붉은뇌조

móor gàme = MOORFOWL

moor·hen [-hèn] *n.* 〖조류〗 **1** ⦅영⦆ 붉은뇌조의 암컷 **2** 쇠물닭(water hen)

moor·ing [múəriŋ] *n.* **1** Ⓤ 계선(繫船), 정박; [보통 *pl.*] 계선 설비[장치] **2** [*pl.*] 계선소, 정박지 **3** [*pl.*] 정신적으로 의지할 바: lose one's ~*s* 마음의 의지할 바를 잃다

móoring bùoy 〖항해〗 계선 부표(浮標)

móoring màst (비행선의) 계류탑

móoring scrèw 〖항해〗 계류용 닻 ⦅물속 바닥에 비틀어 박는 닻⦆

moor·ish [múəriʃ] *a.* 황야에 자라는, 황야(성)의

Moor·ish [múəriʃ] *a.* 무어 사람[식]의

moor·land [múərlənd, -lænd] *n.* ⦅영⦆ (heather가 무성한) 황무지, 황야

moor·stone [-stòun] *n.* Ⓤ 화강암(granite)의 일종

moor·y [múəri] *a.* (**moor·i·er**; **-i·est**) 황야성의 (moorish); 습지성의(marshy)

moose [múːs] *n.* (*pl.* ~) 〖동물〗 말코손바닥사슴 ⦅북미산(産)⦆; ⦅미·속어⦆ 덩치 큰 사람; 매춘부, 정부

moose·milk [múːsmìlk] *n.* ⦅캐나다·방언⦆ **1** 밀조 위스키 **2** 무스밀크 ⦅럼주와 밀크를 주원료로 한 칵테일⦆

moosh [múːʃ] *n.* ⦅영·속어⦆ 입, 얼굴(mush)

moot [múːt] *a.* 토론의 여지가 있는, 미결정의; (주로 법률에서) 비현실적인, 이론상의: a ~ point 논쟁점 / a ~ question 미해결 문제
— *vt.* 〈문제를〉 의제로 삼다, 제출하다; 실제적 의미를 없애다, 이론적[학문적]으로 만들다
— *n.* **1** 〖영국사〗 자유민 집회, 토론회 **2** 〖법〗 (법학도 등의) 모의 재판

móot cóurt (법과 학생을 위한) 모의 법정

*__mop__[1] [mɑ́p | mɔ́p] *n.* **1 자루걸레,** 몹; 그와 비슷한 것: a ~ of hair 더벅머리 **2** ⦅미·흑인속어⦆ 끝맺음, 최종 결과 ***be ~s and brooms*** ⦅구어⦆ 꽤 취해 있다
— *vt., vi.* (**~ped**; **~·ping**) 자루걸레로 닦다, 청소하다; 〈눈물·땀 등을〉 닦다: (~+목+전+명) ~ one's face *with* one's handkerchief 얼굴을 손수건으로 닦다 ***~ the floor with*** ⦅속어⦆ …을 때려 눕히다, …을 꼼짝 못하게 만들다 ***~ up*** 〈엎지른 물 등을〉 닦아 내다; ⦅구어⦆ 〈일 등을〉 끝내다, 마무리짓다; ⦅속어⦆ 〈이익 등을〉 착취하다; 죽이다; 술을 실컷 마시다; ⦅영·속어⦆ 걸신들린 듯 먹다; 〖군사〗 소탕하다 ***~ up on*** …을 때려눕히다

mop[2] ⦅고어·문어⦆ *vi.* (**~ped**; **~·ping**) 얼굴을 찌푸리다(make faces) ***~ and mow*** 얼굴을 찡그리다
— *n.* 찌푸린 얼굴 (***make***) ***~s and mows*** 찌푸린 얼굴(을 하다)

mop·board [mɑ́pbɔ̀ːrd | mɔ́p-] *n.* = BASEBOARD

mope [móup] *vi.* 속상해하다; 침울해하다, 울적해하다; 느릿느릿[어칠어칠] 돌아다니다 ***~ about*** 맥없이

---

cious, temperamental, volatile

moor[2] *v.* secure, fix firmly, fasten, tie up, lash, anchor, make fast

mop[1] *v.* clean, wash, wipe, swab, sponge

돌아다니다 —*vt.* **1** [수동형 또는 one*self*로] 침울하게 하다: ~ *oneself* 침울해지다 **2** 〈세월을〉 울적한 심정으로 보내다 《*away*》: ~ one's time[life] *away* 울적한 나날[일생]을 보내다
—*n.* **1** 울적해하는 사람, 우울한 사람 **2** [the ~s] 우울 ***be in the ~s*** 의기소침해 있다 ***have*** (***a fit of***) ***the ~s*** 의기소침하다 ▷ mópish *a.*

mo·ped [móupèd] *n.* 《영》 모터 달린 자전거

mop·er [móupər] *n.* 곧잘 침울해지는 사람; 운전이 느린 사람

mo·per·y [móupəri] *n.* 《미·속어》 경범죄

mop·ey [móupi] *a.* (**mop·i·er**; **-i·est**) 생기 없는, 나른한; 시무룩한

mop·head [máphèd | mɔ́p-] *n.* **1** 《구어》 더부룩한 머리(의 사람) **2** mop[1]의 걸레 부분

mop·ish [móupiʃ] *a.* 침울한, 풀이 죽은, 의기소침한 **~·ly** *ad.* **~·ness** *n.*

Mop(**p**) [máp | mɔ́p] *n.* = MRS. MOP

mop·pet [mápit | mɔ́p-] *n.* **1** 《구어》 (헝겊으로 만든) 인형(rag doll) **2** 아이, 계집아이 **3** 발바리 《개》

mop·ping-up [mápiŋʌ̀p | mɔ́p-] *a.* 총정리의; 〖군사〗 소탕의: a ~ operation 소탕 작전

mop·py [mápi | mɔ́pi] *a.* 《구어》 더부룩한 〈머리〉

mop·stick [mápstìk | mɔ́p-] *n.* 몹(mop[1])의 자루

mop-up [mápʌ̀p | mɔ́p-] *n.* 〖군사〗 소탕; (일 등의) 총마무리; (소화 작업 등의) 마무리

mop·y [móupi] *a.* (**mop·i·er**; **-i·est**) = MOPEY

mo·quette [moukét] *n.* Ⓤ 모켓 《기차 등의 좌석에 대는 벨벳 같은 모직물》

mor [mɔ́:r] *n.* 〖지질〗 산성 부식(腐植); 조(粗) 부식; 모르 《특히 한랭지 토양 표면의 유기물의 퇴적》

MOR middle-of-the-road 누구에게나 무난한 음악

mor. 〖제본〗 morocco **Mor.** Morocco

mo·ra[1] [mɔ́:rə] [L] *n.* (*pl.* **-rae** [-ri:], **~s**) **1** 〖운율〗 모라 《단음절 하나의 단위》; 〖언어〗 모라 《단모음의 길이의 단위》 **2** 〖법〗 (불법) 지체, 불이행(default)

mora[2] [It.] *n.* (이탈리아의) 손가락 수 맞히기 놀이 《손을 들고 편 손가락 수를 급히 내리고 상대방이 알아맞히는 놀이》

mo·raine [məréin | mɔ-, mə-] *n.* 〖지질〗 모레인, 빙퇴석(氷堆石)

‡**mor·al** [mɔ́:rəl, már- | mɔ́r-] [L 「풍속·습관에 관한」의 뜻에서] *a.* **1** Ⓐ **도덕(상)의**, 윤리의, 도의의: ~ character 덕성, 품성 / a ~ code 도덕률 / ~ culture 덕육(德育) / ~ duty[obligation] 도의적인 의무 / ~ principles 도의

> 유의어 **moral** 선악에 관한 도덕상의 기준·개념에 합치한 **ethical** moral보다 더욱 정의·공정 등의 개념이 포함되어 있음을 암시한다: the highest *ethical* principles 가장 높은 도덕적 원리 **virtuous** 인간의 성격에 있어서 정의·고결함을 나타낸다: He is not a religious person, but *virtuous* nevertheless. 그는 교인은 아니지만 그래도 덕이 높다.

2 교훈적인, 덕육적인: a ~ lesson 교훈 / a ~ book 교훈적인 책 **3** Ⓐ 선악을 판단할 수 있는, 도의를 지킬 줄 아는: A baby is not a ~ being. 젖먹이 아이는 선악을 분간하지 못한다. **4** Ⓐ **정신적인**, 마음의: ~ support 정신적 지지 **5** **도덕적인**(virtuous), 품행이 단정한; (성적으로) 순결한, 정숙한(opp. *immoral*): a ~ man 품행 방정한 사람, 도의심이 강한 사람 / live a ~ life 방정한 생활을 하다 **6** Ⓐ 마음속에서 확신하는, 틀림없는, 공산이 큰: a ~ certainty 틀림없다고 생각되는 일
—*n.* **1** (우화 등의) **우의**(寓意), **교훈**; 격언(maxim); 우화극: There's a ~ to this story. 이 이야기에는 배울 점이 있다. **2** 《속어》 꼭 닮은 것; 구현, 전형 **3** [*pl.*] (남녀간의) **품행**, 몸가짐; (사회의) 풍기, 도덕: a girl with no ~*s* 도덕 관념이 없는 여자 / social ~*s* 공덕 **4** [*pl.*] 윤리(학) **5** [mərǽl | -rá:l] 《드물게》 = MORALE ***draw the ~*** (우화에서) 교훈을 얻어내다 ***point a ~*** (실례를 들어) 교훈을 주다
▷ morálity *n.*; móralize *v.*; mórally *ad.*

móral ágent 도덕적 행위자로서의 인간

móral cóurage (정도(正道)를 지키려는) 정신적 용기

móral cówardice 남의 비난·반대를 두려워함

móral deféat (이긴 듯이 보이나) 정신적인 패배

*__mo·rale__ [mərǽl | mɔrá:l, mə-] [F] *n.* Ⓤ **1 사기** 《군대·집단의》; 의욕, 의기(意氣): improve the ~ 사기를 높이다 **2** 도덕, 도의

móral évidence 개연적(蓋然的) 증거

móral fíber 노력성, 도덕적 용기

móral házard 〖보험〗 도덕적 위험 《피보험자의 부주의·고의 등의 인위적 요소에 기인한 보험자측의 위험》

mor·al·ism [mɔ́:rəlìzm | mɔ́r-] *n.* Ⓤ **1** 교훈주의, 도의 **2** 수신상의 교훈, 훈언(訓言)

*__mor·al·ist__ [mɔ́:rəlist | mɔ́r-] *n.* **도덕가**, 윤리[도덕]학자, 도덕주의자; 도학자; 《경멸》 남의 도덕관에 용훼하는 사람

mor·al·is·tic [mɔ̀:rəlístik | mɔ̀r-] *a.* 선악에 대해서 엄격한[융통성 없는]; 교훈적인; 도덕주의의 **-ti·cal·ly** *ad.*

*__mo·ral·i·ty__ [mərǽləti, mɔ:-] *n.* (*pl.* **-ties**) **1** Ⓤ 도덕, 도의; 도덕[윤리]학; ⓊⒸ (어느 사회의) 도덕(체계): public ~ 사회 도덕 / commercial ~ 상(商)도덕 **2** Ⓤ (개인의) 덕행, 덕성; 풍기 《특히 남녀간의》, 품행 (방정): be of loose[easy] ~ 행실이 나쁘다 **3** (이야기 등의) 교훈, 우의(寓意) **4** = MORALITY PLAY

morálity plày 교훈극, 권선징악극 《14-16세기의》

mor·al·i·za·tion [mɔ̀:rəlizéiʃən | mɔ̀rəlai-] *n.* Ⓤ 설법, 설교; 교화

mor·al·ize [mɔ́:rəlàiz | mɔ́r-] *vt.* 설교하다; 도덕적으로 설명하다; 교화하다 —*vi.* 도덕을 가르치다, 설교하다 《*on*》; 도덕적 고찰을 하다 **-ìz·er** *n.* 도학자

móral láw 도덕률

*__mor·al·ly__ [mɔ́:rəli | mɔ́r-] *ad.* **1 도덕[도의]상**; 도덕적으로(virtuously); 도덕적으로 보아: live ~ 도덕적으로 살다 **2** 정신적으로 **3** 실제로; 사실상(virtually): It's ~ impossible. 그것은 사실상 불가능하다.

Móral Majórity 도덕적 다수파 《미국의 보수적인 기독교 정치 단체》

móral obligátion 도덕적 책무[의무]

móral philósophy 도덕 철학, 윤리학(ethics)

móral préssure 도의심에 호소하는 설득, 정신적 압력

Móral Re-Ármament 도덕 재무장 운동 《略 MRA》

móral scíence = MORAL PHILOSOPHY

móral sénse [the ~] 도덕 관념, 도의심

móral theólogy 도덕[윤리] 신학

móral túrpitude 부도덕(한 행위)

móral víctory 정신적 승리(를 느끼게 하는 패배)

mo·rass [mərǽs] *n.* **1** 소택지, 저습지(低濕地) **2** 곤경, 난국 **mo·ráss·y** *a.* 저습지(성)의

mor·a·to·ri·um [mɔ̀:rətɔ́:riəm | mɔ̀r-] [L 「지연, 유예」의 뜻에서] *n.* (*pl.* **~s**, **-ri·a** [-riə]) **1** (위험한 활동의) 일시적 정지[연기] 《*on*》: a ~ *on* nuclear testing 핵실험의 일시적 정지 **2 a** 모라토리엄, 지불 정지[연기], 지불 유예 (기간) **b** 대기 기간

mor·a·to·ry [mɔ́:rətɔ̀:ri | mɔ́rətəri] *a.* 〖법〗 지불 유예[연기]의: a ~ law 지불 유예법

Mo·ra·vi·a [mɔ:réiviə, -rá:- | məréi-] *n.* 모라비아 《체코의 동부 지방; 원래 오스트리아령》

Mo·ra·vi·an [mɔ:réiviən | mə-] *a.* 모라비아(교도)

> **thesaurus** **moral** *a.* ethical, good, virtuous, honest, just (opp. *immoral, bad, dishonorable*)
> **morality** *n.* ethics, goodness, virtue, righteousness, uprightness, integrity, honor, honesty, justness, decency, chasteness, purity

의 —*n*. **1** 모라비아 사람; Ⓤ 모라비아 말 **2** 〖종교〗 모라비아 교회 교도 **~·ism** *n*.

Morávian Chúrch 모라비아 교회《1722년 모라비아에서 결성된 개신교 교회》

mo·ray [mɔ́:rei | mɔ́rei] *n*. 〖어류〗 곰치 무리《열대산》

*__mor·bid__ [mɔ́:rbid] *a*. **1** 〈정신이〉 **병적인**; (병적으로) 음울한: a ~ interest 병적인 흥미 **2 a** 병의[에 관한] **b** 병에 기인하는, 병적인, 병리학적인 **3** 무서운, 무시무시한: ~ events 무시무시한 사건들
~·ly *ad*. **~·ness** *n*.
▷ morbídity *n*.; morbífic *a*.

mórbid anátomy 병리 해부(학)

mor·bi·dez·za [mɔ̀:rbədétsə] [It.] *n*. Ⓤ (문학·미술 등의) 섬세하고 부드러움

mor·bid·i·ty [mɔ:rbídəti] *n*. (*pl*. **-ties**) ⓊⒸ **1** (정신의) 병적 상태[성질], 불건전 **2** (어떤 병의) 사망률 **3** (특정 지구의) 질병률

mor·bif·ic, -i·cal [mɔ:rbífik(əl)] *a*. 병원(病原)이 되는, 병원성의 **-i·cal·ly** *ad*.

mor·bil·li [mɔ:rbílai] *n*. *pl*. 〖의학〗 [단수 취급] 홍역(measles)

mor·bus [mɔ́:rbəs] [L] *n*. (*pl*. **-bi** [-bai]) 병, 질병

mor·ceau [mɔ:rsóu | mɔ:-] [F =morsel] *n*. (*pl*. **~x** [-z]) **1** 작은 조각, 단편 **2** (시·음악 등의) 소품(小品)

mor·da·cious [mɔ:rdéiʃəs] *a*. **1** 물고 늘어지는, 무는 버릇이 있는 **2** 신랄한, 찌르는 듯한, 통렬한 **~·ly** *ad*.

mor·dac·i·ty [mɔ:rdǽsəti] *n*. Ⓤ **1** 무는 버릇 **2** 빈정댐, 험구, 독설; (기질의) 신랄함

mor·dan·cy [mɔ́:rdənsi] *n*. =MORDACITY

mor·dant [mɔ́:rdənt] *a*. **1** 〈말·기지 등이〉 비꼬는, 신랄한: a ~ wit 신랄한 위트 **2** 〈산(酸)이〉 부식성의 **3** 〈염색 등이〉 매염의: ~ dye 매염 염색 **4** 따끔따끔한 **5** 〈개 등이〉 무는 버릇이 있는 —*n*. **1** 〖염색〗 착색제, 매염제 **2** 금박 점착제 **3** 〖인쇄〗 금속 부식제
—*vt*. 매염제로 처리하다 **~·ly** *ad*.

mórdant róuge 초산알루미늄의 용액《염색용》

Mor·de·cai [mɔ́:rdikài, mɔ̀:dikéiai | mɔ́:dikài] *n*. **1** 남자 이름 **2** 〖성서〗 모르드개《에스더의 사촌 오빠》

mor·dent [mɔ́:rdənt] *n*. 〖음악〗 꾸밈음, 장식음

‡**more** [mɔ́:r] *a*., *pron*., *ad*. [MANY, MUCH의 비교급]

① (수·양이) 더 많은 (것); 더 많이	형 **1** 대 부 **1**
② (정도가) 더 이상의 (것); 더욱	형 **2** 대 부 **2**
③ 여분의; 그 위에	형 **3** 부 **3**
④ 차라리	부 **4**

—*a*. **1** 더 많은[큰]: There were twenty or ~ children in the room. 방 안에는 스무 명 내지 더 많은 아이들이 있었다. **2** 더 이상의: Send us ~ water and blankets. 물과 담요를 더 보내주시오. **3** 여분의, 추가의(additional): one word ~ 한 마디만 더
—*pron*. 더 많은 수[양, 정도, 중요성《등》]; 그 이상의 것[일, 사람]: *M*~ cannot be said. 더 이상은 말할 수 없다. / I hope to see ~ of you. 또[자주] 만나뵙고 싶습니다.
—*ad*. **1** 더 많이, 더 한층: You ought to walk ~. 너는 더 걸어야 한다. **2** [형용사·부사의 비교급을 만들어] 더욱, 한결: ~ brightly 더욱 밝게 **3** 그 위에, 또한(further): one ~ 하나 더 / some ~ 좀 더 **4** 차라리, 오히려(rather): He is ~ frightened than hurt. 그는 놀랐으나 상처는 없다[적다].
a little **~** 조금 더 ***all the*** **~** 그만큼 더, 더욱 더 ***and much*** **~** 그 밖에 많이 (있습니다), 기타 다수 ***and no*** **~** 그 뿐이다, …에 불과하다 (***and***) ***what is*** **~** 게다가 또, 그 위에(moreover) ***And what*** **~** do you want? 그 위에 또 무엇이 필요한가?《그것으로 충분하지 않은가》 ***ever*** **~** 항상, 영구히 ***many*** **~** 더욱 많은 (것) **~** ***and*** **~** 더욱 많은; 점점 더, 더욱 더 **~** ***or less*** (1) 다소간, 얼마간 (2) 약, …쯤; [부정어 뒤에서] 《고어》 조금도 …아니다 **~** ***than*** (1) …보다 많은, …이상으로[의] (2) …뿐만 아니라; (…하고도) 남음이 있다 **~** ***than a little*** 적지 않게, 크게, 매우 **~** ***than all*** 그 중에서도 특히 **~** ***than ever*** 더욱 더 많이[많은] **~** ***than one*** [***a***] ***year*** 1년 이상 ★ 이 형식은 뜻은 *pl*., 취급은 보통 *sing*. ***neither*** **~** ***nor less*** (***than***) 이하도 이상도 아니다, 꼭; 바로 …이다, …이외의 아무것도 아니다 ***never*** **~** 다시는 …하지 않다 ***no*** **~** (1) 그 이상[이제는] …않다; 다시는 …않다 (2) 《문어》 죽어서, 사망하여(be dead) (3) …도 또한 …않다: If you won't do it, *no* ~ will I. 자네가 하지 않는다면 나도 하지 않겠다. ***No*** **~** ***of*** your jokes. (농담)은 이제 그만해라. ***no*** **~** ***than*** 다만, 겨우 ***no*** **~** ***… than*** …아닌 것은 …아닌 것과 같다: I am *no* ~ mad *than* you (are). 자네와 마찬가지로 나도 미치지 않았다. / He can *no* ~ do it *than* fly. 그가 그것을 하지 못하는 것은 날 수 없는 것과 같다. ***not … any*** **~** ***than*** = no MORE … than. ***nothing*** **~** ***than*** …에 지나지 않다 ***not*** **~** 다시는 …하지 않다; 이미 …아니다 ***not*** **~** ***than*** …보다 많지 않다, 많아야 …(at most) ***not*** **~** ***… than*** …이상으로 …아니다: I am *not* ~ mad *than* you. 자네 만큼 미치지는 않았다. ***not the*** **~** = ***none the*** **~** 그래도 아직, 역시 마찬가지로 ***one*** **~** 하나 더(의) ***or*** **~** 혹은 그 이상, 적어도 ***still*** [***much***] **~** 더욱 더 ***the*** **~** (그만큼) 더, 더욱 더 ***the*** **~** ***… because*** [***as, for, that***] …이니까 더욱 더 ***The*** **~** ***the better.*** 많으면 많을수록 좋다., 다다익선. ***the*** **~** ***… the less*** …하면 할수록 …하지 않다 ***The*** **~*, the merrier.*** 사람이 많을수록 즐겁다[좋다]. ***the*** **~** ***… the*** **~** …하면 할수록 더욱 더 …하다: *The* ~ I hear, *the* ~ interested I become. 들으면 들을수록 흥미가 더해진다.

More [mɔ́:r] *n*. 모어 **Sir Thomas ~** (1478-1535) 《영국의 정치가·작가》

-more [mɔ:r] *suf*. [형용사·부사에 붙여 비교급을 나타냄]: further*more*, inner*more*

mo·reen [mərí:n | mɔ-] *n*. Ⓤ 모린《커튼 등에 쓰는 튼튼한 모직물 또는 면모 교직물》

more·ish [mɔ́:riʃ] *a*. 《영·구어》 더 먹고 싶어지는, 먹음직한, 아주 맛있는

mo·rel [mərél | mɔ-, mə-] *n*. 〖식물〗 그물버섯; 까마중이

mo·rel·lo [mərélou] *n*. (*pl*. **~s**) 모렐로, 검은 버찌 (=**~ chérry**)

mo·ren·do [məréndou] [It. =dying away] *a*., *ad*. 〖음악〗 점점 느리게[약하게](하는)

‡**more·o·ver** [mɔ̀:róuvər] *ad*. **게다가, 더욱이**: The day was cold, and ~ it was raining. 그날은 추웠으며 게다가 비까지 오고 있었다.

mo·res [mɔ́:reiz, -ri:z] [L「습관」의 뜻에서] *n*. *pl*. 〖사회〗 사회적 관습, 관행, 습속(folkways); 도덕관

Mo·resque [mərésk] *a*. 〈건축·장식 등이〉 무어(Moor)식의

morf [mɔ́:rf] *n*. 《미·구어》 =MORPHINE

Mor·gan [mɔ́:rgən] *n*. **1** 남자 이름 **2** 모르건종(種)의 말《마차용·승마용》

mor·ga·nat·ic [mɔ̀:rgənǽtik] [L「결혼 이튿날 아침의 선물」; 신부는 이것 외는 아무것도 바라지 못하기 때문에] *a*. 귀천상혼(貴賤相婚)의 **-i·cal·ly** *ad*.

morganátic márriage 귀천상혼(貴賤相婚)《왕족 계급과 신분이 낮은 계급 간의 결혼》

Mórgan le Fáy [-lə-féi] 〖아서왕전설〗 Arthur 왕의 이부(異父)누이로 마력의 소유자

morgue [mɔ́:rg] [F] *n*. **1** (신원 불명의) 시체 공시소(公示所); 음침한 곳 **2** (자료실의) (참고) 자료; (신

---

morbid *a*. **1** 병적인 death-oriented, death-obsessed, diseased, sickly, infected, ailing **2** 무시무시한 hideous, gruesome, dreadful, horrible

moreover *ad*. besides, furthermore, further, what is more, in addition, also, as well

문사의) 자료실, 조사부 **3** 《구어》 거만, 오만(hauteur): ~ anglaise[-ɑːŋgléiz] 영국 사람 특유의 거만 ***still as a*** **~** 무서우리만큼 조용한

MORI [mɔ́ri] [*M*arket and *O*pinion *R*esearch *I*nstitute] *n.* 모리 《미·영 합작의 시장·여론 조사 기관》

mor·i·bund [mɔ́ːrəbʌ̀nd | mɔ́r-] *a.* **1** 〈사람이〉 다 죽어가는, 빈사 상태의 **2** 〈물건이〉 소멸해 가는 **~·ly** *ad.*

mo·ri·on[1] [mɔ́ːriɑ̀n | -riən] *n.* (면갑(面甲)이 없는) 모자 같은 투구

morion[2] *n.* 〖광물〗 모리온 《암갈색·흑색의 연수정》

Mo·ris·co [məriskou] *a.* =MOORISH
— *n.* (*pl.* ~(**e**)**s**) 무어 사람 《특히 스페인의》; =MORRIS (DANCE)

mor·ish [mɔ́ːriʃ] *a.* =MOREISH

Mor·mon [mɔ́ːrmən] *n.* 모르몬 교도 《1830년 미국의 Joseph Smith가 창시한 개신교의 일파; 공식명 The Church of Jesus Christ of Latter-day Saints(말일 성도 예수 그리스도 교회)》 ***the Book of ~*** 모르몬교의 성전 ***the ~ State*** 《미》 Utah주의 속칭 — *a.* 모르몬교(도)의

Mor·mon·ism [mɔ́ːrmənìzəm] *n.* 모르몬교

morn** [mɔ́ːrn] *n.* **1** 《시어》 아침(morning), 여명(dawn): from ~ to[till] night 아침부터 밤까지 **2** [the ~] 《스코》 이튿날 ***at ~ = in the MORNING

Mor·nay [mɔ́ːrnei] *n.* 모르네 소스 《치즈 맛이 가미된 크림 소스》(= ~ **sáuce**) — *a.* [명사 뒤에서] 모르네 소스를 바른

‡**morn·ing** [mɔ́ːrniŋ] *n.* 《略 morn.》 **1 a** [CU] 아침, 오전 《동틀 무렵부터 정오 또는 점심 때까지》: the early ~ 이른 아침 **b** [부사적] 아침에 **2** [the ~] 초기: *the* ~ of life 청년 시대 **3** [U] 《시어》 여명, 새벽: when ~ broke 날이 샜을 때 **4** 《구어》 조간 ***all (the) ~*** 아침[오전] 내내 ***at ~*** 《고어·시어》 아침에 ***from ~ till[to] evening[night]*** 아침부터 밤까지 ***good ~*** ⇨ good morning. ***in the ~*** 아침에, 오전에 ***It is ~.*** 날이 밝았다. ***~, noon and night*** 하루 내내, 항상, 늘 ***of a ~*** = ***of ~s*** 《문어》 아침 나절에 곧잘 〈오다 등〉 ***on the ~ of*** January (the) first (정월 초하루) 아침에 ***this[tomorrow, yesterday] ~*** 오늘[내일, 어제] 아침(에) ***toward ~*** 아침결[무렵]에
— *a.* 아침의[에 하는]; 아침에 쓰는: a ~ walk 아침 산책 / a ~ assembly 조례 / the ~ session 〖증권〗 전장(前場)

mórning áfter 《구어》 **1** 숙취(宿醉)(hangover) **2** (과음·쾌락 등) 과거의 잘못을 후회하는 시기

mórn·ing-áf·ter pìll [mɔ́ːrniŋǽftər- | -ɑ́ːf-] (성교 후 다음날에 복용해도 효과 있는) 경구(經口) 피임약

mórning cáll 1 (호텔 등의) 모닝콜(wake-up call) **2** 아침 방문 《실제로는 오후의 사교 방문》

mórning còat 모닝코트 《morning dress의 상의》

mórning drèss 1 (주간의) 남자 예복 **2** 여자의 실내복(housedress)

mórning gìft 결혼 다음 날 아침의 남편의 선물

mórning glòry 〖식물〗 나팔꽃 《메꽃과》

mórning líne (경마에서) 우승마(馬) 예상 리스트 《당일 아침에 배포됨》

mórning pàper 조간(신문)

mórning perfórmance =MATINÉE[1]

Mórning Práyer 〖영국국교〗 아침 기도(matins)

mórning ròom (낮에 가족이 쓰는) 거실

morn·ings [mɔ́ːrniŋz] *ad.* 《미·구어》 아침에 (늘), 아침마다

mórning sìckness 〖병리〗 아침의 구토증[입덧]

mórning stár [the ~] 샛별 《금성》

mórning sùit =MORNING DRESS

morn·ing·tide [mɔ́ːrniŋtàid] *n.* [U] 《시어》 아침

mórning wàtch 〖항해〗 오전의 당직 《오전 4-8시》

Mo·ro [mɔ́ːrou] *n.* (*pl.* **~, ~s**) 모로 족 《남부 필리핀의 이슬람교 말레이 족》; [U] 모로 말

Mo·roc·can [mərɑ́kən | -rɔ́k-] *a.* 모로코(사람)의
— *n.* 모로코 사람

Mo·roc·co [mərɑ́kou | -rɔ́k-] *n.* **1** 모로코 《아프리카 북서부의 왕국; 수도 Rabat》 **2** [**m~**] [U] 모로코 가죽 《염소 가죽; 제본·장갑용; cf. LEVANT》(= ~ **léather**)

mo·ron [mɔ́ːrɑn | -rɔn] *n.* **1** 《구어》 저능아, 바보 **2** 〖심리〗 정신 박약자 **mo·ron·ic** [mərɑ́nik | -rɔ́n-] *a.* **~·ìsm, mo·ron·i·ty** [mərɑ́nəti | -rɔ́n-] *n.* [U] 저능

Mo·ro·ni [mɔːróuni] *n.* Comoros의 수도

***mo·rose** [məróus] *a.* 성미 까다로운, 언짢은, 뚱한, 시무룩한, 침울한(sullen) **~·ly** *ad.* **~·ness** *n.*

morph[1] [mɔ́ːrf] *n.* **1** 〖언어〗 **a** 형태 **b** 이(異)형태 (allomorph) **2** 〖생물〗 모프 《어떤 종(種)의 한 변종》

morph[2] *n.* 《미·구어》 =MORPHINE

morph. morphological; morphology

morph- [mɔːrf] 《연결형》 =MORPHO-

-morph [mɔːrf] 《연결형》 「형태」의 뜻: iso*morph*

mor·phac·tin [mɔːrfǽktin] *n.* 〖생화학〗 모르팍틴 《고등 식물의 생장 조절 작용을 가진 플루오르 화합물》

mor·pheme [mɔ́ːrfiːm] *n.* 〖언어〗 형태소(形態素) 《뜻을 가진 최소의 언어 단위》

mor·phe·mic [mɔːrfíːmik] *a.* 형태소(론)의

mor·phe·mics [mɔːrfíːmiks] *n. pl.* [단수 취급] 〖언어〗 형태소론

Mor·phe·us [mɔ́ːrfiəs, -fjuːs] *n.* 〖그리스신화〗 꿈의 신; 《속어》 잠의 신 ***in the arms of ~*** 잠들어(asleep)

mor·phine [mɔ́ːrfiːn], **-phi·a** [-fiə] *n.* [U] 〖화학〗 모르핀 《마취·진통제》

morph·ing [mɔ́ːrfiŋ] *n.* [U] 〖영화〗 모핑 《컴퓨터 그래픽스로 화면을 차례로 변형시키는 특수 촬영 기술》

mor·phin·ism [mɔ́ːrfənìzm] *n.* [U] 〖병리〗 (만성) 모르핀 중독; 모르핀 상용벽 **mór·phin·ist** *n.*

mor·phi·no·ma·ni·a [mɔ̀ːrfənouméiniə] *n.* [U] 〖병리〗 (만성) 모르핀 중독 **-ni·ac** [-niæ̀k] *n.* 모르핀 중독자

-morphism [mɔ́ːrfizm] 《연결형》 「특정 형태를 가진 상태」의 뜻: mono*morphism*

morpho- [mɔ́ːrfou] 《연결형》 「형태, 구조」의 뜻

mor·pho·gen [mɔ́ːrfədʒən, -dʒèn] *n.* 〖발생〗 모르포겐 《morphogenesis를 제어하는 화학 물질》

mor·pho·gen·e·sis [mɔ̀ːrfoudʒénəsis] *n.* 〖생물〗 형태 형성[발생] **-ge·net·ic** [-dʒinétik] *a.*

morphol. morphological; morphology

mor·pho·log·i·cal [mɔ̀ːrfəlɑ́dʒikəl | -lɔ́dʒ-] *a.* 형태학(상)의 **-i·cal·ly** *ad.*

mor·phol·o·gist [mɔːrfɑ́lədʒist | -fɔ́l-] *n.* 형태학자

mor·phol·o·gy [mɔːrfɑ́lədʒi | -fɔ́l-] *n.* [U] **1** 〖생물〗 형태학 **2** 〖언어·문법〗 어형론, 형태론(accidence) (cf. SYNTAX) **3** 〖집합적〗 조직, 형태 **4** 〖지리〗 지형학

mor·phom·e·try [mɔːrfɑ́mətri | -fɔ́m-] *n.* [U] 형태[지형] 계측

mor·pho·pho·neme [mɔ̀ːrfəfóuniːm] *n.* 〖언어〗 형태 음소 **-pho·ne·mic** [-fəníːmik] *a.*

mor·pho·pho·ne·mics [mɔ̀ːrfoufəníːmiks] *n. pl.* [단수 취급] 형태 음소론

mor·pho·sis [mɔːrfóusis] *n.* 〖생물〗 형태 형성[발생] 과정; 이상 변이

mor·pho·syn·tac·tic [mɔ̀ːrfousintǽktik] *a.* 〖언어〗 형태적 통어적인

mor·ra [mɔ́ːrə] [It.] *n.* =MORA[2]

Mor·ris [mɔ́ːris, mɑ́r- | mɔ́r-] *n.* 남자 이름

Mórris cháir 모리스식 안락 의자 《등널의 경사를 조절할 수 있음》

mórris (dánce) 모리스 춤 《영국 기원의 가장 무도의 일종; 주로 May Day에 춤》

thesaurus **mortal** *a.* **1** 죽어야 할 운명의 temporal, transient, ephemeral, passing, impermanent, perishable, human, earthly, worldly, corporeal, fleshly **2** 치명적인 deadly, fatal, lethal, killing,

mórris dàncer 모리스 춤을 추는 사람
mórris túbe 〖군사〗 모리스식 총신(銃身) 《보통의 총신에 삽입할 수 있는 소구경(小口徑) 총신》
mor·ro [mɔ́(:)rou] *n.* (*pl.* **~s**) 원구(圓丘); 곶
∗**mor·row** [mɑ́rou, mɔ́:r- | mɔ́r-] *n.* 《고어·시어》 **1** 아침 **2** [the ~] **a** 다음날, 이튿날, 내일(tomorrow): on the ~ evening 다음날 저녁에 **b** (사건의) 직후, 뒤 ***on the ~ of*** …의 직후에
morse[1] [mɔ́:rs] *n.* 〖동물〗 해마(walrus)
morse[2] *n.* (제의(祭衣)의) 보석[옥] 단추
Morse [mɔ́:rs] *n.* **1** 모스 **Samuel Finley Breese ~** (1791-1872) 《모스식 전신기를 발명한 미국 사람》 **2** [종종 **m~**] 《구어》 = MORSE CODE
Mórse códe[álphabet] [종종 the ~] 〖통신〗 모스 부호
∗**mor·sel** [mɔ́:rsəl] *n.* **1** (음식의) 한 입(mouthful), 한 조각; 가벼운 식사: a ~ of bread 한 조각의 빵 **2** 소량, 조각, 조금(fragment) 《*of*》: a ~ *of* luck 아주 작은 행운 / It wasn't a ~ *of* good. 그것은 조금도 쓸모가 없었다. **3** 하찮은 인간 **4** 특히 맛있는 것 **5** 기분 좋은 사람[것]
—*vt.* 작은 양을 주다, 소량으로 나누다 《*out*》
Mórse lámp (모스 부호를 이용하는) 모스 신호등
mort[1] [mɔ́:rt] *n.* 사냥감의 죽음을 알리는 나팔 소리
mort[2] *n.* 〖어류〗 3살 된 연어
mort[3] *n.* 《영·방언》 대량, 돌, 다수, 많음: a ~ of money 많은 돈
mor·ta·del·la [mɔ̀:rtədélə] *n.* 이탈리아의 큰 소시지
‡**mor·tal** [mɔ́:rtl] [L 「죽음의」의 뜻에서] *a.* **1** 죽어야 할 운명의, 필멸(必滅)의(opp. *immortal*): Man is ~. 사람은 죽게 마련이다. **2** 치명적인(⇨ fatal 유의어); 죽음에 관한, 임종의: ~ agony 단말마의 괴로움 / ~ fear 죽음의 공포 / at one's ~ hour 임종 때에 / ~ remains 시체, 유해 / a ~ wound 치명상 **3** 인간의; 이 세상의, 현세(現世)의: one's ~ existence 이승의 삶 / the ~ power 인간의 힘 **4** 죽음을 초래하는, 용서받지 못할: ⇨ mortal sin **5** 불구대천의; 생명을 건: a ~ enemy 불구대천의 원수 / ~ combat 사투(死鬪) **6** 《구어》 **a** 〈공포·위험 등이〉 대단한, 무서운: in ~ fear 너무 무서워서 **b** 기나긴, 지루한: two ~ hours 기나긴[지루한] 2시간 **7** [every, no 등을 강조] 《구어》 생각할 수 있는, 가능한: *every* ~ thing 온갖 것 ***in a ~ funk*** 완전히 겁에 질려 ***in a ~ hurry*** 몹시 허둥대며, 황급히
—*ad.* 《방언》 극히, 매우: ~ angry 몹시 화가 난
—*n.* **1** [보통 *pl.*] 죽어야 할 (운명의) 것, 인간 **2** [보통 수식어와 함께] 《영·구어》 사람, 놈: a jolly ~ 재미있는 녀석 ▷ mortálity *n.*; mórtally *ad.*
∗**mor·tal·i·ty** [mɔ:rtǽləti] *n.* **1** Ⓤ 죽음을 면할 수 없는 운명[성질] **2** Ⓤ [집합적] 인류(mankind), 인간 **3 a** (전쟁·질병 등에 의한) 대규모의 사망; 《폐어》 죽음 **b** 사망률; 실패 건수, 손실률, 실패율: a time of great ~ 사망률이 높은 시기 **c** 사망자수
mortálity ràte 사망률; 〖축산〗 폐사율
mortálity tàble 〖보험〗 (연령별) 사망률표
mórtal lóck 《미·속어》 (도박에서) 절대 확실한 것
mor·tal·ly [mɔ́:rtəli] *ad.* **1** 죽도록, 치명적으로(fatally) **2** 매우, 심히 ***be ~ wounded*** 치명상을 입다
mórtal mínd 〖크리스천 사이언스〗 죽어야 할 마음 《생명·지성은 물질이라는 생각》
mórtal sín 〖가톨릭〗 (지옥에 떨어질) 대죄
∗**mor·tar**[1] [mɔ́:rtər] *n.* Ⓤ 모르타르, 회반죽
—*vt.* 회반죽을 바르다, 〈돌·벽돌을〉 회반죽으로 붙이다[접합하다] **mór·tar·y** *a.* **~·less** *a.*
∗**mor·tar**[2] [mɔ́:rtər] *n.* **1** 막자사발, 약연(藥碾), 절구; 분쇄기 **2** 〖군사〗 박격포 **3** 구명줄 발사기; 불꽃 발사기
—*vt.* 박격포로 포격하다
mor·tar·board [mɔ́:rtər-bɔ̀:rd] *n.* **1** (회반죽을 이기는) 흙받기 **2** (대학의 예식용) 각모(角帽)

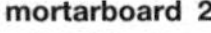
mortarboard 2

∗**mort·gage** [mɔ́:rgidʒ] [OF 「죽음」과 「약속」의 뜻에서] *n.* **1** ⓊⒸ 〖법〗 (양도) 저당; 저당 잡힘: a double ~ 이중 저당 / hold a ~ on a person's house …의 집을 저당 잡다 **2 a** (양도) 저당권[증서] **b** 《영》 저당권 설정의 (주택) 대부; 융자, 대부금 ***on ~*** 저당 잡고
—*vt.* **1** 〈토지·재산을〉 저당 잡히다: The estate is ~*d*. 그 대지는 저당 잡혀 있다. **2** 〈목숨·명예 등을〉 내걸고 덤비다, 헌신하다: 《~+목+전+명》 ~ oneself [one's life] *to* a cause 주의를 위하여 목숨을 걸다
mórtgage bònd 〖경제〗 저당[담보부] 채권
mórtgage debènture 《영》 담보부 사채(社債)
mort·gag·ee [mɔ̀:rgədʒí:] *n.* 〖법〗 저당권자
mórtgage ràte 주택 담보 대출 금리
mort·ga·gor [mɔ́:rgədʒər | mɔ̀:gidʒɔ́:], **-gag·er** [mɔ́:rgədʒər] *n.* 〖법〗 저당권 설정자
mor·tice [mɔ́:rtis] *n.*, *vt.* = MORTISE
mor·ti·cian [mɔ:rtíʃən] *n.* 《미》 장의사(《영》 undertaker)
mor·tif·er·ous [mɔ:rtífərəs] *a.* 치명적인
∗**mor·ti·fi·ca·tion** [mɔ̀:rtəfikéiʃən] *n.* **1** 〖그리스도교〗 고행, 금욕 **2 a** Ⓤ 굴욕, 치욕, 억울 **b** 굴욕[치욕]의 원인 **3** Ⓤ 〖병리〗 괴저(壞疽), 탈저(脫疽)
▷ mórtify *v.*
∗**mor·ti·fy** [mɔ́:rtəfài] [L 「죽이다」의 뜻에서] *v.* (**-fied**) *vt.* **1** 〈정욕·감정 등을〉 억제하다, 극복하다: ~ the flesh 육욕을 억제하다 / ~ oneself 고행하다 **2** …에게 굴욕을 느끼게 하다, 분하게 하다 **3** 《드물게》 〖병리〗 탈저(脫疽)에 걸리게 하다
—*vi.* 고행하다; 〖병리〗 탈저에 걸리다
▷ mortificátion *n.*
mor·ti·fy·ing [mɔ́:rtəfàiiŋ] *a.* 분한; 원통한; 고행의
mor·tise, -tice [mɔ́:rtis] *n.* 〖건축〗 장붓구멍(cf. TENON)
—*vt.* **1** 장부촉 이음으로 잇다 **2** …에 장붓구멍을 파다; 〖인쇄〗 (활자를 박기 위해) 〈인쇄판을〉 도려내다

mortise
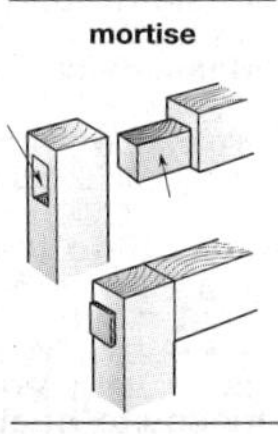

mórtise jòint 장부 (구성) 잇기
mórtise lòck 문에 박은 자물쇠
mort·main [mɔ́:rtmèin] *n.* ⓊⒸ **1** 〖법〗 영구 양도(dead hand) 《종교 단체 등에 부동산의 영구 양도》, (양도 불능의) 소유 **2** (현재에 대한) 과거의 속박[지배]력 《*over*》 ***in ~*** 영구 소유의
Mor·ton [mɔ́:rtn] *n.* 남자 이름
Mórton's Fórk [15세기의 Canterbury 대주교 이름에서] 모턴의 두 갈래 논법 《부자는 돈이 있기 때문에, 검소한 사람은 저축을 하기 때문에 세금을 낼 수 있다는 논법》
mor·tu·ar·y [mɔ́:rtʃuèri | -tjuəri] *n.* (*pl.* **-ar·ies**) **1** 《영》 시체 안치소, 영안실(morgue); 《미》 장례식장(funeral parlor) **2** 〖영국사〗 사후 기진(寄進) 《교구 목사에게 바치는 죽은 사람의 재산의 일부》
—*a.* 죽음의, 죽음을 기념하는; 매장의: a ~ urn 유골 단지 / a ~ badge 상장(喪章)
MOS metal oxide semiconductor; metal oxide silicon; military occupational specialty 〖미군〗 군사 주특기 **mos.** months

---

murderous, terminal, destructive, death-dealing
mortify *v.* **1** 억제하다 subdue, control, restrain, suppress **2** 굴욕을 느끼게 하다 humiliate, humble, disgrace, shame, dishonor, abash, degrade

***mo·sa·ic** [mouzéiik] *n.* **1** Ⓤ 모자이크, 모자이크 세공, 쪽매붙임 **2** 모자이크 그림[무늬] **3** 모자이크식의 물건[글], 그러모아 만든 것; (TV의) 모자이크 면; 〖식물병리〗 모자이크병(=~ disease): a ~ of borrowed ideas 남의 생각을 그러모은 것
— *a.* 모자이크(식)의, 쪽매붙임의: a ~ tile 모자이크용 타일
— *vt.* (**-icked**; **-ick·ing**) 모자이크로 장식하다[만들다] **-i·cist** [-isist] *n.* 모자이크 기술자
Mo·sa·ic, -i·cal [mouzéiik(əl)] *a.* 모세의
mosáic diséase 〖식물병리〗 모자이크병
mosáic góld 황화제2주석(cf. ORMOLU)
mosáic ímage 모자이크상(像)《겹눈에 비치는 상》
mo·sa·i·cism [mouzéiəsìzm] *n.* Ⓤ 〖생물〗 모자이크 현상 《생체에 유전적으로 다른 세포군이 혼재하는 상태》
Mosáic Láw [the ~] 모세의 율법
mo·sa·saur [móusəsɔ̀:r] *n.* 〖고생물〗 모사사우루스 《백악기 후기의 해룡》
mos·chate [máskeit, -kət | mɔ́s-] *a.* 사향내가 나는(musky)
***Mos·cow** [máskou, -kau | mɔ́skou] [Russ. Moskva(강 이름)에서] *n.* **모스크바** 《러시아의 수도》
Mo·selle [mouzél] *n.* **1** [the ~] 모젤 강 《프랑스 동북부의 강》 **2** Ⓤ [때로 **m~**] 모젤 백포도주
***Mo·ses** [móuziz, -zis] *n.* **1** **모세** 《유대 나라의 건국자·입법자》 **2** 지도[입법]자 **3** 남자 이름
Móses básket (영) 포장 달린 요람(bassinet)
Móses frèak (미·속어) 전통적 유대교의 가르침과 관습을 엄격히 지키는 젊은이
mo·sey [móuzi] *vi.* (미·구어) 배회하다, 어슬렁거리다 (*along, about*); (황급히) 떠나다(decamp)
MOSFET [másfèt | mɔ́s-] [*m*etal-*o*xide *s*emiconductor *f*ield *e*ffect *t*ransistor] *n.* 〖전자〗 금속 산화막 반도체 전계 효과 트랜지스터
mosh [máʃ | mɔ́ʃ] *vi.* 격렬히[열광적으로] 몸을 흔들며 춤추다
mo·shav [mouʃá:v] *n.* (*pl.* **-sha·vim** [mòuʃəví:m]) 모샤브 《이스라엘의 자영 농업 협동 농장》
mósh pìt (록 콘서트의) 무대 전면 구역
Mos·lem [mázləm | mɔ́z-] *a., n.* (*pl.* **~s,** [집합적] ~) = MUSLIM, MUSLEM
Móslem fundaméntalism = ISLAM FUNDAMENTALISM
Mos·lem·ism [mázləmìzm | mɔ́z-] *n.* Ⓤ 이슬람교, 회교
***mosque** [másk | mɔ́sk] *n.* **모스크** 《이슬람교 성원(聖院)》

mosque

‡mos·qui·to [məskí:tou] [Sp. 「작은 날벌레」의 뜻에서] *n.* (*pl.* ~(**e**)**s**) 모기: be bitten by ~*s* 모기에 물리다
mosquíto bòat (미) 쾌속 수[어]뢰정
mosquíto cràft [집합적] 쾌속 소형 함정
mosquíto flèet (해군속어) 쾌속 소형 함정대
mosquíto hàwk (미) 잠자리; 〖조류〗 쏙독새류
mosquíto nèt 모기장
mosquíto nètting 모기장 감
‡moss [mɔ́:s, más | mɔ́s] [OE 「늪지」의 뜻에서] *n.* **1** Ⓤ 〖식물〗 **이끼**; 이끼 비슷한 지의(地衣) **2** [종종 the ~es] (스코) 늪; 이탄지(泥炭地)
— *vt.* 이끼로 덮다 ▷ móssy *a.*
Moss [mɔ́:s | mɔ́s] *n.* 남자 이름
Mos·sad [mousá:d] [Heb. =foundation] *n.* 모사드 《이스라엘의 비밀 정보 기관》
móss àgate 〖광물〗 이끼 마노(瑪瑙)
móss ànimal = BRYOZOAN
moss·back [mɔ́:sbæ̀k | mɔ́s-] *n.* (미) (등에 이끼가 낀) 늙은 바다거북; (미·구어) 극단적인 보수주의자(fogy); 시골뜨기
Möss·bau·er effèct [mɔ́:sbauər-] 〖물리〗 뫼스바우어 효과 《결정 내의 원자핵에서 감마선이 방출되어 동종의 원자핵에 공명 흡수되는 현상》
moss·bunk·er [mɔ́:sbʌ̀ŋkər | mɔ́s-] *n.* 〖어류〗 = MENHADEN
móss grèen 이끼색, 황록색
moss-grown [-gròun] *a.* 이끼가 낀; 고풍스러운, 고색창연한, 시대에 뒤떨어진(old-fashioned)
mos·so [mɔ́usou] *a., ad.* 〖음악〗 빠른[빠르게]: meno ~ 그다지 빠르지 않게
móss róse 〖식물〗 모스로즈 《장미의 일종》
moss-troop·er [-trù:pər] *n.* (17세기 잉글랜드·스코틀랜드 국경에 출몰한) 늪지의 산적; 약탈자
***moss·y** [mɔ́:si, mási | mɔ́si] *a.* (**moss·i·er**; **-i·est**) **1** 이끼 낀 **2** 이끼 같은 **3** (미·구어) 케케묵은; 매우 보수적인, 시대에 뒤떨어진 **móss·i·ness** *n.*
‡most [móust] *a., pron., ad.*

① (수·양이) 가장 많은 (것)	형 **1** 대 **1**
② 대개의, 대부분	형 **2** 대 **3**
③ 가장; 매우, 대단히	부 **1, 3**

— *a.* [MANY, MUCH의 최상급] **1** 〈수·양·정도·액이〉 **가장 큰**[**많은**], 최대[최고]의: the ~ votes 최고 득표 **2** [보통 무관사로] **대개의**, **대부분의**, 대다수의: *M*~ people like apples. 대부분의 사람들은 사과를 좋아한다. / *M*~ operations are successful. 대부분의 수술은 성공적이다. ***for the ~ part*** 대개(는)
— *pron.* **1** **최대량**[**수**]; **최대액**; **최대 한도**: This is the ~ (that) I can do. 이것이 내가 할 수 있는 최대 한도[전부]이다. / The ~ I can hope for is a passing grade. 합격점을 얻는 것이 내가 기대할 수 있는 최대 한도이다. / The ~ this room will seat is 150. 이 방의 최대 수용 좌석수는 150이다. **2** [보통 무관사로; 복수 취급] **대개의 사람들**, 대다수의 사람들: be happier than ~ 대개의 사람들보다 행복하다 **3** [보통 무관사로] **대부분**, 대다수: *M*~ of his writing is rubbish. 그가 쓴 것 대부분은 하찮다. **4** [the ~] (미·속어) 최고의 것[사람] ***at*** (***the***) ~ = ***at*** (***the***) ***very*** ~ 기껏해야, 고작해야, 많아야 ***make the ~ of*** (1) …을 가장 잘 이용하다, 최대한 활용하다 (2) …을 가장 좋게 보이게 하다[말하다] (3) …을 가장 중시하다
— *ad.* **1** [MUCH의 최상급] **가장**, 가장 많이: He worked (*the*) ~. 그는 제일 많이 일했다. / This troubles me (*the*) ~. 이것이 제일 골칫거리이다. **2** [형용사·부사의 최상급을 만듦] 가장: *the* ~ beautiful 가장 아름다운 / ~ rapid 가장 빠른 / ~ wisely 가장 현명하게 **3** [a ~] **매우**, 대단히, 극히(very): *a* ~ beautiful woman 대단한 미인 **4** [all, every, any 등을 수식하여] (미·구어) (영·방언) 거의(almost) **5** 존칭의 일부로 쓰는 말: the *M*~ High 신(神) ***~ and least*** (시어) 한 사람[하나]도 남기지 않고, 모두 ***~ of all*** 무엇[누구]보다도, 우선 첫째로 ▷ móstly *ad.*
-most [mòust, məst] *suf.* [명사·형용사에 붙여 「가장…」의 뜻을 나타내는 최상급을 만듦]: top*most* (최고급의), inner*most*(맨 안의)
most·est [móustist] *n.* [the ~] (방언) 최대량, 극도(의 것)
móst fávored nátion 최혜국 《略 MFN》
móst-fá·vored-ná·tion clàuse [móustféivərdnéiʃən-] 〖국제법〗 최혜국 조항[조관(條款)]
Móst Hónorable (영) 각하 《후작 및 Bath 훈등(勳等)을 가진 사람에 대한 존칭》
‡most·ly [móustli] *ad.* **대개**, 대개의 경우는, 대부분, 거의; **주로**; 보통은, 일반적으로: The audience were ~ women. 청중은 대개가 여자들이었다. ▷ móst *a.*

Móst Réverend …사(師), …존사(尊師) 《대사제, 사제 등 고위 성직자에 대한 존칭》
móst signíficant bít 〖컴퓨터〗 최상위 비트 《略 MSB》
móst signíficant dígit 〖컴퓨터〗 최상위 숫자 《略 MSD》
móst váluable pláyer 최우수 선수 《略 MVP》
mot [móu] [F = word] *n.* (*pl.* **~s** [-z]) 경구(警句), 명언
MOT [émòutí:] *n.* **1** 《영》 Ministry of Transport 《현재는 Department of Transport》 **2** 《영·구어》 차량 검사(= **∠ tèst**) **3** 차량 검사증
mote [móut] *n.* 티끌, (한 점의) 먼지 《공중에 떠다니는 것이 보이는》, 미진(微塵) ***~ and beam*** 티끌과 대들보, 남의 작은 결점과 자기의 큰 결점 ***the ~ in*** a person***'s eye*** 〖성서〗 남의 눈의 티끌 《자기의 결점에 비하면 아무 것도 아닌 남의 단점》
*__mo·tel__ [moutél] [*mo*tor+ho*tel*] *n.* 《미》 모텔 《자동차 여행자의 숙박소》
— *vi.* 모텔에 숙박하다
mo·tel·ier [moutəljéi, -líər | moutéljei] *n.* 모텔 경영자
móte spòon (차를 걸러 내는 데 쓰는) 구멍난 스푼
mo·tet [moutét] *n.* 〖음악〗 모테트 《무반주 다성(多聲) 성가곡》
moth [mɔ́:θ, mɑ́θ | mɔ́θ] *n.* (*pl.* **~s** [mɔ́:ðz | mɔ́θs], ~) **1** 〖곤충〗 **a** 나방 **b** 옷좀나방(= clothes ~) **2** [the ~] 옷좀나방(의 해(害)), 좀먹음: get *the* ~ 〈옷이〉 좀먹다 **3** 경비행기의 일종
moth·ball [mɔ́:θbɔ̀:l, mɑ́θ- | mɔ́θ-] *n.* [보통 *pl.*] 알 좀약 《나프탈렌 등》 ***in ~s*** (1) 〈의복 등을〉 잘 간수하여 (2) 〈함선 등을〉 예비역으로 돌려 (3) 〈생각·계획 등을〉 뒤로 미루고, 처박아 두어 ***out of ~s*** 〈간수해 놓은 것을〉 끄집어 내어
— *a.* 간수해 둔, 쓰지 않은, 퇴역한
— *vt.* **1** 나프탈렌 알약을 넣다 **2** 간수해 두다; 〈군함 등을〉 예비역으로 돌리다; 〈계획 등을〉 연기하다: *~ed* ships 예비 함선
móthball fléet 예비 함대
móth bèan 〖식물〗 모스 빈 《인도산 강낭콩속(屬)》
moth-eat·en [-ì:tn] *a.* 좀먹은; 낡은; 시대에 뒤진
moth·er[1] [mʌ́ðər] *n.* **1 a** 어머니, 모친; 의붓어머니, 계모, 양모 **b** 어머니 같은 사람: The nun was a ~ to orphans. 그 수녀는 고아들에게 어머니와 같은 존재였다. **2** [종종 **M~**] 수녀원장, 마더 **3** [the ~] 모성애 **4** [the ~] 본원, 근원, 출처 **5** 할머니 《노부인에 대한 Mrs.에 해당함》 **6** 《병아리》 보육기: an artificial ~ 사육기 **7** 《속어》 항공 모함; 《미·속어》 게이의 어른격 **8** 《비어》 = MOTHER FUCKER; 《속어》 가장 좋은[큰] 것, 근사한 것
at one***'s ~'s knee*** 아주 어릴 때, 어린 나이에 ***be*** (***the***) ~ 《영·구어》 차를 끓여 내다 ***every ~'s son*** 누구나[누구든지] 다 ***God's M~*** = ***the M~ of God*** 성모 마리아 ***meet*** one***'s*** ~ 《속어》 태어나다: He wished he had never *met his* ~. 《속어》 그는 차라리 이 세상에 태어나지 않았더라면 하고 생각했다. ***the ~*** (***and father***) ***of*** (***all***) [복수 명사와 함께] 《구어》 터무니없는 …; 특출한 …; 월등한 … ***the M~ of Presidents*** 미국 Virginia 주의 속칭
— *a.* **1** 어머니인: a ~ bird 어미새 **2** 어머니의[다운]; 어머니로서의: ~ love 모성애 **3** 모국의, 본국의: his ~ culture 자국의 문화 **4** 어머니 같은 관계에 있는
— *vt.* **1** 어머니로서[처럼] 돌보다; 어머니가 되다 **2** 자기 자식으로서 기르다 **3** 〈작품·사상 등을〉 낳다 **4** 〈아이〉의 어머니임을 시인하다; 〈소설 등〉의 저자임을 시인하다 ▷ mótherly, mótherlike, matérnal *a.*
mother[2] *n.* 초모(醋母), 식초의 골마지(= **∠ of vínegar**) — *vi.* 초의 골마지[초모]가 생기다
moth·er·board [mʌ́ðərbɔ̀:rd] *n.* 〖컴퓨터〗 머더보드, 본체 기판(基板)
Móther Cárey's chícken[**góose**] 〖조류〗 바다제비(storm petrel)
móther céll 〖생물〗 모세포
móther chùrch [보통 the ~] **1** 교회 《인격적으로 본》 **2** 모교회, 본산(本山); (교구에서) 가장 오래된 교회
móther cóuntry [the[one's] ~] **1** 모국(native land), 조국 **2** 본국 《식민지에서 본》
moth·er·craft [-kræ̀ft | -krɑ̀:ft] *n.* Ⓤ 육아법 《어머니로서의 지식과 기술》; 《영》 주부업
móther éarth [the ~] 대지(大地); 《익살》 지면: kiss one's ~ 엎어지다
moth·er·ese [mʌ̀ðərí:z] *n.* Ⓤ 아이처럼 말하기 《아이 수준에 맞는 단어·억양 등을 사용하는》
móther fígure = MOTHER IMAGE
moth·er·fuck·er [-fʌ̀kər] *n.* 《비어》 **1** 비열한[망할] 놈[것], 쌍놈 **2** [친한 남자 사이의 호칭] 이놈, 이녀석, 이봐: You ~! 이봐, 이녀석!
moth·er·fuck·ing [-fʌ̀kiŋ] *a.* 《비어》 비열한, 망할, 쌍놈의, 괘씸한
Móther Góose 머더 구스 《영국의 전승 동요집 (*Mother Goose's Nursery Rhymes*)의 전설적 저자》
Móther Góose rhỳme 《미》 (전승) 동요(nursery rhyme)
móther hén 과보호로 참견하는 사람
*__moth·er·hood__ [mʌ́ðərhùd] *n.* Ⓤ **1** 어머니임, 모성(maternity), 모성애 **2** 모친의 정신[특성] **3** [집합적; 단수 취급] 어머니(mothers): the ~ of the nation 그 나라의 어머니들
móther hòuse 〖가톨릭〗 모원(母院)
Móther Húb·bard [-hʌ́bərd] **1** 허버드 아주머니 《영국 동요의 제목 및 그 여주인공》 **2** 옷자락이 길고 느슨한 여성용 가운
móther ìmage 전형적인[이상화된] 어머니상(像)
moth·er·ing [mʌ́ðəriŋ] *n.* Ⓤ 《영》 근행(覲行), 귀향(歸鄕) 《어버이를 뵈옵고 선물을 함》
Móthering Súnday 《영》 귀성[근행]의 일요일 《사순절(Lent)의 넷째 일요일》
*__moth·er-in-law__ [mʌ́ðərinlɔ̀:] *n.* (*pl.* **moth·ers-**) 장모, 시어머니, 의붓어머니
móther-in-làw apàrtment 《미》 = IN-LAW APARTMENT
moth·er·land [-læ̀nd] *n.* **1** 모국, 조국: affectionate regard for the ~ 모국에의 사모(思慕) **2** (사상·운동 등의) 발상지
móther lànguage = MOTHER TONGUE
moth·er·less [mʌ́ðərlis] *a.* 어머니가 없는
moth·er·like [-làik] *a.* 어머니 같은, 어머니다운
móther líquor[**líquid**] 〖화학〗 모액(母液) 《용질의 정출(晶出) 후에 남은 포화 용액》
móther lòde (광산의) 주(主)광맥, 주맥(主脈); 주요한 원천, 모체
*__moth·er·ly__ [mʌ́ðərli] *a.* **1** 어머니의[로서의]: ~ love 모성애 **2** 어머니 같은; 어머니다운, 인자한, 자애로운: a ~ lady 어머니같이 자애로운 부인
— *ad.* 어머니답게, 어머니같이 **-li·ness** *n.*
moth·er-na·ked [mʌ́ðərnéikid] *a.* (태어날 때처럼) 알몸의
Móther Nàture 어머니인 자연; [**m- n-, m- n-'s**] 《미·속어》 마리화나
moth·er-of-pearl [-əvpə́:rl] *n., a.* Ⓤ 진주층(의), 진주모(nacre)(의); 진주색(의)
moth·er-of-thyme [-táim] *n.* 양종(洋種) 백리향 《광대수염과의 가지가 많은 작은 풀》
móther's bòy 《영·구어》 나약한 남자 아이(《미》 mama's boy)
Móther's Dày 《미·캐나다》 어머니날 《5월의 둘째 일요일; 《영》에서는 사순절(Lent)의 넷째 일요일 (Mothering Day)》 NOTE 어머니가 살아 계시면 붉은 카네이션, 돌아가셨으면 흰 카네이션을 가슴에 닮; 호주에서는 생사와 관계없이 흰 국화를 가슴에 닮.
móther's hélper 가정부, 아이 보는 사람

móther shíp 모선, 보급선(tender); 《영》 모함
móthers' méeting 《영》 (교구 등의) 어머니회; 열띤 논쟁[토론회]
móther's mílk **1** 모유 **2** 생활 양식을 갖다주는 것; 원래 좋아하는 것; 《구어》 술
móther's rúin 《영·해학》 = GIN[1]
móther's sòn 《구어》 남자, 사내
móther supérior [종종 **M- S-**] 수녀원장
mother-to-be [mʌ́ðərtəbìː] *n.* (*pl.* **mothers-**) 임신부, 곧 어머니가 될 사람
móther tóngue 모어(母語) 《태어나서 어머니에게서 배우는 말》; 모국어; 조어(祖語)
móther wàter = MOTHER LIQUOR
móther wít 타고난 지혜, 상식
moth·er·wort [mʌ́ðərwə̀ːrt] *n.* 〚식물〛 익모초 《광대나물과(科)》; 쑥(mugwort)
moth·er·y [mʌ́ðəri] *a.* 초모성(醋母性)의; 초모를 함유한
moth·proof [mɔ́ːθprùːf, mɑ́θ- | mɔ́θ-] *a.* 좀이 슬지 않는, 방충(가공)의 **—** *vt.* 방충 처리[가공]하다
moth·y [mɔ́ːθi, mɑ́θi | mɔ́θi] *a.* (**moth·i·er**; **-i·est**) **1** 나방이 많은 **2** 벌레먹은, 좀먹은
***mo·tif** [moutíːf] [F = motive] *n.* **1 a** (문학·예술 작품의) **주제**(主題), 테마 **b** (악곡의) 동기, 모티프 **c** (디자인 등의) 기조(基調), 의장(意匠)의 주된 요소 **2** 동기, 동인(動因); 주지(主旨), 특색
mo·tile [móutl, -til | -tail] *a.* 〚생물〛 자동력(自動力) 있는, 운동성의 **—** *n.* 〚심리〛 운동형의 사람
mo·til·i·ty [moutíləti] *n.* Ⓤ 〚생리〛 (자동) 운동성, 자동력(自動力)
‡**mo·tion** [móuʃən] [L 「움직임」의 뜻에서] *n.* **1** Ⓤ **운동, 움직임**; 동요; 이동, (천체 등의) 운행: the laws of ~ 운동의 법칙

> 유의어 **motion** 움직이고 있는 상태: perpetual *motion* 영구 운동 **movement** 특정한 방향으로 정해진 움직임: the *movement* of a dance 춤의 움직임

2 Ⓤ (기계의) 작동, 운전 **3** [*pl.*] **동작**; 활동, 행동; 거동, 몸짓, 손짓, 신호: her graceful ~*s* 그녀의 우아한 거동 // (~+*to* do) She made a ~ to me *to* approach her. 그녀는 나더러 가까이 오라고 손짓했다. **4 동의**(動議), 발의; 제의, 제안 《의회 등의》: an urgent ~ 긴급 동의 **5** 《영》 **a** 배변(《미》 movement) **b** [*pl.*] 배설물: pass ~*s* 배설하다 **6** 〚법〛 명령[재정] 신청 **7** 〚기계〛 매커니즘, 장치 **8** 〚음악〛 (선율의) 진행
carry [***reject***] ***a*** **~** 동의를 가결[부결]하다 ***go through the ~s of ...*** 《구어》 (1) …의 시늉[몸짓]을 하다 (2) 마지못해 …의 시늉만 해보이다 ***in ~*** 움직이고; 운전 중의[에] ***make a ~***[***~s***] 몸짓으로 신호하다 ***of*** one***'s own ~*** 자진하여 ***on the ~ of*** …의 동의로 ***put***[***set***] ***... in ~*** …을 움직이게 하다; 추진하다 ***second the ~*** 동의에 찬성하다
— *vt.* **몸짓으로 지시[신호, 요구]하다** 《*to, away*》: (~+목+전+명) ~ a person *to* a seat 앉으라고 몸짓으로 알리다
— *vi.* 몸짓으로 신호하다 《*to*》: (~+전+명+*to* do) ~ *to* a person *to* come 오라고 몸짓하다
mo·tion·al [móuʃənl] *a.* 운동의, 운동에 관한; 운동에 의한; 운동을 일으키는
‡**mo·tion·less** [móuʃənlis] *a.* **움직이지 않는**, 부동의, 정지한: sit ~ 꼼짝 않고 앉아 있다
~·ly *ad.* **~·ness** *n.*
mótion lòtion 《미·속어》 자동차의 연료
***mótion pícture** 《미》 **영화**(movie); [*pl.*] 영화 제작, 영화 산업
mo·tion-pic·ture [móuʃənpíktʃər] *a.* 《미》 영화의: a ~ camera 영화 촬영기
mótion sìckness 〚병리〛 동요병(動搖病), (탈것에 의한) 멀미
mótion stùdy = TIME AND MOTION STUDY
mótion wòrk 분침 회전의 시침 전달 장치
***mo·ti·vate** [móutəvèit] *vt.* **1 a** …**에게 동기를 주다**(impel), 자극하다 **b** [종종 수동형으로] …의 동기가 되다 **2** 〈학생에게〉 흥미[의욕]를 느끼게 하다
-vat·ed [-id] *a.* 자극받은, 의욕을 가진, 동기가 부여된 **-và·tor** *n.*
***mo·ti·va·tion** [mòutəvéiʃən] *n.* Ⓤ,Ⓒ **1 자극**, 유도 **2** 〚심리〛 (행동의) 동기 부여; 학습 의욕 유발
~·al [-ʃənəl] *a.* **~·al·ly** [-nəli] *ad.*
motivátion(al) resèarch 〚경제〛 구매 동기 조사
motivátionally defícient *a.* 《완곡》 게으른, 나태한
‡**mo·tive** [móutiv] [L 「움직임에 도움되는」의 뜻에서] *n.* **1 동기**, 동인(動因), 자극; 진의, 목적: an ulterior ~ 숨은 동기, 저의

> 유의어 **motive** 사람에게 행동을 하게 하는 내부적인 충동: a *motive* of the crime 범죄의 한 동기 **incentive** 사람에게 더 한층의 노력이나 행동을 촉구하는 자극: A bonus was offered as an *incentive.* 상여금이 유인(誘因)으로서 주어졌다. **inducement** 사람에게 행동을 취하게 하는 외부로부터의 유인, 특히 금전적인 것을 말한다: offer a watch as an *inducement* to subscribe 예약 신청의 유인으로서 시계를 제공하다

2 (예술 작품의) 모티브, 모티프(motif) ***of***[***from***] one***'s own ~*** 자진하여
— *a.* **1** 움직이게 하는, 기동(起動)의, 원동력이 되는; 운동의[에 관한]: ~ force 원동력, 추진력 / the ~ nerves 운동 신경 **2** 동기의[가 되는]
— *vt.* [주로 수동형으로] …에게 동기를 주다(motivate) ▷ mótivate *v.*; motívity *n.*
mo·tive·less [móutivlis] *a.* 동기[목적]가 없는, 이유가 없는 **~·ly** *ad.*
mótive pówer 원동력, 동력; [집합적] 기관차
mo·ti·vic [moutívik] *a.* 〚음악〛 동기의[에 관한]
mo·tiv·i·ty [moutívəti] *n.* Ⓤ 원동력, 동력, 발동력
mot juste [móu-ʒúːst] [F = just[right] word] *n.* (*pl.* **-s -s** [~]) 적절한 말, 명언
***mot·ley** [mɑ́tli | mɔ́t-] *a.* Ⓐ **1** 〈의복이〉 **잡색의**, 얼룩덜룩한 (옷을 입은): a ~ fool 얼룩덜룩한 옷을 입은 광대 **2** 잡다한, 혼성의; 다양한, 뒤섞인: a ~ crowd 잡다한 군중
— *n.* **1** 《문어》 (광대의) 얼룩덜룩한 옷 **2** Ⓤ 잡색, 얼룩덜룩한 색 **3** 잡동사니, 뒤범벅 ***wear***[***put on***] (***the***) **~** 광대짓을 하다, 익살부리다
mo·to[1] [móutou] *n.* (*pl.* **~s**) 모터크로스 1회 경주
moto[2] [It. = movement] *n.* (*pl.* **~s**) 〚음악〛 운동, 모토: ⇨ con moto
mo·to·cross [móutoukrɔ̀ːs | -krɔ̀s] *n.* 모터크로스 《오토바이의 야외 횡단 경주》 **~·er** *n.*
mo·to·neu·ron [mòutənjúərɑn, -njúərɔn] *n.* 〚해부〛 운동 뉴런(motor neuron)
‡**mo·tor** [móutər] [L 「움직이게 하는 것」의 뜻에서] *n.* **1 모터**, 전동기(電動機), **발동기**; 내연 기관 **2** 《영》 자동차 ★ 지금은 car를 더 많이 씀; = MOTORBOAT, MOTORCYCLE **3** 원동력, 움직이게 하는 것[사람] **4** 〚해부〛 운동 근육, 운동 신경(= ~ **nèrve**) **5** [*pl.*] 자동차 회사의 주식 《특히 General Motors 사의》
get a person***'s ~ running*** 《미·구어》 (흔히 성적으로) …을 흥분시키다, 흥미를 끌다, 기분나게 하다
— *a.* **1** 움직이게 하는, 원동(력)의; 발동의: ~ power 원동력 **2** 모터의, 발동기의; 자동차(용)의, 자동차에 의한: the ~ industry 자동차 산업 **3** 〚해부〛 운동 근육[신경]의, 운동의: a ~ response 운동 반응 / ~ nerve cell 운동 신경 세포

thesaurus **motivate** *v.* stimulate, inspire, arouse, excite, stir, cause, lead, persuade

—*vt.* 《영》 자동차로 운반하다[보내다]: ~ a friend home 친구를 차로 집까지 태워다주다
—*vi.* **1** 자동차를 타다 **2** 자동차로 가다
mo·tor·a·ble [móutərəbl] *a.* 《영》 〈도로가〉 차로 갈 수 있는
mótor àrea 〖해부〗 (대뇌 피질의) 운동령(領)
mo·tor·bike [móutərbàik], **mótor bícycle** *n.* **1** 《미·구어》 모터바이크, 모터 달린 자전거 **2** 《영·구어》 =MOTORCYCLE
mo·tor·boat [-bòut] *n.* 모터보트, 발동기선(⇨ boat 관련) —*vi.* 모터보트를 타다[몰다]
mo·tor·boat·ing [-bòutiŋ] *n.* 모터보트 놀이; 〖전기〗 모터보팅
mo·tor·bus [-bʌ̀s] *n.* 버스
mo·tor·cab [-kæ̀b] *n.* 택시
mo·tor·cade [-kèid] *n.* 자동차 행렬
‡**mo·tor·car** [móutərkɑ̀:r] *n.* 《영》 자동차(《미》 automobile); 《미》 [보통 motor car] (철도) 전동차
mótor càravan 《영》 =MOTOR HOME
Mótor Cíty [the ~] 미국 Michigan 주 디트로이트의 속칭
mótor còach (장거리) 버스
mótor còurt 《미》 =MOTEL
*__mo·tor·cy·cle__ [móutərsàikl] *n.* **1** 오토바이: ~ gangs 오토바이 폭주족 / by[on a] ~ 오토바이로[를 타고] **2** 《속어》 (성교 대상의) 여자
—*vi.* 오토바이를 타다[몰다]
mo·tor·cy·cling [-sàikliŋ] *n.* Ⓤ 모터 사이클[오토바이] 경주
mo·tor·cy·clist [-sàiklist] *n.* 오토바이 타는 사람
mo·tor·dom [móutərdəm] *n.* 자동차계(界)
mótor drìve 〖기계〗 전동부(電動部); 모터 드라이브 《전동기를 사용하여 기계를 구동시키는 방식》
mo·tor-driv·en [-drìvən] *a.* 모터로 움직이는
mo·tor·drome [-dròum] *n.* 자동차[오토바이] 경주[시주(試走)]장
mótor dỳnamo 전동(電動) 발전기
mo·tored [móutərd] *a.* [보통 복합어를 이루어] …모터가 있는: a bi-~ airplane 쌍발식 비행기
mótor gènerator 전동 발전기
mo·tor·glid·er [móutərglàidər] *n.* 모터 달린 글라이더
mótor hòme 《미》 모터 홈 《여행·캠프용 주거 기능을 가진 자동차》
mótor hotèl = MOTOR INN
mo·to·ri·al [moutɔ́:riəl] *a.* 운동의, 운동을 일으키는; 운동 신경의
mo·tor·ic [moutɔ́:rik | -tɔ́r-] *a.* 운동 근육의
mo·tor·ing [móutəriŋ] *n.* Ⓤ 《영》 **1** 자동차 운전(기술) **2** 드라이브, 자동차 여행 —*a.* Ⓐ 자동차의; 운전의
mótor ìnn (도시의 고층) 모텔
*__mo·tor·ist__ [móutərist] *n.* 자동차 운전자; (자가용) 자동차 상용자(常用者)
mo·tor·ize [móutəràiz] *vt.* **1** 〈차에〉 엔진을 달다 **2** 〈군대 등을〉 자동차화하다(cf. MECHANIZE); 〈농업을〉 동력화하다: ~ a farm 농장일을 동력화하다
mò·tor·i·zá·tion *n.* Ⓤ 동력화; 자동차화 **mó·tor·ized** *a.* 엔진[모터]이 달린; 〈군대가〉 자동차화 된
mótor lòdge =MOTEL
mótor lòrry 《영》 화물 자동차(《미》 motor truck)
mo·tor·man [móutərmən] *n.* (*pl.* **-men** [-mən, -mèn]) **1** 전차[전기 기관차] 운전사 **2** 모터 담당자
mo·tor-mind·ed [-màindid] *a.* 운동형의, 운동 감각이 예민한 **~·ness** *n.*

motive *n.* motivation, reason, rationale, cause
mound[1] *n.* heap, pile, stack, hill

mo·tor·mouth [-màuθ] *n.* 《미·속어·경멸》 수다쟁이
mótor nèuron 〖해부〗 운동 뉴런
mótor néuron diséase 〖병리〗 운동 뉴런 질환
mótor pàrk (서아프리카의) 주차장, 버스 정류장
mótor pòol 《미》 모터풀 《배차 센터에 주차하고 있는 군용·관용 자동차군》; 〖미군〗 수송부
mótor ràcing 자동차 경주
mótor sàiler (기관과 돛을 갖춘) 기범선(機帆船)
mótor scòoter 모터 스쿠터
mótor shìp 발동기선, 내연 기선
mótor shòw 모터 쇼, 자동차 전시 발표회
mótor skíll 〖심리〗 운동 기능[숙달]
mótor spìrit 《영》 내연 기관용 연료, 휘발유
mo·tor·sports [móutərspɔ̀:rts] *n. pl.* 모터스포츠 《자동차나 오토바이 따위의 속도 경기》
mótor torpédo bòat 《미》 고속 어뢰정
mótor trùck 《미》 화물 자동차(《영》 motor lorry)
mótor ùnit 〖해부·생리〗 운동 단위
mótor vàn 《영》 유개(有蓋) 화물 자동차
mótor vèhicle 자동차(류)
mótor vòter 《미》 모터 보터 《운전 면허증 취득[갱신]과 동시에 유권자 등록하기, 또는 등록을 하는 사람》
mo·tor·way [-wèi] *n.* 《영》 고속도로(《미》 expressway)
mótorway màdness 《영·구어》 (짙은 안개 등 악천 후 속의) 고속도로에서의 무모한 운전
mo·to·ry [móutəri] *a.* 〖해부〗 운동을 일으키는
Mo·town [móutàun] [*Motor town*(디트로이트 시의 애칭)] *n.* 모타운 《디트로이트 시의 흑인 레코드 회사》(=**~ Récords**); 모타운 사운드 《강한 비트를 가진 리듬 앤드 블루스》 —*a.* 모타운식의 《강한 비트의 리듬 앤드 블루스의》
motte, mott [mɑ́t | mɔ́t] *n.* 《미·방언》 (초원 지대의) 작은 숲
motte-and-bai·ley castle [mɑ̀tən*d*béili- | mɔ̀t-] 모트-베일리 성 《외벽으로 둘러싸인 둔덕 위의 요새 형태인 옛 성》
mot·tle [mɑ́tl | mɔ́tl] *n.* 반점; 얼룩; 반점 무늬, 반문(斑紋) —*vt.* …에 반점을 붙이다, 얼룩덜룩하게 하다: the wings ~*d* with brown 갈색 얼룩무늬가 있는 날개
mot·tled [mɑ́tld | mɔ́tld] *a.* 얼룩덜룩한, 잡색의
móttled enámel 〖치과〗 반상(斑狀) 에나멜 질(質)
‡**mot·to** [mɑ́tou | mɔ́t-] [It. 「말」의 뜻에서] *n.* (*pl.* **~(e)s**) **1 a** 좌우명, 표어, 모토: a school ~ 교훈 **b** (방패·문장(紋章)의) 제명(題銘) **2** 금언, 격언, 처세훈 (maxim) **3** (책의) 제구(題句), 제사(題辭), 인용구 **4** 〖음악〗 반복 악구(樂句), 주제구
mo·tu pro·pri·o [móutu:-próupriòu] [L =with one's own motive] 〖가톨릭〗 교황 자발 교령(敎令)
Mo·tzu [mòutsú] *n.* 묵자(墨子)(470?-?391 B.C.) 《중국 춘추 전국 시대의 사상가》
MOU, mou memorandum of understanding 〖법·상업〗 양해 각서
mouch [mú:tʃ] *vi., vt.* 《영》 =MOOCH
moue [mú:] [F] *n.* 찡그린[부루퉁한] 얼굴
mouf·(f)lon [mú:flɑn | -lɔn] *n.* (*pl.* **~, ~s**) 야생 양(羊) 《지중해의 Sardinia 등지의》
mou·jik [mu:ʒí:k | mú:ʒik] *n.* 《구소련》 =MUZHIK
mou·lage [mu:lɑ́:ʒ] *n.* (범죄 증거로서의 발자국·타이어 자국 등의) 석고뜨기; 그 석고형, 물라주
‡**mould** [móuld] *n.* 《영》 =MOLD[1,2,3]
mould·ing [móuldiŋ] *n.* =MOLDING[1,2]
mould·y [móuldi] *a.* 《영》 =MOLDY
mou·lin [mu:lǽŋ] [F] *n.* 〖지질〗 빙하 구혈(甌穴)
moult [móult] *vt., vi.* 《영》 =MOLT
moul·vi [máulvi] *n.* 이슬람 법률 학자
‡**mound**[1] [máund] *n.* **1** (고대 성의 폐허·묘 등의) 흙무더기; 고분(古墳): shell ~*s* 조개무지, 패총 **2 a** 토루, 제방, 방축, 《특히》 방어용 둑; 작은 언덕 **b** 〖야구〗 (투수의) 마운드(=pitcher's ~): take the ~ 마

운드에 서다 **3** 산더미처럼 쌓아 올린 것 《*of*》: a ~ *of* papers 서류 더미
— *vt.* **1** …에 둑을 쌓다 **2** 〈흙을〉 쌓아 올리다(heap up) **3** 둑으로 막다[견고히 하다]
mound² *n.* (왕관 등의) 보주(寶珠)
Móund Bùilders [the ~] 북아메리카 5대호에서 Florida에 걸쳐 많은 무덤·둑을 남긴 선사 시대의 인디언의 여러 부족
móund dùel 〖야구〗 투수전(投手戰)
mounds·man [máundzmən] *n.* (*pl.* **-men** [-mən]) (미·속어) (야구의) 투수
‡**mount¹** [máunt] *v., n.*

> L「산으로 가다」의 뜻.
> 「오르다」 ㊀ **1**, ㊁ **2** → (…위에 오르다)
> 「타다」 ㊀ **2**, ㊁ **3** → (…위에 놓다) → 「설치하다」 ㊀ **3**

— *vt.* **1** 〈산·계단·왕위 등에〉 **오르다**: ~ a hill 산에 오르다 **2** 〈말·자전거 등에〉 **타다, 올라타다**; 〈사람을〉 말에 태우다; 기병(騎兵)으로 만들다: ~ a horse 말에 올라타다 **3 설치하다,** 앉히다 《*on*》; 〈포를〉 탑재하다, 갖추다: (~+목+전+명) ~ a statue *on* a pedestal 대 위에 상을 앉히다 / a battleship ~*ing* eight guns 8문의 포를 탑재한 전함 / a lorry ~*ed with* a crane 기중기를 갖춘 트럭 **4** 〈사진 등을〉 대지(臺紙)에 붙이다, 안을 받치다, 배접하다; 〈표본을〉 슬라이드에 고정시키다 《*on*》: (~+목+전+명) ~ a photograph *on* cardboard 사진을 대지에 붙이다 **5** 〈보석 등을〉 박아 넣다; 금은으로 장식하다: a crown ~*ed with* diamonds 보석을 박은 왕관 **6** 박제(剝製)로 하다 **7** (연주의) 상연(上演) 준비를 하다, 소품《등》을 준비하다; 상연하다 **8** 〈베틀에〉 실을 걸다 **9** 〈전투 등을〉 준비하다, …에 착수하다; 〈공격을〉 개시하다, 시작하다; 〈전시회 등을〉 개최하다: ~ an offensive 공격하다, 공세를 취하다 / ~ a museum exhibit 박물관 전시회를 개최하다 **10** 〈보초·망을〉 세우다, 〈부서에〉 배치하다; 〈보초를〉 서다, 〈경비에〉 임하다 **11** 〈수컷이〉 (교미하려고) 올라타다 **12** 〖컴퓨터〗 〈CD-ROM 디스크 등을〉 올려놓다; 〈디스크 드라이브 등의 하드웨어를〉 장착하다 ~ ***guard*** 보초를 서다; 지키다 《*over*》
— *vi.* **1** 〈수량·정도·비용 등이〉 **오르다, 늘다,** 붇다 (rise) 《*up*》: (~+부) Prices are ~*ing up* steadily. 물가가 계속 올라만 간다. **2 a** 오르다, 올라가다, 상승하다(ascend) 《*to*》: (~+전+명) ~ *to* a hill 언덕에 오르다 **b** 〈핏기가〉 얼굴에 오르다, 얼굴이 달아오르다: (~+전+명) A flush ~*ed to* her face. 그녀는 얼굴이 빨개졌다. **3** 말에 올라타다
— *n.* **1** (구어) 말타기, 승마; 승용마, 탈것 《등》 **2** (사진 등의) 대지(臺紙), 대판(臺板); (반지 등의) 거미발; (현미경의) 슬라이드, 검경판(slide); 〖군사〗 포가(砲架) **3** 오르기, 올리기 **~·a·ble** *a.* 올라갈 수 있는
mount² [mount¹과 같은 어원] *n.* **1** 언덕(hill), 산(mountain) ★ 고유 명사와 함께 쓰일 때는 *Mount* Vernon 또는 *Mt.* Halla라고 씀. **2** (손금에서) 궁(宮) 《손바닥의 7융기의 하나》
‡**moun·tain** [máuntən] [L「산악 지방」의 뜻에서] *n.* **1** 산, 산악(cf. HILL); [*pl.*] **산맥**; 산지, 연산(連山): a volcanic ~ 화산 ★ 보통 2,000피트 이상의 것을 말하며, 고유 명사 뒤에 두는 경우는 있어도 앞에 두는 일은 없음: the Rocky ~*s* 로키 산맥(cf. MOUNT² 1) **2** [the M~] 〖역사〗 산악당 《의사당에서 높은 좌석을 차지한 프랑스 혁명 당시의 극단적 과격파》 **3** [종종 *pl.*] **a** 산더미 같은 것: have ~*s* of work 할 일이 태산 같다 **b** (산더미 같은) **다수,** 다량 《*of*》: a ~ *of* mail 산더미 같은 우편물
have a ~ to climb 앞날이 험난하다 ***make a ~ (out) of a molehill*** = make ~*s* out of MOLEHILLS. **~*s high*** 산더미 같은[같이](cf. MOUNTAIN-HIGH) ***move ~s*** 모든 노력을 기울이다; 극적인 결과를 거두다 ***Muhammad and the ~*** 마호메트와 산 《마호메트가 산을 불러 옮기겠다고 장담하고 나서 산이 오지 않아서 자기가 산쪽으로 갔다는 고사에서; 거짓이 드러나도 태연한 궤변가를 이르는 말》 ***Muhammad must go to the ~.*** (상대편이 오지 않는다면) 이쪽에서 가야 하겠지. ***remove ~s*** 기적을 행하다 ***the ~ in labor*** 애만 쓰고 보람 없는 것, 「태산명동에 서일필」
— *a.* Ⓐ [명사를 수식하여] 산의; 산에 사는; 산 같은, 거대한; [보통 high와 함께; 부사적] 산처럼 (높은): ~ air 산의 공기 / ~ people 산에 사는 사람들 / ~ tribes 산지족
▷ móuntainous, móuntainy *a.*
móuntain àsh 〖식물〗 마가목
móuntain bìke[bìcycle] 산악 자전거 《다중 기어와 접지면이 넓고 강한 틀로 되어 있음》
móuntain bòard 〖스포츠〗 마운틴 보드 《산의 경사면을 타는 데 쓰는 네 바퀴 달린 보드》
móuntain càt 1 = COUGAR **2** = BOBCAT
móuntain chàin 산맥(mountain range)
móuntain clìmbing 등산
Móuntain Dáylight Tìme (미) 산악 여름 시간 《略 MDT》
móuntain déw (영·구어) 스카치 위스키; (구어) 밀조 위스키; [**M- D-**] 마운틴 듀 《미국 Pepsi-Cola 사제의 청량 음료; 상표명》
***moun·tain·eer** [màuntəníər] *n.* **1** 산의 주민, 산지 사람 **2** 등산가
— *vi.* 등산하다
moun·tain·eer·ing [màuntəníəriŋ] *n.* Ⓤ 등산
móuntain gòat 산양 《로키 산맥산(産)》
móuntain gorìlla 〖동물〗 마운틴고릴라
moun·tain-high [máuntənhái] *a.* 산처럼 높은, 산더미 같은 〈파도〉
móuntain làurel 〖식물〗 칼미아 《철쭉과의 상록 관목; 미국 동부산(産)》
móuntain lèather 〖광물〗 얇은 판상(板狀)의 석면
móuntain lìon 〖동물〗 = COUGAR
móuntain màn 1 = MOUNTAINEER **2** 산지 거주자[노동자]; (미국 서부 개척 시대의) 변경 개척자
‡**moun·tain·ous** [máuntənəs] *a.* **1** 산이 많은; 산지의, 산악성의: ~ districts 산악 지대 **2** 산(더미) 같은, 거대한: ~ waves 거대한[산더미 같은] 파도
~·ly *ad.* **~·ness** *n.* ▷ móuntain *n.*
móuntain òyster (미) (식품으로서의) 양·송아지·돼지의 불알
móuntain ràilway 등산[산악] 철도
móuntain rànge 산맥, 연산(連山); 산악 지방
móuntain shèep = BIGHORN; 산지의 야생 양
móuntain sìckness 〖병리〗 고산병, 산악병
moun·tain·side [máuntənsàid] *n.* 산허리, 산중턱
Móuntain Stándard Tìme (미) 산지(産地) 표준시 《略 MST》
Móuntain Státe 로키 산맥 주(州) 《로키 산맥이 지나가는 미국 8주의 하나: Montana, Idaho, Wyoming, Nevada, Utah, Colorado, Arizona, New Mexico》
móuntain sỳstem 산계(山系)
Móuntain Tìme = MOUNTAIN STANDARD TIME
moun·tain·top [máuntəntɑ̀p | -tɔ̀p] *n.* 산꼭대기, 산정
Móuntain Vìew 마운틴 뷰 《California주 서부 주 San Jose의 북서쪽에 있는 시(市)》
móuntain wàve 산악파(山岳波) 《기류가 산을 넘을 때 생기는 공기의 파동》
móuntain wìnd (밤에 부는) 산바람, 재넘이
móuntain wìne (스페인의 말라가산) 백포도주

thesaurus **mount¹** *v.* **1** 오르다 ascend, go up, climb up **2** (비용 등이) 오르다 increase, grow, escalate, intensify **3** 타다 get astride, get on to

moun·tain·y [máuntəni] *a.* **1** =MOUNTAINOUS **2** 산악 지대에 사는

moun·te·bank [máuntəbæ̀ŋk] *n.* **1** 사기꾼, 협잡꾼(juggler) **2** 거리의 약장수, 돌팔이 의원(quack)
~·er·y [-əri] *n.* Ⓤ 사기 행위, 협잡

*__mount·ed__ [máuntid] *a.* **1** 말 탄: a ~ bandit 마적 / ~ police 기마 경관(대) **2** 대(臺)를 붙인, 대지에 붙인; 설치한, 붙박은, 고정한; …에 올려놓은, 괴어 받친; 〈총·대포 등이〉 발사 준비를 완료한 **3** 〈보석 등이〉 끼워 박은: gold-~ 금을 박아 장식한 / ~ gems 끼워진 보석 **4** 〖군사〗 (수송 등에) 기동력이 있는

mount·er [máuntər] *n.* 태우는[장치하는] 사람; (보석 따위를) 박는 사람; 장치하는 도구

Mount·ie, Mount·y [máunti] *n.* (*pl.* **Mount·ies**) 《구어》 (캐나다의) 기마 경관

mount·ing [máuntiŋ] *n.* **1** Ⓤ (대포 등의) 설치 **2 a** 〖군사〗 포가(砲架), 총가 **b** (사진 등의) 대지(臺紙) **c** (보석의) 받침대 **3** Ⓤ 승마 **4** 등단(登壇) **5** 〖동물〗 마운팅 《대장 수컷의 교미하는 시늉으로 올라타기》

móunting blòck (말을 탈 때의) 디딤대

Mòunt Vérnon 마운트 버논 《미국 Virginia 주 북동부 Potomac 강변, George Washington의 옛 집과 묘지》

‡**mourn** [mɔ́ːrn] *vi.* **1** 〈불행 등을〉 슬퍼하다, 한탄하다 《*over, for*》; (사자(死者)·죽음에 대하여) 애도하다, 조의를 표하다 《*over, for*》: (~+전+명) ~ *for* one's failure 실패를 한탄하다 / She *~ed over* the death of her friend[*for* the dead friend]. 그녀는 친구의 죽음을 애도했다. **2** 몽상(蒙喪)[거상]하다
— *vt.* 〈손실·불행을〉 슬퍼하다; 〈사자·죽음을〉 애도하다; 슬퍼하며 말하다: ~ his tragic fate 그의 비극적인 운명을 슬퍼하다 ▷ móurnful *a.*

*__mourn·er__ [mɔ́ːrnər] *n.* **1** 슬퍼[한탄]하는 사람, 애도자 **2** 장례식 참석자, 조객 **3** 대곡(代哭)꾼 **4** (전도 집회의) 간증자 ***the chief ~*** 상주, 상제

móurners' bènch 회개자석 《교회에서 간증자가 앉는 맨 앞줄》

‡**mourn·ful** [mɔ́ːrnfəl] *a.* 슬픔에 잠긴, 애처로운, 슬퍼하는; (죽음을) 애도하는; 음침한: ~ eyes 슬픔에 잠긴 눈 / a ~ person 음침한 사람
~·ly *ad.* **~·ness** *n.* ▷ móurn *v.*

‡**mourn·ing** [mɔ́ːrniŋ] *n.* Ⓤ **1** (특히 죽음에 대한) 비탄, 애도, 슬픔 **2** 상(喪); 기중(忌中), 상중, 거상 기간: a period of ~ 거상[애도] 기간 **3** 상복, 상장(喪章) ***deep*** [***half***] ***~*** 정식[약식] 상복 ***go into*** [***put on, take to***] ***~*** 상을 입다, 몽상하다 ***in ~*** (1) 상을 입고, 상복을 입고 (2) (얻어맞아) 눈두덩이가 멍들어 (3) (손톱에) 때가 끼어 ***leave off*** [***go out of***] ***~*** 상을 벗다, 탈상하다

móurning bànd (특히 팔에 두르는) 상장(喪章)

mourn·ing-bor·der [mɔ́ːrniŋbɔ̀ːrdər] *n.* (사망 통지서의) 검은 테두리

móurning clòak 〖곤충〗 신부나비

mourn·ing-coach [-kòutʃ] *n.* (장례 참석자를 운반하는) 장의용 마차

móurning dòve 구슬피 우는 산비둘기 《북미산》

mourn·ing-pa·per [-pèipər] *n.* Ⓤ 검은 테를 두른 편지지

mourn·ing-ring [-rìŋ] *n.* 추모[유품] 반지 《고인의 유품》

mourn·ing-stuff [-stʌ̀f] *n.* 상복감

‡**mouse** [máus] *n.* (*pl.* **mice** [máis]) **1** 생쥐(cf. RAT): a house[field] ~ 집[들]쥐 **2** 겁쟁이, 암띤 사람 **3** 예쁜이, 귀여운 아이 《여자에 대한 애칭》 **4** (내리닫이 창문의) 분동, 추(錘) **5** [a ~] 《속어》 (눈언저리의) 시퍼런[얻어맞은] 멍 **6** 〖컴퓨터〗 마우스 《화면상에서 커서 또는 개체를 이동시킬 때 사용하는 입력 장치》 (***as***) ***drunk as a*** (***drowned***) ***~*** 곤드레만드레 취하여 (***as***) ***poor as a church ~*** ⇨ church. (***as***) ***quiet as a ~*** 〈어린아이 등이〉 아주 조용한[온순한] ***like a drowned ~*** 물에 빠진 생쥐 모양으로, 초라한 몰골로 ***live like mice*** 지독히 인색하게 살다 ***mice and men*** = ***~ and man*** 모든 생물 ***play cat and ~ with*** a person ⇨ cat and mouse.
— [máuz] *vt.* **1** 습격하다, 몰아내다(hunt out); 찾아내다 《*out*》 **2** (고양이가 쥐를 다루듯) 못살게 굴다, 가지고 놀다; 잡아 찢다 **3** 〖항해〗 〈갈고랑쇠 끝을〉 가는 끈으로 묶다
— *vi.* **1** 〈고양이가〉 쥐를 잡다; 노리다 **2** 찾아다니다; 배회하다 《*about*》 **~·like** *a.*

Mouse [máus] Minimum Orbital Unmanned Satellite of Earth 《미》 지구 소궤도 무인 위성

móuse còlor 쥐색, 잿빛, 짙은 회색

mouse-col·ored [máuskʌ̀lərd] *a.* 쥐색의

mouse-ear [-ìər] *n.* 〖식물〗 짧은 털이 난 작은 잎을 가진 식물의 총칭 《물망초 등》

móuse hàre 〖동물〗 새앙토끼(pika)

mouse·hole [-hòul] *n.* 쥐구멍; 좁은 출입구; 게딱지만한 광[집]

móuse màt =MOUSE PAD

móuse mìlking 애쓸 보람이 없는 일

móuse pàd 〖컴퓨터〗 마우스 패드[밑받침]

móuse pòinter 〖컴퓨터〗 마우스 포인터 《마우스를 움직일 때 화면에 나타나는 화살표 모양의 표시》

móuse potàto 《속어》 컴퓨터광(狂)

mous·er [máuzər] *n.* **1** 쥐를 잡는 동물 《특히 고양이》; (사냥감을 찾듯이) 헤매다니는 사람 **2** 《속어》 코밑수염(mustache)

mouse·trap [máustræ̀p] *n.* **1** 쥐덫; (쥐덫에 넣는) 치즈, 싸구려[맛없는] 치즈(=~ **chèese**) **2** (소비자를 끄는) 신제품 **3** 책략, 함정; 〖미식축구〗 트랩 플레이(trap)
— *vt.* 함정에 빠뜨리다; 속이다; 〖미식축구〗 〈수비 선수를〉 (페인트 플레이 등으로) 트랩을 걸다(trap)

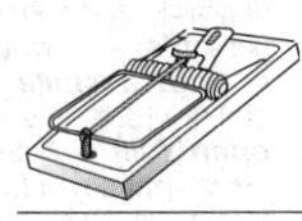
mousetrap *n.* **1**

mous·ing [máuziŋ] *n.* 〖항해〗 마우징 《갈고랑쇠 끝을 가는 끈으로 묶기; 그 끈[쇠붙이]》

mous·sa·ka, mou·sa- [muːsáːkə | musáːkə] *n.* Ⓤ 무사카 《양[쇠]고기 조각과 가지 조각을 번갈아 겹쳐 치즈·소스를 쳐서 구운 그리스·터키의 요리》

mousse [múːs] [F 「거품」의 뜻에서] *n.* ⓊⒸ 무스 《(1) 거품이 인 크림에 젤라틴·설탕 등을 섞은 차가운 디저트 (2) 고기[생선]를 사용한 이와 비슷한 요리 (3) 거품 타입의 정발(整髮)용품 (4) (해상 원유 유출로 생기는) 초콜릿색의 걸쭉한 기름 덩어리(=chocolate ~)
— *vt.* 〈머리에〉 무스를 바르다

mousse·line [muːslíːn] [F] *n.* **1** =MUSLIN 1 **2** ⓊⒸ 거품 이는 생크림을 섞은 네덜란드 소스

mousseline de laine [-də-léin] [F] 〖직물〗 메린스, 모슬린

mousseline de soie [-də-swáː] [F] 〖직물〗 견직 모슬린

mous·tache [mʌ́stæʃ, məstǽʃ | məstáːʃ] *n.* 《영》 =MUSTACHE

Mous·te·ri·an [muːstíəriən] *a.* 〖고고학〗 무스테리안기(期)의 《유럽의 중기 구석기 시대》

mous·y, mous·ey [máusi, -zi] *a.* (**mous·i·er**; **-i·est**) **1** 쥐의, 쥐 같은 **2** 쥐가 많은: a ~ cellar 쥐가 많은 지하실 **3** 갈색 띤 쥐색의 **4** (쥐처럼) 겁 많은, 암띤; 조용한: a ~ voice 속삭이는 소리

‡**mouth** [máuθ] *n.* (*pl.* **~s** [máuðz]) **1** 입, 구강(口腔); 입언저리, 입술: Good medicine is bitter to the ~. 좋은 약은 입에 쓰다. **2** [보통 *pl.*] (먹여 살려야 할) 식구, 식솔, 부양 가족; 동물: useless *~s* 식충이 / another ~ to feed 먹여 살려야 할 또 한 사람

---

mountainous *a.* **1** 산지의 hilly, high, highland, lofty, steep, towering, soaring, rocky **2** 거대한 huge, enormous, immense, massive, vast, gigantic

3 입같이 생긴 것[부분]; 입구, **강어귀**, 항구 어귀; 총부리, 총구멍; 병주둥이, 주머니아가리; 물부리, (취주 악기의) 부는 주둥이(mouthpiece): at the ~ of a river 강 어귀에 **4** (언어 기관으로서의) 입; 말, 발언; 남의 입, 소문; 건방진 소리; 말대꾸(back talk): give ~ to one's thoughts 생각을 입밖에 내다 **5** 찡그린 얼굴 **6** (맥주 등의) 맛 **7** (재갈이 먹히는) 말의 입
be all ~ (***and trousers***) 《구어》 허풍만 떨다, 순전히 말뿐이다 ***down in***[***at***] ***the ~*** 《구어》 풀이 죽어, 기가 죽어, 의기소침하여 ***fix*** one***'s ~ for*** …의 준비를 하나 ***foam at the ~*** (1) 〈게가〉 (성나서) 개거품을 내뿜다 (2) 격노하다 ***from ~ to ~*** 입에서 입으로, 이 사람에서 저 사람으로; 차례로 ***give ~*** 〈사냥개가〉 짖다 ***give ~ to*** …을 입밖에 내다, …을 말하다 ***have a big ~*** 《속어》 (1) 큰 소리로 말하다 (2) 큰소리 치다; 입이 가볍다 ***have a good***[***bad, hard***] ***~*** 〈말이〉 재갈이 잘[안] 물리다 ***in everyone's ~*** 뭇 사람의 입에 오르내려, 소문이 퍼져 ***in the ~ of*** a person = ***in*** a person***'s ~*** …의 말에 의하면: It sounds strange *in your ~*. 네가 말하니 우습다. ***keep*** one***'s ~ shut*** 《구어》 비밀을 지키다; 입을 다물다 ***make a ~***[***~s***] ***at*** …에게 입을 삐쭉거리다, 얼굴을 찡그리다 《불찬성·경멸의 뜻》 ***make***[***put on***] ***a poor ~*** 가난해서라고 변명하다 ***make*** a person***'s ~ water*** 군침 흘리게 하다, 먹고[갖고] 싶어 견딜 수 없다 ***melt in*** a person***'s***[***the***] ***~*** (1) 〈고기 등이〉 (녹을 듯이) 부드럽다, 연하다 (2) 매우 맛있다 ***open*** one***'s ~ too wide*** 엄청난 값을 부르다, 지나치게 요구하다 ***put words into*** a person***'s ~*** ⇨ word. ***run off at the ~*** 《미·속어》 〈말도 안 되는 소리를〉 지껄여대다; 마구 떠들어대다 ***shoot off*** one***'s ~*** = ***shoot*** one***'s ~ off*** 《속어》 (1) (아는 체·자랑삼아) 지껄여대다 (2) 비밀을 누설하다 ***stop the ~*** 입막음하다, 침묵시키다 ***take the words out of*** a person***'s ~*** ⇨ word. ***watch*** one***'s ~*** 입[말]조심하다 ***with a smile at the corner***(***s***) ***of*** one***'s ~*** 입가에 미소를 띄고 ***with one ~*** 이구동성으로 ***with open***[***full***] ***~*** 큰소리로; 어안이 벙벙하여
— *v.* [máuð] *vt.* **1 a** 뽐내어[큰 소리로, 과장하여] 말하다, 연설조로 말하다: ~ a speech 거만한 말투로 연설하다 **b** 〈말을〉 (소리내지 않고) 속삭이다 **2** 입에 넣다, 먹다; 물다; 핥다 **3** 〈말을〉 재갈[고삐]에 익숙케 하다 **4** 투덜대다
— *vi.* **1** 입을 실룩거리다 《발언·식사 때》 **2** 큰 소리로[뽐내어] 말하다 **3** 〈지류가〉 (본류·바다 등으로) 흘러들다 《*in, into*》
~ down 《미·속어》 입다물다, 잠자코 있다 ***~ it*** (닭싸움에서) 부리로 싸우다 ***~ off*** 《미·속어》 말하다; 떠벌리다, 큰소리치다; 말대꾸하다 ***~ on*** 《미·속어》 …에 대해 밀고하다, …을 폭로하다
▷ móuthy *a.*; móuthful *n.*

mouth·breath·er [máuθbrìːðər] *n.* 입으로 숨쉬는 사람; 《미·속어》 (늘 입을 벌린) 얼간이, 멍청이, 바보

mouth·breed·er [máuθbrìːdər] *n.* 〖어류〗 입 안에서 알이나 새끼를 기르는 관상용 열대어

mouthed [máuðd, máuθt] *a.* **1** 입이 있는 **2** [보통 복합어를 이루어] 입이 …한, …한 입을 가진: a foul-~ man 입정 사나운 사람, 독설가 / a hard-~ horse 재갈이 잘 안 물리는 말, 고집센 말

mouth·er [máuðər] *n.* 큰 소리치는 사람

mouth·feel [máuθfìːl] *n.* 입에 닿는 느낌, 입맛

mouth-fill·ing [máuθfìliŋ] *a.* 〈글·말이〉 장황한, 과장된

mouth·ful** [máuθfùl] *n.* **1** 한 입 가득, 한 입(의 양); 소량(의 음식): eat in big ~ 한 입 가득 먹다 **2** [a ~] 《구어》 (발음하기 어려운) 긴 말 **3** [a ~] 《구어·익살》 적절[중요, 정당]한 말 **4** 《영·구어》 비난의 말 ***at a ~ 한 입에 ***make a ~ of*** …을 단숨에 삼키다 ***say a ~*** 《구어》 중요한[적절한] 말을 하다

móuth guàrd 마우스 가드 《입에 넣는 플라스틱제 보호 커버》

móuth òrgan 하모니카(harmonica); = PANPIPE

mouth·part [máuθpɑ̀ːrt] *n.* [보통 *pl.*] (절지동물의) 구기(口器)

***mouth·piece** [máuθpìːs] *n.* **1 a** (악기의) 입에 대는 부분, 주둥이 **b** 물부리; 마구리 **c** (전화기의) 송화구; (말의) 재갈 **d** (수도의) 꼭지 **e** (권투 선수의) 마우스피스 **2** 대변인(spokesman) 《사람·신문 등》 **3** 《미·속어》 형사 사건 변호사

mouth-to-mouth [máuθtəmáuθ] *a.* 〈인공 호흡법 등이〉 입으로 불어 넣는 식의: ~ resuscitation 입으로 불어넣는 식의 인공 호흡법

móuth ùlcer 〖병리〗 《영》 구강 궤양(《미》 canker sore)

mouth·wash [máuθwɑ̀ʃ, -wɔ̀ːʃ | -wɔ̀ʃ] *n.* (입내를 없애는) 양치질 물약

mouth-wa·ter·ing [-wɔ̀ːtəriŋ, -wɑ̀t- | -wɔ̀ːt-] *a.* 〈음식이〉 군침이 도는, 맛있어 보이는 **~·ly** *ad.*

mouth·y [máuði, -θi | -ði] *a.* (**mouth·i·er**; **-i·est**) 수다스러운, 재잘거리는; 《특히》 큰소리치는; 시끄러운, 소리 높은 **móuth·i·ly** *ad.*

mou·ton [múːtɑn | -tɔn] [F =sheep] *n.* Ⓤ 무톤 《양의 모피를 beaver 등의 모피처럼 가공한 것》

mov·a·bil·i·ty [mùːvəbíləti] *n.* Ⓤ 가동성

***mov·a·ble** [múːvəbl] *a.* **1** 움직일 수 있는, 가동(可動)의; 이동하는: dolls with ~ arms and legs 팔다리가 움직이는 인형 **2** 〖법〗 동산의(personal)(opp. *real*): ~ property 동산 **3** 〈축제일 등이〉 해마다 날짜가 바뀌는: a ~ holiday 날짜가 바뀌는 축제일
— *n.* **1** 움직일 수 있는 물건 《가구·가재 등》(opp. *fixture*) **2** 〖법〗 [보통 *pl.*] 동산; 가산(家產)
~·ness *n.* **-bly** *ad.* ▷ movabílity *n.*

móv·a·ble-dó sỳstem [-dóu-] 〖음악〗 이동 '도' 창법

móvable féast 이동 축제일 《부활절처럼 해마다 날짜가 달라지는 것》

móvable géne 움직이는 유전자 《DNA 사이를 전이(轉移)하는》

móvable týpe 〖인쇄〗 가동 활자 《낱낱으로 독립된 활자》

‡**move** [múːv] *v.*, *n.*

① (몸 등을) 움직이다; (생물이) 움직이다, 나아가다; 움직임	타 **1** 자 **1, 2** 명 **1**
② 감동시키다	타 **2**
③ 이사하다; 이사	자 **2** 명 **1**

— *vt.* **1 a** 움직이다, 위치를 옮기다, 이동시키다: ~ house 《주로 영》 이사하다 // (~+목+전+명) She ~*d* her chair nearer[closer] *to* the fire. 그녀는 의자를 불 가까이로 당겼다. **b** 〈손발을〉 움직이다: Don't ~ your hand. 손을 움직이지 마라. **c** 〈기 등을〉 흔들다; 뒤흔들다 **d** 〈기계·기구 등을〉 시동시키다, 작동시키다, 운전하다: The water ~*s* the mill wheel. 물이 물레방아를 돌린다. **2** 감동시키다; 감동시켜 …시키다, …할 마음이 일어나게 하다(incite), 결심을 바꾸게 하다 《*to*》: (~+목+전+명) The sight ~*d* me *to* tears. 그 광경에 감동되어 나는 눈물을 흘렸다. / His words ~*d* them *to* laughter. 그의 말은 그들을 웃게 만들었다. / ~ someone *to* anger …을 화나게 하다 // (~+목+***to*** do) I was ~*d* by curiosity *to* follow the man. 나는 호기심에 이끌려 그 사람의 뒤를 따랐다. **3** 〈동의(動議)를〉 제출하다; 〈…할 것을〉 (동의로서) 제의[제안]하다(propose): ~ a resolution 결의안을 제출하다 // (~+***that*** 절) I ~ *that* the meeting (should) adjourn. 휴회를 동의합니다. **4**

thesaurus **movement** *n.* **1** 동작 moving, motion, action, activity, gesture **2** 변동 change, variation, fluctuation **3** 정치 운동 campaign, crusade, drive **4** 진전 progress, advance, improvement
movie[1] *n.* cine, cinema, feature, film

〚체스〛〈말을〉 움직이다, 〈한 수〉 두다 **5** 〈창자에〉 변이 잘 통하게 하다 **6** 〈상품을〉 팔다, 처분하다
— *vi.* **1 움직이다**; 몸[손발《등》]을 움직이다; 흔들리다: 《~+副》 ~ *forward*[*backward*] 전진[후진]하다 // 《~+前+名》 The earth ~*s round* the sun. 지구는 태양의 주위를 돈다. **2 옮다,** 이동하다; 나아가다; 전지(轉地)하다; 〈민족이〉 이주하다 《*into*》; 전직(轉職)하다; 《특히》 **이사하다** 《*in, into*》; 〈기차·배 등이〉 앞으로 나아가다; 떠나다, 출발하다: 《~+副》 We are going to ~ next week. 우리는 내주에 이사한다. // 《~+前+名》 We ~*d into* a new house. 새 집으로 이사했다. / The ship ~*d before* the wind. 배는 순풍을 타고 나아갔다. **3** 〈바람·물 등이〉 움직이다; 동요하다; 〈기계·기구 등이〉 돌아가다, 운전하다, 회전하다: The machine began to ~. 기계가 움직이기 시작했다. **4** 〚체스〛 말을 움직이다, 두다 **5** 〈사건·정세 등이〉 진전되다, 진행되다; 〈자연물이〉 성장하다 **6** 동의를 제출하다, 제의하다, 신청하다 《*for*》: 《~+前+名》 ~ *for* an amendment 수정안을 제출하다 **7** 〈상품이〉 팔리다(sell), 잘 나가다: 《~+副》 That new model is *moving well.* 그 신형 모델은 잘 팔리고 있다. **8** 〈변이〉 통하다 **9** (특정 사회[집단]에서) 활동하다, 활약하다: 《~+前+名》 ~ *in* musical society 음악계에서 활약하다 **10** 행동하다, 움직이다; 조치를 취하다, 대처하다: 《~+前+名》 ~ *against* the plan 그 계획에 반대 운동을 하다
get moving 《구어》 서두르다; 〈일이〉 진전되다 ~ ***about***[***around***] 돌아다니다; 여기저기 옮기다 ~ ***ahead*** 〈보류되었던 일이〉 전진되다; 승진하다 ~ ***along*** 움직이다, 이동하다; …을 자꾸 나아가게 하다; 〈군중〉을 해산시키다, 〈사람〉을 퇴거시키다 ~ ***aside*** 옆으로 밀어놓다, 제쳐놓다; 〈사람이〉 직위[지위]를 물려주다 ~ ***away*** 물러가다; (생각·방법 등을) 그만두다 《*from*》; (…에서) 움직이다, 옮기다 《*from, to*》 ~ ***back*** 물러서다; 물러서게 하다; 《미·속어》 돈이 들게 하다 ~ ***down*** (1) 〈계급·지위 등을〉 끌어내리다, 격하시키다 (2) 〈지위 등이〉 떨어지다 ~ ***for*** …을 요구[제의]하다, …을 신청하다 ~ ***in*** (1) 안쪽으로 들어가다 (2) 〈경관·군인이〉 배치되다 (3) 이사 (들어)오다 (4) 끼어들다 ~ ***in good society*** 상류 사회에 드나들다 ~ ***in on*** (1) 남의 집에 들이닥치다 (2) …에 살그머니 접근하다; (살그머니 접근하여) 습격하다; 공작[작용]하다 (3) 〈산업계에〉 진출하다, …을 탈취하려[가로채려] 하다 ~ ***in with*** 이사와서 (…와) 살게 되다 ***M~ it!*** 《속어》 피신해라; 얼른 해라! ~ ***off*** 떠나다; 《속어》 죽다; 잘 팔리다 ~ ***on*** (1) 계속 앞으로 나아가다; 멈추지 마시오, 가시오 《교통 순경의 명령》 (2) 〈사람이〉 (좋은 직장[주택]으로) 옮기다 《*to*》; 발전[향상]하다 ~ ***out*** 이사해 가다; 신속히 행동하다; 출발하다 ~ ***over*** (1) 자리를 좁히다 (2) 〈자리를〉 양보하다 (3) 옆으로 비키다; 옮기다 (4) 〈방법·시스템〉을 (…로) 바꾸다 《*to*》 ~ ***toward*** 〈타협 등에〉 가까워지다; …을 지향하다 ~ ***up*** (1) 승진[승급] 시키다 (2) 〈주가 등이〉 오르다 (3) 승진[승급]하다; 상승하다 (4) 〈군대가〉 전쟁에 나가다; 〈군대를〉 전쟁에 내보내다 (5) 〈날짜를〉 앞당기다 (6) 〈주가 등을〉 올리다 ~ ***with the times*** 시대에 뒤떨어지지 않게 하다; 현대식 생활을 하다
— *n.* **1** 움직임, 운동, 이동; 이사 **2** 〚체스〛 말의 움직임, 두기, 둘 차례, 수(手): a clever ~ 묘한 수 **3** 조처, 수단 ***first*** ~ 선수(先手) ***get a ~ on*** [종종 명령법] 《구어》 서두르다, 나아가다; (나아가기) 시작하다, 행동하다 ***know a ~ or two*** = ***know every*** ~ 빈틈이 없다, 약삭빠르다 ***make a*** ~ (1) 움직이다; 떠나다, 떠날 준비를 하다, 출발하다 (2) 행동하다, 수단을 취하다 (3) 〚체스〛 한 수 두다 ***make a ~ on***
《속어》 (1) 성교를 맺으려고 하다 (2) 〚스포츠〛 (경주에서) 앞사람을 앞지르려고 하다 ***make the first*** ~ 개시하다, 발단을 만들다 ***on the*** ~ (1) (늘) 움직이고 [여행하고] (있는) (2) 〈사물이〉 진행되고 (있는); 활동적인 **~·less** *a.*
▷ móvement, mótion *n.*

move·a·ble [múːvəbl] *a., n.* = MOVABLE

move-in [múːvìn] *n.* 이입(移入), 전입(轉入)

‡**move·ment** [múːvmənt] *n.* **1** Ⓤ **운동,** 움직임, 활동(⇨ motion 유의어) **2 동작,** (몸의) 움직임, 몸짓: the ~ of the eyes 눈의 움직임 **3** [*pl.*] 거동, 태도, 자세, 말투: her graceful ~*s* 그녀의 우아한 몸놀림 **4** (식물의) 발아(發芽), 성장 **5** [주로 *pl.*] (사람·단체의) 행동, 동정, 활동: Nothing is known of her ~*s.* 그녀의 소식은 통 모른다. **6** 〚기계〛 (특히 시계의 톱니바퀴의) 기계 장치; 운전(상태) **7** (무생물의) 동요, 진동 《*of*》 **8** 이동; 이사, 이주, (인구의) 변동 **9** (시대 등의) 동향: the ~ of the age 시대의 동향 **10** Ⓤ (시장의) 활기, 경기, 동태, 상품·주가(株價)의 변동 **11** (정치적·사회적) 운동; [집합적] 운동 집단, 운동 조직 **12** Ⓤ (사건·이야기 등의) 진전, 변화, 파란, 활기 **13** 〚음악〛 (교향곡의) 악장(樂章); 율동, 박자, 템포: the first ~ of a symphony 교향곡의 제1악장 **14** 〚군사〛 기동, (작전) 행동, 전개 **15** 〚미술〛 (그림·조각 등의) 움직임, 동적 효과 **16** 〚운율〛 율동성, 율동적인 가락 **17** 배변(motion); 배설물 ***in the*** ~ 시세[풍조]를 타고 ▷ móve *v.*

móvement thèrapy (장애자의) 운동 요법 《운동 능력 향상을 위한》

move-out [múːvàut] *n.* 전출(轉出)

mov·er [múːvər] *n.* **1** 움직이는[움직이게 하는] 사람[것]; 이전자; 《미》 (이삿짐) 운송업자(《영》 remover) **2** 발동력; 발동기, 운전자 **3** [보통 수식어와 함께] 발기인; 동의(動議) 제출자 **4** 〚미국사〛 (19세기의) 서부로 간 이주민 **5** 〚증권〛 대량 매매주(株)의 회사 ***~s and shakers*** 《구어》 (정계·재계의) 유력자들, 거물들 ***the first***[***prime***] ~ 원동력, 발동기; 주동자, 발기인

‡**mov·ie**[1] [múːvi] *n.* 《구어》 **1 a 영화**: a war ~ 전쟁 영화 **b** [종종 the ~] 영화관 **2** [the ~s] 《미》 (오락·예술로서의) 영화 ★ 《영》에서는 주로 film, picture를 씀.; [보통 the ~s] 영화 산업, 영화계: work in *the* ~*s* 영화계에 종사하다 ***go to the ~s*** 영화 보러 가다
— *a.* Ⓐ 영화의: a ~ fan 영화 팬

movie[2] *n.* [the ~s] 《미·속어》 설사

móvie càmera 《미》 = CINECAMERA

mov·ie·dom [múːvidəm] *n.* ⓊⒸ 영화계(filmdom)

móvie fiend = MOVIEGOER

mov·ie·go·er [-gòuər] *n.* 《미》 영화 구경을 자주 가는 사람, 영화 팬(《영》 filmgoer)

mov·ie·go·ing [-gòuiŋ] *n., a.* 영화 구경(을 자주 가는): the ~ public 영화 관람객

móvie hòuse 《구어》 영화관

mov·ie·land [-læ̀nd] *n.* 영화계(filmdom); 영화 제작지, 영화의 도시 《특히 미국의 헐리우드》

mov·ie·mak·er [-mèikər] *n.* 영화 제작자

móvie stár 영화 배우

móvie thèater 영화관

Mov·ie·tone [múːvitòun] *n.* 무비톤 《사운드 트랙을 사용한 최초의 기법; 상표명》

‡**mov·ing** [múːviŋ] *a.* **1** Ⓐ **a 움직이는,** 움직이고 있는; 이동하는; 주행 중인: a ~ object 움직이는 것 **b** 이사용의 **2 a** 움직이게 하는, 선동하는: a ~ spirit 주동자, 중심 인물 **b** 감동시키는, 심금을 울리는: a ~ story 눈물나게 하는 이야기
— *n.* Ⓤ 움직임[이게 하기]; 이동, 이사; 선동, 감동 ***~ of the waters*** 소동, 흥분, (사건 진행 중의) 변화, 동란 **~·ly** *ad.* 감동적으로

móving áverage 〚통계〛 이동 평균

móving pávement 《영》 = MOVING SIDEWALK

---

moving *a.* **1 움직이는** mobile, movable, unfixed, changing (opp. *immobile, fixed, inert*) **2 선동하는** driving, dynamic, impelling, motivating, stimulating **3 감동시키는** affecting, emotional, touching, pathetic, stirring, arousing (opp. *unemotional*)

móving pícture 영화 (필름)(motion picture)
móving sídewalk (미) 움직이는 보도(步道)
móving stáircase[stáirway] (영) 에스컬레이터(escalator)
móving tárget ìndicator 〖전자〗 이동 목표 표시 장치 (略 MTI)
móving vàn (미) 이삿짐 트럭((영) pantechnicon, removal van)
móving violàtion 주행 중 교통 위반 《과속·신호 위반 등》
Mov·i·o·la [mù:vióulə] *n.* (영화 필름 편집용) 영사 장치 《상표명》
*__mow__[1] [móu] *v.* (**~ed**; **~ed, mown** [móun]) *vt.* 〈풀·보리 등을〉 베다, 베어 들이다; 〈밭·들 등의〉 보리[풀 (등)]를 베다: ~ grass[the lawn] 풀을 베다[잔디를 깎다]
— *vi.* 베다, 베어 들이다, 풀베기를 하다
~ ***down*** 베다; 〈적을〉 (기관총·포화 등으로) 대량 학살하다, 소탕하다; 〖야구〗 〈여러 타자를〉 아웃시키다
mow[2] [máu] *n.* **1** 건초[곡물] 저장소 **2** 건초[곡물] 더미(stack) — *vt.* 〈수확물 등을〉 쌓아 두다
mow[3], **mowe** [máu] (고어) *n.* 찡그린 얼굴
— *vi.* 얼굴을 찡그리다 ***mop and ~*** ⇨ mop[2]
*__mow·er__ [móuər] *n.* **1** [주로 복합어로] 풀[보리] 베는 기계; 잔디 깎는 기계(=lawn ~) **2** 풀[잔디, 보리] 베는 사람
mow·ing [móuiŋ] *n.* Ⓤ Ⓒ 풀[잔디, 보리] 베기; 한 번 베어 들인 양; (미) 목초지(牧草地)
mówing machìne 풀 베는 기계
mown [móun] *v.* MOW[1]의 과거분사
— *a.* 벤, 베어진, 베어 들인
mox·a [mάksə | mɔ́ksə] [Jap.] *n.* Ⓤ 뜸쑥
mox·i·bus·tion [mὰksəbʌ́stʃən | mɔ̀ks-] *n.* 뜸질
mox·ie [mάksi | mɔ́k-] *n.* (미·속어) 정력, 활력; 용기, 배짱, 투지; 기술, 경험
mox nix [mάks-níks | mɔ́ks-] [G 「*es macht nichts*」의 변형] (미·속어) 괜찮아, 아무래도 좋아
moy·a [mɔ́iə] *n.* Ⓤ 〖지질〗 화산니(火山泥)
Mo·zam·bi·can [mòuzəmbí:kən] *a.* 모잠비크(사람)의 — *n.* 모잠비크 사람
Mo·zam·bique [mòuzæmbí:k, -zəm-] *n.* 모잠비크 《아프리카 남동부의 공화국; 수도 Maputo》
Mózambique Chánnel [the ~] 모잠비크 해협 《모잠비크와 마다가스카르 사이의》
Moz·ar·ab [mouzǽrəb] *n.* 모사라베 《8-15세기 이슬람 지배하의 스페인에서 개종하지 않은 기독교인》
Moz·ar·a·bic [mouzǽrəbik] *a.* 모사라베의; 모사라베 건축의
Mo·zart [móutsα:rt] *n.* 모차르트 **Wolfgang Amadeus ~** (1756-91) 《오스트리아의 작곡가》
moz·za·rel·la [mὰtsərélə, mòutsə- | mɔ̀tsə-] [It.] *n.* 모차렐라 《희고 부드러운 이탈리아 치즈》
moz·zet·ta [mouzétə] [It.] *n.* 〖가톨릭〗 (고위 성직자가 착용하는) 작은 모자 달린 짧은 케이프
moz·zie [mάzi, mɔ́:- | mɔ́-] *n.* (구어) 모기(mosquito)
mp mezzo piano 〖음악〗 적당히 약하게 **m.p.** 〖물리〗 melting point
MP, M.P. [émpí:] *n.* (*pl.* **MPs, MP's, M.P.s, M.P.'s** [-z]) (영) 하원 의원(Member of Parliament)
M.P. Metropolitan Police; Military Police(man); Mounted Police; Municipal Police **MPA** Master of Public Accounting[Administration] **MPC** maximum permissible concentration (방사성 강하물의) 최대 허용 농도 **MPD** maximum permissible dose (방사선의) 최대 허용선량
MPEG [émpèg] [*M*oving *P*icture *E*xperts *G*roup] *n.* 〖컴퓨터〗 엠페그 《동화상의 압축 방식》
mpg, MPG miles per gallon **mph, MPH** miles per hour 시속 **MPH** Master of Public Health **MPhil** (미) Master of Philosophy
mps, MPS meters per second
MP3 [émpì:θrí:] *n.* 〖컴퓨터〗 디지털 음악 압축 파일: an ~ player MP3 플레이어
MPU microprocessor unit 초소형 연산 처리 장치
MPV multipurpose vehicle **MQ** metol and quinol 메톨퀴놀 《사진 현상액》
⁑**Mr., Mr** [místər] *n.* (*pl.* **Messrs.** [mésərz]) **1** [남자의 성·성명 앞에 붙여] 씨, 님, 귀하, 선생, 군(君): *Mr.* (Albert Sydney) Hornby (앨버트 시드니) 혼비 씨 **2** [관직명 앞에 붙여 호칭으로 사용]: *Mr* Chairman 의장님 / *Mr.* Speaker 의장님 / *Mr.* President 대통령 각하; 사장[총장]님 ★ 여성일 경우에는 *Madam* Chairman이라고 함. **3** 미스터 … 《고장·직업·스포츠 등의 대표적인 남성》: *Mr.* Korea 미스터 코리아 / *Mr.* Perfect 완전주의의 전형
USAGE (1) (영)에서는 작위 없는 남자에게, (미)에서는 일반 남자에게 쓴다. (2) 특히 (영)에서는 Mr 다음에 피리어드를 찍지 않는 경향이 있다. (3) 같은 이름이 복수일 경우에는 Mr. Smiths 또는 Messrs. Smith로 하고, 성이 다를 때에는 Messrs. Smith and Brown 또는 Mr. Smith and Mr. Brown이라고 한다. (4) 부부일 경우에는 Mr. and[&] Mrs. John Smith라고 한다. (5) 일반적으로 딱딱한 느낌을 주기 때문에 친한 사이에서는 붙이지 않는 수도 있는데 특히 (미)에서는 서먹함을 피하기 위해 흔히 Call me John.이라고 하기도 한다.
mR milliroentgen(s) **MR** magnetic resonance; market research; (영) Master of the Rolls; motivation(al) research **M/R** mate's receipt
MRA Moral Re-Armament
Mr. Bíg (미·구어) 거물, 실력자; (범죄 조직의) 두목
MRBM medium range ballistic missile **MRC** (영) Medical Research Council **MRCA** multi-role combat aircraft 다목적 전투기
Mr. Chárlie[Chárley] (미·속어) = MISTER CHARLIE
Mr. Cléan (구어) 청렴한 사람 《특히 정치가》
Mr. Cóol (구어) 침착한[냉철한] 사람
MRCP Member of the Royal College of Physicians **MRCS** Member of the Royal College of Surgeons **MRCVS** Member of the Royal College of Veterinary Surgeons **MRE** meals ready to eat (군인·소방대원에게 지급되는) 간이[휴대] 식량 **mrem** millirem(s)
Mr. Fíx·it [-fíksit] (구어) (가정용품 등의) 수리를 잘하는 사람; 만능꾼; 해결사
Mr. Háwkins (미·속어) (겨울의) 북풍, 삭풍, 강추위
MRI magnetic resonance imaging 자기(磁氣) 공명 단층 촬영 장치[영상법]
MRI scàn = MR SCAN
mRNA messenger RNA
Mr. Níce Gùy (구어) 호인; 팔방미인(격인 남자)
MRP (영) manufacturer's recommended price 생산자 권장 소비자 가격
Mr. Ríght = MISTER RIGHT
⁑**Mrs., Mrs** [mísiz, míz- | mís-] *n.* (*pl.* **Mmes.** [meidά:m, -dǽm | -dά:m]) **1** [기혼 부인 남편의 성에 붙여] …부인, …님, …여사, …씨 부인, …씨 미망인: *Mrs.* (Albert S.) Hornby (앨버트 에스) 혼비 부인 《Albert S.는 남편 이름》/ *Mrs.* Mary Jones 메리 존스 여사 《Mary는 부인의 이름인데 (미)에서는 일반화되어 있지만, (영)에서는 법률 서류 또는 미망인일 경우에만 씀》(cf. MISSIS) **2** [그 분야의 대표적 여성] 미시즈…: *Mrs.* Badminton 미시즈 배드민턴 / *Mrs.* Homemaker 이상적인 주부 **3** (구어) **a** [관사 없이] (남의) 부인 **b** [the ~] (자기의) 아내, 처
USAGE (1) 특히 (영)에서는 Mrs 다음에 피리어드를 찍지 않는 경향이 있다. (2) Mrs.의 복수형은 Mmes., Mesdames이며, 보통 Mrs.를 반복하여 쓴다. (3) 부부일 경우에는 ⇨ Mr. USAGE (4). (4) 일반적으로 딱

딱한 느낌을 주기 때문에 친한 사이에는 붙이지 않는 수도 있다. ⇨ Mr. USAGE (5). (5) ⇨ Ms.
MRSA methicillin-resistant staphylococcus aureus 〖의학〗 메티실린 내성 황색 포도구균 《항생 물질에 내성이 생긴 균》
MR scàn 엠아르 스캔(MRI scan) 《MR scanner를 이용한 의료 검사; 그 화상》
MR scànner 엠아르 스캐너(magnetic resonance scanner)
Mrs. Grúndy (구어) 말 많은 여자; 세상의 입
Mrs. Móp(p) (익살) 청소하는 아주머니
Mrs. Múrphy (미·구어) 화장실(bathroom) ***see*** **~** 화장실 가다
MRV multiple reentry vehicle 다탄두(多彈頭) 유도탄; moon roving vehicle 월면차 **ms** millisecond(s) **MS** manuscript; Master of Surgery; Microsoft Corporation; (미) 〖우편〗 Mississippi; motorship; multiple sclerosis
Ms., Ms [míz] [Miss와 Mrs.의 혼성] *n.* (*pl.* **Mses., Ms.'s, Mss.** [mízəz]) [여성이 미혼(Miss)인지 기혼(Mrs.)인지 모를 때 성·성명에 붙여] …씨, …님; 그 분야의 대표적인 여성: *Ms.* Cooperation 미즈 협동 조합
MS., ms. manuscript **m.s., M/S** 〖상업〗 months after sight **m/s** meters per second **MSA** Maritime Safety Agency; Mutual Security Act 상호 안전 보장법 《미국의》 **MSB** 〖컴퓨터〗 most significant bit **MSC** (영) Manpower Services Commission; 〖컴퓨터〗 mass storage control **MSc** Master of Science
MS DOS, MS-DOS [émèsdɑ́s, ╶╶╴] *n.* 퍼스널 컴퓨터용의 disk operating system 《미국 Microsoft사 제품; 상표명》
MSE Member of the Society of Engineers **msec** millisecond(s) **m/sec** meter(s) per second **MSG** Master Sergeant; monosodium glutamate **msg.** message **Msgr** Monseigneur; Monsignor **M/sgt, MSgt** Master Sergeant **MSI** medium-scale integration 〖전자〗 중규모 집적 회로
m'sieur [məsjə́:r, məsjər] *n.* = MONSIEUR
M-16 [émsìkstí:n] *n.* 〖미군〗 M-16소총(= ~ **rìfle**)
MSL, msl Master of Science in Linguistics; mean sea level 평균 해발 **MSM** Master of Sacred Music; Master of Science in Music; Meritorious Service Medal **MSP** Member of the Scottish Parliament **MSR** microwave scanning radiometer; missile site radar 〖군사〗 미사일 기지 레이더
Ms. Ríght (구어) (결혼 상대로서) 이상적인 여성
MSS mass storage system (컴퓨터의) 대용량 기억 시스템 **MSS, mss** manuscripts **MST** Master of Science in Teaching 교육학 석사; Mountain Standard Time (미·캐나다) 산지(山地) 표준시 **MSTS** 〖미해군〗 Military Sea Transportation Service **MSW** Master of Social Welfare [Work] **MSY** maximum sustainable yield (연간) 최대 산출량 **MT** 〖컴퓨터〗 machine translation; magnetic tape; mechanical translation; megaton(s); (미) 〖우편〗 Montana; Mountain Time **mt.** mountain
***Mt., Mt** [máunt] Mount, Mountain …산 《산 이름 앞에 놓음》: *Mt.* Everest 에베레스트 산
m.t., M/T metric ton **MTB** motor torpedo boat; mountain bike **MTech** Master of Technology **M'ter** Manchester **mtg** meeting; mortgage **mtge** mortgage **mth** month **Mth** Master of Theology
M₃, M-3 [émθrí:] *n.* 〖경제〗 M₃ 《M₂에 각 금융 기관의 예금·저금과 신탁 원금을 합친 화폐 공급량》
mtl. metal **mtn** motion; mountain **MTO** Mediterranean Theater of Operations **MTP** Management Training Program **MtRev** Most Reverend 《archbishop의 존칭》 **Mts., mts.** Mountains; Mounts **MTU** 〖전산〗 magnetic tape unit **MTV** (미) Music Television 《인기 가수나 그룹의 비디오를 방영하는 CTV》
M₂, M-2 [émtú:] *n.* 〖경제〗 M₂ 《M₁에 각 금융 기관의 정기 예금을 합친 화폐 공급량; cf. M₃》
mu [mjú: | mjú:] *n.* 그리스 말 알파벳의 제12자 M, μ
Mu [mjú:] *n.* 무(대륙) 《남태평양에 있었다는 전설의 대륙; 대서양의 Atlantis와 같은 시기에 가라앉았다고 함》
mu·ced·i·nous [mju:sédənəs] *a.* 곰팡이의[같은]
‡**much** ⇨ much (p. 1642)
▷ múchly *ad.*; múchness *n.*
mu·cha·cha [mu:tʃɑ́:tʃə] [Sp.] *n.* (미남서부) 아가씨, 젊은 여자; 식모, 하녀
mu·cha·cho [mutʃɑ́:tʃou] [Sp.] *n.* (*pl.* **~s**) (미남서부) 소년, 젊은이; 하인
much·ly [mʌ́tʃli] *ad.* (익살) 매우, 대단히
much·ness [mʌ́tʃnis] *n.* 많음 ★ 다음 성구로. ***much of a*** **~** (구어) 대동소이한, 엇비슷한
mu·cho [mú:tʃou] [Sp.] (미·속어) *a.* 많은, 풍족한 **—** *ad.* 대단히, 굉장히
mú·cic ácid [mjú:sik-] 〖화학〗 점액산(粘液酸)
mu·cif·er·ous [mju:sífərəs] *a.* 점액을 분비하는[함유한]
mu·ci·lage [mjú:səlidʒ] *n.* Ⓤ **1** (식물의) 점액(粘液), 끈적끈적한 물질 **2** (보통 미) 고무풀((영) gum)
mu·ci·lag·i·nous [mjù:səlǽdʒənəs] *a.* 점액질의, 점액을 분비하는, 점착성의
mu·cin [mjú:sin] *n.* Ⓤ 〖생화학〗 무친 《동물체의 점성 물질, 특히 점액 중의 단백질》
muck [mʌ́k] *n.* Ⓤ **1** 외양간 거름, 퇴비, 비료; 〖지질〗 흑니(黑泥) 《유기질 토양》 **2** 쓰레기, 오물; 진흙, 진창 **3** 허섭스레기, 잡동사니; 혼란 **4** (구어) 시시한[지겨운] 것 ***be in*** [***all of***] ***a*** **~** 오물 투성이가 되어 있다; 혼란 상태에 있다 ***make a*** **~** ***of*** (영·구어) (1) …을 더럽히다 (2) …을 엉망으로 만들다
— *vt.* **1** 〈밭 등에〉 거름을 주다 **2 a** (구어) 더럽히다 **b** (영·구어) …에 실패하다, 망쳐놓다 (*up*) **3** 오물을 제거하다 **—** *vi.* (영·속어) (정처 없이) 배회하다; 빈둥빈둥 시간을 보내다
~ ***about*** [***around***] (영·구어) (1) 배회하다 (2) 빈둥거리다 (3) 만지작거리다 **~** ***in with ...*** (영·구어) …와 협력하다, 함께 하다 **~** ***out*** 〈마구간 등을〉 청소하다 ▷ múcky *a.*
muck·a·muck [mʌ́kəmʌ̀k] *n.* (미·속어·경멸) 거물, 높으신 분(high-muck-a-muck); (미북서부) 음식(food) **—** *vi.* (미북서부) 음식을 먹다[먹어 치우다]
muck·er[1] [mʌ́kər] *n.* **1** 〖광산〗 폐석(廢石)을 가려내는 인부 **2** (영·속어) 심하게 넘어짐, 추락; 재난, 봉변 ***come a*** **~** (영·속어) 쿵 넘어지다; 대실패하다 ***go a*** **~** (영·속어) 돈을 함부로 쓰다 (*on, over*)
mucker[2] *n.* (미·속어) 상놈, 야비한 녀석; (영·속어) 동료, 패거리
muck·et [mʌ́kət] *n.* (미·속어) = TOUPEE
muck·heap [mʌ́khì:p] *n.* 퇴비[오물] 더미
muck·hill [-hìl] *n.* = MUCKHEAP
muck·luck [-lʌ̀k] *n.* = MUKLUK
muck·rake [-rèik] *n.* **1** 퇴비용 갈퀴 **2 a** [the ~] 추문[부정부패] 들추어 내기 **b** 추문 (기사) **3** = MUCKRAKER ***the man with the*** **~** 부정부패를 캐는 사람; 돈벌이에 열중하는 사람
— *vt.* 부정부패를 들추어 내다 **-rak·ing** *n.* Ⓤ
muck·rak·er [-rèikər] *n.* 추문 폭로자; 부정부패 추궁[적발]자
muck·spread [-sprèd] *vi.* 퇴비를 뿌리다 **~·er** *n.* 퇴비 살포기
muck·sweat [-swèt] *n.* (영) 많은 땀
muck-up [-ʌ̀p] *n.* (영·속어) 혼란 (상태), 엉망진창; 실수

much

much는 「양의 많음」을 나타내는 말로서 「수의 많음」을 나타내는 many와 대비된다. 반의어는 little이다.
1 형용사로서의 much는 불가산 명사와 함께 써서 단수 취급된다.
2 긍정문에서 주어인 명사에 much가 붙는 것은 격식어이며, 《구어》에서 much는 주로 부정문·의문문에 쓴다. 《구어》의 긍정문에서는 much 대신에 a lot of 등을 쓰는 일이 많다. ⇨ *a.* 1 USAGE
3 부정 대명사로서의 much는 형용사가 독립한 용법으로 간주되므로 불가산 명사의 대용으로 쓰여 단수 취급된다.

‡**much** [mʌ́tʃ] *a., pron., ad.*

① 많은; 많음	형 **1** 대 **1**
② [동사를 수식하여] 매우, 내단히	부 **1**
③ [비교급·최상급을 수식하여] 훨씬	부 **3**
④ [too, rather 등을 강조하여] 매우, 몹시	부 **4**

— *a.* (**more**; **most**) **1** [불가산 명사 앞에서] **많은**; 다량의, 다액(多額)의; (정도가) 심한(opp. *little*; cf. MANY): I don't drink ~ wine. 나는 포도주를 그다지 마시지 않는다. / It wasn't ~ use. 그것은 별로 쓸모가 없었다. / There's too ~ noises here. 여기는 너무 시끄럽다.
USAGE 특히 《구어》의 긍정문에서 숙어 외에는 much 대신에 a lot of, a good deal of, plenty of, a great quantity of 등의 구를 쓰는 일이 많다(cf. MANY 1).
2 [how, too, as, so 등을 앞에 두어] …만큼의 양의, …정도의: *How* ~ money do you want? 돈이 얼마나 필요합니까? / You spend *too* ~ money. 당신은 돈을 너무 많이 쓴다. / Drink *as* ~ tea as you like. 차를 드시고 싶은 만큼 드십시오.
as ~ … as … …와 같은 양[정도]의 …, …할 만큼의 …: Return *as* ~ money *as* you borrowed. 빌렸던 돈과 같은 액수로 돌려다오. ⇨ *a.* 2
not so ~ … as … ⇨ so[1]
so ~ ⇨ so[1]
too ~ (**for** one) ⇨ too
— *pron.* [단수 취급] **1 다량, 많음**: *M*~ of his words was unreliable. 그가 하는 말의 많은 것은 믿을 수 없었다. / I have ~ to say about the harm of smoking. 흡연의 해악에 관해서 할 말이 많다. / I don't see ~ of him. 그를 별로 만나지 않는다.
2 [how, too, as, so 등을 앞에 두어] …**만큼(의 양)**, …정도: *How* ~ do you need? 얼마나 필요합니까? / *How* ~ is this? 이것은 (값이) 얼마입니까? / Take *as* ~ as you need. 필요한 만큼 가지시오. / He spent *as* ~ as 100 dollars. 그는 100 달러나 썼다. / There isn't *very* ~ (of the cake) left. (케이크는) 별로 남아 있지 않다. 《★ very much는 《구어》에서는 부정문·의문문에 한해 쓰여지는 경향이 있음》 / *Too* ~ is as bad as too little. 《속담》 지나침은 모자람만 못하다.
3 [be의 보어로서; 보통 부정문·의문문에서] 중요한 일[것], 대단한 것: The building is *not* ~ to look at. 그 건물은 별 볼품은 없다. (그러나 실제로는 좋은 건물이다) / As a leader, he is not ~. 그는 지도자로서 대단한 인물이 못 된다.
as ~ again (**as** …) 그만큼 더, (…의) 두 배만큼: You may take *as* ~ *again.* 그 두 배만큼 복용해도 괜찮아요.
by ~ 크게, 대폭적으로: We only have increased our budget this year by a little, not *by* ~. 올해는 예산을 조금 증액했지만 대단한 액수는 아니다.
how ~ 〈양·값이〉 얼마, 어느 정도 ⇨ *a.* 2, *pron.* 2, *ad.* 2
make ~ of (1) …을 중요시하다, 소중히 하다, 존중하다: *make* ~ *of* trivial matters 사소한 일을 중시하다 (2) …을 떠받들다, 애지중지하다, 응석을 받아주다 (3) …을 크게 이용하다 (4) [부정문에서] …을 이해하다: I can*not make* ~ *of* his argument. 그의 논의는 이해가 잘 안 된다.
not ~ of a … 대단한 …은 아니다: He is *not* ~ *of a* poet. 그는 대단한 시인은 아니다.
not ~ to look at ⇨ *pron.* 3
not up to ~ 《구어》 그다지 좋지[신통치] 않은: The meal was*n't up to* ~. 식사는 신통치 않았다.
so ~ ⇨ so[1]
so ~ for … ⇨ so[1]
that ~ 그만큼: I admit *that* ~. 거기까지는 인정한다.
there is nothing [***not***] ***~ in*** …에 별로 신통한 것이 없다
this [***thus***] ***~*** 이만큼은, 여기까지는: *This* ~ is certain. 이만큼은 확실하다.
too ~ (**for** one) ⇨ too
too ~ of a good thing ⇨ too
without so ~ as … ⇨ so[1] much as
— [mʌ̀tʃ] *ad.* (**more**; **most**) **1** [동사·과거분사를 수식하여] **매우, 크게**, 대단히: Thank you very ~. 매우 감사합니다. 《★ 긍정문에서 문미에 much가 올 때에는 very, so, too 등이 붙는 경우가 있음》 / He is ~ pleased with your success. 그는 너의 성공을 매우 기뻐하고 있다. / I ~ regret the mistake I made before. 나는 전에 내가 저지른 잘못을 크게 후회하고 있다. / She was not ~ pleased to hear the news. 그녀는 그 소식을 듣고서도 별로 기뻐하지 않았다. / *M*~ to my disappointment, she got married during my stay abroad. 매우 실망스럽게도 내가 해외에 있는 동안에 그녀는 결혼해 버렸다.
2 [how, too, as, so 등을 앞에 두어] …**정도로** (많이), …(의 정도)**까지**: You don't know *how* ~ I love you. 내가 얼마나 당신을 사랑하는지 당신은 모른다. / Sleep *as* ~ as possible. 될 수 있는 대로 잠을 많이 자시오. / She talks *too* ~. 그녀는 너무 말이 많다.
3 [비교급·최상급을 수식하여] **훨씬**, 단연코: It seemed ~ larger than I had expected. 그것은 내가 예상했던 것보다 훨씬 큰 것 같았다. / This is ~ the better of the two. 둘 중에서 이쪽이 훨씬 낫다. / This is ~ the best. 이것이 단연코 좋다. / I feel ~ better today. 오늘은 기분이 훨씬 좋다.
4 [too, rather 또는 전치사구를 강조하여] **매우**, 몹시, 아주: You are ~ *too* young. 당신은 지나치게 젊다. / I'd ~ *rather* not go there. 나는 그곳에 별로 가고 싶지 않다.
5 [비슷함을 의미하는 어구를 수식하여] **거의, 대체로**: ~ of an age 거의 같은 나이의 / They are ~ the same. 그것들은 거의 같다. / This is ~ like the others. 이것은 대체로 다른 것들과 같다.
USAGE (1) afraid, alike, aware 등은 very를 쓰지 않고 (very) much를 쓰는 것을 원칙으로 한다(예외도 있다): I am ~ *afraid* of fires. 나는 화재가 매우 무섭다. (2) 전치사구를 수식할 때에는 much를 쓴다: This is ~ *to my taste.* 이것은 매우 내 마음에 든다. (3) 형용사화된 현재분사(interesting 등)나 감정을 나타내는 과거분사(pleased, surprised 등)에는 very를 사용하는 수가 많다; very와의 비교는 ⇨ very *ad.* (4) 동사를 수식하는 (very) much의 위치

는 후위(後位)가 일반적이나, 수동의 경우에는 보통 과거분사 앞에 온다: I like it *very* ~. 나는 그것을 매우 좋아한다. / This book is ~ read. 이 책은 꽤 읽히고 있다. (5) 부정문에서 타동사를 수식할 경우, 목적어가 비물질적인 말일 때에는 much가 not 바로 뒤에 오는 수도 있다: She does*n't much* like music. = She doesn't like music (very) *much.* 그녀는 음악을 별로 좋아하지 않는다.
as **~** 바로 그만큼, 같게(so): "The police haven't found the criminals yet."—"I thought *as* ~." 경찰이 아직 범인들을 못 잡았다는군.—그러리라고 생각했다.(=I thought so.)
as **~ *(...)* *as*** (1) …정도, …만큼 (많이); …만큼이나: *as* ~ *as* five pounds 5파운드만큼이나 (2) [본동사 앞에서] 거의, 사실상: They have *as* ~ *as* agreed to it. 그들은 그것에 대해 사실상 동의한 거나 다름없다.
as **~ *as to say*** …이라고 말하려는 듯이: Isn't that *as* ~ *as to say,* 'Forget me'? 그것은 결국 「나를 잊어줘」라는 뜻인가?
in as*[*so*] ~ *as ⇨ inasmuch
~ *as* (1) 매우 …하지만, …이야 간절하지만, …하고 싶기는 굴뚝같지만: *M~ as* I'd like to go, I cannot. 가고 싶기야 간절하지만 갈 수가 없다. (2) …와 같은 정도로: Babies need love, ~ *as* they need food. 아기에게는 음식이 필요한 것과 같이 사랑도 필요하다.
~ *good at* [주로 부정문에서] …을 그다지 잘하지 (못하는): I am *not* very ~ *good at* this sort of work. 이런 일에는 별로 능하지 못하다.
~ *less* (1) [불가산 명사·형용사·부사와 함께] 훨씬 더 적은[적게] (2) [부정문에서] 하물며[더군다나] …아니다: He has *no* daily necessities, ~ *less* luxuries. 그는 필수 일용품조차 없다, 하물며 사치품이야.
~ *more* (1) [불가산 명사·형용사·부사와 함께] 훨씬 더 많은[많이](cf. many MORE): He drinks ~ *more* beer than I do. 그는 맥주를 나보다 훨씬 많이 마신다. (2) [긍정문에서] 하물며, 더군다나: If he can do it well, ~ *more* can we. 그가 그것을 잘 할 수 있다면 우리야 훨씬 더 잘 할 수 있다.
Not **~*!*** 《구어》 [상대방의 질문 등에 대하여; 반어적으로] 천만에!, 어림도 없다!, 당치도 않다!: "He doesn't like to drink, does he?"—"*Not ~!*" 그는 술은 안 좋아하지?—천만에!
not so **~ *as*** …조차 않다: He did*n't so* ~ *as* greet us. 그는 우리에게 인사조차 하지 않았다.
not so **~ *... as ...*** ⇨ so[1]
Not too **~*.*** 《구어》 = Not MUCH!
so **~ *as ...*** ⇨ so[1]
so **~ *so that ...*** ⇨ so[1]

muck·worm [-wə̀:rm] *n.* **1** 구더기 **2** 구두쇠
muck·y [mʌ́ki] *a.* (**muck·i·er**; **-i·est**) **1** 거름[오물]투성이의, 거름의, 거름 같은, 더러운 **2** 《영·구어》 불쾌한, 싫은, 비열한 **3** 《영·구어》 〈날씨가〉 좋지 않은
muck·y-muck [mʌ́kimʌ̀k] *n.* =MUCKAMUCK
muc·luc [mʌ́klʌk] *n.* =MUKLUK
muco- [mjú:kou, -kə] 《연결형》 「점액」의 뜻
mu·coid [mjú:kɔid] *n., a.* 〖생화학〗 유점액소(類粘液素)(의)
mu·co·lyt·ic [mjù:kəlítik] *a.* 〖생화학〗 〈효소가〉 무코 다당류 가수 분해성의
mu·co·pol·y·sac·cha·ride [mjù:koupɑ̀lisǽkəràid | -pɔ̀l-] *n.* 〖생화학〗 무코[점액] 다당(多糖)
mu·co·pro·tein [mjù:kəpróuti:n] *n.* 〖생화학〗 무코[점액] 단백질
mu·co·pu·ru·lent [mjù:kəpjúrjələnt] *a.* 〖병리〗 점액 농즙성의; 점액과 농즙을 함유한
mu·co·sa [mju:kóusə, -zə | -sə] *n.* (*pl.* **-sae** [-si:, -zi: | -si:], **~, ~s**) 〖해부〗 점막(粘膜)
mu·cos·i·ty [mju:kɑ́səti | -kɔ́s-] *n.* Ⓤ 점성(粘性)
mu·cous [mjú:kəs] *a.* 점액을 분비하는; 점액을 함유한; 점액질의: a ~ cough 가래가 나오는 기침
múcous mémbrane 〖해부〗 점막(粘膜)
mu·cro [mjú:krou] *n.* (*pl.* **~·nes** [mju:króuni:z]) 〖동물·식물〗 (잎·조가비 등의) 미철부(微凸部), 소(小)돌기
mu·cus [mjú:kəs] *n.* Ⓤ (생물체 내의) 점액: nasal ~ 콧물
‡**mud** [mʌ́d] *n.* Ⓤ **1** 진흙; 진창 **2 a** 《구어》 시시한 것, 쓰레기; 《미·속어》 (카니발의 매점에서 나오는) 싸구려 플라스틱 경품: sell for the ~ 헐값으로 팔다 **b** Ⓒ 배척당하는[미움받는] 사람 **c** 《속어》 싸구려 커피 **3 a** Ⓒ 저주스러운 사람[것]; 《속어》 (무선 통신의) 분명치 않은 신호 **b** 《미·속어》 아편(opium) **4** 악의 있는 비난, 욕설, 중상
(*as*) *clear as* **~** 《구어·익살》 〈설명 등이〉 알아들을 수 없는, 종잡을 수 없는 ***consider*** a person ***as*** **~** [***the*** **~ *beneath*** one***'s foot***] …을 우습게 알다[형편없이 경멸하다] ***draw*** a person[a person***'s name***] ***through*** **~** = drag a person[a person's name] through the MIRE. ***fling*** [***throw, sling***] **~ *at*** …의 얼굴에 흙칠을 하다, …을 비방하다 (***Here's***) **~ *in your eye!*** 《속어》 건배! A person***'s name is*** **~*.*** 《구어》 (…의) 명성[신용]이 땅에 떨어지다. ***stick in the*** **~** 진창에 빠지다; 궁지에 몰리다, 꼼짝 못하게 되다; 소극적이다
—*vt.* 흙투성이로 하다, 더럽히다
▷ múddy *a.*; múddle *v.*
MUD [mʌ́d] [*M*ulti-*U*ser *D*ungeons[*D*imensions] (Game)] *n.* 〖컴퓨터〗 (인터넷의) 머드 게임 《복수의 이용자가 동시에 접속해 즐길 수 있는 게임》
mu·dar [mədɑ́:r] *n.* 〖식물〗 머다르 《미얀마·인도산(産)의 박주가릿과(科)의 관목》
múd bàth 진흙 목욕 《건강·미용을 위한》
mud·cap [mʌ́dkæ̀p] *n.* 머드캡 《암괴(岩塊)에 폭약을 놓고 덮는 점토; 그 폭파 장치》
mud·cat [-kæ̀t] *n.* 《미남부》 =CATFISH
múd dàuber 《미중부》 〖곤충〗 나나니벌
mud·der [mʌ́dər] *n.* 〖경마·스포츠〗 《구어》 진창길에서 실력을 발휘하는 말[선수, 팀]
***mud·dle** [mʌ́dl] *vt.* **1 a** 혼란시키다, 어리둥절케 하다; 〈술 등이〉 〈머리를〉 흐리멍덩하게 하다; 〈말을〉 흐릿하게 하다 **b** 뒤범벅[뒤죽박죽]으로 만들다 《*up, together*》, 뒤섞다; 〈사람·사물을〉 혼동하다 《*up, with*》: (~+目+副) I often ~ *up* their names. 나는 자주 그들의 이름을 혼동한다. **2** 〈계획 등을〉 엉망으로 만들다: ~ a plan 망쳐 놓다 **3** 〈시간·돈 등을〉 낭비하다 《*away*》 **4** 〈빛깔·물을〉 흐리게 하다
—*vi.* **1** (일을 갖고) 우물쭈물하다, 아무렇게나 하다 《*with*》 **2** (취하여) 머리가 흐리멍덩하다
~ *about* 혼란시키다; 배회하다, 빈둥거리다 **~ *on*** [***along***] 그럭저럭[어물어물] 해 나가다 **~ *through*** (계획·묘책 없이) 그럭저럭 해내다
—*n.* **1** 혼란 (상태), 난잡(disorder) **2** 당황, 흐리멍덩함, 어리둥절함; (논지(論旨) 등의) 지리멸렬 ***in a*** **~** 어리둥절하여, 당황하여; 지리멸렬하여 ***make a*** **~ *of*** …을 실수하다, 엉망으로 만들다
mud·dle·head [mʌ́dlhèd] *n.* 멍청이, 바보
mud·dle·head·ed [-hèdid] *a.* 멍청한, 얼빠진; 생각이 지리멸렬한 **~·ly** *ad.* **~·ness** *n.*
mud·dler [mʌ́dlər] *n.* **1** (음료를) 휘젓는 막대 **2** 일을 그럭저럭 하는 사람
mud·dling [mʌ́dliŋ] *a.* 《특히 영》 혼란시키는, 어리둥절하게 하는, 이해하기 힘든
‡**mud·dy** [mʌ́di] *a.* (**-di·er**; **-di·est**) **1** 진창의, 진흙의, 질퍽한; 진흙투성이의: a ~ road 진흙탕길 **2** 〈빛·빛깔·액체·안색 등이〉 흐린, 선명치 않은, 탁한: a ~ color 우중충한 색깔 **3** 〈머리가〉 흐리멍덩한 **4** 〈사

고·표현·문체 등이〉 불명료한, 애매한
— *vt.* (**-died**) **1** 진흙으로 더럽히다, 혼탁하게 하다; 흐리게 하다 **2**〈머리 등을〉 멍하게 하다, 혼란시키다 **3**〈명성을〉 더럽히다, 손상하다: ~ one's father's name 아버지 이름에 먹칠을 하다 ~ ***the waters***〈문제·일 등을〉 혼란스럽게 만들다
múd·di·ly *ad.* **múd·di·ness** *n.*

mud·fat [mʌ́dfæ̀t] *a.* 《영·호주》〈동물이〉 매우 살찐

mud·fish [mʌ́dfìʃ] *n.* (*pl.* **~, ~·es**) 이어(泥魚) 《미꾸라지·무래무지 등》

mud·flap [-flæ̀p] *n.* (자동차 바퀴의) 흙받기

múd flàt 개펄, 뻘밭, (물이 마른 호수의) 진흙 바닥

mud·flow [-flòu] *n.* 〖지질〗 이류(泥流)

mud·guard [-gɑ̀ːrd] *n.* (자동차 등의) 흙받기(fender)

múd hèn 늪지대에 사는 물새 《쇠물닭·흰눈썹뜸부기 따위》

mud·hole [-hòul] *n.* (들판·도로의) 진구렁; 작은 시골읍

mu·dir [muːdíər] *n.* (이집트 등지의) 지방 행정관

mud·lark [mʌ́dlɑ̀ːrk] *n.* 《영·구어》 (썰물 때) 개펄을 뒤지는 사람; 진흙땅에 모이는 새; 《속어》 부랑아; 《호주·속어》 = MUDDER

mud·man [-mən] *n.* (*pl.* **-men** [-mən]) 진흙 인간 《온몸에 진흙을 바르는 파푸아 뉴기니 원주민》

mud·pack [-pæ̀k] *n.* (미용의) 진흙 팩

múd pìe (어린아이들이 만드는) 진흙 만두

mud·pup·py [-pʌ̀pi] *n.* (*pl.* **-pies**) 〖동물〗 (북미산(産)) 큰 도롱뇽

mud·room [-rù(ː)m] *n.* 흙 묻은 레인코트·장화 등을 벗는 곳 《부엌 뒷문·지하실》

mud·sill [-sìl] *n.* (건축물의) 토대(목) 《지하 또는 지상의 가로장》; 《미》 최하층 빈민

mud·skip·per [-skìpər] *n.* 〖동물〗 (아시아·아프리카) 망둑엇과 물고기의 총칭

mud·slide [-slàid] *n.* 이류(泥流)(mudflow)

mud·sling·er [-slìŋər] *n.* (정치적) 중상모략자

mud·sling·ing [-slìŋiŋ] *n.* Ⓤ (정치 운동 등에서의) 중상(中傷), 인신공격

mud·stone [-stòun] *n.* Ⓤ 〖암석〗 이암(泥岩)

múd tùrtle 〖동물〗 진흙거북 《북중미산 민물 거북》

múd volcáno 〖지질〗 이화산(泥火山)

Muen·ster [mʌ́nstər, mún-] *n.* [종종 **m~**] (프랑스) 문스터 치즈(= ~ **chéese**) 《크림 모양의 흰 치즈》

mues·li [mjúːzli] *n.* 《영》 뮤즐리 《곡물·견과·건과 등을 섞어 우유와 함께 먹는 아침 식사》

múesli bèlt 《익살》 뮤즐리 지대 《muesli를 즐겨 먹는 중류·혁신·환경 보호·여권 옹호파들이 사는》

mu·ez·zin [mjuːézin] [Arab.] *n.* (이슬람 사원의) 기도 시각을 알리는 사람

MUF material unaccounted for

muff[1] 1

***muff[1]** [mʌ́f] *n.* **1** 머프, 토시 《원통형의 모피, 그 안에 양손을 넣음; 여성용》 **2** 〖기계〗 통(筒) **3** 《비어》 (여자의) 거웃이 난 자리[음부]

muff[2] *n.* **1** 실수, 실책 **2** 〖야구〗 공을 놓치기 **3** 둔재, 얼뜨기, 바보; (스포츠에서) 잘 못하는 사람 ***make a ~ of oneself*** 자청하여 남의 웃음거리가 되다 ***make a ~ of the business*** 일을 그르치다, 잡쳐놓다
— *vt.* **1**〈공을〉 잡다가 놓치다 **2** 실수하다 — *vi.* 실수하다; 놓치다 ~ ***it*** 공을 놓치다, 기회를 놓치다

muf·fe·tee [mʌ̀fətíː] *n.* 《영》 (털실) 토시

***muf·fin** [mʌ́fin] *n.* **1** 《미》 머핀 《컵 또는 롤형으로 구운 케이크》 **2** 《영》 머핀 《둥근 빵 모양의 케이크 (《미》 English muffin); 버터를 바름》 **3** [보통 *pl.*] 《미·속어》 젖가슴 **4** 서투른 야구 선수

múffin càp 《영》 (자선 학교 학생용의) 머핀형 모자

muf·fin·eer [mʌ̀fəníər] *n.* (머핀에 소금·설탕을 치는) 양념[조미료] 그릇

múffin màn 《영》 (예전의) 머핀 장수

múffin pàn 머핀 굽는 번철

múffin tòp 꽉 끼는 바지 위로 삐져나온 뱃살

***muf·fle[1]** [mʌ́fl] *vt.* **1** 싸다; 덮다, 목도리로 감싸다; (소리 내지 못하게) 머리를 덮어 씌우다: (~+목+전+명) She ~*d* her throat *by* new scarf. 그녀는 목을 새 스카프로 감쌌다. **2**〈소리 나지 않게 북 등을〉 싸다: ~ drums 소음(消音)을 위해 북을 덮어 싸다 **3** [보통 과거분사로] 〈소리를〉 지우다, 소음하다; 〈빛을〉 어둡게 하다; 〈감정을〉 억제하다
— *n.* **1** 감싸는[덮어 씌우는] 물건; 소음기; (덮어 가려) 약하게 한 소리 **2** 간접 가열실 《도요(陶窯) 등의》

muffle[2] *n.* (포유동물 등의) 코끝, 콧등

muf·fled [mʌ́fld] *a.* 소리가 차단된, 소리를 죽인: ~ voices from the next room 옆방에서 들리는 숨죽인 목소리

***muf·fler** [mʌ́flər] *n.* **1** 머플러, 목도리(cf. SCARF); 두건; 둘러 감싸는 것 **2 a** 《미》 (내연 기관의) 소음기(消音器), 머플러(《영》 silencer) **b** (피아노의) 약음 장치 **3** 장갑 모양의 토시; 벙어리장갑, 권투용 글러브 **4** 〖전기〗 기름 분리기

muf·ti[1] [mʌ́fti] *n.* Ⓤ (군인의) 평복, 사복: in ~ 사복을 입고

mufti[2] *n.* (이슬람의) 법률 학자; 법률 고문

***mug[1]** [mʌ́g] *n.* **1** 원통형 컵, 머그 《보통 손잡이가 있음》, 조끼; 조끼 한 잔 《분량》: a shaving ~ 면도용 컵 **2** 《속어》 얼굴; 입; 찌푸린 얼굴; 《속어》 (용의자의) 얼굴 사진(= ~ shot) **3** 《영·속어》 얼간이, 바보; 잘 속는 사람; 서투른 사람 **4** 《미·속어》 깡패, 악당
— *v.* (**~ged**; **~·ging**) *vi.* **1** 《속어》 **a** 얼굴을 찡그리다 **b** (카메라·관객 앞에서) 과장된 표정을 짓다 **2**〈강도가〉 (뒤에서) 습격하다
— *vt.* **1**〈강도가〉 …을 (뒤에서) 습격하다 **2** 《속어》〈용의자의〉 사진을 찍다 ~ ***up*** 《미·속어》 커피를 한 잔 마시다

mug[2] *v.* (**~ged**; **~·ging**) 《영·속어》 *vt.* 〈학과를〉 주입식으로 공부하다 《*up*》
— *vi.* 벼락치기 공부를 하다 《*up*》

mug[3] *a.* 《영·속어》 우스꽝스러운

mug·ful [mʌ́gfùl] *n.* 조끼(mug) 한 잔(의 양)

mug·gee [mʌgíː] *n.* 《구어》 (폭력) 강도의 피해자

mug·ger[1], -gar, -gur [mʌ́gər] *n.* 〖동물〗 인도 악어 《인도 및 스리랑카산(産)》

mugger[2] *n.* (뒤에서 습격하는) 노상 강도; 《미》 표정을 과장하는 배우[코미디언]

mug·ging [mʌ́giŋ] *n.* Ⓤ 《구어》 노상 강도 《행위》

mug·gins [mʌ́ginz] *n.* 《영·속어》 「봉」, 바보, 얼간이; Ⓤ 도미노 놀이의 일종

mug·gle [mʌ́gl] [소설 *Harry Potter*에서] *n.* 머글 《마법 능력을 가지지 못한 인간을 지칭》

mug·gles [mʌ́glz] *n.* (*pl.* **~**) 《미·속어》 마리화나 담배; 대마초 잎

mug·gy [mʌ́gi] *a.* (**-gi·er**; **-gi·est**) 〈날씨 등이〉 무더운, 찌는 듯한; 《미·속어》 취한 **múg·gi·ness** *n.*

Mu·ghal [múːgəl] *n.* = MOGUL

múg's gàme 《영·구어》 바보 짓, 쓸데없는 헛일

múg shòt 《속어》 얼굴 사진, 상반신 사진

mug·wort [mʌ́gwə̀ːrt] *n.* 〖식물〗 쑥

mug·wump [-wʌ̀mp] *n.* 《미》 **1** 당의 정책에 협력하지 않는 정치가; 독자 노선을 걷는 사람; 중도 정치가; 우유부단한 정치인 **2** 《익살》 거물

***Mu·ham·mad** [muhǽməd, -hɑ́ːm- | -hǽm-] *n.* 마호메트 (A.D. 570-632) 《이슬람교의 창시자; Mohammed, Mahomet라고도 함》

Mu·ham·mad·an [muhǽmədn] *a.* 마호메트의, 이슬람교의 — *n.* 마호메트교도, 이슬람교도
~·ism *n.* Ⓤ 마호메트교, 이슬람교(Islam)

Muhámmadan Éra [the ~] 이슬람 기원(Muslim Era) 《마호메트의 메카 탈출의 해인 서기 622년에 시작; cf. HEGIRA》

mu·ja·he·din, -hed·din [muːdʒɑ̀hedíːn] *n. pl.*

[때로 **M~**] 이슬람 전사(戰士), 이슬람교도 게릴라
mu·jik [mu:ʒík, ⌐-|⌐-] *n.* =MUZHIK
muk·luk [mʌ́klʌk], **-luck** [-lək] *n.* 《에스키모인이 신는》 물개 가죽 장화; 바닥이 부드러운 장화
muk·tuk [mʌ́ktʌk] *n.* 식용 고래 가죽
mu·lat·to [məlǽtou, -lɑ́:tou, mju:-|mju:lǽt-] *n.* (*pl.* ~(**e**)**s**) 백인과 흑인의 (제1대) 혼혈아(cf. QUADROON, OCTOROON) **—** *a.* **1** 흑백 혼혈아의 **2** 황갈색의 USAGE 경멸적인 말이므로 잘 쓰이지 않으며 그 대신에 biracial을 선호함.
∗**mul·ber·ry** [mʌ́lbèri|-bəri] *n.* (*pl.* **-ries**) **1** 〖식물〗 뽕나무(=~ **trèe**); 오디 **2** Ⓤ 오디빛, 진한 자주색
múlberry bùsh 《영》 "Here we go round the mulberry bush."라고 노래하며 원형으로 춤추는 어린이 놀이
mulch [mʌltʃ] *n.* Ⓤ 뿌리 덮개 《갓 심은 작물·나무를 보호하는 톱밥·퇴비·종이·비닐 등》
— *vt.* 뿌리 덮개로 덮다
múlch film 제초(除草) 필름 《비닐막 등》
mulct [mʌlkt] *vt.* **1** 속여 빼앗다, 사취하다 《*of*》: (~+목+전+명) ~ a person (*of*) 100 dollars …에게서 100달러를 사취하다 **2** 벌금을 과하다 《*in*》: (~+목+전+명) ~ a person (*in*) five pounds …에게 5파운드의 벌금을 부과하다
— *n.* 과료, 벌금(fine); 강제 징수
∗**mule**[1] [mjú:l] *n.* **1** 노새 《암말과 수나귀와의 잡종》 **2** 《구어》 고집쟁이 **3** 《동식물의》 잡종; 잡종 카나리아 **4** 《미·속어》 마약 밀매인[운반책] **5** 《미》 소형 기관차, 소형 트랙터 **6** 뮬 정방기(精紡機) (**as**) ***obstinate*** [***stubborn***] ***as a*** **~** 고집불통인, 완고한
mule[2] *n.* [보통 *pl.*] 《뒤축 없는》 슬리퍼
múle dèer 〖동물〗 뮬사슴 《귀가 길고 꼬리 끝이 검은 북미산(産) 사슴》
múle skìnner[**drìver**] =MULETEER
mu·le·ta [mu:léitə, -létə] *n.* 물레타 《투우사가 사용하는 막대에 매단 붉은 천》
mu·le·teer [mjù:lətíər] *n.* 노새 모는 사람
múle tràin 노새가 끄는 짐수레의 행렬
mu·ley [mjú:li, múli] *a.* 〈소가〉 뿔 없는, 뿔을 자른
— *n.* 뿔 없는 소[동물], 암소
múley sàw 《미·구어》 《제재용(製材用)》 긴 톱 《상하 양끝이 고정된 가이드 레일식의》
mu·li·eb·ri·ty [mjù:liébrəti] *n.* Ⓤ 《문어》 여자다움; 여자임
mul·ish [mjú:liʃ] *a.* 노새 같은; 고집 불통의
~·ly *ad.* **~·ness** *n.*
mull[1] [mʌl] 《구어》 *n.* 실수, 실패; 혼란
make a **~** ***of*** …을 망쳐놓다, 못쓰게 만들다
— *vt.* **1** 엉망으로 만들다, 실수하다; 숙고하다: ~ a question 한 문제를 오래 생각하다 **2** 《미》 《빻아》 가루로 만들다 **~ *a catch*** 〈공을〉 잡다가 떨어뜨리다
— *vi.* 숙고하다, 궁리하다, 머리를 짜다 《*over*》
mull[2] *vt.* [주로 과거분사로] 〈포도주·맥주를〉 설탕·향료·달걀 노른자 등을 넣어 데우다
mull[3] *n.* Ⓤ 〖방적〗 면사(綿紗) 《얇고 보드라운 고급 면포》
mull[4] *n.* 《스코》 곶, 갑(promontory)
mul·la(**h**) [mʌ́lə, múlə, mú:lə] *n.* 이슬람교 학자[교사, 율법학자] 《경칭》
mul·lein, mul·len [mʌ́lən] *n.* 〖식물〗 현삼과(科)의 베르바스쿰(Verbascum) 속(屬)의 식물
mull·er[1] [mʌ́lər] *n.* 술 데우는 사람[기구]
muller[2] *n.* 분쇄기; 막자, 공이 《약·안료 등을 으깨는》
mul·let[1] [mʌ́lit] *n.* (*pl.* **~, ~s**) 〖어류〗 숭엇과(科)의 식용어
mullet[2] *n.* 《문장(紋章) 도형으로서의》 별 《3남의 표지》
mul·ley [múli] *a., n.* =MULEY
mul·li·gan [mʌ́ligən] *n.* Ⓤ 《미·구어》 멀리건(=~ **stéw**) 《주로 먹다 남은 고기·야채의 스튜》
mul·li·ga·taw·ny [mʌ̀ligətɔ́:ni] *n.* Ⓤ 《동인도의 닭고기가 든》 카레 수프
mul·li·grubs [mʌ́ligrʌ̀bz] *n. pl.* [단수·복수 취급] 《미남부》 **1** 복통(colic) **2** 《구어》 우울, 울적, 시무룩함: be in one's ~ 기분이 울적해 있다
mul·lion [mʌ́ljən] *n.* 〖건축〗 《창문의》 중간 세로틀, 중간 문설주 **—** *vt.* …에 중간 문설주를 달다

mullion
transom
mullions

múl·lioned [-d] *a.* mullion이 있는
mul·lock [mʌ́lək] *n.* **1** 《영·방언》 **a** 쓰레기, 잡동사니 **b** 혼란, 엉망진창 **2** 《호주》 《금광의》 폐석, 버력
mult- [mʌlt], **multi-** [mʌ́lti, -tə] 《연결형》 **1** 「많은; 여러」의 뜻 **2** 「몇 배의…」의 뜻(cf. POLY-, MONO-, UNI-) 《모음 앞에서는 mult-》
mul·tan·gu·lar [mʌltǽŋgjulər] *a.* 다각(多角)의
mul·ti [mʌ́lti, -tai|-ti] 《구어》 *n.* (*pl.* **~s**) 다색(多色) 무늬 **—** *a.* 다색의, 다채로운
mul·ti·ac·cess [mʌ́ltiækses] *n., a.* 〖컴퓨터〗 멀티액세스(의), 동시 공동 이용(의)
mul·ti·ad·dress [mʌ̀ltiədrés] *a.* 〖컴퓨터〗 다중 번지의
mul·ti·a·gen·cy [-éidʒənsi] *a.* 여러 기관을 포함하는
mul·ti·buy [mʌ́ltibài] *n., a.* 《영》 많이 사면 값이 싼 (제품)
mul·ti·cár·riage·way ròad [-kǽridʒwèi-] 《영》 =MULTIPLE-LANE HIGHWAY
mul·ti·cast [mʌ́ltikæ̀st] *n., vt, vi.* 〖컴퓨터〗 멀티캐스트(하다) 《인터넷상에서 특정한 복수인에게 동시에 정보를 전송하는 방식》 **~·ing** *n.*
mul·ti·cel·lu·lar [mʌ̀ltiséljələr] *a.* 다세포의
mul·ti·chan·nel [-tʃǽnəl] *a.* 〖통신〗 다중(多重) 채널의, 다중 통화의: ~ analyzer 〖전자〗 파고(波高)[다중 채널] 분석기 / ~ communication 다중 채널 통신
múl·ti·chip módule [mʌ́ltitʃip-] 〖전자〗 멀티칩 모듈
mul·ti·choice [mʌ̀ltitʃɔ́is] *a.* =MULTIPLE-CHOICE
mul·ti·col·ored [-kʌ́lərd] *a.* 다색(多色)의
mul·ti·com·pa·ny [-kʌ́mpəni] *a., n.* 복수의 기업을 산하에 둔 (대기업)
mul·ti·cul·ti [-kʌ́lti:, -tai] 《구어》 *a.* 다(多)문화(주의)의 **—** *n.* [집합적] 다문화주의자들
mul·ti·cul·tur·al [-kʌ́ltʃərəl] *a.* 다(多)문화의
~·ly *ad.*
mul·ti·cul·tur·al·ism [mʌ̀ltikʌ́ltʃərəlìzm] *n.* Ⓤ 다(多)문화주의, 다문화성 《다민족 사회에서 여러 문화와 가치관의 공존 공영》 **-ist** *n., a.*
mul·ti·di·men·sion·al [-diménʃənəl] *a.* 다차원의; 다양한 **~·ly** *ad.*
mul·ti·di·rec·tion·al [-dirékʃənl] *a.* 다방면의; 다각적인
mul·ti·dis·ci·pli·nar·y [-dísiplinèri|-nəri] *a.* 〈연구 등이〉 여러 전문 분야에 걸친
mul·ti·dróp lìne [-drɑ́p-|-drɔ́p-] 〖통신〗 다분기(多分岐) 회선
mul·ti·eth·nic [-éθnik] *a.* 다민족의
mul·ti·fac·et·ed [-fǽsitid] *a.* 〈보석 따위가〉 다면체의; 다방면에 걸친
mul·ti·fac·to·ri·al [-fæktɔ́:riəl] *a.* 많은 요소로 된, 다원적인; 〖유전〗 다인성의 **~·ly** *ad.*
mul·ti·fam·i·ly [-fǽməli] *a.* 다가구의, 여러 가족 공용의
mul·ti·far·i·ous [mʌ̀ltəféəriəs] *a.* 가지각색의, 잡다한 **~·ly** *ad.* **~·ness** *n.*
mul·ti·fid [mʌ́ltəfid] *a.* 〖생물〗 다열(多裂)의, 다판(多瓣)의, 마디가 많은
mul·ti·flash [mʌ́ltiflæ̀ʃ] *a.* 〖사진〗 다섬광(촬영)의: a ~ photograph 다섬광 사진

mul·ti·foil [mʌ́ltifɔ̀il] *n.* 〘건축〙 다엽(多葉) 장식 ― *a.* 〈장식이〉 다엽의
mul·ti·fold [mʌ́ltəfòuld] *a.* ＝MANIFOLD
mul·ti·fo·li·ate [mʌ̀ltifóuliət] *a.* 〘식물〙 다엽의
mul·ti·form [mʌ́ltəfɔ̀ːrm] *a.* 여러 형태의, 다형(多形)의; 다양한
mul·ti·for·mi·ty [mʌ̀ltifɔ́ːrməti] *n.* Ⓤ 다양성 (opp. *uniformity*)
mul·ti·func·tion·al [-fʌ́ŋkʃənl] *a.* 다기능의
multifúnctional róbot 다기능 로봇
mul·ti·gen·ic [-dʒíːnik, -dʒénik] *a.* 〘생물〙 다른 유전자의, 두 가지 이상의 유전자를 가진
mul·ti·grade [mʌ́ltigrèid] *a.*, *n.* 넓은 범위의 온도에서 점성이 안정된 (기름[엔진 오일])(＝**~ óil**)
mul·ti·grain [mʌ́ltigrèin] *a.* 잡곡의, 여러 곡물이 들어 있는: ~ bread 잡곡 빵
Mul·ti·graph [mʌ́ltigræ̀f | -grɑ̀ːf] *n.* 멀티그라프 《소형 윤전 인쇄기; 상표명》 ― *vt.*, *vi.* [**m-**] 멀티그라프로 인쇄하다
mul·ti·gym [mʌ́ltidʒìm] *n.* (근육 단련을 위한) 다기능 웨이트 트레이닝 장치[기구]
mul·ti·head·ed [mʌ́ltihèdid] *a.* 〈로켓 등이〉 다탄두(多彈頭)의
mul·ti·hull [mʌ́ltihʌ̀l] *n.*, *a.* 다선체선(多船體船)(의), 다동선(多胴船)(의)
mul·ti·in·dus·try [mʌ̀ltiíndəstri] *a.* 다각 경영의, 다종 산업형의 〈회사〉
mul·ti·lane [-léin] *a.* 다차선의
mul·ti·lat·er·al [mʌ̀ltilǽtərəl] *a.* **1** 다변(多邊)의, 다각적인, 다원적인 **2** 다국간의: a ~ agreement 다변적 협정 / ~ trade negotiations 다변적 무역 협상 **~·ly** *ad.*
mul·ti·lat·er·al·ism [-lǽtərəlìzəm] *n.* Ⓤ 다국간의 상호 자유 무역(주의); 다국간 공동 정책
mul·ti·lat·er·al·ize [-lǽtərəlàiz] *vt.* 다국[다변, 다각]화하다 **mùl·ti·lat·er·al·i·zá·tion** *n.*
mul·ti·lay·er [-léiər] *a.* **1** 〘전자〙 다층(성)의 **2** 〈문제 등이〉 다양한, 복잡한 ― *n.* 〘전자〙 다층; 〘화학〙 다분자층 **mùl·ti·láy·ered** *a.* ＝MULTILAYER
mul·ti·le·vel [-lévəl] *a.* 다평면의 〈입체 교차로 등〉; 〈판매 등이〉 다층(식)의, 다단계의
multilével márketing 〘상업〙 다단계 판매(법), 피라미드 상법(pyramid selling)
mul·ti·lin·e·al [-líniəl] *a.* 다선(多線)의
mul·ti·lin·gual [-líŋgwəl] *a.* **1** 다중 언어의, 여러 언어를 말하는 **2** 여러 언어로 쓰인 ― *n.* 여러 언어의 사용자 **~·ìsm** *n.* Ⓤ 여러 언어의 사용 (능력) **~·ly** *ad.*
mul·ti·lin·guist [-líŋgwist] *n.* 여러 언어 사용자
mul·til·o·quence [mʌltíləkwəns] *n.* Ⓤ 말이 많음, 다변(多辯)
mul·til·o·quent [mʌltíləkwənt] *a.* 말이 많은, 수다스러운, 구변이 좋은
mul·ti·me·di·a [mʌ̀ltimíːdiə] *a.* 여러 전달 매체[미디어]를 사용하는 ― *n. pl.* [단수·복수 취급] 멀티미디어, 여러 미디어를 사용한 커뮤니케이션[오락, 예술]
mul·ti·mer·ic [-mérik] *a.* 〘화학〙 〈분자단이〉 다중 결합의
mul·ti·mil·lion·aire [-mìljənɛ́ər] *n.* 억만 장자
mul·ti·mo·dal [-móudl] *a.* 다양한; 〘통계〙 다모드의; 〘교통〙 ＝INTERMODAL
mul·ti·na·tion [-néiʃən] *a.* ＝MULTINATIONAL
mul·ti·na·tion·al [-nǽʃənl] *a.* 다국적의[으로 된]; 다국간의; 다국적 기업의: a ~ corporation 다국적 기업 ― *n.* 다국적 기업
~·ìsm *n.* Ⓤ 다국적 기업 설립[경영]
mul·ti·no·mi·al [-nóumiəl] 〘수학〙 *a.* 다항(多項)의 ― *n.* 다항식
mul·ti·nom·i·nal [-nɑ́minəl | -nɔ́m-] *a.* 이름이 많은
mul·ti·nu·cle·ar [-njúːkliər | -njúː-], **-ate** [-èit] *a.* 다핵(성)의: a ~ cell 다핵 세포

mul·ti·pack [mʌ́ltipæ̀k] *n.* 포장한 여러 품목을 하나로 포장한 것, 패키지 상품
mul·tip·a·ra [mʌltípərə] *n.* (*pl.* **~s, -rae** [-rìː]) 〘의학〙 (둘 이상의 아이를 낳은) 경산부(經産婦)(cf. PRIMIPARA)
mul·ti·par·i·ty [mʌ̀ltipǽrəti] *n.* Ⓤ 〘의학〙 (2회 이상의) 출산 경험; 〘동물〙 복산(複産)
mul·tip·a·rous [mʌltípərəs] *a.* 출산 경험 있는; 〘동물〙 복산의 《한배에 여러 마리를 낳는》
mul·ti·part [mʌ́ltipɑ̀ːrt] *a.* 다수 참가의, 다편(多編)의, 복수로 된 〈서류〉
mul·ti·par·tite [mʌ̀ltipɑ́ːrtait] *a.* **1** 여러 부분으로 나뉜 **2** ＝MULTILATERAL 2
mul·ti·par·ty [-pɑ́ːrti] *a.* 여러 정당의, 다당(多黨)의 **~·ism** *n.* Ⓤ 다당제
mul·ti·ped [mʌ́ltipèd], **-pede** [-pìːd] 〘동물〙 *a.* 다족(多足)의 ― *n.* 다족 동물
mul·ti·phase [mʌ́ltifèiz] *a.* 〘전기〙 다상(多相)의 (polyphase); 다국면의, 다면적인
mul·ti·pho·ton [-fòutɑn | -tɔn] *a.* 〘물리〙 다(多)광자의
mul·ti·plane [-plèin] *n.* 〘항공〙 다엽식(多葉式) 비행기, 다엽기
mul·ti·play [-plèi] *a.* 멀티플레이의 《여러장의 디스크를 연속적으로 틀 수 있는 플레이어의》
mul·ti·play·er [-plèiər] *n.* 멀티플레이어 ― *a.* 멀티플레이어의 《동시에 여럿이 참가할 수 있는 컴퓨터 게임의》
múltiplayer gáming 〘컴퓨터〙 멀티플레이어 게이밍 《동시에 여럿이 게임에 참가하기》
⁎**mul·ti·ple** [mʌ́ltəpl] *a.* **1 a** 복합적인, 복식의: a ~ tax 복합세 **b** 다수의, 많은 부분[요소]으로 된; 다수의, 다양한 **2** 〘전기〙 다중의, 복합의 **3** 〘식물〙 〈과실이〉 집합성의 **4** 〘수학〙 배수(倍數)의
― *n.* **1** 〘수학〙 배수: 9 is a ~ of 3. 9는 3의 배수이다. **2** 〘전기〙 병렬; 집합; 다단자 **3** 《영》 연쇄점; (대량 생산의) 미술품
mul·ti·ple-ac·cess [mʌ́ltəplǽkses] *a.* ＝MULTIACCESS
múltiple ágriculture 다각 농업 《농작·축산·과수 재배 등을 겸함》
mul·ti·ple-choice [-tʃɔ́is] *a.* 〈문제가〉 다항 선택식의: a ~ test 다항 선택식[선다형] 문제
múltiple crópping 〘농업〙 다모작
múltiple fárming 다각 농업
múltiple frúit 〘식물〙 다화과, 집합과 《오디 등》
múl·ti·ple-lane hìghway [-lein-] 《미》 다차선 고속도로
múltiple myelóma 〘의학〙 다발성 골수종
múltiple neurítis 〘병리〙 다발성 신경염
múltiple personálity 〘심리〙 다중(多重) 인격 (split personality)
mùl·ti·ple-per·son·ál·i·ty disòrder [-pəːrsənǽləti-] 〘심리〙 다중 인격 장애
múltiple sclerósis 〘의학〙 다발성 경화증
múltiple shóp[stóre] 《영》 연쇄점(《미》 chain store)
múltiple stándard 〘경제〙 다원적 본위제
múltiple stár 〘천문〙 다중성(多重星)
mul·ti·plet [mʌ́ltəplət, -plet] *n.* **1** 〘물리〙 다중항(多重項); (스펙트럼의) 다중선 **2** 〘동물〙 다태(多胎)
múltiple vóting 복식 투표 《한 선거에 2개소 이상의 선거구에서 하는 합법적 투표》
múltiple wárheads 다탄두
mul·ti·plex [mʌ́ltəplèks] *a.* **1** 다양한, 복합의 **2** 〘통신〙 다중 송신의 ― *vt.*, *vi.* (신호 등을) 다중 송신하다 ― *n.* **1** 다중 송신 전자 시스템 **2** 다목적 복합 건

thesaurus **multiply**[1] *v.* **1** 증가하다 increase, grow, accumulate, augment, proliferate, spread (opp. *decrease*) **2** 번식하다 breed, reproduce

축《많은 영화관·식당·바 등이 한 건물에 들어 있는》; 멀티플렉스 시네마《한 건물 안에 여러 상영실을 갖춘 영화관 빌딩》 **3** 입체 지도 작성 장치

mul·ti·plex·er [mʌ́ltəplèksər] *n.* 다중 통신용 장치[채널]

múltiplexer chànnel 〖컴퓨터〗 다중 채널

mul·ti·pli·a·ble [mʌ́ltəplàiəbəl], **-pli·ca·ble** [-plìkəbəl] *a.* 배증(倍增)[배가(倍加)]할 수 있는

mul·ti·pli·cand [mʌ̀ltəplikǽnd] *n.* 〖수학〗 피승수(被乘數)(opp. *multiplier*)

mul·ti·pli·cate [mʌ́ltəplikèit] *a.* 다수로 된, 복합의, 다양한(multiple)

***mul·ti·pli·ca·tion** [mʌ̀ltəplikéiʃən] *n.* **1** Ⓤ 증가, 증식, 번식 **2** ⓊⒸ 〖수학〗 승법(乘法), **곱셈**(opp. *division*) ▷ múltiply *v.*; multiplícative *a.*

multiplicátion fàctor[cònstant] 〖물리〗 (원자로의) 증배율(增倍率)

multiplicátion sìgn 곱셈 기호 《×》

multiplicátion tàble 구구단, 구구표 ★ 미국·영국에서는 12진법으로 12×12 =144까지 있음.

mul·ti·pli·ca·tive [mʌ́ltəplikèitiv, mʌ̀ltəplíkət- | mʌ̀ltiplíkət-] *a.* **1** 증가하는, 증식의; 증식[번식]력이 있는 **2** 〖수학〗 곱셈의 **3** 〖문법〗 배수사(倍數詞)의: ~ numerals 배수사 《double, triple 등》

— *n.* 〖문법〗 배수사

múltiplicative ínverse 〖수학〗 역수

mul·ti·pli·ca·tor [mʌ́ltəplikèitər] *n.* 〖물리〗 배율기(倍率器); 〖수학〗 승수(乘數)

mul·ti·plic·i·ty [mʌ̀ltəplísəti] *n.* Ⓤ 다수(多數); 다양성; 〖수학·물리〗 다중도 ***a*** [***the***] ***~ of*** 다수의, 다양한, 가지각색의

mul·ti·pli·er [mʌ́ltəplàiər] *n.* **1** 증가[증식, 번식]시키는 사람[것]; 승산기, 계산기 **2** 〖수학〗 승수(乘數), 곱수(opp. *multiplicand*); 〖물리〗 배율기

múltiplier effèct 〖경제〗 승수 효과; 상승 효과

mul·ti-ply [mʌ̀ltiplái] *a.* 여러 겹의, 다수가 겹친

— *n.* (3장 이상의) 합판

mul·ti·ply[1] [mʌ́ltəplài] 〖L 「수배(數倍)하다」의 뜻에서〗 *v.* (**-plied**) *vt.* **1 증가시키다**(⇨ increase 유의어), 다양화시키다, 복합적[다면적]으로 하다: 《~+목+전+명》 ~ oneself *with* reading 독서로 자신을 풍부하게 하다 **2** 〖수학〗 **곱하다**, 승하다 《*together, by*》: 《~+목+전+명》 ~ 5 *by* 3 5에 3을 곱하다 **3** 증식[번식]시키다; 〈자손을〉 늘리다

— *vi.* **1** 늘다, 증가하다 **2** 번식하다: 《~+부》 Rats ~ *rapidly.* 쥐는 빨리 번식한다. **3** 곱셈하다

— *n.* 〖컴퓨터〗 곱셈; 곱셈기(器) ▷ multiplicátion *n.*; multiplícative *a.*; multiplícity *n.*

mul·ti·ply[2] [mʌ́ltəpli] *ad.* 다양하게, 복합적으로

mul·ti·point [mʌ̀ltipɔ́int] *a.* 〖컴퓨터〗 다분기점[다지점]의 《세 개 이상의 단말을 접속하는 형태의》(opp. *point-to-point*)

mul·ti·po·lar [-póulər] *a.* 다극적인; 〖물리〗 다극(성)의 **mùl·ti·po·lár·i·ty** *n.*

mul·ti·probe [-próub] *n.* 〖우주과학〗 다중 탐사용 우주선

mul·ti·pro·cess·ing [mʌ́ltiprɑ̀sesiŋ | -pròu-] *n.* Ⓤ 〖컴퓨터〗 다중(多重) 처리

mul·ti·pro·ces·sor [-prɑ̀sesər | -pròu-] *n.* 〖컴퓨터〗 다중 처리기

mul·ti·pro·gram·ming [mʌ̀ltipróugræmiŋ] *n.* Ⓤ 〖컴퓨터〗 다중(多重) 프로그래밍

mul·ti·pronged [-prɔ́:ŋd, -prɑ́ŋd | -prɔ́ŋd] *a.* (뾰족한) 끝이 여러 가닥인 〈작살 등〉; 다면적인

mul·ti·pur·pose [-pə́:rpəs] *a.* Ⓐ 여러 목적에 쓰이는, 다목적의: a ~ dam 다목적 댐

mul·ti·ra·cial [-réiʃəl] *a.* 다(多)민족의[으로 된]

~**·ism** *n.* Ⓤ 다민족 공존[평등] 주의

mul·ti·role [mʌ́ltiròul] *a.* 많은 역할[기능]을 가진, 다기능의, 만능의

mul·ti·screen [-skrì:n] *a.* 멀티스크린의 《세 개 이상의 분할 스크린에 다른 화상을 비치는 방법의》

mul·ti·sense [mʌ̀ltiséns] *a.* 다의(多義)의: a ~ word 다의어

mul·ti·sen·so·ry [-sénsəri] *a.* (시각·청각 등의) 여러 감각이 관여하는, 다감각 응용의 〈교수법〉

mul·ti·ses·sion [-séʃən] *a.* 〖컴퓨터〗 다중 세션(대응)의 《CD-ROM 기록 포맷의 일종》

mul·ti·skill·ing [mʌ́ltiskiliŋ] *n.* Ⓤ (종업원의) 다(多)기능 훈련

mul·ti·stage [-stèidʒ] *a.* 다단식(多段式)의; 단계적인: a ~ rocket 다단식 로켓

mul·ti·sto·r(e)y [-stɔ̀:ri] *a.* 여러 층의, 다층의; 〖건축〗 고층의: a ~ parking garage[《영》 car park] 다층식 주차장, 주차 빌딩

mul·ti·task [mʌ̀ltitǽsk] *vi.* 한꺼번에 여러 일을 처리하다

mul·ti·task·ing [-tǽskiŋ] *n.* 〖컴퓨터〗 멀티태스킹, 다중 처리 《하나의 CPU로 복수의 업무를 동시에 처리함》

mul·ti·thread·ed [-θrédid] *a.* 〖컴퓨터〗 멀티스레드의 《프로그램이 제어를 여러 독립된 흐름으로 나눌 수 있는》

mul·ti·track [-trǽk] *a.* 다중 트랙의 〈녹음테이프〉

— *vt.* 다중 트랙으로 녹음하다

mul·ti·tu·bu·lar [-tjú:bjələr] *a.* 다관(多管)의

mul·ti·tude** [mʌ́ltətjù:d | -tjù:d] *n.* **1** ⒸⓊ **다수,** 수많음: a ~ of girls 다수의 소녀들 / the stars in ~ 무수한 별들 **2 군중,** 많은 사람 **3** [the ~(s)] 대중, 서민 ***a noun of ~ 군집 명사 ***cover*** [***hide***] ***a ~ of sins*** 많은 나쁜 짓을 은폐하다, 모든 것에 통하는 핑계가 되다 ***In the ~ of counsel(l)ors there is wisdom.*** 중지를 모으면 좋은 지혜도 나오는 법. ▷ multitúdinous *a.*

mul·ti·tu·di·nism [mʌ̀ltətjú:dənìzm | -tjú:-] *n.* Ⓤ 다수 복리주의

mul·ti·tu·di·nous [mʌ̀ltətjú:dənəs | -tjú:-] *a.* **1** 다수의, 무수한 **2** 여러 항목[요소]으로 된 **3** 《문어》 광대한 〈바다〉 ~**·ly** *ad.* ~**·ness** *n.*

mul·ti·us·er [mʌ̀ltijú:zər] *n., a.* 〖컴퓨터〗 다중 사용자(의) 《다수의 사용자가 동시에 공동으로 사용할 수 있는》: the ~ system 다중 사용자 시스템

mul·ti·va·lence [-véiləns] *n.* Ⓤ **1** 〖화학·생물〗 다가(多價), 다원자가(多原子價) **2** 가치의 다면성

mul·ti·va·lent [-véilənt] *a.* **1** 〖화학·생물〗 다원자가의, 다가의 **2** 다면적 가치[의의]를 가진

— *n.* 다가 염색체(군)

mul·ti·val·ued [-vǽlju:d] *a.* 많은 가치를 지닌; 다가(多價)의

mul·ti·valve [mʌ́ltivæ̀lv] *a.* 〈조개가〉 다각(多殼)의, 3개 이상의 껍질이 있는 — *n.* 다각패(貝)

mul·ti·var·i·ate [mʌ̀ltivέəriit] *a.* 〖통계〗 다변수(變數)의, 다변량(變量)의: ~ normal distribution 다변수의 정규 분포

mul·ti·ver·si·ty [-və́:rsəti] [*multi*+*univ*ersity] *n.* (*pl.* **-ties**) 《미》 거대 종합 대학교 《교사(校舍)가 분산된 대규모 대학교》

mul·ti·vi·bra·tor [-váibreitər] *n.* 〖통신〗 멀티바이브레이터 《이장(弛張) 발진기의 일종》

mul·ti·vi·ta·min [-váitəmin] *a.* 여러 비타민을 함유한, 다(多)비타민의 — *n.* 종합 비타민제

mul·tiv·o·cal [mʌltívəkəl] *a.* 뜻이 다양한[모호한]

mul·ti·vol·tine [mʌ̀ltivóulti:n, -tn] *a.* 〖곤충〗 한 해에 여러 번 산란하는; 다화성(多化性)의

mul·ti·wall [mʌ́ltiwɔ̀:l] *a., n.* (시멘트 부대처럼) 여러 종이를 겹쳐서 만든 (봉지)

mul·ti·way [mʌ́ltiwèi] *a.* 복수 회로[통로]를 가진

mul·ti·win·dow [mʌ̀ltiwíndou] *n.* 〖컴퓨터〗 멀티

---

multitude *n.* **1** 다수 assembly, throng, host, horde, mass **2** 군중 common people, masses, commonality, populace, crowd, mob, rabble

윈도 《화면을 분할하여 동시에 복수의 문서를 나타낼 수 있는 디스플레이 방식》
mul·ti-word [mʌ̀ltiwə́:rd] *a.* Ⓐ 〖언어〗 복수어의, 둘 이상의 단어가 결합된: ~ units such as 'fall in love' 'fall in love'와 같은 복수어 단위
mul·toc·u·lar [mʌltɑ́kjulər | -tɔ́k-] *a.* 다안(多眼)의
mul·tum in par·vo [mʌ́ltəm-in-pɑ́:rvou] 〖L〗 작으나 내용이 풍부함[알참]
mul·ture [mʌ́ltʃər] *n.* Ⓤ (스코) 〖법〗 물방앗간 사용료(를 받을 권리)
mum¹ [mʌ́m] 〖의성어〗 *a.* Ⓟ 잠자코 있는, 무언의(silent) (***as***) ~ ***as a mouse*** 잠자코, 입을 다물고 ***keep*** ~ 잠자코 있다 ***sit*** ~ 대화에 끼지 않다
— *n.* Ⓤ 침묵 ***M~'s the word!*** 너만 알고 있어, 남한테 말하지 마라! — *int.* 입 닥쳐, 쉿
— *vi.* (**~med**; **~ming**) **1** 입을 다물다, 말하지 않다; 침묵을 요구하다 **2** 무언극[가면극]을 하다 **3** (특히 크리스마스에) 가장하여 나다니다
mum² *n.* **1** (구어) = MADAM **2** (영·구어) = MUMMY²
mum³ *n.* (구어) 국화(chrysanthemum)
mum⁴ *n.* Ⓤ 독한 맥주 《원래 독일 Brunswick산》
Mum·bai [mʌ́mbai, mumbái] *n.* 뭄바이 《인도의 항구 도시; Maharashtra 주의 주도; 옛 이름 Bombay》
mum·blage [mʌ́mblɑ:dʒ] *n.* (컴퓨터속어) 멈블라주 《정확한 대답을 전달하려면 내용이 몹시 복잡한 화제》
∗**mum·ble** [mʌ́mbl] *vt.* **1** 〈기도·말 등을〉 중얼거리다, 웅얼거리다(⇨ murmur 유의어): ~ a few words 두세 마디 중얼거리다 **2** 〈이 없는 사람 등이〉 우물우물 씹다
— *vi.* **1** (…에게) 중얼중얼[웅얼웅얼] 말하다 《*to*》 **2** 〈이 없는 사람이〉 우물우물 씹다 ~ ***to*** one***self*** 혼잣말로 중얼거리다
— *n.* 중얼중얼하는 말[소리], 중얼거림
múm·bler *n.* **múm·bling·ly** *ad.*
mum·ble·ty-peg [mʌ́mbltipèg] *n.* Ⓤ (미) (소년들의) 잭나이프 던지기 놀이 《칼이 땅에 꽂히게》
mum·bo jum·bo [mʌ́mbou-dʒʌ́mbou] **1** 미신적 숭배물[의식, 주문], 우상 **2** 알아들을 수 없는 말 **3** [**M-J-**] 아프리카 서부 수단 흑인 부락의 수호신
mu·me·son [mjú:mí:zɑn | -zɔn] *n.* = MUON
mumm [mʌ́m] *vi.* = MUM¹
mum·mer [mʌ́mər] *n.* **1** 무언극의 배우 **2** (고어·속어·경멸) 배우, 광대
mum·mer·y [mʌ́məri] *n.* (*pl.* **-mer·ies**) **1** 무언극(dumb show), 가면극 **2** ⓊⒸ (경멸) 거창한 의식
mum·mi·fy [mʌ́məfài] *vt.* (**-fied**) **1** 미라로 만들다 **2** 말려서 보존하다, 바짝 말리다 — *vi.* 미라가[미라같이] 되다, 바짝 마르다 **mùm·mi·fi·cá·tion** *n.*
mum·ming [mʌ́miŋ] *n.* [다음 성구로] ***go*** ~ 연주하며 돌기 《예전에 특히 영국에서 크리스마스 때 가장을 하고 단체로 연극을 하며 집집이 찾아 다니던 풍습에서》
∗**mum·my¹** [mʌ́mi] *n.* (*pl.* **-mies**) **1** 미라; 바짝 마른 것[사람, 시체]; 생기 없는 사람 **2** Ⓤ 짙은 갈색 《그림물감》 ***beat*** a person ***to a*** ~ …을 때려눕히다, 떡이 되도록 때리다
— *vt.* (**-mied**) = MUMMIFY
mummy² *n.* (*pl.* **-mies**) (영·소아어) 엄마((미) mommy)
múmmy bàg (구어) (얼굴만 내놓게 된) 몸에 밀착하는 침낭
múmmy càse 미라의 관(棺)
múmmy clòth **1** 미라를 싸는 삼베 **2** (미) 면모[견모] 교직의 크레이프 천
múm·my's bòy [mʌ́miz-] (영·경멸) = MAMA'S BOY
múmmy whèat [미라의 관에서 종자가 발견된 데서] 듀럼밀
mump¹ [mʌ́mp, múmp | mʌ́mp] *vt.*, *vi.* (영·방언) 부루퉁해지다, 토라지다, 시무룩해지다
mump² *vi.* (영·방언) (우는소리로) 구걸하다; 속이다 **~·er** *n.* (영·방언) 가짜 거지
mump·ish [mʌ́mpiʃ] *a.* 부루퉁한, 토라진
mumps [mʌ́mps] [「부루퉁한 얼굴」의 뜻에서] *n. pl.* **1** [종종 the ~; 단수 취급] 유행성 이하선염(耳下腺炎), 항아리손님: get (*the*) ~ 항아리손님에 걸리다 **2** [the ~] 부루퉁함(sulks): have *the* ~ 부루퉁해지다
mum·sy [mʌ́mzi] (영·구어) *n.* 엄마(mother)
— *a.* 엄마 같은, 마음씨 좋은
mu·mu, mu-mu [mú:mù:] *n.* = MUUMUU
mun. municipal; municipality
∗**munch** [mʌ́ntʃ] *vt.*, *vi.* 우적우적 씹어먹다: ~ (at) an apple 사과를 와삭와삭 먹다 ~ ***out*** (***up***) (미·속어) (쉴 새 없이) 우적우적 씹어먹다
— *n.* (구어) 음식, 간단한 식사, 스낵
Mun·chau·sen [mʌ́ntʃauzn, mʌntʃɔ́:zn] *n.* **1** 뮌하우젠 **Baron** ~ (1720-97) 《독일의 수렵가·군인; R. E. Raspe(1737-94)의 모험담의 주인공》 **2** 허풍선이; 황당무계한 모험담
Múnchausen sỳndrome 〖정신의학〗 뮌하우젠 증후군 《입원 치료를 받으려는 환자의 병적 허언증》
Mün·chen [mjúnxən] *n.* 뮌헨 《Munich의 독일명》
munch·ies [mʌ́ntʃiz] *n. pl.* (미·속어) **1** 간단한 식사, 스낵, 과자 **2** 과자가 먹고 싶음; (대마초 흡연 후의) 공복감 ***have the*** ~ (속어) 배가 고프다
Munch·kin [mʌ́ntʃkən] *n.* **1** 먼치킨 《*Wizard of Oz*에 나오는 난쟁이족》 **2** [**m~**] 난쟁이, 귀여운 꼬마; 궂은 일만 하는 사람, 하찮은 사람
munch·y [mʌ́ntʃi] *a.* **1** 〈음식물이〉 오도독오도독하는, 씹을 맛이 있는 **2** (구어) 스낵용의
mun·dane [mʌndéin, ⌐—] *a.* **1** 이승의, 현세의; 세속적인(earthly) **2** 평범한, 흔히 있는; 실제의 **3** 세계의, 우주의: the ~ era 세계 창조 기원(紀元)
~·ly *ad.* **~·ness** *n.*
mun·dan·i·ty [mʌndǽnəti] *n.* 현세, 속세; 현세적임, 세속사
mun·di·fy [mʌ́ndəfài] *vt.* 〈상처 따위를〉 세정하다
mung [mʌ́ŋ] (미·속어) *vt.* 〈프로그램 등을〉 개조하다, 대폭 변경하다, 망가뜨리다 《*up*》; 더럽히다; 엉망으로 만들다 — *n.* 더러운 것, 오물, 쓰레기
múng bèan 〖식물〗 녹두 《식용·사료용》
mun·g(e)y [mʌ́ndʒi] *n.* (미·속어) 음식
mun·go(e) [mʌ́ŋgou] *n.* (*pl.* **~s**) ⓊⒸ 재생 양모 (cf. SHODDY)
mun·goos(e) [mʌ́ŋgù:s] *n.* = MONGOOSE
mu·ni [mjú:ni] (미·구어) *n.* 시채(市債)(municipal bond); 시영(市營) 설비 《극장 등》; 시영 버스[전차]
— *a.* 시영의(municipal)
Mu·nich [mjú:nik] *n.* **1** 뮌헨 《독일의 Bavaria 주의 주도; 독일명 München》 **2** 굴욕적인 유화 정책
Múnich Pàct[**Agrèement**] [the ~] 뮌헨 조약 《1938년에 나치와 체결한 유화적 조약》
‡**mu·nic·i·pal** [mju:nísəpəl] 〖L 「자유 도시」의 뜻에서〗 *a.* **1** 자치 도시의, 시(市)의; 시영의; 시제(市制)의, 시립의, 지방 자치의: a ~ debt[loan] 시채(市債)/~ engineering 도시 공학/~ government 시정(市政)/the ~ authorities 시당국/a ~ office[officer] 시청[시청 직원]/~ police (미) 자치 단체 경찰 **2** 한 곳에 국한된, 좁은 범위 내의 **3** 내정(內政)의, 국내의: a ~ law 국내법
— *n.* **1** [보통 *pl.*] (미) 〖재정〗 (주·군·시 발행의) 지방채(債) **2** 자치 도시의 주민
~·ism *n.* Ⓤ 시제(市制)주의, 지방 자치주의 **~·ist** *n.* 시제주의자; 시 당국자; 시정에 정통한 사람 **~·ly** *ad.* 시정상, 시(영)에 의하여
▷ municipálity *n.*; munícipalize *v.*
munícipal bónd (미) 지방채(債)
munícipal bórough (영) (Royal Charter(칙허)

thesaurus **murder** *n.* killing, slaying, manslaughter, homicide, slaughter, assassination

로 특권이 부여된) 자치[특권] 도시
munícipal corporátion 지방 자치 단체
munícipal cóurt 시[지역] 법원, 지방 법원
***mu·nic·i·pal·i·ty** [mju:nìsəpǽləti] *n.* (*pl.* **-ties**) **1 a** 지방 자치 단체 《시·읍 등》 **b** [단수·복수 취급] 시[읍]당국 **2** [집합적] 전(全) 시민
mu·nic·i·pal·ize [mju:nísəpəlàiz] *vt.* **1** 시(市)[자치제]로 하다 **2** 시유[시영]화하다
mu·nìc·i·pal·i·zá·tion *n.*
mu·nif·i·cence [mju:nífəsns] *n.* Ⓤ 《문어》 아낌없이 줌, 후함
mu·nif·i·cent [mju:nífəsnt] *a.* 《문어》 아낌없이 주는, 손이 큰 **~·ly** *ad.*
mu·ni·ment [mjú:nəmənt] *n.* **1** [보통 *pl.*] 〖법〗 증서, 부동산 권리 증서(title deed); 공식 기록, 공문서; 특허장(charter) **2** 《드물게》 방어 (수단)
múniment ròom 《영》 (성·성당·대학의) 문서고(庫), 기록 보관실
mu·ni·tion** [mju:níʃən] *n.* [명사 수식 이외는 *pl.*] **1** 군수품; 《특히》 탄약: a ~ factory[plant] 군수품 공장 / ~*s* industry 군수 산업 **2** (긴급시에 대비한) 생필품, 자금, 자재 ***~s of war 군수품
— *vt.* …에 군수품을 공급하다
~·er *n.* 군수품 제조공(=~ **wòrker**)
mun·shi [mú:nʃi] *n.* (인도인의) 서기, 통역, 어학 교사
Mun·ster [mʌ́nstər] *n.* 먼스터 《아일랜드 공화국 남서부 지방》
munt [múnt] *n.* 《남아공·경멸》 흑인
munt·jac, -jak [mʌ́ntdʒæk] *n.* 〖동물〗 짖는사슴, 문착 《아시아 남동부산(産)의 작은 사슴》
Múntz mètal [mʌ́nts-] [영국의 발명자 이름에서] 먼츠 메탈 《아연 4 : 구리 6의 합금》
mu·ny [mjú:ni] *n.* 《미·구어》 = MUNI
mu·on [mjú:ɑn | -ɔn] *n.* 〖물리〗 뮤온, 뮤(μ)입자[중간자] 《lepton의 일종》 **mu·ón·ic** [mju:ɑ́nik | -ɔ́n-] *a.*
muónic àtom 〖물리〗 뮤입자 원자
mu·o·ni·um [mju:óuniəm] *n.* 〖물리〗 뮤오늄 《정전하(正電荷)의 뮤입자와 전자로 된 원자》
múon neutrìno 〖물리〗 뮤입자 중성자
Mup·pet [mʌ́pit] *n.* **1** 머펫 《팔과 손가락으로 조작하는 인형》; [the ~s] 머펫 쇼(=~ **Shòw**) 《미국의 TV 버라이어티 쇼》 **2** [미국 TV 시리즈물 *Seasame Street*에 나오는 캐릭터에서] [**m-**] 어리석은 사람
mup·pie [mʌ́pi] [*m*iddle-aged *u*rban *p*rofessional] *n.* 《미·구어》 머피 《경제적으로 여유 있고 유행에 민감한 중년의 도시 전문직 종사자》
mu·ral [mjúərəl] *a.* 벽(위)의, 벽에 붙인[건]; 벽에 그린: ~ paintings 벽화 **—** *n.* 벽화, 천장화, 벽장식
~·ist *n.* 벽화가 **~·ly** *ad.*
‡mur·der [mə́:rdər] *n.* **1** Ⓤ 살인, 모살(謀殺); 살인 사건: a case of ~ 살인 사건 / an attempted ~ 살인 미수 / *M*~ will out. 《속담》 살인[악행]은 탄로나게 마련이다. **2** Ⓤ 《구어》 매우 위험한[어려운, 불쾌한] 일[상황], 「지옥」; 완고하고 엄격한 사람: That test was ~. 그 시험은 지옥이었다.
create ~ 큰 소동을 부리다 ***cry***[***scream, shout***] ***bloody*** ~ 《구어》 비명을 지르다, 큰일 났다고 소리지르다 ***get***[***go***] ***away with*** (***blue***) ~ 《구어》 (1) (나쁜 짓을 하고도) 벌[비난]을 면하다 (2) 자기 좋을 대로만 하다 ***like blue*** ~ 《구어》 전속력으로 ~ ***in the first degree*** 〖미국법〗 제1급 모살 《정상 참작의 여지가 없는 것으로 종형》 ~ ***in the second degree*** 〖미국법〗 제2급 모살 《정상 참작의 여지가 있는것으로 징역형》
— *vt.* **1** 〈사람을〉 (고의로) 죽이다, 살해하다(⇨ kill [유의어]); 참살하다 **2** 〈남에게〉 심하게 굴다, 괴롭히다 **3** 《구어》 〈시구·노래·역(役) 등을〉 망쳐 놓다, 잡치다: The singer ~*ed* the song. 저 가수가 노래를 망쳤다. **4** 〈남는 시간을〉 (적당히) 보내다 **5** 《구어》 (경기 등에서) 〈상대를〉 묵사발이 되게 하다 **6** 《구어》 …에게 격노하다
— *vi.* 살인하다
I could ~ a ... 《주로 영·구어》 …을 몹시 먹고[마시고] 싶다 ~ ***the King's English*** 서투른 영어를 쓰다 ▷ múrderous *a.*
múrder bòard 《미·속어》 (후보자 등을 엄히 심사하는) 심사 위원회
mur·der·ee [mə̀:rdərí:] *n.* 피살자
***mur·der·er** [mə́:rdərər] *n.* **1** 살인자[범] **2** 대구를 잡는 어구(魚具)
múrderer's rów 〖야구〗 강타자가 이어지는 타격순
mur·der·ess [mə́:rdəris] *n.* MURDERER의 여성형
múrder óne 제1급 모살(first-degree murder)
***mur·der·ous** [mə́:rdərəs] *a.* **1** 살인의; 흉행[살인] 용의: a ~ weapon 흉기 **2** 흉악한, 〈양상이〉 잔인한 **3** 살인적인, 지독한, 〈시험이〉 매우 어려운: ~ heat 살인적인 더위
~·ly *ad.* 잔인하게, 살인적으로, 지독히 **~·ness** *n.*
múrder twó 제2급 모살(second-degree murder)
mure [mjúər] *vt.* 《시어》 벽으로 둘러싸다; 유폐(幽閉)하다 《*up*》
mu·rex [mjúəreks] *n.* (*pl.* **-ri·ces** [-rəsì:z], **~·es**) **1** 〖패류〗 뿔고둥 《자줏빛 염료를 채취했음》; (악기로서의) 소라고둥 **2** Ⓤ 적자색(赤紫色)
mu·ri·ate [mjúərièit, -riət | -riət] *n.* 〖화학〗 염화물(鹽化物)(chloride), 《특히》 염화칼륨
mu·ri·át·ic ácid [mjùəriǽtik-] 염산(鹽酸)
mu·rine [mjúərain, -rin] *a.*, *n.* 〖동물〗 쥣과(科)의 (동물)
múrine týphus 〖병리〗 발진열(發疹熱) 《쥐벼룩이 매개하는》
murk [mə́:rk] *n.* Ⓤ 《문어》 [the ~] 암흑, 음울함 (gloom, darkness) **—** *a.* 《고어》 음침한, 어두운
murk·y [mə́:rki] *a.* (**murk·i·er**; **-i·est**) **1 a** 어두운, 어둠침침한, 음울한 **b** 〈어둠·안개가〉 짙은; 〈물이〉 탁한, 더러운 **2** 켕기는, 수상쩍은, 떳떳지 못한 **3** 〈표현 등이〉 애매한, 확실치 않은 ***the ~ past*** 어두운[수상쩍은] 과거 **múrk·i·ly** *ad.* **múrk·i·ness** *n.*
***mur·mur** [mə́:rmər] *n.* **1** (나뭇잎 등의) 사각사각하는 소리, (시냇물의) 졸졸거리는 소리: the ~ of a stream 시냇물의 졸졸 흐르는 소리 **2** 낮은 목소리, 속삭임: She answered in a faint ~. 그녀는 들릴 듯 말 듯 대답했다. **3** 중얼거림, 불평[불만]의 소리 **4** 〖의학〗 (청진기에 들리는) 심장의 잡음
— *vi.* **1** 〈나뭇잎 등이〉 사각사각하다, 설렁거리다, 졸졸 소리내다 **2** 낮은 목소리로 말하다; 속삭이다 **3** 중얼거리다, 투덜거리다(grumble) 《*at, against*》

> [유의어] **murmur** 분명히 알아들을 수 없을 만큼 낮은 소리로 투덜거리다: *murmur* disagreement 작은 소리로 불찬성이라고 말하다 **mumble** 거의 입을 열지 않고 불명료한 작은 소리로 중얼대다: *mumble* the answer to a question 질문에 대해 입속말로 대답하다 **mutter** 거의 입을 열지 않고 작은 소리로 불만이나 노여움 등을 중얼거리다: *mutter* complaints 중얼중얼 불평을 하다

— *vt.* 속삭이다, 낮은 목소리로 말하다, 투덜거리다
~·er *n.* ▷ múrmurous *a.*
mur·mur·a·tion [mə̀:rməréiʃən] *n.* **1** 사각거림, 졸졸거림, 중얼거림, 투덜거림 **2** 찌르레기 떼
mur·mur·ing [mə́:rməriŋ] *a.*, *n.* 졸졸[사각]거리는 (소리); 속삭이는[중얼거리는] (소리) **~·ly** *ad.*
mur·mur·ous [mə́:rmərəs] *a.* **1** 졸졸[콸콸] 소리나는, 사각거리는 **2** 중얼거리는; 투덜거리는
mur·phy [mə́:rfi] *n.* (*pl.* **-phies**) 《속어》 **1** (아일랜드산) 감자 **2** [the ~] 《미·속어》 = MURPHY GAME
Múr·phy bèd [mə́:rfi-] 《미》 머피 침대 《접어서 벽장에 넣을 수 있는》

murmur *v.* babble, burble, whisper, rustle, buzz, hum, mutter, mumble, drone, moan

Múrphy gàme 《미·속어》 신용 사기 《마약 등의 거래에서 신문지를 돈뭉치로 속이는 따위》
Múrphy's Láw 머피의 법칙 《경험에서 얻은 유머러스한 지혜; 「실패할 가능성이 있는 것은 반드시 실패한다」 등》
mur·ra [mə́:rə | mʌ́rə] *n.* 무라석(石), 형석(螢石) 《고대 로마에서 고급 단지·술잔 등을 만든 재료》
mur·rain [mə́:rin | mʌ́r-] *n.* 온역(瘟疫) 《가축의 전염병》 ***A ~ on*** [***to***] ***you!*** = ***M~ take you!*** 《고어》 염병할 자식, 뒈져라!
mur·ram [mʌ́rəm] *n.* Ⓤ 《아프리카의 도로 포장용》 붉은 빛이 도는 흙
Mur·ray [mə́:ri | mʌ́ri] *n.* 남자 이름
murre [mə́:r] *n.* (*pl.* **~s,** ~) 〚조류〛 바다오리; 큰부리바다오리(razorbill)
mur·rey [mə́:ri | mʌ́ri] *n.* Ⓤ 오디빛, 암자색
mur·r(h)ine [mə́:rin | mʌ́rain] *a.* 형석(murra)(제)의
murse [mə́:rs] *n.* **1** [*male*+*purse*] 남성용 손가방[지갑] **2** [*male*+*nurse*] 남자 간호사
mus. museum; music(al); musician **MusB**(**ac**) *Musicae Baccalaureus* 《L =Bachelor of Music》
mus·ca·del(**le**) [mʌ̀skədél] *n.* =MUSCATEL
Mus·ca·det [mʌ̀skədéi] [F] *n.* 뮈스카데 《프랑스 Loire 강 하류 지역산 백포도; 그 포도로 만든 백포도주》
mus·ca·dine [mʌ́skədin] *n.* 〚식물〛 머스캣 포도의 일종 《미국 남부산》
mus·ca·lure [mʌ́skəlùər] *n.* 〚생화학〛 암컷 파리의 유인 물질
mus·cat [mʌ́skət, -kæt] *n.* **1** 머스캣 포도 **2** = MUSCATEL 1
Mus·cat [mʌskǽt | mʌ́skət, -kæt] *n.* 무스카트 《Oman의 수도》 ***~ and Oman*** 무스카트 오만 《Oman의 구칭》
mus·ca·tel [mʌ̀skətél] *n.* **1** Ⓤ 백포도주 《머스캣 포도로 만든》 **2** =MUSCAT 1
‡**mus·cle** [mʌ́sl] [L 「작은 쥐」의 뜻. 근육의 움직임이 쥐의 동작과 닮은 데서] *n.* **1** Ⓤ 근(筋), **근육**: an involuntary[a voluntary] ~ 불수의(不隨意)[수의] 근/have strong ~*s* 억센 근육을 가지다 **2** Ⓤ 근력, 완력, 체력: a man of ~ 근력이 센 사나이 **3** Ⓤ 《구어》 힘, 강제, 압력, 영향력: trade unions with plenty of ~ 막대한 영향력을 가진 노조 **4** 《식용의》 지방 없는 살코기 **5** 《속어》 근력이 센 사나이, 폭한, 폭력단원(muscleman) **6** 핵심, 주요부 ***control*** [***govern***] one'***s ~*** 웃음을 참다 ***flex*** one'***s ~s*** 《구어》 (1) 비교적 쉬운 일로 힘을 시험해보다 (2) 힘[육체]을 과시하다 ***not move a ~*** 꼼짝도 하지 않다 ***on the ~*** 《미·속어》 폭력적인, 툭하면 싸우려 드는
— *vi.* 《구어》 억지로 나아가다[끼어들다] 《*through, in, into*》; 영역을 침범하다 《*in*》: 《~+전+명》 ~ *through* a crowd 군중을 헤치고 나아가다/~ *into* a conversation 대화에 억지로 끼어들다
— *vt.* **1** 《구어》 힘으로 밀고 들어가다[나아가다]: 《~+목+전+명》 ~ one's way *through* the crowd 군중을 헤치고 나아가다 **2** …의 근육을 강화하다, 튼튼히 하다: Playing tennis will ~ your arms. 테니스를 하면 팔심이 강해진다. ***~ in*** 《구어》 (억지로) 끼어들다[밀치고 들어가다]; 영역을 침범하다 《*on*》: ~ *in on* another's ground 남의 땅을 침범하다 ***~ out*** 《미·속어》 힘으로 내쫓다[몰아내다], 추방하다 ***~ up*** 《속어》 온 힘을 내다, 힘껏 도전하다 **~·less** *a.* 근육이 없는; 흐물흐물한 ▷ múscular *a.*
mus·cle-bound [mʌ́slbàund] *a.* **1** 《운동 과다로》 근육이 경직한[탄력을 잃은] **2** 탄력성 없는, 경직된
múscle càndy 《속어》 머슬 캔디 《근육 강화 보조 식품》
múscle càr 《미·속어》 고출력[고성능] 자동차
mus·cled [mʌ́sld] *a.* [보통 복합어로] 근육이 있는: strong-~ 근육이 억센
múscle dysmòrphia [-dismɔ́:rfiə] 〚정신의학〛 근육 추형 《신체 추형 장애의 일종》
múscle fiber 〚해부〛 근섬유
mus·cle-head [mʌ́slhèd] *n.* 《미·속어》 멍청이
mus·cle·man [mʌ́slmæ̀n] *n.* (*pl.* **-men** [-mèn]) 《구어》 **1** 근육이 늠름한 남자 **2** 《고용된》 폭력단원
múscle pìll 《구어》 근육 증강 알약 《운동 선수가 복용하는 anabolic steroid; 사용 금지 약물임》
múscle sènse 〚심리·생리〛 근각(筋覺), 근육 감각
múscle shìrt 《미》 소매 없는 T셔츠
múscle sùgar 〚생화학〛 근육당
mus·cly [mʌ́sli] *a.* 근육의, 근육이 발달한
mus·col·o·gy [mʌskɑ́lədʒi | -kɔ́l-] *n.* Ⓤ 〚식물〛 선태학(蘚苔學)(bryology) **-gist** *n.*
mus·co·va·do [mʌ̀skəvéidou, -vɑ́:-] *n.* Ⓤ 흑사탕(=~ sùgar)
mus·co·vite [mʌ́skəvàit] *n.* Ⓤ 〚광물〛 백운모
Mus·co·vite [mʌ́skəvàit] *n.* 모스크바 사람; 《고어》 러시아 사람 — *a.* 모스크바 (시민)의
Mus·co·vy [mʌ́skəvi] *n.* (13세기의) 모스크바 대공국(大公國); 《고어》 러시아; 모스크바
Múscovy dúck 〚조류〛 머스코비오리(musk duck) 《열대 아메리카산》
muscul- [mʌ́skjul], **musculo-** [mʌ́skjulou, -lə] 《연결형》 「근육」의 뜻
***mus·cu·lar** [mʌ́skjulər] *a.* **1** 근(육)의: ~ strength 완력/the ~ system 근육 조직/~ fiber 근섬유 **2** 근육이 잘 발달된, 강건한, 힘센: a ~ young man 건장한 청년/a ~ arm 억센 팔 **3** 〈표현 등이〉 힘찬 **4** 육체 활동[노동]을 통한 **5** 《구어》 강력한: a ~ engine 강력한 엔진 **~·ly** *ad.*
▷ múscle, muscularity *n.*
múscular átrophy 〚병리〛 근위축증(筋萎縮症)
múscular Christiánity 근육적 기독교 《신앙과 동시에 강건한 육체와 명랑한 삶을 존중》
múscular dýstrophy 〚병리〛 근이영양증(cf. MUSCULAR ATROPHY)
mus·cu·lar·i·ty [mʌ̀skjulǽrəti] *n.* Ⓤ 근골의 건장함, 강장(强壯), 강건
múscular rhéumatism 〚병리〛 =MYALGIA
mus·cu·la·tion [mʌ̀skjuléiʃən] *n.* 근육 운동; 근육 구성[조직]
mus·cu·la·ture [mʌ́skjulətʃùər, -tʃər] *n.* ⓊⒸ 〚해부〛 근육 조직, 근계(筋系)(muscular system)
mus·cu·lo·skel·e·tal [mʌ̀skjuləskélətl] *a.* 근골격의, 근육과 골격의[에 관한]
Mus.D(**oc**). *Musicae Doctor* 《L =Doctor of Music》
‡**muse** [mjú:z] *vi.* **1** 명상하다, 묵상하다, 숙고하다, 생각에 잠기다 《*on, upon, over, of*》: 《~+전+명》 I ~*d over* the past memories. 나는 과거의 일을 곰곰이 생각했다./He ~*d on* the mystery of death. 그는 죽음의 신비를 깊이 생각했다. **2** 생각에 잠기면서 유심히 바라보다 《*on*》
— *vt.* **1** 《깊이》 생각하다: ~ the question once more 그 문제를 다시 생각해 보다 **2** 생각에 잠기며 말하다 **~·ful** *a.* **mús·er** *n.* ▷ músing *n.*
Muse [mjú:z] *n.* **1** 〚그리스신화〛 **a** 뮤즈 《학예·시가·음악·무용을 관장하는 아홉 여신의 하나》 **b** [the ~s] 뮤즈의 신들 **2** [the ~] 시신(詩神); 시상(詩想), 시흥, 시재(詩才); [the m~] 시가(詩歌); [**m~**] 《시어》 시인 ***the*** (***nine***) ***~s*** 뮤즈의 아홉 여신
mu·se·og·ra·phy [mjù:ziɑ́grəfi | -ɔ́g-] *n.* 박물관[미술관]의 분류·전시학
mu·se·ol·o·gy [mjù:ziɑ́lədʒi | -ɔ́l-] *n.* Ⓤ 박물관[미술관]학 **mu·se·o·log·i·cal** [mjù:ziəlɑ́dʒikəl | -lɔ́dʒ-] *a.* **-gist** *n.*
mu·sette [mju:zét] [F] *n.* **1** 뮈제트 《(1) 옛 프랑스의 작은 bagpipe (2) 오보에 비슷한 목관 악기》; 3

thesaurus **muse** *v.* **1** 명상하다 think, meditate, reflect, deliberate, daydream **2** 깊이 생각하다

박자의 무곡(舞曲) **2** (군인의) 작은 잡낭(=~ **bàg**)

‡mu·se·um [mju:zí:əm] [Gk. 「뮤즈(Muse)의 신전」의 뜻에서] *n.* **박물관**; 기념관; **미술관**; 자료관: a science[marine] ~ 과학[해양] 박물관

mu·se·um·go·er [mju:zí:əmgòuər] *n.* 박물관[미술관]에 잘 가는 사람

Muséum of Módern Árt [the ~] (뉴욕의) 현대 미술관 《Manhattan 소재; 略 MOMA》

muséum pìece **1** 박물관 소장품, 주요 미술품; 진품 **2** 《익살》 시대에 뒤진 사람[것]

mush[1] [mʌʃ, múʃ | mʌʃ] *n.* Ⓤ **1** 《미》 옥수수 죽 **2** 걸쭉한 것[음식] **3** 《구어》 감상(感傷)적인 말[책, 영화]; 허튼소리, 허풍 **4** [múʃ] 《영·속어》 입, 얼굴 ***make a ~ of*** 《구어》 …을 엉망으로 만들다, 망쳐 놓다

mush[2] 《미·캐나다》 *n.* 개썰매 여행 **—** *vi.* 개썰매 여행을 하다 **—** *int.* 가자 《썰매 끄는 개에 대한 발성》 **~·er** *n.* 개썰매 모는 사람

mush[3] [*mush*room] *n.* 《영·속어》 박쥐우산(umbrella)

mush[4] *n.* 《속어》 =MUSTACHE

mush·head [mʌ́ʃhèd] *n.* 《속어》 바보, 멍청이 **~·ed** *a.* 멍청한

mush-mouth [mʌ́ʃmàuθ] *n.* 《미·속어》 중얼중얼하는[우물거리는] 사람

‡mush·room [mʌ́ʃru:m | -rum] *n.* **1** 버섯 《주로 식용》 **2** 급속하게 발달한 것 **3** =MUSHROOM CLOUD **4** 《미·속어》 박쥐우산 **5** 《구어》 버섯 모양의 모자 《여성용 밀짚모자》 **6** 벼락부자, 어정뱅이

— *a.* **1** 버섯(모양)의 **2** 우후죽순격의, 급성장하는

— *vi.* **1** 빨리 생기다[발전하다], 급격히 퍼지다 **2** 버섯을 따다 **3** 버섯 모양으로 퍼지다; 〈불이〉 확 퍼지다

múshroom clòud 핵폭발의 버섯구름

múshroom còlor 버섯 빛깔, 담황색을 띤 갈색

múshroom gròwth 급속한 성장

múshroom vèntilator 버섯 모양의 통풍통

mush·y [mʌ́ʃi, múʃi | mʌ́ʃi] *a.* (**mush·i·er**; **-i·est**) **1** (죽처럼) 걸쭉한(pulpy); 〈기능이〉 둔한; 확실치 않은 **2** 《구어》 연약한, 눈물이 많은, 감상적인(sentimental) **músh·i·ly** *ad.* **músh·i·ness** *n.*

múshy péas 《영》 콩죽(요리)의 일종

‡mu·sic [mjú:zik] [Gk. 「뮤즈(Muse)의 기술」의 뜻에서] *n.* Ⓤ **1** **음악**: instrumental ~ 기악 / folk ~ 민속 음악 **2** 악곡; 악보; 반주; [집합적] 악곡집 **3** ⓊⒸ 주악(奏樂), (자연의) 음악적인[아름다운] 소리 《새소리·물 흐르는 소리 등》: the ~ of birds 새소리 **4** 음악 감상력, 음감(音感): He has no ~ in himself. 그는 음악을 이해하지 못한다[에 소질이 없다]. **5** 《미·구어》 큰 싸움, 큰 소동 **6** [형용사적] 음악의[에 관한]: a ~ lesson 음악 교습

be ~ to a person***'s ears*** 〈남이 싫어하는 소리[말]가〉 …에게 기분 좋게 들리다 ***face the ~*** 책임을 지다, 당당히 비판[벌]을 받다 ***rough ~*** (남을 야유하여) 지르는 소리 ***set***[***put***] a poem ***to ~*** (시)에 곡을 붙이다 ***Stop the ~!*** 《미·구어》 그만 해, 좀 조용히 해! ***the ~ of the spheres*** 천상의 음악 《천체가 운행할 때 생긴다고 옛 사람이 상상한 음악》

‡mu·si·cal [mjú:zikəl] *a.* **1** **음악의**, 주악(奏樂)의: a ~ composer 작곡가 / a ~ director 지휘자 / a ~ instrument 악기 / ~ intervals[scales] 음정[음계] / a ~ performance 연주 **2 a** **음악적인**; 음이 아름다운: a ~ voice of an operator 전화 교환원의 음악적인 목소리 **b** 음악이 따르는: a ~ film 뮤지컬 영화 **3** **음악에 재능이 있는**; 음악을 애호하는: He is very ~. 그는 음악을 매우 좋아한다. **4** 음악가의 ***be of a ~ turn*** 음악에 재능[취미]이 있다 ***have a ~ ear*** 음악을 이해하다

— *n.* **1** 희가극 (영화), 뮤지컬(=~ comedy) **2** 《고어》 =MUSICALE ▷ músic, musicálity *n.*

músical bòx 《영》 =MUSIC BOX

think over[about], brood, consider, ponder, reflect on, contemplate, meditate on, mull over

músical búmps 《영》 아이들 파티 게임의 일종 《음악이 멈추면 그 자리에 주저앉는 게임》

músical cháirs [단수 취급] 의자 빼앗기 놀이 ***play ~*** 서로 상대편을 앞지르려 하다; 선택에 망설이다; 섹스 상대를 번번이 바꾸다

músical cómedy 희가극, 뮤지컬

mu·si·cale [mjù:zikǽl] [F] *n.* 《미》 (사교적인 모임으로서의) 음악회, (비공개) 연주회

músical glásses =GLASS HARMONICA

mu·si·cal·i·ty [mjù:zikǽləti] *n.* ⓊⒸ 음악성; 선율의 아름다움; 음악적 재능

mu·si·cal·ize [mjú:zikəlàiz] *vt.* 〈연극 등에〉 음악을 붙이다, 음악극으로 만들다

músical lánguage 〖컴퓨터〗 (입력용의) 음악 언어

mu·si·cal·ly [mjú:zikəli] *ad.* **1** 음악상, 음악적으로 **2** 아름다운 곡조로

músical sáw 악기로 쓰는 서양식 톱

mu·si·cas·sette [mjú:zəkəsèt, -kæ-] *n.* 음악 카세트(테이프)

músic bòx 《미》 오르골, 자명악(自鳴樂)(《영》 musical box)

músic càse 악보 끼우개

músic cénter (시스템) 오디오 세트

músic destinàtion 〖인터넷〗 뮤직 데스티네이션, 음악 행선지 《인터넷상의 음악 사이트의 하나》

músic dràma 〖음악〗 악극

músic hàll **1** 《미》 음악당 **2** 《영》 뮤직홀, 연예장(《미》 vaudeville theater); (뮤직홀의) 쇼, 연예

músic hòuse **1** 콘서트 홀 **2** 음악 관련[악기] 회사

‡mu·si·cian [mju:zíʃən] *n.* **1** **음악가** 《작곡가·연주가·지휘자 포함》 **2** 음악에 뛰어난 사람; 《특히》 연주가 **~·ly** *a.* 음악가다운; 음악적 재능이 있는 **~·shìp** *n.* Ⓤ 음악가로서의 재능

mu·si·col·o·gy [mjù:zikɑ́lədʒi | -kɔ́l-] *n.* Ⓤ 음악학 **-co·lóg·i·cal** *a.* **-gist** *n.* 음악학 연구가

mu·si·co·ther·a·py [mjú:zikouθèrəpi] *n.* = MUSIC THERAPY

músic pàper 악보 용지, 5선지

músic schòol 음악 학교

músic stànd 악보대, 보면대

músic stòol 피아노용 의자(piano stool)

músic thèater 뮤직 시어터 《현대 음악과 드라마가 결합한 음악 형태》

músic thèrapy 〖의학〗 음악 요법 **músic thèrapist** *n.*

músic vídeo 뮤직 비디오

músic wìre 피아노 선(piano wire)

mus·ing [mjú:ziŋ] *n.* ⓊⒸ 숙고, 묵상, 명상; 침묵 **—** *a.* 생각에 잠기는, 명상적인 **~·ly** *ad.*

mu·sique con·crète [mjuzí:k-kɔ:ŋkrét] [F] =CONCRETE MUSIC

***musk** [mʌ́sk] *n.* **1** Ⓤ **사향**(麝香)(의 향기), 인조 사향 **2** 〖동물〗 사향노루(=~ deer) **3** 사향 냄새를 풍기는 각종 식물

músk bàg (사향노루 수컷의) 사향주머니, 사향샘

músk càt **1** 〖동물〗 사향고양이 **2** 멋 부리는 남자

músk dèer 〖동물〗 사향노루 《중앙아시아산(産)》

músk dùck 〖조류〗 사향오리 《교미기에 사향 냄새를 냄; 오스트레일리아산(産)》

mus·keg [mʌ́skeg] *n.* 《미·캐나다》 (북미 북부의) 물이끼로 뒤덮인 소택지(沼澤地)

mus·kel·lunge [mʌ́skəlʌ̀ndʒ] *n.* (*pl.* ~) 〖어류〗 강늉치고기의 일종 《북미산(産)의 식용어》

***mus·ket** [mʌ́skit] *n.* **머스킷총** 《구식 보병총》

mus·ket·eer [mʌ̀skətíər] *n.* 〖역사〗 (옛날의) 머스켓 총병(銃兵)

mus·ket·oon [mʌ̀skətú:n] *n.* 〖역사〗 머스커툰 단총(短銃)(을 가진 군인)

mus·ket·ry [mʌ́skitri] *n.* 《고어》 **1** [집합적] 머스켓총, 소총; 소총 부대 **2** 소총 사격(술)

músket shòt 머스켓탄, 소총탄; 소총 사정(射程)

músk glànd 사향샘
Mús·kie Àct [mʌ́ski-] [제안자인 상원 의원 이름에서] [the ~] (미) 머스키법 ((대기 오염 방지법 (Clean Air Act of 1970)의 속칭))
músk màllow [식물] **1** 사향아욱 **2** = ABELMOSK
musk·mel·on [mʌ́skmèlən] *n.* [식물] 머스크멜론 ((표면에 그물눈 모양의 무늬가 있는 품종))
musk·ox [-ɑ̀ks | -ɔ̀ks] *n.* [동물] 사향소
músk plànt [식물] 사향물꽈리아재비

muskox

musk·rat [-rǽt] *n.* (*pl.* **~, ~s**) 사향뒤쥐, 머스크랫 (= ~ **bèaver**); Ⓤ 그 모피
músk ròse 사향장미 ((지중해 지방 원산))
músk shèep = MUSK-OX
músk trèe 사향나무 ((사향내가 나는 각종 나무; 호주산(産)))
musk·wood [-wùd] *n.* Ⓤ 사향나무의 목재
musk·y [mʌ́ski] *a.* (**musk·i·er**; **-i·est**) 사향의, 사향 냄새 나는 **músk·i·ness** *n.*
Mus·lem [mʌ́zlim, múz-, mús- | mús-] *n.* (*pl.*~, **~s**), *a.* = MUSLIM *n.* 1, *a.*
‡**Mus·lim** [mʌ́zlim, múz-, mús- | mús-] *n.* (*pl.*~, **~s**) **1** 이슬람교도 **2** (미) = BLACK MUSLIM
— *a.* 이슬람교(도)의; 이슬람 문명의(Moslem)
~·ìsm *n.* = ISLAM
Múslim cálendar [the ~] 이슬람[헤지라]력(曆)
Múslim Éra [the ~] 이슬람[헤지라] 기원(紀元) ((서기 622년))
*__mus·lin__ [mʌ́zlin] [최초의 제조지인 이라크의 지명에서] *n.* Ⓤ **1** 모슬린 ((평직의 부드러운 면직물)) **2** (미) 캘리코(calico) **3** (속어) [항해] 돛베, 범포
a bit of ~ (영·속어) 여자, 소녀
MusM *Musicae Magister* (L = Master of Music)
mu·so [mjú:zou] *n.* (*pl.* **~s**) (호주·속어) [음악] 음악가; 열광적인 음악 팬
mus·quash [mʌ́skwɑʃ | -kwɔʃ] *n.* = MUSKRAT
muss [mʌ́s] (미·구어) *n.* ⓊⒸ 혼란, 난잡
— *vt.* 〈머리털·옷 등을〉 난잡하게 하다, 구겨 놓다, 엉망으로 만들다 ((*up*))
mus·sel [mʌ́səl] *n.* [패류] **1** 홍합 **2** 펄조개, 말조개
mússel plùm 암자색의 오얏
Mus·so·li·ni [mù(:)səlí:ni] *n.* 무솔리니 **Benito** ~ (1883-1945) ((이탈리아 독재 정치가·수상(1922-43)))
Mus·sul·man [mʌ́səlmən] *n.* (*pl.* **~s, -men** [-mən]) 이슬람교도 — *a.* 이슬람교도의
muss·y [mʌ́si] *a.* (**muss·i·er**; **-i·est**) (미·구어) 구깃구깃한, 난잡한, 엉망의
múss·i·ly *ad.* **múss·i·ness** *n.*
‡**must**[1] [mʌ́st] ⇨ must (p. 1653)
must[2] *n.* Ⓤ (발효 전 또는 발효 중의) 포도액; 새 포도주
must[3] *n.* Ⓤ 곰팡내가 남; 곰팡이
— *vi.* 곰팡내가 나다
must[4] *a.*, *n.* = MUSTH
*__mus·tache__ [mʌ́stæʃ, məstǽʃ | məstɑ́:ʃ] *n.* [종종 *pl.*] (미) 코밑수염 ((영) moustache) (⇨ beard 유의어); 동물의 수염; 새의 수염 비슷한 깃털; 콧수염 모양의 것: grow[wear] a ~ 콧수염을 기르다[기르고 있다] **-tached** [-t] *a.* 콧수염이 있는
mus·ta·chio [məstǽʃiòu | -tɑ́:-] *n.* (*pl.* **~s**) = MUSTACHE **-chioed** [-t] *a.*
mus·tang [mʌ́stæŋ] *n.* **1** 무스탕 ((멕시코·텍사스 등의 작은 반야생마)) **2** (미·해군속어) 수병 출신의 해군 사관 **3** [미공군] 무스탕 ((제2차 대전시의 전투기, 특히 P-51)) **4** [**M~**] 무스탕 ((Ford 사제 승용차; 상표명))
(***as***) ***wild as a ~*** (미·구어) 몹시 사나운
mústang gràpe 알이 작은 빨간 포도 ((Texas산))

*__mus·tard__ [mʌ́stərd] *n.* **1** Ⓤ 겨자 ((양념)); [식물] 겨자, 갓: black[white] ~ 흑[백]겨자 **2** 겨자색, 짙은 황색 **3** (미·속어) 자극, 활기, 열의 (있는 사람)
(***as***) ***keen as ~*** 매우 열심인 ***cut the ~*** (미·구어) 기대에 부응하다, 기준[목표]에 달하다; (미·속어) 방귀를 뀌다 ***English***[***French***] ***~*** 물 탄[초 친] 겨자 ***~ and cress*** (영) 갓과 물냉이의 어린 잎(의 샐러드)
mústard fàmily [식물] 배춧과(科)
mústard gàs 이페릿 ((미란성(糜爛性) 독가스))
mústard grèens *pl.* 겨자잎
mústard òil 겨자씨 기름
mústard plàster 겨자 연고(軟膏) ((습포용))
mústard pòt (식탁용) 겨자 그릇
mústard sèed 겨자씨; (미) 가장 작은 산탄(散彈) (dust shot) ***a grain of ~*** [성서] 겨자씨 한 알 ((큰 발전의 원인이 되는 것))
must-do [mʌ́stdù:] (미·구어) *n.* (*pl.* **~s, ~'s**) [a ~] 꼭 해야 할 일, 필수 사항 — *a.* 꼭 해야 할
mus·tee [mʌstí:, ∠-] *n.* 흑인의 피를 8분의 1 받은 혼혈아(octoroon); ((일반적으로)) 혼혈아
mus·te·lid [mʌ́stəlid] *a.*, *n.* [동물] 족제빗과의 (동물) ((족제비·담비·스컹크·오소리 따위))
*__mus·ter__ [mʌ́stər] [L 「나타내다」의 뜻에서] *vt.* **1** (검열·점호에) 〈병사·선원 등을〉 소집하다 **2** 〈용기 등을〉 불러 일으키다, 분기시키다(summon) ((*up*)): (~+목) (~+목+부) We *~ed* (*up*) all our courage [strength]. 우리는 있는 용기[힘]를 다 불러 일으켰다.
~ in[***out***] (미) …을 입대[제대]시키다
— *vi.* (검열·점호에) 〈군대가〉 모이다, 집합하다.
— *n.* **1** 소집, (병력의) 집합; 점호; 검열; 점호 명부 (muster roll) **2** (사람·동물 등의) 집합; 집합 인원; (호주·속어) (회의 등의) 출석 **3** [상업] 견본, 샘플
pass ~ 검열에 통과하다, 기준에 합격하다
múster bòok 점호 명부
mus·ter·er [mʌ́stərər] *n.* **1** 집합[소집]시키는 사람 **2** (호주·뉴질) 가축을 한데 모으는 사람
mus·ter-mas·ter [mʌ́stərmæ̀stər | -mɑ̀:s-] *n.* [역사] (군대·함선 등의) 검열관
múster ròll = MUSTER BOOK; 등록부, 물품 목록
musth [mʌ́st] *a.* 〈수코끼리·수낙타가〉 발정하여 광포한 — *n.* 발정한 광포 (상태)
must-have [mʌ́sthæ̀v] (구어) *a.* 꼭 필요한, 반드시 가져야 하는 — *n.* 필수품, 꼭 가져야 할 물건
‡**mustn't** [mʌ́snt] must not의 단축형
must-read [mʌ́strì:d] *n.* (구어) 필독서, 필독 기사
must-see [-sì:] *n.* (구어) 꼭 보아야 할[볼 만한] 것
múst wìn [야구] 꼭 이겨야 할 경기
mus·ty [mʌ́sti] *a.* (**-ti·er**; **-ti·est**) **1** 곰팡내 나는; 곰팡이가 난 **2** 케케묵은, 진부한(stale) **3** 무기력한; 무감각한; 시시한 **mús·ti·ly** *ad.* **mús·ti·ness** *n.*
mut [mʌ́t] *n.* = MUTT
mu·ta·ble [mjú:təbl] *a.* **1** 변하기 쉬운 **2** 변덕스러운 **mù·ta·bíl·i·ty** *n.* **-bly** *ad.*
mu·ta·gen [mjú:tədʒən] *n.* [생물] 돌연변이 유발 요인
mu·ta·gen·e·sis [mjù:tədʒénəsis] *n.* Ⓤ 돌연변이 생성[유발]
mu·ta·gen·ic [mjù:tədʒénik] *a.* [유전] 〈화학 약품 따위가〉 돌연변이 발생률을 높이는 **-i·cal·ly** *ad.*
mu·ta·ge·nic·i·ty [mjù:tədʒənísəti] *n.* Ⓤ [생물] 돌연변이 유발력[성]; 인공 돌연변이
mu·ta·gen·ize [mjú:tədʒənàiz] *vt.* [생물] …에 돌연변이를 일으키다
mu·tant [mjú:tnt] *a.* [생물] Ⓐ 변화한, 돌연변이의 — *n.* 돌연변이체, 변종; (속어) 괴상한[별난] 녀석
mu·tase [mjú:teis, -teiz] *n.* [생화학] 무타제 ((산화와 환원을 동시에 촉매하는 효소))
mu·tate [mjú:teit | -∠] [L 「변하다」의 뜻에서] *vi.*

thesaurus **muster** *v.* assemble, bring together, call up, summon, rally, mobilize, collect

must

조동사 must의 주요 용법은 (1) '필요·의무·명령'의 「…하여야 하다」 (2) '추정'의 「…임에 틀림없다」 (3) '주장'의 「꼭 …하여야 한다」 (4) 「공교롭게도 …하다」를 나타내는 경우 등으로 대별할 수 있다. (1)의 용법에 있어서 《구어》에서는 보통 must 대신 have to를 쓴다. 부정문 must not은 '금지'를 나타내어 「…해서는 안 되다」의 의미로 쓰인다. 또한 must는 과거·미래·완료·분사가 없으므로 had to; will[shall] have to; have had to; having to를 대용한다. 이밖에 주의해야 할 용법들에 대해서는 본문의 USAGE, ★를 참조할 것.

‡**must** *auxil. v., n., a., vi.*

기본적으로 「의무·필요」를 나타냄.	
① [필요] …해야 하다	**1**
② [의무·명령] …하지 않으면 안 되다 [금지(부정문)] …해서는 안 되다	**2**
③ [추정] …임에 틀림없다	**4 a, b**

— [məst, mʌst, mʌ́st] *auxil. v.* ★ 어형은 무변화; 부정 단축형 **mustn't**. **1** [필요를 나타내어] …해야 하다 《USAGE 이 뜻의 부정에는 need not 또는 do not have to(필요없다)를 씀; 또한 과거·미래·완료에는 have to의 변화형을 씀》: We ~ eat to live. 사람은 살기 위해 먹어야 한다. / I ~ be going now. 이제 가야겠습니다. / "*M*~ I stay there?"—"Yes, you ~."["No, you don't have to."] 제가 거기에 머물러야만 합니까? —예, 그래야 합니다[아니오, 그럴 필요는 없습니다]. / I told him that I ~ go. 나는 그에게 내가 가야 한다고 말했다. / I ~ say, you look very handsome today. 너 오늘 정말 멋지게 보인다. ★ 간접화법에서는 과거에도 must를 그대로 쓰는 일이 많음.
2 [의무·명령·요망·충고를 나타내어] …해야만 하다, …하지 않으면 안 되다; [부정문에서 금지를 나타내어] …해서는 안 되다: All students ~ keep quiet in the library. 모든 학생은 도서관에서는 조용히 해야 한다. / Visitors ~ *not* walk on the grass. 방문자들은 잔디 위를 걸어서는 안 되게 되어 있다.
3 [주장을 나타내어] 꼭 …하여야 하다 《must가 강하게 발음됨》: He ~ always have everything his own way. 그는 언제나 매사를 자기 뜻대로 해야 한다[해야 직성이 풀린다]. / She said that she ~ see the manager. 그녀는 지배인을 꼭 만나야겠다고 말했다. ★ 간접화법에서는 과거에도 must를 쓰는 일이 많음.
4 [당연한 추정을 나타내어] **a** …임[함]에 틀림없다, 틀림없이 …일 것이다 《USAGE 이 뜻의 must의 부정은 cannot (…일[할]리가 없다); 상대방의 말에 대한 응답과 부가의문문 외에 의문문은 없으며, Are you sure?를 대용함》: "You ~ know this!"—"*M*~ I?" 당신은 이것을 틀림없이 알고 있을 테지! —제가요? / He ~ be at home. I see his car in his garage. 그는 집에 있는 것이 틀림없다. 그의 차가 차고에 있는 것을 봐서는. / War ~ follow. 필연코 전쟁이 일어날 것이다. / He cannot be so young; he ~ be over thirty. 그가 그렇게 젊을 리가 없다. 그는 틀림없이 30세는 넘었을 것이다. **b** [must have+*p.p*로 과거에 대한 추정을 나타내어] …이었음[하였음]에 틀림없다: What a sight it ~ *have been*! 틀림없이 장관이었을 것이다! / Why isn't he here, I wonder? He ~ *have missed* the train. 왜 그가 오지 않는 걸까? 그는 기차를 놓쳤음에 틀림없다. / How you ~ *have hated* me! 필시 나를 미워했겠지! / I thought you ~ *have lost* your way. 당신이 틀림없이 길을 잃었을 것이라고 나는 생각했다. / You ~ *have caught* the train if you had hurried. 서둘렀더라면 틀림없이 기차 시간에 댔을 터인데. 《★ 이 문장에서 must는 'would surely'의 뜻인데, 가정법의 용법은 《고어》》 / That man ~ *have stolen* it! 그 사람이 그것을 훔쳤음에 틀림없다! (cf. That man *cannot* have stolen it! 그 사람이 그것을 훔쳤을 리가 없다!) **c** [~ not, mustn't로] 《미》 …아님에 틀림없다: He *mustn't* be there. 그는 그곳에 없음이 틀림없다. / He *mustn't* have known it. 그는 그것을 틀림없이 몰랐을 것이다.
5 [필연을 나타내어] 반드시 …하다, …은 피할 수 없다: All men ~ die. 모든 인간은 반드시 죽는다. / Bad seed ~ produce bad corn. 나쁜 씨에서는 나쁜 열매가 맺게 마련이다.
6 《구어》 [공교로운 일로 초조함·화남을 나타내어] 하필이면[공교롭게도] …했다: Just when I was going out, he ~ come and waste an hour! 하필이면 외출하려고 할 때에 그가 와서 한 시간이나 허비했으니! 《과거를 나타냄》 / Why ~ it always rain on Sundays? 일요일만 되면 왜 하필 비가 온단 말인가.
if I ~ 꼭 해야 한다면
if you ~ 네가 꼭 그래야 한다면 (할 수 없지)
I ~ admit[***say, confess***] 《구어》 [강조하여] 사실, 정말이지
~ needs do ⇨ needs.
~ you? 《주로 영·구어》 꼭 …해야만 하겠니? 《상대방의 행동에 화가나서》
needs ~ do ⇨ needs.
— [mʌ́st] *n.* [a ~] **1** 《구어》 절대로 필요한 것, 꼭 보아야[들어야] 할 것: A raincoat is *a* ~ in the rainy season. 장마철에는 레인코트가 꼭 필요하다. / *a* tourist ~ 관광객이 꼭 보아야 할 것 **2** 꼭 게재해야 할 중요 기사 《원고에 'must'라고 기입》
— [mʌ́st] *a.* Ⓐ 《구어》 필수불가결의, 절대로 필요한, 꼭 보아야[들어야] 할: ~ books[subjects] 필독서 [필수 과목]
— *vi.* 《고어》 [go, get 등 생략하고 방향 표시 부사를 동반하여] 가야만 한다: I ~ away. 가야만 한다.

1 변화하다 **2** 〖생물〗 돌연변이하다(sport) **3** 〖언어〗 모음 변이하다 — *vt.* **1** 〖언어〗 〈모음을〉 변화시키다 **2** 〖생물〗 돌연변이가 되게 하다 **3** 바꾸다

mu·ta·tion [mjuːtéiʃən] *n.* **1** 〖생물〗 돌연변이(cf. VARIATION); 돌연변이체 **2 a** Ⓤ Ⓒ 변화, 변경, 전환(change) **b** (인생의) 흥망성쇠; (세상의) 변천 **3** 〖언어〗 모음 변이(cf. UMLAUT) **4** 변성(變聲)
~·al *a.* **~·al·ly** *ad.* ▷ mútate *v.*; mútative *a.*

mute[1] *a.* silent, speechless, wordless, unspeaking, voiceless, dumb (opp. *voluble*)

mutátion plúral 〖언어〗 변모음(變母音) 복수《보기: goose>geese》
mutátion stòp 〖음악〗 (오르간의) 배음(倍音) 스톱
mu·ta·tis mu·tan·dis [mjuːtéitis-mjuːtǽndis] [L] *ad.* 필요한 변경을 가하여
mu·ta·tive [mjúːtətiv] *a.* 변환[변이]의, 변화가 일어나기 쉬운
mu·ta·tor [mjúːteitər] *n.* 〖유전〗 돌연변이 유발 유전자(= **∼ gène**)
mutch [mʌtʃ] *n.* 《스코》 모자의 일종 《노인·어린이용》
‡**mute**[1] [mjúːt] [L 「무언의」의 뜻에서] *a.* **1** 무언(無

言)의, 침묵한(silent); (일시적으로) 말을 못하는: a ~ blame 무언의 비난 **2** 〈금속이〉 소리나지 않는(soundless) **3** 벙어리의 **4** 〈글자가〉 발음되지 않는, 묵자(默字)의: a ~ letter 묵자 《knife의 k 등》 **5** 〔법〕 〈피고가〉 묵비권을 행사하는: stand ~ of malice 묵비권을 행사하다 **6** 〈사냥개가〉 짖지 않는 **7** 〔음성〕 폐쇄음의 《b, d, g 등》

— *n.* **1** 벙어리, 《특히》 귀먹은 벙어리(=deaf-~); 말을 않는 사람 **2** (맡은 대사가 없는) 무언 배우 **3** 〔법〕 답변을 거부하는 피의자 **4** 〔음악〕 (악기의) 약음기 **5** 〔음성〕 묵자; 폐쇄음 **6** (영) (고용된) 장례식 참석자

— *vt.* **1** …의 소리를 죽이다, …에 약음기를 달다: The carpets ~*d* their sound. 카펫이 그것들의 소리를 죽였다. **2** 색조를 약하게 하다(subdue)

~·ly *ad.* **~·ness** *n.*

mute² (고어) *vi.* 〈새가〉 똥을 누다 — *n.* 새똥

múte bùtton 소음(消音) 버튼 《TV·전화의 음성 출력을 일시 제로로 하는》

mut·ed [mjúːtid] *a.* **1** 입을 다문; 죽인 〈목소리〉 **2** 〔음악〕 약음기를 단[달고 연주한] **3** 〈음·색이〉 약해진, 억제된 **~·ly** *ad.*

múte swán 〔조류〕 혹백조 《유럽·서아시아산》

mu·ti [múːti] *n.* (남아공) **1** 주술사[마법사]가 주는 약(藥) **2** (구어) 약

mu·ti·cous [mjúːtikəs] *a.* 〔식물〕 까끄라기가 없는

***mu·ti·late** [mjúːtəlèit] *vt.* **1** 〈팔다리 등을〉 **절단하다**; 〈신체를〉 불구로 만들다 **2** 〈작품 등의〉 골자를 삭제하여 불완전하게 하다, 망쳐 놓다 **-là·tor** *n.* 절단자; 훼손자 ▷ mutilátion *n.*

mu·ti·la·tion [mjùːtəléiʃən] *n.* UC **1** (수족 등의) 절단; 불구로 하기; 손상 **2** (문장 등의) 불완전화; 〔법〕 문서 훼손

mu·ti·neer [mjùːtəníər] *n.* **1** 폭동자, 폭도 **2** 〔군사〕 항명자(抗命者) — *vi.* = MUTINY

mu·ti·nous [mjúːtənəs] *a.* **1** 폭동의, 폭동을 일으키는 **2** 반항적인, 불온한 **3** 억제하기 힘든: ~ passions 억제할 수 없는 욕정 **~·ly** *ad.* **~·ness** *n.*

***mu·ti·ny** [mjúːtəni] [L 「움직이다」의 뜻에서] *n.* (*pl.* **-nies**) UC (특히 함선·군대 등에서의) **폭동,** 반란; 〔군사〕 항명, 반항

— *vi.* (**-nied**) **1** 폭동[반란]을 일으키다 **2** (상관에게) 반항하다, 항명하다 《*against*》 ▷ mútinous *a.*

mut·ism [mjúːtizm] *n.* U 벙어리 (상태); 〔정신의학〕 무언증, 함묵증(緘默症)

mu·to·scope [mjúːtəskòup] *n.* (초기의 요지경식) 활동 사진 영사기

mutt [mʌ́t] *n.* (속어) **1** 바보, 얼간이 **2** (잡종) 개

Mútt and Jéff **1** 머트와 제프 《미국 만화가 Bud Fisher의 만화 주인공인 키다리와 땅딸보》 **2** 바보 2인조

‡**mut·ter** [mʌ́tər] *vi.* **1** 중얼거리다; 불평을 말하다 《*at, against*》: (~+전+명) ~ *against* a person …에 대하여 불평을 말하다 **2** 〈천둥·파도 등이〉 낮게 으르렁거리다[울리다]

— *vt.* 중얼거리다; 투덜투덜하다; 비밀히 말하다: ~ an oath 저주의 말을 중얼거리다 // (~+목+전+명) ~ certain words *to* oneself 혼잣말로 무슨 말을 구시렁거리다

— *n.* 중얼거림; 불평; (천둥 등의) 으르렁거리는[울리는] 소리 **~·er** *n.*

mut·ter·ing [mʌ́təriŋ] *n.* **1** UC 투덜거림, 불평: There have been ~*s* about his leadership. 그의 리더십에 관해 불평들이 있었다. **2** U 중얼거림, 구시렁거림

‡**mut·ton** [mʌ́tn] [F 「양」의 뜻에서] *n.* U **양고기** (⇨ sheep 관련); C (익살) 양 (***as***) ***dead as ~*** 아주 죽어[끝장난] (***as***) ***thick as ~*** (속어) 머리가 나쁜, 둔한 **~ *dressed* (*up*) *as lamb*** 어울리지 않게 젊게 꾸민 중년 여자 ***to return*** [***get***] ***to our ~s*** (익살) (각설하고) 본론으로 돌아가서(to return) ▷ múttony *a.*

mútton chòp 양의 갈비 고기

mut·ton·chops [mʌ́tntʃɑ̀ps | -tʃɔ̀ps] *n. pl.* (속어) 위는 가늘고 밑으로 퍼지게 기른 구레나룻 (=**múttonchop whískers**)

muttonchops

mut·ton·fish [-fìʃ] *n.* (*pl.* **~, ~·es**) 〔어류〕 물퉁돔의 일종 《맛이 양고기 비슷함; 대서양산(産)》

mútton fist 크고 억센 손[주먹]

mútton hàm (스코) 양고기 햄

mut·ton·head [-hèd] *n.* (구어) 얼간이, 바보 **~·ed** *a.* (구어) 멍청한

mut·ton·y [mʌ́tni] *a.* 양고기 같은

‡**mu·tu·al** [mjúːtʃuəl] [L 「차용[교환]한」의 뜻에서] *a.* **1** 서로의, 상호의; 서로 관계 있는, 상관의: ~ respect 상호 존경 / ~ distrust 상호 불신 **2** Ⓐ 공동의, 공통의(common): our ~ friend 서로[공통]의 친구 ★ 이론상으로 맞는 common friend보다도 mutual friend 쪽이 지금은 많이 쓰임. **3** 상호 회사 조직의 ***by ~ consent*** 합의로

~·ism *n.* U 〔논리〕 상호 부조론; 〔생물〕 상리 공생

~·ist *n.* 상호 부조론자; 〔생물〕 상리 공생 생물

▷ mutuálity *n.*

mútual admirátion socìety 서로 칭찬하는 패거리

mútual áid 상호 부조[협력]

mútual (**áid**) **socíety** 공제 조합

mútual fùnd (미) 〔금융〕 뮤추얼 펀드 《미국 투자 신탁(회사)의 일종》

mútual indúction 〔전자〕 상호 유도

mútual insúrance 상호 보험

mu·tu·al·i·ty [mjùːtʃuǽləti] *n.* U 상호 관계, 상관

mu·tu·al·ize [mjúːtʃuəlàiz] *vt.* **1** 상호적으로 하다 **2** 〈회사를〉 상호 회사로 만들다 — *vi.* 상호적이 되다

***mu·tu·al·ly** [mjúːtʃuəli] *ad.* **서로,** 상호간에; 합의하여: ~ contradictory 서로 모순되는

mútually exclúsive 상호 배타적인

mútual sávings bànk (미) 상호 저축 은행

mu·tu·el [mjúːtʃuəl] *n.* (미) = PARI-MUTUEL

mu·tule [mjúːtʃuːl] *n.* 〔건축〕 무튤 《도리아식 처마 장식돌; 다른 양식의 modillion에 해당》

muu·muu [múːmùː] *n.* 무무 《헐겁고 화려한 하와이 여자의 드레스》

mux [mʌ́ks] (뉴잉글랜드) *n.* 난잡, 더러운 상태

— *vt.* 엉망으로 만들다

MUX multiplexer

Mu·zak [mjúːzæk] *n.* **1** 녹음 배경 음악 《식당·대합실 등에 제공되는 유선 음악 방송; 상표명》 **2** [종종 **m-**] (미·속어) 감미롭지만 시시한 음악

mu·zhik, -zjik [muːʒík] [Russ.] *n.* (제정 러시아 시대의) 농민; (미·속어) 러시아 사람

muzz [mʌ́z] (영·속어) *vi.* 맹렬히 공부하다

— *vt.* (구어) 멍하게 만들다

muz·zle** [mʌ́zl] *n.* **1 총구,** 포구 **2** (개·고양이 등의) 주둥이 《코·입 부분》, 부리(⇨ nose 유의어) **3** (동물의) 부리망 **4** 언론의 자유를 막는 것 ***put a gold ~ on …의 입을 막으려고 돈을 주다

— *vt.* **1** 〈동물에〉 부리망을 씌우다: ~ a fierce dog 맹견에게 부리망을 씌우다 **2** 〈사람에게〉 입막음하다, 말 못하게 하다; 〈언론을〉 억압하다 **3** 〔요트〕 〈돛을〉 접다 **4** 〈돼지 등이〉 주둥이로 밀다[문지르다]

muz·zle-load·er [mʌ́zllòudər] *n.* 전장총(前裝銃)[포(砲)] **-lòad·ing** *a.* 전장식의 〈총·포〉

muz·zler [mʌ́zlər] *n.* **1** 〔항해〕 (강한) 맞바람, 역풍 **2** (속어) 경찰관

múzzle velòcity (탄환의) 포구(砲口) 속력, 초속(初速)

thesaurus **mutilate** *v.* cut up, lacerate, hack up, cripple, maim, disable, disfigure, damage

muz·zy [mʌ́zi] *a.* (**-zi·er**; **-zi·est**) 《구어》 **1** (병·음주 등으로) 머리가 멍한, 몽롱한; 나른한: It was a ~ day. 몽롱한 하루였어. **2** 흐릿한, 혼란스러운 **múz·zi·ly** *ad.* **múz·zi·ness** *n.*

mV millivolt(s) **Mv** mendelevium **MV** main verb; megavolt(s); motor vessel; muzzle velocity **MVA** Missouri Valley Authority **MVO** Member of the Royal Victorian Order **MVP** most valuable player 〖스포츠〗 최우수 선수 **MVS** Master of Veterinary Surgery **MVSc** Master of Veterinary Science **mW** milliwatt(s) **MW** 〖자동차 국적〗 Malawi; 〖통신〗 medium wave; megawatt(s); Middle Welsh; molecular weight; Most Worshipful; Most Worthy **MWA** Member of the Welsh Assembly; Modern Woodmen of America

mwah, mwa [mwɑ́:] *int.* 뺨에 키스할 때 내는 소리

mwa·li·mu [mwɑ:lí:mu:] *n.* 스승(teacher)

M-way [émwèi] *n.* = MOTORWAY

MWe megawatts electric

mwe·thya [mwéθjə] *n.* (*pl.* **~**) 《동아프》 (학교 건축이나 도로 보수 등을 위한) 지역 개발 사업단

MX [èméks] [*m*issile, e*x*perimental] *n.* 〖미군〗 엠엑스, 이동식 대형 ICBM

Mx. 〖전자〗 maxwell(s); Middlesex **mxd.** mixed

*****my** [mái, mài, mə] *pron.* [I의 소유격] **1** 나의, 내: ~ mother 나의 어머니/~ train 내가 탄[탈] 기차 **2** [부르는 명사에 붙여 친밀감을 나타냄]: *my* boy [friend, man, son, etc.]/*my* dear[darling, love, etc.] **3** [놀라움을 나타냄]: *My* word! = *My* (eye)! = Oh *my*! = *My* goodness! 어머나, 저런, 이것 참! ***my dear fellow*** = ***my good man*** [부르는 말] 여보게 ***my Lord*** ⇨ lord. ***my own*** 나 자신의 **—** *int.* [놀라움·낭패의 가벼운 표현]: Oh *my*! 이런!

my 〖지질〗 million years

MY million years; motor yacht

my- [mai], **myo-** [máiou, máiə] 《연결형》 「근육」의 뜻 《모음 앞에서는 my-》

my·al·gi·a [maiǽldʒiə, -dʒə] *n.* Ⓤ 〖병리〗 근육통, 근육 류마티스 **-gic** [-dʒik] *a.*

my·all [máiɔ:l] *n.* 〖식물〗 (오스트레일리아산) 아카시아; (전통 생활을 하는) 오스트레일리아 원주민

Myan·mar [mjǽnmɑ:r] *n.* 미얀마 (연방) 《인도차이나 반도 서부의 나라; 정식명 Union of ~; 구칭 Burma; 수도 Yangon》

Myan·ma·rese [mjæ̀nmərí:z] *a.* 미얀마의; 미얀마 사람의 **—** *n.* 미얀마 사람

my·as·the·ni·a [màiəsθí:niə] *n.* 〖병리〗 근무력증(筋無力症) **~ *gravis*** 중증 근무력증 **-then·ic** [-θénik] *a.*

my·a·to·ni·a [màiətóuniə] *n.* Ⓤ 〖병리〗 근이완증, 근무긴장(증)

my·ce·li·um [maisí:liəm] *n.* (*pl.* **-li·a** [-liə]) 〖식물〗 균사체(菌絲體) **-li·al** [-liəl] *a.*

My·ce·nae [maisí:ni:] *n.* 미케네 《고대 그리스의 도시; 미케네 문명의 중심지》

My·ce·nae·an [màisəní:ən] *a.* 미케네 (문명)의 **—** *n.* 미케네 사람; 미케네 그리스어(= ~ **Gréek**)

my·ce·to·ma [màisətóumə] *n.* (*pl.* **~s, ~·ta** [-tə]) 〖병리〗 (발에 감염되는) 균종(菌腫)

my·ce·toph·a·gous [màisətɑ́fəgəs | -tɔ́f-] *a.* 식균(류)성의

my·ce·to·zo·an [maisì:təzóuən] *a.* 동균류(動菌類)[점균류(粘菌類)]의 **—** *n.* 동균류, 점균류(slime mold) 《개체》

-mycin [máisn | -sin] 《연결형》 「균에서 채취한 항생 물질」의 뜻

myco- [máikou, -kə] 《연결형》 fungus의 뜻

mutiny *n.* rebellion, revolt, riot, insurgence, insurrection, protest, uprising, resistance, strike

my·co·bac·te·ri·um [màikoubæktí:riəm] *n.* (*pl.* **-ri·a** [-riə]) 〖세균〗 마이코박테리아 《결핵균·나병균 등의 총칭》

mycol. mycology

my·col·o·gy [maikɑ́lədʒi | -kɔ́l-] *n.* Ⓤ 균류학(菌類學); 균류의 생태 **mỳ·co·lóg·i·cal, -lóg·ic** *a.* **mỳ·co·lóg·i·cal·ly** *ad.* **-gist** *n.*

my·co·plas·ma [màikouplǽzmə] *n.* (*pl.* **~s, ~·ta** [-tə]) 〖생물〗 마이코플라스마 《세균과 바이러스의 중간적인 미생물》 **-plás·mal** *a.*

my·co(r)·rhi·za [màikəráizə] *n.* (*pl.* **-zae** [-zi:], **~s**) 〖식물〗 균근(菌根) 《균류와 고등 식물의 뿌리와의 공생체》 **-rhí·zal** *a.*

my·co·sis [maikóusis] *n.* (*pl.* **-ses** [-si:z]) 〖병리〗 사상균병(絲狀菌病), 진균증(眞菌症) **my·cót·ic** *a.*

my·co·tox·in [màikoutɑ́ksin | -tɔ́k-] *n.* 〖약학〗 진균독(眞菌毒), 곰팡이 독

my·cot·ro·phy [maikɑ́trəfi | -kɔ́t-] *n.* 〖식물〗 균(菌) 영양 《균근에서의 공생 등》

my·co·vi·rus [máikəvàirəs] *n.* 균 바이러스 《균류에 감염하는 바이러스》

my·dri·a·sis [midráiəsis, mai-] *n.* 〖병리〗 산동(散瞳), 동공 산대(瞳孔散大) 《동공이 확대되는 현상》

myd·ri·at·ic [mìdriǽtik] *a.* 산동(성)의 **—** *n.* 산동제(劑) 《동공을 확대시키는》

my·e·lin [máiəlin], **-line** [-lì:n] *n.* 〖생화학〗 미엘린 《수초(髓鞘)를 이루는 물질》 **mỳ·e·lín·ic** *a.*

mýelin shèath 〖해부〗 (신경 세포의) 미엘린초(鞘), 수초(medullary sheath)

my·e·li·tis [màiəláitis] *n.* Ⓤ 〖병리〗 척수염, 골수염

myelo- [máiəlou, -lə] 《연결형》 「골수, 척수」의 뜻

my·e·lo·blast [máiələblæ̀st] *n.* 〖해부〗 골수 아(芽)세포

my·e·lo·cyte [máiələsàit] *n.* 〖해부〗 골수구(球)

my·e·lo·fi·bro·sis [màiələfaibróusis] *n.* 〖병리〗 골수 섬유증 **mỳ·e·lo·fi·brót·ic** *a.*

my·e·lóg·e·nous leukémia [màiəlɑ́dʒənəs- | -lɔ́dʒ-] 〖병리〗 골수성 백혈병

my·e·loid [máiəlɔ̀id] *a.* 〖의학〗 골수의; 골수성[모양]의 **~ *leukemia*** = MYELOGENOUS LEUKEMIA

my·e·lo·ma [màiəlóumə] *n.* (*pl.* **~s, ~·ta** [-tə]) 〖병리〗 골수종(骨髓腫) **mỳ·e·ló·ma·tous** *a.*

my·e·lop·a·thy [màiəlɑ́pəθi | -lɔ́p-] *n.* 〖병리〗 척수 장애, 골수증 **mỳ·e·lo·páth·ic** *a.*

my·e·lo·pro·lif·er·a·tive [màiəlouprəlífərətiv, -fərei-] *a.* 〖병리〗 〈백혈병이〉 척수 증식성의

myg. myriagram(s) **myl.** myrialiter(s) **mym.** myriameter(s)

My·lar [máilɑ:r] *n.* 마일라 《녹음테이프·절연막용, 폴리에스테르 필름; 상표명》

my·na(h) [máinə] *n.* 〖조류〗 쇠찌르레기속(屬)의 새, 구관조(九官鳥) 《동남아시아산(產)》

Myn·heer [mənέər | məníə] *n.* **1** Mr.나 Sir에 해당하는 네덜란드의 경칭 **2** [**m~**] 《구어》 네덜란드 남자(Dutchman)

myo- [máiou, máiə] 《연결형》 = MY-

MYOB, M.Y.O.B. Mind your own business. 참견 마라.

my·o·blast [máiəblæ̀st] *n.* 〖해부〗 근아세포(筋芽細胞)

my·o·car·di·al [màiəkɑ́:rdiəl] *a.* 심근(心筋)의

myocárdial infárction 심근 경색(梗塞)(증) 《略 MI》

my·o·car·di·tis [màiəkɑ:rdáitis] *n.* Ⓤ 심근염

my·o·car·di·um [màiəkɑ́:rdiəm] *n.* (*pl.* **-di·a** [-diə]) 〖해부〗 심근(心筋)(층)

my·oc·lo·nus [maiɑ́klənəs | -ɔ́k-] *n.* 〖병리〗 간대성(間代性) 근경련 **mỳ·o·clón·ic** *a.*

my·o·e·lec·tric, -tri·cal [màiouiléktrik(əl)] *a.* 근전기의, 근전성(筋電性)의 《근육이 일으킨 전기를 이용하는》

my·o·fi·bril [màiəfáibrəl] *n.* 〖해부〗 근원섬유 **mỳ·o·fi·bríl·lar** *a.*
my·o·fil·a·ment [-fíləmənt] *n.* 〖해부〗 근필라멘트 《근원섬유를 이루는 낱개》
my·o·gen·ic [-dʒénik] *a.* 〈심장 박동 등이〉 근육 조직에서 발생하는, 근원성(筋原性)의
my·o·glo·bin [-glóubin] *n.* 〖생화학〗 미오글로빈 《헤모글로빈 비슷한 근육의 색소 단백》
my·o·gram [máiəgræ̀m] *n.* 근(筋)운동 기록도
my·o·graph [máiəgræ̀f, -grɑ̀:f] *n.* 〖의학〗 근(筋)운동[근(수축)] 기록기 **mỳ·o·gráph·ic, -i·cal** *a.*
my·ol·o·gy [maiɑ́lədʒi | -ɔ́l-] *n.* Ⓤ 근육학
my·o·ma [maióumə] *n.* (*pl.* **~s, ~·ta**) 〖병리〗 근종(筋腫)
my·o·neu·ral [màiənjúrəl] *a.* 근육과 신경의, 근신경의
my·op·a·thy [maiɑ́pəθi | -ɔ́p-] *n.* 〖병리〗 근(筋)질환 **my·o·páth·ic** *a.*
my·ope [máioup] *n.* 〖병리〗 근시인 사람; 근시안적인 사람
my·o·pi·a [maióupiə], **my·o·py** [máiəpi] *n.* Ⓤ **1** 〖병리〗 근시 **2** 근시안적임, 단견
my·o·pic [maiɑ́pik | -ɔ́p-] *a.* **1** 근시(성)의 **2** 근시안적인
my·o·scope [máiəskòup] *n.* 〖의학〗 근수축 측정계
my·o·sin [máiəsən] *n.* 〖생화학〗 미오신 《근육을 이루는 주요 단백질》
my·o·sis [maióusis] *n.* 〖병리〗 동공 축소(miosis)
my·o·si·tis [màiəsáitis] *n.* 〖병리〗 근염(筋炎)
my·o·so·tis [màiəsóutis] *n.* 〖식물〗 물망초
my·ot·ic [maiɑ́tik | -ɔ́t-] *a., n.* =MIOTIC
my·o·tome [máiətòum] *n.* 〖발생〗 근절(筋節), 근판(筋板); 〖의학〗 근절개도(筋切開刀)
my·ot·o·my [maiɑ́təmi | -ɔ́t-] *n.* Ⓤ 〖외과〗 근절개(술)
my·o·to·ni·a [màiətóuniə] *n.* 〖병리〗 근긴장(증) **mỳ·o·tón·ic** *a.*
My·ra [máirə] *n.* 여자 이름
myria- [míriə] 《연결형》 **1** 「1만의」의 뜻 **2** 무수한
***myr·i·ad** [míriəd] [Gk 「만, 무수」의 뜻에서] *n.* **1** [보통 a ~ of 또는 ~s of로] 무수: ~*s*[*a* ~] *of* stars 무수한 별 **2** 1만(萬)
— *a.* Ⓐ 무수한; 막대한; 1만의 **~·ly** *ad.*
myr·i·ad-mind·ed [míriədmáindid] *a.* 재간이 무궁무진한: our ~ Shakespeare 만인의 마음을 가진 셰익스피어
myr·i·a·gram [míriəgræ̀m] *n.* 만 그램
myr·i·a·li·ter [míriəlì:tər] *n.* 만 리터
myr·i·a·me·ter [míriəmì:tər] *n.* 만 미터
myr·i·a·pod [míriəpɑ̀d | -pɔ̀d] *a., n.* 다족류(多足類)의 (동물)
myr·i·ap·o·dous [mìriǽpədəs] *a.*
myrio- [míriou, -riə] 《연결형》 「무수한」의 뜻
myr·i·o·ra·ma [mìriərǽmə | -rɑ́:mə] *n.* 미리오라마, 만경화(萬景畫) 《작은 그림을 많이 결합하여 아름다운 경관을 나타낸 것》
my·rís·tic ácid [mirístik-] 〖화학〗 미리스트산 《화장품·비누·향수 등의 원료》
myr·me·col·o·gy [mə̀:rməkɑ́lədʒi | -kɔ́l-] *n.* Ⓤ 개미학 **-gist** *n.* **myr·me·co·lóg·i·cal** *a.*
Myr·mi·don [mə́:rmədɑ̀n | -dɔ̀n] *n.* **1** 〖그리스신화〗 뮈르미돈 《Achilles를 따라 Troy 전쟁에 참가한 용사》 **2** [**m~**] (명령을 무조건 수행하는) 부하, 충실한 종자 ***m~s of the law*** 《경멸》 경관, 집달리, 관리
my·rob·a·lan [mairɑ́bələn | -rɔ́b-] *n.* 가자(訶子) (=~ **nùt**) 《열대 아시아산 가리륵의 열매; 타닌제·잉크의 원료》
myrrh[1] [mə́:r] *n.* Ⓤ 몰약(沒藥) 《향기로운 수지(樹脂); 향료·약제용》 **mýr·rhic** *a.* 몰약의
myrrh[2] *n.* 《미·속어》 =SWEET CICELY
myr·rhy [mə́:ri] *a.* 몰약 냄새 나는

***myr·tle** [mə́:rtl] *n.* **1** 〖식물〗 은매화(銀梅花) **2** 《미》 빙카(periwinkle); 푸른빛이 도는 짙은 녹색
Myr·tle [mə́:rtl] *n.* 여자 이름
mýrtle bèrry 은매화의 열매
mýrtle wàx 소귀나무(wax myrtle)의 밀랍
‡my·self [maisélf] *pron.* (*pl.* **our·selves** [àuərsélvz]) **1** [강조] 나 자신, 나 스스로: I ~ saw it. =I saw it ~. 그것을 내 눈으로 보았다. **2** [-ˊ] [me의 재귀형]: I have hurt ~. 몸을 다쳤다. / He asked me for a picture of ~. 그는 내 사진을 한 장 달라고 했다. **3** 원래[평소]의 나: I came to ~. 의식을 회복했다; 냉정을 되찾았다.
USAGE (1) *Myself* will do it.처럼 myself만이 주어로 쓰이는 일은 드물지만 《구어》에서는 주어의 일부로 쓰이기도 한다: My mother *and myself* went to the seaside for the summer. (어머니와 나는 여름에 바닷가에 갔다.) 《단 이 경우에도 *Myself* and my mother went처럼 맨 앞에 두지는 않는다》 (2) The doctor advised my brother and *myself* to give up smoking. (의사는 나의 형과 나에게 담배를 끊으라고 충고하였다.)처럼 목적어의 일부로서 쓰이는 수도 있으나 일반적으로 인정된 용법이 아니다.
(***all***) ***by*** **~** 나 혼자 힘으로; 나 혼자서 ***for*** **~** 혼자 힘으로; 나 자신을 위해서; [문두에 써서] 나로서는, 내 개인적으로는: *For* ~, I have wanted to live in the country. 내 개인적으로는 시골에서 살고 싶다고 생각해 왔다. ***I am not*** **~.** 나는 지금 몸[머리]이 좀 이상하다.
my·so·pho·bi·a [màisəfóubiə] *n.* 〖정신의학〗 불결 공포증 **mỳ·so·phó·bic** *a.*
My·Space [máispèis] *n.* 마이스페이스 《소셜 네트워킹 웹사이트의 하나; 상표명》
myst. mystery; mysteries
mys·ta·gog·ic, -i·cal [mìstəgɑ́dʒik(əl) | -gɔ́dʒ-] *a.* 비법 전수의, 밀교(密敎) 해설의
mys·ta·gogue [místəgɔ̀:g, -gɑ̀g | -gɔ̀g] *n.* 비법 전수자, 밀교 해설자
mys·ta·go·gy [místəgòudʒi, -gɑ̀dʒi | -gɔ̀dʒi] *n.* Ⓤ 비법 전수[해설]
‡mys·te·ri·ous [mistíəriəs] *a.* **1** 신비한; 불가사의한, 이해할 수 없는, 확실하지 않은: the ~ universe 신비에 싸인 우주 / a ~ event 불가사의한 사건 **2** 수수께끼 같은, 알쏭달쏭한, 이상한: a ~ smile 수수께끼 같은 미소 **3** 비밀의; 비밀로 하는
~·ly *ad.* **~·ness** *n.* ▷ mýstery[1] *n.*
‡mys·ter·y[1] [místəri] [Gk 「비밀의 의식」의 뜻에서] *n.* (*pl.* **-ter·ies**) **1** ⓊⒸ 신비; 비밀, 수수께끼: be wrapped in ~ 신비에 싸여 있다

> 유의어 **mystery** 사람의 이성으로써는 그 존재나 원인을 이해하기 어려운 것: the *mystery* of life 생명의 신비 **enigma** 언행이 수수께끼같이 이해하기 어려운 것: His suicide was an *enigma* his family never understood. 그의 자살은 가족들로서는 도저히 이해할 수 없는 수수께끼였다. **riddle** 역설적이거나 모순을 내포한 수수께끼: the *riddle* of the reclusive pop star 사람을 피하는 그 팝스타의 수수께끼 **puzzle** 이해하거나 풀기가 어려워서 궁리를 많이 해야 할 문제[수수께끼]: The mechanisms of heredity were long a *puzzle.* 유전의 메카니즘은 오랫동안 수수께끼였다.

2 신비에 싸인 사람[물건]; 호기심을 북돋우는 사람[물건]; 신비적 사건 **3** 추리 소설, 미스테리(mystery novel) **4** 〖그리스도교〗 **a** [종종 *pl.*] 신비적 교의 《삼위 일체설 등》 **b** 비적(秘跡) **c** [*pl.*] 성체 **5** [종종 *pl.*] (고대 그리스의 종교상의) 비법, 비밀 의식 **6** (중세의) 기적극(=~ play) **7** [형용사적으로] 신비로운, 신비적인 ***make a*** **~** ***of*** …을 비밀로 하다, 신비화하다
▷ mystérious *a.*
mystery[2] *n.* (*pl.* **-ter·ies**) 《영·고어》 **1** (숙련을 요

하는) 직업, 수공예 **2** 직업 조합(guild) ***art and ~*** 기술과 수예《연기 증서(年期證書)의 문구》
mýstery bòat[shìp] = Q-BOAT
mýstery dràma 〖연극〗 추리극
mýstery plày (중세의) 기적극(miracle play)《예수·성인의 기적이 주제》; 추리극
mýstery shópper 미스터리 쇼퍼《고객으로 가장하여 상점의 서비스 등을 조사하는 사람》
mýstery shópping *n.*
mýstery stòry[nòvel] 추리[괴기] 소설, 탐정 소설
mýstery tòur[trìp] 《영》 행선지를 미리 알리지 않는 유람 여행
mýstery vòice 〖방송〗 (퀴즈의 답을 알려주는) 비밀실의 목소리
***mys·tic** [místik] *a.* **1** (종교적) 비법의, 비전의; 밀교의: a ~ art 비술(秘術) **2** 신비적인, 불가사의한(mysterious); 마력[신비력]이 있는: ~ words 주문(呪文) **3** = MYSTICAL 2, 3 **4** 이해할 수 없는
— *n.* 신비주의자; 비법 전수자 ▷ mýstify *v.*
mys·ti·cal [místikəl] *a.* **1** 신비(주의)적인, 신비적 경험[영감]에 의한: ~ theology 신비 신학 **2** 정신적 의의가 있는, 정신적 상징의 **3** 《드물게》 불가사의한, 수수께끼 같은 **~·ly** *ad.* **~·ness** *n.*
▷ mýstify *v.*
mys·ti·cete [místəsìːt] *n.* 〖동물〗 수염고래
***mys·ti·cism** [místəsìzm] *n.* Ⓤ **1** 신비주의《궁극의 진리는 명상과 직관적 통찰에 의해 체득된다는》; 신비주의적 신앙[체험, 생각] **2** 애매한[비논리적] 사고[생각]
mys·ti·cize [místəsàiz] *vt.* 신비롭게 하다
— *vi.* 신비한 일에 관해서 쓰다[말하다]
mys·ti·fi·ca·tion [mìstəfikéiʃən] *n.* **1** Ⓤ 신비화 **2** Ⓤ 어리둥절[미혹]하게 함; Ⓒ 속임수
***mys·ti·fy** [místəfài] *vt.* (**-fied**) **1** 어리둥절하게 하다, 미혹하다, 속이다, 당혹시키다 **2** 신비화하다, 애매하게 만들다 **-fi·er** *n.* **~·ing** *a.*
mys·tique [mistíːk] [F = mystic] *n.* **1** (교리·인물 등에 따르는) 신비스러운 분위기, 신비감, 불가사의함; 신비한 숭배의 대상물 **2** (직업상의) 비법, 비결
‡**myth** [míθ] [Gk. 「말, 이야기」의 뜻에서] *n.* **1** 신화: the Greek ~*s* 그리스 신화 **2** Ⓤ [집합적] 신화(전체)(mythology) **3** 가공의 인물, 신화적 인물[사물] **4** (근거 없는) 이야기, 사회적 통념[미신]
▷ mýthical, mýthic *a.*
myth. mythological; mythology
***myth·i·cal** [míθikəl], 《시어》 **myth·ic** [míθik] *a.* **1** 신화의; 신화를 사용한, 신화를 쓰는 **2** 상상의, 가공(架空)의(imaginary); 근거 없는 **-cal·ly** *ad.*
myth·i·cism [míθəsìzm] *n.* Ⓤ 신화적 해석; 신화주의; 신화의 해설 **-cist** *n.*
myth·i·cize [míθəsàiz] *vt.* 신화화하다; 신화적으로[신화로서] 해석하다 **-cìz·er** *n.*
myth·i·fy [míθəfài] *vt.* 신화화하다
myth·mak·er [míθmèikər] *n.* 신화 작자
mytho- [míθou, -θə] 《연결형》 「신화(myth)」의 뜻
my·tho·gen·e·sis [mìθədʒénəsis] *n.* (*pl.* **-ses** [-sìːz]) 신화의 기원[발생, 생성]
my·thog·ra·phy [miθágrəfi | -θɔ́g-] *n.* Ⓤ 신화 예술[미술]; 신화집; (과학적) 신화 편찬
my·thóg·ra·pher *n.* 신화 기록[수집]가
my·thoi [máiθɔi, mí-] *n.* MYTHOS의 복수
mythol. mythological; mythology
myth·o·log·i·cal [mìθəládʒikəl | -lɔ́dʒ-], **-log·ic** [-dʒik] *a.* **1** 신화의[적인]; 신화학(상)의 **2** 지어낸 이야기의(fabulous), 사실무근의 **-i·cal·ly** *ad.*
my·thol·o·gist [miθálədʒist | -θɔ́l-] *n.* 신화 학자[작가]
my·thol·o·gize [miθálədʒàiz | -θɔ́l-] *vi.* 신화를 만들다[말하다]; 신화를 해설[분류]하다; 신화에 관해 쓰다 — *vt.* 신화화하다; 신화적으로 해석하다
-gìz·er *n.*
***my·thol·o·gy** [miθálədʒi | -θɔ́l-] *n.* (*pl.* **-gies**) ⓊⒸ **1** [집합적] 신화 **2** 신화학 **3** 신화집; 전승집 **4** 《비유》 신화, (널리 믿어진) 그릇된 신앙[생각]
-ger, -gist *n.* 신화 학자; 신화 작가[편집자]
▷ mytholó̈gical *a.*; mythólogize *v.*
myth·o·ma·ni·a [mìθəméiniə] *n.* Ⓤ 〖정신의학〗 허언증(虛言症) **-ni·àc** *n.*, *a.* 허언증 환자(의)
myth·o·poe·ic [mìθəpíːik], **-po·et·ic** [-pouétik] *a.* 신화를 만드는[낳는]
my·thos [míθɑs, -θous | -θɔs] *n.* (*pl.* **-thoi** [-θɔi]) **1** 신화(myth); 신화 체계 **2** 〖사회〗 미소스《어떤 집단·문화에 특유한 신앙 양식·가치관》
myth·y [míθi] *a.* 신화적인, 신화의, 신화에 관한
myx·e·de·ma [mìksədíːmə] *n.* Ⓤ 〖병리〗 점액수종(粘液水腫) **~·tous** *a.*
myx·o·cyte [míksəsàit] *n.* 〖의학〗 점액세포
myx·oid [míksɔid] *a.* 점액성의, 점액상[모양]의
myx·o·ma [miksóumə] *n.* (*pl.* **~s, ~·ta** [-tə]) 〖병리〗 점액종(粘液腫) **~·tous** *a.*
myx·o·ma·to·sis [mìksəmətóusis] *n.* (*pl.* **-ses** [-siːz]) 〖병리〗 (다발성) 점액종증
myx·o·my·cete [mìksoumáisiːt, -maisíːt] *n.* 변형균(류), 점균(류) **mỳx·o·my·cé·tous** *a.*
myx·o·vi·rus [míksəvàirəs, mìksəvái-] *n.* (*pl.* **~·es**) 믹소바이러스《RNA를 가짐; 인플루엔자 바이러스 등》
mzee [mzéi] *n.*, *a.* (동아프리카의) 노인[늙은이](의)

N n

n, N [én] *n.* (*pl.* **n's, ns, N's, Ns** [-z]) **1** 엔《영어 알파벳의 제14자》 **2** N자 모양(의 것) **3** 〖수학〗 부정수(不定數), 부정정수(不定整數); 〖인쇄〗 반각(en); 〖물리〗 중성자 **4** (연속물의) 14번째(의 것); (J를 넣지 않을 때의) 13번째(의 것)

n neutron; 〖화학〗 normal **N** 〖체스〗 knight; 〖화학〗 nitrogen **N, N.** November **n.** navigation; navigator; nephew; night; noon **n., N, N.** north, northern **n., N.** name; navy; net; neuter; new; nominative; note; noun; number **N.** National(ist); Norse

-n [-n] *suf.* =-EN[1]

'n AND, THAN의 단축형

na [ná:, nə] 《스코》 *ad.* =NO; [보통 조동사와 함께] =NOT(cf. NAE): mau*na* = must not
— *conj.* =NOR[1]

Na 〖화학〗 *natrium* (L=sodium) **NA** National Academy[Army]; North America(n); 〖광학〗 numerical aperture **n/a** 〖은행〗 no account 거래 없음 **n/a, NA** not applicable; not available **NAA** National Aeronautic Association 전미(全美) 비행가 협회; National Automobile Association; 〖물리〗 neutron activation analysis

NAACP [èndʌblèisi:pí:] [*N*ational *A*ssociation for the *A*dvancement of *C*olored *P*eople] *n.* 전미(全美) 유색인 지위 향상 협회

Naaf·i, NAAFI [næfi] [*N*avy, *A*rmy and *A*ir *F*orce *I*nstitute(s)] *n.* 《영》 **1** [the ~] 육해공군 후생 기관 **2** 군(軍) 매점(《미》 post exchange)

naan [ná:n, næn] [Hind.] *n.* 난《인도·중앙 아시아의 납작한 빵》(nan)

naar·tjie [ná:rtʃi] *n.* 《남아공》 귤

NAAU National Amateur Athletic Union 전미(全美) 아마추어 체육 연맹

nab[1] [næb] *vt.* (**~bed**; **~·bing**) 《구어》 **1** 〈특히 현행범을〉 잡다, 체포하다(arrest): He was *~bed* for robbery. 그는 강도 혐의로 체포되었다. **2** 움켜쥐다; 거머잡다 **3** 훔치다 — *n.* 《미·속어》 **1** 경찰 **2** 체포

nab[2] *n.* 무알코올 맥주(no-alcohol beer)

NAB National Association of Broadcasters 전미(全美) 방송 협회; New American Bible

nabe [néib] *n.* 《미·속어》 동네[변두리] 영화관

Nab·lus [næbləs, ná:b- | ná:b-] *n.* 나블루스《Shechem의 현대명》

na·bob [néibɑb | -bɔb] *n.* **1** 〖역사〗 (Mogul 제국 시대의) 인도 태수(太守) **2** (18-19세기경 인도에서 돈을 벌어 온) 대부호 영국인 **3** 《일반적으로》 큰 부자; 유력자, 명사(名士) **~·ish** *a.* **~·ism, ~·er·y** [-əri] *n.* Ⓤ 갑부 기질, 갑부 티

Na·both [néibɑθ, -bouθ | -bɔθ] *n.* 〖성서〗 나봇《포도원 주인으로 이 포도원을 탐낸 이스라엘 왕 아합에게 살해됨》 ***~'s vineyard*** 꼭 손에 넣고 싶은 것

NACA National Advisory Committee for Aeronautics 미국 항공 자문 위원회

nac·a·rat [nækəræ̀t] *n.* Ⓤ 주홍빛 (천)

na·celle [nəsél | næ-, nə-] *n.* **1** 〖항공〗 (비행기·비행선의) 엔진[화물, 승무원]실 **2** (기구의) 곤돌라(car)

NACF National Agricultural Cooperative Federation 농업 협동조합

na·cho [ná:tʃou] [Sp.] *n.* (*pl.* **~s**) 나초《멕시코 요리의 일종; 치즈와 칠리 소스·콩 따위를 얹어 구운 토르티야(tortilla)》

na·cre [néikər] *n.* 진주층(層)(mother-of-pearl)
ná·cred [-d] *a.* 진주층이 있는

na·cre·ous [néikriəs] *a.* 진주층의; 진주 광택의

NACRO [nækrou] National Association for the Care and Resettlement of Offenders **NAD** 《미》 National Academy of Design; nicotin amide adenine dinucleotide 〖생화학〗 니코틴 아미드 아데닌 디뉴클레오티드《보조 효소의 일종》 **n.a.d.** no appreciable disease[difference]; nothing abnormal discovered

na·da [ná:də] [Sp.] *n.* Ⓤ 《특히 미·구어》 아무 것도 없음, 무(無)(nothing)

Na-De·ne [nɑdéini, nɑ̀:deinéi] *n., a.* 나데네 대어족(大語族)(의)《북미 인디언어의 모태로 가설되는》

Na·der·ism [néidərìzm] *n.* Ⓤ (미국의 Ralph Nader의) 소비자 보호 운동

Na·der·ite [néidəràit] *a., n.* 네이더(Nader)식의 (소비자 운동가)

nadg·ers [nædʒərz] *n.* (해명되지 않은) 결점, 결함; [the ~] 불안, 동요 ***give*** a person ***the ~*** …을 초조하게 하다 ***put the ~ on*** …을 방해하다, …에게 불운을 가져오다

NADH [*NAD*+*H*ydrogen] *n.* 〖생화학〗 NAD의 환원형

na·dir [néidər, -diər | -diə] *n.* **1** [the ~] 〖천문〗 천저(天底) (opp. *zenith*) **2** (역경·운명 등의) 밑바닥, 최하점 ***at the ~ of*** …의 밑바닥에

NADP 〖생화학〗 nicotinamide adenine dinucleotide phosphate

nads [nædz] *n. pl.* 《속어》 고환

nae [néi] *a., ad.* 《스코》 =NO; NOT

nae·vus [ní:vəs] *n.* (*pl.* **-vi** [-vai]) =NEVUS

naff [næf] *a.* 《영·속어》 유행에 뒤진, 스타일 없는; 저속한; 쓸모없는 **~ *off*** 꺼져, 사라져

Naf·fy [næfi] *n.* (*pl.* **-fies**) 《속어》 =NAAFI

NAFTA [næftə] [*N*orth *A*merican *F*ree *T*rade *A*greement] *n.* 북미 자유 무역 협정

***nag**[1] [næg] *v.* (**~ged**; **~·ging**) *vt.* **1** 성가시게 잔소리하다, 들볶다, 바가지 긁다: (~+목+전+명) ~ a person *into* going …을 들볶아 가게 하다 **2** 〈일·생각 등이〉 끈질기게 괴롭히다
— *vi.* **1** (…에게) 성가시게 잔소리하다, 들볶다 《*at*》 **2** 〈고통 등이〉 끈질기게 느껴지다, (…에게) 끊임없이 고통[불쾌감]을 야기하다 《*at*》: (~+전+명) ~ *at* one's nerves 신경을 거슬리게 하다
— *n.* 성가신 잔소리(를 퍼붓는 여자)
~·ger *n.* 잔소리가 심한 여자 **~·gy** *a.* 잔소리가 심한

nag[2] *n.* **1** 《구어》 말(馬); 《특히》 경주마 **2** 늙은 말; 《미·속어》 낡은 자동차(jallopy)

Na·ga [ná:gə] *n.* (*pl.* **~(s)**) **1** 나가 족《인도 북동부·미얀마 서부에 거주》 **2** 나가 말

na·ga·na [nəgá:nə] *n.* Ⓤ 나가나병(病)《남아프리카의 tsetse 파리에 의한 치명적인 가축병》

nag·ging [nægiŋ] *a.* **1** 잔소리가 심한, 쨍쨍거리는 **2** 끈질긴, 계속되는; 〈통증 등이〉 사라지지 않는 **~·ly** *ad.*

nag·ware [nægwὲər] *n.* Ⓤ 〖컴퓨터〗 《익살》 내그웨어《사용자 등록이 완료된 때까지 계속적으로 경고하는 셰어웨어 타입의 소프트웨어》

thesaurus **naive** *a.* innocent, artless, childlike, simple, ingenuous, guileless, unsophisticated, unworldly, natural (opp. *experienced, worldly*)

nah [nɑ́ː] *ad.* 《미·속어》 아니(no)

Nah. 〖성서〗 Nahum

Na·hal [nɑːhɑ́ːl] *n.* **1** 나할 《농업 개척 업무도 함께 하는 이스라엘 전투 부대》 **2** [종종 **n~**] 그 개척지

Na·hum [néihəm] *n.* 〖성서〗 **1** 나훔 《Hebrew의 예언자》 **2** 《구약의》 나훔서(書) 《略 Nah.》

nai·ad [néiæd, -əd | náiæd] *n.* (*pl.* **~s, -a·des** [-ədìːz]) **1** [**N~**] 〖그리스·로마신화〗 나이아드 《물의 요정; 강·샘·호수에 사는》 **2** 젊은 여자 수영 선수

na·ïf [nɑːíːf] [F] *a.* ＝NAIVE

‡**nail** [néil] *n.* **1 a** 손톱(fingernail), 발톱(toenail): do one's *~s* 손톱 손질을 하다 **b** 《새·닭의》 며느리발톱; 《소·말 등의》 뒷발톱

> 유의어 **nail** 사람·동물의 손톱·발톱을 통틀어 이르는 말이다. **fingernail** 손톱 **toenail** 발톱 **claw** 고양이 등의 발톱 **talon** 맹금의 발톱

2 못; 징 **3** 네일 《옛날 길이의 단위; 2 1/4인치, 5.715 센티미터》 **4** 《군대속어》 궐련(＝coffin ~); 술; 《속어》 《마약용의》 주삿바늘

a ~ in*[*into*] a person*'s coffin 수명[파멸]을 재촉하는 원인: drive[hammer] *a ~ into*[*in*] a person's *coffin* 《구어》 〈사태 등이〉 사람의 목숨을 단축시키다[파멸을 앞당기다] **(*as*) *hard*[*tough*] *as ~s*** (1) 〈신체가〉 튼튼한 (2) 〈마음이〉 냉혹한, 무자비한; 의연한 **(*as*) *right as ~s*** 아주 올바르게(quite right) ***bite*[*chew*] one*'s ~s*** (1) 《신경질적으로》 손톱을 깨물다[물어뜯다] (2) 안절부절하다, 숨죽이고 기다리다 ***Don't take any wooden ~s!*** 《미·속어》 정신 차려, 속으면 안돼! ***drive the ~ home*[*to the head*]** 철저히 해내다 ***eat ~s*** 《속어》 무서운 표정을 짓다, 위협적으로 굴다 ***for want of a ~*** 못 하나가 모자라서, 극히 사소한 일 때문에 ***hit the ~ (right) on the head*** 바로 알아맞히다 ***~s in mourning*** 때가 낀 손톱 ***off the ~*** 술에 취한 ***on the ~*** 《구어》 즉석에서 〈지불되는〉, 맞돈으로 〈지불하다〉; 당면의, 문제가 되는 ***so mad* one *could spit ~s*** 《구어》 크게 노한 ***to the*[*a*] *~*** 철저하게

— *vt.* **1** …에 못[징]을 박다; 못을 쳐[못질하여] 고정하다 《*down, together, on, to*》: 《~+목+전+명》 ~ a lid *on* a box 상자 뚜껑을 못질하여 고정시키다 // 《~+목+부》 *N~ down* the window. 창문에 (열리지 않게) 못을 박아 버려라. **2** 〈물건을〉 안에 넣고 못을 치다 《*up*》: 《~+목+전+명》 ~ *up* apples *in* a box 사과를 상자에 넣고 못을 박다 **3** 〈사람을〉 어떤 곳에서 꼼짝 못하게 하다: 《~+목+전+명》 Surprise *~ed* her *to* the spot. 그녀는 너무 놀란 나머지 그 자리에 못 박히듯 서 있었다. **4** 《구어》 체포하다, 붙잡다; 《학생속어》 〈나쁜 짓을〉 들추어내다, 잡다; 훔치다; 신원을 확인하다 **5** 《구어》 명중시키다, 잡다; 〈사람을〉 후려갈기다, 구타하다 **6** 〈사람의 눈·주의를〉 끌다; 〈사람의 말을〉 놓치지 않다: 《~+목+전+명》 ~ one's eyes *on* the scene 그 광경을 주시하다 **7** 〖야구〗 〈주자를〉 터치아웃시키다

~ down (1) 못을 쳐서 고정시키다 (2) 〈…을〉 결정적인 것으로 하다, 확실케 하다 (3) 〈사람을〉 《약속 등에》 얽매이게 하다, 꼼짝 못하게 만들다 《*to*》; 언질을 받아내다 《*on*》 (4) 〈사람에게 의향 등을〉 분명히 말하게 하다 ***~ it*** 《미·속어》 합격하다; 성공하다 ***~ jelly*[*Jell-O*] *to a tree*** 《미·속어》 불가능한 일을 하다 ***~ one's colors to the mast*** 주의(主義)를 고집하다; 결심을 굽히지 않다 ***~ together*** 《아무렇게나》 못질하여 만들다 ***~ to the counter*[*barn door*]** 증거를 제시해 허위를 폭로하다 ***~ ... to the wall*[*cross*]** 《속어》 …을 엄하게 처벌하다, 박해하다 ***~ up*** 못질하다; 〈그림 등을〉 《벽 등의 높은 자리에》 못질하여 걸다

---

naked *a.* **1** 나체의 bare, nude, unclothed, undressed, stripped, uncovered **2** 적나라한 undisguised, bald, evident, apparent, obvious

náil bàr 손톱 미용실

nail-bit·er [néilbàitər] *n.* **1** 손톱 깨무는 버릇이 있는 사람 **2** 조마조마하게[두근거리게 하는] 이야기[영화, 경기]

nail-bit·ing [néilbàitiŋ] *n.* Ⓤ **1** 손톱을 깨무는 버릇 《긴장·욕구 불만의 표시》 **2** 《구어》 불안, 초조; 완전히 좌절된[막힌] 상태 — *a.* 《구어》 초조하게 하는, 불안하게 하는

náil bòmb 긴 못이 들어 있는 gelignite 폭약[폭탄] 《도시 게릴라들이 쓰는 수제 폭탄》

nail·brush [-brʌ̀ʃ] *n.* 《매니큐어용》 손톱솔

náil clìpper [보통 *pl.*] 손톱깎이(clipper)

náil enàmel ＝NAIL POLISH

nail·er [néilər] *n.* **1** 못 만드는 사람(nail maker) **2** 못 박는 사람; 자동 못 박는 기계 **3** 《구어》 뛰어난 물건[동물, 사람]; 〈일 등을〉 열심히 하는 사람 《*on, to*》; 명수 《*at*》 **4** 《속어》 경찰; 형사

nail·er·y [néiləri] *n.* (*pl.* **-er·ies**) 못 제작소

náil file 손톱 다듬는 줄

nail·head [néilhèd] *n.* **1** 못대가리 **2** 〖건축〗 《노르만 건축 등의》 못대가리 모양의 장식

nail-head·ed [-hèdid] *a.* 못대가리 모양의

nail-hole [-hòul] *n.* 못 구멍; 손톱홈 《접는 칼날의》

nail·less [néillis] *a.* **1** 손톱 없는 **2** 못이 필요 없는

náil nìppers 손톱 깎는 가위

náil pòlish 《미》 매니큐어액(液)

náil pùller 못뽑이, 장도리

náil scìssors 《날이 굽은》 손톱 깎는 가위

náil sèt[**pùnch**] 《못대가리를 깊이 쳐들어가도록 하는》 못 박는 기구

náil vàrnish 《영》 ＝NAIL POLISH

náil wráp 강화제를 바르는 손톱 화장법

nain·sook [néinsuk] *n.* Ⓤ 네인숙 《얇은 무명; 인도 원산》

nai·ra [náiərə] *n.* (*pl.* **~**) 나이라 《나이지리아의 화폐 단위; ＝100 kobo; 기호 N》

Nai·ro·bi [nairóubi] *n.* 나이로비 《Kenya 공화국의 수도》

nais·sance [néisns] *n.* 《사람·조직·사상·운동 등의》 탄생, 태동; 기원; 생성

*__na·ive, na·ïve__ [nɑːíːv] [F에서; L 「타고난, 자연의」의 뜻에서] *a.* **1 a** 〈사람이〉 순진한, 소박한, 천진난만한, 숫된: 《~+***of***+명+***to*** do》 It's ~ *of* you *to* believe that. 그것을 믿다니 너도 순진하구나. **b** 《특히 젊기 때문에》 세상을 모르는; 단순한, 고지식한 **c** 믿기 쉬운, 속기 쉬운 **2** 〖미술〗 소박한, 원시적인; 세련되지 않은 **3** 《특정 분야에》 경험이 없는; 선입적 지식이 없는 **4** 〈동물 등이〉 실험[투약]을 당하지 않은

— *n.* 순진한 사람; 경험이 부족한 사람

naíve réalism 〖철학〗 소박 실재론 《외적 세계를 지각하는 그대로 인정하는 상식론》

na·ive·té, na·ïve·té [nɑ̀ːiːvtéi, nɑːìːvətéi | nɑː-íːvtei] [F] *n.* **1** Ⓤ 소박; 단순; 순진한 말[행위] **2** 소박[단순]한 행위[말]

na·ive·ty, na·ïve·ty [nɑːíːvəti] *n.* (*pl.* **-ties**) ＝NAIVETÉ

‡**na·ked** [néikid] *a.* **1** 벌거숭이의, 나체의: go ~ 벌거벗고 지내다 / strip a person ~ …을 벌거벗기다 **2** 〈신체의 일부가〉 노출된: ~ feet 맨발 **3** 적나라한, 꾸밈없는, 있는 그대로의, 노골적인: the ~ truth 있는 그대로의 사실 / a ~ lie 노골적인 거짓말 **4** 〈토지 등이〉 수목이 없는; 〈바위 등이〉 드러난; 마구(馬具)가 붙어 있지 않은 **5** 〈칼 등이〉 칼집에서 뽑혀 나온 **6** 있어야 할 것이 없는, 드러난; 가리개 없는; 잎[털, 껍질, 초목, 장식, 가구 등]이 없는 《*of*》: ~ light 가리개 없는 불 / a ~ electric wire 나선 // 《~+***of***+명》 a rural life ~ *of* comforts 즐거움이 없는 시골 생활 **7** 〈눈이〉 안경 등에 의존하지 않은, 육안의 **8** 《…에 대해》 무방비인, 노출된 **9** 〖법〗 증거 없는; 보증이 없는 **~·ly** *ad.*

náked ápe [영국의 인류학자 D. Morris의 저서명에서] 발가벗은 원숭이, 인간(a human being)

náked cáll ((미)) 파는 사람이 실제로 소유하고 있지 않은 주식·증권을 매입하는 선택권
náked debènture ((영)) 무담보 사채
náked éye [the ~] 육안, 나안(裸眼)
na·ked·ize [néikidàiz] *vi., vt.* 벌거숭이가 되다; 벌거벗게 하다
na·ked·ness [néikidnis] *n.* Ⓤ 벌거숭이; 노출; 있는 그대로임; 결핍; 무방비(의 상태) ***the ~ of the land*** 〖성서〗 (사람·나라 등의) 무력(無力), 무방비 상태
náked óption 선택권부(附) 주권(株券)을 소유하고 있지 않은 증권 거래업자가 제공하는 선택권
Na·khod·ka [nəkɔ́:tkə | -kɔ́t-] *n.* 나홋카 ((시베리아 Vladivostok 남동쪽에 있는 항구 도시))
Nal·go, NALGO [nǽlgou] [*N*ational *a*nd *Lo*cal *G*overnment *O*fficers' Association] *n.* ((영)) 국가·지방 공무원 조합
na·li·díx·ic ácid [nèilədíksik-] 〖약학〗 날리딕스산 ((비뇨·생식기 감염증 치료용 항생 물질))
nal·ox·one [nəlɑ́ksoun | -lɔ́k-] *n.* 낼럭손 ((모르핀 등의 마약에 대한 길항제(拮抗劑)))
NAM National Association of Manufacturers
N. Am. North America(n)
nam·a·ble [néiməbl] *a.* = NAMEABLE
na·mas·te [nɑ́:məstèi, nɑ:mɑ́:stei], **na·mas·kar** [nəmʌ́s-kɑ:r] *n.* (힌두교도의) 합장하면서 머리를 살짝 숙이는 인사
nam·by-pam·by [nǽmbipǽmbi] *a.* **1** 〈정책·방침 등이〉 확고하지 않은, 애매한; 소극적인 **2** 지나치게 감상적인, 나약한 **—** *n.* 감상적인 사람[말, 문장], 나약한 사람 **~·ism** *n.* Ⓤ 지나치게 감상적임, 나약[섬세]하여 남자답지 못함
⁑**name** [néim] *n.* **1** 이름, 성명; 명칭: a common ~ 통칭 ★ *Edgar Allan Poe*에서 앞의 두 개는 personal[given, Christian] name(때로는 forename, 또는 prename), 끝의 *Poe*는 family name[surname]; 보통 ((미))에서는 *Edgar*를 first name, *Allan*을 middle name, *Poe*를 last name이라고 함. **2** 명성 **3** 명의, 명목; 이름뿐임, 허명(虛名): in reality and in ~ 명실공히 **4** [a ~, one's ~] 평판: *a* bad ~ 오명, 나쁜 평판 **5** (구어) 유명한 사람, 명사: the great *~s* of history 역사상의 위인들 **6** [보통 *pl.*] 욕설, 험담, 악담 **7** 씨족, 가문, 가계(家系); 가명(家名) **8** 〖논리·철학〗 명사(名辭); 〖문법〗 명사(名詞) **9** [보통 the ~] 〖성서〗 (하느님·그리스도의) 이름
by ~ 지명하여; 이름은: Tom *by* ~=*by* ~ Tom 이름은 톰/He mentioned each boy *by* ~. 그는 각 학생의 이름을 하나하나 들었다./I know them all *by* ~. 개인적으로 모두 알고 있다./I know him only *by* ~. 나는 그의 이름만 알고 있다. ***by***[***of***] ***the ~ of*** …이라는 이름으로[의], …이라고 부르는 ***call*** a person (***bad***) ***~s*** = ***call ~s at*** …의 욕을 하다, 험담하다 ***clear*** a person***'s ~*** …의 오명을 씻다, 결백을 증명하다 ***drop ~s*** (구어) 유명 인사의 이름을 들다; 전문어를 연발하다 ***drop*** a person***'s ~ through the mud*** …의 평판을 떨어뜨리다 ***get*** one***self a ~*** 이름을 떨치다 ***Give a dog a bad ~ and hang him.*** ⇨ dog. ***Give it a ~.*** (구어) 무엇을 원하는지 말해 봐. ((한턱 낼 때)) ***give*** one***'s ~*** 이름을 말하다 ***have*** one***'s ~ up*** 유명해지다 ***I'll do it, or my ~ is not*** Smith. 제 이름을 걸고 꼭 하겠습니다. ***in all***[***everything***] ***but ~*** 사실상, 실질적으로 ***in God's***[***heaven's, Christ's, hell's***] ***~*** (1) 하늘에 맹세코; 제발 (2) [의문문을 강조하여] (구어) 도대체 ***in ~ only*** 명목상, 이름뿐인, 표면상 ***in*** one***'s own ~*** 자기 명의로; 독립하여 ***in the ~ of ...*** = ***in*** a person***'s ~*** (1) …의 이름으로, 권위로; 〈하느님께〉 맹세하여: I arrest you *in the ~ of* law. 법의 이름으로 당신을 체포한다. (2) …의 대리로서, …을 대신하여; …의 명의로: It stands *in my ~*. 그것은 나의 명의로 되어 있다. (3) (구어) 도대체: What *in the ~ of* God did you do? 도대체 무슨 짓을 했느냐? ***keep*** one***'s ~ on*** (학교·클럽 등의 명부)에 이름을 그대로 두다, …의 회원으로 있다 ***kick ass and take ~s*** 화가 나서 난폭하게 행동하다 ***make a ~ for*** one***self*** 유명해지다 ***of***[***of no***] ~ 유명한[이름 없는] ***over*** one***'s own ~*** (익명이 아닌) 본명을 써서 ***put a ~ to ...*** [보통 cannot, could not과 함께] …의 이름을 생각해 내다 ***put*** one***'s ~ down for*** …의 후보자로 기명하다; 입학[입회]자로서 이름을 올리다 ***put*** one***'s ~ to*** a document (문서)에 기명하다 ***take ~s*** (미·속어) 행동 불량자 리스트를 만들다; 단호한 태도를 취하다 ***take*** one***'s ~ off*** (학교·클럽 등의 명부)에서 이름을 삭제하다, 탈퇴하다 ***take the***[a person***'s***] ***~ in vain*** (특히 신성한) 이름을 남용하다 ***the ~ of the game*** (구어) 가장 중요한 점 ***throw*** a person***'s ~ around*** (유명인의) 이름을 친구 이름 부르듯이 마구 부르다 ***to*** one***'s ~*** [보통 부정문에서] (구어) (특히 돈 등을) 자기 것이라고 말할 수 있는: He has *not* a penny *to his ~*. 그는 한 푼도 가지고 있지 않다. ***to the ~ of*** …의 명의로 ***under the ~*** (***of***) …이라는 이름으로; …이라 자칭하여 ***use*** a person***'s ~*** 남(의 이름)을 예로 들다 ***what's his***[***her, their, its***] ~ 누구누구, 그 녀석 ((상대의 이름을 모르거나 이름을 별로 알리고 싶지 않을 때 쓰임)): She's waiting to hear from *what's his ~*. 그녀는 (이름은 모르겠지만) 그 녀석의 연락을 기다리고 있다. ***What's in a ~?*** 이름이란 게 뭐야, 중요한 건 내용이다.
— *a.* Ⓐ **1** ((미)) 유명한, 일류의: a ~ author 일류 작가 **2** 이름을 기입하기 위한
— *vt.* **1** 명명하다, …에(게) 이름을 붙이다[짓다]: ~ a newborn child 갓난아이의 이름을 짓다 // ((~+목+보)) They *~d* the ship 'Queen Mary.' 그 배를 「퀸 메리호」라 명명했다. **2** 지명하다; 지명하여 부르다; 임명하다: ((~+목+전+명)) ~ a person *for* monitor …을 반장으로 임명하다 // ((~+목+***as***+보)) He has been *~d as* the probable successor. 그는 후계자 후보로 지명되었다. **3** …의 (올바른) 이름을 대다: *N~* this flower. 이 꽃의 이름을 대시오. **4** 〈이유 등을〉 말하다, 제시하다(mention): ~ several reasons 몇 가지 이유를 들다 **5** 〈시일·가격 등을〉 지정하다: ~ one's price 가격을 얼마라고 말하다 // ((~+목+전+명)) ~ the day *for* the general election 총선거 날짜를 지정하다
~ after[((미)) ***for***] …의 이름을 따서 명명하다 ***~ and shame*** ((영)) 이름을 공개하여[거명하여] 창피를 주다 ((어린이 성범죄자 등에 대해)) ***~ names*** (관계자들·공범의) 이름을 들다[밝히다] ***~ the day*** 날짜를 정하다; 〈특히 여자가〉 결혼 날짜를 지정하다 ***not be ~d on***[***in***] ***the same day with*** …와 비교할 바가 못되다, …보다 훨씬 못하다 ***You ~ it.*** (구어) 무엇이든, 전부; 전부 말해 봐라.
▷ námeless *a.*; námely *ad.*
name·a·ble [néiməbl] *a.* **1** 이름 지을 수 있는, 지명할 수 있는 **2** 이름을 말해도 되는, 입에 올려도 실례가 안 되는 **3** 이름을 들먹일 가치가 있는
name·board [néimbɔ̀:rd] *n.* (가게 등의) 간판; 선명판(船名板)
náme brànd 유명 상표 (제품), 메이커 제품(cf. BRAND NAME)
name-brand [-brǽnd] *a.* 유명 브랜드의
name-call·ing [-kɔ̀:liŋ] *n.* Ⓤ 욕설; 중상; 비난
name·check [-tʃèk] *n.* (해당된 사람·물건의) 이름 거명[호명]: She started her speech by giving a ~ to all the people who had helped her. 그녀는 도움을 준 모든 사람들의 이름을 언급하면서 연설을 시작했다.
náme chìld (어떤 사람의) 이름을 따온 아이

thesaurus **name** *v.* **1** 명명하다 call, christen, baptize, label, entitle, title, term, denominate **2** 임명하다 appoint, nominate, select, choose
nameless *a.* **1** 이름 없는 unnamed, untitled, unla-

named [néimd] *a.* 지명된, 지정의; 유명한: above ~ 상기(上記)의

náme dày **1** 성명 축일(聖名祝日) 《본인과 같은 이름의 성인의 축일》 **2** (아이의) 명명일 **3** 〖증권〗 계산일

name-drop·ping [néimdràpiŋ | -drɔ̀p-] *n.* Ⓤ 《구어》 (과시하기 위해) 유명한 사람의 이름을 친구처럼 언급하기 **náme-dròp** *vi.* **náme-dròpper** *n.*

name·less** [néimlis] *a.* **1** 이름 없는; 명명되지 않은; 익명의; 세상에 알려지지 않은, 무명의: a well-known man who shall be ~ 이름은 밝히지 않으나 유명한 사람 / a ~ source of information 익명의 정보원 **2** 형언할 수 없는; 언어도단의; 입에 담을 수 없이 끔찍한: a ~ crime 입에 담기도 끔찍한 범죄 **3** 서출(庶出)의, 사생의 ***remain ~ 이름을 밝히지 않다 **~·ness** *n.*

name·ly [néimli] *ad.* 즉, 다시 말해서(that is to say): the youngest boy, ~ Ben 막내 아이, 즉 벤 USAGE namely와 that is to say는 같은 뜻이나, 앞 말을 더 구체적으로 부연 설명할 경우에는 namely를 쓴다.

náme pàrt 〖연극〗 주제역(主題役) 《*Hamlet* 극의 Hamlet》

name·plate [néimplèit] *n.* (사무실 등의 문에 붙은) 명찰, 문패

nam·er [néimər] *n.* 명명자; 지명자

name·sake [néimsèik] *n.* **1** (어떤 사람의) 이름을 받은 사람 **2** 이름이 같은 사람[물건]

náme sèrver 〖컴퓨터〗 네임 서버 《인터넷 상의 domain name server》

náme tàg 명찰 《플라스틱·금속의》

náme tàpe (의복 등의) 명찰

Ná·mib Désert [nɑ́:mib-] 나미브 사막 《아프리카 남서부의 사막》

Na·mib·i·a [nəmíbiə] *n.* 나미비아 《남아프리카의 대서양에 면한 공화국; 수도 Windhoek》

Nan [nǽn] *n.* 여자 이름 《Anne의 애칭》

nan[1] [nǽn] *n.* 《영》 할머니(nana)

nan[2], **naan** [nɑ́:n, nǽn] *n.* (살짝 구운 크고 납작한) 인도의 빵

nan·a[1] [nǽnə] *n.* 《유아어》 할머니; 유모, 아이 보는 사람

na·na[2] [nɑ́:nə] *n.* 《호주·속어》 머리; 《속어》 바보

NANA North American Newspaper Alliance

Nance [nǽns] *n.* **1** 여자 이름 《Ann, Anna, Anne의 애칭》 **2** [**n~**] 여자 같은 남자, (여성 역의) 호모

Nan·cy [nǽnsi] *n.* **1** 여자 이름 《Ann(e)의 애칭》 **2** [**n~**] 《속어》 (여성 역의) 호모(nance)(=~ **bòy**)

NAND [nǽnd] [*not AND*] *n.* 〖컴퓨터〗 역논리(逆論理), 낸드

nan·din [nǽndin], **nan·di·na** [nændáinə] *n.* 〖식물〗 남천(南天)

na·nism [néinizm, nǽn-] *n.* Ⓤ 왜소(矮小)함, 왜성(矮性)(dwarfishness)

nan·keen [nænkí:n | næŋ-, næm-], **-kin** [nǽnkin], **-king** [nænkíŋ] *n.* Ⓤ **1** 난징(南京) 무명; [*pl.*] 그것으로 만든 바지 **2** 담황색

Nan·king [nænkíŋ], **-kin** [-kín], **-jing** [-dʒíŋ] *n.* 난징(南京) 《중국 장쑤 성(江蘇省)의 성도》

nan·na [nǽnə] *n.* =NANA[1]

Nan·nette [nænét] *n.* 여자 이름

Nan·nie [nǽni] *n.* 여자 이름 《Ann(e)의 애칭》

nan·(n)o·fos·sil [nænəfɑ́sl | -fɔ́sl] *n.* 초미(超微) 화석, 극소 플랑크톤(nannoplankton) 화석

nan·(n)o·plank·ton [nænəplǽŋktən] *n.* 미소(微小) 부유 생물[플랑크톤]

nan·ny [nǽni] *n.* **1** 《영·유아어》 보모, 아이 보는 여자, 가정부; 할머니

> 유의어 **nanny** 직업적으로 아이의 집에 가거나 함께 살면서 아이를 돌보는 여자. **babysitter** 흔히 학생 아르바이트로 이웃집 등에서 시간제로 아이를 돌보는 젊은 여자. **au pair** 외국인 가정에서 숙식을 제공받는 대가로 그 집 아이를 돌보는 젊은 여자

2 《구어》 =NANNY GOAT

Nan·ny [nǽni] *n.* 여자 이름 《Ann(e)의 애칭》

nánny càm 보모용 몰래 카메라 《보모가 어린이를 다루는 행동을 감시하기 위한》

nánny gòat 《구어》 암염소(opp. *billy goat*)

nánny státe 《경멸》 복지 국가 《정부 기관이 개인 생활을 보호·통제하는》

nánny táx (nanny의 고용주가 내는) 사회 보장·의료 보장 분담금

nan(n)o- [nǽnə, néinə] 《연결형》 「10억분의 1 《略 n》; 미소(微小)」의 뜻

nan·o·amp [nǽnəæ̀mp, néinə-] *n.* 〖전기〗 나노암페어 《전류의 단위; 암페어(ampere)의 10억분의 1》

nan·o·at·om [-ǽtəm] *n.* 나노아톰 《원자의 10억분의 1》

nan·o·gram [-grǽm] *n.* 나노그램 《10억분의 1그램; 기호 ng》

nan·o·me·ter [-mì:tər] *n.* 나노미터 《10억분의 1미터; 기호 nm》

nan·o·par·ti·cle [-pɑ̀:rtikl] *n.* 〖물리〗 나노 입자, 미소 입자 《100nm 이하 크기의 입자》

nan·o·scale [-skèil] *n.*, *a.* 나노 규모(의) 《나노 기술의 측정 단위》

nan·o·sec·ond [-sèkənd] *n.* 10억분의 1초 《略 ns, nsec》

nan·o·sur·ger·y [-sə̀:rdʒəri] *n.* Ⓤ 〖외과〗 극소 수술 《전자 현미경으로 하는 세포·조직 등 극소부의 수술》

nan·o·tech·nol·o·gy [-teknɑ́lədʒi | -nɔ́l-] *n.* 나노테크놀로지 《반도체 등 미세 가공 기술》

nan·o·tes·la [-tèslə] *n.* 〖물리〗 나노테슬라 《10억분의 1 테슬라》

Nán·sen pàssport [nǽnsn-] [노르웨이의 국제 연맹 난민 고등 판무관 이름에서] 난센 여권 《제1차 대전 후 난민에게 국제 연맹에서 발행한 여권》

Nantes [nǽnts] *n.* 낭트 《프랑스 북서부의 항구 도시》

Na·o·mi [neióumi | néiəmi] *n.* **1** 여자 이름 **2** 〖성서〗 나오미 《룻(Ruth)의 시어머니》

na·os [néiɑs | -ɔs] *n.* (*pl.* **na·oi** [-ɔi]) **1** 《드물게》 신전, 사원(temple) **2** 〖건축〗 =CELLA

nap**[1] [nǽp] *n.* 낮잠, 선잠(short sleep) ***have [***take***] ***a*** ~ 잠깐 (낮잠을) 자다, 선잠 자다

— *v.* (**~ped**; **~·ping**) *vi.* **1** 잠깐 졸다, 선잠 자다 **2** 방심하다; 멍하니 가만있다

— *vt.* 졸면서 〈시간을〉 보내다 《*away*》: (~+目+副) I ~*ped* the afternoon *away.* 나는 오후를 졸면서 보냈다. ***catch*** a person ***~ping*** 《구어》 …의 방심한 틈을 타다, 급습하다

nap[2] *n.* Ⓤ [또는 a ~] (나사 등의) 보풀

— *vt.* (**~ped**; **~·ping**) 보풀을 세우다

nap[3] *n.* **1** Ⓤ 〖카드〗 냅(napoleon) 《카드놀이의 일종》 **2** 《영》 〖경마〗 어떤 말이 반드시 이기리라는 예상; 필승마 ***go*** ~ (on a fact, etc.) …에 가진 돈 전부를 걸다; 큰 모험을 하다; 자기 이름을 걸고 보증하다

— *vt.* (**~ped**; **~·ping**) 《영》 〈특정 말을〉 이길 말이라고 지목하다[권하다]

NAP naval aviation pilot

-nap [nǽp] 《연결형》 「유괴하다」의 뜻(kidnap)

nap·a [nǽpə] *n.* 나파 《무두질한 (새끼)양의 가죽; 장갑·의복용》

Nap·a [nǽpə] *n.* 내퍼 《미국 California 주의 중서부에 있는 도시; 포도주 생산지로 유명함》

na·palm [néipɑ:m] *n.* 〖미군〗 네이팜탄 《강렬한 유지(油脂) 소이탄》(=~ **bòmb**)

---

beled, untagged, innominate **2** 익명의 anonymous, unidentified, undesignated **3** 형언할 수 없는 unspeakable, indescribable, abominable, horrible

namely *ad.* that is to say, specifically, to wit, i.e.

— *vt.* 네이팜탄으로 공격하다

nape [néip, nǽp] *n.* [다음 성구로] ***the ~ of the neck*** 목덜미

na·per·y [néipəri] *n.* Ⓤ =TABLE LINEN

náp hànd **1** [nap³에서] 5회 전승할 수 있을 것 같은 수 **2** 모험하면 승산이 있을 것 같은 경우

naph·tha [nǽfθə, nǽp-] *n.* Ⓤ 나프타, 석뇌유(石腦油); 휘발유, 석유

naph·tha·lene [nǽfθəlìːn, nǽp-], **-line** [-lin] *n.* Ⓤ 〖화학〗 나프탈렌

naph·tha·lize [nǽfθəlàiz, nǽp-] *vt.* …에 나프타를 섞다

naph·thene [nǽfθiːn, nǽp-] *n.* 〖화학〗 나프텐

naph·thol [nǽfθɔːl, -θɑl | -θɔl] *n.* Ⓤ 〖화학〗 나프톨 《방부제·염료의 원료》

Na·pier·i·an lógarithm [nəpíəriən-] [스코틀랜드의 수학자 J. Napier에서] 〖수학〗 네이피어 로그, 자연 로그(natural logarithm)

Ná·pier's bónes[róds] [néipiərz-] 〖수학〗 네이피어 계산봉(棒) 《J. Napier가 고안한 포켓용 곱셈·나눗셈 용구》

***nap·kin** [nǽpkin] [L 「천」의 뜻과 지소사 *-kin*에서] *n.* **1** (식탁용) 냅킨(=**táble ~**) **2** 《영》 기저귀(《미》 diaper)(cf. NAPPY³) **3** =SANITARY NAPKIN
hide*[*lay up, wrap*] *in a ~ 〖성서〗 수건에 싸 두다; 〈재능 등을〉 쓰지 않고 썩히다
— *vt.* 냅킨으로 싸다[훔치다]

nápkin rìng (각자의 냅킨을 말아서 꽂아 두는) 냅킨 고리

***Na·ples** [néiplz] *n.* 나폴리 《이탈리아 남부의 항구 도시》: See ~ and (then) die. 《속담》 나폴리를 보고 나서 죽어라. 《나폴리의 경치를 극찬하는 말》

nap·less [nǽplis] *a.* 보풀이 없는; 〈옷 등이〉 닳아서 올이 드러난

na·po·le·on [nəpóuliən, -ljən] *n.* **1** 옛 프랑스의 20프랑 금화 **2** 〖카드〗 =NAP³ 1 **3** 부츠의 일종 **4** 《미》 크림·잼을 겹겹이 넣은 파이

‡Na·po·le·on [nəpóuliən, -ljən] *n.* 나폴레옹 **1** ~ Ⅰ (1769-1821) 《프랑스 황제(1804-15); 본명 Napoléon Bonaparte》 **2** ~ Ⅲ 그의 조카(1808-73), 프랑스 황제(1852-70) 《보불(普佛) 전쟁에서 패배하여 영국에서 객사함》 **~·ism** *n.* Ⓤ (국민에 대하여 절대권을 가지는) 나폴레옹 주의

Na·po·le·on·ic [nəpòuliɑ́nik | -ɔ́n-] *a.* 나폴레옹 1세(시대)의; 나폴레옹 같은

Napoleónic Wárs [the ~] 나폴레옹 전쟁(1796-1815)

Na·po·li [nɑ́ːpɔːlìː] [It.] *n.* 나폴리(Naples)

na·poo [nɑpúː] 《영·군대속어》 *int.* 죽었다, 틀렸다, 끝났다 **—** *vt.* 죽이다 **—** *vi.* 뒈지다

nap·pa [nǽpə] *n.* =NAPA

nappe [nǽp] *n.* **1** 〖지질〗 냅 《원지성 기반을 덮는 암체》 **2** 댐에서 넘쳐흐르는 물

nap·per¹ [nǽpər] *n.* 낮잠[선잠] 자는 사람

napper² *n.* 보풀을 세우는 사람[기계]

nap·py¹ [nǽpi] *a.* (**-pi·er**; **-pi·est**) **1** 《영·구어》 〈술이〉 독한 **2** 《스코》 얼근하게 취한 **3** 《영·구어》 〈말이〉 다루기 어려운(bulky) **4** 《미·속어》 지친, 피곤한
— *n.* 《스코》 술, 《특히》 맥주

nappy² *a.* (**-pi·er**; **-pi·est**) **1** 보풀이 인; 솜털이 난 **2** 〈머리털이〉 곱슬곱슬한

nappy³ [*nap*kin+*-y*³] *n.* (*pl.* **-pies**) 《영》 기저귀(《미》 diaper)

nappy⁴ *n.* (*pl.* **-pies**) 《미》 (유리 또는 도자기로 된) 작은 접시

na·prap·a·thy [nəprǽpəθi] *n.* Ⓤ 마사지 요법

na·prox·en [nəprɑ́ksən] *n.* 〖약학〗 나프록센 《비(非)스테로이드계 항염증 치료제》

na·pu [nɑ́ːpuː] *n.* 〖동물〗 궁노루 《자바·수마트라산(産)》

narc [nɑ́ːrk] *n.* 《미·속어》 마약(narcotic), 마약 수사관; 정보 제공자 **—** *vi.* 밀고하다

narc- [nɑːrk], **narco-** [nɑ́ːrkou, -kə] 《연결형》 「혼미, 마취, 마약」의 뜻

nar·ce·ine [nɑ́ːrsiìːn, -siin] *n.* Ⓤ 〖화학〗 나르세인 《마취성 알칼로이드》

nar·cism [nɑ́ːrsizm] *n.* =NARCISSISM

nar·cis·sism [nɑ́ːrsəsìzm] *n.* Ⓤ **1** 〖정신분석〗 자아 도취(증) **2** 자애(自愛), 자기애, 자기 중심주의
-sist *n.* 자기 도취자 **nàr·cis·sís·tic** [-sístik] *a.*

narcissístic personálity 〖심리〗 자기애 인격, 자아 도취 성격

***Nar·cis·sus** [nɑːrsísəs] *n.* **1** [**n~**] (*pl.* **~, ~·es, -cis·si** [-sísiː, -sísai]) 〖식물〗 수선화; 수선화속(屬)의 식물 **2 a** 〖그리스신화〗 나르시스, 나르키소스 《물에 비친 자기의 모습을 연모하여 빠져 죽어서 수선화가 된 미모의 청년》 **b** 미모로 자부심이 강한 청년

nar·co [nɑ́ːrkou] *n.* 《미·속어》 =NARC

nar·co·a·nal·y·sis [nɑ̀ːrkouənǽləsis] *n.* Ⓤ 〖정신의학〗 마취 분석 《마취약에 의한 심리 요법》

nar·co·buck [nɑ́ːrkoubʌ̀k] *n.* 《미·속어》 마약 거래 자금, 마약 거래로 번 돈

nar·co·klep·toc·ra·cy [nɑ̀ːrkoukleptɑ́krəsi] *n.* 마약 부패 정치 《마약업자가 정치인·군대 등을 지배하는》

nar·co·lep·sy [nɑ́ːrkəlèpsi] *n.* Ⓤ 〖병리〗 (간질병의) 기면 발작(嗜眠發作)

nar·co·ma [nɑːrkóumə] *n.* (*pl.* **~s, ~ta** [-tə]) 〖의학〗 마취성 혼수

nar·co·ma·ni·a [nɑ̀ːrkəméiniə] *n.* 〖정신의학〗 마약 상용벽[중독]; 마약에 의한 정신 이상

nar·cose [nɑ́ːrkous] *a.* 혼수[지각 마비] 상태의

nar·co·sis [nɑːrkóusis] [Gk 「마비」의 뜻에서] *n.* Ⓤ 〖의학〗 (마취약·마약에 의한) 혼수(상태)

nar·co·syn·the·sis [nɑ̀ːrkousínθəsis] *n.* Ⓤ 정신병 마취 요법

nar·co·ter·ror·ism [nɑ̀ːrkoutérərìzm] *n.* Ⓤ 마약 범죄[테러]

***nar·cot·ic** [nɑːrkɑ́tik | -kɔ́t-] *a.* **1** 마취약의, 마취성의; 최면성의 **2** 〈책·이야기 등이〉 잠이 오는, 졸리는 **3** Ⓐ 마약의; 마약 사용의; 마약 상용자의
— *n.* [종종 *pl.*] 마취약; 최면약; 마약(류); 마약 중독자 **-i·cal·ly** *ad.* ▷ narcósis *n.*; nárcotize *v.*

nar·co·tine [nɑ́ːrkətìːn] *n.* Ⓤ 〖화학〗 나르코틴 《아편속 일종의 유기 염기》

nar·co·tism [nɑ́ːrkətìzm] *n.* Ⓤ **1** 마취 **2** 마취제[마약] 중독[상용] **-tist** *n.* 마약 중독자[상용자]

nar·co·tize [nɑ́ːrkətàiz] *vt.* …에 마취제를 투여하다, 마취시키다 **nàr·co·ti·zá·tion** *n.*

nard [nɑ́ːrd] *n.* 〖식물〗 나르드; Ⓤ 나르드 향 《진통제》

nar·es [nέəriːz] *n. pl.* (*sing.* **nar·is** [nέəris]) 〖해부〗 콧구멍(nostrils)

nar·gi·leh, -g(h)i·le [nɑ́ːrgəli, -lèi] *n.* 수연통(hookah) 《연기가 물을 통하게 된 담뱃대》

nar·i·al [nέəriəl] *a.* 〖해부〗 콧구멍의

nark [nɑ́ːrk] *n.* **1** 《영·속어》 (경찰의) 앞잡이, 밀정 **2** 《미·속어》 =NARC **—** *vt.* 《영·속어》 **1** 밀고하다 **2** 화나게 하다 **—** *vi.* **1** 남을 밀고하다 **2** 불평하다 ***feel ~ed at*[*with*]** …을 언짢게 생각하다 ***N~ it!*** 《영·속어》 그만둬, 집어치워, 조용히 해.

narked [nɑ́ːrkt] *a.* 《속어》 (…에) 짜증난 《*at, with*》

nark·y [nɑ́ːrki] *a.* (**nark·i·er**; **-i·est**) 《영·속어》 화 잘 내는, 기분이 언짢은

N-arms [énɑ̀ːrmz] *n. pl.* 핵무기(nuclear arms)

nar·ra·tage [nǽrətidʒ] *n.* Ⓤ 나라타주 《영화·TV에서 narrator가 보조 설명하는 것》

***nar·rate** [nǽreit, ─́ | nəréit] *vt.* 《문어》 **1** 〈사건·경험 등을〉 (순서대로) 이야기하다, 〈전말을〉 말하다, 서술하다(tell) **2** 〈기록 영화·TV프로그램 등의〉 내레이터

thesaurus **narration** *n.* account, story, tale, storytelling, relation, recital, reciting, report, chronicle, description, rehearsal, sketch
narrow *a.* not broad, slender, slim, thin, tight,

를 맡다, 해설을 덧붙이다
—*vi.* 내레이터를 맡다; 이야기하다
‡**nar·ra·tion** [næréiʃən | nə-] *n.* **1** Ⓤ 서술; 이야기함 **2** 이야기, 스토리 **3** Ⓤ 〖문법〗 화법(⇨ 문법 해설 (16)): direct[indirect] ~ 직접[간접] 화법
~·al *a.* ▷ nárrate *v.*; nárrative *n.*, *a.*
‡**nar·ra·tive** [nǽrətiv] *n.* **1** (실제의) **이야기**(story)

> 유의어 **narrative** 이야기·사건의 전말·경험담 등을 흥미 있게 정리하여 이야기하는 것을 말한다: a personal *narrative* 신상 이야기 **narration** 위의 것들을 이야기하는 동작을 주로 가리키며, 특히 그 정리 방법이나 이야기하는 방법에 중점이 있는 말이다: during the *narration* of one's adventures 모험담을 하고 있는 동안에

2 Ⓤ 이야기체의 문학 **3** Ⓤ 설화, 화술 **4** Ⓤ (회화 부분과 대비하여) 설명 부분
—*a.* Ⓐ **1** 이야기체[식]의 **2** 설화의, 화술의 **3** 〖미술〗 〈그림·조각이〉 이야기를 표현하는, 설명적인 **~·ly** *ad.*
nárrative árt =STORY ART
⁎**nar·ra·tor, -rat·er** [nǽreitər, ㅡㅡ́ | nəréitər] *n.* 이야기하는 사람, 내레이터
‡**nar·row** [nǽrou] *a.* (**~·er**; **~·est**) **1** (길이에 비하여) **폭이 좁은**, 좁다란(opp. *broad*, *wide*); 가는: a ~ street[path] 협소한 도로[통로] **2** 〈공간·장소가〉 좁은, 여유가 없는: ~ quarters 밀집 지대 **3** 〈흥미·범위·경험·의미 등이〉 **한정된**, 제한된; 〈의미가〉 협의의: a ~ circle of friends 한정된 테두리의 친구들 **4** 마음이 좁은, 편협한 **5** Ⓐ **간신히 이룬**, 가까스로의: a ~ victory 간신히 이긴 승리 / by a ~ margin 겨우, 아슬아슬하게 **6** 〈자원·수입 등이〉 부족한, 옹색한, 모자란, 불충분한: ~ resources 부족한 재원 **7** 《문어》 〈검사 등이〉 정밀한, 엄밀한(minute): a ~ search 철저한 수색 **8** 《영·방언·스코》 인색한(mean) 《*with*》 **9** 〖음성〗 **a** 〈음성 표기가〉 정밀한(opp. *broad*) **b** 긴장음의; 혀의 근육이 긴장한
have a ~ escape [***shave,*** 《구어》 ***squeak***] 구사일생하다 ***in a ~ sense*** 협의로 ***in ~ means*** [***circumstances***] 궁핍하여
—*n.* **1 a** (도로 등의) 좁은 부분 **b** 《미》 (산 사이의) 좁은 길(pass) **2** [보통 *pl.*] 해협 **3** [the N~s] 내로스 해협 《뉴욕 항으로 통하는 Staten Island와 Long Island 사이의》
—*vt.* **1** 좁히다, 좁게 하다; 가늘게 하다: ~ one's eyes 눈을 가늘게 뜨다 **2** 한정[제한]하다 **3** 〈마음을〉 편협[옹졸]해지게 하다
—*vi.* **좁아지다**; 가늘어지다: (~+副) The valley ~*ed* more and more. 골짜기는 점점 더 좁아져 갔다. // (~+前+名) The road ~*s into* a footpath. 그 길은 좁아져 소로(小路)가 된다.
~ *down* 〈범위 등을〉 좁히다[좁혀지다] 《*to*》; 요점에만 국한하다, 〈논의를〉 요약하다 ***~ in on*** 〈목표물이〉 가까워지다; 〈유도탄·비행기가〉 (자동 장치로) 목표를 향하다 **~·ness** *n.* Ⓤ 협소(함), 좁음; 옹졸, 편협
nar·row·band [nǽroubæ̀nd] *n.* Ⓤ (주파수 등의) 협대역 《좁은 대역폭의 주파수 내에서 음성 정보를 전송하는 통신 매체나 채널》(cf. BROADBAND)
nárrow béd[**céll**] =NARROW HOUSE
nárrow bóat 《영》 (폭 7피트 이하 운하용의) 거룻배
nar·row·cast [nǽroukæ̀st | -kɑ̀:st] *vt.* 〖통신〗 유선 방송하다, 한정된 지역에 방송하다
nar·row·cast·ing [-kæ̀stiŋ | -kɑ̀:stiŋ] *n.* 유선 텔레비전 방송(cablecasting)
nárrow círcumstances 빈곤, 가난: in ~ 궁핍[가난]하여

confined, cramped, close, restricted, limited
narrow-minded *a.* intolerant, unliberal, conservative, close-minded, prejudiced, biased, discriminatory, warped, twisted

nárrow clóth 《영》 (52인치[《미》 18인치] 이하의) 폭이 좁은 천(cf. BROADCLOTH)
nar·row-fist·ed [-fístid] *a.* 인색한
nárrow gáte [the ~] 〖성서〗 좁은 문 《마태 복음 7: 13-14》
nárrow gáuge 〖철도〗 협궤; 협궤 철도(용의 객차[화물차])
nar·row-gauge(d), -gage(d) [-géidʒ(d)] *a.* **1** 〖철도〗 협궤의 **2** 편협한, 마음이 좁은
nárrow góods[**wáres**] 《영》 폭이 좁은 물건 《리본·노끈 등》
nárrow hóuse 무덤(grave)
⁎**nar·row·ly** [nǽrouli] *ad.* **1** 좁게; 편협하게 **2** 간신히, 가까스로(barely): ~ escape death 간신히 죽음을 면하다 **3** 엄밀[정밀]히, 주의깊게: search the area ~ 그 지역을 면밀히 수색하다
nárrow márket 〖증권〗 거래 한산, 불황 시장
⁎**nar·row-mind·ed** [nǽroumáindid] *a.* **마음이 좁은**, 옹졸한, 편협한, 편견을 가진 **~·ly** *ad.* **~·ness** *n.*
nárrow móney 〖경제〗 협의의 통화
nárrow séas [the ~] 《영》 (영국 본토 쪽에서 본) 좁은 해협 《Irish Sea 또는 English Channel을 말함》
nárrow squèak 《구어》 간신히 이룬 성공, 구사일생의 사건[경험]
nárrow wáy [the ~] 〖성서〗 좁고 험한 길, 정의
nar·thex [nɑ́:rθeks] *n.* 〖건축〗 나르텍스 《고대 기독교 교회당의 본당 입구 앞의 넓은 홀; 참회자·세례 지원자를 위한 공간》
nar·w(h)al [nɑ́:rwəl], **-whale** [-*h*wèil] *n.* 〖동물〗 일각고래 《한대의 바다에 사는 돌고랫과(科)의 동물》

narw(h)al

nar·y [nέəri] [ne'er a = never a] *a.* 《미·방언》 단 …도 없는, 하나도[조금도] …없는: There was ~ a sound. 아무 소리도 나지 않았다.
NAS National Academy of Sciences 미국 과학 학회; Naval Air Station; 《영》 National Association of Schoolmasters
NASA [nǽsə, nɑ́:sə] [*N*ational *A*eronautics and *S*pace *A*dministration] *n.* 나사, 미국 항공 우주국
⁎**na·sal** [néizəl] *a.* **1** Ⓐ **코의**, 코에 관한 **2** 콧소리의; 〖음성〗 비음의: the ~ organ 《익살》 코 / ~ vowels 비모음 《프랑스 말의 [ɑ̃, ɛ̃, ɔ̃, œ̃] 등》
—*n.* **1** 콧소리, 비음 **2** 비음자 《m, n, ng [ŋ] 등》 **3** (투구의) 코가리개 **~·ìsm** *n.* Ⓤ 콧소리 내는 발음법; 비음성(性) **~·ly** *ad.*
▷ nóse, nasálity *n.*; násalize *v.*
násal cávity 〖해부〗 비강(鼻腔)
na·sal·i·ty [neizǽləti] *n.* Ⓤ 비음성, (소리가) 코를 통하여 나옴; 코 속에서의 울림
na·sal·i·za·tion [nèizəlizéiʃən | -lai-] *n.* Ⓤ 〖음성〗 비음화
na·sal·ize [néizəlàiz] 〖음성〗 *vt.* 〈…을〉 비음화하다
—*vi.* 비음화하여[콧소리로] 발음하다
NASARR 〖미군〗 North American Searching and Ranging Radar
NASCAR, Nas·car [nǽskɑ:r] [*N*ational *A*ssociation for *S*tock *C*ar *A*uto *R*acing] *n.* 내스카, 미국 개조 자동차 경기 연맹
nas·cen·cy [nǽsnsi], **-cence** [-sns] *n.* (*pl.* **-cies**; **-cenc·es**) ⓊⒸ 발생; 기원
nas·cent [nǽsnt, néis-] *a.* **1** 발생하려고 하는; 초기의 **2** 〖화학〗 〈원소가〉 발생기의[에 있는]
NASD National Association of Securities Dealers
NASDAQ [nǽzdæk, nǽs-] [*N*ational *A*ssociation of *S*ecurities *D*ealers *A*utomated *Q*uotations] *n.* 《미》 〖증권〗 나스닥 《전미(全美) 증권 협회가 운영하는 거래 정보 시스템 및 전미 장외 주식 시장》

nase·ber·ry [néizbèri, -bəri] *n.* (*pl.* **-ries**) 사포딜라(sapodilla)의 열매
nash [nǽʃ] *n.*, *v.* =NOSH
Nash·ville [nǽʃvil] *n.* 내슈빌 《미국 Tennessee주의 주도》
naso- [néizou, -zə] 《연결형》 「코(의)」의 뜻: *naso*logy 비과학(鼻科學)
na·so·gas·tric [nèizougǽstrik] *a.* 코에서 위로 통한: a ~ tube 〖의학〗 비강 영양 튜브
Nas·sau [nǽsɔː] *n.* **1** 나소 《Bahamas의 수도》 **2** 〖골프〗 나소 《18홀 라운드를 전반 9홀, 후반 9홀, 전체 라운드에서 각각 가장 성적이 좋은 사람이 승점을 올리는 방식의 내기 경기》
Nas·ser [nɑ́ːsər, nǽs-] *n.* 나세르 **Gamal Abdel** ~ (1918-70) 《이집트의 대통령(1956-70)》
nas·tur·tium [næstə́ːrʃəm, nə-|nə-] *n.* 〖식물〗 금련화(金蓮花) 《금련화과(科)》
‡**nas·ty** [nǽsti|nɑ́ːs-] *a.* (**-ti·er**; **-ti·est**) **1** 더러운, 불쾌한, 추잡한, 외설적인, 음란한 〈말·생각·책 따위〉: a ~ word 외설스러운 말 **2** 욕지기 나는, 역겨운 〈음식물·약·냄새·맛 등〉(opp. *nice*) **3** 구역질나게 더러운 〈거처 등〉 **4** 심술궂은, 비열한, 음흉한, 간악한, 비천한: a ~ temper 심술, 심보 / a ~ trick 간악한 술책 / Don't be ~. 심술궂게 굴지 마라. **5** 난처한, 귀찮은 〈문제 등〉; 고역스러운, 무거운, 심한 〈병·타격 등〉: a ~ cut 심하게 베인 상처 / a ~ accident 큰 사고 **6** 험악한, 거친 〈날씨·바다 등〉: The weather turned ~. 날씨는 험악해졌다. / a ~ look 험악한 눈초리
a ~ one (구어) (1) 맹렬한 일격 《거절·호통 등》 (2) 호된 처사 (3) 비꼼, 비웃음 ***a ~ piece*** [***bit***] ***of work*** (1) 심술궂은 짓, 간악한 계략 (2) 행실이 수상한 사람, 심보가 나쁜 사람 ***cheap and*** ~ 값싸고 질이 나쁜 ***turn*** ~ 성내다
— *n.* **1** 싫은[불쾌한, 형편없는] 것[사람] **2** (구어) 공포 비디오
nás·ti·ly *ad.* **nás·ti·ness** *n.*
nas·ty-nice [nǽstináis|nɑ́ːs-] *a.* 은근히[점잖게] 무례한
Nat [nǽt] *n.* 남자 이름 《Nathan, Nathaniel의 애칭》
nat. national; native; natural **Nat.** Nathan; Nathaniel; National(ist)
na·tal [néitl] *a.* Ⓐ **1** 출생[출산, 분만]의 **2** (사람의 운명 등에) 태어나면서 갖고 있는: a ~ angel 수호 천사 **3** 태어난 고향의(native)
nátal chárt 〖점성〗 (개인의) 탄생 천궁도(天宮圖)
Nat·a·lie [nǽtəli] *n.* 여자 이름
na·ta·list [néitəlist] *n.* 산아[인구] 증가 제창자
-lism *n.* 산아[인구] 증가 정책
na·tal·i·ty [neitǽləti, nə-] *n.* Ⓤ (미) 출생(률) ((영) birthrate)
na·tant [néitnt] *a.* 〖생태〗 〈물풀의 잎이〉 물에 뜨는; 헤엄치는
na·ta·tion [neitéiʃən, næ-|nə-, nei-] *n.* Ⓤ (문어) 수영(술)
na·ta·to·ri·al [nèitətɔ́ːriəl, nǽt-], **-to·ry** [néitətɔ̀ːri|-təri] *a.* Ⓐ **1** 헤엄의[에 관한]: ~ organs 유영 기관 **2** 헤엄에 적합한; 헤엄치는 습성이 있는; 유금류(游禽類)의: ~ birds 물새
na·ta·to·ri·um [nèitətɔ́ːriəm, nǽt-] *n.* (*pl.* **~s, ri·a** [-riə]) (미) (주로 실내) 수영장, 풀장 《indoor (swimming) pool이 일반적임》
natch [nǽtʃ] *ad.* (구어) 당연히, 물론(naturally)
— *n.* [주로 다음 성구로] ***on the*** ~ (미·속어) 마약에서 손을 끊고; 정상적인 상태로
na·tes [néitiːz] *n. pl.* 〖해부〗 궁둥이, 둔부(buttocks)
Na·than [néiθən] *n.* 남자 이름 《애칭 Nat, Nate》
Na·than·a·el [nəθǽniəl, -njəl] *n.* **1** 남자 이름 **2** 〖성서〗 나다나엘 《그리스도의 제자》
Na·than·iel [nəθǽnjəl, -niəl] *n.* 남자 이름 《애칭 Nate》

nathe·less [néiθlis, nǽθ-], **nath·less** [nǽθlis] *ad.* (고어) =NEVERTHELESS
nat. hist. natural history
‡**na·tion**[1] [néiʃən] *n.*

> L 「출생」의 뜻. native, nature와 같은 어원→(어떤 지방에 태어난 사람들)→「종족」, 「민족」 **3** →「국민」 **1**→「국가」 **2**

1 (한 정부 아래 공통의 문화·언어 등을 가진) 국민 《전체》(⇨ people 유의어): the voice of the ~ 국민의 소리, 여론 **2** (국민으로 이루어진) 국가(⇨ country 유의어): the law of ~*s* 국제법 / the Western ~*s* 서방 국가들: C.E I couldn't tell what country [*nation*(×)] he came from. 그가 어느 나라 출신인지 알 수 없었다. **3** 민족, 종족: a ~ without a country 나라 없는 민족 **4** (북미 원주민의) 부족; (그들이 정치적으로 결성한) 부족 연합; (미) 인디언의 영토 **5** [the ~s] (시어) 세계의 여러 국민; 전인류(the peoples) **6** [the ~] 〖성서〗 (유대인이 본) 이교도, 이방인(the Gentiles) ***the N~ of Islam*** Black Muslims(단체)의 구 명칭 《지금은 개칭하여 Islam Community in the West라 함》 **~·less** *a.*
▷ nátional *a.*
nation[2] *n.* (방언) =DAMNATION
— *ad.* 매우 **—** *a.* 대단한, 굉장한
‡**na·tion·al** [nǽʃənl] *a.* **1** 국가의, 국가적인; 국가 전체의: ~ affairs 국무, 국사(國事) / ~ power[prestige] 국력[국위] **2** 국민의; 전국민(공통)의, 국민적인: ~ customs 국민의 풍습 / a ~ poet 국민(적) 시인 **3** 국립의, 국영의, 국유의, 국정(國定)의: a ~ enterprise 국영 기업 / ~ railroads 국유 철도 / a ~ theater 국립 극장 **4** 국내적인(opp. *international*): the main ~ and international news 주요 국내외 뉴스 **5** 애국적인(patriotic) **6** 국가주의자의, 국가주의적인(nationalist) **7** 전국적인(opp. *local*)
— *n.* **1** 국민; 동포 《특히 외국 거주의》 **2** [보통 *pl.*] (미) (경기 등의) 전국 대회 **3** (노조·우애회 등의) 전국 조직 ▷ nátionalize *v.*; nátion, nationálity *n.*
Nátional Aeronáutics and Spáce Administràtion [the ~] 미국 항공 우주국, 나사 《略 NASA》
nátional áir =NATIONAL ANTHEM
nátional ánthem[**hýmn**] 국가(國歌)
Nátional Assémbly [the ~] 국회; 프랑스 하원; (프랑스 혁명 당시의) 국민 의회
Nátional Assémbly for Wáles [the ~] = WELSH ASSEMBLY
nátional assístance (영) 극빈자 보조금 《현재는 supplementary benefits라고 함》
nátional átlas 국세 지도 《국세(國勢)를 나타내는 요소의 지역적 분포·변화를 나타내는 지도집》
nátional bánk **1** 국립 은행 **2** (미) 국법 은행 《연방 정부의 인가를 받은 상업 은행》
nátional bírd 국조(國鳥), 나라새
nátional bránd 제조업자[제조원] 상표, 내셔널 브랜드 《제조업자가 붙인 상표; cf. PRIVATE BRAND》
Nátional Búreau of Stándards [the ~] (미국의) 표준국 《略 NBS》
nátional cémetery (미) 국립 묘지
nátional chúrch **1** 국민 교회, 민족 교회 **2** 국립 교회, 국교회
Nátional Cóngress [the ~] (인도의) 국민 회의파

thesaurus **nasty** *a.* **1** 불쾌한 unpleasant, disagreeable, distasteful, horrible, foul, hateful, loathsome, disgusting, offensive, ugly, dirty, filthy **2** 심술궂은 ill-tempered, bad-tempered, cross, vicious, mean, spiteful, malicious
nation[1] *n.* country, land, state, kingdom, empire,

Nátional Convéntion [the ~] **1** 〖프랑스사〗 국민 공회(公會) **2** [**n- c-**] 《미》 (정당의) 전국 대회, 전당 대회
nátional cóstume (국가의) 전통[민족] 의상(national dress)
Nátional Cóvenant [the ~] 〖스코역사〗 국민 서약 《주교제에 반대한 장로 교회파의 서약》
nátional currículum [the ~] (영국에서 5-16세의 공립학교 학생들이 이수해야 하는) 국가 교육 과정
nátional débt [the ~] 국가 채무, 국채
nátional dréss 민족 의상(national costume)
nátional ecónomy 국민 경제
nátional énsign[flág] 국기(國旗)
nátional flówer 국화(國花)
nátional fórest 《미》 국유림
Nátional Frónt [the ~] 《영》 국민 전선 《극우 정당; 略 N.F.》
Nátional Gállery [the ~] (런던의) 국립 미술관
nátional gáme 미국을 대표하는 경기 《야구의 애칭》
Nátional Geográphic 「내셔널 지오그래픽」 《미국의 지리학 사진 월간지》
nátional góvernment [때로 **N- G-**] (일국의) 중앙 정부; (정당을 초월한) 거국 내각
nátional gríd [the ~] **1** 〖전기〗 전국 전력 계통망 **2** (영국 육지 측량부 지도에 쓰이는) 거리 좌표계(系)
Nátional Guárd [the ~; 집합적] **1** (미국 각주의) 방위군, 주군 **2** 〖프랑스사〗 국민군, 국민 위병(대) **3** [**n- g-**] 국가 보안대
Nátional Héalth Sèrvice [the ~] 《영》 국민 건강 보험(제도) 《略 NHS》
nátional hóliday 국경일
nátional íncome 〖경제〗 (연간) 국민 소득
Nátional Insúrance 《영》 국민 보험(제도) 《略 NI》
nátional ínterest 국익
*__na·tion·al·ism__ [nǽʃənəlìzm] *n.* Ⓤ **1** 민족주의; 국가주의; 국수주의(cf. ETHNOCENTRISM) **2** 애국심, 애국 운동 **3** 국민 의식 **4** 민족 자결주의, 국가 독립[자치] 주의 《특히 아일랜드의》 **5** 산업 국영주의
▷ nationalístic *a.*
*__na·tion·al·ist__ [nǽʃənəlist] *n.* **1** 민족주의자, 국가[애국, 국수] 주의자 **2** 민족 자결주의자; [**N~**] 국가주의[민족주의] 정당원
— *a.* Ⓐ **1** 민족[국가]주의(자)의 **2** 민족 자결주의(자)의; [**N~**] 국가주의 정당원의
Nátionalist Chína (대만의) 국민 정부, 중화민국(the Republic of China)
Nátionalist Góvernment [the ~] (대만의) 국민 정부
na·tion·al·is·tic [næ̀ʃənəlístik] *a.* 민족[국가, 국수]주의(자)의[적인] **-ti·cal·ly** *ad.*
__na·tion·al·i·ty__ [næ̀ʃənǽləti] *n.* (*pl.* **-ties) **1** ⓊⒸ 국적; 선적(船籍): dual ~ 이중 국적 / What's your ~? 당신의 국적은 어디입니까? **2** Ⓤ 국민(의 한 사람)임; 국민성, 국민적 감정 **3** = NATIONALISM **4** Ⓤ 국가적 존재; 국가적 독립 **5** 국민, 민족; 국가: the *nationalities* of the Americas 아메리카 양대륙의 국가들 ▷ nátional *a.*
na·tion·al·i·za·tion [næ̀ʃənəlizéiʃən | -lai-] *n.* Ⓤ **1** 국민화(化) **2** 국유(화), 국영 **3** 귀화(歸化)
na·tion·al·ize [nǽʃənəlàiz] *vt.* **1** 국유로 하다, 국영화하다 **2** 국민으로[(독립) 국가로] 만들다 **3** 귀화시키다(naturalize): ~ oneself = become ~*d* 귀화하다 **4** 전국(민)화하다 **-iz·er** *n.*
Nátional Lábor Relátions Bòard [the ~] (미국의) 전국 노동 관계 위원회 《略 NLRB》
nátional lákeshore 《미》 국립 호안(湖岸) 보호 지역 《연방 정부가 관리하는 레크리에이션 지역》
Nátional Léague [the ~] 내셔널 리그 《미국 프로 야구 양대 리그의 하나; cf. AMERICAN LEAGUE; ⇨ baseball》
Nátional Liberátion Frònt [the ~] (각국의) 민족 해방 전선
na·tion·al·ly [nǽʃənəli] *ad.* **1** 국가로서, 국민으로서, 국가적으로 **2** 거국 일치하여 **3** 국가 본위로; 국가 전체의 입장에서, 국가적으로 보아 **4** 전국적으로
nátional mónument 《미》 (국가 지정의) 천연 기념물 《사적·명승지 등》
Nátional Mótto [the ~] 미국의 국가 좌우명 《'In God we trust.' 우리는 하나님을 믿는다.》
nátional móurning 국장(國葬)
nátional párk 국립공원
Nátional Péople's Cóngress (중국의) 전국 인민 대표 대회
Nátional Pórtrait Gàllery [the ~] (런던의) 국립 초상화 진열관
nátional próduct 〖경제〗 (연간) 국민 생산(cf. GNP)
nátional séashore [때로 **N- S-**] 《미》 국립 해안 공원
nátional secúrity 국가 안전 보장
Nátional Secúrity Advìser 《미》 국가 안전 보장 담당 대통령 보좌관
Nátional Secúrity Àgency [the ~] 《미》 미국 국가 안전국 《略 NSA》
Nátional Secúrity Còuncil [the ~] 《미》 국가 안전 보장 회의 《略 NSC》
nátional sérvice [종종 **N- S-**] 《영》 국민 병역 《1958년 폐지; cf. SELECTIVE SERVICE SYSTEM》
Nátional Sócialism 국가 사회주의, 나치즘
Nátional Sócialist Pàrty [the ~] (특히 Hitler가 이끈) 국가 사회당, 나치스
nátional tráil 국립공원 산책로 《산책이나 하이킹을 위한》
nátional tréatment 〖외교〗 내국민 대우
Nátional Trúst 《영》 문화 보호 협회 《자연미·사적(史蹟)의 보호를 위한 조직체》
Nátional Wéather Sèrvice [the ~] 국립 기상국 《미국 상무성 산하》
na·tion·hood [néiʃənhùd] *n.* Ⓤ 국민임, 국민의 신분; 독립 국가의 지위
na·tion-state [néiʃənstèit] *n.* (근대) 민족 국가
na·tion·wide [néiʃənwáid] *a.* 전국적인: ~ scale 전국적인 규모 — *ad.* 전국적으로
***__na·tive__ [néitiv] [L 「태어난 (그대로의)」의 뜻에서] *a.* **1** 출생지의, 본래의: one's ~ country[land] 본국 / one's ~ place 출생지, 고향 **2** 〈성격·능력 등이〉 타고난, 선천적인 《*to*》: ~ ability 천부적인 재능

> 유의어 **native, natural**은 다 같이 「타고난」의 뜻을 나타내지만, 전자가 후천적이 아님을 강조하는데 대해 후자는 그 사람[물건]의 본질이나 특징으로서 갖고 있는 것을 나타낸다.

3 그 지방 고유의, 향토[지방]적인, 토착의, …원산의: ~ art 향토 예술 **4** 토착[원주]민의, 토인의; 토박이의: ~ American citizens 미국 태생의 미국 시민 **5** 〈언어가〉 모국어인; 〈사람이〉 모국어를 하는: one's ~ tongue[language] …의 모국어 / a ~ speaker of English 영어가 모국어인 사람 **6** 꾸밈없는, 자연스런, 소박한 **7** 〈광물 등이〉 천연 그대로의: ~ copper 천연[자연]동(銅) **8** 〖컴퓨터〗 특정 컴퓨터로만 사용하도록 고안된; 특정 운용 프로그램에 내재된
go ~ 《구어》 (특히 백인이 문화가 낮은) 원주민과 같은 생활을 하다 ***~ and foreign*** 국내외의 ***the N~ States*** (인도 독립 전의) 토후국(土侯國)

---

realm, republic, commonwealth, confederation
national *a.* state, public, federal, civic
native *a.* **1** 타고난 inborn, inherent, innate, connate, intrinsic, instinctive, intuitive, natural, hereditary, inherited **2** 그 지방 고유의 indigenous, original, homegrown, homemade, domestic, local

— *n.* **1** 원주민, 토착인, 토인 **2** (…에서) 태어난 사람, …출신자 《*of*》: a ~ *of* California 캘리포니아주 출신자 **3** 토착의 동식물 **4** (특히 양식한) 영국산 굴 ***The ~s are restless.*** 《미·속어》 불온한 기운이 감돌고 있다. **~·ly** *ad.* **~·ness** *n.*
▷ natívity *n.*

Nátive Américan 《미》 **1** 아메리칸 원주민, 아메리칸 인디언 ★ 《미》에서는 American Indian보다 바람직한 말이라 함. **2** [형용사적으로] Ⓐ 아메리카 원주민의

nátive bèar 《호주·뉴질》 〖동물〗 코알라(koala)

na·tive-born [néitivbɔ́:rn] *a.* 본토박이의(cf. NATURAL-BORN): a ~ American 미국 토박이

Nátive Canádian 캐나다 원주민; 캐나다 인디언, 이뉴잇(Inuit)·메티스(Metis) 혈통의 원주민

nátive són 《미》 그 주에서 태어난 사람, 자기 주(州) 출신 입후보자

nátive spéaker 원어민(原語民)

na·tiv·ism [néitivìzm] *n.* Ⓤ **1** 원주민 보호주의; 토착 문화 부흥[보호] **2** 〖철학〗 선천설, 생득설(生得說) **-ist** *n., a.* **nà·tiv·ís·tic** *a.*

na·tiv·i·ty [nətívəti, nei-|nə-] *n.* (*pl.* **-ties**) **1** Ⓤ 출생, 탄생 **2** [the N~] 그리스도 탄생의 그림[조각]; 성모 마리아의 탄생 (축일) 《9월 8일》; 세례자 요한 탄생 축일 《6월 24일》 **3** 〖점성술〗 (탄생시의) 천궁도(天宮圖) ***cast*** [***calculate***] ***a*** ~ 운수를 보다

natívity plày 그리스도 성탄극

natívity scène 그리스도 성탄화[그림]

natl. national

NATO [néitou] [*N*orth *A*tlantic *T*reaty *O*rganization] *n.* 북대서양 조약 기구, 나토

na·tri·um [néitriəm] *n.* = SODIUM

na·tri·u·re·sis [nèitrəjuərí:sis] *n.* Ⓤ 〖의학〗 나트륨뇨(尿) 배설 항진

na·tron [néitrɑn|-trən] *n.* Ⓤ 천연 탄산소다

NATS [énèitì:és, néits] Naval Air Transport Service

nat·ter [nǽtər] *vi.* 《영·구어》 재잘거리다(chatter); 투덜거리다; 성급하게 말하다 — *n.* 수다
nát·tered [-d] *a.* **~·er** *n.* **nát·ter·y** [-ri] *a.* 《영·구어》 성마른, 까다로운(peevish)

nat·ter·jack [nǽtərdʒæ̀k] *n.* (유럽산(産)) 두꺼비

nat·tiér blúe [nətjéi-] Ⓕ *n.* 엷은 청색

nat·ty [nǽti] *a.* (**-ti·er**; **-ti·est**) 《구어》 **1** 〈옷차림·풍채 등이〉 깔끔한, 산뜻한(trim); 말쑥한 **2** 손재주가 있는, 능숙한 **nát·ti·ly** *ad.* **nát·ti·ness** *n.*

⁑**nat·u·ral** [nǽtʃərəl] *a.* **1** 자연[천연]의; Ⓐ 자연 그대로의, 가공하지 않은(opp. *artificial*); 개간하지 않은: ~ uranium 천연 우라늄 **2** Ⓐ 타고난, 선천적인 (⇨ native 유의어): a ~ poet 천성의 시인 / ~ abilities 천부의 재질 **3** (논리상 또는 인정상) 당연한, 지당한: a ~ mistake 있을 수 있는 과오 / ~ justice 당연한 정의감 // (~+***that*** 절) It's ~ *that* they should[would] miss their children. 그들이 아이들을 보고 싶어하는 것은 당연하다. **4** 자연계의; 자연 과학의: the ~ world 자연계 **5** (정신적·지적·허구적인 것이 아닌) 현실적인, 실재하는 **6** 〈태도 등이〉 본래의, 본시 그대로의, 꾸밈없는: a ~ voice 꾸밈없는[자연스런] 목소리 **7** Ⓐ (사람의) 성격에 맞는 《*to*》: a manner ~ *to* a soldier 군인에 어울리는 태도 **8** Ⓐ 〈부모가〉 낳아준, 친…; 〈자식이〉 서출의, 사생의(illegitimate): a ~ mother 낳은 어머니, 친어머니 **9** 〈그림 등이〉 실물과 같은, 꼭 닮은 **10** 〖음악〗 제자리의
come ~ to ... 《구어》 …에게는 조금도 힘들지 않다, 아주 쉽다[수월하다]
— *n.* **1** 《구어》 타고난 명인 《*at*; *for*》; 적격자, 성공이 확실한 것[사람] 《*for, on; to* do》: a ~ *at* bowling 타고난 볼링 명수 **2** 〖음악〗 제자리표 《♮》; 제자리음; (피아노·풍금의) 흰 건반(white key) **3** 《고어》 (선천적) 백치 **4** 〖카드〗 그냥 이기게 되는 두 장의 패 **5** 《미·속어》 Afro형(型) 머리 **6** 담황갈색 **7** 자연 재료; 자연적인 것 **8** 《미·속어》 7년형(刑) ***in all one's*** ~ 《영·구어》 평생토록
~·ness *n.* Ⓤ 자연스러움; 타고남; 당연함
▷ náture *n.*; náturalize *v.*; náturally *ad.*

nat·u·ral-born [nǽtʃərəlbɔ́:rn] *a.* 타고난, 생득(生得)의(cf. NATIVE-BORN): a ~ citizen (귀화하지 않은) 토박이 시민

Nátural Brídge 1 [n- b-] 천연 다리 **2 a** [*pl.*] 천연의 바위 다리 《미국 Utah 주 남동부에 있는 국립 천연 기념물》 **b** 내추럴 브리지 《미국 Virginia 주에 있는 다리 모양의 석회암》

nátural chíld 〖법〗 사생아, 서자

nátural chíldbirth 자연 분만(법)

nátural classificátion = NATURAL SYSTEM

nátural dáy 자연일 《해돋이부터 해가 질 때까지》

nátural déath (노쇠에 따른) 자연사

nátural disáster 자연 재해, 천재(天災)

nátural énemy 〖생물〗 천적(天敵)

nátural fámily plànning 자연 가족 계획 《배란기에는 성교를 삼가는》

nátural fóod 자연 식품(cf. ORGANIC FOOD)

nátural fórces 자연력 《폭풍·천둥 등》

nátural fréquency 〖전기·기계〗 고유 주파수

nátural fúnction 《완곡》 (배뇨·배변의) 생리 작용

nátural gás 천연 가스

nátural génerative phonólogy 〖언어〗 자연 생성 음운론

nátural guárdian 〖법〗 혈연 후견인

nátural históriam 박물학자; 박물지(誌) 저자

nátural hístory 1 박물학; (비전문인의) 박물 연구; 박물지(誌) **2** 발달사, 발달 경로, 연혁(사), 계보 《*of*》

***nat·u·ral·ism** [nǽtʃərəlìzm] *n.* Ⓤ **1** 〖문예〗 자연주의 《현실 또는 자연의 객관적 진실 묘사를 목적으로 하는》 **2** 〖윤리〗 자연주의 《인간의 자연적 본성을 중시하여 도덕적 규범으로 삼고, 그것을 억압하는 규범을 거부하는 입장》 **3** 〖철학〗 자연주의 《자연을 중시하고, 모든 현상을 과학적 법칙으로 설명하는》 **4** 〖신학〗 자연론 《종교적 진리는 자연에 대한 연구에서 얻어진다는》

nat·u·ral·ist [nǽtʃərəlist] *n.* **1** 〖철학·종교·예술〗 자연주의자 **2** 박물학자; 《영》 애완동물 상인; 박제사(剝製師) — *a.* = NATURALISTIC

nat·u·ral·is·tic [næ̀tʃərəlístik] *a.* **1** 자연을 따른; 자연주의적인, 사실적인 **2** 박물학(자)적인

nat·u·ral·i·za·tion [næ̀tʃərəlizéiʃən|-laiz-] *n.* Ⓤ **1** 〖법〗 귀화; (외국어·외국 문화의) 이입(移入); (외국산 동·식물의) 이식; 귀화 **2** 자연화

***nat·u·ral·ize** [nǽtʃərəlàiz] *vt.* **1** 〈외국인을〉 귀화시키다, …에게 시민권을 주다: (~+목+전+명) be ~*d in* Canada 캐나다에 귀화하다 **2** 〈동식물을 …에〉 이식하다, 풍토에 익도록 하다: (~+목+전+명) Cherry has been ~*d in* parts of Washington. 벚나무는 워싱턴 지방에 이식되어 순화되었다. **3** 〈외국어·외국 문화 등을〉 들여오다: a ~*d* word 외래어 **4** 자연적으로 하다 **5** 〈초자연적인 것 등을〉 자연의 법칙에 맞춰 설명하다; 신비스럽지 않게 하다
— *vi.* **1** 귀화하다 **2** 풍토에 익숙해지다 **3** 박물학을 연구하다 **-ìzed** *a.* **-ìz·er** *n.*

nátural kíller cèll 〖면역〗 내추럴 킬러 세포 《미리 감작(感作)되지 않고 종양 세포·바이러스 감염 세포를 죽이는 대형 림프구 세포》

nátural lánguage (인공 언어·기계 언어와 대비하여) 자연 언어

nátural lánguage pròcessing 〖컴퓨터〗 자연 언어 처리 《자연적인 언어에 표현된 정보를 처리하는 데 컴퓨터를 사용하는》

thesaurus **natural** *a.* **1** 자연 그대로의 organic, pure, unrefined, unmixed, plain, real **2** 당연한 usual, normal, regular, common, ordinary, typical **3** 꾸밈없는 artless, ingenuous, candid, frank, open, genuine, simple, unaffected

nátural láw 1 자연율[법칙], 천리(天理) 2 〖법〗 (실정법에 대해서) 자연법
nátural lífe 천수, 천명, 수명
nátural lógarithm 〖수학〗 자연 로그(cf. COMMON LOGARITHM)
‡**nat·u·ral·ly** [nǽtʃərəli] *ad.* **1 자연히**, 자연의 힘으로 **2 본래, 타고나기를**: He is ~ clever. 그는 천성이 영리하다. **3** [문장 전체를 수식하여] **당연히; 물론**: *N*~, she accepted the invitation. 물론 그녀는 그 초대에 응했다. **4** [동사 뒤에서] 있는 그대로; 꾸밈없이; 무리 없이; 수월하게: speak ~ 꾸밈없이[소탈하게] 말하다 **5** 실물 그대로, 진짜 그대로
come ~ to …에게 조금도 힘들지 않다, 아주 쉽다[수월하다] ***do what comes ~*** 적성에 맞는[좋아하는] 일을 하다
nátural mágic (신령의 힘을 빌지 않고 하는) 주술
nátural mágnet 천연 자석(lodestone)
nátural nóte 〖음악〗 간음(幹音), 원음(原音)
nátural númber 〖수학〗 자연수 《양(陽)의 정수(整數)》
nátural órder 1 자연율(律), 자연계의 질서 2 〖생물〗 **a** 과(科)(family) **b** 《영》 = NATURAL SYSTEM
nátural pérson 〖법〗 자연인 《법인과 대비하여》
nátural philósophy 《고어》 자연 철학 《지금의 natural science, 특히 physics》
nátural relígion 자연 종교
nátural résources 천연자원
nátural ríght [때로 **~s**] (자연법에 의거한 인간의) 자연권
nátural rúbber 천연고무, 탄성(彈性) 고무
nátural sàtellite 천연 위성 《우주에 자연적으로 존재하는 위성》
nátural scále 〖음악〗 자연 음계
nátural scíence 자연 과학 《생물·화학·물리 등》
nátural scíentist 자연 과학자
nátural seléction 〖생물〗 자연 선택[도태]
nátural sìgn 〖음악〗 제자리표, 본위 기호 (♮)
nátural sýstem 〖생물〗 자연 분류(natural classification)
nátural theólogy 자연 신학 《신의 계시에 의하지 않고 인간 이성에 의거한 신학 이론》
nátural vírtue 〖철학〗 [the ~] (스콜라 철학에서의) 자연의 덕(德) 《인간이 타고난 네 가지 덕성; 견인(fortitude), 정의(justice), 분별(prudence), 절제(temperance)》(cf. THEOLOGICAL VIRTUE)
nátural wástage 《영》 (노동력의) 자연 감소 《해고에 의하지 않는》
nátural yéar 자연년, 태양년(solar year)
‡**na·ture** [néitʃər] *n.*

(타고난) 「성질」 **3 a** → 「본질」 **3 b** → (본질을 다스리는 것) → 「자연(의 힘)」 **1**

1 Ⓤ **자연**, 천지 만물; 자연계; 자연력, 자연 현상, 자연의 법칙: the laws of ~ 자연의 법칙 / *N*~ is the best physician. 자연은 가장 좋은 의사다. ★ 종종 의인화하여 여성 취급: Mother *N*~ 어머니인 자연 **2** 전 우주[세계](universe); [종종 **N~**] 창조주, 조물주 **3** ⓊⒸ **a 성질**, 천성, 본성: Cats and dogs have different ~*s*. 개와 고양이는 천성이 다르다. **b** [the ~] (사물의) **본질**, 특질, 특징: *the* ~ of love 사랑의 본질 **c** 인간성(=human ~), 기질; (어떤 특수한) 성미, (어떠한) 성질의 사람: the rational[moral, animal] ~ 이성[덕성, 동물성] / a gentle[sanguine] ~ 점잖은 성질의 사람[낙천가] / good ~ 선량한 성품, 순박 / ill ~ 심술궂음, 고약한 심보 **4** [*sing.*; 보통 수식어와 함께 of ~의 형태로] 종류(sort, kind): things *of* this ~ 이런 종류의 것들 **5** Ⓤ (문명의 영향을 받지 않은) 인간 자연의 모습; 자연물, 실물: draw from ~ 실물을 사생하다 / Return to ~! 자연으로 돌아가라. 《18세기 사상가 Rousseau 등의 주장》 **6** Ⓤ 본연의 힘; 충동; 활력, 체력; 육체적[생리적] 욕구: ease [relieve] ~ 대소변을 보다 / food enough to sustain ~ 체력 유지에 충분한 음식 / *N*~ is calling me. 화장실에 가고 싶다. **7** (총·탄환의) 크기(size)
against ~ 부자연한[하게]; 기적적인[으로]; 부도덕한[하게]: a crime *against* ~ 이상한 성행위(sodomy) ***all ~*** 만인, 만물: *All* ~ looks gay. 만물이 즐거워 보인다. ***back to ~*** 소박한 전원 생활로 돌아가서 ***by ~*** 날 때부터, 본래: He is proud *by* ~. 그는 천성이 거만하다. ***contrary to ~*** 기적적인[으로] ***in a state of ~*** (1) 미개[야만] 상태에; 야생 그대로 (2) 《익살》 발가벗고 (3) 〖그리스도교〗 아직 은총을 받지 못한 죄인의 상태로 ***in ~*** (1) 현존하여; 사실상 (2) [최상급을 강조하여] 온 세계에서, 더 없이 (3) [의문사를 강조하여] 도대체 (4) [부정어를 강조하여] 전혀, 아무데도 (…없다) ***in the course of ~*** = ***in*** [***by, from***] ***the ~ of things*** [***the case***] 도리상, 필연적으로, 당연히, 사실상 ***in*** [***of***] ***the ~ of*** …한 성질을 띠고, …와 비슷한(like) ***let ~ take its course*** 《구어》 자연의 섭리에 맡기다, 자연히 되어가는 대로 내버려 두다 《특히 남녀가 자연히 사랑에 빠져드는 경우 등에 씀》 ***like all ~*** 《미·구어》 완전히 ***N~'s engineering*** 조화(造化)의 묘(妙) ***one of N~'s gentlemen*** 타고난 신사 ***pay*** one***'s debt to ~*** = ***pay the debt of ~*** 죽다 ***true to ~*** 실물[진실]과 다를 바 없는, 〈그림 등이〉 살아 있는 듯한: a portrait *true to* ~ 실물과 똑같은 초상화
▷ nátural *a.*
náture consevàtion 자연 보호
náture cùre 자연 요법(naturopathy)
na·tured [néitʃərd] *a.* [보통 복합어를 이루어] 성질이 …한: good-[ill-] ~ 사람이 좋은[나쁜], 성질이 좋은[나쁜]
náture dèity [보통 *pl.*] 자연신 《자연물·자연 현상이 신격화된 것》
náture mỳth 자연 신화
náture philòsophy = NATURAL PHILOSOPHY
náture prìnting 원물(原物)·원형에서 직접 찍어내는 인쇄법
náture resèrve 자연 보호 지역
náture stòp 《미·속어》 (주행 중) 용변을 위한 정차
náture strìp 《호주》 도로변의 풀[잔디]
náture stùdy 자연 공부 《초등학교의 학과》
náture tòurism 야생 동물·전원 등의 관광 여행[사업]
náture tràil (숲속 등의) 자연 관찰 산책로
náture wàlk 자연 관찰 산책; = NATURE TRAIL
náture wòrship 자연 숭배
na·tur·ism [néitʃərìzm] *n.* Ⓤ **1** (종교상의) 자연주의; 자연 숭배(설) **2** 나체주의(nudism) **-ist** *n.*
na·tu·ro·path [néitʃərəpæ̀θ, nǽtʃə-] *n.* 자연 요법의 실천자, 자연 요법의(醫)
na·tu·rop·a·thy [nèitʃərápəθi, næ̀tʃə- | -rɔ́p-] *n.* Ⓤ 자연 요법 《자연식·햇빛·공기 등 자연 치유를 위하는》 **na·tu·ro·path·ic** [nèitʃərəpǽθik] *a.*
*__naught__ [nɔ́:t] [OE 「무(無)의 것」의 뜻에서] *n.* Ⓤ **1** 《미》 제로, 영(《영》 nought): get a ~ (시험에서) 0 점을 받다 **2** 《문어》 무(無), 무가치(nothing): a man of ~ 별 볼일 없는 남자
all for ~ 헛되이, 쓸모없이 ***bring ... to ~*** 〈계획 등을〉 망쳐 놓다, 무효로 만들다 ***care ~ for*** …을 조금도 개의치 않다; 전혀 흥미를 보이지 않다 ***come*** [***go***] ***to ~*** 거덜나다, 실패로 끝나다 ***~ and crosses*** 《영》 어린이 놀이의 일종(《미》 ticktacktoe) 《○×를 오목(五目) 놓기 모양으로 연거푸 놓는》 ***set ... at***

---

nature *n.* **1 자연** Mother Nature, natural forces, creation, the environment, the earth, the universe, the cosmos **2 성질** temperament, temper, personality, disposition, humor, mood **3 본질** essence, character, characteristic

~ (문어) 무시하다, 경멸하다
— *a.* Ⓟ **1** (고어) 무가치한, 무익한 **2** 붕괴한, 망한 (lost, ruined) **3** (폐어) (도덕적으로) 나쁜, 사악한
— *ad.* (폐어) 조금도 …않다(not at all)
‡**naugh·ty** [nɔ́ːti] *a.* (**-ti·er**; **-ti·est**) **1** 〈어린애가〉 개구쟁이의, 장난이 심한, 버릇없는, 못된: Don't be so ~! 이놈, 좀 얌전하게 굴어! **2** 〈행위 등이〉 부적합한, 도리에 어긋난; 외설적인, 외설스러운
— *n.* (영·호주·속어) 성교, 불륜 관계
náugh·ti·ly *ad.* **náugh·ti·ness** *n.*
nau·pli·us [nɔ́ːpliəs] *n.* (*pl.* **-pli·i** [-pliài]) 〖동물〗 노플리우스 《갑각류의 발생 초기의 유생(幼生)》
Na·u·ru [nɑːúːruː] *n.* 나우루 (공화국) 《오스트레일리아 동북방의 섬나라; 수도 Nauru》
*****nau·se·a** [nɔ́ːziə, -ʒə | -siə, -ziə] *n.* Ⓤ **1** 욕지기, 메스꺼움; 뱃멀미: feel ~ 토할 것 같다 **2** 매우 싫은 느낌, 혐오, 지겨움
nau·se·ant [nɔ́ːziənt, -ʒi- | -siənt, -zi-] 〖의학〗 *a.* 메스껍게 하는 — *n.* 최토제
nau·se·ate [nɔ́ːzièit, -ʒi- | -si-, -zi-] *vi., vt.* 구역질나(게 하)다 (*at*); 혐오감을 느끼(게 하)다; 싫어하다 **nàu·se·á·tion** *n.*
nau·se·at·ing [nɔ́ːzièitiŋ, -ʒi- | -si-, -zi-] *a.* 욕지기나는; 지겨운, 몹시 싫은 **~·ly** *ad.*
nau·seous [nɔ́ːʃəs, -ziəs | -siəs, -ziəs] *a.* **1** 욕지기나게 하는 **2** 지겨운, 진저리나는
~·ly *ad.* **~·ness** *n.*
Nau·sic·a·ä [nɔːsíkiə, -keiə] *n.* 〖그리스신화〗 나우시카 《난파한 Odysseus를 구하여 아버지의 궁전으로 안내한 공주》
naut. nautical(ly)
nautch [nɔ́ːtʃ] *n.* (인도의) 무희의 춤
*****nau·ti·cal** [nɔ́ːtikəl] *a.* 항해(술)의; 해사(海事)의; 선박의; 선원의: the ~ almanac 항해력(曆) / ~ terms 선원 용어, 해양 용어 / a ~ yarn 뱃사람의 허황된 긴 이야기 **~·ly** *ad.*
náutical archaeólogy 해양 고고학
náutical míle 해리(海里)(sea mile) 《영국에서는 1,853.2미터, 미국에서는 1959년 이래 국제 단위(1,852미터)를 채용》
nau·ti·lus [nɔ́ːtələs] *n.* (*pl.* **~·es, -li** [-lài]) **1** 앵무조개속(=pearly ~) **2** 배낙지 무리(=paper ~) **3** [the N~] 노틸러스호 《미국 원자력 잠수함 제1호》
NAV net asset value **nav.** naval; navigable; navigation; navy
Nav·a·ho, -jo [nǽvəhòu, nɑ́ːv-] *n.* (*pl.* **~, ~s, ~es**) **1 a** [the ~(e)s] 나바호 족 《미국 New Mexico, Arizona, Utah 주에 사는 원주민》 **b** 나바호 족의 사람 **2** Ⓤ 나바호 말 — *a.* 나바호 족[말]의
‡**na·val** [néivəl] *a.* Ⓐ **1** 해군의, 해군에 의한: ~ force(s) 해군 부대 **2** 군함의[에 의한]; 배의
~·ìsm *n.* Ⓤ 해군력; 대(大)해군주의 **~·ist** *n.* 대(大)해군주의자 **~·ly** *ad.* 해군식으로; 해군[해사(海事)]의 입장에서 ▷ návy *n.*
nával acàdemy [the ~] 해군 사관학교
nával árchitect 조선(造船) 기사
nával árchitecture 조선 공학
nával báse 해군 기지
nával brigáde 해병대
nával cadét 해군 사관 후보생
nával cóllege (영) 해군 사관학교
nával estáblishment [집합적] 〖미군〗 해군 시설[부대] 《함대, 항공 부대, 지상 부대, 전투 함정, 보조 함정, 보조 시설, 인원, 조직, 기구 등 포함》
nával ófficer **1** 해군 사관 **2** (미) 세관 공무원
Nával Resérve 해군 예비역
nával státion 해군 보급 기지, 해군 기지, 군항
nával stòres **1** (무기 이외의) 해군 군수품 **2** 선박 용품 《특히 수지(樹脂)·도료 등》
Na·va·ra·tri [næ̀vərǽtri], **-ra·tra** [-rǽtrə] *n.* 나바라트리 (축제) 《9일 밤 동안의 힌두교의 축제》
nav·a·rin [nǽvərən] *n.* 〖요리〗 나바랭 《양고기 스튜》
Na·varre [nəvɑ́ːr] *n.* 나바르 《프랑스 남서부에서 스페인 북부에 걸쳐 있던 옛 왕국》
nave[1] [néiv] *n.* 〖건축〗 네이브 《교회당 중앙의 회중석 부분》
nave[2] *n.* (차의) 바퀴통(hub) 《차바퀴 등의 축을 끼우는 중심부》
na·vel [néivəl] *n.* **1** 배꼽: a ~ cord[string] 탯줄 **2** [the ~] 중심(점), 중앙 **3** = NAVEL ORANGE
contemplate [***gaze at, regard***] one***'s ~*** 철학적 명상에 잠기다
nável gàzing (쓸데없는 자기 만족의) 내성(內省), 명상
nável òrange 네이블 오렌지 《오렌지의 한 품종》
nável strìng 탯줄
na·vi·cert [néivəsə̀ːrt] *n.* 〖항해〗 (전시의) 봉쇄 해역 통과 허가증
na·vic·u·lar [nəvíkjulər] *a.* **1** 배 모양의 **2** 〖해부〗 주상골(舟狀骨)의 — *n.* 〖해부〗 주상골
navig. navigation; navigator
nav·i·ga·bil·i·ty [næ̀vigəbíləti] *n.* Ⓤ **1** 〈배·하천 등이〉 항행할 수 있음, 가항성(可航性) **2** (기구(氣球)의) 조종 가능성; (배·비행기 등의) 내항성(耐航性)
*****nav·i·ga·ble** [nǽvigəbl] *a.* **1** 〈하천·바다 등이〉 항행할 수 있는, 선박이 지나갈 수 있는: This river is ~ for large ships. 이 강은 대형 선박도 지나갈 수 있다. **2** 〈기구 등이〉 조종할 수 있는; 〈선박·항공기 등이〉 항행할 수 있는 **-bly** *ad.*
*****nav·i·gate** [nǽvəgèit] [L 「배를 움직이다」의 뜻에서] *vt.* **1** 〈하천·바다·하늘을〉 항행[항해]하다; 배로 수송하다: ~ a river 강을 항행하다 **2** 〈배·비행기를〉 조종[운전]하다 **3** 〈바다·호수 등을〉 (배처럼) 지나가다, 건너가다: The whale ~*s* the ocean. 고래는 대양을 유영(游泳)한다. **4** (구어) 〈사람이 …을〉 걸어서 가다: ~ the stairs 계단을 오르다 **5** 〈교섭 등을〉 진행시키다, 뚫고 나가게 하다, 〈법안 등을〉 통과시키다: (~+목+전+명) ~ a bill *through* Parliament 법안을 의회에서 통과시키다 **6** 〖컴퓨터〗 〈인터넷을〉 순항(巡航)하다, 웹사이트를 여기저기 찾다
— *vi.* **1** 항해하다(sail); 조종하다; 〈차의 동승자가〉 운전자의 길 안내를 하다 **2** (구어) 〈환자·취한 사람이〉 (제대로) 걸어서 가다: (~+부) I can ~ all right. 제대로 걸을 수 있다. ▷ navigátion *n.*
náv·i·gat·ing òfficer [nǽvəgèitiŋ-] 〖항해〗 항해장(長); 〖항공〗 항공사, 기장
‡**nav·i·ga·tion** [næ̀vəgéiʃən] *n.* Ⓤ **1** 항해, 항행, 항공: aerial ~ 항공(술) **2** 항해[항공]학[술], 항법 **3** [집합적] 항행 선박 **~·al** [-ʃənl] *a.* **~·al·ly** *ad.*
Navigátion Àct [the ~] 〖영국사〗 항해 조례(條例) 《1651-1849》
navigátional sátellite 항행 위성 《略 NAVSAT》
navigátion còal = STEAM COAL
navigátion làws 항해 법규
navigátion lìght (배의) 항해등; (비행기의) 표지등
navigátion sátellite = NAVIGATIONAL SATELLITE
*****nav·i·ga·tor** [nǽvəgèitər] *n.* **1** 항공사(士), 항법사; 항해장(navigating officer); (항공기·미사일 진로의) 자동 조정 장치 **2** 항해자, 항행자, 항해술에 능한 사람; 해양 탐험가(sea explorer): Arctic ~ 북극해 탐험가 **3** (차에 동승하여) 진로를 안내하는 사람 **4** (영·드물게) = NAVVY
NAVSAT [nǽvsæ̀t] *n.* = NAVIGATIONAL SATELLITE
nav·vy [nǽvi] *n.* (*pl.* **-vies**) (영) **1** (운하·철도·도로 건설 등에 종사하는 보통 미숙련의) 토공(土工), 인부, 일꾼: mere ~'s work (머리를 쓰지 않는) 단순 노동 / work like a ~ 〈천한 일을〉 힘들여 하다 **2** = STEAM S HOVEL[NAVVY] **3** (속어) = NAVIGATING

thesaurus **naughty** *a.* bad, mischievous, misbehaving, disobedient, defiant, unruly, undisciplined, unmanageable, delinquent, wicked

OFFICER —*vi.* (미숙련) 인부로 일하다

‡na·vy [néivi] [L 「배」의 뜻에서] *n.* **1** [종종 **N~**; 단수·복수 취급] 해군 **2** [집합적] (한 나라의) 전 해군 함선 **3** [the ~] 해군성(省) **4** 짙은 남색(=~ blue) 《영국 해군 제복의 빛깔》 **5** 《시어·고어》 함대, 선단 ***the Department of the N~*** = ***the N~ Department*** 《미》 해군성(《영》 the Admiralty) ***the Royal N~*** 영국 해군 《자국 내에서 부르는 호칭; the British Navy가 정식명임; 略 R.N.》 ***the Secretary of the N~*** 《미》 해군 장관 ▷ nával *a.*

návy bèan (미국 해군의 저장 식품인) 흰 강낭콩

návy blúe [영국 해군의 제복색에서] 짙은 남색, 네이비 블루

na·vy-blue [néiviblú:] *a.* 짙은 남색의

návy chèst 《미·해군속어》 올챙이배

Návy Cróss 《미》 해군 수훈장[십자 훈장]

návy cùt 《영》 (파이프용) 살담배

Návy Exchánge, N- e- (미국 해군 기지 내의) 매점, 해군 PX

návy gráy 짙은 회색

Návy Lèague 《영》 해군 협회

Návy Líst [the ~] 《영》 해군 요람(要覽) 《사관 및 함선의 공식 명부》

návy yàrd 《미》 해군 공창(工廠)

naw [nɔ́:] *ad.* 《미·속어》 =NO

na·wab [nəwɑ́:b, -wɔ́:b] *n.* **1** =NABOB 1 **2** [**N~**] 나와브 《인도의 이슬람 귀족·명사에 대한 존칭》

Nax·a·lite [nʌ́ksəlàit] *n., a.* 낙살라이트(의) 《인도의 극좌 혁명 그룹의 일원》

nay** [néi] *ad.* **1** 《고어·문어》 아니(no)(opp. *yea*) **2** 《고어》 글쎄, 그렇기는 하나(why, well) **3** [접속사적으로] 《문어》 …이라기보다는, 뿐만 아니라, 그렇기는 커녕: It is difficult, ~, impossible. 곤란하다, 아니, 불가능하다. ***~ even …조차도[까지도] ***~ more*** 그 위에, 그뿐만 아니라

—*n.* **1** ⓊⒸ 아니(라는 말); 부정, 거절, 거부 **2** 반대 투표(자)(opp. *yea*): the yeas and ~*s* 찬부(의 수) ***Let your yea be yea and your ~ be ~.*** 찬부(贊否)를 똑똑히 말해라. ***say*** a person ***~*** 《문어》 부인하다; 거절하다 ***The ~s have it.*** (국회에서) 부결되었습니다. ***will not take ~*** 거절 못하게 하다 ***yea and ~*** 우유부단, 주저, 망설임

na·ya pai·sa [nəjɑ́:-paisɑ́:] (*pl.* **na·ye paise** [nəjéi-paiséi]) 신(新)파이사 《1957-63년간의 인도의 화폐 단위; =1/100 rupee 동전; 현재는 paisa를 씀》

nay·say [néisèi] *n., vt.* 거절(하다), 부인(하다)

nay·say·er [-sèiər] *n.* (습관적인) 반대[회의, 비관]론자

Naz·a·rene [næ̀zəríːn] *n.* **1 a** 나사렛 사람 **b** [the ~] 예수 그리스도 **2** 그리스도교도 《유대인·회교도 쪽에서 경멸하여 말함》 —*a.* 나사렛의; 나사렛 사람의

Naz·a·reth [nǽzərəθ] *n.* 나사렛 《Palestine 북부의 작은 도시; 그리스도의 성장지》

Naz·a·rite, Naz·i·rite [nǽzəràit] *n.* **1** 《드물게》 나사렛 사람 **2** 《성서》 나실인 《히브리의 고행자》

naze [néiz] *n.* 갑(岬), 곶(promontory)

Na·zi [nɑ́:tsi, nǽtsi] [G *Na*tionalso*zi*alist의 단축형에서 변형] *n.* (*pl.* **~s**) **1** [the ~s] 나치(당), 국가사회주의 독일 노동자당 《히틀러가 이끈 National Socialist German Workers' Party(1919-45)》 **2** 나치 당원, 나치 **3** [종종 **n~**] 나치주의(신봉)자, 인종차별주의자 —*a.* Ⓐ 나치(당)의

na·zi·fy [nɑ́:tsifài, nǽtsi-] *vt.* (**-fied**) [종종 **N~**] 나치화(化)하다 **nà·zi·fi·cá·tion** *n.* Ⓤ 나치화

Na·zi(·i)sm [nɑ́:ts(i)izm, nǽtsi-] *n.* Ⓤ 독일 국가사회주의, 나치주의(cf. FASCISM)

na·zir [nɑ́:ziər] *n.* (인도인) 법정 관리(官吏); (이슬람 국가에서) 공무원의 총칭

---

nausea *n.* sickness, vomiting, gagging

navigate *v.* **1** 항해하다 sail, cruise **2** 조종하다 steer, pilot, maneuver, guide, direct, drive

---

Nb 〖화학〗 niobium **NB** naval base; Nebraska; New Brunswick; North Britain **NB, nb** *nota bene* 《L =note well》 주의(하라) **n.b.** 〖크리켓〗 no ball **NBA** National Basketball Association 미국 농구 협회; National Boxing Association 미국 권투 협회; Net Book Agreement **NBC** 《미》 National Broadcasting Company; nuclear, biological and chemical weapons 핵·생물·화학 무기 **NbE** north by east **NBG, nbg** no bloody good 《영·구어》 가망 없음(cf. NG)

N-bomb [énbɑ̀m | -bɔ̀m] *n.* =NEUTRON BOMB

NBS National Bureau of Standards 《미》 규격 표준국 **NBT** no big thing 《미·속어》 별것 아니다 **NBV** 〖회계〗 net book value **NbW** north by west **NC** 〖컴퓨터〗 Network Computer; New church; no charge; 《미》 〖우편〗 North Carolina; 〖컴퓨터〗 numerical control; 〖군사〗 Nurse Corps **n/c** no charge

NCAA [ènsi:dʌbléi] [*N*ational *C*ollegiate *A*thletic *A*ssociation] *n.* 미국 대학 체육 협회

NCB National Coal Board **NCC** 《영》 National Computing Centre; National Council of Churches; 《영》 Nature Conservancy Council **NCCJ** National Conference of Christians and Jews **NCCL** 《영》 National Council for Civil Liberties **NCCM** 《미》 National Council of Catholic Men **NCCW** 《미》 National Council of Catholic Women **NCE** New Catholic Edition **NCI** 《미》 National Cancer Institute **NCNA** New China News Agency 신화사(新華社) 《중국의 관영 통신사》 **NCND** neither confirm nor deny 《긍정도 부정도 아님》 **NCO** noncommissioned officer **NCR** National Cash Register 《상표》; no carbon required 카본지 불필요 **NCT** National Curriculum Test (영국의) 국가 교육 과정 시험 《이전에 SAT라고 함》 **NCTE** National Council of Teachers of English **NCU** National Cyclists' Union **NCV, n.c.v.** no commercial value **Nd** 〖화학〗 neodymium **ND** national debt; no date; 《미》 〖우편〗 North Dakota **n.d.** no date; no delivery; not dated

'nd [nd] *conj.* [발음 철자] =AND

-nd (12 이외의 2로 끝나는 숫자) 뒤에 붙여서 서수(序數)를 나타냄: 2*nd*

NDAC National Defense Advisory Commission (미국) 국방 자문 위원회 **NDak** North Dakota **NDB** nondirectional radio beacon 무지향성 무선 표식 **NDE** near-death experience **NDEA** 《미》 National Defense Education Act

N'Dja·me·na, NDja·me·na [èndʒəméinə] *n.* 엔자메나 《Chad 공화국의 수도》

NDSL National Direct Student Loan (미국) 학비 원조 연방 정부 대출금

ndu·gu [ndú:gu] *n.* 《동아프》 [보통 **N-**] 은두구 《탄자니아에서 남녀에 대한 존칭》

Ne 〖화학〗 neon **NE** naval engineer; 《미》 〖우편〗 Nebraska; New England northeast(ern) **N/E** 〖상업〗 no effects

né [néi] [F] *a.* [남성의 본명·구명(舊名) 앞에 붙여서] 원래의 이름은, 구성(舊姓)은(cf. NÉE)

NEA National Education Association; Newspaper Enterprise Association

Neal [ní:l] *n.* 남자 이름

Ne·an·der·thal [niǽndərθɔ̀:l, -tɔ̀:l, -tɑ̀:l | niǽndətɑ̀:l] *a.* 〖인류〗 네안데르탈인의; [종종 **n~**] 《구어》 원시적인, 야만적인, 우매한

—*n.* **1** 네안데르탈 《구서독 서부 Düsseldorf 부근의 골짜기》 **2** 〖인류〗 =NEANDERTHAL MAN **3** [종종 **n~**] 《구어》 야인, 거칠고 완강하고 서투른 사람

Neánderthal màn 〖인류〗 네안데르탈인 《1856년

에 독일의 네안데르탈에서 발굴된 구석기 시대의 유럽 원인(原人)》

Ne·an·der·thal·oid [niǽndərθɔ̀:lɔid, -tɔ̀:l- | niǽndətɑ̀:l-] 〖인류〗 *a.* (체격이) 네안데르탈인 같은 —*n.* 네안데르탈인형의 화석 인류

ne·an·throp·ic [nì:ænθrɑ́pik | -θrɔ́p-] *a.* 〖인류〗 신(新)인류의, 현세 인류의

neap [ní:p] *a.* 소조(小潮)의, 조금의 —*n.* 소조, 조금(=~ tide) 《상현·하현 시의》 —*vi.* 소조로 되어가다[에 달하다] —*vt.* [보통 수동형으로] 〈배가〉 순조 때문에 진행이 방해되다

Ne·a·pol·i·tan [nì:əpɑ́lətən | nɪəpɔ́l-] *a.* **1** 나폴리(Naples)의 **2** 나폴리적인, 나폴리풍의 —*n.* **1** 나폴리 사람 **2** =NEAPOLITAN ICE CREAM

Neapólitan íce crèam 나폴리 아이스크림 《색과 맛이 다른 2-4 종류의 아이스크림을 겹친 것》

néap tìde 소조(小潮), 조금

‡**near** [níər] *ad., prep., a., v.*

> 기본적으로는 「가까이(에)」의 뜻
> ① (공간적으로) …가까이(에), 가까운 뿌 **1**, 전, 형 **1**
> ② (시간적으로) …가까이 뿌 **1**, 전, 형 **1**
> ③ (관계가) 가까운 형 **2**

—*ad.* **1** (공간·시간적으로) 가까이, 근접하여, 이웃하여: come ~ 접근하다/The New Year draws ~. 새해가 다가온다. **2** [종종 복합어로] 〈관계 등이〉 가깝게, 밀접하게: He has ~-native command of English. 그는 영어를 모국어와 가깝게 말한다. **3** 정밀하게, 세밀하게; 친밀하게 **4** 《미·구어》 거의 ★ 지금은 nearly가 보통: a period of ~ 30 years 약 30년간 **5** [부정어와 함께] 도저히 …아니다[않다] **6** 〖항해〗 풍향(風向)과 같은 방향으로 **7** 《드물게》 검소하게; 인색하게(thriftily): live ~ 검소하게 살다

(as) ~ as makes no difference [matter, odds] =***(as) ~ as dammit [damn it]*** =***as ~ as kiss your hand*** =***~ enough*** 《구어》 차이가 문제가 안 될 정도로 근접하여; 거의 ***(as) ~ as*** one ***can*** do …할 수 있는 한에서는 ***(from) far and ~*** 원근(遠近)을 불문하고, 여기저기로부터 ***~ at hand*** 바로 가까이에; 머지않아 ***~ by*** 가까이에 ***~ to*** = NEAR(*prep.*). ***~ upon*** 《고어》 (시간적으로) 거의 ***not ~*** = not NEARLY. ***nowhere [not any where] ~*** 《구어》 전혀 …아니다[않다]

—*prep.* 《USAGE 원래 형용사·부사의 near to의 to가 생략된 것으로, 전치사이면서도 비교 변화가 있음; 전치사로 인정하지 않는 사람도 있음》 …**의 가까이(에)**, …**에 가깝게**; 거의 …할 뻔한: C.E Her house is *near*[nearby(×)] the new airport. 그녀의 집은 새로 생긴 공항 근처에 있다.

come [go] ~ doing = ***come [go] ~ to doing*** 거의[하마터면] …할 뻔하다: She *came*[*went*] ~ *being* drowned. 그녀는 하마터면 물에 빠져 죽을 뻔했다. ***~ here [there]*** 이[저] 근처에 ***sail ~ the wind*** ⇨ sail *v.*

—*a.* **1** (거리·시간·단계적으로) 가까운(opp. *far*); 아주 가까운; 가까운 쪽의: the ~ side 이쪽/the ~ road 지름길/on a ~ day 가까운 날에, 근간에/ take[get] a ~[~*er*] view of …을 가까이 가서 보다 **2** Ⓐ 〈관계가〉 가까운, 근친의; 친한; (이해) 관계가 깊은 **3** Ⓐ 아주 닮은[흡사한], 진짜에 가까운, 대용(代用)의: a ~ guess 과히 빗나가지 않은 추측/a ~ resemblance 꼭 같다고 할 만큼 비슷함, 흡사/a ~ translation 원문에 충실한 번역/a ~ war 전쟁과 흡사한 위협 수단 **4** Ⓐ 아슬아슬한, 위기 일발의: a ~ race 접전, 승부를 가리기 어려운 경쟁 **5** 《드물게》 인색한 **6** Ⓐ (자동차·말·마차의) 왼쪽의 《보통 왼쪽에서 타므로; cf. OFF *a.* 7 b》

a ~ smile 아주 엷은 미소 ***~ and dear*** 친밀한 ***~ escape [touch]*** 위기일발, 구사일생 ***~est and dearest*** (1) 가장 친밀한 〈친구·친척 등〉 (2) [one's ~로 뒤의 명사를 생략하여] 《익살》 근친, 가족 ***so ~ and yet so far*** 가깝고도 먼 관계인

—*vt., vi.* …에 접근하다(approach)

~·ish *a.* **~·ness** *n.*

▷ néarly *ad.*; néarness *n.*; nigh *ad., a., prep.*

near-at-hand [níərəthǽnd] *a.* =NEARBY

néar béer 《미》 니어비어 《알코올 성분이 법정률(法定率) 이하(0.5%)인 약한 맥주》

***near·by** [níərbài, ⌐⌐] *a.* Ⓐ 가까운, 가까이의: C.E I sometimes meet friends in a *nearby* [near(×)] restaurant. 가끔씩 친구들과 근처 레스토랑에서 만난다.

—*ad.* 가까이로, 가까이에, 근처에 ★ 《영》에서는 near by가 보통임.

Ne·arc·tic [ni:ɑ́:rktik | -ɑ́:k-] *a.* 〖지리〗 신북구(新北區)의 《Greenland와 북미 대륙의 북부 지방》

néar-déath expèrience [níərdéθ-] 임사(臨死)[죽었다가 살아난] 체험 《略 nde, NDE》

néar dístance [the ~] (그림의) 근경(近景)

Néar Éast [the ~] 근동 《아라비아·북동아프리카·동남아시아·발칸 등을 포함하는 지역》

‡**near·ly** [níərli] *ad.* **1** 거의, 대략(⇨ about 유의어); 간신히, 가까스로; 하마터면 (…할 뻔하여): It took ~ two hours to get here. 여기까지 오는 데 거의 두 시간이 걸렸다./Oh, I ~ forgot. 하마터면 잊을 뻔했다. **2** (유사함·완벽함·정확함 등에 있어) 거의, 매우 가까이: ~ as tall as ... …와 거의 키가 같은 **3** 긴밀하게, 밀접하게 **4** 면밀하게(carefully): examine it ~ 세밀히 조사하다 ***not ~*** 도저히[결코] …아니다: *not* ~ enough 턱없이 모자라다

near-man [níərmæ̀n] *n.* (*pl.* **-men** [-mèn]) = APE-MAN

nèar míss **1** (유효한) 근접 폭격[사격], 지근탄(至近彈) **2** 〖항공〗 (비행기의) 이상 접근, 니어미스(air miss) **3** 성공에 가까운 것, 일보 직전(의 성과)

néar móney 준(準)화폐

near-pan·ic [níərpǽnik] *a.* 공황 상태에 가까운

near-point [-pɔ̀int] *n.* 〖안과〗 근점(近點)

near·side [-sàid] *n.* [the ~] 《영》 **1** (말·마차의) 왼쪽, 좌측 **2** (자동차의) 길가 쪽(opp. *offside*) —*a.* Ⓐ 좌측의

***near·sight·ed** [níərsàitid, ⌐⌐-|⌐⌐-] *a.* **1** 근시(안)의(shortsighted)(opp. *farsighted*) **2** 근시안적인 **~·ly** *ad.* **~·ness** *n.*

near-term [-tə́:rm] *a.* 가까운 날의, 근일의

néar thíng [보통 a ~] 《구어》 이길[성공할] 가망이 거의 없어 보이는 시합[선거, 모험 따위]; 위기일발, 구사일생; 아슬아슬함[한 짓]; 접전

‡**neat**[1] [ní:t] [L 「빛나다」의 뜻에서] *a.* **1** 산뜻한; 말쑥한; 깔끔한, 조촐한, 단정한; 깔끔한 성미의 ★ tidy 와는 달리 「청결」의 뜻을 내포함: a ~ room 깨끗이 정돈된 방 **2** 솜씨 좋은, 잘하는, 교묘한: a ~ solution 교묘한 해결법/make a ~ job of it 재치있게 일을 잘 해내다 **3** 〈외관·디자인 등이〉 품위 있는, 깔끔한; 〈문체 등이〉 간결한 **4** 《미·구어》 굉장한, 멋진: What a ~ party! 굉장한 파티로군. **5** 순수한, 물을 타지 않은 〈술 등〉 **6** 《고어》 순…(net) 〈이익 등〉

(as) ~ as a (new) pin (1) (몹시) 산뜻한, 말쑥한, 깔끔한 (2) 번쩍번쩍 빛나는 **~·ness** *n.*

neat[2] *n.* (*pl.* ~) 《고어·방언》 (한 마리의) 소; [집합적] 《드물게》 축우(畜牛)(cattle) —*a.* Ⓐ 소 종류의

neat·en [ní:tn] *vt.* 깔끔하게[깨끗하게] 하다

---

thesaurus **near** *a.* **1** (거리상) 가까운 close, nearby, alongside, accessible, within reach, handy, adjacent, adjoining, bordering, neighboring **2** (시간상) 가까운 approaching, coming, forthcoming, imminent, impending, immediate
nearby *a.* adjacent, close, contiguous
nearly *ad.* almost, as good as, virtually, about,

neath, 'neath [ní:θ] *prep.* 《고어·시어》 =BENEATH

neat-hand·ed [ní:thǽndid] *a.* 손재주 있는; 솜씨[재치] 있는, 민첩한 **~·ness** *n.*

neat·herd [-hə̀:rd] *n.* 《드물게》 =COWHERD

neat-house [-hàus] *n.* 《영·방언》 외양간

∗**neat·ly** [ní:tli] *ad.* **깔끔하게,** 말쑥하게, 맵시 있게; 솜씨 있게

neat·nik [ní:tnìk] *n.* 《구어》 옷차림이 단정한 사람

neat·o [ní:tou] *a.* 《미·속어》 매우 좋은, 성공적인; 매우 단정한

néat's-foot òil [ní:tsfùt-] 우족유(牛足油) 《가죽을 부드럽게 하는 데 씀》

neat's-leath·er [ní:tslèðər] *n.* 쇠가죽

neb [néb] *n.* 《스코》 **1** (새 등의) 부리(beak) **2** (사람의) 코; (짐승의) 코와 입 부분 **3** 끝(tip), 선단(先端)

NEB National Enterprise Board; New English Bible **Neb.** Nebraska

neb·bish [nébiʃ] 《구어》 *n.* 시원찮은 사람, 박력이 없는 사람 **—** *a.* 박력이 없는, 시원찮은

NEbE northeast by east 북동미동(北東微東)

NEbN northeast by north **Nebr.** Nebraska

∗**Ne·bras·ka** [nəbrǽskə] [북미 인디언 말 「평평한 강」의 뜻에서] *n.* **네브래스카 주** 《미국 중서부의 주; 속칭 the Cornhusker[Beef] State; 略 Neb(r).; 〖우편〗 NE》 ▷ Nebráskan *a., n.*

Ne·bras·kan [nəbrǽskən] *a., n.* **1** 네브래스카 주의 (사람) **2** 〖지질〗 네브래스카 빙기(의)

Neb·u·chad·nez·zar [nèbjukədnézər | -bju-], **-rez·zar** [-rézər] *n.* 〖성서〗 네브카드네자르 《신(新) 바빌로니아 왕(605-562 B.C.)》

∗**neb·u·la** [nébjulə] [L 「안개, 구름」의 뜻에서] *n.* (*pl.* **-lae** [-lì:, -lài], **~s**) **1** 〖천문〗 **성운**(星雲), 성무(星霧) **2** 〖병리〗 각막예(角膜翳), (오줌의) 백탁(白濁) ▷ nébulous, nébular *a.*

neb·u·lar [nébjulər] *a.* 〖천문〗 성운(모양)의

nébular hypóthesis[théory] [the ~] 〖천문〗 (태양계의) 성운설

neb·u·lize [nébjulàiz] *vt.* **1** 안개 모양으로 하다 (atomize) **2** 〈약액을〉 분무하다 **-lìz·er** *n.* (의료용) 분무기 **nèb·u·li·zá·tion** *n.*

neb·u·los·i·ty [nèbjulɑ́səti | -lɔ́s-] *n.* (*pl.* **-ties**) **1** 성운[성무] 상태; 성운 모양의 물질[것] **2** Ⓤ (사상·표현 등의) 애매함(vagueness)

neb·u·lous [nébjuləs], **-lose** [-lòus] *a.* **1** 〖천문〗 성운(모양)의 **2 a** 흐린, 불투명한 **b** 〈기억·표현 등이〉 흐릿한, 불명료한 **~·ly** *ad.* **~·ness** *n.*

NEC 《영》 National Executive Committee

nec·es·sar·i·an [nèsəsɛ́əriən] *a., n.* =NECESSITARIAN

‡**nec·es·sar·i·ly** [nèsəsérəli | nésəsər-] *ad.* **1 반드시;** 물론: It must ~ be worked out. 그것은 반드시 해결되어야 한다. **2** [부정 구문] **반드시** (…은 아니다): Learned men are *not* ~ wise. 학자라고 반드시 현명한 것은 아니다. **3 필연적인 결과로서,** 불가피하게, 부득이: It ~ follows that ... 당연히 …하게 된다 ***Not* ~.** 꼭 그런 것은 아닙니다. ▷ nécessary *a.*

‡**nec·es·sar·y** [nésəsèri | -səsəri] [L 「양보할 수 없는」의 뜻에서] *a.* **1 필요한,** 없어서는 안 될 《*to, for*》: a ~ part of the motor 모터의 필수 부품/things ~ *for*[*to*] daily life 일상생활의 필수품// (~+***to*** do) I don't feel ~ *to* answer such personal questions. 그런 개인적인 질문에는 대답할 필요가 없다고 생각한다.

> 유의어 **necessary** 「필요한」의 뜻의 가장 일반적인 말: Food is *necessary* to life. 음식은 생명에 필요하다. **essential** 어떤 것의 존재를 위해 본질적으로 필요한: Air is *essential* to red-blooded animals. 공기는 적혈 동물에게 필수적이다. **indispensable** 필요 불가결한: Food is *indispensable* to living things. 음식은 생물에 없어서는 안 된다.

2 Ⓐ **필연의,** 필연적인, 피할 수 없는(inevitable): a ~ evil 불가피한 악폐, 필요악 **3** 〖논리〗 〈명제·추론 등이〉 필연적인; 부정할 수 없는(opp. *contingent*) ***if* ~** 필요하다면

— *n.* (*pl.* **-sar·ies**) **1** [*pl.*] **필수품,** 필요한 물건: daily *necessaries* 일용품 **2** [the ~] 《구어》 필요한 것[행위]; 《특히》 돈: do *the* ~ 《구어》 필요한 일을 하다/provide[find] *the* ~ 돈을 장만하다 **3** [the ~] 《완곡》 변소

▷ necéssity *n.*; necessárily *ad.*; necéssitate *v.*

nécessary condítion 〖논리·철학〗 필요 조건(cf. SUFFICIENT CONDITION)

nécessary hòuse 《방언》 변소(privy)

ne·ces·si·tar·i·an [nəsèsətɛ́əriən] *n.* 필연[숙명]론자 **—** *a.* 숙명론(자)의 **~·ìsm** *n.* Ⓤ 숙명론

∗**ne·ces·si·tate** [nəsésətèit] *vt.* **1 필요로 하다,** 요하다; …의 결과를 필연적으로 동반하다: Sickness ~*d* her change of air. 병 때문에 그녀는 전지 요양을 해야만 했다.// (~+***-ing***) Your proposal ~*s* chang*ing* our plans. 자네 제안에 의하면 우리 계획을 변경하지 않으면 안 된다. **2** [보통 수동형으로] 《미》 부득이 …하게 하다(force) 《*to* do》

▷ nécessary *a.*; necéssity, necessitátion *n.*

ne·ces·si·ta·tion [nəsèsətéiʃən] *n.* Ⓤ 필요화(化); 강제

ne·ces·si·tous [nəsésətəs] *a.* **1** 가난한, 궁핍한 (needy): ~ quarters 빈민 지구 **2** 필연적인, 피할 수 없는 **3** 긴급한, 임박한 **~·ly** *ad.* **~·ness** *n.*

‡**ne·ces·si·ty** [nəsésəti] *n.* (*pl.* **-ties**) **1** [*pl.*] **필수품;** 불가결한 것: the *necessities* of life 생활 필수품/daily *necessities* 일용 필수품/Air is a ~. 공기는 불가결하다. **2** [종종 the ~] ⓊⒸ **필요성,** 필요, 긴급한 필요: (~+***to*** do) Is there any ~ for her *to* stay any longer? 그녀가 아직도 남아 있을 필요가 있습니까?// (~+전+***-ing***) Most athletes can see *the* ~ *of*[*for*] keep*ing* training. 운동 선수들은 대개 훈련을 계속할 필요성을 인정하고 있다.// *N*~ is the mother of invention. 《속담》 필요는 발명의 어머니./*N*~ knows[has] no law. 《속담》 사흘 굶어 도둑질 안 할 놈 없다. **3** ⓊⒸ **필연(성),** 불가피(성); 당연한 결과: physical ~ 물리적 필연성/the doctrine of ~ 숙명론/the ~ of death 죽음의 필연성// (~+전+***-ing***) face the ~ *of* testify*ing* in court 법정에서 증언해야 할 처지에 놓이다 **4** 강제[강요]에 의한 것: not by choice but by ~ 자유 의지가 아니라 강제적으로 **5** 《문어》 **a** Ⓤ 궁핍, 빈곤: He is in great ~. 그는 가난에 허덕이고 있다. **b** [보통 *pl.*] 궁상, 곤궁 ***as a* ~** 필연적으로 ***be under the* ~ *of* doing** = ***be driven by* ~ *of* doing** …하지 않을 수 없다, 불가피하게 …하다 ***bow to* ~** 운명으로 알고 체념하다 ***by* ~** 필요하여; 필연적으로, 부득이 ***from* (*sheer*) ~** (꼭) 필요해서 ***in case of* ~** 긴급한 경우에는 ***lay* a person *under* ~** …에게 강요[강제]하다 ***make a virtue of* ~** (1) 부득이한 일을 불평 없이 하다 (2) 당연히 해야 할 일을 하고 공치사하다 ***work of* ~** (안식일에 해도 좋은) 필요한 일

▷ necéssitate *v.*; nécessary, necéssitous *a.*

‡**neck**[1] [nék] [OE 「목덜미」의 뜻에서] *n.* **1** 목; (양 등의) 목덜미 살 **2** (의복의) 옷깃, 목부분(neckline) **3**

---

practically, approximately, roughly, not quite

neat[1] *a.* **1 산뜻한** tidy, orderly, trim, smart, organized (opp. *disorderly, untidy*) **2 깔끔한** simple, plain, unadorned, unornamented **3 멋진** great, terrific, wonderful, excellent, first-class

necessities *n.* needs, essentials, requisites, requirements, indispensibles, fundamentals

〖경마〗 (말의) 목길이의 차 **4** (기물 등의) 목 부분; (목과 비슷한) 연결부, 돌출부 **5** 통로의 좁은 곳; (육지·바다 등의) 좁은 곳, 지협(地峽), (작은) 해협 **6** (바이올린 등의) 목 **7** 〖건축〗 기둥머리(capital) 밑의 목 부분 **8** 〖해부〗 경부(頸部) **9** 〖치과〗 치경부
be around a person***'s ~*** 〈문제·빚 등이〉 …에게 매우 근심이 되다 ***bend*** one***'s ~ to*** …에 굴복하다 ***be up to the*** [one***'s***] ***~ in*** (구어) (1) 〈분규 등에〉 온통 휘말려 있다 (2) 〈일 등에〉 몰두해 있다 (3) 〈빚에 몰려〉 꼼짝 못하다 ***bow the ~ to*** …에게 머리를 숙이다, 굴복하다 ***break*** one***'s ~*** (1) (위험한 짓을 하여) 목뼈가 부러져 죽다 (2) (구어) 몹시 노력하다, 전력을 다하다 ***break the ~ of*** (일 등의) 어려운 고비를 넘기다 ***breathe down*** a person***'s ~*** (구어) (1) (레이스 등에서) 상대방에게 바싹 다가붙다 (2) …을 끈질기게 감시하다 ***dead from the ~ up*** (구어) 머리가 모자란 ***down*** (***on***) a person***'s ~*** (구어) …을 괴롭게 하여 ***escape with*** one***'s ~*** 간신히 목숨만 건지고 달아나다 ***get*** [***catch, take***] ***it in the ~*** (속어) (1) 크게 야단맞다 (2) 큰 손해를 보다; 호된 공격을 받다 (3) 버림받다, 해고[면직]되다 ***harden the ~*** 저항하다 ***have a lot of ~*** 뻔뻔스럽다 ***have the ~ to*** do 뻔뻔스럽게도 …하다 ***~ and crop*** [***heels***] 온통; 느닷없이, 다짜고짜로 〈버리다, 내쫓다 등〉 ***~ and ~*** (경마에서) 나란히; (경기 등에서) 비등하게, 접전하여 ***~ of the bottle*** 가장 힘든 시기 ***~ of the woods*** (미·구어) 지역, 지방 ***~ or nothing*** [***nought***] 필사적으로: It is ~ *or nothing.* 죽느냐 사느냐이다. ***on*** [***upon, in***] ***the ~ of*** 잇달아 〈오다 등〉 ***pain in the ~*** (속어) 성가신[골치 아픈] 일[사람] ***put it down the ~*** (구어) 한잔하다 ***raise the hair on*** a person***'s ~*** …을 소름끼치게 하다 ***risk*** one***'s ~*** 목숨을 걸다 ***save*** one***'s ~*** (구어) 교수형을 모면하다; 목숨을 건지다; 벌[책임]을 면하다 ***speak*** [***talk***] ***through*** (***the back of***) one***'s ~*** (영·구어) 저도 모르게 엉뚱한 말을 하다, 허풍 떨다 ***shot in the ~*** (속어) 취한 기분; [a ~] 위스키 스트레이트 ***stick*** [***put***] one***'s ~ out*** (구어) 무모한 짓을 하다, 위험을 자초하다[자초하는 짓을 하다]; (공연한 언동으로) 문제를 일으키다 ***tread on the ~ of*** …을 학대[유린]하다, 굴복시키다 ***up to*** one***'s ~ in*** …에 몰두하여, 휘말리어 ***win*** [***lose***] ***by a ~*** 목 길이의 차이로 이기다[지다]; 간신히 이기다[아깝게 지다], 신승[석패]하다
— *vi., vt.* (구어) 서로 목을 껴안고 애무하다, 네킹(necking)하다

neck[2] *n.* (영·방언) (곡식을 베어 들일 때의) 마지막 단

neck·band [nékbæ̀nd] *n.* **1** 셔츠의 깃 (칼라를 다는 곳) **2** 넥밴드 (목에 감는 장식 끈)

neck·beef [-bì:f] *n.* Ⓤ 소의 목덜미 고기, 도래목정

neck·break·ing [-brèikiŋ] *a.* = BREAKNECK

neck·cloth [-klɔ̀:θ | -klɔ̀θ] *n.* **1** (옛날 남성의 장식용) 목도리 **2** = NECKERCHIEF **3** (고어) 넥타이

neck-deep [-dí:p] *a., ad.* **1** 목까지 차는[빠져] **2** (어려움·일 등에) 깊이 빠진[빠져]: I was[fell] ~ in trouble. 몹시 곤란했다[하게 됐었다].

necked [nékt] *a.* **1** 목이 있는 **2** [복합어를 이루어] 목이 …인 〈옷〉: a T-~ shirt T네크 셔츠

neck·er·chief [nékərtʃif, -tʃì:f] *n.* (*pl.* **~s, -chieves** [-tʃì:vz]) 목도리, 네커치프

neck·ing [nékiŋ] *n.* Ⓤ **1** 〖건축〗 기둥 목 부분의 쇠시리 장식 **2** (구어) 목을 껴안고 하는 애무, 네킹

neck·lace [néklis] *n.* **1** 목걸이, 네크리스 **2** (익살) 목을 달아매는 끈, 교수형용 밧줄

neck·let [néklit] *n.* **1** (목에 꼭 맞는) 목걸이 **2** 털가죽 목도리

neck·line [néklàin] *n.* 네크라인 (드레스의 목을 판 선)

neck·piece [-pì:s] *n.* **1** (털가죽 등으로 된) 작은 목도리 **2** 목덮개 (후드 등의)

neck-rein [-rèin] *vt., vi.* (말의 목고삐로 말의) 방향을 바꾸(게 하)다

néck sìze 〖복식〗 목 둘레(의 길이)

∗**neck·tie** [néktài] *n.* **1** (미) 넥타이((영) tie) **2** (미·속어) 목을 달아매는 끈, 교수용 밧줄

nécktie pàrty[**sòcial, sòciable**] (미·속어) **1** (린치에 의한) 교수(형), 목을 달아맴, 교살 **2** 린치 집단 ***throw a ~*** 목을 달아매다(lynch)

neck-verse [-və̀:rs] *n.* 〖역사〗 면죄시(免罪詩) (옛날 사형수가 라틴 어 성서 시편 제51편 첫머리를 읽을 수 있으면 사면되었음)

neck·wear [-wὲər] *n.* Ⓤ [집합적] 목에 착용하는 물건들의 총칭 (넥타이·목도리·칼라 등)

necr- [nekr], **necro-** [nékrou, -rə] (연결형) 「죽음; 시체; 괴사(壞死); 괴저(壞疽)」의 뜻 (모음 앞에서는 necr-)

nec·ro·bac·il·lo·sis [nèkroubəsilóusis] *n.* 〖병리〗 괴저(壞疽) 간균증

nec·ro·bi·o·sis [nèkroubaióusis] *n.* Ⓤ 〖병리〗 변성 괴저(壞疽) **nèc·ro·bi·ót·ic** *a.*

nec·ro·gen·ic [nèkrədʒénik] *a.* 썩은 고기에서 발생하는, 썩은 고기에 사는

ne·crol·a·try [nəkrálətri | nekrɔ́l-] *n.* Ⓤ 사자(死者) 숭배 **ne·cról·at·er** *n.*

ne·crol·o·gy [nəkrálədʒi | nekrɔ́l-] *n.* (*pl.* **-gies**) **1** 사망자 명부 **2** 사망 기사[광고](obituary) **-gist** *n.* 사망 기사 담당자

nec·ro·man·cer [nékrəmæ̀nsər] *n.* (강령술에 의한) 점쟁이, 무당; 마술사

nec·ro·man·cy [nékrəmæ̀nsi] *n.* Ⓤ 강령술(降靈術) (죽은 사람과의 영혼의 교감으로 미래를 점치는); (일반적으로) 마법, 마술 **nèc·ro·mán·tic** *a.*

nec·ro·pha·gi·a [nèkrəféidʒiə], **ne·croph·a·gy** [nekráfədʒi, nə- | -krɔ́f-] *n.* Ⓤ 죽은[썩은] 고기를 먹음[먹는 습관], 시체식(食)

ne·croph·a·gous [nəkráfəgəs, ne- | nekrɔ́f-] *a.* 죽은[썩은] 고기를 먹는 (벌레·세균 등)

nec·ro·phile [nékrəfàil] *n.* 〖정신의학〗 시체 애호자; 시간자(屍姦者)

nec·ro·phil·i·a [nèkrəfíliə], **ne·croph·i·ly** [nekráfəli | -krɔ́f-] *n.* Ⓤ 〖정신의학〗 시간(屍姦), 시체 성애(性愛) **-phíl·ic, -phil·i·ac** [-fíliæ̀k] *a.*

ne·croph·i·lism [nəkráfəlìzm | nekrɔ́fi-] *n.* Ⓤ 〖정신의학〗 = NECROPHILIA

nec·ro·pho·bi·a [nèkrəfóubiə] *n.* Ⓤ 〖정신의학〗 시체[사망] 공포증

ne·crop·o·lis [nəkrápəlis | nekrɔ́p-] *n.* (*pl.* **~·es, -les** [-lì:z], **-leis** [-lèis]) (문어) **1** (고대 도시 등의) 대규모 공동 묘지 **2** (폐허가 된) 죽음의 도시

nec·rop·sy [nékrapsi | -rɔp-] *n.* (*pl.* **-sies**) 검시(檢屍), 부검(剖檢) — *vt.* 〈시체를〉 검시하다

ne·cros·co·py [nəkráskəpi | -rɔ́s-] *n.* = NECROPSY

ne·crose [nəkróus, ne- | nekróus] *vt., vi.* 〖병리〗 괴사(壞死)시키다[하다]

ne·cro·sis [nəkróusis, ne- | ne-] *n.* (*pl.* **-ses** [-si:z]) 〖병리〗 괴저, 괴사(gangrene), 탈저(脫疽)

ne·crot·ic [nəkrátik, ne- | nekrɔ́t-] *a.* 괴저성(壞疽性)의

nec·ro·tize [nékrətàiz] 〖병리〗 *vi.* 괴사(壞死)하다 — *vt.* 괴사시키다

nec·ro·tiz·ing [nékrətàiziŋ] *a.* 괴사하는, 괴사 중의 〈조직 등〉

ne·crot·o·my [nekrátəmi | -rɔ́t-] *n.* 〖의학〗 시체 해부, 부검; 괴사 조직 제거(술); 부골(腐骨) 절제(술)

nec·tar [néktər] *n.* Ⓤ **1** 〖식물〗 화밀(花蜜) **2** (진한) 과즙, 달콤한 음료, 넥타; 미주(美酒) **3** 〖그리스신화〗 넥타, 신주(神酒)(cf. AMBROSIA 1)

nec·tar·e·an [nektέəriən], **-tar·e·ous** [-tέəriəs] *a.* = NECTAROUS

nec·tared [néktərd] *a.* 넥타를 가득 채운[섞은]

nec·tar·ine [nèktərí:n, ⌐⌐⌐ | néktərin] *n.* 〖식물〗 승도 복숭아

nec·tar·ous [néktərəs] *a.* nectar의[같은], 감미로운

nec·ta·ry [néktəri] *n.* (*pl.* **-ries**) **1** 〖식물〗 꿀샘, 밀선(蜜腺) **2** 〖곤충〗 밀관(蜜管) **nec·tá·ri·al** *a.*

nec·ton [néktɑn, -tən | -tɔn] *n.* = NEKTON

Ned [néd] *n.* 남자 이름 《Edward, Edmond, Edwin의 애칭》

NED New English Dictionary(⇨ OED) **NEDC** 《영》 National Economic Development Council 국민 경제 개발 심의회

Ned·dy [nédi] *n.* (*pl.* **-dies**) **1** Edward의 별칭 **2** [**n~**] 《영·구어》 **a** 당나귀(donkey) **b** 멍청이, 바보 **3** 《영》 NEDC의 속칭

nee, née [néi] [F 「태어난」의 뜻에서] *a.* [기혼 여성의 결혼 전 성에 붙여서] 구성(舊姓)은; [지명과 함께 쓰여] 구칭 …인: Mrs. Jones, ~ Adams 존스 부인, 구성 애덤스

‡need ⇨ need (p. 1674)
▷ néedful, néedy *a.*; néeds *ad.*

need-blind [ní:dblàind] *a.* 《미》(대학 입학 전형에서) 성적만 고려하고 경제적 능력을 고려하지 않는

need·er [ní:dər] *n.* 필요로 하는 사람

need·fire [ní:dfàiər] *n.* **1** 정화(淨火) 《나무를 마찰해서 일으킨 불; 가축병에 특효가 있다고 함》 **2** 봉화, 횃불 **3** 자연 발화; (썩은 나무 등의) 자연 발광

need·ful [ní:dfəl] *a.* **1** 필요한, 없어서는 안 될 《*to, for*》 **2** 《고어》 빈곤한 **—***n.* [the ~] **1** 필요한 것[일] **2** 《구어》 (필요한) 돈 ***do the ~*** 필요한 일을 하다[조치를 취하다, 돈을 마련하다]
~·ly *ad.* **~·ness** *n.*

need·i·ness [ní:dinis] *n.* Ⓤ 곤궁, 빈곤, 궁핍(indigence)

‡nee·dle [ní:dl] *n.* **1** 바늘, 봉침(縫針), 뜨개 바늘: a ~ and thread 실을 꿴 바늘 / thread a ~ 바늘에 실을 꿰다 / She is clever with her[a] ~. 그녀는 바느질을 잘한다. **2** (외과·주사·조각·축음기 등의) 바늘; 자침(磁針), 나침(羅針) **3** 뾰족한 바위; 방첨탑(方尖塔)(obelisk) **4** [the ~] 《영·속어》 신경의 날카로움 **5** 〖식물〗 바늘 잎, 침엽 《솔·전나무 등의》; 〖광물〗 침정(針晶), 침상 결정체(針狀結晶體): a pine ~ 솔잎 **6** 〖건축〗 저울대보, 버팀대막이 **7** [the ~] 《영·구어》 독설; 적의 **8** 《구어》 주사(의 한 대)(shot); [the ~] 《구어》 피하 주사, 마약
a ~'s eye = ***the eye of a ~*** (1) 바늘귀; 매우 좁은 틈 (2) 불가능한 기도(企圖) ***(as) sharp as a ~*** 매우 예민한; 약삭빠른, 눈치 빠른 ***get*** [***have***] ***the ~*** 《구어》 화내다 ***give*** a person ***the ~*** 《구어》 …을 화나게 하다 ***hit the ~*** 명중시키다, 성공하다 ***look*** [***search***] ***for a ~ in a bottle*** [***bundle***] ***of hay*** = ***look*** [***search***] ***for a ~ in a haystack*** 가망 없는[매우 어려운] 일을 하다, 헛수고하다 ***off the ~*** 《속어》 마약을 끊은 ***on the ~*** 《속어》 마약 상습의, 마약 중독에 걸린 ***thread the ~*** (1) 매우 어려운 일을 해내다 (2) 〖경기〗 아주 좁은 지역에 공을 던지다; 상대방 수비가 견고한 지역을 누비듯이 빠져나가다
—*a.* Ⓐ 《영》 〈게임·경기 등이〉 아슬아슬한, 손에 땀을 쥐게 하는, 치열한
—*vt.* **1** 바늘로 꿰매다; 바늘로 찌르다 **2** 누비고 나가다 《*through*》: (~+목+전+명) We ~*d* our way *through* the woods. 우리는 삼림 속을 누비고 나아갔다. **3** 《구어》 …에게 주사를 놓다; 〈백내장 등을〉 침으로 치료하다 **4** 《구어》 자극하다, 선동하다; 괴롭히다, 지분거리다; 꾸짖다, 비난하다; (복아대어) 서두르게 하다(goad): ~ one's sister 누이를 괴롭히다 // (~+목+전+명) We ~*d* her *into* go*ing* with us. 우리는 그녀를 부추겨 동행하게 했다. **5** (버팀대로) 〈벽을〉 받치다
—*vi.* 바느질을 하다; 누비듯이 나아가다

nee·dle·bar [ní:dlbɑ̀:r] *n.* 바늘대 《재봉[편물] 기계의》

néedle bàth 물이 가늘고 세게 나오는 샤워

néedle bòok (책 모양으로 접은) 바늘겨레

néedle càndy 《미·속어》 주사하여 쓰는 마약

néedle càse 바늘통

nee·dle·cord [-kɔ̀:rd] *n.* Ⓤ 《영》 (골이 좁은) 코르덴 《옷감》

nee·dle·craft [-krǽft | -krɑ̀:ft] *n.* = NEEDLEWORK

néedle disèase 주사기 바늘로부터 전염되는 질병 《특히 간염》

néedle exchànge (감염을 방지하기 위한) 주삿바늘 교체

nee·dle·fish [-fìʃ] *n.* (*pl.* **~, ~·es**) 〖어류〗 동갈치

nee·dle·ful [ní:dlfùl] *n.* 한 바늘에 쓸 만한 실의 길이

néedle gàp 〖전기〗 바늘 간극

néedle gùn (19세기 말의) 후장총(後裝銃)

nee·dle-lace [-lèis] *n.* 바늘로 뜬 레이스

néedle màtch[**gàme**] 접전(接戰)

néedle pàrk 《속어》 마약 상습자들이 거래를 위해 모이는 장소

nee·dle·point [ní:dlpɔ̀int] *n.* **1** 바늘 끝 **2** 바늘로 뜬 레이스[자수] **—***a.* 바늘로 뜬(레이스[자수]의)

nee·dler [ní:dlər] *n.* **1** needle하는 사람 **2** 《구어》 날카로운 말로 남을 자극하는 사람; 남의 흠을 잡는[남을 헐뜯는] 사람

néedle shòwer = NEEDLE BATH

‡need·less [ní:dlis] *a.* 불필요한, 쓸데없는: take a ~ risk 쓸데없는 위험을 무릅쓰다 ***~ to say*** [***add***] 말할 나위도 없이, 물론 **~·ly** *ad.* **~·ness** *n.*

néedle thèrapy 침 요법, 침술(acupuncture)

néedle tìme 《영》 〖방송〗 레코드 음악 시간

néedle tràdes 의복업(계)

néedle vàlve 〖기계〗 니들 밸브, 침판(針瓣)

nee·dle·wom·an [ní:dlwùmən] *n.* (*pl.* **-wom·en** [-wìmin]) 바느질하는 여자, 침모

***nee·dle·work** [ní:dlwə̀:rk] *n.* Ⓤ 바느질 (제품); 《특히》 자수 **~·er** *n.*

need·ments [ní:dmənts] *n. pl.* 필요품; (특히 여행용) 필수품

‡need·n't [ní:dnt] 《구어》 need not의 단축형

needs** [ní:dz] *ad.* 《문어·고어》 [보통 must와 함께 써서 다음 성구로] ***must ~ do (1) = NEEDS must do (2) 《보통 비꼼》 고집스럽게[어리석게도] …하겠다고 주장하다: He *must* ~ do. 그는 꼭 하겠다고 고집하며 듣지 않는다. ~ ***must*** do 꼭 …하지 않을 수 없다: *N~ must* when the devil drives. 《속담》 악마가 재촉하면 거절할 수가 없다, 필요에 몰리면 안 할 수 없다.

need-to-know [ní:dtənóu] *a.* 알아야 하는, 알 필요가 있는 ***on a ~ basis*** 알 필요가 있을 때만 정보를 제공하는 식의

***need·y** [ní:di] *a.* (**need·i·er**; **-i·est**) **1** (매우) 가난한: a ~ family 가난한 가정 **2** [the ~; 집합적; 복수취급] 빈곤한 사람들: the (poor and) ~ 궁핍한 사람들 ▷ néed, néediness *n.*

neem [ní:m] *n.* 〖식물〗 인도멀구슬나무(= **~ trèe**)

neep [ní:p] *n.* 《스코》 순무(turnip)

ne'er [nέər] *ad.* 《시어》 = NEVER

ne'er-do-well [nέərdu:wèl], 《스코》 **-weel** [-wì:l] *n., a.* 쓸모없는 사람(의), 식충이(의)(good-for-nothing)

nef [néf] *n.* 네프 《배 모양의 식탁 용기; 냅킨·소금 그릇·포도주병 등을 올려 놓음》

ne·far·i·ous [nifέəriəs] *a.* 극악한, 사악한; 버릇없는, 불손한: a ~ plot 사악한 음모
~·ly *ad.* **~·ness** *n.*

neg. negative(ly)

neg·a·bi·na·ry [négəbàinəri] *n., a.* 〖수학〗 음(陰)의 2진수(를 나타내는)

ne·gate [nigéit] *vt., vi.* **1** 〈사실·진실을〉 부정[부인]하다(deny) **2** 취소하다, 무효로 하다

ne·gat·er [nigéitər] *n.* = NEGATOR

ne·ga·tion [nigéiʃən] *n.* Ⓤ **1** 부정, 부인; 취소: He shook his head in ~ of the charge. 그는 고개를 저어 그 혐의를 부인했다. **2** 무(無), 결여, 비존재,

need

need에는 본동사·조동사의 용법이 있는데, 조동사는 주로 부정문과 의문문 또는 의문이나 부정의 내용을 나타낼 때 쓰이며, 긍정문에서는 본동사로 쓰여지는 것이 보통이다. 특히 《구어》에서는 needn't를 제외하고는 거의 쓰이지 않는다. 조동사 need에는 과거형·부정사·분사형이 없으므로 본동사(didn't need to...)를 쓰거나 have to[didn't have to, will not have to ...]를 대용한다. 간접화법에서는 need가 과거형의 대용으로 쓰인다.

‡need [níːd] *n.*, *v.*, *auxil. v.*

「필요」 **1** →「필요한 것」 **2** →(필요한 것이 결여된 상황)→「곤궁」 **4**

— *n.* **1** Ⓤ [때로 a ~, the ~] **a** **필요**, 소요, 요구 《*for, of*》: *the* ~ *for* stricter regulation 보다 엄한 규제의 필요성 / *the* ~ *for* leadership 지도력의 부족 / There was no[not much] ~ *for* haste. 서두를 필요는 전혀[별로] 없었다. / There is *an* urgent ~ *of* skilled workers. 숙련공이 급히 필요하다. // 《~+전+*-ing*》 He spoke about *the* ~ *for* [*of*] preserv*ing* historical places. 그는 사적을 보존할 필요성에 대해서 말했다. 《★ need는 「필요, 요구, 부족」의 뜻의 일반어로, 긴급성은 그다지 강조되지 않으나 감정에 호소하는 뜻이 강함》 **b** 〈…할〉 필요, 의무, 책임: 《~+*to* do》 the ~ *to* pay taxes 납세의 의무 / You have no ~ *to* be ashamed. 부끄러워할 필요가 없다. **c** 〈아무가 …할〉 의무, 책임, 필요: 《~+*for*+명+*to* do》 There is no ~ *for* you *to* apologize. 네가 사과할 필요는 없다.

2 [보통 *pl.*] **필요한 것**(⇨ lack 유의어): our daily ~*s* 일용품 / meet the ~*s* of …의 필요물을 충족시켜 주다, 요구에 응하다 / His ~*s* were few. 그는 필요한 것이 별로 없었다.

3 Ⓤ **어려운[만일의] 경우**, 난국: help a friend in ~ 어려움에 처한 친구를 돕다 / at[in] moments of ~ 곤란할 때 / at (a time of) ~ 어려울 때에, 만약의 경우에 / fail a person in his ~ 어려울 때 …을 저버리다 / A friend in ~ is a friend indeed. 《속담》 어려울 때 친구가 참다운 친구다.

4 Ⓤ 《문어》 곤궁, 빈곤: He is in great ~. 그는 몹시 궁핍하다. / The family's ~ is acute. 그 가족의 궁핍상은 매우 심하다.

5 Ⓤ 결핍, 부족(want, lack)

6 [*pl.*] 《생리적》 욕구, 대[소]변

as ... as ~ be 필요한 만큼: They met *as* little *as* ~ *be* of each other. 그들은 필요하지 않는 한 서로 만나지 않았다.

do* one*'s ~s 볼일을 보다, 용변을 보다

had ~ do 《문어》 …해야 하다

have ~ of …을 필요로 하다, …이 필요하다: We *have* ~ *of* food. 우리는 식량이 필요하다.

if ~(s) be [***were, arise, require***] 《문어》 = ***when*** [***as, if***] ***the ~ arises*** 필요한 경우에는, 부득이하다면: *If* ~*s be,* I can handle it myself. 필요한 경우 내 스스로 그것을 처리할 수 있다.

in case [***time, the hour***] ***of ~*** 어려울 때에, 만일의 경우에

in ~ of …을 필요로 하고: He is *in* ~ *of* help. 그는 도움을 필요로 한다. / The old house is *in* ~ *of* repair*ing* extensively. 그 고옥은 대대적으로 수리할 필요가 있다.

meet the ~s of …의 필요에 응하다

than ~ [***~s***] ***be*** 필요 이상으로: You must not make it more difficult *than* ~ *be.* 필요 이상으로 일을 어렵게 만들어서는 안 된다.

— *vt.* **1** 〈사람·물건 등이〉 〈…을〉 필요로 하다, 〈…이〉 필요하다: I ~ money badly. 돈이 몹시 필요하다. / I ~ you. 당신이 필요해요. / *N*~[Do you ~] any help? 도와드릴까요? / Your composition ~*s* correction. 네 작문은 고칠 필요가 있다. / That's all I ~. 내가 필요한 것은 그것뿐이다; [반어적으로] 그건 곤란한데[사양하겠어].

2 a 〈…할〉 필요가 있다, 〈…〉 해야 하다, …하지 않으면 안 되다: 《~+*to* do》 I ~ *to* mow the lawn. 나는 잔디를 깎아야 한다. / She did not ~ *to* be told twice. 그녀에게는 두 번 말할 필요가 없었다. / I don't ~ *to* keep awake, do I? 계속 깨어 있을 필요는 없잖아요? 《★ 조동사 need를 써서 I *needn't* keep awake.로 바꿔 쓸 수 있으나, 《구어》에서는 전자 쪽이 일반적임》 **b** 〈사람·물건이〉 〈…되어야 할〉 필요가 있다 《★ do*ing*의 목적어가 주어에 표시되어 있기 때문에 목적어는 두지 않음; 따라서 새길 때에는 수동의 뜻이 됨》: 《~+*-ing*》 My camera ~*s* repair*ing*. 내 카메라는 고칠 필요가 있다. 《My camera ~*s* to be repaired.로 고쳐 쓸 수 있음》 / This ~*s* no account*ing* for. 이것은 설명할 필요가 없다.

3 a 〈남이〉 〈…해 줄〉 필요가 있다: 《~+목+*to* do》 I ~ you *to* help me with the dishes. 내가 접시 닦는 것을 네가 거들어 줘야겠어. **b** 〈…이〉 〈…될〉 필요가 있다, 〈…을〉 〈…되도록 할〉 필요가 있다: 《~+목+*done*》 I ~ my shoes *mended*. 구두를 고치게 할 필요가 있다. 《2 b의 문형을 써서 My shoes ~ mend*ing*.으로 바꿔쓸 수 있음; 《북잉글》에서는 I ~ my shoes mend*ing*.으로 됨》

I ~ it yesterday. 《구어》 지금 당장 필요해.

Who ~s ...? 《구어》 …따위는 필요없다.

— *vi.* **1** 《문어》 궁핍하다, 궁하다: You should give to those who ~. 어려운 사람에게는 베풀어야 한다.

2 《고어》 [주로 비인칭 구문에서] 필요하다: more than ~*s* 필요 이상으로 / It ~*s* not. 필요없다.

— [niːd, níːd] *auxil. v.* 《USAGE 조동사 용법의 need는 부정문(hardly, scarcely가 있는 문장도 포함)과 의문문에서 사용되는데, 부정 단축형인 **needn't** [níːdnt] 말고는 《구어》에서 별로 쓰이지 않고, 타동사를 쓰는 편이 일반적임; cf. *vt.* 2 a》

1 …**할 필요가 있다**: He ~*n't* come. 그는 올 필요가 없다. 《USAGE 본동사의 need를 써서 He does*n't* ~ to come. 또는 He does*n't* have to come.으로 쓰는 것이 일반적임. He *needn't* come.은 주관적 판단에 의해 「올 필요는 없다」를 He does*n't* need to come.은 객관적 조건에 따라 「올 필요가 없다」를 의미함. 또 He ~ *not* have come.은 「필요가 없지만 왔다」의 뜻을 나타냄. He did*n't* have to come.은 「올 필요가 없으므로 오지 않았다」를 의미함》 / "*N*~ I go at once?" —"No, you *needn't*.[Yes, you must.]" 나는 곧 가야 하는가? — 아니, 그럴 필요 없다[그래, 가야만 한다]. 《★ Need I ...?는 부정적 회답에 대한 화자(話者)의 기대가 포함되지만 Do I need ...?에는 이와 같은 뜻은 없음》 / I ~ *hardly* say ... …이라고 말할 필요가 없을 것 같다 / There ~ be *no* hurry, ~ there? 서두를 필요는 없잖겠어요? / They told him that he ~ *not* answer. 그들은 그에게 대답할 필요가 없다고 말했다. 《★ 이 need에는 과거형이 없으므로, 간접화법에서 need 그대로 씀》 / You ~ only [but] do so. 너는 그렇게 하기만 하면 된다.

2 [~ not have+*p.p.*로] …**할 필요는 없었는데**: He *needn't have done* it. 그는 그것을 할 필요는 없었는데 (했다).

비실재; (확실한 것의) 반대(opposite): Darkness is the ~ of light. 암흑이란 빛이 존재하지 않는 것이다. **3** 〚문법〛 부정; 〚논리〛 부동(不同)[제외]의 단정 《보기: No Negroes are Europeans.》 **4** 〚컴퓨터〛 부정(inversion) **~·al** *a.* **~·ist** *n.* 부정론자

neg·a·tive [négətiv] *a.* **1 a** 〈의견·대답 등이〉 **부정[부인]의**; 부정적인: a ~ response to the question 그 질문에 대한 부정적인 대답 **b** 〈태도·의지 등이〉 **거부적인**, 반대의: a ~ vote 반대 투표 / the ~ side [team] (토론회의) 반대측 / a ~ attitude about cooperating 협력을 거부하는 태도 **2** 〈의견·성격 등이〉 **소극적인**, 적극성이 없는 **3** 〈명령 등이〉 금지적인: a ~ statute 금지령 **4** 〈노력 등이〉 효과가 없는, 쓸모없는 **5** 〚수학〛 음의, 마이너스의(minus)(opp. *positive*) **6** 〚사진〛 음화[네가]의 **7** 〚전기〛 음전기의[를 일으키는] **8** 〚의학〛 음성의 **9** 〚논리〛 〈명제가〉 부정을 나타내는; 〚문법〛 부정의 ***on ~ lines*** 소극적으로
—*n.* **1** 부정; 〚문법〛 부정어(구) 《no, not, never 등》; 부정 명제(命題): double ~ 이중 부정 《보기: can*not* do *no*thing》 **2** 거부, 거절, 부정의 말[회답] **3** 반대파, 반대측 **4** (일·성격 등의) 소극성, 부정적 측면 **5** 결점, 결함, 불리한 점 **6** 〚수학〛 음수(陰數) **7** 〚전기〛 음전기, (전지의) 음극판 **8** 〚사진〛 원판, 음화 ***in the ~*** 부정적인[으로], 거부하는[하여]: answer *in the* ~ 「아니오」라고 대답하다, 부정[거절]하다
—*ad.* (미·구어) [대답으로서] 아니(오)(no): "Won't you come with me?" — "*N~.*" 같이 갈래? — 아니.
—*vt.* **1** 거부[거절]하다, 부인[부정]하다; 부결하다 **2** 논박하다, 반증하다 **3** 무효로 하다; 중화(中和)하다 **~·ness** *n.* ▷ negáte *v.*; negátion *n.*

négative amortizátion 〚금융〛 (차입 원금의) 마이너스 상각
négative ángle 〚수학〛 음의 각
négative campáign (자기 주장을 펴기보다) 상대 후보 공격을 위주로 하는 선거 운동
négative cápital (구어) 부채, 빚
négative electrícity 음전기
négative équity 〚경제〛 담보물의 시장 가치의 하락으로 인한 채무
négative eugénics 소극적 우생학 《좋지 않은 유전자를 감소시키는 요인·수단을 연구함》
négative euthanásia = PASSIVE EUTHANASIA
négative évidence 〚법〛 소극적 증거, 반증
négative féedback 〚컴퓨터〛 음(陰) 되먹임, 음의 피드백(inverse feedback)
négative grówth (경제의) 마이너스 성장
négative íncome tàx 《영》 역(逆)소득세 《저소득자에게 정부가 지급하는 보조금; 略 NIT》
négative ínterest 역금리, 마이너스 금리
négative íon 〚화학〛 음이온
négative líst 〚국제무역〛 네거티브 리스트 《GATT에 보고하는 수입 제한 품목》
négative lógic 〚컴퓨터〛 음논리
neg·a·tive·ly [négətivli] *ad.* 부정적으로; 소극적으로: answer ~ 아니라고 대답하다 / be ~ friendly 사이가 (좋지도 않지만) 나쁘지도 않다
négative óption 네거티브 옵션 《통신 판매에서 정기적으로 보내오는 상품을 고객이 구매 중지를 통지하지 않는 한 계속되는 계약 조항》
négative pláte 〚전기〛 음극판
négative polárity 〚문법〛 부정 극성(極性) 《보통 부정·의문 문맥에만 사용되는 어구의 문법적 특성》
négative póle **1** (자석의) 남극 **2** 〚전기〛 음극

thesaurus **negative** *a.* **1** 반대하는 rejecting, refusing, contradictory, contrary, opposing, denying **2** 부정적인 pessimistic, defeatist, gloomy, cynical, critical, complaining, unhelpful
negligible *a.* trivial, trifling, insignificant, paltry, petty, tiny, minute, small, minor

négative próton 〚물리〛 반양자(antiproton)
négative quántity **1** 음수(陰數), 음량 **2** (익살) 무(無)
négative sígn 〚수학〛 마이너스 기호, 감호(減號)
négative tránsfer 〚심리〛 소극적[음의] 전이(轉移)(= ~ **efféct**)
négative vírtue 악을 행하지 않음; (나쁜 짓은 하지 않는다는) 소극적 미덕
neg·a·tiv·ism [négətivìzm] *n.* Ⓤ **1** 부정[소극]주의 **2** 〚심리〛 반항[반대]벽(癖) **-ist** *n.* **nèg·a·tiv·ís·tic** *a.*
neg·a·tiv·i·ty [nègətívəti] *n.* Ⓤ 부정성; 소극성; (반응 등의) 음성
ne·ga·tor [nigéitər] *n.* **1** 부정하는 사람 **2** 〚컴퓨터〛 부정 소자(素子)
neg·a·to·ry [négətɔ̀:ri | -təri] *a.* 부정[반대]적인(negative)
neg·a·tron [négətrɑ̀n | -trɔ̀n] [*nega*tive+elec*tron*] *n.* 〚물리〛 음전자(陰電子)(opp. *positron*)
ne·glect [niglékt] [L 「집어올리지 않다」의 뜻에서] *vt.* **1** **무시하다**, 등한시하다, 경시하다, 간과하다: ~ a person's advice …의 충고를 무시하다

> 유의어 **neglect** 「당연히 주의를 해야 할 사물이나 사람을 무시하다」의 뜻으로서 고의적인 경우가 많다: *neglect* one's studies 공부를 소홀히 하다 **disregard** 고의로 주의를 하지 않다, 경시하다: He *disregarded* the wishes of other members. 다른 회원들의 희망을 무시했다. **ignore** 분명한 것을 인정하고 싶지 않기 때문에 무시하다: *ignore* snide remarks 욕설을 무시하다

2 〈의무·일 등을〉 **게을리하다**, 소홀히 하다; 〈태만·부주의로〉 〈…〉**하지 않다**, 〈…하는 것을〉 잊다: ~ one's appearance 외모에 신경 쓰지 않다 // (~+*to* do) ~ *to* wind up a clock 시계의 태엽 감는 것을 잊다 // (~+*-ing*) ~ writ*ing* an answer 태만하여 편지 답장을 쓰지 않다
—*n.* Ⓤ 태만; 소홀; 무시, 등한시, 경시 《*of*》; 방치: ~ *of* duty 의무의 태만

> 유의어 **neglect** 주로 태만한 「행위」에 쓰고, **negligence** 주로 태만한 「성질·습관」에 쓴다.

by ~ 방치해 둔 까닭에 ***with ~*** 되는대로, 아무렇게나
~·er, ne·gléc·tor *n.*
▷ negléctful, négligent *a.*; négligence *n.*
ne·glect·ful [nigléktfəl] *a.* 태만한, 소홀한 《*of*》; 부주의한; 무관심한, 등한시하는: (~+*of*+명) ~ *of* one's health 건강에 무관심한 **~·ly** *ad.* 태만하여; 무관심하게 **~·ness** *n.*
neg·li·gee, neg·li·gé(e) [nègliʒéi, ⌐–⌐ | ⌐–⌐] [F] *n.* (여자의) 네글리제, 실내복, 화장복; 평상복
neg·li·gence [néglidʒəns] *n.* Ⓤ **1** **태만**; **부주의**; 무관심, 등한시 **2** 〚예술〛 법칙의 무시, 자유 분방 **3** Ⓒ 태만한 행위; 〚법〛 (부주의로 인한) 과실: gross ~ 〚법〛 중과실 ▷ négligent *a.*
neg·li·gent [néglidʒənt] *a.* **1** 태만한(neglectful) 《*of, in*》 **2** 무관심한, 등한한; 부주의한 《*in, of*》: a ~ way of speaking 아무렇게나 하는 말투 **~·ly** *ad.*
négligent hómicide chàrge 〚법〛 과실 치사죄
neg·li·gi·ble [néglidʒəbl] *a.* **무시해도 좋은**; 대수롭지 않은, **하찮은** **nèg·li·gi·bíl·i·ty** *n.* **-bly** *ad.*
né·go·ciant [nèigɔ:sjɑ́:ŋ] [F] *n.* 상인, 《특히》 포도주 상인
ne·go·ti·a·bil·i·ty [nigòuʃiəbíləti] *n.* Ⓤ **1** 협상할 수 있음 **2** 〈증권 등이〉 양도할 수 있음, 유통성 **3** (구어) 〈도로 등이〉 통행할 수 있음
ne·go·ti·a·ble [nigóuʃiəbl, -ʃəbl] *a.* **1** 교섭[협정]할 수 있는 **2** 〈어음 등이〉 양도할 수 있는, 유통성 있는 **3** (구어) 〈도로 등이〉 통행할 수 있는 **4** 〈곤란 등이〉 극

복할 수 있는 5〈말이〉 알기 쉬운
ne·go·ti·ant [nigóuʃiənt, -ʃənt] *n.* = NEGOTIATOR
***ne·go·ti·ate** [nigóuʃièit, -si-] [L 「장사하다」의 뜻에서] *vt.* **1** 협상[교섭]하다, (교섭으로) 협정하다, 결정하다: ~ a loan 차관 협정하다 **2**〈어음·증권·수표 등을〉 유통시키다, 돈으로 바꾸다, 양도하다: ~ securities 증권을 양도하다 **3**〈거래·업무 등을〉 처리하다, 수행하다; 《구어》〈도로의 위험 구간을〉 잘 통과하다, 〈곤란·장애 등을〉 뛰어넘다, 빠져나가다; 뚫고 나가다: ~ a sharp curve 급경사를 잘 돌다
— *vi.* 교섭[협상]하다: (~+전+명) ~ *with* a person *for* a matter 어떤 문제로 …와 교섭하다
▷ negotiátion *n.*; negótiatory *a.*
ne·gó·ti·at·ing táble [nigóuʃièitiŋ-] [the ~] 협상 테이블, 협상의 장
‡**ne·go·ti·a·tion** [nigòuʃiéiʃən] *n.* CU **1** [종종 *pl.*] 교섭, 협상: be in ~ with …와 교섭 중이다 / carry on[break off] ~*s* 교섭을 속행하다[중단하다] / enter into[open, start] ~*s* with …와 교섭을 개시하다 / under ~ 교섭 중 **2** U 《상업》 (어음 등의) 유통, 양도 **3** (장애 등의) 극복 ▷ negótiate *v.*
ne·go·ti·a·tor [nigóuʃièitər, -si-] (*fem.* **-a·tress** [-ʃiətris], **-a·trix** [-ʃiətriks]) *n.* **1** 교섭자; 협상자 **2** (어음 등의) 양도인
ne·go·ti·a·to·ry [nigóuʃiətɔ̀:ri, -si- | -təri] *a.* 교섭의; 협상의
Ne·gress [ní:gris] *n.* NEGRO의 여성형
Ne·gril·lo [nigrílou] *n.* (*pl.* **~(e)s**) 니그릴로 《아프리카의 키 작은 흑인; Pygmy 등》
Ne·grit·ic [nigrítik] *a.* [때로 **n~**] Negro의; NEGRITO의
Ne·gri·to [nigrí:tou] *n.* (*pl.* **~(e)s**) 니그리토 《동남아·오세아니아 등에 사는 키 작은 흑인》
Neg·ri·tude [négrət*j*ù:d, ní:g- | -tjù:d] *n.* U [때로 **n~**] **1** 흑인의 문화적인 긍지, 흑인으로서의 자각 **2** 흑인임; [집합적] 흑인의 특질
neg·ri·tu·di·nous [nègrət*j*ú:dinəs, nì:g- | -tjú:-] *a.* 흑인적인, 흑인의 특징이 있는, 흑인임을 나타내는
‡**Ne·gro** [ní:grou] [Sp., Port. 「검정색」의 뜻에서] *n.* (*pl.* **~es**) 흑인, 니그로 ★ 현재 미국에서는 보통 경멸적으로 쓰이므로 대신 black을 씀(cf. AFRO-AMERICAN).
— *a.* **1** 흑인(종)의; 흑인에 관한 **2** [**n~**] 검은
négro ànt 《곤충》 검은개미
négro clòth[còtton] [때로 **N- c-**] (옛날에 흑인 옷감으로 쓰인) 거친 무명의 일종
ne·gro·head [ní:grouhèd] *n.* U **1** 씹는 담배 **2** 질이 나쁜 고무의 일종
Ne·groid [ní:grɔid] *a.* [때로 **n~**] 흑색 인종의
— *n.* 흑인, 흑색 인종(의 한 사람)
Ne·gro·ism [ní:grouìzm] *n.* U [때로 **n~**] **1** 흑인 옹호 **2** 흑인 특유의 언어 풍습, 흑인 사투리
ne·gro·ni [nigróuni] *n.* U [때로 **N~**] 니그로니 《베르무트·비터즈·진으로 만든 칵테일》
Ne·gro·phile [ní:grəfàil], **-phil** [-fil] *a.*, *n.* [때로 **n~**] 흑인 편을 드는 (사람), 친(親)흑인파의 (사람)
Ne·groph·i·lism [nigráfəlìzm | -grɔ́f-] *n.*
Ne·gro·phobe [ní:grəfòub] *n.* [때로 **n~**] 흑인 혐오[공포]자
Ne·gro·pho·bi·a [nì:grəfóubiə] *n.* U [때로 **n~**] 흑인 혐오(증)
Négro spíritual 흑인 영가
Négro Státe 《미국사》 (남북 전쟁 이전의 남부의) 노예주(州)
ne·gus [ní:gəs] *n.* U 니거스 술 《포도주·더운물·설탕·레몬 등을 넣은 음료》
Ne·gus [ní:gəs] *n.* Ethiopia 황제의 존칭
Neh. 《성서》 Nehemiah
Ne·he·mi·ah [nì:əmáiə] *n.* 《성서》 **1** 느헤미야 《기원전 5세기경의 유대 지도자》 **2** 느헤미야서 《略 Neh.》
Neh·ru [néiru:, néru: | nέəru:] *n.* 네루 **Jawaharlal** ~ (1889-1964) 《인도의 수상(1947-64)》
Néhru jàcket[còat] 네루재킷[코트] 《칼라를 높이 세운 긴 상의》
***neigh** [néi] [의성어] *n.* (말의) 울음(whinny)
— *vi.* 〈말이〉 울다(⇨ horse 관련): When he laughs, he sounds like a horse ~*ing*. 웃을 때 그는 말이 우는 것 같은 소리를 낸다.
‡**neigh·bor | -bour** [néibər] [OE 「가까이(nigh) 사는 사람」의 뜻에서] *n.* **1** 이웃(사람); 옆자리 사람; [보통 *pl.*] 이웃 나라 사람: a next-door ~ 옆집 사람 / a good[bad] ~ 좋은[나쁜] 이웃 / our ~*s* across the Channel 프랑스 사람 《영국에서 보아서》 **2** 가까이 있는 사람; (같은 종류의) 서로 이웃하는 것 **3** 동료; 동포 **4** 도움을 주는 사람, 조력자
— *a.* A 이웃의: a good ~ policy 선린 정책
— *vt.* 이웃하다, 인접하다; …의 이웃에 살다
— *vi.* **1** (…와) 이웃해 있다, (…의) 근처에 살다 《*on, upon*》 **2** 《미》 (…와) 가까운[친한] 사이다 《*with*》
▷ néighborly *a.*
neigh·bored [néibərd] *a.* [부사 뒤에 놓여] 이웃 사람[부근]이 …인[한]: He has a beautifully ~ villa. 그는 부근의 경치가 아름다운 별장을 갖고 있다.
‡**neigh·bor·hood** [néibərhùd] *n.* **1** U [종종 the ~, one's ~] 근처, 인근(隣近), 이웃 **2** [집합적] 이웃 사람들(neighbors), (어떤 지역의) 주민 **3** 주위; (어떤 특징을 가진) 지역, 지방: fashionable ~ 상류층 거주 지역 **4** U [보통 good ~] 이웃간의 정의(情誼), 이웃과의 사귐 **5** [the ~] 근접, 가까움(proximity) ***in the ~ of*** (1) …의 근처에[의] (2) 《구어》 약, 대략 …
néighborhood hòuse 《미》 인보관(隣保館)(settlement house)
néighborhood únit 《영》 근린 주택 지구 《인구 1만명 정도의 도시 계획의 단위》
néighborhood wátch (gròup) 동네의 방범대, 자경단
***neigh·bor·ing** [néibəriŋ] *a.* A 이웃의, 근처[인근]의; 인접한(adjacent): ~ right 인접권
neigh·bor·less [néibərlis] *a.* 이웃이 없는; 고독한(solitary)
neigh·bor·ly [néibərli] *a.* 이웃 사람다운; 사귐성 있는, 친절한
neigh·bor·ship [néibərʃìp] *n.* U 이웃함; 이웃 관계, 이웃간
Neil [ní:l] *n.* 남자 이름
‡**neither** ⇨ neither (p. 1677)
nek·ton [néktɑn, -tən | -tɔn] *n.* 유영(游泳) 동물
Nell [nél] *n.* 여자 이름 《Eleanor, Ellen, Helen의 애칭》
Nel·lie, Nel·ly [néli] *n.* **1** 남자 이름 《Nelson의 애칭》 **2** 여자 이름 《Eleanor, Ellen, Helen의 애칭》 **3** [**n~**] 《속어》 바보, 여자 같은 놈, 연약한 녀석[호모] **4** 《미·속어》 나이 든 암소
big soft ~ 《영·속어》 바보 ***not on your n~*** 《영·속어》 있을 수 없는, 당치도 않은 ***sit next to[by, with] ~*** 《영·속어》 (직장 등에서) 남이 하는 것을 보며 일을 익히다
nel·son [nélsn] *n.* 《레슬링》 넬슨, 목 조르기: ⇨ full nelson, half nelson
Nel·son [nélsn] *n.* 넬슨 **Horatio** ~ (1758-1805) 《영국의 제독(提督)》
nem·a·thel·minth [nèməθélminθ] *n.* 선형[원형] 동물
ne·mat·ic [nimǽtik] *a.* 《물리》 네마틱(상태)의 《액정(液晶)의 가늘 분자가 서로의 위치는 불규칙하지만 모두 일정 방향으로 향하고 있는 상태》
nem·a·to·cide [némətəsàid, nimǽt-] *n.* 《농업》

thesaurus **negotiation** *n.* bargaining, conference, debate, talk, discussion, consultation, haggling, wheeling and dealing
neighborhood *n.* **1** 근처 vicinity, surrounding

neither

neither는 either의 부정어로 두 가지 중의 「어느 쪽[것]도 아니다」로 양쪽 모두 부정할 때 쓴다. 형용사와 대명사·부사로 쓰이는데 그 중 부사 용법이 중요하다.

1 《형용사》 단수 명사에 붙는다 : I like *neither* car. 나는 둘 중 어느 차도 마음에 안 든다.

2 《대명사》 neither가 주어일 때는 단수 취급이 원칙이나, 《구어》에서는 복수 취급도 한다: *Neither of* them knows[know] it. 그들 둘 중 어느 쪽도 그것을 모른다.

3 《부사》 **a** [*neither* A *nor* B로 상관 접속사적으로] 「A도 B도 아니다」라는 전체 부정이 된다. 이것이 주어일 때 동사는 B에 일치한다. **b** [부정문의 뒤를 받아] 주어와 (조)동사의 어순이 도치된다 : If you don't go, *neither* will I[=I won't go either.] 당신이 가지 않으면 나도 가지 않겠다.

‡nei·ther [níːðər| náiðə] *a., pron., ad.*

> 원래는 「not+either」에서
> ① 어느 …도 …아니다 　형, 대, 부 **1**
> ② [부정문에 이어져] …도 또한 …않다 　부 **2**

—*a.* [단수 명사를 수식하여] (양자 중의) 어느 …도 …아니다[않다]: *N~* statement is true. 어느 쪽 주장도 사실이 아니다. / In ~ case can I agree. 어느 경우건 찬성할 수 없다.

—*pron.* (양자 중의) 어느 쪽도 …아니다[않다] ★ neither는 both에 대응하는 부정어이기 때문에 3자 이상의 부정에는 none을 씀: *N~ is*[are] to be trusted. 어느 쪽도 신뢰할 수 없다. / *N~ of* the stories was[were] true. 어느 쪽 이야기도 사실이 아니었다. ★ neither는 단수 취급이 원칙이지만, 《구어》에서는 특히 of 뒤에 복수 (대)명사가 올 경우 복수로 취급됨 / "Which do you choose?" — "*N~*, thank you." 어느 것을 택하겠습니까? — 어느 쪽이나 다 사양하겠습니다. / We were ~ *of* us content with the result. 우리는 어느 쪽이나 그 결과에 만족하지 않았다. 《동격 용법: *N~ of* us was content with the result.로 바꿔 쓸 수 있음》 / They ~ *of* them had girlfriends. 두 사람 어느 쪽도 여자 친구가 없었다.

—*ad.* **1** [neither ... nor ...로 상관 접속사적으로 써서] …도 …도 …아니다[않다] 《USAGE neither ... nor ...는 both ... and ...에 대응하는 부정 표현; 이것이 주어로 쓰일 경우에는 동사는 단수 때에는 단수 취급, 복수 때에는 복수 취급을 하며, 인칭·수가 일치하지 않을 때에는 가까운 쪽 주어와 일치함》: They have ~ (a) knowledge *nor* (an) understanding of politics. 그들은 정치에 관해서는 지식도 없고 이해도 없다. 《USAGE neither ... nor ... 뒤에는 문법적으로 같은 품사 또는 같은 구조의 단어·어군을 둠》 / We ~ moved *nor* made any noise. 우리는 꼼짝도 안 했고 아무 소리도 내지 않았다. / *N~* he *nor* I *am* responsible for the accident. 그도 나도 그 사고에 책임이 없다. / He ~ gambled, drank, *nor* smoked. 그는 도박도 안 하고, 술도 안 마시고, 담배도 피우지 않았다. ★ 때로는 셋 이상의 어구를 함께 부정하기도 함 / *N~* John *nor* Betty is at home, both have gone shopping. 존도 베티도 집에 없다, 둘 다 쇼핑하러 갔다.

2 [부정을 포함하는 문장이나 절 뒤에서] …도 또한 …않다[아니다] ★ 이 용법의 neither는 항상 절 또는 문장의 앞머리에 놓이며, 그 뒤는 「(조)동사+주어」의 어순이 됨: If you do*n't* want it, ~ do I. 네가 그것을 원하지 않으면 나도 갖고 싶지 않다. / The first is*n't* good, and ~ is the second. 첫 번째 것도 좋지 않지만 두 번째 것도 시원찮다. / "You can*not* do that." — "*N~* can you." 너는 그걸 못해. — 너도 못하지, 뭐. / He ca*n't* be there, and ~ can I. 그도 거기 갈 수 없고 나도 갈 수 없다.

~ here nor there ⇨ here *ad.*
~ more nor less than ... ⇨ more *ad.*
~ one thing nor the other = ~ (*the*) *one nor the other* 이도 저도 아닌, 애매모호한

살(殺)선충제

nem·a·to·cyst [némətəsìst, nimǽt-] *n.* 〖동물〗 가시 세포(nettle cell) 《말미잘·히드라 등과 같은 강장(腔腸)동물의 기관》

nem·a·tode [némətòud] *n., a.* 〖동물〗 선충류(의)

nem·a·tol·o·gy [nèmətɑ́lədʒi | -tɔ́l-] *n.* Ⓤ 〖동물〗 선충학(線蟲學) **-gist** *n.* 선충학자

Nem·bu·tal [némbjutɔ̀ːl, -tæ̀l] *n.* 〖약학〗 넴뷰탈, 펜토바르비탈(pentobarbital) 《바르비투르산 유도체; 최면·진정제; 상표명》

nem. con. [ném-kɑ́n | -kɔ́n] [L] *nemine contradicente* **nem. diss.** [ném-dís] [L] *nemine dissentiente*

Ne·me·a [níːmiə] *n.* 네메아 《그리스 남동부 옛 Argolis에 있는 골짜기》 **Ne·me·an** [nimíːən, níːmiən] *a.*

Neméan Gámes [the ~] 네메아 제전(祭典) 경기 《2년마다 Nemea에서 열렸던 그리스 4대 민족 제전 경기의 하나; 나머지는 Olympian Games, Pythian Games, Isthmian Games》

Neméan líon [the ~] 〖그리스신화〗 네메아의 사자 《Hercules가 죽인, Nemea 골짜기의 사나운 사자》

district, environs, proximity **2** 지역 district, area, region, locality, part, quarter, community

neighboring *a.* bordering, adjoining, adjacent, abutting, contiguous, next, nearby, closest

nem·e·sis [néməsis] *n.* (*pl.* **-ses** [-sìːz]) **1** 정복[달성, 도달]할 수 없는 것 **2** 강한[이길 수 없는] 상대 **3** [**N~**] 〖그리스신화〗 네메시스 《인과응보·복수의 여신》 **4** 징벌을 가하는 사람, 보복하는 사람 **5** Ⓤ 천벌, 응보(應報), 인과(因果)

ne·mi·ne con·tra·di·cen·te [némənìː-kɑ̀ntrədisénti | -kɔ̀n-] [L] *ad.* 한 사람의 반대도 없이, 만장일치로(unanimously) 《略 nem. con.》

ne·mi·ne dis·sen·ti·en·te [-disènʃiénti] [L] *ad.* = NEMINE CONTRADICENTE 《略 nem. diss.》

ne·moph·i·la [nimɑ́fələ | -mɔ́f-] *n.* 〖식물〗 네모필라 《북미산(産)의 1년생 초목》

ne·ne [néinei] [Haw.] *n.* (*pl.* ~) 〖조류〗 하와이 기러기(Hawaiian goose) 《하와이 주의 주조(州鳥)》

N. Eng. New England; North(ern) England

neo- [níːou, níːə] 《연결형》 「신(新)…, 부활한…, 부흥의, 근대의…」의 뜻

NEO near-earth orbit 〖우주〗 지구에 가까운 궤도

ne·o·an·ti·gen [nìːouǽntidʒən] *n.* 〖의학〗 신(생)항원(抗原)

Ne·o-Cam·bri·an [nìːoukǽmbriən] *a.* 〖지질〗 신(新)캄브리아기의

Ne·o-Cath·o·lic [nìːoukǽθəlik] *a., n.* (영국 국교회·프랑스의) 신가톨릭파의 (교도)

Ne·o·cene [níːəsìːn] 〖지질〗 *a.* 신(新)제3기(紀)의
—*n.* [the ~] 신제3기

ne·o·clas·sic, -si·cal [nì:ouklǽsik(əl)] *a.* 신(新)고전주의의

ne·o·clas·si·cism [nì:ouklǽsəsìzm] *n.* Ⓤ 신고전주의 **-cist** *n.*

ne·o·co·lo·ni·al·ism [nì:oukəlóuniəlìzm] *n.* Ⓤ 신식민지주의 《경제적으로 지배하는 정책》 **nè·o·co·ló·ni·al** *a., n.*

ne·o·con [nì:oukán | -kɔ́n] [*neocon*servative] *n.* (북미 정치의) 신보수주의자

ne·o·con·serv·a·tism [nì:oukənsə́:rvətìzm] *n.* Ⓤ (미) 신보수주의 《정부의 기대회에 반대, 기업의 이익을 지지하고 사회 개혁에 주력》

ne·o·con·serv·a·tive [nì:oukənsə́:rvətiv] (미) *a.* 신보수주의의 **—** *n.* 신보수주의자, 신보수파

ne·o·cor·tex [nì:oukɔ́:rteks] *n.* 〖해부〗 (대뇌의) 신피질(新皮質)

ne·o·cor·ti·cal [nì:oukɔ́:rtikəl] *a.* 〖해부〗 (대뇌의) 신피질의

ne·o·cy·a·nine [nì:ousáiənin] *n.* 〖사진〗 네오시아닌 색소 《적외선에 대한 감광 유제(乳劑)》

ne·o·da·da [nì:oudá:da:], **-da·da·ism** [-ìzm] *n.* Ⓤ 〖문예〗 신(新)다다(이즘), 반예술(反藝術) 운동

ne·o·Dar·win·ism [nì:oudá:rwinìzm] *n.* 신다윈설[주의] **-ist** *n.*

ne·o·dym·i·um [nì:oudímiəm] *n.* Ⓤ 〖화학〗 네오디뮴 《희금속 원소; 기호 Nd, 번호 60》

ne·o·ex·pres·sion·ism [nì:ouikspréʃənìzm] *n.* [때로 **Ne·o-E-**] 〖미술〗 신(新)표현주의

ne·o·fas·cist [nì:oufǽʃist] *n., a.* 신(新)파시스트(의), 신(新)국수주의자(의) **-cìsm** *n.*

ne·o·for·ma·tion [nì:oufɔ:rméiʃən] *n.* 종양(tumor)

ne·o-Freud·i·an [nì:əfrɔ́idiən] [종종 **N~**] *a.* 신(新)프로이트파의 **—** *n.* 신프로이트파 정신 분석 학자

Ne·o·gene [ní:ədʒì:n] *n., a.* = NEOCENE

ne·o·gen·e·sis [nì:ədʒénəsis] *n.* 〖생리〗 신생, 조직 재생

Ne·o-Ge·o, ne·o·ge·o [nì:oudʒí:ou] *n.* 기하학적 추상 개념의 예술 운동; 그 예술 행위자 **—** *a.* 기하학적 추상 예술의

ne·o·gla·ci·a·tion [nì:ouglèiʃiéiʃən] *n.* Ⓤ 〖지질〗 신(新)빙하 형성[작용]

ne·o-Goth·ic [nì:ougáθik | -gɔ́θ-] *a.* [종종 **N~**] 〖건축〗 신(新)고딕(양)식의

Ne·o-Greek [nì:ougrí:k] *n.* Ⓤ 현대 그리스 어

ne·o-He·ge·li·an [nì:ouheigéiliən, -hidʒí:- | -heigí:-] *a., n.* [종종 **N~**] 신(新)헤겔 철학의 (신봉자)

ne·o-Hel·len·ism [nì:ouhélənìzm] *n.* [종종 **N~**] Ⓤ 신(新)그리스주의

ne·o·im·pe·ri·al·ism [nì:ouimpíəriəlìzm] *n.* Ⓤ 신(新)제국주의 **nè·o·im·pé·ri·al·ist** *n., a.*

ne·o-im·pres·sion·ism [nì:ouimpréʃənìzm] *n.* [종종 **Ne·o-I-**] Ⓤ 〖미술〗 신(新)인상주의 **-ist** *n., a.*

ne·o·i·so·la·tion·ism [nì:ouàisəléiʃənìzm] *n.* 〖정치〗 (미국의) 신(新)고립주의 **-ist** *a., n.*

ne·o-Kant·i·an [nì:oukǽntiən] *a., n.* [종종 **N~**] 〖철학〗 신(新)칸트파의 (학도)

ne·o-Keynes·i·an [nì:oukéinziən] 〖경제〗 *a.* 신(新)케인스주의의 **—** *n.* 신케인스주의자

ne·o-La·marck·ism [nì:ouləmá:rkizm] *n.* [종종 **N~**] 〖생물〗 신(新)라마르크설 **-ist** *n.*

Ne·o-Lat·in [nì:oulǽtən] *n.* Ⓤ **1** 근대 라틴 어 **2** 로망스 어(Romance) **—** *a.* 로망스 어(계)의

ne·o·lib·er·al [nì:oulíbərəl] *n.* (미) 신(新)자유주의파 《1960년대 이후의 미국 정치에서》

ne·o·lith [ní:əlìθ] *n.* 신석기 시대의 석기

Ne·o·lith·ic [nì:əlíθik] *a.* [때로 **n~**] 〖고고학〗 신석기 시대의: the ~ era 신석기 시대

ne·o·lo·cal [nì:əlóukəl] *a.* 새 거소(居所)를 갖는: ~ marriage 〖사회〗 신거제(新居制) 혼인

ne·o·log·i·cal [nì:əládʒikəl | -lɔ́dʒ-] *a.* = NEOLOGISTIC

ne·ol·o·gism [niálədʒìzm | -ɔ́lə-] *n.* **1** 신어, 신조어; 신표현; 신어의(新語義) **2** Ⓤ 신어[신조어, 신표현, 신어의]의 사용[채용] **3** Ⓤ 〖신학〗 신학설 신학, 신교리; 신교리의 채택[지지] **-gist** *n.*

ne·ol·o·gis·tic, -ti·cal [niàlədʒístik(əl) | -ɔ̀lə-] *a.* 신어 (사용)의; 〖신학〗 신설(新說)의

ne·ol·o·gize [niálədʒàiz | -ɔ́lə-] *vi.* **1** 신어를 사용하다[만들다] **2** 〖신학〗 신(新)교리를 채택하다

ne·ol·o·gy [niálədʒi | -ɔ́lə-] *n.* = NEOLOGISM

ne·o-Mal·thu·sian·ism [nì:oumælθjú:ʒənìzm] *n.* Ⓤ 신(新)맬서스주의 《산아 제한에 의한 인구 조절론》

Ne·o-Mel·a·ne·sian [nì:oumèləní:ʒən, -ʃən | -ziən, -ʒən] *n.* Ⓤ, *a.* 신(新)멜라네시아 말(의) 《Melanesia 및 New Guinea에서 쓰이는 영어를 모체로 한 혼성어》

ne·o·mon·e·ta·rism [nì:oumánətərìzm | -mʌ́n-] *n.* Ⓤ 〖경제〗 신(新)화폐주의

ne·o·mort [ní:əmɔ̀:rt] *n.* 식물인간

ne·o·my·cin [nì:oumáisin] *n.* Ⓤ 〖생화학〗 네오마이신 《방사균에서 얻는 항생 물질의 일종》

***ne·on** [ní:an | -ən, -ɔn] *n.* **1** Ⓤ 〖화학〗 네온 《기체 원소; 기호 Ne, 번호 10》 **2** 네온등(= ~ lamp); 네온사인(= ~ sign) **3** = NEON TETRA

ne·o·na·tal [nì:ounéitl] *a.* 〖의학〗 신생아의

ne·o·nate [ní:ənèit] *n.* 〖의학〗 (생후 1개월 이내의) 신생아

ne·o·na·tol·o·gy [nì:ouneitálədʒi | -tɔ́l-] *n.* Ⓤ 〖의학〗 신생아학 **-gist** *n.* 신생아 학자

ne·o-Na·zi [nì:ouná:tsi, -nǽtsi] *n.* (1945년 이후의) 신(新)나치주의자: ~ activities 신나치스 운동 **~·ism** *n.* Ⓤ 신나치주의

Neo-Názi Skínhead Mòvement 신나치 운동 《유색 인종을 배격하는 스킨헤드족의 운동》

néon lámp[**líght, túbe**] 네온 등

néon sígn 네온사인

néon tétra 〖어류〗 네온테트라 《열대어의 일종》

ne·on·tol·o·gy [nì:antálədʒi | -ɔntɔ́l-] *n.* Ⓤ 현세 생물학(opp. *paleontology*)

ne·o·or·tho·dox [nì:ouɔ́:rθədàks | -dɔ̀ks] *a.* 〖신학〗 신정통(新正統)주의의 **-dòx·y** *n.* Ⓤ 신정통주의

ne·o·pa·gan·ism [nì:oupéigənìzm] *n.* Ⓤ 신[부흥] 이교(異敎)주의

ne·o-Pen·te·cos·tal [nì:oupèntikɔ́:stl, -kás- | -kɔ́s-] *a., n.* 신(新)펜테코스트[오순절]파의 (신자) 《방언·신앙 요법 등 펜테코스트파의 신앙을 강조하는》

ne·o·phile [ní:əfil] *n.* 새것을 좋아하는 사람

ne·o·phil·i·a [nì:əfíliə] *n.* Ⓤ 새로운[신기한] 것을 좋아하기

ne·o·phil·i·ac [nì:əfíliæ̀k] *n.* 새것에 열중하는 사람

ne·o·pho·bi·a [nì:əfóubiə] *n.* Ⓤ 새것 싫어하기[혐오(증)]

ne·o·phyte [ní:əfàit] *n.* **1** 초심자, 신참자(beginner) **2** (가톨릭의) 새 성직자; (수도원의) 수련자(修練者) **3** 새 개종자; 새 세례자

ne·o·pla·sia [nì:oupléiʒə] *n.* 〖의학〗 Ⓤ **1** 종양 형성 **2** 신조직 형성

ne·o·plasm [ní:əplæ̀zm] *n.* 〖병리〗 (체내의) 신생물, 《특히》 종양(tumor)

ne·o·plas·tic [nì:əplǽstik] *a.* **1** 〖병리〗 신생(물)의, 종양의 **2** [종종 **N~**] 〖미술〗 신(新)조형주의의

ne·o·plas·ti·cism [nì:ouplǽstisìzm] *n.* Ⓤ [종종 **N~**] 〖미술〗 신조형(新造形)주의 《Piet Mondrian이 제창한 추상화의 일종》

ne·o·plas·ty [ní:ouplæ̀sti] *n.* Ⓤ 〖의학〗 조직 재형성 수술

Ne·o·pla·to·nism [nì:oupléitənìzm] *n.* Ⓤ [때로 **n~**] 〖철학〗 신(新)플라톤파 철학, 신플라톤주의 《Plato의 철학에 동양의 신비주의가 가미된 사상》 **-nist** *n.* **Ne·o·pla·ton·ic** [-plətánik | -tɔ́n-] *a.*

ne·o·pop·u·lism [nì:oupápjəlìzm | -pɔ́p-] *n.* (1970년대 이후의) 신포퓰리즘 **-list** *n., a.*

ne·o·prene [níːəprìːn] *n.* Ⓤ 네오프렌 《합성 고무의 일종》
ne·o·re·al·ism [nìːouríːəlizm | -ríəl-] *n.* Ⓤ 신(新)사실주의 **nè·o·re·al·ís·tic** *a.*
Ne·o·ri·can [nìːouríːkən] *n.*, *a.* 《미》 푸에르토리코계 뉴욕 시민(의)
ne·o·ro·man·ti·cism [nìːourəmǽntəsìzm] *n.* Ⓤ [때로 **N~**] 〖문예·미술〗 신(新)낭만주의
Ne·o·sal·var·san [nìːousǽlvərsæ̀n] *n.* 〖약학〗 네오살바르산 《매독 치료제; 상표명》
ne·o-Scho·las·ti·cism [nìːouskəlǽstəsizm] *n.* Ⓤ 〖철학〗 신(新)스콜라 철학
ne·ot·e·ny [niɑ́təni | -ɔ́t-] *n.* Ⓤ 〖생물〗 (도롱뇽 등의) 유형(幼形) 성숙
ne·o·ter·ic [nìːətérik] *a.* 현대의(modern); 신식의 ── *n.* 현대인; 현대 작가[사상가]
ne·o·tox·in [nìːoutɑ́ksin | -tɔ́k-] *n.* (환경 속의) 병·알레르기의 원인 물질
Ne·o·trop·i·cal [nìːoutrɑ́pikəl | -trɔ́p-] *a.* 〖생물지리〗 신열대구(新熱帶區)의 《북회귀선 이남의 신대륙》
ne·o·type [níːətàip] *n.* 〖생물〗 신(新)기준 표본
ne·o·vas·cu·lar·i·za·tion [nìːouvæ̀skjulərizéiʃən] *n.* Ⓤ 〖의학〗 신혈관 형성 《특히 종양 내의 새 모세혈관의 발생·성장》
Ne·o·zo·ic [nìːouzóuik] *a.* 〖지질〗 신생대(新生代)의 《Cenozoic의 옛 명칭》
NEP, Nep New Economic Policy **Nep.** Nepal; Neptune
Ne·pal [nəpɔ́ːl, -pɑ́ːl | nipɔ́ːl, -pɑ́ːl] *n.* 네팔 《인도와 티베트 사이의 왕국; 수도 Katmandu》
Nep·a·lese [nèpəlíːz, -líːs | -líːz] *n.* (*pl.* ~) =NEPALI ── *a.* 네팔 (말·사람)의
Ne·pal·i [nəpɔ́ːli, -pɑ́ːli | nipɔ́ːli, -pɑ́ːli] *n.* (*pl.* ~, ~s) 네팔 사람; Ⓤ 네팔 말 ── *a.* 네팔의; 네팔 사람[말]의
ne·pen·the [nipénθi] *n.* 《시어》 시름을 잊게 하는 약[것]; 《일반적으로》 슬픔[근심]을 잊게 하는 것 **~·an** *a.*
ne·pen·thes [nipénθiːz] *n.* (*pl.* ~) **1** =NEPENTHE **2** 〖식물〗 네펜시스, 벌레잡이통풀
ne·per [níːpər, néi-] *n.* 〖물리〗 네퍼 《감쇠(減衰) 비율을 나타내는 정수》
neph·a·nal·y·sis [nèfənǽləsis] *n.* 〖기상〗 구름 분석 《구름의 모양·양과 강수량의 관계를 분석》
neph·e·line [néfəlin], **-lite** [-làit] *n.* Ⓤ 〖광물〗 하석(霞石)
néph·e·loid láyer [néfəlɔ̀id-] 〖해양〗 (점토 구성물 크기의 미세한 광물이 떠다니는 심해의) 현탁층(懸濁層)
neph·e·lom·e·ter [nèfəlɑ́mətər | -lɔ́m-] *n.* 〖세균·화학〗 탁도계, 비탁계(比濁計)
*＊***neph·ew** [néfjuː | névjuː, néfjuː] [L 「손자, 자손」의 뜻에서] *n.* **1** 조카, 생질(cf. NIECE) **2** 《완곡》 (성직자의) 남자 사생아
nepho- [néfou, -fə] 《연결형》 「구름(cloud)」의 뜻
neph·o·gram [néfəgræ̀m] *n.* 구름 사진
neph·o·graph [néfəgræ̀f | -grɑ̀ːf] *n.* 구름 사진 촬영기
ne·phol·o·gy [nefɑ́lədʒi | -fɔ́l-] *n.* Ⓤ 〖기상〗 구름학(學) 《기상학의 하나》
nè·pho·lóg·ic(al) *a.* **-gist** *n.*
ne·phom·e·ter [nefɑ́mətər | -fɔ́m-] *n.* 운량계(雲量計)
neph·o·scope [néfəskòup] *n.* 측운기(測雲器)
nephr- [nefr], **nephro-** [néfrou] 《연결형》 「신(장)」의 뜻 《모음 앞에서는 nephr-》
ne·phral·gi·a [nəfrǽldʒiə] *n.* Ⓤ 〖병리〗 신장통(腎臟痛)
ne·phrec·to·my [nəfréktəmi] *n.* 〖외과〗 신적출(腎摘出)(술), 신장 절제(切除)
neph·ric [néfrik] *a.* 〖의학〗 신장의
ne·phrid·i·um [nəfrídiəm] *n.* (*pl.* **-i·a** [-diə]) 〖동물〗 (무척추 동물의) 배설관, 신관(腎管)
neph·rite [néfrait] *n.* Ⓤ 〖광물〗 연옥(軟玉) 《신장병에 좋다고 생각되었음; cf. JADEITE》
ne·phrit·ic [nəfrítik] *a.* 〖병리〗 신장(腎臟)의; 신(장)염의: a ~ stone 연옥(nephrite)
ne·phri·tis [nəfráitis] *n.* 〖병리〗 **1** 신염(腎炎) **2** =BRIGHT'S DISEASE
neph·ro·lith [néfrəliθ] *n.* 〖병리〗 신장 결석
ne·phrol·o·gy [nəfrɑ́lədʒi | -frɔ́l-] *n.* Ⓤ 〖의학〗 신장(병)학
neph·ron [néfrɑn | -rɔn] *n.* 〖해부〗 네프론, 신(腎)단위
ne·phrop·a·thy [nəfrɑ́pəθi | -frɔ́p-] *n.* Ⓤ 〖병리〗 신장해(腎障害), 신증(腎症)
ne·phro·sis [nəfróusis] *n.* Ⓤ 〖병리〗 (상피성) 신장증, 네프로제 **ne·phrót·ic** [nəfrɑ́təmi | -frɔ́t-] *a.*
nephrótic sýndrome 〖병리〗 신장 증후군
ne·phrot·o·my [nəfrɑ́təmi | -frɔ́t-] *n.* 〖의학〗 신장 절개술
ne plus ul·tra [níː-plʌ̀s-ʌ́ltrə, néi-] [L =no more beyond] [the ~] **1** 극한; 극점, 극치 《*of*》 **2** 극복할 수 없는 장애
ne·pot·ic [nəpɑ́tik | -pɔ́t-] *a.* 연고자[친척] 등용의 (경향이 있는)
nep·o·tism [népətìzm] *n.* Ⓤ 친척 등용, 족벌주의 **-tist** *n.* 족벌주의자
*＊***Nep·tune** [néptjuːn | -tjuːn] *n.* **1** 〖로마신화〗 넵튠 《해신(海神); 그리스 신화의 Poseidon에 해당함》: sons of ~ 선원 **2** 〖천문〗 해왕성 **3** 바다, 대양
~'s cup 〖동물〗 산호의 일종 ***~'s revel*** 적도제(赤道祭)
Nep·tu·ni·an [neptjúːniən | -tjúː-] *a.* **1** Neptune의 **2** 해왕성의 **3** 바다의 **4** [종종 **n~**] 〖지질〗 수성(水成)의(cf. PLUTONIC 2)
nep·tun·ism [néptjuːnìzm | -tjuː-] *n.* Ⓤ 〖지질〗 (암석) 수성론(水成論) **-ist** *n.* (암석) 수성론자
nep·tu·ni·um [neptjúːniəm | -tjúː-] *n.* Ⓤ 〖화학〗 넵투늄 《방사성 원소; 기호 Np, 번호 93》
ne·ral [níəræl] *n.* 〖화학〗 네랄
NERC Natural Environment Research Council 《영》 자연 환경 조사국
nerd [nəːrd] *n.* 《미·속어》 얼간이, 멍텅구리; (두뇌는 명석하나) 세상을 물정을 모르는[따분한] 사람: a computer ~ 컴퓨터광
nerd·ling [nə́ːrdliŋ] *n.* 《미·속어》 미숙한[초보자인] 해커
ne·re·id [níəriid] *n.*, *a.* 〖동물〗 갯지렁이(의)
Ne·re·id [níəriid] *n.* **1** 〖그리스신화〗 네레이스 《바다의 요정[여신]》 **2** 〖천문〗 네레이드 《해왕성의 제2 위성》
ne·re·is [níəriis] *n.* (*pl.* **-re·i·des** [niəríːədìːz]) 〖동물〗 갯지렁이
Ne·re·us [níəriəs, -rjuːs | -rjuːs, -riùːs] *n.* 〖그리스신화〗 네레우스 《바다의 신; 50명의 Nereid의 아버지》
nerf [nəːrf] *vt.* 《속어》 (drag race에서) 〈남의 차에〉 부딪치다[부딪쳐 진로에서 몰아내다]
nérf(·ing) bàr [nə́ːrf(iŋ)-] (바퀴를 보호하기 위하여 개조 고속 차(hot rod)에 다는) 완충기(bumper)
ne·rit·ic [nərítik] *a.* 얕은 바다의, 연안의
nerític zòne 〖생물〗 얕은 해수층(海水層)
nerk [nəːrk] *n.* 《영》 =NERD
Nérnst héat thèorem [néərnst-] [독일의 물리학자 이름에서] 〖물리〗 네른스트의 열정리(熱定理)
Ne·ro [níərou] *n.* 네로(37-68) 《로마의 황제(54-68); 그리스도교도를 박해한 폭군》 **Ne·rón·ic** *a.*
Néro Déep [the ~] 네로 해연(海淵) 《괌 섬 부근의 깊은 바다; 깊이 9,580 m》
ner·o·li [nérəli, níər- | níər-] *n.* 〖약학〗 등화유(橙花油), 네롤리유(=**~ òil**)
Ne·ro·ni·an [niróuniən] *a.* **1** 로마 황제 네로(시대)의 **2** Nero와 같은, 잔인[방탕, 횡포]한
Ne·ro·nize [níərounàiz] *vt.* (폭군) 네로처럼 묘사하다; 타락시키다; …에 학정을 펴다
nerts, nertz [nəːrts] *int.* 《미·속어》 =NUTS

nerv·al [nə́:rvəl] *a.* 신경(계)의[에 관한](neural)

nerv·ate [nə́:rveit] *a.* 〖식물〗 잎맥이 있는(nerved)

ner·va·tion [nə:rvéiʃən], **ner·va·ture** [nə́:rvətʃùər, -tʃər | -tʃə] *n.* 〖생물〗 = VENATION

‡**nerve** [nə́:rv] [L 「건(腱)」의 뜻에서] *n.* **1** 〖해부〗 신경: ~ strain 신경 과로 **2** Ⓤ **용기**, 담력; 기력, 정신력: a man of ~ 담대한[배짱 있는] 사나이/get up the ~ 용기를 내다/~*s* of iron[steel] 담력, 대담 **3** [*pl.*] (활동 등의) 근원, 중추; 체력, 활기 **4** Ⓤ [보통 a ~, the ~] 《구어》 뻔뻔스러움, 무례: (~+*to* do) He had *the* ~ *to* say that. 그는 뻔뻔스럽게도 그렇게 말했다. **5** [*pl.*] **신경과민**, 신경질, 안달; 겁; 우울; 신경 과민증, 히스테리: a bundle of ~*s* 신경과민인 사람/an attack of ~*s* 히스테리의 발작/have a fit of ~*s* 신경과민이 되다 **6** 민감한 곳; (신경에 걸리는) 미묘한 점 **7** 치수(齒髓); 《통속적으로》 (치아의) 신경 **8** 《시어》 힘줄, 건(腱) **9** 〖식물〗 잎맥; 〖곤충〗 날개맥 **10** (둥근 천장의) 늑(肋)

a war of ~s 신경전 ***be all ~s*** 매우 신경과민이다 ***get on*** a person***'s ~s*** = ***give*** a person ***the ~s*** …의 신경을 건드리다, 신경질 나게 하다, …을 안달하게 하다 ***have no ~s*** = ***not know what ~s are*** (위험을 느끼지 않고) 태연하다, 대담하다 ***have the***[***a***] ***~ to*** do …할 용기가 있다; 《구어》 뻔뻔스럽게도 …하다 ***hit a ~*** 아픈 곳을 건드리다 ***live on*** one***'s ~s*** 바싹 긴장하며 살다 ***lose one's ~*** 《구어》 켕기다, 겁내다 ***strain every ~*** 힘껏 노력하다, 전력을 다하다 ***What a ~!*** 참 뻔뻔스럽군.

—*vt.* …에게 힘을 주다, 용기를[기운을] 북돋우다, 격려하다: (~+목+*to* do) Her advice ~*d* him *to* go his own way. 그녀의 충고로 그는 자기의 길을 갈 용기를 얻었다. ~ one***self to*** do 힘[용기]을 내다, 분기하다 《*for*》

nérve àgent (군사용의) 신경계에 작용하는 물질, 신경 가스 《따위》

nérve blòck 〖의학〗 신경 차단(법) 《국부 마취의 일종》

nérve cèll 〖해부〗 신경 세포(neuron)

nérve cènter **1** 〖해부〗 신경 중추 **2** [the ~] (조직 등의) 중추부, 수뇌부(headquarters)

nérve còrd (무척추 동물의) 신경삭(索)

nerved [nə́:rvd] *a.* **1** [보통 복합어를 이루어] 신경이 …한: strong-~ 신경이 강한, 대담한 **2** 활기 있는, 대담한 **3** 〖식물·곤충〗 잎맥[날개맥]이 있는(nervate)

nérve ènding 〖해부〗 신경 종말[말단]

nérve fìber 〖해부〗 신경 섬유

nérve gàs 〖군사〗 신경 가스 《독가스의 일종》

nérve gròwth fàctor 〖생리〗 신경 성장 인자 《지각[교감] 신경 세포의 성장을 자극하는 단백질; 略 NGF》

nérve ìmpulse 〖생리〗 신경 충동

nerve-knot [nə́:rvnɑ̀t | -nɔ̀t] *n.* 〖해부·동물〗 신경절(節)

nerve·less [nə́:rvlis] *a.* **1** 〖해부〗 신경이 없는; 〖식물·곤충〗 잎맥[날개맥]이 없는 **2** 활기[용기]가 없는; 무기력한; 약한; 〈문체가〉 산만한 **3** 냉정한, 침착한(calm) **~·ly** *ad.* **~·ness** *n.*

nérve nèt 〖동물〗 신경망

nerve-rack·ing, -wrack·ing [nə́:rvræ̀kiŋ] *a.* 신경을 괴롭히는, (몹시) 신경질 나게 하는: a ~ noise 신경을 건드리는 소음

nérve trùnk 〖해부〗 신경원(元) 줄기, 신경간(幹)

nérve wàr 신경전(cf. COLD WAR, SHOOTING WAR)

ner·vine [nə́:rvi:n, -vain | -vi:n] *a.* 신경의; 신경을 진정시키는 **—***n.* 신경 진정제

nerv·ing [nə́:rviŋ] *n.* Ⓤ 〖수의학〗 (만성 염증의) 신경 절제(술)

ner·vos·i·ty [nə:rvɑ́səti | -vɔ́s-] *n.* Ⓤ 신경질, 신경과민(성); 소심

‡**nerv·ous** [nə́:rvəs] *a.* **1 a 신경질의**; 신경과민의, 흥분하기 쉬운: become ~ 신경질적으로 되다 **b** 안달복달하는, 안절부절못하는; 침착성이 없는: feel ~ about …을 걱정하다, …을 염려하다 **2** Ⓐ **신경의**, 신경성의, 신경에 작용하는: ~ tension 신경의 긴장 **3** 신경을 해치는; 신경 이상에 따른: a ~ disease 신경병 **4** 겁내는, 두려워하는, 불안한 《*of*》: a ~ moment 불안한 순간/I was ~ *of* him at first. 처음에 나는 그를 두려워했다. **5** 〈문체 등이〉 힘찬, 간결한; 《고어》 〈몸이〉 강한, 굳센 **~·ness** *n.* Ⓤ 신경과민, 겁, 소심성

nérvous bréakdown[**prostrátion**] 신경 쇠약 《neurasthenia의 속칭》

∗**ner·vous·ly** [nə́:rvəsli] *ad.* **1** 신경질적으로; 초조하게; 소심하게 **2** 《고어》 힘차게, 억세게

nérvous Néllie[**Nélly**] 《미·구어》 겁쟁이, 못난이

nérvous sỳstem [the ~] 〖해부·생리〗 신경계(통)

ner·vure [nə́:rvjuər] *n.* **1** 〖곤충〗 날개맥(vein) **2** 〖식물〗 잎맥

nerv·y [nə́:rvi] *a.* (**nerv·i·er**; **-i·est**) **1** 《미·구어》 대담한, 용기 있는; 뻔뻔스러운 **2** 《고어·시어》 기골이 장대한; 강한, 기운 좋은(vigorous) **3** 《영·구어》 신경질[신경과민]인, 흥분하기 쉬운; 신경에 거슬리는

n.e.s., N.E.S. not elsewhere specified[stated] 별도로 특별 기재가 없을 경우에는

nesc·ience [néʃəns, -ʃiəns | nésiəns] *n.* Ⓤ **1** 무지(ignorance) **2** 〖철학〗 불가지론(agnosticism)

nes·cient [néʃənt, -ʃiənt | nésiənt] *a.* **1** 무지한, 모르는 《*of*》 **2** 〖철학〗 불가지론(자)의 **—***n.* 불가지론자

ness [nés] *n.* 곶, 갑(岬), 해각(海角)(headland, promontory, cape)

Ness [nés] *n.* **Loch ~** 네스 호 《스코틀랜드 북서부의 호수; 괴물이 살고 있다고 함》

-ness [nis] *suf.* [분사·(복합) 형용사 등에 붙여서 「성질·상태」 등을 나타내는 추상 명사를 만듦]: loveli*ness*, kind*ness*

Nes·sel·rode [nésəlròud] *n.* [때로 **n~**] 과실의 설탕 절임 《푸딩·아이스크림 등에 넣는》

Nes·sie [nési] *n.* 네시 《스코틀랜드의 Ness호에 출몰한다고 하는 괴물》

Nes·sus [nésəs] *n.* 〖그리스신화〗 네소스 《Hercules의 아내를 범하려다 독화살을 맞은 켄타우로스》

‡**nest** [nést] *n.* **1** (새·곤충·물고기·파충류·쥐·토끼 등의) **보금자리**, 둥우리, 둥지, 굴 관련 벌집은 (bee)hive, 짐승의 굴은 lair, 맹금의 둥지는 aerie, 거미집은 cobweb **2** [집합적] **a** 보금자리 속의 알[새끼], 한 배(에 깐) 새끼떼 《새·벌레 등의》: take a ~ 새 둥지에서 알[새끼]을 훔치다 **b** (벌레 등의) 떼, (악인들의) 일당 **3** 피난처, 아늑한 곳 **4** (한데 포갤 수 있는 크고 작은 상자·탁자·스푼 등의) 한 벌 《*of*》: a ~ *of* tea cups 찻잔 한 벌 **5** 소굴; 온상 《나쁜 짓 등의》 《*of*》: a ~ *of* vice 악의 온상 **6** (화기(火器)의) 진지, 기지: a ~ of missile 미사일 기지

feather one***'s ~*** (보통 부정 수단으로) 부자가 되다, 사복을 채우다 ***foul***[***befoul***] one***'s own ~*** 자기 집[정당]의 일을 나쁘게 말하다

—*vi.* **1** 보금자리[둥지]를 짓다, 깃들이다 **2** 알맞게 포개지다: (~+부) bowls that ~ easily for storage 간단히 포개서 보관해 둘 수 있는 사발 **3** 새 둥지를 찾다 ***go ~ing*** 새 둥지를 찾으러 가다

—*vt.* **1** 보금자리[새집]를 지어 주다 **2** [보통 과거분사로] 〈상자 등을〉 포개 넣다

NEST Nuclear Emergency Search Team

nést bòx (상자 모양의) 새집

nést ègg **1** (새가 알을 낳도록 유도하는) 밑알 **2 a** 자금의 밑천, 본전 **b** (만일의 경우에 대비하는) 비상금

nest·er [néstər] *n.* 둥지를 틀고 있는 새; 《미》 농경을 위해 목초지에 정주하는 사람

nest·ful [néstfùl] *n.* 새둥우리에 하나 가득한 분량

∗**nes·tle** [nésl] [OE 「보금자리를 만들다」의 뜻에서] *vi.* **1 편안하게 드러눕다**, 기분좋게 자리잡다 《*down*》;

thesaurus **nervous** *a.* **1 신경과민의** fearful, apprehensive, anxious, tense, strained, excitable, hysterical **2 불안한** worried, fretful, uneasy,

바싹 다가서다 ((up)): ((~+전+명)) ~ *down in* bed 침대에 기분좋게 눕다 **2** 〈집 등이〉 (쾌적하게 깊숙이) 자리잡고 있다, 주위의 풍경 속에 파묻히다시피 서 있다: ((~+전+명)) a cottage *nestling in* a grove 숲으로 둘러싸인 시골집 **3** (고어) 깃들이다(nest)
— *vt.* **1** 〈머리·얼굴·어깨 등을 …에〉 비벼대다 ((*on, against*)) **2** [종종 수동형으로] 〈…을 …에〉 아늑하게 자리잡도록 하다 ((*in*)): The baby *was ~d in* its mother's arms. 아기는 어머니 품에 포근하게 안겨 있었다. **nés·tler** *n.*

nest·ling [néstliŋ] *n.* **1** 갓 깐 병아리 **2** 젖먹이

Nes·tor [néstər, -tɔːr | -tɔː] *n.* **1** 〖그리스신화〗 네스토르 ((Homer 작 *Iliad* 중의 슬기로운 노장군)) **2** [때로 **n~**] 현명한 노인; 장로(長老)

Nes·to·ri·an [nestɔ́ːriən] *a.* 네스토리우스 (교파, 교도)의 — *n.* 네스토리우스 교도
~·ìsm *n.* 네스토리우스의 교의(敎義)

Nes·to·ri·us [nestɔ́ːriəs] *n.* 네스토리우스(?-451?) ((시리아의 성직자; 예수의 신성(神性)과 인성(人性)을 구별할 것을 주장))

‡**net**[1] [nét] *n.* **1** 그물, 네트: a fishing ~ 어망(漁網) / a mosquito ~ 모기장 / cast[throw] a ~ 그물을 던지다 / draw in a ~ 그물을 올리다 / lay [spread] a ~ 그물을 치다 **2** 올가미, 함정; 계략: the ~ of justice 법망 **3** 그물 모양으로 짠 것; 그물 세공(細工); 그물 레이스 **4** 망상(網狀)의 조직; 거미줄 **5** 통신망; (라디오·텔레비전 등의) 네트워크, 방송망 (network); [the N~] 〖컴퓨터〗 = INTERNET: surf *the N~* 넷서핑을 하다 **6** 네트(볼) ((테니스 등에서 네트에 맞은 타구))(= **~ bàll**) ***cast** one's **~ wide*** 널리 정보를 수집하다 ***slip through the ~*** (수사망 등에서) 빠져나가다; (원조 등을) 받지 못하다
— *v.* (**~·ted**; **~·ting**) *vt.* **1** 그물로 잡다, 투망질하다: ~ fish 어망으로 고기를 잡다 **2** 그물로 덮다; 그물을 치다; 그물을 뜨다[만들다] **3** (속어) 올가미로 걸다 (snare) **4** (노력의 결과로) 얻다 **5** 〖테니스〗 〈공을〉 네트에 치다; 〖축구·하키〗 슛하다 **6** 뜨다, 짜다
— *vi.* **1** 그물 모양을 이루다 **2** 〖테니스〗 네트시키다 **3** 〖축구·하키〗 슛하다

*__net__[2] [nét] [F 「순수한, 깨끗한」의 뜻에서] *a.* **1** Ⓐ 에누리 없는; 순(純)…, 정(正)…(opp. *gross*[1]): ~ earnings 순익 / a ~ price 정가(正價) **2** Ⓐ 결국의, 최종적인: the ~ result 최종 결과
— *n.* 순량(純量), 순익; 정가; 〖골프〗 네트 ((타수의 총수(gross)에서 핸디캡을 뺀 수))
— *vt.* (**~·ted**; **~·ting**) …의 순익을 올리다; 〈…에게〉 이익을 올리게 하다

NET National Educational Television

nét amóunt 〖상업〗 판매 가격 ((고객에게 파는))

nét ássets 순자산(net worth)

nét ásset válue (투자 회사의) 1주(株)당의 순자산 가치[액] ((略 NAV))

net·ball [nétbɔ̀ːl] *n.* Ⓤ 네트볼 ((농구 비슷한 일종의 구기; 영국 여성이 좋아함))

net·book [nétbuk] *n.* 넷북 ((휴대용 미니 노트북 컴퓨터))

nét cùrtains (영) 가는 레이스의 커튼

nét doméstic próduct 〖경제〗 국내 순생산

nét económic wélfare 〖경제〗 순경제 복지도(福祉度) ((略 NEW))

net-fish·ing [-fìʃiŋ] *n.* 그물 어로, 투망질

net·ful [nétfùl] *n.* 그물 가득(한 분량)

nét gàme 〖테니스〗 네트 게임

Neth. Netherlands

neth·er [néðər] *a.* Ⓐ (문어·익살) **1** 지하의, 지옥의 **2** 아래의(opp. *upper*): ~ extremities 하지, 다리, 발 / ~ garments 바지 / the ~ lip 아랫입술

---

restless, impatient, ruffled, frightened, scared

net[2] *a.* **1** 순(純) clear, pure, remaining, exclusive **2** 결국의 final, ultimate, concluding, closing

Neth·er·land·er [néðərlæ̀ndər] *n.* 네덜란드 사람

Neth·er·land·ish [néðərlæ̀ndiʃ, -lən-] *a.* 네덜란드 (사람[말])의 — *n.* Ⓤ 네덜란드 말

*__Neth·er·lands__ [néðərləndz] [Du. 「낮은 땅」의 뜻에서] *n.* [the ~; 보통 단수 취급] 네덜란드 ((유럽 서부의 북해에 면한 왕국; 수도 Amsterdam, 정부 소재지 The Hague; 공식명 the Kingdom of the Netherlands, 속칭 Holland; cf. DUTCH))
-land·i·an [-læ̀ndiən], **-land·ic** [-læ̀ndik] *a.*

Nétherlands Èast Índies [the ~] = DUTCH EAST INDIES

néther màn[pèrson] [the ~] (익살) 다리

neth·er·most [néðərmòust, -məst | -mòust] *a.* Ⓐ [the ~] (문어) 가장 아래의(lowest): *the* ~ hell 지옥 바닥

néther règions [the ~] 지옥

neth·er·world [néðərwə̀ːrld] *n.* [the ~] **1** 명부(冥府), 지옥(hell) **2** 내세, 저승 **3** 암흑가

nét íncome 〖회계〗 순이익

net·i·quette [nétikit, -ket] [*net*work+eti*quette*] *n.* 〖컴퓨터〗 (인터넷 사용자의) 컴퓨터 에티켓 ((인터넷·PC 통신과 같은 네트워크상에서 지켜야 할 예절))

net·i·zen [nétizn] [*net*work+cit*izen*] *n.* 네티즌 ((컴퓨터 네트워크 사용자))

net·keep·er [nétkìːpər], **net·mind·er** [nétmàindər] *n.* = GOALKEEPER

net·man [-mæ̀n, -mən] *n.* (*pl.* **-men** [-mèn, -mən]) 테니스 선수

nét nátional próduct 〖경제〗 국민 순(純)생산 ((略 NNP))

net-net [-nèt] *n.* (미·구어) 실질, 근본, 본질; 최후의 숫자, 순익

net·news [nétnjùːz] *n.* 〖컴퓨터〗 인터넷상의 뉴스 [정보]

nét plày 〖테니스〗 네트 플레이 ((네트 가까이 위치하여 하는 플레이의 총칭))

net·pre·neur [nétprənə́ːr] [*net*work+entre*preneur*] *n.* 〖컴퓨터〗 인터넷 기업가, 정보통신 벤처 사업가

nét prófit 순이익, 순익

NETRC (미) National Educational Television and Radio Center

net·root [nétruːt] [Inter*net*+grass*root*] *n.* [보통 *pl.*] 온라인 미디어를 통한 정치 활동(가)

Nét·scape Nàvigator [nétskèip-] *n.* 〖컴퓨터〗 넷스케이프 네비게이터 ((Netscape Communications Corp의 Web Browser; 상표명))

net-skim·mer [nétskìmər] *n.* 〖테니스〗 네트스키머 ((네트를 스치듯이 넘어가는 타구))

net·speak [nètspíːk] *n.* 〖컴퓨터〗 인터넷 은어(隱語)

nét sùrfer (구어) 네트 서퍼 ((인터넷 네트워크 안에서 이리저리 검색하는 사람))

net·surf·ing [nétsə̀ːrfiŋ] *n.* 네트서핑 ((웹 사이트들을 여기저기 검색해 보는 것))

nett [nét] *a., n., vt.* (영) = NET[2]

net·ted [nétid] *a.* **1** 그물로 잡은 **2** 그물로 싼, 〈창 등이〉 그물을 친 **3** 그물 모양의; 그물 세공(細工)의

net·ter [nétər] *n.* **1** 그물을 치는[만드는] 사람 **2** (미·구어) 테니스 선수

Net·tie, Net·ty [néti] *n.* 여자 이름 ((Antoinette, Henrietta, Jeannette의 애칭))

net·ting [nétiŋ] *n.* Ⓤ **1** 그물 세공; 그물 뜨기: wire ~ 철망 **2** 투망, 그물질

nétting nèedle 그물 뜨는 바늘

*__net·tle__ [nétl] *n.* **1** 〖식물〗 쐐기풀 **2** 신경질 나게[초조하게] 하는 것[일] ***cast*** [***throw***] one's ***frock to the ~s*** 목사직을 그만두다 ***grasp the ~*** (호주) 의연하게 난국에 맞서다 ***on ~s*** 초조하여, 안절부절못하여
— *vt.* **1** 쐐기풀처럼 찌르다 **2** 초조하게 만들다; 화나게 하다 **nét·tler** *n.*

néttle crèeper 〖조류〗 휘파람새의 일종

net·tle-grasp·er [nétlgræ̀spər | -grɑ̀ːs-] *n.* 어려

운 일에 대담하게 대처하는 사람
néttle ràsh 〖병리〗 두드러기(urticaria)
net·tle·some [nétlsəm] *a.* **1** 초조하게 만드는, 난처하게 만드는, 귀찮은 **2** 화를 잘 내는 《*over*》
nét tón 미(美) 톤 《2,000파운드, 907.2 kg》; 순(純)톤
nét tónnage (상선의) 순 톤수 《과세 대상이 됨》
net·ty [néti] *a.* (**-ti·er**; **-ti·est**) 그물 모양의; 그물 세공의
net-veined [nétvèind] *a.* 〖식물〗 〈잎맥이〉 망상맥(網狀脈)인
net wéight [the ~] 정미(正味) 중량, 순 중량(cf. GROSS WEIGHT)
‡**net·work** [nétwə̀ːrk] *n.* **1** (운하·철도·전선·혈관 등의) **망상**(網狀) **조직**, 연락망; (상점 등의) 체인: a ~ of railroads 철도망 **2** 〖라디오·TV〗 (전국) **방송망**, 네트워크: TV ~*s* 텔레비전 방송망 **3** 〖통신·컴퓨터〗 **통신망**, 네트워크 《컴퓨터나 단말 장치·프린터·전화 등이 통신 회선 또는 케이블로 접속되는 시스템》 **4** Ⓤ 망세공(網細工), 망제품 **5** 〖전기〗 회로망 **6** (정보 공유 등을 위해) 연결된 조직
— *a.* 〈프로그램이〉 네트워크 방송의
— *vt.* **1** …에 방송망을 설치하다; 방송망으로 방송하다 **2** 〖컴퓨터〗 통신망[네트워크]에 접속하다 **3** 널리 배포하다 **4** (그물처럼) 덮다
— *vi.* 인맥·연고 따위를 활용하다; 정보를 교환하다, 서로 연락을 주고받다
~ed [-t] *a.* Ⓐ 네트워크화한, 네트워크 방송의
nétwork admìnistrator 〖컴퓨터〗 네트워크 관리자[운영 책임자]
nétwork anàlysis 1 〖수학〗 회로(망) 해석 **2** 〖경영〗 네트워크 분석 《회로망 해석 수법을 이용한》
nétwork applìance 〖컴퓨터〗 주로 인터넷 접속 기능만을 갖춘 컴퓨터
nétwork càrd 〖컴퓨터〗 네트워크 카드, 랜카드 《컴퓨터를 외부 네트워크와 연결시켜 주는》
nétwork compùter 〖컴퓨터〗 네트워크 컴퓨터 《디스크 저장 기능 없이 인터넷과 LAN 등에 연결되도록 고안된 저가형 퍼스널 컴퓨터》
nétwork drìve 〖컴퓨터〗 네트워크 드라이브 《네트워크를 통해 이용하는》
net·work·ing [nétwə̀ːrkiŋ] *n.* **1** 〖컴퓨터〗 네트워킹 《여러 대의 컴퓨터나 데이터 뱅크가 연계되어 있는 시스템》 **2** (정보 등을 얻기 위한) 개인적 정보망의 형성
nétwork ìnterface 〖컴퓨터〗 = NETWORK CARD
nétwork prìnter 〖컴퓨터〗 네트워크 프린터 《네트워크만을 통해서 이용》
nétwork secùrity 〖컴퓨터〗 통신망 기밀 보호
nét wórth 〖회계〗 순자산(純資産)(net assets)
Neuf·châ·tel [njùːʃətél, ⌐–⌐ | nəːʃætél] [생산지인 프랑스 북부의 도시명에서] *n.* Ⓤ 뇌샤텔 《치즈의 일종; 부드럽고 맛이 진함》
neume, neum [njúːm | njúːm] *n.* 〖음악〗 네우마 《중세의 기보(記譜) 기호; 현재 그레고리오 성가에서 씀》
neu·mat·ic [njuːmǽtik | njuː-], **néu·mic** *a.*
neur. neurological; neurology
neur- [njuər | njuər], **neuro-** [njúərou, -rə | njúər-] [Gk = nerve] 《연결형》 「신경(조직); 신경계」의 뜻 《모음 앞에서는 neur-》
neu·ral [njúərəl | njúər-] *a.* Ⓐ 〖해부〗 신경(계)의; 척수와 같은 쪽에 있는 **~·ly** *ad.*
néural árch 〖해부〗 신경궁(神經弓)
néural compúter = NEUROCOMPUTER
néural crést 〖발생〗 신경관(冠)
neu·ral·gia [njuərǽldʒə | njuər-] *n.* Ⓤ 〖병리〗 신경통 **-gic** [-dʒik] *a.* 신경통성의
néural nét[**néwork**] 신경 회로망 《뇌신경계를 모델로 한, 컴퓨터의 정보 처리 시스템》
néural pláte 〖발생〗 신경판(板)
néural túbe 〖발생〗 신경관(管)
neur·a·mín·ic ácid [njùərəmínik- | njùər-] 〖생화학〗 뉴라민산(酸)
neur·a·min·i·dase [njùərəmínədèis, -dèiz | njùər-] *n.* 〖생화학〗 뉴라미니다아제 《뉴라민산 가수분해 효소》
neur·as·the·ni·a [njùərəsθíːniə | njùər-] *n.* Ⓤ 〖병리〗 신경 쇠약(증)(nervous breakdown)
neur·as·then·ic [njùərəsθénik | njùər-] *a.*, *n.* 신경 쇠약의 (환자) **-i·cal·ly** *ad.*
neu·ra·tion [njuəréiʃən | njuər-] *n.* = VENATION
neu·rec·to·my [njuəréktəmi | njuər-] *n.* Ⓤ 〖외과〗 신경 절제(술)
neu·ri·lem·ma [njùərəlémə | njùər-] *n.* 〖해부〗 신경초(鞘)
neu·ris·tor [njuərístər | njuər-] *n.* 〖전자〗 뉴리스터 《신호를 감쇠시키지 않고 전달하는 장치》
neu·rite [njúərait | njúər-] *n.* 〖해부〗 신경 돌기
neu·ri·tis [njuəráitis | njuər-] *n.* Ⓤ 〖병리〗 신경염
neu·rit·ic [-rítik] *a.*
neuro- [njúərou, -rə | njúər-] 《연결형》 = NEUR-
neu·ro·ac·tive [njùərouǽktiv | njùər-] *a.* 〖생리〗 신경 자극성의
neu·ro·a·nat·o·my [njùərouənǽtəmi | njùər-] *n.* Ⓤ **1** (생물체의) 신경 구조 **2** 신경 해부학 **-mist** *n.*
neu·ro·bi·ol·o·gy [njùəroubaiɑ́lədʒi | njùərou-baiɔ́l-] *n.* Ⓤ 신경 생물학
neu·ro·blas·to·ma [njùəroublæstóumə | njùər-] *n.* (*pl.* **~s**, **~·ta** [-tə]) 〖병리〗 신경아(芽)세포종(腫)
neu·ro·chem·i·cal [njùəroukémikəl | njùər-] *a.* 신경 화학의 — *n.* 신경 화학 물질 **~·ly** *ad.*
neu·ro·chem·is·try [njùəroukémistri | njùər-] *n.* Ⓤ 신경 화학 **-chém·ist** *n.*
neu·ro·chip [njúəroutʃip | njúər-] *n.* 〖컴퓨터〗 뉴로칩 《뉴로 컴퓨터용》
neu·ro·com·put·er [njùəroukəmpjúːtər | njùər-] *n.* 〖컴퓨터〗 뉴로 컴퓨터 《neural network에 의해 정보 처리 작업을 하는》
neu·ro·de·pres·sive [njùəroudiprésiv | njùər-] 〖약학〗 *a.* 신경 억제성의 — *n.* 신경 억제제
neu·ro·en·do·crine [njùərouéndəkrin | njùər-] *a.* 〖생리〗 신경 내분비 (작용)의
neu·ro·en·do·cri·nol·o·gy [njùərouèndəkrinɑ́lədʒi | njùərouèndəkrinɔ́l-] *n.* Ⓤ 신경 내분비학
nèu·ro·en·do·cri·no·lóg·i·cal *a.* **-gist** *n.*
neu·ro·e·thol·o·gy [njùərouiːθɑ́lədʒi | njùərouiːθɔ́l-] *n.* Ⓤ 신경 동물 행동학, 신경 생태학
neu·ro·fi·bril [njùəroufáibrəl | njùər-] *n.* 〖해부〗 신경원(原)섬유
neu·ro·fi·bro·ma [njùəroufaibróumə | njùər-] *n.* (*pl.* **~s**, **~·ta** [-tə]) 〖병리〗 신경 섬유종(腫)
neu·ro·fi·bro·ma·to·sis [njùəroufaibròumətóusis | njùər-] *n.* (*pl.* **-ses** [-siːz]) 〖병리〗 신경 섬유종증
neu·ro·gen·e·sis [njùəroudʒénəsis | njùər-] *n.* (*pl.* **-ses** [-sìːz]) 신경 (조직) 발생[형성]
-ge·nét·ic *a.*
neu·ro·ge·net·ics [njùəroudʒənétiks | njùər-] *n. pl.* [단수 취급] 신경 유전학
neu·ro·gen·ic [njùərədʒénik | njùər-] *a.* 〖의학〗 신경성의, 신경(조직)에 유래하는
neu·rog·li·a [njuərɑ́gliə | njuərɔ́g-] *n.* Ⓤ 〖해부〗 신경교(膠)
neu·ro·hor·mone [njùərouhɔ́ːrmoun | njùər-] *n.* 〖생리〗 신경 (분비) 호르몬
-hor·mó·nal *a.*
neu·ro·hy·poph·y·sis [njùərouhaipɑ́fəsis | njùərouhaipɔ́f-] *n.* (*pl.* **-ses** [-sìːz]) *n.* 〖해부〗 신경 하수체

thesaurus **neuter** *v.* castrate, geld, emasculate, desexualize, make barren, sterilize, spay
neutral *a.* **1** 중립국의 nonfighting, noncombatant,

neu·ro·in·for·mat·ics [-infərmǽtiks] *n. pl.* [단수 취급] 〖컴퓨터〗 신경정보과학, 뉴로 컴퓨터 과학
neurol. neurological; neurology
neu·ro·lept·an·al·ge·si·a [njùərəleptæ̀nəldʒíːziə, -siə | njùər-] *n.* 〖의학〗 신경 이완성 진통 상태
neu·ro·lep·tic [njùərəléptik | njùər-] *n., a.* 〖약학〗 신경 이완제[이완성의]
nèu·ro·lin·gùis·tic prógramming [njùərəliŋgùistik- | njùərə-] 〖심리〗 신경 언어학 프로그램 《신경 언어학을 이용하여 긍정적 사고를 유도하는》
neu·ro·lin·guis·tics [njùərəliŋgwístiks | njùər-] *n. pl.* [단수 취급] 신경 언어학
-lin·guís·tic *a.*
neu·ro·log·i·cal [njùərəlάdʒikəl | njùərəlɔ́dʒ-], **-ic** [-dʒik] *a.* 신경학상의, 신경의 **-i·cal·ly** *ad.*
neu·rol·o·gy [njuərάlədʒi | njuərɔ́l-] *n.* Ⓤ 〖의학〗 신경학 **-gist** *n.* 신경학자, 신경과 의사
neu·rol·y·sis [njuərάləsis | njuərɔ́l-] *n.* (*pl.* **-ses** [-sìːz]) **1** Ⓤ 〖병리〗 신경 조직 붕괴; 신경 피로 **2** ⓊⒸ 〖외과〗 신경 박리(剝離)(술) **nèu·ro·lýt·ic** *a.*
neu·ro·ma [njuəróumə | njuər-] *n.* (*pl.* **~s, ~·ta** [-tə]) 〖병리〗 신경종(腫)
neu·ro·mus·cu·lar [njùəroumʌ́skjulər | njùər-] *a.* 〖생리〗 신경과 근육의[에 관한]; 신경근의
neu·ron [njúərαn | njúərɔn], **-rone** [-roun] *n.* 〖해부〗 신경 단위, 뉴런 **-ro·nal** [-rənəl] *a.*
neu·ron·ic [njurάnik | njuərɔ́n-] *a.* 신경 단위의
neu·ro·path [njúərəpæ̀θ | njúər-] *n.* 〖정신의학〗 신경병 환자, 신경병 소질자
neu·ro·pa·thol·o·gy [njùəroupəθάlədʒi | njùəroupəθɔ́l-] *n.* Ⓤ 신경 병리학
-pàth·o·lóg·ic, -i·cal *a.* **-gist** *n.*
neu·rop·a·thy [njuərάpəθi | njuərɔ́p-] *n.* Ⓤ 〖정신의학〗 신경 장애, 신경병질 **nèu·ro·páth·ic** *a.*
neu·ro·pep·tide [njùəroupéptaid | njùər-] *n.* 신경 펩티드 《신경 세포에 포함되는 짧은 펩티드》
neu·ro·phar·ma·col·o·gy [njùəroufὰːrməkάlədʒi | njùəroufὰːrməkɔ́l-] *n.* Ⓤ 신경 약리학
-co·lóg·i·cal, -ic *a.* **-gist** *n.*
neu·ro·phys·in [njùəroufíziːn | njùər-] *n.* 〖생화학〗 뉴로피진 《뇌호르몬의 하나》
neu·ro·phys·i·ol·o·gy [njùəroufiziάlədʒi | njùəroufiziɔ́l-] *n.* Ⓤ 〖의학〗 신경 생리학
-phys·i·o·lóg·i·cal, -ic *a.* **-gi·cal·ly** *ad.* **-gist** *n.*
neu·ro·probe [njúərouprὸub | njúər-] *n.* 신경침 《전류를 통하여 환부를 찔러 자극·치료하는 바늘》
neu·ro·psy·chi·a·try [njùərousəkáiətri, -sai- | njùər-] *n.* Ⓤ 신경 정신병학
-psy·chi·át·ric *a.* **-at·ri·cal·ly** *ad.* **-trist** *n.*
neu·ro·psy·chic, -chi·cal [njùərousáikik(əl) | njùər-] *a.* 신경 심리(학적)의
neu·ro·psy·chol·o·gy [njùərousaikάlədʒi | njùərousaikɔ́l-] *n.* Ⓤ 신경 심리학
neu·ro·psy·cho·sis [njùərousaikóusis | njùər-] *n.* (*pl.* **-ses** [-sìːz]) 신경 정신병 **-chót·ic** *a.*
Neu·rop·te·ra [njuərάptərə | njuərɔ́p-] *n. pl.* 맥시류(脈翅類)
neu·rop·ter·an [njuərάptərən | njuərɔ́p-] *n.* 〖곤충〗 맥시목(脈翅目)의 곤충 《명주잠자리·풀잠자리 등》
neu·rop·ter·ous [njuərάptərəs | njuərɔ́p-] *a.* 〖곤충〗 맥시류(脈翅類)의
neu·ro·ra·di·ol·o·gy [njùəroureidiάlədʒi | njùəroureidiɔ́l-] *n.* Ⓤ 신경 방사선학
neu·ro·reg·u·la·tor [njùərouregjuléitər | njùər-] *n.* 〖생리〗 신경 조절 물질 《정보 전달에 작용하는 물질》
neu·ro·sci·ence [njùərousáiəns | njùər-] *n.* Ⓤ 신경 과학 **-sci·en·tíf·ic** *a.* **-scí·en·tist** *n.*

unallied, uninvolved **2 공평한** impartial, unbiased, unprejudiced, objective, open-minded, nonpartisan, evenhanded, disinterested (opp. *biased*)

neu·ro·sen·so·ry [njùərousénsəri | njùər-] *a.* 〖생리〗 감각[지각] 신경의
*__neu·ro·sis__ [njuəróusis | njuər-] *n.* (*pl.* **-ses** [-siːz]) ⓊⒸ 〖의학〗 **신경증,** 노이로제 《불안감·강박관념 등이 인격을 지배하는 기능적 이상》
neu·ro·sur·geon [njùərousə́ːrdʒən | njùər-] *n.* 신경 외과 의사
neu·ro·sur·ger·y [njùərousə́ːrdʒəri | njùər-] *n.* Ⓤ 신경외과(학) **-gi·cal** [-dʒikəl] *a.*
*__neu·rot·ic__ [njuərάtik | njuərɔ́t-] *a.* **신경증의,** 신경(계)의, 노이로제에 걸린, 신경과민의: She's ~ about her weight. 그녀는 자신의 체중에 대해 신경과민이 되어 있다.
— *n.* 신경증 환자; 《구어》 신경과민인 사람
-i·cal·ly *ad.* **-i·cìsm** *n.*
neu·rot·o·mist [njuərάtəmist | njuərɔ́t-] *n.* 신경 해부가(解剖家)
neu·rot·o·my [njuərάtəmi | njuərɔ́t-] *n.* (*pl.* **-mies**) ⓊⒸ 〖외과〗 (신경병 치료를 위한) 신경 절제(술), 신경 해부학 **nèu·ro·tóm·i·cal** *a.*
neu·ro·tox·ic [njùəroutάksik | njùəroutɔ́k-] *a.* 신경독(성)의
neu·ro·tox·in [njúəroutὰksin, ⌐—⌐— | njúəroutɔ̀ksin] *n.* 〖의학〗 신경독 《신경에 유독한 물질》
neu·ro·trans·mis·sion [njùəroutrænsmíʃən | njùər-] *n.* Ⓤ 신경 전달
neu·ro·trans·mit·ter [njùəroutrænsmítər | njùər-] *n.* 〖생화학〗 신경 전달 물질
neu·ro·trop·ic [njùərətrάpik, -tróup- | njùərətrɔ́p-] *a.* 〖의학〗 향신경성의, 정신 친화성의: a ~ drug 향신경성약 **neu·rót·ro·pìsm** *n.*
neu·ru·la [njúərələ | njúər-] *n.* (*pl.* **~s, -lae** [-lìː, -lài]) 〖발생〗 신경배(胚) **nèu·ru·lá·tion** *n.*
neus·ton [njúːstαn | njúːstɔn] *n.* 〖생태〗 수표(水表)생물 《수면에 부유(浮遊)하는 미생물》 **néus·tic** *a.*
neut. neuter; neutral
neu·ter [njúːtər | njúː-] *a.* **1** 〖문법〗 중성의; 〈동사가〉 자동의: the ~ gender 중성 **2** 〖생물〗 무성[중성]의: ~ flowers 중성화 **3** 중립의: stand ~ 중립을 지키다 — *n.* **1** 〖문법〗 중성; 중성 명사[대명사, 형용사, 관사]; 자동사 **2** 거세된 동물 **3** 중성형 곤충 《일개미·일벌 등》 **4** 중성[무성]식물 《암술·수술이 없는 식물》 **5** 중립자 — *vt.* 〈동물을〉 거세하다
neu·ter·cane [njúːtərkèin | njúː-] *n.* 〖기상〗 뉴터케인 《아열대성 저기압의 일종》
‡**neu·tral** [njúːtrəl | njúː-] *a.* **1 중립의;** 중립국의: a ~ nation[state] 중립국 / The country remained ~ in the war. 그 나라는 전쟁에서 중립을 유지했다. **2** (논쟁 등에서) **불편부당의,** 어느 편도 들지 않는, 공평한: The arbitrator was absolutely ~. 중재인은 완전히 공평한 입장을 고수했다. **3** 〈특색·성격이〉 분명치 않은; 이도저도 아닌, 특성 없는: a ~ personality 애매한 성격 / a ~ sort of person 평범한 사람 **4** 〖생물〗 암수 구별이 없는, 무성의: a ~ flower 무성화(無性花) **5** 〈색·색배합이〉 바랜, 회색의 **6** 〖전기·화학〗 중성의: ~ salts 중성염 **7** 〖음성〗 〈혀의 위치가〉 중성의, 중간의: ~ vowels 중성[중간] 모음 《[ə] 등》
— *n.* **1** 중립국(민); 중립자 **2** (전동(傳動) 기어의) 중립 (위치) **3** 중간색 ***in*** **~** (기어가) 중립의; 태도가 불분명하게; (두뇌 등을) 움직이지 않고
~·ly *ad.* **~·ness** *n.*
▷ néuter, neutrálity *n.*; néutralize *v.*
néutral córner 〖권투〗 뉴트럴 코너 《경기자의 휴게용으로 지정되어 있지 않은 코너》
néutral cúrrent 〖물리〗 중립적 소립자류(流)
neu·tral·ism [njúːtrəlìzm | njúː-] *n.* Ⓤ **1** (외교 문제에 대한) 중립주의[정책]; 중립 (태도[상태, 표명]) **2** 〖생물〗 (진화의) 중립설 《분자 진화에 관계한 돌연변이의 대부분은 자연선택과 무관하다는 설(說)》
neu·tral·ist [njúːtrəlist | njúː-] *n.* **1** 중립주의자 **2** 〖생물〗 중립설론자 — *a.* 중립주의의

neu·tral·i·ty [njuːtrǽləti | njuː-] *n.* Ⓤ **1** (국가의) 중립 (상태); 국외(局外) 중립; 중립 정책: armed [strict] ~ 무장 중립 **2** 불편부당 **3** 〖화학〗 중성

neu·tral·i·za·tion [njùːtrəlizéiʃən | njùːtrəlai-] *n.* Ⓤ **1** 중립화, 중립 (상태); 무효화: ~ of canal 운하의 중립화 **2** 〖언어〗 중화 **3** 〖화학〗 중화

*__neu·tral·ize__ | **-ise** [njúːtrəlàiz | njúː-] *vt.* **1** 중립화하다: (~+목+*to* do) ~ a city *to* prevent bombing 폭격을 당하지 않도록 도시를 중립화하다 **2** 〈노력 등을〉 무효화하다; 상쇄하다: carelessness that ~*d* one's efforts …이 노력을 무효로 만든 부주의 **3** 〖군사〗 〈적군을〉 제압하다, 무력화하다: ~ an enemy position 적의 요지를 무력화하다 **4** 〖화학〗 중화하다: a *neutralizing* agent 중화제(劑)

— *vi.* 중화되다; 중성이 되다

▷ néutral *a.*; neutralizátion *n.*

neu·tral·iz·er [njúːtrəlàizər | njúː-] *n.* **1** 중립시키는 것, 무효로 하는 것 **2** 중화물[제]

néutral méson = NEUTRETTO

néutral mónism 〖철학〗 중립적 일원론

néutral mutátion 〖유전〗 중립 돌연변이

Néutral Párticle Bèam Wèapon 중성자 빔 병기 《略 NPBW》

néutral spírits 중성 주정(酒精) 《95도 이상 순수 알코올; 보통 다른 술과 섞어 마심》

néutral tínt 중간색, 연한 회색

néutral zòne 〖아이스하키〗 중앙 빙역(氷域); 중립 지대; 〖전기〗 중립대

neu·tret·to [njuːtrétou | njuː-] *n.* (*pl.* **~s**) 〖물리〗 중성 중간자

neu·tri·no [njuːtríːnou | njuː-] *n.* (*pl.* **~s**) 〖물리〗 중성 미자(微子)

neutro- [njúːtrou, -trə | njúː-] 《연결형》 「중립의 (neutral), 중성…」의 뜻

Neu·tro·dyne [njuːtrədáin | njuː-] *n.* 진공관식 라디오 수신기 《상표명》

neu·tron [njúːtrɑn | njúːtrɔn] [*neu*tral+elec*tron*] *n.* 〖물리〗 중성자

néutron activàtion anàlysis 〖화학〗 중성자 (유도) 방사화합 분석 《略 NAA》

néutron bòmb 중성자 폭탄

néutron pòison 〖물리〗 중성자독(毒), 중성자 흡수 물질[반응 저해 물질] 《원자로에서의 리튬·붕소 등》

néutron radiògraphy 중성자 방사선[X선] 사진술

néutron stàr 〖천문〗 중성자성(星)

neu·tro·phil [njúːtrəfil | njúː-], **-phile** [-fail] *a.* 호(好)중성의, 중성 (색소) 호성(好性)의

— *n.* 〖면역〗 호중성 백혈구

Nev. Nevada

Ne·vad·a [nəvǽdə, -vɑ́ːdə | -vɑ́ːdə] [Sp. 「(Sierra) Nevada(산맥 이름)」에서] *n.* 네바다 《미국 서부의 주; 주도 Carson City; 속칭 the Silver[Sagebrush] State; 略 Nev., 〖우편〗 NV》 **Ne·vád·an, Ne·vád·i·an** *a.*, *n.* 네바다 주의 (사람)

né·vé [neivéi | névei] [F] *n.* Ⓤ **1** 만년설 《빙하의 상층부의 입상 빙설(粒狀氷雪)》 **2** 만년설의 빙원

‡**nev·er** ⇨ never (p. 1685)

nev·er-end·ing [névəréndiŋ] *a.* 끝없는, 영원한: ~ sorrow 끝없는 슬픔

nev·er-fail·ing [névərféiliŋ] *a.* **1** 다함이 없는, 무진장한 **2** 변하지 않는

nev·er·mind [nèvərmáind, ⌐⌐⌐] *n.* 《방언》 [부정문으로] **1** 주의, 배려: Pay him *no* ~. 그의 일에 신경 쓰지 마라. **2** 용무, 책임: It's *no* ~ of yours. 네가 알 바 아니다.

nev·er·more [-mɔ́ːr] *ad.* 《문어》 두 번 다시 …않다(never again)

nev·er-nev·er [névərnévər] *n.* **1** = NEVER-NEVER LAND **2** [the ~] 《영·속어》 분할 지불

go to the land of ~ 《속어》 의식을 잃다 ***on the ~*** 《영·속어》 월부로

— *a.* 실재하지 않는; 환상의; 이상의

néver-néver lànd [J. M. Barrie작 *Peter Pan* 에서] **1** (가공의) 이상향; 이상적인 장소[상태]; 동화[꿈]의 나라 **2** 불모지, 황무지 **3** [**Never-Never L-**] 《호주》 Queensland 북서부의 땅

nev·er-say-die [-sèidái] *a.* 지지 않는 기질의, 불굴의: a ~ spirit 불굴의 정신

‡**nev·er·the·less** [nèvərðəlés] *ad.* 그럼에도 불구하고, 그렇지마는, 역시(yet): a small but ~ important change 사소하나 중요한 변화 / No matter what people say, it is ~ the truth. 사람들이 뭐라 말하더라도 그것은 진실이다.

nev·er-was [névərwʌ̀z, -wɑ́z | -wɔ́z] *n.* (*pl.* **-weres** [-wə́ːrz]) 《구어》 성공해 본 적이 없는 사람

Nev·ille [névəl] *n.* 남자 이름

Ne·vis [níːvis, név-] *n.* **1** 서인도 제도 동부 Leeward 제도의 섬 **2** [níːvis, név | név-] ⇨ BEN NEVIS

ne·void [níːvɔid] *a.* 〖의학〗 모반(母斑) 모양의

ne·vus [níːvəs] *n.* (*pl.* **-vi** [-vai]) 〖의학〗 모반(母斑)(birthmark); 《일반적으로》 반점

‡**new** [njúː | njúː] *a.* **1** 새로운, 최근의(opp. *old*); 신작의, 신간의, 신생의: the ~ nation of Africa 아프리카의 신생국 / a ~ book 신간 서적 **2** 새로운 발견[발명]의, 신종의, 신기한: a ~ concept of the universe 새로운 우주관 / There is nothing ~ under the sun. 《속담》 하늘 아래 새로운 것은 없다. **3** 〈사건·사물·장소가〉 처음 보는[듣는], 생소한 《*to*》: That information is ~ *to* me. 그것은 처음 듣는 얘기다. **4** 새로 온, 신임(新任)의 **5** 새로워진, 추가의, 보다 많은: Search ~ information on a subject. 그 문제에 관한 새로운 정보를 찾아라. **6** 〈물건이〉 신품의, 낡지 않은(unused); 〈음식물이〉 신선한, 갓 만든, 갓 나온: ~ rice 햅쌀 / ~ potatoes 햇감자 / It is (as) good as ~. 그것은 신품과 마찬가지이다. **7** (육체적·정신적으로) 일신한, 새로워진 기분의, 재생한: The vacation made a ~ man of him. 휴가 덕택에 그는 못 알아볼 정도로 활력을 되찾았다. **8** [the ~] 《경멸》 현[근]대적인; 새것만 좋아하는: *the* ~ woman 신여성 **9** 새로 시작되는, 다음의: a ~ year 신년 / a ~ era 신시대 **10** (동종의 것 사이에서) 보다 새로운, 최신의: the *N*~ Testament 신약(성서) **11** [**N~**] 〖언어〗 근세[근대]의

~ kid on the block 《구어》 신참, 새내기; 신규 가입[전입]자, 새 얼굴 ***like ~*** = ***as good as ~*** 새것과 같은 ***put on the ~ man*** 개종하다, 종교에 귀의하다 ***turn over a ~ leaf*** 마음을 고쳐먹고 새출발하다 ***What's ~?*** 뭐 별다른 일이라도 있니?

— *ad.* [주로 과거분사와 함께 복합어를 이루어] 새로이, 다시; 최근에, 근래에: ~-mown 갓 베어낸

— *n.* [the ~] 새로운 것[일]

▷ néwly *ad.*; néwness *n.*

NEW 〖경제〗 net economic welfare

Néw Áge **1** (가치관이 아주 달라지는) 뉴에이지, 신시대; 뉴에이지 음악 **2** [형용사적으로] (보건·사회·과학·음악 등에서) 뉴에이지 (지향)의: ~ music 뉴에이지 음악 《명상적 무드 음악 등》 **Néw Áger** *n.*

Néw Américan Bíble 신역(新譯) 성서 《미국에서 1970년에 간행; 略 NAB》

Nèw Ámsterdam 뉴암스테르담 《네덜란드인이 1625년 Manhattan 섬에 건설한 식민 도시; 1664년 영국인에 의해 New York으로 개칭》

néw archaeólogy 신고고학 《최신 통계·과학 기술의 방법으로 연구하는 고고학》

New·ark [njúːərk | njúː-] *n.* 뉴어크 《미국 New Jersey주의 도시》

néw arrível 《구어》 신생아

néw báll gàme 〖야구〗 「경기는 이제부터」 《경기

thesaurus **nevertheless** *ad.* however, but, still, yet, though, in any case, all the same,

never

never는 not+ever, not at anytime의 뜻으로 not보다 강한 부정을 나타낸다. never의 위치는 다음과 같다.
1 보통 동사의 앞, 조동사의 뒤에 놓인다.
2 조동사를 강조할 때는 그 앞에 놓인다: You *never* can tell. 알 리가 없지.
3 강조하기 위해 never가 문두에 나오면 be, have, 조동사(일반 동사의 경우는 do를 부가)는 주어 앞으로 나와 도치(倒置)된다.

‡**nev·er**[névər] *ad.*

원래는「not+ever」에서	
① 결코 …않다	뜻 **2**
② 일찍이 …없다	뜻 **1**

1 일찍이 …없다, (일찍이) 한 번도 …않다: He ~ failed to do what he would. 그는 하고자 마음먹은 일을 못한 적은 한 번도 없었다. / He ~ goes abroad. 그는 한 번도 해외에 가지 않았다. ★ 빈도수를 나타내는 수식어구 / Such an idea ~ occurred to me. 그런 생각은 한 번도 떠오르지 않았다. / I had ~ been to this big city before. 이렇게 큰 도시에 와 본 적이 없었다. / "Have you ever been to London?" — "No, I ~ have." 런던에 가 본 적이 있나요? — 아뇨, 한 번도 없어요. ★ 본동사가 생략될 경우에는 never는 have 앞에 둠; 따라서 I have ~.는 잘못임 / I ~ would have guessed if he hadn't told me. 그가 말해 주지 않았다면 나는 짐작조차 못했을 것이다. / She seldom or ~ scolds her children. 그녀는 여간해서는 아이들을 꾸짖지 않는다. / *N~* was a man more conscientious than he. 그 사람만큼 양심적인 사람은 일찍이 없었다. / *N~* did I dream that he had told a lie. 그가 거짓말을 했으리라고는 꿈에도 생각지 않았다. / *N~* (before) have I heard of such a thing. 그런 것은 한 번도 들어본 적이 없다. ★ never가 강조를 위해 문두에 놓이면 주어와 조동사, be동사가 도치되며 일반 동사의 경우에는 주어 앞에 do를 놓음 / *N~* to have sinned [To have ~ sinned] is impossible. 한 번도 죄를 범한 적이 없기는 불가능하다. ★ 완료 자동사의 부정은「never to have+*p.p.*」가 보통이며,「to have never+*p.p.*」의 형태도 가능함. 완료가 아닌 경우에는「never to do」만이 가능함
2 [not보다 강한 부정을 나타내어] **a 결코 …않다** ★ 보통 명령문에서, 또는 never so much as, never do로 쓰임: *N~* mind! 걱정하지 마라, 괜찮아! / *N~* fear! 두려워하지 마라! / She ~ *so much as* spoke. 그녀는 말도 하지 않았다. / These shoes will ~ *do.* 이 구두는 전혀 못 쓰겠다. / *N~ do* things by halves. 일을 중도에서 절대로 그만두지 마라. **b** [never a+명사] 하나[한 사람]도 …않다: He spoke ~ *a* word. 그는 한 마디도 하지 않았다. / *N~ a* one of them failed. 그들 중 단 한 사람도 실패하지 않았다.
3 [의심·놀람을 나타내어] 《구어》 **설마 …않겠지[아니겠지]**: *N~* tell me! (설마) 농담이겠지! / You have ~ lost the key! 설마 열쇠를 분실한 건 아니겠지.
4 [never the+비교급] 조금도 …않다 ★ none the…가 일반적임: I am ~ *the worse* for a single failure. 한 번쯤 실패해도 아무렇지 않다. / The patient's condition was ~ *the better.* 환자의 상태가 조금도 나아지지 않았다. / I was ~ *the wiser* for it. 그래도 역시 전혀 알 수가 없었다.
Better late than ~. 《속담》 늦더라도 하지 않는 것보다는 낫다.
~ a ⇨ 2b
~ … but … = ~ … without …ing …하지 않고는 …하지 않는다, …하면 반드시 …한다: It ~ rains *but* it pours. 《속담》 비가 오기만 하면 꼭 억수같이 퍼붓는다; 엎친 데 덮치다
~ ever 《구어》 결코 …않다(never의 강조형): I'll ~ *ever* speak to you again. 너하고는 두 번 다시 말하지 않겠다.
N~ is a long day [***word***]. 《속담》「결코」라는 말은 섣불리 하지 마라.
~ no more 《속어》 이 이상 결코[두 번 다시는] …않다
~ so [양보절에서] 《고어》 아무리 …일지라도(ever so): Be it ~ *so* humble, there's no place like home. 아무리 초라할지라도 내 집보다 더 좋은 곳은 없다.(cf. EVER SO)
~ so much as ⇨ 2a
N~ tell me! 농담이실 테죠!
Well, I ~! = I ~ did! 기가 막혀; 설마.

의 향방이 갑자기 변했을 때 하는 말》; 《구어》 (모든 것이 변해 버린 듯한) 새로운 상황
Néw·ber·y Awàrd[**Mèdal**] [njú:bèri-, -bəri- | njú:bəri-] [the ~] 뉴베리 상 《미국의 최우수 아동 도서에 수여하는 상》
new·bie [njú:bi] *n.* 《컴퓨터속어》 신출내기, 미숙자
néw biólogy = MOLECULAR BIOLOGY
nèw bírth 〖종교〗 신생(新生)
néw blóod [집합적] (조직에 활기를 불어넣을 수 있는) 신인들, 새로운 피
new·blown [njú:blóun | njú:-] *a.* 〈꽃이〉 갓[방금] 핀
⁎**new·born** [njú:bɔ́:rn | njú:-] *a.* **1** 갓[방금] 태어난; 신생의: a ~ baby 신생아 **2** 다시 태어난, 마음을 고쳐먹은; 부활한: a ~ faith in human goodness 인간의 선량함에 대한 새로운 신뢰감
—*n.* (*pl.* **~, ~s**) 신생아
néw bóy 신입 사원[남학생]
Nèw Brítain 뉴브리튼 《남태평양 Bismarck 제도 중의 최대의 섬; 주요 도시 Rabaul》
néw bróom 신임 개혁주의자
new-built [-bílt] *a.* 신축한
New·burg(**h**) [njú:bə:rg | njú:-] *a.* 〈생선 요리가〉 뉴버그풍의 《버터·포도주·생크림 등을 사용한》
Nèw Caledónia 뉴칼레도니아 《오스트레일리아 동쪽의 프랑스령 섬》
New·cas·tle [njú:kæ̀sl, -kɑ̀:sl | njú:kɑ̀:sl] *n.* 뉴캐슬 **1** 석탄 수출로 유명한 England 북부의 항구 도시 (= **∠-upon-Týne**) **2** England 중서부 Staffordshire의 공업 도시(= **∠-under-Lýme**)
carry coals to ~ ⇨ coal
Néwcastle disèase 〖수의학〗 뉴캐슬병 《설사·호흡 곤란을 주로 하는 바이러스성 가금병(家禽病)》
Néw Chína Néws Àgency 신화 통신(Xinhuashe)
Néw Chrístian = MARRANO
new-coined [njú:kɔ́ind | njú:-] *a.* 〈화폐·어구 등이〉 새로 만든
new-col·lar [-kálər | -kɔ́lə] *a.* 뉴칼라의 《서비스 산업에 종사하는 중산층 노동자; cf. BLUE-COLLAR,

---

notwithstanding, regardless, despite that, in spite of that, nonetheless, anyway

WHITE-COLLAR》 **—** *n.* 뉴칼라의 한 사람

new·come [-kʌ̀m] *a.* 새로 온, 신참의

∗**new·com·er** [njúːkʌ̀mər | njúː-] *n.* **새로 온 사람** 《*to, in*》; 신출내기, 풋내기

Néw Crític 신비평가 《New Criticism을 하는》

Néw Críticism [보통 the ~] 신(新)비평 《작품 자체의 연구에 중점을 두는 비평 방법》

Néw Déal [the ~] 뉴딜 정책 《Franklin D. Roosevelt 미국 대통령이 1933년에 제창한 경제 부흥과 사회 보장의 증진 정책》; 루스벨트 정권; [the n- d-] 혁신적 정책; 《비·구어》 안전한 전환, 재출발 **~·er** *n.* 뉴딜 정책 지지자 **~·ish** *a.* **~·ism** *n.*

Nèw Dél·hi [-déli] 뉴델리 《인도 공화국의 수도》

néw drúg (안정성·유효성이 전문가의 인정을 아직 받지 못한) 신약

Néw Económic Pólicy [the ~] 신(新)경제 정책, 네프 《1921-27년 구소련의; 略 NEP, Nep》

néw económics [단수 취급] 신(新)경제학, 신케인스 경제학

néw ecónomy 신경제 《첨단·기술 정보 통신 산업이 주도하는 경제》

new·el [njúːəl | njúː-] *n.* 〖건축〗 **1** 엄지 기둥 《계단의 상하 양 끝의》(=∽ **pòst**) **2** (나선형 층층대의) 중심 기둥: a hollow ~ 나선형 층층대의 중심 공간 / ~ stairs 나선 계단

newel 1

⁑**Nèw Éngland** [이 지방이 영국 해안과 비슷하다 해서 Captain John Smith가 명명] **뉴잉글랜드** 《미국 동북부의 Connecticut, Massachusetts, Rhode Island, Vermont, New Hampshire, Maine 6주의 총칭》 **~·er** *n.* 뉴잉글랜드 사람

Néw Énglish 신영어 《1500년경 이후의 영어(Modern English); 1750년경 이후의 영어》

Néw Énglish Bíble [the ~] 신(新)영역 성서 《신약 1961년, 신구약 합본 1970년에 간행; 略 NEB》

Newf. Newfoundland

néw fáce (연예계·정계 등에서의) 신인; 미용 성형을 한 얼굴

new-fall·en [njúːfɔ́ːlən | njúː-] *a.* 〈눈 등이〉 갓 내린, 〈낙엽이〉 방금 떨어진

new·fan·gled [-fǽŋgld, ∸∸-] *a.* **1** 최신의, 최신 유행의 **2** 신기한 것[새것]을 좋아하는 **~·ly** *ad.* **~·ness** *n.*

new-fash·ioned [-fǽʃənd] *a.* 〈사상·물건이〉 신식의, 새로운 유행의(up-to-date); 현대적인

Néw Féderalism 《미》 신연방주의 《Nixon 미 대통령이 제창한 주권(州權) 확장 정책; Reagan 미 대통령이 주창한 연방 정부의 축소·폐지를 위한 정책》

new·fie [núːfi | njúː-] *n.* 《캐나다·구어》 캐나다 Newfoundland 출신의 사람

new·found [-fáund] *a.* 새로 발견된; 최근에 눈에 띄는

∗**New·found·land** [njúːfən*d*lənd, -lǽnd | njúː-fənd*l*ənd, -lǽnd] *n.* **1** 뉴펀들랜드 《캐나다 동해안의 섬과 Labrador 반도의 일부로 이루어진 주(州); 略 N.F., Newf.》 **2** 뉴펀들랜드종(種) 개 《크고 강하며 헤엄을 잘 쳐 인명 구조에 이용》 **~·er** *n.* 뉴펀들랜드 섬의 사람[배]

Néwfoundland (Stándard) Tìme 《캐나다》 뉴펀들랜드 표준시 《GMT보다 3시간 30분 늦음》

Néw Frontíer [the ~] **1** 뉴프런티어 《미국 대통령 John F. Kennedy의 신개척자 정신의 정책》 **2** 케네디 대통령 정권(1961-63)

New·gate [njúːgèit, -gət | njúːgit, -gèit] *n.* 뉴게이트 《London의 서문(西門)에 1902년까지 있었던 유명한 교도소》: a ~ bird 《영·속어》 죄수

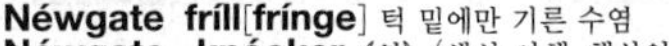

Néwgate fríll[fríng e] 턱 밑에만 기른 수염

Néwgate knócker 《영》 (행상인들이 기르는) 귀 앞의 곱슬한 털

néw gírl 《구어》 신입 여사원[여학생]

Nèw Guínea 뉴기니 《Australia 북방의 섬; 略 N.G.》 **Nèw Guínean** *a., n.* 뉴기니의 (사람)

∗**Nèw Hámp·shire** [-hǽmpʃər] **1 뉴햄프셔** 《미 북동부 New England의 주(州); 주도 Concord; 속칭 the Granite State; 略 NH, 〖우편〗 NH》 **2** 미국산 닭의 일종 **~·man, Nèw Hámp·shir·ite** [-ràit] *n.* 뉴햄프셔의 사람

Nèw Há·ven [-héivən] 뉴헤이븐 《미국 Connecticut주의 도시; Yale 대학 소재지》

Néw Hébrew 현대 히브리 어 《이스라엘의 국어》

Nèw Hébrides [the ~] 뉴헤브리디스 《오스트레일리아 북동 남태평양상의 군도》

néw hígh 〖증권〗 **1** 새로운 최고 가격 **2** 최고 기록, 신기록(cf. NEW LOW)

Néw Hígh Gérman 신고지(新高地) 독일어

néw híre 〖경영〗 신규 채용자

new·ie [njúːi | njúːi] *n.* (무언가) 새로운 것

new·ish [njúːiʃ | njúː-] *a.* 다소 새로운

néw íssue 〖증권〗 신주(新株), 신규 발행 채권

∗**Nèw Jér·sey** [-dʒə́ːrzi] **뉴저지** 《미국 동부의 주; 주도 Trenton; 속칭 the Garden State; 略 NJ, 〖우편〗 NJ》 **~·an, ~·ite** *n.* 뉴저지 주의 사람

Néw Jerúsalem 1 [the ~] 〖성서〗 새로운 예루살렘 《성도, 천국(heaven); 요한 계시록 21: 2, 10》 **2** 지상 낙원; 이상적인 곳[상태]

Néw Jóurnalism 신(新)저널리즘 《1960년대 후반에 도입, 기자의 주관적 취재가 특징》

Néw Jóurnalist 신저널리즘 기자[리포터]

Néw Lábour (영국의) 신노동당 《1990년대에 토니 블레어(Tony Blair)가 주도한》

Néw Lád (전통적 남성상을 지지하는) 신남성 《남녀평등주의를 지지하는 New Man 4에 맞서는》

new-laid [njúːléid | njúː-] *a.* **1** 갓 깐, 갓 낳은 〈달걀〉 **2** 방금 쌓은 **3** 《속어》 미숙한, 풋내기의

Néw Látin 근대 라틴 어(Neo-Latin)

Néw Léarning [the ~] 신학문, 학예 부흥 《15, 16세기에 일어난 성서·고전의 원전(原典)에 대한 연구》

Néw Léft [the ~] 《미》 신좌익 《1960-70년대의》

Néw Léftist 신(新)좌익의 사람

Néw Líght (종교상의) 신파, 자유주의파

néw líne 〖컴퓨터〗 새 줄 《단말기에서 다음 줄로 넘어가게 하는 기능》

néw lóok 1 [종종 the ~] 새로운 유행 스타일 **2** [보통 **N- L-**] 뉴 룩 《1947년 Christian Dior가 발표한 여성복 스타일로 넓은 어깨와 가는 허리를 강조》

néw lów 〖증권〗 새로운 최저 가격; 최저 기록(cf. NEW HIGH)

⁑**new·ly** [njúːli | njúː-] *ad.* [보통 과거분사와 함께] **1** 최근에, 요즈음: a ~ discovered vitamin 새로 발견된 비타민 / ~ independent nations 신흥 독립국들 **2** 새로이, 다시: a ~ painted door 새로 칠한 문 / a ~ appointed ambassador 신임 대사 **3** 새로운 형식[방법]으로 ★ 종종 과거분사와 함께 복합어를 이룸: ~-decorated 신장[개장(改裝)]한

néwly indústrializing cóuntries 신흥 공업국 《1970년대에 공업화된 나라들; 한국·대만·홍콩·싱가포르 등; 略 NICS》

néwly indústrializing ecónomies = NIES

new·ly·wed [njúːliwèd | njúː-] *n.* 《구어》 신혼자; [*pl.*] 신혼부부 **—** *a.* 신혼의

New M. New Mexico

new-made [njúːméid | njúː-] *a.* **1** 갓 만들어진 **2** 다시 만든; 고쳐 만든

néw mán 1 [the ~] 〖종교〗 개종자: put on *the*

thesaurus **newly** *ad.* just, just recently, lately
news *n.* information, facts, data, report, story,

~ 개종하다 **2** (새로운 경험 등으로) 심기일전한 사람 **3** 신인, 신임자 **4** [**N- M-**] 신남성 《남녀평등 의식의 보급에 따라 육아·가사 등을 적극적으로 돕는 남자》

New·man [njú:mən | njú:-] *n.* 뉴먼 **John Henry** ~ (1801-90) 《영국의 추기경·신학자·저술가》

New·mar·ket [njú:mɑ̀:rkit | njú:-] *n.* **1** 뉴마켓 《잉글랜드 남동부의 도시; 경마로 유명》 **2** [종종 **n~**] (몸에 꼭 맞는) 외출용의 긴 외투(= ~ **còat**) **3** Ⓤ 《영》 〖카드〗 = MICHIGAN 3

new-mar·ried [njú:mæ̀rid | njú:-] *a.* 갓 결혼한, 신혼의: a ~ couple 신혼부부

néw máth [*new math*ematics] [보통 the ~] (1960년대 이후의 집합론에 기초한) 신수학

néw média 새로운 정보 전달 수단, 뉴미디어 《TV의 음성 다중 방송·문자 다중 방송·비디오 디스크·CATV·videotex 등 새로 등장한 정보 매체》

Nèw Méxican 미국 뉴멕시코 주의 (사람)

***Nèw México** 뉴멕시코 《미국 남서부의 주; 주도 Sante Fe; 속칭 the Land of Enchantment 또는 the Sunshine State; 略 N.Mex., NM, 〖우편〗 NM》

new-mint [njú:mínt | njú:-] *vt.* **1** 〈화폐를〉 새로 주조하다 **2** (어휘에) 새로운 의미를 부가하다

new-mod·el [-mɑ́dl | -mɔ́dl] *vt.* 〈기계 등을〉 신형으로 바꾸다; 개조하다 **—** *a.* 신모델의

néw móney 〖금융〗 뉴머니, 신규 차입 자금 《국제 은행 등이 채무 연장에 더하여 신규 융자하는 자금》

néw móon **1** 초승달 **2** 〖성서〗 (히브리인의) 신월제(新月祭) 《이사야서 1: 13》

new-mown [-móun] *a.* 〈목초 등을〉 갓 벤[깎은]

new-old [-óuld] *a.* 새롭고도 낡은, 낡은 것이 새로워진

néw òne 《구어》 처음 듣는 이야기; 첫 체험: That story's ~ on me. 그 이야기는 금시초문이다.

néw órder **1** (작업·정치 형태·군사 작전 등에 있어서) 새 방식, 신체제 **2** [the N- O-] 신(新)질서 《나치의 독일 민족을 주체로 하는 유럽 재편성 계획》

Nèw Ór·le·ans [-ɔ́:rliənz, -ɔ:rlí:nz] 뉴올리언스 《미국 Mississippi 강변의 항구 도시》

néw pénny 《영》 신(新)페니 《1971년 실시; 1 pound의 1/100; 略 p》

Néw Pólitics [단수·복수 취급] 《미》 새로운 정치(학) 《정당 정치보다 대중의 정치 참여를 중시하는》

néw póor [the ~; 집합적; 복수 취급] 최근에 영락한 사람들, 사양족(斜陽族)

néw próduct 〖상업〗 신제품 《새로운 것으로 인정된 제품 또는 서비스》

Néw Réalism 신사실주의(neorealism)

new-rich [njú:rítʃ | njú:-] *n.* [the ~; 집합적; 복수 취급] 벼락부자 **—** *a.* 벼락부자 (특유)의

Néw Ríght [the ~] 신우익 《New Left에 대응하는 신보수주의》

Néw Rightist 신(新)우익의 사람

Néw Romántic **1** 〖음악〗 의상과 음악의 융합을 시도한 록 음악 《음악 자체는 댄스 음악으로 punk rock의 일종》 **2** 〖복식〗 중세 취향에 현대의 에센스를 가미한 패션 경향 《해적 룩(pirate look)도 이의 일종》

Néw Románticism 화려한 의상과 전자 악기로 전개하는 New Wave 계통의 록 음악

⁑**news** [njú:z | njú:z] *n.* Ⓤ [보통 단수 취급] **1** (TV·라디오 등 매스컴의) **뉴스**, (새로운 사건의) **보도**, 정보, 기사: foreign[home] ~ 해외[국내] 뉴스 / a piece[a bit, an item] of ~ 한 건의 뉴스 **2 a 소식**, 기별, 근황; 색다른[재미있는] 일, 흥미있는 사건[인물]: good[bad] ~ 기쁜[나쁜] 소식 / Is there any ~? 무슨 별다른 일이라도 있는가? / No ~ is good ~. 《속담》 무소식이 희소식. // 《~+*that* 節》 The ~ *that* he would not recover worried me. 그가 회복할 가망이 없다는 소식에 내 마음이 아팠다. // Bad ~ travels quickly[fast]. = Ill ~ runs fast[《문어》 apace]. 《속담》 나쁜 소식은 빨리 퍼진다. **b** 《구어》 뉴스(거리)가 될 사람[것, 일]: He is no longer ~. 그는 이제 더는 뉴스거리가 못 된다. **3** [**N~**] …신문 《신문 이름》: The Daily *N*~ 「데일리 뉴스」 ***be in the*** **~** 신문 기사감이 되다; (신문 등에) 발표되다 ***break the*** **~** ***to*** …에게 흉보를 전하다 ***make*** **~** 신문에 날 일을 하다 ***That is quite*** [***no***] **~** ***to*** me. 금시초문이다, 뉴스거리도 아니다. ***That's*** **~** ***to me.*** 그것 참 뉴스구먼. 《미리 듣지 못한 데 대한 불만을 나타냄》
— *vt.*, *vi.* 뉴스로서 알리다; 뉴스를 말하다

announcement, press release, message, bulletin, disclosure, revelation, word, the latest

néws àgency **1** 통신사 **2** 신문 잡지 판매소[업]

news·a·gent [njú:zèidʒənt | njú:z-] *n.* **1** 《영》 신문[잡지] 판매업자(《미》 newsdealer) **2** [**~s'** 또는 **~s**] 신문[잡지] 판매점[가판대](paper shop)

néws ànalyst 시사 해설가(commentator)

news·beat [-bì:t] *n.* 《미》 (기자의) 취재 담당 구역

néws blàckout 보도 관제, 발표 금지

news·board [-bɔ̀:rd] *n.* **1** 《영》 게시판(《미》 bulletin board) **2** 헌 신문지를 재생한 판지(板紙)

news·boy [-bɔ̀i] *n.* 신문 파는 아이, 신문 배달원

news·break [-brèik] *n.* **1** 보도 가치가 있는 일[사건] **2** 〖라디오·TV〗 방송 프로 사이의 짧은 뉴스

néws bùlletin 《영》 뉴스 방송; 《미》 (정규 방송을 중단하고 방송되는) 임시 속보[특보]

news·cast [-kæ̀st | -kɑ̀:st] *n.* (라디오·텔레비전의) 뉴스 방송 **—** *vi.*, *vt.* (뉴스를) 방송하다
~·er *n.* 〖라디오·TV〗 뉴스 방송[해설]자
~·ing *n.* Ⓤ 뉴스 방송

néw schòol Ⓐ 새 유파의, 신파의 〈음악·미술 등〉

néws cìnema 《영》 뉴스 영화관(news theater)

néws còmmentator 시사 해설자

néws cònference 기자 회견(press conference)

Néw Scótland Yárd 런던 경시청(cf. SCOTLAND YARD)

news·deal·er [-dì:lər] *n.* 《미》 신문[잡지] 판매업자(《영》 newsagent)

néws dèsk 뉴스 데스크, 뉴스 편집부 《신문·방송의 최신 뉴스·속보 담당 부서》

néws èditor (일간 신문의) 신문 편집자

néws fìlm = NEWSREEL

néws flàsh 〖라디오·TV〗 뉴스 속보(flash)

news-gath·er·ing [-gæ̀ðəriŋ] *n.* Ⓤ (신문·방송의 보도용) 뉴스 수집 **néws-gáth·er·er** *n.*

news·group [-grù:p] *n.* 〖컴퓨터〗 온라인 토론 그룹의 일원

news·hawk [-hɔ̀:k] *n.* 《미·구어》 = NEWSHOUND

news·hen [-hèn] *n.* 《미·구어》 여기자

néws hòle 《미》 (신문·잡지에서 광고 지면에 대하여) 기사 지면

news·hound [-hàund] *n.* 《미·구어》 신문 기자; 보도원; (특히 정력적·적극적인) 신문 기자

news·less [njú:zlis | njú:z-] *a.* 뉴스가 없는

news·let·ter [njú:zlètər | njú:z-] *n.* **1** (회사·단체·관청 등의) 회보, 주보, 월보, 연보 **2** (특정한 예약 구독자에게 보내지는) 시사 해설, 시사 통신: a stock market ~ 주식 시장 통신

news·mag·a·zine [-mæ̀gəzì:n] *n.* (주간) 시사 잡지 《*Time*, *Newsweek* 등》

news·mak·er [-mèikər] *n.* 뉴스거리가 되는 사람[사건]

news·man [-mən, -mæ̀n] *n.* (*pl.* **-men** [-mèn, -mən]) **1** 취재 기자(《영》 pressman) **2** = NEWSDEALER

news·map [-mæ̀p] *n.* 뉴스 지도 《시사적인 사건에 관한 해설과 삽화를 곁들인 정기 간행 지도》

néws mèdia 뉴스미디어, 뉴스 매체 《신문·라디오·텔레비전 등》

news·mon·ger [-mʌ̀ŋgər, -mɑ̀ŋ- | -mʌ̀ŋ-] *n.* 소문을 퍼뜨리는 사람; 수다쟁이, 떠버리
~·ing *n.* Ⓤ 소문 퍼뜨리기; 떠벌리기

néws òn demánd 맞춤 신문 《독자가 원하는 뉴스가 발생할 때마다 배달해 주는 서비스; 略 NOD》
Néw Sòuth Wáles 뉴사우스웨일스 주 《오스트레일리아 남동부의 주; 주도 Sydney; 略 NSW》
‡**news·pa·per** [njúːzpèipər, njúːs- | njúːs-, njúːz-] *n.* **1** 신문: a daily[weekly] ~ 일간[주간] 신문 / an English-language ~ 영자 신문 / write for a ~ 신문에 기고하다
NOTE (1) 영국에는 우리나라처럼 전국지(national papers)가 많으나, 미국에는 *USA Today*를 제외하고는 전국지가 없다. (2) 영·미 다 같이 조간과 석간을 발행하는 신문사가 다른 경우가 많고, 고급지(quality papers)와 대중지(popular papers)가 확연히 구별되어 있다. (3) 정기 구독자에게 배달되지만, 가판대에서 사서 보는 사람이 많다.
2 Ⓤ 신문지, 신문 인쇄 용지(newsprint): collect ~*s* for recycle 재생을 위해 신문지를 모으다 《★ 각종 신문이란 뜻으로 Ⓒ》 **3** 신문사: work for a ~ 신문사에 근무하다 / a ~ office 신문사(의 건물) **4** (미·속어) 30일간의 금고형(刑)
— *vi.* 신문 업무에 종사하다 **~·dom** *n.* 신문계
news·pa·per·boy [-pèipərbɔ̀i] *n.* (미) = NEWSBOY
news·pa·per·ing [-pèipəriŋ] *n.* Ⓤ 신문 업무 《경영·보도·편집》
news·pa·per·man [-pèipərmæ̀n] *n.* (*pl.* **-men** [-mèn]) (미) 신문 기자[편집자]; 신문 경영자
néwspaper ròute 신문 배달 (구역)
néwspaper vèndor **1** 신문 판매기 **2** = NEWSDEALER
news·pa·per·wom·an [-wùmən] *n.* (*pl.* **-wom·en** [-wìmin]) (미) 여성 기자[편집자]; 여성 신문 경영자
new·speak [njúːspìːk | njúː-] [G. Orwell의 소설 *1984*에서] *n.* [종종 **N~**] (정부 관리 등이 여론 조작을 위하여) 사람을 기만하는 애매한 표현법
néws pèg (특집) 기삿거리가 되는 사건[시사 문제]; (특집 기사 등에서) 어떤 사건을 다루기
news·peo·ple [njúːzpìːpl | njúːz-] *n. pl.* 보도 관계자 《신문 기자·리포터·특파원 등》
news·per·son [-pə̀ːrsn] *n.* 뉴스 보도자, 기자, 특파원, 뉴스 캐스터
news·print [-prìnt] *n.* Ⓤ 신문 (인쇄) 용지
new-sprung [njúːsprʌ́ŋ | njúː-] *a.* 갑자기 나타난[발생한]
news·read·er [-rìːdər] *n.* (영) = NEWSCASTER; 〖컴퓨터〗 뉴스리더
news·reel [-rìːl] *n.* (단편) 뉴스 영화
néws relèase = PRESS RELEASE
news·room [-rùːm] *n.* **1** (미) 편집실; (신문사·라디오·텔레비전의) 뉴스 편집실 **2** 신문 잡지 판매소 **3** (영) 신문 잡지 열람실
néws sàtellite 통신 위성
néws sèrver 〖컴퓨터〗 뉴스 서버
néws sèrvice 통신사(news agency)
news·sheet [-ʃìːt] *n.* **1** (옛날의 접지 않는) 한 장짜리 신문 **2** = NEWSLETTER
néws sòurce 〖신문〗 뉴스의 출처
néws stàll (영) = NEWSSTAND
news·stand [-stæ̀nd] *n.* (미) (거리·역 구내 등의) 신문[잡지] 판매점, 가판대
néws stòry (해설을 더하지 않고 사실 그대로만을 전하는) 보도 기사(cf. EDITORIAL; FEATURE STORY)
néw stár 〖천문〗 신성(nova)
néws thèater 뉴스 영화관(《영》 news cinema)
néws tìcker (TV·모니터 화면 아래 띄우는) 뉴스 단신 자막
Néw Stóne Àge [the ~] 신석기(新石器) 시대 (Neolithic Age)
Néw Stýle [the ~] 양력, 그레고리력 《略 NS》
néws vàlue 보도 가치
news·ven·dor [-vèndər] *n.* 신문 판매원[판매대], 신문팔이
news·week·ly [-wìːkli] *n.* 시사 주간지 《*Time*, *Newsweek* 등》
news·wire [-wàiər] *n.* (텔렉스 등에 의한) 뉴스 (제공) 서비스; 뉴스 송신[수신] 장치
news·wom·an [-wùmən] *n.* (*pl.* **-wom·en** [-wìmin]) 여기자; 신문 잡지의 여판매원
news·wor·thy [-wə̀ːrði] *a.* 보도 가치가 있는; 기삿거리가 되는 **-thi·ness** *n.*
news·writ·er [-ràitər] *n.* 신문 기자
news·writ·ing [-ràitiŋ] *n.* 신문·잡지 편집; 신문의 보도 기사 집필
news·y [njúːzi | njúː-] *a.* (**news·i·er**; **-i·est**) (구어) 뉴스가 많은, 화제가 풍부한; 말이 많은, 수다스런
— *n.* (*pl.* **news·ies**) (미·구어) = NEWSBOY; NEWSCASTER **néws·i·ness** *n.*
newt [njúːt | njúːt] [an ewte를 a newte로 오해한 데서] *n.* **1** 〖동물〗 영원(蠑螈) 《도롱뇽과의 총칭》 **2** 바보, 얼간이
néw technólogy 신기술 《컴퓨터 시스템을 이용한》
New Test. New Testament
∗**Néw Téstament** [the ~] **1** 신약 성서 《略 NT; cf. OLD TESTAMENT》 **2** 〖신학〗 신약 《인간에 대한 그리스도의 새로운 구원의 계약》
Néw Thóught 신사상 《인간의 신성(神性)을 강조하여 올바른 사상이 병과 과실을 억제할 수 있다고 여기는 19세기에 생겨난 일종의 종교 철학》
∗**New·ton** [njúːtn | njúː-] *n.* 뉴턴 **1 Sir Isaac ~** (1642-1727) 《영국의 물리학자·수학자; 만유인력·미적분의 발견자》 **2** [**n~**] 〖물리〗 뉴턴 《힘의 단위; 略 N》
New·to·ni·an [njuːtóuniən | njuː-] *a.* 뉴턴(의 학설·발명)의 — *n.* **1** 뉴턴 학설 신봉자 **2** 뉴턴식 망원경(= **~ télescope**)
Néwton's ríngs 〖광학〗 뉴턴환(環) 《평판 유리와 볼록 렌즈의 접촉에 의해 생긴 빛의 간섭 모양》
néw tòwn [종종 **N- T-**] 신도시, 교외[변두리] 주택지: ~ blues 교외에 사는 사람들이 걸리는 우울증
néw vàriant CJD [-síːdʒèidíː] 〖병리〗 신 변종 CJD 《광우병에 감염된 쇠고기를 먹음으로써 일어나는 해면상(狀) 뇌증》
néw wáve [F = nouvelle vague] **1** (유행·예술·정치 등의) 새 물결 운동, 새 경향 **2** [종종 **N- W-**; 집합적] 「새 물결」 운동의 지도자; = NOUVELLE VAGUE **3** [종종 **N- W-**] 〖음악〗 뉴 웨이브 《1970년대 말기의 단순한 리듬·하모니·강한 비트 등을 특징으로 하는 록음악》
néw wóman [the ~] 신여성 《특히 19세기 말경 인습과 싸우며 자유와 독립을 요구한 여성》
‡**Néw Wórld** [the ~] 신세계 《서반구, 특히 남북 아메리카 대륙; opp. *Old World*》: Early European settlers used to refer to America as *the* ~. 초기 유럽 정착민들은 아메리카를 신세계라 불렀다.
new-world [njúːwə́ːrld | njúː-] *a.* [종종 **New-World**] 신세계의, 아메리카 대륙의(opp. *old-world*)
Néw Wórld Órder [the ~] 신세계 질서 《냉전 종료 후의 세계 구조》
‡**néw yéar** **1** [the ~] 신년 **2** [**N- Y-**; 집합적] 정월 초하루, 설날(과 그 뒤의 2-3일); = ROSH HASHANA(H): (A[I wish you a]) Happy *New Year*! 새해에 복 많이 받으십시오! / a *New Year's* gift 새해 선물
Néw Yèar's Dáy 정월 초하루, 설날 《미·캐나다에서는 종종 Day를 생략》
Néw Yèar's Éve 섣달 그믐날, 12월 31일
‡**Nèw Yórk** [Duke of York (후의 영국왕 James 2세)의 이름에서] **1** 뉴욕 주 《미국 북동부의 주; 주도 Albany; 속칭 the Empire State; 略 NY, 〖우편〗 NY》(= **Néw Yòrk Státe**) **2** 뉴욕 시 《New York 주에 있는 미국 최대의 도시; 속칭 the (Big) Apple, Fun City 또는 Empire City; 略 NYC》(= **Néw Yòrk Cíty**)

Nèw Yórk cùt (미서부) 뉴욕식 비프스테이크 《뼈가 없고 등심살이 붙어 있는》
Nèw Yórk·er [-jɔ́:rkər] 뉴욕 주 사람; 뉴욕 시민; [the ~] 미국 주간지의 하나
Nèw York·ése [-jɔ:rkí:z] 뉴욕 사투리
Nèw Yórk schòol [the ~] 〖회화〗 뉴욕파 《1940-50년대에 New York에 나타난 추상·표현주의 화파(abstract expressionism)》
Nèw Yòrk Státe Bárge Canàl [the ~] 뉴욕 주 바지 운하 《Erie호와 Hudson강을 잇는 몇 개의 주요 운하》
Nèw Yórk Stóck Exchànge [the ~] 뉴욕 증권 거래소 《세계 최대 규모; 略 NYSE》
∗**Nèw Zéa·land** [-zí:lənd] **뉴질랜드** 《남태평양의 영연방 내의 독립국; 수도 Wellington; 略 NZ》
~·er 뉴질랜드 사람
NEX navy exchange
NEXIS [néksəs] *n.* 〖컴퓨터〗 넥시스 《주로 미국의 신문·잡지·통신 기사 온라인 검색 서비스; 상표명》
NEXRAD [néksræ̀d] [*nex*t-generation weather *rad*ar] *n.* 〖항공〗 차세대 기상 레이더 《미국의 새로운 항공 관제 시스템의 하나로 MLS 등과 함께 쓰임》
⁑**next** ⇨ next (p. 1690)
néxt bést = SECOND BEST
next-best [nékstbést] *a.* 제2위의, 차선의
∗**next-door** [nékstdɔ̀:r] *a.* **옆집의, 옆집에** (사는): a ~ neighbor 옆집 사람
— [⌒⌒] *ad.* 옆집에[으로]
Nex·tel [nékstel] *n.* 넥스텔 《연극·영화에서 혈액 대용으로 쓰는 합성 물질; 상표명》
néxt fríend [the ~] 〖법〗 소송 대리인[후견인] 《미성년자·법적 무능력자의 대리인》
néxt of kín **1** 근친자 **2** 〖법〗 (유언을 남기지 않고 사망한 사람의 유산 상속권이 있는) 최근친자
nex·us [néksəs] *n.* (*pl.* **~·es, ~**) ⓊⒸ **1** 연계된 수단[방법], 연계, 관계: the cash ~ (인간 관계의 기초로서의) 금전적인 연계 / the causal ~ 인과 관계 **2** (물건·관념 등의) 연쇄, 연합; 집합체, 결합체 **3** (상태·문제의) 핵심, 중심 **4** 〖생물〗 세포 간의 정보 교환과 접착을 해주는 세포막이 있는 부분 **5** 〖문법〗 넥서스, 주어·술어 관계[표현] 《Jespersen의 용어로서 *Dogs bark.* / I think *him honest.*의 이탤릭체로 된 말 사이의 관계를 말함; cf. JUNCTION》
Nez Per·cé [néz-pɔ́:rs, -pərséi] [F = pierced nose] (*pl.* **~, ~s**) **1** 네즈퍼스 족(族) 《Idaho주의 북미 인디언》 **2** Ⓤ 네즈퍼스 어(語)
nF, nf nanofarad(s) **NF** (영) National Front; Newfoundland; Norman-French; Northern French **NF, n/f** no funds 〖금융〗 예금 잔액 없음 **NFC** National Football Conference **NFD** Newfoundland **NFL** (미) National Football League **NFld** Newfoundland **NFS** National Fire Service; 〖컴퓨터〗 Network File System; not for sale **NFU** (영) National Farmers' Union **NG** National Guard; New Granada; New Guinea; 〖화학〗 nitroglycerin; North German **NG, n.g.** no good **Ng.** Norwegian
N gálaxy 〖천문〗 N(형) 은하 《별과 같은 중심핵을 가지며, 그 좁은 영역에서 활발히 에너지 방출을 함》
NGC 〖천문〗 New General Catalogue 《성단·성운·은하의 카탈로그》 **NGF** 〖생리〗 nerve growth factor **NGk** New Greek **NGL** natural gas liquids 천연 휘발유 **NGO** nongovernmental organization 비정부 기구
ngo·ma [əŋgóumə, -gɑ́mə] *n.* (동아프리카의) 엉고마 **1** 북(drum) **2** 댄스파티
ngul·trum [əŋgʌ́ltrəm] *n.* Bhutan의 화폐 단위 《100 chetrum; 略 N》
ngwee [əŋgwí:] *n.* (*pl.* **~**) Zambia의 화폐 단위
nH nanohenries; nanohenry **NH** never hinged; (미) 〖우편〗 New Hampshire **NHA** National Housing Agency (미) 주택 건설청 **N.Heb.** New Hebrew; New Hebrides **NHG** New High German **NHI** (영) National Health Insurance **NHL** National Hockey League (미국·캐나다의) 프로 아이스하키 리그 **NHP, nhp** nominal horsepower **NHS** National Health Service (영) 국민 건강 보험 **NHTSA** (미) National Highway Traffic Safety Administration **Ni** 〖화학〗 nickel **NI** (영) National Insurance; Northern Ireland
ni·a·cin [náiəsin] *n.* Ⓤ 〖생화학〗 니코틴산(酸) (nicotinic acid)
Ni·ag·a·ra [naiǽgərə] *n.* **1** [the ~] 나이아가라 강 《미국과 캐나다 국경의》 **2** = NIAGARA FALLS 1 **3** [종종 **n~**; 보통 a ~ of로] (…의) 홍수, 쇄도 **4** 〖식물〗 나이아가라 《미국 동부산(産) 백포도의 한 품종》
***shoot* ~** 큰 모험을 하다
∗**Niágara Fálls** **1** [the ~] [단수 취급] **나이아가라 폭포** **2** 나이아가라폴 시(市) 《나이아가라 폭포의 미국·캐나다 쪽의 두 도시명》
ni·al·a·mide [naiǽləmàid] *n.* 〖약학〗 니알라미드 《우울증 치료제》
Nia·mey [njɑ:méi] *n.* 니아메 《아프리카 Niger의 수도》
nib [níb] *n.* **1** (둘로 갈라진) 펜촉 끝, 펜촉; 깃펜 끝 **2** 《일반적으로》 첨단, 첨두 **3** (새의) 부리 **4** [*pl.*] 거칠게 빻은 코코아[커피]콩
—*vt.* (**~bed**; **~·bing**) **1** 〈깃펜을〉 뾰족하게 하다; 〈펜촉의〉 끝을 손질[교환]하다 **2** 첨두를 붙이다
∗**nib·ble** [níbl] *vt.* **1** 〈짐승·물고기가〉 **조금씩 물어뜯다, 갉아먹다**: (~+목+전+명) A hamster ~*d* a hole *in* the sofa. 햄스터가 소파를 물어뜯어 구멍을 냈다. **2** (비유) (갉아먹듯) 조금씩 가져가다 《*away*》
—*vi.* **1 조금씩 갉아먹다[물어뜯다]**; 〈물고기가〉 입질하다: (~+전+명) ~ *at* one's nails 손톱을 물어뜯다 **2** 조금씩 줄이다, 서서히 잠식하다 《*away, at*》: (~+부+전+명) All these expenses are *nibbling away at* our savings. 이 모든 경비가 우리의 저축액을 축내고 있다. **3** (비유) (유혹·거래 등에) 조심스럽게 손을 내밀다, 의향이 있는 체하다, 흥미를 보이다 《*at*》 **4** 트집을 잡다, 흠잡다 《*at*》
—*n.* **1** 조금씩 물어뜯기; (물고기의) 입질 **2** 한 입 분량: have a ~ on ... 〈…을〉 한 입 먹어 보다 **3** 마음에 있는 듯한 기색 **4** 〖컴퓨터〗 니블 《1/2바이트; 보통 4비트》 **níb·bler** *n.*
Ni·be·lung [ní:bəlùŋ] *n.* (*pl.* **~s, ~·en**) 〖독일전설〗 **1** [the ~] 니벨룽 족(族) 《소유자에게 무한한 힘을 주는 보물을 갖고 있는 난쟁이족》 **2** (니벨룽겐에 나오는) 지크프리트(Siegfried)의 추종자들; 니벨룽겐의 용사들 《Gunther 일족》
Ni·be·lung·en·lied [ní:bəlúŋənlì:t] [G] *n.* 니벨룽겐의 노래 《13세기 남독일에서 이루어진 대서사시》
nib·let [níblət] *n.* 작은 낱개의 음식 《옥수수알 등》
nib·lick [níblik] *n.* 〖골프〗 니블릭, 9번 아이언(number nine iron)
nibs [níbz] *n.* (*pl.* **~**) [보통 his[her] ~] (구어·종종 경멸) 높은 양반, 나리
NIC National Incomes Commission; 〖컴퓨터〗 Network Information Center
ni·cad [náikæd] [*ni*ckel-*cad*mium battery] *n.* 니켈·카드뮴 전지[배터리]
Ni·cae·a [naisí:ə] *n.* 니케아 《소아시아 북서부 Bithynia의 옛 도시; Nicene Council 개최지》
Ni·cae·an [naisí:ən] *a.* = NICENE —*n.* 니케아 주민; (4-5세기의) Nicene Creed 신봉자
NICAM, Ni·cam [náikæm] [*n*ear *i*nstantaneously *com*panded(=*com*pressed and ex*pand*ed) *a*udio *m*ultiplex] *n.* (영) 나이캠 《TV의 스테레오 음 전송에 사용되는 시스템》
NICAP National Investigators Committee on Aerial Phenomena (미) 전미(全美) 대기 현상 조사 위원회 **Nicar.** Nicaragua
Nic·a·ra·gua [nìkərɑ́:gwə] *n.* 니카라과 《중앙 아메

next

next의 형용사 용법에서 특히 주의할 점은 정관사 the와의 결합 여부이다.
[1] 현재를 기준으로 하여 「다음의」의 뜻일 때는 the를 쓰지 않는다.
[2] 현재 이외의 과거·미래의 어떤 때를 기준으로 할 경우와 시간 이외의 것을 말할 때는 the를 붙여 쓰는 것이 보통이다.
또한, 주로 《영》에서는 관용적으로 전치사와 결합되면 명사 뒤에 놓이는 수가 있다: *on* Monday *next* 내주 월요일 / *in* June *next* 오는 6월에

‡next [nékst] *a.*, *ad.*, *prep.*, *pron.*

OE 「가장 가까운」의 뜻에서	
① (순서·시간적으로) 다음의	형 **1, 2, 3**
② 다음에	부 **1**
③ 다음 사람[것]	대 **1**

—*a.* **1** (시간이) **a** [관사 없이] (현재를 기준으로 하여) (바로) **다음의**; 내…, 오는: ~ Friday = *on* Friday ~ 다음[오는, 내주] 금요일에 / An inauguration will be held on Monday ~. 취임식은 내주 월요일에 거행될 것이다. ★ 명사 앞에 놓아 부사적으로 쓰는 경우는 전치사를 붙이지 않음; 전치사 뒤에서는 명사 다음에 둠; 주로 《영》 USAGE 주일은 월요일부터 시작하므로 ~ Monday라고 하면 보통 「내주 월요일」을 지칭하는데, ~ Friday 《등》은 「금주 금요일」 또는 「내주 금요일」의 두 가지 뜻이 될 수 있다. 「금주」를 분명히 하기 위해서는 this[the coming] Friday라고 하며, 「내주 금요일」은 《영》 (on) Friday week, 《미》 a week from (this) Friday라고 한다.
b [보통 the ~] (과거나 미래의 일정한 때를 기준으로 하여) **그 다음의…**: *the* ~ week[month, year] 그 다음 주[달, 해] / *the* ~ day 그 다음날, 익일(翌日) / *the* ~ day but one 그 다음다음 날 / *N*~ time I come, I'll bring the children to you. 이 다음에 올 때는 아이들을 데리고 오겠다. ★ next time은 접속적으로 쓰인 경우임.
2 [보통 the ~] (순서·배열이) **다음의**, 차위(次位)의: *the* ~ chapter 다음 장 / *the* ~ bus[train] 다음 버스[열차] / He was *the* ~ person to come. 다음에 온 사람은 그였다. / What is *the* ~ article? 다음에는 무엇을 드릴까요? 《상점에서; 주로 《영》》 / My father is arriving on *the* ~ flight. 아버지가 다음 비행기편으로 오신다.
3 a [보통 the ~] 〈장소·위치가〉 **바로 옆의**(nearest): *the* ~ house 옆집 / *the* ~ but one[two] 하나[둘] 건너 다음의, 두[세] 번째의 **b** Ⓟ (…에) **접하여**, 잇닿아, (…) 다음으로, (…의) 옆에 《*to*》(cf. NEXT to): a vacant lot ~ *to* the house 그 집과 접한 공터 / the shop ~ *to* the corner 모퉁이에서 두 번째 가게 / the person ~ *to* him *in* rank[age] 지위[나이]가 그 사람 다음가는 사람
4 〈사람이〉 (혈연 관계로 보아) 가장 가까운: one's ~ heir male 가장 근친(近親)의 남자 상속인
as … as the ~ fellow [***man, woman***] 《구어》 어느 누구 못지않게 …: He is *as* strong *as the* ~ *man* of his size. 그는 같은 체격의 사람이면 누구에게도 뒤지지 않을 만큼 세다.
get ~ to [***on***] ***…*** 《미·속어》 (1) …을 알(아차리)다 (2) …와 친해지다, (특히 여자)와 깊은 사이가 되다
get ~ (***to*** one***self***) 《미·속어》 〈자기의 어리석음·결점 등을〉 알아차리다, 깨닫다
in the ~ place 다음으로, 둘째로
~ door (…의) 옆집에[의] 《*to*》: ~ *door* but one 한 집 건너 옆집에 / the house ~ *door* 옆집 / They live ~ *door to* us. 그들은 우리 옆집에 산다.
~ door to … (1) …에 가까운(near to), …와 비슷한: His conduct is ~ *door to* madness. 그의 행위는 미친 짓이나 다름없다. / They are ~ *door to* poverty. 그들은 가난뱅이나 다름없다. (2) [부정어 앞에서] 거의 …히어: It is ~ *door to* impossible. 그것은 거의 불가능하다.
~ time (1) [부사적으로] 다음 번에, 이번에: I'll visit the place ~ *time.* 이번에 그곳을 방문한다. (2) [접속사적으로] 이번[다음 번]에 …할 때에: Come to see me ~ *time* you are in town. 다음 번 상경 때에는 놀러 오너라. ⇨ *a.* 1b
~ to … (1) ⇨ 3b (2) [부정어 앞에 써서] 거의 …(almost): in ~ *to* no time 곧, 순식간에 / It is ~ *to* impossible. 거의 불가능하다. / He eats ~ *to* nothing. 그는 굶다시피 하고 있다. (3) …은 별도로 하고, …의 다음에는: *N*~ *to* cake, ice cream is my favorite dessert. 케이크 다음으로 내가 좋아하는 디저트는 아이스크림이다. (4) 《미·속어》 (…와) 친해져, (여성과) 깊은 사이가 되어; …을 깨닫고
~ to before 바로 앞의, 하나 앞의
put a person ***~ to …*** 《미·속어》 …에게 …을 알리다; 〈아무를〉 …에게 친해지게 하다
the ~ man [***woman, person***] 《미·구어》 다른 (모든) 사람, 그밖의 사람, 누구; 보통 사람
(***the***) ***~ thing*** 둘째로, 다음으로
(***the***) ***~ thing*** one ***knows*** 《구어》 정신을 차리고 보니, 어느 틈엔가: *The* ~ *thing* I *knew*, I was lying in a hospital bed. 정신을 차리고 보니 병원 침대에 누워 있었다.
Who's ~? 다음은 누구 차례입니까?
—*ad.* **1** [장소·시간·정도 등을 나타내어] **a 다음에**[**으로**], 그 다음은: the ~ best way 차선책 / *N*~, we drove home. 그 다음에 우리는 차로 귀가했다. / I like this best and that ~. 이것이 가장 마음에 들고 다음은 저것이다. / What comes ~? 그 다음은 무엇을 하는가?; 이번에는 어떻게 될까? **b** (…의) **옆에**, (…에) 접하여 《*to*》: He placed his chair ~ *to* mine. 그는 자기 의자를 내 의자 옆에 놓았다. **c** (…의) 다음에[으로] 《*to*》: He loved his dog ~ *to* his own sons. 그는 아들들 다음으로 개를 사랑했다. / This is my ~ oldest son. 이 애가 제 차남입니다.
2 다음 번에, 이번에: When shall we meet ~? 다음에 언제 만날까?
~ off 《미·속어》 다음에(next)
~ to one***'s skin*** 피부에 직접; 몸에 꼭 간직하여
the ~ best thing 그 다음으로 가장 좋은 것, 차선책 《*to*》: A good book is *the* ~ *best thing to* a true friend. 양서는 진실한 친구 다음으로 가장 좋은 것이다.
—*prep.* 《구어》 …의 다음[옆]의[에], …에 가장 가까운[가까이] 《*a.* 3b, *ad.* 1b, c의 next to에서 to가 빠진 것》: come[sit] ~ him 그 사람 다음에 오다[옆에 앉다] / a seat ~ mine 내 옆자리
—*pron.* **1 다음 사람**[**것**], 옆의 것, 가장 가까운 사람[것] ★ 형용사 용법의 next 다음에 있는 명사가 생략된 것: She was *the* ~ to appear. 그녀가 그 다음으로 나타났다. / *N*~, please! 다음 분; 다음 (질문자는)! / *The* ~ to youngest son was called Tim. 끝에서 두 번째 아들은 팀이라 했다. **2** 다음 책[호]; 다음 주[해, 달]: To be concluded[continued] in our ~. 다음 호에 완결[계속].
in my ~ (***letter***) 다음 편지에: I will tell you *in my* ~. 다음 편지에 말씀 드리겠습니다.

리카의 공화국; 수도 Managua; 略 Nicar.》
-guan [-gwən] *a.*, *n.* 니카라과의 (사람)
NICB (미) National Industrial Conference Board《Conference Board의 전신》
nic·co·lite [níkəlàit] *n.* Ⓤ 〖광물〗 붉은 니켈광
NiCd bàttery [énàisíːdìː-] 니켈·카드뮴 전지
⁑nice [náis] *a.*

> L「모르는」의 뜻에서; ME에서는「어리석은」, 다시「태도가 분명치 않은」에서「까다로운」**3**
> →(사소한 일에 잔소리가 많은)
> →「자세한, 사소한」→「미묘한」,「어려운」**2 b**
> →[좋은 의미로] (세세한 데까지 빈틈이 없는)「품위 있는」**1 d**→「좋은」**1 a,**「친절한」**1 c**

1 a 좋은, 괜찮은, 예쁜, 훌륭한: a ~ day 날씨가 좋은 날 // (~+*to* do) This medicine is ~ *to* take. 이 약은 복용하기 좋다. / It's ~ *to* meet you. 만나서 반갑습니다. **b** 기분 좋은, 마음에 드는, 유쾌한: We had a ~ time. 즐거웠습니다. **c** 친절한; 교양 있는 (refined): They are always ~ *to* strangers. 그들은 언제나 타인들에게 친절하다. // (~+*of*+名+*to* do) It was ~ *of* the Greens *to* invite us for bridge tonight. 그린 씨 부부가 오늘 밤 브리지 놀이에 우리를 초대해 준 것은 고마운 일이었다. **d** 《경멸》 품위 있는, 고상한 **2 a** 정밀한; 민감한, 식별력을 요하는: a ~ shot 정확한 일발[사격] / a ~ handling of a crisis 훌륭한 위기 처리 **b** 미묘한, 어려운, 수완을 요하는: a ~ distinction 미묘한 차이 / ~ shades of meaning 의미의 미묘한 차이 **3** 성미가 까다로운, 가리는 것이 많은 《*in, about*》; 근엄한, 꼼꼼한; 섬세한: He is ~ *about* food. 그는 입이 까다롭다. **4** 적당한, 적절한 《*for, to* do》: ~ clothes *for* the party 파티에 적당한 옷 **5** 〈음식이〉 맛있는 **6** 《구어·반어》 난처한, 싫은: a ~ mess 곤란한 지경 **7** 충분한; [형용사 앞에 놓여 부사적으로] 《구어》 충분히, 썩, 매우: a ~ cold drink 매우 찬 음료
as ~ as* (~) *can be 더없이[지극히] 좋은 ***Here is a ~ mess.*** 곤란하게 됐는걸. ***in a ~ fix* [*mess*]** 진퇴양난이 되어 ***It is ~ doing*** …하는 것은 즐겁다 ***It is ~ of you to*** do …해 주셔서 고맙습니다 **~ *and*** [nàisn] [부사적] 《구어》 충분히; 매우: It is ~ *and* warm today. 오늘은 참 따뜻하군[따뜻해 좋군]. ***N~ going!*** (경기 등에 이긴 자에게) 잘했어, 축하한다! ***N~ one.*** 《영》 잘한다; [비꼬아] 지독하군, 큰일 났다. ***not very ~*** 《영·구어》 불쾌한, 재미없는 ***over* [*too*] *~*** 지나치게 잔소리가 심한 ***say ~ things*** 입에 발린 소리를 하다 **~·ness** *n.*
▷ nícely *ad.*; nícety *n.*
Nice [níːs] *n.* 니스《프랑스 남동부의 피한지》
NICE National Institute of Ceramic Engineers
níce gúy[féllow] 《구어》 재미있는 녀석; 《반어》 지독한 녀석
nice·ish [náisiʃ] *a.* 꽤 좋은
nice-look·ing [náislúkiŋ] *a.* 예쁜; 애교가 있는
⁑nice·ly [náisli] *ad.* **1** 훌륭하게; 기분 좋게 **2** 정밀하게, 세밀하게; 꼼꼼하게: a ~ prepared meal 정성들인 요리 **3** 제대로, 잘: fit ~ 꼭 맞다 / She's doing ~. 그녀는 잘 해나가고 있다; 병이 회복되어 가고 있다.
Ni·cene [naisíːn, ⌐–] *a.* (소아시아의 고대 도시) 니케아(Nicaea)의
Nícene Cóuncil [the ~] 니케아 공의회《종교 회의》
Nícene Créed [the ~] (325년 니케아 공의회에서 결정된) 니케아 신조(信條)[신경(信經)]
níce nélly[néllie] [종종 **n- N-**] 《미·캐나다·구어》 **1** 점잔빼는 사내[여자] **2** 완곡한 말[표현]
nice-nel·ly, -nel·lie [náisnéli] *a.* [종종 **n--N-**] 《미·캐나다·구어》 점잔빼는; 넌지시 말하는
nice-nel·ly·ism [náisnéliìzm] *n.* [종종 **n--N-**] **1** 점잔빼기 **2** 완곡어, 완곡한 표현
ni·ce·ty [náisəti] *n.* (*pl.* **-ties**) **1** Ⓤ 정확, 정밀 **2 a** Ⓤ 미세한 차이; 미묘; 정묘: a point of great ~ 결정하기 어려운 미묘한 점 **b** [보통 *pl.*] 미묘[상세]한 점 **3** Ⓤ (취미·감정의) 섬세, 결벽 **4** [보통 *pl.*] 우아한 것; 맛있는 것[음식] ***to a ~*** 꼼꼼하게, 정확[정밀]하게
niche [nítʃ | níːʃ] [L =nest] *n.* **1** 벽감(壁龕)《조상(彫像) 등을 두기 위한, 벽의 움푹 들어간 곳》 **2** 적소(適所); (특정) 분야, 영역 **3** 〖생태〗 생태적 지위 **4** 〖경영〗 (수익 가능성이 높은) 틈새시장: ~ industry 틈새 산업 ***have a ~ in the temple of fame*** 죽은 후 명성이 길이 남을 자격이 있다
—*vt.* **1** [보통 수동형으로] 〈조상 등을〉 벽감에 안치하다 **2** [보통 ~ one*self* 로] (적소에) 앉히다

niche *n.* 1

níche ádvertising 특정 시장 광고; 틈새 광고
níche màrketing 틈새시장으로의 판매 활동
Nich·o·las [níkələs] *n.* **1** 남자 이름《애칭 Nick》 **2** [Saint ~] 성(聖) 니콜라스《러시아·어린이·학자·선원 등의 수호신; cf. SANTA CLAUS》
Ni·chrome [náikròum] [*ni*ckel+*chrome*] *n.* 니크롬《니켈·크롬·철의 합금; 상표명》
nic·ish [náisiʃ] *a.* =NICEISH
nick[1]** [ník] *n.* **1** …에 (V자형의) 새김눈(notch) **2** (접시 등의) 흠, 깨진 곳; 움푹 패인 곳, 골; 〖인쇄〗 활자 몸체의 홈 **3** 〖생물〗 닉《DNA나 RNA의 한 사슬에 있는 새김눈》 **4** [the ~] 《영·속어》 교도소; 경찰서 **5** (주사위 놀이에서) 던지는 사람이 부르는 수와 같은 점수 또는 관계 있는 주사위 눈이 나옴 **6** Ⓤ 《영·속어》 건강 상태; 컨디션 ***in good ~ 좋은 상태로 ***in the* (*very*) *~ of time*** 아슬아슬한 때에, 꼭 알맞은 때에
—*vt.* **1** …에 (V자형의) 새김눈을 내다; 상처를 내다, 흠을 내다: ~ a table 테이블에 흠을 내다 **2** 〖생물〗 …에 닉을 내다 **3** 새김눈으로 기록하다 **4** (말 꼬리의) 밑동을 절개하다《꼬리를 높이 들게 하기 위하여》 **5** …에 꼭 알맞다, …의 시간에 대다: ~ a good chance 호기(好機)를 잡다 / ~ a train 기차 시간에 정확히 대다 **6** 〈예산 등을〉 감하다; 〈감정을〉 절제하다 **7** 《미·속어》 **a** 속이다; …에게 부당한 돈을 요구하다 **b** …에게서 벌금을 받다 **8** 《영·속어》 〈범인 등을〉 체포하다, 붙잡다; 훔치다 **9** 〈진실 등을〉 알아맞히다; (주사위의 이김수를) 굴리어 내다 ***~ it*** 꼭 알아맞히다
—*vi.* **1** 뒤에서 공격[비난]하다 《*at*》 **2** (사냥·경주에서) 지름길로 앞질러가다, 새치기하다 《*in*》 **3** 〈가축이〉 교미하다 《*with*》
nick[2] *n.* 《미·속어》 5센트짜리 백통전
Nick [ník] *n.* **1** 남자 이름《Nicholas의 애칭》 **2** [Old ~] 악마
⁑nick·el [níkəl] [G 구리와 비슷하면서도 구리를 포함치 않은 데서] *n.* **1** Ⓤ 〖화학〗 니켈, 백통《금속 원소; 기호 Ni, 번호 28》 **2** 《미》 5센트짜리 백통화; 《미·속어》 5달러 지폐 **3** 《미·속어》 징역 5년의 판결; =NICKEL BAG. ***~s and dimes*** 《미·속어》 약간의 돈 ***not worth a plugged ~*** 《미·속어》 아무 가치도 없는
—*vt.* (**~ed**; **~·ing** | **~led**; **~·ling**) 니켈 도금하다 ***~ up*** 《미·속어》 5센트를 내고 그 이상의 음식[물건]을 달라고 하다; 터무니없는 요구를 하다
nick·el-and-dime [nìkələndáim] 《구어》 *vt.* **1** 알뜰하게 굴다, 아끼다; (알뜰하게 굴어서) 획득하다; 〈사람을〉 인색하게 대우하다 **2** 시시한 일로 훼방을 놓다 [애먹이다] **—***a.* 소액의, 아끼는, 인색한; 하찮은
níckel bàg 《미·속어》 5달러어치의 마약
níckel blóom 〖광물〗 니켈화(華)
níckel bráss 니켈 황동《구리·아연·니켈의 합금》
níck·el-cád·mi·um bàttery [níkəlkǽdmiəm-] 니켈·카드뮴 (축)전지(NiCd battery)
níck·el-hý·dride bàttery [-háidraid-] 니켈 수

소 전지
nick·el·if·er·ous [nìkəlífərəs] *a.* 니켈을 함유한
nick·el-nurs·er [-nə́:rsər] *n.* (미·속어) 구두쇠
níckel nùrsing *a.* (미·속어) 인색한; 긴축 정책의
nick·el·o·de·on [nìkəlóudiən] *n.* (미) **1** 5센트짜리 (영화) 극장 **2** = JUKEBOX
nick·el·ous [níkələs] *a.* 〖화학〗 니켈의; 《특히》 2가(價)의 니켈을 함유한
níckel óxide 〖화학〗 산화니켈
níckel pláte 니켈 도금; (전기 도금된) 니켈의 피막
nick·el-plate [níkəlplèit] *vt.* 니켈 도금하다
-plát·ing *n.* Ⓤ 니켈 도금
níckel sílver 양은(洋銀)
níckel stéel 니켈강(鋼)
níckel's wòrth [nickel이 「5센트 동전」인 데서] (미·속어) 5분간의 교신 제한 시간
nick·er[1] [níkər] *n.* 눈금을 새기는 사람
nicker[2] (스코·북잉글) *n.* **1** 말의 울음 **2** 낄낄 웃음 ― *vi.* **1** 〈말이〉 울다(neigh) **2** 낄낄 웃다(snicker)
nicker[3] *n.* (*pl.* **~, ~s**) (영·속어) 니커 《1파운드 영국 화폐》; (호주) 돈
nick·nack [níknæ̀k] *n.* = KNICKKNACK
‡nick·name [níknèim] [ME = additional name; an eke-name을 a neke-name으로 오해한 데서] *n.* **1** 별명, 닉네임 《John Bull, Fatty, Shorty 등》 **2** (Christian name을 단축한) 애칭, 약칭 《Bill = William, Ed = Edward 등》: We always use the ~ Beth for our daughter Elizabeth. 우리는 딸 Elizabeth를 항상 Beth라는 애칭으로 부른다.
― *vt.* **1** …에게 별명을 붙이다; 애칭[약칭]으로 부르다 **2** (드물게) 이름을 잘못 부르다(misname)
Nic·o·las [níkələs] *n.* 남자 이름
Ni·co·lette [nìkəlét] *n.* 여자 이름
Níc·ol prìsm [níkəl-] [스코틀랜드의 물리학자 이름에서] 〖광학〗 니콜 프리즘 《편광(偏光) 실험용; 방해석으로 만듦》
Nic·o·si·a [nìkəsí:ə] *n.* 니코시아 《키프로스의 수도》
ni·co·tia [nikóuʃə] *n.* **1** = NICOTINE **2** (시어) 담배
ni·co·tian [nikóuʃən] (고어) *a., n.* 담배의; 흡연가
nic·o·tin·a·mide [nìkətínəmàid, -mid] *n.* 〖화학〗 니코틴(산)아미드
nic·o·tine [níkətì:n, -tin, nìkətí:n] [담배를 처음으로 프랑스에 소개한 외교관 Jean Nicot의 이름에서] *n.* Ⓤ 〖화학〗 니코틴
nícotine pátch 금연용 반창고
nic·o·tín·ic ácid [nìkətínik-, -tí:n-] 〖화학〗 니코틴산(酸)(niacin)
nic·o·tin·ism [níkəti:nìzm] *n.* Ⓤ 니코틴 중독
nic·o·tin·ize [níkəti:nàiz, ∸-∸-] *vt.* 니코틴으로 중독시키다; …에 니코틴을 첨가하다
NICS [níks] newly industrializing countries 신흥 공업국 《1988년 이후에는 NIES로 불림》
nic·ti·tate [níktətèit], **nic·tate** [níkteit] [L 「깜박거리다」의 뜻에서] *vi.* 눈을 깜박거리다(wink)
níc·ti·tat·ing mémbrane [níktətèitiŋ-] 〖동물〗 순막(瞬膜)(third eyelid) 《새·악어 등의 눈꺼풀 안쪽에 있는 제3의 눈꺼풀》
nic·ti·ta·tion [nìktətéiʃən], **nic·ta·tion** [nìktéiʃən] *n.* Ⓤ (눈의) 깜박거림
ni·cy [náisi] *n.* (*pl.* **-cies**) (유아어) 과자, 사탕
NID (영) Naval Intelligence Division 해군 정보부
NIDA (미) National Institute of Drug Abuse 국립 약해(藥害) 연구소
ni·da·men·tal [nàidəméntl] *a.* (연체동물 등의) 난낭(卵囊)의, 난소의: ~ gland 난포선(卵胞腺)
ni·da·men·tum [nàidəméntəm] *n.* 〖동물〗 난낭(卵囊)
ni·date [náideit] *vi.* 〈수정란이〉 자궁에 착상(着床)하다 **ni·dá·tion** *n.*
nid·dle-nod·dle [nídlnɑ̀dl | -nɔ̀dl] *a.* 〈머리를〉 꾸벅거리고 있는; 불안정한
― *vt., vi.* 꾸벅거리(게 하)다, 흔들(리)다
nide [náid] *n.* (영) 꿩의 둥지(속의 새끼 무리); 꿩 떼
nid·i·fi·cate [nídəfikèit] *vi.* 〈새가〉 둥지를 짓다
nìd·i·fi·cá·tion *n.*
nid·i·fy [nídəfài] *vi., vt.* (**-fied**) = NIDIFICATE
nid·nod [nídnɑ̀d | -nɔ̀d] *vi., vt.* (**~·ded; ~·ding**) 꾸벅꾸벅 졸다
ni·dus [náidəs] *n.* (*pl.* **-di** [-dai], **~·es**) **1** 〖동물〗 (곤충 등의) 산란 장소; 둥지 **2** (병균·기생충 등의) 발생하는 곳, 병소(病巢) 《*for*》 **3** (성질·주의 등의) 근원(source) **ní·dal** *a.*
‡niece [ni:s] [L 「손녀」의 뜻에서] *n.* **1** 조카딸, 질녀 (cf. NEPHEW) **2** (완곡) 성직자의 사생아 《여자》
ni·el·list [niélist] *n.* 흑금 상감사(師)
ni·el·lo [niélou] [L = somewhat black] *n.* (*pl.* **-li** [-li], **~s**) 흑금(黑金); 흑금 상감 (세공품)
― *vt.* 흑금으로 상감[장식]하다 **~ed** *a.*
Níel·sen ràting [ní:lsn-] (미) (텔레비전의) 닐슨 시청률 《A.C. Nielsen Co.는 미국의 시장 조사 회사》
Nier·stein·er [níərstainər] [라인 강변의 산지명 Nierstein에서] *n.* Ⓤ 니어슈타이너 백포도주
NIES [ní:z] newly industrializing economies 신흥 공업 경제 지역(cf. NICS) 《한국·대만·싱가포르·홍콩 등의 총칭》
Nie·tzsche [ní:tʃə, -tʃi | -tʃə] *n.* 니체 **Friedrich W.** ~ (1844-1900) 《독일의 철학자》
Nie·tzsche·an [ní:tʃiən] *a.* 니체 철학의
― *n.* 니체 철학자 **~·ism** *n.* Ⓤ 니체 철학
niff[1] [níf] *n., vi.* (영·속어) 악취(가 나다)
niff[2] *n.* (구어) 반감(反感), 노여움: take a ~ 화내다
níf gène [níf-] [*ni*trogen-*f*ixing *gene*] 〖생화학〗 질소 고정(固定)에 관여하는 유전자
nif·ty [nífti] (구어) *a.* (**-ti·er**; **-ti·est**) 멋진, 재치 있는 ― *n.* (*pl.* **-ties**) **1** 재치 있는 말 **2** 매력적인 계집애 **níf·ti·ly** *ad.*
NIG Niger 《차량 국적 표시》 **Nig.** Nigeria
Ni·gel [náidʒəl] *n.* 남자 이름
Ni·ger [náidʒər] *n.* **1** 니제르 《아프리카 중서부의 공화국; 수도 Niamey》 **2** [the ~] 니제르 강 《서아프리카를 통해 Guinea만으로 흘러드는》
Ni·ge·ri·a [naidʒíəriə] *n.* 나이지리아 《아프리카 중서부의 공화국; 수도 Abuja; 略 Nig.》
Ni·ge·ri·an [naidʒíəriən] *a., n.* 나이지리아의 (사람)
nig·ga [nígə] *n.* (경멸) 흑인
nig·gard [nígərd] *n.* 구두쇠(miser), 인색한 사람
― *a.* 인색한 ― *vi., vt.* 쩨쩨하게[인색하게] 굴다
nig·gard·ly [nígərdli] *a.* **1** 인색한, 쩨쩨한: (~+***of***+名) He is not ~ *of* money. 그는 돈에 인색하지 않다. **2** 〈액수·분량이〉 아주 적은, 빈약한, 근소한: ~ aid 하찮은 원조 ― *ad.* 인색[쩨쩨]하게 **-li·ness** *n.*
nig·ger [nígər] *n.* **1** (경멸) 깜둥이(Negro); 흑색 토인 《동인도·호주 등의》; 유색인: a ~ melodies 흑인의 노래 / a ~ driver 사람을 혹사하는 사람 **2** 사회적으로 불우한 사람 ***a***[***the***] **~** ***in the woodpile***[***fence***] (미·속어) 숨은[불온한] 사실[결점, 동기 《등》]; 예기치 못한 문제; 숨어 있는 인물 ***work like a*** **~** 뼈 빠지게 일하다 **~·dom** [-dəm] *n.* Ⓤ 흑인임; 흑인 사회 **~·ish** *a.* 흑인의[같은]
《★ 인종 차별 어휘이므로 사용을 금함.》
nig·ger·head [nígərhèd] *n.* **1** 씹는 담배(negrohead) **2** 〖지질〗 니거헤드탄(炭) 《석탄층에서 나는 둥근 탄괴(炭塊)》 **3** 〖항해〗 윈치[권양기]의 드럼
nígger héaven (미·속어) (극장의) 맨 위층 뒤쪽 좌석
nig·ger-pot [nígərpɑ̀t | -pɔ̀t] *n.* (미남부·속어) 밀주(密酒)(moonshine)
nígger rích *a.* (경멸) 벼락부자의
nig·ger·toe [-tòu] *n.* (미·구어) = BRAZIL NUT
nig·gle [nígl] *vi.* (영) **1** 하찮은 일에 마음을 쓰다, 옹졸하게 굴다 《*about, over*》 **2** 까다롭게 흠잡다, 탈잡다 《*about*》 ― *vt.* 인색하게 조금씩 주다; 짜증나게 하다

— *n.* 하찮은 불평[불만], 결점 **níg·gler** *n.*
nig·gling [nígliŋ] *a.* **1** 하찮은 일에 마음을 쓰는, 옹졸한 **2** 좀스러운; 손질이 너무 꼼꼼한; 〈필적 등이〉 읽기 힘든 — *n.* Ⓤ 자질구레한[사소한] 일; 곰상스러운 태도 **~·ly** *ad.*
nigh [nái] (**~·er**; **~·est**; 《고어》 **near**; **next**) *ad.*, *a.*, *prep.* *v.* 《고어·시어·방언》 =NEAR
‡**night** [náit] *n.* **1** 밤, 야간 《해 질 녘부터 동이 틀 때까지》(opp. *day*); 저녁: one[every, last, tomorrow] ~ 어느 날[매일, 지난, 내일] 밤 / *N*~ falls. 날이 저문다. **2** Ⓤ 야음(夜陰), 어둠 **3** 《비유》 Ⓤ 죽음의 암흑; 죽음; 맹목(blindness); 무지몽매(한 상태); 실의(失意)의[불안한] 시기 **4** Ⓤ 노령, 죽음 **5** 밤공연; (특정 행사가 있는) …의 밤: the first ~ 첫날(밤 공연) / a Wagner ~ 바그너의 밤
all ~ (long) = ***all the ~ through*** 밤새도록 ***a ~ out[off]*** 외출이 허용되는 밤; 축제의 밤 ***as dark [black] as ~*** 아주 캄캄한, 새까만 ***at [in the] dead of ~*** 한밤중에 ***at ~*** 밤에; 해 질 녘에, 저녁에 《또 오후 6시부터 자정까지의 시각에 덧붙여 씀》 ***at ~s*** 밤마다 ***at this time of*** ((드물게) ***the***) ***~*** = ***at this hour of the ~*** 이렇게 늦은 밤에 ***by ~*** 밤에는(opp. *by day*); 밤을 타서 ***call it a ~*** 《구어》 (그날 밤의 일을) 끝내다; 활동을 중지하다 ***C'mon, time for ~.*** 자, 잘 시간입니다. ***dirty ~*** 폭풍이 부는[비 오는] 밤 ***far into the ~*** 밤늦도록 ***for the ~*** 잠자기 위해; 그 밤은 ***Good ~!*** 편히 주무십시오; 안녕. 《밤에 헤어질 때의 인사》 ***have [pass] a good [bad] ~*** 잘 자다[못 자다] ***have an early [a late] ~*** 평소보다 일찍[늦게] 자다 ***have a [the] ~ out [off]*** 하룻밤을 밖에서 보내다[놀다] ***in the ~*** 밤중에 ***keep [last] over ~*** 아침까지 견디다[계속하다] ***late at ~*** 밤늦게 ***make a ~ of it*** 밤새도록 술을 마시다[놀다] ***make the ~ hideous*** 밤늦게까지 법석을 떨다 ***~ after [by] ~*** 매일 밤, 밤마다 ***~ and day*** = ***day and ~*** 밤낮, 밤이나 낮이나 ***of [o'] ~s*** =by[at] NIGHT. ***on the ~ that …*** …한 날 밤(에) ***over ~*** 아침까지 one***'s ~ out*** 〈하인 등이〉 허락이 나서 외출해도 좋은 밤; 신나게 노는 밤 ***spend the ~ with*** …와 하룻밤 같이 지내다 ***stay over ~*** 하룻밤 묵다 ***stay the ~*** 다음날까지 있다, 밤새다 ***the ~ before last*** 그저께 밤 ***turn ~ into day*** 밤을 낮으로 삼다, 낮에 할 일을 밤에 하다 ***under (the) cover of ~*** 야음을 타서 ***work ~s*** 야간 근무이다
— *a.* Ⓐ **1** 밤의: ~ air 밤공기, 밤바람 **2** 야간의: ~ duty 야근, 숙직 / a ~ game (야구 등의) 야간 경기 **3** 〈동물 등이〉 야행성의 ▷ níghtly *a.*
níght bàg =OVERNIGHT BAG
níght bàll 야구의 야간 경기
night·bell [náitbèl] *n.* 《영》 (의사의 집 등의) 야간용 벨
níght bìrd **1** 밤의 새 《올빼미·나이팅게일 등》 **2** 밤에 나다니는 사람; 밤도둑
night·blind [náitblàind] *a.* 밤눈이 어두운, 야맹증의
níght blìndness 야맹증(nyctalopia)
níght-bloom·ing céreus [-blù:miŋ-] 〖식물〗 밤에 꽃피는 선인장
night-breeze [-brì:z] *n.* 밤바람
night·cap [-kæ̀p] *n.* **1** 나이트캡 《잘 때 쓰는 모자》 **2** 《구어》 잘 때 마시는 술 **3** 《미·구어》 그 날의 마지막 시합[레이스]; 〖야구〗 더블헤더의 제2경기

nightcap 1

níght càrt 분뇨 운반차
níght cèllar 《영》 (하급의) 지하 선술집
níght chàir =CLOSESTOOL
night·clothes [-klòuðz] *n. pl.* 잠옷(nightdress)
night·club [-klʌ̀b] *n.* 나이트클럽(nightspot)(⇨ bar[1] 유의어) — *vi.* 나이트클럽에서 놀다 **~·bing** *n.*
night·club·ber [-klʌ̀bər] *n.* 나이트클럽의 단골 손님
níght còach 야간 버스; (항공 운임의) 야간 이코노미석(席)
níght commòde 침실용 변기(closestool)
níght còurt 《미》 (즉결 사건을 다루는) 야간 법정
níght cràwler (밤에 기어다니는) 큰 지렁이
níght depòsitory 《미》 =NIGHT SAFE
night·dress [-drès] *n.* 《영》 =NIGHTGOWN; 《일반적으로》 잠옷, 파자마
níght dùty 야근, 숙직
night·ed [náitid] *a.* 캄캄해진; 길 가다 날이 저문 〈나그네〉
níght èditor 조간 신문의 편집 책임자
night·e·ry [náitəri] *n.* 《미·구어》 =NIGHTCLUB
***night·fall** [náitfɔ̀:l] *n.* Ⓤ 황혼(twilight); 해 질 녘, 땅거미(dusk): at ~ 해질녘에 / before ~ 어두워지기 전에
níght fìghter 야간 요격 전투기; 《구어》 [*pl.*] = NIGHT PEOPLE
níght flòwer 밤에 피는 꽃 《달맞이꽃 등》
night·fly·ing [-fláiiŋ] *n.* Ⓤ 야간 비행
— *a.* 야간 비행의; 〈새가〉 밤에 날아다니는
níght glàss 〖항해〗 야간용 망원경; [*pl.*] 야간용 쌍안경
night·glow [-glòu] *n.* 〖기상〗 야광(夜光) 《야간의 대기광》
***night·gown** [náitgàun] *n.* (여자·어린이용) 잠옷; =NIGHTSHIRT; 《고어》 = DRESSING GOWN
night-hag [-hæ̀g] *n.* **1** (밤하늘을 날아다닌다는) 마녀 **2** 몽마(夢魔); 가위
night·hawk [-hɔ̀:k] *n.* **1** 〖조류〗 쏙독새(의 일종) **2** 밤도둑; 《구어》 밤을 새우는 사람 **3** 《미·구어》 야간 택시 — *vi.* 《구어》 밤에 돌아다니다
níght hèron 〖조류〗 해오라기
night·ie [náiti] *n.* 《구어》 잠옷(nightdress)
***night·in·gale** [náitn-gèil, -tiŋ- | -tiŋ-] *n.* **1** 〖조류〗 나이팅게일 《유럽산(産) 지빠귓과(科)의 작은 새》 **2** 《비유》 미성(美聲)의 가수[해설자]; 목소리가 고운 사람 **3** 《미·속어》 밀고자

nightingale 1

Night·in·gale [náitn-gèil, -tiŋ- | -tiŋ-] *n.* 나이팅게일 **Florence ~** (1820-1910) 《영국의 간호사; 근대 간호학의 창시자》
night·jar [náitdʒɑ̀:r] *n.* 〖조류〗 쏙독새
níght kèy night latch용 열쇠
níght làtch 야간 자물쇠(latchkey) 《안에서는 손잡이로, 바깥에서는 열쇠로 조작》
night·less [náitlis] *a.* (극권(極圈)에서) 밤이 없는
níght lètter 《미》 야간 발송 전보 《다음 날 아침에 배달되며 요금이 쌈; opp. *day letter*》
night·life [-làif] *n.* (환락가 등에서) 밤의 생활[유흥], 밤놀이 **níght·lìf·er** *n.* 밤 유흥을 하는 사람
night-light [-làit] *n.* **1** (병실·복도·화장실용) 철야등 **2** (선박의) 야간등
night-line [-làin] *n.* 밤낚싯줄 《미끼를 달아 밤에 물속에 넣어 둠》 **níght lìner** *n.* 밤낚시꾼
night·long [-lɔ̀:ŋ | -lɔ̀ŋ] *a.* 밤새는, 철야의
— *ad.* 밤새도록
***night·ly** [náitli] *a.* Ⓐ **1** 밤의; 밤에 일어나는: ~ dew 밤이슬 / a ~ performance 야간 공연 **2** 밤마다의: his ~ walk 그의 매일 밤 산책 / a ~ news program 밤마다 하는 뉴스 프로 **3** 《방언》 밤과 같은
— *ad.* 밤마다; 밤에
níght màn 야간 직업을 가진 사람, 《특히》 야경꾼
night·man [-mən] *n.* (*pl.* **-men** [-mən]) **1** 분뇨

수거인 **2** = NIGHT MAN

***night·mare** [náitmὲər] *n.* **1** 악몽, 가위눌림: (as) ghastly as a ~ 악몽과도 같이 무서운 **2** 무서운 일, 불쾌한 사람[물건]; 공포[불쾌]감, 불쾌한 예감 **3** 몽마(夢魔) 《잠자는 사람을 질식시킨다고 생각되었던 마녀》

night·mar·ish [-mὲəriʃ] *a.* 악몽[악마] 같은 ~**·ly** *ad.* ~**·ness** *n.*

night-night [-náit, ⌐⌐] *int.* 《구어》 (밤의 작별 인사로서) 안녕; 안녕히 주무세요 ★ nightie-night, nightie-nightie, nighty-nighty로도 쓰임.

níght nùrse 야간 근무 간호사

níght òwl 1 《구어》 밤늦도록 자지 않는 버릇이 있는 사람; 밤일하는 사람 **2** 〖조류〗 쏙독새류(nighthawk)

níght pèople 1 야간형 생활자들 **2** 《속어》 사회 관행을 따르지 않는 사람들(nonconformists)

níght pèrson 야간형 생활자

níght pìece 야경화(夜景畫); 야경을 다룬 작품[희화, 악곡], 야경을 그린 글[시]

níght pòrter (호텔 프런트의) 야근 보이[도어맨]

níght ràven 1 야행성 새, 《특히》 해오라기 **2** 《시어》 밤에 우는 새; 불길한 징조

night·rid·er [-ràidər] *n.* 《미남부》 야간의 복면 기마 폭력 단원; Ku Klux Klan의 일원

níght ròbe 《미》 = NIGHTGOWN

níght ròuter 《구어》 (아침에 편지를 배달하기 위해) 야간에 수집·구분하는 우체국 직원

nights [náits] *ad.* 밤에, 밤마다(cf. AFTERNOONS)

níght sàfe (은행의) 야간 금고

night·scape [náitskèip] *n.* 야경(夜景), 야경화

níght schòol 야간 학교

night·scope [-skòup] *n.* 암시경(暗視鏡) 《어두운 곳에서 볼 수 있게 만든, 적외선 이용의 광학 기기》

night·shade [-ʃèid] *n.* 〖식물〗 가지속(屬)의 각종 식물(⇨ black nightshade, deadly nightshade) — *a.* 가짓과(科)의

níght shìft 1 (주야 교대제의) 야간 근무 (시간)(cf. DAY SHIFT) **2** [종종 the ~; 집합적] 야근 노무자[조](cf. GRAVEYARD SHIFT)

night·shirt [-ʃə̀:rt] *n.* (남자용) 잠옷 《긴 셔츠 모양의》

nightshirt

night·side [-sàid] *n.* **1** (신문사의) 조간 요원(opp. *dayside*) **2** 〖천문〗 (지구·달·행성 등의) 빛이 닿지 않는 쪽, 밤쪽; 암흑면

night-sight [-sàit] *n.* (총의 적외선) 야간 조준기

níght sòil [보통 밤에 쳐낸다고 해서] 분뇨(糞尿)(cf. NIGHTMAN)

night·spot [-spɑ̀t | -spɔ̀t] *n.* 《미·구어》 나이트클럽(nightclub)

night·stand [-stæ̀nd] *n.* 침실용 탁자(night table)

níght starvàtion 《영·속어》 성적 갈망

níght stìck 야경봉(夜警棒)

night-stool [-stù:l] *n.* 침실용 변기, 요강

níght sùit 파자마(pyjamas), 잠옷

níght sùpervisor 《미》 (경찰의) 야간 통제관

níght swèat 도한(盜汗), 식은땀

níght tàble (침대 옆에 놓는) 침실용 탁자(bed table)

níght tèrror 〖정신의학〗 야간 공포, 야경증(夜驚症)

night·tide [-tàid] *n.* Ⓤ **1** 《시어》 밤(nighttime) **2** 밤의 밀물

night·time** [náittàim] *n.* Ⓤ 야간, 밤(opp. *daytime*): animals that hunt at ~ 밤에 먹잇감을 사냥하는 동물 ***in the ~ = by NIGHT

night·town [-tàun] *n.* 밤거리, 거리의 야경

night·view·er [-vjù:ər] *n.* 암시(暗視) 장치 《어둠 속에서 사물을 식별할 수 있는》

níght vìsion 야간[암시] 시력

night-vi·sion [-vìʒən] *a.* 암시(暗視)의, 야간 식별의

night·walk·er [-wɔ̀:kər] *n.* **1** 밤에 돌아다니는 사람 《매춘부·도둑 등》 **2** 몽유병자(夢遊病者) **3** 야행 동물; = NIGHT CRAWLER

night·walk·ing [-wɔ̀:kiŋ] *n.* Ⓤ 몽중 보행(夢中步行); 몽유병

níght wàtch 1 야경(夜警), 야간 경계 **2** [단수 또는 집합적] 야경꾼 **3** [보통 *pl.*] 야경 교대 시간 《밤을 3분 또는 4분한》 **4** [*pl.*] (밤)잠 못 이루는 시간 ***in the ~es*** (불안해) 잠 못 이루는 밤에

níght wàtcher[wàtchman] 야경꾼

night·wear [-wὲər] *n.* 잠옷(nightclothes)

night·work [-wə̀:rk] *n.* 야간 작업, 밤일

night·y [náiti] 《구어》 *n.* (*pl.* **night·ies**) = NIGHTIE — *int.* = GOOD NIGHT

night·y-night [náitináit] *int.* = GOOD NIGHT

nig·nog [nígnɑ̀g | -nɔ̀g] *n.* 《영·속어》 **1** 〖군사〗 바보, 멍청이; 신병 **2** 《경멸》 흑인, 검둥이 **3** 심술궂은 사람

ni·gres·cence [naigrésns] *n.* Ⓤ 검음, 검게 물듦; (안색·피부·눈 등의) 거무스름함

ni·gres·cent [naigrésnt] *a.* 거무스름한

nig·ri·fy [nígrəfài] *vt.* (**-fied**) 검게 하다

nig·ri·fi·ca·tion [nìgrəfikéiʃən] *n.*

nig·ri·tude [nígrət*j*ù:d, nái- | nígritjù:d] *n.* Ⓤ 검음, 칠흑; 암흑

ni·gro·sine [náigrəsì:n, -sin | níg-], **-sin** [-sin] *n.* 〖화학〗 니그로신 《흑색 염료》

NIH National Institutes of Health (미국) 국립 보건원 **NIHE** National Institute for Higher Education

ni·hil [náihil, ní:-] [L = nothing] *n.* **1** 허무, 무(無), 공허 **2** 무가치한 것

níhil ad rém [-æd-rém] [L = nothing to the point] *a.* 요령부득의, 아주 부적절한, 잘못 짚은

ni·hil·ism [náiəlìzm, ní:-] *n.* Ⓤ **1** 〖철학〗 허무주의, 니힐리즘 **2** 무정부주의 **3** [때로 **N~**] 19세기 러시아의 허무주의 **4** 〖정치〗 폭력 혁명[무정부]주의

-ist *n.* 허무주의자, 니힐리스트 **nì·hil·ís·tic** *a.*

ni·hil·i·ty [naihíləti, ni:-] *n.* Ⓤ 허무, 무(無)

NIH sỳndrome [énàiéitʃ-] = NOT-INVENTED-HERE SYNDROME

-nik [nik, nìk] [Russ. = -er] *suf.* 「무엇인가에 몰두하거나 열정을 가지는 사람」의 뜻 ★ 경멸적 또는 비판적으로 쓰임: peace*nik*, beat*nik*

Ni·ke [náiki:] [Gk = victory] *n.* **1** 〖그리스신화〗 니케 《승리의 여신》 **2** [미육군] 나이키 《지대공 유도탄의 일종》 **3** 나이키 《미국의 스포츠용품 제조 회사; 그 제품의 상표명》

Ník·kei índex[áverage] [níkei-] [the ~] 니케이 지수 《도쿄 증권 거래소의 주요 주가 지수》

nil [níl] [L = nihil] *n.* Ⓤ 《영》 무(無), 영(零)(nothing); 〖경기〗 0점; 〖컴퓨터〗 닐: three goals to ~ 〖경기〗 3대 0 / ~ pointer 〖컴퓨터〗 닐 포인터 — *a.* (전혀) 없는, 존재하지 않는 — *ad.* 《컴퓨터속어》 아니오(no) 《해커들 사이에서 쓰임》

nil ad·mi·ra·ri [níl-ædmirέərai, -rέəri:] [L = to wonder at nothing] 무감동; 태연자약한 태도

****Nile** [náil] *n.* [the ~] **나일 강** 《아프리카 동부의 강》 (⇨ Blue Nile, White Nile)

Níle blúe 초록빛을 띤 엷은 파랑

Níle gréen 청색을 띤 담녹색

nil·g(h)ai [nílgai] *n.* (*pl.* **~s, ~**) 〖동물〗 닐가이 《인도산(産)의 말 비슷한 영양(羚羊)의 일종》

nill [níl] *vi.* 《영·고어》 좋아하지 않다

will he, ~ he 좋든 싫든(cf. WILLY-NILLY)

níl nórm 《영》 〖경제〗 (정부가 정하는 임금 및 물가 상승의) 최저 기준(zero norm)

Ni·lom·e·ter [nailɑ́mətər | -lɔ́m-] *n.* [종종 **n~**] (특히 홍수 때의) 나일 강의 수위계(水位計)

Ni·lot·ic [nailɑ́tik | -lɔ́t-] *a.* 나일 강 (유역)의, 나일 강 유역 주민의

nim [ním] *n.* 님 《성냥개비 같은 것을 늘어놓고 둘이서 서로 번갈아 집어가는 게임》

nim·bi [nímbai] *n.* NIMBUS의 복수

*__nim·ble__ [nímbl] [OE 「재빨리 잡는」의 뜻에서] *a.* (**-bler**; **-blest**) **1** 민첩한, 재빠른(opp. *slow*): a ~ climber 민첩한 등반가 **2** 재치 있는; 영리한, 빈틈없는; 융통성 있는, 재주 있는: a ~ mind 회전이 빠른 두뇌 **3** 〈화폐가〉 유통이 빠른 **4** 교묘한, 잘 고안된: a ~ plot 교묘한 줄거리 ***as ~ as a goat*** 매우 재빠른 **~·ness** *n.* **ním·bly** *ad.*

nim·ble-fin·gered [nímblfíŋgərd] *a.* 〈소매치기가〉 손이 빠른

nim·ble-foot·ed [-fútid] *a.* 발 빠른

nim·ble-wit·ted [-wìtid] *a.* 재치 있는, 영리한

nim·bo·stra·tus [nìmboustréitəs] *n.* (*pl.* ~) 〖기상〗 난층운(亂層雲) (略 Ns)

nimbus 1

nim·bus [nímbəs] [L = black rain cloud] *n.* (*pl.* **~·es, -bi** [-bai]) **1** (종교화(畫) 등의) 후광(後光)(halo), 원광 **2** (사람·물건을 둘러싼) 분위기, 매력 **3** 〖기상〗 난운(亂雲), 비구름 **4** [**N~**] 님버스 (미국이 쏘아 올린 기상 위성) **ním·bused** *a.*

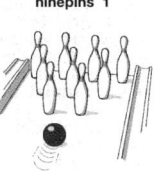

NIMBY, Nim·by [nímbi] [*n*ot *i*n *m*y *b*ack*y*ard] *n.* 님비 (현상) (자기 고장[이웃]에 형무소·핵 폐기물 처리장 등 혐오 시설의 설치를 반대하는 주민 운동), 지역[주민] 이기주의 **~·ism** *n.*

NiMH nickel metal hydrate **NIMH** National Institute of Mental Health

ni·mi·e·ty [nimáiəti] *n.* (*pl.* **-ties**) ⓤⓒ (문어) 과도, 과잉, 잉여

nim·i·ny-pim·i·ny [nímənipíməni] *a.* 점잔빼는, 얌전빼는, 새침한; 유약한

nim·i·ous [nímiəs] *a.* 과잉의, 과다한

ni·mo·nic [nimóunik] *a.* 〖야금〗 (내열·내압(耐壓)의) 니켈·크롬 합금의

Nim·rod [nímrɑd | -rɔd] *n.* **1** 〖성서〗 니므롯 (여호와도 인정하는 대수렵가; 창세기 10: 8-9) **2** [보통 **n~**] 수렵 애호가, 수렵광

Ni·na [ní:nə, nái-] *n.* 여자 이름 (Ann, Anna의 애칭)

nin·com·poop [nínkəmpù:p, níŋ-] *n.* (구어) 바보, 멍청이(simpleton) **~·er·y** [-əri] *n.*

‡**nine** [náin] *a.* **9**[아홉]의, 9개[명]의 ***~ tenths*** 10분의 9, 거의 전부 ***~ times* [*in* ~ *cases*] *out of ten*** 십중팔구, 대개는

— *pron.* [복수 취급] **9**개[명]; 9달러[파운드, 센트, 펜스 (등)]: *N~* are not enough. 9명[개, 달러]으로는 모자란다.

— *n.* **1** **9**, 아홉; 9 자(字), 9의 기호 (9, IX); 9세; 9시: I have a dentist's appointment at ~. 9시에 치과 예약을 해 놓았다. **2** 9개 한 벌, 9인조; 야구팀: the Tigers ~ 타이거스 나인[팀] **3** 〖카드〗 9의 패 **4** 9번째의 사람[물건], 사이즈가 9인 옷 **5** 〖골프〗 9개의 구멍: the front[back] ~ 전반[후반] 9홀 **6** [the N~] (문예·미술을 맡은) 뮤즈의 아홉 여신 ***~ to five*** 아침 9시부터 오후 5시까지의 보통 근무 시간 (***up***) ***to the ~s*** (구어) 완전히: dressed *up to the ~s* 성장(盛裝)하여, 잘 차려입은

níne báll (미) 나인볼 (pocket billiards의 일종)

níne dáys' wónder 잠시 큰 화젯거리가 되나 곧 잊혀지는 소문[사건]; 남의 말도 사흘

nine·fold [náinfòuld] *a.*, *ad.* 9배의[로], 아홉 겹의[으로]

nine·holes [náinhòulz] *n. pl.* **1** [단수 취급] (미) 아홉 구멍에 공을 넣는 놀이 **2** 곤란한 상황 ★ 다음 성구로. ***in the ~*** 곤란한 입장에 처하여, 난처하여

900 number [náinhʌ́ndrəd-] (미) 번호 900번 서비스 (미국의 정보·오락 제공 유료 전화 서비스)

999 [náinnàinnáin] *n.* (영) 긴급 전화번호 (경찰·구급차·소방서를 부르는 번호)

níne o'clóck wátershed [the ~] (영) (방송에서) 밤 9시의 경계선 (성·폭력 장면을 삼가는)

911 [náinwʌ̀nwʌ́n] *n.* (미) (경찰·구급차·소방서 등의) 긴급 전화번호

nine·pence [-pèns, -pəns] *n.* (*pl.* **~, ~s**) **1** (영) 9펜스(의 값) **2** 16세기 아일랜드의 1실링 경화 (잉글랜드에서는 9펜스에 상당) **3** (미) (옛 스페인의) 9펜스 화폐 (12 1/2펜스 상당) ***as neat* [*grand, right*] *as ~*** 매우 깔끔한[훌륭한, 잘 되어가는]

ninepins 1

nine·pin [náinpìn] *n.* (영) **1** [*pl.*; 단수 취급] 나인핀스, 구주희(九柱戲) (9개의 핀을 사용하는 볼링) (cf. SKITTLE, TENPINS) **2** 나인핀스용 핀 ***fall* [*be knocked*] *over like a lot of ~s*** 차례로 모조리 넘어지다, 우르르 겹쳐 쓰러지다

‡**nine·teen** [nàintí:n] *a.* **1** Ⓐ **19**의, 19개[명]의: the ~ eighties 1980년대(代) / the ~-hundreds 1900년대 **2** Ⓟ 19세의: He is ~. 그는 19세이다.

— *pron.* [복수 취급] 19개[명]: There are ~. 19개[명]가 있다.

— *n.* **1** **19** (기수(基數)) **2** 19의 기호 (19, xix, XIX) **3** 19세; 19달러[파운드, 센트, 펜스 (등)] **4** 19호 사이즈 옷 ***talk* [*go, run, wag*] *~ to the dozen*** (영·구어) 쉴 새 없이 지껄이다

1984 [nàintí:nèitifɔ́:r] [G. Orwell의 미래 소설 *Nineteen Eighty-Four*에서] *n.* (완전히 자유를 잃은 미래의 전체주의 사회의 상징으로서의) 「1984년」

1990 [nàintí:nnáinti] *n.* 물구나무를 서서 한 손을 짚고 빙빙 도는 춤 (브레이크댄스에서)

‡**nine·teenth** [nàintí:nθ] *n.*, *a.* 제**19**(의); 19분의 1(의); (월(月)의) 19일

Níneteenth Améndment [the ~] (미) 헌법 수정 제19조 (여성에게 선거권을 보장한 조항)

níneteenth hóle [the ~] (구어) 19번 홀 (18홀 끝난 후에 쉬는 곳을 이름), (골프장의) 바, 클럽 하우스에서의 연회[주연]

nine-tenths [náinténθs] *n. pl.* **1** 10분의 9 **2** (비유) 거의 전부

*__nine·ti·eth__ [náintiiθ] *n.*, *a.* **1** 제**90**(의); 90번 째(의) **2** 90분의 1(의)

nine-to-five, 9-to-5 [náintəfáiv] (구어) *a.* 아침 9시에서 오후 5시까지 근무하는, 봉급 생활자의, 회사원의; 근로 의욕이 없는

— *n.* **1** 일상적인 일 **2** = NINE-TO-FIVER

— *vi.* 일상적인 작업을[근무를] 하다

nine-to-fiv·er [náintəfáivər] *n.* (구어) **1** 정시(定時) 근무자, 월급쟁이 **2** 신뢰할 수 있는[책임감이 강한] 사람 **3** 규칙적인 일

‡**nine·ty** [náinti] *a.* **90**의, 90개[사람, 세]의

— *pron.* [복수 취급] 90개[사람]

— *n.* (*pl.* **-ties**) **1** **90** **2** 90의 기호 (90, xc, XC) **3** 90세, 90달러[파운드, 센트, 펜스 (등)] **4** [the nineties] (세기의) 90년대(代) (특히 문학에서 19세기 말 10년을 말함; 대문자로 시작); (연령 등의) 90대; (온도계 등의) 90도대; (성적의) 90점대

níne·ty-day wónder [náintidèi-] (미·속어) 3개월 훈련받고 임관한 간부 후보생 출신 장교; 젊어 보이는 장교, (특히) 육군 소위, 공군 장교

nine·ty-nine [-náin] *n.* **1** (기수의) 99; 99세 **2** 99를 나타내는 기호 (99, XCIX 등) **3** [복수 취급] 99명[개] **4** (미·속어) (팔면 특별 수당이 나오는) 유행에 뒤진[상한] 상품 — *a.* 99의; 99명[개, 세]의 ***~ times out of a hundred*** 거의 언제나

Nin·e·veh [nínəvə] *n.* 니네베 (고대 Assyria의 수도) **Nin·e·vite** [nínəvàit] *n.* 니네베 사람

ning-nong [níŋnɔ̀ŋ] *n.* (호주·속어) 멍청한 놈, 몰

상식한 놈
nin·ja [níndʒə] [Jap.] *n.* (*pl.* **~, ~s**), *a.* 둔갑술을 부리는 사람(의), 둔갑술(의)
nin·ny(-ham·mer) [níni(hæ̀mər)] *n.* 바보, 멍청이(simpleton)
ni·non [ní:nɑn | ní:nɔn, nái-] [F] *n.* Ⓤ 얇은 견직물[레이온, 나일론 천]《여성복·커튼용》
‡ninth [náinθ] *a.* **1** [보통 the ~] 제9의 **2** 9분의 1의 ***the ~ part of a man*** 재봉사, 재단사《속담 Nine tailors make a man. (재봉사는 아홉 사람이 한 사람 구실을 한다.)에서》
— *ad.* 아홉 번째로(에)
— *n.* **1** 제9《略 9th》 **2** (월(月)의) 9일 **3** 9분의 1 **4** 〖음악〗 9도, 9도 음정 **~·ly** *ad.* 아홉째로
nínth cránial nèrve 〖해부〗 제9뇌신경《설인(舌咽) 신경》
Ni·o·be [náioubì: | -bi] *n.* **1** 〖그리스신화〗 니오베《14명의 아이들이 피살되고 Zeus 신에 의하여 돌로 변한 여자》 **2** 자식을 잃고 비탄 속에 지내는 여자
ni·o·bi·um [naióubiəm] *n.* Ⓤ 〖화학〗 니오브《금속 원소; 기호 Nb, 번호 41》
NIOSH [náiɑʃ | -ɔʃ] National Institute for Occupational Safety and Health (미) 국립 직업 안전 건강 연구소
•nip¹ [níp] *v.* (**~ped**; **~·ping**) *vt.* **1** 꼬집다, 집다; 〈개 등이〉 물다: Her dog ~*ped* her finger. 그녀의 개가 그녀의 손가락을 물었다. // (~+목+전+명) ~ one's finger *in* the door 손가락이 문틈에 끼이다 / ~ a pen *between* one's lips 펜을 입술 사이에 물다 **2** 따다, 잘라내다 (*off*): (~+목+부) ~ *off* young leaves 어린 잎을 따다 **3** 〈진행·달성 등을〉 좌절시키다, 기세를 꺾다 **4** 〈바람·서리 등이〉 시들게 하다; 얼게[상하게] 하다 **5** (속어) 잡아채다, 훔치다 (*away, up*) **6** 〈옷 기장 등을〉 줄이다 **7** 〈상대를〉 근소한 차로 이기다
— *vi.* **1** 〈개 등이〉 물고 늘어지다 (*at*): (~+전+명) ~ *at* a person's hand …의 손을 물고 늘어지다 **2** 〈바람·추위 등이〉 살을 에다 **3** (속어) 달리다, 서두르다 (*along, in, off, on*): (~+부) He ~*ped along*. 그는 서둘러 가 버렸다. **~ *at* a person*'s heels*** …을 내몰다 **~ *in the bud*** 봉오리 때에 따다; 미연에 방지하다 **~ *off*** (1) 낚아채다, 빼앗다 (2) 급히 떠나다, 도망치다 **~ *up*** (1) 급히 주워올리다 (2) 급히 올라가다 (3) 갑자기 나타나다
— *n.* **1** 꼬집음(pinch); 꽉 깨물음 **2** 한 조각, 근소 (*of*): a ~ *of* bread 빵 한 조각 **3** 살을 에는듯한 추위; (식물의 생장을 방해하는) 상해(霜害) **4** 혹평, 풍자 **5** (치즈의) 강한 맛 **6** 〖항해〗 (선측(船側)에 미치는) 결빙의 강압; 밧줄의 꽉 죄인 부분 **7** (영·구어) = NIPPY
▷ níppy *a.*; nípper *n.*
nip² *n.* (위스키 등의) 소량, 한 모금; (영) 닙《술의 액량(液量) 단위; 1/6 gill》 — *vi., vt.* (**~ped**; **~·ping**) 잘금잘금 마시다, 〈술을〉 홀짝거리다
Nip [níp] *n., a.* (경멸) = JAPANESE
ni·pa [ní:pə] *n.* **1** 〖식물〗 니파(야자)《동인도산(産)》 (= **~ pàlm**) **2** Ⓤ 니파 술; 니파잎으로 인 지붕
níp and túck [nìp-ən-tʌ́k] *a., ad.* (특히 미) 막상막하의[로](neck and neck): The presidential contest is ~. 대통령 선거는 막상막하이다
— *n.* (구어) 피부 성형 수술《특히 얼굴의》
nip·per [nípər] *n.* **1** 꼬집는[따는] 사람; 집는[무는] 물건 **2** [*pl.*] 못뽑이, 집게, 니퍼; (치과 의사용의) 이 빨 빼는 집게(forceps) **3** (속어) 수갑 **4** [*pl.*] (말의) 앞니; (게 등의) 집게 **5** (영·구어) 소년, 부랑아, (행상을 거드는) 꼬마 **6** [*pl.*] (속어) 코안경(pince-nez) **7** (속어) 소매치기(pickpocket)
nip·ping [nípiŋ] *a.* 살을 에는 듯한, 통렬한, 신랄한
nip·ple [nípl] *n.* **1** 젖꼭지; (젖병의) 고무 젖꼭지 **2** 젖꼭지 모양의 것 **3** 〖기계〗 접관(接管); 그리스 주입 접관 **~d** *a.* **~·less** *a.*
nip·ple·wort [níplwə̀:rt] *n.* 〖식물〗 박조가리나물《국화과(科)》
nip·py [nípi] *a.* (**-pi·er**; **-pi·est**) **1** 호된, 살을 에는 듯한 **2** (영·구어) 민첩한; 〈차가〉 첫 출발이 좋은, 가속이 붙은 **3** (스코) 인색한, 구두쇠의
níp·pi·ly *ad.* **níp·pi·ness** *n.*
Nip·py [nípi] *n.* (*pl.* **-pies**) (영·구어) 니피《London의 J. Lyons & Co. Ltd.가 경영하는 식당·다방의 웨이트리스》; (싸구려 식당의) 여종업원
ni. pri. nisi prius
nip-up [nípʌ̀p] *n.* **1** 〖체조〗 (누운 자세에서) 똑바로 뛰어 일어나기 **2** 묘기, 곡예
NIRA National Industrial Recovery Act (미) 전국 산업 부흥법
NIREX, Ni·rex [náiərek̀s] [*N*uclear *I*ndustry *R*adioactive Waste *Ex*ecutive] *n.* (영) 폐기물 처리 감시 단체
nir·va·na [niərvɑ́:nə, -vǽnə, nər- | niəvɑ́:nə, nə:-] [Skt. 「불어서 끔; 소멸」의 뜻에서] *n.* Ⓤ 〖불교〗 열반(涅槃); 해탈(解脫); 지극한 행복
nisht [níʃt] *n.* (속어) 무(無)(nothing)
ni·si [náisai, ní:si:] [L = unless] *a.* 〖법〗 (일정 기간 내에) 당사자가 이의(異議)를 신청하지 않으면 절대적 효력을 발생하는, 가(假)…: an order[a rule] ~ 가명령 / ⇨ decree nisi
NISI National Institute of Scientific Investigation 국립 과학 수사 연구소
ni·si pri·us [náisai-práiəs, ní:si:-prí:əs] [L = unless before] **1** (미) 배심원이 딸린 제1심 재판 **2** (영) 순회(巡回) 판사의 배심 재판
Nis·(s)an [ní:sɑ:n, nísn | náisæn] *n.* 니산《유대력의 7월》
Nís·sen hùt [nísn-] [영국의 광산 기사의 이름에서] 퀀셋 막사, 조립식 주택(Quonset hut)
ni·sus [náisəs] [L = effort] *n.* (*pl.* **~**) (목적을 달성키 위한) 노력, 분발, 의욕
nit¹ [nít] *n.* **1** (이 등 기생충의) 알, 서캐; 유충 **2** (영·속어) 멍청이
nit² *n.* 〖물리〗 니트《휘도(輝度)의 단위》
nit³ [*n*apierian dig*it*] *n.* 니트《정보량의 단위; = 1.44 bits》
nit⁴ *int.* **1** (호주·구어) (사람이) 온다, 조심해 **2** [다음 성구로] ***keep*** **~** 사람이 오는지 망보다
nit⁵ *n.* (구어) 없음, 무(無)
NIT National Intelligence Test; National Invitational Tournament; negative income tax
Ni·ta [ní:tə] *n.* 여자 이름《Juanita의 애칭》
ni·ter | ni·tre [náitər] *n.* Ⓤ 〖화학〗 질산칼륨, 칠레 초석(硝石), 질산소다
nit·er·y, nit·er·ie [náitəri] *n.* (*pl.* **ni·ter·ies**) (미·속어) 나이트클럽
nit·id [nítid] *a.* (시어) 반짝거리는, 윤나는, 밝은
ni·ti·nol [nítənɔ̀:l, -nɑ̀l | -nɔ̀l] *n.* Ⓤ 니티놀《티탄과 니켈의 비자성(非磁性) 합금》
ni·ton [náitɑn | -tɔn] *n.* Ⓤ 〖화학〗 니톤《radon의 옛 이름》
nit·pick [nítpìk] *vi.* (구어) 하찮은 일에 끙끙 앓다, 별것 아닌 트집[흠]을 잡다, 자잘한 일에까지 간섭하다
— *vt.* 〈별것 아닌 것을〉 꼬치꼬치 캐다, …의 흠을 잡다
~·er *n.* **nít·pìck·y** *a.*
nit-pick·ing [nítpìkiŋ] *a., n.* Ⓤ (미·구어) 사소한 것을 문제시하는[함], 남의 흠을 잡아내는[냄]
ni·trate [náitreit, -trət] *n.* **1** 〖화학〗 질산염; 질산칼륨, 질산소다(= sodium ~); 니트로셀룰로오스 (제품): silver ~ = ~ of silver 질산은 **2** 질산 비료
— *vt.* 질산(염)으로 포화(飽和) 처리하다; 질산(염)으로 바꾸다; 니트로화(化)하다
ni·tra·tion [naitréiʃən] *n.* Ⓤ 질화(窒化)
ni·tre [náitər] *n.* (영) = NITER
ni·tric [náitrik] *a.* 〖화학〗 질소의[를 함유한]; 초석의
nítric ácid 〖화학〗 질산
nítric anhýdride 〖화학〗 무수 질산
nítric bactérium 질화 질산균

nítric óxide 〖화학〗 (일)산화 질소
ni·tride [náitraid, -trid] *n.* 〖화학〗 질화물(窒化物) **—***vt.* 질화하다
ni·tri·fi·ca·tion [nàitrəfikéiʃən] *n.* Ⓤ 질소 화합, 질화 작용
ni·tri·fy [náitrəfài] *vt., vi.* (**-fied**) 〖화학〗 질소와 화합시키다; 질화하다 **-fi·er** *n.* 질화 세균
ni·trile [náitril, -tri:l, -trail] *n.* 〖화학〗 니트릴 《일반식 RCN으로 표시하는 유기 화합물》
nítrile rúbber 니트릴 고무 《합성 고무의 일종》
ni·trite [náitrait] *n.* 〖화학〗 아(亞)질산염
ni·tro [náitrou] *a.* 〖화학〗 니트로의; 니트로기(基)[니트로 화합물]의 **—***n.* (*pl.* **~s**) 《구어》 니트로 화합물, 니트로글리세린; 니트로메탄(nitromethane)
nitr(o)- [náitr(ou)] 《연결형》 「질산·질소」의 뜻 《모음 앞에서는 nitr-》
ni·tro·bac·te·ri·a [nàitroubæktíəriə] *n. pl.* (*sing.* **-ri·um** [-riəm]) 〖화학〗 질화균(窒化菌)
ni·tro·ben·zene [nàitroubénzi:n] *n.* Ⓤ 〖화학〗 니트로벤젠 《황색의 결정·액체》
ni·tro·cel·lu·lose [nàitrouséljulòus] *n.* Ⓤ 〖화학〗 니트로셀룰로오스
ni·tro·chalk [nàitroutʃɔ́:k] *n.* Ⓤ 〖화학〗 니트로초크 《질산암모늄과 탄산칼슘의 혼합 비료》
ni·tro·com·pound [nàitrəkámpaund | -kɔ́m-] *n.* 니트로 화합물
ni·tro·cot·ton [nàitroukátn | -kɔ́tn] *n.* Ⓤ 질화면, 《특히》 면(綿)화약(guncotton)
nítro explòsive 〖화학〗 니트로 폭발물
ni·tro·fu·ran [nàitroufјúəræn] *n.* 〖화학〗 니트로푸란 《살균제》
‡ni·tro·gen [náitrədʒən] *n.* Ⓤ 〖화학〗 질소 《기체 원소; 기호 N, 번호 7》 ▷ nitrógenous, nítrous *a.*
ni·trog·en·ase [naitrádʒənèis, -nèiz | naitrɔ́dʒə-] *n.* 〖생화학〗 니트로게나아제 《효소의 일종으로, 분자상(狀) 질소를 환원하여 암모니아화함》
nítrogen bàlance 〖생화학·생리〗 질소 평형
nítrogen chlóride 〖화학〗 염화질소
nítrogen cýcle 〖생물〗 질소 순환
nítrogen dióxide 〖화학〗 이산화질소
nítrogen fixàtion 〖화학〗 (대기 중의) 질소 고정(법)
nítrogen fixer 질소 고정균 《대기 중의 질소를 고정하는 토양 미생물》
ni·trog·en·ize [naitrádʒənàiz | -trɔ́dʒ-] *vt.* 질소와 화합시키다; 질소 (화합물)로 포화시키다; …에 질소 함유 물질을 첨가하다
nítrogen mùstard 〖화학〗 질소 머스터드 《독가스; 악성 종양의 치료약》
nítrogen narcòsis **1** 〖병리〗 질소 중독 《잠수시 고압력하에서 일어나는 혈중 질소 과다로 인한 인사불성》 **2** 〖의학〗 질소 마취
ni·trog·e·nous [naitrádʒənəs | -trɔ́dʒi-] *a.* 질소의[를 함유한]: ~ manure 질소 비료
nítrogen óxide 〖화학〗 산화질소, 질소산화물
ni·tro·glyc·er·in(e) [nàitrouglísərin] *n.* Ⓤ 〖화학〗 니트로글리세린
nítro gròup[ràdical] 〖화학〗 니트로기(基)
ni·tro·lime [náitrəlàim] *n.* Ⓤ 석회질소
ni·trom·e·ter [naitrámətər | -trɔ́m-] *n.* 질소계(計)
ni·tro·meth·ane [nàitrəméθein] *n.* 〖화학〗 니트로메탄 《인화성 무색 액체》
ni·tro·sa·mine [naitróusəmì:n] *n.* 〖화학〗 니트로사민 《발암 물질의 하나》
ni·tro·tol·u·ene [nàitroutáljuì:n | -tɔ́l-] *n.* Ⓤ 〖화학〗 니트로톨루엔 《톨루엔을 진한 질산과 황산으로 처리한 화합물》
ni·trous [náitrəs] *a.* 질소의; 아질산의, 초석의
nítrous ácid 〖화학〗 아(亞)질산
nítrous anhýdride 〖화학〗 무수 아질산
nítrous óxide 〖화학〗 아산화질소 《마취용》
ni·tryl [náitril] *n.* 〖화학〗 니트릴

nit·ty [níti] *a.* (**-ti·er**; **-ti·est**) 서캐투성이의
nit·ty-grit·ty [nítigríti] *n.* [the ~] 《미·속어》 (문제의) 핵심, (사물의) 본질, 기본적인 사실 ***get down to the ~*** 핵심을 찌르다, 사실을 직시(直視)하다 **—***a.* 가장 중요한
nit·wit [nítwìt] [G 「nicht(없는)+wit(지혜)」에서] *n.* 《미·속어》 바보, 명청이
~·ted [-wìtid] *a.* **~·ted·ness** *n.*
ni·val [náivəl] *a.* 눈(雪)의; 눈이 많은; 눈 속에서 자라는[사는]
ni·va·tion [naivéiʃən] *n.* 〖지질〗 눈의 침식
niv·e·ous [níviəs] *a.* 눈의, 눈 같은
nix[1] [níks] [G = nothing] 《미·구어》 *n.* **1** Ⓤ 없음, 무(無)(nothing) **2** ⓊⒸ 금지, 거부, 거절 **3** = NIXIE[1] ***keep ~*** 조용히 하고 있다, 조심하다 ***N~ on the game.*** 《미·속어》 그런 일은 질색이다; 싫어! **—***ad.* 결코 …않다(never), 아니(no) **—***vt.* 금하다; 거절하다; 취소하다: ~ the project 계획에 동의하지 않다 **~ *out*** 《미》 떠나다; 쫓아 버리다 **—***int.* 《미·속어》 온다, 조심해, 그만해 《경고의 신호》
nix[2] *n.* (*fem.* **~·ie** [níksi]; *pl.* **~·es**) (게르만 민화의) 물의 요정
nix·ie[1], **nix·y** [níksi] *n.* (*pl.* **nix·ies**) 《속어》 (수취인 불명의) 배달 불능 우편물
nixie[2] *n.* nix[2]의 여성형
Nix·on [níksn] *n.* 닉슨 **Richard M. ~** (1913-94) 《미국 제37대 대통령(1969-74)》
Níxon Dóctrine [the ~] 닉슨 독트린 《국방은 자국에 맡기고 미군을 철수하려는 정책》
Ni·zam [nizá:m, -zǽm, nai-] *n.* **1** 니잠 《인도 Hyderabad의 군주의 칭호》 **2** (*pl.* ~) [**n~**] (옛날) 터키의 상비병
NJ New Jersey
NK cèll [énkéi-] 〖면역〗 natural killer cell
NKGB *Naródnyĭ Komissariát Gosudarstvennoĭ Bezopásnosti* 《Russ. = People's Commissariat for State Security》 국가 안보 인민 위원부 《구소련의 비밀 경찰》 **nl** new line 〖교정〗 별행(別行); non licet 불허의 **NL** National League; New Latin; north latitude **N. Lat.** north latitude **NLC** National Liberal Club **NLF** National Liberation Front **NLP** natural language processing 〖컴퓨터〗 자연 언어 처리; 〖심리〗 neurolinguistic programming **NLRA** National Labor Relations Act 《미》 전국 노동 관계법 **NLRB** National Labor Relations Board 《미》 전국 노동 관계 위원회 **NLT** night letter **nm** nanometer; nautical mile(s); nonmetallic; noun masculine; nuclear magneton **NM** nautical mile; 《미》 〖우편〗 New Mexico **n/m** no mark **NMC** National Medical Center 국립 의료원 **N.M(ex).** New Mexico **NMI** no middle initial **NMR** nuclear magnetic resonance 〖물리·의학〗 핵자기 공명(共鳴): an ~ scanner 핵자기 공명 스캐너 **NMS** 〖컴퓨터〗 Network Management Station[System] **NNASC** Neutral Nations Armistice Supervisory Commission (한국 정전 위원회) 중립국 휴전 감시 위원단 **NNE, nne** north-northeast **NNP** net national product 국민 순생산 **NNW, nnw** north-northwest
‡no ⇨ no (p. 1698)
No 〖화학〗 nobelium **NO** 〖식물〗 Natural Order; naval officer; New Orleans **No.** north; northern; Norway; Norwegian **n.o.** not out 〖크리켓〗 아웃 되지 않고 남아 있는 선수
No., N°, no. [nʌ́mbər] [L *numero*(수)] *n.* (*pl.* **Nos., N°s, nos.** [-z]) **1** …번, 제 …호 《기호 #》 **2** 《영》 …번지 《미국에서는 숫자만 사용》 ***No. 1*** [nʌ́mbər-wʌ́n] 제1, 1등, 1류 ***No. 10 (Downing street)*** 영국 수상 관저 《소재지의 번지에서》
NOAA [nóuə] [*N*ational *O*ceanic and *A*tmospheric *A*dministration] *n.* 《미》 국립 해양 대기청

no

no의 용법은
1 보통 단수 및 복수명사의 앞에 쓰여 부정의 의미를 나타낸다. 또한 동사 have나 there is[are]의 다음에는 보통 not이 아닌 no가 쓰인다.
2 부사적으로 형용사와 비교급의 앞에 쓰인다.
3 be 동사의 보어 앞에 쓰여 강한 부정을 나타내어 부정보다는 오히려 반대의 뜻을 나타내는 경우도 있다: He is *no* fool. 그는 바보는커녕 꽤 영리하다.

‡no [nóu] *a.*, *ad.*, *n.*

「not+one」에서; 원래는 non(e)의 n이 탈락한 것
① 아니오 — 부 **1**
② [비교급 앞에서] 조금도 …않다 — 부 **3 c**
③ 하나의 …도 없는, 조금의 …도 없는 — 형 **1 a, b**
④ 결코 …아닌 — 형 **1 d**
⑤ …이 있어서는 안 되다 — 형 **2 a**

— *a.* Ⓐ **1** [주어·목적어가 되는 명사 앞에 써서] **a** [단수 보통명사 앞에 써서] 하나[한 사람]의 …도 없는(not any) ★ 일반 형용사와 달라서 보통 위와 같이 문 전체를 부정하는 번역이 됨: "Is there *a* book on the table?"—"No, there is *no* book there." 탁자 위에 책이 있느냐? —아니, 거기에는 책이 없다. / *No* man is without his faults. (누구나) 결점이 없는 사람은 없다. ★ Any man is not without ... 는 잘못 / *No* one came while you were out. 당신이 외출한 동안 아무도 오지 않았다. **b** [복수명사, 불가산 명사 앞에 써서] 어떠한[조금의] …도 없는(not at all): He has *no* brothers. 그는 형제가 없다. ★ He has no brother.와 같이 단수형으로도 씀; cf. There are *no* clouds in the sky. 하늘에는 구름 한 점 없다. / I have *no* money on[with] me. 가진 돈이 한푼도 없다. / He has *no* ambition. 그에게는 야망이 없다. USAGE no ...을 not a ...로 하면 강한 부정을 나타낸다: There was *not a* car on the street. 거리에는 한 대의 차도 없었다. 단 I have *no* father. (나는 아버지가 없다.)를 I have *not a* father. (나에게는 단 한 사람의 아버지도 없다.)는 문법적으로는 맞지만 현실적으로 쓸 수 없음에 주의 **c** [there is no ~ing로] …할 수 없다: *There is no* tell*ing* when the rain will stop. 비가 언제 그칠지 전혀 예측할 수가 없다. / *There is no* account*ing* for tastes. 취향을 설명할 수는 없다, 취향은 각인각색. **d** [be의 보어로서의 명사 앞에 써서] 결코 …아닌: I told you she was *no* wife for you. 그녀는 도저히 당신의 부인이 될 여자는 아니라고 내가 말했지. / I am *no* match for him. 도저히 그를 당하지 못한다. / This is *no* place for a boy at night. 이곳은 소년이 밤에 있을[올] 곳이 못 된다. **e** [no+명사로] …이 없는: *No* news is good news. 《속담》 무소식이 희소식. / *No* customers will kill us. 고객이 없으면 장사는 망하는 거다.

2 a [No+명사, No+...ing로] …이 있어서는 안 되다, …반대, 금지; 무(無)…, 비(非)…: *No* Militarism! 군국주의 반대 / *No* Entry. (차·사람) 출입 금지 / *No* compromise! 타협 반대 / *No* credit! 외상 사절 / *No* objection. 이의 없음 / *No* excuses. 변명 무용 / *No* Park*ing*. 주차 금지 / *No* Smok*ing*. 금연 / *No* Graffiti. 낙서 금지 / *No* Thoroughfare. 통행 금지 / *No* talk*ing* in class. 수업 중에는 잡담하지 말 것. **b** [복합어를 이루어] 무, 비, 불(不): *no*-profit 무이익 / *no*-religionists 무종교자

no one = NO ONE

no other than **[*but*]** = NONE other than[but]

***No wonder* (...).** 그도 그럴 것이; 어쩐지 그래서 …라고 여겼다.

There is no* do*ing ⇨ 1 c

Won't not take ~ for an answer. 「아니오」라는 대답은 받아들이지 않을 것이다.

— *ad.* **1** [질문·부탁 등에 답하여] 아니(오); [부정의 질문에 답하여] 네, 예(opp. *yes*) 《USAGE 대답의 내용이 부정이면 No, 긍정이면 Yes라고 하는 것이 원칙; 부정의 질문일 때에는 Yes, No가 우리말로는 반대로 새겨지므로 주의할 것》: "Do you like onion?"—"*No*, I don't." 양파를 좋아하니? —아니, 안 좋아해. / "Can't you play tennis?"—"*No*, I can't." 테니스는 못하십니까? — 네, 못합니다. / "Haven't you been to London?"—"*No*, I never have." 런던에 가 본 적이 없습니까? — 네, 없습니다. / "You don't want it, do you?"—"*No*, not at all." 그것이 필요없는 거지? —그래, 전혀.

2 a [앞 말을 정정하여] 아니: I go to the movies once a month, *no*, twice a month. 나는 한 달에 한 번, 아니 한 달에 두 번 영화 보러 간다. **b** [not 또는 nor 앞에 삽입적으로 써서 강한 부정을 나타냄] 아니: One man cannot lift it, *no*, *not* (even) [*nor*] half a dozen. 이것을 한 사람이 들어올릴 수는 없다, 아니 여섯 사람이라도 못한다.

3 a [다른 형용사 앞에 놓여 그 형용사를 부정함 《종종 과장의 표현으로》] 결코 …않은: He showed *no* small skill. 그는 여간찮은 솜씨를 발휘했다. / The job is *no* easy one. 그 일은 결코 쉬운 것이 아니다. **b** [good과 different 앞에 써서] …아니다[않다](not): I am *no good* at tennis. 나는 테니스를 잘하지 못한다. / Our family is *no different* from the average family. 우리 가정은 보통의 가정과 다를 바가 없다. **c** [비교급 앞에 써서] 조금도 …않다(not at all): I can walk *no further*[*farther*]. 더 이상 걷지 못하겠다. / She is a little girl *no bigger* than yourself. 그 애는 키가 너만 한 어린 소녀이다. / ⇨ no BETTER[1] than, no LESS than

4 [... or no로] (…인지) 아닌지; (…이든) 아니든: I don't know whether *or no* it's true. = I don't know whether it's true *or no.* 사실 여부를 모르겠다. / Unpleasant *or no*, it is true. 불쾌하든 않든 그것은 사실이다.

5 [놀람·의문 등을 나타내어] 설마: *No*! That's impossible. 설마! 그건 불가능해. / Oh, *no*! 저런! / *No*! I don't believe it. 설마, 믿을 수 없군.

No can do. 《구어》 그런 것은 할 수 없다[못한다].

no longer ⇨ long[1] *ad.*

no more than 단지, 겨우(only): I had *no more than* five dollars. 고작 5달러 밖에 없었다.

no sooner ... than ⇨ soon.

whether or no ⇨ 4

— *n.* (*pl.* **~es, ~s** [-z]) **1** Ⓤ [구체적으로는 Ⓒ] 아니오(no)라는 말[대답], 부정, 부인, 거절(opp. *yes*, *ay*, *aye*): say *no* 「아니오」라고 말하다, 부인하다 / answer with a definite *no* 딱 잘라 거절하다 / Two *noes* make a yes. 이중 부정은 긍정이 된다. / I won't take *no* for an answer. 나는 싫다는 대답을 용납하지 않을 것이다.

2 [보통 *pl.*] 반대 투표(자), 부결(opp. *aye*): The *noes* have it[are in a minority]. 반대 투표가 다수[소수]이다. / Thirty ayes were cast and only two *noes.* 찬성 30표에 반대는 단지 2표였다.

no-ac·count [nóuəkàunt] *a.*, *n.* 《미·구어》 쓸모 없는 (사람), 무능한 (사람)

No·a·chi·an [nouéikiən], **No·ach·ic** [-ǽkik, -éik-] *a.* **1** Noah(시대)의 **2** 《비유》 아득한 옛날의 ***the Noachian deluge*** 노아의 대홍수(the Flood)

∗**No·ah** [nóuə] *n.* **1** 〖성서〗 노아 《Hebrew 사람의 족장(族長)》 **2** 남자 이름

Nóah's Árk **1** 〖성서〗 노아의 방주 **2** 노아의 방주를 본따 동물을 넣은 장난감 배 **3** 구식의 대형 트렁크[차] **4** 〖식물〗 =MOCCASIN FLOWER **5** 〖패류〗 노아의 방주 조개 《돌조개속(屬)》

Nóah's bóy 《미·속어》 (식탁 위에 내놓은) 햄

Nóah's Dóve 〖천문〗 [the ~] 비둘기자리

Nóah's níghtcap 〖식물〗 캘리포니아포피 《양귀비과(科)의 일종》

nob[1] [nɑ́b | nɔ́b] *n.* **1** 《속어》 머리 **2** 《속어》 머리에 가하는 일격 **3** 혹 **4** 〖카드〗 (cribbage에서) 뗀 패와 같은 짝의 잭 《이 패를 가진 자는 한 점을 얻음》 ***one for one's ~*** …을 가진 사람이 따는 1점

—*vt.* (**~bed**; **~·bing**) 〖권투〗 …의 머리를 치다

nob[2] *n.* 《영·속어》 고관; 귀인, 명사; 부자

nó bàll 〖크리켓〗 반칙 투구 《상대방에게 1점을 줌》; 반칙 투구의 선언

no-ball [nóubɔ̀:l] *vt.* 〖크리켓〗 반칙 투구로 선언하다

nob·ble [nɑ́bl | nɔ́bl] *vt.* 《영·속어》 **1** 〖경마〗 (이길 수 없게) 〈말에〉 독약을 먹이거나 또는 절름발이로 만들다; 〈기수(騎手)를〉 매수하다 **2** 〈돈 등을〉 속여 빼앗다; 부정 수단으로 얻다; 훔치다; 〈사람을〉 속이다 **3** 〈범인을〉 잡다; 유괴하다 **nób·bler** *n.*

nob·by [nɑ́bi | nɔ́bi] *a.* (**-bi·er**; **-bi·est**) 《영·속어》 귀족다운, 멋진, 말쑥한, 화려한; 일류의; 최상의 **nób·bi·ly** *ad.*

no-be·ing [nóubí:iŋ] *n.* Ⓤ 실재하지 않음

∗**No·bel** [noubél] *n.* **1** 노벨 **Alfred B. ~** (1833-96) 《스웨덴의 화학자, 다이너마이트의 발명자》: the ~ Foundation 노벨 재단 **2** 남자 이름

No·bel·ist [noubélist] *n.* [종종 **n~**] 노벨상(Nobel prize) 수상자

no·bel·i·um [noubéliəm, -bí:- | -bí:-] *n.* Ⓤ 〖화학〗 노벨륨 《인공 방사성 원소; 기호 No, 번호 102》

Nobél láureate[mán] =NOBELIST

Nobél príze 노벨상 《Nobel의 유언에 따라 물리·화학·생리학 의학·문학·경제학·평화의 6개 부문에서 공헌한 사람에게 매년 수여되는 상》

no·bil·i·ar·y [noubílièri, -ljəri | -liəri] *a.* 귀족의

nobíliary préfix[párticle] [the ~] 성과 이름 사이에 붙여서 귀족임을 나타내는 말 《프랑스의 de, 독일의 von 등》

‡**no·bil·i·ty** [noubíləti] *n.* Ⓤ **1** [집합적; the ~] 《영》 귀족 (계급); 귀족 출신[신분] 《★ 영국 귀족에는 차례로 아래와 같은 5계급이 있음: duke(공작), marquis(후작), earl(백작; 대륙에서는 COUNT), viscount(자작), baron(남작)》 **2** 고결함: a man of true ~ 실로 고결한 사람 **3** 장엄, 숭고함 ▷ nóble *a.*

‡**no·ble** [nóubl] [L 「잘 알려진」의 뜻에서] *a.* (**-bler**; **-blest**) **1** 〈계급·지위·출생 등이〉 귀족의, 고귀한: a ~ family 귀족 (집안) **2** 〈사상·성격 등이〉 고결한, 숭고한, 고매한: a man of ~ character 고매한 사람 **3** 유명한, 훌륭한, 뛰어난 **4** 〈외관이〉 당당한, 웅장한, 웅대한 **5** 〈광물·금속이〉 값비싼, 귀중한(precious), 《특히》 부식(腐蝕)하지 않는

my ~ friend 경(卿) 《연설 중 귀족 또는 Lord 칭호를 가진 사람에 대한 호칭》 ***of ~ birth*** 귀족 출신의 plan ***on a ~ scale*** 굉장한 규모로 (계획하다) ***the ~ lady*** 《영》 영부인(令夫人) 《귀족의 부인을 일컫는 말》 ***the ~ Lord*** 《영》 각하 《상원 의원끼리 또는 Lord 칭호가 있는 하원 의원에 대한 호칭》

—*n.* **1** (봉건 시대의) 귀족 **2** 〖역사〗 노블 금화 《영국의 옛 금화; 약 6s. 8d.》 **3** 《미·속어》 파업 파괴 지도자 ▷ nobílity *n.*; ennóble *v.*

thesaurus **noble** *a.* **1** 귀족의 aristocratic, patrician, blue-blooded, highborn, titled **2** 고결한 honorable, virtuous, righteous, upright, loyal, moral, decent, lofty, grand, exalted

nóble árt[scíence] [the ~] 권투

nóble fír 〖식물〗 전나무의 일종 《미국 서부산(産)》

nóble gás 〖화학〗 희(稀)가스

no·ble·man [nóublmən] *n.* (*pl.* **-men** [-mən]) 귀족(peer)

nóble métal 〖화학〗 귀금속(cf. BASE METAL)

no·ble-mind·ed [-máindid] *a.* 마음이 고결한; 도량이 넓은 **~·ly** *ad.* **~·ness** *n.*

no·ble·ness [nóublnis] *n.* Ⓤ **1** 고결, 고상, 고귀, 고매 **2** 당당함, 웅장

nóble sávage 고결한 야인(野人) 《낭만주의 문학 중의 이상적인 인물상》

no·blesse [noublés] [F =nobility] *n.* Ⓤ **1** (특히 프랑스의) 귀족 (사회) **2** 고귀한 신분[태생]

noblesse o·blige [-əblí:ʒ] [F =nobility obliges] Ⓤ 노블레스 오블리주 《높은 신분에 따르는 (도의상의) 의무》

no·ble·wom·an [nóublwùmən] *n.* (*pl.* **-wom·en** [-wìmin]) 귀족의 여성

∗**no·bly** [nóubli] *ad.* **1** 고귀하게; 훌륭하게, 당당히 **2** 귀족으로서, 귀족답게: be ~ born 귀족[귀인]으로 태어나다, 고귀한 태생이다 ▷ nóble *a.*

‡**no·bod·y** [nóubɑ̀di, -bʌ̀di, -bədi | -bədi, -bɔ̀di] *pron.* 아무도 …않다(no one)

USAGE 언제나 단수 취급. 대명사는 문어에서는 me, he or she 등을 쓰나, 구어에서는 they[their, them]로 받는 것이 일반화되어 가며, 특히 주격인 경우는 they가 일반적임: *N*~ knows when *they* will die. 아무도 자기가 언제 죽을지 모른다.

Mr. N~. 《구어》 아무도 아니다. 《대답》: Who has gone and broken it? —*Mr. N~.* 누가 그것을 부쉈지? — 아무도 아니에요. ***~ else*** 그 밖에 아무도 …않다 ***~ home*** 《미·속어》 마음이 들떠 있다; 제정신이 아니다 ***N~ hurt.*** 《미·속어》 〈사건이〉 별것이 아니다. ***N~ will be the wiser.*** 아무도 모를 것이다.

—*n.* (*pl.* **-bod·ies**) 보잘것없는 사람; 무명인(cf. SOMEBODY): He is a mere ~. 그는 보잘것없는 사람일 뿐이다. / somebodies and *nobodies* 유명 무명의 사람들

no-bra [nóubrɑ́:] *a.* 노브라의, 브래지어를 하지 않은

no-brain·er [-brèinər] *n.* 《미·속어》 머리 쓸 일 없는 쉬운 일, 간단한 일

no-brand [-brǽnd] *a.* 노브랜드의, 상표가 붙어 있지 않은 〈상품〉

no-buy [-bài] *a.* 불매의(boycotting): the ~ campaign 불매 운동

NOC National Olympic Committee (각국) 국내 올림픽 위원회(cf. IOC)

no-cal [nóukæ̀l] *a.* 〈식품이〉 칼로리가 없는

no·cent [nóusnt] *a.* **1** 해로운(harmful, hurtful) **2** 《고어》 유죄의(opp. *innocent*)

no·ci·cep·tive [nòusiséptiv] *a.* **1** 아픔을 주는 〈자극〉 **2** 〈감각 기관 등이〉 아픈 자극에 반응하는

nock [nɑ́k | nɔ́k] *n.* **1** 활고자; 오늬 **2** 〖항해〗 돛의 앞쪽 위 끝 **—***vt.* **1** …에 활고자[오늬]를 만들다 **2** 〈화살을〉 시위에 메우다

nóck·ing póint [nɑ́kiŋ- | nɔ́kiŋ-] 〖양궁〗 노킹 포인트 《화살을 활 시위의 일정한 위치에 메기기 위해서 붙인 표식》

no-cláim(s) bónus [nòukléim(z)-] 보험료의 할인 《자동차의 상해 보험에서 일정 기간 무사고일 때 피보험자에게 적용되는》

no-col·or [nóukʌ̀lər] *a.* 《미》 〖복식〗 눈에 잘 안 띄는 중간색의

no-con·fi·dence [-kɑ́nfədəns | -kɔ́n-] *n.* 불신임: a vote of ~ 불신임 투표

no-count [-kàunt] *a., n.* =NO-ACCOUNT
noc·tam·bu·lant [nɑktǽmbjulənt | nɔk-] *a.* 잠결에 걷는, 몽유(夢遊)의
noc·tam·bu·lism [nɑktǽmbjulìzm | nɔk-], **noc·tam·bu·la·tion** [nɑktæ̀mbjuléiʃən | nɔk-] *n.* Ⓤ 몽유병(sleepwalking)
noc·tam·bu·list [nɑktǽmbjulist | nɔk-] *n.* 몽유병자(sleepwalker)
noct(i)- [nɑ́kt(ə) | nɔ́k-] [L =night] 《연결형》 「밤의」의 뜻 《모음 앞에서는 noct-》
noc·ti·lu·ca [nɑ̀ktəlúːkə | nɔ̀k-] *n.* (*pl.* **~s, -cae** [-siː]) 〖동물〗 야광충(夜光蟲)
noc·ti·lu·cence [nɑ̀ktəlúːsns | nɔ̀k-] *n.* Ⓤ 밤의 인광
noc·ti·lu·cent [nɑ̀ktəlúːsnt | nɔ̀k-] *a.* 밤에 빛나는
noctilúcent clóud 〖기상〗 야광운(夜光雲)
noc·ti·pho·bi·a [nɑ̀ktəfóubiə | nɔ̀k-] *n.* Ⓤ 〖정신의학〗 어둠 공포(증)
noc·tiv·a·gant [nɑktívəgənt | nɔk-], **-gous** [-gəs] *a.* 밤에 돌아다니는, 야행성의
noc·to·vi·sion [nɑ́ktəvìʒən | nɔ́k-] *n.* Ⓤ 암시(暗視) 장치 《전자 망원경과 TV를 합한 것》
noc·tu·id [nɑ́ktʃuid | nɔ́k-] *n., a.* 밤나방(과(科)의)
noc·tule [nɑ́ktʃuːl | nɔ́k-] *n.* 〖동물〗 집박쥐, 양박쥐 《영국산(産)》
noc·turn [nɑ́ktəːrn | nɔ́k-] *n.* **1** 〖가톨릭〗 저녁 기도 **2** 〖음악〗 =NOCTURNE 1
∗**noc·tur·nal** [nɑktə́ːrnl | nɔk-] [L =of night] *a.* **1** 밤의, 야간의(opp. *diurnal*): the ~ air 밤공기, 밤기운 / a ~ visit 야간 방문 **2** 〖동물〗 야간에 활동하는, 야행성의; 〖식물〗 밤에 피는: ~ animals 야행성 동물 **3** 밤눈이 밝은 **4** 야상곡 같은
— *n.* 〖천문〗 야간 시각 측정기 《별의 위치로》
~·ly *ad.* 야간에, 매일밤
noctúrnal emíssion 〖생리〗 몽정(夢精)
noctúrnal enurésis 〖의학〗 야뇨(증)
noc·turne [nɑ́ktəːrn | nɔ́k-] *n.* **1** 〖음악〗 야상곡(夜想曲) **2** 〖회화〗 야경화(night scene)
noc·u·ous [nɑ́kjuəs | nɔ́k-] *a.* 유해한, 유독한
~·ly *ad.* **~·ness** *n.*
no-cure [nóukjùər] *a.* 불치(不治)의
nó-cut cóntract [-kʌ̀t-] (미·캐나다) (프로 스포츠의 일정 기간 내의) 무(無)해고 보증 계약
⁑**nod** [nɑd | nɔd] *v.* (**~·ded**; **~·ding**) *vi.* **1** 끄덕이다, 끄덕여 승낙[명령]하다 《*to, at*》: (~+전+명) She showed her consent by *~ding to*[*at*] me. 그녀는 끄덕여 내게 동의를 표시했다. // (~+*to* do) I *~ded to* show that I agreed. 나는 동의하였음을 고개를 끄덕여 알렸다. **2** 인사하다 《*to*》: (~+전+명) The boy smiled and *~ded to* her. 그 소년은 빙그레 웃고서 그녀에게 인사를 하였다. **3** (꾸벅꾸벅) 졸다, 잠들다; 방심하다, 깜빡 실수하다: (~+전+명) ~ *over* one's work 일을 하면서 졸다 **4** 흔들거리다, 나부끼다(sway); 〈건물 등이〉 기울다(incline): (~+전+명) the reed *~ding in* the breeze 바람에 나부끼는 갈대 / The building *~s to* its fall. 그 건물은 쓰러질듯이 기울어져 있다. **5** (미·속어) (마약으로) 멍해지다, 도취되다 **~ *off*** 잠들다 **~ *to its fall*** 곧 넘어질 듯이 기울어지다
— *vt.* **1** 〈머리를〉 끄덕이다: ~ one's head 고개를 끄덕이다 **2** 〈승낙 등을〉 끄덕여 표시하다; 고갯짓을 하여 부르다[보내다]: He *~ded* assent. 그는 머리를 끄덕여 승낙의 표시를 했다. // (~+목+전+명) ~ a greeting *to* a friend 끄덕여 친구를 환영하다 / She *~ded* the man *into* the room. 그녀는 그 남자에게 고갯짓으로 방으로 들어오라고 했다. // (~+목+목) The teacher *~ded* me a welcome. 선생님은 끄덕여 나를 환영해 주었다. **3** 굽히다, 휘다; 흔들다, 나부끼게 하다 **4** 〖축구〗 〈공을〉 헤딩하여 아래로 떨어뜨리다
— *n.* **1** 끄덕임 《동의·인사·신호·명령》; 묵례; 명령: He gave us a ~ as he passed. 그는 지나가면서 우리에게 묵례를 했다. **2** 꾸벅임, 졸기; 턱짓; (속어) (마취에 의한) 도취 상태 **3** 흔들림, 옆으로 쏠림 **4** (속어) 판정승; 전문가의 선택; 감독이 선발한 선수
be at* a person's ~** …에게 턱으로 부림당하다, 뜻대로 휘둘리다 ***dig* (one*self*) *a* ~** (미·구어) 자다, 수면을 취하다 ***give* a person *a* ~** …에게 묵례하다 ***give*[*get*] *the* ~** (미·구어) (1) 승인하다[승인을 얻다] (2) 〖권투〗 판정승을 내리다[얻다] ***on the* ~** 신용[외상]으로 〈사다 등〉; (영·구어) 형식적 찬성으로, 암묵의 양해로; (미·속어) (마약으로) 의식이 몽롱해져 ***the land of N~ 〖성서〗 졸음(nap) 《창세기 4: 16》
~·der *n.* **~·ding** *a.* **~·ding·ly** *ad.*
nod·al [nóudl] *a.* node의[와 같은]
~·ly *ad.* **no·dal·i·ty** [noudǽləti] *n.*
nó dáte (책의) 발행 연도[날짜] 없음[불명] 《略 n.d.》
nó-dáy wéek[**wórkweek**] [nóudéi-] 휴업 《파업의 완곡한 표현》
nód·ding acquáintance [nɑ́diŋ- | nɔ́d-] **1** 만나면 가볍게 인사하는 정도의 사이; 조금 알고 지내는 사람 **2** 작은[어설픈] 지식 ***have a* ~** 인사나 할 정도의 사이이다; 피상적인 지식이 있다 《*with*》
nódding lílac 〖식물〗 중국산(産) 라일락의 일종
nódding tríllium 〖식물〗 백합과(科)의 연령초속(屬)의 다년생 식물
nod·dle [nɑ́dl | nɔ́dl] *n.* (구어) 머리 ***wag*** one's **~** (이야기 등에 열중하여) 머리를 흔들어대다
— *vt., vi.* 〈머리를〉 흔들다, 끄덕이다
nod·dy [nɑ́di | nɔ́di] *n.* (*pl.* **-dies**) **1** 바보, 얼간이 **2** 〖조류〗 검은제비갈매기 《열대 지방의 해조(海鳥)》
node [noud] [L =knot] *n.* **1** 매듭, 혹 **2** 복잡한 조직의 중심점; (이야기 줄거리 등의) 얽힘 **3** 〖식물〗 마디 《줄기의 가지·잎이 생기는 곳》; 〖해부〗 결절(結節); 〖천문〗 교점; 〖수학〗 결절점 《곡선·면이 만나는 점》; 〖물리〗 파절(波節) 《정상파(定常波)에 있어서 진동이 없거나 극히 작은 부분》: a lymph ~ 림프절 **4** 〖컴퓨터〗 노드 《네트워크의 분기점이나 단말 장치의 접속점》
no-de·fault [nóudifɔ̀ːlt] *a.* 채무 불이행을 허용하지 않는
no·di [nóudai] *n.* NODUS의 복수
nod·i·cal [nɑ́dikəl, nóud- | nóud-, nɔ́d-] *a.* 〖천문〗 교점의(cf. NODE)
no·dose [nóudous, ─́] , **-dous** [-dəs] *a.* 결절성의, 마디가 많은(knotty)
no·dos·i·ty [noudɑ́səti | -dɔ́s-] *n.* Ⓤ **1** 마디[혹] **2** 다절성(多節性), 결절성[증](結節性[症])
no-drip [nóudrìp] *a.* 〈액체 용기의 주둥이 등이〉 옆으로[겉으로] 흐르지 않게 된
nod·u·lar [nɑ́dʒulər | nɔ́d-], **-lat·ed** [-lèitid] *a.* **1** 마디[혹]가 있는 **2** 〖식물〗 결절성(結節性)의 **3** 〖지질〗 덩어리가 있는
nod·u·la·tion [nɑ̀dʒuléiʃən | nɔ̀d-] *n.* Ⓤ 작은 마디[혹]가 있음; 마디가 생김; 〖식물〗 근류착생(根瘤着生)
nod·ule [nɑ́dʒuːl | nɔ́djuːl] [L = small knot] *n.* **1** 작은 혹, 작은 마디 **2** 〖지질〗 유괴(瘤塊), 단괴(團塊); 〖식물〗 결절, 근류(根瘤)
nod·u·lose [nɑ́dʒulòus, ─́─̀], **-lous** [-ləs] *a.* =NODULAR
no·dus [nóudəs] [L =knot] *n.* (*pl.* **-di** [-dai]) **1** 결절; 〖해부〗 결절(node) **2** (이야기 줄거리 등의) 난국(難局), 뒤얽힌 상황, 분규점; 난점
NOED New Oxford English Dictionary
No·el[1], **No·ël** [nouél] [F] *n.* **1** Ⓤ (문어) 크리스마스(철) **2** [**n~**] 크리스마스 축가(Christmas carol)
No·el[2] [nóuəl] *n.* 남자[여자] 이름
noes [nouz] *n.* NO의 복수형
no·e·sis [nouíːsis] *n.* Ⓤ 〖철학〗 순수 지성[이성]의 인식 작용; 〖심리〗 인식(cognition)

thesaurus **nocturnal** *a.* nightly, at night, night-loving, nighttime, late
nod *v.* agree, approve, assent, bow, sign, signal

no·et·ic [nouétik] *a.* 〖철학·심리〗 지력(知力)의; 순수 지성에 입각한; 지적 사색에 몰두하는
— *n.* **1** 지식인 **2** [종종 *pl.*] 순수 지성론(知性論)
no-fault [nóufɔ̀:lt] *a.* 《미》 **1** (자동차 보험에서) 무과실 (손해 배상 제도)의 **2** 〖법〗 (이혼법에서) 〈쌍방이〉 이혼에 책임이 없는 — *n.* 무과실 보험
nó-flý zòne [-flái-] 비행 금지 구역[지대]
no-frills [-frìlz] *a.* **1** 여분이 없는 **2** 〈항공 운임 등이〉 가외의 서비스를 제공치 않는
no-frost [-fràst | -frɔ̀st] *n.* (자동 서리 제거 장치가 달린) 냉장고, 냉동고
nog[1] [nág | nɔ́g] *n.* **1** 나무못, 나무 마개 **2** 나무 벽돌 《못을 박기 위해 벽돌 사이에 끼움》 **3** 나무의 마디[혹], 나뭇가지를 치고 난 뒤 남은 짧은 밑부분
— *vt.* (**~ged**; **~·ging**) **1** 나무못으로 죄다[고정시키다] **2** 〖건축〗 (나무를 사이에) 벽돌을 쟁이다
nog[2], **nogg** *n.* Ⓤ **1** 노그 《영국의 Norfolk 지방산의 독한 맥주》 **2** 《미》 계란술(eggnog)
nog·gin [nágin, -gən | nɔ́gin] *n.* **1** (고어·방언) 작은 맥주잔; 손잡이 달린 작은 통, 물통; 한 잔의 음료 **2** 노긴 《액량 단위; 1/4 pint, 약 0.12 *l*》 **3** 소량(의 술) **4** 《구어》 머리; 《속어》 머저리
nog·ging [nágiŋ | nɔ́g-] *n.* Ⓤ 마개 벽돌 《목골(木骨) 사이에 넣는》; 마개 벽돌 쌓기
no-go [nóugóu] *a.* **1** 《속어》 진행 준비가 되지 않은 **2** 《영》 접근[출입] 금지의, 통행 제한의: a ~ area 출입 금지 구역 — *n.* 《구어》 실패
no-good [-gúd] *a., n.* 《미·속어》 무가치한 (것), 쓸모없는 (녀석·물건)
no-good·nik [-gúdnik] *n.* 《속어》 하찮은[쓸모없는] 사나이
no-growth [-gròuθ] 《구어》 *a.* 제로 성장의; 성장 억제적인 — [스스] *n.* 성장 억제 정책
Noh, No [nóu | nə́u] *n.* Ⓤ 노 《일본 전통 가면극》
no-hit [-hít] 〖야구〗 *a.* 노히트노런의, 무안타의: a ~ pitcher[game] 노히트노런 투수[경기]
— *vt.* 〈상대를〉 무안타로 누르다
no-hit·ter [-hítər] *n.* 〖야구〗 무안타 경기(no-hit game)
No·Ho [nóuhòu] [*No*rth of *Ho*uston Street] *n.* 노호 《New York시 Manhattan 북부의 지역; 전위 예술·패션의 중심지》
no-holds-barred [nóuhóuldzbá:rd] *a.* 《구어》 어떤 수단을 써도 상관없는; 무제한의, 치열한, 전면적인
no-hop·er [nòuhóupər] *n.* 《호주·속어》 **1** 게으름뱅이, 무능한[쓸모없는] 사내 **2** 《영·구어》 승산[성공할 가망]이 없는 말[사람]
no·how [nóuhàu] *ad.* 《구어》 [보통 can과 함께] 결코[조금도] …않다(not at all): I *could* lift it ~. 아무리 해도 들 수가 없었다. — *a.* Ⓟ [종종 all과 함께] 《방언》 기분이 좋지 않은; 탈이 난; 혼란한(confused): feel *all* ~ 기분이 좋지 않다 / look *all* ~ 안색이 나쁘다
NOIBN not otherwise indexed by name **NOIC** Naval Officer in Charge
noid [nɔ́id] *n.* 《미·구어》 편집광적인 사람
noil [nɔ́il] *n.* (*pl.* ~(**s**)) Ⓤ (양모 등의) 짧은 털 《방모사용》; 빗질할 때 빠지는 머리털 **nóil·y** *a.*
‡**noise** [nɔ́iz] [L =seasickness; 뱃멀미로 난리를 피우는 데에서] *n.* ⓊⒸ **1** (특히 불쾌하고 비음악적인) 소리(⇨ sound[1] 유의어): the ~ of wind[rain] 바람[빗]소리 **2** 소음; 소란, 요란, 시끄러움 **3** (라디오·TV의) 잡음 **4** 《미·구어》 잡담, 헛소리; [*pl.*] 주장, 발언, 비평 **5** 〖물리〗 잡음 **6** 〖컴퓨터〗 잡음 《무의미한 정보》
a big* ~** 《속어·경멸》 명사(名士), 거물, 두목 ***Hold your ~! 입 닥쳐! ***make a* ~** 떠들다, 떠들어대다 《*about*》; 소문이 나다 ***make a ~ in the world*** 크게 소문나다, 유명해지다 ***make ~s*** 의견이나 감상을 말하다
— *vt.* 소문내다, 퍼뜨리다: 《~+목+부》 It is ~*d abroad*[*about, around*] that .... …이라고 야단들이다
— *vi.* 《드물게》 소리를 내다; 지껄이다
▷ nóisy, nóiseless *a.*; nóisily *ad.*

noiseless *a.* quiet, silent, still, soundless
noisy *a.* rowdy, clamorous, boisterous, loud, blaring, blasting, deafening, earsplitting (opp. *quiet*)

nóise contròl 소음 제어[관제]
nóise fàctor[figure] (증폭기에서의) 잡음 지수
*__noise·less__ [nɔ́izlis] *a.* 소음[잡음]이 없는[적은], 조용한: a ~ typewriter 잡음이 적은 타자기
~·ly *ad.* 소리없이, 조용히 **~·ness** *n.*
nóise lèvel 〖통신〗 잡음 수준
nóise lìmiter 〖전자〗 잡음 제한기(器)
noise·mak·er [nɔ́izmèikər] *n.* **1** 소리를 내는 물건[사람] **2** 뿔피리(horn), 딸랑이, 딱따기
nóise màrgin 〖전자〗 잡음 여유
nóise músic 노이즈 뮤직 《전자 악기의 잡음을 음악에 도입시켜 강조한 록 음악》
nóise pollùtion 소음 공해
noise·proof [nɔ́izprù:f] *a.* 소음 방지의, 방음의(soundproof)
nóise redùcer 〖전자〗 잡음 억제기
nóises óff (무대 뒤에서 내는) 효과음
nóise supprèssor 〖전자〗 **1** 스켈치 회로(squelch) **2** =NOISE REDUCER
nóise trèatment (항공기 엔진의) 소음 감소 조처
noi·sette [nwɑ:zét] [F = hazelnut] *a.* 개암나무 열매가 든 — *n.* [보통 *pl.*] 느와제트 《고기 요리의 일종》; 〖식물〗 느와제트 《장미의 일종》
*__nois·i·ly__ [nɔ́izili] *ad.* 요란하게, 소란스레, 시끄럽게
▷ nóise *n.*; nóisy *a.*
noi·some [nɔ́isəm] *a.* 해로운, 악취가 나는; 《보통》 불쾌한 **~·ly** *ad.* **~·ness** *n.*
‡**nois·y** [nɔ́izi] *a.* (**nois·i·er**; **-i·est**) **1** 떠들썩한, 시끄러운: Don't be ~! 조용히 해! **2** 〈색채·복장·문체 등이〉 화려한, 야한, 요란한(cf. LOUD)
nóis·i·ness *n.* Ⓤ 소란함, 시끄러움
nóisy minórity 소수 과격 분자, 떠들어 대는 소수 분자[반발파](cf. SILENT MAJORITY)
no-knock [nóunàk | -nɔ̀k] *a.* 〈경찰관이〉 예고 없이 가택 수색을 할 수 있는, 긴급 가택 수색권을 가진
— *n.* ⓊⒸ 무단 가택 수색
nó-knòck éntry (범인·용의자 거주 장소에 대한 경찰의) 무단 출입, 예고 없이 행하는 출입
no·lens vo·lens [nóulenz-vóulenz] [L= unwilling willing] *ad.* 싫든 좋든(willy-nilly)
no·li me tan·ge·re [nóulai-mi:-tǽndʒəri, nóuli:-] [L =touch me not] **1** 접촉[간섭]을 금하는 경고 **2** 접촉[간섭]해서는 안 되는 사람, 태도가 쌀쌀한 사람 **3** 부활한 예수가 막달라 마리아와 만나는 그림 《요한 복음 20 : 17》 **4** 〖식물〗 노랑물봉선화(touch-me-not) **5** 〖병리〗 악성 궤양(潰瘍)
noll [nóul] *n.* 《영·방언》 머리(꼭대기)
nol·le pros·e·qui [náli-prásikwài, -kwì: | nɔ́li-prɔ́s-] [L =be unwilling to pursue] 〖법〗 (원고의) 소송 중지[철회](에 대한 동의) 《略 nol. pros.》
no-load [nóulóud] *a.* 〖증권〗 판매 수수료 없이 매출되는 〈투자 신탁〉
no·lo con·ten·de·re [nóulou-kənténdəri] [L= I do not want to contend] 〖법〗 (형사 소송에서 피고인의) 불항쟁(不抗爭)의 답변
no·lo epis·co·pari [-epìskəpɛ́ərai] [L =I do not wish to be a bishop] 책임있는 지위에의 취임 사퇴 (선언의 말)
no-lose [nóulú:z] *a.* 《속어》 틀림없이 잘되는
nol-pros [nálprás | nɔ́lprɔ́s] *vt.* (**~sed**; **~·sing**) 〖미국법〗 (원고가) 소송을 철회[취소]하다; 〈고소를 취하하고 그 취지를〉 법정 기록에 남기다
nom [nám | nɔ́m] [F] *n.* 이름
nom. nomenclature; nominal; nominative
no·ma [nóumə] *n.* 〖의학〗 수암(水癌) 《괴저성 구내염》

*__no·mad(e)__ [nóumæd] [Gk =pasture] *n.* **1** 유목민, 유목 민족 **2** 방랑자
— *a.* 유목하는, 방랑하는(wandering)
no·mad·ic [noumǽdik] *a.* 유목의, 방랑의: ~ tribes 유목 민족 **-i·cal·ly** *ad.*
no·mad·ism [nóumædìzm] *n.* Ⓤ 유목 (생활); 방랑 (생활)
no·mad·ize [nóumædàiz] *vi.* 유목 생활을 하다; 방랑하다 —*vt.* 〈피(被)정복 민족 등을〉 방랑하게 만들다
no-man [nóumæ̀n] *n.* (*pl.* **-men** [-mèn]) 《미·속어》 좀처럼 남의 말을 듣지 않는 사람, 동조(同調)하지 않는 사람(opp. *yes-man*)
nó màn's lànd **1** 황무지, 임자 없는 땅 **2** (양군 사이의) 무인[완충] 지대 **3** 이도 저도 아닌[모호한] 분야[입장, 생활] **4** 《미·군대속어》 여군 막사
nom·arch [nɑ́mɑːrk | nɔ́m-] *n.* (고대 이집트의) 주지사; (현대 그리스의) 주지사
nóm·ar·chy *n.* (현대 그리스의) 주(州)
nom·bril [nɑ́mbril | nɔ́m-] *n.* (문장(紋章)에서) 방패 무늬 바탕의 하반부 중간점
nom de guerre [nɑ́m-də-gέər | nɔ́m-] [원래 프랑스 병사가 본명 외에 사용한 이름] (*pl.* **noms de guerre** [nɑ́mz- | nɔ́mz-]) 가명, 예명
nom de plume [-də-plúːm] [프랑스어를 조어한 영어 「name of feather(=pen)」의 뜻에서] (*pl.* **noms de plume** [nɑ́mz- | nɔ́mz-], **~s** [-z]) 필명, 아호(pseudonym, pen name)
Nome [nóum] *n.* **Cape ~** 놈 곶 《미국 Alaska 주 서단의 갑(岬)》
no·men [nóumen] [L =name] *n.* (*pl.* **nom·i·na** [nɑ́mənə, nóum- | nɔ́m-, nóum-]) **1** 〔고대로마〕 둘째 이름, 족명(族名) 《세 개의 이름 중 소속 씨족의 이름을 나타냄; Gaius Julius Caesar의 Julius》(cf. AGNOMEN; PRAENOMEN; COGNOMEN) **2** 〔문법〕 명사; 《일반적으로》 이름, 호칭
no·men·cla·tor [nóumənklèitər | -men-] *n.* **1** (학명의) 명명자(命名者); 용어집, (속명의) 명칭 일람 **2** 《고어》 손님의 이름을 호명하는 역할을 맡은 사람 **3** 〔고대로마〕 손님 이름을 주인에게 알리는 하인, 연회의 좌석 안내인
no·men·cla·ture [nóumənklèitʃər, nouménklə- | nouménklə-] *n.* ⓊⒸ **1** (조직적인) 명명(법) **2** 학명, 술어 **3** [집합적] 《일반적으로》 명칭, 목록
nò·men·clá·tur·al *a.*
no·men·kla·tur·a [nòumənklətúərə] [Russ.] *n.* 노멘클라투라 **1** 구소련 등에서 공산당의 승인으로 임명된 지위 일람표 **2** 임명직에 있는 간부, 특권 계급
nom·ic [nɑ́mik, nóum- | nóum-, nɔ́m-] *a.* 여느 때[보통]의; 〈철자가〉 정서(正書)법의; 자연법에 따른
nomin. nominal; nominative
no·mi·na [nɑ́mənə, nóum- | nɔ́m-, nóum-] *n.* NOMEN의 복수
*__nom·i·nal__ [nɑ́mənl | nɔ́m-] [L 「이름에 속하는」의 뜻에서] *a.* **1** 이름만의, 명목[명의]상의(opp. *effective*): a ~ ruler 명목상의 통치자 / a ~ treaty 명목상의 조약 **2** 아주 적은, 근소한(slight): a ~ fee 아주 적은 수수료 **3** 이름의, 명칭상의; 공칭의; 〈증권이〉 기명(記名)의: ~ horsepower 〔물리〕 공칭 마력 / a ~ list (of officers) (직원) 명부 / ~ shares (of stock) 기명 배당액 **4** 〔문법〕 명사의, 명사적인: ~ declension 명사의 격변화 **5** 〔항공·우주과학〕 예상대로 진행된: The mission was ~ throughout. 그 임무는 완전히 예정대로 되었다. **6** 《미》 만족한, 계획대로의
— *n.* 〔문법〕 명사 상당어, 명사류
nóminal dámages 〔법〕 명목적 손해 배상
nóminal definítion 〔논리〕 명목 정의
nóminal GNP 〔경제〕 명목 국민 총생산
nom·i·nal·ism [nɑ́mənlìzm | nɔ́m-] *n.* Ⓤ 〔철학〕 유명론(唯名論), 명목론(opp. *realism*)
-ist *n.* **nòm·i·nal·ís·tic** *a.*
nom·i·nal·ize [nɑ́mənəlàiz | nɔ́m-] *vt.* 〔문법〕 **1** 〈다른 품사를〉 명사화하다 **2** 〈절을〉 명사화하다
nom·i·nal·ly [nɑ́mənəli | nɔ́m-] *ad.* **1** 명목[명의]상; [문장 전체를 수식하여] 명목상은 **2** 〔문법〕 명사로서, 명사적으로
nóminal príce 〔증권〕 부르는 값; 명목 가격
nóminal válue (주권(株券) 등의) 액면 가격
nóminal wáges 〔경제〕 명목 임금(opp. *real wages*)
‡**nom·i·nate** [nɑ́mənèit | nɔ́m-] [L 「이름 짓다」의 뜻에서] *vt.* **1** (선거·임명의 후보자로서) 지명하다, 지명 천거하다 (*for*): (~+목+전+명) He was ~*d for* President. 그는 대통령 선거의 후보자로 지명되었다. **2** 임명하다: (~+목+*as* 보) The mayor ~*d* Mr. Brown *as* police chief. 시장은 브라운씨를 경찰서장에 임명했다. // (~+목+전+명) He was ~*d for*[*to*] a post. 그는 어떤 관직에 임명되었다. **3** 〈사람을〉 (명예·상 등에) 추천하다, 이름을 들다 **4** 〈회합 날짜 등을〉 지정하다: 5th June has been ~*d* as an election day. 6월 5일이 선거일로 지정되었다. **5** 〔경마〕 (말의) 출장(出場) 등록을 하다
— *vi.* 선거에 출마하다
‡**nom·i·na·tion** [nàmənéiʃən | nɔ̀m-] *n.* **1** ⓊⒸ 지명, 추천(권); 《특히》 (관직의) 임명(권) (*for*): ~ of candidates for the presidency 대통령 후보 지명 **2** ⓊⒸ 임명[지명, 추천]되는 일 (*to, as, for*): Competition for the ~ is keen. 지명 받기 위한 경쟁이 치열하다. / I opposed his ~ *as* chairman. 나는 그가 의장으로 임명된 것에 반대했다. **3** Ⓒ (영화·책·배우 등의) 수상 후보 (*for*): The ~*s for* the Academy Awards 아카데미상 수상 후보작들 **4** 〔경마〕 (말의) 출장(出場) 등록
nominátion dáy 후보자 추천[지명] 기일
nom·i·na·ti·val [nàmənətáivəl | nɔ̀m-] *a.* 〔문법〕 =NOMINATIVE 1
*__nom·i·na·tive__ [nɑ́mənətiv | nɔ́m-] *a.* **1** 〔문법〕 주격의: ~ case 주격 **2** 지명[임명]의; 〔증권〕 기명식의(nominal): Is it ~ or elective? 지명으로 할 것인가 선거로 할 것인가?
— *n.* 〔문법〕 주격, 주어 **~·ly** *ad.*
nóminative ábsolute 〔문법〕 (분사의) 독립 주격: 《*She* being away, I can do nothing. 에서 쓰인 *She*; cf. ABLATIVE ABSOLUTE》
nom·i·na·tor [nɑ́mənèitər | nɔ́m-] *n.* 지명[임명, 추천]자
nom·i·nee [nàməníː | nɔ̀m-] *n.* **1** 지명[임명, 추천]된 사람 **2** 수령 명의자
nomo- [nɑ́mə, nóum- | nɔ́m-, nóum-] [Gk = law] 《연결형》 「법; 법칙」의 뜻: *nomo*logy 법률학
no·moc·ra·cy [noumɑ́krəsi | nəmɔ́k-] *n.* Ⓤ 법치(주의) 정치
nom·o·gram [nɑ́məgræ̀m, nóum- | nɔ́m-, nóum-], **-graph** [-græ̀f | -grɑ̀ːf] *n.* 〔수학〕 계산 도표, 노모그램
no·mog·ra·phy [noumɑ́grəfi | -mɔ́g-] *n.* Ⓤ 〔수학〕 계산 도표학
no·mol·o·gy [noumɑ́lədʒi | -mɔ́l-] *n.* Ⓤ 법률학, 입법학; 〔철학〕 법칙론 **-gist** *n.*
no·mo·thet·ic, -i·cal [nɑ̀məθétik(əl) | nɔ̀m-] *a.* 입법의, 법에 입각한; 보편적[과학적] 법칙의
-nomy [nəmi] [Gk =law] 《연결형》 「…학; …법」의 뜻: eco*nomy*, astro*nomy*
non [nɑ́n, nóun] [L =not] *ad.* …않다, …아니다
non-[1] [nan | nɔn] [L =not] *pref.* [자유로이 명사·형용사·부사에 붙여서] 「비(非); 불(不); 무(無)」의 뜻을 나타냄(cf. IN-[1], UN-)
non-[2], **nona-** [nɑ́n(ə) | nɔ́n(ə)] [L =ninth] 《연결형》 「9(번째)」의 뜻: *nona*gon 9변형
No·na [nóunə] *n.* 여자 이름
non·a·bil·i·ty [nɑ̀nəbíləti | nɔ̀n-] *n.* Ⓤ 불능, 무능(inability)
non·ab·stain·er [nɑ̀næbstéinər | nɔ̀n-] *n.* **1** 음

주가 **2** 무절제한 사람

non·ac·cep·tance [nὰnəkséptəns | nɔ̀n-] *n.* Ⓤ **1** 승낙하지 않음, 거절 **2** 〖상업〗 어음 인수 거절

non·ac·cess [nὰnǽkses | nɔ̀n-] *n.* Ⓤ 〖법〗 (남편의 출정·항해 등으로 인한 부부의) 무교접(無交接)

non·a·chiev·er [nὰnətʃíːvər | nɔ̀n-] *n.* 《미》 **1** 낙제생 **2** 목표 달성을 못한 사람[젊은이]

non·ac·tin [nənǽktən] *n.* 〖약학〗 논액틴 《스트렙토마이신 등에서 유도한 항생 물질》

non·ad·dict [nὰnǽdikt | nɔ̀n-] *n.* (중독이 안 된) 마약 사용자

non·ad·dic·ting [nὰnədíktiŋ | nɔ̀n-], **-tive** [-tiv] *a.* 중독성을 초래치 않는, 비중독성의 〈약〉

non·ad·mis·sion [nὰnədmíʃən | nɔ̀n-] *n.* Ⓤ 입장[입회, 입학] 거부; 부인(否認)

non·aer·o·sol [nὰnέərəsὰl | nɔ̀nέərəsɔ̀l] *a.* 〈스프레이가〉 프레온 가스를 쓰지 않은

non·age [nánidʒ, nóun- | nóun-] *n.* Ⓤ **1** (법률상의) 미성년(minority) **2** 유치함, 미발달, 미숙

non·a·ge·nar·i·an [nὰnədʒənέəriən, nòun- | nòun-] *a., n.* 90대의 (사람)

non·ag·gres·sion [nὰnəgréʃən | nɔ̀n-] *n.* Ⓤ 불침략: a ~ pact[treaty] 불가침 조약

non·a·gon [nánəgὰn | nɔ́nəgɔ̀n] *n.* 〖수학〗 9변형, 9각형 **non·ág·o·nal** *a.*

non·a·gree·ment [nὰnəgríːmənt | nɔ̀n-] *n.* Ⓤ 부동의(不同意), 불승낙

non·al·co·hol·ic [nὰnælkəhɔ́ːlik, -hál- | nɔ̀nælkəhɔ́l-] *a.* 〈음료가〉 알코올을 함유하지 않은
— *n.* 무알코올 음료; 알코올 중독이 아닌 사람

non·a·lign [nὰnəláin | nɔ̀n-] *vt., vi.* 제휴하지 않다, 중립을 지키다

non·a·ligned [nὰnəláind | nɔ̀n-] *a.* 비동맹의: ~ nations[countries] 비동맹국들
— *n.* 비동맹국, 비동맹주의자

non·a·lign·ment [nὰnəláinmənt | nɔ̀n-] *n.* 비동맹: ~ policy 비동맹 정책

non·al·ler·gen·ic [nὰnælərdʒénik | nɔ̀n-] *a.* 알레르기를 일으키지 않는

non·al·ler·gic [nὰnələ́ːrdʒik | nɔ̀n-] *a.* 비알레르기성의

non·al·pha·bet·ic, -i·cal [nὰnælfəbétik(əl) | nɔ̀n-] *a.* 알파벳이 아닌

no-name [nounéim] *a.* 무명의; 상표가 없는

nón-A, nón-B hepatítis = HEPATITIS NON-A, NON-B

non·ap·pear·ance [nὰnəpíərəns | nɔ̀n-] *n.* Ⓤ **1** 결석 **2** 〖법〗 (법정에의) 불출석

non·ar·ri·val [nὰnəráivəl | nɔ̀n-] *n.* Ⓤ 불착

no·na·ry [nóunəri] *a.* 아홉으로 된; 〖수학〗 9진법의
— *n.* (*pl.* **-ries**) 9개 한 쌍; 〖수학〗 9진법의 수

non·as·ser·tive [nὰnəsə́ːrtiv | nɔ̀n-] *a.* 〖문법〗 〈문장·절이〉 비단정적인 《의문·부정·조건문 등》

non·as·sign·a·ble [nὰnəsáinəbl | nɔ̀n-] *a.* 양도할 수 없는: a ~ L/C 양도 불능 신용장

non as·sump·sit [nán-əsʌ́mpsit | nɔ́n-] 〔L= he did not undertake〕 〖법〗 (인수 소송(assumpsit)에서) 피고의 계약 부인의 답변

non·at·ten·dance [nὰnəténdəns | nɔ̀n-] *n.* Ⓤ **1** 불참, 결석 **2** (의무 교육의) 불취학

non·at·ten·tion [nὰnəténʃən | nɔ̀n-] *n.* Ⓤ 부주의, 태만

non·bank [nánbǽŋk | nɔ́n-] *a., n.* 은행이 아닌 금융 기관(의), 비(非)은행계의 (금융 기관)

non·be·ing [nὰnbíːŋ | nɔ̀n-] *n.* = NONEXISTENCE

non·be·liev·er [nὰnbilíːvər | nɔ̀n-] *n.* 비(非)신자, 믿음이 결여된 사람

non·bel·lig·er·ent [nὰnbəlídʒərənt | nɔ̀n-] *n., a.* 비(非)교전국(의)

non·bi·o·de·grad·a·ble [nὰnbàioudigréidəbl | nɔ̀n-] *a.* 생물 분해성이 아닌

non·bi·o·log·i·cal [nὰnbaiəlάdʒikəl | nɔ̀nbaiəlɔ́dʒ-] *a.* 비(非)생물의; 〈세제가〉 비(非)유기성의

non·book [nánbúk | nɔ́n-] *a.* 책 이외의, 비(非) 도서의 《필름·마이크로필름·카세트 등》: ~ materials 비도서 자료 — [ˊˋ] *n.* 《미》 책이라고 할 수 없는 책; 저질[가치 없는] 책

non·busi·ness [nὰnbíznis | nɔ̀n-] *a.* 직업[일]과 관계없는

non·call·a·ble [nὰnkɔ́ːləbl | nɔ̀n-] *a.* **1** 〖금융〗 지불[상환] 청구할 수 없는; 만기 전 상환 불능의 **2** (차입금 등) 요구불을 조건으로 하지 않는

non·ca·lo·ric [nὰnkəlɔ́ːrik | nɔ̀n-] *a.* 칼로리가 전혀[거의] 없는

non·cam·pus [nὰnkǽmpəs | nɔ̀n-] *a.* 〈대학이〉 특정 캠퍼스가 없는

non·can·di·date [nὰnkǽndidèit | nɔ̀n-] *n.* 비입후보자, 불출마 표명자 **-da·cy** [-dəsi] *n.*

non·cap·i·tal [nὰnkǽpətl | nɔ̀n-] *a.* 〖법〗 〈죄가〉 사형감이 아닌

non·cash [nὰnkǽʃ | nɔ̀n-] *a.* 〈재원이〉 현금 이외의

nonce¹ [náns | nɔ́ns] 〔ME =for *then ones*; then의 n을 잘못하여 ones에 붙인 것〕 *n.* [the ~] 목하, 당장, 우선, 당면의 목적 ★ 다음 성구로. ***for the ~*** 우선, 임시로; 일시적으로
— *a.* 일회만의, 임시의: a ~ verb 임시 동사

nonce² *n.* 《영·속어》 (아동에 대한) 성범죄자

non·cel·lu·lar [nὰnséljulər | nɔ̀n-] *a.* 세포 구조가 없는; 세포를 포함하지 않은

nónce wòrd 임시어 《그 자리에서만 쓰는 말》

non·cha·lance [nὰnʃəlάːns, ˊ–ˋ, -ləns | nɔ́nʃələns] *n.* Ⓤ 아랑곳하지 않음, 냉담, 태연 ***with ~*** 냉담하게, 태연하게, 예사로

non·cha·lant [nὰnʃəlάːnt, ˊ–ˋ, -lənt | nɔ́nʃələnt] 〔F 「무시하는」의 뜻에서〕 *a.* 아랑곳하지 않는, 무관심한, 태연한 **~·ly** *ad.*

non·cit·i·zen [nὰnsítəzən, -sən | nɔ̀n-] *n.* 《미》 외국인(alien)

non·claim [nὰnkléim | nɔ̀n-] *n.* 〖법〗 청구 해태(懈怠) 《기한 내에 청구를 하지 않아 권리를 상실함》

non·clas·si·cal [nὰnklǽsikl | nɔ̀n-] *a.* 고전적이 아닌, 고전적 교훈에 반하는; 〖물리〗 〈법칙이〉 뉴턴 물리학으로는 파악되지 않는

non·clas·si·fied [nὰnklǽsəfàid | nɔ̀n-] *a.* 분류되지 않은, 기밀 취급이 아닌

non·cling [nὰnklíŋ | nɔ̀n-] *a.* 〈천 등이〉 (정전기로) 몸에 붙지 않는

non·col·le·giate [nὰnkəlíːdʒət, -dʒiət | nɔ̀n-] 《영》 *a.* **1** 〈학문이〉 대학 수준 이하의 **2** 〈대학이〉 학부 제도가 아닌 **3** 〈학생이〉 college에 속하지 않는
— *n.* **1** 대학 교육을 받지 않은 사람 **2** college에 속하지 않는 대학생

non·com [nánkὰm | nɔ́nkɔ̀m] 〔*noncom*missioned officer〕 *n.* 《속어》 하사관

non·com·bat [nὰnkάmbæt | nɔ̀nkɔ́m-] *a.* 비전투의, 전투를 필요로 하지 않는

non·com·bat·ant [nὰnkəmbǽtənt | nɔ̀nkɔ́mbət-] *n., a.* 〖군사〗 비전투원(의), 비전투용(의): ~ troops 비전투 부대

non·com·bus·ti·ble [nὰnkəmbʌ́stəbl | nɔ̀n-] *a.* 불연(不燃)성의, 불타지 않는: ~ construction [material] 불연 구조[재료]

non·com·mer·cial [nὰnkəmə́ːrʃəl | nɔ̀n-] *a.* 비영리적인, 비상업적인

non·com·mis·sioned [nὰnkəmíʃənd | nɔ̀n-] *a.* 위임장이 없는; (장교로) 임관되지 않은

noncommíssioned ófficer 〖육군〗 하사관 《corporal, sergeant, petty officer 등; 略 noncom, NCO》

non·com·mit·ment [nὰnkəmítmənt | nɔ̀n-] *n.* 언질을 주지 않음

non·com·mit·tal [nὰnkəmítl | nɔ̀n-] *a.* **1** 언질을

주지 않는, 뜻[성격]이 애매한, 이도 저도 아닌: a ~ answer 애매한 대답 **2** 특징이 없는 **~·ly** *ad.*
non·com·mit·ted [nὰnkəmítid | nɔ̀n-] *a.* **1** 〈투표자 등이〉 태도를 밝히지 않은, 태도 보류의; 무당파(無黨派)의 **2** 중립의, 비동맹의
non·com·mu·ni·ca·ble [nὰnkəmjú:nikəbl | nɔ̀n-] *a.* 전달되지 않는; 〈병이〉 비전염성의
non·com·mu·ni·cant [nὰnkəmjú:nikənt | nɔ̀n-] *a., n.* **1** 【가톨릭】 영성체를 하지 않은 (사람) **2** 〈정보 등을〉 전하지 않는 (사람), 비전달자(의)
non-Com·mu·nist [nɑnkάmjunist | nɔnkɔ́m-] *n., a.* 비공산당원(의), 비공산주의자(의)
non·com·pet·i·tive [nὰnkəmpétətiv | nɔ̀n-] *a.* 경쟁이 없는; 경쟁력이 없는
non·com·pli·ance [nὰnkəmpláiəns | nɔ̀n-] *n.* Ⓤ (명령·요구 등에) 응하지 않음, 불복종, 계약 불이행
non·com·pli·ant [nὰnkəmpláiənt | nɔ̀n-] *a.* (요구·명령 등에) 순응하지 않는
non com·pos men·tis [nάn-kάmpəs-méntis | nɔ́n-kɔ́mpəs-] [L =not of sound mind] *a.* 【법】 제정신이 아닌, 정신 이상의(insane), 《특히》 재산 관리 능력이 없는
non·con [nάnkὰn | nɔ́nkɔ̀n] *n.* 《속어》 **1** =NONCONFORMIST **2** =NONCONTENT
non·con·cur·rence [nὰnkənkə́:rəns | nɔ̀nkənkʌ́r-] *n.* Ⓤ 동의[협력] 거부, 동의하지 않음
non·con·dens·ing [nὰnkəndénsiŋ | nɔ̀n-] *a.* 〈증기 기관이〉 불응축식(不凝縮式)의
noncondénsing éngine 비복수(非復水) 기관
non·con·duct·ing [nὰnkəndʌ́ktiŋ | nɔ̀n-] *a.* 【물리】 부전도(不傳導)의
non·con·duc·tor [nὰnkəndʌ́ktər | nɔ̀n-] *n.* 【물리】 부도체 《열·전기·소리 등의》, 절연체
non·con·fi·dence [nὰnkάnfədəns | nɔ̀nkɔ́n-] *n.* Ⓤ 불신임: ~ motion 불신임 동의 / a vote of ~ 불신임 투표
non·con·form [nὰnkənfɔ́:rm | nɔ̀n-] *vi.* 순종[순응]하지 않다, 국교를 신봉하지 않다
non·con·form·ance [nὰnkənfɔ́:rməns | nɔ̀n-] *n.* Ⓤ 불복종; 국교(國敎) 불신봉
non·con·form·ing [nὰnkənfɔ́:rmiŋ | nɔ̀n-] *a.* 관행[규범]을 따르지 않는; 국교를 신봉하지 않는
non·con·form·ism [nὰnkənfɔ́:rmizm | nɔ̀n-] *n.* =NONCONFORMITY
non·con·form·ist [nὰnkənfɔ́:rmist | nɔ̀n-], **non-con·form·ant** [-ənt] *n.* **1** 불순응[불순종]주의자, 관행[규범]을 따르지 않는 사람 **2** [종종 **N~**] 《영》 비국교도(dissenter) **—** *a.* 일반 사회 규범에 따르지 않는; [종종 **N~**] 비국교도의
non·con·for·mi·ty [nὰnkənfɔ́:rməti | nɔ̀n-] *n.* Ⓤ **1** (관습·여론 등에의) 비추종(주의), 불순응, 비협조 **2** 불일치 《*to, with*》 **3** [**N~**] 《영》 국교 불신봉; [집합적] 비국교도 **4** (지층의) 부정합(不整合)
non·con·sump·tive [nὰnkənsʌ́mptiv | nɔ̀n-] *a.* 자원을 파괴하지 않는, 천연자원을 낭비하지 않는
non·con·tact [nὰnkάntækt | nɔ̀nkɔ́n-] *a.* (경기에서) 서로 몸의 접촉이 없는 《육상·테니스 등》
non-cóntact spòrt 육체적 접촉이 없는 스포츠
non·con·tent [nὰnkəntént | nɔ̀n-] *n.* 《영》 (상원의) 반대 투표(자)
non·con·ten·tious [nὰnkənténʃəs | nɔ̀n-] *a.* 논쟁[논의]의 여지가 없는 **~·ly** *ad.* 온건하게
non·con·tra·dic·tion [nὰnkὰntrədíkʃən | nɔ̀nkɔ̀n-] *n.* Ⓤ 【논리】 모순이 없음
non·con·trib·u·to·ry [nὰnkəntríbjutɔ̀:ri | nɔ̀nkəntríbjutəri] *a.* **1** 〈연금·보험이〉 고용주 부담의 (opp. *contributory* 3) **2** 도움이 되지 않는
non·con·tro·ver·sial [nὰnkɑntrəvə́:rʃəl | nɔ̀n-] *a.* 논쟁을 일으키지 않는, 논의의 여지가 없는
non·con·vert·ible [nὰnkənvə́:rtəbl | nɔ̀n-] *a.* 금화로 바꿀 수 없는: a ~ note 불환 지폐
non·co·op·er·a·tion [nὰnkouὰpəréiʃən | nɔ̀nkouɔ̀p-] *n.* Ⓤ **1** 비협력 **2** 대정부 비협력(운동), (특히 인도의 간디파의) 대영 비협력 운동 **~·ist** *n.* **nòn·co·óp·er·a·tive** *a.*
non·co·op·er·a·ti·vi·ty [nὰnkouὰpərətívəti | nɔ̀nkouɔ̀p-] *n.* Ⓤ 비협력, 비협조
non·co·op·er·a·tor [nὰnkouάpərèitər | nɔ̀nkouɔ́p-] *n.* **1** 비협력자 **2** 비협력 운동 실천자, (인도의) 비협력 정책주의자
non-count [nὰnkáunt | nɔ̀n-] *a.* 【문법】 불가산의, 셀 수 없는(uncountable)
non·coun·try [nɑnkʌ́ntri | nɔ̀n-] *n.* 비(非)국가, 국가로서 인정되지 못하는 나라
non·cred·it [nὰnkrédit | nɔ̀n-] *a.* 〈과목이〉 졸업 학점에 들어가지 않는, 학점으로 인정되지 않는
non·cus·to·di·al [nὰnkʌstóudiəl | nɔ̀n-] *a.* 〈부모가〉 법적으로 자식에 대한 친권이 없는
non·dair·y [nὰndέəri | nɔ̀n-] *a.* 우유[유제품]를 함유하지 않은
non·de·duct·i·ble [nὰndidʌ́ktəbl | nɔ̀n-] *a.* (소득세 등에서) 공제할 수 없는
non·de·fin·ing [nὰndifáiniŋ | nɔ̀n-] *a.* =NONRESTRICTIVE
non·de·liv·er·y [nὰndilívəri | nɔ̀n-] *n.* Ⓤ 인도(引渡) 불능; 배달 불능
non·de·nom·i·na·tion·al [nὰndinὰmənéiʃənəl | nɔ̀ndinɔ̀m-] *a.* 특정 종교에 관계없는
non·de·script [nὰndiskrípt | nɔ̀n-] *a., n.* 정체를 알 수 없는 (사람[것]); 특징이 없는[막연한] (사람[것]); 형언하기 어려운 (사람[것])
non·de·struc·tive [nὰndistrʌ́ktiv | nɔ̀n-] *a.* 비파괴적인, (검사 등에서 그 대상 물질을) 파괴하지 않는: ~ testing 비파괴 검사 《X선·초음파 등을 사용함》 **~·ly** *ad.* **~·ness** *n.*
non·de·ter·min·is·tic [nὰnditə:rmənístik | nɔ̀n-] *a.* 비(非)결정론적인, 비결정성의 **—** *n.* 【컴퓨터】 비결정적임
non·di·a·bet·ic [nὰndaiəbétik | nɔ̀n-] *a., n.* 당뇨병에 걸리지 않은 (사람)
non·di·rec·tion·al [nὰndirékʃənl | nɔ̀n-] *a.* 【통신·음향】 무지향성(無指向性)의
non·di·rec·tive [nὰndiréktiv, -dai- | nɔ̀n-] *a.* 〈정신 요법·카운슬링 등이〉 비(非)지시적인 《직접 지시하지 않고 자발적으로 극복하도록 유도하는》
non·dis·clo·sure [nὰndisklóuʒər | nɔ̀n-] *n.* Ⓤ 비공개, 알리지 않음
non·dis·crim·i·na·tion [nὰndiskrìmənéiʃən | nɔ̀n-] *n.* Ⓤ 차별이 없음, 차별하지 않음
non·dis·junc·tion [nὰndisdʒʌ́ŋkʃən | nɔ̀n-] *n.* 【생물】 (상동 염색체의) 비분리 **~·al** *a.*
non·dis·tinc·tive [nὰndistíŋktiv | nɔ̀n-] *a.* 【언어】 비변별적(非辨別的)인, 이음(異音)의 **~·ly** *ad.*
non·di·vid·ing [nὰndiváidiŋ | nɔ̀n-] *a.* 【생물】 세포가 분열하지 않은
non·drink·er [nὰndríŋkər | nɔ̀n-] *n.* 술을 마시지 않는 사람, 금주자[가]
non·drink·ing [nὰndríŋkiŋ | nɔ̀n-] *a.* 금주의, 술을 마시지 않는 **—** *n.* Ⓤ 금주
non·dú·ra·ble góods [nὰndjúərəbl- | nɔ̀ndjúə-] =NONDURABLES
non·du·ra·bles [nὰndjúərəblz | nɔ̀ndjúə-] *n. pl.* 비(非)내구재 《식품·의류 등》(opp. *durables*)
‡**none**[1] ⇨ none (p. 1705)
none[2] [nóun] *n.* =NONES
non·earth·ly [nὰnə́:rθli | nɔ̀n-] *a.* 지구 밖의 (extraterrestrial), 우주에 존재하는
no-neck [nóunék] *n.* 《미·속어》 야만스러운 멍텅구리, 완력뿐인 등신
non·ec·o·nom·ic [nὰnèkənάmik, -ì:kə- | nɔ̀nèkənɔ́m-] *a.* 경제 외의; 《특히》 경제적 가치가 없는
non·ef·fec·tive [nὰniféktiv | nɔ̀n-] *a.* 효과 없

none

대명사와 부사의 용법이 중요하다. 대명사로서는 단수·복수 어느 쪽으로도 쓰이나, 일반적으로 사람을 나타낼 경우에는 복수 취급이 많으며, 특별히 「한 사람도 …않다」의 뜻으로 단수임을 분명하게 할 경우에는 no one을 쓴다. 물론 양을 나타낼 때는 단수 취급이다.

‡none [nʌ́n] *pron., ad., a.*

원래 OE 「not과 one」에서	
① 아무것도 …않다	대 **2**
② 아무도 …않다	대 **1**
③ 조금도 …않다	대 **4** 부 **2**

— *pron.* **1** 아무도 …않다 ★ no one, nobody보다 문어적인 말; 현재는 복수 취급이 일반적임: There were ~ present. 출석한 사람은 아무도 없었다. / *N~* are completely happy. 아무도 완벽하게 행복한 사람은 없다.
2 [~ of …로] (…중의) 아무것도[아무도, 하나도] …않다 ★ of 뒤에 불가산명사가 오거나 단수 대명사가 오는 경우는 단수 취급; 명사에는 the, this 같은 한정어가 붙음; cf. ONE *pron.* 6 a: *N~ of* them[*the* students] know anything about it yet. 그들[학생들] 중 아무도 아직 그 일을 모르고 있다. ★ *Not* one of them knows ...는 「누구 하나…」의 뜻 / *N~ of the* information is useful to me. 그 정보는 내게 하나도 쓸모가 없다.
3 a [~ of …로] 조금도[전혀] …않다: *N~ of* this concerns me. 이것은 나와 아무런 관계가 없다. / It is ~ *of* your business. 네가 알 바 아니다. 《부질없는 참견은 마라》/ We've heard ~ *of* him since. 그 이후 그의 소식은 전혀 듣지 못했다. **b** [상대에게 명령하는 표현으로] …마라: *N~ of* your impudence [trick]! 건방지게 굴지[잔꾀부리지] 마라! / *N~ of* that nonsense! 그 따위 바보 같은 소리 하지 마라!
4 [no+단수명사를 대신하여] 조금도[결코] …않다: "Is there any sugar left?" — "*No,* ~ at all." 설탕이 좀 남아 있나요? — 아니오, 전혀 없어요. / Half a loaf is better than ~. 《속담》 빵 반 덩어리라도 없는 것보다는 낫다.
have ~ of ... (1) …을 갖고 있지 않다: You'll *have* ~ *of* this. 너에게는 이것 중에 아무것도 주지 않겠다. (2) [will, would 다음에서] 〈문제·제의 등을〉 받아들이지 않다, 인정하지 않다: I *will have* ~ *of* it. 그런것은 사양하겠다.
~ but ... (1) …이 아니고는 아무도 …않다: *N~ but* the brave deserve(s) the fair. 용맹한 자만이 미인을 얻을 자격이 있다. ★ 원문에서는 단수 취급이지만 인용의 경우는 복수 취급이 보통 (2) …이외에는 아무것도 …않다: I have ~ *but* fond memories of her. 그녀에 대해서는 감미로운 추억 밖에 없다.
~ other than ... 다름 아닌 …, 바로 …: He was ~ *other than* the king. 그분은 다름 아닌 왕이었다.
second to ~ ⇨ second[1] *a.*
— *ad.* **1** [~+the+비교급으로] (…하다고 해서) 그만큼 …한 것은 아니다: He is ~ *the* happi*er* for his wealth. 그는 돈이 많은데도 그만큼 행복한 것은 아니다. / He is ~ *the* wis*er*[*better*] for his experience. 경험을 쌓았는데도 그는 조금도 현명해지지[나아지지] 않는다.
2 [~ too[so] ...로] 결코[조금도] …않다: I arrived ~ *too* soon. 나의 도착은 결코 이른 것이 아니었다. / The place was ~ *too* clean. 그곳은 조금도 청결하지 않았다. / It is ~ *so* good. 조금도 좋지 않다. / He was ~ *so* pleased. 그는 결코 기쁘지 않았다.
~ the less = NONETHELESS
— *a.* 《고어》 조금도 …않은(no, not any): Thou shalt have ~ other gods before me. 〖성서〗 나 외에는 위하는 신들을 네게 있게 말지니라. 《신명기 5: 7》

는; 〖군사〗 군무에 부적합한 **—** *n.* 〖군사〗 군무에 부적합한 군인
non·ef·fi·cient [nɑ̀nifíʃənt | nɔ̀n-] 〖군사〗 *a.* 복무 자격이 없는; 교육을 받지 못한
— *n.* 복무 자격이 없는[미(未)교육] 지원병[의용군]
non·e·go [nɑ̀ní:gou, -égou | nɔ̀n-] *n.* 〖철학〗 비아(非我), (주체에 대한) 객체, 외계(opp. *ego*)
non·en·ti·ty [nɑ̀néntəti | nɔ̀n-] *n.* **1** Ⓤ 실재하지 않음; Ⓒ 실재[존재]하지 않는 것, 상상의 산물, 지어낸 것 **2** 보잘것없는[변변치 않은] 사람[물건]
nones [nóunz] *n. pl.* [단수·복수 취급] 〖가톨릭〗 제9시과(時課) 《고대 로마에서는 오후 3시, 지금은 정오에 드리는 기도》
non·es·sen·tial [nɑ̀nisénʃəl, -es- | nɔ̀n-] *a., n.* 비본질적인 (것[사물]), 중요치 않은 (것[사람])
non est [nɑ́n-ést | nɔ́n-] 〖L〗 *a.* Ⓟ 《구어》 존재하지 않는, 부재의
non est in·ven·tus [-invéntəs] 〖L〗 본인 소재 불명 《略 n.e.i.》
none·such [nʌ́nsʌ̀tʃ] *n.* **1** 둘도 없는 것, 일품 **2** 〖식물〗 잔개자리
no·net [nounét] 〖L 「제9의」의 뜻에서〗 *n.* 〖음악〗 9중주[창]곡; 9중주[창]단(⇨ solo 관련)
***none·the·less** [nʌ̀nðəlés] *ad.* 그럼에도 불구하고, 그래도, 역시(nevertheless)
non-Eu·clid·e·an [nɑ̀nju:klídiən | nɔ̀n-] *a.* 비(非)유클리드의: ~ geometry 비유클리드 기하학
non·e·vent [nɑ̀nivént | nɔ̀n-] *n.* **1** 기대에 어긋난 사건[행사] **2** 실제로는 일어나지 않은 일 **3** 공식적으로 무시된 일
non·ex·clu·sive [nɑ̀nikisklú:siv | nɔ̀n-] *a.* 배타적이지 않은, 독점적이 아닌
non·ex·ec·u·tive [nɑ̀nigzékjutiv | nɔ̀n-] *a.* Ⓐ 《영》 〖경영〗 〈임원이〉 결정권이 없는
non·ex·is·tence [nɑ̀nigzístəns | nɔ̀n-] *n.* ⓊⒸ 존재[실재]하지 않음; 비존재물
-tent [-tənt] *a.* 존재[실재]하지 않는
non·fac·tive [nɑ̀nfǽktiv] *a.* 〖언어〗 〈동사가〉 비(非)사실적인
non·fam·i·ly [nɑ̀nfǽməli | nɔ̀n-] *n.* 비(非)가족 《혈연 관계는 없으나 함께 사는 사람들》
non·fat [nɑ̀nfǽt | nɔ̀n-] *a.* 탈지(脫脂)한: ~ milk 탈지 우유
non·fea·sance [nɑnfí:zəns | nɔn-] *n.* Ⓤ 〖법〗 의무 불이행, 부작위(不作爲)
non·fer·rous [nɑ̀nférəs | nɔ̀n-] *a.* 철(鐵)을 함유하지 않은, 비(非)철의: ~ metals 비(非)철 금속
***non·fic·tion** [nɑ̀nfíkʃn | nɔ̀n-] *n.* Ⓤ 논픽션, 소설·이야기 외의 산문 문학 《역사·전기·기행문·수필 등》
non·fic·tion·al [nɑ̀nfíkʃənəl | nɔ̀n-] *a.* 논픽션의
non·fig·u·ra·tive [nɑ̀nfígjurətiv | nɔ̀n-] *a.* 《미》 = NONOBJECTIVE
non·fi·nite [nɑ̀nfáinait | nɔ̀n-] *a.* 〖문법〗 비정형(非定形)의
non·flam·ma·ble [nɑ̀nflǽməbl | nɔ̀n-] *a.* 불연성(不燃性)의(opp. *inflammable*)
non·flu·en·cy [nɑ̀nflú:ənsi | nɔ̀n-] *n.* Ⓤ 눌변(訥辯), 서툰 말솜씨

non·freez·ing [nɑ̀nfríːziŋ | nɔ̀n-] *a.* 얼지 않는, 부동(不凍)(성)의
non·ful·fill·ment [nɑ̀nfulfílmənt | nɔ̀n-] *n.* Ⓤ (의무·약속의) 불이행
nong [nɑ́ŋ | nɔ́ŋ] *n.* 《호주·속어》 바보, 얼간이
nòn-gov·ern·mén·tal organizátion [nɑ̀n-gʌvərnméntl- | nɔ̀n-] 비정부 조직 《略 NGO》
non-grad·a·ble [nɑ̀ngréidəbl | nɔ̀n-] *a.* 〖문법〗 비교 변화를 하지 않는
non·grad·ed [nɑ̀ngréidid | nɔ̀n-] *a.* 등급 없는; 《미》 학년별로 나누지 않는
non·green [nɑ̀ngríːn | nɔ̀n-] *a.* 〈식물이〉 녹색이 아닌; 엽록소가 없는
non·he·ro [nɑ̀nhíːrou | nɔ̀nhíər-] *n.* = ANTIHERO
non·hu·man [nɑ̀nhjúːmən | nɔ̀n-] *a.* **1** 인간이 아닌, 인간 이외의 **2** 인간다운 감정[사고, 지성]이 없는 — *n.* 인간이 아닌 것
non·i·den·ti·cal [nɑ̀naidéntikəl | nɔ̀n-] *a.* 다른, 같지 않은(different); 이란성의 〈쌍생아〉
nonidéntical twìn 이란성 쌍생아[쌍둥이](fraternal twin)
no·nil·lion [nouníljən] *n.* 《영·독일》 100만의 아홉 제곱; 《미·프랑스》 천의 열 제곱
non·im·mune [nɑ̀nimjúːn | nɔ̀n-] *a., n.* 면역성이 없는 (사람)
non-ím·pact prìnter [nɑ̀nímpækt- | nɔ̀n-] 〖컴퓨터〗 논임팩트[비충격식] 프린터
non·im·por·ta·tion [nɑ̀nìmpɔːrtéiʃən | nɔ̀n-] *n.* Ⓤ 수입 거부[불이행]
non·in·duc·tive [nɑ̀nindʌ́ktiv | nɔ̀n-] *a.* 〖전기〗 무유도(無誘導)의: a ~ resistance 무유도 저항
non·in·fec·tious [nɑ̀ninfékʃəs | nɔ̀n-] *a.* 〈병이〉 비감염성의
non·in·flam·ma·ble [nɑ̀ninflǽməbl | nɔ̀n-] *a.* 불연성의(nonflammable)
non·in·sec·ti·ci·dal [nɑ̀ninsèktəsáidl | nɔ̀n-] *a.* 살충력이 없는; 살충제를 쓰지 않는
non·in·ter·fer·ence [nɑ̀nintərfíərəns | nɔ̀n-] *n.* Ⓤ (특히 정치상의) 불간섭
non·in·ter·ven·tion [nɑ̀nintərvénʃən | nɔ̀n-] *n.* Ⓤ 불간섭; 〖외교〗 내정 불간섭, 불개입 **~·ist** *n.*
non·in·tru·sion [nɑ̀nintrúːʒən | nɔ̀n-] *n.* Ⓤ (스코틀랜드 교회에서) 교구민은 목사 임명에 대해 거부권을 가진다는 입장
non·in·va·sive [nɑ̀ninvéisiv | nɔ̀n-] *a.* **1** 확장하지 않는, 번지지 않는 **2** 〖의학〗 (진찰 등에서) 비(非)침습성의 《침·관 등을 체내에 삽입하지 않는》 **~·ly** *ad.*
non·in·volve·ment [nɑ̀ninvɑ́lvmənt | nɔ̀ninvɔ́lv-] *n.* 불간섭, 무관여; 무관심
non·i·ron [nɑ̀náiərn | nɔ̀n-] *a.* 《영》 다림질이 필요 없는(drip-dry)
non-ism [nɑ́nizm | nɔ́n-] *n.* 논이즘 《극단적 금욕주의》
non·is·sue [nɑ̀níʃuː | nɔ̀n-] *n.* 하찮은 일[문제]
non·join·der [nɑ̀ndʒɔ́indər | nɔ̀n-] *n.* 〖법〗 (공동 원고[피고]의) 불병합(不倂合)
non·judg·men·tal [nɑ̀ndʒʌdʒméntl | nɔ̀n-] *a.* (도덕 문제에서) 개인적 판단을 피하는
non·jur·ing [nɑ̀ndʒúəriŋ | nɔ̀n-] *a.* 〖영국사〗 신하로서의 복종 서약을 거부하는
non·ju·ror [nɑ̀ndʒúərər | nɔ̀ndʒúərə] *n.* 선서 거부자; [**N~**] 〖영국사〗 신종(臣從)의 선서 거부자 《1688년의 혁명 후 William Ⅲ 및 Mary에 대한 신종의 서약을 거부한 국교 성직자》
non·ju·ry [nɑ̀ndʒúəri | nɔ̀n-] *a.* 〖법〗 배심(陪審)을 요하지 않는
non·lead·ed [nɑ̀nlédid | nɔ̀n-] *a.* 〈휘발유가〉 무연(無鉛)의(unleaded)
non·le·gal [nɑ̀nlíːgəl | nɔ̀n-] *a.* 비법률적인, 법률 범위 밖의, 법률적 성질을 갖지 않은(cf. ILLEGAL)
non·le·thal [nɑ̀nlíːθəl | nɔ̀n-] *a.* 치명적이 아닌; 〈원조가〉 비군사적인, 무기가 포함되지 않은
non·lin·e·ar [nɑ̀nlíniər | nɔ̀n-] *a.* 직선이 아닌; 비선형(非線形)의
non·lit·er·ate [nɑ̀nlítərət | nɔ̀n-] *a.* = PRELITERATE
non·log·i·cal [nɑ̀nlɑ́dʒikəl | nɔ̀nlɔ́dʒ-] *a.* 논리에 입각하지 않는, 비논리적인(cf. ILLOGICAL)
non·main·stream·er [nɑ̀nméinstrìːmər | nɔ̀n-] *n.* 비주류파(派)
non·ma·lig·nant [nɑ̀nməlígnənt | nɔ̀n-] *a.* 악의[적의]가 없는; 〖병리〗 악성[치명적]이 아닌
non·mar·ket [nɑ̀nmɑ́ːrkit | nɔ̀n-] *a.* 노동 시장 외의
non·match·ing [nɑ̀nmǽtʃiŋ | nɔ̀n-] *a.* **1** 조화되지[어울리지] 않는 **2** 〈보조금 등이〉 다른 곳에서 부족분의 보조를 받을 필요없는
non·ma·te·ri·al [nɑ̀nmətíəriəl | nɔ̀n-] *a.* 비물질적인, 정신적인; 문화적인; 교양있는, 지적인
nonmatérial cúlture 〖사회〗 비물질적 문화
non·mem·ber [nɑ̀nmémbər | nɔ̀n-] *n.* 회원 이외의 사람, 비(非)회원 **~·ship** *n.*
nonmémber bànk 《미》 비가맹 은행
non·met·al [nɑ̀nmétl | nɔ̀n-] *n., a.* 〖화학〗 비(非)금속(의)
non·me·tal·lic [nɑ̀nmətǽlik | nɔ̀n-] *a.* 비금속(성)의: ~ elements 비금속 원소
non·mor·al [nɑ̀nmɔ́ːrəl, -mɑ́r- | nɔ̀nmɔ́r-] *a.* 도덕과 관계없는(cf. IMMORAL); 도덕적이지도 부도덕하지도 않은 **~·ly** *ad.*
non·mo·tile [nɑ̀nmóutl, -til | nɔ̀nmóutail] *a.* 〖생물〗 운동 능력이 없는: a ~ cilium 부동모(不動毛)
non·na·tive [nɑ̀nnéitiv | nɔ̀n-] *n., a.* 본국[본토] 태생이 아닌 (사람), 외국인(의)
non·nat·u·ral [nɑ̀nnǽtʃərəl | nɔ̀n-] *a.* 자연의 이치에 어긋나는; 부자연스러운(cf. UNNATURAL)
non·ne·go·ti·a·ble [nɑ̀nnigóuʃiəbl | nɔ̀n-] *a.* 교섭[협정]할 수 없는; 〖상업〗 유통 불가능한, 양도할 수 없는
non·ne·o·plas·tic [nɑ̀nnìːəplǽstik | nɔ̀n-] *a.* 〖병리〗 신생물[종양]이 아닌, 신생물이 원인이 아닌
non-net [nɑ̀nnét | nɔ̀n-] *a.* 《영》 〈책이〉 정가가 없는; 정가 판매가 아닌 《판매자·서점이 임의로 결정하는》
non·nu·cle·ar [nɑ̀nnjúːkliər | nɔ̀nnjúː-] *a.* 핵무기 이외의; 비핵(非核)의; 핵에너지를 쓰지 않는 — *n.* 비핵보유국
non·núke tréaty [nɑ̀nnjúːk- | nɔ̀nnjúːk-] 《속어》 핵확산 방지 조약
non·nu·mer·ic, -i·cal [nɑ̀nnjuːmérik(əl) | nɔ̀nnjuː-] *a.* 〖컴퓨터〗 비수치(非數値)의
no-no [nóunòu] *n.* (*pl.* **~'s, ~s**) 《미·구어》 **1** 해서는[말해서는, 써서는] 안 되는 일[것], 금물, 금지 사항 **2** 실패 — *int.* 《유아어》 안 돼!, 못써!
non·ob·jec·tive [nɑ̀nəbdʒéktiv | nɔ̀n-] *a.* 비객관적인; 〖미술〗 추상적인, 비구상적인; 비사실적인
non·ob·serv·ance [nɑ̀nəbzə́ːrvəns | nɔ̀n-] *n.* Ⓤ (법률·관례 등의) 불준수; 위반 **-vant** *a.*
non ob·stan·te [nɑ́n-ɑbstǽnti | nɔ́n-ɔb-] [L = notwithstanding] *prep.* (법 규정이 있음)에도 불구하고 《略 non obs(t).》
non·oc·cur·rence [nɑ̀nəkə́ːrəns | nɔ̀nəkʌ́r-] *n.* Ⓤ (사건 등이) 일어나지 않음, 불발
non·of·fi·cial [nɑ̀nəfíʃəl | nɔ̀n-] *a.* 비공식의
non-oil [nɑ̀nɔ́il | nɔ̀n-] *a.* 석유를 산출하지 않는; 석유 이외의: a ~ nation 비산유국
no-non·sense [nòunɑ́nsens | -nɔ́n-] *a.* Ⓐ **1** 현실[실제]적인, 진지한 **2** 장난[허튼 짓]을 용납 않는 〈교사〉 **3** 장식이 없는
nòn·or·gán·ic fòod [nɑ̀nɔːrgǽnik- | nɔ̀n-] 비자연 식품
non·or·gas·mic [nɑ̀nɔːrgǽzmik | nɔ̀n-] *a., n.* 오르가슴을 느끼지 못하는 (사람), 불감증인 (사람)
non·pa·reil [nɑ̀npərél | nɔ́npərəl] *a.* Ⓐ 비할[비

길] 데 없는, 둘도 없는 —*n.* **1** [보통 the ~] 둘도 없는 사람[것]; 극상품, 일품 **2** 〖인쇄〗 6포인트 활자 **3** 착색한 알갱이 설탕; 그 설탕을 묻힌 초콜릿

non·par·ous [nanpǽrəs | nɔn-] *a.* 출산 경험이 없는: a ~ woman 미산부(未産婦)

non·par·tic·i·pat·ing [nὰnpɑːrtísəpèitiŋ | nɔ̀n-] *a.* 불참가의; 〖보험〗 이익 배당이 없는

non·par·tic·i·pa·tion [nὰnpɑːrtìsəpéiʃən | nɔ̀n-] *n.* Ⓤ 무관심; 불참

non·par·ti·san, -ti·zan [nὰnpɑ́ːrtizən | nɔ̀n-pɑ̀ːtizǽn] *a.* **1** 초당파의; 객관적인, 공정한, 공평한: ~ diplomacy 초당파 외교 **2** 무소속의 —*n.* 당파심이 없는 사람; 초당파[무소속]의 사람 **~·ship** *n.*

non·par·ty [nὰnpɑ́ːrti | nɔ̀n-] *a.* 당파심이 없는, 불편부당(不偏不黨)의

non·pay·ment [nὰnpéimənt | nɔ̀n-] *n.* Ⓤ 지불하지 않음, 미불, 미납: ~ of rent 집세 미납

non·peak [nὰnpíːk | nɔ̀n-] *a.* = OFF-PEAK

non·per·for·mance [nὰnpərfɔ́ːrməns | nɔ̀n-] *n.* Ⓤ 불이행

non·per·form·ing [nὰnpərfɔ́ːrmiŋ | nɔ̀n-] *a.* **1** 잘 진척되지 않는 **2** 계약 불이행의: ~ assets 계약 불이행 자산 **3** 〖금융〗 〈차입금·채무의〉 이자 지불 불이행의

non·per·ish·a·ble [nὰnpériʃəbl | nɔ̀n-] *a.* 잘 부패하지 않는, 보존할 수 있는 〈식품〉

non·per·mis·sive [nὰnpərmísiv | nɔ̀n-] *a.* 〖생물〗 (유전 물질 등의) 복제를 허용하지 않는

non·per·sist·ent [nὰnpərsístənt, -zís- | nɔ̀n-] *a.* 지속성이 없는 〈약품〉; 일시적인 〈바이러스〉

non·per·son [nὰnpə́ːrsn | nɔ̀n-] *n.* 사람 취급 못 받는 사람, 존재가 무시되는 사람, 법[사회]적 약자; 실각한 지도자

non·per·son·al [nὰnpə́ːrsənl | nɔ̀n-] *a.* 개인적이 아닌; 〖마케팅〗 인적(人的) 활동이 아닌

non pla·cet [nɑ́n-pléisit | nɔ́n-] [L = it is not pleasing] (교회·대학의 집회에서) 이의, 반대 투표

non·play·ing [nὰnpléiiŋ | nɔ̀n-] *a.* 〈특히 팀의 주장이〉 경기[시합]에 참가하지 않는

non·plus [nanplʌ́s, ⌐– | nɔnplʌ́s, ⌐–] *n.* [보통 a ~] 어찌할 바를 모름; 곤란한 입장, 궁지; 당혹, 난처, 곤경 ***at a ~*** 진퇴양난으로, 당혹하여 ***put*** [***reduce***] a person ***to a ~*** …을 곤란하게 하다 ***stand at a ~*** 진퇴양난에 처하다

—*vt.* (**~ed**; **~·ing** | **~sed**; **~·sing**) 어찌할 바를 모르게 하다, 난처하게[당황하게] 만들다: I was completely *~ed.* 도무지 어찌할 바를 몰랐다. **~ed** *a.*

non·poi·son·ous [nὰnpɔ́izənəs | nɔ̀n-] *a.* 무해한, 독이 없는

non·po·lar [nὰnpóulər | nɔ̀n-] *a.* 〖물리·화학〗 〈분자·액체 등이〉 무극성의

non·po·lit·i·cal [nὰnpəlítikəl | nɔ̀n-] *a.* 비정치적인, 정치에 관심이 없는

non·pol·lut·ing [nὰnpəlúːtiŋ | nɔ̀n-] *a.* 오염시키지 않는, 무공해성(性)의, 공해 없는

non·po·rous [nὰnpɔ́ːrəs | nɔ̀n-] *a.* 작은 구멍이 없는, 통기성이 없는

non pos·su·mus [nan-pɑ́səməs | nɔn-pɔ́s-] [L] 무능력[불능]의 진술[발언]

non·pre·scrip·tion [nὰnpriskrípʃən | nɔ̀n-] *a.* 〈약이〉 의사의 처방전 없이 살 수 있는(over-the-counter)

non·print [nὰnprínt | nɔ̀n-] *a.* 〈정보·자료가〉 인쇄물이 아닌 《테이프·필름 등》

non·pro [nὰnpróu | nɔ̀n-] *n., a.* 《미·구어》 = NONPROFESSIONAL

non·pro·cé·dur·al lánguage [nὰnprəsíːdʒərəl- | nɔ̀n-] 〖컴퓨터〗 비절차형 언어

non·pro·duc·tive [nὰnprədʌ́ktiv | nɔ̀n-] *a.* **1** 비생산적인 **2** 가치가 없는; 〈계획 등이〉 효과가 없는 **3** 〈종업원 등이〉 직접 제품을 만들지 않는, 비생산 부문의: ~ employees 비생산 부문의 종업원 **~·ness** *n.*

non·pro·fes·sion·al [nὰnprəféʃənl | nɔ̀n-] *a.* 비직업적인, 프로가 아닌, 직업 의식을 떠난(cf. UNPROFESSIONAL) —*n.* 직업적이 아닌 사람, 비전문가

non·prof·it [nὰnprɑ́fit | nɔ̀nprɔ́f-] *a.* Ⓐ 비영리적인 〈단체 등〉: a ~ organization 비영리 단체 —*n.* 비영리 단체 《재단 법인 등》

non·prof·it-mak·ing [nὰnprɑ́fitmèikiŋ | nɔ̀n-prɔ́f-] *a.* 《영》 = NONPROFIT

non·pro·lif·er·a·tion [nὰnprəlìfəréiʃən | nɔ̀n-] *n.* Ⓤ 번식하지 않음; 증식 정지; (핵무기의) 확산 방지, 비확산: a ~ treaty 핵 확산 방지 조약 《略 NPT》 —*a.* (핵무기의) 확산 방지의, 비확산의

non pro·pri·e·tar·y [nὰnprəpráiətèri | nɔ̀n-prəpráiətəri] *a.* 비독점의 《특정 회사에 속하지 않은》: ~ medicines 비독점 의약품

non-pros [nὰnprɑ́s | nɔ̀nprɔ́s] *vt.* (**~sed**; **~·sing**) 〖법〗 (법정 결석을 이유로) 〈원고에게〉 패소를 언도하다

non pros. non prosequitur

non pro·se·qui·tur [nὰn-prousékwitər | nɔ̀n-] [L = he does not prosecute] 〖법〗 (법정에 출석하지 않는 원고에 대한) 패소 판결 《略 non pros.》

non·pro·vid·ed [nὰnprəváidid | nɔ̀n-] *a.* 《영》 비공립의 〈초등학교〉

non·read·er [nὰnríːdər | nɔ̀n-] *n.* 글을 읽지 못하는 사람[어린이]; 독서 장애인

non·re·ces·sion [nὰnriséʃən] *a.* 불황이 아닌

non·rec·og·ni·tion [nὰnrekəgníʃən | nɔ̀n-] *n.* 인지하지 않음, 불인가, 비(非)승인

non·re·cur·rent [nὰnriːkə́ːrənt | nɔ̀nriːkʌ́r-] *a.* 재발하지 않는, 비(非)반복의

non·re·fund·a·ble [nὰnrifʌ́ndəbl | nɔ̀n-] *a.* 환불이 불가능한, 되돌려 받을 수 없는

non·rel·a·tiv·is·tic [nὰnrelətivístik | nɔ̀n-] *a.* 〖물리〗 비상대론적인

non·re·new·a·ble [nὰnrinjúːəbl | nɔ̀nrinjúː-] *a.* 〈자원이〉 재생 불가능한

non·rep·re·sen·ta·tion·al [nὰnrèprizentéiʃənl | nɔ̀n-] *a.* 〖회화〗 비구상적인, 비구상파[주의]의; 추상적인(abstract) **~·ìsm** *n.* **~·ist** *n.*

non·res·i·dent [nὰnrézədənt | nɔ̀n-] *a.* **1** (임지 등에) 거주하지 않는; 일시 체류의 **2** 〈지위가〉 임지 거주를 필요로 하지 않는 **3** (호텔에서) 〈손님이〉 숙박자 이외의 —*n.* 비거주자, 부재 지주

-dence, -den·cy *n.* **-den·tial** *a.*

non·re·sist·ance [nὰnrizístəns | nɔ̀n-] *n.* Ⓤ (권력·법률 등에 대한) 무저항(주의)

non·re·sis·tant [nὰnrizístənt | nɔ̀n-] *a.* (권력·법률 등에 대한) 무저항(주의)의; (병·기온 변화 등에 대한) 저항력이 없는 —*n.* 무저항주의자

non·re·stric·tive [nὰnristríktiv | nɔ̀n-] *a.* **1** 〖문법〗 비제한적인 **2** 비한정적인, 한정하지 않는

non·re·turn·a·ble [nὰnritə́ːrnəbl | nɔ̀n-] *a.* **1** 반환할 수 없는 **2** 〈빈 병 등을〉 반환할 필요 없는 —*n.* 반환되지 않는 물건

non·re·túrn vàlve [nὰnritə́ːrn- | nɔ̀n-] = CHECK VALVE

non·rig·id [nὰnrídʒid | nɔ̀n-] *a.* 〖항공〗 연식(軟式)의; 딱딱하지 않은: a ~ airship 연식 비행선

non·sched·uled [nὰnskédʒu(ː)ld | nɔ̀nʃédjuːld] *a.* 부정기 운항의 〈항공사 등〉; 예정에 없는, 임시의

non·sci·en·tif·ic [nὰnsaiəntífik | nɔ̀n-] *a.* 비과학적인, 과학적 방법에 의하지 않는

non·sec·tar·i·an [nὰnsektέəriən | nɔ̀n-] *a.* 파벌성이 없는, 어느 종파에도 속하지 않는, 무종파의

non·se·lec·tive [nὰsiléktiv | nɔ̀n-] *a.* 무차별의

non·self [nὰnsélf | nɔ̀n-] *n.* 〖면역〗 비자기(非自己) 《자기 항원과 대비해서, 생체에 의해 자기의 성분과 다른 개체에서 유래되는 항원》

***non·sense** [nɑ́nsens, -səns | nɔ́nsəns] *n.* **1** Ⓤ 무의미한 말, 허튼소리; 어리석은 생각, 난센스: sheer

~ 전혀 터무니없는 말 **2** 바보같은[허튼] 짓: None of your ~ now! 이젠 바보 같은 짓 그만 해라! **3** 반항적인[유쾌하지 않은] 태도 **4** 시시한[가치없는] 것[일], 잡동사니: spend one's money for ~ 시시한 것에 돈을 낭비하다 **5** Ⓤ 난센스 시(詩), 희시(戲詩)(=~ verse) **6** 『생물』 무의미한[난센스] 코돈(=~ **códon**) 《대응하는 아미노산이 없는 유전 암호》; 『유전』 무의미한 돌연변이(=~ mutation)
make* (*a*) ~ *of …을 망쳐놓다 ***stand no ~*** 허튼수작을 용납 않다 ***take the ~ out of*** a person …이 착실한 행동[생각]을 하게 하다
— *a.* Ⓐ **1** 무의미한, 어리석은: a ~ book 난센스 책 《실없는 이야기를 모은 오락용의 책》 **2** 『유전』 무의미한 유전 암호의, 난센스의
— *int.* 되지 않은 소리(그만둬)
N~, ~! 집어치워, 그게 말이나 돼, 돼먹지 않은 소리!

nónsense mutàtion 『생물』 무의미한 돌연변이

nónsense sỳllable 『심리』 무의미한 철자 《학습 실험에 쓰임》

nónsense vèrse 희시(戲詩), 광시(狂詩)

nónsense wòrd 난센스[의미 없는] 말

non·sen·si·cal [nɑnsénsikəl | nɔn-] *a.* 무의미한, 부조리한; 터무니없는 **~·ly** *ad.*

non seq. *non sequitur*

non se·qui·tur [nɑ́n-sékwitər | nɔ́n-] [L=it does not follow] 불합리한 추론; 전제(前提)와는 관계없는 발언[진술] 《略 non seq.》

non·sex·ist [nɑ̀nséksist | nɔ̀n-] *a.* 남녀 차별을 하지 않는, 남성[여성]용을 구별하지 않는: ~ hiring policies 남녀 균등 고용 정책

nonséxist lánguague 비(非)성차별어 《「사람」의 뜻으로 man(「남자」의 뜻) 대신에 human being(s)를 쓰는 따위》

non·sex·u·al [nɑ̀nsékʃuəl | nɔ̀nséksju-] *a.* 남녀[암수] 구별이 없는, 무성(無性)의(sexless)

non·shrink [nɑ̀nʃríŋk | nɔ̀n-] *a.* 〈옷감 등이〉 수축하지 않는

non·sked [nɑ̀nskéd | nɔ̀n-] 《미·구어》 *a.* 부정기의 (nonscheduled) — *n.* 부정기 운항 회사; 부정기 항공편[항공기]

non·skid [nɑ̀nskíd | nɔ̀n-] *a.* Ⓐ 〈타이어 등이〉 미끄러지지 않는, 미끄럼 방지를 한

non·slip [nɑ̀nslíp | nɔ̀n-] *a.* 〈도로 등이〉 미끄럽지 않은, 미끄러지지 않는

non·smok·er [nɑ̀nsmóukər | nɔ̀n-] *n.* 비(非)흡연자, 금연가; 《영》 (기차 등의) 금연실

nonsmóker's rìghts 비흡연자의 권리

non·smok·ing [nɑ̀nsmóukiŋ | nɔ̀n-] *a.* Ⓐ 금연의

non·so·cial [nɑ̀nsóuʃəl | nɔ̀n-] *a.* 사회성이 없는, 비사교적인; 사회적 관련이 없는(cf. UNSOCIAL)

non·so·ci·e·ty [nɑ̀nsəsáiəti | nɔ̀n-] *a.* 〈노동자가〉 조합[단체]에 가입하지 않은

non·sol·vent [nɑ̀nsɑ́lvənt | nɔ̀nsɔ́l-] *n.* 『화학』 비용제(非溶劑), 비용매

non·spe·cif·ic [nɑ̀nspəsífik | nɔ̀n-] *a.* 특이하지 않은; 『병리』 비특이성의

nonspecífic urethrítis 『병리』 비특이성 요도염 《略 NSU》

non·sport·ing [nɑ̀nspɔ́:rtiŋ | nɔ̀n-] *a.* 사냥개의 자질이 없는; 비(非)스포츠의

non·stand·ard [nɑ̀nstǽndərd | nɔ̀n-] *a.* 〈제품·언어·발음이〉 표준[기준]에 맞지 않는, 표준어가 아닌, 비표준의: ~ pronunciation 비표준적 발음

nonstándard análysis 『수학』 초준해석(超準解析)

non·start·er [nɑ̀nstɑ́:rtər | nɔ̀n-] *n.* (경마에서) 출발을 취소한 말; 성공할 가망이 없는 사람[생각 《등》]

non·sta·tive [nɑ̀nstéitiv | nɔ̀n-] *a.* 『문법』 〈동사가〉 비상태적인 《행위 상태를 표현하는 동사 중에 단순 시제와 진행형이 가능한 것》(cf. STATIVE)

non·ste·roi·dal [nɑ̀nstiərɔ́idl | nɔ̀n-] *a.*, *n.* 『약학』 비(非)스테로이드성의 (약품)

non·stick [nɑ́nstìk | nɔ́n-] *a.* Ⓐ 〈프라이팬 등이〉 요리 도중 눌어붙지 않는

non·stop [nɑ̀nstɑ́p | nɔ̀nstɔ́p] *a.*, *ad.* 도중에서 정거하지 않는, 직행의[으로], 무착륙의[으로]; 연속적인[으로], 휴식 없는[없이]: a ~ flight 무착륙 비행
— [ㅗㅡ] *n.* 직행 열차[버스] 《등》; 직행 운행

non·stóre màrketing [nɑ̀nstɔ́:r- | nɔ̀n-] 무점포 판매 방식 《통신·방문·자동 판매 등》

nonstóre rètailing 무점포 판매 《점포 판매(store retailing)와 대비되는 개념》

non·strik·er [nɑ̀nstráikər | nɔ̀n-] *n.* **1** 파업 불참자 **2** 『크리켓』 (두 타자 중) 투구를 받지 않는 쪽 타자

non·such [nɑ́nsʌ̀t∫, nʌ́n- | nʌ́n-, nɔ́n-] *n.* = NONESUCH

non·suit [nɑnsú:t | nɔnsjú:t] *n.* 『법』 소송 취하[각하] — *vt.* 〈원고의〉 소송을 취하하다, 각하하다

non·sup·port [nɑ̀nsəpɔ́:rt | nɔ̀n-] *n.* Ⓤ **1** 지지하지 않음 **2** 『미국법』 부양 의무 불이행

non·syl·lab·ic [nɑ̀nsilǽbik | nɔ̀n-] *a.* 『음성』 〈소리가〉 음절을 이루지 않는

non·sys·tem [nɑ̀nsístəm | nɔ̀n-] *n.* (충분히) 조직화되지 않은 제도, 비(非)제도

non·tar·get [nɑ̀ntɑ́:rgit | nɔ̀n-] *a.* 목표[대상]가 되어 있지 않은, 목표[대상] 밖의

non·tár·iff bárrier [nɑ̀ntǽrif- | nɔ̀n-] 비관세 장벽 《略 NTB》

non·tech·ni·cal [nɑ̀ntéknikəl | nɔ̀n-] *a.* 비전문의; 비기술적인; 정통하지 않은

non·ten·ured [nɑ̀nténjərd | nɔ̀n-] *a.* (재산 등의) 보유권이 없는; 〈대학 교수가〉 종신 재직권이 없는

non·tér·mi·nat·ing décimal [nɑ̀ntə́:rməneitiŋ- | nɔ̀n-] 『수학』 무한 소수(infinite decimal)

non-thing [nɑ́nθiŋ | nɔ́n-] *n.* 존재하지 않는 것, 무(nothing); 무의미한 것

non·ti·tle [nɑ̀ntáitl | nɔ̀n-] *a.* 〈시합이〉 논타이틀의, 타이틀이 걸리지 않은

non·tox·ic [nɑntɑ́ksik | nɔntɔ́k-] *a.* 무독성의

non-tra·di·tion·al [nɑ̀ntrədíʃənl | nɔ́n-] *a.* Ⓐ 비전통적인, 비관습적인, 종래와는 다른

non trop·po [nɑ̀n-trɑ́pou, noun-tróu- | nɔ̀n-trɔ́pou] [It. =not too much] *ad.* 『음악』 지나치지 않게, 알맞게

non-U [nɑ̀njú: | nɔ̀n-] *a.* 《영·구어》 〈말씨·예법 등이〉 상류 계급답지 않은(cf. U[2]); 상류 계급에 어울리지 않은 — *n.* 비(非)상류 계급의 사람[언동]

non·un·ion [nɑ̀njú:njən | nɔ̀n-] *a.* Ⓐ **1** 노동조합에 가입하지 않은 **2** 노동조합을 인정하지 않는 **3** 노동조합원이 만든 것이 아닌 **4** 노동조합 (주의)에 반대하는 **~·ist** *n.* 비노조원 ▷ nonúnionism *n.*

non·un·ion·ism [nɑ̀njú:njənìzm | nɔ̀n-] *n.* Ⓤ 노동조합 불가입, 반(反)노조주의(적 이론[행동])

nónunion shóp 노동조합을 인정하지 않는 기업체, 비유니온숍

non·u·ple [nɑ́njupl | nɔ́n-] *a.* 『음악』 9박자의; 9배의; 아홉 부분으로 된

non·use [nɑ̀njú:s | nɔ̀n-] *n.* Ⓤ 사용하지 않음, 포기

non·us·er [nɑ̀njú:zər | nɔ̀n-] *n.* **1** 『법』 권리 불행사, 권리 포기, 기권 **2** (특히 술·마약의) 비사용자

non·vec·tor [nɑnvéktər | nɔn-] *n.* 『생물』 (병원균[병원체]을 매개하지 않는) 비매개 동물

non-veg·e·tar·i·an [nɑ̀nvèdʒətέəriən | nɔ̀n-] *n.* 《인도》 비채식주의자 《고기·생선·계란 등을 먹는》

non·ver·bal [nɑ̀nvə́:rbəl | nɔ̀n-] *a.* 말을 사용[필요로]하지 않는, 비언어적인; 말이 서투른: ~ communication 비언어적인 의사 소통 《몸짓·표정 등》

non·vi·a·ble [nɑ̀nváiəbl | nɔ̀n-] *a.* **1** 생존할 수 없는, 생활[생육] 불능의, 발전[성장] 불가능한 **2** 〈계획이〉 실행 불가능한

thesaurus **nook** *n.* **1** 구석진 곳 corner, cranny, recess, niche, cavity, crevice, gap, cubbyhole **2**

non·vin·tage [nɑ̀nvíntidʒ | nɔ̀n-] *a.* 〈포도주가〉 여러 해의 포도를 섞어서 만든, 연호가 적히지 않은

non·vi·o·lence [nɑ̀nváiələns | nɔ̀n-] *n.* Ⓤ 비폭력(주의); 비폭력 데모

non·vi·o·lent [nɑ̀nváiələnt | nɔ̀n-] *a.* 비폭력(주의)의; 평화적인 **~·ly** *ad.* 비폭력적으로

non·vo·coid [nɑ̀nvóukɔid | nɔ̀n-] *n.* =CONTOID

non·vol·a·tile [nɑ̀nvɑ́lətl | nɔ̀nvɔ́lətàil] *a.* **1** 비(非)휘발성의 **2** 〖컴퓨터〗 비(非)휘발성의 《전원이 끊겨도 데이터가 없어지지 않는》

nonvólatile mèmory 〖컴퓨터〗 비휘발성 기억 장치 《전원이 끊겨도 데이터가 소멸되지 않는》

non·vot·er [nɑ̀nvóutər | nɔ̀n-] *n.* 투표하지 않는 사람, (투표) 기권자; 투표권 없는 사람

non-vot·ing [nɑ̀nvóutiŋ | nɔ̀n-] *a.* 투표하지 않는, 투표권 없는; 〈주식이〉 의결권 없는

non·white [nɑ̀nhwáit | nɔ̀n-] *a., n.* (주로 남아공) 백인(Caucasoid)이 아닌 (사람)

non·word [nɑ́nwə̀ːrd | nɔ̀n-] *n.* 비어(非語), 존재하지 않는 말

non·wo·ven [nɑ̀nwóuvən | nɔ̀n-] *a.* 짠 것이 아닌, 부직포(不織布)의 **—** *n.* 부직포(=**∠ fábric**)

nón·yl álcohol [nɑ́nil- | nɔ́n-] 〖화학〗 노닐 알코올 《$C_9H_{20}O$의 화학식을 지닌 이성체의 총칭》

non·ze·ro [nɑ̀nzíːrou | nɔ̀n-] *a.* 영[제로]이 아닌, 제로 이외의

noob [núːb] *n.* =NEWBIE

noodge [núdʒ] *vt., vi., n.* =NUDGE[2]

noo·dle[1] [núːdl] *n.* [보통 *pl.*] (밀가루(와 달걀)로 만든) 국수 《수프용》; 면류(麵類)

noodle[2] *n.* 바보; (미·속어) 머리: Use your ~. 머리 좀 써라.

noodle[3] *vi.* **1** 〖음악〗 (연주 전에) 악기를 익숙하게 다루다 **2** (구어) (즉흥적으로) 악기를 타다 **3** 곰곰 생각하다 《*around*》; 만지작거리며 놀다 《*around, with*》

noo·dle·head [núdlhèd] *n.* (미·속어) 바보, 멍청이

∗**nook** [núk] *n.* **1** 구석(corner); 구석진 곳; 외딴[후미진] 곳 **2** 숨는 곳, 피난처 ***look in every ~ and cranny***[***corner***] 구석구석을 샅샅이 찾다

nook·y[1], **nook·ie**[1] [núki] *a.* 구석[모퉁이]이 많은; 구석 같은

nooky[2], **nook·ey, nookie**[2] [núki] *n.* (비어) (성교 대상의) 여자; 성교; 질(vagina)

⁑**noon** [núːn] *n.* Ⓤ **1** 정오, 한낮(midday): at ~ 정오에 **2** [the ~] 전성기, 절정; 최고점 《*of*》: *the ~ of* one's career[life] 생애의 전성기 **3** (시어) 한밤중, 야반 ***the ~ of life*** 장년기 ***the ~ of night*** (시어) 한밤중, 야반
—*a.* Ⓐ 정오의, 정오에 하는
—*vi.* (미·방언) 점심을 먹다, 낮 휴식을 취하다(cf. NOONING); 절정에 달하다

noon-bas·ket [núːnbæ̀skit | -bɑ̀ːs-] *n.* (미) (점심) 도시락

∗**noon·day** [núːndèi] *n.* Ⓤ **정오,** 한낮
(***as***) ***bright***[***hot***] ***as ~*** 굉장히 밝다[덥다, 뜨겁다]
as clear[***plain***] ***as ~*** 극히 명백하여
—*a.* Ⓐ 정오의, 한낮의: the ~ heat 한낮의 더위

∗**no one** [nóuwʌ̀n, -wən | -wʌ̀n] *pron.* 아무도 …않다(nobody): *N~* can do it. 아무도 하지 못한다. 《비교: *N~*[nóu-wʌ́n] man can do it. 누구든 혼자는 못한다.》/ They saw ~. 그들은 아무도 보지 못했다.

No. 1 [nʌ́mbər-wʌ́n] =NUMBER ONE

noon·flow·er [núːnflàuər] *n.* 〖식물〗 (국화과(科)) 선모속(屬)의 들풀

noon·hour [-hàuər] *n.* 정오에서 오후 1시까지의 시간; 점심 시간

noon·ing [núːniŋ] *n.* Ⓤ (미) 정오; 점심; 낮의 휴식: take one's ~ 점심을 먹다; 낮 휴식을 취하다

noon·tide [núːntàid] *n.* **1** =NOONDAY **2** [the ~] 전성기, 절정 《*of*》 ***the ~ of night*** (시어) 한밤중
— *a.* Ⓐ 정오의

noon·time [núːntàim] *n.* =NOONDAY

∗**noose** [núːs] *n.* **1** 올가미(snare); 올가미 고; (교수형의) 목 매는 밧줄 **2** [the ~] 교수형 **3** 자유를 제약하는 것, (부부 등의) 유대, 굴레(bond) ***put*** one***'s neck***[***head***] ***into***[***in***] ***the ~*** 자승자박하다 ***The ~ is hanging.*** (미·속어) 만반의 준비를 갖추고 있다, 모두 대기하고 있다.
—*vt.* **1** …에 올가미를 치다, 올가미로 잡다; 교살하다 **2** 덫에 걸다 **3** 〈밧줄에〉 올가미 고를 만들다 **4** 〈사람을〉 교수형에 처하다 **nóos·er** *n.*

no·o·sphere [nóuəsfìər] *n.* **1** 〖생태〗 인간 생활권 《인간 활동으로 의식적·무의식적으로 변화된 생물권》 **2** 인간의 지적 활동 《총칭》

Noot·ka [núːtkə, nút-] *n.* (*pl.* **~, ~s**) 누트카 족 《캐나다의 Vancouver 섬 등에 사는 북미 인디언》; Ⓤ 누트카 말

noov(**e**) [núːv] *n., a.* (속어) 벼락부자(의)

NOP no-operation 〖컴퓨터〗 무연산; not our publication 당사의 출판물이 아님 **n.o.p.** not otherwise provided for 달리 규정한 바가 없으면

no·pal [nóupəl, noupɑ́ːl, -pǽl | nóupəl] *n.* 〖식물〗 노팔선인장

no-par [nóupɑ̀ːr] *a.* 액면 가격을 명기(明記)하지 않은(=**∠-válue**): a ~ stock 무액면주(株)

nope [nóup] *ad.* (미·구어) =NO (cf. YEP)

no·place [nóuplèis] *ad., n.* (미·구어) = NOWHERE; 중요하지 않은 장소, 보잘것없는 곳

⁂**nor**[1] [nɔ́ːr, 《약하게》 nər] *conj.* **1** [neither 또는 not와 상관적으로] …도 또한 …않다: He can *neither* read ~ write. 그는 읽지도 쓰지도 못한다. / *Not* a man, ~ a child is to be seen. 어른도 아이도 (아무도) 보이지 않는다. **2** [앞의 not, no, never을 포함한 절(節) 뒤에서 부정문의 연속을 나타냄] …도 (또한) …하지 않다: I said I had *not* seen it, ~ had I. 그것을 보지 않았다고 말했고 또한 보지 않았다. / I can*not* go, ~ do I want to. 갈 수도 없고 가고 싶지도 않다. **3** [긍정문 뒤에 또는 문두에서] 그리고 …않다(=and ... not): The tale is long, ~ have I heard it out. 그 이야기는 너무 길어서 끝까지 다 들은 적이 없다. ★ 2, 3에서는 「nor+(조)동사+주어」의 어순. **4** (고어·시어) [neither를 생략하여] …도 아니다[하지 않다]: Thou ~ I have made the world. 이 세상을 만든 것은 너도 아니고 나도 아니다. **5** (시어) [두 개의 nor를 반복하여] …도 …도 …않다: *N~* silver ~ gold can buy it. 금과 은으로도 사지 못한다.

nor[2] *conj.* (방언) …보다도(than)

NOR [nɔ́ːr] [*N*ot *OR*] *n.* 〖컴퓨터〗 부정 논리합: ~ circuit[operation] 부정 논리합 회로[연산]

nor' [nɔ́ːr] *n., a., ad.* 〖항해〗 =NORTH

nor. normal; north; northern **Nor.** Norman; North; Norway; Norwegian

No·ra [nɔ́ːrə] *n.* 여자 이름 《Eleanor, Honora, Leonora의 애칭》

NORAD [nɔ́ːræd] *n.* [*Nor*th American *A*ir *D*efense Command] 북미 대공 방위 사령부

nor·a·dren·a·line [nɔ̀ːrədrénəliːn] *n.* 〖생화학〗 = NOREPINEPHRINE

nor·ad·ren·er·gic [nɔ̀ːrædrénəːrdʒik] *a.* 〖생리〗 노르아드레날린에 의해 활성화된

Nor·dic [nɔ́ːrdik] *n.* 북유럽 사람; 북방 인종; 스칸디나비아 사람 **—** *a.* 북유럽 게르만계 민족의; 북방 인종(형)의; 〖스키〗 노르딕 경기의 《크로스컨트리와 점프 등》(cf. ALPINE)

Nórdic combíned 〖스키〗 노르딕 복합 경기

Nórdic Cóuncil [the ~] 북유럽 이사회 《Iceland, Norway, Denmark, Sweden, Finland의 국제 협의 기구》

Nórdic skíing 크로스컨트리 스키(cf. ALPINE SKI-

피난처 hideaway, retreat, refuge, shelter, den
noose *n.* knot, hitch, loop, lasso, rope

ING)

Nórdic wálking 노르딕 워킹 《폴대처럼 생긴 막대를 잡고 하는 걷기 운동》

nor'east·er [nɔ̀:rí:stər] *n.* 〖항해〗 = NORTHEASTER

nor·ep·i·neph·rine [nɔ̀:repənéfri:n] *n.* 〖생리〗 노르에피네프린 《부신 수질(副腎髓質) 호르몬》

nor·eth·in·drone [nɔ:réθindròun] *n.* 〖약학〗 노르에신드론 《황체 호르몬; 경구 피임약》

nor·eth·y·no·drel [nɔ̀:rəθáinədrəl, nɔ:réθənəd-rèl] *n.* 〖약학〗 노르에시노드렐 《황체 호르몬; 경구 피임약·월경 조정약 등》

no-re·turn [nóuritə́:rn] *a.* 〈병 등이〉 쓰고 버리는 《회수해서 재이용하지 않는》

Norf. Norfolk

Nor·folk [nɔ́:rfək] *n.* 노퍽 **1** 영국 동부의 주 **2** 미국 Virginia 주 남동부의 항구 도시

Nórfolk dúmpling (영) 노퍽 찐만두; 노퍽 사람

Nórfolk jácket[cóat] (허리에 벨트가 달린) 느슨한 주름이 있는 재킷[코트]

Nor·ge [nɔ́rgə] *n.* Norway의 노르웨이어 명칭

no·ri·a [nɔ́:riə] *n.* (스페인·중동의) 양동이가 달린 물방아

nor·land [nɔ́:rlənd] *n.* (시어) 북쪽 나라(north-land) **~·er** *n.* 북쪽 나라 사람

⁎**norm** [nɔ́:rm] [L 「(목수의) 곱자」의 뜻에서] *n.* **1** 표준; 규범, 전형; 일반 수준 **2** 노르마 《노동 기준량》 **3** 〖교육〗 (발달·달성의) 기준, 평균; (개인의 현재까지의) 평균 성적[학력] **4** 〖수학〗 놈 **5** 〖지질〗 놈 《암석의 분류·비교를 위해 화학 분석을 한 이론적인 광물 조성》 **6** 〖컴퓨터〗 기준 **~·less** *a.*

norm. normal **Norm.** Norman

nor·ma [nɔ́:rmə] *n.* (*pl.* **-mae** [-mi:]) **1** = NORM 2 **2** [**N~**] 〖천문〗 수준기자리(the Rule)

Nor·ma [nɔ́:rmə] *n.* 여자 이름

⁑**nor·mal** [nɔ́:rməl] *a.* **1 표준의,** 규격대로의, 정규의 (opp. *abnormal*), 전형적인; 상태(常態)의, 보통의; 평균의: a ~ temperature of the human body 인체의 평온(平溫) / Hot weather is ~ for the summer. 여름에 더운 날씨는 정상이다. **2** 〈사람이〉 정상인 **3** 〖기하〗 수직의; 〖화학〗 〈용액이〉 규정(規定)의; 〖생물·의학〗 〈실험 동물이〉 정상의; 〈면역 등이〉 자연의

— *n.* **1** 표준, 기준; 평균; 정상, 상태(常態) **2** 〖수학〗 법선(法線), 수직선; 〖물리〗 평균량[가] **3** 〖화학〗 (용액의 농도 표시) 규정 **4** 〖컴퓨터〗 정규 **~·ness** *n.*

nórmal cúrve 〖통계〗 정규 곡선

nórmal distribútion 〖통계〗 정상 분포

nórmal divísor 〖수학〗 정규 인자

nórmal fáult 〖지질〗 = GRAVITY FAULT

nor·mal·i·ty [nɔ:rmǽləti], **nor·mal·cy** [nɔ́:r-məlsi] *n.* Ⓤ (미) 〈특히 국가의 경제·정치·사회 등이〉 정상, 상태(常態)

nor·mal·i·za·tion [nɔ̀:rməlizéiʃən | -laiz-] *n.* Ⓤ 표준화, 정상화

nor·mal·ize [nɔ́:rməlàiz] *vt.* **1** 표준화하다; 〈국교 등을〉 정상화하다 **2** 〈표기를〉 일정한 철자법으로 통일하다 **—** *vi.* 표준화[정상화]되다 **-ìz·a·ble** *a.*

nor·mal·iz·er [nɔ́:rməlàizər] *n.* 표준[정상]화하는 것[사람]; 〖수학〗 정규화군(群)

⁎**nor·mal·ly** [nɔ́:rməli] *ad.* **1 정상적으로,** 순리적으로, 정상 상태로는, 정규(正規)로 **2** [문장 전체를 수식하여] **보통은:** *N~,* it takes me twenty minutes to get to work. 출근하는 데 보통 20분 걸린다.

nórmal magnificátion 〖광학〗 기준 배율

nórmal schòol (미) 사범학교 《초등학교 교사 양성의 2년제 대학; 현재는 teachers college로 개칭》

nórmal solútion 〖화학〗 규정액(規定液)

⁎**Nor·man**[1] [nɔ́:rmən] [OF 「북쪽 사람」(Northman)의 뜻에서] *n.* (*pl.* **~s**) **1 노르망디**(Normandy) **사람,** 노르만 사람(Northman) **2** 노르만 사람과 프랑스 사람의 혼합 민족 **3** Ⓤ 노르만[프랑스] 말

— *a.* 노르망디 사람의, 노르만 족의

Norman[2] *n.* 남자 이름

Nórman árchitecture 노르만 건축 《간소·장엄이 특색인 로마네스크 건축 양식》

Nórman Cónquest [the ~] 노르만 정복 《노르만 사람의 영국 정복(1066)》

⁎**Nor·man·dy** [nɔ́:rməndi] *n.* **노르망디** 《영국 해협에 면한 프랑스 서북의 지방》

Nórman Énglish 노르만 영어 《Norman French에 영향받은 영어》

Nor·man·esque [nɔ̀:rmənésk] *a.* 〖건축〗 노르만 양식[풍]의

Nórman Frénch 노르만 프랑스 말 《노르만 사람이 사용한 프랑스 말》

Nor·man·ism [nɔ́:rmənìzm] *n.* Ⓤ 노르만식[주의]; 노르만 사람 편들기

Nor·man·ize [nɔ́:rmənàiz] *vt., vi.* 〈풍습·언어 등이〉 노르만식으로 하다[되다] **Nòr·man·i·zá·tion** *n.* Ⓤ 노르만화(化)

Nórman stýle 〖건축〗 노르만 양식

nor·ma·tive [nɔ́:rmətiv] *a.* **1** 기준을 정한, 표준의; 기준에 따르는, 규범적인: ~ grammar 규범 문법 **2** 〖지질〗 norm의

nor·mo·cyte [nɔ́:rməsàit] *n.* 〖해부〗 정상 적혈구

nor·mo·ten·sive [nɔ̀:rməténsiv] *a., n.* 〖의학〗 정상 혈압의 (사람)

nor·mo·ther·mi·a [nɔ̀:rməθə́:rmiə] *n.* ⓊⒸ 정상 체온, 평열(平熱)

Norn [nɔ́:rn] *n.* 〖북유럽신화〗 노른 《운명을 맡아보는 3여신의 하나》

No·ro·vi·rus [nɔ́:rouvàiərəs] *n.* 노로바이러스 《한 가닥의 RNA로 이루어진 바이러스》

Norse [nɔ́:rs] *n.* **1** [the ~; 복수 취급] 고대 스칸디나비아 사람, (고대) 노르웨이 사람(Norwegians) **2** Ⓤ 노르웨이 말 ***Old ~*** 고대 스칸디나비아 말 《14세기까지 노르웨이 및 그 식민지에서 사용》

— *a.* 고대 스칸디나비아(사람[말])의, 노르웨이(사람[말])의: ~ mythology 북유럽 신화

Norse·land [nɔ́:rslənd] *n.* = NORWAY

Norse·man [-mən] *n.* (*pl.* **-men** [-mən]) 고대 스칸디나비아 사람 《영국 등지를 침략한 해적》; (현재의) 북유럽 사람

Norsk [nɔ́:rsk] *a., n.* = NORSE

nor·te·a·me·ri·ca·no [nɔ̀:rteəmerikɑ́:nou] [Sp.] *n.* (*pl.* **~s**) 미국인 《특히 스페인어를 사용하는 아메리카 여러 나라의 국민과 구별해서》

— *a.* (스페인어를 사용하지 않는) 미국인의

⁑**north** [nɔ́:rθ] *n.* **1** [the ~] **북, 북쪽,** 북부(opp. *south*) 《略 N, N., n.》 ★ 「동서남북」은 보통 north, south, east and west라고 함. **2** [the ~] 북부 지방[지역]; [the N~] (영) 영국 북부 《Humber 강 이북》; (미) 북부의 여러 주(州) 《Mason-Dixson line, Ohio 강 및 Missouri주 이북》: ⒸⒺ I am now living in the *north* of England[*north* England(×)]. 지금은 영국 북부 지방에 살고 있다. **3** [the N~] 북반구, 북극 지방 **4** [**N~**] (남북 전쟁 때의) 북군 **5** (시어) 북풍 **6** [**N~**] = NORTH COUNTRY **7** [the N~] (북측) 선진국 **8** 교회당의 북쪽 《제단을 향해 왼쪽》

in the ~ of …의 북부에 ***~ by east***[***west***] 북미(微)동[서] ***~ of.*** .. (구어) 〈금액이〉 (얼마) 이상: spend somewhere ~ *of* $5 million a year 연간 5백만 달러 가량을 쓰다 ***on the ~ of*** …의 북쪽에 접하여 (***to the***) ***~ of*** …의 북쪽에 (위치하여)

— *a.* Ⓐ **1** 북(쪽)의, 북쪽에 있는; 북향의: a ~ window 북쪽 창문 **2** [종종 **N~**] 북부의, 북국의: the *N~* Atlantic 북대서양 **3** 북으로부터의 《바람 따위》: a ~ wind 북풍 ***be too far ~*** (영·속어) 지나치게 약다

— *ad.* 북(쪽)으로[에], 북부에[로]: go ~ 북으로 가

thesaurus **norm** *n.* standard, criterion, measure, gauge, benchmark, scale, rule, pattern

normal *a.* **1** 보통의 ordinary, usual, standard,

다 ***due*** ~ 정북(正北)으로 ~ ***and south*** 남북으로 길게 〈걸쳐 있다 등〉 15 miles ~ ***of*** …의 북방 (15마일에) ***up*** ~ 《구어》 북쪽에(서)[으로], 북부에[로] ▷ nórthern *a.*

Nórth África 북아프리카 《열대 이북》

Nórth Áfrican *a.*, *n.* 북아프리카의 (사람)

‡**Nórth América** 북미, 북아메리카 (대륙)

Nórth Américan *a.*, *n.* 북미의 (사람)

Nórth Américan Pláte 〖지질〗 북아메리카 플레이트 《구조 지질학상 구분의 하나》

North·amp·ton·shire [nɔːrθǽmptənʃiər, -ʃər, nɔːrθhǽmp-] *n.* 노샘프턴셔 《영국 중부의 주; 略 Northants, Northampton》

Nórth Atlántic Cúrrent[Drift] [the ~] 북대서양 해류 《Newfoundland 서남쪽의 멕시코 만류(灣流)의 북단에서 생겨서 동북부에 있는 영국 제도를 향해 흐르는 난류》

Nórth Atlántic Tréaty Organizàtion [the ~] 북대서양 조약 기구 《略 NATO》

Nórth Báy 노스베이 《캐나다 Ontario주 남동부의 도시; 대륙 횡단 철도의 요지》

Nórth Bórneo 북보르네오 《Sabah의 옛 명칭》

north·bound, north-bound [nɔ́ːrθbàund] *a.* 북쪽으로 향하는, 북행(北行)의: a ~ train 북행 열차

Nórth Brítain 북영(北英), 스코틀랜드(의 별칭) 《略 NB》 ★ 스코틀랜드인은 이 말을 싫어함.

Nórth Bríton 스코틀랜드 사람(Scot)

Nórth Cápe 노르 곶 《노르웨이의 북단》; 노스 곶 《뉴질랜드의 북단》

Nórth Carolína 노스캐롤라이나 《미국 남동부의 주; 속칭 the Daisy[Tarheel] State; 略 NC, 〖우편〗 NC》 **Nórth Carolínian** *a.*, *n.*

Nórth Chánnel [the ~] 노스 해협 《스코틀랜드와 북아일랜드 사이》

Nórth Cóuntry [the ~] **1** 《영》 잉글랜드[대 브리튼]의 북부 **2** 《미》 알래스카와 (캐나다의) Yukon을 포함한 지역

north-coun·try·man [nɔ́ːrθkʌ́ntrimən] *n.* (*pl.* **-men** [-mən]) 《영》 잉글랜드 북부 지방 사람

Nórth Dakóta 노스다코타 《미국 중북부의 주; 속칭 the Sioux State; 略 N Dak, 〖우편〗 ND》

Nórth Dakótan *a.*, *n.* 노스다코타의 (사람)

‡**north·east** [nɔ̀ːrθíːst; 〖항해〗 nɔ̀ːríːst] *n.* [the ~] 북동 《略 NE》; 《시어》 = NORTHEASTER ~ ***by east*** [***north***] 북동미(微)동[북]

— *a.* Ⓐ 북동의[에 있는, 에 면한]; 북동에서 불어오는: a ~ wind 북동의 바람

— *ad.* 북동에[으로, 으로부터]: sail ~ 북동으로 항해하다 ▷ northéastern *a.*

Nórtheast Córridor [the ~] (미국의) 북동부 회랑 《Boston에서 New York City, Washington D.C.에 이르는 인구 밀집 지대》

north·east·er [nɔ̀ːrθíːstər; 〖항해〗 nɔ̀ːríːstər] *n.* 북동(의 강)풍 《略 nor'easter》

north·east·er·ly [nɔ̀ːrθíːstərli; 〖항해〗 nɔ̀ːríːstərli] *a.*, *ad.* 북동의[으로], 북동으로부터(의)

*__north·east·ern__ [nɔ̀ːrθíːstərn; 〖항해〗 nɔ̀ːríːst-] *a.* **1** 북동(부)의; [**N~**] 《미》 북동부(특유)의 **2** 〈바람이〉 북동에서 부는 **~·er** *n.* ▷ northéast *n.*

Nórtheast Pássage [the ~] 북동 항로 《북대서양에서 아시아의 북해안을 따라 태평양으로 나오는》

north·east·ward [nɔ̀ːrθíːstwərd; 〖항해〗 nɔ̀ːríːstwərd] *a.*, *ad.* 북동에 있는[면한]; 북동쪽으로[에] — *n.* [the ~] 북동쪽 **~·ly** *ad.*, *a.* 북동으로[의], 북동으로부터(의)

north·east·wards [nɔ̀ːrθíːstwərdz; 〖항해〗 nɔ̀ːríːstwərdz] *ad.* = NORTHEASTWARD

---

common, average, general, conventional, typical, regular, routine, everyday **2** (사람이) 정상인 rational, well-balanced, well-adjusted

north·er [nɔ́ːrðər] *n.* 《미》 강한 북풍(northern)

north·er·ly [nɔ́ːrðərli] *a.* 북쪽에 위치한; 북으로부터의 — *ad.* 북쪽으로(부터) — *n.* (*pl.* **-lies**) 북풍 **-li·ness** *n.*

‡**north·ern** [nɔ́ːrðərn] *a.* **1** 북의[에 있는]; 북향의 **2** 북에서 불어오는 **3** [종종 **N~**] 북부 지방에 사는, 북부 태생의; 북부 지방 특유의; 《미》 북부 방언의 **4** 《드물게》 북으로 향한, 북진의 **5** [**N~**] 《미》 북부 각주(州)의 — *n.* [보통 **N~**] = NORTHERNER; (미국의) 북부 방언; 《시어》 북풍 **~·ness** *n.* ▷ nórth *n.*

Nórthern blót 〖생물〗 노던법 《RNA 검출 방법의 하나》

Nórthern Cróss [the ~] 〖천문〗 북십자성 《백조자리》

Nórthern Crówn [the ~] 〖천문〗 북쪽왕관좌(座)(Corona Borealis)

North·ern·er [nɔ́ːrðərnər] *n.* 북국 사람, 북부 지방 사람; 《미》 북부 여러 주의 사람; [**n~**] = NORTHER

Nórthern Hémisphere [the ~] 북반구

Nórthern Íreland 북아일랜드 《영국 아일랜드 섬 북동부 지방; 略 NI》

Nórthern Íreland Assémbly [the ~] **1** (1973-1986년 사이의) 북아일랜드 정부 **2** (1998년 최초로 설립된) 북아일랜드 국회

nórthern líghts [the ~] = AURORA BOREALIS

north·ern·most [nɔ́ːrðərnmòust | -mòust, -məst] [northern의 최상급에서] *a.* 가장 북쪽의

nórthern óriole 꾀꼬리의 일종 《북미산(産)》

Nórthern Rhodésia 북로디지아 《Zambia의 영국 식민지 시대의 명칭》

Nórthern Spý 〖식물〗 노던스파이 《미국산(産) 사과의 한 품종》

Nórthern Térritories [the ~] 서아프리카 옛 영국 보호령 《현 Ghana의 일부》

Nórthern Térritory [the ~] 노던 테리토리 《오스트레일리아 중북부의 연방 직할지; 주도 Darwin》

Nórth Frígid zòne [the ~] 북한대(北寒帶)

Nórth Germánic 〖언어〗 북게르만어(군)(Scandinavian)

north·ing [nɔ́ːrθiŋ, nɔ́ːrð- | nɔ́ːθ-] *n.* Ⓤ 〖항해〗 북거(北距) 《전에 측정한 지점에서 더 북쪽에 있는 어떤 한 지점까지의 위도차(緯度差)》; 〖천문〗 북편(北偏); 북진, 북항(北航) ***make very little*** ~ 아주 약간 북쪽으로 치우치다

Nórth Ísland (뉴질랜드의) 북도(北島) 《주된 2개 섬 중의 하나》

Nórth Koréa 북한 《수도 Pyeongyang》

Nórth Koréan *a.*, *n.* 북한의 (사람)

north·land [nɔ́ːrθlənd, -lǽnd | -lənd] *n.* 《시어》 북국; [**N~**] (지구상의) 북지(北地); [**N~**] 스칸디나비아 반도; [**N~**] (캐나다의) 극지방 **~·er** *n.*

nórth líght 북광(北光)(을 받는 채광창)

North·man [nɔ́ːrθmən] *n.* (*pl.* **-men** [-mən]) = NORSEMAN

north·most [nɔ́ːrθmòust | -mòust, -məst] *a.* = NORTHERNMOST

nórth nóde [종종 **N- N-**] 〖점성술〗 (달의) 상승 교점

north-north·east [nɔ́ːrθnɔ̀ːrθíːst; 〖항해〗 nɔ́ːrnɔ̀ːríːst] *n.*, *a.*, *ad.* 북북동(의[에]) 《略 NNE》 **~·ward** *n.*, *ad.*, *a.* 북북동쪽(의[에 있는]); 북북동쪽으로[에]

north-north·west [nɔ́ːrθnɔ̀ːrθwést; 〖항해〗 nɔ́ːrnɔ̀ːrwést] *n.*, *a.*, *ad.* 북북서(의[에]) 《略 NNW》 **~·ward** *n.*, *ad.*, *a.* 북북서쪽(의[에 있는]); 북북서쪽으로[에]

Nórth Pacífic Cúrrent [the ~] 북태평양 해류

north-paw [nɔ́ːrθpɔ̀ː] *n.* 《미·야구속어》 우완 투수 (cf. SOUTHPAW)

*__Nórth Póle__ [the ~] **1** (지구의) 북극 **2** [**n- p-**] (하늘의) 북극, (자석의) 북극, N극

Nórth Ríding 노스라이딩 《옛 Yorkshire의 한 구

(區); 현재 North Yorkshire의 대부분》
Nórth Ríver [the ~] 노스리버《뉴욕의 Hudson 강 하류의 별칭》
Nórth Séa [the ~] 북해《유럽 대륙과 영국 사이의 얕은 바다; 옛 명칭 German Ocean》
Nórth Séa gàs (영) 북해 해저의 천연가스
Nórth Séa òil 북해 원유
north-seek·ing [nɔ́:rθsì:kiŋ] *a.* (지구 자력이) 북극을 향하는
Nórth Slópe 노스슬로프《미국 Alaska 북부 해안의 유전(油田) 지역》
North-South [nɔ́:rθsáuθ] *a.* 남북 국가간의: ~ problems 남북 문제/the ~ Divide (영) (경제적·사회적으로) 남부와 북부의 격차
*****Nórth Stár** [the ~] 〖천문〗 북극성(Polaris)
Nórth Stár Státe [the ~] Minnesota 주(州)의 속칭
Nórth Témperate Zòne [the ~] 북온대(北溫帶)《북회귀선과 북극권 한계선의 사이》
Northumb. Northumberland
North·um·ber·land [nɔ:rθʌ́mbərlənd] *n.* 노섬벌랜드《잉글랜드 북동부의 주》
North·um·bri·a [nɔ:rθʌ́mbriə] [「험버(Humber) 강의 북쪽」의 뜻에서] *n.* 노섬브리아《영국 북부의 옛 왕국; Northumberland의 별칭》
North·um·bri·an [nɔ:rθʌ́mbriən] *a.* **1** Northumbria(사람[사투리])의 **2** Northumberland주(사람[사투리])의 **—***n.* **1** Northumbria 사람; Ⓤ Northumbria 사투리 **2** Northumberland주의 주민; Ⓤ Northumberland 사투리
Nórth Vietnám (통일 전의) 북베트남
*****north·ward** [nɔ́:rθwərd; 〖항해〗 nɔ́:rðərd] *ad.* 북을 향하여, 북쪽으로(northwards)
—*a.* 북을 향한, 북쪽으로의
—*n.* [the ~] 북, 북방 **~·ly** *ad., a.*
*****north·wards** [nɔ́:rθwərdz] *ad.* = NORTHWARD
*****north·west** [nɔ̀:rθwést; 〖항해〗 nɔ̀:rwést] *n.* **1** [the ~] 북서《略 NW》; 북서부, 북서부 지역[지방] **2** [the N~] (미국의) 북서부《Washington, Oregon, Idaho의 3주》, (캐나다의) 북서부 **3** (시어) 북서풍 ~ ***by north*** 북서미(微)북 ~ ***by west*** 북서미(微)서
—*a.* Ⓐ **1** 북서(부)의 **2** 〈바람이〉 북서에서 부는
—*ad.* 북서에[으로], 북서쪽에[으로]
▷ northwéstern *a.*
Nórthwest Áirlines 노스웨스트 항공《미국의 항공사; 略 NWA》
north·west·er [nɔ̀:rθwéstər] *n.* 북서(의 강)풍
north·west·er·ly [nɔ̀:rθwéstərli; 〖항해〗 nɔ̀:rwéstərli] *ad., a.* 북서로(의), 북서로부터 (불어오는) **—***n.* 북서풍
*****north·west·ern** [nɔ̀:rθwéstərn; 〖항해〗 nɔ̀:rwést-] *a.* **1** 북서의; [**N~**] (미) 북서부(특유)의 **2** 〈바람이〉 북서에서 부는 ▷ northwést *n.*
Nórthwest Pássage [the ~] 북서 항로《북대서양에서 캐나다 북극해를 빠져서 태평양으로 나가는》
Nórthwest Térritories [the ~] [단수 취급] 캐나다 북서부의 연방 직할지《略 N.W.T.》
Nórthwest Térritory [the ~] 미국 Ohio 강 이북의 오대호(五大湖)에 걸친 지역의 옛 이름
north·west·ward [nɔ̀:rθwéstwərd; 〖항해〗 nɔ̀:rwést-] *ad.* 북서 (쪽)으로[에]《때로 northwestwards라고도 함》 **—***a.* 북서로의; 북서쪽에 있는 **—***n.* [the ~] 북서(쪽) **~·ly** *ad., a.*
Nórth Yórkshire 노스요크셔《잉글랜드 북동부의 주; cf. YORKSHIRE》
nor·trip·ty·line [nɔ:rtríptəli:n] *n.* 〖약학〗 노르트립틸린《정신 안정제》
Norvic. *Norviciensis* (L = of Norwich; Bishop of Norwich의 서명(署名)에 쓰임) **Norw.** Norway; Norwegian
nor·ward(s) [nɔ́:rwərd(z)] *ad., a., n.* 〖항해〗 = NORTHWARD
Nor·way [nɔ́:rwei] *n.* 노르웨이《스칸디나비아 반도 서부의 왕국; 수도 Oslo; 略 Nor(w).》
▷ Norwégian *a.*
Nórway lóbster = LANGOUSTINE
Nórway rát 〖동물〗 시궁쥐(brown rat)
ns nanosecond(s)
*****Nor·we·gian** [nɔ:rwí:dʒən] *a.* 노르웨이의; 노르웨이 사람[말]의《略 Nor(w).》
—*n.* 노르웨이 사람; Ⓤ 노르웨이 말
▷ Nórway *n.*
Norwégian Séa [the ~] 노르웨이 해《아이슬란드 북부와 동부, 그린란드와 노르웨이 사이의 북극해》
nor'-west [nɔ̀:rwést] *n.* 〖항해〗 = NORTHWEST
nor'west·er [nɔ̀:rwéstər] *n.* **1** = NORTHWESTER **2** 유포(油布) 모자; 유포 코트 **3** (영·항해속어) 독주
Nor·wich [nɔ́:ritʃ, -ridʒ, nɑ́r- | nɔ́ridʒ] *n.* 노리치《잉글랜드 Norfolk주의 주도》
Nos., nos. numbers **n.o.s.** not otherwise specified
nò-scóre dráw [nòuskɔ́:r-] 〖축구〗 무득점 무승부
*****nose** [nóuz] *n.* **1 a** 코: a big ~ 큰 코/an aquiline[a hawk, a Roman] ~ 매부리코/a long ~ 높은[긴] 코/a short[flat] ~ 낮은 코/the bridge of the ~ 콧대/a cold in the ~ 코감기/show one's ~ 얼굴을 내밀다/a runny ~ 콧물이 흐르는 코 **b** (동물의) 주둥이《코·입 부분》

> 유의어 **nose** 사람의 코 **muzzle** 개·말 등의 코 **snout** 돼지 등의 코 **trunk** 코끼리의 코

2 a 후각(嗅覺); 직감적 식별력, 직감《*for*》: a dog with a good ~ 냄새 잘 맡는 개 **b** Ⓤ (건초·차·담배 등의) 향기, 냄새《*of*》 **3** 돌출부; (관 등의) 끝, 총부리, 총구(銃口); 뱃머리; (비행기의) 기수(機首), (수뢰(水雷)·자동차 등의) 선단; (골프채의) 헤드 끝 **4** 쓸데없는 간섭, 참견 **5** (속어) (경찰의) 정보원, 앞잡이; 밀고자 (*as*) ***plain as the ~ on***[***in***] ***one's face*** 지극히 명백하여, 명약관화(明若觀火)하여 ***at***[***before***] ***one's*** (***very***) ***~*** = under a person's (very) NOSE. ***bite***[***snap***] ***a person's ~ off*** 퉁명스럽게 대답하다 ***bloody a person's ~*** …의 자존심을 상하게 하다 ***blow one's ~*** 코를 풀다 ***blow a person's ~ for*** (구어) …을 위해 무엇이든 해주다 ***by a ~*** 작은 차이로, 간신히: win[lose] *by a ~* 〖경마〗 코 하나의 차로 이기다[지다] ***cannot***[***not be able to***] ***see beyond***[***further than***] (***the end***[***length***] ***of***) ***one's ~*** 코앞을 못보다《상상력·통찰력 등이 없다》 ***count***[***tell***] ***~s*** 찬성자의 수효를 세다; 머릿수로(만) 일을 결정지우다 ***cut off one's ~ to spite one's face*** 남을 해치려다가 자기만 다치다 ***follow one's ~*** 똑바로 가다; 본능적으로 행동하다《*on*》 ***get one's ~ out of joint*** (구어) 바보 취급을 당한 것 같아 기분이 상하다 ***get up a person's ~*** …을 신경질 나게 하다 ***have a clean ~*** (미·속어) 나무랄 데 없다, 죄가 없다 ***have a*** (***good***) ***~*** 냄새를 잘 맡다; 〈형사 등이〉 잘 탐지하다 ***have***[***hold, keep, put***] ***one's ~ at***[***to***] ***the grindstone*** ⇨ grindstone. ***have one's ~ in a book*** 독서에 여념이 없다 ***have a person's ~ open*** (미·흑인속어) 홀딱 반해 있다 ***hold one's ~*** 코를 틀어 막다 ***in spite of a person's ~*** …의 반대를 물리치고 ***keep one's*** (***big***) ***~ out of*** (구어) …에 쓸데없는 참견[간섭]을 하지 않다 ***keep one's ~ clean*** 얌전하게 있다; 말썽거리[분규]에 휩쓸리지 않게 하다 ***lead a person by the ~*** …을 맹종(盲從)시키다, 마음대로 부려 먹다 ***look down one's ~ at*** …을 경멸하다 ***make a long ~ at*** …을 조롱하다, 용용 죽겠지 하고 놀리다《코끝에 엄지손가락을 대고 다른 네 손가락을 부채마냥 펴서 흔들며》 ***make a person's ~ swell*** …에게 부러운 마음을 갖게 하다 ***~ to ~*** 마주보고(cf. FACE to face)

~ *to tail* 《영》 〈차가〉 정체되어, 앞차와 바싹 붙어 ***on the ~*** 《구어》 어김없이, 정확히; 〖경마〗 일등할 〈말〉 ***pay through the ~*** 《구어》 엄청난 돈을 치르다[바가지 쓰다] ***pick** one**'s ~*** 코를 후비다 《무례한 행위》 ***powder** one**'s ~*** 《완곡》 〈여성이〉 화장실에 가다 ***pull** a person**'s ~*** = ***pull** a person **by the ~*** …의 코를 잡아당기다 《모욕의 동작》 ***put** [**poke, thrust**] one**'s ~ into*** (another's business, etc.) 〈남의 일에〉 간섭하다 ***put** a person**'s ~ out of joint*** 《구어》 …의 총애[지위]를 가로채다; …의 코를 납작하게 하다, …의 감정을 상하게 하다, …의 일[계획]을 망치다 ***rub** a person**'s ~ in it** [**the dirt**]* …에게 창피를 주다 ***speak through** one**'s** [**the**] ~* 콧소리로 말하다 ***take it on the ~*** 《구어》 = take it on the CHIN. ***through the ~*** 코(메인) 소리로 〈말하다〉 《[m, n]이 [b, d]로 들림》 ***thumb** one**'s ~ at*** 《영》 …을 우롱하다 ***turn up** one**'s ~ at*** …을 멸시하다, 코웃음치다 ***under** a person**'s*** (***very***) ***~*** = ***under the ~ of** a person* …의 바로 눈앞[면전]에서; …이 싫어함에도 불구하고 (***with** one**'s***) ***~ in the air*** 고개[코]를 쳐들고, 거만한 태도로 ***with** one**'s ~ to** [**at**] **the grindstone*** ⇨ grindstone.

— *vt.* **1** 냄새 맡다, 냄새를 맡아내다; 찾아내다 《*out*》: (~+목+부) My dog *~d out* my lost bag. 나의 개가 없어진 가방을 찾아냈다. **2** 코를 비벼[눌러]대다: (~+목+보) ~ the door open 코로 밀어서 문을 열다 // The horse *~d* my shoulder. 말은 내 어깨에 코를 비벼댔다. **3** 〈배 등이〉 (조심스럽게, 천천히) 전진하다: ~ one's way 전진하다 // (~+목+전+명) The boat *~d* its way *through* the fog. 배는 안개 속을 조심스럽게 전진해 나갔다. **4** 《고어·문어》 반대하다 **5** …에게 근소한 차로 이기다 **6** 콧소리로 말하다[노래하다]

— *vi.* **1** 냄새를 맡다; 냄새를 맡으며 다니다 《*at, about, around*》: Dogs *~ed around* in files of refuge. 개들은 쓰레기 더미 속을 냄새 맡고 다녔다. **2** (코를 이용해) 찾으며 돌아다니다 《*after*》 **3** 꼬치꼬치 파고들다, 캐다 《*about, in, into*》; 간섭하다 (meddle): He always *~s about* other's affairs. 그는 항상 남의 일을 캐려고 든다. **4** 〈배 등이〉 (조심스럽게, 천천히) 전진하다: (~+전+명) The train *~d into* the station. 기차가 역으로 미끄러져 들어왔다. **5** 〈지층(地層)·산맥 등이〉 아래로 기울어지다, 경사지다 《*in*》, 끄트머리가 드러나다 《*out*》

~ *a job* 자기의 이익이 되는 일을 용하게 찾아내다 《*in*》 **~ *down*** [***up***] 〖항공〗 기수(機首)를 아래로 하고 내려가다[위로 하고 올라가다] **~ *on*** 《속어》 …을 밀고하다 **~ *out*** (경기에서) 근소한 차로 이기다 **~ *over*** 〖항공〗 〈비행기가〉 곤두박아 뒤집히다

▷ nósy *a.*

nóse àpe 〖동물〗 긴코원숭이(proboscis monkey)

nóse bàg (말 목에 채우는) 꼴주머니, 꼴망태; 《속어》 (소풍 등의) 도시락; 방독 마스크(gas mask) ***put on the ~*** = put on the FEED BAG

nose·band [nóuzbæ̀nd] *n.* (말의) 코에 대는 장식띠, 재갈끈

nose·bleed [-blìːd] *n.* 코피, 비(鼻)출혈: have a ~ 코피가 나다

nóse bòb = NOSE JOB

nóse càndy 《미·속어》 코카인(cocaine)

nóse còne (로켓 등의) 원뿔형 두부(頭部)

nose·count [-kàunt] *n.* 《구어》 (찬성·반대의) 인원수 세기; 다수결

nosed [nóuzd] *a.* [보통 복합어를 이루어] …한[같은] 코의: bottle-~ 주먹코의

nose-dive [-dàiv] *vi.* (**~d, -dove** [-dòuv]; **~d**; **-div·ing**) 〖항공〗 급강하하다; 《구어》 〈가격이〉 폭락하다, 〈이익이〉 격감하다

nose·dive [-dàiv] *n.* 〖항공〗 급강하; 《구어》 (가격의) 폭락 ***take a ~*** 《미·구어》 자빠지다; 급하강하다; 폭락하다

nóse dròps 점비약(點鼻藥)

no-see-um [nousíːəm] *n.* 《미》 (모기·진드기 등의) 무는 벌레

nóse flùte 코(로 부는)피리 《말레이 토인 등의》

nose·gay [-gèi] *n.* 《문어》 (옷에 다는) 작은 꽃다발; (일반적인) 꽃다발(bouquet)

nóse gèar 〖항공〗 (기수 밑의) 앞다리

nóse glàsses 코안경(pince-nez)

nóse guàrd = NOSE TACKLE

nóse hàbit 《속어》 (코로 흡입하는) 마약 상용벽

nóse jòb 《속어》 코의 미용 성형(rhinoplasty)

nóse mònkey = NOSE APE

nóse òrnament 코에 다는 장식물

nose·piece [-pìːs] *n.* **1** = NOSEBAND **2** (투구의) 코싸개; (안경의) 브리지 **3** (현미경의) 대물경(對物鏡)을 끼우는 부분; (파이프·풀무 등의) 주둥이

nose·pipe [-pàip] *n.* (용광로의) 배기관의 주둥이

nos·er [nóuzər] *n.* 《구어》 (권투 등에서) 코 쥐어박기; 세찬 맞바람; 참견 잘하는 사람

nose·rag [nóuzræ̀g] *n.* 《속어》 손수건

nose-ride [-ràid] *vi.* (속도를 늘리기 위해) 파도타기판의 끝에 타다, 파도타기 판 위에서 곡예 서핑하다

nóse rìng 코뚜레 《소의》, 코고리 《야만인의》

nóse tàckle 〖미식축구〗 노즈 태클 《수비의 위치 중의 하나; 3인을 배치한 수비선의 중앙》

nose-thumb·ing [-θʌ̀miŋ] *n.* Ⓤ (엄지손가락을 콧등에 대고 하는) 조롱하는 몸짓

nose-warm·er [-wɔ̀ːrmər] *n.* 《속어》 짧은 물부리

nose·wheel [-*h*wìːl] *n.* (비행기의) 앞바퀴

nóse whèelie 《미》 〖스케이트보드〗 체중을 앞에 실리고 뒷바퀴를 뜨게 하는 기술

nose·wing [-wìŋ] *n.* 콧방울, 비익(鼻翼)(nasal ala)

nos·ey [nóuzi] *a.* (**nos·i·er**; **-i·est**) = NOSY

nósey pár·ker [-pɑ́ːrkər] [종종 **N- P-**] 《주로 영》 참견 잘하는사람

nosh [nɑ́ʃ | nɔ́ʃ] *n.* 《미·구어》 (식사 사이의 간단한) 간식(snack); 《영》 음식, 간식

— *vt., vi.* 식사하다; 간식하다; 먹다 《*on*》

nosh·er [nɑ́ʃər | nɔ́ʃ-] *n.* 《속어》 군것질 버릇이 있는 사람, 식탐이 많은 사람, 욕심쟁이

nosh·er·y [nɑ́ʃəri | nɔ́ʃ-] *n.* 《속어》 간이식당, 경양식점

no-show [nóuʃóu] *n.* 《미·구어》 (비행기·배·열차의 좌석을 예약해 놓고) 나타나지 않는 사람; 《미》 (약속해 놓고) 나타나지 않는 사람

nosh-up [nɑ́ʃʌ̀p | nɔ́ʃ-] *n.* [a ~] 《영·속어》 훌륭한 식사, 진수성찬; 식사

nó síde 〖럭비〗 경기 끝 《심판 용어》

nos·ing [nóuziŋ] *n.* 〖건축〗 계단 코 《층계의 끝》

no-sleep [nóuslíːp | ⌒⌒] *a.* 불면(不眠)의: ~ fits 불면증(에 걸림)

no-smok·ing [nòusmóukiŋ] *a.* = NON-SMOKING

noso- [nɑ́sou, -sə | nɔ́s-] 《연결형》 「질병(disease)」의 뜻: *noso*phobia 질병 공포(증)

nos·o·co·mi·al [nɑ̀səkóumiəl | nɔ̀s-] *a.* 병원의; 병원에서 감염한

no·sog·ra·phy [nousɑ́grəfi | nɔsɔ́g-] *n.* Ⓤ 질병 기술학(記述學)

no·sol·o·gy [nousɑ́lədʒi | nɔsɔ́l-] *n.* Ⓤ 질병 분류학[표]; 질병의 지식

nos·tal·gia [nɑstǽldʒə, -dʒiə, nəs- | nɔs-] *n.* Ⓤ 옛날을 그리워함; 향수(鄕愁), 회향병(懷鄕病)(homesickness) **-gic** *a.* **-gi·cal·ly** *ad.* **-gist** *n.*

nos·tol·o·gy [nɑstɑ́lədʒi | nɔstɔ́l-] *n.* 노인병학(geriatrics) **nòs·to·lóg·ic, -i·cal** *a.*

Nos·tra·da·mus [nɑ̀strədéiməs, -dɑ́ː-, nòus- | nɔ̀s-] *n.* **1** 노스트라다무스(1503-66) 《프랑스의 예언가·점성가》 **2** (*pl.* **~·es**) [종종 **n~**] 예언자, 점술가

nos·tril** [nɑ́strəl | nɔ́s-] [OE 「코(nose)의 구멍」의 뜻에서] *n.* **1** 콧구멍 **2** 콧방울 ***stink in** a person**'s ~s = ***stink in the ~s of** a person* …의 미움[혐

오]을 받다 ***the breath of the ~s*** ⇨ breath
no-strings [nóustríŋz] *a.* ⦅미⦆ 무조건의, 부대 조건이 없는: a ~ scholarship 조건이 따르지 않은 장학금
nos·trum [nɑ́strəm | nɔ́s-] *n.* (가짜) 특효약, 만병통치약; (문제 해결의) 묘책; (사회악·정치악을 없애기 위한) 비책(秘策)
nos·y [nóuzi] *a.* (**nos·i·er**; **-i·est**) ⦅구어⦆ 코가 큰; ⦅속어⦆ 참견 잘하는 ⦅*about*⦆; ⦅구어⦆ 냄새가 고약한; ⦅구어⦆ 〈홍차가〉 향긋한 **—** *n.* ⦅구어⦆ 코가 큰 사람, 「코주부」 ⦅별명⦆ **nós·i·ly** *ad.* **nós·i·ness** *n.*
Nósy Pár·ker [-pɑ́:rkər] = NOSEY PARKER
‡**not** ⇨ not (p. 1715)
NOT [nɑ́t | nɔ́t] *n.* 〖컴퓨터〗 역논리 ⦅부정(否定)을 만드는 논리 연산자⦆
no·ta be·ne [nóutə-béini, -béni, -bí:ni] [L = note well] 주의하라 ⦅略 nb, NB⦆
no·ta·bil·i·a [nòutəbíliə] *n. pl.* 주의할 만한 사항[사건, 항목]
no·ta·bil·i·ty [nòutəbíləti] *n.* (*pl.* **-ties**) Ⓤ 유명함; [보통 *pl.*] 명사(名士)
‡**no·ta·ble** [nóutəbl] *a.* **1 주목할 만한,** 뛰어난, 두드러진; 유명한; 중요한: a ~ achievement 뛰어난 업적 / a ~ exception 주목할 만한 예외 **2** 〖화학〗 지각(知覺)할 수 있는 ***be ~ for*** [***as***] …으로서 유명하다
— *n.* [보통 *pl.*] 명사, 명망가(名望家); 유명한 것[일]; 〖역사〗 (비상시 프랑스 의회의) 명사 의원
~·ness *n.* ▷ notabílity, nóte *n.*; nótably *ad.*
*****no·ta·bly** [nóutəbli] *ad.* **1 현저하게,** 두드러지게; 명백히, 뚜렷하게: The situation has ~ improved. 사태는 현저하게 호전되었다. **2 특히,** 그 중에서도: Some early doctors, ~ Hippocrates, thought that diet was important. 고대의 의사들의 일부, 특히 히포크라테스는 음식 섭생이 중요하다고 생각했다.
NOTAM [nóutəm] [*no*tice *t*o *a*ir*m*an] *n.* (안전 운항을 위한) 항공 정보
no·tan·dum [noutǽndəm] [L] *n.* (*pl.* **~s, -da** [-də]) 주의 사항; 각서
no·taph·i·ly [noutǽfəli] *n.* (취미로서의) 은행권 수집, 지폐 수집
no·tar·i·al [noutέəriəl] *a.* 공증인의: a ~ deed 공증 증서 **~·ly** *ad.* 공증인에 의하여
no·ta·rize [nóutəràiz] *vt.* 〈공증인이〉 인증(認證)[증명]하다; 〈문서를〉 공증해 받다 **nò·ta·ri·zá·tion** *n.*
no·ta·ry [nóutəri] *n.* = NOTARY PUBLIC
nótary públic 공증인(公證人) ⦅略 NP⦆
no·tate [nóuteit, ─́] *vt.* 기록하다, 적어 두다; 〖음악〗 악보에 기보하다
no·ta·tion [noutéiʃən] *n.* Ⓤ Ⓒ **1** (특수한 문자·부호 등에 의한) 표시법, 〖수학〗 기수(記數)법, 〖음악〗 기보(記譜)법; 표기, 표시 **2** ⦅미⦆ 주석(note), 기록 **3** 써 두기, 메모하기 ***broad*** [***narrow***] ***phonetic ~*** 〖음성〗 간략[정밀] 표음법 ***chemical ~*** 화학 기호법 ***decimal ~*** 10진법 ***the common scale of ~*** 10진 기수법 **~·al** *a.*
not-be·ing [nɑ́tbí:iŋ | nɔ́t-] *n.* Ⓤ 실재하지 않음, 비존재(nonexistence)
*****notch** [nɑ́tʃ | nɔ́tʃ] *n.* **1** (V자형[톱니 모양]의) **새김 눈,** 벤 자리: He cut a ~ on the pole to tie a rope around it. 그는 밧줄을 매기 위해 막대에 칼자국을 냈다. **2** (화살의) 오늬 **3** ⦅미⦆ (산골짜기 등의) 애로, 좁은 길(defile) **4** ⦅구어⦆ 단(段), 단계, 급(級): be a ~ above the others 남들보다 한 단계 위이다
take a person ***down a ~*** ⦅구어⦆ …의 콧대를 꺾다
— *vt.* **1** 금을 긋다[새기다]; 〈경기의 득점 등을〉 올리다, 기록하다 ⦅*up*⦆ **2** 〈화살을〉 재다, 꿰다 **3** 〈승리·지위 등을〉 얻게[차지하게] 하다 ⦅*up, for*⦆
▷ nótchy *a.*
notch·back [nɑ́tʃbæ̀k | nɔ́tʃ-] *n.* 지붕 뒤쪽이 수직으로 턱이 진 자동차 (스타일)(cf. FASTBACK)
notch·board [-bɔ̀:rd] *n.* 사닥다리의 디딤판
notched [nɑ́tʃt | nɔ́tʃt] *a.* 금[새김눈]이 있는; 〖동물·식물〗 톱니 모양의
notch·wing [nɑ́tʃwìŋ | nɔ́tʃ-] *n.* 〖곤충〗 잎말이나방의 일종
notch·y [nɑ́tʃi | nɔ́tʃi] *a.* = NOTCHED
NÓT cìrcuit 〖컴퓨터〗 부정(否定) 회로 ⦅입력이 에너지 온의 상태가 아닐 때 에너지 온이 되는 것⦆
‡**note** [nóut] *n., v.*

> L 「안표(를 하기)」의 뜻에서
> (주의를 끌기 위한 표시) → 「기록, 각서」 **1**
> → (지불을 약속하는 증서) → 「지폐」 **11**
> → 「짧은 편지」 **3**
> → 「주석」 **2**
> → (악음을 나타내는 기호) → 「음표」 **7 b** → (악기의) 「음」 **7 a**

— *n.* **1** (짧은) **기록**; [종종 *pl.*] **각서,** 수기, 비망록 ⦅*for, of*⦆; [보통 *pl.*] 원고, 초고, 문안: speak from ~*s* 메모[원고]를 보면서 말하다 / leave a ~ for a person …에게 메모를 남기다 **2 주**(註), 주석, 주해 ⦅*on*⦆: a marginal ~ 난외의 주, 방주 **3 짧은 편지,** 단신(短信): a thank-you ~ = a ~ of thanks 감사장 **4** 외교상의 문서, 공식적인 문서; 통고서; (공동) 각서 **5** Ⓤ 주의, 주목, 유의: a thing worthy of ~ 주목할 만한 일 **6** (새의) 울음 소리 **7 a** 음성, 어조; (악기의) 음, 음조, 음색; ⦅시어⦆ 음률, 곡조, 선율: a high ~ on the violin 바이올린의 높은 음 **b** 〖음악〗 악보, 음표; (피아노 등의) 키 **8** (구두점 등의) 표, 부호, 기호(mark) **9** 특징, 특색; 분위기, 모양 **10** Ⓤ [of ~로] 유명함, 명성; 중요함: a man *of* ~ 명사 / a poet *of* ~ 저명한 시인 **11** ⦅영⦆ **지폐**(⦅미⦆ bill)(= bank~); 어음; 약속 어음; 예치증: a ten-pound ~ 10파운드 지폐 / a ~ of hand 약속 어음
change one***'s ~*** 말씨[태도]를 일변하다 ***compare ~s*** ⇨ compare. ***have the ~ of*** antiquity (고색)을 띠다 ***lecture from*** [***without***] ***~s*** 원고를 보고[보지 않고] 강연하다 ***make a mental ~*** (1) 〈…을〉 마음에 새겨 두다, 명심하다 ⦅*of*⦆ (2) 잊지 않고 〈…하리라〉 유념하다 ⦅*to* do⦆ ***make a ~ of*** …을 노트에 적다, …을 써 놓다, 필기하다 ***make ~ of*** (연설 등의) 원고를 만들다 ***of ~*** ⇨ *n.* 10 ***sound a ~ of warning*** 경고하다 ***sound the ~ of war*** 싸울 뜻(이 있음)을 전하다, 주전론을 주장하다 ***strike*** [***sound***] ***a false ~*** 엉뚱한 짓[말]을 하다 ***strike a ~ of*** …을 표명하다, 부르짖다 ***strike a ~ on*** a piano (피아노)로 어떤 음을 치다 ***strike the right ~*** 적절한 견해를 말하다[태도를 취하다] ***take ~ of*** …에 주의[주목]하다 ***take ~s of*** = make a NOTE of
— *vt.* **1 적어 두다** ⦅*down*⦆: (~+목+부) He ~*d down* the main points of the lecture. 그는 강연의 요점을 적어 두었다. **2 주의하다,** 유념하다, 주목하다; 특별히 언급하다: Please ~ the statue. 그 상을 보십시오. // (~+***that*** 절) *N~ that* this is essential. 이것이 필수적인 것임을 유념하라. // (~+***wh.*** 절) *N~* well *why* and *how* I did it. 내가 왜 그리고 어떻게 그것을 했는지에 유의하시오. / The newspaper does not ~ *what* happened then. 신문은 그때 무슨 일이 일어났는지 특별히 언급한 바 없다. **3** 주(註)를 달다 **4** 알아차리다: (~+목+***-ing***) I ~*d* her eyes fill*ing* with tears. 그녀의 눈에 눈물이 고이고 있는 것을 알았다. **5** ⦅고어⦆ 〖음악〗 음표로 쓰다[를 붙이다] **nót·er** *n.* ▷ nótable, nóteless *a.*
‡**note·book** [nóutbùk] *n.* **1 노트,** 공책, 필기장; 수첩, 잡기장 **2** 어음첩(帖)(bill book) **3** 노트북 컴퓨터

thesaurus **notable** *a.* **1** 주목할 만한 remarkable, outstanding, important, significant, memorable, marked, striking, impressive, unusual, particular, **2** 유명한 distinguished, eminent, well-known, prominent, great, famous, renowned, celebrated

not

not은 가장 일반적인 부정어로서 그 기능이 다양하다. 술어동사를 비롯하여 어·구(분사·동명사·부정사 포함)·문(文) 등을 부정하는 데 쓰일 뿐만 아니라, all, both... 등과 함께 쓰여 부분 부정을 나타내기도 하며 부정하는 문·절·동사 등의 생략 대용어로서도 쓰인다.

not이 쓰이는 위치를 살펴보면:

1 조동사·동사 be·《영》 have(⇨ have항) 뒤에 오며, 일반 동사는 「do+not[don't]+원형동사」의 형이 된다.

2 의문문에서는 주어 다음에 오며, 《구어》에서는 단축형이 주어 앞에 온다: Are*n't* you ashamed of yourself? 자신이 부끄럽지도 않소? / Have*n't* you finished your work yet? 당신 일이 아직 안 끝났습니까?

3 어·구·절의 부정에는 그 앞에 온다. 따라서 준동사인 분사·동명사·부정사의 경우도 마찬가지이다: *not* today but tomorrow 오늘 아닌 내일 / I told him *not* to go. 나는 그에게 가지 말라고 했다. ⇨ *ad.* 2 a

‡not [nát | nɔ́t; (1의 경우에서는 또한) nt] *ad.*

① [술어동사·문장의 부정]		**1**
② [어·구의 부정]		**2 a, 3**
③ [부정사·분사·동명사의 부정]		**2 b**
④ [부분 부정]		**4**
⑤ [부정하는 문장·어구 등의 대용]		**5**

1 [조동사는 직접, be 동사·have 동사는 직접 또는 do를 써서, 일반동사는 do를 써서 부정형을 만듦] …아니다, …않다 ★ 《구어》에서는 is*n't*, have*n't*, do*n't*, ca*n't*, wo*n't* 등과 같이 *n't*로 축약형을 쓰는 것이 보통이고, 특히 의문·부정형에서는 이 형식을 취한다: I can*not* praise him too much. 그는 아무리 칭찬해도 지나치지 않다. / You must *not* drink if you drive. 운전한다면 술을 마시면 안 된다. / He has*n't* got a daughter. 그는 딸이 없다. / *Don't* be noisy. 떠들지 마라. / He *will* ~[*won't*] come. 그는 안 올 거다. / I have*n't*[I do*n't* have] a house of my own. 나는 집이 없다. 《(미)에서는 일반적으로 do를 씀》 / You do*n't* have to bring your lunch. 도시락을 가져올 필요는 없다. / I do*n't* think he will come. 그는 안 올 것으로 생각된다. 《I think he will ~ come.보다 일반적이며, think 외에 believe, suppose, seem, be likely 등도 같은 형태를 취한다.》

2 a [술어 동사·문 이외의 어구를 부정하여] …이 아니라 《보통 강세가 있음》: This book is yours, *not* mine. 이 책은 네 것이지 내 것이 아니다. / She was sitting *not* ten yards away. 그녀는 10야드도 떨어지지 않은 곳에 앉아 있었다. **b** [부정사·분사·동명사 앞에 놓아 이를 부정함] (…하지) 않다: She decided ~ *to* see him any more. 그녀는 그를 더 이상 만나지 않기로 결심했다. / I took off my shoes so as ~ *to* make any noise. 소리를 내지 않으려고 나는 구두를 벗었다. / I'm sorry ~ *to* have come earlier. 좀 더 일찍 오지 못해서 미안합니다. / *N*~ know*ing*, I cannot say. 모르니까 말할 수가 없소. / She regretted ~ hav*ing* taken an umbrella with her. 그녀는 우산을 갖고 오지 않은 것을 후회했다.

3 [완곡한 또는 조심스런 표현에서] …이지도[하지도] 않은[않게]: ~ a few[a little] 적지 않은[않게] / ~ once or[nor] twice 한두 번이 아니고, 재삼 / ~ reluctant (싫기는커녕) 얼씨구나 하고 / ~ unknown 안 알려지지 않은 / ~ too good 별로 좋지 않은, 꽤 시원찮은 / ~ without some doubt 다소의 의구심을 가지고

4 [all, both, every, always, necessarily 등과 함께 써서 부분 부정을 나타냄] 반드시[모두 다] …은 아니다: *N*~ *every* man can be a poet. 모두가 다 시인이 될 수 있는 것은 아니다. / I do*n't* know *both.* 양쪽 다는 모른다. 《한쪽만 안다》 / I'm ~ *always* at home on Sundays. 일요일에 나는 늘 집에 있는 것은 아니다. / It is ~ *altogether* good. 전적으로 좋은 것은 아니다. / I can*not quite* agree with you. 너에게 전적으로 찬성하는 것은 아니다.

5 [부정하는 문·동사·절 등의 생략 대용어로서]: "Is he ill?" — "*N*~ at all." 그는 아픈가요? — 아프긴. 《전혀 아프지 않다; He is ~ at all ill.의 줄임》 / Right or ~, it is a fact. 옳건 옳지 않건 그것은 사실이다. 《Whether it is right or ~, …의 줄임》 / ⇨ (as) LIKELY as not, more OFTEN than not / "Is he coming?" — "Perhaps ~." 그는 옵니까? — 아마 안 올걸. 《Perhaps he is not coming.의 줄임; probably, certainly, absolutely, of course 등이 같은 구문에 쓰임》 / "Is he ill?" — "I think ~." 그는 아픈가요? — 안 아프다고 생각되는데요. 《I think he is ~ ill.의 줄임; I don't think so. 쪽이 일반적임; think 이외에 suppose, believe, hope, expect, be afraid 등도 같은 구문에 쓰임》

6 [다른 부정어와 함께 써서 부정을 강조] 《속어·방언》: I do*n't* know *nothing.* 나는 아무것도 모른다.

7 [감탄문에서 별뜻 없이 삽입하여]: What have I ~ suffered! 얼마나 혼났던지 (몰라)!

8 [응답의 No 대신으로 쓰여] …아니: "You did your homework?" — "*Not!*" 숙제는 했니? — 아니! 《No, I didn't.의 대용》

~ a … 단 한 사람[하나]의 …도 …아니다[않다] 《no의 강조형; ~ a single은 한층 더한 강조형》: *N*~ *a* man answered. 누구 하나 대답하지 않았다.

~ a few, ~ a little, ~ once or twice ⇨ 3

~ at all (1) 조금도 …않다 ⇨ 5 (2) [감사의 인사에 대답하여] 천만의 말씀입니다.

~ … but ⇨ but *conj.* A 2

~ but that [***what***] ⇨ but *conj.*

~ even a [***one***] ***…*** 하나도 …않다

~ half ⇨ half *ad.*

~ only [***just, merely, simply***] ***… but*** (***also***) ***…*** …뿐만 아니라 …도 (또한): It is ~ *only* economical *but* (*also*) good for the health. 그것은 경제적일 뿐 아니라 건강에도 (또한) 좋다. / *N*~ *only* was she a star of the stage, *but* (*also*) of the screen. 그녀는 무대에서 뿐만 아니라 스크린에서도 스타였다. / *N*~ *only* did he hear it. He saw it as well. 그는 그것의 소리를 들었을 뿐 아니다, 그것을 보기까지 했다. 《but의 대용으로 마침표, 세미콜론도 씀》

~ quite ⇨ quite

~ seldom 종종, 왕왕

~ that … 《구어》 …이라고 해서 …은 아니다: If he had said so — ~ *that* he ever did — it would have been a lie. 만약에 그가 그런 말을 했다면—그가 말했다는 것은 아니지만—그건 거짓말이었을 거야.

~ that … but that ⇨ but *conj.*

N~ that I know of. 내가 알고 있는 한 그런 일은 없다.

~ to say ⇨ say

~ to speak of … ⇨ speak

《A4판 크기의 휴대형 퍼스널 컴퓨터》(=~ compùter)
note·card [-kὰ:rd] *n.* **1** 《짧은 편지용》 카드 《생일·크리스마스카드 등; cf. NOTELET》 **2** 《특히 미》 메모용 카드
note·case [-kèis] *n.* 《영》 지갑(wallet)
***not·ed** [nóutid] *a.* **1** 유명한, 저명한 《*for, as*》 (⇨ famous 유의어): a ~ author 유명한 저자 / He is ~ *for* his eloquence. 그는 웅변으로 유명하다. **2** 주목할 만한, 주목되는 **3** 《음악》 악보가 붙은 **~·ly** *ad.* 현저히, 두드러지게, 눈에 띄게 **~·ness** *n.*
note·head [nóuthèd] *n.* 편지지 윗부분의 인쇄 문구(가 박힌 편지지)
note·less [nóutlis] *a.* **1** 눈에 띄지 않는, 평범한; 이름 없는, 무명의 **2** 음조가 나쁜, 비음악적인 **3** 목소리[소리]가 없는 **~·ly** *ad.* **~·ness** *n.*
note·let [nóutlit] *n.* 짧은 편지
note·pad [-pæ̀d] *n.* **1** 메모장, 메모지철 **2** 노트패드 컴퓨터 《펜 입력식의 초소형 컴퓨터》(=~ compúter)
note·pa·per [-pèipər] *n.* Ⓤ 편지지, 메모용지
nóte shàver 《미·속어》 고리 대금업자
note ver·bale [nóut-vɛərbɑ́:l] [F] 외교상의 구상서(口上書) 《상대국에게 제출하는 외교 문서》
***note·wor·thy** [nóutwə̀:rði] *a.* 주목할 만한; 두드러진 **-thi·ly** *ad.* **-thi·ness** *n.*
not-for-prof·it [nɑ́tfərprɑ́fit | nɔ́tfəprɔ́f-] *a.* 《미》 비영리 목적의(nonprofit)
'noth·er [nʌ́ðər] *a.* another의 비표준어
‡**noth·ing** [nʌ́θiŋ] [no+thing] *pron.* 《SOMETHING에 대응하는 부정형=not ANYTHING》 **1** 아무것[일]도 …없음[하지 않음]; 전혀 …않음: *N*~ great is easy. 위대한 일치고 수월한 것은 없다. **2** 별것 아님, 재미없음: There's ~ on television this evening. 오늘 저녁의 TV는 볼 만한 프로가 없다.
— *n.* **1** 무, 무가치; 비실재, 존재하지 않는 것: *N*~ comes from ~. 《속담》 무(無)에서는 아무것도[유(有)는] 나오지 않는다. / *N*~ venture, ~ have. 《속담》 호랑이 굴에 들어가야 호랑이 새끼를 잡는다. **2** [보통 *pl.*] 하찮은 사람[일, 물건]: the little ~*s* of life 이 세상의 하찮은 일들 / His wife is a ~. 그의 아내는 시원찮다. **3** 영(零), 제로(의 기호): *N*~ from nine leaves nine. 9빼기 0는 9이다. **4** [숫자 다음에서] 꼭: He is five feet ~. 그는 꼭 5피트의 키다.
a big ~ 기대가 되었으나 별것 없이 끝나 버린 행사 ***all or*** ~ 전부이거나 전무 ***all to*** ~ 최대한으로, 충분히 ***as slick as*** ~ ***at all*** 한순간에 ***be for*** ~ ***in*** …에 영향을 주지 않다 ***be*** ~ ***to*** …에게는 아무것도 아니다, 관계가 없다; …와는 비교가 안 되다 ***come to*** ~ 〈노력·계획이〉 아무것도 안 되다, 수포로 돌아가다 ***count***[***go***] ***for*** ~ 쓸데없다, 허사다 ***do*** ~ ***but*** cry[laugh] (울고[웃고])만 있다 (***don't***) ***know from*** ~ 아무것도 모르다(라고 주장하다) ***for*** ~ 부질없이; 까닭없이; 거저, 무료로: cry *for* ~ (at all) 아무 까닭없이 울다 / He did not go to Oxford *for* ~. 그는 역시 옥스퍼드 대학에 다닌 보람이 있었다. / I got these *for* ~. 거저 얻었다. ***good for*** ~ 아무짝에도 쓸 수 없는 ***have*** ~ ***in*** one …에게는 아무 취할 바가 없다 ***have*** ~ ***of*** …을 상대로 하지 않다 ***have*** ~ ***on*** ⇨ have. ***have*** ~ ***to do but***[***except***] wait (기다리고)만 있으면 되다, (기다릴) 수 밖에 없다 ***have*** ~ ***to do with*** …와는 아무런 관계가 없다; …와 교제를 안하다 ***hear*** ~ ***of*** …의 소식을 못 듣다 ***in*** ~ ***flat*** 《구어》 눈 깜짝할 사이에, 순식간에, 당장에 ***like*** ~ ***on earth***[***in the world***] [보통 feel, look, be와 함께 쓰여] 아주 〈이상한, 보기 흉한 등〉 ***make*** ~ ***of*** (1) [can[could]과 함께] …을 이해할 수 없다; …을 이용[활용]하지 못하다 (2) …을 아무렇게도 여기지 않다; [동명사와 함께] 예사로[수월하게] …하다: He *makes* ~ *of* walk*ing* 20 miles a day. 그는 하루에 20마일 걷는 것쯤이야 아무렇지도 않게 생각한다. ***next to*** ~ 거의 없다 ***no*** ~ 《속어》 전혀 없는: There is no bread, no butter, no cheese, *no* ~. 빵도 버터도 치즈도 아무것도 없다. ***not for*** ~ 충분한 이유가 있다 ~ ***but*** ... = ~ ***else***[***other***] ***than***[***but***] ... 단지 …일 따름, …에 지나지 않는(only) ***N***~ ***doing!*** 《속어》 틀렸다!, 안되겠다! 《실패했을 때 또는 요구를 거절할 때》 ~(,) ***if not*** (1) [형용사 앞에서] 더 없이, 아주, …인 것이 가장 좋은 점: She is ~ *if not* cautious. 그녀는 아주 조심스러운 사람이다. (2) [명사 앞에서] 순전한, 전형적인: He is ~ *if not* a businessman. 그는 전형적인 사업가이다. ~ ***less than*** ... = ~ ***short of*** ... 바로 …이다, 절대로[아주] …이다, ~ ***like*** (1) …와는 전혀 다른, 전혀 …같지 않은: His two sons are ~ *like* each other. 그의 두 아들은 서로 전혀 닮지 않았다. (2) 전혀 …하지 않다. 절대로[도저히] …아니다. ~ ***much*** 매우 적은 ~ ***of*** 조금도 …없다[아니다]: He is ~ *of* a poet. 그에게는 조금도 시인다운 데가 없다. ~ ***of that kind*** 결코 그런 것이 아닌 ~ ***off!*** = ~ ***to lose!*** 《항해》 떨어뜨리지마! ~ ***other than*** = NOTHING but. ~ ***short of*** 아주 …한, …이나 다름없는 ~ ***to speak of*** 말할 것도 없는, 사소한 ***There is*** ~ ***for it but to*** do …할 수 밖에 별 도리가 없다 ***There is*** ~ ***in it.*** 그것은 새빨간 거짓말이다; 그것은 하찮은 일이다; 어려울 것 없다 ***There is*** ~ ***like*** …만한 것은 없다 (***there's***) ~ ***to it.*** 손쉬운 일이다, 식은 죽 먹기다 ***There is*** ~ ***to*** the story. (이야기)에 실속이 없다. ***think*** ~ ***of*** …을 아무렇게도 여기지 않다, 업신여기다 ***to*** ~ 흔적도 없이 (사라져), 소멸하여 ***to say*** ~ ***of*** …은 말할 나위도 없이
— *ad.* **1** 조금도[결코] …않다(not ... at all): ~ daunted 조금도 겁내지 않고 / It helps ~. 아무 도움도 안 된다. **2** 《미·구어》 …도 아무것도 아니다: "Is it gold?"—"Gold ~." 그것은 금인가? — 금이라니, 원 별 소릴. ***be*** ~ ***like***[***near***] ***as***[***so***] ***good as*** …에 도저히 미치지 못하다 ***care*** ~ ***about***[***for***] …을 조금도 개의치 않다 It is ~ ***less than*** madness. 순전히 미친 짓이다.
noth·ing·ar·i·an [nʌ̀θiŋέəriən] *n.* 신앙이 없는 사람, 무신론자
nóthing báll[**pítch**] 《야구》 스피드도 힘도 없는 공
noth·ing·ness [nʌ́θiŋnis] *n.* **1** Ⓤ 무; 존재하지 않음(nonexistence); 무가치, 소용없음; 하찮음 **2** Ⓤ 실신 (상태), 죽음; 무의식 **3** (아무것도 없는) 공간
‡**no·tice** [nóutis] [L 「알려짐」의 뜻에서] *n.* **1** ⓊⒸ 통지, 통보; 고지(告知), 정식의 통고; 《미》 성적 불량의 통지: 《~+***that*** 절》 The whistle blew to give ~ *that* the boat was about to leave. 기적이 울려 배가 떠나려는 것을 알렸다. // 《~+***to*** do》 They received official ~*s to* send in their names to the authorities immediately. 당국에다가 그들의 이름을 곧 써 보내라는 정식 통고를 받았다. **2** Ⓤ 주의, 주목; 인지(認知): 《~+***that*** 절》 Please take ~ *that* your manuscript shall be sent to us by the appointed day. 원고를 기일까지 보내 주시도록 유념해 주시기 바랍니다. **3** ⓊⒸ (해고·해약의) 예고, 경고: 《~+***to*** do》 We received two weeks' ~ *to* quit. 2주일 후에 그만두라는 통지[예고]를 받았다. **4** 고시(告示), 게시, 벽보, 전단: an obituary ~ 사망 기사, 부고 **5** 관찰; 흥미, 관심; 호의; 경의 **6** (신문의) 신간 소개; (연극·영화의) 비평, 비평함: a good [favorable] ~ (지상의) 호평 **7** Ⓤ 후대, 총애, 정중함
at a moment's ~ 곧, 이내 ***at short*** ~ 당장에, 급히 ***at***[***on***] ***ten days'***[***a month's***] ~ 10일[1개월]의 예고로 ***avoid*** ~ 남의 눈을 피하다, 눈에 띄지 않게 하다 ***beneath*** one***'s*** ~ 주목거리가 안 되는, 보잘것없는 ***be under*** ~ to leave (해고) 통보를 받다 ***bring ...*** ***to***[***under***] a person***'s*** ~ …을 …의 눈에 띄게 하다, …에 주목하게 하다 ***come into***

thesaurus **noticeable** *a.* observable, visible, discernible, perceptible, distinct, evident, obvious
notify *v.* inform, tell, advise, acquaint, apprise,

[*under*] ~ 주목을 받다, 눈에 띄다 ***give ~ of*** …의 통지를 하다 ***give ~ that*** ⇨ *n.* 1. ***give ~ to*** …에 신고하다 ***give*** a week***'s*** ~ (1주일) 전에 해고[퇴직]의 통지[예고]를 하다 ***~ of dishonor*** 〖상업〗 어음 부도(不渡) 통지서 ***~ of protest*** 〖상업〗 거절 통지서 ***on ~*** ((미)) (해고 등의) 예고를 받고; 통지되어 ((*that*)) ***post***[***put up***] ***a ~*** 게시하다 ***put a ~ in the papers*** 신문에 광고 내다 ***put*** a person ***on ~*** …에게 통지하다 ***serve a ~ to*** …에 통지하다 ***sit up and take ~*** ⇨ sit. ***take no ~ of*** …을 돌아보지 않다; …을 무시하다 ***take ~*** (1) …에 주의하다, 주목하다 ((*that*)) (2) 〈어린아이 등이〉 철이 나다, 사물을 알기 시작하다 ***take ~ of*** (1) …에 주의하다, …을 알아차리다 (2) …에게 호의적인[정중한] 배려를 베풀다; 〈신문 등이〉 …을 들어 논평을 가하다 ***till***[***until***] ***further ~*** 추후 통지가 있을 때까지 ***without*** (***previous***) ***~*** 예고 없이, 무단으로

—*vt.* **1 주의하다,** 주목하다: (~+***wh. to*** do) *N~ how to* make it. 그것을 어떻게 만드는지에 주의하시오. **2 알아채다,** 인지하다: I did not ~ him. 나는 그를 알아보지 못했다. // (~+***that*** 절) I *~d* (*that*) she was wearing a new dress. 그녀가 새 드레스를 입고 있는 것을 알아챘다. // (~+목+***-ing***) I *~d* a stranger com*ing* in. 낯선 사람이 들어오는 것을 알아챘다. // (~+목+do) I *~d* him steal into the room. = He was *~d to* steal into the room. 그가 방으로 몰래 들어오는 것을 알아챘다. ★ 수동에서는 원형이 to부정사가 됨. **3** 아는 체하다, 인사[눈인사]하다; …에게 호의적인[정중한] 배려를 하다 **4** 언급하다, 지적하다, 잠깐 다루다; 신문 지상에서 〈신간책을〉 소개하다, 논평하다 ((*to* do, *that* ...)): ~ a book favorably 서평에서 칭찬하다 **5** 통지[통고, 예고]하다: (~+목+***to*** do) He was *~d to* quit. 그는 그만두라는 통지를 받았다.

▷ nóticeable *a.*; nótify *v.*

***no·tice·a·ble** [nóutisəbl] *a.* 눈에 띄는, 현저한, 두드러진; 주목할 만한, 중요한: ~ progress 현저한 진보 **-bly** *ad.* 두드러지게, 현저히

▷ nótice *v.*

nótice bòard ((영)) 게시판, 고시판, 공고판(((미)) bulletin board)

no·ti·fi·a·ble [nóutəfàiəbl] *a.* 통지해야 할; 신고해야 할 〈전염병 등〉

no·ti·fi·ca·tion [nòutəfikéiʃən] *n.* Ⓤ (정식의) 통지, 공고, 고시; Ⓒ 통지서, 공고문, 신고서

‡**no·ti·fy** [nóutəfài] [L 「알리다」의 뜻에서] *vt.* (**-fied**; **~·ing**) **1** 〈사람에게〉 (정식으로) **통지[통보]하다,** 신고하다 ((*of*)): (~+목+전+명) ~ the police (*of* a case) (사건을) 경찰에 신고하다 // (~+목+***that*** 절) They *notified* the students[The students were *notified*] *that* they should meet at the hall. 학생들은 회관으로 집합하라는 통지를 받았다. ★ inform보다 더 격식차린 말. **2** ((영)) 〈사물을〉 통고하다, 공고[신고]하다 ((*to*)): (~+목+전+명) Such cases must be *notified to* the police. 이런 사건은 경찰에 신고해야 한다. **3** ((영)) 발표하다, 공시하다 **-fi·er** *n.* ▷ notificátion *n.*; nótice *v.*

no-till(**·age**) [nòutíl(idʒ)] *n.* 〖농업〗 무경간농법(無耕墾農法)(zero tillage) ((밭을 갈지 않고 도랑에 씨를 심어 농사 짓는 방법))

not-in·vent·ed-hére sỳndrome [nàtinvèntidhíər- | nɔ̀t-] NIH 증후군 ((신제품을 구상한 부서를 다른 부서에서 적대시하거나 위협으로 느끼는 것))

‡**no·tion** [nóuʃən] [L 「인지(認知)」의 뜻에서] *n.* **1** 관념, 생각, 개념(⇨ idea 유의어) ((*of*)); 의견, 견해(idea); 이해: the first[second] ~ 〖철학〗 일차적[이차적] 일반 개념 / Such is the common ~. 통설이란 그런 것이다. // (~+***that*** 절) He has a ~ *that* life is a voyage. 그는 인생은 항해와 같다는 생각을 갖고 있다. **2** 의향, 의지 ((*of*)), …하고픈 생각 ((*of* do*ing*, *to* do)); 변덕, 뚱딴지 같은 생각 ((*of* do*ing*, *to* do)): (~+***to*** do) At midnight, she had a sudden ~ *to* go to the beach. 한밤중에 그녀는 갑자기 해변에 가고 싶어졌다. **3** 이해력, 능력 **4** [*pl.*] ((미)) 자잘한 잡화, 방물(((영)) small wares) ((핀·끈·단추 등)) **5** [*pl.*] ((영)) Winchester 학교 특유의 말

have a (***good***) ***~ of*** …을 (잘) 알고 있다 ***have a great ~ that ...*** …이라고 생각하려는 경향이 강하다 ***have no ~ of*** do***ing*** …할 생각이 없다 ***take a ~*** ((구어)) 갑자기 …하려고 마음먹다 ((*to* do))

~·less *a.* ▷ nótional *a.*

no·tion·al [nóuʃənl] *a.* **1** 개념적인; 관념상의 **2** 추상적인, 순이론적인(theoretical) **3** 상상의, 비현실적인; ((미)) 변덕스런 **4** 〖문법〗 개념을 나타내는; 개념어의 **no·tion·al·i·ty** [nòuʃənǽləti] *n.* **~·ly** *ad.*

no·to·chord [nóutəkɔ̀ːrd] *n.* 〖동물〗 척색(脊索)

No·to·gae·a [nòutədʒíːə] *n.* 남계(南界) ((오스트레일리아·뉴질랜드·서남 태평양 제도를 포함한 동물 지리구의 한 단위))

no·to·ri·e·ty [nòutəráiəti] *n.* (*pl.* **-ties**) Ⓤ (보통 나쁜 의미의) 평판; 악명, 악평; Ⓒ ((영)) 악명 높은 사람, 유명한 사람(well-known person)

no·to·ri·ous** [noutɔ́ːriəs, nə-] [L 「잘 알려진」의 뜻에서] *a.* (보통 나쁜 의미로) **유명한,** 소문난, 악명 높은(⇨ famous 유의어) ((*for*, *as*)): a ~ rascal 이름난 악당 / He was ~ *as* a liar. 그는 거짓말쟁이라는 평판이 자자했다. ***It is ~ that ... …은 주지의 사실이다 **~·ly** *ad.* 악명 높게; 주지의 사실로서 **~·ness** *n.* ▷ notoríety *n.*

nót óut *a.* 〖크리켓〗 〈타자·팀이〉 공격 중인; 공격 중 얻은 ((득점))

No·tre Dame [nòutrə-déim, -dáːm, nòutər- | nòutrə-dáːm] [F = Our Lady] **1** 성모 마리아 **2** 성모[노트르담] 성당 ((파리의 초기 고딕 대성당))(= **~ de Paris**)

no-trump [nóutrʌ́mp] *a.* Ⓐ (브리지에서) 으뜸패 없이 하는 **—***n.* (*pl.* **~, ~s**) 으뜸패 없는 선언[승부, 수]

not-self [nátsélf | nɔ́t-] *n.* 〖철학〗 비아(非我)(nonego)

nót suffícient 〖금융〗 예금 부족 ((어음 등을 지불할 잔고가 없는 상태; 略 NS))

Not·ting·ham [nátiŋəm, -hæ̀m | nɔ́tiŋəm] *n.* 노팅엄 ((영국 Nottinghamshire의 주도(州都))); = NOTTINGHAMSHIRE

Not·ting·ham·shire [nátiŋəmʃìər, -ʃər, -hæm- | nɔ́tiŋəm-] *n.* 노팅엄셔 ((영국 중북부에 있는 주; 주도 Nottingham))

Notts. [náts | nɔ́ts] Nottinghamshire

no-túrn·ing pòint [nòutə́ːrniŋ-] 회귀 불능점

‡**not·with·stand·ing** [nàtwiðstǽndiŋ, -wiθ- | nɔ̀twiθ-] [not과 withstanding (「…에 거슬러」의 뜻인 현재분사)에서] *prep.* ((문어)) …에도 **불구하고**(in spite of): ~ his disapproval = his disapproval ~ 그의 불찬성에도 불구하고

—*ad.* 그럼에도 불구하고(nevertheless)

—*conj.* [종종 that과 함께] (…이라) 할지라도(although)

Nouak·chott [nwaːkʃát | -ʃɔ́t] *n.* 누악쇼트 ((아프리카 서부 Mauritania의 수도))

***nou·gat** [núːgət, -gaː | -gaː] *n.* 누가 ((설탕·아몬드 등으로 만든 부드러운 캔디))

***nought** [nɔ́ːt] *n.*, *a.* = NAUGHT

Nought·ies [nɔ́ːtiz] *n. pl.* [the ~] ((영)) 2000년부터 2009년까지의 해

noughts-and-cross·es [nɔ́ːtsənkrɔ́ːsiz | -krɔ́siz] *n. pl.* [단수 취급] ((영)) = TICKTAC(K)TOE

Nou·mé·a [nuːméiə] [F] *n.* 누메아 ((남태평양 프랑스령 New Caledonia 섬의 항구 도시))

---

warn, alert, caution, declare, announce

notorious *a.* infamous, ill-famed, disreputable, dishonorable, scandalous, legendary

nou·me·non [nú:mənɑ̀n | -nɔ̀n] *n.* (*pl.* **-na** [-nə]) 〖철학〗 (phenomenon에 대하여) 본체(本體), 실체, 물(物) 자체; 누메논 《이성에 의해 사유되는 예지적 대상이나 절대적 실재; 칸트 철학》 **nóu·me·nal** *a.*

‡**noun** [náun] [L 「이름」의 뜻에서] 〖문법〗 *n.* 명사 《略 n.》; 명사 상당어(구): a ~ of multitude 군집 명사 — *a.* Ⓐ 명사의, 명사 용법의: a ~ phrase[clause] 명사구[절] / a ~ substantive 실(명)사 **~·al** *a.*

nóun àdjunct 〖문법〗 명사 부가어

nóun infínitive 〖문법〗 명사적 부정사

‡**nour·ish** [nə́:riʃ, nʌ́r- | nʌ́r-] [L 「기르다」의 뜻에서] *vt.* **1** 기르다, …에게 자양분을 주다; 〈땅에〉 거름[비료]을 주다: Milk *~es* a baby. 우유는 젖먹이의 영양이 된다. **2** 《비유》 〈감정·습관·정신·상태 등을〉 키우다, 조장하다, (감싸) 보호하다 **3** 〈희망·노여움·원한을〉 품다 **~·a·ble** *a.* **~·er** *n.* ▷ nóurishment *n.*

nour·ish·ing [nə́:riʃiŋ, nʌ́r- | nʌ́r-] *a.* 자양[영양]이 되는, 자양분이 많은

***nour·ish·ment** [nə́:riʃmənt, nʌ́r- | nʌ́r-] *n.* Ⓤ **1** 자양물, 음식; 자양분 공급; 영양 상태; (정신적) 양식: intellectual ~ 마음의 양식 **2** 조성(助成), 육성; 양육: devote oneself to the ~ of education 교육의 육성에 헌신하다

nous [nú:s, náus | náus] *n.* Ⓤ **1** 〖철학〗 마음, 지성 **2** 《영·구어》 지혜, 상식

nou·veau pau·vre [nu:vóu-póuvrə, -pɔ́:-] [F =new poor] (*pl.* **-x -s** [~]) 갑자기 가난하게 된 사람, 갑자기 영락[몰락]한 사람

nou·veau riche [nú:vou-rí:ʃ] [F =new rich] (*pl.* **-x -s** [~]) 벼락부자, 졸부

nou·veau ro·man [nú:vou-roumɑ́:ŋ] [F =new novel] (*pl.* **-x -s** [~]) (특히 1960년대 프랑스의) 신소설, 누보로망

nou·velle cui·sine [nu:vél-kwizí:n] [F] 누벨 퀴진 《저칼로리의 현대 프랑스 요리》

nou·velle vague [nu:vél-vɑ́:g] [F =new wave] (*pl.* **-s -s** [~]) 새 물결, 누벨바그 《특히 예술 형식의 전위적 경향》

nov. novel; novelist **Nov., Nov** November

no·va [nóuvə] *n.* (*pl.* **-vae** [-vi:], **~s**) 〖천문〗 신성(新星)

No·va·chord [nóuvəkɔ̀:rd] *n.* 노바코드 《피아노 비슷한 6옥타브의 전자 악기; 상표명》

No·va Sco·tia [nóuvə-skóuʃə] [L 「새 스코틀랜드」의 뜻에서] 노바스코샤 《캐나다 동부의 반도 및 주; 주도 Halifax; 옛 이름 Acadia》

Nóva Scó·tian [-skóuʃən] *a., n.* 노바스코샤의 (사람)

Nóva Scótia sálmon 노바스코샤 연어 《캐나다 Nova Scotia 부근에서 잡은 연어를 훈제한 것》

no·va·tion [nouvéiʃən] *n.* ⓊⒸ 〖법〗 (채무·계약 등의) 갱신(更新)

‡**nov·el**[1] [nɑ́vəl | nɔ́v-] [L 「새로운」의 뜻에서] *a.* 새로운(new), 신기(新奇)한, 참신한, 진기한, 기발한, 독창적인: a dress of ~ design 디자인이 참신한 드레스 ▷ nóvelty *n.*

‡**nov·el**[2] [nɑ́vəl | nɔ́v-] [L 「새로운 (종류의 이야기)」의 뜻에서] *n.* (장편) 소설(⇨ fiction 유의어): a historical[popular] ~ 역사[대중] 소설 ▷ nóvelize *v.*

novel[3] *n.* 〖로마법〗 신법(新法)

nov·el·ese [nɑ̀vəlí:z, -lí:s | -lí:z] *n.* Ⓤ (삼류 소설의) 진부한 문체

nov·el·ette [nɑ̀vəlét | nɔ̀v-] *n.* 중편 소설 《short story보다 긴 것》; 《종종 경멸》 (가벼운 내용의) 삼류 소설; 〖음악〗 소품 피아노곡 ▷ novelétttish *a.*

nov·el·et·tish [nɑ̀vəlétiʃ | nɔ̀v-] *a.* 중편[단편] 소설 양식의; 《특히》 감상적인, 눈물을 짜내는 식의

***nov·el·ist** [nɑ́vəlist | nɔ́v-] *n.* (장편) 소설가

nov·el·is·tic [nɑ̀vəlístik | nɔ̀v-] *a.* 소설(적)인; 소설에 흔히 나오는 **-ti·cal·ly** *ad.*

nov·el·ize [nɑ́vəlàiz | nɔ́v-] *vt.* 소설화하다

nòv·el·i·zá·tion *n.* Ⓤ 소설화(하기)

no·vel·la [nouvélə] [It. =novel] *n.* (*pl.* **~s, -le** [-li:, -lei]) (Boccaccio의 *Decameron* 속의 이야기 같은) 단편 소설; 중편 소설(short novel)

‡**nov·el·ty** [nɑ́vəlti | nɔ́v-] *n.* (*pl.* **-ties**) **1** Ⓤ 진기함, 신기로움: The ~ of video games has worn off for some kids. 비디오 게임의 신기함은 일부 아이들에게는 한물가 버렸다. **2** 새로운[신기한] 물건[일, 경험]; [*pl.*] 〖상업〗 (싸고 신기한) 신(新)고안품, 신상품 《선물용품 등》 ▷ nóvel[1] *a.*

‡**No·vem·ber** [nouvémbər] [L 「9월」의 뜻에서; 고대 로마에서는 1년을 열 달로 치고 3월부터 시작한 데서] *n.* **11월** 《略 Nov.》: on ~ 5 =on 5 ~ =on the 5th of ~ 11월 5일에

no·ve·na [nouví:nə, nə-] *n.* (*pl.* **-nae** [-ni:], **~s**) 〖가톨릭〗 9일간의 기도

no·ver·cal [nouvə́:rkəl] *a.* 계모의, 계모다운

***nov·ice** [nɑ́vis | nɔ́v-] *n.* **풋내기**; 무경험자, 초심자(beginner) 《*at, in*》; 수련 수사[수녀]; 초신자(初信者); (경주에) 처음 출장(出場)하는 말[개]

no·vi·ti·ate, -ci·ate [nouvíʃiət, -èit] *n.* 〖가톨릭〗 수련 수사[수녀]; 수련[견습] 기간; 초심자; 수련원

no·vo·bi·o·cin [nòuvoubáiəsin] *n.* 〖약학〗 노보비오신 《항생 물질》

No·vo·cain [nóuvəkèin] *n.* 〖약학〗 노보카인 《치과용 국부 마취제; 상표명》

nó vòte (의안 등에 대한) 반대 투표

‡**now** [náu] *ad., conj., a., n.*

① 지금, 지금 당장에; 현재	뷔 **1, 2,** 명
② 방금, 그 때 (이미)	뷔 **3**
③ 그런데, 그렇다면	뷔 **4**
④ …이니까, …인 이상	접

— *ad.* **1** [현재] **지금**, 현재; 오늘날, 현재 실정으로는; 지금쯤은, 지금[이제]까지: It is ~ over. 이제는 끝났다. **2** (지금) **당장에**, 즉시(at once): I'm coming ~. 지금 당장 갑니다. **3** [과거] **a** **방금**, 막, 조금 아까 《보통 just ~, 《시어》 even ~ 를 씀》: He left just[only] ~. 그는 방금 출발했다. **b** 《이야기 중에서》 **이제야**, 그때, 그리고 나서, 다음에, 그때 이미: The reason ~ became quite clear. 이제야 그 이유가 명백히 밝혀졌다. **4** [말머리를 바꾸든가 요구를 할 때 감탄사적으로] **한데**, 그런데; 그렇다면; 자, 어서, 이런, 허 ★ 보통 문장의 첫머리에 오며 콤마가 뒤따름: You don't mean it, ~. 한데, 설마 정말로 하는 말은 아니겠지. / *N~*, listen to me. 자, 내 말 좀 들어보게.

but ~ = 《구어》 ***just ~*** ⇨ just[1] *ad.* ***come ~*** (1) [남을 재촉할 때 써서] 자자 (2) [놀람·비난을 나타내어] 어머나, 저런 ***even ~*** 지금도, 아직도; 《시어》 마침 지금 (***every***) ***~ and then*** = ***~ and again*** 때때로, 종종 ***not ~*** 이제는 이미 …않는, 지금은 안 되는 ***~ and forever*** 지금도, 지금부터; 언제까지라도 ***~ for …*** 그럼 다음은 …이다: *N~ for* today's topics. 그럼 다음은 오늘의 화제를 전하겠습니다. ***~, ~*** 이것 봐, 얘얘, 그러지 말고 《친한 기분으로 항의·주의하거나 달랠 때》 ***~ … ~*** [***then***] ***…*** = ***~ … and again …*** 때로는 … 또 때로는 … ***N~ or never!*** 이제야말로 다시없는 기회다! ***~ then*** = ***~, ~*** 자아 〈일을 시작하세 등〉; 여보게 〈그럴 수 있나 등〉, 자아 어서 〈나가거라 등〉 ***N~ what?*** 《구어》 (1) = What is it NOW? (2) 이제 어떡하지?, 이제 뭘 해야 하지? ***Really ~!*** = ***N~ really!*** 아니, 설마, 놀랐는걸! ***What is it now?*** 《구어》 또 무슨 일이야? 《계속 귀찮게 할 때》

— *conj.* [종종 ~ that으로] (이제) …**이니까**, …인 이상(since): ~ *that* the weather is warmer 날씨가 꽤 따스해졌으니까 / *N~* (*that*) you mention it, I

thesaurus **nourish** *v.* **1** 기르다 feed, nurture, care for, take care of, tend, bring up, rear **2** 조장하다 encourage, foster, promote, stimulate

do remember. 자네가 그렇게 말하니까 과연 생각이 나네 그려.

—*a.* Ⓐ 《미》 **1** 《구어》 지금의, 현재의: the ~ government 현정부 **2** 《속어》 최첨단의, 최신 감각의, 유행하는: ~ styles 최신 스타일

—*n.* Ⓤ [주로 전치사 뒤에 와서] **지금,** 현재: *N*~ is a good time. 지금이야말로 좋은 기회이다.

by ~ 지금쯤은 벌써 ***for*** ~ 당분간, 지금 당장은 ***from*** ~ ***on***[***forward***(***s***)] 지금부터는, 앞으로는 ***till***[***up to***] ~ 지금까지

NOW [náu] National Organization for Women 《미》 전미(全美) 여성 연맹

NÓW accòunt [*n*egotiable *o*rder of *w*ithdrawal] 《미》 당좌 예금식 저축 예금 계좌 《이자가 붙는》

now·a·day [náuədèi] *a.* 오늘날의, 요즈음의

‡**now·a·days** [náuədèiz] *ad.* **오늘날에는,** 요즈음에는: People are taller ~. 요즘 사람들은 키가 더 크다.

—*n.* Ⓤ 오늘날, 현대, 요즈음: the youth of ~ 요즘의 청년들

nó wáy 《미·속어》 절대로 안 되다, 싫다: "Will you take my math test for me?"—"*N*~." 내 대신 수학 시험을 쳐 주겠니? — 절대로 안 해.

no·way(**s**) [nóuwèi(z)] *ad.* 조금도[결코] …않다 (not at all)

now·cast·ing [náukæ̀stiŋ | -kɑ̀:st-] *n.* 현재 예보 《2-6시간 범위로 한 지역의 현재 날씨 예보》

‡**no·where** [nóu*h*wὲər] *ad.* **아무데도 …없다:** When the cold hit, there was ~ for them to go. 한파가 몰아치자 그들이 갈 곳은 아무데도 없었다.

be[***come in***] ~ 《구어》 (경기에서) 입상하지 못하다; 형편없이 지다 ***get***[***go***] ~ 성공 못하다, 진전이 없다; …이 잘 안 되다 《*with*》 ~ ***around*** 《미·구어》 근처에는 없는 ~ ***near*** 근처에는 아무 곳에도 …않는; …은 당치도 않는(far from)

—*n.* Ⓤ **1** 어딘지 모르는 곳; 미지의 장소: appear from[out of] ~ 난데없이 나타나다 **2** 이름도 없는 존재, 무명: come from[out of] ~ (무명에서) 갑자기 입신하다[유명해지다] ***in the middle of*** ~ = ***miles from*** ~ 멀리 인적이 끊긴

no·wheres [nóu*h*wὲərz] *ad.* 《미》 =NOWHERE

no·whith·er [nóu*h*wìðər] *ad.* 《문어》 아무데도 …없다[않다](nowhere)

no-win [nóuwìn] *a.* Ⓐ (무슨 수를 써도) 승산이 없는, 성공 불가능한; 승패를 겨루지 않는

nó-win situàtion (무슨 수를 써도) 승산이 없는 상황, 절망적인 상황

no·wise [nóuwàiz] *ad.* 《고어·문어》 =NOWAY(S)

now-it-can-be-told [náuitkənbitóuld] *a.* 이제야 말할 수 있는

now·ness [náunis] *n.* 현재성(性)

now-now [-nàu] *ad.* 《남아공·구어》 금방, 곧; 조금 전에: He left ~. 조금 전에 그가 떠났다.

nowt[1] [náut] *n.* 《스코·북잉글》 **1** [보통 *pl.*] 축우(畜牛) **2** 굼벵이, 얼뜨기

nowt[2] [nóut] *n.* 《영·방언》 =NOTHING

Nox [nɑ́ks | nɔ́ks] *n.* 〖로마신화〗 녹스 《밤의 여신》

NOx [nɑ́ks | nɔ́ks] nitrogen oxide(s)

nox·ious [nɑ́kʃəs | nɔ́k-] *a.* 유해[유독]한; 불건전한 《*to*》 **~·ly** *ad.* **~·ness** *n.*

no·yau [nwaióu, ⌐- | ⌐-] [F] *n.* (*pl.* **-yaux** [-z]) ⓊⒸ 브랜디를 복숭아씨로 맛을 돋운 리큐어 술

***noz·zle** [nɑ́zl | nɔ́zl] *n.* **1 노즐,** (파이프·호스 등의) 주둥이, 끝, 취구(吹口); 분출[분사, 발사]구; (주전자의) 주둥이 **2** 《속어》 코

noz·zle·man [nɑ́zlmən | nɔ́zl-] *n.* (*pl.* **-men** [-mən, -mèn]) (호스의) 노즐을 잡는 사람; 소방원

Np 〖물리〗 neper; 〖화학〗 neptunium **NP** neuropsychiatric; neuropsychiatry; noun phrase; number of pitches 〖야구〗 투구수; nurse practitioner 견습 간호사 **NP, n.p.** *nisi prius* 《L= unless before》; 〖은행〗 no protest; notary public **n.p.** net proceeds; new paragraph; no pagination; no paging; no place (of publication) (출판물의) 발행지명 없음; notes payable 지급 어음 **N.P.A.** Newspaper Publishers' Association **n.p.f.** not provided for **NPN** nonprotein nitrogen **n.p. or d.** no place or date **NPR** 《미》 National Public Radio **NPT** Nonproliferation Treaty 핵확산 방지 조약 **nr** near **NR** North Riding **NRA** 《미》 National Recovery Act[Administration]; 《미》 National Rifle Association

N-rays [énrèiz] *n.* 〖물리〗 N선 《1903년 프랑스의 R. Blondlot가 발견한 초(超)자외선》

NRC National Research Council 《미》 국가 조사 위원회; 《미》 Nuclear Regulatory Commission

NREM slèep [énrèm-] [*n*on-*r*apid-*e*ye *m*ovement] 〖생리〗 논렘 수면

ns nanosecond(s) **Ns** 〖기상〗 nimbostratus **NS** natural science; New School; New Series; New Side; New Style; Nova Scotia; nuclear ship **n.s.** *non satis* 《L =not sufficient》; not specified **NSA** National Security Agency 《미》 국가안보국; National Shipping Authority; National Skating Association; National Standards Association; National Students Association **NSAID** nonsteroidal antiinflammatory drug 비(非)스테로이드 항(抗)염증약 **NSB** National Savings Bank **NSC** National Savings Certificate; National Security Council 《미》 국가 안전 보장 회의 **nsec** nanosecond(s) **NSF** National Science Foundation; 〖은행〗 not sufficient funds **NSPCA** 《영》 National Society for the Prevention of Cruelty to Animals 《현재는 R.S.P.C.A.》 **NSPCC** 《영》 National Society for the Prevention of Cruelty to Children **NST** Newfoundland Standard Time 《캐나다》 뉴펀들랜드 표준시 **NSU** nonspecific urethritis 〖의학〗 비특이성 요도염 **NSW** New South Wales **Nt** 〖화학〗 niton **NT** New Testament; 《호주》 Northern Territory

‡**-n't** [nt, n] not의 단축형: could*n't*, did*n't*

NTB non-tariff barrier 비관세 장벽

Ń tèrminus[**tèrminal**] [én-] 〖생화학〗 N말단, 아미노 말단 《단백질 분자의 아미노기 말단》

N-test [éntest] *n.* 핵실험 《N은 nuclear의 약어》

nth [énθ] *a.* 〖수학〗 n번째의, n배의; 《구어》 최신[최근]의 ***for the*** ~ ***time*** (이로써) 몇 번째인지 모르지만 ***to the*** ~ ***degree***[***power***] n차(次)[승(乘)]까지; 극도로, 최대한으로, 최고도로

Nthmb. Northumberland **nthn** northern **NTP** normal temperature and pressure 상온 상압 **NTSC** National Television System Committee 《미》 텔레비전 방송 규격 심의회 **nt. wt.** net weight

n-type [éntàip] *a.* 〖전자〗 〈반도체·전기 전도가〉 n형의

nu [njú: | njú:] *n.* 뉴 《그리스 알파벳의 제13자, N, ν; 로마자 N, n에 해당함》

Nu [nú:] Numbers (구약의) 민수기

NU name unknown; National Union; Naval Unit

nu·ance [njú:ɑ:ns, ⌐⌐ | nju:ɑ́:ns, ⌐-] [F] *n.* (*pl.* **-anc·es** [-iz]) 뉘앙스; 빛깔의 엷고 짙은 정도, 음영(陰影); (표현·감정·의미·색채·음색 등의) 미묘한 차이

—*vt.* 《문어》 …에 뉘앙스를 주다 **nú·anced** *a.*

nub [nʌ́b] *n.* **1** =NUBBLE **2** [the ~] 《구어》 요점, 요지, 핵심(gist) 《*of*》

nub·bin [nʌ́bin] *n.* 《미》 **1** (과일·채소 등의) 작고 덜 여문 것, 《특히》 발육이 좋지 못한 옥수수 이삭 **2** 작은 덩이, (연필 등의) 동강이 **3** 《구어》 요점, 핵심

nub·ble [nʌ́bl] *n.* (특히 석탄의) 작은 덩어리; 혹, 매듭 **núb·bly** *a.* =NUBBY

---

novel[1] *a.* new, fresh, different, original, unusual

novice *n.* beginner, newcomer, apprentice, trainee, learner, student, (opp. *veteran, expert*)

nub·by [nʌ́bi] *a.* (**-bi·er**; **-bi·est**) 마디[혹]투성이의, 작은 덩이 모양의
nu·bi·a [njú:biə | njú:-] *n.* 털실로 짠 여성용 스카프
Nu·bi·a [njú:biə | njú:-] *n.* 누비아 《아프리카 수단 북부 지방》
Nu·bi·an [njú:biən | njú:-] *a.* Nubia의
— *n.* 누비아 흑인[말《馬》]; Ⓤ 누비아 어(語) ***the ~ Desert*** (수단의) 누비아 사막
nu·bi·form [njú:bəfɔ̀:rm | njú:-] *a.* 구름 모양의
nu·bile [njú:bil, -bail | njú:bail] *a.* 〈여자가〉 나이가 찬, 혼기(婚期)의 **nu·bil·i·ty** [nju:bíləti | nju:-] *n.* Ⓤ 혼기, 방년(芳年), 과년(瓜年)
nu·bi·lous [njú:bələs | njú:-] *a.* 흐린, 안개가 자욱한; 애매한, 모호한
nú bòdy 〖생화학〗 = NUCLEOSOME
Nu·buck [njú:bʌk | njú:-] *n.* Ⓤ (스웨이드 비슷한) 한쪽 면을 부드럽게 한 가죽
nu·cel·lus [nju:séləs | nju:-] *n.* (*pl.* **-cel·li** [-lai]) 〖식물〗 (배(胚)의) 주심(珠心) **-lar** *a.*
nu·cha [njú:kə | njú-] *n.* (*pl.* **-chae** [-ki:]) 〖해부〗 목덜미 **nú·chal** *a.*
nu·cle·al [njú:kliəl | njú:-] *a.* = NUCLEAR
‡**nu·cle·ar** [njú:kliər | njú:-] *a.* **1** 〖생물〗 (세포) 핵의, 핵을 이루는: ~ division 핵분열 **2 a** 〖물리〗 원자핵[력]의: ~ charge 핵전하(核電荷) 《원자핵의 양전하》/ ~ isobar 동중핵(同重核) 《질량수가 같은 원자핵》 **b** 원자 무기의, 핵무기의: ~ war 핵전쟁 **c** 원자력을 동력으로 하는: a ~ ship 원자력선 **d** 핵폭탄을 보유한, 핵 보유의 **3** 핵심의; 주요한 ***go ~*** 핵보유국이 되다; 《구어》 노기충천하다
— *n.* **1** 핵무기, 핵미사일 **2** 핵보유국
▷ núcleus *n.*
nu·cle·ar-armed [-ɑ́:rmd] *a.* 핵무장한
núclear báttery 원자력 전지
núclear bómb 핵폭탄
núclear capabílity (나라의) 핵보유 능력
núclear chémistry 핵화학
núclear clúb 핵 클럽 《미국·러시아·프랑스·영국·중국·인도·파키스탄 등 핵무기 보유국의 별칭》
núclear detérrence[**detérrent**] 핵 억지력
núclear disármament 핵군축
núclear énergy 핵에너지, 원자력(atomic energy)
núclear énvelope = NUCLEAR MEMBRANE
núclear facílity 핵시설, 핵무기 공장
núclear fállout 핵폭발로 인한 방사능 낙진
núclear fámily 핵가족(opp. *extended family*) 《부부와 미혼 자녀만으로 구성된 가족 형태》
núclear físsion 〖물리〗 핵분열
núclear fórce 〖물리〗 핵력(核力)
nu·cle·ar-free [njú:kliərfrí: | njú:-] *a.* 비핵(非核)의, 핵무기 없는
núclear fréeze 핵무기 동결
núclear-frée zòne 비(非)핵(무장) 지대
núclear fúel 핵연료: ~ cycle 핵연료 사이클/ ~ reprocessing 핵연료의 재처리
núclear fúsion 〖물리〗 핵융합
núclear grápeshot 〖군사〗 소형 전술 핵무기
nu·cle·ar·ism [njú:kliərìzm | njú:-] *n.* 핵무기 보유[이용]주의 **-ist** *n.*
nu·cle·ar·ize [njú:kliəràiz | njú:-] *vt.* **1** 〈군대·국가에〉 핵무기를 장비하다 **2** 〈가족을〉 핵가족화하다
núclear magnétic résonance 〖물리〗 핵자기(核磁氣) 공명(共鳴) 《略 NMR》
núclear médicine 〖의학〗 핵의학 《방사선 핵종(核種)을 이용하는 임상 의학》
núclear mémbrane 〖생물·해부〗 핵막
núclear míssile 핵미사일
núclear mólecule 〖물리〗 원자핵 분자
Núclear Nonproliferátion Trèaty 핵 확산 방지 조약 《略 NPT》
núclear phýsicist (원자)핵 물리학자
núclear phýsics (원자)핵 물리학
núclear plánt 원자력 발전소
núclear pówer **1** (동력으로서의) 원자력, 원자력 발전 **2** 핵무기 보유국
nu·cle·ar-pow·ered [njú:kliərpáuərd | njú:-] *a.* 〈잠수함 등이〉 원자력을 동력으로 하는
nu·cle·ar-pro·pelled [-prəpéld] *a.* 원자력 추진의: a ~ cruiser 원자력 순양함
núclear radiátion 〖물리〗 핵방사
núclear reáction 〖물리〗 핵반응
núclear reáctor 원자로(爐)
Núclear Régulatory Commíssion (미국의) 원자력 규제 위원회 《略 NRC》
núclear résonance 〖물리〗 핵공명(核共鳴)
núclear sáp 〖생물〗 (무색의) 핵액(核液)
núclear shélter 핵 대피소
núclear súbmarine 원자력 잠수함
núclear tést 핵실험
Núclear Tést-Ban Trèaty 핵실험 금지 조약
núclear thréshold 핵무기 사용 단계
nu·cle·ar-tipped [-típt] *a.* 핵탄두를 장비한
núclear umbréllа 핵우산
núclear wárfare 핵전쟁
núclear wárhead 핵탄두
núclear wáste 핵폐기물
núclear wéapon 핵무기
núclear wínter 핵겨울 《핵 전쟁으로 인해 일어난 전(全)지구의 한랭화 현상》
nu·cle·ase [njú:klièis, -èiz | njú:-] *n.* 〖생화학〗 뉴클레아제 《핵산에 작용하는 효소》
nu·cle·ate [njú:kliət, -klièit | njú:-] *a.* 〖생물〗 핵이 있는; 핵으로 발생하는 — *v.* [njú:klièit | njú:-] *vt.* 핵 주위에 모으다; 응집하다, …의 핵을 이루다 — *vi.* 핵(모양)을 이루다, 핵으로 삼다; 응집되다
-at·ed [-ətid] *a.* **nù·cle·átion** *n.* Ⓤ 핵형성; (인공 강우를 위한) 빙정(氷晶) 형성 (작용) **-à·tor** *n.*
nu·cle·i [njú:kliài | njú:-] *n.* NUCLEUS의 복수
nu·clé·ic ácid [nju:klí:ik-, -kléiik- | njú:-] 〖생화학〗 핵산(核酸)
nucleo- [njú:kliou, -kliə | njú:-] 《연결형》 「핵, 핵의; 핵산」의 뜻(nucle-, nuclei-)
nu·cle·o·chro·nol·o·gy [njù:kliəkrənɑ́lədʒi | njù:kliəkrənɔ́l-] *n.* Ⓤ 〖천문〗 원자핵 연대학[법]
nu·cle·o·chro·nom·e·ter [njù:kliəkrənɑ́mətər | njù:kliəkrənɔ́m-] *n.* 〖천문〗 핵연대 측정 물질 《원자핵 연대를 결정하는 기준이 되는 화학 원소》
nu·cle·o·cos·mo·chro·nol·o·gy [njù:kliəkɑ̀zmoukrənɑ́lədʒi | njù:kliəkɔ̀zmoukrənɔ́l-] *n.* Ⓤ 〖천문〗 핵우주 연대학
nu·cle·o·gen·e·sis [njù:kliədʒénəsis | njù:-] *n.* = NUCLEOSYNTHESIS
nu·cle·o·lar [nju:klí:ələr | nju-] *a.* 〖생물〗 (핵)인(仁)의
nu·cle·o·lo·ne·ma [nju:klì:ələní:mə | nju:-] *n.* 〖생물〗 핵소체계(核小體系), 인사(仁絲) 《세포의 인(仁) 구성물》
nu·cle·o·lus [nju:klí:ələs | nju:-] *n.* (*pl.* **-li** [-lài]) 〖생물〗 (세포핵 속의) 인(仁), 핵소체
nu·cle·on [njú:kliɑ̀n | njú:kliɔ̀n] *n.* 〖물리〗 핵자(核子) 《양자와 중성자의 총칭》
nu·cle·on·ics [njù:kliɑ́niks | njù:kliɔ́n-] *n. pl.* [단수 취급] 〖물리〗 (원자) 핵공학
nu·cle·o·phile [njú:kliəfàil | njú:-] *n.* 〖물리〗 구핵(求核) 원자[분자]
nu·cle·o·plasm [njú:kliəplæ̀zm | njú:-] *n.* Ⓤ 〖생물〗 핵원형질, 핵질
nu·cle·o·pro·tein [njù:kliəpróuti:n | njù:-] *n.* 〖생화학〗 핵단백질

thesaurus **nuisance** *n.* pest, bother, plague, irritant, annoyance, vexation, trouble, burden, problem, difficulty, inconvenience, disadvantage

nu·cle·o·side [njú:kliəsàid | njú:-] *n.* 〖생화학〗 뉴클레오시드 《핵산 또는 뉴클레오티드의 가수 분해에 의해 얻어지는 화합물의 총칭》
nu·cle·o·some [njú:kliəsòum | njú:-] *n.* 〖생물〗 뉴클레오솜 《염색체의 기본 단위》
nu·cle·o·syn·the·sis [njù:kliəsínθəsis | njù:-] *n.* Ⓤ 〖물리〗 (우주에서의) 핵합성
nu·cle·o·tide [njú:kliətàid | njú:-] *n.* 〖생화학〗 뉴클레오티드 《핵산의 구성 성분》
núcleotide sèquence 〖생화학·유전〗 뉴클레오티드 배열
*__nu·cle·us__ [njú:kliəs | njú:-] *n.* (*pl.* **-cle·i** [-kliài], **~·es**) **1** 핵, 심(心); 핵심, 중축(中軸); 토대, 기점(基點); 중심 부분 **2** 〖생물〗 세포핵; 〖해부〗 신경핵; 〖물리〗 원자핵; 〖천문〗 혜성의 핵 **3** 〖기상〗 응결[동결] 핵 ▷ núclear *a.*; núcleate *v.*
nu·clide [njú:klaid | njú:-] *n.* 〖물리·화학〗 핵종(核種) **nu·clíd·ic** *a.*
nud·dy [nʌ́di] *n.* [다음 성구로] ***in the ~*** 《영·호주·구어》 나체[벌거숭이]로
*__nude__ [njú:d | njú:d] *a.* (**nud·er**; **nud·est**) **1** 벌거벗은, 나체의 《★ naked와는 달리, 그림의 모델처럼 남에게 보이기 위해 벌거벗은》: a ~ picture 나체화[사진] **2** 걸친 것이 없는, 장식[가구]이 없는; 초목이 없는 **3** 있는 그대로의, 적나라한 **4** 〖법〗 무상(無償)의, 무효의: ~ contract 무상 계약 《영국법에서는 계약의 효력이 없음》 **5** 살색의 〈양말〉 **6** 〖식물〗 잎이 없는; 〖동물〗 비늘[날개, 털《등》]이 없는
— *n.* **1** 벌거벗은 사람; 〖미술〗 나체화[상(像)] **2** [the ~] 나체 (상태) **3** 〖동물〗 = NUDE MOUSE. ***in the ~*** 나체로; 숨김 없이
— *vt.* 《미·속어》 벌거벗기다 ***~ it*** 나체가 되다, 나체주의를 실행하다 **~·ly** *ad.* **~·ness** *n.*
▷ núdity *n.*
núde móuse 〖동물〗 누드마우스 《돌연변이에 의해 털이 없는 실험용 쥐》
nudge¹ [nʌ́dʒ] *vt.* **1** (주의를 끌기 위해 팔꿈치로) 슬쩍 찌르다; 주의를 환기시키다 **2** 〈물건을〉 조금씩[슬쩍] 움직이다; 〈…에〉 가까이 가다(near) ~ a person ***in the ribs*** 슬쩍 옆구리를 찌르다 ~ one***'s way*** 팔꿈치로 밀어제치며 나아가다 — *vi.* (팔꿈치로) 슬쩍 찌르다[밀다] — *n.* 팔꿈치로 슬쩍 찌르기
nudge² [núdʒ] *n.*, *v.* = NUDZH
nud·ie [njú:di | njú:-] 《속어》 *n.* (싸구려) 누드 영화 — *a.* 누드를 다룬[내세우는]
nud·ism [njú:dizm | njú:-] *n.* Ⓤ 나체주의
nud·ist [njú:dist | njú:-] *n.* 나체주의자, 누디스트 — *a.* 나체주의(자)의, 누디스트의: a ~ colony [camp] 나체촌(村)
nu·di·ty [njú:dəti | njú:-] *n.* (*pl.* **-ties**) **1** Ⓤ 벌거숭이, 나체(상태); 노출 **2** [*pl.*] 벌거벗은 것; 〖미술〗 나체화[상]
nud·nick, -nik [núdnik] *n.* 《미·속어》 따분한[귀찮은] 사람
nudzh [núdʒ] 《미·속어》 *n.* 불평이 많은 사람 — *vt.* …에게 자꾸 불평을 말하다 — *vi.* 투덜투덜 불평하다[군소리하다]
'nuff [nʌ́f] *n.* 《구어》 = ENOUGH ***~ said***[***ced, sed***] 그만하면 알았다[됐다]
nuf·fin [nʌ́fin], **nuf·fink** [nʌ́fiŋk] *pron.* 《영·구어》 = NOTHING
nu·ga·to·ry [njú:gətɔ̀:ri | njú:gətəri] *a.* 하찮은, 쓸모없는(trifling); 무효의
nug·gar [nəgɑ́:r] *n.* (Nile 강 상류에서 사용하는) 폭이 넓은 짐배
nug·get [nʌ́git] *n.* **1** 딱딱한 덩이, (천연 귀금속의) 덩어리(lump) **2** [*pl.*] 《미·속어》 귀중한 것; [*pl.*] 돈 **3** (닭·생선 등의) 작고 둥근 조각: chicken ~*s*
nug·get·y [nʌ́gəti] *a.* 덩어리진; 땅딸막한
NUGMW 《영》 National Union of General and Municipal Workers
‡**nui·sance** [njú:sns | njú:-] [L 「해치다」의 뜻에서] *n.* **1** 폐, 성가심, 귀찮음 **2** [종종 a ~] 불쾌한[성가신, 귀찮은] 사람[물건, 존재]: Flies are *a* ~. 파리란 성가신 놈이다. **3** 〖법〗 (불법) 방해: a private[public] ~ 사적[공적] 불법 방해 ***abate a ~*** (불법) 방해를 제거하다 《피해자가 자기 힘으로》 ***Commit no ~!*** 《영·게시》 소변 금지; 쓰레기 버리지 마시오! ***make a ~ of*** one***self*** = ***make*** one***self a ~*** 남에게 폐를 끼치다, 방해자가 되다 ***the Inspector of N~s*** 《영》 보안관 ***What a ~!*** 아이 성가셔라! **-sanc·er** *n.*
núisance tàx 소액 소비세 《소비자가 부담하는》
núisance vàlue 골탕먹이는 가치[효과]; 〖군사〗 (소규모 폭격 등의) 방해 효과
NUJ 《영》 National Union of Journalists
nuke [njú:k | njú:k] [nuclear의 단축형] *n.* 《속어》 핵무기(nuclear weapon); 원자력 잠수함; 원자력 발전소(nook) — *vt.* **1** 핵무기로 공격하다 **2** 《속어》 〈식품을〉 전자 레인지에서 조리하다[데우다]
nuke-in [njú:kìn | njú:k-] *n.* 《속어》 원자[수소]탄 반대 운동(의 집회), 원자력 발전 반대(의 집회)
nuke·nik [-nik] *n.* 《속어·경멸》 원자[수소]탄 반대 운동가, 원자력 발전 반대 운동[집회]
nuk·er [nju:kər | nju:k-] *n.* 《미·구어》 전자 레인지
nuke·speak [nju:kərspì:k | nju:k-] *n.* 《구어》 핵 용어(核用語), 핵문제의 용어; 핵의 완곡어
NUL National Urban League 전미(全美) 도시 연맹
null [nʌ́l] *a.* **1** (법률상) 무효의(useless); 무익한; 중요하지 않은, 무의미의 **2** 〖컴퓨터〗 빈 《정보의 부재》 **3** 특징[개성]이 없는, 무표정의 **4** 존재하지 않는, 하나도 없는; 〖수학〗 영(零)의 ***~ and void*** 〖법〗 무효인
— *n.* 영, 제로; 영도(零度)
— *vt.* 영으로 하다 《*out*》; 무효화하다
nul·la bo·na [nʌ́lə-bóunə] [L = no goods] 〖법〗 압류 동산 부재 증명서
nul·lah [nʌ́lə] *n.* 《인도》 (자주 물이 마르는) 수로; 소협곡(gully, ravine)
núll hypòthesis 〖통계〗 귀무가설(歸無假說) 《가설 검증에서 두 모수치 간에 차이가 없다고 하는 가설》
nul·li·fi·ca·tion [nʌ̀ləfikéiʃən] *n.* Ⓤ 무효, 파기, 취소; [종종 **N~**] 《미》 주의 연방 법령 실시 거부
nul·li·fy [nʌ́ləfài] [L 「무(無)로 하다」의 뜻에서] *vt.* (**-fied**) **1** (법적으로) 무효로 하다; 파기하다(destroy), 취소하다(cancel) **2** 수포로 돌리다 **-fi·er** *n.*
nul·lip·a·ra [nʌlípərə] *n.* (*pl.* **-rae** [-rì:]) 〖의학〗 미산부(未産婦)
nul·lip·a·rous [nʌlípərəs] *a.* 아이를 낳지 않은
nul·li·ty [nʌ́ləti] *n.* (*pl.* **-ties**) **1** Ⓤ 무효; Ⓒ 무효의 행위[문서]: a ~ suit 결혼 무효 소송 **2** Ⓤ 무가치, 무(無); 무익, 무용; Ⓒ 쓸데없는 사람[것]
núll mèthod 〖전기〗 영위법(零位法)
núll mòdem 〖컴퓨터〗 널 모뎀 《모뎀을 사용하지 않고도 2대의 컴퓨터가 통신할 수 있도록 해 주는 케이블》
núll sét 〖수학〗 공집합(空集合)(empty set) 《원소를 하나도 포함치 않는 집합》
null-space [nʌ́lspèis] *n.* 〖수학〗 영(零)공간
num. number; numeral(s) **NUM** National Union of Mineworkers 《영》 전국 광산 노동자 조합
*__numb__ [nʌ́m] *a.* **1** (얼어서) 곱은, 마비된 〈손가락 등〉: toes ~ with cold 추위로 곱은 발가락 **2** (슬픔·피로 등으로) 감각을 잃은, 마비된 《*with*》; 무딘, 둔한: ~ with fear 공포로 정신이 멍해진 **3** 무기력한
— *vt.* **1** 감각을 잃게 하다, 저리게[얼게] 하다 **2** [보통 수동형으로] 〈사람·마음을〉 마비시키다, 망연자실케 하다: Her heart was *~ed with* grief. 그녀의 마음은 비탄에 짓눌렸다. **3** 〈약 등이 고통을〉 완화시키다
~·ly *ad.* 곱아서 **~·ness** *n.*
Num(b). 〖성서〗 Numbers 민수기(民數記)

numb *a.* benumbed, deadened, insensible, torpid, dull, dazed, stunned, stupefied, paralyzed, frozen, chilled (opp. *sensitive, responsive*)

numb-brained [nʌ́mbrèind] *a.* ((속어)) 어리석은, 바보스러운

****num·ber** [nʌ́mbər] *n., v.*

L「수」의 뜻에서	
① 수, 숫자	명 1
② 총수 (…에 달하다)	명 2 타 2c
③ 번호(를 붙이다)	명 3 타 1

—*n.* **1 a** 수: a high[low] ~ 큰[작은] 수 **b** 숫자, 수사(numeral); (수를 표시하는) 기호 ((12, twelve, XII 등)) **2** 수효; 총수, 수량, 인원수 ((*of*)); 합계; 필요수: Their ~ is great. 그들은 인원수가 많다 / C.E The ~ *of* thieves is[are(×)] increasing. 도둑들의 수가 늘어나고 있다. **3 a** (전화·집 등의) 번호 ((보통 생략해서 No., *pl.* Nos.)); 제 (몇) 번[호, 권, 번지 ((등))]: a phone[telephone] ~ 전화번호 / a house ~ 집 번지, 가옥 번호 / a registration[room] ~ 등록[객실] 번호 / a uniform ~ 등번호 / the December ~ (잡지의) 12월호 ★ 번지 숫자 앞에는 보통 No.를 적지 않음. **b** 프로그램의 한 항목, 곡목: the last ~ 최후의 곡목 **c** 상품, ((특히)) 의복: a smart ~ 신형 의복 **4 a** 다수, 상당수 ((*of*)); 약간: There are ~*s* (*of* people) who believe it. 그것을 믿는 사람은 상당히 많다. **b** [*pl.*] 수의 우세: win by ~*s* 수의 힘으로 이기다 **5 a** 동료, 패: He is not of our ~. 그는 우리 패[편]가 아니다. **b** ((구어)) [보통 a ~] (특정한) 사람, 물건, ((특히)) 의류 **c** ((속어)) 아가씨, 젊은 여자 **6** [*pl.*] 산수: the science of ~*s* 산수 **7** 〚음악·운율〛 음률(音律), 운율 **8** 〚문법〛 수 (⇨ 문법 해설 (17)): the singular[plural] ~ 단[복]수 **9** [*pl.*] ((시어)) 시구(詩句), 운문; [*pl.*] 음표의 무리, 악보 **10** [the ~s] ((미)) = NUMBERS GAME **11** ((미·속어)) 일, 상태, 작업 ***a great*** [***large***] ~ ***of*** 다수의, 많은 : C.E *A large ~ of* cars were[was(×)] parked outside the school. 학교 밖에는 많은 차들이 주차되어 있었다. ***among the ~ of*** …의 수 안에, …의 가운데에 ***a ~ of*** (1) 얼마간의(some) (2) 다수의(numbers of) ((★ 현재는 「다수의」란 뜻으로 주로 쓰임; 두 가지 어느 경우든지 부정문·의문문에는 쓰이지 않음)) ***any ~ of*** 많은, 얼마든지: We can do it *any ~ of* times. 몇 번이든지 그것을 할 수 있다. ***a small ~ of*** 소수의, 얼마 안 되는 ***beyond ~*** 셀 수 없는[없을 만큼] ***by ~*** 번호로 ***by*** (***force of***) ***~s*** (1) 수의 우세로(⇨ *n.* 4 b) (2) ((영)) = by the NUMBERS ***by the ~s*** ((미)) (1) 〚군사〛 구령에 맞추어; 보조를 맞추어 (2) 규칙적으로, 기계적으로 ***do a ~ on*** ((구어)) (속이거나 비난하거나 구타하는 등) …에게 몹쓸[모진] 짓을 하다 ***get*** [***have***] ***a*** person***'s ~*** ((구어)) …의 속셈[정체]을 간파하다[꿰뚫어보다] ***have*** a person***'s ~ on it*** ((미·속어)) 〈총탄 등이〉 …에게 맞게[죽이게] 되어 있다 ***in ~*** 수로; 수효는; 통계로, 전부 ***in ~s*** 〈잡지 등을〉 분책으로, 여러 번으로 나누어서 ***in round ~s*** 대략, 어림셈으로 ***in small*** [***great***] ***~s*** 소수[다수]로 ***make*** one***'s ~*** ((구어)) 얼굴을 내밀다, 출두하다 ((*at*)); 인사하다 ((*with*)); 연락을 취하다 ((*with*)) ***make up by ~s*** 수(의 우세)로 메꾸다 ***~s of*** 다수의, 수많은 ***out of ~*** 무수한 One***'s ~ goes*** [***is***] ***up.*** ((속어)) 〈사람이〉 죽어 가다, 임종이 가깝다, 운이 다하다, 곤경에 빠지다 ***There are ~s who …*** …인 사람이 많다 ***to the ~ of*** 80 (여든)이나[까지] ***without ~*** 무수한

—*vt.* **1** …에 번호를 매기다, 페이지 수를 적어 넣다 **2 a** ((시어)) 세다, 계산하다 **b** (…의 속에) 세어 넣다 ((*among, in, with, as*)): (~+목+전+명) I ~ him *among* my closest friends. 그를 가장 친한 친구의 한 사람으로 친다. **c** 〈총수가〉 …에 달하다, …이 되다: The visitors ~ 15. 방문객은 15명에 달한다. **3** [보통 수동형으로] …의 수를 제한하다: His days *are ~ed.* 여생이 얼마 남지 않았다. **4** (몇) 년 살고 있다, …살이다: He ~*s* fourscore. 그는 여든 살의 고령이다.

—*vi.* **1** 총계 …이 되다, (…의 수에) 달하다 ((*in*)): (~+전+명) The applicants ~*ed in* the thousands. 지원자는 총계 수천 명에 달했다. **2** (…축에) 들다, 포함되다 ((*among, with*)): (~+전+명) That record ~*s among* the top ten. 그 레코드는 톱텐에 낀다. ***~ off*** ((영)) 〈군인이〉 번호를 부르다; ((영)) 〈군인이〉 (정렬하여) 번호를 부르다; ((구령)) 번호! (((미)) count off) **~·a·ble** *a.* **~·er** *n.*

▷ númeral, númerous, numérical, númberless *a.*

númber crùncher ((구어)) **1** (복잡한 계산을 하는) 대형 컴퓨터 **2** 계산 업무를 주로 하는 사람

num·ber-crunch·ing [nʌ́mbərkrʌ̀ntʃiŋ] *n.* U, *a.* ((구어)) (컴퓨터로) 방대한 수를 계산하기[계산하는]

num·bered [nʌ́mbərd] *a.* 번호가 있는, 번호를 매긴: The players all wear ~ shirts. 선수들 모두는 번호가 있는 셔츠를 입는다.

númbered accóunt 번호 계정 ((이름 대신 번호로 등록되는 은행 계좌))

núm·ber·ing machìne [nʌ́mbəriŋ-] 번호 찍는 기계, 넘버링 머신

númbering sỳstem 〚미식축구〛 숫자를 사용하여 플레이를 나타내는 방식 ((각 선수의 위치·선수간의 지역에 번호를 붙임))

***num·ber·less** [nʌ́mbərlis] *a.* **1** 셀 수 없이 많은, 무수한(innumerable) **2** 번호 없는

númber lìne 〚수학〛 수직선(數直線)

númber níne[**No. 9**] (**pìll**) ((영·군대속어)) 제9호 알약 ((만능약으로 일컬어지는 설사약))

númber óne[**No. 1**] **1** 제1호[번]; 제1인자, 중심 인물 **2** ((구어)) 자기(oneself); 자기의 이해(利害) **3** ((유아어)) 쉬, 오줌 (cf. NUMBER TWO): do[make, go] ~ 쉬하다 —*a.* A ((구어)) 제1의; 일류의, 최고의

númber óne bóy ((미·구어)) 권력자, 사장; 믿을 수 있는 보좌역; = YES-MAN

númber plàte ((영)) (자동차의) 번호판(((미)) license plate); (가옥의) 번지 표시판

Num·bers [nʌ́mbərz] *n. pl.* [단수 취급] 〚성서〛 민수기(民數記) ((略 Num., Nu))

númbers gàme[**pòol, ràcket**] [the ~] ((미)) 숫자 알아맞히기 노름

númber sìgn 번호 기호 ((#))

númber tén *a.* ((미·속어)) 최악의

Númber Tén[**No. 10**] (**Dówning Stréet**) 영국 수상 관저 ((런던 Downing가(街) 10번지에 있는))

númber thèory 〚수학〛 정수론(整數論)

númber twó **1** 제2인자, 보좌역 **2** ((유아어)) 응가, 대변: do[make, go] ~ 응가를 하다

númber wòrk 산수

numb·fish [nʌ́mfìʃ] *n.* (*pl.* **~, ~·es**) 〚어류〛 시끈가오리(electric ray)

númb grenàde 감각 마비 수류탄 ((큰 음향과 섬광으로 6초간 감각을 마비시킴))

numb·head [nʌ́mhèd] *n.* ((미·구어)) 바보, 얼간이 **~·ed** *a.* 멍청한

numb·ing [nʌ́miŋ] *a.* A 마비시키는, 멍하게 하는

numb·skull [nʌ́mskʌ̀l] *n.* = NUMSKULL

num·dah [nʌ́mdɑː] *n.* 두꺼운 펠트 천 ((안장·방석 등에 씀))

nu·men [njúːmin | njúː-] *n.* (*pl.* **-mi·na** [-mənə]) **1** 신령, 수호신 **2** 근원력, 창조력

nu·mer·a·ble [njúːmərəbl | njúː-] *a.* 셀 수 있는, 계산할 수 있는 **-bly** *ad.*

nu·mer·a·cy [njúːmərəsi | njúː-] *n.* U ((영)) 수리(數理)적 지식[사고 능력](cf. NUMERATE)

nu·me·raire [njùːmərέər | njùː-] [F] *n.* 통화 교환 비율 기준

***nu·mer·al** [njúːmərəl | njúː-] [L「수」의 뜻에서] *n.* **1** 숫자; 〚문법〛 수사(⇨ 문법 해설 (18)): Arabic

thesaurus **number** *n.* **1** 수 figure, digit, numeral, cipher, symbol, unit **2** 총수 total, aggregate, score, tally, count, sum

[Roman] ~ 아라비아[로마] 숫자 **2** [*pl.*] ((미)) (학교의) 졸업 연도의 숫자 ((우수 운동선수 등에게 주어짐))
— *a.* 수의; 수를 나타내는: a ~ adjective 수 형용사
nu·mer·ar·y [njúːmərèri | njúːmərəri] *a.* 수의, 수에 관한
nu·mer·ate [njúːmərèit | njúː-] *vt.* 세다, 계산하다; 〚수학〛 ⟨숫자·수식을⟩ 읽다 — [-rət] *a.* ((영)) 수리(數理)적 지식이 있는[사고를 하는]
nu·mer·a·tion [njùːməréiʃən | njùː-] *n.* Ⓤⓒ **1** 세는 법, 계산(법); (인구 등의) 계산, 통계 **2** 〚수학〛 숫자 읽기, 명수법(命數法): the ~ table 숫자표
nu·mer·a·tor [njúːmərèitər | njúː-] *n.* **1** 〚수학〛 (분수의) 분자(分子)(opp. *denominator*) **2** 계산자(者), 계산기
nu·mer·ic [njuːmérik | njuː-] *n.* **1** 수 **2** 분수(分數) ((진(眞)분수 또는 가(假)분수))(cf. FRACTION) **3** 서로 약분할 수 없는 것 — *a.* = NUMERICAL
*__nu·mer·i·cal__ [njuːmérikəl | njuː-] *a.* **1** 수의[에 관한], 숫자로 나타낸, 수적인: ~ order 번호순 / a ~ statement 통계 / ~ strength 인원수, 수적인 힘 **2** 계산 능력의 **3** 절댓값의 **~·ly** *ad.*
numérical análysis 수치 해석
numérical áperture 개구수(開口數) ((현미경의 분해 능력을 나타냄))
numérical contról 수치 제어 ((컴퓨터에 의한 공작 기계의 제어; 略 NC))
nu·mer·i·cal·ly-con·trolled [njuːmérikəli-kəntróuld | njuː-] *a.* 〚컴퓨터〛 수치 제어된
numérical taxónomy 〚생물〛 수량 분류학
numéric kéypad[pád] 〚컴퓨터〛 숫자판 ((숫자나 산술 연산 기호의 키를 집합 배치한 자판의 한 구획))
nu·mer·ol·o·gy [njùːmərɑ́lədʒi | njùːmərɔ́l-] *n.* Ⓤ 수비학(數秘學), 수점(數占) **-gist** *n.*
nu·me·ro u·no [njúːməròu-úːnou | njúː-] [Sp. = number one] ((구어)) 제1인자; 자기(oneself)
*****nu·mer·ous** [njúːmərəs | njúː-] *a.* **1** 다수의, 수많은, 셀 수 없이 많은: a ~ army 대군 / the ~ voice of the people 국민 다수의 목소리 **2** ((시어)) 곡조가 아름다운 **~·ly** *ad.* 다수로, 수없이 많이 **~·ness** *n.*
▷ númber, númeral *n.*
Nu·mid·i·a [njuːmídiə | njuː-] *n.* 누미디아 ((아프리카 북부에 있었던 고대 왕국))
Nu·mid·i·an [njuːmídiən | njuː-] *a.* 누미디아 (사람)의 — *n.* 누미디아 사람; Ⓤ 고대 누미디아 말
nu·mi·na [njúːmənə | njúː-] *n.* NUMEN의 복수
nu·mi·nous [njúːmənəs | njúː-] *a.* 신령(numen)의; 신비적인; 신성한, 엄숙한
— *n.* [보통 the ~] 영감(靈感)
numis. numismatic(al); numismatics
nu·mis·mat·ic, -i·cal [njùːməzmǽtik(əl), -məs- | njùːmiz-] *a.* 화폐의; 고전학(古錢學)의 **-i·cal·ly** *ad.*
nu·mis·mat·ics [njùːməzmǽtiks, -məs- | njùː-miz-] *n. pl.* [단수 취급] 화폐[고전(古錢)]학 ((지폐·메달류의 연구 및 수집))
nu·mis·ma·tist [njuːmízmətist | njuː-] *n.* 화폐 연구가, 고전(古錢)학자
nu·mis·ma·tol·o·gy [njuːmìzmətɑ́lədʒi, -mìs- | njuːmìzmətɔ́l-] *n.* Ⓤ 고전(古錢)학, 화폐학; 화폐[메달류(類)]의 연구[수집]
Núm Lóck 〚컴퓨터〛 넘 록
Núm Lóck kèy 〚컴퓨터〛 넘 록 키 ((숫자 키패드를 쓸 때 누르는 키))
num·ma·ry [nʌ́məri] *a.* 화폐의
num·mu·lar [nʌ́mjulər] *a.* 주화(鑄貨) 모양의, 원형의; 화폐에 관한; 〚의학〛 동전 모양의 ⟨습진⟩
num·mu·lite [nʌ́mjulàit] *n.* Ⓤ 〚고생물〛 화폐석(貨幣石) ((유공충의 화석))
num·nah [nʌ́mnə, -nɑː] *n.* 안장 깔개
nump·ty [nʌ́mpti] *n.* (*pl.* **-ties**) ((스코·구어)) 어리석은[우둔한] 사람
num·skull [nʌ́mskʌ̀l] [*numb*(마비된)+*skull*(머리)] *n.* ((구어)) 바보, 돌대가리
*__nun__ [nʌ́n] [L 「노부인」의 뜻에서] *n.* **1** 수녀(cf. MONK) **2** 〚조류〛 흰비오리(smew); 푸른박새 **3** 〚곤충〛 = NUN MOTH **~·like** *a.*
nun·a·tak [nʌ́nətæ̀k] [Eskimo] *n.* 〚지질〛 빙하로 완전히 둘러싸인 암봉[언덕]
nún bùoy 〚항해〛 마름모꼴 부표(浮標)
Nunc Di·mit·tis [nʌ́ŋk-dimítis, núŋk-] [L] **1** 〚성서〛 시므온(Simeon)의 노래 ((누가복음 2: 29- 32)) **2** [**n- d-**] **a** 고별; 별세 **b** 출발(departure); 퇴출 허가 ***sing*** one***'s n- d-*** 기꺼이 가다[죽다]
nun·cha·ku [nʌntʃɑ́ːkuː] *n.* [보통 *pl.*] 쌍절곤(雙折棍) ((동양 무술용 무기))
nun·ci·a·ture [nʌ́nʃiətʃər, -tʃùər, -siə-, nún- | nʌ́nʃiətʃə] *n.* nuncio의 직[임기]
nun·ci·o [nʌ́nʃiou, -si-, nún- | nʌ́nʃiou] *n.* (*pl.* **~s**) 로마 교황 사절(使節)
nun·cle [nʌ́ŋkl] *n.* ((영·방언)) = UNCLE
nun·cu·pate [nʌ́ŋkjupèit] *vt.* ⟨유언 등을⟩ 구술(口述)하다
nun·cu·pa·tion [nʌ̀ŋkjupéiʃən] *n.* Ⓤ 구두 유언
nun·cu·pa·tive [nʌ́nkjupèitiv, nʌŋkjúːpət-] *a.* ⟨유언 등이⟩ 구두의[로 하는]
nun·hood [nʌ́nhùd] *n.* Ⓤ 수녀임, 수녀의 신분
nún móth 〚곤충〛 붉은매미나방
nun·ner·y [nʌ́nəri] *n.* (*pl.* **-ner·ies**) 수녀원(cf. MONASTERY); 수녀 사회
nun·nish [nʌ́niʃ] *a.* 수녀의, 수녀다운
nún's véiling[clóth] 얇은 평직의 모직[견직] 옷감
nuoc mam [nwɔ́ːk-mɑ́ːm | nwɔ́k-] 누옥 맘 ((베트남의 생선 젓국; 조미료의 하나))
NUPE National Union of Public Employees ((영)) 전국 공무원 조합
nu·plex [njúːpleks | njúː-] [*nu*clear-powered com*plex*] *n.* 원자력 콤비나트, 원자력 공업 단지
*__nup·tial__ [nʌ́pʃəl, -tʃəl] ((문어)) *a.* Ⓐ **결혼(식)의**, 혼인의: a ~ ceremony 혼례 / ~ vows 혼인 서약
— *n.* [보통 *pl.*] 결혼식, 혼례
núptial flíght 〚곤충〛 혼인 비행 ((개미·벌 등의 암수가 교미를 위해 뒤얽혀 날아다니는 일))
nup·ti·al·i·ty [nʌ̀pʃiǽləti, -tʃi-] *n.* (*pl.* **-ties**) 혼인율(率)
NUR ((영)) National Union of Railwaymen
nurd [nəːrd] *n.* ((미·캐나다·속어)) = NERD
Nu·rem·berg [njúərəmbə̀ːrg | njúər-] *n.* 뉘른베르크 ((독일 남부의 도시))
Núremberg trìals [the ~] 뉘른베르크 재판 ((나치스 전범(戰犯)에 대한 (1945-46)))
Nu·ri·stan [nùːristǽn] *n.* 누리스탄 ((아프가니스탄 북동부에 위치한, 힌두쿠시 산맥(Hindu Kush) 남동쪽에 있는 지역)) **Nù·ris·tá·ni** *n.* 누리스탄 족
Nur·o·fen [njúərəfən | njú-] *n.* Ⓤⓒ ((영)) (항염증제인) 이부프로펜(ibuprofen)의 일종
*****nurse** [nəːrs] [L 「양육(자)」의 뜻에서] *n.* **1** 간호사[인, 병]: a male ~ 남자 간호사
NOTE 미국의 간호사에는 2년제 간호 전문학교를 나온 licensed practicing nurse(준간호사; 略 LPN), 4년제 대학을 나오고 실습을 마친 registered nurse(정간호사; 略 RN)와 RN이 추가 연수를 받은 nurse practitioner(개업[의료] 간호사; 略 NP)가 있음. NP는 간단한 진찰과 처방전 쓰기 등 의료 행위를 할 수 있는 간호사인데 모든 주(州)에 NP 제도를 두는 것은 아님.
2 [보통 wet ~] 유모; [보통 dry ~] 보모; 애 보는 사람 **3** 길러[조성해] 주는 사람[것]; 양성소 ((*of*)) **4** 〚식물〛 보호목(木) ((어린 나무 등을 보호하기 위한)); 〚곤충〛 애벌레를 보호하는 곤충 ((일벌·일개미 등)); 〚동물〛

numerous *a.* many, innumerable, myriad, several, various, diverse (opp. *few, scant*)
nuptial *a.* conjugal, marital, matrimonial

영양 세포 **5** 〖당구〗 공을 모아놓기 **6** 상어의 일종 ***at*** ~ 유모[보모]에게 맡기어; 수양아이로 보내져 ***put*** **...** (***out***) ***to*** ~ 남의 젖[손]으로 기르다; 수양아이로 주다; 〈재산 따위를〉 관재인에게 예탁하다

—*vt.* **1 a** 간호하다, 병구완하다 **b** 〈병·환부를〉 고치려고 애쓰다, 다스리다: (~+목+전+명) ~ a bad cold *by* going to bed 잠으로써 독감을 고치려고 하다 **2** 젖 먹이다; 〈식물 등을〉 (소중히) 기르다, 배양하다; 〈문예 등을〉 육성하다, 보호 장려하다; 〈재능을〉 키우다, 신장하다: (~+목+부) I *~d* the plant *along* for a year. 1년 동안 그 식물을 가꾸었다. **3** 〈어린아이를〉 보아 주다, 돌보다 **4** 〈희망·원한 등을〉 품다: (~+목+전+명) ~ a grudge *against* …에게 원한을 품다 **5** 〈재산 등을〉 소중히 관리하다; 〈자원·정력 등을〉 절약하다, 소중히 하다; 〈술 등을〉 짤금짤금 마시다; (영) 〈선거구민의〉 비위를 맞추다: ~ a fire 불이 꺼지지 않게 지키다 **6** 어르다, 애무하다, 안다: (~+목+전+명) ~ a baby *in* one's lap 아기를 무릎에 안고 어르다 **7** (속어) (경마에서 이길 듯한 말을 느린 말로 에워싸서) 방해하다 **8** 〖당구〗 〈공을〉 모으다

—*vi.* **1** 〈유모가〉 젖을 먹이다; 〈젖먹이가〉 젖을 먹다, (젖을) 빨다 《*at*》 **2** 간호사로 근무하다; 간호하다

nurse-child [nə́ːrsttʃàild] *n.* (*pl.* **-chil·dren** [-tʃìldrən]) 기른 아이, 수양아이

nurse·hound [nə́ːrshàund] *n.* 〖어류〗 돔발상어

nurse·ling [nə́ːrsliŋ] *n.* =NURSLING

nurse·maid [nə́ːrsmèid] *n.* 아이 보는 여자(nurserymaid)

nurse-mid·wife [nə́ːrsmídwàif] *n.* (자격증 소유의) 조산사

núrse practítioner (미) (일정한 의료 행위를 할 자격을 갖춘) 간호사 《略 NP; ⇨ nurse》

nurs·er [nə́ːrsər] *n.* **1** 유모, 길러 주는 사람; 양성하는 사람 **2** =NURSING BOTTLE

‡**nurs·er·y** [nə́ːrsəri] *n.* (*pl.* **-er·ies**) **1** 육아실, 탁아소 **2** 보육 학교 《어린아이들의 교육 시설》(= ~ school) **3** 양성소; (범죄 등의) 온상 **4** 묘상(苗床), 종묘[양어, 양식]장 **5** 〖당구〗 모아치기

núrsery cànnon 〖당구〗 모인 공의 캐넌

núrsery gàrden 묘상(苗床), 종묘원(園)

núrsery gòverness 보모 겸 가정 교사

nurs·er·y·maid [nə́ːrsərimèid] *n.* =NURSEMAID

nurs·er·y·man [-mən] *n.* (*pl.* **-men** [-mən, -mèn]) 종묘원 주인; 묘목상

núrsery nùrse (영) 보모

núrsery rhỳme[**sòng**] 동요, 자장가(Mother Goose rhyme)

núrsery schòol 보육원 《5세 이하의 유아를 교육》

núrsery slòpes 〖스키〗 초보자용 활강 코스

núrsery stàkes 〖경마〗 2세 된 말의 경주

núrsery tàle 옛날 이야기, 동화

núrse's áide (미) 간호 조무사, 보조 간호사

núrse shìp (영) 모함(mother ship)

núrse trèe 보호수 《어린 나무를 보호하는》

nurs·ey, nurs·ie [nə́ːrsi] *n.* (유아어) 아줌마, 언니 《유모를 부르는 말》

***nurs·ing** [nə́ːrsiŋ] *a.* **1** (맡은 아이를) 양육하는; (수양아이로서) 양육받는 **2** 간호하는

—*n.* **1** 병구완; (직업으로서의) 간호; 간호사의 일 **2** Ⓤ 육아, 보육; 젖먹이기(nurseling)

núrsing bòttle (미) 포유(哺乳)병, 젖병((영) feeding bottle)

núrsing fàther 수양아버지

núrsing hòme (병자·노인 등의) 사립 요양원; (영) (소규모의) 사립 병원

núrsing mòther **1** 양모, 수양어머니 **2** 모유로 키우는 어머니

núrsing òfficer (영) 간호 장교

núrsing schòol 간호 학교, 간호사 양성소

nurs·ling [nə́ːrsliŋ] *n.* **1** (유모가 기르는) 유아, 젖먹이 **2** 소중히 길러진 아이[것]

nur·tur·ance [nə́ːrtʃərəns] *n.* Ⓤ 애정어린 돌봄과 배려; 양육(養育) **-ant** *a.*

***nur·ture** [nə́ːrtʃər] *vt.* **1** 〈아이를〉 양육하다, 기르다 **2** 양성하다, 가르쳐 길들이다; 영양물을 공급하다

—*n.* Ⓤ **1** 양육; 양성, 교육 **2** 자양[음식물]

nature and ~ 천성과 교육

NUS (영) National Union of Seamen; National Union of Students

‡**nut** [nʌ́t] *n.* **1** 견과(堅果), 나무 열매 《껍질이 단단한 호두·개암·밤 등》 **2** 〖기계〗 너트, 암나사 **3** 〖음악〗 (바이올린 등의) 현침(絃枕) **4** 어려운 문제, 어려운 사업; 다루기 힘든 사람 **5** (일·문제 등의) 핵, 핵심 **6** (구어) 머리(head); 괴짜, 바보, 미치광이; [종종 복합어로 쓰여] (속어) …광(狂), 열렬한 애호가[팬]; (미·속어) 남자, 녀석 **7** [*pl.*] 석탄의 작은 덩이 **8** 멋쟁이 **9** (구어) (연극 등의) 총경비 **10** [the ~s] (속어) 즐거움[쾌락]을 주는 것 《*to, for*》: This is *the ~s to* me. 이것 신난다. **11** [*pl.*] (미·속어) 불알 ***a hard***[***tough***] ~ (***to crack***) 어려운 문제; 처치 곤란한[다루기 힘든] 일[사람] ***be*** (***dead***) ***~s about***[***on***] ⇨ nuts. ***be ~s to***[***for***] (속어) …이 무척 좋아하다 ***bust*** one***'s ~s*** (미·속어) 전력을 다하다, 노력을 기울이다 ***do*** one***'s ~***(***s***) (영·구어) 미친 사람같이 되다 《놀람·불안·격노 등으로》 ***drive*** a person ***~s*** (미·속어) …을 괴롭히다 ***for ~s*** (영·구어) [부정어와 함께] 전혀, 조금도, 도무지(at all) ***go ~s*** (속어) 미치다 ***not care a*** (***rotten***) ~ 조금도 개의치 않다 ***N~s!*** 말도 안 되는 소리!(Nonsense!) ***off*** one***'s ~*** (속어) 미쳐서 ***talk like a ~*** (미·속어) 바보같은 소리를 하다

—*v.* (**~·ted**; **~·ting**) *vi.* **1** 나무 열매를 줍다[찾다]: go *~ting* 나무 열매를 주우러 가다 **2** (영·속어) 머리를 쓰다, 생각하다 《*over*》 **3** (미·속어) 성교하다

—*vt.* (영·속어) …에게 박치기를 하다 **~·like** *a.*

▷ nútty *a.*

NUT National Union of Teachers

nu·tant [njúːtnt | njúː-] *a.* 〖식물〗 〈꽃 따위가〉 고개를 숙이는

nu·tate [njúːteit | njúː-] *vi.* 〈식물 따위가〉 고개를 숙이다

nu·ta·tion [njuːtéiʃən | njuː-] *n.* ⓊⒸ 머리를 숙임[굽힘], 내려다봄; 〖천문〗 장동(章動) 《지축의 미동》; 〖식물〗 (줄기의) 회전성(廻轉性)

nut-brown [nʌ́tbráun] *a.* 개암[밤]색의

nut-but·ter [-bʌ̀tər] *n.* Ⓤ 나무 열매 기름으로 만든 버터

nut·cake [-kèik] *n.* (미) =DOUGHNUT

nút càse (속어) 미치광이, 괴짜; 변태

nút còllege (미·속어) =NUT HOUSE

nut·crack·er [-krӕkər] *n.* **1** [보통 *pl.*] 호두 까는 기구 **2** 턱과 코 사이가 짧아진 얼굴(=~ fàce) **3** 〖조류〗 잣까마귀

nutcracker 1

nút cútlet 너트 커틀릿 《견과류·빵·허브 따위를 섞어서 커틀릿처럼 만든 음식》

nút fàctory (미·속어) =NUT HOUSE

nut·gall [-gɔ̀ːl] *n.* 몰식자, 오배자 《oak 나무껍질에 생기는 충영》

nut·hatch [-hӕtʃ] *n.* 〖조류〗 동고비

nút hòuse (미·속어) 정신 병원(mental hospital)

nut·let [nʌ́tlit] *n.* 작은 견과(堅果) 《마디풀·소엽 등의 열매》; (매실·복숭아 등의) 씨

nút loàf[**ròast**] 견과류 빵 《견과·야채·향료를 섞어 만듦》

nut·meat [nʌ́tmìːt] *n.* Ⓤ (식용하는) 견과의 살

nut·meg [-mèg] *n.* **1** 〖식물〗 육두구(肉豆蔻) 《열대산 상록수》; 육두구의 씨 《향신료·약용》 **2** [**N~**] (미) Connecticut 주의 주민 **3** 회갈색

nútmeg ápple 육두구의 열매

Nútmeg Státe [the ~] 미국 Connecticut 주의 속칭
nút òil 견과유(堅果油) ((개암·땅콩 기름 등))
nut·pick [-pìk] *n.* **1** 호두 알맹이를 파내는 송곳 모양의 식탁용 기구 **2** ((미·속어)) 정신과 의사
nút pìne 열매를 맺는 각종 소나무, 잣나무
nu·tra·ceu·ti·cal [njù:trəsú:tikəl | njù:-] [*nutri*tion+pharm*aceutical*] *n., a.* 기능 식품(의) ((건강을 증진시키는 첨가제를 함유한))
Nu·tra·Sweet [njú:trəswì:t | njú:-] *n.* 뉴트러스위트 ((인공 감미료 aspartame의 상표명))
nu·tri·a [njú:triə | njú:-] *n.* 〖동물〗 ((남미산(産))) 누트리아(coypu); Ⓤ 그 모피
*__nu·tri·ent__ [njú:triənt | njú:-] *a.* **영양이 되는**
— *n.* [보통 *pl.*] **영양분[물]**, 영양제; 〖생화학〗 영양소: protein ~*s* 단백질을 포함한 영양소
nu·tri·ment [njú:trəmənt | njú:-] *n.* Ⓤ 자양물, (영)양분, 음식물(food)
nu·tri·men·tal [njù:trəméntl | njù:-] *a.* = NUTRITIOUS
*__nu·tri·tion__ [nju:tríʃən | nju:-] *n.* Ⓤ **1 영양물 섭취**; 영양(작용); **영양물**, 음식물 **2** 영양학 **~·al** *a.* 영양상의 **~·al·ly** *ad.* **~·ist** *n.* 영양사, 영양학자 ▷ nutrítious, nútritive *a.*
*__nu·tri·tious__ [njutríʃəs | nju:-] *a.* **자양분이 많은**, 영양이 되는 **~·ly** *ad.* **~·ness** *n.*
nu·tri·tive [njú:trətiv | njú:-] *a.* **1** = NUTRITIOUS; 영양을 제공하는 **2** 영양의[에 관한]
— *n.* 영양물 **~·ly** *ad.* **~·ness** *n.*
nu·tri·ture [njú:trətʃər | njú:-] *n.* Ⓤ 영양 양호(상태)
nuts [nʌ́ts] *a.* Ⓟ ((속어)) **1** 미친; 바보의: Are you ~? 너 미쳤니? **2** 열중[열광]하여 ((*about, on, over*)) ***be*** (***dead***) **~ *on*** [***about***] …에 열중[골몰]하다; …에 능란하다: He *is* ~ *about* her. 그는 그녀에게 미쳐 있다. ***drive*** a person **~** …을 신경질나게 하다, 미칠 지경이 되게 하다 ***go* ~** 미치다; 노발대발하다
— *int.* ((미·구어)) [경멸·혐오·실망 등을 나타내어] 제기랄, 시시해, 어이없군
— *n.* **1** [the ~] 최고[우량]의 것 **2** 바보 같은 소리
núts and bólts 1 (기계의) 작동부(분); 운전, 경영 **2** [the ~] (사물의) 기본, 요점 ((*of*)): *the* ~ *of* accounting 회계의 기본
nuts-and-bolts [nʌ́tsən*d*bóults] *a.* Ⓐ 실제적인; 기본적인; 세밀한 〈검사 등〉
nut·shell [nʌ́tʃèl] *n.* **1** 견과의 껍질 **2** 아주 작은 그릇[집]; 작은[적은, 짧은] 것 ***in a* ~** 아주 간결하게
— *vt.* 요약하다, 간결하게 말하다
nut·ter [nʌ́tər] *n.* **1** 나무 열매를 줍는[따는] 사람 **2** = NUT-BUTTER
nut·ting [nʌ́tiŋ] *n.* Ⓤ 나무 열매[견과] 줍기
nút trèe 견과가 열리는 나무, ((특히)) 개암나무(hazel)
nut·ty [nʌ́ti] *a.* (**-ti·er**; **-ti·est**) **1** 나무 열매가 많은 **2** 나무 열매 향기가 나는, 견과 맛이 나는 **3** ((미·속어)) 미친(crazy) **4** 풍미가 풍성한; 신선한; 내용이 충실한 **5** ((속어)) 홀딱 반하여, 열중하여 ((*on, upon*)) **6** 멋진, 화려한 (***as***) **~ *as a fruitcake*** 〈사람이〉 순전히 바보인, 미쳐 **nút·ti·ly** *ad.* **nút·ti·ness** *n.*
nut·wood [nʌ́twùd] *n.* 견과 나무 ((호두나무 등)); Ⓤ 그 목재
nux vom·i·ca [nʌ́ks-vɑ́mikə | -vɔ́m-] [L] **1** 〖식물〗 마전자(馬錢子) ((마전의 유독한 종자; 약용)); 마전 ((인도산(産) 상록 교목)) **2** 보미카 ((마전자가 든 위장약·식욕 증진약))
Nu·yo·ri·can [njù:jɔ:rí:kən | njù:-] *a., n.* = NEORICAN
nuz·zle [nʌ́zl] [ME 「코(nose)를 땅에 대다」의 뜻에서] *vi.* **1** 〈짐승이〉 코로 구멍을 파다; 코를 비벼[문질러]대다 ((*up, at, to, against*)); 코로 냄새 맡다 **2** 기분 좋게 자다; 붙어 자다 — *vt.* **1** 코로 파다; 코로 문지르다[스치다]; 〈머리·얼굴 등을〉 디밀다, 밀어대다 ((*against*)) **2** …에게 붙어 자다 ((*against*)) **~ one*self*** 바짝 다가붙다 — *n.* 포옹
NV 〖우편〗 Nevada; New Version **n.v.** nonvoting (stock) **NVA** North Vietnamese Army **nvCJD** new varient CJD **n.v.d.** no value declared **NVI** 〖우편〗 no value indicated **NVM** Nativity of the Virgin Mary **NVQ** ((영)) National Vocational Qualification (국가 자격 위원회의) 국가 직업 자격증 **NW** North Wales; Northwest(ern) **NWA** Northwest Airlines **NWbN** northwest by north **NWbW** northwest by west
N-weap·on [énwèpən] *n.* 핵무기(nuclear weapon)
NWT ((캐나다)) Northwest Territories **n. wt.** net weight **NY** ((미)) 〖우편〗 New York(주) **N.Y.** New York **NYA** ((미)) National Youth Administration
Nya·sa·land [njɑ́:sɑ:lӕnd, naiǽsə-] *n.* 니아살랜드 ((아프리카 남동부의 옛 영국 보호령; Malawi로 독립))
nyb·ble [níbl] *n.* ((미·컴퓨터속어)) 니블 ((1바이트(byte)의 반(半)))
N.Y.C. New York City
nyct- [nikt], **nycto-** [níktə, -tou], **nycti-** [níkti] ((연결형)) 「밤」의 뜻 ((모음 앞에서는 nyct-))
nyc·ta·lo·pi·a [nìktəlóupiə] *n.* Ⓤ 〖의학〗 **1** 야맹증(夜盲症) **2** ((오용)) 주(晝)맹증
nyc·ta·lop·ic [nìktəlɑ́pik | -lɔ́p-] *a.* 야맹증의
nyc·ti·trop·ic [nìktətrɑ́pik, -tróup- | -trɔ́p-] *a.* 〖식물〗 밤에 방향을 바꾸는 성질이 있는, 굴암성이 있는
nyc·to·pho·bi·a [nìktəfóubiə] *n.* 〖정신의학〗 어둠[야간] 공포증
Ny·dra·zid [náidrəzid] *n.* Ⓤ 나이드라지드 ((결핵 치료약; 상표명))
nyet [njét] [Russ. = no] *ad.* 아니오(no)(opp. *da*)
— *n.* 거부, 거부권; 반대
nyl·ghau [nílgɔ:] *n.* (*pl.* **~s**, **~**) = NILG(H)AI
‡ny·lon [náilɑn | -lɔn] *n.* Ⓤ **나일론**; Ⓒ 나일론 제품; [*pl.*] ((구어)) 나일론 양말(= ∠ **stóckings**)
— *a.* Ⓐ 나일론(제)의
NYME, NYMEX New York Mercantile Exchange 뉴욕 상품 거래소
‡nymph [nímf] *n.* **1** 〖그리스·로마신화〗 **님프** ((산·강·연못·숲 등에 사는 예쁜 소녀 모습의 정령(精靈))); 요정; ((시어)) 아름다운 소녀; 소녀 관련 dryad 나무의 요정, gnome 땅의 요정, naiad 물의 요정, oread 산의 요정, salamander 불의 요정, sylph 공기의 요정 **2** 〖곤충〗 애벌레(nympha); 〖낚시〗 애벌레 모양의 제물낚시 **~·al** *a.* **~·like** *a.* ▷ nýmphean *a.*
nym·pha [nímfə] *n.* (*pl.* **-phae** [-fi:]) **1** 〖곤충〗 애벌레(nymph) **2** [*pl.*] 〖해부〗 소음순(小陰脣)
nym·phe·an [nímfiən | nimfí:ən] *a.* 님프의[같은]
nymph·et [nimfét, nímfit] *n.* (10-14세의) 성적 매력이 있는 소녀
nym·pho [nímfou] *n.* (*pl.* **~s**) ((속어)) = NYMPHOMANIAC
nym·pho·lep·sy [nímfəlèpsi] *n.* ⓊⒸ 황홀, 광희(狂喜); 광기(狂氣), 광란 **-lep·tic** [nìmfəléptik] *a.*
nym·pho·lept [nímfəlèpt] *n.* 열광자, 광란자
nym·pho·ma·ni·a [nìmfəméiniə] *n.* Ⓤ (여자) 색정증(色情症)(opp. *satyriasis*)
nym·pho·ma·ni·ac [nìmfəméiniæ̀k] *n.* 색정증 환자 ((여자)) — *a.* Ⓐ 색정증의 〈여자〉
Ny·norsk [ní:nɔ:rsk] *n.* Ⓤ 뉘노르스크 ((노르웨이의 두 공용어 중의 하나))
NYSE 〖증권〗 New York Stock Exchange 뉴욕 증권 거래소
nys·tag·mus [nistǽgməs] *n.* Ⓤ 〖의학〗 안구진탕증, 안진증(眼震症) **-mic** *a.*
nys·ta·tin [nístətin] *n.* 〖약학〗 니스타틴
NYT (The) New York Times
Nyx [níks] *n.* 〖그리스신화〗 닉스 ((밤의 여신))
NZ [énzí: | énzéd] New Zealand
N. Zeal. New Zealand

O o

o, O[1] [óu] *n.* (*pl.* **o's, os, oes, O's, Os** [-z]) **1** 오《영어 알파벳의 제15자》 **2** o, O로써 표시되는 발음: [ɔ, ɑ] (b*o*x), [ou] (n*o*te), [ɔ:r] (sh*o*rt) **3** O 자형(의 것); 원형; 〖수학〗 영(zero): a round *O* 원(圓)(circle) **4** [O] 〖생리〗 (혈액의) O형 **5** (중세 로마 숫자의) 11

‡**O**[2] [óu] [의성어] *int.* 《언제나 대문자로 쓰며 바로 뒤에 콤마 또는 !은 쓰지 않음》 **1** 《시어·문어》 [호칭하는 이름 앞에 써서] 오, 아: *O* Lord! 오, 주여! **2** 오, 아, 어머나 《놀람·공포·감탄·간망 등을 나타냄》: *O* indeed! 정말!; 참으로! / *O* dear me! 어머나!
O for (a real leader)! 아, (진정한 지도자가) 아쉽구나! ***O that*** (I were young again)! 오, (또 한번 젊어질 수 있다면)! ***O yeah!*** 《미·속어》 아니 뭐라구! 《불신·강한 반대·반항을 나타냄》
—*n.* (*pl.* ***O's***) 오[아] 하고 외치는 소리

O[3] *n.* 《미·속어》 **1** 아편(opium) **2** 1온스(ounce)의 마약 **3** 오르가슴(orgasm)

O 〖문법〗 object; 〖전기〗 ohm; Old; 〖화학〗 oxygen **o.** occasional; 〖약학〗 *octarius* 《L = pint》; octavo; off; old; only; *optimus* 《L = best》; 〖야구〗 out(s) **O.** observer; occiput; occupation; *octarius* 《L = pint》; octavo; October; oculus; Odd Fellows; officer; Ohio; Old; Ontario; operation; orange; order; ordinary; Oregon; Orient; owner

o' [ə, ou] *prep.* **1** of의 단축형: *o'*clock, Jack-*o'*-lantern **2** on의 단축형: *o'*nights

O' [ə, ou] *pref.* [아일랜드 사람의 성 앞에 붙여서] 「son of」의 뜻: *O'*Brien, *O'*Connor

o-[1] [ə, ou] *pref.* = OB- 《m앞에 올 때의 변형》: *o*mit

o-[2] [ou] 《연결형》 「알; 난자」의 뜻: *o*idium

o-[3] 〖화학〗 ORTHO-의 단축형

-o- [ou, ə, ɑ́ | ou, ə, ɔ́] [복합어를 만들 때의 연결 문자] **1** [복합어의 제1·제2요소 간의 동격 또는 그밖의 관계를 나타냄]: Franc*o*-British(= French-British), Russ*o*-Japanese(= Russian-Japanese) **2** [-cracy, -logy 등 그리스 계통 어미의 파생어를 만듦]: techn*o*cracy, techn*o*logy

-o [ou, òu] *suf.* **1** [생략형에 붙어 구어·속어적인 표현을 만듦]: amm*o*, comb*o*, cond*o* **2** [명사·형용사 뒤에 붙어] 《구어》 …한 (성질의) 사람[물건]: cheap*o*, pink*o*, weird*o* **3** [명사·형용사에 붙어 감탄사를 만듦]: cheeri*o*, right*o*

OA office automation **o/a** 〖상업〗 on account; on account of **OAEC** Organization for Asian Economic Cooperation 아시아 경제 협력 기구

oaf [óuf] *n.* (*pl.* **~s,** 《고어》 **oaves** [óuvz]) **1** 기형아; 저능아, 멍청이; 촌놈 **2** 《고어》 요정이 뒤바꾸어 놓은 못생긴 아이

oaf·ish [óufiʃ] *a.* oaf 같은; 멍청한, 바보의
~·ly *ad.* **~·ness** *n.*

OAG Official Airline Guide 정식 항공 시간표

O·a·hu [ouɑ́:hu:] *n.* 오아후 섬 《Hawaii 제도의 4개 주요 섬의 하나; 주도(州都)인 Honolulu가 있음》

‡**oak** [óuk] *n.* **1** 〖식물〗 오크(= **~ trèe**) 《떡갈나무·졸참나무류의 낙엽 활엽수; 열매는 acorn》 **2** Ⓤ 오크재(材)(= **~ tìmber**), 오크재 제품 **3** 오크 잎 《장식용》; 그 새 잎의 빛깔 **4** (오크재의) 견고한 바깥 문짝 《특히 영국 대학에서》 **5** [the O~s] 오크스 경마 《Derby, St. Leger와 더불어 영국 3대 경마의 하나》
heart of ~ 용맹심; 용사 ***sport*** one***'s ~*** 〈학생이〉 문을 잠그고 면회를 사절하다 《특히 영국 대학에서》
—*a.* Ⓐ 오크(재)의: an ~ door 오크재(材)의 문
~·like *a.* ▷ óaken *a.*

óak àpple 〖식물〗 오크 몰식사(沒食子), 오배자(五倍子) 《오크나무 잎에 생기는 둥그스름한 혹》

Óak-ap·ple Dày [óukæ̀pl-] 《영》 왕정 복고 기념일 《Charles 2세가 오크나무 위에서 난을 피한 것을 기념; 그의 생일인 5월 29일》

oaked [óukt] *a.* 〈포도주가〉 훈제 맛이 나는 《오크통에 저장하여》

***oak·en** [óukən] *a.* 《시어》 오크(재)의(oak)
▷ óak *n.*

óak gàll = OAK APPLE

Oak·land [óuklənd] *n.* 오클랜드 《미국 California 주의 항구 도시》

óak-leaf clùster [óuklì:f-] 〖미군〗 청동 무공 훈장

Oak·ley [óukli] *n.* = ANNIE OAKLEY

oak·ling [óukliŋ], **-let** [-lit] *n.* 오크의 어린 나무 [묘목]

oak·moss [óukmɔ̀:s] *n.* 오크나무에 붙어 사는 지의(地衣) 식물

Óak Rídge 오크리지 《미국 Tennessee주 동부의 도시; 원자력 연구의 중심지》

oa·kum [óukəm] *n.* Ⓤ 〖항해〗 (틈새를 메우는) 뱃밥 《낡은 밧줄을 푼 것; 누수 방지용》
pick ~ 뱃밥을 만들다 《옛날 죄인·빈민들의 일》

óak wìlt 〖식물 병리〗 참나무 마름병

oak·wood [óukwùd] *n.* Ⓤ **1** 오크재(材); 오크 숲 **2** 오크색, 갈색

OANA Organization of Asian News Agencies 아시아 통신사 연맹 **O & M** organization and method(s) 〖경영〗 사무 개선 활동 **OAO** Orbiting Astronomical Observatory **OAP** old-age pension[pensioner] **OAPC** Office of Alien Property Custodian 거류 외국인 자산 관리국 **OAPEC** [ouéipek] Organization of Arab Petroleum Exporting Countries 아랍 석유 수출국 기구

‡**oar** [ɔ́:r] *n.* **1** 노: back the ~*s* 거꾸로 젓다

> 유의어 **oar** 보트의 측면에 고정한 것 **paddle** 고정되어 있지 않고 손에 갖고 움직이는 것

2 노와 같은 구실을 하는 것 《날개·지느러미·팔 등》; 휘젓는 막대 **3** 노 젓는 사람(oarsman) **4** [보통 *pl.*] 《구령》 노 젓기 준비[쉬어] **5** 노 젓는 배, 보트: a pair-~ 노가 2개인 보트
be chained to the ~ 고역을 강요당하다 ***bend to the ~s*** 노를 (힘껏) 젓다 ***dig in an ~ about*** …에 대해 힘을 빌려주다 ***have an ~ in every man's boat*** 무슨 일에나 참견하다 ***have***[***take***] ***the laboring ~*** 힘든 일을 맡다 ***have***[***pull***] ***the strongest ~*** 가장 힘드는 일을 맡다 ***lay***[***rest***] ***on*** one***'s ~s*** 노를 올리고 젓는 일을 쉬다; (일을 중지하고) 잠시 쉬다 ***pull a good***[***bad***] ***~*** 노를 잘[잘못] 젓다 ***pull a lone ~*** 독립 행동을 하다 ***put in*** one***'s ~*** = ***put***[***shove, stick, thrust***] one***'s ~ in*** 쓸데없는 참견을 하다 ***row with one ~*** (*in*

thesaurus **oath** *n.* sworn statement, vow, promise, pledge, affirmation, attestation, bond
obedient *a.* dutiful, law-abiding, conforming,

the water) 바보짓을 하다, 엉뚱한 짓을 하다 ***toss the ~s*** 노를 공중에 곧추세우다 《경례》 ***trail the ~s*** (젓지 않고) 노를 흐름에 내맡기다 ***tug at the***[***an***] ***~*** 《비유》 악착같이 일하다
—*vt.* 〈배를〉 노로 젓다(row), 노 저어 가다; 〈수면을〉 가로질러 가다 ***~ one's way*** 저어 나아가다
—*vi.* 노를 쓰다; 노 저어 가다

oar·age [ɔ́:ridʒ] *n.* 《드물게》 **1** Ⓤ 노 젓기 **2** 노 장비

oared [ɔ́:rd] *a.* 노를 갖춘: two-~ 노가 2개 있는

oar·lock [ɔ́:rlɑ̀k | -lɔ̀k] *n.* 《미》 (보트의) 노걸이, 노받이(《영》 rowlock)

oars·man [ɔ́:rzmən] *n.* (*pl.* **-men** [-mən]) 노 젓는 사람

oars·man·ship [ɔ́:rzmənʃìp] *n.* Ⓤ 노 젓는 솜씨; 노 젓는 법

oars·wom·an [ɔ́:rzwùmən] *n.* (*pl.* **-wom·en** [-wìmin]) OARSMAN의 여성형

oar·weed [ɔ́:rwì:d] *n.* 〖식물〗 (다시마 따위) 대형 갈조(褐藻) 식물

oar·y [ɔ́:ri] *a.* 《시어》 노 모양의; 노 같은 구실을 하는

OAS on active service; *Organisation armée secrète* (F =Secret Army Organization) 비밀 군사 조직 《알제리 자치를 반대한》; Organization of American States 미주 기구; 《캐나다》 old age security 연금 **OASI** Old Age and Survivors Insurance 노령자 유족 보험

***o·a·sis** [ouéisis] [Gk 「비옥한 땅」의 뜻에서] *n.* (*pl.* **-ses** [-si:z]) **1** 오아시스 《사막의 물과 나무가 있는 곳》 **2** 《비유》 위안처, 휴식처; 《미·속어》 술집
an ~ in the desert 답답함을 벗어나게 해 주는 반가운 변화; 위안이 되는 것 **o·a·sit·ic** [òuəsítik] *a.*

oast [óust] *n.* 《영》 건조용 솥 《홉(hop)·엿기름·담뱃잎 등의》

oast-house [óusthàus] *n.* 《영》 **1** 홉 건조소 **2** = OAST

‡oat [óut] *n.* **1** [보통 *pl.*] 귀리, 연맥(燕麥) 《오트밀의 원료, 가축의 사료》(⇨ wheat 유의어) **2** 오트밀(oatmeal) **3** 《시어》 보리 피리; 목가(牧歌) **4** [*pl.*] 성적 만족 ***be off*** one***'s ~s*** 《구어》 식욕이 없다; 《익살》 성욕이 없다 ***earn*** one***'s ~s*** 《속어》 생활비를 벌다 ***feel*** one***'s ~s*** 《미·속어》 기운이 넘쳐 날뛰다; 잘난 체하다 ***know*** one***'s ~s*** 《구어》 통달하다, 유능하다, 세상 물정에 밝다 ***smell*** one***'s ~s*** (목적지에 근접할 때) 갑자기 기운이 나다 ***sow*** one***'s wild ~s*** 젊은 혈기로 난봉을 부리다
—*a.* 귀리로 만든; 귀릿짚으로 만든

oat-burn·er [óutbə̀:rnər] *n.* 《속어》 말(horse)

oat·cake [óutkèik] *n.* 귀리 비스킷

oat-cell [óutsèl] *a.* 〖의학〗 연맥(燕麥) 세포(암)의 《보통은 기관지에서 발생하는 암세포》

oat·en [óutn] *a.* 《시어》 귀리[귀릿짚]로 만든: an ~ pipe 귀릿짚 피리

oat·er [óutər] *n.* 《미·속어》 서부극

óat gràss 귀리 비슷한 잡초; 야생 귀리

‡oath [óuθ] *n.* (*pl.* **~s** [óuðz, óuθs]) **1** CU 맹세, 서약; 서언(誓言); 〖법〗 (법정에서의) 선서: the ~ of a juror 배심원의 선서 / a written ~ 선서문, 서약서 **2** 서약에 의한 증언, 진술; 공식적인 진술; 단언, 확신 **3** 신성(神聖)한 이름의 남용 《God damn you! 등》; 모독적인 표현; 욕설(swearword)
administer an ~ to a person …에게 선서시키다 ***false ~*** 거짓 맹세 ***know*** one***'s ~*** (…에 대해) 숙지[정통]하고 있다 ***make*** (***an***) ***~*** 맹세하다, 선서하다 (*that*) ***~ of office*** = ***official ~*** 취임 선서 ***~ of supremacy*** (영국 왕이 정치상·종교상 갖는) 지상권(至上權) 승인 선서 ***on***[***upon, under***] ***~*** 맹세코, 틀림없이 ***put*** a person ***on*** (***his***) ***~*** …으로 하여금 맹세케 하다 ***take***[***swear***] ***an ~*** 선서하다 ***take*** one***'s ~*** (***that …***) (…은) 확실하다고 맹세하다

oath-tak·ing [óuθtèikiŋ] *n.* 선서; 맹세

***oat·meal** [óutmì:l, ⌐⌐] *n.* Ⓤ **1** 오트밀, 빻은 귀리 **2** 오트밀 죽(=**~ pórridge**) 《빻은 귀리에 우유와 설탕을 섞어 조반으로 먹음》 **3** 담황갈색

óat òpera 《미·속어》 서부극(horse opera)

oats·y [óutsi] *a.* 《속어》 위세[원기]가 있는; 제멋대로의

OAU Organization of African Unity 아프리카 통일 기구 **OB** obstetrician; obstetrics; off Broadway; Old Boy 졸업생, 교우; opening of books; ordered back; outside broadcast; 〖골프〗 out of bounds **ob.** *obiit* (L =he[she] died); obiter (dictum); obligation; oboe; 〖기상〗 observation; obsolete; obstetrics **Ob.** 〖성서〗 Obadiah **O/B** ordered back

ob- [ɑb, əb | ɔb, əb] *pref.* 라틴계 말의 접두사 《c, f, m, p 앞에서는 각각 oc-, of-, o-, op-로 됨》 **1** [방향]: *ob*lique, *of*fer **2** [장애]: *ob*stacle **3** [적의, 저항]: *ob*stinate, *op*pose **4** [억압]: *op*press **5** [은폐]: *ob*scure

O·ba·di·ah [òubədáiə] *n.* **1** 남자 이름 **2** 〖성서〗 오바댜 《히브리의 예언자》; 오바댜서(書)

ob·bli·ga·to, ob·li- [ɑ̀bligɑ́:tou | ɔ̀b-] [It.] 〖음악〗 *a.* 〈반주 등이〉 반드시 따르는, 생략할 수 없는(cf. AD LIBITUM) —*n.* (*pl.* **~s, -ti** [-ti:]) (불가결한) 조주(助奏), 성부(聲部); 반주음

ob·bo [ɑ́bou | ɔ́bou] *n.* 《영·속어》 **1** 관측 기구 **2** (경찰의) 잠입 근무

ob·con·ic, -i·cal [ɑbkɑ́nik(əl) | ɔbkɔ́n-] *a.* 〖식물〗 거꾸로 된 원뿔꼴의

ob·cor·date [ɑbkɔ́:rdeit | ɔb-] *a.* 〖식물〗 〈잎이〉 거꾸로 된 심장형의

ob·duct [ɑbdʌ́kt | ɔb-] *vt.* 〖지질〗 〈지각 운동이〉 〈지각의 암판(岩板)을〉 다른 암판 위로 밀어올리다
ob·dúc·tion *n.*

ob·du·ra·bil·i·ty [ɑ̀bdjurəbíləti | ɔ̀bdju-] *n.* Ⓤ 튼튼함, 강건함

ob·du·ra·cy [ɑ́bdjurəsi | ɔ́bdju-] *n.* Ⓤ 고집, 완고; 냉혹

ob·du·rate [ɑ́bdjurət | ɔ́bdju-] *a.* 완고한(unyielding), 고집 센; 〈죄수 등이〉 쉽게 회개하지 않는; 냉혹한 **~·ly** *ad.* **~·ness** *n.*

OBE Officer (of the Order) of the British Empire 대영 제국 제4급 훈작사

o·be·ah [óubiə] *n.* = OBI

‡o·be·di·ence [oubí:diəns | əb-] *n.* Ⓤ **1** 복종 (*to*); 순종, 충실 (*to*)(opp. *disobedience*): active ~ 자발적인 복종 / blind ~ 맹종 **2** 〖가톨릭〗 (교회가 신자에게 요구하는) 순종, 복종; (교회의) 권위, 지배; 교구; [집합적] 교구 신자단(團)
demand[***exact***] ***~ from*** …에게 복종을 강요하다 ***hold in ~*** 복종시키고 있다 ***in ~ to*** …에 복종하여, …에 따라 ***reduce to ~*** 복종시키다
▷ obéy *v.*; obédient *a.*

obédience tràining (동물, 특히 개의) 복종 훈련

obédience trìal (개의) 복종[충실]도 경기

‡o·be·di·ent [oubí:diənt | əb-] *a.* **1** 순종하는, 고분고분한, 충실한: an ~ horse 충실한 말 **2** Ⓟ …의 말을 잘 듣는 (*to*): That child is ~ *to* his parents. 그 아이는 부모의 말을 잘 듣는다. ***Your ~ servant*** 《영》 근배(謹拜) 《공문서 등의 맺음말》

o·be·di·ent·ly [oubí:diəntli | əb-] *ad.* 고분고분하게, 공손하게 ***Yours ~*** 근배 《편지의 맺음말》

o·bei·sance [oubéisəns, -bí:-] *n.* **1** 《문어》 인사(bow), 절, 사의(辭儀) **2** Ⓤ 경의, 존경(homage); 《폐어》 복종 ***do***[***make, pay***] ***~ to*** …에게 경의를 표하다; 경례하다

o·bei·sant [oubéisənt, -bí:-] *a.* 경의를 표하는, 공손한 **~·ly** *ad.*

---

respectful, compliant, acquiescent, tractable, governable, well-trained, yielding, submissive, docile (opp. *unruly, disobedient*)

o·be·lia [oubíːljə, -liə] *n.* 〖동물〗 오벨리아속(屬) 《군체성 히드로충류》

ob·e·lisk** [ɑ́bəlìsk | ɔ́-] [Gk 「뾰족한 기둥(needle)」의 뜻에서] *n.* **1** 오벨리스크, 방첨탑(方尖塔); 방첨탑 모양의 것[물건] **2** 〖인쇄〗 단검표 《†》(dagger) **3** = OBELUS 1 ***double ~ 〖인쇄〗 2중 단검표 《‡》

obelisk 1

ob·e·lize [ɑ́bəlàiz | ɔ́-] *vt.* 단검표를 붙이다; 의구표(obelus)를 붙이다

ob·e·lus [ɑ́bələs | ɔ́-] *n.* (*pl.* **ob·e·li** [-lài]) **1** (고대의 사본(寫本) 중 의문나는 어구에 붙인) 의구표(疑句標) 《–, ÷》 **2** 〖인쇄〗 = OBELISK 2

O·ber·on [óubərɑ̀n | -rən, -rɔ̀n] *n.* **1** 〖중세전설〗 오베론 《요정의 왕; Titania의 남편》 **2** 〖천문〗 오베론 《천왕성의 제4위성》

o·bese [oubíːs] *a.* (**obe·ser**; **-sest**) 비만의, 뚱뚱한, 지나치게 살찐 **~·ly** *ad.* **~·ness** *n.*

o·be·si·ty [oubíːsəti] *n.* Ⓤ 비만, 비대

‡o·bey [oubéi | əb-] [L 「…에 귀를 기울이다」의 뜻에서] *vt.* **1** 복종하다, 순종하다; 〈명령을〉 준수하다: You should ~ your parents. 부모님의 말씀은 잘 듣지 않으면 안 된다. / The orders must be strictly ~*ed.* 명령은 엄중히 지켜지지 않으면 안 된다. **2** 〈사물·동물이〉 〈힘·충동에〉 따라 움직이다 **3** 〈법칙 등에〉 따르다, 〈이성(理性) 등에〉 따라서 행동하다: ~ the laws of nature 자연의 법칙을 따르다
— *vi.* 복종하다, 말을 잘 듣다 《*to*》
~·er *n.* **~·a·ble** *a.* ▷ obédience *n.*; obédient *a.*

ob·fus·cate [ɑ́bfəskèit, ɑbfʌ́skeit | ɔ́bfəskèit] *vt.* **1** 당황[난처]하게 하다 **2** 〈마음 등을〉 어둡게 하다, 〈판단 등을〉 흐리게 하다

ob-gyn, OB-GYN [óubíːdʒíːwàién, ɑ́bdʒìn | ɔ́b-] [*ob*stetrician-*gyn*ecologist] *n.* 《미·구어》 산부인과 의사; Ⓤ 산부인과학

o·bi [óubi] *n.* 오비 마법 《서인도 등의 흑인 간에 행하여짐》; (이에 쓰이는) 부적

O·bie [óubi] *n.* 오프 브로드웨이상(賞), 오비 《off-Broadway 우수 연극상》

o·bi·it [óubiit, ɑ́- | óu-, ɔ́-] [L = he[she] died] 그[그녀]는 죽었다 《묘비·서면 등에 쓰임; 略 ob.》: *ob.* 2008 2008년 사망

o·bit [óubit, ɑ́- | əbít, óu-] *n.* 《구어》 (신문의) 사망 기사[광고](obituary); 사망일, 기일(忌日); 《폐어》 죽은 이를 위한 진혼 미사; 장의

o·bi·ter [ɑ́bitər | ɔ́-, óu-] *ad.* 하는 김에, 부수적으로, 그런데 — *n.* = OBITER DICTUM

óbiter díctum [L = word(s) said by the way] (*pl.* **obiter dic·ta** [-tə]) 덧붙이는 말; 〖법〗 (판결시의 판사의) 부수적 의견

o·bit·u·ar·ese [oubìtʃuəríːz | əbítjuə-] *n.* 사망 기사적 문체[어법, 용어]

o·bit·u·ar·ist [oubítʃuèrist | əbítjuə-] *n.* 사망 기사 담당 기자

o·bit·u·ar·y [oubítʃuèri | əbítjuəri] *n.* (*pl.* **-ar·ies**) **1** (신문 지상의) 사망 기사, 사망자 약력 **2** 〖가톨릭〗 사망자 명부 — *a.* 사망(기록)의, 죽은 사람의: an ~ notice 사망 기사, 부고

obj. object; objection; objective

‡ob·ject [ɑ́bdʒikt, -dʒekt | ɔ́b- ‖ →*v.*] *n.*, *v.*

「대상(물)」 **2**	┌→「물건」 **1**	
	└→「목적」 **3** →「목적어」 **6**	

— *n.* **1** 물건, 물체: a distant ~ 먼 곳에 있는 물체 **2** (동작·감정·사상 등의) 대상 《*of, for*》: an ~ *of* study 연구 대상 **3** 목적, 목표: Now he had no ~ in life. 이미 그는 인생에 아무런 목적이 없었다. **4** 《구어·경멸》 우스운 것, 불쌍한 놈, 싫은 사람[물건]: What an ~ you look in that old hat! 그런 낡은 모자를 쓰고 무슨 꼴이냐! **5** 〖법〗 목적; 물건 **6** 〖문법〗 목적어(⇨ 문법 해설 (19)): the direct[indirect] ~ 직접[간접] 목적어 / a formal ~ 형식 목적어 / an ~ clause 목적절 《We know *that he is alive.*의 이탤릭체 부분》 **7** 〖철학〗 대상, 객관, 객체(opp. *subject*) **8** 〖광학〗 (렌즈에서 상을 형성하는) 물체 **9** 〖컴퓨터〗 항목 《사진·데이터 파일 등과 같이 개별적으로 다루거나 신택될 수 있는》
attain one***'s ~*** 목적을 달성하다 (***be***) ***no ~*** 〖광고〗 …은 아무래도 좋다: Money[Distance, Salary] (*is*) *no* ~. 돈[거리, 급여]은 문제가 아니다. ***for that ~*** 그 취지로, 그것을 목표로 ***have an ~ in view*** 계획을 가지고 있다 ***with the ~ of*** …할 목적으로
— *v.* [əbdʒékt] *vi.* **1** 반대하다, 이의[불복]를 제기하다, 항의하다 《*against, about, to*》: (~+전+명) I ~ *to* your opinion. 나는 당신의 의견에 반대합니다.

> 유의어 **object** 사람이나 사물에 혐오감이나 비난의 감정으로 반대하다: *object* to war 전쟁에 반대하다 **protest** 의견의 차이나 부당한 처사·성가심 등에 대한 강한 반대를 구두나 문서로 표명하다: *protest* against the government's economic policy 정부의 경제 정책에 항의하다

2 마땅찮게 여기다, 반감을 가지다, 싫어하다, 거절하다 《*to*》: (~+전+명) ~ *about*[*to*] the food 〈손님이〉 음식을 퇴박하다 ***if you don't ~*** 이의가 없으시다면 ***I ~.*** 이의 있소. 《영국 하원 용어》
— *vt.* **1** 반대 이유로 내세우다, 반대하여 …이라고 말하다 《*to, against*》: (~+***that*** 절) I ~ *against* him *that* he is a liar. 나는 그가 거짓말쟁이라서 반대한다. / Mother ~*ed that* the weather was too wet to play outdoors. 비가 너무 와서 밖에서 놀 수 없다고 어머니는 반대했다. **2** 《고어》 반대하여 제출하다, 반증을 내놓다
▷ objéction *n.*; objéctive *a.*; objéctify *v.*

object. objection; objective

óbject bàll 〖당구〗 표적구(球)

óbject chòice 〖정신분석〗 대상 선택 《사랑의 대상으로 선택된 사람[물건]》

óbject còde 〖컴퓨터〗 목적 코드

óbject cómplement 〖문법〗 목적 보어(objective complement)

óbject dìstance 〖사진〗 촬영 거리

óbject file 〖컴퓨터〗 목적 파일 《목적 부호만을 보관하고 있는 파일》

ob·ject-find·er [ɑ́bdʒiktfàindər, -dʒekt- | ɔ́b-] *n.* 대상 파인더 《현미경 아래의 대상물을 빨리 찾아내기 위한 저배율 접안경》

óbject glàss 대물 렌즈(cf. EYEGLASS)

ob·jec·ti·fi·ca·tion [əbdʒèktəfikéiʃən] *n.* Ⓤ **1** 객관화, 대상화 **2** 구체화

ob·jec·ti·fy [əbdʒéktəfài] *vt.* (**-fied**) 객관화하다, 대상화하다, 구체화시키다

‡ob·jec·tion [əbdʒékʃən] *n.* **1** UC 반대; 이의, 이론; 이의 신청, 불복: by ~ 이의를 내세워; 불복하여 **2** UC 하기 싫음, 혐오 《*to, against*》; 거부 **3** 반대 이유; 난점, 결함 《*to*》 **4** 장애, 지장 《*against, to*》

thesaurus **obey** *v.* abide by, comply with, adhere to, observe, conform to, respect, acquiesce in, consent to, agree to, follow
object *n.* **1** 물건 thing, something, anything, item, article **2** 대상 target, focus, recipient — *v.* raise objections, protest, be in opposition
objective *n.* goal, aim, end, object, target, aspiration, ambition, intent, purpose, design, plan,

feel an ~ to** doing* …하기가 싫다 ***have an** [**no**] **~ to** [**against**]* …에 이의가 있다[없다] ***make** [**find, raise**] **an ~ to** [**against**] = **take ~ to** [**against**]* …에 이의를 제기하다, 반대하다 ***see no ~** [**not see any ~**] **to …에 반대할 이유가 없다
▷ objéct *v.*

*__ob·jec·tion·a·ble__ [əbdʒékʃənəbl] *a.* **1** 반대할 만한, 이의가 있는; 불만인 **2** 못마땅한; 싫은(offensive), 불쾌한: an ~ manner 불쾌한 태도
~·ness *n.* **-bly** *ad.*

‡**ob·jec·tive** [əbdʒéktiv] *n.* **1** 목표, 목적(물); 〖군사〗 목표 지점, 목적지(= ~ point): educational ~*s* 교육 목표 **2** 〖문법〗 목적격, 목적어 **3** 〖광학〗 대물 렌즈 **4** 〖철학〗 객관, 인식의 대상, 외계(外界)
— *a.* **1** 목적의, 목표의 **2** 객관적인, 객관의, 편견이 없는; 사실에 근거한; 실증적인(opp. *subjective*) **3** 〖문학〗 객관주의의; 〖미술〗 구상적(具象的)인 **4** 외계(外界)의, 물질적인, 실재(實在)의: the ~ world 외계 **5** 〖문법〗 목적격의(cf. ACCUSATIVE) **6** (미) 〈시험이〉 객관식으로 된 **7** 〖의학〗 〈증상이〉 환자 이외 다른 사람에게서도 볼 수 있는 **8** 〖광학〗 〈렌즈가〉 대물의
~·ness *n.* ▷ objectívity *n.*; objéctively *ad.*

objéctive cáse 〖문법〗 목적격

objéctive cómplement 〖문법〗 목적(격) 보어

objéctive corrélative 〖문학〗 객관적 상관물 《독자에게 어떤 감정을 일으키는 상황·사물·사건 등》

objéctive dánger 〖등산〗 객관적 위험 《등산 기술과는 관계없는 낙석·산사태 따위의 위험》

objéctive génitive 〖문법〗 목적 소유격 《father's murderer의 *father's*; cf. SUBJECTIVE genitive》

objéctive idéalism 〖철학〗 객관적 관념론

*__ob·jec·tive·ly__ [əbdʒéktivli] *ad.* 객관적으로, 객관적 견지에서

objéctive pòint 〖군사〗 목표 지점; 목표, 목적(물)

objéctive prísm 〖천문〗 대물 프리즘

objéctive rélativism 〖철학〗 객관적 상대론

objéctive spírit 〖철학〗 객관적 정신

objéctive tést 객관식 테스트 《객관식 또는 ○× 식》; 객관적 검사

ob·jec·tiv·ism [əbdʒéktəvìzm] *n.* Ⓤ **1** 〖철학·예술〗 객관주의(opp. *subjectivism*) **2** 객관성
-ist *n.* **ob·jèc·tiv·ís·tic** *a.*

ob·jec·tiv·i·ty [àbdʒiktívəti, -dʒek- | ɔ̀b-] *n.* Ⓤ **1** 객관성, 객관적 타당성(opp. *subjectivity*) **2** 객관적 실재(성)(opp. *subjectivity*)

ob·jec·tiv·ize [əbdʒéktəvàiz] *vt.* = OBJECTIFY

Óbject Kó·wal [-kóuəl] 〖천문〗 코월 천체 《1977년 발견; 토성과 천왕성 사이의 소행성》

óbject lànguage 〖논리〗 대상 언어; 〖언어〗 = TARGET LANGUAGE; 〖컴퓨터〗 목적 언어

óbject lèns 대물 렌즈

ob·ject·less [ábdʒiktlis, -dʒek- | ɔ́b-] *a.* **1** 목적이 없는, 무목적의(aimless) **2** 〖문법〗 목적어가 없는

óbject lèsson **1** 실물[직관] 교육 **2** (어떤 원리의) 구체적 실례, 좋은 본보기 《*in*》

óbject lìnking and embèdding 〖컴퓨터〗 객체 연결 삽입 《윈도의 각종 응용 프로그램 사이에서 서로 데이터를 공유할 수 있는 기능; 略 OLE》

óbject mòdule 〖컴퓨터〗 목적 모듈

ob·ject-ob·ject [-àbdʒikt | ɔ̀b-] *n.* 〖철학〗 객관적 대상 《주체의 인식과 관계없이 존재하는》

óbject of vírtue (*pl.* **objects of virtue**) [보통 *pl.*] = OBJET DE VERTU

ob·jec·tor [əbdʒéktər] *n.* 이의 제기자, 반대자

ob·ject-o·ri·ent·ed [-ɔ̀:rientid] *a.* 〖컴퓨터〗 객체 지향형의 《처리 절차와 데이터를 분리하지 않고 양자를 기능상의 단위로 묶어 소프트웨어 시스템을 구축하는 방법》

óbject-òriented prógramming 〖컴퓨터〗 객체 지향 프로그래밍 《프로그래머가 데이터 타입 및 자동적으로 그와 관련된 절차도 정의할 수 있는 프로그래밍 방법론》

ob·ject-plate [-plèit] *n.* (현미경의) 검경판(檢鏡板)

óbject prògram 〖컴퓨터〗 목적 프로그램 《프로그래머가 쓴 프로그램을 compiler 또는 assembler가 기계어로 번역한 것》

óbject relàtions thèory 〖정신분석〗 대상(對象) 관계 이론

ob·ject-staff [-stæ̀f] *n.* 〖측량〗 함척(函尺), 준척(準尺)

óbject tèaching 실물 교수(법)

ob·jet d'art [ɔ:bʒei-dá:r] [F] 작은 미술품; 골동품

ob·jet de ver·tu [-də-vɛərtú:] [F] 〖미술〗 우수작, 일품, 진품(object of virtue)

ob·jet trou·vé [-tru:véi] [F = found object] 오브제 트루베 《표류목(木) 등 자연 그대로의 미술품》

ob·jure [əbdʒúər | -dʒúə] *vi., vt.* 맹세하다[하게 하다]

ob·jur·gate [ábdʒərgèit, əbdʒə́:rgeit | ɔ́bdʒəgèit, -dʒə:-] *vt.* (문어) 꾸짖다, 책망하다, 비난하다
-gà·tor *n.*

ob·jur·ga·tion [àbdʒərgéiʃən | ɔ̀bdʒə-, -dʒə:-] *n.* Ⓤ 꾸짖음, 비난

ob·jur·ga·to·ry [əbdʒə́:rgətɔ̀:ri | -təri] *a.* 꾸짖는, 나무라는 **-ri·ly** *ad.*

obl. oblique; oblong

ob·lan·ce·o·late [ablǽnsiələt, -lèit | ɔb-] *a.* 〖식물〗 〈잎이〉 거꾸로 된 창 모양의

o·blast [áblæst, -la:st | ɔ́bla:st] [Russ.] *n.* (*pl.* **~s, ob·la·sti** [-ti]) (구소련의) 주(州) 《자치주에 해당하는 행정구》

ob·late[1] [ábleit, ‒ˊ | ɔ́bleit] *a.* **1** 〖기하〗 편원(偏圓)의, 회전 타원면의(opp. *prolate*) **2** 상하 양극을 편평하게 만든 **~·ly** *ad.* **~·ness** *n.*

oblate[2] *a.* 〖그리스도교〗 성별(聖別)된(consecrated); 봉헌하는 — *n.* 〖가톨릭〗 수도 생활에 헌신하는 평신도, 노동 수사

obláte sphéroid 〖수학〗 편구면(偏球面)

ob·la·tion [abléiʃən | əb-, ɔb-] *n.* **1 a** 헌납, 봉헌; 성찬 봉헌(식) **b** [종종 *pl.*] 봉납물(offering) **c** 헌신, 희생 **2** (교회에의) 헌금, 기부, 희사 **~·al** *a.*

ob·la·to·ry [áblətò:ri | ɔ́blətəri] *a.* 봉헌하는; 봉납물의

ob·li·gate [ábləgèit | ɔ́b-] [L 「결합하다」의 뜻에서] *vt.* **1** [보통 수동형으로] (법률·도덕상의) 의무를 지우다; 강요하다: Parents *are* ~*d* to support their children. 부모는 자녀를 양육할 의무가 있다. **2** [보통 수동형으로] 감사하는 마음이 우러나게 하다: You must feel ~*d* to him for his help. 그의 도움을 고맙게 여겨야 한다. **3** (미) (책임을 다하기 위해) 〈재산 등을〉 담보로 잡히다(pledge), 인도하다
— [ábləgət, -gèit | ɔ́b-] *a.* **1** 불가피한, 부득이한; (도덕상·법률상) 의무적인; 필수의 **2** 〖생태〗 〈기생충·기생균 등이〉 어떤 특정 환경에서만 생활할 수 있는, 절대의, 무조건적인 **~·ly** *ad.* **-gà·tor** *n.*

‡**ob·li·ga·tion** [àbləgéiʃən | ɔ̀b-] *n.* **1** UC 의무, 구속, 책임, 책무(⇨ responsibility 유의어); 양심의 명령: sense of ~ 책임 의식 // (~+*to* do) Anyone who has done the damage is under ~ *to* pay for it. 손해를 입힌 자는 누구나 이를 변상해야 할 의무가 있다. **2** 〖법〗 약정, 계약(서); 채무 증서; 채무, 채권[채무] 관계 **3** 채권, 증권(bond) **4** 은혜, 신세(favor) **5** 은혜[의무]를 느끼는 사람[대상]
be** [**lie**] **under** (**an**) **~ to ⇨ *n.* 1 ***fulfill** [**meet**]*

---

scheme — *a.* detached, unbiased, unprejudiced, impartial, neutral, uninvolved, equitable, fair, just (opp. *biased, partial, subjective*)
obligation *n.* duty, function, chore, task, job, assignment, commission, burden, charge, trust, liability, responsibility, accountability, debt, engagement, requirement, demand, necessity, constraint, compulsion, order

one**'s ~** 의무를 다하다, 약속을 지키다 ***holiday*** [***day***] ***of ~*** 〖가톨릭〗 (미사에 참석해야 하는) 의무적인 성일(聖日), 지켜야 할 축일 ***of ~*** 의무상 당연한, 의무적인 ***put*** [***lay, place***] a person ***under an ~*** …에게 은혜를 베풀다; …에게 의무를 지우다 ***repay an ~*** 은혜를 갚다 **~·al** [-ʃənl] *a.*
▷ oblíge *v.*; oblígatory *a.*

ob·li·ga·tive [ɑ́bləgèitiv | ɔ́b-] *a.* 의무를 동반하는, 강제적인

ob·li·ga·to [ɑ̀bligɑ́:tou | ɔ̀b-] *a.*, *n.* (*pl.* **~s, -ti** [-ti:]) = OBBLIGATO

o·blig·a·to·ry [əblígətɔ̀:ri, ɑ́bligə- | ɔbligətəri] *a.* **1** 의무로서 지워지는, 의무적인; 〈과목 등이〉 필수의, 강제적인 《*on, upon*》: an ~ promise 꼭 이행해야 할 약속 / an ~ subject 필수 과목 **2** (도덕·법률상으로) 구속력이 있는, 지켜야 할 의무가 있는 **3** 〈증서 등이〉 권리·의무를 나타내는 **4** 〖문법〗 의무적인(opp. *optional*) **5** 〖생태〗 = OBLIGATE 2
o·blíg·a·tò·ri·ly *ad.*

o·blige [əbláidʒ] 〖L 「연결하다」의 뜻에서〗 *vt.* **1** …에게 강요하다; [보통 수동형으로] …에게 어쩔 수 없이 …하게 하다, …에게 억지로 시키다, …에게 의무를 지우다(⇨ compel 유의어): (~+目+*to* do) We *were ~d* to obey him. 그에게 복종하지 않을 수 없었다. / The law *~s* parents *to* send their children to school. 법에 따라 부모는 자녀들을 학교에 보내지 않으면 안된다. // (~+目+前+名) Necessity *~d* him *to* that action. 불가피한 사정으로 그는 그런 행동을 했다. **2** …에게 은혜를 베풀다, …의 소원을 들어주다; 〈돈을〉 빌려주다; [보통 수동형으로] 고맙게 여기게 하다(⇨ obliged): (~+目+前+*-ing*) *O~* me *by* clos*ing* the door. 문을 닫아 주시면 고맙겠습니다. // (~+目+前+名) *O~* us *with* your presence. 부디 참석하여 주십시오.
— *vi.* **1** (구어) 호의를 보이다, 소원을 들어주다 **2** (…로) 기쁘게 해주다: If you need any help, I'd be happy to~. 도움이 필요하시면, 기꺼이 도와 드리겠습니다. // (~+前+名) She *~d with* a song. 그녀는 고맙게도 노래를 불러 주었다. **o·blíg·er** *n.*
▷ obligátion *n.*; oblígatory *a.*

o·bliged [əbláidʒd] *a.* Ⓟ (문어) 고맙게 여기는, 감사하는 《*to*; *for*》: I'm much ~ *to* you *for* helping us. 저희를 도와주셔서 대단히 감사합니다.

ob·li·gee [ɑ̀blədʒí: | ɔ̀b-] *n.* **1** 〖법〗 채권자(creditor) 《채무 증서상의 권리자》(opp. *obligor*) **2** 은혜를 입고 있는 사람

ob·li·ge·ment [əbláidʒmənt] *n.* (주로 스코) 친절(한 행위)

o·blig·ing [əbláidʒiŋ] *a.* 잘 돌봐 주는, 친절한; 정중한; 예의바른; 협력적인; 일 잘 하는: an ~ nature 잘 돌봐주는 성질 **~·ly** *ad.* **~·ness** *n.*

ob·li·gor [ɑ̀bləgɔ́:r, ⌐-⌐ | ɔ̀bləgɔ́:] *n.* 〖법〗 채무자 《채무 증서상의 의무자》(opp. *obligee*)

ob·lique [əblí:k, oub-, 〖군사〗 -láik] *a.* **1** 비스듬한, 기울어진: an ~ glance 곁눈질 **2** 〖수학〗 사각(斜角)의; 사선[사면]의 **3** (일정한 직선 코스에서) 빗나간; 나뉘어진, 분지된 **4** 〈코스 등이〉 일직선이 아닌, 직진이 아닌 **5** 간접적인, 에두른; 애매모호한: ~ hints 완곡한[에두른] 암시 **6** 〈목적이〉 간접적으로 이루어진 **7** (도덕적·윤리적으로) 부정한, 속임수의: ~ dealings 부정한 거래 **8** 〖인쇄〗 〈활자가〉 우사(右斜)체인 《산세리프체 등》 **9** 〖수사학〗 〈어법이〉 간접적인 **10** 〖해부〗 〈근육이〉 경사진, 사(斜)…: ~ muscles 사근 **11** 〖식물〗 〈잎 따위가〉 부등변의, 양쪽 모양이 같지 않은 **12** 〖문법〗 사격(斜格)의
— *ad.* 〖군사〗 45도 각도로; 45도 방향으로
— *n.* 사선 《/》; 〖문법〗 사격; 경사진[비스듬한] 것
— *vi.* (비스듬히) 기울다, 구부러지다, 엇나가다; 사행(斜行)하다; 〖군사〗 반좌[반우]향으로 행진하다
~·ly *ad.* 비스듬히 (기울어져); 부정하게; 간접으로
~·ness *n.* Ⓤ 경사; 경사도, 사각 ▷ oblíquity *n.*

oblíque ángle 〖수학〗 사각(斜角)

oblíque cáse 〖문법〗 (인도 유럽어에서) 사격(斜格) 《주격·호격 이외의 명사·대명사의 격》

oblíque círcular cóne 빗원뿔 《축이 밑면의 원과 직각으로 교차하지 않는 것》

oblíque fáult 〖지질〗 사교(斜交) 단층 《단층면의 주향(走向)이 지층의 주향과 사교하는 단층》

oblíque orátion[**spéech, narrátion**] 〖문법〗 간접 화법

oblíque sáiling 〖항해〗 사항(斜航) 《정(正)북[남, 동, 서] 이외의 방향으로의 항해》

oblíque séction 경사 단면

oblíque tríangle 〖수학〗 비직각 삼각형

o·bliq·ui·tous [əblíkwətəs, oub-] *a.* (노닉픽스로) 옳지 못한, 비뚤어진, 부정(不正)한

o·bliq·ui·ty [əblíkwəti, oub-] *n.* (*pl.* **-ties**) ⓊⒸ **1** 경사진 것; 비뚤어진 상태 **2** 부정 행위, 부도덕 **3** 성격이 비뚤어짐 **4** 경사(도); 경각(傾角), 사각 **5** 애매한 표현[행위] **6** 〖천문〗 황도 경사[각]

ob·lit·er·ate [əblítərèit] *vt.* **1** 〈문자 등을〉 지우다(efface), 말소하다(blot out) **2** 〈흔적 등을〉 없애다(destroy); 제거하다: ~ one's footprints 발자국을 없애다 / ~ one's sad memories 슬픈 기억을 잊다

ob·lit·er·a·tion [əblìtəréiʃən] *n.* Ⓤ **1** 말소, 삭제 **2** 소멸; 망각

ob·lit·er·a·tive [əblítərèitiv, -rət-] *a.* 말소하는, 지울 힘이 있는

ob·liv·i·on [əblíviən] *n.* Ⓤ **1** 망각; 잊기 쉬움, 건망(forgetfulness); 잊혀진 상태; (구어) 무의식; 인사불성 **2** 〖법〗 특사(特赦), 대사(大赦)
be buried in ~ = fall [***pass, sink***] ***into ~*** (세상에서) 잊혀지다 ***the Act of O~*** 일반 사면령 ***the river of ~*** 〖그리스신화〗 (황천의 나라에 있다는) 망각의 강, 레테(Lethe) ▷ oblívious *a.*

ob·liv·i·ous [əblíviəs] *a.* Ⓟ **1** (…이) 염두[안중]에 없는 《*of, to*》; (무엇에 몰두하여) 감지하지 못하는 **2** (잘) 잊어버리는, 건망증이 있는 《*of*》: (~+*of*+名) He was ~ *of* his promise. 그는 약속을 잊었다. **3** (시어) 잊게 하는 〈잠 등〉 **~·ly** *ad.* **~·ness** *n.*

ob·li·vis·cence [ɑ̀bləvísəns | ɔ̀b-] *n.* Ⓤ 망각 (상태); 잊기 쉬움

Ob·lo·mov·ism [ɑblóuməvìzm | ɔb-] 〖러시아의 Ivan Goncharov의 소설 *Oblomov*의 주인공 이름에서〗 *n.* Ⓤ 오블로모프적 무기력[나태]

ob·long [ɑ́blɔ:ŋ, -lɑ̀ŋ | ɔ́blɔ̀ŋ] *a.* **1** 직사각형의 **2** 타원형의; 〈사각형·원·구·면 등이〉 잡아 늘려진, 편장(偏長)의; 옆으로 긴 〈책〉
— *n.* 직사각형, 장방형; 타원형 **~·ly** *ad.*

ob·lo·quy [ɑ́bləkwi | ɔ́b-] *n.* Ⓤ **1** 욕설, 비방 **2** 악평, 오명, 불명예(disgrace)

ob·mu·tes·cence [ɑ̀bmjutésns | ɔ̀b-] *n.* (고어) 완고한 침묵, 묵비(默秘) **-cent** *a.*

ob·no [óubnou], **ob·noc** [ɑ́bnək | ɔ́b-] *a.* (미·속어) 비위에 거슬리는, 불쾌한(obnoxious)

ob·nox·ious [əbnɑ́kʃəs | -nɔ́k-] *a.* **1** 역겨운, 추악한, 불쾌한, 싫은 **2** 미운 **3** (고어) 〈처벌·비난 등을〉 받기 쉬운 《*to*》 **4** (폐어) 비난을 면치 못할, 비난해야 할 **~·ly** *ad.* **~·ness** *n.*

ob·nu·bi·late [ɑbnjú:bəlèit | ɔbnjú:-] *vt.* 흐리게 하다, 어둡게 하다; (문어) 애매하게 하다(obscure)
ob·nù·bi·lá·tion *n.*

o.b.o. or best offer (미) 또는 최고 제시 가격 《호가보다 다소 적게 받을 수 있다는 광고글》

o·boe [óubou] *n.* 〖음악〗 오보에 《목관 악기》; (오르간의) 오보에 음전(音栓)

thesaurus **oblige** *v.* require, necessitate, obligate, compel, call for, force, constrain, impel
oblique *a.* slanting, sloped, inclined, tilted
obnoxious *a.* offensive, unpleasant, disagreeable, nasty, disgusting, repulsive, repellent,

o·bo·ist [óubouist] *n.* 오보에 취주자

ob·ol [ábəl | ɔ́bɔl] *n.* 고대 그리스의 은화 ((1/6drachma))

ob·o·lus [ábələs | ɔ́b-] *n.* (*pl.* **-li** [-lài]) 오볼로스 ((0.1그램에 해당하는 그리스의 중량 단위))

O-Bon [oubá:n | -bɑn] *n.* Ⓤ = BON

ob·o·vate [ɑbóuveit | ɔb-] *a.* 〈잎이〉 거꾸로 세운 달걀 모양의

ob·o·void [ɑbóuvɔid | ɔb-] *a.* 〈무화과·비파 등의 과일이〉 거꾸로 세운 달걀 모양의 ((끝이 뾰족함))

ob·ro·gate [ábrəgèit | ɔ́b-] *vt.* 〈법률을〉 수정[개정, 폐지]하다 **òb·ro·gá·tion** *n.* Ⓤ (기존법의) 수정[개정, 폐지]

OBS operational bioinstrumentation system 〖우주과학〗 생체 계측 시스템 ((우주선 내 인간 등의 호흡수·맥박 수·체온 등을 기록)) **obs.** observation; observatory; obsolete **Obs.** Observatory

∗**ob·scene** [əbsí:n] *a.* **1** 외설한, 음란한, 음탕한: ~ pictures 춘화 **2** ((구어)) 지긋지긋한, 지겨운, 싫은 **3** 〖영국법〗 〈출판물이〉 풍기를 문란케 하는 **~·ly** *ad.* **~·ness** *n.*

ob·scen·i·ty [əbsénəti, -sí:-] *n.* (*pl.* **-ties**) **1** Ⓤ 외설; 외설스러운 것 **2** [*pl.*] 음담, 외설 행위 **3** ((구어)) 역겨운 일[것]

ob·scu·rant [əbskjúərənt | ɔb-] *n.* 계몽 반대주의자, 몽매주의자; 애매하게 말하는 사람 **—** *a.* 몽매[계몽 반대]주의(자)의; 애매하게 하는

ob·scu·rant·ism [əbskjúərəntìzm] *n.* Ⓤ 몽매주의, 개화 반대론; (문학·예술에서의) 고의로 의도를 애매하게 하는 표현주의 **-ist** *n.*, *a.*

ob·scu·ra·tion [ɑ̀bskjuəréiʃən | ɔ̀b-] *n.* **1** Ⓤ 암흑화; 몽롱 **2** ⓊⒸ 〖천문〗 엄폐, 식(蝕) **3** Ⓤ 애매[모호]하게 함

‡**ob·scure** [əbskjúər] [L 「위에 덮인, 어두운」의 뜻에서] *a.* (**-scur·er**; **-est**) **1 a** 〈소리·모양 등이〉 **분명치 않은**, 흐릿한(⇨ vague 유의어): an ~ voice 희미한 목소리 **b** 〈의미·내용 등이〉 불명료한, 애매한, 모호한, 이해하기 어려운: an ~ passage 뜻이 모호한 구절 **2** 눈에 띄지 않는, 외진, 구석진; 세상에 알려지지 않은, 미천한(humble): an ~ little house 외딴 작은 집 / an ~ poet 무명의 시인 **3** 어둑한(dim), 침침한; 흐린, 몽롱한(dim); 어둠에 싸인: an ~ corner 컴컴한 구석 **4** 거무튀튀한, 우중충한 **5** 〖음성〗 〈모음이〉 애매한; 애매한 모음의: an ~ vowel 애매 모음 ((*a*bout, sof*a* 등의 [ə])) **6** ((미·속어)) 이상한, 기묘한
be of ~ origin [***birth***] 미천한 출신이다
— *vt.* **1** 가리다, 덮다: The clouds ~*d* the moon. 구름이 달을 가렸다. **2** 어둡게 하다, 흐리게 하다: ~*d* glass 젖빛 유리 **3** 〈발음 등을〉 똑똑치 않게[애매하게] 하다; 〈진술·시의 의미를〉 알아듣기 힘들게 하다 **4** 〈명성 등을〉 가리다, …의 영광을 빼앗다, 무색하게 하다
— *n.* ((시어)) 암흑, 야음; ((드물게)) = OBSCURITY
~·ly *ad.* 어둡게, 침침하게; 애매하게; 이름 없이 **~·ness** *n.* ▷ obscúrity, obscurátion *n.*

∗**ob·scu·ri·ty** [əbskjúərəti] *n.* (*pl.* **-ties**) Ⓤ **1** 불분명; 불명료; 난해(한 부분[점]); 흐릿함, 모호 **2** 세상에 알려지지 않음, 미천한 신분; 무명; 은둔; Ⓒ 이름 없는[미천한] 사람; 중요치 않은 사람[물건]: the ~ of one's birth 출신이 미천함 / rise from ~ to fame 낮은 신분에서 출세하다 **3** 의미[표현]가 애매함; 다양성; 이해하기 힘든 말 **4** 어둠, 몽롱; 어두운 곳
live in ~ 조용히[세상에 묻혀] 살다 ***retire into ~*** 은퇴하다 ***sink into ~*** 세상에서 잊혀지다, 초야에 묻히다 ***throw light on obscurities*** 애매한 점을 밝히다 ▷ obscúre *a.*

ob·scur·um per ob·scur·i·us [əbskjúərəm-pèə-əbskjúəris] [L] 불분명한 것을 더욱 불분명한 것으로 설명하기

ob·se·crate [ábsəkrèit | ɔ́b-] *vt.* ((문어·드물게)) …에게 탄원[애원]하다(beseech)

ob·se·cra·tion [ɑ̀bsəkréiʃən | ɔ̀b-] *n.* **1** Ⓤ 탄원, 간청 **2** 〖영국국교〗 탄원 기도 ((Litany에서 'by'로 시작되는 일련의 문구))

ob·se·quence [ábsəkwəns | ɔ́b-], **ob·se·que·ence** [-síkwiəns] *n.* 아첨, 아양; 추종

ob·se·qui·al [ɑbsí:kwiəl, əb- | ɔb-] *a.* 장례식의

ob·se·quies [ábsəkwiz | ɔ́b-] *n. pl.* 장례식

ob·se·qui·ous [əbsí:kwiəs] *a.* **1** (…에게) 아첨하는, 알랑거리는(fawning), 영합하는 ((*to*)): He is ~ *to* men in power. 그는 권력자에게 아첨한다. **2** ((고어)) 고분고분한, 순종적인 **~·ly** *ad.* **~·ness** *n.*

ob·se·quy [ábsəkwi | ɔ́b-] *n.* (성대한) 장례식, ((특히)) 매장식

ob·serv·a·ble [əbzə́:rvəbl] *a.* **1** 관찰할 수 있는, 식별 가능한(discernible) **2** 주목할 만한 **3** 〈습관·규칙·의식 등이〉 준수해야 할, 지켜야 할; 축하해야 할: an ~ holiday 축제일 **—** *n.* 관찰[감지]할 수 있는 것 **òb·serv·a·bíl·i·ty** *n.* **-bly** *ad.*

‡**ob·serv·ance** [əbzə́:rvəns] *n.* **1** Ⓤ (법률·관례 등의) **준수**, 따르기, 준봉 ((*of*)): strict ~ *of* the rules 규칙의 엄수 **2** (의식·축제 등의) 경축, 축하: in ~ of the national holiday 국경일을 맞이하여 **3** [종종 *pl.*] 의식; 〖종교〗 식전; (축하하기 위한) 행사: religious ~*s* 종교 의식 **4** (지켜야 할) 습관, 관례 **5** 〖가톨릭〗 수도원 규칙[규율]; 회칙파 수도회[원] **6** 관찰, 관측 ***for the ~ of*** …을 축하하여
▷ obsérve *v.*; obsérvant *a.*

∗**ob·serv·ant** [əbzə́:rvənt] *a.* **1 주의 깊은**, 주의하는 ((*of*)); 방심하지 않는, 지켜보는 ((*of*)); 관찰력이 예민한, 기민한, 금방 알아차리는: a quiet and ~ boy 과묵하고 주의 깊은 소년 **2** Ⓟ **엄수하는** ((*of*)): He is ~ *of* rules. 그는 규칙을 잘 지킨다.
— *n.* **1** 준수자, 엄수자 **2** [**O~**] 〖가톨릭〗 (프란체스코회의) 회칙파 수도회 수도사 **~·ly** *ad.*
▷ obsérve *v.*; obsérvance *n.*

‡**ob·ser·va·tion** [ɑ̀bzərvéiʃən | ɔ̀b-] *n.* **1** Ⓤ **관찰**; **정탐**; **감시**

> 유의어 **observation, observance**는 둘 다 observe에서 나온 명사이나 observation은 「관찰; 관측; 관찰에 의한 소견」의 뜻이고, observance는 「지킴; 준수, 준봉」이 주된 뜻: meteorological *observation* stations 기상 관측소

2 ⓊⒸ 관측; 〖항해〗 천측(天測): make ~*s* of the sun 태양을 관측하다 **3** [*pl.*] 관측 보고 ((*of*)), (관측의) 결과, (관찰) 정보, 기록 **4** Ⓤ **관찰력**: a man of ~ 관찰력이 예민한 사람 **5** Ⓤ **주목**, 주의, 주시: avoid a person's ~ 남의 눈을 피하다 **6** 경험(적 지식) **7** 관찰에 입각한 의견[소견, 비평]; 발언(utterance) ((*on*))(⇨ comment 유의어): make an ~ *on*[*about*] …에 관하여 소견을 말하다 **8** Ⓤ 〖군사〗 감시, 정찰 **9** Ⓤ ((폐어)) (법률 등의) 준수
be under ~ 감시받고 있다 ***come*** [***fall***] ***under*** a person***'s ~*** …의 눈에 띄다 ***keep ~ on*** …을 주시하다 ***take an ~*** 천측(天測)하다 ***under ~*** 관찰[감시] 하에 ▷ obsérve *v.*; obsérvant, observátional *a.*

ob·ser·va·tion·al [ɑ̀bzərvéiʃənl | ɔ̀b-] *a.* 관찰[관측]의, 감시의; 관찰[관측]상의, 실측적(實測的)인(cf. EXPERIMENTAL) **~·ly** *ad.* 관찰상, 관측에 의하여

observátion ballòon 관측 기구

observátion càr 〖철도〗 전망차

observátion pòst 〖군사〗 감시 초소, 관측소 ((略 O.P.))

observátion tòwer 관측탑, 전망탑

observátion tràin 강변 열차 ((보트 레이스 관람용))

∗**ob·serv·a·to·ry** [əbzə́:rvətɔ̀:ri | -təri] [L 「관측하

---

revolting, loathsome, nauseating, sickening, foul
obscure *a.* **1** 흐릿한 indistinct, vague, shadowy, hazy, blurred, cloudy **2** 불명료한 unclear, indefinite, uncertain, opaque, doubtful, dubious, ambiguous, hidden, concealed, intricate

는(observe) 곳」의 뜻에서] *n.* (*pl.* **-ries**) **1 관측소**; **천문대, 기상대,** 측후소 **2** 전망대; 감시소, 망루

‡ob·serve [əbzə́:rv] *v.*

> L「주의하다」의 뜻에서
> →(정해진 것에 유의하다)→「준수하다」 **6**
> →(정해진 행사를 지키다)→「(축제일을) 축하하다」 **7**
> →「관찰하다」 **2, 3**→「간파하다」→「깨닫다」 **1**
> →(깨달은 것을) 진술하다 **4**

— *vt.* **1** (관찰에 의하여) **알다,** 보다, 목격하다; 간취하다; 깨닫다; 인정하다: (~+***that*** 절) I *~d that* he became very pale. 난 그가 새파랗게 질린 것을 보았다. // (~+목+***do***) (~+목+***-ing***) He *~d* the thief *open*[open*ing*] the lock of the door. 그는 도둑이 문의 자물쇠를 여는 것을 보았다. **2 관찰하다;** 주시하다, 주의를 기울이다: (~+***wh.*** 절) *O~ how* the machine works. 기계가 어떻게 움직이는지 지켜보십시오. **3** 〈적의 행동 등을〉 감시하다; 〈천체 등을〉 관측하다: ~ an eclipse 일식[월식]을 관찰하다 **4 진술하다,** …이라고 말하다(remark): "Bad weather," the captain *~d.* "날씨가 좋지 않군."하고 선장은 말했다. // (~+***that*** 절) He *~d that* the plan would work well. 그는 그 계획이 잘 되어갈 것이라고 말했다. **5** 〈행동 등을〉 유지하다, 계속 …하다: ~ silence 침묵하고 있다 **6** 〈규칙 등을〉 **준수하다,** 지키다: ~ law 법을 준수하다 / ~ good manners 예절을 지키다 **7** 〈의식·제례 등을〉 거행[집행]하다; 〈축제일을〉 쇠다, 지내다, 축하하다: ~ Christmas[the Sabbath] 성탄절[안식일]을 지키다

— *vi.* **1** 관찰하다; 주시하다, 잘 보다; 관측하다 **2** 참관인(observer)으로서 출석하다 **3** (…에 관하여) 말하다, 논평하다 ((*on, upon*)): (~+전+명) He *~d on* the President's speech. 그는 대통령의 연설에 대해서 논평을 했다. / No one *~d on*[*upon*] that. 아무도 그 일에 대해서 의견을 말하지 않았다.

the ~d of [***by***] ***all observers*** 뭇사람의 주목을 받는 사람 ((Shakespeare의 *Hamlet* 중에서))

▷ observátion, obsérvance *n.*; obsérvant *a.*

‡ob·serv·er [əbzə́:rvər] *n.* **1 관찰자;** 관측자 **2** 감시자, 입회인, 방청자 **3** (회의의) 옵서버, 참관인 ((정식 대표의 자격이 없어 표결에 참여하지 않는)) **4** 논평하는 사람, 평자(評者) **5** (규칙·종교 의식 등의) 준수자 ((*of*)): an ~ *of* the Sabbath 안식일을 지키는 사람 **6** 〖군사〗 기상(機上) 정찰자

ob·serv·ing [əbzə́:rviŋ] *a.* 관찰하는; 주의 깊은, 빈틈없는; 관찰력이 예민한 **~·ly** *ad.*

***ob·sess** [əbsés] [L 「앞에 앉다」의 뜻에서] *vt.* [종종 수동형으로] 〈망상 등이〉 **사로잡다,** 〈귀신이〉 붙다(haunt); (계속적으로) 괴롭히다 ((*by, with*)): He *is ~ed with* the idea of emigrating to Canada. 그는 캐나다로 이민가려는 생각에 사로잡혀 있다. / She *was ~ed by* love. 그녀는 사랑의 포로가 되었다.

— *vi.* (미·구어) (항상) 괴로워하다, 고민하다, 끙끙 앓다 ((*about*))

***ob·ses·sion** [əbséʃən] *n.* **1** 〖심리〗 **강박 관념,** 망상, 집념 ((*about, with*)): He has an ~ *with* postage stamps. 그는 자나깨나 우표 생각 뿐이다. **2** Ⓤ (귀신·망상이) 붙음; 붙어다님; 사로잡힘 ((*with*))

be under an ~ of …에 사로잡혀 있다

ob·ses·sion·al [əbséʃənl] *a.* 강박 관념[망상]에 사로잡힌; 〈병이〉 강박 관념을 동반하는; 〈사람이〉 지나치게 신경을 쓰는 ((*about*)): an ~ neurosis 강박 신경증

— *n.* 강박 관념[망상]에 사로잡힌 사람 **~·ly** *ad.*

ob·ses·sive [əbsésiv] *a.* 강박 관념의, 망상의; 강박 관념을 일으키는; 귀신들린 듯한, 사로잡힌 듯한; (구어) 도를 지나친, 극단의, 이상할 정도의: one's ~ care 지나친 걱정 — *n.* 강박 관념[망상]에 사로잡힌 사람 **~·ly** *ad.* **~·ness** *n.*

ob·ses·sive-com·pul·sive [əbsésivkəmpʌ́lsiv] 〖정신의학〗 *a.* 강박(신경증)의, 강박적인

— *n.* 강박 신경증 환자

obséssive-compúlsive disòrder 〖정신의학〗 강박 신경증[장애] ((略 OCD))

ob·sid·i·an [əbsídiən] *n.* Ⓤ 〖광물〗 흑요석(黑曜石), 오석(烏石)

obsídian dàting 〖지리〗 흑요석 연대 결정[측정](법)

ob·so·lesce [ɑ̀bsəlés | ɔ̀b-] *vi.* 쇠퇴하다; 〖생물〗 퇴화하다; 진부해지다

ob·so·les·cence [ɑ̀bsəlésns | ɔ̀b-] *n.* Ⓤ **1** 쇠퇴; 노폐(화), 노후(화); 진부화; 〖기계〗 구식화 **2** 〖생물〗 (기관의) 퇴화, 위축

ob·so·les·cent [ɑ̀bsəlésnt | ɔ̀b-] *a.* **1** 〈말·습관 등이〉 쇠퇴해 가는, 사용되지 않게 되는; 〈기계 등이〉 구식의: an ~ word 사라져 가고 있는 말 **2** 〖생물〗 폐퇴성의, 퇴행성의 **~·ly** *ad.*

***ob·so·lete** [ɑ̀bsəlí:t, ⌐-⌐ | ɔ́bsəli:t, ⌐-⌐] [L 「소모하는」의 뜻에서] *a.* **1 쓸모없게 된, 안 쓰이는:** an ~ word 폐어 **2** 진부한; 시대에 뒤진 **3** 마모된, 닳아서 없어진: ~ equipment 노후 설비 **4** 〖생물〗 발육 부진의, 미발육의; 퇴화한

— *vt.* 진부하게 하다, 구식으로 만들다, 쇠퇴시키다

— *n.* 시대에 뒤진 사람, 폐물; 폐어

~·ly *ad.* **~·ness** *n.*

ob·so·let·ism [ɑ́bsəli:tizm | ɔ́b-] *n.* 시대 착오; 사라진 습관; (언어·표현 따위의) 폐지, 폐어

o.b.s.p. *obiit sine prole* ((L =he[she] died without issue)) 〖법〗 후사(後嗣) 없이 죽다

‡ob·sta·cle [ɑ́bstəkl | ɔ́b-] [L 「방해하고 서다」의 뜻에서] *n.* **1 장애(물),** 방해(물), 지장이 되는 것 ((*to*)): an ~ *to* success 성공의 장애물

> [유의어] **obstacle** 사람·일의 진행이나 진보를 방해하는 것: an *obstacle* to one's advancement 진보를 가로막는 것 **impediment** 정상적인 기능의 장애가 되는 것: an *impediment* in one's speech 언어 장애 **obstruction** 진로를 (특히 물리적으로) 방해하는 것: an *obstruction* of the blood circulation 혈액 순환을 방해하는 것

2 〖승마〗 (장애물 경기에서의) 장애물 **3** (폐어) 반대, 저항 ***raise an ~*** 장애물을 설치하다, 방해하다

óbstacle còurse 〖군사〗 장애물 훈련장

óbstacle ràce 장애물 경주

obstet. obstetric(al); obstetrician; obstetrics

ob·stet·ric, -ri·cal [əbstétrik(əl) | ɔb-] *a.* 산과(학)의; 조산(助産)의 **-ri·cal·ly** *ad.*

ob·ste·tri·cian [ɑ̀bstətríʃən | ɔ̀b-] *n.* 산과 의사

ob·stet·rics [əbstétriks | ɔb-, əb-] *n. pl.* [단수 취급] 산과학, 조산술, 산파술(midwifery)

***ob·sti·na·cy** [ɑ́bstənəsi | ɔ́b-] *n.* (*pl.* **-cies**) **1** Ⓤ **완고함,** 고집, 집요한 끈기, 강팍함 ((*in*)): with ~ 고집스럽게 **2** Ⓤ (병의) 난치 **3** 완고한 언행 ((*against*))

▷ óbstinate *a.*

‡ob·sti·nate [ɑ́bstənət | ɔ́b-] [L 「고집하는」의 뜻에서] *a.* **1 완고한, 고집 센,** 집요한(⇨ stubborn [유의어]) **2** 완강한: ~ resistance to …에 대한 완강한 저항 **3** 제어[정복]하기 힘든; 〈병이〉 난치의, 고치기 힘든: an ~ fever 좀체 내리지 않는 열 ***as ~ as a mule*** 몹시 고집불통인 **~·ly** *ad.* **~·ness** *n.*

▷ óbstinacy *n.*

ob·sti·pa·tion [ɑ̀bstəpéiʃən | ɔ̀b-] *n.* 〖병리〗 심한 변비

thesaurus **observe** *v.* **1** 보다 see, notice, note, perceive, discern, detect, behold, watch, witness **2** 준수하다 keep, obey, adhere to, abide by, heed, follow, comply with, conform to, consent to

obstacle *n.* bar, barrier, obstruction, impediment, hindrance, barricade, block, interruption

obstruct *v.* block, bar, cut off, stop, halt, pro-

ob·strep·er·ous [əbstrépərəs] *a.* 소란한, 시끄러운, 떠들썩한; 날뛰는, 난폭한, 제어할 수 없는 **~·ly** *ad.* **~·ness** *n.*

*__ob·struct__ [əbstrʌ́kt] 〚L 「위배하여 건설하다」의 뜻에서〛 *vt.* **1** 〈문·통로 등을〉 막다, 차단하다, …에 장애물을 놓다; 가로막다, 방해하다(⇨ hinder[1] 유의어): ~ a road 길을 막다 **2** 〈사람·사물의〉 진행[활동]을 방해하다: (~+목+전+명) The crowd ~*ed* the police *in* the discharge of their duties. 군중은 경찰의 공무 집행을 방해했다. **3** 〈빛·전망 등을〉 가로막다: ~ the view 전망을 가로막다
— *vi.* 방해하다
▷ obstrúction *n.*; obstrúctive *a.*

*__ob·struc·tion__ [əbstrʌ́kʃən] *n.* **1** 방해물, 장애물: They were arrested for ~ of a police officer. 그들은 경찰의 공무 집행 방해로 체포되었다. **2** UC 방해; 장애, 지장 (*to*)(⇨ obstacle 유의어) **3** U 폐색, 차단: intestinal ~ 장폐색 / an ~ in a pipe 파이프에 막힌 것 **4** U (특히 의회의) 의사 방해 **5** 〚경기〛 반칙이 되는 방해 행위 **~ *of justice*** 사법 방해, 재판 방해 ▷ obstrúct *v.*; obstrúctive *a.*

obstrúction guàrd (기관차의) 배장기(排障器)

ob·struc·tion·ism [əbstrʌ́kʃənìzm] *n.* U 의사 방해

ob·struc·tion·ist [əbstrʌ́kʃənist] *n.* 의사 방해자 **ob·strùc·tion·ís·tic** *a.*

ob·struc·tive [əbstrʌ́ktiv] *a.* 방해하는, 장애가 되는; 〚의학〛 폐색성의; 의사 방해의 (*to*) — *n.* 방해물, 장애; (의사) 방해자 **~·ly** *ad.* **~·ness** *n.*

ob·struc·tor, -struct·er [əbstrʌ́ktər] *n.* 방해자, 방해물

ob·stru·ent [ɑ́bstruənt | ɔ́b-] *a.* 〚의학〛 폐색(閉塞)성의, 폐쇄성의; 〚음성〛 폐쇄성의(occlusive)
— *n.* **1** 변비약; 설사약, 지사제 **2** 〚음성〛 폐쇄음

ob·stu·pe·fy [ɑbstjú:pəfài, ɑbz- | ɔbstjú:-] *vt.* (**-fied**) (특히 정신적으로) 마비시키다

‡**ob·tain** [əbtéin] 〚L 「유지하다」의 뜻에서〛 *vt.* **1** 얻다, 손에 넣다; 획득하다 (*from, through*)(⇨ get[1] 유의어): (~+목+전+명) ~ a loan *of* a person …으로부터 돈을 빌리다 / ~ knowledge *through* study 연구를 통해서 지식을 얻다 **2** 〈사물이〉 〈사람에게〉 〈지위·명성 등을〉 얻게 하다: (~+목+목) (~+목+전+명) His work ~*ed* him great fame. = His work ~*ed* great fame *for* him. 그 연구로써 그는 명성을 얻었다. **3** (고어) 달성하다, 이룩하다 **4** (폐어) 소유[보유, 점유]하고 있다
— *vi.* **1** (널리) 행해지다, 유행하다, 통용되다: (~+전+명) The custom still ~*s in* some districts. 그 풍습은 곳에 따라 아직 행해지고 있다. / This ~*s with* most people. 이것은 대부분의 사람의 인정을 받고 있다. **2** 〈관계 등이〉 맺어져 있다 **3** (고어) 성공하다 **4** (폐어) (…에) 도달[도착]하다 (*to, unto*)
~·er *n.* **~·ment** *n.*

*__ob·tain·a·ble__ [əbtéinəbl] *a.* 입수 가능한, 얻을 수 있는 **ob·tàin·a·bíl·i·ty** *n.*

ob·tect(·ed) [ɑbtékt(id) | ɔb-] *a.* 〚곤충〛 〈번데기가〉 각질(角質)의 껍데기가 있는

ob·ten·tion [əbténʃən] *n.* U 입수, 획득

ob·test [ɑbtést | ɔb-] (문어) *vt.* 증인으로서 부르다; 탄원하다 — *vi.* 항의하다; 탄원하다

ob·tes·ta·tion [ɑ̀btestéiʃən | ɔ̀b-] *n.* UC (문어) 탄원, 하느님이 굽어보시기를 바람; 항의

ob·trude [əbtrú:d] 〚L 「앞으로 밀어내다」의 뜻에서〛 *vt.* **1** 〈의견 등을〉 (…에게) (무리하게) 강요하다 (*on, upon*): (~+목+전+명) You had better not ~ your opinion *on*[*upon*] others. 자기 의견을 남에게 강요하지 않는 것이 좋다. **2** 쑥 내밀다: ~ one's hand 손을 쑥 내밀다 — *vi.* 참견하고 나서다
~ one***self*** 참견하고 나서다, 주제넘게 굴다 (*on, upon, into*) **ob·trúd·er** *n.*

ob·trun·cate [ɑbtrʌ́ŋkeit | ɔbtrʌ́ŋkeit, ⌐–⌐] *vt.* 〈나무의〉 꼭대기 부분을 치다[자르다]

ob·tru·sion [əbtrú:ʒən] *n.* U (의견 등의) 강요 (*on*); 참견하고 나섬 **~·ist** *n.*

ob·tru·sive [əbtrú:siv] *a.* **1** 우격다짐의, 강요하는; 참견하고 나서는, 주제넘은 **2** 튀어나온; 눈에 거슬리는; 야한, 현란한, 눈에 띄는 **~·ly** *ad.* **~·ness** *n.*

ob·tund [ɑbtʌ́nd | ɔb-] *vt.* 〚의학〛 〈기능을〉 둔화시키다; 〈통증 등을〉 완화시키다

ob·tund·ent [ɑbtʌ́ndənt | ɔb-] *a.* 〚의학〛 고통을 경감하는 — *n.* 마취약, 진통제

ob·tu·rate [ɑ́btjuərèit | ɔ́btjuə-] *vt.* 〈입·구멍을〉 막다(stop up), 닫다; 〈총포의 뒷구멍을〉 밀폐하다

ob·tu·ra·tion [ɑ̀btjuəréiʃən | ɔ̀btjuər-] *n.* U 폐색, 밀폐

ob·tu·ra·tor [ɑ́btjuərèitər | ɔ́btjuə-] *n.* 폐색물; 폐색구(具); 밀폐 장치

óbturator forámen 〚해부〛 폐쇄공 (치골과 좌골 사이에 있는 구멍)

ob·tuse [əbtjú:s | -tjú:s] *a.* **1** 〈칼날·각(角)이〉 무딘, 뭉툭한; 〚기하〛 둔각의(opp. *acute*): an ~ angle 둔각 / an ~ triangle 둔각 삼각형 / an ~ weapon 둔기 **2** 둔감[우둔]한(stupid): be ~ in understanding 이해력이 둔하다 **3** 〈잎 등의 끝이〉 무딘, 모나지 않은 **4** 〈통증·음이〉 확실히 느낄 수 없는: an ~ pain 둔통 **~·ly** *ad.* **~·ness** *n.*

ob·tu·si·ty [ɑbtjú:səti | ɔbtjú:-] *n.* U 둔감, 둔함; 어리석은 짓

ob·um·brate [ɑbʌ́mbreit | ɔb-] *vt.* 어둡게 하다, 흐리게 하다 — *a.* (폐어) 그늘진, 어두워진 **òb·um·brá·tion** *n.*

obv. obverse

ob·verse [ɑ́bvə:rs | ɔ́b-] *n.* **1** (메달·화폐 등의) 표면(face)(opp. *reverse*); 앞면(opp. *back*) **2** (표리와 같이) 대응[상대]되는 것, 상대물(counterpart), (사실 등의) 반면 **3** 〚논리〛 환질(換質) 명제
— [ɑbvə́:rs, ⌐– | ɔ́bvə:s] *a.* **1** 표면의, 바깥쪽의 **2** 상대되는, 대응하는, 뒤집은, 반대쪽의 **3** 〚식물〛 (잎의) 끝이 무딘, 둔두형(鈍頭形)의, 도생(倒生)의: an ~ leaf 도생엽(葉) **~·ly** *ad.* 표면을 드러내어; 도생적으로

ob·ver·sion [ɑbvə́:rʒən, -ʃən | ɔbvə́:ʃən] *n.* U **1** 표면을 드러냄, 뒤집기 **2** 〚논리〛 환질법

ob·vert [ɑbvə́:rt | ɔb-] *vt.* 〚논리〛 〈명제를〉 환질(換質)하다; (다른 면을 보여주기 위해) 뒤집다, …의 방향을 바꾸다

ob·vi·ate [ɑ́bvièit | ɔ́b-] *vt.* 〈위험·곤란 등을〉 제거하다, (대책을 써서) 미연에 방지하다 **òb·vi·á·tion** *n.*

‡**ob·vi·ous** [ɑ́bviəs | ɔ́b-] 〚L 「길 위에 있는」의 뜻에서〛 *a.* **1** 명백한, 분명한, 알기 쉬운, 대번에 알 수 있는(⇨ evident 유의어): (~+***that*** 절) It is ~ *that* he is lying. 그는 거짓말을 하고 있음이 분명하다. // (~+***to***+명) It might be ~ *to* you, but it isn't to me. 너에게는 분명할지도 모르나 내게는 그렇지 않다. **2** 〈감정·농담 등이〉 환히 들여다보이는, 뻔한, 노골적인: His kindness was so ~. 그의 친절은 너무 노골적이었다. **3** 눈에 거슬리는, 너무 두드러진 **4** (폐어) 방해가 되는 ***state the ~*** 당연한[말할 필요도 없는] 것을 말하다 **~·ness** *n.*
▷ óbviously *ad.*

‡**ob·vi·ous·ly** [ɑ́bviəsli | ɔ́b-] *ad.* [문장 전체를 수식하여] 명백하게, 분명히; 두드러지게, 눈에 띄게: *O*~ he was one of the chief agents in the plot. 분명히 그는 음모의 주모자들 중의 한 사람이었다. ★ 의문문에서는 문두·문미에 사용하지 않음: Is she so ~

---

hibit, hinder, impede, hamper, frustrate, thwart
obtain *v.* get, get hold of, acquire, procure, secure, gain, earn, seize, grab, pick up
obvious *a.* clear, clear-cut, plain, visible, noticeable, perceptible, discernable, detectable, recognizable, evident, apparent, manifest, distinct (opp. *obscure, imperceptible*)

sick? 그녀는 눈에 띌 정도로 아픕니까?

ob·vo·lute [ɑ́bvəlù:t | ɔ́b-], **-lu·tive** [-lù:tiv] *a.* **1** 둘둘 말린; 안으로 구부러진(turned in) **2** 〖식물〗 〈잎눈이〉 반씩 겹쳐져 있는 **òb·vo·lú·tion** *n.*

OC officer commanding; oral contraceptive; *Ordo Cisterciensium* (L =Order of Cistercians); organizational climate; *opere citato* (L = in the work cited) **Oc., oc.** ocean **o/c, OC** overcharge

oc- [ɑk, ək | ɔk, ək] *pref.* =OB- (c 앞에 올 때의 변형)

o·ca [óukə] *n.* 〖식물〗 안데스괭이밥; 그 덩이 줄기(tuber)

OCA Olympic Council of Asia 아시아 올림픽 평의회

oc·a·ri·na [ɑ̀kərí:nə | ɔ̀k-] *n.* 오카리나 (오지나 금속으로 만든 고구마 모양의 피리)

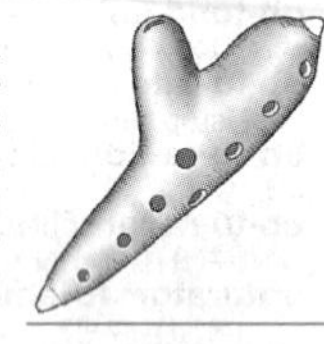
ocarina

O.Carm. Order of Carmelites **O.Cart.** Order of Carthusians **OCAS** Organization of Central American States 중미 기구 **OCC** Order of Calced Carmelites **occ.** occasional; occasionally; occident; occupation

Oc·cam [ɑ́kəm | ɔ́k-] *n.* 오컴 **William of** ~ (1285?~1349?) (영국의 철학자)

Óccam's rázor 오컴의 면도날 (어떤 사항을 설명하기 위한 가설의 체계는 간결해야 한다는 원리)

occas. occasional; occasionally

‡oc·ca·sion [əkéiʒən] *n., v.*

> L「…에 떨어지다, 닥치다」의 뜻에서 →「기회」 **3**, 「경우」 **1** →(특별한 경우) →「행사」 **2**의 뜻이 되었음.

—*n.* **1** [보통 on ... ~으로] (특수한) **경우**, 때 (*of, for*): *on* this happy[sad] ~ 이토록 즐거운[슬픈] 때에 / *on* rare ~ 드물게 / We met *on* three ~*s.* 우리는 세 번 만난 적이 있다. **2 특별한 일,** 행사, 경사; 제전, 의식: on this annual ~ 해마다 있는 이 축전에 **3** Ⓤⓒ [보통 an ~, the ~] **기회,** 호기 (*for, to* do); 적당한 때: when *the* ~ offers 기회가 온다면 // (~+*to* do) I have had several ~*s to* see her. 그녀를 만나볼 기회가 몇 번 있었다. // (~+전+*-ing*) This is not *an* ~ *for* laugh*ing.* 지금은 웃을 때가 아니다. **4** Ⓤⓒ 직접 원인, 계기, 유인(誘因): the ~ of a war 전쟁의 계기 / by ~ of illness 병으로 인해 **5** Ⓤⓒ 이유, 근거 (*for, to* do): What is the ~ *for* that anxiety? 저렇게 불안해하는 이유가 무엇입니까? **6** Ⓤⓒ (특별한 상황에서 생긴) 필요 **7** [*pl.*] (고어) 일, 업무; 필수품(needs), 일용품 **8** (스코) 종교적 의식

as ~ demands 임기응변으로; 필요에 따라 ***be equal to the ~*** ⇨ equal. ***for*** a person***'s ~*** …을 위하여 ***for the ~*** 임시로 ***give ~ to***[***for***] …을 유발하다 ***go about*** one***'s lawful ~s*** (고어) 본업에 전심하다 ***have no ~ for*** …의 근거가 없다 ***have no ~ to*** do …할 이유[필요]가 없다 ***if the ~ arises***[***should arise***] = ***should the ~ arise*** 필요가 생기면 ***improve the ~*** 기회를 이용하다 ***in honor of the ~*** 그 행사에 축하의 뜻을 표하기 위해 ***on***[***upon***] ***~*** 수시로; 때때로 ***on one ~*** 일찍이, 어느 때 ***on several ~s*** 몇 차례나 ***on the first ~*** 기회 있는 대로 ***on the ~ of*** …을 맞이하여, …에 즈음하여 ***profit by the ~*** 좋은 기회를 잡다 ***rise to the ~*** 난국에 대처하다, 위기에 처해서 수완을 발휘하다 ***take***[***seize***] ***the ~ to*** do …할 좋은 기회를 잡다, 기회를 타서 …하다

—*vt.* **1** 생기게 하다, …의 원인이 되다, 야기시키다: His impolite remarks ~*ed* the quarrel. 그의 버릇없는 말이 말다툼을 야기시켰다. **2** …에게 〈걱정 등을〉 끼치다; …에게 …시키다: (~+목+목) The boy's behavior ~*ed* his parents much anxiety. 소년의 행동이 부모에게 많은 걱정을 끼쳤다. // (~+목+*to* do) ~ a person *to* do something …에게 …을 하게 하다 ▷ occásional *a.*

‡oc·ca·sion·al [əkéiʒənl] *a.* **1** Ⓐ **이따금씩의,** 가끔의, 때때로의: an ~ visitor 가끔 오는 손님 / an ~ stomachache 이따금씩의 복통 / Seoul will be cloudy with ~ rain. 서울은 흐리고 가끔 비가 올 것입니다. **2** 〈기구가〉 예비의, 임시(용)의: an ~ chair 예비 의자 **3** 〈시·음악 등이〉 특별한 경우를 위한: ~ verses 특별한 때에 지은 시 (국가적인 사건이나 사람의 죽음 등에 즈음하여 만들어지는) **4** 〈이유·원인이〉 우발적인, 부차적인; (…의) 원인이 되는 (*of*) **5** 〈대학생이〉 학위 취득을 목적으로 하지 않는 ▷ occásion *n.*; occásionally *ad.*

occásional cáuse 〖철학〗 우인(偶因), 기회 원인 (직전(直前) 원인이지만 직접 원인이 아닌 것)

oc·ca·sion·al·ism [əkéiʒənlìzm] *n.* Ⓤ 〖철학〗 (데카르트 학파의) 기회 원인론, 우인론(偶因論)

occásional lícence (영) (특정한 시기·장소에서의) 주류 판매 허가

‡oc·ca·sion·al·ly [əkéiʒənli] *ad.* **때때로,** 가끔, 이따금(sometimes); (영·방언) 임시로: I ~ visit my uncle in the country. 나는 시골에 계신 숙부님을 가끔 방문한다.

***oc·ci·dent** [ɑ́ksədənt | ɔ́k-] [L 「해가 지는 지역」의 뜻에서] *n.* **1** [the O~] (문어) **서양,** 구미(歐美), 서구(the West; cf. ORIENT); 서반구 **2** [the ~] (시어) 서방, 서부 지방(the west) ▷ occidéntal *a.*

***oc·ci·den·tal** [ɑ̀ksədéntl | ɔ̀k-] *a.* **1** [종종 **O~**] (문어) **서양(인)의,** 서구의(Western; cf. ORIENTAL): *O~* civilization 서양 문명 **2** 〖천문〗 서천(西天)의, 해가 진 후에 볼 수 있는

—*n.* [**O~**] 서양 사람

~·ist *n.* 서양 숭배자, 서양 문화 연구가[전문가]

Oc·ci·den·tal·ism [ɑ̀ksədéntəlìzm | ɔ̀k-] *n.* Ⓤ 서양식; 서양 기질; 서양 숭배 ▷ óccident *n.*; occidéntalize *v.*

oc·ci·den·tal·ize [ɑ̀ksədéntəlàiz | ɔ̀k-] *vt.* [종종 **O~**] 서양식으로 만들다, 서양화하다

oc·cip·i·tal [ɑksípətl | ɔk-] 〖해부〗 *a.* 후두(부)의 —*n.* 후두부, (특히) 후두골(= **~ bòne**) **~·ly** *ad.*

occípital cóndyle 〖해부〗 후두과(顆)

occípital lòbe 〖해부〗 후두엽(後頭葉)

oc·ci·put [ɑ́ksəpʌ̀t, -pət | ɔ́k-] *n.* (*pl.* **~s, -cip·i·ta** [ɑksípətə | ɔk-]) 〖해부〗 후두(後頭)(부)

Oc·ci·tan [ɑ́ksətən | ɔ́k-] [F] *n. a.* 프랑스 남부에서 쓰는 로망스의 말(의)

oc·clude [əklú:d | ɔk-, ək-] *vt.* 〈구멍·틈새 등을〉 막다, 메우다, 폐색(閉塞)하다; 차단하다, 보이지 않게 하다; 가두다; 〖물리·화학〗 〈금속 등이〉 〈기체·액체·고체를〉 흡장(吸藏)하다; 〖기상〗 폐색하다; 〖치과〗 〈이를〉 맞물리게 하다 —*vi.* 〖치과〗 〈이가〉 맞물리다; 폐색되다; 〖기상〗 폐색 전선을 만들다 **oc·clúd·ent** *a.*

oc·clúd·ed frónt [əklú:did-] 〖기상〗 폐색 전선

oc·clu·sal [əklú:səl, -zəl | ɔk-, ək-] *a.* 폐색의; 〈아래윗니가〉 맞물리는

oc·clu·sion [əklú:ʒən | ɔk-] *n.* Ⓤ 폐색, 폐쇄; 흡장; 〖치과〗 (이의) 맞물림, 교합; 〖병리〗 혈관 폐색

thesaurus **occasion** *n.* **1 경우, 때** time, point, situation, instance, case, circumstance, event, incident, occurrence **2 행사** function, party, affair, celebration **3 기회** chance, opportunity
occasional *a.* infrequent, intermittent, irregular, sporadic, rare, casual, incidental
occupation *n.* job, work, profession, business,

oc·clu·sive [əklúːsiv | ɔk-, ək-] *a.* **1** 폐색하는, 폐색 작용의, 차단하는 **2** 〖음성〗 폐쇄(음)의
— *n.* 〖음성〗 무(無)파열 폐쇄음, 불완전 파열음
~·ly *ad.* **~·ness** *n.*

oc·cult [əkʌ́lt, ɑ́kʌlt | ɔkʌ́lt, ə-] [L 「숨겨진」의 뜻에서] *a.* **1** 육안으로 보이지 않는, 숨은 **2** 신비스러운, 불가해한 **3** 초자연적인, 마술의[적인]: the ~ arts 마술, 비술(秘術) / ~ sciences 오컬트 사이언스 《연금술·점성술·마법·수상술(手相術) 등》
— *n.* [the ~] 신비; 비술(秘術); 초자연적인 힘
— *vt.* **1** 〖천문〗 〈달 등이〉 〈다른 천체를〉 엄폐하다 **2** 숨기다 **—** *vi.* 숨다; 〈빛이〉 명멸[점멸]하다
~·er *n.* **~·ly** *ad.* **~·ness** *n.*

oc·cul·ta·tion [ɑ̀kʌltéiʃən | ɔ̀-] *n.* UC **1** 〖천문〗 엄폐, 성식(星蝕) **2** 자취를 감춤

occúlt bálance 불균형의 균형

oc·cúlt·ing líght [əkʌ́ltiŋ-, ɑ́kʌlt- | ɔkʌ́lt-] 〖항해〗 (등대 등의) 명멸등, 명암광

oc·cult·ism [əkʌ́ltizm | ɔ́kəltìzm, ɔ́kʌl-] *n.* U 신비학; 신비주의; 신비 요법 **-ist** *n.* 비술 신봉자; 신비주의자, 신비학자

oc·cu·pan·cy [ɑ́kjupənsi | ɔ́-] *n.* U **1** 점유, 거주; 영유; 차용; 점유 기간; 재직 기간 **2** 〖법〗 선점(先占), 점거 **3** (호텔·비행기 등의) 점유[이용]율; 수용 능력: ~ of the airplane 그 비행기의 수용 인원 **4** 〖통신〗 (전화의) 발신에 필요한 시간

*__oc·cu·pant__ [ɑ́kjupənt | ɔ́-] *n.* **1** 점유자, 현거주자; (지위 등의) 보유자 **2** 〖법〗 점거자, 선점자 **3** (가옥·토지 등의) 임차인, 소작인(tenant)

‡**oc·cu·pa·tion** [ɑ̀kjupéiʃən | ɔ̀-] *n.*

> 동사 「occupy(차지하다)」에서
> (시간을 차지함)→(일), 「직업」 **1**
> (장소를 차지함)→「점유」 **3**

1 UC **직업**, 업무: men out of ~ 실업자 / He is a writer by ~. 그는 직업이 작가이다.

> 유의어 **occupation** 대체로 정규직을 의미하며 업무를 위해 훈련이 필요한 직업: a congenial *occupation* 마음에 맞는 직업 **profession** 변호사·의사·교사 등과 같이 전문적인 지식을 요하는 직업: the *profession* of teaching 교직 **business** 실업·상업 관계의 영리를 목적으로 하는 직업: the printing *business* 인쇄업 **job** 직업을 뜻하는 가장 일반적인 말: seek a *job* as a secretary 비서직을 찾다

2 U 종사, 종업, 취업; 소일 **3** U **점유**(권[기간]); 거주, 전용 **4** U **점령**, 점거; [종종 the O~] 점령군(의 정책); (외국 군대의) 점령 기간: the ~ of a town by the enemy 적군에 의한 도시의 점령 / an army of ~ = an ~ army 점령군, 주둔군 **5** (직권의) 보유, 유지, 재직; 재직 기간, 임기(tenure): during his ~ of the Presidency 그의 대통령 임기 중에 **~·less** *a.* ▷ óccupy *v.*; occupátional *a.*

*__oc·cu·pa·tion·al__ [ɑ̀kjupéiʃənl | ɔ̀-] *a.* **1** 직업의, 직업 때문에 일어나는, 생업의: ~ guidance 직업 지도 / with an ~ air 직업적 태도로, 사무적으로 **2** 《미》 점령의: ~ troops 점령군 **~·ly** *ad.*

occupátional diséase 〖의학〗 직업병

occupátional házard 직업 재해

occupátional médicine 〖의학〗 직업병 의학

employment, career, vocation, calling, field
occupy *v.* **1** 차지하다 fill up, take up, use up, utilize, cover **2** 종사하다, 전념하다 engage, employ, absorb, engross, involve **3** 거주하다 inhabit, reside in, dwell in, tenant, stay in **4** 점령하다 invade, overrun, seize, take over, capture
occur *v.* happen, take place, arise, befall

occupátional pénsion 직업[직장] 연금 《기업·고용주 등이 운영하는 연금》

occupátional psychólogy 직업 심리학

occupátional thérapist 〖의학〗 작업 요법사 《略 OT》

occupátional thérapy 〖의학〗 작업 요법 《건강 회복에 적당한 가벼운 일을 시키는 요법》

occupátion brìdge 사유지 연락교 《철도·길·운하 등으로 분리된 땅을 연결해 주는 다리》

oc·cu·pa·tion·ese [ɑ̀kjupèiʃəníːz | ɔ̀-] *n.* 점령군 용어

occupátion frànchise 《영》 차지인 투표권

occupátion làyer[lèvel] 문화층 《유적에서 특별한 문화적 특징을 나타내는 발굴상의 층위》

oc·cu·pa·tion·naire [ɑ̀kjupèiʃənέər | ɔ̀-] *n.* 점령군 당국자

occupátion ròad 사설 전용 도로

oc·cu·pied [ɑ́kjupàid] *a.* **1** P 사용 중인(cf. OWNER-OCCUPIED): Only half of the rooms are ~ at the moment. 현재 방의 절반만이 사용 중입니다. **2** P (…하느라) 바쁜, 분주한 《*in, with*》: She's fully ~ looking after children. 그녀는 아이들을 돌보느라 바쁘다. **3** (나라 등이) 지배된, 점령된

oc·cu·pi·er [ɑ́kjupàiər | ɔ́k-] *n.* **1** 《영》 토지[건물] 소유자; 임차인 **2** 점유자; 차지[차가]인; 점령군; 자리를 차지하는 물건

‡**oc·cu·py** [ɑ́kjupài | ɔ́-] [L 「손에 넣다」의 뜻에서] *vt.* (**-pied**) **1** 〈장소를〉 **차지하다**; 〈시일을〉 소비하다: An old cabinet *occupied* that corner. 한 낡은 캐비닛이 저 구석을 차지하고 있었다. / The lecture *occupied* the whole afternoon. 강의는 오후 내내 이어졌다. **2** [종종 수동형으로 또는 ~ one*self* 로] (…으로) …의 마음[주의]을 끌다, 채우다 《*with*》(⇨ occupied): The children *occupied themselves with* the toys. 아이들은 장난감을 갖고 노느라 정신이 없었다. **3** [수동형으로 또는 ~ one*self* 로] (…에) **종사하다**; 전념하다 《*in, with*》: She *is occupied with* needlework. 그녀는 봉재에 종사하고 있다. / He *was* deeply *occupied in* translating a French novel. 그는 프랑스 소설을 번역하는 데 전념하고 있었다. **4** 점유[영유]하다; 거주하다; 〈방·사무실 등을〉 사용하고 있다; 빌려 쓰고 있다: an *occupied* house 사람이 사는 집 / '*Occupied*' 「사용 중」 《욕실·화장실 등에 표시》 / The building is *occupied*. 그 건물에는 사람이 살고 있다. **5** 〈군대 등이〉 **점령[점거]하다**: The army *occupied* the fortress. 군대는 그 요새를 점령했다. **6** 〈지위·일자리를〉 **차지하다**(hold) **7** 《고어》 사용하다, 이용하다; …와 교역하다
~ one*self* by[with] do*ing* …에 빠지다, 몰두[전념]하다 **óc·cu·pì·a·ble** *a.* ▷ occupátion *n.*

‡**oc·cur** [əkə́ːr] [L 「…쪽으로 뛰다」의 뜻에서] *vi.* (**~red**; **~·ring**) **1** 〈일이〉 **일어나다, 생기다**, 발생하다 (⇨ happen 유의어): She described the accident as it *~red*. 그녀는 사건을 일어난 그대로 묘사했다. **2** 〈동식물·광물이〉 발견되다, 나타나다; [종종 부정문에서] 〈무생물이〉 …에 존재하다, 분포하다, 서식하다 《*in, on*》; 〈물건이〉 출현하다 《*in*》: (~+전+명) This word *~s* twice *in* the first chapter. 이 말은 제1장에 두 번 나온다. / Calcium *~s* plentifully *in* milk. 칼슘은 우유에 많이 함유되어 있다. **3** 머리에 떠오르다, 생각이 나다 《*to*》: (~+전+명) A good idea *~red to* me. 좋은 생각이 떠올랐다. ***if anything should ~*** 무슨 일이 일어나거든; 만일의 경우에
▷ occúrrence *n.*

*__oc·cur·rence__ [əkə́ːrəns, əkʌ́r- | əkʌ́r-] *n.* **1** U (사건 등의) **발생**, 일어남 **2** **사건**, 일어난 일: an everyday ~ 일상의 일 / several unexpected *~s* 몇몇 예상치 못한 일들 **3** (식물·동물의) 발견됨, 출현(appearance); (광물의) 산출; (천연자원 등의) 존재: evidence of gold ~ 금이 있다는 증거 ***of frequent[rare] ~*** 자주[드물게] 일어나는 ▷ occúr *v.*

oc·cur·rent [əkə́:rənt, əkʌ́r- | əkʌ́r-] *a.* 현재 일어나고 있는(current); 우연의(incidental)
— *n.* (계속적인 것에 대해) 일시적인 것

OCD Office of Civil Defense 민간 방위국; 〖컴퓨터〗 online communications driver; obsessive compulsive disorder **OCDM** Office of Civil and Defense Mobilization 《미》 민방위 동원 본부

‡**o·cean** [óuʃən] [Gk 「지구의 주위를 흐르는 큰 강」의 뜻에서] *n.* **1** [the ~] 대양, 해양; 외양(外洋): ~ bed 해저 / ~ flight 도양(渡洋) 비행 **2** [the ... O~] (5대양의 하나인) …양(洋): *the* Atlantic *O~* 대서양 **3** [the ~] 《미》 바다(sea): go swimming in *the* ~ 해수욕을 가다 **4** [an ~] (광활하게) 펼쳐짐, …의 바다 《*of*》: *an* ~ *of* trees 나무의 바다 **5** [~s of ...] 《구어》 많음, 대량: ~*s of* money[time] 막대한 돈[시간] ***be tossed on an ~ of doubts*** 오리무중에서 헤매다 ▷ oceánic *a.*

o·cea·nar·i·um [òuʃənέəriəm] *n.* (*pl.* **~s, -nar·i·a** [-riə]) 대(大)수족관

o·cea·naut [óuʃənɔ̀:t, -nɑ̀t | -nɔ̀:t] *n.* = AQUANAUT

ócean devélopment 해양 개발

ócean dispòsal 폐기물 해양 투기(投棄)

ócean ènergy 해양 에너지 《전기 에너지로 변환이 가능함》

ócean enginèering 해양 공학

ócean fàrming = MARICULTURE

o·cean·front [óuʃənfrʌ̀nt] *n.* 임해지(臨海地)
— *a.* Ⓐ 바다에 면한, 임해의

o·cean·go·ing [-gòuiŋ] *a.* 외양[원양] 항행의

ócean grèyhound 대양 쾌속선 《특히 정기 여객선》

O·ce·an·i·a [òuʃiǽniə, -ɑ́:niə, -éiniə | -ɑ́:niə, -éiniə] *n.* 오세아니아, 대양주 **-i·an** *a.*, *n.* 오세아니아[대양주]의 (주민)

o·ce·an·ic [òuʃiǽnik] *a.* **1** 대양의, 대양성의; 대양에서 난, 대양에 사는(pelagic) **2** 대양과 같은, 광대한 **3** [O~] 오세아니아[대양주]의 **4** 〖언어〗 오세아니아 어족(語族)의 — *n.* [O~] 〖언어〗 오세아니아 어족

O·ce·an·i·ca [òuʃiǽnikə] *n.* = OCEANIA

oceánic boníto 〖어류〗 가다랭이

oceánic clímate 해양성 기후

oceánic ísland 대양도 《대륙에서 멀리 떨어져 대양에 있는 섬》

oceánic rídge 〖지질〗 해령(海嶺) 《해저의 거대한 화산성 산맥》

o·ce·an·ics [òuʃiǽniks] *n. pl.* [단수 취급] 해양학, 해양 공학

oceánic trénch 〖지질〗 해구(海溝)

O·ce·a·nid [ousí:ənid] *n.* (*pl.* **~s, -an·i·des** [òusiǽnədì:z]) 〖그리스신화〗 오케아니스 《Oceanus의 딸; 대양[바다]의 nymph》

o·cean·i·za·tion [òuʃənizéiʃən | -nai-] *n.* Ⓤ 〖지질〗 해양화 현상 《대륙 지각(地殼)의 해양 지각화》

ócean làne 원양 항로대(帶)

ócean lìner 원양 정기선

ócean maríne insùrance 《외항》 해상 보험

Ócean of Stórms 〖천문〗 (달 표면의) 폭풍의 바다

o·cea·nog·ra·pher [òuʃənɑ́grəfər | -nɔ́-] *n.* 해양학자

o·cea·no·graph·ic, -i·cal [òuʃənəgrǽfik(əl)] *a.* 해양학의 **-i·cal·ly** *ad.*

o·cea·nog·ra·phy [òuʃənɑ́grəfi, -ʃiə- | -nɔ́-] *n.* Ⓤ 해양학

o·cea·no·log·ic, -i·cal [òuʃənəlɑ́dʒik(əl) | -lɔ́-] *a.* 해양학의 **-i·cal·ly** *ad.*

o·cea·nol·o·gy [òuʃənɑ́lədʒi, -ʃiə- | -nɔ́-] *n.* Ⓤ 해양학, 해양 연구(oceanography) **-gist** *n.* 해양학자

ócean ròute 원양 항로

ócean státion vèssel 정점(定點) 관측선

ócean súnfish 〖어류〗 개복치(Mola mola)

ócean technólogy 해양 공학[기술]

o·cean-ther·mal [óuʃənθə́:rməl] *a.* 〖항해〗 해양열 (이용)의, 해양의 온도차 이용의

ócean thérmal énergy convèrsion 해양 온도차 발전 《특히 1979년부터의 하와이 앞바다의 실험 시스템; 略 OTEC》

ócean tràmp 원양 부정기(화물)선

ócean trénch 〖지질〗 해구(海溝)

O·ce·a·nus [ousí:ənəs] *n.* 〖그리스신화〗 **1** 오케아노스 《대양의 신》 **2** 대륙을 둘러싸고 있는 대해양

o·cel·lar [ousélər] *a.* 〖동물〗 홑눈[안점(眼點)]의

oc·el·lat·ed [ɑ́səlèitid, ouséleit- | ɔ́silèit-, ouséleit-] *a.* 홑눈[안점]이 있는; 눈알무늬가 있는

oc·el·la·tion [ɑ̀səléiʃən | ɔ̀s-] *n.* 눈알무늬(의 반점), 안구상(眼球狀) 무늬

o·cel·lus [ouséləs] *n.* (*pl.* **-li** [-lai]) **1** (곤충 등의) 홑눈, 단안(單眼) **2** (하등 동물의) 안점(眼點) **3** 눈알무늬 《공작의 꼬리 등》

oc·e·lot [ɑ́sələ̀t, óu- | ɔ́silɔ̀t, óu-] *n.* 〖동물〗 표범 비슷한 스라소니 《중남미산(産)》; 그 동물의 가죽

och [ɑ́x | ɔ́x] *int.* 《아일·스코》 오, 아

oche [ɑ́:ki | ɔ́ki] *n.* 다트(darts)에서 경기자가 서도록 그어 놓은 선

o·cher, o·chre [óukər] *n.* Ⓤ 황토 《그림물감의 원료》; 황토색, 오커색 — *a.* 황토색의
— *vt.* 황토색으로 칠하다 **~·ous** *a.*

o·cher·y [óukəri], **o·chry** [óukri] *a.* 황토(색)의

och·loc·ra·cy [ɑklɑ́krəsi | ɔklɔ́-] *n.* ⓊⒸ 폭민(暴民) 정치(mob rule), 중우(衆愚) 정치

och·lo·crat [ɑ́kləkræ̀t | ɔ́-] *n.* 폭민 정치가

och·lo·crat·ic, -i·cal [ɑ̀kləkrǽtik(əl) | ɔ̀k-] *a.* 폭민 정치의 **-i·cal·ly** *ad.*

och·lo·pho·bi·a [ɑ̀kləfóubiə | ɔ̀-] *n.* 〖정신분석〗 군중 공포증 **-bist** *n.*

och·ra·tox·in [òukrətɑ́ksin | -tɔ́k-] *n.* 〖생화학〗 오크라톡신 《독소 물질》

o·chre [óukər] *n.*, *a.*, *vt.* = OCHER

o·chr·oid [óukrɔid] *a.* 황토색의(ocherous)

OCI Overseas Consultants Incorporated 《미》 해외 기술 고문단

-ock [ək, ɑk | ək, ɔk] *suf.* 「작은…」의 뜻: hill*ock*

ock·er [ɑ́kər | ɔ́k-] *n.* 《호주·속어》 [종종 O~] 데퉁스러운[전형적인] 오스트레일리아 사람
— *a.* 오스트레일리아(사람)의

Ock·er·ism [ɑ́kərìzm | ɔ́k-] *n.* Ⓤ 《호주》 (노동자의) 앞뒤 헤아리지 않는 반항, 직선적인 반항

OCLC Online Computer Library Center

‡**o'clock** [əklɑ́k | əklɔ́k] [of the clock의 단축형] *ad.* **1** …시 ★ 「몇 시 몇 분」의 경우에는 보통 o'clock을 생략한다 《It is ten (minutes) past ten now. 지금 10시 10분이다.》: at two ~ 2시에 / He went by the seven ~ train. 그는 7시 열차로 갔다. 《by the 7:00 train이라고도 쓰는데 읽기는 같음》 / What ~ is it now? 《고어》 지금 몇 시입니까? (= What time is it now?) **2** (목표의 위치·방위를 시계의 문자반 위에 있다고 상정하여) …시의 위치: be at 10 ~ 10시 방향에 있다 ***know what ~ it is*** 만사[실상]를 잘 알고 있다 ***like one ~*** 《속어》 활발하게; 재빨리; 맹렬하게

OCR optical character reader[recognition] 〖컴퓨터〗 광학 문자 판독기[인식]

oc·re·a [ɑ́kriə, óuk- | ɔ́k-] *n.* (*pl.* **-re·ae** [-riì:]) **1** 〖식물〗 풀줄기를 덮는 껍질(sheath) **2** (로마 시대 갑옷의) 정강이 받이 **óc·re·ate** *a.*

OCS officer candidate school; 〖컴퓨터〗 optical character scanner **OCSO** *Ordo Cisterciensium Strictioris Observantiae* 《L = Order of Cistercians of the Strict Observance》 **oct.** octavo **Oct.** October

oct- [ɑkt | ɔkt], **octa-** [ɑ́ktə | ɔ́k-] 《연결형》 「8…」의 뜻 《모음 앞에서는 oct-》: *octa*hedron

oc·ta·chord [ɑ́ktəkɔ̀:rd | ɔ́k-] *n.* 팔현금; 8도 음정

oc·tad [ɑ́ktæd | ɔ́k-] *n.* 〖화학〗 8가 원소; 8개 한 벌 **oc·tád·ic** *a.*

oc·ta·gon [ɑ́ktəgɑ̀n, -gən | ɔ́ktəgən] *n.* 8변형, 8각형; 8각당[실, 정탑]

oc·tag·o·nal [ɑktǽgənl | ɔk-] *a.* 8변[각]형의 **~·ly** *ad.*

oc·ta·he·dral [ɑ̀ktəhí:drəl | ɔ̀k-] *a.* 8면을 가진, 8면체의: an ~ crystal 8면체 결정

oc·ta·he·dron [ɑ̀ktəhí:drən | ɔ̀k-] *n.* (*pl.* **~s, -dra** [-drə]) 8면체; 8면체형 사물, 《특히》 정팔면체 결정체

oc·tal [ɑ́ktl | ɔ́k-] *a.* 8진법의; 〈진공관이〉 8극(極)의; (컴퓨터용으로) 8진법으로 된
— *n.* 8진법(= ∠ **notàtion**)

oc·tam·er·ous [ɑktǽmərəs | ɔk-] *a.* 8개 부분으로 이루어진; 〖식물〗 〈윤생체가〉 8개로 된

oc·tam·e·ter [ɑktǽmətər | ɔk-] *a., n.* 〖시학〗 8보격의 (시)

oc·tan [ɑ́ktən | ɔ́k-] *a.* 〈열이〉 8일마다 일어나는[반복되는] — *n.* 8일열(熱)

oc·tane [ɑ́ktein | ɔ́k-] *n.* Ⓤ 〖화학〗 옥탄; = OCTANE NUMBER

óctane nùmber[ràting, vàlue] 〖화학〗 옥탄값[가(價)]

oc·tan·gle [ɑ́ktæŋgl | ɔ́k-] *a.* 8각의, 8각형의
— *n.* 8각형, 8각

oc·tan·gu·lar [ɑktǽŋgjulər | ɔk-] *a.* 8각의, 8각형의 **~·ness** *n.*

oc·ta·nó·ic ácid [ɑ̀ktənóuik- | ɔ̀k-] 〖화학〗 옥탄산

Oc·tans [ɑ́ktænz | ɔ́k-] *n.* 〖천문〗 팔분의(八分儀)자리

oc·tant [ɑ́ktənt | ɔ́k-] *n.* **1** 8분원 《45도의 호(弧)》; 〖수학〗 8분 공간 **2** 〖항해·항공〗 8분의(分儀) (cf. SEXTANT) **3** 〖천문〗 이각(離角) 45도의 위치

oc·tar·chy [ɑ́ktɑ:rki | ɔ́k-] *n.* 8두(八頭) 정치; 8왕국 정치

oc·ta·style [ɑ́ktəstàil | ɔ́k-] *n.* 8주식(柱式) 건축
— *a.* 8주식의

Oc·ta·teuch [ɑ́ktətjù:k | ɔ́ktətjù:k] *n.* 〖성서〗 구약 성서의 최초의 8서(cf. PENTATEUCH)

oc·ta·val·ent [ɑ̀ktəvéilənt | ɔ̀k-] *a.* 〖화학〗 8가(價)의

∗**oc·tave** [ɑ́ktiv, -teiv | ɔ́ktiv] *n.* **1** 〖음악〗 옥타브; 8도 음정; 제8음 **2** [ɔ́kteiv] 〖가톨릭〗 축제일부터 세어 8일째 날[8일간] **3** 〖운율〗 8행시; 《특히》 sonnet(14행시)의 처음의 8행(octet)(cf. SESTET) **4** 8개 한 벌, 8개가 연속으로 있는 것; 연속한 것의 제8 번 **5** 〖펜싱〗 제 8 자세(cf. PRIME 5) **6** 《영》 13.5 갤런들이 통

óctave flùte = PICCOLO

Oc·ta·vi·a [ɑktéiviə | ɔk-] *n.* 여자 이름

Oc·ta·vi·us [ɑktéiviəs | ɔk-] *n.* 남자 이름

oc·ta·vo [ɑktéivou, -tɑ́:- | ɔk-] *n.* (*pl.* **~s**) **1** Ⓤ 8절판 《전지의 1/8; 보통 6×9.5인치; 略 8 vo, 8°》 **2** 8절판의 책(cf. FOLIO 2) — *a.* 8절판의

oc·ten·ni·al [ɑkténiəl | ɔk-] *a.* 8년마다[째]의; 8년간의 **~·ly** *ad.*

oc·tet(te) [ɑktét | ɔk-] *n.* **1** 〖음악〗 8중주[중창], 8중주곡[단](⇨ solo 관련) **2** 〖운율〗 8행시, 《특히》 14행시(sonnet)의 처음 8행 **3** 8명[8개] 1조

oc·til·lion [ɑktíljən | ɔk-] *n.* 《미》 1,000의 9제곱(10^{27}); 《영》 1,000의 16제곱(10^{48})

oc·tin·gen·te·na·ry [ɑ̀ktindʒentí:nəri] *n.* (*pl.* **-ries**) 《영》 800년제(祭)(cf. CENTENARY)

octo- [ɑ́ktou, -tə | ɔ́k-] 《연결형》 = OCT-

⁑**Oc·to·ber** [ɑktóubər | ɔk-] [L 「제8의 달」의 뜻에서; 고대 로마에서는 1년을 10개월로 하고 3월부터 시작했음] *n.* **1** 10월 《略 Oct.》: in ~ 10월에 / on ~ 6 = on 6 ~ = on the 6th of ~ 10월 6일에 **2** 《영》 10월에 주조되는 맥주, 가을 맥주

Octóber Revolútion [the ~] 10월 혁명(Russian Revolution) 《러시아력 1917년 10월 25일(11월 7일)의 레닌의 혁명》

Oc·to·brist [ɑktóubrist | ɔk-] *n.* 10월당 당원 《제정 러시아의 온건파》

oc·to·cen·te·na·ry [ɑ̀ktousént ənèri | ɔ̀ktousentí:nəri], **-ten·ni·al** [-téniəl] *n.* = OCTINGENTENARY

oc·to·de·cil·lion [ɑ̀ktoudisíljən | ɔ̀k-] *n.* (*pl.* **~s,** [수사 뒤에서] **~**) 옥토데실리온 《《미》 1,000의 19제곱(10^{57}); 《영》 1,000의 36제곱(10^{108})》
— *a.* 〈수치가〉 1옥토데실리온의

oc·to·dec·i·mo [ɑ̀ktədésəmòu | ɔ̀ktou-] *n.* (*pl.* **~s**) **1** Ⓤ 18절판 《전지의 1/18; 보통 4×6.25인치; 略 18 mo, 18°》 **2** 18절판의 책 — *a.* 18절판의

oc·to·ge·nar·i·an [ɑ̀ktədʒənέəriən | ɔ̀ktou-] *a., n.* 80세[대]의 (사람)

oc·to·nar·i·an [ɑ̀ktənέəriən | ɔ̀k-] *a., n.* 〖운율〗 8운각의 (시)

oc·to·nar·y [ɑ́ktənèri | ɔ́ktənəri] *a.* 《드물게》 8의; 8로 이루어진; 8진법의
— *n.* (*pl.* **-nar·ies**) 8개로 이루어진 한 벌; 〖운율〗 8행시, 8행 연구(聯句); 8진법의 수

oc·to·pa·mine [ɑktóupəmì:n, -min | ɔk-] *n.* 〖화학〗 옥타파민 《교감 신경 흥분성 아민》

oc·to·ploid [ɑ́ktəplɔ̀id | ɔ́k-] 〖생물〗 *a.* 8배성의, 기본수보다 8배의 염색체 수를 갖고 있는
— *n.* 8배체, 8배성인 세포[개체]

oc·to·pod [ɑ́ktəpɑ̀d | ɔ́ktəpɔ̀d] 〖동물〗 *n.* 문어류
— *a.* 문어목(目)의; 다리가 여덟 개의

∗**oc·to·pus** [ɑ́ktəpəs | ɔ́k-] *n.* (*pl.* **~·es,** 《드물게》 **-pi** [-pài]) **1** 〖동물〗 문어, 낙지; 《일반적으로》 문어목(目)의 동물 **2** 다방면으로 세력을 뻗치는 단체, 문어발 조직

oc·to·push [ɑ́ktəpùʃ | ɔ́k-] *n.* 수중[잠수] 하키, 옥토푸시 《1팀 6명》

óctopus pànts 《미》 여러 개의 장식 띠가 달린 바지(《영》 octopus trousers)

óctopus tròusers 《영》 = OCTOPUS PANTS

oc·to·roon [ɑ̀ktərú:n | ɔ̀k-] *n.* 흑백 혼혈아 《백인과 quadroon과의 1/8 혼혈아; 흑인의 피를 1/8 받음; ★ 모욕적인 말이라서 잘 쓰이지 않음》

oc·to·syl·lab·ic [ɑ̀ktəsilǽbik | ɔ̀k-] *a., n.* 8음절의 (시구)

oc·to·syl·la·ble [ɑ́ktəsìləbl | ɔ́k-] *n.* 8음절의 시구

oc·to·thorp [ɑ́ktəθɔ̀:rp | ɔ́k-] *n.* 넘버[번호] 기호 《#》

oc·troi [ɑ́ktrɔi | ɔ́ktrwɑ:] [F] *n.* **1** (프랑스·인도 등의) 물품 입시세(入市稅) **2** 입시세 징수소[징수원]

OCTU, Oc·tu [ɑ́ktju: | ɔ́ktju:] 〖영국군〗 Officer Cadets Training Unit 사관 후보생 훈련대

oc·tu·ple [ɑ́ktjupl, ɑktjú:- | ɔ́ktju-, ɔktjú:-] *a.* 8겹[배]의; 8개의 요소로 된 — *n.* 8배; 8명이 두개씩 노를 젓는 보트 — *vt., vi.* 8배로 하다[되다]

oc·tu·pli·cate [ɑktjú:plikət, -kèit | ɔktjú:-] *n.* 8개 한 벌; 8개가 연속된 것
— *a.* 8등분의, 8부로 이루어지는; 8배[겹]의
— [ɑktjú:plikèit, -kət | ɔktjú:-] *vt.* …의 복사물을 8부 만들다; 8배로 하다

OCU operational conversion unit 〖군사〗 실전기(實戰機) 전환 훈련 부대

oc·u·lar [ɑ́kjulər | ɔ́-] *a.* Ⓐ 시각상의, 눈의[에 의한]; 눈 모양의: an ~ organ 시각 기관 / an ~ spectrum 잔상 / an ~ witness 목격자
— *n.* 접안렌즈, 접안경; 《익살》 눈
~·ist *n.* 의안(義眼) 제조인 **~·ly** *ad.*

oc·u·late [ɑ́kjulət, -lèit | ɔ́-] *a.* 눈 모양의 얼룩점[구멍]이 있는

oc·u·list [ɑ́kjulist | ɔ́-] *n.* 안과 의사(ophthalmologist); 검안(檢眼) 의사(optometrist)

oculo- [ɑ́kjulou, -lə | ɔ́-], **ocul-** [ɑ́kjul | ɔ́k-] 《연결형》 「눈」의 뜻

oc·u·lo·mo·tor [ɑ̀kjuloumóutər | ɔ̀-] *a.* 안구 운

동의, 동안(動眼)의; 동안 신경의
oculomótor nèrve 〖해부〗 동안(動眼) 신경
oc·u·lo·na·sal [àkjulounéizəl | ɔ̀-] *a.* 눈과 코의
oc·u·lus [ákjuləs | ɔ́-] *n.* (*pl.* **-li** [-lài]) **1** 눈 **2** 〖건축〗 둥근 창
od [ád, óud | ɔ́d, óud] *n.* Ⓤ 오드《자력·화학 작용·최면 현상 등을 설명하기 위해 자연계에 두루 존재한다고 가상한 자연력》
OD [óudí:] [*over*d*ose*] (속어) *n.* 마약의 과도 복용(자) **—** *vi.* (**~'d, ~ed**; **~'·ing, ~·ing**) 마약의 과도 복용으로 쓰러지다[죽다, 아프다]
OD Doctor of Optometry; *oculus dexter* (L= right eye); Officer of the Day 일직 사관; Old Dutch; olive drab; ordinary seaman; Ordnance Department; outside diameter; overdraft; overdrawn 당좌 차월(借越) **o.d.** *oculus dexter* (L = right eye); olive drab; on demand; outer diameter **o/d, O/D** on demand; overdraft; overdrawn **ODA** official development assistance 정부 개발 원조
o·da·lisque, -lisk [óudəlìsk] *n.* (옛 이슬람 궁중의) 여자 노예; (터키 군주의) 첩; [**O~**] 오달리스크화(畫)《동양풍의 여성 나체화》
ODBC open database connectivity 〖컴퓨터〗 오픈 데이터베이스 연결
ODC Order of Discalced Carmelites 〖가톨릭〗 선족(跣足) 카르멜회
‡**odd** [ád | ɔ́d] *a.*, *n.*

(짝에서 비어져 나온) 「여분의」 → (짝수에서 여분이 있는) → 「홀수의」 **2**; (보통이 아닌) → 「이상한」, 「한 짝의」 **4** → 「임시의」 **6**

— *a.* **1** 이상한, 기묘한, 이상야릇한(⇨ strange 유의어); 상식 밖의; 생각하지 못한, 뜻밖의: Her behavior seemed a little ~. 그녀의 행동은 약간 이상했다. / It's ~ (that) I can't think of her name. 그 여자의 이름이 생각나지 않다니 이상해. **2** 홀수[기수]의(opp. *even*): an ~ month 큰달《31일이 있는 달》/ an ~ number 기수, 홀수 **3 a** Ⓐ 〈돈 등이〉 남은, 우수리의, 여분의: the ~ money 우수리 돈 **b** [끝수가 없는 숫자 뒤, 또는 복합어를 이루어] …남짓의: three pounds ~ 3파운드 남짓 / twenty-~ years 20여년 / 100-~ dollars 100여 달러《120, 130달러 등》/ 100 dollars ~ 100달러 남짓 **4** Ⓐ **한 짝만의**; (한 세트로 된 물건이) 짝이 맞지 않는: an ~ glove [shoe] 장갑[신] 한 짝 / She was wearing ~ socks. 그녀는 짝이 맞지 않은 양말을 신고 있었다. **5** 단편적인, 그러모은, 주워 모은: ~ bits of information 단편적인 정보 **6** Ⓐ 이따금의, 임시의: ~ jobs 임시 일 / an ~ lad[hand] 임시 고용인 **7** Ⓐ 〈장소 등이〉 호젓한, 외딴: in some ~ corner 어떤 외진 곳에서 ***at ~ times***[***moments***] 이따금씩, 때때로 ***~ and***[***or***] ***even*** 홀이냐 짝이냐《일종의 알아맞히기 놀이》
— *n.* **1** [*pl.*] ⇨ odds; 남은 것; 여분 **2** 〖골프〗 (약한 사람에게 핸디캡으로서 허용하는) 덤으로 주는 일타(一打); [the ~] 따고 들어가는 1점(cf. ODDS 3)
~·ness *n.* ▷ óddity *n.*
odd·ball [ádbɔ̀:l | ɔ́d-] (구어) *n.* 괴짜, 괴팍한 사람 **—** *a.* 괴짜의, 괴팍한, 별난
ódd bìrd (구어) 이상한[별난] 사람
odd-bod [ádbàd | ɔ́dbɔ̀d] *n.* (속어) 별난[이상한] 체형(을 가진 사람); 괴짜
odd-come-short [-kʌ̀mʃɔ́:rt] *n.* (고어) 자투리, 조각; 나머지; [*pl.*] 허섭스레기
odd-come-short·ly [-kʌ̀mʃɔ́:rtli] *n.* (*pl.* **~s, -lies**) (고어) 근일, 일간: one of these ~s[-lies] 근일 중에, 머지않아
odd-e·ven [-ì:vən-] *a.* **1** (미) (석유 부족시의 휘발유 판매에서) 홀수·짝수 방식의: ~ sales[system] (휘발유의) 홀수·짝수별 판매[판매제]《홀수 날에는 홀수 번호의 차에만 짝수 날에는 짝수 번호의 차에만 판매》 **2** 〖물리〗 기우핵(奇偶核)의
Ódd Fèllow, Odd·fel·low [-fèlou] *n.* Independent Order of Odd Fellows(18세기 영국에 창립된 비밀 공제 조합)의 회원《略 O.F.》
ódd físh (구어) = ODDBALL
odd·ish [ádiʃ | ɔ́-] *a.* 좀 괴상한(queerish)
odd·i·ty [ádəti | ɔ́-] *n.* (*pl.* **-ties**) **1** Ⓤ 괴상함, 기이함《*of*》 **2** [보통 *pl.*] 괴벽, 편벽 **3** 괴짜, 기인(奇人); 별스러운 물건
odd-job [ádʤàb | ɔ́dʤɔ̀b] *vi.* (**-bb-**) 임시 일[아르바이트]을 하다
odd-job·ber [-ʤábər | -ʤɔ́bər] *n.* 임시 고용인, 뜨내기 일꾼
odd-job·man [-ʤábmən | -ʤɔ́b-] *n.* (*pl.* **-men** [-mən]) = ODD-JOBBER
ódd jóbs 잡일, 이런저런 사소한 일: do ~ around the house 집안의 이런저런 잡일을 하다
odd-look·ing [-lùkiŋ] *a.* 괴상하게 보이는
ódd lót 〖증권〗 단주(端株); 단물(端物)
odd-lot·ter [-látər | -lɔ́tər] *n.* 단주 구입[투자, 투기]자
*__odd·ly__ [ádli | ɔ́d-] *ad.* **1** 기묘하게, 기이하게; [문장 전체를 수식하여] 기묘하게도 **2** 홀수로; 짝이 맞지 않게, 나머지가 되어 ~ ***enough*** 이상한 일이지만
ódd màn **1** (영) 임시 고용인 **2** [the ~] (찬부 동수일 때의) 결정권(casting vote)을 쥔 사람
ódd màn óut **1** 동전을 던져 1명을 선택[제외]하기; 그 놀이 **2** (구어) (동료들로부터) 따돌림당하는 사람, 외톨이
odd·ment [ádmənt | ɔ́d-] *n.* 남은 물건; [*pl.*] = ODDS AND ENDS; 기묘한 것[일]: ~ of food [information] 너절한 음식[정보]
ódd párity 〖컴퓨터〗 홀수 패리티
ódd permutátion 〖수학〗 기순열(奇順列), 기치환(奇置換)(cf. EVEN PERMUTATION)
ódd prìcing 끝수 가격《소매 단계에서 흔히 활용되는 심리 가격의 하나; 100원, 1000원 대신 99원, 990원 등으로 표시되는 가격》
*__odds__ [ádz | ɔ́dz] *n. pl.* [때로 단수 취급] **1** 가능성, 공산(公算), 가망, 확률: The ~ are (that) he will come. 아마 그는 올 것이다. / It is within the ~. 그럼직하다. **2** (노름에서) 승률; (건 돈의) 비율; 배당률: at ~ of 3 to 7 3대 7의 비율로 **3** (경기 등에서 약자에게 주는) 유리한 조건, 핸디캡; 특별한 배려 **4** 차이, 우열의 차; 승산 **5** 불평등(한 것) **6** 다툼, 불화 **7** (미) 은혜
a bit over ~ 터무니없이 ***against*** (***all***) ***the ~*** 역경을 딛고 ***against longer***[***fearful***] ***~*** 강적과 맞서서 ***ask no ~*** (미) 특혜를 바라지 않다 ***be at ~ with*** …와 사이가 나쁘다, …와 불화하다 ***by long***[***all***] ***~*** 모든 점에서; 훨씬; 아마, 십중팔구 ***even ~*** 반반의 확률 ***have the ~ on*** one***'s side*** 가망이 있다 ***in the face of ... ~*** …한 곤란에도 불구하고 ***It is***[***makes***] ***no ~.*** (영·구어) 큰 차이 없다, 아무래도 좋다. ***lay heavy ~ that ...*** …이라고 단언하다 ***lay***[***give***] ***~*** 유리한 조건을 주다《내기에서》 ***long***[***short***] ***~*** 낮은[높은] 확률[가망] ***make ~ even*** 우열을 없애다, 비등하게 하다 ***~ and sods*** (영·구어) (1) = ODDS AND ENDS. (2) 잡다한 사람들, 어중이떠중이 ***over***[***above***] ***the ~*** (영·구어) 생각보다 많은, 지나치게; 터무니없는, 과도한 ***play the ~*** 노름[내기]하다 ***set ... at ~*** 사이를 안 좋게 하다 ***shout the ~*** 자랑스럽게 지껄이다, 떠들고 다니다 ***stack the ~*** [수동형으로] 사전 준비를 하다 ***take***[***receive***] ***~*** 유리한 조건의 제안을 받아들이다《내기에서》 ***What's***

thesaurus **odd** *a.* **1** 이상한 strange, peculiar, eccentric, queer, unconventional, outlandish, weird, bizarre, unusual, uncommon, exceptional

the ~? (구어) 그것이 무슨 상관이냐? ((대수로운 일이 아니다))
ódds and énds 잡동사니, 시시한 것, 허섭스레기
odds·mak·er [ádzmèikər | ɔ́dz-] *n.* 오즈 메이커 ((내기·선거·경기 등에서 승산의 비율을 측정하는 사람))
odds-on [-ɔ́:n | -ɔ́n] *a.* 이길 가망이 있는, 승산이 있는: an ~ favorite 당선이 확실한 후보자; 〖경마〗 승산이 큰 말
ódd tríck 〖카드〗 (whist 등에서 서로 6회씩 이긴 다음) 승부를 가리는 13번째; 최후의 승부
*__ode__ [óud] [Gk 「시」의 뜻에서] *n.* **송시**(頌詩), 부(賦) ((특수한 주제로 특정한 사람·사물을 기리는 서정시)); 〖음악〗 서정 가곡: a choral ~ (고대 그리스의) 합창가 *the Book of O~s* 시경(詩經)
-ode[1] [oud] ((연결형)) 「…의 성질·모양을 지닌 것」의 뜻: *geode*
-ode[2] ((연결형)) 「전극(電極); 길, 도로」의 뜻: elec*trode*, an*ode*
Ó·der-Néis·se Lìne [óudərnáisə-] [the ~] 오데르·나이세 선 ((폴란드와 독일과의 국경선))
o·de·um [oudí:əm] *n.* (*pl.* **o·de·a** [oudí:ə]) **1** (고대 그리스·로마의) 주악당(奏樂堂) **2** (현대의) 음악당; 극장
od·ic [óudik] *a.* ode(풍)의
O·din [óudin] *n.* 〖북유럽신화〗 오딘 ((지식·문화·군사를 맡아보는 최고신))
*__o·di·ous__ [óudiəs] *a.* **증오할, 밉살스러운**; 불쾌한, 싫은, 마음에 들지 않는, 부아가 나는: an ~ smell 악취
~·ly *ad.* **~·ness** *n.* ▷ ódium *n.*
od·ist [óudist] *n.* 송시(頌詩) 작가
o·di·um [óudiəm] [L 「증오」의 뜻에서] *n.* Ⓤ **1** 악평, 오명, 질책, 비난 **2** 반감, 증오
odium the·o·lo·gi·cum [-θì:əládʒikʌm | -lɔ́-] [L] (의견이 다른) 신학자간의 증오
ODM (영) Ministry of Overseas Development 해외 개발부 ((ODA의 전신)); original design manufacturing 〖상업〗 제조자 디자인 생산
o·do·graph [óudəgræ̀f, -grɑ̀:f | -grɑ̀:f, -græ̀f] *n.* **1** = ODOMETER **2** = PEDOMETER
o·dom·e·ter [oudámətər | -dɔ́-] *n.* (자동차의) 주행 기록계(計)
o·do·nate [óudənèit, oudánèit] 〖곤충〗 *a.* 잠자리목(目)의 — *n.* 잠자리목 곤충
odont- [ədánt, ou- | -dɔ́nt], **odonto-** [ədántou, -tə, ou- | -dɔn-] ((연결형)) 「이(tooth)」의 뜻: *odonto*blast, *odonto*logy
-odont [ədànt, ou- | -dɔ̀nt] ((연결형)) 「…한 이(tooth)를 가진」의 뜻
o·don·tal·gia [òudantǽldʒə, -dʒiə | -dɔn-] *n.* Ⓤ 〖치과〗 치통(toothache) **-gic** [-dʒik] *a.*
o·don·to·blast [oudántəblæ̀st | -dɔ́n-] *n.* 〖해부〗 치아 모세포, 조치 세포, 상아아(象牙芽) 세포
o·dòn·to·blás·tic *a.*
o·don·to·glos·sum [oudàntəglásəm | -dɔ̀ntəglɔ́-] *n.* 〖식물〗 오돈토글로섬속(屬)의 난초 ((열대 아메리카산(産)))
o·don·to·gram [oudántəgræ̀m | -dɔ́n-] *n.* 치아도(齒牙圖), 치문(齒紋)
o·don·to·graph [oudántəgræ̀f, -grɑ̀:f | -dɔ́n-] *n.* 〖기계〗 치행자 ((기어의 윤곽을 그리는 기계))
o·don·toid [oudántɔid | -dɔ́n-] 〖해부·동물〗 *a.* 이 모양의(toothlike); (제2경추(頸椎)의) 치아(상) 돌기의 — *n.* (제2경추의) 치아(상) 돌기(= ~ **prócess**)
o·don·tol·o·gist [òudantálədʒist, àdan- | ɔ̀dɔntɔ́-] *n.* 치과 의학자[의사]
o·don·tol·o·gy [òudantálədʒi, àdan- | ɔ̀dɔntɔ́-] *n.* Ⓤ 치과학; 치과 의술

---

2 남은 remaining, spare, leftover, surplus **3** 한짝의 unpaired, unmatched, single **4** 임시의 temporary, casual, occasional, part-time, irregular

o·don·to·phore [oudántəfɔ̀:r | -dɔ́n-] *n.* 〖동물〗 (연체동물의 치설(齒舌)을 떠받치는) 치설 돌기
*__o·dor__ | __o·dour__ [óudər] *n.* **1** 냄새; ((특히)) 악취(⇨ smell 유의어); **향기**; (고어) 향수: an ~ of cigar smoke 시가 연기 냄새 **2** [보통 an ~] 기미, 낌새 ((*of*)): *an ~ of* antiquity 예스러운 기미[느낌] / *an ~ of* suspicion 의혹의 낌새 **3** Ⓤ 평판, 인기, 명성 **4** (고어) 향수, 향료
be in [***fall into***] ***bad*** [***ill***] ***~*** 평판이 나쁘다[나빠지다] ***be in good ~ with*** the students (학생간)에 인기가 있다 **ó·do(u)red** *a.* **~·ful** *a.*
▷ ódorant *n.*; ódorous, odoríferous *a.*
o·dor·ant [óudərənt] *n.* (도시 가스 등에 첨가하는) 취기제(臭氣劑), 착취(着臭)제
o·dor·if·er·ous [òudərífərəs] *a.* 향기로운; ((익살)) (도덕적으로) 부당한; 냄새나는, 구린
~·ly *ad.* **~·ness** *n.*
o·dor·im·e·try [òudərímətri] *n.* Ⓤ 〖화학〗 취도(臭度) 측정 ((냄새의 강도·지속성 측정))
o·dor·ize [óudəràiz] *vt.* …에 냄새를 첨가하다, 냄새나게 하다
o·dor·less [óudərlis] *a.* 무취(無臭)의
o·dor·ous [óudərəs] *a.* = ODORIFEROUS
-odus [ədəs] ((연결형)) 〖동물〗 「…한 이를 가진 동물」의 뜻
od·yl(e) [ádil, óud- | ɔ́dil] *n.* = OD
-odynia [ədíniə, ou-] ((연결형)) 「…의 아픔, …통」의 뜻: om*odynia*
Od·ys·se·an [àdəsí:ən | ɔ̀d-] *a.* **1** (Odyssey의 주인공) Odysseus의[같은] **2** 장기 모험 여행의
O·dys·se·us [oudísiəs, -sju:s | ədísju:s, -siəs] *n.* 〖그리스신화〗 오디세우스 ((라틴 어명 Ulysses))
Od·ys·sey [ádəsi | ɔ́-] *n.* **1** [the ~] 오디세이 ((Homer의 대서사시; cf. ILIAD)) **2** [종종 **o~**] ((문어)) 장기간의 방랑, 장기간의 모험 (여행)
œ [i:] o와 e가 합친 글자: amœba, phœnix ★ oe로 띄어 쓰기도 하며 미국에서는 e로 됨.
Oe 〖전기〗 oersted(s) **OE** Old English **o.e., O.E.** omissions excepted 탈락은 제외(cf. E. & O.E.) **OECD** Organization for Economic Cooperation and Development 경제 협력 개발 기구
OECD/NEA OECD Nuclear Energy Agency OECD 원자력 기관
oe·cist [í:sist] *n.* 식민지 개척자(colonizer)
oe·col·o·gist [i:kálədʒist | i:kɔ́-] *n.* = ECOLOGIST
oe·col·o·gy [i:kálədʒi | -kɔ́-] *n.* = ECOLOGY
oec·u·men·i·cal [èkjuménikəl | ì:kju(:)-] *a.* = ECUMENICAL
oe·cus [í:kəs] *n.* (*pl.* **-ci** [-sai]) (고대 로마 주택의) 방, 식당
OED Oxford English Dictionary ★ 종전까지의 통칭은 NED
oe·de·ma [i:dí:mə] *n.* (*pl.* **~·ta** [-tə]) = EDEMA
oed·i·pal [édəpəl, í:- | í:-] *a.* [종종 **O~**] 〖정신분석〗 오이디푸스 콤플렉스의 **~·ly** *ad.*
Oed·i·pus [édəpəs, í:- | í:-] *n.* 〖그리스신화〗 오이디푸스 ((Sphinx의 수수께끼를 풀었고, 숙명 때문에 아버지를 죽이고 어머니를 아내로 삼은 Thebes의 왕)) — *a.* = OEDIPAL
Óedipus còmplex 〖정신분석〗 오이디푸스 콤플렉스 ((Freud의 심리학에서 자식이 이성 부모에 대해 무의식적으로 품는 성적 사모; 특히 아들이 어머니에게 품는 성적 사모))(cf. ELECTRA COMPLEX)
OEEC Organization of European Economic Cooperation 유럽 경제 협력 기구 ((OECD의 전신))
OEIC optoelectronic integrated circuit 광(光)전자 집적 회로
oeil-de-boeuf [ə:idəbə́:f] [F] *n.* (*pl.* ***oeils-*** [~]) (특히 17-18세기 건축의) 작은 둥근 창(窓)
oeil·lade [ərjád] [F] *n.* (*pl.* **~s**) 추파
oem, OEM optical electron microscope; orig-

inal equipment manufacturer[manufacturing] 주문자 상표에 의한 제품 생산자[기업]
Oe·ne·us [íːniəs, -njuːs | -njuːs, -njəs] *n.* 〖그리스신화〗 오이네우스 《Calydon의 왕; 포도 재배·포도주 제조의 시조》
oe·nol·o·gy [iːnálədʒi | -nɔ́-] *n.* =ENOLOGY
oe·no·mel [íːnəmèl, én- | íː-] *n.* **1** 〖고대그리스〗 포도주에 꿀을 탄 음료수 **2** 《문어》 힘과 아름다움을 겸한 것; 힘과 사랑의 원천
Oe·no·ne [iːnóuni] *n.* 〖그리스신화〗 오이노네 《Ida 산의 님프, Paris의 아내로 Helen 때문에 버림받음》
oe·no·phile [íːnəfàil], **oe·noph·i·list** [iːnáfəlist | -nɔ́-] *n.* (특히 감정가로서의) 포도주 애호가
OEO Office of Economic Opportunity **OEP** 《미》 Office of Emergency Preparedness
o'er [ɔ́ːr] *ad.*, *prep.* 《시어》 =OVER (cf. E'ER)
Oer·li·kon [ə́ːrləkàn] *n.* 엘리콘 《지대공 유도탄》; (비행기용) 엘리콘 20 mm 기관포
oer·sted [ə́ːrsted] *n.* 〖물리〗 에르스텟 《자계 강도의 단위; 略 Oe》; 자기 저항의 단위
OES Order of the Eastern Star
oe·soph·a·gus [i(ː)sáfəgəs | i(ː)sɔ́-] *n.* (*pl.* **-gi** [-dʒài, -gài]) =ESOPHAGUS
oes·tro·gen [éstrədʒən | íːs-] *n.* =ESTROGEN
oes·trone [éstroun | íːs-] *n.* =ESTRONE
oes·trous [éstrəs, íːs- | íːs-] *a.* =ESTROUS
oes·trus [éstrəs | íːs-], **-trum** [éstrəm | íːs-] *n.* =ESTRUS, ESTRUM
oeu·vre [ə́ːvrə] [F] *n.* (*pl.* **~s** [~]) 《문어》 (한 작가·예술가 등의) 일생의 작품, 전 작품[작업]; (개개의) 예술 작품
‡of ⇨ of (p. 1742)
OF Odd Fellow; 〖인쇄〗 old face; Old French; outfield
of- [af, əf | ɔf, əf] *pref.* =OB- 《f 앞에 올 때의 변형》: *of*fensive
o·fay [óufei] *n.*, *a.* 《미·속어·경멸》 백인(의)
ofc. office **OFC** Overseas Food Corporation
‡off ⇨ off (p. 1744)
off. offer; offered; office; officer; official; officinal
off- [ɔːf, af | ɔf] *pref.* [명사, 형용사, 동사, 부사에 붙어] 「꺼진; 떨어진; 벗어난」의 뜻: *off*stage 무대 뒤에서
off-air [ɔ́ːfέər | ɔ́f-] *a.*, *ad.* **1** (녹음·녹화 등을) 방송에서 직접하는[하여] **2** 유선 방송의[으로]
of·fal [ɔ́ːfəl, á- | ɔ́-] *n.* **1** 찌꺼기, 쓰레기, 폐물 **2** Ⓤⓒ 《영》 부스러기 고기, 내장; 하치 생선 **3** [종종 *pl.*] 겨, 기울 **4** [집합적] 인간 쓰레기
off-and-on [ɔ́ːfənán | ɔ́fənɔ́ːn] *a.* 불규칙한, 단속적인
óff ártist 《미·속어》 도둑, 절도범
off-bal·ance [ɔ́ːfbǽləns | ɔ́f-] *a.* **1** 균형을 잃은, 균형이 깨진 **2** 허를 찔린, 쩔쩔매는
off-base [-béis] *a.* 군사 기지 밖의
off·beat [-bíːt] *a.* **1** 《구어》 색다른, 별난, 엉뚱한; 기이한: an ~ comedian 별난[엉뚱한] 코미디언 **2** 〖음악〗 오프비트의 — *n.* [ㅅㅅ] 〖음악〗 오프비트 《예컨대 4박자에서는 제2박·제4박에 강세를 둠》
óff-book fúnd [-bùk-] (장부 외의) 부정 자금, 비자금
off-brand [-brǽnd] *a.* 《미·속어》 유명 브랜드가 아닌; 싸구려 브랜드의, 저급의
óff-brànd cigarétte 《속어》 마리화나 담배
óff Bróadway [집합적] 오프브로드웨이 《미국 뉴욕시의 흥행 중심가인 Broadway 밖에 있는, 비상업적 연극을 상연하는 극장 또는 그 연극; 소규모이며 입장료도 싼 편임》
off-Broad·way [-brɔ́ːdwèi] *ad.*, *a.* 오프브로드웨이의[에서]
off-cam·era [-kǽmərə] *ad.*, *a.* (영화·텔레비전의) 카메라에 잡히지 않는 곳에서(의); 사생활에서(의) (opp. *on-camera*)
off·cast [-kæ̀st | -kàːst] *a.* 버림받은, 거절당한 — *n.* =CASTOFF
off-cen·ter(ed) [-séntər(d)] *a.* 중심을 벗어난; 엉뚱한, 상식을 벗어난; 균형을 잃은, 불안정한 — *ad.* 균형을 잃어; 중심을 벗어나서
óff chànce 도저히 있을 것 같지 않은 기회, 희박한 가능성(remote chance) ***on the ~*** 혹시나 하고
off-chip [-tʃìp] *a.* 〖전자〗 오프칩의, 반도체 칩 밖의
off-col·or [-kʌ́lər] *a.* **1 a** 안색이 좋지 않은; 기분이 좋지 않은: feel ~ 몸이 좋지 않다 **b** 〈보석 등이〉 색이 좋지 않은; 품질이 나쁜 **2** (성적으로) 음탕한, 상스러운: an ~ joke 음란한 농담
off·cut [-kʌ̀t] *n.* 《영》 잘라낸 것 《종잇조각 등》
óff dày 비번의 날, 쉬는 날; 수사나운 날, 컨디션이 좋지 않은 날
off-du·ty [-djúːti | -djúː-] *a.* 비번의, 비번 때의
Of·fen·bach [ɔ́ːfənbàːk, á- | ɔ́-] *n.* 오펜바흐 **Jacques ~** (1819-80) 《독일 태생의 프랑스의 오페라 작곡가》
‡of·fence [əféns, ɔ́ːfens | əféns] *n.* 《영》 =OFFENSE
‡of·fend [əfénd] [L 「치다, 상처입히다」의 뜻에서] *vt.* **1** [때로 수동형으로] **성나게 하다,** …의 감정을 상하게 하다; 〈감정·정의감 등을〉 해치다 《*at, by, with*》: ~ one's mind 마음에 상처를 주다 // (~+목+전+명) I *am ~ed by*[*at*] his blunt speech. 나는 그의 퉁명스러운 말에 기분이 상한다. / She *was* deeply *~ed with*[*by*] her companion. 그녀는 동료 때문에 몹시 화가 나 있었다. **2** 〈감각·취미 등이〉 불쾌하게 하다, 거스르다: ~ the eye 눈에 거슬리다 / The noise *~s* the ear. 그 소음은 귀에 거슬린다. **3** 〈법을〉 위반하다, 〈종교·도덕상의 규범을〉 깨다, 어기다(violate, transgress): ~ a statute 법규를 위반하다 **4** 《폐어》 〖성서〗 …에게 죄를 범하게 하다, 실수하게 하다
— *vi.* **1** 죄[과오]를 범하다(sin) **2** (법률·예의 등에) 어긋나다, 위반되다 《*against*》: (~+전+명) ~ *against* the custom 관습에 어긋나다 **3** 남의 감정을 해치다 ▷ offénse, offénce *n.*; offénsive *a.*
of·fend·er** [əféndər] *n.* **1** (법률상의) **범죄자,** 위반자 《*against*》 **2** 남의 감정을 해치는 사람[것], 무례한 자 ***a first ~ 초범자 ***an old***[***a repeated***] ***~*** 상습범
offénder's tàg (행적을 추적하는) 범죄자 전자 감응 장치
of·fend·ing [əféndiŋ] *a.* 《종종 익살》 불쾌감을 주는, 불편을 느끼게 하는; 성가신
‡of·fense | of·fence [əféns] *n.* **1** (법률·규칙 등의) 위반, 반칙, 위법 행위, 범죄 《*against*》: a criminal[civil] ~ 형사[민사]범 / a first ~ 초범 / a minor[petty] ~ 경범죄 / capital ~ 사형죄 **2** (도덕적인) 죄 **3 a** Ⓤ 무례, 모욕; 감정을 해치기, 성내기 **b** 기분을 상하게 하는 것, 불쾌한 것 **4** Ⓤ **공격**(opp. *defense*); [보통 the ~; 집합적] 〖경기〗 공격군[측], 공격 형태, 공격력: weapons[arms] of ~ 공격용 무기 **5** 〖성서〗 죄의 원인[동기], 실수 **6** 《고어》 상해, 손해(harm, hurt) ***an ~ against decency***[***good manners***] 무례 ***commit an ~ against*** …을 위반하다 ***give***[***cause***] ***~ to*** …을 성나게 하다 ***No ~.*** 《구어》 악의는 아니었다[없었다]. ***take ~*** (***at***) (…에 대해) 성내다
▷ offénd *v.*; offénsive *a.*
of·fense·ful [əfénsfəl] *a.* 무례한, 괘씸한, 노여운
of·fense·less [əfénslis] *a.* 남의 감정을 해치지 않는, 악의 없는; 공격력이 없는; 죄[해]가 없는

thesaurus **offense** *n.* **1** 위반 crime, wrongdoing, misdemeanor, misdeed, sin, transgression **2** 모욕 injury, hurt, outrage, insult, indignity **3** 성내기 annoyance, anger, exasperation, wrath **4** 공격 attack, assault, aggression, invasion, charge
offensive *a.* **1** 불쾌한 disgusting, disagreeable, unpleasant, nasty, loathsome, repulsive, obnox-

ꞏof·fen·sive [əfénsiv] *a.* **1 불쾌한**, 거슬리는, 참을 수 없는 (*to*): ~ *to* the ear 귀에 거슬리는 / an ~ odor 악취 **2 무례한**, 모욕적인; 악취미의, 저속한: ~ manners[words] 모욕적인 태도[말] **3 a 공격적인**, 공세의; 공격측의: an ~ and defensive alliance 공수 동맹 **b** 공격용의: ~ weapons 공격용 무기
—*n.* **1** [the ~] 공격; 공격 태세, 공세: be on *the* ~ 공격적이다 / take[assume, go on, go over to] *the* ~ 공세로 나오다 **2** (비군사적) 공세, (적극적) 활동, 사회 운동 **~·ly** *ad.* **~·ness** *n.*
▷ offénse, offénce *n.*; offénd *v.*

offénsive guárd 〚미식축구〛 오펜스 가드 《센터의 양쪽에 위치하는 선수; 略 OG》

ꞏof·fer [ɔ́:fər, ɑ́- | ɔ́-] [L 「앞으로 가지고 나오다」의 뜻에서] *vt.* **1** 〈물건·원조 등을〉 **제공하다**; **제출하다**: We ~*ed* her a job. 우리는 그녀에게 일자리를 제공했다. / C.E The skirt had been given [*offered*(×)] to me by my husband on my birthday. 그 스커트는 남편이 생일 선물로 준 것이었다. **2** 〈의견 등을〉 **제의[제안]하다** (*to*); 권하다, …하겠다고 나서다; 신청하다: ~ an opinion 의견을 말하다 // (~+***to*** do) He ~*ed to* carry my bag. 그는 내 가방을 들어 주겠다고 나섰다. // (~+목+목) (~+목+전+명) He ~*ed* me a cigarette. = He ~*ed* a cigarette *to* me. 그는 나에게 담배를 권했다. **3** …하려고 하다, 시도하다: (~+***to*** do) He didn't ~ *to* go at once. 그는 곧 가려고 하지 않았다. **4** (…에게) 주다; 약속하다; 행하다: This pond ~*s* the best fishing. 이 연못은 물고기가 잘 잡힌다. **5** (문어) 〈기도를〉 드리다; 〈제물을〉 바치다 (*up*): (~+목+부) ~ *up* a prayer 기도를 드리다 **6** 〚상업〛 (어떤 값으로) 팔려고 내놓다; 〈값·금액을〉 부르다: (~+목+전+명) ~ goods *for* sale 물건을 팔려고 내놓다 / ~ a car *for* $5,000 차를 5,000달러에 내놓다 **7** 〈폭력·위해 등을〉 가하려 하다; 〈저항 등의〉 기세를 나타내다; (고어) …할 자세[태세]를 취하다: ~ violence 폭력을 가하려고 하다 **8 a** 〈사물이〉 제시하다, 나타내다(present) **b** [~ one*self* 로] 〈기회 등이〉 나타나다; 생기다 **9** 전시하다, 상연하다, 공연하다: ~ a play 연극을 상연하다 **10** 〈감사·존경·복종·동정 등을〉 표하다, 표현하다 (*to*): (~+목+목) (~+목+전+명) I ~*ed* them my sympathy. = I ~*ed* my sympathy *to* them. 그들에게 동정을 표했다. **11 a** 〈대학교가〉 〈이수 과목 등을〉 갖추고 있다, 개설하다 **b** 〈학생이〉 〈과목을〉 신청하다 **12** 〚전기〛 〈전화를〉 (다른 회선 등으로) 돌리다
—*vi.* **1** 〈사물이〉 나타나다, 〈사건이〉 일어나다 (occur) **2** 제물을 바치다 **3** 제안하다; 신청하다 **4** 구혼[청혼]하다: (~+전+명) ~ *to* a lady 숙녀에게 청혼하다 **5** (고어) 꾀하다, 시도하다 (*at*)
as opportunity [***occasion***] ***~s*** 기회가 있을 때 ***have something*** [***nothing***] ***to*** ~ (가치·매력 있는 것으로) …에게 줄[제공할] 것이 있다[없다] ***~ itself to view*** 출현하다 **~ one's *hand*** 손을 내밀다 《악수하기 위하여》; 구혼[청혼]하다 ***You ~.*** 당신 편에서 값을 부르시오.
—*n.* **1 제공**; 제안, 제의; 신청 (*of*): (~+***to*** do) She made an ~ *to* sing all together. 그녀는 모두 함께 노래를 부르자고 제의했다. **2** 〚상업〛 오퍼, (팔 물건의) 제공; 제공 가격, 부르는 값: a special ~ 특가 제공 **3** 구혼, 청혼 **4** 시도, 기도, 노력 **5** (방언·구어) 기회(opportunity) ***accept*** [***decline***] ***an*** ~ 제안을 승낙[거절]하다 ***be on*** ~ (영) 팔 것으로 나와 있다 ***be open to an*** ~ 제안을 받아들일 용의가 있다

---

ious, nauseating, sickening **2** 모욕적인 hurting, abusive, displeasing, annoying, insulting, insolent, impolite **3** 공격적인 assaulting, attacking, invading, aggressive, belligerent
offer *v.* **1** 제공하다 afford, provide, supply, give, furnish, present **2** 제안하다 propose, advance, submit, suggest, recommend, put forward

best ~ 〚증권〛 (영) 시가(時價)대로 ***make an*** ~ 제의하다; 제공하다; 값을 매기다 ***under*** ~ (영) 〈팔 집이〉 살 사람이 나서, 값이 매겨져

óffer dòcument 〚증권〛 (기업 매수가 목적인) 주식 공개 매입 공시 문서

of·fer·er, -or [ɔ́:fərər, ɑ́- | ɔ́-] *n.* 제공자, 제의[제안]자, 신청자

∗of·fer·ing [ɔ́:fəriŋ, ɑ́- | ɔ́-] *n.* **1** Ⓤ (신에게의) 봉납, 헌납; Ⓒ 봉헌물, 제물 **2** (교회에의) 헌금, 연보 **3** (고어·익살) 선물 **4 신청**, 제의; (팔 물건의) 제공 **5** (미) **a** Ⓤ 매출 **b** 견본품; 제공물; 팔 물건; (특히 예능 등의) 작품 **6** (학교에서 개설한) 강좌, 강의 과목 **7** (연극의) 공연 **8** 〚전기〛 통신 회선의 전송

óffering plàte (교회의) 헌금 접시

óffering prìce 〚증권〛 (개방형 투자 신탁의) 매출 가격

of·fer·to·ry [ɔ́:fərtɔ̀:ri, ɑ́- | ɔ́fətəri] *n.* (*pl.* **-ries**) **1** [종종 **O~**] 〚가톨릭〛 (빵·포도주 등의) 봉헌; 봉헌송(誦) **2** (교회에서의) 헌금 성가[성구]; 헌금식
—*a.* Ⓐ 헌금의: a ~ box 헌금함 **òf·fer·tó·ri·al** *a.*

off·gas [ɔ́:fgæ̀s | ɔ́f-] *n.* 〚화학〛 오프가스 《공정(工程)이나 시설에서 배출되는 가스》

off-glide [ɔ́:fglàid | ɔ́f-] *n.* 〚음성〛 경과음(經過音) 《어떤 음에서 휴지(休止) 또는 후속음으로 옮아갈 때 자연스럽게 생기는 음》

off-guard [-gɑ́:rd] *a.* 경계가 태만한, 부주의한

off·hand [-hǽnd] *ad.* **1** 즉석에서(extempore), 사전 준비 없이: decide ~ 즉결하다 **2** 아무렇게나, 되는대로; 무심코 **3** 선 채로 **—*a.*** **1** 즉석의, 사전 준비 없이 하는; 허세 부리지 않는 **2** 아무렇게나 하는, 되는대로의; 무심코 하는 **3** 〈사격이〉 서서 하는 ***in an ~ manner*** 대수롭지 않게, 냉담한 태도로

off·hand·ed [-hǽndid] *a.* = OFFHAND **~·ly** *ad.* **~·ness** *n.*

off-hour [-áuər] *n.*, *a.* 휴식 시간(의), 근무 외 시간(의), 비번 때(의); 〈사무·교통이〉 바쁘지 않은 시간(의) (opp. *rush hour*)

offic. official

ꞏof·fice [ɔ́:fis, ɑ́f- | ɔ́f-] *n.*

> 원래는 「임무」, 「일」의 뜻
> →(일을 하는 지위)→「관직」 **3**
> →(일을 하는 장소)→「사무실」 **1**

1 (공장과 구별하여) **사무실**, 사무소, 영업소, 판매소, 취급소, …소; 점포, 회사, 《특히》 보험 회사; (미) 진료실, 의원; (미) (대학 교원의) 연구실: a dentist's ~ 치과 의원 / an inquiry ~ 안내소 / go to the ~ 출근하다 / He is out of the ~ now. 그는 지금 출장 중이다. **2** [the ~; 집합적] (사무소의) 전 직원, 전 종업원 **3** Ⓤ **관직**, 공직(⇨ post); 관리직: be in[out of] ~ 재직하고 있다[있지 않다] **4 직무**, **임무**, 직책; [보통 *pl.*] 호의, 진력, 알선: by[through] the good [kind] ~*s* of …의 호의로[알선으로] **5** [**O~**] **관청**; (미) 국(局), 부(部); (영) 부(部), 청(廳): the Patent *O~* (미) 특허국 / the War *O~* (영) 육군부 **6** [the ~] (영·속어) 귀띔, 암시, (비밀) 신호 **7** (종교적) 의식, 예배; 〚가톨릭〛 성무 일과; 〚영국국교〛 조석의 기도: perform the last ~*s* 장례식을 거행하다 **8** (해야만 하는) 일; 가사; [*pl.*] (영) 가사실 《부엌·식료품 저장실·세탁실 등》; (농장의) 외양간, 광; [보통 usual ~s로] (익살) 변소 **9** 〚항공〛 조종실
be in an ~ 사무소[회사]에 근무하다 ***be*** [***stay***] ***in*** ~ 재직하다; 〈정당이〉 정권을 잡고 있다 ***do*** a person ***kind ~s*** …에게 호의를 베풀다, 돌보아주다 ***do*** [***exercise***] ***the ~ of*** …의 직책을 맡아 하다 ***enter*** (***upon***) ~ 공직에 취임하다 ***give*** [***take***] ***the*** ~ (영·속어) 훈수하다[받다], 암시를 주다[알아채다] ***go*** [***be***] ***out of*** ~ 정권에서 물러나다 ***hold*** [***fill***] ~ 공직을 가지다, 재직하다 ***leave*** [***resign***] (***from***) ~ 공직을 사임하다 ***O~ of Export Administration*** (미) 수출 관리국 《상무부 내의》 ***~s of profit*** 생기는 것이

of

of는 '소유·소속·분리·행위자·작자' 등을 나타내는 「…의, …에 관한, …중에서, …으로부터」 등의 뜻으로 쓰이는 전치사 전용의 중요한 기능어이다.
of와 off는 본래 「떨어져」라는 뜻을 중심으로 하는 같은 어원에서 나온 말이라 지금도 of에는 그런 용법이 남아 있음을 볼 수 있다: ten miles west *of* New York 뉴욕의 서쪽 10마일에 / deprive[rob] a person *of* his money …에게서 돈을 탈취하다
of는 형용사·부사·동사와 결합하여 많은 성구를 만든다는 점에서도 중요하다.

⁑of [ʌ́v, ɑ́v | ɔ́v, 《약하게》 əv, ə(특히 자음 앞)] *prep.*

기본적으로는 「분리」와 「소유」의 뜻	
① [분리] …에서 떨어져	**1, 2**
② [소유격 관계·소속] …의	**7**
③ [부분] …중에서[의]	**10 a**
④ [주격 관계] …의	**6**
⑤ [목적격 관계] …을	**8**
⑥ [재료] …으로	**5**
⑦ [성질·특징] …한, …같은	**13**
⑧ [분량] …의 (양)	**11**
⑨ [원인] …때문에, …으로	**4**
⑩ [동격 관계] …라는	**9**
⑪ [기원·출처] …으로부터	**3 a**

1 [거리·위치·시간] …**에서**, …**부터**: within ten miles[hours] *of* Seoul 서울에서 10마일[시간] 이내에 / ten miles (to the) south *of* Seoul 서울 남쪽 10마일 / in the north *of* Seoul 서울 북부에 / Ireland lies west *of* England. 아일랜드는 잉글랜드 서쪽에 있다.

2 [분리·박탈] **a** [동사와 함께] (…에게서) …을 (…하다): deprive a person *of* his right to a trial …에게서 재판받을 권리를 박탈하다 / be cured *of* a disease 병이 낫다 / ease a person *of* pain …의 고통을 덜어 주다 / be robbed *of* one's money 돈을 강탈당하다 **b** [형용사와 함께] …으로부터: free *of* charge 무료로 / be guiltless *of* ... …을 모르다, …의 경험이 없다 / independent *of* all assistance 어떤 원조도 받지 않고 / a room bare *of* furniture 가구가 없는 휑한 방

3 a [기원·출처] (문어) …**으로부터**, …의: a man *of* Devon 데번 출신인 사람 《a man from Devon은 데번 출신자도 되고 데번에서 온 남자란 뜻도 됨》 / She comes *of* a good family. 그녀는 좋은 가문의 출신이다. **b** [ask, demand, expect 등의 동사 뒤에서] …에게, …으로부터: Don't expect too much *of* him. 그에게 너무 큰 기대를 하지 마시오. / I have a favor to ask *of* you. 당신께 부탁이 하나 있습니다.

4 [원인·이유·동기] …**때문에**, …으로: be sick *of* …에 넌더리[신물이] 나다 / be afraid *of* dogs 개를 무서워하다 / be weary *of* life 삶에 지치다 / die *of* cancer 암으로 죽다

5 [재료·구성 요소] …**으로** (**만든**), …으로 (이루어진) (cf. FROM 14): a dress *of* silk 실크제 드레스 ★ silk dress가 보통 / made *of* gold[wood] 금[나무]으로 만든 / a house (built) *of* brick 벽돌(로 지은) 집 / make a fool *of* a person …을 놀림감으로 만들다 / make a teacher *of* one's son 아들을 교사로 만들다

6 [주격 관계] **a** [동작의 행위자, 작품의 작자] …이, …의: the rise *of* the sun 해돋이, 일출 / the works *of* Milton 밀턴의 작품 / the love *of* God 하느님의 사랑 《God's love로 고쳐 쓸 수 있음》 / the appearance *of* a new power 새 강국의 출현 **b** [it is+형용사+of+(대)명사(+*to* do)] (…이) 〈…하는 것은〉 …이다 ★ 여기서 쓰이는 형용사는 kind, good, clever, wise, foolish, thoughtful 등 사람의 성질을 나타내는 말들임: It was kind *of* you *to* do so. 그렇게 해 주시다니 고마웠습니다. / It was very kind *of* you indeed! 정말이지 친절하시기도 하시지!

7 [소유격 관계·소속] …**의**, …이 소유하는, …에 속하는: the children *of* his family 그 집 아이들 / the gates *of* heaven 천국의 문 / the top *of* the hill 산의 정상 / the Queen *of* England 영국 여왕 / The bad end *of* a bad beginning. 시작이 나쁘면 끝도 나쁘다. 《시작이 좋아야 끝이 좋다》 《USAGE 소유의 of는 주로 무생물에 대해서 씀. 그러나 무생물일지라도 's를 쓰는 일이 있음: science'*s* influence(과학의 영향) 또한 무생물이라도 시간·단위·지명 등을 나타내는 경우는 's가 쓰임: a day'*s* work 하루의 업무 / the train'*s* window 열차의 창》

8 [목적격 관계] **a** [동작명사 또는 동명사와 함께] …을, …의: the discovery *of* America 미국의 발견 《미국을 발견한 일》 / the education *of* the young 청소년 교육 / an offer *of* a job 일자리의 제공 / the love *of* nature 자연에 대한 사랑 / in search *of* happiness 행복을 찾아서 **b** [형용사와 함께] …을: I am fond *of* music. 나는 음악을 좋아한다. / I am proud *of* my son. 나는 아들이 자랑스럽다. / I am doubtful *of* its truth. 나는 그것의 진위가 의심스럽다. / She had a look expressive *of* happiness. 그녀는 행복을 나타내는 표정을 하고 있었다. / He is desirous *of* going abroad. 그는 외국에 나가기를 갈망하고 있다. ★ 이 용법에 속하는 형용사로서는 afraid, ashamed, aware, capable, conscious, envious, fond, greedy, jealous, proud 등이 있음.

9 [동격 관계] …**이라고 하는**, …인: the city *of* Rome 로마 시 / the fact *of* my having seen him 내가 그를 만났다는 사실 / the five *of* us 우리들 5명 《이 경우 the를 생략할 때도 있음; cf. 10 a》 / a friend *of* mine[yours, his, hers] 나[너, 그, 그녀]의 친구 《USAGE a friend *of* mine은 불특정한 친구를 가리키고, my friend는 특정한 친구를 뜻함. a portrait *of* my mother's는 어머니가 소장하고 있는 초상화, a portrait *of* my mother는 나의 어머니를 그린 초상화, my mother's portrait는 어머니가[를] 그린 초상화 또는 어머니가 소장하고 있는 초상화의 의미도 됨》 / Look at that red nose *of* Tom's. 톰의 저 빨간 코를 봐요. 《USAGE 현재는 this, that과 my, your, his 등은 나란히 쓰지 않고 *of*를 씀: *that* quick temper *of* his 그의 저 성급한 기질》

10 a [부분] …**의** (**일부**); …중의: the King *of* Kings 왕 중의 왕 《예수 그리스도》 / some *of* that cake 저 케이크의 약간 / one *of* us 우리 중 1명(cf. 9) / the younger *of* the two 둘 중의 젊은 쪽 / some *of* my money 내 돈의 일부 / one *of* these days 가까운 날, 일간 **b** [날짜] (…의): the 20th *of* June 6월 20일

11 [분량·용기; 수량·단위를 나타내는 명사 뒤에서] …의: a cup *of* milk 한 컵의 우유 / a glass *of* water 한 잔의 물 / a piece *of* furniture 가구 한 점

12 [관계·관련] …**한 점에 있어서**, …에 관해서, …에 대해서: blind *of* one eye 한쪽 눈이 보이지 않는 / He is twenty years *of* age. 그는 스무 살이다. / It is true *of* every case. 그것은 어느 경우에나 진실이다. / He is hard *of* hearing. 그는 귀가 어둡다. / He is slow *of* comprehension. 그는 이해가 더디

다. / I know *of* him. 그에 관해서 (간접적으로) 알고 있다. ★I know him.은 직접적으로 알고 있다는 뜻 / She complains *of* a headache. 그녀는 두통을 호소하고 있다.
13 [of+명사 → 형용사구] **a** …의: a girl *of* ten (years) 10세의 소녀 / a man *of* ability 유능한 사람 / a machine *of* much use 매우 쓸모 있는 기계 / a matter *of* importance 중대한 문제(=an important matter) / a boy (*of*) his age 그와 같은 나이 또래의 소년 / They are (*of*) the same age. = They are *of* an age. 그들은 동갑이다. / The earth is (*of*) the shape of an orange. 지구는 오렌지 모양을 하고 있다. 《이 경우 of를 쓰면 문어적임》/ a sky (*of*) the color of lead 납빛으로 흐린 하늘 / a hailstone (*of*) the size of a golf ball 골프공만 한 우박 ★위 예문과 같이 age, shape, color, size 앞의 of는 흔히 생략됨. **b** [명사+of+a...] …같은 ★앞 부분의 「명사+of」가 형용사 역할을 함: an angel *of a* girl 천사 같은 소녀 / a mountain *of a* wave 산더미 같은 파도 / a brute *of a* man 짐승 같은 사내
14 [of+명사 → 부사구] 《문어》 **a** [때를 나타내어 때때로 습관적 행위를 꾸며서] …에 (곧잘): *of* late 최근(에) / *of* old 옛날(에) / He usually calls on me *of* a Sunday. 그는 대개 일요일에 찾아온다. 《지금은 보통 on Sunday(s)라고 함》/ *of* an evening[a morning] 저녁[아침]에는, 저녁[아침]이면 **b** …하게: (all) *of* a sudden 갑작스럽게 / *of* a certainty 확실하게
15 [시각] 《미》 〈몇 시〉 (…분) 전(《영》 to): It is five (minutes) *of* ten. 10시 5분 전이다.
16 (어떤 목적을 위해) 바쳐진, …을 위한: a minute *of* prayer 기도를 위한 1분 / a day *of* rest 안식일
17 《고어》 [수동형에서] …에 의해, …로부터(by): be possessed *of* a devil 악령에 들리다 / She is beloved *of* all. 그녀는 모두로부터 사랑받고 있다.
18 [뜻 없는 형식적 목적어 it을 거느리고]: have a hard time *of it* 고생하다
***of all men*[*people*]** (1) 누구보다도 먼저: He, *of all men*, should set an example. 누구보다도 먼저 그가 모범을 보여야 한다. (2) 하고많은 사람 중에서 하필: They came to me, *of all people*, for advice. 그들은 하고많은 사람 중에서 하필 나에게 상의하러 왔다.
of all others ⇨ other *pron.*
of all things (1) 무엇보다도 먼저 ★more than anything 등이 일반적. (2) 하고많은 것 중에서 하필: His favorite food is peanut butter, *of all things.* 그가 좋아하는 음식은 그 많은 음식 중에서 하필 땅콩 버터란다.

많은 자리 ***play*** **~** 《미·구어》 회사 놀이를 하다 ***say*** (one***'s***) **~** 〖가톨릭〗 성무 일과 (기도)를 외다 ***take*** **~** 취임하다 ***the divine*** **~** 〖영국국교〗 아침 저녁의 기도, 예배식 ▷ offícial *a.*
óffice assístant[hélper] 사환, 사동, 사무 보조원 《남녀 구별없이》
óffice automátion 사무 자동화 《컴퓨터의 정보 처리 시스템에 의한 사무 처리; 略 OA》
of·fice-bear·er [ɔ́:fisbὲərər, ɑ́f-|ɔ́f-] *n.* 《영》 = OFFICEHOLDER
óffice blòck 《영》 = OFFICE BUILDING
óf·fice-block bàllot [-blɑ̀k-|-blɔ̀k-] 공직별 투표 용지 《직책별로 후보자 이름을 알파벳 순서로 나열한》(cf. MASSACHUSETTS BALLOT)
óffice bòy (회사 등의) 사환, 사동
óffice bùilding 《미》 사무실용 빌딩
óffice còpy 〖법〗 (관청이 작성하여 인증한) 공인 등본, 공문서
óffice gìrl 여자 사무원[사환]
of·fice·hold·er [-hòuldər] *n.* 《미》 공무원(official)(《영》 public servant)
óffice hòurs **1** 집무[근무] 시간, 영업 시간(business hours) **2** 《미》 진료 시간
óffice jùnior (회사의) 잡일을 맡은 젊은이
óffice làwyer 《미》 (기업 등의) 법률 고문 《보통, 법정에는 나가지 않음》
Óffice of Fáir Tràding [the ~] 《영》 공정 거래청 《소비자 보호 정부 기구; 略 OFT》
Óffice of Mánagement and Búdget [the ~] 《미》 행정 관리 예산국 《略 OMB》
Óffice of Technólogy Assèssment [the ~] 《미》 기술 평가국 《略 OTA》
óffice pàper 업무용 서신 종이 《보통 8 1/2×11인치》
óffice pàrk[plàza] 복합 상업 지구
offíce-pàrk dàd 교외에 사는 사무직의 아버지
óffice pàrty 오피스 파티 《기업 등에서, 특히 크리스마스 이브에 개최하는 파티》
óffice pràctice 〖미국법〗 (변호사의 법정에서의 활동과 구별하여) 사무실에서의 일
‡of·fic·er [ɔ́:fisər, ɑ́-|ɔ́-] *n.* **1 a** (육·해·공군의) **장교**, 무관, 사관 **b** (상선의) 고급 선원 《선장·항해사·기관장·사무장·선의 등》; (비행기의 기장을 위시한) 운항 승무원: the chief ~ = CHIEF MATE **2 a** (고위) **공무원**, 관리: a public ~ 공무원 **b** 경관; 《미》 순경 《최하위 경찰관》: an ~ of the law 경(찰)관 **c** (회사 등의) 임원, 간부; 직원: chief executive ~ 최고 경영 책임자, 회장 《略 CEO》 **3** 《영》 훈공장(勳功章) 4급의 사람 **4** 대리인(agent)
first*[*second, third*] ~** 〖항해〗 일등[이등, 삼등] 항해사 ***military*[*naval*] ~** 육군[해군] 장교 **~ *of the court 법원 직원 **~ *of the day*[*week*]** 일직[주번] 사관 **~ *of the deck*** 〖군사·항해〗 당직 장교; (상선의) 당직 항해사 ***~s' morale*** (군대속어) 위스키 ***O~s' Training Corps*** 《영》 장교 교육단 《略 OTC》; 《미》 예비역 장교 훈련단
— *vt.* [보통 수동형으로] **1** 장교[고급 선원]를 배치하다 **2** (장교로서) 지휘하다, 관리하다
ófficer of árms 문장관(紋章官) 《문장의 의장 설정·수여·확인 등을 행함》
ófficer of the guárd 〖군사〗 위병 사령 《略 OG》
ófficer of the wátch 〖군사·항해〗 당직 사관[선원]
ófficers' quàrters (주둔지 등에서의) 장교 숙사
óffice sèeker[hùnter] 공직 취임 운동자, 엽관배
óffice wòrker 회사원, 사무원, (관청의) 직원
‡of·fi·cial [əfíʃəl] *n.* **1 공무원**, 관공리; (단체 등의) 임원: White House ~*s* 백악관[정부] 당국자 / a police ~ 경찰관 / government[public] ~*s* 공무원, 관리, 공리 **2** 《미》 (운동 경기의) 경기 임원 《심판원·기록원 등》 **3** 《영》 [보통 ~ principal] 종교 재판소 판사 **4** 공인(公印)(=**~ stámp**)
— *a.* **1 a 공(公)의**, 공무의, 직무의, 관(官)의: ~ affairs[business] 공무 / ~ funds 공금 / an ~ note (외교) 공문 / an ~ trip 공무 출장 **b** 관직에 있는, 관선의: an ~ residence 관사, 관저, 공관 **2 공식의**, 공인된, 관헌[당국]에서 나온: an ~ price 공정 가격 / an ~ record 공인 기록 / an ~ statement 공식 성명 **3** 관청식의: ~ circumlocution 장황하고 두루뭉술한 관청 용어법[표현] **4** 〖약학〗 약전(藥典)에 의한
▷ óffice, offícialdom *n.*; offícially *ad.*; offíciate, offícialize *v.*
offícial bánk ráte = OFFICIAL DISCOUNT RATE
offícial díscount ráte 공정(公定) 이율

thesaurus **official** *a.* accredited, approved, validated, certified, endorsed, sanctioned, authorized, licensed, accepted, legitimate, legal (opp. *unofficial, unauthorized, informal*) —*n.* officer, administrator, executive, representative

off

off는 on, up, down 등과 더불어 전형적인 전치사적 부사의 하나이다.
원뜻은「떨어져」인데 여기에서 여러 가지 뜻이 파생하였다. 또한 get, go, make, put, set, take, turn 등의 동사와 결합하여 많은 동사구를 이루는데 특히 타동사적으로 쓰일 경우의 어순에 주의해야 한다.
1 목적어가 명사일 때의 off의 위치는 보통 목적어의 앞뒤 어디든지 올 수 있다: We put *off* the meeting. =We put the meeting *off*. 우리는 모임을 연기했다.
2 목적어가 대명사일 때에는 off는 목적어 뒤에만 와야 한다: He took it *off*. 그는 그것을 벗었다. (He took *off* it.은 불가)

‡off [ɔ́:f, ɑ́f | ɔ́f] *prep., ad., a., n., v.*

기본적으로는「분리」의 뜻
① …에서 떨어져서; 떠나서; 떨어진 전 **1, 5** 부 **1, 2a, 3** 형 **7a**
② (고정된 것으로부터) 떨어져서, 떠나서 전 **1a, b** 부 **2a**
③ (일에서) 떨어져서; 쉬고; 쉬는 전 **3** 부 **6** 형 **5a**
④ (전기 등이) 끊어져서 부 **2b**

—*prep.* **1** [고정된 것으로부터의 분리] **a** 〈고정·부착된 곳〉**에서 (떨어져)**: fall ~ a ladder 사다리에서 떨어지다 / A button is ~ your coat. 자네 코트 단추 하나가 떨어져 있다. **b** 〈탈것 등〉**에서 내려서**: get ~ a train 열차에서 내리다 / be thrown ~ one's horse 말에서 동댕이쳐지다 **c** …**에서 빠져**: ~ the hinges 경첩이 빠져서; 심신이 탈이 나서 **d** (구어) 〈본래의 상태〉**에서 벗어나**: ~ balance 균형을 잃고 / He is ~ his head. 그는 머리가 이상하다.
2 a 〈기준·목표〉**에서 벗어나**: ~ center 중심을 벗어나 / The shot was ~ target. 총탄은 목표를 벗어났다. **b** 〈주제〉**에서 벗어나**: get ~ the subject (고의 또는 실수로) 주제에서 벗어나다 / That is ~ the point. 그것은 주제로부터 벗어나 있다.
3 〈일 등〉**에서 벗어나**: He is ~ work. 그는 일을 하지 않고 있다. / He is ~ duty. 그는 비번이다.
4 (구어) 〈사람이〉 …을 그만두고, …을 끊고; …이 싫증나: go ~ narcotics 마약을 끊다 / be ~ one's food 음식을 먹지 않다, 식욕이 없다 / I am ~ gambling[smoking] now. 지금은 노름[담배]을 끊었다.
5 [떨어진 위치·상태] 〈장소〉**에서 떨어져**, …을 이탈하여, 벗어나서: two miles ~ the main road 간선 도로에서 2마일 떨어져 / just ~ the road 도로에서 약간 벗어난 곳에 / a street ~ Broadway 브로드웨이의 옆길 / Keep ~ the grass. (게시) 잔디에 들어가지 마시오.
6 〈시선 등이〉 …에서 떨어져[돌려져]: Their eyes weren't ~ the President for a moment. 그들은 한 순간도 대통령으로부터 눈을 떼지 않았다.
7 (구어) 〈사람〉에게서, 〈출처〉로부터 ((문어)에서는 from을 씀): get the news ~ television TV에서 뉴스를 보다 / I borrowed money ~ him. 그로부터 돈을 꾸었다.
8 [dine, eat 등 동사와 함께] **a** 〈식사(의 일부)〉를 (먹다): *eat* ~ beefsteaks 비프스테이크를 먹다 / *dine* ~ some meat 만찬으로 고기를 먹다 **b** 〈접시 등에서〉 집어서 (먹다): *eat* ~ silver plate 은접시에서 집어 먹다; 사치스러운 생활을 하다
9 …의 먼바다에(서): ~ the Pacific coast of Alaska 알래스카의 태평양 먼바다에
10 [live와 함께] …에 의존하여: He *lived* ~ his brother. 그는 형에게 의존하여 살았다.
11 …**에서 할인하여**[빼서]: take five percent ~ the list price 정가에서 5%를 할인하다
from ~ ... (문어) …으로부터(from): I got the idea *from* ~ television. 나는 그 아이디어를 텔레비전에서 얻었다.
—*ad.* **1** [이동·방향] **떨어져**, 떠나, 출발하여: run ~ 뛰어가다, 뛰어가 버리다 / go ~ on a journey 여행을 떠나다 / *O~*! =Be ~! 가 버려; 떨어져 있으시오! / I must be ~ now. 이제 가야겠다. / The man went ~. 그 사나이는 떠나갔다. ★ 이것을 강조하면 *O~* went the man. / They're ~! 선수들[말들]은 일제히 출발했습니다! (경주 방송에서)
2 a [분리] **떨어져, 분리되어**: come ~ 떨어져 나가다; 〈자루 등이〉 떨어지다 / get ~ 옷을 벗다; 〈말·탈것에서〉 내리다 / fall ~ 〈사람·물건이〉 떨어지다 / pull ~ (장갑·구두 등) 잡아당겨 벗다 / take one's clothes ~ 옷을 벗다 / take a hat ~ 모자를 벗다 **b** [절단·단절 등을 나타내는 동사와 함께] **잘라(내어)**: bite ~ 물어뜯다 / cut ~ 잘라내다, 잘라 버리다 / turn ~ the water[the radio] 수도를 잠그다[라디오를 끄다]
3 [시간·공간적으로 떨어져 있는 것] **떨어져**, 저쪽에, 멀리, 사이를 두고: an office three miles ~ 3마일 떨어진 사무실 / Hands ~! 손대지[만지지] 마시오! / How far ~ is it? 얼마나 멀리 떨어져 있습니까? / My birthday is only a week ~. 앞으로 1주일만 있으면 내 생일이다.
4 (큰길에서) 벗어나: This road branches ~ to Seoul. 이 길은 갈라져서 서울로 통한다. / The road turns ~ on the left hand. 그 길은 왼쪽으로 갈라진다.
5 a [동작의 완료·중지 등] …**해 버려**; 완전히, 끝까지: drink ~ 모두 마셔 버리다 / finish ~ 다 끝내다 / call[put] ~ the game 경기를 중지[연기]하다 / sell ~ 몽땅 팔아 버리다, 매진되다 / pay ~ one's debts 빚을 청산하다 / clear ~ the table 식탁을 깨끗이 치우다
b [관계의 단절] (미) (…와) 관계가 끊어져 (*with*): break ~ diplomatic relations *with* the country 그 나라와 외교 관계를 단절하다 / She is ~ *with* him. 그녀는 그와의 인연을 끊었다.
6 (일·근무 등을) **쉬고**: afternoon ~ 오후 휴무 / have[take] a day ~ 일을 하루 쉬다[하루 휴가를 얻다]
7 (정상·표준에서) 벗어나서, 일탈하여; 〈일·품질이〉 저하하여: go ~ on a tangent 〈생각·행동 등이〉 갑자기 빗나가다 / Sales dropped ~. 판매 실적이 갑자기 뚝 떨어졌다. / His work has gone ~ recently. 최근 그의 업무의 질이 떨어졌다.
8 (얼마를) 할인하여, 에누리하여: 50% ~! 반액 할인! / They took 10 percent ~ for all cash purchases. 모든 현금 구입에는 10퍼센트 할인을 받았다.
9 〈기계 등이〉 작동하여, 기능을 하여: The alarm went ~ last night. 간밤에 경보기가 울렸다.
10 실행하여, 진행되어: The contest went ~ as planned. 콘테스트는 계획대로 진행되었다.
11 나누어, 구분하여: Mark it ~ into equal parts. 그것을 똑같이 나누시오.
12 〖연극〗 무대 뒤에서(offstage): noises ~ 무대 뒤에서의 소음 (각본의 지시어)
be ~ 떠나다, 출발하다; 떨어져[벗겨져] 있다; 인연이 끊어져 있다; 중단되어 있다
be ~ for ... (구어) …을 (충분히) 가지고 있는
either ~ or on 아무튼, 하여간
go ~ 떠나버리다, 가버리다; 〈권총 따위가〉 발사되다
go ~ (***into faint***) 기절하다, 까무러치다

~ and ... 《구어》 돌연[별안간에] …하다: He ~ *and* disappeared. 그가 별안간 사라졌다.
~ and on 때때로, 불규칙하게
~ of[from] ... 《미·구어》 …으로부터: He took the book ~ *of* the table. 그는 테이블에서 책을 집었다.
~ to one side 곁으로, 한쪽으로, 조금 떨어진 곳으로
O~ with .... [명령법으로] (1) 〈모자·옷 등〉을 벗어라: *O~ with* your hat! 모자를 벗으시오! (2) 〈목을〉 베라: *O~ with* his head! 그의 목을 쳐라, 처형해라!
O~ with you! 저리 가 버려, 꺼져 버려!
on and ~ = OFF and on
right[straight] ~ 《구어》 지금 당장에, 즉시: He did it *right* ~ without waiting. 그는 지체없이 즉시 그것을 하였다.
take oneself ~ 떠나다, 가 버리다(depart)
— *a.* (**~·er**; **~·est**) **1 a** 〈큰길에서〉 갈라진: an ~ street 옆길, 샛길 **b** 〈중심에서〉 떨어진; 〈문제가〉 지엽적인: an ~ issue 지엽적인 문제 **c** 〈계산·추측 등이〉 틀린: You are ~ at that point. 너는 그 점에서 틀렸다.
2 a 《영·구어》 〈사람·언동 등이〉 이상한; 《영·구어》 〈태도가〉 거친, 심한: He is a little ~. 그는 약간 정상이 아니다. **b** 《속어》 〈사람이〉 게으른; 《미·속어》 〈술·마약에〉 취한
3 〈물건이〉 저질인; 〈음식이〉 상한: The fish is a bit ~. 생선이 약간 상해 있다.
4 a 〈행사·약속 등이〉 취소된; 〈계약 등이〉 무효인: The agreement is ~. 그 협정은 무효가 되었다. **b** 〈전기·수도·가스 등이〉 끊긴; 〈브레이크 등이〉 듣지 않는, 기능을 멈춘: The electricity has gone ~. 전기가 나갔다. **c** 〈식당 등에서〉 〈요리가〉 품절되어 **d** 〈연극 등이〉 상연이 종료된
5 a 비번인, 쉬는: a pastime for one's ~ day 쉬는 날의 소일거리 / I'm ~ today. 오늘은 비번이다[쉰다]. **b** 철이 아닌, 한산한; 불황의: an ~ season in tourist trade 관광업의 비철
6 [well, badly 등의 양태의 부사와 함께] **a** 생활 형편이 …인: be well[badly] ~ 살림이 유복하다[어렵다] / The old man is better[worse] ~. 저 노인은 전보다 생활 형편이 낫다[못하다]. **b** 《구어》 〈물건 등이〉 …의 상태인 (*for*): We are well ~ *for* butter. 버터는 충분히 있다. / He is badly ~ *for* money. 그는 돈에 쪼들리고 있다.
7 a 먼 쪽의, 저쪽의: the ~ side of the wall 벽의 저쪽 **b** 〈마차의 말·바퀴가〉 오른쪽의; 〖크리켓〗 〈타자의〉 오른쪽 앞의: the ~ horse 우측 말 / the ~ side 우측
8 〈기회 등이〉 〈도저히〉 있을 것 같지 않은; 가능성이 적은; 〈상품 등이〉 알려지지 않은
It's a bit ~. 그건 좀 지나치다[심하다].
— *n.* [the ~] 〈경마의〉 출발; 〖크리켓〗 〈타자의〉 오른쪽 전방(opp. *on*); 떨어져 있는 상태
from the ~ 《영》 처음부터
— *vt.* **1** 벗다 **2** 《영·구어》 〈교섭·계약·계획을〉 그만두다; …와의 약속을 취소하다 **3** 《속어》 죽이다
— *vi.* **1** [명령법으로] 가 버리다, 떠나다 **2** 〈배가〉 육지로부터 떨어지다, 외양(外洋)으로 나가다
~ it 떠나다, 출발하다; 《속어》 죽다

of·fi·cial·dom [əfíʃəldəm] *n.* Ⓤ **1** [집합적] 공무원, 관리 **2** 공무원의 지위[세계]; 관료주의
of·fi·cial·ese [əfìʃəlíːz, -líːs | -líːz] *n.* Ⓤ 〈장황하고 난해한〉 관청어(법)(cf. JOURNALESE)
offícial fámily 〈단체·정부의〉 수뇌진, 간부들; 〈미국 대통령의〉 내각
offícial gazétte 관보
offícial hóme pàge 〖컴퓨터〗 〈기업이나 단체의〉 공식 홈페이지
of·fi·cial·ism [əfíʃəlìzm] *n.* Ⓤ **1** 〈관청식〉 형식주의; 관료주의 **2** 관청 제도 **3** [집합적] 공무원, 관료
of·fi·cial·ize [əfíʃəlàiz] *vt.* 관청[관공서]식으로 하다; 공표하다
offícial lánguage 공용어
*__of·fi·cial·ly__ [əfíʃəli] *ad.* **1** 공무상, 직책상 **2** 공식으로; 직권에 의해 **3** [문장을 수식하여] 정식 발표로는, 표면상으로는
Offícial Recéiver 〖영국법〗 〈법원의 중간 명령에 의한〉 〈파산〉 관재인, 수익 관리인
Offícial Referée 〖영국법〗 〈고등 법원의〉 공인[공선] 중재인
offícial sécret 《영》 공직자 비밀 정보 《공개하면 불법이 되는》
Offícial Sécrets Áct [the ~] 《영》 공직자 비밀 엄수법 《1911년 제정》
offícial stríke 〈노동조합이 공인하는〉 공식 스트라이크, 동맹 파업
of·fi·ci·ant [əfíʃiənt] *n.* 사제, 당회(堂會) 목사
of·fi·ci·ar·y [əfíʃièri | -ʃiəri] *a.* 관직상의; 관직의 직함이 있는: ~ titles 관직상의 경칭
— *n.* (*pl.* **-ar·ies**) 공무원, 관리, 관료
of·fi·ci·ate [əfíʃièit] *vi.* **1** 〈성직자가〉 집례[집전]하다; 식을 집행하다 (*at*): (~+전+명) ~ *at* a marriage 혼례를 집행하다 / ~ *at* the funeral services 장례를 집전하다 **2** 〈…의〉 직무를 행하다, 직권을 행사하다 (*as*): (~+**as** 보) ~ *as* chairman 의장으로서 사회하다 **3** 〈운동 경기의〉 심판을 보다 (*at*)
of·fi·ci·á·tion *n.* **-à·tor** *n.*
of·fic·i·nal [əfísənl | ɔ̀fisáinl, ɔfísinl] *a.* **1** 매약(賣藥)의; 약국 상비의, 처방이 필요없는 **2** 약전(藥典)의 **3** 〈식물 등이〉 약용의: ~ herbs 약초
— *n.* 약국 처방약; 매약; 약용 식물 **~·ly** *ad.*
of·fi·cious [əfíʃəs] *a.* **1** 참견하기 좋아하는, 주제넘게 나서는 **2** 〖외교〗 비공식의(opp. *official*) **3** 《고어》 친절한, 호의적인 **~·ly** *ad.* **~·ness** *n.*
off·ing [ɔ́ːfiŋ, ɑ́- | ɔ́-] *n.* 앞바다(의 위치): make an ~ 앞바다에 정박하다 ***gain[take] an ~*** 앞바다로 나가다 ***in the ~*** (1) 앞바다에 (2) 가까운 장래에, 곧 나타날 것 같은; 머지않아 일어날 것 같은 ***keep an ~*** 줄곧 앞바다를 항행하다
off·ish [ɔ́ːfiʃ, ɑ́- | ɔ́-] *a.* 《구어》 새치름한, 쌀쌀한, 교제를 피하는 **~·ly** *ad.* **~·ness** *n.*
off-is·land [ɔ́ːfáilənd, ɑ́f- | ɔ́f-] *n.* 앞바다의 섬
— *a.* 《미》 섬을 찾아온, 섬사람이 아닌; 섬 앞바다의: an ~ current 섬 앞바다에 흐르는 해류
— *ad.* 섬을 떠나: go ~ 섬을 떠나다
~·er *n.* 《미》 섬의 일시 체재자, 섬사람이 아닌 사람
OFF-JT off-the-job training 〖경제〗 직장 외 훈련 《현장 밖에서 하는 집단 교육》
off-key [-kíː] *a.* 음정이 맞지 않는; 정상이 아닌, 변칙의; 비상식적인, 기묘한
off-kil·ter [-kíltər] *a.* 상태가 나쁜, 고장난; 원기가 없는; 〈약간〉 기운, 비스듬한
óff-la·bel ùse [-léibl-] 〈미국 식품 의약국에서〉 인가되지 않은 약품의 사용
off·let [ɔ́ːflìt | ɔ́f-] *n.* 방수관(放水管), 배수관
off-li·cense [ɔ́ːflàisns, ɑ́f- | ɔ́f-] *n.* 《영》 주류 판매 면허(점)(《미》 package store) 《점포 내에서의 음주는 불가; opp. *on-license*》 — *a.* Ⓐ 주류 판매 면허를 가진
off-limits [-límits] 《미》 *a.* 출입[사용] 금지의 (*to*): a bar ~ *to* soldiers 군인 출입 금지 바
— *ad.* 출입 금지 구역에서
off-line [-làin] *a.* **1** 〖컴퓨터〗 오프라인의 《데이터 처리에서 단말기가 주 컴퓨터에 직결되지 않은》(opp. *on-line*) **2** 〖라디오〗 〈방송국·네트워크가〉 자유 프로그램제의 **3** 〈철도·버스·항공기 등의〉 정기 운항 노선 외의
— *ad.* 〖컴퓨터〗 오프라인으로

óff-line stórage 〖컴퓨터〗 오프라인 기억 장치《중앙 처리 장치의 직접 제어를 받지 않는 기억 장치》
off-load [-lóud] *vt., vi.* = UNLOAD
off-mes·sage [-mésidʒ] *a., ad.* 〈정치가가〉 당의 공식 노선에서 벗어난[벗어나서]
off-mike [-máik] *a.* **1** 음량을 표준 이하로 녹음한[방송한] **2** 마이크에서 떨어진
off-off-Broad·way [-ɔ̀:fbrɔ́:dwèi | -ɔ̀f-] *a., ad.* 오프오프브로드웨이의[에서]
— *n.* Ⓤ [집합적] 오프오프브로드웨이《오프브로드웨이보다 더 전위적인 연극 운동》
off-peak [-pí:k] *a.* Ⓐ 출퇴근 시간(rush hours) 외의, 피크를 지난, 한산한 때의; 〖전기〗 오프피크의〈부하〉
off-piste [-pí:st] *a., ad.* 〖스키〗 피스트(piste)에서 벗어난[벗어나서], 활강 코스 바깥의[에서]
off-pre·mis·es [-prémisiz] *a.* (가게 안에서의 음주를 허락하지 않는) 주류 판매의(cf. OFF-LICENSE)
off-price [-práis] *a.* 할인의: an ~ store 할인 판매점
off-pric·er [-práisər] *n.* 할인 판매자[점]
off·print [-prìnt] *n.* (정기 간행물·논문의) 발췌 인쇄
— *vt.* 발췌 인쇄하다
off·put [-pùt] *vt.* 《영·구어》 당황[당혹]하게 하다
off-put·ting [-pùtiŋ] *a.* 《영·구어》 반감을 갖게 하는, 불쾌하게 하는; 당혹하게 하는 **~·ly** *ad.*
off-ramp [-ræ̀mp] *n.* 출구로(exit ramp)《고속도로에서 일반 도로로 빠져 나오는 차선》
off-road [-róud] *a.* 〈경기 따위가〉 일반[포장] 도로 외에서도 행해지는; 〈차량·타이어가〉 일반[포장] 도로 밖에서 사용되는[사용하게 만든]
off-road·er [-róudər] *n.* 오프로드 경주의 선수[차량]
off-road·ing [-róudiŋ] *n.* Ⓤ (스포츠·레저의 하나로) 비포장 도로[오프로드] 경주(off-road racing)
off-sale [-sèil] *n.* (가게에서 마시지 않고) 집으로 사가지고 가는 주류의 판매(cf. OFF-LICENSE)
off·scour·ing [-skàuəriŋz] *n.* **1** [종종 *pl.*] 오물; 폐물, 찌꺼기(dregs) **2** 인간 폐물, 낙오자, 사회에서 버림받은 사람
off·screen [-skrí:n] *a.* **1** 영화[텔레비전] 화면 밖의; 사생활의, 실생활의: an ~ voice 텔레비전 화면에 나오지 않는 사람의 목소리 **2** 남이 안 보는 곳에서의
— *ad.* **1** 영화[텔레비전] 화면에 안 나오고; 사생활[실생활]에서 **2** 남이 안 보는 곳에서
off·scum [-skʌ̀m] *n.* 찌꺼기, 앙금; 《비유》 가치 없는 인간
*__off-sea·son__ [ɔ́:fsí:zn, ɑ́f- | ɔ́f-] *a., ad.* **한산한 시기의[에]**; 철이 지난 (때에); 〈운동 등이〉 제철이 아닌 (때에), 비수기의: ~ hotel rates 비수기 호텔 요금
— *n.* **한산한 시기**, 철이 지남, 비계절, 비수기
*__off·set__ [ɔ́:fsèt, ɑ́f- | ɔ́f-] *v.* (~; **~·ting**) *vt.* **1** 차감 계산하다, 상쇄하다; 〈장점이〉〈단점을〉 벌충하다: 《~+목+전+명》 ~ losses *by* gains 이익으로 손실을 상쇄하다 **2** 〖인쇄〗 오프셋 인쇄로 하다 **3** 〖건축〗 〈벽면에〉 단(段)을 짓다 **4** (비교를 위해) 대조하다
— *vi.* **1** 갈라져 나오다, 파생하다 **2** 〖인쇄〗 오프셋 인쇄로[를] 하다
— *n.* **1** 상쇄하는 것, 벌충, 차감 계산《*to*》: claim an ~ *to* the damaged goods 파손 상품의 변상을 청구하다 **2** 갈라짐, 분파; (산의) 지맥; 〖식물〗 단복지(短匐枝), 분지(分枝); (가족의) 분가(分家) **3** 《고어》 출발, 시초 **4** 〖인쇄〗 오프셋 (인쇄법) **5** 〖건축〗 (위로 갈수록 후퇴하는) 벽면의 단; 〖기계〗 (파이프 등의) 급격한 만곡, 오프셋 **6** 〖측량〗 지거(支距)
óffset préss 〖인쇄〗 오프셋 인쇄기
óffset prínting[lithógraphy] 오프셋 인쇄(술)
off·shoot [-ʃù:t] *n.* **1** 〖식물〗 옆가지, 분지(分枝) **2** (씨족의) 분파, 분가 **3** 파생물《*from*》, 파생적 결과《*of*》 **4** 지맥, 지류, 지선, 지도(支道)
off·shore [-ʃɔ́:r] *ad.* **1** 앞바다에; 앞바다를 향하여 **2** 해안에서 떨어진 곳에서 **3** 국외에서 정하여
— [스⌒] *a.* **1** 앞바다의: ~ fisheries 근해 어업 **2** 〈바람 등이〉 (해안에서) 앞바다를 향하는: an ~ wind 앞바다로 부는 바람 **3** 국외에서 정한, 역외(域外)의: an ~ investment company 국외 투자 신탁 회사/an ~ manufacture of car parts 국외에서의 자동차 부품 제조 — [스⌒] *prep.* …의 앞바다에(서)
óffshore bánking (국제 금융에서의) 오프쇼어 금융《비(非)거주자간의 거래를 위한 조세·외환 관리 등 각종 우대 조치와 그 영업 거점을 제공》
óffshore cénter 오프쇼어 센터《비거주자를 위해 외환법·세법 등의 규정을 완화하고 있는 국제 금융 시장》
óffshore fúnd 〖증권〗 재외(在外) 투자 신탁《세무납·법 규제가 유리한 나라에 적을 두는 투자 신탁》
óffshore óil 해양 석유
óffshore pùrchases 《미》 역외(域外) 조달[구매]《미국의 원조 자금으로 미국 외 지역에서 물자, 특히 군수품을 조달하는 것》
óffshore technólogy 해양 공학[기술]《해양 석유의 개발 관련 분야에서 많이 쓰임》
off·shor·ing [ɔ́:fʃɔ̀:riŋ, ɑf- | ɔ́f-] *n.* Ⓤ (회사의) 해외 생산[영업]
off·side [-sáid] *n.* **1** 〖축구·하키〗 오프사이드《반칙의 위치》 **2** [the ~] 《영》 **a** (말·마차의) 오른쪽 **b** (자동차의) 도로 중앙쪽 — *a., ad.* **1** 〖축구·하키〗 오프사이드의[에](cf. ONSIDE) **2** 〈취미 등이〉 저속한[하게]: an ~ joke 외설스러운 농담
off·sid·er [-sáidər] *n.* 《호주》 보조자, 원조자, 지지자
óffside tráp 〖축구〗 오프사이드 트랩《공격자의 오프사이드 반칙을 유도하는 작전》
off-site [-sáit] *a., ad.* (어느 특정한 장소에서) 떨어진[져], 부지[용지] 밖의[에서]
off-speed [-spí:d] *a.* 보통[예상]보다 스피드가 없는
‡**off·spring** [ɔ́:fsprìŋ, ɑ́f- | ɔ́f-] *n.* (*pl.* **~, ~s**) **1** (사람·동물의) **자식**, 새끼; 자손: produce ~ 아이를 낳다 **2** 생겨난 것, 소산, 결과《*of*》: the ~ *of* an inventive mind 창의력이 풍부한 마음에서 생겨난 성과
off·stage [-stéidʒ] *a., ad.* **1** 무대 뒤의[에서]: ~ lines 무대 뒤에서 말하는 대사 **2** 사생활의[에서]; 몰래 (하는); 비공식의[으로]
off-street [-strì:t] *a.* Ⓐ 큰길에서 벗어난; 뒷길의, 뒷골목의
óff stùmp 〖크리켓〗 오프스텀프《타자의 반대쪽 위치에 있는 기둥》
off·take [-tèik] *n.* (연기·공기를 통풍로로 보내는) 유통관[로]
off-the-bench [-ðəbéntʃ] *a.* 법원 밖에서의
off-the-books [-ðəbúks] *a.* 장부에 기장되지 않은: ~ trading 장부 외 거래
off-the-cuff [-ðəkʌ́f] *a., ad.* 《미·구어》 준비 없이 (하는), 즉석의[에서]: an ~ speech 즉석 연설
off-the-face [-ðəféis] *a.* 〈머리·모자가〉 얼굴을 가리지 않는
off-the-job [-ðədʒɑ́b | -dʒɔ́b] *a.* **1** 일 이외의, 취업 시간 외의 **2** 실직한; 일시 휴직의
off-the-peg [-ðəpég] *a.* 《영》 = OFF-THE-RACK
off-the-rack [-ðəræ̀k] *a.* **1** 〈의복이〉 기성품인(ready-made) **2** = OFF-THE-WALL
off-the-rec·ord [-ðərékərd | -kɔ:d] *a.* Ⓐ, *ad.* **1** 기록에 남기지 않는[고]; 비공개의[로], 비공식의[으로]: ~ comments 비공식 논평 **2** 기밀의[로]: ~ information 기밀 정보
off-the-shelf [-ðəʃélf] *a.* 재고품의, 출하 대기의; 기성품인
off-the-wall [-ðəwɔ́:l] *a.* 《미·구어》 흔하지 않은, 엉뚱한, 별난; 즉흥적인, 즉석의: an ~ idea 별난 생각
off-time [-tàim] *n.* 한가한 때, 불경기인 때
óff tráck 《미·속어》 상태가 나쁜 경주로
off-track [-træ̀k] *a., ad.* 《미·구어》 경마장 밖의[에서], 장외의[에서]

thesaurus **offspring** *n.* progeny, descendant, children, youngster (opp. *parent, ancestor*)

ófftráck bétting 장외 경마 도박
off-ward [-wərd] *ad.* 어느 곳으로부터 떨어져; 《특히》 앞바다에서 떨어져, 앞바다로
off-white [-*h*wáit] *n.*, *a.* 회색[황색]이 도는 흰색(의)
óff yèar 《미》 **1** 대통령 선거가 없는 해 **2** (생산·매출 등의) 부진한 해 《*for*》: an ~ *for* car sales 자동차 판매가 부진한 해 **óff-yèar** *a.*
óff-year eléction [-jìər- | -jə̀ː-] 미국의 중간 선거(midterm election) 《대통령 선거는 없고 상원·하원 의원과 주지사를 선거함》
of·gas, OFGAS [ɔ́(ː)fgæ̀s, áf-] *n.* 《영》 오프가스 《민영화된 가스 공급 사업을 감독하는 정부 기관》
OFM *Ordo Fratrum Minorum* 《L =Order of Friars Minor》 **OFS** Orange Free State
OFSTED [ɔ́ːfsted | ɔ́fsted] [the *O*ffice *f*or *St*andards in *Ed*ucation] *n.* (영국의) 교육 기준청
oft [ɔ́ːft, áft | ɔ́ft] *ad.* [주로 복합어를 이루어] 《고어·시어》 흔히, 종종(often): ~-quoted[-repeated] 자주 인용[반복]되는 ***many a time and ~*** 몇 번이고
OFT 《영》 Office of Fair Trading; orbital flight test 〖우주과학〗 궤도 비행 테스트
‡**of·ten** [ɔ́ːfən, áf-, ɔ́ːftən | ɔ́fən, ɔ́ftən] *ad.* (**~·er, more ~**; **~·est, most ~**) **1** 흔히, 종종, 자주 ★ 문장에서 보통 일반동사 앞이나 be동사 및 조동사의 뒤에 위치: I ~ visit him. 나는 그를 자주 방문한다. / He would ~ come to see me. 그는 흔히 나를 만나러 오곤 했었다. / It very ~ snows there. = It snows there very ~. 그곳에는 눈이 자주 온다. / Don't bother him too ~. 너무 자주 그에게 폐를 끼치지 마라.

> 유의어 **often** 단지 일이 여러 번 반복되어 일어남을 뜻한다. **frequently** 일이 빈번히, 정기적으로, 또는 비교적 단시간의 간격을 두고 일어나는 점을 강조한다: It happens *frequently.* 그것은 자주 일어난다.

2 대개, 많은 경우에 (***as***) ***~ as*** (1) …할 때마다(whenever) (2) …번이나 (***as***) ***~ as not*** 종종, 자주 ***every so ~*** = EVERY now and then. ***more ~ than not*** 자주, 대개 ***not ~*** 좀처럼, 드물게(seldom) ***~ and ~*** 몇 번이고
of·ten·times [ɔ́ːfəntàimz | ɔ́f-], **oft·times** [ɔ́ːf*t*tàimz, áf*t*- | ɔ́f*t*-] *ad.* 《고어·시어》 =OFTEN
o.g. offensive guard; 〖우표〗 original gum **OG** Officer of the Guard 위병 사령; Olympic Games
og·do·ad [ágdouæ̀d | ɔ́g-] *n.* 8; 8개 한 벌
o·gee [oudʒíː, ⌐- | ⌐-] *n.* 〖건축〗 총화선(葱花線), 반곡선(反曲線): an ~ roof 총화 지붕
og·gin [ágin | ɔ́g-] *n.* [the ~] 《영·속어》 바다, 강, 운하, 수로
og·ham, og·am [ágəm | ɔ́g-] *n.* Ⓤ 오검 문자 《고대 영국과 아일랜드에서 사용한 문자》; 오검 비명(碑銘)
— *a.* 오검 문자의
o·giv·al [oudʒáivəl] *a.* 〖건축〗 맞보의, 첨두(尖頭) 아치가 있는
o·give [óudʒaiv, -⌐] *n.* **1** 〖건축〗 (둥근 천장의) 맞보, 첨두(尖頭) 아치 **2** 〖통계〗 누적 도수 분포도 **3** 〖로켓〗 노즈콘(nose cone) 《미사일·로켓의 머리 부분의 곡선부》 ▷ ogíval *a.*
o·gle [óugl] *n.* 추파; 《속어》 눈
— *vt.* 〈여자에게〉 추파를 던지다
— *vi.* (여자에게) 추파를 던지다 《*at*》 **ó·gler** *n.*
OGM outgoing message (전화의) 부재중 녹음 메시지 **OGO** Orbiting Geophysical Observatory
Og·pu, OGPU [ágpuː | ɔ́g-] *n.* 합동 국가 정치 보안부 《구소련의 국가 비밀 경찰; NKVD의 전신》
Ó gràde O 등급 시험 《과거 스코틀랜드에서 16세 된 학생들이 치른 과목별 평가 시험; 1988년에 Standard Grade로 대체》
o·gre [óugər] *n.* **1** (동화 등의) 사람 잡아먹는 도깨비 **2** 도깨비 같은 사람; 야만인
~·ish [óugəriʃ] *a.* **~·ish·ly** *ad.*
o·gress [óugris] *n.* OGRE의 여성형
‡**oh**[1] [óu] *int.* **1** 오오, 아, 어허, 앗, 어머나 《놀람·공포·고통·즐거움을 나타낼 때 등의》 **2** 어이, 잠깐 《직접 부르는 말로》: *Oh,* Bill! 어이, 빌! **3** 그렇군, 응 《상대의 말을 알아들었을 때》
Oh, boy! 《미·구어》 야, 옳지! 《유쾌·놀람 등》 ***Oh, dear*** (***me***)***!*** 이것 참! 《실망·놀라움》 ***Oh, no.*** (1) [⌐-] 안 돼, 그럴 리가.(certainly not) (2) [-⌐] 이런, 설마, 끔찍해. 《공포 등》 ***Oh, oh!*** 아이구 저런! 《딱한 사태 등》 ***Oh-oh!*** 아아! 《실망·낙심 등》 ***Oh well!*** 아 그래, 할 수 없지! 《체념》 ***Oh, yeah?*** 뭐라고?, 설마!, 천만에! ***Oh, yes!*** 그렇고 말고!
— *n.* (*pl.* **~'s, ~s**) oh라고 외치는 소리
— *vi.* oh라고 외치다[말하다]
oh[2] *n.* (*pl.* **~'s, ~s**) 영(zero)
OH 《미》 〖우편〗 Ohio **OHC, o.h.c.** overhead camshaft 〖자동차〗 두상(頭上) 캠축(軸)식
oh-dee [óudíː] *n.*, *vi.* 《속어》 마약 과용(으로 죽다) (OD)
O. Hen·ry [óu-hénri] 오 헨리(1862-1910) 《미국의 단편 소설가; 본명 William Sydney Porter》
OHG Old High German
***O·hi·o** [ouháiou] [북미 인디언 말 「아름다운 강」의 뜻에서] *n.* **1** 오하이오 《미국 북동부의 주; 주도 Columbus; 속칭 the Buckeye[Yankee] State; 略 O., 〖우편〗 OH》 **2** [the ~] 오하이오 강 《Mississippi 강의 지류》 ▷ Ohíoan *a.*, *n.*
O·hi·o·an [ouháiouən] *a.*, *n.* Ohio주의 (사람)
ohm [óum] *n.* 〖전기〗 옴 《전기 저항의 단위; 기호 Ω》
ohm·age [óumidʒ] *n.* 〖전기〗 옴 수(數)
ohm-am·me·ter [óumǽmmìːtər | -ǽmitə] *n.* 저항 전류계
ohm·ic [óumik] *a.* 〖전기〗 저항의
óhmic resístance 〖전기〗 옴 저항
ohm·me·ter [óummìːtər] *n.* 옴계, 전기 저항계
OHMS On His[Her] Majesty's Service 《영》 「공용」 《공문서 등의 무료 배달 표시》
Óhm's láw 〖전기〗 옴의 법칙
o·ho [ouhóu] *int.* 오호, 허, 저런 《놀람·우롱·환희 등을 나타내는 소리》
oh-oh [óuou] *int.* =UH-OH
-oholic [əhɔ́ːlik, əhá- | əhɔ́-] 《연결형》 「…중독자」의 뜻: coke*oholic*
Ó horìzon 〖지질〗 O층 《낙엽·유기물 퇴적층》
OHP overhead projector 두상(頭上) 투영기
oh-so [óusou] *ad.* 《구어》 극단적으로, 몹시
OHT overhead transparency (OHP에 사용하는) 투명 플라스틱지
oi [ɔ́i] *int.* 《구어》 어이 《사람의 주의를 끌 때 내는 소리》 **—** *a.* 시끄러운, 떠들썩한
-oid [ɔid] *suf.* 「…같은 (것), …모양의 (것), …질(質)의 (것)」의 뜻: negr*oid*, cellul*oid*
o·id·i·um [ouídiəm] *n.* (*pl.* **-i·a** [-iə]) 〖균류〗 오이디엄; 분열자(分裂子)
oik [ɔ́ik] *n.* (*pl.* **~s, oicks**) 《영·속어》 멍청이; 하층민; 무례한 사람
‡**oil** [ɔ́il] *n.* **1** Ⓤ [종류를 말할 때는 Ⓒ] **기름**; 올리브유: machine ~ 기계유 / animal[vegetable, mineral] ~ 동물[식물, 광물] 기름 **2** Ⓤ 《미》 **석유**: crude ~ 원유 / heavy ~ 중유 / light ~ 경유 **3** [보통 *pl.*] 유화 물감(=~ colors); 유화(=~ painting) **4** 《구어》 아첨; 《속어》 돈, 뇌물 **5** 《구어》 유포(油布); [*pl.*] 방수복, 비옷, 우의 **6** 《호주·뉴질·속어》 [수식어와 함께] 정보, 뉴스: good ~ 낭보
be no ~ painting 《구어》 볼품이 없다, 보기가 싫다
burn [***consume***] ***the midnight ~*** 밤늦게까지 공

---

often *ad.* again and again, frequently, repeatedly, over and over (opp. *seldom, rarely*)

부하다[일하다] ***mix like ~ and water*** ⇨ mix. ***~ and vinegar*** [***water***] 서로 어울리지 않는 것[사람] ***pour*** [***throw***] ***~ on the flame***(***s***) (1) 불에 기름을 붓다 (2) 선동[부채질]하다 ***pour*** [***throw***] ***~ on troubled waters*** 파도를 가라앉히다; 풍파[싸움]를 진정시키다 ***smell of the*** (***midnight***) ***~*** 애쓴 흔적이 엿보이다 ***strike ~*** 유맥(油脈)을 찾아내다; (투기가 성공해) 벼락부자가 되다; 〈새 기업 등이〉 성공하다
— *a.* Ⓐ **1 a** 기름의; 석유의: an ~ pipeline 송유관 **b** 기름에서 채취되는 **2** 기름을 연료로 쓰는 **3** 기름을 만드는; 석유 생산[굴착]의
— *vt.* **1** …에 기름을 바르다; 기름을 치다 **2** …에 기름을 먹이다, 기름에 적시다(⇨ OILED 1) **3** (미·구어) …에 뇌물을 쓰다, 매수하다 **4** 〈지방·버터 등을〉 녹이다
— *vi.* 〈지방·버터 등이〉 녹다 ***~ in*** [***out***] (영·구어) 몰래 들어가다[나오다] ***~ a person's hand*** [***palm***] 뇌물을 쓰다(bribe) ***~ one's*** [***the***] ***tongue*** 아첨하다 ***~ the wheels*** 뇌물을 써서 일을 원활하게 하다 ***~ things*** 만사를 형편대로 하다 ***~ up to*** (영·속어) 매수하다; 아첨하다 ▷ óily *a.*

oil-based [ɔ́ilbéist] *a.* 〈안료 등의 용제가〉 유성의: an ~ paint 유성 페인트

oil-bear·ing [-bɛ̀əriŋ] *a.* 〈지층 등이〉 석유를 함유한

oil·berg [-bə̀ːrg] *n.* (20만톤 이상의) 초대형 탱커[유조선]

oil·bird [-bə̀ːrd] *n.* 〖조류〗 쏙독새의 일종(guacharo) 《남미산(産)》

óil bùrner 1 석유 버너 **2** 중유 전용선 **3** (속어) 노후된 차[배]

óil càke 깻묵 《가축의 사료·비료》

oil·can [-kæ̀n] *n.* 기름통; 주유기

óil chànge (자동차의) 엔진 오일 교환

Óil Cìty 오일 시티 《미국 Pennsylvania주 서북부의 도시; 세계 최초의 유정이 있음》

*__oil·cloth__ [ɔ́ilklɔ̀ːθ | -klɔ̀θ] *n.* (*pl.* **~s** [-klɔ̀ːðz | -klɔ̀θs]) **1 a** ⓊⒸ 유포(油布), 방수포 **b** (식탁보 등의) 오일 클로스 **2** Ⓤ (영) 리놀륨(linoleum)

óil còlor [보통 *pl.*] 유화 그림 물감; 유화

oil-cooled [-kùːld] *a.* 〈엔진 등이〉 유냉(油冷)식의

óil cùp (축받이 등의) 기름통, 기름컵

óil diplòmacy (석유 수출입국간의) 석유 외교

óil dòllar 오일 달러(petrodollar) 《중동의 산유국이 석유 수출로 벌어들인 달러》

óil-dol·lar recýcling [-dɑ̀lər- | -dɔ̀l-] 오일 달러 환류(環流)

oil-drum [-drʌ̀m] *n.* 석유 (운반용) 드럼통

oil-dry [-drài] *n.* 기름 제거제 《자동차 경주로에 떨어진 기름을 제거하는 모래와 콘크리트의 혼합물》

oiled [ɔild] *a.* **1** 기름을 바른[먹인]; 기름에 적신 **2** (속어) 술에 취한: well~ 술에 얼근히 취한 **3** (기름을 바른 듯이) 매끄러운: have a well-~ tongue 아첨을 잘 하다

óil èngine 석유 엔진

oil·er [ɔ́ilər] *n.* **1** 기름 붓는[치는] 사람; 급유기, 주유기(oilcan); 유조선, 탱커(tanker) **2** [*pl.*] (미·구어) 방수복(oilskins) **3** (속어) 아첨꾼

óil fènce 수면에 유출된 기름을 막는 방책

óil field 유전(油田)

oil-fired [ɔ́ilfàiərd] *a.* 기름[석유]을 연료로 쓰는

oil-gas [-gæ̀s] *n.* 오일 가스 《경유 따위를 증류하여 얻는 연료용 가스》

óil gàuge 〖기계〗 유면계(油面計), 유량계; 유지(油脂) 비중계(oleometer)

óil glànd 지방 분비선, 지선(脂腺); (특히 물새의) 미선(尾腺)

óil glùt 석유의 공급 과잉

oil-head [-hèd] *n.* (미·속어) 모주꾼, 알코올 중독자

oil·ie [ɔ́ili] *n.* (미·속어) 〖정치〗 석유 업계의 이익을 대변하는 로비스트

oil·i·ly [ɔ́ilili] *ad.* 기름같이; 미끄럽게; 간사하게

óil ìndustry [the ~] 석유 산업 《석유의 채굴·정제·판매 등》

oil·i·ness [ɔ́ilinis] *n.* Ⓤ 유질(油質); 미끄러움; 간살부림

oil·ing [ɔ́iliŋ] *n.* Ⓤ 유출 석유로 인한 오염

oil·jack [ɔ́ildʒæ̀k] *n.* 오일잭, 유조선 납치(oil tanker hijacking) **~·er** *n.*

oil·less [ɔ́illis] *a.* **1** 기름이 없는[떨어진] **2** 주유할 필요 없는

óil màjors 국제 석유 자본(the majors)

oil·man [ɔ́ilmæ̀n, -mən] *n.* (*pl.* **-men** [-mèn, -mən]) **1 a** 유전 소유[경영]자, 석유업자 **b** 유류 상인[배달인] **c** (미) 석유 기업가 **2** 유화 도구 상인

óil mèal 깻묵 가루 《가축 사료·비료》

óil mìll 착유기(搾油機); 착유[제유] 공장

óil mìnister (산유국의) 석유상(石油相)

óil nùt 유지(油脂) 견과 《기름을 짜는 호두·코코야자 등》

óil of catechúmens 세례 지원자용 성유(聖油)

óil of túrpentine 테레빈 유(油) 《구충제·거담제 따위의 약제에 이용》

óil of vítriol 〖화학〗 진한 황산

óil of wíntergreen 〖화학〗 살리실산(酸) 메틸

óil pàint 유화 채료, 유성 페인트

óil pàinting 1 Ⓤ 유화법 **2** 유화 **3** (구어) 그림이 되는 아름다운 사람[풍경] ***be no ~*** (영·익살) 못생기다, 볼품이 없다

óil pàlm 〖식물〗 기름야자나무 《아프리카산(産); 열매에서 palm oil을 채취함》

óil pàn 〖기계〗 기름받이, 오일 팬

oil·pa·per [-pèipər] *n.* Ⓤ 유지; 동유지(桐油紙)

óil pàtch (속어) 석유 산출 지대; 석유 산업

oil-plant [-plæ̀nt] *n.* 유지(油脂) 식물 《씨에서 기름을 짜는 각종 식물》

óil plàtform (바다 위의) 석유 굴착용 플랫폼

oil-poor [-púər] *a.* 석유가 나지 않는, 석유 자원이 없는

óil prèss 착유기

oil-pro·duc·ing [-prədjùːsiŋ | -djùːs-] *a.* 석유를 산출하는: ~ countries 산유국들

óil refinery 정유 공장

oil-rich [-rítʃ] *a.* 석유 자원이 풍부한; 석유로 벼락부자가 된

oil·rig [-rìg] *n.* (특히 해저의) 석유 굴착 장치

óil sànd 유사(油砂) 《원유를 함유한 다공성 사암(多孔性砂岩)》(tar sand)

oil·seed [ɔ́ilsìːd] *n.* 지방 종자 《기름을 짤 수 있는 식물종자의 총칭》

óilseed rápe = RAPE[2]

óil shàle 〖광물〗 유모혈암(油母頁岩), 유혈암

óil shóck 오일 쇼크, (1973년과 1979년의) 석유 파동(oil crisis)

óil sílk 오일 실크, 명주 유포(油布)

oil·skin [-skìn] *n.* Ⓤ 유포, 방수포; [*pl.*] 방수복

óil slìck (바다·호수 등에 있는 석유의) 유막

oil-slicked [-slìkt] *a.* 〈수면이〉 기름으로 뒤덮인

óil spìll (해상의) 석유 유출

óil spòt 〖식물〗 (포도 잎의) 유점(油點)

óil sprìng 유천(油泉) 《간단한 굴착으로 광유가 분출하는 유전》

oil·stone [-stòun] *n.* 기름 숫돌
— *vt.* 기름 숫돌로 갈다

oil·stove [-stòuv] *n.* 석유 난로

óil tànker [-tæ̀ŋkər] *n.* 석유 수송선[차], 유조선

oil·tight [ɔ́iltàit] *a.* 기름을 통과시키지 않는

óil trèe 1 피마자 나무, 아주까리 나무 **2** 마후아(mahua) 나무 《인도·동남아시아산(産)》 **3** 기름야자 나무(oil palm)

óil wèapon (산유국이 행사하는) 무기로서의 석유

óil wèll 유정(油井)

*__oil·y__ [ɔ́ili] *a.* (**oil·i·er**; **-i·est**) **1 a** 유질[유성]의: ~ layer 유층 **b** 기름을 바른 **c** 기름기 많은; 기름투성이의 **d** 〈피부가〉 지성의 **2** 매끄럽게 말[아첨]을 잘 하는

—ad. 구변 좋게, 수다스럽게 ▷ óil *n.*

oink[1] [5iŋk] [의성어] 《구어》 *n.* (돼지의) 꿀꿀 소리 **—vi.** 〈돼지가〉 꿀꿀거리다

oink[2] [*O*ne *I*ncome, *N*o *K*ids] *n.* 한 사람만 수입이 있고 아이가 없는 부부(cf. DINK[5])

*****oint·ment** [5intmənt] *n.* ⓤⓒ 연고; 화장용 크림

Oir·each·tas [érəktəs] *n.* 아일랜드 공화국의 국회

OIT Office of International Trade

oj, OJ 《미·구어》 orange juice

O·jib·wa(y) [oudʒíbwei] *n.* (*pl.* **~, ~s**) **1** 오지브웨이 족(의 사람) 《북미 인디언의 대종족》 **2** ⓤ 오지브웨이 말(Chippewa)

OJT on-the-job training 〖경영〗 직장 내 훈련 **OK** 《미》 〖우편〗 Oklahoma

‡**OK, O.K.** [òukéi, ⌐ㅡ|ㅡ⌐] [all correct를 일부러 *o*ll *k*orrect라고 쓴 데서] 《구어》 *a.* Ⓟ **1** 좋은, 괜찮은, 지장 없는: It's *OK* with[by] me. 난 괜찮아. 《허락한다는 뜻》 **2** 타당한, 적절한; 허용할 수 있는; 틀림없는 《*with, by*》 **3** 건강한, 심신이 양호한 **4** 나쁘지 않은, 그럭저럭 괜찮은

—ad. **1** 틀림없이, 순조롭게 **2** 좋아, 됐어, 오케이(all right): *OK*, I'll do it. 좋아, 내가 해 보지. **3** [의문문·부가의문문에서] 좋아, 좋습니까: Sign here, ~? 여기에 서명해 주십시오.

—int. [동의·납득·승인의 뜻을 나타내어] 좋아, 알았다, 오케이: *OK*, I'll get it for you. 좋아, 사다 줄게.

—n. (*pl.* **~'s**) 승인, 허가; 교료(校了)

—vt. (**OK'd, O.K.'d; OK'ing, O.K.'ing**) **1** OK라고 쓰다 《교료의 표시 등으로》 **2** 승인하다: He *OK'd* my proposal. 그는 나의 제안에 동의했다.

o·ka·pi [oukɑ́:pi] *n.* (*pl.* **~s, ~**) 〖동물〗 오카피 《기린과(科); 중앙 아프리카산(産)》

o·kay, o·keh, o·key [òukéi, ⌐ㅡ|ㅡ⌐] *a., ad., int., n., vt.* = O.K.

Ók Corrál [the ~] OK 목장 《미국 Arizona주 Tombstone 소재 목장; 영화 「Gunfight at the OK Corral(1957)」의 무대》

oke[1] [óuk], **oka** [óukə] *n.* 오크 《터키·이집트·그리스 등의 중량 단위; 약 2 3/4 pounds》

oke[2] *a., ad.* 《구어》 = OK

oke[3] [óuk] *n.* 《남아공·구어》 남자, 소년(ou)

O·ke·fe·nó·kee Swámp [òukəfənóuki-] [the ~] 오키페노키 습지 《미국 Georgia주 남동부에서 Florida주 동북부에 걸친 거대한 늪지대》

o·key·doke(y) [óukidóuk(i)] *a., ad., int.* 《미·구어》 = OK

O·khotsk [oukɑ́tsk | -kɔ́tsk] *n.* **the Sea of ~** 오호츠크 해

O·kie [óuki] *n.* 《미·속어·경멸》 이동 농업 노동자 《1930년대 대공황 시대 때 Oklahoma주 출신의》

Okla. Oklahoma

*****O·kla·ho·ma** [òukləhóumə] [북미 인디언 말 「빨간 사람들」의 뜻에서] *n.* 오클라호마 《미국 남부의 주; 주도 Oklahoma City; 속칭 the Sooner State; 略 Okla. 〖우편〗 OK》 ▷ Oklahóman *a., n.*

O·kla·ho·man [òukləhóumən] *a.* Oklahoma주(사람)의 **—n.** Oklahoma주의 사람

Ó·klo phenòmenon [óuklou-] 오클로 현상 《천연의 핵분열 연쇄 반응; 1972년 Gabon의 Oklo 광산에서 처음으로 발견》

o·kra [óukrə] *n.* 〖식물〗 오크라 《꼬투리는 수프 등에 씀》

ok·ta [ɑ́ktɑ: | ɔ́k-] *n.* 〖기상〗 옥타 《운량(雲量)의 단위; 온 하늘의 1/8을 덮는 양》

Ok·to·ber·fest [ɑktóubərfèst | ɔk-] *n.* (특히 Munich의) 10월제(祭)

Ó·kun's làw [óukənz-] [미국의 경제학자 이름에서] 〖경제〗 오컨의 법칙 《실업자 증대와 국민 총생산의 저하와의 상관 관계를 나타낸 것》

-ol [ɔ:l, ɑl | ɔl] *suf.* 〖화학〗 「수산기를 함유한 화합물」의 뜻: cresol, glycer*ol*

OL *oculus laevus* 《L = left eye》; Old Latin **Ol.** Olympiad; Olympic

‡**old** [óuld] *a.* (**~·er; ~·est**) ★ 장유(長幼)의 순서는 《영》에서는 elder, eldest를 쓰나, 《미》에서는 보통 older, oldest를 씀. **1 a** 나이 먹은, 늙은, 노년의: ~ pine trees 노송 / grow ~ 늙다 **b** [the ~; 명사적; 복수 취급] 노인들 《★ elderly people, senior citizens 쪽이 바람직한 표현》

> 유의어 **old, aged** 다 같이 「늙은」의 뜻이지만, aged가 old보다 고령임: an *aged* person 고령자 **elderly** old보다도 젊고 대체로 60세 전후를 나타내는 말인데 old를 점잖게 이르는 말로서 쓰임: an *elderly* person 초로(初老)의 사람

2 (만) …살[세]의(of age): a boy (of) ten years ~ = a ten-year-~ boy 열 살 난 아이 《of를 쓰는 쪽은 주로 《영》》 / "How ~ is he?" — "He is ten years ~." 그는 몇 살입니까? — 열 살입니다. **3** 헌, 오래된 (opp. *new*): ~ brandy 오래된 브랜디 / the ~*est* profession 가장 오래된 직업 《매춘》 **4 a** 옛날부터의, 연래의, 오래 사귄: an ~ friend of mine 나의 오랜 친구 / He is ~ in crime. 그는 오래 전부터 나쁜 짓을 하고 있다. **b** 상투적인, 흔히 있는 **5** 구식의, 시대에 뒤진, 케케묵은 **6 a** 고대의, 전시대의: the ~ Roman Empire 고대 로마 제국 **b** [**O~**] (언어사에서) 고대의, 초기의 **7** 노련한; 사려 깊은; 교활한: be ~ in diplomacy 노련한 외교가이다 **8** 《구어》 [친밀한 정을 나타내거나, 종종 호칭으로 쓰여] 친한, 그리운: my dear ~ fellow 여보게 / good ~ So-and-so 아무개 씨 / ~ boy[chap, fellow, man] 여보게 **9** 이전의…, 원래의…(former): my ~ job[car] 내 옛날[이전의] 직업[차] **10** [보통 형용사 뒤에 붙여서 강조적으로] 《속어》 굉장한, 멋진: We had a fine[high] ~ time. 우리는 굉장히 유쾌한 시간을 보냈다. **11** 〈색이〉 칙칙한; 수수한; 색이 엷은 ***any ~ ...*** 《구어》 어떤 …이나 ***any ~ how*** ⇨ how *ad.* **(*as*) ~ *as the hills*** ⇨ hill. **(*as*) ~ *as time*** 매우 오래된, 아주 옛날부터 있는 ***for an ~ song*** 헐값으로 ***for ~ time's sake*** 옛정으로 ***~ beyond* one*'s years*** 나이보다 성숙한[현명한] ***~ enough to be* a person*'s father*[*mother*]** 아버지[어머니] 정도의 나이인 ***~ head on young shoulders*** 노인 티가 나는 젊은이 ***~, unhappy, far-off things*** 지난날의 비극 ***the good*[*bad*] *~ days*** 좋았던[끔찍했던] 옛 시절 ***young and ~*** = ***~ and young*** 남녀노소, 늙은이나 젊은이나

—n. **1** [보통 …-year-old 형태로 복합어를 이루어] …살 난 사람[동물]: a ten-*year*-~ 열 살 난 어린애 ★ 보통 20세 이하에 쓰임. **2** ⓤ [보통 of ~로] 옛날: men *of* ~ 옛날 사람들 ***from of ~*** 옛날부터 ***in days of ~*** 옛날에, 이전에는 ***of ~*** 옛날의; 옛날에는; 옛적부터

óld Ádam [the ~] 그 옛날의 아담 《인간의 죄 많은 성질, 원죄를 짊어진 자로서의 약함》

óld áge 노년, 노령 《보통 65세 이상》

old-age [óuldéidʒ] *a.* Ⓐ 노년의[을 위한]: ~ annuity system 양로 연금제 / the ~ pension 노후 연금 / an ~ pensioner 노후 연금(수혜)자 《略 OAP》

óld àge secúrity 《캐나다》 연금 《65세 이상의 노인층에게 지급》 《略 OAS》

óld ármy gàme [the ~] 《미·속어》 사기 (도박)

óld báchelor 남성 독신주의 노총각

óld bág 《미·속어》 할머니, 노파

Óld Báiley [the ~] (런던의) 중앙 형사 재판소(the Central Criminal Court)의 속칭

óld bát 《영·속어》 어리석은[짜증스러운] 노인

Óld Báy Státe [the ~] 《미》 Massachusetts 주(州)의 속칭

óld béan 《영·속어·고어》 어이, 여보게, 이 사람아 《남자끼리의 친근한 호칭》

Óld Bíll 《영·속어》 경찰

óld bìrd 《익살》 조심성이 많은 사람, 신중한 노련가

Óld Blúe 예일 대학 졸업생
óld bóy 1 ⦅구어⦆ 정정한 노인; 원기 있는 중년 남자 **2** ⦅영⦆ (public[preparatory] school의) 졸업생, 교우, 동창생: an ~*'s* association 동창회 **3** [친밀한 호칭] ⦅영⦆ 여보게(old chap, old fellow) **4** [the O-B-] ⦅익살⦆ 악마(the Devil)
óld-bóy nètwork [-bɔ́i-] [the ~] ⦅영⦆ 남자 동창생간의 단결, 동창 모임[조직]; 학연, 학벌
óld búffer 어리석은 늙은이(buffer)
old-clothes·man [-klóuðzmən] *n.* (*pl.* **-men** [-mən]) 헌옷 장수
Óld Cólony [the ~] ⦅미⦆ Massachusetts 주(州)의 속칭
óld cóuntry [the ~, one's ~] (이민의) 본국, 고국; (특히 영국 식민지인이 본) 영국 본국; (미국에서 본) 유럽
óld cróck 노인, 병자; 고물차, 고장차
Óld Dárt [the ~] ⦅호주·속어⦆ 모국, 영국
óld déar 할머님, 할머니 ⦅노인의 경칭⦆; ⦅익살⦆ 당신
Óld Domínion [the ~] ⦅미⦆ Virginia 주(州)의 속칭
olde [óuld] *a.* ⦅고어⦆ =OLD
óld ecónomy 구경제 ⦅제조업 중심의 경제 체제; cf. NEW ECONOMY⦆
*__old·en__ [óuldən] *a.* ⦅고어·문어⦆ 옛날의 ***in the ~ time*** = ***in ~ times***[***days***] 옛날에(는)
Óld Énglish 고대 영어(Anglo-Saxon) ⦅약 450-1150년의 영어; 略 OE⦆
Óld Énglish shéepdog 영국산(産)의 목양견 [경비견]
old-es·tab·lished [óuldistǽbliʃt] *a.* 옛날부터의, 〈회사 등이〉 오래 전에 세워진
old·e·world·e [óuldiwə́ːrldi] *a.* ⦅영·구어·익살⦆ 예스러운, 고풍의
Óld Fáithful 1 올드 페이스풀 ⦅미국 Yellowstone 국립 공원에 있는 간헐천⦆ **2** ⦅비유⦆ 간헐적으로 활동하는 것 ⦅지진 따위⦆; 월경
‡**old-fash·ioned** [óuldfǽʃənd] *a.* **1** 구식의, 보수적인, 고풍의: ~ ideas 구식 사고방식 / an ~ gentleman 고풍스런 신사 **2** 유행에 뒤떨어진(cf. NEW-FANGLED): an ~ bathing suit 유행에 뒤진 수영복 — *n.* [종종 **Old-Fashioned**] ⓊⒸ 위스키 칵테일의 일종 **~·ly** *ad.* **~·ness** *n.*
óld fíeld (현재는 경작하지 않는) 예전의 경작지
óld fláme 옛 애인
óld fóg(e)y 시대에 뒤떨어진 사람 ⦅주로 노인⦆
old-fo·g(e)y·ish *a.*
óld fólk's[péople's] hóme 양로원
Óld Frénch 고대 프랑스 말 ⦅9세기에서 13세기의 프랑스 말; 略 OF⦆
Óld Géntleman [the ~] ⦅구어·익살⦆ 악마 (Satan, Old Nick)
óld gírl 1 ⦅영⦆ (여학교의) 졸업생, 교우(cf. OLD BOY 2) **2** ⦅영·구어⦆ **a** [the ~] 아내, 마누라; 어머니 **b** 노파
óld-gírl nètwork [-gə́ːrl-] [the ~] ⦅영⦆ 여자 동창생간의 단결[조직]; 학연, 학벌
Óld Glóry ⦅미·구어⦆ 성조기
óld góat ⦅속어⦆ 심술쟁이 영감; 색골 영감
óld góld 낡은 금빛 ⦅광택 없는 적황색⦆
óld grówth 1 오래된 나무의 숲 **2** 처녀림
Óld Guárd [the ~] **1** (나폴레옹 1세의) 친위대 **2** [**o- g-**] (정당 내의) 보수파; (어떤 주의·주장의) 오랜 옹호자들
óld hánd 1 노련한 사람, 숙련자 ⦅*at*⦆: an ~ *at* diplomacy 노련한 외교가 / an ~ *at* welding 숙련된 용접공 **2** [old ... hand로] 오래된 …통(通): *old* China *hands* 노련한 중국통들 **3** ⦅호주⦆ 전과자
Óld Hárry ⦅익살⦆ 악마(the Devil)
óld hát *a.* Ⓟ ⦅구어⦆ 시대에 뒤떨어진; 평범한, 진부한 — *n.* 시대에 뒤떨어진 것
Óld Hígh Gérman 고대 고지(高地) 독일어 ⦅800-1100년 사이의 남부 독일 말; 略 OHG⦆
óld hóme [the ~] = OLD COUNTRY
Óld Húndred(th) [the ~] 찬송가 제100장 ⦅'All people that on earth do dwell'로 시작됨⦆
Óld Icelándic (9-16세기의) 고대 아이슬란드 말 (cf. OLD NORSE)
old·ie, old·y [óuldi] *n.* (*pl.* **old·ies**) ⦅구어⦆ **1** 낡은 농담[속담] **2** 낡은 유행가[영화] ***~ but goodie*** ⦅미·구어⦆ 오래되었지만 좋은 것[사람]
Óld Írish (7-11세기의) 고대 아일랜드 말
old·ish [óuldiʃ] *a.* 늙수그레한; 예스러운
óld Jóe ⦅미·속어⦆ 성병, 매독, 임질
òld lády 1 노부인 **2** [one's ~, the ~] ⦅구어⦆ **a** 아내, 마누라 **b** 어머니 **3** 잔소리꾼(old maid) ***the O- L- of Threadneedle Street*** ⦅영⦆ 잉글랜드 은행 ⦅속칭⦆
òld lág ⦅영·구어⦆ 상습범; 전과자
Óld Látin 고대 라틴 말 ⦅기원전 7세기에서 1세기까지의 기록에 나타나는; 略 OL⦆
Óld Léft [the ~] 구(舊)좌익 ⦅New Left와 대비하여⦆
óld léftist 구(舊)좌익 인사
old-line [óuldláin] *a.* ⦅미·캐나다⦆ 보수적인; 역사가 오래된, 전통 있는 **~·er** *n.* 보수파 사람
Óld Líne Stàte [the ~] ⦅미⦆ Maryland주의 속칭
óld máid 1 ⦅경멸⦆ 노처녀 **2** ⦅구어⦆ 깐깐하고 까다로운 사람 **3** ⦅카드⦆ 여왕잡기 ⦅도둑잡기의 일종⦆
old-maid·ish [-méidiʃ] *a.* 노처녀 같은; 깐깐하고 까다로운
òld mán 1 노인 **2** [one's ~, the ~] ⦅구어⦆ **a** 남편 **b** 아버지 **3** [the ~; 때로 **O- M-**] **a** 두목, 보스 **b** 선장; 대장: *O- M-* Winter 동장군 **4** [친밀한 호칭으로] 여보게 **5** [the ~] 노대가(老大家); 선배 **6** =OLD ADAM ***the O- M- of the Sea*** 치근치근 붙어다니는 사람 ⦅아라비안 나이트의 Sindbad의 이야기에서⦆
Óld Màn Ríver [the ~] ⦅미⦆ Mississippi강의 별칭
óld máster 1 [the ~s] (특히 15-18세기 유럽의) 대화가 **2** 옛 대화가의 작품
old-mon·ey [-mʌ́ni] *a.* 조상 전래의 재산이 있는
Óld móody ⦅영·속어⦆ **1** 거짓말, 사기 **2** (죄수에 대한) 진심으로부터의 설득
óld móon 이지러져 가는 달(waning moon)
Óld Níck [the ~] ⦅구어⦆ 악마(the Devil)
Óld Nórse 고대 스칸디나비아 말 ⦅스칸디나비아 반도·아이슬란드에서 8-14세기에 쓰인 언어; 略 ON⦆
Óld Nórth Frénch 고대 북부 프랑스 말 ⦅특히 Normandy 및 Picardy의 방언; 略 ONF⦆
Óld Nórth Stàte [the ~] 미국 North Carolina 주의 속칭
Óld Óne [the ~] ⦅구어·익살⦆ 악마; 케케묵은 익살[농담]
Óld Páls Àct ⦅영·익살⦆ 친구 상호 부조 조례
óld péople's hòme 양로원
Óld Pérsian (기원전 6-3세기의) 고대 페르시아 말
Óld Provençál (11-16세기의 문서에 나오는) 고대 프로방스 말
óld retáiner ⦅영·익살⦆ 늙고 충실한 사용인, 충복
óld róse 회색을 띤 핑크색
Óld Sáxon 고대 색슨 어 ⦅독일 북부에서 9-10세기에 사용한 저지(低地) 게르만 어의 한 방언; 略 OS⦆
óld schòol 1 [보통 one's ~] 모교 **2** [the ~; 집합적] 보수파, 보수주의자; 전통 지지자: of *the* ~ 고풍의, 보수적인
óld schòol tíe ⦅영⦆ **1** (public school 출신자의) 모교의 넥타이 **2** [the ~] (public school 출신자의) 학벌 의식; 학벌; 보수적 태도[생각]

thesaurus **old-fashioned** *a.* old, former, out of fashioned, outmoded, out of style, out of

Óld Scrátch [the ~] 《익살》 악마
old-shoe [-ʃùː] *a.* 속 편한, 무간한, 허물없는
Olds·mo·bile [óuldzmoubìːl] *n.* 올즈모빌 《미국 GM제 승용차; 상표명》
Óld Sól 《미·속어》 태양: *~'s* acne 태양 흑점
óld sóldier **1 a** 노병, 고참병: *Old soldiers* never die; they only fade away. 노병은 죽지 않는다, 다만 사라질 뿐이다. **b** 경험자, 노련가 **2** 《속어》 빈 술병(dead soldier) ***come*** [***play***] ***the*** ~ (1) 경험(담)을 과시하다 《*over*》 (2) 꾀병을 부리다 (3) (옛 군인인 체하여) 돈이나 술을 뜯어내다
Óld Sóuth [the ~] 《미》 (남북 전쟁 전의) 옛 남부
Óld Spárky 《미·속어》 전기 의자
óld stáger 《영·구어》 = STAGER
old·ster [óuldstər] *n.* **1** 《미·구어》 노인; 고참, 경험자(opp. *youngster*) **2** 〚영국해군〛 복무 4년째의 사관 후보생
óld stíck 《영·속어》 완고한[꼬장꼬장한] 늙은이
Óld Stóne Àge [the ~] 구석기 시대(the Paleolithic era)
óld stóry [the ~, an ~] 《구어》 흔히 있는 일, 흔한 이야기
Óld Style **1** [the ~] (율리우스력에 의한) 구력(舊曆)(cf. NEW STYLE) **2** [**o- s-**] 〚인쇄〛 구체 활자
old-style [óuldstàil] *a.* Ⓐ 구식의, 옛 스타일의
óld swéat 《영·구어》 **1** (정규군의) 노병, 고참병 **2** (어느 분야의) 베테랑, 전문가
Óld Téstament [the ~] 구약 성서
***old-time** [óuldtáim] *a.* Ⓐ **옛날의**, 옛날부터의
old-tim·er [-táimər] *n.* 《구어》 **1** 고참자; 구식 사람 **2** [호칭으로도 쓰여] 《미》 노인
old-tim·ey [-táimi] *a.* 《구어》 옛적의(old-time), 그리운 옛날의
Óld Tóm 《속어》 설탕 또는 글리세린을 친 진 《술》
óld tróut 《영·속어》 (매력 없는) 중년[초로] 여성
Óld Víc [-vík] [the ~] 올드 빅 《런던의 레퍼토리 극장; Shakespeare극으로 유명》
Óld Wést 옛 서부 《19세기 개척 시대에 개발된 서부》
óld wífe 수다쟁이 노파; 굴뚝의 검댕막이
old·wife [-wàif] *n.* (*pl.* **-wives** [-wàivz]) **1** 〚어류〛 청어과(科)의 각종 물고기 **2** 〚조류〛 바다오리의 일종 《북반구 북부산(産)》
Óld Wíves' súmmer (유럽의) 음력 10월의 따뜻한 날씨
óld wíves' tàle (노파들의) 실없는 이야기, 어리석은 미신
óld wóman **1** 노파 **2** 《경멸》 잔소리 많은[좀스러운] 남자 **3** [the ~, one's ~] 《구어》 마누라; 어머니
old-wom·an·ish [-wúməniʃ] *a.* 노파 같은; 안달뱅이의, 잔소리 많은, 좀스러운
Óld Wórld [the ~] **1** 구세계 《Asia, Europe, Africa; cf. NEW WORLD》 **2** 동반구(東半球), 《특히》 유럽 (대륙)
old-world [-wə́ːrld] *a.* **1** 태고의; 고풍의, 예스러운 **2** 구세계(Old World)의, 《특히》 유럽(대륙)의; 동반구의(cf. NEW-WORLD)
óld yéar [the ~] 묵은 해
Óld Yéar's Dày 섣달 그믐날
ole [óul] *a.* 《미·구어》 = OLD
o·lé [ouléi] [Sp.] *int.*, *n.* (투우·플라멩코 춤 등에서 의) 올레, 좋아 《찬성·기쁨·격려의 말》
OLE object linking and embedding 〚컴퓨터〛 객체 연결과 삽입
ole- [óul], **oleo-** [óuliou, -liə] 《연결형》 「기름(oil); 올레인(olein); 올레산(oleic acid)」의 뜻 《모음 앞에서는 ole-》
-ole [oul] *suf.* 「수산기를 포함하지 않은 화합물」의 뜻
o·le·ag·i·nous [òuliǽdʒənəs] *a.* **1** 유질의, 유성(油性)의 **2** 기름을 함유한; 기름을 산출하는 **3** 간살부리는, 말주변이 좋은, 영합하는 **~·ly** *ad.* **~·ness** *n.*

date, behind the times, past, bygone, ancient (opp. *modern, fashionable, up-to-date*)

o·le·an·der [óuliæ̀ndər] *n.* 〚식물〛 서양협죽도 《지중해 지방산(産)의 유독 식물》
o·le·as·ter [òuliǽstər] *n.* 〚식물〛 보리수나무의 일종 《남유럽산(産)》
o·le·ate [óulièit] *n.* 〚화학〛 올레산염, 올레산(oleic acid) 에스테르, 유산염(油酸塩); 〚약학〛 올레산염 유도체를 함유한 약제
o·le·fin [óuləfin] *n.* 〚화학〛 올레핀 《에틸렌계 탄화수소》 **ò·le·fín·ic** *a.*
ólefin séries 〚화학〛 올레핀열(列)
o·le·ic [oulíːik, óuli-] *a.* 기름의; 〚화학〛 올레산의
oléic ácid 〚화학〛 올레산 《불포화 지방산》
o·le·if·er·ous [òuliífərəs] *a.* 〈종자·균사가〉 기름을 내는, 기름을 함유한
o·le·in [óuliin] *n.* Ⓤ 〚화학〛 올레인 《올레산의 트리글리세리드(triglyceride)》; 지방의 유상(油狀) 부분
o·le·o [óuliòu] *n.* 《미》 = OLEOMARGARINE
oleo- [óuliou, -liə] 《연결형》 = OLE-
o·le·o·graph [óuliəgræ̀f | -grɑ̀ːf] *n.* 유화식 석판화
o·le·o·mar·ga·rin(e) [òulioumɑ́ːrdʒərìːn | -mɑ̀ːdʒəríːn] *n.* Ⓤ 올레오 마가린 《인조 마가린》
o·le·om·e·ter [òuliɑ́mətər | -ɔ́m-] *n.* 기름 비중계
óleo òil 올레오 기름 《소의 지방에서 채취한 기름; 올레오 마가린·비누 등의 제조용》
o·le·o·phil·ic [òulioufílik] *a.* 〚화학〛 친유성(親油性)의
o·le·o·res·in [òuliourézin] *n.* Ⓤ 함유 수지
ol·er·i·cul·ture [ɑ́lərəkʌ̀ltʃər | ɔ́l-] *n.* 야채 재배
O·les·tra [əléstrə] *n.* 얼레스트라 《저칼로리에 콜레스테롤을 함유하지 않은 지방 대체품; 상표명》
o·le·um [óuliəm] *n.* **1** (*pl.* **o·le·a** [-liə]) 기름(oil) **2** (*pl.* **~s**) 〚화학〛 발연(發煙) 황산
Ó lèvel [ordinary *level*] 《영》 〚교육〛 (GCE를 위한 기초 학력 고사의) 보통급(cf. GENERAL CERTIFICATE OF EDUCATION)
olf [ɑ́lf | ɔ́lf] [덴마크 교수 *Ole Fanger*에서] *n.* 올프 《체취를 측정하는 단위; 1일 0.7회 목욕하는 사람이 사무실에 앉아 있을 때 공기를 오염시키는 정도》
ol·fac·tion [ɑlfǽkʃən, oul- | ɔl-] *n.* Ⓤ 후각, 후각 작용(smelling) **-tive** *a.*
ol·fac·tol·o·gy [ɑ̀lfæktɑ́lədʒi, òul- | ɔ̀lfæktɔ́-] *n.* Ⓤ 후각학(osmics)
ol·fac·tom·e·ter [ɑ̀lfæktɑ́mətər, òul- | ɔ̀lfæktɔ́-] *n.* 후각계(嗅覺計)
ol·fac·to·ry [ɑlfǽktəri, oul- | ɔl-] *a.* 후각의, 후관(嗅官)의 **—** *n.* (*pl.* **-ries**) [보통 *pl.*] 후각기, 후각 신경, 코 **-ri·ly** *ad.*
olfáctory lòbe 〚해부〛 (뇌의) 후엽(嗅葉)
olfáctory nèrve 〚해부〛 후신경
olfáctory órgan 〚해부〛 후각기
ol·fac·tron·ics [ɑ̀lfæktrɑ́niks | ɔ̀lfæktrɔ́n-] *n. pl.* [단수 취급] 후각 공학
Ol·ga [ɑ́lgə, óul- | ɔ́l-] *n.* 여자 이름
o·lib·a·num [oulíbənəm | ɔl-] *n.* 유향(乳香)
ol·id [ɑ́lid | ɔ́l-] *a.* 심한 악취가 나는
ol·i·garch [ɑ́ləgɑ̀ːrk | ɔ́l-] *n.* 과두 정치의 독재자; 과두 정치 지지자
ol·i·gar·chic, -chi·cal [ɑ̀ləgɑ́ːrkik(əl) | ɔ̀l-] *a.* 과두 정치의, 소수 독재 정치의
ol·i·gar·chy [ɑ́ləgɑ̀ːrki | ɔ́l-] *n.* (*pl.* **-chies**) **1** ⓊⒸ 과두 정치, 소수 독재 정치(opp. *polyarchy*); 과두 독재국 **2** [집합적] 소수의 독재자
▷ oligárchic, oligárchical *a.*
ol·i·ge·mi·a [ɑ̀ləgíːmiə | ɔ̀li-] *n.* Ⓤ 〚병리〛 혈액 감소[과소](증), 빈혈(증)
oligo- [ɑ́ligou, -gə | ɔ́li-, ɔlig-] 《연결형》 「소수(few); 소량(little); 결핍, 부족」의 뜻
Ol·i·go·cene [ɑ́ligousìːn | ɔ́li-] *n.*, *a.* 〚지질〛 점신세(漸新世)[통(統)](의)

o·lig·o·mer [əlígəmər] *n.* 〘화학〙 저중합체(低重合體), 올리고머 **o·lig·o·mér·ic** *a.*
ol·i·go·my·cin [àligoumáisn | ɔ̀li-] *n.* Ⓤ 〘약학〙 올리고마이신 《방선균으로 생성되는 항생 물질》
ol·i·go·pep·tide [àligoupéptaid | ɔ̀l-] *n.* 〘생화학〙 올리고 펩티드 《10개 미만의 아미노산으로 구성됨》
ol·i·go·phre·ni·a [àligoufrí:niə, əlìgə- | ɔ̀ligou-] *n.* Ⓤ 〘병리〙 정신 박약(feeblemindedness)
ol·i·gop·o·ly [àligápəli | ɔ̀ligɔ́-] *n.* Ⓤ 〘경제〙 소수 독점, 과점(寡占) 《소수 매주(賣主)의 시장 지배》 **-list** *n.* **-gòp·o·lís·tic** *a.*
ol·i·gop·so·ny [àligápsəni | ɔ̀ligɔ́p-] *n.* Ⓤ 〘경제〙 구매 과점 《소수 매주(買主)의 시장 지배》 **-gòp·so·nís·tic** *a.*
ol·i·go·sac·cha·ride [àligousǽkəraid, òuli- | ɔ̀l-] *n.* 올리고당
ol·i·go·sper·mi·a [àligouspə́:rmiə | ɔ̀li-] *n.* Ⓤ 〘병리〙 정자 과소[감소]증
ol·i·go·tro·phic [àligoutráfik | ɔ̀ligoutrɔ́f-] *a.* 〘생태〙 〈호수·하천 등이〉 빈(貧)영양의(cf. EUTROPHIC) ▷ oligótrophy *n.*
ol·i·got·ro·phy [àligátrəfi | ɔ̀ligɔ́t-] *n.* Ⓤ 〘생태〙 (호수의) 빈영양 상태
ol·i·gu·ri·a [àligjúəriə | ɔ̀li-] *n.* Ⓤ 〘병리〙 요량(尿量) 감소증
o·lim [oulí:m] [Heb.] *n. pl.* 이스라엘에의 유대인 이주자
o·li·o [óuliòu] [Sp.] *n.* (*pl.* **~s**) **1** Ⓤ 잡탕, 고기와 채소를 섞어 끓인 요리 **2** 뒤섞은 것; 잡집(雜集), 잡곡집(雜曲集); 〘문학〙 시문집
ol·i·va·ceous [àləvéiʃəs | ɔ̀li-] *a.* 올리브 모양[빛]의; 황록색의
ol·i·va·ry [áləvèri | ɔ́livəri] *a.* 〘해부〙 올리브 모양의, 달걀꼴의
‡**ol·ive** [áliv | ɔ́liv-] *n.* **1 a** 〘식물〙 올리브(나무)(= ∼ trèe) **b** 올리브 《열매》 **c** [*pl.*] 올리브 잎 **2** = OLIVE BRANCH **3** 올리브 모양의 단추[핀] **4** ⓊⒸ 올리브색, 황록색 **5** [*pl.*] 쇠고기 저민 것을 야채로 싼 스튜 요리
— *a.* 올리브의, 올리브색의: an ∼ complexion 황갈색의 안색

olive 1

Ol·ive [áliv | ɔ́liv-] *n.* 여자 이름
ólive brànch 1 올리브나무의 가지 《평화·화해의 상징; Noah의 방주에서 날려 보낸 비둘기가 올리브의 가지를 물고 왔다는 구약 성서의 고사에서》 **2** [보통 **olive branches**] 《익살》 자식 ***hold out the*** [***an***] **~** 화의[화해]를 제의하다
ólive cròwn 올리브 관 《고대 그리스에서 승리자에게 씌워 준 올리브 잎의 관》
ólive dráb 1 짙은 황록색 **2** [*pl.*] 〘미육군〙 (짙은 황록색의) 동계용 군복 《略 OD》
ólive gréen (덜 익은) 올리브색, 황록색
∗**ólive òil** 올리브유
ol·i·ver [áləvər | ɔ́lə-] *n.* 발로 밟는 쇠망치; 《미·속어》 달(the moon)
Ol·i·ver [áləvər | ɔ́lə-] *n.* **1** 남자 이름 **2** 올리버 《Charlemagne 대제의 12용사 중의 한 사람; cf. ROLAND》
Ol·ives [álivz | ɔ́livz-] *n.* **the Mount of ~** 〘성서〙 감람산(橄欖山) 《예루살렘 동쪽의 작은 산; 예수가 승천한 곳》
ol·i·vet [áləvèt | ɔ́lə-] *n.* 모조 진주 《아프리카 원주민과의 교역품》; = OLIVETTE
ol·i·vette [àləvét | ɔ̀lə-] *n.* 〘연극〙 (전구가 1개로 된) 대형 플러드 램프(flood lamp)
ólive wòod 올리브 재목
O·liv·i·a [oulíviə | ɔ-] *n.* 여자 이름 《Olive의 애칭》
ol·i·vine [áləvì:n, ∼–∠ | ɔ̀liví:n] *n.* Ⓤ 〘광물〙 감람석(橄欖石)
ol·la [álə | ɔ́lə] [Sp.] *n.* **1** (스페인·남미의) 흙으로 만든 물독, 오지 냄비 **2** Ⓤ 스튜(stew)
ol·la po·dri·da [álə-pədrí:də | ɔ́lə-pɔ-] [Sp.] (스페인·남미의) 고기와 야채의 스튜
ol·lie [á:li | ɔ́li] *n.* (스케이트보드에서) 보드 후미를 밟아서 하는 점프
Ol·lie [áli | ɔ́li] *n.* 남자 이름 《Oliver의 애칭》
ol·o·gist [álədʒist | ɔ́lə-] *n.* 《구어·익살》 학자, 전문가
-ologist [álədʒist | ɔ́lə-] 《연결형》 (나라 이름, 또는 그 나라 정치의 중심 도시 뒤에 붙여서) 「…문제 전문가, …통(通)」의 뜻: Egypt*ologist*, Peking*ologist*
ol·o·gy [álədʒi | ɔ́lə-] *n.* (*pl.* **-gies**) 《구어·익살》 과학, 학문 (분야): all the *ologies* 온갖 학문 분야
-ology [álədʒi | ɔ́lə-] 《연결형》 「…학, …론」의 뜻: *geology*, *zoology*
O.L.T. overland transport 육로 수송
O·lym·pi·a [əlímpiə, ou-] *n.* 올림피아 **1** 그리스 Peloponnesus 반도 서쪽의 평야 지대로 고대 그리스의 올림피아 경기가 열렸던 곳 **2** 미국 Washington주의 주도 **3** 여자 이름 ▷ Olýmpian *a.*, *n.*
O·lym·pi·ad [əlímpiæ̀d, ou-] *n.* **1** 올림피아 기(紀) 《고대 그리스의 올림피아 경기에서 다음 경기까지의 4년간》 **2** 국제 올림픽 대회; (정기적으로 개최되는) 국제 경기 대회 **~·ic** *a.*
O·lym·pi·an [əlímpiən, ou-] *a.* **1** 올림포스 산의[에 사는], 올림포스 산상의; 천상의: the ∼ gods 올림포스 산의 신들 **2** (고대 그리스의) 올림피아의; 고대 올림피아[근대 올림픽] 경기의 **3** (올림포스의 신들처럼) 당당한, 위엄 있는 — *n.* **1** 올림포스 산의 12신의 하나 **2** 고대 올림피아[근대 올림픽] 경기 선수 **3** 올림피아의 주민 **~·ly** *ad.*
Olýmpian Gámes [the ∼] 올림피아 경기 《4년마다의 Zeus신 축제 때에 Olympia 들에서 거행된 고대 그리스의 전민족적 경기》
‡**O·lym·pic** [əlímpik, ou-] *a.* **1 a** (근대) 국제 올림픽 경기의: an ∼ year 올림픽이 있는 해 / ∼ rings 오륜 《오대륙을 나타내는 올림픽 마크》 **b** (고대) 올림피아 경기의 **2** 올림피아(Olympia)의 **3** 올림포스 산(Mount Olympus)의
— *n.* 올림포스 산의 신(神); [the ∼s] = OLYMPIC GAMES 1 ▷ Olýmpia *n.*
Olýmpic émblem 올림픽 엠블럼[휘장] 《올림픽 대회의 심벌 마크》
Olýmpic fláme[**fíre**] 올림픽 대회의 성화
∗**Olýmpic Gámes** [the ∼; 단수·복수 취급] **1** (근대의) 국제 올림픽 대회(Olympiad) 《1896년부터 4년마다 개최》 **2** = OLYMPIAN GAMES
Olýmpic máscot 올림픽 마스코트 《1988년 서울 올림픽의 「호돌이」와 같은》
O·lym·pics [əlímpiks, ou-] *n.* (올림픽 경기 대회를 본떠서 하는 각종 분야의) 국제적 경기 대회: the Vocational ∼ 국제 기능 올림픽
O·lym·pic-size(**d**) [əlímpiksàiz(d), ou-] *a.* 〈경기장 시설이〉 올림픽 규격의[인]
Olýmpic spónsor 올림픽 스폰서 《협찬금·제품을 제공하여 대회에서의 독점권을 보증받는 기업》
Olýmpic sýmbol 올림픽 심벌 《5륜의 올림픽 마크》
Olýmpic voluntéer 올림픽 자원 봉사자
∗**O·lym·pus** [əlímpəs, ou-] *n.* **1 Mount ~** 올림포스 산 《그리스 북부의 높은 산; 그리스의 여러 신들이 그 산꼭대기에서 살았다고 함》 **2** (신들이 사는) 하늘(heaven), 천계, 천상
Om [óum, ɔ́:m | óum, ɔ́m] *n.* 〘힌두교〙 옴 《그렇게 되기를 바란다는 의미를 가진 신성한 주어(呪語)》

thesaurus **omen** *n.* sign, token, foretoken harbinger, premonition, warning, forewarning, prediction, forecast, prophecy, augury
ominous *a.* threatening, menacing, dark, black,

OM ⦅영⦆ Order of Merit; Ostmark(s) **OMA** orderly marketing agreement ⦅미⦆ 시장 질서 유지 협정

-oma [óumə] *suf.* (*pl.* **~s, ~·ta** [-tə]) 「종(腫), 유(瘤)」의 뜻: carcin*oma*, sarc*oma*

o·ma·dhaun [ámədɔ̀:n | ɔ́m-] *n.* ⦅아일⦆ 바보, 멍청이

O·mah [óumɑ:] *n.* = SASQUATCH

O·ma·ha [óuməhɔ̀: | -hɑ̀:] *n.* **1** 오마하 ⦅미국 Nebraska주 동부 Missouri 강변의 도시⦆ **2** (*pl.* **~, ~s**) 오마하 족(族) ⦅Nebraska 북동부의 북미 원주민⦆

O·man [oumɑ́:n] *n.* 오만 ⦅아라비아 남동부의 독립국; 수도 Muscat⦆

O·ma·ni [oumɑ́:ni] *a.* 오만의
— *n.* 오만 사람; Ⓤ 오만 어(語)

o·ma·sum [ouméisəm] *n.* (*pl.* **-sa** [-sə]) 〖동물〗 겹주름위, 중판위(重瓣胃) ⦅반추 동물의 제3위⦆

OMB Office of Management and Budget ⦅미⦆ 예산 관리국

om·ber, -bre [ámbər | ɔ́m-] *n.* Ⓤ 〖카드〗 **1** 옴버 ⦅세 사람이 하는 놀이; 17-18세기에 유행⦆ **2** 1의 게임에서 돈을 걸고 내기를 하는 경기자

om·bré [ámbrei, ─́ | ɔ:mbréi] [F] *a., n.* 바림[선염]의 (직물)

ombro- [ámbrou, -brə | ɔ́m-] ⦅연결형⦆ 「비(雨)」의 뜻

om·brog·e·nous [ɑmbrɑ́dʒənəs | ɔm-] *a.* 〖식물〗 습윤지(濕潤地)에서 생육될 수 있는

om·brom·e·ter [ɑmbrɑ́mitər | ɔmbrɔ́-] *n.* 우량계

om·broph·i·lous [ɑmbrɑ́fələs | ɔm-] *a.* 〖식물〗 습윤을 좋아하는, 습윤에 견디는

om·broph·o·bous [ɑmbrɑ́fəbəs | ɔm-] *a.* 〖식물〗 습윤을 싫어하는

om·bro·tro·phic [ɑ̀mbrətrɑ́fik | ɔm-] *a.* 〖생태〗 〈이탄지(泥炭地) 따위의 습지대가〉 강수(降水) 영양성의 ⦅영양 공급을 주로 강수에 의존하는 (빈(貧)영양성의)⦆

om·buds·man [ámbədzmən | ɔ́m-] [Swed. 「위원」의 뜻에서] *n.* (*pl.* **-men** [-mən]) **1** 옴부즈맨 ⦅스웨덴·뉴질랜드 등에서 국가 기관이나 공무원에 대한 일반 시민의 고충·민원을 처리하는 행정 감찰관⦆ **2** ⦅일반적으로⦆ (기업의 노사간의) 고충 처리원; (대학과 학생 사이의) 상담원 **~·shìp** *n.*

om·buds·wom·an [ámbədzwùmən | ɔ́mbudz-] *n.* (*pl.* **-wom·en** [-wìmin]) OMBUDSMAN의 여성형

***o·me·ga** [oumí:gə, -méi- | óumigə] [Gk 「큰 (mega) o」의 뜻에서] *n.* **1** 오메가 ⦅그리스 자모의 제24자, 즉 마지막 글자 Ω, ω; 로마자의 Ō, ō에 해당⦆ **2** [(the) ~] 마지막, 끝, 최후: from alpha to ~ 처음부터 끝까지, 시종/from here to ~ 최후까지 **3** 〖항해〗 오메가 항법 ⦅전파 항법 방식의 하나⦆

o·mé·ga-mí·nus párticle [oumí:gəmáinəs-] 〖물리〗 오메가 마이너스 ($Ω^-$) 입자 ⦅바리온의 하나⦆

o·mé·ga-3 fátty ácid [-θrí:-] 〖화학〗 오메가-3 지방산(脂肪酸)

om·e·let(te)** [ámәlit | ɔ́mlit] [L 「작은 접시」의 뜻에서] *n.* 오믈렛: You cannot make ~*s* without breaking eggs. ⦅속담⦆ 달걀을 깨지 않고 오믈렛을 만들 수는 없다. ⦅희생 없이 목적을 달성할 수는 없다.⦆ ***plain **~** 달걀만의 오믈렛 ***savory***[***sweet***] **~** 야채[잼]를 넣은 오믈렛

⁑**o·men** [óumən | -men] *n.* CU **1** 전조, 조짐, 징조: an evil[ill] ~ 흉조 **2** 예시(豫示), 예언 ***be of good***[***bad***] **~** 조짐이 좋다[나쁘다]
— *vt.* …의 전조가 되다; 예시하다, 예언하다

o·men·tum [ouméntəm] *n.* (*pl.* **-ta** [-tə], **~s**) 〖해부〗 장막(腸膜) **o·mén·tal** [-tl] *a.*

o·mer·tà [oumέərtə] [It.] *n.* 말하지 않는다는 약속; 범죄 은폐, 경찰에의 비협조

OMG 〖전자우편〗 ⦅속어⦆ Oh my God!

OMI *Oblati Mariae Immaculatae* ⦅L = Oblates of Mary Immaculate⦆ 원죄 없는 마리아 수도회

om·i·cron [ámәkrɑ̀n, óumə- | oumáikrən] [Gk 「작은 (micro) o」의 뜻에서] *n.* 오미크론 ⦅그리스 자모의 제15자 *O, o*; 로마자의 O, o에 해당⦆

om·i·nous** [ámənəs | ɔ́mə-] *a.* **1** 불길한, 나쁜 징조의; 협악한(threatening): an ~ sign 흉조 **2** Ⓟ …의 전조의; …을 예지(豫知)하고 ⦅*of*⦆: (~+of***+명) be ~ *of* failure 실패할 우려가 있다
~·ly *ad.* **~·ness** *n.* ▷ ómen *n.*

o·mis·si·ble [oumísəbl] *a.* 생략할 수 있는

o·mis·sion** [oumíʃən] *n.* **1 a** Ⓤ 생략; 누락, 탈락: without ~ 생략하지 않고, 빠짐 없이 **b** 생략된 것; 탈락 부분 **2** Ⓤ 태만, 등한: sins of ~ 태만죄 **3** Ⓤ 〖법〗 부작위(不作爲)(opp. *commission*) ***through an **~** 실수로 ▷ omít *v.*; omíssive *a.*

o·mis·sive [oumísiv] *a.* 게을리 하는, 태만한; 빠뜨리는 **~·ly** *ad.* **~·ness** *n.*

⁑**o·mit** [oumít] [L 「…으로 보내다, 버리다」의 뜻에서] *vt.* (**~·ted**; **~·ting**) **1** 생략하다, 빼다: (~+목+전+명) ~ a person's name *from* the list 명부에서 …의 이름을 생략하다 **2** 빠뜨리다, …하는 것을 잊다; 게을리 하다; 등한히 하다: (~+***to*** do) ~ *to* write one's name 이름 쓰는 것을 빼먹다/~ *to* copy a line in the page 그 페이지에서 한 줄을 빠뜨리고 베끼다//(~+***-ing***) He ~*ted* lock*ing* the door. 그는 문 잠그는 것을 잊었다. **~·ter** *n.*
▷ omíssion *n.*; omíssive *a.*

omni- [ámni | ɔ́m-] ⦅연결형⦆ 「전(全)…, 총(總)…」의 뜻

***om·ni·bus** [ámnibʌ̀s, -bəs | ɔ́mnibəs] [F 「모든 사람을 위한 (탈것)」의 뜻에서] *n.* **1** 승합 자동차, 버스 ⦅略 bus⦆: a hotel ~ 호텔 전용 버스 **2** = OMNIBUS BILL **3** = OMNIBUS BOOK **4** = OMNIBUS BOX **5** 식당의 잡역부, 허드레꾼
— *a.* 여러 가지 것[항목]을 포함하는, 총괄적인

ómnibus bìll 〖정치〗 일괄 법안

ómnibus bòok[**vòlume**] 염가 보급판 선집[작품집] ⦅한 작가의 작품들이나 또는 같은 주제의 서로 다른 작가의 작품들을 모은 책⦆

ómnibus bòx (극장 등의) 관객 여러 명이 함께 앉을 수 있는 좌석

ómnibus clàuse 〖보험〗 합승 조항 ⦅자동차 보험에서 피보험자 외의 사람에게도 미치는 조항⦆

ómnibus resolùtion 일괄 결의

ómnibus tràin ⦅영⦆ (역마다 서는) 완행 열차

om·ni·com·pe·tent [ɑ̀mnikɑ́mpətənt | ɔ̀mnikɔ́m-] *a.* 〖법〗 전권을 가진 **-tence** *n.*

om·ni·di·rec·tion·al [ɑ̀mnidirékʃənl | ɔ̀m-] *a.* 전(全)방향성의: an ~ antenna 전방향성 안테나/~ diplomacy 전방위 외교

omnidiréctional (**rádio**) **ránge** = OMNIRANGE

om·ni·fac·et·ed [ɑ̀mnifǽsitid | ɔ̀m-] *a.* 〈연구·고찰 등이〉 모든 면에 걸친, 다면적인

om·ni·far·i·ous [ɑ̀mnifέəriəs | ɔ̀m-] *a.* 여러 가지의, 잡다한, 다방면에 걸친: one's ~ hobbies 다양한 취미/~ knowledge 박식 **~·ly** *ad.*

om·nif·ic [ɑmnífik | ɔm-] *a.* 만물을 창조하는

om·nif·i·cent [ɑmnífəsənt | ɔm-] *a.* 만물을 창조하는, 무한한 창조력을 가진

om·ni·fo·cal [ɑ̀mnifóukəl | ɔ̀m-] *a.* 〈렌즈가〉 전(全)초점의

om·nig·e·nous [ɑmnídʒənəs | ɔm-] *a.* 모든 종류의[를 포함하는]

om·ni·par·i·ty [ɑ̀mnipǽrəti | ɔ̀m-] *n.* 완전 평등

om·nip·o·tence [ɑmnípətəns | ɔm-] *n.* Ⓤ **1** 전능, 무한한 힘 **2** [the O~] 전능한 신(God)

---

gloomy, sinister, pessimistic, bad, unfavorable, unlucky, ill-fated, foreboding, portentous

omit *v.* leave out, exclude, except, miss, drop, delete, erase, eliminate, overlook, skip, expunge

om·nip·o·tent [ɑmnípətənt | ɔm-] *a.* **1** 전능한 (almighty) **2** 절대력을 가진, 무엇이든지 할 수 있는 **—***n.* **1** [the O~] 전능한 신 **2** 무엇이든지 할 수 있는 사람 **~·ly** *ad.*

om·ni·pres·ence [ɑ̀mniprézns | ɔ̀m-] *n.* Ⓤ 편재(遍在), 어디에나 있음

om·ni·pres·ent [ɑ̀mniprézənt | ɔ̀m-] *a.* 편재하는, 어디에나 있는

om·ni·range [ámnirèindʒ | ɔ́m-] *n.* 〖통신〗 옴니레인지, 전(全)방향식 무선 표지(標識)

om·nis·cience [ɑmníʃəns | ɔmnísiəns] *n.* Ⓤ **1** 전지(全知)(infinite knowledge); 박식 **2** [the O~] 전지의 신(神); 박식한 사람

om·nis·cient [ɑmníʃənt | ɔmnísiənt] *a.* 전지의; 박식한 **—***n.* [the O~] 전지의 신 **~·ly** *ad.*

om·ni·sex [ɑ̀mniséks | ɔ̀m-], **-sex·u·al** [-sékʃuəl | -sju-] *a.* 모든 성적 타입의 사람들[활동]의[이 관계하는], 모든 성적 행위의 **-sèx·u·ál·i·ty** *n.*

om·ni·tron [ámnətràn] *n.* 옴니트론 《천문학·의학·물리학 등 광범위한 분야에서 이용되는 신종의 다목적 핵파괴 장치》

om·ni·um·gath·er·um [ɑ̀mniəmgǽðərəm | ɔ̀m-] *n.* 《영》 뒤범벅, 잡다한 사람[물건]의 모임; 무차별 초대회; 공개 파티

om·ni·vore [ámnivɔ̀:r | ɔ́m-] *n.* 탐식가; 잡식(성) 동물

om·niv·or·ous [ɑmnívərəs | ɔm-] *a.* **1** 아무거나 먹는; 〈동물이〉 잡식(성)의 **2** 남독하는, 뭐든지 손대는[탐하는] 《*of*》 **~·ly** *ad.* **~·ness** *n.*

o·mo·pha·gia [òuməféidʒə, -dʒiə] *n.* 생식, 《특히》 생육을 먹는 일

om·pha·cite [ámfəsàit | ɔ́m-] *n.* 〖광물〗 녹휘석

Om·pha·le [ámfəli: | ɔ́m-] *n.* 〖그리스신화〗 옴팔레 《Heracules가 3년간 섬긴 Lydia의 여왕》

om·pha·los [ámfələs | ɔ́mfəlɔ̀s] *n.* (*pl.* **-li** [-lài]) **1** 중심(지); 〖해부〗 배꼽(navel) **2 a** (고대 그리스의) 방패 중심부의 돌기(boss) **b** (Delphi의 Apollo 신전에 있던) 반원형의 돌 《세계의 중심이라고 여겨졌던》

om·pha·lo·skep·sis [ɑ̀mfəlousképsis | ɔ̀m-] *n.* Ⓤ (신비주의의) 배꼽 명상 《자기 배꼽을 응시하는》

om·pha·lot·o·my [ɑ̀mfəlátəmi | ɔ̀mfəlɔ́-] *n.* Ⓤ 〖의학〗 (태아 분만 후의) 탯줄 절단(술)

OMR 〖컴퓨터〗 optical mark reader; 〖컴퓨터〗 optical mark recognition **OMS** 〖우주과학〗 Orbital Maneuvering System

*__on__ ⇨ on (p. 1756)

on- [án, ɔ́:n | ɔ́n] *pref.* [부사 on이 붙는 동사에 쓰여 형용사나 명사 또는 작위자(作爲者) 명사를 만듦]: *on*coming, *on*looker

-on[1] [ɑn | ɔn] *suf.* 「소립자·단위·양자(量子)」의 뜻: neutr*on*, prot*on*

-on[2] *suf.* 「불활성 기체 원소」의 뜻: ne*on*

ON octane number; Old Norse

on-a·gain, off-a·gain [ánəgèn-ɔ́:fəgèn | ɔ́nəgèn-ɔ́f-] *a.* Ⓐ 《구어》 나타났다가 사라지는; 단속적인: ~ headaches 단속적인 두통

on·a·ger [ánədʒər | ɔ́nə-] *n.* (*pl.* **-gri** [-grài], **~s** [-z]) **1** 〖동물〗 야생 당나귀 《서남 아시아산(產)》 **2** 〖역사〗 (고대·중세의) 투석기

onager 2

on-air [ánέər | ɔ́n-] *a.* (케이블이 아닌) 소정 주파수의 전파로 방송하는, 전파 방송된; 방송 중인

on-and-off [-ənɔ́f] *a.* 단속적인

o·nan·ism [óunənìzm] *n.* Ⓤ 성교 중단; 자위, 수음 **-ist** *n.* **ò·nan·ís·tic** *a.*

on·board [ánbɔ́:rd | ɔ́n-] *a.* 기내[선내, 차내]에 장치[적재, 탑재]한: an ~ computer 내장 컴퓨터 《항공기·우주선·자동차 등의》

on-cam·er·a [ánkǽmərə | ɔ́n-] *a.*, *ad.* 〖영화·TV〗 카메라에 비치는 곳에[의], 카메라의 프레임 안에[의](opp. *off-camera*)

‡**once** [wʌ́ns] [one의 중기 영어 소유격의 부사적 용법] *ad.* **1** 이전에 (한 번), 일찍이(formerly), 한때: a ~ famous doctor 한때는 유명했던 의사 / There was ~ a giant. 옛날에 한 거인이 있었다. **2** 한 번, 한 차례, 한 곱: ~ a day 하루에 한 번 / more than ~ 한 번만이 아니고, 몇 번이고 / We eat out ~ a week. 우리는 일주일에 한 번 외식한다. / *O~* one is one. 1×1=1 / *O~* bitten twice shy. 《속담》 한 번 혼나면 두 번째는 겁낸다, 자라 보고 놀란 가슴 소댕 보고 놀란다. **3** [부정·조건문에서] 한 번도 (…안 하다); 한 번이라도 (하면), 일단 (…하면), 하기만 (하면) (ever, at all): I have*n't* seen him ~. 나는 그를 한 번도 만난 일이 없다. **4** 《고어》 언제 한 번 《미래》 ***(every) ~ in a while*** [《영》 ***way***] 이따금, 때때로 ***if [when] ~ ...*** 일단 …하면; 한 번만이라도 …하면 ***not ~*** 한 번도 …않다 ***not ~ or twice*** 《시어》 한두 번이 아니고, 몇 번이나 ***~ again*** 다시 한 번, 한 번 더 ***~ and again*** 몇 번이고, 여러 번 ***~ and away*** 한 번뿐, 이것을 마지막으로 ***~ (and) for all*** 단호하게; 한 번만, 이번만 ***~ in a blue moon*** 아주 드물게 ***~ more*** (1) =ONCE again (2) 전처럼, 원래대로 ***~ or twice*** 한두 번 ***~ upon a time*** 옛날 옛적에

—*conj.* **1** 한 번[일단] …하면, …하자마자: *O~* he hesitates, we have him. 그가 망설이기만 하면 일은 다 된 거다. **2** 언제 …하더라도, …의 때에는 언제라도

—*n.* Ⓤ 한 번, 일회: *O~* is enough. 한 번이면 충분하다. ***all at ~*** (1) 갑자기(suddenly) (2) 다 한꺼번에 ***at ~*** (1) 동시에: Don't do two things *at* ~. 두 가지 일을 동시에 하려고 하지 마라. (2) 당장, 즉시: Tell him to come *at* ~. 그에게 즉시 오라고 말해. ***at ~ ... and ...*** …하기도 하고 동시에 …하기도 한 ***every ~ (in) so often*** 언제나, 항상 ***(for) this [that] ~*** 이번[그때]만은 ***(just) for ~*** (1) 이번 한 번만은 《특히》 (2) 이번만은; 간혹, 이따금

—*a.* 이전의, 한번은

once-in-a-life·time [wʌ́nsinəláiftaim] *a.* 일생에 한 번의: It was a ~ opportunity. 그것은 평생에 한 번밖에 없는 기회였다.

once-o·ver [-òuvər] *n.* 《구어》 **1** 대강 훑어보기; 대강 조사하기; 대강 청소하기 **2** 잡다한 일, 날림일 ***give*** a person[a thing] ***the ~*** …을 한 번 훑어보다, 대강 조사하다

once-o·ver-light·ly [-òuvərláitli] *n.* 《구어》 대강의[피상적] 취급[조사]; 날림일 **—***a.* 대강 해치우는, 표면적인, 피상적인

onc·er [wʌ́nsər] *n.* 《영·구어》 (의무적으로) 한 번만 하는 사람; 주 1회 교회에 나가는 사람

on-chip [ántʃíp | ɔ́n-] *a.* 〖전자〗 온칩의, 반도체 칩 위에 회로를 집적한: ~ refresh 온칩 리프레시 《dynamic RAM과 동일 칩 위에 탑재된 리프레시 신호 발생 회로》

on·cho·cer·ci·a·sis [ɑ̀ŋkousərkáiəsis | ɔ̀ŋ-] *n.* (*pl.* **-ses** [-si:z]) 〖병리〗 사상충증(絲狀蟲症)

onco- [áŋkou, -kə | ɔ́ŋ-] 《연결형》 「종양(腫瘍)」의 뜻: *onco*logy

on·co·gene [áŋkədʒì:n | ɔ́ŋ-] *n.* 〖생물〗 종양 (형성) 유전자

on·co·gen·e·sis [ɑ̀ŋkədʒénəsis | ɔ̀ŋ-] *n.* Ⓤ 〖병리〗 종양 형성, 발암(發癌)

on·co·ge·nic·i·ty [ɑ̀ŋkədʒənísəti | ɔ̀ŋ-] *n.* Ⓤ 〖병리〗 종양 형성력[성], 발암성

on·co·log·ic [ɑ̀ŋkəládʒik | ɔ̀ŋkəlɔ́-], **-i·cal** [-ikəl] *a.* 종양학의, 암 연구의

on·col·o·gy [ɑŋkálədʒi | ɔŋkɔ́-] *n.* Ⓤ 〖의학〗 종양학, 암 연구 **-gist** *n.*

on·com·ing [ánkʌ̀miŋ | ɔ́n-] *a.* 접근하는, 다가오는; 새로 나타나는; 장래의: the ~ generation of

leaders 차세대 지도자들 **—***n.* Ⓤ 접근
on·cor·na·vi·rus [ɑŋkɔ́:rnəvàirəs, ⌐⌐⌐⌐ | ɔŋ-] *n.* 〚병리〛 온코르나바이러스 《종양을 유발하는 RNA를 가진 바이러스의 총칭》
on·cost [ɑ́nkɔ̀:st | ɔ́nkɔ̀st] *n.* 《영》 간접비(費) (overhead)
ón-deck círcle [ɑ́ndèk- | ɔ́n-] [the ~] 〚야구〛 다음 타자석, 웨이팅 서클 《다음 타자가 기다리는 자리》
on-de·mand [ɑ́ndimæ̀nd | ɔ́ndimɑ́:nd] *a.* Ⓐ 주문식의
ón-demand bóok 〚출판〛 주문본 《주문으로 만드는 단 한 권의 책》
ón-demand prínting 주문 인쇄(cf. ON-DEMAND BOOK)
ón-demand públishing 〚출판〛 수요 출판
ón-demand sýstem 〚컴퓨터〛 즉시 응답 시스템 《사용자의 요구가 있으면 즉시 정보 또는 서비스를 제공하는 시스템》
on·ding [ɑ́ndiŋ | ɔ́n-] *n.* 《스코》 한없이 흘러나오는 [낙하하는] 것; 〈비 따위가〉 억수로 퍼붓는 것
on-disk [ɑ́ndísk | ɔ́n-] *a.* 〚컴퓨터〛 디스크에 기록되어 있는
on-dit [ɔ:ndí:] 〚F〛 *n.* (*pl.* **~s** [-z]) 소문, 풍문
‡**one** ⇨ one (p. 1758)
-one [oun] *suf.* 〚화학〛 「ketone 화합물」의 뜻: acet*one*
1-A [wʌ́néi] *n.* (*pl.* **~'s**) 《미》 (징병 선발에서) 갑종 (합격자)
one-act·er [-ǽktər], **-act** [-æ̀kt] *n.* 《구어》 〚연극〛 단막극
óne-and-a-hálf stríper [-əndəhǽf-, -hɑ́:f- | -hɑ́:f-] 《미·해군속어》 중위
óne anóther (어떤 그룹 내의) 서로, 상호: We all try and help ~. 우리 모두는 서로 도와야 한다.
1-A-O [wʌ́néióu] *n.* 《미》 (징병 선발에서) 양심적 참전 거부자의 갑종 (합격자)
one-armed [wʌ́nɑ́:rmd] *a.* 외팔의; 외팔용의
óne-ármed bándit 《구어》 (도박용) 슬롯 머신
one-bag·ger [-bǽgər] *n.* 《야구속어》 = ONE-BASE HIT
óne-bàse hít [-bèis-] 〚야구〛 싱글 히트, 단타
1-C [wʌ́nsí:] *n.* 《미》 (징병 선발에서) 육해공 3군·연안 측량 조사국·공중 위생 총국 근무자
one-celled [wʌ́nséld] *a.* 〚생물〛 단세포의
1-D [wʌ́ndí:] *n.* 《미》 (징병 선발에서) 예비군 요원·군사 훈련을 받고 있는 학생
one-di·men·sion·al [wʌ́ndiménʃənl] *a.* **1** 1차원의 **2** 깊이가 없는, 피상적인: a novel with ~ characters 등장인물에 깊이가 없는 소설
one-egg [-ég] *a.* 일란성의
one-eight·y [-éiti] *n.* (*pl.* **-eight·ies**) 《구어》 180도 회전
one-eyed [-áid] *a.* **1** 외눈의 **2** 시야가 좁은, 편협한 **3** 작은, 하찮은, 뒤떨어진
óne-eyed mónster 《속어》 텔레비전
one·fold [-fòuld] *a.* 한겹의; 전체의; 완전한
1471 [wʌ́nfɔ:rsèvənwʌn] *n.* Ⓤ 《영》 통화 내역 확인 번호
one-hand·ed [-hǽndid] *a.* 손이 하나인; 한 손만 사용하는; 한 손으로 쓰는 **—***ad.* 한 손으로: drive ~ 한 손으로 운전하다
one-horse [-hɔ́:rs] *a.* Ⓐ **1** (말) 한 마리가 끄는 **2** 《구어》 빈약한, 자그마한(petty), 하찮은
óne-hórse tówn 《구어》 (별다른 특징이 없는) 소도시, 시골 마을
O·nei·da [ounáidə] *n.* Ⓒ 오나이더 족 《북미 인디언 Iroquois족의 한 부족》; Ⓤ 그 언어
one-ide·aed, -ide·a'd [wʌ́naidí:əd | -díəd] *a.* 한 가지 생각에 사로잡힌, 편협한
O'Neill [ouní:l] *n.* 오닐 **Eugene** (**Gladstone**) **~** (1888-1953) 《미국의 극작가; 1936년 노벨 문학상 수상》
o·nei·ric [ounáiərik] *a.* 꿈의[에 관한]; 꿈꾸는 (듯한); 몽상적인
oneiro- [ounáiərə] 《연결형》 「꿈」의 뜻
o·nei·ro·crit·ic [ounàiərəkrítik] *n.* 해몽가 **-crít·i·cal** *a.* **-i·cal·ly** *ad.*
o·nei·rol·o·gy [ounaiərɑ́lədʒi | -rɔ́-] *n.* Ⓤ 꿈을 연구하는 학문, 해몽학
o·nei·ro·man·cy [ounáiərəmæ̀nsi] *n.* Ⓤ 해몽
one-leg·ged [wʌ́nlégid] *a.* **1** 다리가 하나인, 외다리의 **2** = ONE-SIDED
one-lin·er [-láinər] *n.* 《미》 짤막한 농담[재담]
one-lung [-lʌ̀ŋ] *a.* **1** 폐가 하나밖에 없는 **2** 《속어》 〈엔진·자동차 따위가〉 1기통인
one-lung·er [-lʌ́ŋər] *n.* 《속어》 1기통 엔진; 1기통인 탈것 《오토바이 따위》; 가짜 고급 손목시계
one-man [-mæ̀n] *a.* Ⓐ 한 사람만의[이 하는], 개인의: a ~ company 개인 회사 / a ~ show 원맨쇼; (그림 등의) 개인전 / a ~ office 개인 사무실
óne-man bánd **1** (거리의) 일인 악단 **2** (남의 도움을 받지 않는) 단독 행동
óne-man pláy 〚연극〛 1인극
one-min·ute [-mìnit] *n.* 《미》 1분 담화 《하원 의원이 매일 아침 공무를 시작하기 전에 하는 짧은 담화》
one·ness [wʌ́nnis] *n.* Ⓤ **1** 단일성, 동일성, 통일성, 독자성 **2** 일치, 조화: the ~ of marriage 결혼의 조화 **3** 일체감, 친밀감(union)
one-night·er [wʌ́nnáitər] *n.* 《구어》 = ONE-NIGHT STAND
óne-night stánd [-nàit-] 《미》 **1** 하룻밤만의 흥행[강연](지) **2** 《구어》 하룻밤[한 번]만의 정사; 그 상대
one-note [-nóut] *a.* 다양성이 없는, 단조로운 (monotonous)
one-off [-ɔ́:f | -ɔ́f] *a.* 《영》 한 번만의 **—***n.* 1회성의 일[것]
one-on-one [-ɔ:nwʌ́n | -ɔn-] *a., ad.* 1대 1의[로] **—***n.* **1** 1대 1, 맨투맨 **2** 둘이서 하는 농구
101 [wʌ́nouwʌ́n] *a.* 《미》 (대학의) 기초 과정의, 입문의, 개론의; 초보의, 기본의 《★ 과목·분야를 나타내는 명사 뒤에 쓰임》
one-pair [-pɛ̀ər] 《영》 *n.* 2층 방 **—***a.* 2층의: ~ back[front] 2층의 뒷[앞]방
óne-par·ent fámily [-pɛ̀ərənt-] 편모[편부] 가정
óne-pár·ty dictátorship [-pɑ́:rti-] 일당 독재
one-piece [-pì:s] *a.* 원피스의, 위아래가 붙은: a ~ bathing suit 원피스형 수영복 **—***n.* 원피스(의 옷) **óne-píec·er** *n.*
on·er [wʌ́nər] *n.* 《영·속어》 **1** 유례없이 뛰어난 사람[것]; 명인, 명수 《*at*》 **2** 강타 《*on*》 **3** 《영·속어》 터무니없는 거짓말 **4** 〚크리켓〛 1득점 ***down it in a ~*** 《속어》 단번에, 단숨에 ***give*** a person ***a ~*** …를 세게 치다
on·er·ous [ɑ́nərəs, óun- | ɔ́n-, óun-] *a.* **1** 성가신, 귀찮은, 부담스러운(burdensome) **2** 〚법〛 부담이 따르는(cf. GRATUITOUS) **~·ly** *ad.* **~·ness** *n.*
‡**one's** [wʌ̀nz] *pron.* **1** [ONE (*pron.*)의 소유격] 사람의, 그 사람의 ★ my, his 등 인칭대명사의 소유격의 대표적 형식으로 쓰임. 이를테면 make up ~ mind는 주어의 인칭·수·성에 따라서 *I* made up *my* mind. / *He* made up *his* mind.와 같이 바뀜(cf. ONESELF). **2** one is의 단축형
one-seat·er [wʌ́nsí:tər] *n.* **1** 1인승 《자동차》 **2** 〚항공〛 단좌기(單座機)
‡**one·self** [wʌnsélf, wʌnz-] *pron.* **1** [강조 용법] 몸소, 스스로: To do right ~ is the great thing. 스스로 올바르게 행동하는 것이 중요하다. / One must do such things ~. 그런 것은 자기가 해야 한다. **2** [재귀 용법] **자기 자신을[에게]** 《one의 목적어》: kill ~ 자살하다 / absent ~ from school 학교를 결석하다 / talk to ~ 혼잣말하다 ★ oneself는 myself, yourself, herself, himself 등의 재귀대명사의 대표형. 주어의 인칭·수·성에 따라서 *He* killed *himself*. / *She* killed *herself*.와 같이 변함.

on

on은 전치사와 부사로 자주 쓰이며, 이른바 전치사적 부사의 하나이다.
on은 기본적으로 표면에 '접촉'하고 있음을 나타내므로 벽에(*on* the wall) 걸려 있거나 천장에(*on* the ceiling) 붙어 있거나 벽면이나 천장면에 접촉되어 있을 때 on을 쓴다. 따라서 「…위에」라는 번역이 부적당한 경우가 있다.
on을 쓰느냐, in을 쓰느냐는 관용으로 결정될 때가 많다: *on* the farm(농장에서), *in* the fields(밭에서)
특정한 날·아침·저녁 등을 나타낼 경우 on을 쓴다: *on* Monday morning[afternoon] 월요일 오전[오후]에 / *on* the evening of June 29 6월 29일 저녁에 《*in* the morning[afternoon] 오전[오후]에》
'접촉'하기 때문에 부사로서 몸에 옷을 「입고」가 되며, 나아가서 동작이 이어진다는 뜻으로 「계속하여」, 그리고 전기·수도·가스가 「통하여, 켜져서」 등 비유적인 뜻으로까지 용법이 갈라진다.

‡**on** [ɑ́n, ɔ́:n | ɔ́n; 《약하게》 ən, n] *prep.*, *ad.*, *a.*, *n.*

기본적으로는 「…의 위에」로서 「접촉」의 뜻을 나타냄	
① …위에	전 **1** 부 **1**
② [소지·착용] …에 지니고; 걸치고	전 **2** 부 **2**
③ [날짜·시간] …에	전 **11**
④ [근접] …에 접하여	전 **5**
⑤ [용무·상태] …때문에; …하는 중	전 **6 c, 9**
⑥ …하자 곧	전 **12**
⑦ …에 더하여	전 **14**
⑧ [수단·근거·기초] …으로; …에 입각하여	전 **4 a, 7, 10**
⑨ 앞쪽으로; 계속해서	부 **4, 5**
⑩ (수도·가스 등이) 통하여	부 **8**

— *prep.* **1** [장소의 접촉] …의 **표면에**, …위에, …에: a picture *on* the wall 벽에 걸린 그림 / the words (written) *on* the blackboard 칠판에 쓰인 말 / a fly *on* the ceiling 천장에 앉은 파리 / *on* the street[train] 거리[열차]에서 / live *on* a farm 농장에서 생활하다 / There is a book *on* the desk. 책상 위에 책이 있다. / There are boats *on* the lake. 호수 위에 보트가 떠 있다.

2 [부착·소지(所持)] …**에 붙여서**; 몸에 지니고: put [have] a hat *on* one's head 머리에 모자를 쓰다[쓰고 있다] / put a bell *on* the cat 고양이에게 방울을 달다 / a ring *on* one's finger 손가락에 낀 반지 / a glove *on* her left hand 그녀의 왼손에 낀 장갑 / The dog is *on* the chain. 개는 사슬에 매여 있다. / Have you got any money *on* you? 돈 좀 가진 것 있습니까?

3 [종사·소속] …**에 관계하여**, …에 종사하여: serve *on* a jury 배심원의 한 사람으로 일하다 / We're *on* a murder case. 우리는 살인 사건을 담당하고 있다. / He is *on* the town council. 그는 읍의회에 관계하고 있다[읍 의회의 일원이다].

4 a [받침·지지] …**으로**, …을 축으로 하여: *on* foot[horseback] 걸어서[말을 타고] / carry a bag *on* one's back[shoulders] 자루를 등[어깨]에 지다 / lie *on* one's face[back] 엎드려[반듯이] 눕다 / walk *on* tiptoe 발끝으로 걷다 / fall *on* one's knees 무릎을 꿇다 / turn *on* a pivot 축을 중심으로 회전하다 **b** 〈말·명예 등〉**에 걸고**: *on* one's honor 명예를 걸고 / I swear *on* the Bible. 성서에 손을 얹고 맹세합니다.

5 [근접] …**에 접하여**, …에 면하여, …에 따라, …에: a house *on* the road 길가의 집 / the countries *on* the Pacific 태평양 연안의 여러 나라 / *on* both sides 양쪽에 / *on* the north of Seoul 서울의 북쪽에 / We saw Lake Como *on* our left. 왼편에 코모호가 보였다. / Turkey borders *on* Iran to the east. 터키는 동쪽으로 이란과 경계를 이루고 있다.

6 a [동작의 방향] …**을 향하여**, …을 목표로: march *on* the front line 최전방을 향하여 행군하다 / go [start, set out] *on* a journey 여행을 떠나다 / Once again Christmas is *on* us. 또 다시 크리스마스가 다가온다. **b** [운동의 진행 중에] …**의 도중에**: *on* one's[the] way home[to school] 집으로[학교로] 가는 도중에 / a policeman *on* patrol 순찰 중인 경관 **c** [목적·용무] …**때문에**: *on* business 업무[사업] 일로, 볼일이 있어 / go *on* an errand 심부름가다 / go *on* hunting 사냥하러 가다

7 [수단·도구] …**으로**: play a sonata *on* the piano 피아노로 소나타를 치다 / have a talk *on* the phone 전화로 이야기하다 / I heard it *on* the radio. 라디오에서 그것을 들었다. / I watched the game *on* TV. 텔레비전으로 그 경기를 보았다. / She cut her finger *on* a knife. 그녀는 칼로 손가락을 베었다.

8 a [동작의 대상] …**에 대하여**, …을 겨냥하여: call *on* a person 사람을 방문하다 / hit a person *on the* head 사람의 머리를 치다 ★ 몸·의복 부분을 나타내는 명사 앞에 the를 씀 / trespass *on* a person's kindness …의 친절에 염치없이 폐를 끼치다 / He never turns his back *on* a friend in need. 그는 곤경에 있는 친구를 결코 저버리는 일이 없다. **b** [불이익] …에 대해서: The joke was *on* me. 그 농담은 나를 비꼰 것이었다. / The light went out *on* us. 전등이 꺼져서 곤란하다. / She hung up *on* me. 그녀 쪽에서 전화를 끊었다. / He walked out *on* his wife. 그는 아내를 (두고 나가)버렸다. / His wife died *on* him. 그의 아내는 그를 두고 먼저 죽었다. **c** [영향] …에(게): have (a) great effect *on* ... …에 큰 영향을 미치다 / The heat told *on* him. 더위가 그에게 탈나게 했다.

9 [상태·경과] …**하여**, …하는 중: *on* the quiet 남몰래 / *on* fire 불타고 (있는) / *on* strike 파업 중 / *on* the move 움직여서, 침착하지 못하여 / *on* the bias 비스듬히; 비뚤어져서 / *on* leave 휴가 중 / *on* sale 판매 중 / a bird *on* the wing 날고 있는 새 / be *on* the increase 증가하고 있다

10 [기초·원인·이유·조건] **a** …**에 입각해서**, …에 따라: act *on* principle 주의에 따라 행동하다 / a novel based *on* fact 사실에 입각한 소설 / *On* what ground ...? 무슨 근거로…? / *on* equal terms 평등한 조건으로 / *on* condition that ... …이라고 하는 조건으로 / *on* the instruction of one's superior 상사의 지시에 따라서 **b** …**을 먹고**, …에 의해서: live *on* one's pension 연금으로 살아가다 / Cattle live[feed] *on* grass. 소는 풀을 먹고 산다.

11 a [날짜·시간] …**에**: *on* Monday 월요일에 / *on* July 10 = *on* the 10th of July 7월 10일에 / *on* or after the 10th (그 달의) 10일 이후에 / *on* a weekend 주말에 **b** (특정한 날 아침[오후, 밤] 등) …에: *on* the morning of June 10 6월 10일 아침에 / *on* that evening 그날 저녁에 / *on* Sunday next 다음 일요일에 / *on* my birthday 내 생일에

12 [시간의 접촉] …**하자 곧**, …와 동시에: *on* demand 청구하는 대로 / *on* delivery 배달 때[과 동시]에 / *on*

receipt of the money 돈을 받자 곧 / *On* arriving [*On* my arrival] in Tokyo, I called on him. 동경에 도착하자마자 그를 방문했다.
13 [관계] …**에 대해서**, …에 관한 ★ about보다 더 학문적 내용의 것에 씀: a book *on* chemistry 화학책 / take notes *on* the lectures 《미》 강의를 노트하다 / an authority *on* astronomy 천문학의 권위자 / take lessons *on* the flute 플루트의 교습을 받다 / I congratulate you *on* your success. 성공을 축하합니다.
14 [누가(累加)·첨가] …에 더하여: heaps *on* heaps 겹겹이 / loss *on* loss 엎친 데 덮친 손해 / millions *on* millions of stars 무수히 많은 별
15 《구어》 …이 지불하는, …이 한턱 내어: *on* the house 〈비용을〉 술집[회사, 주최자] 부담으로, 공짜로 / The drinks are *on* me. 술값은 내가 치른다.
16 a 〈투약·식이 요법 등을〉 받고: go *on* a diet 식이요법을 시작하다 / He's *on* medication. 그는 약물 치료를 받고 있다. **b** 〈마약 등을〉 상용(常用)하여, …의 중독이 되어: be *on* tranquilizers 신경 안정제를 상용하고 있다 / He is *on* drugs. 그는 마약 중독이다.
USAGE on과 upon의 용법상 차이에 대해서는 ⇨ upon USAGE
be on it 《미》 의욕이 있다; 익숙해 있다 ***get*** [***have***] ***something on*** a person 《속어》 …에게 불리한 정보를 얻다[쥐고 있다] ***just on*** 대충, 약…, 거의…; 이제 곧(nearly) ***on and after*** …이후: *on and after* April 15 4월 15일 이후에
— *ad.* ★ be동사와 결합하였을 경우에는 형용사로 볼 수도 있음. **1** [접촉] **위에**, 표면에, 타고: put a frying pan *on* 프라이팬을 얹다 / get *on* 타다, 승차하다 / sew a button *on* 단추를 달다 / Is the cloth *on*? 테이블보는 깔려 있느냐?
2 [옷차림·화장] **입고**, 쓰고: keep one's hat *on* 모자를 쓴 채로 있다 / put[have] one's coat *on* 코트를 입다[입고 있다] ★ 목적어가 대명사일 때의 어순은 put [have] *it* on이 됨 / She helped me *on* with my coat. 그녀는 내게 웃옷을 입혀 주었다. / *On* with your hat! 모자를 써라!
3 [부착] **떨어지지 않고**, 꽉: hang *on* 달라붙다 / Hold *on*! 꽉 잡고 있어!
4 a [동작의 방향] **앞쪽으로**, 이쪽으로, …을 향하여: farther *on* 훨씬 앞쪽에 / later *on* 후에 / from that day *on* 그날부터 / bring *on* 가지고 오다 / come *on* 닥쳐오다, 가까워 오다 / go *on* 나아가다 / hurry *on* to the airport 공항을 향해 서둘러 가다 **b** 〈시간이〉 **나아가**; 〈시계를〉 빠르게 하여: put the clock *on* 시계를 빠르게 하다 / It was well *on* in the night. 밤은 상당히 깊었다.
5 [동작의 계속] **끊임없이**, 줄곧, 계속해서: sleep *on* 계속 자다 / go *on* talking 이야기를 계속하다 / keep *on* working 계속해서 일하다 / Go *on* with your story. 이야기를 계속하시오.
6 [진행·예정] **행하여져**, 출연하여, 상연하여; 예정하여: The strike is still *on*. 파업은 아직 계속되고 있다. / What's *on*? 무슨 일이 생겼나[시작되었나]?; (지금 하고 있는) 프로는 무엇인가?; 무엇이 상연되고 있나? / There was a war *on*. 전쟁을 하고 있었다. / I have nothing *on* this evening. 오늘 저녁은 아무런 예정도 없다.
7 〈배우가〉 무대에 나가; 〈근무자가〉 근무하고, 작업 중에: You're *on* in five minutes. 5분 있으면 무대에 나갈 차례입니다. / The night shift goes *on* at 10 p.m. 야근조는 오후 10시에 작업을 시작한다.
8 [작동의 진행] 〈수도·가스 등이〉 **통하여**, 나와; 〈TV·라디오 등이〉 켜져: turn *on* the water 수도꼭지를 틀다 / Is the water *on* or off? 수돗물을 틀었느냐 잠갔느냐? / The television set is *on*. 텔레비전이 켜져 있다. / Switch *on* the light. 전등을 켜시오.
9 《구어》 찬성하여, 기꺼이 참가하여: I'm *on*! 찬성이다!
and so on 기타 등등, …등(et cetera)
be a bit on 《영·속어》 조금 취해 있다
neither off nor on 관계없이, 결단을 내리지 않고, 마음이 변하기 쉬운
on and off = ***off and on*** 때때로, 불규칙하게: visit there *on and off* 가끔 그 곳을 찾아가다
on and on 계속해서, 쉬지 않고
on to ... …을 향하여
On with ...! (1) …을 입어라, 써라 (2) …을 시작[계속]해라: *On with* the work! 일을 시작[계속]해라!
— *a.* **1** 〈기계·장치 등이〉 작동하고 있는, 움직이는; 〈식사 등이〉 준비되고 있는: Is your brake *on*? 브레이크가 걸려 있습니까? **2** 〈일이〉 시작되고 있는, 일어나고 있는 **3** 《구어》 〈연극·영화 등이〉 상연[상영]되고 있는; 〈사람이〉 출연하는 **4** 〖크리켓〗 (타자의) 왼쪽 앞의
be not on 《영·구어》 있을 수 없다, 불가능하다
be on 《구어》 실행 가능하다; 적절하다, 받아들여지다: You*'re on*! 그래 좋다! 《네 제안을 받아들이겠다》
be [***go, keep***] ***on about ...*** 《구어·경멸》 …에 대해 길게 늘어놓다, 불평을 늘어놓다
be [***go, keep***] ***on at ...*** …에게 잔소리를 하다; …에게 졸라대다 《*to* do》
be on for ... …에 참가하다
be on to ... 《구어》 (1) 〈남의 의향 등을〉 알아차리고 있다, 〈사실 등을〉 알고 있다: I*'m on to* your little game. 네 수작은 다 알고 있어. (2) …을 나무라다, …에게 잔소리를 하다: He*'s* always *on to* me. 그는 늘 나를 들볶는다.
be on with …에게 열중해 있다: She*'s on with* Tom. 그녀는 탐에게 열중해 있다.
be well on (1) 〈일 등이〉 진척되어 있다 (2) 내기에 이길 듯하다
— *n.* (일이) 행해지고 있는 상태; [the ~] 〖크리켓〗 (타자의) 왼쪽 앞(opp. *off*)

3 본래의[평소의, 정상인, 건전한] 상태
be ~ 《미·구어》 (1) 자제하다, 자기 자신을 잃지 않다 (2) 자연스럽게 행동하다 ***beside*** ~ 자신을 잊고, 흥분하여 《*with*》 ***by*** ~ (1) [종종 all by ~로] 혼자서, 외톨이로 (2) 혼자 힘으로 ***come to*** ~ 의식을 되찾다, 제정신이 들다 ***dress*** ~ 치장하다 ***exert*** ~ (스스로) 노력하다 ***for*** ~ 자기를 위하여; 스스로, 자기 힘으로 ***in*** ~ 원래, 그 자체는 ***in spite of*** ~ 자기도 모르게 ***keep*** ~ ***to ...*** 남과 어울리지 않다 ***of*** ~ 저절로, 자기 스스로 ***read*** ~ ***to sleep*** 읽다가 잠들다 ***teach*** ~ 독학하다 ***to*** ~ (1) 자기 자신에게; 자기에게만 (2) 독점하여 ***unto*** ~ 그 자체로
one-shot [wʌ́nʃɑ̀t | -ʃɔ̀t] *n.* **1** 1회 한의 간행물[소설, 기사] **2** 《영화·라디오 등의》 1회만의 공연[출연] **3** 인물 한 사람의 확대 사진 **4** 《미·속어》 1회로 끝나는 거래[것]; 한 번만의 섹스를 허락하는 여자
— *a.* **1** 한 번으로 완전[유효]한, 1회 한의: a ~ sale[deal] 1회만의 매출[거래] **2** 한 번만으로 성공하는: a ~ cure 한 번으로 끝나는 치료법
one-sid·ed [-sáidid] *a.* **1** 한쪽으로 치우친, 불공평한: a ~ judgment 치우친 판단 **2** 한쪽만의, 일방적인; 균형이 안 잡힌; 한쪽만 발달한: a ~ street 한쪽만 발달한 거리 / a ~ fight 일방적인 싸움 **3** 〖법〗 편무적(偏務的)인: a ~ contract 편무 계약
~**·ly** *ad.* ~**·ness** *n.*
óne-sìded tést 〖통계〗 = ONE-TAIL(ED) TEST
One·sie [wʌ́nzi] *n.* 《미》 원지 《유아용 의류의 일종; 상표명》
one-size-fits-all [-saizfitsɔ́:l] [한 사이즈로 모든 것을 끼워 맞춘다는 뜻에서] *a.* Ⓐ **1** 〈옷 등이〉 프리 사이즈인 **2** 《구어》 범용(汎用)한, 여러 상황에 광범위하게 적용되는; 일률적인
one-speed [-spí:d] *a.* 변속 장치[기어]가 없는
one-spot [-spɑ̀t | -spɔ̀t] *n.* (주사위의) 1의 면

one

one은 고대 영어에서는 a, an과 동일어였다. one의 주요한 용법은 다음 세 가지이다.

1 수사로서 「한 개(의)」, 「한 사람(의)」의 뜻으로 쓰이는 대명사와 형용사 용법이다. 「하나」의 뜻을 강조할 때 이외에는 a, an을 쓴다.

2 총칭 인칭으로서 「사람, 세상 사람들, 누구나」의 뜻으로 쓴다. 이 때 one에 대응하는 대명사는 one, one's, oneself가 정식이나 《미》에서는 관용으로 he[she], his[her], himself[herself]를 쓴다.

3 이미 나온 가산명사의 반복을 피하기 위한 대명사로 쓴다: I want *an* apple. May I take *one*?

‡one [wʌ́n] *a., n., pron.*

① 하나의; 하나	형 **1** 대 **1 a**
② (수의) 1	명 **1 a**
③ 어떤	형 **2 a**
④ (일반적으로) 사람	대 **5**
⑤ 그것	대 **6**
⑥ (…의) 것[사람]	대 **2 a, 4**
⑦ 한쪽의 (것)	대 **1 b** 형 **3**

— *a.* **1 a** Ⓐ **하나의,** 한 개의, 한 사람의(single) ★ 「하나」의 뜻을 강조할 때 외에는 일반적으로 부정관사가 쓰임: ~ dollar 1달러/in ~ word 한마디로 말해서, 요컨대/~ or two days 하루나 이틀, 짧은 일수(日數)/~ man in ten 10명에 한 사람/~ man ~ vote 1인 1표(제)/~ third 3분의 1/No ~ man can do it. 그 누구도 혼자서는 할 수 없다. **b** [dozen, hundred, thousand 등의 집합 수사 앞에서] 1 …: ~ hundred and fifty 150/~ thousand (and) ~ hundred 1,100 **c** Ⓟ 한 살인: Our child is just ~. 우리 아이는 꼭 한 살이다.

2 a [때를 나타내는 명사 앞에서] **어떤,** 어느: ~ day [night] (과거 또는 미래의) 어느 날[날 밤] 《on one day[night]라고는 하지 않음》/~ summer night 어느 여름날 밤에 《부정관사를 쓰면 on a summer night》/*O*~ winter evening, she met a young man. 어느 겨울날 저녁에 그녀는 한 젊은이를 만났다. **b** [인명 앞에서] …라고 하는 사람: ~ Smith 스미스라고 하는 사람 ★ 격식을 차린 표현이므로 현재는 경칭을 붙인 *a* Mr.[Dr. *etc.*] Smith 쪽이 일반적임.

3 [another, the other와 대조적으로] **한쪽의,** 한편의: neither ~ thing nor *the other* 불명확한, 분명하지 않은, 어중간한/To know a language is ~ thing, to teach it is *another.* 한 언어를 알고 있다는 것과 그것을 가르치는 일은 별개의 문제이다./If John said ~ thing, Bill was sure to say *another.* 존이 무슨 말을 하면 빌이 으레 반대하였다./*O*~ man's meat is *another* man's poison. 《속담》 갑의 약은 을의 독./He is so careless that your advice seems to go in (at) ~ ear and out (at) *the other.* 그는 부주의한 사람이라 당신의 충고도 오른쪽 귀로 듣고서 왼쪽 귀로 흘리는 것 같다./Some say ~ thing, some *another.* 이렇게 말하는 사람이 있는가 하면 저렇게 말하는 사람도 있다.

4 [the ~, one's ~] **유일한**(the only) 《one에 강세가 있음》: *my* ~ (and only) aim 나의 유일한 목적/*The* ~ way to reach the island is by helicopter. 그 섬에 가는 유일한 방법은 헬리콥터이다.

5 a 같은, 동일한(the same): in ~ direction 같은 방향으로/at ~ and the same time 동시에/We are of ~ age. 우리는 동갑이다./We belong to ~ team. 우리는 같은 팀 소속이다. **b** [all ~] **똑같은,** 어느 쪽이든 상관없는: It is *all* ~ to me. 나에게는 매한가지다[이러나저러나 같다].

6 a 한 몸[마음]의, 일치된: with ~ voice 이구동성으로/We are all of ~ mind. 우리는 모두 한 마음이다. **b** Ⓟ (…와) 일치하여 《*with*》: (~+전+명) He is ~ *with* me. 그는 나와 일심동체이다.

7 [부사적으로 뒤에 오는 형용사를 강조하여] 《미·구어》 특히, 매우: She is ~ beautiful girl. 그녀는 대단한 미인이다.

at ~ time 한꺼번에, 동시에; 일찍이

become [***be made***] ***~*** 한 몸이 되다; 부부가 되다

(***be***) ***~ with*** ⇨ 6 b

for ~ thing 하나는; 첫째는

(***in***) ***~ way or another*** 어찌어찌해서, 그럭저럭

~ and the same 동일한: ~ *and the same* thing 같은 물건, 동일물(同一物) ⇨ 5

~ thing and another 이런 일 저런 일로, 이래저래

— *n.* **1 a** Ⓤ [때로는 Ⓒ; 보통 관사 없이] (기수의) 1; **하나,** 한 사람, 한 개: Book[Chapter] *O*~ 제1권[장]/~ and twenty = twenty-*one* 21/~ or two 한두 개/~ at a time 한 번에 한 사람[한 개]/*O*~ and ~ make(s) two. 1+1=2 **b** 1이란 숫자[기호] 《1, i, I》: Your *1's* look just like 7's. 너의 1자는 마치 7자 같다.

2 a Ⓤ **한 시; 한 살**: at ~ 1시에/at ~ and thirty 31세 때에 **b** 1달러[파운드] 지폐

3 Ⓤ 《구어》 일격, 일발(一發); 한 잔: give a person ~ in the eye …의 눈을 한 대 치다/Have ~ on me. 내가 낼 테니 한잔하세.

all in ~ (1) 일치하여 (2) 하나[한 사람]로 전부를 겸하여: It's a TV, VCR and DVD *all in* ~. 그건 TV, VCR, DVD가 하나로 합쳐진 것이다. (3) 《구어》 단번에, 단숨에

all ~ (1) 단결하여 (2) ⇨ *a.* 5 b

a ~ [부정문에서] 단 하나(도)

a ~ for 《구어》 …의 애호가[팬]: *a* ~ *for* football 미식축구의 팬

as ~ 일제히(all together)

at ~ 《문어》 한마음[생각]이 되어; 한몸[하나]이 되어 《*with*》

be ~ too many 하나만큼 더 많다, 쓸데없는 것이다, 불필요하다, 방해가 되다

be [***get***] ***~ up on*** a person …보다 한 발 앞서다[있다], …와 차별을 두다

by ~ and ~ 하나[한 사람]씩

by ~s 하나씩

by ~s and twos 한두 사람씩, 드문드문

for ~ 한 예로서는; 개인[자기]으로서는: I, *for* ~, don't like it. 개인적으로는 그것을 좋아하지 않는다.

get it in ~ 《구어》 이해가 빠르다

get ~ over 《구어》 …보다 한 수 위다[한 발 앞서다]

go ~ better (카드놀이에서) 끝수를 더 올리다, 《구어》 더 잘하다, 한 수 앞서다

have ~ over the eight ⇨ eight

in ~ (1) 하나로[가] 전부를 겸하여 (2) 《구어》 단 한 번의 시도로, 단번에

in ~s 하나씩, 낱개로: goods sold *in ~s* 낱개로 파는 물건

in ~s and twos = by ONEs and twos

in the year ~ 아주 옛날, 훨씬 이전에

like ~ o'clock 《구어》 활발하게, 빨리

never a ~ 한 사람[하나]도 …하지 않다(none)

~ after ~ = ONE by one

~ and all 누구나, 누구든지; 어느 것이나

~ and only [one's ~ and only로] 《구어》 유일한 애인: Tom is *her ~ and only.* 톰은 그녀의 유일한 애인이다.
~ by ~ 하나씩, 한 사람씩, 차례로: The crow dropped stones ~ *by* ~ into the jar. 까마귀는 작은 돌을 단지 속에 하나씩 떨어뜨렸다.
~ down (경기에서) 한 점 지고
~ off 유일한 제품 견본, 한 개[1회]뿐인 것
~ of these days ⇨ these
~ too many 《미·속어》 도가 지나친 한 잔: have ~ *too many* 취하도록 과음하다
~ up on …보다 유리한, 한 발 앞선, 1점 차로 앞서고 있는
~ with another 평균해서, 대개(on the average)
since the year ~ 《익살》 먼 옛날부터
ten to ~ 십중팔구(까지)
— *pron.* **1** [*sing.*] **a** (특정한 사람·물건 중의) **하나, 한 개, 한 사람** 《*of*》: We treated him as ~ *of* our family. 그를 가족의 한 사람으로 대우했다. / *O~ of* my friends lost his camera. 내 친구 중의 한 사람이 카메라를 잃었다. ★ 이 one에 대응되는 대명사는 he, she, it. **b** [another, the other와 대응하여] **한쪽(의 것)**, 한편: I cannot tell (the) ~ from *the other.* 나는 둘을 구별할 수가 없다. / *O~* went one way and *the other* (went) another. 한 사람은 한쪽 길로, 다른 또 한 사람은 다른 길로 갔다. **c** [the ~과 the the other가 호응하여] (양자 중의) 전자(前者) ★ 때로는 '후자'의 뜻으로 쓰임: I met a boy and his father yesterday; *the* ~ is fifteen and *the other* is fifty. 나는 어제 한 소년과 그의 아버지를 만났는데, 전자는 15세이고 후자는 50세이다. / Virtue and vice are before you; *the* ~ leads to misery, *the other* to happiness. 미덕과 악덕이 네 앞에 있다. 후자는 비참함으로, 전자는 행복으로 이끈다.
2 (*pl.* **~s**) [이미 나온 말과 관계없이 수식어를 동반하여] **a** (특정한) **사람**; 물건: my dear[sweet, loved] *~s* 내 귀여운 아이들 / the young[little] *~s* 어린 것들; 새끼들 《동물에도 씀》 / such a ~ 그러한 사람 / any ~ 누구든지 / a right ~ 《영·구어》 바보 / many a ~ 많은 사람들 **b** [a ~; 놀라움을 나타내어] 《구어》 별난 사람, 재미있는 사람: You are *a* ~ to do such a thing! 그런 짓을 하다니 자네도 희한한 사람이네! **c** [the O~] 초자연적 존재, 신: *the* Holy *O~* = *the O~* above 신 / *the* Evil *O~* 악마
3 [일부러 격식을 차린 어조로] 자기, 나(I, me): It was in 1992, if ~ remembers rightly. 분명히 1992년의 일이었습니다.
4 [뒤에 수식어를 동반하여; 복수형 없음] 《문어》 (비특정의) 사람 (《구어》에서는 a man, a person을 씀): behave like ~ mad[dead] 미친[죽은] 사람처럼 행동하다 / *O~* who goes to France never fails to visit Paris. 프랑스에 가는 사람은 반드시 파리를 찾는다.
5 [총칭 인칭으로서; 복수형 없음] 《일반적으로》 **사람**, 세상 사람, 누구나: *O~* must obey one's[his] parents. 사람은 (누구나) 부모의 말에 따라야 한다.
USAGE (1) 《구어》에서는 one보다도 you, we, they, people 쪽을 즐겨 쓴다. (2) 이를 받는 대명사는 one, one's, oneself로 하는 것이 원칙이지만, 특히 《미》에서는 they, their, them, themselves 또는 he, his, him, himself로 하는 경우도 많다.
6 (*pl.* **~s**) **a** [이미 나온 가산 명사의 반복을 피하여] (그중의) **하나, 그것**(cf. THAT A *pron.* 2a, NONE *pron.* 2): I don't have a pen. Can you lend me ~? 펜이 없습니다, 빌려주시겠습니까? ★ 이 경우의 복수형은 ones를 쓰지 않고 some을 씀 / Give me a good ~[some good *~s*]. 좋은 것을 주십시오. ★ 형용사가 오는 경우에는 부정관사 또는 복수형이 쓰임.
USAGE (1) 같은 종류가 아니고, 동일한 것을 받을 때에는 it를 쓴다: He has a car and likes to drive *it.* I want *one.* 그는 자동차를 가지고 있는데 그것을 운전하는 것을 좋아한다. 나도 차를 갖고 싶다. (2) 이미 나온 명사의 대용어로 쓸 때에는 the가 온다: I want that hat — *the one* with a feather. 저 모자 — 깃털이 달린 모자를 원한다. (3) 불가산명사에서는 one은 쓰지 않는다: I like red wine better than white. 백포도주보다 적포도주 쪽을 좋아한다. (4) 소유격 다음에는 one은 쓰지 않는다. 단, 형용사가 수식하면 쓴다: This room is not mine. It's Mary's. 이 방은 내 방이 아닙니다. 메리의 방입니다. / This camera is as good as my new *one.* 이 카메라는 나의 새 카메라에 못지않게 좋다. (5) 기수사(基數詞) 뒤에는 one, ones는 쓰지 않는다: I have three dogs — two large, and one small. 개를 세 마리 기르고 있다 — 두 마리는 크고 한 마리는 작다. (6) '인칭대명사의 소유격+own' 뒤에서는 일반적으로 one은 쓰이지 않는다: The room is my own. 이 방은 내 자신의 것이다.
b [the, this, that, which 등의 한정어와 함께] (특정 또는 비특정의) **사람, 것**: Will you show me *this* ~? 이것을 보여주시겠습니까? / *Which* ~ do you prefer? 어느 쪽을 고르시겠습니까? / Give me *the* ~ there. 저쪽에 있는 것을 주십시오. / He is *the* ~ I mean. 그가 내가 말씀드린 사람입니다. / Are these *the ~s* you were looking for? 이것들이 당신이 찾고 있었던 것입니까?
7 [복합대명사의 제2요소로서]: ⇨ anyone, everyone, no one, someone
be a new ~ on a person …에게 처음이다, 금시초문이다
be ~ for (do*ing*) …(하는 것)이 능한 사람이다
if ever there was ~ 틀림없이, 확실히
I owe you ~. 《구어》 (너한테) 은혜를 입게 되었구나; 신세졌다. 《여기서의 one은 a favor의 뜻》
~ after another (1) 〈부정수(不定數)의 것이〉 잇따라, 차례로: I saw cars go past[by] ~ *after another.* 자동차가 잇따라 지나가는 것이 보였다. (2) = ONE after the other (2)
~ after the other (1) 〈두 사람[물건]이〉 교대로, 서로 번갈아 (2) 〈특정수의 것이〉 차례로, 순차적으로: The cars arrived ~ *after the other.* 자동차는 차례로 (연이어) 도착하였다. (3) = ONE after another (1)
~ another 서로(cf. EACH other): Elements frequently combine with ~ *another.* 원소는 종종 서로 결합된다. / The girls are talking seriously to ~ *another.* 소녀들은 진지하게 서로 이야기를 나누고 있다.
~ in the eye ⇨ eye
~ of those 《구어》 호모(homosexual)
~ of those things 《구어》 어쩔 수 없는[불가피한] 일
~ … the other (둘 중) 한쪽은 … 다른 한쪽은
~ with another 평균하여, 대체적으로
tell ~ from the other 둘을 구별하다
the ~ that got away 《구어》 애석하게도 놓친 것[사람, 기회]
the ~ … the other 전자[후자] … 후자[전자] ⇨ *pron.* 1 c

óne's sélf = ONESELF
one-star [-stɑ́ːr] *a.* (계급·등급을 나타내는) 별 하나의; 〈호텔 따위가〉 저급의
one-step [-stèp] *n.* **1** 〖무용〗 원스텝 (《2/4 박자의 사교춤》) **2** 원스텝용 곡
— *vi.* (**~ped**; **~·ping**) 원스텝을 밟다[추다]
one-stop [wʌ́nstɑ́p | -stɔ́p] *a.* 한 곳에서 모든 일을 처리하는, 한 장소에 모든 것이 구비된
óne-stop shópping 원스톱 쇼핑 《한 상점에서 각종 상품을 다 살 수 있는》

one-strip·er [-stráipər] *n.* 《미·해군속어》 소위; 《미·육군속어》 일병

óne-tail(ed) tést [-tèil(d)-] 〖통계〗 편측(片側) 검정《표본 통계량의 값이 어떤 값보다 크거나 작을 경우에 가설을 기각하는 검정》

one·time [-tàim] *a.* Ⓐ **1** 한때의, 이전의 **2** 한 번만의 **—** *ad.* 한때, 이전에

óne-time pád 1회용 암호표

óne-time prográmmable *a.* 〖전자〗 1회만의 기입이 가능한 《略 OTP》

óne-time ràte 〖광고〗 표준 매체 요금 《표준 요금표에 기재되어 있는 공정 가격》

one-to-one [-təwʌ́n] *a.* 1대 1의, 상대적인; (2개 이상의 그룹 사이에서) 각 요소가 각각 대응하는: a ~ function 일대일 대응 함수

one-touch [wʌ̀ntʌ́tʃ] *a.* (축구에서) 원터치의 《공에 발을 대자마자 패스하는》

one-track [-træ̀k] *a.* Ⓐ **1** 〖철도〗 단선의(cf. DOUBLE-TRACK) **2** 《구어》 하나밖에 모르는, 융통성이 없는, 편협한(narrow)

óne-track mínd 한 곳으로만 파고드는 마음, 일방적인 생각

óne-trìck póny 《속어》 한 가지 재능[특성]을 갖고 있는 사람[물건]

one-two [-túː] *n.* **1** 〖권투〗 좌우 연타 **2** 재빠른 동작, 즉각적인 대답

one-un·der [-ʌ́ndər] *n.* 《영·속어》 지하철에 뛰어들어 자살하는 사람

one-up [-ʌ́p] *vt.* (**~ped**; **~·ping**) 한 수 위로 나오다, 한 수 앞서다; 《구어》 1점차로 앞서다

one-up·man [-ʌ́pmən] *vt.* (**~ned**; **~·ning**) 《구어》 = ONE-UP

one-up·man·ship [-ʌ́pmənʃìp] *n.* Ⓤ 《구어》 남보다 한 발[수] 앞선 행위[술책]

one-way [-wéi] *a.* Ⓐ **1** 한쪽(만)의, 일방통행의; 편도의: ~ traffic 일방통행 **2** 일방적인, 한쪽 방향만의: a ~ conversation 일방적인 대화

óne-way gláss[mírror] 원웨이 유리[거울] 《한쪽 방향에서만 투명하게 보이는 유리》

óne-way tícket 《미》 편도 승차권[표]; 피할 길을 주지 않는 확실한 방법

one-wom·an [-wùmən] *a.* 여성 혼자서 행하는[운영하는]; 여성 1인용의

óne wórld [종종 **O- W-**] (국제 협조에 의한) 세계 정부, 하나의 세계

one-world·er [-wə́ːrldər] *n.* 세계 정부[연합]주의자; 국제(협조)주의자

ONF, ONFr Old North French

on·fall [ɑ́nfɔ̀ːl, ɔ́ːn- | ɔ́n-] *n.* 공격, 습격: make an ~ 공격하다

on-field [ɑ̀nfíːld, ɔ̀ːn- | ɔ̀n-] *a.* 경기장의, 경기장에서의: ~ medical treatment 경기장 현장 치료

on·flow [-flòu] *n.* (세찬) 흐름, 분류

on-glide [-glàid] *n.* 〖음성〗 삽입 경과음 《발성 기관이 다음 음으로 이동할 때 나는 경과음; length [leŋkθ]의 [k]음》

on·go·ing [-gòuiŋ] *n.* **1** Ⓤ 전진, 진행 **2** [*pl.*] 행동, 소행, 사건 **—** *a.* Ⓐ 전진하는, 진행 중의 **~·ness** *n.*

ONI Office of Naval Intelligence 〖미해군〗 정보국

✿on·ion [ʌ́njən] [L 「일체(一體)」의 뜻에서; ⇨ union] *n.* **1** ⒸⓊ 〖식물〗 양파; 양파의 비늘줄기 《식용 부분》 (= **~ bùlb**); 양파 냄새[향] **2** 《속어》 머리, 사람: a tough ~ 지칠 줄 모르는 놈 **3** 《영·속어》 Bermuda 섬의 원주민 **4** 《속어》 최루탄 **5** 《속어》 알이 굵은 진주; 야구공 **6** 《속어》 서툰 계획; 실패한 모험[일] ***know*** one**'s** **~s** 《속어》 자기 전문 분야에 능하다, 유능하다 ***off*** one**'s** **~(s)** 《속어》 미쳐서
— *a.* **1** 양파를 넣은 **2** 양파의[와 닮은]
— *vt.* **1** 양파로 맛들이다 **2** 〈눈을〉 양파로 비벼 눈물이 나게 하다 **~·lìke** *a.* ▷ óniony *a.*

ónion dòme (교회·궁전 따위의) 양파 모양의 둥근 지붕

on·ion·skin [ʌ́njənskìn] *n.* Ⓤ **1** 양파 껍질 **2** 얇다란 반투명 용지 《카본 복사용 등》

ónion-skin páper 아주 얇고 부드러운 필기용 종이

on·ion·y [ʌ́njəni] *a.* 양파 같은; 양파 맛[냄새]이 나는: ~ breath 양파 냄새가 나는 숨

on-is·land·er [ɑ́nàiləndər, ɔ́ːn- | ɔ́n-] *n.* 《미》 섬사람[토착인]

on·kus [ɑ́ŋkəs | ɔ́ŋ-] *a.* 《호주·속어》 몹쓸, 시시한; 못쓰게 된, 고장난

on·lend [ɑ́nlènd, ɔ́ːn- | ɔ́n-] *vt.* 《영》 〈금융 기관 등이〉 〈차입금을〉 융자해 주다
— *vi.* 〈금융 기관 등이〉 차입금을 융자하다

on-li·cense [-làisns] *n.* Ⓤ 《영》 상점내 주류 판매 허가(opp. *off-license*)

on-lim·its [-límits] *a.* 《미》 출입이 허용된: an ~ area 자유 출입 지역(opp. *off-limits*)

on·line [-láin] *a.*, *ad.* 〖컴퓨터〗 (공동) 전산망의[으로], 온라인의[으로] 《컴퓨터의 단말기가 중앙 처리 장치와 연결된 상태》(opp. *off-line*): an ~ bookstore 온라인 서점 **-lin·er** *n.* 온라인 서비스 사용[제공]자

ónline áuction 〖컴퓨터〗 온라인 경매

ónline bánking 온라인 뱅킹[은행 거래]

ónline pséudonym 인터넷 필명(筆名)

ónline réal tíme sýstem 〖컴퓨터〗 온라인 실시간 처리 시스템 《정보를 즉시 처리하여 단말기로 보내는 시스템》

ónline sérvice 〖컴퓨터〗 온라인 서비스 《통신 회선을 사용한 데이터베이스 서비스》

ónline shópping 〖컴퓨터〗 온라인[인터넷] 쇼핑

ónline stórage 〖컴퓨터〗 온라인 기억 장치

ónline sýstem 〖컴퓨터〗 온라인 시스템

on·look·er [ɑ́nlùkər, ɔ́ːn- | ɔ́n-] *n.* 방관자(bystander), 구경꾼(spectator)

on·look·ing [ɑ́nlùkiŋ, ɔ́ːn- | ɔ́n-] *a.* **1** 구경하는 **2** 방관적인 **3** 기대하는; 예감이 드는(foreboding)
— *n.* 방관, 구경

✿on·ly ⇨ only (p. 1761)

ónly begétter 유일한 창시자 《인류의 유일한 창시자 Adam 등》

on·ly-be·got·ten [óunlibigɑ́tn | -gɔ́t-] *a.* 《고어》 혼자만이 태어난, 독자의

ónly chíld 외아들, 외동딸

on-mes·sage [ɑ̀nmésidʒ | ɔ̀n-] *a.* Ⓟ, *ad.* 〈정치인이〉 당 노선을 지키는[지키게], 당의 이념에 충실한[충실하게]

o.n.o. or near(est) offer 《영》 또는 그것에 가까운 값으로 《광고문에서》: For sale, £500 ~ 500파운드 전후로 판매

on-off [ɑ́nɔ́ːf, ɔ́ːn- | ɔ́nɔ́f] *a.* 〖전기〗 〈스위치가〉 온오프(식)의

ón-óff contròl (냉장고 등의) 자동 제어 방식

on·o·man·cy [ɑ́nəmæ̀nsi | ɔ́n-] *n.* Ⓤ 성명 판단

on·o·mas·tic [ɑ̀nəmǽstik | ɔ̀n-] *a.* **1** 성명(name)의; 고유명사학의 **2** 〖법〗 〈서명이〉 직필(直筆)인 **-ti·cal·ly** *ad.*

on·o·mas·ti·con [ɑ̀nəmǽstikɑ̀n, -kən | ɔ̀nəmǽstikən, -kɔ̀n] *n.* 고유명사집; (특정 분야의) 전문 용어집

on·o·mas·tics [ɑ̀nəmǽstiks | ɔ̀n-] *n. pl.* [단수 취급] **1** (특정 전문 분야의) 용어 연구; 고유명사학 **2** (특정 분야의) 어휘 체계, 용어법

on·o·mas·ti·cian [ɑ̀nəməstíʃən | ɔ̀n-] *n.*

on·o·mat·o·poe·ia [ɑ̀nəmæ̀təpíːə, -mɑ̀ːtə- | ɔ̀nəmæ̀t-] [L 「이름을 짓다」의 뜻에서] *n.* **1** Ⓤ 〖언어〗 의성(擬聲) **2** 의성어 《buzz, thud 등》 **3** Ⓤ 〖수사

thesaurus **ongoing** *a.* current, extant, progressing, advancing, developing, growing, continuous, nonstop, incessant, unending, constant

only

only는 형용사·부사·《구어》 접속사로 쓴다. 그 중 부사 기능이 가장 두드러진다. 원래 부사 only는 보통 수식하는 어·구·절 바로 앞뒤에 놓이며, 문장이 수식될 경우에는 동사 앞에 놓이는 일이 많다. 그러나 일반적으로 only를 동사 앞에 두는 경향이 흔하다. 또한 only는 위치에 따라 뜻이 달라지는 수가 있으므로 주의해야 한다: He can ~ guess[guess ~]. 《동사를 한정》 그는 단지 추측할 수 있을 따름이다. / *O*~ he[He ~] can guess. 《주어를 한정》 그만이 추측할 수 있다. 일반적으로 only가 수식하는 동사나 명사 등에 강세를 준다 《위 예문에서의 guéss나 hé》. 그러나 다음과 같이 동사와 결합되어 있으면서도 다른 부분을 한정하는 수도 있다: I ~ heard it yesterday. =I heard it ~ yesterday. (나는 어제서야 그것을 들었다.) 이런 경우는 강조하고 싶은 낱말에 강세를 준다 《여기서는 yésterday》.

‡on·ly [óunli] *a.*, *ad.*, *conj.*

① 유일한; 단지 …뿐	형 **1** 부 **1**
② 최적의	형 **3**
③ 다만	접 **1**

—*a.* Ⓐ **1** [the ~, one's ~] **유일한**, 단지 …뿐인 (⇨ single 유의어): He is *the* ~ friend that I have. 그는 나의 유일한 친구이다. / They were *the* ~ people present. 그 자리에 있었던 사람은 그들 뿐이었다. / *Her* ~ answer was her sobs. 그녀는 대답 대신에 훌쩍훌쩍 울 뿐이었다.
2 단 하나[한 사람]뿐인: an ~ son[daughter] 외아들[외딸] 《USAGE 부정관사를 사용하는 것은 「외아들」인 경우이지만, the ~ son[daughter]라고 하면 외아들[외딸]이되 그 밖에 자매[형제]가 있어도 상관없음; 한편 외아들[외딸]의 경우는 He's[She's] an ~ child.라고 하는 것이 일반적임》/ one's ~ brother 단 한 사람의 형[동생]
3 [the ~] **둘도 없는**, 가장 좋은(best); 최적의 《*for*》: *the* ~ thing *for* winter wear 동복으로서 가장 좋은 것 / You are *the* ~ man *for* the job. 당신이야말로 그 일에 최적임자이다.
one and **~** [only의 강조형으로] (1) [one's ~] 오직 하나뿐인: She is *my one and* ~ friend. 그녀는 나의 오직 하나뿐인 친구이다. (2) [가수·배우 등을 소개할 때] 최고의: And next, the *one and* ~ Paul Anka. 그리고 다음은 최고의 스타, 폴 앵커입니다.
—*ad.* **1 단지, 오직**, 다만, …에 지나지 않는: *O*~ God can make a tree. 신만이 나무를 만들 수 있다. 《J. Kilmer의 시》/ *O*~ you[You ~] can guess. 당신만이 추측할 수 있다. / You can ~ guess[guess ~]. 단지 추측할 수밖에 없다. / I will go ~ if you go too. 당신이 갈 경우에만 나는 간다. / Ladies *O*~ 《게시》 여성 (전용)
2 [수량을 수식하여] **약간의**, 겨우 …만[뿐, 밖에]: ~ a little 아주 적은 / She has ~ one dollar. 그녀는 1달러 밖에 가지고 있지 않다. ★ She ~ has one dollar.보다 뜻이 강함 / I want ~ ten dollars. 10달러가 필요하다. ★ I ~ want ten dollars.라고 하면 「요구」의 뜻이 약해지고 「10달러만 있으면 그것으로 족하다.」의 뜻이 됨.
3 [때를 나타내는 부사(구)를 수식하여] **방금**, 막, 바로, 불과, 겨우: He came ~ yesterday. 그는 어제 왔을 뿐이다. ★ 같은 뜻은 다음 어순으로도 나타낼 수 있음: He ~ came yesterday. / I ~ just spoke with[to] her. 방금 그녀와 이야기하고 있던 참이었다.
4 [술어 동사를 수식하여] **오히려[다만] …할 뿐**: It will ~ make her mad. 그것은 그녀를 화나게 만들 뿐일 것이다.
5 [부정사를 수식하여] **a** [목적] **단지** 〈…하기〉 **위하여**: She went to Hong Kong ~ *to* do some shopping. 그녀는 단지 쇼핑을 하기 위하여 홍콩에 갔다. **b** [결과] **결국** 〈…할〉 **뿐인**, 〈…하기 위하여〉 …하는 것과 마찬가지인: He studied hard for the exam ~ *to* fail. 그는 시험을 위하여 열심히 공부하였으나 결국 실패하였다.
have* ~ *to do = 《구어》 **~ *have to*** do …하기만 하면 되다: You *have* ~ *to* go. 가기만 하면 된다. / You'*ve* ~ *to* ask and she'll tell you. 묻기만 하면 그녀는 가르쳐 줄 것이다.
***if* ~** ⇨ if
***not* ~ ... *but* (*also*)** ⇨ not
~ ... *if* [*when*] …하여야 비로소, …의 경우만
~ *just* (1) ⇨ *ad.* 3 (2) 간신히, 겨우: ~ *just* enough food for a day 겨우 하루치 밖에 안 되는 식량
~ *not* 거의 …이나 마찬가지: She is ~ *not* a baby. 그녀는 거의 아기나 다름없다.
~*too* ⇨ too
—*conj.* 《구어》 **1** [등위 접속사; 불가능한 이유를 설명] **다만, 하지만**: I would do it with pleasure, ~ I am too busy. 하고 싶지만 너무 바빠서 못하겠습니다.
2 [종속 접속사적으로] …만 아니라면, …하는 일만 없다면 ★ 때로 only that가 됨: He is a good man, ~ (*that*) he sometimes drinks too much. 그는 때로 과음만 하지 않으면 착한 사람이다. / He would have joined our meeting, ~ you objected. 당신만 반대하지 않았더라면 그는 우리들 모임에 참가하였을 것입니다.
~ *that* ⇨ *conj.* 2

학》 성유법(聲喩法)

on·o·mat·o·poe·ic [ɑ̀nəmæ̀təpí:ik | ɔ̀nə-], **-po·et·ic** [-pouétik] *a.* 의성의; 의성어의; 성유법의 **-i·cal·ly** *ad.*

ONR Office of Naval Research 〔미해군〕 조사과

on-ramp [ɑ́nræ̀mp, ɔ́:n-] *n.* (고속도로로의) 진입로

on-rec·ord [-rèkərd | -rèkɔ:d] *a.* 〈발언 따위가〉 보도를 전제로 한, 공식의, 공개의(on-the-record): ~ policy 공식 발표 정책

on·rush [-rʌ̀ʃ] *n.* (맹렬한) 돌격, 돌진; 분류(奔流): the ~ of industrialization 급격한 공업화

on·rush·ing [-rʌ̀ʃiŋ] *a.* 돌진하는; 앞뒤를 헤아리지 않고 내닫는

on-scene [-sí:n] *a.* 현지의, 현장의

on-screen [-skrí:n] *a.*, *ad.* 《미·구어》 영화의[에서], TV의[에서]; 배역상의[에서]: an ~ course in economics 경제학 TV 강좌

on-sea·son [-sí:zn] *a.*, *ad.* 시즌 중의[에]
—*n.* (행락 따위의) 시즌; (장사 따위의) 대목

on·sell, on-sell [ɑ̀nsél, ɔ̀:n- | ɔ̀n-] *vt.* (최근에 획득한 자산을 이윤을 붙여) 제 3자에게 팔다

***on·set** [ɑ́nsèt, ɔ́:n- | ɔ́n-] *n.* **1 습격**, 공격(attack): an ~ of the enemy 적의 내습 **2 징후**, 발병 《병의》; 착수, 개시: the ~ of winter 겨울이 옴 **3** 〖인쇄〗 전자 사진술(electronography) ***at the first* ~** 맨 먼저, 첫 시작으로

---

only *a.* sole, lone, single, individual, unique, exclusive **—** *ad.* **1** 단지 just, merely, simply, purely **2** 겨우 at most, barely, scarcely

on·shore [-ʃɔ́:r] *a., ad.* 육지 쪽의[으로]; 육상의[으로]; 해안에 따른[따라서]; 국내[내지]에서
ónshore wìnd 해풍(海風) 《파도타기에 알맞지 않은 바람》
on·side [-sáid] *a., ad.* 〖미식축구·럭비〗 (반칙이 아닌) 바른 위치의[에](cf. OFFSIDE)
ónside kíck 〖미식축구·럭비〗 온사이드 킥 《공을 다시 잡아 공격권을 얻으려고 일부러 짧게 차기》
on-site [-sáit] *a.* 현장의, 현지의: ~ inspections 현지 조사, 현장 검증 / ~ service 출장 수리 서비스
on·slaught [-slɔ̀:t] *n.* 맹공격, 맹습: make an ~ on …을 맹습하다
on·stage [-stéidʒ] *a., ad.* 무대 위의[에서]
on·stream [-strí:m] *ad.* 활동을 개시하여: A new plant went ~. 새 공장은 조업을 개시했다.
on-street [-strí:t] *a.* 〈주차가〉 노상의(opp. *off-street*)
Ont. Ontario
-ont [ɑnt] 《연결형》 「세포, 유기체」의 뜻: dipl*ont*
on-tar·get [ɑ́ntɑ́:rgit, ɔ́:n- | ɔ́n-] *a.* 정확한; (…에) 적중한, 예상대로의 (*for*)
On·tar·i·an [ɑntɛ́əriən | ɔn-] *a., n.* 온타리오 주의 (사람)
*__On·tar·i·o__ [ɑntɛ́əriòu | ɔn-] [북미 인디언 말 「큰 호수」의 뜻에서] *n.* **1** 온타리오 《캐나다 남부에 있는 주; 주도 Toronto; 略 Ont.》 **2 Lake ~** 온타리오 호 《미국과 캐나다 사이의 5대호 중의 작은 호수》 **3** 미국 California 주 LA 동쪽의 도시 ▷ Ontárian *a., n.*
on-the-cuff [ɑ́nðəkʌ́f, ɔ́:n- | ɔ́n-] *a., ad.* 《미·구어》 외상의[으로], 크레디트의[로]
on-the-job [-ðədʒɑ́b | -dʒɔ́b] *a.* Ⓐ 실지[실습]로 배우는; 근무 중의, 직장에서의: ~ training 직장 내 훈련, 현장 연수, 실지 훈련 《略 OJT》
on-the-rec·ord [-ðərékərd | -ðərèkɔ:d] *a., ad.* 보도[공개]해도 좋다는 전제의[로](opp. *off-the-record*)
on-the-run [-ðərʌ́n] *a.* 황급한, 분주한
on-the-scene [-ðəsì:n] *a.* 현장에서의, 현장의
on-the-spot [-ðəspɑ̀t] *a.* Ⓐ **1** 현지[현장]의, 즉석의, 즉결의 **2** 현금의
on·tic [ɑ́ntik | ɔ́n-] *a.* 〖철학〗 (본질적인) 존재의, 실체적인 **ón·ti·cal·ly** *ad.*
on-time [ɑ́ntàim, ɔ́:n- | ɔ́n-] *a.* 정기적인: the industry's first ~ publication 그 업계 최초의 정기 간행물
*__on·to__ [ɑ́ntə, ɔ́:n- | ɔ́n-] [on과 to에서] *prep.* **1** …위에: get ~ a horse 말에 올라타다 / The cat jumped ~ the table. 고양이는 테이블 위로 뛰어올랐다. ★ 《영》에서는 보통 on to로 씀. **2** 《구어》 〈음모 등을〉 알아차리고, 알고: I think the cops are ~ us. 경찰이 우리 음모를 알고 있는 것 같다. **3** 《구어》 〈좋은 결과·발견 등에〉 도달할 것 같은: You may be ~ something. 좋은 결과가 나타날지도 모른다.
be ~ a person 《구어》 (1) …의 부정을 발견하다 (2) 《영》 …와 연락을 취하다 ***be ~ a good thing*** 《구어》 멋진 곳을 발견하다, 횡재하다 ***hold ~ a person*** …에게 달라붙다
onto- [ɑ́ntə | ɔ́n-] [Gk = being(존재)] 《연결형》 「존재; 실재」의 뜻: *onto*logy
on·to·gen·e·sis [ɑ̀ntədʒénəsis | ɔ̀n-] *n.* = ONTOGENY
on·tog·e·ny [ɑntɑ́dʒəni | ɔntɔ́-] *n.* Ⓤ 〖생물〗 개체(個體) 발생(론)
on·to·log·i·cal, -ic [ɑ̀ntəlɑ́dʒik(əl) | ɔ̀ntəlɔ́-] *a.* 〖철학〗 존재론적인 **-i·cal·ly** *ad.*
ontológical árgument 〖철학〗 (신의) 존재론[본체론(本體論)]적 증명
on·tol·o·gism [ɑntɑ́lədʒìzm | ɔntɔ́-] *n.* Ⓤ 〖신학·철학〗 본체[존재]론주의 **-gìze** *vt.*
on·tol·o·gy [ɑntɑ́lədʒi | ɔntɔ́-] *n.* Ⓤ 〖철학〗 존재론; 본체론; (광의의) 형이상학 **-gist** *n.*

o·nus [óunəs] [L = burden] *n.* [the ~] 무거운 짐; 부담, 책임, 의무: lay[put] *the* ~ on …에게 책임을 돌리다
o·nus pro·ban·di [óunəs-proubǽndai, -di:] [L = the burden of proof] 〖법〗 입증의 의무[책임]
‡**on·ward** [ɑ́nwərd, ɔ́:n- | ɔ́n-] [on(앞으로)과 -ward(방향을 나타내는 접미사)에서] *a.* Ⓐ **전방으로**의; 전진하는, 향상하는: an ~ course 진보적 과정 **—** *ad.* 전방으로, 앞으로; 나아가서: move ~ 전진하다

> 유의어 **onward** 일정한 곳을 향해 진행이 계속됨을 나타냄: march *onward* toward a goal 목적지를 향해 전진하다 **forward** 「전방을 향하여」의 뜻: face *forward* 앞쪽을 향하다

from this day ~ 오늘 이후 ***O~!*** 전진, 앞으로! 《구령》
on·wards [ɑ́nwərdz, ɔ́:n- | ɔ́n-] *ad.* = ONWARD
o·ny·mous [ɑ́nəməs | ɔ́n-] *a.* 이름을 밝힌, 익명이 아닌(opp. *anonymous*)
on·yx [ɑ́niks, óun- | ɔ́n-] [Gk = nail; 그 빛깔이 손톱 빛깔과 비슷하다 해서] *n.* Ⓤ **1** 〖광물〗 (줄무늬가 있는) 마노(瑪瑙) **2** 〖해부〗 손[발]톱 **—** *a.* 칠흑의, 암흑의: the ~ night sky 칠흑 같은 밤하늘
oo- [óuə] [Gk = egg] 《연결형》 「알; 난자」의 뜻: *oo*logy
O/o order of 〖상업〗 …의 지시
OOB [òuòubí:] *n.* = OFF-OFF-BROADWAY
o·o·blast [óuəblæ̀st] *n.* 〖생물〗 난원(卵原) 세포
o·o·cyst [óuəsìst] *n.* 〖동물〗 접합자(接合子)(zygote), 《특히》 접합자낭
o·o·cyte [óuəsàit] *n.* 〖생물〗 난모(卵母) 세포
OOD officer of the day; officer of the deck
oo·dles [ú:dlz] *n. pl.* [때로 단수 취급] 《속어》 (…가) 많음, 풍부, 듬뿍 (*of*): ~ *of* time 많은 시간
oo-er [ù:ɔ́:r] *int.* 《익살》 와아 《특히 성행위 시에 나타나는 표현》
oof [ú:f], **oof·tish** [ú:ftiʃ] [Yid. 「노름의 내기 돈」의 뜻에서] *n.* Ⓤ 《영·속어》 돈, 현금; 힘
oof·bird [ú:fbə̀:rd] *n.* 《영·속어》 **1** 돈을 낳는다는 상상의 새 **2** 부자
oof·y [ú:fi] *a.* (**oof·i·er**; **-i·est**) 《영·속어》 돈 많은, 부자의
o·o·gam·ete [òuəgǽmi:t, -gəmí:t] *n.* 〖생물〗 이형 배우자 생식 세포
o·og·a·mous [ouɑ́gəməs | -ɔ́gə-] *a.* 〖생물〗 **1** 이형 배우자의[를 가진] **2** 난자[난(卵) 접합] 생식의
o·o·gen·e·sis [òuədʒénəsis] *n.* Ⓤ 〖생물〗 난자(卵子) 형성
o·o·go·ni·um [òuəgóuniəm] *n.* (*pl.* **-ni·a** [-niə], **~s**) 〖생물〗 난원 세포; 〖식물〗 포자 **-ni·al** *a.*
ooh [ú:] *int.* 앗, 오, 아 《놀람·기쁨·공포 등 강렬한 감정》 **—** *n.* 놀람 **—** *vi.* 깜짝 놀라다
o·o·lite [óuəlàit] *n.* Ⓤ 〖지질〗 어란상(魚卵狀) 석회암
o·o·lit·ic [òuəlítik] *a.*
o·ol·o·gy [ouɑ́lədʒi | -ɔ́lə-] *n.* Ⓤ 조란학(鳥卵學) **-gist** *n.* 조란학자, 조란 수집가 **ò·o·lóg·i·cal** *a.*
oo·long [ú:lɔ̀:ŋ, -lɑ̀ŋ | -lɔŋ] [Chin. 「wu-lung(오룡(烏龍)」에서] *n.* Ⓤ 우롱차, 오룡차(茶) 《중국·대만산(産)》
oom [ú:m] *n.* 《남아공》 아저씨(uncle)
oo·mi·ak, -ac(k) [ú:miæ̀k] *n.* = UMIAK
oom·pah, oom-pah [ú:mpɑ:, úm-] [의성어] 《구어》 *n.* 뿜빠뿜빠 《취주 악대의 튜바 등의 반주》 **—** *vi.* 반복적으로 저음을 내다 **—** *a.* 뿜빠뿜빠(음)의, 뿜빠뿜빠식의; 단조로운 리듬의: an ~ band 취주 악대
oomph [úmf] [의성어] *n.* Ⓤ 《속어》 **1** 정력, 활력, 박력 **2** 성적 매력; 《일반적으로》 매력
oont [únt] [Hindi] *n.* 《인도》 낙타(camel)
OOP 〖컴퓨터〗 object-oriented programming
o·o·pho·rec·to·my [òuəfəréktəmi] *n.* (*pl.* **-mies**) 〖의학〗 난소 절제[적출]술

o·o·pho·ri·tis [òuəfəráitis] *n.* Ⓤ 〖병리〗 난소염(卵巢炎)
o·oph·o·ron [ouáfərən | -ɔ́f-] *n.* 〖동물〗 난소
o·o·phyte [óuəfàit] *n.* 〖식물〗 (이끼류의) 배우체
oops [úps, ú:ps] *int.* 저런, 야단났군, 미안, 아이구 《놀람·당황·가벼운 사과의 뜻을 나타내는 소리》
oops-a-dai·sy [ú:psədèizi] *int.* **1** 영차, 으차 《사람을 오르도록 밀어주며》 **2** =OOPS
Óort clòud [ɔ́:rt-] [네덜란드의 천문학자 이름에서] 〖천문〗 오르트 성운 《명왕성 밖의 궤도를 돌고 있는 혜성군》
o·o·sphere [óuəsfìər] *n.* 〖생물〗 난구(卵球) 《조류(algae) 등의 난기(卵器) 내 미수정란》
o·o·spore [óuəspɔ̀:r] *n.* 〖생물〗 난포자(卵胞子) 《조류(algae) 등의 난기(卵器) 내 수정란》
o·o·tid [óuətìd] *n.* 〖생물〗 오티드 《감수 분열로 생긴 성숙란(成熟卵)과 극체(極體)》
∗**ooze**[1] [ú:z] [OE 「즙(汁), 습기」의 뜻에서] *vi.* **1** 스며 나오다, 새어나오다: (~+전+명) Water ~*d through* the paper bag. 종이 주머니에서 물이 스며 나왔다. **2** 〈군중 등이〉 서서히 나아가다 **3** 분비물을 내다, 분비하다 **4** 〈비밀 등이〉 새다 《*out*》: (~+부) The secret ~*d out*. 비밀이 누설되었다. **5** 〈용기 등이〉 점점 없어지다 《*away*》: (~+부) His courage ~*d away*[*out*]. 그의 용기는 점점 꺾였다.
—*vt.* **1** 배어 나오게 하다: ~ sweat 땀을 흘리다 **2** 〈비밀 등을〉 누설하다 **3** 〈타고난 성질·매력 등을〉 발산하다 ~ ***its way*** 줄줄 흘러나오다
—*n.* Ⓤ **1** 스며나옴, 분비; 분비물 **2** (가죽 무두질하는 데 쓰는) 타닌즙 ▷ óozy[1] *a.*
ooze[2] [OE 「진흙」의 뜻에서] *n.* **1** Ⓤ (내·바다 밑의) 보드라운 진흙 **2** 습지
ooz·y[1] [ú:zi] *a.* (**ooz·i·er**; **-i·est**) 줄줄 흘러나오는[내리는], 질벅질벅 나오는, 스며나오는
oozy[2] *a.* (**ooz·i·er**; **-i·est**) 보드라운 진흙의[비슷한]; 보드라운 진흙이 섞인
op[1] [áp | ɔ́p] *n.* =OPTICAL ART
op[2] [*op*eration] *n.* 《구어》 수술
op[3] *n.* 《구어》 《사립》 탐정(operative); 《속어》 전신[무선] 기사(operator)
op- [ɑp, əp | ɔp, əp] *pref.* =OB- 《p 앞에 올 때의 변형》
op. opera; operation; operator; opposite; *opus* 《L =work》 **OP** observation post **o.p.** 〖연극〗 opposite prompt(side); out of print 절판(絕版); overproof (알코올 성분이) 표준 강도 《미국에서는 100° =50%》를 초과한 **OPA** Office of Price Administration 《미》 물가 관리국
o·pac·i·fy [oupǽsəfài] (**-fied**) *vt., vi.* 불투명하게 하다[되다]
o·pac·i·ty [oupǽsəti] *n.* (*pl.* **-ties**) Ⓤ **1** 불투명; 부전도(不傳導); 〖사진〗 불투명도; Ⓒ 불투명체 **2** (뜻의) 애매함 **3** 지둔, 우둔
o·pah [óupə] *n.* 〖어류〗 빨간개복치 《대서양산(産)의 커다란 식용어》
∗**o·pal** [óupəl] *n.* Ⓤ 〖광물〗 **오팔**, 단백석(蛋白石)
o·pal·esce [òupəlés] *vi.* 오팔과 같은 빛을 내다
o·pal·es·cence [òupəlésns] *n.* Ⓤ 유백광(乳白光)
o·pal·es·cent [òupəlésnt] *a.* 유백광을 내는 **~·ly** *ad.*
o·pal·esque [òupəlésk] *a.* =OPALESCENT
ópal glàss 유백색 유리(milk glass)
o·pal·ine [óupəlin, -lì:n, -làin | -làin] *a.* 오팔 같은; 유백광을 내는 — [óupəlì:n | -lì:n, -làin] *n.* Ⓤ 유백색 유리; 유백색
Op Amp operational amplifier 〖전자〗 연산 증폭기
∗**o·paque** [oupéik] [L 「그늘진」의 뜻에서] *a.* **1** **불투명한**, 빛을 통과시키지 않는: an ~ body 불투명체 **2** 〈열·전기·전파 등이〉 통하지 않는 **3** 윤이 안 나는, 광택 없는, 우중충한 **4** 분명하지 않은, 불명료한 **5** 〈머리가〉 둔한, 우둔한(stupid)
—*n.* **1** 불투명체 **2** [the ~] 암흑 **3** 〖사진〗 불투명액
—*vt.* **1** 〖사진〗 불투명액으로 수정하다 **2** 불투명하게 하다; 불명료하게 하다 **~·ly** *ad.* **~·ness** *n.*
opáque projéctor 《미·캐나다》 불투명 투영기 《반사광을 이용하여 스크린 위에 책 같은 불투명한 물체를 투영하는 기계》
óp árt [*op*tical *art*] [종종 **O- A-**] 〖미술〗 옵아트 《1960년대에 일어난 시각적 착각 효과를 노리는 추상 미술의 한 양식》
op. cit. [áp-sít | ɔ́p-] *opere citato* 《L =in the work cited》 앞에 인용한 책 속에
ÓP còde [*op*eration *code*] 〖컴퓨터〗 조작 부호 《실시될 특정 연산을 지정하는 부호》
op-con [ápkàn | ɔ́pkɔ̀n] [*op*erational *con*trol] *n.* 《미》 **1** 〖군사〗 작전 통제; (작전에 따른) 병참 보급 지령 **2** (컴퓨터에 의한) 작업[운용] 통제
OPCW Organization for the Prohibition of Chemical Weapons 화학 무기 금지 기구
ope [óup] *a., vt., vi.* 《시어》 =OPEN
OPEC [óupek] Organization of Petroleum Exporting Countries 석유 수출국 기구
Óp-Èd[**óp-èd**] (**pàge**) [ápèd- | ɔ́p-] [*op*posite *ed*itorial (*page*)] 《미》 (신문에서) 사설란의 맞은 면 《보통 서명이 든 특집 기사가 실림》
⁑**o·pen** [óupən] *a.* (**~·er**; **~·est**) **1** 열린, 연: an ~ window 열린 창/push[throw] a door ~ 문을 밀어 열다/with one's mouth wide ~ 입을 크게 벌리고 **2** 〈꽃이〉 핀; 〈신문 등이〉 펼쳐진 **3 a** 덮개[지붕]가 없는, 울타리가 없는; 널따란: ~ country 널따란 땅/an ~ car 오픈 카/an ~ fire 덮개가 없는 (난로)불 **b** 〈통로 등이〉 장해물이 없는 **4** 〈상처 등이〉 아물지 않은 **5** (직물 등의) 올이 성긴; 〈대열 등이〉 산개(散開)한, (이 등의) 사이가 벌어진: ~ teeth 사이가 뜬 이, 성긴 이 **6** 공개된, 출입[통행, 사용] 자유의; 문호를 개방한: a career ~ to talent 재능에 따라 출세할 수 있는 길/an ~ scholarship 공개[공모(公募)] 장학금/an ~ class 공개 강좌 **7** 비어 있는, 공석인; 시간이 비어 있는, 한가한: an ~ day 손이 비어 있는 날/Is this seat ~? 이 자리 비었나요?/The position is still ~. 그 자리는 아직도 비어 있다. **8** 〈강·바다가〉 얼어붙지 않는; 서리[눈]가 내리지 않는(mild), 안개가 끼지 않는 **9** 《미》 법률상의 제한이 없는, 공허(公許)의; 관세[통행세 등]가 붙지 않는; 해금(解禁)의 **10** 〈상점이〉 열려 있는, 영업 중인; 〈학교가〉 개학 중인; 〈극·의회·전람회 등이〉 공연[개회, 개최] 중인: The shop is ~ from ten to six. 그 상점은 10시에서 6시까지 문을 연다./The show will be ~ till next Saturday. 쇼는 다음 토요일까지 공연된다./No trade comes in through our ~ door. 개점 휴업의 상태이다./C.E I couldn't buy a magazine because the shop wasn't *open*[*opened*(×)]. 상점이 문을 열지 않아 잡지를 살 수 없었다. **11** 〖스포츠〗 적의 가드[방해]가 없는[심하지 않은] **12** 미결정[미해결]인; 미결산인: an ~ question 미해결의 문제 **13** (유혹 등에) 걸리기[빠지기] 쉬운; (사상·제안 등을) 금방 받아들이는 《*to*》 **14** 숨기지 않는, 뻔한, 공공연한; 솔직한; 후한, 관대한, 편견 없는(⇨ frank[1] 유의어): an ~ face 숨김없는 얼굴/an ~ heart 공명, 솔직/with ~ hostility 노골적으로 적의를 나타내고/He is as ~ as a child. 그는 어린애같이 천진난만하다. **15** 〖인쇄〗 글자가 띄엄띄엄 박혀 있는 **16** 〖음악〗 〈현(弦) 등이〉 손가락으로 누르지 않는; 〈오르간의 음전(音栓)이〉 열려 있는: an ~ string 개방현 **17** 〖의학〗 변이 통하는 **18** 〖음성〗 〈모음이〉 개구음(開口音)의(cf. CLOSE[2] *a.* 11, NARROW 9); 〈자음이〉 개구적인 《[s, f, ð]처럼 날숨의 통로를 아주 막지 않고 발음하는; cf. STOP *n.* 9》; 〈음절이〉 모음으로 끝나는: an ~ syllable 개음절(開音節) **19** 〖군사〗 〈도시·국가 등이〉 영세 중립인, 비무장의 **20** 〈수표가〉 지참인 지불의(opp. *crossed*)
be ~ to (1) …을 받기 쉽다, 면할 수 없다 (2) …을 기분좋게 받아들이다 (3) …에 개방되어 있다 ***be ~ with*** a person ***about*** …에 관하여 …에게 숨김없이 털어놓

다 *break* ~ 부수고 열다 *have an* ~ *hand* 〈돈 등을〉 시원스럽게 쓰다, 인색하지 않다 *have*[*keep*] *an* ~ *mind* (…에 대한) 〈제안·아이디어 등을〉 환영하다 《*about*, *on*》 *in the* ~ *air* 야외에서, 옥외에서 *keep* ~ *house*[*table*] 내객을 환영하다 *keep* one*'s eyes*[*ears*] ~ 눈여겨보다[귀를 기울여 듣다] *keep* one*'s mouth* ~ 노상 입을 놀리고[씹고] 있다 *lay* ~ 폭로하다, 드러내다 *lay* one*self* ~ *to attack* 공격의 기회를 적에게 주다 *leave* ~ 개방된 채로 두다; 미해결 상태로 두다 ~ *and above board* (미·구어) 솔직하고 숨김없는[없이] ~ *and shut* (구어) 명백[명쾌]한, 쉽게 해결할 수 있는 *with* ~ *arms* 양손을 벌리고; 진심으로 (환영하여) *with* ~ *eyes* 눈을 부릅뜨고 《감시하나 놀라서》(cf. OPEN-EYED) *with* ~ *hand*(*s*) 관대하게, 후하게 *with* ~ *mouth* 무엇을 말하려고; 어이가 없어서; 간절하게

—*vt.* **1** 열다; 펴다(unfold): ~ a window 창문을 열다 / ~ a letter 편지를 개봉하다 / ~ a box 상자를 열다 // (~+목+부) ~ *out* a newspaper 신문을 펴다 **2** 개척하다, 개발하다: ~ ground 개간하다 / ~ a prospect 출셋길을 트다 // (~+목+전+명) ~ a way *through* woods 숲을 뚫어 길을 내다 // (~+목+부) ~ *up* a mine 광산을 개발하다 **3** 〈길·도로를〉 개설하다, 통하게 하다: (~+목+전+명) ~ a path *through* a forest 숲 속에 길을 내다 / ~ the drain 하수구의 흐름을 좋게 하다 **4** 공개[개방]하다; 개업하다: ~ a garden 정원을 개방하다 // (~+목+전+명) ~ (*up*) a country *to* trade 한 나라의 통상을 트다 **5** 개시하다, 시작하다; …의 서두 진술을 하다: ~ (*up*) a campaign 운동을 개시하다 / ~ the case 〈변호사가〉 서두 진술을 하다 // (~+목+전+명) ~ fire *on*[*at*] the enemy 적을 향해 포문을 열다 **6** 터놓다, 누설하다 《*to*》: (~+목+전+명) ~ one's mind *to* one's friend 친구에게 속마음을 털어놓다 / ~ one's designs 계획을 누설하다 **7** 〈회의·의회의〉 개회를 선언하다; (은행에서) 계좌를 개설하다 **8** 〖의학〗 변이 통하게 하다; 절개하다 **9** 〖항해〗 …이 보이는 곳에 이르다 **10** 계발하다; …의 편견을 없애다, 눈을 뜨게 하다: ~ one's understanding 이해력을 넓히다 // (~+목+전+명) ~ a person's eyes *to* the fact …에게 사실을 깨닫게 하다 **11** 〖컴퓨터〗 〈파일·창을〉 열다

—*vi.* **1** 〈문·창·대문 등이〉 열리다; 〈종기 등이〉 터지다, 갈라지다, 찢어지다, 트이다: The door won't ~. 그 문은 도무지 열리지 않는다. **2** 〈방·문 등이〉 (…에) 면하다; 통하다, 향해 있다, 내다보다 《*to*, *into*, *upon*》: (~+전+명) ~ *upon* a little garden 작은 정원 쪽을 향해 있다 / The door ~*s into* a larger room. 그 문은 큰 방으로 통한다. **3** 〈물건이〉 찢어지다, 쪼개지다 **4** (어떤 상황에서) 시작되다 《*with*》; 지껄이기 시작하다: (~+전+명) ~ *upon* a fiscal question 재정 문제가 거론되기 시작하다 **5** 〈꽃이〉 피다: The buds were beginning to ~. 봉오리가 피기 시작했다. **6** 개점하다, 개업하다 **7** (가까워짐에 따라) 보이게 되다, 〈경치가〉 전개되다: (~+전+명) The beautiful views ~*ed* (*out*) *before* our eyes. 아름다운 경치가 눈앞에 전개되었다. **8** 책을 펴다: (~+전+명) Please ~ *to*[*at*] page 20. 20페이지를 펴 주십시오. **9** 발포하다 **10** 〈마음이〉 넓어지다, 발달하다(develop); (모르던 것을) 알게 되다 《*to*》; (구어) 터놓고 이야기하게 되다: (~+전+명) His heart ~*ed to* my words. 그는 나의 말을 알아들었다. // (~+부) The stranger began to ~ *out* after he had known us. 그 낯선 사람은 우리를 알고 나서부터 터놓고 이야기하기 시작했다.

~ *an account with* …와 거래를 시작하다 ~ *fire* 발포하다 ~ *into*[*on*, *onto*] 〈문 등이〉 …쪽으로 통하다 ~ *out* (1) 〈길 등이〉 열리다, 통하다, 펼쳐지다 《*into*》 (2) 자유롭게 지껄이다 (3) 친해지다 《*to*》 (4) 〈시험 따위를〉 시작하다 《*in*》 (5) 〈일·생활 따위가〉 순조롭다 ~ *...* *out* =~ *out ...* (1) 〈갠 것을〉 펴다; 보다 더 크게 하다 (2) …을 발달시키다 (3) …을 공격하다, 드러내다 (4) …을 〈남에게〉 털어놓다 《*to*》 ~ one*'s eyes* (눈이 휘둥그레지며) 놀라다 ~ a person*'s eyes* …을 깨우치다 ~ one*'s lips* 입을 열다, 말하다 ~ *the*[*a*] *door to* …에게 기회[편의]를 주다, 문호를 개방하다 ~ *up* (1) 〈문 등이〉 열리다 (2) 행동을 시작하다; 〖군사〗 포격[총격]을 개시하다 《*on*, *at*》 (3) 자유롭게 이야기하다; 친하게 되다 (4) 기밀을 털어놓다, 자백하다 (5) 〈시야·경치 등이〉 펼쳐져 있다, 넓어지다 (6) [명령형으로] 문을 열다 (7) 《속어》 〈차가〉 달리다

—*n.* **1** [the ~] 빈 터, 수목이 없는 땅, 광장, 노천, 야외; 창해(滄海); 열린 문: sleep in *the* ~ 노숙하다 **2** (경기의) 오픈전; [**O~**] (골프 등의) 오픈 선수권 시합 *come*[*bring*, *get*] (*out*) *into the* ~ 공표하다; 의지[계획 등]를 공표[표명]하다 *in the* ~ 야외에서; 공공연하게

o·pen·a·ble [óupənəbl] *a.* 열 수 있는, 열려지는

o·pen-ac·cess [óupənǽkses] *a.* 《영》 =OPEN-SHELF

ópen accóunt 〖상업〗 당좌 계정 《거래 때마다 현금 결제를 하지 않고 그 대차 관계를 장부에 기록했다가 정기적으로 그 차액만을 현금 결제하는 방식》

ópen admíssions (미) 〖교육〗 =OPEN ENROLLMENT

ópen áir [the ~] 옥외, 야외; 바깥 공기

:o·pen-air [óupənέər] *a.* **1** 옥외의, 야외의, 노천의: an ~ school 야외[임간(林間)] 학교 / ~ treatment 외기(外氣) 요법 / the healthy ~ life of the farm 농장에서의 건강한 야외 생활 **2** 야외에 익숙한, 옥외를 사랑하는

o·pen-and-shut [-ənʃʌ́t] *a.* 《구어》 명백한, 대번에 알 수 있는; 간단한

ópen-and-shut cáse 해결[결정]이 쉬운 사건[문제]: The murder was an ~. 그 살인 사건은 해결하기 쉬운 사건이었다.

ópen árchitecture 〖컴퓨터〗 개방형 구조 《시스템 구조를 외부에 공개하는 방식; IBM PC에서 채택한 방법으로 세계 모든 기업에서 호환성을 가지는 컴퓨터를 생산》

o·pen-armed [-ɑ́ːrmd] *a.* 쌍수를 들고서의, 진심에서의

ópen bállot 공개 투표, 기명 투표

ópen bár (결혼 피로연 등에서) 무료로 음료를 제공하는 바(cf. CASH BAR)

ópen bóat 갑판이 없는 작은 배

ópen bóok **1** 펴놓은 책 **2** 일목요연한 것, 명백한 것[사항] **3** 비밀이 없는 사람

ó·pen-book examinátion [-bùk-] 사전·참고서를 마음대로 보면서 치르는 시험

ópen bús 〖컴퓨터〗 오픈 버스 《외부 기기에 자유롭게 접속할 수 있는 버스》

ópen cáll (특히 배우·댄서의) 공개 모집 오디션

o·pen·cast [-kæ̀st | -kɑ̀ːst] *n.*, *a.*, *ad.* 《영》 = OPENCUT

ópen chámpion 참가 자유 경쟁의 우승자

ópen chéck[《영》 **chéque**] 〖상업〗 보통 수표 《횡선 수표(crossed cheque)에 대하여》

ópen círcuit 〖전기〗 개회로(開回路)

o·pen-cir·cuit [-sə́ːrkit] *a.* 〖전기〗 개회로의; 《특히》 〈텔레비전이〉 일반 수신자용의

ópen cíty (국제법상의 보호를 받는) 비무장 도시; 자유 도시

ópen clássroom[**córridor**] (미) 자유 수업 《초등학교에서 토론·개인 활동을 중심으로 하는》

Ópen Cóllege [the ~] 《영》 (국영의) 방송 대학

ópen commúnion 〖교회〗 공개 성찬식 《세례 받지 않은 사람도 참석 가능한》

thesaurus **opening** *n.* **1** 열기, 개방 beginning, start, commencement, outset, launch **2** 틈 gap, aperture, space, hole, vent, slot, break, breach, crack, split, fissure, crevice, rupture **3** 빈자리

ópen competítion 공개 경기 《아무나 참가할 수 있는》
ópen cóntract (속어) (갱의 보스가 하수인을 지정하지 않은) 살인 지령
ópen cóurt 〖법〗 공개 법정
o·pen-cut [-kʌ̀t] 〖광산〗 *n.* 노천굴(露天掘)
— *a., ad.* 노천굴의[로]
o·pen-date [-dèit] *vt.* 〈포장 식품에〉 제조 연월일이나 보존 최종 기한을 표시하다
ópen dáting (포장 식품의) 날짜 표시, 포장 연월일 표시; (식품의) 보존 (가능) 기간 표시
ópen dày 《영》 (학교·수업·시설 따위의) 일반 참관일(《미》 open house)
ópen díe 〖금속〗 개방 금형(金型)
ópen dóor 1 [the ~] (통상상의) 문호 개방 (정책), (이민·입국 등의) 기회 균등 **2** 출입 자유, 입장 허가
o·pen-door [-dɔ́ːr] *a.* 문호 개방의, 기회 균등의; 공개의: the ~ policy 문호 개방 정책
o·pen-eared [-íərd] *a.* 귀를 기울이는, 경청하는: an ~ attentiveness 주의깊게 귀를 기울이는 것
ópen ecónomy 개방 경제
o·pen-end [-énd] *a.* **1** 〖금융〗 대출 금액의 총액을 정하지 않고 제공하는: an ~ investment trust 개방 투자 신탁, 추가 설정형 투자 신탁 **2** 자본액을 그때의 시가로 계산하여 매매하는 **3** 일정 기간 특정 제품에 대한 정부의 요구 수량을 전부 제공하는: an ~ contract 미정수량(未定數量) 매매 계약 **4** 광고 방송을 넣을 부분을 비워둔 〈녹음〉 **5** = OPEN-ENDED
ópen-end bónd fùnd 〖증권〗 개방형 채권 펀드
o·pen-end·ed [-éndid] *a.* **1** 〈토의 등이〉 (인원·시간 등에) 제한이 없는 **2** 중도 변경[조정] 가능한 **3** 〈시험·인터뷰 등이〉 정해진 답이 없는, 자유로이 생각대로 대답할 수 있는, 주관식의 **4** 〈상점이〉 24시간 영업의
ópen-end invéstment còmpany 개방 투자 신탁 회사(mutual fund)
ópen-end mòrtgage 개방형 담보 《추가 차입에도 적용할 수 있는 담보》
ópen enróllment 《미》 **1** 대학의 전원 무시험 입학제, 자유 입학 (방식) **2** (거주지 내 학군 이외의) 공립학교의 자유 입학 (제도)
o·pen·er [óupənər] *n.* **1** 여는 사람; 개시자 **2** 여는 도구 《통조림 따개·마개뽑이 등》: a can ~ 깡통 따개 **3** 개면기(開綿機), (양털의) 개모기(開毛機) **4** 《미》 굴(oyster) 까는 도구 **5** 《미》 제1시합 **6** [*pl.*] 〖카드〗 오프너 《포커에서 최초의 내기에 참가하는 데 필요한 최저 한도의 패》 ***for ~s*** (구어) 첫째로; 우선 먼저, 일단
o·pen-eyed [óupənáid] *a.* **1** 눈이 휘둥그레진, 놀란: ~ astonishment 깜짝 놀람 **2** 빈틈없는, 방심하지 않는: ~ attention 세심한 주의 **3** 고의의, 의식한: an ~ commission of a crime 고의 범죄
o·pen-faced [-féist] *a.* **1** 순진한 얼굴을 한 **2** 〈시계가〉 한쪽이 유리로 덮인 **3** 《미》 〈파이·샌드위치 등이〉 소만 있고 위쪽 빵이 덮이지 않는: an ~ sandwich 슬라이스한 빵 위에 버터를 바르고 토핑한 샌드위치
o·pen-field [-fìːld] *a.* 〈토지가〉 공동 경작의
ópen-field sỳstem (유럽 봉건 사회의) 개방 경작 제도
ópen fráme 〖볼링〗 오픈 프레임 《스트라이크 또는 스페어 처리가 되지 않은 프레임》
o·pen·hand·ed [-hǽndid] *a.* **1** 관대한, 너그러운 **2** 후한, 손이 큰, 인색하지 않은 **~·ly** *ad.* **~·ness** *n.*
ópen hármony 〖음악〗 괴리(乖離) 화음
o·pen·heart [-hɑ́ːrt] *a.* 〖의학〗 심장 절개의
o·pen·heart·ed [-hɑ́ːrtid] *a.* 숨김없는, 털어놓는, 솔직한; 친절한, 관대한 **~·ly** *ad.* **~·ness** *n.*
o·pen-hearth [-hɑ́ːrθ] *a.* 〖야금〗 평로(平爐)의

vacancy, position, job, opportunity, chance
open-minded *a.* unbiased, unprejudiced, impartial, objective, disinterested, dispassionate, detached, tolerant, liberal, broad-minded

ópen-héarth pròcess 〖야금〗 평로법
ópen-héart sùrgery 개심술(開心術) 《육안으로 하는 심장 수술》
ópen hóuse 1 개방 파티 《모든 방문객을 환영하는 파티》: keep ~ 집을 개방하여 손님을 환대하다 **2** (학교·기숙사·클럽 등의) 일반 공개일
ópen hóusing 《미》 주거 개방 (제도) 《주택 매매에 있어서의 인종·종교에 의한 차별 금지》
ópen íce 항행이 가능한 결빙(結氷)
‡**o·pen·ing** [óupəniŋ] *n.* **1** Ⓤ 열기, 개방 **2** 공지, 광장; 《미》 숲 속의 빈 땅; 후미, 만 **3** 트인 구멍, 틈, 통로: an ~ in the wall 벽의 벌어진 틈 **4** 개시; 개장(開場), 개통; 첫머리, 서두 《*of*》; 〖증권〗 초장: the ~ *of* a new bridge 새 다리의 개통 **5** 창문, 들창, 환기창 **6** 〖법〗 변호인의 모두(冒頭) 진술 **7** 〖체스〗 첫 수 **8** 빈자리, 결원, 공석: job ~*s* 일자리 / an ~ for clerk 점원 (취직) 자리 **9** (좋은) 기회 《*for*》: an ~ *for* a trade 교역의 호기 **10** (속어) 강도, 강탈
— *a.* Ⓐ 시작의, 개시의: an ~ address[speech] 개회사 / an ~ ceremony 개회[개교, 개통]식 / in the ~ years of the 17th century 17세기 초에
ópening bátsman 〖크리켓〗 선두 타자
ópening níght (연극·영화의) 첫 공연날 밤, 첫날 밤 공연
ópening tìme[hòurs] 개점[개관, 영업] 시간
ópening úp 1 개방, 기회의 확대 《규제 등의 폐지에 의한》: the ~ of new opportunities for women 여성에게 새로운 기회를 열어 줌 **2** 개통: the ~ of a new stretch of highway 새 고속도로 확장의 개통
ópen ínterest 〖상업〗 미결제 거래 잔고
o·pen-jaw [óupəndʒɔ̀ː-] *a.* Ⓐ (항공기·열차 등의 요금이) 오픈조의 《도착지가 아닌 곳에서 출발할 수 있는》: an ~ fare 오픈조 요금 《갈 때의 목적지와 귀로의 탑승지가 다른 경우의 요금》
ópen léarning 독학, 독습; 《특히》 통신 교육
ópen létter 공개장; 공개 질문장
ópen líne 공개 통화 《외부에 노출된 전화 통화》
o·pen-line [-láin] *a.* Ⓐ (라디오·TV 프로그램에) 시청자가 전화로 참가하는: an ~ radio show 라디오 시청자 공개 쇼
ópen lóop 〖컴퓨터〗 개회로(開回路), 개(開)루프 《피드백이나 자동 수정 장치가 없는 제어 시스템》
o·pen-loop [óupənlúːp] *a.* 〖컴퓨터〗 개회로의, 개루프의
‡**o·pen·ly** [óupənli] *ad.* 공공연하게(publicly); 터놓고, 숨김없이, 솔직히(frankly)
ópen márket 〖경제〗 공개 시장, 일반 시장
ó·pen-mar·ket operátions [óupənmɑ̀ːrkit-] 〖경제〗 (중앙 은행이 금융을 조절하는) 공개 시장 조작
ópen-market pólicy 공개 시장 정책
ópen márriage 개방 결혼, 자유 결혼 《부부가 서로의 사회적·성적 독립을 승인하는 결혼 형태》
ópen míke (클럽·바 따위의) 공개된 마이크 《누구나 이해할 수 있는》
o·pen-mind·ed [-máindid] *a.* 편견 없는; 허심 탄회한; 포용력이 있는: an ~ person 도량이 넓은 사람 / an ~ thought 편견 없는 사고 **~·ly** *ad.* **~·ness** *n.*
o·pen·mouthed [-máuðd, -máuθt] *a.* **1** 입을 벌린; 얼빠진 **2** 탐욕스러운 **3** 시끄러운 **4** 〈주전자 등이〉 아가리가 큰 **-mouth·ed·ly** [-máuðidli, -máuθtli] *ad.* **~·ness** *n.*
o·pen-neck(ed) [-nék(t)] *a.* (셔츠의) 목 부분을 풀어 헤친, 윗단추를 연
o·pen·ness [óupənnis] *n.* Ⓤ **1** 개방 상태 **2** 개방성, 솔직 **3** 무사(無私), 관대
ópen órder 1 〖군사〗 산개(散開) 대형 **2** 〖증권〗 무조건 주문 《품종·가격만을 표시하고 기타는 공급자에게 일임하는 형식》
o·pen-pit [óupənpít] *a.* 〖광산〗 노천굴의
ópen plán 〖건축〗 오픈 플랜 《다양한 용도를 위해 칸막이를 최소한으로 줄인 건축 평면》

ópen pólicy 〖보험〗 포괄 예정 보험 계약[증권]
o·pen-pol·li·na·tion [-pɑ̀lənéiʃən] *n.* 〖식물〗 방임[개방, 자연] 수분(受粉) **-pól·li·nat·ed** *a.*
ópen pórt 개항장, 자유항, 부동항
ópen prímary 《미》 〖정치〗 공개 예비 선거 《당원 자격의 유무에 상관없이 투표할 수 있는 직접 예비 선거》
ópen príson (수감자에게 최대한의 자유를 주는) 개방 교도소
ópen punctuátion 구두점을 별로 사용하지 않는 서식(書式)
ópen quéstion 미결 문제[안건]; 의견의 자유로운 표명을 구하는 문제[질문]
ópen sándwich 위에 빵을 겹쳐 놓지 않은 샌드위치
ópen scóre 〖음악〗 오픈 스코어 《각 파트가 따로따로 적힌 총보(總譜)》
ópen séa [the ~] 공해(公海); 외양(外洋), 외해
ópen séason 수렵기, 어렵[수렵] 허가기: an ~ on [for] deer 사슴 수렵 해금기
ópen séat 현직 의원이 재출마하지 않는 선거구의 의석; 공석(open seat)의 후임을 다투기
ópen sécret 공공연한 비밀
ópen sésame [*Ali Baba and the Forty Thieves* 에서] **1** 「열려라 참깨」 《난관을 타개하는 주문(呪文)》 **2** 원하는 결과를 가져오는 불가사의한 방법, 난국 해결책
open-shelf [-ʃélf] *a.* = OPEN-STACK
ópen shélves 《미》 (도서관의) 개가식 (서가)
ópen shóp 오픈숍 《노동조합에 가입하지 않은 노동자도 고용하는 사업장·기업; 그 경영자는 open-shopper; opp. *closed shop*》
ópen skíes [단수 취급] 영공 개방: ~ agreement 항공 자유화 협정
ópen sláther 《호주·뉴질·속어》 완전한 자유
ópen socíety 개방 사회
o·pen-source [-sɔ́:rs] *a.* 〖컴퓨터〗 개방된[공개] 소스의
o·pen-space [-spéis] *a.* 오픈스페이스(식)의 《고정벽 대신 이동식 가구나 칸막이를 두는》
o·pen-stack [-stǽk] *a.* 〈도서관이〉 개가식(開架式)의
ópen stóck 낱개로도 살 수 있는 세트 상품 《식기 등》
ópen sýllable 〖음성〗 개음절(開音節)
ópen sýstems interconnèction 〖통신〗 개방형 시스템간 상호 접속
ópen téxture **1** 〖미학〗 (콘텍스트 이론에서) 열린 구조 **2** 올이 거친 직물
o·pen-toe(d) [óupəntóu(d)] *a.* 〈구두·샌들이〉 발끝이 트여 있는
o·pen-top(ped) [-tɑ́p(t) | -tɔ́p(t)] *a.* 《영》 〈자동차 등이〉 지붕이 없는, 무개차의
ópen tówn **1** 〖군사〗 비무장[무방비] 도시 **2** 《미·구어》 (도박·술집 등이 법적으로 허용되는) 방임 도시 《Las Vegas 등》
ópen tráiler 짖으면서 사냥감을 쫓아가는 개
ópen únion 개방 조합
ópen úniverse 〖천문〗 열린 우주 《우주가 영원히 팽창을 계속한다고 믿는 우주 모델》
ópen univérsity 《미》 통신 대학; [the O- U-] 《영》 방송 대학
ópen vérdict 〖법〗 사인(死因) 불명의 판결
ópen wárfare 야전(野戰)
ópen wáter 개빙(開氷) 구역 《부빙(浮氷)이 수면의 10분의 1 이하》
o·pen-weight [-wèit] *n.* (유도의) 무제한급
o·pen·work [-wə̀:rk] *n.* **1** Ⓤ (옷감 등의) 내비침[성기게 한] 세공 **2** 〖광산〗 노천굴
‡op·er·a[1] [ɑ́pərə] [It. =labor, work] *n.* **1** UC 오페라, 가극: a comic ~ 희가극 / a light ~ 경(輕)가극 / a serious[tragic] ~ 비(悲)가극 **2** 가극장 ***The ~'s never over till the fat lady sings.*** 《미·속어》 아직 끝나지 않았다, 승패는 아직 결정난 게 아니다. ▷ operátic *a.*

o·pe·ra[2] [óupərə, ɑ́p- | ɔ́p-] [L] *n.* OPUS의 복수
op·er·a·ble [ɑ́pərəbl | ɔ́p-] *a.* 실시 가능한; 〖의학〗 수술 가능한 **-bly** *ad.*
o·pé·ra bouffe [ɑ́pərə-bú:f | ɔ́-] [F =farcical opera] 희(喜)가극
o·pe·ra buf·fa [ɑ́pərə-bú:fə | ɔ́-] [It.] 오페라 부파 《18세기의 이탈리아 희가극》
ópera clòak 관극[야회]용 여성 외투
o·pé·ra co·mique [ɑ́pərə-kɑmí:k | ɔ́pərə-kɔ-] [F =comic opera] (대화가 포함된 특히 19세기의) 희가극
ópera glàss [보통 *pl.*] 오페라 글라스 《관극용 작은 쌍안경》

opera glasses

ópera hàt 오페라 해트 《접을 수 있는 실크 해트》
ópera hòod 여성용의 관극[야회]용 후드[모자]
ópera hòuse 가극장; 《일반적으로》 극장
op·er·and [ɑ́pərǽnd | ɔ́-] *n.* **1** 〖수학〗 피연산자(被演算子), 피연산수(數) 《수학적 연산의 대상이 되는 것》 **2** 〖컴퓨터〗 연산수 《연산의 대상이 되는 변수》
op·er·ant [ɑ́pərənt | ɔ́-] *a.* **1** 움직이고 있는, 작용하는, 효력이 있는 **2** 〖심리〗 자발적인: ~ learning 자발적 학습 **—***n.* 기능공, 기사, 일하는 사람 **~·ly** *ad.*
óperant condítioning **1** 〖교육〗 오퍼런트 조건부여 《시행 착오적 학습》 **2** 보상과 장려에 의한 정신 장애자의 강화 요법
o·pe·ra se·ri·a [ɑ́pərə-síəriə | ɔ́-] [It.] 정가극 《신화나 전설을 소재로 한 18세기 이탈리아의 오페라》
‡op·er·ate [ɑ́pərèit | ɔ́-] [L 「일하다」의 뜻에서] *vi.* **1** 〈기계·기관 등이〉 **움직이다**, 일하다; 〈회사·공장이〉 조업하다: This machine ~*s* night and day. 이 기계는 주야로 움직인다. **2** **작용하다**, 영향을 끼치다 《*on, upon*》; 〈약이〉 효과를 나타내다, 듣다: (~+전+명) Books ~ powerfully *upon* the soul both for good and evil. 책은 좋건 나쁘건 정신에 강력한 영향을 끼친다. // (~+***to*** do) Several causes ~*d to* begin the war. 여러 가지 원인으로 전쟁이 일어났다. **3** 〖의학〗 **수술을 하다** 《*on, upon*》: (~+전+명) ~ *on*[*upon*] a patient for a tumor 환자의 종기를 수술하다 / The surgeon ~*d on* him[*for* appendicitis]. 외과 의사는 그에게[맹장] 수술을 했다. / He had his nose ~*d on.* 그는 코 수술을 받았다. **4** 〖군사〗 군사 행동을 취하다 **5** (특히 시세를 변동시키기 위하여) 증권 시세를 조작하다, 투기를 하다
—*vt.* **1** **운전하다**, 조종하다: Who is *operating* the microphone? 누가 마이크를 조작하고 있느냐? / Elevators are ~*d* by electricity. 엘리베이터는 전기로 움직인다. **2** 경영하다, 관리하다: ~ a hotel [ranch] 호텔[목장]을 경영하다 **3** 〈결과를〉 가져오다; 〈효과를〉 올리다; 〈변화 등을〉 일으키다: ~ remarkable changes 두드러진 변화를 가져오다 **4** 결정하다 **5** …에게 수술을 하다 ▷ operátion *n.*; óperative *a.*
op·er·at·ic [ɑ̀pərǽtik | ɔ̀-] *a.* 가극의; 가극조[체]의: an ~ singer 오페라 가수 / ~ music 오페라 음악 **-i·cal·ly** *ad.*
***op·er·at·ing** [ɑ́pərèitiŋ | ɔ́-] *a.* **1** 수술의[에 쓰이는]: an ~ table 수술대 **2** 경영[운영]상의: ~ expenses 운영비 **3** (기계·설비의) 조작상의, 운전상의: a manual of ~ instructions (기계 등의) 사용[조작] 설명서
óperating bùdget 〖회계〗 업무[영업] 예산
óperating ìncome 영업 수입

thesaurus **operate** *v.* **1** 움직이다 work, function, go, run, perform, act **2** 조종하다 use, utilize, employ, handle, manipulate, maneuver
operative *a.* **1** 활동하는 operational, working,

óperating pròfit 영업 이익, 이윤
óperating ròom (미) 수술실 (略 OR)
óperating sỳstem 〔컴퓨터〕 운영 체제 《컴퓨터의 관리를 위한 프로그램; 略 OS》
óperating thèatre (영) 수술실
‡**op·er·a·tion** [àpəréiʃən | ɔ̀-] *n.* **1** Ⓤ **작용**, 움직임 《*of*》; 작업: the ~ *of* breathing 호흡 작용 **2** Ⓤ **a** (기계 등의) **운전**, 작동: the ~ of elevators 엘리베이터의 운전[조작] / a machine of simple ~ 조작이 간단한 기계 **b** (열차 등의) 운행; 운항 **3 a** (제도·법령 등의) **실시**, 시행: law in ~ 시행 중인 법률 **b** (약 등의) 효력, 효능 《*of*》: the ~ *of* alcohol on the mind 알코올이 정신에 미치는 영향 **4** (생산적·공업적) 사업; 공사; 영업, 조업; 경영, 운용: building ~*s* 건축 공사 / expand one's ~ 사업을 넓히다 **5** (사람·환부의) 수술 《*on*》, (질환에 대한) 수술 《*for*》: perform [undergo] an ~ *for* appendicitis 맹장염 수술을 시행하다[받다] / He had an ~ *on* his nose. 그는 코 수술을 받았다. **6** 〔군사〕 **a** [보통 *pl.*] 군사 행동, 작전 **b** [*pl.*] 작전 본부; (공항 등의) 관제실[본부] **c** [**O~**] …작전 **7** (시장의) 조작, (시세 변동을 목적으로 하는) 매매 **8** 〔수학〕 연산; 〔컴퓨터〕 연산, 오퍼레이션 ***come*** [***go***] ***into*** ~ 움직이기[가동하기] 시작하다; 실시되다 ***get into*** ~ 일하게 하다, 가동시키다, 활동시키다 ***in*** ~ 운전 중, 활동 중; 실시 중의, 효력을 가지는 ***put into*** ~ 실시[시행]하다
***op·er·a·tion·al** [àpəréiʃənl | ɔ̀-] *a.* **1 조작상의**, 경영[운영]상의 **2** 사용할 수 있는, 사용 중인 **3** 작전상의: an ~ missile 작전용 미사일 / ~ work at sea 해상 작전 행동 **~·ly** *ad.*
operátional ámplifier 〔전자〕 연산 증폭기
operátional cálculus 〔수학〕 연산자법
operátional contról 〔군사〕 작전 통제, 군용[작업] 통제
operátional fatígue 〔정신의학〕 = COMBAT FATIGUE
op·er·a·tion·al·ism [àpəréiʃənəlìzm | ɔ̀-] *n.* Ⓤ 〔철학〕 조작(操作)주의 《구체적 조작에 의해 정의될 때 과학적 개념은 객관화된다는 설》 **-ist** *n.*
op·er·a·tion·al·ize [àpəréiʃənəlaiz | ɔ̀-] *vt.* 조작[운용]할 수 있게 하다
operátional reséarch (영) = OPERATIONS RESEARCH
operátion còde 〔컴퓨터〕 연산 부호
operátions resèarch (미) 수학적 분석 방법을 이용한 경영 관리, 군사 작전, 정책 등의 효과적 실행 방법의 분석 연구 《略 OR》
operátions ròom 작전 지휘실
op·er·a·tive** [ɑ́pərətiv, ɑ́pərèi- | ɔ́-] *a.* **1** 움직이는, 활동하는, 운동하는, 영향을 미치는 **2** 작업의, 작업에 종사하는 **3** 〈법령 등이〉 효력을 발생하는, 실시되고 있는 **4** 〈약 등이〉 실효가 있는, 효과적인: an ~ dose of medicine 약의 유효한 1회 분량 **5** 〔의학〕 수술의 ***become ~ 실시되다
— *n.* **1** 직공, 공원: machine ~*s* 기계공 **2** (미) 사립 탐정; 스파이, 첩보 요원 **~·ly** *ad.* **~·ness** *n.*
óperative wórd 1 〔법〕 효력 발생 문언(文言) **2** 중요한 뜻을 갖는 말
‡**op·er·a·tor** [ɑ́pərèitər | ɔ́-] *n.* **1** (기계·장치 등의) **조작자**, 기사, **기수**(技手): a cinema ~ 영사 기사 / a computer ~ 컴퓨터 조작자 **2** (전화국의) 교환원 **3** 경영자, 운영자 **4** 〔증권〕 투기꾼; 사기꾼(fraud) **5** 〔의학〕 수술자 **6** 〔수학〕 연산 기호, 연산자 **7** 〔컴퓨터〕 연산자(演算子), 작용소(作用素) **8** 〔유전〕 오퍼레이터, 작동 유전자 **9** 〔언어〕 작용어, 기능어
óperators guìdance 〔컴퓨터〕 조작 지시 《기계가 단말기 등의 조작을 표시하여 사람이 컴퓨터를 올바로 조작하게 유도하는 시스템》
op·er·a·to·ry [ɑ́pərətɔ̀:ri | ɔ́pərətəri] *n.* (치과 치료실·과학 실험실 등의) 특수한 기구·설비가 갖추어진 작업실 — *a.* = OPERATIVE
ópera wìndow (승용차의) 오페라 윈도 《뒷좌석 양옆의 작은 창》
o·per·cu·lar [oupə́:rkjulər] *a.* operculum의[같은]
o·per·cu·late [oupə́:rkjulət], **-lat·ed** [-lèitid] *a.* operculum이 있는, 유개(有蓋)의
o·per·cu·lum [oupə́:rkjuləm] *n.* (*pl.* **-la** [-lə], **~s**) **1** 〔식물〕 삭개(蒴蓋), 선개(蘚蓋) **2** 〔동물〕 아감딱지; (조개 등의) 숨문 뚜껑
o·pe·re ci·ta·to [ɑ́pərì:-saitéitou, -sitɑ́:tou | ɔ́p-] [L = in the work cited] *ad.* = OP. CIT.
op·er·et·ta [àpərétə | ɔ̀-] [It. opera의 지소사(指小辭)] *n.* 희[경]가극, 오페레타 **òp·er·ét·tist** *n.*
op·er·on [ɑ́pərɑ̀n | ɔ́pərɔ̀n] *n.* 〔유전〕 오페론 《단백질의 제조를 제어하는 유전자의 한 단위》
op·er·ose [ɑ́pəròus | ɔ́-] *a.* 《문어》 근면한, 공들인; 힘드는; 부지런한 **~·ly** *ad.* **~·ness** *n.*
O·phe·lia [oufí:ljə | ɔ-] *n.* **1** 여자 이름 **2** 오필리아 《*Hamlet*의 여주인공》
oph·i·cleide [ɑ́fəklàid | ɔ́f-] *n.* 〔음악〕 **1** 오피클라이드 《저음(低音) 금관 악기의 한 종류》 **2** (풍금의) 리드 음전(音栓)
o·phid·i·an [oufídiən | ɔ-] 〔동물〕 *n.* 뱀
— *a.* 뱀의, 뱀 비슷한
oph·i·ol·a·ter [àfiɑ́lətər, òuf- | ɔ̀fiɔ́l-] *n.* 뱀 숭배자 **-try** [-tri] *n.* Ⓤ 뱀 숭배
oph·i·ol·o·gy [àfiɑ́lədʒi, òuf- | ɔ̀fiɔ́-] *n.* Ⓤ 〔동물〕 사류학(蛇類學) **-gist** *n.* **òph·i·o·lóg·i·cal** *a.*
oph·i·oph·a·gous [àfiɑ́fəgəs, òuf- | ɔ̀fiɔ́f-] *a.* 〈동물이〉 뱀을 먹이로 하는
O·phir [óufər] *n.* 〔성서〕 오빌 《솔로몬 왕이 보석을 얻었다는 지방; 열왕기상 10 : 11》
oph·ite [ɑ́fait, óu- | ɔ́-] *n.* Ⓤ 〔광물〕 휘록암(輝綠岩) **o·phít·ic** *a.*
Oph·i·u·chus [àfijú:kəs, òuf- | ɔfjú:-] *n.* 〔천문〕 뱀주인자리
oph·thal·mi·a [ɑfθǽlmiə, ɑp- | ɔf-, ɔp-] *n.* Ⓤ 〔병리〕 안염(眼炎)
oph·thal·mic [ɑfθǽlmik, ɑp- | ɔf-, ɔp-] *a.* 눈의, 안과(眼科)의: the ~ nerve 시신경 — *n.* 안약
ophthálmic optícian (영) (시력) 검안의(《미》 optometrist)(cf. OPHTHALMOLOGIST)
ophthalmo- [ɑfθǽlmou, -mə, ɑp- | ɔf-, ɔp-] [Gk = eye] 《연결형》 「눈(의)」의 뜻
oph·thal·mo·log·i·cal [ɑfθæ̀lməlɑ́dʒikəl, ɑp- | ɔfθæ̀lməlɔ́-, ɔp-] *a.* 안과학의
oph·thal·mol·o·gist [àfθəlmɑ́lədʒist, -θæl-, àp- | ɔ̀fθælmɔ́l-, ɔ̀p-] *n.* 안과 의사
oph·thal·mol·o·gy [àfθəlmɑ́lədʒi, -θæl-, àp- | ɔ̀fθælmɔ́l-, ɔ̀p-] *n.* Ⓤ 안과학
oph·thal·mo·scope [ɑfθǽlməskòup, ɑp- | ɔf-, ɔp-] *n.* 검안경(檢眼鏡)
oph·thal·mos·co·py [àfθælmɑ́skəpi, -θəl-, àp- | ɔ̀fθælmɔ́s-, ɔp-] *n.* ⓊⒸ 검안경 검사(법)
-opia [óupiə] [Gk = eye] 《연결형》 「시력; 시각 기관」의 뜻: amblyo*pia*
o·pi·ate [óupiət, -pièit] *n.* **1** 아편제(劑); 《구어》 마취제 **2** 정신을 안정시키는 것; 진정제
— *a.* **1** 아편이 든 **2** 최면[진정]의, 마취시키는
— [-pièit] *vt.* **1** …에 아편을 섞다[넣다]; 마취시키다 **2** 〈감각을〉 둔하게 하다 **o·pi·at·ic** [oupiǽtik] *a.*
OPIC Overseas Private Investment Corporation 해외 민간 투자 회사
o·pine [oupáin] *vt.* 《익살》 의견으로서 말하다; 생각하다 《*that*》 — *vi.* 의견을 말하다; 생각하다 《*about*》
‡**o·pin·ion** [əpínjən] *n.* **1** ⓊⒸ **의견**, **견해**(view); [보통 *pl.*] 지론, 소신: public ~ 여론 / in one's ~

---

functioning, functional, usable **2** 효력을 발생하는 in force, in operation, effective, valid
opinion *n.* view, belief, thought, standpoint, estimation, notion, assumption, conception

…의 의견으로는 / form an ~ about …에 대한 의견을 갖다

> 유의어 **opinion** 사물에 대한 개인적 판단이나 기호·감정에 영향을 받은 결론에 입각한 의견: political *opinions* 정견(政見) **view** 어떤 일에 대한 개인적인 견해나 생각: state one's *views* 자기의 견해를 말하다

2 a Ⓤ (…에 대한) 판단, 평가, 평판 ((*of*)): be in high ~ 평판이 높다 / I have no great ~ *of* his work. 나는 그의 일을 그다지 높게 평가하지 않는다. **b** [보통 부정문에서] 호의적인 견해, 호평, 존경 **3** ⓊⒸ 전문가의 의견, 감정(鑑定): ask for another[a second] medical ~ 다른 의학상의 소견을 구하다 **4** 〖법〗 (재판관·재판소의) 판결 이유, 의견
act up to one***'s ~s*** 소신대로 행하다 ***a matter of ~*** 의견이 갈리는 곳[일치하지 않는 점]; 견해상의 문제 ***a second ~*** 다른 사람의 의견[견해] ***be of*** (***the***) ***~ that …*** …라고 생각하다 ***give*** one***'s***[***an***] ***~*** 자기의 견해를 말하다 ((*on, upon*)) ***have***[***form***] ***a bad***[***low***] ***~ of*** …을 나쁘게 여기다, 멸시하다 ***have***[***form***] ***a good***[***high, favorable***] ***~ of*** …을 좋게 생각하다, …을 신용하다 ***have no ~ of*** …을 별로 탐탁지 않게 생각하다 ***have the courage of*** one***'s ~s*** 소신을 피력하며 또한 실행하다 ***in the ~ of*** …의 의견으로는, …의 설에 의하면 ***rise a step in*** a person***'s ~*** …으로부터 재평가 받다 ***tap*** a person***'s ~*** …의 의견을 묻다

o·pin·ion·at·ed [əpínjənèitid] *a.* 자기 설을 고집하는, 완고한 **~·ly** *ad.* **~·ness** *n.*

o·pin·ion·a·tive [əpínjənèitiv] *a.* **1** 의견의; 소신상의 **2** = OPINIONATED **~·ly** *ad.* **~·ness** *n.*

o·pin·ioned [əpínjənd] *a.* **1** (특별한) 의견을 가진 **2** = OPINIONATED

o·pin·ion·ist [əpínjənist] *n.* 자기 주장을 굳게 지키는 사람; 이설(異說) 주장자; 분리파 교도

opínion lèader 여론 주도자[층]

o·pin·ion·naire [əpìnjənέər] [*opinion*+question*naire*] *n.* (많은 사람의 의견을 묻는) 질문표, 앙케트

opínion pòll 여론 조사

o·pi·oid [óupiɔ̀id] *n.* 〖약학〗 오피오이드 ((아편 비슷한 작용을 하는 합성 진통·마취제)) **—** *a.* 아편 모양의

op·i·som·e·ter [ɑ̀pəsɑ́mətər | ɔ̀pisɔ́-] *n.* 곡선계 ((지도상의 곡선을 따라 그 길이를 재는 기구))

opisth- [əpísθ], **opistho-** [əpísθou, -θə] [Gk = behind] ((연결형)) 「후부(後部)의」의 뜻 ((모음 앞에서는 opisth-))

*__o·pi·um__ [óupiəm] [Gk 「양귀비 즙(汁)」의 뜻에서] *n.* Ⓤ **1** 아편: smoke ~ 아편을 피우다 **2** 아편 같은 [마비시키는] 것

ópium dèn 아편굴

ópium èater[**smòker**] 아편쟁이

ópium hàbit 아편 맞는[피우는] 버릇

o·pi·um·ism [óupiəmìzm] *n.* Ⓤ 아편 상습[중독]

ópium pòppy 〖식물〗 양귀비

Ópium Wàr [the ~] 아편 전쟁(1839-42) ((영국과 청나라 사이에 벌어진 전쟁))

OPM operations per minute 1분당 작업량; other people's money (투자용으로 모은) 남의 돈 차입금; output per man 1인당 생산량

o·pop·a·nax [əpɑ́pənæ̀ks | -pɔ́p-] *n.* Ⓤ 오포파낙스 ((향료용 고무 수지(樹脂)의 일종))

o·pos·sum [əpɑ́səm | əpɔ́-] [북미 인디언 어 「흰 동물」의 뜻에서] *n.* (*pl.* **~s,** ~) 〖동물〗 주머니쥐 ((잡히면 죽은 체함; 미국산(産))) ***play ~*** (미·속어) 죽은[자는, 모르는] 체하다

opp. opportunity; opposed; opposite

Op·pen·hei·mer [ɑ́pənhàimər | ɔ́-] *n.* 오펜하이머 (**Julius**) **Robert ~** (1904-67) ((미국의 물리학자; 세계 최초의 원자 폭탄 제조를 지휘))

op·pi·dan [ɑ́pədən | ɔ́p-] *n.* **1** 도시민, 시민 **2** (영) (Eton 학교의) 교외 기숙생(opp. *colleger*) **—** *a.* 도시의

op·pi·late [ɑ́pəlèit | ɔ́p-] *vt.* 〈관·파이프 따위를〉 막다; 막히게 하다 **òp·pi·lá·tion** *n.*

op·po [ɑ́pou | ɔ́p-] *n.* (영·속어) 친한 동료

op·po·nen·cy [əpóunənsi] *n.* **1** 반대하는 일, 저항, 적대 **2** 대항 상태

op·po·nens [əpóunenz] *n.* (*pl.* **-nen·tes** [ɑ̀pənéntiːz | ɔ̀p-]) 〖해부〗 대립근(筋)

‡**op·po·nent** [əpóunənt] [L 「…에 대하여 놓다」의 뜻에서] *n.* **1** (논쟁·경쟁 등의) 적수, 반대자, 상대: a political ~ 정적(政敵) / ~*s* of the proposal 그 계획의 반대자들 **2** 〖해부〗 대항근, 길항근
— *a.* **1** 적대하는, 반대하는, 대립하는; 〖해부〗 길항적(拮抗的)인 **2** 〈위치가〉 반대의
▷ oppóse *v.*

op·por·tune [ɑ̀pərtjúːn | ɔ́pətjùːn, ⌐–⌐] [L 「항구(port)를 앞에 두고」의 뜻에서] *a.* **1** 시기가 좋은, 〈때가〉 알맞은: an ~ remark 시의적절한 논평 **2** 형편에 맞는, 적절한 **~·ly** *ad.* **~·ness** *n.*
▷ opportúnity *n.*

op·por·tun·ism [ɑ̀pərtjúːnizm | ɔ́pətjùː-] *n.* Ⓤ 편의주의, 기회주의; 편의주의적 행동[판단]

op·por·tun·ist [ɑ̀pərtjúːnist | ɔ́pətjùː-] *n.*, *a.* 기회주의자(의); 기회주의적인

op·por·tun·is·tic [ɑ̀pərtjuːnístik | ɔ̀pətjuː-] *a.* **1** 기회[편의]주의적인: a politician considered ~ 기회주의적인 정치인 **2** 〖병리〗 〈병원체·질병이〉 면역 체계가 약해졌을 때만 발생하는

‡**op·por·tu·ni·ty** [ɑ̀pərtjúːnəti | ɔ̀pətjúː-] *n.* (*pl.* **-ties**) ⓊⒸ 기회, 호기 ((*of*)): equality *of* ~ 기회 균등 / *O*~ makes the thief. (속담) 틈을 주면 마가 낀다, 견물생심. // (~+*to* do) Every man should have a fair ~ *to* make the best of himself. 누구나 자기의 역량을 충분히 발휘할 기회가 공평하게 주어져야 한다. // (~+전+*-ing*) I have little ~ *for* mak*ing* a trip. 여행할 기회가 거의 없다.

> 유의어 **opportunity** 「우연」의 뜻은 포함되어 있지 않다 **chance** 「우연」의 뜻이 포함되는 경우가 있다

at[***on***] ***the first ~*** 기회가 나는 대로 ***have an***[***the***] ***~ for*** do***ing***[***of*** do***ing, to*** do] …할 기회가 있다 ***lose***[***miss, neglect***] ***no ~ of*** do***ing***[***to*** do] …할 기회를 놓치지 않다 ***take***[***seize***] ***an***[***the***] ***~*** 기회를 포착하다 ▷ opportúne *a.*

opportúnity còst 〖경제〗 기회 원가, 기회 비용 ((한 가지 목적을 위해 투입된 자본이 다른 목적으로 투입했을 때 얻을 수 있으리라고 여겨지는 포기된 가치))

opportúnity gròup 장애자 돕기[원로] 단체

opportúnity shòp (호주·뉴질) 교회나 자선 단체가 운영하는 중고품 판매점

op·pos·a·bil·i·ty [əpòuzəbíləti] *n.* Ⓤ 적대[대항]력[성]; 대향성(對向性)

op·pos·a·ble [əpóuzəbl] *a.* 적대[대항]할 수 있는; 마주 볼 수 있는

‡**op·pose** [əpóuz] [L 「…의 상대에 놓다」의 뜻에서] *vt.* **1** …에 반대하다, 이의를 제기하다: We all ~*d* his suggestion. 우리 모두가 그의 제안에 반대했다. // (~+목+전+명) They ~*d* the plan *by* mounting a public demonstration. 그들은 데모를 하며 그 계

thesaurus **opponent** *n.* opposer, the opposition, rival, adversary, fellow competitor, enemy, foe, antagonist, contender, dissenter, disputant (opp. *ally, partner, colleague*)
opposite *a.* different, unlike, contrary, reverse, contradictory, conflicting, clashing, discordant, incompatible (opp. *same, like, identical*)
opposition *n.* **1** 반대 dislike, disapproval, hostili-

획안에 반대했다. **2** …에 **대항하다,** 저지하다, 방해하다: ~ the enemy 적과 싸우다

> 유의어 **oppose** 「대항하다」의 가장 넓은 뜻의 말 **resist** 현실에 가해진 곤경이나 압력에 대해 적극적으로 반항하다: *resist* temptation 유혹에 저항하다 **withstand** 단순히 반항할 뿐만 아니라 그것에 굴복하지 않음을 암시: *withstand* an attack 공격에 저항하다

3 〈장애물 등을〉 앞에 놓다, 대립시키다, 대치하다 《*to, against*》: 《~+목+전+명》 ~ violence *to* violence 폭력에 대하여 폭력으로 맞서다 / ~ a barrier *against* a flood 홍수를 방벽으로 막다 **4** (…에) 대비[대조]시키다 《*to, against*》; 마주 보게 하다: 《~+목+전+명》 ~ white *to* black 백을 흑에 대비시키다 / ~ advantages *to* disadvantages 득실을 대비시키다 **5** 〈손가락을〉 맞대다

— *vi.* 반대하다: It is the job of the Opposition to ~. 반대하는 것이 야당이 해야 할 일이다.
▷ ópposite *a.*; opposítion *n.*

***op·posed** [əpóuzd] *a.* **1 반대된,** 대항하는, 적대하는 《*to*》 **2** 대립된, 맞서 있는 **3** 마주 보는
as ~ to …에 대립하는 것으로(서) ***be* [*stand*] *~ to*** …에 반대이다, 반대편에 서다

op·pose·less [əpóuzlis] *a.* 《고어》 저항하기 어려운(irresistible)

op·pos·er [əpóuzər] *n.* 반대자, 방해자; 《특히》 상표 등록 방해자

op·pos·ing [əpóuziŋ] *a.* Ⓐ **1** 〈팀·군대 등이〉 대항하는, 맞서는: a player from the ~ side 상대 팀 선수 **2** 〈입장·관점 등이〉 매우 다른, 반대의 **~·ly** *ad.*

‡**op·po·site** [ɑ́pəzit, -sit | ɔ́pə-] [L = set against] *a.* **1 반대편의,** 맞은편의; 마주보고 있는: an ~ angle 대각 / on the ~ side of 맞은편의 / in the ~ direction 반대 방향으로 / C.E The woman *opposite* [*opposite* woman(×)] was knitting a cardigan. 맞은편에 있는 부인이 카디건을 뜨고 있었다.

> 유의어 **opposite** 위치·행동·경향·성격·생각 등이 정반대인: *opposite* sides of a road 도로의 양측 **contrary** 대립 또는 때로 적의 등을 암시: *contrary* statements 반대 성명 **reverse** 면해 있는 방향이나 순서 등이 반대라는 뜻: the *reverse* side of a coin 동전의 뒷면

2 〈성질·결과·의미·방향 등이〉 **정반대의,** 상반하는 《*to, from*》; 등을 맞대고 있는 《*with*》: the ~ sex 이성 / opinions ~ *to* mine 나와 반대 의견 / "Left" is ~ *to* "right." left는 right의 반대어이다. / The result was ~ *to*[*from*] what we expected. 결과는 예상과 정반대였다. **3** 『식물』 대생(對生)의, 마주나기의(cf. ALTERNATE): ~ leaves 대생엽(葉) **4** 적수의, 반목하고 있는 ***on the ~ side*** (1) 반대쪽에 (2) 적측에

— *n.* **1 정반대의 일**[사람, 말]: I thought quite the ~. 나는 정반대로 생각했다. **2** (쌍의) 한쪽, 상대

— *ad.* **정반대의 위치에,** 맞은편에 ***play ~*** (*to*) (…의) 상대역을 하다 ***sit ~ to*** …와 마주 앉다, 대좌하다

— *prep.* …의 **맞은편에,** …의 반대 위치[방향]에; …의 상대역으로: I live ~ the post office. 나는 우체국 맞은편에 살고 있다. **~·ness** *n.*
▷ oppóse *v.*

ópposite fíeld 『야구』 (우타자의 경우) 라이트 필드, (좌타자의 경우) 레프트 필드

op·po·site·ly [ɑ́pəzitli, -sit- | ɔ́pə-] *ad.* **1** 반대 위치에, 마주 보고 **2** 등을 맞대고, 거꾸로

ópposite númber [one's ~] 《영》 (다른 나라·지역·직장 등에서) 대등한 지위에 있는 사람; 대응물 《제도·기구·용어 등》

ópposite prómpter 《영》 『연극』 프롬프터의 반대편 《관객을 향해 오른쪽 부분; 略 O.P.》

‡**op·po·si·tion** [ɑ̀pəzíʃən | ɔ̀pə-] *n.* UC **1 반대,** 저항; 방해 《*to*》: without ~ 방해[반대] 없이 / meet (with) ~ 저항을 받다 **2** 적대, 대항, 대립, 반목 《*to*》: young people's ~ *to* their elders 젊은이들의 선배에 대한 반발 **3** [the O~] 반대당, 야당, 반대파 **4** 『천문』 충(衝) 《태양과 행성이 지구를 사이에 두고 정반대로 있을 때》 **5** 『논리』 대당(對當); 대우(對偶) **6** 『법』 이의 신청 **7** 대조, 대비 《*to*》
have an ~ to …에 반대하다 ***His* [*Her*] *Majesty's O~*** 《영》 반대당, 야당 ***in ~*** 야당의, 재야의 ***in ~ to*** …에 반대[반항]하여; 『천문』 …에 대하여 충(衝)에 있는 ***offer ~ to*** …에 반대하다 **~·al** *a.* **~·ist** *n.* **~·less** *a.* ▷ oppóse *v.*; ópposite *a.*

op·pos·i·tive [əpɑ́zətiv | əpɔ́zə-] *a.* 대항하는, 대립적인 **~·ly** *ad.*

‡**op·press** [əprés] [L 「…에 밀어붙이다」의 뜻에서] *vt.* **1 압박하다,** 억압하다, 학대하다, 박해하다, 탄압하다; 심하게 차별하다(⇨ persecute 유의어): a people *~ed* by totalitarianism 전체주의의 압제에 학대받고 있는 국민 **2** [보통 수동형으로] 〈사람·마음에〉 압박감[중압감]을 주다; 우울하게 만들다, 풀죽게 하다: *be ~ed with* trouble[debt] 근심[빚]으로 마음이 무겁다 **3** 〈졸음·피로 등이〉 무겁게 덮치다 **4** 《폐어》 압도하다, 억누르다; 진압하다
▷ oppréssion *n.*; oppréssive *a.*

op·pressed [əprést] *a.* 학대받는, 억압받는: ~ minorities 억압받는 소수인들 / the ~ 학대[억압]받는 사람들

‡**op·pres·sion** [əpréʃən] *n.* UC **1 압박,** 압제, 억압, 탄압, 학대; 심한 차별: struggle against ~ 압제와 싸우다 / racial ~ 인종 차별 **2** 압박감, 우울, 의기소침; (열병 초기 등의) 나른한 느낌: a feeling of ~ 압박감 **3** 고난 **4** 『법』 직권 남용죄
▷ oppréss *v.*; oppréssive *a.*

***op·pres·sive** [əprésiv] *a.* **1 압제적인,** 가혹한: an ~ king 폭군 **2** 압박적인, 중압감을 주는, 답답한, 괴로운 **3** 〈날씨가〉 답답한, 불쾌한: ~ heat 숨 막힐 듯한 더위 **~·ly** *ad.* **~·ness** *n.*
▷ oppréss *v.*; oppréssion *n.*

***op·pres·sor** [əprésər] *n.* **압제자,** 박해자

op·pro·bri·ous [əpróubriəs] *a.* **1** 모욕적인; 야비한, 상스러운, 입이 건: an ~ speaker 독설가 **2** 창피한, 면목이 없는, 부끄러운 **~·ly** *ad.* **~·ness** *n.*

op·pro·bri·um [əpróubriəm] *n.* Ⓤ **1** 오명, 치욕, 불명예 **2** 욕설, 비난(abuse)

op·pugn [əpjú:n] *vt.* **1** 비난[논박]하다, 반박하다, …에 이의를 주장하다 **2** …에 항쟁하다 — *vi.* 반대하다, 논쟁하다 《*against*》 **~·er** *n.*

op·pug·nant [əpʌ́gnənt] *a.* 반대[저항]하는; 논쟁[항쟁]하는 **-nance, -nan·cy** *n.*

OPr Old Provençal **OPruss** Old Prussian

ops [ɑ́ps | ɔ́ps] [operations의 단축형] *n.* 《영·구어》 군사 행동

Ops [ɑ́ps | ɔ́ps] *n.* 『로마신화』 옵스 《풍요의 여신; 그리스 신화의 Rhea에 해당》

OPS Office of Price Stabilization 물가 통제국

óp shóp [ɑ́p-, ɔ́:p- | ɔ́p-] 《호주·뉴질》 = OPPORTUNITY SHOP

op·si·math [ɑ́psəmæ̀θ | ɔ́p-] [Gk = late in learning] *n.* 만학(晩學)하는 사람

op·sin [ɑ́psin | ɔ́p-] *n.* 『생화학』 옵신 《감광성(感光性) 망막 색소 rhodopsin을 합성하는 단백질》

---

ty, resistance, defiance **2** 반대파 opponent, other side, rival, adversary, competition, enemy
oppress *v.* overwhelm, overpower, enslave, suppress, crush, subdue, tyrannize, repress, abuse
oppressive *a.* tyrannical, despotic, domineering, repressive, brutal, harsh, ruthless, merciless
oppressor *n.* tyrant, despot, autocrat, subjugator, persecutor, bully, dictator, torturer

-opsis [ɑ́psis | ɔ́p-] [Gk = sight, appearance] 《연결형》「유사」의 뜻: syn*opsis*

op·son·ic [ɑpsɑ́nik | ɔpsɔ́-] *a.* 〖면역〗 옵소닌의 (영향을 받은)

op·son·i·fy [ɑpsɑ́nəfài | ɔpsɔ́-] *vt.* (**-fied**) 〖면역〗 〈미생물을〉 옵소닌화하다 《미생물을 옵소닌 처리해서 식세포가 먹기 쉬운 상태로 하다》

op·so·nin [ɑ́psənin | ɔ́p-] *n.* 〖면역〗 옵소닌 《백혈구의 식균(食菌) 작용을 돕는 혈청 속의 물질》 ▷ opsónic *a.*; opsónify *a.*

op·so·nize [ɑ́psənàiz | ɔ́p-] *vt.* = OPSONIFY

op·ster [ɑ́pstər | ɔ́p-] *n.* 《미·속어》 optical art 화가 (op artist)

-opsy [ɑ̀psi, əp- | ɔ̀p-, əp-] 《연결형》「의학 검사」의 뜻: bio*psy*, necro*psy*

opt [ɑ́pt | ɔ́pt] [F = choose, wish] *vi.* 선택하다, 고르다 《*for, between*》: Voters *~ed for* Conservative candidates. 투표자들은 보수당의 후보를 뽑았다. **~ *in*** 《구어》 (…에) 가입을 결정하다 《*to*》 **~ *out*** (…에서) 피하다, 물러나다, (…에서) 손을 떼다 《*of*》: *~ out of* the urban congestion 도시의 혼잡함에서 벗어나다

opt. optative; optical; optician; optics; optional

Op·ta·con [ɑ́ptəkɑ̀n | ɔ́ptəkɔ̀n] [*op*tical-to-*ta*ctile *con*verter] *n.* 옵타콘, 맹인용 점자 해독기 《상표명》

op·tant [ɑ́ptənt | ɔ́p-] *n.* 고르는[선택하는] 사람; 《특히》 국적 선택자

op·ta·tive [ɑ́ptətiv | ɔ́p-] [L 「바라다」의 뜻에서] 〖문법〗 *a.* 기원[소망]을 나타내는 **—*n.*** 기원법(= ~ **móod**); 기원법의 동사 **~·ly** *ad.*

***op·tic** [ɑ́ptik | ɔ́p-] [Gk 「보이는, 볼 수 있는」의 뜻에서] *a.* Ⓐ **1** 〖해부〗 **눈의**, 눈에 대한, 시력[시각]의: an ~ angle 시각(視角) **2** 광학(상)의
—*n.* **1** [보통 *pl.*] 《익살》 눈 **2** [**O~**] 《영》 술 분량기(分量器) 《병 주둥이에 붙여 사용하는 납작한 유리컵; 상표명》 **3** (광학 기계의) 렌즈

***op·ti·cal** [ɑ́ptikəl | ɔ́p-] *a.* **1** 눈의, 시각[시력]의; 시력을 돕는: an ~ defect 시력의 결함 **2** 빛의, 가시광선의, 광학(상)의: ~ glass 광학 유리 / an ~ instrument 광학 기계 **~·ly** *ad.* ▷ óptics *n.*

óptical actívity 〖화학〗 광학 활성, 선광성(旋光性)

óptical árt [종종 **O- A-**] 옵티컬 아트 《추상 미술》

óptical astrónomy 광학 천문학

óptical áxis **1** 광축(光軸) **2** 〖해부〗 시축(視軸)

óptical bár-còde réader 〖컴퓨터〗 광(光) 바코드 판독기 《bar code를 광학적으로 읽어내는 장치》

óptical bénch 광학대(臺) 《특별한 대(臺) 위에 광원(光源), 스크린, 광학 기구를 설치한 실험·측정 장치》

óptical bríghtener (세탁물을 희게 하는) 형광 발광제(發光劑)

óptical cénter **1** 〖인쇄〗 시각 중앙 **2** 〖물리·화학〗 광학적 중심

óptical cháracter rèader 〖컴퓨터〗 광학식 문자 판독 장치 《略 OCR》

óptical cháracter recognìtion 〖컴퓨터〗 광학식 문자 판독 《略 OCR》

óptical communicátion 광통신

óptical compúter 〖컴퓨터〗 광(光) 컴퓨터

óptical dísk[dísc] 광(光) (저장) 디스크(laser disk) 《CD-ROM, videodisk 등》

óptical fíber 광섬유

óptical illúsion 〖심리〗 착시(錯視), 착각

óptical integráted círcuit 광(光)집적 회로

óptical isómerism 〖화학〗 광학 이성(光學異性)

óptical láser dìsk 〖컴퓨터〗 광(光)레이저(저장)판

óptical márk rèader 〖전자〗 광학식 마크 판독 장치 《略 OMR》

óptical márk recognìtion 〖전자〗 광학식 마크 판독 《略 OMR》

óptical máser 〖전자〗 = LASER

óptical mémory 〖컴퓨터〗 광(光) 메모리

óptical mícroscope 광학 현미경

óptical módulator 〖통신〗 광(光) 변조기

óptical móuse 〖컴퓨터〗 광(光)마우스

óptical prínter 광(光)프린터

óptical pyrómeter 〖공학〗 광(光)고온계

óptical recórding sỳstem 광학적 기록 장치

óptical rotátion 〖화학·물리〗 선광(旋光)(도) 《광선이 광학 활성 물질을 통과할 때 편광면(偏光面)을 회전시키는 각도》

óptical scánner 〖컴퓨터〗 광 스캐너 《빛을 주사하여 문자·기호 등을 판독하는 기계》

óptical scánning 광학적 주사(走査)

óptical sóund 〖영화〗 광학 음향

óptic ángle 〖광학〗 시각(視角); 광축각(光軸角)

óptic áxis 광축(光軸) 《결정(結晶)의》

óptic chiásma 〖해부〗 시신경 교차

óptic dísk[dísc] 〖해부〗 (안구의) 시신경 원판

op·ti·cian [ɑptíʃən | ɔp-] *n.* 안경상(商), 광학 기계상

op·ti·cist [ɑ́ptəsist | ɔ́p-] *n.* 광학자, 광학 연구자

óptic lóbe 〖해부〗 시엽(視葉)

óptic nérve 〖해부〗 시신경

***op·tics** [ɑ́ptiks | ɔ́p-] *n. pl.* [단수 취급] **광학(光學)** ▷ óptical *a.*

op·ti·ma [ɑ́ptəmə | ɔ́p-] *n. pl.* OPTIMUM의 복수

op·ti·mal [ɑ́ptəməl | ɔ́p-] *a.* 최선의, 최상의, 최적의(optimum) **~·ly** *ad.*

op·ti·me [ɑ́ptəmì: | ɔ́ptimi] *n.* 《영》 (Cambridge 대학의 수학 우등 과정 시험의) 2·3급 합격자 《略 op; cf. WRANGLER 3》

***op·ti·mism** [ɑ́ptəmìzm | ɔ́p-] [L 「최선(optimum)」의 뜻에서] *n.* Ⓤ **낙천주의,** 낙관(론)(opp. *pessimism*): blind ~ 맹목적 낙관

***op·ti·mist** [ɑ́ptəmist | ɔ́p-] *n.* **낙천주의자,** 낙관론자, 낙천가(opp. *pessimist*) ▷ optimístic *a.*

***op·ti·mis·tic, -ti·cal** [ɑ̀ptəmístik(əl) | ɔ̀p-] *a.* **낙천주의의;** 낙관[낙천]적인 《*about, of*》: hold an ~ view of …에 대해 낙관적 견해를 가지다
~ti·cal·ly *ad.*

op·ti·mize [ɑ́ptəmàiz | ɔ́p-] *vi.* 낙관하다(opp. *pessimize*) **—*vt.*** 최고로 활용하다, 가장 능률적으로 활용하다; 〖컴퓨터〗 〈프로그램을〉 최대한으로 활용하다

op·ti·mum [ɑ́ptəməm | ɔ́p-] *n.* (*pl.* **-ma** [-mə], **~s**) 〖생물〗 (성장·생식의) 최적 조건
—*a.* Ⓐ 최적의, 가장 알맞은: ~ levels 적정 수준 / ~ population 최적 인구 《많지도 적지도 않은》

op·tion** [ɑ́pʃən | ɔ́p-] [L = choosing, choice] *n.* **1** ⓊⒸ (취사) **선택**(choice); **선택권,** 선택의 자유: (~+to*** do) You have the ~ *to* take it or leave it. 갖거나 말거나 네 마음대로이다. // (~+전+***-ing***) We have the ~ *of going* or not. 가고 안 가고는 우리 마음대로이다. **2** Ⓒ **선택지**(肢), 선택되는[하는] 것; (자동차·컴퓨터 등의) 옵션 《표준 사양 이외 추가·교환 가능한 부품》; 선택 행위; 《주로 영》 선택 과목: a list of extra-cost ~*s* for computer 추가 비용이 드는 컴퓨터 옵션 목록 **3** 〖상업〗 선택권, 옵션 《증권·부동산·상품 등을 계약서의 가격으로 일정 기간 중 언제든지 매매할 수 있는 권리》 **4** = STOCK OPTION
a [***the***] ***soft*** **~** 무난한 선택, 안이한 길 ***at*** one***'s*** **~** …의 마음대로 ***have no*** **~** ***but to*** do …하는 수 밖에 없다 ***leave*** one***'s*** **~** ***open*** 태도 결정을 보류하다 ***leave*** [***keep***] ***... to*** (a person's) **~** …을 (…의) 임의에 맡기다 ***make*** one***'s*** **~** 선택하다
—*vt.* 《주로 미》 **1** …의 (출판권 등의) 옵션을 얻다[주다] **2** 〈차에〉 옵션 품목을 설치하다 **~·a·ble** *a.*

***op·tion·al** [ɑ́pʃənl | ɔ́p-] *a.* **1 마음대로의,** 마음대로 선택 가능한, 임의의: It is ~ with you. 그것은 당신의 마음대로입니다. / Formal dress is ~. 예복 착용

thesaurus **optimistic** *a.* positive, sanguine, hopeful, rosy, confident, bullish, cheerful, buoyant, happy (opp. *pessimistic, gloomy*)

은 마음대로이다. **2** 〈과목이〉 선택의; 〈부속품이〉 옵션의: an ~ subject 선택 과목 / ~ cargo 〖상업〗 양륙항 선택권부(附) 화물
— *n.* 선택을 본인에게 맡긴 사물; 《영》 선택 과목(《미》 elective) **~·ly** *ad.* 마음대로
óption càrd 옵션 카드 《특정 상점의 상품을 무이자로 구입할 수 있는 신용 카드》
op·tion·ee [àpʃəní: | ɔ̀p-] *n.* 〖상업〗 선택권 보유자
óption mòney 〖상업〗 (옵션의 매주(買主)가 매주(賣主)에게 지급하는) 옵션료(料)
óption pláy 〖미식축구〗 옵션 플레이 《공을 패스할 것인지 자기가 갖고 달릴 것인지를 선택할 수 있는 플레이》
opto- [ɑ́ptou, -tə | ɔ́p-] 《연결형》 「시력·시각·광학상의」의 뜻
op·to·a·cous·tic [ɑ̀ptouəkú:stik | ɔ̀p-] *a.* 광음향의, 광에너지를 음파로 바꾸는
op·to·e·lec·tron·ics [ɑ̀ptouilektrɑ́niks | ɔ̀ptouilektrɔ́-] *n. pl.* [단수 취급] 광전자 공학
op·tom·e·ter [ɑptɑ́mətər | ɔptɔ́m-] *n.* 시력 측정계; 눈 굴절계(屈折計)
op·tom·e·trist [ɑptɑ́mətrist | ɔptɔ́mə-] *n.* 《미》 검안사, 시력 측정 의사
op·tom·e·try [ɑptɑ́mətri | ɔptɔ́mə-] *n.* Ⓤ.Ⓒ 검안, 시력 측정(법)
op·to·phone [ɑ́ptəfòun | ɔ́p-] *n.* 청광기(聽光器) 《빛으로 인쇄 활자를 소리로 재생하여 시각 장애자에게 편의를 제공하는 전자 장치》
op·to·type [ɑ́ptətàip | ɔ́p-] *n.* 〖안과〗 시력 검사표의 글자
opt-out [ɑ́ptàut] *n.* 《영》 (조약 따위로부터의) 선택적 이탈; (지방 자치제 관리로부터의) 독립
op·u·lence, -len·cy [ɑ́pjuləns(i) | ɔ́-] *n.* Ⓤ.Ⓒ 부유(wealth); 풍부(abundance), 다량; (음악·문체 등의) 화려함
op·u·lent [ɑ́pjulənt | ɔ́-] [L =wealth] *a.* **1** 부유한: an ~ lifestyle 부유한 생활 **2** 풍부한; 화려한; 무성한: ~ sunshine 가득 넘쳐 나는 햇빛 **~·ly** *ad.*
o·pun·ti·a [oupʌ́ntʃiə, -tiə | ɔpʌ́nʃiə] *n.* 〖식물〗 부채선인장
*__o·pus__ [óupəs] [L 「일; 작품」의 뜻에서] *n.* (*pl.* **o·pe·ra** [óupərə, ɑ́p- | ɔ́p-], **~·es**) 〖음악〗 **작품 번호**; (문학 등의) 작품, 저작(work); 《略 Op., op.》: Brahms *op.* 77 브람스 작품 제77번
o·pus·cule [oupʌ́skju:l | ɔp-] *n.* 소품(小品), 소곡
o·pus·cu·lum [oupʌ́skjuləm | ɔp-] [L] *n.* (*pl.* **-la** [-lə]) = OPUSCULE
O·pus De·i [óupəs-déii:] [L] **1** [**o- D-**] = DIVINE OFFICE **2** 오푸스 데이회(會) 《일반 직업을 가지면서 사도적 활동을 하는 가톨릭 신자의 모임》
ópus mágnum = MAGNUM OPUS
-opy [óupi] 《연결형》 = -OPIA
‡**or**[1] ⇨ or (p. 1772)
or[2] [ɔ́:r, ər] *prep., conj.* 《고어·시어》 …보다 먼저, …에 앞서서 **~ *ever*** [***e'er***] [접속사로서] (…하기)보다 앞서[빨리]
or[3] [ɔ́:r] *n.* Ⓤ (문장(紋章)의) 황금색, 노랑색
— *a.* (문장(紋章)의) 황금색의
or[4] 〖인터넷〗 organization 《공공 기관을 나타내는 domain명의 하나》
-or[1] | **-our** [ər] *suf.* [동작·상태·성질을 나타내는 라틴 어계 명사 어미]: hon*o*(*u*)*r*
-or[2] *suf.* [라틴 어에서 나온, 특히 -ate의 어미를 가지는 동사에 붙여 행위자를 만듦]: elevat*or*, possess*or*
OR [ɔ́:r] *n.* 〖컴퓨터〗 논리합(論理合)
OR operating room; operations research; 《미》 〖우편〗 Oregon; 〖군사〗 other ranks **o.r.** 〖상업〗 owner's risk

option *n.* choice, alternative, preference
optional *a.* noncompulsory, voluntary, elective
oral *a.* spoken, verbal, vocal, uttered, said

o·ra [ɔ́:rə] *n.* os[2]의 복수
*__or·a·cle__ [ɔ́:rəkl, ɑ́r- | ɔ́r-] [L 「말하다; 기도하다」의 뜻에서] *n.* **1 신탁**(神託), 탁선(託宣); (고대 그리스의) 신탁소, 탁선소: deliver the ~ 신탁을 내리다 / the ~ of Apollo 아폴로의 신탁 **2** 〖성서〗 신의 계시; [*pl.*] 성경 **3** (예루살렘 성전 안의) 지성소(至聖所) **4** 신의 사도, 신탁을 전하는 사람, 신관, 예언자 **5** 철인; 현인 ***work the ~*** 신관(神官) 등을 매수하여 자기 소원대로의 신탁을 얻어내다; 술책으로 성공하다
▷ orácular *a.*
o·rac·u·lar [ɔ:rǽkjulər | ɔrǽ-] *a.* **1** 신탁[탁선]의[같은] **2** 신비적인, 엄숙한, 위엄있는, 예언자적인 **3** 수수께끼 같은, 애매한, 막연한: an ~ statement 애매한 말 **4** 과장하는; 점잔 빼는, 짐짓 젠체하는: an ~ speech 젠체하는 연설 **5** 조짐이 나쁜, 불길한, 재수 없는
o·rac·u·lar·i·ty [ɔ:rækjulǽrəti | ɔ-] *n.* **~·ly** *ad.*
o·ra·cy [ɔ́:rəsi] [*or*al+*-acy*] *n.* Ⓤ.Ⓒ (학습 능력으로서의) 말하기 능력
o·rad [ɔ́:ræd] *ad.* 〖해부〗 입쪽으로
*__o·ral__ [ɔ́:rəl] [L 「입의」의 뜻에서] *a.* **1 구두**(口頭)의, 구술의(cf. WRITTEN): ~ evidence[testimony] 구두 증거[증언] / an ~ examination[test] 구술 시험 / the ~ method 구술 교수법 / ~ pleadings[proceedings] 〖법〗 구두 변론 / ~ traditions 구비(口碑) **2** 〖해부〗 입의, 구부(口部)의: the ~ cavity 구강(口腔) / ~ hygiene 구강 위생학 **3** 〖정신분석〗 구애기(口愛期)의 **4** Ⓐ 〈약이〉 경구의
— *n.* 《구어》 구술[구두] 시험
~·ly *ad.* 구두로, 입을 통해서
óral appróach (외국어의) 구두 교수법
óral contracèption 경구(經口) 피임법
óral contracéptive 경구 피임약
óral hérpes 〖병리〗 구강 헤르페스; 구순(口脣) 포진
óral histórian 구술 역사가
óral hístory 구술(口述) 역사, 구술 기록; 녹음 사료(錄音史料); (중요 인물의) 역사적 증언
o·ral·ism [ɔ́:rəlìzm] *n.* Ⓤ 구화주의(口話主義), 구화법 《난청자의 의사소통을 수화(手話)가 아니고 독순술(讀脣術)과 발화(發話) 훈련에 의해서 하려는 이론》
o·ral·i·ty [ɔ:rǽləti] *n.* Ⓤ 〖정신분석〗 구순애(口脣愛)
Óral Làw 〖유대교〗 구전(口傳) 율법
óral rehydrátion thèrapy 〖병리〗 경구 수분 보충 요법 《설사로 인한 탈수증 완화 요법; 略 ORT》
óral séx 구강 성교 《fellatio, cunnilingus 따위》
óral socíety 구두 사회 《문자가 없는 사회》
óral súrgeon 구강 외과 의사
óral súrgery 〖의학〗 구강 외과
-orama [ərǽmə | ərɑ́:mə] 《연결형》 「…전(展), 쇼」의 뜻: audi*orama*
o·rang [ɔ:rǽŋ] *n.* = ORANGUTAN
‡**or·ange** [ɔ́:rindʒ, ɑ́r- | ɔ́r-] *n.* **1** 〖식물〗 오렌지 나무(= **~ trèe**); **오렌지, 귤, 감귤** 《열매》; 오렌지 같은 나무(의 열매) **2** Ⓤ.Ⓒ **오렌지빛**, 귤색, 주황색
a bitter [***sour***] **~** 등자(橙子) ***a horned ~*** 〖식물〗 불수감 《귤과(科)》 ***a mandarin*** [***tangerine***] **~** 밀감 ***a squeezed ~*** 즙을 짜 낸 오렌지 찌꺼기; 《비유》 이용 가치가 없어진 사람 ***squeeze*** [***suck***] ***an ~*** 《비유》 단물을 짜내다, 좋은 부분을 다 빼버리다
— *a.* **오렌지[귤]색의**; 오렌지의; 오렌지를 넣어 조리한: ~ sherbet 오렌지 셔벗
Or·ange [ɔ́:rindʒ, ɑ́r- | ɔ́r-] *n.* **1** [the ~] 오렌지 강 《남아프리카 연방 내를 서쪽으로 흐르는》 **2** 오랑예 왕가 《1815년 이후 네덜란드를 통치한 유럽의 한 왕가》 **3** 〖역사〗 오랑예 소공국(小公國) 《현재의 프랑스 일부》
or·ange·ade [ɔ̀:rindʒéid, ɑ̀r- | ɔ̀r-] *n.* Ⓤ 오렌지에이드 《오렌지즙에 단맛과 탄산수를 탄 음료수》
órange bàdge 《영》 오렌지 배지 《장애자 차량에 부착하는 배지》
órange blòssom 오렌지 꽃 《순결의 상징으로서 신부가 결혼식에서 머리에 장식함》
órange bòok 오렌지서(書) **1** 《영》 농림수산부의

or

or는 and와 짝을 이루는 등위접속사이다. A *and* B의 and는 A, B의 동시 공존을 인정하나, A *or* B에서 or는 A, B 중 하나를 선택한다. 그러나 이 선택에도 A와 B를 분리시키는 경우와 분리시키지 않는 경우가 있다.
1 분리시키는 경우: Answer yes *or* no. 예스냐 노냐 대답하시오.
2 분리시키지 않는 경우: in five *or* six days 5일이나 6일이면, 5, 6일 지나면/If you touch me *or* anything, I'll scream. 나를 만지거나 무슨 짓을 하면 소리지르겠다.

‡**or** [ɔ́ːr; 《약하게》 ər] *conj.*

ME other의 단축형에서	
① …인지 또는	**1 a**
② …나…나…나	**1 c**
③ [부정어 뒤에서] …도 …도 (아니다)	**1 d**
④ 다시 말하면	**2**
⑤ [명령문 뒤에서] 그렇지 않으면	**3**

1 [둘 또는 그 이상의 선택해야 할 어·구·절을 동격적으로 결합하여] **a** [긍정·의문문에서] (…인지) 또는, 혹은, …이나 … 《USAGE 동사는 or로 결합된 주어가 모두 단수일 때에는 단수, 복수일 때에는 복수 취급하고, 인칭·수가 일치하지 않는 경우에는 가까운 쪽 주어에 일치시킴》: You *or* I will be elected. 당신이나 내가 선출될 것이다. / Mr. White *or* Mr. Green *is* the right person for the position. 화이트 씨나 그린 씨가 그 자리에 적합한 사람입니다. / John *or* I *am* to go. 존이나 내가 가게 되어 있다. / Is he *or* we wrong? 그 사람 또는 우리들 중 누가 나쁜가? 《★ 어조가 나쁘기 때문에 Is he wrong, *or* are we?가 일반적인 표현》/ Which do you like better, apples *or* oranges? 사과와 오렌지 중 어느 것을 좋아합니까? / Will you be there *or* not? 거기에 가시겠습니까, 안 가시겠습니까? 《★ or의 앞은 ↗조, 뒤는 ↘조가 됨》/ three *or* [ɔ̀ːr | ɔ̀ː] four miles 3마일이나[또는] 4마일 / an inch *or* more 1인치 또는 그 이상 **b** [either와 상관적으로 써서] …인가 또는 …인가(⇨ either *conj.*) **c** [셋 이상의 선택에서] …나 …나 …나 《★ 마지막 or 이외는 생략할 수가 있음》: any Tom, Dick, *or* Harry 톰이나 딕이나 또는 해리나 누구든, 어중이떠중이 / Disobedience, desertion, mutiny, *or* theft were visited with death. 반항·탈주·반란 및 절도는 사형에 처해졌다. 《선택적이라기보다 종합적으로 다루었기 때문에 동사는 복수》 **d** [부정문에서] …도 …도 (없다, 아니다): He can*not* read *or* write. 읽지도 쓰지도 못한다. / I have *no* brothers *or* sisters. 나에게는 형제도 자매도 없습니다. **e** [ər | ə] [선택의 뜻이 약해지고 수(數) 등의 불확실함을 나타내는 경우에 써서] …정도, 약 …, 거의, …내지, …이나: a mile *or* so 1마일 정도, 거의 1마일 / there *or* thereabout(s) 어딘가 그 근처 / A day *or* two are needed. 하루나 이틀이 필요하다. / He is ill *or* something. 그는 아프거나 무슨 일이 있다.
2 a [일반적으로 (,) 뒤에서 유의어(구)·설명어(구)를 수반하여] 즉, 다시 말하면: psychology, *or* the science of the mind 심리학, 즉 마음의 과학 / **b** [앞말의 정정 또는 바꾸어 말할 때; 종종 rather를 동반] …라기보다 오히려: She is, *or* was, a very beautiful woman. 그녀는 대단한 미인이다, 아니, 미인이었다. / His autobiography, *or rather* memoirs, will be published soon. 그의 자서전, 아니 회고록이 곧 출판될 것이다. / I've cleaned it all up, ~ at least most of it. 나는 다 치웠다, 아니 적어도 거의 다 치웠다. / I've met him somewhere. *Or* have I? 어딘가에서 그를 만난 적이 있다, 아니, 만났던가?
3 [명령문 뒤에서; 때때로 else를 동반하여 부정 조건의 결과를 나타내어] 그렇지 않으면: Go at once, *or* (*else*) you will miss the train. 지금 당장에 가거라, 그렇지 않으면 기차를 놓칠 거다. / You must hurry, *or* you'll be late. 서둘러야 한다, 그렇지 않으면 늦는다.
either ... or ⇨ 1 b
or else ⇨ 3
... or no …이든 아니든: family *or no* family 가족이든 아니든
or rather ⇨ rather
or so …쯤, …정도 ⇨ 1 e
or somebody [***something, somewhere***] (구어) …인가 누군가[무언가, 어딘가] ⇨ 1 e
... or [***and***] ***such*** … 따위, … 등등
or what? [의문문 뒤에서 강조를 나타내어] …이군, …하군
whether or ... ⇨ whether 2

시장 조사 보고서 **2** (미) 국방부 발행의 Evaluation Criteria for Trusted Computer (컴퓨터 안정성 평가 기준)의 통칭
Órange Bówl [the ~] 〖미식축구〗 오렌지 볼 《Miami에 있는 경기장; 여기서 열리는 초청 대학팀의 미식축구 경기》
órange crúsh (미·속어) 경찰[교도소]의 폭동 진압 특별반 《오렌지색 jump suit를 입는 데서》
órange fin 새끼[어린] 송어
ór·ange-flow·er wáter [-flàuər-] 등화수(橙花水) 《neroli의 수용액》
Órange Frée Státe [the ~] 오렌지 자유주(州) 《남아프리카 공화국 중부의 주》
órange góods 오렌지 상품 《소비량·수공·수익률 등이 중(中) 정도의 상품; 의류 등》(cf. RED GOODS, YELLOW GOODS)
Or·ange·ism, -ang·ism [ɔ́ːrindʒìzm, ɑ́r- | ɔ́r-] *n.* Ⓤ 오렌지당(黨)(Orange Society)의 주의[운동] **-ist** *n.*
Or·ange·man [ɔ́ːrindʒmən, -mæ̀n | ɔ́r-] *n.* (*pl.* **-men** [-mən, -mèn]) **1** 오렌지 당원(cf. ORANGE SOCIETY) **2** 북아일랜드의 신교도
Órangemen's Dày 오렌지당 승리 기념일 《7월 12일; 북아일랜드의 전승 기념일》
Órange Órder [the ~] = ORANGE SOCIETY
órange pèel 오렌지 껍질 《잼 제조용 또는 약용》
órange pékoe (스리랑카·인도산의) 고급 홍차
or·ange·ry, -rie [ɔ́ːrindʒəri, ɑ́r- | ɔ́r-] *n.* (*pl.* **-ries**) (한랭지의) 오렌지 (재배) 온실
Órange Society [the ~] 오렌지당(黨) 《1795년 아일랜드 신교도가 조직한 비밀 결사; 당의 기장(記章)이 오렌지색 리본》
órange squásh (영) **1** Ⓤ 설탕을 가미한 오렌지즙; 오렌지 스쿼시: a bottle of ~ 오렌지 스쿼시 한 병 **2** Ⓒ 오렌지 스쿼시 한 잔: Six ~*es*, please. 오렌지 스쿼시 여섯 잔 주세요.
órange stick (매니큐어용) 오렌지 막대
órange súnshine (마약속어) LSD의 일종
órange tìp 〖곤충〗 갈고리나비
or·ange·wood [ɔ́ːrindʒwùd | ɔ́r-] *n.* Ⓤ 오렌지 재목
o·rang·u·tan, o·rang-u·tan [ɔːrǽŋutæ̀n,

ərǽŋ-|ɔːræ̀ŋuːtǽn], **o·rang·u·tang, o·rang-ou·tang** [-tæ̀ŋ|-tǽŋ] [Malay 「숲 사람」의 뜻에서] *n.* 〖동물〗 성성이, 오랑우탄

or·ang·y, -ang·ey [ɔ́ːrindʒi, ɑ́r-|ɔ́r-] *a.* 〈색·맛 등이〉 오렌지 같은

o·rant [ɔ́ːrənt] *n.* 〖미술〗 (초기 그리스도교 미술에서 볼 수 있는) 기도상(像)

o·rate [ɔːréit, ∠-|-∠] [oration의 역성] *vi.* 《익살》 연설하다, 연설조로 말하다; 뽐내며 말하다

o·ra·tion** [ɔːréiʃən] [L 「연설; 기도」의 뜻에서] *n.* **1** 연설, 식사(式辭), 웅변 (대회): deliver[make] a funeral ~ 추도사[조사]를 하다 **2** Ⓤ 〖문법〗 화법 (narration) ***direct [***indirect, oblique***] ~ 직접[간접] 화법 ▷ oráte *v.*

ora·ti·o ob·li·qua [ɔːrɑ́ːtiòu-əblíːkwə|-ɔb-] [L =oblique oration] 간접 화법

or·a·tor** [ɔ́ːrətər, ɑ́r-|ɔ́r-] [L 「이야기하는 사람」의 뜻에서] *n.* (*fem.* **-trix** [-trìks]) **연설자**, 연사, 변사, 강연자; **웅변가**: a political ~ 정치 연설가 ***the Public O~ 《영》 대학 대표 연사 《Oxford, Cambridge 대학의》

Or·a·to·ri·an [ɔ̀ːrətɔ́ːriən, ɑ̀r-|ɔ̀r-] *n., a.* 〖가톨릭〗 오라토리오회 수도사(의)

or·a·tor·i·cal [ɔ̀ːrətɔ́ːrikəl, ɑ̀rətɑ́r-|ɔ̀rətɔ́r-] *a.* **1** 연설의, 웅변의: an ~ contest 웅변 대회 **2** 연설가의, 웅변가의: ~ gesture 웅변조의 몸짓 **3** 수사적(修辭的)인 **~·ly** *ad.* 연설조로, 수사적으로

or·a·to·ri·o [ɔ̀ːrətɔ́ːriòu, ɑ̀r-|ɔ̀r-] *n.* (*pl.* **-ri·os**) ⓊⒸ 〖음악〗 오라토리오, 성담곡(聖譚曲)

***or·a·to·ry**[1] [ɔ́ːrətɔ̀ːri, ɑ́r-|ɔ́rətəri] [L =oratorical art] *n.* Ⓤ **1** 웅변(술) **2** 수사; 과장적 문체, 미사여구: a letter full of ~ 미사여구를 늘어놓은 편지

oratory[2] [L 「기도하는 장소」의 뜻에서] *n.* (*pl.* **-ries**) **1** 〖그리스도교〗 기도실, (큰 교회 또는 개인 집의) 소(小)예배당 **2** [the O~] 〖가톨릭〗 오라토리오회 《1564년 로마에 설립된 가톨릭의 수도회》

or·a·trix [ɔ́ːrətrìks, ɑ́r-|ɔ́r-] *n.* ORATOR의 여성형

orb** [ɔ́ːrb] [L 「원; 고리」의 뜻에서] *n.* **1** 구(球), 구체; 《문어》 천체 《특히 태양·달·별》 **2** [보통 *pl.*] 《시어》 눈, 안구(眼球) **3** 십자가가 달린 보주(寶珠) 《왕권의 상징》 **4** 전일체(全一體) **5** (천체의) 궤도 (orbit) **6** 《고어》 세력권 **7** 원; 원형의 것 ***the ~ of the day 태양
—*vt.* 둘러싸다; 싸다; 공 모양[원형]으로 하다, 둥글게 하다
—*vi.* 궤도를 움직이다, 둥글게 되다 ▷ orbícular, orbículate *a.*

orb 3

orbed [ɔ́ːrbd] *a.* **1** 공 모양의 **2** 원형의, 둥근 **3** 눈이 있는

or·bic·u·lar [ɔːrbíkjulər], **-late** [-lət, -lèit] *a.* 공 모양의, 둥근, 원형의; 고리 모양의; 《비유》 완전한, 완벽한: an ~ muscle 괄약근(括約筋)

‡**or·bit** [ɔ́ːrbit] [L 「차도(車道)」의 뜻에서] *n.* **1** 〖천문〗 궤도: ~ motion 공전 운동 / the earth's ~ round the sun 태양을 도는 지구의 궤도 **2** 생활의 궤도, 활동 범위; (인생) 행로, 생활 과정; 세력권[범위] **3** 〖해부〗 안와(眼窩)(eye socket); 〖동물〗 안구공(眼球孔); 눈 **4** 〖물리〗 (원자핵 주위를 도는) 전자 궤도 ***go*** [***get***] ***into ~*** (1) 《속어》 궤도를 타다, 성공하다 (2) 《속어》 격노하다, 화를 버럭 내다 ***in*** [***into***] ***~*** 궤도 위에, 궤도를 타고[태워서]: put a satellite *in* [*into*] ~ 인공위성을 궤도에 진입시키다 ***out of ~*** 궤도 밖으로, 궤도를 벗어나서 ***within*** [***outside***] ***the ~ of*** …의 (세력·영향 따위) 범위 안[밖]에
—*vt.* 〈지구 등의〉 주위를 궤도를 그리며 돌다; 〈인공위성 등을〉 발사하여 궤도에 올리다
—*vi.* 선회하다(circle); 궤도를 그리며 돌다
▷ órbital *a.*

***or·bit·al** [ɔ́ːrbitl] *a.* **1** 궤도의: an ~ flight 궤도 비행 **2** 안와(眼窩)의, 눈구멍의 **3** 《영》 〈도로·철도가〉 외곽 환상(環狀)의
—*n.* **1** 〖화학·물리〗 궤도 (함수), 전자 궤도 **2** 《영》 교외 환상(環狀) 도로(=**∼ róad**) **~·ly** *ad.*

órbital élement 〖천문〗 궤도 요소

órbital manéuvering sỳstem 〖우주과학〗 (인공위성) 궤도 조정 시스템

órbital períod 궤도 주기(周期)

órbital spáce stàtion 우주 궤도 정거장

órbital velócity 궤도 진입 최저 속도 《어떤 물체가 일정 궤도를 그리며 도는 데 필요한 속도》

or·bit·er [ɔ́ːrbitər] *n.* (궤도상을) 선회하는 것; 《특히》 인공위성, 우주선; 혹성 탐사기

or·bit·ing [ɔ́ːrbitiŋ] *a.* 궤도를 선회하는 ***O~ Astronomical Observatory*** 천체 관측 위성 ***O~ Geophysical Observatory*** [***Laboratory***] 지구 물리학 연구위성[연구실] ***O~ Solar Observatory*** 태양 관측 위성

orb·y [ɔ́ːrbi] *a.* (**or·bi·er**; **or·bi·est**) 《고어》 공 모양의, 구상(球狀)의; 궤도를 가진; 빙글빙글 도는 (revolving)

orc [ɔ́ːrk] *n.* 〖동물〗 범고래(grampus) 《killer whale이라고도 함》; 바다의 괴물

ORC Officers' Reserve Corps; Organized Reserve Corps

or·ca [ɔ́ːrkə] *n.* =ORC

Or·ca·di·an [ɔːrkéidiən] *a., n.* (스코틀랜드 북방의) Orkney Islands의 (사람)

orch. orchestra; orchestration

‡**or·chard** [ɔ́ːrtʃərd] *n.* **과수원**; [집합적] (과수원의) 과수: an apple ~ 사과 과수원

órchard gràss 〖식물〗 새발풀 《북미산(産)의 볏과(科) 식물; 목초》

or·chard·ing [ɔ́ːrtʃərdiŋ] *n.* Ⓤ 과수 재배; [집합적] 과수원

or·chard·ist [ɔ́ːrtʃərdist] *n.* 과수 재배자; 과수원 주인

or·chard·man [ɔ́ːrtʃərdmən] *n.* (*pl.* **-men** [-mən]) = ORCHARDIST

or·ches·tic [ɔːrkéstik] *a.* 댄스의, 무도의

or·ches·tics [ɔːrkéstiks] *n. pl.* [단수 취급] 무도법

***or·ches·tra** [ɔ́ːrkəstrə] [Gk 「합창대가 출연하는 곳」의 뜻에서] *n.* **1** **오케스트라, 관현악단**: a symphony ~ 교향악단
관련 string(s) (현악기부), wind(s) (관악기부), woodwind(s) (목관악기부), brass (금관악기부), reeds (리드악기부), percussion (타악기부)
2 =ORCHESTRA PIT **3** 《미》 (무대 앞의) 1등석(《영》 (~) stalls): an ~ seat 1등석 **4** (고대 그리스 극장에서) 무대 앞 합창대석 **5** (고대 로마 극장에서) 무대 앞 귀빈석 ▷ orchéstral *a.*; órchestrate *v.*

or·ches·tral [ɔːrkéstrəl] *a.* 오케스트라의; 〈곡이〉 오케스트라용의: an ~ player 오케스트라 주자(奏者) / ~ music 관현악 / ~ works 관현악곡

órchestra pìt (무대 앞의) 관현악단석, 오케스트라 박스

órchestra stàlls 《영》 〖극장〗 1층 앞쪽 무대에 가까운 1등석

or·ches·trate [ɔ́ːrkəstrèit] *vt.* **1** 관현악으로 작곡[편곡]하다 **2** 편성[조직화]하다; 조정하다: ~ negotiations 협상을 조정하다

or·ches·tra·tion [ɔ̀ːrkəstréiʃən] *n.* **1** Ⓤ 관현악 편곡(법); 악기 편성법; 관현악 조곡(組曲) **2** 통합, 결집, 편성; 조직화; (솜씨 있는) 조정 《*of*》

or·ches·tri·on [ɔːrkéstriən], **or·ches·tri·na** [ɔ̀ːrkəstríːnə] *n.* 〖음악〗 barrel organ의 일종 《오케스트라 비슷한 소리가 남》

or·chid [ɔ́ːrkid] *n.* 〖식물〗 난초; 그 꽃(cf. ORCHIS); Ⓤ 연보랏빛: a wild ~ 야생란 **—** *a.* 연보랏빛의

or·chi·da·ceous [ɔ̀ːrkədéiʃəs] *a.* 난초과의, 난에 관한; 난과 비슷한; 화려한

órchid fàmily 〖식물〗 난초과(科)

or·chid·ist [ɔ́ːrkidist] *n.* 난초 재배가

orchido- [ɔ́ːrkidou | -də] 《연결형》 「난초; 고환」의 뜻
or·chid·ol·o·gy [ɔ̀ːrkidɑ́lədʒi | -dɔ́-] *n.* Ⓤ 난초 원예, 난 재배법
or·chi·dot·o·my [ɔ̀ːrkidɑ́təmi | -dɔ́-] *n.* (*pl.* **-mies**) 〚외과〛 고환 절개술
or·chi·ec·to·my [ɔ̀ːrkiéktəmi] *n.* (*pl.* **-mies**) 〚외과〛 고환 절제[적출]술; 거세(去勢)
or·chil [ɔ́ːrkil, -tʃil] *n.* 자주색의 물감; 그것이 채취되는 지의류(地衣類)의 총칭
or·chis [ɔ́ːrkis] *n.* 〚식물〛 난초 ★ 《영》에서 orchis는 영국산 야생란, orchid는 외국산 원예종을 뜻함.
or·chi·tis [ɔːrkáitis] *n.* Ⓤ 〚병리〛 고환염
or·cin [ɔ́ːrsin] *n.* = ORCINOL
or·ci·nol [ɔ́ːrsənɔ̀ːl, -nɑ̀l | -nɔ̀l] *n.* Ⓤ 〚화학〛 오르시놀 《지의류에서 추출; 의약·분석 시약용》
Or·cus [ɔ́ːrkəs] *n.* **1** 〚로마신화〛 오르쿠스 《죽음·저승의 신; 그리스 신화의 Pluto, Hades에 해당》 **2** 저승, 명부(冥府)
ord. ordained; order; ordinal; ordinance; ordinary; ordnance
*__or·dain__ [ɔːrdéin] [L 「질서(order)를 바르게 하다」의 뜻에서] *vt.* **1** 〈신·운명 등이〉 정하다, 운명 짓다; 〈법규 등을〉 규정하다, 제정하다; 〈사람이〉 (권위에 의해) 명하다 《*that*》: by fate *~ed* 정해진 운명에 의해 **2** 〚교회〛 〈목사를〉 안수하다, 〈사제를〉 서품하다: 《~+목+보》 ~ a person priest …을 성직에 임명하다 **3** 정돈하다, 준비하다
— *vi.* 명령하다; 임명하다; 성직을 주다
~·**er** *n.* ~·**ment** *n.* Ⓤ 목사 안수, 사제 서품
or·dain·ee [ɔːrdéini | ɔ̀ːrdeiníː] *n.* 신임 성직자
*__or·deal__ [ɔːrdíːl, -díːəl] [OE 「재판」의 뜻에서] *n.* **1** 시련, 고난; 괴로운 체험 **2** Ⓤ 시죄법(試罪法) 《옛날 튜턴 민족 사이에 행해진 재판법으로 시련을 견딘 자를 무죄로 했음》
⁑**or·der** [ɔ́ːrdər] *n.*, *v.*

> 「순서」 **1** → (순서가 정연한 상태) → 「정돈」 **2**
> → (차례 지키기) → 「질서」, 「규율」 **6 a**
> → (규율을 요구하는 지시) → 「명령」 **7**
> → (특히 상행위에서의 지시) → 「주문」 **8**

— *n.* **1** Ⓤ 순서, 차례: in alphabetical ~ ABC 순으로 **2** Ⓤ 정돈, 정리, 정렬; 〚군사〛 대형, 대열: battle ~ 전투 대형 / close[open] ~ 밀집[산개] 대형 **3** Ⓤ 서열, 석차, 순위; Ⓒ 계급, 지위; 등급, 품등; 집단, 사회: the higher *~s* 상류 사회 / the military ~ 군인 사회 / all *~s* and degrees of men 모든 계급의 사람들 / talents of a high ~ 뛰어난 재능 **4** Ⓤ 상태, 상황, 정상 상태, 건강한 상태: His business affairs are in poor ~. 그의 사업은 어려운 상태에 있다. **5** Ⓤ 인도(人道), 도리, 이치: the ~ of nature 자연의 이치 **6** Ⓤ **a** 질서, 치안, 공안(公安); 규율, 규칙 《입법 의회·공공 집회에서의》; 관습, 관례, (의회의 관습상의) 의사 진행 절차: a breach of ~ 질서 문란 / law and ~ 법과 질서 / maintain ~ 질서를 유지하다 / parliamentary rules of ~ 의회의 의사 규칙 **b** [a ~, 또는 the ~] 체제, 제도, 정체(政體): *the* established ~ (기존) 체제 **7** [종종 *pl.*] 명령, 훈령, 지령, 지시; 금지령; 명령서: 《~+*that* 절》 He gave *~s that* it should be done at once. 그는 즉시 그것을 하도록 명령했다. // 《~+*to* do》 He gave *~s* for a salute *to* be fired. 그는 예포를 쏘라고 명령했다. **8** 〚상업〛 환(증서); 지정인 《어음의》; 주문; 주문서[품]; 구입 상품: money [post-office, postal] ~ 우편환 **9** 종류, 종(種); 〚생물〛 (분류상의) 목(目)(cf. CLASSIFICATION) **10** 목사의 지위; [*pl.*] 목사직, 성직 **11** 〚종교〛 의식, 제전, 예배: the ~ for the burial of the dead 장례식 **12** 종교단, 교단; (중세의) 기사단, 결사: the Franciscan ~ 프란시스코 수도회 **13** 《영》 훈위(勳位), 훈장 **14** 〚건축〛 주식(柱式), 양식 **15** Ⓤ 〚문법〛 어순(word order) **16** Ⓤ 〚군사〛 장비, 군복 **17** 일반적 경향, 유행, 풍조 **18** (식당에서 주문하는 요리의) 한 접시, 일품 **19** 〚수학〛 순서, 차수, 위수; (미분 방정식의) 계수(階數) **20** 《주로 영》 (연극의) 무료 입장권 **21** 천사의 위계(位階) 《9계급》

orders 14

a large [***big, strong***] ~ (1) 대량 주문 (2) 《구어》 어려운 일, 난제(難題), 부당한 요구 ***be on*** ~ 주문되어 있다 ***be under*** ~ ***to*** do …하라는 명을 받고 있다 ***by*** ~ ***of*** …의 명에 의하여 ***caliber of higher*** ~ 뛰어난 재능 ***call … to*** ~ 〈의장이〉 발언자에게 의사 규칙 위반을 주의하다; 《미》 개회를 선언하다, 개회하다, 시작하다 ***come to*** ~ 《미》 (이야기 등을 그치고) 잠잠해지다 ***draw*** (***up***) ***in*** ~ 정렬시키다 ***fill an*** ~ 주문대로 완수하다 ***give an*** ~ ***for*** …을 주문하다 ***holy ~s*** 성직 ***in good*** [***poor***] ~ 순조롭게[순조롭지 못하게]: The goods arrived *in good* ~. 물품이 무사히 도착되었다. ***in*** ~ (1) 정리[정돈]되어, 제자리가 잡히어; 적절한, 타당한, 알맞은; 순서 있게: keep *in* ~ 정리해 두다; 질서를 바로잡아 두다 / An apology is certainly *in* ~. 사죄하는 것이 적절하다. (2) 쓸 수 있는 상태로; 순조롭게; 제대로, 무사히; 건강한 상태로; 의사 진행 규칙에 따라 ***in*** ~ ***of*** age[arrival] (연령[도착]) 순으로 ***in ~s*** 성직에 있어 ***in*** ~ ***to*** do = ***in*** ~ ***that … may*** do …할 목적으로, …하기 위하여 ***in running*** [***working***] ~ 〈특히 기계가〉 순조롭게 작동하고 있는 ***in short*** ~ 《미》 곧, 재빨리, 신속히 ***in that*** ~ 그 다음에: Then comes A, B, C, and D *in that* ~. 그 다음에 A, B, C 및 D가 그 차례로 온다. ***in the*** ~ ***named*** 열거한 순번으로 ***keep*** ~ 질서를 유지하다 ***made to*** ~ 주문해서 만든, 맞춘(opp. *ready-made*) ***of a high*** ~ 일류의, 뛰어난, 고도의 ***of*** [***in***] ***the*** ~ ***of*** 《영》 대략 …한, 약 …의[으로] ***of the highest*** [***first***] ~ 제1급의, 최고의, 초일류의 ***on*** ~ 〈물품이〉 주문 중인 ***on the*** ~ ***of*** …에 속하여, …와 비슷하여 ***O~! O~!*** 〚의회〛 정숙, 정숙! ***or*** ~ 또는 그 지정인에게 《수표·어음 등의 문장》 ~ ***to view*** 《영》 (팔 집에 대한) 참관 허가서 ***out of*** ~ 부적절한, 어울리지 않는; 문란하여; 고장이 나, 파손되어; 몸이 탈나; 규칙 위반으로: get *out of* ~ 흐트러지다, 탈이 나다, 고장나다 / This car is *out of* ~. 이 자동차는 고장이다. ***place an*** ~ ***with*** a person ***for*** a thing …에게 …을 주문하다 ***put*** [***set***] ***in*** ~ 정돈하다 ***put*** one***'s*** ideas ***into*** ~ (생각)을 정리하다 ***rise to*** (***a point of***) ~ 〈의원이〉 일어나서 발언자의 규칙 위반을 의장에게 항의하다 ***send for ~s*** 주문 받으러 사람을 보내다 ***standing*** ~ 의사 규정; 〚군사〛 복무 규정 ***take ~s*** 성직에 취임하다 ***take ~s from*** a person = ***take*** a person***'s ~s*** …의 지시를 받다, …의 밑에 들다 ***take*** ~ ***to*** do …하도록 적당한 수단을 취하다 ***take*** ~ ***with*** …을 정돈하다; …을 치우다, 처분하다 ***take things in*** ~ 일을 차례로 하다 ***the O~ of St. Michael and St. George*** ⇨ Michael. ***the O~ of Templars*** 템플 기사단 ***the O~ of the Bath*** 바스 훈위 ***the*** ~ ***of the day*** 〚의회·군사〛 일정; (당시의) 유행, 풍조 ***to*** ~ 주문에 의하여 ***under starter's ~s*** 〈경주마 따위가〉 출발 신호를 기

thesaurus **order** *n.* **1** 순서, 차례 arrangement, system, organization, classification, categorization, sequence, series, succession **2** 정돈 neatness, tidiness, trimness, harmony **3** 계급 rank, class, caste, grade, level, degree, position, station **4** 질서 law, discipline, control, calm **5** 명령 command, direction, instruction, rule, regulation, mandate, stipulation — *v.* **1** 명령하다 direct,

다리고 있는 ***under the ~s of*** …의 지휘하에, …의 명령에 의하여 ***until*** [***till***] ***further ~s*** 추후[별도] 지시가 있을 때까지

— *vt.* **1 명령하다,** 지시하다(bid), …에 가[오]도록 명하다: 《~+목+**to** do》 I *~ed* him *to* leave the room. 그에게 방에서 나가라고 명령했다. // 《~+목+부》 ~ a person *abroad* …에게 해외 출장을 명하다 / I *~ed* him *away.* 나는 그에게 물러가라고 명령했다. // 《~+목+전+명》 ~ a person *to* a distant place …을 먼 곳으로 보내다 / She *~ed* them *out of* her house. 그녀는 그들에게 집에서 나가라고 명령했다. // 《~+**that** 절》 《~+목+**to** do》 He *~ed that* the work (should) be done. =He *~ed* the work (*to* be) done. 그는 그 일을 해내라고 명령했다. 《《구어》에서는 should를 쓰지 않을 때가 많음》 **2** 〈의사가〉 〈환자에게〉 지시[처방]하다: 《~+목+목》 The doctor *~ed* my aunt a rest. 의사는 숙모에게 안정을 지시했다. // 《~+목+**to** do》 The father *~ed* his child *to* take two doses of medicine. 아버지는 아이에게 약을 두 봉지 먹으라고 지시하였다. **3 주문하다;** …에(게) …을 주문해 주다: ~ a copy of a book 책 한 권을 주문하다 // 《~+목+전+명》 I've *~ed* lunch *for* eleven o'clock. 점심을 11시에 먹을 수 있도록 주문해 놓았다. // 《~+목+목》 I *~ed* him new shoes from the shoemaker. 나는 그를 위해 새 구두를 구둣방에 주문하였다. **4** 〈신·운명 등이〉 정하다, 명하다: God *~s* all things in heaven and earth. 신은 삼라만상의 질서를 세우신다. **5 정돈하다,** 정리하다, 배열하다; 규제하다, 규정하다; 관리하다: ~ one's troops 병력을 배치하다 **6** 〖수학〗 …에 순서를 매기다 **7** 《고어》 성직에 임명하다, 서품하다

— *vi.* **1** 명령하다 **2** 주문하다: 《~+전+명》 ~ *over* the telephone 전화로 주문하다

~ about [***around***] 여러 곳으로 심부름 보내다; 마구 부리다 ***O~ arms!*** 〖군사〗 세워 총! 《구령》 ***~ away*** [***back***] 가라[물러나라]고 명령하다 ***~ out*** …에게 나가도록 명령하다; 〈군대 따위를〉 출동시키다 ***~ up*** …을 주문하다; 〖군사〗 (부대 따위에게) 출동을 명하다 《*to*》 ▷ órderly, órdinal *a.*

órder bòok 주문 기록부; 〖군사〗 명령부; [종종 **O-B-**] 《영》 〖의회〗 의사 일정표

órder cancellátion dàte 주문 취소 일자

órder clèrk 수주(受注) 담당자

or·dered [ɔ́ːrdərd] *a.* **1** 정연한, 질서 바른 **2** [보통 well, badly와 함께 복합어를 이루어] 정돈된: *well-~* 잘 정돈된 **~·ness** *n.*

órdered líst 〖컴퓨터〗 순서 리스트

or·der-form [ɔ́ːrdərfɔ̀ːrm] *n.* 주문 용지

órder fulfíllment pròcess 주문 조달 절차

órder in cóuncil 《영》 추밀원령(樞密院令), 긴급 칙령

or·der·ing [ɔ́ːrdəriŋ] *n.* Ⓤ 배열, 순서

***or·der·ly** [ɔ́ːrdərli] *a.* **1 차례로 된,** 정돈된; 규칙적인, 정연한: an ~ desk 잘 정돈된 책상 **2 규율이 있는;** 법을 지키는: an ~ community 질서 있는 사회 **3** 유순한; 예의 바른; 정숙한: ~ behavior 예의 바른 태도 **4** 〖군사〗 명령의; 전령(傳令)의; 당번의: an ~ man 당직병

— *n.* (*pl.* **-lies**) **1** 〖군사〗 당번병; 전령; 간호병; (육군) 병원의 잡역부 **2** 《영》 가로 청소부

— *ad.* 규칙적으로, 정연하게; 규칙을 따라

-li·ness *n.* Ⓤ 질서 정연, 순종함

command, instruct **2 주문하다** call for, reserve, request **3 정돈하다** put in order, organize, systemize, arrange, lay out, classify, sort out, tidy up

orderly *a.* **1 정돈된** neat, tidy, trim, shipshape, organized, systematic **2 예의 바른** well-behaved, law-abiding, disciplined, controlled

ordinary *a.* normal, usual, standard, typical, common, customary, everyday, regular, average

órderly bìn 《영》 (거리의) 쓰레기통

órderly bòok 〖영국군〗 (상관의 명령을 기록하는) 명령부

órderly márketing agrèement 《미》 시장 질서 유지 협정 《略 OMA》

órderly òfficer 〖영국군〗 일직[당직] 사관

órderly ròom 〖군사〗 중대 사무실

órder of búsiness 의제의 순서; 업무 예정; (처리해야 할) 문제, 과제: Our first ~ is to reduce expenses. 우리들이 우선 해야 할 일은 지출을 줄이는 것이다.

órder of mágnitude 어떤 수치에서 그 10배까지의 범위, 자리; 대규모

Órder of Mérit [the ~] 《영》 메리트 훈위[훈장]; [**o- of m-**] 공로 훈장

Órder of the Brítish Émpire [the ~] 《영》 대영 제국 훈위[훈장]

órder pàper (의회의) 의사 일정표

or·di·nal [ɔ́ːrdənl] *a.* **1** (동식물 분류상의) 목(目)의 **2** 차례를 나타내는, 서수의 — *n.* **1** 서수(cf. CARDINAL) **2** 〖영국국교〗 성직 수임 식순; 〖가톨릭〗 서품 정식서(敍品定式書); 〖가톨릭〗 성무(聖務) 집행 안내

órdinal número 서수 《first, second, third 등》

órdinal scále 〖통계〗 순서 척도

***or·di·nance** [ɔ́ːrdənəns] *n.* **1 법령,** 포고, 명령; 《미》 (지방 자치체의) 조령, 조례, 규정 **2** 〖그리스도교〗 의식, 《특히》 성찬식 ▷ ordáin *v.*

or·di·nand [ɔ́ːrdənæ̀nd] *n.* 〖가톨릭〗 성직 수임(授任) 후보자

***or·di·nar·i·ly** [ɔ̀ːrdənέərəli, ɔ́ːrdənèr- | ɔ́ːdənərəli] *ad.* **1** [문장을 수식하여] **보통; 대개,** 통상: *O~,* she doesn't get up early. 평소에 그녀는 일찍 일어나지 않는다. **2** 보통 정도로, 그만하게; 평범하게

*****or·di·nar·y** [ɔ́ːrdənèri | ɔ́ːdənəri] 〔L 「여느 때의 순서(order)대로의」의 뜻에서〕 *a.* **1 평상의, 보통의,** 정규의, 정상의(opp. *special*): an ~ meeting 정례회 / ~ language 일상 언어 **2** 범상의, 평범한: an ~ man 보통 사람, 범인(凡人) **3** 얼굴이 변변찮은; 보통 이하의, 좀 못한; 수수한, 눈에 띄지 않는 **4** 〖법〗 직할의, 직접 관리하는, 관할권이 있는 ***in the ~ way*** 보통은, 평상대로(이면)

— *n.* (*pl.* **-nar·ies**) **1** 보통 일[것, 사람]; 예사, 상례; 보통의 상태[정도]: the little *ordinaries* of life 인생의 일상적인 일 **2** 《영》 정식(定食); 정식이 나오는 여관 **3** 판사; 종무(宗務) 판사 **4** (문장(紋章)의) 보통 무늬 **5** 《영》 보통주(株)(cf. PREFERENCE SHARE) **6** [종종 **O~**] 〖그리스도교〗 예배 의식 순서 규정서; 의식문(儀式文), 미사 통상문 **7** 옛날 자전거 《연동(聯動) 장치가 없는; cf. SAFETY BICYCLE》 **8** [보통 the **O~**] 〖영국국교〗 주교 관구의 주교, 감독 관구의 감독, 교구의 목사, 지방의 대주교[대감독] ***by ~*** 통상, 보통, 대개 ***in ~*** (1) 상임의, 상무(常務)의: a surgeon *in* ~ to the King 시의(侍醫) (2) 〖항해〗 예비의 ***out of the ~*** 보통과 다른; 드문; 이상한; 극상의: He disliked anything that was *out of the ~*. 그는 무엇이든 별난 일은 싫어했다. **ór·di·nàr·i·ness** *n.* Ⓤ 평상 상태; 보통 ▷ órdinarily *ad.*

órdinary gràde =O GRADE

órdinary íncome 〖경제〗 경상 소득

Órdinary lével 《영》 〖교육〗 보통급, 보통 과정 (=O level); 중등학교 보통 과정 (종료) 시험

órdinary lífe insùrance 보통 생명 보험

órdinary ràу 〖광학〗 상광선(常光線)

órdinary resolútion (주주 총회 등의) 보통[통상] 결의 《단순 과반수에 의한 결의》

órdinary séaman 〖항해〗 2등 수병[선원](cf. ABLE(-BODIED) SEAMAN)

órdinary sháre[**stóck**] 《영》 보통주(株)(《미》 common stock)(cf. PREFERENCE SHARE[STOCK])

or·di·nate [ɔ́ːrdənət, -nèit] *n.* 〖기하〗 세로좌표

or·di·na·tion [ɔ̀ːrdənéiʃən] *n.* ⓊⒸ **1** 〖그리스도

교』 서품(식), 성직 수임식(授任式), 목사 안수식 **2** 명령, 《특히》《신의》 계율 **3** 정리, 정돈, 배치; 배열; 분류

or·di·nee [ɔ̀ːrdəníː] *n.* 《교회의》 신임 집사

ord·nance [ɔ́ːrdnəns] *n.* Ⓤ **1** [집합적] 포(砲), 대포 **2** 무기, 병기; 군수품 **3** [the ~] 《영》 군수품부: an ~ factory 병기창 / an ~ map 《영》 육지 측량부 지도 ***the Army O~ Corps*** 육군 보급 부대

Órdnance Sùrvey [the ~] 《영》 육지 측량부

Órdnance Súrvey màp 육지 측량부 지도 《상세하고 정확한 영국 및 아일랜드 지도를 제작하는 공식 기관인 Ordnance Survey에서 만드는》

or·do [ɔ́ːrdou] *n.* (*pl.* **or·di·nes** [ɔ́ːrdənìːz]) 『가톨릭』 《연간》 성무(聖務) 안내

or·don·nance [ɔ́ːrdənəns] *n.* **1** 《작품의》 부분의 배열, 구성 **2** 법령, 포고, 조령

Or·do·vi·cian [ɔ̀ːrdəvíʃən] *n., a.* 『지질』 오르도비스기(紀)[계](의); 그 지층군(의)

or·dure [ɔ́ːrdʒər, -djuər | -djuə] *n.* **1** Ⓤ 《완곡》 똥, 배설물; 비료 **2** 외설, 상스러운 말

⁑**ore** [ɔ́ːr] [OE 「놋쇠」의 뜻에서] *n.* ⓊⒸ **광석**; 《시어》 금속, 《특히》 금, 귀금속: iron ~ 철광석 / raw ~ 원광(原鑛)

öre [ɔ́ːrə] *n.* (*pl.* ~) 외레 《덴마크·노르웨이의 화폐 단위, =1/100 krone; 스웨덴의 화폐 단위, =1/100 krona》; 1외레 동전

o·re·ad [ɔ́ːriæ̀d] *n.* 『그리스·로마신화』 [종종 **O~**] 산의 요정

orec·chi·et·te [ɔràkiéti] [It. 「작은 귀(little ears)」의 뜻에서] *n. pl.* (*sg.* **-ta** [-tə]) 『요리』 오레키에티 《파스타의 일종》

o·rec·tic [ɔːréktik | ɔr-, ər-] *a.* 『철학』 욕망의, 소망의; 식욕이 있는

óre drèssing[**sòrting**] 선광(選鑛)

Ore(**g**)**.** Oregon

o·reg·a·no [ərégənòu, ɔːré- | ɔ̀rigáːnou] *n.* (*pl.* **~s**) 『식물』 오레가노, 꽃박하 《박하속(屬)의 다년초; 향신료로 이용》

*****Or·e·gon** [ɔ́ːrigən, -gàn, ár- | ɔ́rigən] [북미 인디언 말에서] *n.* **오리건 주** 《미국 서부의 주; 주도 Salem; 속칭 the Beaver State; 略 Ore(g)., 『우편』 OR》

Óregon (**Dóuglas**) **fír** =DOUGLAS FIR

Or·e·go·ni·an [ɔ̀ːrigóuniən, àr- | ɔ̀r-] *a., n.* 오리건 주(州)의 (사람)

Óregon píne =DOUGLAS FIR

Óregon Tráil [the ~] 오리건 산길 《Missouri주에서 Oregon주에 이르는 산길; 19세기 초 개척자가 많이 이용했음》

óre hèarth 광석 취상(吹床) 《강한 바람을 보내 납 따위의 광석을 용해·제련하는 소규모의 용광로》

o·re·ide [ɔ́ːriàid] *n.* =OROIDE

O·re·o [ɔ́ːriòu] *n.* (*pl.* **~s**) 《미·속어·경멸》 백인에게 영합하는 흑인

O·res·tes [ɔːréstiːz | ɔrés-] *n.* 『그리스신화』 오레스테스 《Agamemnon과 Clytemnestra의 아들; 어머니를 죽인 죄로 Furies에게 쫓겼음》

óre tànker 광석 수송 전용선(船)

-orexia [əréksiə] 《연결형》 「욕망, 식욕」의 뜻

o·rex·is [əréksis] *n.* 『심리』 욕망의 충동

org [ɔ́ːrg] [*org*anization] *n.* 《구어》 조직, 단체; 『컴퓨터』 오르그, 비영리 단체

org. organ; organic; organism; organization; organized; organizer

⁑**or·gan** [ɔ́ːrgən] [Gk 「도구, 악기」의 뜻에서] *n.* **1** 오르간; 파이프 오르간; 리드[전자] 오르간(의 건반); =BARREL ORGAN: play on the ~ 오르간을 연주하다 **2** 『생물』 기관(器官); 장기, 조직; 《사람의》 발성 기관: internal ~*s* 내장 **3** 《정치적인》 기관(機關); 기관지 《기관 잡지, 신문》: a government ~ 정부 기관지 / ~*s* of public opinion 신문, 매스미디어 **4** 음성, 음량, 음질: a fine ~ 좋은 음성 **5** 《완곡》 음경

or·ga·na [ɔ́ːrgənə] *n.* ORGANON의 복수; ORGANUM의 복수

or·gan-blow·er [ɔ́ːrgənblòuər] *n.* 파이프 오르간의 송풍기 여닫는 사람[장치]

órgan dònor 『의학』 《이식의》 장기(臟器) 제공자

or·gan·dy, -die [ɔ́ːrgəndi] *n.* Ⓤ 오건디 《얇은 모슬린 천》

or·gan·elle [ɔ̀ːrgənél, ㅡㅡ | ㅡㅡㅡ] *n.* 『생물』 세포 기관

órgan grìnder 《수동 풍금을 타는》 거리의 풍각쟁이

*****or·gan·ic** [ɔːrgǽnik] *a.* **1 유기체[불]의**, 생물의: ~ evolution 생물 진화 / ~ life 생물 **2 기관(器管)의**; 『병리』 장기(臟器)를 해치는; 〈병이〉 기질적(器質的)인 (opp. *functional*): an ~ disease 장기[기질성] 질환 **3** 『화학』 유기의, 탄소를 함유한(opp. *inorganic*): ~ body[matter] 유기물 / ~ fertilizer 유기 비료 **4 유기적인**; 조직적인; 계통적인; 구성적인; 통합[일원화]된: an ~ whole 유기적 통일체 / the ~ view of the world 유기적 세계관 **5** 기관적(機關的)인, 도구[수단]가 되는 **6** 본질적인, 근본적인; 타고난; 고유의; 구조상의; 필요 불가결한 **7** 『언어』 발생적인, 어원적인 **8** 국가 기본법의, 헌법상의 **9** 유기 재배의, 유기 농법의: ~ vegetables 유기 재배의 채소

—*n.* 유기 화합물; 유기 비료; 유기 살충제

orgánic ácid 유기산(酸)

or·gan·i·cal·ly [ɔːrgǽnikəli] *ad.* **1** 유기적으로; 조직적으로; 기본적으로 **2** 구성상으로, 조직상[체제상]으로 **3** 유기 재배로

orgánic chémistry 유기 화학

orgánic fárming 유기 농업[농법]

orgánic fòod 유기농 식품, 자연 식품 ★ organic food는 natural food의 일종임.

or·gan·i·cism [ɔːrgǽnəsìzm] *n.* Ⓤ 유기체설, 생체론, 기관설 **-cist** *n.*

orgánic láw [the ~] 『법』 기본법, 헌법

orgánic métal 『화학』 유기 금속

orgánic phósphorus compòunds 『화학』 유기 인(燐) 화합물

orgánic solidárity 『사회』 유기적 연대

*****or·gan·ism** [ɔ́ːrgənìzm] *n.* **1 유기체**; 생물, 인간, 생체; 미생물 **2** 유기적 조직체 《사회·우주 등》 **3** 『철학』 유기체

or·gan·ist [ɔ́ːrgənist] *n.* 오르간 연주자

⁂**or·gan·i·za·tion** [ɔ̀ːrgənizéiʃən | -nai-] *n.* **1** ⓊⒸ **조직(화)**, 구성, 편성, 편제(編制); 계통화 (*of*): the ~ *of* a club 클럽의 조직 / peace[war] ~ 평시[전시] 편제 **2** 조직화된 것, 체제(體制), 기구; 질서; 유기적 구조 **3** 『생물』 생물체, 유기 조직 **4 단체**, 조직체, 조합, 협회: a nonprofit ~ 비영리 단체 **5** 《미》 《정당의》 당무 위원(회); 관리 기관(의 직원); 경영진

—*a.* 《구어》 조직의, 조직에 관한; 〈사람·사고 방식이〉 조직에 완전히 동화된

or·gan·i·za·tion·al [ɔ̀ːrgənizéiʃənl | -nai-] *a.* 조직(상)의; 유기적 구조의; 관리 기관의

organizátional clímate 조직 환경[풍토]

organizátional psychólogy 조직 심리학

organizátion chàrt 《회사의》 조직도, 기구도

Organizátion for Económic Cooperátion and Devélopment [the ~] 경제 협력 개발 기구 《1961년 발족; 사무국 Paris; 略 OECD》

organizátion màn 조직인(간) 《기업·군대 등 조직에 헌신하여 주체성을 상실한 인간》

organizátion màrketing 조직화(化) 마케팅

Organizátion of Américan Státes [the ~] 미주 기구(美洲機構) 《아메리카 대륙의 평화와 안전, 상호 이해 촉진 등을 목적으로 함; 略 OAS》

thesaurus **organization** *n.* **1** 조직(화) establishment, development, assembly, arrangement, coordination **2** 체제 structure, system, unity **3** 단체 company, firm, corporation, institution, group,

Organizátion of Petróleum Expórting Cóuntries [the ~] 석유 수출국 기구《1960년 발족; 본부 Vienna; 略 OPEC》

‡**or·gan·ize** [ɔ́:rgənàiz] *vt.* **1** 조직하다, 편성하다, …의 계통을 세우다, 체계화하다; 정리하다, 구성하다: ~ a committee 위원회를 조직하다 **2**〈회사 등을〉 창립하다, 설립하다: ~ a venture business 벤처 기업을 설립하다 **3**〈행사 등을〉 계획[준비]하다, 개최하다; 〈사람을〉 편성하다: (~+목+전+명) ~ students *into* three groups 학생들을 세 그룹으로 편성하다 **4** 유기적[조직적]인 형태를 주다 **5**〈종업원을〉 노동조합에 가입시키다; 〈직장에〉 노동조합을 만들다: ~ workers 노동자를 조직해서 조합을 결성하다 / ~ a factory 공장에 조합을 만들다 **6** [~ one*self* 로] (구어) 기분을 가라앉히다

— *vi.* 조직적으로 단결하다; 단체를 조직하다, 조직화하다; 노동조합을 결성하다, 노동조합에 가입하다

ór·gan·ìz·a·ble *a.*

▷ órgan, organizátion *n.*; orgánic *a.*

or·gan·ized [ɔ́:rgənàizd] *a.* **1** [보통 복합어를 이루어] 조직[편성]된; 계획된: a well-[badly-]~ party 조직이 든든한[허술한] 정당 **2** 유기적인: an ~ body 유기체 **3** 노동조합에 가입된

órganized críme 조직 범죄

órganized férment 〖생화학〗 효소(酵素), 효모

órganized lábor [집합적] 조직 노동자《노동조합에 가입한 전(全) 노동자》; 노동조합

***or·gan·iz·er** [ɔ́:rgənàizər] *n.* **1** 조직자; 창시자, 창립 위원; 발기인; (흥행의) 주최자; (노동조합의) 조직책(cf. SYMPATHIZER) **2** 〖동물〗 형성체 **3** 분류 서류철, 서류 정리 케이스

órganizer bàg (갖가지 정리용 주머니가 달린) 다기능 백

órgan lòft (교회의) 오르간을 비치한 2층

organo- [ɔ́:rgənou, -nə, ɔ:rgǽn-] 《연결형》「기관(organ); 유기(有機)의」의 뜻: *organo*genesis, *organo*phosphate

or·ga·no·chlo·rine [ɔ̀:rgənouklɔ́:ri:n] *a.* 〖화학〗 유기 염소의

órgan of Cór·ti [-kɔ́:rti] 〖해부〗 코르티 기관《포유동물의 귓속에 있는 달팽이관의 일부》

or·ga·no·gen·e·sis [ɔ̀:rgənoudʒénəsis, ɔ:rgæ̀nə-] *n.* Ⓤ 〖생물〗 기관 형성, 기관 발생

or·gan·o·gram [ɔ:rgǽnəgræ̀m] *n.* (직위별 직원의) 조직도(organization chart)

or·ga·no·hal·o·gen [ɔ̀:rgənouhǽlədʒən, ɔ:rgæ̀nə-] *a.* 〖화학〗 할로겐 원소를 함유한 유기 화합물의

or·ga·no·lep·tic [ɔ̀:rgənouléptik, ɔ:rgæ̀nə-] *a.* (특수) 감각기의; 감각 수용성의 **-ti·cal·ly** *ad.*

or·ga·nol·o·gy [ɔ̀:rgənɑ́lədʒi | -nɔ́l-] *n.* Ⓤ **1** 〖생물〗 기관학(器官學), 장기학(臟器學) **2** 악기(사) 연구 **3** 골상학(骨相學) **-gist** *n.*

or·ga·no·mer·cu·ri·al [ɔ̀:rgənoumə:rkjúəriəl, ɔ:rgæ̀nə-] *n.* 〖화학·약학〗 유기 수은 화합물[약제]

or·ga·no·me·tal·lic [ɔ̀:rgənoumətǽlik, ɔ:rgæ̀nə-] *n., a.* 유기 금속(의)

or·ga·non [ɔ́:rgənɑ̀n | -nɔ̀n], **-num** [-nəm] *n.* (*pl.* **-na** [-nə], **or·ga·nons, or·ga·nums**) **1** (사고의) 원칙, 수단; 고찰법, 연구법; 방법론적 원칙 **2** 〖철학〗 오르가논《Aristotle의 논리학 저서와 업적의 총괄적 명칭》

or·ga·no·phos·phate [ɔ̀:rgənoufɑ́sfeit, ɔ:rgæ̀nə-] *n., a.* 〖생화학〗 유기인산 화합물(의)

or·ga·no·ther·a·py [ɔ̀:rgənouθérəpi] *n.* Ⓤ 〖의학〗 장기 요법(臟器療法)

or·ga·not·ro·pism [ɔ̀:rgənɑ́trəpìzm | -nɔ́t-] *n.* Ⓤ 장기향성(臟器向性), 장기 친화성《특정 미생물이나 화학 물질이 체내의 특정 기관이나 조직에 모이는 성질》

órgan pìpe 〖음악〗 (파이프 오르간의) 파이프, 음관(音管)

ór·gan-pìpe cáctus [ɔ́:rgənpàip-] 〖식물〗 (멕시코산(産)) 기둥 선인장의 일종

órgan scrèen 〖건축〗 (교회의) 오르간실을 칸막이하는 장식 막(幕)

órgan tránsplant 장기 이식

or·ga·num [ɔ́:rgənəm] *n.* (*pl.* **-na** [-nə], **~s**) **1** = ORGANON **2** 〖음악〗 다성(多聲) 음악 양식

órgan whìstle (증기나 공기를 분출시켜 울리는) 기적(汽笛)

or·gan·za [ɔ:rgǽnzə] *n.* Ⓤ 오간자《얇은 면(綿)·레이온 등의 평직물》

or·gan·zine [ɔ́:rgənzì:n] *n.* 꼰 명주실《날실용》

or·gasm [ɔ́:rgæzm] *n.* 〖생리〗 성적 흥분의 최고조, 오르가슴; 극도의 흥분 — *vi.* 오르가슴에 이르다

or·gas·mic [ɔ:rgǽzmik], **or·gas·tic** [-gǽstik] *a.*

ÓR gàte 〖컴퓨터〗 논리합 게이트《논리합 회로를 구현하는 게이트》

or·geat [ɔ́:rʒæt, -ʒɑ:] *n.* Ⓤ 아몬드 시럽

or·gi·as·tic [ɔ̀:rdʒiǽstik] *a.* **1** 주신제(酒神祭)의 [같은] **2** 술 마시고 법석대는; 흥분시키는: ~ rhythms 흥분시키는 리듬

org·man [ɔ́:rgmæ̀n] *n.* (*pl.* **-men** [-mèn]) (미·속어) = ORGANIZATION MAN

or·gone [ɔ́:rgoun] *n.* 오르곤《Wilhelm Reich의 학설로 우주에 충만한 비물질적인 생명력》

or·gu·lous [ɔ́:rgjuləs | -gju-] *a.* (고어) 거만한, 건방진 **~·ly** *ad.*

***or·gy** [ɔ́:rdʒi] *n.* (*pl.* **-gies**) **1** 마구 마시고 법석대는 주연(酒宴) **2** 법석대기, 흥청거리기, 난행; 열광, 탐닉《*of*》: an ~ *of* killing 마구잡이식 살육 / an ~ *of* work 일에 열중하기 **3** [*pl.*] (고대 그리스·로마에서 비밀리에 행하던) 주신제(cf. DIONYSUS, BACCHUS) **4** (속어) 난교[섹스] 파티

or·i·bi [ɔ́:rəbi, ɑ́r- | ɔ́r-] *n.* 〖동물〗 오리비《아프리카 남부·동부산(産)의 황갈색의 작은 영양》

o·ri·el [ɔ́:riəl] *n.* 〖건축〗 퇴창《벽에서 내민 창》(= ~ **wíndow**)

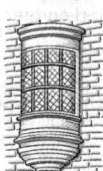

oriel

‡**o·ri·ent** [ɔ́:riənt, -riènt | -riənt, ɔ́r-] [L「떠오르는 태양(의 방향)」의 뜻에서] *n.* **1** [the O~] (시어·문어) 동양, 동방; 동방 제국, 아시아, 동반구(opp. *occident*), (특히) 극동 **2** (시어) [the ~] 동쪽(the east); 동방 지역; 동쪽 하늘 **3** 질 좋은 진주《특히 동양산(産)》; Ⓤ 진주의 광택

— *a.* **1** [O~] (시어) 동양 (여러 나라)의, 동쪽의(Oriental) **2** (고어) 〈해 등이〉 뜨는, 출현하는, 솟는; 발생하기 시작하는: the ~ sun 뜨는 태양 **3**〈진주·보석 등이〉 광택이 아름다운, 찬란하게 빛나는; 질이 좋은

— *v.* [ɔ́:riènt | ɔ́:r-, ɔ́r-] *vt.* **1** 동쪽으로 향하게 하다; 〈건물 등의〉 방향을 특정 방위에 맞추다: (~+목+부) ~ a building *east* 건물을 동향으로 세우다 // (~+목+전+명) ~ a building *toward* the south 건물을 남향으로 앉히다 **2**〈교회를〉 성단(聖壇)이 동쪽 끝에 오고 입구가 서향이 되도록 짓다 **3**〈시체를〉 발이 동쪽을 향하게 묻다 **4**〈지도를〉 실제의 방위에 맞추어 놓다; (비유) 진상을 파악하다, 옳게 판단하다; (이미 아는 바에 비추어) 수정하다 **5** (새 환경 등에) 적응[순응]시키다, 익숙하게 하다《*to, toward*》: lectures *to* ~ visitors 방문자를 적응하게 하는 강의 // (~+목+전+명) help freshmen to ~ themselves *to* college life 신입생을 대학 생활에 적응할 수 있도록 도와주다 / ~ one's ideas *to* new conditions 새로운 상황에 맞춰 생각을 바꾸다

— *vi.* **1** 동쪽으로 향하다[면하다] **2** 환경에 순응하다

---

conglomerate, federation, association, body

organize *v.* establish, set up, form, found, institute, create, begin, start, develop, build, frame, construct, assemble, shape, arrange

~ one**self** (1) …에 순응하다 《*to*》 (2) 자신의 현 위치[입장]를 알다 (3) 사태[진상]를 명확히 판단하다 ▷ orientátion *n.*; oriéntal *a.*

‡o·ri·en·tal [ɔ̀:riéntl | ɔ̀:r-, ɔ̀r-] *a.* **1** [**O~**] 동양의, 동양에서 온(opp. *occidental*); 동쪽의, 동방의; 동양 문명의; 동양식의, 동양적인; 동양인의: *O~* civilization 동양 문명 **2** 품질이 좋은, 고급의 〈보석 등〉 **—** *n.* [**O~**] 아시아 사람, 동양 사람

Oriéntal cárpet = ORIENTAL RUG

Oriéntal cát's-eye 동양 묘안석(猫眼石)

O·ri·en·ta·li·a [ɔ̀:riəntéiliə, -ljə | ɔ̀:r-, ɔr-] *n.* 동양(문화)지(誌) 《예술·문화·역사·민속 등의 자료》

O·ri·en·tal·ism [ɔ̀:riéntəlìzm | ɔ̀:r-, ɔ̀r-] *n.* Ⓤ [종종 **o~**] 동양식; 동양 말투; 동양에 관한 지식, 동양학; 동양인의 특징 **-ist** *n.* 동양학자, 동양에 정통한 사람

O·ri·en·tal·ize [ɔ̀:riéntəlàiz | ɔ̀:r-, ɔ̀r-] *vt., vi.* [종종 **o~**] 동양식으로 하다, 동양화하다

O·ri·èn·tal·i·zá·tion *n.*

Oriéntal Jéw 중동·북아프리카 태생의 이스라엘 유대인 《일반적으로 저소득층》

oriéntal lòok (유럽에서 본) 동양의 이미지를 따온 복식(服飾) 스타일

Oriéntal rúg 동양산(産) 융단

o·ri·en·tate [ɔ́:riəntèit, -en- | ɔ́:rien-, -riən-] *vt.* = ORIENT

***o·ri·en·ta·tion** [ɔ̀:riəntéiʃən, -en- | ɔ̀:rien-, -riən-] *n.* **1** (새 환경·사고 방식에 대한) 적응, 순응; 적응 지도, (신입 사원 등의) 집무 예비 교육[지도]; 《주로 미·캐나다》 오리엔테이션, 진로 지도: ~ course (미국 대학에서 행해지는) 오리엔테이션 과정 **2** 방위(를 맞추기); 동쪽을 찾아내기; 방위 측정, 위치 확정 **3** 방침[태도] 결정; 지향(志向); 상황 판단; (사물에 대한) 태도, 관심, 대응 **4** 〖동물〗 귀소 본능; 〖생물〗 정위(定位) **5** ⓊⒸ (교회당을) 동향으로 짓기; (시체를) 발이 동쪽으로 향하게 묻기; 동쪽으로 향하기 《기도할 때 등》 **6** 〖심리〗 소재 인식 《자기와 시간적·공간적·대인적 관계의 인식》 **~·al** *a.* **~·al·ly** *ad.*

-oriented [ɔ́:riѐntid | ɔ́:r-, ɔ́r-] 《연결형》 「(정신적·기능적으로) 방향 지어진, 지향적인; 경향의; 위주의」의 뜻: export-~ 수출 지향적인 / Marxist-~ 마르크스주의로 기울어진

o·ri·en·teer [ɔ̀:rientíər] *n.* 오리엔티어링 참가자 **—** *vi.* 오리엔티어링에 참가하다

o·ri·en·teer·ing [ɔ̀:rientíəriŋ, -riən- | ɔ̀:r-, ɔ̀r-] *n.* Ⓤ 오리엔티어링 《설정된 목표물들을 지도와 컴퍼스를 사용하여 단시간에 찾아가는 스포츠; 略 OL》

Órient Expréss [the ~] 오리엔트 특급 《Paris와 Istanbul을 잇는 호화 열차(1883-1977); 현재는 London-Venice 정기 운행》

***or·i·fice** [ɔ́:rəfis, ɑ́r- | ɔ́r-] *n.* (관·굴뚝·상처 등의) 구멍, 뚫린 데(opening)

or·i·flamme [ɔ́:rəflæ̀m, ɑ́r- | ɔ́r-] *n.* **1** 〖역사〗 옛 프랑스의 붉은 왕기(王旗) 《St. Denis의 성기(聖旗)》 **2** 군기, 당기(黨旗) **3** 번쩍거리는 물건, 야한 것

orig. origin; original; originally

ori·ga·mi [ɔ:rigɑ́:mi] [Jap.] *n.* Ⓤ 종이접기

or·i·gan [ɔ́:rigən, ɑ́r- | ɔ́r-] *n.* 〖식물〗 야생 마요라나(marjoram)

o·rig·a·num [ərígənəm] *n.* 〖식물〗 꽃박하속(屬)의 식물, 마요라나의 일종

‡or·i·gin [ɔ́:rədʒin, ɑ́r- | ɔ́r-] [L 「시작」의 뜻에서] *n.* **1** ⓊⒸ 기원(source), 발단, 발생, 유래; 원인, 원천, 원산, 출처; 수원(水源), 원류: a word of Latin ~ 라틴 어계의 말 / the ~(*s*) of civilization 문명의 기원 / the ~ of the war 전쟁의 원인 / the ~ of a word 어떤 말의 유래 **2** Ⓤ [종종 *pl.*] 태생(birth), 출신, 혈통: of noble[humble] ~(*s*) 고귀한[비천한] 태생의 **3** ⓊⒸ 〖수학〗 원점(原點) **4** ⓊⒸ 〖해부〗 (근육·신경의) 착점(着點), 기시점(起始點), 수점(首點) **5** 〖컴퓨터〗 원점 ***by ~*** 태어나기는, 가문은 ▷ oríginal *a.*; oríginate *v.*

‡o·rig·i·nal [ərídʒənl] *a.* **1** Ⓐ 최초의(earliest), 원시의, 기원의, 근원의; 본래의, 원래의: an ~ bill 〖법〗 최초의 소장(訴狀); 미(未)배서 어음 / the ~ house 〖법〗 본가(本家) / the ~ inhabitants of the country 그 나라의 원주민 **2** 독창적인, 독자적인, 독특한, 창의성이 풍부한: an ~ thinker 독창적인 사상가 / He is ~. = He has an ~ mind. 그는 독창적 정신을 갖고 있는 사람이다. **3** 신선한, 참신한; 기발한; 신기한, 괴이한: an ~ idea 기발한 생각 **4** Ⓐ 원형[원작, 원문, 원도(原圖)]의: the ~ picture 원화 / an ~ edition 원판 / the ~ plan 원안 **5** 신개발의; 최초 공개의: the ~ performance of a play 연극의 초연 **—** *n.* **1** 원형, 원물(原物); 원문, 원작, 원어, 원서, 원도 **2** (그림·문학 작품의) 모델, 실물 **3** 독창적인 사람; 기인(奇人), 괴짜 **4** (고어) 원천, 기원; 장본인 **5** 신작, 창작품 ***in the ~*** 원문으로, 원어[원서]로 ▷ órigin, originálity *n.*

oríginal equípment manufàcturing 〖상업〗 주문자 상표에 의한 제품 제조 《略 OEM》

oríginal gúm 우표 이면에 바른 풀

***o·rig·i·nal·i·ty** [ərìdʒənǽləti] *n.* **1** Ⓤ 독창성, 독창력, 창조력: a man of great ~ 매우 독창적인 사람 **2** 신선함, 신선미; 창의; 기발, 괴이, 신기함 **3** 원형[원물]임; 진짜임: doubt the ~ of a painting 그림이 진짜인가 의심하다 **4** 기인; 진품 ▷ oríginal *a.*

***o·rig·i·nal·ly** [ərídʒənəli] *ad.* **1** 원래, 처음에는; 처음부터, 최초에: We ~ intended to stay. 우리는 원래 남을 생각이었다. **2** 독창적으로, 참신하게, 기발하게

oríginal prínt 〖미술·사진〗 오리지널 프린트 《작가 자신이 찍어낸[현상한] 판화[사진, 원화]》

oríginal sín [the ~] 〖신학〗 원죄 《아담·이브의 타락으로 인한 인류의 죄; opp. *actual sin*》

oríginal wrít 〖영국법〗 소송 개시 영장

***o·rig·i·nate** [ərídʒənèit] *vt.* **1** 시작하다, 일으키다 **2** 창설하다; 창작하다, 발명하다, 창조하다; 고안하다, 짜내다, 생각해 내다: He ~*d* a new teaching method. 그는 새 교수법을 창안했다. **—** *vi.* **1** 비롯하다, 일어나다, 시작되다, 생기다, 유래하다; 고안되다 《*from, in, with*》: 《~+전+명》 Coal has ~*d from* the decay of plants. 석탄은 식물이 썩어 된 것이다. / The practice ~*d with* the Chinese. 그 풍습은 중국인에게서 비롯되었다. **2** 〈열차·버스가〉 (…에서) 시발하다, 발차하다 《*at, in*》: 《~+전+명》 The flight ~*s in* New York. 그 항공편은 뉴욕 발이다. ▷ órigin, originátion *n.*; oríginative *a.*

o·rig·i·na·tion [ərìdʒənéiʃən] *n.* Ⓤ **1** 시작, 일어남, 개시; 창작; 발명 **2** 시초, 발생; 기인(起因); 기점

o·rig·i·na·tive [ərídʒənèitiv] *a.* 독창적인, 창의력[발명의 재간]이 있는; 기발한 **~·ly** *ad.*

o·rig·i·na·tor [ərídʒənèitər] *n.* 창작자, 창설자, 창시자, 발기인, 시조

o·ri·na·sal [ɔ̀:rənéizəl] *n., a.* 〖음성〗 구비음(口鼻音)(의) **~·ly** *ad.*

O-ring [ɔ́:rìŋ] *n.* 패킹용의 고무

o·ri·ole [ɔ́:riòul] *n.* 〖조류〗 꾀꼬리; 《미》 찌르레깃과(科)의 작은 새

***O·ri·on** [əráiən] *n.* **1** 〖천문〗 오리온자리 **2** 〖그리스 신화〗 오리온 《몸집이 크고 힘센 미남 사냥꾼》

O·ri·o·nids [əráiənidz, ɔ:rióu-] *n. pl.* 〖천문〗 오리온자리 유성군(流星群)

Oríon Nèbula 〖천문〗 오리온 대성운(大星雲)

thesaurus **orifice** *n.* hole, opening, vent, gap

origin *n.* **1** 기원 source, derivation, root, etymology, genesis, fountain, base, basis, spring **2** 발생 birth, beginning, start, commencement, emergence, inception, launch, creation, foundation

original *a.* **1** 최초의 early, first, initial, primary, primeval, primal, primitive **2** 독창적인 innovative, inventive, new, novel, fresh, creative,

Oríon's Bélt 〖천문〗 오리온자리의 세 별
Oríon's Hóund =SIRIUS
or·is·mol·o·gy [ɔ̀:rizmɑ́lədʒi, ɑ̀r-|ɔ̀rizmɔ́-] *n.* Ⓤ 학술어[전문어] 정의학(定義學)(terminology)
or·i·son [ɔ́:rəzən, ɑ́r-|ɔ́r-] *n.* 《고어·시어》 [보통 *pl.*] 기도(prayer)
O·ri·ya [ɔ:rí:jə|ɔr-] *n.* (*pl.* **~, ~s**) **1** 오리야 족(族) 《인도 Orissa의 주민》 **2** 오리야 어(語) 《인도·유럽 어족 Indic 어파의 하나》
Ork. Orkney (Islands)
Órk·ney Íslands [ɔ́:rkni-] [the ~] 오크니 섬 《스코틀랜드 북동쪽의 여러 섬》
Or·lan·do [ɔ:rlǽndou] *n.* 남자 이름
orle [ɔ́:rl] *n.* 방패 문장 위의 좁은 띠
Or·lé·ans [ɔ́:rliənz|ɔ:lí:ənz] *n.* **1** 오를레앙 《프랑스 중북부의 도시》 **2** 〖프랑스사〗 [the ~] 오를레앙가(家)
Or·lon [ɔ́:rlɑn|-lɔn] *n.* Ⓤ 올론 《합성 섬유; 상표명》; 올론 실[천]
or·lop [ɔ́:rlɑp|-lɔp] *n.* 〖항해〗 최하 갑판
Or·ly [ɔ́:rli] *n.* 오를리 《Paris 교외의 국제 공항》
Or·mazd [ɔ́:rməzd] *n.* 〖조로아스터교〗 =AHURA MAZDA
or·mer [ɔ́:rmər] *n.* 〖패류〗 전복
or·mo·lu [ɔ́:rməlù:] *n.* **1** Ⓤ 오몰루, 도금용 금박 《구리·아연·주석의 합금》; Ⓒ 금박 채료(彩料), 금분 **2** [집합적] 도금한 것, 도금 제품
‡**or·na·ment** [ɔ́:rnəmənt] [L 「장비하다」의 뜻에서] *n.* **1** Ⓤ 꾸밈, 장식: by way of ~ 장식으로서 **2** 장식품, 장신구: personal ~*s* 장신구 / architectural ~*s* 건축 장식품 **3** 광채를 더해 주는 사람[물건], 간판인 사람; 훈장 《*of*, *to*》: He will be an ~ *to* his company. 그는 그의 회사의 영예가 될 것이다. **4** [보통 *pl.*] 교회의 예배용 제구 **5** 〖음악〗 꾸밈음 **6** (단순한) 외관, 외견 **7** 《미·속어》 (철도의) 역장
— [ɔ́:rnəmènt, -mənt|-mènt] *vt.* **1** 꾸미다, 장식하다 《*with*, *in*》(⇨ decorate 유의어): (~+목+전+명) ~ a room *with* flowers 방을 꽃으로 장식하다 **2** …에 광채를 더하다, 장식이 되다 **~·er** *n.*
▷ ornaméntal *a.*
***or·na·men·tal** [ɔ̀:rnəméntl] *a.* 장식적인, 장식의, 장식용의; 관상용의: an ~ plantation 풍치림(風致林) / ~ writing 장식 문자
—*n.* [*pl.*] 장식물, 장식품 **~·ist** *n.* 장식주의자
▷ órnament *n.*
or·na·men·tal·ism [ɔ̀:rnəméntlìzm] *n.* Ⓤ 장식주의
or·na·men·tal·ly [ɔ̀:rnəméntli] *ad.* 장식적으로, 수식하여
or·na·men·ta·tion [ɔ̀:rnəməntéiʃən, -mən-|-men-] *n.* Ⓤ 장식, 장식물; [집합적] 장식품
or·na·ment·ed [ɔ́:rnəmèntid, -mənt-|-mènt-] *a.* 〖인쇄〗 〈글자체가〉 화려한, 장식체의
or·nate [ɔ:rnéit] *a.* 화려하게 장식한, 잘 꾸민; 〈문체가〉 화려한, 매우 수사적인: ~ writing 문체가 화려한 글 **~·ly** *ad.* **~·ness** *n.*
or·ner·y [ɔ́:rnəri] *a.* 《미·구어》 **1** 성질이 고약한; 고집 센, 완고한 **2** 천한, 야비한(vile), 비열한, 저급한 **3** 평범한(common)
ornith- [ɔ́:rnəθ], **ornitho-** [ɔ́:rnəθou, -θə] 《연결형》 「새(bird)」의 뜻 《모음 앞에서는 ornith-》
ornith. ornithological; ornithology
or·nith·ic [ɔ:rníθik] *a.* 새의, 조류의
or·ni·thine [ɔ́:rnəθì:n] *n.* 〖생화학〗 오르니틴 《아미노산의 일종으로, 포유동물의 요소 회로에서 나타나는 중간 생성 물질》
or·nith·is·chi·an [ɔ̀:rnəθískiən] *n.* 〖동물〗 조반류(鳥盤類) 동물 《초식 공룡의 조반목(目) Ornithischia의 총칭》 — *a.* 조반류의
or·ni·thoid [ɔ́:rnəθɔ̀id] *a.* 새를 닮은, 새 모양의
ornithol. ornithological; ornithology
or·ni·tho·log·i·cal [ɔ̀:rnəθəlɑ́dʒikəl|-lɔ́-], **-log·ic** [-lɑ́dʒik|-lɔ́dʒik] *a.* 조류학(鳥類學)의
-i·cal·ly *ad.*
or·ni·thol·o·gy [ɔ̀:rnəθɑ́lədʒi|-θɔ́l-] *n.* Ⓤ 조류학 **-gist** *n.* 조류학자
or·ni·th·o·man·cy [ɔ:rníθəmæ̀nsi|ɔ́:niθou-] *n.* Ⓤ (새의 나는 모양·울음소리로 하는) 새점(占)
or·ni·thoph·i·ly [ɔ̀:rnəθɑ́fili|-θɔ́f-] *n.* Ⓤ 조매(鳥媒) 《조류에 의한 수분(受粉)의 매개》
or·ni·tho·pod [ɔ́:rnəθəpɑ̀d, ɔ:rnáiθə-|ɔ́:niθə-pɔ̀d] *n.* 〖동물〗 조각류(鳥脚類)의 공룡
or·ni·thop·ter [ɔ̀:rnəθɑ́ptər|-θɔ́p-] *n.* 〖항공〗 날개를 상하로 흔들면서 날던 초기의 비행기
or·ni·tho·rhyn·chus [ɔ̀:rnəθəríŋkəs] *n.* 〖동물〗 오리너구리(duckbill)
or·ni·thos·co·py [ɔ̀:rnəθɑ́skəpi|-θɔ́s-] *n.* Ⓤ 들새 관찰; 새점(占)
or·ni·tho·sis [ɔ̀:rnəθóusis] *n.* 〖병리〗 앵무병 《폐렴과 장티푸스 비슷한 전염병》
oro-[1] [ɔ́:rou, -rə|ɔ́r-] 《연결형》 「산(山), 고도(高度)」의 뜻: *oro*graphy
oro-[2] 《연결형》 「입」의 뜻: *oro*pharynx
or·o·gen [ɔ́:rədʒèn, -dʒən] *n.* 〖지질〗 조산대(造山帶)
or·o·gen·ic [ɔ̀:rədʒénik, ɑ̀r-|ɔ̀r-] *a.* 〖지질〗 조산(造山) 운동[작용]의
or·o·gen·ics [ɔ̀:rədʒéniks] *n. pl.* [단수 취급] =OROGENY
o·rog·e·ny [ɔ:rɑ́dʒəni|ɔrɔ́-] *n.* Ⓤ 〖지질〗 조산(造山) 운동[작용]
or·o·graph·ic, -i·cal [ɔ̀:rəgrǽfik(əl), ɑ̀r-|ɔ̀r-] *a.* 산악학[산악지(誌)]의
o·rog·ra·phy [ɔ:rɑ́grəfi|ɔrɔ́g-] *n.* Ⓤ 산악학(山岳學); 산악지(誌)
o·ro·ide [ɔ́:rouàid] *n.* Ⓤ 오로이드 《구리·아연·주석의 합금; 모조 금으로 사용됨》
o·rol·o·gy [ɔ:rɑ́lədʒi|ɔrɔ́-] *n.* Ⓤ 산악학
o·rom·e·ter [ɔ:rɑ́mətər|ɔrɔ́-] *n.* 산악 고도[기압]계
or·o·met·ric [ɔ̀:rəmétrik|ɔ̀r-] *a.* 산악 측량의[에 의한]; 산악 고도[기압]계의[에 의한]
O·ro·mo [ɔ:róumou] *n.* **1** (*pl.* **~s, ~**) 오로모 족 (의 한 사람) **2** Ⓤ 오로모 어 《쿠시 어파(Cushitic)에 속함》
ÓR operátion 〖컴퓨터〗 논리합(論理合) 연산
or·o·pe·sa [ɔ̀:rəpéisə|ɔ̀r-] *n.* 소해(掃海) 장치의 일종
o·ro·phar·ynx [ɔ̀:roufǽriŋks] *n.* (*pl.* **-yn·ges, ~·es**) 〖해부〗 인두 중앙부 《연구개(軟口蓋)와 인두구개 상단부 사이의 부분》
o·ro·tund [ɔ́:rətʌ̀nd|ɔ́r-] *a.* 〈목소리가〉 잘 울리는, 낭랑한; 성량이 풍부한; 〈말·문체 등이〉 거창한, 젠체하는, 허풍떠는 — *n.* 낭랑한 목소리; 구변 좋음
o·ro·tun·di·ty [ɔ̀:rətʌ́ndəti|ɔ̀r-] *n.*
o·ro y pla·ta [ɔ́:rou-i:-plɑ́:tə] [Sp.] 「금과 은」 《미국 Montana주의 표어》
‡**or·phan** [ɔ́:rfən] [Gk 「어버이 또는 자식을 여읜」의 뜻에서] *n.* 고아; 《드물게》 부모 중 한쪽이 없는 아이
—*a.* **1** 양친을 잃은, 부모가 없는; 부모 중 한쪽이 없는 **2** 고아를 위한: an ~ asylum[home] 고아원 **3** (계획에 대한) 재정적 지원이 없는: an ~ research project 지원 없는 연구 사업
—*vt.* [보통 수동형으로] 〈사건이〉 〈아이를〉 고아로 만들다, 부모를 잃게 하다: The boy *was* ~*ed by* war. 그 소년은 전쟁 고아였다.

---

imaginative, ingenious, unusual, unconventional **3** 원형의 not copied, authentic, genuine, master
originate *v.* **1** 비롯하다 arise, rise, spring, stem, result, derive, start, begin, commence **2** 발명하다 set up, invent, conceive, discover, create, pioneer, establish, develop, generate
ornament *n.* decoration, adornment, embellishment, trimming, garnish

or·phan·age [ɔ́:rfənidʒ] *n.* **1** Ⓤ 고아임; [집합적] 고아 **2** 고아원
or·phan·hood [ɔ́:rfənhùd] *n.* Ⓤ 고아 신세
órphans' cóurt (미) 고아 법원 《일부 주의 유언 검증 법원》
Or·phe·an [ɔ:rfí:ən, ɔ́:rfiən | ɔ:fí:ən] *a.* Orpheus의; (그의 음악처럼) 곡조가 아름다운(melodious); 황홀하게 하는(enchanting)
Or·phe·us [ɔ́:rfiəs, -fju:s] *n.* 〖그리스신화〗 오르페우스 《무생물까지도 감동시켰다는 하프의 명수》
Or·phic [ɔ́:rfik] *a.* **1** (Orpheus를 시조로 하는) Dionysus[Bacchus] 숭배의, 밀교의 **2** [**o~**] 신비적인, 불가사의한; 매료하는, 황홀하게 하는: ~ music 매혹적인 음악 **3** 오르페우스의
Or·phism [ɔ́:rfizm] *n.* **1** 〖종교〗 오르페우스교(敎) 《윤회·응보 등을 믿는 신비적인 종교》 **2** 〖미술〗 오르피즘 《1911년 경 입체주의에서 파생한 화풍》
or·phrey [ɔ́:rfri] *n.* (*pl.* **~s**) ⓊⒸ 금실[정교한] 자수; (성직자의 제복에 걸치는) 장식띠
or·pi·ment [ɔ́:rpəmənt] *n.* Ⓤ 〖광물〗 웅황(雄黃) 《안료용》
or·pin(e) [ɔ́:rpin] *n.* 〖식물〗 자주꿩의 비름
Or·ping·ton [ɔ́:rpiŋtən] *n.* 오핑턴 《몸집이 큰 닭; 영국 Kent주 오핑턴 마을 원산(産)》
or·rer·y [ɔ́:rəri, ɑ́r- | ɔ́r-] [제작자의 이름에서] *n.* (*pl.* **-rer·ies**) 태양계의(太陽系儀)
or·ris[1], **-rice** [ɔ́:ris, ɑ́r- | ɔ́r-] *n.* 〖식물〗 흰붓꽃
orris[2] *n.* Ⓤ 금[은]실 레이스[자수]
or·ris·root [ɔ́:risrù:t, ɑ́r- | ɔ́r-] *n.* orris[1]의 뿌리 《말려서 향료로 씀》
ort [ɔ́:rt] *n.* [보통 *pl.*] 《고어·방언》 먹다 남은 음식; 부엌 쓰레기(kitchen waste); 부스러기, 찌꺼기
orth. orthodox
or·thi·con [ɔ́:rθikɑ̀n | -kɔ̀n] [*orth-*+*icono*scope] *n.* 〖TV〗 오르시콘 《개량 촬상관(撮像管)》
orth(o)- [ɔ́:rθ(ou), -θ(ə)] 《연결형》 「직(直)…, 정(正)…」의 뜻 《모음 앞에서는 orth-》: *ortho*dontics, *ortho*pedic
or·tho·cen·ter [ɔ́:rθousèntər] *n.* 〖기하〗 (삼각형의) 수심(垂心)
or·tho·chro·mat·ic [ɔ̀:rθoukroumǽtik] *a.* 〖사진〗 정색성(整色性)의(cf. PANCHROMATIC)
or·tho·clase [ɔ́:rθəklèis, -klèiz] *n.* Ⓤ 〖광물〗 정장석(正長石)
or·tho·clas·tic [ɔ̀:rθəklǽstik] *a.* (결정(結晶)이) 직교 벽개면(直交劈開面)이 있는, 완전 벽개의
or·tho·don·tia [ɔ̀:rθədɑ́nʃə, -ʃiə | -dɔ́ntiə] *n.* = ORTHODONTICS
or·tho·don·tics [ɔ̀:rθədɑ́ntiks | -dɔ́n-] *n. pl.* [단수 취급] 치열 교정(齒列矯正)(술), 치과 교정학
or·tho·don·tist [ɔ̀:rθədɑ́ntist | -dɔ́n-] *n.* 치열 교정 의사
***or·tho·dox** [ɔ́:rθədɑ̀ks | -dɔ̀ks] [Gk 「바른 의견」의 뜻에서] *a.* **1** (특히 종교상의) **정설(正說)의[을 신봉하는]**, 정통파의, 초대 교회의 신조를 지키는(cf. HETERODOX) **2** [**O~**] 그리스 정교회의, 동방 정교회의 **3** (특히 신학상) 일반적으로 옳다고 인정된; 정통의: an ~ form of …의 표준판 **4** 전통적인; 보수적인, 인습적인; 진부한; 흔히 있는, 통상적인; 종래의: an ~ view of the world 보수적인 세계관
— *n.* (*pl.* **~, ~·es**) 정통파 사람; [**O~**] 동방 정교회 신자 **~·ly** *ad.* **~·ness** *n.* ▷ órthodoxy *n.*
Órthodox (Éastern) Chúrch [the ~] 동방 정교회
Órthodox Jéw 정통파 유대교도
Órthodox Júdaism 정통파 유대교
órthodox sléep 〖생리〗 정상 수면 《꿈을 꾸지 않는 수면》(cf. PARADOXICAL SLEEP)
or·tho·dox·y [ɔ́:rθədɑ̀ksi | -dɔ̀ksi] *n.* Ⓤ 정통적 신념, 정통성; 정설, 정교; 정교 신봉, 정통 신앙; 정통파적 관행; 통설(에 따르기)
or·tho·drom·ic [ɔ̀:rθədrɑ́mik | -drɔ́m-] *a.* 〖생리〗 순방향성(順方向性)의 《신경 섬유의 흥분 전도가》
or·tho·ep·ic, -i·cal [ɔ̀:rθouépik(əl)] *a.* 발음이 바른 **-i·cal·ly** *ad.*
or·tho·e·pist [ɔ:rθóuəpist, ɔ́:rθouè-] *n.* 정음학자(正音學者)
or·tho·e·py [ɔ́:rθouèpi, ɔ:rθóuəpi] *n.* Ⓤ 정음학; 바른 발음법
or·tho·fer·rite [ɔ̀:rθouférait] *n.* 오르토페라이트 《컴퓨터용 결정 물질의 얇은 층》
or·tho·gen·e·sis [ɔ̀:rθoudʒénəsis] *n.* Ⓤ 〖생물〗 정향 진화(定向進化); 〖사회〗 계통 발생설
or·tho·ge·net·ic [ɔ̀:rθoudʒənétik] *a.* 〖생물〗 정향 진화의; 〖사회〗 계통 발생의
or·tho·gen·ic [ɔ̀:rθoudʒénik] *a.* **1** 〖심리〗 지진아·장애아 치료에 관한, 적응 지도의 **2** = ORTHOGENETIC
or·thog·o·nal [ɔ:rθɑ́gənl | -θɔ́-] *a.* 직각(right-angled), 직교(直交)의 **~·ly** *ad.*
orthógonal projéction 〖수학〗 정사영(正射影); 〖토목〗 정투영(正投影) (측량); 〖기계〗 직각 투영
orthógonal trajéctory 〖수학〗 직교(直交) 궤도, 직교 절선(切線)
or·tho·grade [ɔ́:rθəgrèid] *a.* 〖동물〗 직립 보행의
or·tho·graph [ɔ́:rθəgræ̀f | -grɑ̀:f] *n.* 〖수학〗 정사영(正射影); (건축물의) 정사도(正射圖)
or·thog·ra·pher [ɔ:rθɑ́grəfər | -θɔ́-] *n.* 정자법(正字法) 학자; 철자를 바르게 쓰는 사람
or·tho·graph·ic, -i·cal [ɔ̀:rθəgrǽfik(əl)] *a.* **1** 정자(正字)법의; 철자가 바른 **2** 〖수학〗 정사영(正射影)의, 직각의 **-i·cal·ly** *ad.*
orthográphic projéction 정사영(正射影); 정투영(正投影); 직각 투영(orthogonal projection)
or·thog·ra·phize, -phise [ɔ:rθɑ́grəfàiz | -θɔ́-] *vt.* 옳게 철자하다; 정자[정서]법에 따라 철자하다 — *vi.* 옳은 철자법에 따르다
or·thog·ra·phy [ɔ:rθɑ́grəfi | -θɔ́-] *n.* Ⓤ **1** 정자법, 정서법, 바른 철자법(opp. *cacography*) **2** 〖문법〗 문자론(論), 철자론 **3** 정사영(正射影)(법)
or·tho·ker·a·tol·o·gy [ɔ̀:rθoukèrətɑ́lədʒi | -tɔ́-] *n.* Ⓤ 〖의학〗 각막 교정술
or·tho·mo·le·cu·lar [ɔ̀:rθouməlékjulər] *a.* 몸의 분자 성분을 영양으로 조절하는
or·tho·p(a)e·dic [ɔ̀:rθəpí:dik] *a.* 〖의학〗 정형 외과(학)의: ~ surgery 정형 외과 / ~ treatment 정형(외과) 수술 **-di·cal·ly** *ad.*
or·tho·p(a)e·dics [ɔ̀:rθəpí:diks] *n. pl.* [단수 취급] 〖의학〗 (특히 아동의) 골격의 정형, 정형 외과(학), 정형술
or·tho·p(a)e·dist [ɔ̀:rθəpí:dist] *n.* 정형 외과 의사
or·tho·p(a)e·dy [ɔ́:rθəpì:di] *n.* = ORTHOPEDICS
or·tho·phos·phate [ɔ̀:rθəfɑ́sfeit | -fɔ́s-] *n.* 〖화학〗 오르토인산염[에스테르]
or·tho·phos·phór·ic ácid [ɔ̀:rθəfɑsfɔ́:rik-, -fɑ́r- | -fɔ́r-] 〖화학〗 오르토인산 《비료 등으로 이용》
or·tho·pod [ɔ́:rθəpɑ̀d | -pɔ̀d] *n.* 《속어》 정형 외과 의사
or·tho·prax·i·a [ɔ̀:rθəprǽksiə] *n.* Ⓤ 〖의학〗 기형 교정; 정형 외과학
or·tho·psy·chi·a·try [ɔ̀:rθousaikáiətri] *n.* Ⓤ 〖정신의학〗 교정(矯正) 정신 의학, 정신 교정학 《특히 청소년의 행동 장애 연구와 치료에 관한》
or·thop·ter [ɔ:rθɑ́ptər | -θɔ́p-] *n.* = ORNITHOPTER
or·thop·ter·a [ɔ:rθɑ́ptərə | -θɔ́p-] *n. pl.* 〖곤충〗 ORTHOPTERON의 복수
or·thop·ter·an [ɔ:rθɑ́ptərən | -θɔ́p-] *a., n.* 〖곤충〗 직시류의 (곤충), 메뚜기목의 (곤충)
or·thop·ter·on [ɔ:rθɑ́ptərɑ̀n, -rən | -θɔ́ptərən] *n.* (*pl.* **-ter·a** [-tərə]) 〖곤충〗 직시류의 곤충, 메뚜기목(目)의 곤충
or·thop·ter·ous [ɔ:rθɑ́ptərəs | -θɔ́p-] *a.* 〖곤충〗 직시류의[에 속하는]

or·thop·tic [ɔːrθɑ́ptik | -θɔ́p-] *a.* 〖의학〗 직시(直視)의, 정시(正視)의; 시각[사시] 교정의

or·thop·tics [ɔːrθɑ́ptiks | -θɔ́p-] *n. pl.* [단수 취급] 〖의학〗 사시 교정학

or·thop·tist [ɔːrθɑ́ptist | -θɔ́p-] *n.* 정시(正視) 훈련 전문가

or·tho·rhom·bic [ɔ̀ːrθourɑ́mbik | -rɔ́m-] *a.* (결정체가) 사방정계(斜方晶系)의

or·tho·scop·ic [ɔ̀ːrθəskɑ́pik | -skɔ́-] *a.* 〖안과〗 정시(正視)의

or·tho·sis [ɔːrθóusis] *n.* (*pl.* **-ses** [siːz]) **1** 〖의학〗 정형술 **2** = ORTHOTIC

or·tho·stat·ic [ɔ̀ːrθəstǽtik] *a.* 〖병리〗 기립성(起立性)의: ~ hypotension 기립성의 저혈압

or·thot·ic [ɔːrθɑ́tik | -θɔ́-] *n.* 〖외과〗 (정형용) 지지대 **—** *a.* (보조 기구를 이용한) 교정·기능 회복의

or·thot·ics [ɔːrθɑ́tiks | -θɔ́-] *n. pl.* [단수 취급] 〖의학〗 보조 기구에 의한 기능 회복 훈련(법); 〖병리〗 장구학(裝具學) 《지지대나 코르셋 등 정형 외과용 교정 기구에 대해 연구》

or·tho·trop·ic [ɔ̀ːrθətrɑ́pik, -tróu- | -trɔ́-] *a.* 〖식물〗 〈줄기·뿌리 등이〉 직립성의, 똑바로 뻗는

or·thot·ro·pous [ɔːrθɑ́trəpəs | -θɔ́t-] *a.* 〖식물〗 〈배주(胚珠)가〉 직립의

or·tho·wa·ter [ɔ́ːrθouwɔ̀ːtər] *n.* Ⓤ 〖화학〗 중합수(重合數)(polywater)

or·to·lan [ɔ́ːrtələn] *n.* 〖조류〗 촉새·멧새 무리; = BOBOLINK

ORuss Old Russian **ORV** off-road vehicle

Or·well·i·an [ɔːrwéliən] *a.* 오웰(풍)의 《조직화되어 인간성을 상실한》

Or·well·ism [ɔ́ːrwelìzm, -wəl-] [George Orwell의 소설 「1984」에서] *n.* (선전 목적을 위한) 사실의 조작과 왜곡

-ory [ɔ̀ːri, əri | əri] *suf.* **1** [형용사 어미] 「…같은, …의 성질[기능, 효력]이 있는」의 뜻: declamat*ory*, preparat*ory* **2** [명사 어미] 「…하는 곳, 소(所)」의 뜻: dormit*ory*, fact*ory*

o·ryx [ɔ́ːriks | ɔ́r-] *n.* (*pl.* **~·es,** [집합적] **~**) 〖동물〗 오릭스 《큰 영양; 아프리카산(産)》

or·zo [ɔ́ːrzou, ɔ́ːrtsou] *n.* Ⓤ 오르조 《길이 8 mm 정도의 쌀알 모양의 수프용 파스타(pasta)》

os[1] [ɑ́s | ɔ́s] [L] *n.* (*pl.* **os·sa** [ɑ́sə | ɔ́sə]) 〖해부·동물〗 뼈(bone)

os[2] [L] *n.* (*pl.* **o·ra** [ɔ́ːrə]) 〖해부〗 입; 구멍: per ~ 입으로 《먹는 약의 표시》

os[3] [óus] *n.* (*pl.* **o·sar** [óusɑːr]) 〖지질〗 오스 《빙하류 작용에 의한 자갈의 퇴적》

Os 〖화학〗 osmium **OS** 〖컴퓨터〗 operating system

o/s 〖상업〗 on sale; out of stock; 〖은행〗 outstanding **OS** *oculus sinister* 《L = left eye》; Old Saxon; Old School; Old Series; Old Style; ordinary seaman; Ordnance Survey; 〖복식〗 outsize **OSA** *Ordo Sancti Augustini* 《L = Order of St. Augustine》

O·sage [óuseidʒ, ─́] *n.* (*pl.* **~s, ~**) 오세이지 족 《아메리카 원주민의 한 종족》; Ⓤ 그 언어

Ósage órange 〖식물〗 오세이지 오렌지 《뽕나뭇과(科)의 나무; 미국산(産)》; 그 열매

OS & D over, short and damaged **OSB** *Ordo Sancti Benedicti* 《L = Order of St. Benedict》

Os·can [ɑ́skən | ɔ́s-] *n.* 〖역사〗 오스칸 사람 《이탈리아 남부에 살았던 고대 민족》; Ⓤ 오스칸 말 **—** *a.* 오스칸 사람[말]의

os·car [ɑ́skər | ɔ́s-] *n.* (호주·속어) 현금, 돈; (미·속어) 권총

Os·car [ɑ́skər | ɔ́s-] *n.* **1** 남자 이름 **2** 〖영화〗 오스카상 《아카데미상 수상자에게 주는 작은 황금상(像)》, 아카데미상

OSCAR Orbiting Satellite Carrying Amateur Radio 〖우주·통신〗 미국의 아마추어 무선가용 통신 위성

***os·cil·late** [ɑ́səlèit | ɔ́s-] [L 「흔들리다」의 뜻에서] *vi.* **1** (시계추처럼) 진동(振動)하다, 흔들리다, 왕복하다 **2** 〈마음·의견 등이〉 흔들리다, 동요하다 《*between*》: (~+전+명) He always ~*s between* different ideas. 그는 언제나 여러 가지 생각으로 갈팡질팡한다. **3** 〈사물이〉 (두 점 사이를) 변동하다; 〈사람이〉 (두 점 사이를) 왕복하다 **4** 〖통신·전기〗 〈전류를〉 고주파로 교류시키다, 발진하다, 잡음을 내다 **—** *vt.* 진동[동요]시키다

ós·cil·lat·ing cùrrent [ɑ́səlèitiŋ- | ɔ́s-] 〖전기〗 진동 전류

óscillating úniverse 〖천문〗 진동 우주 《팽창과 수축을 반복하는 우주 모델》: ~ theory 진동 우주론

***os·cil·la·tion** [ɑ̀səléiʃən | ɔ̀s-] *n.* ⓊⒸ **1** 진동 **2** 주저, 갈피를 못 잡음; 동요, 변동 **3** 〖물리〗 진동; 발진(發振); 진폭(振幅) **~·al** *a.*

os·cil·la·tor [ɑ́səlèitər | ɔ́s-] *n.* **1** 〖전기〗 발진기 **2** 〖물리〗 진동자(子), 진동기 **3** 진동하는 것; 동요하는 사람

os·cil·la·to·ry [ɑ́sələtɔ̀ːri | ɔ́silətəri] *a.* 진동하는, 동요하는, 변동하는

os·cil·lo·gram [əsíləgræ̀m] *n.* 〖전기〗 오실로그램 《오실로그래프로 기록한 도형》

os·cil·lo·graph [əsíləgræ̀f, -grɑ̀ːf | -grɑ̀ːf, -græ̀f] *n.* 〖물리〗 오실로그래프, 진동 기록기 《전류·빛·음량 따위의 진동 상태를 가시 곡선으로 나타내거나 기록하는 장치》

os·cil·lom·e·ter [ɑ̀səlɑ́mətər | ɔ̀silɔ́-] *n.* 〖의학〗 진동계, 진동 측정기

os·cil·lo·scope [əsíləskòup] *n.* 〖전기〗 오실로스코프, 역전류(逆電流) 검출관

os·cine [ɑ́sn, ɑ́sain | ɔ́s-] *a.* 명금류(鳴禽類)의 **—** *n.* 명금류의 새

os·ci·tant [ɑ́sətənt | ɔ́s-] *a.* **1** 하품하는; 입을 멍하니 벌린 **2** 졸린 (듯한); 멍청한 **3** 활기 없는; 나른한

os·ci·ta·tion [ɑ̀sətéiʃən | ɔ̀s-] *n.* 하품; 졸리는 상태; 멍하고 있음, 게으름

Os·co-Um·bri·an [ɑ́skouʌ́mbriən | ɔ́s-] *n.* Ⓤ, *a.* 오스코움브리아 말(의) 《Italic 어파에 속하는 언어》

os·cu·lant [ɑ́skjulənt | ɔ́s-] *a.* **1** 중간성의; 〖생물〗 (두 종류에) 공통의 특징이 있는 **2** 밀착한

os·cu·lar [ɑ́skjulər | ɔ́s-] *a.* **1** (익살) 입의; 키스의: ~ stimulation 입에 의한 자극 **2** 〖동물〗 osculum의

os·cu·late [ɑ́skjulèit | ɔ́s-] *vi.* **1** 〖생물〗 (중간속(屬) 등에서) 상접(相接)[접촉]하다; 결합하다 《*with*》 **2** (익살) 키스하다 **3** 〖기하〗 〈면·곡선 등이〉 접촉하다 **4** 공통점을 가지다 **—** *vt.* **1** 〈면·곡선 등에〉 접촉시키다 **2** 키스하다

ós·cu·lat·ing órbit [ɑ́skjulèitiŋ- | ɔ́s-] 〖천문〗 접촉 궤도 《천체의 각 순간의 위치와 속도에 대응하는 궤도》

ósculating pláne 〖수학〗 접촉 평면

os·cu·la·tion [ɑ̀skjuléiʃən | ɔ̀s-] *n.* ⓊⒸ 밀착; 〖기하〗 (면·곡선 등의) 최대 접촉; (익살) 키스

os·cu·la·to·ry [ɑ́skjulətɔ̀ːri | ɔ́skjulətəri] *a.* 〖기하〗 최대 접촉하는; (익살) 키스의

os·cu·lum [ɑ́skjuləm | ɔ́s-] *n.* (*pl.* **-la** [-lə]) 〖동물〗 (해면(海綿) 등의) 배수공(孔); (촌충 등의) 흡착(吸着) 기관, 흡반

OSD *Ordo Sancti Dominici* 《L = Order of St. Dominic》

-ose [òus, ous] *suf.* **1** [형용사 어미] 「…이 많은, …있는, …성(性)의, …상(狀)의」의 뜻: bellic*ose* **2** 〖화학〗 「탄수화물, …당(糖)」의 뜻의 어미: cellul*ose*

OSF *Ordo Sancti Francisci* 《L = Order of St. Francis》 **OSHA** [óuʃə] Occupational Safety and Health Administration (미) 직업 안전 위생 관리국 **OSI** open systems interconnection 〖컴퓨터·통신〗 개방형 시스템간 상호 접속

o·sier [óuʒər] *n.* 〖식물〗 **1** 고리버들; 그 가지 **2** 말채나무(dogwood) ***the red*** [***purple***] **~** 개울버들

— *a.* 고리버들의; 버들 세공의
o·sier-bed [óuʒərbèd] *n.* 고리버들 밭
O·si·ris [ousáiəris] *n.* 오시리스 《고대 이집트 주신(主神)의 하나; 명계의 신; Isis의 남편》
-osis [óusis] *suf.* 「과정, 상태, 작용, …의 영향」의 뜻: metamorph*osis*
-osity [ásəti | ɔ́s-] *suf.* [-ose, -ous의 어미의 형용사에서 명사를 만듦]: joc*osity*<jocose ★ 발음에 대해서는 ⇨ -ity.
Os·lo [ázlou, ás- | ɔ́z-, ɔ́s-] *n.* 오슬로 《노르웨이의 수도, 해항, 옛 이름 Christiania》
osm- [ɑzm | ɔzm] 《연결형》「냄새」의 뜻
OSM *Ordo Servorum Mariae* 《L =Order of the Servants of Mary》
Os·man [ázmən, ás- | ɔzmá:n, ɔs-] *n.* 오스만 1세(1259-1326) 《오스만 제국의 초대 황제(1299-1326)》
Os·man·li [ɑzmǽnli, ɑs- | ɔz-, ɔs-] *a.*, *n.* =OTTOMAN *a.*, *n.* 1
os·mat·ic [ɑzmǽtik | ɔz-] *a.* 후각의[에 관한]; 후각이 예민한
os·mic [ázmik | ɔ́z-] *a.* 오스뮴의, 오스뮴을 함유한, 오스뮴에서 뽑은
os·mics [ázmiks | ɔ́z-] *n. pl.* [단수 취급] 향기학(香氣學)
os·mi·rid·i·um [àzmərídiəm | ɔ̀z-] *n.* 〖화학〗 =IRIDOSMINE
os·mi·um [ázmiəm | ɔ́z-] *n.* Ⓤ 〖화학〗 오스뮴 《금속 원소; 기호 Os; 번호 76》
os·mol(e) [ázmoul, ás- | ɔ́z-] *n.* 〖화학〗 오스몰 《삼투압의 규준 단위》 **os·mó·lal** *a.*
os·mo·lar [ɑzmóulər, ɑs- | ɔz-] *a.* =OSMOTIC
os·mom·e·ter [ɑzmámətər, ɑs- | ɔzmɔ́mə-] *n.* 삼투압계(計)
os·mom·e·try [ɑzmámətri, ɑs- | ɔzmɔ́mə-] *n.* Ⓤ 〖물리·화학〗 삼투압 측정
os·mose [ázmous, ás- | ɔ́z-] *vi.*, *vt.* 삼투하다[시키다] — *n.* =OSMOSIS
os·mo·sis [ɑzmóusis, ɑs- | ɔz-] *n.* Ⓤ **1** 〖물리·화학〗 삼투(滲透); 삼투성(性) **2** (조금씩) 흡수함, 침투
os·mot·ic [ɑzmátik, ɑs- | ɔzmɔ́t-] *a.* 〖물리·화학〗 삼투(성)의: ~ pressure 삼투압(壓) **-i·cal·ly** *ad.*
osmótic shóck 〖생리〗 삼투압 충격 《생체 조직에 영향을 주는 삼투압의 급변》
os·mund [ázmənd, ás- | ɔ́z-] *n.* 〖식물〗 고비
OSO Orbiting Solar Observatory 태양 관측 위성
OSp Old Spanish **OSP** 〖법〗 *obiit sine prole* 《L =he died without issue》
os·prey [áspri | ɔ́s-] *n.* (*pl.* **~s**) **1** 〖조류〗 물수리 **2** 백로의 깃 《여자 모자 장식》
OSS Office of Strategic Services 〖군사〗 전략 정보국 《제2차 세계 대전시 미국의 정보 기관》
os·sa [ásə | ɔ́sə] *n.* OS[1]의 복수
Os·sa [ásə | ɔ́sə] *n.* 그리스 북동부의 산 ***heap* [*pile*] *Pelion upon* ~** 곤란에 곤란을 거듭하다
os·se·in [ásiin | ɔ́s-] *n.* Ⓤ 〖생화학〗 뼈의 교원질(膠原質)[콜라겐]
os·se·ous [ásiəs | ɔ́s-] *a.* 뼈의, 골절의; 뼈가 있는, 뼈로 이루어진, 뼈 비슷한; 뼈를 함유한
Os·sete [ási:t | ɔ́s-] *n.* 오세트 인 《Ossetia 지방의 이란계 종족》
Os·se·tian [ɑsí:ʃən | ɔ́s-] *a.* 오세트 인의, 오세트 어의, 오세트 풍의
Os·set·ic [ɑsétik | ɔs-] *a.* =OSSETIAN — *n.* Ⓤ 오세트 어(語)
Os·sian [áʃən, ásiən | ɔ́siən] *n.* 오시안 《스코틀랜드의 전설적 시인》
Os·si·an·ic [àsiǽnik, àʃ- | ɔ̀s-] *a.* 오시안 풍의, 과장한
os·si·cle [ásikl | ɔ́s-] *n.* 〖해부〗 소골편(小骨片) 《무척추 동물의 석회질의 뼈 같은 소재》
Os·sie [ázi | ɔ́zi] *n.*, *a.* 《영·속어》 =AUSTRALIAN
os·sif·er·ous [ɑsífərəs | ɔs-] *a.* 뼈를 함유하고 있는 《특히 화석뼈》
os·sif·ic [ɑsífik | ɔs-] *a.* 뼈를 만드는[형성하는], 골화(骨化)의
os·si·fi·ca·tion [àsəfikéiʃən | ɔ̀s-] *n.* Ⓤ **1** 〖생리〗 골화(骨化); 골화 조직; 골화 작용, 골형성, 골화된 상태 **2** (감정 등의) 무감각화; (사상·신앙 등의) 경직화
os·si·fied [ásəfàid | ɔ́s-] *a.* 골화한; 뼈가 된; 경직화된; 《속어》 곤드레가 된
os·si·frage [ásəfridʒ | ɔ́s-] *n.* 〖조류〗 **1** =OSPREY **2** 수염수리 《남미·유럽산(産)》
os·si·fy [ásəfài | ɔ́s-] *vt.*, *vi.* (**-fied**) **1** 〖생리〗 뼈로 변하게 하다, 골화시키다[하다], 경화시키다[하다] **2** 경직화하다; 무정하게[보수적으로] 하다[되다]
os·so·bu·co [àsoubú:kou, òus- | ɔ̀s-] [It.] *n.* Ⓤ 〖요리〗 오소부코 《송아지의 정강이 살을 와인, 양파, 토마토 등과 함께 찐 이탈리아 요리》
os·su·ar·y [áʃuèri, ás- | ɔ́sjuəri] *n.* (*pl.* **-ar·ies**) **1** 납골당; 유골 단지 **2** 고대 유골이 발견된 동굴; 공동 매장지
os·te·al [ástiəl | ɔ́s-] *a.* =OSSEOUS
os·te·i·tis [àstiáitis | ɔ̀s-] *n.* Ⓤ 〖병리〗 골염(骨炎)
os·tend [ɑsténd, ⁄-⁄ | ɔsténd] *vt.* 직접 지시하다
os·ten·si·ble [ɑsténsəbl | ɔs-] *a.* Ⓐ 표면상의; 허울만의, 겉치레의: an ~ reason 표면상의 이유
os·ten·si·bly [ɑsténsəbli | ɔs-] *ad.* 표면상(은)
os·ten·sion [ɑsténʃən | ɔs-] *n.* 〖언어〗 =OSTENSIVE DEFINITION
os·ten·sive [ɑsténsiv | ɔs-] *a.* **1** 명시(明示)하는, 지시적인, 구체적으로 나타내는 **2** =OSTENSIBLE
osténsive definítion 〖언어〗 실물 지시적 정의 《대상물을 가리켜 보이고 하는 정의》
os·ten·so·ry [ɑsténsəri | ɔs-] *n.* (*pl.* **-ries**) 〖가톨릭〗 성체 현시기(聖體顯示器)(monstrance)
os·ten·ta·tion [àstentéiʃən, -tən- | ɔ̀s-] *n.* Ⓤ 겉치레, 허식, 과시
os·ten·ta·tious [àstentéiʃəs, -tən- | ɔ̀s-] *a.* 자랑 삼아 드러내는, 과시하는, 여봐라는 듯한; 야한, 난한, 화려한: an ~ display 허식 / an ~ dresser 옷차림이 야한 사람 **~·ly** *ad.* **~·ness** *n.*
osteo- [ástiou, -tiə | ɔ́s-] 《연결형》「뼈」의 뜻
os·te·o·ar·thri·tis [àstiouɑ:rθráitis | ɔ̀s-] *n.* Ⓤ 〖병리〗 골(骨)관절염
os·te·o·ar·thro·sis [àstiouɑ:rθróusis | ɔ̀s-] *n.* Ⓤ 〖병리〗 변형성 관절증
os·te·o·blast [ástiəblæ̀st | ɔ́s-] *n.* 〖해부〗 골아(骨芽) 세포
os·te·oc·la·sis [àstiákləsis | ɔ̀stiɔ́k-] *n.* Ⓤ 〖해부〗 골 흡수[파괴]; 〖외과〗 쇄골술(碎骨術)
os·te·o·clast [ástiəklæ̀st | ɔ́s-] *n.* 〖생물〗 파골(破骨) 세포, 용골(溶骨) 세포
os·te·o·cyte [ástiəsàit | ɔ́s-] *n.* (골기질 내에 존재하는) 골세포
os·te·o·gen·e·sis [àstiədʒénəsis | ɔ̀s-] *n.* Ⓤ 골형성
osteogénesis im·per·féc·ta [-ìmpərféktə] 〖병리〗 골형성부전(증)
os·te·o·gen·ic [àstiədʒénik | ɔ̀s-] *a.* **1** 골원성(骨原性)의 《골 형성 조직에서 변화해 생기는 것》 **2** 골형성의
os·te·oid [ástiɔ̀id | ɔ́s-] *a.* 뼈 같은, 뼈 모양의
os·te·o·log·i·cal [àstiəládʒikəl | ɔ̀stiəlɔ́dʒi-] *a.* 골학(骨學)의
os·te·ol·o·gy [àstiálədʒi | ɔ̀stiɔ́lə-] *n.* Ⓤ 골학, 골해부학; 골 조직, 골격 **-gist** *n.* 골학자
os·te·o·ma [àstióumə | ɔ̀s-] *n.* (*pl.* **~s**, **~·ta** [-tə]) 〖병리〗 골종(骨腫)
os·te·o·ma·la·cia [àstiouməléiʃə, -ʃiə, -siə | ɔ̀s-] *n.* Ⓤ 〖병리〗 (칼슘·비타민 D의 결핍에 의한) 골연화증

os·te·o·my·e·li·tis [àstioumàiəláitis | ɔ̀s-] *n.* Ⓤ 〖병리〗 (일반적으로 박테리아에 의한) 골수염(骨髓炎)
os·te·o·path [ástiəpæ̀θ | ɔ́s-] *n.* 접골사(接骨師)
os·te·o·path·ic [àstiəpǽθik | ɔ̀s-] *a.* 접골 요법의
os·te·op·a·thist [àstiápəθist | ɔ̀stiɔ́p-] *n.* = OSTEOPATH
os·te·op·a·thy [àstiápəθi | ɔ̀stiɔ́-] *n.* Ⓤ 접골 요법
os·te·o·phyte [ástiəfàit | ɔ́s-] *n.* 〖병리〗 골증식체(骨增殖體), 골극(骨棘)
os·te·o·plas·tic [àstiəplǽstik | ɔ̀s-] *a.* **1** 〖외과〗 뼈 형성성(形成性)의, 뼈 형성술의 **2** 〖생리〗 뼈가 생기는, 뼈 형성의
os·te·o·plas·ty [ástiəplæ̀sti | ɔ́s-] *n.* Ⓤ 〖외과〗 뼈 형성술
os·te·o·po·ro·sis [àstioupəróusis | ɔ̀s-] *n.* (*pl.* **-ses** [-si:z]) 〖병리〗 골다공증(骨多孔症)
os·te·o·sar·co·ma [àstiousɑ:*r*kóumə | ɔ̀s-] *n.* (*pl.* **~s, -ma·ta**) 〖병리〗 골육종
os·te·ot·o·my [àstiátəmi | ɔ̀stiɔ́tə-] *n.* (*pl.* **-mies**) 〖외과〗 골절술, 절골(切骨)술
os·ti·ar·y [ástièri | ɔ́stiəri] *n.* (*pl.* **-ar·ies**) 〖가톨릭〗 수문(守門)(직); (교회 등의) 문지기
os·ti·na·to [àstinɑ́:tou | ɔ̀s-] *n.* (*pl.* **~s**) 〖음악〗 오스티나토 《어떤 일정한 음형(音型)을 동일 성부(聲部)에서 반복하는 것》
os·ti·ole [ástiòul | ɔ́s-] *n.* 〖생물〗 작은 구멍, 입
os·ti·um [ástiəm | ɔ́s-] *n.* (*pl.* **-ti·a** [-tiə]) **1** 〖해부·동물〗 입, 소공(小孔) **2** 〖동물〗 심문(心門) 《절지 동물, 연체 동물의 심장에 있는 작은 구멍》
OStJ Officer of the Order of St. John of Jerusalem
os·tler [áslə*r* | ɔ́slə] *n.* 《영》 (옛 여관·역참의) 마부
ost·mark [ɔ́:stmɑ̀:*r*k, ást- | ɔ́st-] *n.* 오스트마르크 《구동독의 화폐 단위; 略 OM》
os·to·my [ástəmi | ɔ́s-] *n.* (*pl.* **-mies**) 〖의학〗 인공 항문 성형술, 개구(開口) 수술, 조루술(造瘻術)
os·to·sis [ɑstóusis | ɔs-] *n.* Ⓤ 〖생리〗 골(조직) 형성
Ost·po·li·tik [ɔ́:stpoulitì:k] [G] *n.* Ⓤ (특히 통일전에 서독의) 대(對) 동유럽[공산권] 정책; 동방 정책, 동방 외교
os·tra·cism [ástrəsìzm | ɔ́s-] *n.* Ⓤ **1** (고대 그리스의) 오스트라시즘, 도편(陶片) 추방 《위험 인물의 이름을 사기 조각 등에 써내는 비밀 투표로 국외 추방하는 제도》 **2** (사회로부터의) 추방, 배척, 유형(流刑): suffer social[political] ~ 사회[정계]에서 매장되다
os·tra·cize [ástrəsàiz | ɔ́s-] *vt.* (고대 그리스의) 도편 재판에 의하여 추방하다; 추방하다, 배척하다
os·tra·co·derm [ástrəkoudə̀:*r*m | ɔ́s-] *n.* 갑피류 동물
os·tra·con [ástrəkɑ̀n | ɔ́strəkɔ̀n] *n.* (*pl.* **-ca** [-kə]) 도편(陶片) 《고대 그리스에서 도편 추방시 투표할 때 쓰였음》
os·tre·i·cul·ture [ástriəkʌ̀ltʃə*r* | ɔ́s-] *n.* Ⓤ 굴 양식(oyster culture)(법)
∗**os·trich** [ɔ́:stritʃ, ɑ́:s- | ɔ́s-] *n.* (*pl.* **~·es, ~**) **1** 〖조류〗 타조 **2** [타조가 궁지에 몰리면 머리를 모래 속에 처박는다는 속설에서] 현실 도피자, 현실을 직시하지 않는 사람 ***an ~ belief***[***policy***] 자기 기만의 얕은 꾀 ***bury*** one***'s head in the sand like an ~*** 머리만 감추고 꼬리는 감추지 않다, 눈 가리고 아웅하다, 어리석은 짓을 하다 ***have the digestion of an ~*** 무엇이든지 잘 새기다, 위장이 매우 튼튼하다
os·trich-farm [ɔ́:stritʃfɑ̀:*r*m, ɑ́s | ɔ́s-] *n.* 타조 사육장
os·trich·ism [ɔ́:stritʃìzm, ɑ́s- | ɔ́s-] *n.* Ⓤ (현실·닥쳐오는 위험 따위에) 맞서기를 피하기, 현실 도피, 눈 가리고 아웅하기
Os·tro·goth [ástrəgɑ̀θ | ɔ́strəgɔ̀θ] *n.* 동(東)고트족 《이탈리아를 지배; 493-555년》
OSU *Ordo Sanctae Ursulae* 《L = Order of St. Ursula》
Os·wald [ázwɔ:ld | ɔ́zwəld] *n.* 남자 이름
OT occupational therapy; Old Testament(cf. N.T.); overtime
ot- [out], **oto-** [óutou, -tə] 《연결형》 「귀」의 뜻 《모음 앞에서는 ot-》
o·tal·gi·a [outǽldʒiə] *n.* Ⓤ 〖병리〗 귀앓이
OTB offtrack betting **OTC** Officers' Training Corps[Camp]; Organization for Trade Cooperation; over-the-counter
OTE [óutì:í:] [*o*n-*t*arget[*t*rack] *e*arnings] *n.* (기본급 외에 성과에 따른 보상금을 받는) 봉급 기준[레벨]
OTEC [óutèk] [*o*cean *t*hermal *e*nergy *c*onversion] *n.* 《미》 해양 온도차 발전 시스템
O·thel·lo [ouθélou, əθ-] *n.* 오셀로 《Shakespeare 작의 4대 비극의 하나; 그 주인공》
‡**oth·er** ⇨ other (p. 1784)
oth·er-di·rect·ed [ʌ́ðə*r*diréktid] *a.* 남의 기준에 따르는, 타인[외부] 지향의, 타율적인; 자주성이 없는, 시대의[가치관의] 영향을 받는(opp. *inner-directed*)
oth·er·guess [-gès] *a.* 《고어》 전혀 다른 종류의, 별종의
óther hálf 1 [the ~] (경제적·사회적 지위가) 정반대의 입장에 있는 계급[집단]; 혜택받지 못한 사람들 **2** 《미·구어》 배우자, 남편, 아내; 일행
óth·er·ly àbled [ʌ́ðə*r*li-] *a.* 남다른 능력을 가진 《「신체 장애의」의 완곡한 표현》
óther mán [the ~] (기혼 여성의) 애인, (연인이 있는 여성의) 다른 연인
oth·er·ness [ʌ́ðə*r*nis] *n.* ⓊⒸ 〖철학〗 타성(他性); 타자(他者), 별개의 것; 다름, 별개, 상위(相違)
óther ránks 《영》 하사관
oth·er·where(s) [ʌ́ðə*rh*wɛ̀ə*r*(z)] *ad.* 《고어》 (어딘가) 딴 곳에(elsewhere)
oth·er·while(s) [-*h*wàil(z)] *ad.* 《고어》 다른 때에; 이따금
‡**oth·er·wise** [ʌ́ðə*r*wàiz] *ad.* **1** [접속사적으로] 만약 **그렇지 않으면**(else, or): Start at once, ~ you will be late. 곧 떠나지 않으면 늦는다. / *O*~ he might have won. 조건이 달랐더라면 그는 이겼을지도 몰라. **2 다른 방법으로** 《*than*》; **그렇지 않게**, 다른 상태로, 다르게, 달리: unless ~ noted 달리 언급이 없으면 / I could not describe him ~ *than* as strict. 엄격하다는 말 이외에는 달리 그를 표현할 수가 없었다. **3 다른 점에서**: an ~ happy life 다른 점에서 보면 행복한 삶 / He skinned his shins, but ~ he was not injured. 그는 정강이가 까졌을 뿐 다른 데는 다치지 않았다.
—*a.* **1** Ⓟ **다른**: Some are wise, some are ~. 《속담》 약은 자도 있고 그렇지 않은 자도 있다. / Some things can't be ~. 그렇게 될 수 밖에 없는 일도 있다. / We hoped his behavior would be ~. 그가 그런 행동을 하지 않으면 좋겠다고 우리는 생각했다. **2** Ⓐ 그렇지 않았더라면 …인[일지도 모르는]: his ~ equals 다른 점에서는 그에게 필적하는 사람들 / An ~ pleasure had become a chore. 다른 경우라면 즐거웠을 일이 시시하게 되었다.
... and ~ 그 밖에, 기타, …등등 ***How can it be ~ than fatal?*** 어찌 치명적이 아닐 수 있겠는가? ***or ~*** 또는 그 반대
oth·er·wise-mind·ed [ʌ́ðə*r*wàizmáindid] *a.* 성향[의견]이 다른, 취미가 다른; 여론과 반대되는
óther wóman [the ~] (기혼 남성의) 애인, (연인이 있는 남성의) 다른 애인
oth·er·world [ʌ́ðə*r*wə́:*r*ld] *n.* [the ~] 내세(來世), 사후 세계; 공상[이상]의 세계, 별세계
oth·er·world·ly [-wə́:*r*ldli] *a.* **1** 내세의, 저승의 **2** 공상적인, 초자연적인; 초속적(超俗的)인; 별세계의
Oth·man [ɑ́θmən | ɔ́θmən, ɔθmɑ́:n] *n.* (*pl.* **~s**) = OTTOMAN 1

other

other는 주로 형용사로서 「다른」, 대명사로서 「다른 사람, 다른 것」의 뜻으로 쓴다. 형용사로서 other는 단독으로 단수 명사를 수식하는 일은 없고, 반드시 앞에 one, any, some, no 등을 동반한다. ★ 유의어인 another는 단독으로 수식이 가능함: in *some other* city(어딘가 다른 도시에서) 《in another city(다른 도시에서) 반면에 another는 복수 명사를 수식하지 못하고 대신에 other를 씀》 'the other ...'는 형용사로서 기본적으로 「(둘 중의) 다른 하나의」란 뜻인데, 복수 명사를 수식하면 「나머지 모두의」란 뜻이 된다: *the other* three(나머지 셋) 그런데 대명사로서의 'the other'는 둘 중의 하나(one)에 대하여 「다른 하나」란 단수의 뜻이고 복수는 'the others'이다.

⁑oth·er [ʌ́ðər] [OE 「제2의」의 뜻에서] *a., pron., ad.*

— *a.* **1** [복수 명사를 직접 수식하거나, no, any, some, one, the 등을 동반하여] **다른**, 그 밖의, 딴 《★ 단수 명사를 직접 수식할 때에는 another를 씀》: she and *one* ~ person 그녀와 또 다른 한 사람 / ~ people 다른[그 밖의] 사람들 / three ~ boys 다른 세 소년, 그 밖의 소년 셋 / in *some* ~ place 어딘가 다른 곳에서 / *some* ~ time 언젠가 또 / Mary is taller than *any* ~ girl(s) in the class. 메리는 학급에서 그 누구보다도 키가 크다. 《★ 이 경우 단수를 원칙으로 함》 / I have *no* ~ son(s). 그 밖에 자식이 없다. / There is *no* ~ use for it. 그것 외에는 다른 용도가 없다. / *Any* ~ question(s)? 그 밖에 질문이 있습니까? / I have *some*[*two, a few*] ~ questions. 그 밖에[다른] 질문이 몇 가지[둘, 약간] 있습니다.
2 a [the ~ 또는 one's ~] (둘 중에서) **다른 하나의**; (셋 이상 중에서) 나머지의: *the* ~ hand 다른 쪽 손 / Shut *your*[*the*] ~ eye. 다른 한쪽의 눈을 감으시오. / Put it in this box, not in *the* ~ (one). 그쪽 상자가 아니라 이쪽 상자에 그것을 넣으시오. / There are three rooms. One is mine, one [another] is my sister's and *the* ~ (one) is my parents'. 방이 셋 있다. 하나는 내 방이고 또 하나는 누이동생 방이고 나머지 방은 부모님 것이다. 《★ 문맥으로 보아 쉽게 알 수 있을 때에는 the other 다음의 명사는 생략되는 경우가 있음》 **b** [the ~] **저쪽의**; 반대의: *the* ~ end of the table 테이블 저쪽 끝 / *the* ~ side of the moon 달 뒤쪽 / the man on[at] *the* ~ end of the line 전화의 상대방 남자 / *the* ~ party 〖법〗 상대방 / *the* ~ world 저승, 내세(來世)
3 [~ than] **a** [보통 (대)명사 뒤 또는 서술적 용법으로 써서] (…와는) 다른, 별개의; …이외의: I'll send some boy ~ *than* yourself. 너 이외의 다른 소년을 보내겠다. / The result of the race was quite ~ *than* they had expected. 경주 결과는 그들의 예상과는 전혀 딴판이었다. **b** …이 아니라(not): She is ~ *than* honest. 그녀는 정직하지가 않다.
4 a [the ~; 날·밤·주 등을 나타내는 명사를 수식하여 부사적으로] **요전의**, 일전의: *the* ~ day 일전(에) 《약 1주일 정도 전》 / *the* ~ evening 요전 날 저녁(에) / *the* ~ week 지난주 **b** 이전의, 옛날의: in ~ times 이전(에는), 옛날에는 / men of ~ days 옛날 사람들 / sailing ships of ~ days 옛날 범선 **c** 장래의, 미래의: In ~ days[times] men will think us strange. 미래 사람들은 우리를 이상하게 생각할 것이다.

among ~ things = among OTHERS
as in ~ years 예년과 같이
at ~ times 다른 때[이전]에는; 평소에는
every ~ ... (1) 그 밖의 모든 (2) 하나 걸러서: *every* ~ day 하루 걸러서
none[***no***] ***~ than***[《문어》 ***but***] 다름아닌 ...: It was *none* ~ *than* my wife. 다름아닌 내 아내였다.
of ~ days 이전의, 옛날의 ⇨ *a.* 4 b
on the ~ hand 한편으로는, 이에 반해서
~ than ... (1) …이외의[로]; …을 제외한[하고](except) (2) …와 다른[다르게]
~ things being equal 다른 조건이 같다면: *Other* ~ *being equal*, I would choose her. 다른 조건들이 같다면 나는 그 여자를 택하겠다.
the ~ way about[(***a***)***round***] 반대로, 뒤바뀌어: to put it *the* ~ *way around* 반대로 말하면

— *pron.* (*pl.* **~s**) **1** [보통 *pl.*; one, some, any를 동반할 때에는 단수형도 있음] **그 밖의 것**; 그 밖의 사람들, 남들; 다른 것, 이것 외의 것 《★ 단독으로 단수를 가리킬 때에는 another를 씀》: Think of ~*s*. 다른 사람들의 일을 생각하여라. 《★ 《구어》에서는 「다른 사람들」의 뜻을 나타낼 때에는 other people 쪽이 일반적임》 / Do to ~*s* as you would be done by. 〖성서〗 너희가 원하는 바를 남에게 베풀어라. 《마태복음 7:12》 / To some life means pleasure, to ~*s* suffering. 어떤 사람에게는 인생은 기쁨을 뜻하고 다른 사람에게는 괴로움을 뜻한다. / The saleswoman showed me *some* ~*s*, but all were too expensive. 여점원은 몇 가지 다른 것을 보여 주었지만 모두 너무 비쌌다. / The TV drama was more interesting than *any* ~ I have seen recently. 그 텔레비전 드라마는 내가 최근에 본 다른 어떤 것보다 재미있었다.
2 a [the ~] (둘 중의) **다른 한쪽** (**사람**), 다른 쪽; 반대(의 것): one or *the* ~ (of the two rooms)(그 두 방 중의) 어느 한쪽[하나] / Each loves *the* ~. 서로 사랑한다. / One went on, *the* ~ stayed behind. 한 사람은 계속 나아갔고 다른 한 사람은 뒤에 남았다. / The original and the copy are easily distinguished since the one is much more vivid than *the* ~. 원본과 사본은 쉽게 구별이 된다, 전자는 후자보다 훨씬 더 선명하기 때문이다. 《★ the one ... the other의 경우, the one은 대개 전자를, the other은 후자를 가리킴》 **b** [the ~s] 그 밖의 것[사람]들, 나머지 것[사람] 모두: When he left, *the* ~*s* did too. 그가 떠나자 나머지 사람들도 떠났다. / Three of the boys were late, but (all) *the* ~*s* were in time for the meeting. 그 애들 중 세 명은 늦었으나 다른 애들은 모두 회의 시간에 맞게 왔다. 《★ 「전부」를 강조하기 위해 이와 같이 all을 쓰는 일이 있음》

among ~s ⇨ among
and ~s …등(등)
each ~ 서로 ⇨ each
of all ~s 모든 것 중에서, 특히: on that day *of all* ~*s* 날도 많은데 하필 그날에 / That was the (one) thing *of all* ~*s* that he wanted to see. 그것이야말로 그가 무엇보다도[특히] 보고 싶어하던 것이었다.
one after the ~ ⇨ one
one from the ~ 둘을 구별하여: I can't tell the twins *one from the* ~. 나는 그 쌍둥이를 구별할 수 없다.
one or ~ 누군가, 어느 것인가: *One or* ~ of us will see to it. 우리 중 누군가 한 사람이 그것을 돌보게 된다.
one way or the ~ (둘 중) 어느 쪽으로도, 어떻게 되는지
some day or ~ 언젠가, 후일
some one or ~ 누군가가
some ... or ~ 그 어떤 … 《★ some 뒤의 명사는 보통 단수임》: *some* time *or* ~ 언젠가, 다른 어떤 날

에 / *Some* man *or* ~ spoke to me on the street. 그 어떤 사람이 거리에서 나에게 말을 걸어왔다. / *Some* bunch of idiots *or* ~ have done it. 그 어떤 바보들이 그것을 저지른 것이다.
some ..., ~s ... 어떤 것[사람]은 …, 다른 것[사람]은 …
the one ..., the ~ ... ⇨ *pron.* 2a
this, that, and the ~ ⇨ this

—*ad.* [~ than으로 부정·의문문에서] 그렇지 않고, 다른 방법으로, 달리, …이외에: I can do *no*[*can't* do] ~ *than* accept. 받아들일 수밖에 없다. 《★ 이 문장은 I can*not* but accept.라고 하는 것이 일반적》/ How can you think ~ *than* logically? 어찌하여 논리적이 아닌 사고를 할 수 있을까? / We *can't* collect rent ~ *than* by suing the tenant. 세입자를 고소하는 것 이외에는 집세를 받을 방법이 없다.

OTHR over-the-horizon radar
o·tic [óutik, ɑ́t- | óut-] *a.* 〖해부〗 귀의
-otic [ɑ́tik | ɔ́t-] *suf.* **1** 「(병에) 걸리는, …을 생기게 하는」의 뜻으로 -osis로 끝나는 명사의 형용사형을 만듦: hypn*otic*(<hypnosis) **2** 「…비슷한」의 뜻: Quix*otic*(<Quixote)
o·ti·ose [óuʃiòus, óuti-] *a.* **1** 한가한, 게으른, 나태한 **2** 쓸데없는; 불필요한, 무익한; 객쩍은 **~·ly** *ad.* **~·ness** *n.*
o·ti·os·i·ty [òuʃiɑ́səti, òuti- | -ɔ́sə-] *n.* Ⓤ **1** 게으름 **2** 불필요; 무용(無用)
o·ti·tis [outáitis] *n.* Ⓤ 〖병리〗 이염(耳炎)
otítis ex·tér·na [-ikstə́ːrnə] 〖병리〗 외이염
otítis in·tér·na [-intə́ːrnə] 〖병리〗 내이염
otítis média 〖병리〗 중이염
o·ti·um cum dig·ni·ta·te [óuʃiəm-kʌm-dìgnətéiti] [L =leisure with dignity] 유유자적
oto- [óutou, -tə] 《연결형》 =OT-
OTOH 《컴퓨터속어》 on the other hand 한편으로는 《e-메일 등의 용어》
o·to·lar·yn·gol·o·gy [òutoulæ̀riŋgɑ́lədʒi | -gɔ́-] *n.* Ⓤ 이비인후과학(學)
o·to·lith [óutəlìθ] *n.* 〖해부〗 이석(耳石), 평형석 《척추 동물의 내이(內耳)에 있는 석회질 결석》
o·tol·o·gy [outɑ́lədʒi | -tɔ́lə-] *n.* Ⓤ 이과학(耳科學) **-gist** *n.*
o·to·plas·ty [óutəplæ̀sti] *n.* Ⓤ 귀 성형술
o·to·rhi·no·lar·yn·gol·o·gy [òutouràinoulæ̀riŋgɑ́lədʒi | -gɔ́lə-] *n.* =OTOLARYNGOLOGY
o·tor·rhe·a [òutəríːə] *n.* 〖병리〗 이루(耳漏) 《귀 속에서 고름이 나는 병》
o·to·scle·ro·sis [òutəskliəróusis] *n.* Ⓤ 〖병리〗 이(耳) 경화증
o·to·scope [óutəskòup] *n.* 〖의학〗 검이경(檢耳鏡), 이청관(耳聽管)
o·to·tox·ic [òutətɑ́ksik | -tɔ́k-] *a.* 〖의학〗 내이(內耳) 신경 독성(毒性)의
OTP 〖컴퓨터〗 one-time programmable EPROM
OTS Officers' Training School; Orbit Test Satellite 궤도 실험 위성 **Ott.** Ottawa
OTT [òutìːtíː] [*o*ver *t*he *t*op] *a.* 《영·속어》 〈사람의 외모·태도·의견 등이〉 과장된, 지나친; 과감한, 너무 대담한; 괴이한: go ~ 한계를 지나치다
ot·ta·va [outɑ́ːvə] [It.] *ad., a.* 〖음악〗 한 옥타브 높게[낮게]; 한 옥타브 높은[낮은]
ot·ta·va ri·ma [outɑ́ːvə-ríːmə] [It.] 〖운율〗 8행 시체 《각행 11음절, 단 영시에서는 10-11음절, 압운 순서는 ab ab ab cc》
Ot·ta·wa [ɑ́təwə | ɔ́-] *n.* 오타와 《캐나다의 수도》
*__ot·ter__ [ɑ́tər | ɔ́-] *n.* (*pl.* **~s,** [집합적] ~) **1** 〖동물〗 수달; Ⓤ 수달피 **2** 낚시 도구의 일종; 기뢰 방어기, 방뢰구(防雷具)
ótter bòard 트롤망의 저항판
ótter dòg[hòund] 수달 사냥개
ótter tràwl 트롤망(網)
ot·to [ɑ́tou | ɔ́-] *n.* Ⓤ 장미유(油)(attar)
Ot·to [ɑ́tou | ɔ́-] *n.* **1** 남자 이름 **2 ~ the Great** (912-973) 오토 대제(大帝) 《독일왕 및 신성 로마 제국 황제》
Ot·to·man [ɑ́təmən | ɔ́-] *a.* 오스만 제국(Ottoman Empire)의; 터키 제국의, 터키 사람[민족]의, 터키 어(語)의 —*n.* (*pl.* **~s**) **1** 터키 사람 **2** [**o~**] 오토만, (등받이·팔걸이가 없는) 긴 의자의 일종; 쿠션 달린 발판 **3** [**o~**] 일종의 견직물
Óttoman Émpire [the ~] 오스만 제국 《옛 터키 제국》
OTV orbital transfer vehicle **OU** 《영》 Open University; Oxford University
ou [óu | ə́uː] *n.* (*pl.* **os** [óus | ə́us], **ouens** [óuənz | ə́uənz]) 《남아공》 =OKE[3]
OUAC 《영》 Oxford University Athletic Club
ou·bli·ette [ùːbliét] *n.* (중세의 성내의) 비밀 지하 감옥, 토옥 《천장 두껑을 열고 드나듦》
OUCC 《영》 Oxford University Cricket Club
*__ouch__[1] [áutʃ] [의성어] *int.* 아얏, 아이쿠: *O*~! That hurt! 아야! 아파!
ouch[2] *n.* 《영·고어》 장식핀, 보석 브로치
oud [úːd] *n.* 우드 《중동 및 아프리카 북부에서 사용되는 만돌린 비슷한 악기》
OUDS Oxford University Dramatic Society
‡**ought**[1] [ɔ́ːt] *auxil. v., n.*

① …해야 하다	**1**
② …임에 틀림없다	**2**
③ …할 필요가 있다	**3**

—*auxil. v.* 《★ 항상 to부정사를 동반하며 과거를 나타낼 때는 완료형 부정사를 동반함》 **1** [의무·도덕적 책임·당연·적당·필요] …해야 하다, …할 의무가 있다, …하는 것이 당연하다 《★ 「의무·당연」을 나타낼 때는 should보다 다소 뜻이 강하고, 「필요」에서는 must보다 약함》: You ~ *to* do it at once. =It ~ *to* be done at once. 그것은 당장 해야 한다. / It ~ not *to* be allowed. 그것은 허용되어서는 안 된다. / Every citizen ~ *to* help. 모든 시민이 도와야 한다. / He ~ *to* be punished. 그는 처벌받아 마땅하다. / You ~ *to* have consulted with me. 너는 나에게 상의했어야 했다. 《하지 않은 것은 잘못이다》 **2** [개연성·가망·가능성·당연한 결과] …하기로 되어 있다, …임에 틀림없다, 틀림없이 …일 것이다: It ~ *to* be fine tomorrow. 내일은 좋은 날씨가 될 것이 틀림없다. / That ~ *to* be our train now. 저것이 우리가 탈 기차임에 틀림없다. / He ~ *to* have arrived by this time. 그는 지금쯤 도착했을 것이다. 《도착하지 않았다면 이상하다》 **3** [You ~ to로; 멋진 것, 놀라운 것을 표현할 때] 《구어》 …할 필요가 있다, 꼭 …해봐라: *You* ~ *to* see the beautiful view. 그 멋진 경치를 너도 꼭 봐야 한다. ***hadn't ~ to*** do 《미·구어》 《이 표현을 비표준으로 보는 사람도 있음》 (1) …하여서는 안 되다(ought not to do) (2) …하지 않았어야 했다(ought not to have done) ***had ~ to*** do 《미·구어》 《이 표현을 비표준으로 보는 사람도 있음》 (1) …해야 한다(ought to do) (2) …해야 했다(ought to have done): You ~ *to* have told me. 너는 나에게 말했어야 했다. 《말하지 않은 것이 나쁘다》
—*n.* 해야 할 일, 의무, 책임
ought[2] *n.* 《구어》 영(零)(naught)
~s and crosses =NAUGHTS and crosses
ought[3] *pron., ad.* =AUGHT[1]
ought·n't [ɔ́ːtnt] 《구어》 ought not의 단축형
ou·gui·ya [uːgíːjə] *n.* Mauritania의 화폐 단위 《5 khoums》

oui [wíː] [F] *ad.* ＝YES
Oui·ja (board) [wíːdʒə, -dʒi] [F oui(＝yes)와 G ja(＝yes)에서] *n.* (심령술에 쓰이는) 점판 《planchette 비슷한 것; 상표명》
ou·long [úːlɔːŋ, -lɑŋ | -lɔŋ] *n.* ＝OOLONG
‡ounce[1] [áuns] [L 「(파운드의) 1/12」의 뜻에서] *n.* **1** 온스 《상형(avoirdupois)에서는 1/16파운드, 28.35그램; 금형(金衡)(troy)은 1/12파운드, 31.104그램; 略 oz》 **2** 액량(液量) 온스(fluid ounce) 《《미》 1/16 파인트, 29.6 cc; 《영》 1/20 파인트, 28.4 cc》 **3** 소량(a bit) 《*of*》: to the last ~ 최후의 한 방울까지 / An ~ *of* practice is worth a pound of theory. 《속담》 이론보다는 실천.
ounce[2] *n.* 〖동물〗 **1** ＝SNOW LEOPARD **2** 《고어》 ＝LYNX 1
óunce màn 《미·속어》 마약 밀매인[중개인]
OUP Oxford University Press
‡our [áuər; 《약하게》 ɑːr] *pron.* [we의 소유격] **1** 우리의, 우리들의: ~ country[school] 우리 나라[학교] / *O*~ Savior 우리 구세주 《그리스도》 / *O*~ team won. 우리 팀이 이겼다. **2** [군주·영국 국교회 감독이 my 대신에 써서] 짐의, 과인의, 우리의; (저자가 쓰는) 필자의 **3** [신문의 논설 등에서] 우리의: in ~ opinion 우리가 보는 바로는 **4** 예(例)의; 문제의; 화제의: ~ gentleman in a black hat 검은 모자를 쓴 문제의 신사
-our [ər] *suf.* 《영》 ＝-OR[1]
Our Fáther 〖성서〗 우리 아버지, 하느님; [the ~] 주기도문(Lord's Prayer)
Our Lády 성모 마리아(Virgin Mary)
Our Lórd 주님, 그리스도, 하느님(God)
‡ours [áuərz; 《약하게》 ɑːrz] *pron.* [we의 소유대명사] **1** 우리의 것 《가리키는 내용에 따라 단수 또는 복수 취급》: *O*~ is a day of rapid changes. 현대는 변화가 빠른 시대이다. / *O*~ are the large ones. 우리 것은 큰 것이다. / Which house is ~? 어느 것이 우리 집입니까? **2** [of ~로] 우리의; 우리 사(社)의, 우리 연대의 《our는 a, an, the, that, no 등과 함께 명사 앞에 놓을 수가 없으므로 our를 of ours로 해서 명사 뒤에 놓음》: a friend *of* ~ 우리의 친구 / this country *of* ~ 우리의 이 나라 **3** 우리의 임무: It is not ~ to blame him. 그를 책망하는 것은 우리의 임무가 아니다.
our·self [ɑːrsélf, àuər-] *pron.* **1** [각자가 가진; 남과 구별되는] 자기, 자신: It is for ~ that we must work harder. 더 열심히 일해야만 하는 것은 자신을 위해서이다. **2** [국왕의 공식 용어, 또는 종종 신문 사설의 용어로 써서; cf. WE 2] 나 자신을[에게] ★ Editorial 'we'의 경우 ourselves를 쓰는 경향이 있음.
‡our·selves [ɑːrsélvz, àuər-] *pron. pl.* 《we의 복합 인칭대명사; ⇨ oneself》 **1** [재귀적 용법] **우리들 자신에게[을]**: We shall give ~ the pleasure of calling. 방문하는 영광을 갖겠습니다. / We may be deceiving ~. 우리는 아마 잘못 생각하고 있는 듯하다. **2** [강조 용법] **우리 스스로**, 우리들 자신: We ~ will see to it. ＝We will see to it ~. 우리들이 어떻게 해서든 처리하겠다. / We do everything (*for*) ~. 우리는 우리 힘으로 무엇이든 한다. **3** 보통 때의[본래의, 정상적인] 우리들: We were not ~ for some time. 우리는 잠시 멍하니 있었다. **4** 《구어》 [주격] 우리들; [목적격] 우리들을: The children and ~ want to thank you. 아이들도 우리들도 감사드립니다. / No one is more fortunate than ~. 우리만큼 운이 좋은 사람은 없다. **5** [독립 구문의 의미상의 주어] 우리들: *O*~ too poor to help, we were forced to turn them away. 우리는 너무 가난해 도울 수 없어서 그들을 외면해야만 했다.
(***all***) ***by*** **~** 우리 힘으로; 우리들만으로 ***beside*** **~** ⇨ oneself. ***for*** **~** ⇨ oneself. (***strictly***) ***between*** **~** 우리끼리의 이야기로, 비밀로 ***to*** **~** ⇨ oneself
-ous [əs] *suf.* **1** [형용사 어미] 「…이 많은, …성(性)의, …을 닮은, …의 특징을 가진, …의 버릇이 있는, …에 정신이 팔린」의 뜻: peril*ous* **2** 〖화학〗 [-IC의 어미를 가지는 산(酸)에 대하여] 「아(亞)…」의 뜻: nitr*ous* acid 아질산(亞窒酸)
ou·sel [úːzəl] *n.* ＝OUZEL
∗oust [áust] *vt.* **1** 내쫓다, 쫓아내다, 퇴거시키다 《*from*》; 배제하다; 제외하다 《*of*》: He was ~*ed from* his post. 그는 그 지위에서 쫓겨났다. **2** (불법으로) 빼앗다, 박탈하다
oust·er [áustər] *n.* ⓤⓒ 추방, 방축, 배제, 축출; 〖법〗 불법 몰수
‡out ⇨ out (p. 1788)
out- [àut] *pref.* [동사·분사·동명사 등의 앞에 붙여] 「외(外); …이상으로, …을 초과하여; …보다 나아」의 뜻 ★ 악센트는 명사·형용사에서는 óutburst, óutlying처럼 앞에 붙고, 동사에서는 outdó, óutdó와 같이 뒤 또는 앞뒤에 붙는 것이 보통.
out·a [áutə] *prep.* 《미·구어》 ＝OUT of
out·a·chieve [àutətʃíːv] *vt.* (능력 등에서) 〈남을〉 능가하다
out·act [àutǽkt] *vt.* (행동·연기·업무 추진 따위가) …보다 앞서다, 뛰어나다, 낫다
out·age [áutidʒ] *n.* ⓤⓒ **1** (정전에 의한) 기계의 운전 정지; 사용 불능 **2** 정전; (가스·물 등의) 공급 정지; 정전 시간, 공급 정지 기간 **3** (운반·보관 중에 생긴 상품의) 감량(減量)
out-and-out [áutənd áut] *a.* Ⓐ 전적인, 순전한, 철저한(thorough): an ~ criminal 구제 불능의 범죄자 / an ~ lie 새빨간 거짓말 **—** *ad.* 아주, 철저히
out-and-out·er [àutənd áutər] *n.* 《구어》 철저히 하는 사람; 비상한 재사(才士); (어떤 성질의) 전형; 극단적인 사람
out·ar·gue [àutɑ́ːrgjuː] *vt.* 말로써 꺾다, 논파하다
out·a·site, -sight [àutəsáit] *a.* 《미·속어》 ＝OUT-OF-SIGHT
out·back [áutbæ̀k] 《호주·뉴질》 *n.* [보통 the ~] 오지(奧地), 미개척지, 미개간지
— [ㅅㅅ] *a., ad.* 오지의[로], 미개척지의[로]
out·bal·ance [àutbǽləns] *vt.* …보다 무게가 더 나가다; …보다 위이다[중요하다]; 압도하다
out·bid [àutbíd] *vi.* (**-bid, -bade**; **-bid·den, -bid**; **~·ding**) (경매에서) …보다 비싸게 값을 부르다 [매기다]
out·blaze [àutbléiz] *vi.* 〈감정 따위가〉 격해지다
— *vt.* **1** 〈빛이〉 …보다 강하다 **2** 〈재능 따위가〉 훨씬 능가하다
out·board [áutbɔ̀ːrd] *a., ad.* (opp. *inboard*) **1** 〖항해〗 배 밖의[으로], 뱃전의[으로]; 〈모터 보트의 엔진이〉 배 밖에 설치된[되어]; 〈모터 보트가〉 선외 엔진을 단[달고] **2** 〖항공〗 날개 끝에 가까운 쪽의[으로]
— *n.* 선외 엔진이 달린 보트
óutboard mótor 선외 모터 《선미 착탈식 모터》
out·bound [áutbáund] *a.* **1** 외국행의(opp. *inbound*) **2** 〈교통 기관 등이〉 시외로 가는
out·box[1] [àutbɑ́ks | -bɔ́ks] *n.* 〖컴퓨터〗 보낼 편지함 《새로 작성한 이메일을 보내기 전에 그 메시지가 저장되는 곳》
outbox[2] *vt.* (권투에서) 이기다
out·box [áutbɑ̀ks | -bɔ̀ks] *n.* 《미》 ＝OUT-TRAY
out·brag [àutbrǽg] *vt.* 허풍으로 이기다
out·brave [àutbréiv] *vt.* **1** …에 용감히 맞서다, 무시하다 **2** 용기로 압도하다, …보다 용감하다
∗out·break [áutbrèik] *n.* **1** (전쟁·질병 등의) **발발**, 돌발; 돌연한 발생[출현]; 격증, 급증 《*of*》; (분노의) 폭발: the ~ *of* war 전쟁의 발발 / an ~ *of* hives 꿀벌의 급증 **2** 폭동, 소요 《*of*》 **3** ＝OUTCROP 1

thesaurus **outbreak** *n.* eruption, flare-up, upsurge, outburst, sudden appearance, start
outburst *n.* burst, explosion, eruption, outbreak
outcome *n.* result, sequel, consequence, prod-

out·breed [àutbrí:d] *vt.* (**-bred** [-bréd]) **1** 〈생물을〉 이계 교배(異系交配)시키다 **2** 〖사회〗 …에게 이부족 결혼을 시키다 **—** *vi.* 〖사회〗 이부족 결혼을 하다
out·breed·ing [áutbrì:diŋ] *n.* Ⓤ **1** 〖생물〗 이계 교배 **2** 〖사회〗 족외혼(族外婚), 이(異)부족 결혼
out·build [àutbíld] *vt.* (**-built** [-bílt]) …을 보다 견고하게[오래가도록] 짓다, …보다 많이 짓다
out·build·ing [áutbìldiŋ] *n.* (미) (농장의) 딴채 ((영) outhouse) 《곳간·닭장·외양간 등》
∗**out·burst** [áutbə̀:rst] *n.* **1** (화산·격정 등의) 폭발, 분출(噴出) 《*of*》; 격발: an ~ *of* rage 격노의 폭발 **2** (눈물 등의) 쏟아져 나옴 《*of*》: an ~ *of* tears 쏟아져 나오는 눈물
out·by(e) [áutbái, ú:tbái] *ad.* (스코) **1** 옥외[야외]에 **2** 밖에, 바깥쪽에 **3** 약간 떨어져서
out·call [áutkɔ̀:l] *n.* 방문, 출장; (의사의) 왕진
out·cast [áutkæ̀st | -kɑ̀:st] *a.* 쫓겨난, 버림받은; 의지할 곳 없는, 집 없는; 거절당한: an ~ son 쫓겨난 아들 **—** *n.* 추방된 사람, 부랑자; 폐물
out·caste [áutkæ̀st] *n.* **1** (인도에서) 사회 계급(caste)에서 추방된 사람 **2** 〖사회〗 탈락자층(脫落者層) 《사회 변동의 결과로 생긴》
out-cit·y [àutsíti] *a.* 시골의, 시외의
out·class [àutklǽs | -klɑ́:s] *vt.* …보다 고급이다; …보다 뛰어나다: She *~es* her teammates. 그녀는 팀 동료들을 능가한다.
out-clear·ing [áutklìəriŋ] *n.* Ⓤ (영) 〖금융〗 (어음 교환소의) 교환 어음; 그 총액
out-col·lege [áutkɑ́lidʒ | -kɔ́-] *a.* (영) 대학 밖에서 사는; 대학 기숙사 밖에서 하숙하며 통학하는
‡**out·come** [áutkʌ̀m] *n.* [보통 *sing.*] 결과; 과정; 성과(result), 결론 《*of*》: watch the ~ *of* the affair 사건의 귀추를 지켜보다
out·cor·ner [áutkɔ̀:rnər] *n.* 〖야구〗 아웃코너
out-coun·try [áutkʌ̀ntri] *n.* (*pl.* **-tries**) 오지, 벽지 **—** *a.* 외국의, 이국의; 전원의
out·crop [áutkrɑ̀p | -krɔ̀p] *n.* **1** (광맥의) 노출, 노두(露頭) 《*of*》 **2** 돌발 사건; 돌발
— [스스] *vi.* (**~ped**; **~·ping**) 〈광맥이〉 노출하다, 〈표면이〉 나타나다(appear)
out·cross [àutkrɔ́:s | -krɔ́s] *vt.* (이종 교배(異種交配)로) 〈잡종을〉 만들다
— [스스] *n.* (동·식물의) 잡종; 이종 교배
out·cross·ing [áutkrɔ̀:siŋ | -krɔ̀-] *n.* Ⓤ **1** 〖생물〗 이종 교배 **2** 이(異)부족 결혼
∗**out·cry** [áutkrài] *n.* **1** 부르짖음, 절규, 비명, 외치는 소리; 시끄러움 **2** (대중의) 강력한 항의 《*against, over, about*》 **3** Ⓤ 경매; 외치며 팔기 ***raise an ~ against*** …에 시끄럽게 항의하다
— [스스] *vt.* (**-cried**) 목소리가 …보다 크다, …보다 더 큰 소리로 외치다; 큰 소리로 놀리다[야유하다]
out·curve [áutkə̀:rv] *n.* 〖야구〗 아웃커브, 외곡구 《타자에게서 멀리 벗어나는 공》(opp. *incurve*)
out·cut [áutkʌ̀t] *n.* 영화의 커트된 부분의 필름(outtake)
out·dance [àutdǽns] *vt.* …보다 춤을 잘 추다
out·dare [àutdέər] *vt.* …보다 대담한 짓을 하다, …보다 용감하다; 무시하다(defy)
out·date [àutdéit] *vt.* 구식이 되게 하다, 낡게 하다, 시대에 뒤지게 하다
out·dat·ed [àutdéitid] *a.* 구식의, 시대에 뒤진, 진부한(out-of-date) **~·ly** *ad.* **~·ness** *n.*
out·dis·tance [àutdístəns] *vt.* 훨씬 앞서다(outstrip); …보다 낫다, 능가하다
∗**out·do** [àutdú:] *vt.* (**-did** [-díd]; **-done** [-dʌ́n]) …보다 낫다; 능가하다; 이기다 《*in*》: (~+목+전+명) ~ a person *in* patience 인내력에 있어서 …을 능가하다 **~ one*self*** 전에 없이[의외로] 잘하다: The cook *outdid himself* last night. 어젯밤에 그 요리사는 평소와는 다르게 잘했다.

---

uct, conclusion, aftereffect, aftermath
outcry *n.* clamor, protest, complaints, objections, fuss, outburst, commotion, uproar, tumult
outdo *v.* surpass, exceed, excel, top

‡**out·door** [áutdɔ̀:r] *a.* Ⓐ **1** 집 밖의, 옥외의, 야외의 (opp. *indoor*): an ~ life 야외 생활 / an ~ grill 야외 요리용 그릴[석쇠판](barbecue grill) **2** (영) (국회에서) 원외(院外)의; (고아원·양로원 등의) 시설 외의: ~ relief (영) (사회 사업 시설에 수용되지 않은 사람을 위한) 원외 구제
óutdoor advertísing 옥외 광고
‡**out·doors** [àutdɔ́:rz] *ad.* 문 밖에서, 옥외[야외]에서[로]: stay ~ 옥외에 머무르다(opp. *indoors*)
— *n. pl.* [보통 the ~; 단수 취급] 옥외, 문밖 세상
— *a.* = OUTDOOR
out·doors·man [àutdɔ́:rzmən] *n.* (*pl.* **-men** [-mən, -mèn]) 옥외 생활을 좋아하는 사람; 야외 스포츠 애호가 **~·shìp** *n.*
óutdoor spòrts 야외 스포츠
out·doors·wom·an [-wùmən] *n.* (*pl.* **-women** [-wìmin]) 옥외 생활을 좋아하는 여성; 여성 야외 스포츠 애호가
out·doors·y [àutdɔ́:rzi] *a.* 옥외[야외]에 적합한, 외출용의; 옥외 생활[운동]을 좋아하는
out·draw [àutdrɔ́:] *vt.* (**-drew** [-drú:]; **-drawn** [-drɔ́:n]) **1** 〈권총 등을〉 더 빨리 뽑아 들다 **2** 〈인기·청중 등을〉 더 많이 끌다
out·drop [áutdrɑ̀p | -drɔ̀p] *n.* 〖야구〗 아웃드롭
out·dwell·er [áutdwèlər] *n.* (어떤 장소에서) 떨어져 사는 사람, 원거리 거주자
out·ed [áutid] *a.* (미·속어) 죽은, 살해된
‡**out·er** [áutər] *a.* **1** 밖의, 바깥[외부]의; (중심에서) 멀리 떨어진(opp. *inner*): an ~ wall 외벽 / the ~ world 세상; 외계(外界) / in the ~ suburbs (도심에서) 먼 교외에 **2** 외면적인; 육체적인; 물질적인 **3** 〖철학〗 객관적인(cf. INNER, SUBJECTIVE)
— *n.* **1** 과녁 중심권 밖의 부분; 권외 명중탄 **2** (호주) (경기장의) 지붕 없는 관람석, 야외석
óuter bár [the ~] 평(平)변호사 《왕실 변호사가 아닌》; 하급 법정 변호사단
óuter bèlt (미) = RING ROAD
óuter cíty (미) 시외, 도시의 교외
out·er·coat [áutərkòut] *n.* 외투
out·er·course [áutərkɔ̀:rs] *n.* 간접 성교 (행위) (opp. *intercourse*)
óuter éar 〖해부〗 외이(外耳)(opp. *inner ear*)
óuter gárments (옷 위에 걸치는) 겉옷
Óuter Hébrides [the ~] = HEBRIDES
Óuter Hóuse [the ~] 초심부, 제1심부 《스코틀랜드 항소 법원》
óuter mán [the ~] (정신에 대한) 육체; 풍채, 옷차림, 외관
Óuter Mongólia 외몽고
out·er·most [áutərmòust] *a.* 가장 바깥쪽의, 맨 꼭대기의, 맨 뒤의, 가장 먼: the ~ limits 최대 범위
óuter plánet 〖천문〗 외행성 《화성 궤도보다 바깥쪽 궤도에 있는 행성; 목성, 토성, 천왕성, 해왕성》
óuter spáce (대기권 외) 우주 공간 《지구의 대기권 밖의 공간; 별[행성] 사이의 공간》
Óuter Spáce Trèaty 우주 조약, 우주 천체 조약 《1967년 발효》
out·er·wear [áutərwὲər] *n.* Ⓤ [집합적] 겉옷, 외투 《코트·재킷·레인코트 등》
óuter wóman (익살) (여자의) 외양, 자태; 복장
out·face [àutféis] *vt.* **1** 노려보다, 노려보아 시선을 돌리게 하다; 낯을 붉히게 하다 **2** …에 태연하게[대담하게] 맞서다, 도전하다; 안중에 안 두다
out·fall [áutfɔ̀:l] *n.* **1** 하구(河口), 강어귀 **2** (하수의) 배출구, 유출구
∗**out·field** [áutfì:ld] *n.* **1** 〖야구·크리켓〗 외야; [집합적] 외야수(opp. *infield*) **2** (농장·울타리 밖의) 변두

out

out는 「밖에, 밖에서, 밖으로」의 뜻의 부사 기능이 두드러진다. 전치사의 역할은 주로 out of가 맡는다. 따라서 out of는 그만큼 빈도가 높고 중요하다.
여러 기본 동사와 결합하여 성구를 이루어 폭 넓게 쓰이는 말이다.

‡**out** [áut] *ad.*, *prep.*, *a.*, *n.*, *v.*, *int.*

기본적으로는 「밖으로」의 뜻.	
① 밖에, 밖으로; (…에서) 밖으로	뮈 **1, 2, 3, 4 a** 전 **1**
② 바닥이 나서; 끝나서	뮈 **7**
③ 마지막까지; 완전히	뮈 **6**
④ 큰 소리로; 분명히	뮈 **5**

—*ad.* ★ be동사와 함께 쓰일 경우에는 형용사로 볼 수도 있음 ⇨ *a.* **1 a** [동사와 함께] **밖에, 밖으로,** 외부에[로], (밖으로) 나와, 집 밖으로(opp. *in*): go ~ for a walk 산보하러 나가다 / set ~ on a journey 여행을 떠나다 / take ~ one's wallet 지갑을 꺼내다 / put ~ a garbage can 쓰레기통을 밖에다 내놓다 / My father has gone ~ fishing. 아버지는 낚시하러 가셨습니다. **b** [보통 be동사와 함께] **외출하여,** 부재중; 읍[시]을 떠나: be ~ of town (출장 등으로) 도시를 떠나 있다 / She *is* ~ shopping. 그녀는 쇼핑하러 나가 있다. / Father *is* ~ in the garden. 아버지는 지금 정원에 나가 계십니다. / *O*~ to lunch 식사 중, 식사하러 나가 있음 《게시》 **c** 〈배 등이〉 육지를 떠나, 먼 바다에 나가; 고국을 떠나, 외국에; 〈조수가〉 썰물에: ~ at sea 항해 중 / far ~ at sea 멀리 먼바다에 / fly ~ to India 인도로 날아가다 / The tide is ~. 조수는 썰물이다.
2 a (밖으로) **내밀어,** 내뻗어, 나와; 펼쳐: hold ~ one's hand 손을 내밀다 / stretch ~ one's arm 팔을 뻗다 / roll ~ a carpet 융단을 펴다 **b** 골라내어, 집어내어: pick ~ the most promising students 가장 전도유망한 학생들을 골라내다 / Choose ~ the biggest orange for him. 그에게 제일 큰 오렌지를 골라 주어라.
3 a 〈물체가〉 **나타나:** The stars came ~ one by one. 별들이 하나씩 나타났다. **b** 〈신체의 일부 등이〉 **튀어나와:** The child's shoulders were ~, so his mother pulled the blanket up. 어린아이의 어깨가 나와 있었기 때문에 어머니는 모포를 끌어올려 주었다. / His trousers are ~ at the knees. 그의 바지는 무릎이 나와 있다. **c** 〈비밀 등이〉 **탄로나,** 세상에 알려져, 〈소문 등이〉 퍼져: The secret is[has got] ~. 비밀이 탄로났다. **d** 〈책이〉 **출판되어,** 세상에 나와, 발표되어: His new book is[has come] ~. 그의 새 작품이 나왔다. **e** [형용사 최상급+명사 뒤에서] (구어) 세상에 나와 있는 것 중에서: He is the clever*est* man ~. 그는 이 세상에서 가장 영리한 사람이다.
4 a 〈꽃 등이〉 피어; 〈잎이〉 나와, 돋아: shoot ~ buds 싹이 트다 / The pear blossoms are ~. 배꽃이 피었다. / The leaves are ~. 잎이 나왔다. **b** 〈새 새끼가〉 깨어: The chicks are ~. 병아리가 부화되었다. **c** 〈뾰루지 등이〉 돋아: come ~ in a rash 발진이 생기다
5 a **큰 소리로,** 고성으로, 들리도록: shout ~ 큰 소리로 외치다 / cry ~ 큰 소리로 울다 **b** 노골적으로, 까놓고, 분명히, 기탄없이: Speak ~! 까놓고 분명히 말하라! / Tell him right ~. 그에게 분명히 말하시오.
6 **끝까지,** 최후까지; 완전히, 충분히, 철저하게: fight it ~ 끝까지 싸우다 / say it all ~ 자초지종을 말하다 / Hear me ~, please. 내 이야기를 끝까지 들어 주시오. / You look tired ~. 자네는 아주 지친 것 같네.
7 a **없어져,** 바닥이 나; 품절되어: pump a well ~ 우물이 마를 때까지 물을 퍼내다 / Provisions have run ~. 식량이 바닥났다. / His strength was ~. 그의 힘은 모두 소모되었다. **b** 〈불·전등 등이〉 **꺼져:** put ~ a fire 불을 끄다 / The light went ~ 등불이 꺼졌다. / The fire has burned ~. 불은 다 타버렸다. **c** 정신을 잃고: I was ~ for a while. 잠시 동안 의식이 없었다. **d** 〈기한 등이〉 끝나, 만기가 되어: before the year is ~ 연내에 / The copyright of this novel will be ~ in two years' time. 이 소설의 저작권은 2년이 지나면 끝난다. **e** 유행이 지나: Sack dresses are ~. 헐렁한 옷은 유행이 지났다. / That style has gone ~. 저 스타일은 유행이 지났다.
8 a (본래의 상태에서) **벗어나서;** 빠져; 틀려; 비정상인; (사이가) 틀어져: The arm is ~. 팔이 탈구되어 있다. / You are ~ in your calculations. 계산이 틀렸다. / My guess was way ~. 내 짐작은 크게 빗나갔다. / I am ~ with Smith. 난 스미스와 사이가 나쁘다. **b** (얼마만큼) 틀려, 벗어나; 손해보고: My watch is a few minutes ~. 내 시계는 몇 분 틀린다. / The bill is $10 ~. 이 청구서는 10달러 틀린다.
9 일을 쉬고, 실직하고; 파업(strike)을 하고: He is ~ because of sickness. 그는 아파서 일을 쉬고 있다. / The workmen are ~ (on (a) strike). 노동자들은 파업을 하고 있다.
10 정권을 떠나, 현직에서 물러나, 재야(在野)에
11 a 〚야구·크리켓〛 아웃이 되어 **b** 〚크리켓〛 퇴장이 되어 **c** 〚테니스·배드민턴 등〛 〈공이〉 선 밖에(opp. *in*)
12 〚골프〛 (18홀의 코스에서) 전반(9홀)을 끝내고: He went ~ in 39. 그는 39 스트로크로 아웃을 끝냈다.
all **~** ⇨ all *ad.*
be ~ for ... [***to*** do] …을 얻으려[하려]고 애쓰다: I'*m* not ~ *for* compliments. 찬사를 듣고 싶은 것은 아니다. / I *am* not ~ *to* reform the world. 세계를 개혁하려고 하는 것은 아니다.
be ~ with …와 사이가 틀어지다 ⇨ 8*a*.
down and ~ 거덜이 나
from this [***now***] **~** 앞으로는(henceforth)
just ~ 갓 나온[발표된, 발간된]
~ ***and about*** 〈병자가〉 (기운을 되찾아) 밖에 나갈 수 있게 되어; 〈사람이〉 나다니고
~ ***and away*** 단연, 훨씬(far and away)
~ ***and home*** [***back***] 갈 때나 올 때나, 왕복 모두
~ ***and*** **~** 전적으로, 완전히, 철저하게
~ ***cold*** (미·속어) 곤드레만드레가 되어; 정신을 잃고; 죽어서
~ ***from under*** (미·구어) 궁지[위험]를 벗어나서, 해방되어
~ ***front*** 청중[관객] 가운데에서; 정면에서
~ ***loud*** 소리를 내어, 큰 소리로
~ ***of ...*** [àutəv] (1) …**의 안에서 밖으로,** …의 밖으로(opp. *into*): ~ *of* doors 옥외에서 / Two bears came ~ *of* the forest. 곰 두 마리가 숲에서 나왔다. (2) (어떤 수(數)) **중에서:** one ~ *of* many 많은 중에서 하나 / nine cases ~ *of* ten 십중팔구 / one chance ~ *of* ten 열에 하나의 기회 / pay ten dollars and fifty cents ~ *of* twenty dollars 20달러 중에서 10달러 50센트를 지불하다
(3) …의 범위 밖에; …이 미치지 못하는 곳에: ~ *of* sight 보이지 않게 되어 / Tom was already ~ *of* hearing. 톰은 이미 들리지 않는 곳에 있었다. / *O*~ *of* sight, ~ *of* mind. 《속담》 안 보면 정도 멀어진다, 거자일소(去者日疎).
(4) (a) …의 상태에서 떨어져, …을 벗어나; …이 없어서; 〈상태가〉 나쁘게, …을 잃고: ~ *of* date 시대에 뒤떨어져 / ~ *of* danger 위험에서 벗어나 / ~ *of*

breath 숨을 헐떡이며/~ *of* humor 기분이 나빠/~ *of* one's mind[head] 《구어》 미쳐, 이성을 잃고/~ *of* doubt 의심 없이, 분명히/~ *of* the question 문제가 되지 않는/~ *of* work[a job] 실직하여 (b) 〈물건이〉 바닥나, …이 떨어져: We are ~ *of* coffee. 커피가 떨어졌다./We have run ~ *of* tea. 차가 떨어졌다.
(5) [재료를 나타내어] …에서, …으로: made ~ *of* scraps 폐품으로 만든/What did you make it ~ *of*? 자네는 그것을 무엇으로 만들었나?
(6) [원인·동기를 나타내어] …에서, …때문에: ~ *of* curiosity[kindness] 호기심[친절]에서/~ *of* loyalty 충성심에서/We acted ~ *of* necessity. 우리는 필요에 의해서 했다.
(7) [기원·출처를 나타내어] (a) …에서, …부터: drink ~ *of* a cup 컵에서 마시다/come ~ *of* a poor family 가난한 집 출신이다/a passage ~ *of* Milton 밀턴의 작품에서 인용한 한 절/~ *of* one's (own) head 자신이 생각하여 (b) 〈말(馬) 등이〉 …을 어미로 하여 (태어나)
(8) (a) [결과에 손실을 나타내어] …을 잃고, …을 빼앗겨; …을 빼앗아: cheat a person ~ *of* money 남을 속여서 돈을 빼앗다/He was swindled ~ *of* his watch. 그는 속아서 시계를 빼앗겼다. (b) …을 떼어, …을 벗겨: I helped her ~ *of* her clothes. 그녀가 옷을 벗는 것을 도와주었다.
~ of doors ⇨ outdoors *ad.*
~ of it (1) 관계가 없어 (2) 《구어》 따돌림당해, 고립하여, 외로운: She felt ~ *of it.* (따돌림당한 것 같아) 그녀는 섭섭함을 느꼈다. (3) 《미》 (진상과는) 동떨어진, 추정이 잘못되어 (4) 시대[유행]에 뒤떨어져 (5) 난처하여, 어찌할 바를 모르고
~ of trim 〖항해〗 〈배가〉 한쪽이 무거워
O~, please. 《구어》 좀 나가겠습니다. 《승강기 등에서 내릴 때》
~ there 저곳에, 저쪽[편]에
O~ with it! 《구어》 다 말해 버려, 말해라!
O~ you go! 《구어》 나가, 꺼져 버려!
— *prep.* **1** (문·창 등)으로부터, …에서, …을 통하여 밖으로: go ~ the door 문에서 나가다/look ~ the window at the river 창문에서 강을 내다보다/hurry ~ the room 방에서 뛰어나가다
2 《구어》 [위치] …밖에[으로]; …의 끝에; …를 따라 밖으로: He lives ~ Main Street. 메인 스트리트[중앙로]를 벗어난 곳에서 살고 있다./The car is parked ~ back. 차는 저 뒤에 주차시켜 놓았다./Let's drive ~ the old parkway. 옛 공원 도로를 따라 교외로 드라이브 가자.
3 [from ~으로] 《시어·문어》 …에서, …으로부터: It arose *from* ~ the azure main. 그것은 푸른 망망 대해로부터 나타났다.
— *a.* **1** 밖의, 바깥쪽의; 바깥으로 향하는; 멀리 떨어진: an ~ match 《미》 원정 경기/the ~ sign 출구 표지/an ~ island 멀리 떨어진 섬
2 부재중인: I stopped by to see you, but you were ~. 너를 만나려고 잠시 들렀는데 부재중이더군.
3 《구어》 고려할 가치 없는, 문제 밖의; 불가능한: She gets airsick, so flying is ~. 그녀는 비행기 멀미를 한다, 그래서 비행이 불가능하다.
4 a 바닥난, 없는: We had some but now we're ~. 조금 있었는데, 지금은 없다. **b** 《구어》 〈기계가〉 고장난, 작동하지 않는; 〈불이〉 꺼진: The elevator is ~. 엘리베이터가 고장나 있다. **c** 〈기한 등이〉 끝난: before the week is ~ 이번 주가 끝나기 전에 **d** 유행에 뒤진, 유행하지 않는: Fitted waist lines are ~ this season. 꼭 맞는 웨이스트라인은 이번 시즌 유행이 아니다.
5 a (스포츠 등에서) 현역에서 물러난, 출장하지 않는: He's ~ for the season with a leg injury. 그는 다리 부상으로 이번 시즌은 결장하고 있다. **b** 〈관직·직위 등을〉 이미 가지고 있지 않은; 실직한: be ~ of work 실직 중이다 **c** 권력이 없는: a member of ~ party 야당의 일원
6 의식을 잃은, 인사불성의: Two drinks and he's usually ~. 두 잔 마시면 그는 보통 의식을 잃는다.
7 〖야구〗 아웃의(opp. *in*)
8 손해 보는; 〈계산 등이〉 틀린: calculations ~ by $247 247달러 틀린 계산
9 안 쓰는, 연습을 하지 않는: Your bow hand is ~. 네 왼손은 둔해졌다.
10 〈의복 등이〉 (찢어져) 살이 보이는, 노출된: ~ at the knees 무릎이 드러난
11 〈생선·과일 등이〉 제철이 아닌, 구할 수 없는: Mums are ~ till next fall. 국화는 내년 가을까지는 구할 수 없다.
12 〖크리켓〗 수비쪽의: the ~ side 수비쪽
13 〖골프〗 (18홀 코스에서) 전반(9홀)의, 아웃의
— *n.* **1** [the ~] 외부, 바깥쪽(outside)
2 [보통 *sing.*] 《구어》 (일·비난 등을 피하기 위한) 변명, 구실; 회피; 해결책: I had no ~. 변명할 말이 없었다.
3 a 지위[세력]를 잃은 사람 **b** [the ~s] 《영》 야당
4 [*pl.*] 〖스포츠〗 수비측
5 〖야구〗 아웃
6 〖인쇄〗 탈락(omission)
7 《주로 미·구어》 결점, 실수, 잘못
at ~s 《영·구어》 …와 사이가 나빠 《*with*》
from ~ to ~ 끝에서 끝까지
make a poor ~ 〈사람이〉 (무엇을 하려고 애써도) 잘되지 않다, 두각을 나타내지 못하다
on the ~s 《미·구어》 …와 사이가 나빠 《*with*》: He is *on the ~s with* his family. 그는 가족과 사이가 나쁘다.
the ins and ~s ⇨ in *n.*
— *vt.* 《구어》 **1** 쫓아내다, 추방하다
2 〈불을〉 끄다
3 〖권투〗 때려눕히다; 〖스포츠〗 아웃되게 하다
4 〈동성애자·스파이 등을〉 폭로하다
— *vi.* **1** [보통 will ~으로] 드러나다, 알려지다: Murder *will* ~. 《속담》 나쁜 짓은 반드시 드러난다./The truth *will* ~. 《속담》 진실은 언젠가는 드러난다.
2 나오다, 나가다
~ it 《구어》 나가다; 하이킹하러 가다
~ with …을 입밖에 내다, 털어놓다
— *int.* **1** 나가, 꺼져버려
2 (무선 통화에서) 발신 끝

리 밭; 목초지로 이용되는 휴경지 **3** 변경(邊境); 미지의 세계[분야] **~·er** *n.* 외야수(opp. *infielder*)

out·fight [àutfáit] *vt.* (**-fought** [-fɔ́:t]) …와 싸워 이기다

out·fight·ing [áutfàitiŋ] *n.* Ⓤ 〖권투〗 아웃복싱(opp. *infighting*)

thesaurus **outfit** *n.* **1** 의상 clothes, dress, ensemble, suit, costume, garb **2** 장비 kit, equipment, tools, apparatus — *v.* equip, fit out, supply, provide with, furnish with

‡out·fit [áutfìt] *n.* **1** (여행 등의) 채비, 여장; 의상 한 벌; (배의) 의장(艤裝): a new spring ~ 새 봄의 의상 한 벌 **2** 용품; 장사 도구, 도구 한 벌; (여행·탐험대의) 장비 한 벌: a barbecue ~ 바비큐 도구 한 벌/a cooking ~ 요리 도구/a bride's ~ 신부의 혼수 **3** 마음의 준비, 소양(素養); 능력, 체력 **4** [집합적] 《구어》 (사업에 종사하는) 일단(一團), 조직, 기업, 회사; (군) 부대; 탐험단, 여행단; 공원(工員)의 일단: a construction ~ 건설 회사
— *v.* (**~·ted**; **~·ting**) *vt.* 공급하다, 갖추어 주다, …에게 채비를 차려 주다 《*with*》: (~+목+전+명) ~

a person *with* money for his trip …에게 여비를 마련해 주다
— *vi.* 준비하다, 몸차림을 하다
~·**ter** *n.* 여행[운동]용품상[점], 장신구상
óutfit càr 공사용 숙박차 《철도 노선 공사 작업원 등이 숙박하는 철도 차량》
out·fit·ting [áutfitiŋ] *n.* Ⓤ (특히 항해 따위의) 채비, 준비, 장구
out·flank [àutflǽŋk] *vt.* 《군사》 (적의) 측면을 포위하다, 계책으로 누르다(outwit); 적의 허를 찌르다
out·flow [áutflòu] *n.* 유출; 유출물; 유출량 《*of*》; (감정 등의) 발로, 격발
out·flux [áutflʌ̀ks] *n.* 유출; 출구, 유출구
out·fly [àutflái] *v.* (**-flew** [-flúː]; **-flown** [-flóun]) *vt.* …보다 더 멀리[빨리] 날다 — *vi.* 날아 나오다
out·foot [àutfút] *vt.* 〈배가〉 …보다 속도가 빠르다; …보다 빨리 뛰다[걷다]
out·fox [àutfáks | -fɔ́ks] *vt.* = OUTSMART
out-front [áutfrʌ́nt] *a.* 《구어》 진보적인; 솔직한, 숨김 없는, 정직한
out·frown [àutfráun] *vt.* 《고어》 (노려보아) 말 못하게 하다[위압하다]
out·gas [áutgæ̀s, ⌐⌐] *vt., vi.* (**~sed**; **~·sing**) 〈기체를〉 빼다; 기체가 없어지다
out·gen·er·al [àutdʒénərəl] *vt.* (**~ed**; **~·ing** | **~led**; **~·ling**) 전술[작전]로 이기다, 술책에 빠뜨리다
out·giv·ing [áutgìviŋ] *n.* **1** 《고어》 발표[공표]된 것, 발언, 공식 성명 **2** [*pl.*] 지출 비용
— *a.* 우호적인, 호의적인; 사교적인, 외향적인
out·go [àutgóu] *vt.* (**-went** [-wént]; **-gone** [-gɔ́ːn | -gɔ́n]) 《고어》 …보다 더 멀리[빨리] 가다; 능가하다, 이기다 ~ one***self*** = OUTDO oneself
— [⌐⌐] *n.* (*pl.* **~es**) **1** 출발, 퇴거; 외출 **2** 출비(出費), 지출(opp. *income*) **3** 유출(流出); 유출물[양] **4** 결과(outcome) **5** 출구
∗**out·go·ing** [áutgòuiŋ] *a.* **1** 나가는, 떠나가는, 출발의; 사임[퇴임]하는: the ~ tide 썰물/an ~ minister 퇴임 장관/~ trains 출발하는 기차 **2** 사교성이 풍부한, 외향성의; 우호적인: ~ foreign policy 우호적인 외교 정책/an ~ boy 외향적인 소년 **3** 〈우편물 등이〉 보낼 수 있는: ~ mail 발신 우편물
— *n.* ⓊⒸ **1** 떠남, 출발; (심정 등의) 토로 **2** [*pl.*] 《영》 출비, 지출, 비용, 경비, 유지비 **3** 유출물[양]
out-group [áutgrùːp] *n.* 《사회》 (자기 그룹이 아닌) 외(外)집단(opp. *in-group*)
out·grow [àutgróu] *v.* (**-grew** [-grúː]; **-grown** [-gróun]) *vt.* **1** …보다 더 커지다[빨리 자라다]; 자라서 〈옷을〉 못 입게 되다: ~ one's brother 형보다 커지다/He has *outgrown* his clothes. 그는 자라서 옷을 못 입게 되었다. **2** (성장하여) 〈습관·취미 등을〉 벗어나다, 벗어 버리다; …의 고통에서 벗어나다: ~ a fear of the dark 나이가 들면서 어둠이 무섭지 않게 되다 — *vi.* 《고어》 〈잎 등이〉 뻗어 나오다
out·growth [áutgròuθ] *n.* **1** 자연적인[당연한] 발전[결과, 소산]: Inflation was an ~ of war. 인플레는 전쟁의 결과였다. **2** 파생물, 부산물 《*of*》 **3** 가지, 곁가지(offshoot); 옹이; 생성물 **4** 성장, 싹틈
out·guard [áutgɑ̀ːrd] *n.* = OUTPOST 1
out·guess [àutgés] *vt.* …의 낌새를 미리 알다; 앞지르다(outwit), …의 의표를 찌르다
out·gun [àutgʌ́n] *vt.* **1** 《군사》 …보다 화력이 우세하다, 무기가 많다 **2** 능가하다, …보다 뛰어나다
out·gush [àutgʌ́ʃ] *vi.* 흘러나오다, 유출[분출]하다
— [⌐⌐] *n.* 유출, 분출
out·haul [áuthɔ̀ːl] *n.* 《항해》 아웃홀 《돛을 펼 때 그 각을 활대를 따라 나오게 하는 로프》
out·hec·tor [àuthéktər] *vt.* …을 위압하다
out-Her·od [àuthérəd] *vt.* [다음 성구로]
~ ***Herod*** 포악함이 헤롯왕을 능가하다 《Shakespeare 작 *Hamlet*에서》 ★ 유사구가 많음: out-Zola Zola 사실적인 점에서 졸라 이상이다.

out·hit [àuthít] *vt.* (~; **~·ting**) 《야구》 〈상대 팀보다〉 안타를 더 많이 치다; 이기다
out·house [áuthàus] *n.* (*pl.* **-hous·es** [-hàuziz]) **1** 《영》 딴 채, 헛간 **2** 《미》 옥외 변소
out·ie [áuti] *n.* 불거진 배꼽, 불거진 배꼽을 가진 사람
∗**out·ing** [áutiŋ] *n.* **1** 소풍, 피크닉, 산책: go for[on] an ~ 소풍 가다 **2** (경기 등의) 출장 **3** 앞바다(offing)
óuting flànnel 무명 플란넬
out-is·land [áutàilənd] *n.* 외딴 섬
out·jock·ey [àutdʒáki | -dʒɔ́ki] *vt.* 속이다, 꾀를 써서 이기다
out·jump [àutdʒʌ́mp] *vt.* …보다 잘 뛰다, 더 높이 뛰다
out·laid [àutléid] *vt.* OUTLAY의 과거·과거분사
out·land [áutlæ̀nd] *n.* [보통 *pl.*] 시골, 지방; 변두리, 경계에 가까운 토지; 멀리 떨어진 땅; 《고어》 외지, 외국 — *a.* 경계 밖의; 멀리 떨어진, 먼; 지방의, 변두리의; 《고어》 외지의, 외국의
out·land·er [áutlæ̀ndər] *n.* 외국인; 이방인, 국외자(outsider); 문외한; 모르는 사람
out·land·ish [àutlǽndiʃ] *a.* 《구어》 이국풍의; 기이한, 이상한; 외딴; 시골 구석의, 지방의, 벽지의; 《고어》 외지의, 외국의: ~ clothes 색다른 옷
~·ly *ad.* **~·ness** *n.*
out·last [àutlǽst | -lɑ́ːst] *vt.* **1** …보다 오래 가다[계속하다] **2** …보다 오래 살다(outlive)
out·law [áutlɔ̀ː] *n.* **1** 법률상의 보호를 박탈당한 사람, 법외 추방자, 법외자 **2** 무법자, 불량배, 상습범; 사회에서 추방된 사람; 반역자 **3** 다루기 힘든 말[동물]
— *vt.* **1** 무법자로 선언하다, 법률의 보호 밖에 두다; 〈사람을〉 사회에서 매장하다, 추방하다 **2** 금지하다, 비합법화[불법화]하다: ~ drunken driving 음주 운전을 금지하다 **3** 《미》 …의 법적 효력을 소멸시키다, 법적으로 무효화하다: an ~*ed* debt 《미》 시효(時效)가 넘은 채무
óutlaw cóuntry = PROGRESSIVE COUNTRY
out·law·ry [áutlɔ̀ːri] *n.* (*pl.* **-ries**) ⓊⒸ **1** 공권박탈, 법률상의 보호의 박탈; 법외 추방, 사회적 추방 **2** 비합법화, 불법화, 금지 **3** 무법 상태; 법률 무시, 무법 행위
óutlaw strìke 불법 파업
out·lay [áutlèi] *n.* **1** 지출; (정력 등의) 소비 《*of*》 **2** 경비, 지출액 — [⌐⌐] *vt.* (**-laid** [-léid]) 《미》 소비하다 《*on, for*》
out·leap [àutlíːp] *vt.* **1** 〈장애물보다〉 앞쪽으로 뛰어넘다 **2** …보다 멀리[위쪽으로] 뛰어넘다 — *vi.* 뛰어나가다, 급히 나가다
‡**out·let** [áutlèt, -lit] *n.* **1** (액체·기체 등의) 출구, 방출구(opp. *inlet*); 방수구, 하구(河口)(opp. *intake*) 《*for, of*》: an ~ *of* a lake 호수의 유출구 **2** (감정 등의) 배출구, 표현 수단 《*for*》: an ~ *for* one's artistic impulse 예술적 충동의 배출구 **3** (상품의) 판로; 소매점; (제조업자의) 계열 판매점, 직판점 《*for*》 **4** 《미》 (전기의) 코드 구멍, 콘센트(《영》 point) **5** (방송망 산하의) 지방 방송국
oútlet màll 아웃렛 몰 《outlet store가 모여 있는 쇼핑 센터》
óutlet stòre 아웃렛점(店), 직매점
out·lie [àutlái] *vi.* **1** 밖에서 자다, 야영하다 **2** 넓어지다, 퍼지다
out·li·er [áutlàiər] *n.* **1** 집 밖에서 자는 사람[동물], 임지(任地)에 살지 않는 사람, 영외 거주자 **2** 본체(本體)를 떠난 물건, 분리물 **3** 국외자, 문외한 **4** 《지질》 외좌층(外座層)
‡**out·line** [áutlàin] *n.* **1** 윤곽, 외형(선), 외곽선(⇨ figure 유의어): the ~*s* of the mountains 산맥의

thesaurus **outlet** *n.* **1** 출구 way out, exit, vent, valve, channel **2** 소매점 market, store, shop
outline *n.* **1** 윤곽 contour, silhouette, profile, configuration, perimeter **2** 개요 draft, rough draft,

능선 **2** 약도, 초벌 그림 **3** ⓊⒸ 개요, 아우트라인; [*pl.*] 주된 특색; 요점, 요강: an ~ of a discourse 이야기의 줄거리 ***give an ~ of*** …의 개요를 말하다 ***in ~*** 윤곽만 그려; 개략의
— *vt.* **1** …의 윤곽을 그리다 **2** …의 약도[초벌 그림]를 그리다 **3** 개설(槪說)하다, 약술하다
out·lin·er [áutlàinər] *n.* 〖컴퓨터〗 문서 편집 프로그램
***out·live** [àutlív] *vt.* **1** …보다 더 (오래) 살다, 보다 오래 남다[계속하다]; 〈어느 시기 등의〉 후까지 살아 남다(survive) **2** 오래 살아서 …을 잃다: ~ one's children 자식들을 앞세우다 **3** 〈곤란 등을〉 극복하다, 견디어 내다, 무사히 헤어나다: The ship ~*d* the storm. 배는 폭풍우를 무사히 견뎌 냈다.
‡**out·look** [áutlùk] *n.* **1** [보통 *sing.*] 조망, 경치, 광경 (*on, over*): an ~ *on*[*over*] the sea 바다의 경관 **2** 예측, 전도, 전망; 가능성 (*for*): the business ~ *for* next year 내년의 사업 전망/the political ~ 정치적 전망 **3** 견해, 견지; 시야; 개관, …관(觀) (*on*): a dark ~ *on* life 어두운 인생관 **4** 망보기, 경계, 감시; 망보는 곳, 망루; 망보는 사람, 감시인
on the ~ 경계하여, 조심하여 (*for*)
— [ㅅ스] *vt.* 〈용모 등이〉 …보다 낫다; (고어) 노려보다
óutlook ènvelope 겉의 일부가 투명한 봉투(window envelope)
out·ly·ing [áutlàiiŋ] *a.* Ⓐ **1** 바깥에 있는 **2** 중심을 떠난, 멀리 떨어진; 외딴: an ~ village 외딴 동네
óutlying báse 〖미군〗 해외 기지
out·man [àutmǽn] *vt.* (**~ned**; **~·ning**) …보다 인원이 많다; …에게 사람 수로 이기다; (고어·속어) …보다 남자답다
out·ma·neu·ver | **-noeu·vre** [àutmənjú:vər | -nú:-] *vt.* 술책으로 이기다, 〈상대방의〉 허를 찌르다
out·march [àutmɑ́:rtʃ] *vt.* …보다 더 빨리[멀리] 나가다, 앞지르다, 능가하다
óut màtch 원정 경기[시합]
out·match [àutmǽtʃ] *vt.* …보다 낫다, …보다 한 수 위이다
out·mea·sure [àutméʒər] *vt.* …보다 정도[넓이, 크기, 길이]에서 능가하다, …보다 양이 많다
out-mi·grant [áutmàigrənt] *n.* (외국·타지역으로의) 이주자
out-mi·grate [áutmàigreit] *vi.* (집단적[계속적] 이주의 일부로서) 밖으로 이주하다
òut-mi·grá·tion *n.*
out·mode [àutmóud] *vt., vi.* 시대[유행]에 뒤떨어지(게 하)다
out·mod·ed [àutmóudid] *a.* 유행[시대]에 뒤진; 현대에는 통하지 않는, 구식의: ~ teaching methods 시대에 뒤진 교수법 **~·ly** *ad.* **~·ness** *n.*
out·most [áutmòust] *a.* = OUTERMOST
out·mus·cle [àutmʌ́sl] *vt.* 힘으로 압도하다[이기다]
out·ness [áutnis] *n.* Ⓤ 〖철학〗 외부성(externality), 객관성, 비주관성
out·num·ber [àutnʌ́mbər] *vt.* …보다 수적으로 우세하다, …를 수로 압도하다
out-of-bod·y [áutəvbɑ́di | -bɔ́di] *a.* 자신의 육체를 떠난, 체외 유리(遊離)의 (자신을 바깥쪽에서 보는 심령 현상의)
óut-of-bódy expérience 체외 유리[육체 이탈] 체험 (略 OBE)
out-of-bounds [-əvbáundz] *a.* **1** 〖스포츠〗 (필드·코스의) 밖의, 제한 구역 밖의 **2** 〈생각·행동이〉 엉뚱한, 상궤(常軌)를 벗어난 **3** 규정의 한계를 넘은; 금지된
óut-of-córut sèttlement [-əvkɔ́:rt-] 법정 밖에서의 화해

---

sketch, framework, layout, plan, design
outlook *n.* **1** 조망 view, prospect, panorama, aspect **2** 견해 viewpoint, perspective, attitude, standpoint, angle, interpretation, opinion

***out-of-date** [áutəvdéit] *a.* 구식의, 낡은, 시대에 뒤떨어진(opp. *up-to-date*)
out-of-door [áutəvdɔ́:r] *a.* = OUTDOOR
out-of-doors [áutəvdɔ́:rz] *a.* = OUTDOOR
— *n. pl.* [단수 취급] = OUTDOORS
— *ad.* = OUTDOORS
out-of-pock·et [áutəvpɑ́kit | -pɔ́-] *a.* 현금불(拂)의, 일시불의, 외상이 아닌
óut-of-pócket expénses 현금 지불 경비
out-of-print [áutəvprínt] *a., n.* 절판된 (책)
out-of-reg·is·ter [áutəvrédʒistər] *a.* 〖인쇄〗 (다색 인쇄 때에) 각 색의 가늠이 맞지 않는
out-of-sight [áutəvsáit] *a.* **1** (미·속어) 발군(拔群)의, 넘어서[앞서] 있는, 훌륭한, 출중한 **2** 엄청나게 비싼: ~ hospital bills 엄청난 액수의 병원 청구서
out-of-state [áutəvstéit] *a.* 다른 주의, 주외(州外)의, 다른 주에서 온
out-of-stat·er [áutəvstéitər] *n.* 타주에서 온 사람
out-of-stock [áutəvstɑ́k | -stɔ́k] *a.* (일시적으로) 재고가 떨어진: an ~ card (상품·부품 등의) 재고 카드/~ indefinitely 장기 품절의
out-of-sync [-əvsíŋk] *a.* 〖영화〗 음이 화면과 안 맞는; 조화되지 않는
out-of-the-mon·ey [áutəvðəmʌ́ni] *a.* (경기 등에서 등외(等外)로 떨어져) 상금이 없는
out-of-the-way [áutəvðəwéi] *a.* **1** 외딴, 시골구석의: a motel in an ~ place 외딴 곳에 있는 모텔 **2** 진기한; 기이한, 괴상한, 이상한(eccentric) **3** 불쾌감을 주는: an ~ remark 무례한 언사
out-of-this-world [áutəvðiswɔ́:rld] *a.* 현실에서 동떨어진, 기상천외의, 엉뚱한
out-of-town [áutəvtáun] *a.* 시외[지방]의; 다른 마을[도시]의; 다른 시[마을]에서 하는: ~ visitors 타지의 방문객
out-of-town·er [áutəvtáunər] *n.* (미·속어) 외지 사람; 타향 사람
out-of-work [áutəvwɔ́:rk] *a.* 실직 중인
out·pace [àutpéis] *vt.* …보다 속도가 빠르다; 따라가 앞서다[앞지르다], 능가하다
out·par·ty [áutpɑ̀:rti] *n.* 야당
out·pa·tient [áutpèiʃənt] *n.* (병원의) 외래 환자(cf. INPATIENT)
out·pen·sion [áutpènʃən] *n.* (자선 시설에 들어 있지 않은 자에게 주는) 원외(院外) 부조금, 원외 연금
out·per·form [àutpərfɔ́:rm] *vt.* 〈기계 등이〉 작업[운전] 능력이 …을 능가하다, …보다 성능이 낫다
out·place [àutpléis] *vt.* (미) (해고하기 전에) 재취직시키다, …에게 새 직장을 알선하다
~·ment *n.* Ⓤ 새 직장 알선
out·plac·er [áutplèisər] *n.* 재취업 알선업체[업자]
out·play [àutpléi] *vt.* (경기에서) 〈상대방을〉 패배시키다, 이기다
out·point [àutpɔ́int] *vt.* **1** (권투 등 경기에서) 〈상대방〉보다 점수를 많이 얻다, 점수로 이기다, 판정승하다 **2** 〖항해〗 〈다른 배〉보다 이물을 바람 불어가는 쪽으로 더 다가서 나아가다
out·poll [àutpóul] *vt.* (인기·여론 조사 등에서) …보다 더 많은 지지[표]를 얻다
out·port [áutpɔ̀:rt] *n.* **1** (주요 세관 또는 상업지에서 떨어진) 외항(外港); (영) London항 이외의 항구 **2** 출항지; 수출항 **3** (캐나다) (Newfoundland 연안의) 소어촌 **~·er** *n.* outport의 주민
out·post [áutpòust] *n.* **1** 〖군사〗 전초; 전초 부대[기지]; 주둔 기지 **2** 변경(邊境)의 식민지[거류지]
out·pour [áutpɔ̀:r] *n.* 유출(물) — [ㅅ스] *vi., vt.* 흘러 나오다[나오게 하다], 유출하다[시키다]
out·pour·ing [áutpɔ̀:riŋ] *n.* **1** 유출 (*of*); 유출물 **2** [보통 *pl.*] 쏟아져 나옴, (감정 등의) 발로(發露); 분출, 통로 (*of*): an ~ *of* sympathy 동정의 토로
out·pro·duce [àutprədjú:s | -djú:s] *vt.* (생산력에서) …을 능가하다

out·pull [àutpú:l] *vt.* …보다 강하게 사람들을 매료하다(outdraw); …보다 많은 관객을 동원하다

‡**out·put** [áutpùt] *n.* ⓊⒸ **1 생산**, 산출; (힘 등을) 냄: a sudden ~ of energy 별안간 힘을 냄 **2** (일정 기간 중의) **생산고**; (탄광 등의) 산출량; 생산품: the daily ~ of automobiles 하루 자동차 생산량 **3** (발전소·발전기의) 발전량; (전기·기계 등의) **출력**; (문학 등의) 수확, 작품수 **4** 〖컴퓨터〗 출력 (신호) 《컴퓨터 내에서 처리된 정보를 외부 장치에 내는 일; 또 그 정보; cf. INPUT》, 출력 장치 **5** 〖생리〗 (대변 이외의) 배설물
— *vt.* (~; **~·ted**; **~·ting**) 생산[산출]하다; 〖컴퓨터〗 〈정보를〉 출력하다

óutput dàta 〖컴퓨터〗 출력 자료

óutput devìce 〖컴퓨터〗 출력 장치 《인쇄기, VDU 등》

out·race [àutréis] *vt.* = OUTPACE

‡**out·rage** [áutrèidʒ] [OF 「도를 넘다」의 뜻에서] *n.* ⓊⒸ **1 불법** (**행위**), **무도**(無道); **난폭**, 폭행, 유린, 모욕; 무례, 학대: an ~ against[on] humanity 인륜에 어긋나는 행위 / an ~ upon decency 예절을 무시한 행위 **2** 격분, 격노, 분개 ***to the point of*** **~** 무례하게 생각될 정도로, 방약무인하게
— *vt.* **1** 〈법률·도덕 등을〉 **범하다**, 어기다, 위반하다 **2** 격분시키다 **3 폭행하다**, 모욕하다, …에게 난폭한 짓을 하다, 학대하다; 〈여자를〉 범하다, 능욕하다(rape) ▷ outrágeous *a.*

∗**out·ra·geous** [autréidʒəs] *a.* **1 난폭한**, 포학한, 잔인무도한, 사악한: an ~ crime 포학한 범죄 **2** 무법의, 부당한, 괘씸한; 지나친; 모욕적인: ~ behavior 괘씸한 행위 **3** 엉뚱한, 괴이한; 엄청난: an ~ price 엄청난 가격 **4** 《미·구어》 멋진, 훌륭한: What an ~ dress! 정말 멋진 옷이군요! **~·ly** *ad.* **~·ness** *n.*

out·ran [àutrǽn] *v.* OUTRUN의 과거형

ou·trance [u:trɑ́:ns] [F] *n.* (싸움 등의) 최후, 극한

out·range [àutréindʒ] *vt.* 〈대포·비행기 등이〉 착탄[비행] 거리가 …보다 더 길다; …보다 낫다

out·rank [àutrǽŋk] *vt.* …보다 지위가 높다, …의 윗자리에 있다

ou·tré [u:tréi | ∸–] [F = exaggerated] *a.* 상궤를 벗어난, 과격한; 엉뚱한, 기묘한, 기이한

out·reach [àutrí:tʃ] *vt.* **1** …보다 멀리 미치다, 넘어가다, 능가하다: The demand has *~ed* our supply. 수요가 공급을 넘고 있다. **2** 〈손을〉 내뻗다, 내밀다 **3** 속이다 — *vi.* 뻗다, 퍼지다; 지나치다
— [∸∸] *n.* **1** ⓊⒸ 퍼짐, 도달; 팔·손 등을 뻗기; 도달 범위[거리] **2** (보다 넓은 지역 사회에 대한) 봉사[복지, 구제] 활동
— [∸∸] *a.* (기관의) 복지 서비스에 관한: an educational ~ program 교육 복지 프로그램

out-re·lief [áutrilì:f] *n.* Ⓤ 《영》 시설 외(外)에서의 빈민 구제, 원외 구제(outdoor relief)

ou·tre·mer [u:trəméər] [F] *ad.* 해외로

out·ride [àutráid] *vt.* (**-rode** [-róud]; **-rid·den** [-rídn]) …보다 잘[빨리] 타다, …보다 멀리 타고 가다; 〈배가〉 〈풍파 등을〉 뚫고 나아가다: I can ~ you on a bicycle. 자전거로 내가 너보다 빨리 갈 수 있다.

out·rid·er [áutràidər] *n.* (마차의 앞뒤, 양옆의) 기마 수행원; (마차·자동차 등의) 선도차, 선도 경찰관; 안내자, 호위; 척후(斥候); 선도하는 사람; 전조; 《미》 카우보이, 목동

out·rigged [áutrìgd] *a.* 현외 부재(舷外浮材)가 달린

out·rig·ger [áutrìgər] *n.* **1** 〖항해〗 현외 부재, 아우트리거 《안정성 확보를 위해 카누·보트 등의 측면에 부착된 부재(浮材)》; 아우트리거를 부착한 카누[보트] **2** (경주용 보트의 뱃전에 설치된) 노걸이를 버티는 쇠막대 **3** 비행기 꼬리 날개의 받침대 **4** 외부로 돌출된 구조물, 횡목

outrigger 1

∗**out·right** [áutràit] *a.* Ⓐ **1** 솔직한, 노골적인; 명백한: give an ~ denial 딱 잘라 거절하다 / an ~ expression of opinion 기탄없는 의견 표명 **2** 완전한, 철저한; 전체의: an ~ loss 완전한 손실 **3** 즉석의, 더 지불할 것이 없는; 무조건적인, 제약 없는 **4** 《고어》 곧바로[앞으로] 튀어나온, 곧은
— [∸∸, ∸∸] *ad.* **1** 까놓고, 숨김없이 **2** 완전히, 철저히, 아주: He is mad ~. 그는 완전히 미쳤다. **3** 공공연히, 사양하지 않고, 터놓고(openly): laugh ~ 터놓고 웃다 **4** 곧, 당장; 현찰로; 무조건적으로, 제약 없이: buy ~ 현금을 내고 사다 / be killed ~ 즉사하다 **5** 《고어》 곧바로, 곧바로 앞으로 **~·ly** *ad.*

out·ri·val [àutráivəl] *vt.* (**~ed**; **~·ing** | **~led**; **~·ling**) 경쟁에서 이기다

out·ro [áutrou] *n.* 《미·방송속어》 아우트로 《intro에 대하여, 방송, 영화 등의 마지막 수분(數分)[수초(數秒)]; 음악이 끝난 뒤 디스크자키의 말》

out·root [àutrú:t] *vt.* 근절시키다, 뿌리째 뽑다

∗**out·run** [àutrʌ́n] *vt.* (**-ran** [-rǽn]; **-run**; **~·ning**) **1** 달려서 이기다[앞서다] **2** …로부터 달아나다: ~ the police 경찰의 눈을 피해 달아나다 **3** …의 도를 넘다, 초과하다: The company's spending *outran* its income. 그 회사의 지출은 수입을 초과했다. **4** …보다 많은 표를 획득하다: I *outran* her. 내가 그녀보다 득표수가 많았다. ~ ***the constable*** ⇨ constable

out·run·ner [áutrʌ̀nər] *n.* (마차의 앞뒤, 양옆의) 기마 수행자, 마부; 끌채를 메지 않은 여벌 말; (개썰매의) 선도견(先導犬); 선구자; 전조

out·rush [áutrʌ̀ʃ] *n.* 분출, 분류

out·sail [àutséil] *vt.* …보다 더 멀리까지 항해하다; 따라가 앞서다[앞지르다]

out·score [àutskɔ́:r] *vt.* …보다 많이 득점하다

out·sea [áutsì:] *n.* 공해, 외양, 먼 바다

out·seg [àutség] *vt.* (**~ged**; **~·ging**) 《미·속어》 …보다 더욱 인종 차별을 하다

out·sell [àutsél] *vt.* (**-sold** [-sóuld]) **1** 〈상품이〉 …보다 많이 팔리다 **2** 〈사람이〉 …보다 많이 팔다

out·sert [áutsə̀:rt] *n.* 〖제본〗 바깥 접장 《제품·포장 상자 바깥 쪽에 첨부하는 광고·소책자》

∗**out·set** [áutsèt] *n.* **1** [the ~] **착수**, 시초, 발단 **2** = OUTSERT ***at***[***from***] ***the*** (***very***) **~** 처음에[부터]

out·set·tle·ment [áutsètlmənt] *n.* 변경의 거주지, 벽지의 부락

out·shine [àutʃáin] *vt.* (**-shone** [-ʃóun | -ʃɔ́n]) …보다 더 빛나다, …보다 빛이 강하다; …보다 우수하다; 무색하게 하다 — *vi.* 《드물게》 빛을 발하다; 〈빛이〉 비추고 있다

out·shoot [àutʃú:t] *v.* (**-shot** [-ʃɑ́t | -ʃɔ́t]) *vt.* **1** …보다 사격이 능숙하다; …보다 잘[멀리] 쏘다 **2** 〈목표보다〉 넘게 쏘다; 〈상대보다〉 훨씬 많은 득점을 올리다 **3** 〈이삭·가지 등을〉 내밀다 **4** 《비유적》 능가하다, 앞지르다 — *vi.* 불쑥 나오다
— [∸∸] *n.* **1** 돌출(물) **2** ⓊⒸ 뚫고 나옴, 분출, 유출 **3** 〖야구〗 = OUTCURVE

out·shot [áutʃɑ̀t | -ʃɔ̀t] *n.* (구조적으로는 독립되어 있는) 부속 가옥

out·shout [àutʃáut] *vt.* …보다 큰 소리로 외치다; …보다 강하게 주장하다

‡**out·side** [áutsáid, ∸∸] (opp. *inside*) *n.* **1 바깥쪽**, **외면**, 외부; (사물의) 외관, 표면; (사람의) 생김새, 외모: the ~ of a gate 문의 바깥쪽 / Don't judge a man from his ~. 외모로 사람을 판단하지 마라. **2**

thesaurus **output** *n.* product, production, yield, harvest, achievement, accomplishment
outrageous *a.* **1** 난폭한 atrocious, heinous, abominable, wicked, vile, foul, monstrous, horrible, dreadful, horrendous, hideous **2** 지나친, 모욕적인 intolerable, insufferable, unbearable, offensive **3** 엄청난 immoderate, excessive, unreasonable

(구어) 극한, 극단; 최댓값; 〖수학〗 (곡선의) 외측 **3** 외계; (그룹 등의) 외(外), 국외(局外), 부외(部外), 문외(門外): those on the ~ 문외한, 초심자 **4** [종종 **O~**] 《캐나다》 (북부에서 봤을 때) 사람이 사는 남부 지역; 《호주》 오지(outback) **5** 《영》 (합승 마차, 버스 등의) 옥상석 (승객) **6** [*pl.*] 한 묶음 종이의 양 바깥의 두 장 ***at the*** (***very***) **~** 고작해서 ***on the* ~** 외관상, 겉으로; 바깥쪽[추월] 차선으로 **~ *in*** 겉을 안으로, 뒤집어서

—*a.* [ˌ⌐, ⌐⌐ | ⌐⌐] Ⓐ **1** 외부[바깥쪽]의; 밖의, 옥외의: an ~ market 장외(場外) 시장 / ~ work 옥외 작업 / news from the ~ world 바깥 세상 소식 / the ~ lane 바깥쪽 차선 **2** 외관만의, 피상적인 **3** 국외자의, 관계없는; 조합[협회]에 소속하지 않은; 원외(院外)의: an ~ opinion 외부의 의견 **4** 〈기회·가능성이〉 극히 적은, 도저히 가망 없는: an ~ chance of saving him 어쩌면 그를 살릴 수 있을지도 모르는 희박한 가망 **5** 《구어》 최고의; 극단의, 최대 한도의: an ~ price 최고 가격 **6** 본업[학업] 이외의: ~ interests 여가의 취미 / an ~ job 아르바이트 **7** 〈사람이〉 바깥에서 일하는: an ~ man to care for the grounds 바깥에서 그라운드를 정비하는 사람 **8** 〖야구〗 〈투구가〉 바깥으로 빠진 **9** 《영·구어》 (합승 마차·버스 등의) 옥상석의

—*ad.* [ˌ⌐] **1** 밖에, 바깥에, 외부에; 옥외에서[로]; 해상으로[에서]: *O~!* 밖으로 나가[내놓아]! **2** 옥상석에 타고: ride ~ 옥상석에 타고 가다 **3** 겉보기에는 ***be*** [***get***] **~ *of*** 《영·속어》 …을 삼키다(swallow), 먹다(eat); 《미·속어》 …을 양해[이해]하다 ***come* ~** (방안 또는 집 안에서) 밖으로 나오다; 밖으로 나와 《도전의 말》 **~ *of*** = OUTSIDE *prep.* 1, 3 **~ *of a horse*** 《구어》 말을 타고

— [ˌ⌐, ⌐ˌ] *prep.* **1** …의 바깥쪽에[의, 으로](cf. WITHIN): ~ the house 집 밖에 / a noise ~ the door 문밖의 요란한 소리 **2** …의 범위를 넘어(opp. *within*), …이상으로: ~ the law 법의 테두리를 넘어서 **3** 《구어》 [보통 부정·의문문] …을 빼고, 제외하고 (except): *No* one knows it ~ two or three persons. 두세 명을 제외하고는 아무도 그것을 모른다.

óutside bróadcast 《영》 스튜디오 밖에서의 방송

óutside bróker 장외 브로커

óutside diréctor 사외(社外) 중역[이사]

óutside édge **1** (스케이트의) 바깥쪽 날로 하는 활주 **2** 《속어》 더없이 지독한 사람[행위, 짓]

óutside jób 외근, 외근직; 아르바이트(side job)

óutside láne 외측[추월] 차선(《미》 passing lane)

óutside léft 〖축구·하키〗 레프트 윙

óutside líne (전화의) 외선

óutside píece 《미·우편속어》 커서 우편낭에 들어가지 않는 소포

óutside pórter 《영》 역외 하물 운반인

*__out·sid·er__ [àutsáidər] *n.* **1** 문외한, 국외자, 제3자; 외부인, 아웃사이더(opp. *insider*): a political ~ 정치적인 문외한 / The ~ sees the best[most] of the game. 《속담》 구경꾼이 한 수 더 본다. **2** 생무지, 사교계에 들어가기에 맞지 않는 사람, 품위 없는 사람; 따돌림받는 사람; 이단자 **3** 조합[당, 원]외의 사람; 범위[경계] 밖의 사람 **4** 〖스포츠〗 승산이 없는 말[팀, 선수]

óutside tráck 〖스포츠〗 아웃 코스

out·sight [áutsàit] *n.* Ⓤ 외계 사물의 관찰[지각(知覺)], 외부 관찰력(opp. *insight*)

out·sing [àutsíŋ] *v.* (**-sang** [-sǽŋ]; **-sung** [-sʌ́ŋ]) *vt.* …보다 노래를 잘 부르다; …보다 큰 소리로 노래 부르다 **—***vi.* (큰 소리로) 노래 부르기 시작하다

---

outright *a.* **1** 명백한 definite, unequivocal, incontestable, undeniable **2** 완전한 absolute, complete, out-and-out, utter, thorough, perfect, total

outstanding *a.* **1** 눈에 띄는 striking, impressive, eye-catching, memorable, remarkable **2** 저명한 eminent, well-known, notable, distinguished, important, famous, famed, renowned, celebrated

---

óut sìster (수도원 생활을 하면서) 외부 관계의 일에 종사하는 수녀

out·sit [àutsít] *vt.* (**-sat** [-sǽt]; **~·ting**) …보다 오래 앉아 있다[머무르다]; …보다 오래 기다리다

out·size [áutsàiz] *a.* Ⓐ 〈의복 등이〉 특대(형)의 **—***n.* 특대(품); 남보다 큰 사람, 《특히》 큰 여자; 장족의 발전 **~·ness** *n.*

out·sized [áutsàizd] *a.* = OUTSIZE

*__out·skirt__ [áutskə̀ːrt] *n.* [보통 *pl.*] **1** 변두리, 교외 **2** 한계, 빠듯함: the ~*s* of respectability 겨우 품위를 유지하는 것 ***on*** [***at, in***] ***the* ~*s of*** …의 변두리에

out·sleep [àutslíːp] *vt.* (**-slept** [-slépt]) 〈어느 시간〉보다 더 자다; …가 끝날 때까지 자다: ~ a movie 영화가 끝날 때까지 자다

out·smart [àutsmɑ́ːrt] *vt.* 《구어》 …보다 재치[수완]가 한 수 더 높다, 꾀로 이기다
~ one***self*** 음모 등을 꾀하다가 제 꾀에 넘어가다

out·soar [àutsɔ́ːr] *vt.* …보다 높이 날다

out·sole [áutsòul] *n.* 구두창

out·source [àutsɔ́ːrs] *vt.* 외주(外注) 제작하다; 〈부품을〉 외부에서 조달하다

out·sourc·ing [àutsɔ́ːrsiŋ] *n.* 〖경제〗 아웃소싱 《자체 인력·설비·부품 등을 이용해 하던 일을 비용 절감과 효율성 증대를 목적으로 외부 용역이나 부품으로 대체하는 것》

out·span [àutspǽn] 《남아공》 *vt., vi.* (**~ned**; **~·ning**) 〈소 등을〉 수레에서 끄르다; (소 등에서) 마구[안장]를 벗기다

out·speak [àutspíːk] *v.* (**-spoke** [-spóuk]; **-spo·ken** [-spóukən]) *vt.* …보다 말을 잘하다; 말로 이기다; 대담[솔직]하게 말하다 **—***vi.* 큰 소리로 말하다; 확실하게 의견을 말하다

out·spend [àutspénd] *vt.* (**-spent** [-spént]) …보다 많이 쓰다

out·spent [àutspént] *a.* 기진맥진한

out·spo·ken [àutspóukən] *a.* 까놓고[거리낌없이] 말하는(⇨ frank[1] 유의어); 〈말 등이〉 솔직한, 노골적인: ~ criticism 거리낌없는[솔직한] 비판
~·ly *ad.* **~·ness** *n.*

out·spread [àutspréd] *vt., vi.* (**out·spread**) 펼치다, 퍼지게 하다, 넓히다; 퍼지다, 펴지다, 넓어지다 **—** [⌐ˌ] *n.* ⓊⒸ 퍼진 것; 펴짐; 퍼뜨림; 발전, 확대, 신장 **—** [⌐⌐] *a.* 넓어진; 뻗친; 퍼진: with ~ arms = with arms ~ 두 팔을 벌리고

out·stand [àutstǽnd] *vi.* 눈에 띄다, 돌출[걸출]하다; 출항[출범]하다 **—***vt.* …에 저항[반대]하다; 《고어》 …보다 오래 있다

‡**out·stand·ing** [àutstǽndiŋ] *a.* **1** 눈에 띄는, 현저한; 저명한, 걸출한, 우수한: an ~ figure 두드러진 인물, 걸물(傑物) **2** 〈부채 등이〉 미결제의, 〈문제 등이〉 미해결의: ~ debts 미불 채무 / ~ accounts 미불 계정 **3** 〈채권 등이〉 공모하는 **4** 쑥 내민 **5** 《미·속어》 매우 좋은, 굉장한 **6** 《고어》 저항하는 ***leave* ~** 그대로[미지불로] 두다 **~·ly** *ad.* **~·ness** *n.*

out·stare [àutstέər] *vt.* 노려보아 굴복[당황]하게 만들다, 쩔쩔매게 하다

out·sta·tion [áutstèiʃən] *n.* **1** (본부·중심지에서 멀리 떨어져 있는) 주둔지, 분견소, 지소, 출장소; (라디오 방송의) 지국, 임시국 **2** 변두리[변경]의 정거장

out·stay [àutstéi] *vt.* **1** …보다 오래 머무르다[묵다]: ~ one's welcome 너무 오래 있어 미움을 사다 **2** 〈전지가〉 …보다 오래가다

out·step [àutstép] *vt.* (**~ped**; **~·ping**) 밟고 지나가다; 넘다; 범하다; 〈도를〉 지나치다

out·stretch [àutstrétʃ] *vt.* **1** 펴다, 뻗다; 확장하다: ~ one's hand in welcome 환영하여 손을 내밀다 **2** …의 한계를 넘어서 펴다

*__out·stretched__ [àutstrétʃt] *a.* 펼친, 뻗친: lie ~ on the ground 땅 위에 큰대(大) 자로 눕다

out·strip [àutstríp] *vt.* (**~ped**; **~·ping**) **1** 따라가 앞서다; 뒤에 처지게 하다; 〈추적을〉 벗어나다 **2** …보다

뛰어나다, 능가하다(surpass); 이기다; 초과하다
~ one**self** 지금까지 없을 정도로 잘 하다
out·stroke [áutstròuk] *n.* **1** 바깥쪽을 향한 동작[운동] **2** (엔진의) 외충정(外衝程)
out·swear [àutswέər] *vt.* …보다 심하게 욕하다; …보다 상스러운 말을 하다; 〈상대를〉 악담으로 누르다
out·ta [áutə] *prep.* =OUTA
out·take [áuttèik] *n.* **1** (영화·텔레비전의) 촬영 후 상영 필름에서 커트한 장면 **2** 통기 구멍, 연통 **3** (미·속어) 인용문(文), 발췌
out·talk [àuttɔ́:k] *vt.* …보다 빨리[오래, 길, 큰 소리로] 이야기하다; 입씨름으로 이기다
out·tech [àutték] *vt.* …에 대하여 기술적으로 우위에 서다, 기술적으로 이기다
out·tell [àuttél] *vt.* (**-told** [-tóuld]) **1** 분명히 말하다, 공언(公言)하다 **2** 전부 말하다 **3** …보다 설득력이 있다, 더 잘 말하다
out·think [àutθíŋk] *vt.* (**-thought** [-θɔ́:t]) …보다 깊이[빨리] 생각하다; …보다 우수한 생각을 갖다; 〈상대를〉 앞지르다, …의 기선을 제압하다
out·throw [àutθróu] *vt.* (**-threw** [-θrú:]; **-thrown** [-θróun]) **1** 내던지다 **2** 〈팔 등을〉 벌리다 **3** …보다 멀리[정확하게] 던지다
out·thrust [áutθrʌ̀st] *n.* **1** 〖건축〗 바깥쪽으로 미는 압력 **2** 돌출물, 돌출된 것
— [⌐⌐] *vt., vi.* (**out·thrust**) 돌출시키다[하다]
— [⌐⌐] *a.* 돌출한
out·top [àuttɑ́p | -tɔ́p] *vt.* (**~ped**; **~·ping**) **1** …보다 높다 **2** 능가하다
out·tough [àuttʌ́f] *vt.* 〈경쟁 상대를〉 단호한 태도로 압도하다
out·trade [àuttréid] *vt.* (매매에서) …에게 바가지를 씌우다, 속이다
out·tray [áuttrèi] *n.* (사무실 책상 위의) 발송[기결] 서류함(cf. IN-TRAY)
out·turn [áuttə̀:rn] *n.* ⓊⒸ **1** 산출액, 생산량 **2** (일련의 사건의) 경과, 결과
out·val·ue [àutvǽlju(:)] *vt.* …보다 가치가 있다
out·vie [àutvái] *vt.* (**-vied**; **-vy·ing**) 경쟁에서 이기다[능가하다]
out·voice [àutvɔ́is] *vt.* 큰 소리[설득력, 말솜씨]에 있어서 …을 능가하다, 큰 소리로 〈상대방의〉 말문을 막다
out·vote [àutvóut] *vt.* 투표수로 이기다
out·vot·er [áutvòutər] *n.* (영) 부재 투표자
out·wait [àutwéit] *vt.* **1** …보다 오래 기다리다[참을성이 많다] **2** (고어) …보다 오래 매복하다
out·walk [àutwɔ́:k] *vt.* …보다 빨리[멀리, 오래] 걷다; 걸어서 앞서다
out·ward** [áutwərd] *a.* Ⓐ **1** 밖으로 향하는, 밖으로 가는: an ~ voyage 떠나가는 항해, 외항 **2** 바깥에 있는, 외측의: an ~ court 바깥 정원 **3** 외면의, 외부의; 외측에 면한; 외부에서 온, 외래의: ~ influences 외부의 영향 **4** (내적 성질·사실과 구별된) 외면상의, 외면적인; 표면의, 피상적인, 외형의(opp. *inward*): ~ things 주위의 사물, 외계 / an ~ form 외형, 외관 **5** 〖종교〗 현세적(現世的)인, 육욕적인[육체적인], 물질적인; 물질 세계의, 외계의: the ~ eye 육안 **6** 〈약어〉 외용의(external): For ~ application only. 외용약 《용기의 표기》 ***to ~ seeming 겉보기로는
— *n.* **1** 외부; (고어) 외모, 외관 **2** [*pl.*] 외계, 외부의 사물 **3** [the ~] 물질[외적] 세계
— *ad.* **1** 바깥쪽으로; 밖에[으로], 외견상 **2** 표면에; 밖으로 드러나게, 명백하게 **3** 해외에, 국외로, 항구를 떠나: a ship bound ~ 외국행 배
~·ness *n.* Ⓤ 외면성, 객관적 존재; 객관성
Óutward Bóund 아웃워드 바운드 《야외에서의 도전적 모험을 통해 청소년에게 사회성·리더십·강인한 정신력을 가르치는 국제 기구; 상표명》
out·ward-bound [áutwərdbáund] *a.* 외국행의, 외항의(opp. *homebound*)
out·ward-bound·er [-báundər] *n.* 외국 항로선(航路船), 외항선
Óutward Bóund Trúst [the ~] = OUTWARD BOUND
out·ward·ly [áutwərdli] *ad.* **1** 외견상, 표면상, 보기에는, 외관으로 **2 a** 외부에 대하여, 외부적으로 **b** 바깥쪽에, 밖을 향하여
óutward mán [the ~] **1** 〖신학〗 육체(opp. *soul*) **2** (익살) 의복; 풍채; 옷거리
out·wards [áutwərdz] *ad.* = OUTWARD
out·wash [áutwɔ̀:ʃ, -wɑ̀ʃ | -wɔ̀ʃ] *n.* 〖지질〗 외연(外緣) 퇴적물; 융빙(融氷) 유수 퇴적물
out·watch [àutwɑ́tʃ | -wɔ́tʃ] *vt.* **1** 안 보일 때까지 지켜보다 **2** …보다 오래[…을 끝까지] 지켜보다: ~ the night 밤새워 감시하다
out·wear [àutwέər] *vt.* (**-wore** [-wɔ́:r]; **-worn** [-wɔ́:rn]) **1** …보다 오래가다[입다]: This cloth ~*s* the other. 이 천은 딴 것보다 질기다. **2** 입어서 헐게 하다, 닳아빠지게 하다; [보통 수동형으로] 써 없애다 **3** 〈시간·불쾌한 상황을〉 참아가며[이럭저럭] 보내다 **4** 〈정력 등을〉 다 소모시키다, 지치게 하다
out·weigh [àutwéi] *vt.* **1** …보다 무겁다 **2** 〈가치·중요성이〉 능가하다, …보다 중대하다
out·went [àutwént] *vt.* OUTGO의 과거
out·wind [àutwínd] *vt.* 숨이 차서 헐떡이게 하다
out·wit [àutwít] *vt.* (**~·ted**; **~·ting**) **1** 보다 나은 꾀로 …을 이기다, …의 허[의표]를 찌르다, …보다 한술 더 뜨다, 속이다: The robber ~*ted* the police and escaped. 그 강도는 경찰을 따돌리고 도망쳤다. **2** (고어) …보다 지혜[머리]가 낫다
out·with [áutwìð] *prep.* (스코) = OUTSIDE
out·work [áutwə̀:rk] *n.* **1** [보통 *pl.*] 〖축성〗 외보(外堡), 외루(外壘) **2** Ⓤ 나가 하는 일, 점포[공장] 밖의 일, 출장 근무, 바깥일, 들일
— [⌐⌐] *vt.* (**~ed, -wrought** [-rɔ́:t]) …보다 잘[빨리, 열심히] 일하다, 일로 이기다; 〈일·문제 등을〉 완성하다, 해결하다, 마치다 **~·er** *n.* 밖에서 일하는 사람; 옥외 근무자
out·work·ing [áutwə:rkiŋ] *n.* Ⓤ (영) 사외 업무 수행, 출장 업무
out·worn [àutwɔ́:rn] *a.* **1** 시대에 뒤진; 낡아빠진, 진부한: ~ habits 옛 버릇 / ~ ideas 진부한 생각 **2** 〈의복이〉 입어서 닳은, 닳아빠진 **3** 〈사람이〉 정력을 다 소모한, 기진맥진한 — *vt.* OUTWEAR의 과거분사
óut yèar (속어) 후속 연도 《현재 연도 이후의 수년간을 단위로 한 회계 연도》
ou·zel [ú:zəl] *n.* 〖조류〗 검은노래지빠귀 무리(blackbird)
ou·zo [ú:zou] *n.* Ⓤ 우조 《그리스 술의 일종》
OV orbiter vehicle; over voltage
o·va [óuvə] *n.* OVUM의 복수
***o·val** [óuvəl] *a.* 달걀 모양의, 타원형의
— *n.* **1** 달걀 모양, 타원형 **2 a** 달걀 모양의 것, 타원체 **b** (타원형의) 스타디움, 경기장, 경주로 **c** (구어) 럭비공 **3** [the O~] 오벌 《London의 Surrey 주 크리켓 클럽의 경기장》 **~·ly** *ad.* **~·ness** *n.* ▷ óvum *n.*
ov·al·bu·min [ɑ̀vælbjú:min, òu- | ɔ̀-] *n.* 〖생화학〗 난백 알부민 《달걀 흰자의 주요 단백질》
o·val·i·ty [ouvǽləti] *n.* 난형(卵形); 난형도(度)
Óval Óffice[**Róom**] [the ~] (미·구어) (White House에 있는) 대통령 집무실; 미국 정부
Óval Ófficer (미) 대통령 보좌관[측근]
óval wíndow 〖해부〗 난원창(卵圓窓)
o·var·i·an [ouvέəriən] *a.* Ⓐ **1** 〖해부〗 난소의 **2** 〖식물〗 씨방의
ovárian cáncer 〖병리〗 난소암
o·var·i·ec·to·my [ouvὲəriéktəmi | -ɔ́t-] *n.* (*pl.* **-mies**) 난소 절제[적출]술
o·var·i·ot·o·my [ouvὲəriɑ́təmi | -ɔ́t-] *n.* (*pl.*

thesaurus **ovation** *n.* applause, clapping, cheering, acclaim, praise, tribute, accolade

-mies) UC 〖외과〗 난소 절제[절개]술 **-mist** *n.*
o·va·ri·tis [òuvəráitis] *n.* U 〖병리〗 난소염
o·va·ry [óuvəri] *n.* (*pl.* **-ries**) **1** 〖해부〗 난소 **2** 〖식물〗 씨방
o·vate[1] [óuveit] *a.* **1** 달걀 모양의 **2** 〖식물〗 〈잎이〉 달걀 모양의 **~·ly** *ad.*
o·vate[2] [ouvéit] *vi.* 크게 박수갈채하다
o·va·tion [ouvéiʃən] *n.* **1** 대인기, 큰 갈채, 만장의 [우레와 같은] 박수, (대중의) 열렬한 환영 **2** (고대 로마의) 소(小)개선식(cf. TRIUMPH 3) **~·al** *a.*
‡ov·en [ʌ́vən] *n.* **1** 솥, 오븐, 가마, 화덕; 찜통; 건조실: an electric ~ 전기 오븐 **2** (나치가 사용한) 시체 소각실 **3** 《비유》 자궁
have something*[*a bun*] *in the ~ 임신한 상태이다 ***hot*[*fresh*] *from the ~*** 갓 구워낸, 뜨끈뜨끈한 ***in the same ~*** 《속어》 같은 처지[신세]에 (있는) ***like an ~*** (불쾌할 정도로) 몹시 더운
ov·en·a·ble [ʌ́vənəbl] *a.* 오븐 가열이 가능한
óvenable páperboard 오븐용 판지 《내열성의 판지》
ov·en·bird [ʌ́vənbə̀ːrd] *n.* 〖조류〗 (솥 모양의 둥지를 짓는) 휘파람새류의 일종 《미국산(産)》
óven glòve[**mìt**(**t**)] 오븐 장갑 《뜨거운 식기류를 다룰 때 쓰는 장갑》
ov·en·proof [-prùːf] *a.* 〈식기 등이〉 오븐에 가열[사용]이 가능한
óven ràck 오븐 안의 그물 선반
ov·en-read·y [-rèdi] *a.* 〈식품이〉 오븐에 넣기만 하면 되는
ov·en·ware [-wɛ̀ər] *n.* [집합적] (오븐 요리용의) 내열(耐熱) 접시[식기]
‡over ⇨ over (p. 1796)
over- [òuvər, ⌐-] *pref.* **1** 「higher, upper, outer, superior, extra」의 뜻: [형용사적] *over*coat; [전치사적] *over*board, *over*flow **2** [부사적] **a** [동사·명사에 붙여] 「above, from above, down from, up to, beyond, in addition」의 뜻: *over*balance, *over*take **b** [타동사에 붙여] 「completely」의 뜻: *over*persuade **3** [자유롭게 만들어지는 일반적 용법] **a** [동사에 붙여] 「too much」의 뜻: *over*study, *over*supply **b** [형용사·부사에 붙여] 「too」의 뜻: *over*cunning **c** [명사에 붙여] 「excessive」의 뜻: *over*work ★ 3의 뜻으로는 óverwórk와 같이 앞뒤 양쪽에 악센트가 붙는 것이 보통.
o·ver·a·bound [òuvərəbáund] *vi* 너무 많다, 남아돌아가다 《*in, with*》
o·ver·a·bun·dance [òuvərəbʌ́ndəns] *n.* **1** 과잉, 과다(過多) **2** [an ~] 남아돌아갈 만큼의 다수[다량]: *an* ~ of petroleum 남아돌아갈 만큼 많은 석유
o·ver·a·bun·dant [òuvərəbʌ́ndənt] *a.* 과잉의, 과다한; 남아돌아가는
o·ver·a·chieve [òuvərətʃíːv] *vi.* 〈학생이〉 예상 이상의[능력 이상의] 성적을 올리다; 기대 이상의 성과를 올리다 **~·ment** *n.* **ò·ver·a·chíev·er** *n.*
o·ver·act [òuvərǽkt] *vi.* **1** 지나치게 행동하다 **2** 연기를 지나치게[과장해서] 하다
— *vt.* 〈역할 등을〉 지나치게[과장해서] 연기하다
o·ver·ac·tion [òuvərǽkʃən] *n.* U 과도한 행동; (연기의) 과장
o·ver·ac·tive [òuvərǽktiv] *a.* 활약[활동]이 지나친: an ~ child 지나치게 활동적인 아이
~·ly *ad.* **~·ness** *n.*
o·ver·ac·tiv·i·ty [òuvərǽktívəti] *n.* U 지나친[과도한] 활동[활약]
o·ver·age[1] [òuvəréidʒ] *a.* **1** 규정[표준] 연령을 초과한 《*for*》; 활동 적령기를 지난 **2** 노후한: an ~ ship 노후함[선]
o·ver·age[2] [óuvəridʒ] *n.* UC **1** 상품의 과잉 생산량; 과잉 공급(opp. *shortage*) **2** 재고품의 과대 평가액
∗o·ver·all [óuvərɔ̀ːl] *a.* A **1** (끝에서 끝까지) 전부의, 전체에 걸친: ~ length 전장(全長) **2** 총체적인, 종합적인, 포괄[총괄]적인: an ~ view 전경
— *n.* **1** 《영》 (여자·어린이·의사 등이) 위에 겹쳐 입는 덧옷, 작업복 **2** [*pl.*] 《미》 멜빵과 가슴받이가 달린 작업복(《영》 boiler suit); 방수(防水) 각반; 〖영국군〗 기병 바지
— [⌐-⌐] *ad.* **1** 전체로(서)(cf. OVER all), 전반적으로; [전체 문장을 수식해서] 결국, 종합적으로 보아서: consider a plan ~ 종합적으로 계획을 짜다 / *O*~, it's a good hotel. 전체적으로 보아, 좋은 호텔이다. **2** 끝에서 끝까지; 《특히》 〈배가〉 전장(全長)…: a boat 15 feet ~ 전장 15피트의 보트

overall *n.* 2

óverall majórity 절대 다수
óverall páttern 〖언어〗 종합형 《한 언어의 각 방언의 꼴을 모두 포함하는 전체의 형(型), 특히 음소 체계에서의》
o·ver·am·bi·tious [òuvəræmbíʃəs] *a.* 지나치게 야심적인 **~·ly** *ad.*
o·ver·anx·i·e·ty [òuvəræŋzáiəti] *n.* U 지나친 걱정[불안]
o·ver·anx·ious [òuvərǽŋkʃəs] *a.* 지나치게 근심하는 **~·ly** *ad.* **~·ness** *n.*
o·ver·arch [òuvərάːrtʃ] *vt.* …의 위에 아치를 만들다; 지배하다 — *vi.* 아치형이 되다
o·ver·arch·ing [òuvərάːrtʃiŋ] *a.* **1** 머리 위에서 아치형을 이루는 **2** 무엇보다 소중한[중요한]
o·ver·arm [óuvərὰːrm] *a., ad.* **1** 〖야구·크리켓〗 어깨 너머로 던지는[던져](overhand) **2** 〖수영〗 팔을 어깨 위로 내어 헤엄치는[헤엄쳐]: the single[double] ~ stroke 한[두] 팔을 어깨 위로 내어 치는 헤엄
o·ver·as·sess·ment [òuvərəsésmənt] *n.* 과대 평가[사정(査定)](하기)
o·ver·ate [òuvəréit] *v.* OVEREAT의 과거
o·ver·awe [òuvərɔ́ː] *vt.* 위압하다; 겁을 주어 …하게 하다 《*into*》
o·ver·bal·ance [òuvərbǽləns] *vt.* …보다 무게[값, 중요성]에서 능가하다; …의 평형을 잃게 하다 ~ one***self*** 중심[균형]을 잃다; 뒤집다, 넘어지다
— *vi.* 《영》 균형을 잃다[잃고 넘어지다]; 뒤집히다 ★ 《미》에서는 lose one's balance가 일반적임.
— [⌐-⌐-] *n.* UC 초과(량, 액), 과잉: an ~ of exports 수출 초과
o·ver·bear [òuvərbɛ́ər] *v.* (**-bore** [-bɔ́ːr]; **-borne** [-bɔ́ːrn]) *vt.* **1** 위압하다, 제압하다; 압도하다; 눌러대다 **2** 〖항해〗 …보다 빨리 달리다 **3** 중요성[설득력, 능력]에서 앞서다 — *vi.* 애를 너무 많이 낳다; 열매가 너무 열리다
o·ver·bear·ing [òuvərbɛ́əriŋ] *a.* 건방진, 거만한, 횡포한(haughty); 고압적인, 위압적인(domineering); 압도적인, 결정적으로 중요한, 최우선의 **~·ly** *ad.*
o·ver·bid [òuvərbíd] *v.* (~; **~·ding**) *vt.* **1** (경매에서) 〈물건에〉 값어치 이상의 비싼 값을 매기다 **2** (경매에서) 〈남보다〉 비싸게 값을 부르다(outbid)
— *vi.* (물건에) 값어치 이상의 비싼 값을 매기다 《*for*》
— [⌐-⌐] *n.* 비싼 값
o·ver·bite [óuvərbàit] *n.* U 〖치과〗 (앞니의) 피개교합(被蓋咬合)
o·ver·blouse [óuvərblàus | -blàuz] *n.* 오버블라우스 《옷자락을 스커트나 슬랙스 밖으로 내놓고 입음》
o·ver·blow [òuvərblóu] *v.* (**-blew** [-blúː]; **-blown** [-blóun]) *vt.* **1** 지나치게 중시[평가]하다; 지나치게 부풀리다 **2** 〖음악〗 〈악기 등을〉 지나치게 세게 불다 **3** 〈구름 등을〉 불어 날리다, 흩날리다; 불어 쓰러뜨리다 — *vi.* **1** 《고어》 〈폭풍 등이〉 그치다; 〈노여움 등이〉 가라앉다 **2** 〖음악〗 지나치게 세게 취주하다[불다]

overall *a.* comprehensive, universal, all-embracing, inclusive, general, complete, global

over

over는 전치사와 부사로 쓰이는 전치사적 부사의 하나이다.

[1] '위치'를 나타내는 over는 under에 대응하는 말로서 위에서 온통 뒤덮는 느낌을 나타낸다. 표면에 접촉하지 않을 수도 있고, 접촉할 수도 있다. 위쪽의 것을 A라고 하면, 두 경우 다 A is *over* B. 이며 B쪽에서 말하면 B is *under* A.이다.
한편 above는 below에 대응하는 말인데 어떤 것보다 위쪽에 있음을 나타내며 바로 위가 아니라도 된다. 단, 접촉되지 않았을 때는 over 대신에 above를 쓰는 일이 많다: hold an umbrella *over*[*above*] the head 머리 위에 우산을 받치다

[2] '동작·상태'를 나타내어 「…을 넘어」의 뜻이 넓게 쓰이며, 그것이 나아가서 '수량·범위'에서도 「…을 초과하여, …이상」의 뜻으로 쓰인다.

‡over [óuvər] *prep., ad., a., n., vt.*

기본적으로는 「…의 위에」의 뜻.	
① …의 위에[의]; …의 위를 덮어; 온 면에	전 **1, 2** 부 **2**
② [동작·상태] …을 넘어	전 **3, 4** 부 **1, 3**
③ [범위·수량] …을 넘어, …이상	전 **5**
④ [지배·우위] …을 지배하여	전 **6**
⑤ …하는 사이; …하면서; 끝나; 완전히	전 **7, 9** 부 **5, 6**
⑥ …에 관하여	전 **8**
⑦ …에 의하여	전 **10**
⑧ 뒤집어, 쓰러져	부 **4**
⑨ 되풀이하여	부 **7**

— *prep.* **1** [위치] **a** [바로 위쪽에 분리된 위치] …**위쪽에[의]**, …바로 위에[의](opp. *under*): There is a bridge ~ the river. 강에 다리가 걸려 있다. / The clouds were ~ our heads. 구름이 우리 머리 위에 떠 있었다. / The plane was flying ~ the lake. 비행기는 호수 위를 날고 있었다. **b** [접촉된 위치] …**위를 덮어**: have a shawl ~ one's shoulders 어깨에 숄을 걸치고 있다 / She put her hands ~ her face. 그녀는 두 손으로 얼굴을 가렸다. / She threw a sheet ~ the bed. 그녀는 침대에 시트를 깔았다. **c** 〈물건이〉 (덮듯이) …**위로**: …으로 튀어나와, 내밀어: a balcony projecting ~ the entrance 현관 위에 내민 발코니 / She bent[stooped] ~ the baby. 그녀는 아기 위로 몸을 굽혔다.
2 [종종 all ~] **a 온 면에**, 여기저기에, 도처에: *all* ~ the country 나라 안 방방곡곡에 / *all* ~ the world 세계 도처에 / travel (*all*) ~ Europe 유럽 여기저기를 여행하다 **b** …**의 전부를**, …의 구석구석까지: look *all* ~ the house 집을 샅샅이 살펴보다 / show a person ~ the museum …을 박물관의 구석구석까지 안내하다
3 [동작 동사와 함께] …**을 넘어**: jump ~ a fence 울타리를 뛰어넘다 / sail ~ the Pacific 태평양을 배로 건너가다 / The model plane flew ~ the river. 모형 비행기는 강 저편으로 날아갔다.
4 〈바다·강·거리 등〉의 **저쪽[편]의[으로]**: the house ~ the street 거리 저편의 집 / He lives ~ the hills and far away. 그는 산 너머 저 멀리에 살고 있다.
5 a [범위·수량] …**을 넘어**, …이상 《more than 쪽이 일반적; over[more than] ten은 10이 포함되지 않으며, 10을 포함할 경우는 ten and[or] over라고 함》: She was ~ sixty. 그녀는 예순(살)이 넘었다. / *O*~ a hundred people were injured in the accident. 100명 이상의 사람이 그 사고로 다쳤다. **b** [비교] …에 비하여: increase sales by ten percent ~ the previous year 전년도에 비하여 매상을 10% 늘리다 **c** 〈소리를〉 뚫고, …보다 큰 소리로: *O*~ the rain I seemed to hear voices. 빗소리 속에서 말소리를 들은 것 같았다.
6 [지배·우위] …**을 지배하여**; …의 상위에, …을 능가하여: rule ~ a country 나라를 지배하다 / He has no control ~ himself. 그는 자제력이 없다. / be chosen ~ the other candidates 다른 후보자에 우선하여 선발되다
7 a 〈시기 등이〉 …**중**, …하는 사이[동안]: ~ the past few years 과거 수년 사이에 / I stayed with my cousin ~ the weekend. 주말 동안 사촌 집에 머물렀다. **b** 〈거리 등이〉 …**에 걸쳐**: ~ a good distance 상당한 거리에 걸쳐서 / This railroad is ~ 200 miles long. 이 철도는 길이가 200마일에 걸쳐 있다. **c** …을 통하여: a pass ~ the company's line (미) 회사 전(全) 부처 통용 패스
8 a …**에 관해서**: I'll have to talk ~ the matter with my parents. 그 일에 관해서 부모님과 의논해 봐야겠습니다. **b** …**의 일로**: She is crying ~ the loss of her son. 그녀는 아들을 잃고 울부짖고 있다. / They are quarreling ~ their legacy. 그들은 유산을 갖고 싸우고 있다.
9 …**하면서**, …에 종사하여: wait ~ a cup of coffee 커피를 마시면서 기다리다 / They talked about it ~ a glass of beer. 그들은 맥주를 마시면서 그것을 이야기했다.
10 〈전화 등〉**에 의해서**, …으로: The first news of it was received ~[*on*] the telephone. 그 첫 소식은 전화로 알려졌다. / We heard it ~[*on*] the radio. 라디오에서 그것을 들었다.
11 〖수학〗 …로 나누어, …분의: seventeen ~ seventy three 17 나누기 73[73분의 17]
***all* ~ …** ⇨ *prep.* 2
***be all* ~** a person 《구어》 (1) …에게 공손하게 대하다 (2) …에게 열중하다[반하다] (3) …에게 우르르 몰려가다[마중하다] (4) 〈상대를〉 압도하다; …에 완승하다
~ *all* (1) 전체에 걸쳐; 끝에서 끝까지(cf. OVERALL) (2) 전체적으로, 전반적으로
~ *and above* …에 더하여, …위에, …이상으로: a profit ~ *and above* what they had anticipated 그들이 예상했던 이상의 이익
— *ad.* [be동사와 결합될 경우에는 형용사로도 볼 수 있음] **1 a 위(쪽)에**, 높은 곳에: A helicopter flew ~. 헬리콥터가 머리 위로 날아갔다. **b 위에서 아래로**; 튀어나와, 내밀어: She bent ~ and patted the baby. 그녀는 몸을 굽혀서 아기를 토닥거렸다. / A huge rock hangs ~ the stream. 큰 바위가 냇물 위에 돌출해 있다.
2 전면에, 온통, 도처에: cover ~ with paint 전면에 페인트를 칠하다 / all the world ~ 세계 도처에
3 a 멀리 떨어진 곳에, 저 너머에; 〈거리·강·바다 등을〉 넘어서, 저쪽으로: They went ~ to Paris by plane. 그들은 비행기로 파리로 날아갔다. / I'll be right ~. 곧 그리 가겠습니다. **b** 이쪽으로: Come ~ here. 이리 오시오. / She asked me ~ for dinner. 그녀는 내게 집에 와서 저녁 식사하자고 청했다. / He came (all the way) ~ to Korea from South Africa. 그는 (멀리) 남아프리카에서 한국으로 왔다. **c 남에게**; 다른 쪽으로, 옮겨서, 건너서: He signed his property ~ to his daughter. 그는 서명하여 재산을 딸에게 양도했다.
4 뒤집어서; 거꾸로: turn[roll] ~ in one's sleep 자면서 몸을 뒤척이다 / *O*~. (미) = Please turn ~. 뒷

면으로 계속. (略 P.T.O.) / *O~* light, please. (달걀을) 뒤집어서 살짝 구워주시오.
5 끝나서, 지나서(cf. ALL over): School will be ~ at three. 학교는 3시에 끝난다. / The vacation is more than half ~. 휴가는 반 이상 지났다. / The first act was already ~. 제1막은 이미 끝나 있었다.
6 a 처음부터 끝까지, 완전히: read a newspaper ~ 신문을 훑어보다 / think the matter ~ 그 문제를 곰곰이[충분히] 생각하다 **b** (미) (어떤 기간 동안[까지]) 내내, 줄곧, 죽: all the year ~ 1년 내내 / stay ~ till Monday 월요일까지 죽 머무르다 **c** 나중까지, 다음 계절까지; 아침까지: stay ~ 하룻밤을 묵다
7 되풀이해서: read it (twice) ~ 되풀이해서 (두 번) 읽다 / I read her letter many times ~. 그녀의 편지를 몇 번이나 되풀이해서 읽었다. / Could you start ~ again? 다시 한번 시작해 주시겠습니까?
8 a 넘쳐서: flow ~ 넘쳐 흐르다 / The soup boiled ~. 수프가 끓어 넘쳤다. **b** (구어) **여분으로,** 남아서; (수량이) 넘어서: children of eight years and ~ 8세 이상의 어린이 / Is there any meat left ~? 고기 남은 것 있소? / Five goes into seven once, with two ~. 7 나누기 5는 1이 되고 2가 남는다. / His speech ran five minutes ~. 그의 연설은 예정을 5분 넘겼다.
9 [보통 not ~로] (영) 지나치게, 너무나: *not* ~ well 별로 건강하지 않다 / He is*n't* so ~ young. 그는 아주 젊다고 할 정도는 아니다.
all ~ ⇨ all *ad.*
and [***or***] ***~*** 또는[및] 그 이상
get ~ with …을 끝마치다
not ~ well ⇨ *ad.* 9
~ again 반복하여, 또 한번 ⇨ *ad.* 7
~ against ... (1) …에 면하여, …앞[가까이]에: take a seat ~ *against* her 그녀와 마주보고 앉다 (2) …와 대조해서: quality ~ *against* quantity 양에 대한 질
~ and above 그 위에, 게다가; (방언) [형용사에 붙여] 매우, 굉장히
~ and done with (싫은 일이) 완전히 끝나서: The affair is ~ *and done with.* 그 사건은 완전히 끝난 일이다.
O~ and out! 통신 끝! (무선 교신에서)
~ and ~ (***again***) 몇 번이고
~ easy (달걀을) 뒤집어서 살짝 구운
~ here 이쪽에[으로], 이리(로)
~ or under 다소, 약간, 대략
~ there (1) 저쪽에, 저기에, 저 너머에 (2) (미) 유럽에서는
O~ (***to you***)***!*** 응답하라! (무선 교신에서)
~ with (미·구어) 끝나서, 마쳐서(ended): Let's get this thing ~ *with.* 이것을 정리해 버립시다.
—*a.* **1** 위의, 위쪽의; 상위의, 상급의 **2** 거죽을 덮는 **3** 여분의; 지나친: ~ imagination 지나친 상상력 / one ~ copy 여분의 한 부
—*n.* **1** 여분(extra) **2** 〖크리켓〗 심판이 교체를 명할 때까지 허용되는 투구수 (보통 6-8); 그 사이의 경기 **3** 〖군사〗 (표적을 지나치는) 원탄(遠彈)
—*vt.* 넘다; 뛰어넘다: ~ a fence 울타리를 뛰어넘다

o·ver·blown [òuvərblóun] *a.* **1** 바람에 흩날린; 〈폭풍우 등이〉 그친 **2** 〈꽃·미모 등이〉 너무 많이 핀, 한창 때가 지난 **3 a** 부풀린; 〈문체 등이〉 과장된; 도가 지나친: ~ praise 과도한 칭찬 / ~ prose 과장된 산문 **b** 〈몸집이〉 아주 큰[당당한], 너무 살찐
***o·ver·board** [óuvərbɔ̀:rd] *ad.* **1** 배 밖에[밖으로], (배에서) 물 속으로: fall ~ 배에서 물 속으로 떨어지다 **2** (미) 열차에서 밖으로
go [***fall***] ***~*** (구어) 극단으로 나가다; …에 열중하다, …이 매우 맘에 들다 (*for, about*) ***throw ~*** 배 밖[물 속]으로 버리다; (구어) 저버리다, 포기하다, 버리다, 유기하다; 〈법칙·원리 등을〉 거부하다
o·ver·bold [óuvərbóuld] *a.* 지나치게 대담한, 무분별한; 철면피의, 뻔뻔스러운
o·ver·book [òuvərbúk] *vt.* 〈비행기·호텔 등의〉 예약을 정원 이상으로 받다 **—***vi.* 초과하여 예약을 받다
o·ver·borne [òuvərbɔ́:rn] *v.* OVERBEAR의 과거분사
o·ver·bought [óuvərbɔ́:t] *a.* 〈증권 등이〉 (매점매석으로) 너무 비싸진, 물가가 오른
— [∽–⌐] *v.* OVERBUY의 과거·과거분사
o·ver·bridge [óuvərbrìdʒ] *n.* (영) = OVERPASS
o·ver·brim [òuvərbrím] *vt., vi.* (**~med**; **~·ming**) 〈액체 등이〉 (용기에서) 넘치(게 하)다
o·ver·budg·et [òuvərbʌ́dʒit] *a.* 예산[할당액] 초과의 **—***vt., vi.* 예산을 초과하다 **~·ed, ~·ing** *a.*
o·ver·build [òuvərbíld] *vt.* (**-built** [-bílt]) 〈토지에〉 집을 지나치게 많이 짓다; …위에 짓다; 너무 대규모로[사치스럽게] 짓다 **—***vi.* 필요 이상으로 집을 짓다
o·ver·bur·den [òuvərbə́:rdn] *vt.* **1** 너무 싣다 (*with*) **2** …에게 〈책임·일 등을〉 지나치게 부담시키다 (*with*); 너무 괴롭히다; 과로하게 하다
— [⌐–∽–] *n.* 너무 무거운 짐; 지나친 부담
o·ver·bur·den·some [óuvərbə́:rdnsəm] *a.* 짐이 너무 무거운, 과중한; 몹시 귀찮은
o·ver·bus·y [òuvərbízi] *a.* 너무 바쁜; 지나치게 참견하는
o·ver·buy [òuvərbái] *vt., vi.* (**-bought** [-bɔ́:t]) (자력 이상으로) 너무 많이 사다
o·ver·call [òuvərkɔ́:l, ⌐–⌐] *vi., vt.* 〖카드〗 (실제의 끗수보다) 올려 부르다
—*n.* [⌐–⌐] 〖카드〗 (브릿지에서) 올려 부르기
***o·ver·came** [òuvərkéim] *v.* OVERCOME의 과거
o·ver·can·o·py [òuvərkǽnəpi] *vt.* (**-pied**) …위에 천개(天蓋)[닫집]를 덮다, 덮어 씌우다
o·ver·ca·pac·i·ty [òuvərkəpǽsəti] *n.* 〖경제〗 설비 과잉; (그로 인한) 과잉 생산 능력
o·ver·cap·i·tal·ize [òuvərkǽpətəlàiz] *vt.* **1** 〈회사 등의〉 자본을 과대 평가하다 **2** 〈기업 등에〉 자본을 지나치게 투입하다 **-càp·i·tal·i·zá·tion** *n.*
o·ver·care [óuvərkὲər] *n.* Ⓤ 지나친 걱정[조심], 군걱정, 기우(杞憂)
o·ver·care·ful [óuvərkέərfəl] *a.* 지나치게 조심하는, 너무 세심한 **~·ly** *ad.* **~·ness** *n.*
***o·ver·cast** [òuvərkǽst, ⌐–⌐] *v.* (**o·ver·cast**) *vt.* **1 구름으로 덮다,** 흐리게 하다, 어둡게 하다; 〈사람을〉 (슬픔 등으로) 음울하게 만들다: Clouds began to ~ the sky. 구름이 하늘을 덮기 시작했다. **2** 〖재봉〗 〈가장자리를〉 풀리지 않게 감치다, 휘갑치다; 〖제본〗 (책의) 접지를 차례대로 꿰매어 묶다
—*vi.* 흐리다, 어두워지다; 〖재봉〗 휘갑치다
— [⌐–⌐, ⌐–⌐] *a.* **1** 〈하늘이〉 흐린, 우중충한 **2** 음울한, 우울한: an ~ face 음울한 얼굴 **3** 〖재봉〗 가장자리를 감친, 휘갑친
— [⌐–⌐] *n.* 잔뜩 낀 구름; 흐린 하늘
o·ver·cast·ing [óuvərkæ̀stiŋ | -kɑ̀:st-] *n.* ⓊⒸ 〖재봉〗 휘갑치기
o·ver·cau·tion [óuvərkɔ́:ʃən] *n.* Ⓤ 지나친 조심
o·ver·cau·tious [óuvərkɔ́:ʃəs] *a.* 지나치게 조심하는, 소심한 **~·ly** *ad.*
o·ver·cen·tral·i·za·tion [òuvərsèntrəlizéiʃən | -lai-] *n.* Ⓤ (권력의) 지나친 집중; 과도한 중앙 집권화
o·ver·cen·tral·ize [òuvərséntrəlaiz] *vt.* 과도하게 집중시키다, 지나치게 중앙 집권화하다
o·ver·cer·ti·fy [òuvərsə́:rtəfài] *vt.* (**-fied**) 〖은행〗 〈수표의〉 지불 초과를 보증하다
o·ver·charge [òuvərtʃɑ́:rdʒ] *vt.* **1** …에게 (…에 대해) 부당한 값을 요구하다 (*for*); …에게서 〈어느 금

thesaurus **overcast** *a.* cloudy, sunless, dark, murky, misty, hazy, foggy, gray, dismal, dreary

액만큼〉 여분으로 받다 《*for*》: 《~+目+前+名》 He ~*d* me *for* repairing the television set. 그는 나에게 텔레비전 수리비를 바가지 씌웠다. **2** 〈총포에〉 탄약을 너무 많이 재우다; 지나치게 충전하다; …에 짐을 너무 싣다 **3** 허풍치다, 과장하다(exaggerate)
— *vi.* 부당한 값을 요구하다, 바가지 씌우다; 너무 많이 싣다[채우다, 재우다]
— [⌐—⌐] *n.* **1** 엉뚱하게 비싼 값[청구] **2** 적하(積荷) 과중; 장약(裝藥) 과다; 충전 과다

o·ver·check [óuvərtʃèk] *n.* (말이 머리를 못 숙이게 하는) 고삐

o·ver·class [óuvərklæ̀s | -klɑ̀:s] *n.* 특수층 《한 나라의 경제력을 좌우하는 사회 계층》

o·ver·clothes [óuvərklòuðz] *n. pl.* (다른 옷 위에 입는) 덧옷

o·ver·cloud [òuvərkláud] *vt.* **1** 〈하늘 등을〉 구름으로 잔뜩 뒤덮다, 흐리게 하다 **2** 음울하게[슬프게] 하다; 불행하게 만들다 — *vi.* **1** 흐리다, 구름으로 뒤덮이다 **2** 음울해지다

o·ver·cloy [òuvərklɔ́i] *vt.* 실컷 배불리다, 포식시키다; 〈음식 등에〉 물리게[싫증나게] 하다

‡**o·ver·coat** [óuvərkòut] *n.* **1** 오버코트, 외투 **2** (페인트 등의) 보호용 코팅, 보호막
— *vt.* …에 (보호용) 코팅을 하다

o·ver·coat·ing [óuvərkòutiŋ] *n.* Ⓤ 외투감; (보호용의) 코팅, 보호막

o·ver·col·or | **-col·our** [òuvərkʌ́lər] *vt.* 지나치게 채색[윤색]하다; 〈서술 등을〉 과장하다

‡**o·ver·come** [òuvərkʌ́m] *v.* (**-came** [-kéim]; **-come**) *vt.* **1** 〈적 등을〉 이기다, 패배시키다(defeat); 압도하다, 정복하다: ~ one's enemy 적에게 이기다 **2** 〈곤란·장애 등을〉 극복하다, 이겨내다, 넘어서다: ~ obstacles 장애를 극복하다 **3** [보통 수동형으로] …의 맥을 못 추게 하다; 무기력하게 하다 《*by, with*》: *be* ~ *with*[*by*] grief 슬픔으로 맥을 못 추다 **4** 《고어》 …의 위를 뒤덮다, …위에 퍼지다
— *vi.* 이기다, 정복하다 **ò·ver·cóm·er** *n.*

o·ver·com·mit [òuvərkəmít] *vt.* (**~·ted**; **~·ting**) [보통 수동형 또는 ~ one*self* 로] **1** 〈자신을〉 지나친 약속으로 속박하다 **2** 〈물자 등을〉 보급 능력 이상으로 할당하다; 낭비하다; 지나치게 쓰다 **~ oneself** 지나치게 언질을 주다, 무리한 약속을 하다 **~·ment** *n.*

o·ver·com·pen·sate [òuvərkɑ́mpənsèit | -kɔ́m-] *vt.* …에게 과대한 보상을 하다 — *vi.* (열등감·약점을 메우려고 무의식적으로) 과잉 보상을 하다 《*for*》

o·ver·com·pen·sa·tion [òuvərkɑmpənséiʃən | -kɔm-] *n.* **1** 《심리》 과잉 보상 **2** 필요 이상의[도를 지나친] 보상, 과잉 보수

o·ver·con·fi·dence [òuvərkɑ́nfədəns | -kɔ́n-] *n.* Ⓤ 지나친 자신[자부], 과신

o·ver·con·fi·dent [òuvərkɑ́nfədənt | -kɔ́n-] *a.* 너무 믿는; 자부심이 강한 **~·ly** *ad.*

o·ver·con·tain [òuvərkəntéin] *vt.* 〈감정 등을〉 지나치게 억제하다

o·ver·cook [òuvərkúk] *vt. vi.* 지나치게 익히다[삶다, 굽다]

o·ver·cooked [òuvərkúkt] *a.* 너무 익힌[구운]

o·ver·cor·rec·tion [òuvərkərékʃən] *n.* 과잉 수정; 과잉 교정

o·ver·cre·du·li·ty [òuvərkrədjú:ləti | -djú:-] *n.* Ⓤ 극도의 맹신, 경신(輕信), 과신(過信)

o·ver·cred·u·lous [òuvərkrédʒuləs] *a.* 너무 쉽사리 믿는

o·ver·crit·i·cal [òuvərkrítikəl] *a.* 너무 비판적인, 혹평하는(hypercritical) **~·ly** *ad.* **~·ness** *n.*

o·ver·crop [òuvərkrɑ́p | -krɔ́p] *vt.* (**~ped**; **~·ping**) 너무 다작(多作)하다; 지나치게 농작하여 〈땅을〉 메마르게 하다

o·ver·crow [òuvərkróu] *vt.* 이겨서 뽐내다, …에게 거드럭거리다; 압도하다

o·ver·crowd [òuvərkráud] *vt.* 〈좁은 곳에〉 사람을 너무 많이 수용하다, 혼잡하게 하다: 《~+目+前+名》 be ~*ed with* …으로 혼잡하다 **~·ed** [-id] *a.* 초만원의: an ~*ed* theater 초만원의 극장

o·ver·crowd·ing [òuvərkráudiŋ] *n.* Ⓤ 초만원, 과밀, 혼잡

o·ver·crust [òuvərkrʌ́st] *vt.* 외피[피각(皮殼)]로 덮다[싸다]

o·ver·cul·ture [óuvərkʌ̀ltʃər] *n.* (대립적 문화가 존재하는 상황에서의) 지배적 문화, 상위(上位) 문화

o·ver·cun·ning [óuvərkʌ́niŋ] *a.* 지나치게 교활한
— *n.* Ⓤ 지나치게 교활함 **~·ly** *ad.* **~·ness** *n.*

o·ver·cu·ri·ous [óuvərkjúəriəs] *a.* 지나치게 세심한; 꼬치꼬치 캐묻는, 호기심이 지나친 **~·ly** *ad.*

o·ver·cur·rent [óuvərkə̀:rənt | -kʌ̀r-] *n.* 《전기》 과(過) 전류

o·ver·del·i·cate [óuvərdélikət] *a.* 지나치게 신경질적인; 너무 섬세한 **-ca·cy** [-kəsi] *n.* 신경과민

o·ver·de·ter·mined [òuvərditə́:rmind] *a.* 신념[결심]이 너무 굳은; 《심리》 과잉 규정의, 중복[다원] 결정의

o·ver·de·vel·op [òuvərdivéləp] *vt.* **1** 지나치게 발달시키다 **2** 《사진》 과도하게 현상하다 **~·ment** *n.*

o·ver·do [òuvərdú:] *v.* (**-did** [-díd]; **-done** [-dʌ́n]) *vt.* **1** 지나치게 하다, …의 도를 넘기다: ~ one's exercise 운동을 지나치게 하다 **2** 〈연기 등을〉 과장하다; 〈감정 등을〉 과장하여 나타내다[표현하다] **3** 지나치게 사용하다, 지나치게 부리다 **4** [보통 수동형 또는 ~ one*self* 로] 정력을 다 소모하다; 과로하게 하다 **5** 너무 익히다[굽다](⇨ overdone 1) **~ *it*** 과장하다; 지나치게 하다 **~ one*self*** [**one's *strength***] 지나치게 노력하다, 무리하다
— *vi.* 지나치게 하다; 무리하다; 과장하다

o·ver·dog [óuvərdɔ̀:g | -dɔ̀g] *n.* (cf. UNDERDOG) **1** 싸움에 이긴 개 **2** 승리가 예측되는 후보자 **3** 지배[특권] 계급의 한 사람

o·ver·dom·i·nance [òuvərdɑ́mənəns | -dɔ́-] *n.* 《유전》 초우성(超優性), 과우성(過優性) 《이형(異形) 접합체의 적응도가 동형(同形) 접합체의 그것보다 높음》 **-nant** [-nənt] *a.*

o·ver·done [òuvərdʌ́n] *a.* **1** 〈스테이크 따위를〉 너무 익힌[구운] **2** 과도한, 과장된 **3** 과로한, 녹초가 된

o·ver·door [óuvərdɔ̀:r] *a.* 〈장식물 등이〉 문 상부에 있는 — *n.* 문 상부의 장식

o·ver·dose [òuvərdóus] *vt.* …에게 과도하게 투약(投藥)하다; 〈약을〉 과잉 투여하다
— [⌐—⌐] *n.* (약의) 과량 복용, 과잉 투여

o·ver·draft [óuvərdræ̀ft | -drɑ̀:ft] *n.* **1** 《금융》 당좌 대월(액) 《略 OD, O.D., O/D》; 《일반적으로》 과도한 청구[인출]: ~ checking account 당좌 대월 수표 계정 《예금의 잔고 이상의 수표 발행을 할 수 있는 계정》 **2** 아래쪽의 통풍(通風)

óverdraft facìlity 《영》 《금융》 당좌 대월 약정

o·ver·draw [òuvərdrɔ́:] *v.* (**-drew** [-drú:]; **-drawn** [-drɔ́:n]) *vt.* **1** 《금융》 〈예금을〉 너무 많이 찾다, 차월하다; 〈수표를〉 은행 잔고 이상으로 발행하다 **2** 과장하다, 과장되게 묘사하다; 〈활 등을〉 너무 당기다
— *vi.* 《금융》 당좌 차월하다; 〈스토브·난로 등이〉 통풍이 너무 잘 되다 **ò·ver·dráwn** *a.*

o·ver·dress [òuvərdrés] *vt., vi.* 너무 두껍게 입히다; 지나치게 옷치레하다 **~ one*self*** 지나치게 몸치장을 하다 — [⌐—⌐] *n.* (얇은) 겉옷

o·ver·dressed [òuvərdrést] *a.* 《경멸》 지나치게 옷치장[성장]한

o·ver·drink [òuvərdríŋk] *vt., vi.* (**-drank**

thesaurus **overcome** *v.* conquer, defeat, vanquish, beat, overwhelm, overthrow, subdue, quell, crush, triumph over, master, surmount
overdue *a.* **1** 미불의 unpaid, owed, owing, outstanding, unsettled **2** 늦은 late, behind schedule, delayed, belated, tardy, unpunctual

[-drǽŋk]; **-drunk** [-drʌ́ŋk]) 과음하다
~ one***self*** 과음하여 탈이 나다
o·ver·drive [òuvərdráiv] *vt.* (**-drove** [-dróuv]; **-driv·en** [-drívən]) **1** 〈말·자동차 등을〉 혹사하다 **2** 〈사람·기계 등을〉 지나치게 부리다
— *n.* (자동차의) 오버드라이브, 증속 구동(增速驅動); 《구어》 (활동·생산의) 과열 상태, 집중적 활동 상태
go into ~ 오버드라이브로 하다; 열심히 일하다
o·ver·dub [òuvərdʌ́b] *vt.* (**~bed**; **~·bing**) 〈다른 음성을〉 겹쳐 녹음하다, 다중 녹음하다
— [ˊ-ˋ] *n.* 다중 녹음; 다중 녹음 음성
o·ver·due [òuvərdjúː | -djúː] *a.* **1** 지불 기한이 넘은, 미불(未拂)의 **2** 늦은, 연착한 **3** 때가 다 된; 충분히 준비가 되어 있는 **4** 과도의, 지나친(excessive) **5** 〈여성이〉 생리가 늦은; 출산 예정일이 지난
o·ver·dye [òuvərdái, ˊ-ˋ] *vt.* 《염색》 너무 진하게 물들이다; …에 다른 색을 물들이다
o·ver·ea·ger [óuvəríːgər] *a.* 지나치게 열심인
óver éasy *a.* 《미》 (달걀 프라이를) 노른자가 익기 전에 양쪽을 살짝 익힌
*__o·ver·eat__ [òuvəríːt] *vt.*, *vi.* (**-ate** [-éit | -ét]; **-eat·en** [-íːtn]) 과식하다 ~ one***self*** 과식하다, 과식하여 탈이 나다 **~·er** *n.*
o·ver·ed·u·cate [òuvərédʒukèit | -dju-] *vt.* 과잉 교육하다
o·ver-egg [òuvərég] *vt.* [다음 성구로] ~ ***the pudding*** 과장하다, 지나치게 하다
o·ver·e·lab·o·rate [óuvərilǽbəreit] *a.* 지나치게 공들인, 너무 꼼꼼한 — *v.* [ˋ--ˊ--] *vt.* …에 지나치게 손을 대다 — *vi.* 〈문장·언어 따위가〉 지나치게 꼼꼼하다 **~·ly** *ad.*
o·ver·e·mo·tion·al [óuvərimóuʃənl] *a.* 지나치게 정서적인, 감정적으로 되기 쉬운
o·ver·em·pha·sis [òuvərémfəsis] *n.* (*pl.* **-ses** [-sìːz]) 지나친 강조
o·ver·em·pha·size [òuvərémfəsaiz] *vt.* 지나치게 강조하다; 지나치게 중요시하다
o·ver·em·ploy·ment [òuvərimplɔ́imənt] *n.* Ⓤ 과잉 고용
o·ver·en·thu·si·asm [òuvərenθúːziæ̀zm] *n.* 과도한 열중[감격, 열의] **ò·ver·en·thu·si·ás·tic** *a.*
o·ver·es·ti·mate [òuvəréstəmeit] *vt.* **1** 〈가치·능력을〉 과대 평가하다 **2** 〈수량 등을〉 지나치게 어림하다
— *vi.* 과대 평가하다
— [ˊ-ˊ--] *n.* 과대 평가 **ó·ver·ès·ti·má·tion** *n.*
o·ver·ex·cite [òuvəriksáit] *vt.* 과도하게 흥분시키다, 너무 자극시키다 **-cit·ed** [-sáitid] *a.* 극도로 흥분한 **~·ment** *n.*
o·ver·ex·er·cise [òuvəréksərsaiz] *vt.* 〈몸의 일부를〉 지나치게 사용하다, 혹사하다, 〈권력[권한]을〉 남용하다 — *vi.* 운동[연습]을 너무 하다, 몸을 혹사하다
— *n.* 지나친 운동
o·ver·ex·ert [òuvərigzə́ːrt] *vt.* 〈정신력·지력(知力) 등을〉 지나치게 쓰다 ~ one***self*** 무리한 노력을 하다
o·ver·ex·er·tion [òuvərigzə́ːrʃən] *n.* Ⓤ 지나친[무리한] 노력
o·ver·ex·ploit [òuvəriksplɔ́it] *vt.* 〈자원 등을〉 과도하게 개발하다
o·ver·ex·ploi·ta·tion [òuvərèksplɔitéiʃən] *n.* Ⓤ (천연자원의) 과잉 개발; 남획
o·ver·ex·pose [òuvərikspóuz] *vt.* 《사진》 〈필름 등을〉 지나치게 노출하다
o·ver·ex·po·sure [òuvərikspóuʒər] *n.* ⓊⒸ **1** 《사진》 노출 과다 **2** 인기 연예인 등이 광고에 지나치게 등장하기
o·ver·ex·tend [òuvəriksténd] *vt.* **1** 지나치게 확대[확장]하다 **2** 〈기간 등을〉 연장시키다: ~ stay 체재(기간)을 늘리다 **3** …에게 한도 이상의 업무[활동]를 시키다, 능력 이상의 것을 시키다 ~ one***self*** 능력 이상의 일을 하려 하다; 지불 능력 이상의 채무를 지다
o·ver·ex·tend·ed [òuvərikstέndid] *a.* [보통 Ⓟ] 무리하게 일한[활동한]; 지나치게 지출한
o·ver·ex·ten·sion [òuvərikstέnʃən] *n.* 지나친 확장[확대]
o·ver·fall [óuvərfɔ̀ːl] *n.* **1** [*pl.*] 단조(湍潮) 《해류가 해저 장애물이나 반대 해류와 부딪쳐서 생기는 해면의 물보라 파도》 **2** (해저 등의) 갑자기 깊어지는 곳 **3** (운하·댐의) 낙수하는 곳; 낙수 장치
o·ver·fa·mil·iar [òuvərfəmíljər] *a.* 지나치게 친한
o·ver·fa·tigue [òuvərfətíːg] *vt.* 과로하게 하다, 아주 지치게 하다 — [ˊ--ˋ] *n.* Ⓤ 과로
o·ver·feed [òuvərfíːd] *vt.*, *vi.* (**-fed** [-féd]) 너무 먹이다[먹다] ~ one***self*** 과식하다
o·ver·fill [òuvərfíl] *vt.*, *vi.* 너무 많이 넣다, 넘칠 만큼 넣다; 지나치게 가득 채우다[차다]
o·ver·fish [òuvərfíʃ] *vt.* 〈어장에서〉 물고기를 남획하다, 다 잡아 버리다 — *vi.* 물고기를 남획하다
o·ver·fish·ing [òuvərfíʃiŋ] *n.* Ⓤ 어류의 남획
o·ver·flight [óuvərflàit] *n.* (비행기에 의한) 특정 지역의 상공 통과, 영공 비행[침범]
‡**o·ver·flow** [òuvərflóu] *v.* (**~ed**; **-flown** [-flóun]) *vi.* **1** 넘치다, 넘쳐 흐르다; 범람하다; 〈용기 등이〉 가득 차다, 넘치다: This river often ~*s.* 이 강은 자주 범람한다. **2** (상품·자금 등으로) 충만하다, 넘치다, 남아나다; (감정 등으로) 가득 차다, 넘치다 《*with*》: (~+전+명) Her heart is ~*ing with* gratitude. 그녀의 가슴은 감사한 마음으로 차 있다. **3** 〈사람이〉 넘쳐 나다: The crowd ~*ed* into the street. 군중은 길거리에까지 넘쳤다.
— *vt.* **1** 범람시키다, 침수시키다; 〈가장자리에〉 넘치다, 넘쳐 나오다: The river ~*ed* its banks. 강물이 범람했다. **2** 〈사람·물건이〉 넘쳐서 못 들어가다
— [ˊ-ˋ] *n.* **1 a** (하천의) 넘쳐 흐름, 범람 **b** 넘쳐 흐른[유출한] 것[물] **2** (인구·상품 등의) 과다, 과잉; 《비유》 떡고물, 국물: an ~ of population 인구 과잉 **3** 배수로, 배수관 **4** 《컴퓨터》 범람 《연산 결과 등이 계산기의 기억·연산 단위 용량보다 커짐》
~·ing *a.* 넘쳐 흐르는 **~·ing·ly** *ad.*
overflów méeting (만원으로 입장하지 못한 사람들을 위한) 별도 집회
o·ver·fly [òuvərflái] *vt.* (**-flew** [-flúː]; **-flown** [-flóun]) **1** 〈비행기가〉 …의 상공을 날아 가다; 영공을 침해하다 **2** 〈도착 예정지를〉 통과하다 **3** …보다 높이[빨리, 멀리] 날다 **4** 〈규정 비행 시간을〉 넘어서 날다
o·ver·fond [óuvərfɑ́nd | -fɔ́nd] *a.* 너무 좋아하는, 지나치게 귀여워하는 《*of*》 **~·ly** *ad.*
o·ver·freight [òuvərfréit] *vt.* …에 화물을 너무 많이 싣다 — [ˊ-ˋ] *n.* 과도한 짐(overload)
o·ver·ful·fill | **-fil** [òuvərfulfíl] *vt.* (**~ed**) 표준 이상으로 이행[달성]하다; 기한 전에 완료하다
o·ver·ful·fill·ment [òuvərfulfílmənt] *n.* Ⓤ (계획의) 기한 전 완성, 조기 달성
o·ver·full [óuvərfúl] *a.* 너무 많은, 차고 넘치는 《*of*》 — *ad.* 지나치게, 과도하게
o·ver·gar·ment [óuvərgɑ̀rmənt] *n.* 겉에 입는 의복
o·ver·gen·er·al·ize [òuvərdʒénərəlaiz] *v.* 지나치게 일반화하다; 과도하게 법제화하다
o·ver·gen·er·ous [óuvərdʒénərəs] *a.* 지나치게 관대한, 너무 후한 **~·ly** *ad.*
o·ver·gild [òuvərgíld] *vt.* (**~·ed, -gilt** [-gílt]) 전체에 도금(鍍金)하다
o·ver·glaze [óuvərglèiz] *n.* (도자기의) 두 번째 칠하는 유약, 상회칠
— [ˋ-ˊ] *vt.* **1** 〈도자기에〉 상회칠하다 **2** 은폐하다
— [ˊ-ˋ] *a.* 상회칠로 이용되는

---

overeat *v.* eat too much, eat like a horse, gorge oneself, overindulge, pig out
overflow *v.* **1** 넘치다 flow over, run over, spill over, brim over, pour forth, discharge, surge **2** 범람시키다 flood, deluge, submerge, swamp, drown, drench, soak, saturate, engulf, cover

o·ver·gov·ern [òuvərgʌ́vərn] *vt.* 지나치게 속박[통제]하다, 간섭하다, (규칙 등으로) 얽매다

o·ver·graze [òuvərgréiz] *vt.* 〈토지에〉 가축을 너무 방목(放牧)하다

o·ver·ground [óuvərgràund] *a.*, *ad.* **1** 지상의[에서]; 공공연한[히] **2** 기성 사회[문화]의 인정을 받은[받아], 체제적인[으로] ***be still*** ~ 아직 살아 있다 — *n.* 기성 사회, 체제

óverground ecónomy (지하 경제에 대하여) 지상 경제

o·ver·grow [òuvərgróu] *v.* (**-grew** [-grú:]; **-grown** [-gróun]) *vt.* **1** 〈잡초 등이〉 무성하게 나다[자라다], 자라서 뒤덮다; 지나치게 자라다 **2** = OUTGROW — *vi.* 너무 커지다, 너무 퍼지다, 뻗어 나가다; 잡초가 무성하다

o·ver·grown [òuvərgróun] *a.* **1 a** 〈식물이〉 너무 자란 **b** Ⓐ 〈풀 등이〉 무성하게 우거진 **2** Ⓐ 〈사람이〉 너무 크게 자란, (나이나 체력에 안 어울리게) 키가 너무 큰; (너무 커서) 꼴사나운

o·ver·growth [óuvərgròuθ] *n.* **1** UC 무성, 우거짐; 너무 자람, 너무 살찜 **2** [an ~] 땅[건물]을 뒤덮듯이 자라난 것 (*of*) **3** 〖결정〗 표면 연정(連晶)

o·ver·hand [óuvərhæ̀nd] *a.* **1** 〖야구·크리켓·테니스〗 (손을 어깨 위로 올려) 내리치는[던지는], 오버핸드의; 〖수영〗 손을 물 위에 내뻗는 **2** 〖재봉〗 휘갑치는 **3** 손을 위로부터 대어 잡는 — *ad.* **1** 위로부터 손을 대어: grasp one's fork ~ 포크를 위에서부터 붙잡다 **2** 어깨 너머로, 오버핸드로; 손을 물 위에 뻗어 **3** 휘갑쳐서 — *n.* **1** 어깨 너머로 던지는 솜씨, 오버핸드 투구[스트로크]; (테니스의) 내리치는 서브 솜씨[스타일] **2** (방언) 유리한 입장[형세]
— *vt.* 〖재봉〗 휘갑치다

óverhand knót 외벌 매듭(single knot)

***o·ver·hang** [òuvərhǽŋ] *vt.*, *vi.* (**-hung** [-hʌ́ŋ], **-hanged**) **1** …위에 걸리다(hang over); …위에 걸치다; 돌출하다, 쑥 내밀다: A wide balcony ~*s* the garden. 넓은 발코니가 뜰 위로 쑥 나와 있다. **2** 〈위험·재해 등이〉 임박하다, 위협하다, 절박하다: A pestilence ~*s* the land. 역병이 국내를 위협하고 있다. **3** 〈어떤 분위기 등이〉 감돌다, 충만하다, 퍼지다
— [ㅡㅡ] *n.* **1** 쑥 내밂, 돌출 (부분) **2** 선수(船首) 등의 돌출 정도; 〖건축〗 (지붕·발코니 등의) 내물림 **3** 〖항공〗 (날개의) 돌출 **4** (유가 증권·통화·원자재 등의) 과잉 **5** 위험, 위협

o·ver·haste [òuvərhéist] *n.* Ⓤ 성급, 경솔, 무모

o·ver·hast·y [óuvərhéisti] *a.* 지나치게 서두르는

***o·ver·haul** [òuvərhɔ́:l] *vt.* **1 a** 분해 검사[수리]하다; 정비하다; 사용할 수 있는 상태로 돌리다, 오버홀하다 **b** (구어) 철저히[자세히] 조사하다; 〈환자를〉 정밀 검사하다: be ~*ed* by a doctor 의사의 정밀 검사를 받다 **2** 육박하다, 따라붙다; 추월하다 **3** 〖항해〗 〈배의 밧줄을〉 늦추다; 〈배를〉 검사하다 (밀수품의 유무 등으로)
— [ㅡㅡ] *n.* UC **1** 총점검 정비, 분해 검사[수리], 오버홀 **2** (구어) 정밀 검사: go to a doctor for an ~ 정밀 검사를 받으러 의사한테 가다 **~·er** *n.*

‡**o·ver·head** [óuvərhèd] *a.* Ⓐ **1** 머리 위의, 머리 위를 통과하는, 고가의, 육상의: an ~ railway (영) 고가 철도/an ~ walkway 보도 육교/~ wires 가공선(架空線) **2** 전부를 포함한; 〖경제〗 모든 경비를 포함한, 총비용의; 〈경비가〉 일반의, 간접의: ~ charges [expenses] 총경비, 일반[공통] 비용 **3** 〖테니스〗 머리 위에서부터 내려치는
— *n.* **1** [(영)에서는 보통 *pl.*] (미) 〖경제〗 일반[공통] 비용, 총경비, 간접비 **2** (테니스 등에서) 머리 위에서 내려치기, 스매시(smash) **3** 천장의 조명 **4** (머리 위에 있는) 선반 **5** 〖영화〗 배우의 위쪽을 찍은 커트; = OVERHEAD PROJECTOR
— [ㅡㅡ] *ad.* **1** 머리 위에, 위에, 높이, 하늘 높이; 육상으로: There was a cloud ~. 하늘에는 구름이 떠 있었다. **2** 머리 위까지; 머리가 잠길 때까지; 깊이 관련된 **3** (드물게) 위층에

óverhead còsts 간접비

óverhead dóor 오버헤드 도어 (위로 수평으로 밀어 올리는 차고 문 등)

óverhead projéctor 오버헤드 프로젝터 (플라스틱 시트에 쓴 문자 등을 스크린에 나타나게 하는 장치; 略 OHP)

óverhead tìme 〖컴퓨터〗 오버헤드 타임 (operating system의 제어 프로그램이 컴퓨터를 사용하는 시간)

***o·ver·hear** [òuvərhíər] *vt.*, *vi.* (**-heard** [-hə́:rd]) (상대방 모르게) 우연히 듣다, 어쩌다가 듣다; 엿듣다, 도청하다: (~+目+*do*, *doing*) I ~*d* her *saying* [*say*] that she would divorce her husband. 그녀가 남편과 이혼하겠다는 말을 우연히 들었다.

> 유의어 **overhear** 말하는 사람이 눈치채지 못하는 사이 그의 이야기를 우연히 듣다 **eavesdrop** 의도적으로 상대방의 이야기를 엿듣다: I didn't mean to *eavesdrop*, but I did *overhear* you. 엿들을 생각은 없었는데 그만 당신들의 이야기를 듣고 말았다.

o·ver·heat [òuvərhí:t] *vt.* **1** 과열시키다; 〈경제 등을〉 과열시키다 **2** 〈남을〉 지나치게 흥분시키다[선동하다] — *vi.* 과열하다, 흥분하다; (수요의 과도로) 인플레가 생기다

o·ver·heat·ed [òuvərhí:tid] *a.* 너무 가열된, 지나치게 흥분한

o·ver·hit [òuvərhít] *vt.* (~; **~·ting**) (테니스 등에서) 너무 세게 치다

o·ver·housed [òuvərháuzd] *a.* 집이 지나치게 넓은[큰], 너무 넓은 집에서 사는

o·ver·hung [óuvərhʌ̀ŋ] *a.* 위에 매어 단, 위에서 드리운: an ~ door 매어 단 문

o·ver·in·dulge [òuvərindʌ́ldʒ] *vt.* **1** 너무 방임하다, 너무 응석받다 **2** [~ one*self* 로] 제멋대로 굴다 — *vi.* 제멋대로 행동하다; 탐닉하다

o·ver·in·dul·gence [òuvərindʌ́ldʒəns] *n.* Ⓤ 지나친 방임, 제멋대로 함; 탐닉

o·ver·in·dul·gent [òuvərindʌ́ldʒənt] *a.* 너무 방임하는, 너무 제멋대로 (하게) 하는 **~·ly** *ad.*

o·ver·in·flat·ed [òuvərinfléitid] *a.* 지나치게 부푼[팽창한]

o·ver·in·fla·tion [òuvərinfléiʃən] *n.* Ⓤ **1** 극도로 부풀리기 **2** 극단적인 통화 팽창

o·ver·in·sur·ance [òuvərinʃúərəns] *n.* Ⓤ 〖보험〗 초과 보험

o·ver·in·ter·pre·ta·tion [òuvərintə:rprətéiʃən] *n.* 지나친 해석, 확대 해석

o·ver·in·voice [òuvərínvɔis] *vi.* 청구서에 실액 이외의 액수를 보태다, 과다 청구하다

o·ver·is·sue [óuvəriʃu:] *vt.* 〈지폐·증권 등을〉 남발하다 — *n.* UC 제한외 발행, 남발; 과다 발행물[액]; (너무 많이 찍어서) 남은 인쇄물

o·ver·jolt [òuvərdʒóult] (미·마약속어) *n.* 마약[헤로인] 과다 복용 — *vi.* 마약[헤로인]을 과다 복용하다

o·ver·joy [òuvərdʒɔ́i] *vt.* 매우 기쁘게 하다, 기쁨에 넘치게 하다 ***be ~ed at*** …에 미칠 듯이 기뻐하다

ò·ver·jóyed *a.* 기쁨에 넘친

o·ver·jump [òuvərdʒʌ́mp] *vi.*, *vt.* 뛰어넘다; 너무 뛰다

o·ver·kill [óuvərkìl] *n.* Ⓤ **1** (핵무기 등의) 과잉 살상력[파괴력]; 과잉 살상[파괴] 행위 **2** (행동 등의) 지나침, 과잉: a propaganda ~ 과잉 선전
— [ㅡㅡ] *vi.*, *vt.* 과잉 살육하다

o·ver·knee [óuvərnì:] *a.* 〈구두·양말 따위가〉 무릎 위까지 올라오는

o·ver·la·bor [òuvərléibər] *vt.* 일을 너무 시키다; 지나치게 공들이다

o·ver·lade [òuvərléid] *vt.* …에 지나치게 싣다, 과

thesaurus **overlook** *v.* **1** 빠뜨리고 못 보다 fail to notice, miss, leave, disregard, neglect, ignore,

중한 짐[부담]을 지우다

o·ver·lad·en [òuvərléidn] *a.* **1** 짐을 너무 실은, 〈부담 등이〉 과중한 **2** 지나치게 장식한

o·ver·laid [òuvərléid] *v.* OVERLAY의 과거·과거분사

o·ver·lain [òuvərléin] *vt.* OVERLIE의 과거분사

o·ver·land [óuvərlæ̀nd, -lənd] *a.* 육상[육로]의
— *ad.* 육상으로, 육로로; 산 넘고 물 건너, 멀리
— *vt., vi.* 《호주》 〈양 등을〉 몰며 육로로 가다

o·ver·land·er [óuvərlæ̀ndər] *n.* 《호주》 **1** 〈가축 떼를 몰고〉 평원을 이동하는 사람 **2** 《속어》 방랑자; 부랑자

óverland máil 〖미국사〗 대륙 횡단 우편

óverland róute 1 [the ~] 《영》 육상 인도 통로 《영국에서 지중해를 거쳐 인도에 이르는 길》 **2** 《미》 〈태평양 해안에 이르는〉 대륙 횡단 도로 **3** 《일반적으로》 육로 **4** 《미·속어》 시간이 가장 많이 걸리는 길

óverland stáge 〈19세기 중엽 미국 서부의〉 역마차(stagecoach)

*__o·ver·lap__ [òuvərlǽp] *v.* (**~ped**; **~·ping**) *vt.* **1** 겹치다, 포개다; 〈테이블 덮개가〉 …로부터 삐죽이 나오다: They ~ each other. 그들은 서로 겹쳐 있다./The ends of cloth ~ the table. 천의 끝이 테이블에서 삐죽이 나와 있다. **2** 일부분이 …와 일치하다; …와 공통점이 있다, 상치(相値)하다; 〈시간적으로〉 중복하다
— *vi.* **1** 〈공간적으로〉 겹쳐지다, 부분적으로 일치하다 **2** 〈시간적으로〉 일부분이 일치하다, 중복되다: 《~+전+명》 His free time didn't ~ *with* mine. 그의 자유 시간과 나의 자유 시간이 일치하지 않았다.
— [⌒⌒] *n.* Ⓤⓒ **1** 중복, 부분적 일치 **2** 삐져 나온 부분의 크기[양] **3** 중복 부분[장소] **4** 〖영화〗 오버랩 《한 화면에 다음 화면이 겹침》

o·ver·large [óuvərlɑ́ːrdʒ] *a.* 지나치게 큰, 특대의

o·ver·lay [òuvərléi] *vt.* (**-laid** [-léid]) **1** 씌우다; 깔다, 바르다, 칠하다; 붙이다; 도금(鍍金)하다: The wood was *overlaid with* gold. 나무에는 금박(金箔)이 씌워져 있었다. **2** 〖인쇄〗 〈인쇄기에〉 활판 표면을 고르게 하는 종이를 붙이다 **3** 〈덮어서〉 감추다, 어둡게 하다 **4** 압도[압제]하다 — [⌒⌒] *n.* **1** 〖인쇄〗 조판된 활자 표면을 고르게 하는 종이 **2** 〈장식용〉 겉깔개, 웃덮개, 겉 씌우개 **3** 〖컴퓨터〗 오버레이 **4** 오버레이 《지도·사진 등에 겹쳐 쓰는 반투명지》

o·ver·leaf [óuvərlìːf] *ad.* 〈종이의〉 뒷면에, 다음 페이지에

o·ver·leap [òuvərlíːp] *vt.* (**~ed, -leapt** [-líːpt | -lépt]) **1** 뛰어넘다 **2** 빠뜨리다, 생략하다, 못 보고 넘어가다; 무시하다(ignore) **3** 너무 뛰다 **4** 《고어》 …보다 멀리까지 뛰다 ~ one*self* 너무 뛰어넘다; 지나치게 해서 실패하다

o·ver·learn [òuvərlə́ːrn] *vt.* 〖교육〗 숙달된 후에도 계속 연습[공부]하다

o·ver·lev·er·aged [òuvərlévəridʒid] *a.* 과도한 부채를 진

o·ver·lie [òuvərlái] *vt.* (**-lay** [-léi]; **-lain** [-léin]; **-ly·ing**) **1** …의 위에 눕다[엎드리다] **2** 〈아이를〉 깔고 누워 질식시키다

o·ver·line [óuvərlàin] *n.* 〈사진·만화 따위에 다는 1행의〉 설명문; 〈큰 제목 밑에 곁들이는〉 작은 제목

o·ver·live [òuvərlív] *vt., vi.* 〈…보다〉 오래 살다(outlive), 살아 남다(survive)

*__o·ver·load__ [òuvərlóud] *vt.* **1** …에 짐을 너무 많이 싣다, 부담을 너무 많이 지우다 **2** 〈총포에〉 탄약 등을 너무 많이 재다 **3** 〖전기〗 지나치게 충전하다; …에 지나치게 부하(負荷)를 걸다
— [⌒⌒] *n.* [보통 *sing.*] **1** 과중한 짐, 과적 **2** 〖전기〗 과부하

óver lòan 〖경제〗 대출 초과

o·ver·long [óuvərlɔ́ːŋ | -lɔ́ŋ] *a.* 너무 긴

— *ad.* 〈시간적으로〉 너무 길게, 너무 오랫동안: stay ~ 너무 오래 머물다

⁑**o·ver·look** [òuvərlúk] *vt.* **1 못 보고 지나치다,** 빠뜨리고 못 보다 **2** 〈결점·실수 따위를〉 **너그럽게 봐주다,** 보고도 못 본 체하다: ~ a person's mistake 남의 실수를 눈감아 주다 **3 내려다보다,** 내다보다, 건너다보다; 〈건물 등이〉 …보다 높은 데 있다: a balcony that ~*s* the rose garden 장미 정원이 내려다보이는 발코니 **4** 대충 보다, 훑어보다; 검열[시찰]하다 **5** 감독[감시]하다: He had to ~ a large number of students. 그는 다수의 학생들을 돌보아야만 했다. **6** 노려보다, 노려보아 호리다
— [⌒⌒] *n.* **1** overlook하기 **2** 전망이 좋은 곳, 높은 곳; 〈높은 곳에서의〉 전망, 경치 **3** 간과, 못 보고 넘김

o·ver·look·er [óuvərlùkər] *n.* 감독자, 반장, 조장

o·ver·lord [óuvərlɔ̀ːrd] *n.* **1** 대군주; 지배자, 권력자; 거물; 《영》 각 부처의 감독 조정을 맡은 상원 의원 **2** 〖역사〗 천제(天帝), 신(神) **~·ship** *n.* Ⓤ 대군주의 지위[신분]

o·ver·lust·y [óuvərlʌ́sti] *a.* 지나치게 왕성[활발]한

o·ver·ly [óuvərli] *ad.* 지나치게, 몹시

o·ver·man [óuvərmən] *n.* (*pl.* **-men** [-mən; 3에서는 -mèn]) **1** 〈탄광 등의〉 갱내 감독; 직공장; 반장, 감독 **2** 〖스코법〗 조정[재결]자, 중재자 **3** 〖철학〗 초인(superman) — [òuvərmǽn] *vt.* 〈직장 등에〉 필요 이상의 인원을 배치하다

o·ver·manned [òuvərmǽnd] *a.* 〈사무실 등에〉 필요 이상의 인원 배치를 한(overstaffed)

o·ver·man·ning [òuvərmǽniŋ] *n.* 필요 이상의 인원을 배치하기

o·ver·man·tel [óuvərmæ̀ntl] *n.* 벽난로 위의 장식 선반

o·ver·man·y [òuvərméni] *a.* 지나치게 많은, 과잉의

o·ver·mark [òuvərmɑ́ːrk] *vt.* …에게 너무 후한 점수를 주다

o·ver·mast [òuvərmǽst | -mɑ́ːst] *vt.* 〖항해〗 〈배에〉 너무 긴[무거운] 돛대를 달다

o·ver·mas·ter [òuvərmǽstər | -mɑ́ːs-] *vt.* 〈감정·사람을〉 압도[위압]하다 **~·ing** *a.* **~·ing·ly** *ad.*

o·ver·match [òuvərmǽtʃ] *n.* 보다 나은 사람, 한 수 높은 사람, 강적; 승부가 나지 않는 경기
— *vt.* **1** 능가하다, 이기다, 압도하다, 물리치다 **2** 〈선수 등을〉 실력이 위인 상대와 경기시키다

o·ver·mat·ter [óuvərmæ̀tər] *n.* **1** 〖인쇄〗 너무 많이 짠 활자 **2** 〈잡지 등에서〉 다음 호로 넘어갈 과잉 원고

o·ver·mea·sure [óuvərmèʒər] *n.* Ⓤⓒ 과대한 어림[평가]; 잉여

o·ver·med·i·cate [òuvərmédəkèit] *vi.* 과잉 진찰하다

o·ver·mike [òuvərmáik] *vt.* 마이크를 과도하게 증폭하다

o·ver·mod·est [óuvərmɑ́dist | -mɔ́-] *a.* 지나치게 수줍은[암된, 얌전한] **~·ly** *ad.* **~·y** *n.*

o·ver·much [óuvərmʌ́tʃ] *n.* Ⓤ 과다, 과분
— *a.* 과다한, 과분한: ~ concern 지나친 관심
— *ad.* **1** 과도하게 **2** [부정문에서] 지나치게

o·ver·nice [óuvərnáis] *a.* 너무 깐깐한, 너무 까다로운 **~·ly** *ad.* **~·ness** *n.*

*__o·ver·night__ [óuvərnàit] *a.* Ⓐ **1 밤을 새는,** 밤새의; 〈손님 등이〉 일박의; 일박용의; 단기 숙박용의; 외박용의: an ~ stop 일박/an ~ decision 하룻밤을 새워 정한 결심 **2** 전날 밤의 **3** 하룻밤 사이의 갑작스런: an ~ millionaire 벼락부자 **4** 익일 배달의 **5** 하룻밤만 유효한: ~ call loan[money] 〖상업〗 익일불 콜, 하룻밤 기한 대부금
— [⌒⌒] *ad.* **1 밤새,** 밤새도록 **2 전날 밤중에**: make preparations ~ 전날 밤에 준비를 하다 **3** 하룻밤 사이에, 갑자기 ***keep* ~** 〈음식 등이〉 이튿날 아침까지 상하지 않다 ***stay* ~** 하룻밤 묵다
— *n.* [⌒⌒] **1** 전날 밤, 간밤 **2** 일박; 《미·속어》 일박[짧은] 여행, 하룻밤 외박 **3** 《미·구어》 〈대학 기숙사에

---

omit, forget (opp. *spot, notice*) **2** 너그럽게 봐주다 excuse, forgive, pardon (opp. *punish*)

서의 일박의) 외박 허가 **4** ((미·구어)) 간단한 일; (다음 날 신문에 게재 가능한) 컬럼 기사 **5** ((미)) (TV·라디오 등의) 심야 시청[청취]률
— [⌐—⌐] *vi.* 하룻밤을 지내다 ((*at, in*))

overníght bàg[càse] (일박용) 작은 여행 가방

o·ver·night·er [òuvərnáitər] *n.* **1** 작은 여행용 가방(overnight bag) **2** 일박 여행, 일박; 일박 여행자 **3** 야간 열차

overníght pòll 〖TV〗 심야 여론 조사

overníght tèlegram ((영)) 다음날 아침 배달 전보 ((요금이 쌈))

o·ver·nu·tri·tion [òuvərnjuːtríʃən | -njuː-] *n.* 영양 과다

o·ver·oc·cu·pied [òuvərákjupàid | -ɔ́kju-] *a.* 거주자가 너무 많은; 너무 혼잡한

o·ver·op·ti·mism [òuvəráptəmìzm] *n.* 지나친 낙관, 초낙관주의 **-mist** *n.* **-òp·ti·mís·tic** *a.*

o·ver·or·gan·ize [òuvərɔ́ːrgənaiz] *vt.* 지나치게 조직화하다, 〈직제(職制)를〉 편중하다 — *vi.* 지나치게 조직화되다

o·ver·part·ed [òuvərpáːrtid] *a.* (배우의 능력 이상으로) 연기력을 요구하는

o·ver·par·ti·cu·lar [òuvərpərtíkjulər] *a.* 지나치게 상세한[정밀한]; 지나치게 꼼꼼한

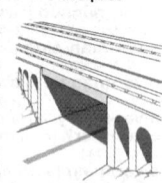

o·ver·pass [óuvərpæ̀s | -pàːs] *n.* ((미)) (입체 교차의) 고가 도로, 고가 철도, 육교; (도로·철도 등의 위에 가설된) 다리
— [⌐—⌐] *vt.* **1** 넘다, 건너다, 가로지르다, 통과하다 (pass over); 〈한계 등을〉 넘다, 범하다(transgress): ~ a frontier 월경하다 **2** 〈곤란 등을〉 극복하다; 초월하다, … 보다 낫다, 능가하다; 〈기간을〉 끝내다, 보내다; 경험하다 **3** 빠뜨리고 못 보다(overlook), 대충 보다; 무시하다: ~ a fault 잘못을 못 보고 넘기다

overpass

o·ver·passed, -past [òuvərpǽst | -páːst] *a.* 이미 지나간, 과거의; 이미 폐지된

o·ver·pay [òuvərpéi] *vt.* (**-paid** [-péid]) 초과 지불하다 **~·ment** *n.* Ⓤⓒ 초과 지불(금)

o·ver·peo·pled [òuvərpíːpld] *a.* 인구 과잉의

o·ver·per·form [òuvərpərfɔ́ːrm] *vt.* 과잉 연기[연주]하다

o·ver·permed [òuvərpə́ːrmd] *a.* ((구어)) 파마를 지나치게 한

o·ver·per·mis·sive [òuvərpərmísiv] *a.* 자유 방임주의의

o·ver·per·suade [òuvərpərswéid] *vt.* 억지로 설득하다 **-sua·sion** [-swéiʒən] *n.*

o·ver·pitch [òuvərpítʃ] *vt.* 〖크리켓〗 〈공을〉 삼주문(三柱門)에 너무 가깝게 던지다; ((비유)) 과장하다

o·ver·play [òuvərpléi] *vt.* **1** 〈연기를〉 과장해서 하다(overact) **2** …의 가치[중요성]를 지나치게 강조하다, 과대 평가하다 **3** ((고어)) (경기에서) 〈상대방을〉 이기다, 물리치다 **4** 〖골프〗 〈공을〉 너무 세게 쳐서 putting green을 넘기다 — *vi.* 과장된 연기를 하다; 효과를 과장하다 ~ one**'s** ***hand*** (자기 힘을 과신하여) 대담히 행동하다; 자신의 유리함을 과신하다가 이길[성공할] 기회를 놓치다

o·ver·plus [óuvərplʌ̀s] *n.* 여분; 과잉, 과다

o·ver·poise [òuvərpɔ́iz] *vt.* ((고어)) …보다 무겁다 (overweigh); …보다 중요하다

o·ver·pop·u·late [òuvərpápjuleit | -pɔ́pju-] *vt.* 〈도시 등을〉 인구 과잉으로 하다, 과밀화시키다 **-làt·ed** *a.* 인구 과잉의, 과밀한

o·ver·pop·u·la·tion [òuvərpɑpjuléiʃən | -pɔpju-] *n.* Ⓤ 인구 과잉[과밀]

o·ver·po·ten·tial [óuvərpətènʃəl] *n.* Ⓤ 〖전기〗 과(過)전압

***o·ver·pow·er** [òuvərpáuər] *vt.* **1** (더 강한 힘으로) **이기다**, 눌러 버리다, 억누르다, 제압하다(overcome) **2** 〈사람을〉 감격시키다, 깊이 감동시키다; 압도하다(subdue), 못 견디게 하다 **3** 〈육체·정신적 기능을〉 못 쓰게 만들다, 꺾어 버리다 **4** 〈기계 등에〉 과도한 힘을 가하다, 무리를 주다

o·ver·pow·er·ing [òuvərpáuəriŋ] *a.* **1** 〈감정 등이〉 압도적인; 저항하기 어려운, 강렬한 **2** 〈사람이〉 강한 성격의, 고압적인 **~·ly** *ad.*

o·ver·praise [òuvərpréiz] *vt.* 지나치게 칭찬하다
— [⌐—⌐] *n.* Ⓤ 지나친 칭찬, 과찬

o·ver·pre·scribe [òuvərpriskráib] *vi., vt.* 〈약제를〉 과잉 처방하다 **-scrip·tion** [-skrípʃən] *n.*

o·ver·pres·sure [òuvərpréʃər] *n.* Ⓤ 지나친 압력; 과도한 압박; (정신적) 과로

o·ver·price [òuvərpráis] *vt.* …에 너무 비싼 값을 매기다

o·ver·priced [òuvərpráist] *a.* 너무 비싼, 비싼 값을 매긴

o·ver·print [òuvərprínt] *vt.* 〖인쇄〗 〈인쇄한 것 위에〉 겹쳐 인쇄하다; (필요한 부수 이상으로) 과도하게 인쇄하다; 〖사진〗 너무 진하게 인화하다
— [⌐—⌐] *n.* 겹쳐서 인쇄하기; 과다 인쇄

o·ver·prize [òuvərpráiz] *vt.* 과대 평가하다 **-príz·er** *n.*

o·ver·pro·duce [òuvərprədjúːs | -djúːs] *vt., vi.* 과잉 생산하다[되다]

***o·ver·pro·duc·tion** [òuvərprədʌ́kʃən] *n.* Ⓤ **과잉 생산**, 생산 과잉

o·ver·pro·nounce [òuvərprənáuns] *vt.* 〈단어·음절을〉 과장해서 발음하다
— *vi.* 너무 의식해서[뽐내면서, 과장해서] 발음하다

o·ver·proof [óuvərprúːf] *a.* 표준량 이상으로 알코올을 포함한(cf. PROOF SPIRIT)

o·ver·pro·por·tion [òuvərprəpɔ́ːrʃən] *vt.* …의 비율을 지나치게 크게 하다
— *n.* Ⓤ 어울리지 않게 큼, 과도, 불균형

o·ver·pro·tect [òuvərprətékt] *vt.* 〈자식 등을〉 지나치게 보호하다, 과보호하다: an *~ed* child 과보호 아동 **-téc·tive** *a.*

o·ver·pro·tec·tion [òuvərprətékʃən] *n.* 과잉 보호

o·ver·proud [óuvərpráud] *a.* 지나치게 자부심이 강한, 지나치게 뽐내는; 너무 자만하는 **~·ly** *ad.*

o·ver·qual·i·fied [óuvərkwáləfàid | -kwɔ́-] *a.* 필요 이상으로 교육[훈련]을 받은, 자격 과잉의

o·ver·quick [óuvərkwík] *a.* 지나치게 성급한, 너무 빠른 **~·ly** *ad.*

o·ver·ran [òuvərrǽn] *v.* OVERRUN의 과거

o·ver·rate [òuvərréit] *vt.* 과대 평가하다, 너무 높게 예상하다(overestimate)

o·ver·reach [òuvərríːtʃ] *vt.* **1** …이상으로 퍼지다; …에까지 널리 미치다, 뻐져 나오다 **2** 〈목표 등을〉 뛰어 넘다, 지나쳐서 날아가다 **3** 〈손발 등을〉 너무 뻗다, 너무 내놓다 **4** [~ one*self* 로] …보다 너무 가다, 도를 지나치다; 몸을 너무 뻗쳐 중심을 잃다; 도가 지나쳐서 실패하다 **5** 한술 더 뜨다, 꾀로 이기다(overwit) **6** 추격하다, 따라잡다 **7** ((폐어)) 압도하다
— *vi.* **1** 위에까지 닿다[퍼지다, 미치다] **2** 너무 지나치게 가다; 손을 너무 뻗다; 몸을 무리하게 뻗다, 무리를 하다, 도를 넘다 **3** 〈말이〉 뒷발굽으로 앞발굽을 차다 **4** 사람을 속이다 **5** 〖항해〗 〈배가〉 일정 방향으로 지나치게 가다 **~·er** *n.*

o·ver·re·act [òuvərriǽkt] *vi.* 지나치게 반응하다, 과잉 반응하다 **-ac·tion** [-ǽkʃən] *n.*

o·ver·read [òuvərríːd] *vt.* (**-read** [-réd]) 〈책

thesaurus **overpower** *v.* overwhelm, overcome, master, conquer, defeat, vanquish, quell
overrun *v.* **1** 침략하다 invade, occupy, besiege, attack, assail, penetrate **2** 우거지다 spread over,

을〉 너무 읽다
o·ver·re·fine [òuvərrifáin] *vt.* 지나치게 세세히 구별하다; 지나치게 정제[정련]하다 **~·ment** *n.*
o·ver·rent [òuvərrént] *vt.* 땅세[집세, 임대료, 소작료]를 너무 비싸게 받다
o·ver·rep·re·sent·ed [òuvərreprizéntid] *a.* 대표가 지나치게 많은; 《특히》 대의원이 너무 많은
o·ver·rev [òuvərrév] *vt.* (엔진 등의) 회전 속도를 너무 올리다, 과잉 회전시키다
o·ver·ride [òuvərráid] *vt.* (**-rode** [-róud]; **-rid·den** [-rídn]) **1 a** …보다 우위에 서다, …에 대해서 최종 결정권을 갖다; 〈적국을〉 짓밟다, 유린하다 **b** 〈사람을〉 말로 짓밟다 **c** 〈상관의 명령·남의 권리 등을〉 무시하다, 깔아뭉개다; 〈윗사람을〉 꺾고 오르다 **2** 〈결정 등을〉 번복하다, 무효로 하다: ~ the board's veto 이사회의 거부를 무효로 하다 **3** …에 우선하다 **4** …을 넘어서까지 퍼지다; …의 위를 덮다 **5** 〈말을〉 지나치게 타서 지치게 하다 **6** 〖외과〗 〈부러진 뼈를〉 겹쳐 맞추다
— [ㅅ-ㅅ] *n.* **1** (매출·이익에 대한) 수수료 **2** 예산[지출]의 증가; 예상 초과 **3** 오버라이드하기; 자동 제어 장치의 보조적 수동 장치 **4** 무효로 하는 것, 철회, 무시
ó·ver·rìd·er *n.* override하는 사람; 《영》 (자동차의) 보강 완충 철판, 범퍼가드
o·ver·rid·ing [òuvərráidiŋ] *a.* **1** 우선적으로 관심이 있는; 최우선의; 가장 중요한, 결정적인: an ~ national interest 가장 중요한 국가 이익/an ~ concern 우선적인 관심사 **2** = DOMINEERING
o·ver·ripe [óuvərráip] *a.* 너무 익은; 퇴폐적인 **~·ly** *ad.* **~·ness** *n.*
o·ver·rule [òuvərrú:l] *vt.* **1** 〈결정·이의·반론 등을〉 (권세로) 뒤엎다, 파기하다, 기각하다, 무효로 하다; 〈발언을〉 막다, 가로막다: Objection ~*d.* 이의를 기각한다. 《재판장이 사용하는 말》 **2** 〈의지 등을〉 지배하다; 압도하다, 이기다 —*vi.* 지배하다, 군림하다; (권위로) 결정하다
o·ver·run** [òuvərrʌ́n] *v.* (**-ran** [-rǽn]; **~**; **~·ning**) *vt.* **1** 〈나라 등을〉 **침략하다,** (침략하여) 황폐하게 만들다; 〈적군 등을〉 압도하다, 괴멸시키다 **2** 〈잡초 등이〉 …**에 퍼지다, 우거지다**; 〈해충·짐승 등이〉 …에 들끓다; 발호하다; 〈사상 등이〉 …에 널리 퍼지다, 석권하다; 〈강 등이〉 …에 범람하다(overflow): The warehouse was ~ *with* rats. 그 창고에는 쥐가 우글거렸다. **3** 〈범위·제한 시간·어림 등을〉 넘다; 〖야구〗 〈주자가〉 〈베이스〉를 지나쳐 가다, 오버런하다; 〈비행기가〉 〈활주로를〉 넘어가다: ~ one's allotted time 소정의 시간을 초과하다 **4** 〖인쇄〗 다른 행[난, 페이지]으로 넘기다 **5** 《고어》 …보다 빨리 달리다; 뛰어서 따라잡다 **6** 〖자동차〗 〈엔진 등을〉 오버런시키다 《엔진의 허용 회전수 이상으로 돌리다》 ~ oneself*** 《구어》 너무 뛰어 지치다, 녹초가 되다
—*vi.* **1** 퍼지다 **2** 범람하다, 넘치다, 홍수가 나다 **3** 도를 지나치다; 초과하다 **4** 〈엔진 등이〉 오버런하다
— [ㅅ-ㅅ] *n.* **1** 베이스를 지나쳐 감, 오버런; (시간·비용 등의) 초과; 초과 생산(량)[비용]; 나머지, 잉여; 견적 금액의 초과(액); 과입 지출액 **2** [보통 *sing.*] 초과 시간 **3** 〖인쇄〗 실용량 이상으로 찍은 책; (글자수 조정을 위한) 보내기[넘기기] **4** 〖자동차〗 자동차의 폭주 상태, 오버런 상태
òver sáiling *a.* 〈건축물 일부가〉 하부보다 튀어나온
o·ver·scale(d) [óuvərskéil(d)] *a.* 특대의
o·ver·scan [óuvərskæ̀n] *n.* 〖컴퓨터〗 오버스캔 《브라운관에서 화상의 끝부분이 화면에 들어오지 않는 일》
o·ver·score [òuvərskɔ́:r] *vt.* …위에 선을 긋다; 선을 그어 …을 지우다
o·ver·scru·pu·lous [òuvərskrú:pjuləs] *a.* 너무 세심[면밀]한 **~·ly** *ad.* **~·ness** *n.*

---

grow over, cover, choke, clog **3** …에 들끓다 warm over, surge over, overwhelm
oversight *n.* carelessness, inattention, neglect, omission, mistake, error, fault, slip, lapse

***o·ver·seas** [óuvərsí:z] | **-sea** [-sí:] *a.* 해외(로부터)의, 외국의; 재외(在外)의, 외지의; 해외로 가는[보내는]; 대외적인, 국제적인: an ~ base 해외 기지/an ~ broadcast 해외[대외] 방송/an[the] ~ Chinese 화교/an ~ edition 해외판(版)/~ trade 해외 무역/~ investment 해외 투자
— [ㅅ-ㅅ] *ad.* **해외로,** 외국으로; 해외에서; 바다를 건너서 ***go*** **~** 외국에 가다
óverseas càp 〖미군〗 (챙이 없는 배 모양의) 약모(略帽)
o·ver·see [òuvərsí:] *vt.* (**-saw** [-sɔ́:]; **-seen** [-sí:n]) 〈인부·일 따위를〉 감독[감시]하다; 두루 살피다; 목격하다, 몰래[슬쩍] 보다; 지켜보다, 망보다; 《고어》 조사하다, 검사하다
o·ver·se·er [óuvərsì:ər] *n.* 감독, 직공장; 감독관, 지배인 **~ *of the poor*** 《영》 (옛날의) 교구(敎區) 민생 위원(民生委員)
o·ver·sell [òuvərsél] *vt.* (**-sold** [-sóuld]) **1** 〈제품·주식 등을〉 (재고량을 초과해서) 판매하다, 너무 많이 팔다 **2** 공격적으로 팔다; 억지로 강매하다 **3** 실제보다 높이 평가시키다
o·ver·sen·si·tive [óuvərsénsətiv] *a.* 지나치게 민감한; 신경과민인 **~·ness** *n.*
o·ver·set [òuvərsét] *v.* (**~**; **~·ting**) —*vt.* **1** 뒤엎다 **2** 〈정부를〉 전복하다, 〈제도를〉 파괴하다; 혼란하게 만들다 **3** 〖인쇄〗 지나치게 식자(植字)하다
—*vi.* **1** 뒤집히다 **2** 전복되다; 혼란에 빠지다 **3** 〖인쇄〗 지나치게 식자(植字)되다
— [ㅅ-ㅅ] *n.* 전복, 타도(overthrow); 혼란; 〖인쇄〗 과잉 식자, 다음 호로 보내는 과잉 원고
o·ver·sew [óuvərsòu, ㅅ-ㅅ] *vt.* (**~ed**; **~ed, -sewn** [-sòun]) 휘갑치다
o·ver·sexed [óuvərsékst] *a.* 성욕 과잉의; 성에 관심이 너무 많은
***o·ver·shad·ow** [òuvərʃǽdou] *vt.* **1 그늘지게 하다,** 가리다; 흐리게[어둡게] 하다; 우울하게 하다: clouds ~*ing* the moon 달을 가리고 있는 구름 **2** (비교하여) **빛을 잃게 하다,** 무색하게 하다(outshine) **3** 보호하다
o·ver·shine [òuvərʃáin] *vt.* (**-shone** [-ʃóun | -ʃɔ́n]) **1** …보다 세게[밝게] 빛나다 **2** (멋·아름다움 등에서) …보다 낫다, …을 무색하게 하다
o·ver·shirt [óuvərʃə̀:rt] *n.* 오버셔츠 《다른 셔츠 위에 걸치는 스포츠 셔츠》
***o·ver·shoe** [óuvərʃù:] *n.* [보통 *pl.*] **덧신,** 오버슈즈 (galoshes) 《방한·방수용》
o·ver·shoot [òuvərʃú:t] *v.* (**-shot** [-ʃát | -ʃɔ́t]) *vt.* **1** 〈목표를〉 넘어 쏘다, 벗어나다; 〈비행기가〉 〈착륙 지점을〉 지나치다 **2** 너무 쏘아 짐승을 멸종시키다 **3** 〈남〉보다 잘 쏘다 **4** 〈물이〉 …에서 기세좋게 떨어져 내리다, 쏟아져 내리다 ~ one***self*** 도를 지나치다, 지나치게 하여 실패하다; 과장하다, 허풍치다
—*vi.* **1** 지나쳐 가다, 도를 넘어가다 **2** 〈화살·탄환 등이〉 너무 멀리까지 날아가다
o·ver·shot [óuvərʃàt | -ʃɔ̀t] *a.* **1** 〈물레바퀴가〉 상사식(上射式)의(opp. *undershot*) **2** 〈특히 개가〉 위턱이 나온 —*n.* (직물에서) 위사가 몇 개의 경사 위로 건너뛰게 짜서 불룩하게 만든 모양
— [ㅅ-ㅅ] *v.* OVERSHOOT의 과거·과거분사
óvershot whéel 상사식(上射式) 물레바퀴
o·ver·side [óuvərsàid] *a.* Ⓐ **1** 현측도(舷側渡)의 **2** (레코드의) 뒷면의 —*ad.* **1** 뱃전으로부터 (바다 속으로) **2** (레코드의) 뒷면에 —*n.* (레코드의) 뒷면
o·ver·sight [óuvərsàit] *n.* **1** ⓊⒸ 간과(看過), 빠뜨리고 못 봄; 실수, 착오; 태만, 부주의 **2** Ⓤ [또는 an ~] 감시, 감독, 단속 ***by*** [***through***] (***an***) **~** 실수하여, 과실로 ***under the* ~ *of*** …의 감독하에
o·ver·sim·ple [òuvərsímpl] *a.* 지나치게 단순한
o·ver·sim·pli·fy [òuvərsímpləfai] *vt.* (**-fied**) 지나치게 간략화[간소화, 단순화]하다
ò·ver·sìm·pli·fi·cá·tion *n.*

o·ver·sing [òuvərsíŋ] *vi.* (**-sang** [-sǽŋ]; **-sung** [-sʌ́ŋ]) 너무 큰 소리로 노래하다

o·ver·size [óuvərsàiz] *n.* 특대(형) (물건)
— [᐀᐀] *a.* 특대의, 너무 큰

o·ver·sized [óuvərsáizd] *a.* = OVERSIZE

o·ver·skirt [óuvərskə̀ːrt] *n.* 오버스커트《드레스나 스커트 위에 겹쳐 입는 스커트》

o·ver·slaugh [óuvərslɔ̀ː] *n.* Ⓤ **1** 〖영국군〗 (현직에서의) 해임《더 중대한 임무를 맡기기 위한》 **2** 《미》 (항행을 방해하는 강의) 여울, 모래톱
— [ˋ ˊ] *vt.* **1** 〖영국군〗 해임하다 **2** 《미》 승진시키지 않다, 무시하다; 〈법안 등을〉 방해하다

***o·ver·sleep** [òuvərslíːp] *vi.*, *vt.* (**-slept** [-slépt]) 너무 자다, 늦잠 자다: He *overslept* and missed his bus. 그는 늦잠을 자서 버스를 놓치고 말았다.
~ one***self*** [one***'s usual time***] 너무 자다

o·ver·sleeve [óuvərslìːv] *n.* 소매 덮개, 토시

o·ver·slip [òuvərslíp] *vt.* (**~ped, -slipt** [-slípt]; **~·ping**) 《폐어》 **1** 미끄러져 지나가다 **2** 못 보고 빠뜨리다; 눈감아 주다; 〈기회 따위를〉 잃다

o·ver·smoke [òuvərsmóuk] *vt.* …에 연기를 너무 쐬다《훈제(燻製)할 때》 — *vi.* 담배를 너무 피우다

o·ver·sold [òuvərsóuld] *v.* OVERSELL의 과거·과거분사 — *a.* 너무 많이 판, 과잉 판매의

o·ver·so·lic·i·tous [óuvərsəlísətəs] *a.* 지나치게 열심인, 지나치게 신경 쓰는[염려하는]

o·ver·so·phis·ti·cate [òuvərsəfístəkit, -kèit] *n.* **1** 너무 닳고 닳은 사람 **2** 지나치게 고상한 사람

o·ver·soul [óuvərsòul] *n.* 대령(大靈) 《Emerson 등의 사상에서, 전 인류의 정신적 귀일(歸一)인 신》

o·ver·spe·cial·ize [òuvərspéʃəlaiz] *vt. vi.* 지나치게 특수화하다, 지나치게 전문화하다
ò·ver·spè·cial·i·zá·tion *n.*

o·ver·spend [òuvərspénd] *vt.*, *vi.* (**-spent** [-spént]) 분수에 넘치게 돈을 쓰다, 낭비하다
~ one***self*** 분수에 넘치게 돈을 쓰다, 탕진하다

o·ver·spill [óuvərspìl] *n.* **1** 넘침; 넘친 것[물] 《*from*》 **2** 여분, 과잉; 《영》 과잉 인구(의 이동)
— [ˋ ˊ] *vi.* 넘치다

***o·ver·spread** [òuvərspréd] *vt.* (**-spread**) …위에 (온통) 펼치다, 온통 뒤덮다[바르다], …의 전면에 흩뿌리다: slices of bread ~ with butter 버터를 가득 바른 빵 조각들 / A smile ~ his face. 그의 얼굴에 미소가 가득 퍼졌다.

o·ver·sta·bil·i·ty [òuvərstəbíləti] *n.* (환경·조직 등의) 과도한 안정[보수, 경직]성, 정체(停滯)

o·ver·staff [òuvərstǽf | -stáːf] *vt.* 〈공장·호텔 등에〉 필요 이상의 종업원을 두다

o·ver·staffed [òuvərstǽft] *a.* 필요 이상의 많은 직원을 둔(overmanned)

o·ver·stand [òuvərstǽnd] *v.* (**-stood** [-stúd]) 〖항해〗 *vi.* 〈배가〉 일정한 방향으로 너무 오래 가다
— *vt.* 〈목표를〉 지나 너무 달리다

o·ver·state [òuvərstéit] *vt.* 과장하여 말하다, 허풍떨다 **~·ment** *n.*

o·ver·stay [òuvərstéi] *vt.* **1** …보다 오래 머무르다: ~ one's welcome 너무 오래 머물러서 폐를 끼치다 **2** 《구어》 〖금융〗 (매석하다가) 팔 시기를 놓치다
~·er *n.* 《영·호주》 비자 기한 초과 체류자

o·ver·steer [òuvərstíər] *vi.* 〈자동차 등이〉 오버스티어하다《운전자의 의도 이상으로 많이 꺾이는 경향》
— [ˋ ˊ] *n.* 오버스티어

o·ver·step [òuvərstép] *vt.* (**~ped**; **~·ping**) 지나치게 가다, 넘어가다, 밟고 넘다; 〈한도를〉 넘다

o·ver·stock [òuvərsták | -stɔ́k] *vt.* 지나치게 공급하다; 너무 많이 사들이다: (~+목+전+명) ~ a show window *with* various merchandise 쇼윈도에 여러 가지 상품을 너무 많이 진열하다 // The market is ~*ed*. 시장은 재고 과잉이다. — *vi.* 너무 매입하다 — [ˋ ˊ] *n.* ⓊⒸ 매입[공급] 과다, 재고 과잉

o·ver·sto·ry [óuvərstɔ̀ːri] *n.* 상층《삼림의 덮개를 형성하는 엽군(葉群)》

o·ver·strain [òuvərstréin] *vt.* 〈사람·신경 등을〉 너무 팽팽하게 하다, 과도하게 긴장시키다, 과로하다
~ one***self*** 너무 긴장하다, 너무 과로하다, 너무 무리하다
— *vi.* 지나치게 긴장[노력]하다, 무리하다
— [ˋ ˊ] *n.* Ⓤ 과도한 긴장[노력], 과로

o·ver·stress [òuvərstrés] *vt.* **1** 지나치게 강조하다 **2** …에 심한 압력[긴장]을 주다 **3** 〖금속〗 〈금속에〉 변화점까지 압력을 가하다
— [ˋ ˊ] *n.* 과도한 긴장[압력]

o·ver·stretch [òuvərstrétʃ] *vt.* **1** 너무 잡아늘이다, 너무 펼치다 **2** 〈다리 등이〉 …의 위에 걸치다
— [ˋ ˊ] *n.* 〖군사〗 (군사력의) 과도 확장

o·ver·strew [òuvərstrúː] *vt.* …의 전면에 흐트러뜨리다[박아 넣다]; 여기저기를 덮다

o·ver·strict [óuvərstríkt] *a.* 너무 엄격한

o·ver·stride [òuvərstráid] *vt.* (**-strode** [-stróud]; **-strid·den** [-strídn]) **1** 능가하다, 지배하다 **2** 타고 넘다; …에 걸터 타다 **3** …보다 빨리 걷다, 앞지르다; (걸어서) 넘다, 건너다

o·ver·struc·tured [òuvərstrʌ́ktʃərd] *a.* (목적·기능을 희생하고) 조직[계획]이 지나친, 〈직제·규칙 등이〉 지나치게 정비된

o·ver·strung [òuvərstrʌ́ŋ] *a.* **1** 〈사람·신경 등이〉 너무 긴장한, (신경)과민의 **2** (피아노의) 줄을 비스듬히 교차시켜 매어 놓은

o·ver·stud·y [òuvərstʌ́di] *v.* (**-stud·ied**) *vi.* 지나치게 공부하다 — *vt.* …에게 지나친 공부를 강요하다 ~ one***self*** 지나치게 공부하다
— [ˋ ˊ] *n.* Ⓤ 지나친 공부

o·ver·stuff [òuvərstʌ́f] *vt.* …에 지나치게 채워 넣다; 〈의자 등에〉 속을 너무 많이 채워 넣다: I feel ~*ed*. 너무 많이 먹은 것 같다. **-stúffed** [-t] *a.*

o·ver·sub·scribe [òuvərsəbskráib] *vt.* 〈공채(公債)·주식·기부금 등을〉 모집액 이상으로 신청하다

o·ver·sub·scribed [òuvərsəbskráibd] *a.* 〈좌석·표 등이〉 과다하게 할당된[판매된], 초과 신청된

o·ver·sub·scrip·tion [òuvərsəbskrípʃən] *n.* ⓊⒸ 초과 신청

o·ver·sub·tle [óuvərsʌ́tl] *a.* 너무 미묘한, 과민한

o·ver·sup·ply [òuvərsəplái] *vt.* (**-plied**) 너무 많이 공급하다, 과잉 공급하다
— [ˋ ˊ] *n.* ⓊⒸ 과잉 공급

o·ver·sus·cep·ti·ble [òuvərsəséptəbl] *a.* 영향받기 쉬운; 상처받기 쉬운; 부서지기 쉬운

o·ver·swell [òuvərswél] *vt.* 지나치게 부풀리다; …에서 넘쳐나오다

o·ver·swing [òuvərswíŋ] *vi.* (**-swung** [-swʌ́ŋ]) 〖골프〗 클럽을 너무 크게 휘두르다

o·vert [ouvə́ːrt, ˊ ˋ] *a.* Ⓐ **1** 〈증거 등이〉 명백한, 공공연한(opp. *covert*): a market ~ 공개 시장 **2** 〈지갑 등이〉 열린 **3** (문장(紋章)에서) 〈새가〉 날개를 펼친 **4** 〖법〗 행동으로 나타난: an ~ act 외적 행위, 현시(顯示) 행위

‡**o·ver·take** [òuvərtéik] *v.* (**-took** [-túk]; **-tak·en** [-téikən]) *vt.* **1 a** 따라잡다, 따라붙다 **b** 뒤따라 앞지르다; 《영》 〈다른 차를〉 추월하다: His car *overtook* the train. 그의 차는 열차를 따라잡았다. **c** 〈뒤떨어진 일 등을〉 만회하다; (업적·생산·득점 등에서) 능가하다 **2** 〈폭풍우·불행 등이〉 갑자기 닥쳐오다, 덮치다: be *overtaken* by the rainstorm 폭풍우를 만나다 / Bad luck *overtook* them. 불행이 그들을 덮쳤다. **3** 압도하다; 《스코》 …의 마음을 뺏다, 매혹시키다: be *overtaken* with[in] drink 술에 취해 있다
— *vi.* 《영》 〈차가〉 추월하다: No *Overtaking*. 《영·게시》 추월 금지.(《미》 No Passing.)

o·ver·ták·ing láne [òuvərtéikiŋ-] 《영》 (차도의)

thesaurus **overtake** *v.* **1** 따라잡다 pass, go by, overhaul **2** 갑자기 닥쳐오다 befall, happen to, come upon, hit, strike, fall upon, overwhelm

추월 차선

o·ver·talk [óuvərtɔ̀:k] *n.* 지나친 수다, 다변, 요설 — [⌐—⌐] *vi.* 말을 너무 많이 하다

o·ver·task [òuvərtǽsk | -tɑ́:sk] *vt.* …에게 무리한 일을 시키다, 과중한 부담을 주다; 혹사하다

*****o·ver·tax** [òuvərtǽks] *vt.* **1** …에게 지나치게 과세하다 **2** …에게 지나친 요구를 하다; 혹사하다: ~ one*self* 과로하다 **-tax·a·tion** [-tækséiʃən] *n.*

o·ver·tech·nol·o·gize [òuvərteknɑ́lədʒàiz | -nɔ́-] *vt.* (비인간적일 만큼) 과도하게 기술화하다

o·ver-the-air [òuvərðiέər] *a.* =ON-AIR

o·ver-the-count·er [óuvərðəkáuntər] *a.* Ⓐ **1** 〈증권·주식 등이〉 장외(場外) 거래의, 점두(店頭) 매매의: the ~ market 〖증권〗 장외 시장 **2** 〈약이〉 의사의 처방 없이 팔 수 있는, 일반 판매약의(略 OTC)

o·ver-the-hill [óuvərðəhíl] *a.* 인생의 전성기가 지난; (속어) 나이가 들어 성적 불능이 된

o·ver-the-ho·ri·zon [óuvərðəhəráizn] *a.* 가시선(可視線) 밖의, 초(超)지평선의: an ~ radar 초지평선 레이더

o·ver-the-road [óuvərðəróud] *a.* 장거리 도로[육로] 수송의

ó·ver-the-shóul·der bómbing [óuvərðəʃóuldər-] =LOFT BOMBING

o·ver-the-top [óuvərðətɑ́p | -tɔ́p] *a.* (구어) 〈행동·복장 따위가〉 상식을 벗어난, 정도가 지나친; 오르가슴에 도달한

o·ver-the-tran·som [óuvərðətrǽnsəm] *a.* 의뢰[요청]에 의한 것이 아닌

o·ver·think·ing [òuvərθíŋkiŋ] *n.* 지나친 생각

o·ver·threw [òuvərθrú:] *v.* OVERTHROW의 과거

‡**o·ver·throw** [òuvərθróu] *vt.* (**-threw** [-θrú:]; **-thrown** [-θróun]) **1** 뒤엎다, 끌어내리다, 꺼꾸러뜨리다; 타도하다, 정복하다 **2** 〈정부·국가·군주 등을〉 전복하다(subvert); 폐지하다; 바꾸다: ~ the government 정부를 전복하다 **3** 〖야구·크리켓〗 너무 멀리[높이] 던지다, 폭투하다 **4** (고어) 〈마음의〉 평정을 잃다; 〈정신을〉 착란시키다

— [⌐—⌐] *n.* **1** [보통 *sing.*] 전복, 정복; 폐위, 권좌에서의 추방; 타도(upset); 패배, 멸망 **2** 〖크리켓·야구〗 폭투(暴投), 높이 던짐 ***give*** [***have***] ***the*** ~ 전복시키다[되다], 멸망시키다[하다]

o·ver·thrust [óuvərθrʌ̀st] *n.* 〖지질〗 충상(衝上) 단층

*****o·ver·time** [óuvərtàim] *n.* Ⓤ **1** 규정 외 노동 시간; 시간 외 노동, 초과 근무, 잔업: be paid extra for ~ 잔업 수당을 받다 **2** 초과 근무 수당 **3** 〖경기〗 연장 경기 시간((영) extra time), 연장전: The game went (into) ~. 게임은 연장전으로 들어갔다.

—*ad.* 규정 시간 외에: work ~ 잔업하다, 시간 외로 일하다 ***be working*** ~ (구어) 〈두뇌·생각 등이〉 평소보다 활발하다, 잘 돌아가다

—*a.* **1** 시간 외의, 초과 근무의: ~ work[pay] 초과 근무[근무 수당] **2** 규정 시간을 넘은

— [⌐—⌐] *vt.* 〈사진 노출 등에〉 시간을 너무 잡다

o·ver·tim·er [óuvərtàimər] *n.* 초과 근무자

o·ver·tire [òuvərtáiər] *vt., vi.* 과로시키다[하다]

o·ver·tired [òuvərtáiərd] *a.* 과로한, 극도로 지친

o·vert·ly [ouvə́:rtli, óuvərt-] *ad.* 명백히, 공공연하게

o·ver·toil [*n.* óuvərtɔ̀il; *v.* ⌐—⌐] *n., v.* =OVERWORK

o·ver·tone [óuvərtòun] *n.* **1** 〖물리〗 상음(上音); 〖음악〗 배음(倍音) (상음의 일종)(cf. HARMONIC; opp. *undertone*) **2** [보통 *pl.*] (사상·언어 등의) 부대적 의미, 함축, 뉘앙스 (*of*): a reply full *of* ~*s* 함축성 짙은 대답 **3** (인쇄 잉크의) 상색(上色) —*vt.* 〖음악〗 〈다른 음을〉 압도하다; 〖사진〗 너무 진하게 하다

overthrow *v.* overturn, depose, oust, dethrone, conquer, vanquish, defeat, beat, overwhelm, overpower —*n.* downfall, deposition, ousting

o·ver·ton·naged [òuvərtʌ́nidʒd] *a.* 〈선박이〉 적재량 초과의; 너무 대형의

o·ver·took [òuvərtúk] *v.* OVERTAKE의 과거

o·ver·top [òuvərtɑ́p | -tɔ́p] *vt.* (**~ped**; **~·ping**) **1** …의 위에 높이 솟다, …보다 높다 **2** 능가하다, …보다 우수하다; (보다 권위 있는 것으로써) 무효화시키다

o·ver·trade [òuvərtréid] *vi.* 능력 이상의 거래를 하다, 과대[자금 초과] 거래를 하다 —*vt.* 〈자금·판매 능력 등을〉 초과하여 거래를 하다

o·ver·train [òuvərtréin] *vi., vt.* 지나치게 연습하다[시키다]; 과도한 훈련으로 (…의) 컨디션이[을] 나빠지게 되다[하다]

o·ver·treat·ment [òuvərtrí:tmənt] *n.* 과잉 진료

o·ver·trick [óuvərtrìk] *n.* 〖카드〗 오버트릭 (이기는 데 필요한 점수 이상의 카드 패)

o·ver·trump [òuvərtrʌ́mp] *vt., vi.* 〖카드〗 (상대편보다) 끗수가 높은 패를 내다

*****o·ver·ture** [óuvərtʃər, -tʃùər | -tjùə] [OF 「개시」의 뜻에서] *n.* **1** [보통 *pl.*] 제의, 제안, 예비 교섭, 교섭 개시 (*of*); (장로 교회의) 건의 (사항), 자문: ~*s of* peace 강화 제의 **2** (시 등의) 도입 부분, 서장(序章); 〖음악〗 서곡, 전주곡(prelude)

make ~s to …에게 제의하다

—*vt.* **1** 〈조건·제안 등을〉 내놓다, 제출하다 **2** 〈교섭 상대에게〉 말을 걸다, 제안하다

‡**o·ver·turn** [òuvərtə́:rn] *vt.* **1** 뒤집다, 전복시키다, 넘어뜨리다: ~ a vase 꽃병을 넘어뜨리다 **2** 타도하다 —*vi.* **1** 〈배 등이〉 뒤집히다, 전복하다: The car skidded and ~*ed*. 차는 미끄러지면서 전복했다. **2** 넘어지다, 타도되다

— [⌐—⌐] *n.* **1** 전복 **2** 타도, 붕괴(collapse), 와해 **3** (온도차에 의한 물의) 역전

o·ver·use [òuvərjú:z] *vt.* 과도하게[지나치게] 쓰다, 남용하다; 혹사시키다

— [óuvərjù:s] *n.* Ⓤ 과도한 사용, 혹사, 남용

óveruse sýndrome 운동 과다 증후군 (지나친 운동·연습으로 인한 관절·근육·허벅지 등의 장애)

o·ver·val·ue [òuvərvǽlju:] *vt.* 과대시하다, 과대평가하다(opp. *undervalue*) **ò·ver·val·u·á·tion** *n.*

o·ver·view [óuvərvjù:] *n.* 개관(概觀); 개요, 개략; 전체상, 총람

o·ver·volt·age [óuvərvòultidʒ] *n.* 〖전기〗 과전압(excess voltage)

o·ver·wash [òuvərwɔ́:ʃ, -wɑ́ʃ | -wɔ́ʃ] *vt.* 〈물이〉 〈토지 등을〉 씻다, 침수하다

— [⌐—⌐] *n.* (토지·가옥 등의) 침수, 물에 잠김

o·ver·watch [òuvərwɑ́tʃ | -wɔ́tʃ] *vt.* **1** 망보다, 감시하다(watch over) **2** (고어) [보통 과거분사로] 망을 보아 피곤하게 하다: ~*ed* eyes 수면 부족으로 피곤한 눈 **3** (미) …의 엄호 사격을 하다

o·ver·wa·ter [òuvərwɔ́:tər, -wɑ́- | -wɔ́:-] *a., ad.* 수면 상공에서(의), 수면을 가로질러 —*vt.* …에 물을 지나치게 주다

o·ver·wear [òuvərwέər] *vt.* (**-wore** [-wɔ́:r]; **-worn** [-wɔ́:rn]) 써서 낡게[닳게] 하다; 지치게 하다

o·ver·wea·ry [óuvərwíəri] *a.* 녹초가 된 — [⌐—⌐—] *vt.* (**-ried**) 기진맥진하게 하다

o·ver·weath·er [óuvərwéðər] *a.* 악천후를 피하기에 충분한 고도의

o·ver·ween·ing [òuvərwí:niŋ] *a.* Ⓐ 자부심이 강한, 지나치게 자신이 있는, 오만한; 교만한, 과장된: ~ pride 지나친 자존심 **~·ly** *ad.*

o·ver·weigh [òuvərwéi] *vt.* **1** …보다 더 무겁다[중대하다](outweigh) **2** 〈기분 등을〉 무겁게 하다, 압박하다(oppress)

*****o·ver·weight** [óuvərwèit] *n.* Ⓤ **1** 초과 중량; 과중(過重); (고어) 우위 **2** 체중 초과, 과체중, 비만(corpulence)(⇨ fat 유의어)

— [⌐—⌐] *a.* **1** 규정 체중[중량]을 초과한, 중량 초과의: ~ baggage 중량 초과 수하물 **2** 너무 살찐, 과체중의, 비만의; 과중한

— [ˋ—ˊ] *vt.* **1** 〈짐을〉 지나치게 싣다 《*with*》; 지나치게 부담을 주다 **2** 〈진술·논의·계획 등을〉 지나치게 중시하다 **3** …보다 중요하다

‡**o·ver·whelm** [òuvərhwélm | -wélm] *vt.* **1** 압도하다, 질리게 하다, 당황하게 하다; 전복시키다, 제압하다, 전멸시키다; [종종 수동형으로] 〈격정 등으로〉 압도되다 《*by, with*》: 《~+목+전+명》 *be ~ed by* remorse 자책으로 인해 어찌할 줄 모르다 / They *~ed* me *with* questions. 그들은 질문 공세로 나를 질리게 했다. **2** 〈홍수 등이〉 가라앉히다, 매몰하다

o·ver·whelm·ing [òuvərhwélmiŋ | -wél-] *a.* Ⓐ 압도적인, 저항할 수 없는, 굉장한, 극도의: an ~ disaster 불가항력적 재해 / ~ superiority 압도적 우세 / an ~ majority of votes 투표에서 압도적으로 우세한 표 **~·ly** *ad.*

o·ver·wind [òuvərwáind] *vt.* (**-wound** [-wáund]) 〈시계 태엽 등을〉 너무 감다

o·ver·win·ter [òuvərwíntər] *vi.* 겨울을 나다, 월동하다: ~ on the South Africa 남아프리카에서 겨울을 보내다 **—** *a.* 겨울 동안의, 겨울에 일어나는

o·ver·wire [óuvərwàiər] *n.* 코일 제본(한 책)

o·ver·wise [óuvərwáiz] *a.* 남달리 현명한

o·ver·with·hold [òuvərwiθhóuld | -wið-] *vt.* (**-held** [-héld]) 〈세금의〉 원천 징수를 지나치게 하다

o·ver·word [óuvərwə̀:rd] *n.* 후렴, 되풀이하는 말

‡**o·ver·work** [òuvərwə́:rk] *v.* (**~ed** [-t], **-wrought** [-rɔ́:t]) *vt.* **1** 과로시키다; 과도하게 일을 시키다, 지나치게 부리다: He *~ed* himself in that job. 그는 그 일로 과로했다. **2** 〈어떤 말 등을〉 지나치게 사용하다; 〈작품 등에〉 너무 공들이다 **3** 과도하게 흥분시키다, 부추기다 **4** …의 표면을 장식하다 **~ *an excuse*** 같은 구실을 너무 많이 대다

— *vi.* 과로하다, 지나치게 일하다

— [ˊ—ˋ] *n.* Ⓤ **1** 과로, 과도한 노동: be knocked out from ~ 과로로 지쳐버리다[기진해지다] **2** 여분의 일, 초과 근무(extra work)

o·ver·worked [òuvərwə́:rkt] *a.* **1** 혹사당하는 **2** 〈어떤 말 따위가〉 진부한

o·ver·wrap [óuvərræ̀p] *n.* 겉포장

o·ver·write [òuvərráit] *v.* (**-wrote** [-róut]; **-writ·ten** [-rítn]) *vt.* **1 a** 〈다른 문자·종이 등의〉 위에 겹쳐 쓰다; 온통 쓰다 **b** …에 대해 너무 많이 쓰다; 기교를 너무 부리고 쓰다, 과장하여 쓰다 **2** 〈녹음 테이프 등에〉 중복 녹음하다 **~ one*self*** 너무 많이 써서 문체[인기 《등》]를 손상시키다 **—** *vi.* 너무 자세하게 쓰다; 〈어떤 주제에 대해〉 너무 많이 쓰다; 난작(亂作)하다

o·ver·wrought [òuvərrɔ́:t] *v.* OVERWORK의 과거·과거분사 **—** *a.* **1 a** 너무 긴장[흥분]한 **b** 《고어》 지나치게 일한; 과로한 **2** 〈문체 등이〉 지나치게 공들인: write in an ~ style 지나치게 공들인 문체로 쓰다 **3** 〈금박 자수 등으로〉 전면에 수 놓은

o·ver·zeal [óuvərzì:l] *n.* Ⓤ 지나친 열심

o·ver·zeal·ous [óuvərzéləs] *a.* 지나치게 열심인 **~·ly** *ad.* **~·ness** *n.*

ovi- [óuvi, -və] 《연결형》 「알 《卵》」의 뜻

o·vi·bo·vine [òuvibóuvain] *n., a.* 〖동물〗 사향소(의)

o·vi·cide [óuvəsàid] *n.* **1** 〈해충의 알을 죽이는〉 살란제 **2** 《익살》 살양제(殺羊劑)

ò·vi·cíd·al *a.* 살란성의, 알을 죽이는

Ov·id [ávid | ɔ́v-] *n.* 오비디우스(43 B.C.-A.D. 17?) 《로마의 시인》

O·vid·i·an [ouvídiən | ɔví-] *a.* Ovid풍의 《상상력이 풍부하고 발랄한》

o·vi·duct [óuvədʌ̀kt] *n.* 〖해부·동물〗 수란관(輸卵管), 난관 **ò·vi·dúc·tal** *a.*

o·vif·er·ous [ouvífərəs] *a.* 〖해부·동물〗 알이 있는, 알을 낳는

o·vi·form [óuvəfɔ̀:rm] *a.* 알 모양의

o·vine [óuvain, -vin | -vain] *a.* 양(羊)의, 양 같은

o·vip·a·ra [ouvípərə] *n. pl.* 〖동물〗 난생 동물

o·vip·a·rous [ouvípərəs] *a.* 〖동물〗 〈조류·어류·파충류 등이〉 난생(卵生)의 **~·ly** *ad.*

o·vi·pos·it [òuvəpázit, ˊ—ˋ— | òuvipɔ́-] *vi.* 〈특히 곤충이〉 알을 낳다, 산란하다

ò·vi·po·sí·tion [-pəzíʃən] *n.*

o·vi·pos·i·tor [òuvəpázitər | -pɔ́z-] *n.* 〖동물〗 산란관(産卵管) 《곤충 혹은 몇몇 종의 물고기》

OVIR [ouvíər] [Russ. =*O*ffice of *V*isas and *R*egistrations] *n.* 〈구소련의〉 출입국 관리국

o·vi·sac [óuvəsæ̀k] *n.* 〖동물〗 난포, 난낭 **~·lìke** *a.*

o·vism [óuvizm] *n.* 〖생물〗 난자론(卵子論)

ovo- [óuvou, -və] 《연결형》 「알, 난자」의 뜻

o·void [óuvɔid] *a.* 알 모양의 **—** *n.* 알 모양의 것

o·voi·dal [ouvɔ́idl] *a.* =OVOID

o·vo·lac·tar·i·an [òuvoulæktέəriən] *n.* 〈채소 이외에〉 유제품·달걀을 먹는 채식주의자

o·vo·lo [óuvəlòu] *n.* (*pl.* **-li** [-lài]) 〖건축〗 둥그스름한 쇠시리

O·von·ic [ouvánik | -vɔ́n-] *a.* [종종 **o~**] 〖전자〗 오브신스키 효과(Ovshinsky effect)의[에 관한]

— *n.* 오보닉 장치(=**~ device**)

O·von·ics [ouvániks | -vɔ́n-] *n. pl.* [단수 취급] 오보닉스 《오브신스키 효과(Ovshinsky effect)를 응용하는 전자 공학의 한 분야》

o·vo·tes·tis [òuvətéstis] *n.* (*pl.* **-tes** [-ti:z]) 〖동물〗 난정소(卵精巢), 양성소(兩性巢); 난소 고환

o·vo·veg·e·tar·i·an [òuvouvedʒətέəriən] *n., a.* 달걀·채식주의자(의) 《계란은 먹되 우유는 먹지 않는》

o·vo·vi·vip·a·rous [òuvouvaivípərəs] *a.* 〖동물〗 난태생(卵胎生)의

Ov·shín·sky effèct [avʃínski-, ouv- | ɔv-] 〖전자〗 오브신스키 효과 《비소·게르마늄 등을 혼입한 무정형 유리막에 나타나는 전기 저항의 비선형(非線形) 효과》

ov·u·lar [ávjulər, óuv- | ɔ́v-, óuv-] *a.* **1** 〖동물〗 알의, 난자의; 〖식물〗 배주(胚珠)의 **2** 발생의, 근본의; 생산적인 **—** *n.* 여성이 출석하는 세미나

ov·u·late [ávjulèit, óuv- | ɔ́v-, óuv-] *vi.* 〖생물·생리〗 배란하다

ov·u·la·tion [àvjuléiʃən, òuv- | ɔ̀v-] *n.* Ⓤ,Ⓒ 〖생물·생리〗 배란(排卵)

ov·ule [ávju:l, óu- | ɔ́v-, óuv-] *n.* 〖생물〗 소란(小卵), 난세포; 〖식물〗 배주(胚珠); 발육 초기의 종자

o·vum [óuvəm] *n.* (*pl.* **o·va** [óuvə]) **1** 〖생물〗 알, 난자 **2** 〖건축〗 난형(卵形) 장식

ow [áu] *int.* 아야, 이크 《갑작스러운 아픔·놀람 등》

‡**owe** [óu] *v.*

> OE 「소유하다」의 뜻에서
> 「지불할 의무가 있다」→「빚지고 있다」 **1**
> 「은혜를 입고 있다」 **2** 로 되었음.

— *vt.* **1** 빚지고 있다, 지불할 의무가 있다: 《~+목+전+명》 《~+목+목》 ~ money *to* the bank 은행에 돈을 갚아야만 하다 / She *~s* five dollars *to* the grocer(y). =She *~s* the grocer(y) five dollars. 그녀는 식료품점에 5달러의 외상이 있다. **2** …의 은혜를 입고 있다, 〈명예·성공 등을〉 …에 돌리다, …의 덕택으로 알다: 《~+목+전+명》 ~ one's fame *to* good fortune …의 명성을 행운의 덕으로 돌리다 / I ~ much *to* him. 나는 그에게 많은 신세를 지고 있다. **3** …에게 〈어떤 감정을〉 품고 있다; 〈감사·경의 등을〉 나타낼 의무가 있다: 《~+목+목》 I ~ him a grudge. 나는 그에게 유감이 있다. / I ~ you an apology. 나는 당신에게 사과할 일이 있습니다. // 《~+목+전+명》 I ~ you *for* your services. 당신의 노고에 감사합니다. **4** 《폐어》 소유하다, 가지다

— *vi.* 빚이 있다: 《~+전+명》 He still *~s for* his

thesaurus **overwhelm** *v.* **1** 압도하다 overcome, move, shake, leave speechless, daze, overpower, conquer, vanquish **2** 가라앉히다, 매몰하다 flood, deluge, engulf, submerge, swamp, bury

house. 그는 아직 지불하지 못한 집값이 남아 있다. ***I ~ you a lot.*** 큰 빚을 졌습니다.; 대단히 감사합니다. ***I ~ you one.*** 《구어》 고마워, 신세졌어. **~ a person *a living*** …을 돌볼[기를] 의무가 있다 **~ *it to*** a person[one***self***] ***to*** do …하는 것이 남[자기]에 대한 의무이다, …하는 것은 남[자신]을 위하여 당연하다 **~** a person ***one*** …에게 은혜를 갚다

ow·el·ty [óuəlti] *n.* 〖법〗 (특히 공유물의 소유에 대한) 평등

Ow·en [óuən] *n.* **1** 남자 이름 **2** 오언 **Robert ~** (1771-1858) 《영국의 사회 개혁가》 **~·ìsm** *n.* Ⓤ (로버트 오언의) 공상적(空想的) 사회주의

OWI Office of War Information 《미》 전시 정보국 (1942-45)

⁑**ow·ing** [óuiŋ] *a.* **1** 아직 갚지 않은, 빚지고 (있는); (…에게) 지불해야 할: I paid what was ~. 빚진 것을 갚았다 **2** …덕택에, …탓으로 돌려야 할, …에 기인하여 《*to*》: The accident was ~ *to* careless driving. 사고의 원인은 부주의한 운전이었다.

~ to … [전치사구로서] …때문에(on account of), …로 인하여 《《구어》에서는 because of가 많이 쓰임》: There was no game ~ *to* the rain. 비 때문에 경기는 취소되었다. ★ 부사가 들어갈 때는 보통 ~ *mainly to* (주로 …때문에).

⁑**owl** [ául] *n.* **1** 〖조류〗 올빼미; 집비둘기의 일종 **2** 밤샘하는 사람, 밤에 나다니는 사람, 밤일하는 사람 (= night ~); 점잔빼는 사람, 약은 체하는 사람

(as) blind[stupid] as an ~ 완전한 장님[바보]인 ***(as) solemn as an ~*** 몹시 근엄하게 ***be as grave as an ~*** 시치미를 떼다, 점잔을 빼다 ***carry [send, bring] ~s to Athens*** 사족(蛇足)을 달다, 쓸데없는 짓을 하다 ***fly with the ~*** 밤에 나다니는 버릇이 있다 ***like[as] a boiled ~*** 《미》 곤드레만드레 취하여(quite tipsy)

—*a.* Ⓐ 밤에 운전하는; 야간[심야, 철야] 영업의: an ~ train 《미》 야간 열차 / an ~ show 심야쇼

~·lìke *a.* ▷ ówlish *a.*

owl·et [áulit] *n.* 올빼미 새끼; 작은 올빼미

owl-eyed [áuláid] *a.* 올빼미 같은 눈을 한, 밤눈이 밝은; 《미·속어》 몹시 취한, 취한 눈의

owl·ish [áuliʃ] *a.* **1** 올빼미 같은 **2** 위엄을 부리는, 점잔빼는; 영리한 체하는 **3** 밤에 돌아다니는

~·ly *ad.* **~·ness** *n.*

owl-light [áullàit] *n.* Ⓤ 황혼(twilight)

⁑**own** [óun] *a., v.*

> 「소유하다」 → 「소유자임을 인정하다」 → 「자백하다」

—*a.* Ⓐ **A** [주로 소유격 뒤에 강조어로 씀] **1** [소유의 뜻을 강조하여] 자기 자신의; [독자성을 강조하여] 고유한, 개인적인, 독특한: This is my ~ house. 이것은 내 소유의 집입니다. / I saw it with my ~ eyes. 바로 내 이 두 눈으로 보았습니다. / He loves truth for its ~ sake. 그는 진리를 진리로서 사랑한다. / The orange has a scent all its ~. 오렌지에는 그 독특한 향기가 있다. **2** [자력성을 강조하여] 스스로 하는, 남의 힘을 빌지 않는, 간섭받지 않는, 독자의: He cooks his ~ meals. 그는 자취하고 있다. **3** [혈족 관계를 나타내어] 직접의, 친(親) …, 본처 소생의: one's ~ father 친아버지 / one's ~ cousin 친사촌(first cousin) / one's ~ brother (피를 나눈) 형제

B [one's ~; 독립 (명사) 용법] 자기 사람[것], 자기 가족; 자신의 독특한 것[입장]: I can do what I will with *my* ~. 내 것을 어떻게 하거나 내 마음대로다.

a moment[minute, second] to call one***'s ~*** [보통 부정문에서] 자기 마음대로 할 수 있는[혼자 있을 수 있는] 시간 ***be*** one***'s ~ man*** ⇨ man. ***call*** one***'s ~*** 소유하다; 마음대로 할 수 있다 ***come into*** one***'s ~*** (1) 자립하다; 자아(自我)에 눈뜨다 (2) 자기의 역량을 충분히 발휘하다; (진가 등을) 인정받다 (3) 당연한 성공[명성, 신용 등]을 얻다 ***each to*** one***'s ~*** 사람마다 좋아하는 것이 있다 ***for*** one***'s (very) ~*** 혼자서 차지하여: May I have it *for my* (*very*) ~? 그것을 내 것으로 해도 좋습니까? ***get[have] (a bit of)*** one***'s ~ back*** 복수하다 ***hold*** one***'s ~*** (1) (공격 등에 대하여) 자기의 입장을 고수하다 《*against*》 (2) 〈환자가〉 버티어[견디어] 내다 ***my ~*** [애칭적으로] 애야, 아가야 ***my ~ love*** 나의 사랑 ***of*** one***'s ~*** 자기 소유의 ***of*** one***'s ~*** do***ing*** 《문어》 스스로[자기 자신이] …한 ***of*** one***'s ~ making*** 스스로[자기 자신이] 만든, 손수 만든 ***on*** one***'s ~*** 《구어》 (1) 스스로, 혼자 힘으로; 독립하여: do something *on* one's ~ 자신의 책임으로 …을 하다 (2) 단독으로, 혼자서 ***our ~ dear children*** 귀여운 자식들 ***reap the harvest of*** one***'s ~ sowing*** 스스로 뿌린 씨를 거두다

—*vt.* **1** (법적 권리에 따라) 소유[소지]하다: Who ~*s* this land? 이 땅은 누구 소유인가? **2** …의 작가[부친, 소유자]임을 인정하다, …의 존재[가치, 진실]를 승인하다; 자인하다; 〈죄·사실 등을〉 인정하다, 고백하다: 《~+목+***done***》 He ~*s* himself indebted [beaten]. 그는 자신이 은혜를 입었다[졌다]고 말한다. // 《~+(전+명+) ***that*** 절》 He ~*ed* (*to* me) *that* he had stolen her money. 그는 그녀의 돈을 훔쳤다고 (내게) 고백했다. // 《~+목+(***to be***) 보》 I ~ the document (*to be*) a forgery. 나는 그 문서가 위조 문서임을 인정한다. // 《~+목+***as*** 보》 They ~*ed* him *as* their master. 그들은 그를 주인으로 인정했다.

—*vi.* (결점·죄 등을) 인정하다, 자백하다 《*to*》: 《~+전+명》 I ~ *to* being at fault. 나는 내가 잘못했다는 것을 인정한다. / He ~*ed to* having known about it. 그는 그 일을 알고 있었다고 자백했다.

~ … body and soul 《구어》 …를 완전히 (몸도 마음도) 지배하다 **~ one*self*** 자인하다, 인정하다 ***~ up*** 《구어》 모조리[깨끗이] 자백하다

own-brand [óunbrǽnd] *a.* 〈상품이〉 (제조업자가 아니라) 판매업자의 상표가 붙은

owned [óund] *a.* [복합어를 이루어] …이 소유하는: state-~ railways 국유 철도

⁑**own·er** [óunər] *n.* **1** 주인, 임자, 소유자, 소유권자: a house ~ 집 주인 / a patent ~ 특허소유자 **2** 〖상업〗 하주(荷主), 선주 **3** 《영·속어》 선장, 함장(captain) ***at (the) ~'s risk*** (화물 운송에서) 손해는 하주 부담으로 **~·less** *a.* 임자 없는

own·er-driv·en [-drívən] *a.* 자가 운전의: an ~ cab 개인 택시

own·er-driv·er [óunərdráivər] *n.* = OWNER-OPERATOR 1

own·er-oc·cu·pa·tion [-ɑkjupéiʃən | -ɔkju-] *n.* 《영》 자가 거주; 자가 소유

own·er-oc·cu·pied [-ɑ́kjupàid | -ɔ́kju-] *a.* 《영》 자기 집에 살고 있는

own·er-oc·cu·pi·er [-ɑ́kjupàiər | -ɔ́kju-] *n.* 《영》 자가(自家) 거주자

own·er-op·er·a·tor [-ɑ́pərèitər | -ɔ́p-] *n.* **1** 개인 택시[트럭] 운전사 **2** 자영업자

***own·er·ship** [óunərʃip] *n.* Ⓤ 소유주임, 소유자로서의 자격; 소유권: car ~ 자동차 소유권

ówn góal 《영·경찰속어》 자살자

own-la·bel [óunléibəl] *a.* 《영》 = OWN-BRAND

owt [áut] *pron.* 《북잉글·방언》 = ANYTHING

⁑**ox** [ɑ́ks | ɔ́ks] *n.* (*pl.* **ox·en** [ɑ́ksən | ɔ́ks-]) **1** 황소; (특히 사역용 또는 식용의) 거세한 수소(⇨ cow[1] 관련): strong as an ~ 아주 힘이 센 **2** 〖동물〗 솟과(科) 동물의 총칭 ***play the giddy ~*** 경솔한 짓을 하다

ox- [ɑks | ɔks], **oxo-** [ɑ́ksou, -sə | ɔ́k-] 《연결형》 「산소를 함유한」의 뜻 《모음 앞에서는 ox-》

Ox. Oxford, Oxfordshire

---

own *a.* personal, individual, particular, private (opp. *common, shared*) **—***v.* possess, have, keep, occupy, reserve, retain, maintain, hold
owner *n.* possessor, holder, keeper, proprietor

ox·a·cil·lin [àksəsílin | ɔ̀k-] *n.* Ⓤ 옥사실린 《반(半) 합성 페니실린》
ox·a·late [ɑ́ksəlèit | ɔ́k-] *n.* 〖화학〗 수산염(蓚酸塩)
ox·al·ic [ɑksǽlik | ɔk-] *a.* **1** 괭이밥에서 채취한 **2** 〖화학〗 수산의; 수산에서 유도된
oxálic ácid 〖화학〗 수산, 옥살산
ox·a·lis [ɑ́ksəlis, ɑksǽlis | ɔ́ksə-] *n.* 〖식물〗 괭이밥속(屬)
ox·az·e·pam [ɑksǽzəpæ̀m | ɔk-] *n.* 〖약학〗 옥사제팜 《정신 안정제》
ox·bird [ɑ́ksbə̀ːrd | ɔ́ks-] *n.* 〖조류〗 민물도요새
ox·blood [ɑ́ksblʌ̀d | ɔ́ks-] *n.* Ⓤ 거무칙칙하고 진한 빨강
ox·bow [-bòu] *n.* **1** 《미》 (강의) U자형 만곡부; 우각호(牛角湖), 초승달호 **2** (소의) U자 모양의 멍에
Ox·bridge [ɑ́ksbrìdʒ | ɔ́ks-] [*Ox*ford+Cam*bridge*] *n.* 《영》 (오랜 전통의) 옥스퍼드와 케임브리지 두 대학; (혹은 두 대학의 영향 아래에 있는) 영국의 상류 계급; 역사가 긴 대학(cf. REDBRICK)
— *a.* 옥스브리지(식)의, 일류 대학의
Ox·bridg·e·an, -i·an [ɑ́ksbrìdʒiən | ɔ́ks-] *a., n.* 옥스브리지의 (학생)
ox·cart [ɑ́kskɑ̀ːrt | ɔ́ks-] *n.* 우차(牛車), 달구지
***ox·en** [ɑ́ksən | ɔ́k-] *n.* OX의 복수
ox·er [ɑ́ksər | ɔ́ks-] *n.* =OX FENCE
óx èye 황소 눈; 큰 눈
ox·eye [ɑ́ksài | ɔ́ks-] *n.* **1** 〖식물〗 데이지(=~ **dáisy**) **2** 〖조류〗 민물도요 무리 ***yellow*** ~ 야생의 금잔화 **3** =OEIL-DE-BOEUF
ox-eyed [-àid] *a.* 눈이 큰
Oxf, Oxf. Oxford; Oxfordshire
Ox·fam [ɑ́ksfæm | ɔ́ks-] [*Ox*ford Committee for *Fam*ine Relief] *n.* 옥스팸 《Oxford를 본부로 하여 1942년에 발족한 극빈자 구제 기관》
óx fènce 소의 우리 《나무 울짱, 때로는 주위에 도랑을 두른》
***Ox·ford** [ɑ́ksfərd | ɔ́ks-] [OE 「소가 건너는 여울」의 뜻에서] *n.* **1** 옥스퍼드 《영국 남부 Thames강 상류의 도시》 **2** 옥스퍼드 대학(=~ University) **3** [보통 **o~**; 보통 *pl.*] 《미》 =OXFORD SHOES **4** =OXFORD DOWN ▷ Oxónian *a.*
Óxford áccent 옥스퍼드 사투리, 점잔 빼는 어조[말씨]
Óxford bágs 《영》 폭이 넓은 바지
Óxford blúe 《영》 짙은 감색(紺色), 암청색
Óxford cláy 〖지질〗 옥스퍼드 점토층 《잉글랜드 중부 지방의 점토질 지층》
Óxford clóth 두툼한 평직의 면직물
Óxford Dówn 〖축산〗 옥스퍼드(다운)종(의 양) 《영국의 뿔 없는 양》
Óxford Énglish Díctionary [the ~] 20권으로 된 세계 최대의 영어 사전 《略 OED》
Óxford fráme 《영》 네 귀가 십자형으로 튀어나온 액자[사진틀]
Óxford gráy 짙은 회색(의 옷감), 쥐색
Óxford Gròup [the ~] 옥스퍼드 그룹 《1921년 Frank Buchman이 옥스퍼드에서 결성한 그리스도교 운동 조직》
Óxford Gròup mòvement [the ~] 옥스퍼드 그룹 운동(cf. MORAL RE-ARMAMENT)
Óxford màn 옥스퍼드 대학 출신자
Óxford mòvement [the ~; 종종 **O- M-**] 옥스퍼드 운동 《1833년경부터 Oxford 대학에서 Keble, Pusey, Newman 등의 주창으로 영국 국교 내에 가톨릭의 교의를 부흥시키려던 운동》
Ox·ford·shire [ɑ́ksfərdʃìər, -ʃər | ɔ́ks-] *n.* 옥스퍼드 주 《영국 남부의 주; Oxford, Oxon으로도 부름》
Óxford shìrting 가는 세로 줄무늬 두꺼운 셔츠(감)
Óxford shóes 신사용 단화 《발등을 끈으로 매는, 외출용 구두》
Óxford Strèet 옥스퍼드 거리 《런던 West End의 번화가》
Óxford Trácts [the ~] 옥스퍼드 논설집(論說集) 《Oxford movement를 제창한 90종의 작은 책자》
Óxford tròusers =OXFORD BAGS
Óxford Univérsity 옥스퍼드 대학 《옥스퍼드 시에 있는, 12세기에 창립된 대학으로 Cambridge와 함께 영국의 가장 오래된 대학》
ox·gall [ɑ́ksgɔ̀ːl | ɔ́ks-] *n.* 황소의 담즙 《도료·약용》
ox·heart [-hɑ̀ːrt] *n.* 〖식물〗 버찌의 일종 《크고 심장형》; 양배추의 품종 중 하나
ox·herd [-hə̀ːrd] *n.* 소 치는 사람, 목동(cowherd)
ox·hide [-hàid] *n.* Ⓤ 쇠가죽; (무두질한) 쇠가죽
ox·i·dant [ɑ́ksədənt | ɔ́k-] *n.* 〖화학〗 산화제, 옥시던트 《과산화 물질의 총칭》
ox·i·dase [ɑ́ksədèis, -dèiz | ɔ́k-] *n.* 〖생화학〗 산화 효소
ox·i·date [ɑ́ksədèit | ɔ́k-] *v.* =OXIDIZE
ox·i·da·tion [ɑ̀ksədéiʃən | ɔ̀k-] *n.* Ⓤ 〖화학〗 산화(酸化) (작용)
oxidátion ènzyme 〖생화학〗 =OXIDASE
oxidátion nùmber =OXIDATION STATE
oxidátion potèntial 〖물리〗 산화 전위(酸化電位)
ox·i·da·tion-re·duc·tion [-ridʌ́kʃən] *n.* 〖화학〗 산화 환원
oxidátion stàte 〖화학〗 산화 상태, 산화수
ox·i·da·tive [ɑ́ksədèitiv] *a.* 〖화학〗 산화의; 산화력이 있는 **~·ly** *ad.*
***ox·ide** [ɑ́ksaid, -sid | ɔ́ksaid] *n.* 〖화학〗 **산화물**
ox·id·ic [ɑksídik | ɔk-] *a.*
ox·i·dim·e·try [ɑ̀ksədímətri | ɔ́k-] *n.* 산화 적정(滴定)
ox·i·di·za·tion [ɑ̀ksədizéiʃən | ɔ̀ksidai-] *n.* Ⓤ 〖화학〗 산화
***ox·i·dize | -dise** [ɑ́ksədàiz | ɔ́k-] 〖화학〗 *vt.* **산화시키다**; 산소와 결합시키다; 녹슬게 하다(rust); 〈은 등을〉 그슬리다: *~d* silver 그슬린 은
— *vi.* **산화하다**; 녹슬다; 〈와인이〉 시게 되다: This metal *~s* easily. 이 금속은 쉽게 녹슨다.
-diz·er *n.* 산화제
▷ óxide, oxidizátion *n.*
óx·i·diz·ing àgent [ɑ́ksədàiziŋ- | ɔk-] 산화제(劑)
óxidizing flàme 산화염(焰)
ox·i·do·re·duc·tase [ɑ̀ksədouridʌ́kteis, -teiz | ɔ̀k-] *n.* 〖생화학〗 산화 환원 효소
ox·im·e·ter [ɑksímətər | ɔk-] *n.* 〖의학〗 (헤모글로빈의) 산소 농도계
ox·im·e·try [ɑksímətri | ɔk-] *n.* 〖의학〗 산소 측정법
Ox·i·sol [ɑ́ksəsɔ̀ːl, -sɑ̀l | -sɔ̀l] *n.* 〖지질〗 열대 산화토양
ox·lip [ɑ́kslìp | ɔ́ks-] *n.* 〖식물〗 앵초의 일종 《담황색의 꽃이 핌》
oxo- [ɑ́ksou | ɔ́k-] 《연결형》 =OX-
Ox·on [ɑ́ksɑn, -sən | ɔ́ksɔn, -sən] *n.* **1** =OXFORDSHIRE **2** [학위 등의 뒤에 붙여서] 옥스퍼드 대학: John Smith, M.A., ~ 옥스퍼드 대학 석사 존 스미스
Oxon. Oxfordshire; Oxonia; Oxonian; Oxoniensis 《L =of Oxford》
Ox·o·ni·an [ɑksóuniən | ɔk-] *a.* **1** Oxford의 **2** Oxford 대학의 — *n.* **1** Oxford 사람[주민] **2** Oxford 대학의 학생[출신자]
ox·o·trem·o·rine [ɑ̀ksoutrémərìːn, -rin | ɔ̀k-] *n.* 〖약학〗 옥소트레모린 《파킨슨병 연구용의 경련제》
ox·tail [ɑ́kstèil | ɔ́ks-] *n.* 쇠꼬리 《수프 재료》
ox·ter [ɑ́kstər | ɔ́k-] 《스코》 *n.* 겨드랑이; 상박(上膊)의 안쪽 — *vt.* 팔로[팔을 잡아] 부축하다; 겨드랑이에 끼다, 껴안다(hug)
ox·tongue [ɑ́kstʌ̀ŋ | ɔ́ks-] *n.* UC 소의 혀
oxy-[1] [ɑ́ksi | ɔ́k-] 《연결형》 「예리한, 날카로운; 신맛이 나는」의 뜻
oxy-[2] 《연결형》 「산소를 함유한; 수산기(水酸基)를 함유한」의 뜻

ox·y·acet·y·lene [àksiəsétilì:n | ɔ̀k-] *a.* 산소와 아세틸렌의 혼합물인: an ~ blowpipe 산소 아세틸렌 취관(吹管) / an ~ torch 산소 아세틸렌 용접기
ox·y·ac·id [ɑ́ksiǽsid | ɔ́ks-] *n.* Ⓤ 〖화학〗 산소산(酸素酸)
ox·y·chlo·ride [àksiklɔ́:raid | ɔ̀ks-] *n.* 〖화학〗 산염화물(酸鹽化物)
ox·y·dant [ɑ́ksidæ̀nt | ɔ́k-] *n.* 〖화학〗 옥시던트 《광화학 스모그의 원인이 되는 산화성 물질》
‡**ox·y·gen** [ɑ́ksidʒən | ɔ́k-] [Gk 「산을 낳는 것」의 뜻에서] *n.* Ⓤ 〖화학〗 **산소** 《기호 O》 ▷ óxygenate, óxygenize *v.*
óxygen ácid 〖화학〗 산소산(oxyacid)
ox·y·gen·ase [ɑ́ksidʒənèis, -nèiz | ɔ́k-] *n.* 〖생화학〗 산소 첨가[산소화] 효소, 옥시게나아제
ox·y·gen·ate [ɑ́ksidʒənèit | ɔksídʒənèit, ⌐-⌐] *vt.* 〖화학〗 산소로 처리하다, 산소와 화합시키다; …에 산소를 주입[첨가]시키다: ~ the blood 혈액에 산소를 공급하다 **òx·y·gen·á·tion** *n.*
óx·y·gen·at·ed wáter [ɑ́ksidʒənèitid- | ɔ́ks-] 과산화 수소수(水素水)
ox·y·gen·a·tor [ɑ́ksidʒənèitər | ɔ́ksidʒə-] *n.* 산소 첨가 장치; 〖의학〗 (개심(開心) 수술시 등의) 산소 공급기
óxygen bàr 산소 바 《산소를 흡입하거나 산소로 상쾌한 느낌을 주는 술집》
óxygen cỳcle 〖생태〗 산소 순환 《산소가 동물의 호흡으로 이산화탄소가 되고, 광합성으로 다시 산소가 되는 순환》
óxygen dèbt 〖생리〗 산소 부채 《급격한 활동 후 근육에서 평소 이상으로 산소가 소비되는 현상》
óxygen demànd 〖화학〗 산소 소비량
óxygen effèct 〖생물〗 (생체가 조사(照射)될 때의) 산소 효과
óx·y·gen-hý·dro·gen wèlding [ɑ́ksidʒən-háidrədʒən- | ɔ́ks-] 산수소 용접
ox·y·gen·ic [àksidʒénik | ɔ̀k-] *a.* 산소의, 산소를 함유하는 **ox·y·gen·íc·i·ty** *n.*
ox·y·gen·ize [ɑ́ksidʒənàiz | ɔ́k-] *vt.* **1** = OXYGENATE **2** = OXIDIZE
óxygen lànce 〖기계〗 산소창 《강철 절단용의 길쭉한 강철 파이프》
óxygen màsk 산소 마스크
ox·yg·e·nous [ɑksídʒənəs | ɔk-] *a.* = OXYGENIC
ox·y·gen-poor [ɑ́ksidʒənpùər | ɔ́k-] *a.* 산소가 부족한
óxygen tènt 〖의학〗 (중환자용) 산소 텐트
óxygen wàlker 〖의학〗 (폐기종·심장병 환자용) 휴대용 산소 흡입기
ox·y·he·mo·glo·bin [àksihí:məglòubin | ɔ̀k-] *n.* 〖생화학〗 산화 헤모글로빈
ox·y·hy·dro·gen [àksiháidrədʒən | ɔ̀k-] *a.* 산수소(酸水素)의, 산소와 수소를 혼합한: ~ flame[welding] 산수소염[용접] / an ~ torch 산수소 용접기
ox·y·mel [ɑ́ksimèl | ɔ́k-] *n.* (심폐 질환자를 위한) 휴대용 산소 탱크
ox·y·mo·ron [àksimɔ́:rɑn | ɔ̀ksimɔ́:rɔn] *n.* (*pl.* **-mo·ra** [-mɔ́:rə], **~s**) 〖수사학〗 모순 어법(矛盾語法) 《보기: a wise fool; faultily faultless; make haste slowly》 **-mo·rón·ic** *a.*
ox·y·o·pi·a [àksióupiə | ɔ̀k-] *n.* Ⓤ 〖의학〗 시력(視力) 예민
ox·y·salt [ɑ́ksisɔ̀:lt | ɔ́k-] *n.* 〖화학〗 산소산염(鹽), 산화물염, 옥시염
ox·y·sul·fide [àksisʌ́lfaid | ɔ̀k-] *n.* 〖화학〗 산황화물(酸黃化物)
ox·y·to·cic [àksitóusik, -tɑ́s- | ɔ̀ksitóu-] 〖의학〗 *a.* 분만을 촉진시키는, 자궁 수축성의
— *n.* 분만 촉진[자궁 수축]제
ox·y·to·cin [àksitóusn | ɔ̀k-] *n.* Ⓤ 〖생화학〗 옥시토신 《뇌하수체 후엽(後葉) 호르몬의 일종으로 진통·모유(母乳) 분비 촉진제》
ox·y·tone [ɑ́ksitòun | ɔ́k-] *a., n.* (그리스 문법에서) 마지막 음절에 악센트가 있는 (말)
ox·y·u·ri·a·sis [àksijuráiəsis | ɔ̀ksijuəráі-] *n.* 요충증
oy, oi [ɔ́i] *int.* [놀라움·고통·슬픔 등을 나타내서] 아아, 앗
o·yer [óujər, ɔ́iər | ɔ́iə] 〖L〗 *n.* 《영》 (형사 사건의) 심리 **~ *and terminer*** 〖법〗 (1) 《미》 (대다수 주의) 고등 형사 재판소 (2) 《영》 청송(聽訟) 재판 《형사 사건을 위한 순회 재판》; (그 재판관을 임명하는) 사령서(辭令書)
o·yez, o·yes [óujes, -jez] [OF = hear me] *int.* 들어라, 근청, 조용히 《전령사(傳令使)나 법정의 정리(廷吏) 등이 보통 세 번 소리 지름》
‡**oys·ter** [ɔ́istər] [Gk 「뼈」의 뜻에서] *n.* **1** 〖패류〗 굴; 진주 조개 **2** (닭의) 골반 속에 있는 살점 《특히 맛이 좋음》 **3** 《구어》 말수가 적은 사람, 입이 무거운 사람 **4** [보통 one's ~] (사람이 이용할 수 있는) 이익을 간직한 것, 유리한 것; 쉽게 손에 들어오는 것, 마음대로 할 수 있는 것; 매우 좋아하는 것: Golf is *his* ~. 골프가 그의 취미이다. **5** 회색이 도는 흰색
an ~ of a man 말없는 사람, 과묵한 사람 ***as like as an apple to an ~*** 전혀 닮지 않은 ***be as close as an ~*** 매우 입이 무겁다 ***The world is one's ~.*** 《구어》 세상은 (사람이) 자유롭게 무엇이든 할 수 있다, 세상사는 생각하기에 달렸다.
— *vi.* 굴을 따다[양식하다]
oys·ter-bank [ɔ́istərbæ̀ŋk] *n.* = OYSTER FARM
óyster bàr (바 식의) 굴 전문 요리점
óyster bèd = OYSTER FARM
oys·ter·bird [-bə̀:rd] *n.* 〖조류〗 검은머리물떼새
óyster càtcher = OYSTERBIRD
óyster cràb 〖동물〗 굴속살이 게 《굴껍질 속에 굴과 같이 사는》
óyster cràcker 《미》 오이스터 크래커 《굴 수프에 곁들이는 짭짤한 작은 크래커》
óyster cùlture 굴 양식(養殖)
óyster fàrm[field, pàrk] 굴 양식장
óyster fàrming = OYSTER CULTURE
óyster fòrk (어패류를 먹을 때 쓰는) 포크
óyster hòuse 굴 요리점
oys·ter·ing [ɔ́istəriŋ] *n.* Ⓤ **1** 굴 채취[양식]업 **2** 굴껍질 무늬의 미장 합판 (마무리)
óyster knìfe 굴 까는 칼
oys·ter·man [ɔ́istərmən] *n.* (*pl.* **-men** [-mən]) 굴 따는[파는, 양식하는] 사람[배]
óyster mùshroom 대형 버섯의 일종 《식용으로 납작하고 넓적함》
óyster pàtty 굴 파이 《굴 요리》
óyster plànt 〖식물〗 선모(salsify)
óyster sáuce 굴 소스
oys·ter·shell [-ʃèl] *n.* 굴껍질 《빻은 것은 새의 사료》
óysters Róckefeller 〖요리〗 오이스터스 록펠러 《잘게 썬 시금치·양파·버터 등을 굴에 얹어 오븐에 구운 것》
óyster whíte 회색이 도는 흰색
oys·ter·wom·an [-wùmən] *n.* (*pl.* **-wom·en** [-wìmin]) *n.* 굴 따는[파는, 양식하는] 여자
oy vey [ɔ̀i-véi] *int.* 저런, 쯧쯧 《특히 유대인 등이 실망·슬픔을 나타낼 때》
*__oz, oz.__ ounce(s) ★ z는 실제로는 중세 인쇄업자가 사용한 어미 생략의 기호 ʒ임.
Oz [ɑ́:z | ɔ́z] *n.* 《호주·속어》 = AUSTRALIA
oz. ap. ounce(s) apothecarie's
Ó·zark Móuntains [óuzɑ:rk-] [the ~] 오자크 산지[고원] 《Missouri, Arkansas, Oklahoma 세 주에 걸쳐 있음》
Ózark Státe [the ~] 미국 Missouri주의 속칭
OZMA [ɑ́zmə | ɔ́zmə] *n.* 오즈마 《가까운 항성의 전파를 수신하여 우주인의 존재를 확인하려는 미국 우주 실험 계획의 하나》

oz·o·ce·rite [ouzóukəràit, -səràit, òuzousíərait | ouzóukərit], **o·zo·ke·rite** [ouzóukəràit, òuzoukíərait | ouzóukərit] *n.* Ⓤ 〚광물〛 지랍(地蠟)
o·zon·a·tion [òuzounéiʃən] *n.* 〚화학〛 오존화(化), 오존 처리
o·zone [óuzoun, ─́] [Gk =to smell] *n.* Ⓤ **1** 〚화학〛 오존: an ~ apparatus 오존 발생 장치 / ~ paper 오존 시험지 / an ~ pipe 오존 흡입 파이프 **2** 기분을 돋우어 주는 힘 **3** 《구어》 (해변 등의) 신선한 공기(fresh air)
ózone alèrt 오존 다량 발생 경보
ózone deplètion (대기 오염 및 화학 물질에 의한, 오존층의 파괴로 인한) 오존 감소
o·zone-friend·ly [óuzounfréndli] *a.* 〈상품·물질이〉 오존층을 파괴하지 않는
ózone hòle 오존층 파괴가 심한 오존층 지역
ózone làyer 오존층(層)
o·zon·er [óuzounər] *n.* 《미·속어》 야외 극장[경기장], 《특히》 드라이브인 극장(drive-in theater)
ózone shìeld (다량의 자외선에 대한 차폐층으로서의) 오존층
ózone sìckness 〚항공〛 오존병(病) 《고공에서 제트기 내로 침입하는 오존에 의한 눈병·두통·졸음 등을 동반하는 증상》
o·zone-un·friend·ly [-ʌnfréndli] *a.* 〈제품·물질이〉 오존층을 파괴하는
o·zo·nic [ouzɑ́nik, -zóu- | -zɔ́-] *a.* 오존(성)의, 오존을 함유한
o·zo·nide [óuzənàid, -zou-] *n.* 〚화학〛 오존화물
o·zo·nif·er·ous [òuzəníf*ə*rəs, -zou-] *a.* 오존을 함유한[발생하는]
o·zon·ize [óuzənàiz, -zou-] *vt.* 〚화학〛 오존으로 포화시키다, 오존으로 처리하다; 〈산소를〉 오존화하다
o·zon·i·za·tion [òuzənizéiʃən | -nai-] *n.*
o·zon·iz·er [óuzənàizər, -zou-] *n.* 오존 발생기, 오존관(管)
o·zo·nol·y·sis [òuzənɑ́ləsis, -zou- | -nɔ́lə-] *n.* (*pl.* **-ses** [-sìːz]) 〚화학〛 오존 분해
o·zo·nom·e·ter [òuzounɑ́mətər | -nɔ́mə-] *n.* 오존계(計)
o·zo·no·sphere [ouzóunəsfìər] *n.* (대기의) 오존층(層) 《지상 8~30마일의 고온권》
o·zo·nous [óuzənəs, -zou-] *a.* 오존의, 오존을 함유한
o·zos·to·mi·a [òuzəstóumiə] *n.* 〚병리〛 구취증; 입냄새
ozs, ozs. ounces **oz. t.** ounce troy
Oz·zie [ɔ́zi] *n.* = AUSSIE

P p

p, P [píː] *n.* (*pl.* **p's, ps, P's, Ps** [-z]) **1** 피 《영어 알파벳의 제16자》 **2** p, P자로 표현되는 음[p] **3** P자형(의 것) **4** Ⓤ (연속한 것의) 제16번째(의 것); (j를 넣지 않을 때의) 제15번째(의 것) ***mind*** [***watch***] one***'s P's*** [***p's***] ***and Q's*** [***q's***] 언행을 조심하다

p, p. 〖음악〗 piano 《It. =soft, softly》 **P** 〖생물〗 parental (generation); parking 주차장 《도로 표지》; peseta(s); 〖화학〗 phosphorus; 〖물리〗 power; 〖물리〗 pressure **p.** page (*pl.* **pp.**); part; participle; past; pedestrian; pence; penny[pennies]; per; perch(es); peseta(s); peso(s); pint; pitcher; population; professional **P.** 〖체스〗 pawn; Post; President; Priest; Prince; progressive **p-** para-

*__pa__ [páː, pɔ́ː | páː] *n.* 《구어·유아어》 =PAPA

Pa 〖물리〗 pascal(s); 〖화학〗 protactinium **PA** 〖우편〗 Pennsylvania; personal assistant; physician's assistant; 〖우편〗 press agent; Press Association; public-address (system); publicity agent; purchasing agent **Pa.** Pennsylvania **p.a.** participial adjective; per annum; press agent **P/A, PA** power of attorney; private account **PAA** Pan-American World Airways

paan [páːn] *n.* ⓊⒸ 《인도》 =PAN[3]

pa·'an·ga [páːŋgə, pɑːáːŋ-] *n.* (*pl.* **~s**) 파앙가 《통가의 화폐 단위; 기호 T$; =100 seniti》

PABA 〖생화학〗 para-aminobenzoic acid

Pab·lum [pǽbləm] *n.* **1** 패블럼 《유아용 식품; 상표명》 **2** [**p~**] 양식; 진부한 책[생각]; 유치한 속임수

pab·u·lum [pǽbjuləm] [L =food] *n.* Ⓤ **1** 음식물, 영양물 **2** 정신적인 양식 《서적 등》: mental ~ 마음의 양식 **3** 연료

PABX 〖통신〗 private automatic branch exchange 자동식 구내 교환(기)

pac [pǽk] *n.* 팩 《부츠 안에 신는 부드러운 신발》

PAC Pan-Africanist Congress 범(汎)아프리카주의자 의회; Political Action Committee 정치 활동 위원회 **Pac.** Pacific

pa·ca [páːkə, pǽkə] *n.* 〖동물〗 파카 《기니피그류(類)의 토끼만 한 동물; 라틴 아메리카산(産)》

PACAF 《미》 Pacific Air Forces

‡**pace**[1] [péis] *n.* **1** 걸음걸이, 걷는 속도, 발걸음, 보조; (일·생활 등의) 속도, 페이스: a double-time ~ 구보/an ordinary ~ 정상[보통] 걸음/a quick ~ 속보/a rattling ~ (뛰어가는 소리가 날 정도의) 속보 **2** 한 걸음, 한 발, 걸음(step): make three ~*s* 3보 걷다 **3** 일보의 거리, 보폭 《2 ½ft.》: a geometrical[great] ~ 2보폭 《5ft.》/ the military[regulation] ~ 〖군사〗 표준 보폭 **4** (말의) 보태(步態); 〖승마〗 측대속보(側對速步) 《같은 쪽의 앞뒤 다리를 동시에 드는 걸음걸이》 **5** 〖건축〗 (계단의) 층계참 **6** 〖야구〗 (투수의) 구속(球速): a change of ~ 투수의 구속 바꾸기, 체인지업

at a foot's ~ 보통 걸음으로 ***at a good ~*** 상당한 속도로; 활발히 ***go*** [***hit***] ***the ~*** 《구어》 (1) 급히 가다, 급속도로 나아가다 (2) 난봉을 부리다, 방탕한 생활을 하다 ***go through*** one***'s ~s*** 솜씨를 발휘하다 ***keep*** [***hold***] ***~ with*** …와 보조를 맞추다; …에 뒤지지 않다 ***make*** one***'s ~*** 보조를 빨리 하다, 서두르다 ***off the ~*** 선두[1위]보다 뒤져서 ***put*** a horse[person] ***through*** his[her] ***~s*** 말의 걸음걸이[사람의 역량]를 시험하다 ***set*** [***make***] ***the ~*** (1) (선두에 서서) 보조를 정하다, 선도하다, 정조(整調)하다 《*for*》 (2) 솔선 수범하다, 모범을 보이다 ***show*** one***'s ~s*** 〈말이〉 걸음걸이를 보이다; 자기의 역량을 보이다 ***try*** a person***'s ~s*** …의 역량을 시험하다, 인품을 알아보다

— *vi.* **1** (고른 보조로 천천히) 걷다; (규칙적으로) 왔다 갔다 하다 《*up and down*》: The bear ~*d up and down* (his cage). 곰은 (우리 안을) 천천히 왔다 갔다 했다. **2** 〈말이〉 측대속보(側對速步)로 걷다

— *vt.* **1** 〈운동 선수에게〉 보조를 보여주다[맞추다], 정조(整調)하다 **2** 〈장소를〉 천천히[보조를 맞추어] 걷다[걸어다니다], 왔다갔다하다 **3** 〈거리를〉 보측하다 《*off, out*》 **4** 〈말에게〉 걷는 방법을 훈련시키다 **5** 〈말이〉 〈일정 거리를〉 일정 보조[측대보]로 걷다 ***~ it*** 걷다 ***~*** one***self*** (경기에서) 자기에게 맞는 페이스를 지키다

pa·ce[2] [péisi, páːtʃei] [L] *prep.* [반대 의견을 말할 때 씀] …에게는 실례지만: ~ Mr. Jones 존스 씨에게는 실례지만 ***~ tua*** [-tjúːei | -tjúː-] 당신에게는 실례지만(by your leave)

páce bòwler 〖크리켓〗 속구 투수

páce càr (자동차 경주 개시 전에 코스를 일주할 때의) 선도차

paced [péist] *a.* [보통 복합어를 이루어] …보(步)의, 걸음이 …인: fast-~ 걸음이 빠른

páce ègg =EASTER EGG

páce làp 페이스 랩 《자동차 경주에서, 경기 개시 전에 선도차를 따라 모든 경주차가 코스를 일주하는 일》

pace·mak·er [péismèikər] *n.* **1** 〖의학〗 페이스메이커, 심장 박동 조절 장치, 맥박 조정기; (뇌의) 신경 조정기 **2** (다른 주자·기수 등에서) 선두에 선 보조[속도] 조정자, 페이스메이커 **3** 모범을 보이는 사람; 선도자

pace·mak·ing [-mèikiŋ] *n., a.* 보조[보행 속도] 조정(의)

pace·man [péismæ̀n] *n.* (*pl.* **-men** [-mən]) = FAST BOWLER

pac·er [péisər] *n.* **1** 천천히 걷는 사람; 보측자(步測者); 보조를 맞춰 걷는 사람 **2** 측대보(側對步)(pace)로 걷는 말 **3** =PACEMAKER

pace·set·ter [péissètər] *n.* =PACEMAKER 2, 3

pace·set·ting [-sètiŋ] *a.* 선두에 서는; 모범을 보이는; 선도적인

pac·ey [péisi] *a.* 속도[스피드]가 있는; 활기 있는; 《미》 최신의

pa·cha [páːʃə, pǽʃə, pəʃáː] *n.* =PASHA

pa·cha·lic [pəʃáːlik, páːʃə-] *n.* =PASHALIC

pa·chin·ko [pətʃíŋkou] [Jap.] *n.* 파친코 게임

pa·chi·si [pətʃíːzi, pɑː-] *n.* Ⓤ 인도 주사위 놀이

pa·chu·ca [pətʃúːkə] [Sp.] *n.* (*pl.* **~s**) 《미》 pachuco와 사귀는 10대 여자

pa·chu·co [pətʃúːkou] [Sp.] *n.* (*pl.* **~s**) 《미》 10대의 길거리 깡패 《특히 멕시코계 미국인》

pach·y·ceph·a·lo·saur [pæ̀kəsəfǽləsɔ̀ːr] *n.* 〖고생물〗 파키세팔로사우루스 《백악기 후기 북미 대륙에 살던 초식성 공룡》

pach·y·derm [pǽkidə̀ːrm] *n.* **1** 후피(厚皮) 동물 《하마·코끼리 등》, 《특히》 코끼리 **2** 둔감한 사람

pach·y·der·ma·tous [pæ̀kidə́ːrmətəs] *a.* 후피(厚皮) 동물의; 둔감한, 낯가죽이 두꺼운

pach·y·der·mous [pæ̀kidə́ːrməs] *a.* =PACHYDERMATOUS

pach·y·san·dra [pæ̀kisǽndrə] *n.* 〖식물〗 파키산드라속(屬)의 상록 관목 《회양목과(科)》

pac·i·fi·a·ble [pǽsəfàiəbl] *a.* 달랠 수 있는

*__pa·cif·ic__ [pəsífik] [L 「평화를 가져오는」의 뜻에서] *a.* **1** 평화를 사랑하는, 평화적인; 〈성질 등이〉 온순

P

한: a ~ disposition 온화한 기질 **2** 〈시대·상태 등이〉 평화로운, 태평한(peaceful), 평온한: a ~ era 태평한 시대 **3** 〈바람·기후·강·시골 등이〉 조용한
-i·cal·ly *ad.* 평화적으로 ▷ pácify *v.*

‡Pa·cif·ic [pəsífik] [「바다가 고요하다」고 Magellan이 말한 데서] *a.* 태평양의; 태평양 연안의 ***the ~ States*** 미국 태평양 연안의 여러 주
— *n.* [the ~] 태평양(= ~ Ocean)

pa·cif·i·cal [pəsífikəl] *a.* 《드물게》 = PACIFIC

pa·cif·i·cate [pəsífəkèit] *vt.* = PACIFY

pac·i·fi·ca·tion [pæ̀səfikéiʃən] *n.* Ⓤ 강화, 화해; 평화의 회복, 평정; 화평 공작; Ⓒ 강화 조약

pa·cif·i·ca·tor [pəsífəkèitər] *n.* = PACIFIER 1

pa·cif·i·ca·to·ry [pəsífikətɔ̀:ri | -təri] *a.* 화해적인, 조정의; 유화적인

pacífic blockáde 〖국제법〗 (항구의) 평시 봉쇄

Pacífic dáylight tìme 《미》 태평양 여름 시간 《Pacific time의 여름 시간; 略 PDT》

Pacífic hígh 태평양 고기압

pa·cif·i·cist [pəsífəsist] *n.* = PACIFIST

‡Pacífic Ócean [the ~] 태평양

Pacífic Rím[Básin] [the ~] **1** 환태평양 지역, 태평양 주변 지역 **2** 환태평양 제국(諸國)

Pa·cif·ic-rim [pəsífikrìm] *a.* 환태평양의

Pacífic (Stándard) Tìme (미국의) 태평양 표준시 《Greenwich Time보다 8시간, Eastern Standard Time보다 3시간 늦음; 略 P.(S.)T.; cf. STANDARD TIME》

pac·i·fi·er [pǽsəfàiər] *n.* **1** 달래는 사람; 조정자 **2** 《미》 (갓난아이의) 고무 젖꼭지(《영》 dummy)

pac·i·fism [pǽsəfìzm] *n.* Ⓤ 평화주의(cf. MILITARISM)

***pac·i·fist** [pǽsəfist] *n.* **1 평화주의자,** 반전론자 **2** 양심적 징병 기피자(cf. CONSCIENTIOUS OBJECTION)
— *a.* = PACIFISTIC

pac·i·fis·tic [pæ̀səfístik] *a.* 평화론[주의]적인, 평화주의자의

***pac·i·fy** [pǽsəfài] [L 「평화롭게 하다」의 뜻에서] *vt.* (**-fied**) **1** 〈나라에〉 **평화를 회복시키다;** 〈반란을〉 진압하다 **2 진정시키다,** 달래다(calm): ~ an angry man 화난 사람을 달래다 **3** 〈식욕·공복 등을〉 만족시키다, 채우다(appease) ▷ pacífic *a.*; pacificátion *n.*

pac·ing [péisiŋ] *n.* Ⓤ 보측(步測)

Pa·cín·i·an córpuscule[bódy] [pəsíniən-] [이탈리아의 해부학자 F. Pacini에서] 〖해부〗 파시니 소체(小體) 《결합 조직의 층으로 된 진동·압력·촉각을 느끼는 미소한 수용기》

‡pack [pǽk] *n.* **1 a 꾸러미,** 보따리, 포장한 짐, 짐짝: a mule's ~ 노새의 등짐 **b** (접어서 갠) 낙하산 꾸러미 **2 a** 팩 《무게의 단위: 양털·삼베는 240파운드, 곡물은 280파운드, 석탄은 3부셸》; (판매용으로 일정량을 담은) 한 상자, 한 포: a ~ of canned goods 1상자의 통조림 제품 **b** (한 철의) 과실[생선 등]의 총 출하량: last year's salmon ~ 작년도 연어 출하량 **3** 《경멸》 다수, 다량(lot) 《*of*》: a ~ *of* fools 바보들의 집단/a ~ *of* lies 거짓말투성이 **4** (도둑·죄수 등의) 일당, 한패; (사냥개·이리 등의) 떼, 무리, 패거리 《*of*》 (⇨ group 유의어); (비행기·잠수함 등의) 일대, 일단, 함대; (보이[걸] 스카우트의) 유년대의 일단 **5** 《영》 (카드의) 한 벌(《미》 deck); 《미》 (담배의) **한 갑,** 한 꾸러미(packet): a ~ of cigarettes (궐련) 담배 한 갑 **6** 부빙군(浮氷群)(=ice ~) **7** (찜질의) 습포; (얼굴에 바르는) 팩 《미용 도포제(塗布劑)》: a mud ~ 진흙 팩 **8** 〖상업〗 포장(법) **9** [집합적] 〖럭비〗 전위 **10** 〖컴퓨터〗 압축, 팩 《데이터를 압축 기억시키는 일》
— *a.* **1** 운송용의 **2** 포장용의
— *vt.* **1** 〈짐 등을〉 **꾸리다,** 싸다, 묶다, 포장하다: (~+목) (~+목+부) ~ (*up*) clothes 옷가지를 꾸리다 // (~+목+전+명) ~ books *in* boxes = ~ boxes *with* books 상자에 책을 챙겨 넣다 **2 a** 〈물건을〉 (그릇 등에) **채워 넣다;** 통조림으로 만들다: (~+목+전+명) Meat is often ~*ed in* cans. 고기는 종종 통조림으로 만들어진다. **b** [보통 수동형으로] 〈사람이〉 〈장소·탈것을〉 **가득 채우다**[메우다](⇨ packed); 〈사람·동물·물건을〉 모으다: 10,000 fans ~ed the stadium. 만 명의 팬들이 경기장을 가득 채웠다. **3** 〈사람이〉 〈장소 등에〉 **떼지어 몰리다** **4 a** 〈틈·구멍 등에〉 충전물[패킹]을 대다, 메워 틀어막다, 봉하다: ~ an opening 구멍[틈]을 메워서 틀어막다 **b** …의 주위에 채워넣다: (~+목+전+명) ~ a teapot *in* sawdust 찻주전자 주위에 톱밥을 채우다 **5** 〈말 등에〉 짐을 지우다 **6** 《미·구어》 〈총 등을〉 휴대하다; 〈위력 등을〉 갖추고 있다; 〈강타·충격 등을〉 가할 수 있다; (포장하여) 나르다: ~ a gun 총을 휴대하다 **7** 해고하다 《*off*》: (~+목 | 부) ~ a servant *off* 고용인을 해고하다 **8** 〖의학〗 찜질하다; 〈얼굴 등에〉 팩하다 **9** 〖카드〗 속이다; 〈배심원 등을〉 자기 편에 유리하게 뽑다 **10** 〈눈·흙 등을〉 굳히다, 다지다 《*down*》
— *vi.* **1** 짐을 꾸리다 《*up*》; 포장하다; 〈물건이〉 (잘) 꾸려지다[포장되다]; (상자 등에) (잘) 채워[담겨]지다: (~+부) These clothes ~ *easily.* 이 의류는 쉽게 포장할 수 있다. **2** 〈땅·눈 등이〉 굳어지다: (~+부) The powder ~*s readily.* 그 가루는 금방 굳어진다. **3** 〈사람 등이〉 떼지어 몰리다; 〈동물이〉 떼를 짓다: (~+전+명) People ~*ed into* the hall. 강당으로 사람들이 떼지어 몰려들었다. **4** 짐을 운반하다; 짐을 꾸리고 떠나다 《*off, away*》 **5** 〖럭비〗 스크럼을 짜다 **6** 배낭을 메고 여행하다
~ a (hard) punch ⇨ punch². ***~ away*** (1) 〈텐트 등이〉 접어서 보관되다 (2) (사용 후) …을 집어 넣다, 치우다 (3) (구어) 〈음식을〉 모조리 먹어 치우다 ***~ in*** (1) 〈연예인 등이〉 (많은 관중을) 끌다 (2) = PACK it in. ***~ it in*** 일[활동]을 그만두다 ***~ off*** (1) 급히 나가다 (2) 해고하다 (3) 〈해고된 사람이〉 (짐을 꾸려) 급히 나가 버리다 (4) 《구어》 〈사람을〉 쫓아내다, 쫓아보내다 ***~ out*** …을 메우다, 채우다, 만원으로 만들다 ***~ one's bags*** ⇨ bag¹ ***~ up*** (1) 〈짐을〉 꾸리다, 포장하다 (2) (짐을 꾸려) 나가다 (3) 《구어》 일을 그만두다 (4) 《구어》 〈엔진 등이〉 멎다, 꺼지다; 〈몸의 상태 등이〉 나빠지다; 죽다 (5) [보통 명령법] 《속어》 닥쳐, 그만둬 ***send a person ~ing*** 《구어》 즉시 해고하다[내쫓다]

‡pack·age [pǽkidʒ] *n.* **1 꾸러미, 소포,** 작은 짐, 패키지; Ⓤ 짐꾸리기, 포장: ~ paper 포장지 / send [mail, post] a ~ 소포를 부치다[우송하다] **2** 포장한 상품; 포장지[용기]; 포장비 **3 a** 일괄; 일괄 거래; 〖라디오·TV〗 (이미 만들어 놓은) 일괄 프로; = PACKAGE TOUR **b** 〖컴퓨터〗 패키지, 꾸러미 《범용(汎用) 프로그램》 **c** 종합 정책[계획] **4** 《구어》 몸집이 작고 귀여운 여자 **5** 《미·속어》 큰돈
— *a.* Ⓐ 〈제안·계획 등이〉 포괄적인, 일괄의, 〈여행 등이〉 패키지의: a ~ proposal 일괄 제안
— *vt.* **1** 〈식품을〉 (슈퍼마켓에서 팔기 위해) 패키지에 넣다 **2** 〈상품을〉 포장하다, 꾸리다 **3** 일괄하다 **4** 〖라디오·TV〗 일괄 방송으로 제작하다

páckage dèal (취사 선택을 허용치 않는) 일괄 거래[교섭]; 일괄 거래 상품[계약]

páck·aged tóur [pǽkidʒd-] = PACKAGE TOUR

pack·ag·er [pǽkidʒər] *n.* **1** 포장업자 **2** 상품의 기획·제작·판매를 일괄해서 취급하는 업자; 여행·기업의 기획·판매·실시까지 일괄하는 업자

páckage stòre 《미》 주류 소매점 《가게 안에서는 마시지 못함》(《영》 off-license)

páckage tóur 패키지 투어 《운임·숙박비 등을 일괄해서 내는 여행사 알선 여행》

pack·ag·ing [pǽkidʒiŋ] *n.* Ⓤ **1** 짐꾸리기, 포장 **2** 상품을 용기에 담기; 그 용기, 상자, 포장지

thesaurus **pacific** *a.* peacemaking, conciliatory, appeasing, calming, mediatory, peaceful
pacify *v.* calm, conciliate, appease, soothe
pack *n.* **1** 꾸러미 bundle, parcel, truss, bag **2** 한 상자 package, packet, container, carton **3** 일당

páck ànimal 짐 나르는 짐승 ((마소 등))
páck drìll 1 말의 군수품 수송 훈련 2 무장시켜 걷게 하는 벌 ***no names, no ~*** ((영·구어)) (1) 이름만 없으면 벌받는 일도 없다 (2) (후환이 없도록) 이름은 밝힐 수 없지만
packed [pǽkt] *a.* 1 꽉 찬, 만원의 ((*with*)): a ~ train 만원 열차 / be ~ *with* passengers 승객으로 꽉 차다 2 〈식품이〉 팩[상자]에 든: a ~ lunch ((영)) 팩에 든 도시락
packed-out [pǽktáut] *a.* Ⓟ ((영·구어)) 〈방·건물 등이〉 만원인
***pack·er** [pǽkər] *n.* 1 짐 꾸리는 사람, 포장업자 2 포장기(機)[장치]: an automatic ~ 자동 포장기 3 ((미)) 마부, 소 치는 목동; ((호주)) 짐 나르는 짐승 4 a 통조림업자, 통조림 직공 b 식료품 포장 출하업자; ((특히)) 정육 출하업자
pack·et** [pǽkit] *n.* 1 a ((영)) 소포(parcel)(((미)) package), ((영)) (담배 등의) 갑(((미)) pack) b (편지 등의) 한 묶음, 한 다발: a ~ of letters 편지 묶음 2 (특히 하천·연안의) 우편선, 정기선(=~ boat[ship]); 기선 3 ((영·속어)) (내기나 투기에서 이득[손해] 본) 큰돈 4 〖컴퓨터〗 다발, 패킷 ((한 번에 전송하는 정보 조작 단위(량))) ***buy [***catch, cop, get, stop***] ***a ~*** ((영·속어)) (1) 혼나다 (2) (탄환 등으로) 크게 다치다 (3) 호되게 얻어맞다; 호되게 벌받다 ***sell*** a person ***a ~*** ((구어)) …에게 거짓말하다
— *vt.* 1 소포[소화물]로 하다 2 〖컴퓨터〗 〈정보를〉 패킷 단위로 나누다, 다발로 하다
pácket bòat[**shìp**] (정부가 용선 계약한) 우편선; (연안·하천의) 정기선; 여객용 운하선
pácket dày 정기선[우편선] 출항일, 정기선의 우편물 마감일
pácket drìver 〖컴퓨터〗 패킷 드라이버 ((패킷 형식의 데이터 전송(轉送) 프로그램))
pack·et·ize [pǽkitaiz] *vt.* 〖컴퓨터〗 (보낼 자료를) 패킷으로 나누다
pácket snìffer 〖컴퓨터〗 패킷 스니퍼 ((패킷으로 흘러드는 정보 속에서 패스워드 등의 정보를 판독하는 프로그램))
pack·et-switched [pǽkitswít∫t] *a.* 〖컴퓨터〗 패킷 교환 방식의
pácket swìtching 〖컴퓨터〗 패킷 교환 ((패킷 단위의 데이터를 전송하는 시스템))
pack·horse [pǽkhɔ̀ːrs] *n.* 복마(卜馬), 짐말
pack·house [-hàus] *n.* (*pl.* **-hous·es** [-hàuziz]) 창고; =PACKINGHOUSE
páck ìce 유빙괴(流氷塊), 총빙(叢氷) ((부빙(浮氷)이 모여 얼어붙은 큰 얼음 덩어리))
***pack·ing** [pǽkiŋ] *n.* Ⓤ 1 포장; 짐꾸리기 2 포장 재료, 포장용품, 포장용 충전물(充塡物), 패킹 ((삼 부스러기·솜 등)) 3 통조림 제조업; ((미)) 식료품 포장 출하업; ((특히)) 정육 출하업 4 〖인쇄〗 패킹; 〖건축〗 틈 메우기 5 〖기계〗 패킹
pácking bùsiness [the ~] ((미)) 통조림 제조업; 식품 포장 출하업
pácking càse[**bòx**] 1 (저장·수송용) 포장 상자, 포장품에 씌우는 나무틀 2 〖기계〗 패킹 상자
pácking dènsity 〖전기〗 실장(實裝) 밀도; 〖컴퓨터〗 기록[기억] 밀도
pácking effèct 〖물리〗 결합 효과 ((원자핵에 질량 결손이 있음))
pácking fràction 〖물리〗 비질량(比質量) 편차
pack·ing·house [pǽkiŋhàus] *n.* ((미)) 통조림 공장; 정육[식품] 포장 공장
pácking ìndustry [the ~] =PACKING BUSINESS

---

gang, crowd, mob, group, band, company 4 떼 herd, drove, flock — *v.* 1 꾸리다, 싸다 fill, load, bundle, stuff, cram, package, parcel, wrap 2 가득 채우다 fill, crowd, cram, jam, squeeze
pact *n.* agreement, treaty, contract, bargain, deal

---

pácking lìst 포장 (내용) 명세서
pácking matèrial 포장 재료
pácking nèedle 포장용 큰 바늘
pack·ing-pa·per [-pèipər] *n.* (두껍고 질긴) 포장지
pácking plànt =PACKINGHOUSE
pácking prèss 포장용 압착기
pack·ing-sheet [-∫ìːt] *n.* 1 포장용 천; 포장지 2 〖의학〗 습포(濕布)
pácking slìp 〖상업〗 패킹 슬립 ((포장된 상품의 내용·출하지 등을 기재하여 첨부하는 서류))
páck jòurnalism ((미·경멸)) 획일적 보도; 합동 취재 보도
pack·man [pǽkmən] *n.* (*pl.* **-men** [-mən]) 행상인(peddler)
páck ràt 1 〖동물〗 숲쥐(wood rat) ((물건을 모으는 습성이 있음)) 2 ((미·속어)) 좀도둑; ((구어)) 쓸모없는 잡동사니를 모아 두는 사람; ((미·속어)) (호텔의) 포터
pack·sack [-sæ̀k] *n.* ((미)) 여행용 배낭
pack·sad·dle [-sæ̀dl] *n.* 짐 싣는 안장, 길마
pack·thread [-θrèd] *n.* Ⓤ 짐 꾸리는 노끈
pack·train [-trèin] *n.* ((미)) 짐 나르는 동물의 떼[줄]
pack·trip·per [-trìpər] *n.* ((미·구어)) 배낭 (차림의) 여행자(backpacker)
páck wàll 〖채광〗 충전벽(充塡壁) ((갱도의 천장을 떠받치는 거친 돌벽))
Pac-Man [pǽkmæ̀n] *n.* 팩맨 ((일본 회사가 만든 비디오 게임; 상표명))
Pác-Man defénse ((미)) 〖경영〗 팩맨 방어 ((기업 매수에 대한 방어책의 하나로 기업 매수를 획책한 쪽의 기업을 매수하겠다고 나서는 일))
PACOM Pacific Command ((미군)) 태평양 지구 사령부
***pact** [pǽkt] *n.* 1 (국가간의) 조약, 협정: a peace ~ 평화 조약[협정] 2 (개인간의) 약속, 계약
— *vt.* ((드물게)) …와 계약하다, …와의 계약[협정]서에 서명하다
PAC-10 [pǽktén] Pacific Ten Conference ((미·구어)) 팩텐 ((미국 태평양 연안 10개 대학의 스포츠 경기 연맹))
pac·tion [pǽk∫ən] *n.* =PACT
pa·cy [péisi] *a.* ((영·구어)) =PACEY
****pad**[1] [pǽd] *n.* 1 a (마찰·손상을 막는) 덧대는 것, 메워 넣는 것, 패드 b (말의) 안장 받침; (의자) 깔개, 방석 c 〖구기〗 가슴받이, 정강이받이 d (웃옷의) 어깨심, 패드 e (생리대 등의 흡수성) 패드; (상처에 대는) 거즈, 탈지면 f (자동차의 disc brake의) 패드 2 (한 장씩 떼어 쓰게 된) 종이철(綴), 메모장, 리포트 용지: a writing ~ 편지지철 3 스탬프 패드, 인주 4 a 〖해부·동물〗 (고양이·여우 등의) 발바닥 살, 육지(肉趾) b (여우·토끼 등의) 발; 족적(足跡) 5 (수련 등 수초(水草)의) 부엽(浮葉) 6 (유도탄 등의) 발사대(=launching ~) 7 ((속어)) (자기가 살고 있는) 방, 하숙, 아파트, 집; 침대 8 꾸러미, 뭉치 9 [the ~] ((미·속어)) (경찰이 받아 나눈) 뇌물; 뇌물을 받은 경찰들의 명단 10 〖조선〗 (가로들보 위의) 갑판받이; 〖항해〗 뱃머리의 방충재(防衝材)
knock [***hit***] ***the ~*** ((미·속어)) 잠자리에 들다 ***on the ~*** 〈경찰관이〉 뇌물을 받아
— *vt.* (**~·ded**; **~·ding**) 1 …에 속을 넣다, 〈옷 등에〉 솜을 두다, 심을 넣다; …에 덧대다 ((*out, with*)) 2 〈말에〉 안장 받침을 대다 3 메워 넣다; 〈여백을〉 메우다, 〈특히 문장·말 등을〉 (군말을 넣어) 길게 하다 ((*out*)): (~+목+부) ~ *out* an article 기사를 부연하다 4 〈인원·계산 등을〉 (조작하여) 불리다: a ~*ded* bill ((미)) 바가지 씌운 계산서
pad[2] *n.* 1 (발걸음 등의) 터벅터벅 소리, 쿵 소리 2 걸음이 느린 말(padnag), 여행용 말 3 ((고어)) 도로 4 ((영·호주·방언)) 작은 길, 통로: a cattle ~ 소가 다니는 길 ***a gentleman*** [***knight, squire***] ***of the ~*** 노상강도
— *vt., vi.* (**~·ded**; **~·ding**) 거닐다; 발소리를 내지 않고 걷다; 도보로 가다 ***~ it*** [***the hoof***] ((영·구어·익살)) 걸어가다

pad[3] *n.* 작은 계량 바구니 《과일·물고기 등을 다는》
pa·dauk [pədáuk] *n.* = PADOUK
pad·cloth [pǽdklɔ̀:θ | -klɔ̀θ] *n.* = SADDLECLOTH
pád·ded bàg [pǽdid-] (소포용) 쿠션 봉투 《책 등을 넣는》
pádded céll (다치지 않게) 벽에 완충물을 댄 정신병원 환자실
pad·ding [pǽdiŋ] *n.* Ⓤ **1** 채워 넣기, 속을 넣음[둠] **2** 심, 속, 채워 넣는 것, 충전물 《솜·털·짚 등》 **3** (신문·잡지의) 여백을 메우는 기사; 불필요한 삽입구
Pad·ding·ton [pǽdiŋtən] *n.* 패딩턴 《London 시 서부의 주택 구역; Devon, Cornwall행 시발역이 있음》
‡**pad·dle**[1] [pǽdl] *n.* **1** (짧고 넓적한) 노, (카누의) 패들(⇨ oar 유의어); 노 모양의 것; 주걱, 주걱 모양의 도구; (탁구의) 라켓 **2** (물레방아·외륜선의) 물갈퀴(float, floatboard); 외륜(=~ wheel) **3** 〖동물〗 (거북·펭귄 등의) 지느러미발(flipper) **4** 패들로 한 번 젓기 **5** 《미·구어》 찰싹 때리기 **6** 물을 저어 나아가기; (기선이) 외륜으로 나아가기: the dog ~ 개헤엄
— *vt.* **1** 노[외륜]로 움직이게 하다; 노로 저어 운반하다 **2** 《미·구어》 (벌로) 철썩 때리다(spank) **3** 주걱으로 휘젓다 **4** 라켓으로 치다
— *vi.* **1** 노를 젓다; 조용히 젓다 **2** 〈기선이〉 외륜으로 움직이다 **3** 손으로 물을 젓다, 개헤엄치다 ***~ one's own canoe*** ⇨ canoe
paddle[2] *vi.* **1** 얕은 물속에서 뛰어다니다; 물장난을 치다 **2** 아장아장 걷다
pad·dle·ball [pǽdlbɔ̀:l] *n.* 《미》 패들볼 《공을 라켓으로 코트의 벽면에 번갈아 치는 경기》
pad·dle·board [-bɔ̀:rd] *n.* = SURFBOARD
pad·dle·boat [-bòut] *n.* 외륜선

paddleboat

páddle bòx (외륜선의) 외륜 덮개
pad·dle·fish [-fìʃ] *n.* (*pl.* **~, ~·es**) 《미》 〖어류〗 주걱철갑상어 《Mississippi 강에 많음》
pad·dler [pǽdlər] *n.* 《스포츠속어》 물을 젓는 사람[것, 장치]; 카누 선수, 카약 선수; 탁구 선수
páddle stèamer = PADDLEBOAT
páddle tènnis 《미》 패들 테니스 《큰 라켓으로 스펀지 공을 치는 테니스 비슷한 운동》
páddle whèel (외륜선의) 외륜
páddle whèeler = PADDLEBOAT
pád·dling pòol [pǽdliŋ-] 《영》 (공원 등의) 어린이 물놀이터(《미》 wading pool)
pad·dock[1] [pǽdək] *n.* **1** (마구간에 딸린) 작은 목장 《말 길들이는 곳》 **2** (경마장의) 말 선보이는 곳 **3** (카 레이스에서) 발차 대기소 **4** 《호주·뉴질》 울타리 두른 목장[농장] — *vt.* 울 막은 곳에 넣어 두다, 가두다
paddock[2] *n.* 《고어·방언》 개구리, 두꺼비
pad·dy [pǽdi] *n.* (*pl.* **-dies**) **1** Ⓤ 쌀; 벼 **2** 논(=~ field): a rice ~ 논
Pad·dy [pǽdi] [Patrick에서] *n.* (*pl.* **-dies**) **1** 《속어·경멸》 아일랜드(계) 사람의 별명; cf. JOHN BULL》; [**p~**] (특히 아일랜드계의) 경관: ~*'s* land 아일랜드 **2** 남자 이름 《Patrick의 애칭》; 여자 이름 《Patricia의 애칭》 **3** [**p~**] = PADDYWHACK
páddy field 논(rice field)
Páddy's húrricane 〖항해〗 무풍 (상태)
páddy wàgon 《미·속어》 (경찰의) 범인 호송차
pad·dy·whack [pǽdi*h*wæ̀k] *n.* 《영·구어》 격분, 노발대발; 《미·구어》 손바닥으로 찰싹 치기
pa·di·shah [pá:diʃà:, -ʃɔ̀: | -ʃà:] *n.* **1** [종종 **P~**] 대왕, 제왕, 황제 《이란의 Shah, 터키의 Sultan, 식민지 인도에서 영국 왕의 칭호》 **2** 《미·속어》 거물, …왕
pad·kos [pʌ́tkɑ:s] *n.* Ⓤ 《남아공》 (여행 중에 먹으려고 가져가는) 음식
pad·lock [pǽdlɑ̀k | -lɔ̀k] *n.* 맹꽁이자물쇠
— *vt.* **1** 맹꽁이자물쇠로 잠그다 **2** 맹꽁이자물쇠로 연결하다 《*together*》 **3** 〈호텔·극장·공장 등을〉 (행정 명령 등에 의해) 출입 금지하다
pad·nag [pǽdnæ̀g] *n.* 동작이 둔한 말; 측대보(側對步)로 걷는 말
pa·douk [pədáuk] *n.* 〖식물〗 인도자단(紫檀) 《열대 아시아산(産)》; 그 목재
pa·dre [pá:drei, -dri | -dri] [Sp., Port., It. = father] *n.* **1** (스페인·이탈리아 등의) 신부 **2** 《미·군대속어》 군목(軍牧)(chaplain); 《영·구어》 목사; 사제
pa·dro·ne [pədróuni, -nei | -ni] [It.] *n.* (*pl.* **~s, -ni** [-ni:]) **1** 주인 **2** 《미》 (이탈리아인) 이민 노동자의 왕초 **3** (지중해의) 소형 상선의 선장 **4** 여관 주인
pad sàw 가는 실톱
pad·shah [pá:dʃɑ:] *n.* = PADISHAH
pád sìde 쇼핑 센터 인접 지대
pad·u·a·soy [pǽdʒuəsɔ̀i | -djuə-] *n.* Ⓤ 튼튼한 견직물의 일종; Ⓒ 그것으로 만든 옷
pae·an [pí:ən] [Homer가 Apollo신을 칭송하여 바친 이름에서] *n.* 승리[감사]의 노래; 찬가 《*to*》
paed- [pi:d, ped], **paedo-** [pí:dou, -də, péd-] 《연결형》 「소아(小兒)」의 뜻 《모음 앞에서는 paed-》
paed·er·ast [pédəræ̀st, pí:d-] *n.* = PEDERAST
pae·di·at·ric [pì:diǽtrik, pèd-] *a.* = PEDIATRIC
pae·di·a·tri·cian [pì:diətríʃən] *n.* = PEDIATRICIAN
pae·di·at·rics [pì:diǽtriks] *n.* = PEDIATRICS
pae·do·bap·tism [pì:doubǽptizm] *n.* = PEDOBAPTISM
pae·dol·o·gy [pi:dɑ́lədʒi | -dɔ́l-] *n.* = PEDOLOGY[1]
pae·do·phile [pí:dəfàil] *n.* = PEDOPHILE
pae·do·phil·i·a [pì:doufíliə] *n.* = PEDOPHILIA
pa·el·la [pɑ:éil*j*ə, pɑ:jélə] [Sp. 「냄비」의 뜻에서] *n.* 파엘랴 《쌀·고기·어패류·야채를 스페인식으로 찐 밥》; 그것을 만드는 큰 냄비
pae·on [pí:ən, -ɑn | -ən] *n.* 〖운율〗 4음절의 운각(韻脚) 《장음절 하나와 단음절 셋으로 됨》
pae·o·ny [pí:əni] *n.* (*pl.* **-nies**) = PEONY
***pa·gan** [péigən] [L 「소작 농민」의 뜻에서] *n.* **1** (주요 종교를 믿지 않는) 이교도; 《특히》 비기독교도 **2** (고대 그리스·로마의) 다신교도 **3** 무종교자, 쾌락주의자
— *a.* Ⓐ **1** 이교도의; 이교 신봉의 **2** 무종교(자)의
~·dom *n.* 이교권(圈); [집합적] 이교도
▷ páganish *a.*; páganize *v.*
Pa·ga·ni·ni [pæ̀gəní:ni] *n.* 파가니니 **Niccolò ~** (1782-1840) 《이탈리아의 바이올리니스트·작곡가》
pa·gan·ish [péigəniʃ] *a.* 이교를 믿는
pa·gan·ism [péigənìzm] *n.* Ⓤ **1** 이교도임 **2** 이교도의 신앙·관습 **3** 무종교, 쾌락주의
pa·gan·ize [péigənàiz] *vi., vt.* 이교도가 되(게 하)다; 이교도적으로 행동하다
‡**page**[1] [péidʒ] [L 「단단히 조르다, 죄다」의 뜻에서] *n.* **1 a** 페이지, 면, 쪽 《*on, in*》; (인쇄물·용지의) 한 장 《2면분》: ~ by ~ 한 페이지씩 / Open your books to [《영》 at] ~ 30. 책의 30페이지를 펼치시오. **b** 〖인쇄〗 페이지 조판 **c** [종종 *pl.*] (신문 등의) 난, 면; (책 등의) 한 절(passage): the sports ~(*s*) 스포츠칸 **2** (인생·일생의) 삽화(episode), (역사상의) 사건, 시기 **3** 《문어》 서적, 서책, 기록(record), 연대기 **4** 〖컴퓨터〗 페이지, 쪽, 면 《기억 영역의 한 구획》
be on the same ~ 동의하다 ***take a ~ from the book*** 흉내내다, 모방하다
— *vt.* …에 페이지 수를 매기다(paginate)
— *vi.* (책 등의) 페이지를 넘기다, 읽다 《*through*》
▷ páginate *v.*; páginal *a.*
***page**[2] [péidʒ] [Gk 「소년」의 뜻에서] *n.* **1** 시동(侍童); 〖역사〗 수습 기사(騎士) **2** (호텔·극장 등의 제복을 입은) 사환, 보이(=~ boy); 《미》 (국회의원의) 수행원; (신부 들러리 서는) 남자 아이

thesaurus **page**[1] *n.* sheet, side, leaf, folio
painful *a.* **1** 아픈 sore, hurting, aching, throbbing, smarting, inflamed, irritating **2** 괴로운 disagree-

— *vt.* **1** (호텔·클럽 등에서) 사환을 시켜 〈사람을〉 찾게 하다; (호텔·공항 등에서) 이름을 불러 〈사람을〉 찾다 **2** 사환으로서 일보다[섬기다]

páge·a·ble lìnk páck àrea [péidʒəbl-] 『컴퓨터』 페이지 가능 링크 팩 영역 《略 PLPA》

*__pag·eant__ [pǽdʒənt] [L 「무대」의 뜻에서] *n.* **1** (역사적 장면을 나타내는) **야외극,** 패전트 **2** (축제 등의 화려한) **행렬,** 꽃수레; 구경거리, 쇼; 전시회; 콘테스트: a beauty ~ 미인 콘테스트[선발 대회] **3** Ⓤ 장관, 장려함 **4** (무의미한) 허식, 겉치레

pag·eant·ry [pǽdʒəntri] *n.* ⓊⒸ **1** 구경거리, 장관, 화려 **2** 허식, 겉치레 **3** [집합적] (고어) 야외극

páge bòy 급사, 보이

page·boy [péidʒbɔ̀i] *n.* 『미용』 안말이 《머리를 어깨 언저리에서 안쪽으로 마는 헤어스타일》

páge còntrol 『컴퓨터』 페이지 제어

páge còntrol blòck 『컴퓨터』 페이지 제어 블록 《略 PCB》

page·hood [péidʒhùd], **page·ship** [-ʃìp] *n.* Ⓤ 사환[수종 소년]의 직[신분]

Page·Mak·er [péidʒmèikər] *n.* 『컴퓨터』 페이지 메이커 《미국 앨더스사(Aldus corp.)에서 개발한 전자 출판 프로그램; 상표명》

page-one [péidʒwʌ́n] *a.* (미·속어) 마음 설레게 하는, 재미있는

page-on·er [-wʌ́nər] *n.* (미·속어) 제1면 기사; 센세이셔널한 뉴스; 신문에 자주 실리는 연예인[유명인]

páge prèview(ing) 『컴퓨터』 페이지 이미지 표시 《인쇄되었을 때의 체제를 화면에 표시하기》

páge prìnter 『컴퓨터』 한 페이지 전체를 동시에 찍어내는 프린터

páge pròof 『인쇄』 페이지 조판[O.K.] 교정쇄

pag·er [péidʒər] *n.* **1** 휴대용 소형 무선 호출기 《속칭 삐삐》 **2** [복합어를 이루어] …페이지짜리 책: a 20-~ 20페이지짜리 소책자

páge thrée 3면 《대중지에서 여자 누드가 게재되는 페이지》

page-thrée gìrl [pèidʒθríː-] (영) (신문에 실리는) 나체[반나체] 여성

páge tràffic (신문·잡지의) 특정 페이지 독자수

page-turn·er [péidʒtə̀ːrnər] *n.* 굉장히 재미있는 책

páge vìew 『인터넷』 페이지 뷰 《인터넷 상의 홈페이지 열람 횟수》

pag·i·nal [pǽdʒənl], **-na·ry** [-nèri | -nəri] *a.* **1** 페이지의 **2** 페이지로 된, 페이지 구성의: ~ translation 대역(對譯) **3** 페이지마다의, 매 페이지의

pag·i·nate [pǽdʒənèit] *vt.* …에 페이지를 매기다

pag·i·na·tion [pæ̀dʒənéiʃən] *n.* ⓊⒸ **1** 페이지 수, 면수 **2** 페이지를 나타내는 숫자 **3** 페이지 매김

pag·ing [péidʒiŋ] *n.* Ⓤ 『컴퓨터』 페이징 《주기억 장치와 보조 기억 장치간에 페이지를 교환하기》

pag·od [pǽgəd] *n.* (아시아의) 신상(神像), 불상(佛像)

pa·go·da [pəgóudə] *n.* (불교·힌두교의 다층의) 탑, 파고다

pagóda trèe 『식물』 회화나무; (익살) 돈이 열리는 나무 ***shake the ~*** 『영국사』 (인도에 가서) 손쉽게 큰돈을 벌다

pah[1] [pɑ́ː] *int.* 흥, 체! 《경멸·불쾌 등을 나타냄》

pah[2] *n.* (목책을 두른) New Zealand 원주민의 마을

pa·ho·e·ho·e [pəhóuihòui] *n.* 파호이호이 용암 《매끄럽고 점성이 낮은 현무암질 용암》

‡**paid** [péid] *v.* PAY의 과거·과거분사

— *a.* **1** **유급**(有給)의: highly-~ 많은 봉급을 받는 / ~ vacation(s) 유급 휴가 **2** 지불[정산, 환급]이 끝난 《*up*》 **3** 고용된(hired) ***put ~ to*** (영·구어) …을 결말내다, 처리하다; 〈계획 등을〉 망치게 하다

paid-in [péidìn] *a.* 〈회원 등이〉 회비[입회금]를 납부한: a ~ membership of 3,000 회비를 납부한 3,000명의 회원

paid-up [-ʌ̀p] *a.* **1** 〈회원 등이〉 회비[입회금]를 납부한: a ~ member 납부 회원 **2** 지불필의, 지급을 끝낸: ~ capital 『상업』 납입 자본

‡**pail** [péil] *n.* **1** 들통, 버킷(bucket) **2** 한 들통(의 양) **3** (아이스크림 등의 운반에 사용하는) 원통형 용기 **4** (미·속어) (흑인들 사이에서) 위

pail·ful [péilfùl] *n.* 한 들통(의 양)

pail·lasse [pæljǽs, ⌐–, pæ̀liǽs, ⌐–⌐ | pǽliæ̀s, ⌐–⌐] *n.* =PALLIASSE

pail·lette [paijét, pei-, pəlét | pæljét] *n.* (법랑 칠용의) 장식용 금속 조각; 반짝이는 작은 쇳조각[구슬, 보석 《등》] 《무대 의상 등의 장식용》

‡**pain** [péin] [Gk 「형벌」의 뜻에서] *n.* **1** Ⓤ (육체적·정신적) **아픔, 고통;** 고뇌; 비탄, 근심; Ⓒ (국부적인) 아픔: a ~ clinic 통증 치료소 / a ~ in the head 두통 / the ~ of parting 이별의 아픔 / ease[relieve, soothe] ~ 고통을 덜다

> 유의어 **pain** 정도를 불문하고 「아픔」을 나타내는 일반적인 말: feel some *pain* 조금 아프다 **ache** 몸의 일부에 느끼는, 오래 계속되는 무지근한 아픔: an *ache* in the back 등의 아픔 **pang** 별안간 닥치는, 일시적이지만 단속적인 아픔: the *pangs* of childbirth 진통

2 [보통 *pl.*] **고생, 노고,** 수고, 노력(efforts): No ~*s*, no gains. (속담) 수고가 없으면 이득도 없다. 《현재는 No ~, no gain.을 많이 씀》 // (~+***to*** do) He took great ~*s to* polish his style. 그는 문체를 다듬는 데 무척 고심했다. // (~+전+***-ing***) The university was at the ~*s of* publish*ing* his researches. 대학은 그의 학술 연구를 출판하는 데 힘써 주었다. **3** [*pl.*] 진통, 산고(labor pains) **4** Ⓤ (고어) 벌, 형벌 ***a ~ in the neck*** [(비어) ***ass, butt***] (구어) (1) 불쾌감, 안달 (2) 불쾌하게[안달나게, 지겹게] 하는 사람[것]: give a person *a ~ in the neck* …을 안달[짜증]나게 하다 ***be at*** [***go to***] ***the ~s of*** do*ing* = ***be at ~s to*** do …하려고 애쓰다 ***cause*** [***give***] a person ~ …을 괴롭히다 ***feel no ~*** (미·속어) 몹시 취해 있다 ***for*** one***'s ~s*** (1) 수고 값으로 (2) (반어) 애쓴 보람도 없이 ***on*** [***upon, under***] ***~ of*** death (문어) 위반하면 (사형)이라는 조건으로 ***~s and penalties*** 형벌 ***spare no ~s*** (***to*** do) 수고를 아끼지 않고 (…하다) ***take*** [***go to***] (***great***) ***~s*** (…에) 수고하다, 애쓰다, 노력하다 《*with, over, to do*》

— *vt.* (문어) **1** 〈상처나 신체 일부가 사람에게〉 고통을 주다 **2** [보통 it을 주어로 하여] **괴롭히다,** 마음 아프게 하다, 슬프게 하다(grieve) **3** (구어) 짜증나게 하다

— *vi.* 아프다 ▷ páinful, páinless *a.*

pained [péind] *a.* **1** 아파하는; 마음 아픈; 괴로워하는 **2** Ⓟ 감정이 상한; 화난 《*at*》: She was ~ *at* his remark. 그녀는 그의 말에 감정이 상했다.

‡**pain·ful** [péinfəl] *a.* **1** 아픈, 고통을 주는: a ~ wound 아픈 상처 **2** 불쾌한: a ~ memory 불쾌한 기억 **3** (정신적으로) **고통스러운,** 괴로운; 고생스러운, 고된, 힘드는: a ~ life 괴로운 생활 **4** (고어) 〈사람이〉 근면한 **5** (구어) 지독한, 최저의 **~·ness** *n.*

*__pain·ful·ly__ [péinfəli] *ad.* **1** 아프도록; **고통스럽게,** 고생하여, 애써, 수고하여 **2** (구어) (유감스러우나) 몹시, 아주, 뼈저리게: I am ~ aware of my shortcomings. 내 결점을 뼈저리게 느끼고 있다. ***~ obvious*** [***clear, evident***] 실망스럽게도 너무나 명백한

pain·kill·er [péinkìlər] *n.* (구어) 진통제

pain·kill·ing [-kìliŋ] *a.* 진통의, 아픔을 없애는

pain·less [péinlis] *a.* **1** 아픔[고통]이 없는: ~ childbirth 무통 분만 / ~ death 안락사(euthanasia) **2** (구어) 힘 안 드는, 쉬운 **~·ly** *ad.* **~·ness** *n.*

pains·tak·er [péinztèikər] *n.* 노고를 아끼지 않는 사람, 근면[노력]가

able, unpleasant, nasty, distressing, disturbing, miserable, wretched, agonizing **3** 고된 difficult, laborious, hard, strenuous, demanding, tough

***pains·tak·ing** [péinztèikiŋ, péins- | péinz-] *a.* **1** 〈사람이〉 **노고를 아끼지 않는, 근면한, 정성 들이는** **2** 〈일·작품 등이〉 공들인, 힘드는, 고생스러운: ~ research 힘든 연구
—*n.* Ⓤ 수고, 고심, 근면; 공들임 **~·ly** *ad.*

‡**paint** [péint] *n.* Ⓤ (종류를 나타낼 때는 Ⓒ) **1 페인트**, 도료; [*pl.*] **그림물감**, 채료: daub ~ on[over] the fence 담장에 페인트를 칠하다 **2** 도장, 채색, 착색(coloring): give a ~ 착색하다 **3** 화장품, 입술연지 ★ 종종 경멸적. **4** 겉치장, 허식 (*as*) ***fresh***[***smart***] ***as*** ~ 매우 싱싱한[예쁜, 기민한] ***Wet***[(영) ***Fresh***] ~! 칠 주의! 《게시》
—*vt.* **1 페인트칠하다**: (~+목+보) ~ the walls white 벽을 하얗게 칠하다 **2** (그림물감으로) **그리다**, 유화[수채화]로 그리다(⇨ draw 유의어): ~ a portrait 초상화를 그리다 // (~+목+전+명) ~ birds *in* oils[watercolors] 새를 유화[수채화]로 그리다 **3** …에 그림물감을 칠하다, 채색하다; 겉치장하다 **4** (생생하게) 묘사[서술, 표현]하다 **5** 화장하다: ~ oneself thick 짙게 화장하다 **6** 〈약 따위를〉 …에 바르다: ~ a wound 상처에 약을 바르다
—*vi.* **1** 페인트칠하다 **2** (…으로) 그림을 그리다 《*in*》: (~+*as*+보) ~ *as* a hobby 취미로 그림을 그리다 // (~+전+명) ~ *in* watercolors 수채화로 그림을 그리다 **3** 화장하다 **4** 스크린에 비치다[나타나다]
(***as***) ***~ed as a picture*** 짙은 화장을 한 ***~ a black***[***rosy***] ***picture of*** …을 비관[낙관]적으로 표현하다 **~ a person *black*** …을 나쁘게 말하다 ***~ from life*** 사생(寫生)하다 ***~ in*** …을 그려 넣다 ***~ it red*** (미) 기사를 선정적으로 쓰다 ***~ out*** 페인트를 칠하여 지우다 ***~ the town***[***city***] ***red*** (속어) 야단법석하다, 대소동을 일으키다
▷ páinty *a.*

paint. painting

paint·ball [péintbɔ̀:l] *n.* **1** 전쟁놀이 《명중하면 총알이 터지면서 그 속의 페인트가 묻음》(= **~ gàme**) **2** 전쟁놀이에 쓰이는 (형광) 도료가 든 총알

páint bòx 그림물감 상자[통]

paint·brush [-brʌ̀ʃ] *n.* 화필, 그림붓

paint-by-num·bers [pèintbainʌ́mbərz] *a.* Ⓐ **1** 빈 칸에 적힌 숫자에 맞춰 정해진 색을 칠하는 〈그림〉 **2** (경멸) (상상력이 없이) 일률적인, 구태의연한

paint·ed [péintid] *a.* **1** 그린, 색칠한 **2** 그림물감[페인트]을 칠한 **3** (문어) 겉치장한, 허식적인; 공허한; 불성실한 **4** 〈기술·표현 등이〉 과장된, 꾸며진 **5** 화장한, 《특히》 짙게 화장한

páinted búnting 〔조류〕 (미국 남부산(産)의) 되새 비슷한 새

Páinted Désert [the ~] 오색 사막 《미국 Arizona 주 중북부의 고원 지대; 선명한 빛깔의 암석으로 유명함》

páinted lády 〔곤충〕 작은멋쟁이 《나비의 일종》

páinted wóman (경멸) 매춘부

‡**paint·er**[1] [péintər] *n.* **1 화가**, 화공 《★ 보통은 「유화가」를 이름; 수채화가는 watercolor ~》 **2 페인트공**, 도장공, 칠장이

painter[2] *n.* 〔항해〕 배를 매는 밧줄
cut[***slip***] ***the***[one***'s***] ~ (1) (밧줄을 풀어) 표류시키다 (2) 관계를 끊다, 〈특히 식민지가〉 본국과의 관계를 끊다; (구어) 재빨리 도망치다

painter[3] [panther의 변형] *n.* = COUGAR

paint·er·ly [péintərli] *a.* 화가의; 화가 특유의; 회화(繪畫)의; 선보다 색채를 강조하는

páinter's cólic 〔병리〕 연독산통(鉛毒疝痛)(lead colic)

páinter's pánts 도장공 바지 《연장을 넣을 수 있는 주머니가 달린 질긴 면바지》

paint·er-stain·er [péintərstéinər] *n.* (영) 문장(紋章) 그리는 화공; 그 조합원

paint-in [péintìn] *n.* 페인트인 《황폐한 구역의 건물 벽·담에 집단으로 그림을 그림》

‡**paint·ing** [péintiŋ] *n.* Ⓤ **1** Ⓒ (한 장의) **그림**, 회화; 유화, 수채화: a watercolor ~ 수채화 **2** (그림물감으로) **그림 그리기**; 화법 **3** 화공의 직(職) **4** 페인트칠; 채색; 도장(塗裝); (도자기의) 그림 그려넣기 ***blast*** ~ 분무 도장 ***wall***[***ceiling***] ~ 벽[천장]화

paint·pot [péintpɑ̀t | -pɔ̀t] *n.* 페인트 통[그릇]

páint remòver 페인트 지우는 세제

paint·ress [péintris] *n.* 여류 화가

páint ròller (자루 달린) 페인트 롤러

páint strìpper 페인트 제거제

paint·work [péintwə̀:rk] *n.* **1** (자동차 등의) 도장면(塗裝面), 도장 부분 **2** 수채화, 유화

paint·y [péinti] *a.* (**paint·i·er**; **-i·est**) 그림물감의; 지나치게 물감을 칠한 〈그림 등〉; 그림물감[페인트]으로 더러워진, 페인트투성이의

‡**pair** [pέər] *n.*, *v.*

> L 「같은」의 뜻에서(par와 같은 어원)
> →(서로 같은 것)→「(한) 짝을 이루는 것」

—*n.* (*pl.* **~s,** (구어) 〔상업〕 **~**) **1** (두 개로 된) **한 쌍**; (두 부분으로 되어 분리할 수 없는) **한 벌, 한 개** 《*of*》 《★ 복수사(複數詞)나 many, several, few 등의 뒤에 ~의 형이 쓰이는 경우가 있으나 ~s의 형이 일반적》: three ~(*s*) *of* shoes 구두 세 켤레 / a ~ *of* sunglasses 선글라스 1개 / a ~ *of* socks 양말 한 켤레 / a ~ *of* scissors 가위 한 자루 / a ~ *of* trousers 바지 한 벌 USAGE 위와 같은 a ~ of ...의 용례는 모두 단수 취급.

> 유의어 **pair** 유사 또는 동종의 것으로서 두 개가 갖추어져 한 짝으로서 쓰여지는 것: a *pair* of earrings 귀고리 한 쌍 **couple** 같은 종류의 것이 한 쌍을 이루되 하나로 기능하는 것은 아님: a *couple* of robbers 2인조 강도

2 a 한 쌍의 남녀; 《특히》 부부, 약혼자: the happy ~ 신랑 신부 **b** 2인조 **3** (동물의) 한 쌍, 한데 매인 두 필의 말: a carriage and ~ 쌍두마차 **4** 짝진 것의 한 쪽 **5** 〔스포츠〕 2인 1조, 페어 스케이팅 **6** 〔의회〕 투표를 기권하기로 서로 짠 반대 정당의 두 의원 **7** 〔카드〕 동점의 패[카드] 두 장 (갖춤)
another[***a different***] ***~ of shoes***[***boots***] 별개 문제 ***in ~s***[***a ~***] 2개 한 쌍이[한 조가] 되어 ***I've only got one ~ of hands.*** (구어) 손은 둘 뿐이야, 내가 할 수 있는 일에도 한계가 있다. ***one-***[***two-, three-, four-***]***~ front***[***back***] (영) 2[3, 4, 5]층의 앞[뒤]쪽 방(에 사는 사람) ***up two***[***three***] ***~s of stairs***[***steps***] (영) 3[4]층에
—*vt.* **1** 〈물건·사람을〉 둘씩 조로 나누다; 한 쌍으로 만들다, 〈두 사람·두 개를〉 짝으로 만들다 《*with*》 **2** 결혼시키다, 짝지우다 《*with*》 **3** 〈동물을〉 교미시키다 《*with*》
—*vi.* **1** 둘씩 조가 되다; 한 쌍이 되다 **2** 결혼하다 **3** 〈동물이〉 교미하다 **4** 〔의회〕 반대당 의원과 짜고 투표를 기권하다 ***~ off*** 남녀 한 쌍이 되(게 하)다; 결혼하다[시키다] 《*with*》 ***~ up*** (일·스포츠 등에서) (…와) 짝이 되다, 짝짓게 하다 《*with*》

páir annihilàtion 〔물리〕 쌍소멸(雙消滅) 《입자와 반입자가 충돌하여 소멸하는 현상》

pair-bond [pέərbɑ̀nd | -bɔ̀nd] *n.* 〔생물〕 암수 한 쌍의 관계

pair-bond·ing [-bɑ̀ndiŋ | -bɔ̀ndiŋ] *n.* Ⓤ 〔생물〕 암수 한 쌍의 결합 (관계)

páired-as·só·ciate léarning [pέərdəsóuʃiət-] 〔교육〕 쌍연상(雙聯想) 학습 방식 《숫자·단어·그림 등을 짝을 지어서 연상에 의해 기억하는 방식》

thesaurus **painstaking** *a.* careful, thorough, meticulous, assiduous, scrupulous, attentive, diligent, industrious, hardworking (opp. *negligent*)
paint *v.* **1** 칠하다 color, tint, dye, stain **2** 그리다

pair-horse [pέərhɔ̀:rs] *a.* 〈마차가〉 쌍두의
pair·ing [pέəriŋ] *n.* (선수권 경기에서 선수[팀]의) (대전) 편성(표); 〖생물〗 (염색체) 접합
páiring sèason 짝짓기 철, 교미기 《새 등의》
pair-oar [pέərɔ̀:r] *n., a.* 쌍노 달린 보트(의) 《두 사람이 각자 하나씩 저음》
páir prodùction 〖물리〗 (전자) 쌍생성(雙生成) 《입자와 반입자의 동시 생성》
páir róyal 〖카드〗 크리비지(cribbage)에서 같은 패 석장 한 벌
páir(s) skàting 페어 스케이팅(pairs)
pai·sa [páisɑ:, ─́] *n.* 파이사 《인도·파키스탄·네팔의 화폐 단위》
pai·sa·no [paisɑ́:nou, -zɑ́:-] *n.* (*pl.* **~s**) **1** 같은 나라 사람, 동포 **2** 《속어》 친구, 동지, 동료
pais·ley [péizli] [스코틀랜드의 원산지 이름에서] *n.* [때로 **P~**] Ⓤ **1** 페이즐리 직(織) 《곡옥(曲玉) 모양의 무늬를 짜 넣은 부드러운 모직물》; 그 제품 《숄·스카프 따위》 **2** 페이즐리 무늬 **—** *a.* 페이즐리 직[무늬]의

paisley 2

Pais·ley·ism [péizliìzm] [북아일랜드의 신교도 지도자 이름에서] *n.* Ⓤ 북아일랜드의 신교도가 가톨릭교도와의 유화 정책에 반대하는 운동
Pais·ley·ite [péizliàit] *n.* Paisleyism의 지지자
Pai·ute [paijú:t, ─́] *n.* (*pl.* **~s,** **~**) 파이우트 족(의 사람) 《Utah, Arizona, Nevada 및 California 주에 사는 북미 인디언의 한 부족》; Ⓤ 파이우트 말
pa·ja·ma [pədʒɑ́:mə, -dʒǽmə | -dʒɑ́:mə] *a.* 파자마의, 파자마 같은: a ~ top 파자마 윗도리 / ~ pants 파자마 바지
pajáma pàrty 10대 소녀들이 친구집에 모여 밤새워 노는 모임(slumber party)
***pa·ja·mas** [pədʒɑ́:məz, -dʒǽm- | -dʒɑ́:m-] *n. pl.* **1** 《미》 파자마, 잠옷(《영》 pyjamas) ★ 윗옷은 top, 바지는 bottoms, trousers, pants라고 함: a suit[pair] of ~ 파자마 한 벌 **2** (이슬람교도의) 통 넓은 바지
Pak [pǽk, pɑ́:k | pǽk] *n.* 《영·속어·경멸》 =PAKI
Pak-a-Pot·ti [pǽkəpɑ̀ti | -pɔ̀ti] *n.* 휴대용 변기의 일종 《미국에서는 국립 공원 등에서 캠핑할 때 휴대용 변기 사용이 의무화되어 있음; 상표명》
pak choi [pɑ̀ktʃɔ́i] [Chin.] 《미》 청경채 《중국 배추의 한 종류》(bok choy)
pa·ke·ha [pɑ́:kəhɑ̀:] *n.* (*pl.* **~,** **~s**) 《뉴질》 백인, 《특히》 유럽계 뉴질랜드 사람
Pak·i [pǽki, pɑ́:ki] *n.* 《영·속어·경멸》 (영국에 이주한) 파키스탄 사람(Pakistani)
Pak·i-bash·ing [pǽkibæ̀ʃiŋ, pɑ́:ki-] *n.* 《영·속어》 파키스탄 이민에 대한 박해
Pa·ki·stan [pǽkistæ̀n, pɑ̀:kistɑ́:n | pɑ̀:kistɑ́:n] *n.* 파키스탄 《인도 북서쪽에 있는 이슬람교 공화국; East Pakistan과 West Pakistan으로 분리되어 있다가 전자는 1971년에 Bangladesh로 독립; 수도 Islamabad》
Pa·ki·sta·ni [pæ̀kistǽni, pɑ̀:kistɑ́:ni | pɑ̀:kistɑ́:ni] *a., n.* (*pl.* **~s,** **~**) 파키스탄 사람[주민](의), 파키스탄의 (사람)
Pa·ko·ra [pəkɔ́:rə] *n.* 남아시아의 튀김 요리
‡**pal** [pǽl] [Gypsy 「형제」의 뜻에서] 《구어》 *n.* **1** 동료, 단짝; 친구, 동무: ⇨ pen pal **2** 공범자(accomplice) **3** [(종종 친하지 않은 사이의) 남자 호칭으로] 이봐요, 여보게, 자네 ***the old ~s act*** 《구어》 (오랜 친구인 듯이) 친밀하게 구는 태도
— *vi.* (**~led**; **~·ling**) 친구가 되다 《*up*》, 친구로서 교제하다 《*around*; *with*》 **~ *around with*** 《미·구어》 …와 친구로 교제하다 **~ *up with*** 《영》 …와 친해지다 ▷ pálly *a.*
PAL 〖컴퓨터〗 peripheral availability list 이용 가능한 주변 장치의 리스트; Philippine Airlines; 〖TV〗 phase alternation line 팔 방식 《독일에서 개발한 컬러 텔레비전 방식》 **Pal.** Palestine
‡**pal·ace** [pǽlis] [L =Palatine Hill; 로마 황제가 최초로 궁전을 세운 일에서] *n.* **1** [종종 **P~**] 궁전; (주교·대주교·고관 등의) 관저, 공관 **2** (특히 유럽 대륙에서) 굉장한 저택 **3** [종종 **P~**] (오락장·영화관·요정 등의) 호화로운 건물, 전당 **4** [the ~; 집합적] 《영》 궁정의 유력자들, 측근 **5** [the P~] 《영·구어》 버킹엄 궁전; =the CRYSTAL PALACE
— *a.* Ⓐ **1** 궁전의 **2** 측근의 **3** 〈차·건물 등이〉 호화로운 ▷ palátial *a.*
pálace càr 〖철도〗 호화 특별차
pálace guárd 근위병; (왕·대통령 등의) 측근
pálace revolútion[cóup] (보통 제 2 인자에 의한 정권 내부의) 측근자 쿠데타
pal·a·din [pǽlədin] *n.* **1** Charlemagne 대왕의 12 용사의 한 사람; 의협적[영웅적]인 전사(戰士) **2** 《문어》 숭고한 주의의 주창자[옹호자]
palae- [péili, pǽli | pǽli, péili], **palaeo-** [péiliou, -liə, pǽl-] 《연결형》 =PALE-
pa·lae·og·ra·phy [pèiliɑ́grəfi, pæ̀l- | pæ̀liɔ́g-, pèil-] *n.* =PALEOGRAPHY
Pa·lae·o·lith·ic [pèiliəlíθik, pæ̀l- | pæ̀l-, pèil-] *a.* =PALEOLITHIC
pa·lae·on·tol·o·gy [pèiliəntɑ́lədʒi, pæ̀l- | pæ̀liɔntɔ́l-, pèil-] *n.* Ⓤ =PALEONTOLOGY
Pa·lae·o·zo·ic [pèiliəzóuik, pæ̀l- | pæ̀l-, pèil-] *n., a.* =PALEOZOIC
pa·laes·tra [pəléstrə] *n.* (*pl.* **~s,** **-trae** [-tri:]) =PALESTRA
pal·a·fitte [pǽləfit] *n.* 〖고고학〗 말뚝 가옥 《신석기 시대에 스위스·북이탈리아의 호수에 말뚝을 박아 만든 주거 형태》
pa·lais [pæléi, ─́] [F =palace] *n.* (*pl.* **~**) **1** 궁전, 저택; 프랑스 정부 청사 **2** 넓은 호화 댄스홀(=~ **de dánse**)
pal·an·quin, -keen [pæ̀lənkí:n] *n.* (중국·인도 등의) 1인승 가마; 탈것
pal·at·a·ble [pǽlətəbl] *a.* **1** 〈음식 등이〉 맛 좋은, 입에 맞는 **2** 비위에 맞는, 즐거운
pàl·at·a·bíl·i·ty *n.* **-bly** *ad.*
pal·a·tal [pǽlətl] *a.* 〖해부〗 구개의; 〖음성〗 구개음의
— *n.* 〖해부〗 구개골(骨); 〖음성〗 구개음 《[j, ç] 등》
pal·a·tal·i·za·tion [pæ̀lətəlizéiʃən | -lai-] *n.* Ⓤ 〖음성〗 구개음화(口蓋音化)
pal·a·tal·ize [pǽlətəlàiz] *vt.* 〖음성〗 구개음으로 발음하다, 구개음화하다 《[k]를 [ç], [tʃ]로 하는 등》
***pal·ate** [pǽlət] *n.* **1** 〖해부〗 구개(口蓋), 입천장: the ~ bone 구개골 **2** 미각, (맛에 대한) 감식력 **3** 기호(嗜好)(liking); 심미안(審美眼) ***the hard*[*soft*] ~** 경(硬)[연(軟)]구개 ▷ pálatal *a.*; pálatalize *v.*
pa·la·tial [pəléiʃəl] *a.* 궁전의, 대궐 같은; 호화로운, 광대한(magnificent)
pa·lat·i·nate [pəlǽtənèit, -nət | -nət] *n.* **1** palatine[1]의 영토[직위] **2** [the P~] 신성 로마 제국의 선제후령(選帝侯領) 《라인 강 서부의》
pal·a·tine[1] [pǽlətàin, -tin | -tàin] *a.* **1** 왕권의 일부를 가진 **2** 궁전의 **3** 궁내관(宮內官)의
— *n.* **1** (고대 로마의) 궁내관; 《영국사》 팔라틴 백작(=count[earl] ~) 《자기 영토 안에서 국왕과 같은 특권을 행사한 영주》 **2** [**P~**] 중세 독일[프랑스]의 대법관 **3** [the P~] =PALATINE HILL **4** 여자용 모피 목도리 ***county* ~** 영주의 특권령(特權領)

---

portray, depict, draw, sketch, represent
pair *n.* two, couple, duo, combo, team
pal *n.* friend, mate, companion, comrade, buddy, chum, amigo, crony

palatine[2] *a.* 구개의(palatal)
— *n.* [*pl.*] 〖해부〗 구개골
Pálatine Híll [the ~] 팔라틴 언덕 《로마 황제가 최초의 궁전을 세운 곳》
pal·a·to·gram [pǽlətəgræ̀m] *n.* 〖음성〗 구개도(圖)
Pa·lau [pɑːláu] *n.* 팔라우(Belau) 《태평양 서부의 팔라우 제도로 이루어진 공화국; 수도 Koror》
pa·lav·er [pəlǽvər, -lɑ́ːv- | -lɑ́ːv-] 〖Portuguese 「말」의 뜻에서〗 *n.* 《구어》 **1** 장시간의 협의; 《드물게》 (이민족간의 서투른) 교섭, 상담(商談) **2** 재잘거리기, 수다; Ⓤ 그럴듯한 말, 아첨의 말 **3** 무의미한 법석
— *vi.* 재잘거리다; 아첨하다 《*on*》; 상담하다
pa·laz·zo [pəlɑ́ːtsou] 〖It. =palace〗 *n.* (*pl.* **-zi** [-tsiː]) 궁전, 전당 ***the P~ Chi·gi*** [-kíːdʒiː] 키지궁(宮) 《이탈리아의 외무부》
palázzo pajámas 팔라초 파자마 《판탈롱과 그에 어울리는 상의로 된 여자용 약식 복장》
palázzo pánts 팔라초 팬츠 《헐렁한 여자용 판탈롱》
‡pale[1] [péil] *a.* **1** 〈얼굴이〉 **창백한**, 파리한, 핏기 없는: a ~ complexion 창백한 안색 **2** 〈빛깔 따위가〉 **엷은**, 연한: ~ blue 담청색 / ~ wine 백포도주 **3** 〈빛이〉 희미한, 어슴푸레한: the ~ moon 으스름달 **4** 허약한(feeble), 활기 없는 ***look*** **~** 안색이 나쁘다 ***turn*** **~** 창백해지다
— *vt.* **1** 창백하게 하다 **2** 〈색을〉 엷게 하다 **3** 어슴푸레하게 하다
— *vi.* **1** 창백해지다, 새파랗게 질리다 **2** 〈색이〉 엷어지다 **3** 어슴푸레해지다
~ *beside* [***before, in comparison with***] …앞에서는 무색하다, …보다 못하다 **~ *into significance*** (뛰어난 업적 등과 비교하면) 중요성을 잃다, 빛을 잃다
~·ly *ad.* **~·ness** *n.*
▷ pállor *n.*; pálish, pállid, pály *a.*
pale[2] *n.* **1** (끝이 뾰족한) 말뚝; 울짱, 울타리 **2** [the ~] 한계, 범위; 경계(boundary); 구내(構內) **3** [the (English) P~] 〖영국사〗 12세기 이후 영국 통치하에 들어간 더블린 지방 **4** (문장(紋章)에서) 방패 중앙의 세로 줄 ***within*** [***beyond, outside, without***] ***the ~ of*** …의 범위 안[밖]에, …의 한계 안에서[를 넘어서]
— *vt.* …에 말뚝을 둘러 박다, 울짱을 두르다, 에워싸다(encircle, encompass)
pale- [péili, pǽli | pǽli, péili], **paleo-** [péiliou, -liə, pǽl- | pǽl-, péil-] 《연결형》 「고(古), 구(舊), 원시」의 뜻 《모음 앞에서는 pale-》
pále ále 《영》 약한 에일(light ale)
pale-dry [péildrái] *a.* 빛깔이 엷고 맛이 쌉쌀한 〈알코올 음료〉
paled [péild] *a.* 말뚝[목책]으로 둘러 막은
pa·le·eth·nol·o·gy [pèilieθnɑ́lədʒi | -nɔ́l-] *n.* Ⓤ 선사(先史) 민속학[인류학]
pale-eyed [péiláid] *a.* 눈이 흐리멍덩한
pale·face [-fèis] *n.* 《미》 백인 《본래 북미 원주민이 백인을 이른 말》
pale-heart·ed [-hɑ́ːrtid] *a.* 겁 많은
Pále Hórse [the ~] 〖문학·성서〗 창백한[청백색] 말 《죽음의 상징》, 죽음의 사자, 죽음
paleo- 《연결형》 =PALE-
pa·le·o·an·throp·ic [pèiliouænθrɑ́pik | -θrɔ́p-] *a.* 〖인류〗 고(古) 인류의, 화석 인류의
pa·le·o·an·thro·pol·o·gy [pèiliouæ̀nθrəpɑ́lədʒi | -pɔ́l-] *n.* Ⓤ 고(古)인류학, 화석 인류학
pa·le·o·bi·o·chem·is·try [pèilioubàioukémistri] *n.* Ⓤ 고(古)생화학
pa·le·o·bi·o·ge·og·ra·phy [pèilioubàioudʒiɑ́grəfi | -ɔ́g-] *n.* Ⓤ 고(古)생물 지리학
pa·le·o·bi·ol·o·gy [pèilioubaiɑ́lədʒi | -ɔ́l-] *n.* Ⓤ 순(純)고생물학 《화석 생물의 발생·진화 등을 다룸》
pa·le·o·bot·a·ny [pèilioubɑ́təni | -bɔ́t-] *n.* Ⓤ 고(古)식물학
Pa·le·o·cene [péiliəsìːn, pǽl- | pǽl-, péil-] 〖지질〗 *a.* 팔레오세 (지층)의
— *n.* [the ~] 팔레오세 《6-7천만 년 전》
pa·le·o·cli·mate [pèilioukláimit] *n.* 고(古)기후 《지질 시대의 기후》
pa·le·o·e·col·o·gy [pèiliouikɑ́lədʒi, pæ̀l- | -kɔ́l-] *n.* 〖생물〗 고(古)생태학
pa·le·o·en·vi·ron·ment [pèiliouinváirənmənt] *n.* 고(古)환경 《인류 출현 전의 해양 및 대륙의 환경》
Pa·le·o·gene [péiliədʒìːn, pǽl- | pǽl-, péil-] 〖지질〗 *a.* 고(古)제3기(紀)[계(系)]의
— *n.* [the ~] 고제3기[계] 《제3기의 전반(前半)》
pa·le·o·ge·net·ics [pèilioudʒinétiks] *n. pl.* [단수 취급] 고(古)유전학 《화석이 된 동식물의 유전 연구》
pa·le·o·ge·og·ra·phy [pèilioudʒiɑ́grəfi | -ɔ́g-] *n.* Ⓤ 고(古)지리학
pa·le·o·ge·o·phys·ics [pèilioudʒìːoufíziks] *n. pl.* [단수 취급] 고(古)지구 물리학
pa·le·og·ra·pher [pèiliɑ́grəfər | -ɔ́g-] *n.* 고문서(古文書)학자
pa·le·o·graph·ic, -i·cal [pèiliəgrǽfik(əl)] *a.* 고문서(古文書)(학)의; 고서체(古書體)의
pa·le·og·ra·phy [pèiliɑ́grəfi, pæ̀l- | pæ̀liɔ́g-, pèil-] *n.* Ⓤ 고문서학; 고문서; 고서체
pa·le·o·hab·i·tat [pèiliouhǽbitæt] *n.* (선사 시대 동물의) 고서식지(古棲息地)
Pa·le·o·In·di·an [pèiliouíndiən] *n., a.* 《미》 후기 홍적세의 인디언(의) 《아시아계의 수렵 민족》
pa·le·o·lat·i·tude [pèilioulǽtətjùːd | -tjùːd] *n.* 〖지구물리〗 고위도(古緯度) 《육괴(陸塊)가 형성되었을 당시의 위도》
pa·le·o·lim·nol·o·gy [pèilioulimnɑ́lədʒi | -nɔ́l-] *n.* Ⓤ 고육수학(古陸水學)
pa·le·o·lith [péiliəlìθ, pǽl-] *n.* 구석기
Pa·le·o·lith·ic [pèiliəlíθik, pæ̀l- | pæ̀l-, pèil-] *a.* 〖고고학〗 구석기 시대의(cf. NEOLITHIC): the ~ era 구석기 시대(Old Stone Age)
Paleolíthic mán 구석기 시대인
pa·le·ol·o·gy [pèiliɑ́lədʒi, pæ̀l- | pæ̀liɔ́l-, pèil-] *n.* Ⓤ (특히 유사 이전의) 유물 연구[지식]; 고대학
pa·le·o·mag·ne·tism [pèilioumǽgnətìzm] *n.* Ⓤ 고지자기(古地磁氣), 고지자기학(學)
paleontol. paleontology
pa·le·on·tol·o·gist [pèiliəntɑ́lədʒist, pæ̀l- | pæ̀liɔntɔ́l-, pèil-] *n.* 고생물학자
pa·le·on·tol·o·gy [pèiliəntɑ́lədʒi, pæ̀l- | pæ̀liɔntɔ́l-, pèil-] *n.* Ⓤ 고생물학, 화석학
pa·le·o·tem·per·a·ture [pèilioutémpərətʃər] *n.* 고(古)온도 《선사 시대의 해양 등의 온도》
Pa·le·o·zo·ic [pèiliəzóuik, pæ̀l- | pæ̀l-, pèil-] 〖지질〗 *a.* 고생대(古生代)의: the ~ era 고생대
— *n.* [the ~] 고생대 (지층)
pa·le·o·zo·ol·o·gy [pèiliouzouɑ́lədʒi | -ɔ́l-] *n.* Ⓤ 고(古)동물학 **-gist** *n.*
***Pal·es·tine** [pǽləstàin] *n.* 팔레스타인 《지중해 동쪽의 옛 국가; 1948년에 그 일부에 Israel이 건국됨; the Holy Land, Promised Land라고도 불리며, 성서에서 말하는 Canaan 땅》
Pálestine Liberátion Organizàtion [the ~] 팔레스타인 해방 기구 《1964년 창설; 略 PLO》
Pal·es·tin·i·an [pæ̀ləstíniən] *a., n.* 팔레스타인의 (주민)
pa·les·tra [pəléstrə] *n.* (*pl.* **~s, -trae** [-triː]) (고대 그리스·로마의) 체육 학교; 레슬링 도장; 체육관
pal·e·tot [pǽlətòu, pǽltou | pǽltou] *n.* 헐렁한 외투의 일종
pal·ette [pǽlit] 〖F 「작은 삽」의 뜻에서〗 *n.* **1** 팔레트, 조색판(調色板); (한 벌의) 그림물감 **2** (특정 화가·그림의) 색채의 범위[종류]: a painter's ~ 화가의 색조 **3** 금공(金工)이 사용하는 가슴받이 **4** =PALLETTE
pálette knìfe **1** 팔레트 나이프 《팔레트의 그림물감

thesaurus **pale**[1] *a.* **1 창백한** white, colorless, wan, pallid, ashen, ashy **2 엷은 빛깔의** light-col-

을 섞거나 찌꺼기를 긁어 내는 데 쓰는 칼》 **2** 팔레트 나이프 모양의 조리 기구

pale·wise [péilwàiz] *ad.* 세로로, 수직으로 《문장(紋章)에서》

pal·frey [pɔ́:lfri] *n.* 《고어·시어》 (군마(軍馬)와 구별하여) 보통의 승용마, 《특히》 여성용의 작은 승용마

Pa·li [pá:li] *n.* Ⓤ 팔리 말 《고대 인도의 통속어; 불교 경전에 쓰인 말; cf. PRAKRIT》

pal·i·mo·ny [pǽləmòuni] *n.* Ⓤ 《미·구어》 (동거하다 헤어지는 상대자에게 주는) 이별 위자료

pal·imp·sest [pǽlimpsèst] *n.* 글자를 지우고 그 위에 글을 쓴 양피지; 고친[지운] 자국이 남아 있는 것

pal·in·drome [pǽlindròum] [Gk 「뛰어 되돌아오기」의 뜻에서] *n.* 회문(回文) 《앞뒤 어느 쪽에서 읽어도 같은 말이 되는 어구; 보기: eye, noon, madam》

pal·ing [péiliŋ] *n.* **1** Ⓤ 말뚝을 둘러 박기 **2** Ⓤ [집합적] 말뚝; 울짱 **3** 울타리

pal·in·gen·e·sis [pæ̀lindʒénəsis] *n.* Ⓤ **1** 신생(新生), 부활, 재생; (영혼의) 윤회; 〖생물〗 원형[반복] 발생 **2** 〖그리스도교〗 세례 **-ge·nét·ic** *a.*

pal·i·node [pǽlənòud] *n.* 취소(取消)의 시(詩); 전언(前言) 취소, 철회

pal·i·sade [pæ̀ləséid] *n.* **1** (방어·군사용) 울짱, 말뚝 울 **2** 《미》 **a** [*pl.*] (강가·해안의) 벼랑 **b** [the P~s] (미국 New York주와 New Jersey주의 Hudson 강 하류에 이어지는) 팔리세이드 절벽
—*vt.* …에 말뚝[울짱]을 둘러 치다

pal·i·san·der [pǽləsæ̀ndər | ㅅ-ㅅ-] *n.* 〖식물〗 브라질자단(紫檀) 《콩과(科)》

pal·ish [péiliʃ] *a.* 좀 창백한[파리한]

***pall**[1] [pɔ́:l] [L 「외투」의 뜻에서] *n.* **1** 관 덮는 보 《검은[보라, 흰] 빛깔의 벨벳 천》; (시체가 든) 관 **2** (음침한) 휘장, 장막 《*of*》: a ~ *of* darkness 밤의 장막 **3** 〖가톨릭〗 성찬배(聖餐杯)를 덮는 아마포
—*vt.* …에 관보를 덮다; 덮다, 싸다(cloak)

pall[2] [appall의 두음 소실(頭音消失)] *vi.* **1** 물리다, 흥미를 잃다 《*on, upon*》: (~+전+명) The lengthy lecture ~*ed upon* me. 강연이 지루하여 나는 흥미를 잃었다. **2** 〈술 등이〉 김 빠지다 —*vt.* …의 맛을 없게 하다; 싫증나게 하다, 물리게 하다

Pal·la·di·an[1] [pəléidiən, -lá:-] [이탈리아 16세기의 건축가 A. Palladio에서] *a.* 〈건축 양식이〉 팔라디오풍[식]의

Pal·la·di·an[2] [pəléidiən] *a.* 〖그리스신화〗 Pallas 여신의; [때로 **p~**] 지혜의, 학문의

Palládian wíndow 양쪽에 곁창이 둘 달린 창

pal·la·di·um[1] [pəléidiəm] *n.* (*pl.* **-di·a** [-diə], **~s**) **1** (국가·도시 등의) 보호, 수호; 수호신 **2** [**P~**] Pallas 여신상 《Troy를 수호하는》

palladium[2] *n.* Ⓤ 〖화학〗 팔라듐 《금속 원소; 기호 Pd》

Pal·las [pǽləs | -æs] *n.* **1** 〖그리스신화〗 팔라스 《아테나 여신의 호칭; cf. ATHENA》(=ㅅ **Athéna**) **2** 〖천문〗 팔라스 《소행성(asteroid)의 두 번째 것》

pall·bear·er [pɔ́:lbɛ̀ərər] *n.* 운구(運柩)하는 사람; 관 곁에 따르는 사람

pal·let[1] [pǽlit] *n.* **1** 짚 요 **2** 초라한 침상

pallet[2] *n.* **1** 팰릿 《창고·공장 등의 화물 운반·저장하기 위한 받침대(臺); 지게차의 포크로 끼워 운반함》 **2** 도공(陶工)의 주걱 **3** (화가의) 팔레트(palette) **4** 〖기계〗 바퀴 멈추개; (오르간의) 공기 조절판

pal·let·ize [pǽlitàiz] *vt.* 〈짐을〉 화물 운반대에 얹다, 팔레트로 나르다

pal·lette [pǽlit] *n.* (갑옷의) 겨드랑이 받침

pal·li·al [pǽliəl] *a.* **1** (연체동물의) 외투막의 **2** (뇌의) 외피의, 대뇌 피질의

pal·liasse [pæljǽs, pǽliæ̀s] *n.* 짚 요[매트리스]

pal·li·ate [pǽlièit] *vt.* **1** 〈병·통증 등을〉 일시적으로 완화시키다 **2** 〈잘못 등을〉 변명하다, 꾸며대다; 참작하다 **-à·tor** *n.*

pal·li·a·tion [pæ̀liéiʃən] *n.* ⓊⒸ **1** (병·통증의) 일시적 완화 **2** (잘못의) 경감, 참작 **3** 변명; 완화책

pal·li·a·tive [pǽlièitiv, -liət- | -liət-] *a.* **1** 〈병·통증 등을〉 경감[완화]하는; 일시적으로 억제하는: ~ surgery 고식적인 수술 **2** 변명하는; 〈죄·과오 등을〉 경감하는, 참작하는 —*n.* **1** 완화제 **2** 변명; 참작할 만한 사정; 완화책, 고식적 수단 《*for*》 **~·ly** *ad.*

pálliative cáre ùnit 《캐나다》 (말기(末期) 환자의) 고통 완화 의료 시설 《略 PCU》

pal·lid [pǽlid] *a.* 창백한, 파리한, 핏기 없는 **~·ly** *ad.* **~·ness** *n.*

pal·li·um [pǽliəm] *n.* (*pl.* **-li·a** [-liə], **~s**) (고대 그리스·로마인의) 겉옷; 〖가톨릭〗 팔리움, 영대(領帶) 《대주교가 제복 위 어깨에 걸치는 흰 양털띠》; 〖해부〗 (뇌의) 외피; 〖동물〗 (연체동물의) 외투(막)

Pall Mall [pǽl-mǽl, pél-mél] 펠멜가(街) 《런던의 Trafalgar Square에서 St. James's Palace까지의 클럽 거리》

pall-mall [pélmél, pǽlmǽl, pɔ́:lmɔ́:l | pǽlmǽl, pélmél] *n.* Ⓤ 펠멜 《옛 공놀이의 일종》; Ⓒ 그 경기장

pal·lor [pǽlər] *n.* Ⓤ (얼굴·피부의) 창백(paleness)

pal·ly [pǽli] *a.* Ⓟ (**-li·er**; **-li·est**) 《구어》 친한, 사이가 좋은 《*with*》

****palm**[1] [pá:m, pá:lm | pá:m] *n.* **1** 손바닥 **2** 손바닥같이 생긴 부분[것] **3** 장척(掌尺) **a** 손목에서 손가락 끝까지의 길이를 기준으로 한 척도 《약 18-25 cm》 **b** 손바닥 폭의 길이를 기준으로 한 척도 《약 7.6-10 cm》 **4** 노의 납작한 부분; 스키의 바닥; (장갑의) 손바닥 부분

cross** a person**'s ~ (***with silver***) ⇨ cross. ***grease*** [***gild, oil, tickle***] a person***'s ~*** 뇌물을 주다 ***have an itching*** [***itchy***] ***~*** 욕심이 많다, 뇌물을 좋아하다 ***hold*** [***have***] a person ***in the ~ of*** one***'s hand*** …을 완전히 장악하다 ***know ... like the ~*** [***back***] ***of*** one***'s hand*** …을 환히 알고 있다 ***read*** a person***'s ~*** …의 손금을 보다

—*vt.* **1 a** (요술 등에서) 손 안에 감추다: ~ a card 카드를 손 안에 감추다 **b** 《완곡》 슬쩍 훔치다[줍다] **2** 쓰다듬다, 손에 쥐다, 손으로 만지다 **3** 속이다, 사기하다 **4** 속여서 안기다 《*on, upon*》 **5** …와 악수하다 **6** 〖농구〗 〈공을〉 드리블 중 순간적으로 잡다 ***~ off*** 〈속여서 가짜를〉 팔아먹다 《*on, upon*》; (거짓말·핑계로) 〈사람을〉 내쫓다 《*with*》 ▷ pálmar, pálmate *a.*

palm**[2] [pá:m, pá:lm | pá:m] [잎이 palm[1](손바닥)과 비슷한 데서] *n.* **1** 종려나무, 야자나무(=ㅅ **trèe**) **2** 종려나무의 잎(=ㅅ leaf) 《승리 또는 기쁨의 상징》 **3** [the ~] 승리(triumph) ***bear [***carry off***] ***the ~*** 이기다 ***give*** [***yield***] ***the ~ to*** …에게 지다, 패배하다

pal·ma·ceous [pælméiʃəs, pɑ:*l*m- | pæl-] *a.* 종려[야자]나무의[같은]

pál·ma Chrís·ti [pǽlmə-krísti] (*pl.* **pál·mae Chrís·ti** [pǽlmi-]) 〖식물〗 피마자, 아주까리(castor-oil plant)

pal·mar [pǽlmər, pá:*l*m- | pæl-] *a.* 손바닥의

pal·ma·ry [pǽlməri, pá:*l*m- | pǽl-] *a.* 가장 우수한, 최고의 영예를 받을 만한

pal·mate [pǽlmeit, -mət, pá:*l*m- | pǽl-], **-mat·ed** [-meitid] *a.* **1** 〈잎이〉 손바닥 모양의 **2** 〖동물〗 물갈퀴가 있는

pal·ma·tion [pælméiʃən, pɑ:*l*m- | pæl-] *n.* Ⓤ 손바닥 모양, 장상(掌狀)부; 〖식물〗 장상 분열[열각]

Pálm Béach **1** 팜비치 《미국 Florida 주 동남 해안의 관광지》 **2** 일종의 무명 여름 옷감 《상표명》

pálm bùtter 야자유(palm oil)

pálm cìvet[**càt**] (동남아시아 등지의 나무 위에 사는) 사향고양이

palm·cord·er [pá:mkɔ̀:rdər] *n.* 소형 캠코더 《상표명》

***palm·er**[1] [pá:*l*mər | pá:m-] [기념으로 종려 가지[잎]를 가지고 돌아간 데서] *n.* **1 a** (팔레스타인의) 성지 순례자 **b** 순례자 **2** =PALMERWORM **3** 제물낚시

---

ored, pastel, restrained, fade, bleached, washed-out **3** 희미한 dim, faint, weak, feeble, thin

의 일종 **4** 〖가톨릭〗 편력 수도사 *~'s* ***staff*** 순례자의 지팡이

palmer[2] *n.* (카드놀이 등에서) 속임수를 쓰는 사람; 요술쟁이

Pálmer Archipélago [the ~] 파머 제도 《남미 대륙과 남극 대륙 사이; 구칭 Antarctic Archipelago》

palm·er·worm [pɑ́:lmərwə̀:rm | pɑ́:m-] *n.* 〖곤충〗 나방의 유충 《사과나무 잎의 해충》

pal·mette [pælmét] *n.* 종려잎 무늬

pal·met·to [pælmétou, pɑ:lm- | pæl-] *n.* (*pl.* ~(e)s) 작은 종려나무의 일종 《미국 남부산(産)》

Palmétto Stàte [the ~] 미국 South Carolina 주의 속칭

palm·ful [pɑ́:mfùl, pɑ́:lm- | pɑ́:m-] *n.* 손바닥 가득(한 양); 한 줌

pálm hòuse 종려나무 재배용 온실

pal·mi·ped [pǽlməpèd], **-pede** [-pì:d] *a.* 물갈퀴발의, 오리발의 **—** *n.* 물새, 오리발을 가진 새

palm·ist [pɑ́:mist, pɑ́:lm- | pɑ́:m-] *n.* 손금쟁이, 수상가(手相家)

palm·ist·ry [pɑ́:məstri, pɑ́:lm- | pɑ́:m-] *n.* Ⓤ 수상술(手相術), 손금 보기; 《익살》 손재주

pal·mi·tate [pǽlmətèit, pɑ́:l-, pɑ́:mə-] *n.* 〖화학〗 팔미트산염(酸鹽)

pal·mit·ic [pælmítik, pɑ:l-, pɑ́:mə-] *a.* 〖화학〗 팔미트산의, 야자유에서 채취한

palmític ácid 〖화학〗 팔미트산 《포화 지방산의 일종》

pal·mi·tin [pǽlmitin, pɑ́:l-, pɑ́:mə-] *n.* Ⓤ 〖화학〗 팔미틴 《백색의 결정성 분말; 의약용 등》

pálm lèaf 종려 잎 《부채·모자 등을 만듦》

pálm òil **1** 야자유 **2** 《속어》 뇌물(bribe)

pálm prìnt 장문(掌紋)

pálm rèader 《미》 수상가(手相家), 손금쟁이

pálm rèading 《미》 수상술(手相術), 손금 보기

pálm-sized compúter [pɑ́:msàizd-, pɑ́:lm- | pɑ́:m-] 〖컴퓨터〗 팜사이즈 컴퓨터(cf. PALMTOP)

pálm sùgar 종려당(糖)

Pálm Súnday 〖그리스도교〗 종려 주일 《부활절 직전의 일요일; 예수가 수난을 앞두고 Jerusalem에 들어간 날의 기념》

palm·top [pɑ́:mtɑ̀p, pɑ́:lm- | pɑ́:mtɔ̀p] *n.* 팜탑 컴퓨터 《손바닥 크기의 휴대용 PC》(= ∠ **compúter**)

pálm wìne 야자주(酒)

palm·y [pɑ́:mi, pɑ́:lmi | pɑ́:mi] *a.* (**palm·i·er**; **-i·est**) **1** 번영하는, 의기양양한; 영광스러운: in one's ~ days 전성 시대에 **2** 종려의, 종려 같은, 종려가 많은, 종려에서 얻은 ▷ pálm[2] *n.*

pal·my·ra [pælmáiərə] *n.* 〖식물〗 팔미라야자나무 《인도·말레이시아산(産)》

Pal·my·ra [pælmáiərə] *n.* 팔미라 **1** 시리아 중부의 고대 도시 **2** 태평양 중부 Line 제도의 섬

Pa·lo·mar [pǽləmɑ̀:r] *n.* 팔로마산 **Mount ~** 《미국 California 주 남서부의 산; 세계 최대의 반사 망원경을 갖춘 천문대가 있음》

pal·o·mi·no [pæ̀ləmí:nou] [Sp. 「비둘기 같은」의 뜻에서] *n.* (*pl.* **~s**) 팔로미노 《갈기와 꼬리는 희고 몸통은 담황색인 말; 미국 남서부산(産)》

pa·loo·ka [pəlú:kə] *n.* 《미·속어》 서투른 선수[복서]; 얼간이, 등신

palp[1] [pǽlp] *n.* = PALPUS

palp[2] *vt.* …에 손을 대다, 만지다

pal·pa·ble [pǽlpəbl] *a.* **1** 손으로 만질 수 있는; 〖의학〗 촉진(觸診)할 수 있는 **2** 명백한, 곧 알 수 있는 **pàl·pa·bíl·i·ty** *n.* Ⓤ 감지할 수 있음; 명백함 **-bly** *ad.*

pal·pate[1] [pǽlpeit] *vt.* 만져보다, 감촉하다(feel); 〖의학〗 촉진(觸診)하다

pal·pate[2] [pǽlpeit, -pət] *a.* 〖동물〗 촉수(palpus)가 있는

pal·pa·tion [pælpéiʃən] *n.* Ⓤ 〖의학〗 촉진(觸診); 촉지(觸知)

pal·pe·bral [pǽlpəbrəl, pælpí:b-, -péb-] *a.* 눈꺼풀의, 눈꺼풀 가까이의

pal·pi [pǽlpai] *n.* PALPUS의 복수

pal·pi·tant [pǽlpətənt] *a.* 맥박이 뛰는, 고동치는; 가슴이 두근거리는

pal·pi·tate [pǽlpətèit] *vi.* **1** 〈심장·맥박이〉 뛰다, 고동치다(throb) **2** 〈기대 등으로〉 가슴이 뛰다; 두근두근하다 **3** 〈사람·몸이〉 떨리다 《*with*》 ▷ palpitátion *n.*

pal·pi·ta·tion [pæ̀lpətéiʃən] *n.* Ⓤ (심장의) 고동; ⓊⒸ [종종 *pl.*] 동계(動悸), 가슴이 두근거림; 〖병리〗 심계 항진(心悸亢進)

pal·pus [pǽlpəs] *n.* (*pl.* **-pi** [-pai]) (곤충 등의) 촉수(觸鬚)

pals·grave [pɔ́:lzgrèiv, pǽlz-] *n.* 〖역사〗 (옛 독일의) 팔라틴 백작(count palatine)

pals·gra·vine [pɔ́:lzgrəvì:n, pǽlz-] *n.* 팔라틴 백작의 부인[미망인]

pal·sied [pɔ́:lzid] *a.* 중풍에 걸린, 마비된

pal·stave [pɔ́:lstèiv, pǽl-] *n.* 〖고고학〗 청동제 도끼

pal·sy [pɔ́:lzi] *n.* (*pl.* **-sies**) ⓊⒸ 마비, 중풍; 마비 상태 **—** *vt.* (**-sied**) 마비시키다(paralyze)

pal·sy-wal·sy [pǽlziwǽlzi] *a.* 《속어》 〈태도 등이〉 친한 듯한, 사이가 좋은 듯한 《*with*》

pal·ter [pɔ́:ltər] *vi.* **1** 어름어름 넘기다; 얼버무리다, 말끝을 흐리다 《*with*》 **2** 흥정하다, 값을 깎다 《*with*; *about*》: He ~*ed with* the salesman. 그는 판매원과 흥정했다.

pal·try [pɔ́:ltri] *a.* (**-tri·er**; **-tri·est**) **1** 〈금액 등이〉 얼마 안 되는(petty): ~ sum 얼마 안 되는 금액 **2** 하찮은, 보잘것없는 **pál·tri·ly** *ad.* **pál·tri·ness** *n.*

pa·lu·dal [pəlú:dl, pǽlju- | pəljú:-, pǽlju-] *a.* **1** 늪의, 소택지의, 늪이 많은 **2** 늪에서 발생하는; 말라리아의: ~ fever 말라리아열(熱)

pal·u·dism [pǽljudìzm] *n.* Ⓤ 〖병리〗 말라리아

pam [pǽm] *n.* 〖카드〗 (loo 놀이에서) 클럽의 잭 《으뜸패》; Ⓤ (클럽의 잭을 으뜸패로 하는) 나폴레옹 비슷한 게임

PAM 〖우주과학〗 payload assist module; 〖컴퓨터〗 pulse amplitude modulation 펄스 진폭 변조 **pam.** pamphlet

Pam·e·la [pǽmələ] *n.* 여자 이름

Pa·mirs [pɑ:míərz] *n. pl.* [the ~] 파미르 고원 《아시아 중부의 고원; 세계의 지붕이라고 함》

pam·pas [pǽmpəz, -pəs] *n. pl.* (남미, 특히 아르헨티나의 나무 없는) 대초원, 팜파스

pámpas gràss 〖식물〗 팜파스그래스 《팜파스에 나는 참억새 비슷한 풀》

pam·per [pǽmpər] *vt.* **1** …의 욕망을 한껏 채워 주다; 응석 받아 주다, 오냐오냐하다: ~ a child 아이를 응석 받아 주다 **2** 〈욕망을〉 만족시키다: ~ one's wanderlust 방랑하고픈 욕망을 만족시키다 ~ one***self*** 제멋대로 처신하다 **~ed** [-d] *a.*

pam·pe·ro [pɑ:mpέərou, pæm-] *n.* (*pl.* **~s**) 팜페로 바람 《남미 Andes 산맥에서 팜파스로 내리부는 찬 바람》

pamph. pamphlet

‡**pam·phlet** [pǽmflət] *n.* **1** 팸플릿 (가철한) 소책자: distribute ~*s* 팸플릿을 배포하다 **2** (특히 시사 문제에 관한) 소(小)논문[논설]: a political ~ 정치 소평론

pam·phle·teer [pæ̀mflətíər] *n.* 팸플릿 저자 **—** *vi.* 팸플릿을 쓰다

pam·ple·gi·a [pæmplí:dʒiə] *n.* 〖병리〗 전(全) 마비

‡**pan**[1] [pǽn] *n.* **1 a** 납작한 냄비 《보통 깊이가 얕고 긴 손잡이가 하나 달린 것; 프라이팬 등》 **b** (오븐용) 접시 **2** 냄비 모양의 그릇 **3** 접시 모양의 물건 **a** 천칭의 접시 **b** 증발 접시 **c** (사금 등의) 선광 냄비 **d** (구식 총포의) 약실 **e** 접시 모양의 움푹한 땅, 늪; 염전(=salt ~) **4** 《영》 변기 **5** 《미·속어》 얼굴 **6** 작은 부빙판(浮氷板) **7** 〖지질〗 경반(硬盤) **8** 《미·구어》 혹평 (*go*) ***down the ~*** 《영·속어》 못 쓰게 (되다) ***leap***

[*fall*] ***out of the ~ into the fire*** 작은 난(難)을 피하여 큰 난을 만나다 ***pots and ~s*** 취사 도구 ***put ... on the ~*** (미·구어) 혹평하다, 헐뜯다 ***savor of the ~*** 본성을 드러내다 ***shut*** one***'s ~*** (속어) 입을 다물다 ***the ~ of the knee*** 종지뼈, 슬개골(膝蓋骨)
— *v.* (**~ned**; **~·ning**) *vt.* **1** (구어) 〈예술 작품 등을〉 혹평하다, 헐뜯다 **2** 〔광산〕 〈토사를〉 냄비로 일다; 냄비로 〈사금을〉 가려내다 《*off*, *out*》 **3** 냄비로 요리하다; 졸여서 (…의) 진액을 뽑다 **4** (영·속어) 〈사람을〉 때리다 **5** (미·속어) 손에 넣다
— *vi.* **1** 선광 냄비로 토사를 씻다 《*for*》; 사금이 나다 《*out*》 **2** (구어) 〈일·상황 등이〉 진행되다, 발생하다; 결과가 …으로 되다 《*out*》: Let's see how things ~ *out*. 상황이 어떻게 진행되는지 보자.

pan[2] [*pan*orama] 〔영화·TV〕 *vt.*, *vi.* (**~ned**; **~·ning**) (파노라마적 효과를 위해) 카메라를 상하[좌우]로 회전하다, 〈카메라가〉 팬하다; 〈카메라를〉 팬하다
— *n.* (카메라의) 팬[파노라마] (촬영)

pan[3] [pɑ́:n] *n.* 빈랑(betel)의 잎 《동인도산(産)》; 그것으로 빈랑을 싼 것 《씹는 것》

Pan [pǽn] *n.* 〔그리스신화〕 판, 목신(牧神) 《염소의 뿔과 다리를 가진, 음악을 좋아하는 숲·목양(牧羊)의 신; cf. SILVANUS, PANIC[1] *a.* 3》

PAN [pǽn] 〔화학〕 peroxyacetyl nitrate; 〔화학〕 polyacrylonitrile

pan- [pæ̀n] 《연결형》 「전(all)…, 총…」의 뜻

Pan. Panama

pan·a·ce·a [pæ̀nəsí:ə | -síə, -sí:ə] *n.* 만병 통치약

pa·nache [pənǽʃ, -nɑ́:ʃ] Ⓕ *n.* (투구의) 깃털 장식; 당당한 태도, 뽐내기, 허세(swagger)

pa·na·da [pənɑ́:də, -néi-] *n.* ⓊⒸ 우유·향료·빵가루를 섞은 소스; (밀)가루 반죽

Pan-Af·ri·can·ism [pǽnǽfrikənìzm] *n.* Ⓤ 범아프리카주의[운동] **-ist** *n.*

Pan Am [pæ̀nǽm] Pan American World Airways 팬아메리칸 항공 《1991년 도산함》

*__Pan·a·ma__ [pǽnəmɑ̀:, -mɔ̀: | pǽnəmɑ́:, ⌐-⌐] *n.* **1** 파나마(Republic of Panama) 《중앙아메리카의 공화국》; 파나마 시 《수도》(=~ **Cíty**) **2** [종종 **p~**] 파나마 모자(=~ hat) ***the Gulf of ~*** 파나마 만(灣) ***the Isthmus of ~*** 파나마 지협(地峽)
▷ Panamánian *n.*, *a.*

Pánama Canál *n.* [the ~] 파나마 운하

Pánama Canál Zòne [the ~] 파나마 운하 지대

Pánama góld 파나마산(産)의 고급 마리화나

Pánama hát [때로 **p~**] 파나마 모자

Pan·a·ma·ni·an [pæ̀nəméiniən, -mɑ́:- | -méi-] *n.*, *a.* 파나마(의); 파나마 사람(의)
▷ Pánama *n.*

Pan-A·mer·i·can [pæ̀nəmérikən] *a.* 범미(汎美)[전미](주의)의: the ~ Congress 범미 회의 / ~ Peace Committee 범미 평화 위원회 《미주 기구 안의》

Pàn Américan Gámes [the ~] 범미주 경기 대회 《4년마다 개최되는 남북 아메리카 제국 스포츠 대회; 1951년 창설》

Pan-Américan Híghway [the ~] 팬아메리칸 하이웨이 《Alaska의 Fairbanks에서 아르헨티나 남단의 Fuego 섬에 이르는 국제 도로》

Pan-A·mer·i·can·ism [-əmérikənìzm] *n.* Ⓤ 범미[전미]주의

Pàn Américan Únion [the ~] 전(全) 미주 연합, 범미 연맹 《略 PAU》

Pan-An·gli·can [pæ̀nǽŋglikən] *a.* 전(全) 영국 국교회(주의)의

Pan-Ar·ab·ism [-ǽrəbìzm] *n.* Ⓤ 범(汎)아랍주의[운동]

Pan-A·sian·ism [-éiʒənìzm, -ʃən-] *n.* Ⓤ 범(汎)아시아주의[운동]

pan·a·tel·(l)a [pæ̀nətélə] *n.* (가늘게 만) 여송연

pan·a·the·ism [pæ̀néiθiìzm] *n.* Ⓤ 범(汎)무신론 《신이 없으므로 신성한 것도 없다는 신조》

Pan·a·vi·sion [pǽnəvìʒən] *n.* 70mm 필름의 대형 입체 음향 영화 《상표명》

pan·broil [pǽnbrɔ̀il] *vt.*, *vi.* 기름을 거의 치지 않은 프라이팬에 센 불로 살짝 굽다

*__pan·cake__ [pǽnkèik] *n.* **1** 팬케이크 《핫케이크의 일종》: (as) flat as a ~ 납작한 **2** (중화요리에 사용하는) 밀가루의 얇은 피(皮) **3** 〔항공〕 실속(失速) 수평 낙하 착륙(=~ **lànding**) **4** 남·북극양의 원형의 얇은 얼음 **5** 매우 두꺼운 화장
— *vi.*, *vt.* 〔항공〕 실속 수평 낙하 착륙하다[시키다]

Pan-Cake [pǽnkèik] *n.* (화장용) 팬케이크 《얇고 납작한 고형분(粉); 상표명》

Páncake Dày[**Tùesday**] 〔그리스도교〕 참회 화요일(Shrove Tuesday) 《원래 이날에 pancake를 먹은 데서》

páncake ràce (영국의) 팬케이크 경주 《Pancake Day에 프라이팬의 팬케이크를 위로 던지며 뛰는 전통 놀이》

páncake ròll (영) (중화요리의) 춘권채(春卷菜)(spring roll)

pan·cha·yat [pəntʃɑ́:jət] *n.* 5인 회의 《인도의 선거 선출제 마을 의회》

Pán·chen Láma [pɑ́:ntʃen-] 판첸 라마 《Dalai Lama에 다음 가는 라마교의 부교주(副敎主)》

pan·chres·ton [pænkréstən] *n.* 판크레스톤 《지나치게 단순화하여 모든 경우에 들어맞게 만든 실용성이 없는 설명》

pan·chro·mat·ic [pæ̀nkroumǽtik] *a.* **1** 〔물리·사진〕 전색(全色)의, 전정색(全整色)의: a ~ film[plate] 전정색 필름[건판] **2** 다색(多色)의, 많은 색을 사용한

pan·chro·ma·tism [pæ̀nkróumətìzm] *n.* Ⓤ 전정색(성(性))

pan·cos·mism [pæ̀nkɑ́zmizm | -kɔ́z-] *n.* Ⓤ 〔철학〕 범우주론 **-mist** *n.*

pan·crat·ic [pænkrǽtik] *a.* **1** pancratium의 **2** 〈현미경의 접안 렌즈가〉 조절 자재의

pan·cra·ti·um [pænkréiʃiəm] *n.* (*pl.* **-ti·a** [-ʃiə]) (고대 그리스의) 권투와 레슬링을 합친 격투기

pan·cre·as [pǽnkriəs, pǽŋ- | pǽŋ-] *n.* 〔해부〕 췌장(膵臟), 이자 **pàn·cre·át·ic** [-ǽtik] *a.* 췌장의

pan·cre·a·tec·to·my [pæ̀nkriətéktəmi, pæ̀ŋ- | pæ̀ŋ-] *n.* ⓊⒸ 〔의학〕 췌장 절제(술)

pancreátic dúct 〔해부〕 췌관(膵管), 췌장[이자]관

pancreátic júice 〔생화학〕 췌액(膵液)

pan·cre·a·tin [pǽnkriətin, pǽŋ- | pǽŋ-] *n.* Ⓤ 〔생화학〕 췌장 효소 《소·돼지 등의 췌액에서 추출; 소화제로 사용》

pan·cre·a·ti·tis [pæ̀nkriətáitis, pæ̀ŋ- | pæ̀ŋ-] *n.* Ⓤ 〔병리〕 췌장염

pan·cre·a·tot·o·my [pæ̀nkriətɑ́təmi, pæ̀ŋ- | -tɔ́t-] *n.* Ⓤ 〔의학〕 췌장 절개(술)

*__pan·da__ [pǽndə] *n.* **1** 〔동물〕 판다, 레서 판다(=lesser ~) 《히말라야 산에 서식함》, 자이언트 판다(=giant ~) 《티베트·중국 남부에 서식함》 **2** (영·구어) = PANDA CAR

(**giant**) **panda 1**

pánda càr [그 채색이 판다를 연상시킨 데서] (영·구어) (경찰의) 순찰차, 패트롤 카

pánda cròssing (영) 누름단추식 횡단보도

pan·da·nus [pændéinəs] *n.* 〔식물〕 판다누스 《열대성 상록 교목 및 관목》; 판다누스의 섬유

P & E 〔상업〕 plant and equipment

Pan·de·an, -dae·an [pændí:ən, pǽndiən] *a.* Pan 신(神)의[같은]

Pandéan pípes = PANPIPE

pan·dect [pǽndekt] *n.* **1** [*pl.*] 법전, 법전 전서 **2** 총론, 총람; 요람(digest) **3** 사본 성서 **4** [the P~s] 유스티니아누스 법전 《6세기의 로마 민법전》

pan·dem·ic [pændémik] *a.* **1** 〈전염병이〉 전국적[세계적]으로 퍼지는(cf. ENDEMIC, EPIDEMIC), 광역 유행의 **2** 일반적인, 전반적인 **—***n.* 전국[세계]적 유행병

pan·de·mo·ni·um [pæ̀ndəmóuniəm] *n.* **1** Ⓤ Ⓒ 대혼란; Ⓒ 대혼란의 장소, 수라장 **2** [종종 **P~**] 복마전(伏魔殿); 지옥

pan·der [pǽndər] *n.* **1** 뚜쟁이; 창녀의 포주 **2** 나쁜 일의 중개자 **3** 남의 약점을 이용하는 사람
—*vi.* 뚜쟁이질을 하다; (저속한 욕망에) 영합하다, (남의 약점을) 이용하다 《*to*》

p & h postage and handling

pan·dit [pʌ́ndit, pǽndit] *n.* **1** (인도의) 현자, 학자 **2** [**P~**] 《존칭으로 쓰여》 …선생, …사(師)

P & L 〖상업〗 profit and loss **P & O** Peninsular and Oriental Steam Navigation Co.

pan·door [pǽnduər] *n.* = PANDOUR

pan·do·ra [pændɔ́:rə], **pan·dore** [-dɔ́:r, ㅅ-] *n.* 3[4]현(絃)의 비파

*****Pan·do·ra** [pændɔ́:rə] *n.* 〖그리스신화〗 판도라 《Jupiter가 Prometheus를 벌하기 위해 지상에 보낸 인류 최초의 여자》

Pandóra's bóx **1** 〖그리스신화〗 판도라의 상자 《Zeus가 Pandora에게 준 것; 금령을 어기고 뚜껑을 열자 온갖 해독과 재앙이 나와 세상에 퍼지고 속에는 희망만이 남았다 함》 **2** [a ~] 여러 재앙의 근원

pan·dour [pǽnduər] *n.* 〖역사〗 판두르 병(兵) 《18세기에 Croatia에서 징집된 보병 병사》; 잔인한 병사

pan·dow·dy [pændáudi] *n.* (*pl.* **-dies**) 《미》 당밀이 든 사과 파이

p & p 《영》 postage and packing **P & S** purchase and sales (증권의) 매입과 매각

pan·dy [pǽndi] *n.* (*pl.* **-dies**) 《스코·아일》 (학교에서 벌로서) 손바닥을 때리기
—*vt.* (**-died**) …의 손바닥을 때리다

‡**pane** [péin] [L 「형겊」의 뜻에서] *n.* **1** (한 장의) 판유리, 창유리(windowpane) **2** 판벽널(panel) **3** 한 구획 《특히 네모꼴의》; (미닫이·격자 등의) 틀; (바둑판의) 눈 **4** 우표의 한 시트
—*vt.* …에 창유리를 끼우다; 〈의복 등을〉 조각조각 이어 만들다 **~·less** *a.*

paned [péind] *a.* 창유리를 끼운; 조각조각 이어 만든: a diamond-~ window 작은 마름모꼴 유리를 끼운 창

pan·eer [pæníər] *n.* Ⓤ 파니르 치즈 《남아시아 요리에 쓰이는 부드러운 치즈》

pan·e·gy·ric [pæ̀nədʒírik, -dʒáir- | -dʒír-] *n.* 찬양의 연설[글], 찬사 《*upon*》; 격찬 **-ri·cal** *a.*

pan·e·gy·rist [pæ̀nədʒírist] *n.* 찬양 연설문을 쓰는[찬사를 말하는] 사람

pan·e·gy·rize [pǽnədʒəràiz] *vt., vi.* (…의) 찬양 연설문을 쓰다, 찬사를 보내다; 칭찬하다

‡**pan·el** [pǽnl] [pane과 같은 어원] *n.* **1** 〖건축〗 패널 《넓은 직사각형의 문 판 또는 합판》, 벽판, 머름, (창)틀 **2** 〖사진〗 패널판(判) 《보통보다 세로가 긺; 약 10×20 센티미터》 **3** (한 장의) 양피지(parchment); 등록 대장(臺帳) **4** 〖법〗 배심원 명부, 배심원 전원; (토론회·좌담회에 예정된) 토론자단, 심사원단, 위원단, (퀴즈 프로의) 해답자단; 《영》 (각 지구의) 건강 보험 의사[환자] 명부; 《스코》 형사 피고인: a ~ doctor 건강 보험 의사/a ~ of experts 전문가 위원회 **5 a** 〖전기〗 배전반의 한 구획 **b** (자동차·비행기 등의) 계기판, 패널 **6** (스커트에 세로로 이어 대는) 헝겊 **7** 〖회화〗 (캔버스 대용의) 화판; 패널화 《판자에 그린 그림》; (긴) 네모꼴의 그림 **8** 비행기 날개의 한 구획 **9** 〖광산〗 (채탄을 위한) 석탄층 구획
go on the **~** 《영·구어》 건강 보험 의사의 진찰을 받다 ***on the*** **~** 토론자단[심사원단, 해답자단 《등》]에 참가하여; 《영》 건강 보험 의사 명부에 등록되어
—*vt.* (**~ed**; **~·ing** | **~led**; **~·ling**) **1** 〈문·벽에〉 패널[벽판]을 끼우다[발라 장식하다] **2** 〈의복 등에〉 세로의 색동 장식을 대다 **3** 〈배심원을〉 선정하다 **4** 〈말에〉 안장 받침을 깔다

pánel bèater 《영》 (자동차의) 판금공(板金工)

pan·el·board [pǽnlbɔ̀:rd] *n.* **1** 〖건축〗 패널, 벽판, 머름; 패널판지(板紙) **2** 〖전기〗 배전반(配電盤)

pánel discùssion 공개 토론회 《여러 대표자가 청중 앞에서 행하는 토론회》(cf. SYMPOSIUM)

pánel gàme **1** 매춘굴에서의 도둑질 **2** = PANEL HOUSE

pánel hèating (마루·벽을 통한) 복사[방사] 난방

pánel hòuse 《미》 매춘집, 사창굴

pan·el·ing | **-el·ling** [pǽnəliŋ] *n.* Ⓤ [집합적] 패널, 머름, 벽판; 패널 끼우기

pan·el·ist | **-el·list** [pǽnəlist] *n.* **1** panel discussion의 토론자 **2** 〖라디오·TV〗 (퀴즈 프로의) 해답자 **3** 《영》 건강 보험 의사(panel doctor)

pánel lìghting 패널 조명 《금속 패널을 전기적으로 가열·발광시킴》

pánel pìn 얇은 판자용 가는 못

pánel shòw[gàme] 〖라디오·TV〗 퀴즈 프로

pánel trùck 《미》 소형의 밴(《영》 delivery van)

pánel vàn 《호주》 소형 왜건차

pánel wàll (광산에서) 두 구간의 사이; (건물의) 칸막이 벽

pan·el·work [pǽnlwə̀:rk] *n.* Ⓤ 벽널[패널, 머름] 세공; 〖광산〗 구획 작업

pan·en·the·ism [pænénθiìzm] *n.* Ⓤ 만유 내재신론(萬有內在神論)

pan·e·tel·(l)a [pæ̀nətélə] *n.* = PANATEL(L)A

pan·et·to·ne [pæ̀nətóuni] *n.* 이스트로 발효시킨 이탈리아 빵

Pan-Eu·ro·pe·an [pæ̀njuərəpí:ən] *a.* 범유럽(주의)의

pan·fish [pǽnfìʃ] *n.* (*pl.* **~·es, ~**) 《미·속어》 (프라이팬의) 튀김용 민물고기

pan·fry [-fràì] *vt.* (**-fried**) (적은 기름의) 프라이팬에 살짝 튀기다(sauté)(⇨ cook 유의어)

pan·ful [pǽnfùl] *n.* 한 냄비의 양

*****pang** [pǽŋ] *n.* **1** (육체상의) 격통, 에는 듯한 아픔 《*of*》(⇨ pain 유의어): ~*s of* hunger 심한 공복감/the ~ *of* death 단말마[죽음]의 고통 **2** 마음의 고통, 비통, 상심 《*of*》: the ~ *of* conscience 양심의 가책

pan·ga [pɑ́:ŋgə] *n.* (동아프리카에서 쓰는) 큰 칼

Pan·gae·a [pændʒí:ə] *n.* 〖지질〗 판게아 《트라이아스기 이전에 존재했다는 가설적인 대륙; 그 후 북의 Laurasia와 남의 Gondwana로 분리되었음》

pan·gen·e·sis [pændʒénəsis] *n.* Ⓤ 〖생물〗 범생설(汎生說) 《Darwin의 유전에 관한 가설》
pàn·ge·nét·ic *a.*

Pan-Ger·man [pæ̀ndʒə́:rmən] *a., n.* 전[범]독일[게르만](주의)의 (사람) **Pàn-Ger·mán·ic** *a.*

Pan-Ger·man·ism [pæ̀ndʒə́:rmənìzm] *n.* Ⓤ 전[범]독일주의; (주로 19세기의) 범독일 운동

Pan·gloss·i·an [pænglɑ́siən, -glɔ́:s-, pæŋ- | -glɔ́s-] *a., n.* 한없이 낙천적인 (사람) 《Voltaire 작 *Candid* 중의 낙천적인 교사 Pangloss에서》

pan·go·lin [pǽŋgəlin, pæŋgóulin] *n.* 〖동물〗 천산갑(穿山甲)

pangolin

pan·gram [pǽngrəm, -græm, pǽŋ-] *n.* 알파벳 문자 전부를 (될 수 있는 대로 한 번씩) 써서 지은 글

pán gràvy (요리 중에 나오는) 육즙(肉汁)

pan·han·dle [pǽnhæ̀ndl] *n.* **1** 프라이팬의 손잡이 **2** [종종 **P~**] 《미》 좁고 길게 다른 주(州)에 뻗어 있는 지역 《Texas, Idaho 등》

—*vi.* (미·구어) 길거리에서 구걸하다
pan·han·dler [pǽnhæ̀ndlər] *n.* (미·구어) 거지
Pánhandle Státe [the ~] 미국 West Virginia 주의 속칭
Pan·hel·len·ic [pæ̀nhəlénik] *a.* **1** 범(汎)그리스 (주의)의 **2** 학생 사교 클럽의
Pan·hel·len·ism [pæ̀nhélənìzm] *n.* Ⓤ 범그리스 주의[운동] **-ist** *n.*
pan·hu·man [pæ̀nhjú:mən] *a.* 전인류적인[에 관한]
‡**pan·ic**[1] [pǽnik] [Pan이 공황을 일으킨다는 옛날 생각에서] *n.* ⓊⒸ **1** (원인을 알 수 없는) **돌연한 공포,** 공황, 패닉; (구어) 허둥지둥, 우왕좌왕: in (a) ~ 공포에 싸여 / cause a ~ 공포를 불러일으키다 / get into a ~ 공황 상태에 빠지다 **2** 〖경제〗 **공황,** 패닉: a stock market ~ 주식 공황 **3** (속어) 매우 우스꽝스러운[유쾌한] 사람[것]
—*a.* **1** Ⓐ 〈공포 등이〉 당황케 하는, 제정신을 잃게 하는 **2** 허둥지둥하는, 미친 듯한; 공황적인: ~ haste 몹시 허둥댐 **3** [**P~**] 목신(Pan)의 **4** 비상용(非常用)의
be at ~ stations (*over*) (1) (…을) 급히 하지 않으면 안 되다 (2) (…에) 허둥대다
—*v.* (**-icked**; **-ick·ing**) *vt.* **1** …에 공포[공황]를 일으키다, 도망가게 하다, 허둥대게 하다 **2** (미·속어) 웃기다, 〈관객 등을〉 열광시키다
—*vi.* 허둥대다 (*at*), 공포에 질리다: Don't ~! 허둥대지 마라, 침착해라!
panic[2] *n.* 〖식물〗 기장류(類)(= ∠ **gràss**)
pánic attàck 〖정신의학〗 패닉[공황] 발작
pánic bùtton (구어) (긴급시에 누르는) 비상 버튼 ***push***[***press, hit***] ***the ~*** (구어) 허둥지둥하다; 비상 수단을 취하다
pan·ic-buy [pǽnikbài] *vt., vi.* 매점(買占)하다, 사재기하다
pánic dèck (미·공군속어) 긴급 낙하산 탈출용 좌석 (조종사용)
pan·ick·y [pǽniki] *a.* (때로 **-ick·i·er**; **-i·est**) (구어) 공황의, 전전긍긍하는
pan·i·cle [pǽnikl] *n.* 〖식물〗 원추(圓錐) 꽃차례
pan·ic-mon·ger [pǽnikmʌ̀ŋgər] *n.* 공황을 일으키는 사람
pánic ràck (미·공군속어) (조종사의) 사출 좌석
pánic ròom *n.* = SAFE ROOM
pan·ic-strick·en [-strìkən], **-struck** [-strʌ̀k] *a.* 공황에 휩쓸린, 당황한, 허둥대는
pa·nic·u·late [pəníkjulèit, -lət], **-lat·ed** [-lèitid] *a.* 〖식물〗 원추(圓錐) 꽃차례의
pan·ier [pǽnjər] *n.* = PANNIER
pa·ni·no [pæní:nou] [It.] *n.* (*pl.* **-ni**) 파니노 (이탈리아식 샌드위치)
pan·ir [pæníər] *n.* = PANEER
Pan-Is·lam·ic [pæ̀nislá:mik | -lǽm-] *a.* 범이슬람(주의)의
Pan-Is·lam·ism [pæ̀nislá:mizm] *n.* Ⓤ 범이슬람주의 **-ist** *n.*
Pan·ja·bi [pʌndʒá:bi] *n., a.* = PUNJABI
pan·jan·drum [pændʒǽndrəm] *n.* (경멸) 대장, 두목, 높으신 분, 어르신네
pan·leu·ko·pe·ni·a [pæ̀nlu:kəpí:niə] *n.* = DISTEMPER[1] 1
pan-lift·er [pǽnlìftər] *n.* (미·구어) 냄비 집게 (potholder)
pan·lo·gism [pǽnlədʒìzm] *n.* Ⓤ 범(汎)논리주의 (우주의 근원을 로고스로 하고, 우주를 그 실현으로 하는 입장; Hegel 철학 등)
pan·mix·i·a [pænmíksiə] *n.* Ⓤ 〖동물〗 잡혼 번식(雜婚繁殖) (집단 내 개체의 무차별 교배)
Pan·mun·jom [pá:nmúndʒám | -dʒɔ́m] *n.* 판문점 (한국 전쟁의 휴전 회담 개최지)
pan·nage [pǽnidʒ] *n.* Ⓤ (영) 〖법〗 돼지의 방목권; 돼지의 방목료; 양돈용 열매 (도토리 등)
panne [pǽn] *n.* 벨벳 비슷한 옷감(= ∠ **vèlvet**)
pan·nier [pǽnjər, -niər] [L 「빵바구니」의 뜻에서] *n.* **1** (마소 등의 좌우에 걸치는) 짐바구니, 등에 지는 바구니 **2** (군용 구급차에 싣는) 의료 기구·의약품 상자 **3** (옛 여자 스커트를 펼치기 위한) 고래 뼈 등으로 만든 테; (그 테로) 펼쳐진 스커트 부분
pan·ni·kin [pǽnikin] *n.* **1** (영) 작은 접시; 작은 냄비 **2** 작은 금속잔
pánnikin bòss (호주·속어·경멸) 소수의 노동자의 십장, 우두머리, 감독
pan·ning [pǽniŋ] *n.* (구어) 심한 비난, 혹평
pa·no·cha [pənóutʃə] *n.* Ⓤ = PENUCHE
pan·o·ply [pǽnəpli] *n.* (*pl.* **-plies**) **1** 화려한 위용; 성대한 의식 **2 a** (한 벌의) 갑주(甲冑); 완전한 장비 **b** (도구의) 한 벌 **3** 덮개, 방어물 **4** 정장, 성장; 훌륭한 장식[꾸밈] **pán·o·plied** *a.*
pan·op·tic [pænáptik | -nɔ́p-] *a.* 모든 것이 한 눈에 보이는, 파노라마적인
pan·op·ti·con [pænáptikàn | -nɔ́ptikɔ̀n] *n.* 원형 교도소[병원, 도서관 (등)] (한 곳에서 내부를 모두 볼 수 있게 만든)
‡**pan·o·ram·a** [pæ̀nərǽmə, -rá:mə | -rá:mə] *n.* **1** 파노라마, 회전 그림, 주마등 **2** 전경(全景)(complete view) (*of*): a fine ~ *of* the city 아름다운 도시의 전경 **3** (문제 등의) 광범위한 조사, 개관 (*of*) **4** 파노라마관(館) **5** 연달아 바뀌는 광경; 사건의 전개
▷ panorámic *a.*
pan·o·ram·ic, -i·cal [pæ̀nərǽmik(əl)] *a.* 파노라마(식)의; 개관적인: a ~ view 전경 **-i·cal·ly** *ad.*
panorámic cámera 파노라마 사진기
panorámic síght 〖군사〗 (대포의) 360° 회전식 조준 기구, 조준경
Pan-Pa·cif·ic [pǽnpəsífik] *a.* 범(汎)태평양의
pan·pipe [pǽnpàip] *n.* [종종 *pl.*] 팬파이프(Pan's pipes) (길고 짧은 파이프를 길이순으로 늘어놓은 악기)
pan·ple·gi·a [pænplí:dʒiə] *n.* = PAMPLEGIA
pan·psy·chism [pænsáikizm] *n.* Ⓤ 〖철학〗 범심론(汎心論) (만물에 마음이 있다는 생각) **-chist** *n.*
pan·sex·u·al [pænsékʃuəl | -sjuəl] *a.* 〖정신의학〗 **1** 범성욕주의의, 범성설(汎性說)의 **2** 성 표현이 다양한
pan·sex·u·al·ism [pænsékʃuəlìzm] *n.* 범성욕주의 (모든 정신 활동은 성본능에 비롯된다는 설)
Pan-Slav [pæ̀nslá:v] *a.* 범슬라브(주의)의, 전(全)슬라브의
Pan-Slav·ism [pæ̀nslá:vizm] *n.* Ⓤ 범슬라브주의, 슬라브 민족 통일주의 **-Sláv·ic** *a.* **-Sláv·ist** *n.*
pan·soph·ic, -i·cal [pænsáfik(əl) | -sɔ́f-] *a.* 만유(萬有) 지식의, 백과사전적 지식의; 전지(全知)의 (omniscient)
pan·so·phism [pǽnsəfìzm] *n.* Ⓤ 범지(汎知)주의; 보편적 지식이 있다고 과시함 **-phist** *n.*
pan·so·phy [pǽnsəfi] *n.* (*pl.* **-phies**) 전(全)지식, 모든 지식의 집대성; [*pl.*] 전지식 체계
pan·sper·mi·a [pænspə́:rmiə] *n.* Ⓤ 〖생물〗 범종설(汎種說), 배종(胚種) 발달설
Pán's pípes = PANPIPE
pan·stick [pǽnstik] *n.* Ⓤ 팬스틱 (얼굴에 바르는 살색의 기초 화장품)
***pan·sy** [pǽnzi] [L 「생각하다」의 뜻에서] *n.* (*pl.* **-sies**) **1** 〖식물〗 **팬지;** 팬지 색깔 **2** (속어·경멸) 여자 같은 사내; 동성애하는 남자
—*a.* (속어) 연약한, 남자답지 않은; 동성애의
‡**pant**[1] [pǽnt] [L 「악몽[환상]을 가지다」의 뜻에서] *vi.* **1 a 헐떡거리다, 숨차다;** 심장이 마구 뛰다, 몹시 두근거리다: a ~*ing* dog 헐떡거리는 개 **b** 헐떡거리며 뛰다 **2** 갈망[열망]하다, 동경하다, 그리워하다 (*for, after*): (~+전+명) They ~*ed after*[*for*] liberty. 그들은 자유를 갈망했다. // (~+***to*** do) ~ *to* go abroad 외국에 가기를 열망하다 **3** 〈기차·기선이〉 증기[연기]를 뿜(고 나아가)다
—*vt.* 헐떡이며 말하다 (*out, forth*): (~+목+부)

The messenger *~ed out* the news. 사자는 헐떡거리며 소식을 전했다.
— *n.* **1** 헐떡거림, 숨가쁨 **2** (증기 기관의) 배기(음) **3** 동계(動悸)(throb)
pant[2] *a.* 바지[팬티]의: a ~ leg 바지의 다리 부분
— *n.* ⇨ pants
pant- [pænt], **panto-** [pǽntou, -tə] 《연결형》 「전(全)…, 총(總)…」의 뜻 《모음 앞에서는 pant-》
pan·ta·graph [pǽntəgræ̀f, -grɑ̀:f | -grɑ̀:f, -græ̀f] *n.* = PANTOGRAPH
Pan·tag·ru·el [pæntǽgruèl, -ruəl, pæ̀ntəgrú:əl] *n.* 팡타그뤼엘 《프랑스 Rabelais의 작품 등의 인물; 거칠고 풍자적인 유머가 풍부함》
Pan·ta·gru·el·ism [pæ̀ntəgrú:əlìzm, pæntǽgruəl-] *n.* Ⓤ 거칠고 풍자적인 유머 **-ist** *n.*
pan·ta·let(te)s [pæ̀ntəléts] *n. pl.* (영) (19세기의) 헐렁한 여자용 긴 속바지
pan·ta·loon [pæ̀ntəlú:n] *n.* **1** [*pl.*] (19세기의) 남성용 바지 **2** [*pl.*] 바지, 판탈롱 **3** [**P~**] (옛 이탈리아 희극의) 말라깽이 노인; (현대 무언극의) 늙은이 광대
pant·dress [pǽntdrès] *n.* 바지식 원피스 《여자용》
pan·tech·ni·con [pæntéknikɑ̀n, -kən | -kən] [런던의 미술품 판매소 이름에서] *n.* (영) 가구 진열[판매]장; 가구 창고; 가구 운반차
pan·the·ism [pǽnθiìzm] *n.* Ⓤ **1** 만유 신교(萬有神教), 범신론 **2** 다신교
pan·the·ist [pǽnθiist] *n.* **1** 범신론자 **2** 다신교 신자
pan·the·is·tic, -ti·cal [pæ̀nθiístik(əl)] *a.* **1** 범신론의, 만유 신교의 **2** 다신교의
pan·the·on [pǽnθiɑ̀n, -θiən, pænθí:ən | pǽnθiən, pænθí:ən] [Gk 「모든 신을 위한 (신전)」의 뜻에서] *n.* **1** [the P~] 판테온 《신들을 모신 신전》, 만신전(萬神殿) **2** [the P~] 한 나라의 위인들을 모신 전당 **3** [집합적] **a** (한 국민이 섬기는) 모든 신 **b** 저명한 사람[영웅]들 **4** (18세기 London의) 공중 오락장
*__pan·ther__ [pǽnθər] *n.* (*fem.* **~·ess**; *pl.* **~, ~s**) **1** 〖동물〗 표범; 《특히》 흑표범(black leopard); 재규어(jaguar) **2** (미) 퓨마(puma) **3** 흉폭한 사람
pánther swèat (미·속어) 싸구려 위스키
pant·ie, pant·y [pǽnti] *n.* = PANTIES
pántie girdle[bèlt] 팬티 거들 《팬티 모양의 코르셋》
*__pant·ies__ [pǽntiz] *n. pl.* (구어) (여자·어린이용) 팬티((영) pants)
pant·i·hose [pǽntihòuz] *n.* = PANTY HOSE
pan·tile [pǽntàil] *n.* 〖건축〗 왜기와 《보통 기와》; 수키와
pant·ing [pǽntiŋ] *a.* 헐떡거리는; 가슴이 두근거리는
pan·ti·slip [pǽntislìp] *n.* 팬티 슬립 《팬티와 슬립이 하나로 이어진 여성용 내복》
pant·i·soc·ra·cy [pæ̀ntəsɑ́krəsi, -tai- | -tisɔ́k-] *n.* Ⓤ 이상적 평등 사회, 만민 동권(同權) 공동체
pan·to [pǽntou] *n.* (*pl.* **~s**) (영·구어) = PANTOMIME 1
panto- [pǽntou, -tə] 《연결형》 = PANT-
pan·to(f)·fle [pǽntəfl, pæntɑ́fl, -tóufl, -tú:fl | pæntɔ́fl] *n.* (침실용) 슬리퍼

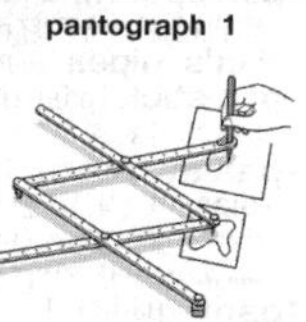

pantograph 1

pan·to·graph [pǽntəgræ̀f, -grɑ̀:f | -grɑ̀:f, -græ̀f] *n.* **1** 사도기(寫圖器); 축도기 **2** (전차(電車)·전기 기관차 등의) 팬터그래프, 집전기(集電器)
pan·tog·ra·phy [pæntɑ́grəfi | -tɔ́g-] *n.* Ⓤ (팬터그래프에 의한) 전사법(全寫法), 축사법(縮寫法); 전도(全圖); 총론, 개론
pan·tol·o·gy [pæntɑ́lədʒi | -tɔ́l-] *n.* Ⓤ 인류의 모든 지식 체계, 종합 백과적 지식
*__pan·to·mime__ [pǽntəmàim] [Gk 「모든 것을 흉내 내는 사람」의 뜻에서] *n.* ⓊⒸ **1** 무언극, 팬터마임 **2** 몸짓, 손짓: express oneself in ~ 몸짓으로 생각하는 바를 표현하다 **3** Ⓒ 고대 로마의 무언극 배우 **4** (영) 동화극 《크리스마스에 하는 일종의 희극; 인물·장면의 변화가 많고 광대가 나와 재미있고 유쾌함》
— *vt., vi.* 몸짓[손짓]으로 (뜻을) 나타내다; 무언극을 하다 **pan·to·mim·ic** [pæ̀ntəmímik] *a.*
pántomime dàme (주로 영) 동화극의 중년 부인역 《전통적으로 남자가 연기함》
pántomime hórse (영) (팬터마임의) 말 역할 《두 명이 특이한 복장을 입고 하는》
pan·to·mim·ist [pǽntəmàimist] *n.* 팬터마임 배우[작가]
pan·to·mor·phic [pæ̀ntəmɔ́:rfik] *a.* 온갖 모습으로 될 수 있는
pan·to·scope [pǽntəskòup] *n.* 〖물리〗 파노라마 사진기; 광각(廣角) 렌즈
pan·to·scop·ic [pæ̀ntəskɑ́pik | -skɔ́p-] *a.* 전경을 볼 수 있는; 광각(廣角)의 〈사진기·렌즈 등〉, 시계(視界)가 넓은: a ~ camera 광각 카메라 / ~ spectacles 복(複)[전시(全視)] 안경
pan·to·thén·ic ácid [pæ̀ntəθénik-] 〖생화학〗 판토텐산(酸) 《비타민 B 복합체의 하나》
pan·trop·ic[1] [pæntrɑ́pik, -tróup- | -trɔ́p-] *a.* 〖의학〗 〈바이러스가〉 범(汎)친화성의
pan·trop·ic[2], **-i·cal** [pæntrɑ́pik(əl) | -trɔ́p-] *a.* 범(汎)열대적인, 전(全)열대 지역에 분포하는
*__pan·try__ [pǽntri] [L 「빵」의 뜻에서] *n.* (*pl.* **-tries**) **1** (가정의) 식료품 저장실 **2** (호텔 등의) 식기실(食器室); 냉동 식품 저장실
pan·try·man [pǽntrimən] *n.* (*pl.* **-men** [-mən, -mèn]) (호텔 등의) 식료품 저장실 관리자
‡**pants** [pǽnts] [*pant*aloons] *n. pl.* **1** (미) **a** 바지 (⇨ trousers 유의어) **b** 슬랙스 **2** (영) (남자용) 팬츠, 속바지 **3** (여자·어린이용) 팬티
beat the ~ off ... (구어) …을 철저히 패배시키다 ***by the seat of*** one***'s ~*** ⇨ seat. ***catch*** a person ***with*** a person***'s ~ down*** (구어) …을 불시에 습격하다, 불시에 습격하여 …의 약점을 잡다 ***charm the ~ off ...*** …을 매료하다 ***in long ~*** (미·구어) 〈사람이〉 어른이 되어 ***in short ~*** (미·구어) 〈사람이〉 아직 미숙한 ***piss[shit]*** one***'s ~*** (속어) 기겁을 하다 ***scare the ~ off*** …을 깜짝 놀라게 하다, 겁에 질리게 하다 ***wear the ~*** (구어) 〈아내가〉 남편을 깔고 뭉개다, 내주장하다 ***with*** one***'s ~ down*** (속어) 허를 찔려, 당혹하여, 난처하여
— *a.* (영·속어) 아주 안 좋은, 엉망인
pant·shoes [pǽntʃù:z] *n. pl.* 판탈롱 구두 《판탈롱 바지에 맞추어 신는 구두》
pant·skirt [-skə̀:rt] *n.* 치마 바지
pánts ràbbits (미·속어) 이(lice)
pant·suit [pǽntsù:t] *n.* 여자용 슬랙스와 재킷이 한 벌이 된 슈트
pant·y [pǽnti] *n.* (*pl.* **pant·ies**) = PANTIES
pánty gìrdle = PANTIE GIRDLE
pánty hòse 팬티 스타킹
pánty lìne 팬티 라인 《옷 위에서도 보이는 팬티의 윤곽선》
pánty lìner 팬티 라이너 《얇은 생리용 위생 패드》
pánty ràid (미) 팬티 습격 《남학생이 여학생 기숙사를 습격, 팬티를 탈취함》
pant·y·waist [pǽntiwèist] *n.* (미) **1** 어린애 같은 사내; 여자 같은 사내 **2** (유아용의) 바지 달린 셔츠
— *a.* **1** 어린애 같은 **2** 여자 같은, 뱅충맞은
pan·zer [pǽnzər] [G = coat of mail] *a.* 기갑(機甲)[장갑(裝甲)]의; 기갑[기계화] 부대[사단]의: a ~ unit[troops] 기갑[장갑] 부대, 기계화 부대 **—** *n.* (기갑 사단을 구성하는) 장갑차, 《특히》 전차[탱크]; [*pl.*] (구어) 기갑[기계화] 부대; 기갑[기계화] 부대원

thesaurus **pants** *n.* trousers, slacks, jeans
paper *n.* **1** 문서 document, certificate, record **2** 신

pánzer divìsion (옛 독일 육군의) 기갑 사단
pap[1] [pǽp] *n.* Ⓤ **1** 빵죽 《유아·환자용》; 걸쭉한 것 **2** 과일의 연한 살(pulp) **3** 저속한 것[읽을거리], 어린애 속임수 (같은 이야기·생각) **4** (미) (정치적) 뇌물, (공무원의) 부수입, 음성 수입 (*as*) ***soft***[***easy***] ***as ~*** 어린애 같은, 유치한 ***His mouth is full of ~.*** 그는 아직 (젖내 나는) 어린애다.
pap[2] *n.* (방언) 젖꼭지(nipple); 젖꼭지 모양의 것 《원뿔형의 언덕 따위》
pap[3] *n.* (유아어·방언) 아빠(papa)
pap[4] *n.* (속어) 파파라치(paparazzi photographer)
‡**pa·pa** [pɑ́:pə, pəpɑ́: | pəpɑ́:] *n.* **1** (유아어) 아빠 (cf. DAD) ★ pa, paw, pap라고도 하나 dad, daddy가 보통임. **2** (미·속어) (남자) 애인, 연인
pa·pa·cy [péipəsi] *n.* (*pl.* **-cies**) **1** [the ~] 로마 교황의 직[지위]; Ⓒ 교황의 임기 **2** Ⓤ [보통 the P~] 교황 제도 **3** [the ~] 역대 교황
pa·pa·in [pəpéiin, -páiin] *n.* Ⓤ 〖화학〗 파파인 《파파야의 열매에 함유된 효소》
*__pa·pal__ [péipəl] *a.* **로마 교황의**, 교황 제도의; 교황 임기의; 가톨릭교의: a ~ delegate 교황 사절(使節) **~·ism** *n.* Ⓤ 교황 중심주의; 교황 정치; 교황제 지지 **~·ist** *n.* 가톨릭교도, 교황제 지지자 ▷ pópe *n.*
pápal cróss 교황 십자가 《가로줄 세 개의 십자; 丰》
pápal infallibílity 〖가톨릭〗 교황 무류설(無謬說) [무오설(無誤說)]
pa·pal·ize [péipəlàiz] *vt.*, *vi.* 교황 중심화하다; 가톨릭교로 개종(改宗)시키다[하다]
Pápal Státes [the ~] 교황령(領) 《1870년까지 교황이 지배한 중부 이탈리아 지역》
pa·pa·raz·zo [pɑ̀:pərɑ́:tsou] [It.] *n.* (*pl.* **-zi** [-tsi:]) 파파라치 《유명인을 좇아다니는 프리랜서 사진가》
pa·pav·er·a·ceous [pəpæ̀vəréiʃəs | -pèiv-] *a.* 〖식물〗 양귀비과(科)의
pa·pav·er·ine [pəpǽvərì:n, -rin, -péi-] *n.* Ⓤ 〖화학〗 파파베린 《아편에 함유된 알칼로이드》
pa·pav·er·ous [pəpéivərəs] *a.* 양귀비의[같은]; 최면의
pa·paw [pɔ́:pɔ:, pəpɔ́: | pəpɔ́:] *n.* 〖식물〗 **1** 포포나무 《북미산(産) 과수》 **2** = PAPAYA
pa·pa·ya [pəpɑ́:jə | -páiə] *n.* 〖식물〗 파파야(= ~ **trèe**); 그 열매
‡**pa·per** [péipər] [Gk 파피루스(papyrus)에서; 이 식물로 고대 이집트인이 종이를 만들었던 데서] *n.* **1** Ⓤ **종이**; 종이 모양의 것: two sheets of ~ 종이 두 장 / wrapping ~ 포장지
USAGE 일정한 모양의 종이를 셀 때에는 a sheet of ~를 쓰고, 모양·크기에 관계가 없을 때에는 a piece of ~를, 종잇 조각일 때에는 a scrap[bit] of ~를 쓴다. 때로는 이런 구별 없이 쓰기도 한다.
관련 [paper의 여러 가지] graph paper(그래프 용지), litmus paper(리트머스 시험지), notepaper(편지지), sandpaper(사포), scratch paper((미) 메모 용지), toilet paper(화장지), voting paper(투표 용지), wallpaper(벽지), waste paper(휴지), writing paper(고급 편지지)
2 [*pl.*] **서류**, 문서, 기록: Look through the ~*s*, will you? 그 서류를 한번 훑어봐 주지 않겠니? / state ~*s* 공문서 **3** [*pl.*] 신분[호적] 증명서, 신임장: citizen's[citizenship] ~*s* (미국의) 시민권 증명서 **4** (구어) **신문(지)**: a daily ~ 일간지 / a morning[an evening] ~ 조[석]간지 / read ... in the ~*s* 신문에서 …을 읽다 **5** **논문**, 논설, 연구[학술] 논문 《*on*》; 숙제, 리포트 **6** (영) **시험 문제**, 답안(지): mark[(미) grade] ~*s* 답안지를 채점하다 **7** Ⓤ 지폐; 증권, 증서; (환)어음: good ~ 지불이 확실한 어음 / negotiable ~ 유통[융통] 어음 **8** 위조 수표[문서] **9** Ⓤ 벽지; 도배지(wallpaper); 종이 족자 **10** (속어) 무료 입장권; [집합적] 무료 입장자 **11** [*pl.*] = CURLPAPERS **12** (정부 기관의) 간행 문서
commit to ~ (문어) …을 기록해 두다 ***get into ~s*** 신문에 나다 ***not worth the ~ it is***[***they are***] ***printed***[***written***] ***on*** 전혀 가치가 없는 ***on ~*** (1) (구두 아닌) 서류상으로, 인쇄물로서 (2) 통계[이론]상으로; 탁상으로, 가정적(假定的)으로 ***put pen to ~*** 쓰기 시작하다, 집필하다 ***send***[***hand***] ***in*** one***'s ~s*** (영) 〈장교가〉 사표를 제출하다 ***set a ~ in*** grammar (문법) 시험 문제를 내다
— *a.* Ⓐ **1** 종이의[로 만든]: a ~ bag 종이 봉지 **2** 종이 같은; 얇은; 약한 **3** 서류상의, 탁상의; 명목상의; 장부상의; 종이에 쓰여진[인쇄된]: ~ work 문서 업무 / ~ currency 지폐 / ~ profits 장부상으로의 이익
— *vt.* **1** 〈방에〉 벽지를 바르다, 도배하다; 색종이로 꾸미다 **2** 〈물건을〉 종이에 싸다 **3** 종이를 공급하다 **4** 사포로 문지르다 **5** (속어) 〈극장을〉 무료 입장자로 채우다 **6** 〖제본〗 종이로 배접하다
— *vi.* 벽지를 바르다, 도배하다
~ *over* (1) 벽지를 바르다; 종이에 싸다 (2) 〈조직 내의 결점 등을〉 감추다, 얼버무리다 **~ *over the cracks*** ⇨ crack. **~ *the house*** 〖연극〗 무료 입장권을 뿌려 만원이 되게 하다 **~ *up*** 〈창·문 등에〉 종이를 바르다
pa·per·back [péipərbæ̀k] *n.* 종이 표지의 (염가[보급]판) 책(cf. HARDCOVER) **—** *a.* 종이 표지[염가본, 보급판]의 **—** *vt.* 종이 표지판으로 출판하다
-backed [-t] *a.*
páper bìrch 〖식물〗 자작나무 《북미산(産)》
páper blockáde (선언에 불과한) 지상(紙上) 봉쇄
pa·per·board [-bɔ̀:rd] *n.* 두꺼운 종이, 판지(板紙), 보드지 **—** *a.* 판지[보드지]로 만든
pa·per·book [-bùk] *n.* 종이 표지 책(paperback)
páper bóttle 페이퍼 보틀 《방부(防腐) 처리한 종이 용기; 식품용》
pa·per·bound [-bàund] *a.*, *n.* = PAPERBACK
pa·per·boy [-bɔ̀i] *n.* 신문 배달원, 신문팔이 소년
páper chàse **1** (종이를 뿌리며 하는) 술래잡기 (hare and hounds) **2** 학위를 따려고 하기[노력하기]
páper chromatógraphy 〖화학〗 종이[여과지] 크로마토그래피 《아미노산 분리법으로 쓰이는》
páper clìp 종이 집게, 클립
páper còver = PAPERBACK *n.*
páper cúp 종이 컵
páper cúrrency = PAPER MONEY
páper cùtter 종이 재단기[커터]; 종이 자르는 칼(paper knife)

paper cutter

páper dóll 종이 인형
pa·per-file [-fàil] *n.* 편지꽂이, 서류꽂이; 신문철
pa·per·girl [-gə̀:rl] *n.* 신문팔이[배달] 소녀
páper góld (구어) 국제 통화 기금의 특별 인출권(special drawing rights)
pa·per·hang·er [-hæ̀ŋər] *n.* **1** 도배장이; 표구사 **2** (미·속어) 수표 위조범; 부도 수표 사용자
pa·per·hang·ing [-hæ̀ŋiŋ] *n.* **1** Ⓤ 도배; 표구 **2** 광고·전단 붙이기 **3** (미·속어) 수표 위조; 위조 수표 사용 **4** [*pl.*] (고어) 벽지, 도배지
páper hòuse (미·속어) (무료) 초대객으로 만원인 극장[서커스]
páper knìfe 종이 자르는 칼
pa·per·less [péipərlis] *a.* 정보나 자료를 종이를 쓰지 않고 전달하는: a ~ office 컴퓨터로 사무 자동화가 이루어진 사무실 / ~ service (은행 등의) 컴퓨터에 의한 사무 처리
pa·per·mak·er [péipərmèikər] *n.* 제지업자
pa·per·mak·ing [-mèikiŋ] *n.* Ⓤ 제지(製紙)
pa·per-mill [-mìl] *n.* 제지 공장

문 newspaper, journal, tabloid, gazette **3** 논문 essay, article, thesis, dissertation

páper móney 지폐, 은행권; 유가 증권
páper múlberry 〖식물〗 꾸지나무 《뽕나뭇과(科)》
pa·per-mus·lin [-mʌ̀zlin] *n.* 윤 나는 모슬린 천
páper náutilus 〖동물〗 배낙지의 일종 《암컷은 종이처럼 희고 얄팍한 껍질을 만듦》
páper plànt[rèed, rùsh] 〖식물〗 파피루스 (papyrus)
páper pláte (두꺼운 판지의) 일회용 접시
páper pùlp 제지용 펄프
pa·per-push·er [-pùʃər] *n.* 틀에 박힌 서류 작성·정리 등의 사무를 보는 사람; 관리, 공무원
páper ròund (매일의) 신문 배달 (구역)
pa·per-shelled [-ʃéld] *a.* 얇고 깨지기 쉬운 껍질의
páper shòp (영) 신문[잡지] 판매점, 가판대
pa·per-stain·er [-stèinər] *n.* 벽지 제조인, 도배지 인쇄[착색]자; 삼류 작가
páper stándard 〖경제〗 지폐 본위(제)
páper tápe 〖컴퓨터〗 종이[천공] 테이프 《정보 기억의 입출력 매체》
pa·per-thin [-θín] *a.* 종이처럼 얇은; 〈이유·핑계 등이〉 근거 박약한
páper tíger 종이 호랑이; 허장성세
páper tówel 1 (화장실용) 종이 타월 **2** (미) 키친타월, 주방 타월
páper tràil (개인의) 과거 기록[서류]; (주로 미) 문서 발자취 《사람의 행동을 밝히는 증거가 되는 문서》
pa·per-train [-trèin] *vt.* 〈개 등을〉 종이에 배변하도록 길들이다
pa·per·ware [péipərwὲər] *n.* Ⓤ [집합적] 종이 제품 《책·포장 재료 등》; 종이 그릇
páper wár[wárfare] 필전(筆戰), 논전
páper wédding 지혼식(紙婚式) 《결혼 1주년 기념식[일]》
pa·per·weight [-wèit] *n.* 문진, 서진(書鎭)
pa·per·work [-wə̀:rk] *n.* Ⓤ 서류 사무, 문서 업무
pa·per·work·er [-wə̀:rkər] *n.* = PAPERMAKER
pa·per·y [péipəri] *a.* 종이의[같은]; 얇은; 약한; (속어) 무료 입장자로 가득 찬 **pá·per·i·ness** *n.*
pap·e·terie [pǽpətri] [F] *n.* 문구함, 문갑
Pa·phi·an [péifiən] *a.* **1** (키프로스의 고대 도시) 파포스(Paphos) (주민)의 **2** (문어) 음란한 **3** 여신 Aphrodite의 **—*n.* 1** 파포스의 주민 **2** [the ~] 아프로디테 **3** [때로 **p~**] 창녀
pa·pier col·lé [pɑ:pjéi-kɔ:léi, pæp-] [F] 〖미술〗 파피에 콜레 《화면에 벽지·신문지·석판쇄(石版刷) 등을 오려 붙인 그림; 1910-11년경 피카소 등이 시작한 입체주의의 한 수법》; = COLLAGE
pa·pier-mâ·ché [pèipərməʃéi, -mæ- | pæpjei-mǽʃei] [F = chewed paper] *n.* Ⓤ 혼응지(混凝紙) 《펄프에 아교를 섞어 만든 종이 재질; 습기에 무르고 마르면 아주 단단함》 **—*a.* 1** 혼응지의, 혼응지로 만들어진: a ~ mold 〖인쇄〗 지형(紙型) **2** 금방 망가지는; 거짓[허세]의, 겉보기의
pa·pil·i·o·na·ceous [pəpìlienéiʃəs] *a.* 〖식물〗 〈꽃이〉 나비 모양의; 콩과(科)의: the ~ corolla 나비 모양의 꽃부리
pa·pil·la [pəpílə] *n.* (*pl.* **-lae** [-li:]) **1** 〖해부〗 젖꼭지, 유두(nipple); 젖꼭지 모양의 작은 돌기 **2** 종기, 여드름 **3** 〖식물〗 유연한 작은 돌기
pap·il·lar·y [pǽpəlèri, pəpíləri | pəpíləri], **-lar** [pǽpələr, pəpílər | pəpíl-] *a.* 젖꼭지 (모양)의
pap·il·late [pǽpəlèit | pəpílət] *a.* 젖꼭지 모양의, 유두[유두상(狀) 돌기]가 있는
pap·il·lo·ma [pæ̀pəlóumə] *n.* (*pl.* **~s, ~·ta** [-tə]) 〖병리〗 유두종(腫); 무사마귀, 티눈
pap·il·lo·ma·vi·rus [pæ̀pəlóuməvàiərəs] *n.* (*pl.* **~·es**) 유두종 바이러스
pa·pil·lon [pǽpəlɑ̀n | -lɔ̀n] [F] *n.* (나비 모양의 큰 귀를 가진) 작은 spaniel의 일종 《애완견》
pap·il·lose [pǽpəlòus], **-lous** [-ləs] *a.* 유두[작은 돌기]가 많은

pa·pil·lote [pǽpəlòut] *n.* **1** = CURLPAPER **2** Ⓤ (살 붙은 뼈 끝을) 싸는 종이; (고기·생선 등을 싸서 조리하기 위한) 기름종이
pa·pist [péipist] *n.* 교황 절대주의자; (경멸) 가톨릭 교도 **—*a.*** 교황 절대주의의; 가톨릭교도의
pa·pis·tic, -ti·cal [peipístik(əl), pə-] *a.* (경멸) 가톨릭교의 **-ti·cal·ly** *ad.*
pa·pist·ry [péipistri] *n.* Ⓤ (경멸) 가톨릭교(의 의식[교리])
pa·po·va·vi·rus [pəpóuvəvàiərəs] *n.* 〖세균〗 파포바바이러스 《포유류에 주로 종양을 일으키는 바이러스》
pa(p)·poose [pæpú:s, pə- | pə-] *n.* **1** (북미 인디언의) 갓난아기; 《일반적으로》 갓난아기, 젖먹이 **2** (북미 인디언의) 아기 업는 자루 **3** (미·속어) (조합원에 섞여 일하는) 비조합원 노동자
pap·pose [pǽpous], **-pous** [-pəs] *a.* 〖식물〗 관모(冠毛)가 있는; 관모성(性)의
pap·pus [pǽpəs] *n.* (*pl.* **-pi** [-pai]) 〖식물〗 갓털, 관모(冠毛)
pap·py[1] [pǽpi] *a.* (**-pi·er**; **-pi·est**) **1** 빵죽 모양의; 걸쭉한; 연한 **2** 〈성격이〉 유약한
pappy[2] *n.* (*pl.* **-pies**) (미남부) 아빠(papa)
páppy gùy (미·속어) (공장·회사의) 고참, 대선배
pa·preg [péipreg] [*p*aper+im*preg*rated] *n.* 수지(樹脂)를 먹여 압축한 두꺼운 종이
pa·pri·ka [pæprí:kə, pə-, pɑ:-, pǽprikə | pǽprikə] *n.* 〖식물〗 파프리카 《단맛이 나는 고추의 일종》; Ⓤ 그 고추로 만든 향신료; Ⓤ 파프리카색 《불그레한 주황색》 ***Spanish*** ~ 피망
—*a.* 파프리카로 요리한[맛을 낸]
Páp tèst[smèar] 팹 테스트 《자궁암 조기 검사법》
Pap·u·a [pǽpjuə, pɑ́:puɑ̀:] *n.* **1** = PAPUA NEW GUINEA **2 *the Gulf of*** ~ 파푸아 만(灣)
Pap·u·an [pǽpjuən] *a.* **1** 파푸아(섬)의 **2** 파푸아 사람의 **—*n.*** 파푸아 사람; Ⓤ 파푸아 말
Pápua Nèw Guínea 파푸아뉴기니 《뉴기니 동반부를 차지하는 독립국; 수도 Port Moresby》
pap·u·la [pǽpjulə] *n.* (*pl.* **-lae** [-lì:]) = PAPULE
pap·ule [pǽpju:l] *n.* 〖병리〗 구진(丘疹), 여드름, 뾰루지(pimple); 〖식물〗 작은 돌기[혹]
pap·u·lar [pǽpjulər] *a.*
pap·u·lose [pǽpjulòus], **-lous** [-ləs] *a.* 구진[여드름](투성이)의; 작은 융기가 있는
pap·y·ra·ceous [pæ̀pəréiʃəs] *a.* 파피루스 모양의; 종이 모양의; = PAPERY
pa·pyr·o·graph [pəpáiərəgræ̀f, -grɑ̀:f | -grɑ̀:f, -græ̀f] *n.* 등사판[복사기]의 일종
pap·y·rol·o·gy [pæ̀pərɑ́lədʒi | -rɔ́l-] *n.* Ⓤ 파피루스학 **-gist** *n.*
***pa·py·rus** [pəpáiərəs] *n.* (*pl.* **-py·ri** [-rai, -ri], **~·es**) **1 a** 〖식물〗 **파피루스**(paper reed) **b** Ⓤ (고대 이집트·그리스·로마의) 종이 **2** [*pl.*] (파피루스에 쓴) 사본, 고문서(古文書)
***par**[1] [pɑ́:r] [L 「평등」의 뜻에서] *n.* Ⓤ **1** 동등, 동가(同價), 동위(同位)(equality) **2** 기준량[액], 표준(도) **3** (건강·정신의) 상태(常態) **4** [또는 a ~] 〖골프〗 파, 기준 타수 ㊇관련 각 홀의 「파」보다 1타 적게 끝내는 것은 birdie, 2타 적은 것은 eagle, 3타 적은 것은 double eagle[albatross]; 「파」보다 1타 많은 것은 bogey, 2타 많은 것은 double bogey
5 〖상업〗 평가(平價), 액면 동가(同價); 환평가
above ~ 액면 이상의; 표준 이상으로; 건강하여 프리미엄부(附)로 ***at*** ~ 액면 가격으로 ***be on a ~ with*** …와 똑같다[동등하다] ***below*** ~ (1) 액면 이하로 (2) (구어) 몸의 컨디션이 보통 때보다 좋지 않아 ~ ***for the course*** (구어) 보통 일, 당연한 일 ***under*** ~ (구어) 몸의 컨디션이 보통 때보다 좋지 않아 ***up to*** ~ [보통 부정문에서] 표준[평균]에 달하여; (구어) (몸의

thesaurus **paradigm** *n.* example, pattern, model, standard, criterion, prototype, exemplar

컨디션·건강이) 좋은, 보통 상태인
—*a.* Ⓐ **1** 평균의; 표준의 **2** 〖상업〗 평가의, 액면의: ~ clearance 액면 교환 / ~ value 액면 가격
—*vt.* (**~red**; **~·ring**) 〖골프〗 〈홀을〉 파[기준 타수]로 끝내다 ▷ párity *n.*

par² [*par*agraph] *n.* 《영·구어》 (신문의) 표제 없는 단편 기사[광고]; = PARAGRAPH

par³ *n.* = PARR

PAR perimeter acquisition radar 〖전자〗 주변 포착 레이더; precision approach radar 〖항공〗 정밀 진입 레이더 **par.** paragraph; parallax; parallel; parenthesis; parish

pa·ra¹ [pɑ́:rə, pɑ:rɑ́: | pɑ́:rə] *n.* (*pl.* **~s, ~**) 구 유고슬라비아의 화폐 단위; 터키의 옛 화폐 단위

par·a² [pǽrə] *n.* 《구어》 **1** = PARAPROFESSIONAL **2** = PARATROOPER

Pa·rá [pərɑ́:] *n.* = PARÁ RUBBER

Par(a). Paraguay

para-¹ [pǽrə] *pref.* **1** 「근처; 양쪽; 이상; 이외; 부정; 불규칙」의 뜻: *para*graph, *par*ody **2** 〖화학〗 「이성체(異性體)」의 뜻: *para*thion **3** 〖의학〗 「이상(異狀), 결함; 의사(擬似)」의 뜻: *para*noia

para-² 《연결형》 「방호(防護); 피난」의 뜻

para-³ 《연결형》 「낙하산의[에 의한]」의 뜻

pár·a-a·mi·no·ben·zó·ic ácid [pǽrəəmì:noubenzóuik-] 〖화학〗 파라아미노벤조산 《비타민 B 복합체의 하나》

par·a·bi·o·sis [pæ̀rəbaióusis] *n.* (*pl.* **-ses**) 〖생물〗 병체(竝體) 결합[유합(癒合)]; 〖생물〗 패러바이오시스 《신경 세포가 일시적으로 전도성·흥분성을 잃음》

*****par·a·ble** [pǽrəbl] [Gk 「비교」의 뜻에서] *n.* 우화, 비유(담): teach in ~*s* 우화를 들려 주어 깨우치다
—*vi.*, *vt.* 비유하여 이야기하다

pa·rab·o·la [pərǽbələ] *n.* 〖수학〗 포물선; 파라볼라형(型)의 것 《파라볼라 안테나 따위》

par·a·bol·ic¹, -i·cal¹ [pæ̀rəbɑ́lik(əl) | -bɔ́l-] *a.* 비유담[우화] 같은 **-i·cal·ly** *ad.* ▷ párable *n.*

parabolic², -ical² *a.* 포물선 (모양)의 **-i·cal·ly** *ad.* ▷ parábola *n.*

parabólic anténna[áerial] 파라볼라 안테나

pa·rab·o·lize¹ [pərǽbəlàiz] *vt.* 우화화(化)하다, 비유담으로 만들다

parabolize² *vt.* 포물선 모양으로 하다

pa·rab·o·loid [pərǽbəlɔ̀id] *n.* 〖수학〗 포물면
pa·rab·o·loi·dal [pəræ̀bəlɔ́idl, pæ̀rəbə-] *a.*

par·a·bomb [pǽrəbɑ̀m | -bɔ̀m] *n.* 낙하산 투하 시한폭탄

par·a·brake [pǽrəbrèik] *n.* = PARACHUTE BRAKE

par·a·ce·ta·mol [pæ̀rəsí:təmɔ̀:l, -mɑ̀l | -mɔ̀l] *n.* 〖약학〗 파라세타몰 《해열 진통제》

pa·rach·ro·nism [pərǽkrənìzm, pə-] *n.* ⓊⒸ 기시(記時) 착오 《연월일을 실제보다 뒤로 매기는》

*****par·a·chute** [pǽrəʃù:t] [F 「낙하를 보호하다」의 뜻에서] *n.* **1** 낙하산: a ~ descent 낙하산 강하 / a ~ flare 낙하산 투하식 조명탄 / ~ troops = PARATROOPS **2** (시계의) 내충격 장치 **3** 《구어》 (해직시 종업원들에게 주는) 해직 수당 **4** 〖식물〗 (민들레 등의) 풍산 종자(風散種子) **5** 〖동물〗 (박쥐 등의) 비막(飛膜)
—*vt.* **1** 〈부대·물건을〉 낙하산으로 투하하다 **2** 〈관료 등을〉 (…에) 낙하산 인사로 앉히다 《*into, in*》
—*vi.* **1** 낙하산으로 강하하다; 낙하산을 사용하다, 스카이다이빙을 하다 **2** 낙하산 인사로 지위에 앉다

párachute bràke 〖항공〗 (항공기 착륙시의) 감속[제동] 낙하산

párachute rìgger 낙하산 정비원

párachute spìnnaker 〖항해〗 초대형 삼각돛

par·a·chut·ist [pǽrəʃù:tist], **-chut·er** [-ʃù:tər] *n.* 낙하산병, 낙하산 강하자

---

paradox *n.* contradiction, inconsistency, incongruity, absurdity, anomaly, puzzle, oxymoron

---

par·a·clete [pǽrəklì:t] *n.* **1** 변호자, 중재자 **2** 위로하는 사람 **3** [the P~] 성령(the Holy Spirit)

par·a·clin·i·cal [pæ̀rəklínikəl] *a.* 〖의학〗 비임상의 《환자 치료가 아닌 실험이 주목적인》

par·a·com·man·do [pæ̀rəkəmǽndou, -mɑ́:n-] *n.* (*pl.* **~s, ~es**) 낙하산 특공대원

‡**pa·rade** [pəréid] [F 「준비하다」의 뜻에서] *n.* **1** ⒸⓊ **행렬,** 퍼레이드, **행진**: march in[on] ~ 행렬 행진하다 **2** Ⓤ **열병**(閱兵); Ⓒ 열병식; 열병장, 연병장 (= ~ ground): hold a ~ 열병식을 행하다 **3** (사건 등의) 연속적 기술(記述) **4** 과시; 장관: make a ~ of …을 과시하다 **5** 《영》 (해안 등의) 산책길(promenade); 운동장, 광장 **6** (성곽 안의) 마당, 구내 **7** 〖펜싱〗 받아넘기기, 피하기(parry); 방어 **8** [**P~**] …가(街), 상점가: North *P*~ 노스가(街) ***on*** **~** (1) 〈군대가〉 열병 대형으로, 열병을 받아 (2) 〈배우 등이〉 총출연하여
—*vt.* **1** 〈거리를〉 **열지어 행진하다**; 시위 행진하다 **2** 〈군대를〉 정렬시키다, 열병하다 **3** 〈지식·장점 등을〉 과시하다, 뽐내다
—*vi.* **1** 열지어 행진하다; 누비고 다니다 **2** (열병을 받기 위해) 정렬하다 **3** 《비유》 …으로서 버젓이 통용되다 《*as*》

paráde gròund 열병장, 연병장

pa·rad·er [pəréidər] *n.* 행진자

paráde rést 〖군사〗 「열중쉬어」의 자세; 그 구령

par·a·di·chlo·ro·ben·zene [pæ̀rədaiklɔ̀:roubénzi:n] *n.* Ⓤ 〖화학〗 파라디클로로벤젠 《주로 의류 방충용; 略 PDB》

par·a·did·dle [pǽrədìdl] *n.* 〖음악〗 (snare drum의) 좌우 번갈아 치는 연타

par·a·digm [pǽrədàim, -dìm | -dàim] *n.* **1** 패러다임, 이론적 틀[짜임새] 《어느 시대나 분야에 특징적인, 과학적 인식 방법의 체계·시스템》 **2** 예, 모범, 전형(example) 《*of*》 **3** 〖문법〗 품사의 어형 변화표

par·a·dig·mat·ic [pæ̀rədigmǽtik] *a.* **1** 모범의, 전형적인; 예증(例證)하는 **2** 〖문법〗 어형 변화(표)의 **3** 〖언어〗 연합적인, 계열적인 **-i·cal·ly** *ad.*

páradigm shìft (방법론·철학 등의) 근본적 변화; 패러다임[사고틀]의 변화

par·a·di·sa·ic, -i·cal [pæ̀rədiséiik(əl), -zéi-, -dai- | -di-] *a.* = PARADISIACAL

‡**par·a·dise** [pǽrədàis, -dàiz | -dàis] [Gk 「정원」의 뜻에서] *n.* **1** Ⓤ **천국,** 극락; [a ~] 지상(地上) 낙원; 절호[안성맞춤]의 장소 **2** [the P~] 에덴 동산(the Earthly P~) **3** Ⓤ 안락, 지복(至福) **4** 〖건축〗 (교회의) 앞뜰; 현관 2층; 《속어》 (극장의) 맨 꼭대기층 좌석 **5** 유원지, 동물원 ▷ paradisíacal *a.*

par·a·dis·e·an [pæ̀rədísiən, -dàis-, -ziən] *a.* 〖조류〗 극락조의

páradise fish 〖어류〗 극락어 《관상용 열대어》

Páradise Lóst 실락원(失樂園) 《Milton 작의 서사시》

par·a·di·si·a·cal [pæ̀rədisáiəkəl, -zái-], **-dis·i·ac** [-dísiæ̀k, -díz-] *a.* 천국[낙원]의[같은]

par·a·doc·tor [pǽrədɑ̀ktər | -dɔ̀k-] *n.* 낙하산 의사 《벽지의 환자에게 낙하산으로 내려가는 의사》

pa·ra·dor [pǽrədɔ̀:r] [Sp.] *n.* (*pl.* **~s**) (역사적 건조물을 개장한) 국영 호텔

par·a·dos [pǽrədɑ̀s | -dɔ̀s] *n.* 〖축성〗 배장(背墻), 참호 후면의 방호벽

‡**par·a·dox** [pǽrədɑ̀ks | -dɔ̀ks] [Gk 「정설을 거역하여」의 뜻에서] *n.* ⓊⒸ **1 역설**(逆說), **패러독스** 《모순되어 보이나 실제로는 옳은 설》 **2** 자가당착의 말; 모순된 일[말, 사람] **3** 세간의 통설에 반(反)하는 의견[사고 방식, 말] **~·er, ~·ist** *n.* 역설가
▷ paradóxical *a.*

par·a·dox·i·cal [pæ̀rədɑ́ksikəl | -dɔ́ks-] *a.* **1** 역설의; 자기모순의 **2** 〈사람이〉 역설을 좋아하는 **3** 〈현상·상태가〉 기묘한, 기이한 **~·ness** *n.*

par·a·dox·i·cal·ly [pæ̀rədɑ́ksikəli | -dɔ́ks-] *ad.* 역설적으로, 역설적이지만; [문장 전체를 수식하여] 역설적으로 말하면, 역설적으로 들릴지 모르지만

paradóxical sléep 〖생리〗 역설 수면(REM sleep) (cf. ORTHODOX SLEEP)
par·a·dox·ure [pæ̀rədɑ́kʃər | -dɔ́k-] *n.* 〖동물〗 (나무 위에 사는) 사향고양이(palm civet[cat])
par·a·dox·y [pǽrədɑ̀ksi | -dɔ̀ksi] *n.* Ⓤ 불합리, 역설적임, 모순
par·a·drop [pǽrədrɑ̀p | -drɔ̀p] *n.*, *vt.* (**~ped**; **~·ping**) (낙하산으로) 공중 투하(하다)(airdrop)
par·aes·the·sia [pæ̀rəsθí:ʒə, -ʒiə, -ziə] *n.* 〖병리〗 = PARESTHESIA
par·af·fin [pǽrəfin], **-fine** [-fin, -fì:n | -fi:n] *n.* **1** Ⓤ 〖화학〗 파라핀, 석랍(石蠟) **2** 〖화학〗 파라핀족(族) 탄화수소 **3** Ⓤ = PARAFFIN OIL
— *vt.* 파라핀으로 처리하다; …에 파라핀을 입히다
páraffin òil **1** 파라핀유(油) **2** (영) 등유(燈油)((미) kerosene)
páraffin sèries 〖화학〗 파라핀족, 메탄 계열
páraffin wàx 석랍(石蠟)
par·a·foil [pǽrəfɔ̀il] *n.* 패러포일 《날개가 달려 조종 가능한 낙하산》
par·a·gen·e·sis [pæ̀rədʒénəsis] *n.* Ⓤ 〖지질〗 공생(共生)
par·a·glid·er [pǽrəglàidər] *n.* 패러글라이더 《날개를 부풀려 조종할 수 있는 글라이더; 우주선 등의 착륙시 감속용으로 쓰임》
par·a·glid·ing [pǽrəglàidiŋ] *n.* 패러글라이딩 《날개 같은 파라슈트로 비행기에서 강하하여 착지장까지 활공하는 스포츠》
par·a·go·ge [pæ̀rəgóudʒi] *n.* **1** ⓊⒸ 〖음성〗 어미음 첨가 《무의미한 자음의 첨가; 보기 amid*st*》(cf. PROSTHESIS) **2** 〖의학〗 접골(接骨) **-góg·ic** *a.*
par·a·gon [pǽrəgɑ̀n, -gən | -gən] *n.* **1** 모범, 본보기, 전형(典型), 귀감; 매우 우수한 사람, 걸물(傑物): a ~ of beauty 미의 전형[화신], 절세의 미인 **2** Ⓤ 〖인쇄〗 패러건 활자 《20 포인트》 **3** 100캐럿 이상의 완전한 금강석; 둥글고 굵은 고급 진주
— *vt.* (고어) 모범으로 삼다; 비교하다 《*with*》; …에 필적하다; (폐어) …보다 낫다
‡**par·a·graph** [pǽrəgræ̀f, -grɑ̀:f | -grɑ̀:f, -græ̀f] [Gk 「가로 쓰다」의 뜻에서] *n.* **1** (문장의) 절(節), 단락, 패러그래프 **2** 패러그래프[단락] 부호(¶) **3** (신문·잡지의) 짧은 기사; 짤막한 논설, 단평(短評): an editorial ~ 짧은 사설(社說)
— *vt.* **1** 〈문장을〉 절[단락]로 나누다 **2** 〈신문 등에〉 짧은 기사를 쓰다, 기삿거리로 하다 **3** 짧은 기사로 표현하다, 간략히 서술하다 **~·er, ~·ist** *n.* (신문의) 단편 기사[짧은 사설] 집필자
▷ paragráphic, paragráphical *a.*
par·a·graph·i·a [pæ̀rəgrǽfiə] *n.* 〖정신의학〗 착서증(錯書症) 《철자를 틀리게 적거나 생각과는 다른 글씨를 쓰는 증세》
par·a·graph·ic, -i·cal [pæ̀rəgrǽfik(əl)] *a.* **1** 절의, 절로 나눈, 단락이 있는 **2** 단편 기사의
pa·ra·graph·ing [pǽrəgræ̀fiŋ, -grɑ̀:f- | -grɑ̀:f-, -græ̀f-] *n.* Ⓤ 단락 짓기
páragraph màrk[sìgn] 단락 부호, 단락표(¶)
Par·a·guay [pǽrəgwài, -gwèi] *n.* **1** 파라과이 《남미의 공화국; 수도 Asunción》 **2** [the ~] 파라과이 강
Par·a·guay·an [pæ̀rəgwáiən, -gwéi-] *a.* 파라과이의 — *n.* 파라과이 사람
Páraguay téa = MATÉ
par·a·in·flu·en·za [pæ̀rəinfluénzə] *n.* 〖병리〗 파라인플루엔자 《동물·사람의 호흡기 감염병》
parainfluénza vírus 〖세균〗 파라인플루엔자 바이러스 《사람·동물 등에 호흡 질환을 일으킴》
par·a·jour·nal·ism [pæ̀rədʒə́:rnəlìzm] *n.* Ⓤ 준(準)저널리즘 《기자나 편집자의 주관적 보도가 특색인》
par·a·judge [pǽrədʒʌ̀dʒ] *n.* (미) (경범죄 전문의) 준(準)판사
par·a·keet [pǽrəkì:t] *n.* = PARRAKEET
par·a·kite [pǽrəkàit] *n.* 패러카이트 《parakiting용의 낙하산 작용을 하는 연》; (기상 관측용의) 꼬리 없는 연
par·a·kit·ing [pǽrəkàitiŋ] *n.* 패러카이팅 《모터보트나 자동차 등이 끄는 낙하산으로 공중을 나는 스포츠》
par·a·lan·guage [pǽrəlæ̀ŋgwidʒ] *n.* ⓊⒸ 준(準)언어 《몸짓·표정 등의 전달 행위》
par·al·de·hyde [pərǽldəhàid] *n.* Ⓤ 〖화학·약학〗 파라알데히드 《최면제·진정제》
par·a·le·gal [pæ̀rəlí:gəl] *n.*, *a.* 변호사 보조원(의)
par·a·leip·sis [pæ̀rəláipsis], **-lep-** [-lép-], **-lip-** [-líp-] *n.* (*pl.* **-ses** [-si:z]) 〖수사학〗 역언법(逆言法) 《중요 부분을 생략함으로써 오히려 주의를 끄는 생략법》
par·a·lin·guis·tic [pæ̀rəliŋgwístik] *a.* 준(準)언어(학)의[에 관한]
par·a·lin·guis·tics [pæ̀rəliŋgwístiks] *n. pl.* [단수 취급] 준(準)언어학 《보디랭귀지 등의 연구》
par·al·lac·tic [pæ̀rəlǽktik] *a.* 변위(變位)의; 〖천문〗 시차(視差)의: ~ motion 시차 운동
par·al·lax [pǽrəlæ̀ks] *n.* ⓊⒸ **1** 〖천문〗 시차(視差) **2** 〖광학·사진〗 시차, 패럴랙스
‡**par·al·lel** [pǽrəlèl, -ləl] [Gk 「서로」의 뜻에서] *a.* **1** 평행의, 나란한 《*with, to*》: ~ lines 평행선 **2** 〈목적·경향 등이〉 서로 같은; 같은 방향의; 같은 종류의, 비슷한: an ~ occasion 유사한 경우, 유례(類例) **3** 〖전기〗 병렬의; 〖음악〗 평행의 《2성부(聲部)·주조(主調) 따위가》; 〖컴퓨터〗 〈데이터 전송 등이〉 병렬의 《동시에 복수 처리를 하는》(cf. SERIAL): a ~ circuit 병렬 회로
— *ad.* 평행하여 《*with, to*》 ***run ~ with*** …와 평행으로 달리다, 나란히 뻗다
— *n.* **1** 평행선, 평행하는 것 **2** 필적하는 것, 대등한 사람[것] 《*to*》 **3** 비교, 대비; [종종 *pl.*] 유사점 **4** 위도권(緯度圈), 위선(緯線), 씨줄: the 38th ~ (of latitude) 38도선 **5** 〖전기〗 병렬 회로 **6** 〖인쇄〗 평행[병행] 부호(‖) **7** 〖군사〗 평행호(壕)
draw a ~ between two things (양자를) 비교[대비]하다, 유사점을 보여주다 ***have no ~*** 유(례)가 없다, 비할 데 없다 ***in ~*** (1) 병행으로[하여]; 동시에 《*with*》 (2) 〖전기〗 병렬식으로 ***without (a) ~*** 유례없이: a triumph *without* (*a*) ~ 유례없는 대승리
— *vt.* (**~ed**; **~·ing** | **~led**; **~·ling**) **1** …와 유사하다; 필적하다 《*in*》: (~+목+전+명) Nobody ~*s* him *in* swimming. 수영에서는 그에 필적할 자가 없다. **2** …에 평행하다: The road ~*s* the river. 길은 강과 나란히 나 있다. **3** (…와) 비교하다 《*with*》: (~+목+전+명) *P*~ this *with* that. 이것을 저것과 비교하라. **4** …에 평행시키다; 병렬로 잇다
párallel bárs 〖체조〗 평행봉
párallel computátion 〖컴퓨터〗 병렬 계산
párallel compúter 〖컴퓨터〗 병렬식 컴퓨터
párallel cóusin 어머니끼리 자매 또는 아버지끼리 형제인 사촌 《친사촌, 이종 사촌》
párallel cúrrency 병용 통화
párallel dáta quèry 〖컴퓨터〗 병렬 데이터 문의
par·al·lel·e·pi·ped [pæ̀rəlèləpáipid, -píp- | -páiped, -lelépipèd] *n.* 평행 6면체
párallel evolútion 평행 진화
párallel ímports 병행 수입 《공식 루트 이외의 경로를 통한 수입》
párallel ínterface 〖컴퓨터〗 병렬 접속기
par·al·lel·ism [pǽrəlelìzm, -ləl-] *n.* Ⓤ **1** 평행 위치[관계], 병행 **2** 유사; 비교, 대응 **3** 〖철학〗 병행론; 〖생물〗 병행 진화 **4** 〖수사학〗 대구법(對句法) **5** 〖컴퓨터〗 = PARALLEL COMPUTATION
par·al·lel·ist [pǽrəlèlist] *n.* **1** 비교하는 사람 **2** 형이상학[심리학]의 병행론자

thesaurus **parallel** *a.* similar, like, resembling, analogous, comparable, corresponding, matching, equivalent, duplicate (opp. *divergent*)
paralyze *v.* immobilize, numb, deaden, dull,

par·al·lel·is·tic [pæ̀rəlelístik] *a.* 평행 관계의; 유사한 관계의; 병행론(자)의

par·al·lel·ize [pǽrəlelàiz, -ləl-] *vt.* 평행하게 하다, 평행으로 놓다; 비교하다

par·al·lel·o·gram [pæ̀rəléləgræ̀m] *n.* 평행 사변형 **-lèl·o·grám·mic** *a.*

párallel operátion 〖컴퓨터〗 병렬 조작

párallel párking 평행 주차; 《미·속어》 성교, 섹스

párallel pórt 〖컴퓨터〗 병렬 포트 《동시에 복수의 비트를 전송(轉送)하는 입출력 포트》

párallel procéssing 〖컴퓨터〗 병렬 처리 (방식)

párallel rúler 평행자

párallel slálom 〖스키〗 패럴렐 슬랄롬(dual slalom) 《거의 같은 조건의 코스를 두 경기자가 동시에 활주하는 회전 경기》

párallel transmíssion 〖컴퓨터〗 병렬 전송

párallel túrn 〖스키〗 패럴렐 턴 《스키 양쪽을 나란히 두고 중심을 옮기면서 방향을 바꾸는 기술》

par·al·lel-veined [pǽrəlèlvéind, -ləl-] *a.* 〖식물〗 엽맥이 평행한, 평행맥의

pa·ral·o·gism [pərǽlədʒìzm] *n.* Ⓤ 〖논리〗 잘못된 추리, 배리(背理), 반리(反理) 《논자(論者) 자신이 깨닫지 못하는 그릇된 추론》

pa·ral·o·gize [pərǽlədʒàiz] *vi.* 잘못 추론하다

Par·a·lym·pics [pæ̀rəlímpiks] [*para*plegic+O*lympics*] *n. pl.* 파랄림픽 《국제 신체 장애자 올림픽 대회》

‡par·a·lyse [pǽrəlàiz] *vt.* 《영》 =PARALYZE

***pa·ral·y·sis** [pərǽləsis] [Gk 「측면이 약해지다」의 뜻에서] *n.* (*pl.* **-ses** [-sì:z]) **1** 〖의학〗 마비, 불수(不隨); 중풍: infantile ~ 소아마비 / cerebral ~ 뇌성마비 **2** 무력, 무기력, 무능; (교통·거래 등의) 정체, 마비 상태: moral ~ 도덕심의 결핍[마비] / a ~ of trade 거래의 마비 상태
▷ paralýtic *a.*; páralyze *v.*

parálysis ág·i·tans [-ǽdʒətæ̀nz] 〖의학〗 진전(震顫) 마비(Parkinson's disease)

par·a·lyt·ic [pæ̀rəlítik] *a.* **1** 마비성의, 중풍에 걸린; 마비된, 마비 상태의 **2** 〈법률 등이〉 무력한; 〈웃음 등이〉 힘없는 **3** 《영·구어》 술 취한, 만취한
— *n.* 중풍 환자, 마비 환자

par·a·ly·za·tion [pæ̀rəlizéiʃən | -lai-] *n.* Ⓤ 마비시킴, 마비 상태, 무력화

‡par·a·lyze | -lyse [pǽrəlàiz] *vt.* **1** 마비시키다: 《~+목+전+명》 be *~d* in both legs 두 다리가 마비되다 **2** 무력[무능]하게 만들다; 쓸모없게 만들다; 무효가 되게 하다: The general strike *~d* the whole country. 총파업으로 전국의 기능이 마비되었다. // 《~+목+전+명》 be *~d with* fear[terror] 두려움[공포] 때문에 얼어붙다 **-lỳzed** [-d] *a.* **-lỳz·er** *n.*
▷ parálysis, paralyzátion *n.*

par·a·mag·net [pæ̀rəmǽgnit, ⏑⏑⏑] *n.* 〖물리〗 상자성체(常磁性體)

par·a·mag·net·ic [pæ̀rəmægnétik] *a.* 〖물리〗 상자성(체)의 **—** *n.* =PARAMAGNET

Par·a·mar·i·bo [pæ̀rəmǽrəbòu] *n.* 파라마리보 《남미 Surinam의 수도》

par·a·mat·ta [pæ̀rəmǽtə] *n.* Ⓤ 파라마타 《캐시미어 비슷한 직물》

par·a·me·ci·um [pæ̀rəmí:ʃiəm, -ʃəm, -siəm | -siəm] *n.* (*pl.* **-ci·a** [-ʃiə, -siə | -siə]) 〖동물〗 짚신벌레

par·a·med·ic[1] [pæ̀rəmédik] *n., a.* **1** 〖군사〗 낙하산 부대 위생병(의) **2** (고립된 지역에 도달하는) 낙하산 강하 의사(의)

paramedic[2] *n.* 준(準)의료 활동 종사자; 의료[진료] 보조자 《간호사·검사 기사·구급 대원 등》

par·a·med·i·cal [pæ̀rəmédikəl] *a.* 준(準)의료 활동의, 전문의를 보좌하는 **—** *n.* =PARAMEDIC[2]

par·a·men·stru·um [pæ̀rəménstruəm] *n.* 〖의학〗 파라 월경기 《월경 직전의 4일과 시작 후의 4일》

par·a·ment [pǽrəmənt] *n.* (*pl.* **~s, -men·ta** [pæ̀rəméntə]) 실내 장식품; (종교상의) 제의(祭衣), 성직복; 제식(祭式) 장식

pa·ram·e·ter [pərǽmətər] *n.* **1** 〖수학·컴퓨터〗 파라미터, 매개 변수(媒介變數) **2** 〖통계〗 모수(母數) **3** [보통 *pl.*] (한정) 요소, 요인; 한계(limit)

pa·ram·e·ter·ize [pərǽmətəràiz] *vt.* 〈현상·문제·곡선·곡면 등을〉 파라미터로 나타내다

par·a·met·ric àmplifier [pæ̀rəmétrik-] 〖물리〗 파라메트릭 증폭기 《고주파 증폭기의 일종》

paramétric equátion 〖수학〗 매개(媒介) 방정식

par·a·met·ron [pæ̀rəmétrɑn, -rən | -rɔn] *n.* 〖전자〗 파라메트론 《인덕턴스 또는 용량이 주기적으로 변화하는 공진 회로》

par·a·mil·i·tar·y [pæ̀rəmílətèri | -təri] *a.* 준(準)군사적인, 준군사 조직의: ~ forces 준군사 부대 / ~ operation 준군사 작전[행동] **—** *n.* (*pl.* **-tar·ies**) 준군사 조직(의 일원)

pa·ra·mi·ta [pɑ:rʌ́mitə] *n.* 〖불교〗 바라밀(波羅蜜) 《열반을 갈망하는 사람을 위해 규정된 수행의 총칭》

par·am·ne·sia [pæ̀ræmní:ʒə | -ziə] *n.* **1** 〖정신의학〗 기억 착오 **2** =DÉJÀ VU

par·a·mo [pǽrəmòu] *n.* 파라모 《남미 열대 지역의 고지 평원》

***par·a·mount** [pǽrəmàunt] [L 「산 위에」의 뜻에서] *a.* **1** 최고의(supreme), 주요한; 탁월한; 훌륭한 (*to*) **2** 최고 권위를 가진
— *n.* 최고 권위자; 군주, 수령 ***the lady ~*** 여왕 ***the lord ~*** 최고 권력자, 국왕
~·ly *ad.* ▷ páramountcy *n.*

par·a·mount·cy [pǽrəmàuntsi] *n.* Ⓤ 최고권, 주권; 우월, 탁월

par·a·mour [pǽrəmùər] *n.* **1** 《문어》 (특히 기혼자의) 정부(情婦), 정부(情夫) **2** 《고어》 애인

par·a·myx·o·vi·rus [pæ̀rəmiksouváiərəs] *n.* 〖세균〗 파라믹소바이러스 《믹소바이러스의 아군(亞群)》

par·a·neph·ric [pæ̀rənéfrik] *a.* 〖해부〗 부신(副腎)의

par·a·neph·ros [pæ̀rənéfrɑs | -rɔs] *n.* (*pl.* **-roi** [-rɔi]) 〖해부〗 부신(副腎)

pa·rang [pɑ́:ræŋ] *n.* (말레이시아·인도네시아에서 쓰는) 크고 무거운 단도

par·a·noi·a [pæ̀rənɔ́iə], **-noe·a** [-ní:ə] [Gk 「비뚤어진 정신」의 뜻에서] *n.* Ⓤ 〖정신의학〗 **1** 편집증(偏執症), 망상증 **2** 《구어》 (근거 없는) 심한 불신[의심]

par·a·noi·ac [pæ̀rənɔ́iæk] *a., n.* 편집증의 (환자)

par·a·noic [pæ̀rənɔ́ik] *a., n.* =PARANOIAC

par·a·noid [pǽrənɔ̀id] *a.* **1** 편집증의; 피해망상의 **2** 《구어》 이유 없이 두려워하는, 지나치게[병적으로] 의심이 많은 **—** *n.* 편집증 환자

par·a·nor·mal [pæ̀rənɔ́:rməl] *a.* (초자연은 아니나) 과학적으로 설명할 수 없는 **~·ly** *ad.*

par·a·nymph [pǽrənìmf] *n.* 《고어·시어》 신랑[신부]의 들러리

par·a·pa·re·sis [pæ̀rəpərí:sis] *n.* 〖의학〗 대부전(對不全) 마비 《특히 양(兩) 하지의 부분적 마비》

***par·a·pet** [pǽrəpit, -pèt] *n.* **1** 〖축성〗 흉벽(胸壁), 흉장(胸墻) 《방어용의 낮은 벽》 **2** (지붕·발코니·다리 등의) 난간 **~·ed** [-id] *a.*

par·aph [pǽrəf, pərǽf] *n.* 서명 끝의 장식 획(flourish) 《원래는 필적 위조를 막기 위한 것》

par·a·pha·si·a [pæ̀rəféiziə] *n.* 착어증(錯語症) 《생각과 다른 말을 하는 실어증의 일종》

par·a·pher·na·lia [pæ̀rəfərnéiljə] *n. pl.* [종종 단수 취급] **1** 장비, (여러) 도구, 설비: a skier's ~ 스키 도구 **2** 《구어》 (개인의) 자잘한 소지품 **3** 〖법〗 아내의 소유물[재산]

---

obtund, incapacitate, disable, cripple, debilitate
paramount *a.* uppermost, supreme, predominant, foremost, preeminent, outstanding, most important
parapet *n.* wall, railing, handrail, fence, barrier

par·a·phil·i·a [pæ̀rəfíliə] *n.* 〘정신의학〙 성적 도착, 이상 성욕

‡**par·a·phrase** [pǽrəfrèiz] [Gk 「다른 말로 말하다」의 뜻에서] *vt., vi.* (알기 쉽게) 바꾸어 쓰다[말하다], 의역하다, 부연해서 설명하다
— *n.* (알기 쉽게) 바꾸어 말하기, 의역, 부연
pár·a·phràs·er *n.* ▷ paraphrástic *a.*

par·a·phras·tic, -ti·cal [pæ̀rəfrǽstik(əl)] *a.* 알기 쉽게 바꾸어 말한[쓴], 설명적인

par·a·phys·ics [pæ̀rəfíziks] *n. pl.* [단수 취급] 파라 물리학, 초심리 물리학 《parapsychology에서 다루는 여러 현상의 물리적 측면을 다룸》; 심령 물리학

par·a·plan·ner [pæ̀rəplǽnər] *n.* 《미》 행정 서기[사무, 비서]관, 준(準)행정 계획 담당자

par·a·ple·gia [pæ̀rəplí:dʒiə] *n.* Ⓤ 〘의학〙 (하반신의) 쌍마비(雙麻痺) 《양다리를 포함함》

par·a·ple·gic [pæ̀rəplí:dʒik, -plédʒ-] *a.* 쌍마비의 《양쪽 하반신 마비의》 — *n.* 쌍(雙)마비 환자

par·a·po·lit·i·cal [pæ̀rəpəlítikəl] *a.* 의사(擬似) 정치적인

par·a·prax·is [pæ̀rəprǽksis] *n.* (*pl.* **-prax·es** [-si:z]) 〘의학〙 착오[착각] 행위, 착행증(錯行症) 《무의식적인 과실; 실언·깜박 잊기 등》

par·a·pro·fes·sion·al [pæ̀rəprəféʃənl] *n., a.* 전문직 보조원(의), 《특히》 교사[의사]의 조수(의)

par·a·psy·chol·o·gy [pæ̀rəsaikɑ́lədʒi | -kɔ́l-] *n.* Ⓤ 초(超)심리학 《천리안·염력(念力)·텔레파시 등의 심령 현상을 다룸》 **-gist** *n.*

par·a·quat [pǽrəkwɑ̀t | -kwɔ̀t] *n.* Ⓤ 〘화학〙 제초제(除草劑)의 일종

par·a·quet [pǽrəkèt] *n.* = PARRAKEET

par·a-res·cue [pǽrərèskju:] *n.* ⓊⒸ (조난자 등의) 낙하산 강하에 의한 구조

Pa·rá rúbber [pərɑ́:-, pɑ:rɑ́:-] [브라질의 고무 산지명 Pará에서] 파라고무

par·as [pǽrəz] *n. pl.* 《구어》 = PARATROOPS

par·a·sail [pǽrəsèil] *n.* parasailing용 낙하산 《모터보트 등으로 끄는》 — *vi.* 패러세일링을 하다

par·a·sail·ing [pǽrəsèiliŋ] *n.* 패러세일링 《모터보트·자동차 등이 끄는 낙하산을 매달고 공중으로 날아 오르는 스포츠》

par·a·sang [pǽrəsæ̀ŋ] *n.* 파라상 《페르시아의 거리 단위; 고대에는 약 6 km》

par·a·scend·ing [pǽrəsèndiŋ] *n.* 패러센딩 《펼쳐진 낙하산을 몸에 장착하고 모터보트로 끌게 하여 충분한 고도에 도달한 후 낙하하는 스포츠》

par·a·sci·ence [pæ̀rəsáiəns] *n.* 초과학 《염력·심령 현상 등을 연구하는 분야》

par·a·se·le·ne [pæ̀rəsilí:ni] *n.* (*pl.* **-nae** [-ni:]) 〘기상〙 환월(幻月)(mock moon) 《달무리에 나타나는 광륜(光輪)》(cf. PARHELION) **-lé·nic** *a.*

par·a·sen·so·ry [pæ̀rəsénsəri] *a.* 초감각의

par·a·sex·u·al [pæ̀rəsékʃuəl] *a.* 〘생물〙 의사 유성(擬似有性)적인 〈생활 환경 등〉

pa·ra·shah [pɑ́:rəʃɑ̀:, pɑ́:rʃə] *n.* (*pl.* **~s, -shoth** [pɑ́:rəʃòuθ, -ʃòut], **-shi·oth** [pɑ̀:rəʃióuθ, -ʃióut]) 안식[축제]일에 유대 교회에서 일과로서 낭독되는 율법의 일부

***par·a·site** [pǽrəsàit] *n.* **1** 〘동물〙 **기생충[균]**, 기생 동물; 남의 둥지에 알을 낳는 새; 〘식물〙 기생 식물 《겨우살이 등》 **2** 식객, 기생자; (고대 그리스의) 아첨꾼 **3** 〘언어〙 기생음[자(字)] 《drowned*d*ed의 *d*와 같은》
▷ parasític *a.*; párasitize *v.*

párasite dràg 〘항공〙 유해(有害) 항력[저항] 《표면 마찰 및 표면의 모양에 의해 생기는 양력(揚力)을 방해하는 항력》

párasite stòre 〘경영〙 기생형(型) 상점, 기생점 《역 구내의 담배 가게·약국 등》

par·a·sit·ic, -i·cal [pæ̀rəsítik(əl)] *a.* **1** 기생적인, 기생물의; 〘생물〙 기생체[질]의: a ~ animal [plant] 기생 동물[식물] **2** 기식[식객 노릇]을 하는, 기생충의: be ~ on …에 기생하고 있다 **3** (…에) 의존하고 있는 《*on, upon*》 **4** 아첨하는 **5** 〘전기〙 와류(渦流)의; 〘라디오〙 기생 (진동)의; 〘언어〙 기생음[자(字)]의
-i·cal·ly *ad.*

par·a·sit·i·cide [pæ̀rəsítəsàid] *n.* 기생충 구제약, 구충제 — *a.* 구충의

par·a·sit·ism [pǽrəsaitìzm, -sit-, ㄹ-ㅅ-] *n.* Ⓤ **1** 기생 (생활)(opp. *symbiosis*); 식객 노릇 **2** 〘병리〙 = PARASITOSIS **3** (전체주의 국가에서) 실업 상태

par·a·sit·ize [pǽrəsitàiz, -sait-] *vt.* [주로 수동형으로] …에 기생하다; 〈다른 새의 둥지에〉 알을 낳다, 탁란하다

par·a·sit·oid [pǽrəsitɔ̀id, -sait-] *n.* 포식(捕食) 기생자[말벌] — *a.* 포식 기생자의

par·a·si·tol·o·gy [pæ̀rəsaitɑ́lədʒi, -sit- | -tɔ́l-] *n.* Ⓤ 기생충[체]학 **-gist** *n.*

par·a·sit·o·sis [pæ̀rəsaitóusis, -sit-] *n.* (*pl.* **-ses** [-si:z]) 〘병리〙 기생충 감염, 기생체 질환

par·a·ski·ing [pǽrəskì:iŋ] *n.* 패러스키잉 《날개형 낙하산을 달고 높은 곳에서 스키로 뛰어내리는 스포츠》

par·a·sol [pǽrəsɔ̀:l, -sɑ̀l | -sɔ̀l] [It. 「태양을 막다」의 뜻에서] *n.* (여자용) 양산, 파라솔(cf. UMBRELLA); 〘항공〙 (날개가 동체 위에 떨어져 받쳐진) 파라솔형 단엽기

par·a·sta·tal [pæ̀rəstéitl] *a., n.* 반관(半官)의 (조직), 준국영의 (회사)

par·a·su·i·cide [pæ̀rəsú:əsàid] *n.* 자살극(을 벌이는 사람)

par·a·sym·pa·thet·ic [pæ̀rəsìmpəθétik] *a.* 〘해부·생리〙 부교감(副交感) 신경의
— *n.* 부교감 신경(계)

parasympathétic nérvous sỳstem 〘해부·생리〙 부교감 신경계(系)

par·a·syn·the·sis [pæ̀rəsínθəsis] *n.* Ⓤ 〘문법〙 병치(竝置) 종합 《복합어에서 다시 파생어 만들기: air-conditioning, big-hearted 등》 **-syn·thét·ic** *a.*

par·a·syn·the·ton [pæ̀rəsínθətɑ̀n | -tɔ̀n] *n.* (*pl.* **-ta** [-tə]) 병치 종합어 《parasynthesis로 된 말》

par·a·tac·tic, -ti·cal [pæ̀rətǽktik(əl)] *a.* 〘문법〙 병렬적(竝列的)인, 접속사 없이 문장·절·구를 나열한
-ti·cal·ly *ad.*

par·a·tax·is [pæ̀rətǽksis] *n.* Ⓤ 〘문법〙 병렬 《접속사 없이 문장·절·구를 나열하기》

par·ath·a [pərɑ́:tə] *n.* 남아시아의 무교병 《효모 없이 튀긴 빵》

par·a·thi·on [pæ̀rəθáiɑn | -ɔn] *n.* Ⓤ 〘화학〙 파라티온 《살충제》

par·a·thy·roid [pæ̀rəθáirɔid] *n., a.* 〘해부〙 부갑상선(의)

parathýroid glànd 〘해부〙 부갑상선(副甲狀腺)

parathýroid hòrmone 〘생화학〙 부갑상선 호르몬

par·a·tran·sit [pæ̀rətrǽnsit] *n.* (도시의) 보조 교통 기관 《carpool이나 택시[소형 버스]의 합승 등》

par·a·troop [pǽrətrù:p] *a.* Ⓐ 낙하산병[부대]의
— *n.* **1** = PARATROOPER **2** [*pl.*] 낙하산 부대

par·a·troop·er [pǽrətrù:pər] *n.* **1** 낙하산병 **2** 낙하산 부대 수송기

par·a·troop·ing [pǽrətrù:piŋ] *n.* Ⓤ 낙하산 투하

par·a·ty·phoid [pæ̀rətáifɔid] 〘병리〙 *n.* Ⓤ 파라티푸스(= ~ **féver**) — *a.* 파라티푸스의

par·a·vane [pǽrəvèin] *n.* (소해정이 끄는) 기뢰 방어기 《기뢰의 줄을 끊는》

par a·vion [pɑ̀:r-ævjɔ́:ŋ] [F = by airplane] *ad.* 항공편으로 《항공 우편물의 표시》

par·a·wing [pǽrəwìŋ] *n.* = PARAGLIDER

par·boil [pɑ́:rbɔ̀il] *vt.* **1** 반숙하다, 〈식품을〉 살짝 데치다 **2** 더위에 지치게 하다; 못살게 굴다

thesaurus **paraphrase** *v.* reword, put in other words, rephrase, restate, interpret, gloss
parcel *n.* package, packet, pack, bundle

par·buck·le [pá:rbʌ̀kl] *n.* (통·통나무 등을) 굴리는 [오르내리는] 밧줄(걸기)
— *vt.* 〈통 등을〉 밧줄로 걸어 올리다[내리다]

Par·ca [pá:rkə] *n.* (*pl.* **-cae** [-si:, -kai]) 〖로마 신화〗 **1** 탄생과 운명의 신 **2** [*pl.*] 운명의 세 여신

‡**par·cel** [pá:rsəl] [L 「작은 조각」의 뜻에서] *n.* **1** 꾸러미, 소포(package), 소화물(⇨ baggage 유의어): ~ paper 포장지 / wrap up[undo] a ~ 소포를 싸다[풀다] **2** 〖상업〗 상품의 거래 단위, 한 번의 거래액 **3** [a ~] 《경멸》 (사람·물건의) 한 떼, 한 무리[벌]: *a* ~ of lies 거짓말투성이 / *a* ~ of fools 바보들 **4** 〖법〗 한 구획의 토지, 한 필지(筆地) **5** 《고어》 일부분: by ~*s* 조금씩 ***part and ~*** ⇨ part.
— *a.* 부분적인; 〈사람이〉 불완전한; 파트타임의
— *vt.* (**~ed**; **~·ing** | **~led**; **~·ling**) **1** 나누다, 분배하다 《*out, into*》 **2** 꾸러미[소포]로 하다 《*up*》; 한데 뭉뚱그리다 **3** 〖항해〗 〈밧줄을〉 범포(帆布) 오라기로 감싸다, 〈갑판 틈새기를〉 범포 오라기로 틀어막다

párcel bòmb 소포 폭탄; 우편 폭탄

párcel gìlding 부분적 금도금

par·cel-gilt [pá:rsəlgìlt] *a., n.* 부분적으로 금도금한 (그릇)

par·cel·ing | **-cel·ling** [pá:rsəliŋ] *n.* Ⓤ **1** 소포 꾸리기; 분배, 구분 **2** 〖항해〗 (밧줄에 감기 위해 타르칠한) 가느다란 범포

párcel póst 우편 소포; 소포 우편 업무 《略 PP, p.p.》: send (by) ~ 소포 우편으로 부치다
— *vt.* 〈물건을〉 소포 우편으로 보내다

párcel shèlf (차의) 뒷자석 뒤쪽의 선반

par·ce·nar·y [pá:rsənèri] *n.* Ⓤ 〖법〗 공동 상속, 상속 재산 공유(coparcenary)

par·ce·ner [pá:rsənər] *n.* 〖법〗 공동 상속자

*＊***parch** [pá:rtʃ] *vt.* **1** 〈햇볕 등이 땅을〉 바짝 마르게 하다 《*with*》; 〈사람을〉 목타게 하다(⇨ parched) **2** 볶다, 굽다(roast), 태우다(scorch)
— *vi.* 바짝 마르다, 타다 《*up*》

parched [pá:rtʃt] *a.* 〈땅 등이〉 바짝 마른; 목타는

párched ríce 납작하게 말린 쌀 《아시아 요리용》

par·chee·si [pɑ:rtʃí:zi] *n.* Ⓤ ＝PACHISI 《상표명》

parch·ing [pá:rtʃiŋ] *a.* 바짝 말리는, 태우는[볶는, 찌는] 듯한: ~ heat 타는 듯한 더위, 염서 **~·ly** *ad.*

*＊***parch·ment** [pá:rtʃmənt] [처음으로 이 종이를 만든 소아시아의 지명에서] *n.* **1** Ⓤ 양피지(羊皮紙); Ⓒ 양피지의 사본[문서] **2** Ⓤ 모조 양피지; Ⓒ 졸업 증서, (자격) 면허증; 증명서 **3** 《특히》 커피 열매의 껍질 **4** 담녹황색 ***virgin ~*** 고급 양피지 《새끼 양의 가죽으로 만든》 **~·lìke** *a.* **párch·ment·y** *a.*

párchment pàper (방수·방지(防脂)용) 황산지

par·close [pá:rklòuz] *n.* (교회의) 격벽, 칸막이

par·course [pá:rkɔ̀:rs] *n.* 《미》 파코스 《운동 시설을 배치한 산책로·조깅 코스》

pard[1] [pá:rd] *n.* 《문어》 표범(leopard)

pard[2] [*pard*ner] *n.* 《미·속어》 동료, 짝패

pard·ner [pá:rdnər] *n.* 《미·방언·영·구어》 동료, 짝패(partner)

‡**par·don** [pá:rdn] [OF 「용서하다」의 뜻에서] *n.* **1** ⓊⒸ 용서, 허용, 관대: ask for ~ 용서를 빌다 **2** 〖법〗 특사, 사면: (a) special[general] ~ 특사[대사(大赦)] **3** Ⓤ 〖가톨릭〗 교황의 대사(大赦); Ⓒ 면죄부(符) ***I beg your ~.*** (1) 죄송합니다. 《본의 아닌 실수·실례 등을 사과할 때; 끝을 내려 발음함》 (2) 실례지만. 《모르는 사람에게 말을 걸 때, 또는 상대편과 다른 의견을 말할 때; 끝을 내려 발음함》 (3) (죄송합니다만) 무엇이라고 말씀하셨지요? 《상대편의 말을 되물을 때 끝이 올라가는 어조로 (I) beg your ~? ⤴이라고 함》
— *vt.* **1** 용서하다, 눈감아주다; 〈질문 등을〉 인정하다 (⇨ forgive 유의어): ~ theft[a thief] 절도[도둑]를 눈감아주다 // 《~＋목＋전＋명》 《~＋**-ing**》 *P~* me *for* being late. ＝*P~* my be*ing* late. 늦어서 죄송합니다. // 《~＋목＋목》 Please ~ me my misbehavior at the party. 파티에서의 제 무례를 용서해 주십시오. **2** 〖법〗 사면[특사]하다: 《~＋목＋목》 ~ a person an offense …의 죄를 용서하다
P~ me. ＝ I beg your PARDON. (⇨ *n.*) ***There is nothing to ~.*** 천만의 말씀입니다.

> **pardon** *v.* **1** 용서하다 forgive, excuse, condone, let off (opp. *blame*) **2** 사면하다 reprieve, release, acquit, absolve, exonerate, exculpate

par·don·a·ble [pá:rdnəbl] *a.* 용서[사면]할 수 있는(excusable) **~·ness** *n.* **-bly** *ad.*

par·don·er [pá:rdnər] *n.* 용서하는 사람; 〖종교사〗 면죄부(免罪符)를 파는 사람

*＊***pare** [pέər] *vt.* **1** 〈과일 등의〉 껍질을 벗기다, 잘라내다; 〈가장자리 등을〉 깎아[잘라] 내다 《*off, away*》: ~ an apple 사과를 깎다 // 《~＋목＋부》 ~ *away* redundancies 여분을 깎아 내다

> 유의어 **pare** 칼로 과일·감자 등의 껍질을 벗기다: *pare* a potato 감자 껍질을 깎다 **peel**[1] 손으로 오렌지·바나나 등의 껍질을 벗기다: *peel* an orange 귤 껍질을 까다

2 〈손톱 등을〉 가지런히 깎다 **3** 조금씩 줄이다, 삭감하다 《*away, down*》: 《~＋목＋부》 ~ *down* expenditures 지출을 조금씩 줄이다
~ and burn 들불을 놓다 《재거름을 만들거나 화전(火田)을 일구기 위하여》 ***~ nails to the quick*** 손톱을 바싹 깎다

pared-down [pέərddáun] *a.* 삭감[긴축]한

par·e·go·ric [pæ̀rigɔ́:rik, -gár- | -gɔ́r-] *a.* 《고어》 진정[진통]의 — *n.* 〖약학〗 진통제; (어린이용) 지사제(止瀉劑)(＝∠ elíxir)

pa·rei·ra [pərέərə] *n.* Ⓤ 파레이라 《브라질산(産) 칡속(屬)의 덩굴 식물 뿌리에서 뽑아낸 이뇨제, 화살촉의 독》

paren. parenthesis

pa·ren·chy·ma [pəréŋkəmə] *n.* Ⓤ 〖해부〗 실질(조직); 〖생물〗 유(柔)[연(軟)]조직
-mal, par·en·chy·ma·tous [pæ̀rəŋkímətəs] *a.*

parens. parentheses

‡**par·ent** [pέərənt, pǽr- | pέər-] [L 「태어나게 하다」의 뜻에서] *n.* **1** 어버이 《아버지 또는 어머니》; [*pl.*] 양친; [*pl.*] 《드물게》 조상; (생물의) 모체(母體) **2** 《문어》 근원(origin), 기원; 원인 **3** 모회사
our first ~s 아담과 이브
— *a.* Ⓐ 어버이의[같은]; 모체의, 근원의, 원조(元祖)의
— *vt.* …의 부모가 되다, 낳다; 〈자식을〉 부모로서 양육하다; …의 부모 역할을 하다
— *vi.* 부모가 되다, 부모의 역할을 하다
▷ paréntal *a.*

par·ent·age [pέərəntidʒ, pǽr- | pέər-] *n.* Ⓤ **1** 태생, 가문, 혈통: come of good ~ 좋은 가문 출신이다 **2** 어버이임, 어버이로서의 지위

*＊***pa·ren·tal** [pəréntl] *a.* Ⓐ **1** 어버이의, 어버이다운, 어버이로서의: ~ authority 친권(親權) / ~ love 어버이의 사랑 **2** 〈언어 등이〉 (다른 언어 등의) 모체[근원]로 되어 있는 **~·ly** *ad.*

paréntal generátion 〖유전〗 어버이 세대 《P_1, P_2 등으로 나타냄》

paréntal hóme[schóol] 문제아 수용[교정] 학교[시설]

paréntal lèave 육아 휴가

párent còmpany 모(母)회사

párent dirèctory 〖컴퓨터〗 윗자료방 《어느 자료방이 속하는 상위의 자료방》

párent élement 〖물리〗 모(母)원소 《방사성 원소가 붕괴하기 전의 원소; cf. DAUGHTER ELEMENT》

par·en·ter·al [pæréntərəl] *a.* 〖의학〗 장관외(腸管外)의, 비경구(非經口)의[적인] 〈주사·투여·감염〉

*＊***pa·ren·the·sis** [pərénθəsis] [Gk 「안으로 끼워넣다」의 뜻에서] *n.* (*pl.* **-ses** [-sì:z]) **1** [보통 *pl.*] 괄호, 소괄호 《( )》

관련 parentheses, 《영》 (round) brackets(소괄호 ( )), angle brackets(가랑이표 ⟨ ⟩), 《미》 brackets, 《영》 square brackets(꺾쇠괄호, 대괄호 [ ]), braces(중괄호 { })
2 〖문법〗 삽입구 **3** 막간의 익살극; 삽화(揷話), 여담; 《비유》 사이, 짬 ***by way of*** ~ 말이 났으니 말이지 ***in*** ~[***parentheses***] 괄호에 넣어서; 덧붙여 말하자면
pa·ren·the·size [pərénθəsàiz] *vt.* (소)괄호 안에 넣다; 삽입구로 하다, 삽입구를 넣다; ⟨이야기 등에⟩ 섞다 《*with*》
par·en·thet·ic, -i·cal [pæ̀rənθétik(əl)] *a.* **1** 삽입구의, 삽입된, 삽입구적인, 설명적인 **2** 삽입[설명]적 어구가 많은 **-i·cal·ly** *ad.* 삽입구로서[적으로]
par·ent·hood [pέərənthùd] *n.* Ⓤ 어버이임; 어버이의 신분; 부모 자식의 관계
pa·ren·ti·cide [pəréntəsàid] *n.* 어버이[존속] 살해(자)
par·ent·ing [pέərəntiŋ, pǽr- | pέər-] *n.* Ⓤ **1** (양친에 의한) 육아, 양육 **2** 육아법: a course in ~ 육아 강좌 **3** 출산, 임신 **—** *a.* 육아의
par·ent-in-law [pέərəntinlɔ̀:] *n.* (*pl.* **par·ents-**) 의부, 의모; 시아버지, 시어머니; 장인, 장모
párent lànguage 〖언어〗 조어(祖語)
párent plàne (유도탄을 발사하는) 모(母)비행기
par·ent·ship [pέərəntʃìp] *n.* = PARENTHOOD
Pár·ent-Téach·er Associàtion [pέərənt-tí:tʃər-] 사친회 《略 PTA》
par·er [pέərər] *n.* 껍질을 벗기는 사람; 껍질 벗기는 [깎는] 기구[칼]
par·er·gon [pærə́:rgɑn | -gɔn] *n.* (*pl.* **-ga** [-gə]) **1** 부차[부수]적인 것 **2** 장식물 **3** 부업
pa·re·sis [pərí:sis, pǽrə-] *n.* (*pl.* **-ses** [-si:z]) 〖병리〗 **1** 부전(不全)[경도(輕度)] 마비 **2** 매독성 진행 마비 ▷ parétic *a., n.*
par·es·the·sia [pæ̀rəsθí:ʒə, -ʒiə | -ziə] *n.* Ⓤ 〖병리〗 지각(知覺) [감각] 이상(증), 이상 감각, 둔감각(증)
pa·ret·ic [pərétik, -rí:t-] 〖병리〗 *a.* 마비(성)의 **—** *n.* (부전) 마비 환자
par ex·cel·lence [pɑ:r-èksəlɑ́:ns, -éksəlæ̀ns] [F = by excellence] *a.* 우수한, 탁월한, 발군의; 전형적인: a chef ~ 아주 솜씨 좋은 요리장
par ex·em·ple [pɑ̀:r-egzɑ́:mpl] [F = for example] *ad.* 이를테면, 예컨대
par·fait [pɑ:rféi] [F = perfect] *n.* ⓊⒸ 파르페 《과일·시럽·아이스크림 등을 섞은 디저트》
par·fleche [pɑ́:rfleʃ, ─ ́] *n.* 《미·캐나다》 **1** (들소 등의) 생가죽(을 잿물에 담가서 털을 없애고 말린 모피) **2** 그 모피 제품
par·fo·cal [pɑ:rfóukəl] *a.* 〖광학〗 초점 거리[면]가 같은 (렌즈를 갖춘)
par·get [pɑ́:rdʒit] *n.* Ⓤ 회반죽; 석고(gypsum) **—** *vt.* (**~·ed**; **~·ing** | **~·ted**; **~·ting**) …에 회반죽 [석고]을 바르다
par·gy·line [pɑ́:rdʒəlì:n] *n.* 〖화학〗 파르길린 《항고혈압제·항울제로 쓰임》
par·he·lic [pɑ:rhí:lik], **par·he·li·a·cal** [pɑ̀:r-hiláiəkəl] *a.* 환일(幻日)의
parhélic círcle[ríng] 〖기상〗 환일환(幻日環) 《지평선에 수평하게 나타나는 하얀 둥근 테두리》
par·he·li·on [pɑ:rhí:liən, -ljən] *n.* (*pl.* **-li·a** [-liə, -ljə]) 환일(幻日)(mock sun) 《햇무리 밖에 나타나는 광륜(光輪)》
pari- [pǽrə] 《연결형》 「같은」(equal)의 뜻
pa·ri·ah [pəráiə, pǽriə] *n.* **1** [**P~**] (남부 인도의) 최하층민, 천민 **2** (사회에서) 버림받은 자, 부랑자
paríah dòg (인도의) 잡종 똥개[들개]
Par·i·an [pέəriən, pǽr- | pέər-] *a.* **1** Paros 섬의 **2** 거기서 나는 백색 대리석의[같은, 으로 만든] **—** *n.* Paros 사람; Ⓤ 백색 도자기의 일종(= ↗ **wàre**)
pa·ri·e·tal [pəráiətl] *a.* **1** 〖해부〗 벽의, 체벽(體壁)의; 정수리 (부분)의 **2** 〖식물〗 씨방벽(壁)의 **3** 《미·학생속어》 대학 구내 거주에 관한; 《특히》 이성(異性) 방문 시간에 관한: ~ rules 대학내 질서에 대한 규칙 / ~ regulations 이성 방문 시간에 관한 규칙 **—** *n.* [*pl.*] 《미·학생속어》 이성 방문자에 관한 기숙사의 규칙
paríetal bòne 〖해부〗 두정골(頭頂骨)
paríetal cèll 〖해부〗 벽세포 《위의 점막 세포; 염산을 분비》
paríetal lòbe 〖해부〗 두정엽(頭頂葉)
par·i·mu·tu·el [pæ̀rimjú:tʃuəl] [F = mutual bet] *n.* **1** ⓊⒸ 이긴 말에 건 사람들에게 수수료를 제하고 건 돈 전부를 나누어 주는 방법 **2** 건 돈[배당금, 환불금] 표시기(= ↗ **machíne**)
par·ing [pέəriŋ] *n.* **1** Ⓤ 껍질 벗기기; (손톱 등의) 깎기 **2** [보통 *pl.*] 벗긴[깎은] 껍질, 부스러기
páring ìron (편자공이 쓰는) 말굽 깎는 칼
páring knìfe (작은) 과도(果刀)
pa·ri pas·su [pέərai-pǽsu:, pέəri-] [L] *ad.* 같은 보조로, 발맞추어; 같은 비율로, 균등하게
‡Par·is[1] [pǽris] *n.* 파리 《프랑스의 수도》 ▷ Parísian *a.*
Paris[2] *n.* 〖그리스신화〗 파리스 《Troy 왕자이며, Sparta의 왕비 Helen을 빼앗음으로써 Troy 전쟁이 일어났음》
Páris blúe 파리 블루, 감청(紺靑)(색 안료)
Páris Clùb = GROUP OF TEN
Páris Cómmune [the ~] 파리 코뮌
Pár·is-Dá·kar Rálly [-dɑ́:kɑ:r-] [the ~] 파리-다카르 랠리 《파리에서 세네갈의 다카르에 이르는 장거리 자동차 경주》
Páris gréen 〖화학〗 패리스 그린 《안료·살충제용》; [때로 **p~**] 밝은 녹황색
par·ish** [pǽriʃ] [Gk 「교회 주위의 토지」의 뜻에서] *n.* **1** 교구(敎區) 《교구 교회(parish church)와 교구 목사(parish priest)를 둔 종교상의 구역》; 전체 교구민; 《미》 한 교회의 전체 신도; 지역 교회 **2** 《영》 구빈구(救貧區); 지방 행정구(=civil ~) 《원래 빈민 구호법 등을 위하여 설치되었으나 지금은 county를 다시 구분한 최소 행정 단위》; [집합적] 지방 행정 구민 **3** 《미》 (Louisiana 주의) 군(郡) 《다른 주의 county에 해당》 **4** 《영·구어》 (택시 운전사·경관 등의) 담당 구역; 전문 분야 ***go on the ~ 《영·고어》 교구의 구호를 받다; 《영·구어》 가난하게 살다 ▷ paróchial *a.*
Pa·ri·shad [pʌ́riʃəd] *n.* (인도의) 집회, 의회
párish chúrch 《영》 교구 교회
párish clérk 교구 교회의 서기
párish cóuncil 《영》 교구회 《지방 행정구(civil parish)의 자치 기관》
párish hòuse 교구 회관; 〖가톨릭〗 사제관
pa·rish·ion·er [pəríʃənər] *n.* 교구민
párish lántern 《영·방언》 달(moon)
párish mínister 교구 목사
párish príest 교구 목사[사제(司祭)]; 주임 사제(cf. CURÉ)
párish púmp 《영》 마을의 공동 우물 《쑥덕공론이 벌어지는 곳》; 편협, 옹졸
par·ish-pump [pǽriʃpʌ́mp] *a.* Ⓐ 《영》 ⟨정치가 등이⟩ 지역적 흥미[관점]에서의, 편협한, 옹졸한
párish régister 교구 기록부(church register) 《출생·세례·혼인·매장 등의》
***Pa·ri·sian** [pəríʒən, -rí:ʒ-, -ríziən | -ríziən] *a.* 파리(사람)의, 파리식의; 표준 프랑스 어의 **—** *n.* 파리 토박이, 파리 사람; Ⓤ 파리 방언, 표준 프랑스어 《파리 방언에 의거한》 ▷ Páris[1] *n.*
Pa·ri·si·enne [pərì:zién] [F] *n.* 파리 여자[아가씨]
par·i·son [pǽrəsən] *n.* (불어서 제품을 만들기 전의) 녹인 유리 덩이
Páris whíte 백악(白堊) 가루, 호분(胡粉) 《백색 분말의 안료》
par·i·syl·lab·ic, -i·cal [pæ̀rəsilǽbik(əl)] *a.* ⟨그리스 어·라틴 어의 명사가⟩ 같은 수의 음절을 가진
par·i·ty[1] [pǽrəti] *n.* Ⓤ **1** 동가(同價), 동질(同質), 동액(同額), 동량(同量), 동률; 동등, 동위(同位), 동격

2 현저한 유사(類似); 일치 3 두 적대국간의 군사적 균형; 〖금융〗 (외국 통화와의) 평가(平價); 〖경제〗 패리티 《농가의 생산물 가격과 생활비와의 비율》: ~ price 패리티 가격 《이 비율로 정한 농작물 가격》 4 〖물리〗 반전성(反轉性), 우기성(偶奇性); 〖수학〗 기우성(奇偶性) 5 〖컴퓨터〗 홀짝 맞춤, 패리티, 기우성; = PARITY BIT ***be on a ~ with*** …와 균등[동등]하다 ***~ of treatment*** 균등 대우 ***stand at ~*** 동위[동격]이다

parity[2] *n.* 〖의학〗 출산 경력, 출산아 수

párity bìt 〖컴퓨터〗 패리티 비트 《parity check를 위해 부가한 비트》

párity chèck 〖컴퓨터〗 패리티 검사, 홀수짝수 검사

párity èrror 〖컴퓨터〗 홀수짝수 오류, 패리티 에러

párity ìndex 〖경제〗 패리티 지수 《물가 상승과 연동하여 농수산물 가격을 산정하는 지수》

párity pròduct 패리티 제품 《같은 부류에 속해 기본적으로 유사한 세제·치약·소다수·건전지 등》

‡**park** [pɑ́ːrk] *n., v.*

> OE 「울막은 곳」의 뜻에서
> → 「공원」 **1**
> → 「…장」 → 「주차장」 **4** → 「주차하다」 동 **1**

—*n.* **1 공원**, 유원지; (벤치·화단 등이 있는) 광장; 자연 공원: a national ~ 국립 공원 / an amusement ~ 유원지 / a theme ~ 테마 유원지 ★ 고유 명사의 일부로 쓸 때는 보통 관사가 없음: Yellowstone *P*~ 옐로스톤 자연 공원 **2** (미) 운동장, 경기장; [종종 the ~] (영·구어) 축구장, 럭비장; …장: a baseball ~ 야구장 **3** (영) 〖법·역사〗 왕실 수렵장; (귀족·지방 유지의 저택을 에워싼) 정원 **4** (영) **주차장**((영) car ~, (미) parking lot); Ⓤ (자동 변속 레버의) 주차 기어 《略 P》 **5** 〖군사〗 군수 물자 저장소 **6** 굴 양식장(= oyster ~) **7** [the P~] (런던의) Hyde Park 《원래는 St. James's Park》

—*vt.* **1 주차시키다**; 〈포·차 등을〉 한 곳에 세워[정리하여] 두다, 대기시키다 **2** (구어) 〈물건을〉 (어떤 곳에) 잠시) 두다; 〈아이 등을〉 남에게 맡기다: (~+목+전+명) *P*~ your hat *on* the table. 모자를 탁자 위에 두어라. **3** 〈장비·식량을〉 군용지에 집결하다 **4** 공원으로 만들다 ~ one***self*** (어떤 곳에) 있다, 앉아 있다: *P~ yourself* here. 여기 잠깐 앉아 계세요.

—*vi.* 주차하다 **~·er** *n.* **~·like** *a.*

par·ka [pɑ́ːrkə] *n.* **1** 파카 《에스키모 사람의 후드 달린 모피 재킷》 **2** (미) 파카, 아노락 《방수·방풍 천으로 된 후드 달린 스포츠용 재킷》

parka 1

par·kade [pɑːrkéid] *n.* (캐나다) 주차 전용 빌딩

párk and ríde 주차 환승제 《도시 주변에 주차한 후 대중교통을 이용하는 제도》; 주차 환승 구역: Use the ~. 주차 환승제를 이용하시오.

park-and-ride [pɑ́ːrkənd-ráid] *a.* 주차 환승(제)의: ~ system 역[터미널] 주차 통근 방식

Párk Ávenue New York 시의 번화가이며 유행의 중심지

par·kin [pɑ́ːrkin] *n.* (영·방언) 오트밀·생강·당밀로 만든 과자빵[비스킷]

***park·ing** [pɑ́ːrkiŋ] *n.* **1** Ⓤ **주차**; 주차 장소; 주차장 관리(의 직업); 주차 용지: No ~ (here). (게시) 주차 금지. / illegal ~ 불법 주차 / There is plenty of ~ behind the store. 가게 뒤편으로 주차 공간이 충분히 있다. **2** (구어) 카 섹스: go ~ 카 섹스를 하다

—*a.* 주차의[에 관한]: a ~ space 주차 공간 / a ~ violation 주차 위반

párking bràke (차의) 주차 브레이크(emergency brake)

párking fìeld (미) 주차장 《경기장 주변 등의 넓은 공간》

párking garàge (미) (실내) 주차장, 주차장 건물

párking lìght (자동차의) 주차등

párking lòt (미) 주차장((영) car park)

párking mèter 주차 시간 자동 표시기

párking òrbit 〖우주과학〗 대기(待機)[중계] 궤도

párking ràmp 주기장(駐機場), 에이프런(apron) 《공항 건물이나 격납고에 인접한 포장된 구역》

párking tìcket[tàg] **1** 주차 위반 딱지[스티커] **2** 주차 이용표

par·kin·so·ni·an [pɑ̀ːrkinsóuniən] *a.* 〖병리〗 파킨슨병의

par·kin·son·ism [pɑ́ːrkinsənìzm] *n.* = PARKINSON'S DISEASE

Pár·kin·son's disèase [pɑ́ːrkinsənz-] [영국의 의사 이름에서] 〖병리〗 파킨슨병(paralysis agitans)

Párkinson's Láw [영국의 경제학자 C.N. Parkinson의 풍자적인 말에서] 파킨슨의 법칙 《공무원의 수는 업무량과 관계없이 늘어난다는 등》

párk kèeper (영) 공원 관리인(parky[2])

park·land [pɑ́ːrklæ̀nd] *n.* 공원 용지; (영) 대저택 주변의 정원; 수림(樹林) 초원

par·kour [pɑːrkúr] *n.* Ⓤ 파쿠르 《맨몸으로 빌딩을 오르고 건물과 건물 사이를 뛰어다니는 따위의 익스트림 스포츠》

park·ride [-ràid] *a.* = PARK-AND-RIDE

park·way [-wèi] *n.* (미) **1** 넓은 통로 **2** 공원 도로 《도로 양쪽 또는 중앙에 조경 공사를 한》 **3** (도로의) 중앙 분리대 **4** (넓은 주차장이 있는) 도시 근교의 철도역

park·y[1] [pɑ́ːrki] *a.* (**park·i·er**; **-i·est**) (영·속어) 싸늘한 〈공기·날씨·아침〉(chilly)

parky[2] *n.* (*pl.* **park·ies**) (영·속어) 공원 관리인 (park keeper)

parl. parliament(ary)

par·lance [pɑ́ːrləns] *n.* Ⓤ **1** 말투, 어조; (특유한) 어법: in legal ~ 법률 용어로 **2** 담화; 회담

par·lan·do [pɑːrlɑ́ːndou] [It.] *a., ad.* 〖음악〗 파를란도, 이야기하는 듯한[듯이]

par·lay [pɑ́ːrlei, -li | pɑ́ːli] (미) *vt., vi.* **1** 〈원금과 그 상금을〉 다시 다른 말에 걸다 **2** 증대하다, 확대하다; 전환하다 **3** 〈자금·재능을〉 이용[활용]하다

—*n.* 원금과 그 상금을 다시 다른 말에 걸기

par·ley** [pɑ́ːrli] [OF 「이야기하다」의 뜻에서] *n.* 협상, 교섭, 상담(商談), (예비) 회담; (특히 전장에서 적과의) 담판, 회담 ***beat[***sound***] ***a ~*** (북[나팔]을 울리어) 적군에게 (평화) 협상 제의의 신호를 하다

—*vi.* 담판하다, 협상하다, 교섭하다 《*with*》

—*vt.* (구어) 〈특히 외국어를〉 말하다

par·ley·voo [pɑ̀ːrlivúː] (영·구어·익살) *n.* (*pl.* **~s**) Ⓤ 프랑스 어; [보통 **P~**] 프랑스 사람

—*vi.* 프랑스 어를 하다

‡**par·lia·ment** [pɑ́ːrləmənt, -ljə-] *n.*

> OF 「서로 이야기하다」의 뜻에서
> 「서로 이야기하는 장소」 → 「의회」 **1**

1 의회, 국회; 하원 《나라에 따라서는 다른 명칭을 씀》: convene[dissolve] a ~ 의회를 소집[해산]하다 **2** [**P~**] (영국) 의회(cf. CONGRESS, DIET[2]), 하원; 국회 회기: *P*~ sits[rises]. 의회가 개회[폐회]된다. **3** (프랑스 혁명 전의) 고등 법원 ***a Member of P~*** 하원 의원 《略 MP》 ***be***[***sit***] ***in P~*** 하원 의원이다 ***enter***[***go into***] ***P~*** 하원 의원이 되다 ***open P~*** 의회의 개회식을 하다 ***the Long P~*** 〖영국사〗 장기 의회 (1640-60) ***the Short P~*** 〖영국사〗 단기 의회 《1640년 4월 13일-5월 5일》 ▷ parliaméntary *a.*

Párliament Áct [the ~] (영) 의회법 《1911년 상원의 권한을 제한한 것》

par·lia·men·tar·i·an [pɑ̀ːrləmentɛ́əriən, -mən-, -ljə-] *a.* 의회(파)의 —*n.* **1** 국회법 학자, 의회 법규

[정치]에 정통한 사람 **2** 《영》 하원 의원 **3** [**P~**] 〖영국사〗 = ROUNDHEAD **~·ism** *n.* = PARLIAMENTARISM

par·lia·men·ta·rism [pɑ̀:rləméntərìzm, -ljə-] *n.* Ⓤ 의회 정치[주의], 의회 제도

*__par·lia·men·ta·ry__ [pɑ̀:rləméntəri, -ljə-] *a.* **1** 의회의; 의회에서 제정한; 국회법에 의한: a ~ correspondent (신문·잡지의) 의회 (담당) 기자/~ proceedings 의사(議事)/~ debates 의회 토론 **2** 〈언행이〉 의회에 적합한; 품위 있는, 정중한(polite): ~ language 점잖은[격식을 차린] 언어 ***the P~ Commissioner for Administration*** 《영》 국회 행정 감찰관 《정부 ombudsman의 정식 명칭》 **-ri·ly** *ad.*
▷ párliament *n.*

parliaméntary ágent 《영》 (정당의) 의회 대리인 《법안을 기초하여 통과를 꾀하는》; 정당 고문 변호사

parliaméntary bórough 《영》 국회 의원 선거구

parliaméntary demócracy 의회 민주주의

parliaméntary góvernment 의회 정치, 내각 책임제 정부

parliaméntary láw 의회 법규, 국회법

Parliaméntary Prívate Sécretary 《영》 의원 개인 비서 《略 P.P.S.》

parliaméntary prívilege 국회 의원의 특권 《발언의》

parliaméntary procédure 의회 운영 절차

parliaméntary sécretary 《영》 정무 차관

parliaméntary undersécretary 《영》 정무 차관 《국무 장관을 보좌하는 하원 의원》

par·lia·ment·ing [pɑ́:rləməntiŋ] *n.* Ⓤ 의원 활동을 하기, 토론하기

‡**par·lor | par·lour** [pɑ́:rlər] [OF 「말하다」의 뜻에서] *n.* **1** (개인 주택의) 응접실, 객실; 거실(living room) **2** 《미》 …점(店), 영업실, 촬영실, 진찰실, 시술실: a funeral ~ 장례식장/an ice-cream ~ 아이스크림 가게/a beauty ~ 미장원/a tonsorial ~ 《익살》 이발소/a shoeshine ~ 구두 닦는 곳 **3** (호텔 등의) 특별 휴게[담화, 응접]실 **4** 《미·속어》 (열차의) 승무원 칸(caboose)
— *a.* Ⓐ **1** 객실(용)의: ~ tricks 《익살》 사교장에서 보이는 숨은 재주[장기] **2** 말뿐인: a ~ pink[socialist] 말뿐인 진보파[사회주의자]

párlor bòarder 《영》 (교장 집에 기숙하는) 특별 기숙생

párlor càr 《미》 특등 객차(《영》 saloon (car))

párlor gàme 실내 게임 《퀴즈 따위》

párlor hòuse 《미·속어》 (응접실이 있는) 고급 매춘집[유곽]

par·lor·maid [pɑ́:rlərmèid] *n.* 《영》 (식사 시중·손님 접대하는) 하녀

par·lous [pɑ́:rləs] 《고어》 *a.* Ⓐ 〈국제 관계 등이〉 일촉즉발의, 위험한, 위태로운; 다루기 힘든
— *ad.* 지극히, 몹시 **~·ly** *ad.*

Pár·ma víolet [pɑ́:rmə-] 〖식물〗 파르마 바이올렛 《향기제비꽃의 변종; 향수의 원료》

Par·me·san [pɑ́:rməzɑ̀:n, -zæ̀n, -zn | pɑ̀:mizǽn] [이탈리아의 원산지 Parma에서] *a.* 파르마산(産)의 — *n.* [종종 **p~**] 파르마센 치즈(= ≂ **chéese**)

par·mi·gia·na [pɑ̀:rmədʒɑ́:nə] [It.] *a.* (이탈리아 요리에서) 파르마센 치즈를 쓴

Par·nas·si·an [pɑ:rnǽsiən] *a.* **1** Parnassus 산(山)의 **2** 시(詩)의, 시적인 **3** 고답(高踏)적인, 고답파의 ***the ~ (school)*** 고답파 《1866-90년경 프랑스 시인 Baudelaire의 일파; 기교를 존중하였음》
— *n.* 고답파의 시인

Par·nas·sus [pɑ:rnǽsəs] *n.* **1** 파르나소스 《그리스 중부에 있는 산; Apollo신과 Muses신의 영지(靈地)》 **2** Ⓤ 문단(文壇), 시단; 시집, 문집 **3** 문예[예술]의 중심지 (***try to***) ***climb*** ~ 시·문예 수업을 하다

Par·nell·ism [pɑ:rnélizm] [아일랜드의 독립 운동가 C. S. Parnell에서] *n.* 아일랜드 자치 정책

pa·ro·chi·al [pəróukiəl] *a.* **1** 교구(敎區)(parish)의; 《미》 (가톨릭계가 경영하는) 교구 설립의 〈학교 등〉: a ~ church 교구 교회 **2** 지방적인, 편협한(provincial): a ~ mentality 편협한 정신 **~·ly** *ad.*

pa·ro·chi·al·ism [pəróukiəlìzm] *n.* Ⓤ 교구제(制); 지방 근성[파벌주의]; 편협

pa·ro·chi·al·ize [pəróukiəlàiz] *vt.* …에 교구제를 실시하다; 지방적으로 하다; 편협하게 하다
— *vi.* 교구에서 일하다

paróchial schòol 《미》 교구 부속 학교 《특히 가톨릭계의》

pa·rod·ic [pərɑ́dik | -rɔ́d-] *a.* 풍자적 시문의; 사람[물건]의 흉내를 내는

par·o·dist [pǽrədist] *n.* parody 작가

*__par·o·dy__ [pǽrədi] [Gk 「희작시(戲作詩)」의 뜻에서] *n.* (*pl.* **-dies**) **1** ⓊⒸ 패러디, 풍자[조롱]적인 개작[모방] 시문(詩文) **2** 서투른 모방; 흉내
— *vt.* (**-died**) 비꼬아 개작하다; 서투르게 흉내내다

pár of exchánge [the ~] (환어음의) 법정 평가(平價)

par·ol [pəróul, pǽrəl] *n.* 〖법〗 진술, 말 ★ 지금은 다음 성구로 ***by*** ~ 구두로
— *a.* 구두[구술]의: ~ evidence 구두 증언

*__pa·role__ [pəróul] [F 「말」의 뜻에서] *n.* **1** 가석방, 가출옥, 가출옥 허가, 집행 유예; 가석방 기간: put a person on ~ …을 가석방하다 **2** 서약, 맹세; 〖군사〗 포로 석방 선서(= ≂ **of hónor**) **3** 〖미군〗 군호, 암호(password) **4** Ⓤ 〖언어〗 (개인의) 운용 언어; 언어 행위(cf. LANGUE) **5** Ⓤ (미국 이민법에서) 임시 입국 허가 ***on*** ~ 선서[가(假)] 석방되어; 가출옥을 허가 받아[받은]; 《구어》 감찰을 받아
— *a.* 가석방의, 가출옥의; 가석방자의, 가출옥자의: ~ violation 가석방 위반
— *vt.* **1** 〈포로를〉 선서 석방하다; 〈죄수를〉 가석방시키다, 가출옥시키다 **2** 〈외국인을〉 (규정 조건에 따라) 입국 허가하다

pa·rol·ee [pəroulí:, –⌐–] *n.* 가석방된 사람

par·o·mo·my·cin [pæ̀rəmoumáisin] *n.* 〖약학〗 파로모마이신 《항아메바제(劑)로 쓰임》

par·o·no·ma·sia [pæ̀rənouméiʒə, -ʒiə, -ziə | -ziə] *n.* Ⓤ 〖수사학〗 (동음이의어를 쓰는) 익살, 말장난(pun)

par·o·nych·i·a [pæ̀rəníkiə] *n.* 〖의학〗 손톱[발톱] 주위염(周圍炎)

par·o·nym [pǽrənìm] *n.* 〖문법〗 동원(同源)[동근(同根)]어; 뜻·철자가 다른 동음어 《hair와 hare 등》

par·on·y·mous [pərɑ́nəməs | -rɔ́n-] *a.* 같은 어원의, 어근이 같은

par·o·quet [pǽrəkèt] *n.* = PARRAKEET

Par·os [pέərɑs | -ɔs] *n.* (그리스의) 파로스 섬

pa·ro·tic [pəróutik, -rɑ́t- | -rɔ́t-] *a.* 귀 언저리의, 귓가의

pa·rot·id [pərɑ́tid | -rɔ́t-] 〖해부〗 *n.* 귀밑샘, 이하선(耳下腺)(= ≂ **glànd**) — *a.* 이하(선)의

par·o·ti·tis [pæ̀rətáitis] *n.* Ⓤ 〖병리〗 (유행성) 이하선염, 귀밑샘염, 항아리손님(mumps)

-parous [pərəs] 《연결형》 「낳는; 분비하는」의 뜻

par·ox·ysm [pǽrəksìzm] *n.* Ⓤ **1** (감정의) 격발(激發) 《*of*》; 발작적 활동: ~*s of* rage 격노 **2** (주기적) 발작 **pàr·ox·ýs·mal** *a.*

par·ox·y·tone [pərɑ́ksitòun | pərɔ́k-] *a.*, *n.* 〖그리스·문법〗 끝에서 둘째 음절에 강세가 있는 (말)

par·quet [pɑ:rkéi | ⌐–] [F 「울 막은 작은 땅(park)」의 뜻에서] *n.* **1** 쪽모이 세공(으로 깐 마루); 《미》 아래층 앞자리 《극장 등의》(cf. PARQUET CIRCLE) **2** (유럽 여러 나라의) 검찰청
— *vt.* …에 쪽모이 세공 마루를 깔다

thesaurus **parliamentary** *a.* legislative, law-making, governmental, congressional
part *n.* **1** 부분 portion, division, section, segment, piece, fragment, scrap, slice, fraction **2** 부품

párquet círcle 《미》 (극장의) 아래층 뒤쪽 반원형 좌석 《2층 관람석 밑》(parterre)

par·que·try [pɑ́:rkətri] *n.* Ⓤ 쪽모이 (세공), (마루를) 쪽모이 세공으로 깔기

parquetry

parr [pɑ́:r] *n.* (*pl.* **~, ~s**) 〖어류〗 연어의 치어; 대구의 치어

par·ra·keet [pǽrəkì:t] *n.* 〖조류〗 (작은) 잉꼬

par·ra·mat·ta [pæ̀rəmǽtə] *n.* = PARAMATTA

par·ri·cide [pǽrəsàid] *n.* **1** Ⓤ 부친[모친] 살해, 근친자[존속] 살인; 군주 시해 **2** Ⓒ 존속 살인자 **3** ⓊⒸ (국가에 대한) 반역(자)

pàr·ri·cíd·al *a.*

par·rot** [pǽrət] *n.* **1** 〖조류〗 앵무새 **2** 뜻도 모르고 남의 말을 따라하는 사람 (**as**) ***sick as a ~ 《영·구어》 크게 실망하여 ***like a ~*** 앵무새처럼; 뜻도 모르고 ***play the ~*** 남의 말을 따라하다

— *vi., vt.* 기계적으로 뇌까리다, 앵무새처럼 말을 되풀이하다, 입내 내다; 따라 말하게 하다

pár·ro·ty *a.* 앵무새 같은

par·rot·cage [pǽrətkèidʒ] *n.* 앵무새 새장 ***have a mouth like the bottom of a ~*** 《영·속어》 과음하여 입 안이 깔깔하다[텁텁하다]

par·rot-cry [-krài] *n.* (널리 쓰여지지만) 의미가 불명료한 말[슬로건]

par·rot-fash·ion [-fæ̀ʃən] *ad.* 《영·구어》 뜻도 모르고 따라서

párrot fèver = PSITTACOSIS

párrot físh 〖어류〗 비늘돔 《앵무새 부리 모양의 이를 가지며 몸빛이 아름다움; 주로 열대 지방산(産)》

par·rot·ry [pǽrətri] *n.* Ⓤ 멋도 모르고 말을 따라하기, 비굴한 모방

párrot's pérch 앵무새 횃대 《고문 (도구)》

par·ry [pǽri] *vt.* (**-ried**) 〈공격·질문을〉 받아넘기다, 슬쩍 피하다, 비키다; 회피하다, 핑계대다, 얼버무리다

— *n.* (*pl.* **-ries**) 받아넘김; (펜싱 등에서) 몸을 비킴[피함]; 핑계, 둘러댐

parse [pɑ́:rs, pɑ́:rz | pɑ́:z] *vt., vi.* 〖문법〗 〈낱말의〉 품사·문법적 관계를 설명하다; 〈문장을〉 해부[분석]하다

par·sec [pɑ́:rsèk] *n.* 〖천문〗 파섹 《천체의 거리를 나타내는 단위; 3.259 광년(光年)》

Par·si, -see [pɑ́:rsi:, ─ˊ] *n.* **1** 파시 교도 《회교도의 박해로 8세기에 인도로 피신한 조로아스터 교도의 자손》 **2** Ⓤ 파시 말 《파시 경전에 쓰인 페르시아 말》

~·ìsm *n.* Ⓤ 파시교

par·si·mo·ni·ous [pɑ̀:rsəmóuniəs] *a.* 극도로 아끼는, 아주 인색한 **~·ly** *ad.* **~·ness** *n.*

par·si·mo·ny [pɑ́:rsəmòuni | -mə-] *n.* Ⓤ 극도의 절약; 인색(stinginess)

pars·ing [pɑ́:rsiŋ | pɑ́:ziŋ] *n.* Ⓤ 〖문법〗 어구의 해부, 문의 분석

***pars·ley** [pɑ́:rsli] *n.* Ⓤ 〖식물〗 **파슬리**; 파슬리의 잎 《요리에 곁들임》

— *a.* 파슬리의; 파슬리를 곁들인

pars·nip [pɑ́:rsnip] *n.* 〖식물〗 서양방풍나물, 파스닙 《미나릿과(科)의 식물; 뿌리는 식용》: 그 뿌리: Fine[Kind, Soft] words butter no *~s.* 《속담》 말만 그럴듯해 봐야 아무 소용이 없다.

***par·son** [pɑ́:rsn] [person과 같은 어원] *n.* **1** (영국 국교회의) **교구 목사 2** 《구어》 (개신교의) 목사, 성직자(clergyman) **3** 검은 동물 ▷ parsónic *a.*

par·son·age [pɑ́:rsənidʒ] *n.* 목사[사제]관(館); 《고어》 성직록(聖職祿)(cf. BENEFICE)

component, bit, constituent, element, module **3** 지방 region, area, sector, quarter, territory, neighborhood **4** 역할 function, role, job, task, work, chore, responsibility, duty, charge

par·son·ess [pɑ́:rsənis] *n.* 《구어》 성직자의 아내

par·son·ic [pɑ:rsɑ́nik | -sɔ́n-] *a.* 교구 목사의

párson's nóse 《영·구어·익살》 (닭·칠면조 따위의) 볼기[꽁무니]살

Pár·sons tàble [pɑ́:rsnz-] [뉴욕의 *Parsons* School of Design(전문 대학)에서] [종종 **p- t-**] 다리가 네 귀퉁이에 달린 사각 탁자

‡**part** [pɑ́:rt] *n., a., ad., v.*

(전체에 대하여) 「부분」 **1, 4 a**
→(책의) 「부, 편」 **3**
→「부품」 **4 b**
→「지방」 **6**
→(사람에게 할당된 부분) 「역」 **9**

— *n.* **1** 부분(opp. *whole*); 일부, 약간: Only (a) ~ of the story is true. 그 이야기의 일부만이 사실이다. ★ 종종 부정관사 생략.

유의어 **part** 전체의 일부분을 이루는 부분: the rear *part* of the house 집의 뒷부분 **portion** 몫, 배당으로서 전체에서 구분된 부분: a *portion* of food 1인분의 음식 **piece** 절단·분리된 부분: a *piece* of pie 파이 한 조각

2 중요 부분, 요소, 성분 **3** (책·희곡·시 등의) 부(部), 편, 권: a novel in three *~s* 3부작 소설 **4 a** (어느 특별한) 부분; 신체의 일부분, 기관; [*pl.*] 음부(陰部): the inner *~s* 내장 **b** [*pl.*] (기계·컴퓨터 등의) **부품**: automobile *~s* 자동차 부품 / spare ~ 예비 부품 **5 a** [서수에 붙여서; 지금은 생략함] …분의 일: a third (~) 1/3 / two third *~s* 2/3 **b** [기수에 붙여서] 전체를 하나가 더 많은 수로 나눈 값: two[three, four, etc.] *~s* = 2/3[3/4, 4/5 …] **c** (혼합 등의) 비율: 3 *~s* of sugar to 7 (*~s*) of flour 설탕 3에 밀가루 7의 비율 **d** 약수(約數), 인수 **6** [*pl.*] **지방**, 지구, 지역(quarter): foreign *~s* 국외 **7** [보통 *pl.*] 《문어》 자질, 재능: a man of (good[excellent]) *~s* 유능한 사람 **8** 관계, 관여; 관심, 몫; (그 사람의) 할 일, 구실, 임무, **역할**(role), 본분: It's not my ~ to interfere. 내가 간섭할 일이 아니다. **9** (배우의) 역; 대사(臺詞), 대본(臺本) **10** (논쟁 따위의) 편, 쪽, 자기편(side) **11** 《미》 가르마(《영》 parting) **12** 〖음악〗 음부(音部), 성부(聲部); 악곡의 일부 《악장 등의》(cf. PART MUSIC; PART-SINGING)

(**a**) ***great ~ of*** …의 대부분[태반] ***do*** one***'s ~*** 자기의 본분을 다하다 ***dress the ~*** 직책[역할]에 어울리는 복장을 하다 ***for*** one***'s*** (***own***) ***~*** …로서는, …에 관한 한 ***for the most ~*** 대부분은, 대체로(는) ***have neither ~ nor lot in*** …에 조금도 관계가 없다 ***have some*** [***no***] ***~ in*** …에 관계가 있다[없다] ***in good ~*** (1) 선의로(⇨ take … in good PART) (2) 대부분은, 주로 ***in large ~*** = in good PART (2) ***in ~*** 일부분, 얼마간 ***in ~s*** 나누어서 ***look the ~*** (1) 직책[역할]에 어울려 보이다 (2) 성공하다, 잘 나가다 ***on the ~ of*** a person = ***on*** a person***'s ~*** (1) …으로서는, …쪽에서는, …쪽의: There is no objection *on my ~.* 나로서는 이의가 없다. (2) …에 의한, …에 책임이 있는 ***~ and parcel*** 중요 부분, 요점 《*of*》 ***~ by ~*** 《미·구어》 각 부분을 차례차례로 ***play a ~*** 역할을 하다 《*in*》; 행동을 꾸미다, 가장하다, 시치미 떼다 ***play*** one***'s ~*** 본분[임무]을 다하다 ***play the ~ of*** (연극에서) …의 역(할)을 하다 ***take*** (a word, an action) ***in good*** [***ill, evil, bad***] ***~*** (말·행동)을 선의[악의]로 해석하다, 노하지 않다[노하다] ***take ~ in*** (something, doing) …에 참가하다, …에 공헌하다 ***take ~ with*** = ***take the ~ of*** …에 편들다 ***the better*** [***best***] ***~ of*** …의 대부분

— *a.* Ⓐ 부분적인, 일부의: ~ payment 분할불

— *ad.* 일부분은, 얼마간, 다소는(partly): ~ black 일부분은 검은

— *vt.* **1** 나누다, 가르다; 자르다, 절단하다; 떼어 내다[놓다](⇨ separate 유의어); 분배하다(apportion); 이간하다: ~ one's lips 입술을 조금 벌리다 // (~+목+전+명) The Straits of Dover ~*s* England *from* the Continent. 도버 해협이 영국을 유럽 대륙으로부터 떼어놓고 있다. **2** 〈머리털을〉 가르다, 가르마를 타다 **3** (폐어) …에서 떠나다, 이별하다
— *vi.* **1** 갈라지다, 나뉘다, 떨어져 나가다, 쪼개지다: The river ~*s* here. 강은 여기서 분기된다. **2** 헤어지다, 손떼다, 관계가 끊기다 《*from*》: We ~*ed* at the airport. 우리는 공항에서 헤어졌다. // (~+전+명) I can't stand ~*ing from* him. 그와 헤어지는 건 견딜 수 없다. **3** (고어) 출발하다 **4** 죽다(die) **5** (속어) 돈을 치르다 **~ company** 절교하다 《*from*》, 의견을 달리하다 《*with*》; …와 헤어지다 《*with*》 **~ with** …와 헤어지다; …을 파면[해고]하다; …을 내놓다
▷ pártial *a.*; pártly *ad.*

part. participial; participle; particular

***par·take** [pɑ:rtéik] *v.* (**-took** [-túk]; **-tak·en** [-téikən]) *vi.* (문어) **1** 참여[참가]하다 《*in*》; 한 몫 끼다; 〈식사·음식을〉 함께하다, 같이하다(share), 같이 먹다[마시다] 《*of*》: (~+전+명) ~ *in* the festivities 경축 행사에 참여하다 / ~ *of* wine 포도주를 함께 마시다 / ~ *in* each other's joys = ~ *in* joys *with* each other 기쁨을 함께 나누다 / He has no right to ~ *of* the money. 그는 분담금을 받을 권리가 없다. **2** 얼마큼 (…의) 성질을 띠다, 기미가 있다 《*of*》: (~+전+명) His acts ~ *of* madness. 그의 행위는 광기를 띠고 있다.
— *vt.* (고어) 〈운명·기쁨·식사 등을〉 함께하다(share in), 같이 나누다

par·tak·er [pɑ:rtéikər] *n.* 분담자, 관여자; 관계자, (고락 등을) 함께하는 사람 《*of, in*》

par·tan [pɑ́:rtn] *n.* (스코) 게(crab)

part·ed [pɑ́:rtid] *a.* **1** 나뉜, 갈라진; 흐트러진; 부분으로 나뉜: ~ lips 벌어진 입술 **2** 〖식물〗 〈잎이〉 깊게 찢어진 **3** (고어) 고인의

par·terre [pɑ:rtέər] [F] *n.* 화단과 길을 장식적으로 배치한 정원; = PARQUET CIRCLE

part-ex·change [pɑ́:rtikstʃèindʒ] (영) *n., vt.* 헌 물건을 새 물건값의 일부로 침[치다]

partheno- [pɑ́:rθənou-, -nə] 《연결형》 「수정(受精)하지 않은」의 뜻

par·the·no·car·py [pɑ́:rθənoukɑ̀:rpi] *n.* Ⓤ 〖식물〗 단위(單爲) 결실 《수정하지 않는 결실》

par·the·no·gen·e·sis [pɑ̀:rθənoudʒénəsis] *n.* Ⓤ 〖생물〗 단성(單性)[단위(單爲)] 생식, 처녀 생식

par·the·no·ge·net·ic [pɑ̀:rθənoudʒənétik] *a.* 단위[처녀] 생식의[에 관한] **-i·cal·ly** *ad.*

par·the·no·gen·one [pɑ̀:rθənoudʒénoun] *n.* 처녀 생식이 가능한 생물

Par·the·non [pɑ́:rθənɑ̀n, -nən | -nən] *n.* [the ~] 파르테논 《그리스의 Athens의 Acropolis 언덕에 있는, 여신 Athena의 신전》

Par·thi·a [pɑ́:rθiə] *n.* 파르티아 《북부 이란 지방에 있었던 옛 나라》

Par·thi·an [pɑ́:rθiən] *a.* **1** 파르티아(사람)의 **2** 헤어질 때의, 최후의: a ~ glance 이별의[마지막] 일별
— *n.* 파르티아 사람; Ⓤ 그들이 쓰던 페르시아 말

Párthian shót[sháft] [Parthia의 기병은 후퇴 때 뒤돌아보고 활을 쏘았다는 고사에서] (퇴각할 때 쏘는) 마지막 화살; 자리를 뜨면서 내뱉는 악담[협박]

par·ti [pɑ:rtí:, pɑ́:rti: | pɑ:-] [F] *n.* 〖건축〗 건축 디자인의 기본 설계[구상]

‡**par·tial** [pɑ́:rʃəl] *a.*

L 「부분(part)의」의 뜻에서
┌→일부분의 **1**
└→(한쪽(part)에 치우치는) → 「불공평한」 **2**

1 일부분의(opp. *total*), 부분적인; 불완전한: a ~ knowledge 어설픈 지식 / a ~ payment of a debt 부채의 부분 상환 **2** 불공평한, 편파적인(opp. *impartial*): a ~ judge 불공평한 재판관 / a ~ witness 편파적인 증인 **3** Ⓟ 유달리 좋아하는 《*to*》: be ~ *to* sports 스포츠를 유달리 좋아하다 **4** 〖식물〗 종속적인, 부차적인 **~·ness** *n.*
▷ párt, partiálity *n.*; pártially *ad.*

pártial dénture 부분 틀니

pártial derívative 〖수학〗 편도함수(偏導函數)

pártial differéntial 〖수학〗 편미분(偏微分)(법)

pártial eclípse 〖천문〗 부분식(蝕)(cf. TOTAL ECLIPSE): a ~ of the sun 부분 일식

pártial fráction 〖수학〗 부분 분수

par·ti·al·i·ty [pɑ:rʃiǽləti, pɑ:rʃǽl- | pɑ̀:ʃiǽl-] *n.* (*pl.* **-ties**) **1** Ⓤ 부분적임, 국부성 **2** Ⓤ 편파, 편견, 불공평, 편애(偏愛) **3** [a ~] (구어) 유달리 좋아함 《*for, to*》: I have *a* ~ *for* sweets. 나는 단것을 특별히 좋아한다

***par·tial·ly** [pɑ́:rʃəli] *ad.* **1** 부분적으로, 일부분은, 불완전[불충분]하게(⇨ partly 유의어): a ~ closed gate 반쯤 닫힌 대문 / a ~ completed building 미완성의 건물 **2** 불공평하게, 편파적으로: judge ~ 불공평하게 재판하다

pártially síghted 시력 장애가 있는, 약시(弱視)의

pártial préssure 〖물리·화학〗 분압

pártial próduct 〖수학〗 부분적(積)

Pártial Tést Bàn Tréaty 부분적 핵실험 금지 조약 《1963년 8월 체결》

pártial tòne 〖음악〗 부분음

pártial vérdict 일부 무죄 평결 《소추된 내용의 일부만 유죄로 하는 평결》

par·ti·ble [pɑ́:rtəbl] *a.* 〈특히 유산이〉 가를 수 있는, 나누어지는

par·ti·ceps cri·mi·nis [pɑ́:rtəsèps-krímənis] [L] 〖법〗 공범자(accomplice in crime)

par·tic·i·pance, -pan·cy [pɑ:rtísəpəns(i)] *n.* = PARTICIPATION

***par·tic·i·pant** [pɑ:rtísəpənt] *a.* 참여하는, 더불어 하는, 함께하는, 관계하는 《*of*》
— *n.* 참가자, 참여자, 관계자, 협동자: a ~ in the event 그 사건의 관계자

partícipant observátion 〖사회〗 참여 관찰(법)

‡**par·tic·i·pate** [pɑ:rtísəpèit] [L 「일부분을 가지다」의 뜻에서] *vi.* **1** 참여하다, 관여하다, 함께하다 《*in, with*》: (~+전+명) ~ *in* a debate 토론에 참가하다 / ~ *in* a play 공연(共演)하다 / ~ *in* profits 이익에 한몫 끼다 / They ~*d with* the family *in* their sufferings. 그들은 그 가족과 괴로움을 함께했다. **2** 얼마간 (…의) 성질을 띠다 《*of*》
— *vt.* (고어) 〈기쁨·괴로움 등을〉 함께하다, 〈일에〉 참가[관여]하다 **-pà·tor** *n.* ▷ participátion *n.*

par·tíc·i·pat·ing insùrance [pɑ:rtísəpèitiŋ-] 〖보험〗 이익 배당부 보험

partícipating preférred 〖증권〗 이익 배당 우선주

***par·tic·i·pa·tion** [pɑ:rtìsəpéiʃən] *n.* **1** Ⓤ 관여, 참가, 참여: a ~ show 〖라디오·TV〗 시청자 참가 프로 **2** (이익 등의) 분배 **3** 〖철학〗 공유
— *a.* 관여하는, 협조의; 복수의 개인·은행·기업이 협조 체제로 사업에 관여하는: a ~ loan 관여 융자
▷ partícipate *v.*

par·tic·i·pa·tion·al [pɑ:rtìsəpéiʃənl] *a.* 관객[청중] 참가의 〈쇼·전시회〉

par·tíc·i·pa·to·ry demócracy [pɑ:rtísəpətɔ̀:ri-] 참여 민주주의

partícipatory théater 관객 참가 연극

thesaurus **partial** *a.* **1** 일부분의 part, limited, incomplete, imperfect, fragmentary **2** 불공평한 biased, prejudiced, colored, one-side, discriminatory, preferential, unjust, unfair, inequitable
participant *n.* participator, member, contribu-

‡par·ti·cip·i·al [pɑ̀ːrtəsípiəl] 〖문법〗 *a.* **분사의**, 분사에 관한, 분사를 사용한, 분사형의
—*n.* 분사(participle) **~·ly** *ad.*
▷ párticiple *n.*

particípial ádjective 〖문법〗 분사 형용사 《an *amusing* story / a *learned* doctor 등》

particípial constrúction 〖문법〗 분사 구문

‡par·ti·ci·ple [pɑ́ːrtəsìpl, -sə- | -si-] *n.* 〖문법〗 분사: a present ~ 현재 분사(⇨ 문법 해설 (20))

‡par·ti·cle [pɑ́ːrtikl] [L 「부분(part)+지소사(指小辭)」] *n.* **1 극소량**(極小量), 아주 작은 조각 《*of*》, 미진, 티끌: He has not a ~ *of* sense. 조금도 지각이 없다. **2** 〖물리〗 **입자**(粒子), 미립자, 분자; 질점(質點) **3** 《고어》 (문서 등의) 항목, 조항 **4** 〖문법〗 불변화사 《어미·어형 변화가 없는 품사》; 불변화사 중의 한 단어; 소사(小辭) 《관사·전치사·접속사 따위》 **5** 〖가톨릭〗 제병(祭餠)의 작은 조각
an elementary ~ 〖물리〗 소립자

párticle accèlerator 〖물리〗 입자[분자] 가속기

párticle bèam 〖물리〗 **1** 입자선(粒子線), 입자 빔 **2** 〖군사〗 (무기로서의) 입자 빔

pár·ti·cle-beam wéapon [-bìːm-] 입자 빔 무기 《광선 무기의 일종》

párticle bòard 파티클 보드(chipboard) 《나무 부스러기를 압축하여 수지로 굳힌 건축용 합판》

párticle phỳsics 소립자 물리학

párticle velòcity 〖물리〗 입자 속도 《매질(媒質) 입자가 파동을 전하는 순간의 속도》

par·ti·col·or(ed) [pɑ́ːrtikʌ̀lər(d)] *a.* **1** 여러 가지 색의, 얼룩덜룩한, 갖가지로 물들인 **2** 다채로운(diversified), 파란 많은

‡par·tic·u·lar [pərtíkjulər] [L 「소부분(小部分)의」의 뜻에서] *a.* **1** Ⓐ **특별한**, 특수한; **특정한**, **특히 이**[그]: in this ~ case 특히 이 경우는 (딴 것과 달라) / He came home late on that ~ day. 문제의 그날[그날따라] 그는 늦게 귀가했다.

> 유의어 **particular** 다른 것과 구별된 특정한: a ballet step of *particular* difficulty 발레의 특별히 어려운 스텝 **special** 동류의 다른 것과 비교하여 특별히 다른 것을 가리킨다: *special* ingredients 특별한 재료 **specific** 동류 중에서 하나를 골라 그것에 대해 설명 등을 하는: children with *specific* nutritional needs 특정한 영양을 필요로 하는 어린이들 **peculiar** 특정한 사람[물건, 일]에 고유한 성질 등이 있음을 가리킨다: her own *peculiar* charm 그녀만의 독특한 매력

2 Ⓐ **개개의**, 개별적인; 각자의, 개인으로서의: a ~ language 개별 언어, 특정 언어 / every ~ item 각 항목 **3** Ⓐ **특유의**; **각별한**, 현저한, 두드러진: of no ~ importance 각별히 중요하지는 않은 / a ~ friend of mine 각별히 친한 벗, 특별한 친구 / take ~ pains 각별히 애를 쓰다 **4 상세한**: a ~ report 상세한 보고서 / give a full and ~ account of …을 빠짐없이 상세히 설명[보고]하다 **5 꼼꼼한**, 세밀한; 까다로운 《*about, over*》: a ~ customer 까다로운 고객 **6** 〖논리〗 특칭적(特稱的)인(opp. *universal*); 특수적인(opp. *general*): a ~ proposition 특칭 명제 **7** 〖법〗 〈부동산 보유권이〉 부분적인
be ~ about [***over, as to***] …에 까다롭게 굴다 ***for no ~ reason*** 이렇다 할 이유 없이
—*n.* **1** (낱낱의) **사항**, 항목, 점, 조목(條目), 세목: exact in every ~ 모든 점에서 정확한 **2** [*pl.*] **상세**, 명세; 자세한 내용, 자초지종, 명세서(류): Everybody wanted to know the ~*s.* 누구나 다 상세한 내용을 알고 싶어했다. **3** 〖논리〗 특칭, 특수 (명제) **4** 특색, 명물: the London ~ 런던 명물 《안개 등》
from the general to the ~ 총론에서 각론에 이르기까지 ***give ~s*** 상술(詳述)하다 ***go*** [***enter***] ***into ~s*** 세부에까지 미치다 ***in ~*** 특히; 상세히; 그 중에서도 ***Mr. P~*** 까다로운 사람
▷ particulárity *n.*; partícularize *v.*; partícularly *ad.*

tor, associate, sharer, partaker, collegue
particularly *ad.* especially, specially, singularly, peculiarly, distinctly, markedly, exceptionally, unusually, uncommonly, notably, remarkably, outstandingly, surprisingly

partícular áverage 〖해상보험〗 단독 해손(cf. GENERAL AVERAGE)

Partícular Báptist 〖그리스도교〗 (17-19세기 영국의) 특별 침례교도

par·tic·u·lar·ism [pərtíkjulərìzm] *n.* Ⓤ **1** 개별주의, 지방[배타]주의, 자기 중심주의 **2** 《미》 (연방의) 각 주(各州)의 자주 독립주의 **3** 〖신학〗 특정 은총(恩寵)[속죄]설 《신의 은총 또는 속죄가 특별한 개인에게만 한정된다는 설》 **-ist** *n.*

par·tic·u·lar·i·ty [pərtìkjulǽrəti] *n.* (*pl.* **-ties**) Ⓤ **1** 특별, 독특; 특수성 **2** (서술·묘사 등의) 상세; 정밀, 면밀; [종종 *pl.*] 상세한 사항 **3** 까다로움, 꼼꼼함 **4** 사사로운 일, 내막의 사정

par·tic·u·lar·ize [pərtíkjulərὰiz] *vt.* 특수화하다; 상세히 설명하다, 하나씩 열거하다 —*vi.* 상세히 말하다; 열거하다; 개별적으로 취급하다
par·tìc·u·lar·i·zá·tion *n.* Ⓤ 특수화; 상술(詳述); 열거

‡par·tic·u·lar·ly [pərtíkjulərli] *ad.* **1 특히**, 각별히, 두드러지게(⇨ especially 유의어): I ~ asked him to be careful. 그에게 조심하라고 각별히 부탁했다. / The meeting was not ~ well attended. 그 모임은 특히 출석이 좋은 편이 아니었다.
USAGE 《구어》에서는 후치하는 경우도 있음: She likes the country, in spring ~. 그녀는 시골을 좋아한다, 특히 봄의 시골을.
2 자세히, 낱낱이: explain it ~ 그것을 자세히 설명하다 **3** 《고어》 별개로, 따로

par·tic·u·late [pərtíkjulət, -lèit, pɑːr-] *a.* 미립자의[로 된] —*n.* 미립자; [*pl.*] 미립자군

partículate inhéritance 〖생물〗 입자 유전

par·tie car·rée [pɑːrtí-kɑːréi] [F] (남녀 두 쌍의) 4인조

***part·ing** [pɑ́ːrtiŋ] *n.* **1** ⓊⒸ **작별**(departure), **이별**, 헤어짐: on ~ 이별에 즈음하여 **2** ⓊⒸ **분할**; 〖야금〗 분금법(分金法); 분리, 구획 **3 분기점**(分岐點); 분계(分界); 분할선; 《영》 (머리의) 가르마(《미》 part): the ~ of the ways 갈림길, 기로(岐路) **4 출발 5 죽음**, 사별(死別)
—*a.* Ⓐ **1 이별의**, 헤어지는, 작별의, 최후의; 임종의: a ~ present[kiss] 이별의 선물[키스] / drink a ~ cup 이별의 잔을 들다 **2 나누는**, 분할[분리]하는: a ~ line 분할선 **3 떠나가는**; 〈날이〉 저물어 가는: the ~ day 해 질 녘

párting shót = PARTHIAN SHOT

par·ti pris [pɑ́ːrtiː-príː] [F] (*pl.* **par·tis pris** [~]) 선입관, 편견

Par·ti Qué·be·cois [pɑːrti-kèibekwɑ́ː] [F] 《캐나다》 퀘벡당 《프랑스계 주민이 Quebec 주의 분리 독립을 요구하는 정당》

***par·ti·san¹, -zan¹** [pɑ́ːrtizən, -sən | pɑ̀ːtizǽn] [It. = part] *n.* **1 일당**, 도당, 동지; 열렬한 지지자[당원] **2** 〖군사〗 유격병, 게릴라 대원, 빨치산
—*a.* **1** 당파심이 강한: ~ spirit 당파심[근성] **2** 〖군사〗 유격대의, 게릴라 대원의 **~·shìp** *n.* Ⓤ 당파심, 당파 근성; (맹목적) 가담

partisan², -zan² [pɑ́ːrtizən, -sən] *n.* 〖역사〗 파르티잔 《일종의 창(槍)》

par·ti·ta [pɑːrtíːtə] [It. 「나누어진」의 뜻에서] *n.* 〖음악〗 파르티타 《변주곡·모음곡의 일종》

par·tite [pɑ́ːrtait] *a.* **1** [보통 복합어를 이루어] …부분으로 나뉜: a tri~ agreement 세 부분으로 나뉜 협정 **2** 〖식물〗 심렬(深裂)한, 깊게 찢어진

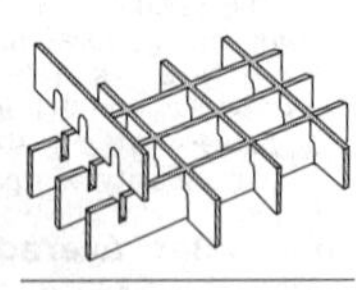
partition 3

*__par·ti·tion__ [pɑːrtíʃən, pər-] *n.* **1** Ⓤ **분할**, 구획; 분배, 배분: the ~ of profits 이익 분배 **2** (분할된) **부분**, 한 구획; 칸막이 한 방 **3** 구획선, 분할선; (방·건물 등을 구분하는) 칸막이(벽) **4** 〖논리〗 분할법 **5** 〖수학〗 분할
— *vt.* 칸막이하다; 분할[분배]하다 (*off*; *into*): (~+目+副) ~ *off* part of the living room 거실의 일부를 칸막이하다

par·ti·tion·ist [pɑːrtíʃənist, pər-] *n.* 분리 독립주의자

par·ti·tive [pɑ́ːrtətiv] *a.* 구분[분할]하는; 〖문법〗 부분을 나타내는 — *n.* 〖문법〗 부분사 (many, some 등) **~·ly** *ad.*

pártitive génitive 〖문법〗 부분 속격

‡**part·ly** [pɑ́ːrtli] *ad.* **1** **부분적으로**, 일부분은: be ~ destroyed 일부 파괴되다

> 유의어 **partly** 전체에 대해 부분을 강조: His statement is *partly* true. 그의 말은 부분적으로 사실이다. **partially** 상태·정도에 역점을 둠: This is only *partially* cooked. 이것은 덜 익었다.

2 어느 정도는, 조금은, 얼마간: You are ~ right. 자네 말에도 일리가 있다. **~ *all*** (미·속어) 거의 모두

párt mùsic 〖음악〗 화성적(和聲的) 악곡

‡**part·ner** [pɑ́ːrtnər] *n.* **1 a** **동료**, 협력자 (*in*, *of*): a ~ *in* crime 공범자 **b** (댄스 등의) **상대**, 파트너; (게임의) 자기편, 한 패 **2** 〖법〗 (출자) 조합원, 공동 경영자[출자자], 사원; (협정 등으로 맺어진) 동맹[가맹]국: an acting[an active, a working] ~ 근무 사원 / a dormant[silent, (영) sleeping] ~ 익명(匿名) 사원 / a limited ~ 유한 책임 사원 / a general ~ 무한 책임 사원 **3** **배우자**, 배필 (남편, 처) **4** [*pl.*] 〖항해〗 파트너 (갑판을 뚫고 지나는 마스트나 펌프 등의 구멍 주위의 보강용 골조)
— *vt.* 제휴[협력]하다, 동료로서 함께 일하다; 사귀다, 어울리다, 짝짓다 (*up*, *with*); …의 조합원[사원]이다
— *vi.* 짝[파트너]이 되다 (*up*, *with*) **~·less** *a.*

*__part·ner·ship__ [pɑ́ːrtnərʃip] *n.* **1** Ⓤ **공동**, **협력**, 제휴, 연합(association): enter[go] into ~ 제휴하다, 협력하다 **2** 〖법〗 **a** ⓊⒸ 조합 계약 **b** 합명 회사, 상사(商社): a general[an unlimited] ~ 합명 회사 / a limited[special] ~ 합자 회사 ***in ~ with*** …와 합명[합자]으로; …와 협력하여

párt of spéech (*pl.* **parts of speech**) 〖문법〗 품사

par·ton [pɑ́ːrtɑn | -tɔn] *n.* 〖물리〗 파톤 (핵자의 구성 요소를 이룬다는 가설 입자; quark나 gluon)

par·took [pɑːrtúk] *v.* PARTAKE의 과거

párt ówner 〖법〗 공동 소유자(co-owner)

párt ównership 공동 소유(권)

párt pàyment 분할불; 일부 지불

*__par·tridge__ [pɑ́ːrtridʒ] *n.* (*pl.* **-tridg·es**, [집합적] **~**) **1** 〖조류〗 **자고**, 반시 **2** Ⓤ 자고[반시] 고기

partridge 1

par·tridge·ber·ry [pɑ́ːrtridʒbèri | -bəri] *n.* (*pl.* **-ries**) 〖식물〗 호자덩굴(twinberry) (북미산(産)의 흰 꽃이 피는 다년초); 그 열매

part-sing·ing [pɑ́ːrt-sìŋiŋ] *n.* 중창(重唱)(법)

part-song [-sɔ̀ːŋ | -sɔ̀ŋ] *n.* 합창곡 (4부로서 무반주일 때가 많음)

párt tìme 파트타임, 단시간 근무제, 비상근(非常勤)

*__part-time__ [pɑ́ːrttàim] *a.* **1** **파트타임의**, 비상근(非常勤)의(cf. FULL-TIME): a ~ teacher 시간[비상근] 강사 / a ~ job[work] 시간제 일, 부업 / on a ~ basis 시간급(給)으로 **2** 〈학교가〉 정시제(定時制)의: a ~ high school 정시제 고등학교
— [ˊˋ] *ad.* 파트타임으로, 비상근으로

part-tim·er [-táimər] *n.* 파트타임으로 근무하는 사람; 정시제 학교의 학생

par·tu·ri·ent [pɑːrtjúəriənt | -tjúə-] *a.* **1** 해산의; 만삭의; 해산에 관한 **2** (문어) (사상 등을) 배태하고 있는 **-en·cy** [-ənsi] *n.*

par·tu·ri·fa·cient [pɑːrtjùərəféiʃənt | -tjùə-] 〖의학〗 *a.* 분만을 촉진하는 — *n.* 분만 촉진제

par·tu·ri·tion [pɑ̀ːrtjuəríʃən, -tʃuər- | -tjuə-] *n.* Ⓤ 〖생물〗 분만, 해산

part·way [pɑ́ːrtwèi] *ad.* **1** 도중까지: I'm already ~ home. 이미 집에 가는 도중이다. **2** 어느 정도까지, 다소, 일부분은

part·work [-wə̀ːrk] *n.* 분책(分冊), 한 질로 된 저작물 중의 한 권

part-writ·ing [-ràitiŋ] *n.* 〖음악〗 각 성부(聲部)의 작곡

‡**par·ty** [pɑ́ːrti] *n.*, *a.*, *v.*

> L 「나누어진 한쪽 편」의 뜻에서
> →「일행, 일단」 **2** ─┬→ (일단이 됨) 「모임」 **1**
> └→ (당파) →「정당」 **3**

— *n.* (*pl.* **-ties**) **1** (사교상의) **파티**, **모임**, 회합(⇨ meeting 유의어): a social ~ 사교 모임 / a Christmas ~ 크리스마스 파티 / a dancing ~ 댄스 파티 / give[have, hold, (구어) throw] a ~ 파티를 열다 / make up a ~ 모여서 회합을 가지다

NOTE 영·미의 가정에서는 간단한 음식과 음료를 마련하여 party를 여는 일이 흔한데, 여러 사람과 대화를 나누고 또 새로운 사람들과 만나는 것을 즐기며, 부부를 함께 초대하는 것이 일반적임. 초대받았을 때는 간단한 것 (wine이나 pie 등)을 지참하는 것이 에티켓임.

2 a (목적·임무 등을 위해 함께 행동하는) **일행**, 일단(一團), 동아리, 패, 무리: a sightseeing ~ 관광단 / a rescue ~ 구조대 **b** 〖군사〗 파견대; 부대: a search ~ 수색대 **c** (논쟁·분쟁 등에서의) 지지 단체, 자기편[쪽] **3** **정당**, 당, 당파: a political ~ 정당 / join[leave] a ~ 입당[탈당]하다 **4** 파벌; Ⓤ 당파심 **5 a** 〖법〗 (계약·소송 등의) **당사자**, 상대방 **b** (증서·계약서 등의) 서명인 (*to*) **6** (일반적으로) 관계자, 당사자: ~ interested[concerned] 〖법〗 이해 관계인, 소송 관계인 / a third ~ 제삼자 / be[become] a ~ to …에 관계하고 있다[하게 되다] **7** (구어·익살) 사람(person), 특정한 개인; 문제의 인물: an amusing old ~ 재미나는 영감 **8** (전화의) 상대방
keep the ~ clean 책임있는 행동을 취하다; 용인된 행동 양식을 따르다 ***make*** one**'*s ~ good*** 자기의 주장을 관철하다[입장을 좋게 하다] ***The ~'s over.*** 이제 즐거움은 끝났다.
— *a.* Ⓐ **1** 파티(용)의; 사교를 좋아하는: a ~ dress 파티용 드레스 **2** 정당의, 당파의; 파벌의: a ~ leader 당수 **3** Ⓟ 관계하는, 관여하는 (*to*): be ~ *to* a conspiracy 음모에 가담하다 **4** 공동[공용]의: a ~ verdict 공동 의견[답신]
— *v.* (**-tied**) *vi.* (구어) 파티에 가다, 파티를 열다; (미·속어) (파티에서) 진탕 놀다
— *vt.* (미·속어) 파티를 열어 접대하다
~ down (미·속어) 끝까지 즐기다 ***~ out*** (미·구어) 파티에서 지치도록 놀다

párty ànimal (구어) 파티광(狂), 파티족(族)

párty bòat 낚싯배

thesaurus **partner** *n.* associate, colleague, coworker, teammate, collaborator, ally, comrade, companion, consociate, spouse, mate

párty bòy ⦅미·속어⦆ 놀고만 지내는 남학생
par·ty-call [pɑ́:rtikɔ̀:l] *n.* 파티 후의 답례 전화
par·ty-col·ored [-kʌ̀lərd] *a.* =PARTI-COLORED
pár·ty-col·umn bàllot [-kɑ̀ləm- | -kɔ̀l-] = INDIANA BALLOT
párty decomposítion 〖정치〗 정당의 부패·노화, 탈(脫)정당화
párty discipline 당의 규율 ⦅공산당 등의⦆
par·ty·er [pɑ́:rtiər] *n.* 파티에 자주 가는[파티를 자주 여는] 사람
párty fàvor (손님에게 주는 작은) 파티 선물
párty gìrl 1 (파티 등에서) 남자의 접대역으로 고용된 여자; =PROSTITUTE **2** ⦅미·속어⦆ (파티에 다니며) 놀고만 지내는 여학생
par·ty·go·er [-gòuər] *n.* 파티에 자주 가는 사람
párty hàt ⦅미·속어⦆ **1** (순찰차·구급차 등의 지붕에 다는) 색색의 경고등(燈) **2** 콘돔
par·ty·ism [pɑ́:rtiìzm] *n.* Ⓤ 당파심, 파벌주의
párty líne 1 (정당의) 강령 **2** [*pl.*] (정당의) 정책 노선, 시정 방침; 공산당의 정책[노선] **3** [ㅅㅅ] 〖전화〗 공동선(共同線) **4** [ㅅㅅ] (인접지와의) 경계선
par·ty-lin·er [pɑ́:rtiláinər] *n.* 당 정책에 충실한 사람
párty lìst (비례 대표제의) 정당 명부
párty màn (정)당원, 열성 당원
párty pìece [one's ~] (파티 등에서 하는) 장기, 특기 ⦅노래·익살·농담 등⦆
párty plàn 파티 상술[판매 방식] ⦅파티를 열어 상품을 판매하는 방식⦆
párty plátform 정당 강령, 정강
par·ty-po·lit·i·cal [-pəlítikəl] *a.* 당리당략적인: ~ broadcast (정당의) 정견 방송 ⦅영국의 총선거에서 각 정당이 제작한 TV·라디오 프로를 동시에 방영함⦆
párty pólitics [단수 취급] 당의 이익을 위한 정치(행동), 당략
párty pòop(er) ⦅미·속어⦆ 맨 먼저 파티를 빠져 나가는 사람, 모임의 흥을 깨는 사람
párty spírit 당파심, 애당심, 당인 기질
par·ty-spir·it·ed [-spíritid] *a.* 당파[애당]심이 강한
párty vòte 정당의 정책에 의한 투표
párty wáll 〖법〗 경계벽(境界壁), 공유벽
párty whíp 〖정치〗 원내 총무
pa·rure [pərúər] [F] *n.* 한 벌의 보석[장신구]
pár válue (증권의) 액면 가격(par)
par·ve·nu [pɑ́:rvənjù:, ㅅ-ㅅ | pɑ́:vənjù:] [F「도달하다」의 뜻에서] *n.* 벼락부자, 어정뱅이, 갑자기 출세한 사람(upstart) **—** *a.* 벼락부자의; 졸부 취향의
par·vis [pɑ́:rvis] *n.* (교회·사원의) 앞뜰, 현관; (교회 정면의) 주랑(柱廊)
par·vo [pɑ́:rvou] *n.* (*pl.* **~s**) =PARVOVIRUS
par·vo·vi·rus [pɑ́:rvouvàiərəs] *n.* 〖의학〗 파보바이러스 ⦅한 가닥의 DNA를 가진 바이러스⦆
par·y·lene [pǽrəlì:n] *n.* Ⓤ 〖화학〗 파릴렌 ⦅파라크실렌 중합으로 얻어지는 플라스틱⦆
pas [pɑ́:] [F=step] *n.* (*pl.* ~ [-(z)]) **1** 무도[발레]의 스텝; 무도 **2** [the ~] 우선권, 상좌, 상석
give the ~ to …에게 상석을 양보하다 ***take*** [***have***] ***the ~ of*** …의 상석에 앉다, …보다 앞서다
PAS para-aminosalicylic acid 파스 ⦅결핵 치료약⦆; power-assisted steering; Pregnancy Advisory Service
pas·cal [pæskǽl, pɑ:skɑ́:l] *n.* 〖물리〗 파스칼 ⦅압력의 SI 단위; 1m² 당 1뉴턴의 크기; 略 Pa⦆
Pas·cal [pæskǽl, pɑ:skɑ́:l] *n.* 파스칼 **Blaise ~** (1623-62) ⦅프랑스의 수학자·물리학자·철학자⦆
PASCAL [pæskǽl, ㅅ-] *n.* 〖컴퓨터〗 파스칼 ⦅파스칼 프로그램 작성에 쓰이는 범용(汎用) 프로그래밍 언어의 하나; ALGOL 형식을 본딴 것⦆

---

partnership *n.* association, cooperation, collaboration, alliance, union, fellowship, companionship, collusion, connivance, conspiracy

Pasch [pǽsk], **Pas·cha** [pǽskə] *n.* ⦅고어⦆ 유월절(Passover); 부활절(Easter)
pas·chal [pǽskəl] *a.* 유월절(Passover)의; 부활절(Easter)의
páschal lámb 1 [the ~] 유월절에 희생되는 어린 양 **2** [**P- L-**] 그리스도(의 상징)
pas de chat [pɑ̀:-də-ʃɑ́:] [F] (*pl.* ~) 파드샤 ⦅고양이 같은 앞쪽으로의 도약⦆
pas de deux [-də-dɔ́:] [F] (*pl.* ~) 〖발레〗 파드되 ⦅두 사람의 춤⦆; (고전 발레의) 대무(對舞); ⦅비유⦆ 두 사람 사이의 갈등
pas de trois [-də-trwɑ́:] [F] (*pl.* ~) 〖발레〗 파드트루아 ⦅세 사람의 춤⦆
pa·se [pɑ́:sei] *n.* (*pl.* **~s**) 파세 ⦅투우사가 망토(cape) 또는 붉은 천(muleta)으로 소의 주의를 끌어 소의 공격 코스를 조종하는 동작⦆
pa·se·o [pɑséiou] [Sp.] *n.* (*pl.* **~s**) 산책, 소풍; 한길, 넓은 가로수 길
pash¹ [pǽʃ] *n., v.* ⦅영·속어⦆ =PASSION
pash² ⦅고어·방언⦆ *n.* 세차게 침; 쿵 떨어짐
— *vt., vi.* 내동댕이치다; 세차게 치다
pash³ *n.* ⦅스코⦆ 머리(head)
pa·sha [pɑ́:ʃə, pǽʃə, pəʃɑ́:] [Turk. 「장관」의 뜻에서] *n.* 주지사, 군사령관 ⦅터키·이집트의⦆
pa·sha·lic, -lik [pəʃɑ́:lik, -ʃɔ́:- | pɑ́:ʃə-] *n.* Ⓤ pasha의 관구[관할권]
pash·mi·na [pæʃmí:nə] *n.* 파시미나 ⦅티벳 염소의 부드러운 털로 짠 숄⦆
Pash·to [pʌ́ʃtou] *n.* Ⓤ 파슈토 말 ⦅아프가니스탄의 공용어⦆
Pash·tun [pʌʃtú:n] *n.* (*pl.* **~, ~s**) 파슈툰족 ⦅아프가니스탄 남동부와 파키스탄 북서부에 거주하는 민족이며, Pashto를 사용⦆
pa·so do·ble [pɑ́:sou-dóublei] [Sp.] 파소 도블레 ⦅투우사의 입장시에 연주되는 행진곡; 이 때 추는 춤⦆
PASOK Panhellenic Socialist Movement 전(全)그리스 사회주의 운동
pasque·flow·er [pǽskflàuər] *n.* 〖식물〗 (서양) 할미꽃, ⦅특히⦆ 아네모네속(屬)
pas·qui·nade [pæ̀skwənéid] [It. 로마에서 발굴된 상(像); 1년에 한 번 이것에 풍자시를 붙였음] *n.* (공개적인) 풍자문[시], 익살스러운 글(lampoon); 풍자, 비꼼(satire)
— *vt.* 풍자적으로 공격하다, 비꼬다
‡**pass** [pǽs, pɑ́:s | pɑ́:s] *v., n.*

> →「지나가다」 **1** ┬→(시간이)「지나다」 **2**
> └→「사라지다」 **2**
> →(널리 퍼지다)→「통용되다, 통하다」 **5**
> →(장애를 통과하다)→「합격하다」 **9**

— *vi.* **1 a** 지나가다, 통과하다, 움직이다; 나아가다; 건너다; 〈물건이〉 (차례로) 돌려지다, 〈술잔 등이〉 돌아가다 ⦅*along, by, on, out, away*⦆: (~+副) *P~ on,* please. (어서) 지나가십시오. / ~ *around* ⦅미·구어⦆ 차례로 돌리다[돌아가며 분배하다] // (~+前+名) ~ *along* a street 길을 지나가다 / I *~ed by* her. 그녀의 옆을 지나갔다. / The policeman *~ed from* house *to* house. 경관은 집집마다 돌며 다녔다. **b** 〈차·운전자가〉 추월하다: No *~ing.* ⦅미·게시⦆ 추월 금지. **c** 〈길·강 등이〉 통하다, 뻗다; 〈물·전류가〉 흐르다: (~+前+名) The water *~es through* this pipe. 물은 이 파이프를 흐르고 있다. **2** 〈때가〉 지나다, 경과하다; 〈고통·사건·폭풍 등이〉 사라지다, 소멸하다, 끝나다 ⦅*away, off, over*⦆; ⦅구어⦆ 기절하다, 넋을 잃다; 죽다, 사망하다 ⦅*away, on, over*⦆: Five years have *~ed* since I last saw him. 그를 마지막으로 보고 나서 5년이 지났다. / The storm *~ed.* 폭풍이 지나갔다. / The old customs are *~ing.* 낡은 관습은 사라져 가고 있다. / The fever soon *~ed.* 열은 곧 내렸다. / She *~ed away* during the night. 그녀는 밤

사이에 사망했다. // 《~+전+명》 The incident *~ed from* his mind. 그 사건은 그의 기억에서 사라졌다. **3** 〈사건이〉 일어나다; 실시되다, 순조롭게 진행되다 《*off*》: What has *~ed* in our absence? 우리가 없는 동안에 무슨 일이 일어났는가? / The meeting *~ed* (*off*) without incident. 회의는 무사히 진행되었다. **4** 〈소문 등이〉 퍼지다, 전해지다 **5 통용되다,** 유통되다(be current); 간주되다, 인정되다; 《미》 그런대로 쓸 만하다; 〈가짜 등이〉 (…으로) 통하다 《*as, for*》; 《미》 〈흑인이〉 백인으로 통하다: 《~+전+명》 ~ *by* the name of …이라는 이름으로 통하다, …이라고 불리다 // 《~+**as** 보》 The picture *~ed as* a genuine Rembrandt. 그 그림은 진짜 렘브란트로 통했다. // 《~+전+명》 ~ *for* a great scholar 대(大)학자로 통하다 / She could ~ *for* twenty. 그녀는 20대라 해도 통한다. **6** 〈말이〉 오고 가다 《*between*》: 《~+전+명》 Harsh words *~ed between* them. 그들 사이에 심한 말이 오고 갔다. **7** 〈재산·왕권·권한 등이〉 (남의 손에) **넘어가다,** 양도되다 《*to*》; (순서·권리 등에 의하여 당연히) 소속되다, 귀속하다 《*to*》: 《~+전+명》 The property *~ed from* father *to* son. 재산이 아버지에게서 아들한테 넘어갔다. / The crown *~ed to* the king's nephew. 왕위는 왕의 조카에게 넘어갔다. **8** (점차) 변화하다, …이 되다 《*to, into*》: 《~+전+명》 purple *~ing into* pink 핑크빛으로 변해 가는 자줏빛 / ~ *into* a proverb 속담이 되다 / ~ *from* a solid *to* a liquid state 고체에서 액체로 변하다 **9 합격[급제]하다** 《*in*》(opp. *fail*): 《~+전+명》 ~ *in* the entrance examination 입학 시험에 합격하다 **10** 〈의안(議案) 등이〉 **통과하다,** 가결되다 **11** [보통 let … ~로] 너그럽게 보아지다; 간과되다, 들키지 않다: But *let* that ~. 그러나 그 점은 눈감아 주자. / Such an attitude cannot ~ here. 그런 태도는 여기서 용납되지 않는다. **12** 〈판결이〉 내리다, 〈의견 등이〉 진술되다, 〈감정·판정이〉 내려지다 《*on*》, 〈재판관이〉 판결을 내리다 《*on, upon*》; (배심원의) 한 사람이 되다 《*on*》: 《~+전+명》 ~ *on* a case of murder 살인 사건에 대한 판결을 내리다 / The judgment *~ed for*[*against*] the defendant. 피고에게 유리[불리]한 판결이 내려졌다. / Will you ~ *on* the authenticity of this drawing? 이 그림이 진품인지 감정해 주시겠습니까? **13** 〖의학〗 배변(排便)하다 **14** 〖스포츠〗 공을 패스하다 **15** 〖펜싱〗 찌르기 공격을 하다 **16** 〖카드〗 패스하다 《기권하여 다음 사람에게 넘기다》

— *vt.* **1 지나가다,** 지나치다; **추월하다,** 앞지르다; 빠져나가다, 건너다, 횡단하다, 넘다, 가로지르다; …에[에서] 들어가다: Have we *~ed* Daegu yet? 벌써 대구를 통과했습니까? / ~ the other runners 다른 주자를 앞지르다 **2** 무시하다, 내버려두다; 눈감아 주다: 《~+목+부》 try to ~ the problem *by* 문제를 무시하려고 하다 **3** 《미》 〈배당 등을〉 지불하지 않다; 거절하다: ~ a dividend 배당을 1회 거르다; 무배당으로 결정하다 **4 통과시키다;** 〈밧줄 등을〉 감다; 〈눈길을〉 보내다, 한 번 쓱 보다; 〈손 등을〉 움직이다, 쓰다듬다: ~ troops in review 사열[열병]하다, 분열식을 행하게 하다 // 《~+목+전+명》 ~ one's eyes *over* a newspaper 신문을 대강 훑어보다 / ~ one's hand *on* one's face 얼굴을 쓰다듬다 / ~ a rope *through* a hole 밧줄을 구멍에 끼우다 / ~ a rope *around* one's waist 밧줄을 허리에 감다 **5** 경험하다, 맛보다; 〈시간을〉 **보내다:** ~ a day pleasantly 하루를 즐겁게 보내다 **6** 〈시험에〉 **합격하다;** 〈수험생·답안지 등을〉 합격시키다; 〈학생에게〉 학점을 주다: ~ the examination [the examinees] 시험에 합격하다[수험자들을 합격시키다] / ~ muster 검열에 합격하다 / ~ degree (영국 대학에서 우등이 아니고) 졸업하다 **7** 〈사상·행동이〉 (한계를) **넘다,** 초과하다, …보다 낫다, 능가하다(excel): ~ belief 믿을 수 없다 // 《~+목+전+명》 She has *~ed* him *in* height. 그녀는 그보다 키가 더 커졌다. **8** 〈소문 등을〉 퍼뜨리다; 〈위조 지폐 등을〉 유통[통용]시키다: ~ rumors 소문을 퍼뜨리다 **9** 〈가짜·불량품을〉 사게 하다 《*off*》; 〈부도 수표를〉 감쪽같이 환금하다 **10** 전달하다, **넘겨주다,** 전해 주다, 〈재산 등을〉 물리다, 〈식탁 등에서 물건을〉 돌리다: 《~+목+목》 Please ~ (me) the salt. 소금 좀 집어 주십시오. // 《~+목+전+명》 *P~* this note (on) *to* the boss. 이 메모를 보스에게 전해 주시오. **11** 〈판결을〉 선고하다; 〈판단을〉 **내리다;** 〈의견을〉 **진술하다** 《*upon*》; 〈말을〉 하다: ~ a remark 말을 하다 / ~ one's lips 〈말 등이〉 입 밖으로 새어 나오다 // 《~+목+전+명》 The court *~ed* life sentence *on* the defendant. 법정은 피고에게 종신형을 선고했다. **12** 〈법안을〉 **승인하다,** 가결하다; 〈법안이 의회를〉 통과하다: The bill *~ed* the City Council. 그 법안은 시의회를 통과했다. / Congress *~ed* the bill. 의회가 그 법안을 가결했다. **13** 보증하다, 맹세하다: ~ one's word 장담하다 **14** 〖의학〗 〈소변·대변을〉 배설하다, 배변하다 **15** 〈카드 등을〉 슬쩍 바꿔치기하다 **16** 〖스포츠〗 〈공을〉 패스하다; 〖야구〗 〈타자를〉 포볼로 걸어가게 하다

bring … to ~ …을 발생시키다, 일으키다 ***come to ~*** 발생하다; 〈약속·기대 등이〉 실현되다 ***I ~.*** (퀴즈·카드놀이 등에서) 통과; 《속어》 아무 말[것]도 하고 싶지 않아. ***~ along*** 지나가다; 《영·속어》 훔친 물건을 감추다; 일반에 널리 알리다; 〈증가분 등을〉 전가하다 ***~ as*** =PASS for. ***~ away*** 가 버리다, 떠나다; 끝나다; 죽다(⇨ die[1] 유의어); 〈때가〉 지나다; 쇠퇴하다; 〈시간을〉 보내다; 양도하다 ***~ by*** 옆을 지나가다; 그대로[못 본 체하고] 지나가다, 〈시간이〉 지나가다; 눈감아 주다; …의 이름으로 통하다; 간과하다, (못 보고) 빠뜨리다 ***~ by on the other side*** 도와주지 않다, 아랑곳하지 않다 ***~ current*** ⇨ current. ***~ down*** …을 전하다, 물려주다 《*to*》 ***~ for*** 〈흔히 가짜 따위가〉 …으로 통하다, 받아들여지다 ***~ from among*** (us) (우리들)을 남겨 놓고 죽다 ***~ in*** (1) 〈수표 등을〉 넘겨 주다 (2) 《미·속어》 =PASS in one's checks. ***~ in one's checks*** 《미·속어》 죽다 ***~ into*** …이 되다, …으로 바뀌다; (…의 손에) 넘어가다 ***~ off*** (1) 차츰 사라지다; 〈행동 등이〉 끝나다, 〈사건이〉 일어나다; (2) 〈가짜 등을 …에게〉 (넘겨) 주다, 갖게 하다 《something *on* a person》 (3) [~ one*self* 로] …인 체하다 《*as, for*》: He *~ed himself off as* a poet. 그는 시인인 체했다. (4) 얼렁뚱땅 넘기다, 어름어름 넘기다 ***~ on*** 《속어》 죽다; 나아가다, 지나가다; 시간이 경과하다; 다음으로 돌리다, 전달하다 《*to*》; 속이다; 〖펜싱〗 찌르다(thrust) ***~ out*** 나가다; 《미·속어》 의식을 잃다; 곤드레만드레 취하다; 죽다; 《영》 (육군 사관학교를) 졸업하다; 배포하다, 도르다 《*to*》 ***~ out of sight*** 안 보이게 되다 ***~ over*** (1) 가로지르다, 넘어가다; 경과하다 (2) 〈현악기 등을〉 탄주(彈奏)하다; 〈시일을〉 보내다; 넘겨 주다, 인도하다, 물려 주다 (3) 줄이다, 생략하다; 제외하다; 눈감아 주다, 못 본 체하다; 간과하다, (못 보고) 빠뜨리다 ***~ one's understanding*** [***comprehension***] 알 수 없다 ***~ the buck to*** a person …에게 책임을 전가하다 ***~ the chair*** (의장·시장 등의) 자리를 물러나다 ***~ the hat*** ⇨ hat. ***P~ the numbers to you.*** 《미·속어》 행운을 빕니다. ***~ the time of day*** 인사를 하다 ***~ the word*** 명령을 전달하다 ***~ through*** 지나가다, 횡단하다, 빠져 나가[오]다; (학교의) 과정을 수료하다; 경험하다, 당하다; 꿰뚫다, 관통하다 ***~ up*** 《구어》 〈기회 등을〉 놓치다, 포기하다, 무시하다; 거절하다, 사양하다

— *n.* **1** 패스, 통행증, 무료 입장[승차]권(=free ~), 외출증, 정기권: a railroad ~ 철도 무료 승차권; 철도 정기권 / No admission without a ~ 입장권 없는 자 입장 불가 **2** 통행, 통과(passage) **3** (산)길; 고개,

thesaurus **passage**[1] *n.* **1** 한 구절 extract, excerpt, quotation, citation, section, **2** 통행 passing, progress, process, flow, course **3** 통행 허가 access, entry, admission, passport, visa **4** 통로 road, route, path, way, track, trail, lane, channel, course, conduit **5** 복도 passageway, corridor,

…재; 통로; 〖군사〗 애로, 관문 **4** 수로, 수도, 강어귀; 나루; (강의) 걸어서 건너는 지점(ford); 옆길; (어량 위에 만들어 놓은) 물고기의 길 **5** 여권; 통행[입장] 허가 《*to*》 **6** (시험의) **합격**, 급제; (영국 대학에서 우등이 아닌) 보통 급제 **7 a** 〖야구〗 포볼로 인한 출루 **b** 〖스포츠〗 패스, 송구(送球): a forward ~ 전방 패스 **c** 〖펜싱〗 찌르기(thrust) **8** 노력, 시도 **9** 《속어》 여자에게 접근함, 수작 걸기 **10** 〖카드〗 패스 《기권하고 차례를 거르기》 **11** (최면술사의) 손의 움직임; 요술, 속임수: make ~*es* 최면술을 걸다 **12** =PASE **13** [a ~; 형용사를 동반하여] 《구어》 형편, 형세; 위기(crisis): at *a* fine ~ 큰 야단이 나서 / come to *a* nice[pretty] ~ 야단이 나다, 난처하게 되다

bring ... to ~ 《문어》 …을 실현[성취]시키다; 일어나게 하다 ***come to ~*** 《문어》 〈사건이〉 일어나다 (happen): It *came to* ~ that ... …하게 됐다 ***cut off ... at the ~*** 도중에 잡다, 잠복하다; (결정적인 사건이 생기기 전에) 저지하다 ***hold the ~*** 주의[이익]를 옹호하다 ***make a ~[~es] at*** (여자)에게 수작을 걸다, 집적거리다 ***sell the ~*** 방위 지점을 포기하다; 지위를 내어주다; 주의(主義)를 배반하다

▷ pássage¹ *n.*

pass. passage; passenger; passim; passive

***pass·a·ble** [pǽsəbl, pɑ́:s-|pɑ́:s-] *a.* **1** 통행할 수 있는, 〈강 등이〉 건널 수 있는 **2** 웬만한, 쓸 만한, 무난한: a ~ knowledge of French 쓸 만한 프랑스어 지식 **3** 〈화폐 등이〉 통용[유통]하는 **4** 가결[통과]될 수 있는: ~ legislation 가결 가능성이 있는 법안 **~·ness** *n.* **-bly** *ad.*

pas·sa·ca·glia [pɑ̀:səkɑ́:ljə, pæ̀səkǽl-|pæ̀s-] [It.] *n.* 〖음악〗 파사칼리아 《3박자의 조용한 춤곡》

pas·sade [pəséid] *n.* 〖승마〗 회전보(回轉步) 《말이 같은 장소를 왔다갔다 뛰어다님》

‡**pas·sage¹** [pǽsidʒ] *n., v.*

> pass(통과하다)에 대한 명사
> ┌(통과함) → 「통행」 **3**; 「항해」 **6**
> ┼(통과하는 곳) → 「통로」 **5 a**
> └(통과하는 것) → 「(때의) 지남」 **8**
> → 「(글이나 곡의) 한 절」 **1, 2**

— *n.* **1** (인용한) **일절**(一節), 한 구절: a ~ from the Bible 성서의 한 절 **2** 〖음악〗 악절: play a ~ 한 악절을 연주하다 **3** ⓊⒸ **통행, 통과**; Ⓤ (철새 등의) 이주: the ~ of a parade 퍼레이드의 통과 / a bird of ~ 철새; 《속어》 방랑자 / No ~ this way. 통행 금지. 《게시》 **4** ⓊⒸ 통행권; Ⓤ 도항권; 통행 허가 **5 a 통로**, 관통로; 수로, 항로(航路); 복도; (체내의) 관(管): the nasal ~*s* 콧구멍 **b** 출입구 **6** (바다·하늘의) **여행**, 항해; 여행의 권리: have a rough[smooth] ~ 난항[순항]하다 / make a ~ 항해하다 **7** (여객) 운임, 통행료; 승차[승선]권: book[engage] one's ~ 승차[승선]권을 예약하다 / work one's ~ 뱃삯 대신에 배에서 일하다 **8** Ⓤ 《문어》 이행(移行), 이동; (때의) 지남, **경과**, 추이, 변천 《*from ... to*》: with the ~ of time 때가 지남에 따라 / the ~ *from* barbarism *to* civilization 야만에서 문명으로의 이행 **9** ⓊⒸ 《미》 (의안의) 통과, 가결(passing) **10** 《고어》 [*pl.*] 은밀한 의견 교환; 밀담 **11** Ⓤ 치고받기, 싸움, 논쟁 **12** 수송, 운반 **13** 〖의학〗 배변, 배설(evacuation) **14** 《고어》 일어난 일, 사건 ***force a ~ through*** a crowd (군중)을 밀어 헤치고 나아가다 ***on ~*** 〈새가〉 이동 중인; 〈배가〉 항해 중인 ***~ of[at] arms*** 시합, 치고받기; 논전

— *vi.* **1** 나아가다, 가로지르다, 통과하다(pass), 항해하다(voyage) **2** 치고받다, 싸우다, 승강이하다

▷ páss *v.*

pas·sage² [pǽsidʒ, pəsɑ́:ʒ|pǽsidʒ] *vi., vt.* 〈말이〉 비스듬히 옆걸음 치며 가다[가게 하다]

— *n.* 옆걸음 치며 가기

pássage bìrd 후조(候鳥), 철새

pássage mòney 운임, 뱃삯, 차비(車費)

***pas·sage·way** [pǽsidʒwèi] *n.* **복도**, 낭하(corridor); 통로

pas·sage·work [-wə̀:rk] *n.* 〖음악〗 패시지 워크 《작품의 주제와 관계없이 화려하고 장식적인 부차적 부분》

pass·a·long [pǽsəlɔ̀:ŋ, -lɑ̀ŋ|-lɔ̀ŋ] *n.* **1** (다음 사용자를 위해) 다음으로 넘김, 차례로 건네줌; (잡지 등의) 회람 **2** 《미》 〖경제〗 전가(轉嫁) 《생산비 상승분을 가격으로의》

pas·sant [pǽsənt] *a.* (문장(紋章)에서) 〈사자 등이〉 오른쪽 앞다리를 들고 왼쪽을 향해 걷는 자세의

passant

pass·band [pǽsbæ̀nd] *n.* 〖무선〗 통과대역(通過帶域) 《필터를 지나는 신호가 거의 감쇠하지 않는 주파수의 범위》

pass·book [pǽsbùk, pɑ́:s-|pɑ́:s-] *n.* 《영》 (은행) 통장(《미》 bankbook); 《미》 (외상 거래) 장부

páss chèck 입장권; 재(再)입장권

páss degrèe (영국 대학의 우등이 아닌) 보통 졸업 학위(cf. HONOURS DEGREE)

pas·sé [pæséi, ⌐⌐|pɑ́:sei] [F =passed] *a.* (*fem.* **-sée** [~]) 고색이 창연한, 시대에 뒤떨어진, 케케묵은; 과거의, 낡은, 한창때를 지난

passed [pǽst, pɑ́:st|pɑ́:st] *a.* 지나가 버린; (시험에) 합격한; 〖증권〗 미불 배당의

pássed báll 〖야구〗 (포수의) 패스트 볼

pássed máster 대가, 거장(past master)

pássed páwn 〖체스〗 앞을 가로막는 적의 졸(卒)이 없는 데에 있는 졸

pass·ee [pæsí:|pɑ:sí:] *n.* 휴가 패스 소비자, 무료 입장[승차]권의 소유자

pas·sée [pæséi, ⌐⌐|pɑ́:sei] [F] *a.* 〈여성이〉 한창때를 지난 ★ passé의 여성형.

pas·sel [pǽsəl] *n.* 《미·구어·방언》 (꽤) 큰 수[집단] (group): a ~ of kids 많은 아이들

passe·men·terie [pæsméntri] [F] *n.* Ⓤ (금몰·은몰 등의) 장식 《의복에 닮》

‡**pas·sen·ger** [pǽsəndʒər] *n.* **1** 승객, 여객; 선객; 탑승객: a ~ plane 여객기 / a ~ boat 여객선 / a ~ train 여객 열차 / carry ~*s* 승객을 실어 나르다 **2** 《영·구어》 (팀·그룹 등의) 짐스러운 사람, 무능자

pássenger càr (기차의) 객차; 승용차

pássenger lìst 승객[탑승자] 명부[명단]

pas·sen·ger-mile [pǽsəndʒərmàil] *n.* 여객 마일 《승객 1인 1마일 수송 원가》

pássenger náme rècord 〖항공〗 여객 예약 기록

pássenger pìgeon 〖조류〗 나그네비둘기 《장거리를 나는 북미산(産); 멸종》

pássenger sèat (자동차의) 객석, 《특히》 조수석

pássenger sèrvice 여객 수송

passe-par·tout [pæ̀spɑ:rtú:] [F =pass everywhere] *n.* **1** 대지(臺紙), (그림·사진의) 틀; 대지용 접착 테이프 **2** 결쇠, 만능 열쇠(master key)

pass·er [pǽsər, pɑ́:s-|pɑ́:s-] *n.* **1** 통행인; 나그네 **2** 시험 합격자; (제품의) 합격 검사증 **3** 《미·속어》 가짜 돈[위조 지폐] 사용자 **4** 송곳

***pass·er·by** [pǽsərbái, pɑ́:s-|pɑ́:s-] *n.* (*pl.* **pass·ers-**) 통행인, 지나가는 사람

pas·ser·ine [pǽsərin, -ràin, -rì:n|-ràin] *a., n.* 〖조류〗 연작류(燕雀類)의 (새)

pas seul [pɑ́:-sə́:l, -sʌ́l] [F =solo dance] 〖발레〗 독무(獨舞)

---

hall, hallway, entrance, lobby **6** 여행 journey, voyage, transit, trip, tour **7** 이행 change, transformation, transition, conversion, shift, switch

passenger *n.* rider, commuter, fare-payer, traveler, tourist (opp. *driver*)

passerby *n.* bystander, onlooker, witness

pass-fail [pǽsféil, pɑ́:s- | pɑ́:s-] *n., a.* (단계 평가가 아니고) 합격·불합격만을 판정하는 평가 방식(의)
pas·si·bil·i·ty [pæ̀səbíləti] *n.* Ⓤ 감동성, 감수성
pas·si·ble [pǽsəbl] *a.* (특히 종교적으로) 감동할 수 있는[하기 쉬운], 감수성이 있는
pas·sim [pǽsim] [L =spread out] *ad.* 여기저기에, 여러 곳에
pas·sim·e·ter [pæsímətər] *n.* 《영》 승차권 자동 판매기; 보수계(步數計)
*__pass·ing__ [pǽsiŋ, pɑ́:s- | pɑ́:s-] *a.* Ⓐ **1** 통행[통과]하는, 지나가는 **2** 현재의, 당면의: ~ events 시사(時事) / ~ history 현대사 **3** 일시적인, 잠깐의; 우연한: ~ joys 잠깐 동안의 기쁨 / a ~ acquaintance 어쩌다 만나 아는 사이 **4** 합격의, 급제의: the ~ mark[grade] 합격점 **5** 《고어》 (다른 사람[물건]보다) 훌륭한, 탁월한
—*n.* Ⓤ **1** 통행, 통과; 경과 《*of*》 **2** 소멸; 《완곡》 죽음 **3** (의안의) 통과, 가결; (시험의) 합격 **4** 간과(看過), 못 보고 빠뜨림[놓침] **5** (사건 등의) 발생 ***in*** ~ 말이 난 김에, 내친 걸음에
—*ad.* 《고어》 굉장히, 대단히
pássing bèll 죽음을 알리는 종, 조종(弔鐘)
pássing làne (고속도로의) 추월 차선
pass·ing·ly [pǽsiŋli, pɑ́:s- | pɑ́:s-] *ad.* 대충, 일시적으로; 《고어》 대단히
pássing nòte =PASSING TONE
pássing shòt[stròke] 〖테니스〗 패싱샷
pássing tòne 《미》 〖음악〗 지남음, 경과음
‡**pas·sion** [pǽʃən] *n., v.*

> L 「고통받음」의 뜻에서
> ┌→(격한 감정)→「열정」 **1 a** ┬→「정욕」 **2**
> │　　　　　　　　　　　　　　 └→「울화」 **4**
> └→「수난」 **6**

—*n.* **1 a** Ⓤ,Ⓒ 열정, 격정, 정념(⇨ feeling 유의어); Ⓤ 정열: a man of ~ 열정적인 사람 **b** [the ~s] (이성(理性)과 대비하여) 감정, 정감 **2** Ⓤ 열애(熱愛); [*pl.*] 정욕: tender ~ 연애 감정 **3 a** [a ~] 열, 애착, 열중, 열광 《*for*》: one's ruling ~ 가장 큰 흥미(의 대상) / *a* ~ *for* music 음악열[광] / have *a* ~ *for* …을 매우 좋아하다 **b** 열망[갈망]하는 것; 몹시 좋아하는 것: Flying is his ~. 비행기 조종이 그가 제일 좋아하는 취미이다. **4** [a ~] 울화, 성화, 격노, 격앙; 흥분(outburst): be in *a* ~ 화나 있다 / fall[get] into *a* ~ 노발대발하다 / fly into *a* ~ 벌컥 화를 내다 / put a person into *a* ~ …을 격노시키다 **5** Ⓤ 수동 (opp. *action*) **6** 고통, 수난, 비애; [the P~] 그리스도의 수난; 그리스도 수난곡(=**P~ mùsic**)
with a purple ~ 《미·속어》 열광적으로
—*vi.* 《시어》 정열을 느끼다[나타내다]
▷ pássional, pássionate *a.*
pas·sion·al [pǽʃənl] *a.* 정열적인; 격정에 사로잡힌; 성을 잘 내는; 갈망하는; 정욕의, 연애의
— *n.* 순교자 수난기(記)
pas·sion·ar·y [pǽʃənèri | -ʃənəri] *n.* (*pl.* **-aries**) =PASSIONAL
*__pas·sion·ate__ [pǽʃənət] *a.* **1** 〈사람·말 등이〉 열렬한, 정열적인; 갈망하는 《*for*》: a ~ youth 정열적인 젊은이 / a ~ speech 열렬한 연설 / ~ love 열애 **2** 정욕[육욕]적인, 호색의; 관능적인 **3** Ⓟ 열중한, 열심인: She is ~ about golf. 그녀는 골프에 열중해 있다. **4** 기질이 격렬한; 성마른, 성미 급한 **~·ness** *n.*
*__pas·sion·ate·ly__ [pǽʃənətli] *ad.* 열렬히, 격렬하게; 격노하여
pas·sion·flow·er [pǽʃənflàuər] [꽃의 부분이 그리스도의 면류관과 비슷한 데서] *n.* 〖식물〗 시계풀
pássion frùit 〖식물〗 시계풀의 열매
Pas·sion·ist [pǽʃənist] *n.* 〖가톨릭〗 (18세기 초 이탈리아에서 창시된) 예수 수난회 수사
pas·sion·less [pǽʃənlis] *a.* 감정적이지 않은; 열정이 없는; 냉정한, 침착한
pássion màrk 《미·구어》 키스 마크(hickey)
pássion pìt 《미·속어》 드라이브인 영화관
pássion plày [종종 **P- p-**] 그리스도 수난극
Pássion Súnday 수난 주일 《사순절(Lent)의 제5 일요일》
Pas·sion·tide [pǽʃəntàid] *n.* 수난의 성절(聖節) 《Passion Sunday에서 Holy Saturday까지의 2주간》
Pássion Wèek [the ~] 수난주 《부활절의 전주》
pas·siv·ate [pǽsəvèit] *vt.* **1** 〈금속·합금을〉 부동태화(不動態化)하다 《화학적으로 용해나 반응이 안 되도록 처리》 **2** 〈반도체 등에〉 보호막을 씌우다
pas·siv·a·tion [pæ̀sivéiʃən] *n.* Ⓤ 〖전자〗 패시베이션 《반도체 칩 표면에 보호막을 씌움》
‡**pas·sive** [pǽsiv] *a.* **1** 수동적인(inactive), 활기 없는, 소극적인: a ~ member of a committee 위원회에 적극적으로 참가하지 않는 위원 **2** 반응 없는; 휴지(休止) 중인 **3** 〈자연·환경 등이〉 외부의 영향을 받는; 〈행위·운동 등이〉 외적 작용에 의한 **4** 무저항의, 순순히 따르는(submissive): a ~ acceptance of one's fate 운명의 감수 **5** 〖문법〗 수동의, 피동의(opp. *active*); 수동태의 **6** 〈공채·증권·빚 등이〉 무이자의: ~ bond[debt] 무이자 공채[부채] **7** 〖화학〗 쉽게 화합하지 않는, 부동의: ~ state 부동태(不動態) **8** 〖의학〗 비활성의, 잠복성의 **9** 〖항공〗 발동기를 쓰지 않는; 수동의 **10** 〈태양열이〉 단순 이용의
—*n.* [보통 the ~] 〖문법〗 수동태(=**~ vóice**); 수동형, 수동 구문 **~·ly** *ad.* **~·ness** *n.*
pas·sive-ag·gres·sive [-əgrésiv] *a.* 수동공격적인 《화가 나도 겉으로 표현하지 않는》
pássive bélt (자동차의) 자동 안전 벨트
pássive euthanásia 소극적 안락사 《불치 환자의 치료를 정지함》
pássive hóming 〖항공〗 수동 호밍 《목표물로부터의 적외선[전파] 방사를 이용하는 미사일 유도 방식》
pássive immúnity 수동 면역 《항체 주입에 의한》
pássive mátrix 〖전자〗 패시브 매트릭스 《액정 화면 표시 방식의 하나》
pas·sive-ma·trix [-méitriks | -mǽt-] *a.* 〖전자〗 패시브[단순] 매트릭스 방식의
pássive-mátrix LCD 〖컴퓨터〗 패시브 매트릭스형(型) 액정 표시 장치(cf. ACTIVE-MATRIX LCD)
pássive nóun 〖문법〗 수동 명사 《trainee, multiplicand 등 피(被)행위자를 나타내는 명사》
pássive obédience 절대 복종, 묵종(默從)
pássive resístance 소극적 저항 《비협력 등》
pássive resíster 소극적 저항자
pássive restráint 〖자동차〗 수동적 안전 장치 《air bag, 자동 안전 벨트 등》
pássive sátellite 수동 위성 《전파를 반사만 하는 통신 위성; opp. *active satellite*》
pássive smóking 간접 흡연 《남이 피우는 담배 연기를 비흡연자가 마시게 되는 일》
pássive terminátion 〖컴퓨터〗 수동 종단(終端)
pas·siv·ism [pǽsəvìzm] *n.* Ⓤ 수동성; 소극적 저항주의 **-ist** *n.*
pas·siv·i·ty [pæsívəti] *n.* Ⓤ **1** 수동성; 비활동 **2** 무저항; 복종 **3** 인내; 냉정 **4** 〖화학〗 부동태
pas·siv·ize [pǽsəvàiz] *vi., vt.* 《영》 수동적이 되다[되게 하다]
pass·key [pǽskì:, pɑ́:s- | pɑ́:s-] *n.* 곁쇠(master key), 여벌 열쇠(duplicate key); 개인용 열쇠; (현관문의) 빗장 열쇠
páss làw 《남아공》 흑인에게 신분증(pass) 소지를 의무화시킨 법률
pass·less [pǽslis, pɑ́:s- | pɑ́:s-] *a.* 길[통로]이 없는, 지나갈 수 없는

thesaurus **passion** *n.* **1** 열정 intensity, fervor, zeal, fire, emotion, feeling, enthusiasm, eagerness **2** 열애 love, desire, lust, ardor
passionate *a.* intense, impassioned, fervent, fer-

pass·man [pǽsmæ̀n, -mən | pɑ́:s-] *n.* (*pl.* **-men** [-mèn, -mən]) (영국 대학의) 보통 급제생(cf. CLASSMAN)

páss màrk 합격점

pas·som·e·ter [pæsɑ́mətər | -sɔ́m-] *n.* 보수계(步數計), 만보계(萬步計)(cf. PEDOMETER)

Pass·o·ver [pǽsòuvər, pɑ́:s- | pɑ́:s-] *n.* **1** [the ~] 〚성서〛 유월절(逾越節) 《유대력(曆)의 1월 14일에 행하는 유대 사람의 축제》: ~ cake[bread] 유월절의 빵 《무교병》 **2** [**p~**] = PASCHAL LAMB 1

‡**pass·port** [pǽspɔ̀:rt, pɑ́:s- | pɑ́:s-] *n.* **1** 여권, 패스포트; 통행증; 입장권; 허가증: get[issue] a ~ 여권을 내다[발급하다] **2** 수단, 보장 (*to*): a ~ *to* his favor 그의 환심을 사는 수단 / Education is a ~ *to* success. 교육은 성공을 보장해 주는 길이다.

pássport contròl (공항 등의) 출국 수속, 출입국 관리

pass-through [pǽsθrù:, pɑ́:s- | pɑ́:s-] *n.* **1** (부엌과 식당 사이의) 창구[구멍] 《음식 따위를 내주는》 **2** 통과 지점 **3** = PASSALONG

pas·sus [pǽsəs] *n.* (*pl.* **~, ~·es**) (이야기·시의) 절(節), 편(編)

pass·word [pǽswə̀:rd, pɑ́:s- | pɑ́:s-] *n.* 암호말, 군호(watchword); 〚컴퓨터〛 암호 《파일(file)이나 기기(機器)에 접근할 권리를 가진 이용자를 식별하기 위한 문자열(文字列)이나 코드 번호》

‡**past** [pǽst, pɑ́:st | pɑ́:st] *a.*, *n.*, *prep.*, *ad.*

원래는 passed의 옛꼴		
① (시간이) (…을) 지나서	전 **1**	부
② (장소가) (…을) 지나서	전 **2**	부
③ (비유적으로) …을 넘어서	전 **4**	
④ 과거(의)	명 **1**	형 **1 a**

—*a.* **1 a** 지나간, 과거의, 여태까지의: ~ civilizations 과거의 여러 문명 / ~ glories 과거의 영광 / in ~ years = in years ~ 지난 몇 해 동안에 / The troubles are ~. 그 고난은 과거의 일이 되었다. **b** Ⓟ 끝난, 지난: My youth is ~. 내 청춘은 끝났다. **2** 갓 지나간: for some time ~ 얼마 전부터 / the ~ month 전달, 과거 1개월 / I haven't met him for the ~ two months. 요 두 달 동안 그를 만나지 않았다. **3** (지금부터) …전(ago): a plan prescribed ten years ~ 10년 전에 정한 계획 **4** Ⓐ 임기를 마친, 이전의: a ~ chairman 전 의장 **5** 연공(年功)을 쌓은, 노련한 **6** Ⓐ 〚문법〛 과거(형)의

—*n.* **1** Ⓤ [보통 the ~] 과거(opp. *present*) **2** (국가·물건 등의) 역사, (사람의) 이력 **3 a** 지나간 일, 옛얘기 **b** 《특히》 (수상한) 경력, 과거 생활: a woman with a ~ 과거가 있는 여자 / fling the ~ in a person's face 옛날의 허물을 두고 …을 비난하다 **4** [보통 the ~] 〚문법〛 과거(형)(cf. PRESENT, FUTURE)

in the ~ 여태까지; 과거에

—*prep.* **1** 〈시간이〉 지나서, 〈몇 시가〉 지나(《미》 after): ~ three o'clock 3시 지나서 / half ~[half-~] three 3시 반 **2** 〈장소·위치를〉 지난 곳에; 〈사람·건물 등을〉 지나쳐서, …옆을 지나서: the house just ~ the church 교회를 조금 지난 곳에 있는 집 / We went ~ the house by mistake. 실수로 그 집을 지나쳐 버렸다. **3** 〈어떤 수·양을〉 넘어서: ~ the maximum age 제한 연령을 넘어서 / a boy ~ ten 열 살 넘은 소년 **4** (능력·영향·범위 등의) …이상, …이 미치지 않는(beyond): ~ all belief 전혀 믿을 수 없는 / a pain ~ bearing 참을 수 없는 고통 / ~ praying for 나을[회개할] 가망이 없는 / He is ~ hope. 그는 (회복할) 가망이 없다.

---

vid, ardent, zealous, enthusiastic, eager, excited

passive *a.* **1** 수동적인 inactive, inert, nonparticipating, uninvolved **2** 무저항의 yielding, submissive, compliant, acquiescent, resigned, obedient

be [***get***] ~ ***it*** 《구어》 그 전처럼은 하지 못하다[못하게 되다], 쓸모없게 되다 ***get*** ~ 지나쳐 가다; 《구어》 (질문 등으로부터) 벗어나다 ***get*** ~ one***self*** 《구어》 화내다; 흥분하다 ***I wouldn't put it*** ~ a person (***to*** do) 《구어》 …가 …할지도 모른다고 생각하다, …가 …한다고 해도 놀라운 일이 아니다.

—*ad.* 지나가서, 지나쳐서: go[walk] ~ 지나가다[걸어서 지나가다] / The train is ~ due. 기차는 연착이다.

pas·ta [pɑ́:stə | pǽstə] [It. = paste] *n.* 파스타 《마카로니·스파게티 등을 만들기 위한 밀가루 반죽》; 파스타 요리 관련 spaghetti, macaroni, penne, fettuccine, linguine, ravioli, lasagna, ziti

pást contínuous = PAST PROGRESSIVE

‡**paste**[1] [péist] [Gk 「보리죽」의 뜻에서] *n.* Ⓤ **1** (붙이는) 풀: scissors and ~ 가위와 풀; 독창성 없는 편집 **2** 밀가루 반죽 **3** 반죽한 것; 이긴 흙; 연고(軟膏); 과일의 설탕졸임; 고약; 치약(toothpaste); 반죽한 물고기 미끼 《낚시질용》; 으깬 것: bean ~ 된장 / fish ~ 어묵 **4** 납유리 《인조 보석 제조용》

—*vt.* **1** 〈종이를〉 풀칠하다, 풀로 바르다[붙이다] (*up, on, down, together*); 풀칠하여 붙이다 (*with*): (~+목+부) ~ two sheets of paper *together* 두 장의 종이를 풀칠하여 붙이다 **2** 〈창문·틈 등에〉 종이를 바르다 (*up, over*); …에 바르다 (*with*): (~+목+전+명) ~ the wall *with* the paper 벽에 벽지를 바르다 **3** 〚컴퓨터〛 〈데이터를〉 (복사하여) 붙이다, 페이스트하다

~ ***over the cracks*** ⇨ cracks

▷ pásty[1] *a.*

paste[2] [baste[2]의 변형] *vt.* 치다, 때리다; 맹포격[폭격]하다 ~ a person ***one*** …을 한 방 때리다, 일격을 가하다 —*n.* Ⓤ (얼굴에의) 강타

paste·board [péistbɔ̀:rd] *n.* **1** Ⓤ 두꺼운 종이, 판지(板紙) **2** 《속어》 명함; 기차표; 카드의 패; 입장권 —*a.* Ⓐ **1** 종이로 만든, 판지로 만든 **2** 속[실질]이 없는; 가짜의(sham): a ~ pearl 인조 진주

paste·down [-dàun] *n.* 〚제본〛 (책의) 면지의 바깥장 《표지에 붙는 쪽》

páste jòb 가위와 풀로 이것저것 오려 붙인 것; 모방작품, 모조품; 그러모은 것

***pas·tel**[1] [pæstél | pǽstl] [paste[1]와 같은 어원] *n.* **1** Ⓤ 파스텔 (크레용); Ⓒ 파스텔화(= **~ dràwing**) **2** Ⓤ 연하고 부드러운 색채, 파스텔 컬러; 파스텔 화법 **3** (산문의) 소품

—*a.* Ⓐ 파스텔(화)의; 〈색조가〉 파스텔조의

pas·tel[2] [pǽstel, ─́ | pǽstl] *n.* 〚식물〛 대청(woad); Ⓤ 대청 《염료》

pas·tel·(l)ist [pæstélist | pǽstəl-] *n.* 파스텔 화가

pastél shàde 파스텔풍의 색조

past·er [péistər] *n.* **1** 《미》 고무풀 칠한 종이 쪽지, 스티커 **2** 풀칠하는 사람; 붙이는 것

pas·tern [pǽstərn] *n.* (유제류(有蹄類)의) 발목 《발굽과 구절(fetlock) 사이》

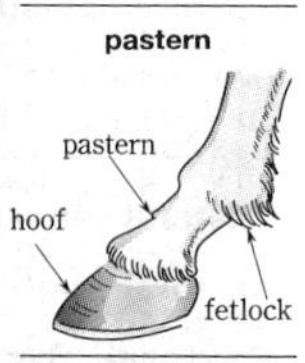

Pas·ter·nak [pǽstərnæ̀k] *n.* 파스테르나크 **Boris Leonidovich** ~ (1890-1960) 《구소련의 시인·소설가; 노벨 문학상(1958)을 사양함》

paste·up [péistʌ̀p] *n.* **1** 〚인쇄〛 전사지나 그림을 붙인 대지(臺紙) 《촬영용》(mechanical); 오린 신문 기사를 붙이는 대지 **2** = COLLAGE

Pas·teur [pæstə́:r] *n.* 파스퇴르 **Louis** ~ (1822-95) 《프랑스의 화학자·세균학자》

pas·teur·ism [pǽstʃərìzm, -tər- | pɑ́:s-] *n.* Ⓤ **1** 파스퇴르 접종법; 《특히》 (광견병의) 예방 접종법 (Pasteur treatment) **2** (우유 등의) 저온 살균(법)

pas·teur·i·za·tion [pæ̀stʃəraizéiʃən, -tər- | pɑ̀:s-] *n.* Ⓤ **1** 저온 살균(법) **2** 광견병 예방 접종

pas·teur·ize [pǽstʃəràiz, -tər- | pɑ́:s-] [발견자

Pasteur에서] *vt.* 저온 살균법을 행하다: ~*d* milk 저온 살균 우유 **-ìz·er** *n.*
Pastéur tréatment 광견병 예방 접종
pas·tic·cio [pæstíːtʃou] [It.] *n.* (*pl.* **-ci** [-tʃiː]) = PASTICHE
pas·tiche [pæstíːʃ, pɑːs- | pæs-] [F] *n.* 혼성곡(混成曲); 혼성화(畫); 모방 작품
pas·ties [péistiz] *n. pl.* (스트리퍼 등의) 젖꼭지 가리개
pas·til·la [pɑ́stijɑ] [Sp.] *n.* 〖요리〗 파스티야 《모로코의 비둘기 고기 파이》
pas·tille [pæstí(ː)l | pǽstəl], **pas·til** [pǽstil] *n.* **1** 방향제, (약용의) 향이 든 정제(錠劑); 정제(troche) **2** 선향(線香); 원뿔꼴의 양초 **3** 파스텔(pastel); 파스텔 크레용
*__pas·time__ [pǽstàim, pɑ́ːs- | pɑ́ːs-] [F = pass time] *n.* UC 기분 전환, 오락, 놀이, 심심풀이, 취미: play cards as[for] a ~ 심심풀이로 카드놀이를 하다
past·i·ness [péistinis] *n.* U 풀 모양, (풀처럼) 끈끈함, 반죽 같은 상태(의 물질)
past·ing [péistiŋ] *n.* **1** 《구어》 강타, 맹타; 혹평 **2** 《구어》 (스포츠 등에서) 참패, 완패 **3** 〖컴퓨터〗 페이스트(paste)하기
pas·tis [pæstíːs] *n.* 파스티스 《aniseed로 맛을 낸 리큐어》
pást máster **1** (조합·협회 등의) 전(前)회장 《등》 **2** 대가, 거장, 명수 《*in, at, of*》
pást místress PAST MASTER의 여성형
past·ness [pǽstnis, pɑ́ːst- | pɑ́ːst-] *n.* U 과거임
*__pas·tor__ [pǽstər, pɑ́ːs- | pɑ́ːs-] [L 「양치기」의 뜻에서] *n.* **1** 사제, 목사 ★ 《영》에서는 영국 국교회 이외의 개신교 목사에 대해서 씀. **2** 정신[종교]적 지도자 **3** 〖조류〗 찌르레기의 일종
— *vt.* (교회의) 목사[사제]의 직을 지내다
*__pas·to·ral__ [pǽstərəl, pɑ́ːs- | pɑ́ːs-] [L 「양치기의」의 뜻에서] *a.* **1** 전원 생활의, 시골의(⇨ rural 유의어); 목가적인(idyllic): ~ life[scenery] 전원 생활[풍경] / a ~ poem 목가(牧歌), 전원시 **2** 양치기의, 유목의: a ~ tribe 유목민 **3** 〈활동 등이〉 목사의, 영적 지도의: ~ visits to a hospital 목사의 병원 방문 **4** 〈토지가〉 목축에 알맞은
— *n.* **1** 목가, 전원시[화, 곡, 가극, 조각] **2** (목사·성직자의 직책에 대한) 목회론, 사목론 **3** = PASTORAL STAFF **4** = PASTORAL LETTER ▷ pástor *n.*
pástoral cáre (종교·교육 지도자가 신도·학생에게 주는) 충고, 조언
pástoral cóunseling 교회 카운셀링 《훈련된 성직자들에 의한 심리 요법》
pas·to·rale [pæ̀stərɑ́ːl, -rǽl, -rɑ́ːli, pɑ̀ːstə-] [It.] *n.* (*pl.* **~s, -ra·li** [-liː]) 〖음악〗 목가곡, 전원곡; 전원극[문학]
Pástoral Epístles [the ~] 〖성서〗 목회 서간 《디모데서(Timothy) 및 디도서(Titus)》
pas·to·ral·ism [pǽstərəlìzm, pɑ́ːs- | pɑ́ːs-] *n.* U 목축 (생활); 전원 취미; 목가체(體)
pas·to·ral·ist [pǽstərəlist, pɑ́ːs- | pɑ́ːs-] *n.* 전원 시인[극작가]; 《호주》 목양[목우]업자; [*pl.*] 목축민
pástoral létter 교서 《성직자가 신도들에게 또는 주교가 성직자·신도들에게 보내는 문서》
pástoral stáff 목장(牧杖)(crosier) 《주교·수도원장의 권위를 상징하는 지팡이》
Pástoral Sýmphony [the ~] 전원 교향곡 《Beethoven의 제6번 교향곡》
pástoral theólogy 목회[사목] 신학
pas·tor·ate [pǽstərət, pɑ́ːs- | pɑ́ːs-] *n.* **1** 〖그리스도교〗 목사의 직[임기, 관구]; 〖가톨릭〗 주임 사제의 직무 **2** [the ~; 집합적] 목사단 **3** 《미》 목사관(館)
pas·to·ri·um [pæstɔ́ːriəm, pɑːs- | pɑːs-] *n.* 《미》 목사관(館), 사제관(parsonage)
pas·tor·ship [pǽstərʃìp, pɑ́ːs- | pɑ́ːs-] *n.* U 목사 직[지위, 임기, 관구]; 주임 사제의 직무

‡**pást párticiple** 〖문법〗 과거분사
‡**pást pérfect** 〖문법〗 과거완료
pást progréssive (form) 〖문법〗 과거 진행형
pas·tra·mi [pəstrɑ́ːmi] *n.* U 양념을 많이 한 훈제(燻製) 소의 가슴살
*__pas·try__ [péistri] *n.* (*pl.* **-tries**) **1** U (파이 껍질용) 가루 반죽; 파이 껍질 **2** UC (가루 반죽으로 만든) 빵과자 《pie나 tart 등》; U [집합적] (가루 반죽의) 빵과자류
pas·try·cook [péistrikùk] *n.* 《주로 영》 페이스트리 제조인[장수]
pást símple 〖문법〗 (단순) 과거형(simple past)
‡**pást ténse** 〖문법〗 과거시제
pas·tur·a·ble [pǽstʃərəbl, pɑ́ːs- | pɑ́ːs-] *a.* 목장에 알맞은
pas·tur·age [pǽstʃəridʒ, pɑ́ːs- | pɑ́ːs-] *n.* U 목초(지); 목장; 목축(업); 《스코》 방목권
‡**pas·ture** [pǽstʃər, pɑ́ːs- | pɑ́ːs-] [L 「풀을 먹다」의 뜻에서] *n.* **1** UC 목장, 방목장, 목초지(pastureland) **2** U 목초

> 유의어 **pasture** 목초가 자라고 있는 곳, 방목지: *pasture* for sheep 양의 목초지 **meadow** 특히 건초를 만들기 위한 목초지: cut the grass in the *meadow* to make hay 건초를 만들기 위해 목초지의 풀을 베다

3 (속어) 야구장(의 외야)
put ... out to ~ 〈가축을〉 목초지에 내놓다; 〈노후품을〉 처분하다; …을 은퇴시키다
— *vt.* **1** 〈가축을〉 방목하다 **2** 〈가축에게〉 목초를 먹이다; 〈토지를〉 목장으로 쓰다 **3** 〈가축이 목초를〉 먹다
— *vi.* 풀을 먹다 **pás·tur·er** *n.* 목장주
pas·ture·land [-læ̀nd] *n.* UC 목초지, 방목장
pas·ture·work·er [-wə̀ːrkər] *n.* 《미·구어》 〖야구〗 외야수
past·y[1] [péisti] *a.* (**past·i·er**; **-i·est**) **1** 〈색·굳기·외관 등이〉 풀[반죽] 같은, 반죽한 것 같은 **2** 느즈러진, 기력 없는; 창백한: a ~ complexion 창백한 얼굴
pas·ty[2] [pǽsti] *n.* (*pl.* **-ties**) 《영》 고기 파이 (meat-pie)
past·y-faced [péistiféist] *a.* 창백한 얼굴의
PÁ sýstem = PUBLIC-ADDRESS SYSTEM
‡**pat**[1] [pǽt] [의성어] *v.* (**~·ted**; **~·ting**) *vt.* **1** 톡톡 가볍게 치다; 토닥거리다; 가볍게 두드려 …이 되게 하다 《*into*》: (~+목+전+명) ~ a person *on* the back (칭찬·찬성의 표시로) …의 등을 톡톡 치다, …을 칭찬[격려, 위로]하다 / Mother ~*ted* the dough *into* a flat cake. 어머니는 가루 반죽을 가볍게 쳐서 빵과자 모양을 만들었다.

> 유의어 **pat** 손바닥 등으로 가볍게 두드리다 **slap** 손바닥으로 찰싹 때리다: *slap* a person's face 남의 뺨을 찰싹 때리다 **tap** 손가락 등 작은 것으로 가볍게 두드리다: *tap* on the desk with a pencil 연필로 책상을 똑똑 두드리다

2 (머리를 빗질하여) 매만지다; (귀여워서) 가볍게 치다, 쓰다듬다 《*on*》: ~ a dog 개를 쓰다듬다
~ one*self on the back* 우쭐해지다, 자랑하다
— *vi.* **1** 톡톡[가볍게] 치다 《*upon*》 **2** 가벼운 발소리로 걷다[뛰다]: (~+부) (~+전+명) ~ *away to* the gate 대문 쪽으로 사뿐사뿐 뛰어가다
— *n.* **1** 톡톡[가볍게] 침[두드림]; 쓰다듬기 **2** (넓적한 물건으로) 가볍게 치는 소리; 가벼운 발소리 **3** (버터 등

thesaurus **pastime** *n.* hobby, leisure activity, sport, game, recreation, diversion, amusement, entertainment, distraction, relaxation
pastor *n.* minister, vicar, priest, rector, clergyman, parson, cleric, reverend, divine
pastoral *a.* rural, country, rustic, simple, idyl-

의) 작은 덩어리 ***a ~ on the back*** 칭찬[격려](의 말)

pat[2] *a.* **1** 〈답변·해설·해결 등이〉 딱 들어맞는, 안성맞춤인, 적절한, 시기[계제]에 맞는 《*to*》 **2** 지나치게 능숙한; 건방진 **3** 완전히 몸에 익은, 정확히 이해한: have [know] ... (off) ~ 《구어》 …을 완전히 알고 있다
—*ad.* 꼭 맞게, 꽉; 잘, 술술, 거침없이: The story came ~ to the occasion. 이야기가 그 경우에 꼭 들어맞았다. ***have*** something ***down*** ~ 《미·구어》 완전히 이해하다[외다] ***stand*** ~ (카드놀이 등에서) 처음 패로 버티고 나가다; 《구어》 결심을 고수하다 《*on*》

Pat [pǽt] *n.* **1** 남자 이름 《Patrick의 애칭》; 여자 이름 《Patricia, Martha, Matilda의 애칭》 **2** 《속어》 아일랜드 사람 《별명》(cf. PADDY)

PAT point(s) after touchdown **pat.** patent; patented; patrol; pattern

pat-a-cake [pǽtəkèik] *n.* Ⓤ (둘이 마주 앉아) 상대의 손바닥치기 놀이 《'Pat a cake, ...!'란 동요를 부르며 노는 어린이 놀이》

pa·ta·gi·um [pətéidʒiəm] *n.* (*pl.* **-gi·a** [-dʒiə]) 〘동물〙 비막(飛膜) 《박쥐 무리의》

Pat·a·go·ni·a [pæ̀təgóuniə, -njə] *n.* 파타고니아 《남미 아르헨티나 남부의 고원》

Pat·a·go·ni·an [pæ̀təgóuniən, -njən] *a.* Patagonia 지방[사람]의 **—***n.* Patagonia 주민

pat-ball [pǽtbɔ̀ːl] *n.* Ⓤ 〘구기〙 패트볼 《야구 비슷한 영국의 공놀이》(rounders); 《영》 서투른 정구

patch**[1] [pǽtʃ] [OF 「한 조각」의 뜻에서] *n.* **1** 헝겊 조각 《깁는 데 쓰는》, 천조각; 판자 조각 《수리용》; 덧대는 쇳조각 《수리용》: put a ~ on …에 헝겊을 대다 **2** 상처에 대는 헝겊; 반창고; 안대: a ~ over the eye 안대 **3** 단편, 파편, 일부; (글의) 한 절(passage); 소곡(小曲) **4** (경작한) 땅 한 뙈기, 한 배미; 거기서 난 농작물: a ~ of potatoes = a potato ~ 감자밭 **5** 《영·구어》 (경관 등의) 담당[순찰] 구역 **6** 〘군사〙 수장(袖章) **7 a** 얼룩, 반점 《큰 또는 불규칙한》 **b** 애교점(beauty spot) 《17-18세기 여자가 얼굴을 돋보이게 하거나 상처 자국을 감추기 위하여 붙였던 검은 비단 조각》 **8** (방송 등의) 중계; 임시 접속 **9** 〘컴퓨터〙 패치 《프로그램의 장애에 대한 임시 정정》 ***in ~es 부분적으로, 군데군데 ***not a ~ on*** 《구어》 …와는 어림도 없는, …보다 훨씬 못한 ***strike* [*hit, have, be going through, be in*] *a bad* [*difficult, sticky*]** ~ 《영》 재수없는 꼴을 당하다, 봉변을 당하다
—*vt.* **1** …에 헝겊[천조각]을 대고 깁다 《*up*》 **2** 수선하다, 고치다 **3** 기워 맞춰 만들다: ~ a quilt 천조각을 기워 맞춰 이불을 만들다 **4** 〈싸움 등을〉 일시적으로 수습하다, 미봉하다, 무마하다 《*up*》 **5** 〘컴퓨터〙 〈프로그램에〉 임시 정정을 하다[패치를 넣다] **6** 점을 붙여 〈얼굴을〉 돋보이게 하다
—*vi.* 옷에 헝겊을 대다 ~ ***out*** 《미·학생속어》 차바퀴를 스핀시켜서 출발하다 《노면에 타이어 흔적이 남으므로》 ~ ***together*** …을 한데 그러모으다

patch[2] *n.* **1** 익살 광대 **2** 《구어》 바보, 멍청이

patch·board [pǽtʃbɔ̀ːrd] *n.* 〘컴퓨터〙 패치보드, 배선[배전]반

patch·box [-bɑ̀ks | -bɔ̀ks] *n.* 패치 상자 《대개 뚜껑에 거울이 붙은, 붙이는 점 등을 넣어두는 작은 상자》

pátch còrd 〘전기〙 (오디오 장치 등의) 접속 코드, 패치 코드

patch·er·y [pǽtʃəri] *n.* Ⓤ 대어 깁기; 쪽모이 세공, 그 재료; 일시적인 미봉책

patch·ou·li [pǽtʃuli, pətʃúːli] *n.* 〘식물〙 파출리 《인도산(産)의 박하 무리》; 파출리로 만든 향료

pátch pànel = PATCHBOARD

lic, innocent, agricultural, georgic
patch[1] *n.* **1** 헝겊 조각 piece of cloth, piece of material **2** 반창고 cover, covering, pad, shield, band-aid **—***v.* cover, mend, repair, stitch
patent *n.* license, copyright, registered trademark, charter, franchise, privilege

pátch pócket (옷의) 바깥에 덧붙인 호주머니

pátch tèst 〘의학〙 첩포 시험(貼布試驗) 《알레르기 반응 검사》

patch-up [pǽtʃʌ̀p] *n.*, (일시적) 수선; 땜질, 미봉 **—***a.* 수선의; 미봉책의, 임시변통의

patch·work [-wə̀ːrk] *n.* ⓊⒸ 조각천을 이어 맞춘 세공, 쪽모이 세공(patching); (임시변통으로) 그러[주워]모은 것, 잡동사니

patch·y [pǽtʃi] *a.* (**patch·i·er**; **-i·est**) **1** 부조화의, 고르지 못한(inconsistent) **2** 작은 땅을 합친 〈정원 등〉 **3** 누덕누덕 기운; 쪽모이의, 주워 모은
pátch·i·ly *ad.* **pátch·i·ness** *n.* ▷ pátch *n.*

patd. patented

pat-down [pǽtdàun] *n.* 《미》 (옷 위로 더듬어 하는) 몸수색(frisking) 《무기·위험물의 소지 여부 조사》(=~ **séarch**)

pate [péit] *n.* 《익살》 머리; 골통: an empty ~ 바보/a bald ~ 대머리

pâte [pɑ́ːt] [F] *n.* Ⓤ 풀(paste); 진흙, 점토

pâ·té [pɑːtéi, pæ- | pǽtei] [F = paste] *n.* (*pl.* **~s** [-z]) **1** 파테 《짓이긴 고기나 간을 요리한 것》 **2** 파이(pie); 작은 파이(patty) **3** (성(城)의) 말발굽 모양의 호제보(護堤堡)

pat·ed [péitid] *a.* 《익살》 [보통 복합어를 이루어] 머리가 …한: long-~ 영리한/shallow-~ 어리석은

pâ·té de foie gras [pɑːtéi-də-fwɑ́ː-grɑ́ː, pætéi- | pǽtei-] [F = paste of fat liver] (지방이 많은) 거위 간(肝) 요리

pa·tel·la [pətélə] *n.* (*pl.* **-lae** [-liː], **~s**) 〘해부〙 슬개골; 〘생물〙 배상부(杯狀部); 〘고고학〙 작은 접시

pa·tel·lar [pətélər] *a.* 슬개골(膝蓋骨)의

patéllar réflex 〘의학〙 슬개(근) 반사 《각기(脚氣)의 진단 등에 이용》

pa·tel·late [pətélət] *a.* 슬개골이 있는

pa·tel·li·form [pətéləfɔ̀ːrm] *a.* 〘동물·식물〙 작은 접시[쟁반] 모양의; 〘해부〙 슬개골 모양의

pat·en [pǽtn] *n.* 〘가톨릭〙 성반(聖盤), 파테나 《성찬용 빵 접시》; (금속제의 납작한) 둥근 접시

pa·ten·cy [péitnsi, pǽt- | péit-] *n.* Ⓤ 명백함; 개방(성); 〘음성〙 개음성(開音性)

pat·ent** [pǽtnt, péit- | péit-] *n.* **1** 특허(권): apply[ask] for a ~ 특허를 출원하다/take out a ~ for[on] an invention 발명품의 특허를 취득하다/*P*~ pending. 특허 출원 중. **2** (전매)특허품 **3** 특허증 《*for*》 **4** 《미》 공유지 양도[불하] 증서, 특권 **5** 《구어》 독특한 것; 표시, 특징 **6** = PATENT LEATHER; [*pl.*] 에나멜 가죽의 구두 ***the P~ and Trademark Office 《미》 특허청
—*a.* **1** Ⓐ (전매) 특허의, 특허권을 가진: a ~ theatre 《영》 특허 극장 **2** 〈법률·변호사 등이〉 특허에 관한, 특허를 다루는: ~ law 특허법 **3** 명백한(evident): a ~ mistake 명백한 잘못 **4** 에나멜 가죽으로 만든 **5** 개방되어 있는, 이용 가능한 **6** 〘생물〙 열린; 〘식물〙 〈꽃받침이〉 벌어지는 **7** Ⓐ 《속어》 신기한, 기발한, 잘 고안된
—*vt.* …의 특허를 얻다; 《드물게》 특허권을 주다
pàt·ent·a·bíl·i·ty *n.* Ⓤ 특허 자격 **~·a·ble** *a.* 특허를 받을 수 있는, 특허할 만한

pátent àgent 《미》 변리사(辨理士)

pátent ambigúity 〘법〙 명백한 의미 불명료 《공문서의 글귀의 애매함》

pátent attòrney[**làwyer**] (특허) 변리사

pat·ent·ed [pǽtəntid] *a.* 개인[그룹]에 의해 창안된[시작된], 개인[그룹]에 특징적인[독특한]

pat·en·tee [pæ̀tntíː | pèit-] *n.* (전매) 특허권 소유자

pátent flóur 극상품 밀가루

pátent léather [원래 특허 제품인 데서] (검은) 에나멜 가죽 《여자 구두·핸드백용》

pat·ent·ly [pǽtntli, péit- | péit-] *ad.* 분명히, 공공연하게(openly): a ~ false statement 분명히 거짓인 진술

pátent médicine 특허 의약품; 매약(賣藥)
pátent òffice [종종 the P- O-] 특허국[청] 《略 Pat. Off.》
pat·en·tor [pǽtntər, pæ̀tntɔ́:r | pèitntɔ́:] *n.* 특허권 인가자
pátent rìght (발명) 특허권
pátent rólls 《영》 연간 특허 등기부
pa·ter [péitər] [L 「아버지」의 뜻에서] *n.* **1** 《영·구어》 아버지 **2** [종종 **P~**] 주기도문
Pa·ter [péitər] *n.* 페이터 **Walter Horatio ~** (1839-94) 《영국의 작가》
pa·ter·fa·mil·i·as [pèitərfəmíliəs, pɑ̀:-, pæ̀- | pèitəfəmíliæ̀s] [L = father of the family] *n.* (*pl.* **pa·tres-** [-triz-]) 가부(家父), 가장(家長)
*__pa·ter·nal__ [pətə́:rnl] [L 「아버지의」의 뜻에서] *a.* **1** 아버지의; 아버지다운[같은](fatherly)(cf. MATERNAL 1) **2** 〈혈연이〉 부계(父系)의; 아버지로부터 이어받은: be related on the ~ side 아버지편의 친척이다 / one's ~ grandfather 친할아버지 **3** (아버지처럼) 보호해 주는; 온정주의의; 간섭적인
~·ly *ad.* ▷ páter, patérnity *n.*
pa·ter·nal·ism [pətə́:rnəlìzm] *n.* Ⓤ (인간 관계·고용 등에서) 온정주의, 가족주의; 가부장적 태도; 간섭주의 **-ist** *a.*, *n.*
pa·ter·nal·is·tic [pətə̀:rnəlístik] *a.* 가장적인; 온정주의적인 **-ti·cal·ly** *ad.*
pa·ter·ni·ty [pətə́:rnəti] *n.* Ⓤ **1** 아버지임, 부성(父性)(opp. *maternity*) **2** 부계(父系) **3** 저작자임(authorship); 기원(起源) ▷ patérnal *a.*
patérnity lèave 아버지의 출산·육아 휴가 《맞벌이 부부의 남편이 얻는》
patérnity sùit 친자 확인 소송
patérnity tèst 친자[친부] 확인 검사 《유전자 감식에 의한》
pa·ter·nos·ter [pèitərnɑ́stər, pɑ̀:t-, pæ̀t- | pæ̀tənɔ́stə] [L =our father] *n.* **1** [종종 **P~**] 《특히》 (라틴어의) 주기도문 **2** 주기도문 외기; 기도하는 말, 주문 **3** 주기도문 구슬 《묵주(默珠)의 11개째마다 있는 큰 구슬; 이 구슬이 돌아오면 주기도문을 되풀이함》 **4** 〖건축〗 구슬선 쇠시리
‡**path** [pǽθ, pɑ́:θ | pɑ́:θ] *n.* (*pl.* **~s** [pǽðz, pɑ́:ðz, pǽθs, pɑ́:θs | pɑ́:ðz]) **1** 작은 길, 오솔길

> 유의어 **path** 들이나 밭의 사람이 다녀서 생긴 작은 길: a *path* through a field 들을 지나는 작은 길 **lane** 산울타리·집 등의 사이에 있는 작은 길: a *lane* leading to a farmhouse 농가에 이르는 오솔길 **footpath** 사람이 다니기 위한 작은 길 **alley** 건물 사이의 좁은 골목길: a blind *alley* 막다른 골목

2 (공원·정원 등의) 보도(步道)(footpath); 경주로(track): a bicycle ~ 자전거 도로 **3** 통로 (*of*); 진로, 코스, 궤도: the ~ *of* a hurricane 허리케인의 진로 **4** (인생의) 행로; 방침; (문명·사상·행동 등의) 방향: the ~ to success[freedom] 성공[자유]으로 가는 길 **5** 〖컴퓨터〗 경로 《파일을 저장하거나 읽어올 때 컴퓨터가 거치는 일련의 경로》
beat a ~ (1) 길을 내다 (2) …에 달려가다; 쇄도하다 (*to*) ***beaten ~*** 늘 다녀 생긴 길, 익은 길; 《비유》 보통 방법 ***cross* a person*'s ~* = *cross the ~ of*** a person …을 우연히 만나다; 방해하다 ***make a ~ for*** (the hotel) (호텔)로 급히 가다
path- [pæθ], **patho-** [pǽθou, -θə] 《연결형》 「병; 감정」의 뜻 《모음 앞에서는 path-》
-path [pæθ] 《연결형》 **1** 「치료사[의사]」의 뜻: naturo*path* **2** 「환자」의 뜻: socio*path*
path. pathological; pathology
Pa·than [pətɑ́:n, péiθən] [Hindi] *n.* 파탄인(人) 《파키스탄 서북부에 사는 Afghan족》
path·break·er [pǽθbrèikər | pɑ́:θ-] *n.* **1** (새) 길을 트는 사람 **2** 개척자, 선구자
path·break·ing [-brèikiŋ] *a.* **1** 길을 트는 **2** 개척자[선구자]적인, 혁신적인
‡**pa·thet·ic** [pəθétik] *a.* **1** 감상적인, 정서적인(emotional) **2** 애처로운, 연민의 정을 자아내는, 감동적인, 슬픈, 비참한: a ~ sight 슬픈 광경 **3** (딱할 정도로) 서투른, 형편없는, 가치 없는, 〈이익이〉 매우 적은: a ~ return on our investment 투자에 비해 형편없이 적은 이익 **4** 어처구니 없는, 우스꽝스러운(absurd): a ~ costume 어처구니 없는 복장
— *n.* [*pl.*] 비애, 애수 ▷ páthos *n.*
pa·thet·i·cal [pəθétikəl] *a.* =PATHETIC
~·ly *ad.* 애절하게; 감상적으로 **~·ness** *n.*
pathétic fállacy [the ~] 〖논리〗 감상(感傷)의 허위 《무생물도 감정을 가졌다는 생각[표현(법)]: the cruel sea, angry wind 등》
Pá·thet Láo [pɑ́:tet-, -θət-] [「라오 족의 토지」의 뜻] 파테트 라오 《라오스의 좌익 세력》
path·find·er [pǽθfàindər | pɑ́:θ-] *n.* **1** 탐험가(explorer); 개척자, 선구자 **2** 〖군사〗 조명탄 투하 비행기; 선도기(先導機) (조종사); 〖항공〗 항공기[미사일] 유도용 레이더 **3** 《미·속어》 경찰의 밀정, 정보원 **4** [**P~**] 패스파인더 《미국의 무인 화성 탐사선; 1997년 화성 착륙》 **páth·find·ing** *n.*, *a.*
path·ic [pǽθik] *n.* =CATAMITE; =VICTIM
páth làb 《영·구어》 (병원의) 병리 연구실
path·less [pǽθlis | pɑ́:θ-] *a.* 길 없는, 전인미답(前人未踏)의, 미개척의(untrodden) **~·ness** *n.*
patho- [pǽθou, -θə] 《연결형》 =PATH-
path·o·bi·ol·o·gy [pæ̀θəbaiɑ́lədʒi | -ɔ́l-] *n.* Ⓤ 병리 생물학
path·o·gen [pǽθədʒən, -dʒèn], **-gene** [-dʒì:n] *n.* 병원균(病原菌), 병원체
path·o·gen·e·sis [pæ̀θədʒénəsis] *n.* Ⓤ **1** 병인(病因), 발병 **2** 발병학, 병원론(病原論)
path·o·gen·ic [pæ̀θədʒénik] *a.* 발병시키는; 병원(病原)의: ~ bacteria 병원성 박테리아 **-i·cal·ly** *ad.*
path·o·ge·nic·i·ty [pæ̀θoudʒənísəti] *n.* Ⓤ 병원성(病原性)
pa·thog·e·nous [pəθɑ́dʒənəs | -θɔ́dʒ-] *a.* =PATHOGENIC
pa·thog·e·ny [pəθɑ́dʒəni | -θɔ́dʒ-] *n.* =PATHOGENESIS
pa·thog·no·mon·ic [pəθɑ̀gnəmɑ́nik | -θɔ̀gnəmɔ́n-] *a.* 〖의학〗 (어떤 질병에) 특징적인
pa·thog·no·my [pəθɑ́gnəmi | -θɔ́g-] *n.* Ⓤ 〖의학〗 질병 징후학; 진단학
pathol. pathological; pathology
path·o·log·i·cal [pæ̀θəlɑ́dʒikəl | -lɔ́dʒ-], **-ic** [-ik] *a.* 병리학(상)의; 《구어》 병적인; 치료의: a ~ liar 병적인 거짓말쟁이 **~·ly** *ad.*
pa·thol·o·gy [pəθɑ́lədʒi | -θɔ́l-] *n.* Ⓤ **1** 병리(학) **2** 병상(病狀) **3** 건강 이상(異常) **-gist** *n.* 병리학자
path·o·pho·bi·a [pæ̀θəfóubiə] *n.* Ⓤ 질병 공포증
path·o·phys·i·ol·o·gy [pæ̀θəfìziɑ́lədʒi | -ɔ́l-] *n.* Ⓤ 병리 생리학 **pàth·o·phỳs·i·o·lóg·i·cal, -ic** *a.*
*__pa·thos__ [péiθɑs, -θous, -θɔ:s | -θɔs] [Gk 「고민」의 뜻에서] *n.* Ⓤ **1** (예술 작품 등의) 비감(悲感), 비애감, 애수(의 정): an aria full of ~ 비애가 가득한 아리아 **2** 〖철학〗 정념(情念), 파토스 ▷ pathétic *a.*
path·o·type [pǽθətàip] *n.* 〖의학〗 **1** 병원형(病原型) **2** 병원성(病原性) 생물
*__path·way__ [pǽθwèi | pɑ́:θ-] *n.* **1** (사람만이 다닐 수 있는) 좁은 길, 오솔길; 진로(course) **2** 〖생화학〗 경로
-pathy [pəθi] 《연결형》 「고통; 감정; …증(症); 요법(療法)」의 뜻
‡**pa·tience** [péiʃəns] *n.* Ⓤ **1** 인내, 인내심[력], 참을성: a man of great ~ 참을성이 강한 사람 / *P~* is

thesaurus **patient** *a.* uncomplaining, serene, calm, even-tempered, tranquil, restrained, tolera virtue. 《속담》 참는 것이 미덕이다.

유의어 **patience** 고통·힘든 일·애타는 일을 꾹 참고 견디기: bear afflictions with *patience* 고생을 꾹 참고 견디다 **endurance** 고통·곤란·피로 등을 강하게 참고 견디는 능력: A marathon race calls for great *endurance.* 마라톤 경주는 대단한 인내력이 요구된다. **perseverance** 곤란한 일을 해내기 위해 착실한 노력을 하기: with unabated *perseverance* 지칠 줄 모르는 끈기로 **fortitude** 고통·고뇌 등을 참고 견디는 정신력, 용기와 의지가 강함을 함축: show *fortitude* in adversity 역경에서 불굴의 정신을 나타내다 **stoicism** 쾌락이나 고통에 무관심하다고 생각될 정도로 감정을 억제하기

2 끈기, 견인불발, 근면, 버티기 **3** 《영》 페이션스(《미》 solitaire) 《혼자서 하는 카드놀이》

be enough to try the ~ of a saint 아무리 인내심이 강한 사람이라도 화낼 정도다 ***have no ~ with*** [***toward*** (***s***)] …을 참을 수 없다 ***Have ~!*** 참으시오; 진정하시오! ***lose one's ~ with*** …을 더는 참을 수 없게 되다 ***My ~!*** 《속어》 저런, 옳지! ***out of ~ with*** …에 정나미가 떨어져 ***the ~ of Job*** (욥과 같은) 끝까지 견디는 인내심 ***try*** a person***'s ~*** 참기 어렵게 하다, 인내력을 시험하다. ▷ pátient *a.*

Pa·tience [péiʃəns] *n.* 여자 이름 《애칭은 Patty》

‡**pa·tient** [péiʃənt] [L 「고민하는」의 뜻에서] *a.* **1** 인내심[참을성] 있는, 끈기 있는, 느긋한 《*with*》; 참을 수 있는 《*of, with*》: Be ~ *with* children. 아이들에게는 성미 급하게 굴지 마시오. // (~+***of***+명) He is ~ *of* insults. 그는 모욕을 꾹 참을 수가 있다. **2** 끈기 있게 일하는, 근면한; 〈연구 등이〉 지속적인 **3** 허용되는, 여지가 있는 《*of*》

— *n.* **1 환자,** 병자: treat[cure] a ~ 환자를 진찰하다[치료하다] **2** 어떤 행위를 당하는 것[사람], 수동자(受動者)(opp. *agent*)

~·ly *ad.* 끈기 있게, 참을성 있게 ▷ pátience *n.*

pátient complíance 〖의학〗 환자의 수용(受容)[응락] 상태 《의사의 지시에 대한》

pa·tient-day [péiʃəntdèi] *n.* (병원 경영에서) 환자 1인당 1일 경비[의료비]

pat·in [pǽtn] *n.* = PATEN

pa·ti·na[1] [pǽtənə, pətíːnə | pǽtinə] *n.* Ⓤ **1** 녹청(綠靑) **2** (골동품 등의) 고색창연한 빛 **3** (오랜 기간에 걸쳐 갖춰진) 외관, 풍모, 분위기

patina[2] *n.* (*pl.* **~s, -nae** [-nìː]) **1** (고대 로마의) 운두가 낮은 큰 접시 **2** = PATEN

pat·i·na·tion [pæ̀tənéiʃən] *n.* 녹이 만들어지는 과정; 녹슬게 하기, 고색(古色)을 띠게 하기

pa·ti·o [pǽtiòu, pɑ́ː-] [Sp.] *n.* (*pl.* **~s**) (스페인식 집의) 안뜰(inner court); 문밖 테라스

pátio dòor [보통 **~s**] 정원이나 발코니로 통하는 미닫이 유리문

pa·tis·se·rie [pətísəri | -tíːs-] [F = pastry] *n.* **1** 파티스리 《프랑스풍의 파이·케이크》 **2** 파티스리 가게

pat·ly [pǽtli] *ad.* 적절하게, 어울리게

Pat Ma·lone [pæ̀t-məlóu] [다음 성구로] ***on your ~*** 《호주·뉴질·구어》 홀로, 혼자서

Pat. Off. Patent Office 특허국[청]

pat·ois [pǽtwɑː, pɑ́ːt-] [F 「시골티 나는 말투」의 뜻에서] *n.* (*pl.* ~ [-z]) **1** 사투리, 방언 **2** (특정 집단의) 은어

pat. pend. patent pending 특허 출원 중 **Patr.** Patrick; Patriotic; Patron

pat·ri- [pǽtri, péit-] 《연결형》 「아버지」의 뜻

pa·tri·al [péitriəl] *a.* **1** 조국의 **2** 〈낱말이〉 국가명[지명]에서 유래한 **3** 《영》 (부모가 영국 태생이어서) 영국 거주권이 있는

ant — *n.* sick person, invalid, sufferer, case
patriot *n.* nationalist, loyalist, chaunvinist, jingoist

— *n.* 《영》 귀화하여 영국인이 된 사람; 그 자손

pa·tri·arch [péitriɑ̀ːrk] [Gk 「아버지와 지도자」의 뜻에서] *n.* **1** 가장(家長), 족장 《옛날의 대가족·종족의 장》 **2** 교파[학파]의 창시자, 개조(開祖) **3** [*pl.*] 야곱(Jacob)의 열두 아들; 〖성서〗 이스라엘 민족의 조상 《Abraham, Isaac, Jacob 및 그들의 조상》 **4** bishop의 존칭 《초기 그리스도교 교회에서》 **5** 〖가톨릭〗 로마 교황, 총대주교 **6** (모르몬교의) 대축복사 **7** (어떤 사회·단체의) 장로, 원로 ▷ patriárchal *a.*

pa·tri·ar·chal [pèitriɑ́ːrkəl] *a.* **1** 가장의, 족장의 **2** 원로의; 대주교의 **3** 존경할 만한

patriárchal cróss ‡형 십자가 《총대주교가 사용》

pa·tri·arch·ate [péitriɑ̀ːrkət, -kèit] *n.* **1** ⓊⒸ patriarch의 지위[직권, 임기, 관구, 공관] **2** = PATRIARCHY

pa·tri·arch·ism [péitriɑ̀ːrkizm] *n.* Ⓤ 가부장 제도, 가장[족장] 정치[조직]

pa·tri·ar·chy [péitriɑ̀ːrki] *n.* Ⓤ **1** 가장[족장] 정치[제도]; 가부장제, 부권제 **2** 부권(父權) 사회(cf. MATRIARCHY)

pa·tri·ate [péitrièit] *vt.* **1** 처음으로 본국에 보내다, 원래로 되돌리다 **2** 《캐나다》 〈헌법 수정권을〉 영국 정부에서 캐나다 정부로 이양하다

Pa·tri·cia [pətríʃə, -tríː-] *n.* 여자 이름 《애칭 Pat, Patty》

***pa·tri·cian** [pətríʃən] *n.* **1** (고대 로마의) **귀족**(cf. PLEBEIAN) **2** 로마 황제의 지방관, 총독 **3** (중세 이탈리아·스위스·독일 등 자유시(自由市)의) 귀족, 명문가

— *a.* 귀족의; 고귀한, 양반의; 귀족다운: ~ tastes 귀족적인 취미 **~·shìp** *n.* Ⓤ 귀족임, 귀족의 신분

pa·tri·ci·ate [pətríʃiət, -ʃièit] *n.* Ⓤ 귀족 계급[사회]; 귀족의 지위

pat·ri·cide [pǽtrəsàid, péit-] *n.* **1** Ⓤ 아버지 살해(죄) **2** 아버지 살해범(cf. MATRICIDE)

pàt·ri·cíd·al *a.*

Pat·rick [pǽtrik] *n.* **1** 남자 이름 《애칭 Pat》 **2 Saint ~** 성 패트릭 (389?-461?) 《아일랜드의 수호 성인》 ***St. ~'s cross*** 성 패트릭 십자 《흰 바탕에 붉은 X형 십자; cf. UNION JACK》

pa·tri·fo·cal [pæ̀trəfóukəl] *a.* 〖인류〗 〈가족·사회가〉 아버지 중심의

pat·ri·lat·er·al [pæ̀trəlǽtərəl] *a.* 아버지 쪽의(cf. MATRILATERAL)

pat·ri·lin·e·age [pæ̀trəlíniidʒ] *n.* 부계(父系)

pat·ri·lin·e·al [pæ̀trəlíniəl] *a.* 부계의 **~·ly** *ad.*

pat·ri·lo·cal [pæ̀trəlóukəl] *a.* 부계 거주의 《부부가 남편의 가족과 동거하는》

pat·ri·mo·ni·al [pæ̀trəmóuniəl] *a.* 조상 전래의, 세습의(hereditary) **~·ly** *ad.*

patrimónial wáters[**séa**] 영해(領海) 《보통 연안에서 200마일의 수역》

pat·ri·mo·ny [pǽtrəmòuni | -məni] [L 「아버지의 부동산」의 뜻에서] *n.* (*pl.* **-nies**) ⓊⒸ **1** 세습 재산 **2** 집안 내림, 유전, 전승 **3** [집합적] 전재산, 전소유물 **4** (교회·수도원 등의) 기본 재산 ▷ patrimónial *a.*

‡**pa·tri·ot** [péitriət | pǽt-] [Gk 「아버지의 나라 사람」의 뜻에서] *n.* **1 애국자,** 지사(志士), 우국지사 **2** [**P~**] 〖군사〗 패트리어트 미사일 《미국 육군의 지대공 미사일; 요격용》 ▷ patriótic *a.*

pa·tri·ot·eer [pèitriətíər | pæ̀t-] *n.* 사이비 애국자

***pa·tri·ot·ic** [pèitriɑ́tik | pæ̀triɔ́t-] *a.* **애국의,** 애국심이 강한, 애국적인 **-i·cal·ly** *ad.* ▷ pátriot *n.*

***pa·tri·ot·ism** [péitriətìzm | pǽt-] *n.* Ⓤ **애국심**

Pátriots' Dày 《미》 애국 기념일 《4월의 세 번째 월요일; Maine, Massachusetts 주의 공휴일》

pat·ri·po·tes·tal [pæ̀trəpoutéstəl] *a.* 〖인류〗 부권(父權)의, 부권제(制)의

pa·tris·tic, -ti·cal [pətrístik(əl)] *a.* **1** 초기 그리스도교 교부(敎父)의 **2** 교부의 저서 (연구)의; 교부학의

pa·tris·tics [pətrístiks] *n. pl.* [단수 취급] 교부학(敎父學)

*__pa·trol__ [pətróul] 〔OF「진창길을 저벅저벅 걷다」의 뜻에서〕 *n.* **1 순찰병**, 척후, 경비병; **순찰 경관**; [집합적] 경비대, 순찰대 **2** Ⓤ **순찰**, 순시, 감시, 정찰, 패트롤: a ~ boat[ship] 초계정(哨戒艇), 순시선/a ~ bomber (장거리) 정찰 폭격기/a ~ line 경계[전초]선/a ~ plane 초계기 **3** 《미》 =PATROL WAGON **4** (보이[걸] 스카우트의) 반(班) ***on*** **~** 순찰[초계] 근무 중
— *v.* (**~led**; **~·ling**) *vt.* **1** 〈지역을〉 **순찰[순시**, **순회]하다 2** 〈거리 등을〉 행진하다, 무리지어 걸어가다
— *vi.* 순찰[순시]하다 **~·ler** *n.* 순찰자
patról càr 순찰차(squad car)
pa·trol·man [pətróulmən | -mən, -mæ̀n] *n.* (*pl.* **-men** [-mən, -mèn]) **1** 순찰자; 《미》 패트롤[순찰] 순경(patrol officer, 《영》 police) constable) **2** 《영》 자동차 순회원 《자동차 사고 등을 돌봄》
patról òfficer 순찰[외근] 경관
pa·trol·o·gy [pətrɑ́lədʒi | -trɔ́l-] *n.* Ⓤ 〖그리스도교〗 Ⓤ 교부학(教父學); Ⓒ 교부 유서[원전]집
patról wàgon 《미》 죄수[범인] 호송차(police wagon)
‡**pa·tron** [péitrən] 〔L「보호자」의 뜻에서〕 *n.* **1** (예술가·자선 사업 등의) **보호자**, **후원자**, 지지자, 은인: a ~ of the arts 예술의 후원자 **2** (호텔·상점 등의) **단골손님**, 고객: the ~*s* of the department store 백화점의 단골손님 **3** =PATRON SAINT **4** (조합 등의) 지부장 **5** (고대 로마에서) 평민 보호자로서의 귀족; 해방된 노예 보호자로서의 옛 주인; 변호인 **6** 〖영국국교〗 성직 수여권자 ***P~s of Husbandry*** 《미》 농민 공제조합 **~·al** [-nl] *a.* 수호 성인의; 보호[후원]자의
▷ pátronize *vt.*
*__pat·ron·age__ [péitrənidʒ, pǽt- | pǽt-] *n.* Ⓤ **1** (예술가 등에 대한) **보호**, 후원, 장려, 격려 **2** (상점 등의) **단골**(로 거래해 줌), 애용: Thank you for your ~. 매번 이용해 주셔서 고맙습니다. 《단골 손님에게》 **3** [집합적] 단골 손님, 고객(custom) **4** (요직의) 임명권; 《영》 성직 수여권 **5** (임명권 내에 있는) 관직 **6** (자신의 정당이나 정치 운동의 지지자에 대한) 관직 제공 **7** 은혜삼아 베푸는 원조, 은인인 체함
P~ Secretary 《영》 관리 전형 장관 《재무부의 위원》
with [***under***] ***the ~ of*** …의 (특별) 보호[후원] 아래
pa·tron·ess [péitrənis] *n.* PATRON의 여성형
*__pa·tron·ize__ | __pa·tron·ise__ [péitrənàiz, pǽt- | pǽt-] *vt.* **1 보호[수호]하다**, 후원하다(support), 장려하다 **2 단골로 다니다**, 단골이 되다: The students ~ this restaurant. 학생들이 이 식당의 단골손님이다. **3** 선심을 쓰고 돌봐 주다; 은혜를 베풀다; 선심 쓰는 체하다, 은인인 체하다 ▷ pátron *n.*
pa·tron·iz·ing [péitrənàiziŋ, pǽt- | pǽt-] *a.* **1** 보살피는, 후원하는, 역성을 드는 **2** 드러내어 선심을 쓰는, 은인인 체하는, 은혜를 베풀어 짐짓 자랑하는
~·ly *ad.*
pátron sáint 〖종교〗 수호성인, 수호신; (정당 등의) 시조, 창시자 **NOTE** [영국의 수호 성인] England—St. George(성 조지), Scotland—St. Andrew(성 안드레), Ireland—St. Patrick(성 패트릭)
pat·ro·nym·ic [pæ̀trənímik] *a.* 아버지[조상]의 이름을 딴 **—** *n.* **1** 아버지[조상]의 이름을 딴 이름 《Johnson(=son of John) 등》 **2** 성(姓)
pa·troon [pətrúːn] *n.* 〖미국사〗 지주 《네덜란드 통치하의 New York 주 및 New Jersey 주에서 장원(莊園)적 특권을 누렸던》
pat·sy [pǽtsi] *n.* (*pl.* **-sies**) 《미·속어》 **1** 조롱거리가 되는 사람 **2** 속기 쉬운 사람, 봉, 죄를 뒤집어 쓰는 사람
pat·ten [pǽtn] *n.* **1** (진창에서 신는) 나무 덧신, 나막신 **2** 〖건축〗 주각(柱脚), 굽도리
*__pat·ter__[1] [pǽtər] [pat[1]의 반복형] *vi.* **후두둑 떨어지다**, 또닥또닥 소리를 내다; 후닥닥 달리다: (~+전+명) The rain ~*ed against* the window. 빗방울이 창문을 후두둑 때렸다. / He ~*ed across* the hall. 그는 후닥닥 홀을 가로질렀다.
— *vt.* 〈물방울이〉 또닥또닥[후두둑] 소리나게 하다; 〈물 등을〉 철벅철벅 튀기다
— *n.* 후닥닥[또닥]거리는 소리(pitter-patter)
the ~ of little [***tiny***] ***feet*** 아이가 후닥닥 달리는 발소리; 아이의 존재[탄생]
patter[2] *n.* Ⓤ Ⓒ **1** 재잘거림, 빠른 말로 지껄임 **2** 은어(隱語), 변말 《어떤 특수 집단의》; 곁말, 암호말 **3** =PATTER SONG **4** 요술쟁이의 주문
— *vi.* 재잘거리다(chatter), 빠른 말로 지껄이다
— *vt.* 〈주문 등을〉 빠른 말로 외다
patter[3] *n.* **1** 가볍게 두들기는 사람, 가벼운 발소리를 내는 사람 **2** (골프의) 패터
‡**pat·tern** [pǽtərn | pǽtən] *n.*, *v.*

> ME의 patron(=model)과 같음.
> (모범이 되는 것)→「귀감, 본」 **5**
> →「(행동의) 형, 양식」 **3**
> →「(물건의) 형, 본」 **7**→「무늬」 **1**

— *n.* **1** (도자기·직물 등의) **무늬**: wallpaper ~*s* 벽지의 무늬 **2** (우연히 생긴) 자국, 모양: ~*s* of frost on the window 유리창에 생긴 성에의 무늬 **3** (사고·행동 등의) **형**, **양식**, 패턴: the behavior ~*s* of teenage 10대들의 행동 양식 **4** (같은 일의) 반복 《*of*》: He has a ~ *of* arrests. 그는 몇 번이나 체포된 경력이 있다. **5** [보통 a ~, the ~] **모범**, 본, 귀감 《*of*》: She is *a*[*the*] ~ *of* virtue. 그녀는 부덕(婦德)의 귀감이다. **6** (옷감 등의) **견본**(sample) **7** 형(型), (옷) 본, 원형, 모형(model), 주형(鑄形), 목형(木型); 〖양재〗 종이본: a car of a new ~ 신형차 **8** 《미》 한 벌 분의 옷감 **9** 착륙 패턴 《착륙 예정 공항에 접근 중인 비행기를 위한 항공로》 **10** 포격 산포도; 과녁 위의 탄환 자국 ***run to ~*** 틀에 박혀 있다
— *vt.* **1** 본떠서 만들다 《*on*, *upon*, *after*》: (~+목+전+명) ~ a dress *after*[*upon*] a design 디자인에 따라서 옷을 마르다 / His mustache is ~*ed after* that of a movie star. 그의 코밑수염은 어떤 영화배우의 것을 본뜬 것이다. **2** …에 무늬를 넣다 《*with*》 **3** 《영·방언》 흉내내다
— *vi.* 모방하다 《*after*, *on*》 **~ one*self after*** …을 모방하다; …을 본받다 **~ *out*** 가지런히 정돈하다
páttern bàrgaining 단체 협약 모델
páttern bòmbing (일정 구역의) 융단 폭격
páttern drìll =PATTERN PRACTICE
pat·terned [pǽtərnd] *a.* 무늬를 넣은
páttern glàss 장식 무늬가 든 유리 제품
pat·tern·ing [pǽtərniŋ] *n.* **1** (행동·관습의) 양식 **2** (동물의 줄무늬·반점 등의) 무늬 **3** 〖의학〗 양식화 《뇌 손상·신체 장애자에게 받게 하는 물리 치료; 패턴화된 운동을 통해 마비된 신경과 근육의 회복을 꾀함》
pat·tern·mak·er [pǽtərnmèikər | pǽtən-] *n.* 주형(鑄型)[모형] 도안가[제작자], 목형공(木型工)
páttern pràctice (영어의) 문형 연습
páttern recognìtion 〖컴퓨터〗 패턴 인식 《문자·도형·음성 등의 유형을 식별·판단하기》
páttern shòp 주형(鑄型)[목형] 제작장[소]
pátter sòng 희가극 등에서 단조로운 가사와 리듬으로 빨리 불러 제치는 익살 노래
*__pat·ty__[1] [pǽti] *n.* (*pl.* **-ties**) **작은 파이**(small pie); 패티 《다진 고기 등을 동글납작하게 만든 요리》; 동글납작한 캔디: hamburger ~ 햄버거(에 넣는) 고기
patty[2] *n.* 《미·속어》 백인 《스페인계가 쓰는 말》
Pat·ty, Pat·tie [pǽti] *n.* 여자 이름 《Martha, Matilda, Patricia, Patience의 애칭》
pat·ty-cake [pǽtikèik] *n.* =PAT-A-CAKE

thesaurus **patrol** *n.* **1** 순찰병 garrison, guard, watchman, policeman, policewoman **2** 순찰 policing, watch, guard, vigil, monitoring, round
patron *n.* sponsor, backer, benefactor, promoter, friend, helper, supporter, upholder, protector

pat·ty·pan [-pæ̀n] *n.* 과자[파이]를 굽는 냄비
páttypan squàsh 〖식물〗 껍질에 세로 홈이 있는 서양 호박의 일종(cymling, scallop squash)
pátty shèll 페이스트리의 일종 《채소·고기·생선·크림 등을 채운 컵 모양의 파이 요리》
pat·u·lin [pǽtjulin, -tʃu-] *n.* Ⓤ 〖약학〗 파툴린 《항생 물질의 일종》
pat·u·lous [pǽtʃuləs | -tju-] *a.* 열린(open), 입을 벌린(gaping); 〖식물〗 〈가지·잎 등이〉 벌어진, 퍼진
pat·zer [pɑ́:tsər, pǽt-] *n.* 《미·속어》 서투른 체스 플레이어
PAU Pan-American Union 범미 동맹
pau·ci·ty [pɔ́:səti] *n.* ⓊⒸ 소수, 소량; 부족, 결핍
***Paul** [pɔ́:l] *n.* **1** 남자 이름 **2** 〖성서〗 **Saint ~** (사도) 바울(?-67?) 《그리스도의 제자; 신약 성서의 저자 중의 한 사람》 ▷ Páuline *a.*
Pau·la [pɔ́:lə] *n.* 여자 이름
Pául Bún·yan [-bʌ́njən] 폴 버니언 《미국 민화(民話)의 거인 영웅》
Páu·li (exclúsion) prìnciple [pɔ́:li-] 〖물리〗 파울리의 배타[금제] 원리
Paul·ine[1] [pɔ́:lain, -li:n | -lain] *a.* **1** 사도 Paul의 **2** (런던의) St. Paul's School의 ***the ~ Epistles*** 〖성서〗 바울 서간
—*n.* 《영》 (런던의) St. Paul's School의 학생
Pau·line[2] [pɔ:lí:n] *n.* 여자 이름
Paul·ist [pɔ́:list] *n.* **1** 성 바울의 신봉자 **2** 《인도》 예수회 회원(Jesuit)
pau·low·ni·a [pɔ:lóuniə] *n.* 〖식물〗 오동(나무)
Pául Prý [영국의 John Poole의 희곡명에서] [a ~] 꼬치꼬치 캐기 좋아하는 사람
paunch [pɔ́:ntʃ, pɑ́:ntʃ | pɔ́:ntʃ] *n.* **1** 배(belly); 위(胃); 〖동물〗 (반추동물의) 첫째 위, 혹위(rumen) **2** 《익살》 올챙이배(potbelly) **3** 〖항해〗 (마찰 방지용) 튼튼한 거적(=~ **màt**) —*vt.* …의 배를 가르다, 내장을 도려내다
paunch·y [pɔ́:ntʃi, pɑ́:n- | pɔ́:n-] *a.* (**paunch·i·er**; **-i·est**) 배가 불뚝하게 나온 **páunch·i·ness** *n.*
pau·per [pɔ́:pər] *n.* 〖역사〗 (빈민 구제법의 적용을 받는) 극빈자; 빈민, 거지; 《구어》 가난뱅이; 〖법〗 (소송 비용을 면제받는) 빈민
~·dom *n.* Ⓤ 빈궁; [집합적] 빈민, 극빈자
páuper cósts 《영》 빈민을 위한 소송비
pau·per·ism [pɔ́:pərìzm] *n.* Ⓤ **1** (구호가 필요한) 빈곤 상태 **2** [집합적] 요구호 대상자, 빈민
pau·per·ize [pɔ́:pəràiz] *vt.* **1** 가난하게 만들다 **2** (구빈법 적용으로) 피구호민으로 만들다
pàu·per·i·zá·tion *n.*
paus·al [pɔ́:zəl] *a.* 쉬는, 구절을 끊는
****pause** [pɔ́:z] *vi.* **1** 중단하다, 도중에서 끊기다; 잠시 멈추다, 숨을 돌리다; 기다리다 《*for*》(⇨ stop 유의어): (~+전+명) ~ (*for*) a moment at the gate 대문간에서 잠시 멈추다 / ~ *for* breath 한숨 돌리기 위해 잠깐 쉬다 // (~+*to* do) He ~*d to* look at the view. 그는 잠깐 멈추고 풍경을 바라보았다. **2** 잠시 생각하다, 천천히 논하다 《*on, upon*》; 주저하다, 머뭇거리다 《*on, upon*》 **3** 〖음악〗 음을 길게 끌다 **4** (CD·비디오·컴퓨터 게임 등의) 일시 정지 버튼을 누르다
—*vt.* 잠시 멈추게[쉬게]하다; 〈CD·비디오·컴퓨터 게임 등을〉 일시 정지시키다
~ upon …에서 잠시 멈추다, 잠시 생각에 잠기다; 소리를 길게 끌다
—*n.* **1** 잠깐 멈춤[그침], 중지, 중단; 휴지, 중간 휴식; (이야기의) 중단, 숨 돌림: come to a ~ 끊어지다 / make a ~ 휴지[중단]하다; 잠깐 쉬다 **2** 주저: put a person to a ~ …을 주저하게 하다 **3** 단락, 구두(句讀), 구절 끊기 **4** 〖시학〗 휴지(caesura) **5** 〖음악〗 연장 (기호), 늘임표 (𝄐 또는 𝄑) **6** 〖컴퓨터〗 (프로그램 실행의) 일시 정지; (전자 기기 등의) 일시 중지
give ... ~ (***for thought***) = ***give*** [***put***] ***~ to*** …을 잠깐 중지시키다, …을 주저하게[망설이게] 하다 ***in*** [***at***] ***~*** 중지[휴지]하여; 주저하여 ***without ~*** 끊임없는, 쉬지 않고, 주저 없는[없이]
~·less *a.* **páus·er** *n.*
páuse bùtton (비디오·오디오 등의) 일시 정지 버튼
pav [pǽv] *n.* 《호주·구어》 =PAVLOVA
pav·age [péividʒ] *n.* Ⓤ **1** 도로 포장 (공사) **2** 《영》 포도세(鋪道稅)
pa·van(e) [pəvɑ́:n, -vǽn | pǽvən] [F] *n.* 파반 《16-17세기 이후의 우아한 춤(곡)》
Pa·va·rot·ti [pæ̀vərɑ́ti | -rɔ́ti] *n.* 파바로티 **Luciano ~** (1935-2007) 《이탈리아의 테너 가수》
pave** [péiv] [L 「내리치다」의 뜻에서] *vt.* **1** 〈길을〉 포장하다 《*with*》: (~+목+전+명) ~ a road *with* asphalt 도로를 아스팔트로 포장하다 **2** 덮다 《*with*》 ***be ~d with gold 양명[성공]하기 쉽다 ***~ the way for*** [***to***] …의 길을 닦다; …을 가능[용이]하게 하다
—*n.* 《미·방언》 포장길 ▷ pávement *n.*
pa·vé [pəvéi, pǽvei | pǽvei] [F] *n.* **1** 포장 도로, 포도(pavement) **2** Ⓤ (금속이 보이지 않게) 보석을 빽빽이 박음 —*a.* 보석이 빽빽이 박힌
paved [péivd] *a.* 포장된 〈길〉; = PAVÉ
pave·ment** [péivmənt] *n.* **1** 《미》 포장 도로(《영》 roadway), 포장(한 바닥) **2** 포장면 **3** Ⓤ 포장 재료, 포석(鋪石) **4** 《영》 (특히 포장한) 보도, 인도(《미》 sidewalk) ***hit the ~ 《영·속어》 해고되다; 내쫓기다; 걷기 시작하다 ***on the ~*** 거리를 걸어; 집 없는, 버림받아 ***pound the ~*(*s*)** ⇨ pound[3] ▷ páve *v.*
pávement àrtist 《영》 거리의 화가(《미》 sidewalk artist) 《《영》 길바닥에 색분필로 그림을 그려 행인한테서 돈을 받는 사람; 《미》 보도에서 그림을 전시·판매하거나 초상화를 그리는 사람》
pávement lìght 포도창(鋪道窓), (지하실 등의) 채광 천장(vault light)
Pave Paws [péiv-pɔ̀:z] [*P*recision *A*cquisition of *V*ehicle *E*ntry, *P*hased *A*rray *W*arning *S*ystem] 〖군사〗 (미공군의) 지상 설치식 초대형 조기 경보 레이더망
pav·er [péivər] *n.* **1** 포장 인부; 포장 기계 **2** 포장 재료
pav·id [pǽvid] *a.* 《드물게》 겁이 많은(timid)
***pa·vil·ion** [pəvíljən] [L 「천막」의 뜻에서] *n.* **1** (박람회의) 전시관, 대(大) 홀 **2** (운동회 등에 쓰는) 대형 천막; (정원·공원의) 휴게소, 누각, 정자; 가설 건축물 **3** 《영》 (야외 경기장 등의) 부속 건물 《관람석·선수석 등으로 사용》 **4** (병원 등의) 별관, 별채 병동

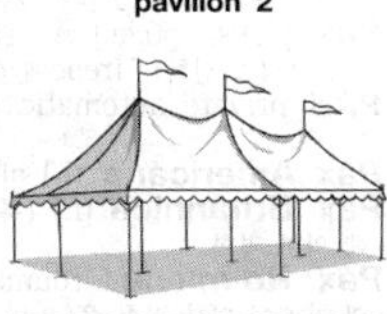
pavilion 2

—*vt.* …에 (대형) 천막을 치다, (대형) 천막으로 덮다; (대형) 천막에 넣다
pav·in [pǽvən] *n.* =PAVANE
pav·ing [péiviŋ] *n.* **1** Ⓤ 포상(鋪床), 포장 **2** Ⓤ 포장 재료 **3** [보통 *pl.*] 포석(鋪石)
—*a.* **1** 포장(용)의 **2** 예비[준비]의
páving brìck 포장용 벽돌
páving stòne 포장용 돌, 포석
pav·ior | **-iour** [péivjər] *n.* 포장공(工); 포장기
Pav·lov [pǽvlɑv, -lɔ:f | -lɔv] *n.* 파블로프 **Ivan Petrovich ~** (1849-1936) 《러시아의 생리학자》
pav·lo·va [pævlóuvə] *n.* (호주·뉴질랜드의) 크림·과실 등을 얹은 머랭 과자(meringue)

---

pattern *n.* **1** 무늬 decoration, design, motif, marking, ornament, ornamentation, device, figure **2** 양식 system, order, arrangement, method
pause *v.* halt, stop, cease, discontinue, rest, hold back, delay, hesitate, waver

Pav·lov·i·an [pævlóuviən] *a.* 파블로프 (학설)의, 조건 반사(설)의
Pavlóvian condítioning 〖심리〗 파블로프의 조건 반사[반응]
Pa·vo [péivou] *n.* 〖천문〗 공작(孔雀)자리
pav·o·nine [pǽvənàin, -nin] *a.* **1** 공작의[같은] **2** 무지개 빛깔의
‡**paw**[1] [pɔ́:] *n.* **1** (개·고양이 등의 갈고리 발톱이 있는) 발(cf. HOOF) **2** 《익살》 (사람의) 손 **3** 《속어》 필적
— *vt.* **1** 〈동물이〉 앞발로 긁다[차다, 할퀴다] **2** 《구어》 거칠게[서투르게] 나무다 《*over*》
— *vi.* 〈말이〉 앞발로 땅을 차다; 《구어》 서투르게 나무다 《*at, on, over*》
paw[2] *n.* 《방언·구어》 아빠(papa)
pawk·y [pɔ́:ki] *a.* (**pawk·i·er**; **-i·est**) **1** 《스코·영·방언》 빈틈없는, 교활한 **2** (시치미 떼고) 익살스러운 말을 하는 **3** 《미·속어》 건방진 **páwk·i·ly** *ad.*
pawl [pɔ́:l] *n.* 〖기계〗 (톱니바퀴의 역회전을 막기 위한) 멈춤쇠 — *vt.* 멈춤쇠로 멈추게 하다
***pawn**[1] [pɔ́:n] *n.* **1** Ⓤ **전당**(典當); Ⓒ 전당물, 저당물, 담보물: jewels in ~ 전당 잡힌 보석 / give[put] something in ~ …을 전당 잡히다 **2** 볼모, 인질(hostage) **3** 맹세, 약속
— *vt.* **1** 전당 잡히다 **2** 목숨[명예]을 걸고 맹세하다 《*on*》: ~ one's word 언질을 주다
pawn[2] *n.* **1** 〖체스〗 졸(卒) **2** 앞잡이
pawn·bro·ker [pɔ́:nbròukər] *n.* 전당포 업자
pawn·bro·king [-bròukiŋ] *n.* Ⓤ 전당포업
paw·nee [pɔ:ní:] *n.* 《영·속어》 **1** (호수·연못 등의) 수역(水域) **2** (비·눈물 등의) 물
Paw·nee [pɔ:ní:] *n.* (*pl.* **~, ~s**) **1** 포니 족(族) 《미국의 Nebraska 주 Platte 강 연안에 살던 북미 원주민; 지금은 Oklahoma 주 거주》 **2** Ⓤ 포니 어(語)
pawn·er, paw·nor [pɔ́:nər, -nɔ:r] *n.* 전당 잡히는 사람
pawn·shop [pɔ́:nʃɑ̀p | -ʃɔ̀p] *n.* 전당포
páwn tìcket 전당표
paw·paw [pɔ́:pɔ̀:] *n.* 〖식물〗 **1** = PAPAW **2** 《영·중미》 = PAPAYA
pax [pǽks, pɑ́:ks | pǽks] [L = peace] *n.* **1** 〖가톨릭〗 성상패(聖像牌) 《성직자나 신자가 입맞추는 성상이 그려진 패》 **2** 입맞추는 예(禮), 친목의 입맞춤(kiss of peace) **3** Ⓤ 《영·학생속어》 우정(friendship): make[be] ~ with …와 친해지다[친하다] **4** [**P~**] Ⓤ (강국 등의 지배에 의한 국제적) 평화 **~ *vobis*** [***vobiscum***] 그대들에게 평화가 있으라
— *int.* 《영·학생속어》 (놀이의 일시 중단을 요구하여) 잠깐, 타임: *P*~! *P*~! (싸움) 그만해, 화해해라!
Pax [pǽks, pɑ́:ks] *n.* 〖로마신화〗 팍스 《평화의 여신; 그리스 신화의 Irene에 해당》
PAX private automatic exchange 《영》 사설 구내 교환
Páx Americána [L] 미국의 지배에 의한 평화
Páx Británnica [L] (특히 19세기의) 영국의 지배에 의한 평화
Páx Ro·má·na [-rouméinə | -mɑ́:-] [L] **1** 로마의 지배에 의한 평화 **2** 《일반적으로》 강대국이 약소국에 강요하는 평화; 불안한 평화
pax·wax [pǽkswæ̀ks] *n.* 《방언》 경인대(頸靭帶)
‡**pay**[1] [péi] *v., n., a.*

> L 「(지불하여) 채권자를 안심시키다」의 뜻에서
> ① 「(돈을) 지불하다, 치르다」 타 **1, 2** 자 **1**
> ② 「이익이 되다」 타 **4** 자 **2**
> ③ 「(주의·경의를) 표하다」 타 **6**

— *v.* (**paid** [péid]) *vt.* **1** 〈임금·대금 등을〉 **치르다, 지불하다,** 〈보수를〉 **지급하다;** 〈경비·비용 등을〉 지출하다: ~ the school expenses 학비를 내다 / ~ a driver 운전사에게 요금을 치르다 // (~+[목]+[전]+[명]) I *paid* twenty dollars *for* this shirt. 이 셔츠를 사는 데 20달러를 지불했다. / They are *paid by* the week. 그들은 주급이다. / ~ a person *in* kind 물건으로 지불하다; 《비유》 보복하다 // (~+[목]+[목]) (~+[목]+[전]+[명]) He *paid* me the rent. = He *paid* the rent *to* me. 그는 나에게 집세[지대, 임대료]를 치렀다. / They have ceased to ~ coaches *for* overtime. 그들은 코치에 대한 초과 수당의 지급을 중단하였다. **2** 〈빚·부채 등을〉 갚다: ~ one's debts 빚을 갚다 **3** 보상하다, 메우다: (~+[목]+[부]) His trouble was *well paid*. 그의 노고는 충분히 보상 받았다. **4** 〈일·물건이〉 …에게 수지 맞다, …**에게 이익을 주다**: It will ~ you to read this book. 이 책을 읽는 것이 당신한테 도움이 될 것이다. // (~+[목]+[부]) Your training will ~ you *well* in the future. 훈련해 두면 장차 도움이 될 것이다. // (~+[목]+[목]) The deal *paid* him 10,000 dollars. 그 거래로 그는 1만 달러의 이익을 봤다. **5** (친절·은혜 등에 대해) 보답하다; 대갚음하다; 〈벌·타격 등을〉 응당한 것으로 갚다, 응보로서 주다 《*off, out*》; 응징하다: (~+[목]+[전]+[명]) He *paid* her *for* her insults by causing her trouble. 그는 그녀를 골탕먹여서 모욕받은 데 대한 앙갚음을 했다. **6** 〈방문 등을〉 하다, 〈주의·존경·경의를〉 **표하다**: (~+[목]+[전]+[명]) ~ a visit *to* …을 찾아보다, …에 가보다 // (~+[목]+[목]) ~ a person respect …에게 경의를 표하다 **7** 〈보복·벌을〉 (당연한 것으로서) 참다, 받다 《*for*》: (~+[목]+[전]+[명]) ~ the penalty *for* a crime 죄를 지어 벌 받다 // A wrongdoer must ~ the penalty. 나쁜 짓을 한 사람은 벌을 받아야 한다. **8** [과거형·과거분사형은 **~ed**] 〖해군〗 〈밧줄을〉 늦춰서 풀어내다 《*away, out*》
— *vi.* **1 지불하다,** 대금을 치르다; 빚 등을 갚다 《*for*》; 청산[변상]하다: (~+[전]+[명]) ~ *in* full 전액을 지불하다 / ~ *in* cash[*by* check, *by* credit card] 현찰[수표, 신용 카드]로 지불하다 **2** 〈일 등이〉 **수지가 맞다,** 돈벌이가 되다; 〈일 등이〉 (…만큼의) 보수를 주다; 수고한 보람이 있다: My new job ~*s* well. 새 직장은 보수가 높다. / Honesty pays. 정직해서 손해볼 건 없다. / It ~*s* to advertise. 광고는 손해가 되지 않는다. / It ~*s* to be courteous. 예의 바르게 행동하면 좋은 일이 생긴다. **3 벌을 받다,** 보복을 받다, 고통을 받다 《*for*》: (~+[전]+[명]) You shall ~ dear *for* this. 이것으로 톡톡히 벌을 받게 될 것이다.
have the devil to ~ 《구어》 큰일이 생기다, 안 좋은 일을 당하다 **~ *a call*** (*on*) 방문하다 **~ *as you go*** (외상을 하지 않고) 현금을 지불하다; 빚을 안 지다; 지출을 현금 수입 한도로 제한하다; 세금을 원천 지불하다 **~ *away*** 〈돈을〉 쓰다; 〖항해〗 〈밧줄 등을〉 풀어내다 **~ *back*** 〈돈을〉 돌려주다, 갚다; 대갚음하다: ~ *back* a loan 대출금을 갚다 **~ *dear for*** one***'s whistle*** ⇨ whistle. **~ *down*** 《미·구어》 (월부 등의) 계약금을 치르다 **~ *for itself*** 수지가 맞다, 비용을 상쇄하다, 본전을 뽑다 **~ *home*** 속이 후련하게 복수하다 **~ *in*** 은행에 돈을 납입하다 **~ *in to*** a fund (기금(基金))에 기부하다 **~ *off*** 전액을 지불하다[갚다], 청산[완불]하다; 급료를 주고 해고하다; 보복하다; 〈이물을〉 바람 불어가는 쪽으로 향하다; 〈밧줄을〉 풀어내다; 〈배가〉 바람 불어가는 쪽으로 향하다; 이익[손해]을 가져오다; 성과를 거두다: I'll ~ *off* all my debts. 빚을 모두 갚겠다. **~ *out*** 〈부채를〉 갚다; 화풀이하다; 단단히 혼내주다; 〖항해〗 〈밧줄 등을〉 풀어내다 **~ *over*** …에 납부하다 **~** one***'s college*** 고학으로 대학을 졸업하다 **~** one***'s corner*** 《영·방언》 자신이 마신 만큼 돈을 내다 **~** one***'s*** [***its***] (***own***) ***way*** 빚지지 않고 살아가다; 자활하다, 자기 몫을 해내다; 수지가 맞다 **~ *the debt of nature*** 천명을 다하다, 죽다 **~ *through the nose*** ⇨ nose. **~ *up*** 완전히 청산하다, 전액을 납입하다 ***What's to ~?*** 어찌된 일인가? ***Who breaks ~s.*** 나쁜 일을 하면 벌을 받는다.

thesaurus **pay**[1] *v.* **1** 지불하다 pay out, spend, expend, remit, render **2** 갚다 pay off, settle, dis-

— *n.* Ⓤ **1** 급료, 봉급, 임금, 삯, 보수: a ~ list = PAYROLL / be good[poor, bad] ~ 지불이 좋다[나쁘다] / full[half] ~ 〖군사〗 본봉[휴직급] / good ~ 많은 보수, 고봉(高俸)

> 유의어 **pay** 구어적인 말로 급료를 뜻하는 가장 일반적인 말: His *pay* went up every year. 그의 봉급은 해마다 올랐다. **wages** 시간·날·주 등의 단기간의 단위로서 또는 육체 노동의 양에 따라 지불되는 임금: weekly *wages* 주급 **salary** 지적·전문적인 일을 하는 사람에게 고정적으로 지불하는 임금: an annual *salary* 연봉 **fee** 의사·변호사·예술가 등의 일에 대해 그때그때 지불하는 사례금: The dentist demanded a stiff *fee.* 그 치과 의사는 엄청난 치료비를 요구했다. **stipend** 전문 지식, 특수 기능에 대한 보수: an annual *stipend* for work as a vicar 교구 목사로서의 연봉

2 지불, 지급 **3** 갚음, 보상; 벌 **4** Ⓒ 《드물게》 지불 능력이 있는 사람 **5** 고용; 피고용인: in the ~ of …에게 고용되어, …의 부하가 되어 ***without*** **~** 무보수의[로], 명예의

— *a.* Ⓐ **1** 동전을 넣어 사용하는; 유료의: a ~ toilet 유료 화장실 **2** 자비(自費)의: a ~ student 자비 학생 **3** 〈광산 등이〉 채광상 유리한, 채산이 맞는

▷ páyment *n.*

pay² *vt.* (**~ed**) 〖항해〗 〈배 밑·이음매 등에〉 타르칠하다

***pay·a·ble** [péiəbl] *a.* **1** 〈대부금 등이〉 **지불해야 할** (due); 〖법〗 지불 만기의: a loan ~ in 30 days 30일 안에 상환해야 하는 대부금 **2** 〈금액 등이〉 지불할 수 있는 **3** 수지 맞는, 돈벌이가 될 만한 **-bly** *ad.*

páy and displáy 《영》 선불식 무인 주차제 《미터기에 돈을 넣고 산 주차권을 유리창 뒤에 놓는》

pay-as-you-earn [péiəzjuə́ːrn] *n.* Ⓤ 《영》 원천 과세[징수] (방식) 《略 PAYE》

pay-as-you-en·ter [-əzjuéntər] *n.* Ⓤ 입장·승차 시에 요금을 내는 방식 《略 PAYE》

pay-as-you-go [-əzjugóu] *a.* [명사 앞에서] 현금 지불의; 원천 과세[징수]의

páy-as-you-gó básis 독립 채산제

páy-as-you-gó plán 현금 지불주의; 원천 징수 방식

páy-as-you-sée télevision [-əzjusíː-] 유료 텔레비전

pay·back [péibæ̀k] *n., a.* **1** 환불(의), 대충(對充)(의) **2** 원금 회수(의); 자본 회수(의): a ~ period (투자액의) 회수 기간 **3** 보복(의)

pay·bed [-bèd] *n.* 《영》 (병원의) 유료(有料) 침대

pay-bill [-bìl] *n.* 급료[봉급] 명세

Páy Bòard 《미》 임금 사정 위원회 《임금 인상의 일반적 기준을 정하기 위한 정부 조직》

pay·book [-bùk] *n.* 〖미군〗 급료 지불 장부

pay·box [-bɑ̀ks | -bɔ̀ks] *n.* 《영》 계산대; 매표소

pay-ca·ble [-kèibl] *n.* 《미》 유료 유선 텔레비전 방송

páy chànnel (시청할 때마다 돈을 지불하는) 요금제 채널

pay·check [-tʃèk] *n.* 《미》 급료 (지불 수표)

páy clàim 임금 인상 요구

pay·day [-dèi] *n.* ⓊⒸ **1** 봉급날, 지불일 **2** 《영》 (증권 시장의) 청산일(settling day)

páy dìrt 1 《미》 수지맞는 사금(砂金) 채취지 **2** 《구어》 굉장한 발견물, 횡재 ***hit***[***strike***] **~** 《미·구어》 진귀한 것을 발견하다; (일의) 본질[근본]을 밝히다

PAYE pay-as-you-earn; pay-as-you-enter

pay·ee [peiíː] *n.* 지불받는 사람, 수취인

páy ènvelope 《미》 **1** 봉급 봉투 **2** 봉급

páy èquity 동등한 가치

pay·er [péiər] *n.* 지불인, (수표·증서 등의) 발행인

---

charge, meet, clear, liquidate **3** 보상하다 reimburse, recompense, reward, remunerate

páy gràde 〖경영〗 기본급 등급, 급여 등급

páy gràvel 《영》 = PAY DIRT

pay-in [-ìn] *n.* 계좌로의 입금

pay·ing [péiiŋ] *a.* **1** 지불하는 **2** 돈이 벌리는, 수지가 맞는

páying guèst 《완곡》 = BOARDER 1 《略 PG》

páy·ing-in slìp [-ìn-] 예입 전표, 납입 통지표

páying lòad = PAYLOAD 1, 2

pay-list [péilìst] *n.* = PAYROLL

pay·load [-lòud] *n.* **1** 〖항공〗 유료[수익] 하중(荷重) **2** 〖우주과학·군사〗 유효 탑재량; (로켓의) 하중; 유도탄 탄두[탑재 폭탄]의 폭발력 **3** (기업의) 급료 지불용 경비 부담(금)

pay·load·er [-lòudər] *n.* 페이로더 《앞에 가동식의 대형 블레이더나 동력 삽을 탑재한 굴착기》

páyload spècialist 〖우주과학〗 탑승 과학 기술자 《우주선에 탑승하여 실험하는》

pay·mas·ter [-mæ̀stər | -mɑ̀ːs-] *n.* 경리부장[과장]; 〖군사〗 경리관 《略 PM, Paym.》: a ~ general 《영》 재무성 회계 장관; 《미》 육·해군 경리감 《略 PMG》 **~·shìp** *n.*

‡pay·ment [péimənt] *n.* ⓊⒸ **1** 지불; 납입, 불입; 상환; 변상(compensation): make ~ 지불하다, 불입하다 / ~ by installments[on account] 분할불 / ~ by results 〖경영〗 능률급, 업적급 / ~ in[at] full 전액 지불 / ~ in part 일부 지불 **2** Ⓒ 지불[납입] 금액 **3** 보수, 보상; Ⓤ 보복, 징벌 《*for*》: ~ *for* the wrong 나쁜 짓에 대한 응보

páyment bìll 〖상업〗 지불 어음

páyment càrd 지불 카드 《credit card, debit card, charge card 등》

pay·ment-in-kind [péiməntinkáind] *n.* 현물 지급 《略 PIK》

Paym. (**Gen.**) Paymaster (General)

pay·nim [péinim] *n.* 《고어》 이교도, 이슬람교도

pay·nize [péinaiz] *vt.* 〈목재 등에〉 방부제를 주입하다

pay·off [péiɔ̀ːf | -ɔ̀f] *n.* **1** 급료 지불(일) **2** 청산; 보복 **3** 《구어》 낙착, (뜻밖의) 결말; (사건 등의) 클라이맥스, 고비; 결정적인 사실[요소] **4** 《미·구어》 현금; 뇌물: political ~*s* 정치 헌금 **5** 수익; 보수

— *a.* 《구어》 결정적인 (결과를 가져오는)

pay·of·fi·cer [-ɔ̀ːfisər | -ɔ̀f-] *n.* 〖군사〗 경리관

pay·o·la [peióulə] *n.* 《미·구어》 (선전 등의 대가로 내밀히 주고받는) 사례, 뇌물, 리베이트; 그 돈

pay·or [péiər, peiɔ́r] *n.* 지불인, (수표·증서 등의) 발행인(payer)

pay·out [péiàut] *n.* 지불(금), 지출(금)

páyout ràtio 배당 성향, 배당금 분배율 《배당금 총액을 이익으로 나눈 것》

páy pàcket 《영》 = PAY ENVELOPE

pay-per-view [péipərvjúː] *n.* TV 프로그램 유료 시청제

páy phòne = PAY TELEPHONE

páy rànge 〖경영〗 급여폭

pay·roll [-ròul] *n.* **1** 임금 대장, 급료 지불 명부 **2** 종업원 명부, 종업원 수 **3** (종업원의) 지불 급료 총액 ***on***[***off***] ***the*** **~** 고용되어[해고되어]

páyroll còst 인건비

pay·roll·er [-ròulər] *n.* 《구어》 임금[봉급] 노동자 《특히 공무원》

páyroll tàx 지불 급여세 《급료·임금 등에 대해 과세되는》

páy ròund 《구어》 (노조와 경영주 사이의) 임금 인상 교섭[협상]

pay·sage [péisidʒ] *n.* 경관, 전원 풍경; 풍경화

pay·sag·ist [péisədʒist] *n.*

páy sèttlement (노사 간의) 임금 협상 타결

páy shèet 《영》 급료 지불 명부(《미》 payroll)

pay·slip [péislìp] *n.* 급여 명세서

páy stàtion 《미》 = PAY TELEPHONE

payt., pay't payment
páy télephone (미) 공중 전화 (박스)
páy tòne (전화의) 요금 추가 지시의 신호음
pay-TV [-tì:ví:] *n.* = PAY-AS-YOU-SEE TELEVISION
pay·wall [péiwɔ̀:l] *n.* 〖인터넷〗 지불 장벽 《온라인 무료 제공 콘텐츠의 유료화》
pay·ware [-wɛ̀ər] *n.* 《컴퓨터속어》 페이웨어 《상용 소프트웨어 패키지》
páy wìng (미·야구속어) 투수의 공 던지는 팔
pa zazz [pəzǽz] *n.* = PIZ(Z)AZZ
Pb 〖화학〗 *plumbum* (L = lead) **PB** passbook; pattern of behavior; permanent base; *Pharmacopoeia Britannica* 영국 약전 (L = British Pharmacopoeia); Plymouth Brethren; pocket book; Prayer Book; Primitive Baptist(s) **PBA** (미) Public Buildings Administration **PBB** polybrominated biphenyl **PBI** (영·구어) poor bloody infantry 보병
p-book [pí:bùk] *n.* 종이 책 《e-book의 상대 개념》
PBS (미) Public Broadcasting Service **PBX** private branch exchange (전화의) 사설 구내 교환대
PC[1] [pì:sí:] [*p*ersonal *c*omputer] *n.* (구어) 퍼스널 컴퓨터, 《특히》 IBM사의 PC 《미국 Apple사의 것은 PC라 하지 않고 Mac로 애칭됨》
PC[2] [*p*olitically *c*orrect] *a.* 정치적으로 옳은, 인권[환경]이 고려된, 차별적 편견이 없는
— *n.* 정치적으로 옳음[공정함]
PC[3] [*p*ilot *c*heck flight] *n.* (미·항공속어) 조종사 체력 기능 적성 검사 비행
PC Panama Canal; Parish Council(lor); Past Commander; 〖미해군〗 patrol craft; Peace Corps; percent(age); Perpetual Curate; (영) Police Constable; Post Commander; Prince Consort; (영) Privy Council(lor); (미) Professional Corporation **pc.** piece; price(s) **p.c.** percent; post(al) card; *post cibum* (L = after meals; 약의 처방전 지시); price(s) current **P/C, p/c** percent; petty cash; price(s) current **PCB** 〖컴퓨터〗 page control block; polychlorinated biphenyl; 〖컴퓨터〗 printed circuit board
PĆ bòard [*p*rinted *c*ircuit *board*] 프린트 배선 기판(配線基板)
PĆ càrd 〖컴퓨터〗 PC 카드 (PCMCIA 규격의 카드)
PCI 〖컴퓨터〗 peripheral component interconnect; program controlled interrupt **PCL** 〖야구〗 Pacific Coast League; 〖컴퓨터〗 printer control language **PCM** 〖전기〗 pulse code modulation **PCMCIA** Personal Computer Memory Card International Association 퍼스널 컴퓨터 규격 협회 《PC용 카드의 규격을 협의하는 국제 기구의 명칭, 또는 그 규격》 **PCN** personal communication network **PCP** pentachlorophenol 《방부제》; phencyclidine; pneumocystis carinii pneumonia; primary care physician
PĆ Plòd (영·구어·익살) 하급 경찰관
PCS personal communication services; punch(ed) card system **pcs.** pieces **PCSO** police community support officer 《(영국의) 치안 보조관》 **pct** (미) percent **PCV** (미) Peace Corps Volunteers 평화 봉사단; 〖자동차〗 positive crankcase ventilation **pd** paid **Pd** 〖화학〗 palladium **PD** 〖천문〗 Polar Distance; (미) Police Department **p.d.** per diem; potential difference **PDA** personal digital[data] assistant 개인 휴대용 정보 단말기 **PDB** 〖화학〗 paradichlorobenzene **PDD** past due date 만기일 초과 **PDF** 〖컴퓨터〗 portable document format **PDM** 〖전기〗 pulse duration modulation **PDP** plasma display panel 〖전자〗 플라즈마 표시패널 《벽걸이 TV용 영상 장치》 **PDQ, pdq** pretty damned quick (속어) 시급히, 즉각(at once) **PDR** Physicians' Desk Reference 의사용 탁상 편람 **PDT** Pacific Daylight Time (미) 태평양 연안 표준시
pe [péi] [Heb.] *n.* 페 《히브리어 자모의 17번째 자》
PE petroleum engineer; (구어) physical education; Presiding Elder; printer's error; 〖통계〗 probable error; professional engineer; Protestant Episcopal **P/E** port of embarkation; 〖증권〗 price-earnings (ratio)
‡**pea** [pí:] [pease를 복수로 오해하여 생긴 역성어] *n.* (*pl.* **~s,** (고어) **pease** [pí:z]) **1** 〖식물〗 **완두(콩)**: (as) like as two *~s* (in a pod) 꼭 같이 생긴[닮은] / garden *~s* (고투리) 완두 / green *~s* 그린피스, 청완두 《요리용》/ ~ bean (미) 흰제비콩 / split *~s* (수프용으로 껍질을 벗긴) 말린 완두 **2** 완두 비슷한 콩과의 식물 ***eat ~s off** one's **knife*** 예의범절에 어긋나는 행동을 하다
— *a.* 완두콩 비슷한[모양의, 크기의]
tearing up the ~ patch (미·속어) 날뛰어, 설쳐
pea-brain [pí:brèin] *n.* (속어) 바보, 얼간이
péa-bráined [-d] *a.* (미·속어) 어리석은
‡**peace** [pí:s] *n.* Ⓤ **1 평화,** 태평; 평화로운 기간 (opp. *war*): threaten world ~ 세계 평화를 위협하다 **2** [종종 **P~**] 강화, 화평; 강화[평화] 조약(= **~ trèaty**): ~ with honor 명예로운 강화 / *P~* was signed between the two countries. 두 나라 사이에 강화 조약이 조인되었다. **3** (대인 관계상) 화합, 친목; 화해 **4** [the ~] **치안, 질서**: *the* king's[queen's] ~ 치안 / breach of *the* ~ 치안 방해 / commission of *the* ~ 치안 위원회, 판사들 / keep[break] *the* ~ 치안을 유지하다[문란케 하다] **5** (마음의) **평온,** 무사; 안심, 평안: in ~ 편안히, 안심하여 / ~ of conscience 마음에 거리끼는 일이 없음 / ~ of mind 마음의 평화, 평안한 마음 / leave a person in ~ …을 방해하지 않다 / *P~* to his ashes[memory, soul]! 영혼이여 고이 잠드소서! / Do let me have a little ~. 잠깐 동안만 방해하지 말아다오. **6 고요,** 침묵: ~ and quiet (소란 후의) 정적 ***at ~*** 평화롭게; 사이 좋게 《*with*》 ***be sworn of the ~*** 보안관에 임명되다 ***hold***[***keep***] one***'s ~*** 침묵을 지키다, 항의하지 않다 ***let*** a person ***go in ~*** …을 놓아 주다, 석방하다 ***make ~*** 화해[화친]하다, 강화하다 《*with*》 ***make*** one***'s ~ with*** …와 화해하다 ***~ at any price*** 절대 평화주의 《특히 영국 의회에서의》 ***P~ be with you!*** 편안하시기를 빕니다. ***smoke the pipe of ~*** ⇨ pipe. ***swear the ~ against*** a person 〖법〗 …가 자기를 가해[살해]할 우려가 있다고 선서하고 보호를 요청하다
***peace·a·ble** [pí:səbl] *a.* **1 태평[무사]한,** 평온한 (peaceful) **2** 평화를 애호하는; 얌전한
-bly *ad.* **~·ness** *n.*
peace·break·er [pí:sbrèikər] *n.* 평화 파괴자; 치안 방해자
péace càmp 군사 시설물 주위에서의 평화 운동 캠프 《핵무기 반대 운동》
péace cònference 평화 회의, 강화(講和) 회의
Péace Còrps [the ~] (미) 평화 봉사단 《개발 도상국을 돕는 정부 지원의 기술자 등; 1961년 창설》
péace dìvidend (미) 평화 배당금 《절감된 국방비가 복지·교육 등에 할당될 것으로 기대되는 예산》
péace dòve (구어) 비둘기파 의원[공직자]
péace drùg 환각제(hallucinogen)
péace fèeler 평화 협상 타진
peace·fest [-fèst] *n.* (미·구어) 강화 회의
péace fòoting (군대의) 평시 편성, (각종 조직의) 평시 체제(opp. *war footing*)
‡**peace·ful** [pí:sfəl] *a.* **1 평화스러운,** 태평한 **2 평온한,** 온화한, 조용한, 평안한 **3** 〈국민 등이〉 평화를 애호하는 **4 평화를 위한,** 평화적인, 평시용의: ~ picketing

thesaurus **peace** *n.* **1** 평화 harmony, accord, concord, amity, goodwill, friendship, cordiality, cease-fire (opp. *conflict, war*) **2** 평화 조약 treaty,

파업 방해에 대한 감시 / ~ uses of atomic energy 원자력의 평화적 이용 **~·ly** *ad.* **~·ness** *n.*

> 유의어 **peaceful** 분쟁·소동 등이 없는 평화로움을 의미하며 사람에게 쓰이는 일은 드물다: a *peaceful* sleep 편안한 잠 **placid** 평온한, 온화한, 자기 만족에 가깝도록 미련스러움이 내포됨: remain *placid* despite the criticism 비난에도 불구하고 여전히 태연하다 **serene** 중후한 품위가 있으며 안정된: *serene* old age 고요한 만년 **tranquil** 흥분·위험 속에서도 조용한, 차분한: in a *tranquil* voice 차분한 목소리로

péaceful coexístence 평화 공존
peace·keep·er [píːskìːpər] *n.* **1** = PEACEMAKER **2** [**P~**] 〖미군〗 = MX
peace·keep·ing [-kìːpiŋ] *n.* 평화의 유지 《특히 적대국간의 휴전 상태를 국제적 감시하에 유지하는 것》
— *a.* 평화를 유지하는: a ~ force 평화 유지군
peace-lov·ing [-lʌ̀viŋ] *a.* 평화를 애호하는
peace·mak·er [-mèikər] *n.* **1** 조정자, 중재인 **2** 강화 조약의 조인자 **3** 《익살》 평화 유지 용구(用具) 《권총·대포·군함 등》
peace·mak·ing [-mèikiŋ] *n.* Ⓤ 조정, 중재, 화해
— *a.* 조정[중재]하는, 화해[화평]를 가져오는
péace màrch 평화 운동 데모 행진
peace·mon·ger [-mʌ̀ŋgər, -mɑ̀ŋ- | -mʌ̀ŋ-] *n.* 《미·경멸》 (굴욕적) 평화론자(cf. WARMONGER)
peace·nik [píːsnik] *n.* 《미·속어》 평화주의자, 반전(反戰)주의자(pacifist)
péace offènsive 평화 공세
péace òffering **1** 〖유대교〗 (화목제(和睦祭)의) 희생 제물 **2** 화해의 선물
péace òfficer 보안관, 경찰관
péace pàct 평화 조약
Péace Péople 피스 피플 《가톨릭·프로테스탄트로 이루어진 북아일랜드 평화 운동의 하나》
péace pìll = PHENCYCLIDINE
péace pìpe 평화의 담뱃대 《아메리칸 인디언이 화친의 표시로 돌려 피우는》
péace pròcess 휴전[평화] 협상
péace sìgn **1** 평화를 나타내는 손가락의 V 사인 **2** = PEACE SYMBOL
péace stùdies 평화 연구 (강좌)
péace sỳmbol 평화의 표지(☮) 《*N*uclear *D*isarmament의 머리글자 N, D의 수기 신호를 도안화한 것》
péace tàlks 평화 회담, 강화 협상
peace·time [-tàim] *n.* Ⓤ 평시(opp. *wartime*)
— *a.* Ⓐ 평시의: ~ industries 평시 산업
‡peach[1] [píːtʃ] [L 「페르시아의 (사과)」의 뜻에서] *n.* **1** 복숭아; 〖식물〗 복숭아나무(=∠ **trèe**) **2** Ⓤ 복숭아빛(peach color) 《노란빛이 도는 연분홍빛》 **3** 《속어》 훌륭한[멋진] 사람[것], 어여쁜 소녀, 미인: a ~ of a cook 훌륭한 요리사
— *a.* 복숭아(빛)의 ▷ péachy *a.*
peach[2] *vi.* 《속어》 밀고하다 《*against*, *on*》
péach blòom, **peach·blow** [-blòu] *n.* Ⓤ **1** 자홍색(紫紅色) **2** 자홍색 유약[도자기]
péach brándy 복숭아 즙으로 만든 브랜디
peach·es-and-cream [píːtʃizən*d*kríːm] *a.* **1** 〈얼굴이〉 혈색이 좋고 윤기가 도는 **2** 《속어》 훌륭한, 근사한; 어려움이 없는
péach fùzz 《미·구어》 (사춘기 소년 얼굴의) 솜털
pea·chick [píːtʃìk] *n.* **1** 공작의 새끼 **2** 겉치레하는[멋부리는] 젊은이
péach Mél·ba [-mélbə] 피치 멜바 《바닐라 아이스크림에 복숭아 시럽을 끼얹은 디저트》

truce, agreement, armistice **3** 평온 tranquility, restfulness, calm, quietness, stillness, serenity, placidity, rest, repose (opp. *noise*, *agitation*)

peach·y [píːtʃi] *a.* (**peach·i·er**; **-i·est**) **1** 복숭아 같은, 복숭아빛의 **2** 《속어》 출중한, 훌륭한
péach·i·ness *n.*
péa còat = PEA JACKET
‡pea·cock [píːkɑ̀k | -kɔ̀k] *n.* (*pl.* **~s**, [집합적] **~**) **1** 〖조류〗 공작 《특히 수컷; cf. PEAHEN》: (as) proud as a ~ 몹시 뽐내는, 우쭐하여 / play the ~ 뽐내다, 뻐기다 **2** [the P~] 〖천문〗 공작자리 **3** 겉치레꾼
— *vt.*, *vi.* 자랑하다, 과시하다; (여봐란 듯이) 뽐내며 걷다 **péa·còck·y** *a.* ▷ péacockish *a.*
péacock blúe 광택 있는 청색
pea·cock·er·y [píːkɑ̀kəri | -kɔ̀k-] *n.* Ⓤ 과시, 허영, 겉치장
pea·cock·ish [píːkɑ̀kiʃ | -kɔ̀k-] *a.* **1** 공작 같은 **2** 허세부리는
péacock òre 〖광물〗 = BORNITE
pea·fowl [píːfàul] *n.* (*pl.* **~s**, [집합적] **~**) 공작 《암컷·수컷 함께 말함》
peag(**e**) [píːg] *n.* = WAMPUM
péa gréen 황록색(yellow-green)
pea·head [píːhèd] *n.* 《미·속어》 바보, 멍청이
pea·hen [-hèn] *n.* 〖조류〗 공작의 암컷
péa jàcket 두꺼운 모직의 더블 상의 《선원 등이 입는》
‡peak[1] [píːk] [pike[1]의 변형] *n.* **1** (지붕·탑 등의) **뾰족한 끝**, 첨단 **2** (뾰족한) **산꼭대기**, 봉우리(⇨ top[1] 유의어): snow-covered peaks 눈 덮인 산봉우리 **3** **절정**, 최고점, 극치; 최대량: the ~ of traffic 최대 교통량 / the ~ of happiness 행복의 절정 / Oil prices reached their ~ last year. 작년에 기름값이 최고치에 다다랐다. **4** 성수기; (성수기의) 할증 요금 **5** (군모 등의) 챙 **6** 〖음성〗 (음절의) 핵(核) **7** 〖전기·기계〗 피크, 첨두(尖頭) 《주기적 증량(增量)의 최고점》: a voltage ~ 피크 전압 **8** 〖항해〗 종범(縱帆)[사형(斜桁)]의 위쪽 바깥끝; 이물[고물]의 뾰족한 부분; 닻혀
— *a.* Ⓐ 최고의; 피크의: the ~ year (통계상) 최고 기록의 해 / in ~ season 한 철의 최고로 바쁜 때에 / at ~ performance 최상의 성능으로
— *vi.* 뾰족해지다, 우뚝 솟다; 정점[최대한]에 도달하다; 〈고래가〉 꼬리를 올리다
— *vt.* 〖항해〗 〈노 등을〉 세로로 세우다; 〈고래가 꼬리를〉 올리다 ▷ péaky[1] *a.*
peak[2] *vi.* 야위다: ~ and pine 수척해지다
Péak Dìstrict [the ~] (영국 Derbyshire 북부의) 고원 지대 《국립 공원》
peaked[1] [píːkt] [peak[1]에서] *a.* **1** 뾰족한, 뾰족한 끝이 있는 **2** 〈모자가〉 챙이 있는
peak·ed[2] [píːkid | píːkt] *a.* = PEAKY[2]
péak expérience (성인(聖人) 등의) 지고(至高) 체험 《신비적인 체험·계시》
péak hòur 최고시(時); 골든 아워: industry's ~*s* 공장의 최대 전력 소비량 시간
peak·i·ness [píːkinis] *n.* 수척함; 쇠약해 보임
péak lòad **1** 〖전기〗 (일정 시간 내의) 피크[절정] 부하(負荷) 《최대 수요 전력》 **2** 〖기계〗 절정 하중(荷重) **3** 〖철도〗 최대 수송량
péak óil 석유 생산 정점 《석유 생산량이 최대치로 확대 되었다가 줄어들기 시작하는 시점》
pèak ráte 최고 성수기[사용 시간대]: ~ phone calls 최고 사용 시간대 전화 통화
péak tíme 피크 타임 《어떤 서비스에 대한 수요가 최고조에 달한 시간》; 《영》 (TV의) 골든 아워
peak·y[1] [píːki] *a.* (**peak·i·er**; **-i·est**) 봉우리가 많은; 봉우리를 이루는, 봉우리 같은, 뾰족한
peaky[2] *a.* (**peak·i·er**; **-i·est**) 《속어》 수척한, 병들어 야윈; 《미·속어》 썩어가는 ▷ péakiness
***peal** [píːl] [ME 'appeal'의 두음 소실(頭音消失)] *n.* **1** (종·천둥·대포 등의) **울림**: a ~ of thunder 뇌성, 천둥 **2** (음악적으로 음률을 조절한) 한 벌의 종, 종의 주명악(奏鳴樂) **3** (웃음·박수 등의) 왁자하게 터지는 소리 *in* ~ 〈종소리가〉 음조가 맞아서
— *vt.* 우렁차게 울리다 《*out*》; 〈명성 등을〉 떨치다,

〈소문 등을〉 퍼뜨리다
— *vi.* 〈소리가〉 울리다 《*out*》
pea·like [píːlàik] *a.* **1** 〈모양·단단함 등이〉 완두콩 같은 **2** 〈꽃이〉 (화려한) 나비 모양의
pe·an [píːən] *n.* = PAEAN
*__pea·nut__ [píːnʌ̀t, -nət | -nʌ̀t] *n.* **1 땅콩,** 낙화생, 호콩 《식물 및 그 열매》 **2** 《미·속어》 하찮은 인간 **3** [*pl.*] 하찮은 것; 아주 적은 액수, 푼돈
— *a.* 보잘것없는, 하찮은, 시시한
péanut bríttle (캐러멜 맛이 나는) 땅콩 캔디
péanut bùtter 땅콩 버터
péanut gàllery 《미·속어》 (극장의) 최상층 맨 뒷좌석; 시시한 비평을 하는 무리들
péanut òil 땅콩 기름, 낙화생유
pea·pod [píːpɑ̀d | -pɔ̀d] *n.* 완두 꼬투리 모양의 낚싯배
‡**pear** [péər] *n.* **1** (서양) 배; 〖식물〗 배나무 **2** 배처럼 생긴 물건
péar dròp 서양배 모양의 눈깔사탕
‡**pearl**[1] [pə́ːrl] *n.* **1 진주**; [*pl.*] 진주 목걸이: artificial[false, imitation] ~ 모조 진주/cultured ~ 양식 진주 **2** 진주처럼 생긴 것 《이슬·눈물 등》; (쇠·석탄 등의) 작은 알 **3** 귀중한 물건, 일품(逸品); 정화(精華), 전형(典型): ~*s* of wisdom 지혜의 정화 **4** 진주색 (=~ blue) **5** Ⓤ 진주층, 진주모(母)(=mother-of-~), 자개 **6** Ⓤ 〖인쇄〗 펄 활자 《5포인트》 **7** 〖병리〗 백내장(白內障) ***throw*[*cast*] ~*s before swine*** 〖성서〗 돼지한테 진주를 던져주다
— *a.* **1** Ⓐ 진주의[로 만든]; 진주를 박은 **2** 진주 모양[빛]의 **3** 작은 알갱이의
— *vt.* **1** 진주로 꾸미다[를 박아 넣다] **2** 아로새기다 《*with*》 **3** 진주 같은 모양[빛]으로 하다 **4** 〈보리 등을〉 기계로 잘게 찧다
— *vi.* **1** 구슬처럼 드리워지다, 진주 모양[빛깔]이 되다; 〈땀·눈물 등이〉 진주처럼 되다[흐르다] 《*down*》 **2** 진주를 채취하다: go ~*ing* 진주를 채취하러 가다
pearl[2] *vt., n.* = PURL[2]
Pearl [pə́ːrl] *n.* 여자 이름
péarl àsh 〖화학〗 진주회(眞珠灰)
péarl bàrley 정맥(精麥), 보리쌀 《수프용》
péarl blúe 연한 회청색(灰靑色)
péarl bùlb 《영》 젖빛 전구
péarl bútton 자개 단추
péarl dìver **1** 진주조개를 채취하는 잠수부 **2** 《미·속어》 접시 닦는 사람
pearled [pə́ːrld] *a.* **1** 진주로 꾸민[를 박은] **2** (진주 같은) 구슬이 된 **3** 진주 빛깔의
pearl·er [pə́ːrlər] *n.* 진주 채취자[선(船)]
pearl·es·cent [pərlésnt] *a.* 진주 광택의, 무지개색으로 빛나는
péarl èssence 진주정(精) 《모조 진주 제조용 갈치 비늘 등》
péarl fisher = PEARL DIVER 1
péarl fishery **1** 진주 조개 채취장 **2** = PEARL FISHING
péarl fishing 진주 채취업
péarl gráy 진주색 《푸르스름한 회백색》
Péarl Hárbor 진주만 《Hawaii 주 Oahu 섬 남안의 군항》
pearl·ite [pə́ːrlait] *n.* 〖야금〗 펄라이트 《페라이트(ferrite)와 시멘타이트(cementite)와의 공석정(共析晶) 조직》
pearl·ize [pə́ːrlaiz] *vt.* 진주색으로 하다
pearl·ized [pə́ːrlaizd] *a.* 진주모(母) 같은, 진주 빛깔의
péarl làmp 젖빛 전구
péarl ónion 알이 작은 양파
péarl òyster[shèll] 〖패류〗 진주조개
pearl-pow·der [pə́ːrlpàudər] *n.* 연백(鉛白) 《분의 일종》
Péarl Ríver [the ~] **1** (중국의) 주장 강(珠江) (Zhu Jiang) **2** 펄 강 《Mississippi 주 중부에서 발원하여 멕시코 만에 흘러듦》
péarl wédding 진주혼식 《결혼 30주년》
péarl whíte **1** 진주정(精) 《인조 진주 제조용》 **2** 연백(鉛白); 진주색 — *a.* 진주처럼 흰
pearl·y [pə́ːrli] *a.* (**pearl·i·er**; **-i·est**) **1** 진주의[같은], 진주색의 **2** 진주로 장식한; 진주가 생기는, 진주가 풍부한 **3** 매우 귀중한 — *n.* [*pl.*] 《영》 진주조개 단추가 달린 의복 《행상인용》 **péarl·i·ness** *n.* ▷ péarl *n.*
Péarly Gátes **1** [the ~] 《구어》 진주로 된 천국의 문 **2** [p- g-] 《영·속어》 이(齒)
péarly kíng 《영》 진주조개 단추를 단 옷을 입은 행상인 《런던의》
péarly náutilus 〖패류〗 앵무조개
péarly quéen 《영》 PEARLY KING의 여성형
pear·main [péərmein | pə́ː-] *n.* 〖식물〗 페어메인 《사과의 한 품종》
pear-shaped [péərʃèipt] *a.* **1** 서양배 모양의 **2** 〈성량이〉 풍부한, 부드러운, 낭랑한 ***go*** ~ 《영·속어》 실패하다, 망하다, 뒤틀리다
peart [píərt, pjéərt | píət] *a.* 《미·방언》 씩씩한, 기운찬; 활발한, 쾌활한
‡**peas·ant** [péznt] [L 「시골의」의 뜻에서] *n.* **1** (소규모 농사를 짓는) **농부,** 영세 농민; 소작인, 소작농(cf. FARMER): ~ folk 소농민/a poor ~ 영세 농민 **2** 《구어》 시골뜨기: a ~ girl 시골 처녀
Péasant Bárd [the ~] 농민 시인 《스코틀랜드의 시인 Robert Burns의 속칭》
péasant propríetor 소(小)자작농
peas·ant·ry [pézntri] *n.* Ⓤ **1** [집합적] 영세 농민, 소작인 (계급), 소농 계급 **2** 소작인의 지위[신분] **3** 투박함; 시골티
pease [píːz] *n.* (*pl.* ~) 《고어》 [집합적] 완두콩: ~ meal 완두의 굵은 가루
pease·cod, peas·cod [píːzkɑ̀d | -kɔ̀d] *n.* 《고어》 완두 꼬투리(peapod)
péase púdding 콩가루 푸딩
pea·shoot·er [píːʃùːtər] *n.* **1** 콩알총 《장난감》 **2** 《속어》 소구경 권총
péa sòup **1** (특히 말린) 완두 수프 **2** 《영·구어》 = PEA-SOUPER 1
pea-soup·er [-sùːpər] *n.* **1** 《영·구어》 (특히 London의) 황색의 짙은 안개 **2** 《캐나다·속어》 프랑스계 캐나다 사람 **-soup·y** [-sùːpi] *a.* 《영·구어》 〈안개가〉 노랗고 짙은
peat[1] [píːt] *n.* Ⓤ 토탄(土炭), 이탄(泥炭); Ⓒ 토탄 덩어리 《연료용》
peat[2] *n.* 《고어》 여자; 《폐어》 명랑한 여자
péat bòg[bèd] 토탄 늪, 토탄지(土炭地)
peat·er·y [píːtəri] *n.* **1** 토탄[이탄] 산지 **2** = PEAT BOG
péat hàg 토탄을 캐낸 곳
péat mòor = PEAT BOG
péat mòss **1** (토탄보다 탄화도가 낮은) 초탄(草炭) **2** 물이끼 **3** 《영》 = PEAT BOG
peat-reek [píːtrìːk] *n.* Ⓤ **1** 토탄의 연기 **2** (토탄을 연료로 증류시킨) 위스키(의 향기)
peat·y [píːti] *a.* (**peat·i·er**; **-i·est**) 토탄[이탄]질의; 토탄[이탄]이 많은
pea·vey, pea·vy [píːvi] *n.* (*pl.* **~s**; **-vies**) 《미》 갈고리 장대 《통나무를 움직이는 데 씀》
‡**peb·ble** [pébl] *n.* **1** (물흐름의 작용으로 둥글게 된) **조약돌, 자갈**(⇨ stone 유의어); [집합적] 자갈류(類) **2** 마노(agate) **3** Ⓤ 오톨도톨한 무늬가 있는 가죽(=~ lèather) **4** 얼룩덜룩한 빛깔의 도기(陶器) **5** 수정; 수정으로 만든 렌즈; 《구어》 도수 높은 안경
(***as***) ***game as a ~*** 끈기 있는 ***be not the only ~ on the beach*** 많은 사람들 중의 한 사람에 불과하다: You *aren't the only ~ on the beach.* 너만

thesaurus **peculiar** *a.* strange, odd, queer, funny, curious, unusual, abnormal, eccentric,

이 그런 것이 아니다. 《과시할 것도 비관할 것도 없다》
—*vt.* **1** …의 결을 거칠게 하다; 〈가죽 등에〉 돌결[작은 요철] 무늬를 넣다 **2** 자갈을 던지다, 잔돌로 때리다 **3** 자갈로 덮다[포장하다] ▷ pébbly *a.*
pébble dàsh 〖건축〗 (외벽의) 잔돌붙임 마무리
peb·ble·stone [péblstòun] *n.* 조약돌
peb·ble·ware [-wὲər] *n.* Ⓤ 여러 색의 도토를 섞어 만든 도자기 《표면에 얼룩이 있음》
peb·bly [pébli] *a.* (**-bli·er**; **-bli·est**) 자갈이 많은[투성이인]
péb·rine [peibrí:n] [F] *n.* Ⓤ (누에의) 미립자병
p.e.c., PEC photoelectric cell
pe·can [pikɑ́:n, -kǽn | -kǽn] *n.* 〖식물〗 페칸 《미국 중·남부 지방의 hickory의 일종》; 그 열매
pec·ca·ble [pékəbl] *a.* 죄를 짓기 쉬운, 과오를 범하기 쉬운 **pèc·ca·bíl·i·ty** *n.*
pec·ca·dil·lo [pèkədílou] [Sp. 「죄(sin)」의 뜻에서] *n.* (*pl.* **~(e)s**) 가벼운 죄; 작은 과오
pec·can·cy [pékənsi] *n.* (*pl.* **-cies**) **1** 죄과, 범죄 **2** Ⓤ 〖의학〗 병적임
pec·cant [pékənt] *a.* **1** 죄를 짓는, 범죄의; 사악한, 타락한 **2** 규칙에 어긋난, 잘못이 있는, 그릇된 **3** 〖의학〗 병적인: a ~ tooth 충치 **~·ly** *ad.*
pec·ca·ry [pékəri] *n.* (*pl.* **-ries**, [집합적] ~) 〖동물〗 페커리 《멧돼지의 일종; 미국산(産)》
pec·ca·vi [pekéivai, -vi, -kɑ́:vi | pekɑ́:vi] [L= I have sinned] *n.* 사죄, 죄의 고백 ***cry*** **~** 사죄하다, 참회하다
pêche Mel·ba [pí:tʃ-mélbə, péʃ-] [F] =PEACH MELBA
peck[1] [pék] *n.* **1** 펙 《=8 quarts; 《영》 약 9리터; 《미》 약 8.8리터》 **2** 《구어》 많음 《*of*》: a ~ *of* trouble 수많은 골칫거리
‡**peck**[2] [pék] *vt.* **1** (부리로) **쪼다**; 쪼아먹다: 《~+목(+부)》 ~ the corn (*out*) 옥수수를 쪼아먹다 **2** 〈구멍 등을〉 쪼아서 뚫다; (곡괭이 등으로) 무너뜨리다: 《~+목+전+명》 ~ a hole *in* a tree 나무에 구멍을 뚫다 **3** 《구어》 인사치레로[마지못해, 급히] 키스하다 **4** 《구어》 (먹기 싫은 듯이) 조금씩 먹다 **5** 〈편지 등을〉 타자기를 두드려 쓰다
—*vi.* **1 쪼다**, 쪼아먹다 《*at*》: 《~+전+명》 A hen is *~ing at* the grain. 암탉이 곡식을 쪼아먹고 있다. **2** 《구어》 조금씩 먹다 《*at*》 **3** 귀찮게 잔소리하다, 들볶다 《*at*》 **4** (타자기 등의 키를) 두드리다 《*at*》
~ *out* 쪼아내다
—*n.* **1** (부리 등으로) 쪼기 **2** 쪼아서 생긴 구멍 **3** 《구어》 가벼운 키스 **4** 《속어》 음식
peck·er [pékər] *n.* **1** 부리로 쪼는 새; 곡괭이(pickax), 괭이(hoe)의 일종 **2** 《속어》 부리, 코 **3** 《미·속어》 =PENIS **4** 《영·속어》 원기, 기운: Keep your ~ up. 힘을 내라. ***put***[***get***] a person***'s ~ up*** 《영·구어》 …의 신경을 건드리다, …을 불쾌하게 하다; 《속어》 발기(勃起)시키다
peck·er·wood [pékərwùd] *n.* 《미남부·방언》 **1** 〖조류〗 딱따구리 **2** 《경멸》 가난한 백인, 시골뜨기 백인
péck·ing òrder [pékiŋ-] [the ~] **1** (닭 등의) 모이를 쪼아먹는 순서 **2** (사회의) 서열, 계층 (조직)
peck·ish [pékiʃ] *a.* **1** 《영·구어》 배고픈(hungry) **2** 《미·구어》 성 잘 내는, 성마른
péck òrder [the ~] = PECKING ORDER
Péck's Bád Bóy [péks-] [미국의 작가 G.W. Peck의 *Peck's Bad Boy and His Pa*에서] 《미》 무모한 사람, 망나니, 악동
Peck·sniff [péksnif] [Dickens의 소설 *Martin Chuzzlewit* 중의 인물에서] *n.* 위선자
Peck·sniff·i·an [peksnífiən] *a.* 위선적인
peck·y [péki] *a.* (**peck·i·er**; **-i·est**) 〈재목 등이〉 (오래되어) 반점이 생긴, 얼룩진

---

unconventional, bizarre, weird, quaint, outlandish, grotesque, freakish

pecs [peks] *n. pl.* 《구어》 흉근(胸筋)(pectoral muscles)
pec·tase [pékteis, -teiz] *n.* Ⓤ 〖생화학〗 펙타아제 《응결 작용을 일으키는 식물 효소》
pec·ten [péktən] *n.* (*pl.* **~s, -ti·nes** [-tənì:z]) **1** 〖동물〗 빗 모양의 돌기(突起) **2** 〖패류〗 가리비
pec·tic [péktik] *a.* 펙틴(pectin)의
péctic ácid 〖화학〗 펙트산(酸)
pec·tin [péktin] *n.* Ⓤ 〖생화학〗 펙틴
pec·ti·nate, -nat·ed [péktənèit(id)] *a.* 빗(살) 모양의
pec·ti·na·tion [pèktənéiʃən] *n.* ⓊⒸ **1** 빗(살) 모양의 구조 **2** 빗질(combing)
pec·ti·za·tion [pèktizéiʃən] *n.* 겔화(化), 펙티제이션 《교질 용액에서 젤라틴 겔화되는 현상》
pec·tize [péktaiz] *vt.* 〖화학〗 겔(gel)화하다
pec·to·ral [péktərəl] *a.* Ⓐ **1** 가슴의; 흉근(胸筋)의; 흉부에 있는(thoracic) **2** 폐병의[에 듣는] **3** 〈십자가 등이〉 가슴을 장식하는, 가슴에 다는 **4** 《드물게》 주관적인 **5** 〈소리가〉 가슴에서 나오는; 〈성량이〉 풍부한
—*n.* **1** 가슴 장식 《특히 유대 고위 성직자의》; 가슴받이; 가슴에 다는 십자가(=∠ **cróss**) **2** 폐병약; 흉부 질환 치료법 **3** 〖동물〗 가슴지느러미, 흉근(胸筋)
péctoral fín (물고기의) 가슴지느러미
pec·to·ral·is [pèktərǽlis, -réil-] *n.* (*pl.* **-ral·es**) 〖해부〗 흉근(胸筋)(pectoral muscle)
péctoral múscle 〖해부〗 흉근(胸筋)
pec·tose [péktous] *n.* Ⓤ 〖화학〗 펙토오스 《덜 익은 과실 속에 들어 있는 다당류》
pec·u·late [pékjulèit] *vt.* 〈공금이나 맡은 돈을〉 유용하다, 횡령하다(embezzle)
pec·u·la·tion [pèkjuléiʃən] *n.* ⓊⒸ 공금[위탁금] 유용[횡령]; 관물 사용(官物私用)
pec·u·la·tor [pékjulèitər] *n.* 공금 유용자, 수탁금 횡령자
‡**pe·cu·liar** [pikjú:ljər] *a.*, *n.*

> L 「개인 재산의, 자기 자신의」 뜻에서
> (자기의)→「독특한」 **3**→「특별한」 **2**→「기묘한」 **1**

—*a.* **1** (불쾌한 쪽으로) **기묘한**, 이상한, 별난, 색다른; 머리가 이상한: a ~ smell 묘한 냄새 / There is something ~ about him. 그에게는 어딘가 색다른 점이 있다. **2** Ⓐ **특이한**, 특수한, 눈에 띄는: a ~ talent 특이한 재능 **3** (사람·시대·지역 등에) **특유한**, **고유의**, 독특한 《*to*》(⇨ particular 유의어): Language is ~ *to* mankind. 언어는 인간 특유의 것이다. / an expression ~ *to* Canadians 캐나다인 특유의 표현 **4** Ⓟ 《영·구어》 아픈, 몸이 편찮은: I felt a little bit ~ and lied down. 나는 몸이 좀 안 좋아서 누웠다.
—*n.* **1** 사유 재산, 특권 **2** 특수 교구 《다른 관구의 감독 지배를 받는》 **3** Peculiar People파의 사람
▷ peculiárity *n.*
pecúliar institútion [the ~] 〖미국사〗 흑인 노예 제도 《남북 전쟁 이전에 남부에서 쓰이던 명칭》
***pe·cu·li·ar·i·ty** [pikjù:liǽrəti] *n.* (*pl.* **-ties**) ⓊⒸ **1 특색**, 특성, 버릇 **2** 특유, 독특, 독자성 **3** 이상한[색다른] 점, 기벽(奇癖), 기태(奇態)
▷ pecúliar *a.*
***pe·cu·liar·ly** [pikjú:ljərli] *ad.* **1 특히**, 각별히 **2** 기묘하게, 독특하게, 색다르게: behave ~ 별난 짓을 하다
pecúliar péople **1** [the ~] (신의 선민으로서의) 유대인(the Jews) **2** 신의 선민 《그리스도교도의 자칭》; 그리스도교 근본주의자 **3** [the P- P-] 기도로 병을 고칠 수 있다고 믿었던 영국의 프로테스탄트파
pe·cu·li·um [pikjú:liəm] *n.* 사유 재산; 〖로마법〗 (노예·처·자식 등에게 준) 개인 재산
pe·cu·ni·ar·y [pikjú:nièri | -əri] [L 「가축의, 돈의」의 뜻에서] *a.* **1** 금전(상)의: ~ embarrassment 재정 곤란 **2** 벌금(형)의: a ~ offense 벌금형
pe·cu·ni·ar·i·ly [pikjù:niérəli] *ad.* 금전상으로

pecúniary advántage 〖법〗 (부정 행위에 의한) 금전상의 이익
ped [péd] *n.* 페드 《자연의 토양 생성 과정에서 형성된 입자의 집합체》
ped. pedal; pedestal; pedestrian
ped-[1] [pi:d, ped], **pedi-** [pédi, pí:di], **pedo-**[1] [pédou] 《연결형》「발」의 뜻 《모음 앞에서는 ped-》
ped-[2] [ped], **pedo-**[2] [pédou, -də] 《연결형》「토양」의 뜻 《모음 앞에서는 ped-》
-ped [pèd, pəd], **-pede** [pì:d] 《연결형》「…의 발을 가진 (생물)」의 뜻: quadru*ped*
ped·a·gog·ic, -i·cal [pèdəgɑ́dʒik(əl), -góudʒ- | -gɔ́dʒ-] *a.* **1** 교육학의, 교수법의 **2** 교사의, 교육자의 **3** 아는 체하는, 현학(衒學)의 **-i·cal·ly** *ad.*
ped·a·gog·ics [pèdəgɑ́dʒiks, -góudʒ- | -gɔ́dʒ-] *n. pl.* [단수 취급] 교육학, 교수법
ped·a·gogue, (미) **-gog** [pédəgɑ̀g, -gɔ̀:g | -gɔ̀g] *n.* **1** (경멸) 학자인 체하는 사람, 현학자(衒學者); 규칙이 까다로운 선생 **2** 《고어》 교사, 교육자
ped·a·gog(u)·ism [pédəgɑ̀gizm, -gɔ̀:g- | -gɔ̀g-] *n.* Ⓤ 선생티, 선생 기질; 현학
ped·a·go·gy [pédəgòudʒi, -gɑ̀dʒi | -gɔ̀dʒi] [Gk 「교육」의 뜻에서] *n.* Ⓤ **1** 교육, 교수; 교직 **2** 교육학, 교수법
ped·al** [pédl] [L 「발의」의 뜻에서] *n.* **1** (재봉틀·자전거·자동차 등의) **페달** **2** 〖음악〗 (피아노·하프 등의) 발판; (큰 풍금의) 발로 밟는 건반(鍵盤)(cf. MANUAL) **3** 〖수학〗 수족선[면](垂足線[面]) **4** 〖음악〗 저속음(부)(低續音(部))(=~ point) ***get the ~ 해고당하다; 그만두다
— *a.* Ⓐ **1** 페달(식[추진])의 **2** 〖동물·해부〗 발의: ~ extremities 발 **3** 〖수학〗 수족선의: a ~ curve 수족선
— *v.* (**~ed**; **~·ing** | **~led**; **~·ling**) *vi.* 페달을 밟다, 페달을 밟으며 가다[연주하다]: (~+전+명) ~ *on* an organ 페달을 밟아 오르간을 연주하다 // (~+부) (~+전+명) He *~ed off on* his bicycle. 자전거의 페달을 밟으며 가 버렸다.
— *vt.* …의 페달을 밟다[밟으며 가다]: (~+목+전+명) He *~ed* his way *up* the slope. 비탈길을 페달을 밟으며 올라갔다.
pédal bìn 페달로 뚜껑을 여닫는 쓰레기통
pédal bòat =PEDALO
pédal cỳcle 자전거
ped·al·er [pédlər] *n.* 《구어》 자전거 타는 사람
pe·dal·fer [pidǽlfər] *n.* Ⓤ 〖지질〗 철·알루미나 토양
ped·a·lo [pédəlòu] *n.* (*pl.* **~(e)s**) 수상 자전거 《오락용 페달 추진식 보트》
pédal pòint 〖음악〗 (최저음의) 지속음 《페달을 밟고 있는 동안의》
pédal pùshers (여자의) 스포츠용 반바지 《원래 자전거 타기용》
pédal stèel 페달 스틸 기타 《페달로 조현(調弦)을 바꾸는 전기 스틸 기타》(=~ **guitár**)
ped·ant [pédənt] *n.* **1** 학자티를 내는 사람, 현(衒)학자(cf. PEDAGOGUE) **2** 융통성 없는 사람 **3** 탁상공론가 **4** 《폐어》 교사(schoolmaster)
pe·dan·tic, -ti·cal [pədǽntik(əl)] *a.* 학자티를 내는, 아는 체하는, 현학적인 **-ti·cal·ly** *ad.*
ped·an·toc·ra·cy [pèdəntɑ́krəsi | -tɔ́k-] *n.* Ⓤ 현학자(衒學者)에 의한 지배; (지배자로서의) 현학자들
ped·ant·ry [pédəntri] *n.* (*pl.* **-ries**) [UC] **1** 학자티를 냄, 현학; 점잔뺌 **2** 탁상공론, 융통성 없음
ped·ate [pédeit] *a.* **1** 〖동물〗 발이 있는; 발 모양의 **2** 〖식물〗 〈잎이〉 새발 모양의
***ped·dle** [pédl] [peddler의 역성(逆成)] *vt.* **1** **행상하다**(hawk), 도부치다; 소매하다 **2** 〈소문 등을〉 퍼뜨리다: ~ radical ideas 급진 사상을 유포하다 **3** (속어) 고물상에 팔아 치우다 《*out*》; 〈마약 등을〉 밀매하다
— *vi.* **1** **행상하다** **2** 하찮은 일에 신경쓰다; 시간을 소비하다 《*with*》 ~ (one**'s**) ***papers*** 《미·속어》 (쓸데없이 참견하지 않고) 자기 일을 하다
ped·dler** | **ped·lar** [pédlər] [ME 「바구니」의 뜻에서] *n.* **1** **행상인, 도붓장수** **2** (마약 등의) 밀매인 **3** (소문 등을) 퍼뜨리는 사람 **4** 《미·속어》 (역마다 서는) 화물 열차 ***~'s news 진부한 이야기
péddler's Frénch 《고어》 **1** 도둑들의 은어 **2** 도무지 알아들을 수 없는 말
ped·dler·y [pédləri] *n.* [UC] **1** 행상 **2** 행상인의 상품 **3** 싸구려 물건, 굴퉁이
ped·dling [pédliŋ] *a.* **1** 행상하는, 도부치는 **2** 시시한; 하찮은 일에 마음을 쓰는 — *n.* Ⓤ 행상, 도붓장사
-pede [pì:d] 《연결형》 =-PED
ped·er·ast [pédəræ̀st, pí:d-] [Gk 「소년을 사랑하는 사람」의 뜻에서] *n.* (소년을 대상으로 하는) 남색자 **pèd·er·ás·tic** *a.*
ped·er·as·ty [pédəræ̀sti, pí:d-] *n.* Ⓤ 남색(男色)
ped·es·tal** [pédəstl] [L 「대좌(臺座)의 다리」의 뜻에서] *n.* **1** (흉상(胸像) 등의) 대(臺), **받침대,** 대좌(臺座), 기둥 뿌리 **2** 〖기계〗 축(軸)받이 **3** 기초, 근거(foundation), 토대 ***knock a person ***off his*** [***her***] ***~*** …을 존경받던 자리에서 끌어내리다, 콧대를 꺾다 ***set*** [***put, place***] a person ***upon*** [***on***] ***a ~*** …을 연장자[상급자]로서 존경하다
— *vt.* (**~ed**; **~·ing** | **~led**; **~·ling**) **1** 대좌에 올려놓다, 받침대로 괴다 **2** 받들다, 숭상하다

pedestal 1

pédestal tàble 외다리 테이블 《다리는 중앙에 달림》
***pe·des·tri·an** [pədéstriən] [L 「도로」의 뜻에서] *n.* **1** **보행자**(walker), 도보 여행자(cf. EQUESTRIAN) **2** 잘 걷는 사람; 도보 경주자; 도보주의자
— *a.* **1** Ⓐ **도보의,** 보행의: a ~ tour 도보 여행 **2** 〈문체 등이〉 산문적인, 평범[단조]한: a ~ speech 평범한 연설 **~·ism** *n.* Ⓤ **1** 도보(주의); 도보 여행 **2** (문체 등의) 단조로움
pedéstrian cróssing 《영》 횡단보도
pedéstrian ìsland 보행자용 안전 지대
pe·des·tri·an·ize [pədéstriənàiz] *vi.* 도보 여행을 하다, 도보로 가다 — *vt.* 〈도로를〉 차량 통행을 금지시키다, 보행자 천국으로 만들다
pedéstrian précinct 보행자 전용 구역
Ped·i [pédi] *n.* (*pl.* **~, ~s**) **1** 페디 족(族) 《남아프리카 공화국 Transvaal의 Sotho족》 **2** 페디 어(語)
pedi- [pédi, pí:di] 《연결형》 =PED-[1]
pe·di·at·ric [pì:diǽtrik, pèd-] *a.* 소아과(학)의
pe·di·a·tri·cian [pì:diətríʃən, pèd-] *n.* 소아과 의사
pe·di·at·rics [pì:diǽtriks, pèd-] *n. pl.* [단수 취급] 〖의학〗 소아과(학)
pe·di·a·trist [pì:diǽtrist, pèd-] *n.* =PEDIATRICIAN
ped·i·cab [pédikæ̀b] *n.* (동남아시아 등의) 승객용 3륜 자전거, 3륜 택시
ped·i·cel [pédəsəl | -sèl], **ped·i·cle** [pédikl] *n.* **1** 〖식물〗 작은 꽃자루 **2** 〖동물〗 육경(肉莖)
ped·i·cel·late [pèdəsélət, -lèit], **pe·dic·u·late** [pədíkjulət, -lèit] *a.* 작은 꽃자루[육경]가 있는
pe·dic·u·lar [pədíkjulər], **-lous** [-ləs] *a.* 이가 꾄(lousy)
pe·dic·u·lo·sis [pədìkjulóusis] *n.* Ⓤ 〖병리〗 이 기생증(寄生症)
ped·i·cure [pédikjùər] [L 「발의 손질」의 뜻에서] *n.* **1** Ⓤ 발의 치료; Ⓒ 발 치료 의사 **2** Ⓤ 페디큐어 《발톱 미용술》 — *vt.* 〈발의 티눈 등을〉 치료하다; 〈발톱에〉 페디큐어를 하다 **péd·i·cùr·ist** *n.*
ped·i·form [pédəfɔ̀:rm] *a.* 발 모양의
***ped·i·gree** [pédəgrì:] [MF 「두루미 발」의 뜻에서; 계도(系圖)를 두루미 발 같다고 생각한 데서] *n.* **1** [UC]

thesaurus **pedestal** *n.* base, support, stand, foundation, pillar, column, plinth

가계(家系), 혈통: He is by ~ a peasant. 그는 농민 출신이다. **2** 계도(系圖), 족보, 순종 가축의 혈통표 **3** 명문 태생(birth) **4** Ⓤ (언어의) 유래, 어원 **5** ((미·속어)) (범죄자의) 신원 조사서, 전과 경력서
— *a.* Ⓐ 혈통이 분명한

ped·i·greed [pédəgrìːd] *a.* 〈말·개 등이〉 혈통이 분명한, 순종의

ped·i·ment [pédəmənt] *n.* **1** 〖건축〗 박공벽 **2** 〖지질〗 산록 완사면 **-mén·tal, ~·ed** *a.*

pediment 1

*__ped·lar__ [pédlər] *n.* ((영)) =PEDDLER

ped·lar·y [pédləri] *n.* =PEDDLERY

pedo-[1] [pédou, píːd-] ((연결형)) =PED-[1]

pedo-[2] [pédou, -də] ((연결형)) =PED-[2]

pedo-[3] [píːdou, péd-] ((연결형)) ((미)) =PAED(O)-

pe·do·bap·tism [pìːdoubǽptizm] *n.* Ⓤ 유아 세례 **-tist** *n.* 유아 세례론자

pe·do·chem·i·cal [pèdəkémikəl] *a.* 토양 화학의, 토양 화학적인

pe·do·don·tics [pìːdədɑ́ntiks | -dɔ́n-] *n. pl.* [단수 취급] 소아 치과(학) **-tist** *n.*

pe·dol·o·gist[1] [pidɑ́lədʒist | -dɔ́l-] *n.* 아동[육아] 학자

pedologist[2] *n.* 토양학자

pe·dol·o·gy[1] [pidɑ́lədʒi | -dɔ́l-] *n.* Ⓤ 소아(과)학[연구], 육아학(pediatrics)

pedology[2] *n.* Ⓤ 토양학(soil science)

pe·dom·e·ter [pədɑ́mətər | -dɔ́m-] *n.* 보수계(步數計)

pe·do·phile [píːdəfàil] *n.* 〖정신의학〗 소아(성)애 병자

pe·do·phil·i·a [pìːdəfíliə] *n.* Ⓤ 〖정신의학〗 소아(성)애(小兒(性)愛) ((어린이를 대상으로 하는 성도착))

ped·rail [pédrèil] *n.* 〖기계〗 무한궤도(차)

pe·dro [píːdrou | péi-] *n.* (*pl.* **~s**) **1** 〖카드〗 페드로 ((으뜸패의 5가 5점이 되는 seven-up의 일종)) **2** [**P~**] 남자 이름

pédro sáncho 〖카드〗 페드로 산초; pedro의 일종

pe·dun·cle [pidʌ́ŋkl, píːdʌŋ-] *n.* **1** 〖식물〗 꽃자루, 화경 **2** 〖동물〗 육경(肉莖) **3** 〖해부〗 뇌각(腦脚)

pe·dun·cu·lar [pidʌ́ŋkjulər], **-late** [-lət, -lèit] *a.* peduncle이 있는

pee[1] [píː] [piss의 머리글자에서] ((속어·유아어)) *vi.* 오줌누다, 쉬하다 ***Don't ~*** [***piss, shit***] ***in your pants.*** ((구어)) 진정해, 걱정 마. ***~d off*** = ***~'d off*** = ***p'd off*** 화난, 짜증난 ***~ in the same pot*** ((속어)) 생활 기반을 같이하다, 공동 사업을 하다 ***~ oneself laughing*** 바지에 오줌을 지릴 정도로 웃다, 포복절도하다 — *n.* ⓊⒸ 오줌, 쉬: go for[have, take] a ~ 오줌누러 가다[누다]

pee[2] *n.* **1** (알파벳의) P, p **2** ((속어)) 「P자」 ((P자로 시작되는 외국 화폐; peso, piaster 등)); 돈(money)

pee-eye [píːài] *n.* ((미·속어)) =PIMP

peek [píːk] ((구어)) *vi.* 살짝 들여다보다, 엿보다(peep) ((*in, out, at, through*))
— *n.* 엿봄: steal a ~ 살짝 엿보다

peek·a·boo [píːkəbùː] *n.* Ⓤ ((미)) 까꿍 놀이(((영)) bopeep) ((숨어 있다가 어린이를 놀리는))
— *a.* 비쳐 보이는 자수 장식이 달린; 〈옷이〉 비치는 천으로 만들어진

‡**peel**[1] [píːl] *vt.* **1** 〈귤 등의〉 **껍질을 벗기다**(⇨ pare 유의어); 〈나무껍질 등을〉 **벗기다** ((*off*)): ~ an orange 오렌지의 껍질을 벗기다 // (~+목+부) ~ *off*[*away*] a wrapper 포장지를 벗기다 // (~+목+전+명) Please ~ me a peach. = Please ~ a peach *for* me. 복숭아 껍질을 벗겨 주시오. **2** ((구어)) 〈옷을〉 벗다, 벗기다 ((*off*)): (~+목+부) ~ *off* one's coat 웃옷을 벗다
— *vi.* **1** 〈껍질·피부가〉 **벗겨지다** ((*off*)): Her sunburn skin began to ~. 햇볕에 탄 그녀의 피부가 벗어지기 시작했다. **2** 〈과실 등이〉 껍질이 벗겨지다: (~+부) These potatoes ~ *easily.* 이 감자들은 껍질이 쉽게 벗겨진다. **3** 〈페인트·벽지 등이〉 벗겨 떨어지다 ((*off*)) **4** ((속어)) 옷을 벗다(undress) ((*off*))
keep one***'s eyes ~ed*** ((구어)) 빈틈없이 경계하다, 주의를 게을리하지 않다 ***~ eggs*** ((영·속어)) 체면 차리다, 형식에 구애되다 ***~ it*** ((미·속어)) 전속력으로 달리다 ***~ off*** (1) 〖항공〗 편대에서 벗어나 급강하하기 시작하다 (2) 〖해군〗 (호송함이 호송 선단에서) 이탈하다 ***~ out*** ((속어)) (타이어 자국이 날 정도로) 급격히 가속하다; 갑자기 떠나다[떨어지다] ***~ rubber*** [***tires***] ((속어)) 차를 갑자기 가속시키다
— *n.* Ⓤ 과일 껍질(⇨ rind 유의어); 나무 껍질
~·a·ble *a.*

peel[2] *n.* 〖역사〗 탑 모양의 작은 성채 ((영국과 스코틀랜드의 국경에 있는))

peel[3] *n.* (빵 굽는 데 쓰는) 나무 주걱

peel·er[1] [píːlər] [경찰 제도의 개혁자 Sir R. Peel의 이름에서] *n.* **1** ((영·속어)) 경찰관 **2** 〖역사〗 아일랜드의 경찰관

peeler[2] *n.* **1** 껍질을 벗기는 사람[기구] **2** ((미)) 탈피기(期)의 게 **3** 합판용 재목

peel·ing [píːliŋ] *n.* **1** Ⓤ 껍질 벗기기 **2** [*pl.*] 벗긴 껍질 ((특히 감자의))

Peel·ite [píːlait] *n.* 〖영국사〗 필 당원, 필 지지파 의원 ((1846년 Sir R. Peel의 곡물세 폐지 법안에 찬성한 보수당원))

peel-off [píːlɔ̀(ː)f] *a.* (벗겨서) 떼어내는 식의, 떼어서 쓰는

peen [píːn] *n., vt.* 망치 대가리(로 두드리다)

‡**peep**[1] [píːp] *vi.* **1** (구멍·틈 등을 통해) **엿보다**(peek) ((*at, into*)), **들여다보다,** 슬쩍 보다 ((*out of, into, at, over*)): (~+부) Someone is *~ing in.* 누군가가 들여다보고 있다. // (~+전+명) I *~ed* (*out*) *through* a crack in the wall. 벽 틈으로 (밖을) 엿보았다. / They *~ed at* her *through* the fence. 그들은 담 너머로 그녀를 훔쳐보았다. **2** 신기한 듯이 보다, 장난삼아 보다 ((*at*)) **3** 〈해·달·꽃이〉 나타나다, 나타나기 시작하다 ((*out*)): (~+부) (~+전+명) The moon *~ed out through* the clouds. 달이 구름 사이로 나타났다. **4** 〈성질 등이〉 무의식 중에 나타나다, 〈바탕이〉 드러나다 ((*out*))
— *vt.* 엿보게 하다; 비어져 나오게 하다
— *n.* **1** 엿봄, 훔쳐보기; 슬쩍 봄: take[get, have] a ~ at …을 슬쩍 보다 **2** 출현: at the ~ of day[dawn] 새벽에 **3** 들여다보는 구멍

peep[2] [의성어] *n.* **1** 삐악삐악[짹짹] ((쥐·병아리 등의 울음소리)) **2** [a ~] ((구어)) 불평 소리, 우는 소리; 한 마디: I don't want to hear *a* ~ out of you. 너의 불평하는 소리는 이제 듣고 싶지 않다. **3** ((유아어·구어)) 삐뽀 ((경적 소리))
— *vi.* **1** 삐악삐악[짹짹] 울다 **2** 소곤거리다

peep[3] *n.* ((미·군대속어)) =JEEP

peep-bo [píːpbòu] *n.* =BOPEEP

pee·pee [píːpìː] *n.* =PEE[1]

peep·er[1] [píːpər] *n.* 삐악삐악[짹짹] 우는 짐승[새]; 새 새끼; 청개구리의 일종

peeper[2] *n.* **1** 엿보는 사람 **2** 꼬치꼬치 캐묻기 좋아하는 사람 **3** [*pl.*] ((속어)) 눈; 안경 **4** 사립 탐정

peep·hole [píːphòul] *n.* (문 등의) 들여다보는 구멍

Péep·ing Tóm [píːpiŋ-] **1** 엿보는 톰 ((Godiva 부인의 알몸을 엿보다가 눈이 멀었다는 양복 재단사)) **2** [종종 **p- T-**] 엿보기 좋아하는 호색가; 호기심이 강한 사람

péep shòw 들여다보는 구경거리; ((속어)) 스트립 쇼

péep sìght (총의) 가늠자 구멍

---

pedestrian *n.* walker, stroller, hiker
peel[1] *v.* pare, strip, remove, take off, flake

peep-toe(d) [pí:ptòu(d)] *a.* 〈구두가〉 발가락이 보이는

pee·pul [pí:pəl] *n.* 〖식물〗 인도보리수나무(bo tree)

peer[1] [píər] [L 「평등」의 뜻에서] *n.* **1** (나이·지위·능력이) 동등한 사람; 동배(同輩), 동료; (법률상) 대등한 사람 **2** 〈가치·질이〉 동등한 것: without a ~ 비길 데 없는 **3** ((영)) 귀족(cf. DUKE, MARQUIS, EARL, VISCOUNT, BARON); 상원 의원: ~*s* and commoners 귀족과 평민 ***have no*** ~ 필적할 자가 없다, 으뜸이다 ~ ***of the realm*** ((영)) 성년이 되면 상원 의원이 될 권리가 생기는 세습 귀족
— *vt.* **1** …에 필적하다 **2** ((속어)) 귀족으로 만들다
— *vi.* (…와) 대등[필적]하다 ((*with*))

peer[2] [píər] *vi.* **1** 자세히 들여다보다, 응시하다, 주의해서 보다 ((*into, at*)): (~+副) ~ *in*[*out*] 안[밖]을 응시하다 // (~+前+名) ~ *into* a dark cave 어두운 동굴 안을 가만히 들여다보다 **2** 〈해 등이〉 희미하게 나타나다, 보이기 시작하다 ((*from, through*)): (~+前+名) The sun ~*ed from* behind a cloud. 해가 구름 뒤에서 나타나기 시작했다.

peer·age [píəridʒ] *n.* **1** [the ~; 집합적] 귀족, 귀족 계급[사회]: be raised on[to] *the* ~ 귀족이 되다 **2** Ⓤ 귀족의 지위[신분], 작위 **3** 귀족 명감(名鑑)

peer·ess [píəris] *n.* 귀족 부인, 여자 귀족: a ~ in her own right 귀족 부인, 여자 귀족

péer gròup 〖사회〗 동료[또래] 집단; 〖심리·정신분석〗 동배(同輩) 집단[또래]

peer·less [píərlis] *a.* 비할 데 없는, 무쌍(無雙)의, 유례없는 **~·ly** *ad.* **~·ness** *n.*

péer prèssure 동료 집단으로부터 받는 사회적 압력

péer revìew 동업자의 평가

peer-to-peer [pìərtəpíər] *a.* Ⓐ 〖컴퓨터〗 P2P 방식의 ((컴퓨터 시스템이 중앙 서버 없이 파일을 공유하는))(cf. CLIENT-SERVER)

péer-to-péer nètwork 〖컴퓨터〗 피어투피어 네트워크 ((네트워크를 구성하는 각 node가 동등한 기능과 자격을 갖는 네트워크))

peeve [pí:v] ((구어)) *vt.* 약올리다, 지분거리다, 집적거리다, 화나게 하다 — *vi.* 약오르다
— *n.* **1** [a ~] 약올림, 초조, 노여움 **2** 애로, 불평

peeved [pí:vd] *a.* ((구어)) = PEEVISH

pee·vish [pí:viʃ] *a.* **1** 투정부리는, 앵돌아진, 심술이 난 **2** 괴까다로운, 역정 잘 내는(cross); 고집불통인 **~·ly** *ad.* **~·ness** *n.*

pee·wee [pí:wì:] ((미·구어)) *n.* 유난히 작은 사람[것]; = PEWEE — *a.* 작은(tiny), 하찮은, 시시한

pee·wit [pí:wit, pjú:it | pí:wit] *n.* = PEWIT

peg [pég] *n.* **1** (나무나 금속의) 못, 나무못, 쐐기못; 걸이못; (천막용) 말뚝; (등산용 자일의) 하켄; (토지 경계선의) 말뚝; (나무통 등의) 마개: a hat ~ 모자걸이 **2** 의족; ((익살)) 다리; [*pl.*] 바지 **3** ((구어)) (평가 등의) 급(級), 등(等) **4** (토론·이야기의 바탕이 되는) 주제, 이유, 구실: (~+*to* do) a good ~ *to* hang a complaining on 불평을 꺼낼 좋은 기회[핑계] **5** 〖음악〗 (현악기의 줄을 조이는) 줄감개; (피아노 등의) 조율핀 **6** ((구어)) 〖야구〗 (재빠른) 송구(送球): The ~ to the plate was late. 홈으로 송구하기에는 늦었다. **7** 〖경제〗 펙 ((상품 가격·환율 등의 설정 수준)) **8** ((영·드물게)) (특히 소다수를 탄 위스키) 한 잔; 알코올 음료 **9** ((영)) 빨래 집게(((미)) clothespin)
a round ~ in a square hole = ***a square ~ in a round hole*** 부적임자 ***be on the*** ~ 꾸지람을 듣다, 벌 받다 ***buy*** clothes ***off the*** ~ (기성복)을 사다 ***come down a ~*** (***or two***) ((구어)) 코가 납작해지다, 면목을 잃다 ***put*** a person ***on the*** ~ ((군대속어)) (벌을 주기 위하여) …을 상관 앞에 끌어내다 ***take***[***bring, let***] a person ***down a ~*** (***or two***) …의 자만심을 꺾다; …을 혼내 주다, 골탕 먹이다
— *v.* (**~ged**; **~·ging**) *vt.* **1** …에 나무못[말뚝]을 박다; 나무못으로 죄다; 못[말뚝]으로 표를 하다 ((*down, in, out, up*)); 말뚝으로 표시[구획]하다 ((*out*)): (~+目+副) ~ a tent *down* securely 텐트를 말뚝을 박아 단단하게 치다 **2** ((영)) 〈빨래를〉 빨래 집게로 고정하다 ((*out*)) **3** 〖증권〗 〈시세 변동을〉 억제하다; 〖경제〗 〈통화를〉 안정시키다: (~+目+前+名) ~ something *at* a high price …을 고가로 안정시키다 **4** ((구어)) 〈공·돌 등을〉 던지다 **5** 〈신문 기사를〉 …(을 기화로) 쓰다 ((*on*)): The feature story was ~*ged on* the riots. 그 특집 기사는 폭동을 계기로 쓰여졌다. **6** ((속어)) (…라고) 인정하다; 분류[감정]하다 ((*as*)); 어림잡다 ((*as*)): have a person ~*ged* …에 관해 고정관념을 갖다 **7** 〈개가〉 〈사냥감의 위치를〉 가리키다, 지시하다 **8** 〖카드〗 〈점수를〉 매기다
— *vi.* **1** 부지런히 움직이다, 서두르다 ((*down, along*)); 열심히 일하다 ((*away, at*)): (~+副) ~ *away*[*along, on*] 열심히 일하다 // (~+前+名) He is ~*ging away at* his homework. 그는 열심히 숙제를 하고 있다. **2** 〖야구〗 공을 던지다
~ ***down*** 말뚝으로 땅바닥 등에 고정시키다; (규칙 등으로) 얽어 매다 ((*to*)) ~ ***it*** ((속어)) 죽다 ~ ***out*** (1) 〈경계선 등을〉 긋다 (2) ((속어)) 〈물건·사람의 힘이〉 다하다, 죽다 (3) 〖크로케〗 공을 푯말에 맞히다

Peg [pég] *n.* 여자 이름 ((Margaret의 애칭))

Peg·a·sus [pégəsəs] *n.* **1** 〖그리스신화〗 페가수스 ((시신(詩神) 뮤즈가 타는, 날개 달린 말)); (문장(紋章)의) 날개 돋친 천마(天馬) **2** 〖천문〗 페가수스자리 **3** Ⓤ 시재(詩才), 시적 감흥 **4** ((미)) 〖우주〗 페가수스 ((유성진(流星塵) 관측용 과학 위성))

peg·board [pégbɔ̀:rd] *n.* 나무못 꽂는 판 ((놀이로 구멍에 꽂는 도구 또는 상품 전시용))

peg·box [-bɑ̀ks | -bɔ̀ks] *n.* (현악기의) 줄감개집

Peg·gy [pégi] *n.* 여자 이름 ((Margaret의 애칭))

pég lèg ((구어)) 나무 의족(義足)(을 단 사람)

peg·ma·tite [pégmətàit] *n.* Ⓤ 페그마타이트 ((화강암의 일종)) **pèg·ma·tít·ic** [-títik] *a.*

pég pànts ((미)) 허리통은 크고 끝통이 좁은 바지

pég tòp **1** (서양배 모양의) 팽이 **2** [*pl.*] 팽이 모양의 바지 ((허리통은 크고 끝통은 좁은))

peg-top(ped) [pégtɑ̀p(t) | -tɔ̀p(t)] *a.* 〈바지·치마 소매가〉 팽이 모양의

Pe·gu [pegú:] *n.* 페구 ((미얀마 중부의 도시; 파고다로 유명))

peh [péi] *n.* = PE

PEI ((캐나다)) Prince Edward Island

peign·oir [peinwɑ́:r, pen- | péinwɑ:] [F] *n.* 실내복(négligé), (여성용) 화장옷

pein [pí:n] *n., vt.* = PEEN

Pei·ping [pèipíŋ] *n.* 북평(北平) ((Beijing의 구칭))

pej·o·rate [pédʒərèit, pí:dʒ- | pí:dʒ-] *vt.* 악화[타락]시키다

pej·o·ra·tion [pèdʒəréiʃən, pì:dʒ- | pì:dʒ-] *n.* Ⓤ **1** (가치의) 하락 **2** 〖언어〗 (말 뜻의) 악화, 타락

pe·jo·ra·tive [pidʒɔ́:rətiv | -dʒɔ́r-] *a.* **1** 가치를 떨어뜨리는 **2** 〈말 등이〉 경멸[멸시]적인: a ~ suffix 경멸의 접미사 — *n.* 〖문법〗 경멸어, 경멸 접미사 ((poetaster의 -aster 등)) **~·ly** *ad.*

pek·an [pékən] *n.* 〖동물〗 아메리카담비 ((미국산(産)))

peke [pí:k] *n.* [종종 **P~**] ((구어)) = PEKINGESE 3

Pe·kin [pì:kín] *n.* **1** = PEKING **2** [**p~**] [pí:kìn] Ⓤ 북경 비단 ((세로 줄무늬의 견직물)) **3** 〖조류〗 북경오리 ((중국산(産) 흰오리))

Pe·kin·ese [pì:kəní:z, -s] *a., n.* (*pl.* ~) = PEKINGESE

Pe·king [pì:kíŋ] *n.* 북경 ((중국의 수도; Beijing의 구칭)) ▷ Pekingése *a., n.*

Péking dúck 〖요리〗 베이징 덕, 북경 오리

Pe·king·ese [pì:kiní:z, -ní:s] *a.* 북경(인)의
— *n.* (*pl.* ~) **1** 북경 사람 **2** Ⓤ 북경어 **3** [종종 **p~**] 발바리개(= ∠ **dòg**)

thesaurus **peer**[1] *n.* associate, colleague, friend, fellow, match, like, coequal, compeer

Péking mán 〖인류〗 북경 원인(原人) 《북경 서남방의 저우커우뎬(周口店)에서 발굴》
Pe·king·ol·o·gy [pì:kiŋɑ́lədʒi | -ɔ́l-], **Pe·kin·ol·o·gy** [-kin-] *n.* Ⓤ 북경학[연구] 《중국 정부의 정책 연구》 **-gist** *n.*
pe·koe [pí:kou] *n.* Ⓤ 고급 홍차 《인도산(産)》
pel·age [pélidʒ] *n.* ⓊⒸ (네발짐승의) 털가죽
pe·la·gi·an [pəléidʒiən, -dʒən] *a.* = PELAGIC
— *n.* 심해[원양] 동물
Pe·la·gi·an [pəléidʒiən, -dʒən] *n.* Pelagius주의자 《원죄를 부정하고 인간의 자유 의지를 믿음》
— *a.* 펠라기우스(주의자)의
~·ìsm *n.* Ⓤ 펠라기우스주의
pe·lag·ic [pəlǽdʒik | pe-] *a.* 원양[심해]의, 대양에 사는; 원양에서 하는: ~ fishery 원양 어업
Pe·la·gi·us [pəléidʒiəs] *n.* 펠라기우스(360?-420?) 《로마에서 배운 영국의 수도사·신학자; 후에 이단시됨》
pel·ar·go·ni·um [pèlɑːrgóuniəm, -lər- | -lə-] *n.* 〖식물〗 양아욱속(屬) 《속칭 geranium》
Pe·las·gi [pəlǽzdʒi | pelǽzgai] *n. pl.* [the ~] 펠라스기 족 《유사 이전에 그리스·소아시아 등지에 살았음》
Pe·las·gi·an [pəlǽzdʒiən, -dʒən, -giən | pe-] *n., a.* 펠라스기 족(族)[어(語)](의)
Pe·las·gic [pəlǽzdʒik, -gik | pe-] *a.* = PELASGIAN
Pe·le [péilei] *n.* 펠레 《하와이의 화산의 여신》
Pe·lé [peiléi] *n.* 펠레(1940-) 《브라질의 축구 선수; 본명 Edson Arantes do Nascimento》
pe·lec·y·pod [pəlésəpɑ̀d | -pɔ̀d] *n., a.* 〖동물〗 부족류(斧足類)(의)
pel·er·ine [pèlərí:n, péləriːn | péləriːn] *n.* 모피 케이프 《여성용》
Pé·le's háir [péileiz-] 〖지질〗 (화산의 여신인) 펠레(Pele)의 털, 화산모(火山毛) 《용암이 유리 섬유로 굳어진 것》
Péle's téars [-tíərz] 〖지질〗 펠레(Pele)의 눈물, 화산루(火山淚) 《용암의 비말(飛沫)이 눈물 방울 모양으로 응고한 것》
pelf [pélf] *n.* Ⓤ **1** 《보통 경멸》 금전 **2** 부정 축재한 재물[부(富)] **3** Ⓒ 《영·방언》 허섭스레기(refuse)
pel·ham [péləm] *n.* (말 굴레의) 재갈과 고삐를 잇는 연결 부분
pel·i·can [pélikən] *n.* **1** 〖조류〗 펠리컨 **2** [**P~**] 《미·속어》 Louisiana 주 사람(Louisianan) **3** 《미·속어》 대식가
pélican cròssing [*pe*destrian *li*ght *con*trolled *crossing*의 변형에서] 《영》 누름단추 신호식 횡단보도 《보행자가 신호등을 조작할 수 있음》
Pélican Stàte [the ~] 미국 Louisiana주의 속칭
pe·lisse [pəlí:s | pe-] [F] *n.* **1** (모피로 단을 댄) 여성용 외투 **2** (용기병(龍騎兵)의) 털로 안을 댄 외투
pe·lite [pí:lait] *n.* Ⓤ 〖지질〗 이질암(泥質岩)
pell [pél] *n.* ⓊⒸ 양피지 두루마리
pel·la·gra [pəléigrə, -lǽg-] *n.* Ⓤ 〖병리〗 니코틴산 결핍 증후군, 펠라그라 **pel·lá·grous** [-grəs] *a.*
pel·la·grin [pəléigrin, -lǽg-] *n.* pellagra 환자
pel·let [pélit] [L 「공」의 뜻에서] *n.* **1** (종이·밀초 등을 뭉친) 작은 알[공] **2** 탄알 **3** 《영》 환약 **4** 《미》 야구[골프]공 **5** 화폐면의 원형 부조(浮彫) **6** (쥐 등의) 똥 **7** 펠릿 《매 등 육식 새가 토해 내는 뼈·깃털 등의 소화되지 않은 작은 덩이》 — *vt.* **1** …에게 작은 알[공]을 던지다 **2** 작은 알로 만들다 **~·al** *a.*
péllet bòmb 파편 폭탄(fragmentation bomb)
pel·let·ize [pélətàiz] *vt.* 작은 알 모양으로 하다[만들다] 《특히 미세한 광석 등을》 **-iz·er** *n.*
pel·le·tron [pélətrɑ̀n | -trɔ̀n] *n.* 〖물리〗 펠리트론 《입자 가속 장치의 하나》

peg *n.* pin, nail, dowel, spike, screw, bolt, post, brad — *v.* pin, attach, fasten, fix, secure

pel·li·cle [pélikl] *n.* 얇은 막, 박막, 박피
pell-mell [pélmél] *ad.* **1** 난잡하게, 엉망진창으로 **2** 허둥지둥, 무턱대고 — *a.* **1** 난잡한, 엉망진창인 **2** 서두르는, 무턱대고 하는 — *n.* ⓊⒸ 난잡; 뒤범벅; 큰 소동; 난투
pel·lu·cid [pəlú:sid | pe-, pi-] *a.* **1** 투명한, 맑은 **2** 〈문체·표현이〉 명쾌한, 명석한, 명료한(clear, lucid): a ~ way of writing 명쾌한 문체 **~·ly** *ad.*
pel·lu·cid·i·ty [pèlusídəti] *n.* Ⓤ 투명도(度)
Pel·man·ism [pélmənìzm] [영국의 교육 기관 Pelman Institute에서] *n.* Ⓤ 펠먼식 기억법(記憶法)
pel·man·ize [pélmənàiz] *vt.* 펠먼식 기억법으로 외다
pel·met [pélmit] *n.* 《영》 (커튼의 쇠막대를 가리는) 장식 덮개(《미》 valance)
Pel·o·pon·ne·sian [pèləpəní:ʒən, -ʃən | -ʃən] *n., a.* 펠로폰네소스 반도[사람](의)
Peloponnésian Wár [the ~] 펠로폰네소스 전쟁(431-404 B.C.) 《Athens와 Sparta간의 싸움》
Pel·o·pon·ne·sus [pèləpəní:səs], **-sos** [-sɑs, -sous | -səs] *n.* [the ~] 펠로폰네소스 반도 《그리스 남쪽의 반도; Sparta 등 도시 국가가 있었음》
Pe·lops [pí:lɑps, pél- | pí:lɔps] *n.* 〖그리스신화〗 펠롭스 《Tantalus의 아들》
pe·lo·rus [pəlɔ́:rəs] *n.* 〖항해·항공〗 (나침반 면의) 방위의(方位儀), 방위판
pe·lo·ta [pəlóutə] *n.* = JAI ALAI
pel·o·ton [pélətɑ̀n, ⌐-⌐ | pèlətɔ́n] [F] *n.* 플로통 (유리)(= ~ glàss) 《보헤미아산(産) 장식 유리》
∗**pelt**[1] [pélt] *vt.* **1** 〈돌 등을〉 내던지다 《*with*》, 팔매치다: 《~+목+전+명》 ~ a person *with* stones …에게 돌을 던지다 **2** 〈질문·욕설 등을〉 퍼붓다 《*with*》: be ~*ed with* questions 질문 공세를 당하다 **3** 〈소 떼 등을〉 (돌을 던지거나 하여) 몰아가다 **4** 〈비 등을〉 쏟아 붓다
— *vi.* **1** (돌 등을) 던지다 《*at*》 **2** 서두르다(hurry), 질주하다 《*along, down*》 **3** 〈비가〉 억수같이 내리다(pour) **4** 욕설을 퍼붓다
— *n.* Ⓤ **1** Ⓒ 내던짐, 팔매질; 강타(强打); 난사(亂射) **2** 〈비 등이〉 억수같이 쏟아짐 **3** 질주, 전속력: (at) full ~ 전속력으로 **4** 격노, 노발대발
pelt[2] *n.* Ⓤ **1** (양·염소의) 날가죽, 털가죽 **2** 《익살》 (특히 털투성이인) 사람의 피부
— *vi., vt.* (동물의) 가죽을 벗기다
pel·tate [pélteit] *a.* 〖식물〗 〈잎이〉 방패 모양의
pelt·er [péltər] *n.* **1** 내던지는 사람[것] **2** 《익살》 총, 권총 **3** 《구어》 억수같은 비 **4** 《미》 걸음이 빠른 말
***in a* ~** 격분하여
pelt·er·er [péltərər] *n.* 모피 상인
Pél·tier effèct [péltjei-] [프랑스의 물리학자 이름에서] 〖물리〗 펠티에 효과 《이종(異種)의 금속 접촉면에 전류가 흐를 때 열이 발생[흡수]되는 현상》
Péltier èlement 〖전자〗 펠티에 소자(素子) 《펠티에 효과를 이용한 열전(熱電) 소자》
pelt·ing [péltiŋ] *a.* 《고어》 하찮은, 시시한(paltry)
Pél·ton whèel [péltən-] [발명자인 미국의 기술자 이름에서] 펠턴 수차(水車) 《수력 터빈의 일종》
pelt·ry [péltri] *n.* (*pl.* **-ries**) [집합적] 날가죽, 털가죽; Ⓒ (한 장의) 모피
pel·vic [pélvik] *a.* Ⓐ 〖해부〗 골반(pelvis)의
— *n.* 배지느러미(= ~ fin)
pélvic fín (물고기의) 배지느러미(ventral fin)
pélvic flóor 〖해부〗 골반저 근육 《골반에 연결된 하복부 근육》
pélvic gírdle[árch] 〖해부〗 (척추동물의) 요대(腰帶)
pélvic inflámmatory disèase 〖병리〗 골반내 염증 질환 《여성의》
pel·vis [pélvis] [L 「반(盤)」의 뜻에서] *n.* (*pl.* **~·es, -ves** [-vi:z]) 〖의학〗 골반(骨盤): the ~ major[minor] 대[소]골반
Pemb. Pembrokeshire
Pem·broke [pémbruk, -brouk] *n.* **1** 펨브룩 《영

국 Wales의 도시》 **2** 펨브룩 개《Welsh corgi의 일종》
Pem·broke·shire [pémbrukʃiər, -ʃər, -brouk-] *n.* 펨브룩셔《원래 남서 Wales에 있던 주; 지금은 Dyfed주의 일부》
Pémbroke tàble 양쪽의 일부를 접어서 내릴 수 있는 테이블
pem·(m)i·can [pémikən] *n.* **1** Ⓤ 페미컨《쇠고기 가루에 지방·건포도 등을 섞어 굳힌 식품》 **2** 적요(摘要), 요강(要綱)(digest)
pem·o·line [péməli:n, -lin] *n.* 〖약학〗 페몰린《정신 흥분제》
pem·phi·gus [pémfigəs, pempái-] *n.* Ⓤ 〖병리〗 수포창(水疱瘡)
‡**pen**[1] [pén] [L 「새의 깃」의 뜻에서] *n.* **1** 펜촉(nib); (펜촉과 펜대를 합하여) 펜; 깃촉 펜; 만년필: drive a ~ 쓰다 / put ~ to paper = take up one's ~ 붓을 들다 **2** [the ~, one's ~] 문체; 문필(업); 필적: dip *one's* ~ in gall 독필(毒筆)을 휘두르다 / wield *one's* ~ 달필을 휘두르다 / live by *one's* ~ 문필업으로 살아가다 / The ~ is mightier than the sword. 《속담》 문(文)은 무(武)보다 강하다. **3** 《문어》 작가: an obscure ~ 무명 작가 **4** 오징어의 뼈
draw one***'s ~ against*** …을 글로써 공격하다 ***~ and ink*** 필기 용구; 쓰는 것; 기술, 저술, 문학 ***push a ~*** 《미·속어》 사무를 보다 ***yell ~ and ink*** 《영·속어》 소동을 벌이다, 물의를 일으키다
— *vt.* (**~ned**; **~·ning**) 〈글을〉 쓰다, 짓다, 저술하다: ~ an essay 에세이를 쓰다
‡**pen**[2] [pén] *n.* **1 a** 우리, 축사 **b** 작은 우리; = PLAYPEN **2** [집합적] 우리 안에 든 동물 **3** (식료품 등의) 저장소 **4** (서인도 제도의) 농원, 농장 **5** 잠수함 대피소 (= submarine ~)
— *vt.* (**~ned, pent** [pént]; **~·ning**) 우리[축사] 안에 넣다; 가두다, 감금하다 《*in, up*》: (~+목+전+명) ~ oneself *up in* one's room 방에 틀어박히다
pen[3] [*pen*itentiary] *n.* 《미·속어》 교도소
pen[4] *n.* 백조의 암컷(cf. COB[1] 3)
PEN (International Association of) Poets, Playwrights, Editors, Essayists and Novelists 국제 펜 클럽 **Pen., pen.** peninsula; penitent; penitentiary
pen·aids [pénèidz] [*pen*etration+*aids*] *n. pl.* 〖군사〗 펜에이즈《항공기·미사일이 적의 영공 내로 침입할 수 있도록 하는 수단의 총칭》
*****pe·nal** [pí:nl] *a.* **1** 형벌의, 형(刑)의 **2** 형사상의, 형법의 **3** 형(벌)을 받을 만한, 형에 상당하는, 벌로서 부과되는; 처벌해야 할: a ~ sum 위약금(違約金) / a ~ offense 형사범(죄) **4** 형장(刑場)으로서의: a ~ colony[settlement] 범죄자 식민지 **5** 가혹한
pénal còde [the ~] 〖법〗 형법전(刑法典)
pe·nal·ize [pí:nəlàiz, pén-] *vt.* **1** 〈행위·사람을〉 유죄를 선고하다, 벌주다 **2** 불리한 입장에 두다, 곤란하게 하다 **3** 〈반칙자·반칙 행위에〉 벌칙을 적용하다, 페널티를 과하다 《*for*》 **pè·nal·i·zá·tion** *n.*
pe·nal·ly [pí:nəli] *ad.* 형(벌)으로서; 형법적으로, 형사상
pénal sérvitude 〖영국법〗 (강제 노동의) 징역《유형을 대신하는 형벌》
‡**pen·al·ty** [pénəlti] *n.* (*pl.* **-ties**) ⓊⒸ **1** 형벌: death ~ 사형 / a ~ of two years' imprisonment 2년간의 금고형 **2** 벌금, 과료; 위약금(fine): pay the ~ 벌금을 내다 **3** 응보(應報), 죄값 **4** 〖경기〗 반칙의 벌점, 벌칙; 〖카드〗 벌점 **5** (어떤 행위·상태에 따르는) 불이익; 응보 《*of*》; (전회의 승자에게 부과되는 핸디캡 《*of*》): pay the ~ *of* fame 유명세를 치르다 ***on*** [***under***] ***~ of*** 위반하면 …의 형에 처하는 조건으로 ▷ pénal *a.*
pénalty àrea 〖축구〗 패널티 에어리어《이 안에서의 수비측의 반칙은 상대에게 페널티 킥을 줌》
pénalty bòx 〖아이스하키〗 페널티 박스《반칙자 대기소》
pénalty clàuse 〖상업〗 (계약서의) 위약[벌칙] 조항
pénalty ènvelope 《미》 공용(公用) 봉투《사용(私用)할 수 없음》
pénalty gòal 〖럭비·축구〗 페널티 골
pénalty kìck 〖럭비·축구〗 페널티 킥(cf. PENALTY AREA)
pénalty lìne 〖축구〗 페널티 라인《penalty area의 경계선》
pénalty pòint 《영》 교통 위반의 점수에 따른 벌칙 제도; [*pl.*] 벌칙 점수
pénalty shóot-out (축구의) 승부차기
pénalty shot 〖아이스하키〗 페널티 샷《상대 팀의 반칙으로 얻은 프리 샷》
pénalty spòt 〖축구〗 페널티 킥 위치
pénalty stròke 〖골프〗 벌타(罰打)
*****pen·ance** [pénəns] *n.* **1** Ⓤ 참회, 후회, 고행《속죄를 위한》: do ~ for one's sins 자기의 죄를 속죄하다 **2** Ⓤ 〖가톨릭〗 고백 성사 **3** 하기 싫지만 해야 할 일, 고통스러운 일
— *vt.* …에게 속죄의 고행을 과하다; 벌하다
pen-and-ink [pénənd*í*ŋk] *a.* Ⓐ 펜으로 쓴; 필사(筆寫)한: a ~ sketch 펜화
pen·an·nu·lar [penǽnjulər] *a.* 불완전한 고리 모양의《고리의 일부가 결여된》
Pe·na·tes [pənéiti:z, -ná:- | pená:-] *n. pl.* **1** [종종 **p~**] 〖로마신화〗 페나테스《사회·가정의 수호신들》 **2** [**p~**] 가정에서 소중히 여기는 물건《가보 따위》
pen-based [pénbèist] *a.* 〖컴퓨터〗 전자펜으로 써서 입력하는
‡**pence** [péns] *n.* 《영》 PENNY의 복수
pen·chant [péntʃənt] [F 「기울다」의 뜻에서] *n.* [a ~] 경향; 강한 기호(liking) 《*for*》: have *a* ~ *for* sports 스포츠를 매우 좋아하다
‡**pen·cil** [pénsəl] [L 「꼬리」의 뜻에서] *n.* **1** 연필《색연필·석필도 포함됨》: write with a ~ = write in ~ 연필로 쓰다 **2** 연필 모양의 물건; 눈썹 연필, 입술 연지; 끝이 뾰족한 것 **3** 〖광학〗 광속(光束) **4** 《비유》 화법, 화풍 **5** 〖수학〗 속(束), 묶음 **6** 《고어》 화필(畫筆)
— *vt.* (**~ed**; **~·ing** | **~led**; **~·ling**) **1** 연필로 쓰다[그리다] **2** 〈눈썹을〉 그리다 **3** 《영》 〖경마〗 경마 장부에 〈말 이름을〉 기입하다 ***~ in*** 연필로 (임시로) 써넣다; 일단 예정에 넣다 **~·(l)er** *n.* = BOOKMAKER
*****péncil càse** 필통
pen·ciled [pénsəld] *a.* **1** 연필로 쓴; 눈썹 연필로 그린 **2** 〖광학〗 광속(光束) 모양의
pen·cil·ing [pénsəliŋ] *n.* **1** Ⓤ 연필로 쓰기; 가는 선 긋기 **2** 연필로 그린 것 같은 무늬
péncil pùsher 《구어》 필기를 업으로 하는 사람, 서기, 필생; 기자, 작가
péncil shàrpener (회전식) 연필깎이
péncil skètch 연필화(畫)
péncil skìrt 《영》 일직선형 좁은 치마
PEN Clùb [pén-] = PEN
pen·craft [pénkræ̀ft, -krà:ft] *n.* Ⓤ **1** 서법(書法), 필법, 필적 **2** 문체 **3** 저술(업)
pend [pénd] *vi.* **1** 《방언》 매달리다 **2** 미해결인 채로 있다, 현안(懸案)인 채 있다 **3** 《폐어》 의존하다
*****pen·dant** [péndənt] [L 「매달리다」의 뜻에서] *n.* **1** 펜던트, 매달려 있는[드리운] 것, 늘어뜨린 장식《특히 목걸이·팔찌·귀고리 등》 **2** 〖건축〗 단대공: a ~ post 초엽 대공 **3** 매어단 램프, 샹들리에 **4** (회중시계의) 시계줄 **5** (그림 등의) 쌍의 한 쪽, 짝, 상대 《*to*》 **6** 〖항해〗 = PENNANT 2 **7** 부록, 부속물
— *a.* = PENDENT

thesaurus **penalty** *n.* **1** 형벌 punishment, retribution, penance, fine, forfeit, sentence, castigation (opp. *reward*) **2** 불이익 handicap, disadvantage, drawback, obstacle (opp. *advantage*)
penance *n.* punishment, penalty, atonement, reparation, amends, mortification

pen·den·cy [péndənsi] *n.* Ⓤ **1** 매달려 있음, 드리워짐 **2** 미결, 미정: during the ~ of …이 미정인 동안, 결정이 날 때까지 **3** 〖법〗 소송 계류

pen·dent [péndənt] *n.* =PENDANT **—** *a.* **1** 드리운, 매달린 **2** 〈절벽 등이〉 쑥 내민 **3** 〈문제 등이〉 미결[미정]의, 현안의(pending) **4** 〖문법〗 구문이 불완전한

pen·den·te li·te [pendénti-láiti] [L = during the suit] *ad.* 〖법〗 소송 중에

pen·den·tive [pendéntiv] *n.* 〖건축〗 펜덴티브, 삼각 궁륭(穹窿)《정사각형의 평면 위에 돔을 설치할 때 돔 바닥 네 귀에 쌓아올리는 구면(球面)의 삼각형 부분》

*__pend·ing__ [péndiŋ] *a.* **1** 미결정의, 현안의; 〖법〗 계류 중의: ~ litigation 계류 중인 소송 **2** 절박한, 임박한 **—** *prep.* **1** …동안에, …중(during): ~ the negotiations 교섭을 하는 동안에 **2** …까지: ~ his return 그가 돌아올 때까지

pénding tràY 미결 서류함

pen·drag·on [pendrǽgən] *n.* [종종 **P~**] **1** 고대 브리튼[웨일스]의 왕후, 왕 **2** (제족(諸族)의) 수령

pén drìve =FLASH DRIVE

pen·driv·er [péndràivər] *n.* =PENCIL PUSHER

pen·du·lar [péndʒulər, -dju- | -dju-] *a.* 진자[추]의[에 관한]

pen·du·late [péndʒulèit, -dju- | -dju-] *vi.* **1** 진자[추]처럼 흔들리다 **2** 망설이다

pen·du·line [péndʒulin, -dju- | -dju-] *a.* 〈새 둥지가〉 매달려 있는, 〈새가〉 매달린 둥지를 짓는

pen·du·lous [péndʒuləs, -dju- | -dju-] *a.* **1** 매달린, 드리워진 **2** 진동하는, 흔들리는 **3** 동요하는; 주저하는; 미정(未定)의 **~·ly** *ad.* **~·ness** *n.*

*__pen·du·lum__ [péndʒuləm, -dju- | -dju-] [L 「매달린 것」의 뜻에서] *n.* **1** (시계 등의) 진자, 흔들이 **2** 심하게 흔들리는 것; 마음을 잡지 못하는 사람 **3** 매단 램프, 샹들리에 ***the swing of the ~*** (1) 진자 운동 (2) (정당 등의) 세력의 성쇠; (민심·여론 등의) 큰 동요, 격심한 변동 ▷ péndulous *a.*; péndulate *v.*

pe·nec·to·my [pinéktəmi] *n.* (*pl.* **-mies**) 〖의학〗 음경 절제(술)

Pe·nel·o·pe [pənéləpi] *n.* **1** 여자 이름 **2** 〖그리스 신화〗 페넬로페《Ulysses의 아내》 **3** 정숙한 아내

pe·ne·plain, -plane [pí:niplèin, ∠–∠] *n.* 〖지질〗 준평원(準平原)

pen·e·tra·bil·i·ty [pènətrəbíləti] *n.* Ⓤ 관통성, 침투성, 투입성(透入性)

pen·e·tra·ble [pénətrəbl] *a.* **1** 꿰뚫을 수 있는, 침투[관통]할 수 있는《*to*》 **2** 꿰뚫어볼 수 있는, 간파[통찰]할 수 있는 **3** 영향을 받기 쉬운《*to*》: ~ *to* emotion 정에 약한 **~·ness** *n.* **-bly** *ad.*

pen·e·tra·li·a [pènətréiliə] [L] *n. pl.* [the ~] 《문어》 **1** 내부, 맨 안쪽 **2** (신전 등의) 안채 **3** 비밀

pen·e·tra·li·um [pènətréiliəm] *n.* (건물의) 내부; 비밀스런[숨겨진] 부분; 속마음

pen·e·trance [pénətrəns] *n.* **1** 〖유전〗 (유전자의) 침투도 **2** 침투 (작용)

pen·e·trant [pénətrənt] *n.* 침입자, 침투물; 통찰자; 침투제 **—** *a.* =PENETRATING

‡**pen·e·trate** [pénətrèit] [L 「들어가다」의 뜻에서] *vt.* **1** 〈탄알·창 등이〉 …에 꽂히다, 꿰뚫다, 관통하다; 〈빛·목소리 등이〉 통과하다, 지나가다: A sharp knife ~*d* the flesh. 예리한 칼이 살 속에 꽂혔다. / The flashlight ~*d* the darkness. 불빛이 어둠 속을 꿰뚫었다. **2** 침입하다, …에 들어가다; 〈조직 내에〉 잠입하다 **3** 〈향수 등이〉 스며들다; 〈사상 등이〉 침투하다 **4** 〈기업·상품이〉 〈시장에〉 침투[진출]하다 **5** 〈정치·문화·습관 등이〉 〈외국 등에〉 영향을 미치다, 침투하다 **6 a** 〈어둠을〉 뚫고 보다: The eyes of owls can ~ the dark. 부엉이 눈은 어둠 속에서도 볼 수 있다. **b** 《구어》 〈마음·진의·허상·허위 등을〉 꿰뚫어 보다, 간파하다, 통찰하다: ~ a person's mind …의 마음을 꿰뚫어 보다 **7** …의 마음에 깊이 스며들게 하다, (…로) 가득 차게 하다《*with*》; 깊이 감동시키다, 강한 인상을 주다: 《~+목+전+명》 ~ a person *with* discontent …에게 불만이 가득 차게 하다 **8** 〈컴퓨터에〉 부당한 정보를 입력하다 **—** *vi.* **1** 통과하다, 침투하다, 〈비·액체·냄새 등이〉 스며들다《*to, into, through*》; 〈소리가〉 멀리까지 들리다: Her voice does not ~. 그녀의 목소리는 멀리까지 들리지 않는다. // 《~+전+명》 Smoke ~*d through* the house. 연기가 온 집안에 스며들었다. **2 a** 《구어》 간파하다, 통찰하다 **b** 《구어》 이해되다, 뜻이 통하다 **3** 깊은 인상[감명]을 주다

*__pen·e·trat·ing__ [pénətrèitiŋ] *a.* **1** 꿰뚫는, 관통하는; 침투하는; 날카로운 **2** 통찰력이 있는, 견식 높은, 현명한: a ~ observation[view] 예리한 관찰[의견] **3** 〈목소리 등이〉 새된, 날카로운(shrill) **~·ly** *ad.*

*__pen·e·tra·tion__ [pènətréiʃən] *n.* Ⓤ **1** (탄알 등의) 관통, 들어가 꽂힘; 침투, 침투력; 녹아 들어감 **2** 투시력, 간파, 안식, 통찰(력) **3** 〖경제〗 시장 획득, 시장 진출[침투]: ~ of the international market 국제 시장으로의 진출 **4** 〖정치〗 세력 침투[확장]; 영향력 **5** 〖군사〗 (방어망·대미사일망의) 돌파; 돌파구; 침공 **6** (컴퓨터의) 침해 ▷ pénetrate *v.*; pénetrative *a.*

penetrátion príce pòlicy 〖경영〗 침투 가격 정책《신제품을 처음부터 싼값에 매출, 시장 점유율을 조속히 획득하는 가격 정책》

penetrátion prìcing =PENETRATION PRICE POLICY

pen·e·tra·tive [pénətrèitiv, -trət-] *a.* **1** 침투하는 **2** 통찰력 있는, 예리한(acute); 날카로운 **3** 마음에 사무치는, 감동적인 **~·ly** *ad.* **~·ness** *n.*

pen·e·tra·tor [pénətrèitər] *n.* **1** 침투하는 사람[것] **2** 통찰자, 간파자

pen·e·trom·e·ter [pènətrámətər | -trɔ́m-] *n.* 〖물리〗 **1** X선 투과(도)계(計) **2** (반고체 물질의 굳기·조밀성을 재는) 침입도계(針入度計), 경도계

pén fèather 펜깃

pen-friend [pénfrènd] *n.* 편지 친구, 펜팔

pen·ful [pénfùl] *n.* 펜 가득(의 잉크)

*__pen·guin__ [péŋgwin, pén-] [Welsh 「흰 머리」의 뜻에서] *n.* **1** 〖조류〗 펭귄(새) **2** 〖항공〗 (이륙하지 않는) 연습용 지상 활공기(滑空機); 《속어》 (공군의) 지상 근무원 **3** 《미·속어》 성장(盛裝)은 하고 있지만 군중의 한 사람으로 나오는 배우 **4** 《미·속어》 수도녀

pénguin sùit 《속어》 **1** 야회복 **2** (우주 비행사의) 우주복(space suit)

pen·hold·er [pénhòuldər] *n.* **1** 펜대 **2** 필가(筆架)(penrack)

pénholder grìp 〖탁구〗 펜을 쥐듯 라켓을 쥐는 법 (cf. SHAKE-HAND GRIP)

-penia [pí:niə] 《연결형》 「…의 부족의」 뜻

pe·ni·al [pí:niəl] *a.* 음경(陰莖)의

pen·i·cil [pénəsil] *n.* 〖동물〗 (쐐기벌레 등의) 다발털

pen·i·cil·late [pènəsílət, -leit] *a.* 〖식물·동물〗 다발털이 있는, 털붓 모양의

pen·i·cil·lin [pènəsílin] *n.* Ⓤ 〖약학〗 페니실린

pen·i·cil·li·um [pènəsíliəm] *n.* (*pl.* **~s, -li·a** [-liə]) 푸른곰팡이속(屬)의 곰팡이《페니실린의 원료》

pe·nile [pí:nail, -nil] *a.* =PENIAL

penin. peninsula

‡**pen·in·su·la** [pənínsjulə | -sju-] [L 「거의」+「섬」의 뜻에서] *n.* **1** 반도《略 pen(in).》 **2** [the P~] **a** 이베리아 반도 **b** =GALLIPOLI PENINSULA **3** 반도형의 돌기물 ▷ penínsular *a.*

pen·in·su·lar [pənínsjulər | -sju-] *a.* **1** 반도의, 반도 모양의 **2** [**P~**] 이베리아 반도의 ***the P~ State*** 미국 Florida 주의 속칭 **—** *n.* 반도의 주민

---

pending *a.* **1** 미해결의 undecided, unsettled, unresolved, uncertain, undetermined **2** 임박한 imminent, impending, approaching, near, close, forthcoming, coming, close at hand

penetrate *v.* **1** 꿰뚫다 pierce, bore, stab, prick **2** 스며들다 permeate, pervade, fill, seep through

pe·nin·su·lar·i·ty [pənìnsjulǽrəti | -sju-] *n.* Ⓤ **1** 반도 모양, 반도성(性) **2** 편협한 생각[사고]

Penínsular Wàr [the ~] 반도 전쟁(1808-14) 《영국·스페인·포르투갈과 나폴레옹의 전쟁》

pe·nin·su·late [pənínsjulèit | -sju-] *vt.* 〈토지를〉 반도로 변화시키다, 반도화하다

pe·nis [píːnis] [L 「꼬리」의 뜻에서] *n.* (*pl.* **-nes** [-niːz], **~·es**) 〖해부〗 음경, 남근, 자지

pénis ènvy 〖정신분석〗 페니스 선망 《남근을 갖고 싶어하는 소녀의 의식적·무의식적 욕구》

pen·i·tence [pénətəns] *n.* Ⓤ 회개, 참회, 뉘우침, 통회(痛悔); 후회 (*for*)

***pen·i·tent** [pénətənt] *a.* 회개하는, 참회[후회]하는, 뉘우치는(repentant)
— *n.* **1** 회개자, 참회자 **2** 〖가톨릭〗 고백자, 통회자
~·ly *ad.* ▷ pénitence *n.*

pen·i·ten·tial [pènəténʃəl] *a.* **1** 회개의, 참회의 **2** 〖가톨릭〗 고백[고해] 성사의 — *n.* **1** = PENITENT **2** 〖가톨릭〗 고해 규정서, 회죄 총칙(悔罪總則) **~·ly** *ad.*

peniténtial Psálm [보통 the ~s] 〖성서〗 통회(痛悔)의 7시편 《시편 제6, 32, 38, 51, 102, 130, 143의 총칭》

pen·i·ten·tia·ry [pènəténʃəri] *a.* **1** (미) 교도소에 들어가야 할 **2** 감화의, 징계의 **3** 회개[참회]의, 통회의
— *n.* (*pl.* **-ries**) **1** 〖가톨릭〗 고해 신부; 회죄소(悔罪所), 고백소 **2** (영) 감화원; 윤락 여성 선도 시설; (미) 교도소 ***the Grand*** [***High, Chief***] ***P~*** 내사원장(內赦院長) 《교황청 내의》

pen·knife [pénnàif] [옛날 깃펜을 깎은 데서] *n.* (*pl.* **-knives** [-nàivz]) 포켓 나이프, 주머니칼

pen·light, -lite [-làit] *n.* 펜라이트, 만년필형 손전등

pen·man [-mən] *n.* (*pl.* **-men** [-mən]) **1** 글씨 잘 쓰는 사람; 습자 선생; 서예가: a good ~ 능필가 **2** 문인, 문필가, 작가 **3** 필경생, (직업) 필기자, 서기

pen·man·ship [pénmənʃìp] *n.* Ⓤ 서법(書法), 서도, 서예, 습자; 필적

Penn [pén] *n.* 펜 **William ~** (1644-1718) 《영국의 퀘이커 교도; 미국 Pennsylvania 주의 개척자》

Penn(a). Pennsylvania

pén nàme 펜네임, 필명, 아호

pen·nant [pénənt] [pendant의 변형] *n.* **1** (근무 중의 군함에 달아 그 임무나 사령관의 지위를 나타내는) 장기(長旗); 작은 기(⇨ flag[1] 유의어): the broad ~ 제독(提督)[함장]기 **2** 〖항해〗 (아래 돛대의 꼭대기에서 드리운) 짧은 밧줄(pendant) **3** (미) (특히 야구의) 페넌트, 우승기; 응원기: ~ chasers 프로 야구단 / win the ~ 우승하다

pennants 1

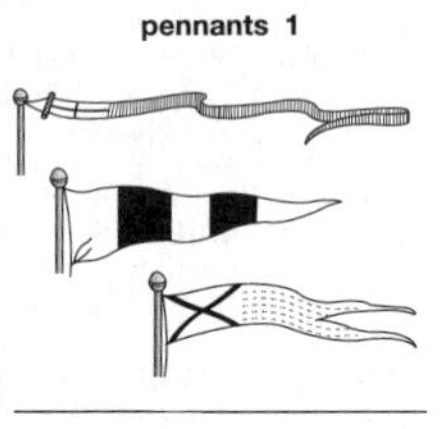

pénnant ràce 페넌트 레이스, 우승기를 놓고 겨루는 경기

pen·nate, -nat·ed [péneit(id)] *a.* 깃털[날개]이 있는

pen·ne [pénne] [It.] *n.* (*pl.* ~) 펜네 《짧은 대롱 모양의 파스타; 양끝이 펜촉 모양으로 비스듬히 잘림》

pen·ni [péni] *n.* (*pl.* **~s, -ni·a** [-niə]) 페니 《핀란드의 화폐 단위; 1/100 markka》

pen·ni·form [pénifɔ̀ːrm] *a.* 깃털 모양의

***pen·ni·less** [pénilis] *a.* 무일푼의, 빈털터리의; 아주 가난한 **~·ly** *ad.* **~·ness** *n.*

pen·nill [pénil] *n.* (*pl.* **pe·nil·lion** [penílјən]) 하프(harp) 반주로 부르는 즉흥시; 그 절

Pén·nine Álps [pénain-] [the ~] 펜닌 알프스 《스위스와 이탈리아의 국경에 있는 알프스 산맥의 일부》

pen·non [pénən] *n.* 창기(槍旗) 《창기병(槍騎兵)의 표지; 삼각형 또는 제비 꼬리 모양》; 날개, 깃
pén·noned [-d] *a.* 창기를 단

pen·n'orth [pénərθ] *n.* = PENNYWORTH

***Penn·syl·va·nia** [pènsəlvéinјə, -niə] [「(식민지 개척자) W. Penn의 삼림지」의 뜻에서] *n.* 펜실베이니아 《미국 동부의 주; 주도 Harrisburg; 속칭 the Keystone[Coal] State; 略 Pa., Penn(a)., 〖우편〗 PA》 **-nian** *n.*, *a.* 펜실베이니아 사람(의)

Pennsylvánia Ávenue **1** 미국 Washington, D.C.의 백악관에 이르는 길 **2** 미국 정부

Pennsylvánia Dútch **1** [the ~; 집합적; 복수 취급] 독일계 펜실베이니아 사람 **2** (그들이 쓰는) 영어 섞인 독일말(= **Pennsylvánia Gérman**)

‡**pen·ny** [péni] *n.* (*pl.* 「개수」 **-nies,** 「가격」 **pence** [péns]) **1** (영) **1**페니; 페니화 《영국의 화폐 단위; 옛 페니와 구별하여 new penny라고도 함; 옛 페니는 1/12 실링, 1/240 파운드, 略 *d.* ⇨ denarius; 새 페니는 1/100 파운드, 略 *p.* [piː]》 ★ twopence [tʌ́pəns], threepence [θrépəns]에서 elévenpence까지와 twéntypence는 [-pəns]로 약하게 발음하였는데, 지금은 두 단어 또는 하이픈으로 이어 [-péns]라고 발음하는 것이 보통임: A ~ saved is a ~ earned. (속담) 1페니를 절약하면 1페니를 버는 셈이다. / In for a ~, in for a pound. (속담) 한번 시작한 일은 끝장을 내라. / Take care of the *pence*, and the pounds will take care of themselves. (속담) 푼돈을 아끼면 큰돈은 저절로 모인다. **2** (*pl.* **-nies**) (미·캐나다) = CENT **3** [a ~; 보통 부정문에서] 잔돈, 푼돈; 아주 조금: *not* worth *a* ~ 한 푼의 가치도 없다 **4** (구어) 《일반적으로》 돈, 금전: pinch one's *pennies* (미·구어) 인색하게 굴다, 절약하다 **5** 〖성서〗 데나리우스(denarius) 《고대 로마의 은화》 **6** (미·속어) 경관
a bad ~ (구어) 싫은 사람; 좋지 않은 일 ***A ~ for your thoughts.*** = (구어) ***A ~ for 'em.*** 무엇을 멍하니 생각하고 있나? ***a ~ plain and twopence colored*** 빛깔 없는 것은 1페니, 빛깔 있는 것은 2펜스; 보기는 달라도 알맹이는 한 가지 《싼 점에서는 다름이 없다》 ***a pretty*** [***fine***] ***~*** 꽤 많은 돈 ***have not a ~*** (***to bless*** one***self with***) 아주 가난하다 ***in ~ numbers*** 조금씩, 짤끔짤끔 ***not a ~ the worse*** [***the better***] 전보다 조금도 나빠지지[좋아지지] 않은, 전과 조금도 다름이 없는 ***pennies from heaven*** 하늘이 준[예기치 않은] 행운, 횡재 ***P~ in the slot!*** (영·구어) 생각했던 대로군, 예상대로야. 《상대를 도발하여 자신이 생각한 대로의 반응이 나왔을 때》 ***spend a ~*** (영·구어) 대[소]변을 보다, 유료 변소에 가다 ***The ~*** (***has***) ***dropped.*** (영·구어) 의미가 통했다, 알아듣겠다. 《「자동 판매기에 동전이 들어갔다」의 뜻에서》 ***think*** one***'s ~ silver*** 자만하고 있다 ***turn an honest ~*** 정직하게 일하여 적은 돈을 벌다; 정직하게 벌다 ***turn up like a bad ~*** 〈귀찮은 사람이〉 안 왔으면 할 때 언제나 나타나다[찾아오다] ***two*** [***ten***] (***for***) ***a ~*** (영·구어) 간단히 손에 들어오는, 하찮은; 흔해빠진, 평범한

Pen·ny [péni] *n.* 여자 이름 《Penelope의 애칭》

-penny [pèni, pəni] 《연결형》 「가격이 …페니[펜스]의」의 뜻

pen·ny-a-line [péniəláin] *a.* **1** 한 줄에 1페니의 **2** 〈원고·저작이〉 시시한, 보잘것없는(inferior)
-lín·ing *n.* Ⓤ 싸구려 원고 팔아먹기; 하찮은 글, 잡문

pen·ny-a-lin·er [-əláinər] *n.* 3류 작가(hack writer)

pénny ánte **1** 푼돈 내기 포커 **2** (속어) 잔돈이 드는 소규모 거래, 보잘것없는 장사

pen·ny-an·te [-ǽnti] *a.* (구어) **1** 소액의 **2** 하찮은, 시시한, 매우 작은

pénny arcáde (미) (1페니 오락 시설이 즐비한) 오락장, 게임 센터((영) amusement arcade)

pénny bláck 페니 블랙 《영국에서 1840년 발행된 세계 최초의 우표》

pénny dréadful[blóod] 《영·속어》 통속적인 싸구려 소설(cf. DIME NOVEL, SHILLING SHOCKER)
pen·ny-far·thing [-fɑ́:rðiŋ] *n.* 《영》 앞바퀴가 큰 옛날 자전거
pénny gáff 《영·속어》 싸구려 극장[연예장]
pen·ny-half·pen·ny [-héipəni] *n.* 《영》 (구통화 시대의) 1펜스 반(three-halfpence) 《略 1 1/2d; cf. HALFPENNY》
pen·ny-in-the-slot [-inðəslɑ́t | -slɔ́t] *n., a.* 《영》 1페니 자동 판매기(의)
pen·ny-pinch [-pìntʃ] *vt.* 《미·구어》 인색하게 굴다 **~·ing** *n., a.*
pen·ny-pinch·er [-pìntʃər] *n.* 《미·구어》 깍쟁이, 구두쇠
pénny póst 《영·고어》 1페니 우편제(制)
pen·ny·roy·al [-rɔ́iəl] *n.* 〖식물〗 박하의 일종(《북미산》)
pénny stòck 〖증권〗 투기적 저가주(低價株) 《1주의 가격이 1달러 미만의 주식》
pénny wédding 《스코》 초대받은 손님이 비용을 부담하는 결혼식 《옛 풍습》
pen·ny·weight [-wèit] *n.* Ⓤⓒ 페니웨이트 《영국의 금형(金衡) 단위; 1/20 ounce, 24 grains, 1.5552 그램; 略 dwt., pwt.》 ***a ~ job*** 《미·속어》 보석 도둑질 **~·er** *n.* 《미·속어》 보석 도둑
pénny whìstle 장난감 호루라기; 생철[플라스틱]제의 작은 호루라기
pénny wísdom 푼돈을 아낌; 사소한 일에 신중함
pen·ny-wise [-wáiz] *a.* 푼돈을 아끼는: *P~* and pound-foolish. 《속담》 푼돈 아끼다가 큰돈 잃기, 작은 일에 구애되어 큰일을 그르친다.
pen·ny·wort [-wə̀:rt] *n.* 〖식물〗 피막이속(屬)
pen·ny·worth [-wə̀:rθ] *n.* **1** 1페니어치(의 물건); 1페니로 살 수 있는 양 **2** [a ~; 보통 부정문에서] 소량, 소액; 근소: *not a ~* 조금도 …않다 **3** 거래(액): a good[bad] ~ 유리[불리]한 거래
Pe·nob·scot [pənɑ́bskɑt, -skət | -nɔ́bskɔt] *n.* **1** (*pl.* **~, ~s**) 페놉스코트 족 《Maine주에 사는 북미 인디언》 **2** Ⓤ 페놉스코트 말
penol. penology
pe·no·log·i·cal [pì:nəlɑ́dʒikəl | -lɔ́dʒ-] *a.* 형벌학의, 교도소 관리학의
pe·nol·o·gy [pi:nɑ́lədʒi | -nɔ́l-] *n.* Ⓤ 형벌학, 교도소 관리학 **-gist** *n.*
pen·orth [pénərθ] *n.* = PENNYWORTH
‡**pén pàl** 《구어》 **펜팔, 편지 친구**(pen friend)
pén pìcture[pòrtrait] **1** 펜화(畫) **2** (인물·사건 등의) 대략적 묘사[기술(記述)]
pén plòtter 〖컴퓨터〗 펜 플로터 《컴퓨터 펜화(畫) 작도 장치; ⇨ plotter》
pén pòint 《미》 펜촉(《영》 nib)
pén pùsher 《구어》 = PENCIL PUSHER
pen·rack [pénræ̀k] *n.* 펜걸이, 필가(筆架)
pén règister 전화 이용 상황 기록 장치
pen·sée [pɑ:nséi] 〖F〗 *n.* (*pl.* **~s** [~]) **1** 생각, 사색, 사상(thought), 명상, 회상 **2** [*pl.*] 감상록(感想錄); 금언(金言), 경구 **3** [***P~s***] (Pascal의) 「명상록」
pen·sile [pénsail, -sil] *a.* 매달린, 드리운, 걸린
‡**pen·sion**[1] [pénʃən] 〖L 「지불하다」의 뜻에서〗 *n.* **1 연금, 양로[유족] 연금, 부양금**: an old-age ~ 노년 연금 / the ~ office 《미》 연금국(局) / draw one's ~ 연금을 타다 / live on one's ~ 연금으로 생활하다 / retire on a ~ 연금을 받고 퇴직하다 **2** (예술가·과학자 등에게 주는) 장려금(bounty)
— *vt.* …에게 연금을 주다 ***~ off*** 연금을 주고 퇴직시키다 **~·less** *a.* ▷ pénsionary *a.*
pen·sion[2] [pɑ:nsjɔ́:ŋ | ∠–] 〖F〗 *n.* (특히 프랑스·벨기에 등의) 하숙집, 하숙식 호텔; 기숙 학교: live en [ɑ:ŋ] ~ 하숙 생활을 하다
pen·sion·a·ble [pénʃənəbl] *a.* 연금을 받을 자격[권리]이 있는
pen·sion·ar·y [pénʃənèri | -ʃənəri] *a.* 연금을 받는; 연금으로 생활하는; 연금의 — *n.* (*pl.* **-ar·ies**) **1** 연금 수령자(pensioner) **2** 고용인, 용병, 부하
pen·sion·er [pénʃənər] *n.* **1** 연금 수령자 **2** 고용인 **3** 《영》 (Cambridge 대학의) 자비생 **4** 하숙생, 기숙생
pénsion plàn[(보통 영) **schème**] (기업·노조 등의) 연금 제도[계획]; 개인 퇴직금 적립 계획(retirement plan)
***pen·sive** [pénsiv] 〖F 「생각하다」의 뜻에서〗 *a.* **1 생각에 잠긴,** 곰곰이 생각하는

> 유의어 **pensive** 막연히 생각에 잠긴: the *pensive* look in her eye 생각에 잠긴 그녀의 눈빛 **meditative** 반드시 결론에 도달할 필요는 없으며, 생각 자체를 즐기며 조용히 사색함: a *meditative* walk in the cloister 수도원 안에서의 사색적인 산책 **reflective** 명확한 목표를 가지고 분석적·논리적으로 사고함: After a *reflective* pause he answered. 그는 잠깐 생각을 정리한 뒤에 대답했다.

2 시름[우수]에 젖은, 애수를 띤, 슬픈
~·ly *ad.* **~·ness** *n.*
pen·ste·mon [penstí:mən, pénstə-] *n.* 〖식물〗 펜스테몬 《북미산(産) 현삼과의 초본; 대롱 모양의 아름다운 꽃이 됨》
pen·stock [pénstɑ̀k | -stɔ̀k] *n.* **1** (수력 발전소의) 수압관(水壓管) **2** 도수로(導水路)(conduit) 《발전소로 댐의 물을 끄는》; 수로; 수문 **3** 《미》 소화전(hydrant)
pent [pént] *v.* PEN[2]의 과거·과거분사
— *a.* Ⓟ [보통 ~ up으로] 갇혀, 갇힌, 감금된(cf. PENT-UP) : He was ~ *up* in the cellar. 그는 지하실에 갇혔다.
pent. 〖수학〗 pentagon; 〖운율〗 pentameter
Pent. Pentecost
pent- [pént], **penta-** [péntə] 《연결형》 「5」의 뜻 《모음 앞에서는 pent-》: *penta*valent
pen·ta·chlo·ro·phe·nol [pèntəklɔ:rəfí:nɔ:l] *n.* 〖화학〗 펜타클로로페놀 《살균제·소독제·목재 방부제》
pen·ta·chord [péntəkɔ̀:rd] *n.* **1** 5현금(弦琴) **2** 〖음악〗 5음 음계
pen·ta·cle [péntəkl] *n.* = PENTAGRAM
pen·tad [péntæd] *n.* **1** (숫자의) 5; 5개 한 벌 **2** 5일간; 5년간 **3** 〖화학〗 5가(價) 원소, 5가기(價基)(cf. MONAD)
pen·ta·dac·tyl [pèntədǽktl, -til], **-dac·tyl·ic** [-dæktílik] *a.* 손[발]가락 5개 있는[모양의]
pentadeca- [pèntədékə] 《연결형》 「15」의 뜻
pen·ta·dec·a·pep·tide [pèntədèkəpéptaid] *n.* 〖화학〗 펜타데카펩티드 《단백질 비슷한 분자로서, 아미노산을 15개 가짐》
***pen·ta·gon** [péntəgɑ̀n | -gən] *n.* **1 5각형,** 5변형 **2** [the P~] **a** 펜타곤 《5각형의 미국 국방부 건물》 **b** 미국 국방부; 미군 당국 **3** 〖축성〗 5능보(稜堡)
pen·tag·o·nal [pentǽgənl] *a.* 5변[각]형의
Pen·ta·gon·ese [pèntəgəní:z, -ní:s | -ní:z] *n.* 《미·구어》 군사 특수 용어; 《특히》 미국 관청 용어; (미국의) 국방부식 문체[용어]
pen·tag·o·noid [pentǽgənɔ̀id] *a.* 5각형 모양의, 5각형 비슷한
pen·ta·gram [péntəgræ̀m] *n.* 5각 별 모양 《★; 중세에는 부적으로 썼음》
pen·ta·graph [péntəgræ̀f | -grɑ̀:f] *n.* 펜타그래프 《5개의 연속된 문자 조합》 **-graph·ic** *a.*
pen·ta·he·dral [pèntəhí:drəl] *a.* 5면(체)의
pen·ta·he·dron [pèntəhí:drən] *n.* (*pl.* **~s, -dra** [-drə]) 5면체
pen·tam·er·ous [pentǽmərəs] *a.* **1** 다섯 부분으로 나누어진[이루어진] **2** 〖식물〗 〈꽃잎이〉 다섯 개로 된, 5판화(瓣花)의
pen·tam·e·ter [pentǽmətər] 〖운율〗 *n.* 5보격(의 시행), 《특히》 약강(弱强) 5보격(heroic verse)
— *a.* 5보격의

pen·tam·i·dine [pentǽmidìːn, -din] *n.* Ⓤ 〖약학〗 펜타미딘 《리슈마니아증·트리파노소미아증 및 폐렴의 치료약》

pen·tane [péntein] *n.* Ⓤ 〖화학〗 펜탄 《파라핀 탄화수소》

pen·tan·gle [péntæŋgl] *n.* = PENTAGRAM

pen·tan·gu·lar [pentǽŋgjulər] *a.* 5각의[이 있는], 5각형의(pentagonal)

pen·ta·ploid [péntəplɔ̀id] *a.* 〈세포가〉 5배체(倍體)의 《단상수(單相數)의 5배의 염색체를 가진》
— *n.* 5배체(의 세포[생물])

pen·ta·prism [péntəprìzm] *n.* 〖물리·광학〗 5각 프리즘

pen·tar·chy [péntɑːrki] *n.* (*pl.* **-chies**) **1** Ⓤ 5두(頭) 정치; Ⓒ 5두 정부; 5두 체제 **2** 5국 연합

pen·ta·stich [péntəstìk] *n.* 〖운율〗 5행시

pen·ta·style [péntəstàil] *n.*, *a.* 〖건축〗 5주식(柱式)(의)

pen·ta·syl·la·ble [péntəsìləbl] *n.* 5음절(어)

Pen·ta·teuch [péntətjùːk | -tjùːk] *n.* 〖성서〗 [the ~] 모세 5경 《구약 성서의 맨 앞의 5권; 창세기·출애굽기·레위기·민수기·신명기》

pen·tath·lete [pentǽθliːt] *n.* 5종 경기 선수

pen·tath·lon [pentǽθlən, -lɑn | -lən] *n.* **1** [보통 the ~] 5종 경기(cf. DECATHLON) **2** = MODERN PENTATHLON

pen·ta·ton·ic [pèntətɑ́nik | -tɔ́n-] *a.* 〖음악〗 5음(음계)의: a ~ scale 5음 음계

pen·ta·va·lent [pèntəvéilənt, pentǽvə-] *a.* 〖화학〗 5가(價)의

pen·taz·o·cine [pentǽzəsìːn] *n.* 〖약학〗 펜타조신 《마취성 진통제》

Pen·te·cost [péntikɔ̀ːst, -kɑ̀st | -kɔ̀st] *n.* **1** 〖유대교〗 수확절, 수장절(收藏節)(Shabuoth) 《Passover 후 50일째에 행하는 유대 사람의 제사》 **2** 〖그리스도교〗 오순절(五旬節), 성령 강림절(Whitsunday)
Pèn·te·cós·tal *a.* Pentecost의; 오순절 교회파의

pent·house [pénthàus] *n.* (*pl.* **-hous·es** [-hàuziz]) **1** 펜트하우스 《빌딩 최상층의 고급 주택》; 옥상 가옥 **2** (빌딩의) 옥탑(屋塔) 《승강기·기계·환기 장치 등이 있는》 **3** (벽에 붙여 내단) 달개 지붕; 달개집 **4** 챙; 챙 비슷한 것, 눈썹 **5** [P~] 미국의 월간 남성 잡지

pent·land·ite [péntləndàit] *n.* 〖광물〗 황철(黃鐵) 니켈광 《중요한 니켈의 원광》

pen·to·bar·bi·tal [pèntəbɑ́ːrbətɔ̀ːl, -tæ̀l | -tæ̀l] *n.* 〖약학〗 펜토바르비탈 《최면제·진통제》

pentobárbital sódium 〖약학〗 펜토바르비탈 나트륨 《진정·최면·진통약》

pen·tode [péntoud] *n.* 〖전기〗 5극(진공)관

pen·tom·ic [pentɑ́mik | -tɔ́m-] *a.* 〖미군〗 〈원자력 부대가〉 5단위 편성 사단인: a ~ division 펜토믹 사단 《5개 전투단을 가진 원자력 무장 사단》

pen·ton [péntɑn | -tɔn] *n.* 〖생화학〗 펜톤, 5단위 연쇄체 《상호 의존하는 5개의 단백질 분자》

pen·to·san [péntəsæ̀n] *n.* 〖생화학〗 펜토산 《가수분해에 의해 펜토오스를 생성하는 다당류》

pen·tose [péntous] *n.* 〖화학〗 펜토오스, 오탄당(五炭糖) 《탄소 원자 5개의 단당류》

Pen·to·thal [péntəθɔ̀ːl | -θæ̀l] *n.* 〖약학〗 펜토탈 《전신 마취제; 상표명》

pent·ox·ide [pentɑ́ksaid | -tɔ́k-] *n.* 〖화학〗 5산화물(酸化物)

pén tràу 펜 접시

pént ròof (벽에 비스듬히 덧댄) 달개 지붕, 차양

pent·ste·mon [pentstíːmən, péntstə- | pent-stém-] *n.* = PENSTEMON

pent-up [péntʌ́p] *a.* Ⓐ 갇힌; 억압된; 〈감정 따위가〉 억눌려 있는, 억제된: ~ emotion 억눌린 감정 / ~ fury [rage] 울분, 울화

pen·tyl [péntil, -tl] *n.* 〖화학〗 펜틸기(基)

pen·tyl·ene·tet·ra·zol [pèntəliːntétrəzɔ̀ːl, -zoul, -zɑ̀l] *n.* 〖약학〗 펜틸렌테트라졸 《중추 신경 흥분제》

pe·nu·che [pənúːtʃi] *n.* **1** 멕시코산(産) 막설탕 **2** 《미》 페누치 《검은 설탕·버터·우유로 만든 fudge 비슷한 캔디》

pe·nult [píːnʌlt, pinʌ́lt | penʌ́lt, pi-], **pe·nul·ti·ma** [pinʌ́ltəmə] *n.* 어미로부터 두 번째의 음절

pen·ul·ti·mate [pinʌ́ltəmət] *a.*, *n.* 어미로부터 두 번째의 (음절); 끝에서 두 번째의 (것)

pen·um·bra [pinʌ́mbrə] *n.* (*pl.* **-brae** [-briː], **~s**) **1** 〖천문〗 반영(半影) 《태양 흑점의 반암부(半暗部) 또는 월식에서 umbra 주위의 약간 밝은 부분》 **2** 〖회화〗 명암[농담]의 경계 부분 **3** (의혹 등의) 어두운 그림자, 미묘한 분위기; (의미 등의) 경계 영역 **-bral** *a.*

pe·nu·ri·ous [pənjúəriəs | -njúər-] *a.* 《문어》 **1** 가난한, 궁핍한; 결핍된(lack) 《*of*》 **2** 인색한(stingy) **~·ly** *ad.* **~·ness** *n.*

pen·u·ry [pénjuri] *n.* Ⓤ 《문어》 가난, 궁핍; 결핍: live in ~ 궁핍하게 살다

pen·wip·er [pénwàipər] *n.* 펜 훔치개 《둥근 형겊 뭉치》

pen·wom·an [-wùmən] *n.* (*pl.* **-wom·en** [-wìmin]) 여류 작가

pe·on[1] [píːən, -ɑn | -ən] *n.* (*pl.* **~s, pe·o·nes**) **1** 《중남미》 날품팔이 **2** 《멕시코·미남서부》 빚 대신에 품을 파는 노동자; 말 지키는 사람; 투우사의 조수

pe·on[2] [píːən, -ɑn | pjúːn] *n.* (인도·스리랑카의) 보병; 종자(從者), 종, 심부름꾼; 순경

pe·on·age [píːənidʒ], **pe·on·ism** [-ìzm] *n.* Ⓤ **1** peon[1]의 신분 **2** 빚을 갚기 위한 노역; (죄수의) 노예적 복종[노동]

pe·o·ny [píːəni] [Gk 「신들의 의사」의 뜻에서; 작약이 약용이었던 데서] *n.* (*pl.* **-nies**) 〖식물〗 작약, 모란 (= tree ~); 작약[모란]꽃(= ∠ **flòwer**); 암적색
***blush like a* ~** 얼굴을 새빨갛게 붉히다

***peo·ple** [píːpl] *n.* **1** [집합적; 복수 취급] **a** 《일반적으로》 사람들 ★ 《문어》 특히 사람 수를 문제로 할 경우에는 persons를 쓰지만, 《구어》에서는 people을 쓰는 것이 일반적임: five ~ 다섯 사람(five persons) **b** [관사 없이 단독 사용] 세상 사람들, 세인(世人)(they): *P*~ say(=They say=It is said) *that* …이라고들 한다 **2** [a ~ 또는 **~s**] 국민, 민족, 종족: *a* warlike ~ 호전적인 국민 / the ~*s* of Asia 아시아의 여러 국민들

> 유의어 **people** 문화적·사회적으로 본 사람들의 한 집단: We are one *people.* 우리는 한 국민이다. **race** 체질·체격상의 특징·언어·풍속 등이 공통된 사람들의 집단: the yellow *race* 황색 인종 **nation** 문화·습관이 같고 독립된 하나의 정부하에 통일된 사람들의 집단: the English *nation* 영국 국민

3 [복수 취급; 보통 the 또는 수식어구를 붙여] **a** (한 지방의) 주민, (한 계급·단체·직업의) 사람들: village ~ 마을 사람들 / sales ~ 판매원들 **b** (선거권을 가진) 인민, 국민, 선거민: government of *the* ~, by *the* ~, for *the* ~ 국민의, 국민에 의한, 국민을 위한 정치 **c** [one's ~] 교구민(敎區民) **d** [one's ~] (군주와 대비하여) 신민; 신하, 부하; 하인[종자]들 **e** [one's ~] 《구어》 가족, 친형제, 친척, 선조, 조상 《등》: *my* ~ at home 고향의 가족들, 일가 친척, 조상 **f** [the ~] 서민, 평민, 일반인, 일반 대중, 민중(=common ~) **4** [집합적; 복수 취급] (동물과 구별하여) 사람, 인간 **5** [P~; 집합적; 복수 취급] 〖미국법〗 (주민(州民) 대표로서의) 검찰측 **6** (특정 종의) 생물, 살아 있는 것
as ~ go 세상 통례[상식]대로 한다면 ***go to the ~*** 〈정치 지도자가〉 국민 투표에 호소하다 ***of all ~*** 수많은 사람 가운데에서 하필이면; 누구보다도 ***the best ~*** 상류 사회 사람들
— *vt.* **1** …에 사람을 거주시키다, 식민(植民)하다 **2** 〈동물을〉 많이 살게 하다; 채우다, 충족시키다: 《~+목+전+명》 ~ a place *with* animals 어떤 곳에 동

물을 많이 살게 하다 **3** …에 거주하다, 살다(inhabit) ★ 보통 과거분사로 형용사적으로 씀; ⇨ peopled ▷ pópular *a.*

péople càrrier 《영》 미니밴(《미》 minivan)

peo·pled [pí:pld] *a.* 사람이 사는(inhabited): a thickly[sparsely] ~ country 인구 밀도가 높은[낮은] 나라

péople fàrm 《미·속어》 근대적이고 활동이 격심한 대도시; 정신 병원

peo·ple·hood [pí:plhùd] *n.* Ⓤ (정치적이 아닌, 문화적·사회적 일체감을 강조하는) 민족성, 민족[국민] 의식

péople jòurnalism 유명인을 다룬 사진 중심의 저널리즘

péople méter 《미》 TV 시청률 조사 장치

péople mòver 여객의 고속[대량] 수송 수단

peo·ple-or·i·ent·ed [pí:plɔ̀:riəntid] *a.* 인간 중심의, 인간 우선의

péople pèrson 《구어》 사교적인 사람

péople pówer 민중의 힘

Péople's Chárter [the ~] 〘미국사〙 국민 헌장

Péople's Cómmissar (구소련의) 인민 위원 《1946년까지; 그 후는 minister》

péople's cómmune (중국의) 인민 공사

péople's cóurt 《구어》 = SMALL-CLAIMS COURT

Péople's Dáily [the ~] 인민일보 《중국 공산당 중앙 기관지, 1948년 창간》

péople's demócracy 인민 민주주의

péople's frónt [the ~] 인민 전선

Péople's Liberátion Ármy 중국 인민 해방군 《중국의 정규군》; (중국 이외의) 해방군

Péople's Pálace [the ~] 《영》 노동 회관 《London의》

Péople's párty [the ~] 〘미국사〙 인민당(1891-1904)

Péople's Repúblic of Chína [the ~] 중화 인민 공화국

peo·ple-watch·ing [-wɑ̀tʃiŋ | -wɔ̀tʃ-] *n.* Ⓤ 《구어》 인간 관찰 《왕래하는 사람들을 관찰하며 즐기기》

Pe·o·ri·a [piɔ́:riə] *n.* 피오리아 《미국 Illinois 주 중부의 도시》 ***play in*** **~** 《미》 (정책 따위가) 일반 사람들에게 받아들여지다[인정받고 있다]

pep [pép] [*pep*per] *n.* Ⓤ 《구어》 원기, 활기, 기력, 정력, 기운, 힘 ***full of*** **~** 기운이 넘치는, 원기 왕성한
— *vt.* (**~ped**; **~·ping**) 기운나게 하다, 힘을 북돋우다, 격려하다 《*up*》

PEP [pép, pí:ì:pí:] 《영》 Personal Equity Plan; 《영》 Political and Economic Planning

pep·er·i·no [pèpərí:nou] *n.* Ⓤ 〘광물〙 페페리노 《회색 응회암》

pep·er·o·ni [pèpəróuni] *n.* = PEPPERONI

pep·los, -lus [pépləs] *n.* 페플로스 《고대 그리스의 여성용 긴 겉옷[원피스]》

pep·lum [pépləm] *n.* (*pl.* **~s, -la** [-lə]) **1** 페플럼 《블라우스·재킷 등의 허리 아랫부분에 부착된 짧은 스커트[주름 장식]》 **2** = PEPLOS

pe·po [pí:pou] *n.* (*pl.* **~s**) 〘식물〙 페포 《박과(科) 식물의 열매; 호박·멜론·오이 등》

*__pep·per__ [pépər] *n.* **1 a** Ⓤ 후추 **b** 〘식물〙 후추나무속(屬)의 식물 **c** 고추; 고추속(屬)의 식물 **2** 자극성(의 것) **3** 신랄(한 것), 따끔한 비평, 혹평; 급한 성미, 짜증 **4** 《미·속어》 원기, 활력, 정력, 힘, 스태미나 **5** 〘농구·야구〙 시합전 경기(= ~ game) ***Chinese***[***Japanese***] **~** 좀피나무 ***round*** **~** 껍질째로의 후추
— *vt.* **1** 〈후추를〉 치다, 후추로 양념하다; 흩어 뿌리다, …에 뿌려대다 **2** 〈총알·질문 등을〉 퍼붓다; 연타(連打)하다 《*with*》: (~+목+전+명) They ~*ed* him *with* difficult questions. 그들은 그에게 어려운 질문을 퍼부었다. **3** 톡 쏘아주다, 맹렬하게 공격하다; 비웃다; 호되게 벌주다 **4** 《미·속어》 강속구를 던지다, 〈공을〉 날리다 ▷ péppery *a.*

pep·per-and-salt [pépərənsɔ́:lt] *a.*, *n.* Ⓤ 쑥색의 (옷감); 희끗희끗한 (머리털)

pep·per·box [-bɑ̀ks | -bɔ̀ks] *n.* **1** 《미》 (식탁용) 후추통[병](《영》 pepper pot) **2** 《익살》 작은 탑 **3** 성급한[성마른] 사람

pépper càster[**càstor**] 《영》 = PEPPER BOX 1

pep·per·corn [-kɔ̀:rn] *n.* **1** (말린) 후추 열매 **2** 하찮은 것, 명색만의 집세[지대](= **~ rént**)
— *a.* 〈모발이〉 곱슬곱슬해진

Pépper Fòg 페퍼 포그 《폭동 진압용 최루 가스(pepper gas)의 일종; 상표명》

pépper gàme 〘농구·야구〙 (경기 전 워밍업으로서의) 가벼운 연습

pépper gàs 최루 가스(cf. MACE)

pep·per·grass [-græ̀s | -grɑ̀:s] *n.* 〘식물〙 다닥냉이 무리 《샐러드용 야채》

pépper mìll 후추 빻는 기구

pep·per·mint [-mìnt, -mənt] *n.* **1** Ⓤ 〘식물〙 박하 **2** Ⓤ 박하 기름; 페퍼민트 《술》 **3** ⓊⒸ 박하 정제(錠劑); 박하 사탕

pep·per·o·ni [pèpəróuni] *n.* 페페로니 《향신료를 많이 뿌린 쇠고기와 돼지고기를 잘 건조시킨 소시지》

pépper pòt **1** 《영》 = PEPPERBOX 1 **2** 고추로 양념한 서인도식 고기 스튜 **3** 양(羘)과 채소로 만든 매콤한 수프

pépper shàker 후추병(pepperbox)

pépper sprày 페퍼 스프레이 《호신용 분사 액체》

pep·per·tree [pépərtrì:] *n.* 〘식물〙 후추나무 《남미산(産)의 옻나뭇과 식물》

pep·per-up·per [-ʌ́pər] *n.* 원기를 북돋우는 약[음식], 자극제, 흥분제

pep·per·wort [-wə̀:rt, -wɔ̀:rt | -wə̀:t] *n.* = PEPPERGRASS

pep·per·y [pépəri] *a.* **1** 후추의[같은], 후추 맛이 나는, 후추를 많이 뿌린; 얼얼하게 매운 **2** 신랄[통렬]한: a ~ speech 신랄한 연설 **3** 성급한, 성마른

pép pìll 《구어》 흥분제, 각성제

pep·pi·ness [pépinis] *n.* 원기왕성함, 활기참

pep·py [pépi] *a.* (**-pi·er**; **-pi·est**) 《미·구어》 원기왕성한, 기운이 넘치는, 활발한 ▷ pép *n.*

pép ràlly 《구어》 (특히 학생이 학교 대항 경기 전에 기세를 올리기 위한) 단합 집회, 궐기 대회

Pep·si-Co·la [pépsikóulə] *n.* 펩시콜라 《청량음료의 일종; 상표명》

pep·sin [pépsin] *n.* Ⓤ 〘생화학〙 펩신 《위액 속에 있는 단백질 분해 효소》; 펩신제(劑)

pep·sin·o·gen [pepsínədʒən, -dʒèn] *n.* 〘생화학〙 펩시노겐 《펩신의 효소원》

pep·stat·in [pepstǽtin] *n.* 〘생화학〙 펩스타틴 《단백질을 분해하는 특정 효소의 작용을 억제하는 화합물》

pép tàlk 《구어》 (보통 짧은) 격려 연설

pep·talk [péptɔ̀:k] 《구어》 *vi.* 격려 연설을 하다
— *vt.* 격려 연설로 격려하다

pép téam 《속어》 응원단

pep·tic [péptik] *a.* Ⓐ **1** 펩신의 **2** 소화(성)의; 소화력 있는, 소화를 돕는: ~ glands 위액 분비샘
— *n.* **1** 소화제; 건위제 **2** [*pl.*] 소화 기관

péptic úlcer (위·십이지장의) 소화성 궤양

pep·ti·dase [péptədèis, -dèiz] *n.* 〘생화학〙 펩티다아제 《펩티드를 아미노산으로 분해하는 효소》

pep·tide [péptaid] *n.* 〘생화학〙 펩티드

péptide bònd[**lìnkage**] 〘생화학〙 펩티드 결합

pep·tize [péptaiz] *vt.* 〘화학〙 콜로이드 모양[교질]의 용액으로 만들다, 해교(解膠)하다

pep·tone [péptoun] *n.* Ⓤ 〘생화학〙 펩톤 《단백질이 펩신에 의하여 가수(加水) 분해된 것》

pep·to·nize [péptənàiz] *vt.* 〘생화학〙 펩톤화(化)하다; 펩신으로[인공적으로] 소화시키다
pèp·to·ni·zá·tion *n.*

pé·quiste [peikí:st] *n.*, *a.* [종종 **P~**] 《캐나다》 퀘벡 독립당(Parti Québecois) 당원(의)

Pe·quot [píːkwɑt | -kwɔt] *n.* **1** (*pl.* **~, ~s**) 피쿼트 족(族) ((미국 Connecticut 주 남동부에 사는 인디언)) **2** Ⓤ 피쿼트 말

‡**per** [pər, pə́ːr] *prep.* …에 의하여, …으로, …을 통해서; …에 대하여, …마다, …에 의하면, …에 따라서: ~ head[person] 1인당 / ~ man[week] 한 사람[1주일]에 (얼마) / Send it ~ messenger. 심부름꾼에게 들려 보내라. / eighty miles ~ hour 시속 80마일 / Membership costs $10 ~ year. 회비는 1년에 10달러이다. / I delivered the box ~ your instructions. 지시하신 대로 그 상자를 배달했습니다.
as ~ …에 따라서: *as* ~ enclosed account 동봉한 계산서대로 ***as ~ usual*** 《구어》 여느 때와 같이, 평소대로 ***~ bearer*** 지참인을 시켜, 인편으로 ***~ post*** 우편으로 ***~ rail*** [***steamer***] 기차[기선]로
—*ad.* 1개[1인]당, 각각, 제각기: The charge was five dollars ~. 요금은 각각 5달러였다.

PER 〖증권〗 price-earnings ratio **per.** percentile; period; person **Per.** Persia(n)

per- [pər, pəːr] *pref.* **1** [라틴계의 말에 붙여서] 「전부, 모조리, 완전히, 끝까지 (…하다)」의 뜻: *per*fect, *per*vade **2** 「극히, 매우」의 뜻: *per*fervid **3** 〖화학〗 「과(過)…」의 뜻: *per*oxide

per·ac·id [pəːrǽsid] *n.* 〖화학〗 과산(過酸)

per·ad·ven·ture [pə̀ːrədvéntʃər, pèr-] *ad.* 《고어》 우연히, 혹시나, 뜻밖에도; 만약; 아마
if ~ 혹시 …하면 ***lest ~*** 혹시라도 …하는 일이 없도록
—*n.* Ⓤ 염려, 불안; 의문, 의심; 우연; 추측
beyond [***without***] (***all*** [***a***]) ***~*** 의심할 나위 없이, 틀림없이, 반드시

per·am·bu·late [pərǽmbjulèit] *vt.* 순회[순시]하다, 답사하다; 배회하다, 거닐다 **—***vi.* 걸어 돌아다니다, 거닐다

per·am·bu·la·tion [pəræ̀mbjuléiʃən] *n.* **1** Ⓤ 순회, 순시, 답사 **2** 순회[답사, 측량] 구역 **3** 답사 보고서

***per·am·bu·la·tor** [pərǽmbjulèitər] *n.* **1** 《영》 유모차(《미》 baby buggy[carriage]; 《영·구어》 pram) **2** 《드물게》 순시자, 순회자
▷ perámbulate *v.*

per·am·bu·la·to·ry [pərǽmbjulətɔ̀ːri | -təri] *a.* 순회[순시, 답사]의

per an·num [pər-ǽnəm, pəːr-] [L = by the year] *ad.* 1년에 대하여, 1년마다(yearly) ((略 per an(n).))

per·bo·rate [pərbɔ́ːreit, pəːr-] *n.* 〖화학〗 과붕산염(過硼酸鹽)

per·bó·ric ácid [pərbɔ́ːrik-, pəːr-] 〖화학〗 과붕산

per·cale [pərkéil, pəːr-] *n.* Ⓤ 올이 가는 고급 면포

per·ca·line [pə̀ːrkəlíːn] *n.* Ⓤ 윤이 나는 면직물 ((안감으로 씀))

per cap·i·ta [pər-kǽpitə, pəːr-] [L = by heads] *ad.* 1인당(per head), 머릿수로 나누어, 개인별로: income ~ 1인당 수입[소득]

per·ceiv·a·ble [pərsíːvəbl] *a.* 지각[인지(認知)]할 수 있는 **per·cèiv·a·bíl·i·ty** *n.* **-bly** *ad.*

‡**per·ceive** [pərsíːv] [L 「완전히 파악하다」의 뜻에서] *vt.* **1** 지각(知覺)하다, 감지(感知)하다, 인지[인식]하다, 눈치채다, 알아차리다: ~ a faint sound 희미한 소리를 감지하다 // (~+목+*-ing*) Nobody ~*d* me enter*ing* the room. 아무도 내가 방에 들어가는 것을 알아차리지 못했다. // (~+목+***do***) Did you ~ him *turn* pale? 그의 안색이 변하는 것을 감지했느냐? **2** 이해하다; 깨닫다, 〈의미·진상 등을〉 파악하다: ~ difficulties 어려움을 이해하다 // (~+***that*** 절) I ~*d that* he would refuse. 나는 그가 거절할 것을 알았다. // (~+목+(***to be***) 보) I ~*d* him (*to be*) an honest man. 그가 정직한 사람임을 알았다.
▷ percéption *n.*; percéptive *a.*

per·céived nóise dècibel [pərsíːvd-] 감각 소음 데시벨 ((소음의 불쾌도를 나타내는 단위; 略 PNdB, PNdb))

‡**per·cent, per cent** [pərsént] [L 「100에 대하여」의 뜻에서] *n.* (*pl.* ~) **1** Ⓤ 퍼센트, 백분 ((기호 %; 略 p.c., per ct.))(⇨ percentage 유의어): 5~ 100분의 5, 5퍼센트 **2** 《구어》 백분율; 비율 **3** [*pl.*] (몇 %) 이율의 공채[채권]
—*a.* Ⓐ [숫자와 함께] …퍼센트의, 백분의: get five(-)~ interest 5퍼센트의 이자를 받다
—*ad.* [숫자와 함께] …퍼센트만큼: I agree with you a hundred ~. 당신 의견에 전적으로 동의합니다.

***per·cent·age** [pərséntidʒ] *n.* ⓊⒸ **1** [보통 a ~] 백분율[비]; 비율, 율: *a* ~ of six 6퍼센트 / *a* small ~ of the class 학급의 작은 비율

> 유의어 앞에 수사가 올 때에는 **percent**를 사용하고 수사 이외의 것, 예컨대 small, large, great, high 등이 올 때에는 **percentage**를 사용하는 것이 원칙이지만 《구어》에서는 거의 구별하지 않는다.

2 a 수수료, 구전, 이율, 할인액 **b** 《구어》 이익, 효용 **c** [*pl.*] (이길) 가망, 확률, 승산 ***play the ~s*** 손익[확률]을 계산하여 행동하다
—*a.* Ⓐ 승산이 있는, 확률이 높은

percéntage bàseball 〖야구〗 확률 야구

percéntage pòint 〖야구〗 (타율·승률의) 이(厘)

per·cent·age·wise [pərséntidʒwàiz] *ad.* 퍼센트로 말하면[나타내면]

per·cen·tile [pərséntail, -tl | -tail] *n.*, *a.* 〖통계〗 백분위수(百分位數)(의)

percént sìgn 퍼센트 기호 ((%))

per cen·tum [pər-séntəm] [L] = PERCENT 1

per·cept [pə́ːrsept] *n.* 〖철학〗 지각된 것; 지각[인식]의 대상; 지각 표상(表象), 지각에 의한 인식 결과

per·cep·ti·bil·i·ty [pərsèptəbíləti] *n.* Ⓤ **1** 지각할 수 있음[있는 상태] **2** 《드물게》 지각(력), 이해력

***per·cep·ti·ble** [pərséptəbl] *a.* 지각[인지]할 수 있는; 느낄 수 있는 (정도의), 눈에 띄는 정도의 상당한: a ~ change in behavior 행동에서의 눈에 띄는 변화
~·ness *n.* **-bly** *ad.*

***per·cep·tion** [pərsépʃən] *n.* **1** ⓊⒸ 지각(知覺)(력[작용]); 인식, 인지(認知), 이해; 직관, 직시 **2** 지각되는 것, 지각 대상; 〖법〗 취득액, 점유 취득, 징수 ((임차료 등의)) **3** 견해 **~·al** *a.*
▷ percéive *v.*; percéptive, percéptual *a.*

percéption gáp 인식의 차이

per·cep·tive [pərséptiv] *a.* **1** 지각하는, 지각할 수 있는, 지각력이 있는 **2** 지각이 예민한, 민감한, 통찰력이 있는 **~·ly** *ad.* **~·ness** *n.*

per·cep·tiv·i·ty [pərsèptívəti] *n.* Ⓤ 지각[감지](할 수 있음); 지각(력); 예민, 명민

per·cep·tron [pərséptrɑːn | -trɔn] *n.* 〖컴퓨터〗 인공 인지체 ((인간의 인지 과정을 모형화한))

per·cep·tu·al [pərséptʃuəl] *a.* 지각(력)의, 지각이 있는, 지각에 의한 **~·ly** *ad.*

percéptual defénse 〖심리〗 지각적 방어 ((바람직하지 않은 것을 무의식적으로 듣고 보지 않으려는 것))

percéptual strátegy 〖언어〗 지각 처리 방식 ((듣는 사람이 이야기를 이해할 때의 심리적 처리 조작))

‡**perch**[1] [pə́ːrtʃ] [L 「막대기」의 뜻에서] *n.* **1** (새의) 횃대(roost) **2** 《구어》 **a** 높은[안전한] 지위, 편한 자리 **b** 《익살》 (높고 불안정한) 좌석 **3** 마부의 자리; (용수철 달린 차의 앞바퀴와 뒷바퀴의) 연간(連桿); 《방언》 막대기, 장대; 직물 검사대 **4** 야구장의 좌석 **5** 《영》 퍼치 ((길이·면적의 단위; 길이 5.03 m, 면적 25.3 m^2))
Come off your ~. 《구어》 건방지게 굴지 말게. ***hop*** [***tip over, drop off***] ***the ~*** 《구어》 죽다 ***knock*** a person ***off his*** [***her***] ***~*** 나가떨어지게 하

thesaurus **perceive** *v.* **1** 감지하다 see, catch, spot, observe, glimpse, notice, make out, behold, detect, witness **2** 이해하다 appreciate, recognize, be aware of, know, understand, grasp,

다, 창피를 주다; 콧대를 꺾다, 매운 맛을 보여주다
—*vi.* **1** 〈새가〉 (…에) 앉다 《*on*》: (~+전+명) A little bird ~*ed on* a twig. 작은 새가 잔가지에 앉았다. **2** 〈사람이〉 앉다, 자리잡다
—*vt.* **1** 횃대에 앉히다 **2** [보통 수동형으로] (불안정한[높은, 좁은] 장소에) 놓다, 두다, 앉히다 《*on*》(⇨ perched) **3** [~ one*self* 로] …에 앉다, 자리잡다 **4** 〈직포를〉 검사대에 걸고 검사하다

perch² *n.* (*pl.* **~, ~·es**) 〖어류〗 농어 무리의 민물고기

per·chance [pərtʃǽns, -tʃɑ́:ns | -tʃɑ́:ns] *ad.* 《문어·고어》 **1** 아마, 어쩌면(perhaps), 만약 **2** [if 또는 lest절에서] 우연히

perched [pə́:rtʃt] *a.* **1** 〈특히 새가〉 (…에) 앉은 《*on*》: There was a bird ~ *on* the roof. 지붕에 새 한 마리가 앉아 있었다. **2** (아슬아슬하게) 자리 잡은, 위치한 《*on*》: a hotel ~ high *on* the cliffs 절벽에 높이 자리 잡은 호텔

perch·er [pə́:rtʃər] *n.* **1** 《특히》 나무에 앉는 새; 높은 곳에 있는 것[사람] **2** 《속어》 다 죽어 가는 사람

Per·che·ron [pə́:rtʃərɑ̀n, -ʃə- | -ʃərɔ̀n] [F] *n.* 프랑스 북부 Perche 원산의 짐말

per·chlo·rate [pərklɔ́:reit] *n.* 〖화학〗 과염소산염

per·chló·ric ácid [pə:rklɔ́:rik-] 〖화학〗 과염소산

per·chlo·ride [pə:rklɔ́:raid, -rid] *n.* 〖화학〗 과염화물

per·cia·tel·li [pɛ̀ərtʃətéli, pə̀:r-] *n.* 페르차텔리 《스파게티보다 굵고 긴 파스타》

per·cip·i·ence, -en·cy [pərsípiəns(i)] *n.* Ⓤ 《문어》 지각(력), 인지(력), 식별(력)

per·cip·i·ent [pərsípiənt] 《문어》 *a.* 지각력[통찰력]이 있는; 의식적인, 지각하는, 감지하는 —*n.* 지각자(知覺者), 식별자; 선견지명이 있는 사람, 천리안

Per·ci·val [pə́:rsəvəl] *n.* **1** 남자 이름 《애칭 Percy》 **2** Authur 왕 이야기에 등장하는 궁정 기사

Per·co·dan [pə́rkədæ̀n] *n.* 〖약학〗 퍼코댄 《진통제의 일종; 상표명》

per·co·late [pə́:rkəlèit] *vi.* **1 a** 〈액체가〉 삼투(滲透)하다, 스며 나오다 《*through*》; 여과되다: (~+전+명) Water ~*s through* the sand. 물이 모래에 스며든다. **b** 〈사상 등이〉 스며들다, 서서히 퍼지다, 침투하다 **2** 〈커피가〉 퍼컬레이터에서 끓다 **3** 《미·구어》 활발해지다; 《미·속어》 잘 움직이다[작동하다] —*vt.* **1 a** 〈액체가〉 …에 삼투하다, 스며 나오게 하다 **b** 〈액체를〉 거르다, 여과하다 **2** 〈퍼컬레이터로 커피를〉 끓이다
— [-lət, -lèit] *n.* 여과액; 〖약학〗 삼출액

per·co·la·tion [pə̀:rkəléiʃən] *n.* Ⓤ **1** 여과; 삼출, 삼투 **2** 퍼컬레이션 《퍼컬레이터로 커피 끓이기》

per·co·la·tor [pə́:rkəlèitər] *n.* **1** 여과자[기], 추출기 **2** 퍼컬레이터 《여과 장치가 달린 커피 끓이개》 **3** 《미·속어》 집세를 내기 위한 파티 《음식물 등을 유료로 해서》

percolator 2

per con·tra [pə:r-kɑ́ntrə | -kɔ́n-] [L =on the contrary] *ad.* 이에 반(反)해; 상대편에서; 〈계정 등이〉 상반되는: ~ account 대조 계정

per cu·ri·am [pə:r-kjúəriæ̀m | -riəm] *a.* 〖법〗 전(全)재판관에 의한[일치의]

per·cuss [pərkʌ́s] *vt.* **1** 두드리다 **2** 〖의학〗 타진(打診)하다

per·cus·sion [pərkʌ́ʃən] *n.* ⓊⒸ **1 a** (보통 단단한 두 물체의) 충격, 충돌 **b** 진동; 격동; 음향 **2** [the ~; 집합적] 〖음악〗 타악기(부) **3** (총의) 격발 (장치); 타격 **4** 〖의학〗 타진(법)

percússion càp **1** (총포탄의) 뇌관(雷管) **2** (소량의 화약을 종이에 싼) 딱총 알, 종이 뇌관

percússion drìll 《영》 착암기, 해머드릴(hammer drill)

percússion fùse 격발 신관(信管)

percússion ìnstrument 타악기

per·cus·sion·ist [pərkʌ́ʃənist] *n.* (오케스트라의) 타악기 연주자

percússion lòck 뇌관 장치, 격발전(栓)

per·cus·sive [pərkʌ́siv] *a.* **1** 충격의, 충돌의, 충격적인 **2** 〖의학〗 타진(법)의

per·cus·sor [pərkʌ́sər] *n.* 〖의학〗 =PLEXOR

per·cu·ta·ne·ous [pə̀:rkjutéiniəs] *a.* 〖의학〗 피부를 통해서의, 경피적(經皮的)인 〈주사 등〉 **~·ly** *ad.*

Per·cy [pə́:rsi] *n.* 남자 이름 《Percival의 애칭》

per di·em [pə:r-dí:əm, -dáiəm] [L =by the day] *ad.* 하루에 대하여, 날로 나누어, 일당으로
—*a.* 하루마다의; 일당제의
—*n.* **1** 일당; 일급 **2** 일당 임차[임대]료

per·di·tion [pərdíʃən] *n.* Ⓤ 《문어》 **1** 파멸, 전멸; 영원한 죽음 **2** 지옥에 떨어짐; 지옥

per·du(e) [pə:rdjú:, pɛər- | pə:djú:] *a.* 보이지 않는, 숨은; 잠복한 ***lie* ~** 잠복하다
—*n.* 《폐어》 결사대원; 보초, 밀정; 척후

per·dur·a·ble [pərdjúərəbl | -djúər-] *a.* 오래 지속하는, 영속하는, 영원의; 불변의, 불후의
per·dùr·a·bíl·i·ty *n.* **-bly** *ad.*

per·dure [pərdjúər | -djúə] *vi.* 오래 지속하다, 존속하다, 견디다, 변치 않다

père [pɛ́ər] [F] *n.* 아버지 《성(姓)에 붙여 동명(同名)의 부자(父子)를 구별할 때 사용》(cf. FILS): Jones ~ 아버지 존스

per·e·gri·nate [pérəgrinèit] *vi.* 《고어·익살》 (도보로) 여행[주유(周遊)]하다 —*vt.* 《고어》 여행[편력]하다; 횡단하다 **-nà·tor** *n.*

per·e·gri·na·tion [pèrəgrinéiʃən] *n.* ⓊⒸ [종종 *pl.*] 《익살》 (특히 도보의) 여행, 편력

per·e·grine [pérəgrin, -grì:n, -gràin | -grin] *a.* **1** 유랑성의; 순회의 **2** 《고어》 외국의, 외래의; 이국풍의 **3** 여행[편력] 중의 —*n.* **1** 해외 거주자, 《특히》 고대 로마의 외국인 거주자 **2** 〖조류〗 =PEREGRINE FALCON **3** 《고어》 여행[편력]자 **4** [**P~**] 남자 이름

péregrine fálcon 〖조류〗 송골매

pe·rei·ra [pərέərə] *n.* 페레이라 《브라질산(産) 협죽도과(科) 식물의 껍질; 강장(强壯)·해열제》(=**~ bàrk**)

per·emp·to·ry [pərémptəri, pérəmptɔ̀:ri | pərémptəri] *a.* **1** 절대적인, 단호한 〈명령 등〉: a ~ command 단호한 명령 **2** 〖법〗 결정적인, 절대의; 강제적인, 확정적인, 최종적인: a ~ writ 《영》 절대[무조건] 영장 《지금의 소환장》 **3** 압제적인, 독단적인, 단정적인; 확신에 찬; 명령적인, 안하무인격인, 무엄한
-ri·ly *ad.* **-ri·ness** *n.*

perémptory chállenge 〖법〗 전단적 기피 《이유를 밝히지 않고 배심원을 기피할 수 있는 피고인의 권리》

perémptory excéption[pléa] 〖법〗 결정적 답변 《기각을 내리게 하는》

per·en·nate [pérənèit, pəréneit] *vi.* 〖식물〗 다년생육하다 **pér·en·nàt·ing** *a.* 다년생의

***per·en·ni·al** [pəréniəl] [L 「1년 내내 계속되는」의 뜻에서] *a.* **1** 사철을 통한, 연중 끊이지 않는 **2** 장기간[여러 해] 계속하는; 영구한, 영원한, 영속적인: a ~ problem 해묵은 과제 **3** 〖식물〗 다년생의(cf. ANNUAL, BIENNIAL); 1년 이상 사는
—*n.* 다년생 식물, 다년초; (여러 해) 계속되는 것; 재발하는 것 **per·èn·ni·ál·i·ty** *n.* **~·ly** *ad.*

pe·ren·ni·ty [pərénəti] *n.* Ⓤ 영속(성), 영구(성), 불멸

pe·re·stroi·ka [pèrəstrɔ́ikə] [Russ. = restructure] *n.* Ⓤ 페레스트로이카 《구소련에서의 Gorbachev의 개혁 정책; cf. GLASNOST》

perf. perfect; perforated; performance

apprehend, comprehend, sense, figure out
perennial *a.* perpetual, everlasting, eternal, endless, never-ending, undying, ceaseless, lasting, persisting, permanent, constant, unchanging

‡per·fect [pə́:rfikt] [L 「완전하게 만들다」의 뜻에서] *a.* **1 a** Ⓐ **완전한**(complete), 완벽한, 더할 나위 없는, 이상적인, 결점이 없는: a ~ day (종일토록 즐거웠던) 더할 나위 없는 날 / a ~ gentleman 신사 중의 신사 / a ~ apple 상처 없는 사과 / The weather was ~. 기후는 그만이었다. **b** (전부) 갖추어진, 빠진 것이 없는 **2** 아주 숙달한, 완전히 습득한 《*in*》: be ~ *in* one's duties 직무에 숙달하다 **3 정확한**, 조금도 틀림없는; 순수한: a ~ copy 원본과 똑같은 사본 **4** Ⓐ 《구어》 **순전한**, 지독한, 전적인, 절대적인: ~ strangers 생판 모르는 사람들 / ~ control 절대적인 지배 **5** Ⓐ 최적의, 안성맞춤의 《*for*》: the ~ actor *for* the part 그 역에 딱 맞는 배우 **6** Ⓐ 〖문법〗 완료의 **7** 〖식물〗 완전화의, 양성화의 **8** 〖음악〗 〈음정·종지(終止)가〉 완전한
— *n.* 〖문법〗 **1** [보통 the ~] 완료 시제 (⇨ 문법 해설 (21)) **2** 완료형, 완료형 구문
— [pərfékt] *vt.* **1 완성하다**, 완전하게 하다; 끝마치다, 수행하다: ~ one's education 학업을 끝마치다 **2** 〈사람을〉 (…에) 숙달시키다 《*in*》; 개선[개량]하다
~ one**self in** …에 아주 숙달하다 **~·ness** *n.*
▷ perféction *n.*; pérfectly *ad.*

per·fec·ta [pərféktə] *n.* (*pl.* **~s**) 《미》 (경마 등의) 연승식(連勝式) (내기)(exacta)

pérfect bínding 〖제본〗 무선철 《제본시 접착제만으로 접합시키는 것》

pérfect cádence 〖음악〗 완전 종지(법)

pérfect competítion 〖경제〗 완전 경쟁

per·fect·ed·ly [pərféktidli] *ad.* 완전히

per·fect·er, -fec·tor [pərféktər] *n.* **1** 완성[개량]자 **2** 〖인쇄〗 양면 인쇄기(perfecting press)

pérfect gáme 1 〖야구〗 퍼펙트 게임, 완전 시합 《무안타·무4구·무실책으로 영패시키는 것》 **2** 〖볼링〗 퍼펙트 《12투 연속 스트라이크; 300점》

pérfect gás 〖물리·화학〗 완전[이상(理想)] 기체

per·fect·i·ble [pərféktəbl] *a.* 완전하게 할[완성할] 수 있는 **per·fèct·i·bíl·i·ty** *n.*

perféct·ing prèss [pərféktiŋ-] 〖인쇄〗 양면 인쇄 윤전기

pérfect ínterval 〖음악〗 완전 음정(音程)

‡per·fec·tion [pərfékʃən] *n.* **1** Ⓤ **완전**; 완벽, 완비: remain in ~ 온전하게 남아 있다 **2** Ⓤ 완성, 완전히 마무르기; (기예 등의) (완전) 숙달, 원숙: He had spent years in the ~ of his wine-making techniques. 그는 포도주 제조 기술의 완전 숙달에 여러 해를 보냈다. **3** [the ~] 극치, 전형, 이상, 모범 《*of*》 **4** 완전한 사람[것]; 이상; 탁월; [*pl.*] (터득한) 재능, 예능, 교양 **5** [the ~] 최고 품질; 개량, 세련 ***be the ~ of*** …의 극치이다 ***bring to ~*** 완성시키다 ***come to ~*** 완성되다, 원숙해지다 ***to ~*** 완전히, 더할 나위 없이
▷ perféct *vt.*

per·fec·tion·ism [pərfékʃənìzm] *n.* Ⓤ **1** 완전론 《인간은 종교·도덕·사회·정치적으로 완전한 경지에 도달할 수 있다는 학설》 **2** 완전[완벽]주의

per·fec·tion·ist [pərfékʃənist] *n.* 완전론자; 완벽주의자; [**P~**] Oneida 공산촌(共産村)의 당원
— *a.* 완전론(자)의

per·fec·tive [pərféktiv] *a.* **1** 《고어》 완전하게 하는[되는]; 향상하고 있는 **2** 〖문법〗 (동작의) 완료[완결]를 나타내는
— *n.* 〖문법〗 [the ~] 완료상(完了相)(의 동사)(= ~ **áspect**) **~·ness** *n.*

‡per·fect·ly [pə́:rfiktli] *ad.* **1 완전히**, 완벽하게, 더할 나위 없이, 이상적으로; 충분히; 정확히: ~ good weather 더할 나위 없이 좋은 날씨 / You are ~ right. 네가 옳고말고. **2** 《구어》 [종종 불쾌감·불만을 나타내어] 몹시, 매우, 굉장히(very): ~ ridiculous 정말 터무니없는 / You know ~ well what I mean. 내가 말하는 게 무슨 뜻인지 잘 알겠지.

pérfect númber 〖수학〗 완전수 《자신을 제외한 약수의 총합이 자신과 같은 자연수; 보기: 6(=1+2+3), 28(=1+2+4+7+14)》

per·fec·to [pərféktou] *n.* (*pl.* **~s**) 《미》 퍼펙토 《양끝이 뾰족한 중형(中型) 엽궐련》

pérfect párticiple 〖문법〗 완료 분사(past participle)

pérfect pítch 〖음악〗 절대 음감(音感)

pérfect rhýme 〖운율〗 완전 각운 《첫음만 제외하고, 강세 모음과 뒤의 자음이 같은 운; make, take 등》

pérfect squáre 〖수학〗 완전 제곱 《정수(整數)의 제곱으로 이루어진 수; 1, 4, 9, 25 등》

pérfect stórm 최악의 상황 《여러 나쁜 상황이 동시에 일어나는》

pérfect ténse [the ~] 〖문법〗 완료 시제(cf. PLUPERFECT)

per·fer·vid [pərfə́:rvid] *a.* 매우 열심인; 열렬한, 열정적인; 작열(灼熱)의, 백열적인

per·fid·i·ous [pərfídiəs] *a.* 《문어》 불성실한, 배반의, 남을 속이는 **~·ly** *ad.* **~·ness** *n.*

per·fi·dy [pə́:rfədi] *n.* (*pl.* **-dies**) **1** Ⓤ 불성실, 배반 **2** 불성실[배반] 행위

per·flu·o·ro·chem·i·cal [pərflùərəkémikəl, -flɔ̀:r- | -flùər-] *n.*, *a.* 〖화학〗 수소를 불소로 치환한 화합물(의) 《인공 혈액용》

per·fo·li·ate [pərfóuliət, -èit] *a.* 〖식물〗 줄기가 잎을 꿰뚫고 자란, 관생(貫生)의: a ~ leaf 관생엽(葉)

per·fo·rate [pə́:rfərèit] [L 「구멍을 뚫다」의 뜻에서] *vt.* **1** …에 구멍을 내다 **2** 〈종이에〉 바늘 구멍을 내다 **3** (송곳 등으로) 뚫다, 관통하다 — *vi.* 구멍을 내다, 꿰뚫다, 뚫고 들어가다 《*into, through*》
— [-rət, -rèit] *a.* = PERFORATED

per·fo·rat·ed [pə́:rfərèitid] *a.* **1** 구멍이 난, 관통된 **2** 〈우표가〉 (바늘 구멍 모양의) 절취선이 있는 **3** 〖병리〗 구멍 뚫은, 천공의: a ~ ulcer 천공성 궤양

pérforated tápe 천공 테이프

per·fo·ra·tion [pə̀:rfəréiʃən] *n.* **1** Ⓤ 구멍 뚫기, 천공; 바늘 구멍 뚫기; 관통 **2** 구멍; 바늘 구멍, 절취선

per·fo·ra·tive [pə́:rfərèitiv] *a.* (쉽게) 관통하는, 구멍을 뚫는

per·fo·ra·tor [pə́:rfərèitər] *n.* 구멍 뚫는 사람[기구]; 표 찍는 가위; 〖컴퓨터〗 천공기

per·force [pərfɔ́:rs] *ad.* 《고어·문어》 부득이; 필연적으로 — *n.* [다음 성구로] ***by ~*** 강제적으로, 우격다짐으로 ***of ~*** 부득이, 필연적으로

‡per·form [pərfɔ́:rm] [L 「완전히 해내다」의 뜻에서] *vt.* **1** 〈임무·일·약속·명령 등을〉 **이행하다, 실행하다**, 다하다; 수행하다; 성취하다 《★ do에 비하여 노력·주의·숙련이 필요한 경우를 말함》: ~ surgery 외과 수술을 하다 / ~ a contract 계약을 이행하다 / ~ a task[job, duty] 업무를 수행하다 **2** 〈의식 등을〉 집행[거행]하다: ~ a marriage ceremony 결혼식을 올리다 **3** 〈극을〉 **상연하다**, 〈역(役)을〉 **연기하다**; 〈음악을〉 연주하다, 노래하다; 〈악기를〉 타다, 켜다: ~ a juggling act 곡예를 해보이다 / The play was first ~*ed* in 1980. 그 연극은 1980년에 처음으로 상연되었다.
— *vi.* **1** 명령[약속]을 실행하다, 일을 해내다 **2** 〈사람이〉 **연기하다, 연주하다**, (악기를) 타다, 켜다, 불다, 노래하다 《*on*》; 〈동물이〉 재주를 부리다: ~ before a large audience 많은 관중 앞에서 연기[연주, 노래]하다 // (~+전+명) ~ *on* the piano 피아노를 연주하다 // (~+부) The seals ~*ed well* at the circus. 물개들이 곡마단에서 재주를 잘 부렸다. **3** [well 등의 부사와 함께] 〈기계·사람이〉 (잘) 작동하다, 일하다 **4** 《속어》 시끄럽게 떠들어대다 ▷ perfórmance *n.*

per·form·a·ble [pərfɔ́:rməbl] *a.* 이행[실행, 수행, 성취, 상연, 연주]할 수 있는

thesaurus **perfect** *a.* **1** 완벽한 flawless, faultless, ideal, impeccable, superb, excellent, wonderful, terrific, fantastic **2** 전부 갖추어진 complete, full, whole, entire **3** 정확한 exact, precise, accurate, faithful, correct, right, close, true **4** 순전한 absolute, complete, out-and-out, thorough,

‡**per·for·mance** [pərfɔ́:rməns] *n.* **1** Ⓤ **실행**, 수행, 이행; 성취, 달성, **성과**, **성적**, 실적; (의식 등의) 집행, 거행 **2** ⓊⒸ 행동, 행위, 일, 작업, 동작; (발동기의) 운전; (기계의) 성능, 효율 **3** ⓊⒸ 선행(善行); 공적: of good ~ 성능이 좋은 **4 상연**, **연기**, 연주; 그 솜씨; 흥행(물), 여흥, 재주 부리기 **5** [a ~] 《구어》 어리석은[꼴불견의] 짓 **6** Ⓤ 〖언어〗 언어 운용
—*a.* Ⓐ 고성능의: a ~ car 고성능 자동차

perfórmance appràisal 〖경영〗 업적[근무] 평가

perfórmance àrt 〖예술〗 퍼포먼스 아트 《육체의 행위를 음악·영상·사진 등을 통하여 표현하려는 1970년대에 시작된 예술 양식; body art, video art 등》

perfórmance àudit 〖상업〗 업무 감사 《공적·사적 기관의 업무·재무 기록의 검사》

perfórmance bònd 〖법〗 계약 이행 보증용 금전 채무 증서

perfórmance còntract 《미》 (민간 교육 기업에 의한) 학력 향상 계약 《공립학교 학생에 대한》

perfórmance enhàncer 경기력 향상 (불법) 약물(enhancer)

per·for·mance-en·hanc·ing [-inhænsiŋ] *a.* Ⓐ 경기력을 향상시키는 〈약물〉

perfórmance pày 능력급(能力給)

per·for·mance-re·lat·ed [-rilèitid] *a.* 〈임금 등이〉 능력[업적]에 따른

perfórmance repòrt 〖노동〗 작업 보고서

perfórmance tèst **1** 〖심리〗 작업 검사 《도구를 써서 하는 지능 검사》 **2** (자동차·항공기 등의) 성능 검사

perfórmance thèater 실험 연극 《희곡 대신 배우 중심으로 만들어지는 연극의 일종》

per·for·ma·tive [pərfɔ́:rmətiv] *a.* 〖철학·언어〗 수행적(遂行的)인 《표현에 나타난 행위가 실행됨을 뜻함; 보기: I promise to marry you.》: ~ verbs 수행 동사 《promise, apologize, say 등》
—*n.* 수행 표현, 수행 동사

*__per·form·er__ [pərfɔ́:rmər] *n.* **1 실행**[이행, 수행, 성취]**자** **2** 명수, 명인, 선수 《*at*》 **3 연기자**, **연주자**, 배우, 가수, 곡예사

per·form·ing [pərfɔ́:rmiŋ] *a.* **1** 실행[성취]할 수 있는 **2** 재주 부릴 수 있는 〈동물〉 **3** 공연을 요하는

perfórming árts [the ~] 공연 예술, 무대 예술 《연극·음악·무용 등》

perf. part. 〖문법〗 perfect participle

‡**per·fume** [pə́:rfju:m, pərfjú:m | pə́:fju:m] [L 「주위에 연기 나는」의 뜻에서] *n.* **1** ⓊⒸ **향수**, 향료, 방향 물질: a bottle of ~ 향수 한 병 / put on ~ 향수를 바르다 **2** Ⓤ **향기**(fragrance), 방향(芳香)
—[pərfjú:m, pə́:rfju:m] *vt.* **1** …에 향수를 바르다[뿌리다]; 〈꽃 등이 방·공기를〉 향기로 채우다 **2** 《문어·시어》 …에 향내를 풍기다

per·fum·er [pərfjú:mər, pə́:rfju:m- | pəfjú:m-] *n.* **1** 향수 상인, 향수 제조자 **2** 좋은 냄새를 풍기는 사람[것], 향주머니

per·fum·er·y [pərfjú:məri] *n.* (*pl.* **-er·ies**) **1** Ⓤ [집합적] 향수류(類), 향료 **2** Ⓤ 《미》 향수 **3** Ⓤ 향수 제조[판매]업 **4** 향수 제조[판매]소; 향수 가게

per·fum·i·er [pərfjú:miər] *n.* 《영》 =PERFUMER

per·func·to·ry [pərfʌ́ŋktəri] *a.* **1** 마지못해 하는, 아무렇게나 하는, 형식적인, 기계적인; 피상적인: ~ courtesy 겉치레의 인사 **2** 〈사람이〉 할 마음이 없는, 열의가 없는, 무관심한 **-ri·ly** *ad.* **-ri·ness** *n.*

per·fuse [pərfjú:z] *vt.* **1** 쫙 끼얹다[뿌리다], 살포하다, 흩뿌리다 《*with*》 **2** 〖의학〗 〈기관·조직에〉 관류(灌流)시키다

---

downright, utter, sheer **5** 최적의 just right, ideal, appropriate, fit, suitable, apt

perform *v.* **1** 이행하다 do, carry out, execute, discharge, conduct, accomplish, achieve, fulfill, complete **2** 상연하다 act, play, appear **3** 작동하다 function, work, operate, run, go

per·fu·sion [pərfjú:ʒən] *n.* Ⓤ **1** 살포 **2** 살수 (세례) **3** 살포액 **4** 〖의학〗 관류(灌流), 관주(灌注)

per·fu·sive [pərfjú:siv] *a.* 살포하는, 살수용의

per·go·la [pə́:rgələ] *n.* 페르골라 《포도나무·등나무 등으로 덮인 정자; 그런 나무를 얹은 시렁》; 덩굴 시렁

pergola

perh. perhaps

‡**per·haps** [pərhǽps, prǽps] *ad.* **1** 아마; 어쩌면; 혹시: *P*~ that's true. 어쩌면 그것은 사실일지도 모른다. / "Is he coming?" — "*P*~ not." 그가 올까? — 아마 안 올걸.

> 유의어 **perhaps** 가능성은 있지만 확실성은 없음을 나타내며, 가능성의 크고 적음은 문제시하지 않는다. **maybe** perhaps와 같은 뜻으로서 《구어》에서 많이 쓰인다: *Maybe* it will rain. 어쩌면 비가 올지도 몰라. **probably** 가능성이 크고 아주 있을 법함을 나타낸다: I'll *probably* be a little late. 아마 좀 늦어질 것 같다. **possibly** 가능성은 있지만 확실하지는 않음을 나타낸다: *Possibly* you are right, but I think differently. 어쩌면 당신이 옳을지 모르지만 내 생각은 다르다.

2 [정중한 부탁·제의] **가능하시다면**, 혹시 가능하면: *P*~ you would be good enough to write to me. 혹시 가능하다면 저에게 편지 주십시오.
—*n.* 가정, 우연(한 일), 불확실한 일, 추측

pe·ri [píəri] *n.* (페르시아 신화의) 아름다운 요정(妖精); (우아한) 미녀

peri- [péri] *pref.* 「주변, 근처」의 뜻

per·i·a·gua [pèriá:gwə] *n.* =PIRAGUA

per·i·anth [périæ̀nθ] *n.* 〖식물〗 꽃덮개, 화피(花被) 《꽃받침과 꽃부리를 구별하기 어려운 경우의 명칭》

per·i·ap·sis [pèriǽpsis] *n.* (*pl.* **-si·des** [-sədì:z]) 〖천문〗 근점(近點)

per·i·apt [périæ̀pt] *n.* 호부(護符), 부적

per·i·as·tron [pèriǽstrən] *n.* (*pl.* **-tra** [-trə]) 〖천문〗 근성점(近星點) 《이중성(二重星)의 제도가 가장 가까워지는 점》

per·i·car·di·al [pèrəká:rdiəl], **-di·ac** [-diæ̀k] *a.* 〖해부〗 심막(心膜)[심낭]의, 심장 주위의

per·i·car·di·tis [pèrəka:rdáitis] *n.* Ⓤ 〖병리〗 심낭염(心囊炎), 심막염

per·i·car·di·um [pèrəká:rdiəm] *n.* (*pl.* **-di·a** [-diə]) 〖해부〗 심낭, 심막

per·i·carp [pérəkà:rp] *n.* 〖식물〗 과피(果皮)
pèr·i·cár·pi·al *a.*

per·i·cen·ter [périsèntər] *n.* 〖천문·물리〗 근점(近點) 《인력의 중심에 가장 가까운 제도상의 점》

per·i·chon·dri·um [pèrəkándriəm | -kɔ́n-] *n.* (*pl.* **-dri·a** [-driə]) 〖해부〗 연골막(軟骨膜)

Per·i·cle·an [pèrəklí:ən] *a.* 페리클레스 시대의 《고대 그리스의 전성기》; 페리클레스의

Per·i·cles [pérəklì:z] *n.* 페리클레스(495?-429 B.C.) 《아테네의 장군·정치가》

pe·ric·o·pe [pəríkəpì:] *n.* (*pl.* **~s, -pae** [-pì:]) (책의) 발췌, 인용구

per·i·cra·ni·um [pèrəkréiniəm] *n.* (*pl.* **-ni·a** [-niə]) **1** 〖해부〗 두개골막(膜) **2** 《고어·익살》 두개골, 뇌(brain) **3** 머리, 지능, 기지

per·i·cy·cle [pérəsàikl] *n.* 〖식물〗 내초(內鞘) 《고등 식물 중심주(柱)의 바깥쪽, 내피의 안쪽 세포층》

per·i·cyn·thi·on [pèrəsínθiən] *n.* 〖천문〗 =PERILUNE

per·i·derm [pérədə̀ːrm] *n.* **1** 〖식물〗 주피(周皮) 《줄기·뿌리의 표피 아래의 2차 조직》 **2** 〖동물〗 (자포(刺胞) 동물의) 포피(胞皮) **3** 〖발생〗 태아 표피

pe·rid·i·um [pərídiəm] *n.* (*pl.* **-rid·i·a** [-rídiə]) 〖균류〗 피각(皮殼), 자각(子殼)

per·i·dot [pérədòu, -dɑ̀t | -dɔ̀t] *n.* Ⓤ 〖광물〗 (짙은 녹색의) 투명 감람석(橄欖石)

per·i·do·tite [pérədòutait, pərídətàit | pèridóutait] *n.* 〖광물〗 감람암(岩)

per·i·gee [pérədʒìː] *n.* [보통 a ~, the ~] 〖천문〗 근지점(近地點) 《달·인공위성이 지구에 가장 가까워지는 점; opp. *apogee*》 **pèr·i·gé·an** *a.*

per·i·gon [pérəgɑ̀n | -gɔ̀n] *n.* 주각(周角) 《360도》 (round angle)

per·i·go·ni·um [pèrəgóuniəm | -igóunjəm] *n.* (*pl.* **-ni·a** [-niə]) 〖식물〗 이끼의 꽃덮개[화피(花被)] 《이끼의 장정기(藏精器)를 보호하는 변형엽》

per·i·gone [pèrigòun] *n.* = PERIGONIUM

pe·rig·y·nous [pərídʒənəs] *a.* 〖식물〗 〈수술·꽃잎이〉 씨방 중위(中位)의; 〈꽃이〉 씨방 중위형의

pe·rig·y·ny [pərídʒəni] *n.* Ⓤ 〖식물〗 씨방 중위

per·i·he·li·on [pèrəhíːliən, -ljən] *n.* (*pl.* **-li·a** [-liə, -ljə]) 〖천문〗 근일점(近日點) 《태양계의 천체가 태양에 가장 가까워지는 위치; opp. *aphelion*》

per·i·kar·y·on [pèrəkǽriɑ̀n, -ən | -ɔ̀n, -ən] *n.* (*pl.* **-kar·y·a** [-kǽriə]) 〖생물〗 = CELL BODY

‡per·il [pérəl] *n.* ⓊⒸ **위험**, 위난, 위태(⇨ danger 유의어); 모험; [보통 *pl.*] 위험한 것: the ~*s* of the sea 바다의 위험 《폭풍·난파 등》; 〖보험〗 해난(海難) / Glory is the fair child of ~. 《속담》 호랑이 굴에 가야 호랑이 새끼를 잡는다. ***at*** one***'s ~*** [경고·충고 등에 써서] 위험을 각오하고, 자기의 책임으로 ***at the ~ of*** …을 무릅쓰고, …을 걸고 ***by the ~ of my soul*** 맹세코 ***in ~ of*** …의 위험에 부딪쳐

— *vt.* (**~ed**; **~·ing** | **~led**; **~·ling**) 위태롭게 하다, 위험에 빠뜨리다; 〈목숨 등을〉 걸다(risk)

▷ périlous *a.*

pe·ríl·la òil [pərílə-] 들깨 기름

‡per·il·ous [pérələs] *a.* **위험한**, 모험적인; 위기에 처한: a ~ sea voyage 위험한 바다 여행

~·ly *ad.* **~·ness** *n.*

péril pòint 〖경제〗 임계점(臨界點), 임계 세율 《국내 산업을 저해하지 않는 한도의 최저 관세》

per·i·lune [pérəlùːn] *n.* 〖천문〗 근월점(近月點) 《인공위성이 그 궤도상에서 달에 가장 가까워지는 점》

per·i·lymph [périlìmf] *n.* 〖해부〗 외(外)림프액

pe·rim·e·ter [pərímətər] *n.* **1** 〖수학〗 (2차원 도형의) 주변[주위, 주계(周界)](의 길이)(boundary) **2** 〖안과〗 (주변) 시야계(視野計) **3** 〖군사〗 (군사 기지·비행장 등의 주변의) 방어선[지대], 경계선: a ~ track 비행장 주변의 콘크리트 도로 **4** 한계, 한도

per·i·met·ric, -ri·cal [pèrəmétrik(əl)] *a.*

perímeter acquisítion ràdar 주변 포착(捕捉) 레이더 《略 PAR》

pe·rim·e·try [pərímətri] *n.* Ⓤ (시야계에 의한) 시야 측정[계측](법)

per·i·morph [pérəmɔ̀ːrf] *n.* 〖광물〗 외포(外包) 광물

per·i·my·si·um [pèrəmíziəm, -míʒ-] *n.* (*pl.* **-si·a** [-ziə, -ʒiə]) 〖해부〗 근초(筋鞘), 근주막(筋周膜)

per·i·na·tal [pèrənéitl] *a.* 〖의학〗 (소아과에서) 주생기(周生期)의; (산과에서) 주산기(周産期)의 《임신 20주 이후 분만 28일 사이》

per·i·na·tol·o·gy [pèrəneitɑ́lədʒi | -tɔ́l-] *n.* Ⓤ 〖의학〗 출산기(出産期) 의료, 출산 의료학

per·i·ne·al [pèrəníːəl] *a.* 회음(會陰)의

per·i·ne·um [pèrəníːəm] *n.* (*pl.* **-ne·a** [-níːə]) 〖해부〗 회음(會陰)(부)

per·i·neu·ri·um [pèrən*j*úəriəm | -njúr-] *n.* (*pl.* **-ri·a** [-riə]) 〖해부〗 신경 주막(周膜), 신경초(鞘)

per·i·nu·cle·ar [pèrən*j*úːkliər | -njúː-] *a.* 〖생물〗 핵 주위의

‡pe·ri·od [píəriəd] *n., a., int.*

> Gk 「한 바퀴 돌기」의 뜻에서
> → 「주기」 **5** → 「기간」 **1** → 「시대」 **2** / → 「수업 시간」 **3**
> → (한 순환의 단락) → 「마침표」 **8**

— *n.* **1** 기간, 시기: a ~ of illness 앓았던 기간 / a ~ of social unrest 사회 불안의 시기

> 유의어 **period** 길고 짧음에 관계없이 기간을 뜻하는 일반적 말이다: a ten-year *period* of peace 10년간의 평화 **era** 근본적 변화나 중요 사건 등으로 특징 지어진 시대: an *era* of invention 발명의 시대 **epoch** era와 거의 같은 뜻: The steam engine marked a new *epoch* in industry. 증기 기관은 산업에 신기원을 이루었다. **age** 어떤 큰 특색 또는 어떤 권력자로 대표되는 시대: the *age* of chivalry 기사도 시대

2 (역사상 어떤 특색을 가진) **시대**, …시(時), 시기; (발달 과정의) 단계, 기(期); [the ~] 현대; 문제로 삼고 있는 시대: the postwar ~ 전후 시대 / a transition ~ 과도기 **3 수업 시간**(class hour); (경기의) 한 구분 《전반·후반 등》 **4** 끝, 말기, 종결 **5** (반복되는 현상·작용·운동의) 한 주기, 한 기간; 〖천문·물리〗 주기, 자전[공전] 주기: a natural ~ 자연 주기 / a rainy ~ 우기 **6** 〖의학〗 과정; 주기; 단계: the incubation ~ 잠복기 / the gestation ~ 잉태 기간 **7** [종종 *pl.*] 월경(기)(menses) **8** 《미》 **마침표, 종지부**, 생략점 《.》 (《영》 full stop) **9** 〖수사학〗 = PERIODIC SENTENCE; [*pl.*] 미문(美文), 미사여구, 명문(名文): the stately ~*s* of Churchill 처칠의 당당한 명문 **10** 〖지질〗 기(紀); 〖수학〗 (순환 소수의) 주기; 〖음악〗 악절(樂節) ***at stated ~s*** 정기(定期)에[적으로] ***by ~s*** 주기적으로 ***come to a ~*** 끝나다 ***for a*** [***the***] ***~ of*** six years = ***for a*** six-year ***~*** (6년)간 ***put a ~ to*** …에 종지부를 찍다, …을 끝내다

— *a.* **1** Ⓐ 〈특히 가구(家具)·의상·건물 등이〉 어느 (과거의) 시대의: a ~ novel 시대 소설 / a ~ play 시대극 **2** Ⓟ 《영·구어》 시대에 뒤진

— *int.* 《미·구어》 [문장 끝에 쓰여] (이상) 끝, 이상이다; 더 이상 말하지마 (《영·구어》 full stop): I forbid you to go, ~. 가면 안 돼, 이상이다.

▷ periódic, periódical *a.*

***pe·ri·od·ic** [pìəriɑ́dik | -ɔ́d-] *a.* Ⓐ **1 주기적인**; 정기[정시]의: a ~ wind 〖항해〗 계절풍 / ~ visits of a mailboat to the island 섬으로 오는 우편선의 정기적인 방문 **2** 시대의 **3** 간헐[단속]적인: ~ outbreaks of smallpox 천연두의 간헐적인 발병 **4** 〖수사학〗 완전문의; 장문의; 도미문(掉尾文)의(opp. *loose*)

per·i·ód·ic ácid [pə̀ːraiɑ́dik- | -ɔ́d-] 〖화학〗 과(過)요오드산

***pe·ri·od·i·cal** [pìəriɑ́dikəl | -ɔ́d-] *a.* **1 정기 간행의 2** = PERIODIC

— *n.* **정기 간행물** 《일간 신문을 제외한》, 잡지

관련 weekly 주간, biweekly 격주간, monthly 월간, semi-monthly 월 2회 간행, quarterly 계간, annual 연간 **~·ism** *n.* 정기 간행물[잡지] 집필업

~·ist *n.* **~·ly** *ad.* 정기[주기]적으로 ▷ périod *n.*

periódic fúnction 〖수학〗 주기 함수

pe·ri·o·dic·i·ty [pìəriədísəti] *n.* (*pl.* **-ties**) **1** Ⓤ 주기[정기]성; 주기수; 주율(周律) **2** Ⓤ 〖천문〗 정기 출현, 주기성, 주기 현상 **3** Ⓤ 〖의학〗 (발작 등의) 주기성 **4** 〖전기〗 주파(수) **5** 〖화학〗 (원소의) 주기성

periódic láw [the ~] 〖화학〗 주기율(周期律) 《원소 성질의 주기성에 관한 법칙》

thesaurus **peril** *n.* danger, jeopardy, risk, hazard, menace, threat (opp. *safety, security*)
period *n.* **1** 기간 time, spell, term, while **2** 시대

periódic mótion 〖물리〗 주기 운동
periódic séntence 〖수사학〗 도미문(掉尾文) 《문장 끝에 이르러 비로소 글의 뜻이 완성됨》
periódic sýstem 〖화학〗 주기계(系)
periódic táble [the ~] 〖화학〗 원소 주기(律)표
periódic variátion 〖천문〗 주기 변화
per·i·o·dide [pəráiədàid, -did] *n.* 〖화학〗 과요오드 화합물, 과옥화물(過沃化物)
périod ìnstrument 〖음악〗 시대 악기, 고악기 《작곡 당시에 쓰였던 양식의 악기》
pe·ri·od·i·za·tion [pìəriədizéiʃən | -daiz-] *n.* Ⓤ (역사 등의) 시대 구분
périod of gráce 〖상업〗 지불 유예 기간
périod of revolútion 〖천문〗 공전 주기
périod of rotátion 〖천문〗 자전 주기
per·i·o·don·tal [pèriədántl | -dɔ́n-] *a.* 〖치과〗 치주(齒周)[치근막]의[에 생기는]: ~ disease 치주 질환
per·i·o·don·tics [pèriədántiks | -dɔ́n-] *n. pl.* [단수 취급] 치주병학
per·i·o·don·ti·tis [pèrioudantáitis | -dɔn-] *n.* Ⓤ 〖치과〗 치주염(齒周炎), 치근막염
per·i·o·don·tium [pèriədánʃəm, -ʃiəm | -dɔ́n-] *n.* (*pl.* **-tia** [-ʃə, -ʃiə]) 치주 조직
per·i·o·don·tol·o·gy [pèrioudantálədʒi | -dɔntɔ́l-] *n.* Ⓤ = PERIODONTICS
périod pìece **1** 시대물 《과거 어느 시대의 특색을 나타내는 소설·그림·장식 등》 **2** 《구어·익살》 시대에 뒤떨어진 사람[사물]
per·i·o·nych·i·um [pèriouníkiəm] *n.* (*pl.* **-nych·i·a** [-níkiə]) 〖해부〗 조(爪) 주위부 《손톱·발톱의 주위를 둘러싼 표피》
per·i·os·te·al [pèriástiəl | -ɔ́s-] *a.* 〖해부〗 골막(骨膜)(성)의
per·i·os·te·um [pèriástiəm | -ɔ́s-] *n.* (*pl.* **-te·a** [-tiə]) 〖해부〗 골막
per·i·os·ti·tis [pèriastáitis | -ɔs-] *n.* Ⓤ 〖병리〗 골막염 **-tit·ic** [-títik] *a.*
per·i·o·tic [pèrióutik, -át- | -ɔ́t-] *a.* 〖해부〗 귀[내이(內耳)] 주위의
per·i·pa·tet·ic [pèrəpətétik] [Gk 「걸어 다니다」의 뜻에서] *a.* **1** [**P~**] 〖철학〗 소요학파(逍遙學派)의 **2** 걸어 다니는; 두루 다니는, 순회의: a ~ preacher 순회 설교사 **—** *n.* **1** 걸어 돌아다니는 사람; 행상인, 도붓장수 **2** [**P~**] 〖철학〗 소요학파의 사람 **-i·cal·ly** *ad.*
Per·i·pa·tet·i·cism [pèrəpətétəsìzm] *n.* Ⓤ **1** 소요학파(의 철학) 《Aristotle이 뜰을 소요하면서 제자들을 가르쳤다는 데서》 **2** [**p~**] 소요하는 버릇; 편력
per·i·pe·tei·a [pèrəpətáiə, -tíːə], **-ti·a** [-táiə] *n.* **1** (희곡·소설에서) 사태의 격변 **2** 운명의 급변
pe·riph·er·al [pərífərəl] *a.* **1** 주위의, 주변의; 주변적인, 말초적인, 중요하지 않은, 지엽적인 **2** (신경의) 말초의(cf. CENTRAL 6) **3** 〖컴퓨터〗 주변 장치의 **—** *n.* = PERIPHERAL DEVICE **~·ly** *ad.*
perípheral devíce[únit] 〖컴퓨터〗 주변 장치 《중앙 처리 장치와 대비해 카드 천공기·라인 프린터·자기 테이프 장치 등》
perípheral nérvous sỳstem 〖해부·생리〗 말초 신경계
perípheral vísion 주변 시야 《시선의 바로 바깥쪽 범위》; 주변시(력)
pe·riph·er·y [pərífəri] [Gk 「주위를 움직이는」의 뜻에서] *n.* (*pl.* **-er·ies**) **1** [보통 the ~] **a** (원·곡선 등의) 주위, 주변, 바깥둘레; (물체의) 표면, 겉면; 주변 **b** [the ~] (정치상의) 소수파, 비주류파 **2** [집합적] 〖해부〗 (혈관 등의) 말초
per·i·phon·ic [pèrəfánik | -fɔ́n-] *a.* 〈음향 장치가〉 다중(多重) 채널의

---

time, days, age, era, epoch
perish *v.* die, lose one's life, be killed, disappear, vanish, be destroyed, decay, decompose

---

per·i·phrase [pérəfrèiz] *vt., vi.* 에둘러서[완곡하게] 말하다 **—** *n.* = PERIPHRASIS
pe·riph·ra·sis [pərífrəsis] [Gk 「완곡하게 말하다」의 뜻에서] *n.* (*pl.* **-ses** [-sìːz]) **1** Ⓤ 〖수사학〗 완곡법(婉曲法), 우언법(迂言法) **2** 에두르는 말씨[글귀]
per·i·phras·tic [pèrəfrǽstik] *a.* **1** 에두르는 **2** 〖수사학〗 완곡한, 우회적인: ~ conjugation 우회적 활용 《조동사의 도움을 받는 활용; went 대신의 did go 등》/ ~ genitive 우회적 속격 《전치사에 의한 소유격; Caesar's 대신의 of Caesar 등》 **-ti·cal·ly** *ad.*
pe·riph·y·ton [pərífətàn | -tɔ̀n] *n.* 〖생태〗 부착 생물
per·i·plast [pérəplæ̀st] *n.* 〖생물〗 원형질막(plasma membrane)
per·i·plus [pérəplʌ̀s] *n.* (*pl.* **-pli** [-plài]) 주항(周航); 주항기(記)
pe·rip·ter·al [pəríptərəl] *a.* 〈고대 신전이〉 한줄의 원주로 둘러싸인
pe·rip·ter·os [pəríptəràs | -rɔ̀ːs] [Gk] *n.* (*pl.* **-ter·oi** [-tərɔ̀i]) 〖건축〗 페립테로스 《둘레가 한 줄의 기둥으로 둘러싸여 있는 고대 그리스 신전의 건축 양식》
pe·rique [pəríːk] *n.* Ⓤ 페리크 《딴 것과 섞어 사용하는 독한 흑색 담배; 미국 Louisiana 주산(産)》
per·i·sarc [pérəsàːrk] *n.* 〖동물〗 (히드로충류의) 포피, 외초(外鞘)
per·i·scope [pérəskòup] [Gk 「둘러보다」의 뜻에서] *n.* **1** 잠망경(潛望鏡), 전망경 **2** 잠망경[전망경] 렌즈

periscope 1

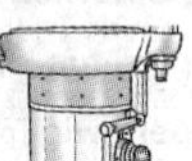

per·i·scop·ic, -i·cal [pèrəskápik(əl) | -skɔ́p-] *a.* **1** 사방을 전망할 수 있는 **2** 주변 시력[시야, 시각]의 **3** 잠망경의[같은]
*** **per·ish** [périʃ] [L 「사라지다」의 뜻에서] *vi.* **1** (갑자기) 죽다, 비명횡사하다(⇨ die[1] 유의어): (~+전+명) ~ *with* hunger 굶어 죽다 **2** 멸망하다, 사멸하다, 소멸하다; 사라지다; 붕괴하다, 무너지다: (~+전+명) All his books ~*ed in* the fire. 그의 책은 모두 잿더미로 사라졌다. **3** 말라죽다; 썩다; (정신적으로) 부패[타락]하다 **4** 《영·구어》 (너무 써서) 물건의 품질이 떨어지다[나빠지다]
— *vt.* **1** 〈식물을〉 말려 죽이다; 〈추위·기아 등이〉 죽게 하다 **2** [보통 수동형으로] 몹시 괴롭히다, 지치게 하다(⇨ perished) **3** 《영》 〈너무 써서 품질을〉 떨어뜨리다, 나빠지게 하다, 망치다 ***~ by the sword*** 〖성서〗 칼로 망하다 ***~ in battle*** 전사하다 ***P~ the thought!*** 집어치워, 당치도 않다!
— *n.* 《호주·구어》 궁핍한 상태: do a ~ 죽다; (기아·갈증으로) 죽을 고생을 하다
per·ish·a·ble [périʃəbl] *a.* 썩기 쉬운; 깨지기 쉬운; (말라) 죽기 쉬운; 〈광물이〉 풍화되기 쉬운: ~ foods 상하기 쉬운 음식들 **—** *n.* [*pl.*] 썩기 쉬운 물건[식품] 《특히 운송 도중의 생선》 **pèr·ish·a·bíl·i·ty** *n.*
per·ished [périʃt] *a.* [보통 Ⓟ] **1** 《구어》 (…으로) 매우 곤란한, 초췌해진, 지친(exhausted): be ~ with hunger 기아에 시달리다 **2** 《영·구어》 매우 추운
per·ish·er [périʃər] *n.* **1** 사멸(하게) 하는 것 **2** 《영·속어》 무모한 도박꾼; 바보 **3** 《영·속어》 골치 아픈[귀찮은] 놈[아이]
per·ish·ing [périʃiŋ] *a.* **1** 죽는, 망하는, 말라죽는, 썩는 **2** 《구어》 몹시 추운, 혹한의 **3** Ⓐ 《영·속어》 싫은, 성가신, 귀찮은, 지긋지긋한; 《영·속어》 심한, 지독한: a ~ bore 지독히 따분한 사람[것] **~·ly** *ad.*
per·i·sperm [pérəspə̀ːrm] *n.* Ⓤ 〖식물〗 외배유(外胚乳)
per·i·spo·me·non [pèrəspóumənən, -nàn | -nən] 〖그리스문법〗 *a.* 끝 음절에 곡절 악센트[⌒]가 있는 **—** *n.* (*pl.* **-na** [-nə]) 끝 음절에 곡절 악센트가 있는 단어

Pe·ris·so·dac·ty·la [pərisoudǽktələ] *n. pl.* 〖동물〗 기제류(奇蹄類) 《무소·말·맥(貘) 등》(cf. ARTIODACTYLA)
pe·ris·so·dac·tyl(e) [pərisoudǽktəl, -tail | -tail] *a., n.* 〖동물〗 기제류의 (동물)
per·i·stal·sis [pèrəstɔ́:lsis, -stǽl- | -stǽl-] *n.* (*pl.* **-ses** [-si:z]) UC 〖생리〗 (특히 소화관의) 연동(蠕動) (운동) **-stál·tic** *a.*
per·i·stome [pérəstòum] *n.* **1** 〖식물〗 (이끼 등의) 연치(緣齒), 치모(齒毛) **2** 〖동물〗 위구부(圍口部), 입언저리 **per·i·sto·mi·al** [pèrəstóumiəl] *a.*
per·i·style [pérəstàil] *n.* **1** 〖건축〗 주주식(周柱式), 열주랑(列柱廊) **2** 열주가 있는[기둥으로 둘러싸인] 장소[안뜰] **pèr·i·stý·lar** *a.* 주주식의
per·i·tec·tic [pèrətéktik] *a.* 〖물리·화학〗 포정(包晶)의 《결정을 감싸는 용액이 그 결정과 반응해 생기는 다른 결정의》
per·i·the·ci·um [pèrəθí:ʃiəm, -siəm | -siəm] *a.* (*pl.* **-ci·a** [-ʃiə, -siə]) 〖식물〗 피자기(被子器), 자낭각(子囊殼) 《자낭균류의 포자낭을 감싸는 자실체(子實體)》
per·i·to·ne·al [pèrətəní:əl] *a.* 복막의
per·i·to·ne·um [pèrətəní:əm] *n.* (*pl.* **~s, -ne·a** [-ní:ə]) 〖해부〗 복막(腹膜)
per·i·to·ni·tis [pèritənáitis] *n.* U 〖병리〗 복막염
pe·rit·ri·chate [pərítrəkit, -kèit] *a.* 〖생물〗 편모(鞭毛)의 《박테리아의 체표(體表) 전면에 편모가 있는》
pe·rit·ri·chous [pərítrikəs] *a.* 〖생물〗 주모성(周毛性)의 《파상풍균 등 표면에 편모가 있는》
pe·ri·tus [perí:təs] *n.* (*pl.* **-ti** [-ti:]) 전문가, (특히 로마 가톨릭교회의) 상담역 신학자
per·i·wig [périwìg] *n.* (법률가 등이 쓰는) 가발(假髮) **pér·i·wìgged** [-d] *a.* 가발을 쓴
per·i·win·kle[1] [périwìŋkl] *n.* **1** 〖식물〗 빙카 《유럽 원산의 협죽도과(科) 식물》 **2** U 붉은색을 띤 청색(= ~ **blúe**)
periwinkle[2] *n.* 〖패류〗 수주고둥의 일종
per·jure [pə́:rdʒər] *vt.* [~ one*self* 로] 위증(僞證)하다 **pér·jur·er** *n.* 위증자
pér·jured [pə́:rdʒərd] *a.* 위증한, 위증죄를 범한: ~ testimony 허위 증언 **~·ly** *ad.* **~·ness** *n.*
per·ju·ri·ous [pərdʒúəriəs] *a.* 위증의 **~·ly** *ad.*
per·ju·ry [pə́:rdʒəri] *n.* UC **1** 〖법〗 위증(죄) **2** 서약을 깨뜨림 **3** 새빨간 거짓말
perk[1] [pə́:rk] *vi.* **1** 〈귀·꼬리 등이〉 쫑긋 서다 《*up*》; 목에 힘을 주다; 젠체하다, 뽐내다, 으스대다; 목에 힘을 주다: (~+전+명) He ~*s over* his neighbors. 그는 이웃 사람들에게 으스댄다. **2** (앓고 난 후에) 기운을 회복하다, 생기가 나다, 활발해지다: (~+부) You'll soon ~ *up*. 곧 기운을 되찾을 거야.
— *vt.* **1** 멋부려 차려입다 《*out, up*》 **2** 기운 차리게 하다, 원기를 회복시키다 《*up*》; 활기 있게[건방지게] 〈머리·코·꼬리를〉 추켜올리다, 쫑긋 세우다 《*up, out*》: (~+목+부) The bird ~*s* its tail *up*. 그 새는 꼬리를 한껏 치켜든다. **~ it** 뽐내다, 주제넘게 나서다
perk[2] *n.* **1** [보통 *pl.*] (구어) = PERQUISITE **2** (미) 임직원의 특전[혜택]
perk[3] *vi., vt.* **1** 〈커피가[를]〉 percolator에서 끓다[끓이다] **2** 순조롭게 움직이다; 진보하다 《*along*》
perk·y [pə́:rki] *a.* (**perk·i·er**; **-i·est**) **1** 기운 좋은, 원기 왕성한, 의기양양한, 활발한 **2** 〈사람이〉 자신에 찬; 으스대는, 건방진, 주제넘은, 버릇없는
pérk·i·ly *ad.* **pérk·i·ness** *n.*
per·lite [pə́:rlait] *n.* U **1** 〖암석〗 진주암(眞珠岩) **2** 펄라이트 《토양(土壤) 개량제》 **per·lit·ic** [pə:rlítik] *a.*
per·lo·cu·tion [pə̀:rləkjú:ʃən] *n.* 〖언어〗 = PERLOCUTIONARY act
per·lo·cu·tion·ar·y [pə̀:rləkjú:ʃənèri | -ʃənəri] *a.* 〖언어〗 발화(發話) 매개적인, 발화가 가져오는 《말한 내용이 듣는 이에게 영향을 주는 상태》: ~ act 발화 매개적 행위 《예를 들면, 무언가 무서운 말을 해서 얻어지는 효과 등》
perm[1] [pə́:rm] *n.* (구어) 파마(permanent wave)
— *vi., vt.* 〈머리를〉 파마하다
perm[2] (영·구어) *vt.* (축구 도박에서) 〈팀의〉 조(組)를 짜다 — *n.* = PERMUTATION 3
perm[3] [pə́:rm] *n.* 상근자(常勤者)(cf. TEMP)
perm. permanent
per·ma·frost [pə́:rməfrɔ̀:st, -fràst | -frɔ̀st] *n.* U (북극 지방의) 영구 동토층(凍土層)
Per·mal·loy [pə̀:rmǽlɔi, pə́:rmələ̀i] [*perme*able+*alloy*] *n.* 퍼멀로이 《니켈과 철의 합금; 전선의 심으로 씀; 상표명》
per·ma·nence [pə́:rmənəns] *n.* U 영구, 항구 불변, 내구성, 영속성
per·ma·nen·cy [pə́:rmənənsi] *n.* (*pl.* **-cies**) **1** = PERMANENCE **2** 변하지 않는 사람, 영속적인 지위[것, 사람] 《종신관(終身官) 등》
‡**per·ma·nent** [pə́:rmənənt] [L 「계속하다」의 뜻에서] *a.* **1** 영속하는, (반)영구적인, 불변의; 내구(耐久)의: a ~ residence 영주(永住) **2** 상설의, 상치(常置)의, 항구적인; 종신의(opp. *temporary*): a ~ committee 상임 위원회 / ~ employment 종신 고용 **3** 〈물건이〉 오래가는; 변색[퇴색]하지 않는: ~ pleats 오래가는 주름 / ~ ink 바래지 않는 잉크
— *n.* **1** (구어) 파마(perm) **2** 영구불변의 것
~·ness *n.* ▷ pérmanence, pérmanency *n.*
Pérmanent Cóurt of Árbitrátion [the ~] 상설 중재 재판소 《Hague Tribunal의 공식 명칭》
pérmanent dúrable pàper = ACID-FREE PAPER
***per·ma·nent·ly** [pə́:rmənəntli] *ad.* 영구히, (영구) 불변으로
pérmanent mágnet 〖물리〗 영구 자석
pérmanent préss (바지 주름의) 영구 가공, 퍼머넌트 프레스 가공
Pérmanent Résident Càrd (캐나다의) 영주권 카드
pérmanent sécretary (영) 사무 차관
pérmanent sét 〖물리〗 영구 변형
pérmanent tíssue 〖식물〗 영구 조직 《세포 분열이 끝난 조직; cf. MERISTEM》
pérmanent tóoth 영구치(cf. MILK TOOTH)
pérmanent undersécretary (영) = PERMANENT SECRETARY
pérmanent wáve (머리의) 파마(perm[1])
pérmanent wáy [the ~] (영) (철도의) 궤도
per·man·ga·nate [pərmǽŋgənèit] *n.* 〖화학〗 과(過)망간산염: potassium ~ 과망간산칼륨
per·man·gán·ic ácid [pə̀:rmæŋgǽnik-] 〖화학〗 과망간산
per·ma·temp [pə́:rmətèmp] [*perma*nent+*temp*] *n.* (미·구어) 영구적 임시직(원)
per·me·a·bil·i·ty [pə̀:rmiəbíləti] *n.* U **1** 삼투성, 투과성, 투수성(透水性) **2** 〖물리〗 투자율(透磁率), 도자성, 도자율(導磁率)(= magnetic ~) **3** 〖항공〗 (기구(氣球) 가스의) 삼출량(滲出量)
per·me·a·ble [pə́:rmiəbl] *a.* 삼투(滲透)[침투, 투과]할 수 있는, 투과성[삼투성]의 《*to*》 **-bly** *ad.*
per·me·ance [pə́:rmiəns] *n.* U **1** 삼투, 투입 **2** 〖물리〗 투자도(透磁度)
per·me·ant [pə́:rmiənt] *a.* 삼투하는, 배어드는, 스며드는
per·me·ase [pə́:rmièis, -èiz] *n.* 〖생화학〗 투과 효소 《생체막의 선택이 투과에 관계하는 단백질》
***per·me·ate** [pə́:rmièit] *vt.* **1** 〈액체 등이〉 배어들다, 스며들다, 번지다, 삼투하다, 투과하다: sunshine *permeating* the room 방에 들어온 햇빛 **2 a** 〈냄새·연기 등이〉 꽉 들어차다, 충만하다, 속속들이 배다

thesaurus **permanent** *a.* everlasting, perpetual, eternal, enduring, perennial, lasting, abiding, constant, persistent, unending, endless

b 〈사상 등이 …에〉 퍼지다, 보급하다 《*through*》
— *vi.* 1 (…에) 배어[스며]들다: (~+전+명) Water ~*d through*[*into*] the sand. 물이 모래에 스며들었다. 2 (…에) 퍼지다, 보급되다 《*in, into, among, through*》

per·me·a·tion [pə̀:rmiéiʃən] *n.* Ⓤ 1 침투, 삼투; 충만 2 보급

per men·sem [pər-ménsəm] [L =by the month] *ad.* 한 달에, 월…, 달마다, 매월

Per·mi·an [pə́:rmiən] 〚지질〛 *a.* 이첩기(二疊紀)[계]의, 페름기(紀)[계]의: the ~ period[system] 이첩기[계] — *n.* [the ~] 이첩기[층]

per mill [pə̀:r-míl, pər-] 천분의, 천에 대하여 ★ per mille, per mil로 쓰기도 함.

per·mil·lage [pərmílidʒ] *n.* ⓊⒸ 천분율(cf. PERCENTAGE 1)

per·mis·si·ble [pərmísəbl] *a.* 허가[허용]할 수 있는, 허용되는, 무방한, 지장 없는(allowable)
per·mìs·si·bíl·i·ty *n.* **-bly** *ad.*

‡**per·mis·sion** [pərmíʃən] *n.* [보통 무관사로] Ⓤ 허가, 허락, 인가; 승인, 동의; Ⓒ [보통 *pl.*] 허가증
ask for [***grant, give***] ***~ to*** do …하는 허가를 청하다[주다] ***without ~*** 허가[허락] 없이, 무단으로 ***with your ~*** 당신의 허락을 얻어 ***You have my ~ to*** do 당신은 …해도 좋다 ▷ permít *v.*; permíssive *a.*

per·mis·sive [pərmísiv] *a.* 1 허용[허가]하는; 묵인하는: a ~ nod 허락을 나타내는 끄덕임 2 (고어) 임의의 3 관대한, 관용적인; 자유(방임)의, 응석을 받아주는 4 〚유전〛 〈세포가〉 복제를 허용하는
~·ly *ad.* **~·ness** *n.*

permíssive átmosphere 〚심리〛 허용적 분위기

permíssive legislátion 〚법〛 소극적 입법 《법적 권한을 부여할 뿐 그 행사는 명하지 않는 제정법》

permíssive socíety 용인(容認) 사회, 관용 사회, (성(性)에 관해) 관대한 사회(tolerant society)

per·mis·siv·ism [pərmísəvìzm] *n.* Ⓤ 관용적인 태도[사고방식], 방임주의 **-ist** *n.*

‡**per·mit**[1] [pərmít] *v.* (**~·ted**; **~·ting**) *vt.* 1 허락하다, 허가하다, 허용하다(⇨ let[1] 유의어): The law does not ~ the sale of this book. 법은 이 책의 판매를 허용치 않는다. // (~+목+***to*** do) (~+***-ing***) *P*~ me *to* go. =*P*~ my go*ing*. 가는 것을 허락해 주십시오. // (~+목+목) (~+목+전+명) *P*~ me a few words. =*P*~ a few words *to* me. 몇 마디 하게 해 주십시오. 2 …하게 내버려 두다, 묵인[방임]하다: (~+***-ing***) (~+목+***to*** do) I can't ~ her smok*ing*[her *to* smoke]. 그녀의 흡연을 묵인할 수 없다. 3 가능케 하다, 용납하다(admit): (~+***-ing***) (~+목+***to*** do) Circumstances did not ~ my attend*ing*[me *to* attend] the party. 사정이 있어 파티에 참석할 수 없었다. 4 …의 기회를 주다, 여지가 있다: vents to ~ the escape of gases 가스를 나가게 하는 구멍
— *vi.* 1 〈사물이〉 허락하다, 인정하다, 용납하다; 기회를 주다: when time ~*s* 시간이 있으면 2 (…의) 여지가 있다 《*of*》: (~+전+명) The situation ~*s of* no delay. 사태는 촌각의 지체도 용납하지 않는다.
P~ me to say … 죄송한 말씀입니다만…, 자 들어보세요 ***weather ~ting*** 날씨가 좋으면
— [pə́:rmit, pərmít | pə́:mit] *n.* 허가(증), 면허(장); 증명서, 감찰: a fishing ~ 낚시 허가
~·ter *n.* ▷ permíssion *n.*; permíssive *a.*

per·mit[2] [pə́:rmit, pərmít | pə́:mit] *n.* 〚어류〛 전갱이의 일종 《서인도 제도산(産)》

per·mit·tiv·i·ty [pə̀:rmitívəti] *n.* Ⓤ 〚전기〛 유전율(誘電率)

per·mut·a·ble [pərmjú:təbl] *a.* 1 변경[교환]할 수 있는, 바꿔 넣을 수 있는 2 〚수학〛 치환할 수 있는

---

permit[1] *v.* allow, let, authorize, enable, empower
perpendicular *a.* upright, standing, vertical, on end (opp. *horizontal, level*)

---

per·mu·tate [pə́:rmjutèit, pərmjú:teit] *vt.* 교환하다; 〈항목을〉 다른 순서로 바꾸다

per·mu·ta·tion [pə̀:rmjutéiʃən] *n.* ⓊⒸ 1 〚수학〛 순열 2 바꾸어 넣음, 교환, 치환(置換)(interchange), 변경 3 (축구 도박에서) 출전 팀의 대전 편성

permutátion gròup 〚수학〛 치환군(置換群)

per·mute [pərmjú:t] *vt.* 1 변경[교환]하다, 바꿔 넣다 2 〚수학〛 순열로 배치하다; 치환하다

per·ni·cious [pərníʃəs] *a.* 1 유해한, 유독한; 파괴적인, 치명적인(fatal): a ~ lie 악의에 찬 거짓말 2 (고어) 간악[악독]한 **~·ly** *ad.* **~·ness** *n.*

perníclous anémia 〚병리〛 악성 빈혈

per·nick·et·y [pərníkəti] *a.* (구어) 1 〈사람·태도·행동이〉 좀스러운, 지나치게 소심한; 성미가 까다로운 2 〈일이〉 다루기 힘든, 세심한 주의를 요하는

per·noc·ta·tion [pə̀:rnɑktéiʃən | -nɔk-] *n.* ⓊⒸ 철야, 밤샘, 경야(經夜)(all-night vigil); 철야 기도

Per·nod [pɛərnóu | ⌐–] *n.* 페르노 《아니스(anise) 향미를 들인 프랑스제 리큐어; 상표명》

Pe·rón [pəróun] *n.* 1 에바 페론 **Eva ~** (1919-52) 《애칭 Evita; 2의 아내》 2 후안 페론 **Juan ~** (1895-1974) 《Argentine의 정치가·대통령》

per·o·ne·al [pèrəní:əl] *a.* 〚해부〛 종아리뼈의, 비골부(腓骨部)에 있는

Per·o·nism [pəróunizəm], **Pe·ro·nis·mo** [pèrəní:zmou] *n.* 페론주의 《Juan Peron의 전체주의적 정치 사상》

Per·o·nist [pəróunist], **Pe·ro·nis·ta** [pèrəní:stə] *n.* 페론주의자 — *a.* 페론주의의

per·o·ral [pərɔ́:rəl] *a.* 〚의학〛 〈약제의 투여 등이〉 경구(經口)의[적인] **~·ly** *ad.*

per·o·rate [pérərèit] *vi.* 1 연설을 끝맺다 2 장황하게 연설하다, 열변을 토하다 **-rà·tor** *n.*

per·o·ra·tion [pèrəréiʃən] *n.* ⓊⒸ 1 (특히 장황한 연설의) 결론(을 맺음) 2 장황한[열변적인] 연설

per·ox·i·dase [pərɑ́ksidèis, -dèiz | -rɔ́k-] *n.* 〚생화학〛 페록시다아제 《과산화수소에 의해 유기물이 산화하는 것을 촉매하는 산화 환원 효소의 총칭》

per·ox·ide [pərɑ́ksaid | -rɔ́k-] *n.* 〚화학〛 1 과산화물(過酸化物) 2 《통속적으로》 과산화수소(=hydrogen ~) 《소독·표백용》 — *vt.* 과산화하다; 〈머리털을〉 과산화수소로 표백하다 **pèr·ox·íd·ic** [-sídik] *a.*

peróxide blònde 과산화수소로 금발로 만든 여자

per·ox·i·some [pərɑ́ksəsòum | -rɔ́k-] *n.* 〚생물〛 페록시솜(microbody) 《과산화수소를 생성·분해하는 효소를 함유한 세포질 내의 작은 알갱이》

per·ox·y·a·cé·tyl nítrate [pərɑ̀ksiəsí:tl- | -rɔ̀k-] 〚화학〛 질산과산화 아세틸 《smog 속의 독성이 강한 요소》

perp [pə́:rp] [*per*petrator] *n.* (미·속어) 범인

perp. perpendicular; perpetual

per·pend[1] [pərpénd] *vt., vi.* (고어) 곰곰 생각하다, 숙고하다

per·pend[2] [pə́:rpənd] *n.* 〚건축〛 관석(貫石), 이음돌 《벽을 뚫고 양쪽으로 내민 돌》

***per·pen·dic·u·lar** [pə̀:rpəndíkjulər] [L 「연직선」의 뜻에서] *a.* 1 수직의, 직립한; Ⓟ (…와) 직각을 이룬 《*to*》: two lines ~ *to* each other 직각으로 교차하는 두 직선 2 [종종 **P~**] 〚건축〛 수직식의: *P*~ style 수직식 3 깎아지른 듯한, 가파른 4 《익살》 선 채로의
— *n.* 1 수(직)선; 수직면 2 Ⓤ 수직, 수직[직립]의 위치[자세]; 수직 측정기 3 [the ~] 〚건축〛 수직식 건축(양식) 4 =PLUMB LINE[RULE] 5 가파른 경사면, 절벽 6 Ⓤ 올바른 행동, 품행 방정 7 (영·속어) 서서 먹기[마시기] ***out of*** (***the***) ***~*** 경사져서, 기울어져
~·ly *ad.* ▷ perpendiculárity *n.*

per·pen·dic·u·lar·i·ty [pə̀:rpəndìkjulǽrəti] *n.* Ⓤ 수직, 직립(直立)

per·pent [pə́:rpənt] *n.* =PERPEND[2]

per·pe·tra·ble [pə́:rpətrəbl] *a.* (나쁜 짓을) 저지를 수 있는, 죄를 범할 수 있는

per·pe·trate [pə́:rpətrèit] *vt.* **1** 〈나쁜 짓·과오 등을〉 범하다, 저지르다: ~ a hoax 심한 장난을 하다 **2** 《익살》 〈농담·우스갯소리 등을〉 서투르게[함부로] 하다: ~ a pun[joke] (장소·때를 가리지 않고) 함부로 농담하다 **pèr·pe·trá·tion** *n.*

per·pe·tra·tor [pə́:rpətrèitər] *n.* 나쁜 짓 하는 사람; 가해자, 범인, 하수인

‡**per·pet·u·al** [pərpétʃuəl] [L 「꾸준히 구하는」의 뜻에서] *a.* **1** 영속하는, 영구의(everlasting): ~ snow 만년설 **2** 끊임없는: ~ noise 끊임없는 소음 **3** 종신(終身)의, 평생 유효한: ~ punishment 종신형(刑) **4 a** 계속해서 반복되는; 그칠 사이 없는, 잦은 〈잔소리·싸움 등〉: a ~ stream of visitors 그칠 사이 없는 내방객들 **b** 〖원예〗 사철 피는, 사계화의
— *n.* 〖원예〗 사철 피는 식물; 다년생 식물
▷ perpétuate *v.*; perpetúity *n.*

perpétual cálendar 만세력(萬歲曆)

perpétual chéck 〖체스〗 영구 장군수

per·pet·u·al·ly [pərpétʃuəli] *ad.* **1** 영구히, 영속적으로 **2** 끊임없이, 그칠 사이 없이, 일년 내내

perpétual mótion (기계의) 영구 운동

***per·pet·u·ate** [pərpétʃuèit] *vt.* **1** 영존[영속]시키다 **2** 〈명성 등을〉 불멸[불후]하게 하다

per·pet·u·a·tion [pərpètʃuéiʃən] *n.* Ⓤ 영구[영속, 불후]화(化); 영구 보존 ~ ***of testimony*** 〖법〗 증거 보전

per·pet·u·a·tor [pərpétʃuèitər] *n.* 영속시키는 사람, 후대까지 전하는 사람

per·pe·tu·i·ty [pə̀:rpətjú:əti | -tjú:-] *n.* (*pl.* **-ties**) **1 a** Ⓤ 영속, 영존, 불멸 **b** 영속물, 영원한 것 **2** 영속하는 상태, 영속성, 영원성 **3** 종신 위계(終身位階); 영구[종신] 연금 **4** Ⓤ 〖법〗 (재산) 영구 구속(拘束), 영대(永代) 소유권 **5** 단리(單利)가 원금과 같아지는 시기 ***in* [*to, for*] ~** 영구히, 불멸[불후]하게 ***lease in* ~** 영대 차지권(永代借地權)

per·phe·na·zine [pərfénəzì:n, -fí:n-] *n.* 〖약학〗 페르페나진 《정신 안정제, 제토제(制吐劑)로 이용》

‡**per·plex** [pərpléks] [L 「서로 얽히게 하다」의 뜻에서] *vt.* **1** 난처하게 하다, 당황케 하다(bewilder); 정신을 못 차리게 하다, 어쩔 줄 모르게 하다, 골치 아프게 하다(⇨ perplexed 1): His strange silence *~es* me. 그의 이상한 침묵이 나를 당황하게 한다. // (~+목+전+명) I am *~ed with* these questions. 이들 문제로 골치가 아프다. **2** 혼란케 하다, 복잡하게 하다, 걷잡을 수 없게 하다 ▷ perpléxity *n.*

per·plexed [pərplékst] *a.* **1** 난처한, 어찌할 바를 모르는, 당황한 《*at, by, with*》: with a ~ expression 난처한 표정으로 / I am ~ *at* the result. 그 결과에 어찌할 바를 모르겠다. **2** 〈문제 등이〉 복잡한, 골치 아픈, 혼란한 **per·plex·ed·ly** [-pléksidli] *ad.*

per·plex·ing [pərpléksiŋ] *a.* 난처[당황]하게 하는; 착잡한, 복잡한: a *~ing* problem 복잡한 문제

***per·plex·i·ty** [pərpléksəti] *n.* (*pl.* **-ties**) **1** Ⓤ 당황, 곤혹; 분규, 혼란, 불안 **2** 난처한 일, 난국; 어려운 문제 ***in* ~** 당황하여: She stood there *in* ~. 그녀는 당황해서 거기에 서 있었다. ***to* one*'s* ~** 난처하게도, 딱하게도 ▷ perpléx *v.*

per procu·ra·ti·o·nem [pə:r-pràkjurèiʃióu-nem, pɛər-pràkərɑ̀:ti- | -prɔ̀k-] [L] *ad.* 〖법〗 대리로서 《略 per proc., per pro., p.p.》

per·qui·site [pə́:rkwəzit] *n.* **1** (직무에서 생기는) 임시 수입, (합법적인) 부수입 **2** (종업원 등이 받는 습관적인) 팁, 행하(行下); 특권(으로 요구되는 것)

per·qui·si·tion [pə̀:rkwizíʃən] *n.* 철저한 조사

Per·ri·er [périər | périèi] *n.* 페리에 《발포성 광천수; 상표명》

per·ron [pérən] *n.* 〖건축〗 (현관으로 이르는) 바깥 층계[층층대]; 층계 위의 참

per·ry [péri] *n.* Ⓤ 《영》 페리주 《배(pear)를 발효시킨 술》

Per·ry [péri] *n.* 남자 이름

pers. person(al); personally **Pers.** Persia(n); Perseus

per se [pə:r-séi, -sí:, pər-] [L = in itself] *ad.* 그 자체로, 원래, 본질적으로

perse [pə́:rs] *n., a.* 짙은 회청색(의)

***per·se·cute** [pə́:rsikjù:t] [L 「뒤쫓다」의 뜻에서] *vt.* **1** [보통 수동형으로] (특히 종교·인종·신앙의 이유로) 박해하다, 학대하다

> 유의어 **persecute** 주의·신앙 등의 이유로 박해하다: They were *persecuted* for their religion. 그들은 종교로 인하여 박해받았다. **oppress** 권력으로 가혹하게 지배하다: a people *oppressed* by a tyrant 폭군에 의해 탄압받은 인민

2 (짓궂게) 괴롭히다, 추근추근 졸라대다; 〈동물을〉 혹사하다 《*with, by*》: (~+목+전+명) The boy *~d* me *with* questions. 그 소년은 나에게 귀찮게 질문을 해댔다. ▷ persecútion *n.*; pérsecutive *a.*

***per·se·cu·tion** [pə̀:rsikjú:ʃən] *n.* Ⓤ (종교적) 박해, 학대; 졸라댐, 치근댐, 괴롭힘: suffer ~ 박해를 받다 ▷ pérsecute *v.*; pérsecutive *a.*

persecútion còmplex[mània] 〖정신의학〗 피해[박해] 망상

per·se·cu·tive [pə́:rsikjù:tiv], **-cu·to·ry** [-kjù:təri, -kju:tɔ̀:ri] *a.* 괴롭히는, 박해하는

per·se·cu·tor [pə́:rsikjù:tər] *n.* 박해[학대]자

Per·se·id [pə́:rsiid] *n.* [the ~] 〖천문〗 페르세우스자리 유성군

Per·seph·o·ne [pərséfəni] *n.* 〖그리스신화〗 페르세포네 《지옥의 여왕》(cf. PROSERPINA)

Per·sep·o·lis [pərsépəlis] *n.* 페르세폴리스 《이란 남서부에 있는 아케메네스 왕조의 페르시아 수도의 유적》

Per·se·us [pə́:rsiəs, -sju:s] *n.* **1** 〖그리스신화〗 페르세우스 《Zeus 신의 아들로 Medusa를 퇴치한 영웅》 **2** 〖천문〗 페르세우스자리

‡**per·se·ver·ance** [pə̀:rsəvíərəns] *n.* Ⓤ **1** 인내, 인내력, 참을성, 끈기, 불굴(의 노력), 악착스러움, 견인불발(⇨ patience 유의어) **2** 〖그리스도교〗 (신의) 은총, 궁극적 구원 ▷ persevére *v.*

per·se·ver·ant [pə̀:rsəvíərənt] *a.* 불요불굴의, 인내심 강한

per·sev·er·ate [pərsévərèit] *vi.* 집요하게 계속[반복]하다 **per·sév·er·à·tive** [-tiv] *a.*

***per·se·vere** [pə̀:rsəvíər] [L 「몹시 엄한(severe)」의 뜻에서] *vi.* 인내하다, 견디어내다(endure); (끝까지) 해내다, 끈기 있게 노력하다, 목적을 관철하다 《*at, in, with; in* doing》; 강하게 주장하다: (~+전+명) ~ *with* one's studies 끈기 있게 연구하다
▷ persevérance *n.*; persevérant *a.*

per·se·ver·ing [pə̀:rsəvíəriŋ] *a.* 참을성 있는, 굴하지 않는, 끈기 있는 **~·ly** *ad.*

Per·shing [pə́:rʃiŋ] *n.* 〖군사〗 퍼싱 《2단계 지대지(地對地) 탄도탄》

Pérshing II 〖군사〗 퍼싱 Ⅱ (형 미사일) 《미육군의 지대지(地對地) 탄도탄》

***Per·sia** [pə́:rʒə, -ʃə | -ʃə] *n.* 페르시아 《1935년 이란(Iran)으로 개칭》 ▷ Pérsian *a., n.*

‡**Per·sian** [pə́:rʒən, -ʃən | -ʃən] *a.* **1** 페르시아의 **2** 페르시아 사람[말]의
— *n.* **1** 페르시아 사람 **2** Ⓤ 페르시아 말 **3** [*pl.*] = PERSIAN BLINDS **4** = PERSIAN CAT

Pérsian blínds 페르시안 블라인드 《베니션 블라인드 비슷한 덧문[셔터]》

thesaurus **perplex** *v.* puzzle, baffle, mystify, bewilder, confound, confuse, disconcert, dismay
persistent *a.* **1** 완고한 persevering, determined, resolute, obstinate, stubborn, insistent, patient **2** 끊임없는 constant, continuous, incessant, unceasing, endless, chronic, repetitive

Pérsian cárpet[**rúg**] 페르시아산 수직(手織) 융단
Pérsian cát 〘동물〙 페르시아 고양이 《긴 털이 복슬복슬함》
Pérsian Gúlf [the ~] 페르시아 만 《아라비아 반도와 이란 사이의 만》
Pérsian lámb 〘동물〙 페르시아 새끼양 《카라쿨양(karakul)의 새끼》; 그 모피
Pérsian lílac 〘식물〙 멀구슬나무
Pérsian wálnut 〘식물〙 서양호두(English walnut)
per·si·ennes [pə̀ːrziénz, -si-|-si-] *n. pl.* = PERSIAN BLINDS
per·si·flage [pə́ːrsəflɑ̀ːʒ, pέər-] *n.* Ⓤ 《문어》 놀려댐; 조롱, 야유, 농담
***per·sim·mon** [pərsímən] *n.* 〘식물〙 **감나무**(= ~ **trèe**); **감** 《열매》
‡**per·sist** [pərsíst, -zíst|-síst] [L 「계속하여 확고히 서다」의 뜻에서] *vi.* **1 고집하다,** 우기다, (계속) **주장하다** 《*in*》, 끝까지 하다: 《~+전+명》 ~ *in* one's opinion 자기 의견을 고집하다 **2 지속하다**(last) 《*in*》; 존속[잔존]하다, 살아남다: 《~+전+명》 The rain *~ed throughout* the night. 비는 밤새도록 계속 내렸다. / The legend of King Arthur has *~ed for* nearly fifteen centuries. 아서 왕의 전설은 거의 15세기 동안이나 지속되어 왔다.
per·sist·ence, -en·cy** [pərsístəns(i), -zís-|-sís-] *n.* Ⓤ **1 끈기, 끈덕짐,** 고집, 버팀: with ~ 끈덕지게 **2 영속,** 존속(함), 지속성, 끊임없음 **~ *of vision 잔상(殘像) ▷ persíst *v.*; persístent *a.*
‡**per·sist·ent** [pərsístənt, -zís-|-sís-] *a.* **1 고집 센, 완고한,** 버티는; 끈덕진, 악착같은, 불굴의: a ~ salesman 끈덕진 외판원 / ~ rumors 끊이지 않는 소문 **2 영속하는,** 지속성의, 끊임없는, 계속적인; 불변의 **3** 〘생물〙 〈잎이〉 지지 않는(opp. *deciduous*) **4** 〘화학〙 〈화학 약품, 특히 살충제가〉 분해하기 어려운; 〘세균〙 〈바이러스 등이〉 잠복기가 긴 **~·ly** *ad.* 끈덕지게, 고집스레 ▷ persíst *v.*
persístent végetative státe 〘의학〙 식물인간 상태
per·snick·et·y [pərsníkəti] *a.* 《미·구어》 **1** 속물적인 **2** 소심한, 안절부절못하는; 까다로운, 세심한 주의가 필요한
‡**per·son** [pə́ːrsn] [L 「배우의 가면」에서 「배우」 → 「인간」의 뜻에서] *n.* **1 a 사람,** 개인, 인간: The table seats four *~s.* 그 테이블은 네 사람이 앉을 수 있다. **b 신체,** 몸 **c** 풍채; 인격, 개성: He asserted the dignity of his own ~. 그는 자기 인격의 존엄성을 주장했다. **2** 〘법〙 인(人): the artificial[juristic] ~ 법인 / the natural ~ 자연인 **3** 〘문법〙 인칭: the first [second, third] ~ 1[2, 3]인칭 **4** [때로 **P~**] 〘신학〙 위(位), 위격(位格) 《삼위일체의 하나》: the three *~s* of the Godhead 하느님의 3위 《성부·성자·성령》 **5** (연극·소설의) 등장인물, 역할; 중요 인물, 명사 **6** 〘동물〙 개체 **7** 《경멸》 녀석, 놈 **8** 《완곡》 성기(性器)
in ~ 자기 스스로, 본인이 직접, 몸소, 친히; (사진이 아닌) 실물로: Applicants are requested to apply *in* ~. 응모자는 본인이 직접 신청해 주시기 바랍니다. ***in* one's (*own*) ~** = 《고어》 ***in* (one's) *proper ~*** (대표가 아니고) 개인 자격으로 ***in the ~ of*** …이라는 사람[인물]으로; …의 자격으로, …을 대표[대신]하여 ***on*[*about*] one's ~** 몸에 지녀, 휴대하여: He had no money *on his* ~. 그는 전혀 돈을 가지고 있지 않았다. ▷ pérsonal *a.*; persónify, pérsonate *v.*
-person [pə̀ːrsn] 《연결형》 「사람」의 뜻 《-man, -woman, -lady의 대용으로 성차별을 피하기 위해 쓰임》: chair*person*, sales*person*
per·so·na [pərsóunə] [L = person] *n.* (*pl.* **-nae** [-niː], **~s**) **1** 사람(person) **2** [**personae**] (연극 등의) 등장인물 **3** (*pl.* **~s**) 〘심리〙 페르소나, 외적 인격 《가면을 쓴 인격》
per·son·a·ble [pə́ːrsənəbl] *a.* 풍채[용모]가 단정한, 품위 있는, 의젓한; 매력적인
***per·son·age** [pə́ːrsənidʒ] *n.* **1** 《문어》 **명사,** 요인, 저명인, 유력자 **2** 사람(person); 개인 **3** (연극·소설의) (등장) 인물, 역, 배역 **4** Ⓤ 《고어·익살》 자태, 풍채
per·so·na gra·ta [pərsóunə-grɑ́ːtə, -gréitə, -grǽtə] [L = acceptable person] (*pl.* **~, per·so·nae gra·tae** [-niː-grɑ́ːtiː]) **1** 마음에 드는 사람, 선호 인물 **2** 〘외교〙 주재국 정부의 평판이 좋은 외교관
‡**per·son·al** [pə́ːrsənl] *a.* **1 a 개인의,** 자신의, 일신상의, 사적인; 개인용의, (특정) 개인을 위한: a ~ opinion 사적인 의견 / a ~ favor 개인적인 호의 **b** 〈편지 등이〉 **개인 앞으로의,** 친전(親展)의: a ~ letter 친전 편지 **2 개인에 대한,** 개인사(事)에 관한; 인신공격의: become ~ 《구어》 〈사람·이야기 등이〉 개인적인 일에 미치다, 인신공격적이 되다 / ~ remarks 인신공격 **3 본인이 직접 하는,** 본인의: a ~ interview 직접 면접 **4** (물건과 구별하여) **인격적인,** 사람의: ~ factor(s) 인간적 요소, 인정 **5 신체의,** 풍채의, 자태의, 용모의: ~ cleanliness 차림이 단정함 **6** 〘법〙 〈재산 등이〉 사람에 속하는, 대인의, 인적(人的)인, 가동(可動)의, 동산의: ~ injury 인적 침해 **7** 〘문법〙 인칭의
— *n.* **1** [*pl.*] 〘법〙 동산(動産)(= ~ property) **2** 《미》 (신문의) 인사[개인 소식]란(= ~ column) **3** 《구어》 (연락용) 개인 광고 **4** 《구어》 인물 비평 **5** 《구어》 = PERSONAL FOUL
▷ pérson, personálity *n.*; pérsonally *ad.*
pérsonal áction 〘법〙 대인(對人)[인적] 소송 《동산 약탈·불법 행위 등에 대한》(cf. REAL ACTION)
pérsonal ád 《미·구어》 (신문의) 개인 광고란
pérsonal allówance 《영》 개인 소득세 공제
pérsonal assístant 《영》 개인 비서 《略 PA》
pérsonal cáll 《영》 지명 통화(person-to-person call)
pérsonal cólumn (신문의) 개인 소식란, 인사란
pérsonal commúnicator 개인 휴대 통신기
pérsonal compúter 〘컴퓨터〙 퍼스널 컴퓨터 《개인이 전용하는 소형 컴퓨터; 略 PC》
pérsonal dày 《미》 (개인 사유의) 휴가(cf. DUVET DAY)
pérsonal dígital assístant 〘컴퓨터〙 개인 휴대 정보 단말기 《전자 시스템 수첩·퍼스널 통신기 등; 略 PDA》
pérsonal dístance = PERSONAL SPACE
pérsonal effécts 소지품, 일상 용품, 사물(私物)
pérsonal electrónic devìce 개인용 전자 기구 《휴대용 컴퓨터·핸드폰·MP3 플레이어 등》
pérsonal equátion **1** 〘천문〙 (관측상의) 개인 오차 **2** 《일반적으로》 개인차
pérsonal estáte = PERSONAL PROPERTY
pèrsonal exémption 《미·구어》 개인 소득세 공제(personal allowance)
pérsonal flotátion devìce 《미》 1인용 부표(浮漂) 용구, 구명동의(救命胴衣) 《life jacket, life vest 등; 略 PFD》
pérsonal fóul (농구 등 단체 경기에서) 신체 접촉 반칙, 거친 동작의 반칙
pérsonal identificátion nùmber 〘컴퓨터〙 개인 식별 번호, 비밀 번호 《略 PIN》
pérsonal informátion mànager (컴퓨터의) 개인 정보 관리 《略 PIM》
pérsonal ínjury 〘법〙 신체적 상해
per·son·al·ism [pə́ːrsənəlìzm] *n.* Ⓤ 〘철학〙 인격[개성]주의; 개인 특유의 언동
-ist *n.*, *a.* **pèr·son·al·ís·tic** *a.*
‡**per·son·al·i·ty** [pə̀ːrsənǽləti] *n.* (*pl.* **-ties**) **1 a** ⓊⒸ 개성, 성격, 성질(⇨ character 유의어); 인

---

person *n.* individual, human being, human, creature, living soul, mortal
personal *a.* individual, private, confidential
personality *n.* **1** 성격 nature, disposition, character, temperament, temper, traits **2** 명사 celebrity, dignitary, personage, famous name

격, 사람됨; 인간적 매력: a man with a strong ~ 개성이 강한 사람 **b** Ⓤ 비상한[강렬한, 매력적인] 개성, 매력 **2** Ⓤ 사람으로서의 존재, 실재성(實在性); 자기, 자아; 개인, 인간 **3 명사**(名士), 저명 인사 **4** [보통 *pl.*] 인신 공격, 인물 비평 **5** Ⓤ 《드물게》 동산(動産)(personalty) **6** (장소·상황의) 독특한 분위기; (사물의) 품격 ▷ pérsonal *a.*

personálity cùlt 개인 숭배

personálity disòrder 〖정신의학〗 인격 이상[장애]

personálity ìnventory 〖심리〗 인격 목록표, 성격 특성 항목표 《행동·태도에 관한 많은 질문에서 성격을 파악하려는 인격 검사 방법》

personálity stòry 인물 평론

personálity tèst 〖심리〗 성격[인격] 검사

per·son·al·ize [pə́:rsənəlàiz] *vt.* **1** 개인화하다; 인격화[인간화]하다 **2** …에 자기의 이름[머리글자 《등》]을 붙이다[넣다]: ~ stationery 편지지에 이름[주소 등]을 넣다 **3** 개인의 전유물[문제]로 하다 **4** 〖수사학〗 의인화하다(personify)

pèr·son·al·i·zá·tion *n.*

‡per·son·al·ly [pə́:rsənəli] *ad.* **1 몸소,** 스스로, 친히, 직접(in person): I thanked them ~. 직접 그들에게 감사했다. **2** [문중·문미에서] **개인적으로;** 하나의 인간으로서, 인품으로서: I like him ~, but not as a boss. 그는 개인적으로는 좋아하지만, 상사로서는 마음에 들지 않는다. **3** [보통 문두에 써서] **자기로서(는)**(for one's own part): *P*~, I don't care to go. 나로서는 가고 싶지 않다. **4** (개인에게) 빗대어: Don't take his comments ~. 그의 말을 빗댄 것으로 받아들이지 마시오. ***take* … ~** …을 감정적으로 받아들이다; …때문에 기분이 상하다

pérsonal náme (성에 대한) 이름

pérsonal órganizer 개인용 정리 수첩 《탈부착식 수첩·전자 수첩 등》

pérsonal prónoun 〖문법〗 인칭 대명사

pérsonal próperty 〖법〗 동산(動産), 인적(人的) 재산(opp. *real property*)

pérsonal represéntative 〖법〗 인격 대리인 《유언 집행인 또는 유산 관리인》

pérsonal ríghts 인적[개인적] 권리

pérsonal secúrity 1 생명·신체의 안전 **2** 보증인, 인적 담보

pérsonal sélling 〖마케팅〗 대인(對人) 직접 판매, 개별 판매

pérsonal sérvice 〖법〗 (소환장 등의) 교부 송달; (가수·배우 등의) 개인적 노무 제공

pérsonal shópper (백화점 등의) 물품 구매[쇼핑] 상담원; (우편 주문이 아닌) 개인 고객

pérsonal spáce 개인 공간 《남과의 사이에서 불쾌감을 느끼지 않을 만큼의 공간》(personal distance)

pérsonal stáff 〖군사〗 (지휘관의) 전속 부관

pérsonal stéreo 퍼스널 스테레오 《휴대용 초소형 카세트 플레이어》

pérsonal táx 대인세(對人稅)(direct tax) 《물세(物稅)에 대한 인세(人稅)》

pérsonal tráiner 개인 스포츠[건강 체조] 트레이너

per·son·al·ty [pə́:rsənəlti] *n.* (*pl.* **-ties**) ⓊⒸ 〖법〗 동산(動産), 인적 재산(personal property)(opp. *realty*)

per·so·na non gra·ta [pərsóunə-nɑn-grɑ́:tə, -gréitə, -grǽtə | -nɔn-] [L = unacceptable person] (*pl.* **per·so·nae non gra·tae** [pərsóuni:-nɑn-grɑ́:ti: | -nɔn-] **1** 마음에 안 드는 사람, 기피 인물 **2** 〖외교〗 주재국 정부가 기피하는 외교관[인물]

per·son·ate [pə́:rsənèit] *vt.* **1** …의 역을 맡다, 연기하다, …으로 분장하다 **2** 〈…한 사람으로〉 가장하다, …인 체하다, 사칭하다 **3** (시 등에서) 의인화하다

— *vi.* (연극에서) 역을 맡아 하다, 연기하다

— [-nət, -nèit] *a.* **1** 가장[변장]의 **2** 〖식물〗 가면(假面) 모양의 〈꽃부리〉 **3** 〖곤충〗 〈유충이〉 위장[변장]한

per·son·a·tion [pə̀:rsənéiʃən] *n.* Ⓤ 역을 맡아 함; 인명[신분] 사칭

per·son·a·tive [pə́:rsənèitiv] *a.* 역할을 맡아 하는 [연기하는]

per·son·a·tor [pə́:rsənèitər] *n.* **1** 연기자, 배우 **2** 신분 사칭자

per·son-day [pə́:rsndèi] *n.* 〖경영〗 인일(人日) 《한 사람이 하루에 처리하는 작업량의 단위》

per·son·hood [pə́:rsnhùd] *n.* Ⓤ 개인적 특질, 개성, 인간성

per·son-hour [pə́:rsnàuər] *n.* 〖경영〗 인시(人時) 《한 사람이 한 시간에 처리하는 작업량의 단위》

***per·son·i·fi·ca·tion** [pərsɑ̀nəfikéiʃən | -sɔ̀n-] *n.* **1** Ⓤ **인격화, 의인화**(擬人化); 체현(體現), 구현 **2** [the ~] 전형, 권화(權化), 화신, 상징 《*of*》: He is *the* ~ *of* tact. 그는 재치 덩어리다. **3** ⓊⒸ 〖수사학〗 의인법

per·son·i·fi·er [pərsɑ́nəfàiər | -sɔ́n-] *n.* 의인화[체현]하는 사람[것], 화신

per·son·i·fy [pərsɑ́nəfài | -sɔ́n-] *vt.* (**-fied**) **1** 의인(擬人)화하다, 인격화하다, 인격[인성(人性)]을 부여하다; (미술 등에서) 인간으로 표현하다, 인간화하다 **2** 구체화하다(embody), 구현[체현]하다; 상징하다(typify); …의 화신[전형]이 되다: He *personifies* the ruthless ambitions of some executives. 그는 냉정하고 야심적인 경영자의 전형이다.

per·son·kind [pə̀:rsnkáind] *n.* [집합적] 인류; 인간 《성차별을 피하기 위해 mankind 대신에 씀》

***per·son·nel** [pə̀:rsənél] *n.* Ⓤ **1** [집합적] **a** (관청·회사 등의) (총)**인원,** (전)직원, (전)사원, (전)대원(cf. MATÉRIEL): the ~ of the new cabinet 신내각의 구성원들 **b** 《미》 사람들: five ~ 다섯 사람(five people) **2** 인사과, 인사부

— *a.* Ⓐ 직원의, 인사의: a ~ division[department] 인사부[과] / a ~ manager 인사 담당 이사; 《미》 (대학의) 취직 지도 주임

personnél càrrier (장갑(裝甲)한) 병사 수송차

personnél scìentist 인사[노무] 전문가

per·son·ol·o·gy [pə̀:rsənɑ́lədʒi | -ɔ́l-] *n.* Ⓤ 관상학(觀相學)

per·son-to-per·son [pə́:rsntəpə́:rsn] *a., ad.* **1** 〈장거리 전화가〉 지명 통화의[로](cf. STATION-TO-STATION): a ~ call 지명 통화 **2** 개인 대 개인의[으로]; 직접 대면하는, 무릎을 맞대고 하는

per·son-year [-jìər | -jə̀:] *n.* **1** 〖경영〗 인년(人年) (cf. PERSON-DAY) **2** (인구·의료 통계에서) 1인당 수명을 계산하는 단위년

***per·spec·tive** [pərspéktiv] [L = look through] *n.* **1** Ⓤ **원근법, 투시 화법;** Ⓒ 원근[투시]도: linear [angular] ~ 직선[사선] 투시도법 **2** ⓊⒸ 원근감, 균형; (사물을) 내다보는 힘, 균형 있게 보기; 시각, 견지: see things in the right ~ 사물을 바르게 보다 **3 원경**(遠景), 원근, 조망, 경치, 시야 **4 전망,** 전도, 가능성, 예상 **5 견해, 관점,** 사고방식: from a historical ~ 역사적인 관점에서

***in* ~** (1) 원근법에 의하여 (2) 전체적 시야로, 긴 안목에서; 진상을 바르게 ***out of* ~** 원근법에서 벗어나, 원근법에 의하지 않고

— *a.* Ⓐ 원근[투시] 화법의; 원근법에 의한: ~ representation 원근[투시] 화법 **~·ly** *ad.*

per·spec·tiv·ism [pərspéktivìzm] *n.* Ⓤ 〖철학〗 원근법주의; (문학·예술에서) 원근법의 사용 **-ist** *n.*

Per·spex [pə́:rspeks] *n.* (비행기의) 방풍 유리 《투명 아크릴 유리; 상표명》

per·spi·ca·cious [pə̀:rspəkéiʃəs] *a.* 《문어》 선견지명이 있는, 통찰력이 있는, 총명한; 투철한 **~·ly** *ad.* **~·ness** *n.*

thesaurus **perspective** *n.* **1** 조망 view, scene, outlook, panorama, aspect **2** 관점 viewpoint, point of view, standpoint, angle, attitude
persuade *v.* convince, influence, sway, prompt
persuasive *a.* effective, convincing, plausible,

per·spi·cac·i·ty [pə̀ːrspəkǽsəti] *n.* Ⓤ 통찰력(penetration); 총명, 명민

per·spi·cu·i·ty [pə̀ːrspəkjúːəti] *n.* Ⓤ (언어·문장 등의) 명쾌(도)(lucidity), 명확함, 명석함, 명료함

per·spic·u·ous [pərspíkjuəs] *a.* 〈언어·문체 등이〉 명쾌한, 명료한 **~·ly** *ad.* **~·ness** *n.*

***per·spi·ra·tion** [pə̀ːrspəréiʃən] *n.* Ⓤ 발한(發汗)(작용); ⓊⒸ 땀(sweat); (땀 날 정도의) 노력

per·spir·a·to·ry [pərspáiərətɔ̀ːri, pə́ːrspərə- | pəspáiərətəri] *a.* 발한(작용)의, 발한을 촉진하는; 땀의

***per·spire** [pərspáiər] [L 「통하여 호흡하다」의 뜻에서] *vi., vt.* 땀을 흘리다, 발한하다; 발산시키다, 증발하다; 〈식물 등이〉 분비하다; 배어 나오다
▷ perspirátion *n.*; perspíratory *a.*

per·suad·a·ble [pərswéidəbl] *a.* 〈사람 등이〉 설득할 수 있는(convincible)

‡**per·suade** [pərswéid] [L 「완전히 권하다」의 뜻에서] *vt.* **1** 설득하다, 권[설득]하여 …시키다: (~+목+*to* do) He ~*d* me *to* forgive her. 그는 그녀를 용서하도록 나를 설득했다. // (~+목+전+명) I can't ~ him *into* believing me[*out of* those ideas]. 나는 그를 설득하여 나를 믿게[그런 생각들을 버리게] 할 수가 없다. **2** 확인시키다, 납득시키다 (*of*): (~+목+전+명) (~+목+*that* 절) How can you ~ him *of* your innocence[*that* you are innocent]? 자네의 결백을 그에게 어떻게 납득시킬 수 있는가? **3** 〈물건을〉 서서히 넣다 (*into*); 〈회답 등을〉 (…에게서) 겨우 얻어내다 (*out of, from*): (~+목+전+명) ~ a wedge *into* the crack 금간 데 쐐기를 조금씩 박다 / I ~*d* an answer *out of* her. 나는 그녀에게서 겨우 회답을 얻어냈다. ***be ~d of*** [*that* ...] …을 확신하고 있다 ~ one***self*** 확신하다
▷ persuásion *n.*; persuásive *a.*

per·suad·er [pərswéidər] *n.* **1** 설득자 **2** (속어) 강요나 강제하는 것[무기] (권총·채찍 등)

per·sua·si·ble [pərswéisəbl, -zə-] *a.* 설득될 수 있는, 납득시킬 수 있는(persuadable)

***per·sua·sion** [pərswéiʒən] *n.* **1** Ⓤ 설득, 납득; 설득력 **2** Ⓤ 확신, 신념(belief); 의견; 신앙, 신조 **3** 교의(敎義), 교파, 종파(宗派), 파벌: He is of the Roman Catholic ~. 그는 천주교 신자이다. **4** [보통 a ~] (익살) 종류, 계급, 성별, 인종: a man of the Jewish ~ 유대인 / the male ~ 남성
▷ persuáde *v.*; persuásive *a.*

***per·sua·sive** [pərswéisiv, -ziv] *a.* 설득력 있는, 말솜씨가 능란한: a ~ argument 설득력 있는 의론
— *n.* 설득하는[믿게 하는] 것; 동기, 자극, 유인(誘因) **~·ly** *ad.* **~·ness** *n.*

pert [pə́ːrt] *a.* **1** 〈어린이나 젊은 여자 등이〉 버릇없는, 까부는(saucy), 건방진, 주제넘은, 뻔뻔한 **2** 〈옷 등이〉 멋진, 스마트한 **3** (구어) 활발한, 민첩한, 건강한 **~·ly** *ad.* **~·ness** *n.*

PERT [pə́ːrt] [*p*rogram *e*valuation and *r*eview *t*echnique] *n.* 퍼트 (계획·조직의 관리 기법의 한 가지)

pert. pertaining

***per·tain** [pərtéin] *vi.* **1** 속하다, 부속하다, 딸리다 (*to*): (~+전+명) the house and the land ~*ing to* it 가옥과 그것에 딸린 토지 **2** 적합하다, 어울리다 (*to*): (~+전+명) Such conduct does not ~ *to* a young lady. 이런 행동은 젊은 숙녀에게 어울리지 않는다. **3** 관계하다, 관련하다 (*to*): (~+전+명) documents ~*ing to* schools 학교 관계의 서류
▷ pértinency, pértinence *n.*; pértinent *a.*

Per·tex [pə́ːrteks] *n.* Ⓤ (영) 퍼텍스 (등산·캠핑용 의류 소재 이름; 상표명)

---

compelling, forceful, eloquent, influential, telling, weighty (opp. *ineffective, weak*)
perturb *v.* disturb, worry, alarm, trouble, upset, vex, bother, agitate, fluster, ruffle, unsettle
perverse *a.* contrary, wayward, troublesome

per·ti·na·cious [pə̀ːrtənéiʃəs] *a.* (문어) **1** 〈사람·행동·의견 등이〉 굽히지 않는, 고수하는, 악착스러운; 끈기 있는, 완고한: a ~ investigator 끈덕진 연구원 **2** 〈병 등이〉 끈질긴 **~·ly** *ad.* **~·ness** *n.*

per·ti·nac·i·ty [pə̀ːrtənǽsəti] *n.* Ⓤ 불요불굴(不撓不屈); 끈덕짐, 집착력, 완고

per·ti·nen·cy [pə́ːrtənənsi], **-nence** [-nəns] *n.* Ⓤ 적절, 적당

***per·ti·nent** [pə́ːrtənənt] *a.* **1** 적절한, 타당한, 꼭 들어맞는: a ~ remark 적절한 말 **2** 관계 있는, 관련된; (…에) 속하는 (*to*): ~ details 관련 항목
— *n.* [보통 *pl.*] (스코) [법] 부속물[품] **~·ly** *ad.*

***per·turb** [pərtə́ːrb] *vt.* **1** 교란하다, 혼란시키다, 어리둥절하게 하다, 〈마음을〉 동요[불안]하게 하다 **2** [물리·천문] 섭동(攝動)을 일으키다 **~·a·ble** *a.* **~·er** *n.*
▷ perturbátion *n.*; pérturbative *a.*

per·tur·ba·tion [pə̀ːrtərbéiʃən] *n.* **1** Ⓤ 마음의 동요, 당황, 불안, 근심; 혼란 (상태) **2** 불안[근심]의 원인 **3** ⓊⒸ [물리·천문] 섭동(攝動)

per·tur·ba·tive [pə́ːrtərbèitiv, pərtə́ːrbət-] *a.* **1** (고어) 동요시키는 **2** [물리·천문] 섭동의

per·turbed [pərtə́ːrbd] *a.* 혼란된, 동요한, 불안한
-turb·ed·ly [-idli] *ad.*

per·tus·sis [pərtʌ́sis] *n.* Ⓤ [병리] 백일해(whooping cough)

Pe·ru** [pərúː] *n.* 페루 (남미 서해안의 공화국; 수도 Lima) ***from China to ~ 세계의 구석구석까지
▷ Perúvian *a.*

Peru., Peruv. Peruvian

Perú bálsam 페루 발삼 (향료·의약품용)

Perú Cúrrent [the ~] 페루 해류(Peruvian Current), 훔볼트 해류(Humboldt Current)

Pe·ru·gia [pərúːdʒə, -dʒiə] *n.* 페루자 (이탈리아 Umbria주 중부의 도시)

pe·ruke [pərúːk] *n.* (17-19세기에 유행한 남성의) 가발(wig)
pe·rúked [-t] *a.*

peruke

pe·rus·al [pərúːzəl] *n.* 통독, 숙독, 정독; 음미, 정사(精査)

***pe·ruse** [pərúːz] [L 「죄다 써 버리다」의 뜻에서] *vt.* **1 a** (문어) 정독[숙독]하다: ~ a report 보고서를 정독하다 **b** (구어) 읽다 **2** (문어) 잘 살펴보다; (구어·익살) 〈안색 등을〉 읽다
pe·rús·er *n.*

Pe·ru·vi·an [pərúːviən] *a.* 페루 (사람)의 — *n.* 페루 사람

Perúvian bárk 기나피 (키니네 원료)

perv [pə́ːrv] (호주·속어) *n.* **1** 색정적인 시선 **2** 성도착자(pervert) — *vi.* 색정적인 눈으로 보다 (*at, on*)

***per·vade** [pərvéid] [L =spread through] *vt.* **1** 〈사상·활동·영향 등이〉 널리 퍼지다, 고루 미치다, 보급하다 **2** 〈냄새·기분 등이〉 배어[스며]들다, 침투하다, 충만하다, 넘쳐나다: Spring ~*d* the air. 봄 기운이 대기에 충만했다. **3** 〈장소를〉 주름잡다
▷ pervásion *n.*; pervásive *a.*

per·va·sion [pərvéiʒən] *n.* Ⓤ 충만, 보급; 침투

per·va·sive [pərvéisiv] *a.* 퍼지는, 보급하는; 배어드는, 스며드는(permeative) **~·ly** *ad.* **~·ness** *n.*

***per·verse** [pərvə́ːrs] *a.* **1** 괴팍한, 심술궂은, 별난; 외고집인 **2** 앵돌아지는, 성마른; 사악한 **3** 뒤틀어진, 정도를 벗어난, 기대를 거스르는: a ~ verdict 판사의 의견과 반대되는 평결(評決) / a ~ mood 비뚤어진 기분 **4** 마음대로 안 되는 **~·ly** *ad.* **~·ness** *n.*
▷ pervért *v.*; pervérsity, pervérsion *n.*

per·ver·sion [pərvə́ːrʒən, -ʃən | -ʃən, -ʒən] *n.* **1** ⓊⒸ 곡해, 왜곡 **2** ⓊⒸ 남용, 악용, 오용 **3** Ⓤ 악화; 타락 **4** Ⓤ [정신의학] 성도착(倒錯)(=sexual ~)

per·ver·si·ty [pərvə́ːrsəti] *n.* **1** Ⓤ 괴팍함, 심술궂음, 외고집; 사악 **2** 심술궂은[괴팍한] 행위

per·ver·sive [pərvə́:rsiv] *a.* **1** 정도(正道)에서 벗어나게 하는, 그르치는, 나쁜 길로 이끄는 **2** 악용[곡해]하는 《*of*》; 도착적인

*__per·vert__ [pərvə́:rt] [L「뒤집다」의 뜻에서] *vt.* **1** (정도(正道)에서) 벗어나게 하다(misdirect); 타락시키다(corrupt): ~ the course of justice 〖법률〗 정의의 길을 벗어나다 **2** 오용[악용]하다(misuse): ~ one's talents 재능을 나쁜 데 쓰다 **3** 오해[곡해]하다(misinterpret): ~ a person's intended meaning …의 진의를 곡해하다 **4** 가치를 손상시키다, 저하시키다 **5** 〖병리〗 〈성욕을〉 도착(倒錯)시키다, 변태적으로 만들다 **6** 사도(邪道)에 빠뜨리다, 〈신앙·판단 따위를〉 그르치게하다, 빗나가게 하다

— [pə́:rvərt] *n.* **1** 사도에 빠진 사람; 배교자; 변질자 **2** 성도착자 **~·er** *n.*

per·vert·ed [pərvə́:rtid] *a.* **1** 〖병리〗 이상(異常)의, 변태의: a ~ interest in death 죽음에 대한 이상한 관심 **2** 사도에 빠진, 그릇된, 비뚤어진 **~·ly** *ad.*

per·vert·i·ble [pərvə́:rtəbl] *a.* **1** 곡해할 수 있는[하기 쉬운] **2** 악용할 수 있는 **3** 뒤틀어지게 하는, 사악으로 이끌 수 있는 **-bly** *ad.*

per·vi·ous [pə́:rviəs] *a.* **1** 투과(透過)시키는, 통과시키는 《*to*》 **2** (도리 등을) 받아들이는, 아는, 따르는 《*to*》 **~·ness** *n.* Ⓤ 통과성

pes [pí:z, pí:s] *n.* (*pl.* **pe·des** [pí:di:z, péd-]) 〖해부·동물〗 발, 족부(足部), 발 모양의 기관[부분]

PES polyether sulfone 〖화학〗 폴리에테르 술폰 《고(高)내열성 특수 수지의 하나》

Pe·sa(c)h [péisɑ:x] *n.* 〖유대교〗 유월절(Passover)

pe·san·te [peisɑ́:ntei] [It.] *ad., a.* 〖음악〗 무겁게[무거운], 중후하게[한]

Pes·ca·do·res [pèskədɔ́:ris, -ri:z | -riz] *n. pl.* [the ~] 펑후(澎湖) 군도 《타이완 해협의 소군도》

pes·ca·tar·i·an, pes·ce- [pèskətέəriən] [*pesce* (=fish)+vege*tarian*] *n.* 해산물은 먹는 채식주의자

pe·se·ta [piséitə] *n.* **1** 페세타 《스페인의 화폐 단위; 기호 Pta, P; =100 centimos》 **2** 페세타 《스페인의 옛 은화》

pe·se·wa [pəséiwɑ:] *n.* (*pl.* **~s, ~**) 페세와 《가나의 화폐 단위; 1/100 cedi》

pes·ky [péski] *a.* (**-ki·er**; **-ki·est**) 《미·구어》 귀찮은, 성가신(annoying): a ~ fly 귀찮은 파리

— *ad.* 심하게, 극단적으로 **pés·ki·ly** *ad.*

pe·so [péisou] *n.* (*pl.* **~s**) **1** 페소 《아르헨티나·볼리비아·칠레·콜롬비아·쿠바·도미니카·멕시코·우루과이·필리핀 등의 화폐 단위》 **2** 1페소 경화[지폐] **3** 페소 《스페인 및 남미의 옛 은화; piece of eight라고도 했음》; 《미·속어》 미 달러

pes·sa·ry [pésəri] *n.* (*pl.* **-ries**) 〖의학〗 (피임용) 페서리; 질 좌약

*__pes·si·mism__ [pésəmìzm] [L「최악」의 뜻에서] *n.* Ⓤ 비관(주의), 비관론, 염세(주의), 염세관(opp. *optimism*) **-mist** *n.* 비관론자, 염세주의자

*__pes·si·mis·tic__ [pèsəmístik] *a.* **1** 비관적인, 염세적인 《*about*》(opp. *optimistic*): take a ~ view of …을 비관하다 **2** 염세주의의, 비관론의 **-ti·cal·ly** *ad.*

pes·si·mum [pésəməm] *n.* (*pl.* **~s, -ma** [-mə]) 최악의[가장 불리한] 정도[양, 상태, 환경, 조건]

*__pest__ [pést] *n.* **1** 해충, 독충, 해를 끼치는 짐승; 유해물: a garden ~ 식물 기생충 **2** [보통 a ~] 성가신 사람, 귀찮은 물건, 골칫거리: *a* regular ~ of the neighborhood 동네의 망나니 **3** Ⓤ 《고어》 악역(惡疫), 역병(疫病), 선(腺)페스트, 페스트, 흑사병

P~ on [upon] him! 염병할 자식!

pest·y [pésti] *a.* ▷ pestíferous *a.*

Pes·ta·loz·zi [pèstəlɑ́tsi | -lɔ́t-] *n.* 페스탈로치 **Johann H. ~** (1746-1827) 《스위스의 교육학자》

Pes·ta·loz·zi·an [pèstəlɑ́tsiən | -lɔ́tsi-] *a., n.* 페스탈로치의 (교육론 신봉자)

*__pes·ter__ [péstər] *vt.* 괴롭히다, 못살게 굴다, 고통을 주다, 들볶다(vex), 조르다: 《~+목+전+명》 《~+목+*to* do》 be ~*ed with* …에 시달리다 / ~ a person *for* money[*to* help] …에게 돈을 달라고[도와달라고] 조르다

— *n.* **1** 훼방, 방해 **2** 성가신 사람[것], 골칫거리 **~·er** *n.* **~·ous, ~·some** *a.*

péster pòwer (아이들이) 부모를 졸라 구매하게 하는 힘

pest·hole [désthòul] *n.* 전염병이 발생하기 쉬운 장소

pest·house [-hàus] *n.* 《고어》 격리 병원 《특히 페스트 환자의》

pes·ti·cide [péstəsàid] *n.* 구충제, 살충제

pes·tif·er·ous [pestífərəs] *a.* **1** 전염성의, 감염하기 쉬운 **2** 역병에 걸린 **3** 해로운, 유해한, 위험한; 유독한 **4** 《구어·익살》 성가신, 골치 아픈 **~·ly** *ad.*

*__pes·ti·lence__ [péstələns] *n.* 《문어》 **1** Ⓤ 선(腺)페스트 **2** ⓊⒸ 악역(惡疫), 역병(epidemic) **3** 폐해, 해독 ▷ péstilent, pestiléntial *a.*

pes·ti·lent [péstələnt] *a.* **1** 《문어》 악역(惡疫)을 발생[전염, 매개]하는 **2** 《문어》 해로운, 폐해가 많은; 치명적인 **3** 《익살》 귀찮은, 성가신 **~·ly** *ad.*

pes·ti·len·tial [pèstəlénʃəl] *a.* =PESTILENT **~·ly** *ad.*

pes·tle [pésl, péstl] *n.* 막자(cf. MORTAR); 공이, 절굿공이, 빻는 기계; 《영·방언》 (식용 동물의) 다리

— *vt., vi.* 막자[공이]로 찧다, 갈다, 짓이기다

pes·to [péstou] *n.* (*pl.* **~, ~s**) 페스토 《바질·마늘·올리브유 등으로 만든, 파스타에 치는 소스》

pes·tol·o·gy [pestɑ́lədʒi | -tɔ́l-] *n.* Ⓤ 해충학(害蟲學)

‡**pet**[1] [pét] *n.* **1** 애완동물, 페트 **2 a** 총아(寵兒), 귀염둥이, 마음에 드는 사람: teacher's ~ 선생님의 총아 **b** 귀여운 사람, 착한 아이 《호칭》 **3** [a ~] [여성이 감탄문에 써서] 굉장히 좋은[멋진] 것 ***make a ~ of*** …을 귀여워하다

— *a.* Ⓐ **1** 애완의, 귀여워하며 기르는; 애완동물(용)의: a ~ mouse[rabbit] 애완용 생쥐[토끼] / a ~ shop 애완동물 가게 **2** 특히 좋아하는, 자랑거리의, 장기의(favorite): a ~ theory 지론(持論) **3** 애정을 나타내는: ⇨ PET NAME **4** 《구어》 최대의, 특별한 one***'s ~ aversion***[***hate***] 《익살·비꼼》 아주 싫은 것

— *v.* (**~·ted**; **~·ting**) *vt.* **1** 〈동물을〉 애완하다, 귀여워하다; 〈사람·동물을〉 어루만지다, 응석받아 주다: We cannot ~ anything much without doing it mischief. 무엇이든 지나치게 귀여워하면 해가 되는 법이다. **2** 《구어》 〈이성을〉 껴안고 애무하다, 페팅하다

— *vi.* 《구어》 페팅하다, 애무하다

pet[2] *n.* 부루퉁함, 실쭉함, 약이 잔뜩 오름; 울화 ***be in a ~*** 부루퉁하다 ***take*** (***the***) ***~*** 이유 없이 성내다, 토라지다 — *vi.* (**~·ted**; **~·ting**) 앵돌아지다, 심술부리다(sulk), 부루퉁해지다

PET 〖화학〗 polyethylen terephthalate 《식품 팩에 쓰이는 폴리에틸렌 수지》; positron emission tomography 〖의학〗 양전자 방사 단층 촬영(법) **pet.** petroleum **Pet.** 〖성서〗 Peter

peta- [pétə] *pref.* 「10^{15}, 1000조배」의 뜻 《기호 P》: *peta*meters

pet·a·flop [pétəflɑ̀p | -flɔ̀p] *n.* [보통 *pl.*] 〖컴퓨터〗 페타플롭 《부동(浮動) 소수점 연산(演算) 횟수의 단위; 1페타플롭은 초당 10억의 백만 배의 횟수》

*__pet·al__ [pétl] *n.* 〖식물〗 꽃잎, 화판(花瓣)(cf. SEPAL, COROLLA): rose ~*s* 장미의 꽃잎 **~·like** *a.* ▷ pétaline, pétaloid *a.*

pet·al·ine [pétəlin, -làin | -làin] *a.* 〖식물〗 꽃잎의, 꽃잎 모양의

pet·al(l)ed [pétld] *a.* [복합어를 이루어] 꽃잎이 있는, …판(瓣)의: five-~ 5판의

thesaurus **pervert** *v.* turn aside, divert, avert, deflect, misapply, misuse, distort, warp, twist, misinterpret, corrupt

pessimistic *a.* hopeless, gloomy, cynical,

pet·al·oid [pétəlɔ̀id] *a.* 〖식물〗 꽃잎 모양의
pet·al·ous [pétələs] *a.* 꽃잎이 있는
pé·tanque [peitɑ́:ŋk] [F] *n.* 페탕크 《프랑스의 구기(球技); 직경 10cm 정도의 철구를 던지는 bowls 비슷한 게임》
pe·tard [pitɑ́:rd | pe-] *n.* **1** 〖역사〗 폭파용 화구(火具) 《성문 등의 파괴용》 **2** 폭죽(爆竹)(firecracker)
be hoist with [***by***] one***'s own*** ~ 자기 꾀에 자기가 넘어가다, 자승자박하다
pet·a·sus, -sos [pétəsəs] *n.* **1** 페타소스 《고대 그리스·로마 사람이 쓴, 운두가 낮고 챙이 넓은 모자》 **2** 〖그리스신화〗 페타소스 《Hermes 또는 Mercury의 날개 있는 모자》
pe·tau·rist [pətɔ́:rist] *n.* 〖동물〗 날다람쥐속(屬)의 동물(flying phalanger)
PÉT bóttle 페트병(plastic bottle)
pet·cock [pétkɑ̀k | -kɔ̀k] *n.* 작은 개폐판(瓣) 《증기 기관 등의 배기용(排氣用)》
pete [pí:t] *n.* 《미·속어》 금고(=∠ **bòx**)
Pete [pí:t] *n.* 남자 이름 《Peter의 애칭》
for ~'s sake 제발
pe·te·chi·a [pití:kiə, -ték-] *n.* (*pl.* **-chi·ae** [-kiì:]) 〖병리〗 점상(點狀) 출혈, 일혈점(溢血點)
pe·ter[1] [pí:tər] *vi.* 《구어》 〈광맥·물줄기 등이〉 점차 가늘어지다 《*out*》, 다하다, 없어지다; 점차 소멸하다; 지치다 《*out*》: 《~+副》 The hot water has *~ed out.* 뜨거운 물이 안 나오게 되었다.
peter[2] [Peter에서] *n.* 《비어》 음경(penis); 《속어》 독방; 유치장; 《속어》 금고; 《미·속어》 실신약
*****Pe·ter*** [pí:tər] [Gk 「돌, 바위」의 뜻에서] *n.* **1** 남자 이름 《약칭 Pete [pí:t]》 **2** 표트르 대제 ~ **the Great** (1672-1725) 《제정 러시아의 시조》 **3 St.** ~ 〖성서〗 베드로; 베드로(전[후])서(書)(The First[Second] Epistle General of Peter) 《略 Pet.》
rob ~ to pay Paul 한쪽에서 빼앗아 다른 쪽에 주다, 빚으로 빚을 갚다
Péter Fùnk 《속어》 (경매 등에서의) 한통속, 바람잡이(by-bidder)
pe·ter·man [pí:tərmən] *n.* (*pl.* **-men** [-mən, -mèn]) 어부; 《속어》 도둑, 강도, 날치기; 금고털이
Péter Pán 피터 팬 《J. M. Barrie 작의 극 *Peter Pan*의 주인공; 영원한 소년》
Péter Pàn cóllar 〖복식〗 피터 팬 칼라 《여성·아동복의, 앞쪽 끝이 둥근 깃》
Péter Pàn sýndrome 〖심리〗 피터 팬 증후군 《어른이 되지 않으려는 젊은이들의 마음의 병》
Péter Píper 피터 파이퍼 《두운(頭韻)을 맞추어 빨리 말하는 영국의 전승 동요의 주인공》
Péter Prìnciple [미국의 교육학자 저서명에서] [the ~] 《익살》 피터의 법칙 《계층 사회 구성원은 각자의 능력 이상까지 출세하는데 이로써 상층부가 무능력자 집단이 된다는 것》
Péter Rábbit **1** 피터 래빗 《B. Potter의 동화(1900)의 주인공인 토끼》 **2** 《미·속어》 경찰관
pe·ter·sham [pí:tərʃəm, -ʃæ̀m | -ʃəm] *n.* **1** ⓤ 두꺼운 골무늬 나사; ⓒ 그것으로 만든 외투·바지 **2** ⓤ 골무늬 명주 리본 《모자끈 따위에 씀》
Péter's pénce [단수 취급] **1** 〖역사〗 교황청 연공(年貢) 《영국에서 토지 소유자가 매년 1페니씩 교황청에 바친 세금》 **2** (신도의) 교황에 바치는 헌금
Péter's projèction (세계 지도의) 피터스 투영도법 《국가의 형태보다 실제 크기의 정확성을 중시한》 (cf. MERCATOR('S) PROJECTION)
peth·i·dine [péθədì:n] *n* 《주로 영》 〖약학〗 = MEPERIDINE
pét hòspital 애완동물 병원

defeatist, distrustful, suspicious, depressed, dejected, despairing (opp. *optimistic, hopeful*)
petition *n.* entreaty, plea, appeal, request, prayer, application, suit, solicitation

pet·i·o·lar [pétiələr, pètióu-] *a.* 〖식물〗 잎꼭지의; 잎꼭지에 나는
pet·i·o·late [pétiəlèit] *a.* 〖생물〗 잎꼭지가 있는
pet·i·ole [pétiòul] *n.* 〖식물〗 잎꼭지(leafstalk); 〖동물〗 육경(肉莖)
pet·i·o·lule [pétiəljù:l, pètiɑ́lju:l | pètiɔ́lju:l] *n.* 〖식물〗 작은 잎꼭지
pet·it [péti] [F = small; petty와 같은 계통의 말] *a.* (*fem.* **pe·tite** [pəti:t]) 〖법〗 작은; 시시한, 사소한, 소규모의(opp. *grand*)
pe·tit bour·geois [pətí:-buərʒwɑ́:, péti-búər-ʒwɑ:] [F] (*pl.* **pe·tits bour·geois** [-z]) 프티 부르주아, 소시민 계급의 사람 **—***a.* 프티 부르주아의, 소시민 계급적인
pe·tite [pəti:t] [petit의 여성형] *a.* 〈여자가〉 몸집이 작고 맵시 있는 **—***n.* 작은 크기의 여성복
pe·tite bour·geoise [pəti:t-buərʒwɑ́:z] (*pl.* **pe·tites bour·geoises** [-z]) 소시민 계급의 여성
pe·tite bour·geoi·sie [pəti:t-bùərʒwɑ:zí:] 프티 부르주아, 소시민 계급
pet·it four [péti-fɔ́:r] [F 「작은 오븐」의 뜻에서] (*pl.* **pe·tits fours** [-z]) 프티푸르 《작은 케이크의 일종》
‡**pe·ti·tion** [pitíʃən] [L 「청하다」의 뜻에서] *n.* **1** 청원, 탄원, 진정, 신청 **2** (신 등에 대한) 기원 **3** 청원[탄원, 진정, 신청]서, 소장(訴狀) ***a ~ in*** [***of***] ***bankruptcy*** 파산 신청 ***a ~ of appeal*** 공소장, 소원장(訴願狀) ***a ~ of revision*** 〖법〗 상고장 ***the P~ of Right*** 〖영국사〗 권리 청원 《1628년 의회에서 국왕 Charles I에게 승인시킴》; 〖영국법〗 대(對)정부 권리 회복 소원(訴願)
—*vt.* **청원하다**, 탄원하다, 신청하다 《*for, to* do》: ~ the mayor 시장에게 청원하다 // 《~+목+전+명》 ~ a person *for* pardon …에게 용서를 빌다 // 《~+목+***to*** do》 ~ a person *to* do something …에게 …을 해 달라고 간청하다 // 《~+***that*** 절》 They *~ed that* the king (should) set the prisoner free. 그들은 왕에게 죄수를 석방해 달라고 청원했다. ★ 《구어》에서는 should를 쓰지 않는 경우가 많음.
—*vi.* 청원하다, 진정하다, 간청하다; 탄원[청원서]을 내다 《*for, to* do》: 《~+전+명》 ~ *for* mercy 자비를 빌다 // 《~+***to*** do》 ~ *to* be allowed to go 가게 해 달라고 진정하다 ▷ petitionary *a.*
pe·ti·tion·ar·y [pətíʃənèri | -ʃənəri] *a.* 청원[기원, 탄원]의
*****pe·ti·tion·er*** [pətíʃənər] *n.* **청원자**; (이혼 소송의) 원고(原告)
pe·ti·ti·o prin·ci·pi·i [pitíʃiòu-prinsípiài] [L] 〖논리〗 선결 문제 요구의 허위
pétit júry [péti-] = PETTY JURY
pétit lárceny = PETTY LARCENY
pe·tit mal [pəti:-mǽl, péti-] [F = small illness] 〖병리〗 (간질병의) 가벼운 발작
pet·i·tor [pétitər, pətáitər] *n.* 《폐어》 구하는[청하는] 사람(seeker); 지원자(applicant)
pétit pòint [péti-] 텐트 스티치(tent stitch) 《가늘게 비스듬히 놓는 자수의 일종》; 텐트 스티치로 놓은 자수
pe·tits che·vaux [pəti:-ʃəvóu] [F] 경마 놀이 《장난감 말로 내기를 하는 도박 기계》
pe·tits pois [péti-pwɑ́:] [F] (작고 달콤한) 완두콩
pe·tit verre [pəti:-vέər] [F] 작은 잔[컵]
pét lòss 애완동물의 죽음 《주인의 슬픔을 나타내는 말》
pét náme [보통 one's ~로] (사람·동물의) 애칭 《Bob, Bill, Tom, Kate 등》
pet·nap·ping [pétnæ̀piŋ] *n.* ⓤ 《미》 애완동물의 유괴 **pét·nàp·per** *n.*
pét péeve[《영》 **háte**] 《구어》 불쾌함, 화남, (여느 때 같은) 불쾌한 원인, 불만거리
petr- [petr], **petro-** [pétrou, -rə], **petri-** [pétri] 《연결형》 「돌, 바위, 석유」의 뜻 《모음 앞에서는 petr-》
Pe·trarch [pí:trɑ:rk, pét- | pét-] *n.* 페트라르카 **F.** ~ (1304-74) 《이탈리아의 시인》

Pe·trár·chan sónnet [pitrɑ́:rkən-] 〖시학〗 (Petrarch가 창시한) 이탈리아식의 소네트
pet·rel [pétrəl] [베드로(St. Peter)와 같이 바다 위를 걷는 것처럼 보인다는 데서] *n.* 〖조류〗 바다제비속(屬)(=storm(y) ~)
petri- [pétri] 《연결형》 =PETR-
pé·tri dìsh [pí:tri-] (세균 배양용의) 페트리 접시
pet·ri·fac·tion [pètrəfǽkʃən], **-fi·ca·tion** [-fikéiʃən] *n.* **1** Ⓤ 석화(石化) (작용) **2** 석화물, 화석 **3** Ⓤ 소스라쳐 놀람, 경직[무감각] 상태; 망연자실
pet·ri·fac·tive [pètrəfǽktiv] *a.* 석화(石化)하는, 석화력이 있는
pet·ri·fied [pétrəfàid] *a.* 석화한; (술·마약에) 취한, 곤드레만드레 취한
pet·ri·fy [pétrəfài] *v.* (**-fied**) *vt.* **1** 〈동·식물 등을〉 석화(石化)하다 **2** 완고[무감각]하게 하다, 경직시키다: The tragedy *petrified* his emotions. 비극적 사건이 그를 무감각하게 했다. **3** [종종 수동형으로] 깜짝 놀라게 하다, 소스라치게 하다, 질겁하게 하다, 망연자실하게 하다: He *was petrified* with fear. 그는 겁에 질렸다. **—***vi.* 석화하다, 돌이 되다; 굳어지다; 망연자실하다; 경직화하다
Pe·trine [pí:train, -trin] *a.* 베드로의, 베드로 교리의
petro- [pétrou, -rə] 《연결형》 =PETR-
pet·ro·chem·i·cal [pètroukémikəl] *n.* 〖화학〗 석유 화학 제품 **—***a.* 석유 화학 (제품)의
pet·ro·chem·is·try [pètroukémistri] *n.* Ⓤ 석유 화학; 암석 화학
pet·ro·dol·lar [pétroudɑ̀lər | -dɔ̀lə] *n.* [*pl.*] 오일 달러 《산유국이 석유 수출로 획득한》
petrog. petrography
pet·ro·gen·e·sis [pètroudʒénəsis] *n.* 암석 성인론(成因論); 암석의 기원[형성]
pet·ro·glyph [pétrəglìf] *n.* 암면 조각(岩面彫刻) 《특히 유사 전의》
pet·ro·gram [pétrəgræ̀m] *n.* 암석 선화(線畫), 선각화(線刻畫)
pet·ro·graph [pétrəgræ̀f | -grɑ̀:f] *n.* =PETROGLYPH
pe·trog·ra·phy [pitrɑ́grəfi | -trɔ́g-] *n.* Ⓤ 기재(記載) 암석학, 암석 기술학, 암석 분류
-pher *n.* **pet·ro·graph·ic** [pètrəgrǽfik] *a.*
pet·ro·in·fla·tion [pètrouinfléiʃən] *n.* 석유 인플레 《OPEC에 의한 석유 가격 인상으로 일어나는 세계적 규모의 인플레》
***pet·rol** [pétrəl] [petroleum에서] *n.* Ⓤ 《영》 휘발유, 가솔린(《미》 gas, gasoline); 《고어》 석유: a ~ engine 가솔린 기관
—*vt.* (**~led**; **~·ling**) 휘발유로 닦아내다[청소하다]
petrol. petrology
pet·ro·la·tum [pètrəléitəm, -lɑ́:t- | -léit-] *n.* Ⓤ 〖화학〗 바셀린; 광유(鑛油)
pétrol blúe 초록색을 띤 짙은 청색
pétrol bòmb 《영》 화염(火炎)병; 《미》 휘발유 폭탄
pétrol bùnk 《인도》 주유소(gas station)
***pe·tro·leum** [pətróuliəm] [L 「돌」과 「기름」에서] *n.* Ⓤ 석유: crude[raw] ~ 원유(原油) / a ~ engine 가솔린 기관 / process ~ 석유를 정제하다
pe·tro·le·ous *a.*
petróleum éther 석유 에테르
petróleum jélly =PETROLATUM
pe·trol·ic [pitrɑ́lik | -trɔ́l-] *a.* 석유의, 석유로 만든; 《영》 휘발유의
pet·ro·lif·er·ous [pètrəlífərəs] *a.* 석유를 산출하는(oil-producing); 〈암석·지층이〉 석유를 함유한: ~ countries 석유 산출국, 산유국
pet·rol·ize [pétrəlàiz] *vt.* 석유화하다, 석유 본위로 하다, 석유에 의존시키다
pet·ro·log·ic, -i·cal [pètrəlɑ́dʒik(əl) | -lɔ́dʒ-] *a.* 암석학의 **-i·cal·ly** *ad.*
pe·trol·o·gy [pitrɑ́lədʒi | -trɔ́l-] *n.* Ⓤ 암석학
-gist *n.* 암석학자
pétrol pùmp 《영》 (주유소의) 급유 펌프(《미》 gasoline pump)
pétrol stàtion 《영》 주유소(《미》 filling station, gas station)
pétrol tànk 《영》 (차의) 휘발유 탱크(《미》 gas tank)
pet·ro·nel [pétrənl] *n.* 15-17세기에 쓰였던 대구경(大口徑)의 총
pet·ro·pol·i·tics [pètroupɑ́lətiks | -pɔ́l-] *n. pl.* [단수·복수 취급] (산유국에 의한) 석유 정치[외교]
pet·ro·pow·er [pétroupàuər] *n.* 산유국들의 경제력[정치력]; 석유 산출국, 산유국
pet·ro·prof·it [pétrouprɑ̀fit | -prɔ̀f-] *n.* 석유 수익 《석유 수출로 번 돈》
pe·tro·sal [pitróusəl] *a.* **1** 돌 같은(petrous), 단단한 **2** 〖해부〗 (측두골(側頭骨)의) 추체(錐體)의
pet·rous [pétrəs, pí:t-] *a.* **1** 바위의, 바위 같은, 바위로 된; 딱딱한 **2** 〖해부〗 (측두골의) 추체부의
pe·tsai [pèitsái] [Chin.] *n.* 배추(Chinese cabbage)
PÉT scàn [pét-] [*P*ositron *E*mission *T*omography] 〖의학〗 PET 스캔 《양전자 방사 단층 촬영에 의한 화상》; PET 스캔에 의한 검사
PÉT scànner 〖의학〗 PET 스캐너 《촬영 시점의 뇌 활동을 실제로 볼 수 있는 양전자 방사 단층 촬영 화상 장치》
***pet·ti·coat** [pétikòut] [L 「작은(petty)」와 「코트(coat)」에서] *n.* **1** 페티코트, 속치마 《여성복의 스커트 속에 입는》 **2** [*pl.*] 스커트류, 어린이옷, 여성복 **3** 《구어》 여자, 소녀; [*pl.*] 여성 **4** 스커트 모양의 물건[덮개]
wear [***be in***] **~s** 여자[어린애]이다, 여자답게 행동하다
—*a.* 《익살》 여성의, 여성적인: a ~ affair 《특히》 염문 / ~ government 내주장, 여인 천하; 여성 정치
~·ed [-id] *a.* 페티코트를 입은; 여자다운, 여성의
pétticoat ínsulator 〖전기〗 치마 모양의 절연체
pet·ti·fog [pétifɑ̀g, -fɔ̀:g | -fɔ̀g] [pettifogger의 역성(逆成)] *vi.* (**~ged**; **~·ging**) 말도 안 되는 소리를 늘어놓다; 궤변으로 변호하다; 사소한 일에 구애되다, 사소한 일로 언쟁하다; 사기 치다 **~·ger** *n.* 엉터리 변호사; 궤변가
pet·ti·fog·ger·y [pétifɑ̀gəri, -fɔ̀:g- | -fɔ̀g-] *n.* ⓊⒸ 엉터리(변호사식) 수단, 협잡
pet·ti·fog·ging [pétifɑ̀giŋ, -fɔ̀:g- | -fɔ̀g-] *n.* Ⓤ 엉터리 변호, 협잡 **—***a.* 엉터리 변호사식의, 협잡의, 비열한; 시시한
pet·ting [pétiŋ] *n.* 페팅, 애무
pétting pàrty 《미·속어》 페팅 파티
pétting zòo 동물과 접촉할 수 있는 동물원
pet·ti·pants [pétipæ̀nts] *n. pl.* 《미》 무릎까지 오는 여자용 긴 팬티
pet·tish [pétiʃ] *a.* 앵돌아지는, 토라진; 곧잘 뿌루퉁해지는, 심술 사나운; 성 잘 내는 **~·ly** *ad.* **~·ness** *n.*
pet·ti·skirt [pétiskə̀:rt] *n.* =PETTICOAT 1
pet·ti·toes [pétitòuz] *n. pl.* (식품으로서의) 돼지 족발; 《익살》 어린아이의 발(가락)
pet·tle [pétəl] *vt.* 《스코·잉글》 귀여워하다, 애무하다(pet, fondle)
‡**pet·ty** [péti] *a.* (**-ti·er**; **-ti·est**) **1** 작은, 사소한; 보잘것없는, 시시한, 소규모의: ~ expenses 잡비 / ~ grievances 사소한 불만 / ~ considerations 고려할 필요 없는 사항 / a ~ farmer 소농 **2** 마음이 좁은, 좀스러운, 인색한: a ~ person 좀스러운 사람 **3** 열등한, 저급의; 비열한: a ~ revenge 비열한 복수
pét·ti·ly *ad.* 인색[비열]하게 **pét·ti·ness** *n.*
pétty áverage 〖법〗 사소한 해손(海損)
pétty bourgeóis =PETIT BOURGEOIS
pétty bourgeoisíe =PETITE BOURGEOISIE
pétty cásh 잔돈, 푼돈; 소액 현금
pétty cáshbook 용돈 출납부; 소액 현금 지불 장부
pétty cúrrent depósit 소액 당좌 예금
pétty júry 〖법〗 소배심(小陪審), 심리[공판] 배심

《12명의 배심원으로 구성되는; cf. GRAND JURY》
pétty lárceny (미) 경(輕)절도죄, 좀도둑질
pétty òfficer 말단 관리; 〖해군〗 하사관《육군의 non-commissioned officer에 해당》; (상선의) 하급 선원
pétty prínce 소국(小國)의 군주
pétty sèssions 〖영국법〗 즉결[간이] 재판소
pétty tréason 〖영국법〗 소역죄(小逆罪)《아내의 남편 살해, 종의 주인 살해 등》
pet·u·lance, -lan·cy [pétʃuləns(i), -tju-] *n.* Ⓤ 성마름, 앵돌아짐, 심술 사나움; 무례한 태도, 건방진 언동
pet·u·lant [pétʃulənt, -tju-] *a.* 성미 급한, 별난, 까다로운, 성 잘내는, 앵돌아지는; 《드물게》 버릇없는, 거만한 **~·ly** *ad.*
pe·tu·ni·a [pitjú:niə, -njə | -tjú:-] *n.* 〖식물〗 페튜니아《가짓과(科)》; Ⓤ (암)자색
pe·tun·tse, -tze [pətúntsə] *n.* Ⓤ 중국산(産) 도자기용 점토
Peu·geot [pə́:ʒou] *n.* (*pl.* **~s** [-z]) 푸조《프랑스 Peugeot사의 자동차》
*__pew__ [pjú:] [OF 「발코니」의 뜻에서] *n.* **1** (교회의) 신도 좌석《등받이 있는 긴 의자》; (칸막이한) 가족[그룹] 전용석 **2** 신도 좌석에 앉은 사람들, 회중(會衆) ***family* ~** 가족석《교회의》 ***take a* ~** 착석하다, 앉다 **—** *vt.* …에 좌석을 마련하다
pew·age [pjú:idʒ] *n.* Ⓤ [집합적] 교회의 긴 의자 전부, 전좌석; 교회 좌석료
péw cháir 보조 접의자
pe·wee [pí:wi:] [의성어] *n.* 〖조류〗 딱새(flycatcher) 류의 작은 새
pew·hold·er [pjú:hòuldər] *n.* (교회의) 지정석 임차인[소유자]
pe·wit [pí:wit, pjú:it | pí:wit] [의성어] *n.* **1** 〖조류〗 댕기물떼새(lapwing); 갈매기의 일종; 《미》 = PEWEE **2** 그 울음소리
pew-o·pen·er [pjú:òupənər] *n.* 교회의 좌석 안내인
péw rènt 교회의 좌석료
pew·ter [pjú:tər] *n.* Ⓤ **1** 백랍(白鑞)《주석과 납 등의 합금》 **2** [집합적] 백랍 그릇, 백랍 제품; 큰 컵 **3** (영·속어) 우승컵, 상금; (미·속어) 금전 **—** *a.* 백랍으로 만든, 백랍제[세공]의 **~·er** *n.* 백랍 세공인
pey·o·te [peióuti] *n.* 〖식물〗 (멕시코산(産)의) 선인장의 일종; Ⓤ 그것으로 만든 환각제
pf. perfect; pfennig; preferred 〖증권〗 우선의; proof **p.f.** 〖음악〗 *piu forte* (It. = a little louder); 〖음악〗 *piano forte* (It. =soft and loud) **PF** power factor; Procurator Fiscal; *pro forma* (L = for the sake of form) **PFC, Pfc**; Priority Foreign Countries (불공정 무역국) 우선 협상 대상국; (미) Private First Class **pfd** 〖증권〗 preferred **PFD** (미) personal flotation device
pfen·nig [fénig | *p*fén-] *n.* (*pl.* **~s, -ni·ge** [-nigə]) 페니히《독일의 화폐 단위; = 1/100 마르크》
pfg. pfennig(s)
Pfi·zer [fáizər] *n.* 파이저《미국의 의약품 메이커》
PFLP Popular Front for the Liberation of Palestine 팔레스타인 해방 인민 전선 **PFM** 〖전기〗 pulse frequency modulation **PG** Parental Guidance (Suggested) (미) 〖영화〗 준일반 영화《부모의 지도가 요망됨》; Past Grand (Master) (클럽의) 전(前)회장; paying guest; postgraduate; Preacher General **pg.** page **Pg.** Portugal; Portuguese **PGA** Professional Golfers Association **PGCE** (영) Post graduate Certificate of Education 교사 자격증; 교사 양성 과정 **PG-13** (미) 13세 미만은 보호자 동반이 요망되는 〈영화〉 **ph** 〖야구〗 pinch hitter; phot(s)
pH [pì:éitʃ] [*p*otential of *h*ydrogen에서] *n.* 〖화학〗 페하[피에이치] 지수《수소 이온 농도를 나타내는 지수》
Ph 〖화학〗 phenyl **ph.** phase; phone **PH** pinch hit(s); pinch hitter; public health; (미) (Order of the) Purple Heart

Phae·dra [fí:drə, féd- | fí:d-] *n.* 〖그리스신화〗 파이드라《Theseus의 처로 Hippolytus의 의붓어머니》
Pha·ë·thon [féiəθən, -θàn | -θən] *n.* 〖그리스·로마신화〗 파에톤《태양신 Helios의 아들; 아버지의 마차를 잘못 몰아 Zeus 신이 죽여 재난을 방지하였다 함》
pha·e·ton [féiətn | féitn] *n.* **1** 4륜 쌍두 마차 **2** 포장 자동차, 페이튼형 오픈카

phaeton 1

phage [féidʒ] *n.* 〖생물〗 = BACTERIOPHAGE
-phage [fèidʒ, fà:ʒ] 《연결형》 「먹을 것; 세포를 괴멸하는 세포」의 뜻: bacterio*phage*
-phagia 《연결형》 -phagy의 변형
phago- [fǽgou, -gə] 《연결형》 「먹는」의 뜻
phag·o·cyte [fǽgəsàit] *n.* 〖생물〗 식(食)세포《백혈구 등》 **phag·o·cyt·ic** [fæ̀gəsítik] *a.*
phag·o·cy·tize [fǽgəsàitaiz, -sətàiz] *vt.* 〈식세포가〉 식균하다
phag·o·cy·to·sis [fæ̀gəsaitóusis, -sə-] *n.* Ⓤ (식세포의) 식균 작용, 식세포 활동
phag·o·ma·ni·a [fæ̀gəméiniə, -njə] *n.* 탐식증
phag·o·pho·bi·a [fæ̀gəfóubiə] *n.* 공식증(恐食症)
phag·o·some [fǽgəsòum] *n.* (아메바 등의) 식포(食胞)
-phagous [fəgəs] 《연결형》 「먹는」의 뜻: anthropo*phagous*
-phagy [fədʒi] 《연결형》 「(어떤 음식물을) 먹는 일, 상식(常食)으로 함」의 뜻: anthropo*phagy*
pha·lange [fǽləndʒ, féilændʒ, fəlǽndʒ | fǽlændʒ] *n.* 〖해부〗 지골(指骨), 지골(趾骨)(phalanx)
pha·lan·ge·al [fəlǽndʒiəl] *a.* 지골의: a ~ joint 지관절
pha·lan·ger [fəlǽndʒər] *n.* 〖동물〗 주머니여우, 쿠스쿠스(cuscus)《오스트레일리아산(産)》
pha·lan·ges [fəlǽndʒi:z | fæ-] *n.* **1** PHALANX의 복수 **2** PHALANGE의 복수
Pha·lan·gist [fəlǽndʒist] *n.* 레바논의 팔랑헤(Falange) 당원《기독교도 우파 그룹》
phal·an·ster·y [fǽlənstèri | -stəri] *n.* (*pl.* **-ster·ies**) 사회주의적 생활 공동체《프랑스의 푸리에(Fourier) 주의자들이 거주한》; 그 공동 주택
pha·lanx [féilæŋks, fǽl- | fǽl-] *n.* (*pl.* **~·es, -lan·ges** [fəlǽndʒi:z]) **1 a** (고대 그리스의) 방진(方陣)《창병(槍兵)을 네모꼴로 배치하는 진형》 **b** 밀집 군대; 동지의 집단 **2** = PHALANGE
***in* ~** 동지끼리 단결하여
phal·a·rope [fǽləròup] *n.* 〖조류〗 깝작도요 무리
phal·lic [fǽlik] *a.* 남근 숭배의; 음경의; 남근을 상징하는: ~ worship 남근 숭배 **phál·li·cal** *a.*
phal·li·cism [fǽləsìzm], **phal·lism** [fǽlizm] *n.* Ⓤ 남근 숭배
phállic phàse 〖정신분석〗 남근기(期)
phal·lo·cen·tric [fæ̀lousέntrik] *a.* 남성[남근] 중심의, 남성 본위의
phal·lo·cen·trism [fæ̀lousέntrizm] *n.* 남성[남근] 중심 (주의)
phal·lo·crat [fǽləkræ̀t] *n.* 남성 우월주의자, 남성에 의한 여성 지배론자
phal·lus [fǽləs] *n.* (*pl.* **-li** [-lai], **~·es**) **1** 남근상(像) **2** 〖해부〗 음경(陰莖); 음핵(陰核)
-phane 《연결형》 「…와 모습이 비슷한」의 뜻
phan·er·ite [fǽnəràit] *n.* 현정질암(顯晶質岩)《암석의 알갱이를 육안으로 볼 수 있는 화성암》
phan·er·o·gam [fǽnərəgæ̀m] *n.* 〖식물〗 꽃식물, 종자식물(opp. *cryptogam*)
phan·er·o·gam·ic [fæ̀nərəgǽmik], **phan·er·og·a·mous** [fæ̀nərɑ́gəməs | -rɔ́g-] *a.* 꽃식물의

Phan·er·o·zo·ic [fæ̀nərəzóuik] *n.* 〖지질〗 현생대(顯生代)
phan·ta·size [fǽntəsàiz] *vt.* =FANTASIZE
phan·tasm [fǽntæzm] *n.* **1** 환영(幻影), 허깨비 **2** (죽은 사람·부재자의) 환상; 유령
phan·tas·ma [fæntǽzmə] *n.* (*pl.* **~·ta** [-tə]) =PHANTASM
phan·tas·ma·go·ri·a [fæntæ̀zməgɔ́:riə] *n.* 주마등같이 변하는 광경[환상]; 요술 환등; 눈의 환각, 착시
phan·tas·ma·gor·ic [fæntæ̀zməgɔ́:rik, -gɑ́r-|-gɔ́r-] *a.* 환영 같은, 주마등같이 변하는 **-ri·cal·ly** *ad.*
phan·tas·ma·go·ry [fæntǽzməgɔ̀:ri|-gəri] *n.* (*pl.* **-ries**) =PHANTASMAGORIA
phan·tas·mal [fæntǽzməl], **-mic** [-mik] *a.* 허깨비의, 환영의; 유령의; 공상의, 비실재의
phan·tast [fǽntæst] *n.* =FANTAST
phan·ta·sy [fǽntəsi, -zi] *n.* (*pl.* **-sies**) =FANTASY
*__phan·tom__ [fǽntəm] *n.* **1** 환영(幻影), 허깨비 **2** 유령, 도깨비 **3** 착각, 착시, 망상 **4** 상(像); 화신, 상징 《*of*》; 유명무실한 것[사람] **5** [**P~**] 〖미군〗 팬텀 전폭기 《F-4의 애칭》 **6** 《미·속어》 가명으로 일하는 사람; 일하지 않고 급료를 받는 사람 **7** 〖의학〗 인체 모형
— *a.* **1** 환영의, 환상의, 망상의, 착각에 의한; 허깨비의, 유령의: a ~ ship 유령선 **2** 외견상의, 겉보기만의: a ~ company 유령 회사
phántom círcuit 〖전기〗 중신 회선(重信回線)
phan·tom·like [fǽntəmlàik] *a.* 유령[환영] 같은
phántom límb 환지(幻肢) 《절단 후 지체(肢體)가 있는 듯한 느낌》: ~ pain 환지통
phántom órder 《미》 (지시가 있을 때까지는 실효가 없는) 가(假)발주 계약
phántom prégnancy 상상 임신(pseudocyesis)
phántom promótion 허상(虛像) 승진 《급료는 오르지 않고 책임은 가중되는 자리로의 승진》
phántom vìew 팬텀도(圖), 국부 투시도
-phany [fəni] 《연결형》 「출현, 명시」의 뜻
Phar., phar. pharmaceutical; pharmacist; pharmacology; pharmacopoeia; pharmacy
Phar·aoh [fέərou, fǽr-, féir-|fέər-] *n.* 파라오 《고대 이집트 왕의 칭호》; 《일반적으로》 전제 군주, 폭군
Pháraoh's sérpent[**snáke**] 사옥(蛇玉) 《불을 붙이면 뱀 모양의 불꽃이 되는 장난감》
Phar·a·on·ic, -i·cal [fὲəreiɑ́nik(əl), fæ̀r-|fɛərɔ́n-] *a.* **1** 파라오(Pharaoh)의[같은] **2** [보통 **p~**] 거대한, 장대한, 화려한; 폭군적인, 가혹한
Phar.B. Bachelor of Pharmacy **Phar.D.** Doctor of Pharmacy
Phar·i·sa·ic, -i·cal [fæ̀rəséiik(əl)] *a.* **1** 바리새인의, 바리새주의의 **2** (신앙보다) 형식에 치중하는, 위선의, 독선의
Phar·i·sa·ism [fǽrəseiìzm] *n.* Ⓤ 바리새주의[파]; [**p~**] (종교적인) 형식주의; 위선
Phar·i·see [fǽrəsì:] *n.* 바리새(파의) 사람; [**p~**] (종교상의) 형식주의자; 위선자, 독선자
~·ism [-sìizm] *n.* Ⓤ =PHARISAISM
phar·ma·ceu·tic, -ti·cal [fɑ̀:rməsú:tik(əl)|-sjú:-] *a.* 조제의, 제약의, 약학의; 약제(사)의
— *n.* 조합약(調合藥); 제약 **-ti·cal·ly** *ad.*
phar·ma·ceu·tics [fɑ̀:rməsú:tiks|-sjú:-] *n. pl.* [단수 취급] (제)약학; 조제학
phar·ma·cist [fɑ́:rməsist], **-ceu·tist** [fɑ̀:rməsú:tist|-sjú:-] *n.* 제약자; 약(제)사, 약제학자
pharmaco- [fɑ́:rməkou, -kə] 《연결형》 「약」의 뜻: *pharmaco*logy
phar·ma·co·dy·nam·ics [fɑ̀:rməkədainǽmiks] *n. pl.* [단수 취급] 약력학(藥力學)
phar·ma·co·ge·net·ics [fɑ̀:rməkədʒinétiks] *n. pl.* [단수 취급] 약물 유전학 《약물이 유전에 미치는 영향을 연구함》
phar·ma·cog·no·sy [fɑ̀:rməkɑ́gnəsi|-kɔ́g-] *n.* Ⓤ 생약학(生藥學), 천연 약물학 **-sist** *n.*
phar·ma·co·ki·net·ics [fɑ̀:rməkòukinétiks] *n. pl.* [단수 취급] 〖약학〗 약물 동력[동태]학 《약물의 체내에서의 흡수·분포·대사·배설 등의 동태적 연구》
pharmacol. pharmacology
phar·ma·col·o·gy [fɑ̀:rməkɑ́lədʒi|-kɔ́l-] *n.* Ⓤ 약(물)학, 약리학 **-gist** *n.* 약(물)학자
-co·lóg·i·cal [-kəlɑ́dʒikəl|-lɔ́dʒ-] *a.*
phar·ma·co·phore [fɑ́:rməkoufɔ̀:r] *n.* 약물 분자 구조
phar·ma·co·poe·ia, -pe·ia [fɑ̀:rməkəpí:ə] *n.* **1** 약전(藥典), 조제서 **2** [보통 the ~; 집합적] 약종(藥種), 약물류 **-póe·ial** *a.* **-póe·ist** *n.*
phar·ma·co·ther·a·py [fɑ̀:rməkouθérəpi] *n.* Ⓤ 〖의학〗 약물 요법
*__phar·ma·cy__ [fɑ́:rməsi] *n.* (*pl.* **-cies**) **1** Ⓤ 조제술[학]; 약학, 제약학; 제약업: a Doctor of *P*~ 약학박사 《略 Pharm.D.》 **2** 약국; 약종상(《미》 drugstore, 《영》 chemist's shop); (병원의) 약국
Pha·ros [fέərɑs|-rɔs] *n.* **1** [**p~**] 《시어》 등대, 부표, 항로 표지(beacon); 망루 **2** [the ~] 이집트 북부 Alexandria만에 있는 파로스 등대
pharyng- [fǽriŋ], **pharyngo-** [-gou, -gə] 《연결형》 「인두」의 뜻 《모음 앞에서는 pharyng-》
pha·ryn·ge·al [fərínd3iəl, -dʒəl, fæ̀rindʒí:əl], **pha·ryn·gal** [fəríŋgəl] *a.* **1** 〖해부〗 인두(咽頭)의: the ~ tube 식도 **2** 〖음성〗 인두음의
— *n.* 〖음성〗 인두음
phar·yn·gi·tis [fæ̀rindʒáitis] *n.* Ⓤ 〖병리〗 인두염
pha·ryn·go·scope [fəríŋgəskòup] *n.* 〖의학〗 인두경(咽頭鏡)
phar·yn·gos·co·py [fæ̀riŋgɑ́skəpi|-gɔ́s-] *n.* Ⓤ 인두경 검사
phar·yn·got·o·my [fæ̀riŋgɑ́təmi|-gɔ́t-] *n.* Ⓤ 인두 절개술(切開術)
phar·ynx [fǽriŋks] *n.* (*pl.* **~·es, pha·ryn·ges** [fərínd3i:z]) 〖해부〗 인두(咽頭)
‡**phase** [féiz] [Gk 「나타나다」의 뜻에서] *n.* **1 a** (변화하는 것의) 상(相), 면, 양상, 현상: a problem with many ~*s* 많은 면을 가진 문제 **b** 〖천문〗 (천체의) 상(象), (달의) 상(相)

> 유의어 **phase** 눈 또는 마음에 비치는, 변화하는 것의 상(相), 면: *phases* of the moon 달의 여러 상 **aspect** 연구·판단·감정적인 반응에 관한, 어떤 한정된 견지에서 본 변화나 단계의 양상: assume a serious *aspect* 심각한 양상을 띠다 **facet** 사물의 실제적인 많은 면 가운데의 하나: examine every *facet* of the argument 그 논의의 모든 면을 검토하다

2 (변화·발달의) 단계, 상태, 형세, 시기; 측면: enter upon a new ~ 새로운 국면에 접어들다 / the first ~ of clinical trials 임상 실험의 첫 단계 **3** 〖의학〗 (반응) 시기 **4** 〖물리·전기·화학〗 상(相), 위상(位相): ~ velocity (전파 등의) 위상 속도 **5** 《미·해커속어》 페이즈, 일어나는 시간 《변칙적인 자고 일어나는 주기의 시작》 **6** 〖동물〗 =COLOR PHASE
in **~** 위상이 같아 《*with*》; 동조하여, 일치하여 《*with*》
out of **~** 위상이 달라 《*with*》; 부조화하여 《*with*》
— *vt.* **1** 단계적으로 실행하다, 조정하다, 정리하다, 예정을 짜다 **2** 상관시키다, 동조시키다, 동시성을 갖게 하다(synchronize) **~ *down*** 단계적으로 축소[삭감]하다 **~ *in*** 단계적으로 끌어들이다, 서서히 움직이게 하다 **~ *out*** 단계적으로 제거[폐지]하다 ▷ phásic *a.*
pháse àngle 〖전기·물리〗 위상각(位相角)
pháse-con·trast mícroscope [-kɑ̀ntræst-|-kɔ̀ntrɑ:st-] =PHASE MICROSCOPE

thesaurus **phantom** *n.* **1** 환영 vision, hallucination, illusion, chimera **2** 유령 ghost, apparition, specter, spirit, shadow, revenant, wraith

phásed-ar·ráy rádar [féizdəréi-] 〖군사〗 위상 단열(段列) 레이더
pháse diagram 〖화학〗 상태도, 평형도
phase·down [féizdàun] *n.* Ⓤ 단계적 삭감[축소]
phásed withdráwal 〖군사〗 단계적 철수
phase·in [féizìn] *n.* Ⓤ 단계적 도입[실시]
pháse micròscope 위상차(差) 현미경
pháse modulàtion 위상 변조
phase·out [-àut] *n.* Ⓤ (계획·작전 등의) 단계적 철수[폐지, 정지]
pháse spàce 〖물리〗 위상 공간(位相空間)
pháse zéro (계획 등의) 준비 단계, 제로 단계
pha·sic [féizik] *a.* 국면[형세]의; 상(相)의
pha·sis [féisis] *n.* (*pl.* **-ses** [-si:z]) 상(相), 면(面)(phase), 양식, 양상, 국면
phat [fæt] *a.* 《미·속어》 최고의, 멋진, 근사한, 매력적인
phat·ic [fǽtik] *a.* 〖언어〗 〈말 등이〉 사교적인, 의례적인, 교감적(交感的)인 《내용 전달보다는 사교를 위한 것임을 두고 말함》: ~ communion 〖언어〗 사교적[교감적] 언어 사용
Ph.B. Bachelor of Philosophy **Ph.C.** Pharmaceutical Chemist **Ph.D.** Doctor of Philosophy
***pheas·ant** [féznt] *n.* (*pl.* **~s,** ~) **1** 〖조류〗 꿩 **2** 《미·캐나다》 목도리뇌조(雷鳥) **3** Ⓤ 꿩 고기
pheas·ant-eyed [féznt àid] *a.* 〈꽃이〉 꿩의 눈 같은 반점이 있는
pheas·ant·ry [fézntri] *n.* (*pl.* **-ries**) 꿩 사육장
Phe·be [fí:bi] *n.* 여자 이름
phel·lem [féləm, -lem] *n.* 〖식물〗 코르크 조직
phel·lo·gen [félədʒən] *n.* 〖식물〗 코르크 형성층
phen- [fi:n], **pheno-** [fí:nou, -nə] 《연결형》 〖화학〗 「benzene의」의 뜻 《모음 앞에서는 phen-》
phen·ac·e·tin [fənǽsətin] *n.* Ⓤ 〖약학〗 페나세틴 《해열·진통제》
phen·a·cite [fénəsàit] *n.* 〖광물〗 페나사이트 《규산 베릴륨 광물》
phen·an·threne [fənǽnθri:n] *n.* Ⓤ 〖화학〗 페난트렌 《광택 있는 무색, 비수용성 결정; 주로 약품용》
phen·a·zine [fénəzì:n, -zin] *n.* Ⓤ 〖화학〗 페나진 《황색, 미(微)수용성 결정; 염료로 사용》
phe·naz·o·cine [fənǽzəsì:n, -sin] *n.* Ⓤ 〖약학〗 페나조신 《모르핀보다 중독성이 적은 강한 진통제》
phen·cy·cli·dine [fensíklidì:n, -sáik-, -din] *n.* Ⓤ 〖약학〗 펜시클리딘 《동물 마취약》
phene [fí:n] *n.* 〖생물〗 유전적 표현형 《유전적으로 결정된 생물 개체의 특징·성질》
phe·net·ic [finétik] *a.* 〖생물〗 표현적인
phe·net·ics [finétiks] *n. pl.* [단수 취급] 〖생물〗 표현론적 분류, 표현학
phen·e·tole [fénətòul | -tòul, -tɔ̀l] *n.* 〖화학〗 페네톨 《무색, 휘발성, 비수용성의 방향성 액체》
phen-fen [fénfèn] *n.* =FEN-PHEN
phen·for·min [fenfɔ́:rmən] *n.* Ⓤ 〖약학〗 펜포르민 《당뇨병용 경구(經口) 혈당 강하제》
Phe·ni·cia [fəníʃə, -ní:ʃə] *n.* =PHOENICIA
phe·nix [fí:niks] *n.* =PHOENIX
phen·met·ra·zine [fenmétrəzì:n] *n.* Ⓤ 〖약학〗 펜메트라진 《비만증 치료에 식욕 억제제로 이용》
pheno- [fí:nou, -nə] 《연결형》 **1** 「빛나는」의 뜻 **2** 「페놀(기)의」의 뜻
phe·no·bar·bi·tal [fi:noubɑ́:rbətæ̀l, -tɔ̀:l] *n.* Ⓤ 〖약학〗 페노바르비탈(《영》 phenobarbitone) 《수면제·진정제》
phe·no·bar·bi·tone [fi:noubɑ́:rbətòun] *n.* Ⓤ 《영》 =PHENOBARBITAL
phe·no·cop·y [fí:nəkɑ̀pi | -kɔ̀pi] *n.* (*pl.* **-copies**) 〖생물〗 표현형 모사(模寫)

phase *n.* **1** 단계 stage, part, step, chapter, period, point, time, juncture, spell **2** (달의) 상(相) aspect, facet, shape, form

phe·no·cryst [fí:nəkrist, fén-] *n.* 〖암석〗 반정(斑晶)
phe·nol [fí:noul, -nɑl | -nɔl] *n.* Ⓤ 〖화학〗 페놀, 석탄산(石炭酸)
phe·no·late [fí:nəlèit] *n.* 〖화학〗 페놀레이트 《페놀류 금속염의 총칭》
— *vt.* 페놀[석탄산]로 처리하다[소독하다]
phe·no·lic [finóulik, -nɑ́l- | -nɔ́l-] *a.* 석탄산의
— *n.* =PHENOLIC RESIN
phenólic résin 〖화학〗 페놀 수지
phe·no·lize [fí:nəlàiz] *vt.* 석탄산으로 처리하다
phe·nol·o·gy [finɑ́lədʒi | -nɔ́l-] *n.* Ⓤ 생물 기후[계절]학
phe·nol·phthal·ein [fi:nɔ:lfθǽli:n, -liin, -nɑl- | -nɔlfθǽliin] *n.* Ⓤ 〖화학〗 페놀프탈레인 《산·염기 지시약, 하제(下劑)》
phe·nom [finɑ́m | -nɔ́m] *n.* 《미·속어》 천재, 굉장한 사람 《스포츠계 등에서》: a tennis ~ 테니스 천재
***phe·nom·e·na** [finɑ́mənə | -nɔ́m-] *n.* PHENOMENON의 복수
phe·nom·e·nal [finɑ́mənl | -nɔ́m-] *a.* **1** 자연 현상의[에 관한] **2** 인지(認知)[지각]할 수 있는, 감각적인, 외관상의; 현상적인 **3** 《구어》 놀랄 만한, 경이적인, 거대한: ~ speed 경이적인 속도 **~·ly** *ad.*
phe·nom·e·nal·ism [finɑ́mənəlìzm | -nɔ́m-] *n.* Ⓤ 〖철학〗 현상론(現象論), 현상주의 **-ist** *n.*
phe·nom·e·nal·is·tic [finɑ̀mənəlístik | -nɔ̀m-] *a.* 현상론의[에 관한]
phe·nom·e·nal·ize [finɑ́mənəlàiz | -nɔ́m-] *vt.* 현상적으로 다루다[생각하다]; 현상으로서 나타내다
phe·nom·e·nis·tic [finɑ̀mənístik | -nɔ̀m-] *a.* =PHENOMENALISTIC
phe·nom·e·no·log·i·cal [finɑ̀mənəlɑ́dʒikəl | -nɔ̀minəlɔ́dʒ-] *a.* 현상학적인; 현상론의
phe·nom·e·nol·o·gy [finɑ̀mənɑ́lədʒi | -nɔ̀minɔ́l-] *n.* Ⓤ 〖철학〗 현상학 **-gist** *n.* 현상학자
***phe·nom·e·non** [finɑ́mənɑ̀n, -nən | -nɔ́minən] [Gk 「나타나다」의 뜻에서] *n.* (*pl.* **-na** [-nə]) **1** 현상(opp. *noumenon*): the *phenomena* of nature 자연 현상 **2** 사상(事象); 사건 **3** (*pl.* **~s**) 이상한 물건[일], 진기한 물건; 비범한 인물, 천재: an infant ~ 신동(神童) **4** 〖철학〗 현상, 외상(外象)
▷ phenómenal *a.*
phe·no·thi·a·zine [fi:nəθáiəzì:n] *n.* Ⓤ 〖화학·약학〗 페노티아진 《살균·구충약; 정신 안정제》
phe·no·type [fí:nətàip] *n.* 〖생물〗 표현형(表現型) 《육안으로 볼 수 있는 생물의 형질; cf. GENOTYPE》
phè·no·týp·ic, -i·cal *a.*
phen·ox·ide [finɑ́ksaid | -nɔ́k-] *n.* 〖화학〗 =PHENOLATE
phen·tol·a·mine [fentɑ́ləmì:n, -min | -tɔ́l-] *n.* Ⓤ 〖약학〗 펜톨아민 《세포종(腫) 진단에 사용》
phe·nyl [fénl, fí:nl | fí:nail, fén-, -nl] *n.* Ⓤ 〖화학〗 페닐기(基)
phe·nyl·al·a·nine [fènlǽlənì:n] *n.* 〖생화학〗 페닐알라닌 《필수 아미노산의 일종》
phen·yl·bu·ta·zone [fènlbjú:təzòun, fi:n-] *n.* Ⓤ 〖약학〗 페닐부타존 《관절염 등의 진통·해열·소염제》
phen·yl·ene [fénəlì:n, fí:n-] *a.* 〖화학〗 페닐렌기를 포함한 — *n.* 페닐렌(기)
phen·yl·eph·rine [fènléfri:n, -rin, fi:n-] *n.* Ⓤ 〖약학〗 페닐에프린 《주로 코점막 충혈 억제제, 산동(散瞳)약으로 사용되는 백색의 결정성 분말》
phen·yl·ke·to·nu·ri·a [fènlki:tounjúəriə] *n.* Ⓤ 〖의학〗 페닐케톤뇨증(尿症) 《유아기에 지적 장애를 일으킴; 略 PKU》
phen·yl·pro·pan·ol·a·mine [fènlpròupənɑ́ləmì:n, -min | -nɔ́l-] *n.* Ⓤ 〖약학〗 페닐프로파놀아민 《식욕 억제제》
phen·y·to·in [fènitóuin, fənítou- | finítou-] *n.* Ⓤ 〖약학〗 페니토인 《항경련제, 간질 발작 등에 사용》
phe·ren·ta·sin [fəréntəsin] *n.* 〖생화학〗 페렌타신

《고혈압 환자의 혈액 중에 존재하는 승압(昇壓) 아민》
pher·o·mone [férəmòun] *n.* 〖생화학〗 페로몬《동물의 체외로 분비되어 동종(同種)의 개체에 생리적·행동적 반응을 일으키는 유기 물질》 **phèr·o·mó·nal** *a.*
phew [fjúː, pfjúː, whjúː] *int.* 《실제 회화에서는 휘파람과 비슷한 소리를 냄》 **1** [안심하는 기분을 나타내어] 휴, 살았다 **2** [놀람을 나타내어] 저런, 아이쿠 **3** 체《초조·불쾌·피로·혐오 등을 나타내는》: *P*~! It's hot. 아이, 더워! **—***vi.* 체 하고 혀를 차다
Ph.G. Graduate in Pharmacy
phi [fái] *n.* (*pl.* **~s**) 그리스 자모의 제 21 번째자 《Φ, φ; 로마자의 ph에 상당》
phi·al [fáiəl] *n.* 작은 유리병, 《특히》 약병
phi·a·le [fáiəli] [Gk] *n.* (*pl.* **-lae** [-liː], **-lai** [-lai]) (고대 그리스·로마의) 접시와 비슷하게 생긴 얕은 컵《중앙에 양각(陽刻) 장식이 있으며, 음료를 마시거나 제삿술을 부을 때 쓰임》
Phi Be·ta Kap·pa [fái-béitə-kǽpə, -bíːtə-] [the ~] 《미》 파이·베타·카파 클럽(의 회원)《성적이 우수한 미국 대학생·졸업생으로 조직된 회》
Phi Bete [fái-béit] 《미·구어》 = PHI BETA KAPPA
Phid·i·as [fídiəs | -æ̀s] *n.* 페이디아스(500?-432? B.C.)《그리스의 조각가》
Phil [fíl] *n.* 남자 이름 《Phil(l)ip의 애칭》
phil- [fil], **philo-** [fílou, -lə] [Gk] 《연결형》 「…사랑하는, …좋아하는」의 뜻《모음 및 h 앞에서는 phil-》
-phil [fil] 《연결형》 = -PHILE
phil. philology; philosopher; philosophical; philosophy **Phil.** Philadelphia; Philemon; Philip; Philippians; Philippine(s) **Phila.** Philadelphia
Phil·a·del·phi·a [filədélfiə] [Gk 「형제애(brotherly love)」의 뜻에서] *n.* 필라델피아《미국 Pennsylvania주의 도시; 略 Phila.》
Philadélphia chrómosome 〖병리〗 필라델피아 염색체《만성 골수성 백혈병 환자의 조혈 세포에 있음》
Philadélphia láwyer 《미·경멸》 민완[수완 좋은] 변호사
phi·lan·der [filǽndər] *vi.* 〈남자가〉 여자를 건드리다, (일시적으로) 연애하다, 엽색하다
~·er *n.* 연애 유희자
phi·lan·der·ing [filǽndəriŋ] *a.* 〈남자가〉 여자를 건드리는, 장난삼아 연애하는
phil·an·thrope [fílənθròup] *n.* = PHILANTHROPIST
phil·an·throp·ic, -i·cal [fìlənθrɑ́pik(əl) | -θrɔ́p-] *a.* 인정 많은, 인자한; 박애(주의)의, 동포애의
phi·lan·thro·pism [filǽnθrəpìzm] *n.* Ⓤ 박애주의, 인애(仁愛)
phi·lan·thro·pist [filǽnθrəpist] *n.* 박애주의자; 박애가, 자선가
phi·lan·thro·pize [filǽnθrəpàiz] *vi.* 자선을 베풀다; 자선 사업을 하다 **—***vt.* …에게 자선을 베풀다, 자애롭게 다루다
phi·lan·thro·poid [filǽnθrəpɔ̀id] *n.* 《미·구어》 자선 단체의 직원
phi·lan·thro·py [filǽnθrəpi] [Gk 「인간을 사랑하다」의 뜻에서] *n.* (*pl.* **-pies**) **1** Ⓤ 박애(주의), 자선, 인자, 인류애 **2** [*pl.*] 자선 행위[사업, 단체]
phil·a·tel·ic, -i·cal [filətélik(əl)] *a.* 우표를 수집하는, 우표 연구의
phi·lat·e·list [filǽtəlist] *n.* 우표 수집[연구]가
phi·lat·e·ly [filǽtəli] *n.* Ⓤ 우표 수집[연구, 애호]; [집합적] 우표
-phile [fàil] 《연결형》 「사랑하는(loving) (사람(lover))」의 뜻(opp. *-phobe*): biblio*phile*
Philem. 〖성서〗 Philemon
Phi·le·mon [filíːmən, fai- | -mɔn] *n.* 〖성서〗 (신약 성서 중의) 빌레몬서(書)《略 Philem.》
*****phil·har·mon·ic** [filhaːrmɑ́nik, fìlər- | fìlaː-mɔ́n-, -haː-] *a.* 음악 애호의, 음악을 좋아하는; 교향악단의: a ~ orchestra 교향악단
—*n.* 교향악단; (음악 협회가 개최하는) 음악회(= ~ **cóncert**)
philharmónic pítch 〖음악〗 연주회용 표준 음도
phil·hel·lene [filhéliːn] *n.* 그리스 애호자, 친(親)그리스주의자, 그리스의 벗 **—***a.* 그리스를 좋아하는
-le·nism [-lənìzm] *n.* **-len·ist** *n.*
phil·hel·len·ic [filhelénik, -líːn- | -líːn-] *a.* 그리스를 애호하는
Phil. I. Philippine Islands
-philia [fíliə] 《연결형》 「…의 경향, …의 병적 애호, …에의 편애」의 뜻: necro*philia*
-philiac [fíliæ̀k] 《연결형》 「…의 경향이 있는 사람, …에 대하여 과도한 식욕·기호를 가진 사람」의 뜻: hemo*philiac*, necro*philiac*
phil·i·beg [filəbèg] *n.* = FILLEBEG
-philic [fílik], **-philous** [fələs] 《연결형》 「좋아하는」의 뜻
Phil·ip [fílip] *n.* **1** 남자 이름 **2** 〖성서〗 빌립《예수의 12 제자의 한 사람》
Phil·ip·pa [filípə] *n.* 여자 이름
Phi·lip·pi [filípai, fíləpài] *n.* 빌립보《Macedonia의 고대 도시; 기원전 42년 Octavian과 Antony가 Brutus와 Cassius를 무찌른 곳》 ***meet at ~*** 위험한 약속을 충실히 지키다 ***Thou shalt see me at ~.*** 두고 보자, 이 원한은 갚고야 말 테다. 《Shakespeare의 *Julius Caesar*에서》
Phi·lip·pi·ans [filípiənz] *n. pl.* [the ~; 단수 취급] 〖성서〗 (신약 성서 중의) 빌립보서(書)《略 Phil.》
Phi·lip·pic [filípik] *n.* **1** [the ~s] 아테네의 Demosthenes가 Macedonia 왕 Philip을 공격한 12 연설 중의 하나 **2** 로마의 웅변가 Cicero가 Mark Antony를 공격한 여러 연설 중의 하나 **3** [**p~**] 격렬한 공격 연설
phil·ip·pine [fíləpìːn], **-pi·na** [fíləpìːnə] *n.* = PHILOPENA
Phil·ip·pine [fíləpìːn | ⌐-⌐] [스페인 왕 Philip Ⅱ의 이름에서] *a.* 필리핀 군도[사람]의
Phílippine Íslands [the ~] 필리핀 군도《서태평양의 약 7,000여 개의 섬으로 이루어짐》
*****Phil·ip·pines** [fíləpìːnz | ⌐-⌐] *n. pl.* [the ~; 복수 취급] **1** 필리핀 제도 **2** [보통 단수 취급] 필리핀 (공화국)《필리핀 군도로 이루어진 나라; 공식 명칭은 the Republic of the ~; 수도 Manila》
Phi·lis·tine [fíləstìːn, -stàin, filísti(ː)n | fílistàin] *n.* **1** 필리스틴[블레셋] 사람《옛날 Palestine 서남부에 살며 이스라엘 사람을 괴롭힌 민족》 **2** [종종 **p~**] 속물, 실리주의자, 교양 없는 사람 **3** 《익살》 잔인한 원수《집달리·비평가 등》 ***fall among the ~s*** 학대받다, 경치다, 혼나다, 봉변당하다
—*a.* 필리스틴 사람의; 속물의, 평범한, 교양 없는; 실리적인 **-tin·ism** *n.* Ⓤ 속물 근성, 실리주의, 무교양
Phil·lips [fílips] *a.* (나사의 홈·드라이버의 돌리는 부분이) 십자형의(cf. FLATHEAD, SLOTTED)
—*n.* 십자 나사못 및 드라이버《상표명》
Phíllips cúrve 〖경제〗 필립스 곡선《인플레이션과 실업률의 상관을 나타냄》
Phíllips hèad 십자 홈 나사못 대가리(cf. FLATHEAD)
phil·lu·men·ist [filúːmənist] *n.* 성냥갑 상표[레테르] 연구가[수집가] **-me·ny** [-məni] *n.* Ⓤ 성냥갑 상표[레테르] 수집 취미
Phil·ly [fíli] *n.* 《미·속어》 PHILADELPHIA의 애칭
philo- [fílou, -lə] [Gk] 《연결형》 = PHIL-
phil·o·bib·lic [filəbíblik] *a.* 책[문학]을 좋아하는; 애서벽이 있는; 성경 연구에 몰두하는
phil·o·den·dron [filədéndrən] *n.* 〖식물〗 토란과

thesaurus **philanthropic** *a.* humanitarian, unselfish, altruistic, kind-hearted, benevolent, generous, charitable (opp. *selfish, stingy*)

(科)의 상록 덩굴 식물《열대 아메리카산(産)》

phi·log·ra·phy [filágrəfi | -lɔ́g-] *n.* Ⓤ (특히 유명인의) 사인[자필 서명] 수집

phi·log·y·ny [filádʒəni | -lɔ́dʒ-] [Gk 「여성을 좋아하다」의 뜻에서] *n.* Ⓤ 여자를 좋아함, 여성 숭배 (opp. *misogyny*) **-nist** *n.* **-nous** *a.*

philol. philological; philology

phil·o·log·i·cal [filəládʒikəl | -lɔ́dʒ-] *a.* 언어[문헌(文獻)]학(상)의 **~·ly** *ad.*

phi·lol·o·gist [filálədʒist | -lɔ́l-] *n.* **1** 언어학자[연구가] **2** 문헌학자

phi·lol·o·gize [filálədʒàiz | -lɔ́l-] *vi.* 언어학[문헌]적으로 고찰하다; 언어학[문헌학]을 연구하다

phi·lol·o·gy [filálədʒi | -lɔ́l-] *n.* Ⓤ **1** 문헌학 **2** 언어학《현재는 philology는 보통 사적(史的) 또는 비교 연구하는 언어학을 말하며, linguistics는 공시적(共時的)으로 연구하는 언어학을 말함》: comparative ~ 비교 언어학/English ~ 영어학

phil·o·math [fíləmæ̀θ] *n.* 학문을 좋아하는 사람; 학자,《특히》수학자 **phìl·o·máth·ic** *a.*

phil·o·mel [fíləmèl] *n.*《시어》 = NIGHTINGALE

Phil·o·me·la [filəmíːlə] *n.* **1** 〖그리스신화〗 필로멜라《nightingale이 된 Athens 왕 Pandion의 딸》 **2** [종종 **p~**]《시어》 = NIGHTINGALE

phil·o·pe·na [filəpíːnə] *n.* 필리핀, 필리피나《편도(almond) 등을 남녀가 각각 나누어 갖고 다음 만났을 때 먼저 「필리핀」하는 사람이 선물을 받는 놀이》; 그 나누어 가진 열매

phil·o·pro·gen·i·tive [filəproudʒénətiv] *a.* 다산(多産)의, 자식이 많은; 자식을 사랑하는 **~·ness** *n.*

philos. philosophical; philosophy

phi·los·o·phas·ter [filàsəfǽstər | -lɔ̀s-] *n.* 철학자연하는 사람, 사이비 철학자

phi·lo·sophe [fíləsàf, filəzáf | fíləsɔ̀f] *n.* (*pl.* **~s**) (18세기 프랑스의 저명한) 철학자, 계몽사상가《디도·루소·볼테르 등》

***phi·los·o·pher** [filásəfər | -lɔ́s-] *n.* **1** 철학자: a moral ~ 윤리학자/a natural ~ 자연 철학자, 물리학자 **2** 철인, 현인; 달관자 **3** (곤란할 때에도) 냉철한 사람;《구어》사물을 깊이 생각하는 사람
take things like a ~ 세상을 달관하다 ***You are a ~.*** 너는 참 현명하다.《체념이 빠르다 등의 뜻》

phi·lós·o·phers'[philósopher's] stóne [filásəfərz- | -lɔ́s-] [the ~] 현자(賢者)의 돌《비금속을 황금으로 변화시키는 힘이 있다고 연금술사(alchemist)가 찾아 헤매던》; 실현 불가능한 이상

***phil·o·soph·ic, -i·cal** [filəsáfik(əl) | -sɔ́f-] *a.* **1** 철학의; 철학에 조예가 깊은, 철학에 통달한; 철학을 연구하는 **2** 냉정한, 침착한; 이성적인, 현명한; 달관한 **3** (드물게) 자연 철학의, 물리학(상)의 **-i·cal·ly** *ad.* 철학적으로, 철학자답게; 냉정하게; 달관하여

philosóphical análysis 철학적 분석

phi·los·o·phism [filásəfìzm | -lɔ́s-] *n.* Ⓤ 철학적인 사색; 사이비 철학; 곡학(曲學); 궤변
-phist *n.* 사이비 철학자, 궤변가

phi·los·o·phize [filásəfàiz | -lɔ́s-] *vi.* 철학적으로 설명[사색]하다, 철학하다《*about*》; 철학자인 체하다
— *vt.* 철학적으로 설명하다 **-phìz·er** *n.*

phi·los·o·phy** [filásəfi | -lɔ́s-] [Gk 「지식을 사랑하기」의 뜻에서] *n.* (*pl.* **-phies**) **1** Ⓤ 철학, 형이상학, 철학 체계: empirical ~ 경험 철학/metaphysical ~ 형이상학/practical ~ 실천 철학/the ~ of Spinoza 스피노자의 철학 (체계) **2** ⓊⒸ 철리(哲理), 원리: the ~ of economics[grammar] 경제학[문법] 원리 **3** Ⓤ 철학적인 정신, 철인적인 태도; 냉정, 침착; 달관 **4** Ⓤ 대오(大悟), 도통, 체관(諦觀); ⓊⒸ 인생 철학, 인생관, 세계관; 주의, 방침: a ~ of life 인생관, 인생 철학 **5** 철학책 ***Doctor of P~ 철학 박사; 박사《*in*》 ***mental ~*** 심리학
▷ philosóphic *a.*; philósophize *v.*

philosophy *n.* **1** 철학 thought, thinking, reasoning, logic, wisdom, metaphysics **2** 세계관 beliefs, convictions, ideology, principles, view

-philous [fələs]《연결형》「…을 즐기는, …을 좋아하는」의 뜻

Phil. Soc. Philological Society

phil·ter | -tre [fíltər] *n.* 미약(媚藥)(love-potion); 마법의 약(magic potion)
— *vt.* 미약으로 반하게 하다

phil·trum [fíltrəm] *n.* (*pl.* **-tra** [-trə]) **1** 〖해부〗 인중(人中)《코 밑의 세로 골이 진 곳》 **2** 미약(媚藥)

-phily [fəli]《연결형》-PHILIA의 이형(異形)

phi·mo·sis [faimóusis, fi-] *n.* (*pl.* **-ses** [-siːz]) 〖병리〗 포경; 질폐쇄증(膣閉鎖症)

Phin·e·as [fíniəs | -æ̀s] *n.* 남자 이름

phí phenòmenon 〖심리〗 파이 현상, 최적 운동

phish·ing [fíʃiŋ] *n.* 피싱《금융 기관 등의 웹사이트·이메일로 위장하여 개인 정보를 빼내어 이를 불법적으로 이용하는 사기 수법》

phit [fít] *n.* 핑, 쌩《총알이 날아가는 소리 등》

phiz [fíz] [physiognomy의 단축형] *n.* [보통 a ~]《영·속어》얼굴, 모습, 용모; 얼굴 표정: *a* ~ snapper《미·속어》사진사

phiz·og [fízɔ(ː)g, ─́] *n.* = PHIZ

phleb- [fleb, fliːb], **phlebo-** [flébou, -bə]《연결형》「정맥(靜脈)」의 뜻《모음 앞에서는 phleb-》

phle·bi·tis [fləbáitis] *n.* Ⓤ 〖병리〗 정맥염(靜脈炎)

phle·bol·o·gy [fləbálədʒi | -bɔ́l-] *n.* Ⓤ 〖의학〗 정맥학(venology)

phleb·o·tome [flébətòum | -təum] *n.* 정맥을 절개할 때 쓰는 칼

phle·bot·o·mist [fləbátəmist | -bɔ́t-] *n.* 사혈(瀉血) 전문 의사

phle·bot·o·mize [fləbátəmàiz | -bɔ́t-] *vi., vt.* 사혈하다, 방혈하다, 자락(刺絡)하다, 정맥을 절개하다

phle·bot·o·my [fləbátəmi | -bɔ́t-] *n.* Ⓤ 〖외과〗 정맥 절개, 방혈(放血), 사혈

Phleg·e·thon [flégəθàn, flédʒə- | -giθɔ̀n] *n.* **1** 〖그리스신화〗 플레게톤《명계(Hades)의 불의 강》 **2** [**p~**] 불의 흐름, 불같이 번쩍이는 흐름

phlegm [flém] [Gk 「점액」의 뜻에서] *n.* Ⓤ **1** 담(痰), 가래 **2** 점액질; 지둔, 무감각; 냉담, 무기력; 침착 **3** (고어) 〖생리〗 점액《4체액의 하나》

phleg·mat·ic, -i·cal [flegmǽtik(əl)] *a.* **1** 담[가래]이 많은 **2** 점액질의: ~ temperament 점액질 **3** 냉담한, 무기력한, 무감각한 **-i·cal·ly** *ad.*

phleg·mon [flégman | -mɔn] *n.* Ⓤ 〖병리〗 봉소염(蜂巢炎), 봉와직염《결합 조직의》

phlegm·y [flémi] *a.* (**phlegm·i·er**; **-i·est**) 담의[같은], 담을 내는

phlo·em, phlo·ëm [flóuem] *n.* 〖식물〗 체관부

phlo·gis·ton [floudʒístan, -tən | flɔdʒístən] *n.* Ⓤ 플로지스톤《산소를 발견하기 전까지 가연물 속에 존재한다고 믿어졌던 것》, 연소(燃素), 열소(熱素)
phlo·gís·tic *a.* 연소의; 〖병리〗 염증의

phlog·o·pite [flágəpàit | flɔ́g-] *n.* 〖광물〗 금운모(金雲母)《마그네슘을 많이 함유한 운모》

phlo·ri·zin [flɔ́ːrəzin, flár- | flɔ́ːri-] *n.* Ⓤ 〖화학〗 플로리진《사과나무 등의 근피(根皮)에서 채취하는 흰색의 쓴 배당체(配糖體)》

phlox [fláks | flɔ́ks] [Gk 「타다」의 뜻에서] *n.* (*pl.* **~·es**, [집합적] **~**) 〖식물〗 플록스, 협죽초

phlyc·t(a)e·na [fliktíːnə] *n.* (*pl.* **-nae** [-niː]) 〖병리〗 플릭티나, 수포(水疱)《결핵 알레르기로 인한 결막·각막의 발진》

Phnom Penh [pnám-pén, pənɔ́ːm- | pnɔ́m-] 프놈펜《캄보디아의 수도》

pho [fóu] *n.* 베트남 쌀국수

-phobe [fòub] [Gk]《연결형》「…을 두려워하는(사람), …에 반대하는[싫은] (사람)」의 뜻(opp. *-phil(e)*): Germano*phobe*

pho·bi·a [fóubiə] *n.* ⓊⒸ 공포증, 병적인 공포[혐오]
-phobia [fóubiə] [Gk] 《연결형》 「배격, 증오, …공포증」의 뜻: Anglo*phobia*
pho·bic [fóubik] *a.* 공포증의, 공포증적인, 병적 혐오[공포]의 ── *n.* (병적) 공포증의 사람
-phobic [fóubik] [Gk] 《연결형》 「…공포증의, …싫어하는」의 뜻: Anglo*phobic*
pho·bo·pho·bi·a [fòubəfóubiə] *n.* 〖정신의학〗 공포 공포증
Pho·bos [fóubəs, -bɑs | -bɔs] *n.* **1** 〖그리스신화〗 포보스 《Ares의 아들》 **2** 〖천문〗 포보스 《화성의 큰 쪽의 위성; cf. DEIMOS》
Pho·bus [fóubəs] *n.* = PHOBOS 1
pho·co·me·li·a [fòukoumí:liə, -ljə] *n.* Ⓤ 〖병리〗 해표지증(海豹肢症), 단지증(短肢症) **phò·co·mé·lic** *a.*
Phoe·be [fí:bi] *n.* **1** 〖그리스신화〗 포이베 《달의 여신; cf. ARTEMIS, DIANA》 **2** 《시어》 달(moon) **3** 여자 이름 **4** [**p~**] 딱새 무리의 작은 새 《미국산(産)》
Phoe·bus [fí:bəs] *n.* **1** 〖그리스신화〗 포이보스 《태양신으로서의 아폴로》 **2** 《시어》 태양
Phoe·ni·cia [finíʃə, -ní:-] *n.* 페니키아 《지금의 Syria 연안의 고대 국가》
Phoe·ni·cian [finíʃən, -ní:-] *a.* 페니키아 (사람)의 ── *n.* 페니키아 사람; Ⓤ 페니키아 말
*__phoe·nix__ [fí:niks] *n.* **1** [종종 **P~**] 〖이집트신화〗 불사조 《아라비아 사막에서 500 또는 600년마다 스스로 향나무를 쌓아 올려 타죽고, 그 재 속에서 다시 살아난다고 하는 영조(靈鳥); 불사의 상징》 **2** 대천재(天才), 절세의 미인 《등》; 모범, 일품(逸品) **3** [the P~] 〖천문〗 봉황새자리 **4** [**P~**] 미국 Arizona 주의 주도 **5** [**P~**] (미 해군의) 공대공 미사일 ***rise like the ~ from the ashes*** 불사조처럼 재생하다, 타격에서 다시 일어나다 ***the Chinese ~*** 봉황(새)
Phóenix Íslands [the ~] 피닉스 제도 《태평양의 중앙에 산재하는 8개의 작은 섬》
phon [fɑ́n | fɔ́n] [Gk 「소리」의 뜻에서] *n.* 〖물리〗 폰 《소리의 강도의 단위》
phon- [foun], **phono-** [fóunou, -nə] [Gk] 《연결형》 「소리, 목소리, 말」의 뜻 《모음 앞에서는 phon-》
phon. phonetic(s); phonology
pho·nate [fóuneit | -ˊ] *vt., vi.* 〖음성〗 소리를 내다; 발음하다, 발성하다
pho·na·tion [founé iʃən] *n.* Ⓤ 〖음성〗 발음, 발성
phon·au·to·graph [fòunɔ́:təgræ̀f | -grɑ̀:f] *n.* 포노토그래프 《음파를 기록하는 장치》
‡**phone**[1] [foun] [telephone의 단축형] 《구어》 *n.* **1** [종종 the ~] **전화**: answer *the* ~ 전화를 받다 **2** Ⓒ **전화기**, 수화기: a touch-tone ~ 푸시버튼[누름단추]식 전화기 / put down the ~ 수화기를 내려놓다 ***be on the ~*** (1) 전화를 걸고[받고] 있다: Who's *on the* ~? 누구한테서 온 전화냐? / He's *been on the* ~ for more than an hour. 그는 한 시간째 통화 중이다. (2) 《영》 (집·직장 등에) 전화기가 있다
── *a.* 전화의[에 관한]
── *vi., vt.* (…에게) **전화하다, 전화를 걸다** 《*to*》, 전화로 불러내다 《*up*》, 전화로 알려주다: Please ~ me tomorrow. 내일 전화 주세요.
~ in (자택에) 전화를 걸다; 〈정보 등을〉 전화로 알리다; 〈의견·질문을〉 (방송국에) 전화하다
phone[2] *n.* 〖음성〗 음, 단음(單音) 《모음 또는 자음》
-phone [fòun] 《연결형》 「음(sound), 음성」의 뜻: micro*phone*
*__phóne bòok__ 《미·구어》 **전화번호부**(telephone directory)
*__phóne bòoth__[《영》 **bòx**] 《구어》 (공중) **전화박스**
phóne càll 전화를 걺, 전화가 걸려 옴, 통화: get a ~ from …에게서 전화가 걸려오다 / make a ~ to …에게 전화를 걸다
phóne càller 전화를 걸어오는 사람
phóne cálling trèe = PHONE TREE
phone·card [fóunkɑ̀:rd] *n.* 《영》 전화 카드 《동전 대신 전화기에 꽂는 플라스틱 카드》
phóne chàt (…와의) 전화로의 수다 《*with*》
phóne frèak 《구어》 = PHONE PHREAK
phone-in [-ìn] *n., a.* (텔레비전·라디오의) 시청자 전화 참가 프로그램(의)(《영》 call-in)
pho·ne·mat·ic [fòunəmǽtik] *a.* = PHONEMIC
pho·neme [fóuni:m] *n.* 〖음성〗 음소(音素), 음운(音韻) 《어떤 언어에서의 음성상의 최소 단위》
pho·ne·mic [fəní:mik, fou-] *a.* **1** 음소의: a ~ system 음소 체계[조직] **2** 음소론의 **3** 음소별의, 음소를 식별하는: a ~ contrast 음소(적) 대립
-mi·cal·ly *ad.*
pho·ne·mi·cist [fəní:məsist, fou-] *n.* 음소론 학자
pho·ne·mi·cize [fəní:məsàiz, fou-] *vt.* 〈음성을〉 음소화하다; 음소 기호로 바꾸어 쓰다
pho·ne·mics [fəní:miks, fou-] *n. pl.* [단수 취급] **1** 음소론 **2** (한 언어의) 음소 조직[체계]
*__phóne nùmber__ 《구어》 **전화 번호**
phóne òrder 전화 주문
phóne phrèak 《구어》 전화를 공짜로 사용할 수 있도록 개조하는 사람
phon·er [fóunər] *n.* 전화 거는 사람
phóne sèx 폰섹스 《전화를 통한 성적 희롱》
phonet. phonetics
phóne tàg = TELEPHONE TAG
phóne tàp·ping 전화 도청
*__pho·net·ic, -i·cal__ [fənétik(əl), fou-] *a.* **1** 음성(상)의, 음성 표기의: ~ value 소리값, 음가(音價) / ~ signs[symbols] 표음 문자, 음성 기호 **2** 발음에 따른: ~ notation 음성 표기법 / ~ transcription 발음 표기 **3** 발음대로의, 표음의: a ~ spelling 표음식 철자(법) **-i·cal·ly** *ad.* 발음대로; 음성학상
phonétic álphabet 음표 문자, 음성 기호
pho·ne·ti·cian [fòunətíʃən] *n.* 음성학자
pho·net·i·cism [fənétəsìzm, fou-] *n.* Ⓤ 표음식 철자주의[법]
pho·net·i·cist [fənétəsist, fou-] *n.* 음성학자; 표음식 철자법 주장자
pho·net·i·cize [fənétəsàiz, fou-] *vt.* 음성 기호[표음식]로 나타내다: a system of ~*d* English spelling 표음 방식에 의한 영어의 철자 체계
phonétic láw 음법칙 《특정 언어의 규칙적인 음성 변화의 형태를 정식화한 것》
pho·net·ics [fənétiks, fou-] *n. pl.* [단수 취급] **1** 음성학, 발음학 **2** (한 언어·어족의) 음성 조직[체계]
pho·ne·tist [fóunətist] *n.* 음성학자(phonetician); 표음식 철자법주의자
phóne trèe 전화 연락망(phone calling tree)
Phone·vi·sion [fóunvìʒən] *n.* 전화선을 이용하는 유료 텔레비전 방식 《상표명》
pho·ney [fóuni] *a.* (**-ni·er**; **-ni·est**) 《미·속어》 = PHONY
phóney wár 《영》 허울뿐인 전쟁, 가전쟁 《실제 전투는 없이 공식적으로 전쟁 중인 상태》
phon·ic [fɑ́nik, fóun- | fɔ́n-, fóun-] *a.* **1** 소리[음]의 **2** 음성의; 유성(有聲)의 **-i·cal·ly** *ad.*
phon·ics [fɑ́niks | fɔ́n-, fóun-] *n. pl.* [단수 취급] 발음 중심의 어학 교수법; 음향학(acoustics)
pho·ni·ness [fóuninis] *n.* 《미·구어》 허위, 엉터리
pho·no [fóunou] *n.* (*pl.* **~s**) = PHONOGRAPH
phono- [fóunou, -nə] [Gk] 《연결형》 = PHON-
pho·no·car·di·o·gram [fòunəkɑ́:rdiəgræ̀m] *n.* 〖의학〗 심음도(心音圖)
pho·no·car·di·o·graph [fòunəkɑ́:rdiəgræ̀f, -grɑ̀:f] *n.* 〖의학〗 심음계(心音計)
phonog. phonography
pho·no·gen·ic [fòunədʒénik] *a.* 듣기 좋은 소리를 가진, 아름다운 소리의

thesaurus **phobia** *n.* fear, dread, horror, terror, dislike, hatred, loathing, detestation

pho·no·gram [fóunəgræ̀m] *n.* **1** 음표 문자, 표음 문자(cf. IDEOGRAM) **2** 속기의 표음자 **3** (축음기의) 녹음, 음반, 레코드 **4** 전화 탁송 전보
phò·no·grám·mic *a.*

***pho·no·graph** [fóunəgræ̀f, -grɑ̀:f | -grɑ̀:f, -græ̀f] *n.* ((미)) 축음기, 레코드 플레이어(((영)) gramophone); ((영)) 납관(蠟管)식 축음기

pho·nog·ra·pher [founɑ́grəfər | -nɔ́g-] *n.* (표음) 속기자

pho·no·graph·ic [fòunəgrǽfik] *a.* **1** 축음기의[에 의한] **2** (표음식) 속기의, 속기 문자로 쓴, 표음식 철자의 **-i·cal·ly** *ad.*

pho·nog·ra·phist [founɑ́grəfist | -nɔ́g-] *n.* = PHONOGRAPHER

pho·nog·ra·phy [founɑ́grəfi, fə- | -nɔ́g-] *n.* Ⓤ 표음식 철자법[표기법]; 표음 속기법[술]

phonol. phonology

pho·no·lite [fóunəlàit] *n.* Ⓤ 〖광물〗 향석(響石), 향암(響岩)

pho·no·log·ic, -i·cal [fòunəlɑ́dʒik(əl) | -lɔ́dʒ-] *a.* 음운론(音韻論)의, 음운 체계의

pho·nol·o·gy [fənɑ́lədʒi, fou- | -nɔ́l-] *n.* **1** Ⓤ 음운론[학] **2** 음운 조직 **-gist** *n.* 음성[음운]학자

pho·nom·e·ter [fənɑ́mətər, fou- | -nɔ́m-] *n.* 측음기(測音器); 음파 측정기

pho·nom·e·try [fənɑ́mətri, fou- | -nɔ́m-] *n.* Ⓤ 〖물리〗 음파 측정(법)

pho·non [fóunɑn | -nɔn] *n.* 〖물리〗 음향 양자(量子), 음자(音子)

pho·no·phile [fóunəfàil] *n.* 레코드 애호가

pho·no·phore [fóunəfɔ̀:r], **-pore** [-pɔ̀:r] *n.* 전신 전화 동시 송신 장치

pho·no·rec·ord [fóunərèkərd] *n.* 레코드판, 음반

pho·no·scope [fóunəskòup] *n.* (악기의) 검현기(檢弦器), 음도계(音度計); 악음 자기기(樂音自記器); 표음기

pho·no·tac·tics [fòunətǽktiks] *n. pl.* [단수 취급] 〖언어〗 음소 배열론

pho·no·type [fóunətàip] *n.* 〖인쇄〗 음표[표음] 활자(로 인쇄한 것)

pho·no·typ·y [fóunətàipi] *n.* Ⓤ 표음식 속기법[인쇄법]

pho·no·vi·sion [fòunəvíʒən] *n.* Ⓤ 텔레비전 전화

pho·ny [fóuni] *a.* (**-ni·er**; **-ni·est**) ((구어)) 가짜의, 허위의; 겉치레의: a ~ excuse 거짓 핑계 / ~ diamonds 가짜 다이아몬드 **~ *as three-dollar bill*** ((미·속어)) 새빨간 거짓말의 ((3달러 지폐란 존재하지 않는 데서)) **—*n.*** (*pl.* **-nies**) 가짜, 위조품(fake); 사기꾼, 위선자 **—*vt.*** 위조하다, 속이다, 날조하다 ((*up*))

-phony [-fəni, -fòuni] ((연결형)) 「음(sound), 목소리(voice)」의 뜻: tele*phony*

phóny wàr 전투 없는 전쟁 ((2차 대전 발발 직후의 유럽의 서부 전선에서 있었던 일 등)); (평시의) 모의 전쟁

phoo·ey [fú:i] [의성어] *int.* 체, 피, 시 ((경멸·혐오·실망·불신·거절을 나타내는 소리))

pho·rate [fɔ́:reit | fɔ́r-] *n.* Ⓤ 〖화학〗 포레이트 ((종자 처리용 살충제))

-phore [fɔ̀:r] ((연결형)) 「…을 가진 것, …을 받치는 것, …을 나르는 것」의 뜻: carpo*phore*

-phorous [fərəs] ((연결형)) 「…을 버티는, 지탱하는」의 뜻

phos·gene [fɑ́sdʒi:n, fɑ́z- | fɔ́z-, fɔ́s-] *n.* Ⓤ 〖화학〗 포스겐 ((1차 세계 대전 때 독가스로 이용))

phos·gen·ite [fɑ́sdʒənàit, fɑ́z- | fɔ́z-, fɔ́s-] *n.* Ⓤ 〖광물〗 각연광(角鉛鑛)

phos·pha·tase [fɑ́sfətèis, -tèiz | fɔ́sfətèiz, -tèis] *n.* Ⓤ 〖생화학〗 포스파타아제 ((생체 조직에 있는 유기산과 에스테르, 폴리인산을 가수 분해하는 효소))

---

phony *a.* bogus, sham, fake, fraudulent, pseudo (opp. *authentic, genuine*)

***phos·phate** [fɑ́sfeit | fɔ́s-] *n.* Ⓤ **1** 〖화학〗 인산염(燐酸鹽), 인 에스테르; 인산 광물: ~ pollution 인 오염 ((합성 세제·살충제·비료에 함유된 인으로 인한)) **2** 인산 비료 **3** (소량의 인산염이 든) 탄산수 ▷ phosphátic *a.*

phósphate róck 인광(燐鑛), 인회암(燐灰岩)

phos·phat·ic [fɑsfǽtik, -féit- | fɔs-] *a.* 인산염의[을 함유한]: ~ fertilizer 인산 비료

phos·pha·tide [fɑ́sfətàid, -tid | fɔ́sfətàid] *n.* Ⓤ 〖생화학〗 인지질(燐脂質)

phos·pha·tize [fɑ́sfətàiz | fɔ́s-] *vt.* **1** 인산염으로 바꾸다 **2** 인산염으로 처리하다
phòs·pha·ti·zá·tion *n.*

phos·pha·tu·ri·a [fɑ̀sfətjúəriə | fɔ̀sfətjúər-] *n.* Ⓤ 〖병리〗 인산염 요증(尿症)

phos·phene [fɑ́sfi:n | fɔ́s-] *n.* 〖생리〗 안내(眼內) 섬광 ((안구에 압력을 가했을 때의 자각 광감(自覺光感)))

phos·phide [fɑ́sfaid, -fid | fɔ́sfaid] *n.* Ⓤ 〖화학〗 인화물(燐化物): hydrogen ~ 인화 수소

phos·phine [fɑ́sfi:n, -fin | fɔ́sfi:n] *n.* Ⓤ 〖화학〗 수소화인, 인화수소, 포스핀

phos·phite [fɑ́sfait | fɔ́s-] *n.* Ⓤ 〖화학〗 아인산염(亞燐酸鹽)

phosph(o)- [fɑ́sf(ou), -f(ə) | fɔ́s-] ((연결형)) 「인(燐), 인산, 인산염」의 뜻 ((모음 앞에서는 phosph-))

phos·pho·cre·a·tine [fɑ̀sfoukrí:əti:n | fɔ̀s-] *n.* Ⓤ 〖생화학〗 크레아틴 인산 ((유기 인산염과 크레아틴에서 효소에 의해 만들어짐; 주로 근육 속에 존재함))

phos·pho·lip·id [fɑ̀sfoulípid | fɔ̀s-] *n.* Ⓤ 〖생화학〗 인지질 ((지질(脂質)에 인산기가 결합한 물질; 생체막의 주요 구성 성분))

phos·pho·ni·um [fɑsfóuniəm | fɔs-] *n.* Ⓤ 〖화학〗 포스포늄(기) ((암모늄과 유사한 정일가기(正一價基)))

phos·pho·pro·tein [fɑ̀sfouprόuti:n | fɔ̀s-] *n.* 〖화학〗 인단백질(燐蛋白質)

phos·phor [fɑ́sfər, -fɔ:r | fɔ́sfə] *n.* 인광체(燐光體), 인광 물질; ((문어)) 인광을 내는 것

Phos·phor [fɑ́sfər, -fɔ:r | fɔ́sfə], **-phore** [-fɔ:r] *n.* 샛별, 계명성(morning star), 금성(Venus)

phos·pho·rate [fɑ́sfərèit | fɔ́s-] *vt.* 인과 화합시키다, …에 인을 첨가하다; ((드물게)) 인광이 나게 하다

phósphor brónze 인청동(燐靑銅) ((기계용 합금))

phos·pho·resce [fɑ̀sfərés | fɔ̀s-] *vi.* 인광(燐光)을 발하다

phos·pho·res·cence [fɑ̀sfərésns | fɔ̀s-] *n.* Ⓤ 인광(을 발함); 푸른 빛

phos·pho·res·cent [fɑ̀sfərésnt | fɔ̀s-] *a.* 인광을 발하는, 인광성(性)의 **~·ly** *ad.*

***phos·pho·ric** [fɑsfɔ́:rik, -fɑ́r- | fɔsfɔ́r-] *a.* 〖화학〗 (5가) 인의; 인을 함유한

phosphóric ácid 〖화학〗 인산(燐酸)

phos·pho·rism [fɑ́sfərìzm | fɔ́s-] *n.* Ⓤ 〖병리〗 (만성) 인중독(燐中毒)

phos·pho·rite [fɑ́sfəràit | fɔ́s-] *n.* Ⓤ 〖광물〗 인회석(燐灰石); 인광(燐鑛), 인회암
phos·pho·rit·ic [fɑ̀sfərítik | fɔ̀s-] *a.*

phosphoro- [fɑ́sfərou, -rə | fɔ́s-] ((연결형)) 「인(燐)」의 뜻

phos·phor·o·scope [fɑsfɔ́:rəskòup, -fɑ́r- | fɔsfɔ́r-] *n.* 〖물리〗 인광계(燐光計)

phos·pho·rous [fɑ́sfərəs, fɑsfɔ́:rəs | fɔ́sfə-] *a.* (3가) 인의[을 함유한]: ~ acid 아(亞)인산

phos·pho·rus [fɑ́sfərəs | fɔ́s-] [Gk 「빛을 나르는 것」의 뜻에서] *n.* (*pl.* **-ri** [-rài]) **1** Ⓤ 〖화학〗 인(燐) ((비금속 원소; 기호 P)); Ⓒ ((드물게)) 인광성 물질 **2** 인광체 **3** [**P~**] = PHOSPHOR

phósphorus necrósis 〖병리〗 인산 괴사(壞死) ((옛날 성냥 제조공에게 많던 위턱뼈의 병))

phósphorus pentóxide 〖화학〗 오산화인

phósphorus trichlóride 〖화학〗 삼염화인, 염화인(PCl_3)

phos·pho·ryl·ate [fάsfərəlèit, fαsfɔ́:r-, -fάr- | fɔsfɔ́r-] *vt.* 〖화학〗 〈유기 화합물을〉 인산화하다 **-à·tive** *a.* **phòs·pho·ryl·á·tion** *n.*
phos·pho·trans·fer·ase [fὰsfətrǽnsfəreis, -reiz, -trα:ns- | fɔ̀s-] *n.* 〖생화학〗 포스포트란스페라아제 《인산기의 전이를 촉매하는 효소의 총칭》
phos·phu·ret·(t)ed [fάsfjurètid | fɔ́s-] *a.* 〖화학〗 인과 화합한
phós·sy jáw [fάsi- | fɔ́si-] 《의학구어》 인산 괴사(壞死)(phosphorus necrosis)
phot [fάt, fóut | fɔ́t, fóut] *n.* 포트 《조명의 단위; 1 cm²당 1 lumen; 기호 ph.》
phot. photograph; photographic; photography
pho·tic [fóutik] *a.* **1** 빛의[에 관한]; 햇빛이 미치는 깊이의 **2** 〈생물체가〉 광각성의: ~ sense 광감각
phótic drìver 군중 퇴산(退散)용 광음파 무기 《스트로보광과 초음파를 결합시킨》
phótic région[**zóne**] (해면하의) 투광층(透光層)
pho·tics [fóutiks] *n. pl.* [단수 취급] 광학(光學)
pho·tism [fóutizm] *n.* ⓤⓒ 〖심리〗 환시(幻視)
‡pho·to [fóutou] [photograph의 단축형] *n.* (*pl.* **~s**) 《구어》 **1** = PHOTOGRAPH **2** = PHOTO FINISH — *vt.*, *vi.* (**~ed**; **~·ing**) = PHOTOGRAPH
photo- [fóutou, -tə] 《연결형》 「빛; 사진」의 뜻
pho·to·ac·tin·ic [fòutouæktínik] *a.* 〖사진〗 (감광물에 대하여) 화학 변화를 일으키게 하는
pho·to·ac·tive [fòutouǽktiv] *a.* 광활성(光活性)의, 광 능동적인
pho·to·ag·ing [fóutouèidʒiŋ] *n.* Ⓤ 광(光)피부 노화 《장시간 일광에 노출되어 일어나는》
phóto àlbum 《구어》 사진첩(photograph album)
pho·to·an·a·lyst [fòutouǽnəlist] *n.* (특히 군(軍)의 항공[위성]) 사진 판독가
pho·to·au·to·troph [fòutouɔ́:tətrὰf | -trɔ̀f] *n.* 〖생물〗 광합성적 독립 영양 생물 **-àu·to·tróph·ic** *a.*
pho·to·bath·ic [fòutəbǽθik] *a.* 〈해수층(海水層)이〉 태양 광선이 닿는 깊이의
pho·to·bi·ol·o·gy [fòutoubaiάlədʒi | -ɔ́l-] *n.* Ⓤ 광생물학 **-gist** *n.* **-bi·o·lóg·i·cal, -ic** *a.*
pho·to·bi·ot·ic [fòutoubaiάtik | -ɔ́t-] *a.* 〖생물〗 (생존상) 빛을 필요로 하는
phóto bòoth 증명용[3분간] 사진 박스
pho·to·bot·a·ny [fòutoubάtəni | -bɔ́t-] *n.* Ⓤ 광식물학
pho·to·call [fóutoukɔ̀:l] *n.* 《영》 = PHOTO OPPORTUNITY
pho·to·ca·tal·y·sis [fòutoukətǽləsis] *n.* 〖화학〗 광(화학)촉매 작용
pho·to·cath·ode [fòutoukǽθoud] *n.* 〖물리〗 광음극
Phóto CD 포토 시디 《디지털 방식으로 필름을 저장하고 컴퓨터로 재생시키는 장치; Kodak사가 개발함》
pho·to·cell [fóutousèl] *n.* 광전지(光電池)(photoelectric cell)
pho·to·ce·ram·ics [fòutousirǽmiks] *n. pl.* [단수 취급] 사진 평판술로 장식한 도자기 제품
pho·to·chem·i·cal [fòutoukémikəl] *a.* 광화학(작용)의 **~·ly** *ad.*
photochémical smóg 〖기상〗 광화학 스모그
pho·to·chem·is·try [fòutoukémistri] *n.* Ⓤ 광화학 **-chém·ist** *n.*
pho·to·chro·mic [fòutoukróumik] *a.* 광색성(光色性)의
pho·to·chro·mism [fòutoukróumizm] *n.* Ⓤ 〖화학〗 광색성 《빛으로 색을 변하게 하는 성질》
pho·to·chrom·y [fóutəkròumi] *n.* Ⓤ (옛날의) 천연색 사진술
pho·to·chron·o·graph [fòutoukrάnəgræ̀f, -grὰ:f | -krɔ́nəgrὰ:f] *n.* 동체(動體) 사진(기)
pho·to·chro·nog·ra·phy [fòutoukrənάgrəfi | -nɔ́g-] *n.* Ⓤ 동체 사진술
pho·to·co·ag·u·la·tion [fòutoukouæ̀gjuléiʃən] *n.* Ⓤ (망막의) 광응고(술) 《레이저 광선 등에 의한 안질 치료에 쓰임》
pho·to·com·pose [fòutoukəmpóuz] *vt.* 〖인쇄〗 사진 식자하다 **-pós·er** *n.* 사진 식자기
pho·to·com·po·si·tion [fòutoukὰmpəzíʃən | -kɔ̀m-] *n.* Ⓤ 사진 식자
pho·to·con·duc·tive [fòutoukəndʌ́ktiv] *a.* 〖물리〗 광전도(성)의 **-còn·duc·tív·i·ty** *n.* Ⓤ 광전도(성), 내부 광전 효과
pho·to·con·duc·tor [fòutoukəndʌ́ktər] *n.* 광전도체
pho·to·cop·i·er [fóutoukὰpiər | -kɔ̀p-] *n.* 사진 복사기(copier, copy[photocopying] machine)
pho·to·cop·y [fóutoukὰpi | -kɔ̀pi] *n.* (*pl.* **-cop·ies**) 사진 복사(물) — *vt.*, *vi.* (**-cop·ied**) 사진 복사하다(Xerox)
pho·to·cou·pler [fòutoukʌ́plər] *n.* 〖전자〗 광접합 소자, 포토커플러
pho·to·cur·rent [fóutoukə̀:rənt, -kʌ̀r-] *n.* Ⓤ 〖전자〗 광(光)전류(photoelectric current)
pho·to·de·grade [fòutoudigréid] *vt.*, *vi.* 빛에 의해 분해하다[되다] **-de·grád·a·ble** *a.* 〖화학〗 〈화학 물질이〉 광분해성의
pho·to·de·tec·tor [fòutouditéktər] *n.* **1** = PHOTOSENSOR **2** 〖전자〗 광검출기
pho·to·di·ode [fòutoudáioud] *n.* 〖전자〗 포토다이오드 《감광성의 반도체 장치》
pho·to·dis·in·te·gra·tion [fòutoudisìntəgréiʃən] *n.* Ⓤ 〖물리〗 (원자핵의) 광붕괴(光崩壞), 광괴변(光壞變)
pho·to·dis·so·ci·ate [fòutoudisóuʃièit] *vt.* 광해리(光解離)시키다 **-dis·sò·ci·á·tion** *n.* Ⓤ 광해리
pho·to·dra·ma [fóutoudrὰ:mə, -drǽmə] *n.* 극영화(photoplay) **phò·to·dra·mát·ic** *a.*
pho·to·dy·nam·ic [fòutoudainǽmik] *a.* 광역학적인 **-i·cal·ly** *ad.*
pho·to·dy·nam·ics [fòutoudainǽmiks] *n. pl.* [단수 취급] 광역학(光力學)
pho·to·e·las·tic [fòutouilǽstik] *a.* 광탄성(光彈性)의
pho·to·e·las·tic·i·ty [fòutouilæstísəti | -ì:læs-] *n.* Ⓤ 〖물리〗 광탄성(학)
pho·to·e·lec·tric, -tri·cal [fòutouiléktrik(əl)] *a.* 광전자(光電子)의; 광전자 사진 장치의; 광전 효과의
photoeléctric céll 광전지
photoeléctric efféct 광전 효과
pho·to·e·lec·tro·chém·i·cal céll [fòutouilèktroukémikəl-] 〖화학〗 광전기 화학 전지
pho·to·e·lec·tron [fòutouiléktrαn | -trɔn] *n.* 〖전자〗 광전자(光電子)
pho·to·e·mis·sion [fòutouimíʃən] *n.* 광전자 방출
pho·to·en·grave [fòutouingréiv] *vt.* …의 사진판을 만들다 **-en·gráv·er** *n.*
pho·to·en·grav·ing [fòutouingréiviŋ] *n.* ⓤⓒ **1** 사진 제판(술) **2** 사진 제판물
phóto èssay 포토 에세이 《이야기나 테마를 나타내는 일련의 사진들》
phóto fínish **1** 〖경기〗 사진 판정(을 요하는 결전 장면); 아슬아슬한 승부 **2** (선거 등의) 막상막하의 접전
pho·to·fin·ish·ing [fòutoufíniʃiŋ] *n.* Ⓤ 〖사진〗 사진 마무리 《현상·인화·확대 등》 **-fín·ish·er** *n.* 사진 현상(인화)하는 사람
pho·to·fis·sion [fòutoufíʃən] *n.* Ⓤ 〖물리〗 광(光)핵분열
pho·to·fit, Pho·to-Fit [fóutoufìt] *n.* 《영》 몽타주 사진 작성법 《눈·입 등의 부분 사진에서 골라서 합성; 상표명》
pho·to·flash [fóutouflæ̀ʃ] *n.*, *a.* 사진 촬영용 섬광 전구(의)(flash): a ~ bulb 플래시 전구
pho·to·flight [fóutouflàit] *a.* 항공 사진 촬영 비행의

pho·to·flood [fóutouflʌ̀d] *n.* 사진 촬영용 일광(溢光) 램프, 플러드램프(= ~ **lámp**)
pho·to·flu·o·rog·ra·phy [fòutoufluərɑ́grəfi, -flɔ:r- | -rɔ́g-] *n.* Ⓤ 〖의학〗 X선 형광 촬영[투시](법)(fluorography)
pho·tog [fətɑ́g | -tɔ́g] *n.* 《구어》 사진사(photographer)
photog. photograph; photographer; photographic; photography
pho·to·gen [fóutədʒən, -dʒèn] *n.* 〖생물〗 (발광 생물의) 발광원(發光源)
pho·to·gene [fóutədʒì:n] *n.* 〖안과〗 (망막의) 잔상(殘像)
pho·to·gen·ic [fòutədʒénik] *a.* **1** 〈사람이〉 촬영에 적합한, 사진을 잘 받는 **2** 빛을 내는, 발광성의 (luminiferous) **-i·cal·ly** *ad.*
pho·to·glyph [fóutəglìf] *n.* 사진 조각판
pho·to·gram [fóutəgræ̀m] *n.* 포토그램《렌즈 없이 만드는 실루엣 사진》
pho·to·gram·me·try [fòutəgræ̀mətri] *n.* Ⓤ (항공 사진에 의한) 사진 측량[제도]법 **-mé·trist** *n.* **-gram·mét·ric** *a.*
‡pho·to·graph [fóutəgræ̀f, -grɑ̀:f | -grɑ̀:f, -græ̀f] *n.* 사진: a family ~ 가족 사진 ★ 《구어》에서는 photo 대신 picture를 많이 씀. ***have*** [***get***] one***'s*** ~ ***taken*** (자기) 사진을 찍게 하다 ***take a good*** ~ 사진을 잘 받다 ***take a*** ~ ***of*** …을 촬영하다 ─ *vt.* **1** …의 사진을 찍다, 촬영하다 **2** 말로 선명하게 나타내다; …의 인상을 깊이 새기다 ─ *vi.* 사진을 찍다; [well, badly와 함께] 사진발이 …하다: He ~*s well*[*badly*]. 그는 사진발이 잘[잘 안] 받는다. ▷ photográphic *a.*
phótograph àlbum 사진첩(《구어》 photo album)
∗pho·tog·ra·pher [fətɑ́grəfər | -tɔ́g-] *n.* (신문·잡지 등의) 사진가, 촬영자, 카메라맨
∗pho·to·graph·ic, -i·cal [fòutəgræ̀fik(əl)] *a.* **1** 사진(술)의: a ~ studio 촬영소 **2** 사진용의 **3** 사진같은, 세밀한; 극히 사실(寫實)적인 **4** (사진처럼) 생생한, 선명한: ~ memories 선명한 기억 **-i·cal·ly** *ad.* 사진술로; 사진같이 ▷ phótograph *n.*
pho·to·graph·i·ca [fòutougræ̀fikə] *n. pl.* 사진 애호가의 수집품; 골동 사진 기구
phótographic mémory 뛰어난[정확한] 기억력
∗pho·tog·ra·phy [fətɑ́grəfi | -tɔ́g-] *n.* Ⓤ **1** 사진술; 사진 촬영: aerial ~ 항공 촬영 **2** = CINEMATOGRAPHY
pho·to·gra·vure [fòutəgrəvjúər] *n.* Ⓤ 그라비어 인쇄; Ⓒ 그라비어 사진 ─ *vt.* 그라비어 인쇄를 하다
pho·to·he·li·o·graph [fòutəhí:liəgræ̀f | -grɑ̀:f] *n.* 〖천문〗 태양 사진기(heliograph) **-hè·li·o·gráph·ic** *a.*
pho·to·in·duced [fòutəindjú:st] *a.* 빛에 유발된
pho·to·in·ter·pre·ta·tion [fòutəintə̀:rprətéiʃən] *n.* Ⓤ 사진 해석《공중 사진의 해독》
pho·to·i·on·i·za·tion [fòutəàiənizéiʃən] *n.* Ⓤ 〖물리〗 광(光)이온화, 광전리(光電離)
pho·to·jour·nal·ism [fòutoudʒə́:rnəlìzm] *n.* Ⓤ (기사보다) 사진 보도 위주의 신문·잡지 편집 (제작); 뉴스 사진 **-ist** *n.* 보도 사진가 **-jour·nal·ís·tic** *a.*
pho·to·ki·ne·sis [fòutoukiní:sis] *n.* Ⓤ 〖생물〗 광(光)활동성 **-ki·nét·ic** *a.*
pho·to·lith·o [fòutəlíθou] *n.* (*pl.* **~s**) = PHOTOLITHOGRAPHY; = PHOTOLITHOGRAPH
pho·to·lith·o·graph [fòutəlíθəgræ̀f, -grɑ̀:f] *n., vt.* 사진 석판(으로 하다)
pho·to·li·thog·ra·phy [fòutəliθɑ́grəfi | -θɔ́g-] *n.* Ⓤ 사진 석판[평판]술
pho·to·lu·mi·nes·cence [fòutəlù:mənésns] *n.* Ⓤ 〖광학〗 광(光)루미네선스 **-lù·mi·nés·cent** *a.*
pho·tol·y·sis [foutɑ́ləsis | -tɔ́l-] *n.* Ⓤ 〖화학·식물〗 광분해(光分解) **pho·to·lyt·ic** [fòutəlítik] *a.*
pho·to·lyze [fóutəlàiz] *vt., vi.* 〖화학〗 광분해하다
pho·to·mac·ro·graph [fòutoumæ̀krəgræ̀f, -grɑ̀:f] *n.* 매크로[확대] 사진
pho·to·map [fóutoumæ̀p] *n.* (항공 촬영에 의한) 사진 지도 ─ *vt., vi.* (**~ped**; **~·ping**) 사진 지도를 작성하다
pho·to·me·chan·i·cal [fòutoumikǽnikəl] *a.* 사진 제판법의: ~ process 사진 제판법 **~·ly** *ad.*
pho·tom·e·ter [foutɑ́mətər | -tɔ́m-] *n.* 광도계(光度計); 〖사진〗 노출계
pho·to·met·ric, -ri·cal [fòutəmétrik(əl)] *a.* 광도계의, 광도 측정의: ~ units 광도[광력] 단위 **-ri·cal·ly** *ad.*
pho·tom·e·try [foutɑ́mətri | -tɔ́m-] *n.* Ⓤ 광도 측정(법)
pho·to·mi·cro·graph [fòutoumáikrəgræ̀f, -grɑ̀:f] *n.* 현미경 사진; 마이크로 사진(microphotograph) **-mì·cro·gráph·ic** *a.*
pho·to·mi·crog·ra·phy [-maikrɑ́grəfi | -krɔ́g-] *n.* Ⓤ 현미경 사진 촬영
pho·to·mi·cro·scope [-máikrəskòup] *n.* 현미경 사진기
pho·to·mi·cros·co·py [fòutoumaikrɑ́skəpi | -krɔ́s-] *n.* 현미경 사진 기술
pho·to·mon·tage [fòutoumɑntɑ́:ʒ | -mɔn-] *n.* 〖사진〗 몽타주 사진; Ⓤ 그 제작법
pho·to·mo·sa·ic [fòutoumouzéiik] *n.* 〖측량〗 모자이크[집성] 사진
pho·to·mul·ti·pli·er [fòutəmʌ́ltəplàiər] *n.* 〖전자〗 광전자 배증관(倍增管)
pho·to·mu·ral [fòutoumjúərəl] *n.* (장식·전시용의) 벽면 사진, 사진 벽화
pho·ton [fóutɑn | -tɔn] *n.* 〖물리〗 광자(光子), 광양자(光量子)(light quantum) **pho·tón·ic** *a.*
pho·to·neg·a·tive [fòutənégətiv] *a.* **1** 〖물리〗 광음성(陰性)의 **2** 〖생물〗 음(陰)주광성(走光性)의《빛의 반대 방향으로 향하는》
pho·to·neu·tron [fòutounjú:trɑn | -njú:trɔn] *n.* 〖물리〗 광중성자(光中性子)
pho·ton·ics [foutɑ́niks | -tɔ́n-] *n. pl.* [단수 취급] 포토닉스《빛을 사용한 정보 전달을 다루는 연구 분야》
pho·to·nov·el [fòutounɑ́vəl | -nɔ́v-] *n.* 사진 소설
pho·to·off·set [fòutouɔ́:fset | -ɔ́f-] *n.* Ⓤ, *vt.* (~; **~·ting**) 〖인쇄〗 사진 오프셋 인쇄(로 인쇄하다)
phóto opportùnity (미) (정부 고관·유명 인사에 대한 카메라맨의) 사진 촬영 시간(《영》 photocall)
pho·top·a·thy [foutɑ́pəθi | -tɔ́p-] *n.* **1** Ⓤ 광도 감응성, 감광성, 성광성 **2** 광선병[장애]
pho·to·pe·ri·od [fòutəpíəriəd] *n.* 〖생물〗 광주기(光周期); 명기(明期) **-pè·ri·ód·ic** *a.* **-pè·ri·ód·i·cal·ly** *ad.*
pho·to·pe·ri·od·ism [fòutəpíəriədìzm], **-pe·ri·o·dic·i·ty** [-pìəriədísəti] *n.* Ⓤ 〖생물〗 광주성(光周性), 광주기 현상
pho·to·phase [fóutəfèiz] *n.* **1** = LIGHT REACTION **2** 〖생물〗 (광주기의) 명기(明期)
pho·to·phil·ic [fòutəfílik] *a.* 빛을 좋아하는, 호광성(好光性)의 〈식물 등〉
pho·toph·i·lous [foutɑ́fələs | -tɔ́f-] *a.* = PHOTOPHILIC
pho·to·pho·bi·a [fòutəfóubiə] *n.* Ⓤ 〖병리〗 광선 공포(증), 광선 혐기(嫌忌)
pho·to·phone [fóutəfòun] *n.* 광선 전화 **phò·to·phón·ic** *a.*
pho·to·phore [fóutəfɔ̀:r] *n.* 〖동물〗 (심해어 등에서 보이는) 발광기, 발광포(胞)
pho·to·phos·phor·y·la·tion [fòutəfɑ̀sfərəléiʃən | -fɔ̀s-] *n.* Ⓤ 〖생화학〗 광인산화
pho·to·pi·a [foutóupiə] *n.* 〖안과〗 주간시(晝間視)《망막에 있는 추상체의 작용으로 낮에 잘 보이는 것》 **-pic** [-pik] *a.*

pho·to·pig·ment [fóutoupìgmənt] *n.* 〖생화학〗 광색소
pho·to·pile [fóutoupàil] *n.* 태양광 전지
pho·to·play [fóutəplèi] *n.* 《드물게》 극영화(photodrama) **~·er** *n.* 영화배우
pho·to·play·wright [fóutəplèirait] *n.* 영화 극작가
pho·to·po·la·rim·e·ter [fòutoupòulərímətər] *n.* 망원 사진 편광계 《망원경·카메라·편광계를 합친 천체 관측 장치》
pho·to·pol·y·mer·i·za·tion [fòutoupəlìmərəzéiʃən, -pɑ̀ləmə- | -pɔlìmərai-, -pɔ̀li-] *n.* Ⓤ 〖화학〗 광중합(光重合)
pho·to·print [fóutəprìnt] *n.* Ⓤ Ⓒ **1** 사진 인쇄[인화] **2** 사진 제판법에 의한 프린트[인쇄물]; 사진 복사
pho·to·pro·ton [fòutouprόutɑn | -tɔn] *n.* 〖물리〗 광(光)양자 《원자핵의 광(光)붕괴 때문에 생기는 양자》
pho·to·ra·di·o·gram [fòutəréidiougrǽm] *n.* 무선 전송 사진
pho·to·re·ac·ti·va·tion [fòutouriæ̀ktəvéiʃən] *n.* Ⓤ 〖생화학〗 광회복(光回復) 《빛에 의한 세포 (특히 DNA) 내의 손상 회복》
pho·to·re·al·ism [fòutourí:əlìzm] *n.* Ⓤ 〖미술〗 포토리얼리즘 《사진처럼 사실적인 회화 기법》 **-re·al·ís·tic** *a.*
pho·to·rec·ce [fòutouréki] *n.* 《미·구어》 = PHOTORECONNAISSANCE
pho·to·re·cep·tor [fòutouriséptər] *n.* 〖생리·생물〗 광수용기, 광수용체
pho·to·re·con·nais·sance [fòutourikɑ́nəzəns | -kɔ́n-] *n.* Ⓤ 항공 사진 촬영 정찰
pho·to·re·cord·er [fòutourikɔ́:rdər] *n.* 사진 기록 장치
pho·to·re·sist [fòutourizíst] *n.* Ⓤ 〖전자〗 포토레지스트 《감광성이 있는 수지; 집적 회로를 만드는 사진 평판에 쓰임》
pho·to·scan [fóutouskæ̀n] 〖의학〗 *n.* 포토스캐너로 얻은 사진 **—** *vt., vi.* (**~ned**; **~·ning**) 포토스캐너로 검사하다 **~·ning** *n.*
pho·to·scan·ner [fóutouskæ̀nər] *n.* 〖의학〗 포토스캐너 《방사성 물질의 체내 분포 촬영 장치》
pho·to·sen·si·tive [fòutousénsətiv] *a.* 감광성(感光性)의 **-sen·si·tiv·i·ty** [-sènsətívəti] *n.* Ⓤ 감광성
pho·to·sen·si·ti·za·tion [fòutousènsətizéiʃən] *n.* Ⓤ 〖의학〗 광감작(光感作)
pho·to·sen·si·tize [fòutousénsətàiz] *vt.* …에 감광성을 주다 **-tìz·er** *n.* 감광제
pho·to·sen·sor [fóutousènsər] *n.* 감광 장치
pho·to·set [fóutəsèt] *vt.* =PHOTOCOMPOSE
phóto shòot (잡지 게재용 등의) 사진 촬영
photo·shop [fóutouʃɑ̀:p | -ʃɔ̀p] *n* 〖컴퓨터〗 [또는 **P~**] 포토샵 《미국 Adobe system사의 그래픽 편집 소프트웨어; 상표명》 **—** *vt.* (**~·ped**; **~·ping**) 〈화상을〉 포토샵으로 처리하다
pho·to·spec·tro·scope [fòutəspéktrəskòup] *n.* 분광기(分光器), 분광 사진기
pho·to·sphere [fóutəsfìər] *n.* 〖천문〗 (태양·항성 등의) 광구(光球) **phò·to·sphér·ic** *a.*
Pho·to·stat [fóutəstæ̀t] *n.* **1** 포토스태트, 복사 사진기 《상표명》 **2** [종종 **p~**] 포토스태트로 찍은 복사 사진 **—** *vt.* (**~·(t)ed**; **~·(t)ing**) 복사 사진기로 촬영하다 **phò·to·stát·ic** *a.*
pho·to·syn·thate [fòutəsínθeit] *n.* 〖생화학〗 광합성(산)물
pho·to·syn·the·sis [fòutousínθəsis] *n.* Ⓤ 〖식물〗 광합성(光合成) **-syn·thét·ic** *a.*
pho·to·syn·the·size [fòutousínθəsàiz] *vi., vt.* 광합성하다
pho·to·sys·tem [fóutəsìstəm] *n.* 〖생화학〗 광화학계, 광계(光系) 《식물의 광합성을 구성하는 2종의 전자 전달계》
pho·to·tax·is [fòutətǽksis], **pho·to·tax·y** [fóutətæ̀ksi] *n.* Ⓤ 〖생물〗 주광성(走光性)
pho·to·tel·e·graph [fòutoutéləgræ̀f, -grɑ̀:f] *n.* 사진 전송기; 사진 전송 **—** *vt., vi.* 사진을 전송하다
pho·to·te·leg·ra·phy [fòutoutilégrəfi] *n.* Ⓤ 사진 전송(술)
pho·to·tel·e·scope [fòutoutéləskòup] *n.* 사진 망원경
pho·to·ther·a·peu·tics [fòutouθèrəpjú:tiks] *n. pl.* [단수 취급] = PHOTOTHERAPY
pho·to·ther·a·py [fòutouθérəpi] *n.* Ⓤ 〖의학〗 광선 요법
pho·to·ther·mal [fòutouθɔ́:rməl], **-mic** [-mik] *a.* 광열(光熱)의; 빛과 열에 관한
pho·to·tim·er [fóutoutàimər] *n.* (카메라의) 자동 노출 조절기; 경주 판정용 촬영 카메라
pho·tot·o·nus [foutɑ́tənəs | -tɔ́t-] *n.* 〖생물〗 (잎 등의) 광긴장(光緊張), 감광성
pho·to·tox·in [fóutoutɑ̀ksin | -tɔ̀k-] *n.* 〖생화학〗 포토톡신 《사람에게 알레르기 반응을 일으키는 식물 독소》
pho·to·tran·sis·tor [fòutoutrænzístər] *n.* 〖전자〗 광(光)트랜지스터
pho·to·troph [fóutətrɑ̀f | -trɔ̀f] *n.* 〖생물〗 광영양(光營養) 생물 **phò·to·tróph·ic** *a.*
pho·tot·ro·pism [foutɑ́trəpìzm, fòutoutróu- | foutɔ́trə-] *n.* Ⓤ 〖식물〗 굴광성(屈光性), 광굴성 **phò·to·tróp·ic** *a.* **phò·to·tróp·i·cal·ly** *ad.*
pho·to·tube [fóutətjù:b | -tjù:b] *n.* 광전관(光電管)
pho·to·type [fóutətàip] *n.* 포토타이프, 사진 철판(凸版)
pho·to·type·set·ting [fòutətáipsètiŋ] *n.* Ⓤ 사진 식자 **-sèt·ter** *n.* 사진 식자공; 사진 식자기
pho·to·ty·pog·ra·phy [fòutoutaipɑ́grəfi | -pɔ́g-] *n.* Ⓤ 사진 식자; 사진 제판술
pho·to·vol·ta·ic [fòutouvɑltéiik | -vɔl-] *a.* 〖물리〗 광전지의, 광발전의: a ~ cell 광전지
pho·to·vol·ta·ics [fòutouvɑltéiiks | -vɔl-] *n. pl.* **1** [단수 취급] 광전 변환 공학 **2** [복수 취급] 광전 변환을 목적으로 하는 소자[기구]
pho·to·zin·cog·ra·phy [fòutouziŋkɑ́grəfi | -kɔ́g-] *n.* Ⓤ 사진 아연 철판(凸版)(술)
phr. phrase
phras·al [fréizəl] *a.* 구(句)의; 구로 된, 관용구적인: a ~ preposition 〖문법〗 구전치사 《in front of 등》/ a ~ verb 〖문법〗 구동사 《get up, put off 등》 **~·ly** *ad.*
‡**phrase** [fréiz] *n., v.*

> Gk 「이야기하다」의 뜻에서→(말하는 투)→「말씨」 **3**→(독특한 표현)→「구」 **1**→「숙어」 **1 b**

— *n.* (略 phr.) **1 a** 〖문법〗 구(句) 《2어 이상의 집합체로서 문중에서 의미상 한 단위로 기능하는 것; ⇨ 문법 해설 (22) cf. CLAUSE》: a noun ~ 명사구 **b** 숙어, 성구(成句), 관용구: a set ~ 성구, 관용구 **2** 강조어구 **3** Ⓤ 말씨, 어법, 말솜씨 **4** 명언, 경구(警句) **5** 〖음악〗 악구 **6** [*pl.*] 무의미한 글귀, 빈말 **7** 〖무용〗 연속 동작의 한 단위 ***felicity of*** **~** 교묘한 말씨 ***to coin a*** **~** 《익살》 (나의) 독창적인 말을 빌린다면 《실은 진부한 말을 할 때 씀》
— *vt.* **1** (특정한) 말로 나타내다; 말로 표현하다; …이라고 부르다: ~ one's thoughts 생각을 말로 표현하다 **2** 〖음악〗 (연주에서) 악구를 두드러지게 하다; 각 악구로 나누다 ▷ phrásal *a.*
phráse bòok (여행자용 외국어의) 관용구집, 기본 회화 표현집
phrase·mak·er [fréizmèikər] *n.* **1** = PHRASEOLOGIST **2** 의미없는 미사여구를 늘어놓는 사람
phrase·mon·ger [-mʌ̀ŋgər, -mɑ̀ŋ- | -mʌ̀ŋ-] *n.* (공허한) 미사여구를 늘어놓는 사람
phra·se·o·gram [fréiziəgræ̀m] *n.* (속기술에서) 구(句)를 나타내는 기호, 구기호

phra·se·o·graph [fréiziəgræ̀f, -grɑ̀:f | -grɑ̀:f, -græ̀f] *n.* phraseogram이 나타내는 구
phra·se·o·log·i·cal [frèiziəlɑ́dʒikəl | -lɔ́dʒ-] *a.* 말씨의, 어법(상)의, 어구의
phra·se·ol·o·gist [frèiziɑ́lədʒist | -ɔ́l-] *n.* 어법 전문가; 조어(造語)의 명인
phra·se·ol·o·gy [frèiziɑ́lədʒi | -ɔ́l-] *n.* (*pl.* **-gies**) ⓊⒸ **1** 말씨, 어법, 문체 **2** 술어, 전문어: legal ~ 법률 용어 **3** [집합적] 어구(phrases), 표현(expressions) **phrà·se·o·lóg·ic** *a.*
phráse strùcture 〖언어〗 구(句) 구조 《문을 구성하는 요소의 구조를 생성 문법의 입장에서 파악한 것》
phráse-struc·ture gràmmar [-strʌ̀ktʃər-] 〖언어〗 구(句) 구조 문법
phráse-structure rùle 〖언어〗 구(句) 구조 규칙 (cf. REWRITE RULE)
phras·ing [fréiziŋ] *n.* Ⓤ **1** 어법, 말씨, 표현법 (phraseology) **2** 〖음악〗 구절법(句節法) 《선율을 악상에 따라 적당하게 구분하기》
phra·try [fréitri] *n.* (*pl.* **-tries**) **1** 〖고대 그리스〗 씨족 《phyle의 소구분》 **2** 〖인류〗 씨족 집단 《몇 개의 clan으로 이루어짐》
phreak [frí:k] *n.* = PHONE PHREAK
phreak·ing [frí:kiŋ] *n.* 《구어》 프리킹 《전자기기를 악용하여 공짜로 전화하기》 **phréak·er** *n.*
phren., phrenol. phrenological; phrenology
phre·net·ic [frinétik] *a.* 《문어》 = FRENETIC
phren·ic [frénik] *a.* 〖해부〗 횡격막의; 〖생리〗 정신의, 정신적인(mental)
phre·ni·tis [frináitis] *n.* Ⓤ 〖병리〗 뇌염(腦炎)(encephalitis); 횡격막염; 광기, 착란
phre·no·log·i·cal [frènəlɑ́dʒikəl | -lɔ́dʒ-] *a.* 골상학(骨相學)의 **~·ly** *ad.*
phre·nol·o·gy [frinɑ́lədʒi, fre- | -nɔ́l-] *n.* Ⓤ 골상학 **-gist** *n.* 골상학자
phren·sy [frénzi] *n.* (*pl.* **-sies**), *vt.* (**-sied**) = FRENZY
Phryg·i·a [frídʒiə] *n.* 프리지아 《소아시아의 고대 국가》
Phryg·i·an [frídʒiən] *a.* Phrygia (사람)의 — *n.* 프리지아 사람; Ⓤ 프리지아 말
Phrýgian cáp 프리지아 모자, 자유의 모자(liberty cap) 《프랑스 혁명 때 자유의 상징인 원뿔꼴 모자》
PHS 《미》 Public Health Service
phthal·ein [*f*θǽli:n, -liin | *f*θéiliin, *f*θǽl-, -li:n] *n.* Ⓤ 〖화학〗 프탈레인
phthal·ic [*f*θǽlik] *a.* 〖화학〗 프탈산의
phthálic ácid 〖화학〗 프탈산
phthálic anhýdride 〖화학〗 무수프탈산
phthal·in [*f*θǽlin] *n.* Ⓤ 〖화학〗 프탈린
phthal·o·cy·a·nine [*f*θæ̀ləsáiənì:n, -nin] *n.* Ⓤ 〖화학〗 프탈로시아닌 《유기 안료》
phthis·ic [tízik, θíz- | θáis-] *a.* 《폐어》 폐결핵의 — *n.* = PHTHISIS
phthis·i·cal [tízikəl, θíz- | θáis-] *a.* = PHTHISIC
phthi·sis [θáisis, tái- | θái-] *n.* Ⓤ 〖병리〗 소모성 질환 《결핵 등》; 《고어》 (중증의) 폐결핵, 폐병
phut(**t**) [fʌ́t, ft] [의성어] *ad.*, *n.* 《구어》 팡, 펑, 딱 (하는 작은 폭발음) ***go***[***be gone***] **~** 결딴나다, 못 쓰게 되다; 녹초가 되다; 〈타이어가〉 펑크 나다
phwoah [fwɔ́:ə] *int.* 《영·속어》 야, 와 《특히 성적 매력이 넘치는 것을 보고 내는 소리》
phyco- [fáikou, -kə] 《연결형》 해초(algae): *phyco*chrome
phy·co·bi·ont [fàikoubáiɑnt | -ɔnt] *n.* 피코비온트 《지의(lichen)를 구성하는 조류(藻類)》
phy·co·cy·a·nin [fàikousáiənin] *n.* Ⓤ 〖생화학〗 피코시아닌, 조청소 《해조 중에 존재하는 청색 단백질》
phy·co·e·ryth·rin [fàikouiríθrin, -érəθ-] *n.* Ⓤ 피코에리트린 《홍조에 있는 적색 색소 단백질》
phy·col·o·gy [faikɑ́lədʒi | -kɔ́l-] *n.* Ⓤ 조류학(藻類學) **-gist** *n.*
phy·co·my·cete [fàikoumáisi:t] *n.* 조균류(藻菌類)
phy·la [fáilə] *n.* **1** PHYLON의 복수 **2** PHYLUM의 복수
phy·lac·ter·y [filǽktəri] *n.* (*pl.* **-ter·ies**) **1** 〖유대교〗 성구함(聖句函) 《구약 성서의 성구를 적은 양피지를 담은 가죽 상자의 하나; 아침 기도 때 하나는 이마에 하나는 왼팔에 잡아 맴》 **2** 부적(符籍), 호부(護符); 생각나게 하는 사람[것] ***make broad*** **one's ~**[***phylacteries***] 〖성서〗 신앙이 독실한 체하다, 도덕가인 체하다

phylactery 1

phy·le [fáili:] *n.* (*pl.* **-lae** [-li:]) (고대 그리스의) 종족 (tribe)
phy·let·ic [failétik] *a.* 〖생물〗 계통 발생의 **-lét·i·cal·ly** *a.*
-phyll [fil] 《연결형》 「잎」의 뜻
Phyl·lis [fílis] *n.* 여자 이름
phyl·lite [fílait] *n.* 천매암 《변성암의 일종》
phyllo- [fílou, -lə] 《연결형》 「잎; 엽상체; 엽록소」의 뜻
phyl·lode [fíloud] *n.* 〖식물〗 가엽(假葉) **phyl·ló·di·al** *a.*
phyl·lo·di·um [filóudiəm] *n.* (*pl.* **-di·a** [-diə]) = PHYLLODE
phyl·loid [fílɔid] *a.* 잎 같은, 잎 모양의
phyl·lome [filoum] *n.* 〖식물〗 **1** 잎(leaf) **2** 엽상(葉狀) 조직, 엽상체, 엽상 기관
phyl·lo·qui·none [filoukwinóun, -kwínoun] *n.* Ⓤ 〖생화학〗 필로키논
phyl·lo·tax·is [filətǽksis], **phyl·lo·tax·y** [filətæ̀ksi] *n.* (*pl.* **-tax·es** [-si:z]; **-tax·ies**) 〖식물〗 잎차례, 엽서(葉序)
-phyllous [fíləs] 《연결형》 「…모양[개]의 잎을 가진」의 뜻: di*phyllous*, mono*phyllous*
phyl·lox·e·ra [filəksíərə, filɑ́ksərə | filɔksíərə] *n.* (*pl.* **-rae** [-ri:], **~s**) 〖곤충〗 포도나무뿌리진디 **-ran** [-rən] *a.*, *n.*
phylo- [fáilou, -lə] 《연결형》 「종족」의 뜻(phyl-)
phy·lo·gen·e·sis [fàiloudʒénəsis] *n.* = PHYLOGENY
phy·lo·ge·net·ic [fàilədʒinétik], **-gen·ic** [-dʒénik] *a.* 계통 발생(론)의
phylogenétic classificátion 〖생물〗 계통 발생적 분류
phy·log·e·ny [failɑ́dʒəni | -lɔ́dʒ-] *n.* Ⓤ 〖생물〗 계통 발생론
phy·lon [fáilɑn | -lɔn] *n.* (*pl.* **-la** [-lə]) 〖생물〗 종족, 족(族)
phy·lum [fáiləm] *n.* (*pl.* **-la** [-lə]) **1** (동물 분류상의) 문(門)(cf. CLASSIFICATION 1) **2** 〖언어〗 어족
phys. physical; physician; physicist; physics; physiology
phys ed, phys. ed. [fíz-éd] *n.* 《구어》 = PHYSICAL EDUCATION
physi- [fízi], **physio-** [fíziou, -ziə] 《연결형》 「자연의; 물리의」의 뜻 《모음 앞에서는 physi-》
phys·i·at·ric [fiziǽtrik] *a.* 물료[물리 요법] 의학의
phys·i·at·rics [fiziǽtriks] *n. pl.* [단수 취급] **1** 물료(物療)[물리 요법] 의학(physical medicine) **2** 《미》 = PHYSICAL THERAPY **3** 자연 요법
phys·i·at·rist [fiziǽtrist] *n.* 재활전문의(醫)
phy·si·a·try [fizáiətri, fiziǽt- | fiziǽt-] *n.* **1** = PHYSICAL MEDICINE **2** = PHYSICAL THERAPHY
***phys·ic** [fízik] *n.* **1** 《구어》 약, 약제 **2** 《드물게》 《구어》 하제(下劑)(cathartic, laxative) **3** 《고어》 의술, 의업(醫業) **4** 《폐어》 자연 과학

— *vt.* (**-icked**; **-ick·ing**) 《고어·익살》 …에게 약을 먹이다; 하제를 쓰다; 고치다, 치료하다 ▷ phýsical *a.*

‡**phys·i·cal** [fízikəl] *a.*, *n.*

> Gk 「자연에 관한」의 뜻에서
> ┌(물체의)→「물질의」, 「물리적인」 **2, 3**
> └(인체의)→「육체의」 **1**

— *a.* **1** 육체의, 신체의(opp. *mental*, *psychic*): ~ beauty 육체미 / a ~ checkup 건강 진단 / ~ constitution 체격 / ~ exercise 체조, 운동 / ~ labor 육체 노동 / ~ punishment 체벌 **2** 자연의, 천연의; 물질의, 물질적인(opp. *spiritual*); 형이하(形而下)의 (opp. *metaphysical*), 물질계의, 유형(有形)의: the ~ world 물질계 **3** 물리학(상)의, 물리적인, 자연 과학의, 자연법칙에 의한: a ~ impossibility 물리적으로 불가능한 일 **4** (성적 욕망을 가진) 육체의, 육욕의; 《구어》 몸을 만지기 좋아하는

— *n.* = PHYSICAL EXAMINATION **~·ness** *n.*

phýsical anthropólogy 자연 인류학, 형질 인류학

phýsical chémistry 물리 화학

phýsical educátion 체육

phýsical examinátion 신체검사

phýsical fítness (좋은) 몸 컨디션; 신체 적성

phýsical fórce 체력, 완력(腕力)

phýsical geógraphy 지문학(地文學), 자연 지리학

phys·i·cal·ism [fízikəlìzm] *n.* Ⓤ 〔철학〕 물리주의 **-ist** *n.*, *a.*

phys·i·cal·is·tic [fìzikəlístik] *a.* 〔철학〕 **1** 물리주의(physicalism)의 **2** 공간과 시간과 관련해서 양적으로 해석되는, 물리주의적인

phys·i·cal·i·ty [fìzikǽləti] *n.* (*pl.* **-ties**) **1** 신체적 특징 **2** 육체 중심주의 **3** 육체적 적응 (능력)

phýsical jérks 《영·익살》 체조, 운동

*__phys·i·cal·ly__ [fízikəli] *ad.* **1** 물리(학)적으로, 자연법칙에 따라서: ~ impossible 물리적으로 불가능한 **2** (관념적·추상적 등과 대비해서) 실제로, 눈에 보이는 모양으로 **3** 물질적으로; 실제로 **4** 육체[신체]적으로: the ~ handicapped 신체 장애자 / ~ attractive 몸매가 매력적인

phýsical médicine 물료(物療) 의학, 물리 요법학

phýsical oceanógraphy 해양 물리학

phýsical scíence 물리학, 자연 과학 《생물학을 제외; cf. NATURAL SCIENCE》

phýsical stréngth 체력

phýsical thérapist 물리 치료사

phýsical thérapy 물리 요법(physiotherapy)

phýsical tráining = PHYSICAL EDUCATION

phýsical únit blòck 〔컴퓨터〕 물리 장치 제어 블록 《略 PUB》

phýsic gàrden 약초 재배원

‡**phy·si·cian** [fizíʃən] *n.* **1** 내과 의사(cf. SURGEON) **2** 《미》 《일반적으로》 의사; 치료자 《★ doctor가 흔히 쓰이며 physician은 형식적인 말》

~·ship *n.* Ⓤ 의사의 직위[직무, 임무]

phy·sí·cian('s) assístant 의료 보조자 《略 PA》

phys·i·cism [fízəsìzm] *n.* Ⓤ 유물관, 물리적 우주관

*__phys·i·cist__ [fízəsist] *n.* 물리학자; 자연 과학자; 유물론자

phys·i·co·chem·i·cal [fìzikoukémikəl] *a.* **1** 물리학과 화학의[에 관한] **2** 물리 화학(physical chemistry)의, 물리 화학적인 **~·ly** *ad.*

‡**phys·ics** [fíziks] *n. pl.* [단수 취급] 물리학; 물리적 현상[과정, 특성] ▷ phýsical *a.*

phys·i·o [fíziòu] *n.* (*pl.* **~s**) 《구어》 = PHYSIOTHERAPIST; = PHYSIOTHERAPY

physio- [fíziou, -ziə] 《연결형》 「자연의; 물리의」의 뜻: *physio*therapy

phys·i·oc·ra·cy [fìziάkrəsi | -ɔ́k-] *n.* Ⓤ 중농(重農)주의

phys·i·o·crat [fíziəkræ̀t] *n.* 중농주의자

phys·i·og·nom·ic, -i·cal [fìziəgnάmik(əl) | -nɔ́m-] *a.* 인상(人相)(학)의 **-i·cal·ly** *ad.*

phys·i·og·no·mist [fìziάgnəmist | -ɔ́nə-] *n.* 인상(人相)학자, 관상가

phys·i·og·no·my [fìziάgnəmi | -ɔ́nə-] *n.* (*pl.* **-mies**) **1** 인상(人相); 《속어》 얼굴 **2** Ⓤ 인[골]상학, 관상술(anthroposcopy) **3** 지형(地形); 특징

phys·i·og·ra·phy [fìziάgrəfi | -ɔ́g-] *n.* Ⓤ **1** 지문학(地文學), 자연 지리학(physical geography); 《미》 지형학(geomorphology) **2** 기술적(記述的) 자연 과학 **-pher** *n.* **phỳs·i·o·gráph·ic, -i·cal** *a.*

physiol. physiological; physiologist; physiology

phys·i·ol·a·try [fìziάlətri | -ɔ́l-] *n.* Ⓤ 자연 숭배

*__phys·i·o·log·i·cal__ [fìziəlάdʒikəl | -lɔ́dʒ-], **-ic** [-ik] *a.* 생리학(상)의; 생리적인

physiológical psychólogy 생리 심리학

physiológical sáline[sált solùtion] 생리 식염수[액]

*__phys·i·ol·o·gy__ [fìziάlədʒi | -ɔ́l-] *n.* Ⓤ **1** 생리학 **2** [the ~] 생리, 생리 기능 **-gist** *n.* 생리학자

phys·i·o·ther·a·pist [fìziouθérəpist] *n.* 물리치료사

phys·i·o·ther·a·py [fìziouθérəpi] *n.* Ⓤ 물리 요법(physical therapy)

*__phy·sique__ [fizíːk] *n.* Ⓤ **1** 체격: a man of strong ~ 체격이 강건한 사람 **2** 지형, 지세

phy·sis [fáisis] *n.* (*pl.* **-ses** [-siːz]) **1** 자연의 성장[변화] 원리; 성장[변화]원(源)으로서의 자연 **2** 성장[발달, 진화]하는 것

phyt- [fait], **phyto-** [fáitou, -tə] 《연결형》 「식물」의 뜻 《모음 앞에서는 phyt-》

phy·to·a·lex·in [fàitouəléksin] *n.* Ⓤ 〔생화학〕 파이토알렉신 《외독(外毒)에 대해 식물 조직이 산출하는 항독성 물질》

phy·to·chem·is·try [fàitəkémistri] *n.* Ⓤ 식물 화학

phy·to·chrome [fáitəkròum] *n.* 〔식물〕 피토크롬 《녹색 식물에 존재하는 색소 단백질》

phy·to·cide [fáitəsàid] *n.* 식물을 말려 죽이는 물질[약제] **phỳ·to·cíd·al** *a.*

phy·to·gen·e·sis [fàitədʒénəsis] *n.* Ⓤ 식물 발생(론)

phy·to·gen·ic [fàitədʒénik] *a.* 식물 기원의, 식물성의

phy·to·ge·og·ra·phy [fàitoudʒiːάgrəfi | -dʒiɔ́g-] *n.* 식물 지리학

phy·tog·ra·phy [faitάgrəfi | -tɔ́g-] *n.* Ⓤ 기술(記述) 식물학 **-pher** *n.*

phy·to·hor·mone [fàitouhɔ́ːrmoun] *n.* 식물 호르몬(plant hormone)

phy·tol·o·gy [faitάlədʒi | -tɔ́l-] *n.* = BOTANY 1 **-lóg·ic** *a.* **-lóg·i·cal·ly** *ad.*

phy·ton [fáitαn | -tɔn] *n.* 〔식물〕 조직편

phy·to·na·di·one [fàitounədáioun] *n.* 〔생화학〕 = VITAMIN K_1

phy·to·pa·thol·o·gy [fàitoupəθάlədʒi | -θɔ́l-] *n.* Ⓤ 식물 병리학(plant pathology)

phy·toph·a·gous [faitάfəgəs | -tɔ́f-] *a.* 〔동물〕 식물을 먹는, 초식성의(herbivorous)

phy·to·plank·ton [fàitouplǽŋktən] *n.* 식물성 플랑크톤(cf. ZOOPLANKTON)

phy·to·plasm [fáitəplæ̀zm] *n.* 식물 원형질

phy·to·so·ci·ol·o·gy [fàitousòusiάlədʒi | -ɔ́l-] *n.* Ⓤ 식물 사회학

phy·tos·te·rol [faitάstərɔ̀ːl, -rὰl | -rɔ̀l] *n.* 〔생화학〕 식물 스테롤

phy·tot·o·my [faitάtəmi | -tɔ́tə-] *n.* Ⓤ 식물 해부(학)

thesaurus **physical** *a.* **1** 육체의 corporal, corporeal, fleshly, bodily, carnal, nonmental, somatic

phy·to·tox·ic [fàitoutάksik | -tɔ́ks-] *a.* **1** 식물 독소(phytotoxin)의 **2** 식물에 유해한, 식물의 생장을 저해하는 **-tox·íc·i·ty** *n.*
phy·to·tox·i·cant [fàitoutάksikənt | -tɔ́k-] *n.* 식물에 해로운 물질
phy·to·tox·in [fàitoutάksin | -tɔ́k-] *n.* 식물 독소
phy·to·tron [fáitətrὰn | -trɔ̀n] *n.* 식물 생장 조절실 《식물의 생태 연구용》
pi[1] [pái] *n.* (*pl.* **~s**) **1** 파이 《그리스 어 알파벳의 제16 자 *Π, π*; 영어의 P, p에 해당함》 **2** Ⓤ 〖수학〗 원주율 《약 3.1416》
pi[2] *n.* (*pl.* **~es**) **1** ⓊⒸ 뒤죽박죽이 된 활자 **2** Ⓤ 혼란 **—** *vt.* (**pied**; **pi·ing**) 〈활자를〉 뒤죽박죽되게 하다
pi[3] [*p*ious에서] *a.* 《영·속어》 독실한 체하는
P.I. Philippine Islands; principal investigator
pi·ac·u·lar [paiǽkjulər] *a.* 속죄의; 죄 많은(sinful); 언어도단의, 지독한(atrocious) **~·ly** *ad.*
piaffe [pjǽf] *vi.* 〖승마〗 피아페하다 《pace보다 느린 걸음》
Pi·a·get·i·an [pjɑːdʒéiən, pìːə-] *a.* (스위스의 아동 심리학자) 피아제(Piaget) 학설의
— *n.* 피아제 학설 지지자
pi·al [páiəl, píː-] *a.* pia mater의[에 관한]
pi·a ma·ter [páiə-méitər, píːə-mάːt-] [L = gentle mother] [the ~] 〖해부〗 유(수)막(柔(髓)膜), 연뇌막(軟腦膜)(cf. DURA MATER)
pi·a·nette [pìːənét | piə-] *n.* 《영》 = PIANINO
pi·a·ni·no [pìːəníːnou | piə-] *n.* 소형 수형(竪形) 피아노
pi·a·nism [píːənìzm, piǽnizm, pjǽn- | píənizm] *n.* Ⓤ 피아노 연주 기법; 피아노를 위한 편곡
pi·a·nis·si·mo [pìːənísəmòu] [It.] 〖음악〗 *a.* 피아니시모의, 최약주(最弱奏)의 **—** *ad.* 피아니시모로 아주 약하게 《略 pp》 **—** *n.* (*pl.* **~s, -mi** [-mìː]) 피아니시모, 최약음(最弱音) 연주 악구
‡**pi·an·ist** [piǽnist, pjǽn-, píːə- | píən-, píːə-] *n.* 피아니스트, 피아노 연주가
pi·a·nis·tic [pìːənístik | piə-] *a.* 피아노의[에 관한]; 피아노 연주에 능한[적합한] **-ti·cal·ly** *ad.*
‡**pi·an·o**[1] [piǽnou, pjǽn-] [*piano*forte의 단축형] *n.* (*pl.* **~s**) **1** 피아노: a boudoir ~ 수형(竪形) 피아노 / a cottage ~ 작은 수형 피아노 / a pedal ~ 페달 달린 피아노 / ~ legs 굵고 못생긴 다리 / play (on) the ~ 피아노를 치다 **2** Ⓤ [종종 the ~] 피아노 연주 《이론·실기》: a teacher of (*the*) ~ = a ~ teacher 피아노 교사 / a lesson *in* ~ = a ~ lesson 피아노 레슨[교습]
pi·a·no[2] [piάːnou] [It.] 〖음악〗 *ad.*, *a.* 피아노로, 약하고 부드럽게[부드러운] 《略 p; opp. *forte*》
— *n.* (*pl.* **~s, -ni** [-niː]) 약음부, 부드럽게 연주되는 악절(樂節)
piáno accòrdion 〖음악〗 피아노 아코디언 《건반식의 보통 아코디언》
piáno bàr 피아노 바 《피아노를 연주하는 술집》
piáno duét 피아노 2중주 《2대의 피아노에 의한 연탄(連彈)》
pi·an·o·for·te [piǽnəfɔ̀ːrt, piæ̀nəfɔ́ːrti, -tei | piæ̀noufɔ́ːti] *n.* = PIANO[1]
piáno hìnge 연속 경첩
Pi·a·no·la [pìːənóulə | piə-, pìːə-] *n.* 피아놀라 《자동 피아노; 상표명》
piáno òrgan 핸들을 돌리는 풍금(barrel organ)
piáno plàyer 피아니스트; 자동 피아노의 키를 작동시키는 기계 장치
piáno ròll 피아노 롤(지(紙))
piáno stòol 피아노용 의자
piáno trío 피아노 3중주 《보통 피아노·바이올린·첼로 합주》

(opp. *mental*, *spiritual*) **2** 물질의 material, visible, tangible, substantial, solid, real, concrete

piáno wìre 피아노 선[줄]
pi·as·ter | pi·as·tre [piǽstər, -άːs-] *n.* **1** 피아스터 《이집트·시리아·레바논·리비아·수단 등 중동 제국의 화폐 단위; 1 pound의 100분의 1》; 1피아스터 화폐 **2** 피아스터 《예전 월남의 화폐 단위, 기호 P; = 100 cents》
Pi·at [píːæt, -ɑːt, páiæt] [*p*rojector *i*nfantry *a*nti*t*ank] *n.* 《영》 대전차(對戰車) (박격)포
pi·az·za [piǽtsə] *n.* **1** (이탈리아 도시의) 광장, 사거리, 시장(marketplace) **2** [piǽzə, -άːzə] 《미·캐나다》 베란다(verandah); 《영》 (지붕 덮힌) 아케이드, 회랑(gallery)
pi·bal [páibəl] [*pi*lot *bal*loon] *n.* 《미》 측풍(測風) 기구(에 의한 관측)
pi·broch [píːbrɑx, -brɑk | -brɔx, -brɔk] *n.* 풍적곡(風笛曲) 《스코틀랜드 고지 사람의 씩씩한 곡; cf. BAGPIPE》
pic[1] [pík] [picture의 단축형] *n.* (*pl.* **pix** [píks], **~s**) 《미·속어》 영화; 사진, 그라비아 ***the ~ mob*** 영화 관중
pic[2] [pìːk] *n.* = PIQUE[2]
pi·ca[1] [páikə] *n.* Ⓤ **1** 〖인쇄〗 파이카 《12포인트 활자; 타이프라이터에 씀》 **2** 〖종교〗 예식 규칙집 ***small ~*** 소(小)파이카 《11포인트 크기로 5호 활자에 해당함》
pica[2] *n.* Ⓤ 〖병리〗 이식증(異食症)
pi·ca·dil·lo [pìkədíːlou] *n.* (*pl.* **~s**) 피카디요 《토마토·고추·양파를 고기를 간 것과 함께 무친 요리》
pi·ca·dor [píkədɔ̀ːr] *n.* 기마(騎馬) 투우사(cf. MATADOR)
pic·a·nin·ny [píkənìni] *n.* (*pl.* **-nies**) = PICKANINNY
pi·can·te [pikάːntei] [Sp.] *a.* 〖요리〗 매운 맛을 이용해서 요리한
Pi·card [pikάːr] *n.* 피카르 **1 Charles Emile ~** (1856-1941) 《프랑스의 수학자》 **2 Jean ~** (1620-82) 《프랑스의 천문학자》
Píc·ar·dy thírd [pikάːrdi-] 〖음악〗 피카르디 3도 《단조의 곡을 단 3화음으로 마치지 않고 장 3화음으로 마치는 것》
pic·a·resque [pìkərésk] [Sp. 「악한」의 뜻에서] *a.* 악한을 주제로 한: a ~ novel 악한 소설
— *n.* [보통 the ~] 악한 이야기
pic·a·ro [píkəròu, píːk-] *n.* (*pl.* **~s**) 악한(rogue); 방랑자
pic·a·roon [pìkərúːn] *n.* 악한, 도적; 해적; 해적선
— *vi.* 도둑질하다, 해적질하다(pickaroon)
Pi·cas·so [pikάːsou, -kǽs- | -kǽs-] *n.* 피카소 **Pablo ~** (1881-1973) 《스페인 태생의 프랑스 화가·조각가》
pic·a·yune [pìkijúːn, pìkə-] *n.* **1** 피카윤 《예전에 미국 남부에 유통한 스페인의 소액 화폐; = $^1/_2$ real》; 《미·속어》 잔돈, 《특히》 5센트 주화 **2** 《구어》 하찮은 것[사람] ***not worth a ~*** 아주 보잘것없는
— *a.* 《구어》 하찮은, 무가치한, 시시한
pic·a·yun·ish [pìkijúːniʃ] *a.* = PICAYUNE
Pic·ca·dil·ly [pìkədíli] *n.* 피커딜리 《런던의 Hyde Park Corner와 Haymarket 간의 번화가》
Píccadilly Círcus **1** 피커딜리 서커스 《런던 번화가의 중심 광장》 **2** 번잡한[분주한] 곳
pic·ca·lil·li [píkəlìli] *n.* Ⓤ 야채의 겨자 절임
pic·ca·nin·ny [píkənìni] *n.* (*pl.* **-nies**) 《영》 = PICKANINNY
pic·ca·ta [pikάːtə, -tɑ] [It.] *n.*, *a.* 피카타(의) 《송아지 고기·닭고기 등을 얇게 썰어 튀긴 것에 소스·레몬·파슬리를 곁들인 요리》
pic·co·lo [píkəlòu] *n.* (*pl.* **~s**) 피콜로 《고음의 작은 플루트》 **~·ist** *n.* 피콜로 취주자
pice [páis] *n.* (*pl.* **~**) 《인도》 파이스 동전 《약 $^1/_2$ 센트》
pich·i·ci·a·go [pìtʃisiάːgou, -éig-] *n.* (*pl.* **~s**) 〖동물〗 작은 armadillo 《남미 남부산(産)》

pick[1] [pík] *v.*, *n.*

「(뾰족한 것으로) 찌르다, 쪼다」→(쪼듯이 뜯다)
→「따다」→(골라잡아서 따다)「고르다」
→「우비다」

— *vt.* **1** 〈과일·꽃 등을〉 (하나하나) **따다, 뜯다,** 꺾다, 따주다, 채집하다: ~ flowers[fruit] 꽃[과일]을 따다 **2 골라잡다**(choose), 가려내다, 고르다: ~ the largest cake on the plate 접시에서 가장 큰 케이크를 골라잡다 **3** (뾰족한 것으로) 찍다, 쪼다, (곡괭이로) 파다 **4** 〈이·귀 등을〉 **후비다**: ~ one's nose 코를 후비다 **5** 〈살을〉 **뜯다,** 발라내다, 물어 뜯다: (~+목+전+명) ~ the meat *from*[*off*] the bone 뼈에서 살을 뜯어내다 **6** 〈모이를〉 **쪼다,** 줍다; 〈음식을〉 **조금씩 먹다** **7** 〈새털 등을〉 쥐어 뽑다; 빼내다 **8** 〈섬유 등을〉 풀다, 가르다 **9** 〈자물쇠를〉 (다른 기구로) 열다: (~+목+전+명) ~ a lock *with* a hairpin 머리핀으로 자물쇠를 열다 **10** 〈물건을〉 소매치기하다; 〈남의 생각 등을〉 도용(盜用)하다, 표절하다: (~+목+전+명) ~ a person's pocket *of* a purse …의 호주머니에서 지갑을 소매치기하다 **11** 〈싸움을〉 걸다; …의 계기[단서]를 마련하다 (*with*); 〈기회를〉 붙잡다 **12** 〈악기를〉 손가락으로 타다[퉁기다] **13** 〈결점 등을〉 들추어내다
— *vi.* **1 쪼다,** 후비다, 찍다(peck) (*at*): (~+전+명) The birds are busily *~ing at* the bread. 새들이 부지런히 빵을 쪼고 있다. **2** [보통 ~ and choose] 정선(精選)하다(select) **3** (속어) (조금씩) 먹다, 집적거리다: (~+전+명) ~ *at* the food 음식을 깨지락거리다 **4** 훔치다, 슬쩍하다 **5** (남에게) 잔소리하다, 야단치다; 흠잡다 **6** 〈과일·꽃이〉 따지다, 채집되다: These flowers ~ easily. 이 꽃들은 쉽게 따진다.
be ~ed out with …으로 돋보이게 되다 ***have a bone to ~ with*** a person ⇨ BONE. ***~ a bone with*** …의 흠을 찾아내다 ***~ acquaintance with*** a person …와 우연히 알게 되다 ***~ a crow with*** a person (미·속어) …와 강경하게 담판하다, 따지다 ***~ and choose*** 고르고 고르다, 엄선하다 ***~ and steal*** 살금살금 훔쳐내다, 좀도둑질하다 ***~ apart*** = PICK to pieces. ***~ a quarrel***[***fight***] ***with*** …에게 싸움을 걸다 ***~ at*** (미·구어) …의 흠을 들추어내다, …에게 잔소리를 하다, 구박하다; 손가락 (등)으로 잡아당기다; 집적거리다, (점잖게) 조금씩 먹다 ***~ away*** 우벼서 구멍을 내다, 잡아뜯다 ***~ fault*** 흠을 들추다 ***~ holes in*** a person***'s coat***[***character***] …의 흠을 들추다 ***~ in*** (그림에) 개칠하다; (영·방언) 〈빨래 등을〉 걷어들이다 ***~ off*** 한 사람씩 겨누어 쏘다; 잡아[쥐어]뜯다; 〔야구〕 견제구로 터치아웃시키다 ***~ on*** 고르다; (미·구어) 괴롭히다, 못살게 굴다, 흠을 들추다, 비난하다 ***~ out*** 고르다, 파내다, 찍어[쪼아] 내다; 〈뜻을〉 해득하다; 〈곡 등을〉 들어서 외운 대로 연주하다; 장식하다 (*with*) ***~ over*** 엄선하다; (미) 자세히 점검[검토]하다; 곧 쓸 수 있게 준비하다 ***~ a person's brains*** ⇨ BRAIN. ***~ oneself up*** (넘어졌다가) 일어서다; (비유) 회복하다 ***~ sides*** 경기의 편을 짜다 ***~ spirit*** 기운을 회복하다 ***~ one's way*** 천천히 나아가다 ***~ one's words*** 말씨에 조심하다 ***~ to pieces*** 분해하다; 갈기갈기 찢다; 혹평하다 ***~ up*** (*vt.*) (1) 줍다, 집어 올리다[들다] (2) 〈건강·용기를〉 되찾다, 회복하다; 〈사람의〉 기운을 북돋우다 (3) 〈속력을〉 내다, 더하다 (4) 〈수입·상 등을〉 벌다, 얻다 (5) (무선 전신 등으로) 포착하다, 발견하다; 손에 넣다 (6) 〈지식·외국어 등을〉 들어서 알게 되다, 익히다 (7) (잃어버린 길로 다시) 나오다 (8) 〈배·차 등이〉 도중에서 태우다; 〈차로 사람을〉 마중 나가다, 〈손님·차를〉 잡다 (9) 〈조난자를〉 구출하다 (10) (속어) 붙잡다, 〈여자와〉 알게 되다 (11) 〈병에〉 걸리다; 〈버릇이〉 들다; (*vi.*) (12) 완쾌하다; 경기가 좋아지다; 속도를 더하다 (13) 〔골프〕 공을 줍다 (14) (우연히 만난 사람과) 친해지다 (*with*) ***~ up heart***[one***'s courage***] 용기를 불러일으키다, 기운을 내다 ***~ up on*** (1) 알아차리다, 이해하다 (2) 반응[대응]하다 (3) (이전에 언급한 문제 등으로) 돌아가다; …에 덧붙여 말하다 ***~*** a person ***up on*** …에게 (말실수·거짓말 등을) 지적하다, …을 … 때문에 꾸짖다 ***~ up the pieces*** 사태를 수습하다, 정상적인 생활로 되돌아가다
— *n.* **1** 선택(권) **2** (따낸) 수확량 **3** 한 번 찍기, 내리치기 **4** 엄선한 것, 정선물, 정수(精髓) **5** (현악기의 줄을 뜯는) 채, 픽 **6** 곡괭이(pickax(e)); 찍는[쪼는] 도구 **7** 〔회화〕 다듬기 **8** 〔인쇄〕 얼룩, 활자의 때 **9** (속어) 이쑤시개 ***have the ~ of the basket*** 좋은 것을 골라잡다 ***take*** one***'s ~ from*** …에서 고르다, 골라내다 ▷ pícky *a.*

pick[2] [pík, pí:k] *vt.* 〔방직〕 〈북(shuttle)을〉 쳐 보내다 — *n.* **1** (베틀의) 북이 오가는 횟수 **2** 씨실

pick·a·back [píkəbæ̀k] *ad.* 등에 업히어, 목말 태우고; 무개(無蓋) 대형 화차에 싣고
— *a.* 등에 업는, 목말 태우는; (화물 트레일러를) 무개 대형 화차로 나르는; 〔항공〕 기상 탑재(機上搭載)의
— *n.* 등에 업어[목말 태워] 나르기; (화물 트레일러의) 평대형(平臺型) 화차에 의한 운반

píckaback plàne (미) (공중의 모(母)비행기에서 발진하는) 자(子)비행기, 기상(機上) 탑재기

pick-and-mix [píkənmìks] *a.* (영) (아주 다양한 항목에서) 선택하여 혼합하는: a ~ program of study 다양한 선택 학습 프로그램

pick·a·nin·ny [píkənìni] *n.* (*pl.* **-nies**) (경멸) 흑인 아이; (남아공·호주) 원주민 아이

pick·ax | -axe [píkæ̀ks] *n.* (*pl.* **-ax·es**) 곡괭이
— *vt., vi.* (**-axed**) 곡괭이로 파다, 곡괭이를 쓰다, 곡괭이질하다

picked[1] [píkt] *a.* **1** Ⓐ 정선된, 선발된, 최상의 **2** 잡아뜯은 **3** 곱게 다듬은

pick·ed[2] [píkid, píkt] *a.* (고어) 〔동물〕 바늘[가시]이 있는; 뾰족한

pick·el [píkəl] [G] *n.* (등산용) 피켈

pick·er [píkər] *n.* **1** 찍는[쪼는] 사람, 쪼는 새; 우비는 사람; 따는[줍는] 사람, 채집자 **2** 과일·꽃을 따는 특별한 도구·기계 **3** 〈목화·양털을〉 따는[뽑는] 기계 **4** 소매치기(pickpocket), 좀도둑; (미·속어) 훔쳐보는 사람(voyeur) **5** 싸움에 응하는 사람

pick·er·el [píkərəl] *n.* (*pl.* **~, ~s**) 〔어류〕 강꼬치고기; (영) 새끼 강꼬치고기

pick·er·el·weed [píkərəlwì:d] *n.* 〔식물〕 물옥잠과(科)의 수초

pick·er-up·per [píkərʌ́pər] *n.* (구어) **1** (물건을) 줍는 사람 **2** (정보·뉴스 등의) 수집자 **3** 원기를 북돋아 주는 것, 자극[흥분]제

*__pick·et__ [píkit] [F 「뾰족한 말뚝」의 뜻에서] *n.* **1** 말뚝 **2** 〔군사〕 전초(前哨), 경계병, 경계대(隊) **3** [*pl.*] (파업 배반자) 감시원, 피킷, (관공서 앞에서 항의하는) 데모대원 **4** 〔역사〕 한 발로 뾰족한 말뚝 위에 서는 형벌 **5** [*pl.*] (미·속어) 이빨 **6** (구어) = PICKET LINE
— *vt.* **1** (말뚝) 울타리로 두르다 **2** 〈말 등을〉 말뚝에 매다 **3** 〈파업시에 상점·공장·노동자 등을〉 감시하다, …에 감시조를 배치하다 **4** 전초[경계병]를 배치하다
— *vi.* 보초 서다; 전초 근무를 하다, 노동 쟁의의 감시원이 되다 **~·er** *n.*

pick·et·boat [píkitbòut] *n.* 정찰선; 감시선, 함재수뢰정(艦載水雷艇)

pícket fénce 말뚝 울타리

pick·et·ing [píkitiŋ] *n.* Ⓤ 피켓 시위: mass ~ of the factory 공장의 대규모 피켓 시위

pícket lìne **1** 〔군사〕 전초선(前哨線), 경계선, 감시선 **2** (파업 등의) 피킷 (라인) **3** 말 매는 밧줄(tether)

pícket pìn 말 매는 말뚝

pick·et·ship [-ʃìp] *n.* 미사일 감시선

*__pick·ing__ [píkiŋ] *n.* Ⓤ **1 선발; 채집;** Ⓒ 딴[채집한] 것 **2** [*pl.*] 따다 남은 것, 떨어져 남은 이삭; 먹다 남은 것

thesaurus **pick**[1] *v.* **1 따다, 채집하다** pluck, pull, harvest, collect, gather **2 골라잡다** choose, select,

3 (곡괭이 등으로) 파기; (자물쇠를) (다른 기구로 비틀어) 열기 **4** 좀도둑 **5** [*pl.*] 《구어》 장물(贓物); 부정 입수품; [*pl.*] (관리 등의) 가외 소득 **6** 〖인쇄〗 전기판(電氣版) 끝손질 **7** [*pl.*] (보도(步道)에 까는) 조가비 가루 **8** 반 구운 벽돌 **9** 대강 골라낸 것 《광석 등》

pícking devìce 〖컴퓨터〗 피킹 장치 《display 화면상의 한 점을 지정하기 위한 장치》

∗**pick·le**[1] [píkl] *n.* **1** [*pl.*] (소금·식초에) 절인 것; 오이절임 **2** Ⓤ (채소 등을 절이는) 간물, 식초물 **3** Ⓤ 묽은 산 용액 《주물(鑄物) 등을 씻는》 **4** 《구어》 곤란한[불쾌한] 입장, 곤경 **5** 《영·구어》 장난꾸러기 **6** 《미·속어》 만취 ***be in a*** (***sad***[***sorry, nice, pretty***]) **~** 곤경에 빠져 있다 ***in*** **~** 절여져서; 저장하여, 준비되어

— *vt.* **1** 〈채소 등을〉 소금물[식초]에 절이다 **2** 〈주물 등을〉 묽은 산 용액으로 씻다 **3** 《특히》 〈그림에〉 고색(古色)을 띠게 하다 **4** 〖항해〗 매질한 후 〈등에〉 소금[식초]을 바르다 《처벌의 일종》

pickle[2] *n.* 《방언》 소량, 소액

pick·led [píkld] *a.* **1** 소금물[식초]에 절인 **2** 〈가구 등이〉 표백 마무리한 **3** Ⓟ 《속어》 만취한

pick·le-puss [píklpùs] *n.* 《미·속어》 상을 찌푸린[불쾌한, 비관적인] 사람

pick·lock [píklɑ̀k | -lɔ̀k] *n.* 자물쇠 여는 도구; 자물쇠를 (비틀어) 여는 사람, 도둑

pick·man [-mən] *n.* (*pl.* **-men** [-mən, -mèn]) 곡괭이질하는 인부

pick-me-up [píkmiʌ̀p] *n.* 《구어》 **1** 기운을 돋우는 음료[음식]; 흥분[강장, 자극]제 **2** 기운을 돋우는 것 《소식·경험 등》

pick'n'mix [píkənmíks] *n.*, *a.* 여러 가지를 뒤섞은 (것), 취사선택할 수 있는 (것); (사탕·치즈·샐러드 따위를) 여러 가지로 섞은 (것)

pick-off [píkɔ̀ːf | -ɔ̀f] *n.* 〖야구〗 견제에 의한 척살[터치아웃]

∗**pick·pock·et** [píkpɑ̀kit | -pɔ̀k-] *n.* 소매치기

— *vt.* 소매치기하다

pick·some [píksəm] *a.* 가리는 것이 많은, 까다로운

pick·thank [píkθæ̀ŋk] *n.* 《영·고어》 아첨쟁이

pick·up [píkʌ̀p] *a.* 《미》 Ⓐ **1** 당장 있는 재료만으로 장만한, 즉석의 〈요리 등〉 **2** 〈팀 등이〉 임시 선발의 **3** 《구어》 우연히 알게 된 **4** 함께 차를 타기 위한: a ~ point (단체 여행 등의) 집합 장소

— *n.* **1** 〖구기〗 공이 땅에 닿자마자 되받아 치기; 〖야구〗 픽업 《공이 땅에 떨어지자마자 채어 잡기》 **2** 《미·구어》 주워들은 소식, 정보 **3** 《미·구어》 자극물[제], 알코올 음료(pick-me-up) **4 a** (자동차의) 가속 (능력) **b** (하물·우편물 등의) 집배(集配); 픽업(=~ truck) 《상품 집배용 덮개 없는 소형 트럭》 **5** 《구어》 좋아짐, 호전, 진보, 개량, 회복 **6** (전축의) 픽업; 〖라디오·TV〗 픽업 《소리나 빛을 전파로 바꾸는 일》, 그 장치; 방송 장치; 스튜디오 밖에서의 방송 (현장), 중계 방송 **7 a** 《구어》 우연히 알게 된 연애 상대 《특히 여자》 **b** 도중에서 남의 차에 편승하는 사람(hitchhiker) **c** 우연히 입수한 싸고 귀한 물건, 횡재 **d** 당장 아쉬워 사는 물건 **e** 즉석 요리 **8** 승객 태우기, 짐 싣기 **9** 〖편물〗 걸어 올리기 **10** 《속어》 체포 **11** 〖회계〗 이월 잔고

píckup ròpe (글라이더의) 이륙용 견인(牽引) 로프

pick-up-stick [píkʌpstìk] *n.* **1** [*pl.*; 단수 취급] 얇은 막대기 따위를 쌓아 놓고 다른 것을 무너뜨리지 않고 하나씩 빼내는 놀이 **2** 그 놀이에 쓰는 얇은 막대기

píckup trùck 《미·구어》 소형 오픈 트럭

pick·wick [píkwik] *n.* 《미》 (석유 램프의) 심지 돋우개

Pick·wick [píkwik] *n.* Dickens작 *Pickwick Papers*의 주인공 《착하고 익살스러운 노인》

Pick·wick·i·an [pikwíkiən] *a.* 픽윅(Pickwick)류(流)의, 착하고 너그러운; 〈용어·뜻이〉 보통과는 다른 의미의, 특수한 ***in a ~ sense*** 보통과는 다른 의미로, 농담의 뜻에서

pick·y [píki] *a.* (**pick·i·er**; **-i·est**) **1** (하찮은 일에) 법석대는 **2** 《미·구어》 성미 까다로운

pick-your-own [pìkjəróun] *a.* Ⓐ (과일·야채 등을 관광 농원 등에서 소비자가) 직접 따서 가져가는: ~ strawberries 직접 따서 사온 딸기들

pic·lo·ram [píkləræ̀m, páik-] *n.* 고엽제(枯葉劑), 제초제

‡**pic·nic** [píknik] *n.* **1** 피크닉, 들[산]놀이, 소풍; 옥외의 간단한 식사; 《구어》 재미나는 판, 유쾌한 시간, 쉬운 일

> 유의어 **picnic** 야외에서 먹을 음식을 지참하는 소풍: go on a *picnic* 피크닉 가다 **hike, hiking** 운동·행락을 위해 교외·산야를 걷는 소풍: go on a *hike*, go *hiking* 도보 소풍을 가다

2 저마다 먹을 것을 가져오는 연회 **3** 돼지의 어깨 고기 (=~ **hám**[**shóulder**]) **4** [부정문에서] 《구어》 즐거운 경험[때, 업무]; 쉬운 일: Moving house is *no* ~. 이사하는 것은 쉬운 일이 아니다. **5** (통조림의) 표준형 깡통 ***It's no ~.*** 《구어》 장난[쉬운 일]이 아니다.

— *vi.* (**-nicked**; **-nick·ing**) 소풍 가다, 피크닉에 참가하다; 《미》 (야외에서 피크닉식으로) 식사를 하다

pic·nick·er [píknikər] *n.* 피크닉 가는[오는] 사람, 소풍객

pic·nic·ky [pícniki] *a.* 피크닉식의, 들놀이의

pic·nom·e·ter [piknɑ́mətər | -nɔ́m-] *n.* =PYCNOMETER

pico- [píːkou, -kə, pái-] 《연결형》 **1** 「…의 1조(兆)분의 1」의 뜻(one trillionth): *pico*meter; *pico*gram; *pico*second **2** 「아주 적은」의 뜻: *picor*navirus

pi·co·cu·rie [píːkəkjùəri] *n.* 〖물리〗 피코퀴리(micromicrocurie) 《1조분의 1퀴리》

pi·co·gram [píːkəgræ̀m, pái-] *n.* 〖물리〗 피코그램 《1조분의 1그램》

pico·net [píkənèt] *n.* 피코네트 《여러 개의 블루투스(bluetooth) 호환 장치가 상호 인식·통신하면서 형성하는 무선 네트워크》

pi·cor·na·vi·rus [piːkɔ́ːrnəvàiərəs, ─⌒─́─] *n.* 피코르나바이러스 《리보 핵산을 함유한 바이러스; 폴리오바이러스 등》

pi·co·sec·ond [píːkəsèkənd, pái-] *n.* 〖물리〗 피코초(秒) 《1조분의 1초; 略 psec》

pi·cot [píːkou] 〔F〕 *n.* 피코 《자수·레이스의 가장자리에 실로 만든 고리》 — *vi.*, *vt.* …에 피코를 달다

pic·o·tee [pìkətíː] *n.* 〖식물〗 카네이션[튤립]의 일종 《꽃잎의 가장자리가 다른 색으로 된 것》

pic·quet [píkit] *n.*, *v.* 《영》 =PICKET

pic·rate [píkreit] *n.* 〖화학〗 피크르산염

píc·ric ácid [píkrik-] 〖화학〗 피크르산

pic·rite [píkrait] *n.* Ⓤ 〖광물〗 휘석 감람암

PICS production information and control system 생산 정보 관리 시스템

Pict [píkt] *n.* 픽트 사람 《영국 북부에 살던, 스코트족(Scots)에게 정복당한 고대인》

pict. pictorial; picture

Pict·ish [píktiʃ] *a.* 픽트 사람의 — *n.* 픽트 어(語)

pic·to·graph [píktəgræ̀f, -grɑ̀ːf | -grɑ̀ːf, -græ̀f], **-gram** [-græ̀m] *n.* **1** 상형문자(象形文字), 그림 문자 **2** 《미》 통계 그래프 《숫자 대신 그림으로 나타내는 통계법》

pic·to·graph·ic [pìktəgræ̀fik] *a.*

pictograph 1

pic·tog·ra·phy [piktɑ́grəfi | -tɔ́g-] *n.* Ⓤ 그림[상형] 문자 기술법

Pic·tor [píktər] *n.* 〖천문〗 이젤자리, 화가자리 《비둘기자리와 황새치자리 근처에 있는, 남쪽 하늘의 희미한 별자리》

---

single out, decide upon, elect, prefer
pickpocket *n.* thief, purse snatcher, petty thief

*__pic·to·ri·al__ [piktɔ́:riəl] *a.* **1** 그림의; 그림으로 나타낸, 그림 같은; 그림을 넣은: ~ art 회화(술)/a ~ magazine 화보/a ~ map 그림 지도/a ~ puzzle 그림 맞추기[찾아내기] **2** 그림 같은, 생생한
— *n.* 화보, 그림 잡지[신문]
~·ly *ad.* 그림을 넣어 **~·ness** *n.*

pic·to·ri·al·ism [piktɔ́:riəlìzm] *n.* **1** 〖미술〗 그림을 그리기 **2** 영상 중심주의 **-ist** *n.*

pic·to·ri·al·ize [piktɔ́:riəlàiz] *vt.* 회화화하다, 그림으로 표현[설명]하다

‡**pic·ture** [píktʃər] [L 「색칠하다」의 뜻에서] *n.* **1** 그림, 회화, 초상화: hang a ~ on the wall 벽에 그림을 걸다 **2** 사진: wedding ~*s* 결혼 사진 **3** (미) 영화; [the ~s] (영) 영화; [*pl.*] 영화 산업, 영화계, 영화관: silent ~*s* 무성 영화 **4** (구어) 그림같이 아름다운 것; 미관; 풍경; 광경 **5** [the ~] 실물을 꼭 닮은 것, 화신(化身) **6** (거울 등의) 영상; (TV·영화의) 화면, 화상; 심상 **7** (사실적인) 묘사, 서술: a vivid ~ of …의 생생한 묘사 **8** [보통 the ~] 전체적인 상황, 실태, 정세: *the* political ~ 정치 상황
(as) pretty as a ~ 매우 아름다운 ***come into* [*enter*] *the ~*** 등장하다; 두드러지게 되다; 중요해지다; 재미있게 되다 ***get the ~*** (구어) 이해하다, 전모를 알게 되다 ***give a ~ of*** …을 묘사하다 ***go to the ~s*** 영화를 보러 가다 ***in the ~*** (구어) 두드러진 존재로; 중요하여; 충분히 알려져 ***out of the ~*** 동떨어진, 얼토당토 않은 ***sit for*** one***'s ~*** 자기 초상을 그리게 하다 ***take a good* [*bad*] *~*** (미·구어) 사진에 (실물보다) 잘[못하게] 나타나다
— *vt.* **1** 그리다, 그림으로 그리다, 묘사하다: ~ the scene 그 광경을 그림으로 그리다/It is hard to ~ his sufferings. 그의 수난은 이루 다 묘사할 수 없다. **2** 마음에 그리다, 상상하다: (~+목+*-ing*) I could not ~ myself do*ing* such a thing. 나 자신이 그런 일을 하리라곤 상상할 수 없었다.// (~+목+전+명) I ~*d* myself *in* that costume. 그 의상을 걸친 나 자신의 모습을 마음 속에 그렸다. ***~ to*** one***self*** 상상하다 ▷ pictórial, picturésque *a.*; pícturize *v.*

pícture bòok (어린이의) 그림책

pícture càrd (트럼프의) 그림패; 그림엽서

pic·ture·dom [píktʃərdəm] *n.* ⓊⒸ 영화계(filmdom)

pic·ture·drome [píktʃərdròum] *n.* (영) 영화관

pícture èlement 화소(畫素)(pixel)

pícture fràme 사진틀[액자]; (미·속어) 교수대

pícture gàllery 회화 진열실, 미술관, 화랑

pic·ture·go·er [píktʃərgòuər] *n.* 영화팬

pícture hàt (타조의 깃이 달린 검은색의) 테 넓은 여성 모자

pícture hòuse[hàll] 영화관

pícture màrriage 사진 결혼 《사진만 보고 결혼을 결정하는 일》

pícture mèssaging (휴대 전화의) 이미지 전송

pícture mòld[ràil] (그림을 걸기 위해 벽에 박아 놓은) 가로대[가로장]

pícture pàlace (영) 영화관

pic·ture-per·fect [-pə̀:rfikt] *a.* 완전무결한: make a ~ landing 완전무결한 착륙을 하다

Pic·ture·phone [píktʃərfòun] *n.* 텔레비전 전화(picture telephone) 《상표명》

pícture plàne 화면

pícture plày 극영화

pícture póstcard 그림엽서

pic·ture-post·card [píktʃərpóustkɑ̀:rd] *a.* Ⓐ 그림엽서 같은; 아름다운 〈경치〉

pícture pùzzle = JIGSAW PUZZLE

pícture shòw **1** 회화전(繪畫展), 미술전 **2** 영화(관)

‡**pic·tur·esque** [pìktʃərésk] *a.* **1** 그림같은, 아름다운, 회화적인 **2** 〈언어·문체가〉 생기 있는, 생생한 **3** 〈사람이〉 개성이 풍부한, 독창적인, 기발한, 주목을 끄는, 별난 **~·ly** *ad.* **~·ness** *n.* ▷ pícture *n.*

pícture tèlephone 텔레비전 전화(videophone)

pícture thèater 영화관

pícture tùbe (TV의) 수상관(受像管), 브라운관(cathode-ray tube)

pícture wìndow 〖건축〗 (유리 한 장의 큰) 전망창

picture window

pícture wrìting 그림에 의한 기록; 그림 문자, 상형 문자

pic·tur·ize [píktʃəràiz] *vt.* 그림으로 나타내다[장식하다]; 영화화하다
pìc·tur·i·zá·tion *n.*

pic·ul [píkəl] *n.* (*pl.* **~, ~s**) 피컬, 담(擔) 《중국·타이의 중량의 단위; 약 60.48 킬로그램》

PID 〖의학〗 pelvic inflammatory disease

pid·dle [pídl] *vi.* (미) 어정버정 시간을 낭비하다; (구어) 〈어린이·동물이〉 쉬하다, 오줌 누다

pid·dling [pídliŋ] *a.* (구어) 사소한, 시시한(piddly)

pid·dock [pídək] *n.* 〖패류〗 폴라스조개

pid·gin [pídʒən] [business의 와전(訛傳)] *n.* Ⓤ 혼성어 《의사소통 보조어》; (영·구어) 장사, 일

pídgin Énglish [business English의 와전] [때로 **P- E-**] 중국의 상업 영어 《영어에 중국어·포르투갈어·말레이어 등이 뒤섞인 영어》

pid·gin·ize [pídʒənàiz] *vt.* 〈언어를〉 (외국인끼리의 전달을 위해) 보조 언어화하다, 혼성어화하다
pìd·gin·i·zá·tion *n.*

pi-dog [páidɔ̀:g | -dɔ̀g] *n.* = PYE-DOG

‡**pie**[1] [pái] *n.* ⓊⒸ **1 a** (영) 파이, 파이 모양의 것: a piece of apple ~ 애플파이 한 조각 **b** (미) 프루츠파이(《영》 tart) **2** 커스터드와 크림 젤리 등을 넣은 레이어 케이크(layer cake) **3** = PIZZA **4** 크림[잼] 샌드위치 **5** (미·속어) 몹시 갖고 싶은 것, 지극히 쉬운 일 **6** (관리의) 부정 이득, 뇌물 **7** (분배할 수익 등의) 전체, 총액 ***(as) easy as ~*** (구어) 아주 쉬운 ***a sweetie ~*** (구어) 사랑하는 사람, 애인 ***be as good as ~*** (미·구어) 아주 기분이 좋다 ***cut a ~*** (미·속어) 쓸데없는 참견을 하다 ***eat humble ~*** (미·구어) 굴욕을 감수하다 ***~ à la mode*** (미) 바닐라 아이스크림을 얹은 파이 ***~ in the sky*** 믿을 수 없는 앞날의 낙[행복, 보수 《등》]; 그림의 떡 ***put*** one***'s finger in*** another***'s* [*every*] *~*** (남의 일에) 간섭하다

pie[2] *n.* 〖조류〗 까치(magpie)

pie[3] *n.* (인도) 파이 동전 《1 anna의 $^1/_{12}$, pice의 $^1/_3$》

pie[4] *n.* 〖가톨릭〗 기도 행사서, 일과 규칙서

pie[5] *n.*, *vt.* = PI[2]

PIE Proto-Indo-European

pie·bald [páibɔ̀:ld] *a.* (흑백) 얼룩의, 잡색의; 혼합된 — *n.* 얼룩말; 잡색 동물; 혼혈인

‡**piece** [pí:s] *n.* **1** 조각, 단편, 일부분(⇨ part 유의어); 파편: a ~ of pizza 피자 한 조각/fall to ~*s* 떨어져서 박살이 나다 **2 a** [a ~] 한 개[폭, 덩이, 편(編), 수(首), 장, 행]: *a* ~ of paper 한 장의 종이 **b** (하나로 뭉뚱그려진 물건의) 일부(분), 한 구획, 약간의[작은] 물건: a bad ~ of road 길의 나쁜 곳/a ~ of water 작은 호수 **c** 1절[항] 《책 등의》 **d** (기계·한 벌인 물건 등의) 부분, 부품, 일부: a ~ of furniture 가구 한 점/the ~*s* of a machine 기계의 부품 **e** [복합어를 이루어] 구성원, 구성 요소: a 50-~ orchestra 50인조 오케스트라/a three-~ suit 3개 한 벌[스리피스]의 정장 **3 a** 그림; 작품, 한 편의 시[글, 악곡, 각본]: a fine ~ of workmanship[work] 훌륭한 공예품[작품] **b** 신문[잡지] 기사 **4** 일(한 분량): ~ rate 일한 분량에 따르는 지불, 능률급(給); 단가(單價) **5** 경화

thesaurus **picture** *n.* painting, drawing, sketch
piece *n.* part, bit, section, segment
pier *n.* wharf, dock, quay, landing place

(coin): a penny ~ 페니 동전 **6** 총, 대포: a field [fowling]-~ 야포[조총] **7** [one's ~] 의견, 견해 **8** 《속어》 (지하철·벽 등에 써 있는) 낙서 **9** [보통 수식어를 동반하여; 종종 a ~] 《구어》 사람, 여자, 계집 **10** 《속어》 간식; (음식의) 한 입 **11** (장기 등의) 말, 졸 **12** 잔; 통 **13** (술 담글 때의) 한 번 띄우는 곡물의 양 **14** 표본, 견본(example), 예
(all) in one ~ 《구어》 흠[상처] 없이, 무사히 ***(all) of a ~*** 시종일관한 〈성격 등〉; 동종[동질]의 ***(all) to ~s*** 완전히, 충분히; 산산이 ***a ~ of ass*** 《미·비어》 (섹스 대상으로서의) 여자; 성교 ***a ~ of cake*** 《구어》 아주 쉬운 일, 누워서 떡 먹기 ***a ~ of flesh*** 인간, 《특히》 여자, 계집 ***a ~ of goods*** 《구어》 사람; 여자 ***a ~ of*** one***'s mind*** 솔직한 의견; 비난 ***a ~ of the action*** 《미·구어》 이권, (자기) 몫 ***a ~ of work*** 작품; 일; 곤란한 일; 《비유》 소동 ***by*** [***on***] ***the ~*** 일한 분량에 따라 〈지불하다 등〉 ***come to ~s*** 산산조각이 나다; 좌절되다 ***cut to ~s*** 잘게[조각조각으로] 자르다, 동강내다 ***eat a ~*** 《속어》 간식을 먹다 ***give*** a person ***a ~ of*** one***'s mind*** …에게 거리낌 없이 잔소리하다, 털어놓고 말하다 ***go to ~s*** (1) 산산조각이 나다, 엉망이 되다, 뿔뿔이 흩어지다, 무너지다 (2) 건강을 잃다; 굴복하다, 자제심을 잃다, 자포자기하다; 신경 쇠약이 되다 ***in one ~*** 잇대어, 간격 없이 ***of a ~ with*** …와 같은 종류의; …와 동일한, …와 일치한 ***pick*** [***pull***] ***… to ~s*** …을 분해하다, 갈기갈기 찢다; 《구어》 혹평하다 ***~ by ~*** 하나하나, 하나씩 ***speak*** one***'s ~*** 의견[견해]을 말하다; 불평하다; 구혼하다 ***take … to ~s*** (1) 해체하다 (2) …을 엄격하게 제어하다 ***tear … to ~s*** = pick … to PIECES. ***to*** [***in***] ***~s*** 산산조각으로, 갈기갈기, 뿔뿔이
— *vt.* **1** 잇다, 깁다, 때우다 《*up*》, 접합하다 《*up*》, 결합하다 《*together*》: (~+목+전+명) ~ A *to* B A를 B에 잇다 // (~+목+부) ~ ropes *together* 밧줄을 서로 잇다 **2** 〈이야기·그림·이론 등을〉 (빠진 부분을 보완해) 완성하다 《*out*》 **3** 〈실 등을〉 연결하다 《*up*》 **4** 조금씩 써서 오래 가게 하다
~ in 삽입하다 ***~ on*** 접합하다, 맞붙다 ***~ out*** 이어 붙이다, 보완[보철(補綴)]하다 ***~ together*** …을 잇다, 종합하다 ***~ up*** 잇다, 깁다

piece·a·ble [píːsəbl] *a.* 맞붙일 수 있는, 접합할 수 있는

píece cóncept (항공 수하물의) 개수제(個數制) 《수하물 허용 개수·사이즈 제한》

pièce de ré·sis·tance [piés-də-rizistɑ́ːns] [F = piece of resistance] **1** 주(主)요리 **2** 주요한 것[사건], 주요 작품[진열품]

piece-dye [píːsdài] *vt.* 〈옷감을〉 짜고 나서 물들이다(opp. *yarn-dye*) **-dyed** [-dàid] *a.*

píece gòods (일정한 길이의) 피륙(yard goods)

piece·meal [-mìːl] *ad.* 하나씩, 조금씩; 점차로; 조각조각으로 — *a.* 단편적인, 하나[조금]씩의: ~ rate 일한 분량에 대한 지불, 능률급 — *n.* [보통 다음 성구로] ***by ~*** 조금씩, 점차로

píece of éight (옛날 스페인의) 페소 은화 《8 reals》

píece ràte 성과급 (임금); 단가

piece·wise [píːswàiz] *ad.* 낱낱으로; 〖수학〗 구분적으로

piece·work [píːswə̀ːrk] *n.* Ⓤ (한 일의 양에 따라 보수를 받는) 삯일, 청부일 **~·er** *n.* 삯일꾼, 청부 일꾼

píe chàrt 〖통계〗 (원을 반지름으로 쪼개어 구분하는) 파이 도표(circle graph)

pie·crust [páikrʌ̀st] *n.* Ⓤ 파이 껍질 ***(as) short as ~*** 화 잘 내는 ***promises like ~*** 곧 깨지는 약속
— *a.* 쉬 부서지는

píecrust tàble 《미》 파이 껍질 테이블 《도드라진 가장자리에 주름 장식이 새겨진 작은 탁자》

pied [páid] *a.* 얼룩덜룩한, 잡색의

---

pierce *v.* **1** 꿰뚫다 penetrate, puncture, prick, stab, spike, enter, pass through **2** 사무치다 wound, hurt, pain, affect, sting, move

---

pied-à-terre [pièidətέər, -dɑː-, pjèi-] [F = foot on land] *n.* (*pl.* **pieds-à-terre** [~]) (출장이 잦은 사람의 출장지에서의) 임시 숙소[아파트]

pi·e(d)·fort [pieifɔ́r, pjei-|-fɔ́ː] [F=「foot+strong에서」] *n.* 피에포르화(貨) 《일반 통용화보다 두께가 두 배 이상인 주화》

píe dìsh 파이 접시 《파이를 구울 때 쓰는》

pied·mont [píːdmɑnt|-mənt, -mɔnt] *n.* 산록 지대 — *a.* 산기슭에 있는

Pied·mont [píːdmɑnt|-mənt, -mɔnt] *n.* 피드먼트 고원 《미국 대서양 연안과 애팔래치아 산맥 사이에 위치》; 피에몬테 《이탈리아 북서부의 주(州)》

pie-dog [páidɔ̀ːg|-dɔ̀g] *n.* = PYE-DOG

Píed Píper [páid-] [the ~] (독일 전설에 나오는 Hamelin의) 피리 부는 사나이 《Hamelin 마을의 쥐를 퇴치하였으나 약속한 보수를 받지 못하자 마을 어린이들을 피리 소리로 꾀어내 산 속에 숨겨버렸다고 함》; [때로 **p- p-**] 남을 교묘하게 꾀는 사람

pie-eat·er [páiìːtər] *n.* 《호주·구어》 변변치 못한 사람

pie-eyed [-àid] *a.* **1** 《미·속어》 술 취한 **2** 비현실적인 **3** 눈이 휘둥그레진, 놀란

píe hòle 《미·속어》 입(mouth)

pie-in-the-sky [páiinðəskái] *a.* 《구어》 현혹시키는(illusory); 그림의 떡 같은(cf. PIE[1] (성구))

pie·man [páimən] *n.* (*pl.* **-men** [-mən, -mèn]) 파이 만드는[파는] 사람

pie·plant [páiplæ̀nt|-plɑ̀ːnt] *n.* 《미》 식용 대황(大黃)

⁑**pier** [píər] [L 「높이 돋운 대(臺)」의 뜻에서] *n.* **1** 부두(埠頭), 잔교(棧橋), 선창(⇨ wharf 유의어): a landing ~ (상륙용) 잔교 **2** 방파제 **3** 교각(橋脚), 교대, 홍예 **4** 〖건축〗 (창)문과 (창)문 사이의 벽

pier·age [píəridʒ] *n.* Ⓤ 잔교 사용료, 부두세

⁂**pierce** [píərs] [L 「꿰뚫다」의 뜻에서] *vt.* **1** 꿰뚫다, 꿰찌르다; 관통하다, 돌입하다(⇨ stab 유의어): The spear ~*d* his arm. 창이 그의 팔을 꿰뚫었다. **2** …에 구멍을 뚫다, 〈구멍을〉 뚫다: have[get] one's ears ~*d* (귀고리를 하기 위해) 귀에 구멍을 뚫다 // (~+목+전+명) ~ a hole *in* a cask of whiskey 위스키 통에 구멍을 뚫다 **3 a** 돌파하다 **b** [~ one's way로] 헤치고 나가다, 빠져 나가다 **4** 간파하다, 통찰하다: ~ a disguise 변장한 것을 알아채다 **5** 〈추위·슬픔 등이 뼈에〉 사무치다; 깊이 감동시키다(move): (~+목+전+명) My heart was ~*d with* grief. 나의 가슴은 슬픔으로 찢어질 것 같았다. **6** 〈비명 등이 고요를〉 뚫다, 날카롭게 울리다; 〈빛살이 어둠 속을〉 뚫고 들어가다
— *vi.* **1** 꽂히다 **2** 뚫고 들어가다; 간파하다; 관통하다 《*into, through*》; 마음에 사무치다: (~+전+명) They ~*d to* the heart of the jungle. 그들은 정글 속 깊이 뚫고 들어갔다. **3** 〈외침·빛살 등이〉 …에 뚫고 들어가다 **~·a·ble** *a.*

pierced [píərst] *a.* **1** 구멍이 난 **2** (귀고리 등을 하기 위해) 귀에 구멍을 뚫은

píerced éarring 《미》 귓불을 뚫어서 다는 귀고리

pierc·er [píərsər] *n.* **1** 꿰뚫는[찌르는] 사람[것] **2** 구멍 뚫는 기구, 송곳 **3** 《고어》 날카로운 눈 **4** 《곤충의》 방란관(放卵管)

Píerce's diséase [píːərsiz-] 〖식물 병리〗 피어스 질병 《포도나무의 질병》

*__pierc·ing__ [píərsiŋ] *a.* **1** 꿰뚫는 **2** 〈추위·바람이〉 찌르는 듯한, 살을 에는 듯한: a ~ wind 살을 에는 듯한 바람 **3** 〈눈이〉 날카로운, 통찰력 있는 **4** 〈목소리 등이〉 귀청을 찢는 듯한: a ~ shriek 찢어지는 듯한 날카로운 소리[비명]
— *n.* Ⓤ 피어싱 《귓불 등에 장식을 위해 구멍 뚫기》; Ⓒ 뚫은 구멍 **~·ly** *ad.*

píer glàss (창문과 창문 사이 벽에 거는) 체경, 큰 거울

pier·head [píərhed] *n.* 부두의 앞 끝

Pi·e·ri·an [paiíəriən] *a.* **1** 〘그리스신화〙 시신(詩神)(the Muses)의 고향 Pieria의 **2** 뮤즈 여신의 **3** 시의, 학예의, 시적 영감의
Piérian Spríng Olympus산 기슭에 있었다는 Muses의 샘; 시의 원천
pie·ro·gi [piróugi] *n.* (*pl.* **~, ~es**) =PIROSHKI
pi·er·rot [pìːəróu | píərou] 〖F〗 *n.* (*fem.* **-rette** [piərét]) **1** [**P~**] 피에로 《옛 프랑스의 무언극의 광대; 분칠한 얼굴에 원뿔꼴 모자를 쓰고 헐렁한 흰 옷을 입음》 **2** (피에로가 분장한) 어릿광대; 가장 무도자
píer tàble (창문과 창문 사이의 벽 앞에 놓는) 낮은 테이블
pi·et [páiit] *n.* =MAGPIE
Pie·tà [pìːeitɑ́ː, pjei- | pìe-] 〖It. =pity〗 *n.* 피에타 《성모 마리아가 그리스도의 시체를 무릎에 안고 슬퍼하는 그림[상]》
pi·e·tism [páiətìzm] *n.* Ⓤ **1** 경건(piety) **2** 경건한 체함 **3** [**P~**] 경건주의 《17세기말 독일의 루터파 내에 일어남; 신앙의 내면화·경건화를 주장》
-tist *n.* 경건한 체하는 사람
pi·e·tis·tic, -ti·cal [pàiətístik(əl)] *a.* 경건한; 경건한 체하는 **-ti·cal·ly** *ad.*
∗**pi·e·ty** [páiəti] *n.* (*pl.* **-ties**) **1 a** Ⓤ **경건**, 경신(敬神), **신앙심 b** 경건한 행위 **2** Ⓤ 효심(=filial ~) **3** Ⓤ 애국심 ▷ píous *a.*
píe wàgon (미·속어) =PATROL WAGON
pi·e·zo·e·lec·tric [paiìːzouiléktrik] *n., a.* 〘전기〙 압전기(壓電氣)(의)
pi·e·zo·e·lec·tric·i·ty [paiìːzouilèktrísəti, -ìːlek-] *n.* Ⓤ 〘전기〙 피에조 전기, 압전기
pi·e·zom·e·ter [pàiəzɑ́mətər, pìːə- | pàiizɔ́m-] *n.* 피에조미터 《압력, 특히 압축률을 측정하는 기구》
-zo·mét·ric *a.*
pif·fle [pífl] (구어) *vi.* 쓸데없는 짓을 하다, 실없는 말을 지껄이다 **—** *n.* Ⓤ 실없는 말, 헛소리
pif·fling [pífliŋ] *a.* (구어) 시시한, 하찮은: ~ efforts 쓸데없는 노력
‡**pig** [píg] *n.* **1 돼지**; (미) **새끼 돼지** ★ (미)에서는 성장한 돼지를 hog라고 함.
관련 울음소리 oink, squeal. 돼지고기는 보통 pork. 거세하지 않은 수퇘지 boar. 성숙한 암퇘지 sow. 형용사형 porcine, (문어) swine.
2 Ⓤ 돼지고기(pork); 돼지 가죽(pigskin) **3** (구어) 돼지 같은 사람; 불결한 사람, 게걸쟁이, 욕심꾸러기, 고집쟁이 **4** (속어·경멸) 경찰관 **5** (속어) 행실이 나쁜 여자 **6** (속어) (능력이 낮은) 경주마 **7** Ⓤ 금속[철, 납]의 주괴(鑄塊), 금속 덩어리; 선철, 무쇠(=~ iron) **8** (미·속어) 가죽 지갑 **9** 발가락(piggy)
bleed like a (***stuck***) **~** 심하게 출혈하다 ***bring*** [***drive***] one***'s ~s to a fine*** [***a pretty, the wrong***] ***market*** 팔아서 손해보다; 헛다리 짚다 ***buy a ~ in a poke*** 현물을 보지 않고 물건을 사다, 충동구매하다 ***drive*** one***'s ~ to market*** 코 골다 ***go to ~s and whistles*** (속어) 난봉부리다 ***in ~*** 〈암퇘지가〉 새끼를 배고 ***in a ~'s ear*** [***eye, neck***] (미·속어) 결코 …않는 ***in a ~'s whisper*** (1) (속어) 곧, 순식간에 (2) (방언) 매우 작은 소리로 ***make a ~ of*** one***self*** 욕심을 부리다; 돼지처럼 많이 먹다 ***~ between sheets*** (미) 햄 샌드위치 ***~'s eyes*** (속어) 작은 눈 ***P~s might*** [***could***] ***fly*** (***if they had wings***). (익살) 그런 일은 있을 수 없다. ***please the ~s*** (익살) 경우에 따라서는; 순조롭게 된다면
— *v.* (**~ged**; **~·ging**) *vi.* **1** 〈돼지가〉 새끼를 낳다; 돼지처럼 자식을 낳다 **2** 돼지처럼 우글거리다; 돼지 같은 생활을 하다
— *vt.* **1** 〈돼지가〉 새끼를 낳다 **2** (구어) 게걸스레 먹다 ***~ it*** (돼지처럼) 우글우글 함께 살다; 천천히 달리다, 달리는 속도가 떨어지다 ***~ out*** (속어) 게걸스럽게 먹다, 과식하다 ▷ píggy, píggish *a.*
píg bèd 돼지우리; 주상(鑄床)
píg bòard 피그 보드 《앞이 좁고 뒤가 넓은 서핑 보드》
pig·boat [pígbòut] *n.* (미·속어) 잠수함
píg brìstles 돼지의 센털[강모]
píg bùcket (돼지 먹이용) 부엌 쓰레기통
‡**pi·geon**[1] [pídʒən] 〖L 「새새끼」의 뜻에서〗 *n.* (*pl.* **~s, ~**) **1 a 비둘기**(cf. DOVE) **b** 비둘기 고기 **2** 젊은 처녀 **3** (미·속어) 밀고자(=stool ~) **4** [one's ~] (영·구어) 일, 책임, 관심사 **5** (속어) 잘 속는 사람, 멍청이 **6** 〘사격〙 =CLAY PIGEON
pluck a ~ (멍청이로부터) 돈을 속여 빼앗다 ***put*** [***set***] ***the cat among the ~s*** ⇨ cat
— *vt.* 비둘기로 통신하다; 속여서 빼앗다 (*of*)
pigeon[2] *n.* =PIDGIN
pígeon blòod 짙은 홍색
pígeon brèast[**chèst**] 〘의학〙 새가슴
pi·geon-breast·ed [pídʒənbréstid], **pi·geon-chest·ed** [-tʃéstid] *a.* 새가슴의
pígeon dròp (미·속어) 신용 사기
pígeon Ènglish =PIDGIN ENGLISH
pígeon fàncier 비둘기 기르는 사람
pi·geon·gram [-græ̀m] *n.* 비둘기가 전하는 서신
pígeon hàwk 송골매(merlin) 《미국산(産)》
pi·geon-heart·ed [-hɑ́ːrtid] *a.* 마음이 약한, 겁 많은, 수줍은
pi·geon·hole [-hòul] *n.* **1** 비둘기장의 드나드는 구멍; 비둘기장의 칸 **2** 서류 분류[정리] 선반의 칸
— *vt.* **1 a** 〈서류 등을〉 정리함에 넣다; 분류 정리하다 **b** (정리하여) 보존하다; 기억해 두다 **2** 〈계획 등을〉 뒤로 미루다, 〈요구·문제 등을〉 묵살하다

pigeonhole *n.* **2**

pígeon hòuse 비둘기장(dovecote)
pi·geon-liv·ered [-lívərd] *a.* 온순한, 마음 약한, 온화한
pígeon páir (영) 남녀 쌍둥이; 아들 하나 딸 하나
pi·geon·ry [pídʒənri] *n.* 비둘기장
pígeon's blòod =PIGEON BLOOD
pígeon's mìlk 비둘기 젖 《비둘기가 새끼에게 먹이기 위해 토해 내는 액체》; (영·익살) 만우절(All Fools' Day)에 사람을 속여 가지러 보내는 있지도 않은 물건
pi·geon-toed [pídʒəntòud] *a.* 안짱다리의
pi·geon·wing [-wìŋ] *n.* (미) 〘스케이트〙 선곡 활주형(旋曲滑走型); 〘무용〙 댄스의 변형 스텝의 하나 《뛰어올라 양발을 마주치는 스텝》
pig-eyed [pígàid] *a.* 눈이 작고 쑥 들어간
pig·fish [pígfìʃ] *n.* (*pl.* **~, ~·es**) 〘어류〙 벤자리 무리 《미국 남부 대서양 연안산(産)》
pig·ger·y [pígəri] *n.* (*pl.* **-ger·ies**) (영) **1** 양돈장(養豚場); 돼지우리(pigsty) **2** Ⓤ [집합적] 돼지 **3** 불결(한 장소)
pig·gie [pígi] *n.* (구어·유아어) 돼지, 꿀꿀이; 새끼 돼지(piggy)
pig·gin [pígin] *n.* (방언) (한쪽에) 수직 손잡이가 달린 나무 들통
pig·gish [pígiʃ] *a.* **1** 돼지 같은; 탐욕스런; 불결한 **2** 고집불통인; 완고한 **~·ly** *ad.* **~·ness** *n.*
pig·gy [pígi] *n.* (*pl.* **-gies**) (유아어) (새끼) 돼지
— *a.* (**-gi·er**; **-gi·est**) (구어) 《특히》 〈어린아이가〉 음식을 탐하는, 게걸스러운
pig·gy·back [pígibæ̀k] *a.* **1** 어깨[등]에 탄(pickaback) **2** 피기백 (방식)의 《(1) 〘철도〙 화물을 트레일러[컨테이너]에 실은 채 저상(低床) 화차로 수송하는 (2) 〘우주과학〙 수송기[로켓]에 싣고 거기에서 발사[수

thesaurus **piety** *n.* piousness, religiousness, holiness, devoutness, devotion, faith, reverence

송]하는 (3) 〖광고〗 동일 광고 시간 내에 주된 광고에 곁들여 방송하는》 **3** 부가의, 추가의
— *ad.* **1** 어깨[등]에 타고[태워서], 목말 타고[태워서], 업고(pickaback) **2** 〖철도·우주과학·광고〗 피기백 방식으로 — *n.* 목말; 〖철도〗 피기백 방식
— *vt.* **1** 어깨[등]로 나르다 **2** 피기백 방식으로 수송하다 — *vi.* 컨테이너·트레일러를 피기백 방식으로 수송하다; 《비유》 기대다, 편승하다

píggy bànk 돼지 저금통; 《미·속어》 (유료 도로의) 요금 징수소

píggy in the míddle 《영》 **1** 공놀이의 하나 《아이들이 공을 주고받으면 가운데 있는 한 아이가 그 공을 가로채야 하는 놀이》(《미》 monkey in the middle) **2** 싸움에 끼인 제삼자, 고래 싸움에 끼인 새우

pig·gy-wig(·gy) [-wìg(i)] *n.* 《유아어》 새끼 돼지; 지저분한 아이; = TIPCAT

pig·head·ed [píghèdid] *a.* 고집 센, 옹고집의, 완고한; 성질이 비뚤어진 **~·ly** *ad.* **~·ness** *n.*

pig-ig·no·rant [pìgígnərənt] *a.* 《구어》 아주 어리석은, 매우 무식한

píg in the míddle = PIGGY IN THE MIDDLE

píg ìron **1** 선철, 무쇠 **2** 《미·방언》 싸구려 위스키

píg Làtin 피그 라틴 《어두의 자음(군)을 어미로 돌리고 거기에 [ei]를 덧붙이는 일종의 어린이 은어; 보기: oybay = boy 등》

píg lèad 연괴(鉛塊), 납덩어리

pig·let [píglit], **-ling** [-liŋ] *n.* 새끼 돼지

pig·like [píglàik] *a.* 돼지 같은, 더러운

pig·ment [pígmənt] *n.* ⓊⒸ **1** 안료(顔料) **2** Ⓤ 〖생물〗 색소(色素) — *vt., vi.* 착색[채색]하다
~·ed [-id] *a.* 착색한, 색칠한

pig·men·tar·y [pígməntèri | -təri], **pig·ment·al** [pigméntl] *a.* 색소의; 색소를 분비하는

pig·men·ta·tion [pìgməntéiʃən] *n.* Ⓤ 염색, 착색; 〖생물〗 색소 형성

pígment cèll 〖생물〗 색소 세포

Pig·my [pígmi] *n.* (*pl.* **-mies**), *a.* = PYGMY

pi·gno·li(·a) [pinjóuli(ə)] *n.* 솔방울(pine nut)

pig·nut [pígnʌ̀t] *n.* **1** 히코리나무 (열매) 《북미산(産); 호두과(科)》 **2** 유럽산(産) 땅콩의 일종 《돼지 사료》

pig-out [-àut] *n.* 《속어》 마구 먹기, 과식; 음식 파티

pig·pen [-pèn] *n.* 《미》 돼지우리(hogpen); 더러운 장소[방, 집]

Pigs [pígz] *n.* **the Bay of ~** 피그스 만 《쿠바 남서 해안의 만》

pig·shit [pígʃit] *n.* 《미·속어》 하찮은[쓸모없는] 일

pig·skin [-skìn] *n.* **1** Ⓤ 돼지 가죽 **2** 《구어》 안장(saddle) **3** 《미·구어》 미식축구공(football)

pig·stick [-stìk] *vi.* 산돼지 사냥을 가다 《말타고 창을 사용》 **~·er** *n.* 산돼지 사냥꾼; 대형 주머니칼

pig·stick·ing [-stìkiŋ] *n.* Ⓤ (말 타고 창을 쓰는) 산돼지 사냥

pig·sty [-stài] *n.* (*pl.* **-sties**) **1** = PIGPEN **2** 《속어》 경찰서

pig·swill [-swìl] *n.* = PIGWASH

pig·tail [-tèil] [돼지 꼬리 비슷한 데서] *n.* **1** 땋아 늘인 머리; (옛 중국인의) 변발(辮髮)(queue) **2** 꼰 담배 **3** 〖전기〗 접속용 전선

pig-tailed [-tèild] *a.* **1** 변발을 한 **2** 〈담배가〉 가늘게 꼬인

pig·wash [-wɔ̀:ʃ | -wɔ̀ʃ] *n.* Ⓤ **1** 돼지죽 **2** 맛없는 멀건 수프[커피 《등》]

pig·weed [-wì:d] *n.* 〖식물〗 명아주, 흰명아주

PIIGS [pígs] *n.* 유로존에 속한 남유럽 5개국 《Portugal, Italy, Ireland, Greece, Spain의 머리글자》

pi-jaw [páidʒɔ̀:] 《영·속어》 *n.* (지루한) 설교
— *vt.* …에게 설교하다

PIK 《미》 payment-in-kind

pile[1] *n.* heap, bundle, mass, stack, mound, accumulation, assemblage, stockpile

pi·ka [páikə] *n.* 〖동물〗 새앙토끼 《북반구 고산에 사는》

∗**pike**[1] [páik] [F 「찌르다」의 뜻에서] *n.* **1** (옛날의) 창 《17세기 말까지 주로 보병이 사용》; 창끝; 《영·방언》 곡괭이(pickax(e)) **2** 가시; 바늘
— *vt.* 〈사람을〉 창으로 찌르다[죽이다]

pike[2] *n.* [보통 **P~**로 지명에 쓰임] 《영·방언》 (영국 호수 지방의) 뾰족한 산봉우리

pike[3] [주둥이가 pike[1]처럼 뾰족한 데서] *n.* (*pl.* **~, ~s**) 〖어류〗 창꼬치

pike[4] *n.* 유료 (고속)도로; (유료 도로의) 요금 징수소; 통행 요금; 철도 노선 ***come down the ~*** 《미·구어》 나타나다 ***hit the ~*** 《미·구어》 길을 가다, 여행하다

pike[5] *vi.* 《미》 훌쩍 가버리다; 급히 가다, 나아가다; 죽다; 주저하다

pike[6] *n.* (다이빙에서) 새우 모양의 자세

piked [páikt] *a.* pike[1]가 달린; 끝이 뾰족한

pike·let [páiklit] *n.* 《영》 = CRUMPET 1

pike·man [páikmən] *n.* (*pl.* **-men** [-mən, -mèn]) **1** 창병(槍兵) **2** 통행세 징수인 **3** 곡괭이를 사용하는 갱부

pikeman 1

pik·er [páikər] *n.* 《미·구어》 인색한 도박꾼; (증권 시장의) 소액 투자자; 구두쇠; 조심성 많은 사람

pike·staff [páikstæ̀f | -stɑ̀:f] *n.* (*pl.* **-staves** [-stèivz]) 창자루; 석장(錫杖) (***as***) ***plain as a ~*** 아주 명백한

pik·ey [páiki] *n.* 《영·속어》 집시; 방랑자, 부랑자

PÍK prògram 《미》 (휴간 농지에 대한) 농산물 현물 지급 계획

pi·laf(f) [pilɑ́:f, pí:lɑ:f | pílæf] *n.* Ⓤ 필래프 《쌀에 고기·양념을 섞어 만든 터키식 음식》

pi·lar [páilər] *a.* 털의, 털로 덮인

pi·las·ter [pilǽstər, páilæs-] *n.* 〖건축〗 (벽면 밖으로 나오게 한) 벽기둥

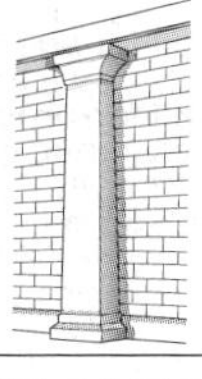
pilaster

Pi·late [páilət] *n.* 〖성서〗 빌라도 **Pontius ~** 《예수의 처형을 허가한 Judea의 총독》

Pi·la·tes [pilɑ́:tiz] *n.* Ⓤ 필라티스 《요가와 춤을 혼합한 운동의 일종》

pi·lau, pi·law [pilɔ́:, -láu | piláu] *n.* = PILAF(F)

pilch [píltʃ] *n.* (플란넬의) 기저귀 커버

pil·chard [píltʃərd], **pil·cher** [píltʃər] *n.* **1** 〖어류〗 (서유럽 연안산(産)) 정어리의 일종 **2** 정어리 살

pil·crow [pílkrou] *n.* 단락 기호 《¶》

⁑**pile**[1] [páil] [L 「기둥」의 뜻에서] *n.* **1** 쌓아 올린 더미, 퇴적, 산더미 《*of*》: a ~ *of* hay 건초 더미 **2** 《구어》 **a** 다수, 대량 《*of*》: a ~ *of* money[work] 많은 돈[일] **b** 큰돈, 재산 **3** 웅장한 건물, 대건축물(군) **4** 〖군사〗 걸어총(stack of arms) **5** 〖전기〗 전퇴(電堆), 전지: a dry ~ 건전지 **6** 화장용 장작더미 **7** 《영·고어》 화폐의 뒷면 **8** 〖물리〗 파일, 원자로(=atomic ~) ★ 지금은 nuclear reactor를 씀. ***cross or ~*** 앞면이냐 뒷면이냐(heads or tails) ***make one's***[***a***] ***~*** 《구어》 큰돈[재산]을 모으다 ***the top***[***bottom***] ***of the ~*** (사회·집단의) 상층[하층]부
— *vt.* **1** 쌓아 올리다, 겹쳐 쌓다(heap) 《*up, on, onto*》; 〈돈·물건 등을〉 축적하다, 모으다 《*up*》: ~ books 책을 쌓아 올리다 // (~+목+부) ~ dishes *up* on the table 접시를 식탁 위에 쌓아 올리다 / ~ *up* money 돈을 축적하다 **2** 산더미같이 쌓다 《*with*》: (~+목+전+명) ~ a cart high *with* hay 짐수레에 건초를 산더미같이 쌓다 **3** 〖군사〗 걸어총 하다; 〖항

해》〈배를〉 좌초시키다 《up》 **4** 원자로로 처리하다
— *vi.* **1** 쌓이다 《up》: (~+副) Money continued to ~ *up.* 돈이 계속 모였다. / with work *piling up* 일이 산적되어 **2** 우르르 몰려오다[가다] 《into, out》: (~+前+名) ~ *off* a train 기차에서 우르르 내리다 **3** 〈자동차가〉 다중 충돌하다 《up》
P~ arms! 〖군사〗 걸어총! **~ *in*** 우르르 들어가다 **~ *it on*** 《구어》 과장해서 말하다 **~ ... *on*** = **~ *on*...** (1) …을 쌓다 (2) …을 강조해서 말하다 **~ *up*[*on*]** the agony (비통한 기분)을 더욱 돋우다; 과장하여 말하다; 쌓이다

pile² [OE 「뾰족한 말뚝」의 뜻에서] *n.* **1** [보통 *pl.*] 말뚝, 파일; 교량을 받치는 말뚝: a house on ~*s* (남방 원주민 등의) 말뚝 위에 지은 집 **2** 화살촉
— *vt.* **1** …에 말뚝을 박다 **2** 창끝[화살촉]을 달다

pile³ [L 「털」의 뜻에서] *n.* Ⓤ **1** 부드러운 털, 솜털 **2** (벨벳·융단 등의) 보풀 **3** 털결 **4** 양털; 모피

pile⁴ *n.* [보통 *pl.*] 《구어》 치질, 치핵(hemorrhoids)
blind ~s 수치질

pi·le·ate [páiliət, -lièit], **-at·ed** [-èitid] *a.* **1** 〖생물〗 〈버섯 등이〉 갓이 있는 **2** 〖조류〗 〈새가〉 도가머리[볏]가 있는

píleated wóodpecker 〖조류〗 도가머리딱따구리 《북미산(産)》

piled [páild] *a.* 보풀 있는

píle drìver 말뚝 박는 기계[항타기(杭打機)] (기사)

píle dwèlling (말뚝으로 받쳐진) 호상(湖上)[수상(水上)] 가옥

píle dwèller 호상(湖上)[수상] 가옥 거주자

pi·le·ous [páiliəs, píl-] *a.* 털이 많은, 털로 덮인

pi·le·um [páiliəm, píl-] *n.* (*pl.* **-le·a** [-liə]) 〖조류〗 두정(頭頂) 《부리에서 목까지》

pile·up [páilʌ̀p] *n.* **1** 《구어》 (차량 등의) 연쇄 충돌 **2** (귀찮은 일의) 쌓임, 산적(山積), 산더미

pi·le·us [páiliəs, píl-] *n.* (*pl.* **-le·i** [-liài]) **1** 〖식물〗 버섯의 갓 **2** 〖동물〗 해파리의 갓 **3** 엷은 삿갓구름

pile·wort [páilwə̀:rt, -wɔ̀:rt | -wə̀:t] *n.* 〖식물〗 현삼속(屬)의 다년초

pil·fer [pílfər] *vi.*, *vt.* 좀도둑질하다, 조금씩 슬쩍하다, 훔치다(⇨ steal 유의어) **~·er** *n.* 좀도둑

pil·fer·age [pílfəridʒ] *n.* **1** Ⓤ 좀도둑질 **2** 장물 **3** 좀도둑질에 의한 손실

pil·fer-proof [pílfərprù:f] *a.* 절취(竊取) 방지형의

pil·gar·lic [pilgɑ́:rlik] *n.* 《방언》 대머리(인 사람); 《경멸·익살》 불쌍한 사람

pil·grim [pílgrim, -grəm] [L 「들을 건너서」, 「외국인」의 뜻에서] *n.* **1** 순례자, 성지 참배인 **2** 방랑자(wanderer), 나그네 **3** (어느 지방에) 처음 간 사람, 신참자 **4 a** [**P~**] Pilgrim Fathers의 한 사람 **b** [the P~s] = PILGRIM FATHERS **~*'s staff*** 석장(錫杖)
— *vi.* **1** 순례하다 **2** 유랑하다 ▷ pílgrimize *v.*

pil·grim·age [pílgrəmidʒ] *n.* **1** 순례 여행, 성지 순례 **2** (명소·고적 등을 찾는) 긴 여행 **3** 인생 행로 **4** 정신적 편력 ***go on a ~*** 순례의 길을 떠나다 ***make*** one***'s ~ to*** …에 참배하다; 긴 여행을 하다
— *vi.* 순례의 길을 떠나다

Pílgrim Fáthers [the ~] 〖미국사〗 필그림 파더즈 《1620년 Mayflower호로 도미(渡美)하여 Plymouth에 정착한 영국 청교도단》

pil·grim·ize [pílgrəmàiz] *vi.* 순례하다
— *vt.* 순례자로 만들다

pílgrim sígn 순례의 표지 《성지에서 순례자에게 주는 기념 메달 등》

Pílgrim's Prógress [the ~] 「천로역정(天路歷程)」 《John Bunyan이 쓴 우의(寓意) 소설(1678)》

pili- [páili, píli] 《연결형》 「털」의 뜻

pi·lif·er·ous [pailífərəs] *a.* 〖식물〗 털이 있는; 털이 나는

pil·i·form [píləfɔ̀:rm] *a.* 털 모양의, 털과 같은

pil·ing [páiliŋ] *n.* Ⓤ **1** 말뚝 박기 (공사) **2** 말뚝감 **3** [집합적] 말뚝, 파일(piles)

Pi·li·pi·no [pìləpí:nou] *n.* 필리핀 표준어(Filipino) 《타갈로그 어에 스페인 어가 섞인 것》

pill¹ [píl] [L 「작은 공」의 뜻에서] *n.* **1** 환약, 알약(⇨ medicine 관련); 작은 알 모양의 것 **2** 싫은 것[사람], 괴로운 일 **3** 《구어》 (야구·골프 등의) 공; 투표용 작은 공; [*pl.*] 《영·속어》 당구; 《익살》 포탄, 총탄; 《속어》 양쪽 끝을 자른 궐련; 아편 알 **4** [종종 *pl.*] 《구어》 의사 **5** [the ~, the P~] 《구어》 경구 피임약: be[go] on *the* ~ 피임약을 상용하다[먹기 시작하다]
a bitter ~ for one ***to swallow*** 안 할 수 없는 싫은 일[것] ***a ~ to cure an earthquake*** 무익한 대책 ***sugar*[*sweeten, gild*] *the*** ~ 싫은 것을 웬만해 보이게 하다, 하기 싫은 일의 고통을 완화하다
— *vt.* **1** 환약으로 만들다 **2** 환약을 먹이다 **3** 《미·속어》 반대 투표를 하다, 배척[제명]하다
▷ pílular *a.*

pill² *vt.* 《고어》 약탈하다; 《방언》 〈껍질을〉 벗기다, 까다 **~ *out*** 《미·속어》 (hot rod에서) 타이어 자국을 남기며 급발진하다

pil·lage [pílidʒ] *n.* Ⓤ 약탈; Ⓒ 약탈한 물건, 전리품
— *vt.*, *vi.* 약탈하다 **píl·lag·er** *n.* 약탈자

pil·lar [pílər] *n.* **1** 〖건축〗 기둥; 기념주(記念柱), 표주(標柱); 지주(支柱), 주석(柱石) **2** 기둥 모양의 것; 불기둥, 물기둥, 회오리바람; 〖광산〗 광주(鑛柱); (국가·사회 등의) 중심 세력[인물], 기둥, 주석 《of》 **3** = PILLAR-BOX
a ~ of a cloud*[*of fire*]** 〖성서〗 구름[불] 기둥, 하느님의 인도 ***be driven from ~ to post [《고어》 ***from post to ~***] 잇따라 내몰리다, 연방 궁지에 몰리다 ***the P~s of Hercules*** 헤라클레스의 기둥 《Gibraltar 해협의 동쪽 끝에 솟아 있는 2개의 바위》
— *vt.* **1** 기둥으로 장식하다[받치다] **2** …의 주석이 되다

pil·lar-box [pílərbɑ̀ks | -bɔ̀ks] *n.* 《영》 (빨간) 원통형 우체통 ★ 미국에는 이 같은 우체통은 없음; ⇨ mailbox

píllar-box réd 《영》 선홍색, 밝은 붉은 색

pil·lared [pílərd] *a.* 기둥이 있는; 기둥 꼴의

pil·lar·et [pílərèt] *n.* 작은 기둥

pill·box [pílbɑ̀ks | -bɔ̀ks] *n.* **1** (판지로 만든) 둥근 약 상자 **2** 《영·익살》 소형의 탈것; 성냥갑 같은 집 **3** 〖군사〗 토치카 **4** 납작한 테 없는 여자 모자

pillbox 3

píll bùg 〖곤충〗 쥐며느리(wood louse)

pill·head [-hèd] *n.* 《속어》 (정신 안정제·각성제 등의) 상용자

pil·lion [píljən] *n.* **1** (오토바이·자전거 등의 동승자용) 뒷자리 **2** (말을 같이 타는 여자용) 뒤안장

pil·lock [pílək] *n.* 《영·속어》 어리석고 쓸모없는 사람

pil·lo·ry [píləri] *n.* (*pl.* **-ries**) **1** 칼 《목과 손을 널빤지 사이에 끼우는 옛 형틀》 **2** [보통 the ~] 오명, 웃음거리 ***be in the ~*** 웃음거리가 되다
— *vt.* (**-ried**) **1** 칼을 씌워 구경거리로 만들다 **2** 웃음거리로 만들다

pillory 1

pil·low [pílou] [L 「쿠션」의 뜻에서] *n.* **1** 베개 **2** 베개 구실을 하는 것 **a** (특수 의자 등의) 머리 받침대 **b** 〖기계〗 굴대받이 (=~ block) ***take counsel of*[*consult with*]** one***'s ~*** 하룻밤 자며 잘 생각하다
— *vt.* **1** 〈머리를〉 (…에) 올려 놓다 《on, in》, 베개로 삼다 **2** 〈물건이〉 …의 베개가 되다 **~ one*'s head on*** one***'s arm*** 팔베개를 베다 ▷ píllowy *a.*

píllow blòck 〖기계〗 굴대받이
pil·low·case [píloukèis] *n.* 베갯잇
píllow fight (아이들의) 베개 싸움; 모의전
píllow làce 손으로 뜬 레이스(bobbin lace)
píllow làva 〖지질〗 베개[침상(枕狀)] 용암
píllow shàm 장식용 베갯잇
píllow slìp =PILLOWCASE
píllow tàlk (부부가) 잠자리에서 나누는 정담
pil·low·y [píloui] *a.* 베개 같은; 푹신한
píll pòpper (구어) (정제·캡슐의) 약물 상용자
píll pùsher (속어·경멸) 의사; 약제사
pi·lose [páilous] *a.* 〖동물·식물〗 (부드러운) 털이 많은(pilous)
pi·los·i·ty [pailɑ́səti | -lɔ́s-] *n.* Ⓤ 다모성(多毛性), 털이 많음
‡pi·lot [páilət] [Gk 「노」의 뜻에서] *n.* **1** (비행기·우주선 등의) 조종사, 파일럿: a test ~ 시험 비행 조종사 **2** 수로 안내인, 도선사(導船士); 키잡이 **3** 지도자, 안내인(guide); 지표, 지침 **4** (항로) 안내서, 수로지(水路誌); 나침반 정오기(正誤器) **5** (미) (기관차의) 배장기(排障器)(cowcatcher) ***drop the ~*** 좋은 충고[지도]자를 물리치다 ***take on a ~*** 수로 안내를 부탁하다
— *vt.* **1 a** 〈배의〉 수로를 안내하다; 안내[지도]하다(guide): ~ New York Bay 뉴욕 만의 수로 안내를 하다 **b** 〈비행기·우주선 등을〉 조종하다 **2 a** 〈배 등을〉 안내[조종]하여 가다: (~+목+전+명) ~ a ship *through* a channel 배를 조종하여 수로를 통과하다 **b** 〈사람을〉 안내하다: (~+목+전+명) ~ a person *across* a street …을 안내하여 길을 건너게 하다 **c** 〈일을〉 잘 추진하다 ***~ down***[***up***] a river 수로를 안내하여 (강을) 내려[올라]가다 ***~ in***[***out***] 수로를 안내하여 입항[출항]하다
— *a.* Ⓐ 지도[안내]의; 표시[지표]의; 시험적인(experimental), 예비의
pi·lot·age [páilətidʒ] *n.* Ⓤ **1** 항공기 조종(술); 수로 안내(술) **2** 안내, 지도 **3** 수로 안내료
pílot ballòon (풍향·풍속 관측용) 측풍(測風) 기구
pílot bìscuit[**brèad**] (배에서 먹는) 건빵(hardtack)
pílot bòat 수로 안내선
pílot bùrner (다시 점화시키기 위해 켜 두는) 점화용 불씨(pilot light)
pílot càr 선도차(先導車)
pílot chàrt 항해도(圖), 항공도
pílot chùte 보조 낙하산 《주(主)낙하산이 펴지게 하는》
pílot clòth 올이 굵은 감색(紺色)의 모직물 《선원 외투용》
pílot èngine (선로 안전 확인용) 선도 기관차
pílot fìlm (텔레비전의 스폰서 모집용) 견본 필름
pílot fìsh 〖어류〗 방어의 일종 《상어를 먹이가 있는 곳으로 인도한다고 함》
pílot flàg[**jàck**] 〖항해〗 수로 안내를 요청하는 신호기
pi·lot·house [páiləthàus] *n.* 〖항해〗 조타실
pi·lo·ti [pilɑ́ti | -lɔ́ti] [F=pile²] *n.* 〖건축〗 필로티 《건물을 지면보다 높이 받치는 기둥》
pi·lot-jack·et [páilətdʒæ̀kit] *n.* =PEA JACKET
pílot làmp 표시등, 파일럿 램프(pilot light)
pi·lot·less [páilətlis] *a.* 〈비행기가〉 조종사가 필요 없는, 자동 조종의
pílot lìght 1 =PILOT LAMP **2** =PILOT BURNER
pílot òfficer (영) 공군 소위
pílot pàrachute =PILOT CHUTE
pílot plànt (새 생산 방식 등의) 시험[실험] 공장
pílot prodùction 시험적 생산
pílot schème (계획 등의) 예비 테스트
pílot sìgnal 〖항해〗 수로 안내 신호 **1** 수로 안내인을 찾는 신호 **2** 수로 안내인이 배에 타고 있음을 알리는 신호
pílot stùdy 〖사회학〗 준비 조사
pílot tàpe =PILOT FILM
pílot wàters 수로 안내 해면[구역]
pílot whàle 〖동물〗 거두고랫과(科)의 한 종류(blackfish)
pi·lous [páiləs] *a.* =PILOSE
Pils [pílz, píls] *n.* Ⓤ 체코산(産)의 강한 맥주
Pil·sner [pílznər, píls-], **-sen·er** [-zənər, -sən-] *n.* [때로 **p~**] 필젠 맥주 《홉(hop)으로 맛들인 약한 맥주》; 필젠글라스(=~ **glàss**)
Pílt·down màn [píltdàun-] 필트다운인 《1912년 영국 Sussex주 Piltdown에서 두개골이 발견되었으나, 후에 가짜로 판명됨》
pil·u·lar [píljulər], **-lous** [-ləs] *a.* 알약(모양)의
pil·ule [pílju:l] *n.* 작은 알약(opp. *bolus*)
pi·lus [páiləs] *n.* (*pl.* **-li** [-lai]) 〖동물·식물〗 선모(線毛); 모상(毛狀) 구조물
pil·y [páili] *a.* (**pil·i·er**; **-i·est**) 솜털이 있는; 솜털 같은, 부드러운, 폭신폭신한
PIM 〖컴퓨터〗 personal information manager 개인 정보 관리용 소프트웨어
pi·ma [pí:mə] *n.* =PIMA COTTON
Pi·ma [pí:mə] *n.* (*pl.* **~, ~s**) **1** 피마 족 《아메리칸 인디언의 한 부족》; 피마 어(語) **2** =PIMA COTTON
Píma cótton [종종 **p- c-**] 피마면 《이집트목화를 미국 남서부에서 고강도 섬유용으로 개량한 것》
Pi·man [pí:mən] *n.* 피마(Pima) 어군(語群)
— *a.* **1** 피마 어군의 **2** 피마 족의; 피마 어의
pi·men·to [piméntou] *n.* (*pl.* **~s, ~**) **1** =ALLSPICE **2** =PIMIENTO
piménto chéese =PIMIENTO CHEESE
pi·mes·on [páimésɑn, -zɑn | -sɔn, -mí:zɔn] *n.* 〖물리〗 파이 중간자(pion)
pi·mien·to [pimjéntou] [Sp.] *n.* (*pl.* **~s**) 피망(pimento) 《스페인산(産) 고추의 일종; 열매 및 식물》
pimiénto chéese 피망을 넣은 치즈
pim·o·la [pimóulə] *n.* 피망을 다져 넣은 올리브 열매
pimp [pímp] *n.* **1** 뚜쟁이(pander) **2** (창녀 등의) 기둥서방; 포주 **—** *vi.* 뚜쟁이질을 하다; 남에게 기생(寄生)하여 살아가다
pim·per·nel [pímpərnèl, -nl] *n.* 〖식물〗 별봄맞이꽃(=scarlet ~)
pimp·ing [pímpiŋ] *a.* 하찮은, 인색한; 《주로 방언》 허약한, 병약한
pim·ple [pímpl] *n.* **1** 여드름, 구진(丘疹), 뾰루지 **2** (익살) 우스꽝스럽게 작은 것; (땅의) 작은 융기, 언덕
pim·pled [pímpld] *a.* 여드름투성이의, 여드름이 난
pim·ply [pímpli] *a.* (**-pli·er**; **-pli·est**) =PIMPLED
pimp·mo·bile [pímpmoubì:l, -mə-] *n.* (미·속어) (뚜쟁이가 탈 만한) 화려한 대형 고급차
‡pin [pín] *n.* **1 a** 핀, 못바늘; 안전핀 **b** 장식핀, 브로치; (넥타이) 핀, 핀 달린 기장(記章); 옷깃에 꽂는 핀 **2** 마개(peg); 빗장, 걸쇠(bolt) **3** (악기의) 현을 걸치는 못, 주감이; 빨래 집게; (바퀴 굴대의) 쐐기(linchpin); (반죽을 미는) 밀방망이(=rolling ~) **4** (과녁의) 중심점, 중심(center); 〖골프〗 (hole을 표시하는) 깃대; 〖볼링〗 표적, 표주, 핀; 〖항해〗 핀, 밧줄걸이 **5** [보통 *pl.*] (구어) 다리(leg) **6** 보잘것없는 것; 아주 조금 (***as***) ***bright***[***clean, neat***] ***as a new ~*** 아주 말쑥[깔끔]한 ***be on ~s and needles*** 매우 불안해 하다, 안달하다 ***be on*** one***'s last ~s*** 다 죽어가고 있다 ***be on*** one***'s ~s*** 서 있다; 건강하다 ***be quick***[***slow***] ***on*** one***'s ~s*** (구어) 걸음이 빠르다[느리다] ***for two ~s*** (구어) 쉽게, 문제없이; 곧 ***in*** (***a***) ***merry ~*** 기분이 매우 좋아 ***not care a ~***[***two ~s***] 조금도 개의치 않다 ***put in the ~*** (구어) 〈나쁜 버릇 등을〉 그만두다, 고치다; 《특히》 금주하다 ***split ~*** 〖기계〗 끝이 갈라진 핀 《끼운 것이 느슨해지지 않도록 함》 ***stick ~s into*** a person (구어) …을 자극하다, 집적거리다, 괴롭히다
— *vt.* (**~ned**; **~·ning**) **1** 핀[못바늘]으로 꽂다[고정하다] 《*up, together, on, to*》: (~+목+부) (~+목+전+명) ~ papers *together* 서류를 핀으로 꽂아

두다 // ~ a rose *on* a dress 옷에 장미꽃을 핀으로 달다 **2** …을 (…에) 꼼짝 못하게 누르다 ((*to, against, under*)): (~+목+전+명) The child was *~ned against* the wall. 그 어린이는 벽에 밀어 붙여졌다. **3** 〈신뢰·희망 등을〉 (…에) 두다, 걸다
~ down (1) …을 고정시키다, 움직이지 못하게 하다 (2) …을 (약속 등으로) 속박하다 ((*to*)) (3) …에게 자세한 설명[명확한 의견, 태도]을 요구하다 (4) 〈사실 등을〉 밝히다, 분명히 설명하다, 규명하다 (5) (군인·병사 등을) 꼼짝 못하게 하다 ***~ … on*** a person ((구어)) …에게 …의 책임을 지우다 ***~ one's faith*** [***hopes***] ***on*** [***upon, to***] …을 굳게 믿다, 신뢰하다

PIN [pín] [*p*ersonal *i*dentification *n*umber] *n.* [보통 the ~] (은행 카드의) 비밀 번호(=**~ còde**)

pi·ña [píːnjə] [Sp.] *n.* 파인애플(pineapple); (특히 라틴 아메리카에서) 파인애플 음료

píña clòth 파인애플 잎의 섬유로 짠 천

piña co·la·da [píːnjə-koulάːdə, -kəlάː-] 피냐콜라다 ((코코넛 크림·파인애플 주스·럼을 섞은 칵테일))

pin·a·fore [pínəfɔ̀ːr] *n.* **1** 에이프런, 앞치마 ((어린이·여직공 등의)) **2** 에이프런 드레스(=**~ drèss**) ((소매 없는 원피스))

pi·nas·ter [painǽstər, pi-] *n.* 〖식물〗 해안송(海岸松) ((지중해 연안산(産)))

pi·na·ta, -ña- [pinjάːtə] [Sp.] *n.* 피냐타 ((과자나 선물을 안에 넣어 천장에 매달은 항아리·종이 인형))

pin·ball [pínbɔ̀ːl] *n.* 핀볼(의 공), 코린트 게임(의 공) ((일종의 회전 당구))

pínball machìne 핀볼기(機)(((영)) pin table)

pin·board [pínbɔːrd] *n.* ((영)) (벽에 거는) 코르크 메모판

pin·bone [pínbòun] *n.* (네발짐승의) 관골(髖骨), 궁둥이뼈

pin·boy [-bɔ̀i] *n.* (볼링의) 핀을 정리하는 소년(pinsetter)

pince-nez [pǽnsnèi, píns-] [F =pinch a nose(코를 집다)] *n.* (*pl.* ~ [-z]) 코안경

pince-nez

pin·cer [pínsər] *n.* 〖군사〗 협공(작전), 협격(작전), 양 측면 공격 작전 **—** *a.* Ⓐ 협공[협격]의

pin·cers [pínsərz] *n. pl.* **1** 펜치(nippers); 못뽑이, 족집게 **2** 〖동물〗 (게 등의) 집게발 **3** 〖군사〗 협공 작전

píncer(s) mòvement 〖군사〗 =PINCERS 3

pin·cette [pænsét] [F] *n.* (*pl.* **~s** [-s]) 핀셋

‡**pinch** [píntʃ] *vt.* **1** 〈신체의 한 부분을〉 **꼬집다,** 쥐어짜다, 죄다, 물다, (두 손가락으로) **집다;** 〈신체의 한 부분을〉 (문틈 등에) 끼다; 〈새싹 등을〉 따버리다; 〈모자·구두 등이〉 **죄다, 꼭 끼다:** I *~ed* his leg. 그의 다리를 꼬집었다. // (~+목+전+명) I *~ed* my finger *in* the door. 문에 손가락이 끼었다. / The shoe *~es* me *at* the heel. 구두의 뒤꿈치 부분이 죈다. **2** [보통 수동형으로] 못살게 굴다; 수척[쇠잔]하게 하다; 〈추위·고통 등이〉 괴롭히다, 위축시키다; 쪼들리게 하다: A heavy frost *~ed* the flowers. 된서리로 꽃이 시들었다. // (~+목+전+명) *be ~ed with* cold 추위로 움츠러들다 / *be ~ed for* money 돈에 쪼들리다 **3** ((구어)) 빼앗다; 〈물건·돈을〉 훔치다, 슬쩍하다; 우려내다: (~+목+전+명) ~ money *from*[*out of*] a person …에게서 돈을 우려내다 **4** ((구어)) 〈경찰이〉 체포하다 **5** 줄이다, 절약하다 **6** ((영)) 〈경주마를〉 몰아대다(urge); 〖항해〗 〈배를〉 거의 맞바람을 받고 몰다 **7** 〈가루 등을〉 집어서 넣다 **8** 〈무거운 것을〉 지레로 움직이다
— *vi.* **1** 꼬집다, 집다 **2** 〈구두 등이〉 **죄다,** 죄어 아프다 **3** 몹시 절약하다, 인색하게 굴다 ((*on*)) **4** 〈광맥 등이〉 가늘어지다, 바닥나다 ((*out*)): (~+부) The vein of iron ore *~ed out.* 철광맥이 바닥났다.

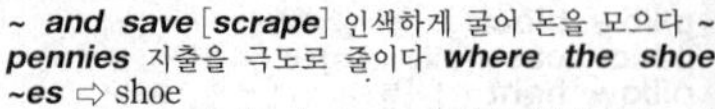

~ and save [***scrape***] 인색하게 굴어 돈을 모으다 ***~ pennies*** 지출을 극도로 줄이다 ***where the shoe ~es*** ⇨ shoe
— *n.* **1 꼬집기,** (두 손가락으로) 집기; 물기 **2** [a ~] **한 자밤,** 조금 ((*of*)): *a ~ of* salt 한 줌의 소금 **3** [the ~] **위기,** 핀치; 절박, 곤란 **4** 찌르는 듯한 아픔, 격통(激痛) **5** 받침 달린 지레(=~ bar) **6** ((속어)) (경찰의) 단속; 체포 **7** ((속어)) 훔침
at [***in, on***] ***a ~*** 위기에 직면하여 ★ ((미))에서는 in, ((영))에서는 at가 보통. ***feel the ~*** 돈에 쪼들려 고통을 당하다 ***if*** [***when***] ***it comes to the ~*** 만약의 경우에는 ***take … with a ~ of salt*** ⇨ salt.

pínch bàr 받침 달린 지레

pinch·beck [píntʃbèk] *n.* **1** Ⓤ 금색동(金色銅) ((구리와 아연의 합금)) **2** 값싼 보석류; 가짜, 모조품
— *a.* **1** 금색동의 **2** 가짜의, 값싸고 번지르한

pinch·bot·tle [-bὰtl | -bɔ̀tl] *n.* 허리가 잘록한 술병

pinch·cock [-kὰk | -kɔ̀k] *n.* 핀치콕 ((관(管)의 유량(流量)을 조절하는 죔쇠))

pinched [píntʃt] *a.* **1** 죄어진, 거북한 **2** (가난 등으로) 수척해진; (돈에) 궁한, 쪼들리는

pínch effèct 〖물리〗 핀치 효과

pinch·er [píntʃər] *n.* **1** 꼬집는[죄는, 따버리는] 사람[것] **2** [*pl.*] =PINCERS 1, 2 **3** ((속어)) 경관 **4** ((미·속어)) 구두

pinch-hit [píntʃhít] *vi.* (~; **~·ting**) **1** 〖야구〗 대타자로 나서다 **2** ((미)) 대역(代役)을 맡아 하다 ((*for*))

pínch hítter 1 〖야구〗 대타자, 핀치 히터 **2** ((미)) 대역(代役) ((*for*))

pinch·pen·ny [-pèni] *n.* 구두쇠, 수전노
— *a.* 인색한, 깍쟁이의

pínch rùn *vi.* 〖야구〗 대주자[핀치 러너]로 나서다

pínch rúnner 〖야구〗 핀치 러너, 대주자(代走者)

pín cùrl 핀컬 ((핀을 꽂아 만드는 곱슬머리))

pin·cush·ion [pínkùʃən] *n.* 바늘겨레[방석]

Pin·dar [píndər] *n.* 핀다로스 ((기원전 5세기경의 그리스의 서정 시인))

Pin·dar·ic [pindǽrik] *a.* Pindar(풍)의
— *n.* [보통 *pl.*] Pindar(풍)의 시

Pindáric óde 핀다로스풍의 오드 ★ regular ode 라고도 함.

pin·dling [píndliŋ] *a.* ((미·방언)) 아주 작은(puny); 허약한(sickly)

pin·down [píndàun] *n.* **1** 〖군사〗 핀다운 ((적의 핵미사일 발사장 상공에 많은 핵탄두를 연속으로 폭발시켜 적의 반격을 봉쇄하는 전법)) **2** ((영)) (문제아의) 장기 독방 격리

Pin·dus [píndəs] *n.* [the ~] 핀도스 산맥 ((그리스 중서부의 산맥))

pine**[1] [páin] [L 「벌(罰)」의 뜻에서] *vi.* **1** 애타게 그리워하다, 연모하다 ((*for, after*)); **갈망[열망]하다** ((*to* do)): (~+전+명) ~ *for* one's family 가족을 그리워하다 // (~+to*** do) ~ *to* return home 고향으로 돌아가기를 갈망하다 **2** (슬픔·병 등으로) **수척해지다** ((*away*)), 파리해지다: (~+전+명) ~ *from* anxiety 근심으로 수척해지다

‡**pine**[2] [páin] *n.* **1** 〖식물〗 솔, 소나무(=~ tree) **2** Ⓤ 그 재목 ▷ píny *a.*

pi·ne·al [píniəl, páin-] *a.* **1** 솔방울 모양의 **2** 〖해부〗 송과선(松果腺)[체(體)]의 ***the ~ gland*** [***body***] (뇌의) 송과선, 송과체

píneal apparátus 송과체(pineal body)

pi·ne·a·lec·to·my [pìniəléktəmi, pàin-] *n.* 〖외과〗 송과선 절제(술)

píneal éye 송과안(third eye)

‡**pine·ap·ple** [páinæ̀pl] *n.* **1** 〖식물〗 파인애플(ananas) **2** 그 열매 **3** ((호주·구어)) 폭탄, 수류탄

thesaurus **pinch** *v.* **1** (꼬)집다 nip, tweak, squeeze, compress **2** 꼭 끼다 crush, squeeze, hurt, pain, cramp, confine **3** 훔치다 steal, rob, take

a fair suck of the ~ 《속어》 =a fair CRACK of the whip. ***the rough end of the ~*** 《호주·구어》 불리한 입장, 불공정한 거래
— *a.* 파인애플과의
píneapple clòth =PIÑA CLOTH
píne bàrren 소나무가 드문드문 난 불모의 모래밭 《미국 대서양 연안·멕시코만 연안에 있는 지대》
píne còne 솔방울
píne màrten 〖동물〗 솔담비 《유럽·북미·아시아산(産)》
píne nèedle [보통 *pl.*] 솔잎
píne nùt **1** 송과(松果), 잣(pignolia) 《북미 서부산(産)의 소나무류의 열매; 식용》 **2** =PINE CONE
píne rèsin 송진
pin·er·y [páinəri] *n.* (*pl.* **-er·ies**) 솔밭; 파인애플 재배원
píne tàr 파인 타르 《소나무를 건류하여 채취함; 지붕 재료·피부병 약》
píne trèe 소나무
Píne Trèe Stàte [the ~] 미국 메인(Maine) 주의 속칭
pi·ne·tum [painí:təm] *n.* (*pl.* **-ne·ta** [-tə]) (각종 소나무를 재배하는) 소나무 재배원, 송원
pine·wood [páinwùd] *n.* [종종 *pl.*] 소나무숲, 송림; Ⓤ 소나무 재목, 송재
pine·y [páini] *a.* (**pin·i·er**; **-i·est**) =PINY
pin·fall [pínfɔ̀:l] *n.* 〖레슬링〗 핀폴 《카운트 3을 세는 동안 상대방 양 어깨를 매트에 누르는 일》
pin·feath·er [-fèðər] *n.* (새의) 솜털
pin·fire [-fàiər] *a.* 〈탄약통이〉 공이식(式)인; 공이식 화기(火器)의
pin·fold [-fòuld] *n.* (길 잃은 가축을 가두는) 우리; 감금 장소 — *vt.* 우리에 넣다
ping [píŋ] [의성어] *n.* [a ~] 핑 《유리 등에 딱딱한 것이 부딪치는 소리》 ***~ in the wing*** 《미·속어》 마약 주사 — *vi.* **1** 핑 소리나다 **2** 《미》 〈엔진 등이〉 노킹하다(《영》 pink)
PING 〖컴퓨터〗 Packet Internet Groper 핑 《인터넷 접속을 확인하는 도구》
ping·a·ble [píŋəbl] *a.* 〖컴퓨터〗 〈사이트가〉 살아 있는, PING에 응답하는
ping·er [píŋər] *n.* 핑어 《물 속의 지물 탐사에 쓰이는 음파 발진기》; (벨이 달린) 타이머
pin·go [píŋgou] *n.* (*pl.* **~s**) 〖지질〗 핑고 《북극 지방의 화산 모양의 얼음 언덕》
ping-pong [píŋpɑ̀ŋ, -pɔ̀:ŋ | -pɔ̀ŋ] *vi., vt.* **1** 《구어》 왔다갔다 하다, 주고받다 **2** 《미》 (병원에서) 〈환자에게[환자가]〉 불필요한 진찰을 받게 하다[받다]
***Ping-Pong** [píŋpɑ̀ŋ, -pɔ̀:ŋ | -pɔ̀ŋ] [의성어] *n.* Ⓤ 탁구, 핑퐁(table tennis) 《상표명》
píng-pong diplómacy 핑퐁 외교 《1971년 미국과 중국의 탁구 경기를 통한 양국의 외교 개선》
pin·guid [píŋgwid] *a.* 기름 같은, 기름기 많은; 〈땅이〉 기름진 **pin·guíd·i·ty** *n.*
pin·head [pínhèd] *n.* **1** 핀의 대가리 **2** 아주 작은[하찮은] 것 **3** 《미·구어》 바보, 멍청이
~·ed [-id] *a.* 어리석은 **~·ed·ness** *n.*
pin·hold·er [-hòuldər] *n.* (꽃꽂이용) 침봉
pin·hole [-hòul] *n.* 바늘[핀] 구멍
pínhole càmera 핀홀 사진기 《렌즈 대신에 어둠상자에 작은 구멍을 뚫은 사진기》
pin·ion[1] [pínjən] *n.* **1** 새 날개의 끝 부분 **2** 칼깃; 날개 털 **3** 《시어》 날개 **4** 앞날개 — *vt.* **1** (날지 못하게 새의) 날개 끝을 자르다, 날개를 묶다 **2** 〈양손을〉 묶다(bind) **3** 〈손발을〉 붙들어매다, 속박하다 《*to*》
pinion[2] *n.* 〖기계〗 피니언 톱니바퀴 《작은 톱니바퀴》: a lazy ~ 매륜(媒輪)

pine[1] *v.* long, yearn, ache, crave, hunger, covet
pinnacle *n.* peak, height, culmination, acme, zenith, climax, summit, apex, top, crest

pink**[1] [píŋk] *n.* **1** ⓊⒸ **분홍색**, 핑크색 **2** 〖식물〗 패랭이꽃, 석죽 **3** [the ~] 전형(典型), 정화(精華), 극치 **4** [종종 **P~**] 《구어》 〈사상이〉 좌익 경향인 사람(pinko) (cf. RED *n.* 3) **5** 여우 사냥꾼(의 분홍색 상의) **6** 멋쟁이, 맵시꾼 ***in the ~ (***of health***[***condition***]) 《익살》 아주 건강하여
— *a.* **1** **핑크색의**, 분홍색의 **2** 《구어》 좌익 동조자의, 좌경한(cf. RED *a.* 5) **3** 흥분한, 성난 **4** 《구어》 멋있는 **5** [부사적] 《구어》 몹시 ***get ~ on*** …에 흥분하다
pink[2] *vt.* **1** (칼끝 등으로) 찌르다 **2** 〈가죽 등에〉 구멍을 뚫다 《*out*》 **3** (핑킹 가위로) 〈천·종이 등을〉 물결 무늬로 자르다
pink[3] *n.* 《영》 연어 새끼(young salmon)
pink[4] *vi.* 《영》 〈엔진이〉 노킹하다(《미》 ping)
pink[5] *n.* (고물이 좁은) 범선의 일종
pínk cóat 여우 사냥꾼의 진홍색 상의
pink-col·lar [píŋkkɑ́lər | -kɔ́l-] *a.* **1** 핑크 칼라의 **2** 〈직업 등이〉 (전통적으로) 여성이 종사하는(cf. WHITE-COLLAR)
pínk disèase **1** 〖병리〗 핑크병 《유아(乳兒)의 손가락·발가락 끝의 동통증(疼痛症)》 **2** 〖식물〗 적의병(赤衣病)
pínk élephants 《익살》 술 취한 사람의 환각
pink·en [píŋkən] *vi.* 핑크색이 되다
pink·eye [píŋkài] *n.* Ⓤ **1** (말의) 유행성 감기 **2** (사람의) 유행성 결막염
pink-eye [píŋkài], **pink-hi** [-hài] *n.* 《호주》 (원주민의) 축제일
pínk gín 핑크진 《진에 고미제(苦味劑)를 섞은 음료》
pin·kie [píŋki] *n.* 《미·스코》 새끼손가락(pinky)
pínk·ing shèars[**scìssors**] [píŋkiŋ-] 핑킹 가위, 지그재그 가위 《천 등을 물결 무늬로 자르는 가위》
pink·ish [píŋkiʃ] *a.* 연분홍색의; 좌익적인
pínk lády 핑크 레이디 《칵테일의 일종》
pink·o [píŋkou] *n.* (*pl.* **~s, ~es**) 《구어·경멸》 빨갱이, 좌익 분자
pínk póund [the ~] 《영》 동성애자의 구매력
pínk sálmon 〖어류〗 곱사송어 《산란기의 수컷은 분홍색을 띰》
pínk slíp 《미·구어》 해고 통지서
pink-slip [píŋkslìp] *vt.* (**~ped**; **~·ping**) 《구어》 〈종업원을〉 해고하다 **-slìpped** [-slìpt] *a.*
pínk-slip pàrty (술집에서의) 실직자 파티 《최근에 실직한 사람들이 모여 정보 교환하는 자리》
pínk spót 〖의학〗 핑크 스폿 《정신 분열증 환자의 오줌에서 검출되는 mescaline 비슷한 물질》
Pink·ster, Pinx·ter [píŋkstər] *n.* 《미·방언》 = WHITSUNTIDE
pínkster flòwer 〖식물〗 야생의 핑크철쭉(pinxter flower)
pínk téa 《미·구어》 정식 파티; (여성들의) 차 마시는 모임; 엘리트만의 모임
pink·y[1] [píŋki] *a.* (**pink·i·er**; **-i·est**) 연분홍색의
pinky[2] *n.* (*pl.* **pink·ies**) =PINKIE
pín mòney 《구어》 **1** (아내에게 주는) 용돈 **2** (임시 지출의) 잡비; 푼돈, 적은 돈
pin·na [pínə] *n.* (*pl.* **-nae** [-ni:], **~s**) 날개(feather), 지느러미 (모양의 것); 〖해부〗 귓바퀴; 〖식물〗 (복엽(複葉)의) 우편(羽片) **-nal** *a.*
pin·nace [pínis] *n.* **1** 〖항해〗 피니스 《함선에 싣는 중형 보트》, 함재정 **2** 〖역사〗 (모선에 부속된) 쌍돛대의 작은 배
***pin·na·cle** [pínəkl] *n.* **1** 〖건축〗 **작은 뾰족탑** **2** (뾰족한) 산봉우리; 정상(頂上), 꼭대기 **3** [the ~] 정점, 절정: *the ~* of power 권세의 절정
— *vt.* **1** 높은 곳에 두다 **2** …에 뾰족탑을 올리다; 작은 뾰족탑 모양으로 하다 **-cled** *a.*
pin·nate [píneit, -nət], **-nat·ed** [-eitid] *a.* 〖식물〗 〈잎이〉 날개 모양의, 우상(羽狀)의; 〖동물〗 날개[지느러미]가 있는 **~·ly** *ad.*
pin·nat·i·fid [pinǽtəfid] *a.* 〖식물〗 〈잎이〉 우상(羽狀)으로 갈라진

pin·na·tion [pinéiʃən] *n.* Ⓤ 〖식물〗 우상 조직
pin·nat·i·sect [pinǽtəsèkt] *a.* 〖식물〗 〈잎이〉 우상 전열(羽狀全裂)의
pin·ner [pínər] *n.* **1** 핀을 꽂는 사람 **2** 《영·구어》 = PINAFORE 1 **3** [보통 *pl.*] 여자용 두건의 일종 《17-18세기의》
pin·ni·ped [pínəpèd] *a.*, *n.* 〖동물〗 기각류(鰭脚類)의 (동물) 《물개 등》
pin·ny [píni] *n.* (*pl.* **-nies**) 《구어》 = PINAFORE 1
Pi·noc·chi·o [pinóukiòu] *n.* 피노키오 《Carlo Collodi 작의 동화의 주인공인 나무 인형》
pi·noch·le, pi·noc·le [píːnʌkl, -nɑkl | -nʌkl] *n.* Ⓤ 《미》 2-4명이 48매의 패로 하는 bezique 비슷한 카드놀이
pínochle sèason 《미》 의류 산업의 비수기
pi·no·cy·to·sis [pìnəsaitóusis, pàin-] *n.* 음(飮)세포 작용 《세포막이 액체를 싸다시피하여 섭취하기》
-tot·ic [-tɑ́tik | -tɔ́t-] *a.*
pi·no·le [pinóuli] *n.* [Sp.] 볶은 옥수수 가루[밀가루 《등》]; 그것으로 만든 요리 《멕시코·미국 남서부의 요리》
pi·ñon [pínjən, píːnjoun] [Sp.] *n.* 잣나무의 일종 《북미 서부산(産)》(= ∠ **pìne**); 그 열매, 잣(= ∠ **nùt**)
pin·point [pínpɔ̀int] *n.* **1** 핀 끝; 뾰족한 것 **2** 하찮은 것; 조금, 소량 **3** 정밀 조준 폭격(= ∠ **bómbing**)
— *a.* Ⓐ **1** 핀 끝만한 **2** 정확하게 목표를 정한, 정확한
— *vt.* **1** …의 위치를 정확하게 나타내다 **2** 정확하게 지적하다 **3** 정밀 폭격하다
pin·prick [-prìk] *n.* **1** 바늘로 콕 찌름 **2** 귀찮은 일; 성가시게 굴기: a ~ policy 귀찮게 구는 정책
— *vi.* 콕콕 찌르다
PINS [pínz] [*p*erson(s) *i*n *n*eed of *s*upervision] *n.* 감독이 필요한 소년
píns and néedles 손발이 저려서 따끔거리는 느낌 ***be on*** ~ 조마조마해 하다, 안절부절 못하다
pin·set·ter [pínsètər] *n.* **1** 〖볼링〗 핀세터 《핀을 정리하는 기계[사람]》 **2** = PINBOY
pin·spot·ter [-spɑ̀tər | -spɔ̀t-] *n.* = PINSETTER
pin·stripe [-stràip] *n.* **1** 핀스트라이프 《가는 세로줄 무늬》 **2** 핀스트라이프의 옷[직물]
pin·strip·er [-stràipər] *n.* 가는 세로줄 무늬의 맞춤옷을 입은 신사[사업가, 은행가]
***pint** [páint] *n.* **1** 파인트 《(1) 액량(液量)의 단위: 《영》 약 0.57리터; 《미》 약 0.47리터 (2) 건량(乾量)의 단위: 《영》 약 0.57리터; 《미》 약 0.55리터; cf. GALLON, QUART》 **2 a** 1파인트들이 그릇 **b** 《영·구어》 1파인트의 맥주
pin·ta[1] [píntə] *n.* Ⓤ (중남미에 많은) 열대 백반성 피부병
pin·ta[2] [páintə] *n.* 《영·구어》 1파인트(pint)의 우유[맥주 《등》]
pín tàble 《영》 = PINBALL MACHINE
pin·tail [píntèil] *n.* (*pl.* **~, ~s**) 〖조류〗 고방오리 《유럽·아시아·아프리카산(産)》
pin-tailed [-tèild] *a.* 꼬리 가운데깃이 길게 나온; 꽁지깃이 뾰족한
pin·tle [píntl] *n.* **1** (경첩 등의) 축, 타축(舵軸) **2** (포차(砲車)의) 견인 고리, 연결 고리
pin·to [píntou, píːn-] [Sp. 「얼룩의」의 뜻에서] 《미》 *a.* (흑백) 얼룩빼기의 **—** *n.* (*pl.* **~s, ~es**) (흑백) 얼룩말
pínto bèan 《미》 얼룩빼기 강낭콩의 일종
pínt pót 1파인트들이 그릇 ***put a quart into a*** ~ 무리한 일을 하다; 제 분수를 모르다
pint-size(d) [páintsàiz(d)] *a.* 작은, 소형의 (small); 하찮은
pin·up [pínʌ̀p] *n.* **1** 핀업 사진 《핀으로 벽에 붙이는 미인 사진》 **2** 미인 **—** *a.* Ⓐ 벽에 핀으로 꽂아 둘 만한: a ~ girl 핀업 걸
pínup bóard 핀으로 서류 등을 붙여두는 일종의 칠판 《표면이 코르크판이나 펠트로 됨》
pin·wale [-wèil] *a.* 〈직물 등이〉 골이 가는
pin·wheel [-*h*wìːl] *n.* **1** (장난감) 풍차 **2** 회전 불꽃 **3** 《미》 종이 바람개비(《영》 windmill) 《장난감》 **4** 〖기계〗 핀 톱니바퀴

pinwheel 3

pin·worm [-wə̀ːrm] *n.* 〖동물〗 요충(threadworm)
pín wrènch 핀 달린 렌치[스패너]
pinx. *pinxit*
pinx·it [píŋksit] [L =he or she painted it] *vt.* …가 그리다, …그림, …작(作) 《그림의 서명에 씀; 略 pinx., pxt.; cf. FECIT》
pínx·ter flòwer [píŋkstər-] = PINKSTER FLOWER
pin·y [páini] *a.* (**pin·i·er**; **-i·est**) 소나무의, 소나무가 우거진; 소나무 같은(piney)
Pin·yin [pínjín] [Chin. 「併音」에서] *n.* [종종 **p~**] 병음(併音) 《중국어의 로마자 표기법의 하나》
pi·o·let [pìəléi] [F] *n.* (등산용) 소형 피켈
pi·on [páiɑn | -ɔn] *n.* 〖물리〗 파이온, 파이(π) 중간자
pi·ón·ic *a.*
‡**pi·o·neer** [pàiəníər] [OF 「보병」의 뜻에서] *n.* **1** (미개지·새 분야 등의) **개척자**; **선구자**, 주창자, 선봉 《*in, of*》: a ~ of cancer research 암 연구의 개척자 **2** 〖군사〗 (선발(先發)) 공병(engineer) **3** [**P~**] **a** 피오니르 《구소련의 소년[소녀]단》 **b** 파이어니어 《미국의 화성 탐사선》 **4** 〖생물〗 선구(先驅) 동물[식물]
— *a.* Ⓐ **1** 초창기의, 선구적인: the ~ day 초창기 **2** 개척자의 **3** 선구자의
— *vt.* **1** 〈미개지를〉 개척하다; 〈도로 등을〉 개설하다 **2** 〈새 분야를〉 개척하다; 솔선하다; 지도하다
— *vi.* **1** 개척하다 《*in*》 **2** 솔선하다 《*in*》
pi·o·neer·ing [pàiəníəriŋ] *a.* [보통 Ⓐ] 선구적인, 선도적인, 최초의: ~ work on infant mortality 유아 사망률에 관한 선구적인 연구
pionéering indùstry 첨단 산업
píon thèrapy 〖의학〗 파이온 요법 《파이온 방사로 암세포를 파괴함》
‡**pi·ous** [páiəs] *a.* **1 a 경건한**, 신앙심이 깊은, 독실한 (religious; opp. *profane*, *impious*); 《고어》 충실한, 효성스러운 **b** 《경멸》 독실한 체하는, 종교를 빙자한, 위선적인 **2** Ⓐ 훌륭한, 칭찬할 만한(worthy) **3** Ⓐ 실현될 가망이 없는: a ~ hope 비현실적인 희망 **4** 〈예술 등이〉 종교적인(opp. *secular*)
~·ly *ad.* **~·ness** *n.* ▷ piety *n.*
pip[1] [píp] *n.* (사과·배·귤 등의) 씨
pip[2] *n.* **1** Ⓤ 가금(家禽)의 혀의 전염병 **2** [the ~] 《영·속어》 가벼운 병; 기분이 언짢음 **3** 《속어》 매독
give a person ***the*** ~ 《속어》 …을 화나게 하다
have [***get***] ***the*** ~ 《속어》 기분이 나쁘다, 화나 있다
pip[3] *n.* **1** (카드 패·주사위의) 점, 별, 눈 **2** 《영》 (견장(肩章)의) 별 **3** (은방울꽃 등의) 근경(根莖); (파인애플 껍질의 비늘꼴의) 잔 조각
pip[4] *v.* (**~ped**; **~·ping**) 《영·구어》 *vt.* **1** 총알[화살]로 쏘다 **2** 배척하다; 〈계획 등을〉 좌절시키다, 방해하다 **3** 〈경쟁 등에서 상대를〉 지우다 **4** 낙제시키다
— *vi.* 죽다 《*out*》
pip[5] *v.* (**~ped**; **~·ping**) *vi.* 〈병아리가〉 삐악삐악 울다 **—** *vt.* 〈병아리가 껍질을〉 깨고 나오다
pip[6] *n.* 《영》 (신호에서) p자(cf. PIP EMMA)
pip[7] *n.* (시보(時報)·전화의) 삐 소리
Pip [píp] *n.* 남자 이름 《Philip의 애칭》
pip·age [páipidʒ] *n.* Ⓤ (기름·가스 등의) 파이프 수송; [집합적] 수송관; (파이프) 수송료
pí·pal [páipəl, píː- | píː-] *n.* 〖식물〗 인도보리수나무(bo tree)
‡**pipe** [páip] [L 「삐삐 소리나다」의 뜻에서] *n.* **1** (담

thesaurus **pioneer** *n.* settler, colonist, colonizer, explorer; developer, innovator, groundbreaker, founder, front-runner

배) 파이프; 담뱃대; (담배의) 한 대 **2** 관, 파이프, 도관(導管), 통(筒) **3 a** 피리, 관악기, 파이프 오르간의 음관; 〘항해〙 (갑판장의) 호각; [*pl.*] = BAGPIPE **b** (새·어린이의) 삑삑 소리; 피리 소리; 새된 목소리 **4** (인체 내의) 관상(管狀) 기관, 도관; 〘식물〙 줄기; [*pl.*] 《구어》 기관(氣管), 목구멍; 호흡기 **5** 〘광산〙 관상 광맥 **6** 큰 (포도주)통 《(미) 126 gallons; (영) 105 gallons》 **7** 《속어》 수월한 일 ***a distributing ~*** 배수관(配水管) ***have*** [***smoke***] ***a ~*** 한 대 피우다 ***light a*** [one***'s***] ***~*** 한 대 붙여 물다 ***put*** a person***'s ~ out*** …의 성공을 방해하다 ***Put that in your ~ and smoke it.*** 잘 생각해 보아라. 《잔소리 끝에 하는 말》 ***smoke the ~ of peace*** 〈북미 원주민이〉 화친의 표시로 담배를 돌려가며 피우다, 화친하다

— *vi.* **1** 피리를 불다, 피리 소리를 내다 **2 a** 〈새가〉 지저귀다 **b** 〈바람이〉 소리내어 불다 **c** 〈사람이〉 새된 목소리로 말하다[노래하다]

— *vt.* **1 a** 〈곡을〉 피리[관악기]로 불다 **b** 〈사람이〉 새된 목소리로 노래[말]하다 **2 a** 〘항해〙 〈선원을〉 호각으로 부르다[명령하다]: (~+목+전+명) ~ all hands *on* deck 호각을 불어 승무원 전원을 갑판으로 집합시키다 **b** 피리를 불어 유인하다[이끌다] **3** 관을 설치하다; 〈물·가스 등을〉 파이프를 통해 나르다 《*to, into*》: (~+목+전+명) ~ the house *for* water 집에 수도관을 부설하다 / ~ water *into* the house 물을 집으로 끌어들이다 **4** 〈식물을〉 줄기의 관절부에서 잘라 번식시키다 **5** 〈의복에〉 가두리 장식을 달다 **6** 〈과자 등에〉 (설탕으로) 가두리 장식을 하다 **7** 〈라디오·텔레비전 프로를〉 유선 방송하다

~ away 〘항해〙 호각을 불어 출발을 명령하다 ***~ down*** (1) 《구어》 낮은 소리로 말하다 (2) [종종 명령형으로] 《구어》 입 다물다; 조용[얌전]해지다 (3) 〘항해〙 (호각을 불어) 종업(終業)을 명하다 ***~*** one***'s eye***(***s***) ⇨ eye. ***~ up*** (1) (새된 목소리로) 지껄이기[노래하기] 시작하다 (2) 취주(吹奏)하기 시작하다 (3) 〈바람이〉 심해지다; 갑자기 소리를 높여 말하다 ▷ pípy *a.*

pípe bánd 백파이프 악단
pípe bòmb 파이프폭탄
pípe clày 1 파이프 점토 《담배 파이프 제조용; 가죽 제품을 닦는 데도 쓰임》 **2** 《영》 (군대에서) 복장[훈련]에 극히 엄격함
pipe-clay [páipklèi] *vt.* 파이프 점토로 표백하다; 닦아 광을 내다; 정돈하다
pípe clèaner 담배 파이프 청소 기구
pípe cùt 정관(精管) 절제(vasectomy)
pipe cùtter 파이프 커터 《관을 절단하는 기계》
piped-ín músic [pàiptín-] (유선 방송·카세트 등으로) 건물의 각 방으로 보내는 무드 음악
píped músic [páipt-] = PIPED-IN MUSIC
pípe drèam [아편 흡입으로 생기는 공상에서] 공상적인 생각[계획, 희망 《등》], 허무한 공상(daydream)
pipe·fish [páipfìʃ] *n.* (*pl.* **~, ~·es**) 〘어류〙 실고기
pípe fitter = PIPELAYER
pípe fitting 관 이음쇠; 배관, 도관 부설
pipe·ful [páipfùl] *n.* (파이프 담배) 한 대분
pipe·lay·er [páiplèiər] *n.* (수도관·가스관의) 배관공(配管工)
*__pipe·line__ [páiplàin] *n.* **1** (석유·가스 등의) 파이프라인, 수송 관로(管路); 보급선(線) **2** (유통·정보의) 경로, 루트 **3** (제조자로부터 소매상[소비자]에게) 끊임없이 보내지는 상품 ***in the ~*** (1) 〈상품 등이〉 발송 중인 (2) 〈계획 등이〉 진행 중인, 준비 단계인

— *vt.* **1** 파이프라인으로 수송하다 **2** 〈장소에〉 파이프라인을 설치하다
pipe·lin·ing [-làiniŋ] *n.* 〘컴퓨터〙 파이프라이닝 《여러 개의 연산 장치를 설치하여 명령 실행을 개시한 후에 계속해서 다음 명령의 실행을 중복시키는 일》

---

pious *a.* religious, holy, godly, spiritual, devout, devoted, dedicated, reverent, faithful, God-fearing, righteous (opp. *impious, irreligious*)

---

pípe májor 《영》 (bagpipe 악대의) 파이프 주주자(主奏者)
pip em·ma [píp-émə] 《영·구어》 오후(p.m.)(cf. ACK EMMA)
pípe of péace 《미》 (북미 인디언 사이에서) 평화의 담뱃대 ***smoke the ~*** ⇨ pipe
pípe òpener (주경기 전의) 연습 (경기), 준비 운동
pípe òrgan 〘음악〙 파이프 오르간
*__pip·er__[1] [páipər] *n.* **1** 피리 부는 사람; = BAGPIPER **2** 어린 비둘기 **3** 배관공 **4** 숨 가빠하는 말(horse) **5** 《영》 들새를 유인하는 개 (***as***) ***drunk as a ~*** 《구어》 잔뜩 취하여 ***pay the ~*** (1) 비용[책임]을 부담하다 (2) 응보를 받다
piper[2] *n.* 《속어》 상당히 중요한 인물
pípe ràck (담배) 파이프 걸이
pipe-rack [páipræ̀k] *a.* 《구어》 (가게가) 내부 장식에 투자하지 않은 만큼 더 나은 상품·서비스를 제공하는, 파이프랙 방식의
pi·per·i·dine [pipérədì:n, -din | pipéri-] *n.* Ⓤ 〘화학〙 피페리딘 《무색의 액체; 유기 합성·의약용》
pípe smòker 《미》 아편 중독자
pipe·stem [páipstèm] *n.* (담배) 파이프의 대; 《구어》 아주 가느다란 다리[팔]
pipe·stone [-stòun] *n.* 파이프 돌 《아메리칸 인디언이 담뱃대를 만드는 데 쓰는 점토암》
pi·pet(**te**) [paipét, pi- | pi-] *n.* 피펫 《극소량의 액체 등을 재거나 옮기는 데 쓰는 작은 관》

— *vt.* 피펫으로 재다[옮기다]
pipe·work [páipwə̀:rk] *n.* (건물·난방 장치·배관 장치 등의) 파이프 구조
pípe wrènch 파이프 렌치, 관(管) 집게
*__pip·ing__ [páipiŋ] *n.* Ⓤ **1** 피리를 붊; 관악(pipe music) **2** 피리 소리; 울음소리; 새된 목소리; (새 등의) 지저귀는 소리 **3** [집합적] 관; 배관 **4** 파이프 모양의 것 **5** (케이크의) 가두리 장식; (옷 등의) 가두리 장식

— *a.* **1** 피리를 부는; 〈목소리가〉 새된; 평화로운 **2** 《구어》 펄펄 끓는; 갓 구워[삶아] 낸

the ~ time(***s***) ***of peace*** 태평세월

— *ad.* [다음 성구로] ***~ hot*** 〈음식물 등이〉 아주 뜨거운 **~·ly** *ad.* **~·ness** *n.*
pip·is·trelle [pìpəstrél, ⌐–⌐] *n.* 〘동물〙 집박쥐
pip·it [pípit] *n.* 〘조류〙 논종다리
pip·kin [pípkin] *n.* 작은 옹기병, 옹기 냄비; 물통
pip·per·oo [pìpərú:] *n.* (*pl.* **~s** [-z]) 《속어》 훌륭한[멋진] 사람[것]
pip·pin [pípin] *n.* 피핀종 사과; 〘식물〙 (사과·귤 등의) 씨(pip); 《속어》 아주 훌륭한 것[사람]
pip·py [pípi] *a.* (**-pi·er**; **-pi·est**) 〈사과 등이〉 씨가 많은
pip·sis·se·wa [pipsísəwə, -wɔ̀: | -wə] *n.* 〘식물〙 매화노루발풀 《강장제·이뇨제로 씀》
pip-squeak [pípskwì:k] *n.* 《속어》 보잘것없는 사람[물건]; 벼락출세한 사람
pip·y [páipi] *a.* (**pip·i·er**; **-i·est**) 관[대롱] 모양의; 〈목소리 등이〉 새된, 날카로운
pi·quan·cy [pí:kənsi] *n.* Ⓤ **1** (식욕을 자극하는) 얼얼하고 맛있음, 매움; 신랄; 통쾌 **2** 흥미를 자극함
pi·quant [pí:kənt, -kɑ:nt] [OF 「찌르다」의 뜻에서] *a.* **1** 〈맛 등이〉 입맛을 돋우는, 얼얼한, 톡 쏘는 **2** 흥미를 자극하는 **3** 신랄한; 통쾌한

~·ly *ad.* **~·ness** *n.*
*__pique__[1] [pí:k] *n.* Ⓤ 화, 불쾌, 기분이 언짢음 ***in a*** (***fit of***) ***~ = out of ~*** 홧김에 ***take a ~ against*** …에게 악감을 품다

— *vt.* **1** …의 감정을 상하게 하다, 분개하게 하다, 애태우다 **2** 흥분시키다; 〈호기심·흥미를〉 돋우다 **3** 《고어》 자랑하다 《*on, upon*》 **4** 〘항공〙 급강하 폭격하다 ***be ~d at*** …에게 화를 내다 ***~*** one***self on*** [***upon***] …을 자랑하다 ▷ píquant *a.*; píquancy *n.*
pique[2] *n.* piquet 놀이에서 30점을 따기

— *vt., vi.* piquet에서 30점을 따다

pi·qué [pikéi, pi:- | pí:kei] [F] *n.* Ⓤ 피케 《코르덴처럼 골지게 짠 면직물》 **—** *a.* 피케의
pi·quet[1] [pikéi, -két] *n.* Ⓤ 피켓(picquet) 《두 사람이 32매의 패를 가지고 하는 카드놀이》
pi·quet[2] [píkit] *n.* = PICKET
pi·ra·cy [páiərəsi] *n.* (*pl.* **-cies**) UC **1** 해적질, 해적 행위 **2** 저작권 침해, 도용: literary ~ 저작의 표절, 해적판의 출판
pi·ra·gua [pirá:gwə, -rǽg-] *n.* **1** 마상이, 카누 **2** 쌍돛대의 평저선(平底船)
pi·ra·nha [pirá:njə, -rǽn- | -rá:n-] *n.* 〖어류〗 피라냐 《이빨이 날카로운 남미산(産) 민물고기》
pi·ra·ru·cu [pirá:rəkù:] *n.* 〖어류〗 피라루쿠 《남미 북부 지방에 사는 세계 최대의 민물고기》
***pi·rate** [páiərət] [Gk 「공격하다」의 뜻에서] *n.* **1** 해적; 해적선 **2 a** 표절자, 저작권 침해자: a ~ label 해적판 레코드 (회사) **b** 해적[무허가] 방송자[국] **3** 훔치는 사람, 약탈자
— *vt.* **1** 해적 행위를 하다; 약탈하다 **2** 표절하다, 저작[특허]권을 침해하다: a ~*d* edition 해적판 **3** 〈사진을〉 몰래 찍다 **4** 〈인재를〉 빼내다
— *vi.* 해적 행위를 하다; 저작[특허]권을 침해하다
Pírate Còast [the ~] United Arab Emirates의 구칭
pírate rádio 해적 방송, 무허가 방송
pírate tápe 해적판 테이프
pi·rat·i·cal [pairǽtikəl, pi- | pai-], **-ic** [-ik] *a.* **1** 해적의, 해적질을 하는 **2** 저작권 침해의, 표절의, 불법 복제의 **-i·cal·ly** *ad.*
pi·ri·pi·ri [pìripíri] *n.* Ⓤ 매운 칠리 소스의 일종
pirn [pə́:rn, píərn] *n.* (직기의 씨실을 감는) 씨실 실패; (스코) (낚싯대의) 릴(reel)
pi·ro·gen [piróugən] *n. pl.* 잘게 썬 닭 간·양파 등을 넣어 구운 파이 《유대 민족의 요리》
pi·rogue [piróug, pí:roug] *n.* = PIRAGUA 1; 통나무배(dugout)
pi·rosh·ki, -rozh- [pirɔ́:ʃki, -rɑ́ʃ- | -rɔ́ʃ-] [Russ.] *n. pl.* 피로시키 《러시아식 파이의 일종》
pir·ou·ette [pìruét] [F 「팽이」의 뜻에서] *n.* **1** 〖무용〗 한 발끝으로 돌기 **2** 〖승마〗 급회전 **—** *vi.* **1** 〖무용〗 한 발끝으로 돌다 **2** 〖승마〗 급회전하다
Pi·sa [pí:zə] *n.* 피사 《이탈리아 중부의 도시; 사탑(斜塔)(the Leaning Tower of Pisa)으로 유명함》
pis al·ler [pì:z-ælèi] [F] (*pl.* **~s** [-z]) 최후의 수단; 응급책, 편법(makeshift)
pis·ca·ry [pískəri] *n.* (*pl.* **-ries**) Ⓤ 〖법〗 (남의 어로 구역 안의) 어업권; Ⓒ 어장: the common of ~ 어업 입회권
pis·ca·tol·o·gy [pìskətɑ́lədʒi | -tɔ́lə-] *n.* Ⓤ 어로술(漁撈術)[학]
pis·ca·tor [piskéitər, pískə-] *n.* 어부, 낚시꾼
pis·ca·to·ri·al [pìskətɔ́:riəl] *a.* = PISCATORY
pis·ca·to·ry [pískətɔ̀:ri | -təri] *a.* **1** 어부의; 낚시질의, 어업의 **2** 어업에 종사하는
Pis·ce·an [páisiən, pís-, pískiən] 〖점성〗 *a.*, *n.* 물고기자리 태생의 (사람)
Pis·ces [páisi:z, pís-] *n.* (*pl.* ~) **1** 〖천문〗 물고기자리(the Fish(es)) **2** 〖점성〗 **a** 물고기자리, 쌍어궁(雙魚宮) 《12궁의 제12》 **b** 물고기자리 태생의 사람 **3** 〖동물〗 물고기강(綱)
pisci- [písə, páisi | písi] 《연결형》 「물고기」의 뜻
pis·ci·cide [písəsàid, páisə- | písi-] *n.* Ⓤ (한 수역 내의) 어류의 절멸(絶滅); Ⓒ 살어제(殺魚劑)
pis·ci·cul·tur·al [pìsikʌ́ltʃərəl] *a.* 양어(養魚)(법)의 **~·ly** *ad.*
pis·ci·cul·ture [písikʌ̀ltʃər, páisi- | písi-] *n.* Ⓤ 양어(법) **pìs·ci·cúl·tur·ist** *n.*
pis·ci·form [písəfɔ̀:rm] *a.* 물고기 모양의
pis·ci·na [pisáinə, -sí:- | -sí:-] *n.* (*pl.* **-nae** [-ni:], **~s**) 양어지(養魚池); 고대 로마의 욕천(浴泉)(piscine); 〖그리스도교〗 성수반(聖水盤)
pis·cine[1] [páisi:n, písain | písain] *a.* 어류의; 어류에 관한
pis·cine[2] [pisí:n | ∠–] *n.* = PISCINA
pis·civ·o·rous [pisívərəs] *a.* 〖동물〗 물고기를 먹는
Pis·gah [pízgə] *n.* **1** 〖성서〗 **Mount ~** 피스가 산 《Jordan 강 동쪽의 산; 이 산꼭대기에서 Moses가 약속의 땅을 바라보았다고 함》 **2** 미래를 바라볼 수 있는 기회[장소]
pish [pʃ, píʃ] *int.* (드물게) 흥, 체 《경멸·불쾌를 나타냄》 **—** *vi.*, *vt.* 흥[체] 하다 **~ *away*[*down*]** 헐뜯다; 일소에 부치다
pi·shogue [piʃóug] *n.* Ⓤ (아일) 마술; 주술
pi·si·form [páisəfɔ̀:rm] *a.* 완두 모양[크기]의; 〖해부〗 두상(豆狀)의: ~ bones (손목의) 두상골(骨)
— *n.* 〖해부〗 두상골
pis·mire [písmàiər, píz- | pís-] *n.* 개미(ant)
pís·mo clám [pízmou-] (미) (대합류의) 대형 식용 조개
pis·o·lite [páisəlàit, písə-] *n.* 두석(豆石) 《수성암 속의 동심원 구조로 된 완두만한 돌》
pis·o·lit·ic [pìsəlítik, pìz-] *a.*
piss [pís] (비어) *n.* UC 오줌, 소변(urine): a ~ pot 실내 변기, 요강 ***a piece of ~*** (속어) 수월한 일, 아주 간단한 일 ***on the ~*** (영·속어) 술에 취해서 [젖어서] ***~ and vinegar*** (속어) 활발함, 건강함 ***~ and wind*** (속어) 하찮은 이야기, 호언장담 ***take the ~ out of*** (속어·비어) …을 놀리다, 조롱하다
— *vi.* **1** 오줌 누다 **2** [it을 주어로 하여] 비가 퍼붓다
— *vt.* **1** 오줌으로 적시다 **2** 〈피 등을〉 오줌과 함께 배설하다 **3** [~ one*self* 로] (영) 배꼽이 빠지게 웃다
~ about*[*around*]** (속어·비어) (1) 어리석은 행동을 하다 (2) 시간을 헛되이 보내다 (3) …을 엉망진창으로 만들다 ***~ away 〈돈 등을〉 낭비하다 ***~ off*** (1) [보통 명령법으로] 나가다, 떠나다 (2) [종종 수동형으로] …을 피로하게 하다; 지겹게 하다; 화나게 하다 ***~ oneself* (*laughing*)** (영·속어) 오줌을 지릴 정도로 웃다, 배꼽을 쥐고 웃다
piss·ant [písænt] *n.* **1** (속어) 무가치한 것[사람] **2** (폐어) 개미(pismire) **—** *a.* (속어) 하찮은
piss àrtist (영·속어) **1** 술고래, 술꾼(alcoholic) **2** 멍청이
pissed [píst] *a.* Ⓟ (속어·비어) **1** 곤드레만드레 취하여 **2** 화난 **(*as*) *~ as a newt* = *~ out of* one*'s head*[*mind*]** 곤드레만드레 취하여 ***~ off*** 진저리난, 짜증난
pis·soir [piswɑ́:r] [F] *n.* (*pl.* **~s** [~]) 공중변소
piss-poor [píspùər] *a.* (비어) 지독히 형편없는, 끔찍하게 저질인
piss·pot [píspɑ̀t | -pɔ̀t] *n.* **1** (고어·비어) 실내 변기, 요강(chamber pot) **2** (비어) 비열한[천한] 녀석
piss-take [pístèik] *n.* (속어) 남을 조롱하는 행위 (cf. take the PISS out of)
piss-up [-ʌ̀p] *n.* (특히 영·속어) 만취(滿醉), 곤드레만드레 취함
pis·tach·i·o [pistǽʃiòu, -tɑ́:ʃ- | -tɑ́:ʃ-, -tǽʃ-] *n.* (*pl.* **~s**) **1 a** 〖식물〗 피스타치오 《남유럽·소아시아산(産)의 관목》 **b** CU 피스타치오 열매(= **~ nùt**) 《식용》 **2** Ⓤ 담황록색(淡黃綠色)(= **~ gréen**)
pis·ta·reen [pìstərí:n] *a.* 거의 가치가 없는
piste [pí:st] *n.* 〖스키〗 피스트 《다져진 활강 코스》; 〖펜싱〗 피스트 《시합하는 바닥면》
***pis·til** [pístl | -til, -tl] *n.* 〖식물〗 암술(cf. STAMEN)
pis·til·late [pístələt, -lèit] *a.* 〖식물〗 암술의; 암술만 있는: a ~ flower 암꽃
‡**pis·tol** [pístl] [의성어] *n.* 권총, 피스톨 《회전 탄창이 없는 소형의 총; cf. REVOLVER》
hold a ~ to* a person*'s head (1) …의 머리에 권총을 들이대다 (2) …을 위협하여 …시키려고 하다

thesaurus **pit**[1] *n.* abyss, chasm, crater, hole, cavity, excavation, quarry, mine, hollow, dent

—*vt.* (~**ed**; ~·**ing** | ~**led**; ~·**ling**) 권총으로 쏘다 [상처를 입히다] ~·**lìke** *a.*

pis·tole [pistóul] *n.* 〖역사〗 스페인의 옛 금화

pis·tol·eer, -to·lier [pìstəlíər] *n.* 《고어》 권총 사용자

pístol gríp 피스톨 모양의 손잡이; (소총 총대의) 손잡이

pístol shòt 권총에서 발사된 탄환; 권총 사정거리; 권총의 명수

pis·tol-whip [pístlhwìp] *vt.* (~**ped**; ~·**ping**) 권총으로 갈기다

*****pis·ton** [pístən] *n.* 〖L 「연타」의 뜻에서〗 **1** 〖기계〗 피스톤 **2** 〖음악〗 관악기의 조음판(調音瓣)

píston èngine 〖기계〗 피스톤 기관[엔진]

píston rìng 〖기계〗 피스톤링

píston ròd 〖기계〗 피스톤 간(桿)[막대]

‡**pit**[1] [pít] 〖L 「우물」의 뜻에서〗 *n.* **1** (지면의) **구멍**, 팬 곳, **구덩이**(cavity) **2** 함정(pitfall); 뜻밖의 위험 **3** 〖광산〗 갱(坑), 수직갱; 광산, 탄갱(coal mine), 채굴장 **4** [the ~] 《문어》 〖성서〗 지옥(hell); 심연; 무덤 **5** [보통 the ~] 《영》 〖극장〗 일층의 뒤쪽 좌석; [보통 the ~; 집합적] 그 관객; 오케스트라석(=orchestra ~) **6** (동물원의) 맹수 우리; 투견[투계]장 **7** (신체의) 우묵한 곳; [종종 *pl.*] (얼굴의) 마맛 자국: the ~ of the stomach 명치/an arm ~ 겨드랑 밑 **8** 움; 〖원예〗 (특히 지하의) 온실 **9** [보통 the ~s] (자동차 경주에서) 급유[수리]하는 곳, 피트 **10** 《미》 개별 객장 《곡물 거래소의》: the wheat ~ 소맥 거래장 **11** [the ~s] 《미·구어》 최저, 최악 **12** 《영·익살》 침대 **13** 〖육상경기〗 (점프 경기의) 모래밭 **14** (카지노의) 도박용 탁자가 있는 곳 ***be at the ~'s brink*** 다 죽어가고 있다 ***dig a ~ for*** …을 함정에 빠뜨리려고 하다 ***shoot*** [***fly***] ***the ~*** 〈싸움닭·사람 등이〉 도망치려고 하다 ***the bottomless ~*** = ***the ~ of darkness*** = ***the ~*** (***of hell***) 지옥, 나락

—*v.* (~·**ted**; ~·**ting**) *vt.* **1 a** 움푹 들어가게 하다, 구멍을 내다, 흠집을 내다 **b** [종종 수동형으로] 곰보로 만들다 《*by, with*》: (~+목+전+명) the ground ~*ted by* erosion 침식으로 움푹 들어간 지면/He is ~*ted with* smallpox. 그는 천연두로 얼굴이 얽었다. **2 a** 〈닭·개 등을〉 우리 안에 넣고 싸움 붙이다, 맞붙이다 《*against*》 **b** 〈사람·지혜·힘 등을〉 겨루게 하다, 경쟁시키다 《*against*》: They were ~*ted against* each other. 그들은 서로 싸움이 붙었다. **3** 움에 저장하다 **4** 〈채소 등을〉 구덩이에 넣다

—*vi.* **1** 움푹 들어가다 **2** 〈피부가〉 (눌려서) 잠시 움푹 들어가다 **3** (자동차 경주 도중) 주유하러 잠시 멈추다

pit[2] 《미》 *n.* (복숭아·살구 등의) 씨, 핵(stone)

—*vt.* (~·**ted**; ~·**ting**) 〈과실의〉 씨를 빼다

pi·ta [píːtɑː, -tə] *n.* 납작한 빵(=∠ **brèad**)

pit·a·ha·ya [pìtəháiə] *n.* 피타야 《미국 남서부 및 멕시코산(産)의 선인장》

pit-a-pat [pítəpæ̀t, ㄴ-ㄹ] 〖의성어〗 《구어》 *ad.* (심장 따위가) 두근두근; 펄떡펄떡; 후두두 ***go ~*** 펄떡펄떡 뛰다; 〈가슴이〉 두근거리다

—*n.* 펄떡펄떡[두근두근, 후두두] 하는 소리

—*vi.* (~·**ted**; ~·**ting**) 두근두근[펄떡펄떡]하다

pít bòss **1** (카지노의) 도박대 책임자 **2** (광산의) 현장 감독

pít bùll **1** = PIT BULL TERRIER **2** 《속어》 매우 공격적이고 무자비한 사람

pít bùll térrier (억센 근육질의) 투견(鬪犬) (American Staffordshire terrier)

‡**pitch**[1] [pítʃ] *v., n.*

(말뚝 등을 박다) ┬ (처박듯이) 「던지다」 **1**
└ (천막을) 「치다」 **2**

pitch[1] *v.* **1** 던지다 throw, cast, fling, hurl, toss, launch **2** (텐트를) 치다 set up, put up, erect, raise

—*vt.* **1 a** 던지다, 내던지다(⇨ throw 유의어) 《*out of*; *in, into, onto*》: (~+목+목) ~ a beggar a penny 거지에게 1페니를 던져 주다 // (~+목+전+명) ~ a stone *into* a person's house …의 집에 돌을 던지다 // (~+목+부) ~ a drunkard *out* 취객을 쫓아내다 **b** 〖야구〗 〈공을〉 던지다; 〈경기의〉 투수를 맡다 《*to*》 **2** (땅에) **처박다**, 〈말뚝을〉 두드려 박다; 〈천막을〉 **치다**; 〈캠프를〉 **설치하다**(opp. *strike*) **3 a** 〖음악〗 〈음조를〉 (어느 높이로) 조정하다: (~+목+전+명) ~ a tune *in* a higher key 가락을 높이다 **b** 〈희망·이야기 등을〉 조절하다, (어떤 수준에) 정하다, 맞추다 **4** 《영·구어》 이야기하다 **5** 《영·구어》 〈물품을〉 (시장에) 전시판매하다; 강매조로 선전하다 **6** 〈길에〉 자갈을 깔다 **7** 〖카드〗 〈으뜸패를〉 정하다 **8** [부사(구)와 함께] 〈지붕 등을〉 기울게 하다 **9** 〖골프〗 〈공을〉 피치 샷으로 치다

—*vi.* **1** 던지다; 〖야구〗 **투구하다, 등판하다** **2** 거꾸로 떨어지다[넘어지다]: (~+부) (~+전+명) ~ *down* the cliff 벼랑에서 거꾸로 떨어지다/~ *on* one's head 곤두박질치다 **3** 〈배·비행기 등이〉 **앞뒤로 흔들리다**(cf. ROLL *vi.*) **4** **천막을 치다**, 캠프를 설치하다 **5** (잘 생각하지 않고) 고르다, 결정하다 《*on, upon*》 **6** [부사(구)와 함께] (아래쪽[한쪽]으로) 기울다, 경사지다 **7** 〖크리켓〗 〈공이〉 땅에 떨어지다; 〖골프〗 피치 샷을 하다 ***~ a yarn*** [***story, line***] 《영·속어》 (…에게) 이야기를 꾸며내다, 허풍떨다 《*to*》 ***~ in*** 《구어》 (1) 열심히 하기 시작하다 (2) 《미》 (…에게) 협력[조력]하다; 참여하다 《*with*》 (3) 맛있게 먹기 시작하다 ***~ into*** 《구어》 (1) 맹렬히 공격하다; 몹시 꾸짖다 (2) 〈일 등에〉 의욕적으로 착수하다; 〈음식을〉 퍼 넣다, 허겁지겁 먹다 ***~ it strong*** 《영·구어》 터무니없는 허풍을 떨다 ***~ out*** 〖야구〗 pitchout하다 ***~*** (***the***) ***woo*** 《미·구어》 애무하다 ***~ upon*** [***on***] (1) …을 선정하다; 결정하다 (2) (우연히) 만나다

—*n.* **1** **던지기**, 내던지기; 〖야구〗 투구, 등판; 던진 공 **2** 고정 위치; 가게 터 《노점 상인 등의》 **3** **정도**, 도(度) **4** ⓊⒸ 〖음악〗 **음조**, 음의 고저(cf. STRESS 2): a high[low] ~ 높은[낮은] 음조 **5** Ⓤ [또는 a ~] 경사도; 물매 **6** 〖기계〗 톱니 사이의 거리; 나사의 1회전 거리 **7** (배·비행기의) 뒷질, 앞뒤로 흔들리기, 상하동(上下動)(cf. ROLL *n.* 6 b) **8** 〖보트〗 피치, 노 젓는 속도 **9** 〖크리켓〗 두 삼주문(三柱門) 사이의 자리[위치]; 〖골프〗 =PITCH SHOT **10** 《구어》 (외판원 등의) 강매조의 설득[선전](=sales ~) **11** 《영》 (크리켓·하키 등의) 경기장 ***make a*** [one***'s***] ***~*** 《구어》 능란한 말로 (…에 대해) 선전[설득]하다; 환심을 사려 들다 《*for, to*》 ***on ~*** 가장 좋은 상태로 ***queer*** a person***'s ~*** = ***queer the ~ for*** a person …의 계획[기회]을 (사전에) 좌절시키다 ***take up*** one***'s ~*** 분수를 지키다

‡**pitch**[2] [pítʃ] *n.* Ⓤ **1** 피치 《원유·콜타르 등을 증류시킨 뒤 남는 검은 찌꺼기》: He who touches ~ shall be defiled therewith. 《속담》 근묵자흑(近墨者黑), 나쁜 사람과 가까이 지내면 나쁜 버릇에 물들기 쉽다 **2** (천연산) 역청(瀝靑) 물질 **3** 송진, 수지(樹脂) (***as***) ***black*** [***dark***] ***as ~*** 새까만, 캄캄한

—*vt.* …에 피치를 칠하다 ▷ pítchy *a.*

pítch àccent 〖음성〗 (일본어·중국어 등의) 고저 악센트

pítch and pútt 《영》 짧은 코스의 골프 경기

pitch-and-toss [pítʃəntɔ́ːs | -tɔ́s] *n.* Ⓤ 동전 던지기 《동전을 표적에 가장 가까이 던진 자가 동전을 몽땅 갖고 던져 올렸다가 그 중에 앞면이 나온 것을 차지하는 놀이》

pítch bènd 〖음악〗 피치 벤드 《연주하는 음정의 피치를 상하로 변화시키는 신시사이저의 기능》

pitch-black [pítʃblǽk] *a.* 새까만, 칠흑 같은, 캄캄한

pitch·blende [-blènd] *n.* Ⓤ 〖광물〗 역청(瀝靑) 우란광 《우라늄·라듐의 주요 원광》

pítch còal 아역청탄, 역청아탄

pitch-dark [-dɑ́ːrk] *a.* 캄캄한, 칠흑 같은

pitched [pítʃt] *a.* **1** 경사진, 비탈진 **2** 특정 장소에 떨어지게 던진

pítched báttle 1 정정당당한 대전[회전] **2** 총력전, 막상막하의 격전; 격론, 논전

‡**pitch·er**[1] [pítʃər] *n.* **1** 〚야구〛 **투수,** 피처: a ~'s duel 투수전 / the ~'s mound 피처스 마운드 / the ~'s plate 투수판 **2** 던지는 사람 **3** (보리·건초 등을 수레에) 던져 쌓는 사람 **4** (영) 포석(鋪石) **5** 〚골프〛 피처《7번 아이언》 **6** (영) 노점 상인

‡**pitch·er**[2] [pítʃər] [L = beaker] *n.* **1** (귀 모양의 손잡이와 주둥이가 있는) **물주전자**: Little ~*s* have long ears. (속담) 애들은 귀가 밝다. / *P*~*s*[Walls] have ears. (속담) 낮말은 새가 듣고 밤말은 쥐가 듣는다. / The ~ goes (once too) often to the well but is broken at last. (속담) 꼬리가 길면 밟힌다; 교만한 자는 오래가지 못한다. **2** = PITCHERFUL **3** 〚식물〛 낭상엽(囊狀葉)

pitch·er·ful [pítʃərfùl] *n.* 한 주전자 가득한 양

pítcher plànt 〚식물〛 낭상엽(囊狀葉) 식물《벌레잡이통풀 등》

pitch-far·thing [pítʃfɑ̀ːrðiŋ] *n.* = CHUCK-FARTHING

pitch·fork [-fɔ̀ːrk] *n.* **1** 건초용 포크, (세가닥) 갈퀴, (비료) 쇠스랑(rake) **2** 〚음악〛 음차(音叉), 소리굽쇠 ***It rains ~s.*** (구어) 비가 억수로 쏟아진다.
—*vt.* 〈건초 등을〉 긁어 올리다; 갑자기 밀어 넣다; 〈사람을〉 (어떤 지위에) 억지로 앉히다《*into*》

*****pitch·ing** [pítʃiŋ] *n.* Ⓤ **1** 〚야구〛 **투구**(법), **피칭 2** 포석(鋪石); 돌바닥 **3** (배·비행기의) 뒷질, 상하 동요 (cf. ROLLING 4)

pítching bòard 〚야구〛 (연습용) 투구판

pítching machìne (타격 연습용) 투구기

pítching nìblick 〚골프〛 8번 아이언 클럽

pítching pénnies 동전 던지기 (놀이)

pítching tòol (석공의) 애벌깎기 정

pítch invàsion (영) (항의나 축하로) 관중의 경기장 침입

pitch·man [pítʃmən] *n.* (*pl.* **-men** [-mən, -mèn]) **1** 노점 상인, 행상인 **2** (텔레비전 등에서) 상품을 선전하는 사람; 대변자, 제창자, 선전자

pitch·out [-àut] *n.* 〚야구〛 피치아웃《투수가 도루(盜壘)를 예상하고 타자에게 치지 못하게 공을 빗던지기》; 〚미식축구〛 피치아웃《스크리미지 라인 뒤쪽에서 옆으로 던지는 패스》

pítch pìne 송진을 채취할 수 있는 소나무

pítch pìpe (현악기의 기음(基音)을 정하는) 조율관(調律管)《tuning pipe라고도 함》

pítch shòt 〚골프〛 피치 샷《공이 그린에 떨어져 곧 멈출 수 있게 역회전으로 높이 올려 치는 어프로치 샷》 (cf. CHIP SHOT)

pitch·stone [-stòun] *n.* Ⓤ 역청암(瀝靑岩), 송지암(松脂岩)

pitch·wom·an [-wùmən] *n.* (*pl.* **-wom·en** [-wìmin]) (미·구어) (텔레비전 등에서) 상품을 선전하는 여자

pitch·y [pítʃi] *a.* (**pitch·i·er**; **-i·est**) **1** pitch[2]가 많은, 피치 같은, 끈끈한(sticky) **2** 피치빛의, 까만; 캄캄한 **pítch·i·ness** *n.*

pít còal (영) 석탄(cf. CHARCOAL 1)

*****pit·e·ous** [pítiəs] *a.* **불쌍한,** 비참한, 가련한, 애처로운 **~·ly** *ad.* **~·ness** *n.* ▷ píty *n.*

pit·fall [pítfɔ̀ːl] *n.* **1** (동물·사람 등을 잡는) 함정 **2** 뜻하지 않은 위험[곤란], 함정, 유혹

pít gràve 〚고고학〛 수혈(竪穴) 분묘

*****pith** [píθ] *n.* Ⓤ **1 a** 〚식물〛 속, 수(髓), 고갱이 **b** (귤 등의) 중과피(中果皮) **c** 〚해부〛 수(髓), 골수, 척수 **2** [the ~] 심수(心髓), 핵심, 요점 **3 a** 기운; 체력: a man of ~ 정력가 **b** (문장 등의) 힘, 박력 **4** 중요함, 무게, 실질, 내용 ***of great ~ and moment*** 극히 중요한
—*vt.* …의 골[고갱이]을 제거하다; 〈가축을〉 척수를 끊어 죽이다 ▷ píthy *a.*

pit·head [píthèd] *n.* 〚광산〛 수갱(竪坑)의 갱구(坑口)

pith·e·can·thrope [pìθikǽnθroup, píθikənθròup] *n.* = PITHECANTHROPUS

pith·e·can·thro·pus [pìθikǽnθrəpəs, -kənθróu-] *n.* (*pl.* **-pi** [-pài, -pìː]) 〚인류〛 피테칸트로푸스, 자바 직립 원인《피테칸트로푸스속(屬)의 화석 인류; cf. JAVA MAN》

pithecánthropus e·réc·tus [-iréktəs] 〚인류〛 직립(直立) 원인

pith·e·coid [píθikɔ̀id, piθíːkɔid] *a.* 원숭이[유인원]의, 원숭이 같은

píth hèlmet (인도의) 헬멧 모자(topee)

pith·less [píθlis] *a.* 골수 없는; 기력 없는

pit·hole [píthòul] *n.* **1** 작은 구덩이; 오목한 곳 **2** 마맛 자국 **3** 〚광산〛 갱(坑) **4** 무덤

pith·y [píθi] *a.* (**pith·i·er**; **-i·est**) **1** 골수의[가 있는] **2** 〈물체 등이〉 힘찬, 간결한, 박력 있는 **3** 〈표현이〉 핵심을 찌르는, 의미가 깊은 **píth·i·ly** *ad.* **píth·i·ness** *n.*

pit·i·a·ble [pítiəbl] *a.* **1** 가련한, 불쌍한, 비참한; 한심스러운(pitiful) **2** 경멸할 만한, 비루한 **~·ness** *n.* **-bly** *ad.*

pit·i·er [pítiər] *n.* 불쌍히 여기는 사람

*****pit·i·ful** [pítifəl] *a.* (때로 **~·ler**; **~·lest**) **1** 가엾은, 비참한, 딱한: a ~ fate 가엾은 운명 **2** 경멸할 만한, 비루한; 보잘것없는 **3** (고어) 인정 많은 **~·ly** *ad.* **~·ness** *n.*

*****pit·i·less** [pítilis] *a.* **무자비한,** 매정한, 가차 없는; 냉혹한: ~ criticism of the novel 그 소설에 대한 냉혹한 비평 **~·ly** *ad.* **~·ness** *n.*

pit·man [pítmən] *n.* **1** (*pl.* **-men** [-mən, -mèn]) 갱부(坑夫), 《특히》 탄갱부(collier) **2** (*pl.* **~s**) (미) 〚기계〛 연접간(連接桿)

Pit·man [pítmən] *n.* 피트먼 **Sir Isaac ~** (1813-97) 《피트먼식 표음(表音) 속기술을 고안한 영국인》

pi·ton [píːtɑn | -tɔn] [F] *n.* **1** 뾰족한 산꼭대기 **2** (강철제의 등산용) 쐐기못, 하켄

pí·tot-stát·ic tùbe [píːtoustǽtik-, piːtóu-] 〚항공〛 피트 정압관(靜壓管), 대기 속도계

Pí·tot tùbe [píːtou-, piːtóu-] 〚물리〛 피토관(管)《유속(流速) 측정에 사용》

pit·pan [pítpæn] *n.* (중미의) 통나무배

pit-pat [pítpæ̀t] *ad.*, *n.*, *vi.* = PIT-A-PAT

pít pòny (영) 갱내용 조랑말《옛날에 갱내에서 석탄 운반에 쓰임》

pit·prop [pítprɑ̀p | -prɔ̀p] *n.* 〚광산〛 갱목(坑木), 갱도 지주(坑道支柱)

pít ròad (자동차 경주장의 track과 pit를 잇는) 피트 로드

pít sàw (위아래 둘이서 켜는) 큰 내릴톱

pít sàwyer 큰 내릴톱의 아래서 켜는 사람(cf. TOP SAWYER 1)

pít stòp (자동차 경주에서 급유·정비를 위한) 도중 정차; (구어) (드라이브 중의 식사·휴식·화장실 이용을 위한) 정차; 정차 장소, 휴게소 ***make a ~*** (속어) (여행 중 소변을 보기 위해) 화장실에 들르다

Pitt [pít] *n.* 피트 **William ~** (1708-78; 1759-1806) 《영국의 정치가 부자(父子)》

pit·ta[1] [pítə] *n.* 〚동물〛 팔색조(八色鳥)

pitta[2] *n.* (영) = PITA

pit·tance [pítns] *n.* 약간의 수당[수입]; 소량, 소수; 〚역사〛 (수도원 등에의) 기부, 시여(施與)

pit·ted[1] [pítid] *a.* 얽은 자국이 있는

pitted[2] *a.* (과일이) 씨를 발라낸

pit·ter-pat·ter [pítərpǽtər] *n.*, *ad.* 후두두, 후드득《빗소리》, 후닥닥《발소리 등》

thesaurus **pitiful** *a.* **1** 가엾은 pathetic, piteous, wretched, distressing, sad, woeful, deplorable, heartbreaking **2** 비루한 contemptible, poor, inadequate, worthless, base, shabby

pity *n.* sympathy, condolence, compassion, sadness, emotion, mercy, kindness, charity

pit·tite [pítait] *n.* 《영》 (극장의) 아래층 뒤쪽 좌석의 관객

pít tòmb 〖고고학〗 = PIT GRAVE

Pitts·burgh [pítsbəːrg] *n.* 피츠버그 《미국 Pennsylvania 주 남서부의 강철 공업 도시》

pi·tu·i·tar·y [pitjúːətèri | -tjúːitəri] *a.* 〖해부〗 뇌하수체의; 뇌하수체 이상 분비로 인한
— *n.* (*pl.* **-tar·ies**) 〖해부〗 뇌하수체(= ~ gland); 〖약학〗 뇌하수체제(劑)

pitúitary glànd[**bòdy**] 〖해부〗 뇌하수체

pi·tu·i·tous [pitjúːətəs | -tjúː-] *a.* 점액(성)의

Pi·tu·i·trin [pitjúːətrin | -tjúː-] *n.* 〖약학〗 피투이트린 《뇌하수체 후엽 호르몬제; 상표명》

pít vìper 〖동물〗 (온도를 감지하는) 홈이 있는 각종 독사 《반시뱀·살무사·방울뱀 등》

‡**pit·y** [píti] [piety와 같은 어원] *n.* (*pl.* **pit·ies**) **1** Ⓤ **불쌍히 여김, 동정,** 연민(의 정), 동정심

> 유의어 **pity** 자기보다 못하거나 약한 처지에 있는 사람에 대한 연민의 정을 나타낼 경우가 많다: She felt *pity* for the captives. 그녀는 포로들에 대해 연민을 느꼈다. **sympathy** 상대방의 슬픔·괴로움을 이해하고 함께 슬퍼하거나 괴로워하는 감정을 나타낸다: excite *sympathy* in people 사람들의 동정심을 불러 일으키다 **compassion** 보통 적극적으로 상대방을 도우려는 감정을 포함한다: treat the homeless with *compassion* 집 없는 사람들을 동정심으로 대접하다

2 애석한 일, 유감스러운 일; 유감의 원인
feel ~ for …을 불쌍히 여기다, 딱하게 생각하다 ***for ~'s sake*** 제발 부탁이니; 그만해, 기가 막혀, 무슨 꼴이니 ***have***[***take***] ***~ on*** …을 불쌍히 여기다 ***in ~ of*** …을 불쌍히 여겨 ***It is a ~ to*** do[***that …***] …은 유감스러운 일이다 ***out of ~*** 불쌍히 여겨 《*for*》 (***The***) ***more's the ~.*** 더욱 유감스런 일이다. ***The ~ of it!*** 참 안됐다!, 참 딱하다! ***What a ~!*** 얼마나 딱한 일이냐!; 유감천만이다!
— *v.* (**pit·ied**) *vt.* **불쌍히**[**딱하게**] **여기다,** 동정하다: I ~ you if you can't believe him. 《경멸》 그의 말을 믿을 수 없다니 자넨 불쌍한 친구다. // (~+목+전+명) I ~ her *in* her distress. 그녀가 어려움에 처해 있는 것이 가엾다.
— *vi.* 동정을 느끼다 ▷ píteous, pítiful *a.*

pit·y·ing [pítiiŋ] *a.* 동정하는 **~·ly** *ad.*

pit·y·ri·a·sis [pìtəráiəsis] *n.* Ⓤ 〖병리〗 비강진(粃糠疹) 《피부에 비늘 같은 것이 생기는 피부병》

più [pjuː] [It.] *ad.* 〖음악〗 좀 더, 더욱(more); 다소(somewhat): ~ allegro 더 빠르게 / ~ forte 좀 더 강하게

Pi·us [páiəs] *n.* 피오 《로마 교황·이탈리아 성직자의 칭호》

***piv·ot** [pívət] *n.* **1** 〖기계〗 **추축**(樞軸), 피벗; 선회축(旋回軸); (맷돌 등의) 중쇠 **2** 중심(점), 요점, (부채 등의) 사복 **3** 〖군사〗 기준병, 향도 **4** 중심 인물; 〖스포츠〗 중심 선수(pivotman) **5** 〖무용〗 한 발로 돌기 **6** 〖골프〗 (공 칠 때의) 허리틀기 **7** 〖농구〗 한쪽 발을 축으로 하여 다른 발로 돌기
— *vt.* 추축 위에 놓다; …에 추축을 붙이다; 회전하다 《*on, upon*》
— *vi.* **1** (…을 축으로 하여) 선회하다 《*on, upon*》 **2** (…으로) 결정되다 《*on, upon*》 ▷ pívotal *a.*

piv·ot·al [pívətl] *a.* 추축의[같은]; 중추의 **~·ly** *ad.*

pívot brìdge 피벗 다리, 선회교 《중앙의 연직 축을 중심으로 도는 가동교(可動橋)》

pívot jòint 〖해부〗 회전 관절

piv·ot·man [pívətmæ̀n] *n.* (*pl.* **-men** [-mèn]) 〖스포츠〗 중심이 되는 선수 《특히 농구의 센터》

pix[1] [píks] *n.* PIC[1]의 복수

pix[2] *n., vt.* = PYX

pix·el [píksəl, -sèl] *n.* (텔레비전 화상 등을 구성하는 최소 단위의) 화소(畫素)

pix·el·ate, pix·el·late [píksəlèit] *vt.* 〖전자〗 〈화상을〉 화소로 처리하다; 〖TV〗 모자이크 처리하다 《얼굴을 가리기 위해》 **píx·el·at·ed** [-id] *a.* 화소로 된[처리된] **pìx·el·á·tion** *n.*

píxel operàtions 〖컴퓨터〗 화소 조작

pix·ie, pix·y [píksi] *n.* (*pl.* **pix·ies**) 꼬마 요정(sprite) — *a.* 꼬마 요정의

pix·i·lat·ed [píksəlèitid] *a.* 《미·구어》 **1** 머리가 좀 이상한; 별나고 우스운 **2** 술 취한

pizz. 〖음악〗 pizzicato

piz·za [píːtsə] *n.* 피자 《치즈·토마토 소스 등을 얹어 구운 커다란 파이》(= ∠ **pìe**)

piz·za-face [píːtsəfèis] *n.* 《미·구어》 여드름이 난 얼굴; 여드름이 난 사람

Pízza Hút 피자 헛 《미국의 피자 전문점 체인; 상표명》

pi(**z**)**·zazz** [pəzǽz] *n.* Ⓤ 《속어》 **1** 활기, 정력 **2** 재기, 재치, 번득임 **3** 야함, 화려함 **pí**(**z**)**·zazz·y** *a.*

piz·ze·ri·a [pìːtsəríːə] [It.] *n.* 피자 가게

piz·zi·ca·to [pìtsikáːtou] [It.] 〖음악〗 *a., ad.* 손톱으로 뜯는[뜯어] 《略 pizz.》 — *n.* (*pl.* **-ti** [-tiː], **~s**) 손톱으로 뜯는 곡, 피치카토

P.J. Police Justice[Judge]; Presiding[Probate] Judge

pj's, P.J.s, P.J.'s [píːdʒèiz] *n. pl.* 《미·구어》 파자마(pajamas)

PK psychokinesis **pk.** pack; park; peak; peck(s); pike **PKF** peacekeeping force 유엔 평화 유지군 **pkg.** package(s) **PKO** peacekeeping operations (UN의) 평화 유지 활동 **pkt.** packet; pocket **PKU** phenylketonuria **pkwy.** parkway

PKzip [pìːkéizìp] *n.* 〖컴퓨터〗 피케이집 《DOS용의 데이터 압축 소프트웨어》

PL product liability 생산물[제조물] 책임; programming language; public law **pl.** place; plate; 〖군사〗 platoon; plural **Pl.** Place 《주소 기입에 사용》 **P.L.** Paradise Lost; partial loss 〖보험〗 분손(分損); perfect liberty; Poet Laureate; Public Law 미국 공법(公法) **P/L** profit and loss **PLA** Palestine Liberation Army 팔레스타인 해방군 **P.L.A.** People's Liberation Army (중국의) 인민 해방군; Port of London Authority 런던 항만 관리 공단

plac·a·bil·i·ty [plæ̀kəbíləti, plèik-] *n.* Ⓤ 달래기 쉬움, 온화함

plac·a·ble [plǽkəbl, pléik-] *a.* 달래기 쉬운, 온화한, 너그러운 **~·ness** *n.* **-bly** *ad.*

‡**plac·ard** [plǽkaːrd, -kərd | -kaːd] [OF 「평평하게 놓다」의 뜻에서] *n.* **1** 플래카드, 벽보, 삐라, 게시, 포스터(poster), 간판 **2** 꼬리표, 명찰
— *vt.* **1** 게시하다, 광고하다 **2** …에 포스터를 붙이다 **3** 간판을 내걸다

pla·cate [pléikeit, plǽk- | pləkéit] *vt.* **1** 〈사람을〉 달래다, 위로하다 **2** 〈화·감정을〉 진정시키다, 달래다 **pla·ca·tion** [pleikéiʃən | plə-] *n.*

pla·ca·to·ry [pléikətɔ̀ːri, plǽk- | pləkéitəri, pléik-] *a.* 달래는, 회유적인, 유화적인

‡**place** [pléis] *n., v.*

> Gk 「넓은 길」의 뜻에서
> ① 장소; 지역 **1 a, c**
> ② 입장; 지위; 직장 **7, 9 a**
> ③ (일정한) 자리, 곳 **5**

---

place *n.* **1** 장소 spot, location, scene, setting, position, site, situation, area, region, whereabouts **2** 지역 town, city, village, district, locality, country **3** 집 residence, dwelling, house, apartment, home, accommodation, abode, property **4** 지위 position, rank, status, grade

— *n.* **1 a** **장소**, 곳 **b** 지점, 군데 **c** 지역, 지방; 시, 동, 리, 마을 **d** Ⓤ **공간**; 여지(room) ⟪*for*⟫: leave ~ *for* …의 여지를 남기다 **2** (…에) 어울리는 장소, 상황, 기회 ⟪*for, to* do⟫ **3** ⦅구어⦆ 집, 사는 곳; 주소; 저택; 시골집, 별장: at our ~ 집에서는 **4** 건물, …장, …소 ⟪*of*⟫; 관(館); 본부; 실(室), 사무소 **5** (정해진) **자리**, 좌석; (병의) 환부: take one's ~ at (the) table 식탁에서 마련된 자리에 앉다 **6 a** (물건의 표면의 특정한) 부분; (신체 등의) 국소 **b** (책 등의 읽고 있는) 곳, 페이지 **7 입장, 처지**, 경우, 환경 **8** [고유명사로서; **P~**] 광장, 네거리; …가(街) **9 a** (사회적) **지위**, 신분, 자리, 계급, 관직, 벼슬; 직장, 근무처(job) **b** 직무, 본분(duty); 고위(高位); 공석 ⟪결원 등의⟫ **10 a** (사람·물건의) **있어야 할 장소 b** 적당한 장소[기회] **c** (줄의) 차례, 자리 **11** ⦅고어⦆ 높은[책임이 있는] 지위[신분] **12** [보통 the ~로 서수사와 함께] 순서: in *the* second[last] ~ 두 번째[최후]로 **13** 〚수학〛 자리 **14** 〚경기〛 선착 순위 ⟪경마 등에서 보통 1, 2, 3등; ⦅미⦆에서는 특히 2등⟫; 입상 순위: get a ~ (경마에서) 3등 안에 들다; ⦅미⦆ 2등이 되다 / win first ~ 1착으로 입상하다

all over the ~ [***lot***] ⦅구어⦆ (1) 여기저기, 도처에, 사방에 (2) 난잡하게, 흐트러져 ***another ~*** ⦅영⦆ 하원[상원]에서 본 상원[하원] ***a ~ in the sun*** 양지(陽地); 유리한 지위 ***be no ~ for*** …이 나설 자리가 아니다; …의 여지가 없다: It *is no ~ for* you. 네가 있을 곳이 아니다. ***change*** [***swap***] ***~s*** [보통 부정문으로] (…와) 입장을 바꾸다 ⟪*with*⟫ ***fall into ~*** (1) 제자리에 들어가다, 알맞게 들어가다 (2) 〈말 등이〉 제대로 맞다, 들어맞다 ***from ~ to ~*** (1) 여기저기, 이리저리 (2) 곳에 따라 ***give ~ to*** …에게 자리[지위]를 양보하다; …와 자리를 교대하다 ***go ~s*** ⦅구어⦆ (1) 성공하다, 출세하다 (2) 사방에 가다, 놀러 다니다 ***have a soft ~ in*** one***'s heart for*** a person …을 사랑하다 ***have ~*** 존재할 여지가 있다; 존재하다 ***if I was*** [***were***] ***in your ~*** 내가 당신 입장이라면 ***in ~*** (opp. *out of place*) (1) 적소에; 적당한, 적절한: have sufficient resources *in ~* 충분한 자원을 적소에 배치하다 (2) 제자리에 ***in ~ of*** = ***in*** a person***'s ~*** …의 대신에 ***in ~s*** 여기저기에 ***in the first ~*** (1) [이유·논거 등을 열거할 때] 첫째로, 우선 (2) 애당초, 처음부터 ***keep*** a person ***in his*** [***her***] ***~*** 자기 분수를 지키게 하다 ***know*** [***keep***] one***'s ~*** 자기 분수를 알다 ***make ~ for*** …을 위해 자리를 비우다 ***out of ~*** (opp. *in place*) (1) 제자리에 놓이지 않은, 적당한 자리가 아닌 (2) 어울리지 않는 (3) 실직하여 ***put*** a person ***in his*** [***her***] ***~*** …에게 자기 분수를 알게 하다 ***put*** one***self in*** a person***'s ~*** …의 입장에서 생각하다 ***seek a ~*** ⦅미·구어⦆ 취직 자리를 구하다 ***take ~*** (1) 〈사건 등이〉 일어나다(⇨ happen 유의어) (2) 〈행사 등이〉 개최되다 ***take*** one***'s ~*** (1) 위치를 차지하다, 있어야 할 곳에 가다, 제자리에 가다 (2) (…가운데서) 존재를 인정받다 ⟪*among*⟫ ***take the ~ of*** = ***take*** a person***'s ~*** …에 대신하다, …을 대리하다 ***the other ~*** (1) (천국에 대하여) 지옥 (2) ⦅영·익살⦆ (Cambridge 대학에서 본) Oxford 대학; (Oxford 대학에서 본) Cambridge 대학 ***upon the ~*** 즉석에서

— *vt.* **1 두다**, 놓다, 앉히다(⇨ put[1] 유의어); 자리를 잡아 주다, 배치하다, 정돈하다, 배열하다, 늘어놓다: (~+목+전+명) ~ books *on* the desk 책을 책상 위에 놓다 / ~ them *in* order 그것들을 순서대로 배열하다 / ~ the knife *to* the right of the plate 나이프를 접시의 오른쪽에 놓다 **2** 〈신뢰·희망 등을〉 두다, 걸다 ⟪*in, on*⟫; 〈중요성 등을〉 …에 두다, 인정하다; 〈의제·문제 등을〉 제기하다, (검토·심의를 위해) 제출하다 ⟪*before*⟫: (~+목+전+명) ~ one's trust *in* a person …을 신임하다 **3** …에게 일자리를 구해 주다 ⟪*in*⟫; 취직시키다 ⟪*with*⟫; 〈고아 등에게〉 양부모[집]를 알선해 주다 ⟪*in*⟫ **4** 주문하다, 신청하다: ~ a telephone call 전화 통화를 신청하다 **5** 〈사람·물건을〉 (어떤 상태·위치에) 두다 ⟪*in, under*⟫; (지위에) 앉히다, 임명하다; 배속하다: (~+목+전+명) He was *~d in* the government service. 그는 공무원이 되었다. **6 a** …으로 간주하다 ⟪*among*⟫ **b** …에 위치한다고 보다 **c** …으로 평가하다 **7** …의 장소[등급]를 정하다 **8** 확인하다; 기억해 내다, 알아차리다: ~ a face 얼굴을 알아보다 // (~+목+***as*** 보) I *~d* him *as* an old school chum. 그가 옛날 학교 친구라는 것이 생각났다. **9** [보통 수동형으로] (경주자·경마의) 순위를 정하다 ⟪보통 3등까지⟫: My horse *was ~d* second in the race. 내 말이 2등으로 입상했다. **10** 〚야구·테니스〛 마음먹은 방향으로 치다 **11** 〈자금을〉 투자하다: (~+목+전+명) ~ two million dollars *in* bonds 공채에 200만 달러를 투자하다

— *vi.* ⦅미⦆ (경마 등에서) 3등 안에 들다; ⟪특히⟫ 2등이 되다 **~·a·ble** *a.* ▷ plácement *n.*

pláce bèt 〚경마〛 복승식(複勝式)의 내기 ⟪미국에서는 2등까지, 영국에서는 3등까지⟫

pla·ce·bo [pləsíːbou] *n.* (*pl.* **~s, ~es**) **1** 〚의학〛 플라시보, (유효 성분이 없는) 위약(僞藥) ⟪심리 효과·신약 테스트 등을 위한⟫ **2** 일시적 위안의 말; 아첨, 겉치레말 **3** [plɑːtʃéibou] 〚가톨릭〛 죽은 사람을 위한 저녁 기도

placébo effèct 〚의학〛 플라시보 효과 ⟪위약 투여에 의한 심리 효과로 실제로 호전되는 일⟫

pláce brìck 덜 구워진 벽돌

pláce càrd (연회석 등의) 좌석표

placed [pléist] *a.* [명사 뒤에 쓰여] ⦅영⦆ (경주·경주마 등이) …등의 ⟪주로 2, 3등에 쓰임⟫

pláce hìtter 〚야구〛 마음먹은 방향으로 공을 칠 수 있는 타자

place·hold·er [pléishòuldər] *n.* **1** 〚수학·논리학〛 플레이스홀더 ⟪어떤 집합의 임의의 원소의 명칭으로 바꾸어 놓을 수 있는 수식[논리식] 내의 기호⟫ **2** (십진법에서) 유효하지 않은 숫자 **3** 〚언어〛 (문장에서) 필요하지만 의미가 없는 요소 ⟪It's a pity she left에서의 'it'⟫ **4** 관직을 얻은 사람 ⟪특히 정치적 지지나 원조의 보답에 의해⟫

pláce hùnter 구직자; 엽관(獵官) 운동자

place·kick [-kìk] 〚럭비·축구·미식축구〛 *n.* 플레이스킥 ⟪공을 땅 위에 놓고 차기; cf. DROPKICK, PUNT[3]⟫

— *vt., vi.* 플레이스킥하다

place·man [-mən] *n.* (*pl.* **-men** [-mən]) ⦅영·경멸⦆ 관리, (거만한) 하급 관리 **~·shìp** *n.*

pláce màt 식탁용 매트 ⟪식탁에서 1인분의 식기 밑에 깖⟫

*__place·ment__ [pléismənt] *n.* Ⓤ **1** 놓기, 두기, **배치**(location): the ~ of furniture 가구의 배치 **2** Ⓒ 직업 소개, 일자리 찾기: a ~ agency ⦅미⦆ 직업 소개소 **3** ⦅영⦆ 직업 연수 **4** 〚럭비·축구·미식축구〛 플레이스먼트 ⟪placekick하기 위해 공을 땅 위에 놓기⟫; 그 위치 **5** 〚테니스〛 플레이스먼트 ⟪상대가 받아치기 어려운 곳에 쇼트하기⟫

plácement òffice 학생 취업 지도실

plácement tèst (신입생의 학급 편성을 위한) 학력 테스트, 반편성 시험

place-name [pléisnèim] *n.* 지명

pla·cen·ta [pləséntə] *n.* (*pl.* **~s, -tae** [-tiː]) 〚동물·해부〛 태반(胎盤); 〚식물〛 태좌(胎座) **-tal** [-tl] *a.*

pla·cen·tate [pləsénteit] *a.* 태반[태좌]이 있는

plac·en·ta·tion [plæ̀səntéiʃən] *n.* ⓊⒸ 〚동물·해부〛 태반(胎盤) 형성; 〚식물〛 태좌 배열, 태좌 형식

pláce of sáfety òrder ⦅영⦆ 아동 보호 명령 ⟪보호자의 학대로부터 아동을 보호하기 위해 제3자에게 부여하는⟫

thesaurus **placid** *a.* still, calm, peaceful, pacific, tranquil, motionless, smooth, undisturbed
plague *n.* contagion, disease, sickness, epidemic
plain[1] *a.* **1** 명백한 obvious, evident, manifest, clear, apparent, transparent, distinct, striking **2**

plac·er[1] [pléisər] *n.* 놓는 사람; 입상자: the third ~ 3위 입상자
plac·er[2] [plǽsər] *n.* 충적 광상(沖積鑛床); 사광(砂鑛)
plácer gòld [plǽsər-] 사금(砂金)
plácer mìning [plǽsər-] 사금 채취, 사광 채광
place-seek·er [pléissìːkər] *n.* 엽관 운동자
pláce sètting (식사 때) 각자 앞에 놓인 식기 한 세트[벌]; 세트로 파는 식기
pla·cet [pléisit | -set] *n.* 《영》 찬성(의 표명); 찬성 투표 ***non ~*** 불찬성, 반대 투표
∗**plac·id** [plǽsid] *a.* **평온한,** 조용한(calm), 차분한; 스스로 만족한, 자기 만족의 **~·ly** *ad.* ▷ placídity *n.*
pla·cid·i·ty [pləsídəti] *n.* Ⓤ 조용함, 평온, 온화, 차분함
plac·ing [pléisiŋ] *n.* **1** 순위; 위치; 상황 **2** 플레이싱 방식 주식 공개 발행 《런던 증권 거래소에서 공모 주식의 대부분을 기관 투자자에게 판매하고 일부분만을 일반 투자자에게 판매하는 방식》
plac·ing-out [pléisiŋàut] *n.* Ⓤ 아기의 위탁 양육 제도
plack·et [plǽkit] *n.* (스커트·드레스 등의) 옆을 튼 부분; 《고어》 (스커트 등의) 포켓
plac·oid [plǽkɔid] *a.* 〈비늘이〉 판금(板金) 모양의 **—** *n.* 판금 모양의 비늘을 가진 물고기
pla·fond [pləfɑ́n | -fɔ́n] [F] *n.* 〖건축〗 장식 천장
pla·gal [pléigəl] *a.* 〖음악〗 변격(變格)의: ~ cadence[close] 변격 종지(終止)
plage [plɑ́ːʒ] [F] *n.* 바닷가; 《특히》 해변의 행락지
pla·gia·rism [pléidʒərìzm, -dʒiə-] *n.* **1** Ⓤ 표절, 도용 **2** 표절 행위, 표절물
pla·gia·rist [pléidʒərist] *n.* 표절자, 도용인
pla·gia·rize [pléidʒəràiz, -dʒiə-] *vt., vi.* 〈문장·사상·고안 등을〉 도용[표절]하다 **-rìz·er** *n.*
pla·gia·ry [pléidʒəri, -dʒiə-] *n.* (*pl.* **-ries**) 《고어》 = PLAGIARISM; = PLAGIARIST
plagio- [pléidʒiou] 《연결형》 「비스듬한(oblique)」의 뜻
pla·gi·o·clase [pléidʒiəklèis] *n.* Ⓤ 〖광물〗 사장석(斜長石)
pla·gi·o·trop·ic [plèidʒiətrɑ́pik, -tróup- | -trɔ́p-] *a.* 〖식물〗 〈가지·뿌리 등이〉 경사굴성의, 기울어지는
pla·gi·ot·ro·pism [plèidʒiɑ́trəpìzm | -ɔ́t-] *n.* 〖식물〗 경사굴성 《가지·잎·뿌리 등이 빛, 중력 등 자극의 방향으로 기울어지는 성질》
‡**plague** [pléig] [L 「타격」의 뜻에서] *n.* **1 a** Ⓤ 역병(疫病), 전염병, 돌림병 **b** [the ~] 페스트 **2** ⓊⒸ 천재(天災), 천벌; 저주(curse) **3** [보통 a ~] 《구어》 성가신 사람, 귀찮은 일, 골칫거리: Uninvited guests are *a* ~. 초대받지 않은 손님은 정말 골칫거리다. **4** (유해 동물의) 이상[대량] 발생
(***A***) ***~ on*** it[him, etc.]***!*** = ***P~ take*** it[him, etc.]***!*** 제기랄!, 빌어먹을! ***avoid like the ~*** 〈사람·물건을〉 (전염병처럼) 기피하다, 아주 멀리하다 ***the black*** [***white***] ***~*** 페스트[폐결핵] ***the London ~*** = ***the Great P~*** (***of London***) 런던의 대역병 《1664-65년에 약 7만명이 죽었음》 ***What a*** [***the***] ***~!*** 도대체!, 저런!
— *vt.* **1** 《구어》 괴롭히다(vex), 귀찮게 하다 《*with*》: 《~+목+전+명》 be *~d to* death 귀찮아 죽을 지경이다 / He was *~d with* questions. 그는 질문 공세에 시달렸다. **2** 역병에 걸리게 하다, 재앙을 입게 하다
plá·guer *n.* ▷ pláguey, pláguesome *a.*
plague·some [pléigsəm] *a.* 《구어》 귀찮은, 성가신
plágue spòt 악역(惡疫)[페스트]의 발진; 악역[역병] 유행지; 악덕[폐습]의 중심지

솔직한 candid, straightforward, sincere, honest, blunt, outspoken, direct, downright **3 못생긴** unattractive, ugly, homely, unlovely **4 평범한** ordinary, common, average, typical **5 단순한** simple, unadorned, austere, basic, undecorated

plague-strick·en [pléigstrìkən] *a.* 역병이 유행하는: a ~ district[region] 역병 유행지
pla·guy, pla·guey [pléigi] *a.* 《구어》 귀찮은, 성가신; 지독한 **—** *ad.* = PLAGUILY
pla·gui·ly [pléigili] *ad.* 《구어》 귀찮게, 성가시게; 지독하게(excessively)
plaice [pléis] *n.* (*pl.* **~, plaic·es**) 〖어류〗 가자미 《유럽산(産)》
∗**plaid** [plǽd] *n.* **1 격자무늬의 모직물 2** 격자무늬 **3** (스코틀랜드에서 외투 대신 쓰는) 격자무늬의 어깨걸이 **—** *a.* 격자무늬의
Plaid Cym·ru [pláid-kʌ́mri] 웨일스 민족당
∗**plaid·ed** [plǽdid] *a.* **1 격자무늬의 2** 어깨걸이를 걸친 **3** 격자무늬 천으로 만든
‡**plain**[1] [pléin] *a., ad., n.*

> L 「평평한」의 뜻에서 (환히 바라보이는)→「명백한」→(간단명료한)→「검소한」, 「꾸밈없는」이 되었음

— *a.* **1 명백한, 분명한,** 똑똑히 보이는[들리는], 명료한(⇨ evident 유의어); 쉬운, 평이한, 간단한, 알기 쉬운: in ~ English 쉬운 영어로, 쉽게 말하자면 / in ~ words[terms] 터놓고 말하자면 **2** 순전한, 철저한: ~ madness 광기의 극치 **3** 〈사람·언동 등이〉 **솔직한,** 터놓은, 꾸밈[숨김]없는: the ~ truth of the matter 사건의 있는 그대로의 진상 **4** 소박한; 조야(粗野)한; 〈여자가〉 예쁘지 않은, 못생긴: a ~ woman 못생긴 여자 **5 평범한,** 단조로운: ~ people[folks] 일반 대중, 서민 / the ~ exterior of the building 건물의 평범한 외관 **6** 단순한, 간단한: ~ stitchwork 간단한 자수 **7** 〈생활 등이〉 **검소한,** 간소한; 교양 없는, 멋없는 **8** 장식[무늬, 채색]이 없는; 〈종이·천 등이〉 **무지**(無地)의, 평직(平織)의 **9** 〈음식 등이〉 담백한; 간단히 조리하는 **10** 《고어》 평평한, 평탄한; 탁 트인 **11** 〖카드〗 보통 패의 (***as***) ***~ as day*** [***a pikestaff, the nose on*** [***in***] one***'s face***] 극히 명백한 ***to be ~ with you*** [독립구] 솔직히 말하자면
— *ad.* **1** 또렷이 〈발음하다 《등》〉, 분명하게, 알기 쉽게; 솔직히 **2** 아주, 전적으로: ~ stubborn 아주 완고한 **3** 평평하게, 트이게
— *n.* **1** [종종 *pl.*] 평지, 평원, 벌판, 광야; [*pl.*] 《미》 대초원 《북미 로키 산맥 동부의》; 《시어》 싸움터 **2** [the P~] 〖역사〗 평원당 《프랑스 혁명시대, 국민 의회의 온건파》 **3** 무지(無地)의 천
plain[2] *vi.* 《고어·방언》 한탄하다, 슬퍼하다; 푸념하다
pláin bónd 〖상업〗 무담보 채권
plain·chant [pléintʃæ̀nt | -tʃɑ̀ːnt] *n.* = PLAINSONG
pláin chócolate 플레인 초콜릿 《우유를 넣지 않고 설탕도 거의 들어가지 않은》
pláin clóth 무지 옷감
pláin clóthes 평복, 사복
plain·clothes [-klóuðz] *a.* 사복의 〈경찰 등〉
plain·clothes·man [-klóuðzmən, -mæ̀n] *n.* (*pl.* **-men** [-mən, -mèn]) 사복 경찰관, 《특히》 사복 형사
pláin déaler 솔직[담백, 정직]한 사람
pláin déaling *n., a.* 솔직(한); 정직(한), 공명정대(한) 〈거래, 관계〉
pláin flóur 베이킹 파우더를 넣지 않은 밀가루(cf. SELF-RISING flour)
pláin Jáne 《구어·경멸》 별 특징이 없는 여자, 평범한 여자
plain-Jane [-dʒéin] *a.* 장식이 없는, 간소한, 평범한
pláin lánguage (통신문에서) 암호를 쓰지 않은 표현
pláin líving 검소한 생활
plain-look·ing [-lùkiŋ] *a.* 잘나지 못한, 보통으로 생긴
‡**plain·ly** [pléinli] *ad.* **1** 명백히, 노골적으로, 확실히 **2** 솔직히, 꾸밈없이; 분명히[간결하게] 말하자면 **3** 검소하게, 간소하게

plain·ness [pléinnis] *n.* Ⓤ 명백; 솔직; 검소; (용모의) 못생김
pláin pàper 괘선(罫線) 없는 백지; 〖사진〗 광택 없는 대지(臺紙)
pláin pèople 보통 사람, 평민; [**P- P-**] (그리스도교의) 검소파 《검소한 생활과 구습을 지키는 the Amish, the Mennonites, the Dunkers 등》
pláin sáiling **1** 순조로운 항해(cf. PLANE SAILING) **2** 《비유》 순조로운 일; 용이함, 척척 진행됨
Pláins Índian 평원(平原) 인디언 《원래 북미 대초원(the Great Plains)에서 생활한》
plains·man [pléinzmən] *n.* (*pl.* **-men** [-mən, -mèn]) 평원의 주민; 《특히》 북미 대평원(the Great Plains)의 주민
plain·song [pléinsɔ̀ːŋ | -sɔ̀ŋ] *n.* **1** (그레고리오 성가 등의) 단선율(單旋律) 성가; 정(定)선율 **2** 소박한 선율
pláin spéaking 꾸밈없이[솔직하게] 말하기
plain·spo·ken [-spóukən] *a.* 꾸밈없이 말하는, 솔직히 말하는, 노골적인(outspoken) **~·ness** *n.*
plaint [pléint] *n.* **1** 불평(complaint), 불만 **2** 《영》 〖법〗 고소장 **3** 《고어·시어》 슬픔, 비탄
pláin téa 플레인 티 《홍차와 버터 바른 빵만 나오는 티; cf. HIGH TEA》
plain·text [pléintèkst] *n.* 평문(平文) 《ciphertext의 원문》
plain·tiff [pléintif] *n.* 〖법〗 원고, 고소인(opp. *defendant*)
pláin tíme 규정 노동 시간
*__plain·tive__ [pléintiv] *a.* **구슬픈**, 애처로운, 푸념하는 (complaining) **~·ly** *ad.* **~·ness** *n.* ▷ pláint *n.*
plain-va·nil·la [pléinvənílə] *a.* 《구어》 검소한, 꾸밈 없는, 수수한; 실제적인
pláin wáter 담수, 민물; 맹물
pláin wéave[**wéaving**] 평직(平織)
plain-wrap [pléinræ̀p] *a.* (상표명·무늬 등이 없는) 간단한 포장지로 싼
*__plait__ [pléit, plǽt | plǽt] *n.* **1** (길게) 땋아 늘인 머리(braid), 변발(辮髮) **2** 엮은 밀짚; 땋은 끈 **3** (천의) 주름(pleat)
— *vt.* **1** 〈머리털·밀짚 등을〉 엮다, 땋다(《미》 braid) **2** 엮어서 만들다 **3** 주름잡다, 접다(fold)
plait·ing [pléitiŋ, plǽt- | plǽt-] *n.* **1** 엮은[짠, 주름을 잡은] 물건 **2** [집합적] 주름(plaits) **3** (끈 등을) 꼬는 것
‡**plan** [plǽn] *n.*, *v.*

> L 「평평한」의 뜻에서 (평면상에 도면을 그린 데서) →「도면」→「계획」

— *n.* **1 a** 계획, 플랜, 안(案), 계략; 방법, 방식; 풍(風), 투, 식: a five-year ~ for economic growth 경제 성장 5개년 계획 // (~+**to** do) It is a good ~ *to* go at once. 당장 가는 것이 상책이다. / I don't like your ~ *to* emigrate to Canada. 너의 캐나다 이민 계획은 좋지 않다고 생각한다. // (~+전+**-ing**) They laid their ~*s of* escap*ing* from the country. 그들은 국외로 도피할 계획을 짰다.

> 유의어 **plan** 「계획」이라는 뜻을 나타내는 가장 일반적인 말: make *plans* for the vacation 휴가 계획을 세우다 **program** 예정되어 있는 행사나 계획의 실시 계획: an aid *program* 원조 계획 **project** 대규모의 야심적 또는 실험적인 계획: a *project* to develop the waterfront 해안 지대 개발 계획 **design** 특정한 의도를 갖고 면밀하게 생각한 계획: come more by accident than *design* 계획적이라기보다 우연히 일어나다

b (논문·이야기 등의) 구상, 대강의 줄거리 《*for*, *of*》: a ~ *for* a novel 소설의 구상 **2 a** 도면, 평면도, (건축물·정원 등의) 설계도; 모형: a perspective ~ 투시도(透視圖) / a working ~ 공작도(工作圖) **b** (시가의) 지도(map); (기계 등의) 도해 **3** 투시(透視) 화법 **4** (특정 연금·보험금 등 필요한 자금을 위한) 제도: a pension ~ 연금 제도 / a ~ for medical costs = a medical ~ 의료 보험 제도
according to **~** 계획대로 ***in*** **~** 평면도로 하여
make ~s for …의 계획을 세우다
— *v.* (**~ned**; **~·ning**) *vt.* **1** 계획하다, 입안(立案)하다, 꾀하다, 궁리하다(⇨ intend 유의어) 《*out*》: ~ a holiday 휴가 계획을 세우다 // (~+목+부) ~ *out* a new system 새로운 제도를 안출하다 **2** 마음먹다, …할 작정이다: (~+**to** do) I'm ~*ning to* go to Europe. 유럽으로 갈 작정이다. **3** 〈건물 등의〉 설계도, 도표 등을 만들다; 설계하다: ~ a house 집을 설계하다
— *vi.* **1** 계획하다, 계획을 세우다 《*for*》: (~+전+명) ~ *for* a dinner party 만찬회 계획을 세우다 **2** …할 작정이다 ~ ***on*** …할 예정이다; 기대하다 ~ ***out*** …을 면밀히 계획하다
▷ plánless *a.*
Plàn Á (예측한 대로) 성공 가능한 계획[일]
pla·nar [pléinər] *a.* 평면의; 2차원의
pla·nar·i·ty [plənǽrəti] *n.*
pla·nar·i·an [plənέəriən], **-i·a** [-iə] *n.* 〖동물〗 플라나리아 《편형 동물 와충류(渦蟲類)의 일종》
pla·nar·i·za·tion [plənὲərizéiʃən | -rai-] *n.* 〖전자〗 (칩 표면 구조의) 평탄화
pla·na·tion [pleinéiʃən, plə-] *n.* 〖지질〗 평탄화 작용 《침식에 의한 평탄면 형성 작용》
Plán B 《구어》 (제1안이 실패했을 경우의) 제2안 (cf. PLAN A)
planch·et [plǽntʃit] *n.* 화폐 판금(板金) 《화폐를 찍어내기 전의 금속판》
plan·chette [plænʃét, -tʃét | plɑːnʃét] [F 「작은 판」의 뜻에서] *n.* 플랑셰트 《2개의 작은 고리와 연필이 하나 달린 심장 모양의 판; 손가락을 얹어 생긴 모양이나 글자로 잠재의식·심령 현상 등을 읽어 내는 데 쓰임》
Plánck's cónstant [plɑ́ːŋks-] 〖물리〗 플랑크 상수(常數) 《양자 역학의 기본 상수; 기호 h》
‡**plane**[1] [pléin] *n.* [L 「편평한 지면」의 뜻에서] **1** 평면, 수평면; (결정체의) 면: a horizontal ~ 수평면 / an inclined ~ 사면(斜面), 빗면 **2** 〖미술〗 면 《사물의 이차원적인 공간상의 넓이》 **3** 수준(level), (발달·달성 등의) 정도, 단계 《*of*》; 국면: a high moral ~ 높은 도덕 수준 **4** 〖항공〗 비행기(airplane); (비행기의) 날개: a rear ~ 꼬리날개, 미익(尾翼) / an elevating[a supporting] ~ 승강[지지]익(昇降[支持]翼) **5** 〖광산〗 본[수평] 갱도 ***by*** **~** = ***in***[***on***] ***a*** **~** 비행기로 ***on the same ~ as*** …와 동렬(同列)[같은 정도]로
— *a.* **1** 편평한(flat), 평탄한: a ~ surface 평면 / a ~ lens 평면 렌즈 **2** 평면 도형의
— *vi.* **1** 《구어》 비행기로 가다 **2 a** 〈비행기·글라이더가〉 활공하다 《*down*》 **b** 〈모터보트 등이〉 활수하다
~·ness *n.* 평탄(flatness)
plane[2] *n.* 대패 《손잡이(handle)가 달려 있음》
— *vt.* **1** 대패로 밀다 **2** 대패로 밀어 …하게 하다 **3** 대패로 깎아내다 《*away*, *down*, *off*》
— *vi.* 대패질하다

plane[2]

plane[3] *n.* 《영》 = PLANE TREE
pláne ángle 〖수학〗 평면각
pláne chárt 평면 해도 《plane sailing에 쓰임》
pláne fígure 〖수학〗 평면도형
pláne geómetry 〖수학〗 평면 기하학
pláne íron 대팻날
plane·load [pléinlòud] *n.* 비행기 한 대의 탑재량
plane·mak·er [-mèikər] *n.* 비행기 제작업자

pláne polarizátion 〖광학〗 평면 편광, 직선 편광 《편광면이 한 평면에 한정되어 있는 편광》
plan·er [pléinər] *n.* 대패질하는 사람; 평삭반(平削盤)
pláner sàw 대패톱
pláne sáiling 〖항해〗 평면 항법
plane·side [-sàid] *n., a.* (미·구어) 비행기 옆(에서의): in a ~ statement (착륙 직후) 비행기 옆에서 하는 성명 중에서
‡plan·et[1] [plǽnit] [Gk 「방랑하는 것」의 뜻에서] *n.* **1** 〖천문〗 행성(行星), 유성(遊星): major[minor] ~*s* 대[소]행성/primary ~*s* 행성/secondary ~*s* (행성의) 위성 **2** 〖점성〗 운성(運星) 《사람의 운명을 좌우한다고 생각한》 **3** (비유) 영향력 있는 사람[것]
planet[2] *n.* 사제(司祭)가 입는 소매 없는 제복(chasuble)
pláne tàble 〖측량〗 평판(平板) 《야외 측량에 사용》
plane-ta·ble [-tèibl] *a.* 평판의
— *vt.* 평판으로 측량하다
***plan·e·tar·i·um** [plæ̀nətέəriəm] *n.* (*pl.* **~s, -i·a** [-iə]) 플라네타륨; 별자리 투영기(投影機); 천문관(館)
***plan·e·tar·y** [plǽnətèri | -təri] *a.* **1** 행성의[같은]: the ~ system 태양계/~ years 행성년 **2** 떠도는, 유랑하는 **3** 지구의, 이 세상의; 세계적인 **4** 〖점성〗 천체의 영향을 받은 ▷ plánet[1] *n.*
plánetary hóur 행성 시간 《해가 떠서 질[해가 져서 뜰] 때까지의 시간의 12분의 1》
plánetary nébula 〖천문〗 행성 모양의 성운(星雲)
plan·e·tes·i·mal [plæ̀nətésəməl] *n., a.* 〖천문〗 미(微)행성체(의)
planetésimal hypóthesis 〖천문〗 미행성설 《무수한 미행성이 모여서 태양계의 행성을 형성했다는 가설》
plánet gèar[whèel] 〖기계〗 유성(遊星) 기어
plan·et·oid [plǽnətɔ̀id] *n.* 미행성
plan·e·tol·o·gy [plæ̀nətɑ́lədʒi | -tɔ́l-] *n.* Ⓤ 행성학
pláne trèe 〖식물〗 플라타너스, 《특히》 버짐나무
plan·et-strick·en [plǽnitstrìkən], **-struck** [-strʌ̀k] *a.* (고어) 행성의 영향을 받은; 저주받은 (blasted); 공포에 질린, 허겁지겁하는
plan·et·wide [-wàid] *a.* 지구적 규모의, 지구 전체에 미치는(worldwide)
plánet X 〖천문〗 제 10행성 《명왕성 궤도 바깥쪽에 있다는 가설의 미확인 행성》
plan·form [plǽnfɔ̀:rm] *n.* 평면 도형 《위에서 바라본 물체의 윤곽》
plan·gent [plǽndʒənt] *a.* **1** 〈파도 등이〉 밀려와 부딪치는, 울려 퍼지는 **2** 〈종소리 등이〉 구슬프게 울리는 **plan·gen·cy** [plǽndʒənsi] *n.* **~·ly** *ad.*
plan·hold·er [plǽnhòuldər] *n.* 연금 가입자
plani- [pléinə, plǽnə] 《연결형》 「평평한, 평면」의 뜻
pla·ni·form [pléinəfɔ̀:rm] *a.* 편평(扁平)한, 평평한
plan·i·fy [plǽnəfài] *vt.* (**-fied**) (미) 〈경제 등을〉 계획화하다; (구어) 상세히 계획하다
plàn·i·fi·cá·tion *n.*
pla·ni·graph [pléinəgræ̀f, -grɑ̀:f | -grɑ̀:f, -græ̀f] *n.* 〖의학〗 X선 단층 사진
pla·nig·ra·phy [plənígrəfi] *n.*
pla·nim·e·ter [plənímətər | plæ-] *n.* 측면기(測面器), 면적계(面積計), 플래니미터
pla·nim·e·try [plənímətri | plæ-] *n.* Ⓤ 면적 측정 (cf. STEREOMETRY)
plan·ish [plǽniʃ] *vt.* 〈금속을〉 편평하게 하다; 〈나무를〉 대패질하다; 〈금속을〉 닦다; 윤내다 **~·er** *n.*
plan·i·sphere [plǽnəsfìər] *n.* **1** 평면 구형도(平面球形圖) **2** 〖천문〗 별자리 일람표, 평면 천체도
‡plank [plǽŋk] [L 「판자」의 뜻에서] *n.* **1** 널빤지, 두꺼운 판자 《board보다 두꺼움》(⇨ board 유의어) **2** 의지가 되는 것, 지지물(支持物) **3** (미) (정당이 내건) 강령(綱領)의 항목(cf. PLATFORM 3) **4** (미·속어) 안타(hit) ***walk the*** **~** (1) 뱃전에 내민 널빤지 위를 눈이 가리워진 채 걷다 《17세기경 해적이 포로를 죽인 방법》 (2) (직위에서) 강제로 물러나다
— *vt.* **1** 널빤지를 대다[덮다, 붙이다] **2** (구어) 〈물건을〉 털썩 내려놓다 《*down*》: (~+목+부) He ~*ed down* the package. 그는 꾸러미를 털썩 내려놓았다. **3** (미) 〈스테이크 등을〉 (오크(oak)) 판자 위에서 요리하여 내놓다: Steak is sometimes ~*ed*. 스테이크는 때로 판자 위에 구워내는 일이 있다. **4** 〈돈을〉 즉석에서 치르다 《*down, out*》: (~+목+부) He had to ~ *down*[*out*] the money. 그는 즉석에서 돈을 지불해야 만 했다. **5** (미·속어) 타구(打球)하다(bat)
~ *it* 마룻바닥[땅바닥]에서 자다 **~·less** *a.*
plánk bèd (교도소 등의) 판자 침대
plank·ing [plǽŋkiŋ] *n.* Ⓤ **1** 판자 대기 **2** [집합적] 바닥에 깐 판자(planks) **3** 〖조선〗 선체 외판(外板)
plank·ter [plǽŋktər] *n.* 〖생물〗 플랑크톤 생물 《개체》
plank·tol·o·gy [plæŋktɑ́lədʒi | -tɔ́l-] *n.* Ⓤ 부유(浮遊) 생물학
plank·ton [plǽŋktən] *n.* ⓊⒸ 〖생물〗 부유 생물, 플랑크톤
plank·ton·ic [plæŋktɑ́nik | -tɔ́n-] *a.* 〖생물〗 부유 생물의, 플랑크톤의
plank·to·troph·ic [plæ̀ŋktoutrɑ́fik | -trɔ́f-] *a.* 〖동물〗 플랑크톤을 먹고 사는
plan·less [plǽnlis] *a.* 도면이 없는; 계획이 없는; 목표가 없는
planned [plǽnd] *a.* 계획된; 정연한(orderly); 예정대로의; 조직적인(organized), 계통적인
plánned ecónomy 계획 경제
plánned obsoléscence 계획적 구식화 《제품이 계획적으로 곧 구식이 되게 하는 일》
plánned párenthood **1** (산아 제한에 의한) 가족 계획, 계획 출산 **2** [**P- P-**] 미국 가족 계획 연맹
***plan·ner** [plǽnər] *n.* **1** 입안자(立案者) **2** 사회[경제] 계획자
plan·ning [plǽniŋ] *n.* (특히 경제적·사회적) 계획, 입안
plánning blìght (공장 오염·소음 등이 원인인) 도시 계획에 의한 부동산 가치 하락
plánning permìssion (영) (건축 등의) 계획 승인, 건축 허가 《건축물에 대한 시공 또는 변경에 대한 당국의 승인》
plano- [pléinou] 《연결형》 「평면의; 편평하게」의 뜻
pla·no-con·cave [plèinoukɑ́nkeiv | -kɔ́n-] *a.* 〈렌즈가〉 평요(平凹)의
pla·no-con·vex [plèinoukɑ́nveks | -kɔ́n-] *a.* 〈렌즈가〉 평철(平凸)의
pla·nog·ra·phy [plənɑ́grəfi | -nɔ́g-] *n.* 〖인쇄〗 평판(인쇄)(surface printing) **plà·no·gráph·ic** *a.*
pla·nom·e·ter [plənɑ́mətər | -nɔ́m-] *n.* 〖기계〗 평면계(平面計)
plán posítion ìndicator 평면 위치 표시기 《略 PPI》
‡plant [plǽnt | plɑ́:nt] *n., v.*

> 「식물」 명 **1** →「〈식물을〉 심다」 동 **1** →(땅에 뿌리박게 하다)→「설치하다」 동 **5**→(설치된 것)→「설비」, 「공장」 명 **4**

— *n.* **1 a** 식물(opp. *animal*), 초목: flowering ~*s* 현화(顯花) 식물, 꽃식물/a water ~ 수생 식물 **b** 초본(herb), 풀 **2** 모종, 묘목(opp. *tree*): bed out young rice ~*s* 벼의 모종을 심다 **3** 농작물, 수확; Ⓤ (식물의) 생육(growth) **4** 공장, 제조 공장(⇨ factory 유의어); 기계 장치, 공장 설비; (생산) 시설, 설비 《기계류·건물·부지 등도 포함》: a manufacturing ~ 제조 공장/an isolated ~ 사설(私設) 발전소/a chemical ~ 화학 공장/a water[hydraulic] power ~ 수력 발전소 **5** (대학·연구소·병원 등의) 건물, 설비 **6** (구어) **a** 탐정; 경찰의 첩자 **b** 함정, 책략 **c** (함정에 빠뜨리기 위해 소지품에 섞어 넣는) 장물 **7** (속어) 사기, 속임수, 협잡 **8** 자세(pose) ***in*** **~** 자라고; 잎이 나고 ***lose*** **~** 시들다, 말라 죽다 ***miss*** **~** 싹이 나지 않다
— *vt.* **1** 〈식물을〉 심다; 〈씨를〉 뿌리다; 〈식물을〉 이식

하다: ~ seeds 씨를 뿌리다 **2** 〈정원에 …을〉 심다: 《~+목+전+명》 ~ a garden *with* roses 정원에 장미를 심다 **3** 〈사상·신앙 등을〉 주입하다, 가르치다; 확립하다, 수립하다; 〈신설(新說) 등을〉 전하다: 《~+목+전+명》 ~ a love for learning *in* a person's mind …의 마음에 학문에 대한 사랑을 심어 주다 / ~ Christianity *among* heathens 이교도에게 그리스도교를 전하다 **4 a** 〈굴 등을〉 양식하다; 〈물고기를〉 (강에) 놓아주다: 《~+목+전+명》 ~ a river *with* fish 강에 물고기를 방류하다 **b** 〈동물 등을〉 (특정 국가에) 도입하다(introduce) **5 a** 〈사람·물건을〉 **놓다,** 앉히다, 두다, 세우다, 설치하다; 《구어》 〈사람을〉 …에 배치하다, 《특히》 첩자로서 배치하다: 《~+목+전+명》 with one foot *~ed on* the ground 지면에 한 발을 딛고 **b** [~ one*self* 로] …에 앉다 **6 찌르다, 때려 박다** 《*in, on*》; 겨냥해서 치다; 〈탄알을〉 쏘아대다; 〈타격 등을〉 가하다; 〈키스를〉 …에게 하다: 《~+목+전+명》 She *~ed* a hard blow *on* his chin. 그녀는 그의 턱을 한 대 세게 갈겼다. **7** 〈사람을〉 (식민지 등에) 식민하다 **8** 〈도시·교회·식민지 등을〉 **창립[건설]하다** 《*in*》 **9** 《속어》 (살 사람을 꾀기 위하여) 〈금덩어리 등을〉 광구(鑛區)에 묻어 놓다 **10** 《구어》 〈장물 등을〉 은닉하다, 묻다: 《~+목+전+명》 ~ the bracelet *under* a stone 돌 밑에 팔찌를 숨기다 **11** 《속어》 〈사기를〉 꾀하다 **12** 《구어》 버리다

~ something ***on*** a person 가짜 등을 …에게 속여 팔다 ~ ***out*** (1) 화분에서 땅으로 옮겨 심다 (2) 〈묘목을〉 간격을 두고 심다 (3) 식물을 심어 …을 가리다

plant·a·ble [plǽntəbl | plɑ́:nt-] *a.* 심을 수 있는; 식민할 수 있는; 건설[개척]할 수 있는

Plan·tag·e·net [plæntǽdʒənit] *n.* **1** 〖영국사〗 플랜태저넷가(家) 《영국 중세의 왕가(1154-1399)》 **2** 플랜태저넷가의 사람

plan·tain[1] [plǽntən | -tin] *n.* 〖식물〗 질경이

plantain[2] *n.* 〖식물〗 바나나의 일종 《요리용》

plántain líly 〖식물〗 비비추속(屬)의 식물

plan·tar [plǽntər] *a.* 〖해부〗 발바닥(sole)의

plántar wárt 《미》 (발바닥에 생기는) 무사마귀

‡**plan·ta·tion** [plæntéiʃən] [L 「심음」의 뜻에서] *n.* **1** (특히 (아)열대 지방의) **대규모 농원,** 대농장, 플랜테이션: a coffee[rubber, sugar] ~ 커피[고무, 사탕] 재배 농장 **2** 《영》 식림지, 조림지; 인공림 **3** Ⓤ (식민지 등의) 건설; 이민; 식민; Ⓒ 식민지 **4** 대량으로 재배되고 있는 꽃[작물]: a ~ of sunflowers 대량으로 재배된 해바라기

plantátion sòng 미국의 대농장에서 흑인이 부르던 노래

*__plant·er__ [plǽntər | plɑ́:nt-] *n.* **1 심는 사람;** 경작자, 재배자 **2** 파종기(機) **3** 〖미국사〗 초기의 이민; 《대》 농장주 《남부 지방의》; 식민자(colonist) **4** 《미》 (강바닥에 뿌리 박은) 수중목(木) **5** 《미》 (옥내) 식물 재배 용기(容器)

plánter's púnch 럼·레몬 주스·설탕 등을 섞은 펀치[음료]

plánt fòod 비료

plánt hòrmone 식물 호르몬

plan·ti·grade [plǽntəgrèid] 〖동물〗 *a.* 발바닥을 땅에 붙이고 걷는, 척행성(蹠行性)의

— *n.* 척행 동물 《인간, 곰 등》

plant·i·mal [plǽntəməl] *n.* 〖생물〗 플랜티멀 《식물 세포 원형질과 동물 세포 원형질이 융합되어 생긴 세포》

plant·ing [plǽntiŋ | plɑ́:nt-] *n.* **1** Ⓤ 심기, 식재(植栽); 식수 조림, 조림, 식림; 씨뿌리기 **2** 〖건축〗 기초 바닥층; 일단의 공장 시설의 설계

plánt kìngdom [the ~] 식물계

plant·let [plǽntlit | plɑ́:nt-] *n.* 작은 식물; 묘목

plant·like [plǽntlàik | plɑ́:nt-] *a.* 〈동물이〉 식물 같은 《산호 따위》

plánt lòuse 〖곤충〗 진디(aphid)

plan·toc·ra·cy [plæntɑ́krəsi | plɑ:ntɔ́k-] *n.* Ⓤ (지배 계급으로서의) 농원주(主); 농원주 지배

plánt pathòlogy 식물 병리학

plánt pòt 화분

plants·man [plǽntsmən] *n.* (*pl.* **-men** [-mən, -mèn]) **1** 묘목상; 원예가 **2** 식물 애호가

plaque [plǽk] *n.* **1 a** 액자, 장식판 《금속·자기·상아 등의》 **b** (사건·인물을 기념하는 금속·석제의) 명판(銘板); 각판(刻板) **2** 소판(小板)꼴의 브로치 《훈장의 일종》 **3** 〖의학〗 반(斑), 플라크; 치석(齒石)

pla·quette [plækét] *n.* 작은 plaque; (책 표지 장정 등의) 돋을새김

plash[1] [plǽʃ] *n.* **1** 철썩철썩, 텀벙텀벙, 절벅절벅 (splash) **2** 웅덩이(puddle) **3** (빛·색깔 등의) 반점, 얼룩 — *vi., vt.* 철썩철썩[절벅절벅] 소리 나다[내다]

plash[2] *vt.* 〈가지 등을〉 얽히게 하다; 〈산울타리를〉 손질하다; 〈머리를〉 땋다

plash·y [plǽʃi] *a.* (**plash·i·er**; **-i·est**) **1** 웅덩이가 많은; 진흙투성이의; 질척질척한 **2** 철썩철썩[절벅절벅] 소리 나는

-plasia [pléiʒə, -ʒiə, -ziə], **-plasy** [plèisi, plæ̀si, pləsi] 《연결형》 「형성; 생장」의 뜻

plasm [plǽzm] *n.* =PLASMA 1, 2

plasm- [plǽzm], **plasmo-** [plǽzmou, -mə] 《연결형》 「혈장; 원형질」의 뜻

-plasm [plæ̀zm] 《연결형》 〖생물〗 「생체, 세포, 세포질, 원형질」의 뜻

*__plas·ma__ [plǽzmə] *n.* Ⓤ **1** 〖해부〗 **혈장**(血漿), 임파장(淋巴漿) **2** 〖생물〗 원형질; 유장(乳漿)(whey) **3** 〖광물〗 반투명의 녹옥수(綠玉髓) **4** 〖물리〗 플라스마, 전리(電離) 기체 《원자핵과 전자가 분리된 가스 상태》

plas·mat·ic [plæzmǽtik], **plas·mic** [plǽzmik] *a.*

plásma cèll 플라스마 세포, 원형질 세포 《골 림프 조직, 결합 조직에 있는 항체를 생산하는 세포》

plásma èngine 플라스마 엔진 《플라스마를 분출하여 추진하는 우주 여행용 엔진》

plas·ma·gel [plǽzmədʒèl] *n.* 플라스마겔 《아메바의 위족(pseudopod) 원형질의 겔 모양의 외층》

plas·ma·gene [plǽzmədʒì:n] *n.* 세포질 유전자

plásma mémbrane 〖생물〗 원형질 막(膜)

plásma pànel 플라스마 패널 《가스관을 점멸시키는 방식의 컴퓨터용 표시반(表示盤)》

plas·ma·pher·e·sis [plæ̀zməfərí:sis, -férəs-] *n.* 〖의학〗 혈장 사혈(瀉血)[반출]

plásma scréen (TV, 컴퓨터의) 플라스마 스크린 《일반 스크린보다 크고 얇으며 선명도가 높음》

plas·ma·sol [plǽzməsɔ̀:l, -sɑ̀l | -sɔ̀l] *n.* 플라스마졸 《아메바 위족(pseudopod)의 비교적 유동성이 있는 원형질》

plas·ma·sphere [plǽzməsfìər] *n.* Ⓤ 〖천문〗 플라스마권(圈)

plásma TV 플라스마 스크린 텔레비전

plas·mid [plǽzmid] *n.* 〖유전〗 플라스미드 《박테리아와 이스트에서 나타나듯이 자기 복제로 증식할 수 있는 유전 인자》

plas·min [plǽzmin] *n.* Ⓤ 〖생화학〗 플라스민 《혈장 중의 단백질 분해 효소》

plas·min·o·gen [plæzmínədʒən, -dʒèn] *n.* 〖생화학〗 플라스미노겐 《혈액 중에서 활성화되면 섬유소 분해 효소(plasmin)로 변하는 물질》

plas·mo·di·um [plæzmóudiəm] *n.* (*pl.* **-di·a** [-diə]) 〖생물〗 변형체; 〖동물〗 말라리아 원충

plas·mol·y·sis [plæzmɑ́ləsis | -mɔ́l-] *n.* Ⓤ 〖식물〗 원형질 분리

plas·mo·lyze [plǽzməlàiz] *vi., vt.* 원형질 분리를 일으키(게 하)다

plas·mon [plǽzmɑn | -mɔn] *n.* 〖발생〗 플라스몬 《한 세포 속의 전(全) 세포질 유전자》; 〖물리〗 플라스몬 《전자 가스의 종파(縱波) 양자(量子)》

-plast [plæ̀st] 《연결형》 〖생물〗 「생체, 세포 소기관, 세포, 원형질」의 뜻

‡**plas·ter** [plǽstər | plɑ́:s-] [L 「칠하다, 바르다」의 뜻에서] *n.* **1** Ⓤ **회반죽,** 벽토; 가루 석고: a ~ fig-

ure 석고 모형 **2** 〖약학〗 고약; 《영》 반창고(sticking plaster) **~ *of Paris*** 소석고(燒石膏)
— *vt.* **1 a** 회반죽을 바르다 《*over, up*》 **b** 빈틈없이 칠하다, 메우다 **2** 고약을 붙이다; (고약처럼) 잔뜩 발라 붙이다; 더덕더덕 바르다, 두껍게 칠하다 《*down, with*》: 《~+목+전+명》 a trunk *~ed with* labels 라벨이 더덕더덕 붙은 트렁크 / ~ one's face *with* powder 얼굴에 분을 잔뜩 바르다 // 《~+목+부》 ~ one's hair *down* (*with* pomade) 머리를 (포마드로) 발라 붙이다 **3** 〈와인을〉 (발색 및 변질 방지를 위해) 석고로 처리하다 **4** 《익살》 …의 치료비를 내다 **5** 《속어》 …에게 큰 피해를 주다, 완패[대패]시키다; 맹폭(猛爆)하다 **6** 깁스로 고정하다 **~ a person *with praise* [*flattery*]** …을 마구 칭찬하다 **~·like** *a.*
▷ plástery *a.*

plas·ter·board [plǽstərbɔ̀ːrd | plɑ́ːs-] *n.* 플라스터보드 《석고를 속에 넣은 판지; 벽 초배용》

pláster cást 1 석고상, 석고 모형 **2** 깁스 (붕대)

plas·tered [plǽstərd | plɑ́ːs-] *a.* Ⓟ 《속어》 술 취한

plas·ter·er [plǽstərər | plɑ́ːs-] *n.* 미장이; 석고 세공인

plas·ter·ing [plǽstəriŋ | plɑ́ːs-] *n.* **1 a** Ⓤ 회반죽 칠; 미장 공사 **b** 회반죽을 한 번 칠하기 **2** (포도주의) 석고 처리 **3** 《구어》 대패, 완패, 참패

pláster sáint 성인 군자(로 여길 수 있는 사람)

plas·ter·work [-wə̀ːrk] *n.* 〖건축〗 미장 공사

plas·ter·y [plǽstəri | plɑ́ːs-] *a.* 회반죽[석고, 고약] 같은 **plás·ter·i·ness** *n.*

*__plas·tic__ [plǽstik] [L 「형성(形成)할 수 있는」의 뜻에서] *a.* **1 플라스틱의**[으로 만든], 합성수지의, 비닐의 **2** 가소성(可塑性)의; 마음대로 형태를 뜰 수 있는: ~ substances 가소(可塑) 물질 《점토·합성수지 등》 / a ~ figure 소상 **3 조형**(造形)**의,** 형성력이 있는 **4** 〈성격 등이〉 유연한, 감수성이 예민한; 가르치기 쉬운 **5** 〖생물〗 생활 조직을 이루는, 성형적(成形的)인 **6** 〖의학〗 성형의: a ~ operation 성형 수술 **7** 인공의, 인공적인; 부자연스러운, 꾸민 **8** 〖미술〗 조형(造形)의 **9** 신용 카드의 [에 의한]
— *n.* **1** [종종 *pl.*] 플라스틱, 합성수지; 플라스틱 제품 **2** 《구어》 신용 카드; 신용 카드에 의한 지불[신용 대출] **3** [*pl.*; 단수 취급] 성형외과(plastic surgery) **-ti·cal·ly** *ad.* ▷ plastícity *n.*

-plastic [plǽstik] 《연결형》 〖생물〗 「〈세포·원형질 등을〉 형성[촉진]하는」의 뜻

plástic árts [the ~] 조형 예술 《조각·도예(陶藝) 등》

plas·ti·cat·ed [plǽstikèitid] *a.* 합성의, 인공적인; 모조의

plástic bág 비닐 봉지

plástic bómb 플라스틱 폭탄

plástic búllet 플라스틱 총탄 《폭동 진압용》

plástic cárd 크레디트[신용] 카드

plástic cláy 소성(塑性) 점토

plástic crédit 〖상업〗 신용 카드에 의한 신용 대부

plástic deformátion 〖물리〗 소성 변형

plástic explósive 플라스틱 폭약; [보통 *pl.*] 플라스틱 폭탄

plástic flów 〖물리〗 소성 유동

Plas·ti·cine [plǽstəsìːn] *n.* 세공용 점토 《상표명》

plas·tic·i·ty [plæstísəti] *n.* Ⓤ **1** 가소성(可塑性), 성형력(成形力) **2** 적응성, 유연성: the ~ of social institution 사회 제도의 적응성

plas·ti·cize [plǽstəsàiz] *vt.* …에 가소성을 주다, 가소화하다

plas·ti·ciz·er [plǽstəsàizər] *n.* 〖화학〗 가소제(可塑劑)

plástic mémory 소성복원(塑性復元) 《연화(軟化) 이전의 형태로 되돌아가려고 하는 플라스틱의 성질》

plástic móney 신용 카드

plas·tics [plǽstiks] *n.* **1** PLASTIC의 복수형 **2** 플라스틱 공학 **3** = PLASTIC SURGERY
— *a.* 플라스틱의: a ~ firm 플라스틱 회사

plástic súrgeon 성형외과 의사

plástic súrgery 성형외과

plástic wòod 성형재(成形材); [**P- W-**] 그 상표명

plástic wráp 식품 포장용 랩

plas·tid [plǽstid] *n.* 〖생물〗 색소체 《세포 같은 기본적 구성 단위》

plasto- [plǽstou] 《연결형》 「형성; 발달; 가소성; 세포질」의 뜻

plas·to·gene [plǽstədʒìːn] *n.* 〖식물〗 색소체 유전자

plas·tron [plǽstrən] *n.* **1 a** (여성복의) 가슴 장식 **b** (남자용) 셔츠의 가슴 부분을 덮는 천 **2** (가죽으로 만든 펜싱용) 가슴받이 **3** 〖동물〗 (거북의) 복갑(腹甲) **4** 〖역사〗 철로 만든 흉갑(胸甲) **-tral** [-trəl] *a.*

-plasty [plæ̀sti] 《연결형》 「형성」의 뜻

-plasy [plèisi, plæ̀si] 《연결형》 = -PLASIA

plat[1] [plǽt] *n.* **1** 구획된 땅; (화단 등으로 쓰는) 작은 땅 **2** (토지의) 도면 — *vt.* (**~·ted**; **~·ting**) 《미》 …의 도면[지도]을 만들다(plot)

plat[2] *n., vt.* (**~·ted**; **~·ting**) = PLAIT

plat [plɑ́ː] [F] *n.* (음식) 한 접시

plat. plateau; platform; platoon

plat·an [plǽtn | -tən] *n.* = PLANE TREE

plat du jour [plɑ́ː-də-ʒúər] [F = plate of the day] (*pl.* **plats du jour** [plɑ́ːz-]) (식당의) 오늘의 특별 요리

‡**plate** [pléit] [Gk 「편평한」의 뜻에서] *n.* **1 a** (납작하고 둥근) **접시**(⇨ dish 유의어); ⓊⒸ [집합적] 접시류, (금은제) 식기류 《도금한 것 포함; cf. SILVERWARE》; 도금 기구: a dessert[soup] ~ 디저트[수프] 접시 **b** (요리의) 한 접시분(plateful), 일품; 요리 1인분 **2** [the ~] 교회의 헌금 접시; 헌금액: put two dollars in[on] *the* ~ 2달러를 헌금하다 **3 판금**(板金), 금속판, 늘인 쇠; 금속 표딱지 **4** 문패, 표찰; 《특히》 의사의 간판; (자동차의) 번호판: put up one's ~ on Fifth Avenue 5번가에서 개업하다 **5** 〖인쇄〗 금속판(版), 전기판, 스테로판; 도판(圖板), 페이지 크기의 삽화, 목[금속]판화 **6** 장서표(bookplate); 1페이지 인쇄도, 플레이트 **7** 〖치과〗 의치상(義齒床)(= dental ~); 의치, 틀니 **8** 〖야구〗 본루(= home ~), 투수판(= pitcher's ~) **9** 판유리 **10** 〖사진〗 감광판: a dry ~ 건판 / a negative ~ 원판, 네가판 **11** 등 딱지 《파충류·물고기 등의》; 판금 갑옷 **12** [the ~] 금은 상배(賞盃); 금은배가 나오는 경마[경기] **13** 《미》 〖전기〗 극판(極板); 전극; (진공관의) 양극(anode) **14** 업진 《소의 갈비 아래쪽 살》 **15** 〖지질〗 플레이트 《지각(地殼)을 구성하고 있는 암판(岩板)》
***argentine* ~** 양은(German silver) ***family* ~** 가문(家紋)이 새겨져 있는 금은 식기 《조상 전래의 유물》 ***have a lot* [*enough, too much*] *on* one*'s* ~** 《구어》 해야 할 일이 산처럼[많이] 있다 ***give-and-take* ~** 경마 대회의 현상의 일종 ***on a* ~** (1) 접시에 담아 (2) 《구어》 쉽게, 선선히 〈내주다〉 ***on* one*'s* ~** 《영·구어》 〈해야 할 일 등을〉 잔뜩 안고 ***the positive* ~** 〖무선〗 양극판 ***the selling* ~** 우승한 말을 일정 가격으로 파는 경마
— *vt.* **1** …에 도금하다 《*with*》 **2** 판금으로 덮다, 〈배 등을〉 장갑(裝甲)하다; (미늘 달린) 판금 갑옷을 입히다 《*with*》 **3** 두들겨 펴서 판으로 만들다 **4** 〖제지〗 종이에 광택을 내다 **5** 〖인쇄〗 전기[동]판으로 뜨다 **6** 〖의학〗 평판 배양하다

pláte àrmor (미늘 달린) 판금 갑옷; (군함 등의) 장갑판

*__pla·teau__ [plætóu, ⌐– | ⌐–] [F 「편평한 것」의 뜻에서] *n.* (*pl.* **~s, ~x** [-z]) **1 고원**; 높고 편평한 땅 **2 a** (그래프의) 평탄역(平坦域) **b** (경기(景氣) 등의) 정체(停滯) 상태; 안정기[상태] **3** 〖심리〗 (학습) 고원(高原) 《학습의 정체기》 **4** 큰 접시; 쟁반; 장식 액자 **5** (꼭대기가 납작한) 여자 모자
— *vi.* 안정 수준[상태]에 달하다; 《특히》 상승[진보]이 멈추다

plate-bas·ket [pléitbæ̀skit | -bɑ̀ːs-] *n.* 《영》 식기 바구니 《스푼·포크 등을 담는》

pláte blòck 가장자리에 일련 번호가 인쇄된 우표 시트
plat·ed [pléitid] *a.* **1** [보통 복합어를 이루어] 도금한: gold-~ 금도금의 **2** 〖군사〗 장갑의 **3** 〖편물〗 겉은 털실로 안은 면사로 뜬
plate·ful [pléitfùl] *n.* 한 접시 가득, 한 접시(분) 《*of*》
pláte gláss (표면을 연마한 상질의) 판유리(cf. SHEET GLASS)
plate·glass [pléitglæ̀s | -glɑ̀:s] *a.* 《영》 (1950년대 이후 창립한) 신설 대학의(cf. OXBRIDGE, REDBRICK)
pláte ìron 판철(板鐵)
plate·lay·er [-lèiər] *n.* 《영》 철로공(鐵路工), 보선공(保線工)(《미》 tracklayer)
plate·let [pléitlit] *n.* 작은 판; 〖해부〗 혈소판(血小板)(= blood ~)
plate·mak·er [pléitmèikər] *n.* 〖인쇄〗 (오프셋 인쇄용의) 제판기
pláte màrk 금은제 그릇의 각인(刻印) 《제조자·품질 등을 표시》; 〖인쇄〗 판화의 가장자리에 난 동판 자국
pláte màtter (통신사에서 지방 신문사에 제공하는) 스테로판(版) 뉴스
plat·en [plǽtn] *n.* **1** 〖인쇄〗 (인쇄기의) 압반(壓盤) **2** (타자기의) 고무 롤러 **3** 〖기계〗 (평삭반(平削盤) 등의) 테이블
plate-pow·der [pléitpàudər] *n.* (은식기 등의) 연마분(粉)
pláte prìnter 동판[요판] 인쇄인
pláte prìnting 동판[요판] 인쇄
pláte pròof 〖인쇄〗 연판 교정(쇄)
plat·er [pléitər] *n.* **1** 도금장이(gilder); 금속판공 **2** 〖제지〗 광택기(機) **3** 열등한 경주마
pláte ràce 상금보다 상패를 다투는 경마
plate-rack [pléitræ̀k] *n.* 《영》 (물기 빼는) 접시걸이
pláte ràil 〖건축〗 (장식용) 접시 선반; 《영》 〖철도〗 판(板)레일
pláte tectónics [단수 취급] 〖지질〗 판구조론 《지각의 표층이 판 모양을 이루고 움직인다는 학설》
‡**plat·form** [plǽtfɔ:rm] [F 「편평한 장소」의 뜻에서] *n.* **1** 대(臺), 포좌(砲座); 연단, 교단, 강단: mount [go up] the ~ 연단에 오르다, 등단하다/deliver a speech from the ~ 연단에서 연설하다 **2 a** (역의) 플랫폼, 승강장: a departure[an arrival] ~ 발차[도착] 플랫폼 **b** 《미》 객차의 승강 계단, 덱(deck) **c** [the ~] 《영》 버스 뒤쪽의 승강구 **3** 정강(政綱), 강령; 주의; (행동·결정 등의) 기반, 근거, 기준 **4** 《미》 정강의 선언[발표]; 토론회(장); [the ~] 연설, 강연 **5** [보통 *pl.*] = PLATFORM SHOE **6** 〖컴퓨터〗 플랫폼 《계산기 시스템을 구축하기 위한 하드웨어·소프트웨어 환경》
—*vt.* **1** 올려 놓다, 두다 **2** 승강대를 설치하다
—*vi.* 연단에서 말하다[연설하다]
plátform bèd 플랫폼 침대 《1930년대 스칸디나비아에서 만들어진 침대; 매트리스를 고정하기 위해 약간 움푹 패인 얕은 상자 모양의 침대》
plátform brìdge 과선교(跨線橋)
plátform càr 〖철도〗 무개 화차(flatcar)
plátform dìving 〖수영〗 하이 다이빙
plat·for·mer [plǽtfɔ̀:rmər] *n* = PLATFORM GAME
plátform gàme 플랫폼 게임 《캐릭터를 조종하여 다양한 위치의 플랫폼을 뛰어오르거나 기어오르게 하는 컴퓨터 게임》
plátform ròcker 《미》 밑에 고정판(板)을 댄 흔들의자
plátform scàle 앉은뱅이 저울
plátform shòe (나무·코르크제의) 바닥이 두꺼운 여자 구두
plátform sòle (나무·코르크제의) 두꺼운 창(의 구두)
plátform tènnis 플랫폼 테니스 《그물을 둘러친 나무 마루 위에서 하는 패들 테니스(paddle tennis)》
plátform tìcket 《영》 (철도역의) 입장권
platin- [plǽtən], **platino-** [plǽtənou] 《연결형》 「백금」의 뜻 《모음 앞에서는 platin-》
plat·i·na [plǽtənə, plətí:nə] *n.* = PLATINUM
plat·ing [pléitiŋ] *n.* Ⓤ **1** 금[은]도금, 금[은] 입히기 **2** 도금술; 도금용 금속; (군함 등의) 장갑(裝甲) **3** (강철판의) 피복(被覆); 피복하는 사람[것] **4** 현상(懸賞) 경마[경기]
pla·tin·ic [plətínik] *a.* 〖화학〗 (제2) 백금의
plat·i·nif·er·ous [plæ̀tənífərəs] *a.* 백금을 함유한
plat·in·i·rid·i·um [plæ̀təniríd iəm, -nai-] *n.* Ⓤ 〖광물〗 백금 이리듐
plat·i·nize [plǽtənàiz] *vt.* …에 백금을 입히다, 백금과 합금으로 하다
plat·i·no·cy·a·nide [plæ̀tənousáiənàid, -nid] *n.* Ⓤ 〖화학〗 시안화(化) 백금산염 《형광 물질》
plat·i·noid [plǽtənɔ̀id] *a.* 백금 모양의, 백금 비슷한: the ~ elements 백금족 원소 —*n.* Ⓤ 백금 합금 《구리·니켈·아연·텅스텐 등의 합금》; 백금속의 금속
plat·i·no·type [plǽtənoutàip] *n.* Ⓤ 백금 사진판[법]; 백금 사진
plat·i·nous [plǽtənəs] *a.* 〖화학〗 (제1) 백금의: ~ chloride 염화 제1 백금
*__plat·i·num__ [plǽtənəm] [Sp. 「은」의 뜻에서] *n.* Ⓤ 〖화학〗 백금, 플라티나 《기호 Pt; 번호 78》; 백금색 —*a.* 〈LP 레코드가〉 백만 장 (이상) 팔린; 플라티나제의 ▷ plátinous *a.*
plátinum bláck 〖화학〗 백금흑 《촉매용》
plátinum blónde **1** 백금색 머리의 여자 **2** 백금색
plátinum dìsc 백금 디스크 《음반 판매량이 많은 가수에게 주는 상》
plátinum métal 백금속
plat·i·tude [plǽtətjù:d | -tjù:d] *n.* **1** Ⓒ 평범한 의견, 상투어 **2** Ⓤ 단조, 평범, 진부
plat·i·tu·di·nar·i·an [plæ̀tətjù:dənέəriən | -tjù:-] *a.*, *n.* 진부한 말을 하는 (사람), 평범[진부]한 (사람)
plat·i·tu·di·nize [plæ̀tətjú:dənàiz | -tjú:-] *vi.* 진부한 말을 하다
plat·i·tu·di·nous [plæ̀tətjú:dənəs | -tjú:-] *a.* 쓸데없는 말을 하는; 〈말 등이〉 평범한, 하찮은 **~·ly** *ad.*, **~·ness** *n.*
*__Pla·to__[1] [pléitou] *n.* 플라톤(427-347 B.C.) 《그리스의 철학자》 ▷ Platónic *a.*
PLATO, Pla·to[2] [pléitou] [*P*rogrammed *L*ogic for *A*utomatic *T*eaching *O*perations] *n.* 컴퓨터 사용의 개인 교육 시스템
Pla·ton·ic [plətɑ́nik, plei- | -tɔ́n-] *a.* **1** Plato의; 플라톤 철학[학파]의 **2** [보통 **p~**] 순(純)정신적인, 이상적인(idealistic), 관념적인, 비현실적인 **3** [보통 **p~**] 정신적 연애를 하는, 플라토닉 러브를 신봉하는 —*n.* = PLATONIST; [*pl.*] 정신적 연애 감정[행위] **-i·cal·ly** *ad.*
Platónic lóve, p- l- 정신적 연애
Platónic sólid[bódy] 〖수학〗 플라톤의 입체 《정 4, 6, 8, 12, 20면체의 정다면체》
Platónic yéar 〖천문〗 플라톤 년 《세차(歲差) 운동이 한 바퀴 도는 약 26,000년의 주기》
Pla·to·nism [pléitənìzm] *n.* Ⓤ **1** 플라톤 철학[학파]; 플라톤주의; 이상주의적 관념론 **2** [보통 **p~**] 정신적 연애 **-nist** *n.* 플라톤 학파의 사람
Pla·to·nize [pléitənàiz] *vi.* 플라톤의 학설을 신봉하다[주창하다]; 플라톤류로 논하다[사고하다] —*vt.* 플라톤 철학을 기초로 풀이하다; 플라톤류로 하다
pla·toon [plətú:n] *n.* **1** 〖군사〗 (보병·공병의) 소대 《2개 분대 이상으로 편성됨; ⇨ army 관련》; 보병 반(半) 중대 **2** 1대(隊)의 사람; 일단(一團), 집단, 단체 《*of*》: a ~ *of* visitors 방문자 단체 **3 a** 〖미식축구〗 공격[수비] 전문으로 훈련된 선수들의 그룹 **b** (야구 등에서) 한 포지션을 번갈아 지키는 복수의 선수 —*vt.* **1** 소대로 나누다 **2** 한 포지션을 다른 선수와 교대로 맡게 하다; 《미·속어》 전문의 포지션을 맡게 하다

thesaurus **plausible** *a.* tenable, reasonable, believable, credible, convincing, persuasive, likely, probable, conceivable, imaginable

— *vi.* **1** 한 포지션을 다른 선수와 교대로 맡다 **2** 한 포지션에 선수를 교대로 배치하다 **3** ⦅미·속어⦆ 전문의 포지션을 지키다

platóon sérgeant 〖미육군〗 중사(sergeant first class) ⦅略 PSG⦆

Platt·deutsch [plɑ́:tdɔ̀itʃ] [G] *n.* [U] (북부 독일의) 저지(低地) 독일어(Low German)

platte·land [plɑ́:təlɑ̀:nt] *n.* [the ~] ⦅남아공⦆ 시골, 지방

plat·ter [plǽtər] *n.* **1 a** (특히 고기를 담는 타원형의) 큰 접시 **b** ⦅고어⦆ 편평한 (나무) 주발 **2** (큰 접시에 담긴) 모듬 요리 **3** ⦅미·구어⦆ 음반, 레코드; (스포츠용) 원반 **4** ⦅야구속어⦆ 본루(home base)
***on a* (*silver*)** ~ 수월하게, 전혀 애쓰지 않고

plat·y [pléiti] *a.* (**plat·i·er**; **-i·est**) plate 비슷한; 〖지질〗 판상(板狀)의

platy- [plǽti] ⦅연결형⦆ 「넓은; 편평한」의 뜻

plat·y·hel·minth [plæ̀tihélminθ] *n.* 〖동물〗 편형(偏形) 동물(flatworm) **plàt·y·hel·mín·thic** *a.*

Plat·y·hel·min·thes [plæ̀tihelmínθi:z] *n.* 〖동물〗 편형 동물문(門) ⦅분류명⦆

plat·y·pus [plǽtipəs] *n.* (*pl.* **~·es, -pi** [-pài]) 〖동물〗 오리너구리

platypus

plat·yr·rhine [plǽtiràin] 〖동물·인류〗 *a.* 코가 넓적한, 광비(廣鼻)의; 광비원류(廣鼻猿類)의
— *n.* 코가 넓적한 사람; 광비 원숭이[동물]

plau·dit [plɔ́:dit] *n.* [보통 *pl.*] 갈채, 박수, 칭찬: with hearty ~*s* 열렬한 박수갈채를 받고

plau·si·bil·i·ty [plɔ̀:zəbíləti] *n.* [U] **1** 그럴듯함, 타당성; 그럴듯한 일[말] **2** 말주변이 있음

＊plau·si·ble [plɔ́:zəbl] [L 「칭찬할 만한」의 뜻에서] *a.* **1** 〈말·진술 등이〉 **그럴듯한**, 정말 같은: a ~ alibi 그럴듯한 알리바이 / a ~ conclusion 타당하다고 생각되는 결론 **2** 말주변이 좋은 **~·ness** *n.* **-bly** *ad.*

plau·sive [plɔ́:ziv, -siv | -siv] *a.* 박수갈채하는, 찬사를 보내는

‡play [pléi] *v.*, *n.*

① 놀다; 놀이	㉶ **1** ㉹ **4** [명] **1**
② 〈경기를〉 하다; 경기	㉶ **2** ㉹ **4** [명] **2**
③ 연주하다	㉶ **8** ㉹ **3**
④ 연극을 하다; 연극	㉶ **6** ㉹ **1** [명] **6**
⑤ 행동하다; 수행하다	㉶ **5** ㉹ **2**

— *vi.* **1** **놀다**; 장난하다: (~+[부]) There are children ~*ing about* in the garden. 뜰에서 아이들이 뛰어놀고 있다. // (~+[전]+[명]) ~ *in* the garden with a dog 뜰에서 개와 장난치다

> [유의어] **play** 특히 아이들이 공부하지 않고 노는 것을 뜻하며, 학생·어른들의 경우에는 **enjoy oneself, relax** 등을 쓴다.

2 **경기를 하다**; 경기에 참가하다: (~+[전]+[명]) ~ *at* basketball 농구를 하다 / ~ *in* the finals 결승전에 나가다 **3** 경기하기에 적합하다: (~+[부]) The ground ~*s well.* 그라운드의 상태가 좋다. **4** 카드놀이[체스 ⦅등⦆]를 하다; 도박을 하다, 내기를 하다 ⦅*for*⦆: (~+[전]+[명]) ~ *for* money 돈을 걸고 놀이를 하다 **5** 처신하다, 행동하다, …인 체하다: (~+[보]) ~ fair 공명정대하게 행동하다 / He ~*ed* sick. 그는 꾀병을 부렸다. **6** **연극을 하다**; 출연하다 ⦅*in*⦆; 배역을 맡아 하다; [대개 진행형으로] 상연[상영] 되다 ⦅*in, at*⦆: (~+[전]+[명]) ~ *in* a drama 연극을 하다 / ~ *in* a comedy 희극에 출연하다 / He has often ~*ed in* theatricals. 그는 종종 아마추어 연극에 출연했다. / The movie is ~*ing at* several theaters. 그 영화는 몇몇 극장에서 상영되고 있다. **7** **갖고 놀다**, 만지작거리다 ⦅*with*⦆; 희롱하다, 놀려 조롱하다 ⦅*on, upon*⦆: (~+[전]+[명]) ~ *with* a doll 인형을 갖고 놀다 / ~ *with* a woman's affection 여자의 사랑을 희롱하다 **8** **연주하다**, 취주하다, 타다 ⦅*on, upon*⦆; 〈악기가〉 울리다, 〈레코드·테이프가〉 돌아가고 있다: Music began to ~. 음악이 연주되기 시작했다. // (~+[전]+[명]) ~ *on* the piano 피아노를 치다 **9** ⦅구어⦆ 〈일이〉 (사람에게) 받아들여지다, 효력을 발하다 ⦅*with*⦆ **10 a** 〈기계 등이〉 **원활히 움직이다**, 운전하다(work): The piston rod ~*s* in the cylinder. 피스톤 연결봉이 실린더 안을 왔다갔다 한다. **b** 발사되다 ⦅*on*⦆, 내뿜다: (~+[전]+[명]) The water of the fountain was ~*ing in* the air. 분수의 물이 춤추고 있었다. **11 a** 뛰어다니다, 뛰다; 날아다니다: (~+[전]+[명]) Butterflies ~ *among* flowers. 나비들이 꽃 사이를 날아다닌다. **b** 솔솔 불다, 흔들흔들하다; 휘날리다; 〈광선 등이〉 비치다, 번쩍이다; 고요히 지나가다; 〈미소·공상 등이〉 떠오르다: (~+[전]+[명]) Sunlight ~*s on* the water. 햇빛이 물 위에 반짝거리고 있다. / Her hair ~*s on* her shoulders. 그녀의 머리카락이 그녀의 어깨 위에서 흔들린다. / A smile ~*ed on* his lips. 그의 입술에 미소가 감돌았다. **12** 장난[취미]삼아 하다 ⦅*at*⦆: (~+[전]+[명]) I just ~ *at* tennis. 테니스를 그냥 취미삼아 한다. **13** (남의 동정심·공포심 등을) 이용하다 ⦅*on, upon*⦆: ~ *on* a person's weaknesses …의 약점을 이용하다 **14** ⦅영⦆ (일이 없어서) 놀다, 쉬다; 파업하다 **15** ⦅미·속어⦆ (다른 애인이 있음을 숨기고) …와 관계하다, 이중 플레이하다

— *vt.* **1 a** 〈연극을〉 **상연하다**, 〈연극에〉 **출연하다**, …으로 분장하다, …의 역을 맡아하다: ~ the sheriff in a Western 서부극에 보안관으로 출연하다 / She ~*ed* Ophelia. 그녀는 오필리아 역을 맡아 했다. **b** (어떤 곳에서) 공연[흥행]하다; 〈연극·영화가 …에서〉 상연[상영]되다: ~ London 런던에서 공연하다 / ~ two theaters 두 극장에서 상연하다 **2 a** 〈…의 역할을〉 해내다, 수행하다, 〈본분 등을〉 다하다: ~ the hostess 주부 노릇을 하다 **b** …인 체하다, 행세하다, …답게 처신하다: ~ the chill 무시하다 / ~ the man[the fool] 남자답게[바보같이] 행동하다 **3 a** 〈악기·곡을〉 **연주하다**, 탄주하다, 타다: ~ the violin 바이올린을 켜다 // (~+[목]+[목]) (~+[목]+[전]+[명]) *P*~ me Mozart. = *P*~ Mozart *for* me. 내게 모차르트의 곡을 연주해 주시오. **b** 〈레코드·라디오 등을〉 틀다, 〈음악을〉 틀다: ~ a record 레코드를 틀다 // (~+[목]+[목]) (~+[목]+[전]+[명]) *P*~ us your favorite record. = *P*~ your favorite record *for*[*to*] us. 자네가 제일 좋아하는 레코드를 틀어다오. **4 a** 〈놀이·경기 등을〉 **하다**, …**하며 놀다** USAGE 무관사로 구기를 나타내는 말을 목적어로 하지만, skiing, boxing, wrestling, judo, swimming 등은 play를 쓰지 않는다: ~ catch 캐치볼을 하다 / ~ a good[poor] game 익숙하게[서툴게] 하다 **b** 〖크리켓〗 〈공을〉 어떤 식으로 치다; 〖카드〗 〈패를〉 내놓다; 〖체스〗 〈말을〉 움직이다; 〈타구를〉 잡다 **5 a** (선수권 등을 걸고) 겨루다, 싸우다, 상대하다; 〈사람을〉 경기에 쓰다, 기용하다, 출장시키다: (~+[목]+[전]+[명]) Dallas ~*ed* Chicago *for* the football championship. 댈러스는 미식축구 선수권을 놓고 시카고와 대전했다. / The coach ~*ed* Bill *at* forward. 코치는 빌을 포워드로 기용했다. **b** 〈어떤 위치를〉 맡다, 지키다 ⦅목적어인 명사에는 관사가 없음⦆: ~ first base [shortstop] 1루[쇼트스톱]를 지키다 / ~ goalkeeper 골키퍼를 맡다 **6** …놀이를 하다: ~ cowboys 카우보이 놀이를 하다 **7** 〈돈을〉 걸다; ⦅구어⦆ …에 걸다: He ~*ed* his last few dollars. 마지막 몇 달러를 걸었다. / He ~*ed* the horses. 그는 경마에 (돈을) 걸었다.

play *n.* **1** 놀이 amusement, entertainment, recreation, leisure, enjoyment, merrymaking, fun **2** 연극 drama, comedy, tragedy, stage show, farce

8 〈장난 등을〉 걸다, 〈농담을〉 걸다 《*on*》; 〈사기 등을〉 치다: 《~+目+前+名》 《~+目+名》 Don't ~ a joke *on* her. 그녀에게 농담 걸지 마라. / ~ a practical joke *on* a person …에게 짓궂은 장난을 하다 / He ~*ed* a mean trick *on* me. = He ~*ed* me a mean trick. 그는 나에게 비열한 술책을 썼다. **9** 실행하다, 사용하다; 행사하다, 발휘하다; 흔들[간들]거리게 하다, 번쩍거리게 하다 **10** 〈포를〉 발사하다, 〈물을〉 뿜다, 퍼붓다 《*on, upon*》: 《~+目+前+名》 ~ guns *on* the enemy's lines 적진을 향하여 포화를 퍼붓다 / They ~*ed* the hoses *on* the burning building. 그들은 불타고 있는 건물에 호스로 물을 뿜어댔다. **11** 〖낚시〗 〈걸린 고기를〉 (지칠 때까지) 놀려주다 **12** 〈기사·사진 등을〉 (특정한 방법으로) 다루다: 《~+目+보》 ~ the news big on the front page 뉴스를 제1면에 크게 다루다 **13** 《미·속어》 …와 데이트하다, 교제하다; 《미·속어》 …의 단골이 되다 **14** (자기 이익을 위해) 〈사람을〉 이용하다 《*off*》; 〈구애하는 사람을〉 온갖 속임수로 우롱하다 **15** 《속어》 〈주식 등에〉 손을 대다, 투기하다

be ~ed out 《미》 녹초가 되다 ***come to ~*** 《구어》 〈경기·경쟁 등에〉 열중하다 ***P~!*** 시합 시작! ***~ about*** [***around***] 놀러 다니다, 뛰어놀다; 농지거리를 하다 《*with*》; 《구어》 성적으로 놀아나다 《*with*》 ***~ a good stick*** 검술을 능란하게 하다 ***~ along*** 기다리게 하다, 애타게 하다; (…에게) 동조하는 체하다 《*with*》; (사람·생각 등에) 맞추다 《*with*》; 협력하다 《*with*》 ***~ around with*** 곰곰 생각하다; 되는대로 다루다, 갖고 놀다 ***~ at*** (1) …을 하며 놀다, …놀이를 하다 (2) 〈승부를〉 겨루다 (3) …을 장난삼아 하다(⇨ *vi.* 12) ***~ away*** 노름으로 〈돈 등을〉 잃다, 〈시간을〉 낭비하다 ***~ back*** (1) 〈녹음·녹화를〉 재생하다 (2) 〖경기〗 공을 되치다 ***~ ball*** 시합을 시작하다[재개하다]; 협력하다(cooperate) 《*with*》; 《미·속어》 정정당당하게 하다(play fair); 양보하다 ***~ both ends against the middle*** 양다리를 걸치다; 두 사람을 서로 다투게 하여 덕을 보다, 어부지리(漁夫之利)를 얻다 ***~ by ear*** ⇨ ear. ***~ double*** ⇨ double *ad.* ***~ down*** 경시(輕視)하다; 선전을 억제하다; 자기를 비하(卑下)하다 《*to*》 ***~ false*** [***foul, foully***] (승부에서) 부정한 짓을 하다 ***~ fast and loose*** ⇨ fast[1] *ad.* ***~ for*** …의 대표선수가 되다 ***~ for safety*** ⇨ safety. ***~ for time*** 지연시켜 시간을 벌다 ***~ hard to get*** (남의 권유 등에 대해) 우선 일부러 흥미없는 척하다 ***~ in*** 〈운동 기구를〉 사용함으로써 익히다 ***~*** congregation ***in*** [***out***] 연주하면서 (회중을) 안으로 맞아들이다[밖으로 퇴장하게 하다] ***~ into the hands of*** = ***~ into*** a person***'s hands*** …을 이롭게 하는 행동을 하다, …의 술수에 넘어가다 ***~ it by ear*** 일이 되어가는 대로 처신하다; 임기응변의 조치를 취하다 ***~ it cool*** 침착하게 행동하다 ***~ it low*** (***down***) ***on*** ⇨ low[1] *ad.* ***~*** (***it***) ***safe*** ⇨ safe *a.* ***~ it straight*** ⇨ straight. ***~ off*** 〈요술 등을〉 부리다, 속이다; 창피 주다; 《미》 전에 중지 또는 연기된 경기를 속행하여 끝맺다 ***~ off*** one ***against*** another 서로 싸움을 붙여 덕을 보다 ***~ on*** (1) (스포츠에서) 경기를 (중단한 후에) 재개하다 (2) 《미·구어》 이용하다, 자극하다(⇨ *vi.* 13) (3) 〖크리켓〗 자기편 삼주문 쪽으로 공을 쳐서 아웃이 되다; 〖미식축구〗 〈선수를〉 온사이드(onside)에 넣다 ***~ on*** [***upon***] ***words*** 말장난하다 ***~ out*** (1) 끝까지 출연하다; 다 써버리다; 지치게 하다 (2) 시대[유행]에 뒤지게 하다 (3) 〈밧줄 등을〉 풀어내다 ***~ politics*** ⇨ politics. ***~*** one***'s cards well*** ⇨ card[1]. ***~*** one***'s hand for all it is worth*** 전력을 다하다 ***~*** one***'s last card*** 최후 수단을 다 쓰고 이제 별 도리 없다 ***~ the field*** ⇨ field *n.* ***~ the game*** ⇨ game[1]. ***~ through*** 〖골프〗 (앞의 느린 일행의 승낙을 얻어) 먼저 플레이하여 나아가다 ***~ up*** (1) 크게 취급하다, 강조하다, 선전하다 (2) 《영·구어》 괴롭히다, 곯리다 (3) [보통 명령법으로] 분투하다 (4) 《구어》 장난을 치다, 떠들다; 《구어》 〈환부 등이〉 아프다; 《미》 늠름하게 행동하다; 가장 잘 이용하다; 연주를 시작하다; 분투하다 ***~ up to*** a person …의 상대역[조연]을 하다, 조력하다; 후원하다; …에게 아부하다, 아양 떨다 ***~ with*** …을 가지고 놀다: ~ *with* edged tools 칼로 장난을 하다, 위험한 짓을 하다 ***~ with*** one***self*** 자위하다(masturbate) ***what are you ~ing at?*** 《구어》 뭐하는 짓이냐? 《우매하고 위험한 짓을 하는 사람에게 하는 말》

— *n.* **1** Ⓤ (공부와 대비하여) **놀기, 놀이**; 유희; 기분풀이, 오락 **2** Ⓒ **경기**; Ⓤ (경기하는) **솜씨** **3** 《미》 수법, 수; 장난, 농담, 익살: This may be ~ to you, but it is death to us. 당신들에게는 장난일지 모르지만 우리에게는 죽음을 의미합니다. 《Aesop 우화에서》 **4** ⓊⒸ 도박, 노름, 내기: a deep[high] ~ 큰 도박 / ~ debt 노름으로 생긴 빚 **5** Ⓤ 행위, 행동, 태도; 대처 방법: fair[foul] ~ 공명정대[비열]한 행위 / see fair ~ 공정을 기하다 **6** **연극**; 희곡, 극, 각본: go to a ~ 연극 구경가다 / write a ~ for television 텔레비전 각본을 쓰다 **7** ⓊⒸ (빛·표정 등의) 움직임, 번쩍임 **8** Ⓤ (근육의) 수의(隨意) 운동, 자유로운 움직임; (기계 등의) 운전 **9** Ⓤ **활동** (범위), 자유 활동; 일: the ~ of the imagination 상상력의 발동 **10** Ⓤ 실직, 중지, 휴업; 파업

All work and no ~ makes Jack a dull boy. ⇨ work *n.* ***a ~ on*** [***upon***] ***words*** 말재치, 재담(pun) (***as***) ***good as*** (***a***) ***~*** (연극처럼) 아주 재미있는 ***at ~*** 놀고 있는 ***be mere child's ~*** 아이들 장난 같다, 누워서 떡 먹기다 ***bring*** [***call***] ***into ~*** 이용하다, 활동시키다 ***come into ~*** 활동하기 시작하다 ***give*** (***free***) ***~ to*** …을 자유롭게 활동시키다, 하고 싶은 대로 하게 하다 ***hold*** [***keep***] a person ***in ~*** …을 일하게 그냥 두다 ***in full ~*** 한창 활동[운전] 중에; 경기 중에 ***in ~*** 농담으로; 〖구기〗 경기 중에; 일하여; 〈공이〉 유효로 ***make a ~ for*** 《구어》 〈여자 등을〉 온갖 수단으로 유혹하다; 〈직장 등을〉 구하려고 갖은 노력을 다하다 ***make great*** [***much***] ***~ of*** …을 크게 강조하다 ***make ~*** (1) 〖경마·수렵〗 쫓는 사람을 애타게 괴롭히다 (2) 앞장서다 (3) 한창 일하다; 효과적으로 하다 (4) 〖권투〗 상대를 맹렬히 공격하다 ***out of ~*** 실직하여; 아웃이 되어; 〈공이〉 무효로 되어 ***~ of colors*** 오색이 찬란하게 반짝임 《금강석의 면 등》

▷ pláyful *a.*

pla·ya [pláiə] [Sp.] *n.* 〖지질〗 플라야 《사막의 오목한 저지대; 우기에는 얕은 호수가 됨》

play·a·ble [pléiəbl] *a.* **1** (놀이·승부 등을) 할 수 있는; 연주할 수 있는 **2** 〈경기장 등이〉 경기할 수 있는 **3** 연극에 알맞은 **plày·a·bíl·i·ty** *n.*

play·act [-ækt] *vi.* **1** 연극[연기]을 하다 **2** 가장하다, …인 체하다 **3** 불성실하게 행동하다
— *vt.* 연극화하다, 각색하다

play·act·ing [-æktiŋ] *n.* Ⓤ 연극하기, 배우 노릇; 가장, 꾸밈(pretense)

pláy-ac·tion pàss [-ækʃən-] 〖미식축구〗 전진 패스를 하기 위해 쿼터백이 백패스로 러닝 플레이를 하는 척 상대팀을 속이는 플레이

play·ac·tor [-æktər] *n.* 《경멸》 (연극) 배우

pláy àgent 극작가 대리인 《극장주, 제작자, 배우 등과의 협상을 담당》

play·back [-bæ̀k] *n.* **1** (갓 녹음[녹화]한 테이프·레코드 등의) 재생; 재생 장치(= ~ **machìne**) **2** (제안 등에 대한) 반응, 반향

play·bill [-bìl] *n.* (연극의) 프로그램, 광고 전단; [**P~**] 플레이빌 《미국의 월간 연극 프로그램의 상표명》

play·book [-bùk] *n.* **1** 각본(脚本) **2** 〖미식축구〗 플레이 북 《팀의 공수 작전을 그림과 함께 기록한 책》 **3** 《구어》 (정치·상업 캠페인 따위의) 계획, 전술

play·boy [-bɔ̀i] *n.* (돈 많은) 바람둥이, 난봉꾼, 한량

thesaurus **plea** *n.* **1** 청원 appeal, entreaty, begging, imploration, supplication, petition, prayer, request, solicitation, suit, invocation **2** 변명 excuse, pretext, claim, alibi

play-by-play [-baipléi] *n.*, *a.* 경기의 자세한 보도(의), 실황 방송(의)
play·clothes [-klòuðz] *n. pl.* 놀이옷
pláy dàte **1** (미) 아이들이 함께 놀 수 있도록 부모끼리 정한 약속 **2** (영화 등) 날짜와 시간을 지정한 상연
play·day [-dèi] *n.* 휴일 《일요일 이외의》; (영) 탄광부의 휴일
pláy dòctor 〔연극〕 각본 감수[수정]자
pláy dòugh (미) ＝PLASTICINE
play·down [-dàun] *n.* 결승 경기
pláyed óut [pléid-] *a.* (구어) **1** 지쳐버린, 녹초가 된 **2** 다 써버린, 빈털터리가 된
‡**play·er** [pléiər] *n.* **1** 선수, 경기자 **2** 노는 사람[동물] **3** (영) (크리켓 등의) 직업 선수(professional) **4 a** 연주자: a piano ~ 피아노 연주자 ★ 전문적인 연주가는 pianist. **b** 자동 연주 장치; 녹음[녹화] 재생기: a cassette ~ 카세트 플레이어 **5** (연극) 배우 **6** 게으름뱅이; 취미 삼아 하는 사람 《*at*》 **7** 노름꾼(gambler) **8** (구어) (회의·협상 등에서) 중요한 참가자[회사] **9** (미·속어) 바람둥이
pláyer piáno 자동 피아노
play·fel·low [pléifèlou] *n.* ＝PLAYMATE
play·field [-fì:ld] *n.* 운동장, 경기장
∗**play·ful** [pléifəl] *a.* **1** 놀기 좋아하는, 장난 잘하는, 명랑한, 쾌활한 **2** 농담의, 웃기는 〈말·행동〉
~·ly *ad.* **~·ness** *n.*
play·game [-gèim] *n.* 놀이; 어린애 장난
play·girl [-gə̀:rl] *n.* 향락[놀기]을 좋아하는 젊은 여자(cf. PLAYBOY)
play·go·er [-gòuər] *n.* 연극 구경을 자주 가는 사람, 연극을 좋아하는 사람
play·go·ing [-gòuiŋ] *n.* 연극 구경
‡**play·ground** [pléigràund] *n.* **1** (학교의) 운동장; 놀이터 **2** 위락 장소, 행락지: the ~ of Europe 유럽의 휴양지 《스위스의 별칭》 **3** 활동의 장[영역]
play·group [-grù:p] *n.* (사설) 보육원
play·house [-hàus] *n.* (*pl.* **-hous·es** [-hàuziz]) **1** (어린이가 들어가서 노는) 장난감 집 **2** [종종 **P~**] 극장(theater)
play·ing [pléiŋ] *n.* **1** Ⓤ (악기의) 연주 기법 **2** Ⓒ 연주 (행위)
pláying càrd (놀이) 카드, 화투
pláying field 구기장(ball park), 운동장
play·land [pléilæ̀nd] *n.* (어린이) 놀이터; 관광지: the ~ with a windmill and a merry-go-round 풍차와 회전목마가 있는 어린이 유원지
play·let [-lit] *n.* 짧은 연극, 단막극
play·list [-lìst] *n.* (라디오 방송국의) 방송 예정 녹음 테이프 목록
play·mak·er [-mèikər] *n.* (단체 구기 등에서) 공격을 풀어가는[선도하는] 선수
‡**play·mate** [pléimèit] *n.* 놀이 친구; (구어) 애인
play-off [-ɔ̀:f | -ɔ̀f] *n.* **1** (무승부·동점일 때의) 결승 시합 **2** (시즌 종료 후의) 우승 결정전 시리즈, 플레이오프
play·pen [-pèn] *n.* (격자 울타리로 된) 아기 놀이울

playpen

play·pit [-pìt] *n.* (영) 작은 모래 놀이터
play·read·er [-rì:dər] *n.* 각본을 읽어보고 상연 가치를 평가하는 사람
play·room [-rù:m] *n.* 놀이방, 오락실
play·scheme [-skì:m] *n.* (영) (특히 방학 기간의) 아동 활동 계획
play·school [-skù:l] *n.* 유아원, 보육원(playgroup)
play·some [-səm] *a.* 장난치는, 희롱하는
play·street [-strì:t] *n.* 보행자 천국
play·suit [-sù:t | -sjù:t] *n.* (여자·어린이의) 놀이옷, 운동복
pláy thèrapy 〔심리〕 유희[놀이] 요법 《아동의 감정이나 심리적 갈등을 놀이를 통해 표현함으로써 치료하는 방법》
∗**play·thing** [pléiθìŋ] *n.* **1** 장난감, 노리개 **2** 위안이 되는 것; 희롱물, 희롱당하는 사람
play·time [-tàim] *n.* Ⓤ 노는 시간; 방과 시간; (연극의) 흥행 시간
play·wear [-wɛ̀ər] *n.* ＝PLAYCLOTHES
play·wright [-ràit] *n.* 각본 작가, 극작가
play·writ·ing [-ràitiŋ] *n.* Ⓤ 극작(劇作)
pla·za [plɑ́:zə, plǽzə] *n.* **1** 대광장, (특히 스페인 도시의) 네거리(cf. PIAZZA) ★ P~로 종종 영화관 이름에 쓰임. **2** (미) 쇼핑센터; (미) (고속도로의) 휴게소(＝service ~)
plbg. plumbing **PLC** public limited company (영) 유한 책임 회사, 주식회사
-ple [pl] *suf.* 「겹; 곱」의 뜻: tri*ple*
∗**plea** [plí:] [L 「기쁘게 하는 것」의 뜻에서] *n.* **1** 탄원, 청원; 간청, 기도 《*for*》: make a ~ *for* mercy 자비를 빌다 **2** [보통 the ~] 변명, 구실, 해명 **3** 〔법〕 진술, 주장(allegation), 항변; (피고의) 답변(서); 소송 ***cop a ~*** (미·속어) (죄를 가볍게 하려고 중한 쪽은 피하고) 가벼운 죄만 자백하다; 죄를 시인하고 자비를 청하다 ***enter a ~ of guilty*** [***not guilty***] 자신의 죄를 인정하다[부인하다] ***hold ~s*** 소송을 취급하다 ***on*** [***under***] ***the ~ of*** [***that***] …을 구실 삼아
▷ plead *v.*
pléa bàrgaining[**bàrgain**] 〔미국법〕 유죄 답변 교섭 《피고가 유죄를 시인하는 대가로 검찰측이 형량을 감해서 구형해 주는 협상》
pleach [plí:tʃ] *vt.* 〈나뭇가지 등을〉 엮다; 〈머리를〉 땋다
‡**plead** [plí:d] [OF 「고소하다」의 뜻에서] *v.* (**~·ed,** (미) **pled** [pléd]) *vt.* **1** 변호하다, 변론하다; 항변하다; 〈소송 사실 등을〉 말하다, 진술하다: ~ a person's case …의 사건을 변호하다 / His lawyer *~ed* his inexperience. 그의 변호사는 그가 무경험자라는 점을 변론했다. **2** 변명하다, 주장하다, 이유로서 내세우다: ~ ignorance of law 법률을 몰랐다는 것을 이유로 내세우다 // (~+***that*** 절) He *~ed that* I was to blame. 그는 나에게 책임이 있다고 주장했다.
— *vi.* **1** 변론하다, 항변하다, 답변하다: (~+전+명) ~ *for* the accused 피고의 변호를 하다 **2** 탄원하다, 간청하다 《*for*》: (~+전+명) ~ *with* a person *for* one's life[favor] …에게 살려[잘 봐] 달라고 빌다 / ~ *with* a person to change his mind …에게 생각을 고쳐 달라고 간청하다
~ against …을 반박[항변]하다 ***~ guilty*** [***not guilty***] 〈피고가〉 유죄를 인정하다[인정하지 않다] ***~ the fifth*** [***a five***] (미·속어) 진술을 거부하다, 묵비권을 행사하다(cf. FIFTH AMENDMENT)
pléad·a·ble *a.* ▷ pléa *n.*
plead·er [plí:dər] *n.* **1** 변호사(advocate); 신청자 **2** 탄원하는 사람; 중재인
plead·ing [plí:diŋ] *n.* **1** Ⓤ 변론, 항변 **2** Ⓤ 소송 절차; [*pl.*] 〔법〕 고소장, 소송[항고] 신청서
— *a.* 변론하는, 탄원하는 **~·ly** *ad.* 탄원하며
pleas·ance [plézəns] *n.* **1** 유원(遊園) 《대저택에 딸린》, 산책로 **2** (고어) ⓊⒸ 유쾌; 향락, 만족
‡**pleas·ant** [plézənt] *a.* (**more ~, ~·er; most ~, ~·est**) **1** 〈사물·일이〉 즐거운, 유쾌한, 기분 좋은(opp. *unpleasant*): have[spend] a ~ evening 하루 저녁을 즐겁게 보내다 / It was a ~ surprise. 그것은 뜻밖의 기쁨이었다. / ~ to the eye[ear] 보아서[들어서] 즐거운 // (~+***to*** do) The book is ~ *to* read. 그

plead *v.* state, assert, argue, claim, allege
pleasant *a.* **1** 즐거운 agreeable, enjoyable, entertaining, amusing, delightful, gratifying **2** 쾌활한 friendly, amiable, genial, charming, delightful

책은 읽기에 재미있다. **2** [it을 주어로 하여] 〈날씨가〉 쾌적한, 좋은: *It* is ~ today. 오늘은 쾌적한 날씨다. **3** 〈사람·태도가〉 쾌활한, 명랑한; 싹싹한, 상냥한: a ~ companion 상냥한 벗/a ~ voice 명랑한 목소리 **4** (영·고어) 우스꽝스러운 ***make** one**self** ~ **to*** …에게 싹싹하게 대하다[처신하다]

~·ness *n.* ▷ pléase *v.*; pléasure *n.*

***pleas·ant·ly** [plézəntli] *ad.* **1** 즐겁게, 유쾌하게 **2** 상냥하게; 쾌활[명랑]하게

pleas·ant·ry [plézəntri] *n.* (*pl.* **-ries**) Ⓤ 기분 좋음; 익살, 우스꽝스러움; Ⓒ 농담: They exchanged *pleasantries.* 그들은 농담을 주고받았다.

please [plí:z] *vt.* **1** 기쁘게 하다, 즐겁게 하다, 만족시키다; …의 마음에 들다: a dress that *~s* me 내 마음에 드는 옷/~ the eye[ear] 눈[귀]을 즐겁게 하다/It is difficult to ~ everybody. 모든 사람을 만족시키기는 어렵다. **2** 원하다(wish), 좋아하다(like): (~+**wh.** 절) Choose *what* you ~. 좋아하는 것을 고르시오./Go *where* you ~. 어디든 원하는 곳으로 가시오. **3 a** [~ one*self*로] 만족하다 **b** [보통 ~ your*self*로] 마음대로 하다, 좋을 대로 하다

— *vi.* **1** 남의 마음에 들다, 남을 즐겁게 하다: be anxious to ~ (남에게) 호감을 사려고 애쓰다 **2** [as, when, if 등의 절에서] 좋아하다, 마음에 들다, …하고 싶어하다: Do as you ~. 좋을 대로 하세요./Go *when* you ~. 가고 싶을 때 가시오.

as** one **~s 자기가 원하는 대로 〈하다〉 ***if you ~*** 제발, 부디; 미안합니다만; 놀랍게도, 글쎄: Now, *if you* ~, he expects me to pay for it. 글쎄 그는 내가 그 값을 치를 것으로 생각하고 있답니다. (***May it***) ***~ you*** (고어) 황송한 말씀이오나 ***~ God*** 신의 뜻대로라면(if it is God's will), 순조롭게만 나간다면 ***~ one**self*** 만족하다; (속어) 제멋대로 행동하다 ***what** one **~s*** 뜻대로 하고 싶은 일

— *ad.* [감탄사적으로] **1** [정중한 요구·간청을 나타내는 명령문에서] 부디, 제발: *P*~ open it. =Open it, ~. (부디) 그것을 열어 주십시오./Pay attention, ~. 주목해 주십시오. **2** [완곡히 듣는 이의 주의를 끌어서] 미안하지만, 저: *P*~, Daddy, can I watch TV now? 저, 아빠, 지금 텔레비전 봐도 괜찮아요? **3** [권유문에 대한 응답으로서] 하겠습니다: "Would you like another cup of tea?"—"*P*~ [Yes, ~]." 차 한 잔 더 드릴까요? — 네, 주십시오.

pléas·er *n.* ▷ pléasant *a.*; pléasure *n.*

pleased [plí:zd] *a.* 좋아하는, 만족스러운; …해서 [할 수 있어서] 기쁜 (*with, at, in, by, about*): a ~ look 만족스러운 모습/be not best ~ (영) 그다지 즐겁지는 않다/I was ~ *at*[*with*] your success. 네가 성공했다는 걸 듣고 기뻤다./I am ~ *about* it. 그게 마음에 든다./I shall be very ~ *to* see you tomorrow. 내일 만나뵐 것을 기쁘게 생각하고 있습니다./I am ~ *that* you have come. 와 주셔서 반갑습니다. USAGE 전치사 at는 순간적인 원인을 나타내며, 주로 동명사를 수반하고, with는 원인으로서 구체적인 대상인 사물·사람을 수반하며, about는 원인이 사물인 경우에 쓰임. (***as***) ***~ as Punch*** ⇨ Punch.

~·ly *ad.* **~·ness** *n.*

pleas·ing [plí:ziŋ] *a.* 유쾌한, 즐거운, 기분 좋은, 만족스러운; 붙임성 있는; 애교 있는: a ~ climate 기분 좋은 기후/a ~ face 호감 가는 얼굴/the ~ tastes of homemade bread 집에서 만든 빵의 감칠맛 **~·ly** *ad.* **~·ness** *n.*

pleas·ur·a·ble [pléʒərəbl] *a.* (문어) 즐거운, 유쾌한, 기쁜, 흐뭇한, 만족스러운: a ~ experience 즐거운 경험 **~·ness** *n.* **-bly** *ad.*

pleas·ure [pléʒər] *n.* **1** Ⓤ 즐거움, 유쾌; 만족, 쾌감; [the ~] 기쁨, 영광 (*of*): express one's heartfelt ~ 마음에서 우러나오는 기쁨을 나타내다/It gave me great ~ to meet you. 당신을 만나게 되어 대단히 기뻤습니다.//(~+전+*-ing*) Will you do me *the* ~ *of* com*ing* to dinner with me? 오셔서 식사를 함께 하지 않으시겠습니까?

> 유의어 **pleasure** 즐거운 기분·만족감·행복감을 포함하는 기쁨을 나타내는 가장 일반적인 말: take *pleasure* in beautiful scenery 아름다운 경치를 즐기다 **delight** pleasure보다 강한 기쁨을 나타내고, 몸짓·말 등에 의해 분명히 외면적으로 나타남: *delight* at receiving a hoped-for letter 고대하던 편지를 받았을 때의 기쁨 **joy** 어찌할 바를 모를 정도의 큰 기쁨·행복감: *joy* at an unexpected good news 뜻밖의 희소식을 들은 기쁨 **enjoyment** 일시적인 만족에서 상당 기간에 걸친 깊은 행복감을 조용히 맛봄을 나타냄: *enjoyment* at sitting in the shade on a warm day 더운 날에 그늘에 앉는 즐거움

2 즐거운 일, 기쁜 일: the *~s* and pains of daily life 일상 생활의 기쁨과 괴로움 **3** ⓊⒸ 《특히》 육체적 쾌락, 방종; 위안, 오락: the pursuit of ~ 쾌락의 추구/a man of ~ 난봉꾼 **4** Ⓤ [a person's[one's] ~로] 취미, 희망; 의향, 의지, 욕구, 임의(任意)

ask** a person**'s** ~* (방문객의) 용건을 묻다 ***at (one***'s***) ***~*** 수시로, 임의로 ***consult** a person**'s** ~* …의 형편을 묻다 ***do** a person* (***a***) ***~*** …의 마음에 들도록 하다, 기쁘게 하다 ***during** one**'s** ~* 기분이 좋을 때 ***for ~*** 재미삼아, 오락으로서 ***give ~ to*** …을 즐겁게 하다 ***have the ~ of*** (do***ing***) …함을 만족스럽게 여기다, …을 앙망합니다 《경어》: May we *have the* ~ *of* your company? 참석해 주시면 기쁘겠습니다만. ***It is our ~ to** do* .... (1) 《구어》 …하는 것은 기쁜 일입니다. (2) 짐(朕)은 …하기를 원하노라. 《왕이 쓰는 표현》 ***show ~*** 기쁜 얼굴을 하다 ***take*** (***a***) ***~ in*** …을 좋아하다, 즐기다: I *take* ~ *in* send*ing* you a copy. 한 부(部) 보내드립니다. ***take** one**'s** ~* 육욕에 빠지다, 재미보다 ***The ~ is mine.*** = ***My ~.*** 천만의 말씀입니다. ***What is your ~?*** (손님에게) 무엇을 보여드릴까요? ***with ~*** 기꺼이; [쾌히 승낙하는 말로] 알았습니다, 좋습니다

— *vt.* 즐겁게 해주다, (특히 성적으로) 만족시키다: It *~s* me to know you. 알게 되어 기쁩니다.

— *vi.* 즐기다, 만족하다 (*in*): I ~ *in* your company. 함께 있으면 즐거워집니다.

▷ please *v.*; pléasant *a.*

pléasure bèach (영) 해변의 유원지

pléasure bòat[**cràft**] 플레저 보트, 유람선

pléasure dòme 아방궁, 호화 저택[호텔]; 행락지, 놀이 시설

pléasure gròund[**gàrden**] 유원지, 공원

pléasure prìnciple [the ~] 〖정신분석〗 쾌락 욕구 원칙 《고통은 피하고 쾌락을 추구하려는 본능》

pleas·ure-seek·er [pléʒərsì:kər] *n.* 쾌락을 추구하는 사람, 행락객

pléasure trip 유람 여행

pleat [plí:t] *n., vt.* 주름(을 잡다), 플리트(를 붙이다) **~·er** *n.* 주름잡는 사람[장치] **~·less** *a.*

pleat·ed [plí:tid] *a.* 주름이 있는[잡힌]: a ~ skirt 주름 치마

pleath·er [pléðər] *n.* Ⓤ 플레더 《옷감용 모조 피혁》

pleb [pléb] [*pleb*eian] *n.* **1** (속어) 평민, 서민 **2** = PLEBE

plebe [plí:b] *n.* 《미·구어》 (육·해군) 사관학교의 최하급생, 신입생

***ple·be·ian** [plibí:ən] *n.* **1** (고대 로마의) 평민 **2** 서민 — *a.* 평민의, 대중의, 서민의; 하층 계급의; 하등의, 천한; 비속한, 보통의 **~·ness** *n.* **~·ly** *ad.*

> thesaurus **please** *v.* gladden, delight, cheer up, charm, amuse, entertain, gratify, satisfy
> **pleasure** *n.* happiness, delight, joy, gladness
> **pledge** *n.* **1** 맹세 promise, word, vow, assurance, undertaking, oath, covenant, warrant **2** 담보

ple·be·ian·ism [plibí:ənizm] *n.* Ⓤ 평민 신분; 서민적 기질[풍습]; 평민투; 거칢, 상스러움

ple·be·ian·ize [plibí:ənàiz] *vt.* 평민으로 만들다

pleb·i·scite [plébəsàit, -sit] *n.* 국민[일반] 투표 (referendum); 국민의 의견 표명: by ~ 국민 투표로

ple·bis·ci·tar·y [plebísətèri | -təri] *a.*

plebs [plébz] *n. pl.* [보통 the ~] (고대 로마의) 평민, 서민; 《일반적으로》 대중, 민중

ple·cop·ter·an [plikάptərən | -kɔ́p-] *n.*, *a.* 〖곤충〗 강도래(의); 강도래목(目)(의)

plec·tog·nath [pléktɑgnæθ | -tɔg-] *a.*, *n.* 〖어류〗 유악류(癒顎類)의 (물고기) 《복어·개복치 등》

plec·trum [pléktrəm] [Gk 「리라(lyre)를 퉁기는 도구」의 뜻에서] *n.* (*pl.* **-tra** [-trə], **~s**) 채, 픽(pick) 《만돌린 등의 현악기 연주용》

pled [pléd] *v.* 《미·구어》 PLEAD의 과거·과거분사

‡**pledge** [plédʒ] [OF 「보증하다」의 뜻에서] *n.* **1** ⓊⒸ 맹세, 서약, 언질; (정부·정당 등의) 공약; [the ~] 금주의 맹세: redeem a ~ 약속을 지키다 **2** Ⓤ 담보, 저당; Ⓒ 담보물, 저당물: keep a watch as a ~ 시계를 담보물로 맡아두다 **3** 보증, 표시 《*of*》; 귀여운 아이: as a ~ *of* friendship 우정의 표시로서 **4** 《고어》 축배(toast) **5** 《미》 입회 서약자

a ~ of love [***affection, union***] 사랑의 열매 《남녀 사이에서 생긴 아이》 ***be in ~*** 저당잡혀 있다 ***be under ~*** 맹세하고 있다 ***break the ~*** 금주의 맹세를 어기다 ***give*** [***lay, put***] ***to*** [***in***] ***~*** 저당[담보]잡히다; 전당포에 넣다 ***sign*** [***take***] ***the ~*** 금주의 맹세를 하다 ***take a ~*** 맹세하다 ***take out of ~*** 저당물을 찾다

— *vt.* **1 a** 맹세하다, 언질을 주다, 서약하다; 보증하다: ~ one's honor 명예를 걸고 맹세하다 / ~ one's support 지원을 약속하다 // (~+목+전+명) ~ allegiance *to* the flag 국기에 충성을 서약하다 // (~+목+***to*** do) ~ one's word *to* do one's best 최선을 다할 것을 맹세하다 **b** 〈남에게〉 맹세시키다 《*to*, *to* do》: (~+목+전+명) ~ a person *to* temperance …에게 금주를 맹세시키다 **2** 전당포에 넣다, 저당잡히다 《*for*》: (~+목+전+명) ~ a watch *for* 50,000 won 시계를 50,000원에 저당잡히다 **3** 《고어》 …을 위해 축배를 들다(toast): ~ a beautiful girl 미녀에게 건배하다 **4** 《미·구어》 비공인 회원으로 입회시키다

~ one***self*** (***to*** do) (…하기로) 맹세하다 ~ one***self to*** secrecy (비밀을) 지킬 것을 굳게 맹세하다 ~ one***'s word*** 맹세하다; 보증하다

— *vi.* **1** 맹세하다; 보증인이 되다: (~+전+명) ~ *for* one's friend 친구의 보증인이 되다 **2** 축배를 들다 **~·less** *a.*

pledge·a·ble [plédʒəbl] *a.* 담보[저당]로 잡힐 수 있는; 보증[서약]할 수 있는; 축하할 만한

pledg·ee [pledʒí:] *n.* 〖법〗 (동산) 질권자(質權者); 저당권자

Plédge of Allégiance [the ~] (미국의) 국기에 대한 맹세

pledg·er [plédʒər], **pledg·or** [pledʒɔ́:r] *n.* **1** 담보잡히는 사람; 〖법〗 질권 설정자 **2** (금주 등의) 서약자 **3** 축배를 드는 사람

pledg·et [plédʒit] *n.* 〖의학〗 면살사(綿撒絲), 가제; 〖항해〗 뱃밥

-plegia [plí:dʒiə] 《연결형》 〖의학〗 「마비」의 뜻

Ple·iad [plí:əd | pláiəd] *n.* **1** 〖그리스신화〗 플레이아데스(Pleiades)의 한 사람 **2** [보통 **p~**] 유명한 사람[것]의 일단 《보통 7명이나 7개의》

Ple·ia·des [plí:ədì:z | pláiə-] *n. pl.* **1** 〖그리스신화〗 Atlas의 일곱 명의 딸 **2** [the ~] 〖천문〗 묘성(昴星)

plein-air [plèinέər] [F] *a.* 〖미술〗 외광파(外光派)의, 옥외주의(屋外主義)의 **-áir·ism** *n.* **-áir·ist** *n.*

pleio- [pláiou] 《연결형》 「더욱(more)」의 뜻

Plei·o·cene [pláiəsì:n] *n.*, *a.* = PLIOCENE

plei·o·trop·ic [plàiətrάpik | -trɔ́p-] *a.* 〖유전〗 다면 발현성(多面發現性)의

plei·ot·ro·py [plaiάtrəpi | -ɔ́t-] *n.* 〖유전〗 다면 발현 《1개의 유전자가 그 이상의 형질 발현에 작용하는 것》

plei·o·typ·ic [plàiətípik] *a.* 〖생물〗 다면적인 《한 자극이 많은 반응을 일으키는》

Pleis·to·cene [pláistəsì:n] 〖지질〗 *n.* [the ~] 홍적세(洪積世) — *a.* 홍적세의

plen. plenipotentiary

ple·na [plí:nə] *n.* PLENUM의 복수

*__ple·na·ry__ [plí:nəri] *a.* **1** 완전한; 충분한; 절대적인, 무조건의 **2** 전원 출석한: a ~ session[meeting] 본회의, 총회 **3** 전권(全權)을 가진; 전권의 **4** 〖법〗 정식의, 본식의(opp. *summary*) **-ri·ly** *ad.*

plénary indúlgence 〖가톨릭〗 전대사(全大赦)

plénary inspirátion 〖신학〗 완전 영감 《성서가 다루는 모든 문제는 영감에 의한다고 하는》

plench [pléntʃ] [*pl*ier+wr*ench*] *n.* 플렌치 《펜치와 렌치를 결합한 공구》

ple·nip·o·tent [plənípətənt] *a.* 전권(全權)을 가진

plen·i·po·ten·ti·ar·y [plènəpəténʃièri | -ʃəri] *a.* **1** 전권을 가진: an ambassador extraordinary and ~ 특명 전권 대사 **2** 절대적인, 완전한

— *n.* (*pl.* **-ar·ies**) 전권 위원, 전권 대사

plen·ish [pléniʃ] *vt.* 《스코》 채우다; 저장하다; …에 가축을 넣다; 〈집에〉 가구를 비치하다; 《방언》 보충하다

plen·i·tude [plénətjù:d | -tjù:d] *n.* Ⓤ 《문어》 충분, 완전; 충실, 충만; 〖의학〗 (위 등의) 만복: the moon in her ~ (문장(紋章)의) 만월

plen·i·tu·di·nous [plènətjú:dənəs | -tjú:-] *a.* **1** 충분한, 풍부한 **2** 풍만한, 뚱뚱한

*__plen·te·ous__ [pléntiəs] *a.* 《시어》 = PLENTIFUL **~·ly** *ad.* **~·ness** *n.* ▷ plénty *n.*

‡**plen·ti·ful** [pléntifəl] *a.* **1** 많은, 풍부한, 윤택한 (opp. *scarce*): a ~ harvest 풍작 **2** 풍부하게 생기는: a ~ source of inspiration 풍부한 영감의 원천 **~·ly** *ad.* 많이, 풍부하게 **~·ness** *n.*

‡**plen·ty** [plénti] [L 「충분함」의 뜻에서] *n.* **1** 많음, 대량, 다량, 풍부; 충분; 풍부한 양 《*of*》 **2** 충분히 있는 상태, 풍부함, (경제적) 풍요; 풍부한 시기: a year of ~ 풍년 / (a) ~ of time 충분한 시간

in ~ 풍부하게, 유복하게 ***in ~ of time*** 시간이 넉넉하여; 일찌감치 ***~ more*** 더 많이 《*of*》 ***~ of*** 많은: ~ *of* errors 많은 오류 ★ 의문·부정 구문에서는 보통 enough로 대용함; plenty of는 《미》.

— *a.* 《구어》 〈수·양이〉 많은, 풍부한; 충분한, 남아도는: Money is never too ~. 돈은 많을수록 좋다.

— *ad.* 《구어》 충분히; 《미·속어》 매우, 철저히: ~ good enough 아주 충분히 ▷ pléntiful, plénteous *a.*

ple·num [plí:nəm, plén- | plí:-] *n.* (*pl.* **~s, -na** [-nə]) **1** 물질이 충만한 공간 **2** 충실, 충만 **3** 전원 출석의 회의; 총회 — *a.* 완전 이용의

plénum sỳstem 강제 환기 방법 《기압이 높은 공기에 의한 공기 조절법》

pleo- [plí:ou] 《연결형》 = PLEIO-

ple·o·chro·ic [plì:əkróuik] *a.* 다색성의

ple·och·ro·ism [pliάkrouìzm | -ɔ́k-] *n.* Ⓤ 다색성(多色性)

ple·o·mor·phism [plì:əmɔ́:rfizm] *n.* Ⓤ 다(多)형태성

ple·on [plí:ɑn | -ɔn] *n.* 영복(泳腹) 《갑각류 동물의 복부》

ple·o·nasm [plí:ənæ̀zm] [Gk 「여분으로 덧붙이다」의 뜻에서] *n.* Ⓤ 〖수사학〗 용어법(冗語法); 췌언(贅言); Ⓒ 중복어 《free gift 등》

plè·o·nás·tic [-nǽstik] *a.*

ple·si·o·saur [plí:siəsɔ̀:r] *n.* 〖생물〗 플레시오사우루

---

security, surety, guarantee, collateral, bond, deposit, pawn **3** 표시 token, symbol, sign, mark, testimony, proof, evidence

plentiful *a.* abundant, copious, ample, profuse, lavish, large, huge (opp. *meager*, *spare*, *scanty*)

스, 사경룡(蛇頸龍)
ple·si·o·sau·rus [plì:siəsɔ́:rəs] *n.* (*pl.* **-sau·ri** [-sɔ́:rai]) = PLESIOSAUR
ples·sor [plésər] *n.* = PLEXOR
pleth·o·ra [pléθərə] *n.* [보통 a ~] 과다, 과도, 과잉 (*of*); 〖병리〗 다혈증, 적혈구 과다증
ple·thor·ic [pleθɔ́:rik | -θɔ́r-] *a.* 〖의학〗 다혈증[질]의; 과다한; 부풀어오른 **-i·cal·ly** *ad.*
ple·thys·mo·gram [pləθízməgræ̀m] *n.* plethysmograph에 의한 기록
ple·thys·mo·graph [pləθízməgræ̀f | -grɑ̀:f] *n.* 〖의학〗 체적 변동 기록계, 지체(肢體) 용적계, 맥파계(脈波計)
pleu·ra [plúərə] *n.* (*pl.* **-rae** [-ri:]) 〖해부〗 늑막, 흉막
pleu·ral [plúərəl] *a.* 〖해부〗 늑막의: the ~ cavity 흉강(胸腔)
pleu·ri·sy [plúərəsi] *n.* Ⓤ 〖병리〗 늑막[흉막]염: dry[moist] ~ 건성[습성] 늑막염
pleu·rit·ic [pluərítik] *a.*
pleuro- [plúərou] 《연결형》 「옆구리(side); 늑막(pleura); 측부(lateral)」의 뜻
pleu·ro·dont [plúərədɑ̀nt | -dɔ̀nt] *n.* 〖동물〗 측생치(側生齒) 동물 《파충류 등》 **—** *a.* 측생치의[가 있는]
pleu·ro·pneu·mo·nia [plùərounjú(:)móunjə | -nju(:)-] *n.* Ⓤ 〖병리〗 늑막 폐렴
pleus·ton [plú:stən, -tɑn | -tən, -tɔn] *n.* 〖생물〗 부유 생물
plex·i·form [pléksəfɔ̀:rm] *a.* 그물 모양의; 복잡한
Plex·i·glas [pléksəglæ̀s | -glɑ̀:s] *n.* Ⓤ 《미》 플렉시 유리 《창문·가구 등에 쓰임; 상표명》
plex·im·e·ter [pleksímətər] *n.* 〖의학〗 타진판(打診板)
plex·or [pléksər] *n.* 〖의학〗 타진 망치(plessor)
plex·us [pléksəs] *n.* (*pl.* **~·es, ~**) 〖해부〗 (신경·혈관·섬유 등의) 총(叢), 망(網); 망상 조직(network): the spinal ~ 척추 정맥총(靜脈叢)
plf. plaintiff
pli·a·bil·i·ty [plàiəbíləti] *n.* Ⓤ 유연(성), 유순
pli·a·ble [pláiəbl] [ply²(구부리다)에서] *a.* 휘기 쉬운, 유연한; 유순한(docile); 말하는 대로 되는, 융통성 있는(opp. *rigid*) **pli·a·bly** *ad.*
pli·an·cy [pláiənsi] *n.* = PLIABILITY
pli·ant [pláiənt] *a.* = PLIABLE **~·ly** *ad.*
pli·ca [pláikə] *n.* (*pl.* **-cae** [-si:, -ki:]) 〖해부·동물〗 습벽(褶襞), 주름
pli·cate [pláikeit, -kət] *a.* 〖동물·식물〗 주름이 있는; 〖지질〗 습곡이 있는
— [-keit] *vt.* 〖외과〗 주름을 만들다
pli·cat·ed [pláikeitid] *a.* = PLICATE
pli·ca·tion [plaikéiʃən] *n.* **1** ⓊⒸ 접어 겹치기(folding), 주름 **2** 〖지질〗 습곡(褶曲)
plic·a·ture [plíkətʃər] *n.* = PLICATION
pli·é [pli:éi] Ⓕ *n.* 〖발레〗 플리에 《꼿꼿한 자세로 두 무릎을 굽히는 동작》
pli·er [pláiər] *n.* **1** 휘는 사람[것] **2** [*pl.*; 종종 단수 취급] 집게, 펜치: a pair of ~*s* 펜치 한 자루
plight¹** [pláit] *n.* 곤경, 궁지, (어려운) 상태(⇨ predicament 유의어): the desperate ~ of the flood victims 수재민들의 절망적인 상태 ***in a miserable [***piteous, woeful***] **~** 눈뜨고 볼 수 없는 참상에 ***What a ~ to be in!*** 참 비참하게 되었군!
plight² *n.* 《고어》 맹세(pledge); 약혼
— *vt.* 맹세하다; 약혼시키다: ~*ed* lovers 서로 사랑을 맹세한 남녀 **~ one*self to*** …와 약혼하다 **~ one*'s faith*** [***promise, word, honor***] 굳게 약속하다 **~ one*'s troth*** 언약하다, 결혼을 약속하다 **~·er** *n.*
plim·soll [plímsəl, -soul] [고무창에서 이어진 측선(側線)이 Plimsoll mark 비슷한 데서] *n.* [보통 *pl.*] 《영》 고무창의 즈크화, 운동화(《미》 sneakers)
Plímsoll màrk[**lìne**] 〖항해〗 만재 흘수선(load line)
plink [plíŋk] *vi., vt.* 찌르릉 소리를 내다, 찌르릉 하고 울다[울리다]
plinth [plínθ] *n.* 〖건축〗 주추, 초석, 대좌(臺座), 토대; 각석(角石); 굽도리널
plio- [pláiou] 《연결형》 = PLEIO-
Pli·o·cene [pláiəsì:n] *n., a.* 〖지질〗 선신세(鮮新世) [제3기(紀) 최신세](의)
Pli·o·film [pláiəfìlm] *n.* 투명한 방수 시트 《상표명》
pli·o·tron [pláiətrɑ̀n | -trɔ̀n] *n.* 〖전자〗 플라이오트론 《다극관의 일종으로, 양극 1개와 1개 이상의 그리드를 전극으로 함》
plis·sé, -sé [pli:séi] Ⓕ *n.* Ⓤ 플리세 《크레이프 비슷하게 짠 천》 **—** *a.* 플리세 가공을 한
P.-L.-M. Paris-Lyon-Méditerranée 《철도명》
PLO Palestine Liberation Organization 팔레스타인 해방 기구
***plod** [plɑ́d | plɔ́d] [의성어] *v.* (**~·ded**; **~·ding**) *vi.* **1** 터벅터벅 걷다 (*on, along*): (~+副) (~+前+名) The old man ~*ded along*[*on* his way]. 노인은 터벅터벅 걸어갔다. **2** 꾸준히 일하다[공부하다] (*at, away*); 애쓰다 (*through*); 〈사냥개가〉 애써 흔적의 냄새를 맡다: (~+副) (~+前+名) ~ *away at* one's lessons 꾸준히 공부하다 / ~ *through* a task 애써서 일을 해내다
— *vt.* 〈길을〉 힘들게 걷다, 터벅터벅 가다
~ one***'s way*** 터벅터벅 걷다
— *n.* 무거운[육중한] 발걸음; 꾸준히 일함; 노고
~·der *n.* 터벅터벅 걷는 사람; 꾸준히 일하는 사람
plod·ding [plɑ́diŋ | plɔ́d-] *a.* 터벅터벅 걷는; 꾸준히 일하는[공부하는] **~·ly** *ad.*
-ploid [plɔ̀id] 《연결형》 「염색체 수가 …인」의 뜻
ploi·dy [plɔ́idi] *n.* 〖생물〗 (염색체의) 배수성(倍數性)
PL/1 [pí:èl-wʌ́n] [*P*rogramming *L*anguage *One*] *n.* 〖컴퓨터〗 프로그래밍 언어의 하나
plonk¹ [plɑ́ŋk | plɔ́ŋk] *n.* Ⓤ 《영·속어》 값싼 포도주
plonk² *v., n., ad.* = PLUNK
plonk·er [plɑ́ŋkər | plɔ́ŋ-] *n.* 《영·속어》 얼간이, 바보
plop [plɑ́p | plɔ́p] [의성어] 《구어》 *vt., vi.* (**~ped**; **~·ping**) 풍덩 떨어뜨리다[떨어지다], 펑 소리내며 튀(기)다; 부글거리며 가라앉(히)다
— *n.* 풍덩, 펑 《소리》
— *ad.* 풍덩 하고, 펑 소리내며; 갑자기
plo·sion [plóuʒən] [ex*plosion*] *n.* ⓊⒸ 〖음성〗 파열(破裂)
plo·sive [plóusiv] [ex*plosive*] *n., a.* 〖음성〗 파열음(의)
‡plot¹ [plɑ́t | plɔ́t] *n., v.*

> com*plot*(작당 모의)에서
> →「음모」 **1**
> →(구상) →「줄거리」 **2**

— *n.* **1** 음모; 책략, 계획: be privy to a ~ 음모에 관여하다 // (~+***to*** do) They wove a ~ *to* assassinate the king. 그들은 국왕 암살 계획을 짰다. **2** (시·소설·각본 등의) 줄거리, 구상, 각색
The ~ thickens. 사건[이야기]이 재미있게 되어 간다, 이야기가 점입가경이다
— *v.* (**~·ted**; **~·ting**) *vt.* **1** 몰래 꾸미다, 계획하다, 음모하다: (~+***to*** do) ~ the murder of[*to* murder] a person …을 죽이려고 꾀하다 **2** (이야기 등의) 줄거리를 짜다, 구상하다 (*out*) **~ *it*** 음모하다
— *vi.* **1** 음모[모의]하다; 작당하다 (*against, for*): (~+前+名) ~ *against* a person's life …을 죽일 음모를 꾸미다 / ~ *for* a person's assassination

thesaurus **plight¹** *n.* unfortunate situation, predicament, trouble, difficulty, extremity
plod *v.* walk heavily, stomp, trudge
plot¹ *n.* **1** 음모 conspiracy, intrigue, secret plan,

…의 암살을 모의하다 **2** (문학적) 구상을 짜다 **~·ful** *a.*

∗**plot²** [plɑ́t | plɔ́t] [OE 「한 때기의 땅」의 뜻에서] *n.* **1** 작은 구획의 땅, 작은 토지[지구]: a vegetable ~ 채소밭 **2** (미) (대지) 도면, 겨냥도
— *vt.* (**~·ted**; **~·ting**) **1** 〈땅을〉 구분하다, 구획하다 《*out*》 **2** 〈토지·건물의〉 도면을 작성하다 **3** (해도 등에) 〈배·비행기의 위치를〉 기입하다; (모눈종이 위에) 좌표에 따라 〈점을〉 정하다; 점을 이어 〈곡선을〉 그리다

plot·less [plɑ́tlis | plɔ́t-] *a.* 계획 없는; 줄거리 없는 〈소설 등〉 **~·ness** *n.*

plot·tage [plɑ́tidʒ | plɔ́t-] *n.* 부지(敷地)

plot·ter [plɑ́tər | plɔ́tə] *n.* **1** 음모자, 공모자; 구상을 짜는 사람 **2** 제도 도구; 작도 장치; 〖컴퓨터〗 플로터 《데이터를 도면화하는 출력 장치》

plot·ting [plɑ́tiŋ | plɔ́t-] *n.* Ⓤ 제도(製圖); 구획 정리

plótting bòard **1** 〖항해〗 (위선·경선만이 인쇄된) 백해도판(白海圖板) 《위치 기입용》 **2** 〖군사〗 사격판, 위치 측정판

plótting pàper 모눈종이, 그래프 용지

plot·ty [plɑ́ti | plɔ́ti] *a.* (구어) 줄거리가 복잡한 〈소설 등〉

‡**plough** [pláu] *n., v.* (영) =PLOW

plóugh·man's lùnch [pláumənz-] (영) 빵·치즈에 맥주 등의 간단한 식사

plo·ver [plʌ́vər] *n.* 〖조류〗 물떼새

‡**plow** | **plough** [pláu] *n.* **1** 쟁기; 쟁기 비슷한 것; 제설기(除雪機); 배장기(排障器)(《미》 cowcatcher); 개탕대패 **2** 경작; 농업; Ⓤ (영) 경작지, 논밭 **3** [the P~] 〖천문〗 큰곰자리(the Great Bear); (영) 북두칠성 **4** (영·속어) 낙제: take a ~ 낙제하다
be at[***follow, hold***] ***the ~*** 농업에 종사하다 ***go to*** one***'s ~*** 자기의 일을 하다 ***put*** one***'s hand to the ~*** 〖성서〗 손에 쟁기를 잡다, 일을 시작하다 《누가복음 9: 62》 ***under the ~*** 〈토지가〉 경작되어[된]; (목초용이 아닌) 농경용으로
— *vi.* **1** 갈다, 경작하다; 〈토지가〉 경작에 적합하다: (~+副) The field *~s easily*[*hard*]. 그 밭은 경작하기가 쉽다[힘들다]. **2** 고생하며 나아가다; 힘들여 읽다 《*through*》: (~+前+名) The ship *~ed through* the waves. 배는 파도를 헤치며 나아갔다. **3** 충돌하다, 들이받다 《*into*》; (일 등에) 기세좋게 착수하다 《*into*》: (~+前+名) The truck *~ed into* a parked car. 그 트럭은 주차하고 있는 차를 들이받았다. **4** (영·속어) 낙제하다
— *vt.* **1** 〈밭을〉 갈다, 경작하다; …에 이랑을 만들다; 〖목공〗 홈을 파다: ~ a field 밭을 갈다 // (~+目+副) ~ weeds *out* 잡초를 갈아엎다[없애다] // (~+目+前+名) ~ clover *in* a field 밭을 일궈 클로버를 심다 **2** 〈물결을〉 헤치고[가르며] 달리다[나아가다]; 고생하며 나아가다; 〈책 등을〉 힘들여 읽다: (~+目+前+名) ~ one's way *through* a crowd 군중을 헤치고 나아가다 **3** 〈얼굴 등에〉 주름을 짓다: (~+目+前+名) Old age *~ed* furrows *in* her face. 노년이 되어 그녀의 얼굴에 깊은 주름이 생겼다. **4** (영·속어) 〈학생을〉 낙제시키다 **5** 〈도로 등을〉 제설하다 《*out*》 **6 a** 〈자본 등을〉 투자[투입]하다(invest) 《*into*》 **b** 〈이윤·수익 등을〉 재투자하다 《*into*》 **7** (비어) …와 성교하다; (미·속어) 강간하다
~ a[one***'s***] ***lonely furrow*** 《특히》 정치 관계의 동지와 헤어지다; 고독한 생활을 하다 ***~ around*** (미·속어) 기미를 살피다, 〈마음 등을〉 떠보다 ***~ back*** 〈풀 등을〉 다시 그 밭에 파묻다; 〈이익을〉 다시 그 사업에 투자하다 《*into*》: ~ profits *back into* new plants 새 공장에 이익을 재투자하다 ***~ down*** 갈아 넘기다 ***~ in***[***into***] ***the land*** 갈아 들어가다, 흙을 덮다 ***~ into*** ⇨ *vi.* 3 ***~ on*** (힘들거나 지루한 일 등을) 애써서 계속하다 《*with*》 ***~ out*** 〈뿌리·그루터기를〉 갈아서 파내다 ***~*** one***'s way*** 힘들여 나아가다 ***~ the sand***(***s***) [***air***] 헛수고를 하다 ***~ through*** a book 애써 (책을 읽어)나가다 ***~ under*** 〈작물을〉 갈아서 파묻다; (구어) 소멸[매몰]시키다, 파괴하다 ***~ up*** 갈아 젖히다, 파헤치다 ***~ with*** a person***'s heifer*** 〖성서〗 장수(將帥)를 잡으려고 우선 말을 쏘다 《사사기 14: 18》; 남의 재산을 횡령[이용]하다
~·a·ble *a.* **~·er** *n.* (고어) =PLOWMAN

plow·back [pláubæ̀k] *n.* 〖경제〗 (이익의) 재투자(금)

plów bèam 쟁기의 잡좆

plow·boy [-bɔ̀i] *n.* 쟁기를 멘 소[말]를 모는 소년; 농부; 시골 젊은이

plow·head [-hèd] *n.* =PLOWSHARE

plow·land [-læ̀nd] *n.* Ⓤ 경작지, 논밭; 〖영국사〗 한 쟁기의 땅 《1년간 한 쟁기로 갈 수 있는》; 플라우랜드 《중세의 토지 면적 단위; 약 120에이커》

∗**plow·man** [pláumən, -mæ̀n] *n.* (*pl.* **-men** [-mən, -mèn]) 농부; 시골뜨기

Plów Mónday (영) 1월 6일의 Epiphany 후의 첫 월요일

plow·share [-ʃɛ̀ər] *n.* 보습, 쟁기의 날

plow·tail [-tèil] *n.* 자부지, 쟁기 자루 ***be at the ~*** 경작[농업]에 종사하다

plow·wright [-ràit] *n.* 쟁기 제작[수리]공

ploy [plɔ́i] *n.* (구어) **1** 흥정, 책략 **2** 일(job)

PLP (영) Parliamentary Labour Party **PLPA** pageable link pack area 〖컴퓨터〗 페이지 가능 링크 팩 영역 **P.L.R., PLR** (영) Public Lending Right **PLS** please **PLSS** portable life support system 휴대용 생명 유지 장치 **plt.** pilot; platoon

plu. plural

‡**pluck** [plʌ́k] [OE 「끄집어내다」의 뜻에서] *vt.* **1** 잡아뜯다(pick), 뽑다; (문어) 따다(pick): (~+目+副) ~ (*off*) fruit 과일을 따다 / ~ *up*[*out*] the weeds 잡초를 뽑아 내다 // (~+目+前+名) ~ feathers *from* a bird 새의 깃털을 잡아뜯다 **2** 잡아당기다, 움켜쥐다, 홱 당기다(jerk), 끌어내리다 《*down*》: (~+目+前+名) ~ a person *by* the sleeves …의 소매를 잡아당기다 // (~+目+副) ~ a person *down* from his high position …을 높은 지위에서 끌어내리다 **3** 〈헬리콥터가 조난자를〉 구출하다 **4** (속어) 잡아채다, 빼앗다, 편취하다: (~+目+前+名) ~ something *from* a person's hand[*out of* a person's pocket] …의 손[호주머니]에서 …을 잡아채다 **5** 〈현악기를〉 탄주하다, 뜯다 **6** (영·속어) 낙제시키다
— *vi.* **1** 홱 잡아당기다; 붙들려고 하다 《*at*》: (~+前+名) ~ *at* a person's sleeve …의 소매를 잡아당기다 **2** (현악기를) 뜯다 《*at*》
get ~ed 낙제하다 ***~ a pigeon*** ⇨ pigeon¹. ***~ away*** 쥐어뜯다 ***~ off*** 찢어[뜯어] 내다 ***~ ... out of the***[***thin***] ***air*** 〈수·액수·이름 등을〉 생각 없이[무심코] 말하다 ***~ up*** one***'s courage*** 용기를 돋우다
— *n.* **1** 잡아뜯기; (갑자기) 잡아당김 **2** Ⓤ 담력(nerve), 용기, 원기 **3** [the ~] 내장 《동물의》 **4** (영·속어) 낙제 ***give a ~*** (***at***) (…을) 홱 잡아당기다
~·er *n.* ▷ plúcky *a.*

plucked [plʌ́kt] *a.* [보통 복합어를 이루어] (구어) 담력 있는, 용기 있는: hard-~ 무자비한

pluck·less [plʌ́klis] *a.* 용기[원기] 없는

pluck·y [plʌ́ki] *a.* (**pluck·i·er**; **-i·est**) 용기 있는, 원기 왕성한; 단호한 **plúck·i·ly** *ad.* **plúck·i·ness** *n.*

∗**plug** [plʌ́g] [MDu. 「나무못」의 뜻에서] *n.* **1** 마개; 소화전(消火栓); 〖군사〗 화문(火門) 마개, 총구멍 마개; 〖전기〗 플러그; (속어) 소켓 《비표준적 용법》; (이빨의) 충전물; 〖기계〗 (내연 기관의) 점화전, 플러그 (=spark ~); 배 바닥의 물 구멍 마개, 수세식 변소의 방수전(放水栓): put a ~ into the socket 소켓에 플러그를 꽂다 **2** 씹는 담배 **3** (미) 늙다리 말, 폐마(廢馬)(jade) **4** 떨이, 팔다 남은 상품, 못 쓸 것; (미·구어) 오래도록 팔리지 않고 있는 상품 **5** (구어) (프로그램에

---

stratagem, secret scheme **2** 줄거리 story, theme, thread, story line, scenario
plow *v.* till, cultivate, work, turn up
pluck *v.* pull, remove, extract, pick, finger

끼우는) 짤막한 광고, 선전 **6** (미·속어) 한 대 치기 (punch) **7** (미·구어) = PLUG HAT
pull the ~ (1) 생명 유지 장치를 벗기다 (2) (영·구어) (수세식 변소의) 물을 쏟아내다 (3) (속어) 〈잠수함이〉 잠수하다; (미·속어) (일에서) 손을 떼다 《*on*》; (미·속어) (…의) 비밀을 폭로하다 《*on*》; (미·속어) 말썽을 일으키다 ***put in a ~ for ...*** (미·구어) …을 잘 말해 두다
— *v.* (**~ged**; **~·ging**) *vt.* **1** 마개를 하다, 막다, 틀어막다 《*up*》: (~+목+부) ~ *up* a leak 새는 곳을 막다 **2** (미·속어) 주먹으로 갈기다; (미·속어) 탄환을 쏘아 박다; (미·속어) 쏘아 죽이다 **3** (미·속어) (라디오·텔레비전에서) 〈노래 등을〉 끈덕지게 들려주다, 〈상품·정책을〉 집요하게 선전하다
— *vi.* **1** (구어) 꾸준히[부지런히] 일하다, 공부하다 《*along, away; at*》: (~+부) ~ *along* 일을 꾸준히 계속하다 **2** (미·속어) 치다; 총을 쏘다: (~+전+명) ~ *at* a person …을 치다[쏘다]
~ away at (구어) 〈일·공부를〉 부지런히 하다 ***~ in*** (1) …의 플러그를 꽂다, …을 콘센트에 연결하다; 〈전기 기구 따위가〉 플러그로 연결되다 (2) (구어) 추가하다, 덧붙이다; 결합하다 ***~ into*** (1) = PLUG in (1). (2) 접속하다 (3) …에 관계하다, …와 관계하여 이익을 얻다 (4) (구어) …에 친근감을 느끼다; 좋아하다; 이해하다 ***~ the words*** 〖연극〗 대사에 강약을 붙여 효과적·인상적으로 들리게 하다 ***~ up*** 마개로 틀어막다; 막히다
Plúg and Pláy 〖컴퓨터〗 플러그 앤 플레이 《컴퓨터에 주변 기기 등을 접속하자마자 자동적으로 인식·설정이 이루어져 사용할 수 있는 상태》
plug·board [plʌ́gbɔ̀ːrd] *n.* (전화 교환대 등의) 플러그판
plug-com·pat·i·ble [-kəmpǽtəbl] *a.* 〖컴퓨터〗 플러그가 공용이며 호환성(互換性)이 있는
plugged [plʌ́gd] *a.* 막힌 〈관·구멍 등〉; (미·속어) 화난
plugged-in [plʌ́gdìn] *a.* 플러그로 접속한; (구어) 유행에 민감한, 앞선; 흥분한; 생활의 중요 부분을 전기 통신에 의존하는(wired)
plug·ger [plʌ́gər] *n.* **1** 충전기(充塡器) 《치과 의사용》 **2** (미·속어) 꾸준히 공부하는 학생 **3** (미·속어) 끈덕지게 선전[광고]하는 사람
plug·ging [plʌ́giŋ] *n.* Ⓤ 마개 막음; 〖치과〗 충전; [집합적] 마개[충전] 재료
plúg hát (미·구어) 실크 해트
plug·hole [plʌ́ghòul] *n.* (영) (욕조·싱크대 등의) 마개 구멍 ***down the ~*** (영) 헛되이 되어; 악화되어, 실패하여
plug-in [-ìn] *n.* **1** 플러그 접속식의 전기 제품 **2** 〖컴퓨터〗 플러그인 《기능 확장용 소프트웨어》
— *a.* 플러그 접속식의
plug·o·la [plʌgóulə] *n.* (미·속어) (라디오·텔레비전에서 선전해 달라고 주는) 뇌물; 추천의 말; 뉴스 보도의 편향(偏向)
plug·ug·ly [plʌ́gʌ̀gli] *n.* (*pl.* **-lies**) (미·속어) 불량자; 프로 권투 선수
‡**plum**[1] [plʌ́m] *n.* **1** 서양자두, 플럼; 서양자두나무 (= ~ tree); 건포도 **2** = SUGARPLUM **3** Ⓤ 짙은 보라색(deep purple) **4** (구어) 가장 좋은 부분, 정수(精粹); 편하고 수지맞는 일, 모두가 선망하는 자리[직업] **5** (영·속어) 10만 파운드 《돈》; (많은 액수의) 특별 배당; (미) 임관(任官) 《보답으로서의》 **6** 거대한 콘크리트 건축에 사용되는 큰 돌(displacer) ***have a ~ in one's mouth*** 상류 사회의 말투를 쓰다
— *a.* **1** 결실이 많은, 보상이 있는, 이익이 되는 **2** 〈케이크 등이〉 건포도가 든 **3** 짙은 보라색의
▷ plúmmy *a.*
plum[2] *a., ad.* = PLUMB
***plum·age** [plúːmidʒ] *n.* Ⓤ (조류의) **깃털**, 깃; 좋은 옷
plum·aged [plúːmidʒd] *a.* [종종 복합어를 이루어] …깃털이 있는: full-~ (새)털이 다 난

plu·mas·sier [plùːməsíər] [F] *n.* 깃털 세공인[세공품상]
plu·mate [plúːmeit] *a.* 〖동물〗 깃털 모양의
plumb [plʌ́m] *n.* **1** 추(錘), 다림추, 연추(鉛錘)(= ~ bob): a ~ block 축대(軸臺), 축받이 **2** 수직 ***off*** [***out of***] ~ 수직이 아닌, 기울어진
— *a.* **1** Ⓟ 수직의; 정확한, 똑바른, 곧은 **2** (미·구어) 순전한, 전적인(sheer) — *ad.* **1** 수직으로; (구어) 정확하게: fall ~ down 수직으로 떨어지다 / ~ in the face of …의 바로 정면에 **2** (미·구어) 아주, 완전히
— *vt.* **1** (연추(鉛錘)로) 수직임을 검사하다, 수직으로 하나 《*up*》 **2** 깊이를 재다, 측량하다 **3** 눈치채다, 이해하다 **4** 가스[수도]관을 부설하다 **5** 납으로 봉하다
— *vi.* **1** (구어) 연공(鉛工)으로 일하다, 납땜질을 하다 **2** 수직으로 서다[늘어지다] ***~ in*** (영) …에 배관하다 ***~ the depths*** (***of***) (슬픔·고독 등의) 수렁에 빠지다
plum·bag·i·nous [plʌmbǽdʒənəs] *a.* 흑연으로 된, 흑연을 함유한, 흑연 같은
plum·ba·go [plʌmbéigou] *n.* (*pl.* **~s**) **1** Ⓤ 흑연, 석묵 **2** 〖식물〗 갯길경잇과의 식물 《열대산(産); 약용》
plúmb bòb = PLUMB *n.* 1

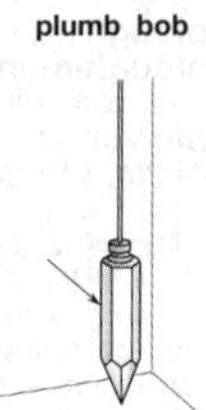

plum·be·ous [plʌ́mbiəs] *a.* 납의, 납으로 된, 납 같은; 납빛의; 납을 씌운; 무거운
plumb·er [plʌ́mər] *n.* **1** (수도·가스 등의) 배관공 **2** (미·속어) 비밀 정보의 누설을 방지하는 사람
— *vt.* (미·속어) 망쳐놓다
plúmber blòck 축받이, 축대(軸臺)
plúmber's hèlper[**frìend**] (미·구어) = PLUNGER 1 a
plúmber's snàke (미·구어) (막힌 관 등을 뚫는) 긴 강삭(鋼索)
plumb·er·y [plʌ́məri] *n.* (*pl.* **-er·ies**) Ⓤ 납세공, 납공업; 연관업; Ⓒ 납공장, 연관 제조소
plum·bic [plʌ́mbik] *a.* 〖화학〗 납의, 납을 함유한, 제2납의; 〖병리〗 납에 의한, 연독(鉛毒)에 의한
plum·bif·er·ous [plʌmbífərəs] *a.* 납을 산출하는; 납을 함유한
plumb·ing [plʌ́miŋ] *n.* Ⓤ **1** 납공업; 연관류(鉛管類) 제조 **2** 납공사; 수도[가스]관 부설[수리] **3** [보통 the ~; 집합적] 연관류; (익살) 소화관(消化管) **4** 수심 측량 **5** (미) CIA의 비밀 공작 지원 활동
check the ~ (미·속어) 화장실에 가다
plum·bism [plʌ́mbizm] *n.* Ⓤ 〖병리〗 연독(鉛毒)
plumb·less [plʌ́mlis] *a.* 측량 불가능한; (시어) 깊이를 헤아릴 수 없는(unfathomable)
plúmb lìne 다림줄, 추선(錘線); 연직선(鉛直線); 측연선(測鉛線)
plúm bòok (미·구어) (대통령이 임명권을 가진) 연방 정부 관직 일람
plum·bous [plʌ́mbəs] *a.* 〖화학〗 (2가의) 납을 포함한, 납의
plúmb rùle (목수의) 다림줄, 다림먹줄
plum·bum [plʌ́mbəm] *n.* Ⓤ 〖화학〗 납(lead) 《기호 Pb》
plúm càke 건포도가 든 케이크 《혼례용 등》
plúm dúff (영) 건포도가 든 푸딩
‡**plume** [plúːm] [L 「(새의) 솜털」의 뜻에서] *n.* **1** [보통 *pl.*] **깃털**; 깃장식, (투구·모자 앞에 꽂는) 깃털: the brilliant ~ of a peacock 공작의 빼어난 깃털 **2** 명예[영예]의 상징 **3** 〖곤충〗 깃모양의 털; 〖식물〗 우상 원추화(羽狀圓錘花), 관모(冠毛) **4** (연기·구름의) 기둥 ***in borrowed ~s*** 빌린 옷으로; 남의 지식[공적, 신망]을 제 것인 양하여 《이솝 우화에서》

thesaurus **plump**[1] *a.* chubby, stout, fat, obese
plunder *v.* raid, rob, loot, strip, ravage, spoil, depredate, rape, steal, thieve
plunge *v.* **1** 던져넣다 throw, cast, pitch **2** 찌르다

—*vt.* **1** 깃털로 장식하다; 빌린 옷으로 차려입다: ~ oneself 옷을 화려하게 차려입다 **2** 〈새가 깃을〉 가다듬다 **3** 깃털을 잡아 뜯다, 털을 뽑다
~ one***self on*** [***upon***] …을 자랑하다 **~·less** *a.*
▷ plúmy *a.*

plumed [plú:md] *a.* Ⓐ [종종 복합어를 이루어] 깃털이 있는, 깃털 장식을 한: a white-~ egret 하얀 깃털의 백로

plume·let [plú:mlit] *n.* 작은 깃털; 〖식물〗 어린 싹

plúm·mer (blòck) [plʌ́mər(-)] *n.* 〖기계〗 축받이대

plum·met [plʌ́mit] *n.* **1** 다림추, 가늠추; 측심연(測深鉛); 낚싯봉 **2** 다림줄 **3** 중압(重壓) **4** 급하락, 폭락
—*vi.* 수직으로 떨어지다 《*down*》; 뛰어들다(plunge); 〈인기·물가 등이〉 폭락하다

plummet 1

plum·my [plʌ́mi] *a.* (**-mi·er**; **-mi·est**) **1** 서양자두 같은, 자두 맛이 나는 **2** 자두가 많은; 건포도가 많이 든 **3** 《구어》 좋은, 훌륭한 **4** 《구어》 성량(聲量)이 풍부한

plu·mose [plú:mous] *a.* 깃이 있는, 깃의, 깃털 모양의

plu·mos·i·ty [plu:mɑ́səti | -mɔ́s-] *n.*

‡**plump**[1] [plʌmp] *a.* **1** 포동포동한, 토실토실한, 둥그스름한(⇨ fat 유의어) **2** 〈요리할 새·짐승이〉 오동통한 **3** 충분한, 많은; 속이 가득 찬
—*vi.* 포동포동하게 살찌다 《*out, up*》
—*vt.* 불룩하게 만들다, 살찌게 하다, 〈과실 등을〉 커지게 하다 《*up, out*》: 《~+목+부》 ~ *up* a pillow 베개를 불룩하게 만들다 **~·ly** *ad.* **~·ness** *n.*
▷ plúmpy *a.*

***plump**[2] [plʌmp] [의성어] *vi.* **1** 털썩 떨어지다; 《미》 갑자기 뛰어들다 《*against, down, into, upon*》: 《~+부》 《~+전+명》 ~ *down on* the bed 침대에 털썩 드러눕다 / ~ *against* a wall 벽에 쿵하고 부딪치다 **2 a** 《영》 (연기(連記) 투표권으로) 한 사람에게 투표하다 **b** 강력하게 지지하다, 절대 찬성[지지]하다 《*for*》: 《~+전+명》 He ~*s for* the New York Yankees. 그는 뉴욕 양키스의 열렬한 팬이다.
~ ***overboard*** (배에서) 물속으로 풍덩 떨어지다
—*vt.* **1** 털썩 떨어뜨리다[내던지다] 《*down*》: 《~+목+부》 《~+목+전+명》 ~ the bag *down on* a chair 자루를 의자 위에 털썩 내려놓다 / ~ a stone *into* a pond 연못에 텀벙하고 돌을 던지다 **2** 갑자기 말하다 《*out*》 **3** 칭찬하다, 격찬하다; 선전하다: road signs ~*ing* the delight of a new candy bar 신제품 캔디바의 맛을 선전하는 거리의 간판
—*ad.* **1** 텀벙, 털썩, 철썩 **2** 똑바로, 곧장 아래로 **3** 갑작스럽게 **4** 솔직하게, 노골적으로: Say it out ~! 솔직하게 말해라!
—*a.* 퉁명스러운; 노골적인: a ~ refusal 퉁명스러운 거절 / a ~ lie 뻔뻔스러운 거짓말
—*n.* 《구어》 털썩 떨어짐, 털썩 떨어지는 소리
~·ly *ad.* 노골적으로, 꾸밈없이

plump[3] *n.* 《영·방언》 무리, 동아리; (식물의) 떼

plump·en [plʌ́mpən] *vt., vi.* 포동포동 살찌게 하다

plump·er[1] [plʌ́mpər] *n.* (볼을 보기 좋게 하기 위해) 입 안에 무는 물건

plumper[2] *n.* **1** 털썩 떨어짐; 낙마(落馬) **2** 《영》 한 사람에게만 하는 투표(자) **3** 《속어》 새빨간 거짓말

plump·ish [plʌ́mpiʃ] *a.* 알맞게 살찐, 토실토실한

plúm púdding 건포도 넣은 푸딩 《영국에서는 Christmas 요리로서 Christmas pudding이라고도 함》

thrust, stick, jab, push **3** 가라앉히다 immerse, sink, dip, douse **4** 뛰어들다 dive, jump, drop, fall, descend, rush, dash **5** 급락하다 fall steeply, drop rapidly, go down, plummet, tumble

plump·y [plʌ́mpi] *a.* (**plump·i·er**; **-i·est**) 부푼, 부풀어 오른, 포동포동 살찐

plúm tomàto 플럼 토마토 《토마토의 한 품종》

plúm trèe (서양) 자두나무

plu·mule [plú:mju:l] *n.* 〖식물〗 (종자식물의) 어린 싹; 〖동물〗 솜털, 유모(柔毛)

plum·y [plú:mi] *a.* (**plum·i·er**; **-i·est**) 깃털이 있는; 깃털로 꾸민; 깃털 모양의

***plun·der** [plʌ́ndər] *vt.* **1** 약탈하다, 노략질하다; 강탈하다, 빼앗다, 훔치다 《*of*》: ~ a village 마을을 노략질하다 // 《~+목+전+명》 ~ a colony *of* many treasures 식민지에서 많은 보물을 약탈하다 **2** 불법으로 점유하다, 횡령하다 **3** 〈작가·작품을〉 무단 사용하다, 표절하다
—*vi.* 노략질하다, 훔치다
—*n.* Ⓤ **1** 약탈; 약탈품 **2** 《속어》 이익, 벌이 **3** 《미·방언》 가재(家財), 동산 ▷ plúnderage *n.*

plun·der·age [plʌ́ndəridʒ] *n.* Ⓤ 약탈; 〖법〗 선하(船荷) 횡령; 횡령한 뱃짐

plun·der·er [plʌ́ndərər] *n.* 약탈자, 도적

plun·der·ous [plʌ́ndərəs] *a.* 약탈하는, 약탈적인

‡**plunge** [plʌndʒ] *vt.* **1 a** 던져넣다, 내던지다; 찌르다; 가라앉히다 《*into, in*》: 《~+목+전+명》 ~ a dagger *in* the heart 단검으로 심장을 찌르다 / ~ one's hand *into* hot water 뜨거운 물에 손을 집어넣다 **b** 〈사람을〉 꼬꾸라뜨릴 뻔하다 《*forward*》 **2** (어떤 상태·위험에) 빠지게[이르게] 하다, 몰아넣다 《*in, into*》: 《~+목+전+명》 ~ a country *into* war 나라를 전쟁으로 몰아넣다 / be ~*d into* despair 절망에 빠지게 되다 **3** 〖원예〗 〈화분 등을〉 테두리까지 땅에 파묻다
—*vi.* **1** 뛰어들다, 잠기다; 떨어지다, 추락하다 《*into*》: 《~+전+명》 ~ *into* the water[danger] 물[위험] 속으로 뛰어들다 **2** 돌진하다 《*into, up, down*》; 꼬꾸라질 뻔하다 《*forward*》; 갑자기 시작하다 《*into*》: 《~+전+명》 ~ *through* a crowd 군중 속을 뚫고 나가다 / They ~*d into* a quarrel. 갑자기 말다툼을 시작했다. **3** 《속어》 큰 도박을 하다, 빚을 지다 **4** 〈배가〉 앞뒤로 흔들리다, 뒷질하다; 〈말이〉 뒷다리를 들고 뛰어오르다; 갑자기 내리막길이 되다: 《~+부》 The ship ~*d about* in the storm. 배가 폭풍 속에서 앞뒤로 흔들렸다.
—*n.* **1** 뛰어듦 **2** 돌진, 돌입; 열성적인 착수[수행]: a ~ into danger 위험으로의 돌입 **3** 말이 뒷다리를 들고 뛰어오르기; (배의) 앞뒤로 흔들림, 뒷질 **4** 큰 도박, 큰 투기 **5** 다이빙하는 곳[발판] 《수영장 등의》
at a ~ 오도가도 못하게 되어 ***take the*** ~ 《구어》 (수영장 등에) 뛰어들다; 과감히 하다, 모험을 하다; 결혼하다

plúnge bàsin (큰) 용소(龍沼)

plúnge bàth 큰 목욕통; 전신욕(全身浴)

plúnge bòard 《드물게》 (수영의) 다이빙보드

plúnge pòol 용소(龍沼)의 물

plung·er [plʌ́ndʒər] *n.* **1 a** (자루 끝에 흡착 컵이 붙은) 흡인식 하수관 청소기 **b** 〖기계〗 (양수기·수압기 등의 피스톤의) 플런저; (뒤로 재는 총의) 격침(擊針), 공이쇠 **2** 뛰어드는 사람; 잠수부; 돌입[돌진]하는 사람 **3** 《속어》 무모한 노름꾼[투기꾼] **4** 《속어》 기병(騎兵)

plun·ging [plʌ́ndʒiŋ] *a.* (옷·블라우스 등이) 앞이 깊이 파진 V자 모양의: a ~ neckline 깊은 V자 목선

plúnging fíre 〖군사〗 감사(瞰射), 내려쏘기

plúnging néckline (여성복의) 깊이 팬 V자형 네크라인

plunk [plʌŋk] [의성어] 《구어》 *vt.* **1** 〈현악기 줄 등을〉 퉁기다: ~ the strings on a harp 하프의 현을 퉁기다 **2** 쿵 하고 내던지다; 쿵 하고 넘어뜨리다 **3** 《미》 불시에 때리다[떠밀다], 쿡 찌르다
—*vi.* 《구어》 쿵 하고 떨어지다; 탱탱 하고 울리다
~ ***down*** 쿵 하고 놓다[앉다]; 〈돈을〉 지불하다
—*n.* **1** 《구어》 쿵[털썩] 하는 소리; 철썩 하고 침[치는 소리] **2** 탱탱 하고 울림[울리는 소리] **3** 《미·속어》

강한 타격 **4** (미·속어) 1달러 **—** *ad.* **1** (구어) 쿵 하고, 털썩 하고 **2** (구어) 꼭, 정확히 **~·er** *n.*
plu·per·fect [plu:pə́:rfikt] *n.*, *a.* 〖문법〗 대과거(의), 과거완료(의) (略 plup(f).): ~ tense 과거완료 시제
plup(f). pluperfect **plur.** plural; plurality
‡plu·ral [plúərəl] 〔L 「더 많은」의 뜻에서〕 *a.* **1** 복수(형)의(opp. *singular*); 두 가지 이상의; 복수 중 한쪽의: ~ offices 겸직, 겸임 / ~ marriage 일부다처 / the ~ number 복수 / a ~ form 복수형 **2** 복수의 사람[사물]과 관계 있는[하는]
— *n.* 〖문법〗 복수; 복수형(의 말)
▷ plurálity *n.*; plúralize *v.*; plúrally *ad.*
plu·ral·ism [plúərəlìzm] *n.* **1** 〖그리스도교〗 여러 교회를 겸해서 맡아봄 **2** 〖철학〗 다원론(多元論)(opp. *monism*); 다원적 문화 (보호), 다원적 공존 **3** Ⓤ 복수; 복식 투표
plu·ral·ist [plúərəlist] *n.* 여러 직업을 겸한 사람; 〖그리스도교〗 여러 교회를 겸해서 맡아보는 사람; 〖철학〗 다원론자
plu·ral·is·tic [plùərəlístik] *a.* 여러 직업을 겸한; 〖그리스도교〗 여러 교회를 겸해서 맡아보는; 〖철학〗 다원론의
plu·ral·i·ty [pluərǽləti] *n.* (*pl.* **-ties**) ⓊⒸ **1** (미) 차점자와의 득표차; (과반수를 넘지 않는) 최고 득표수 (cf. MAJORITY) **2** 대다수, 과반수 **3** 복수; 다수(多數) **4** 〖그리스도교〗 여러 교회의 겸직
plu·ral·ize [plúərəlàiz] *vt.* 복수(형으)로 하다, 배가(倍加)하다: ~ a noun 명사를 복수형으로 하다
— *vi.* 복수가 되다; 〖그리스도교〗 여러 교회를 겸하여 맡다; 겸직하다 **plù·ral·i·zá·tion** *n.* **-ìz·er** *n.*
plu·ral·ly [plúərəli] *ad.* 복수(형으)로, 복수로 하여
plúral socíety (여러 인종으로 된) 복합 사회
plúral vóte 복식 투표(권) (두 표 이상의 투표(권) 또는 둘 이상의 선거구에서의 투표(권))
pluri- [plúəri] (연결형) 「다수(多數)」의 뜻
plu·ri·pres·ence [plùəriprézəns] *n.* (신의) 편재 (동시에 둘 이상의 장소에 존재하기)
‡plus [plʌ́s] 〔L 「더 많은」의 뜻에서〕 *prep.* **1** …을 더한[더하여](opp. *minus*); (구어) …을 입은; (구어) …을 벌어: He was ~ a coat. 그는 웃옷을 입고 있었다. / I'm ~ a dollar. 나는 1달러 득보았다. **2** (미·구어) …이외에(besides) ***~ or minus*** (통계 따위에서) 오차의 상하폭[범위]
— *ad.* (미·구어) 게다가; 양(陽)으로, 정(正)으로
— *a.* **1** Ⓐ 〖수학〗 플러스의, 가(加)의, 정(正)의: a ~ quantity 정량[수] **2** Ⓐ 여분의(extra); 표준 이상의: a ~ value 여분의 가치 **3** Ⓐ 〖전기〗 양(陽)의 (positive) **4 a** [성적 평가에 후치하여] …상(上): A ~ 수(秀)상, 에이 플러스 **b** [수사에 후치하여] 〈나이가〉 …살 이상: 20 ~ 스무살 이상 **c** [명사에 후치하여] (구어) 또 다른 것이 있는: She has personality ~. 그녀에게는 개성에 더하여 뭔가 있다. ***on the ~ side of the account*** 〖회계〗 대변(貸邊)에
— *n.* (*pl.* **~·es**, **~·ses**) **1** 플러스 (부호)(= ~ sign) (+); 정량(正量), 정수(正數) **2** 더한 것; 나머지, 이익: an unexpected ~ 예상치 못한 이득 **3** 〖골프〗 핸디캡
— *vt.* (**~sed**; **~·sing**) (구어) 부가하다, 증가하다
plus ça change(, plus c'est la même chose) [plui-sɑ-ʃɑ́:ŋdʒ(-plui-se-lɑ-mem-ʃóuz)] 〔F. = The more things change, the more they stay the same〕 변해 봤자 그게 그거다
plús fóurs 넓은 반바지 (골프용)
plush [plʌ́ʃ] 〔L 「털을 제거하다」의 뜻에서〕 *n.* Ⓤ 플러시(천); [*pl.*] 플러시 바지 **—** *a.* **1** Ⓐ 플러시로 만든 **2** (구어) 호화로운; 멋있는; 편한, 즐거운
~·ly *ad.* **~·ness** *n.*
plush·y [plʌ́ʃi] *a.* (**plush·i·er**; **-i·est**) **1** 플러시천의[같은] **2** 호화로운; 화려한; 사치스러운
plus-mi·nus [plʌ̀smáinəs] *ad.* (남아공) 대략, 약
plus·sage [plʌ́sidʒ] *n.* 여분의 양[금액]
plús sìght 〖측량〗 정시(正視)
plús sìgn 〖수학〗 플러스 부호 (+)
Plu·tarch [plú:tɑ:rk] *n.* 플루타르크(46?-120?) (그리스의 철학자로 「영웅전」 작가)
plu·tar·chy [plú:tɑ:rki] *n.* (*pl.* **-chies**) = PLUTOCRACY
plute [plú:t] *n.* (미·속어) = PLUTOCRAT
plu·te·us [plú:tiəs] *n.* (*pl.* **-te·i** [-tiài], **~·es**) **1** 〖동물〗 성게·거미불가사리류 등 극피동물의 유충 **2** (고대 로마 건축의) 열주 사이의 장벽, 낮은 담
Plu·to¹ [plú:tou] *n.* **1** 〖그리스·로마신화〗 플루토 (하계(下界)(Hades)의 왕; cf. DIS) **2** 〖천문〗 명왕성 (태양계에 있는 소행성; 2006년 행성 지위를 박탈당하여 소행성 134340으로 새로운 명칭을 부여받음)
Pluto² [*P*ipe *l*ine *u*nder *t*he *o*cean] *n.* 플루토 송유관 (영국 해협 밑을 지나가는 영국·프랑스 양국 사이의)
plu·toc·ra·cy [plu:tɑ́krəsi | -tɔ́k-] *n.* (*pl.* **-cies**) Ⓤ 금권(金權)정치[주의]; Ⓒ 부호 계급, 재벌
plu·to·crat [plú:təkræ̀t] *n.* 금권가(金權家); (경멸) 부자, 부호
plu·to·crat·ic, -i·cal [plù:təkrǽtik(əl)] *a.* 금권[재벌]정치(가)의
plu·to·de·moc·ra·cy [plù:toudimɑ́krəsi | -mɔ́k-] *n.* (*pl.* **-cies**) Ⓤ (경멸) 금권 민주주의; Ⓒ 금권 민주주의 국가
plu·toid [plú:tɔid] *n.* 〖천문〗 플루토이드 (해왕성 바깥 쪽에서 태양을 도는 천체; 명왕성의 새이름)
plu·tol·a·try [plu:tɑ́lətri | -tɔ́l-] *n.* Ⓤ 황금 숭배, 배금(拜金)주의
plu·tol·o·gy [plu:tɑ́lədʒi | -tɔ́l-] *n.* 이재학(理財學), (정치)경제학
plu·ton [plú:tɑn | -tɔn] *n.* 〖지질〗 심성암
Plu·to·ni·an [plu:tóuniən] *a.* **1** 〖그리스·로마신화〗 Pluto¹의 **2** [종종 **p~**] 지옥의 **3** [**p~**] = PLUTONIC 2
Plu·ton·ic [plu:tɑ́nik | -tɔ́n-] *a.* **1** 〖그리스·로마신화〗 = PLUTONIAN 1 **2** [**p~**] 〖지질〗 심성(深成)의
plutónic róck 〖지질〗 심성암(深成岩)
plu·to·nism [plú:tənìzm] *n.* 〖지질〗 **1** 심성 활동 **2** 플루토니즘 (암석은 모두 마그마가 고체화한 것이라는 설)
plu·to·ni·um [plu:tóuniəm] *n.* Ⓤ 플루토늄 (방사성 원소; 기호 Pu, 번호 94)
plu·ton·o·my [plu:tɑ́nəmi | -tɔ́n-] *n.* = PLUTOLOGY
Plu·tus [plú:təs] *n.* 〖그리스신화〗 플루토스 (부(富)의 신): (as) rich as ~ 큰 부자로
plu·vi·al [plú:viəl] 〔L 「비」의 뜻에서〕 *a.* 비의, 비가 많은(rainy); 〖지질〗 우수(雨水) 작용에 의한
— *n.* 〖지질〗 다우기(多雨期)
plu·vi·om·e·ter [plù:viɑ́mətər | -ɔ́m-] *n.* 우량계
-try [-tri] *n.* Ⓤ 우량 측정(법)
plu·vi·o·met·ric, -ri·cal [plù:viəmétrik(əl)] *a.* 우량계의; 우량 측정의
plu·vi·ous [plú:viəs], **-ose** [-òus] *a.* 비의, 비가 많은 **plù·vi·ós·i·ty** *n.*
‡ply¹ [plái] 〔apply의 두음소실(頭音消失)〕 *v.* (**plied**) *vt.* **1** 〈무기·도구 등을〉 부지런히 움직이다[쓰다, 놀리다]: ~ one's needle 열심히 바느질을 하다 **2** 〈일 등에〉 열성을 내다, 부지런히 일[공부]하다; 해나가다: ~ one's book 열심히 책을 읽다 / ~ a trade 열심히 장사를 하다 **3** 〈나무 등을 불에〉 자꾸 지피다 **4** 〈질문 등을〉 퍼붓다, 캐묻다; 〈…에게 물건 등을〉 억지로 권하다 (*with*): (~+목+전+명) ~ a person *with* questions[food and drink] …에게 질문을 퍼붓다[음식을 강권하다] **5** 맹렬히 공격하다: ~ a cow *with* a whip 채찍으로 소를 마구 때리다 **6** 〈강 등을〉 정기적으로 왕복하다, 다니다: Boats ~ the channel. 해협에는 배가 다니고 있다.
— *vi.* **1** 〈배·버스 등이〉 정기적으로 왕복하다, 다니다 (*between, from, to*): (~+전+명) ships *~ing between* the two cities 그 두 도시 사이를 운항하는 배 **2** 〈뱃사공·역 구내 짐꾼·택시 등이〉 손님을 기다리

다 ((*for*)): a taxi driver *~ing for* hire 손님을 기다리는 택시 운전사 **3** 부지런히 일하다 ((*at, with*)): ((~+전+명)) ~ *with* the oars 힘써 노를 젓다 **4** 팔며 다니다 ((*in*)) **5** 서두르다, 돌진하다 **6** 〖항해〗 바람을 거슬러 항해하다

ply[2] *n.* (*pl.* **plies**) **1** 주름; (밧줄의) 가닥; (합판 등의) 두께; 〈몇〉 겹: a three-~ rope 세 가닥의 밧줄 **2** 경향, 버릇, 성향(inclination): take a ~ 버릇이 들다, 경향을 지니다 **—** *vt.* (**plied**) **1** 〈실 등을〉 꼬다 **2** (영·방언) 구부리다(bend), 접다(fold)

*__Plym·outh__ [plíməθ] *n.* 플리머스 **1** England 남서부의 군항 **2** 미국 Massachusetts주의 항구 **3** 미국제 자동차의 일종 ((상표명))

Plýmouth Bréthren [the ~] 플리머스 동포 교회 ((1830년대에 영국 사람 John Darby가 시작한 Calvin파의 종파))

Plýmouth Còlony [the ~] 〖미국사〗 플리머스 식민지 ((Pilgrim Fathers가 1620년 Massachusetts주에 건설했던 식민지))

Plýmouth Róck **1** 플리머스의 바위 ((1620년 Pilgrim Fathers의 상륙 지점에 있음)) **2** 플리머스록종의 닭

ply·wood [pláiwùd] *n.* Ⓤ 베니어판, 합판(cf. VENEER)

Pm 〖화학〗 promethium **pm.** premium; premolar

*__p.m., P.M.__ [pí:ém] [L *p*ost *m*eridiem(=after midday)] *ad., a.* 오후(의)(opp. *a.m., A.M.*): at 7 *p.m.* 오후 7시에 / the 8 *p.m.* train 오후 8시의 열차 ★ 시각을 나타내는 숫자 뒤에 놓으며, o'clock와 함께 쓰지 않음.

p.m. postmortem **P.M.** Past Master; Paymaster; Police Magistrate; Postmaster; postmortem; Prime Minister; Provost Marshal **PMA** paramethoxyamphetamine; Production and Marketing Administration ((미)) 생산 판매국

P màrker [*p*hrase *marker*] 〖문법〗 구(句) 구조 표지

P.M.G. Pall-Mall Gazette; Paymaster General; Postmaster General; Provost Marshal General **PMH, pmh** production (per) manhour 1인 1시간당 생산고 **pmk.** postmark **PMLA** Publications of the Modern Language Association of America **PMP** portable multimedia player **PMS** premenstrual syndrome 〖병리〗 월경 전 증후군 **PMT** premenstrual tension 〖병리〗 월경 전 긴장증 **pmt.** payment **p.n., P/N** promissory note **PNA** pentose nucleic acid **PNC** Palestine National Council **PNdB, PNdb** perceived noise decibel(s) **P.N.E.U.** Parents' National Educational Union **pneum.** pneumatic(s)

pneu·ma [njú:mə | njú:-] [Gk] *n.* 정신, 영(靈); [**P~**] 성령(Holy Spirit)

pneu·mat·ic [njumǽtik | nju:-] [Gk 「공기」의 뜻에서] *a.* **1** 공기가 든, 압축 공기를 넣은, 기체의; 바람의: a ~ tire 공기 타이어 **2** 공기압으로 움직이는, 공기의 작용에 의한: a ~ brake 공기 브레이크(air brake) / a ~ pump 기압 펌프 **3** 〖동물〗 기강(氣腔)[기낭(氣囊)]을 가진 **4** 영적인(spiritual) **5** ((구어)) 〈여성이〉 육체미의, 가슴이 불룩한 **—** *n.* 공기 타이어; 공기 타이어가 달린 자전거[자동차] **-i·cal·ly** *ad.*

pneu·ma·tic·i·ty [njù:mətísəti | njù:-] *n.*

pneumátic dispátch 기송(氣送) ((편지·소포 등을 압축 공기관(管)으로 발송하는))

pneumátic dríll (압축 공기를 동력으로 하는) 수동 드릴

pneu·mat·ics [njumǽtiks | nju:-] *n. pl.* [단수 취급] 기학(氣學), 기력학(氣力學)

pneumátic tróugh 〖화학〗 가스 채취용 수조(水槽)

pneumátic túbe 기송관(氣送管)

pneumato- [njú:mətou, -tə, nju:mǽt- | njú:-] ((연결형)) 「공기; 호흡; 정신」의 뜻

pneu·ma·to·cyst [njumǽtəsist, njú:mətə- | njú:mətə-] *n.* 〖생물〗 기포체낭

pneu·ma·tol·o·gy [njù:mətálədʒi | njù:mətɔ́l-] *n.* Ⓤ 〖신학〗 성령론; 영물학

pneu·ma·tol·y·sis [njù:mətáləsis | njù:mətɔ́l-] *n.* 〖지질〗 기성(氣成) 작용

pneu·ma·tom·e·ter [njù:mətámətər | njù:mətɔ́m-] *n.* 〖의학〗 폐활량계(計) **-tóm·e·try** *n.*

pneu·mat·o·phore [njumǽtəfɔ̀:r, njú:mətə- | njú:mətə-] *n.* 〖식물〗 호흡근(根); 〖동물〗 기포체(體)

pneu·ma·to·ther·a·py [njù:mətouθérəpi | njù:-] *n.* Ⓤ 〖의학〗 공기 요법

pneumo- [njú:mou, -mə | njú:-] ((연결형)) 「폐(lung)」의 뜻

pneu·mo·ba·cil·lus [njù:moubəsíləs | njù:-] *n.* (*pl.* **-li** [-lai]) 〖세균〗 폐렴간균(桿菌)

pneu·mo·coc·cus [njù:məkákəs | njù:məkɔ́k-] *n.* (*pl.* **-coc·ci** [-káksai, -si: | -kɔ́k-]) 〖세균〗 폐렴 (쌍)구균

pneu·mo·co·ni·o·sis [njù:məkòunióusis | njù:-] *n.* Ⓤ 〖병리〗 진폐증(cf. SILICOSIS)

pneu·mo·dy·nam·ics [njù:mədainǽmiks | njù:-] *n. pl.* [단수 취급] = PNEUMATICS

pneu·mo·gas·tric [njù:məgǽstrik | njù:-] *a.* 〖해부〗 폐와 위(胃)와의; 미주(迷走) 신경(성)의: the ~ nerves 미주 신경 **—** *n.* 미주 신경

pneu·mo·graph [njú:məgræ̀f | njú:məgrà:f] *n.* 〖의학〗 호흡 운동 촬영기, 호흡 (곡선) 기록기

pneu·mo·nec·to·my [njù:mənéktəmi | njù:-] *n.* CU 〖외과〗 폐 절제(술)

*__pneu·mo·nia__ [njumóunjə | nju:-] [Gk 「폐의 병」의 뜻에서] *n.* Ⓤ 〖병리〗 폐렴: acute[chronic] ~ 급성[만성] 폐렴 / croupous[catarrhal] ~ 크루프[카타르]성 폐렴 / single[double] ~ 한쪽[양쪽] 폐렴

pneu·mon·ic [njumánik | nju:mɔ́n-] *a.* 폐렴의; 폐의

pneu·mo·ni·tis [njù:mənáitis | njù:-] *n.* 간질성 폐렴, 폐렴

pneu·mo·no·ul·tra·mi·cro·scop·ic·sil·i·co·vol·ca·no·co·ni·o·sis [njú:mənouʌ̀ltrəmàikrəskàpiksílikouvɑlkèinoukòunióusis | njú:mənouʌ̀ltrəmàikrəskɔ̀piksílikouvɔl-] *n.* = PNEUMOCONIOSIS ★ 가장 긴 낱말로서 흔히 인용됨.

pneu·mo·tho·rax [njù:məθɔ́:ræks | njù:-] *n.* Ⓤ 〖병리〗 기흉(氣胸): artificial ~ 인공 기흉

P.N.G., PNG *persona non grata* 마음에 안 드는 사람

ṕ-ń jùnction 〖전자〗 (반도체의) pn 접합

Pnom Penh [*p*nám-pén, *p*nɔ́:m- | *p*nɔ́m-] 프놈펜 ((캄보디아의 수도))

pnxt. *pinxit* [L =he[she] painted]

po [póu] [F 'pot'의 발음에서] *n.* (*pl.* **~s**) ((영·구어·익살)) 요강, 실내 변기(chamber pot)

Po [póu] *n.* [the ~] 포 강 ((이탈리아 북부의 강))

Po 〖화학〗 polonium **po., p.o.** 〖야구〗 put-out(s)

p.o. *per os* [L = by mouth] 입으로 먹는 **p.o., P.O.** parole officer; personal officer; petty officer; postal order; post office; public office [officer]; purchase order

*__poach__[1] [póutʃ] [OF 「침입하다」의 뜻에서] *vi.* **1** 밀렵(密獵)[밀어(密漁)]하다 ((*for*)): ((~+전+명)) ~ *for* rabbits 토끼를 밀렵하다 **2** (남의 토지·금렵지 등에) 침입하다 ((*on*)); 남의 권리 등을 가로채다 **3** 〈길 등이〉 밟혀서 진창이 되다 **4** 〖경기〗 부정 수단을 쓰다; 〖테니스〗 partner가 칠 공을 가로채다 **5** ((영·방언)) (손가락·막대 등으로) 꾹 쑤시다 **6** (점토 등을) 물을 타서 농도를 고르게 하다

— *vt.* **1** 〈조수어(鳥獸魚) 등을〉 밀렵[밀어]하다 **2** 〈남의 땅을〉 밀렵하기 위해 침입하다 **3** 〈남의 권리를〉 침해하다: ~ ideas 아이디어를 훔치다 **4** 〈길 등을〉 짓밟아 진창으로 만들다 **5** 〈점토 등을〉 물을 타서 농도를 고르게 하다 **~ *on*[*upon*] a person's *preserves*** …의 영역을 침범하다

poach[2] 〔MF 「자루·주머니」의 뜻에서; 달걀의 흰자가 노른자를 싸고 있는 자루라고 생각된 데서〕 *vt.* 〈달걀을〉 깨서 끓는 물에 넣어 삶다[반숙하다]: ~*ed* eggs 수란(水卵)

poach·er[1] [póutʃər] *n.* 밀렵자, 밀어자; 침입자, 난입자; (남의 장사 구역을) 침입하는 장사꾼

poacher[2] *n.* 수란 냄비, 수란짜

poach·y [póutʃi] *a.* (**poach·i·er**; **-i·est**) 침수된, 습지의 **póach·i·ness** *n.*

POB, P.O.B. post-office box

P.O. Bòx [pí:òu] 사서함(post-office box)

po' bòy 대형 샌드위치(poor boy)

P.O.C. port of call

po·chard [póutʃərd | -tʃəd] *n.* (*pl.* **~s,** **~**) 〖조류〗 흰죽지

po·chette [pouʃét] 〔F〕 *n.* 포셰트 《어깨에서 비스듬히 메는, 끈이 비교적 긴 조그만 핸드백》

pock [pák | pɔ́k] *n.* 마맛자국(pockmark); 농포; 작은 구멍 ―*vt.* 마맛자국을 남기다, 곰보가 되게 하다

pocked [pákt | pɔ́kt] *a.* 마맛자국이 있는

‡**pock·et** [pákit | pɔ́k-] 〔MF 「작은 주머니」의 뜻에서〕 *n.* **1** 호주머니; 쌈지, 지갑: a coat ~ 코트[상의]의 주머니 / an inside ~ 안주머니 **2** 소지금, 자금, 용돈, 금전: deep ~*s* 《구어》 충분한 자력, 강력한 자금원 / an empty ~ 돈 한 푼 없음[없는 사람] / pay out of one's ~ 자기 돈으로 치르다 **3** 호주머니 모양의 것, 포켓 《당구대의 네 구석과 양쪽에 있는》; (캥거루 등의) 주머니; (열차 등의 좌석에 있는) 그물 주머니; (자동차 문 안쪽의) 주머니, 포켓; 〖야구〗 (미트의) 오목한 부분 **4** (홉·양털 등의) 한 포대 《168-224파운드》 **5** 광석 덩어리; 광혈(鑛穴), 광맥류(瘤); 광혈의 매장량 **6** (주위에서 고립된 이질적인) 작은 지역, 고립 지대; 〖군사〗 적의 점령하에 있는 고립 지대, 고립군(軍): a ~ of poverty 빈곤 지구 / ~*s* of resistance 포위된 채 저항을 계속하고 있는 부대 **7** 홈; 둘러싸인 곳, 막다른 골목; 《미》 골짜기 **8** 〖경마·경기〗 딴 말[사람]에 둘러싸여 불리한 위치 **9** 〖항공〗 =AIR POCKET **10** (기둥 등의) 받침 구멍

be in each other's ~ 《구어》 〈둘이〉 항상 같이 있다 ***be in*** [***out of***] ~ 〈돈 등이〉 수중에 있다[없다]; (장사하여) 벌고[밑지고] 있다 ***burn*** (***a hole in***) one***'s ~*** ⇨ burn[1]. ***dip*** (one***'s hand***) ***into*** one***'s ~*** 《구어》 = put one's hand in one's POCKET. ***have*** a person[thing] ***in*** one***'s ~*** …을 완전히 자기 손아귀에 쥐다, …을 제 마음대로 부리다[지배하다] ***keep*** one***'s hands in*** one***'s ~s*** 일을 하지 않고 있다, 게으름 피우고 있다 ***line*** one***'s*** (***own***) ***~s*** ⇨ line[2]. ***live in each other's ~*** = be in each other's POCKET. ***pick a***[a person***'s***] ***~*** 소매치기하다 ***put*** one***'s hand in*** one***'s ~*** 돈을 쓰다, 치르다 ***put*** one***'s pride in*** one***'s ~*** 자존심을 억누르다; 수모를 참다 ***suffer in*** one***'s ~*** 손해를 보다

― *a.* **1** Ⓐ 호주머니용의, 호주머니 모양의; 소형의, 휴대용의: a ~ glass 주머니 거울 / a ~ dictionary 소형[포켓형] 사전 **2** 소규모의, 국지적인: a ~ war 국지 전쟁

― *vt.* **1** 호주머니에 넣다; 감추다, 집어 넣다; 저장하다 **2** 《구어》 벌다; 착복하다: ~ public funds 공금을 착복하다 **3** 〈모욕 등을〉 참다, 〈감정을〉 숨기다, 억누르다 **4** 《미》 〈의안(議案) 등을〉 묵살하다 **5** 〖당구〗 〈공을〉 포켓에 넣다; 〖기계〗 상자[구멍]에 넣다 **6** 〖경마·경기〗 앞과 양 옆을 둘러싸서 방해하다 ▷ póckety *a.*

pock·et·a·ble [pákitəbl | pɔ́k-] *a.* 주머니에 넣을 수 있는; 사용(私用)할 수 있는; 감출 수 있는

pócket báttleship 소형 전함

pócket bìlliards [보통 단수 취급] = POOL[2] 1

***pock·et·book** [pákitbùk | pɔ́k-] *n.* **1 a** (드물게) 지갑(wallet); 《미》 (어깨끈이 없는 여성용) 핸드백 **b** 자금; 재력 **2** 《미》 문고본, 포켓북(=**pócket bòok**) **3** 《미》 수첩(notebook)

― *a.* 경제적 이해가 걸린, 금전적인

pócket bòrough 〖영국사〗 한 사람[집안]의 독점 선거구 《1832년 선거법 개정으로 폐지》

pócket cálculator 휴대용 계산기

pócket chàmber 〖물리〗 포켓 선량계(線量計)

pócket dòor 〖건축〗 (열면 벽 속으로 들어가는) 쪽 미닫이

pócket edìtion 포켓판; 문고판[본]

pock·et·ful [pákitfùl | pɔ́k-] *n.* 한 호주머니 가득; 《구어》 많음 《*of*》: a ~ *of* money 상당한 금액

pócket gòpher 〖동물〗 땅다람쥐

pock·et-hand·ker·chief [-hæŋkərtʃif] *n.* (*pl.* **~s**) 손수건 ― *a.* Ⓐ 네모지고 작은, 좁은: a ~ garden 좁은 뜰

pock·et·knife [-nàif] *n.* (*pl.* **-knives** [-nàivz]) 접칼, 주머니칼

pócket lìtter 《미·속어》 주머니에 든 물건

pócket mòney 《영》 (아이에게 주는) 용돈; 《일반적으로》 용돈(spending money)

pócket mòuse 〖동물〗 주머니쥐

pócket pàrk (고층 빌딩들 사이에 있는) 미니 공원

pócket pàrt 추록(追錄)

pócket pìece 운수 좋으라고 호주머니에 넣고 다니는 돈

pócket pìstol 소형 권총; 《구어》 (위스키 등의) 주머니용 술병

pócket sécretary 만능 지갑

pock·et-size(**d**) [-sàiz(d)] *a.* 포켓형의, 소형의; 〈규모가〉 작은

pócket vèto 《미》 (대통령·주지사의) 의안 거부권

pócket wàr (단기간의) 소(小)전쟁

pock·et·y [pákiti | pɔ́k-] *a.* 〖광산〗 광맥류(瘤)의

pock·mark [pákmà:rk | pɔ́k-] *n.* 마맛자국

~ed [-t] *a.* =POCKY

pock·y [páki | pɔ́ki] *a.* (**pock·i·er**; **-i·est**) 마맛자국이 있는

po·co [póukou] 〔It.〕 *ad.* 〖음악〗 약간 **~ *a* ~** 서서히, 조금씩 **~ *largo*** [***presto***] 약간 느리게[빠르게] ***un* ~** 약간; 소량

po·co·cu·ran·te [pòukoukjuræ̀nti | -kju-] 〔It.〕 *a., n.* (*pl.* **-ti** [-ti]) 무관심한 (사람), 태평한 (사람) **-tism** *n.* Ⓤ 무관심, 태평함

po·co·sin [pəkóusən, póukə-] *n.* 《미》 (남동부의) 해안가 고원의 습지

poc·u·li·form [pákjuləfɔ̀:rm | pɔ́k-] *a.* 컵 모양의, 컵 형의(cup-shaped)

***pod**[1] [pád | pɔ́d] *n.* **1** 〖식물〗 꼬투리, 깍지 《완두콩 등의》 **2** 〖항공〗 포드 《연료·엔진 등이 든 날개 밑의 유선형 용기》; 〖우주과학〗 (우주선의) 분리 가능한 부분 **3** 창꼬치(pike)의 새끼; 메뚜기의 알주머니; (누에)고치; (목이 좁은) 뱀장어 그물 **4** 《구어》 배(belly) ***in* ~** 《속어》 임신하여

― *v.* (**~·ded**; **~·ding**) *vi.* 꼬투리가 되다, 꼬투리를 맺다; 꼬투리가 생기다 《*up*》

― *vt.* 꼬투리를 까다, 껍질을 벗기다

pod[2] *n.* (물개·고래 등의) 작은 떼

― *vt.* 〈물개 등을〉 몰아서 한데 모아놓다

POD port of debarkation

p.o.'d [pí:òud] 〔PISSED off의 완곡적 약어 PO에서〕 *a.* 《속어》 성난

P.O.D. pay on death; pay on delivery 현물 인환불; Pocket Oxford Dictionary; Post Office Department 《미》 우정성 《지금은 U.S.P.S.》

pod- [pád | pɔ́d] 《연결형》 「발」의 뜻

-pod [pàd | pɔ̀d] 《연결형》 「발(이 있는)」의 뜻

po·dag·ra [poudǽgrə, pádəg- | poudǽg-] *n.* Ⓤ 〖병리〗 발[발가락]의 통풍(痛風)

po·dag·ric [poudǽgrik], **-ral** [-rəl], **-rous** [-rəs] *a.* 발 통풍의

pod·cast [pá:dkæ̀st] 〔i*pod*+broad*cast*〕 *n.* 〖인터넷·통신〗 팟캐스트 《인터넷에서 다운로드 받을 수 있는 오디오 또는 비디오 파일》 ― *vi., vt.* 팟캐스트

파일을 생성하다, 〈음악·뉴스 따위를〉 팟캐스트 포멧으로 만들다 **~·er** *n.* **~·ing** *n.* Ⓤ

pod·ded [pádid | pɔ́d-] *a.* 꼬투리가 있는; 《영》 생활이 넉넉한, 유복한

pod·dy [pádi | pɔ́di] *n.* (*pl.* **-dies**) 《호주》 사육한 송아지, 새끼양; 《일반적으로》 동물의 새끼

po·des·ta [poudéstə, pòudəstá: | pɔdéstə] [It.] *n.* 〔역사〕 (중세 이탈리아의) 행정관, 도시 장관; (파시스트당이 임명한) 시장

podg·y [pádʒi | pɔ́dʒi] *a.* (**podg·i·er**; **-i·est**) 《영》 땅딸막한(pudgy) **pódg·i·ness** *n.*

po·di·a·try [pədáiətri, pou-] *n.* Ⓤ 《미》 〔의학〕 발병학, 발병 치료(《영》 chiropody) **-trist** *n.* 《미》 발병 전문가

pod·ite [pádait | pɔ́d-] *n.* 절족 동물의 다리(limb)

po·di·um [póudiəm] [Gk 「발」의 뜻에서] *n.* (*pl.* **~s, -di·a** [-diə]) **1** 〔건축〕 제일 밑에 있는 토대석, 기단(基壇); 투기장(arena) 주위의 요벽(腰壁); 칸막이벽 **2** (오케스트라의) 지휘대(dais); 연단, 연설대; 성서대 **3** 〔동물〕 발; 〔식물〕 잎자루 **4** (공항의) 안내소

pod·o·phyl·lin [pàdəfílin | pɔ̀d-] *n.* Ⓤ 〔화학〕 포도필린 수지(樹脂) 《설사약》

pod·o·phyl·lum [pàdəfíləm | pɔ̀d-] *n.* (*pl.* **-phyl·li** [-fílai], **~s**) 〔식물〕 포도필룸 《매자나뭇과의 여러해살이 풀》; 포도필룸근(根) 《포도필룸의 땅속줄기·잔뿌리를 말린 것; podophyllin의 원료》

-podous [pədəs] 《연결형》 「발의」의 뜻

Po·dunk [póudʌŋk] *n.* 《미·구어》 작고 하찮은 시골 마을, 벽지의 마을

pod·zol [pádzɔ:l, -zal | pɔ́dzɔl] *n.* ⓊⒸ 〔지질〕 포드졸, 회백토 《한대 습윤지의 토양》

pod·zol·ize [pádzəlàiz | pɔ́dzɔl-] *vt.* 포드졸화하다 **—** *vi.* 포드졸이 되다

Poe [póu] *n.* 포 **Edgar Allan ~** (1809-49) 《미국의 단편 소설 작가·시인·비평가》

POE port of embarkation; port of entry

‡**po·em** [póuəm] [Gk 「만들어진 것」의 뜻에서] *n.* (한 편의) 시(cf. POETRY); 운문, 시적인 문장; 시취(詩趣)가 풍부한 것(cf. POET): a lyric ~ 서정시 / an epic ~ 서사시 / a symphonic ~ 교향시 / a prose ~ from the Scriptures 성서에서 인용한 산문시 ▷ poétic, poétical *a.*

poe·nol·o·gy [pi:nálədʒi | -nɔ́l-] *n.* = PENOLOGY

po·e·sy [póuəsi, -zi | -zi] *n.* Ⓤ 《고어·시어》 시, 시가(poetry), 운문; 작시(법); 시적 영감

‡**po·et** [póuit] [Gk 「만드는 사람」의 뜻에서] *n.* 시인; 시인 기질의 사람, 상상력이 풍부한 사람: a minor ~ 이류 시인 ▷ poétic, poétical *a.*; póetize *v.*

poet. poetical(ly); poetics; poetry

po·et·as·ter [póuitæ̀stər | ⌐—⌐—] *n.* 엉터리 시인, 삼류 시인

po·et·ess [póuitis] *n.* 여류 시인

***po·et·ic** [pouétik] *a.* **1** 시의, 시적인; 시의 소재가 되는; 〈장소 등이〉 시로 읊은, 시로 유명한: ~ diction 시어(詩語), 시적 용어 / a ~ drama 시극(詩劇) **2** 시인의, 시인 기질의; 시를 좋아하는: ~ lover 시인 기질의 연인 **3** 낭만적인; 공상적인 ▷ póem, póet *n.*

***po·et·i·cal** [pouétikəl] *a.* **1** Ⓐ 시로 쓰여진: ~ works 시집 **2** = POETIC **~·ly** *ad.* **~·ness** *n.*

po·et·i·cism [pouétəsìzm] *n.* 진부한[부자연스러운] 시적 표현

po·et·i·cize [pouétəsàiz] *vt., vi.* 시로 만들다, 시화(詩化)하다; 시를 짓다; 시적으로 말하다, 시로 읊다

poétic jústice 시적 정의 《시나 소설 속의 권선징악·인과응보의 사상》

poétic lícense 시적 허용, 시적 자유 《문학적 효과를 위해 운율·문법·논리 등의 파격이나 일탈》

po·et·ics [pouétiks] *n. pl.* [단수 취급] **1** 시학(詩學); 시론 **2** 운율학 **3** 시적 표출[감정]

po·et·ize [póuitàiz] *vt., vi.* = POETICIZE

póet láureate (*pl.* **poets laureate**) 《영》 계관 시인 《국왕이 임명하는 왕실 시인》

‡**po·et·ry** [póuitri] *n.* Ⓤ **1** (문학 형식으로서의) 시, 시가(詩歌), 운문(opp. *prose*); 작시(법): epic[lyric] ~ 서사[서정]시 / dramatic[historical] ~ 극[역사]시 **2** 시신(詩神) **3** 시집(詩集) **4** 시정(詩情), 시심(詩心); 시적 감흥

Póets' Córner [the ~] **1** London의 Westminster Abbey의 일부 《문인의 묘와 기념비가 있음》 **2** 《익살》 (신문 등의) 시란(詩欄)

po-faced [póufèist] *a.* 《영·속어》 진지한[심각한] 얼굴의; 무표정한

po·gey [póugi] *n.* (*pl.* **~s**) (무료 배급) 식품; (학생·시설에 보내는) 음식물; 《캐나다·속어》 복지 시설, 자선 단체, 실업 보험[수당, 급여]; 《미·속어》 교도소

po·go [póugou] *n.* (*pl.* **~s**) 포고 놀이 《pogo stick을 타고 하는》

POGO Polar Orbiting Geophysical Observatory 극궤도 지구 물리 관측 위성

po·go·ni·a [pəgóuniə, -njə] *n.* 〔식물〕 큰방울새난초

pog·o·nip [págənìp | pɔ́g-] *n.* 《미》 잔얼음 부스러기가 섞인 안개

pógo stìck 스카이콩콩 《아래에 용수철이 달린 막대기의 발판에 올라타고 뛰는 놀이 기구》

pogo stick

po·grom [pəgrʌ́m, -grám, pou- | pɔ́grəm] [Russ. 「파괴」의 뜻에서] *n.* (조직적·계획적인) 학살; 유대인 학살 **—** *vt.* 조직적으로 대량 학살하다

po·gy, -gie [póugi] *n.* (*pl.* **-gies**) = MENHADEN

poi [pɔ́i] [Haw.] *n.* Ⓤ (하와이의) 토란 요리

-poietic [pɔiétik] 《연결형》 「만들어 내는」의 뜻

poign·an·cy [pɔ́injənsi, pɔ́inən-] *n.* Ⓤ 날카로움, 매서움; 신랄

***poign·ant** [pɔ́injənt, -nənt] [L 「찌르다」의 뜻에서] *a.* **1** 마음 아픈, 통렬한, 통한의, 마음에 사무치는: ~ regret 사무치는 후회 **2** 신랄한; 통쾌한; 〈설명 따위가〉 정곡을 찌르는, 매우 적절한: ~ sarcasm 신랄한 풍자 **3** 〈냄새·맛이〉 쏘는, 매운, 혀[코]를 자극하는 **~·ly** *ad.*

poi·kil·o·therm [pɔ́ikəlouθə̀:rm, pɔikílə-] *n.* 〔동물〕 변온(變溫) 동물, 냉혈 동물

poi·ki·lo·ther·mic [pɔ̀ikəlouθə́:rmik, pɔikìlə-], **-mal** [-məl] *a.* 〔동물〕 변온(성)의, 냉혈 동물의

poi·lu [pwá:lu:] [F] *n.* 《속어》 프랑스 병사 《특히 제1차 세계 대전 때의》

Poin·ca·ré [pwæ̀ŋkəréi] *n.* 푸앵카레 **Raymond ~** (1860-1934) 《프랑스의 정치가·대통령(1913-20)》

poin·ci·an·a [pɔ̀insiǽnə | -á:nə] *n.* 〔식물〕 포인시아나 《열대산(産) 콩과(科)의 관상 식물》

poind [pɔ́ind] 《스코》 *vt.* 압류하여 경매하다 **—** *n.* 동산 압류

poin·dex·ter [pɔ́indèkstər] *n.* 《미·속어》 독서[공부]를 좋아하는 사람, 품행이 바른 사람

poin·set·ti·a [pɔinsétiə] [미국의 외교관 이름에서] *n.* 〔식물〕 홍성초, 포인세티아 《크리스마스 장식용》

‡**point** [pɔ́int] *n., v.*

L 「뾰족한 끝」의 뜻에서	
① 끝	**1**
② 점	**2 a, 3**
③ 점수	**4 a**
④ 요점	**5 a**

— *n.* **1 a** 뾰족한 끝, 칼 끝, 바늘 끝 **b** 끝, 턱의 끝 《권투에서의 급소》; 《미》 펜 끝: the ~ of a needle[dagger] 침[단검] 끝 **c** 돌출부; [종종 **P~**로; 지명에 쓰여] 갑(岬), 곶 **d** 첨단, 끝; (특히 짐승의 고기에서)

궁둥이 《rump에 대한 완곡어》; (사슴의) 뿔가지; [*pl.*] (말·개 등의, 특히 몸통과 털색이 다른) 사지(extremities) **e** 〖군사〗 첨병(尖兵) **2 a** 점(點), 반점, 얼룩; 〖문법〗 구두점; 종지부(period); 소수점(小數點); 〖음악〗 점, 부(符); (점자법(點字法)의) 점: the disease that causes numerous red *~s* 수많은 빨간 반점이 나타나는 병/a full ~ 종지부 **b** 아주 조금 **3 a** 한 점[부분, 국부(局部)], 지점, 개소(個所); 장소, 지위; 〖크리켓〗 포인트《삼주문(三柱門) 오른편에서 조금 앞쪽에 있는 야수(野手)(의 위치)》; 〖기계〗 (기계 각 부분의 움직이는) 점; 《구어》 정거장, 정류소; (시간의) 어떤 특정한 때, 시점(時點); 순간: a ~ of sight 시점/a transfer ~ 갈아타는 지점 **b** (정신적인) 점 **c** [보통 the ~] (결정적·중대한) 국면, 상태 **4 a** 점수, (경기 등의) 득점; 《미》 (대학 학과 제도의) 단위; 〖미군〗 종군 점수; 배급(配給)의 점수 **b** 〖천문·기하〗 점(點); (문장(紋章)의 위치를 정하기 위하여 방패의 겉에 붙인) 9개 점의 하나; (원근법의) 점; 〖경마〗 표점(標點); (사냥개가 하는) 짐승의 방향 지시 **5 a** [보통 the ~] (사물·문제의) 요점, 중점, 주안점, 핵심 **b** 특징(이 되는 점), 특질 **c** 목적, 의향; 효용, 이익 **6** 〖전기〗 (배전기의) 스위치, 접점(接點); 《영》 콘센트(《미》 outlet), 소켓 **7** [보통 *pl.*] 《영》 〖철도〗 포인트; 전철기(轉轍機)(《미》 switch) **8** 선두(lead) **9** 〖복식〗 금속 장식이 달린 레이스 천; 〖조각〗 바늘; 〖편물〗 뜨개바늘, 바늘로 뜬 레이스 **10 a** 〖항해〗 방위, 포인트《나침반 둘레의 32점 중의 하나; 두 포인트 사이의 각도는 11°15′》 **b** (온도의) 도(度); 도달점: the freezing[boiling] ~ 빙[비등]점 **c** 〖인쇄〗 포인트《활자 크기의 단위, 1인치의 약 1/12》 **d** 포인트《물가·증권 시세 등을 부호로 부르는 경우》 **11** (말·경구 등의) 급소, 묘미, 진의(眞意); 《속어》 암시, 시사(示唆)(hint) **12** [*pl.*] (발레·댄스의) 발끝(으로 선 자세)

at all ~s 어느 점에 있어서도, 철두철미 ***at the ~ of*** …의 순간에 ***at the ~ of the bayonet*** [***sword***] 총[검]을 들이대고, 무력으로 ***at this*** [***that***] ***~ in time*** 현 시점[그 시점]에서는, 현재[당시]는 ***away from the ~*** 짐작이 빗나가[빗나간]; 〈이야기 등이〉 탈선하여 ***beat*** [***win***] ***on ~s*** 〖권투〗 득점[판정]으로 이기다 ***be beside the ~*** 요점에서 벗어나 있다 ***be on the ~*** 《속어》 요점[핵심]을 찌르다 ***carry*** [***gain***] ***one's ~*** 목적을 이루다, 주장[의견]을 관철하다 ***come to a ~*** 〈사냥개가〉 가다가 서서 짐승 있는 쪽을 노려보다; 끝이 뾰족해지다 ***come to the ~*** 중대한 대목에 이르다; 요점에 이르다 ***from ~ to ~*** 하나하나 차례로; 상세히 ***gain a ~*** 한 점을 얻다, 우세해지다 ***get the*** [a person***'s***] ***~*** 이야기의 요점[논지]을 이해하다 ***give ~s to*** a person = ***give*** a person ***~s*** …에게 유리한 조건을 주다; 《비유》 …보다 낫다; …에게 조언(助言)하다 ***give the ~*** 〖펜싱〗 찌르다 ***grow to a ~*** 끝이 가늘어지다[뾰족해지다] ***in ~*** 적절한 ***in ~ of*** 《문어》 …의 점에서(는), …에 관해서(는) ***in ~ of fact*** 실제로는, 사실상 ***keep*** [***stick***] ***to the ~*** 요점에서 벗어나지 않다 ***labor the ~*** 그 점에 대해 장황하게 설명하다 ***make a ~*** (1) 1점을 얻다 (2) 논지를 충분히 입증하다 (3) =come to a POINT. ***make a ~ of*** do***ing*** 반드시 …하다; …을 주장[강조, 중시]하다 ***make it a ~ to*** do 반드시 …하다 ***make*** one***'s ~*** (1) =carry one's POINT. (2) 〖수렵〗 똑바로 목표 방향으로 달리다 ***make the ~ that ...*** …이라고 주장[강조]하다 ***not to put too fine a ~ on it*** 노골적으로 말하자면 ***off the ~*** 대중[속셈]이 틀린 ***on*** [***upon***] ***the ~ of*** do***ing*** 바야흐로 …하려고 하여; …의 순간에 ***~ by ~*** 일일이, 하나하나 ***~ for ~*** 일일이 (비교하여), 상세히; 정확히 ***P~ taken.*** 《구어》 충분히 알았다; 네 말대로다 ***prove a ~*** = make a POINT. (2) ***score ~s*** [***a ~***] ***off*** = ***score a ~ over*** …을 (논쟁 등에서) 꼭소리 못하게 하다 ***stand up ~*** 지나치게 꼼꼼하다, 융통성이 없다 ***strain*** [***stretch***] ***a ~*** 특별히[특례로서] 고려하다, (좀) 너그러이 봐주다; 도를 지나치다; 곡해하다 ***the ~s of the compass*** 나침반이 가리키는 32방위 ***to the ~*** 적절한, 딱 들어맞는 ***to the ~ of*** …이라고 말해도 좋을 정도까지 ***up to a ~*** 어느 정도까지 ***when***[***if***] ***it comes to the ~*** 《영》 막상 그 때가 되면; 적당한 기회가 오면

— *vt.* **1** …에게 (길을) 가리키다; 주의를 환기시키다 《*at, to, toward*》, 지적[지시]하다 《*out*》: (~+목+부) ~ *out* mistakes 잘못을 지적하다 // (~+목+전+명) ~ a finger *at* the building 그 건물을 가리키다/Please ~ the way *to* the hospital. 병원에 가는 길을 좀 가리켜 주십시오. // (~+목+부) (~+목+전+명) *P~* me (*out*)[*P~* (*out*) *to* me] the ones you'd like. 당신이 좋아하는 것을 말해 주시오. **2** 뾰족하게 하다, 예리하게 하다(sharpen), 깎나 **3** 구두점[소수점]을 찍다; 〖음악〗 점을 찍어 악구(樂句)가 끝남을 표시하다 **4** 자극하다; 〈교훈 등을〉 강조하다, 역설하다, 힘주다 《*up*》: ~ the public feelings 민중의 감정을 자극하다 // (~+목+부) He *~ed up* his remarks with apt illustrations. 그는 적절한 예를 들어 그의 소견을 강조했다. **5** 들이대다 《*at, to, toward*》: (~+목+전+명) ~ a gun *at* a person …에게 총을 들이대다 **6** 〈사냥개가 사냥감을〉 가리키다, 알리다 **7** 〈댄서 등이 발끝을〉 세우다 **8** 〖건축〗 (벽돌 쌓기 등의) 이음매에 회[시멘트]를 바르다; 쟁기 끝으로 〈비료를〉 묻다 《*in*》; 쟁기 끝으로 〈흙을〉 뒤엎다 《*over*》 **9** 〖항해〗 〈밧줄 끝을〉 가늘게 하다

— *vi.* **1** 가리키다; 손가락질하다, 지적[지시]하다; 암시하다 《*at, to, toward*》: (~+전+명) It is rude to ~ *at* a person. 남에게 손가락질하는 것은 실례가 된다. / The hand of the clock *~s to* five. 시계 바늘은 5시를 가리키고 있다. **2** 겨냥하다(aim) 《*at*》 **3** 경향이 있다 《*to*》 **4** (어떤 방향을) 향하다, 〈건물이〉 면해 있다(face) 《*to, toward*》: (~+전+명) The house *~ed to*[*toward*] the north. 그 집은 북향이었다. **5** 〈사냥개가〉 멈추어 서서 짐승이 있는 위치를 가리키다

~ a [***the***] ***finger at*** (1) …을 손가락질하다 (2) …을 공공연하게 비난하다 ***~ off*** 콤마[소수점]를 찍다; 점으로 구분하다 ***~ out*** …을 지적하다(⇨ *vt.* 1) ***~ to*** …을 지적하다; …의 증거가 되다, 암시하다 ***~ up*** 〈이야기 등을〉 강조하다(⇨ *vt.* 4)

▷ póintless, póinty *a.*

point-and-click [pɔ́intənklík] *a.* 〖컴퓨터〗 마우스로 조작 가능한

point-and-shoot [-ənʃúːt] *a.* 〈카메라가〉 전자동(全自動)의

point-blank [-blǽŋk] *a.* 〈사격 등이〉 직사(直射)의; 정면으로의, 노골적인: a ~ shot 직사/a ~ range 직접 탄도 거리/a ~ refusal 퉁명스런 거절

— *ad.* 직사로; 정면으로, 드러내놓고, 딱 잘라

— *n.* 직사(점)

póint cónstable 《영》 교통 경찰

póint còunt 〖카드〗 득점 계산; (개인의) 총득점

point d'ap·pui [pwǽŋ-dæpwíː] [F] 지점(支點), 받침점; 근거지, 작전 기지

póint defènse 〖군사〗 국지[거점] 방위

point-de·vice [pɔ̀intdiváis] *a., ad.* 《고어》 아주 정확한[히], 극히 정밀한[히]

póint dùty 《영》 (교통경찰 등의) 입초 근무, 교통정리 근무

pointe [pwǽnt] *n.* (*pl.* **~s**) 〖발레〗 발끝으로 선 자세

˙point·ed [pɔ́intid] *a.* **1** 뾰족한, 날카로운: a ~ beak 날카로운 부리 **2** 〈말·표현 등이〉 예리한, 찌르는, 매서운: ~ wit 예리한 기지 **3** 적확(的確)한, 적절한: ~ criticism 적확한 비평 **4** 들이댄; 빗대고 하는: a ~ remark 빗대는 말 **5** 강조한; 명백한, 노골적인

~·ly *ad.* **~·ness** *n.*

thesaurus **poise**[1] *v.* balance, steady, position, support, get ready, prepare, get into position

poisonous *a.* venomous, toxic, deadly fatal,

póinted árch 끝이 뾰족한 (천정) 아치
póinted héad 《미·속어》 바보, 골빈 녀석; 《미·속어·경멸》 지식인, 인텔리
∗**point·er** [pɔ́intər] *n.* **1** 가리키는 사람[물건] **2** (시계·저울 등의) 바늘, 시침(示針); (칠판 등을 가리키는) 지시봉, 교편, 채찍 **3** 〚철도〛 전철기(轉轍機)의 자루; 〚군사〛 조준수(照準手), 포수 **4** 《구어》 충고, 조언(助言) **5** 포인터 종의 사냥개 **6** [the P~s] 〚천문〛 지극성(指極星) 《큰곰자리의 알파(*α*), 베타(*β*)의 두 별; 이 두 별 사이의 거리를 왼편으로 5배 연장한 곳에 북극성이 있음》 **7** 〚미군〛 종군 점수(從軍點數)를 딴 병사 **8** 〚컴퓨터〛 포인터 《입력 위치를 나타내는 화살표 꼴의 심벌》

pointer 5

Point·er [pɔ́intər] *n.* 《미》 West Point 육군 사관학교 생도
póinter finger 《미·유아어》 =INDEX FINGER
póint éstimate (점추정(點推定)에 의한) 추정치(値)
póint estimàtion (통계적 추정에서) 점추정
Póint Fóur (트루먼 전 미국 대통령이 제창한) 후진국에 대한 과학·기술 원조 계획
póint guàrd 〚농구〛 포인트 가드 《게임을 이끄는 가드》
point-head [pɔ́inthèd] *n.* =POINTED HEAD
poin·til·lism [pwǽntəlìzm, pɔ́intəl-] *n.* Ⓤ [종종 P~] 〚미술〛 점묘법(點描法) 《프랑스 인상파의》
-list *n.* 점묘화가
point·ing [pɔ́intiŋ] *n.* Ⓤ 뾰족하게 함; 지시(指示); 구두법(句讀法), 구두점; 〚건축〛 이음매 바르기; 〚항해〛 밧줄 끝을 가늘게 함
póinting devìce 〚컴퓨터〛 포인팅 디바이스 《마우스, 라이트펜 등 위치 지시 장치》
póint láce 손[바늘]으로 뜬 레이스
point·less [pɔ́intlis] *a.* **1** 뾰족한 끝이 없는, 무딘 **2** 무의미한, 요령부득의, 적절하지 못한 **3** 〚식물〛 까끄라기가 없는 **4** 〚경기〛 득점이 없는
~·ly *ad.* **~·ness** *n.*
póint màn 〚미군〛 수색대의 선두 병사; 대표 교섭인; (정치 문제 등에서) 교섭 창구가 되는 사람
póint mutàtion 〚유전〛 점(點)돌연변이
póint of depárture **1** 여행의 출발 지점[시간] **2** 토론[사업 《등》]의 출발점
póint of hónor 체면 문제
póint of nó retúrn 〚항공〛 귀환 불능 지점
póint of órder 〚의회〛 의사 진행의 문제
point-of-pur·chase [pɔ́intəvpə́ːrtʃəs] *a.* 〚광고〛 구매 시점 광고의 《상품 매장에 설치하는 광고; 略 POP》
póint of réference (*pl.* **points of reference**) (이해·설명의) 기준이 되는 출처, 전거
point-of-sale [-əvséil] *a.* 매장[점두]의; 판매 시점의; POS의 《판매 시점에서 컴퓨터로 판매 활동을 관리하는 시스템》
póint of úse 사용처 《제품·서비스 등이 실제 이용되는》
póint of víew **1** 관점, 입장: from the ~ of a doctor 의사의 입장에서 (보면) **2** 의견; 태도, 자세; 판단 **3** (서술) 시점 《소설에서 사건과 인물에 대한 작가의 서술 각도》
póint sèt 〚수학〛 점집합
points·man [pɔ́intsmən] *n.* (*pl.* **-men** [-mən, -mèn]) 《영》 (철도의) 전철수(轉轍手); (교통 정리를 하는) 교통경찰
póint sòurce 〚물리〛 점광원(點光源)
póint swìtch 〚철도〛 전철기
póint sỳstem **1** 〚인쇄〛 포인트식(式) **2** (맹인용의) 점자 방식 **3** 〚교육〛 성적의 숫자 표시제 《5점법 등》 **4** (운전 위반의) 점수제
póint tìe 〚철도〛 분기 침목(分岐枕木)
point-to-point [-təpɔ́int] *a.* **1** 전야(田野) 횡단의, 크로스컨트리 경마의 **2** 〚컴퓨터〛 두 지점 간의
—*n.* 《영》 크로스컨트리 경마
point·y [pɔ́inti] *a.* (**point·i·er**; **-i·est**) 끝이 뾰족한; 〈식물 등이〉 가시가 돋은
point·y-head [pɔ́intihèd] *n.* 《미·구어·종종 경멸》 지식인; = POINT-HEAD **-head·ed** [-hédid] *a.* 《미·구어·종종 경멸》 지식인의; 아는 체하는
∗**poise**[1] [pɔ́iz] [OF 「무게를 재다」의 뜻에서] *vt.* **1** 균형 잡히게 하다, 평형되게 하다 《*on*》: 《~+목+전+명》 ~ a basket *on* one's head 바구니를 머리에 이다 **2** 〈어떤 자세를〉 취하다, (어떤 상태로) 유지하다: 《~+목+전+명》 She ~*d* her elbow *on* her knee. 그녀는 팔꿈치를 무릎 위에 올려놓았다. **3** 공중에 띄우다 **~ one*self*** (1) 평형을 유지하다 《*on*》: ~ *oneself on* one leg 한 발로 (몸의 균형을 잡고) 서다 (2) (가볍게) 앉다 《*in, on*》; 자세[태세]를 취하다 (3) 준비하다, 각오하다 《*for*》
—*vi.* **1** 균형 잡히다 **2** 〈새 등이〉 공중을 맴돌다 (hover); 공중에 매달리다
—*n.* ⓊⒸ **1** 균형, 평형(平衡): lose one's ~ 평형을 잃다 **2** 미결 상태 **3** 평정(平靜); 안정(安定): a man of ~ 침착하고 냉정한 사람 **4** 〈새 등이〉 공중을 맴돎 **5** 몸가짐 **6** (저울)추, 분동(分銅)
poise[2] [pwɑ́ːz] *n.* 〚물리〛 푸아즈, 포이즈 《점도(粘度)의 CGS 단위; 기호 P, p》
poised [pɔ́izd] *a.* **1** 〈사람이〉 침착한, 태연한 **2** Ⓟ (…사이를) 동요하는, 이도저도 아닌 《*between*》 **3** Ⓟ 공중에 뜬: a bird ~ in flight 공중을 날고 있는 새 **4** Ⓟ 가볍게 앉은 《*in, on*》 **5** Ⓟ (…할) 준비가 된, 태세를 갖춘 《*for, to* do》
∗∗**poi·son** [pɔ́izn] [OF 「마실 것」의 뜻에서] *n.* ⓊⒸ **1** 독(약), 독물: take ~ 음독하다 / a deadly ~ 극약 **2** 《구어》 해독, 폐해; 해로운 주의[설, 영향] 《*to*》: Pornography is ~ *to* young minds. 포르노는 젊은이의 마음에 해독이 된다. **3** [one's ~] 《구어》 마실 것, 《특히》 강한 술 **4** Ⓤ (원자로의) 유독[유해] 물질 **5** 〚화학〛 활성 억제제 《촉매[효소]의 활성을 저하시키는 물질》 ***aerial ~*** 말라리아(malaria) ***hate ... like ~*** …을 지독하게 미워하다 ***What's your ~?*** 《구어》 무슨 술을 마시려나?
—*a.* Ⓐ 독 있는, 해로운
—*vt.* **1** 독을 넣다[바르다]; 독살하다: a ~*ed* sword 독을 바른 검 **2** 편견을 품게 하다 《*against*》; 몹쓸 풍조에 물들게 하다, 타락시키다; 못 쓰게 만들다 **3** 〚생화학〛 〈촉매·산소의〉 힘을 없애다[줄이다] **~ *a person's mind against*** …에게 편견을 품게 하다
▷ póisonous *a.*
póison dógwood =POISON SUMAC
poi·son·er [pɔ́izənər] *n.* 해독자[물], 독살자
póison fáng 독아(毒牙)
póison gás 〚군사〛 독가스
póison hémlock 〚식물〛 독당근, 독미나리
poi·son·ing [pɔ́izəniŋ] *n.* Ⓤ 중독: lead ~ 납중독 / gas ~ 가스 중독
póison ívy 〚식물〛 덩굴옻나무
póison óak 〚식물〛 =POISON SUMAC; =POISON IVY
∗**poi·son·ous** [pɔ́izənəs] *a.* 유독[유해]한, 악취를 뿜는; 악의 있는, 독살스러운; 《구어》 불쾌하기 짝이 없는: ~ air 유독 가스 / ~ to animals 동물에 해로운
poi·son-pen [pɔ́izənpén] *a.* Ⓐ **1** (보통 익명으로) 악의를 품고 쓴 〈편지 등〉 **2** 〈사람이〉 중상하는 편지를 쓰는[보내는]

---

lethal, noxious, cancerous, malignant, corrupting, polluting, harmful, spiteful, malicious, vicious (opp. *harmless, nontoxic; benign*)

póison pén lètter 익명의 악의적[중상] 편지

pòison píll (미·속어) 〖경제〗 기업 매수에 대한 금융 방어책

póison súmac 〖식물〗 (미국산(産)) 독 있는 옻나무의 일종

pok·a·ble [póukəbl] *a.* 찌를 수 있는; 격려할 수 있는

***poke**[1] [póuk] [MDu. (주머니칼로) 「찌르다」의 뜻에서] *vt.* **1** (손가락·막대기 등으로) **찌르다**, 쑤시다, 쿡 찌르다 《*in, up, down*》: (~+목+전+명) ~ a person *in* the ribs …의 옆구리를 찌르다 ★ 몸의 부분을 나타내는 명사에는 the가 붙음. **2** (찌르거나 하여) 〈구멍을〉 내다 《*in, through*》 **3** 〈뿔·코·막대기·머리·손가락 등을〉 들이대다, 내밀다; 쑤셔넣다; 〈농담 등을〉 슬쩍 던지다: (~+목+전+명) ~ one's head *out of* a window 창 밖으로 머리를 내밀다 / ~ fun *at* a person[a thing] …을 놀리다 **4** 〈붙힌 불 등을〉 쑤셔 돋우다: (~+목+부) He ~*d* the fire *up*. 그는 불을 들쑤셔 돋우었다. **5** (구어) 주먹으로 치다 《*in*》: (~+목+전+명) ~ him *in* the face[~ his face] 그의 얼굴을 치다 **6** (속어) 〈여자와〉 성교하다

— *vi.* **1 찌르다**, 쑤시다 《*at*》; 〈묻은 불을〉 쑤셔 일으키다 《*at*》 **2** 돌출하다, 내밀다 《*out, up, down, through*》 **3** 간섭하다; 들추다, 조사하다 《*into*》: (~+전+명) ~ *into* another's private affairs 남의 사적인 일을 꼬치꼬치 캐다 **4** 〈사람이〉 빈둥거리다, 어슬렁거리다, 주저하다 《*along, about, off*》 **5** (구어) 주먹으로 치다 《*at*》 **6** 〖크리켓〗 찬찬히 신중하게 경기하다 **~ *about* [(미) *around*]** (구어) (1) 뒤지다, 찾아 헤매다; 꼬치꼬치 캐다 《*for*》 (2) 어슬렁거리다, 느릿느릿 가다[일하다] **~ *and pry*** 꼬치꼬치 캐다 ~ one***self up*** (갑갑한 곳에) 처박히다

— *n.* **1** 찌름, 쑤심 《*in*》; 팔꿈치로 쿡 찌름; (구어) 주먹질 **2** (미) 방해물이 달린 목고리 《동물이 우리를 부수지 못하게 하는》 **3** 게으름뱅이, 굼벵이 **4** 앞챙이 쑥 나온 여성 모자(=**~ bònnet**) **5** =POKEWEED **6** 〖인터넷〗 (인맥 구축 사이트에서) 타인의 관심을 끄는 행위

poke[2] *n.* (고어) 포켓, 작은 주머니 ***buy a pig in a ~*** ⇨ pig

poke·ber·ry [póukbèri | -bəri] *n.* (*pl.* **-ries**) =POKEWEED

pok·er**[1] [póukər] *n.* **1** 찌르는 사람[물건]; 부지깽이 **2** 낙화(烙畫) 용구 **3** (영·속어) 대학 부총장 앞에 권표(權標)를 받들고 가는 하급 직원; 그 권표 ***(as) stiff as a ~ 〈태도 등이〉 아주 딱딱한 ***by the holy ~*** 맹세코

— *vt.* 〈도안을〉 낙화로 마무르다 ▷ poke[1] *v.*

poker[2] *n.* Ⓤ (미) 포커 《카드놀이의 한 가지》

póker dìce 포커 주사위 《ace, king, queen, jack, ten, nine이 그려진 것》; 포커 주사위 놀이

póker fàce [포커를 하는 사람이 속셈이 드러나지 않게 하는 표정에서] (구어) 무표정한 얼굴(을 한 사람)

po·ker-faced [póukərfèist] *a.* 무표정한

póker wòrk 흰 나무에 그리는 낙화(烙畫)

poke·sy [póuksi] *a.* 굼뜬, 태평한

poke·weed [póukwì:d], **poke·root** [-rù:t] *n.* 〖식물〗 미국자리공

pok·y[1], **pok·ey**[1] [póuki] *a.* (**pok·i·er**; **-i·est**) (구어) **1** 굼뜬(dull), 느린: ~ drivers 느리게 가는 운전사 **2** 비좁은, 아주 작은(petty) **3** 초라한(shabby); 시시한(mean) **pók·i·ly** *ad.* **pók·i·ness** *n.*

pokey[2], **poky**[2] *n.* (*pl.* **~s**; **pok·ies**) (미·속어) 감옥(jail)

pókey hàt 죄수용 모자; (속어) 아이스크림콘

pol [pɑ́l | pɔ́l] *n.* (미·구어) 정치가(politician)

POL petroleum, oil, and lubricants; problem oriented language 〖컴퓨터〗 문제 해결 지향 언어

pol. political; politics **Pol.** Poland; Polish

po·lac·ca [poulǽkə] *n.* =POLACRE

Po·lack [póulɑ:k | -læk] *n.* (속어·경멸) 폴란드계 사람; (고어) 폴란드 사람

po·la·cre [poulɑ́:kər] *n.* (지중해의) 세대박이 범선

***Po·land** [póulənd] *n.* 폴란드 《유럽 중동부의 발트해에 면한 공화국; 수도 Warsaw》 **~·er** *n.* 폴란드 사람(Pole)

Póland Chína 흑백 얼룩의 큰 돼지 《미국종》

‡**po·lar** [póulər] *a.* Ⓐ **1** 남[북]극의, 극지의; 극지에 가까운: a ~ beaver (속어) 수염이 흰 사람 / a ~ explorer 극지 탐험가 **2** 〖전기〗 음[양]극을 가진; 자극(磁極)의, 자기(磁氣)가 있는; 〖화학〗 이온화한; 극성(極性)의 **3** 〈문어〉 〈성격·경향·행동 등이〉 정반대의 **4** 〖수학〗 극선(極線)의 **5** 중심적인, 중심축과 같은

— *n.* 〖수학〗 극선(極線)

▷ póle[2], polárity *n.*; pólarize *v.*

pólar áxis 〖수학〗 원선(原線), 시선(始線)

pólar bèar 북극곰, 흰곰

pólar bódy 〖생물〗 극체(極體), 극세포

pólar cáp 〖천문〗 (화성의) 극관; 〖지질〗 극지의 빙관(氷冠)

pólar céll 〖생물〗 극세포

pólar círcle [the ~] (남·북의) 극권(極圈)

pólar coórdinate 〖수학〗 극좌표

pólar cúrve 〖수학〗 극곡선

pólar dístance 〖천문〗 극거리(極距離)

pólar equátion 〖수학〗 극(極)방정식

pólar frònt 〖기상〗 극전선(極前線)

po·lar·im·e·ter [pòulərímətər] *n.* 〖광학〗 편광계[경](偏光計[鏡]) **po·lar·i·met·ric** [poulæ̀rəmétrik] *a.*

Po·lar·is [poulɛ́əris, -lǽr- | -lǽr-, -lɑ́:r-] *n.* 〖천문〗 북극성; 〖미해군〗 폴라리스 《중거리 탄도탄; 잠항중(潛航中)의 잠수함에서 발사 가능》

po·lar·i·scope [poulǽrəskòup, pə-] *n.* 〖광학〗 편광기(偏光器)

po·lar·i·scop·ic [poulæ̀rəskɑ́pik | -skɔ́p-] *a.*

po·lar·i·ty [poulǽrəti, pə-] *n.* Ⓤ **1** 양극(兩極)이 있음; 전기의 극성 **2** (음·양) 극성; 자성(磁性) 인력: magnetic ~ 자극성(磁極性) **3** (주의·성격 등의) 정반대; 양극단

po·lar·i·za·tion [pòulərizéiʃən | -rai-] *n.* Ⓤ 극성(極性)을 가짐[가질 수 있음]; 〖전기〗 성극(成極) (작용); 〖광학〗 편의(偏倚), 편광(偏光); 분극화, (정당·의견 등의) 대립

po·lar·ize [póulərὰiz] *vt.* **1** 극성을 갖게 하다, 편광시키다: ~*d* light 편광 / *polarizing* action 〖전기〗 성극[분극(分極)] 작용 **2** 특수한 의미를 가지게 하다 **3** 분극화시키다, 분열시키다, 정반대로 하다 《*into*》

— *vi.* 극성을 얻다; 분극화하다, 분열하다

-iz·a·ble *a.*

po·lar·iz·er [póulərὰizər] *n.* **1** 〖광학〗 편광자(偏光子), 편광 프리즘 **2** 분극하는 것; 분열시키는 사람

pólar líghts [the ~] 극광, 오로라

po·lar·ly [póulərli] *ad.* **1** 극(지)같이, 극에 가깝게 **2** 자기(磁氣)로써; 음양의 전기로써; 대극선(對極線)으로써 **3** 정반대로

pólar núcleus 〖식물〗 극핵, 중심핵

Po·lar·o·graph [poulǽrəgræ̀f | -grɑ̀:f] *n.* 폴라로그래프 《전기 분해 자동 기록기; 상표명》

po·lar·og·ra·phy [pòulərɑ́grəfi | -rɔ́g-] *n.* Ⓤ 폴라로그래피 《전해 반응(電解反應)의 분석 측정법》

Po·lar·oid [póulərɔ̀id] *n.* **1** 폴라로이드, 인조 편광판(人造偏光板) 《상표명》 **2** 폴라로이드 카메라(=**~ càmera**) 《상표명》 **3** [*pl.*] 폴라로이드 안경

pólar órbit 극궤도

Pólar Régions [the ~] 극지방

pólar sátellite 극궤도 위성

pólar stár [the ~] 북극성

pol·der [póuldər | pɔ́l-] *n.* 네덜란드의 해안 간척지 《해수면보다 낮은 지역》

‡**pole**[1] [póul] [L 「말뚝」의 뜻에서] *n.* **1 막대기, 장대**, 기둥; (장대높이뛰기의) 장대; 낚싯대; (수레·마차 등

thesaurus **poke**[1] *v.* jab, prod, dig, elbow, nudge, push, thrust, shove, stick

의) 채; (소방서의 출동용) 폴: a curtain ~ (수평의) 커튼 봉 **2** 마스트; (전차의) 폴 **3** (이발소의) 간판대 (=barber's ~) **4** 폴《길이의 단위 5.03 미터; 면적의 단위 25.3 평방미터》
climb up the greasy ~ 곤란한 일을 시작하다 ***under bare ~s*** 〖항해〗 돛을 올리지 않고 ***up the ~*** 《영·구어》 정신이 좀 돌아; 진퇴양난에 빠져
—*vt.* **1** 막대기로 받치다; 막대기로 밀다 《*off*》; 〈배를〉 삿대질하여 가게 하다 **2** 막대기[기둥]를 비치하다; 막대기[장대]로 메다; 장대로 뛰다 ***~ a hit*** 〖야구〗 안타를 치다
—*vi.* 막대기[장대]를 쓰다; 삿대질하여 나아가다

‡**pole**[2] [póul] [Gk 「축(軸)」의 뜻에서] *n.* **1** 〖천문·지질·생물〗 극(極); 극지; 북극성 **2** 〖물리〗 전극; 자극(磁極); (전지 등의) 극판(極板), 극선(線): the positive[negative] ~ 양[음]극 **3** 극단(極端), 정반대; 대립하는 사상[세력] **4** 흥미[주의력]의 집중점, 흥미의 중심 ***be ~s asunder*** [***apart***] 정반대이다 ***from ~ to ~*** 온 세계에서 ***the North P~*** 북극 ***the South P~*** 남극 ▷ pólar *a.*

Pole [póul] *n.* 폴란드 사람: the ~*s* 폴란드 국민

pole·ax [póulæ̀ks] *n.* (*pl.* **~·es**) 전투용 도끼 《중세 시대 보병의 무기》; (도살용의) 자루 도끼
—*vt.* 〈동물을〉 도끼로 찍어 넘어뜨리다

póle bèan 〖식물〗 덩굴제비콩

pole·cat [-kæ̀t] *n.* (*pl.* **~s,** ~) 《영》 긴털족제비 《냄새가 고약함》; 《미》 =SKUNK

pol. econ. political economy

póle dàncing 폴 댄싱《스트립쇼 등에서 봉을 잡고 추는 춤》

póle hàmmer 전투용 해머

póle hòrse (4두 마차의) 뒷말

póle jùmp[**jùmping**] =POLE VAULT

pole-jump [-dʒʌ̀mp] *vi.* =POLE-VAULT

po·lem·ic [pəlémik] [Gk 「전쟁의」의 뜻에서] *a.* 논쟁의, 논쟁을 좋아하는: a ~ writer 논객(論客)
—*n.* 논쟁, 반론; 논객 **-i·cal** *a.* **-i·cal·ly** *ad.*

po·lem·i·cize [pəlémәsàiz, pou-] *vi.* 논쟁하다, 반론하다

po·lem·ics [pəlémiks, pou-] *n. pl.* [단수 취급] **1** 논쟁(술) **2** (신학상의) 논증법(論證法)

pol·e·mist [pálәmist | pɔ́lim-], **po·lem·i·cist** [pəlémәsist] *n.* 논쟁자, 논객

pol·e·mize [pálәmàiz | pɔ́l-] *vi.* =POLEMICIZE

po·le·mol·o·gy [pòulәmálәdʒi | -mɔ́l-] *n.* Ⓤ 전쟁학 《국가간의 전쟁에 관한 연구》 **-gist** *n.* **po·lem·o·log·i·cal** [pәlèmәládʒikәl | -lɔ́dʒ-] *a.*

po·len·ta [pouléntә] [It.] *n.* Ⓤ 폴렌타 죽 《보리·옥수수·밤가루 등으로 만듦》

póle posìtion 유리한 입장

pol·er [póulәr] *n.* 막대기로 미는[버티는] 사람[물건]; 삿대질하는 사람; =POLE HORSE

pole·star [póulstɑ̀ːr] *n.* [the ~] 〖천문〗 북극성; 지도자; 지도 원리; 목표; 주목의 대상

póle vàult 〖스포츠〗 장대높이뛰기

pole-vault [-vɔ̀ːlt] *vi.* 장대높이뛰기를 하다 **~·er** *n.*

pole·ward(**s**) [póulwәrd(z)] *ad.* 극지로

‡**po·lice** [pәlíːs] *n., v.*

> L 「도시 행정」의 뜻에서
> →(질서 유지에 관여하는 국가 권력)→「경찰」이 되었음

—*n.* Ⓤ **1** [보통 the ~] **경찰**; [집합적] 경찰관, 경관(대): a ~ box[stand] 파출소 / the marine[harbor] ~ 수상 경찰 **2** 치안[보안](대): the military ~ 《미》 헌병대 **3** 〖미군〗 (건조물·장비 등의) 청소, 청결 유지, 정돈(cf. KITCHEN POLICE)

have the ~ after 경관에게 뒤를 밟히다 ***the metropolitan ~ department*** 수도 경찰국
—*vt.* **1** …에 경찰을 두다; …의 치안을 유지하다, 경비하다: ~ the world 세계의 치안을 유지하다 **2** 단속하다 **3** 〖미군〗 〈막사 등을〉 청소하다

políce àction (국제 평화·질서를 위한) 국지적(局地的) 군사 행동, 치안 활동

políce àgent (프랑스 등의) 경찰

políce càr (경찰) 순찰차

políce commìssioner 《미》 시경찰국장; 《영》 경찰국장; 《스코》 경찰 사무 감독 위원

políce cònstable 《영》 경찰관(policeman)

políce còrdon 비상선

políce còurt (경범죄의) 즉결 심판소

políce depártment 《미》 (도시의) 경찰청 《略 PD》

políce dòg 경찰견(犬)

políce fòrce 경찰력[대]

políce inspéctor 경감

políce jústice[**júdge**] =POLICE MAGISTRATE

políce lòck 방범용 자물쇠 《문에서 마룻바닥으로 대각선으로 지르는 막대꼴 자물쇠》

políce mágistrate 즉결 심판소 판사

‡**po·lice·man** [pәlíːsmәn] *n.* (*pl.* **-men** [-mәn]) 경찰관, 경관: a ~ on guard 경비 경찰 / a ~ in plain clothes 사복 경찰관 / a traffic ~ 교통 경찰 **~·like** *a.* **~·ship** *n.*

políce offènse 경범죄

políce òffice 《영》 경찰서

políce òfficer 경관; 《미》 순경 《최하위 계급》

po·lice·per·son [-pɜ̀ːrsn] *n.* 경찰서 직원

políce pòwer (국가의) 경찰권

políce procèdural 경찰 소설[드라마]

políce récord 전과(前科), 범죄 경력

políce repòrter 경찰 출입 기자

políce sérgeant 경사

políce stàte 경찰 국가

***políce stàtion** 경찰서

políce superintèndent 총경

políce tràp 경찰의 감시소; 교통 위반 함정 단속; 그 감시망(網)

políce wàgon 《미》 죄수 호송차

po·lice·wom·an [-wùmәn] *n.* (*pl.* **-wom·en** [-wìmin]) 여자 경관

po·li·cier [pòulísjei] [F] *n.* 탐정 소설, 추리 소설

po·lic·ing [pәlíːsiŋ] *n.* Ⓤ **1** (경찰의) 치안, 감시: community ~ 지역 치안 **2** (산업·활동 등의) 감찰, 규제

pol·i·cli·nic [pàliklínik | pɔ̀l-] *n.* (병원의) 외래 환자 진료부[실]

‡**pol·i·cy**[1] [pálәsi | pɔ́l-] [police와 같은 어원] *n.* (*pl.* **-cies**) ⓊⒸ **1** 정책; 방침: a foreign ~ 외교 정책 **2** 수법, 수단, 방법: Honesty is the best ~. 《속담》 정직은 최선의 방책이다. **3** Ⓤ 현명, 신중; 지모(知謀), 빈틈없음 **4** 《스코》 (시골 대저택 주변의) 정원 ***economic*** [***financial, trade***] ~ 경제[재정, 무역] 정책 ***marketing ~*** 판매 정책 ***open-door ~*** 문호 개방 정책 ***~ of nonalignment*** 비동맹 정책 《양대 진영에 가담하지 않는 중립 정책》
▷ pólitic *a.*

pol·i·cy**[2] [pálәsi | pɔ́l-] [Gk 「내보이다」의 뜻에서] *n.* (*pl.* **-cies**) **1** 보험 증권: a fire ~ 화재 보험 증권 **2** 《미》 숫자 (알아맞히기) 도박(numbers pool) ***endowment ~ 양로(養老) 보험 증권 ***open ~*** 예정 보험 증권 ***play ~*** 《미》 숫자 도박을 하다 ***take out a ~ on*** one***'s life*** 생명 보험에 들다 ***time*** [***voyage***] ***~*** 정기[항해] 보험 증권

pol·i·cy·hold·er [pálәsihòuldәr | pɔ́l-] *n.* 피보험자, 보험 계약자

pólicy lòan 〖보험〗 보험 증권 담보 대부

pol·i·cy·mak·er [-mèikәr] *n.* 정책 입안자[담당자] **-màk·ing** *n.* 정책 입안

---

policy[1] *n.* plan, scheme, program, schedule, system, procedure, approach, guideline

pol·i·cy-mix [-mìks] *n.* 〖경제〗 정책 혼합
pólicy ràcket = POLICY² 2
pólicy scíence 정책 과학 《정부·기업의 정책 입안을 다루는 사회 과학》
pol·i·me·tri·cian [pɑ̀ləmetríʃən | pɔ̀l-] *n.* 계량 정치학자
po·li·o [póuliòu] [*polio*myelitis] *n.* Ⓤ 《구어》 〖병리〗 소아마비; Ⓒ 소아마비 환자
po·li·o·my·e·li·tis [pòulioumàiəláitis] *n.* Ⓤ 〖병리〗 급성 회백수염(灰白髓炎), (척수성) 소아마비 (= **acùte antérior** ∠)
pólio vaccìne 《구어》 소아마비 백신
po·li·o·vi·rus [póuliouvàirəs, ⏑⏑⏑∠⏑] *n.* (*pl.* **~·es**) 폴리오 바이러스 《소아마비의 병원체》
po·lis [póulis | pɔ́l-] *n.* (*pl.* **po·leis** [-lais]) 폴리스 《고대 그리스의 도시 국가》
-polis [pəlis] 《연결형》 「도시」의 뜻: metro*polis*
Po·li·sa·rio [pòulisɑ́:rjòu] *n.* 폴리사리오 전선(= ∠ **Frònt**) 《서(西)사하라의 독립을 목표로 한 게릴라 조직으로 1976년 결성》
pol·i sci [pɑ́li-sài | pɔ́li-] 《미·구어》 (교과목으로서의) 정치학(political science)
*__pol·ish__ [pɑ́liʃ | pɔ́l-] [L 「매끄럽게 하다」의 뜻에서] *vt.* **1** 닦다, 갈다, 윤내다 《*up*》: ~ one's shoes 구두를 닦다 / ~ furniture 가구를 닦다

> 유의어 **polish** 물건의 표면을 매끄럽게 하다, 문질러 광을 내다 **burnish** 특히 금속을 닦다

2 끝마무리하다; 품위 있게 만들다; 세련되게 하다; 퇴고(推敲)하다: ~ a set of verses 시를 퇴고하다 **3** 갈아서[문질러서] 다른 상태로 되게 하다; 문질러 떼다, 마멸시키다 《*away, into, out*》: (~+목+전+명) a stone *~ed into* roundness 둥글게 간 돌 / ~ rice 정미(精米)하다
— *vi.* 윤이 나다; 품위 있게 되다: (~+부) This wood *~es well.* 이 나무는 윤이 잘 난다.
~ *off* (1) 《구어》 〈음식·일 등을〉 재빨리 끝내다[마무르다] (2) 《구어》 〈경쟁자·적을〉 무찌르다, 해치우다 (3) 《속어》 죽이다 **~ *up*** 끝마무리하다; 윤내다; 〈기술·능력을〉 연마하다, 갈고 닦다 《*on*》: ~ *up* Spanish 스페인 어 실력을 향상시키다
— *n.* **1** ⓊⒸ 광택, 윤 **2** Ⓤ 윤내는 약, 광택제(劑), 니스: shoe[boot] ~ 구두약 **3** ⓊⒸ (태도·예법 등의) 세련; 수양; 품위, 우아, 우미(優美): put a ~ on the awkward performance 어색하고 딱딱한 연기를 세련되게 다듬다
*__Po·lish__ [póuliʃ] *a.* 폴란드의; 폴란드 사람[말]의
— *n.* Ⓤ 폴란드말 《略 Pol.》
Pólish Córridor [the ~] 폴란드 회랑 《Vistula 강 하구의 띠 모양의 지역; 그 영유권 문제가 Nazis의 폴란드 침략에 구실이 되었음》
pol·ished [pɑ́liʃt | pɔ́l-] *a.* **1** 닦은, 연마한, 광택 있는 **2** 품위 있는, 세련된, 우아한, 점잖은: a ~ manner 세련된 몸가짐 **3** 완성된(finished): a ~ product 완성품
pol·ish·er [pɑ́liʃər | pɔ́l-] *n.* 닦는 사람; [종종 복합어를 이루어] 닦는[윤내는] 기구[천]
pol·ish·ing-pow·der [pɑ́liʃiŋpàudər | pɔ́l-] *n.* 윤내는 가루약
Pólish notátion 〖수학·컴퓨터〗 폴란드 기법 《모든 연산 기호를 모든 변수보다 뒤에 위치하도록 기술하는 불 대수(Boolean algebra)의 기법》
polit. political; politician; politics
Po·lit·bu·ro, -bu·reau [pɑ́litbjùərou, póulit- | pɔ́lit-] [Russ. = political bureau] *n.* [종종 the ~] (구소련) 공산당 정치국; [**p~**] 권력 집단
*__po·lite__ [pəláit] [L 「닦다」의 뜻에서] *a.* (**-lit·er**; **-lit·est**) **1** 공손한, 예의 바른: a ~ remark 공손한 말 / a ~ man 예의 바른 사람 / a ~, well-behaved child 예의 바르고 품행이 단정한 아이 / a ~ lie 상대를 기분 상하게 하지 않으려는 배려에서의 거짓말

> 유의어 **polite** 상대방의 기분을 헤아리며, 예의를 차리고 있음을 나타내므로 소극적으로 「실례가 되지 않도록 하는」의 뜻도 됨: If you can't be pleasant, at least be *polite.* 즐겁지 않더라도 적어도 예의 바르게 해라. **courteous** 타인의 감정·위엄 등을 손상시키지 않으려는 따뜻한 배려를 나타냄: clerks who are *courteous* to customers 고객에게 깍듯이 대하는 점원들 **civil** polite보다 차가운 느낌의 말로서 무례하지 않을 정도로 또는 불쾌한 느낌을 주지 않을 정도로 예의를 지키는: a *civil* speech 정중한 발부

2 〈문장 등이〉 세련된, 우아한, 고상한: ~ arts 미술 / ~ letters[literature] 우아한 문학, 순문학 **3** 품위 있는, 교양 있는; 상류의(opp. *vulgar*): ~ society 상류 사회 ***do the ~*** 《구어》 (애써) 품위 있게 행동하다 ***say ... ~ about*** …을 인사치레로 칭찬하다 ***the ~ thing*** 품위 있는 태도, 예의범절
*__po·lite·ly__ [pəláitli] *ad.* 공손히, 예의 바르게, 점잖게; 고상하게, 품위있게
*__po·lite·ness__ [pəláitnis] *n.* Ⓤ 공손[정중]함; 우아[고상]함
po·li·tesse [pɑ̀lités | pɔ̀l-] [F] *n.* (특히 형식적으로) 예의 바름, 품위 있음
*__pol·i·tic__ [pɑ́lətik | pɔ́l-] *a.* **1** 분별 있는, 지각 있는, 현명한: a ~ reply 현명한 대답 **2** 술책 부리는, 교활한(artful) **3** 교묘한, 적절한, 시기(時機)에 맞는; 정책적인 **4** 《드물게》 정치상의(political): the body ~ 국가, 정치적 통일체
— *n.* 정치 역학, 역학 관계 **~·ly** *ad.*
▷ pólicy *n.*
‡**po·lit·i·cal** [pəlítikəl] *a.* **1** 정치의, 정치상의; 정치에 관한; 정치학의: a ~ crime[offense] 정치범, 국사범 《범죄》 / a ~ prisoner 정치[국사]범 《사람》 / a ~ view 정견 / a ~ theory 정치 이론 / ~ writers 정치 기자, 정치 평론가 **2** 정치에 종사하는, 국정의; 정치 조직을 가진: ~ rights 정치적 권리, 국정 참여권 **3** 정당의; 정략(상)의: a ~ campaign 정치 (선거) 운동 **4** 행정에 관한[관여하는]: a ~ office[officer] 행정 관청[행정관] **5** 정치에 관심이 있는; 정치 활동을 하는, 정치적인: Students today are ~. 오늘날의 학생은 정치에 관심이 많다. **6** 정계에서 힘이 있는[을 행사하는] **7** 개인[단체]의 지위에 관계되는, 정략적인
— *n.* 〖영국사〗 (인도) 주재관; 국사범, 정치범
~·ly *ad.* 정치적으로, 정략상; 현명하게
▷ pólitics *n.*
polítical áction 정치(적) 행위
polítical áction commíttee 《미》 정치 활동 위원회 《특정 입후보자를 당선시키거나 정책을 지원하기 위해 자금을 모으는 조직; 略 PAC》
polítical ágent 〖영국사〗 (인도의) 주재관
polítical ánimal 타고난 정치가, 유능한 정치가
polítical asýlum (정치 망명자에 대한) 망명국 정부의 보호
polítical corréctness 도의적 공정성, 올바른 정치관 《사회적으로 불리한 처지에 있는 사람들을 불쾌하게 할 수 있는 표현이나 행동을 삼가는 것; 略 PC》
polítical ecónomy **1** 정치 경제학 **2** (19세기의) 경제학 《주로 정부의 경제 정책을 중심으로 연구》
polítical ecónomist *n.*
polítical fóotball 정쟁의 불씨
polítical fórtunes 정치상의 운명, 정치 생명의 부침(浮沈)

thesaurus **polish** *v.* wax, rub, burnish, shine
polite *a.* **1** 공손한 well-mannered, courteous, civil, respectful, polished, diplomatic (opp. *impolite, rude*) **2** 상류의, 품의 있는 civilized, cultured, refined, sophisticated, elegant, courtly

polítical geógraphy 정치 지리(학)
polítical háck 돈으로 움직이는 정치가
po·lit·i·cal·ize [pəlítikəlàiz] *v.* =POLITICIZE
polítically corréct *a.* 정치적으로 공정한, 차별[편견] 없는
polítically incorréct *a.* 정치적으로 부적절한 《용어·행위가 특정인들에게 불쾌감을 주는》
polítical párty 정당
polítical résident =POLITICAL AGENT
po·lít·i·cal-rísk assèssment [pəlítikəlrísk-] 《미》 정치적인 위험성의 예측[측정]
polítical scíence 정치학
polítical scíentist 정치학자
‡pol·i·ti·cian [pὰlətíʃən | pɔ̀l-] *n.* **1** 정치가, 정객(⇨ statesman 유의어): an ambitious ~ 야심 많은 정치가 **2** 《경멸》 직업 정치가, 정치쟁이, 모사(謀士) **3** 출세주의자, 권력주의자
po·lit·i·cize [pəlítəsàiz] *vt.* **1** 정치[정당]화하다, 정치적으로 다루다 **2** 정치에 관심을 갖게 하다
—*vi.* 정치에 종사하다[관심을 가지다]; 정치를 논하다 **po·lit·i·ci·za·tion** [pəlìtəsizéiʃən | -sai-] *n.*
pol·i·tick [pάlətìk | pɔ́l-] *vi.* 《미·구어》 정치 운동을 하다
pol·i·tick·ing [pάlətìkiŋ | pɔ́l-] *n.* 정치 활동, 선거 운동, 정치 공작
pol·i·tic·ly [pάlətìkli | pɔ́l-] *ad.* 교활[교묘]하게; 빈틈없이
po·lit·i·co [pəlítikòu] [Sp.] *n.* (*pl.* **~s**) 《경멸》 직업 정치가, 정치쟁이
politico- [pəlítikou] 《연결형》 「정치」의 뜻
‡pol·i·tics [pάlətìks | pɔ́l-] *n. pl.* **1** [단수 취급] (학문·기술로서의) 정치, 정치학: international ~ 국제정치 **2** [단수·복수 취급] (실제적·직업적) 정치, 정치 운동[활동]; 정책, 정략; 책략, 흥정; (당파적·개인적) 이해, 동기, 목적: He is trying to enter ~. 그는 정계로 진출하려고 애쓰고 있다. / It is not practical ~. 너무 실제와 동떨어져서 논할 가치가 없다. **3** [복수 취급] 정강, 정견: What are his ~? 그의 정치관은 어떤 것입니까? **4** [단수 취급] 경영 ***play* ~** 당리(黨利) 본위로 행동하다 《*with*》; 정치적 입장을 허용하다; 사리(私利)를 꾀하다 ▷ polítical *a.*
pol·i·ty [pάləti | pɔ́l-] *n.* (*pl.* **-ties**) **1** 정치 형태[조직] **2** 정치적 조직체, 국가 조직, 국가(state) **3** Ⓤ [보통 the ~; 집합적] (한 국가 안의) 시민, 국민 ***civil* [*ecclesiastical*] ~** 국가[교회] 행정 조직
polk [póulk] *vi.* 폴카(polka)를 추다
pol·ka [póulkə | pɔ́l-] *n.* **1** 폴카 《2인조의 무도》; 폴카곡 **2** (보통 털실로 짠) 여자용 재킷
—*vi.* 폴카를 추다
pól·ka dòt [póu*l*kə- | pɔ́l-] 물방울 무늬
pól·ka-dòt(·ted) *a.*
‡poll¹ [póul] *n., v., a.*

MDu. 「머리」의 뜻에서 「머리수」→「투표수」→「투표」

—*n.* **1** (선거 등의) 투표: head the ~ 선거에서 선두를 달리다 **2** [the ~s] 《미》 **a** 투표소 **b** 선거 투표 기간 **3** 투표 결과, 투표수: a heavy[light] ~ 높은[낮은] 투표율 **4** 여론 조사; 그 질문(표)(cf. GALLUP POLL): an opinion ~ 여론 조사 / conduct[carry out] a ~ 여론 조사를 실시하다 **5** 선거인 명부(pollbook) **6** 인두세(人頭稅)(=~ tax) **7** (선거 명부에 등록되어 있는) 사람, 개인; (사람의) 머리 《특히 털이 난 부분》, 뒤통수; (해머 등의 평평한 쪽의) 대가리 **8** 뿔 없는 소

politic *a.* wise, prudent, sensible, advisable
politician *n.* statesman, stateswoman, legislator, lawmaker, public servant, senator, congressman, congresswoman, representative
poll¹ *n.* vote, ballot, survey, sampling

at the head of the* ~** 최고 득표로 ***go to the* ~*s 투표소에 가다; 선거에 (후보자로) 나서다
—*vt.* **1** 여론 조사를 하다 **2** 명부에 등록하다 **3** 〈몇 표의〉 표를 얻다; 〈선거구의〉 투표를 집계[기록]하다; 투표하다 **4** 〈초목의〉 가지 끝을 따다[자르다] 《특히 새순이 촘촘히 나게》; 〈가축의〉 뿔을 잘라내다; 〈머리를〉 짧게 깎다 **5** 〖법〗 〈증서 등의〉 절취선을 일직선으로 자르다(cf. INDENT *vt.* 3) **6** 〖컴퓨터〗 폴링하다 《신호·스위치 장치로 단말기에 송신하도록 작용》
—*vi.* 투표하다 《*for*》
—*a.* 뿔이 없는
poll² [pάl | pɔ́l] *n.* 《영》 [the P~] (케임브리지 대학의) 보통 학위 졸업생(passman) ***go out in the P~*** 보통 성적으로 졸업하다
poll³ [pάl | pɔ́l] *n.* 《구어》 앵무새의 속칭
Poll [pάl | pɔ́l] *n.* **1** 여자 이름 《Mary의 애칭》 **2** [p~] 《구어》 매춘부
poll·a·ble [póuləbl] *a.* 깎을[끝을 딸] 수 있는; 뿔을 자를 수 있는; 투표할[시킬] 수 있는
pol·lack [pάlək | pɔ́l-] *n.* (*pl.* **~, ~s**) 〖어류〗 대구류
pol·lard [pάlərd | pɔ́l-] *n.* **1** 가지를 바짝 자른[순을 딴] 나무 **2** 뿔을 잘라 낸 사슴; 뿔 없는 소[염소 《등》] **3** 가루가 섞인 밀기울
—*vt.* …의 가지를 짧게 치다
poll-beast [póulbì:st] *n.* 《영》 뿔이 없는 소
poll·book [-bùk] *n.* 선거인 명부
póll degrèe 《영》 보통 학위
polled [póuld] *a.* 둥글게 친 〈나뭇가지 등〉; 대머리의; 뿔을 자른 〈소·사슴 등〉
poll·ee [poulí:] *n.* 여론 조사의 대상자
∗pol·len [pάlən | pɔ́l-] *n.* Ⓤ 〖식물〗 꽃가루, 화분
—*vt.* =POLLINATE ▷ pollínic *a.*
póllen anàlysis 꽃가루 분석, 화분학
póllen bàsket 꽃가루 바구니
póllen còunt (일정한 장소의 공기 속에 들어 있는) 꽃가루의 수
póllen gràin 〖식물〗 화분립(花粉粒)
pol·len·o·sis [pὰlənóusis | pɔ̀l-] *n.* 〖병리〗 = POLLINOSIS
póllen tùbe 〖식물〗 화분관(花粉管)
poll·er [póulər] *n.* 여론 조사원
pol·le·ro [poujέərou] [Sp.] *n.* 밀입국 안내인
pol·lex [pάleks | pɔ́l-] *n.* (*pl.* **pol·li·ces** [-ləsì:z]) 〖해부〗 첫째 손가락, 엄지손가락
pol·li·nate [pάlənèit | pɔ́l-] *vt.* 〖식물〗 〈꽃에〉 수분[가루받이]시키다
pol·li·na·tion [pὰlənéiʃən | pɔ̀l-] *n.* Ⓤ 〖식물〗 수분 (작용)
pol·li·na·tor [pάlənèitər | pɔ́l-] *n.* 꽃가루 매개자 《곤충 등》; 꽃가루의 공급원이 되는 식물
poll·ing [póuliŋ] *n.* Ⓤ 투표(voting); 여론 조사; 〖컴퓨터〗 폴링 《특정 단말을 지정하고 그 국(局)이 송신하도록 권유하는 과정》
pólling bòoth (투표장의) 기표소
pólling dày 투표일
pólling plàce 《미》 투표장[소]
pólling stàtion 《영》 투표소
pol·lin·ic [pəlínik] *a.* 꽃가루의
pol·li·nif·er·ous [pὰlənífərəs | pɔ̀l-] *a.* 〈식물이〉 꽃가루가 있는[생기는]; 〈벌레·새 등이〉 꽃가루를 나르는
pol·lin·i·um [pəlíniəm] *n.* (*pl.* **-i·a** [-niə]) 〖식물〗 화분괴(花粉塊)
pol·li·no·sis [pὰlənóusis | pɔ̀l-] [pollen(꽃가루)의 뜻에서] *n.* Ⓤ 〖의학〗 화분증(花粉症), 꽃가루 과민증
pol·li·wog [pάliwὰg | pɔ́liwɔ̀g] *n.* 《미·영·방언》 올챙이(tadpole); 《구어》 적도를 넘어 본 적이 없는 선원
pol·lock [pάlək | pɔ́l-] *n.* (*pl.* **~, ~s**) =POLLACK
pol·loi [pəlɔ́i] *n. pl.* =HOI POLLOI
poll-ox [póulὰks | -ɔ̀ks] *n.* 《영》 =POLL-BEAST
póll pàrrot 《구어》 (새장의) 앵무새; 남의 말을 되풀이하는 사람

poll·ster [póulstər] *n.* 《구어》 여론 조사원
poll·tak·er [póultèikər] *n.* =POLLSTER
póll tàx 인두세(人頭稅)
poll-tax [-tæ̀ks] *a.* 인두세의
pol·lu·tant [pəlú:tnt] *n.* 오염 물질; 오염; 오염원: a water ~ 수질 오염 물질
*__pol·lute__ [pəlú:t] 〖L 「더럽히다」의 뜻에서〗 *vt.* **1** 더럽히다, 오염시키다, 불결하게 하다: (~+목+전+명) ~ the air *with* exhaust fumes 배기가스로 대기를 오염시키다 / ~ a water supply *by* the introduction of sewage 하수의 유입으로 용수를 더럽히다 **2** (도덕적으로) 더럽히다, 타락시키다: ~ the mind 정신을 타락시키다 / ~ young people 젊은이들을 타락시키다 **3** …의 신성(神聖)[명예]을 더럽히다, 모독하다: ~ a person's honor …의 명예를 더럽히다 **4** 《구어》 효과[효율]를 나쁘게 하다
pol·lut·ed [pəlú:tid] *a.* 오염된, 더럽혀진; 타락한; 《미·속어》 술취한
pol·lut·er [pəlú:tər] *n.* 오염자, 오염원(源): ~ pays principle 오염자 부담의 원칙
‡**pol·lu·tion** [pəlú:ʃən] *n.* UC **1** 오염, 더럽힘; 공해, 더러움, 불결: noise ~ 소음 공해 / environmental ~ 환경 오염 / ~ control facilities 공해 방지 시설 **2** (정신적) 타락 **3** 〖의학〗 몽정(夢精)
pol·lu·tion·al [pəlú:ʃənl] *a.* 오염의, 공해의
pollútion tàx 공해세, 환경 오염세
pol·lu·tive [pəlú:tiv] *a.* 오염시키는, 공해를 일으키는
Pol·lux [pάləks | pɔ́l-] *n.* **1** 〖그리스신화〗 폴룩스 《Zeus와 Leda의 쌍둥이 아들 중 하나; ⇨ CASTOR and Pollux》 **2** 〖천문〗 쌍둥이자리의 베타성(星)
póll wàtcher 투표 참관인
Pol·ly [pάli | pɔ́li] *n.* **1** 여자 이름 《Molly의 변형》 **2** 앵무새(에 붙이는 이름)
Pol·ly·an·na [pὰliǽnə | pɔ̀l-] 〖미국 작가 Eleanor Porter의 소설 여주인공 이름에서〗 *n.* 《미·구어》 극단적인 낙천주의자 **~·ish** *a.* 극단적으로 낙천적인
pólly sèeds 〖앵무새가 좋아하는 데서〗 《구어》 해바라기 씨
pol·ly·wog [pάliwὰg | pɔ́liwɔ̀g] *n.* =POLLIWOG
*__po·lo__ [póulou] 〖Tibetan 「공」의 뜻에서〗 *n.* U **1** 폴로 《4명이 1조가 되어 말을 타고 하는 공치기》 **2** 수구(水球)(=water ~) **~·ist** *n.*
Po·lo [póulou] *n.* 폴로 **Marco ~** (1254?-1324) 《이탈리아의 여행가》
pólo còat 폴로 코트
pol·o·naise [pὰlənéiz, pòul- | pɔ̀l-] 〖F 「폴란드의 (춤)」의 뜻에서〗 *n.* **1** 〖음악〗 폴로네즈 《완만한 무도곡》 **2** 긴 단이 달린 여성복의 일종
pólo nèck 《영》 =TURTLENECK
po·lo·ni·um [pəlóuniəm] *n.* U 〖화학〗 폴로늄 《방사성 원소; 기호 Po, 번호 84》
Po·lo·nize [póulənàiz] *vt.* 폴란드화하다, 폴란드식으로 하다
po·lo·ny [pəlóuni] *n.* 《영》 돼지고기의 훈제 소시지 (=~ **sáusage**)
pólo pòny 폴로 경기용으로 훈련시킨 민첩한 조랑말
pólo shìrt 폴로 셔츠 《스포츠 셔츠》

polo shirt

Pol Pot [pὰl-pάt] 폴포트 (1926-98) 《캄보디아의 공산당 지도자; 수상(1976-79); 국민 대학살 자행》
pol. sci. political science
Pol·ska [pɔ́:lskɑ:] *n.* 폴스카 《Poland의 폴란드어 이름》
pol·ter·geist [póultərgàist | pɔ́l-] 〖G 「소리를 내는 유령」의 뜻에서〗 *n.* 소리의 요정 《전설·민화에서 집안의 원인 불명의 소리나 사건을 일으키는》
polt·foot [póultfùt] *n.* (*pl.* **-feet** [-fi:t]) 《고어》 =CLUBFOOT **—** *a.* =CLUBFOOTED
pol·troon [paltrú:n | pɔl-] *n.* 겁쟁이, 비겁한 사람 (coward) **—** *a.* 비겁한 **~·ish** *a.* **~·ish·ly** *ad.*
pol·troon·er·y [paltrú:nəri | pɔl-] *n.* U 비겁함, 겁많음(cowardice)
pol·y[1] [pάli | pɔ́li] *n.* 《구어》 폴리에스테르 섬유: a blend of ~ and cotton 폴리에스테르와 면의 혼방
poly[2] *n.* (*pl.* **~s**) 《영·구어》 =POLYTECHNIC
poly- [pάli | pɔ́li] 《연결형》 「많은」의 뜻(cf. MONO-)
póly Á 〖생화학〗 폴리 에이, 폴리아데닐산(酸) 《RNA 속의 물질》
pol·y·a·crýl·a·mide gél [pὰliəkríləmàid- | pɔ̀l-] 〖화학〗 폴리아크릴아미드 겔 《DNA의 분리 분석에 이용》
pol·y·ad·e·nýl·ic ácid [pὰliædənílik- | pɔ̀l-] 〖생화학〗 폴리아데닐산(poly A)
pol·y·am·ide [pὰliǽmaid | pɔ̀l-] *n.* 〖화학〗 폴리아미드 《나일론 제조용》
pol·y·am·o·ry [pὰliάməri] *n.* (*pl.* **-ories**) 독점하지 않는 다자간 사랑 **-am·or·ist** *n.* **-am·o·rous** *a.*
pol·y·an·dric [pὰliǽndrik | pɔ̀l-] *a.* =POLYANDROUS
pol·y·an·drist [pάliæ̀ndrist | pɔ́l-] *n.* 둘 이상의 남편을 가진 여자
pol·y·an·drous [pὰliǽndrəs | pɔ̀l-] *a.* **1** 일처다부(一妻多夫)의 **2** 〖식물〗 수술이 많은
pol·y·an·dry [pάliæ̀ndri | pɔ́l-] 〖Gk 「많은 남자를 갖기」의 뜻에서〗 *n.* U **1** 일처다부(一妻多夫) **2** 〖식물〗 다(多)수술
pol·y·an·tha [pὰliǽnθə | pɔ̀l-] *n.* 〖식물〗 들장미, 폴리앤사 장미(=~ **róse**) 《송이로 피는 소형 장미》
pol·y·an·thus [pὰliǽnθəs | pɔ̀l-] *n.* (*pl.* **~·es, -thi** [-θai]) 〖식물〗 **1** 폴리앤서스 《앵초의 일종》 **2** 수선화의 일종
pol·y·ar·chy [pάliὰ:rki | pɔ́l-] *n.* U 다두(多頭) 정치(opp. *oligarchy*)
pol·y·ba·sic [pὰlibéisik | pɔ̀l-] *a.* 〖화학〗 다염기(多盐基)의
pol·y·bró·min·at·ed biphényl [pὰlibróumənèitid- | pɔ̀l-] 폴리브롬화 비페닐 《유독 오염 물질; 略 PBB》
pol·y·car·bon·ate [pὰlikά:rbəneit | pɔ̀l-] *n.* 〖화학〗 폴리 탄산 에스테르 《합성수지의 일종》
pol·y·car·pic [pὰlikά:rpik | pɔ̀l-], **-pous** [-pəs] *a.* 〖식물〗 **1** 다결실(多結實)의 **2** 다심피(多心皮)의 **pól·y·càr·py** *n.*
pol·y·cen·tric [pὰliséntrik | pɔ̀l-] *a.* **1** 〈염색체가〉 다동원체(多動原體)의 **2** 다중심주의(polycentrism)의
pol·y·cen·trism [pὰliséntrizm | pɔ̀l-] *n.* U 〖정치〗 (사회주의 여러 나라 사이의) 다중심(多中心)[다극(多極)]주의; 다극[다원] 구조: the ~ of American intellectual life 미국 지적 생활의 다원적 구조 **-trist** *n., a.*
pol·y·chaete [pάlikì:t | pɔ́l-] *n.* 〖동물〗 다모류(多毛類) 동물 《갯지렁이 등 주로 바다의 환형동물(環形動物)》 **—** *a.* 다모류 동물의
pol·y·chló·ri·nat·ed biphényl [pὰliklɔ́:rənèitid-, -klóur-] 폴리 염화 비페닐 《이용 가치가 크지만 유독한 오염 물질; 略 PCB》
pol·y·chro·mate [pὰlikróumeit | pɔ̀l-] *n.* 〖화학〗 폴리크롬산염(酸盐)
pol·y·chro·mat·ic [pὰlikroumǽtik | pɔ̀l-], **-chro·mic** [-króumik] *a.* 다색(多色)의; 〖물리〗 에너지 또는 파장이 단일하지 않은 빛[방사선]의
pol·y·chrome [pάlikròum | pɔ́l-] *a.* 여러 가지 색채의, 다색도 인쇄의 **—** *n.* 다색채 장식을 한 물건; 다색화, 다색화법; 다색 장식 **—** *vt.* 다색채 장식을 하다
pol·y·chro·my [pάlikròumi | pɔ́l-] *n.* U (고대 건

thesaurus **pollute** *v.* contaminate, adulterate, infect, taint, poison, befoul, foul, make dirty,

축·조각상 등의) 다색 장식; 다색 화법
pol·y·clin·ic [pàliklínik | pɔ̀l-] *n.* 종합 병원[진료소]
pol·y·clon·al [pàliklóunəl | pɔ̀l-] *a.* 〖생물〗 다클론성의 **—** *n.* 〖면역〗 다클론성 항체
pol·y·cón·ic projéction [pàlikánik- | pɔ̀likɔ́n-] 다원뿔 기법 《지도 제작》
pol·y·cot·ton [pàlikátn | pɔ̀likɔ́tn] *n.* Ⓤ 《영》 폴리 면 《폴리에스테르와 면을 혼합한》
pol·y·crys·tal·line [pàlikrístəlin | pɔ̀likrístəlàin] *a.* 다(多)결정(질)의
pol·y·cy·clic [pàlisáiklik, -sík- | pɔ̀l-] *a.* 〖화학〗 다환식의; 〖생물〗 다환의, 다윤생의
pol·y·cy·th(a)e·mi·a [pàlisaiθí:miə | pɔ̀l-] *n.* 〖병리〗 적혈구 증가(증)
pol·y·dac·tyl [pàlidǽktil | pɔ̀l-] *a.* 〖동물·의학〗 다지(多指)[다지(多趾)]의; 다지증의 **—** *n.* 다지 동물 **~·ìsm** *n.* 다지증
pol·y·dip·si·a [pàlidípsiə | pɔ̀l-] *n.* 〖병리〗 (당뇨병 등에 병발하는) 조갈증(燥渴症) **-díp·sic** *a.*
pol·y·drug [pàlidrʌ́g | pɔ̀l-] *a.* 여러 종류의 약제[마약]의, 다종의 마약 상용에 관한
pol·y·em·bry·o·ny [pàliémbriəni, -briòuni | pɔ̀liémbriə-] *n.* 〖발생〗 다배(多胚) (형성), 다배 생식 **pòl·y·èm·bry·ón·ic** *a.*
pol·y·es·ter [pálièstər, ⌐-⌐- | pɔ́liès-] *n.* 〖화학〗 폴리에스테르 《고분자 화합물》; 폴리에스테르 섬유[수지]
pol·y·es·trous [pàliéstrəs | pɔ̀lií:s-] *a.* 다발정(성)(多發情(性))의
pol·y·eth·yl·ene [pàliéθəlì:n | pɔ̀l-] *n.* Ⓤ 《미》 폴리에틸렌(《영》 polythene) 《플라스틱의 일종》
polyéthylene glýcol 〖화학〗 폴리에틸렌 글리콜, 폴리에틸렌 옥사이드 《연고 등의 유화제·섬유 윤활제》
po·lyg·a·la [pəlígələ] *n.* 애기풀속(屬)의 총칭
pol·y·gam·ic [pàligǽmik | pɔ̀l-] *a.* = POLYGAMOUS
po·lyg·a·mist [pəlígəmist] *n.* 일부다처론자; 다처인 사람
po·lyg·a·mous [pəlígəməs] *a.* **1** 일부다처의 **2** 〖식물〗 자웅 혼주의 **3** 〖동물〗 다혼(多婚)성의 **~·ly** *ad.*
po·lyg·a·my [pəlígəmi] *n.* Ⓤ **1** 일부다처(cf. MONOGAMY), 복혼; 《드물게》 일처다부 **2** 〖식물〗 자웅 혼주(混株); 〖동물〗 다혼성
pol·y·gene [pálidʒì:n | pɔ́l-] *n.* 〖생물〗 폴리진, 다원(多元) 유전자 《다수가 상호 보완하여 같은 형질의 발현에 관계하는 유전자》
pol·y·gen·e·sis [pàlidʒénəsəs | pɔ̀l-] *n.* Ⓤ 〖생물〗 다원(多原) 발생(설)(cf. MONOGENESIS)
pol·y·ge·net·ic [pàlidʒənétik | pɔ̀l-] *a.* 〖생물〗 다원(多原) 발생의; 다원(多元)의: ~ dyestuff 다색 염료 **-i·cal·ly** *ad.*
pól·y·glass tíre [páliglæ̀s- | pɔ́liglɑ̀:s-] 폴리글라스 타이어 《고성능 강화 타이어》 ★ polyglas tire라고도 함.
pol·y·glot [páliglɑ̀t | pɔ́liglɔ̀t] *a.* 여러 나라 말로 쓴[을 하는]; 여러 언어 집단으로 이루어진; 다국민으로 이루어진[행해지는] **—** *n.* **1** 여러 나라 말을 아는 사람 **2** 수개 국어 대역서(對譯書), 여러 나라 말로 쓴 서적 《특히 성서》 **3** 다국어 혼합
pol·y·gon [páligàn | pɔ́ligɔ̀n] *n.* 〖기하〗 다각형: a regular ~ 정다각형 **po·lyg·o·nal** [pəlígənl] *a.* **po·lýg·o·nal·ly** *ad.*
pol·y·graph [páligræ̀f | pɔ́ligrɑ̀:f] *n.* **1** 복사기 **2** 다작가(多作家) **3** 〖의학〗 다용도 기록계 **4** 거짓말 탐지기 **—** *vt.* 거짓말 탐지기로 조사하다
pol·y·graph·ic [pàligrǽfik | pɔ̀l-] *a.* **1** 복사[등사]의[에 의한] **2** 거짓말 탐지기의[에 의한] **3** 다작(多作)의 **4** 광범위한 문제를 다룬 〈논문 등〉 **-i·cal·ly** *ad.*

corrupt, defile, debauch, dishonor, debase, blacken (opp. *purify, clean, disinfect*)

po·lyg·ra·phist [pəlígrəfist], **-ra·pher** [-fər] *n.* 거짓말 탐지기 조작자
po·lyg·y·nous [pəlídʒənəs] *a.* **1** 일부다처(주의)의 **2** 〖식물〗 다암술의 〈꽃〉
po·lyg·y·ny [pəlídʒəni] *n.* Ⓤ **1** 일부다처(주의) **2** 〖식물〗 다(多)암술
pol·y·he·dral [pàlihí:drəl | pɔ̀l-], **-dric** [-drik] *a.* 〖수학〗 다면체의
pol·y·he·dron [pàlihí:drən | pɔ̀l-] *n.* (*pl.* **~s, -dra** [-drə]) 〖기하〗 다면체[형]; 〖곤충〗 다각체(多角體)
pol·y·his·tor [pàlihístər | pɔ̀l-], **-his·to·ri·an** [-histɔ́:riən] *n.* 박학자, 박식가
pol·y·his·tor·ic [pàlihistɔ́:rik | pɔ̀lihistɔ́r-] *a.*
pol·y·hy·drox·y [pàlihaidráksi | pɔ̀lihaidrɔ́ksi] *a.* 〖화학〗 다가(多價)의 《두 개 이상의 수산기(水酸基)를 가진 분자의》
Pol·y·hym·ni·a [pàlihímniə | pɔ̀l-] *n.* 〖그리스신화〗 폴리힘니아 《찬가(讚歌)를 맡은 the Muses의 한 여신》
pol·y I:C [páli-àisí: | pɔ́li-] 〖생화학〗 폴리 IC 《인터페론 생산을 촉진하는 합성 리보 핵산》
pol·y·im·ide [pàliímaid, -id | pɔ̀l-] *n.* 폴리이미드 《고온·마찰·방사선·다수 화학 약품에 대해 내구성이 강한 수지의 총칭》
pol·y·line [pálilàin | pɔ́l-] *n.* 〖컴퓨터〗 폴리라인 《컴퓨터 그래픽에서 선분들을 이어 만든 도형》
pol·y·logue [pálilɔ̀:g | pɔ́lilɔ̀g] *n.* 복수 대화[토론] 《두 사람 이상의》
pol·y·math [pálimæ̀θ | pɔ́l-] [Gk 「많이 알고 있는」의 뜻에서] *n.*, *a.* 박식가(의) **pòl·y·máth·ic** *a.*
pol·y·mer [pálimər | pɔ́l-] *n.* 〖화학〗 중합체(重合體), 중합물, 이량체(異量體)
pol·y·mer·ase [pálimərèis | pɔ́l-] *n.* 〖생리〗 폴리메라아제 《DNA, RNA 형성의 촉매가 되는 효소》
pólymerase cháin reàction 폴리메라아제 연쇄 반응 《한 유전자의 대량 복제를 위한 실험실적인 생산 체계》
pol·y·mer·ic [pàlimérik | pɔ̀l-] *a.* 〖화학〗 중합의, 중합에 의한, 이량체의 **-i·cal·ly** *ad.*
po·lym·er·ism [pəlímərìzm, pálim- | pəlím-, pɔ́lim-] *n.* Ⓤ **1** 〖화학〗 중합(重合) **2** 〖생물〗 다수성
po·lym·er·i·za·tion [pəlìmərizéiʃən, pàlim- | pəlìməraiz-, pɔ̀lim-] *n.* Ⓤ 〖화학〗 중합(重合) (반응)
po·lym·er·ize [pəlímərὰiz, pálim- | pəlím-, pɔ́lim-] *vt.* 〖화학〗 중합하다[시키다]
pol·y·morph [pálimɔ̀:rf | pɔ́l-] *n.* **1** 〖생물〗 다형(多形), 다형체 **2** 〖결정〗 다형체, 동질 이상(同質異像) **3** 〖해부〗 다형 핵구(核球)
pol·y·mor·phic [pàlimɔ́:rfik | pɔ̀l-] *a.* = POLYMORPHOUS
pol·y·mor·phism [pàlimɔ́:rfizm | pɔ̀l-] *n.* Ⓤ **1** 〖결정〗 동질 이상(同質異像) **2** 〖생물〗 다형(多形)(현상), 다형성; 〖유전〗 다형 현상 《동종 집단 가운데에서 2개 이상의 대립 형질이 뚜렷이 구별되는 것; 사람의 ABO식 혈액형 등》
pol·y·mor·pho·nú·cle·ar léukocyte [pàlimɔ̀:rfənjú:kliər- | pɔ̀limɔ̀:fənjú:-] 〖해부〗 다형핵 백혈구
pol·y·mor·phous [pàlimɔ́:rfəs | pɔ̀l-] *a.* 여러 가지 모양이 있는, 다형의
pol·y·mor·phous-per·verse [pàlimɔ́:rfəs-pə(:)rvə́:rs | pɔ̀l-] *a.* 〖정신의학〗 다형 도착(倒錯)의
Pol·y·ne·sia [pàləní:ʒə, -ʃə | pɔ̀liní:ziə] [Gk 「많은 섬」의 뜻에서] *n.* 폴리네시아 《태평양의 중남부에 널리 산재하는 작은 섬들의 총칭》(cf. MICRONESIA)
Pol·y·ne·sian [pàləní:ʒən, -ʃən | pɔ̀liní:ziən] *a.* 폴리네시아(사람)의 **—** *n.* **1** 폴리네시아 사람 **2** Ⓤ 폴리네시아어파[어군]
pol·y·neu·ri·tis [pàlinjuəráitis | pɔ̀linjuər-] *n.* 〖병리〗 다발(성) 신경염(multiple neuritis)
pol·y·no·mi·al [pàlinóumiəl | pɔ̀l-] *a.* **1** 다명(多

名)의 **2** 〖수학〗 다항(식)의: a ~ expression 다항식 **—***n.* **1** 다명 **2** 〖수학〗 다항식

pol·y·nu·cle·ar [pɑ̀linjúːkliər | pɔ̀linjúː-], **-nu·cle·ate** [-kliət] *a.* 〖생물〗 다핵(多核)의

pol·y·nu·cle·o·tide [pɑ̀linjúːkliətàid | pɔ̀linjúː-] *n.* 〖생화학〗 폴리뉴클레오티드 《DNA 또는 RNA 상의 뉴클레오티드의 배열》

po·lyn·ya, -ia [pəlínjə] *n.* 빙호(氷湖) 《극지방의 얼음에 둘러싸인 직사각형 해면》

pol·y·ol [pɑ́liɔ̀ːl, -ɑ̀l | pɔ́liɔ̀l] *n.* 〖화학〗 폴리올 《분자 중에 3개 이상의 수산기(水酸基)를 가진 알코올》

pol·y·o·ma (**vírus**) [pɑliouməə(-) | pɔ̀l-]] *n.* 〖세균〗 폴리오마 바이러스 《설치(齧齒) 동물에 여러 가지 암을 발생시킴》

pol·y·on·y·mous [pɑ̀liɑ́nəməs | pɔ̀liɔ́n-] *a.* 다명의, 여러 이름으로 알려진

pol·yp [pɑ́lip | pɔ́l-] *n.* **1** 〖동물〗 폴립 《히드라충류》 **2** 〖의학〗 점막 비후(肥厚)로 인한 돌기, 용종(茸腫)

pol·y·par·y [pɑ́ləpèri | pɔ́lipəri] *n.* (*pl.* **-par·ies**) 〖동물〗 폴립 모체(母體) 《산호 등》

pol·y·ped [pɑ́lipèd | pɔ́l-] *n.* 다족 생물, 다족물

pol·y·pep·tide [pɑ̀lipéptaid | pɔ̀l-] *n.* 〖생화학〗 폴리펩티드 《아미노산의 다중 결합물》

pol·y·pet·al·ous [pɑ̀lipétələs | pɔ̀l-] *a.* 〖식물〗 다판(多瓣)의, 꽃잎이 여러 개인

pol·y·pha·gi·a [pɑ̀liféidʒiə, -dʒə | pɔ̀l-] *n.* Ⓤ 〖동물〗 잡식성(雜食性); 〖의학〗 다식증(多食症)

po·lyph·a·gous [pəlífəgəs] *a.* 〖동물〗 잡식성의; 〖의학〗 다식증의

pol·y·phase [pɑ́lifèiz | pɔ́l-] *a.* 〖전기〗 다상(多相)의: a ~ current 다상 전류/a ~ dynamo[motor] 다상 발전기[전동기]

Pol·y·phe·mus [pɑ̀ləfíːməs | pɔ̀l-] *n.* 〖그리스신화〗 폴리페모스 《식인종 Cyclops의 우두머리》

Polyphémus móth 산누에나방과(科)의 일종 《안문(eyespot)이 특징》

pol·y·phone [pɑ́lifòun | pɔ́l-] *n.* 〖음성〗 다음자(多音字), 다음가(多音價) 기호 《read의 *ea*([iː], [e]) 등》

pol·y·phon·ic [pɑ̀lifɑ́nik | pɔ̀lifɔ́n-], **po·lyph·o·nous** [pəlífənəs] *a.* **1** 다음(多音)의; 운율[율격]의 변화가 있는 **2** 〖음악〗 다음 합성의, 대위법상의 **3** 〖언어〗 다음을 표시하는

pòl·y·phón·i·cal·ly, po·lýph·o·nous·ly *ad.*

polyphónic próse 다운율 산문

po·lyph·o·ny [pəlífəni] *n.* Ⓤ 다음(多音); 〖음악〗 다성부 음악(cf. HOMOPHONY); 대위법

pol·y·phy·let·ic [pɑ̀lifailétik | pɔ̀l-] *a.* 〖생물〗 다계통 발생의 **-i·cal·ly** *ad.*

pol·y·ploid [pɑ́liplɔ̀id | pɔ́l-] *n.*, *a.* 〖생물〗 배수체(倍數體)(의); 배수성(倍數性)(의)

pol·y·ploi·dy [pɑ́liplɔ̀idi | pɔ́l-] *n.* Ⓤ 〖생물〗 (염색체의) 배수성

pol·yp·ne·a [pɑ̀lipníːə | pɔ̀l-] *n.* 〖의학〗 다호흡, 호흡 빈번; 헐떡임

pol·y·pod [pɑ́lipɑ̀d | pɔ́lipɔ̀d] *n.* **1** 〖동물〗 (곤충의 유충처럼 다리가 많은) 다지(多肢) 동물 **2** = POLYPODY **—***a.* 〖동물〗 다리가 많은

pol·y·po·dy [pɑ́lipòudi | pɔ́lipədi] *n.* (*pl.* **-dies**) 〖식물〗 털미역고사리, 다시마일엽초 무리: ~ family 〖식물〗 고사릿과(科)

pol·y·poid [pɑ́ləpɔ̀id | pɔ́l-], **-pous** [-pəs] *a.* 〖동물·의학〗 폴립[용종(茸腫)] 모양의[비슷한]

pol·y·pore [pɑ́lipɔ̀ːr | pɔ́l-] *n.* 다공균 《잔나비걸상과 버섯의 총칭; 영지 등의 경질의 버섯류》

pol·y·pro·pyl·ene [pɑ̀lipróupəlìːn | pɔ̀l-] *n.* Ⓤ 폴리프로필렌 《합성수지[섬유]의 원료》

pol·yp·tych [pɑ́liptìk | pɔ́l-] *n.* 폴립티크 《병풍처럼 몇 개의 널빤지를 연결해서 만든 장식품》

pol·y·pus [pɑ́lipəs | pɔ́l-] *n.* (*pl.* **-pi** [-pài], **~·es**) 〖병리〗 폴립, 용종(茸腫)

pol·y·rhythm [pɑ́lirìðm | pɔ́l-] *n.* 〖음악〗 폴리리듬 《대조적 리듬의 동시 사용》

pol·y·ri·bo·some [pɑ̀liráibəsòum | pɔ̀l-] *n.* 〖생화학〗 폴리리보솜 《수 개에서 수십 개의 리보솜이 한 messenger RNA에 결합한 것》

pol·y·ri·bo·so·mal [-ràibəsóuməl] *a.*

pol·y·sac·cha·ride [pɑ̀lisǽkəràid | pɔ̀l-] *n.* 〖화학〗 다당류(多糖類)

pol·y·se·mous [pɑ̀lisíːməs, pəlísə- | pɔ̀lisíː-, pəlísə-] *a.* 〖언어〗 다의(多義)의

pol·y·se·my [pɑ́lisìːmi, pəlísə- | pɔ̀lisíː-, pəlísə-] *n.* Ⓤ 〖언어〗 다의(多義) 《하나의 말이 몇 개의 뜻을 갖고 있음》

pol·y·some [pɑ́lisòum | pɔ́l-] *n.* 〖생화학〗 = POLYRIBOSOME

pol·y·sor·bate [pɑ̀lisɔ́ːrbeit | pɔ̀l-] *n.* 〖화학〗 폴리소르베이트 《약제·식품 조제용의 표면 활성제》

po·lys·ti·chous [pəlístikəs] *a.* 연이어서 선, 줄이 나란한; 〖식물〗 다열생(多列生)의

pol·y·style [pɑ́listàil | pɔ́l-] *a.* 〖건축〗 다주식(多柱式)의 **—***n.* 다주식 건축(물)

pol·y·sty·rene [pɑ̀listáiəriːn | pɔ̀l-] *n.* Ⓤ 〖화학〗 폴리스티렌 《무색 투명한 합성수지》

pol·y·sul·fide [pɑ̀lisʌ́lfaid | pɔ̀l-] *n.* 〖화학〗 다유화물(多硫化物)

pol·y·syl·lab·ic, -i·cal [pɑ̀lisilǽbik(əl) | pɔ̀l-] *a.* 다음절(多音節)의 **-i·cal·ly** *ad.*

pol·y·syl·la·ble [pɑ́lisìləbl | pɔ́l-] *n.* 다음절어(語) 《3음절 이상》(cf. MONOSYLLABLE)

pol·y·syn·de·ton [pɑ̀lisíndətɑ̀n | pɔ̀lisíndətən] *n.* 〖수사학〗 연속해서 여러 개의 접속사를 사용하는 것 (cf. ASYNDETON)

pol·y·syn·the·sis [pɑ̀lisínθəsis | pɔ̀l-] *n.* (*pl.* **-ses** [-sìːz]) ⒸⓊ 〖언어〗 = POLYSYNTHESISM

pol·y·syn·the·sism [pɑ̀lisínθəsìzm | pɔ̀l-] *n.* Ⓤ **1** 많은 요소의 통합[종합] **2** 〖언어〗 다종합(多綜合), 포합(抱合) 《문장으로 나타내어야 할 내용을 한 낱말로 표현하는 일》

pol·y·syn·thet·ic, -i·cal [pɑ̀lisinθétik(əl) | pɔ̀l-] *a.* **1** 여러 개의 낱말을 하나로 복합한 **2** 〖언어〗 포합의, 다종합적인 **-i·cal·ly** *ad.*

pol·y·tech·nic [pɑ̀litéknik | pɔ̀l-] *a.* 여러 가지 공예의, 과학 기술의: a ~ school 공예 학교 ***the P~ Institution*** (특히 London의) 폴리테크닉 **—***n.* 공예 학교, 과학 기술 전문 학교; 《영》 폴리테크닉 《대학 수준의 종합 기술 전문 학교》

pol·y·the·ism [pɑ́liθìːizm | pɔ́l-] *n.* Ⓤ 다신론; 다신교 **-ist** *n.* 다신론자, 다신교도

pol·y·the·is·tic [pɑ̀liθiːístik | pɔ̀l-] *a.* 다신교의, 다신론의; 다신교를 믿는 **-ti·cal·ly** *ad.*

pol·y·thene [pɑ́ləθìːn | pɔ́l-] *n.* 《영》 〖화학〗 = POLYETHYLENE

pol·y·ton·al [pɑ̀litóunl | pɔ̀l-] *a.* 〖음악〗 다조(多調)의, 다조주의의, 다조를 이용한

pol·y·to·nal·i·ty [pɑ̀litounǽləti | pɔ̀l-] *n.* Ⓤ 〖음악〗 다조성(多調性)

pol·y·troph·ic [pɑ̀litrɑ́fik, -tróuf- | pɔ̀litrɔ́fik] *a.* 〖생물〗 다종 영양의

po·ly·tun·nel [pɑ̀litʌ́nl | pɔ̀li-] *n.* 비닐하우스

pol·y·typ·ic [pɑ̀litípik | pɔ̀l-] *a.* 〖결정〗 폴리타입의; 〖생물〗 다형을 가진 《같은 생물군에 다양한 변이가 있는 것》

pol·y·un·sat·u·rate [pɑ̀liənsǽtʃərit, -rèit | pɔ̀l-] *n.* 〖화학〗 고도 불포화 유지(油脂) **-ràt·ed** [-rèitid] *a.*

polyunsáturated fát 다가(多價) 불포화 지방산 (cf. MONOUNSATURATED FAT, SATURATED FAT, TRANS FAT)

pol·y·u·re·thane [pɑ̀lijúərəθèin, -juréθ- | pɔ̀l-]

thesaurus **pompous** *a.* self-important, presumptuous, pretentious, affected, arrogant, vain,

n. Ⓤ 〖화학〗 폴리우레탄 《합성 섬유·합성 고무 등의 원료》
pol·y·u·ri·a [pɑ̀lijúəriə | pɔ̀l-] *n.* 〖병리〗 다뇨증
pol·y·va·lent [pɑ̀livéilənt | pɔ̀l-] *a.* **1** 〖화학〗 다원자가(多原子價)의(multivalent) **2** 〖세균〗 여러 균을 혼합한, 다가(多價)의 〈항체·백신〉 **-lence** *n.*
pol·y·ver·si·ty [pɑ̀livə́ːrsəti | pɔ̀l-] *n.* (*pl.* **-ties**) = MULTIVERSITY
pol·y·vi·nyl [pɑ̀liváinl | pɔ̀l-] *n.*, *a.* 〖화학〗 폴리[중합(重合)] 비닐(의)
polyvínyl ácetate 〖화학〗 폴리 초산 비닐 《略 PVA》
polyvínyl chlóride 〖화학〗 폴리 염화(鹽化) 비닐 《略 PVC》
pol·y·vi·nyl·i·dene [pɑ̀livainílidìːn | pɔ̀l-] *a.* 〖화학〗 폴리비닐리덴의, 폴리비닐리덴에서 유도된
pol·y·wa·ter [pɑ́liwɔ̀ːtər | pɔ́l-] *n.* Ⓤ 〖화학〗 중합수(重合水)
pom [pɑ́m | pɔ́m] *n.* 《구어》 포메라니아종(種)의 작은 개
pom., pomol. pomological; pomology
Pom·a [póumə] *n.* 《영》 = BUTTON LIFT
pom·ace [pʌ́mis] *n.* Ⓤ **1** (사과의) 짜고 난 찌꺼기 **2** (생선 기름·피마자 기름의) 찌꺼기 《비료》
po·ma·ceous [pouméiʃəs] *a.* 사과류의
*__po·made__ [pɑméid, -mɑ́ːd | pə-] [L 「사과」의 뜻에서; 원래 사과로 향기를 낸 데서] *n.* Ⓤ **포마드**, 머릿기름 ── *vt.* 포마드를 바르다
po·man·der [póumændər, ─́─ | ─́─] *n.* **1** 〖역사〗 향료알 《옛날 병을 막기 위하여 작은 구멍이 뚫린 작은 금속 상자에 넣어 지녔음》 **2** (옷장에 넣는) 향료알[갑]
po·ma·to [pəméitou, -mɑ́ː- | -mɑ́ː-] *n.* 포마토 《potato와 tomato를 세포 융합시켜 만든 새로운 식물》
po·ma·tum [pouméitəm] *n.*, *vt.* = POMADE
pome [póum] *n.* **1** 〖식물〗 이과(梨果) 《사과·배·마르멜로 등》 **2** 《시어》 사과 **3** 금속알
pome·gran·ate [pɑ́məgræ̀nət | pɔ́m-] [OF 「씨가 있는 사과」의 뜻에서] *n.* **1** 석류(나무) **2** 〖성서〗 석류 무늬 (장식); 석류 빛깔, 암적색
pom·e·lo [pɑ́məlòu | pɔ́m-] *n.* (*pl.* **~s**) 〖식물〗 포멜로 《왕귤나무류(類)》; 《미》 = GRAPEFRUIT
Pom·e·rán·chuck thèorem [pɑ̀mərǽntʃək- | pɔ̀m-] 〖물리〗 포메란축의 정리(定理)
Pom·er·a·ni·a [pɑ̀məréiniə, -njə | pɔ̀m-] *n.* 포메라니아 《발트 해 연안의 옛 독일의 주(州); 현재는 독일과 폴란드에 분할 소속》
Pom·er·a·ni·an [pɑ̀məréiniən, -njən | pɔ̀m-] *a.* 포메라니아(사람)의 ── *n.* **1** 포메라니아 사람 **2** 포메라니아종(種)의 작은 개
pom·fret [pɑ́mfrit | pɔ́m-] *n.* 〖어류〗 병어 《태평양·인도양산(産)》
pómfret càke 《영》 감초가 든 작고 둥근 과자
po·mi·cul·ture [póuməkʌ̀ltʃər] *n.* Ⓤ 과수(果樹) 재배
po·mif·er·ous [poumífərəs] *a.* 〖식물〗 이과(梨果)가 열리는
pom·mée [pɑméi | pɔ-] [F] *a.* 〈문장(紋章)이〉 (십자 모양의) 막대기 끝에 둥근 혹이 달린
pom·mel [pʌ́məl | pɔ́m-] *n.* **1** 안장 앞머리 **2** 칼자루 끝(knob) **3** 〖건축〗 둥근 장식; 구형의 끝 (마무리) 장식 **4** 〖체조〗 안마(鞍馬)의 손잡이
── *vt.* (**~ed**; **~·ing** | **~led**; **~·ling**) **1** 칼자루 끝으로 치다 **2** 주먹으로 연달아 때리다 **~ *to a jelly*** 녹초가 되도록 때리다
pómmel hòrse 〖체조〗 안마(鞍馬)
Pom·mern [pɔ́mən] [G] *n.* 포메른 《Pomerania의 독일명》
pom·my, -mie [pɑ́mi | pɔ́mi] *n.* (*pl.* **-mies**) 《호주·뉴질·속어》 (새로 온) 영국인 이주자

haughty, proud, conceited, egoistic (opp. *modest, humble, unpretentious*)

po·mo [póumou] *a.*, *n.* 《속어》 = POSTMODERN; = POSTMODERNISM
Po·mo [póumou] *n.* **1** (*pl.* **~s,** [집합적] **~**) 포모족(의 사람) **2** 포모 어(語)
po·mol·o·gy [poumɑ́lədʒi | -mɔ́l-] *n.* Ⓤ 과실 재배법[론]; 과실학; 과수 원예학, 과수 재배학 **-gist** *n.*
po·mo·log·i·cal [pòuməlɑ́dʒikəl | -lɔ́dʒ-] *a.*
Po·mo·na [pəmóunə] *n.* **1** 〖로마신화〗 포모나 《과실(나무)의 여신》 **2** 포모나 《미국 California주 Los Angeles 동쪽의 도시》 **3** 포모나 섬 《스코틀랜드의 북부 Orkney 제도의 가장 큰 섬》 **4** 여자 이름
‡**pomp** [pɑ́mp | pɔ́mp] [Gk 「엄숙한 행렬」의 뜻에서] *n.* **1** Ⓤ **화려**, 장관 **2** Ⓤ 겉치레, 허식, 허영; [보통 *pl.*] 허식적인 것[행동]; 화려한 것 **3** 《고어》 화려한 행렬 ▷ pómpous *a.*
pom·pa·dour [pɑ́mpədɔ̀ːr | pɔ́mpədùə] [프랑스 국왕 Louis 15세의 애인 이름에서] *n.* 퐁파두르 **1** 여자의 이마 위에 높이 빗어올린 머리형; 남자의 올백 형태 **2** 깃을 낮추어 네모지게 자른 여성용 속옷 **3** Ⓤ 연분홍색 **4** 〖직물〗 흰 바탕에 분홍색·파란색·금색의 작은 꽃무늬가 있는 면[견직물]

pompadour 1

pom·pa·no [pɑ́mpənòu | pɔ́m-] *n.* (*pl.* **~, ~s**) 〖어류〗 전갱이의 일종 《서인도·북미산(産)》
Pom·pe·ian [pɑmpéiən | pɔm-] *a.* **1** Pompeii의 **2** 〖미술〗 폼페이식의, 폼페이 벽화(壁畫)식의 ── *n.* 폼페이 사람
Pom·pe·ii [pɑmpéi, -péiiː | pɔmpéiiː] *n.* 폼페이 《Vesuvius 화산의 분화로 서기 79년 매몰된 이탈리아의 나폴리 부근의 고대 도시》
Pómpe's diséase [pɑ́mpiz- | pɔ́m-] [네덜란드의 의사 J.C. Pompe의 이름에서] 〖의학〗 폼페병 《당원병(糖原病)의 하나》
Pom·pey [pɑ́mpi | pɔ́m-] *n.* **1** 《영·속어》 = PORTSMOUTH **2** 폼페이우스 **the Great ~** (106-48 B.C.) 《로마의 장군·정치가》
Pom·pi·dou [pɑ́mpidùː | pɔ́m-] *n.* 퐁피두 **Georges ~** (1911-74) 《프랑스의 정치가; 수상(1962-68), 대통령(1969-74)》
pom·pi·er [pɑ́mpiər | pɔ́m-] [F] *n.* **1** 소방원(fireman) **2** 소방 사다리(= ∠ **làdder**)
pom-pom [pɑ́mpɑ̀m | pɔ́mpɔ̀m] [의성어] *n.* 자동 기관총; 자동 고사포, 대공(對空) 속사포
pom·pon [pɑ́mpɑn | pɔ́mpɔn] *n.* **1** (모자·구두 등의) 방울술[리본] **2** 〖군사〗 군모(軍帽)의 술 **3** 〖식물〗 퐁퐁달리아
pómpon gìrl 방울술을 흔들며 응원하는 치어걸
pom·pos·i·ty [pɑmpɑ́səti | pɔmpɔ́s-] *n.* (*pl.* **-ties**) **1** Ⓤ 화려; 점잔 뺌, 거드름 피움 **2** 거만한[과장된] 언행; 호언장담; 잘난 체하는 사람
pom·po·so [pɑmpóusou | pɔm-] [It.] *a.*, *ad.* 〖음악〗 장중한[하게]
*__pomp·ous__ [pɑ́mpəs | pɔ́mp-] *a.* **1 점잔 빼는**, 거드름 피우는 **2** 〈말·문체 등이〉 젠체하는, 과시하는: a ~ speech 호언장담 **3** 화려한, 으리으리한
~·ly *ad.* **~·ness** *n.* ▷ pómp *n.*
'pon, pon [pɑ̀n | pɔ̀n] *prep.* = UPON
pon. pontoon
ponce [pɑ́ns | pɔ́ns] 《영·속어》 *n.* **1** (매춘부의) 정부, 기둥서방 **2** 간들거리는 남자
── *vi.* 기둥서방 생활을 하다, 간들거리며 다니다; 호화로이 지내다 《*about, around*》 **~ *off*** [***on***] …로부터 부도덕한 돈을 받아 생활하다; …에게 바가지 씌우다 **~ *up*** 요란하게 꾸미다; 요란하게 차려입다; 교태를 부리다 **pon·cy** [pɑ́nsi | pɔ́n-] *a.*
pon·ceau [pɑnsóu | pɔn-] [F] *n.*, *a.* 개양귀비빛(의), 선홍색(의)

pon·cey, -cy [pánsi | pɔ́n-] *a.* (영·경멸·구어) **1** 겉치레뿐인, 그럴싸한, 여봐란듯이 보이려는 **2** (남자가) 여자같이 구는, 계이처럼 행동[말]하는

pon·cho [pántʃou | pɔ́n-] *n.* (*pl.* **~s**) 판초 《남미 원주민들이 입는 일종의 외투》

poncho

‡pond [pánd | pɔ́nd] *n.* **1** (주로 인공적인) 못, 연못

> 유의어 **pond**는 **pool**보다 크고 **lake**보다 작은 인공의 것을 지칭.

2 [the ~] 《영·익살》 바다, 《특히》 대서양
—*vt.* (물을 막아서) 못으로 만들다 《*up, back*》
—*vi.* 못이 되다; 〈물이〉 괴다

pond·age [pándidʒ | pɔ́nd-] *n.* Ⓤ (못의) 저수량

***pon·der** [pándər | pɔ́n-] [L 「달다」의 뜻에서] *vt., vi.* **숙고하다, 곰곰이[깊이] 생각하다**; 심사(沈思)하다, 묵묵히 생각하다 《*on, over, upon*》: ~ *upon* that problem 그 문제에 대해 숙고하다 / ~ one's next move thoroughly 다음 행동에 대해 깊이 생각하다 **~·er** *n.* **~·ing·ly** *ad.* 생각하면서
▷ pónderous *a.*

pon·der·a·bil·i·ty [pàndərəbíləti | pɔ̀n-] *n.* Ⓤ **1** 무게를 달 수 있음; 무게 있음 **2** 일고의 가치가 있음

pon·der·a·ble [pándərəbl | pɔ́n-] *a.* **1** 무게를 달 수 있는, 무게 있는 **2** 일고(一考)의 가치가 있는
— *n.* [종종 *pl.*] 무게 있는 것; 숙고할 만한 것; (도덕적·지적) 중요성을 지닌 것

pon·der·ó·sa píne [pàndəróusə- | pɔ̀n-] 『식물』 폰데로사 소나무 《북미산(産); 큰 오엽송의 하나》; 그 목재

pon·der·os·i·ty [pàndərásəti | pɔ̀ndərɔ́s-] *n.* Ⓤ **1** 무거움, 묵직함 **2** 〈문체가〉 지루하고 답답함

***pon·der·ous** [pándərəs | pɔ́n-] [L 「무게」의 뜻에서] *a.* **1** 대단히 무거운, 크고 무거운: a ~ creature 덩치 큰 녀석 **2** 묵직한, 육중한 **3** 다루기 힘드는; 짐스러운 **4** 〈이야기·문체 등이〉 지루하고 답답한, 장황한; 부자연스러운, 생기 없는: a ~ dissertation 장황한 학위 논문 **~·ly** *ad.* **~·ness** *n.* ▷ pónder *v.*

pond-life [pándlàif | pɔ́nd-] *n.* 못에 사는 생물 《작은 동물》

pónd lìly 『식물』 수련(水蓮)(water lily)

pónd scùm **1** 『식물』 고인 수면 위에 피막 모양으로 뜨는 각종 조류(藻類), 《특히》 해캄 **2** (미·학생속어) 기분 나쁜 놈; 쓸모없는 놈

pónd skàter 『동물』 소금쟁이(water strider)

pond·weed [-wìːd] *n.* 『식물』 가래 《수생 식물》

pone[1] [póun] *n.* 『카드』 **1** 물주 **2** 물주와 한 편인 사람 《보통 물주의 오른쪽에 앉음》

pone[2] *n.* ⓊⒸ (미) 옥수수빵(의 한 덩어리)(= ~ **brèad**)

pong [páŋ | pɔ́ŋ] *n., vi.* (영·속어) 악취(나다)

pon·gee [pandʒíː | pɔn-] [Chin.] *n.* Ⓤ 산동주(山東紬) 《산누에의 실로 짠 엷은 명주》; 황색을 띤 갈색, 암황색

pon·gid [pándʒid | pɔ́n-] *a., n.* 『동물』 성성잇과(科)의 (유인원)

pon·go [páŋgou | pɔ́ŋ-] *n.* (*pl.* **~s**) **1** 유인원(類人猿), 고릴라, 오랑우탄 **2** (미속어) 병사(兵士); 흑인; 유색 인종

pon·gy [páŋi | pɔ́ŋi] *a.* 악취 나는

pon·iard [pánjərd | pɔ́n-] *n.* 비수, 단검(短劍) (dagger) 《단면이 3각 또는 4각으로 된》
— *vt.* 단검으로 찌르다

po·no·graph [póunəgræ̀f | -grɑ̀ːf] *n.* 『의학』 피로 측정계

pons [pánz | pɔ́nz] [L] *n.* (*pl.* **pon·tes** [pántiːz | pɔ́n-]) 『해부』 **1** 뇌교(腦橋) 《중뇌(中腦)와 연수(延髓) 사이의 중추신경 조직》 (pons Varolii) **2** (인체 기관의) 접합부; 다리 《하나의 기관의 두 부분을 잇는 조직》

póns as·i·nó·rum [-æ̀sənɔ́ːrəm] **1** 『수학』 당나귀의 다리(asses' bridge) 《Euclid 기하학에서 「이등변 삼각형의 두 밑각은 같다」고 하는 정리; 둔한 학생(ass)은 이해하기 곤란하다는 뜻에서》 **2** 초심자를 테스트하는 설문; 초심자에게는 어려운 문제

póns Va·ró·li·i [-vəróuliài] [이탈리아의 외과 의사·해부학자인 C. Varoli의 이름에서] 『해부』 뇌교(腦橋)(pons)

Pon·ti·ac [pántiæ̀k | pɔ́n-] *n.* 폰티액 **1** Ottawa 인디언의 추장(1720?-69) **2** 미국 승용차의 이름 **3** 미국 Michigan주 남동부의 도시 이름 **4** 미국 Illinois주 중부의 마을 이름

pon·tic [pántik | pɔ́n-] *n.* 『치과』 폰틱 가공치 (dummy)

pon·ti·fex [pántəfèks | pɔ́n-] *n.* (*pl.* **-tif·i·ces** [pantífəsìːz | pɔn-]) **1** 『고대로마』 대신관(大神官) 《Pontifical College의 한 사람》 **2** = PONTIFF

pon·tiff [pántif | pɔ́n-] *n.* **1** (유대교의) 제사장(祭司長); 고승(高僧) **2** [the P~] 『가톨릭』 (로마) 교황(Pope): *the* Supreme[Sovereign] *P~* 로마 교황 **3** (고어) 주교(bishop), 고위 성직자

pon·tif·i·cal [pantífikəl | pɔn-] *a.* **1** 교황의; 주교의 **2** 오만한, 아주 독단적인
— *n.* 『가톨릭』 **1** [*pl.*] (주교의) 제의(祭衣) **2** 주교용 전례서(典禮書) ***in full* ~s** 주교의 정장(正裝)으로
~·ly *ad.* 주교답게; 주교의 교권을 가지고, 주교로서

pon·tif·i·ca·li·a [pantìfəkéiliə | pɔn-] *n. pl.* 주교의 제의(祭衣)

pon·tif·i·cate [pantífikət | pɔn-] *n.* Ⓤ 교황[주교]의 직[지위, 임기] — [-fəkèit] *vi.* **1** 주교로서 〈의식을〉 집행하다; 주교의 역할을 하다 **2** 점잔 빼며 말하다, 거만스럽게 행동하다 —*vt.* 독단적으로[권위 있듯이] 말하다 **-cà·tor** *n.*

pon·til [pántil | pɔ́n-] *n.* = PUNTY

pon·tine [pántain | pɔ́n-] *a.* **1** 『해부』 뇌교(腦橋)의 **2** 다리(bridge)의

pont·lev·is [pàntlévis | pɔ̀nt-] *n.* 도개교(跳開橋) (drawbridge)

pon·ton [pántən | pɔ́n-] *n.* = PONTOON[1]

pon·to·nier, -neer [pàntəníər | pɔ̀n-] *n.* (폐어) 『군사』 가교병(架橋兵); 부교(浮橋) 가설자

pon·toon[1] [pantúːn | pɔn-] [L 「다리」의 뜻에서] *n.* **1** 평저선(平底船); 큰 거룻배(lighter) **2** 『군사』 (가교용) 철주(鐵舟); 부교(浮橋)(= ~ bridge) **3** 『항공』 (수상 비행기의) 플로트(float): a ~ plane 수상 비행기 **4** (침몰한 배를 끌어올리는 데 쓰는) 부양함(浮揚函)
— *vt., vi.* 부교를 가설하다; 부교로 강을 건너다

pontoon[2] *n.* **1** Ⓤ (영) 『카드』 21((미) twenty-one) **2** (속어) 21개월의 금고형(禁固刑)

póntoon brídge 부교(浮橋)

‡po·ny [póuni] [L 「어린 동물」의 뜻에서] *n.* (*pl.* **-nies**) **1** 조랑말 《보통 몸 높이 4.7ft. 이하》(⇨ horse 관련); (일반적인) 작은 말 **2** (미·학생속어) (특히 어학의) 자습서(cf. CRIB 6, TROT 5) **3** 모양이 작은 것; 소형(小型) 기관차[자동차]; (맥주 등의) 작은 잔(만큼의 분량) 《보통 1온스(29.6 ml)》; (7온스(196 g)들이 음료수용) 작은 병 **4** [보통 *pl.*] (영·속어) 경주마 **5** (영·속어) 25파운드 《주로 도박 용어》
—*vi., vt.* (**-nied**) (미·속어) **1** 돈을 지불하다 《*up*》 **2** 자습서로 공부하다 **~ up** 결제[정산]하다
—*a.* 보통 것보다 작은, 소형의; 〈뉴스 등이〉 요약된

thesaurus **ponder** *v.* think, consider, reflect, meditate, contemplate, deliberate, brood
poor *a.* **1** 가난한 poverty-stricken, penniless, needy, deprived, impoverished, destitute **2** 초라한 humble, mean, plain **3** 불모의 barren, arid, bare,

póny càr 스포츠카 형의 소형차《2도어》
póny edítion 《미》 소형판《잡지 등의》
póny èngine 소형 기관차《역 구내 조차용》
póny expréss 《미》 (개척 시대의 서부의) 조랑말 속달 우편
Póny Lèague [the ~] 《미》 13-14세 소년 야구 리그(cf. LITTLE LEAGUE)
po·ny·tail [póunitèil] *n.* 포니테일《말꼬리 모양으로 뒤로 묶어 드리우는 머리》

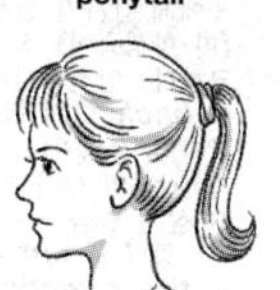
ponytail

po·ny-trek·king [-trèkiŋ] *n.* 《영》 조랑말 여행
Pón·zi (**schème**) [pánzi-|pɔ́n-] *n.* 폰지형 사기 방식《피라미드 방식이라고도 함》
poo[1] [pú:] *n.* 《유아어》 **1** 응가, 똥 **2** 배변, 응가하기
— *vi.* 배변하다, 응가하다
— *int.* =POOH
poo[2] *n.* 《구어》 =CHAMPAGNE
poo[3] *vt.* [다음 성구로] **~ *out*** ⇨ POOP[5] out
P.O.O. Post Office Order 《영》 우편환
pooch[1] [pú:tʃ] *n.* 《미·속어》 개, 《특히》 잡종개(mongrel); (도박에서) 진 사람
pooch[2] *vi., vt.* 《미·방언》 부풀다; 부풀리다(bulge)
pood [pú:d] *n.* 푸드《구소련의 무게의 단위; 16.38 kg》
poo·dle [pú:dl] *n.* **1** 푸들《작고 영리한 복슬개》 **2** 아첨하는 사람; 앞잡이, 부하 **3** 《미·흑인속어》 섹시한 여자
— *vt.* (개의) 털을 짧게 깎다

poodle 1

póodle cùt 《미·속어》 푸들 컷《짧게 깎아 곱슬하게 하는 머리 모양》
poo·dle-fak·er [pú:dlfèikər] *n.* 《속어》 **1** 여자에게 열을 올리는 남자, 여자의 비위를 맞추는 남자 **2** 젊은 신임 장교
poof[1] [púf, pú:f] *int.* **1** 휙!, 팟!《갑자기 사라지는 소리》 **2** =POOH
poof[2] *n.* (*pl.* **pooves** [pú:vz], **~s**) 《영·속어》 **1** 남자 동성애자 **2** 여자 같은 남자
pooh [pú:] [의성어] *int.* 흥, 체, 제기랄, 피, 치《조조·조롱·경멸을 나타내는 소리》
— *n.* 흥[체, 치] 하는 소리
Pooh-Bah [pú:bɑ̀:] [희가극 *The Mikado* 중의 인물에서] *n.* [때로 **poobah**] **1** 직함을 많이 가지고 있는 사람 **2** 높은 사람, 고관; 거만한 사람; 지도자, 대가; 중요한 인물
pooh-pooh [pú:pú:] *int.* =POOH
— *vt., vi.* 《구어》 조롱하다, 깔보다
poo·ja(**h**) [pú:dʒə] *n.* =PUJA(H)
poo·ka [pú:kə] *n.* 《영》 푸카《아일랜드의 전설에서 늪 등에 말의 모습으로 나타나는 괴물》
‡**pool**[1] [pú:l] *n.* **1** (구멍 등에 자연히 생긴) **웅덩이,** 연못(⇨ pond [유의어]) **2** (인공의) 못, 저수지, 봇물; 《일반적으로》 액체가 고인 곳: a ~ of blood 피바다 **3** (강의) 깊은 곳 **4** (수영용) **풀**(=swimming ~) **5** Ⓤ 〖병리〗 울혈(鬱血)
— *vi., vt.* **1** 고이다, 웅덩이가 되(게 하)다 **2** 울혈(하게) 하다
*__pool__[2] [pú:l] [F「내기」의 뜻에서] *n.* **1 공동 출자,** 공동 관리; 공동 기금; 기업 연합 **2** 공동 출자자, 풀제 참가자[조합, 기업] **3** 공동 이용의 시설[자재, 서비스, 노동력]: a car ~ 자동차의 공동 이용/a motor ~ 배차용 주차장 **4** 〖언론〗 합동 대표 취재, 풀 취재 **5** 《영》 내기 당구 **6** (노름의) 판돈; 판돈 그릇; [the ~] 축구 도박《축구 시합의 승부를 예상하는》 **7** 〖펜싱〗 각 팀 리그전 ***blind*** **~** 위임 기업 동맹
— *vt.* **1** 공동 계산으로 하다, 공동 출자[부담]하다: *~ed* security 〖정치〗 집단 보장/the *~ing* of capital 자본의 합동 **2** 〈정보·지식을〉 공유하다; 함께하다: ~ our knowledge 우리의 지식을 공유하다
— *vi.* 기업 연합에 가입하다, 기업 연합을 만들다; 공동출자(出資)하다
pool·er [pú:lər] *n.* =POOL REPORTER
póol hàll 《미》 내기 당구장
póol repòrter 〖언론〗 (여러 명의 기자가 취재하는 것을 금지하는 경우의) 대표 취재 기자
pool·room [pú:lrù:m] *n.* 《미》 **1** 내기 당구장 **2** 공개 도박장
pool·side [pú:lsàid] *n.* 풀 사이드《수영 풀의 가장자리》
póol tàble (pocket이 6개 있는) 당구대
poon [pú:n] *n.* 〖식물〗 하라보《동인도 제도산(産); 선재용(船材用)》
poon·tang [pú:ntæŋ] *n.* 《미·속어》 성교(性交)
poop[1] [pú:p] *n.* **1** 〖항해〗 선미루(船尾樓)(opp. *forecastle*) **2** =POOP DECK **3** 《속어》 엉덩이
— *vt.* 〈파도가〉 고물을 치다, 〈파도를〉 고물에 받다

poop[1] *n.* **1**

poop[2] *n., vt.* =POPE[2]
poop[3] *n., vi.* =POO[1]
poop[4] *n.* 《미·속어》 (최신)정보, 내막
poop[5] *vt.* 《미·속어》 피곤하게 하다, 지치게 하다
~ *out* (공포·피로 등으로) 그만두다, 집어치우다; 고장나다, 작동을 멈추다
poop[6] [nincom*poop*] *n.* 《영·속어》 바보
póop dèck 선미루 갑판
pooped [pú:pt] *a.* 《미·속어》 녹초가 된
poop·er [pú:pər] *n.* =PARTY POOPER
poop·er-scoop·er [pú:pərskù:pər] *n.* 《미》 (개·말의) 똥을 치는 삽 모양의 도구
poo-poo [pú:pu:] *n.* 《유아어》 응가, 똥(poo) ***make*** **~** 응가하다 — *vt., vi.* =POOH-POOH
póop shèet 《속어》 공표 자료, (신문 기자용) 배포 자료
‡**poor** [púər, pɔ́:r] *a.*

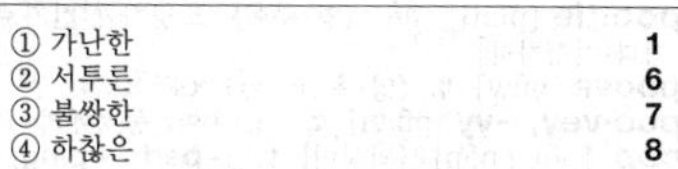

① 가난한	**1**
② 서투른	**6**
③ 불쌍한	**7**
④ 하찮은	**8**

1 a 가난한(opp. *rich*): ~ people 가난한 사람들 **b** 〖법〗 생활 보호 대상의, 빈민의 **c** [the ~; 명사적; 집합적; 복수 취급] 가난한 사람들, 빈민(opp. *the rich*): We must help *the* ~. 가난한 사람을 도와야 한다. **2 초라한;** 보잘것없는: ~ clothes 초라한 의복/~ meal 보잘것없는 식사 **3 a** 메마른, 결핍된; 〈토지가〉 불모의 《*in*》: ~ *in* natural resources 천연자원이 부족한 **b** 〈수량이〉 **부족한,** 불충분한, 빈약한: a ~ crop 흉작/a ~ three days' holiday 단 3일의 휴가/a ~ audience 얼마 안 되는 청중 **4 a** 〈질이〉 나쁜, 조잡한, 열등한: a ~ wine 질이 나쁜 술 **b** 〈이야기 등이〉 재미없는; 바람직하지 못한; 〈일기가〉 고르지 못한: ~ sunshine 일조(日照) 불량/~ jokes 허튼 농담 **5** 〈몸·기억 등이〉 약한; 〈건강·기력 등이〉 나쁜, 해친: in ~ health 건강을 해쳐서/in ~ spirits 기가 죽어서 **6** 〈방법이〉 **서투른** 《*at*》; 〈성적이〉 나쁜: He is ~ *at* English. 그는 영어를 잘 못한다. **7** Ⓐ **불쌍한;** 불행

unproductive, unyielding, sterile **4 부족한** scanty, sparse, meager, scarce, inadequate, deficient, insufficient **5 조잡한** defective, faulty, imperfect, inferior **6 불쌍한** pitiful, unhappy, wretched, unfortunate, unlucky, ill-fated

한, 가엾은; 고인이 된, 망(亡)… (lamented): my ~ father 돌아가신 아버지, 선친 / My ~ son died in war. 내 아들은 불행히도 전사했다. **8** [겸손·익살적으로] 하찮은; 천한, 비열한: in my ~ opinion 소인의 하찮은 생각으로는 / to the best of my ~ ability 미력하나마 힘이 닿는 한
(**as**) **~ as Job's turkey** [**a church mouse, Job**] 가난하기 짝이 없는 ***P~ fellow*** [***thing***]***!*** 가엾어라! ***the ~ man's side*** (***of the river***) 《영·구어》 (London 템스 강의) 남쪽 《Surrey쪽》
~**·ish** *a.* ▷ póverty, póorness *n.*; póorly *ad.*

póor bòx (교회의) 자선 헌금함

póor bòy 대형 샌드위치 ★ poor-boy sandwich라고도 함.

póor bòy swèater 몸에 꼭 끼는 골지게 짠 스웨터

póor dèvil 불쌍한 사람; 환자; 파산자

póor fàrm 〖미국사〗 빈민 구제 농장

poor·house [-hàus] *n.* (*pl.* **-hous·es** [-hàuziz]) 〖역사〗 (옛날의) 구빈원(救貧院)(workhouse)
in the ~ 매우 가난하여

póor làw 빈민 구제법; [the ~] (16세기 말부터 1947년까지의 영국의) 구빈법

‡**poor·ly** [púərli] *ad.* **1** 가난하게; 부족하게, 불충분하게: ~ paid 박봉의 **2** 서툴게; 불완전하게: a ~ built house 날림으로 지은 집 / He speaks[swims] ~. 그는 말[수영]이 서툴다. **3** 초라하게; 비열하게; 《폐어》 관대하지 못하게; 《고어》 기운[용기] 없이
~ off (1) 살림이 넉넉하지 못한(opp. *well off*) (2) …이 부족한 《*for*》 ***think ~ of*** …을 좋지 않게 생각하다, 탐탁하게 여기지 않다
— *a.* Ⓟ 건강이 좋지 못한; 병약한; 《완곡》 월경의: feel ~ 기분이 나쁘다

póor màn's *a.* 대용이 되는, 경제적인, 소형판의; 가난한 사람에게 알맞은

póor mòuth 《미·구어》 (구실·변명으로서) 자기의 궁상을 과장해서 떠들어댐[떠들어대는 사람]

poor-mouth [púərmàuð, -màuθ] *vi.* 《미·구어》 **1** 가난을 구실로 삼다 **2** 우는 소리를 하다, 넋두리하다; 궁상떨다 — *vt.* **1** 〈자기 능력을〉 비하하다, 겸손을 부리다 **2** 비방하다, 험담하다

poor·ness [púərnis] *n.* Ⓤ **1** 빈곤; 부족 《*of*》 **2** 빈약, 졸렬, 불완전 **3** 열등, 비열 《*of*》 **4** 병약(病弱), 허약 **5** 불모(不毛)(barrenness)(⇨ poverty 유의어)

póor ràte 《영》 (교구(敎區) 등의) 구빈세(救貧稅)

póor relátion (동류 가운데서) 뒤지는 사람[것]

poor-spir·it·ed [púərspíritid] *a.* 기운이 없는, 가라앉은; 심약한, 겁 많은 **~·ly** *ad.*

póor whíte 《미·경멸》 (특히 남부에서) 가난뱅이 백인

poo·tle [púːtl] *vi.* 《영·구어》 느긋하게[한가로이] 가다[여행하다]

poove [púːv] *n.* 《영·속어》 = POOF[2]

poo·vey, -vy [púːvi] *a.* 《영·속어》 동성애의

*__pop__[1] [pάp | pɔ́p] [의성어] *v.* (**~ped**; **~·ping**) *vi.* **1** 뻥하고 소리나다[터지다, 튀다]: The balloon *~ped.* 풍선이 팡 터졌다. **2** 휙 들어오다[나가다], 갑자기 움직이다[걷기 시작하다] 《*in, out, up, off*》: (~+부) The children are freely *~ping in* and *out.* 아이들이 휙휙 멋대로 들락거리고 있다. // (~+전+명) He *~ped around* the corner. 그는 후딱 모퉁이를 돌았다. **3** 《구어》 (…을) 팡하고 쏘다 《*at*》: (~+(부)+전+명) They *~ped* (*away*) *at* the pigeons. 그들은 비둘기를 향해 탕탕 쏘았다. **4** 〈눈알이〉 튀어나오다 《*out*》: (~+부) He looked as if his eyes were going to ~ *out* (in surprise). 그는 (놀라서) 눈알이 튀어나올 것 같았다. **5** [보통 ~ open] 《구어》 펑 하고 열리다 **6** 〖야구〗 내야 플라이를 치다 《*up*》, 내야 플라이를 쳐서 아웃이 되다 《*out*》 **7** [특히 진행형으로] 《구어》 〈행사 등이〉 가슴 설렐 정도로 활기차다 **8** 《구어》 아이를 낳다 **9** (상습적으로) 마약을 사용하다
— *vt.* **1** 뻥 하고 소리내다[폭발시키다]; 〈마개를〉 펑 하고 뽑다; 《미》 〈옥수수 등을〉 튈 때까지 볶다: ~ the cork 코르크 마개를 펑 하고 뽑다 **2** 불쑥 움직이다; 급히 내려놓다[집어넣다] 《*in, into, out, down*》: (~+목+부) I *~ped* my head *out* of the window. 나는 창문으로부터 불쑥 머리를 내밀었다. // (~+목+전+명) Just ~ this bottle *in*[*into* the cupboard]. 이 병을 좀 넣어[찬장 속에 간수해] 주시오. **3** …에 발포하다; 〈권총 등을〉 쏘다 **4** 갑자기 말을 꺼내다[신청하다] 《*at*》: (~+목+전+명) ~ a question *at* a person …에게 갑자기 질문을 하다 **5** 《영·속어》 전당잡히다 **6** 《미·학생속어》 잡다(catch) **7** 《미·속어·비어》 …와 성교하다; 임신시키다
~ back 급히 돌아가다 ***~ in*** [***into***] 잠깐 방문하다; 갑자기 들어가다 ***~ off*** 《구어》 (1) 뻥 하고 발사하다 (2) 갑자기 나가다[사라지다] (3) 죽다, 급사하다 (4) 하고 싶은 말을 서슴없이 하다 ***~ off the hooks*** 《속어》 죽다 ***~ out*** 갑자기 뛰어나가다[꺼지다]; 급사하다 ***~ the question*** 《구어》 〈여자에게〉 결혼을 신청하다 ***~ up*** 내야 플라이를 치다; 갑자기 일어나다; 갑자기 나타나다 ***~ up with*** 갑자기 제출하다, 갑자기 말을 꺼내다
— *n.* **1** 뻥[탁] 하는 소리(내며 터지는 것) **2** Ⓤ 《구어》 거품이 이는 음료 《탄산수·샴페인 등》 **3** 발포; 《속어》 권총; 《속어》 마약 주사 **4** Ⓤ 《영·속어》 전당잡힘 **5** 〖야구〗 = POP FLY **6** (자동차 경주 등의) 니트로 메탄, 연료 **7** [a ~] 《속어》 1개…, 1회[한 번](마다) **8** 《미·속어》 거래, 상담; 《비어》 성교 **9** [a ~] 시도
in ~ 《영·고어·구어》 전당잡혀 ***take a ~ at*** 《영·구어》 …을 공개적으로 공격[비난]하다
— *ad.* 뻥 하고; 갑자기, 돌연
go ~ 뻥 하고 소리나다, 터지다; 죽다
— *int.* 뻥, 펑
— *a.* 예기치 못한: a ~ quiz 깜짝 퀴즈
▷ pópper *n.*

pop[2] [*pop*ular] 《구어》 *n.* **1** 대중 음악회(= ~ concert); 대중 음악, 유행가[곡] **2** = POP ART
— *a.* 통속[대중]적인, 대중 음악의: a ~ singer 유행가 가수 / ~ novels 통속 소설

pop[3] [*pop*pa] *n.* 《미·구어》 아버지, 아빠; 아저씨

pop[4] *n.* 《미·속어》 아이스캔디, 막대 달린 빙과

Pop [pάp | pɔ́p] *n.* 《영》 Eton College의 사교 토론 클럽

pop. popular(ly); population **POP, P.O.P., p.o.p.** point-of-purchase; 〖사진〗 printing-out paper

pop·a·dam, -dum [pάpədəm | pɔ́p-] *n.* 얇고 넓적하게 기름에 부친 인도 빵의 일종

póp árt [때로 **P- A-**] 〖미술〗 대중 미술(pop) 《1962년경부터의 미국의 전위적인 미술 운동; 광고·만화 등을 즐겨 사용》

póp ártist 팝 아트 작가(cf. POP ART)

póp bòttle 《미·속어》 싸구려 카메라[확대경]

póp cóncert 팝 콘서트 《교향악단이 대중[세미클래식] 음악 프로그램으로 폭넓은 청중을 상대로 여는 연주회》

*__pop·corn__ [pάpkɔ̀ːrn | pɔ́p-] *n.* Ⓤ 《미》 팝콘, 튀긴 옥수수; 《미·속어》 평범한 사람
— *a.* 《미·흑인속어》 2류의, 하잘것없는

pop-cult [-kʌ̀lt] *a.* 대중 문화의

póp cùlture 대중 문화, 팝컬처

póp drùg 대중 마약 《마리화나, LSD, 암페타민 따위》

*__pope__[1] [póup] [Gk 「아버지」의 뜻에서] *n.* **1** [보통 the ~; 종종 **P~**] 로마 교황: *P~* Paul Ⅱ 교황 바오로 2세 **2** 최고 권위자로 자처하는[간주되는] 사람; 교주 **3** 〖그리스정교〗 사제(司祭)

pope[2] *n., vt.* 넓적다리의 급소(를 치다) ***take a person's ~*** …의 넓적다리 급소를 치다

thesaurus **poorly** *ad.* badly, inadequately, defectively, crudely, unsuccessfully
populace *n.* public, people, population, masses
popular *a.* **1** 인기 있는 favorite, well-liked, approved, accepted, admired, desired, wanted,

Pope [póup] *n.* 포프 **Alexander ~** (1688-1744) 《영국의 시인》

pope·dom [póupdəm] *n.* ⓊⒸ **1** 로마 교황의 직[권한, 관구] **2** 교황령(敎皇領) **3** 교황 정치 (조직)

Pópe Jóan 다이아몬드의 8을 빼고 하는 카드놀이

pop·er·y [póupəri] *n.* Ⓤ 《경멸》 천주교 (제도)

pope's-eye [póupsái] *n.* (소·양의) 넓적다리의 림프샘

pópe's héad 《고어》 긴 자루 깃털비 《천장 청소용》

pópe's nóse 《미·속어》 (요리한) 오리[거위]의 궁둥이

póp èye **1** 튀어나온 눈, 퉁방울눈 **2** (놀라움·흥분 등으로) 휘둥그레진 눈

Pop·eye [pápai | póp-] *n.* 포파이 《미국 만화의 주인공인 선원》

pop·eyed [pápàid | póp-] *a.* 《미·구어》 **1** 퉁방울눈의 **2** 눈이 휘둥그래진 《놀라움 등으로》

póp fèstival 대중 음악을 주로 한 음악제

póp flý 〖야구〗 내야 플라이

póp gròup 팝 그룹 《팝 음악의 밴드, 가수 그룹》

pop·gun [-gʌ̀n] *n.* **1** 장난감[코르크] 공기총 **2** 쓸모없는 구식총

pop·in·jay [pápindʒèi | póp-] *n.* **1** (앵무새같이 수다스러운) 멋쟁이(fop), 맵시꾼(dandy) **2** 《고어》 앵무새 **3** 〖역사〗 막대기 끝에 매단 앵무새 모양의 과녁 **4** 《영·방언》 딱따구리

pop·ish [póupiʃ] *a.* 《경멸》 천주교의
~·ly *ad.* **~·ness** *n.*

pop·lar** [páplər | póp-] *n.* **1** 〖식물〗 포플러, 백양(白楊); Ⓤ 포플러재(材) **2** 《미》 튤립나무, 아메리카 목련(tulip tree) ***the trembling[***white, silver***] **~** 사시나무[백양] **póp·lared** *a.*

Pop·lar·ism [pápləriz̀m | póp-] *n.* Ⓤ 《영》 극단적인 빈민 구제책 《증세(增稅)에 의한》

pop·lin [páplin | póp-] *n.* Ⓤ 포플린 《옷감》: double[single] ~ 두꺼운[얇은] 포플린

pop·lit·e·al [paplítiəl, pàplitíː- | popliti-] *a.* 〖해부〗 오금의, 슬와(膝窩)의

pop·lit·e·us [paplítiəs | pop-] *n.* 〖해부〗 오금, 슬와

pop·mo·bil·i·ty [pàpmoubíləti | pòp-] *n.* 팝음악을 수반하는 체조

póp mùsic 대중 음악, 유행가

pop-off [pápɔ̀ːf | pópɔ̀f] *n.* **1** 《미·속어》 (불평 등을 경솔하게) 서슴없이[노골적으로] 말하는 사람 **2** 노골적이면서 뻔뻔스러운 변명 **3** 죽음; 살인

pop·o·ver [-òuvər] *n.* 《미》 살짝 구운 일종의 과자 (cf. MUFFIN)

pop·pa [pápə | pópə] *n.* 《미·구어》 = PAPA

pop·pa·dom, -dum [pápədəm | póp-] *n.* = POPADAM

póp pàrty 《속어》 마약 주사 파티

pop·per [pápər | pópə] *n.* **1** 뻥뻥 소리를 내는 것[사람] **2** 《구어》 꽃불, 총, 권총; 캔맥주 **3** 사수(射手), 포수(砲手) **4** 《미》 옥수수 볶는 냄비 **5** 갑자기 오는[가는] 사람 **6** 《영·속어》 전당잡히는 사람 **7** 아질산 아밀 (의 앰플) 《흥분제》

pop·pers [pápərz | póp-] *n. pl.* 《구어》 아질산 아밀(amyl nitrite)

pop·pet [pápit | pópit] *n.* **1** 《영·구어》 애, 아가 《부르는 말》; 마음에 드는 아이[동물], 귀염둥이 **2** 〖항해〗 침목(枕木) 《진수(進水)할 때 배 밑을 받치는》; 〖기계〗 선반두(旋盤頭); 양판(揚瓣) **3** 버섯 모양의 마개 《증기 기관 등에 사용》

pop·pet·head [pápithèd | póp-] *n.* 〖기계〗 심(芯) 받침대, 굴대받이

fashionable, well-known, celebrated, famous, renowned **2** 대중적인 current, prevalent, prevailing, widespread, general, common, customary, usual, conventional **3** 값싼 low-priced, cheap, reasonable, inexpensive

pop·pied [pápid | pópid] *a.* **1** 양귀비꽃으로 장식한; 양귀비가 우거진 **2** 마취된, 졸음이 오는(drowsy), 나른한

póp·ping crèase [pápiŋ- | póp-] 〖크리켓〗 타자선(打者線)

pop·ple[1] [pápl | pópl] *vi.* 〈바닷물 등이〉 흐르다, 거품이 일다; 물결치다
— *n.* 파동(波動), 거친 물결[소리] **póp·ply** *a.*

popple[2] *n.* 〖식물〗 = POPLAR

póp psých[**psychólogy**] 통속 심리학

pop·py**[1] [pápi | pópi] *n.* (*pl.* **-pies**) **1** 〖식물〗 양귀비: ~ family 양귀비과(科) 식물의 총칭 **2** Ⓤ 양귀비의 진(津), 아편 **3** Ⓤ 황적색 **4** 〖건축〗 양귀비 장식 **5** 양귀비 조화(造花) **6** 《영·속어》 돈; 금 ***field[***red***] **~** 꽃양귀비 ***Flanders* ~** 개양귀비꽃 《제1차 대전의 Armistice Day에 전사자에게 바치는》 ***garden* ~** 양귀비 ***great scarlet* ~** 꽃양귀비 ***opium* ~** 아편의 원료가 되는 양귀비 ***tall* ~** 《호주》 우수한 사람; 수입이 높은 사람; 실력자, 중요 인물 **~·lìke** *a.*

poppy[2] *n.* 《미·속어》 = PAPA

pop·py·cock [pápikàk | pópikɔ̀k] *n.* Ⓤ 《구어》 허튼소리, 당치 않은 말(nonsense)

Póppy Dày **1** 《영》 휴전 기념일 **2** 《미》 = MEMORIAL DAY

pop·py·head [-hèd] *n.* **1** 양귀비의 삭과(蒴果) **2** 〖건축〗 양귀비 장식 《특히 교회 좌석의》

póppy réd 황적색(黃赤色)

póppy sèed 양귀비의 씨 《빵·과자용》

póp quìz 《미·학생속어》 예고 없는 시험, 쪽지 시험

pop-rock [-ràk | -rɔ̀k] [*pop*ular+*rock*] *n.* [종종 형용사적으로] 록풍의 대중 음악

pops [páps | póps] *n.* 《미·속어》 **1** 아저씨 **2** 아빠 **3** 유행가; [종종 **P~**] 팝스 오케스트라 《팝 음악 전문의 관현악단》

póps còncert = POP CONCERT

pop·shop [pápʃàp | pópʃɔ̀p] *n.* 《영·속어》 전당포

Pop·si·cle [pápsikl | póp-] *n.* 《미》 (가는 막대기에 얼린) 아이스캔디 《ice lolly의 상표명》

pop·sie [pápsi | póp-] *n.* 《영·속어》 = POPSY

pop·sock [pápsak | pópsɔk] *n.* (발목 또는 무릎까지 오는) 짧은 스타킹

pop·ster [pápstər | póp-] *n.* 《미·속어》 = POP ARTIST

pop·sy [pápsi | póp-] *n.* (*pl.* **-sies**) 《구어·경멸》 섹시한 젊은 여자, 아가씨; 여자 친구

póp tèst 《미·속어》 = POP QUIZ

pop-top [páptàp | póptɔ̀p] *a., n.* (깡통 맥주처럼) 고리로 잡아당겨 따는 식의 (용기)

***pop·u·lace** [pápjuləs | póp-] *n.* Ⓤ [the ~; 집합적] 대중, 민중, 서민; (한 지역의) 전체 주민

‡**pop·u·lar** [pápjulər | póp-] [L 「민중(people)」의 뜻에서] *a.* **1** 인기 있는, 평판이 좋은, 인망 있는 《*with, among*》: a ~ preacher 인기 있는 목사 / He is ~ *with* the other children. 그는 어린이들 사이에 인기가 있다. **2** 민중의, 대중의: ~ opinion 여론 / ~ suffrage 보통 선거권 / ~ support 대중의 지지 **3** 향간의, 일반 대중에 있음직한 **4** 대중적인; 통속적인: ~ science 통속 과학 **5** 평이한; 값싼: at ~ prices 싼 값으로 / ~ lectures on music 평이한 음악 강좌 **6** 민간에 보급되어 있는, 민간 전승(傳承)의: ~ superstitions 민간의 미신 / ~ ballads 민요
in ~ language 쉬운 말로
— *n.* **1** 대중 신문[잡지] **2** = POPULAR CONCERT
▷ populárity *n.*; pópularize *v.*; pópularly *ad.*

pópular cóncert 대중 음악회

pòpular cúlture 대중문화

pópular edítion 보급[염가]판

pópular educátion 보통 교육

pópular eléction 보통 선거

pópular etymólogy 〖언어〗 통속 어원(설)(folk etymology)

pópular frónt [종종 **P- F-**; the ~] 인민 전선 《특히 프랑스에서의》

pópular góvernment 민주 정치

pop·u·lar·ism [pάpjulərizm | pɔ́p-] *n.* 대중 영합주의, 대중 선동 정책

pop·u·lar·ist [pάpjulərist | pɔ́p-] *a.* 대중의 인기를 노리는, 대중에 영합하는

‡**pop·u·lar·i·ty** [pὰpjulǽrəti | pɔ̀p-] *n.* Ⓤ **1** 인기, 평판: enjoy ~ 인기가 있다 / win ~ 인기를 얻다 **2** 대중성, 통속성; 유행; 서민성

pop·u·lar·ize [pάpjuləràiz | pɔ́p-] *vt.* **1** 대중[통속]화하다 **2** 〈신제품 등을〉 보급시키다 **3** 평민[인기]을 좋게 하다 **-iz·er** *n.* **pòp·u·lar·i·zá·tion** *n.*

Pópular Látin 속(俗)라틴어

pópular lécture 통속 강좌

∗**pop·u·lar·ly** [pάpjulərli | pɔ́p-] *ad.* **1** 일반적으로; 널게; 세간에서는; 일반 투표로 **2** 통속적으로; 평이하게 **3** 값싸게 **4** 인기를 얻을 수 있도록

pópular músic 대중 음악

pópular náme 〖생물〗 (학명에 대하여) 일반명(名), 속명(屬名)

pópular préss [the ~] 대중지(紙)

pópular sínger 유행가[팝송] 가수

pópular sóng 대중 가요, 유행가; 팝송

pópular sóvereignty 국민 주권설

pópular vóte 《미》 일반 투표 《대통령 후보의 선출처럼 일정 자격이 있는 선거인이 하는》

∗**pop·u·late** [pάpjulèit | pɔ́p-] [L 「사람(people)」의 뜻에서] *vt.* **1** 거주시키다; 식민(植民)하다 **2** 장소를 차지하다; …에 거주하다, 살다: densely[sparsely] ~*d* 인구가 조밀[희박]한

‡**pop·u·la·tion** [pὰpjuléiʃən | pɔ̀p-] *n.* ⓊⒸ **1** 인구; 주민수: increase[fall] in ~ 인구가 늘다[줄다] **2** [the ~; 집합적] 주민; (특정 계층·민족에 속하는) 사람들; (일정한 지역의) 전(全) 주민, 시민: *the* ~ of a city 전 시민 / *the* working-class ~ 노동자 계층의 사람들 **3** 〖생태〗 (일정 지역의) (전) 개체군, 집단; 개체수 **4** 〖통계〗 모집단(母集團) **5** 식민; 거주시킴; (일정 지역의) 거주 정도 **~·al** *a.* **~·less** *a.*

populátion biólogy 집단 생물학

populátion cènter 인구 밀집 지역

populátion crìsis 인구 증가에 의한 위기

populátion dènsity 인구 밀도

populátion dynàmics 〖생물〗 개체군 동태론

populátion explòsion 급격한 인구 증가, 인구 폭발

populátion genètics 집단 유전학

populátion invèrsion 〖물리〗 반전 분포(反轉分布)

populátion pỳramid 〖사회〗 인구 피라미드 《인구의 분포를 성연령별로 나타낸 그래프》

Pop·u·lism [pάpjulìzm | pɔ́p-] *n.* Ⓤ **1** 《미》 인민당의 주의[정책] **2** (1917년 혁명 전 러시아의) 인민주의 **3** [**p~**] (일반) 대중의 주장[칭찬] **-list** *n.*, *a.*

∗**pop·u·lous** [pάpjuləs | pɔ́p-] *a.* 인구가 조밀한; 인파[군중]가 많은; 붐비는, 많은 **~·ly** *ad.* **~·ness** *n.* ▷ populátion *n.*; pópulate *v.*

pop·u·luxe [pάpjulʌ̀ks | pɔ́p-] *a.* (1950년대 대량 소비 시대의) 소비자 기호에 맞춘 디자인의

pop-under [-ʌ̀ndər] *n.* 〖컴퓨터〗 팝언더 《방문 사이트 웹 윈도 속에 숨겨진 별도의 창; 주로 광고 목적으로 사용됨》

pop-up [pάpʌ̀p | pɔ́p-] *n.* **1** (펼치면) 그림이 튀어나오는 책 **2** 입체식의 것; 튀어오르게 하는 장치 **3** 〖야구〗 = POP FLY

—*a.* 뻥 하고 튀어 오르는: a ~ toaster 자동식 토스터 / a ~ book 펼치면 그림이 튀어나오는 책

póp-up defénse 〖군사〗 긴급 발사 우주 방위 시스템

póp wìne 《미》 달콤한 과실주

por. portrait **P.O.R., POR** payable on receipt 화물 상환불; pay on return

por·bea·gle [pɔ́ːrbìːgl] *n.* 〖어류〗 악상어

∗**por·ce·lain** [pɔ́ːrsəlin] [It. 「조개」의 뜻에서] *n.* **1** Ⓤ 자기(磁器) **2** [집합적] 자기 제품, 자기류 **3** 〖치과〗 포셀린 (의치) ***Nankin*** **~** 남경 자기, 청자(靑磁)

—*a.* 자기의[로 만든]; 깨지기 쉬운

▷ porceláneous *a.*

pórcelain cláy 도토(陶土), 고령토

pórcelain enámel 법랑(琺瑯)

por·ce·lain·ize [pɔ́ːrsələnàiz] *vt.* 자기(磁器)처럼[로] 하다; 법랑을 입히다; 법랑을 입힌 듯이 하다

pórcelain shèll 〖패류〗 보배고둥

por·ce·la·ne·ous | **-cel·la-** [pɔ̀ːrsəléiniəs] *a.* 자기(磁器)의[같은], 자기제(製)의

por·ce·la·nous | **-cel·la-** [pɔ́ːrsələnəs] *a.* = PORCELANEOUS

‡**porch** [pɔ́ːrtʃ] *n.* **1** (본건물에서 달아낸 지붕 딸린) 현관, 포치 **2** 《미》 베란다(veranda) **3** [the P~] **a** 고대 아테네에서 Zeno가 제자를 모아 철학을 강의한 복도 **b** 스토아 학파[철학] **4** 《미·속어》 튀어나온 배 **5** 《폐어》 = PORTICO

pórch clìmber 《미·속어》 2층으로 기어드는 좀도둑

porched [pɔ́ːrtʃt] *a.* porch가 있는

por·cine [pɔ́ːrsain] *a.* **1** 돼지의, 돼지 같은 **2** 불결한, 주접스러운(swinish)

∗**por·cu·pine** [pɔ́ːrkjupàin] [OF 「가시가 있는 돼지」의 뜻에서] *n.* **1** 〖동물〗 호저 《아프리카산(産)》 **2** 〖기계〗 많은 바늘이 달린 도구

pórcupine ánteater 〖동물〗 = ECHIDNA

pórcupine dilèmma 〖심리〗 호저 딜레마 《사이가 가까워질수록 이기주의 때문에 상처를 입는 현상》

pórcupine fish 가시복과(科) 물고기의 총칭

pore[1] [pɔ́ːr] [Gk 「통로」의 뜻에서] *n.* **1** 털구멍, (잎의) 기공(氣孔); 작은 구멍 **2** (암석 등의) 세공(細孔), 흡수공 ***air*** **one's ~s** 옷을 벗다, 알몸이 되다 ***sweat from every*** **~** 몹시 덥다; 몹시 겁이 나서[흥분하여] 식은 땀을 흘리다

~·like *a.* **póred** *a.* 구멍이 있는

∗**pore**[2] [pɔ́ːr] *vi.* **1** 숙고하다, 골똘히 생각하다(ponder) 《*over, on, upon*》: (~+전+명) He began to ~ *upon* theological problems. 그는 신학 문제에 관해서 깊이 생각하기 시작했다. **2** 열심히 독서[연구]하다 《*over*》: (~+전+명) ~ *over* a book 열심히 책을 읽다 **3** (드물게) 자세히 보다, 응시하다; 주시하다, 주목하다(stare) 《*at, on, over*》

—*vt.* 〈눈을〉 독서로 지치게 하다: (~+목+부) ~ one's eyes *out* 과도한 독서로 눈을 피로하게 하다

póre fùngus 다공균(polypore)

por·gy [pɔ́ːrgi] *n.* (*pl.* **~, -gies**) 《미》 〖어류〗 도미류

po·rif·er·an [pɔːrífərən] *n.*, *a.* 〖동물〗 해면 동물(의)

po·rif·er·ous [pɔːrífərəs] *a.* **1** 구멍이 있는; 다공(多孔)의 **2** 〖동물〗 해면(海綿) 동물의

po·rism [pɔ́ːrizm] *n.* 〖수학〗 부정 명제(不定命題)

∗**pork** [pɔ́ːrk] [F,L 「돼지」의 뜻에서] *n.* Ⓤ **1** 돼지고기(⇨ pig 관련); (고어) 돼지(swine) **2** 《미·속어》 의원이 정치적 배려로 주게 하는 정부 보조금[관직 《등》] **3** 《미·속어》 경찰 《암흑가에서 부르는 명칭》 ***mess*** **~** 좋은 돼지고기 ▷ pórky *a.*

pórk bàrrel **1** 《미·구어》 연방 의회 의원이 선거구의 이익을 위해 정부 보조금을 획득하는 것 **2** 《미》 돼지고기 보존용 통

pórk bèlly 저장 처리를 하지 않은 돼지의 옆구리살

pork·bur·ger [pɔ́ːrkbə̀ːrgər] *n.* **1** Ⓤ 저민 돼지고기; Ⓒ 그것으로 만든 햄버거 **2** 포크버거 《돼지고기 햄버거를 빵 조각 사이에 끼운 것》

pórk bùtcher 《영》 돼지고기 전문점 《돼지고기·소시지 등을 파는》

pork·chop [-tʃὰp | -tʃɔ̀p] *n.* 돼지 갈비살 《갈비뼈가 붙은 것》

thesaurus **population** *n.* inhabitants, residents, community, people, citizenry, populace

pork·chop·per [-tʃɑ̀pər | -tʃɔ̀pər] *n.* 《미·속어》 일을 하지 않고 보수를 받는 노동조합 간부[정치가의 부하]

pork·er [pɔ́ːrkər] *n.* **1** 살찐 새끼 돼지; 식용 돼지 **2** 《익살》 돼지; 뚱보 **3** 성교하(려)는 남자; 놈, 녀석 **4** 《속어》 경찰 **5** 《미·속어·경멸》 유대인

pork·et [pɔ́ːrkit], **pork·ling** [-liŋ] *n.* 새끼 돼지

pork·pie [pɔ́ːrkpài] *n.* **1** Ⓤ 돼지고기 파이 **2** 《꼭대기가 평평한》 펠트 모자(=∠ **hàt**)

pórk rìnds 《미》 돼지껍질 스낵《바삭바삭하게 튀겨 차게 하여 먹는》(《영》 pork scratchings)

pórk scrátchings 《영》 =PORK RINDS

pork·y [pɔ́ːrki] *a.* (**pork·i·er**; **-i·est**) **1** 돼지(고기) 같은; 뚱뚱한(fat) **2** 《속어》 건방진, 염치 없는

porn [pɔ́ːrn] *n., a.* 《구어》 =PORNO

por·no [pɔ́ːrnou] [*porno*graphy, *porno*graphic] *n.* (*pl.* **~s**) 《구어》 **1** CU 포르노 **2** 도색[포르노] 영화; 포르노 작가 **—** *a.* 포르노의

por·noc·ra·cy [pɔːrnɑ́krəsi | -nɔ́k-] *n.* 〖역사〗 창부 정치《특히 10세기 전반(前半)의 교황청에서의》

por·no·graph [pɔ́ːrnəgræ̀f | -grɑ̀ːf] *n.* 호색 작품, 포르노

por·nog·ra·pher [pɔːrnɑ́grəfər | -nɔ́g-] *n.* 춘화가(春畫家), 도색(桃色)[포르노] 작가

por·no·graph·ic [pɔ̀ːrnəgrǽfik] *a.* 춘화의; 도색[포르노] 문학[예술]의 **-i·cal·ly** *ad.*

por·nog·ra·phy [pɔːrnɑ́grəfi | -nɔ́g-] [Gk 「창부 문학」의 뜻에서] *n.* Ⓤ **1** 포르노, 춘화, 도색[포르노] 문학 **2** [집합적] 포르노 영화[책, 그림 《등》]

porn·y [pɔ́ːrni] *a.* 《속어》 포르노(풍)의

po·ro·mer·ic [pɔ̀ːrəmérik] *a.* 통기성(通氣性)의, 다공질의 **—** *n.* Ⓤ 합성 다공 피혁《구두용》

po·ros·i·ty [pɔːrɑ́səti | pɔːrɔ́s-] *n.* (*pl.* **-ties**) **1** UC 다공성(多孔性); 유공성(有孔性) **2** 《작은》 구멍 **3** 〖지질·공학〗 다공도, 다공률, 간극률(間隙率)

po·rous [pɔ́ːrəs] *a.* **1** 작은 구멍이 있는[많은], 다공성의 **2** 스며드는, 흡수성의, 투과성의; 삼투성의: ~ waterproof 통기성 방수포 **~·ly** *ad.* **~·ness** *n.*

pórous céll 〖전기〗 《1차 전지용》 초벌구이 자기 용기

por·phyr·i·a [pɔːrfíəriə, -fáir-] *n.* 〖병리〗 피린증《혈색소의 대사 이상으로 과량의 porphyrin이 생기는 질환》

por·phy·rin [pɔ́ːrfərin] *n.* Ⓤ 〖생화학〗 포르피린《헤모글로빈의 금속을 제거한 화합물》

por·phy·ry [pɔ́ːrfəri] *n.* (*pl.* **-ries**) UC 〖지질〗 반암(斑岩) **pòr·phy·rít·ic** *a.*

por·poise [pɔ́ːrpəs] *n.* (*pl.* **~**, **-pois·es**) **1** 〖동물〗 돌고래(무리) **2** 《영·군대속어》 잠수함의 급잠수; 수상 비행기의 요란하게 흔들리는 착수
— *vi.* **1** 〈질주하는 모터보트의 선체가〉 수면에 스치며 날다 **2** 〈어뢰·잠수함 등이〉 수면에 떠서 오다 **3** 《돌고래처럼》 몸을 위아래로 흔들며 전진하다

por·rect [pərékt] *vt.* 〖동물〗 〈몸의 일부를〉 수평으로[앞쪽으로] 뻗다
— *a.* 수평으로 뻗은, 펼쳐진; 툭 튀어나온

***por·ridge** [pɔ́ːridʒ | pɔ́r-] *n.* Ⓤ **1** 포리지《오트밀에 우유 또는 물을 넣어 만든 죽》 **2** 《영·속어》 교도소; 형기(刑期); 금고형(禁固刑) ***keep* [*save*] one's *breath to cool* one's ~** 쓸데없는 참견을 삼가다
pór·ridg·y *a.*

por·rin·ger [pɔ́ːrindʒər | pɔ́r-] *n.* 《오트밀용》 얕은 사발《특히 어린이의 식사에 사용》

porringer

Por·sche [pɔ́ːrʃ] *n.* 포르셰《독일제 스포츠카》

***port**[1] [pɔ́ːrt] [L 「항구」의 뜻에서] *n.* **1** 항구, 항만, 무역항(⇨ harbor 유의어): a free ~ 자유항《관세 징수 없음》/ a commercial ~ 상업항 / ~ facilities 항만 시설 **2** CU 피난처, 휴식처 **3** [종종 **P~**로 지명에도 사용] 항구 도시《특히 세관이 있는》; 개항장(開港場)(cf. HARBOR) **4** 《구어》 공항(airport); 우주 기지
any ~ in a storm 궁여지책, 그나마 아쉬운 대로 의지가 되는 것 ***clear a ~*** = ***leave* (*a*) ~** 출항하다 ***enter* (*a*) ~** = ***make* (*a*) ~** 입항하다 ***in ~*** 입항하여, 정박 중의 ***open ~*** 개항장 ***~ of coaling*** 석탄 적재항 ***~ of delivery*** 화물 인도항 ***~ of distress*** 피난항 ***~ of recruit*** 식료품 적재항 ***~ of registry*** 선적항(船籍港) ***~ of shipment* [*discharge, unloading*]** 《미》 선적[양륙]항 **~·less** *a.*

port[2] [L 「문」의 뜻에서] *n.* **1** 〖해군〗 《옛 군함의》 포문; 〖항해〗 《상선 뱃전의》 하역구(荷役口); 현창(舷窓); 창구(艙口)(porthole) **2** 《스코》 성문(城門) **3** 〖기계〗 증기구(蒸氣口), 출입구: an exhaust ~ 배기구 / a steam ~ 증기구 **4** 《전차·옛 성벽의》 포문(砲門), 총안(銃眼) **5** 〖컴퓨터〗 포트《컴퓨터가 주변 장치나 다른 단말기로부터 전송을 받는 부분》 **6** 〖전기〗 《회로의》 입[출]력 단자대 **—** *vt.* 〖컴퓨터〗 〈소프트웨어를〉 《다른 컴퓨터 시스템으로》 이식(移植)하다

port[3] [port[1]에서; 옛날, 항구에 배가 닿을 때 보통 좌현 쪽이 닿았다 해서] *n.* UC 〖항해〗 좌현(左舷); 《항공기의》 좌측(opp. *starboard*): put the helm to ~ 키를 좌현으로 잡다 **—** *a.* 좌현의; 좌측의; 《진행 방향의》 좌측[좌현]에 있는[위치한]
— *vt., vi.* 좌현으로 향하(게 하)다
***P~* (*the helm*)!** 《구령》 좌현으로!《1930년경 이전은 반대로 「우현으로」를 가리켰음》

port[4] [L 「운반하다」의 뜻에서] *n.* **1** 《고어》 Ⓤ 태도(bearing); 외양, 풍채 **2** [the ~] 〖군사〗 앞에총의 자세《총을 몸의 정면에 비스듬히 드는》
— *vt.* 〖군사〗 앞에총 하다
P~ arms! 《구령》 앞에총!

port[5] [포르투갈의 포도주 수출항 Oporto [oupɔ́ːrtou]에서] *n.* Ⓤ 포트와인(=∠ **wíne**)《포르투갈 원산의 적포도주》

port[6] *n.* 《호주·속어》 여행 가방(portmanteau); 《특히》 옷가방; 《일반적인》 가방; 《큰》 봉투

port. portrait **Port.** Portugal; Portuguese

pòrt·a·bíl·i·ty [pɔ̀ːrtəbíləti] *n.* 휴대할 수 있음; 〖컴퓨터〗 《프로그램의》 이식(가능)성

***port·a·ble** [pɔ́ːrtəbl] [L 「운반하다」의 뜻에서] *a.* **1** 들고 다닐 수 있는, 휴대용의; 간편한 **2** 〖컴퓨터〗 《프로그램이 다른 기종에》 이식 가능한 **3** 〈권리 등이〉 이동 계속(係屬)이 가능한 **4** 《폐어》 견디어 낼 수 있는
— *n.* 휴대용 기구[기기] 《컴퓨터·TV·휴대폰 등》
-bly *ad.*

pórtable bénefits 이동식 급부[수혜]《전직(轉職)한 근로자의 건강 보험·연금제 등의 자격 유지》

pórtable compúter 휴대용 컴퓨터

pórt addrèss 〖컴퓨터〗 포트 어드레스, 포트 번지[주소](port number)

pórt ádmiral 《영》 해군 기지 사령관

por·tage [pɔ́ːrtidʒ] *n.* **1** Ⓤ 운반, 운송, 들어나름 **2** CU 《두 수로(水路) 사이의》 육운(陸運) **3** Ⓤ [또는 a ~] 운임 **4** CU 연수 육로(連水陸路)《두 수로를 잇는 육로》 **5** 운반물, 화물 ***mariner's ~*** 옛날 선원에게 급료 대신에 싣는 것을 허락한 뱃짐 또는 그 장소
— *vt.* 〈배·화물을〉 연수 육로로 운반하다; 육상으로 운반하다

Port·a·kab·in [pɔ́ːrtəkæ̀bin] *n.* 《영》 이동식 가건물《차량으로 이동함; 상표명》

***por·tal**[1] [pɔ́ːrtl] *n.* **1** 《으리으리한》 정문(gate), 현관; 《광산·다리·터널 등의》 입구; 교문(橋門) **2** [*pl.*] 시작, 발단: We stand at the ~*s* of a new age. 우리는 새 시대의 입구에 서 있다. **3** 〖컴퓨터〗 =PORTAL SITE

portal[2] 〖해부〗 *a.* 간문맥(肝門脈)의; 문맥(門脈)의
— *n.* 간문맥; 문(정)맥

---

portable *a.* transportable, conveyable, movable, easily carried, compact, handy, manageable

Port·a·loo [pɔ́ːrtəluː] *n.* (*pl.* **~s**) ⦅영⦆ (이동식 가건물 내에 있는) 간이 화장실 ⦅상표명⦆

pórtal sìte 〖인터넷〗 포털 사이트 ⦅무료 이메일과 홈페이지 서비스, 뉴스, 게시판 등의 기능을 통합 운영하는⦆

pórtal sỳstem 〖해부〗 문맥계(門脈系), 문맥 순환계; [넓은 의미로] 간문맥계

pór·tal-to-pór·tal páy [pɔ́ːrtltəpɔ́ːrtl-] (직장의 문을 들어설 때부터 나올 때까지의) 근무 시간제 임금

pórtal véin 〖해부〗 문맥(門脈)

por·ta·men·to [pɔ̀ːrtəméntou] [It.] *n.* (*pl.* **-ti** [-tiː], **~s**) 〖음악〗 운음(運音), 포르타멘토 ⦅한 음에서 다른 음으로 미끄러지듯이 옮아감⦆

Pòrt Árthur 1 뤼순의 별칭 ⦅중국 랴오둥 반도의 항구 도시; 지금은 다롄(大連)과 통합되어 뤼다시(旅大市)를 형성⦆ **2** 미국 Texas 남동부 Sabine 호(湖)에 있는 항구 도시

por·ta·tive [pɔ́ːrtətiv] *a.* **1** 들고 다닐 수 있는 **2** 운반 능력이 있는, 운반의

Port-au-Prince [pɔ̀ːrtouprins] *n.* 포르토프랭스 ⦅Haiti의 수도⦆

pórt authòrity 항만 관리 위원회

pórt chàrges[dùties] 항세(港稅), 입항세(入港稅), 톤세

port·cra·yon [pɔ̀ːrtkréiən | -ɔn] *n.* (데생용) 크레용[목탄] 집게

port·cul·lis [pɔːrtkʌ́lis] *n.* **1** (옛날 성문 등의) 내리닫이 격자문(格子門) **2** (문장(紋章)의) 내리닫이 격자 도형; 튜더 왕가의 문장(紋章) **3** [**P~**] 영국 문장원의 문장속관(pursuivants)의 한 사람

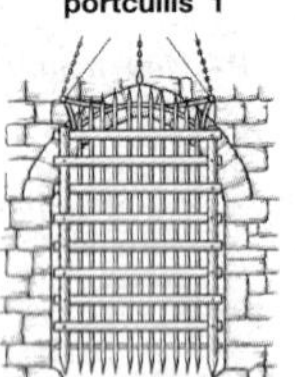
portcullis 1

port de bras [pɔ̀r-də-brɑ́] [F] 〖발레〗 포르 드 브라 ⦅팔을 똑바로 움직이는 기술[연습]⦆

Porte [pɔːrt] *n.* [the ~] (1923년 이전의) 터키 정부 ⦅공식명 the Sublime[Ottoman] Porte⦆

porte- [pɔːrt] [F] ⦅연결형⦆ 「…끼우개; …꽂이」의 뜻: *porte*-crayon

porte-co·chere [pɔ̀ːrtkouʃέər, -kə-] [F= coach gate] *n.* **1** (안마당으로 들어가는) 차[마차]의 출입구 **2** 차 대는 곳 ⦅위에 차양이 있는⦆

porte-cray·on [pɔ̀ːrtkréiən] [F] *n.* = PORTCRAYON

porte-mon·naie [pɔ́ːrtmʌ̀ni] [F] *n.* 지갑(pocketbook), 돈주머니(purse)

por·tend [pɔːrténd] *vt.* **1** …의 전조(前兆)가 되다, 예시[예고]하다: Crows are believed to ~ death. 까마귀는 죽음을 예고한다고 여겨진다. // (~+***that*** 절) The riot may ~ *that* a new civil war will break out. 그 폭동은 새로운 내란의 전조일지도 모른다. **2** ⦅폐어⦆ 나타내다, 의미하다

por·tent [pɔ́ːrtent] *n.* **1** (흉사·중대한 일의) 조짐, 전조(omen) **2** 경이적인 존재, 놀라운 것[사람] **3** Ⓤ ⦅문어⦆ (전조적인) 의미; 불길한 의미

por·ten·tous [pɔːrténtəs] *a.* **1** 전조의; 불길한, 흉조(凶兆)의; 중대한; 꺼림칙한 **2** 놀라운, 이상한; 무서운; 당당한 **3** ⦅경멸⦆ 엄숙한 **~·ly** *ad.* **~·ness** *n.*

‡**por·ter¹** [pɔ́ːrtər] [L 「운반하다」의 뜻에서] *n.* **1** 운반인, 짐꾼(carrier); (철도역·공항 등의) 포터, 구내 운반인(redcap) **2** (건물·공장·가게 등의) 청소부, 용무원 **3** 운반기; 받침대 **4** ⦅미⦆ 침대차[식당차]의 급사

swear like a **~** 고래고래 소리지르다

*__por·ter²__ [pɔ́ːrtər] [L 「문」의 뜻에서] *n.* ⦅영⦆ 문지기, 수위(⦅미⦆ doorkeeper): a ~'s lodge 수위실

porter³ *n.* Ⓤ 흑맥주 ⦅원래 London의 하역부들이 즐겨 마신⦆

por·ter·age [pɔ́ːrtəridʒ] *n.* Ⓤ **1** 운반; 운송업 **2** 운임, 운송료

por·ter·ess [pɔ́ːrtəris] *n.* 여자 수위[잡역부, 청소부]

por·ter·house [pɔ́ːrtərhàus] *n.* (*pl.* **-hous·es** [-hàuziz]) **1** ⦅미⦆ 선술집 ⦅흑맥주 등을 파는⦆ **2** 맛좋은 대형 비프스테이크(=~ **stéak**)

pórter's knót ⦅영⦆ 짐꾼의 어깻바대 ⦅어깨 속에 덧댄 조각⦆

port·fire [pɔ́ːrtfàiər] *n.* 불꽃[봉화] 점화 장치; 〖광산〗 발파 점화 장치

port·fo·li·o [pɔːrtfóuliòu] [It. 「종이를 나르는 것」의 뜻에서] *n.* (*pl.* **~s**) **1** 서류첩, 손가방(⇨ bag 유의어) **2** 서류첩 속의 서류; 끼우개식 화집, 대표 작품 선집 **3** Ⓤ 장관의 직[지위] ⦅특히 프랑스의⦆ **4** 〖금융〗 투자 자산 구성, 포트폴리오, (회사·투자가가 가지는) 유가 증권 (일람표); 고객 명부

a minister without **~** 정무(政務) 장관

portfólio invéstment 〖금융〗 증권 투자, 간접 투자

portfólio selèction 〖금융〗 (장래의 불확실성에 대비한) 자산 선택

port·hole [pɔ́ːrthòul] *n.* **1** 〖항해〗 현창(舷窓); 현문(舷門), 하역구(荷役口); 〖항공〗 (비행기의) 기창(機窓) **2** (요새 등의) 총안(銃眼), (군함의) 포문 **3** 〖기계〗 증기구(蒸氣口) **4** ⦅미·속어⦆ 항문

Por·tia [pɔ́ːrʃə | -ʃiə] *n.* 포셔 **1** 여자 이름 **2** Shakespeare 작 *The Merchant of Venice*의 여주인공 **3** 여자 변호사[법률가](female lawyer)

por·ti·co [pɔ́ːrtikòu] *n.* (*pl.* **~es, ~s**) 〖건축〗 주랑(柱廊) 현관

portico

por·tiere [pɔːrtjέər, pɔ̀ːrtiέər] [F] *n.* (문간 등에 치는) 칸막이 커튼

port·ing [pɔ́ːrtiŋ] *n.* Ⓤ 〖컴퓨터〗 이식(移植) ⦅다른 기종의 컴퓨터로 소프트웨어를 옮기기⦆

*****por·tion** [pɔ́ːrʃən] [L 「몫」의 뜻에서] *n.* **1** 일부, 부분(⇨ part 유의어): a ~ of land 약간의 토지; 한 구획의 토지 **2** (음식의) 1인분: order two ~*s* of chicken 닭고기 2인분을 주문하다 **3** (두 사람 이상 사이에 나눈) 몫(share) **4** 〖법〗 분배 재산, 상속분; 지참금 **5** [a ~; one's ~] 운명 ⦅*in*⦆: A brief life in this world was *her* ~. 짧은 생애가 그녀에게 주어진 운명이었다. **6** (부인의) 지참금, 지참 재산(dowry)
— *vt.* **1** 분할하다, 분배하다 ⦅*out*⦆: (~+목+부) (~+목+전+명) ~ *out* land 토지를 분배하다 / ~ *out* the cake *among* the children 아이들에게 케이크를 나눠 주다 **2** 몫으로 주다 ⦅*to*⦆, 분배 재산[지참금]을 주다 ⦅*with*⦆: (~+목+전+명) He ~*ed* his estate *to* his son-in-law. 그는 사위에게 재산을 나눠 주었다. **3** 운명 지우다: She is ~*ed* with misfortune. 그녀는 불행한 운명을 타고났다.

pórtion distòrtion (음식의) 1인분 양의 증가 현상

por·tion·er [pɔ́ːrʃənər] *n.* **1** 분배자, 배당자 **2** 배당 수령자 **3** 〖교회〗 공동 목사[성직자]

por·tion·less [pɔ́ːrʃənlis] *a.* 배당이 없는, 분배 재산[지참금]이 없는

Port·land [pɔ́ːrtlənd] *n.* 포틀랜드 **1** 미국 Oregon 주 북서부의 항구 도시 **2** 미국 Maine주의 항구 도시

the Isle of **~** ⦅영⦆ Dorsetshire주의 반도(半島) ⦅Portland stone이 산출되며 교도소가 있음⦆

Pórtland cemént [빛깔이 Portland stone과 비슷하다 해서] 포틀랜드 시멘트 ⦅인조 시멘트로서 보통

thesaurus **portion** *n.* **1** 1인분 helping, serving, piece, quantity **2** 몫 share, division, quota, part, piece, bit, allocation, allotment **3** 운명 lot, fate, destiny, fortune, luck

portray *v.* paint, draw, sketch, depict, describe

position *n.* **1** 위치 location, locality, spot, place,

말하는 시멘트》
Pórtland stóne 포틀랜드석(石) 《영국 Isle of Portland 산(産)의 건축용 석회석》
port·let [pɔ́:rtlit] *n.* 〖컴퓨터〗 포틀릿 《요청받은 정보를 제공하는 포털 웹사이트의 응용프로그램》
port·ly [pɔ́:rtli] *a.* (**-li·er**; **-li·est**) **1** 〈중년의 사람이〉 비만한, 비대한 **2** 풍채가 당당한 **pórt·li·ness** *n.*
port·man·teau [pɔ:rtmǽntou] [F =cloak carrier] *n.* (*pl.* **~s, ~x** [-z]) **1** (양쪽으로 열리는) 대형 여행 가방 《가죽으로 만든 장방형의 것》 **2** 〖언어〗 혼성어(=**~ wòrd**) 《두 낱말의 음과 뜻을 포함시켜 만든 합성어; *automation, brunch, smog* 등》
— *a.* 둘 이상의 용도[성질]를 지닌
pórt nùmber 〖컴퓨터〗 포트 번호 《네트워크상에서 제공되는 서비스에 부가하는 고유 번호》
pórt of cáll **1** 기항(寄港)지 **2** 자주 들르는 장소 **3** 여행 계획에 있는 방문지
pórt of éntry 통관항, 관세 수속항
Port-of-Spain [pɔ́:rtəvspéin] *n.* 포트오브스페인 《Trinidad and Tobago의 수도》
Por·to No·vo [pɔ́:rtou-nóuvou] 포르토노보 《Benin의 수도》
Por·to Ri·can [pɔ́:rtə-rí:kən] *a., n.* =PUERTO RICAN
Por·to Ri·co [pɔ́:rtə-rí:kou] 포르토리코 《Puerto Rico의 옛 이름》
‡**por·trait** [pɔ́:rtrit, -treit] [OF 「그려낸 것」의 뜻에서] *n.* **1** 초상(화); 인물 사진; 흉상(bust) **2** 생생한 묘사; 꼭 닮은 것 **3** 《구어》 구경거리 **~·ist** *n.* 초상화가
por·trai·ture [pɔ́:rtrətʃər] *n.* Ⓤ **1** 초상화법; 인물 묘사 **2** [집합적] 초상화 **3** 언어에 의한 묘사 ***in*** **~** (초상화로) 그려진
*__por·tray__ [pɔ:rtréi] [L 「앞으로 꺼내다」의 뜻에서] *vt.* **1** 〈인물·풍경을〉 **그리다**, 표현하다; 초상을 그리다 **2** (글이나 말로) 묘사하다 **3** 〈배우가 역을〉 맡아 하다 **~·er** *n.* ▷ pórtrait, pórtraiture, portráyal *n.*
por·tray·al [pɔ:rtréiəl] *n.* **1** ⓊⒸ 그리기, 묘화(描畫), 묘사; 기술(記述) **2** 묘사된 것; 초상(화) **3** (영화·연극 등의) 역(役), 연기
port·reeve [pɔ́:rtrì:v] *n.* **1** 〖영국사〗 시장(市長) (mayor) **2** 시청 관리
por·tress [pɔ́:rtris] *n.* **1** 여자 문지기[수위] (woman porter) **2** (빌딩 등의) 여자 청소부
Port Sa·id [pɔ́:rt-sɑ:í:d] 포트사이드 《수에즈(Suez) 운하의 지중해 쪽에 있는 항구》
port·side [pɔ́:rtsàid] *n.* 〖항해〗 좌현
— *a., ad.* 좌측의[으로]; 《속어》 왼손잡이의
port·sid·er [-sàidər] *n.* 《미·속어》 왼손잡이; 〖야구〗 왼손잡이 투수(投手)(southpaw)
Ports·mouth [pɔ́:rtsməθ] *n.* 포츠머스 **1** 영국 남부의 군항(軍港) **2** 미국 New Hampshire 주의 군항 《러·일 강화 조약 체결지(1905)》 **3** 미국 Virginia 주 남동부의 군항
*__Por·tu·gal__ [pɔ́:rtʃugəl] *n.* **포르투갈** 《유럽 남서부의 공화국; 수도 Lisbon》 ▷ Portuguése *a.*
*__Por·tu·guese__ [pɔ̀:rtʃəgí:z, -gí:s | -tʃu-, -tju-] *a.* **1** 포르투갈의 **2** 포르투갈 사람[말]의
— *n.* (*pl.* **~**) **1 포르투갈 사람 2** Ⓤ **포르투갈 말**
Pórtuguese man-of-wár 〖동물〗 고깔 해파리; 《속어》 전기해파리
por·tu·lac·a [pɔ̀:rtʃulǽkə] *n.* 〖식물〗 쇠비름속(屬) 식물의 통칭; 《특히》 채송화
pórt wàtch 〖항해〗 좌현(左舷) 망보기
pórt-wíne stàin [pɔ́:rtwáin-] 자줏빛의 커다란 모반(母斑) 《보통 얼굴이나 목에 태어날 때부터 나타나는 점(birthmark)》
POS point-of-sale **pos.** position; positive; possession; possessive
po·sa·da [pousɑ́:də] [Sp.] *n.* 여관
P.O.S.B. Post Office Savings Bank
‡**pose**[1] [póuz] *n.* **1** (사진·초상화를 위한) **자세**, 포즈; (사진·회화에 나타난) 인물의 위치[자세] **2** 마음가짐(mental attitude), 정신 상태 **3** 꾸민 태도; 겉치레, 허식(虛飾) **4** [the ~] 제1의 도미노 패를 판에 내놓음
— *vi.* **1 자세[포즈]를 취하다** 《*for*》: 《~+전+명》 ~ *for* a picture 사진을 위해 포즈를 취하다 **2** 꾸민 태도를 취하다, (…처럼) 보이려고 애쓰다, (…인) 체하다 《*as*》: 《~+***as*** 보》 ~ *as* an actress 여배우인 체하다 **3** 첫 도미노 패를 내놓다
— *vt.* **1** (그림·사진을 위해) 자세를 취하게 하다 《*for*》: 《~+목+전+명》 ~ a model *for* a picture 그림을 그리기 위해 모델에게 포즈를 취하게 하다 **2** 〈요구 등을〉 주장하다; 〈문제를〉 제출하다; 〈위험성을〉 내포하다, 지니다: ~ a question 문제를 내다 **3** 《고어》 두다, 배치하다
pose[2] *vt.* **1** (어려운 질문으로) 괴롭히다, 쩔쩔매게 하다 **2** 《폐어》 질문해서 조사하다[심문하다]
Po·sei·don [pousáidn | pɔ-] *n.* **1** 〖그리스신화〗 포세이돈 《바다의 신; 로마 신화의 Neptune에 해당》 **2** 〖미해군〗 포세이돈 《잠수함 발사 탄도 미사일》
pos·er[1] [póuzər] *n.* **1** 포즈를 취하는 사람 **2** 《구어》 젠체하는 사람; 가짜
poser[2] *n.* 난문(難問); 알쏭달쏭한 문제; 《고어》 난문 출제자, 시험관
po·seur [pouzə́:r] [F =poser[1]] *n.* 허식가(虛飾家), 젠체하는 사람
pos·ey [póuzi] *a.* 《구어》 잘난 체 하는, 거드름 피우는, 점잔 빼는
posh[1] [pɑ́ʃ | pɔ́ʃ] *a.* 《영·속어》 **1** 사치스런, 호화스런; 모양을 낸 **2** 〈외관이〉 우아한(elegant), 스마트한, 멋진; 일류의 **—** *vt.* 멋내다, 모양을 내다 《*up*》
posh[2] *int.* 체 《경멸·혐오를 나타냄》
posh·lost [pɑ́ʃlɔ̀:st | pɔ́ʃlɔ̀st] *a.* 지난날의 호화로움이 없어진, 지난날에는 호화로웠던
po·sho [pɔ́:ʃɔ:] *n.* **1** 《영·구어》 (돈 대신 음식으로 주는) 일당(日當) **2** (동아프리카의) 옥수수 가루로 만든 음식[죽]
pos·i·grade [pɑ́zəgrèid | pɔ́z-] *a.* 〖우주과학〗 진행 방향에 추진력을 주는, 추진성의
pós·ing pòuch [póuziŋ-] 《영》 생식기 덮개 《남성 의류 중의 하나》
pos·it [pɑ́zit | pɔ́z-] *vt.* 두다, 설치하다; 〖논리〗 긍정적으로 가정하다, 단정하다 《*that* ...》
— *n.* 가정; 설치되어 있는 것
posit. position; positive
‡**po·si·tion** [pəzíʃən] *n.* **1 위치**; 장소, 곳; 소재지 **2** Ⓤ 적소(適所), 정상적 위치, 본래의 위치, 소정의 위치; 〖야구〗 (수비) 위치: The players were in ~. 선수들은 수비 위치에 있었다. **3** 〖군사〗 진지(陣地), 유리한 지점, 요지(要地); 용지, 부지 **4** [보통 a ~; the ~] 상태, 형세, 국면 **5 a 자세**; 〖발레〗 포지션 《5가지 기본적 자세》: sit in a comfortable ~ 편안한 자세로 앉다 **b** (문제 등에 대한) **입장**, 태도: in my ~ 내 입장으로는 **c** 견해, 의견, 논거(論據): my ~ on the question 문제에 대한 나의 의견 // 《~+***that*** 절》 He took the ~ *that* the law must be enforced at any cost. 그는 그 법률을 어떤 일이 있어도 시행해야 한다는 견해를 취했다. **6 처지**, 상태, 입장; ⓊⒸ **지위**, (높은) 신분: persons of ~ 지위[신분]가 있는 사람들 // 《~+***to*** do》 I am not in a ~ *to* comply with your request. 저는 당신의 요구에 응해 드릴 처지가 못 됩니다. **7 근무처**, 직장, 직(job): He has a ~ in a bank. 그는 은행에 근무하고 있다. **8** (사람·사물의) 상대적 위치, 배치; 〖체스〗 말의 위치: the "on" ~ 스위치를 켠 상태 **9** (몸의) 자세, 체위 **10** 〖논

site, area, whereabouts **2 자세** posture, stance, pose, bearing **3 입장** view, point of view, opinion, attitude, standpoint, stance **4 처지** circumstances, condition, state, situation **5 지위** place, level, grade, rank, status **6 직장** post, job, appointment, role, office, capacity, duty

리〛 명제(命題) **11** 〚음악〛 (음의) 위치 **12** (인쇄 매체에서의) 광고 기재 위치
be in a ~ to do …할 수 있다 ***be in*** [***out of***] ***~*** 적당한[부적당한] 위치에 있다 ***take up the ~ that ...*** …이라는 의견을 주장하다, …한 입장을 취하다
— *vt.* **1** (적당한 또는 특정한 장소에) 두다; 위치를 정하다 **2** 〚군사〛 〈부대를〉 배치하다 **3** (미) 〚광고〛 〈상품 등을〉 (특정 소비자를 노려서) 선전하다, 시장에 내놓다

po·si·tion·al [pəzíʃənl] *a.* **1** 위치(상)의; 지위의 **2** 〚스포츠〛 수비(상)의 **3** 전후 관계에 의존하는

posítional notátion 〚컴퓨터〛 숫자 자리 표기(법)

posítion effèct 〚유전〛 위치 효과

po·si·tion·er [pəzíʃənər] *n.* **1** 두는 위치를 정하는 사람[물건] **2** 〚치과〛 포지셔너 《교정틀을 떼어낸 후 미세 조종을 위해 사용하는 기구》

posítion ìsomer 〚화학〛 위치 이성체(異性體) 《분자식은 같으나 치환기(置換基)의 위치가 다른 것》

posítion lìght 〚항공〛 위치등 《항공기의 위치·진로를 나타내는》

posítion pàper (정부·노조 등의) 의견서, 해명서; 방침서, 성명서

posítion vèctor 〚수학〛 위치 벡터

‡**pos·i·tive** [pázətiv | pɔ́z-] 〔L 「(협정으로) 정해진」의 뜻에서〕 *a.* **1 명확한,** 의문의 여지가 없는, 부정할 수 없는; 결정적인; 〈규칙 등이〉 명문화된: a ~ fact 명확한 사실/~ proof 확증 **2** 〈진술 등이〉 분명한, 솔직한: a ~ refusal 분명한 거절 **3 확신하고 있는,** 자신 있는 《*about, of*》; 독단적인: Are you ~ *about* [*of*] it? 그 일에 대해 틀림없습니까? **4 궁극적인,** 절대적인, 무조건의: ~ good 절대선(善) **5** (구어) **완전한,** 순전한: a ~ fool 진짜 바보 **6** 현실의, 현재의; 실용적인; 실제적인; 실재(實在)의: a ~ mind 실제적인 사람/~ morals 실천 도덕 **7 적극적인;** 긍정적인; 건설적인; 호의적인: ~ living 적극적인 삶/a ~ answer 긍정적인 답변 **8** 〚철학〛 실증적인 **9** 〚물리〛 양(陽)의; 〚의학〛 〈반응이〉 양성의; 〚수학〛 정(正)의, 플러스의; 〚화학〛 염기성(鹽基性)의; 〚사진〛 양화(陽畫)의 **10** 〚문법〛 〈형용사·부사가〉 원급(原級)의: the ~ degree 원급 **11** 〈용어 등이〉 실체를 나타내는, 구체적인 **12** 바람직하게 되고 있는; 유망한, 전망이 밝은 **13** 〈자석이〉 북극의, 북극을 나타내는
— *n.* **1** 현실; 실재; 확실성; 긍정 **2** 〚문법〛 원급 **3** 〚사진〛 양화(陽畫); 〚수학〛 정량(正量), 정(正)의 수, 정부호; 〚전기〛 (전지의) 양극판(陽極板) **4** 〚철학〛 실증할 수 있는 것 **~·ness** *n.* ▷ positívity *n.*

pósitive chárge 양전하(陽電荷)

pósitive compónent 〚수학〛 플러스 성분

pósitive cránkcase ventilàtion 〚자동차〛 포지티브 크랭크케이스 벤틸레이션 《자동차의 통기(通氣) 장치; 略 PCV》

pósitive discriminàtion = AFFIRMATIVE ACTION

pósitive electrícity 〚전기〛 양전기(陽電氣), 정(正)전기

pósitive eugénics 〚생물〛 적극적 우생학 《바람직한 유전 형질의 증가로 인종 개량을 꾀함》

pósitive euthanásia 적극적 안락사

pósitive grówth 플러스 성장

pósitive íon 〚물리〛 양이온

pósitive láw 〚법〛 실정법(實定法)

pósitive léns 〚광학〛 정(正)렌즈

pos·i·tive·ly [pázətivli | pɔ́z-] *ad.* **1** 명확하게; 단호히 **2** 긍정적으로; 건설적으로; 적극적으로 **3** (구어) 전적으로, 단연코 **4** 〚전기〛 양전기로
— [pàzətívli] *int.* [yes의 대용으로] (미) 물론, 그렇고말고: "Will you come?" — "*P~!*" 가겠어요? — 가고말고요!

pósitive númber 〚수학〛 양수(陽數)

pósitive òrgan 1 (건반이 1단으로 되어 있는) 실내 오르간 **2** = CHOIR ORGAN

pósitive philósophy 〚철학〛 실증 철학

pósitive pláte 〚전기〛 양극판(陽極板)

pósitive póle 1 (자석의) 북극 **2** 〚전기〛 양극(陽極)(anode)

pósitive ràу 〚물리〛 양극선(陽極線)

pósitive síցn 〚수학〛 플러스[정] 부호

pósitive vétting (영) (정부·군(軍)의 기밀 취급자의) 신원 조사, 자격 심사

pos·i·tiv·ism [pázətivìzm | pɔ́z-] *n.* Ⓤ **1** 〚철학〛 실증(實證) 철학, 실증론; 실증주의 **2** 적극성[주의]; 명확성; 확신, 독단(론) **3** 〚법〛 실증주의
-ist *n.* **pòs·i·tiv·ís·tic** *a.* **pòs·i·tiv·ís·ti·cal·ly** *ad.*

pos·i·tiv·i·ty [pàzətívəti | pɔ̀z-] *n.* Ⓤ **1** 확실함; 확신; 명료 **2** 적극성 **3** 명확한 것; 실제적인 것

pos·i·tron [pázətràn | pɔ́zitrɔ̀n] 〔*posi*tive+elec*tron*〕 *n.* 〚물리〛 양전자(陽電子)(opp. *negatron*)

pósitron ĆŤ [-sí:tí:] 〔CT = *c*omputerized *t*omography〕 〚의학〛 양전자 단층 촬영(법)

pósitron emíssion tomògraphy 양전자 방사 단층 촬영 《略 PET》

pos·i·tro·ni·um [pàzətróuniəm | pɔ̀z-] *n.* 포지트로늄 《양전자와 음전자의 일시적 결합으로 만들어지는 불안정한 물질》

po·sol·o·gy [pəsálədʒi | -sɔ́l-] *n.* Ⓤ 〚의학〛 약량학(藥量學)

poss. possession; possessive; possible; possibly

pos·se [pási | pɔ́si] 〔L 「힘」의 뜻에서〕 *n.* **1** (미) (치안 유지 등에 법적 권한을 갖는) 무장[보안]대, 경관대; 주(州)내 민병대 **2** (공통된 목적을 가진) 군중, 집단 **3** Ⓤ 가능성(possibility), 잠재력 ***in ~*** 가능한, 잠재적으로(cf. in ESSE)

pósse co·mi·tá·tus [-kàmətá:təs, -téi- | -kɔ̀mə-] 〔L〕 〚법〛 (군 치안관(sheriff)이 유사시에 소집하는) 민병대

‡**pos·sess** [pəzés] 〔L 「힘이 있는 자리에 앉다」의 뜻에서〕 *vt.* **1 소유하다,** 가지다; 점유하다, 손에 넣다: ~ a landed property 토지를 소유하다/~ a vote 선거권을 가지다 **2** 〈능력·성질 등을〉 **지니다**: ~ wisdom 지혜가 있다/He *~es* courage. 그는 용기가 있다. **3** 〈언어 등을〉 알고 있다 **4** 〈귀신 등이〉 붙다, 홀리다; 〈감정·관념 등이〉 지배하다, …의 마음을 사로잡다 (⇨ possessed 1); (…하도록) 움직이게 만들다: be *~ed* by demons 악령에 홀리다/A vague uneasiness *~ed* him. 막연한 불안이 그를 사로잡았다.// (~+목+***to*** do) What *~ed* you *to* do such a thing? 왜 그런 짓을 했느냐? **5** 〈재산·권력·지식·정보 등을〉 주다, 소유시키다, 파악시키다, 정통하게 하다 **6** 〈마음과 몸을〉 유지하다, 억제하다: ~ oneself 자제하다, 인내하다// (~+목+전+명) *P~* your soul *in* patience. 꾹 참고 견뎌라. **7** (고어) 〈여자와〉 육체 관계를 갖다 **8** (고어) 잡다, 획득하다 ***be ~ed of*** …을 소유하고 있다 ***~ oneself of*** …을 자기 것으로 만들다
▷ posséssion *n.*; posséssive *a.*

*****pos·sessed** [pəzést] *a.* **1** 홀린, 미친, 열중한; 사로잡힌 《*by, with, of*》: ~ *of* the devils 악령이 들려 **2** 침착한, 차분한, 냉정한 ***like all*** [***one***] ***~*** (미) 귀신에 홀린 듯이, 맹렬[열심]히 **pos·sess·ed·ly** [pəzésidli, -zést-] *ad.* **~·ness** *n.*

‡**pos·ses·sion** [pəzéʃən] *n.* **1** Ⓤ **소유**; 입수; 점거, 점령; 소유권(ownership): get[take, gain] ~ of …을 손에 넣다 **2** Ⓤ 〚법〛 (소유권의 유무에 관계없는) 점유: *P~* is nine tenths of the law. (속담) 현실적 점유는 90%의 승산; 손에 쥔 사람이 임자나 다름없다. **3** [종종 *pl.*] **소유물**; **재산,** 부(富) **4** 영지(領地); 속국, 속령(屬領) **5** 〚경기〛 공을 지배한 상태; (시합 중에 부여되는) 공에 대한 지배 권리 **6** Ⓤ (드물게) 침착,

thesaurus **positive** *a.* **1** 의문의 여지가 없는 real, actual, absolute, concrete, conclusive, undeniable **2** 분명한 clear, definite, precise, explicit, firm **3** 확신하는 certain, sure, confident, convinced, assured **4** 건설적인 constructive, produc-

자제 7 Ⓤ 홀림, 귀신이 붙음; Ⓒ (뇌리에서) 떠나지 않는 감정[생각]
come into a person***'s*** ~ 손에 들어오다 ***get*** [***take***] ~ ***of*** …을 손에 넣다, 점유[점령]하다 ***in*** ~ 〈물건이〉 점유되어; 〈사람이〉 소유하여 ***in*** ~ ***of*** …을 소유[점유]하여 ***in the*** ~ ***of*** …에 소유되어; …이 점유하는 ***rejoice in the*** ~ ***of*** 다행히도 …을 가지다
~·less *a.* ▷ posséss *v.*; posséssive *a.*

pos·ses·sive [pəzésiv] *a.* **1** 소유의: ~ rights 소유권 **2** 소유욕이 강한, 독점하고 싶어하는 **3** 〖문법〗 소유를 나타내는, 소유격의
—*n.* 〖문법〗 **1** [the ~] 소유격 **2** 소유격의 단어; 소유대명사[형용사] **~·ly** *ad.* **~·ness** *n.*

posséssive ádjective 〖문법〗 소유형용사 《my, your, their 등》

posséssive cáse 〖문법〗 소유격 《the boy's book의 boy's 등》(⇨ 문법 해설 (23))

posséssive prónoun 〖문법〗 소유대명사 《mine, yours, theirs 등》

pos·ses·sor [pəzésər] *n.* 소유주(owner); 〖법〗 점유자(occupier)

pos·ses·so·ry [pəzésəri] *a.* 소유(자)의; 〖법〗 점유에서 생기는, 소유권이 있는

pos·set [pásit | pɔ́s-] *n.* Ⓤ 우유술 《뜨거운 우유에 술·설탕·향료를 넣은 음료》

pos·si·bi·list [pásəbəlist | pɔ́sib-] *n.* 〖정치〗 현실적 개혁주의자 **-lìsm** *n.*

pos·si·bil·i·ty [pὰsəbíləti | pɔ̀s-] *n.* (*pl.* **-ties**) **1** ⓊⒸ 가능성, 있을[일어날] 수 있는 일; 실현성(⇨ probability 유의어): a bare ~ 희박한 가능성 / good[strong] ~ 꽤 높은 가능성 **2** 있음직한 일(cf. PROBABILITY) **3** [보통 *pl.*] 가망, 발전의 가능성, 장래성 **4** 《구어》 어울리는 사람[것]: She is a ~ as a wife for me. 그녀는 나의 아내로서 어울리는 여자다. **5** 당선할 것 같은 후보자; 이길 것 같은 사람 **6** 《고어》 가진 힘[능력] ***be within the bounds*** [***range***] ***of*** ~ 있을[일어날] 수 있는 일이다 ***by any*** ~ [조건절에서] 만일에, 혹시; [부정어와 함께] 도저히, 아무래도 ***by some*** ~ 혹시, 경우에 따라서는
▷ póssible *a.*; póssibly *ad.*

pos·si·ble [pásəbl | pɔ́s-] 〖L 「할 수 있는」의 뜻에서〗 *a.* **1** 가능한, 실행할 수 있는 ★ 이 뜻으로는 「사람」을 주어로 하지 않음(⇨ probable 유의어): a ~ but difficult task 가능하지만 어려운 일 / every ~ measure 가능한 모든 조치 **2** [최상급, all, every 등과 함께] 가능한 한의: *the greatest* ~ speed 전속력 / with *the least* ~ delay 되도록 일찍이 / with *all* ~ kindness 될 수 있는 대로 친절하게 **3** 있음직한, 일어남 직한 **4** 어울리는, 적절한: a ~ president 대통령에 어울리는 사람 **5** 《구어》 그럴싸한; 상당한, 그런대로 괜찮은; 참을 수 있는, 봐 줄 만한 ***as*** early ***as*** ~ 될 수 있는 대로 (일찍) ***if*** ~ 가능하다면
—*n.* **1** [the ~] 가능성; [보통 *pl.*] 가능한 일, 있을 수 있는 일; [*pl.*] 필수품 **2** 전력(全力), 최선 **3** (사격 등의) 최고점 **4** 후보자, 후보 선수 ***do*** one***'s*** ~ 전력을 다하다 ***the art of the*** ~ 가능성 모색술(模索術)

pos·si·bly [pásəbli | pɔ́s-] *ad.* **1** 아마, 혹시, 어쩌면(⇨ perhaps 유의어) **2** [긍정문에서 can과 함께; 정중한 의뢰] 어떻게든지, 될 수 있는 한: as soon as I ~ *can* 어떻게든 되도록 빨리 **3** [의문문에서 can과 함께] 어떻게든지, 과연 **4** [부정문에서 can과 함께] 아무리 해도, 도저히 〈…못하다〉: *cannot* ~ do it 도저히 할 수 없다 ▷ póssible *a.*

pos·sie, pos·sy [pási | pɔ́si], **poz·zy** [pázi | pɔ́zi] *n.* 《호주·뉴질·속어》 지위(position); 일(job)

---

tive, helpful, practical, useful, beneficial **5** 긍정적인 optimistic, favorable, promising, encouraging
possess *v.* have, own, hold, seize, occupy
possible *a.* **1** 가능한 feasible, attainable, achievable **2** 있음직한 likely, conceivable, probable

---

pos·sum [pásəm | pɔ́s-] [opossum에서 두음이 없어진 것] *n.* 《미》 = OPOSSUM ***play*** ~ 죽은[잠든] 체하다, 꾀병을 앓다, 시치미를 떼다

póssum bèlly 《속어》 차량 바닥 밑의 저장실

post[1] [póust] 〖L 「앞에 서는 것」의 뜻에서〗 *n.* **1** (나무·금속으로 된) 기둥, 말뚝; 푯말 《도표·경계표같이 땅 위에 세우는》 **2** (의자 등받이·서랍 모서리 등의) 직립된 지주(cf. STUMP) **3** 〖경마〗 출발[결승] 푯말: a starting[winning] ~ 출발[결승]점 **4** 단단한 암층; 〖광산〗 탄주(炭柱), 광주(鑛柱) **5** 트랙 경기의 가장 바깥쪽의 코스 **6** 《구어》 〖축구〗 골포스트(goalpost) **7** 《미》 의자의 다리 (***as***) ***deaf as a*** ~ 전혀 귀가 들리지 않는 (***as***) ***stiff as a*** ~ 잔뜩 얼어서 ***beat*** a person ***on the*** ~ (경주에서) 가슴 하나 차이로 이기다 ***be on the wrong*** [***right***] ***side of the*** ~ 행동을 그르치다[올바르게 하다] ***between you and me and the*** ~ 비밀로, 우리끼리 얘기인데
—*vt.* **1** 〈전단 등을〉 기둥[벽]에 붙이다 《*up*》: It is forbidden to ~ this wall. 이 벽에 벽보를 붙이는 것은 금지되어 있다. **2** 게시[고시]하다; 〈회사·정부가 재정[경제] 상태를〉 공시하다, 공표하다; 〈말을〉 퍼뜨리다: a ~*ed* price of crude oil 원유의 공시 가격 // (~+목+부) (~+목+전+명) ~ (*up*) a notice *on* the board 게시판에 공고하다 / ~ a person *for* a swindler …을 사기꾼이라고 소문내다 **3** 《영》 〈불합격자의〉 이름을 공표하다; (공표 명부에) …의 이름을 기입하다 **4** 〈배가〉 연착한다고[행방불명이라고] 발표하다: (~+목+***as*** 보) ~ a ship *as* missing 배가 행방불명이라고 공표하다 **5** 〖경기〗 〈스코어를〉 기록하다 **6** 수렵 금지의 표찰을 내걸다 ***P***~ [《영》 ***Stick***] ***no bills!*** (게시) 벽보 금지! ~ one***'s land*** 《미》 소유지 내에서의 사냥 금지의 팻말을 내걸다

post[2] [póust] 〖L 「놓다」의 뜻에서〗 *n.* **1** 지위; 근무처; 직: get a ~ as a teacher 교사직을 얻다 **2** 부서(station), 맡은 자리; 분담; 경계 구역, 초소; (군대) 주둔지 **3** 초병; 주둔 부대; 《미》 수비대 **4** 《미》 (재향군인회의) 지부 **5** (특히 미개지에 설치한) 교역장(交易場)(= trading ~) **6** 〖영국군〗 취침 나팔: the first ~ 취침 예비 나팔 / the last ~ 취침 나팔; 장례식 나팔 **7** (증권 거래소 내의) 거래 포스트 《업종별로 나뉘어 거래가 이루어지는 곳》 **8** 〖농구〗 포스트 《공격의 중심이 되는 선수 위치》 **9** 〖항해·역사〗 20문(門) 이상의 포를 갖춘 군함의 함장의 지위 **10** (부대 배치 중) 국기를 두는 위치 ***at*** one***'s*** ~ 임지(任地)에서, 맡은 자리[부서]에서 ***on*** ~ 망을 보고, 순찰 중인
—*vt.* **1** 〈보초 등을〉 배치하다; 〈회사·상사가 사람을〉 파견하다, 전근시키다: (~+목+전+명) The country ~*ed* the guards *at* the frontier. 그 나라는 국경에 경비병을 배치했다. **2** [보통 수동형으로]; 〖영국군〗 사령관[함장(艦長), 대령]으로 임명하다 《*to*》 **3** 〈채권 등을〉 매출하다, 공탁하다; 〈연금·보증금을〉 지불하다; 〈내기 돈을〉 쌓다; 〈저당·담보를〉 내놓다 ~ ***away*** 〈장교 등을〉 전임(轉任)시키다

post[3] [póust] *n., v., ad.*

> It. 「역(驛)」의 뜻에서→(파발꾼)→「우편물」→「우체국」, 「우체통」이 되었음

—*n.* **1** Ⓤ 《영》 우편(《미》 mail); 집배(集配) 《우편물의 1회에 해당하는》, 편(便) 《우편물의 차편·배편 등》: the evening ~ 저녁 편[집배] **2 a** 《영》 [the ~; 집합적] 우편물(《미》 mail) **b** [a ~; 수식어와 함께; 집합적] 우편물: I had *a* heavy ~. 우편물이 많이 왔다. **3** [the ~] 《영》 우체국; 우체통 **4** 《고어》 역, 역참(驛站); 역마 **5** 우편차[선]; 우편 집배원, 파발꾼, 사자(使者) **6** Ⓤ 포스트 판 《16×20인치 크기(의 편지지)》: ~ octavo 8절판 / ~ quarto 4절판 **7** [**P~**] …신문: the Sunday *P*~ 선데이 포스트지(紙) **8** 〖컴퓨터〗 = POSTING[3]
by ~ (1) 우편으로 (2) 《고어》 역마로; 보발로 ***by return of*** ~ 편지 받는 대로 곧 〈회한(回翰) 바람 등〉;

시급히 ***take*** ~ 역마로 가다, 급히 여행하다[지나가다]
— *vt.* **1** ⦅영⦆ 우송하다; 우체통에 넣다(⦅미⦆ mail) ⦅*off*⦆; 편지를 보내다 ⦅*to*⦆: ~ a letter[parcel] 편지[소포]를 부치다 **2** 〖부기〗 (분개장(分介帳) 등에서 원장(元帳)으로) 전기(轉記)하다, 분개하여 기장하다 ⦅*up*⦆: ⦅~+목+부⦆ ~ *up* checks 전표를 기장하다 **3** [보통 수동형으로] (최근의) 정보를 알려주다 ⦅*up*⦆: She kept herself ~*ed* on all her husband's activities. 그녀는 남편의 동태를 모두 파악하고 있었다. // ⦅~+목+부⦆ ⦅~+목+전+명⦆ *be* well ~*ed* (*up*) *in* the latest events 최근의 사건들을 잘 알고 있다 **4** 역마로 보내다, 급송[급파]하다 **5** 〖인터넷〗 웹사이트에 〈글이나 그림을〉 게재하다
— *vi.* **1** 〖경마〗 〈기수가〉 경속보를 하다 ⦅속보(速步)시 말과 보조를 맞추기 위해 경쾌하게 앉았다 일어났다 하는 것⦆ **2** 서둘러 지나가다[통과하다]; 급행하다, 서둘다 **3** ⦅고어⦆ 역마로 여행하다 **4** 〖인터넷〗 웹사이트에 올리다 ~ ***off*** 급히 떠나다
— *ad.* 역마로, 파발(擺撥)편으로; 황급히, 부랴부랴; 우편으로 ▷ póstal *a.*; póstage *n.*

post [poust] [L] *prep.* …후[뒤]에(after)

post- [póust] [L] *pref.* 「뒤의; 다음의」의 뜻(opp. *ante-*): *post*glacial, *post*graduate

‡**post·age** [póustidʒ] *n.* Ⓤ **우편 요금**: ~ due [free] 우편 요금 부족[무료]

póst·age-dúe stàmp [póustidʒdjúː- | -djúː-] (우체국에서 붙이는) 부족 요금[추가 요금] 우표 ⦅배달할 때 수취인에게서 징수⦆

póstage mèter ⦅미⦆ (요금 별납 우편물 등의) 우편 요금 계기(計器) ⦅우표 대신에 일부인을 찍는 기계⦆

‡**póstage stàmp** **1** 우표 **2** 매우 좁은 장소

post·age-stamp [-stæ̀mp] *a.* ⦅구어⦆ (우표 딱지처럼) 매우 작은, 좁은

‡**post·al** [póustl] *a.* Ⓐ **1 우편의**; 우체국의: ~ matter 우편물 / ~ savings 우편 저금 **2** 우송에 의한: a ~ vote 우편[부재자] 투표 ***go ~*** ⦅미·속어⦆ 정신이 착란하다, 미친 듯이 화내다 ***the International*** [***Universal***] ***P~ Union*** 만국 우편 연합
— *n.* ⦅미·구어⦆ = POSTAL CARD
▷ póst[3], póstage *n.*

póstal bàllot ⦅영⦆ 우편 투표제

póstal càrd 우편엽서; = POSTCARD 1

póstal còde = POSTCODE

Póstal Còde Númber[**No.**] ⦅영⦆ 우편 번호

póstal còurse ⦅영⦆ 통신 교육 강좌

póstal delívery zòne ⦅미⦆ 우편구

póstal móney òrder ⦅미⦆ 우편환(換)

póstal nòte ⦅호주⦆ = POSTAL ORDER

póstal òrder ⦅영⦆ 우편환(換) ⦅略 P.O.⦆

póstal sávings bànk ⦅미⦆ 우편 저금국

póstal sérvice **1** 우편 업무 **2** 체신부 **3** [the (US) P- S-] ⦅미국⦆ 우정 공사

póstal stàtionery 우편 요금이 직접 인쇄되어 있는 봉투·엽서·항공 엽서 등의 총칭

póstal vòte ⦅영⦆ (주소지를 떠난 선거인의) 우편 투표, 부재자 투표(⦅미⦆ absentee ballot)

post·a·tom·ic [pòustətámik | -tɔ́m-] *a.* 원자력이 방출된 뒤의; (최초의) 원자 폭탄 투하 후의: the ~ world[age] 원자력 세계[시대]

post·ax·i·al [pòustǽksiəl] *a.* 〖해부〗 축후(軸後)의, 축배(軸背)의; ⦅특히⦆ 다리[팔]의 뒤측의

post·bag [póustbæ̀g] *n.* ⦅영⦆ **1** 우편낭(⦅미⦆ mailbag) **2** [a[the] ~; 집합적] 1회에 배달되는 우편물

post·bel·lum [pòustbéləm] *a.* 전후(戰後)의; ⦅미⦆ 남북 전쟁 후의

post-boat [póustbòut] *n.* ⦅영⦆ **1** 우편선 **2** (단거리의) 정기 여객선

post·box [-bɑ̀ks | -bɔ̀ks] *n.* ⦅영⦆ **1** 우체통(⦅미⦆ mailbox) **2** (가정용) 우편함

post·boy [-bɔ̀i] *n.* **1** 우편 집배원 **2** = POSTILION 1

póst cáptain 〖영국해군〗 대령 함장

‡**post·card** [póustkɑ̀ːrd] *n.* **1 사제(私製)엽서**; 그림엽서(picture postcard) **2 우편엽서**(postal card): a return ~ 왕복 엽서

post-cen·sor·ship [pòustsénsərʃìp] *n.* Ⓤ 사후 검열(cf. PRECENSORSHIP)

póst chàise 〖역사〗 (18-19세기에 사용된 4-5인승의) 4륜 역마차

post·ci·bal [poustsáibəl] *a.* 〖의학〗 식후의

post·clas·si·cal [pòustklǽsikəl], **-sic** [-sik] *a.* 〈예술·문학 등이〉 고전 시대 이후의

post·code [póustkòud] *n.* ⦅영⦆ 우편 번호(⦅미⦆ zip code)

póstcode lóttery ⦅영⦆ 우편 번호 추첨식 복권 뽑기 ⦅의료 처치·지역 사신기금 등을 위한⦆

post·co·i·tal [poustkóuitəl] *a.* 성교(性交) 후의

post·com·mu·nion [pòustkəmjúːnjən] *n.* Ⓤ [때로 **P- C-**] 〖가톨릭〗 영성체 후의 기도

post·con·so·nan·tal [pòustkɑnsənǽntl | -kɔn-] *a.* 〖음성〗 자음 바로 뒤에 붙는

post·date [pòustdéit] *vt.* **1** 실제보다 날짜를 늦추어 적다[찍다] **2** (시간적으로) 뒤에 일어나다: His fame as an artist ~*d* his death. 예술가로서의 그의 명성은 사후에 나타났다.
— *n.* 사후 일자(事後日字)(opp. *antedate, predate*)

post-de·ter·min·er [póustditə́ːrminər] *n.* 〖문법〗 후한정사(後限定詞)

post·di·lu·vi·an [pòustdilúːviən | -dai-] *a., n.* 노아의 홍수(Deluge) 후의 (사람[사물])(cf. ANTEDILUVIAN)

post·doc·tor·al [pòustdɑ́ktərəl | -dɔ́k-] *a.* 박사 학위 취득 후의 〈연구 등〉 — *n.* 박사 학위를 취득한 연구자 ★ ⦅구어⦆ postdoc이라고 함.

post·doc·tor·ate [pòustdɑ́ktərət | -dɔ́k-] *a.* = POSTDOCTORAL

post·ed [póustid] *a.* **1** ⦅구어⦆ 정통한 **2** 지위[직장] 가 있는

pósted príce 공시[고시] 가격

post·e·mer·gence [pòustimə́ːrdʒəns] *a.* (농작물의) 발아에서 완숙되기 전까지의

post·en·try [póustèntri] *n.* (*pl.* **-tries**) **1** 〖부기〗 추가 기장(記帳); 추가 수입 수속 서류 **2** 추가 신청

‡**post·er**[1] [póustər] *n.* **1 포스터**, 전단 광고, 벽보 **2** 벽보를 붙이는 사람 **3** (대형의) 자선(慈善) 실(seal)
— *vt.* 전단[포스터]을 붙이다

poster[2] *n.* **1** 부기 담당 사무원 **2** (편지를) 투함하는 사람 **3** ⦅고어⦆ 급한 여행자 **4** 파발마, 역마

póster chìld ⦅미·구어⦆ (선전용 포스터에 등장하는) 이미지 캐릭터, 심벌

póster còlor 포스터 컬러

poste res·tante [pòust-restɑ́ːnt | -réstɑːnt] [F = remaining post] *n.* **1** Ⓤ 유치(留置) 우편(⦅미⦆ general delivery) ⦅우편물의 표기⦆ **2** ⦅주로 영⦆ 유치 우편과[계] — *ad.* 유치 우편으로 ⦅우편물에 적는 말⦆

*__pos·te·ri·or__ [pɑstíəriər, pous- | pɔs-] [L 「뒤에 오는」의 뜻의 비교급에서] *a.* **1** 〈위치가〉 **뒤의, 후부(後部)의**(opp. *anterior*) **2** 〈시간·순서가〉 뒤에 오는, 이어지는, …이후의 ⦅*to*⦆(opp. *prior*): ~ *to* the year 2002 2002년 이후의 **3** 〖해부·동물〗 (몸의) 후단의, 꼬리부의; (사람·영장류의) 배부(背部)의, 배면의(dorsal) **4** 〖식물〗 후면의
— *n.* **1** (몸의) 후부 **2** [one's[the] ~(s)로] ⦅완곡⦆ 둔부, 엉덩이 **3** 〖통계〗 경험적인 확률

pos·te·ri·or·i·ty [poustìəriɔ́ːrəti, pɑs- | pɔstìəriɔ́r-] *n.* Ⓤ (위치·시간적으로) 뒤[다음]임(opp. *priority*); 후천성

postérior pitúitary 뇌하수체 후엽(後葉)

‡**pos·ter·i·ty** [pɑstérəti | pɔs-] *n.* Ⓤ **1** [집합적] **자손**(opp. *ancestry*) **2** 후세, 후대: leave one's name

thesaurus **poster**[1] *n.* placard, notice, bill, flyer, advertisement, announcement, bulletin

on ~ 후세에 이름을 남기다
pos·ter·i·za·tion [pòustərizéiʃən | -rai-] *n.* 포스터리제이션 《분해된 사진의 원판을 써서 연속적인 톤[색조]의 사진 등에서 불연속적인 톤[색조]의 복제를 만드는 기법》
pos·tern [póustərn | pɔ́s-] *n.* **1** 뒷문: a privy [private] ~ 통용문, 샛문 **2** 〖축성〗 지하도
— *a.* **1** 뒷문의 **2** 비밀의; 사용(私用)의
póster pàint = POSTER COLOR
póst exchànge 〖미육군〗 매점, 피엑스(《영》 Naafi) (《略 PX》)
post·ex·il·ic [pòustegzílik], **-i·an** [-iən] *a.* (유대인의) 바빌로니아 유수(幽囚) 이후의
post·face [póustfis, -fèis] *n.* 후기, 발문(跋文) (cf. PREFACE)
post-fac·tum [pòustfǽktəm] *a.* 사후(事後)의
post-fade [póustfèid] *n.* 포스트 페이드 《녹음기의 소거 헤드를 작동·정지시키는 장치》
post·fem·i·nist [pòustfémənist] *a.* 포스트 페미니스트의 — *n.* 포스트 페미니스트 《1970년대 페미니즘의 뒤를 이어 1980년대 제창한 남녀 협조 풍조의 신봉자》
post·fig·u·ra·tive [poustfígjurətiv] *a.* 오래된 (어른의) 가치관이 지배적인
post·fix [póustfiks] *n.* 《드물게》 접미사(suffix); 뒤에 부가된 것 — [ㅅㅅ] *vt.* 어미에 붙이다; 최후에 부가하다; 첨가하다
post·form [pòustfɔ́:rm] *vt.* 후에 만들다, 2차 형성하다
post-free [póustfrí:] *a.* 우편 요금 무료의; 《영》 우편 요금 선불의(《미》 postpaid)
— *ad.* 《영》 우편 요금 선불로
post·gla·cial [pòustgléiʃəl] *a.* 〖지질〗 빙하기 후의
post·grad [póustgrǽd] *a., n.* = POSTGRADUATE
post·grad·u·ate [pòustgrǽdʒuət, -èit] *a.* **1** 대학 졸업 후의; 대학원의: the ~ course 대학원 과정 / the ~ research institute 대학원 **2** (고교 졸업 후) 대학 수험 준비 중인 — *n.* 대학원 학생, 연구생, 조수; (고교 졸업 후의) 대학 수험생
post·har·vest [pòusthá:rvist] *a.* (곡물의) 수확(기) 후의
post·haste [póusthéist] *ad.* 지급[급행]으로
— *n.* 《고어》 지급(至急): in ~ 급히
post hoc, er·go prop·ter hoc [póust-hák-ɔ́:rgou-práptər-hàk | -hɔ́k-ɔ́:rgou-prɔ́ptə-hɔ̀k] [L] *ad.* 〖논리〗 이 이후에, 그러므로 이 때문에 《전후 관계와 인과 관계를 혼동하는 오류》 — *a.* 전후 인과의
post·hole [pousthòul] *n.* 울타리의 말뚝을 세우는 구멍
póst hòrn (옛 우편 마차의) 나팔
póst hòrse (옛날의) 역마
post·house [pousthàus] *n.* **1** (역마의) 역사(驛舍), 역참(驛站) **2** 《고어》 = POST OFFICE
post·hu·mous [pástʃuməs | pɔ́s-] [L 'last'의 최상급의 뜻에서; 여기에 「흙」, 「매장하다」의 뜻이 연상된 것] *a.* 사후(死後)의, 사후에 생긴; 유복자인; 저자의 사후에 출판된: a ~ child 유복자 / one's ~ name 시호(諡號); 계명(戒名) / ~ works 유저(遺著)
confer ~ honors 증위(贈位)[추서(追敍)]하다 《*on*》
~·ness *n.*
post·hu·mous·ly [pástʃuməsli | pɔ́s-] *ad.* 죽은 뒤에, 사후(死後)에; 유작으로서
post·hyp·not·ic [pòusthipnátik | -nɔ́t-] *a.* 〈암시가〉 최면 후에 효과를 나타나는; 최면 후의
pos·tiche [pɔ:stí:ʃ, pas- | pɔs-] [F] *a.* **1** 가짜의, 모조의 **2** 꾸며댄, 불필요한; 나중에 첨가된, 《특히》 어울리지 않게 덧붙인 〈장식 등〉 — *n.* **1** 위조품, 모조품 **2** Ⓤ 쓸데없는 장식, 허식 **3** 가발

posterity *n.* descendants, heirs, successors, issue, offspring, progeny, children, seed, future

pos·ti·cous [pastáikəs | pɔs-] *a.* 〖식물〗 뒤(쪽)에 있는(posterior)
post·ie [póusti] *n.* 《스코·캐나다·호주·구어》 우편집배원(postman)
pos·til [pástil | pɔ́s-] *n.* (특히 성서의) 방주(傍註); 주해; 설교집
pos·til·ion | **-til·lion** [poustíljən | pɔs-] *n.* **1** (마차의) 좌마(左馬) 기수 《4두, 6두 마차에서는 제1열 왼쪽 말에 탐》 **2** 부인용 모자 《기수가 쓰는 모자의 형태를 지님》
Post·im·pres·sion·ism [pòustimpréʃənìzm] *n.* Ⓤ 〖미술〗 후기 인상파[주의] **-ist** *a., n.* 후기 인상파의 (화가) **-pres·sion·ís·tic** *a.*
post·in·dus·tri·al [pòustindʌ́striəl] *a.* 탈공업화(脫工業化)의; 탈공업화 시대의
post·ing[1] [póustiŋ] *n.* **1** 〖회계〗 (부기의) 전기(轉記) **2** 우송; 투함(投函) **3** 우편물 한 다발
posting[2] *n.* 지위[부서, 부대]에의 임명
posting[3] *n.* 〖컴퓨터〗 포스팅, 투고(投稿) 메시지 《e-mail과는 달리 불특정 다수에게 보내어지는 것》
post·ir·ra·di·a·tion [pòustirèidiéiʃən] *a.* (X선) 조사(照射) 후에 생기는
Post-it [póustìt] *n.* 포스트잇 《끝에 접착제가 칠해져 있는 부전지; 상표명》
post·lim·i·ny [poustlíməni], **post·li·min·i·um** [pòustlimíniəm] *n.* Ⓤ 〖국제법〗 전전(戰前) 복귀권 《전쟁 중 빼앗긴 사람이나 재산을 평화 회복 후 원상태로 복귀시키는 권리》
post·lude [póustlu:d] *n.* **1** 후주곡(後奏曲) 《교회에서 예배 끝에 연주되는 오르간 독주》; 〖음악〗 종말부, 최종 악장(opp. *prelude*) **2** (문학 작품 등의) 완결 부분 **3** 《일반적으로》 매듭을 짓는 말
∗**post·man** [póustmən, -mæ̀n] *n.* (*pl.* **-men** [-mən, -mèn]) **우편집배원**; 《고어》 파발꾼
póstman's knóck 《영》 = POST OFFICE 3
post·mar·i·tal [pòustmǽrətl] *a.* 혼인 해소 후의
post·mark [póustmà:rk] *n.* (우편의) 소인
— *vt.* [보통 수동형으로] 소인을 찍다
∗**post·mas·ter** [póustmæ̀stər | -mà:s-] *n.* **1** 우체국장 (《略 P.M.》); 역사의 장(長) **2** 《캐나다》 모피 교역장의 주인 **3** 〖컴퓨터〗 포스트 마스터 《e-mail 관리자》
~·ship *n.* Ⓤ 우체국장의 직[지위]
póstmaster géneral (*pl.* **póstmasters géneral**) **1** 《미》 우정 공사 총재; 《영》 체신 공사 총재 **2** 《미》 (1971년까지의) 우정 장관 《각료의 한 사람》; 《영》 (1969년까지의) 체신 장관 (《略 《미·영》 P.M.G.》)
post·ma·ture [pòustmətjúər | -tjúə] *a.* 〖산부인과〗 과숙(過熟)의
post·me·rid·i·an [pòustmərídiən] *a.* 오후의, 오후에 일어나는
post me·rid·i·em [pòust-mərídiəm] [L =after midday] *n., a.* 오후(의) (《略 p.m., P.M., P.M.》) (opp. *ante meridiem*)
post·mill [póustmìl] *n.* (풍향에 따라 방향을 바꾸는) 회전식 풍차
post·mil·len·ni·al [pòustmiléniəl] *a.* 지복(至福) 1천년 후의 **~·ism** *n.* Ⓤ 지복 1천년 후에 그리스도가 재림한다는 설 **~·ist** *n.*
post·min·i·mal·ism [poustmínimәlìzm] *n.* 포스트미니멀리즘 《1970년대에 발전한 예술 양식》
post·mis·tress [póustmìstris] *n.* 여자 우체국장
post·mod·ern [pòustmádərn | -mɔ́d-] *a.* **1** 포스트모더니즘의 **2** (유행의) 최첨단의, 최신 유행의
post·mod·ern·ism [pòustmádərnìzm | -mɔ́d-] *n.* 〖문예〗 포스트모더니즘 《20세기의 모더니즘에 대항하여 1970년대에 일어난 예술 운동으로 고전적·역사적 양식이나 수법을 받아들이고자 함》 **-ist** *n., a.*
post·mod·i·fier [pòustmádəfaiər | -mɔ́d-] *n.* 〖문법〗 후치 수식어 《수식어가 피수식어 뒤에 오는》(cf. MODIFIER, PREMODIFIER): 'run fast'에서 부사 'fast'는 후치 수식어이다.

post·mor·tem [pòustmɔ́:rtəm] [L =after death] *a.* **1** 사후(死後)의, 죽은 뒤의; 검시(용)의 **2** 사후(事後)의 **—** *n.* **1** 부검, 검시 (해부) **2** 사후(事後) 검토[토의, 평가] **3** 《구어》 (특히 카드놀이의) 승부 결정 후의 검토

postmórtem examinátion 부검(剖檢), 검시(檢屍), 검시 해부(cf. AUTOPSY)

post·na·sal [pòustnéizəl] *a.* 〖의학〗 후비부(後鼻部)의, 비후(鼻後)의[에서 생긴]

póstnasal dríp 후비루(後鼻漏) 《비공의 뒤쪽에서 인두(咽頭)로 떨어지는 점액의 방울》

post·na·tal [pòustnéitl] *a.* 출생 후의; 생후에 일어난; 출산 직후 아기의: ~ infection 생후 감염 **~·ly** *ad.*

postnátal depréssion 《영》 =POSTPARTUM DEPRESSION

post·ne·o·na·tal [pòustnì:ounéitl] *a.* 신생아기(期) 후의, 갓난아이의 《생후 1년간》

post·nup·tial [pòustnʌ́pʃəl] *a.* 결혼 후의; 신혼여행의; (동물의) 교미 후의 **~·ly** *ad.*

post-o·bit [pòustóubit | -ɔ́bit] 〖법〗 *n.* 사후(死後) 지불 날인(捺印) 채무 증서(=~ **bònd**) **—** *a.* 사후에 효력을 발생하는

post-ób·ject àrt [poustɑ́bdʒikt- | -ɔ́b-] 포스트오브젝트 아트(=**anti-óbject àrt**) 《예술의 대상성(對象性)보다 예술가의 이념·인간성을 강조》

⁑**póst òffice** **1** 우체국 **2** [the P- O-] **a** 《영》 체신성 《1969년 이후의 체신 공사(the P- O- Corporation)》 **b** 《미》 우정성 《1971년 이후는 우정 공사(Postal Service)》 **3** 《미》 우체국 놀이(《영》 postman's knock) 《편지가 왔다고 하며 이성을 별실로 불러내어 키스하는 놀이》

post-of·fice [póustɔ̀:fis | -ɔ̀f-] *a.* 우체국의, 체신부[우정성(省)]의: a ~ annuity 우편 연금

póst-office bòx 사서함 《略 P.O.B., P.O. Box》

Póst Òffice Depàrtment [the ~] 《미》 우정성 《U.S. Postal Service의 전신; 略 P.O.D.》

póst-office òrder (수취인 지정의) 우편환 《略 P.O.O.》

póst-office sávings bànk 《영》 우편 저금국 (《미》 postal savings bank)

post·op·er·a·tive [pòustɑ́pərəitiv | -ɔ́p-] *a.* 〖의학〗 수술 후의: ~ care 수술 후의 조리 **~·ly** *ad.*

post·paid [póustpéid] *a., ad.* 《미》 우편료 지불필의[로], 우편료 선불의[로](《영》 post-free)

post-paint·er·ly [pòustpéintərli] *a.* 〖미술〗 회화적 추상 이후의: *P*~ Abstraction 전통적 화풍의 추상화법

post·par·tum [pòustpɑ́:rtəm], **-tal** [-tl] *a., ad.* 〖산부인과〗 산후의[에]

postpártum depréssion 《미》 산후 우울증 (《영》 postnatal depression)

post·pon·a·ble [pous*t*póunəbl] *a.* 연기할 수 있는

⁑**post·pone** [pous*t*póun] [L 「뒤에 놓다」의 뜻에서] *vt.* **1** 연기하다(put off), 늦추다, 뒤로 미루다(⇨ delay 유의어): The match has been ~*d* until next Friday. 그 경기는 다음 주 금요일까지 연기되었다. **2** (중요성·평가에 있어서) 차위(次位)에 두다 《*to*》: (~+목+전+명) ~ private ambitions *to* public welfare 자기의 공명보다 공공복지를 앞세우다 **3** 〈말 등을〉 문장 끝에 두다 **—***vi.* 〖의학〗 〈병 등이〉 손쓰기에 늦어지다 **~·ment** *n.* **post·pón·er** *n.* ▷ postpónable *a.*

post·pose [poustpóuz] *vt.* 〖문법〗 〈말·문구를〉 (원래 위치보다) 뒤에 두다, 후치시키다

post·po·si·tion [pòustpəzíʃən] *n.* 〖문법〗 **1** 후치사(後置詞)(cf. PREPOSITION); 후치, 후위(後位) **2** Ⓤ 후치, 뒤에 둠 **~·al** *a.*

post·pos·i·tive [pòustpɑ́zətiv | -pɔ́z-] 〖문법〗 *a.* 후치의 **—** *n.* 후치사 **~·ly** *ad.*

post-post·script [póustpóustskrìpt] *n.* (편지의) 재추신(再追伸) 《略 P.P.S.》

post·pran·di·al [pòustprǽndiəl] *a.* 《익살》 식후(食後)의 《특히 dinner 후》

post·proc·ess·ing [poustprɑ́sesiŋ | -próu-] *n.* 〖컴퓨터〗 후(後)처리 《어떤 처리 후에 행해지는 처리 과정》

post·proc·es·sor [poustprɑ́sesər | -próu-] *n.* 〖컴퓨터〗 후처리 프로그램, 포스트프로세서

post·pro·duc·tion [pòustprədʌ́kʃən] *n.* 필름 촬영 후의 편집

post·rid·er [póustràidər] *n.* (옛) 파발꾼

póst ròad (옛날의) 역로(驛路); 우편물 수송 도로 [수로, 공로, 철도]

póst ròom 《영》 (회사의) 우편물 취급 부서

***post·script** [póus*t*skrìpt] [L 「후에 쓰여진」의 뜻에서] *n.* **1** (편지의) 추신(追伸) 《略 P.S.》; (책의) 후기, 발문(跋文), 보유(補遺)(supplement) **2** 《영》 〖라디오〗 (뉴스에 이어 방송하는) 해설 **3** 《일반적으로》 덧붙이는 말[행위]

post-sea·son [póustsí:zn] *a.* 〖야구〗 공식전 이후 시즌의

póst-séc·ond·ar·y educátion [póustsékəndèri-] 《미》 중등 과정 후의 교육 《총칭》

post-struc·tur·al·ism [pòuststrʌ́ktʃərəlìzəm] *n.* 후기 구조주의 《문학 비평 이론의 일종으로 원문 분석 또는 독자 반응의 비평을 사용함》

post·syn·ap·tic [pòustsinǽptik] *a.* 〖생물〗 시냅스 후부의

post-sync(h) [-síŋk] *vt.* =POST-SYNCHRONIZE

post·syn·chro·nize [pòustsíŋkrənàiz] *vt.* 〈음성이나 효과음 등을〉 나중에 화상에 맞춰 녹음하다

post-tax [-tǽks] *a.* 세금 공제 후의

post·test [póusttèst] *n.* 〖교육〗 효과 측정 테스트, 사후(死後) 시험

póst tìme **1** 우편 발송[도착, 마감] 시간; 우편 집배(集配) 시간 **2** 〖경마〗 레이스 출전 예정 시간

póst tòwn 우체국이 있는 고을; 역참(驛站)

post·tran·scrip·tion·al [pòusttrænskrípʃənl] *a.* 〖유전·생화학〗 전사(轉寫) 후의 《RNA가 DNA로부터 전사된 후의》

post·trans·la·tion·al [pòusttrænsléiʃənl, -trænz-] *a.* 〖유전·생화학〗 번역 후의 《mRNA가 폴리펩타이드로 번역된 후의》

post·trau·mat·ic [pòusttrɔ:mǽtik] *a.* 〖의학〗 (정신적) 외상(外傷) 후의

posttraumátic stréss disòrder 〖정신의학〗 심리적 외상 후 스트레스 장애 《공포스런 경험을 한 뒤에 나타나는 정신적 후유증; 略 PTSD》

post·treat·ment [pòusttrí:tmənt] *a., ad.* 치료[조치] 후의[에] **—** *n.* 치료[수술] 후 처치

pos·tu·lant [pɑ́stʃulənt | pɔ́stju-] *n.* 청원자(請願者), 《특히》 (성직(聖職)) 지망자; 요구자

pos·tu·late [pɑ́stʃulèit | pɔ́stju-] [L 「요구하다」의 뜻에서] *vt.* **1** 요구하다 《*to*》: the claims ~*d* 요구 사항 **2** (자명한 일로) 가정하다; …라고 주장하다 **3** 〖그리스도교〗 (상위 기관의 인가를 조건으로) 성직에 임명하다 **4** 〖논리·수학〗 공리(公理)[공준(公準)]로 간주하다 **—** [-lət] *n.* **1** 가정, 가설 **2** 선결[필요] 조건; 기본 원리 **3** 자명한 일; 〖논리·수학〗 공리(公理) **-là·tor** *n.*

pos·tu·la·tion [pɑ̀stʃuléiʃən | pɔ̀stju-] *n.* ⓊⒸ **1** 가정, 선결 조건 **2** 요구 **3** 〖그리스도교〗 (상위 기관의 인가 조건부) 성직 임명 **~·al** *a.*

pos·ture** [pɑ́stʃər | pɔ́s-] [L 「위치」의 뜻에서] *n.* ⓊⒸ **1** (몸의) 자세; Ⓤ 마음가짐, 정신적 태도 **2** (어떤 특정한) 자세, 자태(姿態), 몸가짐; Ⓒ 일부러 꾸민 자세[태도] **3** 정세, 사태 **—vi.* **1** 자세[태도]를 취하다 **2** (…인) 체하다 《*as*》: (~+전+명) ~ *as* a critic 비평가연하다 **—***vt.* **1** 태도를 취하게 하다: The painter ~*d* his model. 화가는 모델에게 포즈를 취하게 하였다. **2** 〈부대 등을〉 배치하다 **3** 〈회사·정부 등이〉 방침[태세]을 굳히다; …라고 하는 공식적인 입장을 취하다 **-tur·al** [-tʃərəl] *a.* **-tur·er** *n.* ▷ pósturize *v.*

pos·tur·ing [pástʃəriŋ | pɔ́s-] *n.* ⓊⒸ 《경멸》 가식적인[꾸민] 태도

pos·tur·ize [pástʃəràiz | pɔ́s-] *vi.* 어떤 자세를 취하다, 포즈를 취하다

Post-Vi·et·nám Sýndrome [pòustvietnɑ́:m-] 《미》 〖병리〗 베트남 후(後)증후군 《베트남 전쟁 제대병의 정신 장애; 略 PVS》

post·ví·ral (fatígue) sỳndrome [poust-váiərəl-] *n.* 〖병리〗 바이러스성 질환 후 (피로) 증후군 《略 PVS》

post·vo·cal·ic [pòustvoukǽlik] *a.* 〖음성〗 모음 직후에 오는: a ~ "r" sound 모음 직후의 r음 《(미)의 star [stɑ́:*r*], hear [híə*r*] 등의 [*r*]음》

*__post·war__ [póustwɔ́:*r*] *a.* 전후(戰後)의(opp. *prewar*); 2차 세계 대전 후의

— *n.* 전후

post·wom·an [póustwumən] *n.* (*pl.* **-wom·en** [-wimin]) 여자 우편집배원

po·sy [póuzi] *n.* (*pl.* **-sies**) **1** 꽃; 꽃다발 **2** 《고어》 (반지에 새기는) 기념 문자

‡**pot** [pát | pɔ́t] *n.* **1** 항아리, 단지, 분(盆), 독, (깊은) 냄비(cf. PAN[1]): A little ~ is soon hot. 《속담》 작은 냄비는 쉬이 뜨거워진다, 소인은 화를 잘 낸다. / A watched ~ never boils. 《속담》 지켜보고 있는 냄비는 끓지 않는다, 기다리는 시간은 긴 법이다, 초조해하지 마라. / The ~ calls the kettle black. 《속담》 똥 묻은 개가 겨 묻은 개를 나무란다. **2** (단지 등의) 하나 가득한 분량; [the ~] 요리, 먹을 것 **3** 주류 용기; (맥주용) 큰 컵; 주류, 음료수 **4** (물고기를 잡는) 바구니, 그물 **5** (어린이용) 변기, 요강(chamber pot) **6** 금속 용해 용기; 전해조(電解槽) **7** 《구어》 [때로 *pl.*] 거액(巨額); 《미·구어》 (특정 목적의) 기금; 《속어》 (경기 등의) 은상배(銀賞盃), 컵 **8** (포커 등에서) 한 번에 거는 돈의 총액; 큰돈, 상금; [the ~] 큰돈을 건 경마말 **9** 포트 《액체의 양》 **10** 〖당구〗 공받이 주머니 **11** 《속어》 거만한[독선적인] 사람 **12** 37.5㎝×31.2㎝ 크기의 종이 **13** 《속어》 거물, 중요 인물; 《구어》 똥배, 올챙이배(potbelly); 《미·속어》 중산모자(＝~ hat): a big ~ 거물(巨物) **14** ＝POTSHOT **15** Ⓤ 《속어》 마리화나, 대마

boil the ~ ＝***make the ~ boil*** 생계를 꾸리다 ***go to ~*** 《속어》 파멸하다, 영락하다, 부서지다, 죽다 ***in one's ~*** 술에 취하여 ***keep the ~ boiling*** 생계를 꾸려나가다; 〈일을〉 활기 있게 계속하다 ***make a ~ at*** …을 보고 얼굴을 찡그리다 ***make a ~[~s] of money*** 큰돈을 벌다 ***on the ~*** 《속어》 용변 중인; 안절부절못하는 ***put*** a person***'s ~ on*** …을 배신하다, 밀고하다; …의 앞길을 망치다 ***put the ~ on*** 〖경마〗 …에 큰돈을 걸다 ***sweeten the ~*** 《미·구어》 (내기 등에서) 건 돈을 더 올리다 ***take a ~ at*** a bird (새)를 겨냥하여 쏘다 ***the top of the ~*** 상등품, 우수한 것

— *v.* (**~·ted**; **~·ting**) *vt.* **1** (보존하기 위하여) 병[단지, 항아리, 냄비]에 넣다, 통조림으로 하다(⇨ potted 1) **2** 냄비에서 요리하다 **3** 화분에 심다: a *~ted* plant 화분에 심은 나무 **4** (놀이로서가 아니고) 잡아먹기 위하여 사냥하다, 〈짐승을〉 잡다 **5** 《구어》 손에 넣다 (secure) **6** 〖당구〗 ＝POCKET **7** 〈도공(陶工)이〉 만들다 **8** 〈아이를〉 실내 변기에 앉히다 **9** 〈사람을〉 (주먹으로) 때리다 **10** 〖야구·골프〗 〈공을〉 치다 **11** 미화하다, 매력적으로 하다 **12** 《영·속어》 〈남을〉 속이다

— *vi.* **1** 쏘다 《*at*》 **2** 술을 마시다

POT [pát | pɔ́t] [*p*lain *o*ld *t*elephone] *n.* 《미》 구식의 검은 전화통 (cf. POTS)

pot. potential; potentiometer; potion; pottery

po·ta·ble [póutəbl] *a.* 〈물이〉 마시기에 알맞은

— *n.* [보통 *pl.*] 음료, 술 **~·ness** *n.*

po·tage [poutɑ́:ʒ | pɔ-] [F ＝what is put in a pot] *n.* 포타지, 진한 수프(thick soup)(cf. CONSOMMÉ)

pót àle (위스키 등의) 증류 찌꺼기 《돼지 사료》

po·tam·ic [poutǽmik] *a.* 하천(河川)의

pot·a·mol·o·gy [pɑ̀təmɑ́lədʒi | pɔ̀təmɔ́l-] *n.* Ⓤ 하천학(河川學)

pot·ash [pɑ́tæ̀ʃ | pɔ́t-] *n.* Ⓤ **1** 잿물 **2** 〖화학〗 가성(苛性) 칼륨 **3** ＝POTASSIUM

pótash álum 〖화학〗 ＝ALUM[1]

pótash wáter 탄산수

pot·ass [pɑ́tæs | pɔ́t-] *n.* **1** ＝POTASH **2** ＝POTASSIUM

po·tas·sic [pətǽsik] *a.* 칼륨의, 칼륨을 함유한, 칼륨으로 구성된

*__po·tas·si·um__ [pətǽsiəm] *n.* Ⓤ 〖화학〗 칼륨 《금속 원소; 기호 K, 원자 번호 19》

po·tas·si·um-ar·gon [pətǽsiəmɑ́:*r*gɑn | -gɔn] *a.* 〖지질〗 (암석·광물 등의 연대를 측정하는) 칼륨아르곤(연대 측정)법의

potássium brómide 〖화학〗 브롬화칼륨

potássium cárbonate 〖화학〗 탄산칼륨

potássium chlórate 〖화학〗 염소산칼륨

potássium chlóride 〖화학〗 염화칼륨

potássium cýanide 〖화학〗 시안화칼륨, 청산가리

potássium dichrómate 〖화학〗 중크롬산칼륨

potássium hydróxide 〖화학〗 수산화칼륨, 가성(苛性) 칼리

potássium íodide 〖화학〗 요오드화칼륨

potássium nítrate 〖화학〗 질산칼륨

potássium permánganate 〖화학〗 과망간산칼륨

potássium sórbate 〖화학〗 소르브산칼륨

potássium súlphate 〖화학〗 황산칼륨

po·ta·tion [poutéiʃən] *n.* **1** Ⓤ 《익살》 마심(drinking) **2** 한 모금, 한 잔; 술 **3** [보통 *pl.*] 음주: deep *~s* 주연(酒宴)

‡**po·ta·to** [pətéitou, -tə | -tou] *n.* (*pl.* **~es**) **1** 감자 **2** 《미》 고구마 **3** [the ~] 안성맞춤인 것, 훌륭한 것 **4** 《속어》 머리; 추한 얼굴 **5** [*pl.*] 《속어》 돈, 달러 **6** 《속어》 야구공; 양말 구멍 **7** 《호주·속어》 아가씨, 여자 **8** 주먹 ***be quite the ~*** 《속어》 안성맞춤이다 ***drop … like a hot ~*** 〈사람·물건을〉 급히[아낌없이] 버리다 ***hold*** one***'s ~*** 기다리다, 참고 견디다 ***hot ~*** 《속어》 뜨거운 감자, 다루기 어려운 것 ***small ~es*** 《미·속어》 보잘것없는 사람[물건] ***sweet [Spanish] ~*** 고구마 ***white [Irish] ~*** 감자

potáto bèetle[bùg] 〖곤충〗 감자 딱정벌레

potáto blìght 〖식물〗 감자 잎마름병

potáto bòx 《속어》 입(mouth)

potáto chìp 《미》 (얇게 썬) 감자튀김

potáto crìsp 《영》 ＝POTATO CHIP

potáto fàmily 〖식물〗 가짓과(科)

potáto léafhopper 감자의 해충인 매미충의 총칭

potáto màsher 감자 으깨는 기구

potáto mòth 〖곤충〗 감자 나방

po·ta·to-rot [pətéitourɑ̀t | -rɔ̀t] *n.* 감자의 역병(疫病)

po·ta·to·ry [póutətɔ̀:ri | -təri] *a.* 술을 마시는, 술에 빠진

po·ta·to-trap [pətéitoutræ̀p] *n.* 《속어》 ＝POTATO BOX

potáto tú·ber·worm [-tjú:bə*r*wə̀:*r*m | -tjú:-] 감자 나방의 유충

pot-au-feu [pátoufə́:, pɔ́:t- | póut-] [F] *n.* (*pl.* ~) **1** 포토퍼 《고기와 몇 가지 야채로 만든 프랑스의 진한 수프》 **2** 포토퍼 냄비

Pot·a·wat·o·mi [pɑ̀təwɑ́təmi | pɔ̀təwɔ́t-] *n.* **1** (*pl.* **~s,** ~) 포타와토미 족(族) (사람) **2** 포타와토미어(語)

pót bàrley 애벌 찧은 보리 《양조용》

pot·bel·lied [pɑ́tbèlid | pɔ́t-] *a.* **1** 〈사람이〉 올챙이배의 **2** 〈난로·술병 등이〉 배불뚝이의

pot·bel·ly [-bèli] *n.* (*pl.* **-lies**) 올챙이배; 배불뚝이

pot·boil·er [pɑ́tbɔ̀ilə*r* | pɔ́t-] *n.* 《구어》 (돈벌이를 위한) 저속한 예술 작품; 그 작가[화가]

pot-bound [-bàund] *a.* **1** Ⓟ 〖식물〗 화분 전체에 뿌리가 뻗어 자랄 수 없는 **2** 발전의 여지가 없는
pot·boy [-bɔ̀i] *n.* 《영》 (대포집의) 사환, 잡일꾼
pót chèese 《미》 =COTTAGE CHEESE
pot-com·pan·ion [-kəmpǽnjən] *n.* 《고어》 술친구
pót cùlture 마리화나 문화
po·teen [pətíːn | pɔ-] *n.* Ⓤ 《아일》 밀조 위스키; 위스키 제조시 발효시킨 매시(mash)의 첫 번째 증류
po·ten·cy [póutnsi], **-tence** [-tns] *n.* (*pl.* **-cies**; **-tenc·es**) ⓊⒸ **1** 세력이 있는[유력한] 것 **2** 권력, 권위, 세력 **3** (약 등의) 효능; 효과, 영향력; 유효성 **4** (논의 등에서의) 설득력 **5** 가능성; 힘, 잠재력 **6** 실력자, 영향력을 가진 사람 **7** (남성의) 성교 능력 (opp. *impotence*)
∗**po·tent** [póutnt] [L 「할 수 있는」의 뜻에서] *a.* **1** 강력한, 유력한, 세력 있는: a ~ weapon 강력한 무기 **2** 사람을 신복(信服)시키는, 설득력 있는; (정신적인) 영향을 미치는; 중요한 **3** 〈약 등이〉 효능 있는: ~ drugs 잘 듣는 약 **4** 〈남성이〉 성적 능력이 있는 **5** 〈술 등이〉 강한, 진한 **~·ly** *ad.* ▷ pótency *n.*
∗**po·ten·tate** [póutntèit] *n.* **1** 유력자, 세력가 **2** (옛날의) 주권자, 군주 **3** 《고어》 부강한 국가, 강대한 도시
‡**po·ten·tial** [pəténʃəl] *a.* **1** 가능한(possible), (발달은 못했지만 장래에 충분히 발달할) 가능성이 있는: a ~ genius 천재적 소질을 가진 사람 / a ~ share 권리주(權利株) **2** 잠재하는, 잠재 세력의 **3** 〖물리〗 위치의, 전위(電位)의(cf. KINETIC): a ~ barrier 전위 장벽 / (a) ~ difference 전위차(差) **4** 〖문법〗 가능법의: the ~ mood 가능법 《영어에서는 can, may 등으로 대용》 **5** 《고어》 강력한
— *n.* Ⓤ **1** 가능성, 잠재(능)력: war ~ 전력(戰力) **2** 〖문법〗 가능법 **3** 〖물리〗 전위: electric ~ 전위 **4** 유망한 후보자 **5** 〖수학〗 포텐셜 함수 ▷ pótent *a.*; pótency, potentiálity *n.*; poténtialize *v.*
poténtial ádversary 가상 적국
poténtial énergy 〖물리〗 위치 에너지
∗**po·ten·ti·al·i·ty** [pətènʃiǽləti] *n.* (*pl.* **-ties**) ⓊⒸ **1** 가능성 **2** [보통 *pl.*] 잠재적인 것; 잠재(세)력(latency); (발전할) 가능성이 있는 것[사람]
po·ten·tial·ize [pəténʃəlàiz] *vt.* 가능하게 하다; 잠재력화하다
po·ten·tial·ly [pəténʃəli] *ad.* 가능성 있게, 잠재적으로; 어쩌면(possibly)
poténtial sóvereignty 잠재 주권
poténtial transfórmer 《미》 〖전기〗 계기용 변압기
po·ten·ti·ate [pəténʃièit] *vt.* **1** 힘을 주다, 힘[효력]을 더하다; 가능하게 하다; 강력[유력]하게 하다 **2** 〖약학〗 약효를 증가하다 **po·tèn·ti·á·tion** *n.* **-à·tor** *n.*
po·ten·ti·om·e·ter [pətènʃiɑ́mətər | -ɔ́m-] *n.* 〖전기〗 전위차계(電位差計); 분압기(分壓器)(voltage divider)
pot·ful [pɑ́tfùl | pɔ́t-] *n.* 한 냄비[항아리, 단지]의 양 《*of*》
pót hát 중산모자(bowler)
pot·head [pɑ́thèd | pɔ́t-] *n.* 《속어》 **1** 마리화나[대마초] 상용자[중독자]; 폭주가, 술고래 **2** 흑고래(black whale)
po·theen [pəθíːn | pɔ-] *n.* =POTEEN
poth·er [pɑ́ðər | pɔ́ð-] *n.* **1** [a ~] (사소한 일로 인한) 소동, 소란, 혼잡; 논쟁; 공연한 난리 **2** Ⓤ [또는 a ~] 숨막힐 듯이 자욱한 연기[모래 먼지, 김] **3** 걱정, 동요 ***be in a ~*** 법석 떨고 있다 ***make*** [***raise***] ***a ~ about*** …으로 소동을 일으키다
— *vt.* (사소한 일로) 괴롭히다, 곤란하게 하다
— *vi.* 야단법석 떨다
pot·herb [pɑ́t*h*ə̀ːrb | pɔ́thəːb] *n.* **1** 익혀서 먹는 채소 **2** 향미용 채소
pot·hold·er [-hòuldər] *n.* (뜨거운 냄비를 받치는) 삼발이, 냄비 드는 기구[헝겊]
pot·hole [-hòul] *n.* **1** 〖지질〗 구혈(歐穴) 《소용돌이 때문에 작은 돌이 회전하여 강바닥의 암석·얼음에 생긴 단지 모양의 구멍》; (수직으로 구멍이 난) 동굴 **2** (길바닥의) 움푹 팬 곳; 깊은 구멍
— *vi.* (취미로) 동굴을 탐험하다
pot·hol·er [-hòulər] *n.* 《영》 =SPELUNKER
pot·hol·ing [-hòuliŋ] *n.* (취미로서의) 동굴 탐험
pot·hook [-hùk] *n.* **1** 오븐 위에 냄비 등을 매다는 S자형 고리 **2** S꼴의 획 《글씨 연습 때》 **3** [보통 *pl.*] (도망치다 잡힌 노예에게 채우는) 쇠로 된 목 수갑 **4** [보통 *pl.*] 《미·속어》 (목동의) 박차(拍車)
pot·house [-hàus] *n.* (*pl.* **-hous·es** [-hàuziz]) 《고어》 (자그마한) 맥주집; (하급) 선술집 ***a ~ politician*** 이류 정치가 ***the manners of a ~*** 형편없는 예절
pot·hunt·er [-hʌ̀ntər] *n.* **1** 닥치는 대로 쏘는 사냥꾼 **2** 상품을 노린 경기 참가자 **3** (채집상의 지식이 없는) 아마추어 고고품 채집가 **4** (폐허가 된 건물이나 길에서) 폐품을 뒤지는 사람 **pót·hùnt·ing** *n.*, *a.*
po·tiche [poutíːʃ] *n.* (*pl.* **-tich·es** [-iz]) 목이 가는 단지[병]
po·tion [póuʃən] *n.* **1** (물약·독약의) 1회의 분량(cf. DOSE 1) **2** 《드물게》 음료
pot·latch [pɑ́tlætʃ | pɔ́t-] *n.* **1** 포틀래치 《북미 북서안의 인디언 사이의 선물 분배 행사》 **2** 《미·구어》 (보통 선물을 주는) 축연, 파티 **3** (권력[지위] 유지를 위한) 후한 대접, 진수성찬 **—** *vt.* (인디언 축제의) 포틀래치를 열다; 〈파티를〉 열다; 〈선물 등을〉 나누어 주다; 후하게 대접하다, 진수성찬을 내다
pót lèad [-lèd] (경주용 보트의 밑바닥에 바르는) 흑연(黑鉛)(graphite)
pót lìquor (고기·야채를 삶아낸) 국물
pot·luck [pɑ́tlʌ̀k | pɔ́t-] *n.* **1** Ⓤ 수중에 있는 재료만으로 만든 요리, 소찬 **2** 《미》 각자 음식을 조금씩 마련해 가지고 오는 파티 **3** (무엇이든지) 그 자리에 있는 [손에 넣을 수 있는] 것 ***take ~*** (1) 〈예기치 않던 손님이〉 있는 대로 장만한 음식을 먹다 (2) (충분한 지식 없이) 닥치는 대로 고르다
pótluck dínner[**súpper**] 《미》 각자가 음식을 지참하여 하는 저녁 식사 모임
pot·man [-mən] *n.* (*pl.* **-men** [-mən, -mèn]) 《영》 **1** 술친구 **2** =POTBOY
pót màrigold 〖식물〗 금잔화 《꽃은 양념감》
pót mètal **1** 구리와 납의 합금 **2** 무쇠 《냄비 만드는》 **3** 용해(融解) 중에 착색한 색유리
∗**Po·to·mac** [pətóumək] *n.* [the ~] 포토맥 강 《미국 Washington 시를 흐르는 강》
pot·pie [pɑ́tpài | pɔ́t-] *n.* ⓊⒸ 《미》 **1** 고기를 넣은 파이(《영》 pie) **2** 고기 새알심(dumpling)이 든 스튜
pót plànt 화분에 심는 식물
pot·pour·ri [pòupurí: | pòupúəri] [F =rotten pot] *n.* **1** 포푸리 《방 안을 향긋하게 하기 위하여 말린 꽃잎과 향료를 섞어서 단지에 넣은 것》 **2** 고기와 채소의 잡탕 **3** 〖음악〗 혼성곡, 접속곡; 문학 등의 잡집(雜集) **4** (서로 관련 없는 것들의) 모음; 잡록(雜錄), 잡감(雜感)(miscellany)
pót ròast 포트 로스트 《약한 불에 천천히 찜을 한 쇠고기 등의 덩어리 또는 그 요리》
pot-roast [pɑ́tròust | pɔ́t-] *vt.* 〈쇠고기를〉 포트 로스트로 하다
POTS plain old telephone service 《아날로그 음성 신호를 전달하는 재래식 전화 서비스; cf. POT》
Pots·dam [pɑ́tsdæm | pɔ́ts-] *n.* 포츠담 《동부 독일 중앙부의 도시》
Pótsdam Declarátion [the ~] 포츠담 선언 《1945년 7월 26일, 일본에게 무조건 항복을 요구한 미·영·소·중국의 공동 선언》
pots de vin [pou-də-vǽn] [F =pots of wine] 뇌물, 증수회(贈收賄)
pot·sherd [pɑ́tʃə̀ːrd | pɔ́t-], **-shard** [-ʃɑ̀ːrd] *n.*

thesaurus **potent** *a.* powerful, mighty, strong, effective, forceful, influential, dominant

(고고학 발굴물의) 질그릇 조각
pot·shot [-ʃàt | -ʃɔ̀t] *n.* **1** 잡아먹기 위한 총사냥 **2** 가까운 거리에서의 저격 **3** 닥치는 대로의 사격[비판]
pót stìcker 군만두
pót stìll **1** 기통(汽筒)이 없는 증류기 **2** 그것으로 만든 위스키
pot·stone [-stòun] *n.* 포트스톤 《선사 시대부터 여러 가지 항아리류 제조에 쓰인 동석(凍石)의 일종》
pot·tage [pátidʒ | pɔ́t-] *n.* Ⓤ **1** 《영·고어·미》 포타즈 《진한 채소 수프[스튜]》 **2** 《비유》 잡동사니, 뒤범벅 **3** 《고어》 =OATMEAL ***a mess of* ~** 한 사발의 수프; 눈앞의 이익
pot·ted [pátid | pɔ́t-] *a.* Ⓐ **1** 단지[병]에 담은; 통조림한: ~ meat 다져서 양념한 통조림 고기 **2** 화분에 심은: a ~ tree 화분에 가꾼 나무 **3** [well, beautifully 등의 부사와 함께] 〈도자기가〉 …으로 만들어진 **4** 《미·속어》 술취한; 《영·속어》 녹음한 **5** 《영·구어》 (총에 맞아) 숨진, 죽은 **6** 간략하게 한, 평이하게 한: a ~ lecture 요약 설명 / ~ plays 촌극
***pot·ter**[1] [pátər | pɔ́t-] *n.* **도공**, 옹기장이; 도예가
potter[2] *vi., n.* =PUTTER[3]
Pot·ter [pátər | pɔ́t-] *n.* 포터 **1 Beautrix ~** (1866-1943) 《영국의 동화 작가》 **2 Paul ~** (1625-54) 《네덜란드의 화가·판화가》
pótter's ásthma 도공성(陶工性) 천식
pótter's cláy[éarth] 도토(陶土)
pótter's fíeld (빈곤한 사람들을 위한) 공동묘지, 무연(無緣) 분묘
pótter's whèel 도공용 녹로
pótter's wórk[wáre] 도기
***pot·ter·y** [pátəri | pɔ́t-] *n.* (*pl.* **-ter·ies**) **1** Ⓤ [집합적] **도기류**, 요업 제품 **2** Ⓤ 도기 제조; 요업(ceramics) **3** 도기 제조소 **4** [the Potteries] 도기 산지 《영국 Staffordshire 북부》
pot·ting [pátiŋ | pɔ́t-] *n.* **1** 도기류 등을 사용하여 하는 일 **2** (식료품을) 깡통 등의 작은 용기에 채움 **3** (화초 등의) 화분에 심기
pótting còmpost 화분용 부토[배양토]
pótting shèd **1** (밖에 심기 전에) 화분에서 기르는 오두막 **2** 원예사가 원예용 연장·종자 등을 보관해 두는 오두막
pótting sòil 〚원예〛 화분용 영양토
pot·tle [pátl | pɔ́tl] *n.* **1** 《영·고어》 포틀 《반 갤런 = 《영》 2.273 리터, 《미》 1.789 리터》; 1포틀들이 병[컵] **2** 1포틀의 포도주[술]; 알코올 음료 **3** 《영》 작은 과일 바구니
pot·to [pátou | pɔ́t-] *n.* (*pl.* **~s**) 〚동물〛 **1** 포토 《서아프리카산(産) 로리스과(科)의 원숭이》 **2** =KINKAJOU
Pótt's disèase [páts- | pɔ́ts-] 〚병리〛 포트 병, 척추 카리에스
pot·ty[1] [páti | pɔ́ti] *a.* (**-ti·er**; **-ti·est**) 《영·구어》 **1** Ⓐ [보통 ~ little] 하찮은, 대수롭지 않은 **2** 어리석은, 조금 실성한; 상식을 벗어난; 〈언어·태도가〉 교만한, 잘난 체하는 **3** Ⓟ 열중한 《*about*》
potty[2] *n.* (*pl.* **-ties**) 어린이용 변기; 《유아어》 변소
pot·ty-chair [pátitʃɛ̀ər | pɔ́t-] *n.* 유아용 변기 의자
pot·ty-mouthed [-màuðd, -màuθt] *a.* 《특히미·구어》 교만한[상스러운] 말을 쓰는
pot·ty-train [-trèin] *vt.* (아이에게) 용변 훈련을 하다 **pót·ty-tràin·ing** *n.*
pot·ty-trained [-trèind] *a.* 〈어린이가〉 어린이용 변기[변소] 사용법을 훈련받은
pot-val·iant [pátvæljənt | pɔ́t-] *a.* 술김에 용감한; 술의 힘을 빌린
pot-val·or [-væ̀lər] *n.* Ⓤ 취중의 용기, 허세
pot·wal·lop·er [-wàləpər | -wɔ̀l-], **-wall·er** [-wàlər | -wɔ̀lə] *n.* 〚영국사〛 (1832년 선거법 개정 이전의) 호주 선거권 보유자

---

potential *a.* **1** 가능한 possible, probable, likely **2** 잠재하는 latent, dormant, inherent, developing

pot-wres·tler [-rèslər] *n.* 《미·속어》 주방장, 요리장(chef)
***pouch** [páutʃ] 〖F 「주머니, 포켓」의 뜻에서〗 *n.* **1** (가죽으로 만든) **작은 주머니**; 웃옷의 바깥 주머니; 담배쌈지 **2** 동전 지갑 **3** 우편낭; (외교 문서 송달용의) 외교 행낭(行囊) **4** 가죽 탄약통 **5** 주머니 모양의 것[핸드백] **6** 눈 아래의 처진 살 **7** 〚동물〛 (유대류(有袋類) 등의) 주머니; 〚식물〛 낭상포(囊狀胞) **8** 《영·속어》 팁
—*vt.* **1** 주머니[포켓]에 넣다 **2** 주머니처럼 늘어뜨리다 **3** 〈새·물고기가〉 삼키다(swallow) **4** 《영·속어》 팁을 주다 **5** 〈주머니의 아가리 등을〉 오므리다; 주머니 모양으로 하다
—*vi.* **1** 주머니 모양이 되다; 부풀어 오르다 **2** 〈우편물 등을〉 자물쇠를 채운 주머니에 넣어 수송하다
pouched [páutʃt] *a.* 주머니가 있는; 주머니 모양의: ~ animals 유대류 동물
pouch·y [páutʃi] *a.* (**pouch·i·er**; **-i·est**) 〈눈 밑·배 등이〉 처진
pou·drette [pu:drét] *n.* Ⓤ 건조 분뇨에 석고·목탄을 섞은 일종의 비료
pouf, pouff(e) [pú:f] *n.* **1** (방석 등으로 쓰이는) 두꺼운 쿠션 **2** 푸프 《18세기에 유행한 여성들의 부풀린 머리 모양》 **3** 의복이나 머리 장식을 위해 부풀린 부분 (puff)
pou·lard(e) [pu:lá:rd] *n.* 살찐 암탉 영계 《난소를 떼어낸 것》
poult [póult] *n.* (가금·엽조(獵鳥)의) 새끼
poult-de-soie [pu:dəswá:] 〖F〗 *n.* Ⓤ 푸드스와 《골이 지게 짠 비단의 일종》
poul·ter·er [póultərər] *n.* 새장수, 가금상; 새고기 장수
póul·ter's méasure [póultərz-] 〚운율〛 폴터스[가금상]율 《12음절의 행과 14음절의 행이 번갈아 나오는 운율》
poul·tice [póultis] *n.* **1** (밀가루·약초 등을 헝겊에 바른) 찜질약, 파프제, 습포제 **2** 《호주·속어》 저당; (거액의) 돈; 뒷돈, 뇌물 **—***vt.* 찜질약을 붙이다
***poul·try** [póultri] *n.* **1** [집합적; 복수 취급] **가금**(家禽) 《닭·칠면조·집오리·거위, 때로는 비둘기·꿩 등도 포함됨》 **2** Ⓤ 그 고기
poul·try-farm [póultrifà:rm] *n.* 양계[양금(養禽)]장
poul·try·man [-mən] *n.* (*pl.* **-men** [-mən, -mèn]) 가금 사육자, 양계업자; 가금[새] 장수; 새고기 장수; (식당·호텔 등에서) 닭[새]고기를 담당하는 사람
***pounce**[1] [páuns] *vi.* **1** (…에) **갑자기 달려들다**, 와락 덤벼들다 《*on, upon, at*》: (~+전+명) The cat ~*d on*[*upon*] a mouse. 고양이가 생쥐를 덮쳤다. **2** (남의 결점·잘못 등을) 맹렬히 비난하다 《*on, upon*》: (~+전+명) ~ *upon* a person's mistake …의 잘못을 맹렬히 비난하다 **3** 급히 뛰어오르다; 별안간 들이닥치다; 난데없이 참견하다
—*vt.* 달려들어 움켜잡다
—*n.* **1** 맹금의 발톱; 무기 **2** 급강하; 갑자기 달려들기, 급습 ***make a* ~ *upon*** …에 달려들다 ***on the* ~** 막 덤벼들려고
pounce[2] *n., vt.* Ⓤ **1** 잉크가 번지지 않도록 하는 가루(를 뿌리다) **2** (본을 문질러 뜨는 데 쓰는) 색가루(를 뿌리다); 색가루를 넣은 주머니
pounce[3] *vt.* 〈금속·구두·천 등에〉 구멍을 뚫다; (표면에 도구를 대고) 두드려서 모양을 내다, …의 모양을 도드라지게 하다(emboss)
póunce bòx 잉크가 번지는 것을 막기 위한 가루통 《뚜껑에 잔 구멍이 뚫려 있음》
poun·cet-box [páunsitbàks | -bɔ̀ks] *n.* **1** 《고어》 (구멍이 난 뚜껑이 달린) 향수통 **2** =POUNCE BOX
*****pound**[1] [páund] *n., v.*

L 「무게」의 뜻에서, 은 1 파운드의 무게라는 뜻에서 화폐 단위가 되었음

—*n.* (*pl.* **~s,** [집합적] **~**) **1** 파운드 《중량의 단위;

기호 lb.; 상형(avoirdupois)은 16온스, 약 453그램; 귀금속의 형량(衡量)인 금형(troy)은 12온스, 약 373그램》: a ~ of sugar 설탕 1파운드 **2 a** 파운드《영국의 화폐 단위; pound sterling이라고도 하며, 100 pence; 기호는 숫자 앞에서는 £, 뒤에서는 *l.*; 1971년 1월 이전에는 1파운드 =20 shillings =240 pence》: a ~ note 1파운드 지폐 **b** [the ~] 영국의 통화 제도; 파운드의 시세 **3** 오스트레일리아·이집트·이스라엘·아일랜드 등의 화폐 단위 **4** 〖역사〗 이전의 스코틀랜드 파운드(=~ **Scóts**) 《1실링 8펜스》 **5** 〖성서〗 므나 《셈족의 화폐 단위》 **6** 사람의 머리 **7** 《미·속어》 5달러 (화폐), 5달러 지폐의 헤로인, [*pl.*] 달러, 돈 《흑인들 사이에서》 **8** 《미·속어》 1파운드의 마리화나; 5년형(刑)

a ~ to a penny 《구어》 일어날 듯한[일어날 만한] 일[것] ***by the ~*** 1파운드에 얼마씩 〈팔다 등〉 ***in the ~*** 1파운드에 대하여 〈얼마 지불하다〉 ***~ for*** [***and***] ***~*** 같은 비율로 ***~ of blood*** 《미·구어》 채무의 지불; 복수 ***~ of flesh*** 가혹한 요구, 치명적인 대가 ***~s, shillings, and pence*** 금전(£.s.d., L.S.D.)

— *vt.* 《영》 화폐의 중량을 검사하다

pound² [OE 「울타리, 우리」의 뜻에서] *n.* **1** (주인 없는 마소 등을 가두던) 울타리, 우리; (주인 없는 개·고양이 등을 수용해 두는) 동물 수용소; (불법 주차한 차를 맡아 두는) 일시 보관소; 압수품 등의 유치소; 양어장 **2** 유치장(prison); [the ~] 《호주·속어》 독방

— *vt.* 우리에 넣다; 가두다, 구류하다 《*up*》

*__pound³__ [páund] [OE 「타박상을 주다」의 뜻에서] *vt.* **1** 〈문 등을〉 마구 치다[두드리다]; 두드려 부수다; 〈피아노·타이프라이터 등을〉 세게 치다: (~+목+부) (~+목+전+명) ~ *out* a foxtrot *on* the piano 피아노로 폭스트롯을 연주하다 **2** 어슬렁어슬렁 걷다; 힘차게 나아가다; 왔다갔다 하다 **3** 빻다, 가루로 만들다: (~+목+부) ~ stones *up* 돌을 부수다 // (~+목+전+명) The waves ~*ed* the boat *to* pieces. 파도가 배를 산산조각으로 부스러뜨렸다.

— *vi.* **1** 세게 치다, 연타[난타]하다 《*at, on*》; 맹포격하다 《*at, on, away*》: (~+전+명) ~ *on* the door 문을 쾅쾅 두드리다 **2** 〈북 등이〉 둥둥 울리다; 〈심장이〉 두근거리다; 〈머리가〉 짱짱 울리다 **3** 어슬렁어슬렁 걷다, 쿵쾅 달리다 《*along*》; 〈배가〉 물결에 쓸려 흔들리다 **4** 꾸준히 노력하다; 묵묵히 할 일을 계속하다 《*at, on*》

~ brass 키를 두드려 무슨 신호를 보내다 ***~*** one***'s ear*** 《속어》 잠자다 ***~*** a person***'s head in*** 〈남을〉 두들겨 패다 ***~ the beat*** 〈경찰이〉 순찰을 하다 ***~ the books*** 맹렬히 공부하다 ***~ the pavement*** 《미·속어》 일자리를 찾아 돌아다니다; 〈경관이〉 순찰을 하다; 뛰어서 사라지다

— *n.* 타격, 연타(連打); 두들기는 소리; (심장의) 두근거리는 소리

pound·age¹ [páundidʒ] *n.* Ⓤ **1** (돈·무게의) 1파운드당 지불하는 금액[수수료, 세금] **2** 〖역사〗 매 1파운드 《돈》에 대한 비율 요금 **3** (우편·환(換) 등의) 요금 **4** (여분의) 체중

poundage² *n.* Ⓤ (공설 우리에 유치된 동물의) 보관료; 유치, 감금; 수용

pound·al [páundl] *n.* 〖물리〗 파운달 《질량 1파운드의 질점(質點)에 작용하여 1ft / sec²의 가속도를 내는 힘, 13,825 다인; 略 pdl》

póund càke [각 성분을 1파운드씩 넣은 데서] 《미》 파운드 케이크(《영》 Madeira cake) 《카스텔라 같은 단 과자》

pound·er¹ [páundər] *n.* **1** 두들기는[빻는] 사람; 절굿공이(pestle) **2** 《미·속어》 순찰 구역을 도는 경관 **3** (윈드서핑에서) 크게 부서지는 파도

pounder² *n.* [보통 복합어를 이루어] (무게가) …파운드의 물건[사람]; …파운드 포(砲); …파운드를 지불하는 사람; …파운드의 재산[수입]이 있는 사람

pound-fool·ish [páundfúːliʃ] *a.* (한 푼을 아끼고) 천냥을 잃는(cf. PENNY-WISE)

pound·ing [páundiŋ] *n.* **1** 〖항해〗 파운딩 《항해 중인 선박이 피칭에 의해 선수(船首)나 선저(船底)가 해변을 치는 충격》 **2** (사람이나 물체가) 세게 침[두드림]

pound·mas·ter [-mæ̀stər | -mɑ̀ːstə] *n.* 들개 수용소장(長)

póund nèt 정치망(定置網)

póund sìgn 1 £ 《화폐 단위로서의 파운드 기호》 **2** # 《중량 단위로서의 파운드 기호》

póund stérling = POUND¹ *n.* 2 *a.*

‡**pour** [pɔ́ːr] *vt.* **1** 따르다, 붓다, 쏟다, 흘리다: (~+목+부) Please ~ it (*in*) carefully. 주의해서 따라 주십시오. // (~+목+전+명) ~ coffee *from*[*out of*] a pot 포트에서 커피를 따르다 / ~ (*out*) brandy *into* a glass 유리잔에 브랜디를 따르다 // (~+목+목) He ~*ed* himself a drink. 그는 스스로 한 잔 따랐다. **2** 〈빛·열 등을〉 쏟다, 쪼이다, 방사(放射)하다: (~+목+부) The sun ~*s forth* its rays. 태양은 광선을 방사한다. **3** 〈말·감정 등을〉 거침없이 드러내다, 끊임없이 지껄이다; 〈곡을〉 연주하다 《*forth, out*》: (~+목+부) (~+목+전+명) She ~*ed out* her troubles *to* her mother. 그녀는 어머니에게 자기의 괴로움을 털어놓았다. **4** 〈탄알 등을〉 퍼붓다; 〈군중 등을〉 쏟아 놓다; 〈돈 등을〉 쏟아 넣다; 〈은혜 등을〉 크게 베풀다; 대량으로 공급하다[생산하다]: The trains ~ the crowds. 열차가 군중을 쏟아 놓는다. // (~+목+전+명) She ~*ed* pity *on* the poor orphan. 그녀는 그 불쌍한 고아에게 큰 동정을 베풀었다. **5** 〈피 등을〉 흘리다; 〖야금〗 녹인 쇠를 붓다

— *vi.* **1** 흐르듯이 이동하다, 쇄도하다: (~+전+명) The crowds ~*ed into* the warehouse. 군중이 창고로 우우 몰려들었다. **2** 흘러나오다, 넘쳐흐르다(flow) 《*forth, out, down*》; 억수같이 퍼붓다: It never rains but it ~*s.* 《속담》 비가 오면 억수로 퍼붓는다; 불행[일]은 겹치는 법. // (~+전+명) Water was ~*ing out of* the pipe. 물이 파이프에서 콸콸 흘러나오고 있었다. // (~+부) The rain ~*ed down* all the afternoon. 오후 내내 비가 억수로 내렸다. **3** 〈말 등이〉 거침없이 쏟아져 나오다; 〈책 등이〉 대량으로 출판되다 **4** 《구어》 〈리셉션 등에서 여성이〉 차 등을 따르다, 접대역을 맡아 하다

~ cold water on …의 기세를 꺾다, …의 흠을 잡다 ***~ in*** [***out***] 연달아 오다[나가다] ***~ it on*** 《구어》 (남을 기쁘게 해주려고) 극구 칭찬하다; 박차를 가하다, 더욱 분발하다, 계속 노력하다; 차를 전속력으로 달리다 ***~ itself*** 〈강이〉 흘러 들어가다 《*into*》 ***~ oil on troubled water(s)*** 거친 파도를 가라앉히다, 싸움을 원만히 수습하다 ***~ over*** 쏟다, 엎지르다

— *n.* **1** 주입; 따르는 일; 유출 **2** 《구어》 호우(豪雨); 다량의 흐름: a ~ of invective 쏟아져 내리는 비난 **3** 〖주조〗 쇠붓기 **4** 보도 관계자의 파티

~·a·ble *a.* **~·er** *n.* 붓는 사람[기구] **~·ing·ly** *ad.*

pour·boire [puərbwɑ́ːr] [F] *n.* (*pl.* **~s** [~]) 행하, 팁

pour·par·ler [pùərpɑːrléi] [F] *n.* [보통 *pl.*] 비공식 예비 회담; 사전 의논, 예비 교섭

póur pòint 〖화학〗 유동점 《물체가 유동하는 최저 온도》

pour·point [púərpɔ̀int] *n.* 〖역사〗 솜 누비조끼

pousse-ca·fé [pùːskæféi] [F] *n.* **1** 푸스카페 《정찬(正餐)에서 커피와 함께 또는 그 후에 나오는 리큐르의 작은 잔》 **2** 《미》 푸스카페 《비중이 다른 리큐르를 따른 5색 술》

pous·sette [puːsét] *n.* 푸셋 《손을 맞잡고 빙빙 도는 댄스 스텝》 — *vi.* 푸셋을 추다

pou sto [púː-stóu] [Gk =where I may stand] 《문어》 발판, 터전, 활동의 근거[기반]

*__pout¹__ [páut] *vi., vt.* (못마땅해서) 입을 삐쭉 내밀다; 토라지다, 뿌루퉁하다

— *n.* **1** 입을 삐죽거림, 시무룩함 **2** 뿌루퉁한 얼굴 ***be in*** [***have***] ***the ~s*** 토라지다, 뿌루퉁하다

▷ póuty *a.*

thesaurus **poverty** *n.* **1** 빈곤 destitution, pennilessness, indigence, need, hardship, deprivation

pout[2] *n.* (*pl.* ~, ~s) 〖어류〗 **1** 대구의 일종 **2** 베도라치의 일종 **3** 메기의 일종

pout·er [páutər] *n.* **1** 입을 삐쭉하는 사람, 토라지는 사람 **2** 〖조류〗 파우터(=~ **pígeon**) 《멀떠구니를 내밀어 우는 집비둘기의 일종》

pout·ine [pu:tí:n] *n.* Ⓤ 《캐나다》 치즈를 얹은 프렌치프라이[감자튀김]

pout·ing [páutiŋ] *a.* 입을 삐죽 내민, 뿌루퉁한

pout·y [páuti] *a.* (**pout·i·er**; **-i·est**) 뿌루퉁한(sulky); 토라지기 잘하는

POV point of view 〖영화〗 시점

pov·e·ra [pɑ́vərə | pɔ́v-] [It.] *a.* 포베라의 《완성된 작품보다도 이념이나 과정을 중시하는 예술 형식》

pov·er·ti·cian [pɑ̀vərtíʃən | pɔ̀v-] *n.* 《경멸》 빈곤 추방 계획 종사자 《특히 그 계획으로 사리를 채우는 공무원》

‡**pov·er·ty** [pɑ́vərti | pɔ́v-] *n.* Ⓤ **1** 빈곤, 가난 《*of*, *in*》: live *in* ~ 가난한 생활을 하다 / fall into ~ 가난해지다 / fight ~ 가난과 싸우다

> 유의어 **poverty** poor(가난한)의 뜻의 명사: *Poverty* is no excuse for theft. 가난이 도둑질의 구실은 되지 않는다. **poorness** poor(빈약한, 불충분한, 저열한)의 뜻의 명사: *poorness* of performance 서툰 연주. 또한 공통적으로도 씀: the *poverty*[*poorness*] of the soil 메마른 토양

2 결핍, 부족; (토지의) 불모(不毛) **3** 빈약; 열등; (신체의) 빈약, 쇠약 **4** 〖그리스도교〗 청빈
~ of blood 〖의학〗 빈혈
▷ póor *a.*

póverty dátum lìne (영) =POVERTY LINE

póverty làwyer (poverty line 이하의 사람을 위한) 무료 변호사, 국선(國選) 변호인

póverty lìne[**lèvel**] 빈곤선 《빈곤의 여부를 구분하는 최저 수입》

póverty pìmp (미·속어) 생활 보조금을 가로채어 사복(私腹)을 채우는 공무원

pov·er·ty-strick·en [pɑ́vərtistrìkən | pɔ́v-] *a.* 매우 가난한(very poor); 가난으로 고생하는

póverty tràp 빈곤의 덫 《저소득자가 소득 증가로 생활 보호 등의 대상에서 제외되어 결과적으로 수입의 증가가 되지 못하는 현상》

pow [páu] *int.* 팡, 펑 《총격·파열·충돌하는 소리》
— *n.* 팡[펑] 하는 소리; 박력; 영향력

p.o.w., pow, P.O.W., POW prisoner(s) of war 포로

‡**pow·der** [páudər] [L 「먼지」의 뜻에서] *n.* **1** Ⓤ 가루, 분말: tooth ~ 가루 치약 / curry ~ 카레 가루 **2** ⓊⒸ (화장)분; (베이비) 파우더 **3** ⓊⒸ 가루약(⇨ medicine 관련); (요리용) 가루 **4** ⓊⒸ 화약(gunpowder), 폭약: smokeless ~ 무연(無煙) 화약 **5** Ⓤ 〖경기〗 (타격에 가하는) 힘: put ~ into …에 힘을 들이다 **6** =POWDER BLUE **7** Ⓤ 〖스키〗 가루눈, 가랑눈(=~ **snòw**) **8** (미·속어) 코카인, 헤로인; 하시시, 마리화나 ***Jesuit's ~*** 기나 껍질 가루 ***keep one's ~ dry*** 만일의 경우에 대비하다 ***~ and shot*** 탄약, 군수품; (구어) 비용, 노력: not worth ~ *and shot* 노력할 가치가 없는 ***put on ~*** 분을 바르다; 가루를 뿌리다 ***smell ~*** 실전을 경험하다 ***take a ~*** (미·구어) 급히 가버리다[떠나가다, 달아나다] ***the smell of ~*** 전투 경험
— *vt.* **1** 가루로 만들다, 분쇄하다; 제분하다 **2** 〈소금·양념 등을〉 뿌리다; 분을 바르다 **3** 맹렬히 공격하다 **4** (고어) 소금을 뿌려 보존하다 ***~ one's nose***[***puff***] (완곡) 〈여성이〉 화장실에 가다
— *vi.* **1** 가루가 되다, 부서지다 **2** 분을 바르다 **3** (미·속어) 도망치다 **4** 취하다 ▷ pówdery *a.*

---

2 결핍 deficiency, shortage, scarcity, insufficiency, lack **3** 불모 poorness, barrenness, aridity

pówder blúe **1** 분말 화감청 《안료》 **2** 담청색

pow·der-box [páudərbɑ̀ks | -bɔ̀ks] *n.* 화장 상자; 분갑

pówder bùrn 화약에 의한 화상

pówder chàrge 발사 화약

pow·der-clos·et [-klɑ̀zit | -klɔ̀z-] *n.* 화장방 《18세기의》

pow·dered [páudərd] *a.* **1** 분말로 한[이 된] **2** 분을 바른 **3** 작은 반점으로 장식한

pówdered mílk 분유(dried milk)

pówdered súgar 가루 설탕

pówder flàsk (옛날의 휴대용) 화약병[통]

pówder hòrn (옛날의) 뿔 화약통

pówder kèg **1** (옛날의) 화약통 **2** (언제 폭발할지 모르는) 위험물; 위험 상태, 폭발하기 쉬운 것, 화약고

pówder magazìne 화약고, 탄약고

pow·der·man [páudərmæ̀n] *n.* (*pl.* **-men** [-mèn]) 폭파 해체 담당원, 폭파 전문가; (속어) (폭약을 이용하는) 금고털이

pówder mètallurgy 〖야금〗 분말 야금(冶金)

pówder mìll 화약 공장

pówder mònkey **1** (미) 다이너마이트 사용자; 폭약 관리 책임자 **2** (옛 군함의) 소년 화약 운반수

pówder pùff **1** 분첩, 퍼프 **2** (속어) 약골, 겁쟁이 **3** (미·속어) (프로 권투에서) 기민하게 움직이는 권투 선수

pow·der-puff [páudərpʌ̀f] *a.* 여성에게 알맞은 〈경기 등〉; 연약한 **—** *vt.* (미·속어) 살짝 때리다

pówder ròom **1** (특히 여성의) 화장실 **2** (군함의) 화약실

pówder snòw 가루눈, 분설(粉雪)

pow·der·y [páudəri] *a.* **1** 가루(모양)의 **2** 가루투성이의 **3** 가루가 되기 쉬운, 푸석푸석한

‡**pow·er** [páuər] [L 「할 수 있다」의 뜻에서] *n.*, *v.*, *a.*

① 힘, 체력	**1, 2**
② 권력, 권능	**3**
③ 강국	**6**

— *n.* **1** Ⓤ 힘: (~+***to*** do) The dog has no ~ *to* live on. 그 개는 이미 살아갈 힘이 없다. // (~+전+***-ing***) He has the ~ *of* hold*ing* his audience. 그에게는 청중을 매료시키는 힘이 있다.

> 유의어 **power** 힘, 능력을 뜻하는 일반적인 말: the awesome *power* of flowing water 흐르는 물의 무서운 힘 **force** 실제로 쓰이는 힘으로서, 완력·폭력의 뜻도 됨: enough *force* to push the door open 그 문을 밀어서 열 만한 힘 **energy** 잠재적인 힘, 또는 축적된 힘: a worker with boundless *energy* 무한한 정력을 가진 일꾼 **might** 권력·무력 등의 강력한 힘: the belief that *might* makes right 힘이 정의를 만든다는 신념 **strength** 개인의 행위·행동을 가능케 하는 힘: build one's *strength* 힘[체력]을 만들다

2 Ⓤ **a** (국가·군대 등의) 힘, 국력, 군사력; 강한 힘, 박력 **b** [*pl.*] (육체상·정신상의) 능력, 체력, 지력, 정신력 **3** Ⓤ (개인의) 권력, 세력, 지배력, 권능; 정권; 통치권; 영향력 **4** Ⓤ 군대, 병력 **5** 유력한 사람[물건]; 권력자 **6** [종종 *pl.*] 대국, 강국: the Allied *Powers* 연합국 **7** Ⓤ 위임된 권력, 위임(장); 법적 권한[능력] **8** 신(神); 능품(能品)천사 《천사의 제6 계급》; 신적인 존재: Merciful ~*s*! 자비로운 제신(諸神)들이시여! **9** [a ~] (구어) 다수, 다량 《*of*》 **10** Ⓤ 〖기계〗 동력; 출력; 전력, 전기: mechanical[motive] ~ 기계[원동]력 **11** Ⓤ 위력, 세력 《*over*》 **12** 〖수학〗 거듭제곱, 멱(冪): raise to the second[third] ~ 제곱[세제곱]하다 **13** Ⓤ 〖광물〗 (렌즈의) 배율; (렌즈의) 디옵터 **14** Ⓤ 〖물리〗 역(力), 능(能); 공률(工率), 공정 **15** [**P~**] 파워 《사회적으로 약한 입장의 사람들이 스스로 정치적·경제적 힘을 얻으려고 하는 운동·슬로건》

a [***the***] ***~ behind the throne*** 막후 인물[실력자] ***a ~ of*** 많은… ***beyond*** [***out of, not within***] one***'s ~*** (***s***) 힘이 미치지 않는 ***come to*** [***into***] ***~*** 정권을 잡다; 세력을 얻다 ***do*** a person ***a ~ of good*** 《영·구어》 …에게 아주 좋다 ***have ~ over*** …을 지배하다, 마음대로 하다 ***in*** one***'s ~*** 수중[지배하]에; 될 수 있는 한 ***More ~ to you*** [***him, her***]***!*** = ***More ~ to your*** [***his, her***] ***elbow!*** 《구어》 더욱 건투[성공]하시기를 (빕니다)! ***party in ~*** 집권당, 여당 ***political ~*** 정권 ***~ of attorney*** 〚법〛 (대리) 위임장 ***~ of darkness*** [***evil***] 악마 ***the ~s that be*** 당국(자), (당시의) 권력자 ***treaty ~s*** 가맹국

— *vt.* **1** 동력을 공급하다 **2** (마력을 걸어) 운전[추진]하다; 촉진하다; 강화하다 **3** …의 (정신적인) 힘이 되다, 고무시키다, 분기시키다 **4** 《속어》 (힘으로) 치다: ~ a homer 〚야구〛 홈런을 치다 ***~ down*** [***up***] 전원을 끄다[켜다]; 출력을 내리다[높이다]

— *a.* Ⓐ 동력으로 운전하는; 보조 엔진에 의한; 전기가 통하는, 전도성의

▷ pówerful *a.*; empówer *v.*

pówer àmplifier 〚전기〛 전력 증폭기, 파워 앰프

pów·er-as·sis·ted stéering [páuərəsìstid-] 《영》 = POWER STEERING

pówer bàse 《미》 (정치 등에서) 세력 기반, 지지 모체, 지원 조직

pow·er·boat [páuərbòut] *n.* 발동기선, 모터보트

pówer bráke [보통 *pl.*] (자동차 등의) 동력 브레이크

pówer brèakfast (유력자·중역의) 조찬 모임

pówer bròker 《미》 (정치적·경제적) 영향력을 미치는 사람; 막후 인물

pow·er-brok·ing [-bròukiŋ] *n.* Ⓤ (정치적) 영향력의 행사

pówer càble 〚전기〛 전력 케이블

pówer chàin 〚기계〛 동력 체인

pówer còuple (대등한 활동을 하는) 고위직 부부

pówer cùt 송전 정지, 정전

pówer dìve 〚항공〛 동력 급강하 《엔진을 건 채로 하는 급강하》

pow·er-dive [-dàiv] *vt.* 동력 급강하하다

pówer drèssing 지위[권위]를 강조한 복장

pówer drìll 동력 천공기(穿孔機)[드릴]

pow·er-driv·en [-drìvən] *a.* 동력[엔진]으로 움직이는

pow·ered [páuərd] *a.* [보통 복합어를 이루어] **1** (…의) 동력[엔진]이 있는: a high-~ engine 강력 엔진 **2** 〈렌즈가〉 (…의) 배율의

pówer elíte [the ~] 핵심적 권력자들

pówer fàilure 정전(停電), 전기 고장

pow·er·ful** [páuərfəl] *a.* **1** 강한, 강력한; 강인한, 건강한 **2** 세력[권력] 있는, 유력한(influential) **3 a** 동력[출력, 배율 《등》]이 강력한[높은] **b** 《익살》 〈냄새 등이〉 강렬한 **4** 〈약 등이〉 효능 있는 **5** 《방언》 많은 **6** 〈이야기·묘사 등이〉 효과적인, 설득력 있는: a ~ argument 설득력 있는 주장 ***a ~ lot of 《방언》 굉장히 많은

— *ad.* 《방언》 몹시(very)

pow·er·ful·ly [páuərfəli] *ad.* **1** 강력하게; 유력하게 **2** 《방언》 많이, 매우, 심히

pówer fùnction 〚통계〛 검출력(檢出力) 함수; 〚수학〛 멱함수(冪函數)

pówer gàme 권력[지배력] 획득 경쟁

pówer gàs 동력 가스

pówer hìtter 〚야구〛 강타자, 장타자

pow·er·hold·er [páuərhòuldər] *n.* 실권자

pow·er·house [-hàus] *n.* (*pl.* **-hous·es** [-hàuziz]) **1** 발전소 **2** 정력가, 세력가 **3** (운동 경기에서) 최강의 팀

pówer làthe 동력 선반

*__pow·er·less__ [páuərlis] *a.* **1** 무력한, 무능한 (*to*); 의지할 곳 없는; 약한; 무기력한; 권력 없는 **2** 효과 없는; 소용없는 **~·ly** *ad.* **~·ness** *n.*

pow·er·lift·ing [páuərlìftiŋ] *n.* 바벨 들어올리기, 파워 리프팅

pówer lìne 전력[동력]선, 송전선

pow·er-loom [-lù:m] *n.* 기계[동력] 직기(織機) (cf. HANDLOOM)

pówer lùnch (회의[상담]를 겸한, 실세와의) 점심 식사

Pówer Mácintosh 〚컴퓨터〛 파워 매킨토시 《Power PC 마이크로프로세서를 탑재한, 미국 Apple 사의 퍼스널 컴퓨터》

pówer mànagement 〚컴퓨터〛 파워 매니지먼트 《컴퓨터 등의 전력 절약 기구》

pow·er·mon·ger [-mʌ̀ŋgər] *n.* 권력 투쟁가, 권력주의자

pówer mòwer 잔디 깎는 동력 기계

pow·er-nap [-næ̀p] *n.* 원기 회복 낮잠 《20분 안팎의》 — *vi.* 원기 회복 낮잠을 자다

pówer òutage 송전 정지, 정전(power cut)

pówer pàck 〚전자〛 전원함(電源函)

pówer plànt **1** 발전[동력] 장치, 엔진 **2** 《미》 발전소

pówer plày **1** (정치·외교·군사·사업 등에서의) 실력 행사, 공세적 행동, 힘의 정책 **2** 〚경기〛 파워 플레이

pówer pòint 《영》 콘센트

pówer pólitics [단수·복수 취급] 무력 외교, 권력 정치

pówer reàctor 〚물리〛 동력로(爐) 《동력을 생산하는 원자로》

pówer sàw 〚기계〛 동력톱

pówer sèries 〚수학〛 멱급수(冪級數)

pow·er-shar·ing [-ʃɛ̀əriŋ] *n.* (북아일랜드 통합에 있어서) 신구 양 교도에 의한 권력 분담

— *a.* 권력을 분담하는

pówer shòvel (흙 파는) 동력삽

pówer shòwer 《영》 (전기 펌프로 작동되는) 강력 샤워

pówer stàtion 발전소

pówer stéering 〚자동차〛 동력 조타 장치

pówer strùcture **1** 권력 구조[기구] **2** 권력 기구를 만드는 사람, 권력층의 실권자들

pówer strùggle 권력 투쟁

pówer supplỳ 전력[동력] 공급, 전원 장치

pówer táke-off (트럭이나 트랙터의) 동력 인출(引出) 장치 《엔진의 힘으로 펌프·톱 등을 작동시키는 보조 전도(傳導) 장치; 略 PTO》; (항공기의) 동력 이륙 장치

pówer tòwer 태양 에너지 발전소

pówer tràin 전동 기구, 연쇄 전동 장치 《전동기에서 기계로의 동력 전달 연쇄 장치》

pówer transmìssion 송전(送電)

pówer trìp 《속어》 (노골적인) 권력 과시[자랑]

pówer ùnit 동력 장치, 엔진 《보통은 내연 기관》

pow·er-up [-ʌ̀p] *n.* 〚컴퓨터〛 **1** 시동, 작동 **2** 파워업 《컴퓨터 게임에서》

pówer ùser 〚컴퓨터〛 컴퓨터를 자유자재로 쓰는 사람; 고속·고성능 기기 사용자

pówer wàlking 파워 워킹 《빠른 속도로 팔을 힘차게 움직이면서 걷는 전신 운동》

pówer wòrker 발전소 직원, 전력업계의 종업원

pow·wow [páuwàu] [북미 인디언 말 「주술사」의 뜻에서] *n.* **1** (북미 인디언의) 주술 의식, 굿; 그 주술사, 사제 **2** 북미 인디언간의[과의] 교섭, 회의 **3** 《구어》 (사교적인) 회합, 회담, 간담회; 집회 **4** 《군대속어》 고급 장교의 (작전) 협의; 작전 회의

— *vi.* **1** (북미 인디언간에서) 병을 고치기 위하여 굿[기도]을 하다 **2** 《구어》 협의하다 (*about*); 지껄이다

— *vt.* (굿으로) 고치다, 굿을 하다

thesaurus **powerful** *a.* **1** 강한 strong, stout, robust, vigorous, tough, mighty **2** 세력 있는 influential, controlling, dominant, authoritative **3** 설득력 있는 effective, convincing, persuasive

practical *a.* functional, useful, utilitarian, sensible, applied, businesslike, pragmatic, realistic,

Pow·ys [póuis] *n.* 포우이스 **1** 영국 웨일스 동부의 주; 주도는 Llandrindod Wells **2 John Cowper** ~ (1892-1963) 《영국의 소설가·비평가》

pox [pάks | pɔ́ks] *n.* ⓊⒸ **1** 《고어》 천연두, 두창(痘瘡), 수두(水痘) **2** [the ~] 《구어》 매독(syphilis), 창(瘡); 성병 **3** 〖식물〗 창가병 **4** 《고어》 짜증, 지긋지긋함 ***A ~ on*** [***of***] ***you!*** 《고어》 염병할 놈!, 빌어먹을 놈! ***What a ~!*** 도대체 어찌 된 거냐!, 어머나!

pox·vi·rus [pάksvàiərəs | pɔ́ks-] *n.* 수두 바이러스

pox·y [pά:ksi | pɔ́k-] *a.* Ⓐ 《영·구어》 형편없는, 쓸모없는

poz·zo·la·na [pὰtsəlά:nə | pɔ̀ts-] [It.] *n.* Ⓤ 화산회(火山灰) 《수경(水硬) 시멘트의 원료》

poz·zy [pάzi | pɔ́zi] *n.* 《군대속어》 잼(jam)

pp pianissimo **pp.** pages; past participle; postpaid; privately printed **p.p.** *per procurationem* **p.p., P.P.** parcel post; past participle; postpaid **P.P.** parish priest; prepaid **p.p.a.** per power of attorney **ppb, p.p.b.** parts per billion **PPB(S)** planning, programming, budgeting (system) (컴퓨터에 의한) 기획·계획·예산 제도 **P.P.C.** *pour prendre congé* 《F= to take leave》 **ppd.** postpaid; prepaid **p.p.d.o.** per person, double occupancy **P.P.E.** philosophy, politics, and economics **pph.** pamphlet **ppi** pixels per inch 〖컴퓨터〗 인치 당 픽셀 수 《화면의 이미지의 선명도를 나타내는 척도》 **PPI** Plan Position Indicator 〖전기〗 전파탐지기 《고성능 레이더의 일종》; 〖해상보험〗 policy proof of interest **ppl.** participle **ppm** pulse per minute **p.p.m., ppm, PPM, P.P.M.** part(s) per million **PPO** preferred provider organization **ppp** 〖음악〗 pianississimo; double pianissimo **PPP** Polluter Pays Principle 오염자 비용 부담의 원칙; 〖컴퓨터〗 point-to-point protocol; public-private partnership **ppr., p.pr.** present participle **P.P.S.** Parliamentary Private Secretary; *post postscriptum* 《L =additional postscript》 **ppt.** 〖화학〗 precipitate **pptn.** precipitation **ppv, PPV** 〖TV〗 pay-per-view 프로그램 유료 시청제 **p.q.** previous question **P.Q.** Parliamentary Question; personality quotient; Province of Quebec **Pr** 〖화학〗 praseodymium **PR** payroll; prize ring; 《미》 〖우편〗 Puerto Rico

PR, P.R. [pí:ά:r] [*p*ublic *r*elations] *n.* 홍보[섭외] 활동, 선전 계몽
—*vt.* 《구어》 **1** PR하다 **2** (PR 수단에 의해) 〈여론을〉 만들다, 조작하다; 〈일정한 사고방식 등을〉 주입하다

pr. pair; per; power; present; price; priest; prince; printer; pronoun **Pr.** preferred (stock); Priest; Primitive; Prince; Provençal **P.R.** Parliamentary Reports; *Populus Romanus* 《L= the Roman People》; proportional representation 비례 대표; Puerto Rico **PRA** 《미》 political-risk assessment **P.R.A.** 《영》 President of the Royal Academy

praam [prά:m] *n.* =PRAM[2]

prac·ti·ca·bil·i·ty [præ̀ktikəbíləti] *n.* Ⓤ **1** 실행 가능성 **2** 실용성

***prac·ti·ca·ble** [prǽktikəbl] *a.* **1** 〈계획 등이〉 **실행 가능한**, 실행성 있는 **2** 실제적인, 실리적(實利的)인; 실용적인: a ~ gift 실용적인 선물 **3** 〈도로·교량 등이〉 사용할 수 있는, 통행할 수 있는 **4** 〖연극〗 〈무대 장치·도구가〉 실물의 **~·ness** *n.* **-bly** *ad.*

doable, down-to-earth, effective (opp. *impractical*)
practice *n.* **1** 습관 custom, habit, routine **2** 관례 procedure, method, system, usage, tradition, convention **3** 실행 operation, action, application, effect **4** 연습 exercise, drill, training, preparation, study, workout, rehearsal

‡**prac·ti·cal** [prǽktikəl] *a.* **1** 실제의; 실제적인; 실천적인: ~ philosophy 실천 철학 **2** 실용적인, 실제로 도움이 되는; 실지로 응용하는[할 수 있는]; 효과적인: ~ English 실용 영어 **3** Ⓐ 실지 경험한, 경험이 풍부한, 노련한; 실무의: a ~ gardener 노련한 정원사 **4** 실질[사실]상의(opp. *nominal*): with ~ unanimity 거의 만장일치로 **5** 쓸모 있는, 솜씨 있는, 실무에 맞는 **6** 《경멸》 실용밖에 모르는; 사무적인, 산문적인; 무미건조한 **7** 《영》 실습[연습]과 관련된: a ~ room 연습실, 실습실/a ~ test 실기 시험 ***for*** (***all***) ***~ purposes*** (이론은 여하튼간에) 실제(적으)로는
—*n.* 《구어》 **1** 실지 수업, 실습; 실지[실기] 시험 **2** [*pl.*] 실무가(實務家) **~·ness** *n.*
▷ práctice, practicálity *n.*; práctically *ad.*

práctical árt [보통 *pl.*] 실용적 기술 《수예·목공 등》

prac·ti·cal·i·ty [præ̀ktikǽləti] *n.* **1** Ⓤ 실지적[실제적]임, 실용성, 실용주의 **2** 실용[실제]적인 일, 실지 문제

práctical jóke (말뿐이 아닌, 실제적인) 짓궂은 장난

práctical jóker 짓궂은 장난꾼

‡**prac·ti·cal·ly** [prǽktikəli] *ad.* **1** **실지로**, 실제로는; 사실상; **실용적으로, 실질상**: ~ speaking 실제는, 사실을 말하면 **2** 《구어》 거의(almost), …이나 마찬가지: It's ~ winter. 거의 겨울이나 마찬가지다.

práctical núrse 《미》 (간호 학교를 졸업하지 않은) 보조[준] 간호사

práctical réason (칸트 철학에서) 실천 이성

práctical theólogy 실천 신학 《설교·전례·교회 운영 등 교회 고유의 실천에 관한 학문》

práctical únit 〖물리〗 실용 단위

‡**prac·tice** [prǽktis] *n.*, *v.*

> Gk 「행하다」의 뜻에서
> 「실행」 **2** ─┬(일상적으로 행하는 것) → 「습관」 **1**
> └(되풀이 행하는 것) → 「연습」 **3**

—*n.* **1 a** [보통 a[the] ~] (개인의) **습관**, 상습 **b** [보통 a ~; the ~] (사회의) **관습, 관례**: a matter of common ~ 흔히 있는 일 **c** [보통 *pl.*] 풍습, 습속(習俗), 악습 **2** Ⓤ **실행**, 실천; 실지, 실제; (실지에서 얻은) 경험; 《고어》 실용서(書) **3** Ⓤ (반복) **연습, 실습** (⇨ exercise 유의어): chorus ~ 합창 연습/do ~ (in) …을 실습하다/*P*~ makes perfect. 《속담》 연습을 하면 완벽해진다. **4** Ⓤ (연습으로 얻은) 숙련(skill), 수완 **5** ⓊⒸ **a** (의사·변호사 등의) 개업 **b** 업무, 영업: retire from ~ 폐업하다 **6 a** 〖집합적〗 환자; 사건 의뢰인 **b** 개업 장소[지역] **7** [보통 *pl.*] 책략, 음모; 상투 수단: artful ~*s* 교묘한 책략 **8** Ⓤ 〖법〗 소송 절차[실무] **9** 〖그리스도교〗 예배식 **10** 〖수학〗 실산(實算) **11** 〖철학〗 실천론
be in ~ 개업하고 있다; 익숙하다 ***be*** [***get***] ***out of ~*** 서투르다[게 되다] ***have a large ~*** 〈의사·변호사가〉 영업이 잘되다 ***in ~*** 실제로는; 연습하여; 개업하여 ***make a ~ of*** 항상 …하다 ***put*** [***bring***] ***in***(***to***) ***~*** 실행하다, 실행에 옮기다
—*vt.* (《영》 **-tise**) **1** (반복하여) **연습[실습]하다**: (~+**-ing**) ~ the piano = ~ play*ing* the piano 피아노 연습을 하다 **2 실행하다,** 실천하다; 늘 행하다, 습관으로 하다, 지키다, 준수하다: (~+**-ing**) ~ early ris*ing* 항상 일찍 일어나다/He ~*d* run*ning* 2 kilometers every morning. 그는 매일 아침 2킬로미터 달리기를 했다.// (~+**wh.** 절) He doesn't ~ *what* he preaches. 그는 설교만 하지 그것을 실천하지 않는다. **3** 〈의술·법률 등을〉 업으로 하다 **4** 길들이다, 훈련시키다: (~+목+전+명) ~ a person *in* an art …에게 한 기술을 가르치다 **5** 〈잔혹한 행위 등을〉 행하다 《*on, upon*》 **6** 《폐어》 〈음모 등을〉 꾀하다
—*vi.* **1** 늘[습관적으로] 행하다, 실행하다 **2** (의사·변호사 등으로) 개업하다 **3** 연습[실습]하다: We must ~ every day. 우리는 매일 연습하지 않으면 안 된다.//

(~+전+명) ~ *at*[*on*] the piano 피아노 연습을 하다 / ~ *with* the rifle 사격 연습을 하다 **4** 속이다, 사기를 걸다; (…을) 틈타다, 이용하다 (*upon*)

~ by oneself 독습(獨習)하다 ***~ on***[***upon***] ***a person's weakness*** …의 약점을 이용하다 ***~ what one preaches*** 남에게 설교하는 바를 스스로 실천하다, 언행을 일치시키다 **-tic·er** *n.* ▷ práctical *a.*

*__prac·ticed__ [prǽktist] *a.* **1** 연습을 쌓은, 경험이 풍부한, 숙련된(skilled): a ~ driver 숙련된 운전사 // He is ~ in teaching English. 그는 영어를 가르치는 데에 숙달되어 있다. **2** 〈웃음 등이〉 일부러 지은, 억지스러운, 부자연스러운: a ~ smile 억지웃음 **3** (고어) 언제나 사용되는; 늘 출입하는

práctice tèacher 교육 실습생, 교생(敎生)

práctice tèaching 교육 실습, 교생 실습

prac·ti·cian [præktíʃən] *n.* **1** 실행자, 실제가 **2** 종사자 **3** 숙련가, 경험자 **4** = PRACTITIONER

prac·tic·ing [prǽktisiŋ] *a.* **1** (현재) 활동하고 있는; 개업하고 있는: a ~ physician (내과) 개업의(醫) **2** 종교의 가르침을 실천하고 있는: a ~ Catholic 실천적인 천주교도

prac·ti·cum [prǽktikəm] *n.* (교사·수련의(醫) 양성을 위한) 실습 과목

‡**prac·tise** [prǽktis] *v.* (영) = PRACTICE

*__prac·ti·tion·er__ [præktíʃənər] *n.* **1** (특히) 개업의(醫), 변호사, 전문업에 종사하는 사람 **2** (특정 생활·종교 양식을) 실천하는 사람

prac·to·lol [prǽktəlɔ̀:l | -lɔ̀l] *n.* 〖약학〗 프락토롤 (항(抗)아드레날린 작용제(劑))

prac·to·pi·a [præktóupiə] [*prac*tical+u*topia*] *n.* 프랙토피아 (Alvin Toffler가 예측하는 미래의 유토피아)

prae- [pri:] *pref.* = PRE-

prae·ci·pe [prí:səpì:, prés-] *n.* 〖법〗 영장 신청서

prae·di·al [prí:diəl] *a.* 농지의, 농산물의; 토지의, 부동산의; 토지에 종속[예속]하는: a ~ serf 농노 / ~ servitude 〖법〗 지역권(地役權)

prae·fect [prí:fekt] *n.* = PREFECT

prae·mu·ni·re [prì:mjunáiəri] [L] *n.* ⓊⒸ 〖영국법〗 교황 존신죄(尊信罪) (교황이 국왕보다 우월하다고 보는 죄); 그 규문(糾問) 영장; 그 범죄에 대한 징벌

prae·no·men [pri:nóumən | -men] [L] *n.* (*pl.* **~s, -nom·i·na** [-námənə | -nɔ́m-]) 〖고대로마〗 첫째 이름 (Gaius Julius Caesar의 Gaius); (드물게) (동식물의 학명에서) 첫째 이름

prae·pos·tor [pri:pástər | -pɔ́s-] *n.* (영) (public school의) 감독생, 반장

prae·sid·i·um [prisídiəm] *n.* = PRESIDIUM

prae·tor [prí:tər] *n.* 〖고대로마〗 집정관; 치안관

prae·to·ri·al [pri:tɔ́:riəl] *a.*

prae·to·ri·an [pri:tɔ́:riən] *n., a.* 〖고대로마〗 **1** 집정관(의); 치안관(의) **2** [주로 **P~**] 근위병(의) **3** [때로 **P~**] 근위병(Praetorian Guard)과 닮은; 부패한

Praetórian Guárd (고대 로마 황제의) 근위병(단)

prag·mat·ic [prægmǽtik] [L 「법률[사무]에 정통한」의 뜻에서] *a.* **1** 실용적인; 〖철학〗 실용주의의: ~ lines of thought 실용주의적인 사고방식 **2** 〖역사〗 국무의, 내정의 **3** 분주한, 활동적인 **4** 간섭하는 **5** 독단적인(dogmatic), 잘난 체하는(conceited)

— *n.* **1** = PRAGMATIC SANCTION **2** 참견하는[잘난 체하는, 독단적인] 사람 **3** (폐어) 실무가, 실제가

prag·mat·i·cal [prægmǽtikəl] *a.* **1** 참견 잘하는 **2** 교만스러운; 독단적인; 전제적인 **3** 실용적인 **~·ly** *ad.*

prag·mat·i·cism [prægmǽtəsìzm] *n.* 실용주의 철학

prag·mat·ics [prægmǽtiks] *n. pl.* [단수 취급] 〖철학·언어〗 화용론(話用論), 어용론(語用論) (언어·기호 따위를 사용자 입장에서 연구하는 것)

pragmátic sánction 국본 조칙(國本詔勅), 국사(國事) 조칙

prag·ma·tism [prǽgmətìzm] *n.* Ⓤ **1** 〖철학〗 실용주의, 프래그머티즘 **2** 실리주의, 현실주의 **-tist** *n.*

prag·ma·tis·tic [prægmətístik] *a.* 〖철학〗 실용주의의

prag·ma·tize [prǽgmətàiz] *vt.* 〈상상적인 일을〉 현실화하다; 〈신화를〉 합리화하다, 합리적으로 해석하다

*__Prague__ [prɑ́:g] *n.* 프라하 (체코의 수도)

*__prai·rie__ [prɛ́əri] [L 「목초지」의 뜻에서] *n.* **1** (Mississippi 강 유역의) 대초원, 프레리 **2** 초원, 목초지 **3** (미·방언) 숲속의 조그만 빈터; 소택지

práirie chìcken[**hèn**] 뇌조(雷鳥)의 일종

práirie dòg 〖동물〗 프레리도그 (marmot의 일종)

prai·rie-dog·ging [-dɔ̀:giŋ, -dɑ̀g- | -dɔ̀g-] *n.* Ⓤ (익살) (낮은 칸막이 사무실에서) 서서 칸막이 너머로 남들을 살펴보기

práirie òyster **1** 프레리 오이스터 (날달걀 또는 노른자위를 소금·후추·브랜디 등으로 맛들인 음료; 환자·숙취용) **2** [보통 *pl.*] (식용의) 송아지 고환(cf. MOUNTAIN OYSTER)

Práirie Próvinces [the ~] 프레리 제주(諸州) (Manitoba, Saskatchewan, Alberta주; 캐나다의 곡창·유전 지대)

práirie schòoner[**wàgon**] (미) 대형 포장마차 (서부 개척 시대에 개척자들이 사용한)

prairie schooner

práirie skìrt 프레리 스커트 (페티코트를 입은 것처럼 보이는 길고 늘어지는 주름치마)

Práirie Státe [the ~] 미국 Illinois 주의 속칭

práirie wòlf 〖동물〗 = COYOTE

prais·a·ble [préizəbl] *a.* = PRAISEWORTHY

‡**praise** [préiz] [L 「가치」의 뜻에서] *n.* **1 a** ⓊⒸ 칭찬, 찬양 **b** [*pl.*] 칭찬의 말 **2** (문어) **a** Ⓤ 찬미, 숭배 **b** [*pl.*] (노래 등으로) 하느님을 찬미하는 말 **3** (고어) 칭찬할 만한 점[이유]; (폐어) 찬양할 만한 사람[물건]

be loud[***warm***] ***in*** his **~(*s*)** (그)를 절찬하다 ***damn with faint ~*** ⇨ damn. ***in ~ of*** …을 칭찬하여 ***sing one's own ~s*** 자화자찬하다

— *vt.* **1** 칭찬하다: ~ the music highly 그 음악을 격찬하다 // (~+목+전+명) The headmaster ~*d* me *for* my work. 교장은 나의 작품을 칭찬해 주었다. **2** (문어) 〈신을〉 찬미하다 ***God be ~d!*** 고마워라! ~ a person ***to the skies*** ⇨ sky.

práis·er *n.*

praise·wor·thy [préizwə̀:rði] *a.* 칭찬할 만한, 감탄할, 기특한, 훌륭한(praisable)

-thi·ly *ad.* **-thi·ness** *n.*

praj·na [prʌ́dʒnjɑ:] *n.* 〖불교〗 지혜, 반야

Pra·krit [prɑ́:krit] *n.* 〖언어〗 프라크리트 말 (고대·중세 인도의 일상어; cf. SANSKRIT)

pra·line [prɑ́:li:n] *n.* **1** 프랄린 (아몬드·호두 등을 넣은 사탕과자; 미국 남부의 명산물) **2** 설탕에 졸인 아몬드

prall·tril·ler [prɑ́:ltrìlər] *n.* 〖음성〗 프랄 트릴러

pram[1] [prǽm] [perambulator의 단축형] *n.* (영·구어) **1** 유모차((미) baby carriage[buggy]) **2** 우유 배달용 손수레

pram[2] [prɑ́:m] *n.* (일종의) 너벅선, 평저선(平底船)

prám pàrk [prǽm-] (영) 유모차 보관소

pra·na [prɑ́:nə] [Skt. =breath] *n.* 〖힌두교〗 **1** 우주의 근원적 생명 에너지, 기(氣) **2** 체내에 흐르는 다섯 가지 생명 에너지 중의 하나

*__prance__ [prǽns | prɑ́:ns] *vi.* **1** 〈말이〉 (뒷다리로) 껑충거리며 나아가다 (*along*) **2** 뽐내며 말을 달리다

thesaurus **praise** *n.* **1** 칭찬 applause, approval, acclaim, cheers, compliment, congratulations, commendation, tributes, accolades **2** 숭배 adora-

《*about*》 **3** 의기양양하게[뽐내며] 걷다, 활보하다(swagger) **4** 여기저기 뛰어 다니다, 뛰어 돌아다니다
—*n.* (말의) 날뛰기; 활보
pranc·er [prǽnsər | prɑ́:nsə] *n.* **1** 날뛰는 사람[말], 기운 좋은 말 **2** 《속어》 기마 사관(士官)
pran·di·al [prǽndiəl] *a.* 《익살》 식사의, 《특히》 정찬의
prang [prǽŋ] *vt.* (영·속어) **1** 〈목표물을〉 정확히 폭격하다 **2** 〈자동차 등에〉 충돌하다, 충격으로 파괴하다 **3** 비행기를 추락시키다; 자동차를 충돌시키다
—*vi.* 비행기[자동차]를 추락[충돌]시키다
—*n.* 충돌, 추락; 폭격
*** **prank**[1] [prǽŋk] *n.* **1** 농담, 희롱, (짓궂은) 장난(mischief); 간계(奸計) **2** (기계 등의) 부정확한 작동 **3** (동물의) 익살스런 동작 ***play ~s on*** [***upon***] …을 조롱하다 ▷ ránkish *a.*
prank[2] *vt., vi.* 화려하게 차려입다 《*with*》, 모양내다 《*out, up*》: The orchard is now *~ed with* blossoms. 과수원은 지금 꽃이 만발해 있다.
prank·ish [prǽŋkiʃ] *a.* 희롱하는, 장난하는, 시시덕거리는 **~·ly** *ad.* **~·ness** *n.*
prank·ster [prǽŋkstər] *n.* 장난꾸러기
prao [práu] *n.* (*pl.* **~s**) = PROA
pra·sa·dam [prəsɑ́:dəm] *n.* 〖힌두교〗 프라사담 《신 또는 성자에게 바치는 음식물, 특히 과일; 이것을 먹는 사람은 축복을 받는다고 함》
prase [préiz] *n.* Ⓤ 〖광물〗 녹석영(綠石英)
pra·se·o·dym·i·um [prèizioudímiəm] *n.* Ⓤ 〖화학〗 프라세오디뮴 《희토류(稀土類) 원소; 기호 Pr》
prat [prǽt] *n.* **1** [종종 *pl.*] 《속어》 엉덩이; (바지의) 뒷호주머니(hip-pocket) **2** 《영·속어》 멍청이, 얼간이
~ digger 소매치기
prate [préit] *vi., vt.* 재잘거리다, 수다 떨다
—*n.* 재잘거림, 수다, 쓸데없는 말
prát·er *n.* **prát·ing·ly** *ad.*
pra·tie [préiti] *n.* (영·아일·구어) 감자(potato)
prat·in·cole [prǽtiŋkòul] *n.* 〖조류〗 제비물떼새
pra·tique [prætí:k] [F] *n.* (검역(檢疫) 후에 받는) 검역 입항 허가(증), 검역 필증
prat(t)·fall [prǽtfɔ̀:l] *n.* 《구어》 **1** (저속한 희극 등의 동작으로서의) 엉덩방아 **2** 겸연쩍은 실패[실수]
prat·tle [prǽtl] *vi., vt.* **1** (어린애처럼) 말을 더듬거리다, 쓸데없는 말을 하다 **2** 〈개울물 등이〉 졸졸 소리나다 —*n.* ⓊⒸ 더듬거리는 말; 쓸데없는 말, 수다; (개울물의) 졸졸 흐르는 소리; (새들의) 지저귐
prát·tling·ly *ad.*
prat·tler [prǽtlər] *n.* 수다쟁이; 더듬거리는 사람, 《특히》 어린이
prau [práu] *n.* 프라우선(船) 《인도네시아 지방의 쾌속 범선》
Prav·da [prɑ́:vdə] [Russ. 「진실」의 뜻에서] *n.* 프라우다 《구소련 공산당 중앙 기관지》
prav·i·ty [prǽvəti] *n.* Ⓤ 《고어》 타락; (음식 등의) 부패
prawn [prɔ́:n] *n.* **1** 〖동물〗 참새우 무리 《lobster보다 작고 shrimp보다는 큰 것》 **2** 《호주·속어》 바보 ***come the raw ~*** 《호주·구어》 속이려고 하다, 속이다 —*vi.* 참새우를 잡다; 참새우를 미끼로 하여 낚시질하다
práwn crácker 《영》 새우 맛 나는 쌀 크래커
prax·e·ol·o·gy [præksiɑ́lədʒi | -ɔ́l-] *n.* Ⓤ 인간 행동학 **prax·e·o·log·i·cal** [-iəlɑ́dʒikəl | -lɔ́dʒ-] *a.*
prax·is [prǽksis] *n.* (*pl.* **prax·es** [-si:z], **~·es**) 습관; 연습(exercise), 실습; 〖문법〗 연습 문제(집)
**** **pray** [préi] [L 「빌다(beg)」의 뜻에서] *vi.* **1** (신에게) 빌다, 기원하다 《*to, for*》; 간청하다, 탄원하다 《*for*》: (~+전+명) ~ *for* pardon 용서를 빌다 / ~ *to* God *for* help 신의 도움을 빌다 / They *~ed for* rain. 그들은 비를 내려달라고 빌었다. **2** 《문어·고어》 [I ~ you의 생략] 제발(please), 바라건대, 여봐요: *P~* come with me. 저와 함께 가 주십시오. / *P~* don't speak so loud. 제발 그렇게 큰소리를 내지 마십시오. / What's the use of that, ~? 글쎄 그게 무슨 소용이란 말씀이세요?
—*vt.* 기원하다, 간절히 바라다 《*for*》; 희구하다: (~+목+전+명) (~+목+***to*** do) (~+(목+) ***that*** 절) She *~ed* God *for* forgiveness. = She *~ed* God *to* forgive her. = She *~ed* (God) *that* she might be forgiven. 그녀는 하느님께 용서를 빌었다.
be past ~ing for 개전(改悛)의[회복할] 가망이 없다, 개량이 불가능하다 ***P~ don't mention it.*** 천만의 말씀(입니다). ***~ down*** …을 기도로 무찌르다 ***~ in aid*** (***of***) 《고어·시어》 (…의) 조력을 빌다 《in은 부사》 ***~ to the porcelain god*** 《미·속어》 화장실에서 토하다 **~·ing·ly** *ad.* ▷ práyer[1] *n.*
***** **prayer**[1] [prέər] *n.* **1** Ⓤ 빌기, 기도, 기원: They knelt in ~ 그들은 무릎을 꿇고 기도했다 **2** [종종 *pl.*] 기도문, 기도 문구: the Lord's *P~* 주기도문 **3** 탄원, 청원; 소원 **4** [*pl.*] 예배; 기도식 **5** [a ~; 부정문에서] 실낱같은 희망[가능성]: Our team does*n't* have *a* ~ of winning the game. 우리 팀이 게임을 이길 가망은 전연 없다. ***be at*** one***'s ~s*** 기도 드리는 중이다 ***give*** [***say***] one***'s ~s*** 기도 드리다 ***the Book of Common P~*** = ***the P~ Book*** 영국 국교회의 기도서 ***the house of ~*** 교회 ***unspoken ~*** 비원(秘願) **~·less** *a.* **~·less·ly** *ad.* **~·less·ness** *n.*
▷ práyerful *a.*
*** **pray·er**[2] [préiər] *n.* 기도하는 사람
práyer bèads [prέər-] 〖가톨릭〗 (기도용의) 묵주(默珠)(rosary)
práyer bònes [prέər-] 《미·속어》 무릎
práyer bòok [prέər-] **1** 기도서 **2** [the P- B-] (영국 국교회의) 기도서(the Book of Common Prayer)
práyer brèakfast [prέər-] 조찬 기도회
prayer·ful [prέərfəl] *a.* **1** 잘 기도하는, 신앙심이 깊은 **2** 기도와 같은, 기도를 나타낸
~·ly *ad.* **~·ness** *n.*
práyer màt [prέər-] = PRAYER RUG
práyer mèeting[**sèrvice**] [prέər-] (개신교의) 기도회; 수요일의 기도회
práyer rùg [prέər-] (이슬람교도들이 기도할 때 쓰는) 깔개, 거적
práyer shàwl [prέər-] = TALLITH
práyer whèel [prέər-] (라마교도의) 기도 윤당(輪堂), 회전 예배기(器)
pray-in [préiìn] *n.* 집단 항의 기도
práy·ing mántis[**mántid**] [préiiŋ-] 〖곤충〗 사마귀, 버마재비
P.R.B. Pre-Raphaelite Brotherhood **PRC** People's Republic of China
pre- [pri:, pri] *pref.* 「미리; …이전의; …의 앞쪽에 있는; 우선해서, 선행해서; 예비의」의 뜻(opp. *post-*)
**** **preach** [prí:tʃ] [L 「알리다, 공표하다」의 뜻에서] *vi.* 설교하다; 전도하다; 설유(說諭)하다; 훈계하다 《*to*》: (~+전+명) ~ *on* the Twelve Apostles 12사도에 관해 설교하다 / ~ *to* heathens 이교도에게 전도하다 / He *~ed* (*to* us) *on* the importance of good health. 그는 (우리들에게) 건강의 중요성을 역설했다.
—*vt.* 설교하다, 전도하다; 설명하다; 권고하다; 창도(唱導)하다, 선전하다: ~ a doctrine 어떤 교리를 설명하다 / ~ the Gospel 복음을 전하다 // (~+목+목) (~+목+전+명) She *~ed* me a sermon. = She *~ed* a sermon *to* me. 그녀는 나에게 설교했다.
~ against …에 반대하는 설교를 하다 ***~ down*** 비난하다, 탄핵하다, 설복하다 ***~ to deaf ears*** 쇠귀에 경 읽기다 ***~ up*** 칭찬하다
—*n.* 《구어》 설교, 법화(法話), 강론(sermon)
~·a·ble *a.* ▷ préachment *n.*; préachy *a.*

tion, worship, glory, honor, devotion, exaltation
pray *v.* appeal to, beseech, entreat, request, implore, beg, petition, solicit

preach·er [príːtʃər] *n.* **1** 설교자, 목사, 전도자 **2** 훈계[설교]하는 사람 **3** 창도자 **4** [the P~] 〘성서〙 전도서의 저자 《솔로몬이라고도 함》; 전도서(Ecclesiastes)

preach·i·fy [príːtʃəfài] *vi.* (**-fied**) 지루하게 설교하다

∗**preach·ing** [príːtʃiŋ] *n.* UC **1** 설교함, 설교술; 설교: a ~ shop 《미·속어》 교회 **2** 설교가 있는 예배 **~·ly** *ad.*

preach·ment [príːtʃmənt] *n.* UC 설교, 장황한 설교[훈계]

preach·y [príːtʃi] *a.* (**preach·i·er**; **-i·est**) 《구어》 설교하기 좋아하는; 설교조의, 넌더리 나는 **préach·i·ly** *ad.* **préach·i·ness** *n.*

pre·ac·quaint [prìːəkwéint] *vt.* 미리 알리다, 예고하다

pre·ac·quain·tance [prìːəkwéintəns] *n.* U 미리 알림, 예고

pre-Ad·am·ic [prìːədǽmik] *a.* 아담(Adam) 이전의

pre-Ad·am·ite [priːǽdəmàit] *a., n.* **1** 아담 이전의 (사람) **2** 아담 이전에 인간이 있었다고 믿는 (사람)

pre·ad·ap·ta·tion [prìːædæptéiʃən] *n.* 〘생물〙 전적응(前適應)

pre·ad·dict [priːǽdikt] *n.* 《미》 마약 상용 경험자 《잠재적 마약 중독자》

pre·ad·just·ment [prìːədʒʌ́stmənt] *n.* U 사전 조정

pre·ad·mon·ish [prìːədmániʃ | -mɔ́n-] *vt.* 미리 훈계[충고]하다 **-mo·ni·tion** [-məníʃən] *n.*

pre·ad·o·les·cence [prìːædəlésns] *n.* U 〘심리〙 사춘기[청년기] 이전 《대략 9-12세까지》

pre·ad·o·les·cent [prìːædəlésnt] *a.* 사춘기 이전의

pre·a·dult [prìːədʌ́lt] *a.* 성인 이전의, 성인기 전의

pre·ag·ri·cul·tur·al [prìːægrikʌ́ltʃərəl] *a.* 농경(農耕) 이전의

pre·al·lot·ment [prìːəlátmənt | -lɔ́t-] *n.* 미리 할당된 것; 운명, 천명

pre·am·ble [príːæ̀mbl | ⌐⌐] [L 「앞서 걸어가는」의 뜻에서] *n.* 머리말, 서론, 서문; (조약 등의) 전문(前文) 《*to, of*》; [**P~**] 미합중국 헌법 전문
— *vi.* 서론을 말하다

pre·amp [príːæmp] *n.* 《구어》 = PREAMPLIFIER

pre·am·pli·fi·er [priːǽmpləfàiər] *n.* 〘전기〙 전치증폭기(前置增幅器), 프리앰프

pre·an·es·thet·ic [prìːænəsθétik] *n., a.* 전(前) 마취약(의) 《전신 마취 전의》

pre·an·nounce [prìːənáuns] *vt.* 예고하다, 예보하다 **~·ment** *n.*

pre·ap·point [prìːəpɔ́int] *vt.* 미리 임명하다[정하다] **~·ment** *n.*

pre·ar·range [prìːəréindʒ] *vt.* 사전에 조정[협의]하다; 예정하다 **~·ment** *n.*

pre·ar·ranged [prìːəréindʒd] *a.* 사전 계획된, 미리 준비된

pre·at·mo·spher·ic [prìːætməsférik] *a.* 대기(大氣) 형성 이전의

pre·a·tom·ic [prìːətámik | -tɔ́m-] *a.* 원자력[폭탄] (사용) 이전의, 핵 이전의

pre·au·di·ence [priːɔ́ːdiəns] *n.* U 〘영국법〙 (법정에서 변호사의) 선술권(先述權)

pre·ax·i·al [priːǽksiəl] *a.* 〘해부〙 전축(前軸)의; 축 앞의 **~·ly** *ad.*

preb·end [prébənd] *n.* UC **1** canon이 받는 성직자 보수 **2** 성직자 보수를 산출하는 토지 **3** 녹을 받는 성직자의 직

pre·ben·dal [pribéndl] *a.* 성직자록(祿)의; 녹을 받는 성직자의

prebéndal stáll 수록(受祿) 성직자의 좌석; 성직급(給)

preb·en·dar·y [prébəndèri | -dəri] *n.* (*pl.* **-dar·ies**) 수록 성직자; 목사; 〘영국국교〙 주교좌 성당 명예 참사 회원

pre·bi·o·log·i·cal [prìːbaiəládʒikəl | -lɔ́dʒ-] *a.* 생물이 탄생하기 이전의, 생명 기원의 전구물(前驅物)의 [에 관한] 〈분자 등〉

pre·bi·ot·ic [prìːbaiátik | -ɔ́t-] *a.* 생물 발생 이전의

prebiótic sóup = PRIMORDIAL SOUP

pre·board [priːbɔ́ːrd] *vt.* 〈일부 승객을〉 정각 이전에 태우다: Handicapped passengers will be *~ed.* 신체 장애자들이 먼저 탑승할 것이다.

pre·book [priːbúk] *vt.* 예약하다

pre·born [priːbɔ́ːrn] *a.* 태내에 있는, 아직 태어나지 않은

pre·built [priːbílt] *a.* 미리[사전에] 건조된

pre·but·tal [pribʌ́tl] [*pre-*+*rebuttal*] *n.* 《미·구어》 선제(先制) 반론

prec. preceded; preceding

pre·cal·cu·late [priːkǽlkjulèit] *vt.* 미리 산출[계산]하다

pre·cal·cu·lus [priːkǽlkjuləs] 〘수학〙 *a.* 미적분학을 배우는 데 전제가 되는
— *n.* 미적분을 위한 준비 코스

Pre·cam·bri·an [priːkǽmbriən] 〘지질〙 *a.* 전(前) 캄브리아대(代)의 — *n.* [the ~] 전(前)캄브리아대

pre·can·cel [priːkǽnsəl] *vt.* (**~ed**; **~·ing** | **~led**; **~·ling**) 〈우표에〉 미리 소인을 찍다
— *n.* 미리 소인된 우표 **prè·can·cel·lá·tion** *n.*

pre·can·cer·o·sis [priːkæ̀nsəróusis] *n.* 전암(前癌) 증상, 전암 상태

pre·can·cer·ous [priːkǽnsərəs] *a.* 〘병리〙 전암(前癌) 증상의

pre·car·cin·o·gen [prìːkɑːrsínədʒən] *n.* 〘의학〙 발암(성) 물질 전구체(前驅體) 《발암 물질의 원인이 되는 물질》

∗**pre·car·i·ous** [prikέəriəs] [L 「기도에 의해 얻어지는」의 뜻에서] *a.* **1** 불확실한(uncertain), 믿을 수 없는; 위험한; 위태로운 **2** 남의 의지 여하에 따라 결정되는, 남의 뜻에 달린 **3** 근거가 불확실한, 지레짐작의: a ~ assumption 근거 없는 추측 **~·ly** *ad.* **~·ness** *n.*

pre·cast [priːkǽst | -kɑ́ːst] *vt.* 〘건축〙 〈건물의 부재(部材)나 부분을〉 미리 만들다
— *a.* (그와 같이) 미리 만든

precást cóncrete 공장에서 목적에 따라 미리 만든 콘크리트 부품

prec·a·to·ry [prékətɔ̀ːri | -təri] *a.* **1** 기원하는; 의뢰의 **2** 〘문법〙 기원의 **3** 〘법〙 간원적(懇願的)인

précatory trúst 〘법〙 유탁(遺託)

⁑**pre·cau·tion** [prikɔ́ːʃən] *n.* UC [종종 *pl.*] 조심, 경계; C 예방 조치, 사전 대책: (~+**to** do) You should take special *~s to* prevent fire. 화재 예방에 특별히 조심하여야 한다. ***take ~s against*** …을 경계[조심]하다
— *vt.* …에게 재차 경고를 하다, …을 경계시키다: ~ oneself against …을 경계하다
▷ precáutious, precáutionary *a.*

pre·cau·tion·ar·y [prikɔ́ːʃənèri | -ʃənəri] *a.* 예방의: ~ measures 예방책

pre·cau·tious [prikɔ́ːʃəs] *a.* 조심하는; 주의 깊은, 신중한

pre·ced·a·ble [prisíːdəbl] *a.* **1** 앞설 수 있는, 먼저 일어날 수 있는 **2** 윗자리를 차지할 수 있는

⁑**pre·cede** [prisíːd] [L 「앞에 가다」의 뜻에서] *vt.* **1** 앞서다; 먼저 일어나다; 〈안내인이〉 앞장서다(opp. *follow*): Lightning *~s* thunder. 뇌성이 나기 전에 번개가 번쩍인다. **2** …의 윗자리를 차지하다, …보다 우월하다, 우선하다: This *~s* all others. 이것은 다른 모든 것보다 우선한다. **3** …보다 앞서게 하다, 서두를 달다; …의 앞에 두다 《*by, with*》

thesaurus **precarious** *a.* uncertain, unsure, unpredictable, undependable, unreliable, risky, chancy, doubtful, unsettled, insecure, unstable

precaution *n.* **1** 조심 prudence, circumspection,

— *vi.* 앞서다, 우선하다; 상위에 위치하다
▷ précedence, précedent, precéssion *n.*

prec·e·dence [présədəns, prisí:dns] *n.* Ⓤ **1** (시간·순서 등의) 우위, 앞섬(priority), 선행(先行), 선재(先在) **2** 윗자리, 상위; 우선권; 전례 **3** 《폐어》 선행하는 사람[물건, 일] ***give*** a person ***the*** **~** …의 우위를 인정하다 ***personal*** **~** 문벌에 의한 서열 ***take*** [***have***] (***the***) **~** ***of***[***over***] …보다 우월[우선]하다 ***the order of*** **~** 석차, 서열 ▷ precéde *v.*

prec·e·den·cy [présədənsi, prisí:dn-] *n.* (*pl.* **-cies**) = PRECEDENCE

*__prec·e·dent__ [présədənt] *n.* **1** 전례, (종래의) 관례, 선례: set[creat] a ~ 선례를 만들다 / break with ~ 선례를 깨다 **2** ⓊⒸ 〖법〗 판례
be beyond all **~*s*** 전혀 선례가 없다 ***make a*** **~** ***of*** …을 선례로 삼다 ***without*** **~** 전례 없는
— [prisí:dnt, présədənt] *a.* (시간·순서·중요도 등의) 이전의, 앞의; 선행하는, 앞선 ***condition*** **~** 〖법〗 정지 조건 《권리의 이동 전에 일어나야 할 조건》
— *vt.* …의 전례를 제시하다; 전례에 의해 지지[변호]하다 **~·ly** *ad.* ▷ precéde *v.*; précedence *n.*

prec·e·dent·ed [présədèntid, -dənt-] *a.* 전례가 있는(opp. *unprecedented*); 전례로써 지지되는

prec·e·den·tial [prèsədénʃəl] *a.* 전례의, 전례가 되는, 전례가 있는; 전례가 될 만한

pre·ce·dent·ly [prisí:dəntli] *ad.* 전에, 이전에, 먼저, 미리(beforehand)

*__pre·ced·ing__ [prisí:diŋ] *a.* Ⓐ [보통 the ~] (시간·장소의) 이전의(previous), 앞선, 선행하는; 바로 앞의; 전술의, 상기의: the ~ year 그 전해 / the ~ page 앞 페이지

pre·cen·sor [pri:sénsər] *vt.* 〈출판물·영화 등을〉 사전 검열하다 **~·shìp** *n.* Ⓤ 사전 검열

pre·cent [prisént] *vi.* (성가의) 선창자를 맡다
— *vt.* …의 선창을 맡다, 선창하다

pre·cen·tor [priséntər] *n.* (*fem.* **-trix** [-triks]) (교회 성가대의) 선창자, 선영자(先詠者), 음악 감독
pre·cen·to·ri·al [prì:sentɔ́:riəl] *a.* **~·shìp** *n.* Ⓤ (성가대의) 선창자 역할

*__pre·cept__ [prí:sept] 〚L 「가르치다」의 뜻에서〛 *n.* **1** ⓊⒸ 교훈, 훈시, 계율, 권고: Practice[Example] is better than ~. 《속담》 실행은 교훈보다 낫다. **2** ⓊⒸ 격언(maxim) **3** 〖법〗 명령서, 영장 **4** (기술 등의) 형(型), 규칙, ⓊⒸ 지침 **5** 《영》 지방세 납세 명령(서) **6** 신명(神命): the ten ~*s* 《폐어》 십계
▷ precéptive *a.*

pre·cep·tive [priséptiv] *a.* 교훈의[적인]; 명령적인 **~·ly** *ad.*

pre·cep·tor [priséptər] *n.* **1** 교훈자, 교사, 개인 지도 교사, 교장 **2** 《미》 (병원에서 의학생을 지도하는) 지도 의사 **3** 〖역사〗 템플 기사단(Knights Templars)의 지방 지부장 **~·shìp** *n.* Ⓤ preceptor의 지위; preceptor의 지도하에 있는 상태[기간]

pre·cep·to·ri·al [prì:septɔ́:riəl] *a.* 교훈자의, 교사의 — *n.* (대학의) 개인 지도 과목

pre·cep·to·ry [priséptəri] *n.* (*pl.* **-ries**) 〖역사〗 템플 기사단의 지방 지부; 그 영유지

pre·cep·tress [priséptris] *n.* PRECEPTOR의 여성형

pre·cess [pri:sés | pri-] *vi.* **1** 전진하다 **2** 〖천문〗 세차(歲差) 운동으로 전진하다

pre·ces·sion [pri:séʃən | pri-] *n.* Ⓤ **1** 전진 (운동), 선행, 우선 **2** 〖천문〗 세차(歲差) (운동) **3** 선행[우선]하는 것 **~** ***of the equinoxes*** 〖천문〗 춘분점 세차(歲差) **~·al** *a.*

pre-Chris·tian [pri:krístʃən] *a.* 서력 기원전의[에 관한]; 그리스도교 선교[전도] 이전의

---

caution, care, attentiveness, wariness **2** 예방 조치 preventive measure, safeguard, provision
precious *a.* valuable, high-priced, costly, expensive, dear, priceless, rare, cherished, treasured

---

*__pre·cinct__ [prí:siŋkt] 〚L 「둘러싸다」의 뜻에서〛 *n.* **1** 《미》 (행정상의) 관구(管區), 구역; 학군; 선거구; 경찰 관할 구역 **2** (도시 등의 특정한) 지역, 구역: a shopping ~ 상점가 **3** [보통 *pl.*] 구내(構內), 경내, 내부: the school ~*s* 학교 구내 **4** [*pl.*] 주위, 부근, 근교 **5** [보통 *pl.*] 경계(선) 《*of*》

pre·ci·os·i·ty [prèʃiɑ́səti | -ɔ́s-] *n.* (*pl.* **-ties**) **1** Ⓤ (말씨·취미 등의) 까다로움, 점잔빼, 지나치게 세심함 **2** [보통 *pl.*] 지나치게 꾸민 표현

‡**pre·cious** [préʃəs] 〚L 「가격(price)이 비싼」의 뜻에서〛 *a.* **1** 귀중한, 값비싼(⇨ valuable 유의어); 고귀한, 존경할 만한: ~ memories 귀중한 추억거리 **2** 귀여운; 사랑하는; 《반어》 훌륭한: a ~ child 사랑하는 아이 **3** (말씨 등을) 다듬은, 지나치게 꾸민 **4** Ⓐ 《구어》 철저한; 대단한; 엄청난: a ~ fool 엄청난 바보
make a **~** ***mess of*** it (그것을) 엉망으로 만들다
— *n.* [호칭으로도 써서] 《구어》 소중한 사람[동물], 귀여운 사람: My ~! 내 소중한 사람[것]
— *ad.* [보통 ~ little[few]로] 《구어》 대단히, 지독하게(very) **~·ness** *n.* ▷ preciósity *n.*

pre·cious·ly [préʃəsli] *ad.* **1** 까다롭게, 지나치게 꾸며서 **2** 《구어》 매우, 대단히

précious métal 귀금속

précious stóne 귀석(貴石), 보석용 원석(gemstone); 보석

précious wórds 금언(金言)

*__prec·i·pice__ [présəpis] 〚L 「곤두박이로 떨어지는」의 뜻에서〛 *n.* **1** (거의 수직의 가파른) 절벽, 낭떠러지 **2** 위기, 궁지, 위험한 상태: be[stand] on the brink of a ~ 위기에 처해 있다
▷ precípitous *a.*; precípitate *v.*

pre·cip·i·ta·ble [prisípətəbl] *a.* 침전시킬 수 있는, 침전성의

pre·cip·i·tan·cy [prisípətənsi], **-tance** [-təns] *n.* (*pl.* **-cies**; **-tanc·es**) **1** Ⓤ 몹시 서두름, 화급, 다급; 경솔 **2** 허둥대는 행위, 경솔한 행위, 경거망동

pre·cip·i·tant [prisípətənt] *a.* **1** 거꾸로의, 돌진하는 **2** 갑작스러운, 다급한 **3** 경솔한, 성급한: ~ judgement 경솔한 판단 — *n.* 〖화학〗 침전제(沈澱劑); 촉진하는 것, 촉진 요인 **~·ly** *ad.*

*__pre·cip·i·tate__ [prisípətèit] 〚L 「곤두박이로 던져 떨어뜨리다」의 뜻에서〛 *vt.* **1** 촉진시키다, 몰아대다, 마구 재촉하다, 서두르게 하다: ~ one's ruin 파멸을 촉진하다 **2** 《문어》 거꾸로 떨어뜨리다, 던져 떨어뜨리다, 팽개치다: (~+목+전+명) ~ oneself *into* debt 갑자기 빚을 짊어지다. / He ~*d* himself *into* the sea. 그는 바다에 거꾸로 떨어졌다. **3** 〈어떤 상태에〉 빠뜨리다, 갑자기 밀어 떨어뜨리다 《*into*》: (~+목+전+명) ~ a person *into* misery …을 불행에 빠뜨리다 **4** 〖화학〗 침전시키다 **5** 〖물리·기상〗 응결(凝結)시키다
— *vi.* **1** 침전하다; 〈공중의 수증기가〉 (비나 안개 등으로) 응결하다 **2** 거꾸로 떨어지다 **3** 서두르다, 덤비다
~ one***self upon***[***against***] the enemy (적)을 맹렬히 공격하다[적에 맹렬히 맞서다]
— [-tət, -tèit] *n.* 〖화학〗 침전물; 〖물리·기상〗 응결한 수분[비, 이슬 《등》]
— [-tət, -tèit] *a.* **1** 거꾸로의, 돌진하는 **2** 속단하는, 다급한, 덤비는, 경솔한, 무모한: ~ action[decision] 경솔한 행동[결정] **3** 갑작스러운, 급한: a ~ stop 급정지 **~·ness** *n.*
▷ précipice, precipitátion *n.*; precípitative *a.*

pre·cip·i·tate·ly [prisípətətli] *ad.* 곤두박질로; 다급히; 갑자기

*__pre·cip·i·ta·tion__ [prisìpətéiʃən] *n.* Ⓤ **1** 투하, 낙하, 추락; 돌진 **2** 촉진(acceleration): give ~ to one's downfall …의 몰락을 재촉하다 **3** 화급, 다급함, 덤빔; 경솔, 경거망동 **4** 〖기상〗 강설, 강수[강우](량) **5 a** 〖화학〗 침전, 침강 **b** Ⓒ 침전물
▷ precípitate *v.*; precípitative *a.*

pre·cip·i·ta·tive [prisípətèitiv | -tətiv] *a.* 가속적인, 촉진적인

pre·cip·i·ta·tor [prisípətèitər] *n.* **1** 촉진하는 물건[사람] **2** 강우를 촉진하는 물건 **3** 〖화학〗 침전제[기(器), 조(槽)]

pre·cip·i·tin [prisípətin] *n.* 〖면역〗 침강소(沈降素)

pre·cip·i·tin·o·gen [prisìpətínədʒən, -dʒèn] *n.* 〖면역〗 침강원(沈降原)

***pre·cip·i·tous** [prisípətəs] *a.* **1** 가파른, 깎아지른 듯한, 절벽을 이룬, 급경사의, 비탈의: a ~ wall of rock 깎아지른 듯한 암벽 / ~ stairs 경사가 급한 계단 **2** 성급한, 무모한, 경솔한 **~·ly** *ad.* **~·ness** *n.*
▷ précipice *n.*; precípitate *v.*

pré·cis [preisí:, ⌐– | ⌐–] [F =precise] *n.* (*pl.* ~ [-z]) 대의, 개략; 요약(summary): ~ writing 대의[요점] 필기 **—** *vt.* 대의를 쓰다, 요약하다

‡**pre·cise** [prisáis] [L 「짧게 자르다」의 뜻에서] *a.* **1** 〈정의·지시 등이〉 정확한(exact), 정밀한; 명확한(⇨ correct 유의어): the ~ meaning 정확한 의미 **2** 〈수량 등이〉 정미(正味)[정량]의, 조금도 틀림없는 **3** Ⓐ 바로 그… (very): at the ~ moment 바로 그때에 **4** 〈사람·태도가〉 정확한, 까다로운, 꼼꼼한 **5** 〈발음 등이〉 지극히 명확한, 아주 확실한 **6** 〈계기·측정·기록 등이〉 규칙대로의, 정규(正規)의 ***To be (more) ~,*** 엄밀히[더 정확히] 말하자면 **~·ness** *n.*
▷ precísion *n.*

‡**pre·cise·ly** [prisáisli] *ad.* **1** 정밀하게, 정확히, 적확하게 **2** 꼼꼼하게; 까다롭게 **3** [동의를 나타내어] 바로 그렇다

pre·ci·sian [prisíʒən] *n.* **1** 꼼꼼한[까다로운] 사람, 형식을 찾는 사람 **2** 현학자(pedant); 청교도
~·ìsm *n.* Ⓤ 꼼꼼함, 형식주의

pre·ci·sion** [prisíʒən] *n.* **1** Ⓤ 정확, 정밀; 꼼꼼함 **2** 〖수학〗 정도(精度); 〖화학·물리〗 정밀함, 정도(精度); 〖컴퓨터〗 (수식을 표현하는) 정도(精度) ***arms of ~ 정밀 조준기가 달린 화기(火器)
— *a.* Ⓐ **1** 정밀한: a ~ apparatus[instrument] 정밀 기계 **2** 〖군사〗 (목표를) 정확히 사격하는
▷ precíse *a.*

precísion bómbing 정밀 조준 폭격

precísion dànce 라인 댄스 《revue 등의》

precísion guíded munítions 〖군사〗 정밀 유도 병기

pre·ci·sion·ism [prisíʒənìzm] *n.* [종종 **P~**] 정밀주의, 형식(중시)주의 《1920년대 미국 도회적 감각의 회화 양식》

pre·ci·sion·ist [prisíʒənist] *n.* (말씨·예의범절 등에) 깐깐한[엄격한] 사람

pre·ci·sion-made [prisíʒənméid] *a.* 정밀하게 만든[쓴]

pre·ci·sive[1] [prisáisiv] *a.* (사람·물건을) 다른 것과 구별하는

precisive[2] *a.* 정확한, 정밀한

pre·clas·si·cal [pri:klǽsikəl] *a.* (특히 로마·그리스 문학의) 고전기 이전의

pre·clear [prì:klíər] *vt.* …의 안전성을 사전에 보증하다 **~·ance** *n.* 사전 승인

pre·clin·i·cal [pri:klínikəl] *a.* 〖의학〗 증상이 나타나기 전의, 잠복기의, 임상 전의

pre·clude [priklú:d] [L 「미리 닫다」의 뜻에서] *vt.* **1** 《문어》 일어나지 않게 하다, 불가능하게 하다; 막다, 방지하다, 방해하다(prevent) 《*from*》: ~ all doubts 의심의 여지가 없다 // 《~+목+전+명》 That ~*d* him *from* escaping. 그 때문에 그는 도망칠 수 없게 되었다. **2** 배제하다, 제외하다(exclude)
pre·clúd·a·ble *a.*

pre·clu·sion [priklú:ʒən] *n.* Ⓤ 제외, 배제; 방해, 방지, 저지

pre·clu·sive [priklú:siv] *a.* 제외하는 《*of*》; 방지하는, 예방적인 **~·ly** *ad.*

pre·co·cial [prikóuʃəl] *a.* 〖동물〗 〈새 등이〉 부화 후 곧 고도의 활동을 할 수 있는, 조숙[조성(早成)]의
— *n.* 조성조(鳥) 《닭·오리 등》

pre·co·cious [prikóuʃəs] [L 「미리 삶다」의 뜻에서] *a.* **1** 〈어린이가〉 조숙한, 숙성한; 〈성격·지식 등이〉 발달이 빠른: a ~ child 조숙한 아이 **2** 〈식물 등이〉 일찍 꽃피는, 일되는 **3** 시기적으로 빠른
~·ly *ad.* **~·ness** *n.*

pre·coc·i·ty [prikɑ́səti | -kɔ́s-] *n.* Ⓤ 조숙, 일됨, 올됨(precociousness)

pre·cog·ni·tion [prì:kɑgníʃən | -kɔg-] *n.* **1** ⓊⒸ 《문어》 미리 앎, 사전 인지, (초과학적인) 예지 **2** 《스코》 〖법〗 **a** (형사 재판 증인 따위의) 예비 심문 **b** 예비 심문에 따라 입증된 증거 **pre·cóg·ni·tive** *a.*

pre-Co·lum·bi·an [prì:kəlʌ́mbiən] *a.* 콜럼버스(의 미대륙 발견) 이전의

pre·com·pose [prì:kəmpóuz] *vt.* 미리 만들다

pre·con·ceive [prì:kənsí:v] *vt.* 미리 생각하다, 예상하다

pre·con·ceived [prì:kənsí:vd] *a.* Ⓐ 〈생각·의견 등이〉 선입견의: ~ opinions 선입견

pre·con·cep·tion [prì:kənsépʃən] *n.* ⓊⒸ **1** 예상 **2** 선입견, 편견

pre·con·cert [prì:kənsə́:rt] *vt.* (협정·사전 타협 등으로) 미리 정하다[결정하다]
— [⌐⌐–] *a.* 콘서트 전의

pre·con·cert·ed [prì:kənsə́:rtid] *a.* 사전 조정된, 미리 협정한[상의된]

pre·con·demn [prì:kəndém] *vt.* (증거를 조사하지 않고) 미리 유죄로 결정하다

pre·con·di·tion [prì:kəndíʃən] *n.* 필수[전제] 조건: a ~ for a promotion 승진의 필수 조건
— *vt.* 미리 바람직한 상태에 놓다[조정하다], 미리 조건[기분]을 조절하다; 미리 시험[처리, 처치]에 대비하다

pre·con·fer·ence [pri:kɑ́nfərəns | -kɔ́n-] *n.* 예비 회담

pre·co·nize [prí:kənàiz] *vt.* **1** 선언하다, 성명하다; 공포하다 **2** 지명 소환하다 **3** 〖가톨릭〗 〈교황이 신임 주교의 이름 및 임지를〉 재가하여 공표하다
pre·co·ni·za·tion [prì:kənizéiʃən | -nai-] *n.*

pre·con·quest [pri:kɑ́nkwest | -kɔ́ŋ-] *a.* **1** 정복 이전의 **2** [pre-Conquest로] 〖영국사〗 노르만 정복(Norman Conquest(1066년)) 이전의

pre·con·scious [pri:kɑ́nʃəs | -kɔ́n-] *n., a.* 〖심리〗 전의식(前意識)(의) **~·ly** *ad.* **~·ness** *n.*

pre·con·sid·er·a·tion [prì:kənsidəréiʃən] *n.* Ⓤ 미리하는 고려, 예고(豫考), 예찰(豫察)

pre·con·tract [pri:kɑ́ntrækt | -kɔ́n-] *n.* ⒸⓊ 예약; (교회법의) 결혼 예약 **—** [⌐–⌐] *vt.* 예약하다

pre·cook [pri:kúk] *vt.* 〈식품을〉 미리 조리하다

pre·cooked [prì:kúkt] *a.* 미리 조리된, 반조리된

pre·cool [pri:kú:l] *vt.* 발송 전에 인공적으로 냉각하다 **~·er** *n.* 〖기계〗 예냉기(豫冷器)

pre·cop·u·la·to·ry [pri:kɑ́pjulətɔ̀:ri | -kɔ́pjulətəri] *a.* 교접[교미] 전의, 교접[교미]에 앞서는

pre·cor·dial [pri:kɔ́:rdʒəl | -diəl] *a.* 심장의 앞에 있는

pre·crit·i·cal [pri:krítikəl] *a.* **1** 〖의학〗 발증전(發症前)의, 위기전(危機前)의 **2** 비판적 능력 발달 이전의

pre·cur·sive [prikə́:rsiv] *a.* 선구(先驅)의; 전조(前兆)의, 예보적(豫報的)인

pre·cur·sor [prikə́:rsər, prí:kə:r- | prikə́:-] [L 「앞에 달리다」의 뜻에서] *n.* **1** 선구자, 선봉: a ~ of [to a] reformation 개혁의 선구자 **2** 선임자, 선배 **3** 전조

pre·cur·so·ry [prikə́:rsəri] *a.* **1** 선구의, 선봉의 《*of*》; 전조의 **2** 예비의, 준비가 되는

pre·cut [pri:kʌ́t] *vt.* (~; **~·ting**) 〖건축〗 〈조립식 가옥용으로 부재(部材) 등을〉 규격에 맞추어 자르다; 미리 자르다

thesaurus **precise** *a.* **1** 정확한 accurate, exact, literal, actual, correct, strict **2** 꼼꼼한 careful, meticulous, scrupulous, conscientious, rigorous

pred. predicate; predicative(ly); prediction
pre·da·cious, -ceous [pridéiʃəs] *a.* = PREDATORY 1
pre·dac·i·ty [pridǽsəti] *n.* Ⓤ 탐욕
pre·date [priːdéit] *vt.* **1** …보다 먼저[앞서] 오다 **2** = ANTEDATE
— [ㅅㅅ] *n.* 발행일보다 앞서 날짜가 찍힌 신문
pre·da·tion [pridéiʃən] *n.* **1** ⓊⒸ 포식(捕食), 약탈 **2** 〖생태〗 = PREDATISM
predátion prèssure 〖생태〗 포식압(捕食壓) 《잡아먹혀 개체의 수가 감소하는 일》
pre·da·tism [pridéitizm, prédətìzm | prédət-] *n.* 〖생태〗 (동물의) 포식 (습성)
pred·a·tor [prédətər, -tɔ̀ːr | -tə] *n.* **1** 약탈자 **2** 포식 동물, 육식 동물
pred·a·to·ry [prédətɔ̀ːri | -təri] *a.* **1** 〖동물〗 생물을 잡아먹는, 육식하는(carnivorous) **2 a** 약탈하는; 약탈을 목적으로[일] 삼는 **b** 《경멸·익살》 (자신의 이익이나 성적(性的) 목적으로) 남을 희생시키는 **3** 〈사람이〉 방자한; 고압적인; 탐욕스러운, 이기적인 **-ri·ly** *ad.*
prédatory lénding (은행의) 약탈적 대출 《상환 못할 경우는 가차없이 집·자동차 등을 압류하는》
prédatory prícing 《미》 약탈적 가격 설정 《경쟁 상대를 시장으로부터 배제하기 위해 상품 가격을 부당하게 낮게 정하기》
pre·dawn [priːdɔ́ːn] *n., a.* 동트기 전(의)
pre·de·cease [prìːdisíːs] *vt., vi.* …보다 먼저 죽다 — *n.* Ⓤ …보다 먼저 죽음
pre·de·ces·sor** [prédəsèsər, príːdə-, ㅅㅡㅅㅡ | príːdisès-] [L 「먼저 떠난 사람」의 뜻에서] *n.* **1** 전임자; 선배(cf. SUCCESSOR) **2** 전에 있던[사용되었던] 물건 **3** 조상 ***share the fate of its ~ 전철을 밟다
pre·de·fine [priːdifáin] *vt.* 미리 정의하다[정하다]
pre·del·la [pridélə] *n.* (*pl.* **-le** [-li]) 〖미술〗 제단(祭壇)의 대(臺)[계단]; 그 수직면상의 그림[조각]
pre·de·par·ture [prìːdipɑ́ːrtʃər] *a.* 출발 전의
pre·des·ig·nate [priːdézignèit] *vt.* **1** 미리 지정하다 **2** 〖논리〗 수량사(數量詞)를 전치(前置)하여 〈명사·명제의〉 양을 나타내다
pre·des·ti·nar·i·an [priːdèstənέəriən, prìːdes-] *a.* 〖신학〗 운명 예정설의 — *n.* 운명 예정설 신봉자, 숙명론자 **~·ism** *n.* Ⓤ 운명 예정설
pre·des·ti·nate [pridéstənèit] *vt.* 《문어》 예정하다, 〈신이 인간 등의 운명을〉 미리 정하다 《*to*; *to* do》
— [-nət] *a.* 예정된, 운명(예정)의
pre·des·ti·na·tion [pridèstənéiʃən, prìːdes-] *n.* Ⓤ **1** 예정; 운명, 전생의 약속 **2** 〖신학〗 운명 예정설 **3** 숙명, 운명, 천명
pre·des·ti·na·tor [pridéstənèitər] *n.* **1** 예정자 **2** 《고어》 = PREDESTINARIAN
pre·des·tine [pridéstin, priː- | priː-] *vt.* 〈신이 사람을〉 (…으로[…하도록]) 운명짓다 《*to*; *to* do》
pre·des·tined [prìːdéstind] *a.* 《문어》 (…할) 운명인, 운명 지어진 《*to* do》: It seems she was ~ *to* be famous. 그녀는 유명해질 운명이었던 것 같다.
pre·de·ter·mi·nate [prìːditə́ːrmənət] *a.* 미리 정해진, 예정된(foreordained)
pre·de·ter·mi·na·tion [priːditəːrmənéiʃən] *n.* Ⓤ **1** 선결, 예정, 미리 운명지어져 있음 **2** (인간의 자유의지를 인정하지 않는) 숙명론
***pre·de·ter·mine** [prìːditə́ːrmin] *vt.* **1** 미리 결정[예정]하다; 미리 계산하다[어림하다] **2** 운명짓다, 숙명을 짊어지다 **3** …의 방향[경향]을 예정하다 《*to*》
— *vi.* 미리 결정[해결]하다
▷ predeterminátion *n.*; predetérminate *a.*
pre·de·ter·min·er [prìːditə́ːrminər] *n.* 〖문법〗 한정사 전치어, 전(前)결정사[한정사] 《한정사 앞에 놓이는 형용사; both, all, such처럼 관사 앞에 쓰이는 단어》
pre·di·a·be·tes [priːdàiəbíːtiːz] *n.* 〖병리〗 당뇨병 전증(前症), 전(前)당뇨병
pre·di·a·bet·ic [priːdàiəbétik] *a., n.* 당뇨병 전증의 (환자)
pre·di·al [príːdiəl] *a.* = PRAEDIAL
pred·i·ca·ble [prédikəbl] *a.* 단정할 수 있는, (…의) 속성(屬性)으로 단정할 수 있는 《*of*》
— *n.* **1** 단정할 수 있는 것; 속성(attribute) **2** [*pl.*] 〖논리〗 빈사(賓辭); [the ~] 근본적 개념
prèd·i·ca·bíl·i·ty *n.* **-bly** *ad.*
***pre·dic·a·ment** [pridíkəmənt] *n.* **1** ⓊⒸ 곤경, 궁지: be in a ~ 곤경에 처해 있다

> 유의어 **predicament** 어떻게 하면 벗어날 수 있을지 모르는 곤란한 처지. **fix** predicament를 뜻하는 구어: be in a (pretty) *fix* 곤란한 처지에 있다. **plight** 심각하고 어려운 상황: be in a sad *plight* 비참한 곤경에 놓여 있다. **quandary** 곤란한 처지에서 어떻게 하면 될지 결정 못하는 상태: I am in a *quandary* about what to do next. 다음에 어떻게 해야 할지 난감하다. **scrape** 《구어》 어리석은 짓으로 자초한 난처한 처지: get into a *scrape* for breaking a rule 규칙을 위반함으로써 궁지에 빠지다

2 [prédikə-] (논리적·철학적 단정의) 종류, 단정된 것; [*pl.*] 〖논리〗 빈사(賓辭), 범주(category) **3** 《고어》 상태, 상황
pred·i·cant [prédikənt] *n.* **1** 설교사 《특히 도미니크회의》; 도미니크회 수사 **2** = PREDIKANT
— *a.* 설교하는
‡**pred·i·cate** [prédikət] [L 「공언하다」의 뜻에서] *n.* **1** 〖문법〗 술부, 술어(cf. SUBJECT) **2** 〖논리〗 빈사(賓辭) **3** 〖철학〗 속성 **4** 〖컴퓨터〗 술어
— *a.* **1** Ⓐ 〖문법〗 술부[술어]의: a ~ adjective 서술 형용사(보기: He is *dead.* / I made him *happy.*) / a ~ noun 서술 명사(보기: He is a *fool.* / I made him a *servant.*) **2** 단정하는, 서술하는
— [prédəkèit] *vt.* **1** 단정[단언]하다(affirm), 선언[공언]하다: (~+*that* 절) (~+목+*to be*) We ~ of the rumor *that* it is groundless. = We ~ the rumor *to be* groundless. 우리는 그 풍문이 근거 없는 것이라고 단정한다. **2** 속성을 나타내다 《*about, of*》; 〈어떤 근거에〉 입각시키다(found), (말·행위 따위의) 기초를 두다 《*on, upon*》: (~+목+전+명) We ~ faithfulness *of* a dog. 충실을 개의 속성으로 친다. / My advice is *~d on* my experience. 나의 충고는 나의 경험에 입각한 것이다. **3** 〖문법〗 주어에 대하여 서술하다 **4** 암시하다, 내포하다, 함축하다: Her apology *~s* a change of attitude. 그녀의 사과는 태도의 변화를 내포하고 있다.
— *vi.* 단정[단언]하다
▷ predicátion *n.*; prédicative *a.*
prédicate cálculus 〖논리〗 술어 계산
prédicate nóminative 〖문법〗 술어 주격 《그리스어나 라틴어 등의 주격 술어 명사 또는 술어 형용사》
pred·i·ca·tion [prèdəkéiʃən] *n.* ⓊⒸ **1** 단정, 단언 **2** 〖문법〗 술어적 서술; 술어
***pred·i·ca·tive** [prédəkèitiv, -kət- | pridíkət-] *a.* **1** 단정적인, 단정하는 **2** 〖문법〗 서술적인(cf. ATTRIBUTIVE): the ~ use 서술적 용법
— *n.* 〖문법〗 서술사, 서술어 《보어(complement)라고도 하는 것》 **~·ly** *ad.*
▷ prédicate *v.*; predicátion *n.*
pred·i·ca·to·ry [prédəkətɔ̀ːri | -kèitəri] *a.* 설교의, 설교적인, 설교하는, 설교에 관한
‡**pre·dict** [pridíkt] [L 「미리 말하다」의 뜻에서] *vt.* 예언하다, 예측하다, 예보하다(⇨ foretell 유의어): The weather forecast *~s* sunshine for tomorrow. 일기 예보에 의하면 내일은 쾌청할 것이라고 한

---

predicament *n.* plight, crisis, dilemma, trouble
predict *v.* forecast, foretell, prophesy, prognosticate, divine, foresee, forewarn, portend

다. // (~+*that* 절) They ~*ed*[It was ~*ed*] *that* there would be an earthquake. 지진이 일어날 것이라고 예언하였다. // (~+*wh.* 절) He ~*ed when* war would break out. 그는 전쟁이 언제 일어날지 예언하였다.
—*vi.* 예언[예보]하다
▷ predíction *n.*; predíctive *a.*

pre·dict·a·ble [pridíktəbl] *a.* **1** 예언[예상, 예측]할 수 있는 **2** (경멸) 〈사람이〉 새로운 일이라고는 아무것도 하지 않는, 범용한 **pre·dìct·a·bíl·i·ty** *n.*

pre·dict·a·bly [pridíktəbli] *ad.* 예상대로

predíct and províde (영) 예측과 대비 《교통량의 증가 예측에 대비하여 도로를 증설하는 따위》

∗**pre·dic·tion** [pridíkʃən] *n.* **1** 예보; 예언: lose one's ~ power 예언 능력을 상실하다 **2** Ⓤ 예언[예보]하기 ▷ predíct *v.*; predíctive *a.*

pre·dic·tive [pridíktiv] *a.* **1** 예언[예보]하는, 예언적인 **2** 전조가 되는 《*of*》 **~·ly** *ad.*

pre·dic·tor [pridíktər] *n.* **1** 예언자; 예보자 **2** 〔군사〕 고사 조준 산정(高射照準算定) 장치

pre·di·gest [prì:didʒést, -dai-] *vt.* **1** 소화가 잘 되도록 요리하다 **2** 〈작품 등을〉 이해하기 쉽게 하다 《때때로 나쁜 의미로 쓰임》 **-ges·tion** [-dʒéstʃən] *n.*

pre·digested [prì:daidʒéstid] *a.* 〈정보 등이〉 이해하기 쉽게 된

pre·di·kant [prèidiká:nt, -kǽnt] [Du.] *n.* 네덜란드 사람의 신교 교회 목사 《특히 남아프리카의》

pre·di·lec·tion [prì:dəlékʃən, prèd-] [L 「미리 가려내다」의 뜻에서] *n.* 선입적 애호, 편애, 역성

pre·dis·pose [prì:dispóuz] *vt.* **1** 〔의학〕 〈사람을〉 (병에) 걸리기 쉽게 하다 《*to*》: (~+목+전+명) A cold ~*s* a person *to* other diseases. 감기는 만병의 근원이다. **2** …의 소인(素因)을 만들다, …에 기울어지게 하다 《*to, toward*》: (~+목+전+명) (~+목+*to* do) His stammer ~*d* him *to* avoidance of company[*to* avoid company]. 그는 말을 더듬기 때문에 남과의 교제를 피하는 경향이 있었다. **3** (고어) 미리 처치[처분]하다 **-pos·al** [-póuzəl] *n.*

∗**pre·dis·po·si·tion** [prì:dispəzíʃən] *n.* **1** 경향, 성질 《*to*; *to* do》 **2** 〔병리〕 (병 등에 걸리기 쉬운) 소질 《*to*》 **~·al** *a.*

pred·ni·sone [prédnəsòun, -zòun] *n.* Ⓤ 〔약학〕 프레드니손 《부신 피질 호르몬제》

pre·dom·i·nance, -nan·cy [pridámənəns(i) | -dɔ́m-] *n.* Ⓤ [또는 a ~] 탁월, 발군, 출중; 지배 《*over*》

∗**pre·dom·i·nant** [pridámənənt | -dɔ́m-] *a.* **1** 우세한, 유력한; 탁월한(⇨ dominant 유의어); (…에 대해) 주권을 가진 **2** 주된, 현저한, 두드러진, 지배적인; 널리 퍼진: a ~ trait 눈에 띄는 특징 / the ~ color [idea] 주색(主色)[주의(主意)] **~·ly** *ad.*
▷ predóminance *n.*; predóminate *v.*

∗**pre·dom·i·nate** [pridámənèit | -dɔ́m-] *vi.* **1** 우세하다; 주권을 장악하다, 지배력을 갖다; 탁월하다; 사방을 내다볼 수 있는 위치에 있다 《*over*》: (~+전+명) He soon began to ~ *over* the territory. 그는 이내 그 지방에 세력을 떨치기 시작했다. **2** (다른 것보다) 눈에 띄다, 두드러지다, 주가 되어 있다
—*vt.* 지배하다, …보다 뛰어나다
—*a.* [-nət] = PREDOMINANT **~·ly** *ad.*

∗**pre·dom·i·nat·ing** [pridámənèitiŋ | -dɔ́m-] *a.* **1** 우세한, 탁월한 **2** 주된, 지배적인 **~·ly** *ad.*

pre·dom·i·na·tion [pridàmənéiʃən | -dɔ̀m-] *n.* = PREDOMINANCE

pre·doom [prì:dú:m] *vt.* (고어) 미리 운명짓다 《*to*》; 〈벌을〉 예정하다

pre·dor·mi·tion [prì:dɔ:rmíʃən] *n.* Ⓤ 〔의학〕 잠들기 전의 반(半)의식의 기간, 수면 전기(前期)

pre·dy·nas·tic [prì:dainǽstik, -di-] *a.* (특히 이집트의) (제1) 왕조 전의

pree, prie [prí:] (스코·북잉글) *n.* 검사, 음미
—*vt.* 음미하다, 조사하다 **~ *the mouth of*** …와 키스하다

pre·ec·lamp·si·a [prì:iklǽmpsiə] *n.* 〔의학〕 전자간증(前子癎症) 《임신 중독증의 일종》

pre·e·lect [prì:ilékt] *vt.* 예선하다

pre·e·lec·tion [prì:ilékʃən] *n.* ⓊⒸ 예선
—*a.* 선거 전의[에 일어나는], 사전의

pre·e·lec·tion·eer·ing [prì:ilèkʃəníəriŋ] *n.* (선거의) 사전 운동

preem [prí:m] *n., vt., vi.* (미 속어) = PREMIERE

pree·mie, pre·mie, pree·my [prí:mi] [*pre*mature+-*ie*] *n.* (미·구어) 조산아(早産兒) (preterm), 미숙아

pre·em·i·nence [priémənəns, pri:-] *n.* Ⓤ [또는 a ~] 발군(拔群); 탁월, 걸출: bad ~ 악평

pre·em·i·nent [priémənənt, pri:-] *a.* 걸출한, 뛰어난 《*in*》; 현저한 **~·ly** *ad.*

pre·em·pha·sis [pri:émfəsis] *n.* 〔전자〕 프리엠퍼시스 《잡음을 줄이기 위해 특정 주파수의 진폭을 높여 송신하는 조작》

pre·em·ploy·ment [prì:implɔ́imənt] *a.* 고용[채용] 전에 필요한: a ~ medical exam 채용 전 건강진단

pre·empt [priémpt, pri:-] *vt.* **1** 선매권에 의하여 획득하다 **2** (미) 〈공유지를〉 선매권을 얻기 위해 점유하다 **3** 먼저 차지하다, 선취하다 **4** 〈예상 되었던 사태를〉 (먼저 행동한 일에 따라) 회피하다 **5 a** (문어) 대신하다 **b** 〈텔레비전·라디오에서 정기 프로를〉 바꾸다 **6** 자기를 위해 이용하다, 사물화(私物化)하다 **7** 〔카드〕 끗수를 올려 불러 상대편을 맞서지 못하게 하다

pre·emp·tion [priémpʃən, pri:-] *n.* Ⓤ **1 a** 선매(권), 우선 매수권; 선취 **b** (미) 공유지의 선매권 행사 **c** 사물화(私物化) **2** 전쟁국에 보내는 군수품의 매수권(행사) **3** 선제 공격

pre·emp·tive [priémptiv, pri:-] *a.* **1** 선매의, 선매권이 있는: (a) ~ right 선매권 **2** 〔군사〕 선제의: a ~ strike 선제 공격 **3** 〔카드〕 선제의 《상대편을 꺾기 위하여 끗수를 올려 부르는》 **4** 우선권이 있는, 우선적인 **~·ly** *ad.*

preémptive múltitasking 〔컴퓨터〕 선점(인터럽트형) 다중 작업

preémptive stríke = PREVENTIVE WAR

pre·emp·tor [priémptər, -tɔ:r] *n.* 선매권 획득[소유]자

preen¹ [prí:n] [prune의 변형] *vt.* **1** 〈동물이 털을〉 혀로 정리하다[다듬다]; 〈날개를〉 부리로 다듬다 **2** [~ one*self* 로] 모양내다, 몸치장하다 **3** [~ one*self* 로] 의기양양해 하다, 기뻐하다 —*vi.* **1** 〈사람이〉 모양내다 **2** 의기양양하다, 만족하며 기뻐하다 **3** 〈새가〉 날개를 다듬다

preen² *n.* (주로 스코) (옷을 가봉할 때 꽂는) 핀, 브로치 —*vt.* 핀으로 가봉하다

pre·en·gage [prì:ingéidʒ] *vt.* **1** 예약[선약]하다 **2** …의 선입관이 되다 **3** 선취하다; (결혼의) 선약으로 묶어두다; …의 마음을 기울게 하다
~·ment *n.* 예약, 선약

pre·en·gi·neered [prì:endʒiníərd] *a.* 조립식 규격 단위로 짓는, 조립식을 이용한 〈건물〉

pre-Eng·lish [pri:íŋgliʃ] *n.* 고대 게르만 어의 한 방언 《영어의 모어(母語)에 해당함》

pre·es·tab·lish [prì:istǽbliʃ] *vt.* 미리 설립[제정]하다; 예정하다

pre·es·táb·lished hármony [prì:istǽbliʃt-] 〔철학〕 예정 조화 《Leibniz 철학의 근본 원리》

pre·ex·am·ine [prì:igzǽmin] *vt.* 미리 조사[시험, 검사]하다 **pre·ex·am·i·na·tion** [-æ̀mənéiʃən] *n.*

pre·ex·il·i·an [prì:egzíliən], **-il·ic** [-ílik] *a.* (유대인의) Babylon 유수 이전의

thesaurus **predominant** *a.* controlling, ascendant, ruling, leading, principal, chief, main

pre·ex·ist [prì:igzíst] *vi.* **1** 〈사람이〉 전세(前世)에 존재하다 **2** 〈영혼이〉 육체와 함께 있기 전에 존재하다, 선재(先在)하다 **—** *vt.* …보다 전에 존재하다

pre·ex·is·tence [prì:igzístəns] *n.* Ⓤ **1** (영혼의) 선재 **2** (어떤 일의) 전부터의 존재; 미리 존재하기
-tent [-tənt] *a.*

pref. preface; prefatory; prefecture; preference; preferred; prefix

pre·fab [prí:fæ̀b] [*pref*ab*ricated building* [house]] 《구어》 *n.* 조립식 가옥, 프리패브 (주택)
— *a.* 조립식의 **—** [⌐⌐] *vt.* (**~bed**; **~·bing**) 〈가옥을〉 조립식으로 짓다

pre·fab·ri·cate [pri:fǽbrikèit] *vt.* **1** 사전에[미리] 만들다[제조하다] **2** 조립식의 각 부분을 맞추어 〈집을〉 짓다

pre·fab·ri·cat·ed [prì:fǽbrikeitid] *a.* 〈특히 건물이〉 조립식의 《부분별로 미리 만들어진》: a ~ house 조립식 주택

pre·fab·ri·ca·tion [prì:fæbrikéiʃən] *n.* Ⓤ 미리 만들어 냄; 조립식 가옥의 부분품 제조

‡pref·ace [préfis] [L 「미리 말하다」의 뜻에서] *n.* **1** 서문, 서언, 머리말(⇨ introduction 유의어) 《*to*》: write a ~ *to* a book 책의 머리말을 쓰다 **2** (연설 따위의) 서론, 머리말 《*to*》 **3** 전제, 계기, 발단 **4** 〖가톨릭〗 감사송(誦) ***proper*** **~** 〖영국국교〗 성찬 서식(序式)
— *vt.* **1** 〈책 등에〉 서문을 쓰다 《*by, with; by doing*》 **2** 〈사건 등이〉 …의 단서가 되다, …의 발단이 되다; 〈말·글 등을〉 (…으로) 시작하다: 《~+목+전+명》 He ~*d* his speech *with* an apology. 그는 먼저 사과를 하고 연설을 시작했다.
— *vi.* 서문을 쓰다, 미리 일러두다
▷ prefatórial, préfatory *a.*

pre·fade [pri:féid] *vt.* (패션 효과를 내기 위해) 〈새 옷감·옷을〉 탈색하다, 일부러 색을 날게 하다

pref·a·to·ry [préfətɔ̀:ri | -təri], **pref·a·to·ri·al** [prèfətɔ́:riəl] *a.* 서문의, 머리말의

prefd. preferred (stock)

pre·fect [prí:fekt] *n.* **1** 〖로마사〗 장관, 제독, 사령관 **2** (프랑스·이탈리아의) 지사; 장관 **3** 《주로 영》 (public school의) 감독생, 반장 《다른 학교의 monitor에 해당함》 ***the ~ of police*** (파리의) 경찰 국장
pre·fec·to·ri·al [prì:fektɔ́:riəl] *a.*

‡pre·fec·ture [prí:fektʃər | -tʃùə, -tʃə] [L 「장관(prefect)의 직」의 뜻에서] *n.* **1** UC prefect의 직[관할권, 임기] **2** 도(道), (로마 제국·프랑스·일본 등의) 현(縣) **3** 도청, 현청; 지사 관사
pre·fec·tur·al [priféktʃərəl] *a.*

‡pre·fer [prifə́:r] [L 「앞에 두다」의 뜻에서] *vt.* (**~red**; **~·ring**) **1** 오히려 …을 좋아하다, 차라리 …을 취하다: Which do you ~, this or that? 이것과 저것 가운데 어느 것이 더 좋습니까? // 《~+목+전+명》 I ~ spring *to* fall. 나는 가을보다 봄이 더 좋다. / I ~ this *above*[*over*] all others. 다른 어느 것보다 이것이 좋다. // 《~+*-ing*》 I much ~ play*ing* in the open air (*to* reading indoors). (집에서 독서하기보다) 밖에서 놀기가 훨씬 좋다. // 《~+***to*** do》 I ~ *to* start early. 일찍 출발하는 편이 낫다. // 《~+목+***to*** do》 《~+***that*** 절》 I ~ you *to* wait here. = I ~ *that* you (should) wait here. 당신은 여기서 기다리는 게 좋겠다. // 《~+목+***done***》 She ~*red* the eggs *boiled*. 그녀는 삶은 달걀을 더 좋아했다.
USAGE *prefer* A *to* B의 구조에서 A, B의 위치에 *to* do를 쓰고자 할 경우에는 전치사 to 대신에 rather than을 씀: He ~*s to* read *rather than* (*to*) watch television. 그는 텔레비전을 보기보다는 독서 쪽을 택한다.
2 〖법〗 〈채권자에게〉 우선권을 주다 **3** 〈청구·소송·권리·요구 등을〉 (법원 등에) 제출[제기]하다: 《~+목+전+명》 ~ a charge *against* an offender 법을 어긴 자를 고소하다 **4** 《문어》 등용하다, 발탁하다, 승진시키다; 임명하다: 《~+목+전+명》 ~ an officer *to* the rank of general 장교를 장군으로 승진시키다
~·rer *n.* ▷ préference *n.*

***pref·er·a·ble** [préfərəbl] *a.* (…보다) 오히려 나은, 보다 바람직한, 고를 만한, 선택하고 싶은 《*to*》: Which of the two colors is ~? 그 두 색 중 어느 쪽이 더 마음에 드십니까? **prèf·er·a·bíl·i·ty** *n.* **-bly** *ad.* 더 좋아하여, 오히려, 가급적(이면)

‡pref·er·ence [préfərəns] *n.* **1** UC [또는 a ~] 더 좋아함, 선택 《*of* A *to*[*over, above*] B》; 편애 《*for*》: a matter of ~ 선호의 문제 **2** 더 좋아하는 물건, 선택물: Which is your ~, coffee or tea? 커피와 차 중 어느 것을 더 좋아하십니까? **3** UC 〖법〗 (배당·유산 따위의) 우선(권), 선취권 **4** 〖경제〗 (국제 무역에서) 특혜, 차등: offer[afford] a ~ 우선권[특혜]을 주다 / ~ treatment 특혜 대우 / Imperial *P*~ 대영 제국 내 특혜 관세 ***have a ~ for*** …을 더 좋아하다, …을 선택하다 ***have the ~*** 선택되다 ***give***[***show***] (***a***) ***~ to*** …쪽에 손들어[편들어] 주다; …에게 특혜를 주다 ***in ~ to*** …에 우선하여, …보다는 오히려
▷ prefér *v.*; preferéntial *a.*

préference bònd 《영》 우선 정부 공채

préference stòck[**shàre**] 《영》 우선주(《미》 preferred stock)

pref·er·en·tial [prèfərénʃəl] *a.* Ⓐ **1** 우선의, 선취권이 있는: ~ right 선취 특권, 우선권 / ~ treatment 우대 **2** 선택적인, 차별적인, 우위의: a ~ hiring system 조합원 우선 고용 제도 **3** 〈관세법 등이〉 특혜의; 《영》 영국과 그 자치령에 특혜를 주는
~·ism *n.* Ⓤ 특혜(주의) **~·ist** *n.* 특혜론자 **~·ly** *ad.*

preferéntial shóp 〖사회〗 노동조합원 우대 공장, 노동조합 특약 공장

preferéntial táriff 특혜 관세

preferéntial vóting 선택 투표(제), 순위 지정 연기 투표

pre·fer·ment [prifə́:rmənt] *n.* Ⓤ **1** 승진, 승급; 발탁 **2** 고위, 윗자리

pre·ferred [prifə́:rd] *a.* **1** 선취권 있는, 우선의 **2** 발탁된, 승진한

preférred posítion 〖광고〗 게재 지정 위치 《보통 특별 요금을 지불; premium position이라고도 함》

preférred stóck 《미》 우선주(株)(《영》 preference stock[share])

pre·fight [pri:fáit] *a.* 경기 전의

pre·fig·u·ra·tive [pri:fígjurətiv] *a.* **1** 예시하는; 예상의 **2** 젊은 세대의 가치가 중시되는 사회의[를 나타내는] **~·ly** *ad.*

pre·fig·ure [pri:fígjər | -gə] *vt.* **1** …의 형상을 미리 나타내다, 예표[예시]하다 **2** 예상하다 **~·ment** *n.*

‡pre·fix [prí:fiks] [L 「앞에 붙이다」의 뜻에서] *n.* **1** 〖문법〗 접두사 **2** 성명 앞에 붙이는 경칭 《Sir, Mr. 등》; (전화의) 시내 국번(cf. AREA CODE)
— *vt.* **1** 접두사를 붙이다 《*to*》 **2** 앞에 놓다[두다], 〈서문·표제 등을〉 앞에 붙이다 《*to*》 **3** 《드물게》 미리 결정하다[임명하다] **~·al** *a.* 접두사의, 접두사를 이루는

pre·fix·ion [pri:fíkʃən] *n.* Ⓤ 접두사를 붙임

préfix notàtion 〖수학·컴퓨터〗 접두(接頭) 부호 표현

pre·fix·ture [pri:fíkstʃər] *n.* **1** Ⓤ 접두사를 붙임 **2** 서문; 접두사

pre·flight [pri:fláit] *a.* 비행 전의[전에 일어나는], 비행에 대비한

pre·form [pri:fɔ́:rm] *vt.* 미리 형성[결정]하다
— *n.* [⌐⌐] 예비적 형성품

pre·for·ma·tion [prì:fɔ:rméiʃən] *n.* Ⓤ **1** 미리 형성함 **2** 〖생물〗 예조(豫造)설, 전성(前成)설(opp. *epigenesis*)

pre·for·ma·tive [pri:fɔ́:rmətiv] *a.* **1** 미리 형성하는 **2** 〖언어〗 (단어 형성의 요소로서) 접두(接頭)된 〈음절·문자〉 **—** *n.* 접두 요소

---

prefer *v.* like better, favor, incline toward, go for, select, choose, pick

pre·fron·tal [pri:frʌ́ntl] *a.*, *n.* 〚해부〛 전액골(前額骨)의 앞에 있는 (부분), 전두엽(前頭葉) 전부(前部)(의)

preg [prég] *a.* 《구어》 임신한(pregnant)

pre·ga·lac·tic [prìgəlǽktik] *a.* 〚천문〛 〈천체 등이〉 성운(星雲) 형성 이전의

pre·gen·i·tal [pri:dʒénətl] *a.* 전성기기(前性器期)의: the ~ period 〚정신분석〛 전성기기

preg·gers [prégərz] *a.* 《영·속어》 임신[수태]한(pregnant)

pre·gla·cial [pri:gléiʃəl] *a.* 〚지질〛 빙하기 전의 — *n.* 빙하기 이전

preg·na·ble [prégnəbl] *a.* **1** 정복할 수 있는, 점령하기 쉬운 **2** 공격할 수 있는[받기 쉬운], 약점이 있는: a ~ argument 논거[근거]가 약한 논의 **prèg·na·bíl·i·ty** *n.*

preg·nan·cy [prégnənsi] *n.* Ⓤ **1** 임신; 임신 기간 **2** 함축, 의미 심장 **3** 풍부; 내용 충실

prégnancy tèst 임신 검사

***preg·nant** [prégnənt] [L 「태어나기 전의」의 뜻에서] *a.* **1** 〈사람·포유 동물이〉 임신한 《*of*, *with*》: be six months ~ 임신 6개월이다 **2** Ⓟ 충만한 《*with*》; 가득 채워진 **3** 《고어·시어》 다산(多産)의, 풍요한(prolific): a ~ year 풍년 **4** Ⓐ 의미심장한, 시사적인; 〚수사학〛 함축성 있는; 용이하지 않은 **5** Ⓐ 《문어》 창의력[연구심]이 풍부한; 지략이 풍부한; 가능성이 충분한 **~·ly** *ad.* ▷ prégnancy *n.*

prégnant róller skàte 《미·속어》 폴크스바겐 차(車)(Volkswagen)

pre·heat [pri:hí:t] *vt.* 〈조작에 앞서 오븐 등을〉 미리 뜨겁게 하다, 예열하다 **~·er** *n.*

pre·hen·si·ble [prihénsəbl] *a.* 파악할 수 있는

pre·hen·sile [prihénsl, -sail | -sail] *a.* **1** 〚동물〛 〈발·꼬리 등이〉 물건을 잡기에 적합한, 잡는 힘이 있는 **2** 〈사람이〉 이해력이 있는 **3** 탐욕스러운 **pre·hen·sil·i·ty** [pri:hensíləti] *n.*

pre·hen·sion [prihénʃən] *n.* Ⓤ 〚동물〛 **1** 포착(捕捉), 파악(把握) **2** 이해, 터득

***pre·his·tor·ic, -i·cal** [prì:*h*istɔ́:rik(əl) | -tɔ́r-] *a.* **1** 유사(有史) 이전의, 선사(先史)의 **2** 《경멸·익살》 아주 옛날의, 구식의, 고풍의 **-i·cal·ly** *ad.* ▷ prehístory *n.*

pre·his·to·ry [pri:hístəri] *n.* **1** ⓊⒸ 유사 이전(의 사건); 선사 시대; 선사학(先史學) **2** [a ~] (…의) 전사(前史), 경위, 전말 《*of*》

pre·hom·i·nid [pri:hámənid | -hɔ́m-] *n.* **1** 선행(先行) 인류 《Prehominidae과(科)의 영장류(靈長類)》 **2** 《일반적으로》 인류의 선조라고 여겨졌었던 멸종한 영장류 — *a.* 선행 인류의

pre·hor·mone [pri:hɔ́:rmoun] *n.* 〚생화학〛 전(前)[전구(前驅)] 호르몬

pre·hos·pi·tal [pri:háspitl | -hɔ́s-] *a.* (병원에) 입원하기 전의

pre·hu·man [pri:hjú:mən] *a.*, *n.* 인류 (출현) 이전의 (동물)

pre·ig·ni·tion [prì:igníʃən] *n.* Ⓤ (내연 기관의) 조기 점화(早期點火)

pre·im·plan·ta·tion [prì:implæntéiʃən | -plɑ:n-] *a.* 〚의학〛 (수정란의) 착상 전의

pre·in·duc·tion [prì:indʌ́kʃən] *a.* (군대에) 징집되기 이전의, 입대 전의

pre·in·dus·tri·al [prì:indʌ́striəl] *a.* 산업화 이전의; 산업 혁명 전의

pre·in·form [prì:infɔ́:rm] *vt.* 미리 알리다[정보를 주다] **prè·in·for·má·tion** *n.*

pre-in·stall [prì:instɔ́:l] *vt.* = PRELOAD

pre·in·va·sive [prì:invéisiv] *a.* 〚병리〛 〈악성 세포 따위가〉 조직 침투 전의, 전이(轉移) 전의

pre·judge [pri:dʒʌ́dʒ] *vt.* **1** 미리 판단하다; 조급한 판단을 내리다 **2** 심리하지 않고 판결하다 **~·ment** *n.*

pre·ju·di·ca·tion [pri:dʒù:dəkéiʃən] *n.* **1** Ⓤ 예단(豫斷), 속단 **2** 〚법〛 판례(判例)

‡prej·u·dice [prédʒudis] [L 「미리 내린 판단」의 뜻에서] *n.* **1** ⓊⒸ 편견, 선입관; 나쁜 감정, 적대감: a person of strong ~*s* 편견이 강한 사람

> 유의어 **prejudice** 한쪽으로 치우친 생각을 말하는데 종종 잘못된, 또는 근거 없는 선입관에 대해 쓰이는 경우가 많다. **bias** 좋은 경우에도 나쁜 경우도 다같이 쓰인다.

2 Ⓤ 〚법〛 침해, 손상(injury); 불이익, 손해 ***have a ~ against*** [***in favor of***] …을 까닭 없이 싫어하다[두둔하다] ***in*** [***to the***] ***~ of*** …의 침해[손상]가 되게 ***without ~*** 편견 없이; 〚법〛 기득권을 침해하지 않고 《*to*》; (…을) 해치지[손상하지] 않고 《*to*》
— *vt.* **1** 편견을 갖게 하다, 선입관을 갖게 하다 《*against*》 **2** 〚법〛 〈권리·이익 등을〉 해치다, …에게 손해를 주다, 손상시키다

prej·u·diced [prédʒudist] *a.* 선입관[편견]을 가진, 편파적인, 불공평한: a ~ opinion 편견 **~·ly** *ad.*

prej·u·di·cial [prèdʒudíʃəl] *a.* **1** 편견을 갖게 하는; 편파적인 **2** 침해가 되는, 불리한(hurtful) 《*to*》: a ~ error 〚법〛 불리한 이유에 의한 오판(誤判) / ~ *to* one's interest …에게 불리한 **~·ly** *ad.*

pre-kin·der·gar·ten [pri:kíndərgɑ̀:rtn] *a.* 유치원에 들어가기 전 어린이의; 유치한

prel·a·cy [préləsi] *n.* (*pl.* **-cies**) **1** 고위 성직자 제도[직무] **2** 고위 성직자의 위계[계급] **3** [the ~; 집합적] 고위 성직자들 **4** 《때로 경멸》 감독제 《고위 성직자에게 복종하는 교회 관리 조직》

pre·lap·sar·i·an [prì:læpsέəriən] *a.* 타락 전의, (특히 Adam과 Eve의 죄로) 인류가 타락하기 전의

***prel·ate** [prélət] *n.* **1** 고위 성직자 《bishop, archbishop 등》 **2** 〚역사〛 대수도원장(abbot), 소수도원장(prior) **~·shìp** *n.* Ⓤ 그 직[직위] ▷ prelátic *a.*

prélate nul·lí·us [-nu:lí:əs] (*pl.* **~s, ~**) 〚가톨릭〛 면속(免屬) 고위 성직자 《어떤 교구에도 속하지 않고, 독자적 지구(地區)를 관할함》

prel·at·ess [prélətis] *n.* 여자 대수도원장

pre·lat·ic, -i·cal [prilǽtik(əl)] *a.* 고위 성직자(제도)의 **-i·cal·ly** *ad.*

prel·a·tism [prélətìzm] *n.* Ⓤ 《경멸》 (교회의) 주교[감독] 제도[정치] (지지) **-tist** *n.*

prel·a·ture [prélətʃər, -tʃùər | -tʃə, -tjùə] *n.* **1** Ⓤ 고위 성직자의 신분[위엄, 성직록, 관할구] **2** [the ~; 집합적] 고위 성직자들

pre·launch [pri:lɔ́:ntʃ] *a.* 〚우주과학〛 〈우주선 등이〉 발사 준비 중의, 발사 준비 단계의

pre·law [pri:lɔ́:] *n.*, *a.* 《미》 법학부(law school) 입학 준비(중)(의), 법학부 지망(의)

pre·lect [prilékt] *vi.* (특히 대학 강사로서) 강의하다, 강연하다 《*to*, *on*》

pre·lec·tion [prilékʃən] *n.* (대학 강사로서의) 강의

pre·lec·tor [priléktər] *n.* (특히 대학의) 강사(lecturer)

pre·li·ba·tion [prì:laibéiʃən] *n.* ⓊⒸ 시식(試食)

pre·lim [prí:lim, prilím] [*prelim*inary] *n.* **1** [보통 *pl.*] 《구어》 예비 시험 (preliminary examination); (경기 등의) 예선, (권투의) 오픈 게임 **2** [*pl.*; 보통 the ~s] 《영·구어》 (책의) 앞붙이 《본문 앞의 페이지》 — *a.* = PRELIMINARY

prelim. preliminary

‡pre·lim·i·nar·y [prilímənèri | -nəri] [L 「문지방 앞에서」의 뜻에서] *a.* 예비적인, 준비의; 서문의; 임시의; 시초의: a ~ examination 예비 시험(《구어》 prelim) / a ~ notice 예고(豫告) / ~ expenses 〚상업〛 창업비(創業費) / a ~ hearing 〚법〛 예심(豫審) /

thesaurus **prejudice** *n.* partiality, bias, prejudgment, preconception, discrimination, preference, unfairness, unjustness, racism, sexism

~ remarks 서문, 머리말 ~ ***to*** …에 앞서서, 전에
—*n.* (*pl.* **-nar·ies**) [보통 *pl.*] **1** 사전 준비, 예비 행위; 서두, 서론, 서문 《*to*》 **2** 《영》 예비 시험; 《스코》 모의 시험 **3** (복싱 따위의 운동 경기에서) 주 경기 이전에 펼쳐지는 개막 경기 **4** [*pl.*] 《영》 본문 앞의 페이지 (front matter) ***without preliminaries*** 단도직입적으로, 군말을 빼고 바로
prè·lim·i·nár·i·ly *ad.*

pre·lin·gual [priːlíŋgwəl] *a.* 언어 사용 이전의

pre·lit·er·ate [priːlítərət] *a.* 문자 사용 이전의, 문헌 이전의 〈민족〉 —*n.* 문자를 모르는 사람

pre·load [prìːlóud] *n.*, *vt.* 미리 설치함[하다]

pre·loved [priːlʌ́vd] *a.* 전(前) 소유주가 극진히 사랑한[아꼈던] 〈집·물건·애완동물 등〉 《광고문에 씀》

*__prel·ude__ [prélju:d, préiljuːd, príːluːd] [L 「앞서 연주하다」의 뜻에서] *n.* **1** 〖음악〗 **전주곡**, 서곡 **2** (중요한 행동·사건 등의) 전조 《*to*》 **3** 준비[예비] 행위; 서막; 서두, 서문, 머리말; (시가의) 도입부 《*to, of*》
—*vt.*, *vi.* **1** …의 선도[전구(前驅)]가 되다; …의 전조[조짐]가 되다 《*to*》 **2** …의 전주곡이 되다, 서곡을 연주하다 **3** 서두를 꺼내다 **prel·ud·er** *n.* **pre·lu·di·al** *a.* **pre·lu·di·ous** *a.* ▷ prelúsive *a.*

pre·lu·sion [prilúːʒən | -ljúː-] *n.* = PRELUDE

pre·lu·sive [prilúːsiv | -ljúː-] *a.* **1** 서곡의; 서막의; 서언의 《*to*》 **2** 선구[전조]가 되는

prem. premium

pre·ma·lig·nant [prìːməlígnənt] *a.* 〖병리〗 악성이 되기 전의, 전암(前癌) 상태의(precancerous)

pre·man [príːmǽn, ⌐⌐] *n.* = PREHOMINID

pre·mar·i·tal [priːmǽrətl] *a.* 결혼 전의, 혼전의 **~·ly** *ad.*

*__pre·ma·ture__ [prìːmətjúər, príːmətʃùər | prèmətjúə, -tʃùə] *a.* **1** **조숙한**, 올된; 시기상조의, 조급한, 너무 이른; 때 아닌: a ~ death 요절 **2** 조산의: a ~ birth[baby] 조산[조산아]
—*n.* **1** 조산아 **2** (포탄의) 조발(早發)
~·ly *ad.* ▷ prematúrity *n.*

prematúre delívery 조산 《임신 28주 이후; cf. MISCARRIAGE》

pre·ma·tu·ri·ty [prìːmətjúərəti | prèmətjúər-] *n.* Ⓤ **1** 조숙; 철 이른 개화(開花) **2** 시기상조(의 조치) **3** 조산

pre·med [priːméd] *n.* **1** 《구어》 의학부 예과 (학생) **2** = PREMEDICATION —*a.* = PREMEDICAL

pre·med·ic [priːmédik] *n.* = PREMED

pre·med·i·cal [priːmédikəl] *a.* 의과 대학 예과의

pre·med·i·ca·tion [prìːmedikéiʃən] *n.* Ⓤ 〖외과〗 예비 마취; Ⓒ 그 약

pre·med·i·tate [priːmédətèit, pri-] *vt.*, *vi.* 미리 숙고[계획]하다, 미리 꾀하다 **-tà·tor** *n.*

pre·med·i·tat·ed [priːmédətèitid] *a.* 미리 계획된, 사전 모의한, 계획적인: (a) ~ murder[homicide] 모살(謀殺), 계획적 살인 **~·ly** *ad.*

pre·med·i·ta·tion [prìːmedətéiʃən] *n.* Ⓤ **1** 미리 생각[계획]함 **2** 〖법〗 예모(豫謀), 고의

pre·med·i·ta·tive [priːmédətèitiv | -tətiv] *a.* 사려 깊은; 계획적인

pre·mei·ot·ic [prìːmaiɑ́tik | -ɔ́t-] *a.* 〖생물〗 (세포핵의) 감수 분열 전의, 환원 분열 개시 전의

pre·men·stru·al [priːménstruəl] *a.* 월경(기) 전의: ~ tension 월경 전의 긴장 증상 《두통·골반의 불쾌 등; 略 PMT》 **~·ly** *ad.*

preménstrual sỳndrome 〖병리〗 월경 전 증후군 《略 PMS》

pre·met·ro [priːmétrou] *n.* (*pl.* **~s**) 프리메트로, 시내 전차용 지하도, 지하 전차도(電車道) 《일반적인 지하철과는 다름》

---

preliminary *a.* introductory, prior, preparatory
premature *a.* too soon, too early, untimely, hasty, precipitate, immature, underdeveloped

---

‡**pre·mier** [primjíər, príːmiər | prémjə, -miə] [L 「제1(의)의」 뜻에서] *n.* **1** [종종 **P~**] (영국·영국령 식민지의) **수상**, 국무총리(prime minister): the *P~s'* Conference 영연방 수상 회의 **2** (캐나다·호주의) 주지사 **3** 일등 항해사
—*a.* Ⓐ **1** 1위[등]의, 첫째의, 으뜸의, 최상의: a ~ hotel 최고급 호텔 **2** 최초의; 최고참의
take [***hold***] ***the ~ place*** 수위[수석]를 차지하다

pre·mier dan·seur [primjei-dɑːnsə́ːr] [F= first dancer(남성형)] (*pl.* **pre·miers dan·seurs**) (발레단의) 남성 주역 무용수

pre·miere, pre·mière [primíər, -mjɛ́ər | prémiɛ̀ə, -miə] [F =first] *n.* **1** (연극의) 초일, 첫날, 초연; (영화의) 특별 개봉 **2** 주연 여배우
—*vt.* 초연을 하다 —*vi.* **1** 초연을 하다 **2** 처음으로 주연을 하다 —*a.* **1** 최초의; 주요한: a ~ showing 초연 **2** 주연 여배우의

pre·mière dan·seuse [prəmjei-dɑːnsə́ːz] [F= first dancer(여성형)] (*pl.* **pre·mières dan·seuses**) (발레단의) 주역 여성 무용수

Prémier Léague [the ~] (잉글랜드 축구의) 1부 리그, 프리미어 리그

premi·er·ship [primjíərʃip, príːm- | prémjə-, -miə-] *n.* **1** 수상의 임기[지위] **2** [종종 **P~**] (잉글랜드·웨일스의) 프로 축구 1부 리그

pre·mil·le·nar·i·an [prìːmilənɛ́əriən] *n.*, *a.* 전(前) 천년 왕국설의 신봉자(의)

pre·mil·len·ni·al [prìːmiléniəl] *a.* 천년 지복기(至福期) 전의, 그리스도 재림 이전의; 현세의(cf. POSTMILLENNIAL) **~·ìsm** *n.* Ⓤ 천년 지복기(millennium) 전에 그리스도가 재림한다는 설

*__prem·ise__ [prémis] [「앞에 놓인」의 뜻에서] *n.* **1** 〖논리〗 **전제**: a major[minor] ~ 대[소]전제 **2** [*pl.*] 토지, 부동산 **3** [*pl.*] 건물이 딸린 토지, 구내; 건물, 점포(내): business ~*s* 사업장 / Keep off the ~*s*. 구내 출입 금지. **4** [*pl.*] 전술한 말; [the ~] 〖법〗 기술 사항(旣述事項), 전기(前記) 재산 ***to be drunk*** [***consumed***] ***on*** [드물게 ***in***] ***the ~s*** 가게 안에서 마셔야 할(cf. ON-LICENSE)
—[primáiz] *vt.* 서두[전제]로서 말하다
—*vi.* 전제로 하다, 조건으로 하다

prem·ised [prémist] *a.* 《문어》 (…에) 근거한, 기초한 《*on, upon*》

prem·iss [prémis] *n.* = PREMISE

*__pre·mi·um__ [príːmiəm] [L 「보수」의 뜻에서] *n.* **1** 할증금(割增金); 〖경제〗 초과 구매력; (증권의) 액면 초과액, 프리미엄(cf. DISCOUNT) **2** (경쟁 등의) 상(賞), 상금, 상품, 상장; 특별 상여금; 보수; 장려금 **3** 보험료, 할부금 **4** 수수료, 이자 **5** 사례금, 수업료
at a ~ 프리미엄이 붙어, 액면 이상으로; 수요가 많은, 진귀한 ***put a ~ on*** 〈사람이〉 …을 중시하다, 높이 평가하다; …을 유리하게 하다, …을 장려하다, …을 유발하다 ***there is a ~ on*** …이 장려되다, 중요하다
—*a.* 특히 우수한, 〈상품이〉 고급의, 값비싼

prémium càrd (신용 카드의) 프리미엄 카드, 골드 카드 《회비는 비싸지만 특전이 많음》

prémium lòan (생명 보험의) 보험료 대체 대부

prémium nòte 보험료 지불 약속 어음

prémium ráte 할증 요금, 특별 요금: a ~ number[line] 할증 요금 전화번호[전화선]

Prémium (**Sávings**) **Bònd** 《영》 할증금이 붙은 채권 《이자 대신 추첨에 의한 상금이 나옴》

pre·mix [priːmíks] *vt.* 사용 전에 혼합하다
—*n.* 미리 섞어 놓은 것 **~·er** *n.*

pre·mod·i·fi·er [prìːmɑ́dəfaiər | -mɔ́d-] *n.* 〖문법〗 선행 수식어 《수식어가 피수식어 앞에 오는》(cf. MODIFIER, POSTMODIFIER)

pre·mo·lar [priːmóulər] *n.*, *a.* 소구치(小臼齒)(의), 작은 어금니(의)

pre·mon·ish [primɑ́niʃ | -mɔ́n-] *vt.*, *vi.* 《드물게》 미리 경고하다(forewarn), 예고하다 **~·ment** *n.*

pre·mo·ni·tion [prìːmənǽʃən, prèm-] *n.* **1** 징후, 전조(foreboding); 예감 **2** 미리 주의[경계, 통고]하는 일, 예고

pre·mon·i·tor [primɑ́nətər | -mɔ́n-] *n.* 예고자; 징후, 전조; 예감

pre·mon·i·to·ry [primɑ́nətɔ̀ːri | -mɔ́nitəri] *a.* **1** 예고의; 전조의 **2** 〖의학〗 전구적(前驅的)인: ~ symptoms 전구 증상 **pre·mòn·i·tó·ri·ly** *ad.*

pre·mo·tion [priːmóuʃən] *n.* 인간의 의지를 결정하는 신의 행위, 신에 의한 인간 행동의 사전 결정, 영감(靈感)

pre·mun·dane [prìːmʌ́ndein] *a.* 세계 창조 이전의

pre·mu·ni·tion [prìːmjuníʃən] *n.* Ⓤ 예방 면역 《병원체가 이미 생체 내에 존재하기 때문에 생긴 면역》

pre·name [príːnèim] *n.* =FORENAME

pre·na·tal [priːnéitl] *a.* 태어나기 전의, 태아기(胎兒期)의 **~·ly** *ad.*

prenátal psychòlogy 〖심리〗 출생 전 심리학 《임부와 태아의 심리적 상호 작용을 해명》

pre·na·tol·o·gy [prìːneitɑ́lədʒi | -tɔ́l-] *n.* 〖심리〗 출생 전 과학 《태교(胎敎)(prenatal training)의 기초적 내용을 해명하는 학문》

pre·no·men [priːnóumen] *n.* (*pl.* **-nom·i·na** [-nɑ́mənə | -nɔ́m-], **~s**) =PRAENOMEN

pre·nom·i·nal [priːnɑ́mənl | -nɔ́m-] *a.* 〈형용사가〉 명사를 앞에서 수식하는, 관형(冠形)의

pre·nom·i·nate [priːnɑ́mənèit | -nɔ́m-] 《폐어》 *a.* 전술[기술]의, 전에 언급한
— *vt.* 전에[미리] 기술하다[언급하다]
pre·nòm·i·ná·tion *n.*

pre·no·ti·fi·ca·tion [prìːnoutəfikéiʃən] *n.* 예고

pre·no·tion [priːnóuʃən] *n.* 예상, 예지(豫知); 예감

pren·tice [préntis] *n.*, *vt.* 《고어·방언》 =APPRENTICE

pre·nu·cle·ar [priːnjúːkliər | -njúː-] *a.* 핵무기 개발 이전의

pre·nup [príːnʌp] *n.* 《미·구어》 =PRENUPTIAL AGREEMENT

pre·nup·tial [priːnʌ́pʃəl] *a.* **1** 혼전(婚前)의 **2** 〖동물〗 교미 전의

prenúptial agréement 혼전 계약[약정]

pre·oc·cu·pan·cy [priːɑ́kjupənsi | -ɔ́k-] *n.* Ⓤ **1** 선점(先占), 선취(권) **2** 몰두, 열중

***pre·oc·cu·pa·tion** [prìːɑkjupéiʃən | -ɔk-] *n.* **1** Ⓤ 선취(先取), 선점(先占) **2** Ⓤ 선입견, 편견 **3** Ⓤ (다른 일에의) 몰두, 열중, 정신이 팔려 있음 **4** 무엇보다도 중대한 일, 첫째 임무 **5** 열중[걱정]하고 있는 문제[일]

***pre·oc·cu·pied** [priːɑ́kjupàid | -ɔ́k-] *a.* **1** 몰두한, 여념이 없는, 정신이 팔린 《*with*》 **2** 선취된 **3** 〖생물〗 〈종명(種名) 등이〉 이미 사용된

***pre·oc·cu·py** [priːɑ́kjupài | -ɔ́k-] *vt.* (**-pied**) **1** 선취하다, 미리 점령하다 **2** 마음을 빼앗다, 몰두하게 하다(⇨ preoccupied 1) **3** 《고어》 …에 편견을 갖다
▷ preoccupátion, preóccupancy *n.*

pre·op·er·a·tive [priːɑ́pərətiv | -ɔ́p-] *a.* 수술 전의 **~·ly** *ad.*

pre·op·tion [priːɑ́pʃən | -ɔ́p-] *n.* 제1 선택권, 먼저 선택할 권리

pre·or·bit·al [priːɔ́ːrbitl] *a.* 궤도에 오르기 전의

pre·or·dain [prìːɔːrdéin] *vt.* 〈신·운명 등이〉 예정하다(predetermine), 미리 운명을 정하다
-or·di·na·tion [-dənéiʃən] *n.*

pre·or·dained [prìːɔːrdéind] *a.* 《문어》 (…할) 운명인, (신에 의해) 이미 정해져 있는 《*to* do》

pre·o·vi·po·si·tion [prìːouvəpəzíʃən] *a.* 〖생물〗 산란 전의

pre·ov·u·la·to·ry [priːɑ́vjulətɔ̀ːri | -ɔ́vjulèitəri] *a.* 〖생리〗 배란 전의

pre-owned [priːóund] *a.* 중고의(secondhand)

prep [prép] 《구어》 *n.* **1** =PREPARATORY SCHOOL **2** 《영》 (기숙 학교의 교사가 자리를 함께하는) 예습; 예습 시간 **3** 준비(preparation) **4** 《영》 숙제 **5** 환자에게 치료[수술] 준비를 시키는 일
— *a.* **1** 《미》 (대학에의) 입학 준비의 **2** 예비의 **3** 예비교(preparatory school)의
— *v.* (**~ped**; **~·ping**) *vi.* **1** 준비하다 **2** 예비 학교에 다니다 **3** 예비 학습을 하다, 예비 훈련을 받다
— *vt.* …에게 준비를 시키다, 대비하게 하다; 〈환자에게〉 수술 준비를 하다

prep. preparation; preparatory; prepare; preposition

pre·pack [priːpǽk] *vt.* =PREPACKAGE

pre·pack·age [priːpǽkidʒ] *vt.* **1** 〈상품·제품 등을〉 판매하기 전에 포장하다 **2** 〈여행 등을〉 패키지로 하다

pre·paid [priːpéid] *vt.* PREPAY의 과거·과거분사
— *a.* 《미》 선불한, 지불필의

‡**prep·a·ra·tion** [prèpəréiʃən] *n.* **1** ⓊⒸ 준비[예비](함); Ⓒ 준비(한 것): 《~+*to* do》 Every ~ was made *to* meet the storm. 폭풍우에 대비하여 만반의 준비가 되었다. // in (course of) ~ 준비 중에 / My ~*s* are complete. 나는 만반의 준비가 되어 있다. **2** ⓊⒸ 《영》 (기숙 학교의 교사가 자리를 함께 하는) 예습; 예습 시간 《*for*》 **3** Ⓤ (마음의) 태세, 각오 **4** Ⓤ 작성, 조제(調製); Ⓒ 작성품, 조제품, 조제약; Ⓤ (다 된) 요리, 조정 식품: medical ~*s* 조제 약품 **5** (실험·해부용 동물의) 표본, 프레파라트 **6** Ⓤ 〖음악〗 부조화음의 조정 **7** 〖종교〗 준비일 《안식일 전날》
in ~ for …의 준비로, …에 대비하여; …의 준비가 다 되어 ***make ~s*** 준비를 갖추다 《*for*》
▷ prepáre *v.*; prepáratory, prepárative *a.*

pre·par·a·tive [pripǽrətiv, -péər- | -pǽr-] *a.* 예비의 《*to*》 — *n.* 예비, 준비; 〖군사〗 준비의 신호 《북·나팔 등》 **~·ly** *ad.*

pre·par·a·tor [pripǽrətər, -péər- | -pǽr-] *n.* 《미》 **1** (과학 표본 등의) 준비자, (박물관 등의) 표본 담당자 **2** (약품 등의) 조제자

pre·par·a·to·ri·ly [pripæ̀rətɔ́ːrəli | -pǽrətər-] *ad.* 예비적으로, 준비로서

pre·par·a·to·ry** [pripǽrətɔ̀ːri, -péər- | pripǽrətəri] *a.* **1** 준비의, 예비의 《*to*》; 예습적인: ~ pleadings[proceedings] 〖법〗 준비 변론[절차] **2** 서론의, 머리말의: ~ remarks 서언 **3** (대학에의) 입학 준비의: a ~ course 준비 과목[과정] **~ *to [전치사적으로] …의 준비로서; …에 앞서, …의 앞에
— *n.* (*pl.* **-ries**) = PREPARATORY SCHOOL

prepáratory schòol **1** 《영》 (public school에의) 예비교, 사립 상급 초등학교 **2** 《미》 (대학 진학을 목적으로 한) 사립 고등학교, 대학 예비 학교

‡**pre·pare** [pripéər] [L 「미리 반듯하게 차려놓다」의 뜻에서] *vt.* **1** 준비하다, 마련하다, 채비를 갖추다 《*for*》; 준비시키다, …의 채비를 하게 하다 《*for*》: ~ a lecture 강의 준비를 하다 / ~ the table 밥상을 차리다 // 《~+목+전+명》 《~+목+목》 She ~*d* a good supper *for* us. =She ~*d* us a good supper. 그녀는 우리에게 맛있는 저녁 식사를 차려 주었다. / She ~*d* her daughter *for* the trip. 그녀는 딸에게 여행 준비를 시켰다. **2** 각오시키다 《*for*》(⇨ prepared 1): 《~+목+전+명》 ~ children *for* unhappy news 아이들에게 불행한 소식을 들을 각오를 시키다 **3** 〈약 등을〉 조제하다; 〈식사 등을〉 조리하다 **4** 입안(立案)하다, 작성하다; 기초하다; 가르쳐서 준비시키다, 준비로서 가르치다 《*for*》: 《~+목+전+명》 ~ students *for* an examination 학생들에게 시험 준비를 시키다 **5** 〖음악〗 〈불협화음을〉 완화시키다, 예비음을 넣다 **~ one*self for*** [***to*** do] …의 준비를 하다; 마음의 태세를 갖추다, …할 각오를 하다
— *vi.* 준비하다 《*for*, *against*》; 각오하다 《*for*》: 《~+전+명》 ~ *for* examinations 시험 준비를 하다 /

thesaurus **preoccupied** *a.* absorbed, engrossed, pensive, absentminded, distracted, abstracted
prepare *v.* get[make] ready, arrange, develop,

~ *against* disaster 재해에 대비하다 // 《~+**to** do》 ~ *to* climb down 하산 채비를 하다 **pre·pár·er** *n.*
▷ preparátion *n.*; prepáratory, prepárative *a.*
pre·pared [pripέərd] *a.* **1** 준비[각오]가 되어 있는; 〈의지 따위가〉 〈인체에 맞게〉 설계되어 있는 《*for*》: a ~ statement 준비된 성명 / I am ~ *for* the worst. 최악의 사태를 각오하고 있다. // 《~+**to** do》 I am ~ *to* admit my fault. 나의 잘못을 시인할 각오가 되어 있다. **2** 〈음식물이〉 조리된; 조제된
pre·par·ed·ly [pripέəridli, -pέərd-] *ad.* 준비[각오, 기대]하여; 조제하여
pre·par·ed·ness [pripέəridnis, -pέərd-] *n.* Ⓤ **1** 준비[각오](가 되어 있음) **2** 〖군사〗 전시 대비, 군비(軍備), 전비(戰備); 방어 태세; 전략 배치 《*for*》
pre·pa·ren·tal [prì:pəréntl] *a.* 부모가 되기 전의: ~ instruction 부모가 되기 위한 교육
pre·pay [pri:péi] *vt.* (**-paid**) 선불하다, 〈운임 따위를〉 미리 치르다; 〈우편 요금 따위를〉 선납하다
~·a·ble *a.* **~·ment** *n.* ⓊⒸ 선불, 선납
prepd. prepared
pre·pense [pripéns] *a.* [명사 뒤에 붙여서] 미리 숙고한; 고의의(intentional), 계획적인 ***of malice ~*** 〖법률〗 가해 의도가 있는, 범의(犯意)를 품고 **~·ly** *ad.*
prepg. preparing **prepn.** preparation
pre·pon·der·ance, -an·cy [pripándərəns(i) | -pɔ́n-] *n.* (*pl.* **~s**; **-cies**) ⓊⒸ [또는 a ~] **1** 중량[수량]에서의 능가; 다수(majority) **2** 우세, 우위 《*of*》 ***have the ~ over*** …보다 우세하다
pre·pon·der·ant [pripándərənt | -pɔ́n-] *a.* 무게가 더한; 우세한, 압도적인 《*over*》 **~·ly** *ad.*
pre·pon·der·ate [pripándərèit | -pɔ́n-] [L 「…보다 무게가 더 나가다」의 뜻에서] *vi.* **1** 다른 것보다 무게가 더 나가다 **2** 《고어》 〈저울판 따위가〉 한 방향으로 기울다 **3** 《문어》 무게[수량, 역량, 세력]가 우월하다; 주요하다, 가장 중요하다; 우세하다 《*over*》
pre·pòn·der·á·tion *n.*
pre·pone [pri:póun] *vt.* 《인도·구어》 〈계획보다〉 시간을 앞당기다
pre·pose [pri:póuz] *vt.* 〖문법〗 관련 문법 형식 앞에 위치하다(opp. *postpose*)
***prep·o·si·tion**[1] [prèpəzíʃən] [L 「앞에 두다」의 뜻에서] *n.* 〖문법〗 **전치사**
▷ prepositional, prepósitive *a.*
pre·po·si·tion[2] [prì:pəzíʃən] *vt.* 〖군사〗 〈병기·부대를〉 〈분쟁이 예상되는 지대나 그 근처에〉 사전에 전개 배치하다
prep·o·si·tion·al [prèpəzíʃənl] *a.* 〖문법〗 전치사의[적인](⇨ 문법 해설 (24)): a ~ phrase 전치사구 《in the room 또는 in front of 등》 **~·ly** *ad.*
pre·pos·i·tive [pripázətiv | -pɔ́z-] *a.* **1** 앞에 위치한 **2** 〖문법〗 전치의, 앞에 둔 **—** *n.* 〖문법〗 전치어
pre·pos·i·tor [pri:pázətər | -pɔ́z-] *n.* = PRAEPOSTOR
pre·pos·sess [prì:pəzés] *vt.* **1** 〈감정·관념이 사람에게〉 선입관을 갖게 하다 **2** 편견을 갖게 하다, 편애하게 하다 **3** [보통 수동형으로] 〈인물·태도·얼굴 등이〉 좋은 인상을 주다, 호감을 갖게 하다; 마음을 사로잡다 (⇨ prepossessed) **~·ing** *a.* 귀염성 있는, 매력 있는; 호감을 주는; 편견을 갖게 하는
pre·pos·sessed [prì:pəzést] *a.* **1** 선입관을 가진 **2** 사로잡힌, 열중한; 호감을 가진 《*by, with*》: He is ~ *with* a queer idea. 저 친구는 묘한 생각에 사로잡혀 있다. / I am ~ *by* his manners. 그의 태도에 호감을 갖고 있다.
pre·pos·ses·sion [prì:pəzéʃən] *n.* **1** 선입관, 호감, 《특히》 편애, 두둔 **2** 《고어》 먼저 가짐
pre·pos·ter·ous [pripástərəs | -pɔ́s-] [L 「뒤 부분이 앞이 되어」의 뜻에서] *a.* **1** 앞뒤가 뒤바뀐 **2** 터무니없는(absurd), 도리에 맞지 않는, 비상식적인 **3** 불합리한 **~·ly** *ad.* **~·ness** *n.*
pre·po·ten·cy [pri:póutnsi], **-tence** [-tns] *n.* Ⓤ **1** 우세 **2** 〖생물〗 우성 유전(력)
pre·po·tent [pri:póutnt] *a.* **1** 〈힘·권위·영향력이〉 대단히 우세한 **2** 〖생물〗 우성 유전력을 가진
prep·py, prep·pie [prépi] *n.* 《미·속어》 프레피 《prep school의 학생·졸업생; 부잣집 자식들이 많음》 **—** (**-pi·er**; **-pi·est**) *a.* 《미·속어》 미숙한; 어리석은; 프레피의
préppy[préppie] lòok 《미》 〖복식〗 프레피 룩 《복장이나 태도가 preppie풍인 패션; 고급 옷을 소탈하고 편하게 마구 입는 것이 특징》
pre·pran·di·al [pri:prǽndiəl] *a.* 식전(食前)의, 《특히》 정찬 전의: a ~ drink 식전의 음료
pre·pref·er·ence [pri:préfərəns] *a.* 《영》 〈주(株)·청구권 등이〉 최우선의
pre·preg [prí:prèg] *n.* Ⓤ 프리프레그, 수지 침투 가공재(加工材)
pre·press [prí:prés] *a.* 〖인쇄〗 **1** 인쇄 전의 모든 공정의 **2** (본인쇄 전의) 시험 인쇄의
pre·pri·ma·ry [pri:práimeri, -məri | -məri] *a.* 〖정치〗 예비 선거 전의: ~ endorsement 예비 선거 전의 지지 표명
pre·prim·er [pri:prímər] *n.* 초보 입문서
pre·print [prí:prìnt] *n.* **1** (책·잡지의) 견본 인쇄 **2** 예고(豫稿) 《강연·논문의 내용을 미리 알리기 위해 쓰는 요지》 **—** [–́] *vt.* 미리 인쇄하다
pre·pro·cess [pri:práses | -próu-] *vt.* **1** 〈자료 등을〉 미리 조사·분석하다 **2** 〖컴퓨터〗 〈데이터를〉 예비적으로 처리하다, 전(前)처리하다 **pré·prò·ces·sor** *n.* Ⓤ 전(前)처리 장치[프로그램]
pre·pro·duc·tion [prì:prədʌ́kʃən] *a.* **1** 제작 준비 단계의 **2** 생산 개시 이전의; 시작품(試作品)(prototype)의 **—** *n.* (극·영화 등의) 제작에 앞서는 시기
pre·pro·fes·sion·al [prì:prəféʃənl] *a.* 전문직을 위한 특정 연구 이전의, 전문직 개업 전의
pre·pro·gram [pri:próugræm] *vt.* 사전에 …의 프로그램을 만들다
pre·pro·hor·mone [prì:prəhɔ́:rmoun] *n.* 〖생화학〗 프리프로호르몬 《prohormone의 전구(前驅) 물질인 고분자 화합물》
prép schòol 《구어》 = PREPARATORY SCHOOL
pre·psy·chot·ic [prì:saikátik | -kɔ́t-] *n.* 〖정신의학〗 정신병의 증후가 있는 사람 **—** *a.* 정신병 걸리기 이전의
pre·pub [pri:pʌ́b] [*prepub*lication] *a.* 출판 전의, 발행일 전의
pre·pube [pri:pjú:b] *n.* 사춘기 전의 사람
pre·pu·ber·ty [pri:pjú:bərti], **pre·pu·bes·cence** [prì:pju:bésns] *n.* 사춘기 전의 시기
pre·pu·bes·cent [prì:pju:bésnt] *a.*, *n.* 사춘기 전의 시기의 (소년[소녀])
pre·puce [prí:pju:s] *n.* 〖해부〗 (음경·음핵의) 포피(包皮)(foreskin)
pre·punch [pri:pʌ́ntʃ] *vt.* …에 미리 구멍을 뚫다; 〈데이터 등을〉 미리 찍어 넣다
pre·qual·i·fy·ing [prì:kwáləfaiiŋ | -kwɔ́l-] *a.* (경기 등의) 준예선의 **prè·quál·i·fi·er** *n.*
pre·quel [prí:kwəl] *n.* (특정 연극·영화·소설 등의 이전 시기를 다루는) 속편(cf. SEQUEL)
Pre-Raph·a·el [pri:rǽfiəl | -rǽfeiəl] *a.* 〖미술〗 라파엘 이전의, 라파엘 전파(前派)의, 사실주의의
Pre-Raph·a·el·ite [pri:rǽfiəlàit, -réifi- | -rǽfəl-] *a.* = PRE-RAPHAEL
— *n.* 라파엘 전파주의자; 그 파의 화가
-it·ism *n.* 라파엘 전파 운동
Pre-Ráphaelite Bròtherhood [the ~] 라파엘 전파(前派); 사실파 《1848년에 영국의 화가 Rossetti, Millais 등이 이룩한 화파; 略 P.R.B.》

---

assemble, train, practice, exercise, warm up
prepared *a.* ready, arranged, in order, set, all set, fixed, planned, primed

pre·re·cord [prì:rikɔ́:rd] *vt.* 〈라디오·텔레비전 프로를〉 미리 녹음[녹화]하다

pre·re·cord·ed [prì:rikɔ́:rdid] *a.* 〈테이프 따위가〉 (방송·방연 전에) 녹음[녹화]하는

pre·reg·is·tra·tion [prì:redʒistréiʃən] *n.* 예비 등록 **pre·rég·is·ter** *v.*

pre·re·lease [prì:rilí:s] *n.* 예정보다 앞선 공개(물), 시사회, 사전 공연[공개]
— *a.* 일반 공개 전에 상영[상연]되는

pre·req·ui·site [pri:rékwəzit] *a.* **1** 미리 필요한 **2** (다른 과목을 취득하기 위해) 필수의, 전제가 되는, 불가결한 (*to*) — *n.* **1** 필요 조건 (*to, for, of*): A visa is still a ~ *for* travel in many countries. 많은 나라에서는 지금도 여행하는 데 비자가 꼭 필요하다. **2** (다른 과목을 취득하기 위한) 필수 과목

***pre·rog·a·tive** [prirɑ́gətiv | -rɔ́g-] [L 「남보다 먼저 묻다[물을 권리]」의 뜻에서] *n.* **1** [보통 a[the] ~] (일반적으로) 특권; 특전; 대권(大權): *the* ~ of mercy 사면권/*the* royal ~ 군주의 대권 **2** 〖로마사〗 우선 투표권; 《폐어》 우선(권)
—*a.* 특권을 가진: ~ right 특권 ★ privilege보다도 격식을 갖춘 말.

prerógative còurt 1 〖영국사〗 대주교 특권 재판소 (유언(遺言) 사건을 취급); 국왕 대권 재판소 (추밀원(Privy Court)을 통해 대권을 발동한 각종 재판소) **2** 〖미국사〗 (New Jersey주의) 유언 재판소

pres. present; presidency; president; presidential; presumptive **Pres.** Presbyterian; Presidency; President

pres·age [présidʒ] [L 「미리 느끼다」의 뜻에서] (문어) *n.* ⓊⒸ **1** 전조, 조짐(omen) **2** 육감, 예감, 기미 **3** (고어) 예언, 예상; 의미(意味) ***of evil*** ~ 불길한, 흉조의, 재수없는
— [présidʒ, priséidʒ] *vt., vi.* **1** 전조가 되다, 예언하다 **2** 육감이 들다, 예감이 들다

pre·sanc·ti·fied [pri:sǽŋktəfàid] *a.* 〈성찬용 빵·포도주가〉 미리 축성(祝聖)된

Presb. Presbyterian

presby(o)- [prézbi(ou)] 《연결형》 「노년(old age)」의 뜻 (모음 앞에서는 presby-)

pres·by·ope [prézbiòup] *n.* 노안의 사람

pres·by·o·pi·a [prèzbióupiə, près-] *n.* Ⓤ 〖병리〗 노시(老視), 노안(老眼)

pres·by·op·ic [prèzbiɑ́pik, près- | -ɔ́p-] *a.* 노시[노안]의

pres·by·ter [prézbətər, prés-] [Gk 「보다 늙은」의 뜻에서] *n.* **1** (초대 교회의) 장로 **2** (장로교회의) 장로(elder) **3** (감독 교회의) bishop과 deacon 사이에 위치하는 성직자 **4** 〖영국국교〗 사제(priest)

pres·byt·er·ate [prezbítərət, -rèit, pres-] *n.* **1** Ⓤ presbyter의 직[직위] **2** 장로회(presbytery)

pres·by·te·ri·al [prèzbətíəriəl, près-] *a.* 장로(제)의; 장로 정치의

***pres·by·te·ri·an** [prèzbətíəriən, près-] *n.* [**P~**] 장로교회파의 사람; 장로제주의자
—*a.* **1** 장로제의 **2** [**P~**] 장로교회의
~·**ism** *n.* Ⓤ 장로 제도, 장로제주의

Presbytérian Chúrch [the ~] 장로(파)교회(cf. EPISCOPAL CHURCH)

Pres·by·te·ri·an·ize [prèzbətíəriənàiz] *vt.* 장로파로 만들다, 장로 제도로 하다

pres·by·ter·y [prézbətèri, prés-] *n.* (*pl.* **-ter·ies**) **1** 〖그리스도교〗 (장로파교회의) 장로회; 장로회 관할구(區) **2** 성당의 신을 모신 곳; 사제석 (교회당의 성단 동쪽에 있는) **3** 〖가톨릭〗 사제관

pre·school [prí:skú:l] *a.* Ⓐ 취학 전의, 학령 미달의
— [ㅡㅡ] *n.* 유치원, 보육원(nursery school)

pre·school·er [prí:skú:lər] *n.* 취학 전의 아동; 보육원[유치원] 아동

pre·science [préʃəns, -ʃiəns, prí:- | présiəns] *n.* Ⓤ 예지; 선견(foresight), 혜안, 통찰

-scient *a.* 미리 아는, 선견지명이 있는 **-scient·ly** *ad.*

pre·sci·en·tif·ic [prì:saiəntífik] *a.* (근대) 과학 발생 이전의, 과학 이전의

pre·scind [prisínd] *vt.* **1** (조급하게[갑자기]) …의 일부분을 떼어내다 (*from*) **2** 떼어 생각하다, 추상하다
— *vi.* 주의를 다른 데로 돌리다 (*from*); 생각을 돌리다, 고려하지 않다

pre·score [pri:skɔ́:r] *vt.* 〖영화〗 촬영 전에 미리 〈소리·배경 음악 등을〉 녹음하다; (판지 등에) 접는 자국을 미리 내다

pre·screen [pri:skrí:n] *vt.* **1** 미리[사전에] 차단하다 **2** 시사(試寫)하다

‡**pre·scribe** [priskráib] [L 「미리 쓰다」의 뜻에서] *vt.* **1** 규정하다, 정하다; 명령하다, 지령[지시]하다(order): Do what the law ~*s.* 법이 정하는 바를 하여라. // (~+목+전+명) (~+***wh. to*** do) (~+***wh.*** 절) He always ~*s to* us *what* (we are) *to* do. 그는 항상 우리들에게 해야 할 바를 지시한다. // (~+***that*** 절) Convention ~*s that* we (should) wear black at a funeral. 관례로 장례식에서는 검은 옷을 입게 되어 있다. **2** 〖의학〗 〈약·치료법 등을〉 처방[지시]하다, 처방을 쓰다 (*for*): (~+목+전+명) The attending physician ~*s* the medicines *for* his patient. 주치의는 환자에게 약을 처방해 준다. **3** 〖법〗 시효로 하다, 시효에 의해 취득하다[무효로 하다]
—*vi.* **1** 규정하다, 지령하다 (*for*) **2** 〖의학〗 처방을 쓰다 (*for*): (~+전+명) ~ *for* a patient[*for* the gout] 환자에게 처방을 적어주다[통풍(痛風)의 처방을 내리다] **3** 〖법〗 시효(時效)에 의하여 취득하다 (*to, for*) ▷ prescríption *n.*; prescríptive *a.*

pre·scribed [priskráibd] *a.* Ⓐ 규정된, 미리 정해진: ~ textbooks 지정 교과서

pre·script [prí:skript] *n.* (문어) 규정, 규칙, 지령, 법령, 정령(政令)
— [priskrípt, prí:skript] *a.* 규정[지령, 지시]된

pre·scrip·tion** [priskrípʃən] *n.* **1** 〖의학〗 (의사가 약사에게 써 주는) 처방, 약방문; 처방약: write out a ~ 〈의사가〉 처방을 쓰다 **2** 명령[지시, 규정]하는 일 **3** ⓊⒸ 규정, 규칙, 법규, 훈령(訓令) **4** Ⓤ 〖법〗 시효; 취득 시효(取得時效): negative[positive] ~ 〖법〗 소멸(消滅)[취득] 시효/legal ~ 법정 시효 **5** 당연하게 보이는 오래된 관습, 오랜 사용[관습]에 따른 권리 ***make up a ~ 처방전대로 조제하다
▷ prescríbe *v.*; prescríptive *a.*

prescríption chàrge [보통 *pl.*] 《영》 (국민 건강 보험에서 환자가 부담하는) 약값

prescríption drùg (약국에서 구입할 때) 의사의 처방전이 필요한 약

pre·scrip·tive [priskríptiv] *a.* **1** 규정하는; 지시[지령]하는; 〖문법〗 규범적인 **2** 〖법〗 시효에 의하여 얻은; 관례적인 ~·**ly** *ad.*

prescríptive grámmar 1 규범 문법 (한 언어의 올바른 용법을 지시하는 문법; cf. DESCRIPTIVE GRAMMAR) **2** 규범 문법을 기초로 한 문법 규칙의 체계

prescríptive ríght 1 시효에 의해 얻은 권리 **2** 관례적인 권리

pre·scrip·tiv·ism [priskríptəvìzm] *n.* 〖언어·논리〗 규범주의

pre·scrip·tiv·ist [priskríptəvist] *n.* 규범주의자; (특히) 규범 문법학자[지지자]

pre·sea·son [pri:sí:zn] *n., a.* 〈관광·스포츠 등이〉 시즌 전(의)

pre·se·lect [prì:silékt] *vt.* 미리 고르다[선택하다] **-léc·tion** *n.*

pre·se·lec·tive [prì:siléktiv] *a.* 〈자동차의 변속기가〉 자동인

thesaurus **prerogative** *n.* right, privilege, entitlement, authority, license, liberty, due
prescribe *v.* **1** 규정하다 stipulate, specify, decree, order, command, ordain, require **2** 처방하다

pre·se·léc·tor géar [prìːsiléktər-] 〖자동차〗 자동 변속 기어

pre·sell [priːsél] *vt.* (**-sold** [-sóuld]) (광고 등의 수단으로) 소비자의 수요를 환기시키다; (발매 전의 상품의) 사전 선전을 하다

‡**pres·ence** [prézns] *n.* **1** Ⓤ **존재**, 현존, 실재(實在) **2** ⓊⒸ **출석**, 임석, 참석(opp. *absence*); Ⓒ (군대 등의) 주둔: Your ~ is requested. 참석하시기 바랍니다. **3** Ⓤ **a** [the ~, one's ~] 면전, 목전, 남이 있는 자리 **b** [the ~, one's ~] 《주로 영》 대면, 배알, 알현 **c** 근접 《*of*》 **4** ⓊⒸ 풍채, 태도, 인품: a man of (a) noble ~ 기품 있는 풍채를 가진 사람 / He has a poor ~. 풍채가 볼품이 없다. **5** Ⓤ (특히 관객 등의 앞에서의) 냉정, 침착: stage~ 무대에서의 침착성 **6** [형용사를 붙여] …의 존재, 당당한 사람, 풍채가 훌륭한 사람: He is a real ~ at the party. 그는 연회석상에서 참으로 돋보이는 존재다. **7** [보통 a ~] 유령, 요괴(妖怪), 요기(妖氣), 영(靈), (초자연적·영적) 존재 **8** (음향의) 현장감

be admitted to [***banished from***] ***the royal ~*** 알현(謁見)이 허가되다[어전에서 물러나게 되다] ***in the ~ of*** …의 면전에서; …에 직면하여 ***make*** one***'s ~ felt*** …에게 자기의 존재[중요성]를 알아보게 하다 ***~ of mind*** 태연자약, 침착: lose ~ *of mind* 당황하다 ***saving your ~*** 실례지만 ▷ présent *a.*

présence chàmber 알현실(謁見室)

pre·se·nile [prisíːnail] *a.* 〖의학〗 초로기(初老期)의

presénile deméntia 초로성 치매

pre·se·nil·i·ty [prìːsəníləti] *n.* 초로기(初老期); 조로(早老)

‡**pres·ent**[1] [préznt] *a.*, *n.*

> L 「(눈) 앞에 있다」의 뜻에서
> ┌→「(마침) 있는」 형 **1**
> └→(눈앞의) →「현재의」 형 **2, 3** →「현재」 명 **1**

— *a.* **1 a** Ⓟ 〈사람이〉 **있는**, 존재하는; 출석한, 참석한 (opp. *absent*) 《the ~ company 「출석자」의 경우만 Ⓐ》: members ~ 출석 회원 《수식하는 말 다음에 옴》 / I was ~ at the meeting. 나는 그 집회에 참석했다. **b** 잊지 않고 있는 《*in, to*》: ~ *to* the imagination 상상 속에 있는 **2** Ⓐ **현재의**, 현(現)…, 지금의, 오늘날의, 당면의: ~ members 현회원 / one's ~ address 현주소 / the ~ case 본건, 이 경우 / the ~ topic 당면 문제 **3** 〖문법〗 현재의(cf. PAST, FUTURE) **4** Ⓟ 〈사물이〉 (…속에) 존재하는, 있는 《*in*》 **5** Ⓟ 《문어》 마음에 떠오른, 생각 중인 《*in, to*》

at the ~ time [***day***] = ***in the ~ day*** 요즈음에는 ***P~, sir*** [***ma'am***]. 예. 《출석 부를 때의 대답》 ***~ to the mind*** 잊지 않는 ***the ~ company*** 출석자 ***the ~ volume*** 이 책, 본서(本書) ***the ~ writer*** 필자 《this writer라고 하는 경우가 많음》

— *n.* **1** Ⓤ [the ~] **현재**, 오늘날: up to *the* ~ 오늘에 이르기까지 **2** [보통 the ~] 〖문법〗 현재(형) **3** [*pl.*] 〖법〗 본증서, 본서류, 본문(本文) 《이 글이라는 뜻》 ***at ~*** 요즈음, 오늘날에는 ***by these ~s*** 〖법〗 본증서[서류]에 의하여: Know all men *by these ~s* that .... 본서에 의하여 …임을 증명함 《증서의 문구》 ***for the ~*** 당분간, 현재로서는 ***this ~*** 현재, 목하 ▷ présence *n.*; présently *ad.*

‡**pres·ent**[2] [préznt] *n.*

> PRESENT[3]에서 「앞으로 (내놓는 것)」→「선물」

선물, 선사(gift); 예물 《*from*; *to*》: a birthday [Christmas] ~ 생일[크리스마스] 선물 / He brought back a ~ for each of us. 그는 우리들 한사람 한사람에게 선물을 갖고 왔다.

> 유의어 **present** 친한 사람들 사이의 선물 **gift** present보다 격식 차린 말로서 값어치가 있는 것, 기부 등에 쓰인다. **donation** 고객 증정물, 특히 금전적인 기부를 말한다.

make a ~ of a thing ***to*** a person = ***make*** [***give***] ***a ~ to*** a person …에게 선사하다

‡**pre·sent**[3] [prizént] *v.*, *n.*

> 원래 「앞으로 내놓다」의 뜻에서
> 「내놓다」 **2** ┌→「증정하다」 **1**
> └→(남 앞에) ┌→「소개하다」 **5**
> └→「상연하다」 **6**

— *vt.* **1** 〈물건을〉 (사람·집단에게) **증정하다**, 바치다, 주다 《*to, with*》(⇨ give 유의어): ~ a message 메시지를 보내다 // (~+목+전+명) They ~*ed* a book *to* him[him *with* a book]. 그들은 그에게 책을 증정했다. // (~+목+목) ~ the college an endowment 대학에 기부금을 바치다 **2** 〈계산서·명함·서류 등을〉 **제출하다**, 내놓다, 건네주다 《*to*》: Last week he ~*ed* the documents. 지난 주에 그는 서류를 제출하였다. // (~+목+전+명) ~ one's paycheck *at* the bank 은행에서 급료 지불 수표를 내놓다 / ~ one's visiting card *at* the entrance (*to* a person) 입구에서 (…에게) 방문용 명함을 내놓다 **3** 〈경의·사의 등을〉 표하다 《*to*》: (~+목+전+명) *P~* my compliments [humble apologies] *to* Mrs. Jones. 존스 부인에게 제 인사[사과] 말씀 잘 전해 주십시오. 《정중한 표현》 **4 나타내다**, 표시하다(exhibit) 《*to*》; 생기다, 드러내다; 〈소질 등을〉 나타내다, 보이다: The situation ~*s* great difficulties. 사태는 큰 난국을 나타내고 있다. // (~+목+전+명) He ~*ed* a calm face *to* the audience. 그는 관중에게 침착한 얼굴을 보였다. // (~+목+*as* 보) He was ~*ed as* very shy. 그는 아주 소심한 것처럼 보였다. **5** 〈사람을〉 (정식으로) **소개하다** 《*to*》, 배알(拜謁)시키다; 피로(披露)하다: (~+목+전+명) May I ~ Mr. Smith (*to* you)? 스미스 씨를 소개합니다. / He was ~*ed at* Court. 그는 궁중에서 배알하였다. **6** 〈배우를〉 등장시키다, 〈극·TV 등에〉 출연시키다; 〈극을〉 상연하다, 〈영화 회사가 영화를〉 제공하다, 공개하다: ~ a new play[an unknown actor] 새로운 연극을 상연하다[무명의 배우를 출연시키다] **7** 《문어》 [~ one*self* 로] **a** 〈사람이〉 …에 **출두하다**, 나타나다, 출석하다 **b** 〈기회 등이〉 오다, 〈생각 등이〉 떠오르다 **8** 〈의회 등에〉 제안하다; 〈법원에〉 고발하다 **9** 〈의논·연구 내용 따위를〉 (구두로) 진술하다, 강경히 진술[주장]하다; 표현하다, 묘사하다 **10** 겨누다 《*at*》; 〖군사〗 받들어총을 하다: (~+목+전+명) The man ~*ed* a pistol *at* her. 그 남자는 그녀에게 권총을 들이댔다. **11** 〖그리스도교〗 〈성직자를〉 추천하다

P~! 사격 준비! ***~ an appearance of*** …의 인상을 주다, …의 양상을 띠다 ***P~ arms!*** 받들어총!

— *vi.* **1** 성직(聖職) 추천권을 행사하다 **2** 무기를 겨누다 **3** 〖의학〗 〈증상 따위가〉 나타나다; 〈환자가〉 진찰을 받으러 가다; 〈태아의 일부가〉 자궁 입구에 나타나다

— [prézənt] *n.* [the ~] 총을 겨눔; 겨눌 때의 총의 위치; 〖군사〗 받들어총의 자세 ***at the ~*** 받들어총을 하고 ▷ presentátion, preséntment *n.*

pre·sent·a·bil·i·ty [prizèntəbíləti] *n.* Ⓤ 볼품이 있음, 외양이 좋음, 선물·선사품으로서 알맞음

pre·sent·a·ble [prizéntəbl] *a.* **1** 남 앞에 내놓을 만한, 보기 흉하지 않은, 볼품이 있는; 풍채가 좋은: make oneself ~ 옷매무새를 가다듬다 **2** 소개[추천]할 만한; 상연할 수 있는; 선사할 만한 **3** 교양 있는, 예의 바른, 점잖은 **~·ness** *n.* **-bly** *ad.*

***pre·sen·ta·tion** [prìːzentéiʃən, prèzən- | prè-] *n.* ⓊⒸ **1 증정**, 바침, 기증, 봉정(奉呈) 《*of*》; 수여;

---

advise, recommend, direct, suggest, commend

present[3] *v.* **1** 증정하다 give, hand over, grant, bestow, confer, donate, award **2** 제출하다 submit, put forward, offer, tender, advance

Ⓒ 수여식: the ~ *of* credentials 신임장 제출 **2** 표시, 발표; 외양, 풍채, 볼품 **3** 소개, 피로(披露); 문안, 배알(拜謁) 《*at*》 **4** 공연, 연출(演出), 상연, 공개 **5** 제출, 제시 **6** Ⓒ (공식적인) 선물(gift) **7** 설명, 강연, 환영사; 《미》 (학회 따위의) 구두 발표: a ~ meeting (회사 제품의) 설명회 **8** 〖철학·심리〗 표상(表象), 관념(觀念); 직각(直覺) **9** 〖의학〗 태위(胎位) **10** 목사의 추천(권) **11** 〖TV〗 (연예·경기 등의 프로그램 사이의) 막간 프로그램 《알림, 일기 예보 따위》

pre·sen·ta·tion·al [prì:zentéiʃənl, prèzən- | prèzən-] *a.* 〖심리〗 표상적(表象的)인, 관념의

presentátion cópy 기증본, 헌납본(本)

pres·en·ta·tion·ism [prì:zentéiʃənìzm, prèzən- | prèzən-] *n.* Ⓤ 〖철학〗 표상(表象) 실재론 《지각(知覺) 표상과 실재를 동일시하는 인식론적 입장》

presentátion sòftware 〖컴퓨터〗 프레젠테이션 소프트웨어

pre·sen·ta·tive [prizéntətiv] *a.* **1** 이미지·생각 따위를 직접 파악하는 것이 가능한 **2** 〖그리스도교〗 목사 추천권이 있는 **3** 〖철학·심리〗 직각(直覺)의, 표상적인

***pres·ent-day** [prézntdéi] *a.* 현대의, 오늘날의: ~ English 현대 영어

présent dáy [the ~] 현대

pre·sen·tee [prèzəntí:] *n.* **1** 증정받은 사람, 수령자 **2** 목사로 추천된 사람 **3** 배알자

pres·en·tee·ism [prèzəntí:izm] *n.* Ⓤ (아파도 쉬지 않는 등) 장시간 근무 《고용주에게 잘 보이려고 하는; cf. ABSENTEEISM》

pre·sent·er [prizéntər] *n.* **1** 증여[증정]자; 제출자; 추천인, 임명자 **2** (시상식에서) 상을 수여하는 사람 **3** 《영》 (텔레비전·라디오의) 뉴스 캐스터[방송 사회자]; 《미》 앵커맨(anchorman)

pre·sen·tient [pri:sénʃənt] *a.* 예감적인; 예감[예지]하는 《*of*》

pre·sen·ti·ment [prizéntəmənt] *n.* [보통 a ~] (특히 불길한) 예감, 기미, 육감 《*of*》

pre·sen·ti·men·tal [prizèntəméntl] *a.* 예감의, 육감의

pres·ent·ism [prézəntìzm] *n.* 현대식 견해[사고방식]

pre·sen·tive [prizéntiv] *a.* 〖철학〗 표상(表象)의, 직각(直覺)의

‡**pres·ent·ly** [prézntli] *ad.* **1** [보통 will, shall과 함께 쓰여서] 이윽고, 곧, 머지않아, 얼마 안 있어(⇨ soon 유의어): The professor *will* be back ~. 교수님은 곧 돌아올 것이오. **2** [현재 시제와 함께 쓰여서] 《미·스코》 현재, 목하(at present) 《《영》에서도 이 뜻으로 써 가는 경향이 있음》: ~ under construction 현재 공사 중인 / She is ~ out of the country. 그녀는 현재 외국에 있다. **3** 《고어·방언》 즉시(at once)

pre·sent·ment [prizéntmənt] *n.* Ⓤ **1** (어떤 생각·광경 등을) 마음에 떠올림, 상기 **2** 제시, 표시, 진술, 서술 《*of*》 **3** 표현, 묘사 《*of*》; 그림 **4** 《주로 영》 〖법〗 (대배심원의) 고발 **5** Ⓒ 〖그리스도교〗 진정, 추천 **6** (연극의) 상연, 연출 **7** 〖철학·심리〗 표상, 표출

présent párticiple 〖문법〗 현재 분사

présent pérfect 〖문법〗 현재 완료

présent ténse 〖문법〗 현재 시제

présent válue[wórth] 〖상업〗 현가 《예컨대 할인되는 어음의 현재의 가치》

présent wít 기지(機智), 재치

pre·serv·a·ble [prizə́:rvəbl] *a.* 보존[보관, 보호, 저장, 간직]할 수 있는 **pre·sèrv·a·bíl·i·ty** *n.*

***pres·er·va·tion** [prèzərvéiʃən] *n.* Ⓤ **1** 보존; 저장; 보호: wildlife ~ 야생 생물의 보호 **2** 보존 상태: be in good[bad] (state of) ~ 보존 상태가 좋다[나쁘다] ▷ presérve *v.*; presérvative *a.*

pres·er·va·tion·ist [prèzərvéiʃənist] *n.* 보호주의자 《야생 동식물·역사적 문화재 등의》

preservátion òrder 《영》 환경 보전 명령[조례], 문화재 보호 조례

pre·ser·va·tive [prizə́:rvətiv] *a.* **1** 보존의; 보존력이 있는 **2** 방부적(防腐的)인, …을 예방하는
— *n.* 예방법; 방부제; 예방제; …방지 《*from, against*》: No *P*~*s* 방부제 쓰지 않음 《식품 라벨의 선전 문구》

pres·er·va·tor [prézərvèitər] *n.* 《미》 자연 관광 자원 보호관, (공원·사적 등의) 환경 보존 책임자

pre·serv·a·to·ry [prizə́:rvətɔ̀:ri | -təri] *a.* 보존(상)의 — *n.* **1** 저장기(器), 저장소 **2** 여자 보호 시설

‡**pre·serve** [prizə́:rv] [L 「미리 지키다」의 뜻에서] *vt.* **1** 〈사람·물건을〉 (손해·위험·타락 따위에서) 보호하다, 지키다 《*from*》 ★ protect가 일반적임: 《~+목+전+명》 The dog ~*d* him *from* danger. 개는 그를 위험에서 구했다. **2** 보존하다, 간직하다; 유지하다(maintain); 모아두다; 잃지 않다: well ~*d* (초로의 사람이) 나이치고는 젊게 보이는 / ~ one's health 건강을 유지하다 // 《~+목+전+명》 The house has been ~*d for* future generations. 그 집은 장래의 세대들을 위해 보존되어 있다. **3** 〈이름·기억 따위를〉 마음에 간직하다, 잊지 않다; 〈물건을〉 간수해 두다 **4** 저장하다; 소금[설탕]에 절이다; 통[병]조림하다; (썩지 않게) 저장하다: 《~+목+전+명》 ~ fruit *in*[*with*] sugar 과일을 설탕 절임하다 **5** 금렵 지구(禁獵地區)로 정하다 ***Saints ~ us!*** 성자들이여, 우리를 지키소서! 《흔히 놀랄 때 하는 말》
— *vi.* **1** 보존 식품으로 하다 **2** 금렵 지구로 정하다
— *n.* **1** 보존[부패를 방지하는] 물건 **2** [보통 *pl.*] 설탕 조림, 잼(jam), 통[병]조림의 과일 **3** [보통 *pl.*] 금렵지구[유역]; 양어장 **4** (개인·단체의) 영역(領域), 분야 **5** [*pl.*] (빛·먼지를 막기 위한) 보안 안경(goggles) ▷ preservátion *n.*; presérvative *a.*

***pre·serv·er** [prizə́:rvər] *n.* **1** 보존자, 보호자 **2** 설탕[통]조림업자 **3** 《영》 엽조수(獵鳥獸) 보호자, 금렵지 관리인 **4** [*pl.*] (먼지·빛을 막는) 보안 안경

pre·ses [prí:siz] *n.* 《스코》 의장, 회장

pre·set [pri:sét] *vt.* (~; ~·ting) 미리 조절[설치, 세트]하다 — *a.* 미리 조절[설치, 세트]한

pre·shrink [pri:ʃríŋk] *vt.* (**-shrank** [-ʃrǽŋk]; **-shrunk** [-ʃrʌ́ŋk]) 방축(防縮) 가공하다

pre·shrunk [pri:ʃrʌ́ŋk] *a.* 방축 가공한 〈옷감 등〉

‡**pre·side** [prizáid] [L 「앞에 앉다」의 뜻에서] *vi.* **1** (집회·회의 따위에서) 의장이 되다, 사회를 보다 《*at, over*》: 《~+전+명》 ~ *over*[*at*] a ceremony 식의 사회를 보다 **2** 통솔[통할]하다, 지배하다, 주재(主宰)하다 《*over*》: 《~+전+명》 ~ *over* the business of a firm 회사의 업무를 관장하다 **3** (식탁에서) 주인 노릇을 하다 《*at, over*》 **4** (주요 악기의) 연주를 맡다
~ ***at the piano*** 피아노 연주를 맡다
— *vt.* **1** 〈회의 따위를〉 사회 보다, 의장을 맡다 **2** 감독하다, 통솔하다

***pres·i·den·cy** [prézədənsi] *n.* (*pl.* **-cies**) **1** president의 지위[직, 임기]: sit in ~ 사장[의장, 대통령 《따위》] 직에 있다 **2** 통솔, 통할(統轄)(superintendence) **3** [종종 **P~**] 《미》 대통령의 지위 **4** 《미》 (모르몬교의) 3인 평의회

‡**pres·i·dent** [prézədənt] [L 「의장을 맡은 사람」의 뜻에서] *n.* **1** (공화국의) 대통령 《사람의 직위를 말할 때는 the President, President Bush와 같이 대문자로 씀》: the *P*~ of the United States of America 미합중국 대통령 **2** 장(長); (관청의) 총재; (대학의) 학장, 총장; (학술회의·협회 등의) 회장; 《미》 (은행·회사의) 행장, 사장 **3** 사회자, 의장 **4** 〖역사〗 지사
~·**shìp** *n.* 《영》 = PRESIDENCY ▷ presidéntial *a.*

pres·i·dent-e·lect [prézədəntilékt] *n.* (취임 전의) 차기 대통령[회장, 총재 《따위》]

thesaurus **presently** *ad.* soon, shortly, directly
preserve *v.* protect, shield, save, guard, safeguard, shelter, secure, defend, keep, maintain, uphold (opp. *damage, neglect*)
president *n.* head, chief, director, leader

pres·i·dent-for-life [-fərláif] *n.* 종신 대통령 (life president)

*pres·i·den·tial [prèzədénʃəl] *a.* **1** [때로 **P~**] 대통령의; 《미》 대통령 선거의: a ~ timber 《미》 대통령감 / the ~ candidate 대통령 후보자 **2** 대통령 책임제의 **3** 주재하는, 지배[감독, 지휘]하는 **~·ly** *ad.* ▷ président *n.*

presidéntial búg 《익살》 대통령이 되려는 야망을 일으키게 하는 (가상의) 열병균(熱病菌)

presidéntial góvernment 〖정치〗 대통령 책임제 정부

Presidéntial Médal of Fréedom 《미》 자유 훈장 《시민에게 수여되는, 최고의 가치가 있는 상》

presidéntial prímary 《미》 (각 정당의) 대통령 예비 선거

presidéntial sùite (대통령·국가 원수가 숙박하기 적당한 호텔의) 특별실, 귀빈실

presidéntial yéar 《미》 대통령 선거의 해

président prò témpore 《미》 〖정치〗 상원 의장 대행 《부통령의 부재시 상원 의장을 맡는 상원 의원으로 보통 다수당의 고참 의원이 맡음》

Présidents' Dày 《미》 대통령의 날 《2월 세 번째 주 월요일; 법정 공휴일》

pre·sid·er [prizáidər] *n.* 주재자; 사회자

pre·sid·i·al [prisídiəl], **-i·ar·y** [-ièri | -iəri] *a.* 요새(要塞)의, 수비대의

pre·sid·ing [prizáidiŋ] *a.* 주재[통솔]하는, 수석의; 사회하는: a ~ judge 재판장 / a ~ officer 투표[시험]장 감독

pre·si·di·o [prisí:diòu] [Sp.] *n.* (*pl.* **~s**) **1** 요새(要塞) 《스페인·남미의》 **2** (스페인의) 죄수 식민지

pre·sid·i·um [prisídiəm] *n.* (*pl.* **~s, -i·a** [-diə]) **1** [the P~] (구소련의) 최고 회의 간부회 **2** (비정부 기관의) 이사회(理事會)

pre·sig·ni·fy [pri:sígnəfài] *vt.* (**-fied**) 예고하다 (foreshow) **pre·sìg·ni·fi·cá·tion** *n.*

Pres·ley [présli, préz-] *n.* 프레슬리 **1** 남자 이름 **2 Elvis** (**Aron**) ~ (1935-77) 《미국의 로큰롤 가수》

pre·soak [pri:sóuk] *vt.* 〈세탁물·종자 등을〉 약제[세제]에 미리 담그다 **—** *n.* **1** (세탁물을) 미리 담그는 세제 **2** 세제에 미리 담그기

⁑**press**[1] [prés] [L 「누르다」의 뜻에서] *vt.* **1** 〈사물·사람 따위를〉 내리누르다, 밀다: 《~+목+부》 ~ *down* the pedals 페달을 밟다 // 《~+목+전+명》 ~ a thing *under*[*with*] a stone …을 돌로 누르다 **2** 눌러 붙이다(attach) 《*on, against*》: 《~+목+전+명》 ~ a stamp *on* a postcard 엽서에 우표를 붙이다 **3** 〈신 등이〉 죄다; 꽉 껴안다; 손을 꽉 쥐다, 악수하다: ~ a person's hand …의 손을 꽉 쥐다 / ~ (the) flesh[the skin] 《미·속어》 (특히 선거 운동에서) 악수하다 **4** 재촉하다, 강요하다; 조르다, 간청하다: 《~+목+전+명》 《~+목+*to* do》 He wouldn't be *~ed into* resigning the post. 그는 아무리 강요를 받아도 사직하지 않을 것이다. / He *~ed* his mother *for* more money[*to* give him more money]. 그는 어머니에게 돈을 더 달라고 졸랐다. **5** 〈옷 등을〉 다리다, 프레스하다: ~ clothes 옷을 다리미질하다 **6** 〈음반을〉 원판에서 복제하다 **7** 눌러 찌그러뜨리다(squeeze), 짜다, 눌러 짜내다: ~ grapes 포도를 짜(내)다 // 《~+목+전+명》 ~ juice *out of*[*from*] grapes 포도에서 즙을 짜내다 **8** 〈의견 등을〉 남에게 강요하다; 주장하다, 고집하다, 강조하다; 억지로 수락시키려 하다, 억지로 떠맡기다: ~ the point[matter] 그 점[일]을 강조하다 // 《~+목+전+명》 ~ an opinion *upon* a person …에게 어떤 의견을 강요하다 / I tried to ~ the present *on* her. 나는 그녀에게 그 선물을 억지로 안겨 주려 했다. **9** 〈공격을〉 강행하다; 추진하다; …에 육박하다, 밀어 닥치다, 몰려들다: ~ an attack 강습하다 **10** 〈감정·정신 등을〉 압박하다, 괴롭히다, 궁지에 몰아넣다, 고통을 주다: 《~+목+전+명》 They *~ed* her *with* questions. 그들은 그녀를 질문 공세로 괴롭혔다. **11** 깊이 느끼게 하다 《*on, upon*》 **12** 인쇄하다 **13** 〈플라스틱 등을〉 가압(加壓) 성형하다 **14** [~ one's way로] (…을) 헤치고 나아가다 《*through*》 **15** 〖컴퓨터〗 누르다 **16** 〖역도〗 〈역기를〉 추상(推上)으로 올리다 **17** 〖역사〗 (고문 기구로) 고문하다, 압사시키다

— *vi.* **1** (…을) 누르다, 밀다 《*on, upon, against*》; 페달을 밟다 《*down*》: 《~+전+명》 ~ lightly *on* a sore spot 아픈 곳을 살짝 누르다 **2** (레코드·비디오 디스크 등을 원판에서) 프레스하다, 복제하다 **3** 다리미질하다 《*on*》; [well 등의 부사와 함께] …하게 다려지다: This dress *~es easily.* 이 옷은 쉽게 다려진다. **4** 〈구두 등이〉 조이다 **5** …에 압박을 가하다, 짐이 되다 **6** 〈스포츠 선수 따위가〉 (중압감·슬럼프 따위로) 긴장하다 **7** 절박하다, 다급해지다: Time *~es.* 시간이 절박하다. **8** 재촉하다, 조르다, 강요하다 《*for*》: 《~+전+명》 ~ *for* an answer 대답을 강요하다 **9** 밀어 헤치고 나아가다, 돌진하다; 서두르다 《*on, forward, ahead*》: 《~+전+명》 《~+부》 He *~ed through* the crowd. 그는 군중을 헤치고 나아갔다. / He *~ed on*[*ahead, forward*] *with* his work. 그는 일을 서둘러서 했다. **10** 몰려들다 《*up, round*》; 밀어닥치다, 잠식(蠶食)하다: 《~+전+명》 People *~ed round* the baseball player. 사람들이 그 야구 선수 둘레에 우르르 몰려들었다. **11** 영향을 주다, 효과가 있다, 듣다 **12** 〖골프·테니스〗 (공을 치려고) 힘을 너무 주다

be ~ed for …에 쫓기다[쪼들리다] **~ *a thing against*** …을 …에로 밀치다 **~ *ahead*** (…을) 밀어붙이다, 강행하다, 계속하다 《*with*》 **~ *back*** 도로 밀다, 밀어 제치다 **~ *charges*** 고발하다, 기소하다 《*against*》 **~ *down*** 억누르다; 무게를 더하다 **~ *for*** …을 요구[강요]하다 **~ *hard upon*** …에 육박하다, …을 추궁하다 **~ *home*** an argument (주장)을 역설[강조]하다 **~ *home an*[*the,* one*'s*] *advantage*** 이점[기회, 지위]을 활용하다 **~ *in*[*into*]** 침입하다, 밀고 들어가다 **~ *on*** (1) = PRESS ahead (2) 〈음식 따위를〉 강요하다 **~ *on*** (one*'s way*) 길을 재촉하다 **~ *sail*** 〖항해〗 돛을 모두 올리다 **~ *the button*** 단추를 누르다; 결단을 내리다, 결행하다

— *n.* **1** [보통 a ~, the ~] 누름; 압박, 압착(壓搾), 밀침; 꽉 쥠: give the button *a* slight ~ 단추를 가볍게 누르다 **2** [the ~; 집합적] 《특히》 신문, …지(紙); 정기 간행물, 잡지; 출판물 **3** [the ~] 보도 기관, 언론계; [집합적] 보도진, 기자단: *The* ~ is waiting for President's arrival. 기자단은 대통령의 도착을 기다리고 있다. **4** (보도 기관의) 논설, 비평, 논조 **5** 《미》 인쇄기(《영》 machine); 인쇄(술) **6** 인쇄소, 발행소, 출판부, 출판사; 위의 직원: Oxford University *P~* 옥스퍼드 대학 출판부 **7** 압착[압축]기, …짜는 기계; 압형기(押型機); 누름단추 **8** Ⓤ 다림질, 다려진 상태 **9** ⓊⒸ 군중; 밀어닥침, 몰려듦 《*of*》; 밀치락달치락함, 혼잡; 혼전(混戰) **10** Ⓤ 화급, 절박; 분망: the ~ of business 일의 분망, 업무의 다망 **11** (붙박이) 찬장(cupboard); 양복장; 책장 **12** 〖역도〗 추상(推上) 《올림픽에서는 폐지》

be in*[*off*] *the ~ 인쇄 중이다[발행, 출판되고 있다] ***correct the ~*** 교정하다 ***freedom*[*liberty*] *of the ~*** 출판의 자유 ***give to the ~*** 신문에 내다 ***have a good*[*bad*] *~*** 신문 지상에서 호평[혹평]을 받다 ***out of ~*** 절판(絕版)되어, 다 팔려서 ***send*[*go*] *to* (*the*) *~*** 인쇄에 돌리다[보내지다]

▷ préssure *n.*

press[1] *v.* **1** 누르다, 밀다 depress, push down, crush, squeeze, compress, mash **2** 꽉 껴안다 clasp, enfold, hold close, clutch, grasp, embrace, hug, cuddle **3** 재촉하다 urge, entreat, implore, pressurize, force, compel, coerce

press[2] *vt.* **1** 〈병사·수병(水兵) 등을〉 강제 징집하다; 징발하다 **2** 임시변통하다 **~ *into service*** 대신 쓰다, 이용하다 **—** *n.* 징발; 강제 모집

préss àgency 통신사(news agency)

préss àgent (극단 등의) 선전[홍보] 담당
préss associàtion **1** 통신사(news agency) **2** (특정 지역의) 출판인[신문 발행인] 협회 **3** [the P- A-] 1868년에 설립된 영국 통신사
press attaché [prés-ætəʃèi] (대사관의) 보도[공보] 담당관
préss bàron (구어) 유력한 신문 사주(社主); 신문왕
press·board [présbɔ̀:rd] *n.* ⓊⒸ 판지(板紙); 소매 다림대(臺)
préss bòx (경기장 등의) 기자석, 보도 관계자석
préss brìefing 기자단에게 하는 발표[브리핑]
préss bùreau 보도[홍보]부[국]; 홍보 업무
press-but·ton [-bʌ̀tn] *a.* =PUSH-BUTTON
préss campàign 신문을 통한 여론 환기[선전 운동]
préss càrd 프레스 카드 《기자가 휴대하는 출입 허가증》
préss clìpping (미) 신문 스크랩: ~ bureau 신문 기사를 발췌해서 자료를 제공하는 통신사
préss clùb 기자 클럽
*__préss cònference__ 기자 회견: hold a ~ 기자 회견을 하다
préss còpy 등사판 인쇄물, 유인물(油印物)
préss còrps (미) (신문) 기자단
préss corrèctor (신문의) 교정원(校正員)
press-cut·ting [-kʌ̀tiŋ] *n.* (영) =PRESS CLIPPING
pressed [prest] *a.* **1** 압축한, 압착한, 프레스 가공한 **2** Ⓟ 〈시간·돈 따위로〉 압박당하는, 쪼들린, 조급하게 구는, 바쁜 《*for*》(*cf.* HARD-PRESSED); 강요받은 **3** 다리미질한
press·er [présər] *n.* **1** 압착하는 사람[것] **2** (세탁소·드라이클리닝 공장의) 압착기 (담당원)
préss fàstener (영) 똑딱단추(snap fastener)
préss frèedom 출판·보도의 자유
préss gàllery **1** 신문 기자석 《특히 영국 하원의》 **2** 의회 출입 기자단
press-gang [présgæ̀ŋ] *n.* 〘역사〙 (18세기 영국의) 수병 강제 징병대 ― *vt.* **1** 강제 징집[징모]하다 **2** 〈사람을〉 (…하도록) 강요[강제]하다 《*into*》
pres·sie [prézi] *n.* (영·구어) 선물
‡**press·ing** [présiŋ] *a.* **1** 〈용무·문제 따위가〉 긴급한(urgent), 절박한: ~ matters 긴급 문제 **2** 간청하는, 귀찮게 조르는, 집요한: a ~ invitation 집요한 초대 ― *n.* **1** 압착물 **2** Ⓤ 압착하기, 내리누름 **3** (원판에서 프레스하여 만든) 레코드; [집합적] 동시에 복제한 레코드 전체 **~·ly** *ad.* 화급히; 끈질기게
préssing plànt (레코드의) 프레스 공장
préss kìt (기자단에 배부되는) 기자 회견 자료집
préss làw [보통 *pl.*] 신문지법, 언론법, 출판법
préss lòrd (구어) =PRESS BARON
press·man [présmən, -mæ̀n] *n.* (*pl.* **-men** [-mən, -mèn]) **1** 인쇄공 **2** (영) 신문[보도] 기자
press·mark [-mɑ̀:rk] *n.*, *vt.* 〈도서관 장서의〉 도서[분류] 번호(를 매기다)
préss òffice (정부·대기업 내의) 보도국
préss òfficer 보도 담당관, 홍보 담당자
préss of sáil[cánvas] 〘항해〙 바람이 허용하는 한도까지 올린 돛 (전부)
press-on [présɑ̀n | -ɔ̀n] *a.* 〈천·재질이〉 압착[프레스 가공]할 수 있는, 다림질로 붙일 수 있는
pres·sor [présər] *a.* 〘생리〙 기능 촉진의, 혈압 증진의, 증압성(增壓性)의
préss pàck **1** =PRESS PACKET **2** (유명 인사나 주요 사건을 뒤쫓는) 기자 집단
préss pàcket 〘광고〙 (기업이 기자나 고객 등에게 보내는) 홍보용 자료
préss pàrty (선전·보도를 의뢰하기 위한) 기자 초청 파티
préss photògrapher 사진 기자
préss pòol 풀(pool) 기자 《공동 이용 원고(pooled story)를 쓰는 기자》 ★ 대표 취재인 경우의 대표 기자 등.
préss prèview 기자용 시사회
préss pròof 〘인쇄〙 교료쇄(校了刷)
préss rèader (최후 교정쇄의) 교정자
préss relèase 보도 관계자에게 하는 발표
préss remàrks 신문 발표 《정부 기관·기업 등이 기자에게 하는》
préss representàtive (미) 신문 (기자단) 대표
préss revìse 최종 교정쇄
préss ròll **1** 〘기계〙 프레스 롤 **2** (미·속어) 음이 갑자기 강해지는 드럼의 연타
press·room [présrù:m] *n.* **1** (미) (인쇄소의) 인쇄실((영) machineroom) **2** (미) 신문 기자실
press·run [-rʌ̀n] *n.* 연속 인쇄 작업; (1회의) 인쇄 부수
préss sècretary (미) (특히 대통령 등의) 대변인, 공보 비서관
préss sèction (행사 장소의) 보도 관계자석, 기자석
press-show [-ʃòu] *vt.* (일반 공개 전에) 보도 관계자에게 보이다
press-stud [-stʌ̀d] *n.* (영) (장갑 등의) 똑딱단추
press-up [-ʌ̀p] *n.* (영) =PUSH-UP
‡**pres·sure** [préʃər] *n.* Ⓤ **1** 누르기, 내리밀기; 밀어닥침 《*of*》 **2** 압력; 〘물리〙 압(력)도 《기호 P》: the ~ of gas 가스의 압력 **3** 〘기상〙 기압; 〘전기〙 전압: high[low] (atmospheric) ~ 고[저]기압 **4** 압축, 압착 **5** 압박, 중압, 강제; (불쾌한) 압박감: mental ~ 정신적 압박감 / *P*~ for change has increased. 변화의 압력이 거세졌다. **6** ⓊⒸ 고난, 곤란; [*pl.*] 곤경: ~ of poverty 가난의 고통 **7** 긴박, 화급, 긴급, 지급, 분망, 다망, 맹활동 《*of*》 **8** 〘의학〙 혈압
financial ~ 재정난, 재정의 압박 ***~ for money*** 돈에 궁함, 금융 핍박 ***~ of the times*** 불경기 ***put ~ on*** [***upon***] a person …을 압박하다 ***under ~*** 압력을 받아; 압박감을 느껴 ***under the ~ of*** …에 몰려서 ***work at high*** [***low***] ***~*** 맹렬히[천천히] 일하다
― *vt.* **1** 〈남에게〉 압력을 가하다, 강제하다 **2** =PRESSURIZE ▷ préss *v.*
préssure altìmeter 〘기상〙 기압 고도계
préssure àltitude 〘기상〙 기압 고도
préssure càbin (미) 〘항공〙 기밀실(氣密室)
préssure cènter 〘기상〙 기압의 중심
pres·sure-cook [préʃərkùk] *vt.* 압력솥으로 요리하다
préssure còoker 압력솥; (구어·비유) 압박감[스트레스]을 주는 상황[작업, 환경]
préssure gàuge 압력계(計); (총의) 폭압계(爆壓計)
préssure gràdient 〘기상〙 기압 경도(傾度)
préssure gròup 〘사회〙 압력 단체
préssure hòse 고압 호스
préssure hùll (잠수함의) 기밀실(氣密室)
préssure làmp 공기압으로 연료를 주입하는 휴대용 석유 램프
préssure mìne 수압 기뢰(機雷)
préssure pòint **1** 압점 《피부면에서 압력에 특히 예민한 점》 **2** 지혈점 **3** 급소, 약점
pres·sure-sen·si·tive [-sénsətiv] *a.* 압력을 감지하는 〈키보드 등〉
préssure sòre 욕창(褥瘡)(bedsore)
préssure sùit 〘항공〙 (우주 비행용 등의) 여압복(與壓服), 기압복
pres·sure-treat·ed [-trì:tid] *a.* 〈목재가〉 압력 약품 처리된
préssure wàsher 고압 세척기
préssure wèlding 압력 용접
préssure wìre 〘전기〙 전압선
pres·sur·i·za·tion [prèʃərizéiʃən | -raiz-] *n.* 여

thesaurus **pressing** *a.* urgent, vital, crucial, critical, demanding, important, high-priority
prestige *n.* kudos, importance, reputation, fame, esteem, renown, authority, supremacy, eminence

압[가압](에 의해 생기는 상태)

pres·sur·ize [préʃəràiz] *vt.* **1** 〖항공〗 〈고도 비행 중에 기밀실의〉 기압을 일정하게 유지하다 **2** 〈음식을〉 압력솥으로 요리하다 **3** …에 압력을 가하다 **4** 〈유정(油井)에〉 가스를 압입(壓入)하다 **-iz·er** *n.*

pres·sur·ized [préʃəràizd] *a.* **1** 기밀(氣密) 구조의 **2** 〈액체·기체가〉 가압된

préssurized súit = PRESSURE SUIT

préssurized wáter reàctor 가압수형(加壓水型) 원자로 《略 PWR》

press·wom·an [préswùmən] *n.* PRESSMAN의 여성형

press·work [préswə̀:rk] *n.* **1** Ⓤ 인쇄 (작업) **2** 인쇄물

Pres·tel [préstel] [*pres*to+*tel*ephone and television] *n.* 프레스텔 《British Telecom이 제공하는 비디오텍스 서비스》

Prés·ter Jóhn [préstər-] 프레스터 존 《중세에 Abyssinia 또는 동방 나라에 그리스도교 국가를 건설했다는 전설상의 왕》

pres·ti·dig·i·ta·tion [prèstədìdʒətéiʃən] *n.* Ⓤ 요술

pres·ti·dig·i·ta·tor [prèstədídʒətèitər] *n.* 요술쟁이(juggler)

***pres·tige** [prestí:ʒ, -tí:dʒ] [L 「눈을 끌다」의 뜻에서] *n.* Ⓤ 위신, 명성, 신망, 위세, 세력: national ~ 국위(國威) / loss of ~ 위신[면목]의 상실 / enhance the ~ of …의 신망을 높이다

— *a.* Ⓐ 세평이 좋은, 명문의, 일류의: a ~ car 고급차 / a ~ school 명문교

> 유의어 **prestigious**는 보통 좋은 뜻으로, **prestige**는 「명성을 뽐내다」의 좋지 않은 뜻으로 쓰일 때가 있다.

pres·tige·ful [prestí:ʒfəl, -stí:dʒ-] *a.* 명성[신망, 영명(令名)]이 있는(prestigious)

pres·tig·ious [prestídʒəs, -dʒiəs, -stí:dʒ-] *a.* **1** 고급의, 일류의, 훌륭한 **2** 이름이 난, 세상에 알려진: a ~ school 유명[명문]교 **~·ly** *ad.* **~·ness** *n.*

pres·tis·si·mo [prestísəmòu] [It.] *ad.* 〖음악〗 아주 빠르게 — *n.* 프레스티시모(의 악장)

pres·to [préstou] [It.] *a.* **1** 급한, 재빠른, 별안간의 **2** 〖음악〗 프레스토의, 급속한 — *ad.* 급히, 빨리
— *n.* (*pl.* **~s**) 급속조[곡], 프레스토 (악장)
— *int.* (미) = HEY PRESTO

pre·stock·ing [pri:stákiŋ | -stɔ́k-] *n.* 〖군사〗 (병기·탄약·장비 등의) 예비[사전] 저장

Pres·ton [préstən] *n.* 프레스턴 《잉글랜드 Lancashire주의 주도》

pre·stress [pri:strés] *vt.* 〈콘크리트에〉 강철선을 넣어서 압축 응력(應力)을 주다

pre·stressed [pri:strést] *a.* 〈콘크리트가〉 강철선을 넣어 압축 응력을 받은: ~ concrete PS 콘크리트 《강철선을 넣어서 강화한 것》

pre·sum·a·ble [prizú:məbl | -zjú:m-] *a.* 가정[추정]할 수 있는, 있음직한(probable)

***pre·sum·a·bly** [prizú:məbli | -zjú:m-] *ad.* 아마(probably), 생각건대: The report is ~ correct. 보도는 아마 정확할 것이다.

‡**pre·sume** [prizú:m | -zjú:m] [L 「미리 취하다」의 뜻에서] *vt.* **1 가정[추정]하다**; 상상하다, …이라고 여기다, 생각하다: (~+*that* 절) I ~ *that* they have seen him. 그들이 그를 만났을 것으로 생각되는데. // (~+목+(*to be*) 보) They ~*d* her (*to be*) dead. 그들은 그녀가 죽었다고 추정했다. USAGE assume과는 달리, 사실이라고 생각하는 근거가 있어서, 강한 확신을 갖고 있는 경우에 씀. 또한 assume, suppose와는 달리 명령문에는 쓰이지 않음. **2** 〖법〗 반대의 증거가 없어 …으로 추정하다: be ~*d* (to be) innocent 무죄로 추정되다 // (~+목+보) ~ the death of a missing person = ~ a missing person dead 행방불명자를 사망으로 추정하다 **3** [보통 의문문·부정문에서] 감히 …하다(dare), 주제넘은 것 같지만 …하다: (~+*to* do) May I ~ *to* ask you a question? 죄송하지만 한 말씀 여쭈어 보겠습니다.

— *vi.* **1** 가정[추정]하다: Mr. A, I ~? A씨이시죠? 《초면에 말을 건넬 때》 **2** 참견하다, 우쭐대다, 버릇없이 …하다 **3** (기화로 삼아) 이용하다, 편승하다 《*on, upon*》: (~+전+명) He ~*d on* her kindness. 그는 그녀의 친절을 악용하였다. **4** 기대하다, 믿다 《*on, upon*》 ***You ~.*** 주제넘구나, 건방지구나, 무엄하다.
▷ presúmption *n.*; presúmptive *a.*

pre·sumed [prizú:md | -zjú:md] *a.* 당연한 것으로 여겨지는

pre·sum·ed·ly [prizú:midli, -zú:md- | -zjú:md-] *ad.* = PRESUMABLY

pre·sum·er [prizú:mər | -zjú:mə] *n.* **1** 가정자(假定者), 추정자 **2** 주제넘은 자

pre·sum·ing [prizú:miŋ | -zjú:m-] *a.* 주제넘은, 뻔뻔스러운, 외람된 **~·ly** *ad.*

pre·sump·tion** [prizʌ́mpʃən] *n.* **1** UC **추정,** 가정; 억측, 어림짐작; 있음직함, 가능성; 인정, 추정의 근거: The ~ is that ... …인 듯하다 **2** Ⓤ 외람됨, 참견, 뻔뻔스러움, 무엄함, 무례, 염치 없음: (~+*to* do) He had the ~ *to* criticize my work. 그는 무례하게도 내 작품을 비판했다. // (~+전+*-ing*) Please pardon my ~ *in* writ*ing* to you. 편지를 드리는 실례를 용서해 주십시오. **3** 〖법〗 (사실에 입각한) 추론 ***~ of fact (이미 아는 사실에 근거를 둔) 사실의 추정 ***~ of innocence*** 〖법〗 무죄의 추정 《누구든 유죄가 증명되기 전까지는 무죄라는 원칙》 ***~ of law*** 〖법〗 법률상의 추정 《반증이 없는 한 진실이라는 추정》 ▷ presúme *v.*; presúmptive *a.*

pre·sump·tive [prizʌ́mptiv] *a.* **1** 추정의 근거를 주는 **2** 가정에 기초한, 추정에 의한 **~·ly** *ad.*

presúmptive évidence[próof] 〖법〗 추정 증거

pre·sump·tu·ous [prizʌ́mptʃuəs] *a.* 주제넘은, 건방진, 염치 없는, 뻔뻔스러운 **~·ly** *ad.* **~·ness** *n.*

pre·sup·pose [prì:səpóuz] *vt.* **1** 미리 추정[예상]하다 **2** 〈사물·상태가〉 필요 조건으로서 우선 인정하다, 전제로 삼다, …의 뜻을 내포하다: My plan ~*s* financial support. 내 계획은 재정적 원조를 전제로 하고 있다.

pre·sup·po·si·tion [prì:sʌpəzíʃən] *n.* **1** UC 예상, 가정 **2** 〖언어·논리〗 전제 (조건)

pre·sur·mise [prì:sərmáiz] *n.* 사전의 억측[추측]
— *vt.* 사전에 억측[추측]하다, 예측하다

pre·syn·ap·tic [prì:sinǽptik] *a.* 〖생리〗 시냅스(synapse) 앞(부분)의 **-ti·cal·ly** *ad.*

pret. preterit(e)

prêt-à-por·ter [prètɑ:pɔ:rtéi] [F = ready-to-wear] *n., a.* 기성복(의)

pre·tax [pri:tǽks] *a.* 세금을 포함한; 세금 공제 전의

pre·teach [prì:tí:tʃ] *vt.* (시험 전에) 미리 가르치다 《특히 새로운 단어들을》

pre·teen [pri:tí:n] *a., n.* 《주로 미》 사춘기 직전의 (아동) 《10-12세》

pre·teen-ag·er [pri:tí:neidʒər] *n.* 사춘기 직전의 아동 《10-12세》 (preteen)

pre·tence [priténs, prí:tens] *n.* 《영》 = PRETENSE

‡**pre·tend** [priténd] [L 「앞에 펼치다」의 뜻에서] *vt.* **1** …인 체하다, 가장하다, 사칭(詐稱)하다(⇨ assume 유의어): ~ ignorance 모르는 척 시치미떼다 / ~ illness 꾀병 앓다 // (~+*to* do) He ~*ed to* be indifferent. 그는 무관심한 체했다. // (~+*that* 절) He ~*ed* (*that*) he knew nothing about it. 그는 그것에 관해서 전연 모르는 체했다. **2** (특히 거짓으로) 주장

---

presume *v.* assume, suppose, believe, think, imagine, judge, guess, surmise, hypothesize
pretend *v.* act, put on an act, dissemble, sham, feign, fake, posture, affect

하다, 구실로 삼다 **3** 〈아이들이 놀이에서〉 …하는 흉내를 내다: 《~+***that*** 절》 Let's ~ (*that*) we are pirates. 해적 놀이를 하자. **4** [부정문에서] **감히** …하다, 주제넘게 …하려고 하다: 《~+***to*** do》 I can*not* ~ *to* ask him for money. 그에게 감히 돈을 빌려 달라고 할 수 없다.
— *vi.* **1** (…인) 체하다, 속이다: Are you really sleepy, or only *~ing*? 정말 졸린 거냐, 아니면 그저 졸린 체하는 거냐? **2** 〈어린이가〉 흉내 놀이를 하다 **3** (부당하게) 요구하다; 주장하다 《*to*》: ~ *to* the throne [Crown] 왕위를 요구하다 **4** 《폐어》 〈구혼자 등이〉 희망하다, 구혼하다 《*to*》
— *a.* Ⓐ 《유아어》 거짓의, 공상상의
▷ preténse, preténsion *n.*; preténtious *a.*

pre·tend·ed [priténdid] *a.* **1** 거짓의, 겉치레만의: ~ illness 꾀병 **2** 《일반적으로》 단정된; 자칭의, 평판상의 **~·ly** *ad.*

pre·tend·er [priténdər] *n.* **1** …인 체하는 사람; 현학자; 사칭(詐稱)하는 자 **2** 왕위를 노리는 자; 요구자 《*to*》 ***the Old P~*** 《영국사》 James II의 아들 James Edward Stuart(1688-1766) ***the Young P~*** 《영국사》 James II의 손자 Charles Edward (1720-88)

pre·tend·ing [priténdiŋ] *a.* 겉치레하는, 거짓의, 사칭(詐稱)하는; 왕위를 노리는

*__pre·tense__ | **-tence** [priténs, prí:tens] *n.* **1** ⓊⒸ **겉치레**, 가식(假飾), 가면, 위장, **허위** **2** **구실**, 핑계(pretext); [false ~s로] 《법》 사기 행위 **3** Ⓤ (…이라는) 부당한 주장, 요구; 《일반적으로》 (…의) 주장, 요구 《*of, to, at*》 **4** 과시(誇示), 자만: talk without ~ 젠체하지 않고[겸손하게] 말하다
by [***under***] ***false ~s*** 거짓으로, 거짓 핑계[구실]로 ***make a ~ of*** …인 체하다 ***on the slightest ~*** 사소한 것을 구실로 하여 ***under*** [***on***] (***the***) ***~ of*** …을 핑계삼아, …의 미명 아래 ▷ preténd *v.*

*__pre·ten·sion__ [priténʃən] *n.* **1** ⓊⒸ **요구**(claim), 주장 **2** Ⓒ (주장·요구하는) 권리, 자격 **3** [종종 *pl.*] 암묵의 요구; 자임(自任), 자부, 자칭: 《~+***to*** do》 He has no ~(*s*) *to* be a scholar. 그에게는 학자인 체하는 데가 없다. **4** Ⓤ 겉치레, 자만, 뽐냄 **5** 구실, 핑계
without ~ 수수한[하게]; 겸손한[하게] ▷ preténd *v.*

*__pre·ten·tious__ [priténʃəs] *a.* **1** 〈사람이〉 **자만하는**, 자부하는 **2** 〈태도·이야기 따위가〉 젠체하는, 건방진, 방자한: a ~ manner 잘난 체하는 태도 **3** 거짓의 **~·ly** *ad.* **~·ness** *n.*

preter- [prí:tər] 《연결형》 「과(過); 초(超)」의 뜻

pre·ter·hu·man [prì:tərhjú:mən] *a.* 인간 이상의, 초인적(超人的)인

pret·er·it(e) [prétərit] *n.* [the ~] 《문법》 과거(형) 《略 pret.》 — *a.* 과거(시제)의

préterite ténse [the ~] 《문법》 과거 시제

pret·er·i·tion [prètəríʃən] *n.* ⓊⒸ **1** 간과(看過); 생략, 탈락 **2** 《신학》 신의 선택에서 누락되는 일 **3** 《수사학》 =PARALEIPSIS **4** 《법》 (유언인의) 상속인 누락

pre·ter·i·tive [priтéritiv] *a.* 〈동사가〉 과거형만 있는; 과거를 나타내는

pre·term [pri:tə́:rm] *a.* 〈출산이〉 예정일보다 빠른, 조산의 — *ad.* 예정일보다 빨리 — *n.* 조산아

pre·ter·mi·nal [pri:tə́:rmənl] *a.* 죽기 전에 일어나는

pre·ter·mis·sion [prì:tərmíʃən] *n.* ⓊⒸ 묵과; 중단, 탈락

pre·ter·mit [prì:tərmít] *vt.* (**~·ted**; **~·ting**) **1** 불문에 붙이다, 간과하다, 무시하다(disregard) **2** 게을리하다, 소홀히 하다 **3** 일시 중단하다

pre·ter·nat·u·ral [prì:tərnǽtʃərəl] *a.* **1** 초자연적인 **2** 이상한(abnormal), 불가사의한 **~·ism** *n.* Ⓤ 초자연주의[신앙] **~·ly** *ad.* **~·ness** *n.*

pre·ter·sen·su·al [prì:tərsénʃuəl | -sjuəl] *a.* 초감각적(超感覺的)인

pre·test [prí:tèst] *n.* **1** (신제품 판매에 앞선) 예비 테스트[검사] **2** (학생에게 새 과정 시작 전에 하는) 예비 시험[검사] — [-´] *vt., vi.* 예비 시험[검사]을 하다

*__pre·text__ [prí:tekst] *n.* **1** (사실과 다른) **구실**(pretense), 핑계(excuse) 《*for*》: find a ~ *for* refusing the invitation 초대를 거절할 핑계를 찾다 **2** (참 의도를 은폐하기 위한) 거짓 외관[행위], 위장
make a ~ of …을 구실로 삼다 ***on some ~ or other*** 이 핑계 저 핑계로 ***on*** [***under, upon***] ***the ~ of*** [***that ...***] …을 구실삼아
— [-´] *vt.* 구실로 하다

pre·tone [prí:tòun] *n.* 악센트가 있는 바로 앞 음절(音節)[모음] **pre·tón·ic** *a.*

pre·tor [prí:tər] *n.* 《로마사》 =PRAETOR

Pre·to·ri·a [pritɔ́:riə] *n.* 프레토리아 《남아프리카 공화국의 행정 수도; 입법상의 수도는 Cape Town》

pre·to·ri·an [pri:tɔ́:riən] *n., a.* =PRAETORIAN

pre·treat [pri:trí:t] *vt.* 미리[사전에] 처리하다

pre·treat·ment [pri:trí:tmənt] *n.* 사전 처리, 예비 조치 — *a.* 처리 전의

pre·tri·al [pri:tráiəl] *n.* 사전 심리[절차]
— *a.* 공판 전 회합[절차]의, 공판 전의

pret·ti·fy [prítəfài] *vt.* (**-fied**) …을 예쁘게 장식하다; 야하게 겉치레하다; 그럴듯하게 꾸미다[얼버무리다] **prèt·ti·fi·cá·tion** *n.*

*__pret·ti·ly__ [prítili] *ad.* **1** **예쁘장하게**; 귀엽게; 〈아이가〉 얌전하게: be ~ dressed 예쁘게 차려입고 있다 **2** 확실하게, 명백하게; 적절하게

pret·ti·ness [prítinis] *n.* Ⓤ 예쁘장함, 귀여움; Ⓒ 예쁜 사람[것]

‡**pret·ty** [príti] [OE 「교묘한」의 뜻에서] *a.* (**-ti·er**; **-ti·est**) **1** **예쁜**, **귀여운**, 참한, 조촐한(⇨ beautiful 유의어); 〈남자 아이가 여자처럼〉 예쁘장한: a ~ little child 귀여운 아이 / a ~ flower 예쁜 꽃 / a ~ house 아담한 집 **2** 〈물건·장소 등이〉 깨끗한, 말쑥한 **3** 〈곡·목소리 따위가〉 (귀에) 듣기 좋은, 기분 좋은: a ~ voice 기분 좋은 목소리 **4** 재미있는 **5** 멋진, 훌륭한, 빼어난, 잘하는: a ~ stroke (골프 등에서) 쾌타 **6** 《반어》 엉뚱한: A ~ mess you have made! 큰일을 저질렀구나! **7** Ⓐ 《구어》 〈수량·범위 등이〉 꽤 큰, 꽤 많은, 상당한: a ~ fortune 꽤 많은 재산 **8** 《고어》 용감한, 사내다운 **9** 적절한 ***be*** (***as***) ***~ as a picture*** 그림처럼 예쁘다 ***be not just a*** [***another***] ***~ face*** 얼굴만 예쁜 게 아니다
— *n.* (*pl.* **-ties**) **1** [*pl.*] 《드물게·미》 예쁘장한 물건, 장신구, 예쁜 옷, 《특히》 란제리 **2** 《호칭》 귀여운 아이[사람, 여자], 예쁜 아이 **3** 《골프》 =FAIRWAY 2 **4** 《영》 (유리잔의) 홈 장식
do [***speak, talk***] ***the ~*** 《속어》 너무 점잖게 행동하다[말하다] ***My ~!*** 여보, 예쁜아! ***up to the ~*** 유리잔의 홈 장식까지, 약 1/3까지 〈따르다〉
— *ad.* **1** [보통 긍정문에서] …치고는, …에 비해, 적당히, 알맞게 **2** [보통 긍정문에서 형용사 및 다른 부사를 수식] 꽤, 상당히(rather); 매우 ***~ much*** 꽤 많이; 거의 ***~ much the same thing*** 거의 같은, 그것이 그것인 ***~ well*** 썩 잘; 거의 ***sitting ~*** 《구어》 〈사람이〉 (노력하지 않고) 넉넉하게 살아
— *vt.* (**-tied**) 예쁘장하게 하다, 아름답게[유쾌하게] 하다 《*up*》 ▷ préttify *v.*; préttily *ad.*

pret·ty·ish [prítiiʃ] *a.* 예쁘장한, 귀여운; 꽤 기분이 좋은; 좋아 보이는

prétty pènny 《구어》 상당히 큰 액수의 돈

pret·ty-pret·ty [prítiprìti] *a.* 치장이 지나친, 너무 꾸며댄; 맵시만 내는, 그림처럼 예쁘기만 한
— *n.* [*pl.*] 자잘한 장신구, 싸구려 복식품(服飾品)

pre·typ·i·fy [pri:típəfai] *vt.* (**-fied**) 미리 보여주다, 예시하다

thesaurus **prevail** *v.* **1** 이기다 win, triumph, conquer, overcome, rule **2** 보급되다 exist, obtain, occur, predominate, be widespread
prevalent *a.* prevailing, current, frequent, usual, common, general, widespread, pervasive, universal, accepted, popular, fashionable

pret·zel [prétsəl] [G; L「팔 모양의 가지가 있는」의 뜻에서] *n.* **1** 프레첼 (매듭 또는 막대 형태의 딱딱하고 짭잘한 비스킷) **2** (미·속어) 프렌치 호른(horn)

prev. previous(ly)

‡**pre·vail** [privéil] [L「보다 힘센」의 뜻에서] *vi.* **1** 우세하다, 이기다, 극복하다, 압도하다 (*over, against*): (~+전+명) ~ *against*[*over*] a person …에게 이기다 **2** 보급되다, 유행하다: The idea still ~*s.* 그 생각은 아직도 보편화되어 있다. // (~+전+명) Bad cold ~*s throughout* the country. 독감이 전국적으로 유행하고 있다. **3** 잘되다, 효과를 나타내다, 성공하다 **4** 〈사람을〉 설복하다, 설득하여 …시키다 (*on, with*): (~+전+명) I tried, but could not ~ *with*[*on*] him. 그를 설복하려 했으나 허사였다. // (~+전+명+*to* do) ~ *on* a person *to* do …을 …하도록 설복하다
▷ prévalent *a.*; prévalence *n.*

∗**pre·vail·ing** [privéiliŋ] *a.* Ⓐ **1** 우세한, 세력 있는, 유력한: ~ winds (지역적·계절적으로 가장) 우세한 바람 **2** 널리 행해지는[유행하는], 보급되는, 일반[보통]의: the ~ opinion 일반적인 의견 **3** 효과적인, 유효한(effectual)

∗**prev·a·lence, -len·cy** [prévələns(i)] *n.* Ⓤ **1** 널리 퍼짐, 유행, 보급; (드물게) = PREDOMINANCE **2** (특히) 발병률 ▷ prevàil *v.*; prévalent *a.*

∗**prev·a·lent** [prévələnt] *a.* **1** 일반적으로 행하여지는, 유행하는, 널리 퍼진 **2** 효과 있는 **3** (고어) 우세한, 유력한 **~·ly** *ad.* ▷ prévalence *n.*; prevàil *v.*

pre·var·i·cate [privǽrəkèit] [L「구부리며 걷다」의 뜻에서] *vi.* (문어) **1** 얼버무리다, 발뺌하다 **2** 속이다 **pre·vár·i·cà·tor** *n.* 발뺌하는 사람

pre·var·i·ca·tion [privæ̀rəkéiʃən] *n.* ⓊⒸ **1** 얼버무림, 발뺌 **2** 핑계, 변명, 기만

pre·ve·nance [prèivənɑ́:ns] [F] *n.* (인간이 원하는 일에 대한) 빈틈없는 배려, 헤아림

pre·ve·nience [privíːnjəns] *n.* **1** = PREVENANCE **2** 선행(先行)

pre·ve·nient [privíːnjənt] *a.* **1** 앞의, 이전의, 선행하는, 앞선(preceding): a ~ cause 선행 원인 **2** 예측하는, 예기하고 있는 (*of*)

prevénient gráce 〔신학〕 선행적 은총

‡**pre·vent** [privént] *vt.*

L「앞서 가다」의 뜻에서 →「(앞서 가서) 방해하다」→「막다」

1 (…의 발생을) 막다, 방해하다; 방해하여 …하지 못하게 하다 (*from*): (~+목+전+명) (~+-*ing*) (~+목+-*ing*) The snow ~*ed* him *from* go*ing* out[his go*ing* out, him go*ing* out]. 눈 때문에 그는 외출할 수 없었다. **2** 예방하다, 방지하다, 지키다, 보호하다 (*from*): ~ an accident 사고를 방지하다 // (~+목+전+명) ~ flu *from* spread*ing* 유행성 감기의 만연을 예방하다 **3** (영·고어) 〈희망·의문에〉 앞서서 처리하다, 선수를 쓰다, 기선을 제하다(anticipate) **4** 〔신학〕 〈신이나 그 은총이〉 인도하다, 선도(先導)하다
▷ prevéntion *n.*; prevéntive *a.*

pre·vent·a·ble, -i·ble [privéntəbl] *a.* 막을 수 있는, 방해[예방]할 수 있는

pre·ven·ta·tive [privéntətiv] *a., n.* = PREVENTIVE

pre·vent·er [privéntər] *n.* **1** 예방자, 방지자; 예방법[책, 약]; 방해자[물] **2** 〔항해〕 보조구(補助具) (밧줄·사슬 등)(= ~ **stày**)

prevent *v.* hinder, stop, impede, hamper, obstruct, inhibit, restrain, prohibit, bar, block, thwart, frustrate, deter (opp. *cause, encourage*)
previous *a.* former, preceding, foregoing, past, onetime, antecedent, earlier, prior, above (opp. *following, next, consequent*)

‡**pre·ven·tion** [privénʃən] *n.* Ⓤ **1** 저지, 방해, 막음 (*of*): the ~ *of* crime[war] 범죄[전쟁]의 방지 **2** 예방, 방지; Ⓒ 예방법[책, 약] (*against*): fire ~ 화재 예방 / *P*~ is better than cure. (속담) 예방은 치료보다 낫다. ***by way of*** **~** 예방법으로서; 방지하기 위하여 ***the Society for the P~ of Cruelty to Animals*** 동물 애호 협회 (略 SPCA)
▷ prevént *v.*; prevéntive *a.*

∗**pre·ven·tive** [privéntiv] *a.* 예방적인, 방지적인, 막는, 방해하는: a ~ inoculation 〔의학〕 예방 접종 / be ~ of crime 범죄를 방지하다 / ~ measures 예방책
— *n.* 예방법[책, 약] (*for*); 방지자[물]; 방해물; 피임약, 콘돔 **~·ly** *ad.* ▷ prevént *v.*; prevéntion *n.*

prevéntive deténtion[**cústody**] **1** 〔미국법〕 예방 구금 (용의자를 재판 전에 보석을 허가하지 않고 구금하기) **2** 〔영국법〕 예방 구치 (상습 범죄자를 교정키 위해 판결로 구치하기)

prevéntive díscipline (종업원에 대한) 예방 교육

prevéntive máintenance 예방 정비[보수] (기계·설비의)

prevéntive médicine 예방 의학

Prevéntive Sérvice [the ~] (영) (밀수 단속) 연안 경비대

prevéntive wár 예방 전쟁 (타국의 침략을 막기 위해 선제 공격하는)

pre·ver·bal [priːvə́ːrbəl] *a.* **1** 〈아이가〉 언어를 습득하기 전의 **2** 동사 앞의

pre·vert [príːvəːrt] *n.* (미·속어) 성적(性的) 도착자

pre·vi·a·ble [priːváiəbl] *a.* 〔의학〕 〈태아가〉 자궁 밖에서 생존할 수 있게 되기 전의

pre·view [príːvjùː] *n.* **1** 미리 보기, 사전 검토 **2** (극·영화의) 시사(회), 시연(試演) **3** (미) (영화·텔레비전의) 예고편(trailer), (라디오의) 방송 순서 예고; 〔방송〕 사전 연습 **4** (강의·수업 전의) 개설(槪說) **5** 〔컴퓨터〕 미리 보기 (편집한 문서를 인쇄 전에 미리 화면에 출력시켜 보는 일)
— *vt., vi.* 시사[시연]를 보다[보이다] **~·er** *n.* 〔컴퓨터〕 프리뷰어 (시험적으로 미리 보는 프로그램)

‡**pre·vi·ous** [príːviəs] [L「앞에 가다」의 뜻에서] *a.* **1** Ⓐ (시간·순서적으로) 앞의, 이전의(prior): a ~ engagement 선약 / a ~ notice 사전 통고 / the ~ evening 간밤 **2** Ⓟ (구어) 조급하게 서두르는, 성급한, 너무 이른 (*in*): He was a little too ~. 그는 좀 서둘렀다. **3** (미·속어) 〈옷 따위가〉 헐렁하지 않은, 딱 맞는 **~ *to*** [전치사적으로] …이전에, …에 앞서: ~ *to* the conference 회의에 앞서

prévious convíction 전과(前科)

prévious examinátion Cambridge 대학 B.A. 학위의 제1차 시험

∗**pre·vi·ous·ly** [príːviəsli] *ad.* 이전에; 미리, 사전에 (*to*): ~ *to* the conference 회의에 앞서서

pré·vi·ous·ly-ówned cár [príːviəslióund-] 중고차 (같은 중고차(used car)라도 성능이 좋고 새 것이라는 인상을 주기 위해서 사용하는 말)

prévious quéstion 〔의회〕 선결 발의 (본의제의 채택 여부를 미리 정하는 발의; 略 pq); 선결 문제

pre·vise [priváiz] *vt.* **1** 미리 알다, 눈치채다, 예고하다 **2** 경계하다, 미리 주의하다

pre·vi·sion [privíʒən] *n.* Ⓤ 예지(豫知), 선견(先見); 예감 — *vt.* 예견하다(foresee)

pre·vi·sion·al [privíʒənl] *a.* **1** 앞을 내다본, 선견지명이 있는, 미리 짐작한 **2** 미리 알려진, 넘겨다본

pre·vo·cal·ic [prìːvoukǽlik] *a.* 〔음성〕 모음 직전에 오는, 모음 직전의

pre·vo·ca·tion·al [prìːvoukéiʃənl] *a.* 직업 학교(vocational school) 입학 전의

pre·vue [príːvjùː] *n.* (미) 예고편(preview)

∗**pre·war** [príːwɔ́ːr] *a., ad.* 전전(戰前)의[에](opp. *postwar*): ~ prices 전쟁 전 가격

pre·wash [prìːwɑ́ʃ, -wɔ́ːʃ | -wɔ́ʃ] *vt.* **1** (천·의류를 사용하거나 팔기 전에) 미리 세탁하다 **2** (세탁기로)

선(先)세탁하다 — *n.* **1** Ⓒ 본 세탁 전의 세탁 **2** Ⓤ 선(先)세탁 용액 《세탁 전에 의류 등에 바르는 물질》

pre·washed [príːwɔ́ːʃt] *a.* (청바지 등을 부드럽게 하거나 탈색시키기 위해) 판매 전에 세탁한

pre·work [priːwə́ːrk] *a.* 출근 전의

prex [préks] *n.* 《미·속어》 학장, 회장, 사장

prex·y [préksi] *n.* (*pl.* **prex·ies**) 《미·속어》 대학 총장, 학장(president); 풋볼 클럽 회장

‡**prey** [préi] [L 「전리품」의 뜻에서] *n.* **1** (잡아먹는) 먹이: in search of ~ 먹이를 찾아 **2** 희생, 밥 **3** 포획, 포식, 잡아먹음, 탈취, 잡아먹는 습성: an animal[a beast] of ~ 맹수 / a bird of ~ 맹금 **4** 《고어》 약탈품, 전리품, 잡은 것 ***become***[***fall***] (***a***) ~ ***to*** …의 희생이 되다 ***make a ~ of*** …을 먹이로 삼다

— *vi.* **1** 잡아먹다, 포식하다, 먹이로 삼다 《*on, upon*》 (cf. LIVE[1] on): 《~+전+명》 Cats ~ *upon* mice. 고양이는 쥐를 잡아먹는다. **2** 착취하다, 등쳐 먹다 《*on, upon*》: 《~+전+명》 He ~*s upon* the poor. 그는 가난한 사람들을 착취한다. **3** 〈걱정·근심 등이〉 괴롭히다, (마음을) 좀먹다, 차츰 해를 끼치다 《*on, upon*》: 《~+전+명》 ~ *on* a person's mind …의 마음을 괴롭히다 / Care ~*ed on*[*upon*] her health. 걱정으로 인해 그녀는 건강을 해쳤다. **~·er** *n.*

prez [préz] *n.* 《미·속어》 대통령, 사장, 학장

prez·zie [prézi] *n.* = PRESSIE

PRF pulse recurrence[repetition] frequency

prf. proof

Pri·am [práiəm] *n.* 《그리스신화》 프리아모스 《트로이 전쟁 때의 Troy의 왕; Hector와 Paris의 아버지》

pri·a·pic [praiǽpik] *a.* **1** [종종 **P~**] 프리아포스(Priapus)의; 남근(숭배)의 **2** 남근을 강조한; 남근을 연상시키는; 남성적임을 강조한

pri·a·pism [práiəpìzm] *n.* Ⓤ **1** 《병리》 (성욕이 없는 유통성(有痛性)) 지속 발기(증) 《병적 증상》 **2** 외설적 행위[몸짓] **prì·a·písm·ic** *a.*

Pri·a·pus [praiéipəs] *n.* **1** 《로마신화》 프리아포스 《남성 생식력(生殖力)의 신》 **2** [**p~**] 남경(男莖)

‡**price** [práis] [L 「가치」의 뜻에서] *n.* **1** 값, 가격, 대가, 정가; 시세, 시가: a cash ~ 현찰가 / a cost ~ 원가 / a net ~ 정가(正價) / a retail ~ 소매가 / a wholesale ~ 도매가 / reduced ~ 할인 가격 / What is the ~ of this? 이것은 값이 얼마입니까? 《★ How much is the ~ of this? 라고 하지 않으며, 같은 뜻은 How much is this? 임.》

> 유의어 **price** 물품을 매매할 때의 값 **charge** 일을 하는 데에 드는 시간·노력에 대해 지불하는 금액·요금: the *charge* for delivery 배달 요금 **expense** 어떤 물건[일]에 지불되는 금액(의 합계) **fare** 탈것의 요금: a taxi *fare* 택시 요금 **cost** 일[생산]하는 데에 드는 시간·노력 등에 지불하는 돈의 총액 또는 원가: the *cost* of building a new annex 별채 신축 비용 **value** 물건의 가치에 상당하는 값 **rate** 단위당 기준 가격 **fee** 각종 수수료, 무형의 봉사에 대한 요금

2 현상금, 상금; 교환물; 증여물 **3** 매수금, 뇌물: Every man has his ~. 《속담》 돈에 움직이지 않는 사람은 없다. **4** [a[the] ~] 《문어》 대가, 대상(代償), 보상; 희생: It's *the* ~ you have to pay for your laziness. 그것은 네가 태만한 데 대한 대가이다. **5** (내기에서) 건 돈의 비율; 《미》 건 돈; 돈 **6** Ⓤ 《영·고어》 귀중함, 가치(value): of great ~ 고가(高價)인 **7** 《영·속어》 기회

above[***beyond, without***] ~ (값을 매길 수 없을 만큼) 비싼, 귀중한 ***at a*** ~ 비교적 비싼 값으로 ***at any*** ~ 어떤 대가[희생]를 치르더라도 ***at the ~ of*** …을 희생하여 ***fetch a high*** ~ 비싸게 팔리다 ***fixed***[***set, settled***] ~ 정가(定價) ***make a*** ~ 값을 놓다 ***~ on a preson's head*** 현상금 ***put a ~ on*** …에 가격을 매기다 ***set high***[***little***] ~ (***up***)***on*** …을 중히 여기다[업신여기다] ***the ~ asked*** 부르는 값 ***the starting ~*** 경마가 출발하기 직전에 거는 돈 ***What ~ …?*** 《영·구어》 (1) (인기 있는 말의) 승산은 어때? (2) 《비유》 어떻게 생각하나? (3) (실패한 계획 따위를 비꼬며) 참 꼴 좋다, …가 다 뭐냐? (4) (도대체) 무슨 소용이 있는가?

— *vt.* **1** …에 값을 매기다, 평가하다 **2** 《구어》 (싼 데와 시세를 알려고) 값을 여기저기 알아보다, …의 값을 묻다 **3** [~ one*self* 로] 터무니없는 값을 매겨 (시장에서) 밀려나다 《*out of*》 ▷ príceless *a.*

príce adjùstment 가격 변경, 상향 가격

príce brèak 가격 파괴[인하]

príce còde 프라이스 코드 《바겐세일 등에서 할인율·가격을 표시한 표》

príce collùsion 《마케팅》 가격 공모[담합] 《동일 업종 기업들의 가격 협조로 위법적 관행》

Príce Commìssion (정부의) 물가 통제[조정] 위원회

príce contròl [보통 *pl.*] 물가 통제

príce cúrrent (*pl.* **prices current**) 당일 가격; [종종 *pl.*] 시가표(時價表), 시세표

price-cut [práiskʌ̀t] *vt.* 가격 인하하다, 할인하다

príce cùtting 할인 (판매), 가격 인하

priced [práist] *a.* 값이 붙은: high-[low-]~ 비싼[싼] / a ~ catalog 정가표 / plainly ~ 정가표[정찰(正札)]가 붙은

príce discriminàtion 《마케팅》 가격 차별 《같은 상품을 상대에 따라 다른 값에 팔기》

príce-dív·i·dend ràtio [práisdívədènd-] 《증권》 주가 배당률 《略 P/D ration, PDR》

príce-éarn·ings ràtio [-ə́ːrniŋz-] 《증권》 주가(株價) 수익률 《略 p/e》

price-fix·ing [-fìksiŋ] *n.* Ⓤ (정부에 의한) 가격 결정[설정], (업자에 의한) 가격 협정[조작]

príce frèeze 물가[가격] 동결

príce ìndex 물가 지수(指數)

príce lèader (가격을 좌우하는) 주도 기업

príce lèadership 《상업》 가격 주도제[선도제] 《주도[과점] 기업이 경쟁 상대 기업에게 일정한 가격을 정해 주는 일》

***price·less** [práislis] *a.* **1** 아주 귀중한, 값을 매길 수 없는: ~ memories 아주 소중한 기억 **2** 《구어》 무척 재미있는; 《반어》 어처구니없는: a ~ anecdote 무척 재미있는 일화

príce lìst 정가[정찰]표

príce pèr únit (상품의) 할인 전의 단가, (카탈로그 등에 나와 있는) 판매 희망 가격

príce pòint 기준[통일] 소매 가격

pric·er [práisər] *n.* **1** 값[정가]을 매기는[평가하는] 사람 **2** (값만 묻고 다니는) 장난 손님

príce rànge (상품·증권 등의) 가격폭

príce rìng 가격 연합 《가격 유지 목적의 업자 동맹》

príces and íncomes pòlicy 《경제》 물가와 소득 (규제) 정책

príce scànner 프라이스 스캐너 《바코드 판독 장치》

price-sen·si·tive [práissènsətiv] *a.* 가격에 민감한, 가격에 영향받는

price-shop [-ʃɑ̀p | -ʃɔ̀p] *vi.* (마케팅을 위해 타사 제품의) 판매가를 조사하고 다니다

price-stop [-stɑ̀p | -stɔ̀p] *a.* 《미》 물가를 고정시키는

príce suppòrt (정부에 의한) 가격 유지

príce tàg 정가표

príce wàr (업자간의) 가격 (인하[할인, 인상]) 경쟁

pric·ey [práisi] *a.* (**pric·i·er**; **-i·est**) 《구어》 (값) 비싼, 돈이 드는

thesaurus **priceless** *a.* invaluable, precious, rare, incomparable, expensive, costly, dear, cherished, treasured (opp. *worthless, cheap*)

pride *n.* **1** 자존심 self-esteem, self-respect, self-

pri·cing [práisiŋ] *n.* Ⓤ 가격 책정
pricing stràtegy 가격 전략
⁑prick [prík] [OE 「점」의 뜻에서] *vt.* **1** (바늘 끝 등으로) 따끔하게 찌르다, 〈바늘을〉 꽂다, 쑤시다: (~+목+전+명) ~ one's finger *with* a needle 바늘로 손가락을 찌르다 **2** 〈양심 등이〉 괴롭히다, …에 아픔을 주다, …에 자극을 주다, 재촉하다: My conscience ~*ed* me. 나는 양심의 가책을 받았다. **3** 찔러서 〈윤곽을〉 그리다 (*off*, *out*); 찔러서 〈구멍을〉 뚫다, 찔러서 본을 뜨다, 점선으로 그리다: (~+목+전+명) ~ holes *in* the ground 지면에 작은 구멍을 뚫다 // (~+목+부) ~ *out* a pattern with a needle 바늘로 찔러 무늬를 그리다 **4** 〈말·개 등이 귀를〉 쫑긋 세우다 (*up*): (~+목+부) He saw the dog ~ his ears *up* at the sound. 그는 개가 그 소리에 귀를 쫑긋 세우는 것을 보았다. **5** (고어) 말에 박차를 가하다; 자극하다, 격려하다 **6** 〈명부·표 등에〉 표를 하다, 골라내다; (영) 〈sheriff를〉 선출하다 **7** (해도상(海圖上)에서) 컴퍼스로 재다 (*off*, *up*) **8** 〖원예〗 〈모종을〉 찔러 심다, 옮겨 심다 (*in*, *out*, *off*): (~+목+부) ~ *out* seedlings 묘목을 이식하다 **9** 〈와인 따위를〉 산화시키다 **10** 〈토끼 등의〉 발자국을 쫓다
— *vi.* **1** 따끔하게 찌르다; 따끔따끔 아프다 **2** 〈귀가〉 쫑긋하게 서다, 위쪽으로 향하다 **3** 시큼해지다 **4** (고어) 박차를 가하다 (*on*, *forward*)
~ *down* 선택하다 **~ *up*** (*vt.*) 초벌 칠을 하다; (*vi.*) 〖항해〗 〈바람이〉 강해지다; 우뚝 솟다 **~ *up* one's *ears*** (1) 〈말·개 등이〉 귀를 쫑긋 세우다 (2) 〈사람이〉 열심히 듣다 **~ *up* one*self*** 겉치레하다, 멋을 부리다
— *n.* **1** (바늘·가시 등으로) 찌름; 찌른 자국 **2** 욱신거림; (양심의) 가책 **3** 찌르는 기구; 바늘, 가시; 꼬챙이; (고어) (소를) 모는 막대기 **4** 점, 조그마한 상처 자국 **5** 〖음악〗 점보 악곡(點譜樂曲); (폐어) (중세의) 음부(note) **6** (비어) 음경 **7** (비어) 귀찮은[비열한] 놈 **8** (토끼 따위의) 발자국 ***kick against the ~s*** 가시 있는 채찍을 차다, 공연히 덤벼서 스스로를 해치다 ***the ~s of conscience*** 양심의 가책
prick-eared [príkìərd] *a.* **1** 귀가 쫑긋 선 〈개〉 **2** (영) 머리를 짧게 깎은 **3** (영·고어) 청교도·의회당원을 지지하는; = PRIGGISH
prick èars (개 등의) 쫑긋 선 귀
prick·er [príkər] *n.* **1** 찌르는 사람[것] **2** 바늘, 침; 작은 송곳
prick·et [príkit] *n.* **1** 촛대 **2** (영) 두 살 난 수사슴 (뿔이 바르고 갈라지지 않은): a ~'*s* sister 두 살난 암사슴
prick·ing [príkiŋ] *a.* **1** 따끔하게 찌르는, 따끔따끔한 **2** 〈귀가〉 쫑긋 선 **—** *n.* Ⓤ.Ⓒ 따끔따끔 찌름; 동통(疼痛), 따끔따끔 쑤시는 아픔
prick·le¹ [príkl] *n.* **1** 뾰족한 끝 **2** 가시(thorn); 바늘, 가시같이 생긴 것 **3** 찌르는 듯한 아픔
— *vt.*, *vi.* **1** 찌르다, 쑤시다; 얼얼 쑤시게 하다, 욱신거리게 하다; 따끔따끔 아프다 **2** 침[바늘]처럼 뾰족 서다
prickle² *n.* (영) 버들 광주리
prick·ly [príkli] *a.* (**-li·er**; **-li·est**) **1** 가시투성이의, 바늘이 있는 **2** 따끔따끔[쑤시고] 아픈 **3** 다루기 힘든; 성가신; 과민한 **príck·li·ness** *n.*
príckly ásh 〖식물〗 산초나무속(屬)의 하나 (미국산(産))
príckly héat 땀띠
príckly péar 〖식물〗 선인장의 일종; 그 열매
príck tèaser (비어) = COCKTEASER
prick-up [príkʌ̀p] *a.* (구어) 똑똑한, 야무진
pric·y [práisi] *a.* (**pric·i·er**; **-i·est**) (영) = PRICEY
⁑pride [práid] *n.* **1** Ⓤ 자존심, 자긍심, 긍지, 프라이드; 득의(得意), 만족감 (2의 뜻과 구별하여 proper pride라고도 함)(⇨ vanity 유의어): keep one's ~ 자존심을 지키다 **2** Ⓤ 자만, 자기 자랑; 교만, 거드름 (1의 뜻과 구별하여 false pride라고도 함): *P*~ goes before a fall. = *P*~ goes before destruction. = *P*~ will have a fall. (속담) 교만한 자는 오래가지 못한다, 권불십년(權不十年). **3** [보통 the[one's] ~] 자랑거리 (*of*): He is *the* ~ *of* his parents. 그는 양친의 자랑거리다. **4** [보통 the[one's] ~] 최고의 상태; 정화(精華) **5** [the ~] (…의) 전성기 (*of*): in *the* ~ *of* adulthood 원숙기에 **6** Ⓤ (말의) 기운, 혈기 (특히 문장(紋章)에서의) **7** Ⓤ (문어) **a** 장식, 장관, 과시(誇示) **b** 꼬리 날개를 활짝 편 상태 **8** Ⓤ (암컷의) 발정, 암내 **9** (사자·공작 등의) 떼(flock)
a peacock in his ~ (문장(紋章)에서) 날개를 활짝 편 공작 ***in the ~ of*** one***'s years*** 전성(全盛) 시대에, 한창때에 ***~ of place*** 최고위, 최상위; 거만, 교만 ***~ of the world*** 허영 a person***'s ~ and joy*** 대단히 소중히 여기는 사람[물건] ***take*** (***a***) ***~ in*** …을 자랑하다 ***the ~ of the desert*** 낙타 ***the ~ of the morning*** 해 뜰 무렵의 안개[소나기] (좋은 날씨의 징조)
— *vt.* [~ one*self* 로] 자랑하다 (*on*, *upon*): (~+목+전+명) She ~*s herself on*(=is proud of) her skill in cooking. 그녀는 요리 솜씨가 자랑이다.
▷ proud, prídeful *a.*

worth, ego, sensibilities **2** 긍지 satisfaction, gratification, pleasure, joy, delight **3** 자만 conceit, vanity, arrogance, self-importance, egotism, disdain, haughtiness (opp. *modesty*, *humility*)

pride·ful [práidfəl] *a.* 교만한, 건방진; 자존심이 강한 **~·ly** *ad.*
prie-dieu [príːdjə́ː] [F =pray God] *n.* (*pl.* **~s, ~x** [-z]) 기도대(祈禱臺)
pri·er [práiər] *n.* 꼬치꼬치 캐는 사람, 탐구자
⁑priest [príːst] [PRESBYTER와 같은 어원] *n.* **1** 성직자; 〖가톨릭〗 사제, 신부(神父)(minister, clergyman); (감독 교회의) 목사; (다른 종교의) 승려 **2** 봉사자, 옹호자: a ~ of science 과학의 옹호자 **3** (어떤 분야에서) 지도적 위치에 있는 사람 **4** (속어) (남자) 독신주의자 **5** (아일) 물고기를 죽이는 망치
— *vt.* [주로 수동형으로] 성직자로 만들다; 신부에 임명하다; 목사에 임명하다
▷ príestly, príestlike *a.*
priest·craft [príːstkræ̀ft | -krɑ̀ːft] *n.* Ⓤ 성직자로서의 지식과 기능; (속계(俗界)에서 세력을 퍼뜨리려는) 성직자의 정략(政略)
priest·ess [príːstis] [PRIEST의 여성형] *n.* 여승, 여성 사제 (특히 천주교 이외의); 무당
priest·hole [príːsthòul] *n.* 〖영국사〗 (가톨릭) 사제의 은신처
priest·hood [príːsthùd] *n.* Ⓤ [the ~] 성직; [집합적] 모든 성직자
Priest·ley [príːstli] *n.* 프리스틀리 **J. B. ~** (1894-1984) (영국의 소설가·극작가)
priest·like [príːstlàik] *a.* = PRIESTLY
priest·ling [príːstliŋ] *n.* 어린 성직자; 꼬마중
priest·ly [príːstli] *a.* (**-li·er**; **-li·est**) **1** 사제(司祭)의, 성직(자)의 **2** 성직자다운; 승려의
príest·li·ness *n.*
priest-rid·den [príːstrìdn] *a.* 〈국가·통치자 등이〉 성직자의 지배하에 있는, 성직자가 날뛰는
prig¹ [príg] *n.* (경멸) (도덕·예절 등에) 융통성이 없는[꾀까다로운] 사람; 점잔 빼는 사람, 학자[도덕가, 교육가]인 체하는 사람
prig² *n.* (주로 영·속어) 좀도둑
— *vt.* (**~ged**; **~·ging**) (주로 영·속어) 훔치다
prig·ger·y [prígəri] *n.* Ⓤ 고지식함, 융통성 없음, 까다로움, 점잔 뺌, 건방짐
prig·gish [prígiʃ] *a.* (경멸) (도덕·예절 등에) 융통성 없는, 꾀까다로운; 건방진; 아는 체하는
~·ly *ad.* **~·ness** *n.* Ⓤ 융통성 없음; 까다로움
prig·gism [prígizm] *n.* = PRIGGISHNESS
prim¹ [prím] *a.* (**~·mer**; **~·mest**) (경멸) 꼼꼼한, 깔끔한; 〈여자가〉 지나치게 점잔 빼는, 새침한
— *vt.*, *vi.* (**~med**; **~·ming**) 꼼꼼하게 하다; 새침

데기 노릇을 하다, 〈입을〉 꾹 다물다
~ ***out*** 잔뜩 꾸미다 ~ ***up*** 점잔 빼다, 꾸미다
~·ly *ad.* **~·ness** *n.*
prim[2] *n.* 〖식물〗 서양쥐똥나무(privet)
prim. primary; primitive
pri·ma [príːmə] 〖It.〗 *a.* 제일의(first), 으뜸가는
príma ballerína 〖It.〗 주역 발레리나
pri·ma·cy [práiməsi] *n.* ⓊⒸ **1** (순위·지위·중요성 따위의) 제일, 으뜸; 탁월 **2** 〖가톨릭〗 교황[대주교]의 직
pri·ma don·na [prìːmə-dánə, prìmə- | prìːmə-dɔ́nə] 〖It. =first lady〗 (*pl.* **pri·ma don·nas, pri·me don·ne** [príːmei-dánei | -dɔ́n-]) **1** (가극의) 주역 여가수[여배우], 프리마 돈나 **2** (구어) 변덕꾸러기 《특히 여자》
pri·mae·val [praimíːvəl] *a.* =PRIMEVAL
pri·ma fa·ci·e [práimə-féiʃə, -feiʃiː, -feiʃiiː] 〖L= at first face〗 *ad.* 언뜻 보기에; 명백히
príma fàcie cáse 〖법〗 언뜻 보기에 증거가 확실한 사건 《반증이 없으면 승소가 될》
príma fàcie évidence 〖법〗 일단 채택된 증거 《반증이 없는 한 그것으로 충분한 것》
pri·mage [práimidʒ] *n.* Ⓤ 〖항해〗 운임 부가금 《화주가 선장이나 담당원에게 준 할증금》
pri·mal [práiməl] *a.* **1** 제1의, 최초의; 원시적인 **2** 주요한; 근본적인 **~·ly** *ad.*
prímal scréam[scréaming] primal therapy 에서의 환자의 외침[감정 폭발]
prímal (scréam) thérapy 〖정신의학〗 프라이멀 스크림 요법 《유아기의 외상 체험을 재체험시켜 신경증을 치료하는 정신 요법》
***pri·mar·i·ly** [praimérəli, pri-, práimer- | práimər-] *ad.* **첫째로,** 처음으로; 원래(는), 본래; 주로, 우선, 무엇보다도 먼저
‡**pri·ma·ry** [práimeri, -məri | -məri] *a., n.*

「첫째의」 **1**	→	「초기의, 근본적인」 **2**
	→	「주요한」 **3**
	→	「초급의」 **4**

—*a.* **1** 〈순위·관심 따위가〉 **첫째의,** 제1위의, 수위(首位)의: one's ~ goal in life …의 인생에서 제1목표 **2** **초기의,** 본래의, 근본적인; 최초의; 원시적인: the ~ stage of civilization 문명 초기 단계 **3** 〈중요성 등이〉 **주요한,** 주된: His ~ reason for going was to see her. 그가 가는 주요한 이유는 그녀를 만나기 위함이었다. **4** **초급의,** 초보의(cf. SECONDARY), 예비(豫備)의: at ~ level 초보 단계에 **5** 〖의학〗 제1기의; 〖생물〗 발달의 제1 단계에 있는; 〖전기·화학〗 1차의: the ~ current 1차 전류 **6** 직접적인 〈정보 등〉 **7** 〖사회〗 〈사회적 가치·이상이〉 제1차의, 1차적인 **8** 〖문법〗 어근(語根)의; 〈시제가〉 1차 어구(語句)의; 〈악센트가〉 제1의 **9** 〖지질〗 원생(原生)의
—*n.* (*pl.* **-ries**) **1** 제1의[주요한] 사물; 제1 원리 **2** (미) 《특히》 대통령 선거인 예비 선거(=~ election) **3** 원색(原色)(=~ color) 《그림물감에서는 빨강·노랑·파랑; 빛에서는 빨강·초록·파랑》 **4** 〖천문〗 (위성을 가진) 행성; (2중성의) 주성(主星) **5** 〖전기〗 1차 코일 **6** 〖문법〗 1차어 《명사 및 명사 상당 어구: a furiously barking dog에 있어서의 *dog*; cf. SECONDARY, TERTIARY》
prímary áccent 〖음성〗 제1[주] 악센트 《[práimeri]와 같이 [ˊ]로 나타냄》
prímary báttery 〖전기〗 1차 전지
prímary cáche 〖컴퓨터〗 1차 캐시 《마이크로 프로세서 내부의 캐시 메모리》
prímary cáre 〖의학〗 1차 진료 《응급조치 등》: a ~ provider 일차 진료 기관 《略 PCP》
pímary càre physícian (특히 미) 주치의 《略 PCP》
prímary céll 〖전기〗 1차 전지
prímary cóil 〖전기〗 1차 코일
prímary cólor 원색
prímary consúmer 〖생태〗 제1차 소비자 《1차 생산자(primary producer)를 잡아먹는 작은 초식 동물》
prímary cóntact 〖사회〗 제1차 접촉 《개인적으로 알고 있는 친밀함을 특징으로 하는 인간 관계》
prímary cóolant (원자로의) 1차 냉각수(=~ wàter)
prímary derívative 〖문법〗 1차 파생어
prímary educátion 초등 교육
prímary elèction (미) 예비 선거
prímary gróup 〖사회〗 제1차 집단 《가족 등》
prímary héalth càre 1차[기초] 의료 《略 PHC》
prímary héalth wòrker (농촌의) 간이 의료 기사(barefoot doctor)
prímary índustry 1차 산업 《농림·수산》
prímary méeting[assémbly] 예선 대회; 사전(事前) 협의회
prímary mémory 〖컴퓨터〗 주기억
prímary plánet 〖천문〗 행성 《위성과 구별하여》
prímary prodúcer 〖생태〗 제1차 생산자 《광합성에 의해 무기물에서 유기물을 생산하는 식물》
prímary prodúction 〖생태〗 1차 생산 《광합성 생물에 의한 유기물의 생산》
prímary próducts 농산물
prímary róot 〖식물〗 주근(主根)
***prímary schòol** (영) **초등학교**; (미) 초급 초등학교 《하급 3[4]학년까지의》
prímary séx characterìstic 〖의학〗 1차 성징
prímary sòurce 1차 자료 《연구하여 얻은 정보를 직접 사용하거나 인용한》(cf. SECONDARY SOURCE)
prímary stórage 〖컴퓨터〗 주기억 장치(main storage)
prímary stréss =PRIMARY ACCENT
prímary strúcture (물질 등의) 1차[기본] 구조; 〖미술〗 minimal art의 조각 **prímary strúcturist**
prímary ténses 〖문법〗 (라틴어·그리스 어의) 제1 시제 《현재·미래·과거 또는 완료의 총칭》
prímary tóoth =MILK TOOTH
prímary wáll 〖식물〗 (세포막의) 1차막
prímary wáve 〖지진〗 제1차파, p파
pri·mate [práimeit, -mət] 〖L 「제1위의」의 뜻에서〗 *n.* **1** [종종 **P~**] 〖영국국교〗 대주교; 〖가톨릭〗 수석 대주교 **2** [práimeit] 〖동물〗 영장류(Primates)의 동물 ***the P~ of All England*** 캔터베리(Canterbury) 대주교 ***the P~ of England*** 요크(York) 대주교
~·ship *n.*
Pri·ma·tes [praiméitiːz] *n. pl.* 〖동물〗 영장류
pri·ma·tial [praiméiʃəl] *a.* **1** 대주교(primate)의 **2** 제1번의, 수위(首位)의
pri·ma·tol·o·gy [pràimətálədʒi | -tɔ́l-] *n.* Ⓤ 〖동물〗 영장류 동물학
prì·ma·to·lóg·i·cal *a.* **-gist** *n.*
‡**prime**[1] [práim] 〖L 「첫째의」의 뜻에서〗 *a.* Ⓐ **1** **제1의**; 수위의, 최초의, 원시적인; 근본의, 기초적인, 기본적인: the ~ agent 주인(主因) **2** **주요한,** 으뜸가는, 가장 중요한: a ~ task 급무/of ~ importance 가장 중요한 **3** 우량한, 가장 좋은, 제1등의, 〈고기의 등급이〉 최고급의; 훌륭한(excellent), 더할 나위 없는: of ~ quality 최양질의/~ beef 최고급 쇠고기 **4** 청춘의, 혈기 왕성한: feel ~ 기운이 넘치다 **5** 〖수학〗 소수(素數)의 **6** 〖은행〗 단기 대부 금리의 **7** 〈우주선의 비행사 따위가〉 정규(正規)의(opp. *back-up*)
—*n.* **1 a** [the ~, one's ~] **전성기,** 한창때: in *one's* ~ 인생의 한창때에 **b** [the ~] (문어) **초기;** 봄, 청춘: *the* ~ of the year (시어) 봄 **2** 정화(精華), 가

thesaurus **primarily** *ad.* basically, essentially, fundamentally, chiefly, mainly, principally
primary *a.* **1** 초기의 earliest, original, initial, beginning, first **2** 근본적인 basic, fundamental, elemental, rudimentary, essential **3** 주된 prime,

장 좋은 부분 ((of)); 최상품; ((특히)) (미국 쇠고기 등급의) 최고급, 최상등 **3** ((고어)) 이른 아침; [종종 **P~**] 〔가톨릭〕 조과(朝課) ((상오 6시)) **4** 〔수학〕 소수 **5** 〔펜싱〕 제1의 자세 **6** 〔음악〕 1도, 동음, 동도(同度) (unison); 주음(主音) **7** 제1악센트의 부호 **8** 〔인쇄〕 프라임 부호 ((′)) ***in the ~ of life*** [***manhood***] 장년(壯年)에, 혈기 왕성할 때에 ***the ~ of the moon*** 초승달 ***the ~ of youth*** 젊은이 ((21~28세))
~·ly *ad.* 맨 처음에; 훌륭하게, 굉장히 **~·ness** *n.*

prime² *vt.* **1** (특정 목적·작업을 위해) 준비시키다; 미리 가르쳐 놓다, 미리 알려 주다, 사전 지식을 주다 ((*with*, *for*, *to do*)): ~ a witness 증인에게 미리 알아듣게 말하다 // ((~+목+전+명)) They were ~*d for* battle. 그들은 전쟁에 나갈 준비가 되어 있었다. / He was ~*d with* the latest news for the press conference. 그는 기자 회견에 대비하여 미리 최근의 정보를 제공받았다. **2** 〈폭발물 등에〉 뇌관(雷管)[도화선]을 달다, 〈총에〉 화약을 재다 **3** 〈펌프에〉 마중물을 붓다, 가득 채우다; 〈내연 기관의 기화기에〉 휘발유를 주입하다 **4** 〈그림·벽 등에〉 애벌칠을 하다 **5** ((구어)) 〈사람에게 음식·술 등을〉 실컷 먹게[마시게] 하다 ((*with*)) ***~ the pump*** 〈어떤 것의〉 생장[작용]을 촉진시키는 조처를 취하다; ((특히)) 정부 지출에 의한 고용[경제 활동]의 자극을 도모하다
— *vi.* **1** 뇌관(雷管)[도화선]을 장치하여 발화 준비를 하다 **2** 〈물이〉 증기와 함께 기통(汽筒)에 들어가다
▷ prímary *a.*

prime-aged [práimèidʒd] *a.* 장년(壯年)의, 중년의 ((35-54세))

príme cóst 〔경제〕 원가, 구입 원가(((영)) first cost)

príme fáctor 〔수학〕 소인수

príme merídian [the ~] 본초 자오선(本初子午線)

⁑**prìme mínister** [종종 **P- M-**] 국무총리, 수상 (premier) ((略 PM))

prìme mínistry[**mínistership**] 국무총리[수상]의 지위[직권, 임기]

príme móver 1 〔기계〕 원동력 ((풍력·전력 등)); 원동기 ((수차(水車)·증기 기관 등)) **2** ((일반적으로)) 원동력 **3** 대포를 끄는 것 ((마소 등)), 견인차, 트랙터 **4** ((비유)) 원동력, 주도자, 발기인; (그리스 철학의) 신(神) **5** 제 1 운동자 ((아리스토텔레스의 철학에서))

príme númber 〔수학〕 소수(素數)

*__prim·er¹__ [prímər | práim-, prím-] *n.* **1** 초보 독본, 입문서, 첫걸음 ((책)): a Latin ~ 라틴어 입문서 **2** 소(小) 기도서 ((종교 개혁 전의)) **3** Ⓤ 〔인쇄〕 프리머 ((활자체의 이름)): great ~ 대(大) 프리머 ((18포인트 활자)) / long ~ 소 프리머 ((10포인트 활자))

prim·er² [práimər] *n.* **1** 뇌관(雷管), 도화선; 탄약을 재는 사람 **2** (그림·벽 등의) 애벌칠 재료

príme ráte 〔금융〕 (우량 고객에 대한) 최저 대출 금리

príme ríbs 갈비살 ((쇠고기의 최상등품))

príme tíme (라디오·텔레비전의) 골든아워

pri·me·val [praimíːvəl] *a.* 원시 시대의, 태고(太古)의, 초기의 **~·ly** *ad.*

pri·mi·ge·ni·al [pràimədʒíːniəl] *a.* 맨 처음에 만들어진; 원시(형)의

pri·mi·grav·i·da [pràimigrǽvidə] *n.* (*pl.* **~s, -dae** [-dìː]) 〔의학〕 초임부(初姙婦)

prim·ing [práimiŋ] *n.* ⓊⒸ **1** 뇌관(雷管) 장비; 점화약(點火藥), 기폭제(起爆劑) **2** (그림·벽 등의) 애벌칠, 밑칠; 밑칠용 페인트[물감] **3** 〔기관〕 수증기가 일기 시작함; (펌프에 넣는) 마중물 **4** (지식의) 벼락치기 주입, 벼락공부 **5** (숙성시 맥주에 타는) 당액(糖液) ***~ of the tide*** 조금에서 사리로 옮는 동안의 조수의 가속

pri·mip·a·ra [praimípərə] *n.* (*pl.* **-rae** [-rìː]) 초산부(初産婦); 1회 산부

pri·mi·par·i·ty [pràimipǽrəti] *n.* Ⓤ 초산

pri·mip·a·rous [praimípərəs] *a.* 초산의

⁑**prim·i·tive** [prímətiv] [L 「최초의」의 뜻에서] *a.* **1** 원시의, 초기의; 태고의, 옛날의: a ~ man 원시인 / a ~ society 원시 사회 **2** 〔인류〕 미개 민족[문화]의 **3** 미개의, 미발달의, 자연의; 야만의: a ~ country 미개국 **4** ((일반적으로)) 발달 과정의, 초기의: the ~ phase of the history of a city 도시 역사의 초기 단계 **5** 원시적인, 구식의, 예스러운; 유치한, 소박한, 발달되지 않은: make fire in a ~ way 원시적인 방법으로 불을 일으키다 **6** 〔생물〕 초생(初生)의 **7** 근본의, 기본의; 원색의: ~ colors 원색 **8** 〔언어〕 조어(祖語)의, 원시의: ~ Germanic 게르만 조어
— *n.* **1** 원시인 **2** 문예 부흥기 이전의 화가(의 작품), 소박한 화풍의 화가[작품] **3** 〔수학〕 원선(原線), 원형(原形), 원식(原式); 원색 **4** 〔언어〕 어근(語根)어(opp. *derivative*) **5** [**P~**] = PRIMITIVE METHODIST
~·ly *ad.* 원시적으로, 소박하게; 원래(는) **~·ness** *n.*

prímitive àrea ((미)) 원시림 보호 지역

Prímitive Báptist 원시 침례교파 신자 ((19세기 초에 일어난 침례교 보수파; 전도·일요 학교에 반대))

Prímitive Chúrch [the ~] 원시[초기] 교회 ((그리스도 사후, Jerusalem에 세워진 뒤부터의 약 70년간의))

Prímitive Méthodist 원시 감리교파 신자 ((1810년 잉글랜드에서 조직된 감리교 보수파))

prim·i·tiv·ism [prímətivìzm] *n.* **1** Ⓤ 원시주의, 상고(尙古)주의 ((원시적 습속이 오늘날 것보다 낫다고 보는 입장)) **2** 〔미술〕 원초주의 ((선사 시대나 미개 민족의 원시 예술 또는 문예 부흥기의 소박함을 존중하는 입장)) **3** 원시성; 미개 상태 **-ist** *n.*, *a.*

pri·mo¹ [príːmou] [L] *ad.*, *a.* 첫째 번에[의], 제1에[의] ((略 1°; cf. SECUNDO))

primo² [It.] *n.* (*pl.* **~s, -mi** [-miː]) **1** 〔음악〕 (2중주·3중주 등의) 제1부, 주요부 **2** [**P~**] 미국 Stroh사에서 만든 맥주 상표

pri·mo·ge·nial [pràimədʒíːnjəl, -niəl] *a.* 최초의, 원시의

pri·mo·gen·i·tor [pràimədʒénitər] *n.* **1** 시조(始祖) **2** 선조, 조상(ancestor)

pri·mo·gen·i·ture [pràimədʒénətʃùər, -tʃər] *n.* Ⓤ **1** 장자임, 장자의 신분 **2** 〔법〕 장자 상속권[법]
-gen·i·ta·ry [-dʒénətèri | -təri] *a.*

pri·mor·di·al [praimɔ́ːrdiəl] *a.* **1** 원시의; 원시 시대부터 있는: ~ forms of life 원시 생물 **2** 최초의; 초생의; 근본적인 — *n.* 기본 원리, 근본 **~·ly** *ad.*

primórdial sóup[**bróth**] 원생액(原生液), 원시 수프 ((지구상에 생명을 발생시킨 유기물의 혼합 용액))

pri·mor·di·um [praimɔ́ːrdiəm] *n.* (*pl.* **-di·a** [-diə]) 〔생물〕 원시 세포, 원기(原基)

primp [prímp] *vi.*, *vt.* 치장하다, 맵시내다
~ one***self*** 몸치장하다, 맵시내다

*__prim·rose__ [prímròuz] [OF = first rose] *n.* **1** 〔식물〕 앵초 **2** = EVENING PRIMROSE **3** Ⓤ 앵초색 ((엷은 황록색))(= ~ yellow) **4** 한창때, 전성기
— *a.* **1** 앵초의[가 많은] **2** 담황색의 **3** 화려한, 명랑한

Prímrose Dày ((영)) 앵초의 날 ((4월 19일, 앵초를 사랑한 Disraeli가 죽은 날))

Prímrose Híll 앵초 언덕 ((런던 Regent's Park 북쪽 언덕))

Prímrose Léague [the ~] 〔영국사〕 앵초단(團) ((Disraeli를 추모하여 결성된 보수당원 단체))

prímrose páth[**wáy**] **1** [the ~] 환락의 길 ((Shakespeare 작 *Hamlet*, *Macbeth* 중의 말)) **2** 편하나[매혹적이나] 위험한 길[방침]

prímrose yéllow 앵초색, 담황색

prim·u·la [prímjulə] *n.* 〔식물〕 = PRIMROSE 1

pri·mum mo·bi·le [práiməm-mɑ́bəlìː, príː- | -mɔ́b-] [L] (*pl.* **~s**) **1** 〔천문〕 (Ptolemy의 천문학에서) 제10천(天) ((제9천(天)이라고도 했음)) **2** ((비유)) 원동력(prime mover)

---

chief, main, principal, leading
primitive *a.* **1** 옛날의 ancient, earliest, primeval **2** 미개의 uncivilized, barbarian, savage, wild **3** 유치한, 구식의 crude, simple, rudimentary, undeveloped, rough, unsophisticated, rude

pri·mus[1] [práiməs] *a.* **1** 제일의, 으뜸가는 **2** (영) (영국 남자 학교에서) 동성(同姓) 중 최연장의 관련 secondus(2nd), tertius(3rd), quartus(4th), quintus (5th), sextus(6th), septimus(7th), octavus(8th), nonus(9th), decimus(10th)
primus[2] *n.* [때로 **P~**] (스코틀랜드 감독파 교회의) 감독장
Pri·mus [práiməs] *n.* 프라이머스 《휴대용 석유 난로; 상표명》(=∠ **stòve**)
pri·mus in·ter pa·res [práiməs-íntər-pέəri:z, prí:-] [L] 동료[동년배] 중 제1인자
prin. principal(ly); principle(s)
‡**prince** [príns] [L「최초의 사람」의 뜻에서] *n.* **1** [종종 **P~**] 왕자, 태자, 세자, 대군(大君)(*fem.* princess) **2** 《문어》 군주, 왕 **3** (영국 이외의) 공작(公爵)(cf. DUKE) **4** [종종 **P~**] (제왕을 위에 두지 않은) 작은 나라의 통치자 **5** (봉건 시대의) 제후, 영주(領主), 군주 **6** 《미》 대가(大家), 거장, 제1인자: a merchant ~ 호상(豪商) / the ~ of bankers 은행왕 **7** 《구어》 인품이 좋은 사람[친구], 너그러운 사람
a ~ of the Church 〘가톨릭〙 교회의 군자 《추기경(cardinal)의 칭호》 (***as***) ***happy as a ~*** 매우 행복한 ***Christmas P~*** 크리스마스 때 일을 돌보아 주는 사람 ***live like a ~*** 호화롭게 살다 ***manners of a ~*** 품위 있는 태도, 의젓함 ***~ among men*** 품격이 높은 군자 ***~ of the blood*** 왕족, 황족(皇族) ***the Crown P~*** = ***the P~ Imperial*** = ***the P~ Royal*** 황태자 ★ (영)에서는 ***the P~ of Wales***라고 함. ***the Grand***[***Great***] ***P~*** 태공(太公) ***the P~ of Denmark*** 햄릿(Hamlet): *Hamlet without the P~ of Denmark* 햄릿이 없는 햄릿극; 본질을 빼앗겨 존재 가치를 잃은 것 ***the P~ of Darkness*** 마왕(魔王) ***the P~ of Peace*** 그리스도 ***the ~ of the air*** 마왕 ***the P~ of the Apostles*** 사도 베드로 ***the P~ Regent*** 섭정(攝政) 왕자(George 4세)
~·ship *n.* Ⓤ prince의 신분[지위]
Prìnce Álbert **1** 앨버트 공(⇨ Albert) **2** (미·속어) 긴 프록코트
Prìnce Chárming **1** (Cinderella 이야기에서) Cinderella와 결혼하는 왕자 **2** (모든 여성이 마음 속에 그리는) 이상적인 신랑감
prínce cónsort (*pl.* **princes consort**) (여왕의) 부군(夫君); [the P- C-] 앨버트 공(⇨ Albert)
prince·dom [prínsdəm] *n.* **1** ⓊⒸ prince의 지위[신분, 권위] **2** prince의 영토[공국] **3** [*pl.*] = PRINCIPALITY 4
Prìnce Édward Ísland [the ~] 프린스에드워드 섬 《캐나다 St. Lawrence 만에 있는, 이 나라에서 가장 작은 주》
prince·like [prínslàik] *a.* 왕후(王侯) 같은, 왕자다운; 품위가 고상한; 위엄 있는; 도량이 큰
prince·li·ness [prínslinis] *n.* 기품 있는 거동[성격]; 의젓함, 훌륭함
prince·ling [prínsliŋ], **-let** [-lit], **-kin** [-kin] *n.* **1** 어린 왕자[세자], 소공자 **2** 작은 나라의 군주
⁎**prince·ly** [prínsli] *a.* (**-li·er**; **-li·est**) **1** 왕자[세자]의[로서의], 왕후(王侯)의; 왕자다운, 기품 있는 **2** 위엄 있는; 장엄한, 훌륭한 **3** 〈부지 따위가〉 광대한; 〈금액이〉 상당한
— *ad.* 왕자답게; 위엄있게
prin·ceps [prínseps, príŋkeps | prínseps] *a.* **1** 제일의, 최초의 **2** 〘해부〙 (특히 엄지손가락·경동맥(頸動脈)에 관하여) 주요한 ***edition ~*** 초판(初版) ***facile ~*** 단연 제1위의 — *n.* (*pl.* **-ci·pes** [-səpì:z]) **1** 주요한 것 **2** (로마 제국의) 원수, 족장 **3** 초판(본(本))
prínce régent (*pl.* **princes regent, prince regents**) 섭정(攝政) 왕자
prínce róyal (*pl.* **princes royal**) 황제의 맏아들, 황태자
prin·ce's-feath·er [prínsizféðər] *n.* 〘식물〙 당비름의 일종 《비름과(科)》
prínce's métal 왕금(王金) 《동 75%＋아연 25%》
‡**prin·cess** [prínsis, -ses, prinsés | prinsés, ∠–] [PRINCE의 여성형] *n.* **1** 왕녀, 공주, 황녀, 왕가의 여자: ~ regent 섭정 공주; 섭정의 비(妃) / ~ royal 제일 왕녀 **2** 〘역사〙 여자 군주, 여공, 여왕 **3** 왕비, 왕자비 **4** (영국 이외의) 공작 부인 ★ *P~* Alexandra 식으로 사람 이름에 붙일 때 (영)에서도 [prínses]. ***the P~ of Wales*** 영국 황태자비
— *a.* 〈여자 드레스·코트 따위가〉 프린세스 스타일의 《몸에 딱 맞도록 깃에서 플레어스커트까지 삼각천으로 만들어짐》 **~·ship** *n.* Ⓤ princess의 신분[지위]
príncess drèss 프린세스 드레스 《몸에 딱 맞는 원피스》
prin·cesse [prínsis, -ses, prinsés | prinsés] *a.* = PRINCESS
Prince·ton [prínstən] *n.* 프린스턴 《미국 New Jersey 주의 학원 도시》; 프린스턴 대학 《Ivy League 대학의 하나; 1746년 창립》(=∠ **Univérsity**)
‡**prin·ci·pal** [prínsəpəl] [L「최초의」의 뜻에서] *a.* Ⓐ **1** 주요한, 주된; 중요한; 제일의, 앞장서는(leading): a ~ cause of his failure 그가 실패한 주요 원인 **2** 원금의: the ~ sum 원금 **3** 〘문법〙 주부(主部)의: a ~ verb 주동사 **4** 주체의
— *n.* **1** [종종 the ~] 우두머리(chief), 손위, 지배자; (단체의) 장; 장관; 사장, 회장; 교장, (영) 학장: the ~ of business 사장 **2** 주역, 중심인물; 결투의 장본인(cf. SECOND[1] *n.* 3) **3** 〘법〙 주범, 정범(正犯); 〘법〙 (대리인(agent)에 대하여) 본인, 당사자; (보증인에 대하여) 주채무자: a ~ in the first degree 제1급 정범 **4** 주물(主物), 주건(主件) **5** 〘건축〙 주구(主構), 주재(主材) **6** Ⓤ [보통 a ~] 〘금융〙 원금; 기본 재산: ~ and interest 원리(元利) **7** 〘음악〙 (풍금의) 주음전(主音栓) **~ *and accessory*** 〘법〙 주종(主從) ***~ in the first***[***second***] ***degree*** 제1급[2급]범
~·ship *n.* ▷ príncipally *ad.*
príncipal áxis 〘광학·물리〙 주축(主軸)
príncipal bóy [the ~] (영) (무언극에서) 주연 남자역을 하는 여배우
príncipal cláuse 〘문법〙 주절(主節)(opp. *dependent clause*) 《I'll go if it is fine.에서 *I'll go* 등》
príncipal diágonal 〘수학〙 주대각선
príncipal fócus 〘물리〙 초점(focal point)
príncipal gírl (영) (무언극의) 여성 주역(cf. PRINCIPAL BOY)
⁎**prin·ci·pal·i·ty** [prìnsəpǽləti] *n.* (*pl.* **-ties**) ⓊⒸ **1** 공국(公國), 후국(侯國) **2** 수위(首位); 공국 군주의 지위; 주권 **3** [the P~] (영) 웨일스(Wales)의 속칭 **4** [*pl.*] 〘신학〙 천사의 9계급 중 제7위
⁎**prin·ci·pal·ly** [prínsəpəli] *ad.* 주로(mainly), 대체로, 대개
príncipal offénder 〘법〙 주범(主犯), 정범
príncipal párts 〘문법〙 동사의 3주요 변화형 《영어에서는 부정사(또는 현재)·과거·과거분사의 3형》
príncipal pénalty 〘법〙 주형(主刑)
príncipal pláne 〘광학〙 주단면(主斷面), 주평면
príncipal póint 〘광학〙 주점(主點) 《주평면(principal plane)이 광축에 교차하는 점》
príncipal póst 큰 기둥, 동량(棟樑)
príncipal ráfter 〘건축〙 합각(合閣)
príncipal séntence 〘문법〙 주문(主文)
príncipal súm 〘보험〙 (지불되는 보험금의) 최고액
prin·ci·pate [prínsəpèit, -pət] *n.* ⓊⒸ 우두머리의 지위; Ⓒ 공국; Ⓤ 〘역사〙 (로마 제국 초기의) 원수(元首) 정치
prin·cip·i·a [prinsípiə] [L] *n. pl.* (*sing.* **-cip·i·um** [-sípiəm]) 원리, 원칙, 초보
prin·cip·i·al [prinsípiəl] *a.* 최초의, 제일의

thesaurus **principal** *a.* chief, main, major, primary, prime, key, leading, foremost, dominant (opp. *minor, subordinate, subsidiary*)
principally *ad.* chiefly, above all, mostly, par-

‡prin·ci·ple [prínsəpl] *n.*

「본원(本源)」 **6**→「(근본) 원리」 **1**→(기본적 사고방식)→「주의」 **2**

1 원리, 원칙, 법칙, 공리(公理): the first ~ 제1원리, 본체(本體) / the ~ of causality 인과율 / the ~*s* of economics 경제학의 원리 **2** Ⓤⓒ **주의**(主義), **신념,** 신조; 근본 방침 《*of*》; 《일반적으로》 행동 규범, 도덕 기준: against one's ~ 주의[신념]에 반하여 **3** (기계 등의) 구조, 원리 **4** 〖철학〗 원리; 〖물리·화학〗 법칙, 율(律) **5** Ⓤ 정도(正道), 정의; [*pl.* 또는 집합적] 도의, 의리, 절조 **6** 본원(本源), 본질 **7** 〖화학〗 원소, 주성분, 정(精), 소(素): bitter ~*s* 〖화학〗 고미소(苦味素) / coloring ~ 염색소 **8** 근원; (본능·재능·성벽 따위의 정신적) 원동력: the ~*s* of human nature 인간성의 원동력 **9** [**P~**] 〖크리스천사이언스〗 신(神)
as a matter of ~ = by ~ 주의로서 ***in ~*** 원칙적으로, 대체로 ***man of ~*** [***no ~***] 절조 있는[없는] 사람 ***on ~*** 주의[원칙]에 따라; 도의적으로, 도덕적 견지에서 ***on the ~ of*** [***that***] ***...*** …라는 신념[주의]으로

prin·ci·pled [prínsəpld] *a.* **1** [복합어를 이루어] …주의의: high-[loose-]~ 주의가 고결[무절조]한 / on a ~ basis 일정한 원리에 기초해서 **2** 절조 있는; 원칙[도의]에 의거한

prin·cox [prínkɑks | -kɔks], **-cock** [prínkɑk | -kɔk] *n.* (고어) 건방진[젠체하는] 젊은이

prink [príŋk] *vt., vi.* = PRIMP

‡print [print] [L 「누르다」의 뜻에서] *vt.* **1 인쇄[출판]** 하다, 프린트하다: They ~*ed* 10,000 copies of the novel. 그 소설은 만 부 인쇄되었다. **2** 〈인쇄기가〉 인쇄하다; 자국을 내다; 눌러서 표적을 내다, 찍다, 날인하다 《*on, in*》: (~+목+전+명) ~ the mark of foot *on* the sand 모래 위에 발자국을 내다 **3** 간행[발행]하다 **4** 활자체로 쓰다 **5** 〖컴퓨터〗 〈데이터를〉 (문자·숫자·도형으로) 인쇄하다, 프린트하다 **6** 〈마음·기억에〉 새기다, 인상을 주다(impress) 《*on, upon, in*》: (~+목+전+명) The scene was ~*ed on* my memory. 그 광경이 나의 뇌리에 깊이 새겨졌다. **7** (미·속어) …의 지문(指紋)을 채취하다 **8** 눌러서 모양을 넣다, 〈옷감 등에〉 날염하다, 무늬를 박다 **9** 〈사진을〉 인화하다: Please ~ this roll of film. 이 필름을 인화해 주세요. // (~+목+뮈) ~ *off* [*out*] a negative 음화를 인화하다
— *vi.* **1** 〈문자·모양 따위가〉 (활자 따위로) 찍혀 나오다, 인쇄되다: ~ in color 컬러로 인쇄되다 **2** 〈사진 등이〉 나오다, 찍히다: (~ +뮈) This girl ~*s well.* 이 소녀는 사진을 잘 받는다. **3** 활자체로 쓰다 **4** 인쇄를 직업으로 하다 **5** 〈기계가〉 인쇄하다; 출판하다
~ in (1) 〖사진〗 인화를 진하게 하다 (2) 〈문자 따위를〉 (활자로 해서) 덧붙이다 ***~ off*** 〈책을〉 증쇄(增刷)하다 ***~ out*** (1) 〖컴퓨터〗 인쇄 출력하다 (2) 인쇄해서 배포하다 ***the ~ed word*** [***page***] 지상(紙上)에 공포된 견해; (신문 등의) 활자에 의한 정보
— *n.* **1** Ⓤ **인쇄**; 인쇄 부수, 판(版), 제 …쇄: the first ~ 제1쇄 / get into ~ 인쇄되다 **2** 인쇄물, 프린트 《교실에서 나눠 주는 「프린트」는 handout》; (미) 출판물; 신문 **3** 인쇄된 문자; 자체(字體); 활자체: write in ~ 활자체로 쓰다 **4** 인쇄업 **5 a** [종종 복합어를 이루어] **자국,** 흔적: leave ~*s* 흔적을 남기다 **b** [보통 a[the] ~] (문어) 인상 **6** 판화(版畫) 《목판·석판 등》; 그림책; 〖사진〗 인화, 양화(陽畫)(positive): a blue ~ 청사진 **7** 신문 용지(newsprint) **8** [보통 *pl.*] (구어) 지문(指紋)(fingerprint), 발자국(footprint) **9** (스탬프·무늬·모양을 찍는) 틀, 바탕 **10** 모형(母型), 주형(鑄型) **11** 눌러서 만든 것, 눌러 굳힌 버터 **12** Ⓤ 날염(捺染) 옷감: ~ dress 사라사[날염] 옷 **13** 〖컴퓨터〗 인쇄, 프린트 ***in cold ~*** 활자로 인쇄하여; 변경할 수 없는 상태가 되어 ***in large*** [***small***] ***~*** 굵은[가는] 자체로 인쇄되어 ***in ~*** 인쇄되어; 발간되어 ***out of ~*** 절판되어 ***put into ~*** 인쇄[출판]에 돌리다 ***rush into ~*** 〈저자가〉 서둘러 출판하다; 황급히 신문에 발표하다

print·a·bil·i·ty [prìntəbíləti] *n.* Ⓤ 〖인쇄〗 인쇄 적성(適性)

print·a·ble [príntəbl] *a.* **1** 인쇄할 수 있는; 출판할 가치가 있는 **2** 인화할 수 있는 **3** 눌러 무늬를 박을 수 있는

prínt àd (신문·잡지 등에) 인쇄된 광고

print·cloth [príntklɔ̀:θ | -klɔ̀θ] *n.* 날염 원단 《무명》

prínt·ed chína [príntid-] (그림을 전사하여 구운) 도자기

prínted círcuit 〖전자〗 (전자 기판 등의) 인쇄 회로

prínt·ed-cír·cuit bòard [-sə́:rkit-] 〖컴퓨터〗 인쇄 회로 기판

prínted góods 날염 옷감

prínted màtter 〖인쇄〗 인쇄물

print·ed-pa·per [-pèipər] *a.* (영) 인쇄물의

prínted pápers = PRINTED MATTER

print·er** [príntər] *n.* **1 인쇄업자;** 활판업자, 인쇄공; 출판자; 식자(植字)공 **2 인쇄기;** 〖컴퓨터〗 프린터 **3** 〖사진〗 밀착 인화기; 〖영화〗 필름 인화기 ***spill ~'s ink 원고를 인쇄에 돌리다

prínter pórt 〖컴퓨터〗 프린터 포트

prínter's dévil [손·얼굴이 잉크 등으로 더러워졌다 해서] 인쇄소 심부름꾼[견습공]

prínter's érror (식자공에 의한) 오식(誤植) 《略 PE, pe》

prínter's ímprint 판권지 기재 사항

prínter's ínk 인쇄용 잉크

prínter's màrk (판권지의) 인쇄소[출판사]의 마크

prínter's píe 뒤죽박죽된 활자; 혼란

print·er·y [príntəri] *n.* (*pl.* **-er·ies**) **1** 활판 인쇄소 **2** (미) (서적·신문 따위의) 인쇄소, 인쇄 공장 **3** 사라사 날염 공장

prínt fòrmat 〖컴퓨터〗 (인쇄 장치에 지정하는) 인쇄 양식

prínt hànd[**lètter**] 인쇄체 서체[문자]

print·head [prínthèd] *n.* 〖컴퓨터〗 (프린터의) 인자(印字) 헤드, 인쇄 헤드

***print·ing** [príntiŋ] *n.* **1** Ⓤ **인쇄**(술[업]), 인쇄 공정: colored ~ 컬러 인쇄 **2** 인쇄물 **3** Ⓒ 인쇄 부수, 쇄(刷), 판(版) **4** Ⓤⓒ 무늬[모양] 박기, 날염; 〖사진·영화〗 인화 **5** Ⓤ (손으로 쓰는) 인쇄체, 활자 서체 **6** [*pl.*] 인쇄 용지

prínting càlculator 〖컴퓨터〗 인자식(印字式) 계산기

prínting fràme 〖사진〗 인화틀

prínting hòuse 인쇄소

prínting ìnk 인쇄용 잉크

prínting machìne 인쇄기

prínting òffice 인쇄소

prínting pàper 인쇄 용지; 〖사진〗 인화지

prínting plàte 인쇄용 판(版)

prínting prèss 1 인쇄기; 날염기: a cylinder ~ 인쇄 윤전기 **2** 인쇄소

prínt jòurnalism 출판·신문 저널리즘[보도업]; (신문·잡지 등의) 활자 매체

print·less [príntlis] *a.* (주로 시어) 흔적[자국]이 없는, 자취를 남기지 않는

print·mak·er [príntmèikər] *n.* 판화 제작자

prínt mèdia 인쇄 매체 《전파 매체(broadcast media)에 상대되는 말》

prínt on demánd 주문형 인쇄 《略 POD》

prínt òrder 인쇄 발주서

print·out [-àut] *n.* 〖컴퓨터〗 (프린트된) 출력 정보

príntout pàper 〖사진〗 인화지

prínt prèss [집합적] 출판·신문계(界); 신문·잡지 기자[편집자]

---

ticularly, primarily, especially
principle *n.* **1** 원칙 rule, law, truth, philosophy, idea, theory, basis, fundamental, essence **2** 신념 moral code, belief, ethic, code, credo

print quèue 〖컴퓨터〗 프린트 대기 서류 목록
print rùn (책·잡지 등의) 1회 인쇄 부수
print·sell·er [-sèlər] *n.* 판화(版畫) 상인
print·shop [-ʃɑ̀p | -ʃɔ̀p] *n.* 판화 상점; 《미》 (특히 소규모의) 인쇄 공장, 인쇄소
print·works [-wə̀ːrks] *n. pl.* [단수·복수 취급] 날염 공장
print zòne 〖컴퓨터〗 인자란(印字欄)
pri·on [práiən, príː-] *n.* 〖생화학〗 프라이온 《광우병을 일으킨다고 생각되는 감염성 단백질 입자》
‡pri·or[1] [práiər] [L 「앞의」의 뜻의 비교급에서] *a.* **1** 〈시간·순서가〉 **이전의,** 앞의(opp. *posterior*) **2** (…보다) 상석[고위]의; (…보다) 앞선; (…보다) 중요한, 우선하는 《*to*》
— *ad.* [다음 성구로] ~ ***to*** [전치사적으로] …에 앞서, 먼저: ~ *to* the end of the fiscal year 회계 연도가 끝나기 전에
— *n.* 《미·속어》 전과(前科) ▷ priórity *n.*
prior[2] *n.* 소(小)수도원(priory)의 장, 수도원 부원장
~·shìp *n.* Ⓤ prior의 직책[지위, 임기]
pri·or·ate [práiərət] *n.* = PRIORSHIP; = PRIORY
prior consultátion 사전 협의
pri·or·ess [práiəris] [PRIOR[2]의 여성형] *n.* 수녀원 부원장, 소수녀원장
pri·or·i·tize [praiɔ́ːrətàiz, -ɑ́r- | -ɔ́r-] *vt.* 〈계획·목표에〉 우선 순위를 매기다; 우선시키다
— *vi.* 우선 사항을 결정하다
pri·or·i·ty** [praiɔ́ːrəti, -ɑ́r- | -ɔ́r-] *n.* (*pl.* **-ties**) Ⓤ **1** (시간·순서적으로) **앞[먼저]임;** (중요도·긴급도에서의) 상위, 우위; 상석, 상좌 《*to*》 **2 a** 〖법〗 우선권, 선취권(先取權) 《*over, to*》; 《미》 우선적 배급 **b** Ⓒ 우선하는[우선해야 할] 일 **c** (자동차 운행상의) 선행권 **d** 〖컴퓨터〗 우선권 ***according to ~ 순서에 따라 ***creditors by*** ~ 우선 채권자(債權者) ***give*** ~ ***to*** …에게 우선권을 주다 ***have*** ~ ***over*** a person …보다 우선권이 있다 ***take*** ~ ***of*** …의 우선권을 얻다
priórity màil 《미》 우선 취급 우편 《12온스 이상의 제1종 우편물(first-class mail); 중량 한도는 70파운드》
priórity sèat (열차의) 우대석 《노약자를 위한》
prior líen 우선 담보권
prior restráint 〖미국법〗 중요 재판 자료 공개 금지령, 사전 억제령, 사전 억제
pri·o·ry [práiəri] *n.* (*pl.* **-ries**) 소(小)수도원 《abbey의 하위》
Pris·cil·la [prisílə] *n.* 여자 이름
prise [práiz] *vt., n.* 《영》 = PRIZE[3]
***prism** [prízm] [L 「톱으로 잘린 것」의 뜻에서] *n.* **1** 〖광학〗 **프리즘;** (프리즘에 의한) 분광(分光); [*pl.*] 7가지 빛깔 **2** 〖수학〗 각주(角柱), 각기둥 **3** 〖결정〗 주(柱) ▷ prismátic *a.*
pris·mat·ic [prizmǽtik] *a.* **1** 〖수학〗 각주(角柱)의, 세모기둥 모양의 **2** 프리즘의, 분광의, 무지갯빛의: ~ colors 스펙트럼의 7색 **3** 변화가 풍부한, 다면적인 **4** 〖결정〗 사방 정계(斜方晶系)의 **-i·cal·ly** *ad.* ▷ prísm *n.*
prismátic cómpass 프리즘 나침반
prismátic láyer 각주층(角柱層), 소주층(小柱層)
prismátic télescope 〖측량〗 프리즘 망원경
prísm binòculars[glàsses] 프리즘 쌍안경
prísm fínder 〖사진〗 프리즘식 반사 파인더
pris·moid [prízmɔid] *n.* 〖수학〗 각뿔대(frustum of a pyramid)
pris·moi·dal [prizmɔ́idl] *a.*
prism·y [prízmi] *a.* = PRISMATIC
‡pris·on [prízn] [L 「잡음」의 뜻에서] *n.* **1 교도소,** 감옥, 감방; 구치소(《미》 jail); 《미》 주(州)교도소 (= state ~): come out of ~ 출소하다 **2** 《일반적으로》 감금하는 장소, 유폐소; 감옥 같은 곳 **3** Ⓤ 금고, 감금, 유폐 ***a*** ~ ***without bars*** 창살 없는 감옥 ***be*** [***lie***] ***in*** ~ 수감[구류] 중이다 ***break*** (***out of***) ~ = ***escape from*** ~ 탈옥하다 ***cast*** [***put, throw***] a person ***in*** [***into***] ~ …을 투옥하다 ***send*** [***take***] a person ***to*** ~ …을 투옥하다
— *vt.* 《문어·시어》 투옥[감금]하다(imprison)
príson bìrd 죄수, 상습범
príson brèach[brèaking] 탈옥
príson brèak 탈옥
príson brèaker 탈옥자[수]
príson càmp 1 포로 수용소 **2** 모범수 작업 숙사
príson cròp 빡빡 깎은 머리
‡pris·on·er [prízənər] *n.* **1 죄수;** (유치장에) 구류된 사람, 형사 피고인: a ~ at the bar 공판 중인 형사 피고인 **2 포로 3** 붙잡힌[자유를 빼앗긴] 사람[동물] ***hold*** a person ~ 포로로 잡아두다 ***make*** [***take***] a person ~ …을 포로로 하다 ***political*** [***State***] ~ = ~ ***of State*** 정치[국사]범 ~ ***of conscience*** 양심수(良心囚), 정치범(political prisoner) ~ ***of war*** 포로 《略 POW》 ~ ***to*** one***'s room*** [***chair***] 방[의자]에서 떠나지 못하는[병든] 사람 **~s'** [《미》 **~'s**] ***bars*** [***bar, base***] 진(陣) 빼앗기 놀이
prísoner's càmp 포로 수용소
prísoner's dilémma 〖심리〗 죄수의 딜레마 《격리된 공범 두 명이 상대를 배신하고 자백하여 감형을 받느냐, 상대를 믿고 입을 다무느냐는 협력·비협력의 곤경》
príson fèver 〖병리〗 발진티푸스
príson hòuse 《문어·시어》 = PRISON 1
príson òfficer 교도관, 간수
príson psychòsis 〖정신의학〗 구금 정신병 《감금되거나 감금될 것을 예상하여 일어나는 정신병》
príson ván 죄수 호송차
príson vísitor 교도소 면회자
pris·sy [prísi] *a.* (**-si·er**; **-si·est**) **1** 〈사람이〉 (성적으로 결벽하여) 까다로운; 잔소리 많은, 좀스러운, 성가신 **2** 신경질의, 조그마한 일에 마음 쓰는
prís·si·ly *ad.* **prís·si·ness** *n.*
pris·tine [prístiːn, -́ | prístiːn, -tain] *a.* 《문어》 **1** 본래의(original), 초기의, 원시 시대의(primitive) **2** 소박한, 청순한, 자연 그대로의, 신선한
prith·ee [príði] [I pray thee에서] *int.* 《고어》 바라건대, 제발, 부디(please)
prit·tle-prat·tle [prítlprǽtl] *n.* 실없는 소리
— *vi.* 실없는 소리를 하다, 수다떨다
pri·us [práiəs] *a., ad.* 전의[에](before, former)
priv. private(ly); privative
pri·va·cy** [práivəsi | prívəsi, práiv-] *n.* **1** Ⓤ (남의 간섭을 받지 않는 개인의) **사생활;** 사적[개인적] 자유, 프라이버시: (an) invasion of ~ 프라이버시의 침해 **2** Ⓤ 남의 눈을 피함, 은거, 은둔, 은퇴 생활 **3** Ⓤ 비밀, 은밀, 비공개 **4** [*pl.*] 《폐어》 은거처, 은둔소, 사람 눈에 띄지 않는 장소 ***in ~ 비밀리에; 숨어서 ***in the*** ~ ***of*** one***'s thoughts*** 마음 속으로 ▷ prívate *a.*
pri·vat·do·cent, -zent [privɑ́ːtdoutsènt] [G] *n.* (독일 대학의) 객원 강사
‡pri·vate [práivət] *a., n.*

「개인의, 사적인」 **1** → 「사립의」 **4** / → (공개되지않은) → 「내밀한」 **3**

— *a.* **1 사적인,** 사사로운, 개인에 속한, 사유(私有)의; 사용(私用)의; 개인의(opp. *public*): a ~ car 자가용차 / a ~ door 부엌문 / a ~ letter 사신(私信), 친서 **2** (공적인 것과 구별되는) 개인적 입장의, 개인적인: one's ~ life 사생활 / My ~ opinion is that ... 사견으로는 …이다 **3** [보통 Ⓐ] **내밀한,** 비밀을 지키는, 비밀의; 《영》 〈편지가〉 친전(親展)의(《미》 personal): a ~ conversation 밀담 / the ~ papers of

thesaurus **prior**[1] *a.* earlier, previous, anterior, before, foregoing (opp. *later, subsequent*)
private *a.* **1** 사적인 individual, personal, own, special, particular, exclusive, unofficial **2** 내밀한

the President 대통령의 비밀 문서 **4** Ⓐ **사립의**, 사유의, 민간의, 사영(私營)의, **사설의**(opp. *public*): a ~ schoolmaster 사립학교 교사 / a ~ road 사도 **5** 관직을 갖지 않은; 평민의: ~ clothes 사복, 평복 **6** 은거한, 사람 눈에 띄지 않는 **7** 비공개의, 비공식의 **8** 《영》 자기 부담의(opp. *general*) **9** 혼자 있기 좋아하는, 비사교적인: a very ~ person 고독벽(癖)이 있는 사람 **10** 졸병의 ***for** one's* ***~ ear*** 비밀로, 남모르게
—*n.* **1** 병사, 병졸 ★ 영국 육군에서는 하사관의 아래; 미국 육군에서는 이등병 **2** [*pl.*] 《속어·완곡》 음부(陰部)(=~ parts) ***in ~*** 내밀히, 비공식으로, 사생활에 있어(opp. *in public*) ▷ prívacy *n.*
prívate accóunt 개인 명의의 예금 계좌
prívate áct 〖법〗 사(私)법률 《특정 개인·법인에 대해서만 적용되는 법률》
prívate attórney 〖법〗 대리인
prívate automátic (**bránch**) **exchànge** 〖통신〗 =PAX
prívate bár 《영》 술집의 독실
prívate bíll (특정의 개인·법인에 관한) 개별 법안
prívate bránd 자가(自家) 상표(의 상품)
prívate búsiness 사사로운 일[용무]
prívate cóach (운동 따위의) 개인 교사
prívate cómpany 《영》 개인 회사
prívate corporátion 《미》 개인 회사
prívate detéctive 사설탐정
prívate educátion 사교육
prívate énterprise 민간[사(私)]기업
prívate équity 〖금융〗 비공개 주식 (투자)
pri·va·teer [pràivətíər] *n.* **1** (옛날) 사략선(私掠船) 《전시에 적선을 나포(拿捕)하는 면허를 가진 민간 무장선》 **2** 사략선 선장; 그 선원
—*vi.* 사략선으로서 행동[순항]하다
pri·va·teer·ing [pràivətíəriŋ] *n.* Ⓤ privateer의 해적 행위, 상선 나포
pri·va·teers·man [pràivətíərzmən] *n.* (*pl.* **-men** [-mən]) 사략선(私掠船) 선장[선원]
prívate éye 《구어》 사설탐정 《略 pi, PI》
prívate fírst cláss 〖미육군〗 일등병 《略 PFC, Pfc.》
prívate héalth insùrance 《영》 개인[민간] 의료 보험
prívate hotél **1** 예약객만을 받는 호텔, 민박 형태의 고급 하숙 **2** 《호주》 주류 판매 허가가 없는 호텔
prívate internátional láw 국제 사법(私法)
prívate invéstigator 사설 탐정(private detective)
prívate júdgment (종교·정치 따위의 문제에 대한) 개인적 의견
prívate lánguage **1** 〖철학〗 사적 언어 《특정 개인에게만 통용되는》 **2** 〖언어〗 (어떤 집단 내의) 은어
prívate láw 사법(私法)
prívate líne 〖통신〗 전용 회선: ~ service 전용 회선 서비스
***pri·vate·ly** [práivətli] *ad.* 남몰래, **은밀히**(secretly); 개인으로서; [문장을 수식하여] 내밀한 이야기지만; 개인적으로는
prívate mán 사인(私人), 서민
prívate méans 불로 소득, 봉급 외 수입 《주식 배당 등》
prívate mémber (영국 하원의) 비각료 의원, 평의원
prívate mémber's bíll 《영》 (일반 의원이 하원에 제안하는) 의원 입법 법안
prívate núisance 〖법〗 사적 불법 침해
prívate párts 《완곡》 음부(陰部)

---

confidential, secret, hidden, not to be disclosed
privilege *n.* **1** **특권** right, birthright, prerogative, entitlement, sanction, advantage, benefit **2** **면제** immunity, exemption, dispensation, freedom

prívate pátient 《영》 (의료 보험을 이용하지 않는) 개인 부담 환자
prívate páy bèd 요금 개인 부담의 병상
prívate plácement (주식·회사채 등의) 사적 모집, 연고 모집
prívate políce 《미》 청원 경찰 《통상의 공적(公的) 경찰과 구별한 경비 용역 산업(security industry)》
prívate práctice (의사·건축가 등의) 개인 영업[개업]: a doctor in ~ 개업의(醫)
prívate préss (이익보다는 취미로 하는) 개인 인쇄소[출판사]
prívate próperty 사유 재산; 《구어》 기혼녀, 임자 있는 여자
prívate ríght 〖법〗 사권(私權)
prívate schóol 사립 학교
prívate sécretary 개인 비서
prívate séctor (국가 경제의) 민영 부문, 사기업
prívate sóldier 《영》 병졸(《미》 enlisted man)
prívate stúdent 사립 학교 학생
prívate téacher[**tútor**] (음악·학과 등의) 개인 교사
prívate tréaty 당사자간의 직접 매매 약정
prívate trúst 개인 신탁 《특정 개인 수익자를 위해 설정된 신탁》
prívate víew **1** 개인 의견 **2** (미술품·영화 등을 일반에게 공개하기 전의) 초대전
prívate wár **1** 개인[가족]간의 싸움 **2** 민족간 항쟁
prí·vate-wíre sỳstem [práivətwáiər-] 사설 전화[텔렉스] 회선망
prívate wróng 〖법〗 사적 권리의 침해
pri·va·tion [praivéiʃən] *n.* Ⓤ Ⓒ **1** (사는 데 중요한 것의) 박탈, 몰수; 상실 **2** (생활 필수품 등의) 결핍, 궁핍: suffer many ~*s* 여러 가지 궁핍을 경험하다 **3** 〖논리〗 성질 결여, 결성(缺性)
pri·vat·ism [práivətìzm] *n.* Ⓤ 사유(私有)[사적 자유]의 존중; (남의 일에 무관심한) 개인주의
pri·va·tis·tic [pràivətístik] *a.* **1** 사기업(私企業) 옹호의 **2** 사적 자유를 존중하는, 사생활 제일주의의
priv·a·tive [prívətiv] *a.* **1** (어떤 성질의) 결핍을 보이는, 결핍의; 소극적인 **2** 탈취하는 **3** 〖문법〗 〈접두[접미]사 등이〉 결성(缺性)을 보이는, 부정(否定)의, 부정적인(opp. *positive*) **4** 〖철학〗 결여성의
—*n.* **1** 〖문법〗 결성어(語), 결성사(辭) 《속성(屬性)의 결여를 보이는 dumb, voiceless 등; 또는 un-, -less 등》 **2** 〖철학〗 결여
pri·va·tize [práivətàiz] *vt.* 민영화하다
prì·va·ti·zá·tion *n.*
pri·va·tiz·er [práivətàizər] *n.* 《주로 영》 국유 산업의 민영화 주창자
priv·et [prívit] *n.* 〖식물〗 쥐똥나무의 일종 《흔히 생울타리로 씀》
‡**priv·i·lege** [prívəlidʒ] [L 「개인을 위한 법률」의 뜻에서] *n.* Ⓤ Ⓒ **1** [보통 the ~] **특권**, 특전, 특별 취급; (의원의 의회 내에서의) 특권: *the ~s* of birth 명문의 특권, 생득의 특권 **2** (개인적) 은전, (특별한) 혜택; 명예: It's my ~ to be here. 여기에 동석하게 되어 영광입니다. **3** (관직에 있는 사람에게 어떤 종류의 의무·책임의) 면책 특권, 면제 **4** 특별 허가, 특허 **5** [the ~] 기본적 인권에 의한 권리: *the ~* of equality 평등권 **6** 《미》 〖증권〗 (일정 기간 내 특정 가격으로 행해지는) 주식 매매 선택권
~ against self-incrimination 〖미국법〗 불리한 진술을 강요받지 않을 권리 ***writ of ~*** 특사장(特赦狀)
—*vt.* **1** …에게 특권[특전]을 주다(⇨ privileged 1): 《~+목+*to* do》 We *~d* him *to* come to school later than usual. 그에게 평소보다 늦게 등교하는 것을 특별히 허락했다. **2** 특전으로서 면제하다(exempt) (*from*): 《~+목+전+명》 ~ a person *from* some burden …을 어떤 부담에서 특별히 면제해 주다 **3** 〈일반에게는 금지되어 있던 것을〉 특별히 허가하다

prívilege càb (영) 특권 택시 《특정 장소에서 손님을 기다리도록 허가받은》

priv·i·leged [prívəlidʒd] *a.* **1** 특권[특전]이 있는[주어진], 특별 허가된: the ~ class 특권 계급 // (~+*to* do) He was ~ *to* come at any time. 그는 언제 와도 좋다는 특권이 주어져 있었다. **2** 〔법〕 면책 특권의; 증언을 거부할 수 있는 **3** 〔항해〕 우선 통행권을 가진

prívileged communicátion 〔법〕 **1** = CONFIDENTIAL COMMUNICATION **2** 면책 표시

priv·i·li·gent·si·a [prìvəlidʒéntsiə] *n.* [보통 the ~; 집합적] 특권 계급(the privileged class)

priv·i·ly [prívili] *ad.* 남몰래, 비밀히

priv·i·ty [prívəti] *n.* ⓊⒸ **1** 은밀한 일, 비밀 **2** 비밀 관여[관지(關知)], 은밀한 내통, 묵계 《*to*》 **3** 〔법〕 당사자 관계, 동일한 권리에 대한 상호간의 관계: the ~ of contract 계약 관계 ***without the ~ of*** …에게 알리지 않고

*__priv·y__ [prívi] *a.* **1** Ⓟ 비밀히 관여하는[통지받는] 《*to*》: I was made ~ *to* it. 나는 내밀히 그 사정에 대하여 통고받고 있었다. **2** (고어) 숨은; 은밀한 **3** 일개인의, 사용(私用)[사유(私有)]의

— *n.* (*pl.* **priv·ies**) **1** 〔법〕 당사자, 이해 관계인 **2** (미) 옥외 변소(outhouse)

▷ prívily *ad.*; prívity *n.*

prívy chámber **1** 궁정의 사실(私室) **2** (고어) 전용실, 개인실

Prívy Cóuncil **1** [the ~] (영) 추밀원(樞密院) 《略 P.C.》 **2** [**p- c-**] (고어) (군주의) 사적 자문 기관

Prívy Cóuncillor (영) 추밀 고문관 《略 P.C.》

prívy pàrts 음부(陰部)

prívy pùrse [the ~] [종종 **P- P-**] (영) 내탕금(內帑金) 《국왕의 사사로운 돈》

prívy séal **1** [the ~] (영) 옥새(玉璽) **2** [the P- S-] 옥새관(玉璽官)(the Lord Privy Seal)

prix fixe [príː-fíːks] [F] (*pl.* **prix fixes** [~]) 정식(定食)(table d'hôte); 정식의 가격

Prix Gon·court [príː-gɑŋkúər | -gɔŋ-] [F] 공쿠르상(賞) 《Goncourt 형제의 유지에 따라 매년 수여하는 문학상》

⁝**prize**[1] [práiz] *n.* **1** 상, 포상(褒賞), 상품: the Nobel [Pulitzer] ~ 노벨[퓰리처]상 / a ~ for good conduct 선행상 / win[gain, take] a ~ 상을 타다

> 유의어 **prize** 경쟁 등에서 승리자에게 주는 상: win (the) first *prize* 1등상을 타다 **reward** 업무·노력 등에 대한 보수: receive a fair *reward* 정당한 보수를 받다 **award** 심사 위원 등의 신중한 검토 결과로서 주는 상: win an Academy *Award* 아카데미상을 받다

2 (우연히, 운좋게 얻은) 경품, 당첨 **3** 현상금 **4** (경쟁의) 목적물, 남이 부러워하는 것, 귀중한 것: the ~*s* of life 인생의 목적 《부·명예 등》 **5** (구어) 굉장한 것, 완전한 것 **6** (고어) 경기, 시합

be no ~ (구어) 가치가 없는 물건이다, 자질이 없는 사람이다 ***play one's ~*** 사리(私利)를 꾀하다 ***run ~s*** (상품·상금을 얻으려고) 경기[경쟁]에 나가다

— *a.* **1** 입상[입선]한; 상품으로서 얻은[받은]: a ~ cup 상배(賞盃) / a ~ medal 우승 메달 **2** [종종 반어적으로] 상품을 받을 만한, 굉장한: a ~ idiot 상이라도 주고 싶을 정도의 굉장한 바보 **3** 현상이 붙은

— *vt.* 높이 평가하다, 존중하다, 소중히 하다

prize[2] [L 「붙잡다」의 뜻에서] *n.* **1** 포획물(捕獲物), 전리품; 나포선(拿捕船); 포획한 재산 **2** 뜻밖에 차지한 것, 횡재 ***become* (*the*) *~ of* [*to*]** …에게 포획되다 ***make* (*a*) *~ of*** …을 포획하다

— *vt.* 포획[나포]하다

prize[3] *vt.* **1** 지레로 들다[움직이다], 억지로 비틀어 열다 **2** 〈비밀 등을〉 캐내다, 알아내다 《*out, out of*》 **~ *off* [*open, out, up*]** 〈문을〉 비틀어 열다 **~ *out*** (1) 〈돌·못 따위를〉 힘들여 뽑아내다 《*of*》 (2) 〈비밀 따위를〉 알아내다, 캐내다 《*of*》: ~ a secret *out of* him 그에게서 비밀을 알아내다

— *n.* **1** (영·방언) 지레, 지렛대 **2** 지레 작용

príze còurt (영) (전시) 포획물 심판소

prized [práizd] *a.* 중요한, 가치 있는, 비장(秘藏)의

príze dày [종종 **P- D-**] (영) (중·고등학교에서 연 1회 행하는) 우등생 표창일

príze fèllow (영국 대학에서) prize fellowship을 받는 학생

príze fèllowship (영국 대학에서) 우등상 수상 학생에게 주는 장학금

prize·fight [práizfàit] *n.* 프로 권투 경기 **~·er** *n.* 프로 권투 선수

prize·fight·ing [-fàitiŋ] *n.* Ⓤ 프로 권투

prize-giv·ing [-gìviŋ] *n.* (학교에서의) 상품 수여식

prize·man [-mən] *n.* (*pl.* **-men** [-mən, -mèn]) (주로 학술 연구에 관한) 수상자

príze mòney 상금; 〔항해〕 포획 상금

priz·er [práizər] *n.* (고어) 현상금이 목적인 선수

príze rìng 프로 권투장; [the ~] 프로 권투(계)

prize·win·ner [práizwìnər] *n.* 수상자; 수상 작품: a Nobel ~ 노벨상 수상자 **príze·wìn·ning** *a.* Ⓐ 수상한, 입상한

prize·wor·thy [-wə̀ːrði] *a.* 상 받을 가치가 있는

PRN, p.r.n. [L] *pro re nata* 수시로, 필요한 때에 《처방전에서》

*__pro__[1] [próu] [*pro*fessional] *n.* (*pl.* **~s**) **1** (구어) 프로, 전문가, 직업 선수 **2** [the ~s] (미식축구·야구·농구의) 프로 리그

— *a.* 직업적인, 직업 선수의, 프로의: a ~ boxer 프로 권투 선수

*__pro__[2] [L 「…을 위하여」의 뜻에서] *ad.* 찬성하여(in favor) **~ *and con*** 찬반(贊反) 두 갈래로

— *n.* (*pl.* **~s**) 찬성자; 찬성론, 찬성 투표

the ~s and cons 찬반 양론: weigh (up) the ~*s and cons* 찬반 양론의 득실을 재어보다

pro[3] [*pro*stitute] *n.* (*pl.* **~s**) 매춘부

pro [prou] [L] *prep.* …을 위하여

pro-[1] [pròu] *pref.* **1 a** …대신(으로), 부(副)…: *pro*cathedral **b** …찬성의, 친(親)…적(的), …옹호의(opp. *anti-*): *pro*slavery **2** [라틴 파생어의 접두사] **a** 내다: *pro*duce **b** (공간·시간에서) 앞으로: *pro*ceed **c** 대리: *pro*consul **d** 공개적으로: *pro*claim **e** …에 따라: *pro*portion **f** …대신: *pro*verb

pro-[2] [prə, prou] *pref.* 전(前)… 《학술·과학 용어》: *pro*drome, *pro*gnathous

Pro Professional **PRO** (영) Public Record Office; public relations officer **pro.** procedure; proceed; profession

pro·a [próuə] *n.* (말레이 군도의) 쾌속 범선

pro·a·bor·tion [pròuəbɔ́ːrʃən] *a.* 임신 중절 지지의(pro-choice)(opp. *pro-life*) **~·ism** *n.* **~·ist** *n.*

pro·ac·tive [prouǽktiv] *a.* **1** 〔심리〕 순향(順向)의, 선행 학습에 영향을 받은 **2** 앞을 내다보고 행동하는, 미리 대책을 강구하는

pro-am [próuǽm] [*pro*fessional-*am*ateur] *n., a.* (골프 등의) 프로와 아마추어 합동[혼합] 경기(의)

pro-an·a [-ǽnə] [*pro*+*an*orexia] *n.* 거식증 강박관념에 사로잡힌 여성

prob [prɑ́b | prɔ́b] *n.* (영·구어) 문제(problem) ***no ~s*** (영·구어) 문제없다(니까)

prob. probable; probably; problem

prob·a·bi·lism [prɑ́bəbəlìzm | prɔ́b-] *n.* Ⓤ 〔철학〕 개연론(蓋然論); 〔가톨릭〕 개연설 **-list** *n., a.*

prob·a·bi·lis·tic [prɑ̀bəbəlístik | prɔ̀b-] *a.* 개연론[설]의; 가망성의[에 근거한]

thesaurus **prize**[1] *n.* trophy, medal, award
probability *n.* likelihood, likeliness, prospect, expectation, chance, odds, possibility
probably *ad.* likely, perhaps, maybe, possibly

‡ **prob·a·bil·i·ty** [prὰbəbíləti | prɔ̀b-] *n.* (*pl.* **-ties**) **1** Ⓤ 있을 법함, 있음 직함, 그럴듯함; Ⓒ 있음 직한 일; 가망, 공산(公算): The *probabilities* are against us[in our favor]. 우리에게 불리[유리]할 듯하다. / The ~ is that ... 아마 …일 것이다 / There is every[no] ~ of[that] ... …은 매우 있음직한[있을 수 없는] 일이다

> 유의어 **probability** 실현성이 **possibility**보다는 강하고, **certainty**보다는 약하다.

2 Ⓤ 〖철학〗 개연성(蓋然性) **3** 〖수학〗 확률; Ⓤ 확률론 **4** 〖컴퓨터〗 확률 **5** [*pl.*] 일기 예보
in all ~ = PROBABLY. ▷ próbable *a.*

probabílity clòud 〖물리〗 확률운(確率雲) 《파동(波動) 방정식을 수반하는 확률 밀도 함수에 의해 정해지는 전자의 존재 영역》
probabílity cùrve 〖통계〗 확률 곡선
probabílity dènsity 〖통계〗 확률 밀도
probabílity dènsity fùnction 〖통계〗 확률 밀도 함수
probabílity distribùtion 〖통계〗 확률 분포
probabílity fùnction 〖통계〗 확률 함수
probabílity thèory 〖통계·수학〗 확률론

‡ **prob·a·ble** [prάbəbl | prɔ́b-] [L 「증명하다(prove)」의 뜻에서] *a.* **1** (십중팔구) 있음직한, 충분히 가능한, 그럴싸한, 믿어도 될, 거의 확실한; 유망한: a ~ cost 예상 비용 / a ~ winner 우승할 것 같은 사람 / the ~ results 예상되는 결과 / ~ error 확률 오차

> 유의어 **probable** 아주 확실하다고는 할 수 없지만 아마 그럴 것[그렇게 될 것]이라고 생각되는: a *probable* hypothesis 그럴듯한 가설 **possible** 가능성이 비교적 낮은: a *possible* but difficult job 가능하기는 하지만 어려운 일 **likely** 위의 것들의 중간: a *likely* result 있을 법한 결과

2 〖논리〗 개연적인 ***It is***[***is not***] ***~ that*** …할 것 같다[같지 않다]
—*n.* 《구어》 **1** 무슨 일을 할 것 같은 사람; 일어날 듯한 사건; 될 듯한 것 **2** 유망한 후보자; (축구 등의) 신인, 보결 선수(cf. POSSIBLE 1) **3** 추정 격추기, 파괴가 확실시되는 공격 목표물 ▷ probabílity *n.*

próbable cáuse 〖법〗 상당한 근거[이유]

‡ **prob·a·bly** [prάbəbli | prɔ́b-] *ad.* 아마(도), 대개는, 십중팔구(⇨ perhaps 유의어): I'll ~ be a little late. 아마 좀 늦을 것이다.

pro·band [próubænd] *n.* 〖유전〗 발단자 《이상 유전 형질을 가진 가계(家系)의 출발점으로 선정된 사람》
pro·bang [próubæŋ] *n.* 〖외과〗 인후[식도] 소식자(消息子)(cf. PROBE 1)
pro·bate [próubeit] *n.* **1** Ⓤ 〖법〗 유언 검인(권)(遺言檢認(權)) **2** Ⓒ 검인필의 유언장(=~ **cópy**) **3** 《미》 (유언) 검인 법원이 취급하는 모든 문제
— *a.* 유언 검인 (법원)의: a ~ judge 유언 검인 판사
— *vt.* **1** 《미》 〈유언장을〉 검인하다; 검인을 받다 **2** 〖법〗 〈범죄자를〉 보호 관찰 아래 두다
próbate còurt (유언) 검인 법원
próbate dùty 〖법〗 동산 상속세(稅)

* **pro·ba·tion** [proubéiʃən] *n.* **1** Ⓤ (행동·성격·자격·적성 등의) **검정**, 시험 **2** ⓊⒸ 가(假)채용, 견습 기간, 실습 (기간) **3** Ⓤ 〖신학〗 시련; 〖법〗 집행 유예; (집행 유예 중의) 보호 관찰: the ~ system 보호 관찰 제도 **4** 《미》 (낙제·처벌된 학생의) 가급제(假及第) 기간
on ~ 시험하기 위하여; 견습으로; 집행 유예[보호 관찰]로 ***place***[***put***] an offender ***on***[***under***] two years' ~ (범죄자를 2년간) 보호 관찰하에 두다

pro·ba·tion·ar·y [proubéiʃənèri | prəbéiʃənəri], **-tion·al** [-ʃənl] *a.* 시험적인, 가채용[가급제]의, 견습 중의; 집행 유예(중)의
pro·ba·tion·er [proubéiʃənər | prə-] *n.* **1** 견습생, 견습 간호사; 가(假)입회자 **2** 목사보(補); 《스코》 전도 시험 중의 신학생 **3** 집행 유예 중의 죄인, 보호 관찰 대상자 **~·shìp** *n.* Ⓤ 수습 (기간); 집행 유예 (기간)
probátion òfficer 보호 관찰관
pro·ba·tive [próubətiv, prάb- | próu-], **pro·ba·to·ry** [próubətɔ̀:ri | -təri] *a.* 시험하는; 증명하는; 증거를 제시하는

* **probe** [próub] [L 「시험하다」의 뜻에서] *n.* **1** 〖의학〗 **탐침**(探針); 소식자(消息子) **2** 《미》 (부정 부패 적발을 위한) 철저한 조사, 엄밀한 조사[탐구]; 탐사 **3** 시험, 시도 **4** 탐사용 로켓[인공위성, 망원경 《등》], 탐사기; (공중 급유의) 송유 파이프: lunar ~*s* 달 탐색기
—*vt.* 탐침[소식자]으로 검사하다; 엄밀히 조사하다: ~ one's conscience 자기 양심에 물어보다
—*vi.* (진상 등을) 규명하다, 탐사[탐구]하다; (미지의 세계 등에) 들어가다; 돌진하다 《*into*》: (~+전+명) ~ *into* the causes of the earthquake 지진의 원인을 탐구하다 **prób·er** *n.*

prob·ing [próubiŋ] *n.* 〖전자〗 프로빙 《트랜지스터나 IC칩의 패드(pad)에 탐침을 꽂아 탐색하기》
pro·bi·ont [proubáiənt] *n.* 〖생화학〗 전(前)생물체, 생물 전구체(前驅體)
pro·bi·ot·ic [proubaiάtik | -ɔ́t-] *n.*, *a.* 생균제(의), 바이오우유 제품(의)
prob·it [prάbit | prɔ́b-] *n.* 〖통계〗 프로빗 《확률을 재는 단위》
pro·bi·ty [próubəti, prάb- | próu-] *n.* Ⓤ 《문어》 고결, 청렴결백, 성실

‡ **prob·lem** [prάbləm | prɔ́b-] [Gk 「앞에 던져진 것」의 뜻에서] *n.* **1** **문제**; 의문, 난문제(⇨ question 유의어): a social ~ 사회 문제 / solve a ~ 문제를 풀다 / the unemployment ~ 실업 문제 **2** 문제아, 다루기 어려운 사람; 골칫거리 **3** 〖수학〗 문제, 작도(作圖) 문제 **4** 〖논리〗 삼단 논법에 포함된 문제 **5** 〖체스〗 작전 문제 ***have a ~ with ...*** 《구어》 …에 문제가 있다; …을 받아들이지 못하다 ***It's***[***That's***] ***not my ~.*** 《구어》 내가 알[상관할] 바 아니야 ***No ~.*** 문제없어, 괜찮아. ***~s of the aged*** 노인 문제 ***That's*** one***'s ~.*** 《구어》 그건 …의 문제다, …가 해결할 문제다 ***What's*** one***'s ~?*** 《구어》 무슨 일이지?, 왜 그래? 《이상한 행동을 보일 때》
—*a.* Ⓐ **1** 사회 문제로서[곤란한 문제를] 다룬: a ~ novel[play] 문제 소설[극] **2** 문제가 많은, 다루기 어려운, 지도하기 힘든: a ~ child 문제아 / a ~ bank 《미》 재정상 요주의 은행 ▷ problemátic *a.*

prob·lem·at·ic, -i·cal [prὰbləmǽtik(əl) | prɔ̀b-] *a.* **1** 문제의, 문제가 있는; 의문의, 해결하기 어려운; 미정의; 의심스러운, 확실치 않은 **2** 〖논리〗 개연적인 **-i·cal·ly** *ad.*
prob·lem·at·ics [prὰbləmǽtiks | prɔ̀b-] *n. pl.* 복잡한 여러 문제들, 해결 곤란한 상황들
próblem páge (잡지의) 독자 질문란
prob·lem-solv·ing [prάbləmsὰlviŋ | prɔ́bləm-sɔ̀l-] *n.* Ⓤ 문제 해결 (과정)
pro bo·no [próu-bóunou] [L =for (the) good] *a.* 무료[선의]로 행하는: ~ legal services 무료 법률 상담
pro bo·no pu·bli·co [prou-bóunou-pʌ́blikòu] [L = for the public good] *ad.* 공익을 위해서
pro·bos·cid·e·an [pròubəsídiən, -bas-, prou-bὰsidí:ən | pròubəsídiən], **pro·bos·cid·i·an** [pròubasídiən | -bɔs-] 〖동물〗 *a.* 장비(長鼻)(목(目))의 **—** *n.* 장비류 《코끼리·매머드 등》
pro·bos·cis [proubάsis, -kis | -bɔ́s-] *n.* (*pl.* **~·es, -ci·des** [-sədì:z]) **1** (코끼리 등의) 코 **2** (곤충 등의 긴) 주둥이 **3** 《익살》 (사람의) 큰 코

---

probe *n.* investigation, scrutiny, exploration, examination, study, research, analysis
problem *n.* difficulty, trouble, mess, predicament, plight, dilemma, question, puzzle, riddle

probóscis mónkey 〖동물〗 긴코원숭이
pro·busi·ness [proubíznis] *a.* 친(親)비즈니스파(派)의, 재계(財界)편의
proc. procedure; proceedings; process; proclamation; proctor
pro·caine [próukein, ─ˊ] *n.* Ⓤ 〖약학〗 프로카인 《국부 마취제》
pro·cam·bi·um [proukǽmbiəm] *n.* (*pl.* **~s, -bi·a** [-biə]) 〖식물〗 원시 부름켜, 전(前)형성층
pro·car·y·ote [proukǽriòut, -riət] *n.* =PROKARYOTE
pro·ca·the·dral [pròukəθíːdrəl] *n.* 임시 주교좌(主教座) 성당
pro·ce·dur·al [prəsíːdʒərəl] *a.* 절차(상)의
— *n.* =POLICE PROCEDURAL **~·ly** *ad.*
⁑**pro·ce·dure** [prəsíːdʒər] [F 「진행시키다(proceed)」의 뜻에서] *n.* ⓊⒸ **1 순서**, 차례; (행동·상태·사정 등의) 진행, 경과; : follow the prearranged ~ 사전에 협의된 순서를 따르다 **2** (진행상의) **절차**; 수속; 〖법〗 소송(訴訟) 절차, 의사(議事) 진행; 처리: legal ~ 소송 절차 / the code of civil[criminal] ~ 민사[형사] 소송법 **3** 〖컴퓨터〗 (프로그램의) 처리 절차
summary **~** 〖법〗 즉결[약식] 재판 절차
⁑**pro·ceed** [prəsíːd] [L 「앞으로 가다」의 뜻에서] *vi.* **1** (문어) **나아가다, 가다** (*to, into*): 《~+전+명》 ~ *to* university 대학에 진학하다 / ~ *on* a journey 여행 가다 / ~ *to* extremes[violence] 극단[폭력 사태]에 이르다 / ~ *to* London 런던으로 가다 ★ 이 뜻으로는 go (on) 쪽이 구어적임. **2** (잠깐 멈춘 후 다음 단계로) **속행하다**, 계속하다 (*with*); (다른 제목 등으로) 옮아가다, 나아가다 (*to*): 《~+전+명》 The speaker drank a glass of water and then *~ed with* his speech. 연사는 물을 한 잔 마시고 나서 또 연설을 계속했다. / Let us ~ *to* the next program. 다음 프로그램으로 옮깁시다. **3 착수하여 계속하다, 시작하다** (*with*), (…하기) 시작하다 (*to* do): 《~+전+명》 Let us ~ *with* our lesson. 학과를 시작합시다. // 《~+***to*** do》 Then, he *~ed to* eat his dinner. 그러고 나서 그는 만찬을 들기 시작했다. **4 계속하여 말하다,** 말을 계속하다: "In any case," he *~ed*, "our course has been settled." 「어쨌든 우리의 방침은 정해졌다」고 그는 말을 이었다. **5** 〖법〗 절차를 밟다, 처리하다 (*in, with*); 〖법〗 고소하다 (*against*): 《~+전+명》 ~ *against* a person …을 고소하다 **6 생기다,** 발생하다, 유래하다 (*from, out of*): 《~+전+명》 This *~ed from* ignorance. 이것은 무지에서 생긴 것이다. / Heat does not ~ *from* the moon. 달에서는 열이 발생하지 않는다. **7** (영국 대학에서 BA보다 위의) 학위를 획득하다 (*to*) **~ on** …에 의거하여 행동하다 **~ *to the degree of*** (MA) (영) (석사(碩士)) 학위를 따다
— [próusiːd] *n.* [*pl.*] =PROCEEDS
▷ prócess, procéssion, procédure *n.*
⁑**pro·ceed·ing** [prəsíːdiŋ] *n.* **1** Ⓤ **진행**; 행동 **2** ⓊⒸ 행위, 방도, 방식 **3** 처치, 처리 **4** [*pl.*] 의사(록)(議事(錄)), (학회 등의) 회보 **5** [*pl.*] 〖법〗 소송 절차[행위], 변론: oral *~s* 구두 변론
dispossession ~s (미·속어) (가옥 등의) 명도 소송 ***summary ~s*** 즉결 심판 절차 ***take*** [***institute***] (***legal***) ***~s*** 소송을 일으키다 (*against*)
pro·ceeds [próusiːdz] *n. pl.* 수입, 매상고, (판매·투자 등의) 수익, 과실(果實): net ~ 순이익금
⁑**proc·ess**[1] [prάses | próu-] [L 「진행하다」의 뜻에서] *n.* **1** (만드는) **과정,** 공정, 처리, 방법, 순서, 조작 (*for, of*): The ~ *for*[*of*] making steel is complex. 강철을 만드는 공정은 복잡하다. **2** Ⓤ (현상·사건 등의) **진행,** 진전, (시간의) 경과 (*of*); 변천, 추이: the ~ *of* history 역사의 진행 **3** (일련의) 과정, 변화; Ⓤ 작용: a mental ~ 정신 작용 / the ~ of digestion 소화 작용 **4** 〖법〗 소송 절차, 영장, 소환장: serve a ~ on …에게 영장을 발부하다 **5** 〖인쇄〗 제판법, 사진 제판술; 〖영화〗 배경을 이어 맞추는 영화 수법: the four-color ~ 4색 인쇄법 **6** 〖컴퓨터〗 프로세스 《처리 단위》 **7** 〖해부·동물·식물〗 돌기, 융기
in ~ of time 시간이 지나감에 따라 ***in*** (***the***) **~ *of*** …중, 진행 중: *in ~ of* construction 공사 중
— *a.* Ⓐ **1** 화학적으로 가공 처리한; 제조 공정에서 필요한: ~ milk 가공 우유 **2** 사진 제판에 의한 **3** 〖영화〗 특수 효과를 내는 데 쓰는
— *vt.* **1** 〈식품을〉 **가공** (**저장**)**하다**; 〈폐물 등을〉 화학적으로 (가공) 처리하다 **2** 〈서류·기록 등을〉 (체계적·조직적으로) 처리[정리]하다: ~ mail 우편물을 처리하다 **3** 적성을 조사하다, 적성 시험을 통해 분별하다 **4** (…을 상대로) 소송을 제기하다, 피고 소환장을 내다 **5** 〖컴퓨터〗 〈정보·데이터를〉 처리하다 **6** (사진 제판에서) 복제하다, 〈필름을〉 현상하다 **7** (미) 〈곱슬한 머리를〉 (약품으로) 곧게 하다
— *vi.* **1** 적성 검사를 받다, 시험을 보다 **2** 가공[처리]하다 ▷ procéed *v.*
pro·cess[2] [prəsés, prou-] [*procession*의 역성(逆成)] *vi.* (구어) 줄지어 가다[행진하다]
prócess àrt 개념 예술(conceptual art)
pro·cess-block [prάsesblὰk | próusesblɔ̀k] *n.* 사진 철판(凸版), 사진판
prócess contròl 〖전기〗 프로세스 제어(制御) 《주로 화학 공업 등의》; 〖컴퓨터〗 공정 제어
prócess còsting 〖회계〗 종합[공정별] 원가 계산
prócess(**ed**) **bùtter** 가공 버터
prócess(**ed**) **chèese** 프로세스 치즈 《두 종류 이상의 천연 치즈를 가열 살균한 치즈》
prócess engineèring 공정 공학 《제조 공정의 순서의 결정, 사용 기기의 선택 등을 하는 생산 공학의 분야》
próc·ess·ing tàx [prάsesiŋ-, próus- | próus-] 가공세(加工稅)
prócessing ùnit 〖컴퓨터〗 처리 장치
⁑**pro·ces·sion** [prəséʃən] *n.* **1** ⒸⓊ **행렬**(parade); 행진; Ⓤ 진행, 전진: a funeral ~ 장례 행렬 / in ~ 열을 지어 / form a ~ 행렬을 짓다 **2** 〖신학〗 성령(聖靈)의 발현(發現) **3** 순위에 변화가 없는 재미없는 경주 **4** (영·구어) 〖크리켓〗 참패
— *vi., vt.* 행렬을 지어 나아가다, 행진하다: ~ a street 거리를 행렬 지어 걷다
▷ procéed *v.*; procéssional *a.*
pro·ces·sion·al [prəséʃənl] *a.* Ⓐ 행렬의, 행렬용의: a ~ chant 〖그리스도교〗 행렬 성가(聖歌), 행진 찬송가 / a ~ cross 행렬용 십자가 《행렬 선두의》 / a ~ march 행렬 행진곡 **—** *n.* **1** 〖그리스도교〗 행렬식 전서(典書); 행렬 성가 **2** 행렬, 열 **~·ly** *ad.*
prócess làyout 공정별 (설비) 배치
proc·es·sor [prάsesər | próu-] *n.* **1** (미) (농산물의) 가공업자 **2** 〖컴퓨터〗 처리 장치, 프로세서
prócess prìnting 원색 제판법, 원색판 인쇄(법)
prócess sèrver 〖법〗 영장 송달리(送達吏), 집달리
prócess wàter (산업) 공정 용수
pro·cès-ver·bal [prouséivɛərbάːl] [F] *n.* (*pl.* **-baux** [-bóu]) **1** (회의 등의) 의사록, 의사(議事) 보고서 **2** 〖법〗 조서(調書)
pro-choice [proutʃɔ́is] *a.* 임신 중절 합법화 지지의 (cf. PRO-LIFE) **pro-chóic·er** *n.*
pro·chro·nism [próukrənìzm, prάk- | próu-] *n.* ⓊⒸ (연대·날짜 등을 실제보다) 앞당겨 적기
⁑**pro·claim** [proukléim, prə-] [L 「앞에 외치다」의 뜻에서] *vt.* **1** (특히 국가적 중대사를) **선언하다**(declare); 공포[선포]하다: ~ war 선전(宣戰) 포고하다 // 《~+

thesaurus **procedure** *n.* action, step, process, measure, policy, system, method, technique, means, practice, strategy, way, routine, custom
proceed *v.* **1** 나아가다 go on, go forward, go ahead, carry on, move on, progress, advance **2** 생기다 arise, originate, spring, stem, result
process[1] *n.* **1** 공정 operation, action, steps, stages

목+보) The people *~ed* him king. 국민은 그를 왕으로 선포하였다. // (~+목+(***to be***) 보) (~+***that*** 절) They *~ed* him (*to be*) a traitor[*that* he was a traitor]. 그들은 그를 반역자라고 선언했다. **2** (문어) 분명히 나타내다, 증명하다(indicate): (~+목+(***to be***) 보) (~+***that*** 절) His manners ~ him (*to be*) a gentleman[*that* he is a gentleman]. 그의 매너를 보면 그가 신사임을 알 수 있다. **3** 찬양[칭찬]하다 **4** 〈지역·집회 등에〉 금지령을 선포하다 **5** 죄인[악인]이라고 공고하다; 공연히 비난하다

— *vi.* 단언[포고, 공포, 성명]하다 **~·er** *n.* 선언자

▷ proclamátion *n.*; proclámatory *a.*

∗**proc·la·ma·tion** [prɑ̀kləméiʃən | prɔ̀k-] *n.* **1** Ⓤ 선언, 선포, 포고: the ~ of war 선전 포고 **2** 성명서, 선언서: make a ~ 성명서를 발표하다

▷ procláim *v.*; proclámatory *a.*

pro·clam·a·to·ry [prouklǽmətɔ̀:ri, prə- | -təri] *a.* 선언적인, 공포[선포]의

pro·clit·ic [prouklítik] 〖문법〗 *a.* 〈단어가〉 후접(後接)의 **—** *n.* 후접어 《악센트 없이 다음 말에 밀착하여 발음되는 단음절어; a, of, to 등》(cf. ENCLITIC)

pro·cliv·i·ty [prouklívəti] [L 「비탈; 경향」의 뜻에서] *n.* (*pl.* **-ties**) 성향(性向), 성벽, 벽(癖); 성질, 기질, 경향 《*for, to, toward*》: (~+***to*** do) He had a ~ *to* steal. 그는 도벽이 있었다. // (~+전+**-*ing***) a ~ *toward* be*ing* vicious 악으로 치닫는 경향

Proc·ne [prɑ́kni | prɔ́k-] *n.* 〖그리스신화〗 프로크네 《제비가 된 Athens 왕 판디온의 딸; Philomela의 언니》

pro·con·sul [proukɑ́nsəl | -kɔ́n-] *n.* **1** 〖고대로마〗 지방 총독; 《영》 식민지 총독 **2** 부(副)영사

pro·con·su·lar [proukɑ́nsələr | -kɔ́n-] *a.* 총독(관할)의

pro·con·su·late [proukɑ́nsələt | -kɔ́nsju-], **-sul·ship** [-səlʃip] *n.* ⓊⒸ **1** 총독의 직무[임기] **2** 총독의 통치 지역

pro·cras·ti·nate [proukrǽstənèit, prə-] 《문어》 *vi.* 늑장부리다, 꾸물거리다 **—** *vt.* (자꾸) 미루다, 연기하다 **-nà·tor** *n.* 지연시키는 사람, 형세 관망가

pro·cras·ti·na·tion [proukrӕstənéiʃən, prə-] *n.* Ⓤ 《문어》 미루는 버릇, 꾸물거림; 지연, 연기

pro·cre·ant [próukriənt] *a.* 출산[생식]력이 있는; 출산[생식]의(procreative)

pro·cre·ate [próukrièit] 《문어》 *vt.* 낳다, 산출하다, 생기게 하다 **—** *vi.* 아이를 낳다 **-à·tive** *a.*

pro·cre·a·tion [pròukriéiʃən] *n.* Ⓤ 《문어》 출산; 생식

pro·cre·a·tor [próukrièitər] *n.* 낳는 사람(generator), (남자) 어버이, 아비

Pro·crus·te·an [proukrʌ́stiən] *a.* Procrustes적인; [종종 **p~**] 무리하게 기준에 맞추려 하는, 억지로 획일화하는 ***~ bed*** 무리한 획일화(된 제도[방침, 주의])

Pro·crus·tes [proukrʌ́sti:z] *n.* 〖그리스신화〗 프로크루스테스 《고대 그리스의 강도; 잡은 사람을 쇠침대에 눕혀, 키 큰 사람은 다리를 자르고, 작은 사람은 잡아 늘였다고 함》

pro·cryp·tic [proukríptik] *a.* 〖동물〗 보호색의, 보호색을 가진

procto-, proct- [prɑ́kt(ou), -t(ə) | prɔ́k-] 《연결형》 「항문·직장」의 뜻: *procto*scope

proc·to·dae·um, -de- [prɑ̀ktədí:əm | prɔ̀k-] *n.* (*pl.* **-dae·a** [-dí:ə], **~s**) 〖발생〗 항문도(道)

proc·tol·o·gy [prɑktɑ́lədʒi | prɔktɔ́l-] *n.* Ⓤ 직장(直腸)[항문]병학, 항문과(科)

proc·tor [prɑ́ktər | prɔ́k-] *n.* **1** 《미》 시험 감독관; 대학 학생감(監) **2** 〖영국법〗 대리인, 대소인(代訴人); 사무 변호사 **3** 〖영국국교〗 (성직자 회의의) 대의원

— *vt., vi.* 《미》 (시험을) 감독하다

proc·to·ri·al [prɑktɔ́:riəl | prɔk-] *a.* **~·ship** *n.*

proc·tor·ize [prɑ́ktəràiz | prɔ́k-] *vt.* 《영》 〈학생감이 학생을〉 처벌하다

proc·to·scope [prɑ́ktəskòup | prɔ́k-] *n.* 〖의학〗 직장경(直腸鏡)

pro·cum·bent [proukʌ́mbənt] *a.* **1** 땅에 엎드린, 납작 엎드린 **2** 〖식물〗 (땅 위를) 기는

pro·cur·a·ble [prəkjúərəbl, prou-] *a.* 획득[조달]할 수 있는, 얻을 수 있는

proc·u·ra·cy [prɑ́kjurəsi | prɔ́k-] *n.* Ⓤ 《고어》 **1** proctor[procurator]의 임무 **2** (업무 등의) 대행

proc·u·ra·tion [prɑ̀kjuréiʃən | prɔ̀k-] *n.* **1** Ⓤ 획득, 조달 **2** Ⓤ 매춘부 알선(죄), 뚜쟁이질 **3** ⓊⒸ 〖법〗 대리, 대행; 위임; 위임장[권] **4** ⓊⒸ 융자 알선(료), 수수료 **5** 〖영국국교〗 순회 거마비 《교회가 순회 고위 성직자에게 준》 ***by*** [***per***] **~** 대리로 《略 per pro(c).》

proc·u·ra·tor [prɑ́kjurèitər | prɔ́k-] *n.* **1** 〖법〗 (소송) 대리인 **2** 〖고대로마〗 행정 장관, 지방 징세관(徵稅官) **3** (이탈리아 도시의) 지사(知事), 시장 **4** (수도원의) 서무계 ***chief public ~*** 검사장 ***the public ~ general*** 검찰 총장

proc·u·ra·to·ri·al [prɑ̀kjurətɔ́:riəl | prɔ̀k-] *a.* 소송 대리인의 **~·ship** *n.* Ⓤ 대리인의 직

prócurator físcal (스코틀랜드의) 지방 검사(cf. PROSECUTING ATTORNEY)

‡**pro·cure** [proukjúər, prə- | prə-] [L 「미리 돌보다」의 뜻에서] *vt.* **1** 획득하다(get, obtain); 〈필수품을〉 마련하다, 조달하다: ~ evidence 증거를 입수하다 / ~ employment 직업을 얻다 / It was difficult to ~ food. 식량을 조달하기가 어려웠다. **2** 구해[입수해] 주다 《*for*》: (~+목+목) (~+목+전+명) Please ~ me a copy. = Please ~ a copy *for* me. 저에게 한 권 구해 주십시오. **3** 〈매춘부를〉 두다, 알선하다 **4** (고어·문어) 야기하다, 초래하다: ~ a person's death 남의 손을 빌어서 사람을 죽이다

— *vi.* 매춘부를 주선하다, 뚜쟁이질하다

▷ procurátion, procúrement *n.*

∗**pro·cure·ment** [proukjúərmənt, prə- | prə-] *n.* ⓊⒸ **1** 획득; (필수품의) 조달; 정부 조달: military ~ 군수품 조달 **2** (매춘부의) 알선

pro·cur·er [proukjúərər, prə- | prə-] *n.* 획득자(obtainer); 뚜쟁이(pimp)

pro·cur·ess [proukjúəris, prə- | prə-] *n.* 여자 뚜쟁이

Pro·cy·on [próusiɑ̀n, prɑ́s-, -siən | próusiən] *n.* 〖천문〗 프로키온 《작은개자리의 일등성》

prod[1] [prɑ́d | prɔ́d] *n.* **1** 찌르기, 찌름; 자극 **2** 찌르는 바늘, 침; 찌르는 막대기 **3** (행동으로의) 재촉; 암시, 조언

— *v.* (**~·ded**; **~·ding**) *vt.* **1** 찌르다 《*with*》 **2** 자극하다(incite), 괴롭히다(irritate); 〈기억을〉 불러일으키다: (~+목+전+명) ~ a person *into* action …을 부추기어 행동하게 하다 // ~ a person's memory …의 기억을 환기시키다 **—** *vi.* 찌르다, 쑤시다; 《비유》 자극하다 《*at*》 **~·der** *n.*

prod[2] [*prod*igy] *n.* 《미》 신동(神童)

Prod [prɑ́d | prɔ́d] *n.* 《아일·경멸》 신교도(Protestant)

prod. produce; produced; producer; product; production

prod·ding [prɑ́diŋ | prɔ́d-] *n.* Ⓤ 격려, 자극

pro·de·li·sion [prɑ̀dəlíʒən | prɔ̀d-] *n.* Ⓤ 어두(語頭) 모음의 생략 《I am을 I'm으로 하는 등》

∗**prod·i·gal** [prɑ́digəl | prɔ́d-] *a.* **1** 낭비하는 《*of*》; 방탕한: ~ expenditure 낭비 / the ~ son 〖성서〗 회개한[돌아온] 탕아 《누가복음 15: 11-32》, 회개

---

2 방법 method, system, technique, means, way, procedure **3** 진행 course, advance, progress

proclaim *v.* announce, declare, make known, notify, publish, advertise, broadcast

procure *v.* obtain, acquire, pick up, find, secure, get hold of, gain, get

prodigal *a.* extravagant, squandering, imprudent

한 죄인 **2** 아낌없는[없이 주는]; 헤픈(lavish) ((*of, with*)): ~ *of* smiles 웃음이 헤픈 **3** 풍부한, 남아도는 ((*of, with*)): ~ talents 풍부한 재능
— *n.* 낭비하는 사람; 방탕한 자식; 〚법〛 금치산자
play the **~** 난봉을 부리다 **~·ly** *ad.*

prod·i·gal·i·ty [prὰdəgǽləti | prɔ̀d-] *n.* Ⓤ **1** 방탕, 난봉, 낭비 **2** 아낌없음, 헤픔; 풍부

prod·i·gal·ize [prάdigəlàiz | prɔ́d-] *vt., vi.* 낭비하다, 함부로 마구 쓰다

*__pro·di·gious__ [prədídʒəs] *a.* **1** 거대[막대]한(vast, enormous): a ~ building 거대한 건물 / a ~ research fund 막대한 연구 자금 **2** 비범한, 놀라운, 경이적인(extraordinary): a ~ feat 놀랄 만한 묘기
~·ly *ad.* **~·ness** *n.* ▷ pródigy *n.*

*__prod·i·gy__ [prάdədʒi | prɔ́d-] [L 「예언」의 뜻에서] *n.* (*pl.* **-gies**) **1** 천재, 신동; 절세의 미인: an infant ~ 신동(神童) **2** 비범, 경이(wonder) **3** 불가사의한 것 **4** 비정상적인 것, 괴물

pro·drome [próudroum] *n.* (*pl.* **-dro·ma·ta** [proudróumətə], **~s**) 〚병리〛 전구증(前驅症)(상), 전징(前徵)

pro·drug [próudrʌ̀g] *n.* 〚약학〛 프로드러그 ((신체 내에서 효소·화학 물질로 인해 약으로 바뀌는 비활성 물질))

‡**pro·duce** [prədјú:s | -djú:s] [L 「앞으로 이끌다」의 뜻에서] *vt.* **1** 〈곡물 등을〉 생산하다, 산출하다, 생기게 하다, 〈열매를〉 맺다: The tree ~*s* big fruit. 그 나무에는 큰 열매가 맺힌다. **2** 〈상품을〉 제조[생산]하다 **3** 〈작품 등을〉 만들어 내다, 창작하다, 〈그림을〉 그리다, 〈시를〉 짓다; 〈연구의〉 결과를 맺다; 〈책을〉 출판하다; 〈동물이 새끼를〉 낳다: ~ a book 책을 출판하다 **4** 〚금융〛 〈이익·이자 등을〉 생기게 하다 **5** 〈결과 등을〉 일으키다, 야기하다, 초래하다: ~ a sensation 센세이션을 일으키다 **6** 제시하다, 내보이다 ((*from, out of*)): ~ one's passport 여권을 내보이다 // (~+目+前+名) He ~*d* his wallet *from* his trouser pocket. 그는 바지 호주머니에서 지갑을 꺼냈다. **7** 〈연극 등을〉 상연하다, 공연하다, 연출하다; 〈영화·텔레비전 프로 등을〉 제작하다: ~ a play 극을 상연하다 **8** 〚수학〛 〈선을〉 연장하다, 연결하다 ((*to*))
— *vi.* **1** 산출하다; 만들어내다, 생산하다; 창작하다 **2** (영·속어) 돈을 지불하다 ***~ on the line*** 일관 작업으로 대량 생산하다
— [prάdјu:s, próu- | prɔ́dju:s] *n.* **1** Ⓤ 생산액[고]; 〚집합적〛 농산물; 천연 산물: country ~ 농산물 / dairy ~ 유제품 **2** 〚집합적〛 생산물[품], 제품; 작품 **3** (암컷의) 새끼 **4** 결과, 소산, 귀결, 성과
▷ próduct, prodúction *n.*; prodúctive *a.*

pro·duce·ment [-mənt] *n.* 제품

‡**pro·duc·er** [prədјú:sər | -djú:sə] *n.* **1** 생산자 (opp. *consumer*); 제작자: ~*s'* price 생산자 가격 / the greatest gold ~ in the world 세계 최고의 금 생산국 **2** (극·영화·TV의) 프로듀서, 제작자 **3** (영) 〚연극〛 연출가((미) director); (미) (극장의) 경영자, 흥행주(主) **4** 〚화학〛 가스 발생기(器) **5** 〚생태〛 생산자 ((무기물에서 유기물을 만드는 녹색 식물의 총칭))

prodúcer gàs 발생로(爐) 가스

prodúcer gòods 〚경제〛 생산재(財)(cf. CONSUMER GOODS)

prodúcer príce ìndex 〚경제〛 생산자 물가 지수 ((略 PPI))

prodúcer's coóperative 생산자 협동조합

prodúcer sỳstem (영화·연극의) 프로듀서 시스템 ((제작자가 경제적 책임을 짐))

pro·duc·i·bil·i·ty [prədјù:səbíləti | -djù:s-] *n.* Ⓤ 생산[제출, 상연]할 수 있음

pro·duc·i·ble [prədјú:səbl | -djú:s-] *a.* 생산[제출, 상연]할 수 있는

pro·duc·ing [prədјú:siŋ | -djú:s-] *a.* [종종 복합어를 이루어] 산출[생산]하는: oil-~ countries 산유국 / a wine-~ area 와인 생산지 ***a ~ lot*** (미) 영화 제작소

‡**prod·uct** [prάdʌkt, -dəkt | prɔ́d-] *n.* **1 a** 산출물, 생산품: natural ~*s* 천연 산물 / residual ~*s* 부산물 / factory ~*s* 공장 제품 **b** 작품; 제작물; 저작물: the ~*s* of genius 천재의 작품 **2** (역사적·사회적 과정에 따른) 소산(所産); 결과, 성과: a ~ of one's study 연구의 성과 **3** 생산(고), (총)생산[산출]량: gross national ~ 국민 총생산(액) ((略 GNP)) **4** 〚화학〛 생성물; 생성 물질 **5** 〚수학·컴퓨터〛 곱: The ~ of 3 and 5 is 15. 3과 5의 곱은 15이다.
▷ prodúce *v.*; prodúctive *a.*

próduct cóncept 〚마케팅〛 제품 개념 ((끊임없이 제품의 개선을 꾀하는 경영 지침))

próduct còst 〚경제〛 제품 원가

pro·duct·i·ble [prədʌ́ktəbl] *a.* 생산[제조]할 수 있는 **pro·dùct·i·bíl·i·ty** *n.*

‡**pro·duc·tion** [prədʌ́kʃən] *n.* **1** Ⓤ 생산, 제조(opp. *consumption*); 제작; 저작: mass ~ 대량 생산 / the ~ of arms 무기의 제조 **2** 생산액, 생산량, 생산율 **3** 제품, 저작[제작]물, 작품; (연구의) 결과: literary and artistic ~*s* 문학 예술 작품 **4** Ⓤ 제공, 제출, 제시 **5 a** ⓊⒸ 연출, 상연; (영화) 제작: film ~ 영화 제작 **b** 상연 작품; 제작 영화[프로] **6** 영화 제작소, 프로덕션 **7** ⓊⒸ (선 등의) 연장; 〚수학〛 연장선 **8** (구어) (야단스러운) 큰 소동 ***make a ~ (out) of*** (구어) …으로 큰 소동을 벌이다 **~·al** *a.* ▷ prodúce *v.*

prodúction còncept 〚마케팅〛 생산 개념 ((생산·유통 효율의 개선을 위한 경영 지침))

prodúction contròl 〚경영〛 생산[공정] 관리

prodúction desìgner 〚영화〛 미술 디자이너 ((세트·의상 등의 책임자))

prodúction gòods 〚경제〛 = PRODUCER GOODS

prodúction lìne (일관 작업 등의) 생산 라인

prodúction mànager 생산 관리 책임자

prodúction nùmber 〚연극〛 (뮤지컬 코미디 등에서) 배역 총출연의 노래[춤]

prodúction plàtform (해저 유전의) 채굴대(臺)

prodúction quòta 〚경제〛 생산(량) 할당

prodúction reàctor 생산용 원자로

‡**pro·duc·tive** [prədʌ́ktiv] *a.* **1** 생산적인, 생산력을 가진: a ~ society 생산 조합 **2** 생산하는, 생기게 하는 ((*of*)): Poverty is ~ *of* crime. 빈곤은 범죄를 낳는다. **3** 다산(多産)의, 다작(多作)의, 풍부한; 〈토지가〉 비옥한: ~ land 비옥한 땅 **4** 〚경제〛 이익을 내는, 영리적인 **5** 〚언어〛 조어 형성 능력이 있는 ((접사(接辭) 등의)) **~·ly** *ad.* **~·ness** *n.* Ⓤ 다산, 다작
▷ prodúce *v.*; prodúction, productívity *n.*

*__pro·duc·tiv·i·ty__ [pròudʌktívəti, prὰdək- | prɔ̀d-] *n.* Ⓤ **1** 생산성, 생산력: labor ~ 노동 생산성 **2** 다산(성), 풍요; 다작(多作)

productívity agrèement 생산성 협정 ((생산량에 따른 노동 임금[조건]의 개선 협정))

productívity bàrgaining 생산성 교섭 ((생산성 향상과 임금 인상의 연계 협상))

próduct liabílity (미) (불량 상품에 대해 소비자에게 지는) 생산물 책임 ((略 PL))

pród·uct-li·a·bíl·i·ty insùrance [prάdʌkt-làiəbíləti- | prɔ́d-] 제조[생산]물 책임 보험

próduct-liabílity sùit 제조[생산]물 책임 소송 ((결함 상품에 대한 소비자의 제소))

próduct lífe cỳcle 〚경영〛 제품의 라이프 사이클 ((略 PLC))

próduct lìne 〚마케팅〛 제품 라인 ((일련의 생산 과정으로 생산되는 제품군(群)))

próduct mànager 〚경영〛 제품 담당 책임자

thesaurus **produce** *v.* **1** 생산하다 bear, give, bring forth, supply, provide, furnish **2** 제조하다 make, manufacture, construct, build, create **3** 일으키다 cause, evoke, bring about, generate, start
product *n.* **1** 생산품 commodity, artifact **2** 결과 result, outcome, effect, consequence, fruit

próduct màrk 제품 마크 《단일 제품에만 사용하는 상표》
próduct mìx 〖마케팅〗 제품 믹스 《판매되는 전제품의 리스트》
próduct plàcement (식품·음료·의류 등의) 상품을 영화·TV 드라마 속에 사용하는 간접적인 광고
pro·em [próuem] *n.* 《문어》 머리말, 서문(preface)
pro·e·mi·al [prouí:miəl] *a.*
pro·en·zyme [prouénzaim] *n.* 〖생화학〗 = ZYMOGEN
pro·ette [prouét] *n.* (골프의) 여자 프로 선수
pro-Eu·ro·pe·an [proujùərəpí:ən] *a.*, *n.* 서유럽 통일주의의 (사람); 영국의 유럽 연합 가맹 지지의 (사람)
prof [prɑ́f | prɔ́f] *n.* 《구어》 = PROFESSOR
prof., Prof. professor
pro-fam·i·ly [proufǽməli, -fǽmli] *a.* **1** (전통적) 가족(의 가치)를 지키려는 **2** 임신 중절 반대의
prof·a·na·tion [prɑ̀fənéiʃən | prɔ̀f-] *n.* Ⓤ 신성(神聖) 모독, 오용(misuse)
pro·fan·a·to·ry [proufǽnətɔ̀:ri, prə- | -təri] *a.* 모독적인, 신성을 더럽히는
*****pro·fane** [proufein, prə-] [L 「신전(神殿) 밖에서」의 뜻에서] *a.* **1** 신성을 더럽히는, 불경스런; 〈말이〉 상스러운, 천벌 받을: use ~ language 모독적인 말을 하다 **2** 세속적인(opp. *sacred*), 범속한; 비속(卑俗)한: ~ music 세속 음악 **3** 이교(異敎)의, 이단의: ~ rites 이교의 의식 ***the ~*** (***crowd***) 속인(俗人)들
—*vt.* **1** …의 신성을 더럽히다, 모독하다: ~ the national flag 국기를 욕되게 하다 **2** 남용[오용]하다(misapply) **~·ly** *ad.* **~·ness** *n.*
▷ profánity, profanátion *n.*
pro·fan·i·ty [proufǽnəti, prə- | prə-] *n.* (*pl.* **-ties**) **1** Ⓤ 신성 모독, 불경 **2** Ⓒ 신성을 더럽히는 언행 **3** (종교적인 것에 반대되는) 세속적 학문
pro·fert [próufərt] *n.* 〖법〗 (공개 법정에서의) 기록[서류] 등의 제출, (원고의) 서증(書證) 신청
*****pro·fess** [prəfés] [L 「공언하다」의 뜻에서] *vt.* **1** 공언하다, 단언하다, 고백하다: ~ a dislike for jazz 재즈는 싫다고 분명히 말하다: He wants to ~ his love for Jane. 그는 제인을 향한 사랑을 고백하고 싶어한다. // (~+***to*** do) (~+***that*** 절) He *~ed to* have no connection[*that* he had no connection] with that affair. 그는 그 사건과 관계가 없다고 공언했다. // (~+목+(***to be***) 보) He *~ed* himself (*to be*) quite contented. 그는 아주 만족스럽다고 말했다. **2** 〈…에 대한〉 신앙을 고백하다, …을 믿는다고 공언하다: My father *~es* Buddhism. 아버지는 불교 신자입니다. **3** 〈…인〉 체하다, 〈…이라고〉 자칭하다, 가장하다(pretend): ~ ignorance 모르는 체하다 // (~+***to*** do) Everyone *~ed to* study hard. 모두가 열심히 공부하는 체했다. // (~+***to be*** 보) He *~es to be* a poet. 그는 시인을 자칭한다. **4** 직업으로 하다; …의 교수가 되다, 교수하다: ~ law 법률을 직업으로 하다 **5** 종문(宗門)에 들게 하다, 교단에 가입시키다
—*vi.* **1** 공언[언명]하다 **2** 신앙 고백을 하다; 성직에 들어가다 **3** (대학에서) 교수하다, 교직자가 되다
▷ proféssion *n.*
pro·fessed [prəfést] *a.* **1** Ⓐ 공언한, 공공연한: a ~ atheist 무신론자라고 공언하는 사람 **2** 본업으로 삼는, 본직(本職)의: a ~ cook 전문 요리사 **3** Ⓐ 선서하고 수도회에 들어간 **4** 외양만의, 거짓의, 자칭…
pro·fess·ed·ly [prəfésədli, -fest-] *ad.* 공공연히; 자칭해서; 외양으로는, 거짓으로
pro·fess·ing [prəfésiŋ] *a.* 공언하는; 가짜의

profession *n.* **1** 직업 career, vocation, calling, occupation, position, job, post, business **2** 공언 avowal, declaration, announcement, proclamation, affirmation, assertion
professional *a.* skilled, adept, proficient, expert, competent, experienced, efficient

*****pro·fes·sion** [prəféʃən] *n.*

「(지식·기량을) 공언하기」 **3**→「전문직」→「직업」 **1**

1 Ⓒ Ⓤ 직업 《주로 두뇌를 쓰는》, 전문직(⇨ occupation 유의어): the ~ of a lawyer 변호사업 **2** [the ~] 동업자들; 《속어》 배우들; 《일반적으로》 예술가들 **3 a** Ⓤ Ⓒ 공언, 선언, 언명, 고백: a ~ of friendship 우정의 표명 **b** 거짓 꾸민 감정, 가식(假飾) **4** 〖종교〗 신앙 고백; 서약하고 종교 단체에 들어감
Adam's ~ 원예(園藝) ***by ~*** 직업은 ***make*** one***'s ~*** (성직자가 될) 선서를 하다 ***the learned*** [***three***] ***~s*** 《고어》 신학·법학·의학의 세 직업 ***the oldest ~*** 《익살》 매춘 ▷ profess *v.*; proféssional *a.*
*****pro·fes·sion·al** [prəféʃənl] *a.* **1 a** Ⓐ (지적) 직업의, 직업상의; 지적 직업에 종사하는, 전문직의: a ~ call 직업상 방문 / the ~ spirit 직업 정신 / a ~ man 전문 직업인 《의사·변호사 등》 / ~ education 전문[직업] 교육 / ~ etiquette 동업자간의 예의[의리] **b** 본업으로 하는, 전문의, 전문(가)적인: a ~ actor 본업 배우 **2** 직업적인, 프로의(opp. *amateur*): a ~ golfer 프로 골프 선수 / ~ football 프로 축구 **3** Ⓐ 《경멸》 장삿속으로 하는; 상습적인: a ~ politician 장삿속으로 하는 정치인 / a ~ liar 상습적인 거짓말쟁이 **4** 〖스포츠〗 〈반칙이〉 고의적인
—*n.* **1** 지적 직업인, 기술 전문가 **2** (아마추어에 대한) 직업 선수, 전문가, 숙련가, 프로(opp. *amateur*) ***turn*** [***go***] ***~*** 〈아마추어 선수 등이〉 프로로 전향하다
~·ly *ad.* 직업적으로, 직업상; 전문적으로; 전문적으로 말하면
proféssional corporátion 〖법〗 전문직 법인 《의사·변호사 등이 전문적 서비스를 하고 세제 혜택을 얻기 위해 조직하는 단체》
proféssional devélopment dày 《특히 캐나다》 교사 연수일
proféssional fóul 《영》 〖스포츠〗 의도적 파울[반칙]
pro·fes·sion·al·ism [prəféʃənəlìzm] *n.* Ⓤ **1** 전문 직업 의식, 전문가[직업 선수] 기질 **2** 전문가의 솜씨 **3** 프로 선수임[의 자격](cf. AMATEURISM)
-ist *n.* 프로(선수), 직업인
pro·fes·sion·al·ize [prəféʃənəlàiz] *vt.*, *vi.* 직업적인 성질을 부여하다, 전문적으로 취급하다, 전문화하다; 직업 선수가 되다
proféssional jéalousy 동업자간의 경쟁 의식
proféssional wréstling 프로 레슬링
*****pro·fes·sor** [prəfésər] *n.* **1 a** 교수 《略 Prof., prof.; 《USAGE 성만의 경우는 약어 Prof.는 쓰지 않음; *Prof.* John Smith처럼 씀》: *P~* Smith 스미스 교수 / a *~'s* chair 강좌
관련 미국에서는 (full) professor(정교수), associate professor(부교수), assistant professor(조교수)의 등급이 있고, 별도로 adjunct professor(겸임[비상근] 교수), visiting professor(객원 교수), professor emeritus(명예 교수)가 있음
b 《미·구어》 (일반적으로 남자) 교사(teacher) **2** 공언하는 사람; 자칭하는 사람; 신앙 고백자 **3** (댄스·권투·요술 등의) 선생, 스승 《과장하여 호칭하는》: a ~ of boxing 권투 스승 **4** 《미·속어》 안경잡이; (오케스트라의) 지휘자; (술집의) 피아니스트; 도박사 **5** 《속어》 전문가 **~·ship** *n.* 교수의 직[지위] 《*in*》
▷ professórial *a.*
pro·fes·sor·ate [prəfésərət] *n.* **1** Ⓤ Ⓒ 교수의 직[임기] **2** [the ~; 집합적] (한 대학의) 교수회, 교수단
pro·fes·so·ri·al [pròufəsɔ́:riəl, prɑ̀f- | prɔ̀f-] *a.* **1** 교수의, 교수다운 **2** 학자인 체하는; 독단적인(dogmatic) **~·ly** *ad.* **~·ism** *n.*
pro·fes·so·ri·at(e) [pròufəsɔ́:riət, prɑ̀f- | prɔ̀f-] *n.* **1** = PROFESSORATE **2** [the ~; 집합적] (교육 조직·국가 등의) 대학 교수 (전체)
*****prof·fer** [prɑ́fər | prɔ́f-] *vt.* 《문어》 제의[제안]하다; 내밀다; 제출[제공]하다, 증정하다: ~ services

봉사하다 // ((~+목+목)) ((~+목+전+명)) We ~*ed* them the information. = We ~*ed* the information *to* them. 우리는 그들에게 그 정보를 제공했다.
— *n.* UC 제공(물), 제언, 제출 **~·er** *n.*

∗**pro·fi·cien·cy** [prəfíʃənsi] *n.* U 숙달, 능숙, 능란 ((*in, at*)): a test of ~ *in* English 영어 실력 테스트
— *vt., vi.* (**-cied**) ((미)) (시험에서 필수 과목을) 면제하다[되다] ▷ profícient *a.*

∗**pro·fi·cient** [prəfíʃənt] [L 「전진하는」의 뜻에서] *a.* 익숙한, 숙달한, 능숙한, 능란한 ((*in, at*)): a ~ swimmer 수영의 달인 // ((~+전+**-ing**)) be ~ *in*[*at*] speak*ing* English 영어 회화에 능숙하다
— *n.* 숙달한 사람, 대가(expert), 달인, 명인 ((*in*))
~·ly *ad.*

∗**pro·file** [próufail] [L 「윤곽을 그리다」의 뜻에서] *n.* **1** 옆얼굴, 반면상(半面像); (조상(彫像)의) 측면: have a handsome ~ 옆얼굴이 잘생기다 **2** 윤곽(outline), 소묘(素描) **3** 〖건축〗 종단면도(縱斷面圖), 측면도 **4** 태도, 자세 **5** (변화·추이·활동 등을 나타낸) 개요; 수준; 분석표, 도표, 일람표: a ~ of national consumer spending 국가의 소비자 지출 개요 **6** 〖신문·TV〗 인물 소개; (개인의 외적 특징·생활을 기술한) 인물 개요 ((주로 범죄 수사용)) **7** 〖연극〗 평면인 무대 장치 ***in*** **~** 옆모습은; 측면에서 본 바로는 ***keep*** [***maintain, adopt, take***] ***a low*** [***high***] **~** 저자세[고자세]를 취하다; 두드러지지 않다[두드러지다]
— *vt.* **1** …의 윤곽을 그리다; …의 측면도를 그리다 **2** …의 개요를 쓰다; …의 인물평을 쓰다, 인물을 소개하다 **3** [보통 수동형으로] (…을 배경으로) …의 윤곽을 보이다 ((*against*))

prófile dràg 〖항공〗 (날개의) 단면 저항

pro·fil·er [próufailər] *n.* **1** 프로필 작가 **2** ((미)) (수사 기관 등의) 범죄 심리 분석관 **3** 모형기, 형틀[모형 뜨는] 기계[선반](duplicating machine); 선반공

pro·fil·ing [próufailiŋ] *n.* U 프로파일링 ((⑴ 인종적·집단적 표적을 대상으로 경찰이 범죄자 검거를 위해 불심 검문·수색을 하는 행위 ⑵ 회사가 효과적 광고를 위해서 실시하는 구매자 대상이 될 만한 집단에 관한 정보 수집 활동))

‡**prof·it** [práfit | prɔ́f-] [L 「전진하다」의 뜻에서] *n.* **1** UC (금전상의) 이익, 이득, 이윤, 흑자, 벌이(opp. *loss*)(⇨ benefit 유의어): a ~[a non-~] making corporation 영리[비영리] 단체 / clear[net] ~ 순이익금 / gross ~ 총이익금 **2** [보통 *pl.*] (자본·보험에 대한) 이자 **3** U 득, 유익(advantage): There is no ~ in complaining[complaint]. 불평한들 아무 득도 없다. ***at a*** **~** (*of* ten dollars) (10달러의) 이익을 얻고, (10달러) 벌고 ***make a*** **~** ***on*** …으로 벌다 ***make*** one***'s*** **~** ***of*** …을 이용하다 (I have read it) ***with*** **~**[***to my great*** **~**]. (그것을 읽고) 얻은[크게 얻은] 바가 있다.
— *vt.* ((문어)) …의 이익[득, 도움]이 되다: Nothing ~*s* one so much as a sound education. 건전한 교육만큼 사람에게 도움이 되는 것은 없다. // ((~+목+목)) What will it ~ him? 그것이 그에게 무슨 이득이 되겠는가?
— *vi.* 이익을 얻다; 도움이 되다, 득보다, 얻는 바가 있다 ((*by, from*)): ((~+전+명)) ~ *by* counsel 지혜를 빌다, 조언을 받다 / A wise person ~*s by*[*from*] his mistakes. ((속담)) 현명한 사람은 실수해도 이득을 본다. ▷ prófitable *a.*

∗**prof·it·a·ble** [práfitəbl | prɔ́f-] *a.* **1** 이익이 되는, 벌이가 되는: a ~ deal 이익이 되는 거래 **2** 유익한, 얻는 바가 많은: spend a ~ day 유익한 하루를 보내다
~·ness *n.* **pròf·it·a·bíl·i·ty** *n.* U 수익성, 이윤율
-bly *ad.* 이익이 되게; 유익하게

prófit and lóss 〖회계〗 손익; 손익 계산: ~ point 손익 분기점

prófit and lóss accòunt 〖경영〗 손익 계정[명세서]

prófit cènter 〖경영〗 이익 중심점 ((수익을 낳는 중심적 부문)); 이익 책임 단위 ((독립 채산 사업 부제에서 관리 회계상의 부문별 단위))

prof·i·teer [pràfitíər | prɔ̀f-] *vi.* (물자 부족을 이용하여) 폭리를 취하다 — *n.* 폭리 획득자, 부당 이득자: a war ~ 전쟁 때 부당 이득자, 무기 상인
~·ing *a., n.* U 부당 이득을 취하는[취하기]

pro·fit·er·ole [prəfítəròul] *n.* 프로피터롤 ((아이스크림 등으로 속을 채운 작은 슈크림))

prof·it·less [práfitlis | prɔ́f-] *a.* 벌이가 없는, 무익한 **~·ly** *ad.* **~·ness** *n.*

prof·it-mak·ing [-mèikiŋ] *a.* A 영리의, 이윤 추구적인, 이윤 목적의

prófit màrgin 이윤 폭(幅), 이윤 차액; 이익률

prófit shàring 〖경영〗 이윤 분배(제)

prófit squèeze 이윤 압축, 이익 감소

prófit sỳstem = FREE ENTERPRIZE

prófit tàking 〖증권〗 가격 차이로 이익 얻기

prof·li·ga·cy [práfligəsi | prɔ́f-] *n.* U **1** 방탕, 난봉, 품행 불량 **2** 낭비 **3** 대량, 풍부

prof·li·gate [práfligət, -gèit | prɔ́fligət] *a.* **1** 방탕한, 난봉[품행 불량]의 **2** 낭비하는 ((*of*))
— *n.* 방탕자, 난봉꾼 **~·ly** *ad.* **~·ness** *n.*

prof·lu·ent [práfluənt | prɔ́f-] *a.* 도도하게 흐르는
próf·lu·ence *n.*

pro-form [próufɔ̀:rm] *n.* 〖문법〗 대용형(代用形)

pro for·ma [prou-fɔ́:rmə] [L] *ad., a.* 형식상(의); 〖상업〗 견적의, 가(假)…: a ~ invoice 견적 송장

‡**pro·found** [prəfáund] [L 「밑바닥 안에」의 뜻에서] *a.* (**~·er**; **~·est**) **1** ((문어)) 깊은(deep): a ~ abyss 심연(深淵) / a ~ sleep 깊은 잠 **2** 〈책·학설·작품 등이〉 심원한; 〈책·사상 등이〉 뜻 깊은, 난해한: a ~ doctrine 난해한 학설 **3** 〈동정 등이〉 마음에서 우러나는, 충심의; 의미심장한; 충분한: ~ gratitude 심심한 감사 / take a ~ interest in …에 깊은 관심을 가지다 **4** (머리를) 깊이 숙인, 공손한(humble): a ~ bow 공손한 인사 **5** 〈병이〉 뿌리 깊은
— *n.* [the ~] ((문어)) **1** 심연; 깊은 속마음 ((*of*)) **2** 심해, 대해(ocean): *the* vast ~ 망망대해 **~·ness** *n.*
▷ profóundly *ad.*; profúndity *n.*

∗**pro·found·ly** [prəfáundli] *ad.* 깊이; 심원하게; 간절히: be ~ moved 깊이 감동하다 / be ~ grateful 크게[충심으로] 감사하다

pro·fun·di·ty [prəfʌ́ndəti] *n.* (*pl.* **-ties**) **1** U 깊음, 깊이, 심오, 오묘; 깊은 속 **2** C 심연(深淵) **3** [보통 *pl.*] 심원한 문제[이론]; 의미가 깊은 사상[말]

∗**pro·fuse** [prəfjú:s] [L 「앞에 흘러나오다」의 뜻에서] *a.* **1** 풍부한, 수없이 많은, 넘치는(abundant): ~ tears 하염없이 흐르는 눈물 **2** 낭비하는, 헤픈 ((*in, of, with*)) **3** 아낌없는, 마음이 후한: ~ hospitality 극진한 환대 / ~ praise 아낌없는 칭찬
~·ly *ad.* 아낌없이; 풍부하게 **~·ness** *n.*

∗**pro·fu·sion** [prəfjú:ʒən] *n.* U **1** 풍부 **2** [종종 a ~] 다량, 다수 ((*of*)): *a* ~ *of* strange ornaments 많은 기이한 장신구들 **3** 낭비, 사치

pro·fu·sive [prəfjú:siv] *a.* **1** 풍부한 **2** 낭비하는

prog[1] [prág | prɔ́g] [*proc*tor] *vt.* (**~ged**; **~·ging**) ((영)) 〈학생감이 학생을〉 처벌하다
— *n.* ((영)) Oxford[Cambridge] 대학 학생감

prog[2] *vi.* (**~ged**; **~·ging**) ((영·속어)) 음식물을 구하러 다니다 — *n.* U ((영·속어)) (여행용) 음식물; ((미·방언)) 약탈[동냥]해서 얻은 음식물

prog[3] [*prog*ressive] *n.* ((영·구어)) 진보적인 사람

prog[4] [próug] *n.* ((영·구어)) = PROGRAM

pro·gen·i·tive [proudʒénətiv] *a.* 생식력이 있는, 번식하는(reproductive)

pro·gen·i·tor [proudʒénətər] [L 「앞에 낳다」의 뜻에서] *n.* (*fem.* **-tress** [-tris]) ((문어)) **1** (생물학적

thesaurus **profit** *n.* gain, benefit, advantage, takings, yield, return, receipts, income, earnings
profound *a.* **1** 뜻 깊은 discerning, penetrating,

인) 선조; 어버이; (동·식물의) 원종(原種) **2** 창시자, 선구자, 원조; 선배; 원본: the ~ of modern music 근대 음악의 창시자

pro·gen·i·ture [proudʒénətʃər] *n.* **1** Ⓤ 자손을 낳음 **2** [집합적] 자손(progeny)

prog·e·ny [prádʒəni | prɔ́dʒ-] *n.* (*pl.* **-nies**) **1** [집합적] 자손, 아이들 **2** Ⓤ 결과(outcome) **3** [집합적] 제자; 후계자

pro·ge·ri·a [proudʒíəriə] *n.* Ⓤ 〖병리〗 선천성 조로증(早老症)

pro·ges·ta·tion·al [pròudʒestéiʃənl] *a.* 〖의학〗 임신 전의; 프로게스테론의

pro·ges·ter·one [proudʒéstəròun] *n.* Ⓤ 〖생화학〗 프로게스테론, 황체 호르몬 《순수 결정체》

pro·ges·tin [proudʒéstin] *n.* Ⓤ 프로게스틴 《인체 내의 황체 호르몬》

pro·ges·to·gen [proudʒéstədʒən] *n.* Ⓤ 〖생화학〗 황체 호르몬제 《월경을 조절하는 스테로이드 약제》

prog·gins [práginz | prɔ́g-] *n.* 《영·속어》 = PROG[1]

pro·glot·tid [prouglátid | -glɔ́t-] *n.* 〖동물〗 (촌충류의) 편절(片節)

pro·glot·tis [prouglátis | -glɔ́t-] *n.* (*pl.* **-ti·des** [-tidì:z]) = PROGLOTTID

prog·na·thous [prágnəθəs, pragnéi- | prɔgnéi-, prɔ́gnə-], **prog·nath·ic** [pragnǽθik | prɔg-] *a.* 〖인류〗 턱이 나온

prog·nose [pragnóus, -nóuz | prɔg-] *vt., vi.* 예지(豫知)하다, 예측하다

prog·no·sis [pragnóusis | prɔg-] *n.* (*pl.* **-ses** [-si:z]) **1** 〖의학〗 예후(豫後)(opp. *diagnosis*) **2** ⓊⒸ 예지, 예상, 예측

prog·nos·tic [pragnástik | prɔgnɔ́s-] *a.* **1** 〖의학〗 예후의 **2** 예지하는, 전조(前兆)가 되는 《*of*》
—*n.* **1** 예언, 예측, 예상, 예지 **2** 조짐, 전조, 징후: a ~ of success 성공의 조짐 **3** 〖의학〗 예후

prog·nos·ti·cate [pragnástikèit | prɔgnɔ́s-] *vt.* **1** (전조에 의하여) 예지하다, 예언[예상]하다, 예측하다: ~ a depression 불경기를 예측하다 **2** …의 전조가 되다, …의 징후를 보이다 —*vi.* 예언[예상]하다, 예지하다 **-cà·tive** *a.* **-cà·tor** *n.* 예언자, 점쟁이

prog·nos·ti·ca·tion [pragnàstikéiʃən | prɔgnɔ̀s-] *n.* **1** Ⓤ 예지, 예언, 예상, 예측: the ~ of weathers 날씨의 예상 **2** Ⓒ 전조, 징후

pro·grade [próugrèid] *a.* 〖천문〗 〈위성 등이〉 천체의 회전 궤도와 동일 방향으로 운동하는, 순행(順行)의

⁑**pro·gram** | **-gramme** [próugræm, -grəm | -græm] [Gk 「공개적으로 쓰다」의 뜻에서] *n.* **1** (연극·음악회·운동회 등의) 프로그램, 예정표, 계획표, 진행 순서, 차례(⇨ plan 유의어): a radio[TV] ~ 라디오[텔레비전] 프로그램 **2** 계획, 예정, 스케줄, 일정, 행사 계획: What is your ~ for this afternoon? 오늘 오후의 일정은 어떻게 되어 있소? **3** [집합적] 상연 종목, 연주 곡목, 댄스 차례표[카드] **4** 〖교육〗 학습 계획; 과정(표); (수업의) 요목(要目), 적요(摘要) **5** 《영》 (정당의) 강령, 정강(政綱) **6** 〖컴퓨터〗 프로그램 《*for*》
be on the **~** 프로그램에 실려 있다 ***get with the*** **~** 《구어》 (…에) 진지하게 참여하기 시작하다; (…에) 중요한 공헌을 하기 시작하다
—*v.* (**-gram(m)ed**; **-gram·(m)ing**) *vt.* **1** …의 프로그램[차례]을 짜다, 계획하다(plan); 계획[프로그램]대로 진행하다 **2** 〈컴퓨터의〉 프로그램을 작성하다, 〈컴퓨터에〉 프로그램을 공급하다 **3** 〖교육〗 〈교재를〉 프로그램 학습용으로 만들다
—*vi.* **1** 프로그램을 만들다; 계획을 세우다; 교육 과정을 입안하다 **2** 〖컴퓨터〗 프로그램을 만들다 **3** 계획대로 하다 **pró·gram·(m)a·ble** *a.*
▷ programmátic *a.*

---

thoughtful, philosophical, deep, weighty, serious, wise **2** 난해한 difficult, complex, abstract **3** 충심의 heartfelt, keen, intense, sincere

prógram cònтrolled interrúpt 〖컴퓨터〗 프로그램 제어 끼어들기 《略 PCI》

prógram dirèctor 〖라디오·TV〗 프로그램 편성자

prógram lòading 〖컴퓨터〗 프로그램 로딩 《프로그램을 미리 주기억 장치에 기억시키기》

pro·gram·mat·ic [pròugrəmǽtik] *a.* **1** 프로그램의; 방침[계획]에 따른 **2** 표제(標題) 음악의

pró·gram(m)ed cóurse [próugræmd-] 〖교육〗 프로그램 학습 과정

prógram(m)ed instrúction 〖교육〗 프로그램 학습법에 의한 교수; 〖컴퓨터〗 프로그램 학습 《略 PI》

prógram(m)ed léarning 〖교육〗 프로그램 학습

pro·gram·(m)er [próugræmər, -grəm- | -græm-] *n.* **1** 《미》 〖라디오·TV〗 프로그램 작성자 **2** 〖컴퓨터〗 프로그래머 **3** 〖교육〗 학습 계획 작성자

pro·gram·met·ry [próugræmətri] *n.* 〖컴퓨터〗 프로그램 효율 측정

pro·gram·(m)ing [próugræmiŋ, -grəm- | -græm-] *n.* Ⓤ (컴퓨터의) 프로그램 작성; 〖라디오·TV〗 프로그램 편성; 〖교육〗 학습 계획 작성

prógram(m)ing lànguage 〖컴퓨터〗 프로그램 언어 《COBOL, BASIC, FORTRAN, 어셈블리 언어 등 프로그램을 쓰기 위한 언어》

prógram mùsic 〖음악〗 표제 음악

prógram nòte 프로그램에 실린 해설문 《곡·연주자·가수 등에 관한》

prógram pìcture (동시 상영물의) 부수적 영화

prógram stàtement 〖컴퓨터〗 프로그램문(文) 《작업 지시를 위한 명령문》

prógram státus wòrd 〖컴퓨터〗 프로그램 상태 규정어 《略 PSW》

prógram tràding 〖증권〗 프로그램 매매 《일정한 매매 조건을 입력한 컴퓨터에 의한 자동적인 주식 거래》

⁑**prog·ress** [prágrəs, -res | próugres] [L 「앞으로 가다」의 뜻에서] *n.* Ⓤ **1** 전진, 진행, 진척: the ~ of the earth around the sun 태양 둘레를 도는 지구의 운행 **2** 진보, 향상, 발달, 발전(opp. *regress*); 〖사회〗 (인류·사회의) 진보: the ~ of science 과학의 진보 / ~ in morals 도덕의 향상

> 유의어 **progress** 어떤 목표·방향을 향해 끊임없이 나아가는 진보 **advance** 수준이 높아지는 진보: an *advance* in medical technique 의학 기술의 진보 **development** 어떤 것이 본질적으로 지니고 있는 특질 등이 발전되어 가는 진보: the latest medical *developments* 최근의 의학의 진보

3 경과, 과정, 추이(推移): the ~ of a disease 병의 경과 **4** 증가, 증대, 증진 **5** 〖생물〗 전진적 분화 **6** Ⓒ 《영·고어》 (국왕 등의) 공적 여행, 순행
***in* ~** 진행 중 ***make* ~** 진행하다, 전진하다; 진보하다; 향상하다 ***report* ~** 그 동안의 일을 보고하다, 경과를 보고하다
—[prəgrés] *vi.* **1** 전진하다; 진행되다, 진척되다; (…로) 이동하다 《*to*》: 《~+전+명》 They could hardly ~ *toward* the direction. 그들은 그 방향으로는 좀처럼 전진할 수 없었다. **2** 진보하다, 발달하다, 향상하다 《*with, in*》: 《~+전+명》 ~ *in* knowledge 지식이 늘다 **3** 증대[증가]하다 **4** 〈국왕·정부 고관 등이〉 시찰 여행[행보]하다
—*vt.* 전진[진척]시키다
▷ progréssion *n.*; progréssive *a.*

prógress chàser (공장 등의) 진행 감독자

*__pro·gres·sion__ [prəgréʃən] *n.* Ⓤ **1** 진행, 전진; 공정(工程), 경과 **2** 진보, 발달, 개량, 발전, 향상: a ~ in quality 질의 향상 **3** 연속, 연쇄 **4** Ⓒ 〖수학〗 수열 (cf. ARITHMETIC[GEOMETRIC, HARMONIC] PROGRESSION) **5** 〖음악〗 진행 ***in geometrical* ~** 기하급수적으로 ***in* ~** 연속해서; 차차, 차츰
~·al *a.* 전진[진행]의; 진보적인; 〖수학〗 수열의

pro·gres·sion·ism [prəgréʃənìzm] *n.* Ⓤ (사회)

진보론, 진보주의 **-ist** *n.* 진보론자

pro·gress·ist [prágresist, -grəs- | prəgrés-] *n.* (정치적) 혁신주의자

‡**pro·gres·sive** [prəgrésiv] *a.* **1 전진하는,** 점진(漸進)하는: ~ changes 점진적 변화 **2** 〈사회·도시 등이〉 **진보하는,** 향상하는 **3** 〈제도·주의·방침·정책 등이〉 **진보적인,** 혁신적인; 진보주의의(opp. *conservative*)

> 유의어 **progressive** 정치·사회·교육 등의 면에서의 개혁을 주장하는, 또는 그것에 찬성하는: a *progressive* policy 진보적 정책 **advanced** 과학·사상·예술 등에 있어서 고도로 앞서 있는: *advanced* industrial countries 선진 공업국들 **radical** 정치·사회·경제의 체제를 극단적으로 바꾸려고 하는: *radical* ideas 급진적 사상

4 [**P~**] (미) 진보당의 **5** 〈개혁 등이〉 단계적인; 연속적인 **6** 〈세금 등이〉 누진적인: ~ taxation 누진 과세 **7** 〈병이〉 진행하는, 악화하는: ~ paralysis 진행성 마비 **8** 〖문법〗 진행형의 **9** 〈음악이〉 현대적인, 전위적인

— *n.* **1** 진보론자 **2** [**P~**] (미) 진보당(원) **3** 〖문법〗 진행형 **~·ly** *ad.* **~·ness** *n.*

▷ progréss *v.*; progréssion *n.*

progréssive assimilátion 〖음성〗 순행 동화 《앞의 음이 뒤의 음에 영향을 주는 동화》

progréssive cóuntry (미) 〖음악〗 (1970년대에 생긴) 컨트리 뮤직의 일종

progréssive educátion 진보주의 교육 《학생의 능력·개성을 살리는》

progréssive fórm 〖문법〗 진행형 (⇨ 문법 해설 (25))

progréssive jázz 프로그레시브 재즈 《1950년대의 하모니 중심의 재즈》; 모던 재즈

progréssive léns 프로그레시브 렌즈 《2중 또는 다중 초점 렌즈》

Progréssive Párty [the ~] (미국의) 진보당

progréssive próof 〖인쇄〗 (색의) 단계별 교정쇄

progréssive róck 〖음악〗 프로그레시브 록 《복잡한 프레이징과 즉흥을 채택한 록뮤직》

progréssive sóul 〖음악〗 프로그레시브 솔 《흑인 계통의 디스코 음악》

progréssive táx 누진세

progréssive ténse 〖문법〗 진행 시제

pro·gres·siv·ism [prəgrésivìzm] *n.* Ⓤ 진보주의; [**P~**] (미) 진보당(Progressive party)의 원칙 **-ist** *n.* 진보주의자

pro·gres·siv·i·ty [pròugresívəti] *n.* Ⓤ 진보성; (과세의) 누진성

prógress páyment 프로그레스 페이먼트 《일의 진척도에 따른 정기적인 지불》

prógress repòrt 중간[경과] 보고

próg róck 〖음악〗 = PROGRESSIVE ROCK

pro-growth [próugróuθ] *a.* 개발 찬성의, 성장 정책의 **pró-grówth·er** *n.*

‡**pro·hib·it** [prouhíbit, prə-] [L 「미리 누르다」의 뜻에서] *vt.* **1** (법률·권한에 따라) **금하다,** 금지하다; (…하는 것을) 금하다 《*doing*》(⇨ forbid 유의어): ~ the sale of alcoholic liquors 주류 판매를 금지하다 // (~+**-ing**) ~ pupils' drink*ing* 학생의 음주를 금하다 **2** 〈사물이〉 방해하다; 불가능하게 하다: (~+목+전+명) (~+목+전+**-ing**) (~+**-ing**) Heavy rain ~*ed* him *from* go*ing* out. = Heavy rain ~*ed* his go*ing* out. 폭우로 그는 외출하지 못했다. **~ed articles** [**goods**] 금제품(禁制品) **~·er** *n.*

▷ prohibítion *n.*; prohíbitive *a.*

pro·híb·it·ed degrée [prouhíbitid-, prə-] 〖법〗 혼인 금지 촌수(forbidden degree)

‡**pro·hi·bi·tion** [pròu*h*əbíʃən] *n.* **1** Ⓤ **금지,** 금제 **2** [종종 **P~**] Ⓤ (주로 미) 주류 양조 판매 금지; [보통 **P~**] Ⓒ (미) 금주법(=~ law), 금주법 시대(1920-33) **3** Ⓒ 금지령 **4** (영) 금지 영장

~ *against double jeopardy* 〖미국법〗 일사부재리(一事不再理)의 원칙

▷ prohíbit *v.*

pro·hi·bi·tion·ist [pròu*h*əbíʃənist] *n.* (주로 미) 주류 양조 판매 금지주의자; [**P~**] 금주당원 **-ism** *n.* Ⓤ 주류 양조 판매 금지주의

prohibítion làw [the ~] (미) 금주법

Prohibítion Pàrty [the ~] (미) 금주당(禁酒黨) 《1869년 결성》

pro·hib·i·tive [prouhíbitiv, prə-] *a.* **1** 금지하는, 금제의 **2** 금지나 다름없는 과중한 〈세금〉, 엄청나게 비싼 〈값〉: ~ prices 엄청나게 비싼 값 / ~ tax 금지세 《수입·소비 등의 금지를 목적으로 하는 중세(重稅)》 **~·ly** *ad.* 엄두를 못낼 만큼, 엄청나게 **~·ness** *n.*

pro·hib·i·tor [prouhíbətər] *n.* 금지자

pro·hib·i·to·ry [prouhíbitɔ̀:ri, prə- | -təri] *a.* (문어) 금지의, 금제의

pro·hor·mone [prouhɔ́:rmoun] *n.* 〖생화학〗 프로호르몬 《호르몬의 전구(前驅) 물질》

pro·in·su·lin [prouínsəlin | -sju-] *n.* 〖생화학〗 프로인슐린 《인슐린의 전구(前驅) 물질》

‡**proj·ect** [prádʒekt, -dʒikt | prɔ́dʒ-] [L 「앞에 던지다」의 뜻에서] *n.* **1 계획, 기획,** 설계(⇨ plan 유의어): draw up a ~ 계획을 세우다 **2** (대규모의) 사업, 계획 사업 **3** 〖교육〗 (학술적) 연구 과제, 조사 목표; 자습 과제: a home ~ (가정과 등의) 가정 실습 **4** (미) 공단(公團) 주택, 주택 단지(=housing ~) **5** 〖컴퓨터〗 프로젝트, 일감

— [prədʒékt] *vt.* **1** 〈안·계획 등을〉 **계획하다,** 기획하다, 안출하다: ~ a new dam 새로운 댐을 계획하다 **2** 예산하다, 산출하다; 〈결과 등을〉 추정하다, 예상하다; 상상하다: a ~*ed* economic growth rate 추정 경제 성장률 / a ~*ed* winner 우승 예상자 // (~+***that*** 절) We ~ *that* our life will be better next year. 내년에는 생활이 나아질 것으로 예상하고 있다. // (~+목+***to*** do) The population is ~*ed to* decrease. 인구가 감소할 것으로 예상된다. **3 발사하다,** 내던지다, 내뿜다 《*into*》: (~+목+전+명) ~ a missile (*into* space) (우주 공간으로) 미사일을 발사하다 **4 투영[투사]하다,** 비추다 《*on, onto*》: (~+목+전+명) ~ color slides *on* the screen 컬러 슬라이드를 스크린에 비추다 **5 내밀다,** 돌출시키다 **6 a** 〈특히 좋지 않은 감정·생각을〉 (남에게) 투영[투사]하다 《*onto, on, upon*》 **b** 〈마음·상상을〉 (어떤 상황에) 놓아보다 《*into*》; [~ one*self* 로] …의 입장이 되어보다 《*into*》: (~+목+전+명) He tried to ~ *himself into* the hero's situation. 그는 그 주인공의 입장이 되어 생각해 보려고 했다. **7** 〈주관적 관념을〉 (마음 밖으로 내던져) 객관화하다, 표현하다, 전하다; 묘사하다 **8** 〈음성·연기를〉 강조하여 관객에게 호소하다 **9** 〖수학〗 투영하다; 〖화학〗 투입하다 《*into, on*》

~ one*self* (1) 자기의 생각을 전하다; …의 입장이 되어 보다 《*into*》 (⇨ *vt.* 6 b) (2) (영매술로) 먼 곳에 있는 사람에게 자기 모습이 보이게 하다 《*to*》

— *vi.* **1** 돌출하다, 내밀다: (~+전+명) The breakwater ~*s* far *into* the sea. 방파제가 바다 멀리까지 돌출해 있다. **2** 자기의 생각을 전하다 **3** 〖심리〗 자기 감정을 남에게 투영하다 **~·a·ble** *a.*

▷ projéction *n.*; projéctive *a.*

Próject Galíleo 〖우주과학〗 갈릴레오 계획 《미국 항공 우주국(NASA)의 목성 탐사 계획》

pro·jec·tile [prədʒéktil, -tail | -tail] *a.* Ⓐ **1** 추진하는: ~ power 추진력 **2** 〖군사〗 투사[발사]하는: a ~ weapon 발사 무기 《돌·탄환·수류탄》 **3** 〖동물〗 〈아래턱 등이〉 돌출된

thesaurus **progressive** *a.* **1** 전진하는 forward, onward, advancing **2** 진보적인 radical, reforming, innovative (opp. *conservative, reactionary*)

prohibit *v.* **1** 금하다 forbid, ban, bar, disallow, veto, interdict, outlaw (opp. *allow, authorize*) **2**

—*n.* **1** 〖군사〗 발사체 《특히 탄환·로켓 등》 **2** 투사물, 사출물, 발사물

pro·ject·ing [prədʒéktiŋ] *a.* 돌출한, 툭 튀어나온: ~ eyes 퉁방울눈 / a ~ forehead 불쑥 나온 이마 / a ~ teeth 뻐드렁니

***pro·jec·tion** [prədʒékʃən] *n.* Ⓤ **1** ⓊⒸ 돌출(부), 돌출물, 돌기(突起): a ~ on a bone 뼈의 돌기부 / the ~ of the upper teeth 윗니의 뻐드러짐 **2** 투사, 발사, 방사(放射) **3** 〖수학〗 투영(도), 투영법 **4** Ⓒ 사영(射影); 〖영화〗 영사, 영상: a ~ machine 영사기 **5** 〖심리〗 주관의 투영[객관화]; 심상 **6** Ⓒ 예상, 예측, 견적 **7** (관객에게) 명확한 전달; (목소리의) 명료, 맑음 **8** 계획, 고안 **9** 비금속에서 귀금속으로의 변질 **10** 〖건축〗 입면도 **11** 〖컴퓨터〗 비춰내기

~·ist *n.* **1** (미) 영사[텔레비전] 기사 **2** 지도 제작자 ▷ projéct *v.*; projéctive *a.*

projéction bòoth **1** (영화관의) 영사실 **2** (극장의 관객석 뒤·위쪽에 있는) 조명 조작실

projéction prìnt 인화지에 화상을 투영시켜 만든 프린트, 확대 인화; 영화용 프린트

projéction ròom **1** = PROJECTION BOOTH 1 **2** 개인 영사실

projéction télevision 투영형(投影型) 텔레비전 《스크린에 확대 투영하는》

pro·jec·tive [prədʒéktiv] *a.* **1** 사영(射影)의, 투사력이 있는: a ~ figure 〖기하〗 투영도 **2** 〖심리〗 투영법의[에 관한]; 주관을 반영하는

the ~ power of the mind 마음의 내면을 주관적으로 투영하는 능력 《상상력》 **~·ly** *ad.*

projéctive geómetry 사영(射影) 기하학

projéctive próperty 〖기하〗 사영적(射影的) 성질

projéctive tést 〖심리〗 투영(投影) 검사법 《도형 등에 의한 성격 테스트의 일종》

próject mèthod 〖교육〗 프로젝트 교수법 《과제를 주어 학생의 자주적 학습을 유도하는》

pro·jec·tor [prədʒéktər] *n.* **1** 투사기, 투광기(投光器); 〖영화〗 영사기 **2** 계획자; 설계자; (유령 회사의) 발기인 **3** 〖기하〗 투영선

pro·jec·tu·al [prədʒéktʃuəl] *n.* 영사 교재(教材)

pro·jet [prouʒéi] 〖F〗 *n.* **1** 계획, 설계 **2** (조약·법률 등의) 초안

pro·kar·y·ote [proukǽriòut, -riət] *n.* 〖생물〗 원핵(原核) 생물, 전핵(前核) 생물

prol. prologue

pro·lac·tin [proulǽktin] *n.* Ⓤ 〖생화학〗 프로락틴 《포유 동물의 젖 분비를 조절하는 호르몬》

pro·lam·in [proulǽmin, próuləm- | próuləm-], **-ine** [-mì:n] *n.* 〖생화학〗 프롤라민 《단백질의 일종》

pro·lan [próulæn] *n.* 〖생화학〗 프롤란 《생식선 호르몬의 일종; 임신부의 오줌에 함유됨》

pro·lapse [proulǽps, ⌐– | ⌐–] 〖병리〗 *n.* (자궁·직장의) 탈수(脫垂) —*vi.* 탈수하다: ~*d* rectum 탈수 직장, 탈항(脫肛)

pro·lap·sus [proulǽpsəs] *n.* = PROLAPSE

pro·late [próuleit] *a.* **1** 〖수학〗 〈구(球)가〉 장형(長形)의, (중심축 위아래로) 넓어진(cf. OBLATE[1]): a ~ spheroid 장구(長球) **2** 〖문법〗 = PROLATIVE

pro·la·tive [prouléitiv] *a.* 〖문법〗 서술 보조의: ~ infinitive 서술 보조 부정사 《must go, willing to go의 *go*, *to go*처럼 동사·형용사와 결합하여 서술을 확충하는 것》

prole [próul, próuli] *a.*, *n.* 《영·구어》 = PROLETARIAN

pro·leg [próulèg] *n.* 〖곤충〗 앞다리, 전각(前脚) 《유충에만 있는 보행용 복각(腹脚)》

방해하다 prevent, stop, hinder, impede, hamper, obstruct, restrict, constrain

project *n.* plan, scheme, program, enterprise, undertaking, activity, opertion, campaign

prolific *a.* fertile, fruitful, abundant, profuse

pro·le·gom·e·non [pròuligámənàn, -nən | -legɔ́minən] *n.* (*pl.* **-na** [-nə]) **1** [보통 *pl.*] 서문(序文), 서언 **2** [*pl.*; 때로 단수 취급] 서론

prò·le·góm·e·nous [-nəs] *a.*

pro·lep·sis [proulépsis] *n.* (*pl.* **-ses** [-si:z]) **1** 〖수사학〗 예변법(豫辯法) 《반대론을 예상하여 반박해 두는 법》 **2** 시일 전기(前記) 《실제보다 앞당겨 적기》 **3** 〖문법〗 예기적 서술법 《결과를 나타내는 형용사를 예기하여 쓰는 것; drain the cup dry의 *dry*》 **4** 〖병리〗 조기 발작 **5** ⓊⒸ 예상, 예기(豫期)

pro·lép·tic *a.*

***pro·le·tar·i·an** [pròulətέəriən] 〖L 「재산으로가 아니고 자손으로 국가에 봉사하는 사람」의 뜻에서〗 *a.* **1** 프롤레타리아의, 무산 계급의, 노동 계급의: ~ classes 무산 계급 / ~ dictatorship 무산 계급 독재 **2** 〖로마사〗 최하층 계급에 속하는

—*n.* **1** 프롤레타리아, 무산 계급, 무산자 **2** 〖로마사〗 최하층 계급자 **~·ism** *n.* Ⓤ 무산주의; 무산 계급 정치; 무산자의 처지[신분] ▷ proletáriat *n.*

pro·le·tar·i·an·ize [pròulətέəriənàiz] *vt.* 프롤레타리아화하다

***pro·le·tar·i·at(e)** [pròulitέəriət] *n.* (*pl.* **~**) [보통 the ~; 집합적] **1** 프롤레타리아[무산] 계급(opp. *bourgeois*): the dictatorship of the ~ 프롤레타리아 독재 **2** 〖로마사〗 최하층 계급

▷ proletárian *a.*

pro·le·tar·y [próulətèri | -təri] *a.* = PROLETARIAN

pro·let·cult, -kult [proulétkʌlt] *n.* **1** Ⓤ 무산 계급 교육[문화] **2** [**P~**] (구소련의) 프롤레타리아 문화 창조 기관

pro·li·cide [próuləsàid] *n.* Ⓤ 자식[자기 아이] 살해

pro-life [prouláif] *a.* 《주로 미》 임신 중절 합법화에 반대하는, 낙태 반대의(opp. *proabortion*; cf. PRO-CHOICE) **pro-líf·er** *n.*

pro·lif·er·ate [prəlífərèit] *vi.*, *vt.* **1** 〖생물〗 (분아(分芽)·세포 분열 등으로) 증식[번식]하다[시키다] **2** 급격히 증가하다[시키다]

— [prəlífərət, -rèit] *a.* 〖식물〗 = PROLIFEROUS

pro·lif·er·a·tion [prəlìfəréiʃən] *n.* **1** Ⓤ 〖생물〗 분아[분열] 증식 **2** ⓊⒸ 격증, 급증; 확산: the ~ of nuclear weapons 핵무기 확산

pro·lif·er·ous [prəlífərəs] *a.* 〖식물〗 (살눈·포복지(枝) 등으로) 번식하는; 〖동물〗 분지(分枝) 번식하는; 〖의학〗 증식하는

***pro·lif·ic** [prəlífik] 〖L 「자손」의 뜻에서〗 *a.* **1** 아이[새끼]를 많이 낳는, 열매를 많이 맺는; 다산(多産)의, 〈토질이〉 비옥한: a ~ year 풍년 **2** 〈작가 등이〉 다작(多作)의: a ~ writer 다작 작가 **3** (…이) 풍부한, (…이) 많이 생기는 (*in*, *of*); 원인이 되는 (*of*): a period ~ *in* great composers 위대한 작곡가들이 많이 배출되었던 시대 / a subject ~ *of* controversy 논쟁을 야기시키는 문제

-i·ca·cy [-ikəsi] *n.* **-i·cal·ly** *ad.*

pro·li·fic·i·ty [pròuləfísəti] *n.* Ⓤ 다산력(多産力), 다산성

pro·line [próuli:n, -lin] *n.* 〖생화학〗 프롤린 《아미노산의 일종》

pro·lix [proulíks, ⌐– | ⌐–, –⌐] *a.* **1** 지루한, 장황한 **2** 장황하게 이야기하는[쓰는]

pro·líx·i·ty *n.* **~·ly** *ad.*

pro·loc·u·tor [proulákjutər | -lɔ́k-] *n.* **1** 의장, 사회자 **2** (영국 국교 교직 회의의) 하원 의장 **~·shìp** *n.*

PROLOG, Pro·log [próulag | -lɔg] [*Pro*gramming in *Log*ic] *n.* Ⓤ 〖컴퓨터〗 프롤로그 《흔히 교육적 목적으로 쓰이는 프로그래밍 언어; 상표명》

pro·log·ize, -logu·ize [próulɔ:gàiz, -lag-, -lədʒàiz | -lɔg-] *vi.* 서문을 쓰다, 서론을 말하다

***pro·logue,** 《주로 미》 **pro·log** [próulɔ:g, -lag | -lɔg] 〖Gk 「앞의 말」의 뜻에서〗 *n.* **1** 서언(序言), 머리말(opp. *epilogue*), (시 등의) 서사(序詞) (*to*) **2** 서두 대사를 말하는 배우 **3** (극·오페라 등의) 서막(序幕) **4**

전조, 발단, 서론적 사건[행동] ((*to*)): in the ~ of life 인생의 초기에 **5** 〔음악〕 프롤로그, 도입곡, 전주곡
— *vt.* **1** …에 머리말을 붙이다; …의 서두 대사를 말하다 **2** …의 발단이 되다
▷ prólogize *v.*

‡pro·long [prəlɔ́:ŋ, -lάŋ | -lɔ́ŋ] *vt.* **1** 〈공간을〉 늘이다, 길게 하다(extend): ~ a line 선을 길게 하다 **2** 〈기간을〉 연장[연기]하다: ~ one's stay abroad 외국 체류 기간을 연장하다 **3** 〈모음 등을〉 길게 발음하다
▷ prolóngment, prolongátion *n.*

pro·lon·gate [prəlɔ́:ŋgeit, -lάŋ- | -lɔ́ŋ-] *vt.* = PROLONG

pro·lon·ga·tion [pròulɔ:ŋgéiʃən, -lαŋ- | -lɔŋ-] *n.* **1** Ⓤ 연장, 연기 **2** Ⓒ 연장 부분, 연장선 **3** (모음 등의) 장음화

pro·longed [prəlɔ́:ŋd | -lɔ́ŋd] *a.* Ⓐ 오래 끄는, 장기의

pro·long·ment [prəlɔ́:ŋmənt | -lɔ́ŋ-] *n.* Ⓤ 연장, 연기

pro·lo·ther·a·py [pròulouθérəpi] *n.* Ⓤ 〔의학〕 증식 요법 ((새 세포를 증식시켜 인대(靭帶)·건(腱) 등의 기능을 회복시킴))

pro·lu·sion [proulú:ʒən | prə-] *n.* **1** 서막, 서악(序樂), 시연(試演); 서론, 서언 **2** 예행 연습, 준비 행위; 준비 운동 **pro·lú·so·ry** [-səri] *a.*

prom [prάm | prɔ́m] [*prom*enade] *n.* ((구어)) **1** ((미)) (고교·대학 등에서 학년말이나 졸업 때 여는) 무도회, 댄스 (파티) **2** ((영)) = PROMENADE CONCERT 1

PROM [prάm | prɔ́m] 〔컴퓨터〕 programmable read-only memory **prom.** promenade; promontory

***prom·e·nade** [prὰmənéid, -nά:d | prɔ̀mənά:d] [F 「산책하다」의 뜻에서] *n.* **1** ((문어)) **산책**, 산보, 거닐기, 소요(逍遙), 기마(騎馬) 산책, 드라이브(drive); 행진 **2** ((주로 영)) 해변 산책길; ((드물게)) 포장(鋪裝) 산책길 **3** ((미)) (고교·대학의) 무도회 ((((구어)) prom)); 무도회 시작 때의 전원의 행진 **4** = PROMENADE CONCERT 1
— *vi.* 거닐다, 산책[산보, 소요]하다; 말[마차, 차]을 몰다(drive): ((~+전+명)) ~ *about* the city 시내를 어슬렁거리다 / ~ *along* the river 강변을 산책하다
— *vt.* **1** 산책[산보]하다: ~ the Seine 센 강변을 산책하다 **2** 산책시키다; 보란 듯이 데리고 다니다: ((~+목+전+명)) He often ~*s* his wife *along* the Thames Embankment. 그는 종종 부인을 데리고 템스 강의 강둑 길을 산책한다.

promenáde cóncert 1 산책 음악회 ((연주 중 청중이 돌아다녀도 좋음)) **2** ((영)) [보통 the P- C-로] BBC가 주최하는 콘서트

promenáde dèck 산책 갑판 ((1등 여객용))

prom·e·nad·er [prὰmənéidər, -nά:dər | prɔ̀mənά:də] *n.* **1** 산책하는 사람 **2** ((영·구어)) promenade concert의 참가자

Pro·me·the·an [prəmí:θiən] *a.* **1** 프로메테우스의 [같은]: ~ agonies 프로메테우스 같은 (형벌의) 고통 **2** 독창적인 — *n.* 프로메테우스 같은 사람

Pro·me·the·us [prəmí:θiəs, -θju:s] *n.* 〔그리스 신화〕 프로메테우스 ((하늘의 불을 훔쳐 인류에게 준 벌로 바위에 묶여 독수리한테 간을 먹혔다고 함))

pro·me·thi·um [prəmí:θiəm] *n.* Ⓤ 〔화학〕 프로메튬 ((귀금속 원소; 기호 Pm, 번호 61))

Pro·min [próumin] *n.* 〔약학〕 프로민 ((나병약; 상표명))

***prom·i·nence, -nen·cy** [prάmənəns(i) | prɔ́m-] *n.* (*pl.* **-nenc·es**; **-cies**) **1** Ⓤ **두드러짐, 현저함**, 탁월, 걸출: achieve[attain, win] ~ as …로 이름을 날리다[유명해지다] / come[bring] into ~ 두드러지게 되다[하다] **2** Ⓤ 돌기, 돌출, 양각(陽刻); Ⓒ 돌출부, 눈에 띄는 장소: a ~ high over a ravine 협곡 위로 높게 돌출된 곳 **3** 〔천문〕 (태양의) 홍염(紅炎)
▷ próminent *a.*

‡prom·i·nent [prάmənənt | prɔ́m-] [L 「앞으로 튀어나오다」의 뜻에서] *a.* **1 현저한, 두드러진**: a ~ symptom 현저한 징후 **2** 돌기한, 양각된: ~ eyes [teeth] 퉁방울눈[뻐드렁니] **3 탁월한**, 걸출한, 유명한; 중요한: a ~ writer 특출한 작가
~·ly *ad.* 두드러지게, 현저히
▷ próminence *n.*

prom·is·cu·i·ty [prὰməskjú:əti, pròu- | prɔ̀m-] *n.* (*pl.* **-ties**) **1** ⓊⒸ 뒤범벅, 난잡 **2** 상대를 가리지 않는 성행위, 난혼(亂婚) **3** [*pl.*] 무차별한 혼합

pro·mis·cu·ous [prəmískjuəs] [L 「섞다」의 뜻에서] *a.* **1** 〈성행위가〉 상대를 가리지 않는, 난교(亂交)의 **2** 난잡한(disorderly), 뒤범벅의; 엉망인: ~ bathing 남녀 혼욕(混浴) **3** 무차별한: ~ hospitality 아무나 가리지 않는 대접 **4** ((구어)) 마구잡이의, 불규칙한, 되는 대로의: ~ eating habits 불규칙한 식사 습관
~·ly *ad.* **~·ness** *n.*

‡prom·ise [prάmis | prɔ́m-] [L 「앞으로 놓다[보내다]」의 뜻에서] *n.* **1 약속**, 서약, 계약: ((~+*to* do)) He broke his ~ *to* give the book back to me within a week. 그는 1주일 안에 그 책을 돌려 주겠다던 약속을 어겼다. // ((~+*that* 절)) I hope you will keep your ~ *that* the work shall be finished before the end of this month. 그 일을 이 달 말까지 완료하겠다는 약속을 지켜 주기 바랍니다.

> 유의어 **promise** 어떤 일을 한다든가 또는 하지 않는다든가의 약속 **appointment** 회합·방문·진료 등의 약속: make an *appointment* with a person 아무와 만날 약속을 하다

2 보증 **3** [때로 a ~] 징후, 징조 ((*of*)) **4** Ⓤ (밝은) **전망**, 가망, 장래성, 미더움, 촉망(hope), 유망: a writer of great ~ 전도유망한 작가 // ((~+전+*-ing*)) His planning gives reasonable ~ *of* being successful. 그의 계획은 성공할 가망이 상당히 있다. **5** 약속한 것: I claim your ~. 약속한 것을 이행해다오.
A ~ is a ~. 약속은 약속이다. ((지켜야 한다는 것을 강조할 때)) ***the Land of P~*** = PROMISED LAND ***be full of ~*** 유망하다 ***break a***[*one's*] ***~*** 약속을 어기다 ***express ~*** 명시(明示) 계약 ***give***[***afford, show***] ***~ of success*** (성공의) 가망이 있다 ***implied ~*** 묵약(默約) ***keep one's ~*** 약속을 지키다 ***make a ~*** 약속을 하다 ***P~s, ~s.*** 또 그 약속이란 소리! ((비꼬는 말))
— *vt.* **1 약속[서약]하다**; 주기로 약속하다: ((~+목+목)) ((~+목+전+명)) He ~*d* me the book. = He ~*d* the book *to* me. 그는 나에게 그 책을 주겠다고 약속했다. // ((~+*to* do)) ((~+*that* 절)) He ~*d to* help us[*that* he would help us]. 그는 우리를 돕겠다고 약속했다. // ((~+목+*to* do)) ((~+목+*that* 절)) He ~*d* me *to* do it[*that* he would do it]. 그는 그것을 하겠다고 나에게 약속했다. **2** …의 **가망[희망]이 있다**; …할 듯하다: The sky ~*d* rain. 하늘을 보니 비가 올 것 같았다. // ((~+*to* do)) It ~*s to* be warm. 따뜻해질 것 같다. **3** [~ one*self*로] 기대하다; 작정하다 ((*to* do)) **4** ((구어)) [1인칭으로만 쓰여] 단언하다, 보증하다: ((~+*that* 절)) *I* ~ (you) *that* it will not be easy. 단언컨대 그것은 쉽지 않을 것이다. **5** ((고어)) [수동형으로] 결혼 약속을 하다 ((*to*))
— *vi.* **1** 약속[계약]하다: I cannot positively ~. 확약할 수 없다. **2** [종종 well, fair와 함께] 가망[희망]이 있다: ((~+부)) The crops ~ *well.* 풍작이 될 것 같다. ***I*** (***can***) ***~ you*** ((구어)) 틀림없이, 정말로; 내가

thesaurus **prominent** *a.* **1** 현저한 conspicuous, noticeable, obvious, eye-catching, striking **2** 돌출된 protruding, projecting, jutting, standing out, bulging **3** 탁월한 leading, outstanding, important, eminent, distinguished, notable, famous
promise *v.* **1** 약속하다 swear, vow, pledge, con-

장담한다 **~ *the moon*** 《구어》 불가능한 일을 약속하다 **próm·is·er** *n.*
▷ prómissory *a.*

Próm·ised Lánd [prɑ́mist-|prɔ́m-] [the ~] **1** 〖성서〗 천국 **2** 약속의 땅, 가나안(Canaan) **3** [**p- l-**] 동경하는 땅[경지]

prom·is·ee [prɑ̀misíː|prɔ̀m-] *n.* 〖법〗 수약자(受約者), 피(被)약속자

‡**prom·is·ing** [prɑ́misiŋ|prɔ́m-] *a.* **장래성 있는,** 전도유망한(hopeful); 〈날씨가〉 좋아질 것 같은: a ~ youth 전도유망한 청년/The weather is ~. 날씨가 좋아질 것 같다. ***in a ~ state***[***way***] 가망이 있는; 쾌유되어 가는; 임신하여 **~·ly** *ad.*

prom·i·sor [prɑ̀misɔ́ːr|prɔ̀m-] *n.* 약속자; 〖법〗 약속 어음 발행인, 계약자

prom·is·so·ry [prɑ́məsɔ̀ːri|prɔ́misəri] *a.* **1** 약속[규약, 보증]하는, 약속의 **2** 약속[규약, 보증]의 성격을 띤 **3** 〖상업〗 지불을 약속하는

prómissory nóte 〖상업〗 약속 어음 《略 pn》

pro·mo [próumou] [*promo*tional] 《구어》 *n.* (*pl.* **~s**) 광고 선전; 《짧은》 선전용 영화; 《미》 《책·영화의》 판촉 활동 **—** *a.* 선전의, 판촉의(promotional) **—** *vt.* =PROMOTE *vt.* 7

prom·on·to·ry [prɑ́məntɔ̀ːri|prɔ́məntəri] *n.* (*pl.* **-ries**) **1** 갑(岬)(headland); 벼랑, 낭떠러지 **2** 〖해부〗 돌기, 융기(隆起) **-to·ried** *a.*

‡**pro·mote** [prəmóut] [L 「앞으로 움직이다」의 뜻에서] *vt.* **1 a** **증진[촉진]하다,** 진척시키다, 진행시키다, 활성화시키다: ~ digestion 소화를 촉진하다 **b** 장려하다; 고무하다 **c** 〈방법·결과를〉 조장[조성]하다 **2** **승진[진급]시키다:** 《~+목+보》 《~+목+전+명》 be ~*d* (*to* the rank of) captain 육군 대위[해군 대령]로 진급하다 // 《~+목+(***to be***) 보》 He was ~*d* (*to be*) minister. 그는 장관으로 승진했다. **3** 〈법안의〉 통과에 노력하다: 《~+목+전+명》 ~ a bill *in* Parliament 법안의 의회 통과에 힘쓰다 **4** 〖교육〗 진급시키다 **5 a** 〈회사 등의〉 설립을 발기(發起)하다: ~ a new corporation 새로운 회사를 설립하다 **b** 〈프로 권투 등의〉 흥행을 주최하다 **6** 《미·속어》 교묘히 손에 넣다; 설득하여 한턱내게 하다; 구하다 **7** (선전으로) 〈상품의〉 판매를 촉진하다, 판촉하다: ~ a new article 신제품 판매를 촉진하다 **8** 〖체스〗 〈졸(pawn)을〉 퀸으로 승격시키다 **9** 〈소동 등을〉 일으키다, 선동하다
— *vi.* 〖체스〗 〈졸(pawn)이〉 퀸으로 승격하다
pro·mót·a·ble *a.* ▷ promótion *n.*; promótive *a.*

***pro·mot·er** [prəmóutər] *n.* **1** **촉진자**[물], 조장자; 장려자; 후원자: a ~ of learning 학문의 장려자 **2** (새 회사의) **발기인,** 창립자; 장본인, 선동자; (프로 권투 등의) 흥행주, 프로모터 **3** 〖유전〗 프로모터 《유전자를 구성하는 3요소의 하나》 **4** 〖화학〗 조촉매(助觸媒)

‡**pro·mo·tion** [prəmóuʃən] *n.* Ⓤ **1** **승진,** 진급(opp. *demotion*): an examination for ~ 승진 시험 **2** **촉진,** 조장, 진흥, 장려 《*of*》: the ~ *of* health 건강 증진/the ~ *of* learning 학술 진흥 **3** 주창, 발기 **4** ⓊⒸ 판매 촉진, 판촉; Ⓒ 판촉 상품: ~ goods 경품/sales ~ 판촉 **5** 〖야구〗 특별 이벤트(event) **6** 〖체스〗 (졸(pawn)이) 퀸으로 됨 ***be on*** one***'s ~*** 결원이 나는 대로 승진하게 되어 있다; 승진을 바라고 조심스럽게 굴다 ***get***[***obtain, win***] **~** 승진하다
▷ promóte *v.*

pro·mo·tion·al [prəmóuʃənl] *a.* 승급[승진]의; 증진[장려]의; 판촉의

promótion expènses 창업[창립]비

promótion shàres 〖증권〗 발기인주(株)

promótion vìdeo 프로모션 비디오 《신곡을 낼 때 선전용으로 만드는 비디오》

pro·mo·tive [prəmóutiv] *a.* 조장[촉진]시키는, 증진하는, 장려의: be ~ of …을 촉진시키다 **~·ness** *n.*

‡**prompt** [prɑmpt|prɔmpt] [L 「앞으로 내놓다」의 뜻에서] *a.* **1** **즉석의;** 즉시[쾌히, 선뜻] …하는; 〖상업〗 즉시불의: a ~ note 즉시불 어음/a ~ reply 즉답/a ~ decision 즉결, 속결 // 《~+***to*** do》 You must be ~ *to* act. 당장 행동하여야 한다./They were ~ *to* volunteer. 그들은 즉시 지원했다. // 《~+전+***-ing***》 He is ~ *in* pay*ing* his rent. 그는 집세를 선뜻 잘 낸다. **2** **신속한,** 재빠른, 민활한, 기민한; 〈사람이〉 시간을 지키는: be ~ in action 동작이 빠르다 **3** 〖물리〗 〈핵분열이〉 즉발의: ~ neutron 〖물리〗 즉발(卽發) 중성자 **4** 〖연극〗 프롬프터용의: a ~ box 무대 위에서 프롬프터가 숨는 자리 ***for ~ cash*** 현금 즉불로
— *vt.* **1** **자극하다,** 격려하다(inspire) 《*to*》; 촉구하다, 부추기다: a behavior ~*ed* by natural instinct 자연 본능에 의해 촉구된 행동 // 《~+목+***to*** do》 His curiosity ~*ed* him *to* ask questions. 그는 호기심에 이끌려 질문을 했다. // 《~+목+전+명》 That has ~*ed* me *to* the conclusion. 그것이 자극이 되어 나는 그 결론에 도달했다. **2** 상기시키다, 생각나게 하다, 〈사상·감정을〉 불어넣다 **3** 〈무대 뒤에서 배우에게〉 대사를 일러주다 **4** 〈학습자에게〉 옆에서 일러주다; 〈말이 막힌 사람에게〉 한마디 거들어주다
— *vi.* 〖연극〗 대사를 일러주다
— *n.* **1** 〖상업〗 (연불(延拂)의) 인도일, 일람불(一覽拂); 즉시불 **2** 자극하는[고무하는] 것 **3** 조언, 주의 **4** 〖연극〗 (대사를 잊은 배우에게) 대사를 일러줌 **5** 〖컴퓨터〗 프롬프트, 길잡이 《컴퓨터가 조작자에게 입력을 요구하는 단말 화면상의 기호》
— *ad.* 《구어》 〈시간이〉 정확히, 정각에: arrive at seven ~ =arrive ~ at seven 7시 정각에 도착하다
~·ly *ad.* ▷ prómptitude *n.*

prompt·book [prɑ́mptbùk|prɔ́mpt-] *n.* 프롬프터용 대본(臺本)

prompt·er [prɑ́mptər|prɔ́mpt-] *n.* **1** 격려자, 고무자 **2** 프롬프터 《배우·연설자에게 대사를 가르쳐 주는 사람[장치]》

prompt·ing [prɑ́mptiŋ|prɔ́mpt-] *n.* Ⓤ **1** 격려, 고무, 촉진; 고취(鼓吹) **2** 무대 뒤에서 대사를 일러 줌

promp·ti·tude [prɑ́mptətjùːd|prɔ́mptətjùːd] *n.* Ⓤ 신속, 기민; 즉결; 시간 엄수

prómpt sìde 〖연극〗 프롬프터가 있는 쪽 《객석에서 보아 왼쪽이며 배우의 오른쪽임; 略 ps》 ***opposite ~*** 객석에서 보아 오른쪽 《略 op》

prom·ul·gate [prɑ́məlgèit, proumʌ́lgeit|prɔ́məlgèit] *vt.* **1** 선포[공포, 발표]하다, 〈법률 등을〉 공표하다: ~ the news 뉴스를 발표하다 **2** 〈신조 등을〉 세상에 퍼뜨리다, 보급하다 **-gà·tor** *n.* 공포자; 보급자

prom·ul·ga·tion [prɑ̀məlgéiʃən, pròu-|prɔ̀-] *n.* Ⓤ 공포, 선포; 공표; 보급

pron. pronominal; pronoun; pronounceable; pronounced; pronunciation

pro·nase [próuneis, -neiz] *n.* 〖생화학〗 프로나아제 《방사균의 일종에서 얻어지는 단백질 분해 효소》

pro·na·tal·ism [prounéitəlìzm] *n.* 출산율 증가 지지; 출산 촉진 정책

pro·nate [próuneit] *vt., vi.* 〖생리〗 〈손 따위를〉 앞으로 뻗고 손바닥이 밑으로 가게 하다, 〈발 따위를〉 내전(內轉) 시키다[되다], 회내(回內)하다[시키다]

pro·na·tion [prounéiʃən] *n.* Ⓤ 〖생리〗 (손·발의) 회내 (작용)

pro·na·tor [próuneitər, ―́―|―́―] *n.* 〖해부〗 회내근(回內筋)

***prone** [proun] [L 「앞으로 기운」의 뜻에서] *a.* **1** [때로 복합어로 쓰여] (좋지 않은 방향으로의) **경향이 있는,** (…하기) 일쑤인, (…하기) 쉬운(liable) 《*to*; *to* do》: ~ *to* anger 화내기 쉬운/an avalanche-~ slop 눈사태가 일어나기 쉬운 비탈/He is ~ *to* idle-

---

tract **2** …할 듯하다 indicate, denote, suggest
promote *v.* **1** 촉진하다 advance, further, assist, help, foster **2** 승진시키다 move up, upgrade, elevate **3** 판촉하다 advertise, publicize, push
prompt *a.* immediate, instant, swift, rapid, speedy, quick, fast, early, timely, punctual

ness. 그는 나태해지기 쉽다. // (~+***to*** do) Man is ~ *to* err. 인간은 과오를 범하기 쉽다. **2** 엎드린, 수그린, 포복한: lie ~ 엎드리다 **3** 비탈진, 내리받이의: ~ bombing 《미》 급강하 폭격 ***fall ~*** 앞으로 고꾸라지다 **~·ly** *ad.* **~·ness** *n.*

pro·neph·ros [prounéfras, -rɔs] *n.* (*pl.* **-roi** [-rɔi], **-ra** [-rə]) 〖발생〗 전신(前腎)(cf. MESONEPHROS, METANEPHROS)

pro·neth·a·lol [prounéθəlɔ̀:l, -lɑ̀l | -lɔ̀l] *n.* 〖약학〗 프로네탈롤 《베타 아드레날린 차단제》

prong [prɔ́:ŋ, prɑ́ŋ | prɔ́ŋ] *n.* **1** (포크 등의) 갈라진 가닥(tine) **2** 뾰족한 끝[기구] **3** 깅의 지류 **4** 포크 모양의 것, 갈퀴(rake), 건초용 쇠스랑 **5** (사슴뿔의) 가지 — *vt.* **1** 찌르다, 꿰뚫다; 포크로 찔러서 (…에) 넣다 《*into*》 **2** 긁다, 〈흙 등을〉 파헤치다

pronged [prɔ́:ŋd, prɑ́ŋd | prɔ́ŋd] *a.* [복합어를 이루어] (뾰족하게) 가닥이 진, 갈래진: a three-~ fork 삼지창

prong·horn [prɔ́:ŋhɔ̀:rn | prɔ́ŋ-] *n.* (*pl.* **~s,** ~) 〖동물〗 (미국 서부산(産)의) 가지뿔영양(羚羊)

pro·nom·i·nal [prounɑ́mənl | -nɔ́m-] *a.* 대명사의, 대명사적인: a ~ adjective[adverb] 대명 형용사[부사] **~·ly** *ad.* 대명사로서, 대명사적으로

‡**pro·noun** [próunàun] *n.* 〖문법〗 대명사 《略 pron.》: an indefinite ~ 부정(不定) 대명사 / an interrogative ~ 의문 대명사 / a personal ~ 인칭 대명사 / a relative ~ 관계 대명사 / a reflexive ~ 재귀 대명사 ▷ pronóminal *a.*

‡**pro·nounce** [prənáuns] 〖L 「앞에 보고하다」의 뜻에서〗 *vt.* **1** 발음하다; 음독(音讀)하다: ~ a word correctly 단어를 정확하게 발음하다 **2** 선언하다, 언명[단언]하다, 표명하다 《*on, upon, for, against*》: (~+목+(***to be***) 보) (~+***that*** 절) ~ the method (*to be*) inadequate = ~ *that* the method is inadequate 그 방법이 부적당하다고 표명하다 // (~+목+전+명) The patient was ~*d out of* danger. 환자는 위기를 벗어났다는 분명한 말을 들었다. // (~+목+***done***) He was ~*d* completely *cured.* 그는 완치되었다는 확언을 들었다. **3** 〈판결·견해·결론 등을〉 (정식으로) 전달하다, 선고하다 《*on, upon*》: (~+목+전+명) ~ sentence of death *on*[*upon*] …에게 사형을 선고하다 **4** 〈단어를〉 발음 기호로 나타내다
— *vi.* **1** 발음하다: ~ well[badly] 발음이 좋다[나쁘다] **2** 의견을 말하다, 판단을 내리다 《*on, upon*》: (~+전+명) The committee will ~ *on* the matter in dispute. 위원회는 논쟁 중인 그 문제에 판단을 내릴 것이다. **3** 단언하다, 주장하다; 언명하다; 공표하다, 진술하다 ***~ a curse on***[***upon***] …을 욕[악담]하다 ***~ against***[***for, in favor of***] …에 반대[찬성]의 의견을 말하다, …에 불리[유리]한 판결을 내리다 **~·a·ble** *a.* ▷ pronunciátion, pronóuncement *n.*

***pro·nounced** [prənáunst] *a.* **1** 명백한, 뚜렷한; 두드러진, 현저한 **2** 단호한, 강경한, 결단성 있는 (decided): have ~ views 확고한 견해를 가지다 **3** 발음되는; 유성음의 **~·ly** *ad.*

***pro·nounce·ment** [prənáunsmənt] *n.* **1** 선언, 공고, 성명, 발표; (재판 등의) 선고, 판결 **2** 의견, 견해

pro·nounc·ing [prənáunsiŋ] *a.* 발음의, 발음을 표시하는: a ~ dictionary 발음 사전
— *n.* Ⓤ 발음(함); 선언, 발표

pron·to [prɑ́ntou | prɔ́n-] 〖Sp.〗 *ad.* (미·구어) 즉시, 신속히(promptly)

pron·to·sil [prɑ́ntəsìl | prɔ́n-] *n.* Ⓤ 〖약학〗 프론토실 《화농성 세균에 의한 병의 특효약》

pro·nu·cle·ar[1] [pròunjú:kliər | -njú:-] *a.* **1** 〖발생〗 pronucleus의

pronuclear[2] *a.* 원자력 발전 추진파의; 핵무기 지지파의

pro·nu·cle·us [pròunjú:kliəs | -njú:-] *n.* 〖발생〗 전핵(前核), 생식핵

pró númber [próu-] (발송(發送)의) 누진 번호

pro·nun·ci·a·men·to [prənʌ̀nsiəméntou, -ʃiə-] 〖Sp.〗 *n.* (*pl.* **~s**) 선언서; 《특히》 (스페인계 남미 제국의) 혁명 선언; 군사 반란

‡**pro·nun·ci·a·tion** [prənʌ̀nsiéiʃən] *n.* **1** ⓊⒸ 발음, 발음법: English ~ 영어의 발음 / variant ~*s* of the word 한 말의 발음 변종(變種) **2** Ⓤ 발음(기호) 표기 **~·al** *a.* ▷ pronóunce *v.*

‡**proof** [prú:f] *n.* (*pl.* **~s**) **1** Ⓤ **증명, 증거**; 입증; Ⓒ 증거물, 증거가 되는 것: capable of ~ 사실임을 입증할 수 있는 // (~+***that*** 절) There is no ~ *that* he is guilty. 그가 유죄라는 증거는 없다.

> 유의어 **proof** 의견·주장 등 남을 납득시킬 만한 증거: *proof* of the innocence of the accused 피고의 무죄라는 확증 **evidence** 어떤 결론이나 판단의 증명이 되는 증거를 뜻한다: circumstantial *evidence* 상황 증거 **testimony** 어떤 것의 진위를 밝히기 위해 진술한[행해진] 것을 말한다: The jury listened to the *testimony.* 배심원은 증언에 귀를 기울였다.

2 ⓊⒸ 시험, 테스트, 음미; 시험소; 시험관; 〖수학·논리〗 논증, 증명; 검토; 〖수학〗 검산 **3** 〖법〗 [*pl.*] 증거 서류 **4** Ⓤ 시험필(畢), 시험을 거쳐 증명된 강도(强度) [품질] **5** Ⓤ (알코올 음료의) 표준 강도(cf. PROOF SPIRIT): above[below] ~ 표준 강도 이상[이하] **6** 〖사진〗 (음화(陰畫)로부터의) 교정 인화(印畫) **7** ⓊⒸ 〖인쇄〗 교정쇄(校正刷), (판화(版畫) 등의) 시험쇄(刷): author's ~ 저자의 교정쇄 **8** 〖제본〗 책의 미(未) 재단 종이 가장자리 **9** 〖스코법〗 판사의 심문 **10** (무기 등의) 내항력(耐抗力), 불관통성(不貫通性)
afford ~ of …을 증명하기에 충분하다 ***armor of ~*** 꿰뚫을 수 없는 갑옷 ***give a ~ of*** one***'s loyalty***[***affection***] 충성[애정]의 진실성을 입증하다 ***have ~ of*** shot (총알)이 관통되지 않다 ***in ~*** = ***on the ~*** 교정쇄로 ***in ~ of*** …의 증거로 ***make ~ of*** …임을 증명하다, 증거를 대다; …을 시험해 보다 ***~ positive*** (…의) 확증《*of, that*》 ***put***[***bring***] ***to the ~*** 시험해 보다 ***read***[***revise***] ***~s*** 교정보다
— *a.* **1** 시험을 거친(tried); 검사를 마친, 보증할 수 있는 **2** (…에) 견디는, (…의) 작용을 받지 않는 《*against, to*》: ~ *against* temptation 유혹에 넘어가지 않는 / a water-~ coat 방수 코트 **3** 시험용의; 증거용의 **4** 〈술이〉 표준 강도의: an 86-~ whiskey 표준 강도 86도의 위스키 **5** 교정쇄의 **6** (미국 광석 분석소가 기준으로 사용한) 표준 순금[은] 조각의
— *vt.* **1** 시험[검사]하다, 점검하다 **2** (미) 교정하다[보다] **3** 〈섬유질의 겉을〉 튼튼하게 하다; 〈옷감을〉 방수(防水) 가공하다 《*against*》: shrink-~ a shirt 셔츠를 방축(防縮) 가공하다 ▷ próve *v.*

-proof [prù:f] 《연결형》 「…을 막는; 내(耐)…; 방(防)…」의 뜻: water*proof*

próof còin 프루프 코인 《수집가용 특별 각인 한정판 주화》

proof·ing [prú:fiŋ] *n.* Ⓤ (방수 등의) 가공, 보강; 가공 약품

proof·less [prú:flis] *a.* 증거 없는, 증명 안 된

proof·mark [prú:fmɑ̀:rk] *n.* (총 등의) 시험필 표지

proof-of-pur·chase [-əvpə́:rtʃəs] *n.* (반환 등을 위한) 상품 구매 확인증 《라벨이나 구매 영수증 등》

proof-plane [-plèin] *n.* 〖물리〗 시험판(板)

proof·read [-rì:d] *vt., vi.* (**-read** [-rèd]) 교정(校正) 보다; …의 교정쇄를 읽다
~·er *n.* 교정자 **~·ing** *n.* Ⓤ 교정

próof shèet 교정지

próof spìrit 표준 알코올량을 함유한 술 《미국에서는 100° =50%, 영국에서는 57%》

> **thesaurus** **pronounce** *v.* **1** 발음하다 say, utter, sound, voice, vocalize **2** 선언하다 announce, declare, proclaim, rule, decree, affirm, assert

próof strèss 〖기계〗 내력(耐力)

prop**[1] [prɑ́p | prɔ́p] *n.* **1** 지주, 버팀목, 받침, 받치는 [괴는, 버티는] 막대[기둥] **2** 지지자, 후원자: the main ~ of a state 국가의 동량(棟樑) / A son is a ~ for one's old age. 아들은 노후의 의지처이다. **3** [*pl.*] 다리(legs) **4** 《호주》 (말의) 급정지 ***give a person **~s** = ***give ~s to*** …에게 지지를 보내다, …을 지지하다 ***knock the ~s*** (***out***) ***from under*** ... 《미·속어》 〈입장·이론을〉 무너뜨리다, 붕괴하다
— *v.* (**~ped**; **~·ping**) *vt.* **1** 받치다, 버티다; 지주[버팀목]를 대다[괴다] (*up*): (~+목+보) Use the stick to ~ the lid open. 막대기로 받쳐서 뚜껑을 열어 놓으시오. **2** 기대 세우다[놓다]: (~+목+부) (~+목+전+명) The boy ~*ped* his bicycle (*up*) *against* the wall. 소년은 자전거를 벽에다 기대어 세웠다. **3** 《비유》 지지하다, 지원하다, 받쳐주다 (*up*)
— *vi.* 《호주·뉴질》 〈말 등이〉 앞발을 버티고 딱 서다

prop[2] *n.* 〖수학〗 명제(proposition)

prop[3] *n.* 〖연극〗 소도구(property); [*pl.*] 소도구 담당자

prop[4] *n.* 《구어》 = PROPELLER

prop[5] *n.* 《미·속어》 주먹(fist)

prop. propeller; proper(ly); property; proposition; proprietor

pro·pae·deu·tic [pròupidjú:tik | -djú:-] *a.* 초보의, 예비의 — *n.* 준비 연구; [*pl.*; 단수 취급] 예비 지식, 기초 훈련, 초보 교육

prop·a·ga·ble [prɑ́pəgəbl | prɔ́p-] *a.* 보급[선전]할 수 있는

‡**prop·a·gan·da** [prɑ̀pəgǽndə | prɔ̀p-] [propagate에서] *n.* **1** Ⓤ [보통 관사 없이] 선전, 선전 방법 [조직, 운동]; 《종종 경멸》 선전하는 주의[주장]: anti-war ~ 반전 선전 / ~ films 선전 영화 **2** 선전 단체 **3** [the P~] 〖가톨릭〗 해외 포교 성성(聖省); [the (College of) P~] 포교 신학교 ***make ~ for*** [***against***] …을 선전[비난 선전]하다
▷ própagate, propagándize *v.*

prop·a·gan·dism [prɑ̀pəgǽndizm | prɔ̀p-] *n.* Ⓤ 전도(傳道), 선교(宣敎); 선전; 확장
-dist *n.* (대개 정치적) 선전원; 전도사

prop·a·gan·dis·tic [prɑ̀pəgændístik | prɔ̀p-] *a.* 선전[전도]의; 선전자[전도자]의

prop·a·gan·dize [prɑ̀pəgǽndaiz | prɔ̀p-] *vt.*, *vi.* 선전하다, 선교[전도]하다: ~ against[for, in favor of] …에 반대[찬성]하는 선전을 하다

***prop·a·gate** [prɑ́pəgèit | prɔ́p-] *vt.* **1** 번식[증식]시키다, 늘리다: ~ oneself 번식하다 **2** 〈성질 등을〉 유전하다; 전염시키다; 만연시키다 **3** 〈사상 등을〉 보급시키다, 선전하다 **4** 〈음향 등을〉 전달[전파]하다, 전하다 (*through*): (~+목+부) Iron ~*s* sound *well.* 철은 소리를 잘 전달한다.
— *vi.* **1** 번식[증식]하다; 퍼지다 **2** 보급되다; 〈전자파·압축파 등이〉 전파되다
-gà·tive *a.* ▷ propagátion, propagánda *n.*

***prop·a·ga·tion** [prɑ̀pəgéiʃən | prɔ̀p-] *n.* Ⓤ **1** (동식물의) 번식, 증식 **2** (사상 등의) 선전; (관습 등의) 선전, 보급 **3** (소리 등의) 전파, 전달; (특질의) 유전 **4** (틈·금 등의) 확대 **~·al** *a.*

prop·a·ga·tor [prɑ́pəgèitər | prɔ́p-] *n.* **1** 번식[증식]자 **2** 선전원, 포교자(propagandist)

pro·pane [próupein] *n.* Ⓤ 〖화학〗 프로판 《탄화수소의 일종》

pro·par·ox·y·tone [pròupærɑ́ksitòun | -rɔ́k-] *a.*, *n.* 〖그리스문법〗 어미로부터 세 번째 음절에 악센트가 있는 (말)

pro pa·tri·a [prou-péitriə, -pǽt-] [L=for one's country] *ad.* 조국을 위하여

---

proper *a.* **1** 적당한 right, fitting, suitable, appropriate, apt, acceptable, established, formal **2** 고유의 individual, particular, respective, special

***pro·pel** [prəpél] [L「앞으로 밀다」의 뜻에서] *vt.* (**~led**; **~·ling**) 추진하다, 나아가게 하다; 몰아대다(⇨ push 유의어): ~*ling* power 추진력 // (~+목+전+명) The country was being ~*led towards* civil war. 그 나라는 내전으로 치닫고 있었다.
▷ propúlsion *n.*; propúlsive, propéllant *a.*

pro·pel·lant [prəpélənt] *n.* **1** 추진시키는 것, 추진체(體) **2** 발사 화약 **3** 《미》 (로켓 기관용의) 추진제 《연료와 산화제(酸化劑)의 혼합》 **4** (스프레이용) 압축 불활성(不活性) 가스 — *a.* 추진하는, 추진용의

pro·pel·lent [prəpélənt] *a.* 추진시키는, 추진체가 있는 — *n.* = propellant

‡**pro·pel·ler** [prəpélər] *n.* **1** 프로펠러, 추진기, 《특히》 나선(螺旋) 추진기 **2** 추진하는 사람

pro·pel·ler-head [prəpélərhèd] *n.* 《속어》 프로펠러 머리 《컴퓨터 등에 광적으로 열중하는 사람》

propéller shàft 프로펠러 축

propéller túrbine èngine = TURBO-PROPELLER ENGINE

pro·pél·ling péncil [prəpéliŋ-] 《영》 샤프펜슬 (《미》 mechanical pencil) ★「샤프펜슬이란 말은 일본식 영어이며, a sharp pencil이라고 하면「심이 뾰족한 연필」이란 뜻.

pro·pene [próupi:n] *n.* = PROPYLENE

pro·pense [proupéns] *a.* 《문어》 (…하는) 경향이 있는 (*to, toward*; *to* do)

pro·pen·si·ty [prəpénsəti] *n.* (*pl.* **-ties**) **1** 《문어》 경향, 성향, 기호, 성벽(性癖)(inclination) (*to, for*): (~+*to* do) She has a ~ *to* exaggerate [*for* exaggeration]. 그녀는 과장해서 말하는 버릇이 있다. // (~+전+*-ing*) He had a ~ *for* steal*ing*. 그는 도벽이 있었다. ★ 거의 자제할 수 없는 타고난 성향 《종종 악질적인 것》 **2** 《폐어》 편애, 편파 ***~ to consume*** 〖경제〗 소비 성향

‡**prop·er** [prɑ́pər | prɔ́p-] *a.*, *ad.*, *n.*

> L「자기 자신의」의 뜻에서
> →「(어떤 것에) 특유한」 **3** →(본래의 모습의)→
> 「예의 바른」 **2** →「적당한」 **1**

— *a.* **1** 적당[타당]한, 적절한, 알맞은, 적합한 (*for*): at ~ time 적당한 때에 / He is the ~ person *for* the work. 그는 그 일에 적임자다. **2** 예의 바른, 단정한; Ⓐ 〈인격이〉 훌륭한; 맵시 있는, 아름다운: a ~ young lady 예의 바른 젊은 숙녀 / a ~ young man 늠름한 청년 **3** Ⓟ 《문어》 고유의, 독특한, 본연의, (…에) 특유한 (*to*): instincts ~ *to* mankind 인류에 특유한 본능 **4** 〖문법〗 고유한; 고유 명사적인 **5** Ⓐ **a** 정확한, 엄밀한; [명사에 후치하여] 엄격한 의미의, 본래의, 진정한: This watch keeps ~ time. 이 시계는 정확하다. / China ~ 중국 본토 **b** 《구어》 진짜의(real), 실제의; 정규의, 정식의: the ~ gate 정문 **6** 《고어》 자기 자신의, 개인[개체]에 속하는: with my (own) ~ eyes 틀림없이 내 자신의 눈으로 **7** Ⓐ 《영·구어》 순전한, 완전한: a ~ rascal 순전한 악당 / be in a ~ rage 노발대발이다 **8** 〖그리스도교〗 특정한 날짜의 〈예배 등〉: ~ psalms 특정일의 찬송가 **9** 〖문장(紋章)에서〗 자연색의
as you think ~ 적당히, 적절히 ***do the ~ thing by*** a person …에게 공평하게 대하다 ***in the ~ sense of the word*** 그 말의 본래의[진정한] 뜻에 있어서 ***paint*** a person ***in his***[***her***] ***~ colors*** …을 사실 그대로 묘사하다 ***~ for the occasion*** 경우에 꼭 맞는, 형편·자리 등에 어울리는
— *ad.* **1** 《속어·방언》 아주, 완전히 **2** 올바르게, 품위 있게 ***good and ~*** 《구어》 아주, 완전히
— *n.* [종종 **P~**] 〖그리스도교〗 (특정한 날·시간에 정해진) 의식, 예배식, 기도 **~·ness** *n.*
▷ propríety *n.*; própery *ad.*

próper ádjective 〖문법〗 고유 형용사 《Korean, American, English 등》

próper dò (영·구어) 최고의 파티[행사]

próper fráction 〖수학〗 진분수(眞分數)

‡prop·er·ly [prɑ́pərli | prɔ́p-] *ad.* **1** **적당히**, 알맞게, 타당하게; **당연히**, 정당히: He very ~ refused. 그가 거절한 것은 당연하다. **2** **정확히**, 완전하게, 올바르게: speak English ~ 영어를 정확히 말하다 **3** **단정하게**, 예의 바르게, 참하게: be ~ dressed 단정하게 옷을 입다 **4** (영·구어) 철저히, 매우, 몹시: be ~ beaten 얻어맞아 완전히 뻗다 **5** 고유하게; 개별적으로 ***~ speaking*** = ***speaking ~*** = ***to speak ~*** 정확히 말하면

próper mótion 〖천문〗 고유 운동

***próper nóun[náme]** 〖문법〗 **고유 명사**

próper prìde 긍지, 자존심

prop·er·tied [prɑ́pərtid | prɔ́p-] *a.* Ⓐ 재산이 있는, 《특히》 토지를 가진: the ~ class(es) 유산 계급, 지주 계급

‡prop·er·ty [prɑ́pərti | prɔ́p-] [ME 「자기 자신의 것」의 뜻에서] *n.* (*pl.* **-ties**) **1** Ⓤ **재산**, 자산; 소유물(possessions): a man of large ~ 막대한 재산가 / The news[secret] is common ~. 그 소식[비밀]은 누구나 다 알고 있다. **2** Ⓤ 〖법〗 **소유권**(ownership); 소유; 소유 본능, 물욕: literary ~ 저작권 / ~ in copyright 판권 소유 **3** 부동산, 소유지, 토지(estate): a ~ dealer (영) 부동산 소개소 / personal [movable] ~ 동산 / real ~ 부동산 **4** 자유롭게 처분 가능한 것 **5** (어떤 물건 고유의) **특성**, 특질; 〖논리〗 고유성, 속성: the *properties* of iron 철의 특성 **6** 연장, 도구; [보통 *pl.*] 〖연극〗 소도구, 의상 **7** (문학 작품의 상업적인 연극용) 각색물, 각본; 미발표작 **8** (구어) (계약되어 있는) 배우, 선수

própertỳ ànimal (미) (영화·무대에) 출연시키려고 길들인 짐승

próperty dámage insùrance 재물 손괴 보험 《자동차 등으로 남의 재산에 입힌 손해에 대한 보험》

próperty màn[màster] 〖연극〗 소도구 담당자; (영) 의상 담당

próperty òwner 지주, 집주인

próperty qualificátion (직업·투표 등에 필요한) 소유 재산의 조건

próperty rìght 재산권

próperty ròom 〖연극〗 소도구[의상]실

próperty tàx 〖법〗 재산세

pro·phage [próufèidʒ] *n.* 프로파지 《세균 세포 내의 비감염성 형태의 파지》

pro·phase [próufèiz] *n.* 〖생물〗 (유사 분열의) 전기(前期) ★ metaphase(중기), anaphase(후기), telophase(종기).

***proph·e·cy** [prɑ́fəsi | prɔ́f-] [prophet에서] *n.* (*pl.* **-cies**) **1** Ⓤ Ⓒ **예언**; 예언 능력; 신의(神意)의 전달: rosy[gloomy] ~ 낙관적인[비관적인] 예언 **2** Ⓒ 〖성서〗 예언서 **3** 예언자가 지닌 힘

▷ próphesy *v.*; prophétic *a.*

proph·e·sy** [prɑ́fəsài | prɔ́f-] *v.* (**-sied**) *vt.* **1** 예언하다, 예측하다(predict): (~+that*** 절) They *prophesied that* he would do great things. 그들은 그가 위대한 일을 할 것이라고 예언했다. **2** 예보하다; (고어) 〈성경을〉 해석하다: ~ a typhoon 태풍을 예보하다

— *vi.* 예언하다, 예보하다: ~ right 올바로 예언하다

próph·e·sì·er *n.* ▷ próphecy *n.*; prophétic *a.*

‡proph·et [prɑ́fit | prɔ́f-] [Gk 「미리 말하는 사람」의 뜻에서] *n.* **1** **예언자**; (신의(神意)를 알리는) 선지자 **2** 〖구약 성서〗 **a** (신을 대변해서 이스라엘 백성을 이끄는) 선지자 **b** [종종 **P~**] 대[소]예언자 **c** [the P~s] 예언서(cf. MAJOR PROPHETS, MINOR PROPHETS) **3** [the P~] 마호메트(Muhammad) **4** [the P~] 모르몬교의 창시자 《Joseph Smith (1805-44)》 **5** 영감을 받은 지도자 **6** 사물을 예측하는 사람; 예보자; (속어) (경마 결과에 대한) 예상자: a ~ of doom 재앙을 예언하는 사람 **7** (주의 등의) 대변자; 제창자, 선각자

~·hòod *n.* Ⓤ 예언[예보]자의 지위[직, 인격]

▷ prophétic *a.*

proph·et·ess [prɑ́fitis | prɔ́f-] [PROPHET의 여성형] *n.* 여자 예언자

***pro·phet·ic, -i·cal** [prəfétik(əl)] *a.* **1** **예언자의**, 예언자다운: ~ inspiration 예언자의 영감 **2** 예언적인, 예언하는 힘을 가진, 예언자적인: ~ writings 예언서 **-i·cal·ly** *ad.* 예언적으로

▷ próphecy, próphet *n.*; próphesy *v.*

pro·phy·lac·tic [pròufəlǽktik, prɑ̀f- | prɔ̀f-] *a.* (병을) 예방하는, 예방의; 보호하는: a ~ drug 예방약 — *n.* 〖의학〗 예방약; 예방법; (미) (성병) 예방 기구, 피임 기구, 콘돔 **-ti·cal·ly** *ad.*

pro·phy·lax·is [pròufəlǽksis, prɑ̀f- | prɔ̀f-] *n.* (*pl.* **-lax·es** [-lǽksi:z]) 〖의학〗 Ⓤ Ⓒ (병 등의) 예방(법); 의과 예방 (처치)

pro·pin·qui·ty [prəpíŋkwəti, prou-] *n.* Ⓤ (문어) (장소·시간의) 가까움, 근접(nearness) 《*to*》, 근처; 유사; 근친(近親)

pro·pi·o·nate [próupiənèit] *n.* 〖화학〗 프로피온 에스테르

pro·pi·ón·ic ácid [pròupiɑ́nik- | -ɔ́n-] 〖화학〗 프로피온산 《향료·살균제용》

pro·pi·ti·ate [prəpíʃièit] *vt.* 달래다; 비위 맞추다; 화해시키다 **-à·tor** *n.*

pro·pi·ti·a·tion [prəpìʃiéiʃən] *n.* Ⓤ 달래기, 화해; 〖신학〗 속죄

pro·pi·ti·a·tive [prəpíʃièitiv] *a.* 달래는, 화해적인

pro·pi·ti·a·to·ry [prəpíʃiətɔ̀:ri | -təri] *a.* 달래는, 비위 맞추는, 화해하는; 보상의

pro·pi·tious [prəpíʃəs] *a.* **1** 〈신이〉 호의를 가진, 자비로운 **2** 상서로운, 길조의, 행운의; 〈날씨·경우 등이〉 좋은, 알맞은 《*to*, *for*》: a ~ sign 길조 / ~ winds 순풍 **~·ly** *ad.* **~·ness** *n.*

prop·jet [prɑ́pdʒèt | prɔ́p-] *n.* 〖항공〗 = TURBO-PROPELLER ENGINE

própjet èngine = TURBO-PROPELLER ENGINE

prop·man [prɑ́pmæ̀n | prɔ́p-] *n.* (*pl.* **-men** [-mèn]) = PROPERTY MAN

prop·o·lis [prɑ́pəlis | prɔ́p-] *n.* Ⓤ 밀랍(bee glue)

pro·pone [prəpóun] *vt.* (스코) **1** 제안하다, 제의하다 **2** 배심원[판사] 앞에 제출하다

pro·po·nent [prəpóunənt] *n.* **1** 제의[제안]자 **2** 변호자, 지지자: a ~ of women's rights 여권 지지자 **3** 〖법〗 유언 검인(檢認) 신청자

‡pro·por·tion [prəpɔ́:rʃən] [L 「부분(portion)을 위해」의 뜻에서] *n.* **1** Ⓤ (…에 대한) **비율**, 비(比)(ratio) 《*to*》: in the ~ of three *to* one 3대 1의 비율로 **2** 정도; [*pl.*] **크기**, 넓이: a building of gigantic ~*s* 거대한 건조물 **3** Ⓤ **균형**, 조화: a sense of ~ 균형감각 **4** [*pl.*] (미적 관점에서 본) 균형; (익살) 큰 덩치: a woman of beautiful ~*s* 아름다운 몸매를 갖춘 여자 **5** **부분**, 몫, 할당, 부분: obtain a ~ of the profit 이익의 한 몫을 얻다 **6** Ⓤ 〖수학〗 비례, 비례 계산: direct[inverse] ~ 정[반]비례 / simple[compound] ~ 단[복]비례 **7** (고어) 유추; 비교

a large ~ of …의 대부분[대다수] ***blow*** a thing ***out of ~*** …을 침소봉대하다 ***in ~ to*** [***as***] …에 비례하여 ***keep ... in ~*** 현명하게[균형 있게] 대처하다 ***of fine ~s*** 당당한 ***out of*** (***all***) ***~ to*** …와 (전혀) 균형이 안 잡히는

— *vt.* **1** 균형 잡히게 하다, 적당한 비율로 조절하다; 조화시키다 《*to*》: (~+목+전+명) You must ~ your spending *to* your salary. 급료에 맞추어서 지출을 조절해야 한다. **2** 할당하다, 배당하다

▷ propórtional *a.*; propórtionate *a.*, *v.*

thesaurus **property** *n.* belongings, possessions, things, goods, assets, resources

prophecy *n.* prediction, forecast, divination

propose *v.* put forward, advance, offer, pre-

pro·por·tion·a·ble [prəpɔ́ːrʃənəbl] *a.* 비례하는, 균형 잡힌 **-bly** *ad.* 균형 잡히게

∗**pro·por·tion·al** [prəpɔ́ːrʃənl] *a.* **1** Ⓟ **비례하는** (*to*) **2** Ⓟ 어울리는, 균형 잡힌 **3** 〖수학〗 비례의 (*to*): be directly[inversely] ~ *to* …에 정[반]비례하다 / a ~ quantity 비례량
— *n.* 〖수학〗 비례항(項): mean ~ 비례 중항(中項) **~·ist** *n.* 비례 대표제 주장자 **~·ly** *ad.*

propórtional cóunter 〖물리〗 비례 계수관(管)

pro·por·tion·al·i·ty [prəpɔ̀ːrʃənǽləti] *n.* Ⓤ 비례, 균형

propórtional númber 비례수

propórtional párts 〖수학〗 비례 부분

propórtional région 〖원자물리〗 비례 계수역(域)

propórtional representátion 〖정치〗 비례 대표제 (略 PR)

propórtional spácing 〖컴퓨터〗 비례 간격

propórtional táx 비례세, 정률세(定率稅) (세율을 고정해 놓은 세)

∗**pro·por·tion·ate** [prəpɔ́ːrʃənət] *a.* Ⓟ (…에) **비례하는,** 균형이 잡힌(proportional) (*to*)
— [-èit] *vt.* 어울리게[균형 잡히게] 하다; 적응시키다 (*to*) **~·ly** *ad.*

pro·por·tioned [prəpɔ́ːrʃənd] *a.* **1** 비례하는, 균형 잡힌: a well ~ woman 균형 잘 잡힌 여자 **2** 〈의류 등이〉 사이즈별로 만들어진

pro·por·tion·ing [prəpɔ́ːrʃəniŋ] *n.* Ⓤ 단면(斷面) 계산

pro·por·tion·ment [prəpɔ́ːrʃənmənt] *n.* ⓊⒸ 비례, 비율; 균형, 조화(symmetry)

‡**pro·pos·al** [prəpóuzəl] *n.* **1 신청; 제안,** 제의, 건의; 계획, 안(案) (*for, to* do, *that*): agree to a person's ~ …의 신청에 응하다 / accept[refuse] a ~ 신청을 받아들이다[거절하다] **2 결혼 신청,** 청혼, 구혼 (주로 남자가 하는): make a ~ (of marriage) to a woman 여자에게 청혼하다
have ~s of [***for***] …의 제의[신청]를 받다 ***make*** [***offer***] ***~s of*** [***for***] ***peace*** 화평[화해]을 제의하다
▷ propóse *v.*

‡**pro·pose** [prəpóuz] [L 「앞에 놓다」의 뜻에서] *vt.* **1 제의[제안]하다,** 제출하다(⇨ suggest 유의어): ~ a new method 새로운 방법을 제안하다 // (~+**-*ing***) He ~*d* tak*ing* a rest there. 그는 그곳에서 쉬자고 제의했다. // (~+***to*** do) (~+***that*** 절) I ~*d to* reduce the loan. = I ~*d that* the loan (should) be reduced. 나는 대부금을 감액할 것을 제의했다. (★ should를 생략하는 것은 주로 (미)) **2** 명시하다, 제시하다, 말하다; 〈질문 등을〉 제의하다 **3 추천하다,** 지명하다 (*for, as*): (~+목+전+명) Will you ~ me *for* your club? 나를 당신 클럽에 추천해 주시겠습니까? // (~+목+***as*** 보) ~ Mr. A *as* president A씨를 회장으로 밀다 **4 작정하다;** 〈일을〉 **꾸미다,** 계획하다: (~+***to*** do) We ~ *to* dine out tonight. 우리 오늘 밤에 외식할 작정이다. // (~+**-*ing***) What do you ~ do*ing* now? 지금 뭘 하려고 하십니까? **5** 〈남자가 결혼을〉 **신청하다** (*to*): (~+목+전+명) He ~*d* marriage *to* Margaret. 그는 마거릿에게 결혼을 신청했다. **6** 〈축배를〉 제의하다: (~+목+전+명) ~ a toast *to* the health of a person …의 건강을 위하여 축배를 들자고 제안하다
— *vi.* **1** 제안하다, 건의하다, 발의하다: (~+전+명) ~ *to* one*self* 기도하다 **2 청혼하다** (*to*): (~+전+명) I ~*d to* her. 그녀에게 청혼했다. **3** 계획하다, 꾀하다: Man ~*s*, God disposes. (속담) 인간은 일을 계획하지만 신은 성패를 가르신다.
▷ propósal *n.*; proposítion *n., v.*

---

sent, submit, suggest, recommend, advocate
proprietor *n.* owner, possessor, title-holder
propriety *n.* seemliness, decorum, decency, correctness, good manners, courtesy, politeness

pro·pos·er [prəpóuzər] *n.* 신청인, 제의[제안]자

‡**prop·o·si·tion** [prɑ̀pəzíʃən | prɔ̀p-] *n.* **1** (특히 사업상의) **제안,** 제의, 건의: (~+***to*** do) I made a ~ *to* buy the shop. 그 가게를 사들이자고 제의했다. // (~+***that*** 절) Nobody supported his ~ *that* part of the earnings should be pooled. 소득의 일부를 공동 기금으로 하자는 그의 제안을 지지한 사람은 아무도 없었다. **2 계획,** 안(案): a selling ~ 판매 계획 **3** (구어) (상거래 등의) 조건 제시 **4** (미·구어) **a** 기업, 사업; 일, 목적, 문제: a paying ~ 수지 맞는 일 **b** (처리·상대해야 할) 것, 문제, 상대: He is a tough ~. 그는 만만치 않은 상대다. **5** (미) 제공품, 상품 **6** 서술, 진술, 주장 **7** 〖논리〗 명제(命題); 〖수사학〗 주제; 〖수학〗 명제, 정리(定理): an absolute[a predicative, a categorical] ~ 정언 명제 **8** 신조(信條) **9** (구어) (여성에 대한 성적인) 유혹, 수작 걸기: He made her a ~. 그는 그녀에게 수작을 걸었다.
be not a ~ 가망이 없다 ***make*** a person ***a ~*** …에게 제안하다; …에게 성적으로 수작을 걸다
— *vt.* **1** 〈여자를〉 유혹하다, …에게 수작을 걸다 **2** …에게 거래를 제의하다 **~·al** [-ʃənl] *a.*

propositional cálculus 〖논리〗 명제(命題) 계산 (cf. PREDICATE CALCULUS)

propositional fúnction 〖논리〗 명제 함수

Proposítion 13 〖미국법〗 제안 13호 (고정 자산세 과세 권한을 축소하는 법안; 1978년 6월 California 주의 주민 투표로 결정)

pro·pos·i·tus [prəpɑ́zətəs | -pɔ́z-] *n.* (*pl.* **-ti** [-tài]) **1** 〖법〗 (가계의) 시조(始祖) **2** 〖유전〗 발단자 (proband) **3** 본인 (유언장에서 스스로 이르는 말)

pro·pound [prəpáund] *vt.* **1** 제출하다, 제의하다: ~ a theory 이론을 제기하다 **2** 〖영국법〗 〈유언장을〉 제출하다 **~·er** *n.* 제기자, 제출자

propr. proprietor

pro·pra(e)·tor [prouprí:tər] *n.* 〖로마사〗 지방 장관

pro·pran·o·lol [prouprǽnəlɔ̀:l, -lɑ̀l | -lɔ̀l] *n.* 〖약학〗 프로프라놀롤 (부정맥 등의 치료제)

pro·pri·e·tar·y [prəpráiətèri | -təri] *a.* Ⓐ **1** 소유주의, 소유(권)의: ~ wealth 소유 재산 / ~ rights 소유권 **2** 재산이 있는: the ~ class 유산 계급 **3** 독점의; 독점적인: ~ medicine 특허 매약 / a ~ name [term] 상표명, 특허 등록명 **4** 사유의, 전유의 **5** 개인 경영의, 사립의: ~ hospitals 사립 병원
— *n.* (*pl.* **-tar·ies**) **1** 소유자(owner), 소유 단체; ⓊⒸ 소유권: the landed ~ 지주들 **2** 〖미국사〗 (독립 전의) 독점 식민지의 지배자 **3** 특허 매약 **4** (미) (CIA의 활동 거점인) 비밀 기업 **5** 개인이 경영하는 학교(= ~ **schòol**)

propríetary cólony 〖미국사〗 독점 식민지 (독립 전의)

propríetary cómpany 모(母)회사 (다른 회사의 주식의 대부분을 소유하는); (영) 토지(흥업) 회사; (영) (주식이 공개되지 않는) 비공개 회사

∗**pro·pri·e·tor** [prəpráiətər] *n.* **1** (상점·호텔·토지 등의) **소유자,** 소유주, 경영자: a landed ~ 지주 **2** 독점권 소유자; 사업주; [집합적] 소유자 단체: copyright ~*s* 저작권 소유자 **3** 〖미국사〗 독점 식민지 지배자 **~·shìp** *n.*

pro·pri·e·to·ri·al [prəpràiətɔ́:riəl] *a.* 소유의: ~ rights 소유권 **~·ly** *ad.* 소유주로서, 소유권에 의하여

pro·pri·e·tress [prəpráiətris] *n.* PROPRIETOR의 여성형

∗**pro·pri·e·ty** [prəpráiəti] [property와 같은 어원] *n.* (*pl.* **-ties**) **1** Ⓤ **예의 바름,** 교양(opp. *impropriety*); [*pl.*] (문어) 예의, 예절 **2** Ⓤ **타당,** 적절 (*of*); 적당 **3** (폐어) 자산 ***breach of ~*** 예의에 벗어남 ***observe the proprieties*** 예의범절을 지키다, 사교계의 관례에 따르다 ***with ~*** 예절 바르게; 적당하게
▷ próper *a.*

pro·pri·o·cep·tion [pròupriəsépʃən] *n.* Ⓤ 〖생리〗 자기 수용(自己受容), 자기 수용 감각(성)

pro·pri·o·cep·tive [pròupriəséptiv] *a.* 〖생리〗 자기 수용의

pro·pri·o·cep·tor [pròupriəséptər] *n.* 〖생리〗 자기 수용기(器)

próp ròot 〖식물〗 지주근(支柱根), 기근

props [prɑps | prɔps] *n. pl.* ⇨ prop[3]

prop·to·sis [prɑptóusis | prɔp-] *n.* Ⓤ 〖병리〗 (기관의) 돌출(突出); 안구 돌출증

pro·pul·sion [prəpʌ́lʃən] *n.* **1** Ⓤ 추진; 추진된 상태 **2** 추진 수단; 추진력: jet ~ 제트 추진

propúlsion reàctor 〖물리〗 (원자력선 등의) 추진용 원자로

pro·pul·sive [prəpʌ́lsiv] *a.* Ⓐ 추진력 있는, 추진하는(propelling)

próp wòrd 〖문법〗 지주어(支柱語) 《형용사 (상당어)에 붙어 명사화하는 말; 예: a black one의 one》

pro·pyl [próupil] *n., a.* 〖화학〗 프로필기(基)(의)

pro·py·lae·um [prɑ̀pəlí:əm | prɔ̀p-] *n.* (*pl.* **-lae·a** [-lí:ə]) **1** 입구 《고대 그리스·로마의 신전 등의》 **2** [the P~] 아테네의 Acropolis의 입구

pro·pyl·ene [próupəlì:n] *n.* 〖화학〗 프로필렌 《유기 합성제》; 프로필렌기(= **~ ràdical**[**gròup**])

própylene glýcol 〖화학〗 프로필렌 글리콜 《부동제(不凍劑)·윤활유용》

prop·y·lon [prɑ́pəlɑ̀n | prɔ́pilɔ̀n] *n.* (*pl.* **-la** [-lə], **~s**) = PROPYLAEUM 1

pro ra·ta [pròu-réitə, -rɑ́:- | -rɑ́:-] [L] *ad.* 비례하여, 일정한 비율로 **—** *a.* 비례한

pro·rate [prouréit, ㅅㅡ] [pro rata에서] *vt.* 《미》 할당하다; 비례 배분하다: on the *~d* daily basis 날수 계산으로, 일당(日當)으로

pro·rát·a·ble *a.* **pro·rá·tion** [-réiʃən] *n.*

pro·ro·ga·tion [pròurəgéiʃən] *n.* Ⓤ 정회(停會)

pro·rogue [prouróug, prə-] *vt.* **1** (특히 영국에서) 〈의회를〉 정회[휴회]하다 **2** 《드물게》 연기(延期)하다 **—** *vi.* 〈의회가〉 정회[휴회]되다

pros- [prɑs | prɔs] *pref.* 「…쪽으로, …가까이에, …앞에」의 뜻

pros. proscenium; prosody

pro·sage [próusidʒ] [*pro*tein+sau*sage*] *n.* 프로시지 《고기 대신 순수 식물성 단백질로 만든 소시지》

***pro·sa·ic, -i·cal** [prouzéiik(əl)] *a.* **1** 산문적인, 무미건조한, 재미없는; 활기 없는, 지루한: a ~ and unimaginative essay 재미없고 상상력이 없는 수필 **2** 산문(체)의 **-i·cal·ly** *ad.*

pro·sa·ism [prouzéiizm], **-sa·i·cism** [prouzéiəsìzm] *n.* Ⓤ **1** 평범함, 단조로움 **2** 산문체; 산문적 표현

pro·sa·ist [prouzéiist] *n.* **1** 산문가 **2** 평범하고 단조로운 사람, 몰취미한 사람

pro·sa·teur [pròuzətə́:r] [F] *n.* 산문 작가

Pros. Atty. prosecuting attorney

pro·sce·ni·um [prousí:niəm, prə-] [Gk 「무대 앞에」의 뜻에서] *n.* (*pl.* **-ni·a** [-niə]) **1** (고대 로마 극장의) 무대 **2** 무대의 앞 부분(= **~ àrch**) 《막과 오케스트라석 사이의 칸 막은 부분》 **3** 《비유》 전경(前景)

pro·sciut·to [prouʃú:tou] [It.] *n.* (*pl.* **-ti** [-ti:], **~s**) 프로슈토 《향신료가 많이 든 이탈리아 햄》

pro·scribe [prouskráib] *vt.* **1** 《문어》 〈습관 등을〉 금지하다, 배척하다 **2** 《고어》 …에게서 법률의 보호를 박탈하다(outlaw) **3** 추방하다 **4** 〖고대로마〗 〈처벌자 이름을〉 공고하다 **pro·scrib·er** *n.*

pro·scrip·tion [prouskrípʃən] *n.* Ⓤ **1** (관습 등의) 금지; 법률 보호[인권]의 박탈 **2** 추방[사형, 재산 몰수]인 이름의 공표; 파문(破門), 추방

pro·scrip·tive [prouskríptiv] *a.* 인권을 박탈하는; 추방의; 금지의 **~·ly** *ad.*

‡**prose** [próuz] [L 「똑바른 (말)」의 뜻에서] *n.* **1** Ⓤ 산문; 산문체(opp. *verse*): a writer of ~ 산문 작가 / in ~ 산문으로 **2** Ⓤ 평범, 단조; 무미건조한[지루한] 이야기 **3** 《영》 번역 연습 문제

— *a.* Ⓐ **1** 산문의, 산문으로 된: ~ poetry 산문시 **2** 산문적인, 평범한

— *vt.* 산문체로 쓰다; 〈시를〉 산문으로 옮기다

— *vi.* 무미건조하게[지루하게] 이야기하다[쓰다] 《*about*》 ▷ prosáic, prósy *a.*

pro·sec·co [próusekɔ] *n.* Ⓒⓤ (*pl.* **~s**) [또는 **P~**로] 프로세코 《이탈리아의 백포도 품종; 그 포도주》

pro·sect [prousékt] *vt.* 〖의학〗 (실습으로) 〈시체를〉 해부하다

pro·sec·tor [prouséktər] *n.* (해부학 실습의) 시체 해부자

***pros·e·cute** [prɑ́sikjù:t | prɔs-] [L 「앞에 따르다」의 뜻에서] *vt.* **1** 기소하다, 공소하다, 소추(訴追)하다, 〈법률에 호소하여 권리를〉 요구하다: (**~+**목**+**전**+**명) ~ a claim *for* damages 손해 배상을 요구하다 / ~ a person *for* libel …을 명예 훼손으로 고소하다 **2** 《문어》 수행하다, 행하다: ~ a war 전쟁을 수행하다 **3** 〈기업 등을〉 경영하다, 종사하다; 실행하다: ~ one's studies[occupation] 연구[직업]에 종사하다

— *vi.* 기소하다; (재판에서) 검사를 맡다

prós·e·cùt·a·ble *a.* ▷ prosecútion *n.*

prós·e·cut·ing attórney [prɑ́sikjù:tiŋ- | prɔ́s-] [때로 **P- A-**] 《미》 지방 검사(public prosecutor)

pros·e·cu·tion** [prɑ̀sikjú:ʃən | prɔ̀s-] *n.* **1** 〖법〗 **a** Ⓤⓒ 기소, 고발: a malicious ~ 무고(誣告) / a criminal ~ 형사 소추 **b** [the ~; 집합적] 기소자측, 검찰 당국(opp. *defense*): a witness for *the* ~ 검찰측의 증인 **2** Ⓤ 수행, 실행; 속행, 추구: the ~ of research 조사 수행 **3** 종사, 경영 《*of*》 ***the Director of Public P~s 《영》 검찰 총장

***pros·e·cu·tor** [prɑ́sikjù:tər | prɔ́s-] *n.* **1** 검찰관, 검사, 기소자: a public ~ 검사 **2** 수행[실행]하는 사람, 경영자

pros·e·cu·to·ri·al [prɑ̀sikju:tɔ́:riəl | prɔ̀s-] *a.* prosecutor[prosecution]의

pros·e·cu·trix [prɑ́səkjù:triks | prɔ́s-] *n.* (*pl.* **-tri·ces** [-trisì:z]) PROSECUTOR의 여성형

pros·e·lyte [prɑ́səlàit | prɔ́s-] *n.* 개종자(改宗者) 《*to*》; 전향자, 변절자 ***~ of the gate*** (고대 유대 민족의) 할례(割禮) 등을 행할 의무가 없는 개종자

— *vt., vi.* **1** 개종[전향]시키다[하다] **2** 〈회원·운동선수 등을〉 좋은 조건으로 선발[모집]해 가다

pros·e·lyt·ism [prɑ́səlaitìzm, -lə- | prɔ́səli-] *n.* Ⓤ 개종(의 권유)

pros·e·lyt·ize [prɑ́səlitàiz | prɔ́s-] *vt., vi.* 개종[전향, 변절]시키다; 전도하다 **-ìz·er** *n.*

pro·sem·i·nar [prousémənɑ̀:r] *n.* 《미》 (대학생도 참가할 수 있는) 대학원생의 세미나

pros·en·ceph·a·lon [prɑ̀senséfəlɑ̀n, -lən | prɔ̀senséfəlɔ̀n] *n.* 〖해부〗 전뇌(forebrain)

pros·en·chy·ma [prɑséŋkəmə | prɔs-] *n.* (*pl.* **-chym·a·ta** [prɑ̀seŋkímətə | prɔ̀s-], **~s**) 〖식물〗 방추(紡錘) 조직, 섬유 세포 조직 **-mal** *a.*

próse pòem (한 편의) 산문시

pros·er [próuzər] *n.* 산문 작가(prosaist); 시시한 이야기를 쓰는 문필가[늘어놓는 사람]

Pro·ser·pi·na [prəsə́:rpənə, prou- | prə-], **Pro·ser·pi·ne** [prousə́:rpəni, prɑ́səpàin | prɔ́səpàin] *n.* 〖그리스신화〗 프로세르피나 《Jupiter와 Ceres의 딸; Pluto에게 납치되어 저승의 여왕이 됨》

pró shòp 프로 숍 《골프·테니스 클럽 하우스에 부속된 스포츠 용품 판매점》

pro·si·fy [próuzəfài] *vt., vi.* (**-fied**) **1** 산문으로 고치다, 산문을 쓰다 **2** 평범[무미건조]하게 만들다

pros·ing [próuziŋ] *n.* 평범하고 지루한 이야기[글, 작품]

thesaurus **prospect** *n.* **1** 전망 view, outlook, perspective, scene, spectacle **2** 가망 likelihood, likeliness, hope, expectation, anticipation, chance, probability, possibility, odds

pro·sit [próuzit, -sit] [G; L = May it do you good] *int.* 건배, 축배를 듭시다, 축하합니다

pro·slav·er·y [prousléivəri] *n.* Ⓤ, *a.* 〖미국사〗 흑인 노예 제도 옹호(의); 흑인 노예 제도 폐지에 반대(하는) **~·ìsm** *n.*

pro·so [próusou] *n.* (*pl.* **~s**) 〖식물〗 기장(= **míllet**)

pros·o·deme [prásədìːm | prɔ́s-] *n.* 〖언어〗 운율소(韻律素), 악음소(樂音素)

pro·sod·ic, -i·cal [prəsádik(əl) | -sɔ́d-] *a.* Ⓐ **1** 작시법(作詩法)의[에 맞는] **2** 운율학의, 시형론의 **-i·cal·ly** *ad.*

pros·o·dy [prásədi | prɔ́s-] *n.* Ⓤ **1** 작시법; 시형론(詩形論), 운율학(韻律學) **2** 운율 체계, 시형: Milton's ~ 밀턴의 시형 **3** 〖언어〗 운율(론) **-dist** *n.*

pros·o·pog·ra·phy [pràsəpágrəfi | prɔ̀səpɔ́g-] *n.* Ⓤ (역사·문학상의) 인물 연구; 인물 기술(집)

pro·so·po·poe·ia, -pe·ia [prousòupəpíːə, pràsəpə- | prɔ̀səpə-] *n.* Ⓤ 〖수사학〗 의인법(擬人法)

‡pros·pect [práspekt | prɔ́s-] [L 「앞을 보다」의 뜻에서] *n.* **1** [보통 a[the] ~] **전망**, 조망(眺望); 경치(scene); (집의) 방위, 향: a house with *a* southern ~ 남향 집 / command *a* fine ~ 전망이 좋다 **2** Ⓤ 가망 《*of*》, 가능성, 기대, 예상: a ~ *of* recovery 회복할 가망 / at the ~ *of* …할지도 모른다고 내다보고 **3 a** [*pl.*] 성공할 가망; 가망이 있는[유망한] 사람: a business with good ~*s* 유망한[성공할 만한] 사업 **b** [*pl.*] 《문어》 출세할 가망, 장래성: He has good ~*s.* 그는 상당히 장래가 촉망된다. **4** 《주로 미》 단골손님이 될 것 같은 사람; 기부할 듯한 사람 **5** 관찰, 고찰 **6** 〖광산〗 채광 유망지; 광석 견본; 광석 산출 예상, 예상 채굴량: strike a good[gold] ~ 좋은 광[금광]맥을 찾아 내다 ***be in ~*** 가망이 있다 ***have in ~*** 가망이 있다, 계획하고 있다 ***in ~*** 예기[예상]하여

— *v.* [práspekt | prəspékt] *vi.* **1** 가망의 유무를 검토하다, 답사하다 **2** 〖광산〗 시굴(試掘)하다 《*for*》: (~+전+명) ~ *for* oil 석유의 시굴을 하다 **3** 〈광산 등이〉 가망이 있다: (~+부) This mine ~*s well* [*ill*]. 이 광산은 가망이 있다[없다].

— *vt.* 조사하다, 답사하다; 시굴하다 《*for*》: (~+목+전+명) ~ a region *for* gold 어떤 지역의 금을 시굴하다 ▷ prospéctive *a.*

***pro·spec·tive** [prəspéktiv] *a.* **1** 예상된, 기대되는, 장차의(opp. *retrospective*); 장래에 발효되는 〈법률 등〉: ~ earnings 장래 수입 / a ~ writer 작가 지망생 / ~ employees 예비 직원들 **2** 가망 있는; 《고어》 선견지명이 있는 **~·ly** *ad.* 장래에 관하여

prospéctive adaptátion 〖생물〗 예기 적응 《장래의 적응을 가능케 하는 형질 획득》

pros·pec·tor [práspektər, prəspék- | prəspék-] *n.* 〖광산〗 시굴자; 투기자

pro·spec·tus [prəspéktəs] *n.* **1** (설립) 취지서, (사업·계획 등의) 강령, 내용 안내서; 〖증권〗 (공모시의) 안내서 **2** (신간 서적 등의) 내용 견본 **3** 《영》 학교 안내서

***pros·per** [práspər | prɔ́s-] [L 「희망대로 되다」의 뜻에서] *vi.* 〈사업 등이〉 번영[번창]하다, 〈사람이〉 성공하다: (~+전+명) ~ *in* business 사업에 성공하다

— *vt.* 《고어》 〈신이〉 번영[성공]시키다: Heaven ~ you! 성공하시기를 빕니다!

▷ prósperous *a.*; prospérity *n.*

‡pros·per·i·ty [prɑspérəti | prɔs-] *n.* (*pl.* **-ties**) **1** Ⓤ 번영, 번창, 융성, 성공; 부유: national ~ 국가의 번영 **2** [*pl.*] 호황, 호경기 ***in ~*** 부유하게 ▷ prósper *v.*; prósperous *a.*

‡pros·per·ous [práspərəs | prɔ́s-] *a.* **1** 번영하는(thriving); 부유한; 성공한: a ~ farmer 부유한 농장주 / ~ years 번영하는 시대 **2** 순조로운, 유리한, 좋은: ~ weather 좋은 날씨 / in a ~ hour 마침 좋은 때에 **~·ly** *ad.* **~·ness** *n.*

▷ prospérity *n.*; prósper *v.*

pross [prás | prɔ́s], **pros·sie, pros·sy** [prási | prɔ́si] *n.* 《속어》 매춘부(prostitute)

pros·ta·cy·clin [pràstəsáiklin | prɔ̀s-] *n.* Ⓤ 〖생화학〗 프로스타시클린 《항(抗)응혈 작용·혈관 확장 작용을 하는 호르몬 비슷한 물질》

pros·ta·glan·din [pràstəglǽndin | prɔ̀s-] *n.* 〖생화학〗 프로스타글란딘 《호르몬 물질》

pros·tate [prásteit | prɔ́s-] 〖해부〗 *n.*, *a.* 전립선(前立腺)(의)

pros·ta·tec·to·my [pràstətéktəmi | prɔ̀s-] *n.* (*pl.* **-mies**) ⓊⒸ 전립선 절제(切除)(수술)

próstate glànd 〖해부〗 전립선

pros·ta·tism [prástətìzm | prɔ́s-] *n.* Ⓤ 〖의학〗 전립선(비대)증

pros·ta·ti·tis [pràstətáitis | prɔ̀s-] *n.* Ⓤ 〖병리〗 전립선염

pros·the·sis [prɑsθíːsis | prɔ́sθi-, prɔsθíː-] *n.* (*pl.* **-ses** [-siːz]) ⓊⒸ **1** 〖언어〗 어두음(語頭音) 첨가 《beloved의 *be-*, defend의 *de-*》 **2** 〖의학〗 인공 보철(補綴)(술); 인공 보철물 《의치·의안·의족 등》: dental ~ 치과 보철술 **pros·thet·ic** [-θétik] *a.*

pros·thet·ics [prɑsθétiks | prɔs-] *n. pl.* [단수 취급] 보철술[학]

pros·tho·don·ti·a [pràsθədánʃiə, -ʃə | prɔ̀sθədɔ́ntjə] *n.* = PROTHODONTICS

pros·tho·don·tics [pràsθədántiks | prɔ̀sθədɔ́n-] *n. pl.* [단수 취급] 치과 보철학(補綴學)

pros·tie [prásti | prɔ́s-] *n.* 《속어》 매춘부(prostitute)

pros·ti·tute [prástət*j*ùːt | prɔ́stitjùːt] [L 「팔려고 내놓다」의 뜻에서] *n.* **1** 창녀, 매춘부 **2** 절개를 파는 사람, 돈의 노예; (재능을 파는) 타락 예술가

— *a.* 매춘의; 돈에 좌우되는; 《고어》 음란[추잡]한

— *vt.* **1** 매음시키다, 〈몸을〉 팔다: ~ oneself 매춘하다, 몸을 팔다 **2** 악용하다; 〈명예 등을〉 이익을 위하여 팔다, 〈능력 등을〉 비열한 목적에 쓰다: ~ one's talents 재능을 팔다 **prós·ti·tù·tor** *n.*

pros·ti·tu·tion [pràstət*j*úːʃən | prɔ̀stitjúː-] *n.* Ⓤ **1** 매음, 매춘 **2** 변절; 타락, 악용: political ~ 정치적 타락

pro·sto·mi·um [proustóumiəm] *n.* (*pl.* **-mi·a** [-miə]) 전구엽(前口葉), 입앞머리 《환형 동물 등의》

***pros·trate** [prástreit | prɔ́s-] [L 「앞에 펴다」의 뜻에서] *a.* **1** (복종·경배를 위해) 엎드린 **2** 패배[굴복]한 **3** 풀죽은; 기진한 《*with*》: be ~ *with* grief 비탄에 쓰러지다 **4** 〖식물〗 포복성(匍匐性)의

— [prástreit | prɔstréit] *vt.* **1** 쓰러뜨리다, 엎드리게 하다; 〈몸을〉 엎드리다, 꿇어 엎드리다 **2** 항복시키다, 굴복시키다 **3** 꺾이게 하다, 쇠약하게 하다, 기진하게 하다: be ~*d by* the heat 더위에 지치다

~ one***self*** 몸을 엎드리다, 부복하다

pros·tra·tion [prɑstréiʃən | prɔs-] *n.* **1** ⓊⒸ 엎드림, 부복함: ~ before the altar 제단 앞에 엎드리기[부복하기] **2** 굴복, 굴종 **3** Ⓤ (정신적인) 피로; 의기소침; 쇠약, 피로 **4** (사업 등의) 부진, 쇠퇴 ***general*** [***nervous***] ~ 전신[신경] 피폐

pros·ty [prásti | prɔ́s-] *n.* (*pl.* **-ties**) = PROSTIE

pro·style [próustail] *n.*, *a.* 〖건축〗 전주식(前柱式)(의)

pros·y [próuzi] *a.* (**pros·i·er**; **-i·est**) **1** 산문체의 **2** 평범한, 몰취미한; 지루한, 단조로운(prosaic) **prós·i·ly** *ad.* **prós·i·ness** *n.*

Prot. Protestant

prot·ac·tin·i·um [pròutæktíniəm] *n.* Ⓤ 〖화학〗 프로탁티늄 《방사성 희금속 원소; 기호 Pa, 번호 91》

pro·tag·o·nist [proutǽgənist] [Gk 「주요한 배우」의 뜻에서] *n.* **1** [보통 the ~] (연극의) 주역; (이야기

---

prosperity *n.* accomplishment, success, good fortune, ease, plenty, affluence, riches, wealth

prosperous *a.* thriving, flourishing, well-off, well-to-do, opulent (opp. *poor, penniless*)

등의) 주인공 **2** (사상·주의의) 수령, 주창자, 지도자 **3** (운동 등의) 리더, 지도자 **4** 〖생리〗 작동근(筋)

Pro·tag·o·ras [proutǽgərəs | -ræ̀s] *n.* 프로타고라스 《기원전 5세기의 그리스 철학자》

prot·a·mine [próutəmì:n] *n.* Ⓤ 프로타민 《강염기성 단순 단백질》

pro·ta·no·pi·a [pròutənóupiə] *n.* 〖안과〗 제1색맹, 적[녹]색맹

pro tan·to [prou-tǽntou] [L] *ad.* 그 정도까지

prot·a·sis [prɑ́təsis | prɔ́t-] *n.* (*pl.* **-ses** [-sì:z]) **1** 〖문법〗 (조건문의) 조건절, 전제절(cf. APODOSIS) **2** (아리스토텔레스 논리학에서의 삼단 논법 중의) 명제 **3** (고대 연극의) 도입부 **pro·tát·ic** *a.*

pro·te·a [próutiə] *n.* 〖식물〗 프로테아속(屬)의 아프리카 열대 관목

Pro·te·an [próutiən, proutí:- | proutí:ən] *a.* **1** 〖그리스신화〗 Proteus신의[같은] **2** [**p~**] (문어) 변화무쌍한; 다방면의; 혼자서 여러 역할을 하는

pro·te·ase [próutièis, -èiz | -èiz, -èis] *n.* Ⓤ 〖생화학〗 프로테아제 《단백질 분해 효소》

‡**pro·tect** [prətékt] [L 「앞에 덮다」의 뜻에서] *vt.* **1** 보호하다, 막다, 지키다, 비호하다 (*from, against*): (~+목+전+명) ~ a person *from*[*against*] danger …을 위험으로부터 보호하다 / She wore dark glasses to ~ her eyes *from* the sun. 그녀는 햇빛에서 눈을 보호하기 위해 검은 안경을 쓰고 있었다.

> 유의어 **protect** 위험이나 해로부터 방어에 도움이 되는 것을 사용하여 지키다: a hard hat to *protect* one's head 머리를 보호해 주는 안전모 **defend** 다가오는 위험이나 공격에 적극적으로 저항하여 그것을 배제하고 안전을 유지하다: *defend* one's country 나라를 지키다 **guard** 주의깊게 경계하여 위험으로부터 안전을 지키다: *guard* the palace 궁전을 경호하다

2 〖경제〗 〈국내 산업을〉 보호하다 **3** (영) 〖상업〗 〈어음의〉 지불 준비를 하다: ~ a draft 어음의 지불 준비를 하다 **4** 〈기계에〉 보호 장치를 하다 **5** 보험에 들어 〈사람·물건을〉 보장하다 (*against*)

— *vi.* 보호하다

▷ protéction *n.*; protéctive *a.*

pro·tec·tant [prətéktənt] *n.* 예방 보호제

‡**pro·tec·tion** [prətékʃən] *n.* **1** Ⓤ 보호, 옹호, 비호, 방호 (*against, from*): the ~ of the environment 환경 보호 / the ~ of one's country *against* invaders 침략자에 대한 국토 방위 **2** 보호하는 사람[것] (*against*): a ~ *against* cold 방한구 **3** Ⓤ 후원, 두둔 **4** (구어) (폭력단에 바치는) 보호금, 뇌물; (폭력단이 당국에 바치는) 상납금(=**~ mòney**) **5** 〖경제〗 보호 무역 제도(cf. FREE TRADE) **6** (미·속어) 피임약[기구] **7** 통행증, 여권; (미·고어) (선원의) 국적 증명서 **8** 〖법〗 보호 영장 **9** 〖컴퓨터〗 (프로그램 복사) 방지 ***live under the ~ of*** …의 보호를 받고 살다, 〈여자가 남자의〉 신세를 지고[첩이 되어] 살다 ***~ of possession*** 〖법〗 점유 보전(占有保全) ***take*** a person ***under*** one***'s ~*** …을 보호하다

~·ism *n.* Ⓤ 보호 무역주의, 보호 정책 **~·ist** *n.* 보호 무역론자 ▷ protéct *v.*

protéction ràcket (속어) 폭력단의 갈취 행위

__pro·tec·tive__ [prətéktiv] *a.* **1** 보호하는, (위험에서) 지키는, 방어하는: a ~ vest 방탄 조끼 **2** 〖경제〗 보호 무역(제도)의: ~ duties 보호 관세 / ~ trade 보호 무역 **3** 〈음식이〉 비타민 결핍증을 막는

— *n.* 보호물 (*against*); 콘돔

protéctive áction guìde 〖원자력〗 방호 처치 기준 《방사선 허용 흡수선량》

protéctive clóthing 방호복 《화염·방사선 등으로부터의》

protéctive colorátion[**cóloring**] 〖동물〗 보호색

protéctive cústody 예비[보호] 구금

protéctive fóods 영양 식품

protéctive góggles 보안경 《화학 실험·작업용》

protéctive legislátion 무역 보호 법령; 사용인[고용인] 보호법 제도

protéctive mímicry 〖동물〗 의태(擬態)

protéctive reáction (미) 방위 반응 《자기 방위·보복을 목적으로 한 공격》

protéctive sỳstem 보호 무역 제도

protéctive táriff 보호 관세(율)

__pro·tec·tor__ [prətéktər] *n.* **1 a** 보호자, 옹호자; 원조자 **b** (매춘부의) 정부; 매춘 알선업자, 뚜쟁이(pimp) **2** 보호[안전] 장치, 보호하는 물건; 가슴받이, 프로텍터: a chest ~ 가슴받이 / a point ~ 연필 뚜껑[깍지] **3** 〖영국사〗 섭정(regent); [the P~] 호민관(=Lord P~) 《공화 정치 시대의 Oliver Cromwell과 그 아들 Richard Cromwell의 칭호》

~·al *a.* 보호[옹호]하는 **~·shìp** *n.*

pro·tec·tor·ate [prətéktərət] *n.* **1** 보호 관계, 보호 정치, 보호권 **2** 보호국; 보호령 **3** Ⓤ 섭정의 직위[임기, 정치] **4** [the P~] Ⓤ 〖영국사〗 호민관 정치 시대 (1653-59)

pro·tec·to·ry [prətéktəri] *n.* (*pl.* **-ries**) 소년 교도원

pro·tec·tress [prətéktris] *n.* PROTECTOR의 여성형

pro·té·gé [próutəʒèi, ⌐-⌐ | ⌐-⌐] [F =protected] *n.* (*fem.* **-gée** [~]) 피보호자, 피후견인

pro·teid [próuti:d, -tiid], **-te·ide** [-taid, -tiàid] *n.* =PROTEIN

__pro·tein__ [próuti:n, -tiin] [GK 「최초의 물질」의 뜻에서] *n.* ⓊⒸ 단백질

— *a.* 단백질의; 단백질을 함유한

pro·tein·ic [proutí:nik, -tiín-] *a.*

pro·tein·ase [próuti:nèis, -nèiz | -nèiz, -nèis] *n.* 〖생화학〗 프로테이나아제 《단백질 가수 분해 효소》

pro·tein·ate [próutənèit, -ti:-] *n.* 단백질 화합물

pró·tein-cal·o·rie malnutrìtion [próuti:n-kǽləri-] 단백질 칼로리 영양 실조

prótein clòck 〖생물〗 단백질 시계 《단백질 진화 속도를 조절하는 가설적 체내 기구》

prótein engineéring 〖생화학〗 단백질 공학 《단백질(효소)에 변이를 일으키는 유전자 공학의 일종》

pro·tein·oid [próutənɔ̀id, -ti:n-] *n.* 〖생화학〗 프로티노이드, 유(類)단백질

prótein sỳnthesis 〖생화학〗 단백질 합성

pro·tein·u·ri·a [pròutənjúəriə, -ti:n-] *n.* Ⓤ 〖의학〗 단백뇨(尿)

pro tem [prou-tém] *ad.* (구어) =PRO TEMPORE

pro tem·po·re [prou-témpəri] [L =for the time] *ad.* 임시로, 당분간, 일시적으로

pro·te·ol·y·sis [pròutiɑ́ləsis | -ɔ́l-] *n.* 〖생화학〗 단백질 가수 분해

pro·te·o·lyt·ic [pròutiəlítik] *a.* 단백질 가수 분해의

pro·te·ose [próutiòus] *n.* 〖생화학〗 프로테오스 《효소 등에 의한 단백질의 가수 분해 물질》

proter(o)- [prɑ́tə(rou), próu- | prɔ́t-] 《연결형》 「이전의; …보다 전의」의 뜻: *protero*type 《모음 앞에서는 proter-》

Prot·er·o·zo·ic [prɑ̀tərəzóuik, pròu- | pròu-] *n.*, *a.* 〖지질〗 원생대(原生代)(의)

‡**pro·test** [prətést, próutest | prətést] [L 「공중 앞에서 증인이 되다」의 뜻에서] *vt.* **1** (미) 〈…에 대해〉 항의하다, 이의를 제기하다: ~ low wages 저임금에 항의하다 / ~ a witness 증인에 대해 이의를 신청하다 **2** 항의하여[이의를 제기하여] 말하다: (~+***that*** 절) He ~*s that* he did no such thing. 그는

> **thesaurus** **protect** *v.* keep safe, save, safeguard, preserve, defend, shelter, secure, shield
> **protection** *n.* care, charge, keeping, defense, safety, shield, preservation, security

그런 일을 하지 않았다고 항변한다. **3 주장하다**; 단언하다; 증언하다, 맹세하고 말하다: ~ one's innocence 자기의 결백을 주장하다 // (~+*that* 절) Harold ~*ed that* he never stole a penny in his life. 해롤드는 평생토록 동전 한 푼 훔친 적이 없다고 단언했다. **4** 거절 증서를 작성하다; 〖상업〗 〈약속 어음 등의〉 지불을 거절하다

— *vi.* **1 항의하다**, 이의를 제기하다 《*against*》(⇨ object 유의어): (~+전+명) ~ *against* an action[a measure] 어떤 행동[조치]에 항의하다 **2** 주장하다, 확언하다 **3** 《고어》 말하다

— [próutest] *n.* **1** U.C **항의**, 이의의 제기 《*against, to; about*》: a ~ movement 항의 운동 / a ~ *against* increased taxation 증세에 대한 항의 / in ~ 항의하여 **2** 단언, 주장 **3** 〖상업〗 거절 증서 《약속 어음 등의》 **4** Ⓒ 항변서(抗辯書) **5** 〖스포츠〗 (심판 판정에 대한) 항의(서) **6** (영국 상원의 통과 의안에 대한) 소수 의견서 ***enter*** [***make, lodge***] ***a ~ with*** …에 항의하다 ***under ~*** 이의를 제기하여; 마지못하여 ***without ~*** 이의[항의] 없이

~·er, -tés·tor *n.* ▷ protestátion *n.*

∗**Prot·es·tant** [prɑ́təstənt | prɔ́t-] *n.* **1** 〖그리스도교〗 (개)**신교도**, 프로테스탄트 **2** [prətéstənt] [**p~**] 항의자, 이의를 제기하는 사람

— *a.* **1** 신교(도)[프로테스탄트]의 **2** [또는 《미》 prətéstənt] [**p~**] 항의하는, 이의를 제기하는

▷ Prótestantism *n.*; Prótestantize *v.*

Prótestant Epíscopal Chúrch [the ~] 미국 감독 교회, 미국 성공회

Prot·es·tant·ism [prɑ́təstəntìzm | prɔ́t-] *n.* **1** Ⓤ (개)신교(의 교리) **2** [집합적] (개)신교 교회; (개)신교도 **3** 프로테스탄트주의

Prot·es·tant·ize [prɑ́təstəntàiz | prɔ́t-] *vt., vi.* 프로테스탄트로 개종시키다; 신교도로 만들다[되다]

Prótestant Reformátion [the ~] 종교 개혁

Prótestant (**wórk**) **éthic** 프로테스탄티즘의 윤리 《근면·검약·노동의 성과를 강조함》

pro·tes·ta·tion [prɑ̀təstéiʃən, pròut-, -tes- | prɔ̀t-, pròut-] *n.* **1** Ⓤ 항의, 이의(의 제기), 불복 《*against*》 **2** U.C (…의) 언명, 단언, 확언 《*of, that* ...》

pro·test·ing [prətéstiŋ] *a.* 불복하는, 항의하는

~·ly *ad.* 항의하며[하듯]

Pro·te·us [próutiəs | -tju:s] *n.* **1** 〖그리스신화〗 프로테우스 《자유자재로 변신하고 예언의 힘을 가졌던 바다의 신》 **2** (외형·신조·성격이) 변화 무쌍한 것[사람], 변덕쟁이

pro·tha·la·mi·on [pròuθəléimiɑ̀n, -miən | -miən], **-mi·um** [-miəm] *n.* (*pl.* **-mi·a** [-miə]) 결혼 축가[축시]

pro·thal·li·um [prouθǽliəm] *n.* (*pl.* **-li·a** [-liə]) **1** 〖식물〗 전엽체(前葉體) 《고사리 등의》 **2** 종자식물의 유성 세대

pro·thal·lus [prouθǽləs] *n.* (*pl.* **-li** [-lai]) = PROTHALLIUM

proth·e·sis [prɑ́θəsis | prɔ́θ-] *n.* (*pl.* **-ses** [-sì:z]) U.C **1** 〖언어〗 첨두음(添頭音), 첨두자 《*s*plash, *s*queeze의 *s* 등》 **2** 〖그리스정교〗 성찬 식탁; 성찬 준비소 **3** [종종 **P~**] 〖고대그리스〗 (항아리 등에 그려진) 정장(正裝) 안치된 사자(死者)의 그림

pro·thet·ic [prəθétik] *a.*

pro·thon·o·tar·y [prouθɑ́nətèri, pròuθənóutəri | prouθɔ́nə-] *n.* (*pl.* **-tar·ies**) **1** (법원의) 수석 서기 **2** 〖가톨릭〗 교황청 서기장 **3** 〖그리스정교〗 Constantinople 총주교청 비서장

pro·tho·rác·ic glànd [pròuθərǽsik-] 〖곤충〗 전흉선(前胸線) 《곤충의 앞가슴에 있는 내분비선》

---

protest *v.* **1 항의하다** object to, oppose, complain about, demonstrate against **2 주장하다** declare, announce, profess, proclaim, assert, affirm, argue, attest, maintain, insist on

---

pro·tho·rax [prouθɔ́:ræks] *n.* 〖곤충〗 앞가슴 《첫째 가슴마디》

pro·throm·bin [prouθrɑ́mbin | -θrɔ́m-] *n.* Ⓤ 프로트롬빈 《혈액 속의 응혈소》

pro·tist [próutist] *n.* (*pl.* **~s, -tis·ta** [-tistə]) 〖생물〗 원생(原生)생물 《생물의 대분류상, 동·식물 다음가는 제3의 계(界)를 이룸》

pro·tis·tol·o·gy [pròutistɑ́lədʒi | -tɔ́l-] *n.* Ⓤ 원생생물학

pro·ti·um [próutiəm, -ʃiəm | -tiəm] *n.* Ⓤ 〖화학〗 프로튬 《수소의 동위 원소; 기호 H^1》

proto- [próutou, -tə] 《연결형》 「최초의; 원시의; 주요한」의 뜻: *proto*plasm, *proto*lithic

pro·to·ac·tin·i·um [pròutouæktíniəm] *n.* 〖화학〗 = PROTACTINIUM

pro·to·bi·ont [pròutoubáiɑnt | -ɔnt] *n.* 원시 생물 《태초의 유기체》

pro·to·chor·date [pròutoukɔ́:rdeit] *n., a.* 원색동물(原索動物)(의)

pro·to·col [próutəkɔ̀:l, -kɑ̀l, -kòul | -kɔ̀l] *n.* **1** Ⓤ (외교상의) 의전, 의례, 의식; Ⓒ [the P~] (프랑스 외무부의) 의전국 **2** 원안; 조약안(條約案); 의정서(議定書); 조서(調書) **3** (국가 간의) 협안; (협정·조약의) 첨부서 **4** (로마 교황의 교칙(敎勅) 등의) 정식문(定式文) **5** 프로토콜 《컴퓨터 상호간의 대화에 필요한 통신 규약》 **6** 〖의학〗 프로토콜 《과학적 연구·환자 치료를 실행하기 위한 계획》; 《주로 미》 실험 계획안[기록] **7** 〖철학〗 프로토콜 명제(= ~ **stàtement**[**sèntence**])

— *vt., vi.* (**~ed**; **~·ing** | **~led**; **~·ling**) 의정서[조서, 초안]를 작성하다

prótocol sùite 〖컴퓨터〗 프로토콜 슈트 《계층 구조로 이루어진 통신 규약들의 집합》

pro·to·con·ti·nent [pròutoukɑ́ntənənt | -kɔ́n-] *n.* 시원(始原) 대륙(supercontinent)

pro·to·derm [próutədə̀:rm] *n.* 〖식물〗 전표피(前表皮) 《생장점에 있는 분열 조직의 가장 바깥쪽 층》

pro·to·gal·ax·y [pròutougǽləksi] *n.* (*pl.* **-ax·ies**) 〖천문〗 (형성 중인) 원시 은하(계)

pro·to·gene [próutədʒì:n] *n.* 원(原)유전자 《유전자의 원형》

pro·to·his·to·ry [pròutouhístəri] *n.* Ⓤ 원사(原史) 시대 《선사와 역사 시대의 중간》

pro·to·hu·man [pròutouhjú:mən] *a.* 원인(原人)의[같은] — *n.* 원(시)인

Prot·o-In·do-Eu·ro·pe·an [próutouíndoujùərəpíən] *n., a.* 인도·유럽 어족의 공통기어(基語)(의)

pro·to·lan·guage [próutoulæ̀ŋgwidʒ] *n.* 〖언어〗 공통 기어(基語), 조어(祖語)

pro·to·lith·ic [pròutoulíθik] *a.* 〖고고학〗 원석기(原石器) 시대의

pro·to·mar·tyr [próutoumɑ̀:rtər] *n.* 최초의 순교자 《특기 Saint Stephen을 지칭》

pro·ton [próutɑn | -tɔn] *n.* 〖물리〗 양자, 프로톤(cf. ELECTRON) **pro·tón·ic** *a.*

pro·ton·ate [próutənèit] *vt.* 〖화학〗 〈분자·기·원자에〉 양자를 가하다

próton decáy 〖물리〗 양자 붕괴

pro·to·ne·ma [pròutəní:mə] *n.* (*pl.* **~·ta** [-tə]) 〖식물〗 (양치류·이끼류의) 원사체(原絲體)

próton nùmber = ATOMIC NUMBER

pro·ton·o·tar·y [proutɑ́nətèri | -tɔ́n-] *n.* (*pl.* **-tar·ies**) = PROTHONOTARY

próton sýnchrotron 〖물리〗 양자의 초고(超高) 에너지 가속 장치

pro·to·path·ic [pròutəpǽθik] *a.* 〖생리〗 〈피부 감각 등〉 원시적인, 원발성(原發性)의(opp. *epicritic*)

Pro·toph·y·ta [prətɑ́fətə | -tɔ́f-] *n. pl.* 〖식물〗 원생(原生)식물문(門)

pro·to·plan·et [próutəplæ̀nit] *n.* 〖천문〗 원시 행성

pro·to·plasm [próutəplæ̀zm] *n.* Ⓤ **1** 〖생물〗 원형질 **2** 세포질(cytoplasm)

prò·to·plas·mát·ic, prò·to·plás·mic *a.*
pro·to·plast [próutəplæ̀st] *n.* **1** 원생동물; 〖생물〗 원형질체(體)(protoplasm) **2** 원형(prototype), 원물(original) **3** 원인(原人), 원종(原種)
prò·to·plás·tic *a.*
pro·to·por·ce·lain [pròutoupɔ́:rsəlin] *n.* 프로토자기 《투광성(透光性) 없는 초기 자기》
pro·to·star [próutoustɑ̀:r] *n.* 〖천문〗 원시성 《항성으로 진화할 성간(星間) 가스나 먼지의 모임》
pro·to·stel·lar [pròutoustélər] *a.*
pro·to·stele [próutəstì:l, -stì:li] *n.* 〖식물〗 원생중심주
pro·to·stome [próutəstòum] *n.* 〖동물〗 선구(先口)동물 《발생 단계에서 원구(原口)가 그대로 입이 되고 항문이 뒤에서부터 생기는 동물》
pro·to·troph·ic [pròutətrɑ́fik, -tróufik | -trɔ́fik] *a.* **1** 독립[자가] 영양의 **2** 원(原)영양의
pro·to·type [próutətàip] *n.* **1** 원형(原型)(archetype); 견본, 전형; (후대 사물의) 선조, 원조(元祖): the ~ of a character (소설에서) 인물의 원형 **2** 〖생물〗 원형(原形)
—*vt.* …의 원형[견본]을 만들다
pró·to·tỳp·al, prò·to·týp·i·cal, prò·to·týp·ic *a.*
prot·ox·ide [proutɑ́ksaid, -sid | -tɔ́ksaid] *n.* 〖화학〗 초급(初級) 산화물
pro·to·xy·lem [pròutəzáiləm, -lem] *n.* 〖식물〗 원생 목(질)부(木(質)部) 《전형성층(procambium)에서 최초로 생기는 목부》
Pro·to·zo·a [pròutəzóuə] *n. pl.* 원생동물문(門)
pro·to·zo·an [pròutəzóuən] *n., a.* 원생동물(의)
pro·to·zo·ol·o·gy [pròutəzouɑ́lədʒi | -ɔ́l-] *n.* Ⓤ 원생동물학, 원충학(原蟲學)
pro·to·zo·on [pròutəzóuən, -ɑn | -ən] *n.* (*pl.* **-zo·a** [-zóuə]) = PROTOZOAN
pro·tract [proutræ̀kt, prə- | prə-] 〔L 「잡아늘이다」의 뜻에서〕 *vt.* **1** 〈시간을〉 오래 끌다, 길게 하다, 연장하다 **2** 〖해부〗 내뻗다, 내밀다 **3** 〖측량〗 (비례자(尺)에 맞추어) 확대하여 제도하다; (각도기로) 도면을 뜨다 **~·ed** [-id] *a.* 오래 끈[끄는]; 길게 연장된
protrácted méeting 〖그리스도교〗 일정 기간 계속되는 신앙 부흥 전도 집회
pro·trac·tile [proutræ̀ktil, -tail, prə- | prətræ̀ktail] *a.* 늘어나는, 늘일 수 있는, 내뻗은
pro·trac·tion [proutræ̀kʃən, prə- | prə-] *n.* **1** ⓊⒸ 오래 끌기, 내뻗음, 내밀기, 연장, 연기: the ~ of one's stay 체류의 연장 **2** (기관의) 신장(伸長); 돌출부 **3** (비례자에 맞춘) 확대 제도
pro·trac·tive [proutræ̀ktiv] *a.* 오래 끄는, 지연되는
pro·trac·tor [proutræ̀ktər, prə- | prə-] *n.* 오래 끄는 사람[것]; 〖측량〗 분도[각도]기; 〖해부〗 신근(伸筋); 〖외과〗 이물 적출기(摘出器)
*__pro·trude__ [proutrú:d, prə- | prə-] 〔L 「앞으로 내밀다」의 뜻에서〕 *vt.* 내밀다, 내뻗다, 튀어나오게 하다: ~ one's tongue 혀를 내밀다
—*vi.* 튀어나오다, 비어져 나오다 《*from*》: *protruding* teeth 뻐드렁니
▷ protrúsion *n.*; protrúsive, protrúdent *a.*
pro·tru·dent [proutrú:dnt | prə-] *a.* 튀어나온, 불쑥 나온
pro·tru·sile [proutrú:sail, -sil, prə- | prətrú:sail] *a.* 〖동물〗 (손발·달팽이 눈처럼) 내밀 수 있는
pro·tru·sion [proutrú:ʒən, prə- | prə-] *n.* **1** Ⓤ 내밀기; 돌출, 융기 《*of*》: the ~ *of* a jaw 턱의 돌출 **2** 돌출부, 융기부
pro·tru·sive [proutrú:siv, prə- | prə-] *a.* **1** 불쑥 내미는; 튀어나온, 돌출한 **2** 주제넘게 나서는
pro·tu·ber·ance, -an·cy [proutjú:bərəns(i), prə- | prətjú:-] *n.* **1** Ⓤ 돌기, 융기 **2** 혹, 결절 《*on*》 ***solar*** **~** 〖천문〗 (태양의) 홍염(紅焰)
pro·tu·ber·ant [proutjú:bərənt, prə- | prətjú:-] *a.* **1** 돌출[돌기]한, 융기한, 불룩 솟은 **2** 현저한, 뚜렷한
pro·tu·ber·ate [proutjú:bərèit, prə- | prətjú:-] *vi.* 융기하다, 솟아 오르다
pro·tyle [próutail], **-tyl** [-til] *n.* 원질(原質) 《옛날 화학에서 모든 원소의 근원 물질이라고 여겨졌던 것》
***__proud__ [práud] *a.* (cf. PRIDE *n.*) **1 a** 자존[자부]심이 있는, 긍지를 가진: 《~+*to* do》 He is too ~ *to* accept charity. 그는 자선을 받아들이기에는 자존심이 허락하지 않는다. **b** 거만한(haughty), 뽐내는, 잘난 체하는, 도도한 **2** 자랑으로 여기는 《*of*》; 영광으로 여기는; 마음에 흡족한, 득의양양한: the ~ father (훌륭한 아들 등을 가져) 자랑스러운 아버지 // 《~+*to* do》 Poets were ~ *to* be crowned with the laurel wreath. 시인들은 월계관을 쓰는 것을 영광으로 여겼다. // 《~+전+*-ing*》 《~+*that* 절》 He is ~ *of* be*ing*[*that* he is] of Dutch origin. 그는 네덜란드 출신임을 자랑으로 여긴다. **3** 〈일·물건이〉 자랑할 만한, 훌륭한, 장한, 당당한: ~ poverty 청빈(淸貧) **4** 식견 있는 **5** (주로 미남부) 기쁜: 《~+*to* do》 I am ~ *to* meet you. 만나서 반갑습니다. **6** (시어) 〈말 등이〉 기운이 넘치는 **7** 〈강·호수 등이〉 물이 불은, 증수[범람]한 **8** (폐어) 용감한(brave)
(*as*) ~ *as Punch*[*a peacock, a turkey*] 득의양양하여, 크게 자랑하여
—*ad.* [다음 성구로] ***do*** a person **~** (구어) …을 매우 기쁘게 하다, 만족하게 하다, 면목을 세워주다; …을 환대하다 ***do*** one***self*** **~** 훌륭하게 행동하다, 멋들어지게[사치스럽게] 살다
~·ly *ad.* **~·ness** *n.* ▷ príde *n.*
próud flésh (상처가 나을 때 그 주위에 생기는) 새살, 육아(肉芽)
proud·ful [práudfəl] *a.* (주로 미남부) 자랑스러운; 자부심으로 가득찬
proud·heart·ed [práudhɑ̀:rtid] *a.* 거만한, 오만한 **~·ly** *ad.*
prov. proverb; providence; provident; province; provincial(ly); provincialism; provisional; provost **Prov.** Provençal; Provence; Proverbs; Providence; Province; Provost
prov·a·ble [prú:vəbl] *a.* 증명할 수 있는, 입증할 수 있는 **-bly** *ad.*
***__prove__ [prú:v] 〔L 「시험하다」의 뜻에서〕 *v.* (**~d**; **~d, prov·en** [prú:vən]) *vt.* **1** (증거·논증 등으로) 입증[증명]하다; [~ one*self*로] 자기가 …임을 입증[증명]하다: 《~+*that* 절》 How can you ~ the truth of what he says[*that* what he says is true]? 그의 말이 사실이라는 것을 어떻게 증명할 수 있는가? // 《~+목+(*to be*) 보》 ~ *oneself* (*to be*) worthy of confidence 신뢰할 만한 인물임이 입증되다 / He ~*d himself* (*to be*) a capable businessman. 그는 유능한 사업가임을 입증했다. / This letter ~*s* him *to be* still alive. 이 편지를 보니 그가 아직 살아 있음을 알 수 있다. **2** 〈성질·정확성 등을〉 시험하다, 실험하다, 〈기재(器材)를〉 시험해 보다: ~ a new rifle 새 총을 시험해보다 / ~ one's courage 용기를 시험하다 **3** 〖법〗 (유언의) 검증(檢證)을 받다, 검인(檢認)하다 **4** (화학적으로) 분석하다 **5** 〖수학〗 검산(檢算)하다; 〈가설·정리를〉 증명하다: ~ a sum 검산하다 **6** 〖인쇄〗 교정쇄(刷)를 박아 내다 **7** 〈반죽을〉 부풀리다, 발효시키다
—*vi.* **1** …임이 알려지다, …으로 판명되다(turn out): 《~+(*to be*) 보》 It ~*d* (*to be*) insufficient. 그것은 불충분하다는 것이 드러났다. **2** 〈빵·케이크 등

thesaurus **proud** *a.* **1** 자존심 있는 dignified, self-respecting, independent **2** 거만한 arrogant, haughty, self-important, disdainful, conceited, egotistical, boastful, scornful **3** 득의양양한 appreciative, satisfied, pleased, delighted, content
prove *v.* **1** 입증하다 demonstrate, verify, validate, authenticate, confirm, turn out **2** 시험하다 test, examine, check, analyze, try out, put to trial

이〉 알맞게 부풀다 **3** 《고어》 시험하다
~ *out* 《주로 미》 (1) (*vi.*) 희망[기대, 계획]대로 되다; 잘 되어가다 (2) (*vt.*) 〈물건의 성능 등을〉 확인하다; 철저하게 조사하다 **~ *up*** (1) (*vi.*) 잘 되어 가다; 《미》 (…의) 증거를 제시하다; 〈어떤 요구권을 얻을〉 권리를 입증하다 (2) (*vt.*) 〈광맥 등의 순도를〉 테스트하다; 〈유전·광맥의 존재·매장량을〉 확인하다; (증명해서) 손에 넣다 ▷ próof *n.*

próved resérves[**resóurces**] [prú:vd-] 확정 광량(鑛量), 확정[확인] 매장량

prov·en [prú:vən] *v.* 《미·고어》 PROVE의 과거분사 ★ 주로 법률 용어: 《미》에서는 proved 대신에 쓰이기도 함. **—*a.*** Ⓐ 증명된 ***not*** **~** 〖스코법〗 증거가 불충분한 **~·ly** *ad.*

prov·e·nance [prάvənəns, -nὰ:ns | prɔ́vənəns] *n.* Ⓤ 《문어》 (예술 작품 등의 소유자 계보의) 기원, 유래, 출처 《*of*》

Pro·ven·çal [pròuvənsά:l, prὰv- | prɔ̀vα:n-] *n.* **1** 프로방스 사람 **2** Ⓤ 프로방스 말 《略 Pr.》
—*a.* **1** Provence의 **2** 프로방스 사람[말]의

Pro·vence [prəvά:ns] *n.* 프로방스 《프랑스 남동부의 옛 주(州)》

prov·en·der [prάvəndər | prɔ́v-] *n.* Ⓤ **1** 여물 《주로 건초와 갈아서 바순 곡물》 **2** 《구어·익살》 음식물
—*vt.* …에게 여물을 주다

pro·ve·ni·ence [prouví:njəns, -niəns | prə-, prou-] *n.* 《주로 미》 = PROVENANCE

pro·ven·tric·u·lus [pròuventríkjuləs] *n.* (*pl.* **-li** [-lài, -lì:]) 〖동물〗 (새·곤충의) 전위(前胃), (지렁이의) 소낭, 멀떠구니, 위

pro-verb [próuvə̀:rb] *n.* 〖문법〗 대동사(⇨ do[1])

‡prov·erb [prάvə:rb | prɔ́v-] [L 「앞의 말」의 뜻에서] *n.* **1** 속담, 격언, 금언, 교훈

> 유의어 **proverb** 일반적인 말로 충고·경고 등을 넣은 짧은 격언 **saying** 세상에서 흔히 하는 말로서, 진리를 간결하게 나타낸 것 **maxim** 짧은 처세훈적인 것

2 a 저명한 것, 정평 있는 사람[것] **b** 이야깃거리, 웃음거리 **3** 〖성서〗 비유, 수수께끼 **4** [the P~s] 〖성서〗 잠언 《구약 성서의 한 편; 略 Prov.》 **5** 속담극(劇); [*pl.*] 속담 맞추기 《놀이의 일종》
as the ~ goes[***runs, says***] 속담에 이른바 ***pass into a ~*** 속담이 되다; 소문거리가 되다, 웃음거리가 되다 ***to a ~*** 유명하게 될[소문날] 정도로: He is punctual *to a* ~. 그는 정평이 날 정도로 시간을 잘 지킨다.
—*vt.* 속담으로 표현하다; 속담거리로 삼다
▷ provérbial *a.*

***pro·ver·bi·al** [prəvə́:rbiəl] *a.* **1** 속담의; 속담에 있는, 속담 같은: a ~ phrase[saying] 속담 **2** 유명한, 잘 알려진(well-known), 소문난: the ~ London fog 유명한 런던의 안개
~·ist *n.* 속담을 잘 인용하는 사람; 속담을 만드는 사람; 속담 연구가 **~·ly** *ad.*

‡pro·vide [prəváid] *v.*

> L 「앞을 보다」의 뜻에서
> 「(장래를 보고) 대비하다」 ㉶ **1** → 「공급하다」 ㉸ **1**

—*vt.* **1** 〈사람에게 필요한 물건을〉 대주다, 공급하다, 지급하다(supply), 제공하다 《*with, for,* 《미》 *to*》; …을 장치하다 《*with*》: ~ oneself 스스로 마련하다 / ~ a replacement or a refund 교환이나 환불을 해주다 // (~+목+전+명) ~ a person *with* something = ~ something *for*[*to*] a person …에게 …을 공급하다

> 유의어 **provide** 필요한 것을 미리 준비해 두고 공급하다 **supply** 부족한 것 또는 필요한 것을 보급하다: *supply* a community with electricity 한 지역에 전력을 공급하다 **equip** 특정한 목적에 필요한 도구·장치 등을 갖추다: *equip* an office with computers 사무실에 컴퓨터를 갖추다

2 준비하다, 대비하다 《*for, against*》: (~+목+전+명) ~ food *for* a voyage 항해를 위해 식량을 준비하다 **3** 〖법〗 〈법률·협정 등이〉 규정하다: (~+***that*** 절) It is ~*d that* the papers (should) be typed. 서류는 타자 치도록 규정되어 있다. // (~+목+전+명) The rules are ~*d in* the law. 규칙은 법률로 규정되어 있다. **4** 〖역사〗 임명하다; 〖그리스도교〗 (자리가 비기 전에) 성직자로 지명하다 《*to*》
—*vi.* **1** (미리) 준비하다, 대비하다 《*for, against*》: (~+전+명) ~ *for* old age 노후에 대비하다 / ~ *against* danger[a rainy day] 위험[만약의 불행]에 대비하다 / ~ *for*[*against*] contingencies 만일의 사태에 대비하다 **2** 예방 수단을 취하다 《*against*》 **3** 〖법〗 **a** 〈법률·규정 등이〉 규정하다 《*for*》 ★ 수동형 가능. **b** 〈법률·규정 등이〉 금지하다 《*against*》 **c** 고려[참작]하다 《*for*》 **4** 부양하다, 원조하다; 필수품을 공급하다, 조달하다 《*for*》: (~+전+명) ~ *for* one's family 가족을 부양하다
be ~d with …의 설비가 있다; …을 가지고 있다
▷ provísion *n.*; próvident *a.*

***pro·vid·ed** [prəváidid] *conj.* …을 조건으로 하여 《*that...*》, 만일 …이라면(if)
USAGE 가정의 뜻은 없고 if보다 문어적이며 조건이 충족되었을 경우를 전제로 함. providing처럼 that를 취하는 수도 있음: I will come ~ (*that*) I am well enough. 건강이 괜찮으면 오겠습니다.
—*a.* 준비된, 제공[공급]된; 규정[규약]된; 예비의

províded schóol 《영》 지방의 공립 초등학교

***prov·i·dence** [prάvədəns | prɔ́v-] [L 「예견」의 뜻에서] *n.* ⓊⒸ **1** [종종 **P~**] 섭리(攝理), 신의 뜻; 천우(天佑): a special ~ 천우(天佑) / the *P*~ of God 신의 섭리 **2** [**P~**] 신, 하느님: visitation of *P*~ 불행, 재앙 **3** 《고어》 절약, 검약 **4** 선견지명(先見之明), 조심 **5** 《드물게》 대비, 예비, 준비: make ~ 준비하다
▷ providéntial *a.*

prov·i·dent [prάvədənt | prɔ́v-] *a.* **1** 선견지명이 있는; 신중한, 조심스러운; (…의) 준비를 잊지 않는 《*of*》 **2** 검소한, 절약하는 《*of*》 **~·ly** *ad.*

próvident clùb 《영》 (대형 점포·통신 판매 조직 등의) 분할불 방식에 의한 판매 조직

prov·i·den·tial [prὰvədénʃəl | prɔ̀v-] *a.* **1** 신의, 섭리의, 신의 뜻에 의한 **2** 행운의, 운 좋은 **~·ly** *ad.*

próvident socìety **1** 공제 조합(friendly society) **2** = PROVIDENT CLUB

pro·vid·er [prəváidər] *n.* **1** 공급자; 준비자, 설비자: an Internet service ~ 인터넷 서비스 공급자 **2** [보통 수식어와 함께] 가족 부양자: a good ~ 가족에게 윤택한 생활을 시키는 사람
lion's ~ 남의 앞잡이; 〖동물〗 = JACKAL ***universal ~*** 잡화상인; 만물상

***pro·vid·ing** [prəváidiŋ] *conj.* = PROVIDED

‡prov·ince [prάvins | prɔ́v-] *n.* **1** [the ~s] 지방, 시골 ★ 영국에서는 London 이외의 전국: Seoul and *the* ~*s* 수도 서울과 지방 **2** (행정 구역으로서의) 주(州), 성(省), 현(縣), 도(道) **3** 〖그리스도교〗 (교회·수도회의) 관구(管區) **4** (학문·활동의) 범위, 영역, 분야; 직분, 본분: the ~ of physics 물리학 분야 **5** 〖생물〗 (동

---

proverb *n.* saying, adage, maxim, aphorism, gnome, dictum, apothegm
provide *v.* furnish, supply, equip, accommodate, outfit, give, offer, present, lend, afford
providence *n.* God's will, divine intervention, destiny, fate, fortune
province *n.* **1** 지방 state, territory, region, area, district **2** 분야 field, business, charge, concern

식물 분포구의) 지방 **6** [the P~s] 《속어》 영령(英領) 식민지 《영령 캐나다·독립전 미국의 일부 지방》 **7** 〖로마사〗 속주(屬州) 《고대 로마의 지배를 받던 국외의 토지》, 태수 관구(太守管區) ***be within*** [***outside***] one***'s*** ~ 자기의 본분[전문 분야, 권한]이다[밖이다]
▷ províncial *a.*

*****pro·vin·cial** [prəvínʃəl] *a.* **1** (수도에 대하여) **지방의**, 시골의, 지방민의: ~ newspapers 지방 신문 / ~ taxes 지방세 **2** Ⓐ 주[성]의, 도(道)의, 영토의 **3** 지방적인, 지방 특유의: ~ customs 지방 관습 **4** 시골풍의; 편협한, 옹졸한; 조야한: a ~ point of view 편협한 견해 **5** 관구의 **6** [종종 **P~**] 〖미술〗 〈가구·건축 능이〉 지방 양식의 **7** 〖미국사〗 (독립전 북미) 영령(英領) 식민지의 **8** 〖그리스도교〗 교회 관구의
— *n.* **1** 지방인, 지방민; 시골뜨기; 편협한 사람 **2** 〖그리스도교〗 관구장; 대교구장 **~·ly** *ad.*
▷ próvince, provinciálity *n.*; províncialize *v.*

pro·vin·cial·ism [prəvínʃəlìzm] *n.* **1** Ⓤ 지방 기질, 시골 근성, 편협, 무지, 조야: deep-rooted ~ 뿌리 깊은 지역주의 **2** ⓊⒸ 지방적 특질[관습], 지방색, 시골티 **3** 사투리, 방언 **4** 〖정치〗 지방 이익 우선주의

pro·vin·cial·ist [prəvínʃəlist] *n.* 지방의 주민; 지방 제일주의자

pro·vin·ci·al·i·ty [prəvìnʃiǽləti] *n.* (*pl.* **-ties**) = PROVINCIALISM

pro·vin·cial·ize [prəvínʃəlàiz] *vt., vi.* 지방적으로 만들다; 시골풍[시골뜨기]으로 만들다[되다]; 편협하게 만들다

próv·ing gròund [prú:viŋ-] 《미》 (장비 등의) 성능 시험장, 실험장: an atomic weapons ~ 원자력 무기 실험장

pro·vi·rus [próuvàirəs] *n.* 〖세균〗 프로바이러스 《숙주 세포 내에 있으면서 세포에 해를 주지 않는 세포》

‡pro·vi·sion [prəvíʒən] *n.* **1** 〖법〗 **조항**, 규정, 조관(條款): the ~*s* in a will 유언장의 조항 / an express ~ (법적) 명문(明文) **2** (음식물 같은 필수품의) 공급, 지급, 제공; 지급량 《*of*》: the ~ *of* necessities 필수품의 공급 **3** Ⓤ (장래에 대한) **준비**, 예비, 설비 《*for, against*》: an educational ~ 교육 설비 **4** [*pl.*] **식량**, 양식, 음료, 식료품; 저장품: lay up[in] ~*s* 양식을 저장하다 **5** [*pl.*] (세금 신고시 회계상의) 유보, 공제 **6** Ⓤ 〖그리스도교〗 성직 서임(敍任)
— *vt.* …에게 양식을 공급하다
make ~ 준비하다 《*for*》: *make* no ~ *for* extra attendees 추가 참가자에 대한 준비를 하지 않다 ***run out of*** [***short of***] **~*s*** 식량이 떨어지다
~·er *n.* 식량 담당자 ▷ províde *v.*

*****pro·vi·sion·al** [prəvíʒənl] *a.* **1 일시적인**, 잠정적인, 가(假)…, 임시의; 시험적인, 조건부의, 단서가 붙은: a ~ budget 잠정 예산 / a ~ disposition[treaty] 가처분[가조약] / a ~ government 임시 정부 **2** [**P~**] 아일랜드 공화국군(IRA)의 과격파의
— *n.* **1** 임시 우표 **2** [**P~**] 아일랜드 공화국군의 과격파 **~·ly** *ad.*

provísional lícence 《영》 (자동차의) 임시 면허증(《미》 learner's permit)

pro·vi·sion·ar·y [prəvíʒənèri | -ʒənəri] *a.* = PROVISIONAL

provísion mérchant 식료품 상인(grocer)

pro·vi·so [prəváizou] *n.* (*pl.* **~(e)s**) **1** (법령·조약 등의) 단서(但書) **2** 조건 ***I make it a ~ that ...*** …을 조건으로 하다 ***with*** (***a***) **~** 조건부로

pro·vi·sor [prəváizər] *n.* **1** 〖그리스도교〗 (전임자의 퇴직 전에) 성직 후임자에 임명된 사람 **2** (군대·교회 등의) (식량) 조달자 **3** 〖가톨릭〗 (대(大))주교 대리

pro·vi·so·ry [prəváizəri] *a.* **1** 조건부의: a ~ clause 단서 **2** 일시적인, 잠정적인

pro·vi·ta·min [prouváitəmin] *n.* 〖생화학〗 프로비타민 《체내에서 비타민으로 변하는 물질》

pro·vo [próuvou] [F=*provo*cateur] *n.* [종종 **P~**] 네덜란드·독일 등 유럽 국가의 과격 청년파

Pro·vo [próuvou] [*pro*visional] *n.* (*pl.* **~s**) 아일랜드 공화국군(IRA)의 급진파(Provisional)

pro·vo·ca·teur [prəvɑ̀kətə́:r, -túər | -vɔ̀k-] [F] *n.* (*pl.* **~s**) 선동가(agitator); (경찰의) 앞잡이 (= agent ~)

*****prov·o·ca·tion** [prɑ̀vəkéiʃən | prɔ̀v-] *n.* Ⓤ **1 도발**, 자극; (완곡적) 반대[독자] 의견의 표명 **2 a** 화나게 함 **b** Ⓒ 화나게 하는 것 **3** 〖법〗 도발 《격정에 의해 예상치 못한 살인을 불러 일으키는 원인이 되는 말이나 행위》 ***feel*** ~ 성내다 ***give*** ~ 화나게 하다 ***under*** ~ 성이 나서, 부아가 치밀어
▷ provóke *v.*; provócative *a.*

*****pro·voc·a·tive** [prəvɑ́kətiv | -vɔ́k-] *a.* **1 성나게 하는**, 도발하는, 약올리는: ~ remarks 도발적인 말 **2** (성적으로) 자극하는; 도발하는; 자극성의: a ~ glance 자극적인 눈길 **3** (호기심을) 불러 일으키는, (흥미를) 유발시키는 《*of*》: be ~ *of* curiosity 호기심을 불러 일으키다
— *n.* 도발하는[화나게 하는] 것; 자극; 흥분제
~·ly *ad.*

‡pro·voke [prəvóuk] [L 「불러내다」의 뜻에서] *vt.* **1** 〈사람·동물을〉 **화나게 하다**(vex); 약올리다: Don't ~ the dog. 그 개를 약올리지 마라. // 《~+목+전+명》 He was ~*d out of* patience. 그는 화가 나서 참을 수 없었다. **2** 〈감정·욕망 등을〉 **불러 일으키다**: ~ indignation[a laugh] 분노[웃음]를 자아내다 **3 자극하여 …시키다**; 〈사건·사태 등을〉 야기하다, 유발하다; 선동하다: ~ a riot 폭동을 선동하다 // 《~+목+전+명》 ~ a person *to* fury …을 격분시키다 // 《~+목+***to*** do》 He was ~*d to* write a poem. 그는 시흥이 나서 시를 썼다. **pro·vók·er** *n.*
▷ provocátion *n.*; provócative *a.*

pro·vok·ing [prəvóukiŋ] *a.* 《문어》 자극하는; 약오르는, 짜증나는 **~·ly** *ad.*

pro·vo·lo·ne [pròuvəlóuni] *n.* Ⓤ 프로볼로네 《딱딱하고 옅은 빛깔의 훈제한 이탈리아 치즈》

pro·vost [próuvoust, prɑ́vəst | prɔ́vəst] *n.* **1** 총괄적인 것을 담당하는 사람, 장관, 감독관 **2 a** (영국 대학, 특히 Oxford, Cambridge의) 학료장, 학장 **b** (미국 대학의) 교무처장 **3** 〖교회〗 주임 사제, 성당 참사회장; 〖가톨릭〗 교무원장, 수도원장(dean); (독일의 도시의 신교 교회의) 목사 **4** 《스코》 시장(mayor) **5** = PROVOST MARSHAL **~·shìp** *n.* Ⓤ provost의 직

próvost cóurt 군사 재판소 《점령지에 두는》

próvost guárd 《미》 헌병대

próvost márshal 〖육군〗 헌병 사령관; 〖해군〗 미결감장(未決監長)

próvost òfficer 헌병

próvost sèrgeant 헌병 하사관

prow¹ [práu] *n.* **1** 뱃머리(bow), 이물 **2** (비행기의) 기수(機首) **3** 《시어》 배(ship)

prow² *a.* 《고어》 용맹스러운, 용감한(brave)

*****prow·ess** [práuis] *n.* Ⓤ 《문어》 **1** (특히 전장에서의) **용기**, 무용(武勇), 용맹(=military ~); 용감한 행위: a soldier of no mean ~ 용맹무쌍한 병사 **2** 훌륭한 솜씨 《*at, in*》

*****prowl** [prául] *vi.* (먹이를) **찾아 헤매다**, (훔칠 기회를 노려) 어슬렁거리다, 배회하다(wander) 《*about*》: 《~+전+명》 ~ *after* one's prey 먹이를 찾아 헤매다
— *vt.* **1** 배회하다: He ~*ed* the streets for hours. 그는 몇 시간이고 거리를 헤맸다. **2** 《미·속어》 (총을 가졌는지) 옷을 더듬어 찾다
— *n.* 배회, 어슬렁거리기, 찾아 헤매기
be [***go***] ***on the*** ~ (훔칠 기회를 노리고) 배회하다
take a ~ 배회하다

thesaurus **provision** *n.* **1** 규정 stipulation, terms, condition, requirement, specification, clause, qualification, restriction, limitation **2** 준비 preparation, plan, arrangement, precaution
provoke *v.* **1** 화나게 하다 irritate, vex, anger,

prówl càr 《미》 (경찰의) 순찰차(squad car)
prow·ler [práulər] *n.* **1** 배회하는 사람[동물] **2** 부랑자; 빈 집을 노리는 도둑 《등》
prox. proximo **prox. acc.** *proxime accessit* 《L = he came very near (the winner)》
prox·e·mics [praksí:miks | prɔk-] *n. pl.* **1** [단수 취급] 근접학(近接學) 《인간과 문화적 공간의 관계를 연구함》 **2** 〖언어〗 공간학, 전달 공간론 《어떤 문화의 커뮤니케이션 장(場)에서 공간적 위치·거리·장단이 완수하는 상징적 역할을 연구》
Próx·i·ma Centáuri [práksəmə- | prɔ́k-] 〖천문〗 켄타우루스(Centaurus)자리의 프록시마성(星) 《태양에서 가장 가까운 항성》
prox·i·mal [práksəməl | prɔ́k-] *a.* **1** 〖해부·식물〗 (신체·식물의 중앙[기부(基部)]에) 가까운 쪽의(opp. *distal*) **2** 가장 가까운, 인접하는 **~·ly** *ad.*
prox·i·mate [práksəmət | prɔ́k-] *a.* **1** 〈순서·발생 등이〉 가장 가까운, 직전[직후]의; 직접의 **2** 가까운, 근사한(approximate): the ~ cause 근인(近因) **3** 꽤 정확한 **~·ly** *ad.*
prox·i·me ac·ces·sit [pràksimi-æksésit, -əksí:sit] [L] (시험·경쟁 등의) 차점자, 차석: I was [got a] ~. 차점자가 되었다
prox·im·i·ty [praksíməti | prɔk-] *n.* Ⓤ 《문어》 (장소·시간·관계 등의) (…에) 근접, 접근 《*of, to*》 ***in close ~*** 아주 근접하여 ***in the ~ of*** a town (도시) 부근에 ***~ of blood*** 근친(近親)
proxímity fùze[fùse] 근접 전파 신관(信管) 《탄환의 두부에 장치한 전파 신관; 목표물에 근접하면 폭발함》
proxímity tàlks 근거리 외교 《근접한 장소에 있는 당사자 사이를 중개자가 오가며 추진하는 외교 교섭》
prox·i·mo [práksəmòu | prɔ́k-] *ad.* 다음 달의 《略 prox.》: on the fifth *prox.* 다음 달 5일에 ★ 상업문 등에 쓰였으나 지금은 on the 5th of next month 또는 다음 달 이름을 씀(cf. ULTIMO, INSTANT *a.* 4)
prox·y [práksi | prɔ́k-] *n.* (*pl.* **prox·ies**) **1** Ⓤ 대리 (행위); 대리권; 대리 투표: vote by ~ 대리로 투표하다 **2 a** 위임장 **b** 대리인 ***be*** [***stand***] ***~ for*** …의 대리가 되다; …의 대용이 되다 ***by*** [***per***] ~ 대리인으로서
próxy fight[bàttle] 〖증권〗 (주주 총회의) 위임장 쟁탈전
próxy màrriage 대리[위임] 결혼 《당사자의 허락을 받은 대리인과의》
próxy sèrver 〖컴퓨터〗 프록시 서버 《LAN내 단말기로부터의 요구에 따라 WAN으로의 접근을 대행하는》
próxy wàr 대리 전쟁, 대리전
Pro·zac [próuzæk] *n.* 프로잭 《우울증 치료제; 상표명》
prs. pairs **P.R.S.** President of the Royal Society **PRT** petroleum revenue tax **prtd.** printed **prtg.** printing
prude [prú:d] *n.* (남녀 관계에서) 얌전한 체하는 여자, 숙녀연하는 여자(opp. *coquette*)
∗**pru·dence** [prú:dns] *n.* Ⓤ **1** 신중, 사려 분별, 조심, 빈틈없음: with ~ 조심해서 **2** 검약, 절약 **3** (이익에 대한) 타산 ***in common ~*** 당연한 조심성으로서 ▷ prúdent, prudéntial *a.*
⁑**pru·dent** [prú:dnt] [L 「예견하다」의 뜻에서] *a.* **1** 신중한(cautious), 조심성 있는, 세심한; 분별 있는, 현명한: a ~ man 신중한 남자 **2** 빈틈없는, 타산적인(self-interested) **3** 검약하는, 알뜰한 **~·ly** *ad.* ▷ prúdence *n.*; prudéntial *a.*
pru·den·tial [pru:dénʃəl] *a.* **1** 《문어》 (특히, 업무 등에) 신중한, 세심한; 분별 있는, 만전을 기하는 **2** 《미》 자문의, 고문의: a ~ committee (교회·학교 등의) 자문 위원회 **—*n.*** **1** [*pl.*] 신중한 고려, 신중을 요하는 일 **2** 《미》 신중하게 다뤄야할 행정[재정]상 사안 **~·ìsm** *n.* Ⓤ 신중히 함, 무사주의 **~·ist** *n.* 신중한[세심한] 사람 **~·ly** *ad.*

annoy, incense, enrage, exasperate, infuriate, madden, irk, insult **2** 자극하여 …시키다 stir, arouse, incite, move, motivate, excite, stimulate
prudent *a.* cautious, careful, discreet, wary, vigilant, heedful, wise, shrewd, sensible

prud·er·y [prú:dəri] *n.* (*pl.* **-er·ies**) **1** Ⓤ 숙녀인 체함 **2** [*pl.*] 얌전 빼는 말[행위]
prud·ish [prú:diʃ] *a.* 숙녀인 체하는, 얌전 빼는, 새치름한 **~·ly** *ad.* **~·ness** *n.*
pru·i·nose [prú:ənòus] *a.* 〖식물·동물〗 흰 가루로 뒤덮인, 서리에 덮인(것 같은)
∗**prune**[1] [prú:n] *vt.* **1** 〈쓸데없는 가지를〉 치다, 〈나무를〉 전지하다; 〈가지를〉 잘라내다 《*away, off, down*》: 《~+목+부》 ~ *away* the ragged edges of the bush 관목의 삐쭉삐쭉 나온 가지 끝을 치다 **2** 〈불필요한 부분을〉 제거하다; 〈비용을〉 절약하다; 〈문장 등을〉 간결하게 하다 《*away, down*》 **3** = PREEN[1]
∗**prune**[2] [prú:n] *n.* **1** 말린 자두 **2** Ⓤ 짙은 자줏빛 **3** 《속어》 얼간이, 바보; 불쾌한 사람 ***full of ~s*** 《속어》 〈말·사람이〉 건강한, 활기 있는; 《미·속어》 얼간이인, 당치도 않은, 헛소리만 하는 ***~s and prism***(***s***) 점잔 빼는 말투[태도]
pruned [prú:nd] *a.* 《미·속어》 술 취한
pru·nel·la [pru:nélə | pru-, pru:-] *n.* Ⓤ 프루넬라 《(1) 전에 변호사 등의 가운에 쓴 견[모]직물 (2) 능직 모직물 (3) 여자 구두 상피로 쓴 두꺼운 모직물》
prun·er [prú:nər] *n.* 가지치는 사람[도구]; [*pl.*] = PRUNING SHEARS
prun·ing [prú:niŋ] *n.* ⓊⒸ (나무 등의) 가지치기, 전지, 전정(剪定)
prúning hòok 가지치는 낫, 전지용 낫
prúning knìfe 전지용 칼
prúning shèars[scìssors] 전지 가위
pru·no [prú:nou] *n.* 《미·속어》 발효시킨 주스 《말린 자두·건포도·우유·설탕을 혼합한》
pru·ri·ent [prúəriənt] *a.* (병적) 호색의, 음란한; 외설한; 《드물게》 열망하는 **prú·ri·ence, -en·cy** [-əns(i)] *n.* Ⓤ 호색, 색욕; 열망 **~·ly** *ad.*
pru·rig·i·nous [pruərídʒənəs] *a.* 〖병리〗 양진(痒疹)의[같은]; 양진에 걸린, 가려운
pru·ri·go [pruəráigou] *n.* Ⓤ 〖병리〗 양진
pru·rit·ic [pruərítik] *a.* 소양증의[을 일으키는]
pru·ri·tus [pruəráitəs] *n.* Ⓤ 〖병리〗 가려움(증), 소양(증)
Purs(s). Prussia(n)
∗**Prus·sia** [prʌ́ʃə] *n.* 프로이센 《독일 북부의 주; 옛 왕국(1701-1918)》
∗**Prus·sian** [prʌ́ʃən] *a.* **1** 프로이센의; 프로이센 사람[말]의 **2** 프로이센식의, 훈련[규율]이 엄격한 **—*n.*** 프로이센 사람; Ⓤ 프로이센 말 **~·ìsm** *n.* Ⓤ 프로이센주의[정신] 《Bismarck 식의 군국주의》
Prússian blúe 감청(紺靑), 감청색; 감청색 안료
Prússian brówn 감청에서 얻은 갈색 안료
prus·sian·ize [prʌ́ʃənàiz] *vt.* [때로 **P~**] 프로이센식으로 하다; 군국주의화하다 **prùs·sian·i·zá·tion** *n.*
prus·si·ate [prʌ́ʃièit, -ət, prʌ́s- | prʌ́ʃiət] *n.* 〖화학〗 시안화물(化物), 청산염(靑酸鹽)
prus·sic [prʌ́sik] *a.* 감청의; 〖화학〗 청산의
prússic ácid 〖화학〗 청산(靑酸)
pru·ta(h) [pru:tá:] *n.* (*pl.* **-tot(h)** [-tɔ́:]) **1** (1948년 제정한) 이스라엘 공화국의 화폐 단위 《$^1/_{1000}$ 파운드; 1960년 이후는 agora》 **2** 그 단위의 주화(鑄貨)
∗**pry**[1] [prái] *vi.* (**pried**) **1** 엿보다(peep), 탐색하다, 동정을 살피다 《*into, about*》; 파고들다, 꼬치꼬치 캐다 《*into*》: 《~+전+명》 ~ *into* the affairs 남의 일을 꼬치꼬치 캐다 **2** 엿보고 다니다
—*n.* **1** 엿보기; 꼬치꼬치 캐기; 탐색 **2** 캐기[엿보기] 좋아하는 사람
pry[2] *vt.* (**pried**) 《미·캐나다》 **1** 지레로 들어올리다[움직이다](prize) 《*off, up*》: 《~+목+부》 ~ *off* the top of a box 상자 뚜껑을 비틀어 열다 / ~ *up* a stone with a lever 지레로 돌을 들어올리다 **2** 〈돈·비밀 등을〉 알아내다 《*out of, from*》; 《비유》 (…을

…에서) 떼어놓다 《*from*》: ~ a secret *out of* a person …에게서 비밀을 알아내다 ~ ***open*** 비집어 열다 **—** *n.* (*pl.* **pries**) 지레(lever); Ⓤ 지레의 작용

pry·ing [práiiŋ] *a.* **1** (호기심을 가지고) 엿보는, 살피는 **2** 캐기 좋아하는(⇨ curious 유의어)

ps phrase structure; polystyrene; power steering; 〖연극〗 prompt side **PS** Passenger Steamer; Permanent Secretary; Police Sergeant; postscript; power supply; private secretary; Privy Seal; Public School **ps.** pieces; pseudonym **Ps., Psa.** Psalms **PSA** (영) Property Services Agency; (뉴질) Public Service Association

‡**psalm** [sɑ́:m] *n.* **1** 찬송가, 찬미가, 성가(hymn), 성시 **2 a** [**P~s**; 단수 취급] 〖성서〗 시편(the Book of Psalms = the Psalms of David) **b** [the P~s] (시편 중의) 성가 ▷ psalmódic *a.*

psalm·book [sɑ́:mbùk] *n.* 기도문; (고어) = PSALTER 1

psalm·ist [sɑ́:mist] *n.* 찬송가 작자; 시편 작가; [the P~] 다윗왕

psal·mo·d·ic [sɑ:mɑ́dik, sæl- | -mɔ́d-] *a.* 성가 영창의, 시편 낭독의

psal·mo·dist [sɑ́:mədist] *n.* 성시 작자, 찬송가 작자, 성가 영창자

psal·mo·dize [sɑ́:mədàiz, sǽl-] *vi.* 성시[찬송가]를 영창하다

psal·mo·dy [sɑ́:mədi, sǽl-] *n.* **1** Ⓤ 찬송가 영창(법) **2** [집합적] 찬송가, 찬송가집

psalm-tune [sɑ́:mtjù:n] *n.* 찬송가(곡)

Psal·ter [sɔ́:ltər] *n.* **1** [the ~] 시편(the Book of Psalms) **2** [때로 **p~**] (예배용) 시편서, 시편집, 성시집

psal·te·ri·um [sɔ:ltíəriəm] *n.* (*pl.* **-ri·a** [-riə]) 〖동물〗 겹주름위(omasum)

psal·ter·y, psal·try [sɔ́:ltəri] *n.* (*pl.* **-ter·ies**) **1** 14-15세기의 현악기의 일종 **2** [**P~**] (구약 성서 중) 시편(Psalter)

psam·mite [sǽmait] *n.* Ⓤ 〖지질〗 사질암(砂質岩) **psam·mit·ic** [sæmítik] *a.*

p's and q's [pì:z-ən-kjú:z] 언행; 행동거지; 신중한 언행 ***mind***[***watch***] one's ~ 언행을 삼가다

PSAT Preliminary Scholastic Aptitude Test (미) (대학) 진학 적성 예비 시험

pschent [psként] *n.* (고대 이집트 왕의) 이중관(冠) 《상(上) 이집트·하(下) 이집트 지배의 상징》

psel·lism [sélizm] *n.* Ⓤ 〖병리〗 말더듬

pse·phol·o·gy [si:fɑ́lədʒi | sefɔ́l-, si-] *n.* Ⓤ 선거학 《투표·선거에 관한 연구》 **-gist** *n.*

pseud [sú:d | sjú:d] [*pseud*ointellectual] *n.* (영·구어) 지식인인 체하는 사람, 사이비 지식인

pseud- [su:d | sju:d], **pseudo-** [sú:dou | sjú:-] 《연결형》 「거짓의, 가짜의; 모조[모의]의」의 뜻 《모음 앞에서는 pseud-》

pseud. pseudonym

pseud·e·pig·ra·pha [sù:dipígrəfə | sjù:d-] *n. pl.* (*sing.* **-phon** [-fɑn | -fɔn]) **1** (특히 구약 성서의 정전이나 외전에 포함되어 있지 않은) 위전(僞典), 위서(僞書) **2** 가짜 문서

pseud·e·pig·ra·phy [sù:dipígrəfi | sjù:d-] *n.* Ⓤ (작품에) 허위 기자[저자] 이름 붙이기

pseu·do [sú:dou | sjú:-] *a.* 허위의, 가짜의; 모조의 **—** *n.* (*pl.* **~s**) (구어) 꾸며 보이는 사람, 사칭자

pseu·do·a·quat·ic [sù:douəkwǽtik | sjù:d-] *a.* 〖식물〗 (수중이 아니고) 습지에 사는, 위수성(僞水性)의

pseu·do-ar·cha·ic [sù:douɑ:rkéiik | sjù:-] *a.* 의고조(擬古調)의

pseu·do·carp [sú:dəkɑ̀:rp | sjú:-] *n.* 〖식물〗 헛열매, 위과(僞果), 가과(假果)(accessory fruit)

pseu·do·clas·sic, -si·cal [sù:douklǽsik(əl) | sjù:-] *a.* 의(擬)고전적인 **psèu·do·clás·si·cìsm** *n.* Ⓤ 의고전주의, 의고체(體)

pseu·do·code [sú:doukòud | sjú:-] *n.* 〖컴퓨터〗 의사(擬似) 코드 《프로그램이 실행되기 전에 기계 코드로 번역될 필요가 있는 것》

pseu·do·coel, -cele, -coele [sú:dousì:l | sjú:-] *n.* 〖동물〗 위[의](僞[擬])체강, 원체강(原體腔) 《대형(袋形) 동물의 체벽과 장 사이에 있는 체강》

pseu·do·coe·lo·mate [sù:dousí:ləmèit, -si-lóumət | sjù:dousí:ləmèit] 〖동물〗 *a.*, *n.* pseudocoel을 가진 (무척추동물)

pseu·do·cy·e·sis [sù:dousií:sis | sjù:-] *n.* 〖병리〗 상상 임신, 가(假)임신

pseu·do·e·vent [sù:douivént | sjù:-] *n.* 꾸며 낸[연출된] 일[사건]

pseu·do·gene [sú:doudʒì:n | sjú:-] *n.* 〖생화학〗 위(僞) 유전자 《유전자 기능을 잃고 있는 DNA의 영역》

pseu·do·graph [sú:dougræ̀f | sjú:dougrɑ̀:f] *n.* 위서(僞書)(false writing); 위작(僞作), 위조 문서

pseu·do·in·tel·lec·tu·al [sù:douintəléktʃuəl | sjù:-] *n.* 사이비 지식인, 지식인인 체하는 사람, 사이비 학자 **—** *a.* 사이비 지식인의 **~·ly** *ad.*

pseu·do-in·tran·si·tive [sù:douintrǽnsitiv | sjù:-] *a.* 〖문법〗 의사(擬似) 자동사의 (보기: Mary *is cooking.* / These potatoes *cook* well.)

pseu·do·lan·guage [sù:doulǽŋgwidʒ | sjù:-] *n.* 〖컴퓨터〗 의사(擬似) 언어 《프로그램 설계용 인공 언어》

pseu·do·morph [sú:doumɔ̀:rf | sjú:-] *n.* 〖광물〗 가상(假像); 〖지질〗 위형(僞形), 부정규형(不正規形)

pseu·do·nym [sú:dənìm | sjú:-] *n.* (작가의) 필명(筆名), 아호, 익명

pseu·do·nym·i·ty [sù:dənímәti | sjù:-] *n.* Ⓤ 익명으로 씀, 필명[아호] 사용

pseu·don·y·mous [su:dɑ́nəməs | sju:dɔ́n-] *a.* **1** 익명[필명]의 **2** 익명[필명]을 쓰는[쓴]

pseu·do·pod [sú:dəpɑ̀d | sjú:dəpɔ̀d] *n.* 〖동물〗 위족(僞足)을 가진 원생동물 《아메바 등》

pseu·do·po·di·um [sù:dəpóudiəm | sjù:-] *n.* (*pl.* **-di·a** [-diə]) 〖동물〗 (원생동물의) 헛발, 위족(僞足)

pseu·do·preg·nan·cy [sù:douprégnənsi | sjù:-] *n.* = PSEUDOCYESIS

pseu·do·ra·bies [sù:douréibi:z | sjù:-] *n.* Ⓤ 〖수의학〗 위(僞)광견병[공수병] 《소·양 등에 나타나는 치명적 질병》

pseu·do·ran·dom [sù:dourǽndəm | sjù:-] *a.* 〖통계〗 의사 난수(擬似亂數)의, 의사 무작위 추출의: ~ numbers 의사 난수

pseu·do·sci·ence [sù:dousáiəns | sjù:-] *n.* ⓊⒸ 의사(擬似)[사이비] 과학 **-sci·en·tíf·ic** *a.*

pseu·do·scope [sú:dəskòup | sjú:-] *n.* 위영경(僞影鏡), 반영경(反影鏡) 《요철(凹凸)을 거꾸로 보이게 하는》

psf, p.s.f. pounds per square foot

pshaw [ʃɔ́: | pʃɔ́:] (문어·드물게) *n.*, *int.* 흥, 쳇, 뭐야, 제기랄 《경멸·불쾌·성급 등을 나타냄》 **—** *vi.*, *vt.* 흥[체] 하다 《*at*》; 흥 하고 코웃음 치다

PSHE personal, social and health education 영국의 교과목의 이름 《개인의 정서 및 사회성 발달·건강·성·인간관계 등을 다루는》

psi[1] [psái | sái] *n.* 그리스 자모(字母)의 제23자 《Ψ, ψ로서 발음은 [ps]》

psi[2] [sái] *n.* 프시 《투시·텔레파시·염력 등의 초자연적인 현상》

psi, p.s.i. pounds per square inch

psi·khush·ka [saikúʃkə, psi:- | psai-] *n.* [Russ.] (속어) = PSYCHOPRISON

psi·lan·thro·pism [sailǽnθrəpìzm], **-py** [-pi] *n.* Ⓤ 그리스도 인성론(人性論) 《그리스도의 신성(神性)을 부정하는 설》 **psì·lan·thróp·ic** *a.* **-pist** *n.*

psi·lo·cin [sáiləsin] *n.* Ⓤ 〖화학〗 사일로신 《중미산(産) 버섯에서 얻어지는 환각제》

psi·lo·cy·bin [sàiləsáibin, sìl-] *n.* Ⓤ 실로시빈 《멕시코산(産) 버섯에서 얻어지는 환각 유발 물질》

psi·lo·sis [sáilousis] *n.* (*pl.* **-ses**) 〖병리〗 **1** 탈모(증), 털뽑기(depilation) **2** 스프루(sprue) 《열대성 설사》
psi·on [*p*sáiən | psái-] *n.* = PSI PARTICLE
psí pàrticle 〖물리〗 = J/PSI PARTICLE
psí phenómena 초심리학 현상
psit·ta·co·sis [sìtəkóusis] *n.* Ⓤ 〖병리〗 앵무(새)병 《조류의 전염병으로 인체에 감염되면 고열을 동반한 비정형 폐렴 증상이 나타남》
pso·ri·a·sis [səráiəsis] *n.* Ⓤ 〖병리〗 건선(乾癬)
pso·ri·at·ic [sɔ̀:riǽtik] *a.*
PSRO professional standards review organization **P.SS., p.ss.** postscripts
psst, pst [pst] *int.* 저, 잠깐 《조용히 주의를 끌기 위한 발성》
PST Pacific Standard Time 태평양 표준시 **PSV** public service vehicle **PSW** program status word 〖컴퓨터〗 프로그램 상태 규정어
psych[1] [sáik] (구어) *vt.* **1** 정신적으로 혼란시키다, 불안하게 하다, 겁나게 하다 (*out*), 흥분시키다 (*up*) **2** 직감적으로 이해하다, …의 심리를 꿰뚫어보다 (*out*) **3** = PSYCHOANALYZE — *vi.* 정신적으로 혼란에 빠지다 ~ ***out*** (미·구어) (1) 남의 기분을 이해하다 (2) 불안하게 하다 (3) 겁먹다 (4) 정신적 혼란을 가장하다 ~ ***up*** (속어) 흥분시키다
psych[2] *n.* **1** (구어) 심리학(psychology) **2** = PSYCHIATRIST
psych- [saik], **psycho-** [sáikou, -kə] 《연결형》 「영혼, 정신」의 뜻 《모음 앞에서는 psych-》
psych. psychic(al); psychological; psychology
psych·a·nal·y·sis [sàikənǽləsis] *n.* = PSYCHOANALYSIS
psych·as·the·ni·a [sàikəsθí:niə] *n.* 〖정신의학〗 정신 쇠약 **psych·as·then·ic** [-θénik] *a.*, *n.*
psy·che [sáiki] *vt.* = PSYCH[1]
Psy·che [sáiki] *n.* **1** 〖그리스·로마신화〗 프시케 《Cupid가 사랑한 미소녀; 영혼의 화신》 **2** [**p~**; the ~, one's ~] (육체와 대비하여) 영혼, 정신(cf. CORPUS) **3** 〖심리〗 정신, 프시케 **4** 〖곤충〗 나방의 일종
psyched [sáikt] *a.* (구어) **1** 매우 흥분한, 안절부절 못하는 **2** 마음을 가다듬은, 마음의 준비를 한
psy·che·de·lia [sàikidí:ljə, -dél-] *n.* Ⓤ 환각적인 세계, 황홀경; (색채·무늬 등이) 사이키델릭조의 것 [의상, 음악]
psy·che·del·ic [sàikidélik] [GK 「영혼이 보이는」의 뜻에서] *a.* **1** 〈예술 등이〉 사이키델릭조(調)의 《환각 상태를 연상시키는》 **2** 〈약이〉 환각을 일으키는; 환각제의 — *n.* 환각제; 환각제 사용자
psy·che·del·i·cize [sàikədélisàiz] *vt.* 〈미술·음악 등을〉 사이키델릭조(調)로 하다
psychedélic róck = ACID ROCK
Psýche knòt 머리를 뒤에서 묶는 여자 머리형
psy·chi·at·ric, -ri·cal [sàikiǽtrik(əl)] *a.* 정신의학의; 정신병 치료법의[에 의한]; 정신과의: a *psychiatric* hospital 정신 병원 **-ri·cal·ly** *ad.*
psychiátric sócial wòrker 정신 장애자를 위한 사회사업가
psy·chi·a·trist [sikáiətrist, sai-] *n.* 정신병 의사 [학자]
psy·chi·a·try [sikáiətri, sai-] *n.* Ⓤ 정신 의학; 정신병 치료법
***psy·chic** [sáikik] *a.* **1** 영혼의; 심령의: ~ phenomena 심령 현상 **2** 심령 작용을 받기 쉬운 **3** 〈병이〉 정신적인, 심적인, 심리적인(cf. PHYSICAL): illness with a ~ origin 정신적 원인에 기인한 병 — *n.* 심령 작용을 받기 쉬운 사람; 무당, 영매(靈媒)(= ⌒ **médium**)
psy·chi·cal [sáikikəl] *a.* = PSYCHIC
psýchic(al) dístance 심리적 거리
psýchic detérminism 〖심리〗 심적 결정론 《인간 심리는 경험·본능적 충동의 힘에 지배·결정된다는》
psýchic énergizer 정신 자극[흥분]제
psýchic énergy 〖정신분석〗 심적 에너지
psýchic héaler 심령 요법자, 심령술사
psýchic héaling 심령 요법
psýchic íncome (취업자의) 심리적 수익, 정신적 이득
psýchic númbing 정신적 마비[무감각] 《견디기 어려운 현실에 대한 방위로서 생김》
psýchic pówer 심령력(心靈力)
psy·chics [sáikiks] *n. pl.* [단수 취급] 심령 연구; (속어) 심리학(psychology)
psýchic tràuma 심적 외상(外傷), 정신 충격
psych-jock·ey [sáikdʒɑ̀ki | -dʒɔ̀ki] *n.* (미·속어) (라디오·텔레비전의) 인생 상담 프로그램 사회자
psy·cho [sáikou] [psychopath의 단축형] (속어) *n.* (*pl.* **~s**) **1** 정신병(환)자 **2** 괴짜, 기인(奇人) — *a.* 정신 의학의; 정신병 치료(법)의; 정신병의 — *vt.* …의 정신 분석을 하다
psycho- [sáikou] 《연결형》 = PSYCH-
psy·cho·a·cous·tics [sàikouəkú:stiks] *n. pl.* [단수 취급] 음향 심리학
psy·cho·ac·tive [-ǽktiv] *a.* 〈약물이〉 정신에 영향을 주는, 정신 활성의
psy·cho·a·nal·y·sis [-ənǽləsis] *n.* Ⓤ 정신 분석(학, 법)
psy·cho·an·a·lyst [-ǽnəlist] *n.* 정신 분석 학자, 정신 분석 전문의
psy·cho·an·a·lyt·ic, -i·cal [-æ̀nəlítik(əl)] *a.* 정신 분석의 **-i·cal·ly** *ad.*
psy·cho·an·a·lyze [-ǽnəlàiz] *vt.* 정신 분석하다
psy·cho·bab·ble [sáikoubæ̀bl] *n.* (구어) (정신 분석가 등의) 심리학 용어; 심리 요법 은어 — *vt.* 심리학[정신 의학] 용어를 마구 써서 말하다 《특히 자기 일에 대해》 **-bler** *n.*
psy·cho·bi·og·ra·phy [sàikoubaiɑ́grəfi | -ɔ́g-] *n.* (*pl.* **-phies**) (개인의 성격[정신] 형성을 기술한) 성격 분석적 전기; 정신 분석적 자전
psy·cho·bi·ol·o·gy [-baiɑ́lədʒi | -ɔ́l-] *n.* Ⓤ 정신 생물학 **psỳ·cho·bì·o·lóg·i·cal** *a.*
psy·cho·chem·i·cal [-kémikəl] *n.*, *a.* 정신에 영향을 미치는 화학 약품(의) 《독가스 등》
psy·cho·del·ic [-délik] *a.* = PSYCHEDELIC
psy·cho·di·ag·no·sis [-dàiəgnóusis] *n.* 정신 진단
psy·cho·dra·ma [-drɑ́:mə] *n.* Ⓤ 〖정신의학〗 심리극(劇) 《환자가 자신의 일상생활을 극으로 만들어 출연하는 방법의 집단 심리 치료법》
psy·cho·dy·nam·ics [-dainǽmiks] *n. pl.* [단수 취급] 정신 역학, 정신 역동론 **-dy·nám·ic** *a.*
psy·cho·ed·u·ca·tion·al [-edʒukéiʃənl] *a.* 〈지능 검사 등이〉 심리학적 학습 능력 평가 방법의
psy·cho·gal·van·ic [-gælvǽnik] *a.* 정신 전기의, 정신 전류에 관한 《정신적, 정서적 자극에 반응하여 생기는 체내의 전기적 변화에 관한》
psy·cho·gen·e·sis [-dʒénəsis] *n.* Ⓤ 〖심리〗 심인(心因); 〖병리〗 심인적 증상 발생
-ge·nét·ic *a.* **-ge·nét·i·cal·ly** *ad.*
psy·cho·gen·ic [-dʒénik] *a.* 〖심리〗 심인성(心因性)의, 정신에서 일어나는, 정신 작용[상태]에 의한
psy·cho·ger·i·at·rics [-dʒèriǽtriks] *n. pl.* [단수 취급] 노인 정신 의학
psy·chog·no·sis [sàikəgnóusis | -kɔ́g-] *n.* Ⓤ 〖심리〗 정신 진단법 《최면술을 이용함》
psy·cho·graph [sáikəgræ̀f | -grɑ̀:f] *n.* **1** 〖심리〗 심지(心誌), 사이코그래프 《성격 특성도[표]》 **2** 심령 서사(書寫)의 도구 《심령에 의해 사진 건판[인화지]에 염사(念寫)된 상(像)》 **3** = PSYCHOBIOGRAPHY
psy·cho·graph·ics [sàikəgrǽfiks] *n. pl.* [단수 취급] 사이코그래픽스 《수요 조사 목적으로 소비자의 행동 양식·가치관 등을 심리학적으로 측정하는 기술》
psy·chog·ra·phy [saikɑ́grəfi | -kɔ́g-] *n.* 〖심령〗 심지법(心誌法), 사이코그래프법; 〖심리〗 심리학적 묘사법 《개인의 심리적 발달을 기록》

psy·cho·his·to·ry [sàikouhìstəri] *n.* 역사 심리학 《심리학적 방법으로 역사적 사건과 인물을 분석하는 학문》

psy·cho·ki·ne·sis [sàikoukiníːsis] *n.* Ⓤ 염력(念力) (작용); 〖정신의학〗 정신 운동 《충동적 행동》 **psỳ·cho·ki·nét·ic** *a.* **-nét·i·cal·ly** *ad.*

psychol. psychological; psychologist; psychology

psy·cho·lin·guis·tics [sàikouliŋgwístiks] *n. pl.* [단수 취급] 〖언어〗 심리 언어학, 언어 심리학 **-lín·guist** *n.* **psỳ·cho·lin·guís·tic** *a.*

***psy·cho·log·i·cal, -log·ic** [sàikəlɑ́dʒik(əl) | -lɔ́dʒ-] *a.* **1** 심리학의[을 사용한], 심리학적인 **2** 심리적인, 정신의: effect 심리적 효과 **~·ly** *ad.* ▷ psychólogy *n.*

psychológical blóck 심리적 두절 《심리적인 원인으로 사고의 흐름이 두절되는 현상》

psychológical depéndence (약물에 대한) 정신적 의존(성)

psychológical hédonism 심리학적 쾌락주의

psychológical móment [the ~] 절호의 순간[기회]; 아슬아슬한 고비

psychológical nóvel 심리 소설

psychológical prícing 심리적 가격 결정 《79달러와 같이 9를 이용해 가격이 싸다는 느낌을 주기》

psychológical technólogy 〖심리〗 심리 공학

psychológical wárfare 심리전, 신경전

psy·chol·o·gism [saikɑ́lədʒìzm | -kɔ́l-] *n.* 《경멸》 심리학주의, 심리학 용어 사용; 〖철학〗 심리주의

***psy·chol·o·gist** [saikɑ́lədʒist | -kɔ́l-] *n.* 심리학자; 정신분석 의사

psy·chol·o·gize [saikɑ́lədʒàiz | -kɔ́l-] *vt., vi.* 심리학적으로 고찰[해석, 설명]하다

‡**psy·chol·o·gy** [saikɑ́lədʒi | -kɔ́l-] *n.* (*pl.* **-gies**) **1** Ⓤ 심리학: applied ~ 응용 심리학 / child ~ 아동 심리학 / clinical [medical] ~ 임상 심리학 / criminal ~ 범죄 심리학 / group [mass, mob] ~ 군중 심리학 **2** Ⓤ (개인·집단 등의) 심리, 심리 상태: the ~ of the adolescent 청년의 심리 **3** 《구어》 사람의 마음을 읽는 힘; 심리 작전 **4** 심리학 책; 심리학 체계[논문] ▷ psychológical *a.*

psy·cho·man·cy [sáikoumæ̀nsi] *n.* Ⓤ 정신 감응, 영통(靈通)

psy·cho·met·ric [sàikəmétrik] *a.* 정신[심리] 측정(학)의

psy·cho·met·rics [sàikəmétriks] *n. pl.* [단수 취급] 〖심리〗 정신[심리] 측정(학)

psy·chom·e·try [saikɑ́mətri | -kɔ́m-] *n.* Ⓤ 사이코메트리 《어떤 물건에 닿거나 다가감으로써 그 소유자에 관한 사정을 꿰뚫어보는 능력》; 정신 측정(학); 〖통계〗 계량 심리학

psy·cho·mi·met·ic [sàikoumimétik, -mai-] *a.* = PSYCHOTOMIMETIC

psy·cho·mo·tor [-móutər] *a.* 정신 운동(성)의

psy·chon [sáikɑn | -kɔn] *n.* 사이콘 《신경 자극(nerve impulse)이나 그 에너지의 이론상 단위》

psy·cho·neu·ro·im·mu·nol·o·gy [sàikounjùərouimjunɑ́lədʒi | -njùərouimjunɔ́l-] *n.* Ⓤ 〖의학〗 정신 신경 면역학

psy·cho·neu·ro·sis [-njuróusis | -njuər-] *n.* Ⓤ 정신 신경증 **-rot·ic** [-rɑ́tik | -rɔ́t-] *a., n.* 정신 신경증의 (환자)

psy·cho·nom·ics [sàikənɑ́miks | -nɔ́m-] *n. pl.* [단수 취급] 사이코노믹스 《정신 발달과 환경의 상호 관계를 연구하는 학문》

psy·cho·path [sáikəpæ̀θ] *n.* 정신병질자; 정신적·정서적으로 불안정한 사람

psy·cho·path·ic [sàikəpǽθik] *a.* 정신병(성)의

psychopáthic personálity 정신병질 인격(자)

psy·cho·pa·thol·o·gist [sáikoupəθɑ́lədʒist | -θɔ́l-] *n.* 정신 병리학자

psy·cho·pa·thol·o·gy [-pəθɑ́lədʒi | -θɔ́l-] *n.* Ⓤ 정신 병리학

psy·chop·a·thy [saikɑ́pəθi | -kɔ́p-] *n.* Ⓤ 〖정신의학〗 정신병; 정신병질(psychopathic personality)

psy·cho·phar·ma·ceu·ti·cal [sàikoufɑ̀ːrməsúːtikəl] *n.* 향(向)정신제

psy·cho·phar·ma·col·o·gy [-fɑ̀ːrməkɑ́lədʒi | -kɔ́l-] *n.* Ⓤ (신경) 정신 약리학 **-gist** *n.*

psy·cho·phys·i·cal [-fízikəl] *a.* 정신 물리학의; 정신적·물질적 특질을 공유하는: ~ parellelism 정신 물리적 평행설, 심신 평행론

psy·cho·phys·ics [-fíziks] *n. pl.* [단수 취급] 정신 물리학 **-phýs·i·cist** *n.*

psy·cho·phys·i·ol·o·gy [-fìziɑ́lədʒi | -ɔ́l-] *n.* Ⓤ 정신 생리학 **-phỳs·i·o·lóg·ic, -i·cal** *a.*

psy·cho·pomp [sáikoupɑ̀mp | -pɔ̀mp] *n.* 저승사자[안내자]

psy·cho·pris·on [sáikouprízn] *n.* 정신 이상자 교도소 《옛 소련에서 정신 이상 범죄자를 수용》

psy·cho·pro·phy·lax·is [sàikouprὸufəlǽksis | -prɔ̀f-] *n.* Ⓤ 정신적 예방(법) 《무통 분만》(Lamaze method)

psy·cho·quack [sáikoukwæ̀k] *n.* 돌팔이 정신병 의사, 사이비 심리학자

psy·cho·sex·u·al [sàikousékʃuəl] *a.* 성심리(性心理)의

psy·cho·sis [saikóusis] *n.* (*pl.* **-ses** [-siːz]) 정신병, 정신 이상 《중증의 정신 장애》

psy·cho·so·mat·ic [sàikousəmǽtik] *a.* **1** 정신 신체(의학)의 **2** 〈병 등이〉 정신 상태에 영향받는, 심신 상관의 — *n.* 정신 신체증[심신증] 환자 **-i·cal·ly** *ad.*

psychosomátic diséase 정신 신체증, 심신증(心身症)

psychosomátic médicine 정신 신체 의학, 심신 의학 《신체의 병 치료에 심리학의 원리와 방법을 적용》

psy·cho·so·mat·ics [-səmǽtiks] *n. pl.* [단수 취급] 심신[정신 신체] 의학

psy·cho·sur·ger·y [-sə́ːrdʒəri] *n.* Ⓤ 〖의학〗 정신 외과 《뇌수술로 정신적 장애 치료》

psy·cho·syn·the·sis [-sínθəsis] *n.* 정신 종합(요법) 《정신 분석 이론과 명상법을 결합한 치료법》

psy·cho·tech·nics [-tékniks] *n. pl.* [단수 취급] 〖심리〗 정신 기법 《경제학·사회학 등에 심리학적 방법을 응용함》

psy·cho·tech·nol·o·gy [-teknɑ́lədʒi | -nɔ́l-] *n.* Ⓤ = PSYCHOTECHNICS

psy·cho·ther·a·peu·tics [-θèrəpjúːtiks] *n. pl.* [단수 취급] 정신 치료학[법](psychotherapy) **-péu·tic** *a.*

psy·cho·ther·a·py [-θérəpi] *n.* Ⓤ 심리[정신] 요법 **-a·pist** *n.* 정신[심리] 요법 의사

psy·chot·ic [saikɑ́tik | -kɔ́t-] *a.* 정신병[이상]의 — *n.* 정신병[이상]자 **-i·cal·ly** *ad.*

psy·chot·o·gen [saikɑ́tədʒən, -dʒèn | -kɔ́t-] *n.* 정신병을 일으키는 약 《마약 등》

psy·chot·o·mi·met·ic [saikɑ̀toumimétik | -kɔ̀t-] *a.* 정신 이상 비슷한 상태를 일으키는 — *n.* 정신 이상적 환각을 일으키는 물질 《환각제 등》

psy·cho·tox·ic [sàikoutɑ́ksik | -tɔ́k-] *a.* 정신 장애적인, 인격 파괴적인 **-tox·íc·i·ty** *n.*

psy·cho·trop·ic [sàikətrɑ́pik | -trɔ́p-] *a.* 정신에 작용하는, 향(向)정신성의 〈약제〉 — *n.* 향정신제 《정신 안정제·환각제 등》

psych-out [sáikàut] *n.* Ⓤ 《구어》 정신적으로 동요를 주기

psychro- [sáikrou, -krə] 《연결형》 「찬(cold)」의 뜻

psy·chrom·e·ter [saikrɑ́mətər | -krɔ́m-] *n.* 건습구(乾濕球) 습도계, 건습계

psy·chro·phil·ic [sàikrəfílik] *a.* 〖생물〗 호냉(好冷)의: ~ organisms 호냉 생물

thesaurus **public** *a.* **1** 공공의, 공중의 national, civic, civil, social, common, general, popular

psy·chro·tol·er·ant [sàikrətάlərənt | -tɔ́l-] *a.* 〖생물〗 추위에 견딜 수 있는, 내냉성(耐冷性)의

psy·ops [sáiɑ̀ps | -ɔ̀ps] [*ps*ychological+*op*erations] *n. pl.* 〖군사〗 심리 작전, 신경전

psy·toc·ra·cy [saitάkrəsi | -tɔ́k-] *n.* Ⓤ 심리 정치 《대중의 행동을 심리적으로 통제하는 전제 정치》

psy·war [sáiwɔ̀ːr] [*ps*ychological+*war*fare] *n., a.* 심리전(의)

pt part; past; payment; pint(s); point; port **Pt** 〖화학〗 platinum **PT** Pacific Time; 〖군사〗 Physical Training; pupil teacher **Pt.** Part; Port **p.t.** past tense; postal telegraph; post town; *pro tempore* **Pta** peseta **PTA** Parent-Teacher Association; 《영》 Passenger Transport Authority

ptar·mi·gan [tάːrmigən] *n.* 〖동물〗 뇌조(雷鳥) (snow grouse)

PT bòat [píːtìː-] [*p*atrol[*p*ropeller] *t*orpedo *boat*] 〖미해군〗 초계(哨戒) 어뢰정

PTCA percutaneous transluminal coronary angioplasty 〖의학〗 경피(經皮)적 관(冠)동맥 혈관 재건법 **PTCR** percutaneous transluminal coronary recanalization 〖의학〗 경피적 관동맥 소통

Pte. 《영》 Private (soldier)(《미》 Pvt.)

pter·i·dol·o·gy [tèrədάlədʒi | -dɔ́l-] *n.* Ⓤ 양치학(羊齒學) **-gist** *n.* 양치학자

pte·rid·o·phyte [tərídəfàit, térədou-] *n.* 〖식물〗 양치류, 양치 식물

ptero- [térou] 《연결형》 「날개; 깃」의 뜻

pter·o·dac·tyl [tèrədǽktil] *n.* 〖고생물〗 익수룡(翼手龍) 《익룡의 일종》

pter·o·saur [térəsɔ̀ːr] *n.* 〖고생물〗 익룡

ptg. printing **Ptg.** Portugal; Portuguese

pti·san [tizǽn, tízn] *n.* 보리차; 약탕(tisan), 차(tea)

PTM pulse-time modulation **PTO** Parent-Teacher Organization **PTO, pto** please turn over 다음 페이지에 계속

pto·choc·ra·cy [toukάkrəsi | -kɔ́k-] *n.* Ⓤ 빈민(貧民) 정치

Ptol·e·ma·ic [tὰləméiik | tɔ̀l-] *a.* 프톨레마이오스의; 천동설(天動說)의(opp. *Copernican*)

Ptolemáic sýstem [the ~] 〖천문〗 (프톨레마이오스의) 천동설

Ptol·e·ma·ist [tὰləméiist | tɔ̀l-] *n.* 천동설 신봉자

Ptol·e·my [tάləmi | tɔ́l-] *n.* **1** (*pl.* **-mies**) 프톨레마이오스 《기원 전 4-3세기에 이집트를 지배한 프톨레마이오스 왕조의 역대 왕》 **2** 프톨레마이오스 **Claudius** ~ 《기원 2세기의 Alexandria의 천문·지리·수학자; 천동설을 주장》

pto·maine [tóumein, ─ˊ] *n.* Ⓤ,Ⓒ 〖화학〗 프토마인, 시독(屍毒)

ptómaine póisoning 프토마인 중독; 《오용》 《일반적으로》 식중독(food poisoning)

ptoo [ptúː] *int.* 퉷 《침 같은 것을 뱉는 소리》

pto·sis [tóusis] *n.* (*pl.* **-ses** [-siːz]) 〖병리〗 하수증(下垂症), 《특히》 안검(眼瞼) 하수(증)

PTP 〖컴퓨터〗 paper tape punch **PTR** 〖컴퓨터〗 photoelectric tape reader **pts** parts; payments; pints; points; ports **PTSD** posttraumatic stress disorder **PTV** public television

P2P [piːtəpíː] 〖인터넷〗 peer to peer; person-to-person 《개인 대 개인 파일 공유 기술 및 행위》

pty party; proprietary

pty·a·lin [táiəlin] *n.* Ⓤ 〖생화학〗 프티알린, 타액 전분 분해 효소

pty·a·lism [táiəlìzm] *n.* Ⓤ 〖병리〗 타액 (분비) 과다

p-type [píːtàip] *a.* 〖전자〗 〈반도체·전기 전도(電導)가〉 P형(型)의

Pu 〖화학〗 plutonium **p.u.** per unit

(opp. *private, personal*) **2** 공공연한 known, acknowledged, published, plain, obvious

pub [pʌ́b] *n.* 《영》 술집, 선술집(public house)(⇨ bar[1] 유의어)

PUB physical unit block 〖컴퓨터〗 물리 장치 제어 블록 **pub.** public; publication; published; publisher; publishing

púb cràwl 《영·구어》 술집을 옮겨다니며 마시기

pub-crawl [pʌ́bkrɔ̀ːl] *vi.* 《영·구어》 술집 순례를 하다

pube [pjúːb] *n.* [보통 *pl.*] 《구어》 음모(陰毛)

pu·ber·ty [pjúːbərti] [L 「어른」의 뜻에서] *n.* Ⓤ 사춘기; 성숙기; 〖식물〗 개화기 ***arrive at*** ~ 사춘기에 이르다 ***the age of*** ~ 결혼 적령기 《합법적으로 남자 14세, 여자 12세》

pu·bes [pjúːbiːz] *n.* **1** 〖해부〗 음부; 거웃, 음모(陰毛) **2** 〖동물〗 연모(軟毛) **3** PUBIS의 복수

pu·bes·cence [pjuːbésns] *n.* Ⓤ 사춘기에 이름; 〖식물〗 연모로 덮인 상태; 부드러운 털

-cent [-snt] *a.* 사춘기에 이른; 연모로 덮인

pu·bic [pjúːbik] *a.* 〖해부〗 음부의: the ~ region 음부 / the ~ bone 치골(恥骨)

pu·bis [pjúːbis] *n.* (*pl.* **-bes** [-biːz]) 〖해부〗 치골

publ. publication; published; publisher

⁑**pub·lic** [pʌ́blik] *a., n.* (opp. *private*)

> 「사람들에 관한」
> ┌→「일반 대중의」 **1** →「공공연한」 **4**
> └→「공공의」 **1** →「공무의」 **2**

—*a.* **1** 공공의, 공중의; 일반 국민[사회]의, 일반 대중의: a ~ bath 공중목욕탕 / ~ property 공공물[재산] / ~ safety 치안 / ~ welfare 공공복지 **2** 공적인, 공무의, 공사의; 정부의, 국가의: ~ life 공적 생활 / a ~ official 공무원, 관리 / ~ document 공문서 **3** 공립의, 공중용의, 공설의: a ~ park 공원 / a ~ market 공설 시장 **4** 공공연한, 세상이 다 아는, 소문난; 유명한, 저명한: a ~ scandal 세상이 다 아는 추문 / a ~ debate 공개 토론회 **5** 《영》 대학 전체의; (단과 대학과 구별하여) 종합 대학으로서의: a ~ lecture 대학 강의 **6** (드물게) 국제적인

go ~ 《미》 (1) 〈개인 회사가〉 주식을 공개하다 (2) 〈비밀 등을〉 공표하다 (3) 외부로 나가다, 사회에서 활동하다 ***in the ~ eye*** ⇨ eye. ***make a ~ protest*** 공공연하게 항의하다 ***make*** ~ 공표[발표]하다

—*n.* **1** [the ~; 집합적] 공중, 일반 사람들, 대중, 민중; (일반) 사회; 국민: the general ~[= the ~ in general] 일반 대중 **2** [집합적] …계(界), …사회; (어느 계층의) 사람들: the reading ~ 독서계 **3** 《영·속어》 선술집, 주막(cf. PUBLIC HOUSE) ***in*** ~ 공공연히, 공중 앞에서 ***the ~ at large*** 일반 대중

▷ publícity *n.*; públicize *v.*

públic àccess 《미》 (TV) 시청자 제작 프로(그램); (어떤 장소·정보로의) 일반 대중의 출입[열람]권 《*to*》

públic accóuntant 《미》 공인 회계사

públic áct 공법(public law)

púb·lic-ad·dréss sỳstem [pʌ́blikədrés-] (강당·옥외 등의) 확성 장치 《PA system이라고도 함》

públic administrátion 행정(학)

públic affáirs (사회·경제·정치 등과 같은) 공공의 일[문제], 공사(公事)

pub·li·can [pʌ́blikən] *n.* **1** 〖역사〗 (고대 로마 시대의) 세리(稅吏) **2** 《영》 선술집(pub)의 주인

públic assístance 《미》 공적 부조(扶助), 생활 보호 《빈곤자·장애자·노령자 등에게 주는 정부 보조》

⁎**pub·li·ca·tion** [pʌ̀bləkéiʃən] *n.* **1** Ⓤ 발표, 공표; 공포: the ~ of his death 그의 부고[사망 발표] **2** Ⓤ 출판, 발행, 간행: Near ~. 〖광고〗 근간. **3** 출판물, 간행물: a monthly ~ 월간물 **4** (논문 등의) 업적

públic áuction = PUBLIC SALE

públic bár 《영》 (술집의) 일반석

públic báthroom 공중 화장실(= ~ **públic rèstroom[tòilet]**)

públic bénefit = PUBLIC GOOD

públic bídding (미) 입찰
públic bíll 〖법〗 공공 관계 법률안
Públic Bróadcasting Sèrvice (미) 공공 방송망 《비상업적 텔레비전 방송; 略 PBS》
públic chárge (정부의) 생활 보호 대상자
públic cómpany (영) 주식 회사(opp. *private company*)
públic convénience (영) (역 등의) 공중 화장실 ((미) comfort station)
públic corporátion (영) 공공 기업체, 공사(公社), 공단(公團); (주식이 상장된) 민간 기업
públic débt 공채(公債)
públic defénder (미) 관선(官選) 변호인
públic domáin 〖법〗 **1** (미) 공유지; 사회의 공유 재산 **2** [보통 the ~] 공공 재산 《특허·저작 등의 권리 소멸 상태》
púb·lic-do·máin prógram [pʌ́blikdouméin-] 〖컴퓨터〗 공개 프로그램 《저작권 보호가 되지 않는》
públic educátion 공교육, 학교 교육; (영) public school식 교육
públic énemy 사회(전체)의 적; 공적(公敵); 공개 수사 중인 범인; (교전 중인) 적국
públic énterprise 공기업
públic éye 세인의 이목
públic fígure 유명 인사, 공인(公人)
públic fináncé 〖금융〗 재정, 국가[지방] 재정
públic fúnds [the ~] (영) 공채(公債), 국채
públic gállery (영) (의회의) 방청석
públic góod 공익(公益)
públic háll 공회당
públic házards 공해
públic héalth 공중 위생; 공중 위생학
Públic Héalth Sèrvice (미) 공중 위생국 《略 PHS》
públic héaring 공청회
públic hóliday 경축일, 공휴일
públic hóuse (영) 술집, 선술집; 여인숙(inn)
públic hóusing (미) 공영 주택
públic ínterest 공익; 일반 대중의 관심
públic internátional láw 〖법〗 국제 공법
pub·li·cism [pʌ́bləsìzm] *n.* Ⓤ 국제법론, 공론(公論); 정론(政論)
pub·li·cist [pʌ́bləsist] *n.* 정치 평론가, 정치 기자; 홍보[선전] 담당자; 《원래》 국제법 학자
pub·li·cis·tic [pʌ̀bləsístik] *a.* 정치 평론가의; 홍보 담당의
‡**pub·lic·i·ty** [pʌblísəti] *n.* Ⓤ **1** 널리 알려짐, 주지(周知), 공표; 명성, 평판: a ~ hound (미) 신문에 이름을 올리고 싶어하는 사람 **2** 광고, 선전, 홍보: a ~ campaign 공보[선전] 활동 / a ~ man 선전[홍보]원 / a ~ department 홍보부[국] ***avoid*** [***shun***] ~ 세상에 알려지는 것을 피하다 ***court*** [***seek***] ~ 자기 선전을 하다 ***give ~ to*** …을 공표[발표]하다, 광고하다 ▷ públic *a.*
publícity àgent 광고 대리업자, 광고 취급인[업자]
pub·li·cize [pʌ́bləsàiz] *vt.* 공표하다; 광고[선전]하다
públic kéy 〖컴퓨터〗 공개 키[열쇠]
públic kéy cryptògraphy 〖컴퓨터〗 공개 열쇠 암호 방식
públic lánd (특히 미국의 공유지 불하법에 의해 처분되는) 공유지, 국유지
públic láw 공법(公法), 일반법
Públic Lénding Rìght (영) [종종 **p- l- r-**] 공대권(公貸權) 《공공 도서관에서의 대출에 대하여 저자가 보상을 요구할 수 있는 권리; 略 PLR》
públic líbrary 공립[공공] 도서관
públic límited cómpany (영) 주식 회사 《略 PLC, plc》(public company)
*__pub·lic·ly__ [pʌ́blikli] *ad.* 공공연하게, 공개적으로; 공적으로, 여론에 의해; 정부에 의해
pub·lic-mind·ed [-máindid] *a.* 공공심이 있는

públic núisance **1** 〖법〗 공적(公的) 불법 방해 《소음·악취 등》 **2** (구어) 모두에게 성가신 존재
públic óffice 관공서, 관청
públic ófficer (국가·지방) 공무원, 관리(public official)(cf. PUBLIC SERVANT)
públic opínion 여론: a ~ poll 여론 조사
públic ównership 공유(제), 국유(화)
públic péace 공안(公安)
públic pólicy 공공 정책; 〖법〗 공익 질서
públic próperty **1** 〖법〗 공유[공공] 재산 **2** (모든 사람이 아는) 공인(公人) **3** 누구나 알 권리가 있는 정보
públic próseccutor 〖법〗 검찰관, 검사
públic púrse [the ~] 국고(國庫)
Públic Récord Òffice [the ~] (영) (런던의) 공문서 보관소, 정부 기록 보관소
públic relátions [보통 단수 취급] **1** 홍보[공보] (활동) **2** 섭외 (사무), 피아르 《略 PR》; 홍보과[부] **3** 기업과 사회와의 관계; (사회의) 평판
públic relátions èxercise (개인이나 기업의) 홍보 활동[행사]; 선전 활동
públic relátions òfficer 홍보[섭외]관[장교] 《略 PRO》
públic ríghts 〖법〗 공권(公權)
públic ròom (호텔·여객선의) 라운지
públic sále 공매(公賣), 경매(auction)
*__públic schòol__ **1** (영) 사립 중학교 《상류 계급의 자제가 다니는 기숙제의 학교, 자치제의 대학 예비교 또는 고급 공무원 양성 학교》 **2** (미·캐나다) (초·중·고등) 공립학교
públic séctor 〖경제〗 공공 부문(cf. PRIVATE SECTOR)
públic sérvant 공무원, 공복(公僕)(cf. PUBLIC OFFICER); (미) 공익 법인, 공사
públic sérvice **1** 공공 사업, 공공 기업(체) 《가스·전기·수도 등》 **2** 공공[사회] 봉사 **3** 공무, 행정 사무
públic sérvice bròadcasting 공영[공익] 방송 《영국의 BBC 등과 같은》
púb·lic-sér·vice corporàtion [-sə́ːrvis-] (미) 공익 법인, 공익 사업 회사
públic spéaker 공술인(公述人) 《국회 공청회에서 의견을 말하는 사람》; 연설가
públic spéaking 공석에서 말하기, 연설; 화술, 변론술
públic spírit 공공심, 애국심
pub·lic-spir·it·ed [-spíritid] *a.* 공공[애국]심이 있는
públic stóres 군수품; (미) 세관 창고
públic télevision 공공[비영리] 텔레비전 방송
públic tránsport 공공 교통 수단 《버스·열차 등》
Públic Trustée Òffice [the ~] (영) 유산 관리국
públic utílity 공익 사업, 공익 기업(체)
públic wélfare 공공 복지
públic wórks (미) 공공 토목 공사, 공공 사업
públic wróng 〖법〗 공적 권리의 침해, 공적 위법 행위
‡**pub·lish** [pʌ́bliʃ] *vt.* **1** 발표[공표]하다, 널리 알리다, 〈소문 등을〉 퍼뜨리다: ~ his marriage 그의 결혼을 발표하다 **2** 〈법령 등을〉 공포하다: ~ an edict[a law] 칙령[법령]을 공포하다 **3** 〈서적·잡지를〉 출판하다, 발행하다 **4** 〈위조지폐 등을〉 사용하다 **5** 〈유언을〉 인증[공시]하다; 〖법〗 〈명예 훼손 사항을〉 표시하다
— *vi.* **1 a** 출판하다 **b** 〈작품이〉 출판되다 **2** 출판 사업에 종사하다 ▷ publicátion *n.*
‡**pub·lish·er** [pʌ́bliʃər] *n.* **1** 출판업자, 출판사, 발행자 **2** 발표자, 공표자 **3** (미) 신문업자, 신문사 사주
públisher's ímprint 판권 표시란[페이지]
públisher's státement 출판사 부수 자료 보고서
pub·lish·ing [pʌ́bliʃiŋ] *n.* Ⓤ, *a.* 출판업(의)
públishing hòuse 출판사

thesaurus **publish** *v.* **1** 발표하다 announce, make known, notify, report, declare, proclaim,

Puc·ci·ni [pu:tʃí:ni] *n.* 푸치니 **Giacomo ~** (1858-1924) 《이탈리아의 가극 작곡가》
puc·coon [pəkú:n] *n.* 뿌리에서 적색[황색] 염료를 채취하는 북미산(産) 식물 《bloodroot, goldenseal, gromwell 등》; Ⓤ 그 빨강[노랑] 물감
puce [pjú:s] *n.* Ⓤ, *a.* 암갈색(의)
puck[1] [pʌ́k] *n.* **1** [**P~**] 퍽 《영국 민화에 등장하는 장난꾸러기 요정》 **2** 장난꾸러기, 선머슴 **~·lìke** *a.*
puck[2] *n.* **1** 퍽 《아이스하키용 고무 원반》 **2** (미·속어) 아이스하키 **3** (영) 〔컴퓨터〕 마우스
puck·a [pʌ́kə] *a.* =PUKKA
puck·er [pʌ́kər] *vt.* **1** 주름잡다; 구겨지게 하다, 주름살지게 하다 《*up*》 **2** 〈입술 등을〉 오므리다, 〈눈살 등을〉 찌푸리다 《*up*》 **—** *vi.* **1** 주름잡히다; 주름살지다 《*up*》 **2** 오므라들다 《*up*》
— *n.* **1** 주름, 주름살; 구겨짐 **2** (구어) 당혹, 불안 **3** (미·속어) 입술, 입 ***in a ~*** 당혹[당황]하여 ***in ~s*** 주름 잡혀, 구겨져 **púck·er·y** *a.* 주름지게 하는, 주름이 많은; 입을 오므리게 하는
puck·er·oo [pʌ̀kərú:] (뉴질·속어) *a.* 무가치한, 깨진, 못 쓰게 된 **—** *vt.* 망가뜨리다(ruin)
puck·ish [pʌ́kiʃ] *a.* [종종 **P~**] 장난꾸러기 요정 같은, 개구쟁이의; 변덕스러운 **~·ly** *ad.* **~·ness** *n.*
puck·ster [pʌ́kstər] *n.* (미·속어) 아이스하키 선수
pud[1] [pʌ́d, púd] *n.* (유아어) 손; (개·고양이의) 앞발
pud[2] [púd] *n.* ⓊⒸ (영·구어) 푸딩(pudding); (비어) 페니스; (미·속어) 쉬운 일, 《특히》 (대학의) 쉬운 코스
PUD pickup and delivery
‡**pud·ding** [púdiŋ] *n.* **1** ⓊⒸ 푸딩 《밀가루 등에 과일·우유·달걀 등을 섞어 단맛[향료]을 들여 구운 과자 또는 요리》: *P~* rather than praise. (속담) 금강산도 식후경. / The proof of the ~ is in the eating. (속담) 백문이 불여일견. **2** Ⓤ (칭찬과 대비하여) 물질적 보수; (미·속어) 수월한 것 **3** [보통 복합어를 이루어] 소시지: black ~ 블랙 소시지 《돼지 선지를 넣은 것》 **4** (속어) (도둑이 개에게 주는) 독을 넣은 먹이 **5** (구어) 땅딸보; (구어) 얼간이 **6** (비어) 페니스, 음경 (***as***) ***fit as a ~*** 아주 적당한, 잘 어울리는 ***more praise than ~*** 말뿐인 칭찬 ***the ~ house*** (미·속어) 밥통, 위 **~·lìke** *a.* ▷ púddingy *a.*
púdding bàsin (영) 운두가 깊은 볼[사발] 《푸딩 등을 섞는 데 쓰이는》
pud·ding-cloth [púdiŋklɔ̀:θ | -klɔ̀θ] *n.* 푸딩을 싸서 찌는 보
púdding fàce (구어) 둥글고 무표정한 얼굴
púdding hèad (구어) 얼간이, 바보
pud·ding-heart [-hɑ̀:rt] *n.* 겁쟁이(coward)
pud·ding-pie [-pái] *n.* (영) 푸딩파이, 고기 푸딩
púdding stòne 〔지질〕 역암(礫岩)(conglomerate)
pud·ding·y [púdiŋi] *a.* (영) 푸딩 같은; 아둔한 (dull); 뚱뚱한
*__pud·dle__ [pʌ́dl] *n.* **1** (빗물 등의) 웅덩이, (액체의) 작은 웅덩이 **2** Ⓤ (진흙과 모래를 물로) 이긴 흙; (노를 저었을 때의) 소용돌이 **3** (영·구어) 대서양 **4** ⓊⒸ (구어) 뒤범벅, 뒤죽박죽
— *vt.* **1 a** 〈진흙 등을〉 이기다; 이긴 흙을 바르다, 진흙을 발라 물이 새지 않게 하다 《*up*》: ~ *up* a hole 진흙을 발라 구멍을 메우다 **b** 〈물을〉 흙탕물로 만들다, 더럽히다 **2** 〈녹은 쇠를〉 교련(攪鍊)하다
— *vi.* 흙탕물을 휘젓다[철벙거리다] 《*about, in*》; 휘젓다; 흙반죽을 짓다
pud·dled [pʌ́dld] *a.* (속어) 머리가 혼란된
pud·dle-jump [pʌ́dldʒʌ̀mp] *vi.* (구어) (단거리 항행의) 경비행기로 날다
púddle jùmper (속어) 경비행기, 헬리콥터, 소형 자동차 《등》
pud·dler [pʌ́dlər] *n.* 연철공(鍊鐵工); 용철(溶鐵) 교련기; 연철로(爐)

disclose, broadcast, publicize, spread, impart **2** 출판하다 issue, bring out, print, produce

pud·dling [pʌ́dliŋ] *n.* Ⓤ 이긴 흙; 흙 이기기, 이긴 흙을 바르기; (선철의) 정련, 연철(鍊鐵)(법)
púddling fùrnace 연철로(爐)
pud·dly [pʌ́dli] *a.* (**-dli·er**; **-dli·est**) 〈도로 등이〉 웅덩이가 많은; 웅덩이 같은; 진흙투성이의
pu·den·cy [pjú:dnsi] *n.* Ⓤ 수줍음, 내성적임
pu·den·da [pju:déndə] *n. pl.* (*sing.* **-dum** [-dəm]) 〔해부〕 (여자의) 외음부(vulva) **-dal** *a.*
pudge [pʌ́dʒ] *n.* (구어) 땅딸막한 사람[동물]
pudg·y [pʌ́dʒi] *a.* (**pudg·i·er**; **-i·est**) (속어) 땅딸막한, 통통한 **púdg·i·ly** *ad.* **púdg·i·ness** *n.*
pu·di·bund [pjú:dəbʌ̀nd] *a.* 조신한, 얌전한 체하는 (prudish)
pu·dic·i·ty [pju:dísəti] *n.* Ⓤ 정숙
pueb·lo [pwéblou] 〔Sp. 「마을·사람들」의 뜻에서〕 *n.* (*pl.* **~s**) **1** 푸에블로 《돌이나 adobe로 지은 인디언의 집단 주택; 그 부락》 **2** [**P~**] 푸에블로 족 《pueblo에 사는 인디언 종족》
pu·er·ile [pjú:əril, -ràil] *a.* **1** 어린 아이의[같은] **2** 철없는, 미숙한, 어리석은 **~·ly** *ad.*
pu·er·il·ism [pjú:ərəlìzm | pjúər-] *n.* Ⓤ 〔정신의학〕 소아성[증], 유치성[증]
pu·er·il·i·ty [pjù:əríləti | pjùər-] *n.* (*pl.* **-ties**) **1** Ⓤ 유년 《남자 7-14세, 여자 7-12세》 **2** Ⓤ 철없음, 유치, 치기(稚氣) **3** 유치한 언행[생각]
pu·er·per·al [pju:ɔ́:rpərəl] *a.* 출산(出産)의, 분만에 의한; 산부(産婦)의
puérperal féver 산욕열(産褥熱)
pu·er·pe·ri·um [pjù:ərpíəriəm] *n.* (*pl.* **-ri·a** [-riə]) 산욕(産褥); 산후의 4주간
Puer·to Ri·co [pwɛ́ərtə-rí:kou | pwɔ́:tou-] 푸에르토리코 《서인도 제도의 섬; 미국의 자치령; 수도 San Juan》 **Puer·to Ri·can** [-rí:kən] *a., n.* 푸에르토리코의 (사람)
‡**puff** [pʌ́f] *n.* **1** 훅 불기[소리]; 한 번 불기[부는 양(量)]; (구어·익살) 숨, 입김: a ~ of the wind 한 번 훽 부는 바람 / have[take] a ~ at[on] a pipe 파이프 담배를 한 모금 빨다 **2** 부푼[불룩한] 것[부분]; 퍼프 《드레스의 부풀린 소맷부리》; (머리 모양의) 퍼프; (미) 깃털 이불: a ~ of hair 부풀게 한 머리 **3** (구어) 과장된 칭찬, 과대 선전, 자화자찬식 광고 **4** 퍼프, 분첩 (=powder ~) **5** 부풀린 과자, 슈크림(=cream ~) **6** (속어) 동성애하는 사람 ***get a good ~ of*** …에 대해 크게 칭찬받다 ***out of ~*** (구어) 헐떡거려
— *vi.* **1** (숨을) 훅훅 불다, (연기를) 내뿜다 《*out, up*》; 숨을 헐떡이다; 숨차하다; (담배를) 뻐끔뻐끔 피우다[빨다]: (~+副) He ~*ed* hard as he ran. 그는 뛰면서 몹시 헐떡였다. // (~+전+명) Smoke was ~*ing* (*up*) *from* the chimney. 굴뚝에서 연기가 폭폭 올라갔다. **2** (분첩으로) 분을 바르다 **3** 부풀어오르다 《*up, out*》 **4** 폭폭 소리 내며 움직이다: (~+전+명) The train ~*ed up* the hill. 기차가 폭폭 소리내며 언덕을 올라갔다. **5** (고어) 콧방귀 뀌다 **6** 우쭐대다, 득의양양하다 《*up*》 **7** (경매에서 바람잡이를 써서) 값을 올려 부르다
— *vt.* **1** 〈먼지·연기 등을〉 불다 《*out, up, away*》, 훅 불다, 훅 불어버리다 《*away*》: (~+목+副) ~ feathers *away* 깃털을 훅 불어서 날리다 / ~ *out* a candle 촛불을 훅 불어 끄다 **2** [~ one's way로] 〈기차 등이〉 연기를 내뿜으며 나아가다 **3** 〈담배를〉 뻐끔뻐끔 피우다 **4** 부풀리다; 〈머리털을〉 부풀리다: (~+목+副) (~+목+전+명) The sails were ~*ed out with* wind. 돛은 바람을 안고 부풀었다. / ~ (*out*) one's chest *with* pride 자랑스럽게 가슴을 펴다 **5** 〈사람을〉 숨차게 하다, 헐떡이게 하다 **6** 우쭐대게 하다, 의기양양하게 하다 《*up*》; 마구 칭찬하다 **7** (영) (경매에서 공모자를 써서) …의 값을 올리다 **8** 자화자찬[자기 선전]하다, 과대 광고하다 ***be ~ed up with pride*** 자신이 잘났다고 우쭐해 있다 ***~ and blow*** [***pant***] 헐떡이다 ***~ away at*** one's cigar (엽궐련)을 뻐끔뻐끔 피우다 ***~ out*** (*vi.*) (공기로) 부풀다; 〈연기가〉 폭폭 나다; (*vt.*) 헐떡

이며 말하다; (훅) 불어서 끄다; (공기로) 부풀리다 ~ *up* 부풀어오르다; 우쭐대다 ▷ púffy *a.*
púff àdder 〖동물〗 (아프리카산(産)) 큰 독사 《성나면 몸을 부풀림》
puff·ball [pʌ́fbɔ̀:l] *n.* 〖식물〗 말불버섯
púff bòx (분첩 넣는) 분갑, 분첩갑
puffed [pʌ́ft] *a.* **1** 부푼; 《미·속어》 임신한 **2** Ⓟ 《구어》 〈사람이〉 숨이 찬, 헐떡이는 **3** 우쭐한, 자만하는
puff·er [pʌ́fər] *n.* **1 a** 훅 부는 사람[것] **b** 마구 칭찬하는 사람 **c** 경매인과 공모한 야바위꾼 **2** 〖어류〗 복어류 **3** 《유아어》 칙칙폭폭 《기차》 **4** 《미·속어》 심장
puff·er·fish [pʌ́fərfìʃ] *n.* 〖어류〗 (*pl.* **~**, **~·es**) 복어(puffer)
puff·er·y [pʌ́fəri] *n.* (*pl.* **-er·ies**) ⓊⒸ 《구어》 과장된 칭찬; 과대 선전[광고]
puf·fin [pʌ́fin] *n.* 〖조류〗 에투피리카 《바다오릿과(科)》

puffin

puff·ing [pʌ́fiŋ] *n.* Ⓤ **1** 훅 불기 **2** 몹시 칭찬하기
púff pàste 퍼프 페이스트 《파이·타르트 등의 아주 얇은 피(皮)를 만드는 반죽》
púff pástry 퍼프 페이스트리 《파이 피(皮)로 만든 과자류》
púff pìece 《미·구어》 지나치게 미화[칭찬]한 기사[책, 선전물]
púff pìpe (배기관의) 통기(通氣) 파이프
puff-puff [pʌ́fpʌ̀f] *n.* 폭폭 (소리); 《유아어》 칙칙폭폭 《기차》, 기관차
púff sléeve 퍼프 소매 《주름을 잡아 어깻죽지나 소맷부리를 여유 있게 부풀린 소매》
puff·y [pʌ́fi] *a.* (**puff·i·er**; **-i·est**) **1** 〈바람이〉 확 부는, 한 바탕 부는 **2** 숨이 가쁜, 헐떡이는 **3** 부푼; 팽창된: ~-eyed from poor sleep 수면 부족으로 눈이 부은 **4** 자만하는, 우쭐한, 과장된
púff·i·ly *ad.* **púff·i·ness** *n.*
***pug**[1] [pʌ́g] *n.* **1** 퍼그(=**~ dòg**) 《불독 비슷한 얼굴의 소형 발바리》 **2** 들창코(=~ nose) **3** 《애칭》 여우, 원숭이 《등》 **4** 《영》 소형 기관차 **5** 《고어·속어》 (큰 저택의) 하인 우두머리
pug[2] *n.* **1** ⓊⒸ 이긴 흙 **2** 방음재(材)
— *vt.* (**~ged**; **~·ging**) **1** 〈진흙을〉 이기다 **2** 진흙[이긴 흙]으로 메우다; 〖건축〗 …에 방음재를 메우다
pug[3] *n.*, *vt.* (**~ged**; **~·ging**) 《주로 인도》 (짐승의) 발자국(을 뒤쫓다)
pug[4] [*pug*ilist] *n.* 《속어》 프로 복서(pugilist); 《미》 난폭한 사나이
pug·ball [pʌ́gbɔ̀:l] *n.* 《미》 연식 야구
Pú·get Sóund [pjú:dʒit-] 퓨젯 사운드 《Washington주 북서부, 태평양의 긴 만(灣)》
pug·ga·ree [pʌ́gəri], **pug·gree** [-gri] *n.* (인도 사람이 쓰는) 터번; (볕 가리는 헬멧에 감아 목 뒤로 드리우는) 가벼운 스카프
pug·ging [pʌ́giŋ] *n.* Ⓤ 흙반죽; 〖건축〗 (방음용의) 회반죽
pugh [pú: | pjú:] *int.* 흥, 체, 피 《경멸·증오·반감을 나타냄》
pu·gi·lism [pjú:dʒəlìzm] *n.* Ⓤ 권투
pu·gi·list [pjú:dʒəlist] *n.* (프로) 권투 선수
pu·gi·lis·tic [pjù:dʒəlístik] *a.* (프로) 권투의, 권투 선수의 **-ti·cal·ly** *ad.*
púg mìll 흙 이기는 기계
pug·na·cious [pʌgnéiʃəs] *a.* 싸움하기 좋아하는 (quarrelsome) **~·ly** *ad.* **~·ness** *n.*
pug·nac·i·ty [pʌgnǽsəti] *n.* Ⓤ 호전적임
púg nòse 들창코(snub nose)
pug-nosed [pʌ́gnóuzd] *a.* 들창코의
Púg·wash cónferences [pʌ́gwɑʃ- | -wɔʃ-] 퍼그워시 회의 《핵무기 폐기·세계 평화 등을 토의하는 과학자 중심의 국제 회의》
puis·ne [pjú:ni] *a.* 〖영국법〗 **1** 하위(下位)의; 연하의, 손아래의 **2** 뒤의, 그 다음의 《*to*》: a ~ judge 배석 판사 — *n.* 아랫사람; 후배; 배석 판사
pu·is·sance [pjú:əsns, pwís-] *n.* **1** Ⓤ 《문어》 (국왕의) 권력, 세력 **2** 〖승마〗 장애물 뛰어넘기 경기
pu·is·sant [pjú:əsnt, pwís-] *a.* 《문어》 권력[세력] 있는 **~·ly** *ad.*
pu·ja(h) [pú:dʒɑ:] *n.* Ⓤ 〖힌두교〗 예배; 제례, 제식
pu·ja·ri [pu:dʒɑ́:ri] *n.* 힌두교 승려
pu·ka [pú:kə] *n.* 푸카 《하와이 해안에 많은 흰 조가비; 끈을 꿰어 목걸이·팔찌를 만듦》
puke [pjú:k] 《속어》 *vt.*, *vi.* 도하다(vomit) — *n.* 토한 것, 구토; 토제; 《속어》 싫은 녀석[것]
puk·er·oo [pʌ̀kərú:] *a.*, *vt.* =PUCKEROO
puk·ka [pʌ́kə] *a.* 《인도》 **1** 《고어》 진정한, 진짜의, 신용할 만한, 적절한 **2** 《구어》 최고(급)의
pul [pú:l] *n.* (*pl.* **~s**, **pu·li** [pú:li:]) 풀 《아프가니스탄의 동전; $^1/_{100}$ afghani》
pu·la [pú:lə] *n.* (*pl.* **~**, **~s**) 풀라 《보츠와나의 화폐 단위; =100 thebe; 기호 Pu》
Pu·las·ki [pəlǽski] *n.* [또는 **p~**] 《미》 풀라스키 《한 쪽 끝이 괭이로 된 도끼》
pul·chri·tude [pʌ́lkrətjù:d | -tjù:d] *n.* Ⓤ 《문어》 (특히 여자의) 몸매의 아름다움, 육체미
pul·chri·tu·di·nous [pʌ̀lkritjú:dənəs | -tjú:-] *a.* 《문어》 〈여자가〉 몸매[외모]가 아름다운
pule [pjú:l] *vi.* 〈어린 아이 등이〉 응애응애 울다, 슬피 울다; 《고어》 〈새새끼 등이〉 삐악삐악 울다 **púl·er** *n.*
pu·li [púli, pjú:-] *n.* (*pl.* **-lik** [-lik]) 풀리 《털이 매우 긴 양치기 개; 헝가리 원산》
Pu·litz·er [púlitsər, pjú:-] *n.* 퓰리처 **Joseph ~** (1847-1911) 《헝가리 태생의 미국 신문 발행인》
Púlitzer Príze 퓰리처상 《언론·문학·음악 분야에서 업적을 남긴 사람에게 매년 주어지는 상》
***pull** [púl] *vt.* **1** 끌다, 당기다, 끌어당기다, 잡아 끌다 (opp. *push*): ~ a boy's hair 소년의 머리털을 잡아 당기다 / ~ the trigger 방아쇠를 당기다 // (~+목+부) ~ *down*[*up*] the blind = ~ the blind *down*[*up*] 창문의 블라인드를 끌어 내리다[올리다] // (~+목+전+명) ~ a cart *along* a country road 수레를 끌고 시골길을 가다 / ~ a person *out of* bed …을 침대에서 끌어내다 // (~+목+보) ~ a door open[shut] 문을 당겨서 열다[닫다]

> 유의어 **pull** 「끌다」를 뜻하는 일반적인 말로 상하·전후의 방향으로 끌다 **draw** 부드럽게 한결같이 끌다: Horses *draw* a wagon. 말들이 마차를 끈다. **drag** 무거운 것을 끌다: *drag* a sled to the hilltop 썰매를 언덕 꼭대기까지 끌어올리다 **tug** 힘을 들여 홱 당기다: *tug* a rope 밧줄을 세게 당기다

2 〈열매 등을〉 따다; 잡아떼다, 잡아 찢다: ~ flowers 꽃을 따다 // (~+목+전+명) ~ some fruit *from* a tree 나무에서 열매를 따다 **3** 〈지지·후원·인기를〉 얻다; 〈지지표를〉 얻다 《*in*》; 〈손님을〉 끌다 **4** 〈노·배를〉 젓다; 〈승객을〉 배로 저어 (…에) 나르다: He ~*s* a good oar. 그는 노질을 잘한다. // (~+목+부) ~ a boat *across* 배를 저어 건너다 **5** 〈자동차를 …에〉 바짝 대다, 넣다 **6** 〈군대·사절단 등을〉 철수시키다 《*out of*》 **7** 〈여러 가지 표정을〉 짓다: ~ a face[faces] 얼굴을 찡그리다 / ~ a long[wry] face 못마땅한 얼굴을 하다 **8** 〖인쇄〗 수동 인쇄기로 찍어내다 **9** 〈이(齒)·마개 등을〉 뽑다 《*out*》; 〈새 등의〉 털을 뜯다; 〈생가죽의〉 털을 뽑다 **10** 〖크리켓〗 삼주문(三柱門)의 'off' 쪽에서 'on' 쪽으로 공을 치다; 〖야구·골프〗 〈공을〉 왼쪽으로 끌어서 치다 《왼손잡이는 오른쪽으로》 **11** 〖경마〗 〈말을〉 고의로 이기지 못하게 고삐를 당기다; 〖권투〗 〈펀치의 힘을〉 줄이다 **12** 〈권총·칼 등을〉 빼다, 뽑다, 빼어 들이대다: (~+목+전+명) He ~*ed* a gun[dagger] *on* me. 그는 총[단검]을 뽑아 나에게 들이댔다. **13** 〈근육 등을〉 무리하게 쓰다: The runner ~*ed* a ligament in his foot. 그 주자는 발의 인대(靭帶)를 다쳤다. **14** 〈…에게 일정량의 맥주를〉 통에서 따라주다 **15** 《구어》 〈계획·사기 등을〉 행하다(carry out), 저지르다; 〈의무·사명 등을〉 잘 완수하다 《*off*》: 《~+목+(전+명)》 ~ a stupid trick (*on* a person) (…에게) 어리석은 수작을 부리다 // 《~+목+부》 ~ *off* a stunning victory 놀라운 승리를 거두다 **16** 《속어》 〈경관이〉 체포하다, 검거하다; 〈도박장 등을〉 급습하다: ~ a pickpocket 소매치기를 검거하다

—*vi.* **1** 끌다, 당기다, 잡아당기다, 잡아끌다 《*at*》: 《~+전+명》 ~ *at* one's tie 넥타이를 졸라 매다 / ~ *at* a rope 밧줄을 잡아당기다 **2** 끌리다, 당겨지다; 〈기구 등이〉 (끌려) 움직이다, 시동하다; 〈배가〉 (…으로) 저어져 가다: 《~+부》 《~+전+명》 The train *~ed out* (*of* the station). 기차는 (역에서) 떠나갔다. / The boat *~ed for* the shore. 보트는 기슭 쪽으로 나아갔다. **3** 〈병·잔을 입에 대고〉 꿀꺽 마시다 《*at*》; 〈담배를〉 피우다, 빨다 《*at, on*》 **4** 애를 써서 나아가다 《*for, towards, through*》: 《~+전+명》 ~ *up* the hill 언덕을 올라가다 **5** 〈말이〉 말을 듣지 않다 **6** 〈사람이〉 배를 (…으로) 젓다(row), (배로) 수송하다 《*away, for, out*》: 《~+전+명》 *P~ for* the shore. 기슭 쪽으로 저어라. **7** 후원을 얻다; 고객을 끌다; (취직 등을 할 때) 특별히 끌어 주다[보아 주다], 인기를 끌다 **8** 〈사람이〉 자동차를 (…에) 바짝 대다, 주차하다 **9** 〖야구·골프〗 공을 끌어 치다 **10** (경쟁에서) 앞서다, 앞지르다

~ about [***around***] = ***~ and haul*** 이리저리 끌고 다니다, 거칠게 다루다 ***~ a fast one*** 《속어》 속이다 (cheat) 《*on*》 ***~ ahead*** 선두로 나가다, 앞지르다 ***~ apart*** 〈밧줄 등을〉 잡아 끊다; 〈싸움을〉 말리다; 헐뜯다, 혹평하다 ***~ away*** (1) …에서 몸을 떼다 (2) 〈노상(路上)의 차가〉 움직이기 시작하다; 〈배가〉 물가를 떠나다 (3) …을 앞질러가다 《*from*》 ***~ back*** (1) 생각을 바꾸어 그만두다, 한 말을 취소하다, 약속을 어기다 (2) 〈군대가〉 후퇴하다, 〈군대를〉 후퇴시키다 (3) 경비를 절약하다 ***~ caps*** [***wigs***] 싸우다, 드잡이하다 ***P~ devil, ~ baker!*** = ***P~ dog, ~ cat!*** 어느 편도 지지 마라! 《줄다리기에서》 ***~ down*** (1) 〈건축물을〉 헐다 (2) 〈가치를〉 떨어뜨리다 (3) 〈병 등이〉 쇠약하게 하다 (4) 〈모자·차양 등을〉 끌어내리다 (5) 《미·구어》 〈돈을〉 벌다 ***~ down*** one***'s house about*** one***'s ears*** 자멸을 꾀하다 ***~ foot*** = ***~ it*** 《구어》 도망치다 ***~ for*** 《구어》 …을 돕다, 성원하다; …을 향하여 젓다 ***~ in*** (1) 〈지지·후원·인기를〉 얻다 (2) 〈뚱뚱한 사람이〉 배를 집어넣고 허리를 펴다 (3) [~ one*self* 로] 자세를 바로 하다 (4) 〈말 등의〉 보조를 늦추다; 〈말 등을〉 세우다, 멈추다 (5) 《구어》 〈용의자를〉 체포하다 (6) 《구어》 〈돈을〉 벌다 (7) 〈열차가〉 역에 들어오다 (8) 〈배·자동차가〉 한쪽으로 다가가 서다; 〈사람이〉 차를 한쪽으로 다가서 세우다 ***~ into*** = PULL IN (8). ***~ off*** (1) 〈옷을〉 (급히) 벗다 (2) 〈어려운 일을〉 훌륭히 해내다 (3) 〈과일 등을〉 따다 (4) 자동차를 길가에 바짝 대다 (5) (경기에) 이기다, 〈상을〉 타다 (6) 〈뚜껑 등이〉 벗겨지다 (7) 가다, 떠나다, 도망치다 ***~ off*** one***'s hat to*** …에게 모자를 벗고 인사하다 ***~ on*** 〈옷을〉 급히 입다, 〈장갑을〉 끼다, 〈양말을〉 신다 ***~*** one***self together*** 병에서 회복되다; 마음을 가라앉히다, 정신차리다; 만회하다 ***~*** one-***self up*** 상체를 바로 펴다; 자제하다; 갑자기 그만두다 ***~*** one***'s weight*** 몸무게를 이용하여 배를 젓다; 제몫을 하다 ***~ out*** (1) 〈이·마개 등을〉 빼다, 뽑다 (2) 〈군대 등을〉 철수시키다 (3) …을 손 떼게 하다 (4) 〈열차가〉 역에서 나가다 (5) 〈배가〉 저어져 나가다; 〈차가〉 움직이기 시작하다; 〈사람이〉 배를 저어 나가다, 차를 몰고 나가다 (6) 〈군대 등이〉 철수하다 (7) (계획·일 등에서) 손 떼다 (8) 〖항공〗 (강하 자세에서) 수평 비행으로 돌아가다 (9) 〈서랍 등이〉 빠지다 (10) 〈이야기 따위를〉 오래 끌다; 《구어》 전력을 다하다 ***~ out of the fire*** 실패를 성공으로 전환하다 ***~ over*** (1) 〈옷을〉 머리부터 뒤집어써 입다 (2) 〈책상 등을〉 뒤집어 엎다 (3) 〈차를〉 길가에 붙이다 《*to*》; 〈차가〉 길가에 붙다 ***~ round*** 생기를 회복시키다[하다], 건강[의식]을 회복시키다 ***~ the other one*** (***, it's got bells on***). 《영·구어》 [보통 명령으로] 농담 그만해, 바보 같은 소리 작작해 ***~*** (***the*** [one***'s***]) ***strings*** [***wires***] ⇨ string. ***~ through*** (1) 곤란을 극복하게 하다 (2) 중병[중상 《등》]을 이겨내(게 하)다 (3) 난국을 타개하다 ***~ together*** (1) 협력하여 일하다, 의좋게 해나가다 (2) 〈조직체 등의〉 협조[단결]를 도모하다, 〈조직을〉 통합하다 (3) [~ one*self* 로] 냉정을 되찾다, 침착해지다 ***~ to*** [***in***] ***pieces*** 갈기갈기 찢다; 혹평하다 ***~ up*** (1) 빼다, 뽑다; 근절하다 (2) 끌어올리다; 〈옷깃을〉 세우다 (3) 〈말·차를〉 세우다, 멈추다 (4) 〈잘못하는 사람을〉 제지하다, 꾸짖다 (5) 〈말·차 등이〉 서다; 〈운전자가〉 차를 세우다 ***~ up short*** 갑자기 그만두다 ***~ up to*** [***with***] …을 따라 잡다, …에 필적하다

—*n.* **1 a** 끌어당기기; 한 번 당기기 **b** 〖카드〗 패를 뽑기; (총의) 방아쇠를 당기기 **c** 당기는 힘 **d** (자연의) 인력 **e** 《구어》 (배를) 한 번 젓기, 뱃놀이 **2** 손잡이, 당기는 줄 **3** (술 등의) 한 잔, 한 모금; (담배의) 한 대 《*at*》; 《영》 (선술집에서) 덤으로 주는 술 **4** 〖인쇄〗 수동 인쇄기로 한 번 밀기; 교정쇄, 수쇄(手刷) **5** 〖크리켓·골프〗 왼편으로 휘어 치기; 〖야구〗 좌곡타(左曲打), 끌어치기; 〖경마〗 (일부러 지기 위하여) 고삐를 당기기 **6** 《속어》 매력 **7** U.C 《구어》 연줄, 연고; C 《구어》 (개인적) 이점: have ~ with the company 회사에 연줄이 있다 **8** [수식어와 함께] (등산 등의 고된) 노력, 수고 ***a long ~*** (술 등의) 덤 ***give a ~ at*** …을 잡아당기다 ***have a ~*** 〈배를〉 한 차례 젓다; 《구어》 …에 연줄이 있다 《*with*》 ***have*** [***take***] ***a ~ at the bottle*** 〈술을〉 꿀꺽 한 잔 하다 ***have a*** [***the***] ***~ over*** [***of, on, upon***] a person …보다 낫다, 유리하다

pull-a-part [púləpɑ̀:rt] *a.* 〈포장·용기 등이〉 잡아당겨서 따로따로 분리되게 된

pull·back [púlbæ̀k] *n.* **1** 뒤로 끌어당김, 되돌림; 장애(물), 방해(물); 뒤로 끌어 당기는[되돌리는] 장치 **2** (군대의) 후퇴, 철수 **3** (가치·수량 등의) 감소, 하락

púll dàte (유제품 등의) 판매 유효 기한 날짜

pull-down [-dàun] *a.* 〈의자·침대 등이〉 펴고 접는 식의: a ~ bed 접는 식 침대

—*n.* 이동식 가로대; 〖컴퓨터〗 내림

púll-down mènu 〖컴퓨터〗 풀다운 메뉴 《화면에 표시된 항목을 선택하면 그 항목 아래에 다시 하위의 메뉴 항목이 블라인드처럼 내려져 표시되는 방식》

pulled [púld] *a.* **1** (열매 등을) 딴; 털을 뜯은 **2** 건강[기운]이 쇠약해진

púlled brèad 빵덩어리(loaf)의 속을 뜯어내어 다시 구운 빵조각

púlled pórk 풀드 포크 《잘게 저며놓은 돼지고기》

pull·er [púlər] *n.* **1** 끌어당기는 사람[것] **2** 따는[뜯는] 사람 **3** 뽑는 도구 **4** 노 젓는 사람(oarsman) **5** 재갈을 거부하는 말 **6** 《미·속어》 밀수업자; 마리화나 흡연자

pull·er-in [púlərìn] *n.* (*pl.* **pull·ers-**) 《미》 (상점의) 손님 끄는 사람, 호객꾼

pul·let [púlit] *n.* (특히 한 살이 안 된) 어린 암탉

***pul·ley** [púli] *n.* **1** 도르래, 활차; 〖기계〗 벨트차: a compound ~ 겹도르래 / a driving ~ 주(主)도르래 / a fast[fixed] ~ 고정 도르래 **2** 《미·속어》 바지멜빵(suspenders)

—*vt.* …에 도르래를 달다; 도르래로 끌어올리다

púlley blòck 〖기계〗 도르래 장치[틀]

púll hìtter 〖야구〗 풀히터 《끌어치기에 능숙한 타자》

pul·li·cat(e) [púlikət, -kèit] *n.* 염색한 손수건; 그 원단

pull-in [púlìn] *a., n.* 《영·구어》 자동차에 탄 채 들어가는 (식당)(《미》 drive-in) 《특히 트럭 운전사용》; (도로 옆의) 대피소(lay-by)

púll·ing pòwer [púliŋ-] 《영》 (사람의 주목을) 끄는 힘, 흡인력(《미》 drawing power)

Pull·man [púlmən] *n.* 〖철도〗 풀먼식 차량(= ***~ càr*** [***còach***]) 《침대 설비가 있는 특별 차량; 상표명》

Púllman càse 대형 슈트케이스(suitcase)

pull-off [púlɔ̀:f | -ɔ̀f] *n.* 《미》 간선 도로의 대피소 (《영》 lay-by)
pull-on [-ɑ̀n | -ɔ̀n] *n.* 잡아당겨 착용하는 의복 《스웨터·장갑 등》 **—** [⌐⌐] *a.* 잡아당겨 착용하는
pull·out [-àut] *n.* **1** (군대 등의) 철수, (거류민 등의) 이동 **2** (책의) 접어 넣은 페이지[그림] **3** 〖항공〗 (급강하에서) 수평 자세로 옮기기; 〖서핑〗 라이딩을 자기 의사로 중단하는 기술
pull·o·ver [-òuvər] *n.* 풀오버 《머리부터 뒤집어써 입는 스웨터 등》
pullover 
púll stràtegy 풀 전략 《선전 광고 위주로 직접 소비자에게 파고드는 판매 촉진 전략》
púll swìtch 당김 스위치 《끈을 당겨 켜고 끄는》
púll tàb (맥주·음료 등 깡통의) 잡아당겨 따는 손잡이
pull-tab [-tæ̀b] *a.* 〈깡통이〉 잡아당겨 따는 식의
pull-through [-θrú:] *n.* **1** 《영》 (한쪽 끝에 추, 다른 한쪽 끝에 헝겊을 단) 총신(銃身) 청소용 줄 **2** 《영·속어》 말라깽이
pul·lu·late [pʌ́ljulèit] *vi.* 〈어린가지·새싹이〉 싹트다, 번식하다; 〈교리(教理) 등이〉 발전하다; 급증하다; (장소 등에) 우글거리다 《*with*》
púl·lu·lant *a.* **pùl·lu·lá·tion** *n.*
pull-up [púlʌ̀p] *n.* **1** 정지, 휴식; (마차 등의) 주차장; (여행자의) 휴게소 **2** 〖항공〗 (수평 비행으로부터의) 급상승 **3** 턱걸이
pul·ly-haul [púlihɔ̀:l] *vt., vi.* 힘껏 잡아당기다
pul·mom·e·ter [pʌlmɑ́mətər, pul- | pʌlmɔ́m-] *n.* 폐활량계
pul·mo·nar·y [pʌ́lmənèri, púl- | pʌ́lmənəri] *a.* **1** 폐의, 폐에 관한; 폐를 침범하는; 폐질환의: ~ complaints [diseases] 폐병 **2** 폐 모양의; 폐질환의 **3** 〖동물〗 폐를 가진
púlmonary ártery 〖해부〗 폐동맥
púlmonary embólism 〖병리〗 폐색전
púlmonary tuberculósis 〖병리〗 폐결핵
púlmonary véin 〖해부〗 폐정맥
pul·mo·nate [pʌ́lmənət, púl- | pʌ́l-] *a.* 폐를 가진, 폐 같은 기관을 가진; 유폐류의
— *n.* 유폐류의 동물 《달팽이 등》
pul·mon·ic [pʌlmɑ́nik, pul- | pʌlmɔ́n-] *a.* 폐(동맥)의; 폐병의 **—** *n.* 《드물게》 폐병 환자; 폐병약
Pul·mo·tor [pʌ́lmòutər, pul-] *n.* 인공 호흡기 《상표명》
*****pulp** [pʌ́lp] *n.* Ⓤ **1** (연한) 과육 《포도·복숭아 등의》; ⓊⒸ (펄프 모양의) 연한 덩어리, 걸쭉한 것 **2** 펄프(=wood ~) 《종이의 원료》 **3** [보통 *pl.*] 《미》 (선정적인) 통속[대중] 잡지(=~ magazine) **4** 〖치과〗 치수(齒髓)(=dental ~) **5** 〖광물〗 광니(鑛泥)(slime)
beat a person ***to a ~*** …을 늘씬하게 때려주다 ***be reduced to*** (***a***) ***~*** 걸쭉해지다; 피곤하여 녹초가 되다 ***reduce*** a person ***to*** (***a***) ***~*** …을 (정신적으로) 녹초가 되게 하다
— *vt.* **1** 펄프로 만들다; 걸쭉하게 하다 **2** 〈커피 열매 등에서〉 과육을 제거하다
— *vi.* 펄프가 되다, 걸쭉하게 되다; 〈과일 등이〉 익다, 물러지다 **~·lìke** *a.* ▷ púlpy *a.*
pulp·er [pʌ́lpər] *n.* (커피 열매의) 과육 채취기; 펄프 제조기
pulp·i·fy [pʌ́lpəfài] *vt.* (**-fied**) 펄프로 만들다, 걸쭉하게 만들다
*****pul·pit** [púlpit, pʌ́l-] [L 「단(壇)」의 뜻에서] *n.* **1** (교회의) 설교단(壇), 강단; 연단(cf. PLATFORM) **2** [the ~; 집합적] 성직자, 성직자의 직위[임기] **3** [the ~] 설교, 성직 **4 a** (포경선의 작살을 발사하는) 상자 모양의 좌석 **b** 《속어》 〖공군〗 조종석(cockpit) **5** (공장의) 제어실, 생산 감시실
pul·pit·eer [pùlpətíər, pʌ̀l-] *n.* 《경멸》 설교사[꾼] **—** *vi.* 설교를 늘어놓다 **~·ing** *n.*
pulp·i·tis [pʌlpáitis] *n.* (*pl.* **pulp·it·i·des** [pʌlpítədì:z]) 〖치과〗 치수염(齒髓炎)
púlp lìterature (pulp magazine 등에 나오는) 저속하고 엽기적인 작품[소설]
púlp màgazine (갱지를 쓴) 저속 잡지
púlp nòvel 싸구려 저속 소설
pulp·og·ra·phy [pʌlpɑ́grəfi | -pɔ́g-] *n.* Ⓤ 값싼 잡지류, 지질이 나쁜 싸구려 출판물
pulp·ous [pʌ́lpəs] *a.* =PULPY
pulp·wood [pʌ́lpwùd] *n.* Ⓤ 펄프용재, 제지용재
pulp·y [pʌ́lpi] *a.* (**pulp·i·er**; **-i·est**) **1** 과육의 **2** 과육 모양의, 과육질(質)의; 걸쭉한; 즙이 많은(juicy) **3** (선정적인) 저속 잡지[책]의 **púlp·i·ness** *n.*
pul·que [púlki] *n.* Ⓤ 용설란술 《멕시코의 술》
pul·sar [pʌ́lsɑ:r] *n.* 〖천문〗 펄서, 맥동성(脈動星) 《전파 방사 천체의 하나》
pul·sa·tance [pʌ́lsətəns] *n.* (주기 운동의) 각(角)주파수 《각속도》
pul·sate [pʌ́lseit, ⌐⌐] [L 「밀다」의 뜻에서] *vi.* **1** 〈심장·맥박 등이〉 뛰다, 두근거리다; 정확하게 고동하다 **2** 떨리다, 진동하다 **3** 〖전기〗 〈전류가〉 맥동(脈動)하다 **—** *vt.* 〈다이아몬드를〉 체질하여 가려내다
pul·sa·tile [pʌ́lsətl, -tàil | -tàil] *a.* 맥이 뛰는, 박동(성)의, 두근거리는(throbbing); 〈악기 등이〉 쳐서 울리는, 타악기의: ~ instruments 타악기
púl·sat·ing stár [pʌ́lseitiŋ-] 〖천문〗 맥동성(脈動星)
pul·sa·tion [pʌlséiʃən] *n.* ⓊⒸ **1** 맥박, 박동, 동계(動悸) **2** 파동, 진동 **3** 〖전기〗 (전류의) 맥동(脈動)
pul·sa·tive [pʌ́lsətiv] *a.* 맥동[박동]하는
pul·sa·tor [pʌ́lseitər] *n.* **1** 고동하는 것 **2** (세탁기 등의) 맥동 장치 **3** (다이아몬드의) 고동 선광기
pul·sa·to·ry [pʌ́lsətɔ̀:ri | -təri] *a.* 맥이 뛰는, 박동[맥동]하는
‡**pulse**[1] [pʌ́ls] [L 「밀다」의 뜻에서] *n.* **1** 맥박; 고동, 동계(動悸): His ~ is still beating. 그의 맥은 아직 뛰고 있다. **2 a** (광선·음향 등의) 파동, 진동 **b** 〖음악〗 율동; 박자; (음악·시의) 박(拍) **3** (생기·감정 등의) 약동, 흥분; 의향, 기분; 경향 **4** 〖통신〗 펄스 《지속 시간이 매우 짧은 전류나 변조(變調) 전파》; 〖생화학〗 물질의 (단시간의) 적용량 **5** (노 등의) 규칙적인 움직임; 〖컴퓨터〗 펄스 ***feel***[***take***] a person***'s ~*** …의 맥을 짚다; 의향[반응]을 살피다 ***feel the ~ of*** …의 의향[대세]을 살피다 ***have***[***keep***] one***'s finger on the ~*** 현황을 파악하고 있다, 실상을 알고 있다 ***stir*** a person***'s ~*** …을 흥분시키다
— *vi.* 맥이 뛰다, 고동하다; (food processor의 작동 버튼을) 규칙적으로 누르다
— *vt.* 〈혈액 등을〉 박동으로 보내다 《*in, out*》; 펄스로 하다; 〈전자파를〉 펄스로 수정하다; 〈food processor의 작동 버튼을〉 규칙적으로 누르다 ***~ through*** 〈혈액·생명이〉 고동쳐 …을 흐르다; 〈흥분 등이〉 (사람들 사이에) 전해지다 ▷ púlsate *v.*
pulse[2] *n.* **1** Ⓤ [집합적] 콩, 콩 종류 **2** [보통 *pl.*] 콩이 여는 식물
pulse·beat [pʌ́lsbì:t] *n.* 맥동; 감흥; 약동
púlse còde modulátion 〖통신〗 펄스 부호 변조 《略 PCM》
púlse dìal(l)ing 펄스 다이얼 방식 《각 번호를 통신용의 전자 펄스를 써서 발신하는 전화 다이얼 방식》
púlse hèight ánalyzer 〖물리〗 (펄스) 파고(波高) 분석기
púlse-jet éngine [-dʒèt-] 〖항공〗 펄스제트 엔진 《연소실 공기 취입판(瓣)이 쉼없이 개폐함》
pulse·less [pʌ́lslis] *a.* 맥박이 없는; 생기 없는
púlse modulàtion 〖통신〗 펄스 변조(變調)
púlse prèssure 〖의학〗 압맥박, 맥압 《수축기압과 확장기압의 차》
púlse rádar 〖통신〗 펄스 변조 레이더
púlse ràte 〖의학〗 맥박수

pulse-tak·ing [pʌ́lstèikiŋ] *n.* 《구어》 (세상의) 동향(動向) 조사
púlse thèrapy 〖의학〗 펄스[충격] 요법
púlse tìme modulátion 〖전기〗 펄스시(時) 변조(變調) 《略 PTM》
pul·sim·e·ter [pʌlsímətər] *n.* 맥박계(計)
pul·som·e·ter [pʌlsámətər | -sɔ́m-] *n.* **1** 기압 양수기(揚水機), 진공 펌프 **2** =PULSIMETER
pul·ta·ceous [pʌltéiʃəs] *a.* (푹 삶은 콩(pulse)처럼) 눅진한, 풀 모양의; 부드러운, 곤죽이 된
pulv. *pulvis* 《L =powder》
pul·ver·a·ble [pʌ́lvərəbl] *a.* 가루로 만들 수 있는, 분쇄할 수 있는
Pul·ver·a·tor [pʌ́lvərèitər] *n.* 분쇄기 《상표명》
pul·ver·ize [pʌ́lvəràiz] *vt.* **1** 가루로 만들다, 부수다; 〈액체를〉 안개(상태)로 만들다 **2** 〈주장·의견 등을〉 분쇄[격파]하다; 타도하다 **—***vi.* 가루가 되다, 부서지다 **-ìz·a·ble** *a.* **pùl·ver·i·zá·tion** *n.* Ⓤ 분쇄, 분무
pul·ver·iz·er [pʌ́lvəràizər] *n.* **1** 가루로 만드는 사람[것] **2** 분쇄기; 분무기
pul·ver·u·lent [pʌlvérjulənt] *a.* 고운 가루의, 가루가 된; 가루[먼지]투성이의; 〈암석이〉 부서지기 쉬운
pu·ma [pjú:mə | pju:-] *n.* (*pl.* **~s,** **~**) 〖동물〗 퓨마, 아메리카라이온; Ⓤ 퓨마의 모피
pum·ice [pʌ́mis] *n.*, *vt.* Ⓤ 속돌[부석(浮石)](로 닦다)
pu·mi·ceous [pju:míʃəs, pʌ-] *a.* 속돌의, 속돌 비슷한; 부석질(浮石質)의
púmice stòne =PUMICE *n.*
pum·mel [pʌ́məl] *vt.* (**~ed**; **~·ing** | **~led**; **~·ling**) = POMMEL
pum·me·lo [pʌ́məlou] *n.* (*pl.* **~s**) =POMELO
‡pump[1] [pʌmp] *n.* **1** 펌프, 양[흡]수기: a bicycle ~ (자전거의) 공기 펌프 / a breast ~ 흡유기(吸乳器) / a centrifugal[centripetal] ~ 원심[구심] 펌프 / a feed(ing) ~ 급수 펌프 / a force[forcing] ~ 밀펌프 / a single-[double-]acting ~ 단[복]식 펌프 / a suction ~ 빨펌프 **2** (동물의) 펌프상(狀) 기관; 《구어》 심장(heart) **3** 펌프의 작용[양수(揚水)] **4** 《구어》 유도 신문; 떠보는 사람, 유도 신문자 **5** 〖물리〗 =PUMPING 1 ***All hands to the ~(s)!*** 전원 총력을 다하여 분투하라, 단결하여 난국을 극복하라. ***fetch a ~*** 펌프에 마중물을 붓다 ***give*** a person***'s hand a ~*** (잡은 손을 위아래로 흔들어) …와 악수하다 ***on ~*** 《미·방언》 외상으로, 신용 대부로 ***prime the ~*** 경기 부양책을 쓰다
—*vt.* **1** 펌프로 〈물을〉 퍼 올리다[퍼 내다] 《*out, up*》; 물이 마르도록 퍼내다: ~ a ship 배 안에 괸 물을 퍼내다 // (~+目+副) ~ water *up*[*out*] 펌프로 물을 퍼올리다 // (~+目+補) ~ a well dry 물을 퍼내어 우물을 말리다 **2 a** 펌프로 공기를 넣다 《*up*》: (~+目+副) ~ *up* a tire 펌프로 타이어에 공기를 넣다 // (~+目+前+名) ~ air *into* a tube 펌프로 튜브에 바람을 넣다 **b** 〈음식 등을〉 공급하다 **c** 가르치다, 〈지식을〉 주입(注入)하다 《*into*》: (~+目+前+名) ~ foreign ideas *into* a young man 청년에게 외국 사상을 주입하다 **d** 〈욕을〉 퍼붓다: (~+目+前+名) ~ abuses *upon* a person …에게 욕설을 퍼붓다 **3 a** 펌프처럼 부리다 **b** [보통 수동형으로] 헐떡이게[지치게] 하다 《*out*》: (~+目+副) After the race, he was *~ed out.* 경주하고 나서 그는 기진맥진했다. **4** 《구어》 떠보다, 넘겨짚다; 유도 신문하여[끈질기게 물어] 〈정보를〉 알아내다: (~+目+前+名) ~ information *out of* a person …에게서 정보를 캐내다 **5** 〈머리를〉 짜내다: ~ one's brain for a solution 문제 해결을 위해 머리를 짜내다 **6** 《비어》 〈여자와〉 성교하다
—*vi.* **1** 펌프로 (물을) 퍼 올리다[퍼 내다]; 펌프를 쓰다 **2** 〈액체가〉 (단속적으로) 나오다, 분출하다 **3** 펌프 작용을 하다; 〈기압계의 수은이〉 급격히 오르내리다 **4** 교묘하게 물어[넘겨짚어] 알아내다
~ *bullets*[*shots*] *into* a person …에게 총을 여러 번 쏘다 **~** A ***into*** B B에 A를 밀어[집어] 넣다, 투입하다 **~ *out*** (1) …을 퍼내다, 뽑아 내다 (2) …을 다량으로 만들어 내다[내놓다] **~ (*...*) *up*** (1) …에 펌프로 공기를 넣다 (2) 높이다, 세게 하다, 힘을 주다 (3) (…에게) 〈열정·경쟁심·힘을〉 불어넣다 (4) (보디 빌딩에서 근육을 최대한으로) 부풀리다; 과장하다
~·a·ble *a.*
pump[2] *n.* [보통 *pl.*] **1** 펌프스 (《영》 court shoes) 《끈·걸쇠가 없는 가벼운 여성용 구두》 **2** 슬립온(slip-on)식의 남자 (예장용) 구두 **3** 《영》 (테니스용 등의) 운동화 (plimsoll)

pumps[2] 1

pump-ac·tion [pʌ́mpæ̀kʃən] *a.* 〈산탄총 등이〉 펌프 연사식(連射式)의
púmp and dúmp 《미·증권 속어》 헐값에 매입한 주식을 (허위 정보 등으로) 폭등시킨 뒤 팔아치우기
púmp bòx (펌프의) 피스톤실(室)
púmp bràke 펌프의 긴 자루 《여럿이 같이 일할 수 있는》
púmped stórage [pʌ́mpt-] 양수(揚水) 발전 장치 《저(低)전력 소비시 저수지에 퍼올린 물로 고전력 소비시에 발전》
pump·er [pʌ́mpər] *n.* 펌프 사용자; 펌프차 《양수 장치 있는 소방차》; 《미·속어》 심장; 《미》 펌프식 유정(油井)
pum·per·nick·el [pʌ́mpərnìkəl] [G] *n.* ⓊⒸ 조제(粗製)한 호밀 빵
púmp fàke 〖미식축구〗 펌프 페이크 《공을 자기편에 던지는 시늉을 하기》
púmp gùn 펌프식 연발총 《레버를 전후로 움직여 조작함》
púmp hàndle **1** =PUMP BRAKE **2** 《구어》 과장된 악수 《잡은 손을 위아래로 흔드는》
pump-han·dle [pʌ́mphæ̀ndl] *vt.* 《구어》 〈남의 손을〉 아래위로 흔들어 악수하다
pump·ing [pʌ́mpiŋ] *n.* Ⓤ **1** 〖물리〗 전자나 이온에 빛을 흡수시켜 에너지가 낮은 상태에서 높은 상태로 끌어올림 **2** 펌프 사용; 펌프 작용
púmp jòckey 《속어》 주유소의 점원
***pump·kin** [pʌ́mpkin, pʌ́ŋkin | pʌ́mp-] [Gk 「큰 멜론」의 뜻에서] *n.* **1** 호박 《식물 및 열매》; 호박 줄기[덩굴] **2** 《미》 여보, 당신 《애칭》 **3** [보통 (some) ~s] 《미·구어》 훌륭한 인물; 주요한 것[일, 장소]
púmpkin hèad 《구어》 멍텅구리, 미련퉁이
pump·kin-head·ed [pʌ́mpkinhèdid, pʌ́ŋ-] *a.* 《구어》 아둔한, 어리석은
púmpkin ròller 《미·속어》 농부, 농민
pump·kin·seed [-sì:d] *n.* 호박씨; 〖어류〗 펌프킨시드 《북미산(産)의 민물 sunfish의 일종》
púmp prìming **1** (펌프에 넣는) 마중물 **2** 《미·구어》 펌프에 마중물을 붓는 식의 경기 부양책 《Roosevelt 대통령의 New Deal의 근본 정책》
púmp ròom **1** (온천장의) 광천수(鑛泉水) 마시는 방 **2** 펌프실
pump·ship [pʌ́mpʃìp] *vi.*, *n.* 《비어》 오줌(누다)
pump·well [-wèl] *n.* 펌프 우물
pun[1] [pʌn] *n.* 말장난, 재담, 곁말, 신소리, 동음이의(同音異義)의 익살 **—***vt.* (**~ned**; **~·ning**) 말장난하다, 재담하다, 신소리하다, 익살부리다 《*on, upon*》
pun[2] *vt.* (**~ned**; **~·ning**) 《영》 〈흙·잔돌을〉 막대로 다져서 굳히다
pu·na [pú:nə, -nɑ:] *n.* 푸나 《페루의 Andes 산맥 중의 춥고 건조한 고원》; (페루 산간의) 찬바람; Ⓤ 〖병리〗 고산병(高山病)
‡punch[1] [pʌntʃ] *n.* **1** 구멍 뚫는 도구, 펀치; (차표 등을 찍는) 구멍 가위; 타인기(打印器): a ticket ~ 검표기[가위] **2** 〖컴퓨터〗 천공기; 천공, 구멍
bell ~ (차장의) 방울 달린 펀치 가위 ***figure*[*letter*] *~*** 숫자[문자] 타인기
—*vt.* 〈금속·차표 등에〉 구멍을 뚫다; 〈구멍을〉 뚫다

‡**punch**[2] [pʌntʃ] *n.* **1** 주먹질, 펀치 **2** [UC] 힘, 활력, 활기 **3** 신랄(辛辣), 풍자 **4** (말 등의) 박력, 효과(effectiveness); 《미·속어》 (소설·극 등의) 박력: Her speech wants ~. 그녀의 연설은 박력이 모자란다.
beat** a person **to the ~ (1) 〚권투〛 먼저 펀치를 먹이다 (2) 기선(機先)을 제압하다 ***get*** [***give***] ***a ~ on the nose*** 콧등을 한 대 얻어맞다[갈기다] ***pack a*** (***hard*** [***strong, powerful***]) ***~*** 《구어》 (1) 〈사람이〉 강타를 가하다[가할 힘이 있다] (2) 위력이 있다, 굉장한 효과가 있다; (토론 등에서) 위력 있는 말을 하다 ***pull a ~*** 〚권투〛 일부러 실효 없는 펀치를 가하다 ***pull*** one***'s ~es*** [부정문에서] (공격·비평 등에서) 사정을 봐주다 ***take a ~ at*** 《미·속어》 치려고 덤벼들다
— *vt.* **1** 주먹으로 쥐어박다, 한 대 치다(⇨ strike [유의어]) **2** 막대기로 쿡쿡 찌르다; 《미》 〈소를〉 막대기로 찌르며 몰다, 유도하다 **3 a** 〈타자기 등의 키를〉 두들기다 **b** 〚컴퓨터〛 〈프로그램을〉 입력하다; 〈카드를〉 펀치하다 **4** 《구어》 강한 어조로 말하다
— *vi.* 강타하다, 일격을 가하다; 두드리다
~ a person ***about the body*** …의 몸뚱이를 때리다 ***~ in*** (1) 《미》 타임 카드에 시간을 찍고 출근하다 (2) (키보드를 두드려) 컴퓨터에 〈데이터를〉 입력하다 ***~ into*** = PUNCH in (2). ***~ out*** (1) 《미·구어》 …을 때려눕히다 (2) 《미》 타임 카드에 시간을 찍고 퇴근하다 (3) 키보드를[버튼을] 두드리다[누르다] (4) 세게 치다, 구멍을 내다 ~ a person***'s chin*** = ~ a person ***on the chin*** …의 턱을 한 대 치다 ***~ the clock*** 《미·구어》 타임 카드를 리코더에 대서[찍어] 출퇴근 시간을 입력하다 ***~ up*** (1) (키보드를 쳐서) 정보를 불러내다 (2) 《영·구어》 〈사람을〉 때리다, 서로 치고받다 (3) …로 활기를 불어넣다 《*with*》

punch[3] [*Punch*inello] *n.* **1** 《영·방언》 뚱뚱보, 땅딸보 **2** 땅딸막한 것; 《영》 발이 짧고 살찐 말

***punch**[4] [pʌntʃ] *n.* **1** [U] **펀치** 《술·설탕·우유·레몬·향료를 넣어 만드는 음료》 **2** 펀치 잔; = PUNCH BOWL; 펀치를 음료로 내놓는 사교 파티

Punch [pʌntʃ] *n.* **1** 펀치 《Punch-and-Judy Show의 주인공》 **2** [**P~**] 펀치지(誌) 《1841년에 창간된 익살스러운 만화가 많은 London의 주간지》 (***as***) ***pleased as ~*** 몹시 기뻐하여, 매우 의기양양하여

Púnch-and-Jú·dy Shòw [pʌ́ntʃəndʒúːdi-] 펀치 앤 주디 쇼 《익살스러운 영국의 인형극; Punch는 주인공, Judy는 그의 아내》

púnch bàg = PUNCHING BAG

punch·ball [pʌ́ntʃbɔ̀ːl] *n.* **1** [UC] 펀치볼 《야구식 고무공 놀이》 **2** 《영》 = PUNCHING BAG

punch·board [-bɔ̀ːrd] *n.* **1** 《미》 펀치보드(push-card) 《숫자 등이 인쇄된 종이를 끼워 놓은 많은 구멍이 있는 작은 도박용 판자》 **2** 《속어》 몸이 헤픈 여자

púnch bòwl 펀치용 사발; 주발 모양의 분지(盆地)

púnch càrd (컴퓨터용) 천공 카드, 펀치 카드

punch-drunk [-drʌ́ŋk] *a.* **1** 〈권투 선수 등이〉 얻어 맞고 비틀거리는(groggy) **2** 《구어》 정신을 차리지 못하는, 얼떨떨한, 혼란스런

púnched cárd [pʌ́ntʃt-] = PUNCH CARD

púnched tápe (데이터를 수록하는 컴퓨터용) 천공 테이프

pun·cheon[1] [pʌ́ntʃən] *n.* **1** 지주(支柱), 간주(間柱), (탄갱 안의) 동바리; 《미》 (마루 판자 대신에 쓰는) 켠 목재 **2** 각인기(刻印器), 구멍 뚫는 기구

puncheon[2] *n.* 큰 나무통 《70-120갤런 들이》; 그 용량

punch·er [pʌ́ntʃər] *n.* **1** 구멍 뚫는 기구[각인기]의 조작자, 펀처 **2** 《미·구어》 = COWBOY

Pun·chi·nel·lo [pʌ̀ntʃənélou] *n.* (*pl.* **~(e)s**) **1** 펀치넬로 《17세기 이탈리아의 희극 또는 인형극에 나오는 어릿광대》 **2** [**p~**] 땅딸막한 곱사등이; 괴상한 생김새의 남자[동물]

púnch·ing bàg [pʌ́ntʃiŋ-] 《미》 (권투 연습용) 샌드백(《영》 punchball)

Púnching Séason 펀칭 시즌 《미국 Harvard 대학의 클럽 입회 희망자 면접 시험 행사》; 그 기간

púnch làdle 펀치를 뜨는 국자

púnch lìne 급소를 찌르는 말[구절]; (농담 등의) 들을 만한 대목

púnch prèss 구멍 뚫는 기구

punch-up [pʌ́ntʃʌ̀p] *n.* 《영·구어》 싸움; 패싸움

punch·y [pʌ́ntʃi] *a.* (**punch·i·er**; **-i·est**) 《구어》 **1** 〈권투 선수 등이〉 비틀거리는 **2** 힘센, 박력 있는

punct. punctuation

punc·tate, -tat·ed [pʌ́ŋkteit(id)] *a.* 〚생물·의학〛 반점의, 작은 반점이 있는, 오목한 데가 있는

punc·ta·tion [pʌŋktéiʃən] *n.* [U] 작은 반점[오목한 데]이 있음; [C] 반점

punc·til·i·o [pʌŋktíliòu] [L 「점」의 뜻에서] *n.* (*pl.* **~s**) 미세한 점; (격식 등에) 지나치게 꼼꼼함

punc·til·i·ous [pʌŋktíliəs] *a.* 《문어》 격식을 차리는, 딱딱한, 세심한, 꼼꼼한 **~·ly** *ad.* **~·ness** *n.*

‡**punc·tu·al** [pʌ́ŋktʃuəl] *a.* **1 시간을 잘 지키는** 《*in*》; …을 꼭 지키는, …에 늦지 않는 《*for*》: be ~ *in* the payment of one's rent 집세를 꼬박꼬박 내다/be ~ *for* class 수업 시간에 늦지 않다 **2** 기간[예정]대로의: ~ payment 기한대로의 지불 **3** [P] 세심한, 꼼꼼한 《*in*》 **4** 〚수학〛 점(點)의
(***as***) ***~ as the clock*** 시간을 엄수하는 ***~ to the minute*** 1분도 어기지 않는, 꼭 제시간에
~·ly *ad.* 시간[기일]대로, 정각에; 엄수하여
▷ punctuálity *n.*

punc·tu·al·i·ty [pʌ̀ŋktʃuǽləti] *n.* [U] 시간 엄수; 정확함, 꼼꼼함

***punc·tu·ate** [pʌ́ŋktʃuèit] *vt.* **1** …에 **구두점을 찍다** **2** 〈어떤 말 등을〉 강조하다: (~+목+전+명) ~ one's remarks *with* gestures 여러 가지 몸짓으로 이야기를 강조하다 **3 a** 〈말을〉 중단시키다: (~+목+전+명) ~ a speech *with* cheering 박수갈채로 연설을 중단시키다 **b** [보통 수동형으로] 〈경기 등을〉 여러 번 중단시키다: (~+목+전+명) Her speech *was* ~*d by* little gasps. 그녀는 말하는 중에 때때로 숨이 차서 말이 끊겼다.
— *vi.* 구두점을 찍다 **-à·tive** *a.* **-à·tor** *n.*

***punc·tu·a·tion** [pʌ̀ŋktʃuéiʃən] *n.* **1** [U] **구두**(句讀); **구두법** **2** [집합적] **구두점**(=~ mark) **3** 중단
close [***open***] ***~*** 엄밀[간략] 구두법

punc·tu·a·tion·al [pʌ̀ŋktʃuéiʃənl] *a.* 구두(법)의[에 관한]; 〚생물〛 (점진적이 아니고) 변화가 거의 없는 기간에 가끔 급격한 변화가 나타나는

punctuátion màrk 구두점

punc·tum [pʌ́ŋktəm] *n.* (*pl.* **-ta** [-tə]) 〚생물〛 반점(spot); 점(point)

***punc·ture** [pʌ́ŋktʃər] [L 「찌르다」의 뜻에서] *n.* [U] (바늘 등으로) **찌름**, 구멍 뚫기; (타이어 등의) 펑크; [C] (찔려서 난) 구멍, 상처
— *vt.* **1 a** 〈타이어 등을〉 펑크 내다 **b** 찌르다; 찔러 〈구멍을〉 내다 **2** 〈자존심 등을〉 상하게 하다; 결딴내다, 못 쓰게 만들다, 망쳐놓다
— *vi.* 〈타이어 등이〉 펑크 나다; 못쓰게 되다
púnc·tur·a·ble *a.*

pun·dit [pʌ́ndit] *n.* **1 a** 인도의 석학(碩學), 범학자(梵學者) **b** [수식어와 함께] (…의) 전문가, 권위자 **2** 권위자연하며 비평[단정]하는 사람

púndit clàss 식자층(識者層)

pung [pʌ́ŋ] *n.* 《미·캐나다》 (말 한 마리가 끄는) 상자형 썰매

pun·gen·cy [pʌ́ndʒənsi] *n.* [U] **1** 얼얼함, 매움 **2** 자극; 신랄함

pun·gent [pʌ́ndʒənt] [L 「찌르다」의 뜻에서] *a.* **1** (혀·코를) 톡 쏘는, 찌르는, 얼얼한: a ~ sauce 매운 소스 **2** 날카로운, 신랄한: ~ sarcasm 날카로운 풍자 **3** 마음을 찌르는, 자극하는 **4** 〚식물〛 (솔잎처럼) 끝이 뾰족한 **~·ly** *ad.*

thesaurus **punctual** *a.* on time, timely, early
punish *v.* discipline, penalize, castigate, chastise,

pun·gle [pʌ́ŋgl] *vt.*, *vi.* 〈돈을〉 지불하다, 기부하다 《*up*》
Pu·nic [pjú:nik] *a.* **1** (고대) 카르타고(Carthage) (사람)의 **2** 신의가 없는, 배신하는
Púnic fáith 배신, 배반
Púnic Wárs [the ~] 포에니 전쟁 《카르타고와 로마 사이의 3회에 걸친 전쟁》
pun·ish [pʌ́niʃ] *vt.* **1** 〈사람·죄를〉 벌하다, 응징하다, 처벌하다 《*for*》: (~+목+전+명) ~ a person *for* his[her] crime …의 죄를 벌하다 / ~ a person *with* [*by*] death …을 사형에 처하다 **2** 《구어》 〈상대방을〉 혼내주다, 난폭하게 다루다; 혹사하다 **3** 〈음식을〉 마구 먹다[마시다] **4** 〖권투〗 〈상대를〉 강타하다 **5** 〖구기〗 (약한 상대를 맞아) 마구 득점하다
— *vi.* 벌하다, 응징하다 **~·er** *n.* ▷ púnishment *n.*
pun·ish·a·ble [pʌ́niʃəbl] *a.* 벌 줄 수 있는, 처벌할 만한, 처벌해야 할: a ~ offense 처벌해야 할 죄
pùn·ish·a·bíl·i·ty *n.*
pun·ish·ing [pʌ́niʃiŋ] *a.* **1** 벌하는, 처벌하는, 징벌하는 **2** 《구어》 지치게 하는; 고통을 주는: a ~ race 매우 지치게 하는 경주 **3** 《구어》 (스포츠 등에서) 강타하는 — *n.* 《구어》 심한 타격, 상처
pun·ish·ment [pʌ́niʃmənt] *n.* **1** 형벌(penalty), 처벌 《*for, on*》: disciplinary ~ 징계 / suffer a ~ 벌을 받다, 처벌되다 **2** 징벌, 징계 **3** Ⓤ 《구어》 학대, 혹사, 난폭한 취급; (권투 등의) 강타 **4** Ⓤ (경기 등에서) 지치게 함 ▷ púnish *v.*
pu·ni·tive [pjú:nətiv] *a.* **1** 벌의, 형벌의, 징벌의; 응보의: ~ justice 인과 응보 **2** 〈과세 등이〉 가혹한
púnitive dámages 〖법〗 처벌적 손해 배상금
pu·ni·to·ry [pjú:nətɔ̀:ri | -təri] *a.* = PUNITIVE
Pun·jab [pʌndʒɑ́:b] *n.* 펀자브 《인도의 옛 주(州); 현재는 인도와 파키스탄에 나뉘어 속해 있음》
Pun·ja·bi [pʌndʒɑ́:bi] *n.* 펀자브 사람; Ⓤ 펀자브 말 — *a.* 펀자브 (사람[말])의
pún·ji stàke[stìck, pòle] [púndʒi-] (정글 전용의) 밟으면 찔리게끔 장치한 죽창
punk[1] [pʌ́ŋk] *n.* Ⓤ 《미》 (불쏘시개로 쓰는) 썩은 나무, 쏘시개 나무
punk[2] *n.* **1** 《구어》 쓸모없는 사람; 조무래기, 똘마니, 풋내기 **2** (드물게) 하찮은[쓸모없는] 것, 실없는 소리 **3** (고어) 매춘부; 《미·속어》 (남색의) 미동, 소년 **4** 펑크; 펑크풍의 복장 **5** 《미·속어》 웨이터, 포터 **6** 저질 마리화나 **7** 〖음악〗 = PUNK ROCK — *a.* **1** 펑크조(調)의 《1970년대 영국에 유행한 반항적이며 강렬한 록음악, 기발한 머리 모양·복장 등》 **2** 《미·속어》 시시한; 《구어》 빈약한, 보잘것없는; 《속어》 쓸모없는
pun·ka(h) [pʌ́ŋkə] *n.* (인도) (야자잎의) 부채; 베로 된 선풍기 《천장에 매달고 기계 또는 하인이 움직임》
punk·er [pʌ́ŋkər] *n.* 《미·속어》 신참자, 신출내기; 펑크 음악의 열광자[연주자]
púnk fùnk 펑크펑크 《영국의 punk와 뉴욕의 funk가 합류한 음악 조류》
pun·kie, pun·ky [pʌ́ŋki] *n.* (*pl.* **-kies**) 《미》 등에모기
púnk jàzz 펑크 재즈 《1970년대 후반 영국에서 punk를 재즈 음악으로 흡수·발전시킨 음악 형태》
púnk ròck 펑크 록 《1970년대 후반 영국에서 일어난 사회 체제에 반항적인 음악 조류》
pun·ner [pʌ́nər] *n.* 땅 다지는 기계, 달구
pun·net [pʌ́nit] *n.* 《영》 (딸기·야채 등을 담아 파는) 넓적한 광주리
pun·ster [pʌ́nstər] *n.* 말장난[곁말] 잘하는 사람, 익살을 잘 부리는 사람
punt[1] [pʌ́nt] *n.* (삿대로 젓는) 너벅선의 일종
— *vt.* **1** 〈너벅선 등을〉 삿대로 젓다 **2** 너벅선으로 나르다 — *vi.* 너벅선을 타고 가다; 너벅선을 삿대로 움직이다

smack, slap, beat, whip, scourge, mistreat, abuse, manhandle (opp. *pardon, exonerate*)

punt[2] *vi.* (카드놀이에서) 물주에게 대항하여 돈을 걸다; 《영·구어》 (경마에서) 돈을 걸다
— *n.* 물주에 대항해서 돈을 거는 사람[걸기]
punt[3] *vt.* 〖럭비·미식축구〗 〈공을〉 땅에 닿기 전에 차다
— *vi.* 펀트하다 — *n.* 펀트
punt·a·bout [pʌ́ntəbàut] *n.* 축구 연습(용의 공)
punt·er [pʌ́ntər], **punt·ist** [-ist] *n.* 삿대를 젓는 사람; punt[1]의 사공
pun·to [pʌ́ntou] *n.* (*pl.* **~s**) 〖펜싱〗 찌르기; (레이스·자수의) 한 땀(stitch)
pun·ty [pʌ́nti] *n.* (*pl.* **-ties**) 펀티 《용해(溶解) 유리를 다루는 쇠막대》
pu·ny [pjú:ni] *a.* (**-ni·er**; **-ni·est**) 아주 작은, 미약한; 보잘것없는, 대단찮은(petty); 허약한, 발육이 나쁜
pú·ni·ly *ad.* **pú·ni·ness** *n.*
pup[1] [pʌ́p] [*puppy*] *n.* **1** (여우·이리·바다표범 등의) 새끼; 강아지 **2** 《구어》 건방진 풋내기; 《미·구어》 핫도그 ***be in*** [***with***] ~ 〈암캐가〉 새끼를 배고 있다 ***buy a*** ~ 《구어》 속아서 비싸게 사다, 바가지 쓰다 ***sell*** a person ***a*** ~ 《구어》 …을 속이다, 바가지 씌우다
— *vt.*, *vi.* (**~ped**; **~·ping**) 〈개·바다표범 등이 새끼를〉 낳다
pup[2] [*pup*il[1]에서] *n.* 《속어》 아동, 학생
pu·pa [pjú:pə] *n.* (*pl.* **-pae** [-pi:], **~s**) 〖곤충〗 번데기 **pú·pal** *a.*
pu·pate [pjú:peit] *vi.* 〈애벌레가〉 번데기가 되다
pu·pá·tion *n.*
pu·pil[1] [pjú:pəl] [L 「남자아이, 여자아이」의 뜻에서] *n.* **1** 학생, 학동 《흔히 초등학교·중학교 학생을 말함》 (cf. STUDENT) **2** (개인 지도를 받는) 제자, 문하생 **3** 미성년자, 피보호자; 〖로마법〗 유년자(幼年者) 《14세 미만 남자 또는 12세 미만 여자로 보호자가 있는》
~·less *a.* ▷ púpi(l)lary[1] *a.*
pupil[2] [L 「작은 사람의 상(像)이 비치는 데」의 뜻에서] *n.* 〖해부〗 눈동자, 동공(瞳孔)
pu·pil·(l)age [pjú:pilidʒ] *n.* Ⓤ 학생[유년자]의 신분[기간]; 《영》 법정 변호사 수습 기간
pu·pi(l)·lar·i·ty [pjù:pəlǽrəti] *n.* (*pl.* **-ties**) 〖법〗 미성년자 《특히 스코틀랜드의》
pu·pi(l)·lar·y[1] [pjú:pəlèri | -ləri] *a.* 학생[유년자]의; 미성년기의
pupi(l)lary[2] *a.* 동공의, 눈동자의: ~ membrane 동공막
púpil téacher (초등학교의) 교생(敎生)
pu·pip·a·rous [pju:pípərəs] *a.* 〖곤충〗 〈곤충이〉 번데기를 낳는, 용산성(踊産性)의; 용생류(踊生類)의
pup·pet [pʌ́pit] [L 「인형」의 뜻에서] *n.* 꼭두각시; 괴뢰, 앞잡이; 작은 인형; 〖브레이크댄스〗 퍼펫 《두 사람이 추는 꼭두각시 춤》
pup·pet·eer [pʌ̀pətíər] *n.* 꼭두각시 부리는 사람
púppet góvernment 괴뢰 정부
púppet plày[shòw] 꼭두각시 놀음, 인형극
pup·pet·ry [pʌ́pitri] *n.* (*pl.* **-ries**) **1** 꼭두각시 (놀음), Ⓤ 인형극; ⓊⒸ 〖종교〗 가면 종교극, 무언극 **2** Ⓤ 가식, 허식, 겉치레 **3** (소설의) 비현실적 인물
púppet státe 괴뢰 국가
púppet válve 〖기계〗 버섯 모양의 안전판
pup·py [pʌ́pi] [MF 「인형」의 뜻에서] *n.* (*pl.* **-pies**) **1** (특히 한 살 미만의) 강아지; (물개 등의) 새끼(pup) **2** (경멸) 건방진 애송이 **~·dom, ~·hood** *n.* Ⓤ 강아지 시절; 한창 건방진 시절 **~·ish** *a.*
púppy dòg 《유아어》 강아지, 멍멍
púppy fàt (유아기·사춘기의 일시적) 비만
púppy lòve 풋사랑(calf love)
púp tènt (1·2인용의) 소형 텐트[천막]
pur [pə́:r] *v.*, *n.* 《고어》 = PURR
pur- [pə:r] *pref.* pro-의 변형: *pur*chase
Pu·ra·na [purɑ́:nə] *n.* 푸라나 《고대 인도의 신화·전설·왕조사를 기록한, 산스크리트어로 쓰인 힌두교 성전》
Púr·beck márble[stóne] [pə́:rbek-] 영국 퍼벡 지방산의 질이 좋은 대리석 《건축 재료》

pur·blind [pə́:rblàind] *a.* 《문어》 **1** 반소경의, 시력이 흐린[침침한] **2** 우둔한
— *vt.* 반소경으로 만들다 **~·ly** *ad.* **~·ness** *n.*

pur·chas·a·ble [pə́:rtʃəsəbl] *a.* **1** 살 수 있는 **2** 매수할 수 있는 **pùr·chas·a·bíl·i·ty** *n.*

‡**pur·chase** [pə́:rtʃəs] [L 「추구(追求)하다」의 뜻에서] *vt.* **1** 사다(buy), 구입하다: 《~+목+전+명》 ~ a new car *for* thirty million won 새 차를 3천만 원에 구입하다 **2** (노력·희생을 치르고) **획득하다,** 얻다: 《~+목+전+명》 At last they ~*d* freedom *with* blood. 마침내 그들은 피를 흘려 자유를 획득했다. **3** 〈공무원 등을〉 매수하다 **4** 〈무거운 물건을〉 (도르래 따위로) 끌어 올리다: ~ an anchor 닻을 감아 올리다 **5** 〖법〗 (상속 이외의 방법으로) 취득하다 **6** 〈금전이〉 …의 구매력을 갖다
— *n.* **1** Ⓤ **구매**(購買), 구입: a ~ report 구매 보고서 **2** Ⓤ 취득, 획득; Ⓒ **구입물,** 산 물건: fill the box with one's ~*s* 산 물건을 상자 가득히 채우다 **3** Ⓤ (토지 등에서의) 수입액, 연수(年收); 가치: at ten years' ~ 10년 간의 수입에 상당하는 값으로 **4** 지레, 도르래; 기중(起重) 장치; Ⓤ 지레 작용 **5** Ⓤ 〖법〗 재산 취득 《상속에 의하지 않고 제 힘에 의한》 **6** 유리한 입장, 강점; Ⓤ 힘이 되는 것, 연줄 **7** 꼭 붙들기, 손[발] 붙일 곳 ***get*** [***secure***] ***a ~ on*** …을 꼭 쥐다, 단단히 붙들다 ***make a good*** [***bad***] ***~*** 싸게[비싸게] 사다 ***not worth an hour's*** [***a day's***] ***~*** 〈목숨이〉 한 시간[하루]도 못 갈 것 같은

púrchase lèdger 〖상업〗 구입 원장

púrchase mòney 〖상업〗 구입 대금, 대가(代價)

púrchase òrder 〖상업〗 구입 주문(서)

púrchase prìce 구입 가격

*__pur·chas·er__ [pə́:rtʃəsər] *n.* **사는 사람,** 구매자

púrchase tàx 《영》 물품세, 구매세 《특히 사치품에 대한 세금》

pur·chas·ing [pə́:rtʃəsiŋ] *n.* Ⓤ 〖경제〗 (특히 회사의) 구매

púrchasing àgent 《미》 구매 담당자; 구매 대리인

púrchasing pòwer 구매력

pur·dah, par·dah [pə́:rdə | -dɑ:] *n.* 《인도》 **1** 휘장, 커튼 《규방의》 **2** Ⓤ (푸르고 흰 줄무늬의) 커튼감 무명 **3** Ⓤ [the ~] 부녀자를 남의 눈에 띄지 않게 하는 관습[제도]

‡**pure** [pjúər] [L 「청결한」의 뜻에서] *a.* **1 a 순수한,** 섞이지 않은, 순전한: ~ gold 순금 / a ~ accident 순전한 우연 / sing for ~ joy 그저 기뻐서 노래하다 **b** 단순한(mere): out of ~ necessity 단순히 필요에 의하여 **2 깨끗한,** 청정(清淨)한; 〈소리가〉 맑은: ~ air[water] 깨끗한 공기[물] **3** 〈품종 등이〉 순혈(純血)의, 순종의: a ~ Englishman 토박이 영국인 **4** (도덕적·성적으로) **결백한;** 순정(純正)의; 고결한, 더럽혀지지 않은 《*from*》, 정숙한, **순결한;** 품위 있는: ~ in body and mind 몸과 마음이 청순한[정숙한] **5** 〈학문 등이〉 순수한, 이론적인: ~ physics 이론[순수] 물리학 **6** 〖음성〗 단[순]음의 《기음(氣音) [h] 등이 섞이지 않은》; 〖음악〗 비협화음이 아닌, 순조(純調)의 **7** 〖언어〗 〈모음이〉 다른 모음 다음에 오는; 〈자음이〉 다른 자음을 동반하지 않은; 〈어간이〉 모음으로 끝나는
(***as***) ***~ as*** (***the***) ***driven snow*** [종종 반어적으로] 순진한, 정숙한 ***~ and simple*** 순전한, 섞인 것 없는 ***~ of*** [***from***] taint (오점)없는 **~·ness** *n.*
▷ púrify *v.*; púrity *n.*; púrely *ad.*

pure·blood [pjúərblʌ̀d] *a., n.* = PUREBRED

pure-blood·ed [-blʌ́did] *a.* = PUREBRED

pure·bred [-bréd] *a.* 순혈(종)의
— *n.* 순혈종(의 동물)

púre cúlture (미생물의) 순수 배양(培養)

púre demócracy 순수[직접] 민주주의 《대표가 아닌 국민이 직접 권력을 행사함》

pu·rée [pjuəréi, -ríː | pjúərei] [F 「거르다」의 뜻에서] *n.* Ⓤ Ⓒ 퓨레 《채소와 고기를 데쳐서 거른 것으로 수프 등을 만듦》 — *vt.* 〈음식을〉 퓨레로 만들다

pure·heart·ed [pjúərhɑ́:rtid] *a.* 마음이 깨끗한, 청순한, 정직한, 성실한

púre imáginary número 〖수학〗 순허수(純虛數)

Púre Lánd [the ~] 〖불교〗 **1** 정토(淨土), 극락세계 **2** 정토종

púre líne 〖유전〗 순계(純系), 순수 계통

‡**pure·ly** [pjúərli] *ad.* **1 순수하게,** 깨끗하게, 섞임이 없이: from a ~ theoretical standpoint 순이론적인 입장에서 **2** 맑게, 깨끗하게, 정숙[순결]하게: live ~ 깨끗하게 살다 **3** [보통 수식어 앞에서] **순전히,** 완전히: be ~ accidental 순전히 우연이다 **4** 단순히
~ and simply 에누리 없이, 완전히

púre mérino 《호주·속어》 **1** (죄수 이민과 무관계한) 초기 이주자 **2** 지도적 호주인

púre sílk 《속어》 동성애자

Pur·ex [pjúəreks] [*p*lutonium *r*eduction by solvent *ex*traction] *n., a.* 퓨렉스(의) 《사용한 핵연료를 재처리하여 우라늄·플루토늄을 얻는 방식》

pur·fle [pə́:rfl] *n.* 가장자리 장식 《레이스 등의》
— *vt.* …에 가장자리 장식을 대다

pur·ga·tion [pə:rgéiʃən] *n.* Ⓤ **1** 정화, 정죄(淨罪); 청결하게 함 **2** (설사약으로) 변이 통하게 함, 변통

pur·ga·tive [pə́:rgətiv] *a.* **1** 깨끗하게 하는, 정화(淨化)하는 **2** 변통의, 하제(下劑)의: a ~ medicine 하제(下劑) — *n.* 하제, 변통(便通)약

pur·ga·to·ri·al [pə̀:rgətɔ́:riəl] *a.* 〖가톨릭〗 연옥(煉獄)의, 정죄적(淨罪的)인, 속죄의

pur·ga·to·ry [pə́:rgətɔ̀:ri | -təri] [L 「깨끗하게 하다」의 뜻에서] *n.* (*pl.* **-ries**) **1** Ⓤ Ⓒ [종종 **P~**] 〖가톨릭〗 연옥(煉獄) **2** 일시적인 고난[징벌] **3** 영혼의 정화; 정죄(淨罪) — *a.* 깨끗하게 하는, 정죄의, 속죄의

‡**purge** [pə́:rdʒ] [L 「청결하게 하다」의 뜻에서] *vt.* **1** 〈마음·몸을〉 **깨끗이 하다** 《*of, from*》: 《~+목+전+명》 You must ~ your mind *of* [*from*] sinful thoughts. 당신의 마음 속에서 죄 많은 생각들을 깨끗이 씻어내야 한다. **2** 〈불순물·죄 등을〉 **제거하다,** 일소하다 《*away, off, out*》: 《~+목+부》 ~ *away* one's sins 죄를 씻다 **3** 〈정당·종파 등에서 불순분자를〉 **숙청하다,** 추방하다: 《~+목+전+명》 ~ a person *from* his office …을 그의 직에서 추방하다 / The party was ~*d of* its corrupt members. 그 당은 부패 분자를 일소했다. **4** 〈혐의 등을〉 벗기다, 무죄임을 증명하다 《*of, from*》: 《~+목+전+명》 ~ a person[one*self*] *of* suspicion …의[자신의] 혐의를 벗다 **5** 〖법〗 〈죄를〉 보상하다, 〈형기를〉 마치다: 《~+목+전+명》 be ~*d of* [*from*] sin 죄값을 치르다 **6** 〈장에서〉 (이물질을) 하제를 써서 제거하다 《*of, from*》
— *vi.* 깨끗해지다; 하제를 쓰다; 변이 잘 통하다
— *n.* **1** 깨끗하게 함, 정화 **2** 숙청, (불순분자의) 추방 **3** 하제 **púrg·er** *n.* ▷ purgátion *n.*; púrgative *a.*

purg·ee [pə:rdʒíː] *n.* 추방당한 사람

*__pu·ri·fi·ca·tion__ [pjùərəfikéiʃən] *n.* Ⓤ Ⓒ **1 정화,** 정제(精製) **2** 〖종교〗 재계(齋戒); 〖가톨릭〗 성작(聖爵) 정화, 성모 취결례(就潔禮) 《미사 후에 성작에 포도주를 부어 씻고 사제가 그것을 마심》 ***the P~ of the Virgin Mary*** [***our Lady, St. Mary the Virgin***] 〖가톨릭〗 성모 마리아의 정화의 축일(Candlemas)
▷ púrify *v.*

pu·ri·fi·ca·tor [pjúərəfikèitər] *n.* 〖그리스도교〗 성작(聖爵) 수건

pu·rif·i·ca·to·ry [pjuərífikətɔ̀:ri | pjúərifikèitəri] *a.* **1** 깨끗이 하는, 정화의 **2** 재계(齋戒)의; 정제(精製)의

pu·ri·fi·er [pjúərəfàiər] *n.* 깨끗이 하는 사람; 정제자(精製者); 정화기[장치]

*__pu·ri·fy__ [pjúərəfài] *vt.* (**-fied**) **1 깨끗이 하다; 정화**(淨化)하다; 정련(精鍊)하다, 정제(精製)하다: ~ sugar

thesaurus **purchase** *v.* buy, acquire, pick up, pay for, obtain, attain, achieve, gain, win
pure *a.* **1** 순수한 unalloyed, unmixed, flawless, perfect, real, true **2** 순전한 utter, sheer, absolute,

설탕을 정제하다 **2** 〈…의 죄를〉 씻다, 정죄하다: ~ the heart 마음의 죄를 씻다 // (~+목+전+명) ~ a person *of*[*from*] sin …의 죄를 씻다 **3** 〈어구를〉 다듬다; 〈언어를〉 순화하다 **4** 〈불순분자를〉 추방하다, 숙청하다 《*of*, *from*》: (~+목+전+명) ~ a state *of* the traitors 나라에서 매국노를 추방하다
▷ púre *a.*; púrity, purificátion *n.*

Pu·rim [púərim] [Heb.] *n.* 퓨림제 《Haman에 의한 유대인 학살을 모면한 것에 대한 기념제》

pu·rine [pjúəri:n, -rin] *n.* UC 〖화학〗 푸린 《요산 화합물의 원질(原質)》

pur·ism [pjúərizm] *n.* U **1** (언어 등의) 순수주의 **2** (용어의) 결벽(潔癖) **-ist** *n.* **pu·rís·tic, -ti·cal** *a.*

***Pu·ri·tan** [pjúərətn] *n.* **1** 〖종교〗 **청교도**, 퓨리턴 **2** [**p~**] (종교·도덕적으로) 엄격한 사람
— *a.* **1** 청교도의[같은] **2** [**p~**] (종교·도덕적으로) 엄격한 ▷ puritánical *a.*; púritanize *v.*

Púritan Cíty [the ~] 미국 Boston 시의 속칭

pu·ri·tan·i·cal [pjùərətǽnikəl], **-ic** [-ik] *a.* **1** [**P~**] 청교도의, 청교도적인 **2** 엄격한, 금욕적인 **-i·cal·ly** *ad.*

pu·ri·tan·ism [pjúərətənìzm] *n.* U **1** [**P~**] 청교주의; 청교도 신조[관습] **2** 엄격주의 《도덕·종교상의》

pu·ri·tan·ize [pjúərətənàiz] *vt., vi.* [종종 **P~**] 청교도로 만들다; 청교도식으로 하다[되다]

Púritan Revolútion [the ~] 〖영국사〗 (Cromwell에 의한) 청교도 혁명

***pu·ri·ty** [pjúərəti] *n.* U **1** 맑음, 청순; **청결**: ~ of life 깨끗한 생활 **2** 청렴, 결백 **3** (문체·어구의) 정격(正格); 순도(純度) **4** 재계(齋戒) ▷ púre *a.*; púrify *v.*

purl[1] [pə́:rl] [의성어] *vi.* 졸졸 흐르다; 소용돌이치며 흐르다 — *n.* 졸졸 흐름, 소용돌이(whirl)

purl[2] *vt.* 장식 단을 달다, 가두리를 달다, 자수(刺繡)하다 — *n.* 단 감침, 가두리; (뜨개질의) 뒤집어 뜨기, 가장자리 장식; 《고어》 자수용 금실[은실]

purl[3] *n.* U 펄 《(1) 쓴 쑥으로 맛들인 맥주; 강장제 (2) 《영》 진을 타서 덥게 한 맥주》

purl[4] *vt.* 〈말이 사람·안장 등을〉 넘어뜨리다, 뒤엎다, 낙마시키다, 굴러 떨어지게 하다 — *vi.* 회전하다; 나동그라지다, 쓰러지다, 엎어지다
— *n.* (말이) 승마자 등을 나동그라지게 함; 낙마

purl·er [pə́:rlər] *n.* 《속어》 **1** 낙마(落馬); 추락; 곤두박이: come[take] a ~ 곤두박이치다 **2** (상대방을 쓰러뜨리는) 구타, 펀치

pur·lieu [pə́:rlju: | -lju:] *n.* **1** 〖영국사〗 (전(前) 소유자에게 반환된) 구왕실림(舊王室林) **2** 삼림의 경계지, 삼림 주변의 빈터 **3** 자주 드나드는 곳, 소굴(haunt); 힘이 미치는 범위 **4** [*pl.*] 교외, 변두리; 근처, 주변; 빈민가(slums)

pur·lin(e) [pə́:rlin] *n.* 〖건축〗 (용마루와 평행하게 서까래를 받치는) 도리들보

pur·loin [pərlɔ́in] *vt., vi.* 《문어》 훔치다, 절도질하다 《*from*》 **~·er** *n.*

pu·ro·my·cin [pjùərəmáisn | -sin] *n.* 〖약학〗 퓨로마이신 《항생제의 일종》

****pur·ple** [pə́:rpl] [Gk 「자줏빛 물감을 만드는 조개」의 뜻에서] *a.* **1 자줏빛의**: turn[become] ~ with rage 성이 나서 얼굴이 빨개지다 **2** 《고어·시어》 심홍색(深紅色)의, 새빨간(scarlet) **3** 제왕의; 고위[고관]의 **4** 화려한, 현란한 **5** 《미·속어》 〈빛깔이〉 야한, 선정적인
— *n.* **1** UC **자줏빛** **2** U 〖역사〗 자줏빛 의복 《옛날에는 고관만이 입었음》 **3** [the ~] 왕권, 제위(帝位); 고위 **4** [the ~] 추기경의 직[지위] **5** [*pl.*] 〖병리〗 자반(紫斑)병 **6** 〖패류〗 자줏빛 물감의 원료가 되는 소라류
be born [***cradled***] ***to the ~*** 왕가[귀족]의 가문에서 태어나다 ***be raised to the ~*** 추기경[제왕]이 되다 ***marry into the ~*** 〈이름없는 집안의 여자가〉 귀인에게 출가하다
— *vt., vi.* 자줏빛으로 만들다[되다]
▷ púrplish *a.*; empúrple *v.*

púrple émperor 〖곤충〗 오색나비 《남프랑스에 많은 큰 나비》

púrple gráckle 〖조류〗 (보통의) 찌르레기류의 새

Púrple Héart 〖미군〗 명예 전상장(戰傷章) 《略 PH》; [**p- h-**] 《구어》 drinamyl 정제

púrple lóosestrife 〖식물〗 털부처손

púrple mártin 〖조류〗 암청색 큰제비 《북미산(産)》

púrple médic 〖식물〗 자주개자리(alfalfa)

púrple mémbrane 〖생물〗 자막(紫膜) 《할로박테리아(halobacteria)가 생육할 때 세포막에 형성되는 자주색의 막》

púrple pássage[**pátch**] (평범한 작품에서) 화려한 부분[글귀]

pur·plish [pə́:rpliʃ], **-ply** [-pli] *a.* 자줏빛을 띤

***pur·port** [pə́:rpɔ:rt | -pət, -pɔ:t] [L 「앞으로 나르다」의 뜻에서] *n.* **1** 의미; 취지, 요지 **2** 목적, 의도
— [pərpɔ́:rt, pə́:rpɔ:rt] *vt.* **1** 의미하다; 취지로 하다: (~+*that* 절) a letter *~ing that*... …이라는 취지의 편지 **2** …이라고 일컫다, 주장하다; 《특히》 외관을 꾸미다: (~+*to* do) the law that *~s to* be in the interest of peace and order 안녕 질서를 위한 것이라고 하는 법률 / The document *~s to* be official. 그 서류는 공문서로 되어 있다. **3** 《드물게》 의도하다, 꾀하다 **~·less** *a.*

pur·port·ed [pərpɔ́:rtid] *a.* …이라고 소문이 난[일컬어지는]: a ~ foreign spy 외국의 스파이라고 소문이 난 사람 **~·ly** *ad.*

*****pur·pose** [pə́:rpəs] *n.* **1 목적**(aim); 의도, 용도: For what ~ will you do it? 무슨 의도로 그렇게 할 건가? **2** U (목적 달성을 위한) 결심, 결의: renew one's ~ 결의를 새롭게 하다 **3** U 성과, 효과 **4 취지**, 논점; 요점: the ~ of what she said 그녀의 발언의 취지 / come to the ~ 문제[본제]에 이르다[언급하다]
answer[***serve***] ***the***[one***'s***] ***~*** 목적에 알맞다, 쓸모있다 ***be at cross ~*** 부지중에 서로 방해하다, 서로 어긋나다 ***bring about***[***attain, accomplish, carry***] one***'s ~*** 목적을 달성하다 ***for that ~*** 그 (목적) 때문에 ***for***[***with***] ***the ~ of*** do***ing*** …하기 위하여 ***from the ~*** 《고어》 본론에서 이탈한, 요점을 벗어난 ***of***(***set***) ***~*** 뚜렷한 목적을 세우고, 계획적으로 ***on ~*** 고의로, 일부러(opp. *by accident*) ***on ~ to*** do …할 목적으로 ***to***[***for***] ***all intents and ~s*** ⇨ intent. ***to little***[***no***] ***~*** 거의[전혀] 헛되게 ***to some***[***good***] ***~*** 꽤[훌륭히] 성공하여 ***to the ~*** 적절히, 요령있게 ***to this***[***that***] ***~*** 이런[그런] 취지로 ***with a ~*** 목적이 있어, 일부러
— *vt.* 《문어》 **1** 작정[결심]하다, …하려고 생각하다: (~+*to* do) (~+*-ing*) I ~ *to* finish[finish*ing*] my work in a week. 1주일 만에 일을 끝낼 생각이다. // (~+*that* 절) I ~ *that* it shall never occur again. 그것을 다시는 일어나지 않게 할 작정이다. **2** 의도하다, 꾀하다: ~ a trip 여행을 꾀하다 ***be ~d to*** do[do***ing, that …***] 《고어》 …하려고 마음먹다[작정하다]
▷ púrposeless, púrposive *a.*; púrposely *ad.*

pur·pose-built [pə́:rpəsbílt], **-made** [-méid] *a.* 《영》 특별한 목적을 위해 세워진[만들어진]

pur·pose·ful [pə́:rpəsfəl] *a.* **1** (분명한) 목적이 있는; 의도적인; 고의의 **2** 과단성 있는; 결단을 내린 **3** 의미 있는, 의미심장한; 중대한 **~·ly** *ad.* **~·ness** *n.*

pur·pose·less [pə́:rpəslis] *a.* 목적이 없는; 무의미한, 무익한 **~·ly** *ad.* **~·ness** *n.*

pur·pose·ly [pə́:rpəsli] *ad.* 고의로, 일부러

pur·pose-nov·el [pə́:rpəsnɑ̀vəl | -nɔ̀v-] *n.* 목적소설 《작자의 의견·주장을 담은》

pur·pos·ive [pə́:rpəsiv] *a.* =PURPOSEFUL **~·ly** *ad.* **~·ness** *n.*

pur·pu·ra [pə́:rpjurə] *n.* UC 〖병리〗 자반병(紫斑病)

---

complete **3 깨끗한** clean, unpolluted, untainted, unadulterated **4 결백한** uncorrupted, honest, guiltless
purpose *n.* aim, end, goal, intention, object, objective, target, motivation, reason, point

pur·pure [pə́:rpjuər] *n.*, *a.* (문장(紋章)의) 자줏빛(의), 자색(의)

pur·pu·ric [pə:rpjúərik] *a.* 자반병의[에 걸린]

pur·pu·rin [pə́:rpjurin] *n.* Ⓤ 〖화학〗 (꼭두서니 뿌리에서 얻는) 붉은 염료

***purr** [pə́:r] [의성어] *vi.* **1 a** 〈고양이 등이〉 (기분 좋은 듯이) **그르렁거리다**, 목구멍을 울리다(⇨ cat 관련) **b** 〈자동차 엔진이〉 붕 하고 낮은 소리를 내다 **2** 〈사람이〉 만족한 듯한 목소리로 말하다
—*vt.* **1** 만족스러운 듯이 말하다 **2** 그르렁거리는 소리로 말하다
—*n.* **1** 목구멍을 울림[울리는 소리] **2** (엔진의) 낮은 소리; 고양이가 그르렁거리는 소리

pur sang [pùər-sɑ́:ŋ] [F] *a.*, *ad.* [명사·형용사 뒤에 쓰여] **1** 순수한[하게], 순종의[으로] **2** 틀림없는[없이], 철저한[하게]: a militarist ~ 철두철미한 군국주의자

‡**purse** [pə́:rs] [L 「주머니」의 뜻에서] *n.* **1** (영) **지갑** ((미) wallet), 돈주머니, 동전 지갑; (미) (어깨끈이 없는) 핸드백: Who holds the ~ rules the house. (속담) 돈이 제갈량. 《세상 일이 돈으로 좌우됨을 비유》 **2** 금전; 자금, 재원, 재산 **3** 현상금, 기부금, 증여금 **4** (동·식물의) 주머니(pouch); 낭상부(囊狀部)
a long [***fat, heavy***] ~ 두둑한 돈주머니; 부유 ***a slender*** [***lean, light***] ~ 가벼운 지갑, 빈곤 ***common*** ~ 공동 자금 ***line*** one***'s*** ~ (부정한 수단으로) 큰돈을 벌다 ***make up*** [***raise***] ***a*** ~ ***for*** …을 위하여 기부금을 모으다 ***open*** one***'s*** ~ 돈을 내놓다 ***put up*** [***give***] ***a*** ~ 상금[기부금]을 주다 ***the public*** ~ 국고 ***You can't make a silk ~ out of a sow's ear*** ⇨ SOW[2]
—*vt.* 〈입술 등을〉 오므리다; 〈눈쌀을〉 찌푸리다 《*up*》; 지갑에 넣다 《*up*》
—*vi.* 오므라지다; 주름지다

púrse bèarer 1 회계원, 경리계원 **2** (영) 의식 때 대법관(Lord Chancellor) 앞에서 국새(國璽)를 받드는 사람

púrse cràb 〖동물〗 야자집게(palm[coconut, robber] crab) 《태평양의 열대 제도산(産) 뭍살이 게》

purse·ful [pə́:rsfùl] *n.* 돈 주머니에 가득한 양: a ~ of money 꽤 많은 돈

púrse nèt (어업용) 건착망(巾着網)

púrse prìde 재산 자랑, 돈 자랑

purse-proud [pə́:rspràud] *a.* 돈 자랑하는

purs·er [pə́:rsər] *n.* **1** (선박·비행기의) 사무장, 남자 객실 승무원 **2** (군함의) 경리관(paymaster)
~·shìp *n.* Ⓤ 사무장의 직

pur·ser·ette [pə̀:rsərét] *n.* PURSER의 여성형

púrse sèine (어업용) 대형 건착망

purse-snatch·er [pə́:rssnæ̀tʃər] *n.* (미) 핸드백 날치기

púrse strìngs [the ~] **1** 주머니 끈 **2** 재정상의 권한 ***hold the*** ~ 경리를 맡아보다 ***loosen*** [***tighten***] ***the*** ~ 돈을 헤프게[아껴] 쓰다

purs·lane [pə́:rslin] *n.* 〖식물〗 쇠비름

pur·su·a·ble [pərsú:əbl | -sjú:-] *a.* 추적[추구]할 수 있는

pur·su·ance [pərsú:əns | -sjú:-] *n.* Ⓤ **1** 추구, 추적 **2** 이행, 수행, 속행 **3** 종사 ***in ~ of*** …에 종사하여; …을 이행하여

***pur·su·ant** [pərsú:ənt | -sjú:-] *a.* (문어) 〖법〗 …에 따른, 준(準)한, 의거한 《*to*》: ~ *to* one's intentions 마음대로의
—*ad.* **1** (…에) 준하여, 따라서 《*to*》: ~ *to* the rules 규칙에 따라서, 규칙대로 **2** (…)후에, (…에) 이어서 《*to*》 **~·ly** *ad.*

‡**pur·sue** [pərsú: | -sjú:] [L 「앞으로 따르다」의 뜻에서] *vt.* **1 쫓다**, 추적[추격]하다, 몰다: ~ a prey [fugitive] 사냥감[도망자]을 쫓다 **2 추구하다**; 따라다니다: ~ pleasure 쾌락을 추구하다 **3** 〈일·연구 등에〉 **종사하다**; 속행하다, 수행하다: ~ one's studies 연구에 종사하다 **4** 〈길을〉 따라가다, 〈방법·방침 등에〉 따르다
—*vi.* **1** 쫓아가다 《*after*》 **2** 고소하다 《*for*》 **3** 계속하다 ▷ pursúance, pursúit *n.*

***pur·su·er** [pərsú:ər | -sjú:ə] *n.* **1 추적자 2** 추구[수행]자, 속행자(續行者); 연구자; 종사자 **3** 〖교회법·스코법〗 원고(原告), 소추자(prosecutor)

‡**pur·suit** [pərsú:t | -sjú:t] *n.* Ⓤ **1 추적**, 추격 《*of*》: a hound in the ~ *of* rabbits 토끼를 쫓는 사냥개 **2 추구**; 수행, 속행 《*of*》: the ~ *of* happiness 행복의 추구 / the ~ *of* plan 계획의 수행 **3** 종사, 영위 《*of*》 **4** Ⓒ (계속하는) **일**; 연구, 직업; 취미, 오락: daily ~s 일상 하는 일 ***in hot*** ~ 맹렬히 추적하여 ***in ~ of*** …을 추구하여, …을 얻고자: *in ~ of* wealth 부를 위해 ***in the ~ of*** one***'s duties*** 직무 수행상[중] ▷ pursúe *v.*

pursúit plàne 〖군사〗 추격기, 전투기(fighter plane)

pursúit ràce (자전거의) 추월 경주

pur·sui·vant [pə́:rswivənt | -si-] *n.* **1** (영) 문장원(紋章院)의 문장관보(補) **2** (고어) 종자(從者)

pur·sy[1] [pə́:rsi] *a.* (**-si·er**; **-si·est**) **1** (비대해서) 숨이 가쁜, 헐떡이는; 천식의 **2** 뚱뚱한
púr·si·ly *ad.* **púr·si·ness** *n.*

pursy[2] *a.* (**-si·er**; **-si·est**) **1** 주름이 있는; 〈눈·입 등이〉 오므라진 **2** 부유한, 돈 자랑하는

pur·te·nance [pə́:rtənəns] *n.* Ⓤ (고어) (도살한 동물의) 내장

pu·ru·lence, -len·cy [pjúərjuləns(i)] *n.* Ⓤ 화농(化膿); 고름

pu·ru·lent [pjúərjulənt] *a.* 화농성의, 화농한, 곪은; 고름 모양의 **~·ly** *ad.*

pur·vey [pərvéi] *vt.*, *vi.* (영) 〈특히 식료품을〉 조달하다; 조달원으로 일하다 《*for*, *to*》; 공급하다, 납품하다 《*for*》: (~+목+전+명) ~ food *for* an army 군대에 식량을 납품하다

pur·vey·ance [pərvéiəns] *n.* Ⓤ **1** (식료품의) 조달 《*for*》; (공급) 식료품 **2** 〖영국사〗 징발권 《옛 국왕의 강제 매상권(買上權)》

pur·vey·or [pərvéiər] *n.* **1** (군대·왕실 등에의) 식료품 납품 상인; 식료품[음식물] 상인 **2** 〖영국사〗 식료품 징발관 **3** (정보 등을) 퍼뜨리는 사람 **4** 언제나 어떤 느낌[분위기]을 주는 사람[물건] ***the P~ to the Royal Household*** (영) 왕실 지정 조달업자

pur·view [pə́:rvju:] *n.* **1** 이해의 범위; 시계(視界), 시야 **2** (활동·직권·관리 등의) 범위, 영역, 권한 **3** 〖법〗 법전의 본문, 조항 ***within*** [***outside***] ***the ~ of*** …의 범위 내[외]에: fall *within the ~ of* Act 1 제1조에 해당하다

pus [pʌ́s] *n.* Ⓤ 고름, 농즙(膿汁)

Pu·sey·ism [pjú:ziìzm] *n.* Ⓤ 퓨지주의, 옥스퍼드 운동(Tractarianism) 《Oxford 대학 교수 E.B. Pusey(1800-82) 박사가 주창한 종교 운동; cf. OXFORD MOVEMENT》
Pú·sey·ite [-àit] *n.* 퓨지주의자

‡**push** [púʃ] *vt.* **1 밀다**, 밀치다, 밀어서 움직이다, 밀어내다: ~ a baby carriage 유모차를 밀다 // (~+목+부) ~ *up* a window 창문을 밀어 올리다 // (~+목+보) ~ the door open 문을 밀어서 열다 // (~+목+전+명) ~ a book *off* the table 탁자에서 책을 밀어 떨어뜨리다 / We ~*ed* him *out of* the room. 우리는 그를 방에서 밀어냈다.

> 유의어 **push** 일정한 방향, 일반적으로 앞쪽으로 압력을 가하다 **shove** 힘을 주어 확 밀다: *shove* a boat into water 보트를 밀어서 물에 띄우다 **thrust** 힘차게 빨리 밀다[밀어 넣다]: *thrust* a person against a wall 남을 벽에 밀어붙이다 **propel** (특히 기계의 힘으로) 앞으로 밀어 내다: The boat is *propelled* by a motor. 그 배는 모터로 추진된다.

2 〈길을〉 밀어 제치고 나아가다, 확장하다: (~+목+

전+명) ~ one's way *through* the crowd 인파를 헤치고 나아가다 // (~+목+부) ~ one's conquests still *farther* 더 멀리 정복해 나아가다 **3** 〈제안·목적·요구 등을〉 밀고 나아가다, **추진하다**: ~ one's claims 요구를 강력히 밀고 나가다 // (~+목+전+명) ~trade *with* Australia 오스트레일리아와의 무역을 강력히 추진하다 **4** 몰아대다, 들볶다; (돈에) 쪼들리다: (~+목+전+명) ~ a person *for* payment …에게 지불을 독촉하다 / be *~ed for* money[time] 돈[시간]이 없어 곤란받다 **5** 강요하다, 조르다: I don't want to ~ you. 강요할 생각은 없습니다. // (~+목+*to* do) ~ a person *to* make a speech …에게 연설을 해달라고 조르다 **6** 〈마약 등을〉 밀매하다, 행상하다; (미·속어) 밀수하다 **7** [보통 진행형으로] 〈나이·숫자가〉 …에 가까워지다: She *is ~ing* forty. 그녀는 40에 가깝다. **8** …의 뒤를 밀다, 후원하다: (~+목+부) My father *~ed* me *on.* 아버지는 계속 나의 뒤를 밀어 주셨다. **9** 〈손발을〉 내밀다; 〈뿌리·싹을〉 뻗다: (~+목+부) ~ *out* fresh shoots 새싹을 내다 // (~+목+전+명) ~ roots *down into* the ground 땅속에 뿌리를 뻗다 **10** (미·속어) 〈택시·트럭 등을〉 운전하다; 〈가짜 돈·수표 등을〉 쓰다 **11** 〖당구〗 밀어치다 **12** (미·속어) 〈사람을〉 해치우다, 죽이다 (*off*) **13** 〖성서〗 뿔로 받다; 공격하다 **14** 〖컴퓨터〗 〈데이터 항목을 스택(stack)에〉 넣다; 〈새 것을 예정한 것에〉 더하다 **15** 〈물가·실업률 등을〉 올리다[내리다] (*up, down*): (~+(부)+목+전+명) The slump *~ed up* unemployment *to* 23%. 불황으로 실업률이 23%로 치솟았다.

—*vi.* **1 밀다**, 떼밀다 (*at, against*): (~+전+명) Don't ~ *at* the back. 뒤에서 밀지 마라. **2 밀고 나아가다**, 전진하다, 공격하다: (~+부) The army *~ed on* through the jungle. 군대는 밀림 속을 전진했다. **3** (목적을 달성하기 위하여) 노력하다 (*for*); (산모가 분만시에) 용쓰다 (*down*): (~+전+명) ~ *for* higher wages 임금 인상에 노력하다 **4** 〖당구〗 밀어치다 **5 내밀다**; 〈식물 등이〉 자라다 (*out*); 싹트다, 뿌리를 뻗다 (*out*): (~+부) The cape *~es out* into the sea. 갑(岬)이 바다로 돌출해 있다. **6** (미·속어) 〈재즈를〉 잘 연주하다 **7** 마약을 팔다

~ across (미·속어) (1) 사람을 죽이다 (2) (경기에서) 득점하다 ***~ ahead*** 앞으로 밀어내다, 척척 나아가다 (*to*) ***~ ahead with*** (미·구어) 밀고 나아가다, 추진하다 ***~ along*** (1) 밀고 나아가다, 전진하다 (*to*) (2) (구어) 떠나다, 돌아가다 ***~ around***[***about***] 차별 대우하다; 난폭하게[멸시하며] 다루다; 괴롭히다(hector); 약점을 파고들다 ***~ ... aside***[***aside ...***] 〈싫은 것을〉 옆으로 밀어내다, 〈불쾌한 생각 따위를〉 피하다, 떨쳐버리다, 생각하지 않다 ***~ away*** 밀어제치다, 계속해서 밀다 ***~ back*** (1) 뒤로 밀어내다; 〈약속 시간 등을〉 뒤로 미루다 (*to*); 〈머리를〉 쓸어올리다 (2) 〈적을〉 후퇴시키다; (영·속어) 삼키다 (3) (새로운 발명으로) 지평을 확장하다[열다] ***~ by***[***past***] …을 밀어제치고 가다 ***~ down on*** …을 밀어내리다 ***~ for*** …을 자꾸 요구하다 ***~ forward*** (1) 〈군대·탐험대 등이〉 (…을 향해) 곤란을 무릅쓰고 밀고[급히] 나아가다, 계속 나아가다 (*into*) (2) 〈계획 등을〉 추진하다 (*with*) ***~ in*** 〈보트가〉 기슭에 다가가다; 〈사람이〉 억지로 밀고 들어오다 ***~ off*** 배를 (기슭에서) 밀어내다 (*for*); 떠나다; (구어) 출발[출범]하다; (미·속어) 죽이다 ***~ on*** 마구[밀어 제치고] 나아가다; 계획대로 밀고 나가다; 강매하다; 다그치다, 재촉하다 ***~ out*** 밀어[떼밀어] 내다 ***~ over*** 떼밀어 넘어뜨리다 ***~ round*** the ale (맥주)를 돌리다 ***~ oneself*** 젠체하다, 억지로 행동하다 ***~ oneself forward*** 자신을 남들에게 알리려 하다, 주목받으려고 하다 ***~ one's fortunes*** 부지런히 돈[재산]을 모으다 ***~ one's way in the world*** 분투 노력하여 출세하다 ***~ the mark skyward*** (미·속어) 신기록을 세우다 ***~ through*** (*vi.*) 밀어제치고 나아가다, 뚫고 나아가다; 〈잎사귀가〉 나오다; (*vt.*) 끝마치다, 완성하다 ***~ a door to*** (문)을 꼭 닫다 ***~ up*** (1) 밀어올리다 (2) 증가시키다 ***~*** (***up***) ***daisies*** (속어) (죽어서) 묻히다

—*n.* **1 밀기**; 한 번 밀기; 떼밀기; (한 번) 찌르기; 추진: give a ~ 한번 찌르다, 일격을 가하다 **2** (구어) **분발**, 노력, 끈기; 근성, 적극성, 진취적 기상: make a ~ to finish the job 일을 끝내려고 분발하다 **3** 〖군사〗 공격; 압력, 압박; [the ~] (영) 해고, 목잘림: get *the* ~ 해고당하다 / give a person *the* ~ …을 해고하다 **4** Ⓤ 추천, 후원 **5** [a ~, the ~] 절박, 위기, 궁지 **6** 〖당구〗 밀어치기 **7** 〖야구〗 밀어치기, 경타(輕打) **8** 누르는 단추 (꼭지) **9** 한패, 도당; (영·속어) 도둑의 무리, 범인의 일당, 패거리; 악당들 **10** 마약 행상인; (미·속어) 인부 우두머리 **11** 〖컴퓨터〗 밀어넣기

at a ~ (영·구어) 위기에 처하여, 긴급시에는 ***at one ~*** 한 번 밀쳐서, 단숨에 ***at the first ~*** 맨 먼저; 첫 공격에서 ***be in the ~*** (속어) 잘 나가고[시류를 타고] 있다 ***come***[***bring, put***] ***to the ~*** 궁지에 빠지다[빠뜨리다] a man ***full of ~ and go*** 정력이 넘치는 (사람) ***make a ~*** 분발하다; 노력하다 (*at, for*) ***when***[***if***] ***it comes to the ~*** = ***when***[***if***] ***~ comes to shove*** 유사시에는, 결정적 순간에는, 선택의 여지가 없을 때에는 ▷ púshy *a.*

push·ball [púʃbɔ̀ːl] *n.* Ⓤ 푸시볼 (지름이 6피트의 공을 11명씩의 두 팀이 각각 상대팀 골에 밀어 넣는 구기)

push-bike [-bàik] *n.* (영·속어) 페달 밟는 자전거

púsh bùnt 〖야구〗 푸시 번트

púsh bùtton (벨 등의) 누름단추

push-but·ton [-bʌ̀tn] *a.* **1** 누름단추식의: a ~ telephone 버튼식 전화 **2** 원격 조정에 의한, 누름단추를 누르기만 하면 되는, 전자동의

púsh-button túning 〖전자〗 push-button식 동조(同調)[파장 조정]

púsh-button wár[**wárfare**] 누름단추식 전쟁

púsh càr 〖철도〗 자재 운반용 작업차

push·card [-kɑ̀ːrd] *n.* = PUNCHBOARD 1

push·cart [-kɑ̀ːrt] *n.* **1** (행상인·장보기용) 미는 손수레 **2** (영) 유모차

pushcart 1

push·chair [-tʃɛ̀ər] *n.* (영) 유모차((미) stroller)

púsh cỳcle = PUSH-BIKE

push·down [-dàun] *n.* **1** 〖컴퓨터〗 푸시다운 (새로 기억된 정보가 먼저 검색되도록 한 정보 기억 시스템) **2** 〖항공〗 푸시다운 (어떤 비행 진로에서 갑자기 아래쪽 코스로 옮기기)

pushed [púʃt] *a.* (구어) 서둘러; 현금이 모자란; (미·속어) 술취한, 마약 중독의

push·er [púʃər] *n.* **1** 미는 사람[물건], 후원자 **2** 〖항공〗 추진 프로펠러, 추진식 비행기(= ∠ **áirplane**); 추진기 **3** 억지가 센 사람, 참견 잘하는 사람; 강매하는 사람 **4** (미·속어) 마약 암매상; 위조지폐 사용자 **5** 〖철도〗 (급경사에서) 뒤에서 미는 보조 기관차 **6** 샌달의 일종 **7** 유모차

púsh fit 밀어 맞추기 (손을 밀어서 두 부품을 접합시키는 방법)

push·ful [púʃfəl] *a.* (구어) **1** 적극적인, 박력 있는 **2** 나서기 잘하는, 억지가 센

púsh-in crìme[**jòb**] [púʃìn-] (미·속어) 침입 강도 (문을 여는 순간 피해자를 습격하는)

push·ing [púʃiŋ] *a.* **1** 미는, 밀치는; 찌르는 **2** 진취적 기상이 있는, 활동적인, 정력 있는 **3** 숫기 좋은, 뱃심 좋은, 나서기 잘하는 **~·ly** *ad.*

Push·kin [púʃkin] *n.* 푸슈킨 **Aleksandr Sergeevich ~** (1799-1837) (러시아의 시인)

push·mo·bile [púʃmoubìːl] *n.* (미) (어린이를 태워서 미는) 장난감 자동차

púsh mòney 특별 장려금 (소매점이나 외판원에게 지불하는 판매 촉진 장려금)

push·out [-àut] *n.* (구어) (학교·가정·직장 등에서) 쫓겨난 사람

push·o·ver [-òuvər] *n.* (미·구어) **1** 쉬운 일, 식은

죽 먹기; 낙승, 약한 상대 **2** 잘 속는 사람, 잘 넘어가는 여자; 영향받기 쉬운 사람 **3** 〖항공〗 =PUSHDOWN 2

push·pin [-pìn] *n.* (미) 압핀((영) drawing pin)

púsh pòll 〖정치〗 (미·속어) 편향 여론 조사 《조사 대상 인물에 대한 부정적 정보를 제시하여 여론을 바꾸려는 목적의 앙케트》

push-proc·ess [pùʃprɑ́ses | -próus-] *vt.* 〖사진〗 〈필름을〉 증감(增感) 현상하다

push-pull [púʃpúl] 〖전자〗 *a.* 푸시풀 방식의 **—** *n.* 푸시풀 증폭기

púsh shòt 〖농구〗 푸시샷 《원거리에서 높이 한 손으로 던지는 샷》

push-start [-stɑ̀:rt] *vt.*, *n.* 〈자동차를〉 밀어서 시동 걸다[걸기]

púsh stràtegy 공세적 판촉 전략 《관례보다 훨씬 저가로 제공하는 등》

púsh technòlogy 〖컴퓨터〗 푸시 기술 《필요한 정보를 일방적으로 가공해서 제공하는》

Push·to, Push·tu [pʌ́ʃtu:] *n.* =PASHTO

push-up [pʌ́ʃʌ̀p] *n.* (미) 〖체조〗 엎드려팔굽혀펴기 ((영) press-up)

push·y [púʃi] *a.* (**push·i·er**; **-i·est**) (구어) 억지가 센, 뻔뻔한, 나서기 잘하는; 진취적인
púsh·i·ly *ad.* **púsh·i·ness** *n.*

pu·sil·la·nim·i·ty [pjù:sələnímәti] *n.* Ⓤ 무기력(spiritlessness), 겁많음, 소심, 비겁

pu·sil·lan·i·mous [pjù:səlǽnəməs] *a.* 무기력한, 나약한, 소심한(cowardly) **~·ly** *ad.* **~·ness** *n.*

puss[1] [pús] *n.* **1** 고양이 《애칭》(⇨ cat 관련) **2** (속어) 소녀 **3** (영) 산토끼; (속어) 암사내 **~ *in the corner*** (미) 집뺏기 숨바꼭질 **~·like** *a.*

puss[2] *n.* (속어) 얼굴(face); 입(mouth); 보기 싫은 놈

púss mòth 나방의 일종 《유럽산(産)》

***puss·y**[1] [púsi] *n.* (*pl.* **puss·ies**) **1** (유아어) 고양이(⇨ cat 관련) **2** 아씨 《유모어(乳母語)》 **3** (고양이처럼) 털 있고 부드러운 것 《버들개지 등》 **4** (익살) 호랑이 **5** (미·속어) 여자같이 나약한 청년

pus·sy[2] [pʌ́si] *a.* (**-si·er**; **-si·est**) 고름이 많은, 고름 같은

pus·sy[3] [púsi] *n.* (*pl.* **-sies**) (비어) **1** 여자의 성기(vulva) **2** (미) 성교 **3** (성교 대상으로서의) 여자

pússy bùtterfly [púsi-] (미·속어) (자궁에 삽입하는) 피임 링(intrauterine device, IUD)

puss·y·cat [púsikæ̀t] *n.* **1** =PUSSY[1] **2** (속어) 인상이 좋은 사람 **3** =PUSSY WILLOW

puss·y·foot [púsifùt] *vi.* (구어) **1** 살금살금 걷다 **2** (미) 기회주의적인 태도를 취하다 《*on*》; 모호한 태도를 취하다 **—** *n.* (*pl.* **~s**) **1** 살금살금 걷는 사람 **2** 모호한 태도를 취하는 사람 **3** 금주(가)(prohibition(ist)) **—** *a.* (미·속어) 기회주의적인 **~·er** *n.*

púss·y pèlmet [púsi-] (영·비어) 초(超)미니스커트

puss·y-whip [púsihwìp] *vt.* (속어) =HENPECK

puss·y-whipped [-hwìpt] *a.* Ⓟ =HENPECKED

púss·y wìllow [púsi-] 〖식물〗 갯버들

pus·tu·lant [pʌ́stʃulənt] *a.* 농포(膿疱)가 생기는 **—** *n.* 농포 형성제, 발포제(發疱劑)

pus·tu·lar [pʌ́stʃulər] *a.* 농포(膿疱)의; 오톨도톨한, 부스럼투성이의

pus·tu·late [pʌ́stʃulèit] 〖병리〗 *vt.*, *vi.* 농포가 생기(게 하)다 **—** [-lət, -lèit] *a.* 농포가 생긴

pus·tu·la·tion [pʌ̀stʃuléiʃən] *n.* Ⓤ 농포(가 생김)

pus·tule [pʌ́stʃu:l | -tju:l] *n.* **1** 〖병리〗 농포(膿疱) **2** 〖동물·식물〗 작은 혹, 사마귀

pus·tu·lous [pʌ́stʃuləs] *a.* 농포투성이의

⁑put[1] [pút] *v.* (**~**; **~·ting**), *n.*, *a.*

> 기본적으로는 「두다」의 뜻에서
> ① (어떤 장소에) 놓다 **1**
> ② (어떤 장소로) 움직이다 **2**
> ③ (어떤 상태로) 만들다 **3**

— *vt.* **1** 〈어떤 장소에〉 **놓다**, 두다; 얹다; 넣다, 던져 넣다 《*into*, *in*》; 섞다; 재우다, 눕히다; 내려놓다 《*down*》: (~+목+전+명) ~ a box *on* the shelf 상자를 선반에 얹다 / ~ one's hand *in* one's pocket 손을 호주머니에 집어넣다 / ~ the formula *in* one's head 그 공식을 머리 속에 집어넣다 // (~+목+부) *P*~ your pencils *down*. 연필을 내려놓으시오.

> 유의어 **put** 「놓다」의 뜻을 지닌 가장 일반적인 말이다: *put* the dishes on the table 식탁에 접시를 놓다 **set** 격식 차린 느낌의 말로서 「정해진 위치에 놓다」의 뜻이 강하다: *set* a clock on the TV 텔레비전 위에 시계를 놓다 **place**는 「바른 위치에 놓다」: He *placed* his hand on the Bible. 그는 손을 성경 위에 놓았다. **lay**는 「깔아 놓다」의 뜻이 강조된다: *lay* a carpet on the floor 마루에 양탄지를 깔다

2 (어떤 장소로) **가지고 가다**, 가까이하다; 붙이다, 가져다 대다 《*to*》; (어떤 방향으로) 움직이다; 출동시키다; 〖광산〗 〈석탄을〉 운반하다; 〖상업〗 〈상품을 어떤 계약 조건으로〉 내주다; 〖전기〗 접속시키다: (~+목+전+명) ~ a glass *to* one's lips 잔을 입술에 갖다 대다 / The driver ~ the horse *to* his cart. 마부가 말을 짐마차에 맸다. **3** 〈어떤 상태로〉 **만들다**, …상태로 두다; 정리하다; 나열시키다; 결말을 짓다: (~+목+전+명) ~ a room *in*[*out of*] order 방을 정돈하다[어지르다] / ~ an end *to* war 전쟁을 끝내다 **4** 〈일·부서 등에〉 배치하다, 일하게 하다: (~+목+전+명) He ~ her *to* setting the table. 그는 그녀에게 상을 차리게 했다. **5 a** 〈사람을 어떤 상태에〉 이르게 하다; 〈사람에게 고통 등을〉 **받게 하다** 《*to*, *on*》; 회부하다: (~+목+전+명) ~ a person *to* torture …을 고문하다 / ~ a person *into* a rage …을 격노하게 하다 / ~ the enemy *to* flight 적을 패주시키다 **b** 감동하게 하다; 하지 않을 수 없게 만들다 **c** 격려하다, 자극하다 **6** 〈세금·모욕 등을〉 **부과하다**, 주다 《*on*, *upon*》: (~+목+전+명) ~ a tax *on* an article 물품에 과세하다 / ~ an insult *on* a person …에게 모욕을 주다 **7** 〈문제 등을〉 내놓다, 제출하다, 제안하다, 신청하다, 〈질문 등을〉 던지다, 제언하다; 표결에 붙이다: (~+목+전+명) ~ a question *to* a person …에게 질문하다 / He ~ the motion *to* the committee. 그는 그 동의를 위원회에 제출했다. **8** 〈몸·마음을〉 기울이다, 쏟다, 〈정신을〉 집중하다 《*to*, *into*》: (~+목+전+명) ~ one's brain *to* a problem 어떤 문제에 정신을 집중하다 **9 a 적어 넣다**, 기입하다; 등록하다, 〈도장 등을〉 찍다, 서명하다: (~+목+전+명) Please ~ your name *on* this piece of paper. 이 종이에 이름을 적어 주십시오. / I ~ my signature *to* the document. 그 문서에 서명했다. **b 표현하다**, 진술하다, 설명하다, 말하다: (~+목+전+명) Let me ~ it *in* another way. 바꾸어 말해 보겠소. **c** 〈생각을〉 (말로) 옮기다, **번역하다**: (~+목+전+명) ~ one's ideas *into* words 생각을 말로 나타내다 / *P*~ English *into* Korean. 영어를 한국어로 번역하시오. **10 평가하다**, 어림잡다; 간주하다; 산정(算定)하다 《*as*, *at*》; 〈값을〉 매기다, 〈가치를〉 인정하다 《*on*》: (~+목+전+명) I ~ the losses *at* 10,000 dollars. 그 손해를 1만 달러로 어림한다. / I ~ the distance *at* six miles. 그 거리를 6마일로 어림잡는다. **11** 〈책임 등을〉 (…의) **탓으로 하다** 《*to*, *on*》: (~+목+전+명) He ~ his failure *to* my carelessness. 그는 자기의 실패를 내 부주의의 탓으로 돌렸다. **12** 내던지다, 팽개치다; 〈무기를〉 내밀다, 찌르다 《*into*》; 〈총알을〉 쏘다: ~ the shot 포환을 던지다 // (~+목+전+명) ~ a knife *into* a body 칼로 몸을 찌르다 **13** (…에게) 〈신임[신용]을〉 두다 《*in*》; 맡기다 《*into*, *to*》, 위탁하다: (~+목+전+명) ~ trust *in* a person …을 신뢰하다 / ~ the case *to* a person 그 사건을 …에게 맡기다 / ~ the child *into* his uncle's hands 아이를 삼

촌 손에 맡기다 **14** 〈배의 키를〉 잡다, (이끌어) 전진시키다, 몰다: 《~+목+전+명》 ~ the rudder *to* port 배의 키를 좌현으로 돌리다 **15** 설비하다, 주다; 〈말을〉 잡아 매다 《*to*》

—*vi.* **1** 〈배 등이〉 전진하다, 진로를 잡다, (…로) 향하다 《*to, for, back, in, out*》; 〈강물 등이〉 흘러가다: 《~+부》 《~+전+명》 The ship ~ *out to* sea. 배가 출범했다. / ~ *into* port 입항하다 / The river ~*s into* a lake. 그 강은 호수로 흘러든다. **2** 〈싹이〉 트다 《*out*》 **3** 《미·속어》 급히 떠나가다, 도망치다: 《~+전+명》 ~ *for* home 서둘러 귀가하다

be ~ to it 곤경에 빠지다, 매우 곤란을 겪다 ***~ about*** (1) (배 등의) 방향을 바꾸다, 되돌아가다 (2) 공표[발표]하다, 널리 퍼뜨리다: ~ *about* a rumor 소문을 퍼뜨리다 (3) 《속어》 애먹이다, 괴롭히다 ***~ across*** (1) 훌륭히 해내다, 성공시키다 (2) 〈배에 태워 강을〉 건네다 (3) 인정받다, 이해시키다 《*to*》: ~ *across* one's intention *to* someone …에게 자신의 의도를 이해시키다 (4) 《미·구어》 〈사람의 눈을〉 속이다, 사기하다 (swindle) ***~ ahead*** (1) 촉진시키다; …의 생육을 빠르게 하다 (2) 시곗바늘을 앞으로 돌리다; …의 날짜를 당기다 ***~ an end to ...*** ⇨ end[1]. ***~ aside*** (1) 제쳐놓다, 치우다, 걷어치우다, 제거하다: I ~ *aside* my sewing and looked at him. 나는 재봉 일감을 옆으로 치우고 그를 보았다. (2) 저축하다(put by); (후일을 위해) …을 따로 남기다: ~ *aside* money for the future 미래를 위해 돈을 저축하다 (3) 포기하다; 〈증오·불화 등을〉 무시하다, 잊다 ***~ asunder*** 서로 떼어놓다, 산산이 흩뜨리다 ***~ at*** (1) …으로 어림잡다 (2) …을 공격하다, 박해하다 ***~ a person at his[her] ease*** …을 마음 편하게 해주다, 안심시키다 ***~ away*** (1) ⇨ PUT aside (2) 《고어》 〈아내와〉 이혼하다 (3) 《구어》 〈음식물을〉 먹어치우다 (4) 피하다, 물리치다, 내버리고 돌보지 않다 (5) 《속어》 죽이다, 매장하다 (6) 《구어》 〈감옥·병원 등에〉 감금하다 (7) 《속어》 전당잡히다 (8) 밀고하다, 배반하다 (9) 〈배가〉 나아가다 ***~ back*** (1) 제자리로 되돌리다 (2) 후퇴[정체]시키다, 〈진행을〉 방해하다 (3) 《미》 낙제시키다 (4) 〈시계의〉 바늘을 되돌리다 (5) 연기하다, 늦추다 (6) 〈체중 등을〉 회복하다 (7) 되돌아가다 (8) 《비유》 젊어지다 ***~ a thing before[above] a person*** …에게 …을 보이다, 제출하다 ***~ ... behind*** (1) 〈생산·수확 따위를〉 늦추다 (2) 〈지난 일 따위를〉 잊으려고 하다 (3) 〈돈·노력 따위를〉 (…에) 도움이 되게 쓰다 ***~ by*** (1) 간수하다, 저축해 두다 (2) 피하다 ***~ down*** (1) 아래로 내려놓다; 〈아기를〉 침대에 누이다; (통화 중) 전화를 끊다 (2) 《영》 〈승객을〉 내리다 《*at*》 (3) 〈비행기를〉 착륙시키다, 〈비행기가〉 착륙하다 (4) 《영》 〈음식물 등을〉 간직해 두다; 저장해 두다, 보존하다: ~ *down* vegetables in salt 야채를 소금을 뿌려 보존하다 (5) 억제하다, 진정시키다; 잠잠케 하다, 침묵시키다 (6) 〈값 등을〉 내리다; 절약하다, 축소하다, 내리다 (7) 기입하다 (8) 이름을 써넣다 《*for*》 (9) 〈계산을〉 …이름으로 달아놓다 《*to*》 (10) …으로 여기다, 간주하다 《*at*》 (11) …으로 돌리다, 탓으로 하다 《*to*》 (12) 이용하다 《*to*》 (13) 처치하다, 죽이다 (14) 《구어》 비굴한 마음을 갖게 하다 ***~ a person down as*** …을 …라고 생각하다, …한 부류로 여기다 ***~ down the drain*** 《구어》 소비하다, 낭비하다 (waste) ***~ forth*** (1) 내밀다, 뻗다; 〈싹·잎사귀 등을〉 내다 (2) 〈빛·열 등을〉 내뿜다 (3) 출판하다 (4) 제안하다, 주장하다 (5) 〈힘 등을〉 발휘하다 (6) 《시어》 출발하다, 나가다; 항구를 나가다 ***~ forward*** (1) 내세우다, 눈에 띄게 하다; 추천하다 (2) 〈새로운 학설 등을〉 제창하다, 주창하다 (3) 〈사람을〉 앞으로 내세우다, 눈에 띄게 하다 (4) 촉진하다 (5) 〈시곗바늘을〉 빨리 가게 하다 ***~ in*** (1) 넣다, 꽂다 (2) (말로) 거들어 주다, 참견하다 (3) 〈타격 등을〉 가하다 (4) 〈요구·탄원서를〉 제출하다, 신청하다 (5) 〈일 등을〉 하다 (6) 《속어》 〈시간을〉 보내다 (7) 〈돈을〉 투자하다, 예금하다 (8) 선출하다 (9) 《구어》 방문하다, 들르다 《*at*》 (10) 입항(入港)하다 ***~ in black and white*** 《미·구어》 문서로 기록하다 ***~ in for*** (1) 신청하다: ~ *in for* a transfer 전근을 신청하다 (2) 입후보하다 (3) 《미·속어》 요구하다 ***~ a person in mind*** …에게 …을 생각하게 하다 《*of*》 ***~ into*** (1) 〈시간을〉 보내다, 〈시간·노력을〉 들이다 (2) 〈돈을〉 투자하다 (3) 선출하다 (4) …에 〈즐거움·기쁨·감정 따위를〉 더하다, 추가하다 (5) 주입(注入)하다; 끼워 넣다 (6) 번역하다 (7) 〈배가〉 입항하다 ***~ (into) a junk*** 놀라게 하다 ***~ it about*** 《영·구어》 많은 사람들과 섹스하다 ***~ it across*** a person (1) …을 혹평하다 (2) 속이다 ***~ it on*** 《속어》 (1) 엄청난 값을 부르다 (2) 허풍 떨다 ***~ it over*** 《미·속어》 훌륭히 해치우다 (succeed) ***~ it[something] over on*** a person 《미·구어》 …을 속이다 ***~ it past*** a person 《미》 …에게 어울리지 않는 일이라고 생각하다 ***P~ it there!*** 《구어》 악수합시다, 화해합시다! 《동의·화해의 뜻으로》 ***~ it to*** a person …의 의견[승인]을 구하다 ***~ it to*** a person ***that ...*** …에게 의견을 묻다 ***~ off*** (1) 제거하다; 〈옷 등을〉 벗다: *P~ off* your doubts. 의심을 버리시오. (2) 〈사람을〉 내려주다 (3) 기다리게 하다; 연기하다, 미루다 《*till, until, to*》(⇨ delay 유의어): ~ *off* an appointment 약속을 연기하다 (4) 〈근심·책임 등을〉 버리다 (5) 《방언》 해치우다, 죽이다: She has ~ herself *off*. 그녀는 자살하였다. (6) 피하다, 모면하다, 발뺌하다, 용케 벗어나다 (7) 방해하다 《*from*》 (8) 〈상품 등을〉 팔아치우다 (9) 〈가짜 등을〉 강요하다 《*on*》 (10) 폐를 끼치다; …할 의욕을 꺾다, 싫어하게 하다 (11) 《영》 〈전기 등을〉 끄다 (12) 잠들게 하다, 의식을 잃게 하다 (13) 흥미[식욕]를 잃게 하다 (14) 출발하다, 〈배가〉 출항하다 (15) 나아가다, 떠나가다 ***~ on*** (1) 입다, 〈신발을〉 신다(opp. *take off*), 〈반지를〉 끼다, 〈모자를〉 쓰다, 〈안경을〉 쓰다 (2) 〈어떤 태도를〉 취하다, …한 체하다 (3) 〈체중을〉 늘리다; 〈속력을〉 내다: ~ *on* weight 체중이 늘다 (4) 〈시곗바늘을〉 빨리 가게 하다 (5) 〈연극을〉 상연하다 (6) 〈수도·가스 등을〉 열다; 〈라디오·전등을〉 켜다; 〈레코드 등을〉 틀다 (7) 《미·구어》 〈사람을〉 놀리다 (8) 《영》 남에게 폐를 끼치다 ***~*** a person ***on doing*** …을 선동하여 …하게 하다 ***~*** a person ***on to[onto] ...*** 《구어》 …으로 주의를 돌리다, …에게 …을 알리다 ***~ out*** (1) 끄다 (2) 〈시력을〉 잃게 하다 (3) 내밀다; 〈새싹이〉 트다 (4) 내쫓다, 물리치다, 해고하다 (5) 〈관절을〉 삐다, 탈구하다 (6) 밖으로 내다, 하청 주다 (7) 산출하다, 생산하다 (8) 출판하다, 발표하다, 방송하다 (9) 대출하다, 투자하다 (10) 어리둥절하게 하다, 난처하게 하다 (11) 혼란시키다; 괴롭히다, 들볶다, 성나게 하다 (12) 〖야구〗 아웃시키다 (13) 출범(出帆)하다; 갑자기 떠나다 (14) 돈을 쓰다 ***~*** a person ***out of the way*** 〈사람을〉 제거하다, 죽이다; 감옥에 넣다 ***~ over*** (1) 저 편에 건네다, 맞은 편으로 건너가다 (2) 《영》 연기하다 (3) (영화·연극에서) 성공하다 (4) 〈정책 등이〉 호평을 얻게 하다; 이해시키다, 〈상대방에게〉 잘 전하다 (5) 〈배가〉 도항(渡航)하다, 건너다 ***~ paid to*** …을 끝난 것으로 생각하다 ***~ right*** (1) 정정하다 (2) 〈병자를〉 고치다 ***~*** one***self out*** (남에게 편의를 도모해 주기 위하여) 무리를 하다, 수고를 하다 ***~*** one***self over*** 〈청중에게〉 자기의 인상을 심어 주다, 인기를 얻다 ***~ through*** (1) 성취하다; 꿰뚫다; 〈법안 등을〉 통과시키다 (2) 〈시험·시련 등을〉 받게 하다; …을 도와서 (시험 등에) 합격시키다, 처리하다 (3) 〈전화 등을〉 연결하다 ***~ together*** (1) 모으다, 합계하다; 종합 판단하다 (2) 결혼시키다 (3) 구성하다, 편집하다 (4) 〖크리켓〗 득점을 올리다 ***~ to it*** 난처하게 하다, 괴롭히다 ***~ up*** (1) 〈기 등을〉 올리다, 〈천막을〉 치다 (2) 게시하다, 고시하다 (3) 〈건축물을〉 짓다 (4) 〈의견·탄원서를〉 제출하다 (5) 〈저항 등을〉 나타내다, 〈싸움을〉 계속하다 (6) (팔려고) 내놓다; 〈값을〉 올리다 (7) 〈식료품 등을〉 저장하다 (8) 짐을 꾸리다; 정리하다, 치우다 (9) 〈칼을〉 칼집에 넣다 (10) 숙박시키다 (11) 《속어》 협잡하다, 사기를 꾀하다 (12) 발표하다; 〈극을〉 상연하다 (13) 숙박하다 《*at*》 (14) 입후보하다 (15) 《미·속어》 돈을 치르다, 돈을 걸다, 갚다 ***~ up a (good) fight*** 선전(善戰)하다 ***~ upon*** …을 속이다,

약점을 이용하다, 폐를 끼치다 ~ **up or shut up** [보통 명령법으로] 《구어》 돈을 걸어라, 그렇지 않으려면 가만히 있어라; 해볼 테면 해봐라, 그렇지 않으려면 가만히 있어라 ~ **up to** (1) …에게 알리다 (2) 부추겨서 …시키다: ~ a person *up to* a crime …을 선동하여 죄를 짓게 하다 ~ **up with** …을 참다(endure) ~ a person **wise** 《미·속어》 …에게 일러 주다, 귀띔하다, 잔꾀를 가르쳐 주다 《*to*》

— *n.* **1** 밀기, 떼밀기; 찌름 **2** 던지기; Ⓤ 던져서 닿는 거리 **3** 〖증권〗 매주(賣主) 선택 거래 《정기 거래의 일종》 ~ **and call** 해약 특권부 거래

— *a.* 《구어》 정지(靜止)한, 정착한(fixed) ★ 다음 성구로. **stay** ~ 《구어》 그대로 있다

put² [pʌ́t] *n., vi., vt.* (**~·ted**; **~·ting**) = PUTT

pu·ta [pjú:tə] [Sp.] *n.* 《속어》 매춘부, 헤픈 여자

pu·ta·men [pju:téimin] *n.* (*pl.* **-tam·i·na** [-tǽmənə]) **1** 〖식물〗 (핵과(核果)의) 내과피(內果皮), 핵 **2** 〖동물〗 (난각(卵殼) 안의) 경막(硬膜)

put-and-take [pútən*d*téik] *n.* 주사위의 눈금에 따라 판돈을 나누는 내기

pu·ta·tive [pjú:tətiv] *a.* 추정의, 추정되고 있는, 소문에 들리는: her ~ father 그녀의 추정상의 아버지 **~·ly** *ad.*

pútative márriage 〖법〗 사실상의 혼인 《혼인이 부적법하지만 일방 또는 쌍방의 선의로 이루어진 혼인》

put-down [pútdàun] *n.* **1** (비행기의) 착륙 **2** 《구어》 말대꾸, 되받아치기, 혹평, 강렬한 반박

put-in [-ìn] *n.* 〖럭비〗 스크럼 속에 공을 넣기

put·log [-lɔ̀:g | -lɔ̀g], **-lock** [-lɑ̀k | -lɔ̀k] *n.* 〖건축〗 비계의 가로대, 발판(용 통나무)

put-off [-ɔ̀:f | -ɔ̀f] *n.* **1** 변명, 핑계 **2** 연기(延期)

put-on [-ɔ̀:n | -ɔ̀n] 《미·구어》 *a.* …인 체하는, 겉치레의 — *n.* **1** 겉치레, 점잔 빼기; 《구어》 속이기, 장난치기, 놀리기 **2** 농담

pút-on ártist 《속어》 속이기[얼버무리기] 잘하는 사람

Pu·tong·hua [pú:tɑ́ŋwɑ́: | -tɔ́ŋ-] *n.* 보통화(普通話) 《현대 중국의 공용어》(cf. MANDARIN)

pút òption 〖증권〗 매각 선택권

put·out [pútàut] *n.* 〖야구〗 (타자·주자를) 아웃시키기

put-put [pʌ́tpʌ́t] [의성어] *n.* **1** (소형 가솔린 엔진의) 통통거리는 소리 **2** 《구어》 소형 가솔린 엔진(이 달린 차); 통통배 — *vi.* (**~·ted**; **~·ting**) **1** 통통 소리가 나다 **2** 통통 소리를 내며 전진하다[움직이다] **3** 통통 소리를 내는 차[배]로 가다

pu·tre·fac·tion [pjù:trəfǽkʃən] *n.* **1** Ⓤ 부패 (작용) **2** 부패물

pu·tre·fac·tive [pjù:trəfǽktiv] *a.* 부패의, 부패하기 쉬운; 부패시키는 **~·ly** *ad.*

pu·tre·fy [pjú:trəfài] *v.* (**-fied**) *vt.* 〈시체 등을〉 부패시키다, 곪게 하다 — *vi.* 부패하다 《★ 식물·물이 「썩다」는 rot》(⇨ decay 유의어); 곪다 **-fi·er** *n.*

pu·tres·cence [pju:trésns] *n.* Ⓤ 부패

pu·tres·cent [pju:trésnt] *a.* 부패하는, 부패의

pu·tres·ci·ble [pju:trésəbl] *a., n.* 부패하기 쉬운 (것)

pu·trid [pjú:trid] *a.* **1** 부패한, 악취가 나는 **2** 타락한(corrupt) **3** 《구어》 불쾌한, 고약한, 지독한(rotten) **turn** ~ 부패하다 **~·ly** *ad.* **~·ness** *n.*

pu·trid·i·ty [pju:trídəti] *n.* (*pl.* **-ties**) Ⓤ **1** 부패; Ⓒ 부패물 **2** 타락

pu·tri·lage [pjú:trəlidʒ] *n.* 부패물

putsch [pútʃ] [G] *n.* (갑작스런) 반란, 폭동

putsch·ist [pútʃist] *n.* 반란의 참가자

putt [pʌ́t] 〖골프〗 *n.* 공을 가볍게 침, 퍼트

— *vi., vt.* 공을 치다; 〈공을〉 골프채로 가볍게 쳐서 구멍에 넣다, 퍼트하다

put·tee [pʌtí:, pʌ́ti] *n.* 각반(脚絆); 가죽 각반

put·ter¹ [pútər] *n.* 놓는 사람[물건]; 운반부

putt·er² [pʌ́tər] *n.* 〖골프〗 공 치는 사람; 타구채[클럽]

put·ter³ [pʌ́tər] *vi.* 《미·구어》 꾸물거리며 일하다 《*at, in*》; 빈둥거리다, 어슬렁거리다 《*about, around*》 — *n.* 꾸물거리며 하는 일; 빈둥거림 **~·er** *n.*

put·tie [pʌ́ti] *n.* = PUTTEE

put·ti·er [pʌ́tiər] *n.* 퍼티(puttee) 직공

pútt·ing grèen [pʌ́tiŋ-] 〖골프〗 **1** 퍼팅 그린 《hole 주위의 고운 잔디밭》 **2** 퍼트 연습장

put·to [pú:tou] [It. 「소년」의 뜻에서] *n.* (*pl.* **-ti** [-ti]) [보통 *pl.*] 〖미술〗 푸토 《르네상스기(期)의 장식적인 조각으로 큐피드 등 발가벗은 어린이의 상》

put·too [pʌ́tu:] *n.* Ⓤ 《인도》 캐시미어직(織)의 일종

putt-putt [pʌ́tpʌ́t] [의성어] *n., vi.* = PUT-PUT

put·ty [pʌ́ti] *n.* (*pl.* **-ties**) **1** Ⓤ 퍼티 《접합제의 일종》 **2** 마음대로 모양을 바꿀 수 있는 물건; 하자는 대로 하는 사람 **glaziers'** ~ 유리창 접합용 퍼티 **jewelers'** ~ 유리나 금속을 닦는 주석[납] 가루 **plasterers'** ~ 도장(塗裝) 공사용 퍼티

— *vt.* (**-tied**) **1** 퍼티로 접합하다 **2** 퍼티를 칠하다

put·ty-head [pʌ́tihèd] *n.* 《미·속어》 멍텅구리

pútty knìfe 퍼티용 칼[주걱, 흙손]

pútty mèdal 《영·익살》 적은 노력에 걸맞은 보수

pútty pòwder 퍼티 가루 《유리·금속을 닦는》

put-up [pútʌ̀p] *a.* 《미·속어》 미리 꾸며 놓은, 야바위의

pút-up jób 《영·구어》 (남을 속이려고) 미리 꾸민 일[계획], 야바위

put-up·on [-əpɔ̀:n | -ɔ̀n] *a.* Ⓟ 이용당하는, 잘 속는; 학대받은, 혹사당하는

putz [pʌ́ts] *n.* 《미·속어》 **1** 음경, 페니스 **2** 바보, 보기 싫은 녀석

‡puz·zle [pʌ́zl] *n.* **1** 수수께끼, 알아맞히기, 퍼즐, 퀴즈(⇨ mystery 유의어): do a crossword ~ 크로스워드 퍼즐을 풀다 《낱말을 가로세로 맞추다》 **2** [a ~] 곤혹, 혼란: be in *a* ~ 곤혹하다 **3** 괴롭히는 사람[물건], 《특히》 어려운 문제(puzzler)

— *vt.* **1** [종종 수동형으로] 당황[곤혹]하게 하다, 어쩔 줄 모르게 하다(⇨ bewilder 유의어): The question ~*d* me. 나는 그 문제로 곤혹했다. / I *was* ~*d* what to answer. 뭐라고 대답해야 할지 난처했다. **2** 〈머리를〉 아프게 하다, 짜내게 하다: (~+목+전+명) ~ one's mind[brains] *over*[*about*] the solution of a problem 문제 해결에 부심하다[골머리를 앓다] **3** 생각해내다, 알아내다, 〈수수께끼를〉 풀다 《*out*》: (~+목+부) ~ *out* a mystery[riddle] 수수께끼를 풀다

— *vi.* **1** 머리를 짜다, 이리저리 생각하다 《*over, about*》: (~+전+명) ~ *over* a problem 문제를 해결하려고 머리를 짜내다 **2** 곤혹하다 《*about, over*》, 쩔쩔 매다 ~ **through** 손으로 더듬어 빠져나가다

púzzle bòx 〖심리〗 (동물의 학습 실험에 쓰이는) 퍼즐[미로] 상자

puz·zled [pʌ́zld] *a.* 당혹스러운, 어리둥절한: a ~ look on one's face 당혹스러운 표정

puz·zle·head·ed [pʌ́zlhèdid] *a.* 머리가 혼란된, 정신이 헷갈린

puz·zle·ment [pʌ́zlmənt] *n.* Ⓤ 곤혹; Ⓒ 곤혹케 하는 것

puz·zle·pat·ed [pʌ́zlpèitid] *a.* = PUZZLEHEADED

puz·zler [pʌ́zlər] *n.* 《구어》 곤혹하게 하는 사람[물건]; 《특히》 난문제; 퍼즐 애호가[출제자]

puz·zling [pʌ́zliŋ] *a.* 곤혹하게 하는, 헷갈리게 하는, 영문 모를 **~·ly** *ad.* **~·ness** *n.*

PV 〖군사〗 patrol vessel **p.v.** par value; post village **PVA** 〖화학〗 polyvinyl acetate **PVC** polyvinyl chloride 〖화학〗 염화 비닐 **PVS** 〖의학〗 persistent vegetative state; post-viral syndrome **PVT** pressure, volume, temperature **Pvt.** 〖미육군〗 Private **PW** 《영》 policewoman; prisoner of war; public work **P.W.** 《영》 per week **PWA** person with AIDS; Public Works Administration 《미》 공공 사업국 《1933-44》

P wàve [*p*ressure *wave*] P파 《지진파의 실체파(實體波) 중의 종파(縱波); cf. S WAVE》

PWD Psychological Warfare Division 심리전부(部); Public Works Department 공공사업부 **pwr** power **PWR** pressurized-water reactor 가압수

형 원자로 **pwt** pennyweight **PX** physical examination; 〖상업〗 please exchange; 〖미육군〗 Post Exchange **pxt.** pinxit

py- [pai], **pyo-** [páiou] 《연결형》 「고름·농(膿)」의 뜻 《모음 앞에서는 py-》

pya [pjɑ́:, piɑ́:] *n.* 피야 《미얀마의 화폐 단위; kyat의 1/100》; 그 경화(硬貨)

py·ae·mi·a [paií:miə] *n.* = PYEMIA

py·ae·mic [paií:mik] *a.* = PYEMIC

pyc·nid·i·um [piknídiəm] *n.* (*pl.* **-i·a** [-iə]) 〖식물〗 (녹균류의) 분포자기(粉胞子器) **-i·al** *a.*

pyc·nom·e·ter [piknɑ́mətər | -nɔ́m-] *n.* 〖물리〗 비중병(比重瓶)

pye [pái] *n.* = PIE[4]

pye-dog [páidɔ̀:g | -dɔ̀g] *n.* (동남아시아의) 들개

py·e·li·tis [pàiəláitis] *n.* Ⓤ 〖병리〗 신우염(腎盂炎)

py·e·log·ra·phy [pàiəlɑ́grəfi | -lɔ́g-] *n.* 〖의학〗 신우 조영(腎盂造影)(법), 신우 촬영(법)

py·e·lo·ne·phri·tis [pàiəlounifráitis] *n.* Ⓤ 〖병리〗 신우신염(腎盂腎炎)

py·e·mi·a, -ae·mia [paií:miə] *n.* Ⓤ 〖병리〗 농혈(膿血)(증) **py·é·mic, -áe·mic** *a.*

pyg·m(a)e·an [pigmí:ən] *a.* = PYGMY

Pyg·ma·li·on [pigméiliən, -ljən] *n.* 〖그리스신화〗 피그말리온 《자기가 만든 상아상 Galatea를 연모한 Cyprus섬의 왕·조각가》

Pygmálion effèct 〖심리〗 피그말리온 효과 《선입관에 의한 기대가 학습자에게 주는 효과》

∗**Pyg·my** [pígmi] *n.* (*pl.* **-mies**) **1** 피그미 족의 사람 《중앙아프리카의 키 작은 흑인종》 **2** [때로 **p~**] 〖그리스·로마신화〗 피그마이오스 《두루미와 싸워 멸망한 난쟁이족(族)》 **3** [**p~**] 난쟁이(dwarf); 지력이 저능한 사람 **4** 작은 물건; 작은 요정(妖精)

— *a.* **1** [종종 **p~**] 난쟁이의 **2** [**p~**] 매우 작은, 하찮은

pýgmy chimpanzée 〖동물〗 피그미침팬지 《몸집이 작으며 자이르에서 서식함》

pýgmy hippopòtamus 〖동물〗 난쟁이하마, 리베리아하마 《리베리아 산》

pyg·my·ish [pígmiiʃ] *a.* 난쟁이 같은, 왜소한

∗**py·ja·mas** [pədʒɑ́:məz, -dʒǽm- | -dʒɑ́:m-] *n. pl.* 《영》 = PAJAMAS 1

pyk·nic [píknik] *a., n.* 〖심리〗 비만형의 (사람)

py·lon [páilɑn | -lən] [Gk 「출입구」의 뜻에서] *n.* **1** (고대 이집트 사원의) 탑문(塔門); (문·다리·가로 등의 양쪽에 세운) 탑 **2** 〖항공〗 (비행장의) 목표탑 **3** (고압선용) 철탑

pylon 2

py·lo·rec·to·my [pàiləréktəmi] *n.* (*pl.* **-mies**) Ⓤ 〖외과〗 유문(幽門) 제거[적출]

py·lo·ric [pailɔ́:rik, pi-] *a.* 유문(幽門)의

py·lo·rus [pailɔ́:rəs, pi-] *n.* (*pl.* **-ri** [-rai]) 〖해부〗 유문(幽門)

pymt. payment

PYO Pick Your Own 자기가 따[캐]가도 좋음 《과일·야채 등을 손님이 따서[캐서] 사가는 농장의 게시》

pyo- [páiou, páiə] 《연결형》 = PY-

py·o·gen·e·sis [pàiədʒénəsis] *n.* Ⓤ 〖병리〗 화농(化膿), 화농 작용

py·o·gen·ic [pàiədʒénik] *a.* 〖병리〗 화농성의

py·oid [páiɔid] *a.* 〖병리〗 고름(모양)의

Pyong·yang [pjʌ́ŋjɑ́:ŋ, pjɔ́ŋ-] *n.* 평양 《북한의 수도》

py·or·rhe·a, -rhoe·a [pàiərí:ə | -ríə] *n.* Ⓤ 〖병리〗 농루(膿漏)(증); 《특히》 치조 농루

pyorrhéa al·ve·o·lár·is [-ælvì:əlǽris] 〖치과〗 치조 농루(증)

py·o·sis [paióusis] *n.* Ⓤ 〖병리〗 화농(化膿)(suppuration)

pyr- [pair], **pyro-** [páirou] 《연결형》 「불; 열; 열작용에 의한; 초성(焦性)의」의 뜻 《h 및 모음 앞에서는 pyr-》

‡pyr·a·mid [pírəmìd] *n.* **1** [종종 **P~**] (고대 이집트의) 피라미드; (중앙아메리카의) 피라미드: the (Great) *Pyramids* (3개의) 대(大) 피라미드 《이집트 Giza에 있는》 **2** 〖수학〗 각뿔; 각추(角錐); 〖결정〗 추(錐): a regular[right] ~ 정[직]각추 **3** 첨탑 모양의 물건 **4** [*pl.*] 《영》 당구의 일종 **5** 〖증권〗 계속 이익을 보는 증권 **6** 《비유》 금자탑, 기념비적 사물 **7** 〖사회〗 피라미드형 조직 **8** = PYRAMID SCHEME

— *vi.* **1** 피라미드형이 되다 **2** 점차 늘다; 착착 진전되다 **3** 〖증권〗 계속 이익을 보다, (시세 변동이 있을 때) 계속하여 건옥을 늘리다

— *vt.* **1** 피라미드형으로 하다 **2** 착착 진행시키다; 〈임금·세금 등을〉 점차로 올리다, 점증시키다

py·ram·i·dal [pirǽmədl, -mi-] *a.* **1** 피라미드의[같은] **2** 거대한 **3** 각추의 **~·ly** *ad.*

pyrámidal bóne 〖해부〗 추체골(錐體骨)

pyrámidal péak 〖지질〗 빙식첨봉(氷蝕尖峰)

pyrámidal tràct 〖해부〗 추체로(錐體路)

pyr·a·mid·i·cal [pìrəmídikəl], **-ic** [-ik] *a.* = PYRAMIDAL **-i·cal·ly** *ad.*

pýramid lètter = CHAIN LETTER

Py·ram·i·don [pirǽmədɑ̀n | -dɔ̀n] *n.* 피라미돈 《진통·해열제 aminopyrine의 상표명》

pýramid pówer 피라미드 파워 《피라미드 같은 4각추 중심에 작용한다는 불가사의한 힘》

pýramid schème 피라미드 방식, 다단계식

pýramid sélling 〖상업〗 피라미드[다단계]식 판매

Pyr·a·mus [pírəməs] *n.* 〖그리스신화〗 피라모스 《사랑하는 Thisbe가 사자에게 물려 죽은 줄 알고 자살한 청년》

pyre [páiər] *n.* 화장(火葬)용 장작[연료]; 장작더미

Pyr·e·ne·an [pìrəní:ən] *a.* 피레네 산맥의

— *n.* 피레네 산지의 주민

Pyr·e·nees [pírənì:z | ㅡㅡ́] *n. pl.* [the ~] 피레네 산맥 《프랑스와 스페인의 국경을 이룬 산맥》

py·re·noid [paiərí:nɔid, páiərənɔ̀id] *n.* 피레노이드 《조류(藻類)의 엽록체 속에 있는 단백질 알갱이》

py·re·thrin [paiərí:θrin, -réθ-] *n.* Ⓤ 〖화학〗 피레드린 《제충국(除蟲菊)의 살충 성분; 살충용》

py·re·throid [paiərí:θrɔid, -réθ-] *n., a.* 〖화학〗 피레드로이드(의) 《피레드린 비슷한 합성 살충제》

py·re·thrum [paiərí:θrəm] *n.* **1** 〖식물〗 제충국(除蟲菊) **2** Ⓤ 〖약학〗 제충국 가루

py·ret·ic [paiərétik] *a.* 〖의학〗 발열(성)의; 열병 치료의 — *n.* 해열제

pyr·e·tol·o·gy [pìrətɑ́lədʒi, pàiərə-] *n.* Ⓤ 열병학(熱病學)

Py·rex [páiəreks] *n.* 파이렉스 《내열(耐熱) 유리(그릇); 상표명》

py·rex·i·a [paiəréksiə] *n.* Ⓤ 〖병리〗 열, 발열(發熱): ~ of unknown origin 원인 불명 열 《略 PUO》

py·réx·i·al, py·réx·ic *a.*

pyr·he·li·om·e·ter [paiərhì:liɑ́mətər | pəhì:liɔ́m-] *n.* 〖물리〗 태양열 측정계, 일사계, 일조계

pyr·i·dine [pírədì:n] *n.* Ⓤ 〖화학〗 피리딘 《가연성의 특이한 냄새의 액체; 용제, 알코올 변성제, 유기 합성용》

pyr·i·dox·in(e) [pìrədɑ́ksi(:)n | -dɔ́k-] *n.* Ⓤ 〖생화학〗 피리독신 《비타민 B_6》

pyr·i·form [pírəfɔ̀:rm] *a.* 서양배 모양의

py·rim·i·dine [pairímədì:n] *n.* 〖화학〗 **1** 피리미딘 《마취성의 자극적 냄새가 나는 결정체》 **2** 피리미딘 염기 《DNA, RNA의 구성 성분》

py·rite [páiərait] *n.* Ⓤ 〖광물〗 황철석(黃鐵石)

py·ri·tes [pairáiti:z | paiər-] *n.* Ⓤ 〖광물〗 황화철광(黃化鐵鑛) ***copper ~*** 황동석 ***iron ~*** 황철석 ***tin ~*** 황석석 ***white ~*** 백철석

py·rit·ic [pairítik], **py·ri·tous** [piráitəs] *a.*

py·ro [páirou] *n.* **1** 〖화학〗 = PYROGALLOL **2** 《구어》 방화광(pyromaniac)

pyro- [páirou, -rə] 《연결형》 = PYR-

Py·ro·ce·ram [pàirousəræ̀m] *n.* 파이로세럼 《강화 내열(強化耐熱) 유리; 상표명》

py·ro·chem·i·cal [pàiroukémikəl] *a.* 【화학】 고온도 화학 변화의

py·ro·clas·tic [pàirəklǽstik] *a.* 【지질】 화쇄암(火碎岩)의, 화산 쇄설암으로 된: a ~ rock 화산 쇄설암, 화쇄암 / ~ flows 화쇄류(流) / ~ deposits 화산 쇄설물

py·ro·e·lec·tric·i·ty [pàirouilèktrísəti] *n.* Ⓤ 【전기】 초전기(焦電氣) **-e·lec·tric** [-iléktrik] *a.*

py·ro·gál·lic ácid [pàirougǽlik-] = PYROGALLOL

py·ro·gal·lol [pàirəgǽlɔ:l | pàiərougǽlɔl] *n.* Ⓤ 초성 몰식자산(焦性沒食子酸), 피로갈롤 《사진 현상약》

py·ro·gen [páirədʒən] *n.* 발열 물질, 발열원(源)

py·ro·gen·ic [pàirədʒénik], **-ge·net·ic** [-dʒənétik] *a.* **1** 발열성의, 열로 생기는 **2** 화성(火成)의

py·rog·e·nous [pairɑ́dʒənəs | -rɔ́dʒ-] *a.* = PYROGENIC

py·rog·nos·tics [pàirəgnɑ́stiks | -nɔ́s-] *n. pl.* [단수·복수 취급] 가열(加熱) 반응

py·ro·graph [páirəgræ̀f | -grɑ̀:f] *n.* 낙화(烙畫)

py·rog·ra·phy [pairɑ́grəfi | -rɔ́g-] *n.* (*pl.* **-phies**) **1** Ⓤ 낙화술(烙畫術) **2** 낙화(에 의한 장식) **pỳ·ro·gráph·ic** *a.*

py·ro·gra·vure [pàirəgrəvjúər] *n.* Ⓤ 낙화(烙畫)술(pyrography)

py·ro·ki·ne·sis [pàirəkiní:sis] *n.* Ⓤ 염화(念火) 《공상 과학에서 염력으로 불을 붙임》

py·rol·a·try [pairɑ́lətri | -rɔ́l-] *n.* Ⓤ **1** 불의 숭배 **2** 배화교(拜火教)

py·ro·lig·ne·ous [pàirəlígniəs] *a.* 목재를 건류하여 얻은; 초목성(焦木性)의

pyrolígneous ácid 【화학】 목초산(木酢酸)

py·rol·y·sis [pairɑ́ləsis | -rɔ́l-] *n.* Ⓤ 【화학】 (유기 화합물의) 열분해 **py·ro·lyt·ic** [pàirəlítik] *a.*

py·ro·mag·net·ic [pàirəmægnétik] *a.* 【물리】 열자기의(thermomagnetic)

py·ro·man·cy [páirəmæ̀nsi] *n.* Ⓤ 불점(占)(술)

py·ro·ma·ni·a [pàirəméiniə] *n.* Ⓤ 방화벽(癖)

py·ro·ma·ni·ac [pàirəméiniæ̀k] *n.* 방화광(放火狂), 방화 상습범 — *a.* 방화광의, 방화벽이 있는

py·ro·met·al·lur·gy [pàirəmétələ̀:rdʒi] *n.* Ⓤ (고온) 건식(乾式) 야금(법) **-mèt·al·lúr·gi·cal** *a.*

py·rom·e·ter [pairɑ́mətər | -rɔ́m-] *n.* 고온계 **py·ro·met·ric** [pàirəmétrik] *a.* **pỳ·ro·mét·ri·cal·ly** *ad.* **-try** [-tri] *n.* Ⓤ 고온 측정법

pyrométric cóne (노(爐) 안의) 고온 측정 콘 《일정한 온도에 이르면 변형되거나 녹거나 하는 원뿔형 물질》

pyrométric cóne equìvalent 【화학】 내화도(耐火度) 《略 pce》

py·ro·nine [páirənì:n] *n.* 피로닌(염료) 《주로 생물용 착색제로 쓰임》

py·rope [páiroup | páiər-] *n.* Ⓤ 【광물】 파이로프, 홍석류석(= **~ gárnet**)

py·ro·pho·bi·a [pàirəfóubiə] *n.* Ⓤ 【병리】 공화증(恐火症), 불공포증

py·ro·phor·ic [pàirəfɔ́:rik] *a.* 【화학】 자연 발화의, 저절로 타는; 마찰로 불꽃이 튀는

py·ro·pho·tog·ra·phy [pàirəfətɑ́grəfi | -tɔ́g-] *n.* Ⓤ (유리·도자기의) 인화 사진술

py·ro·sis [pairóusis] *n.* Ⓤ 【의학】 가슴앓이(heartburn)

py·ro·stat [páirəstæ̀t] *n.* **1** 고온용 온도 조절기 **2** 화재 탐지기

pyrotech. pyrotechnic(al); pyrotechnics

py·ro·tech·nic, -ni·cal [pàirətéknik(əl)] *a.* **1** 불꽃(제조술)의 **2** 〈재치·언변 등이〉 화려한, 눈부신

py·ro·tech·nics [pàirətékniks] *n. pl.* **1** [단수 취급] 불꽃 제조술 **2** [복수 취급] 불꽃을 쏘아 올림 **3** [복수 취급] (웅변·연주 등의) 화려함 **4** 【군사】 (신호·조명·탄막용 등의) 발광탄, 조명탄

py·ro·tech·nist [pàirətéknist] *n.* 불꽃 제조자; 불꽃 쏘아올리는 사람

py·ro·tech·ny [páirətèkni] *n.* = PYROTECHNICS 1, 2

py·ro·tox·in [pàirətɑ́ksin | -tɔ́k-] *n.* 【생화학】 피로톡신, 발열 물질, 발열원

py·rox·ene [pairɑ́ksi:n | -rɔ́k-] *n.* Ⓤ 【광물】 휘석(輝石)

py·rox·y·lin(e) [pairɑ́ksəlin | -rɔ́k-] *n.* Ⓤ 질화면(窒化綿)

Pyr·rha [pírə] *n.* 【그리스신화】 피라 《Deucalion의 처》

pyr·rhic[1] [pírik] *n., a.* 【시학】 단단격(短短格) 《◡◡》(의), 약약격(弱弱格) 《××》(의)

pyrrhic[2] *n., a.* (고대 그리스의) 전무(戰舞)(의): a ~ dance 전무

Pyr·rhic [pírik] *a.* Pyrrhus 왕의

Pýrrhic víctory 피로스의 승리 《희생을 많이 치른 승리》

Pyr·rho [pírou] *n.* 피론(365?-275? B.C.) 《그리스의 철학자; 회의론(懷疑論)의 시조》

Pyr·rho·ni·an [piróuniən], **-rhon·ic** [-rɑ́nik | -rɔ́n-] *a.* Pyrrho(의 회의설)의 — *n.* Pyrrho 학도; (절대) 회의론자

Pyr·rho·nism [pírənìzm] *n.* Ⓤ Pyrrho의 회의설; 절대 회의설 **-nist** *n.*

pyr·rho·tite [pírətàit], **-tine** [-tì:n] *n.* Ⓤ 【광물】 자황철광(磁黃鐵鑛)

Pyr·rhus [pírəs] *n.* 피로스(318?-272 B.C.) 《고대 그리스 Epirus의 왕》

py·rú·vic ácid [pairú:vik-] 【생화학】 피루브산 《생물의 기본적인 대사에 관계되는 물질》

Py·thag·o·ras [piθǽgərəs | pai-] *n.* 피타고라스(582?-500? B.C.) 《그리스의 철학자·수학자》

Pythagoras' theorem 【기하】 피타고라스의 정리

Py·thag·o·re·an [piθæ̀gərí:ən | pai-] *a.* 피타고라스의 — *n.* 피타고라스의 학설 신봉자

Py·thag·o·re·an·ism [piθæ̀gərí:ənìzm | pai-] *n.* Ⓤ 피타고라스의 학설[주의] 《우주는 수학적 비율의 다양한 조합으로 형성되었다는 것을 중심으로 하는》

Pythagoréan théorem[proposítion] [the ~] 【수학】 피타고라스의 정리

Pyth·i·an [píθiən] *a.* **1** Delphi의 **2** (Delphi의) Apollo 신[신탁]의; 아폴로의 무녀의 **3** Delphi에서 행하여진 (4년마다의) 경기의 — *n.* **1** Delphi의 주민 **2** Apollo 신; 그 무녀 **3** 신들린 사람

Pýthian Gámes [the ~] 피시아 경기 《Delphi에서 Apollo를 기념하여 4년마다 행하여진 고대 그리스의 경기제(競技祭)》

Pyth·i·as [píθiəs | -æ̀s] *n.* = DAMON AND PYTHIAS

py·thon [páiθɑn | -θən] *n.* **1** 【동물】 비단뱀, 이무기 **2** [**P~**] 【그리스신화】 거대한 뱀 《Apollo 신이 Delphi에서 죽인》 **3** 신탁(oracle); 신탁을 받는 신관(神官); 예언자·무당 등에 붙는 귀신[심령]

py·tho·ness [páiθənis | -nès] *n.* 무녀, 무당, 여자 점쟁이; 그리스 델피(Delphi)의 아폴로 신전의 무녀

py·thon·ic [paiθɑ́nik | -θɔ́n-] *a.* **1** 신탁의(oracular) **2** 비단뱀의[같은]

py·u·ri·a [paijúəriə] *n.* 【병리】 농뇨(膿尿)(증)

pyx [píks] *n.* **1** 【그리스도교】 성체 용기(聖體容器) 《귀금속제》 **2** (영국 조폐국의) 화폐 검정함(檢定函)(= **~ chèst**) 《무게·순도 등의 점검 장치가 있는 함》 ***the trial of the ~*** (조폐국의) 견본 화폐 검사 — *vt.* 〈화폐를〉 검정함에 넣다; 검사하다(test)

pyx·id·i·um [piksídiəm] *n.* (*pl.* **-i·a** [-iə]) 【식물】 **1** 개과(蓋果) **2** (이끼류의) 포자낭

pyx·is [píksis] *n.* (*pl.* **-i·des** [-sədì:z]) **1** (고대 그리스·로마에서 사용된) 작은 상자; 보석 상자 **2** 【식물】 = PYXIDIUM

Q q

q, Q [kjúː] *n.* (*pl.* **q's, qs, Q's, Qs** [-z]) **1** 큐《영어 알파벳의 제17번째 자》; Q자형의 것 **2**〖스케이트〗Q자형으로 돌기: a reverse *Q* 역 Q자형으로 돌기 **3** 17번째(의 것)《J를 빼면 16번째》 **4** (영) 에너지의 단위《10^{18}btu》 ***mind*** [***watch***] one***'s P's*** [***p's***] ***and Q's*** [***q's***] ⇨ p, P

Q Q factor; quadrillion; Queen('s); quetzal; Quiller-Couch《필명》 **q.** *quadrans* 《L＝farthing》; quaere; quart; quarter; quarterly; quarto; quasi; queen; question; quintal; quire; quoted; quotient **Q.** quarto; Quebec; Queen; query; question; quire **Q.A.B.** (영) Queen Anne's Bounty

qa·ba·lah [kəbáːlə] *n.* ＝CABALA

Qa·dha·fi [kədáːfi] *n.* 카다피 **Muammar al ~** (1942-2011)《리비아의 군인·정치가》

qa·di [káːdi, kéi-] *n.*〖이슬람교〗카디《이슬람법에 기초해 관결을 내리는 재판관》

QÁ fùrniture [*q*uick-*a*ssembly] 속성 조립 가구

Qa·har [tʃáːháːr] *n.* 차하르《중국 북동부, 내몽골의 옛 성》

QALY (영) quality adjusted life year

qa·nat [kɑnáːt] *n.* 카나트《이란에서 지하수를 얻기 위한 지하 수로》

Q. and A., Q&A question and answer 질의응답, 문답

Qan·tas [kwántæs | kwɔ́ntəs] *n.* (오스트레일리아의) 퀀타스 항공 회사(＝**~ Áirways**)

Q.A.R.A.N.C. (영) Queen Alexandra's Royal Army Nursing Corps

qat [káːt] *n.*〖식물〗＝KHAT

Qa·tar [káːtaːr | kǽtaː] *n.* 카타르《페르시아 만 연안의 독립국; 수도 Doha》

Qa·ta·ri [káːtaːri | kætáːri] *n., a.* Qatar의 주민(의)

qaw·wa·li [kəwáːli] *n.* 카왈리《파키스탄·방글라데시의 이슬람 종교 음악》

QB〖체스〗queen's bishop **q.b.** quarterback **Q.B.** Queen's Bench **QBE**〖컴퓨터〗query by example

Q-boat [kjúːbòut] *n.* Q보트《제1차 대전 때 독일 잠수함을 격침하기 위해 상선으로 가장한 영국 함정》

QBP queen's bishop's pawn **QC** quick-change **Q.C., QC** quality control; Quartermaster Corps; Queen's Counsel(cf. K.C.) **QCA** Qualifications and Curriculum Authority (영) 교육 과정 평가원 **QCB**〖컴퓨터〗queue control block **QCD** quantum chromodynamics

Q-Celt·ic [kjúːséltik, -kél-] *n., a.* ＝GOIDELIC

Q clèarance (미국 원자력 규제 위원회의) Q증명

q.d. *quaque die* 《L＝daily》 **q.d.a.** quantity discount agreement **q.e.** *quod est* 《L＝which is》 **QEA** Qantas Empire Airways Ltd.《현재는 Qantas Airways》 **QED** quantum electrodynamics **Q.E.D.** *quod erat demonstrandum* 《L＝which was to be demonstrated》 **Q.E.F.** *quod erat faciendum* 《L＝which was to be done》 **Q.E.I.** *quod erat inveniendum* 《L＝which was to be found out》 **QE2** Queen Elizabeth 2《영국의 호화 여객선》 **Q.F.** quick-firing

Q fàctor Q인자 **1**〖전자〗공명의 예리도를 표시하는 양 **2**〖물리〗핵반응에 있어서의 반응열

Q fèver Q열(熱)《리케차로 인한 폐렴 비슷한 열병》

q.h.〖처방〗*quaque hora* 《L＝each hour, every hour》

Qi·a·na [kiːáːnə] *n.* 키아나《나일론계의 합성 섬유; 상표명》

qib·la(h) [kíblə] *n.* ＝KIBLA(H)

q.i.d., Q.I.D.〖처방〗*quater in die* 《L＝four times a day》

qi·gong [tʃíːgúŋ] [Chin.] *n.* 기공(氣功)

Qi·lian Shan [tʃíːljáːn-ʃáːn] (중국의) 치롄 산(祁連山)

qing·hao·su [tʃíŋháusúː] *n.* 칭하오수(青蒿素)《말라리아 치료제를 추출하는 중국 한약재》

qin·tar [kíntáːr], **-dar** [-dáːr] *n.* 킨타르《알바니아의 화폐 단위; 1/100 lek》

qirsh [kɔ́ːrʃ] *n.* (*pl.* **qu·rush** [kurúːʃ]) 커슈 **1** 사우디아라비아의 화폐 단위《1/20 riyal에 해당》 **2** 중동·북아프리카의 경화·소액 지폐

QISAM〖컴퓨터〗queued indexed sequential access method

qi·vi·ut [kíːviùːt, -ət] *n.* Ⓤ (미) 사향소의 부드러운 담갈색 털; 그 털실

QKt〖체스〗queen's knight **QKtP**〖체스〗queen's knight's pawn **ql.** quintal **q.l.** *quantum libet* 《L＝as much as is desired》 **Qld, Q'land, Q'l'd** Queensland **QM, Q.M.** Quartermaster **q.m., Q.M.**〖처방〗*quoque matutino* 《L＝every morning》 **QMC, Q.M.C.** Quartermaster Corps **QMG, Q.M.G.** Quartermaster General **QMS, Q.M.S.** Quartermaster Sergeant **q.n.**〖처방〗*quaque nocte* 《L＝every night》 **QNP**〖체스〗queen's knight's pawn **QoS** quality of service **QP**〖체스〗queen's pawn **q.p., q.pl.** *quantum placet* 《L＝as much as you please》 **qq.** *questions* **Qq.** quartos **qq.v.** *quae vide* 《L＝which (words, etc.) see》 **QR**〖체스〗queen's rook **qr.** (*pl.* **qrs**) quarter; quire

Q-rat·ing [kjúːrèitiŋ] *n.*〖광고〗＝TV-Q

Q-ra·tio [kjúːrèiʃou] *n.*〖경제〗Q비율

QRP〖체스〗queen's rook's pawn **qr**(**s**)**.** quarter(s); quire(s) **q.s.** *quantum sufficit* 《L＝as much as it suffices》 **Q.S.** Quarter Sessions

Q scàle〖지진〗Q스케일《횡파(橫波)의 감소 정도를 나타내는 단위》

QSE (영) qualified scientist and engineer 유자격 과학자 및 기술자 **QSG** quasi-stellar galaxy 항성상(恒星狀) 은하

Q-ship [kjúːʃìp] *n.* ＝Q-BOAT

Q sìgn, Q-sign [kjúːsàin] *n.* (미·속어·익살) Q 사인《병원에서 혀를 내민 시체의 둥글게 열린 입》; 시신, 사체

Q sìgnal〖통신〗Q 신호《Q로 시작되는 무선 신호의 하나; 「QSL」 등》

QSL〖통신〗수신 승인; QSL카드(＝**~ càrd**)《교신 기념 카드》

QSO quasi-stellar object

Q-sort [kjúːsɔ̀ːrt] *n.*〖심리〗Q분류《인격의 자기 평가법》

QSTOL [kjúːstòul] [*q*uiet *s*hort *t*ake-*o*ff and *l*anding] *n.* 무(無)소음 단거리 이착륙기

Q-switch [kjúːswìtʃ] *n.* Q스위치《레이저로 첨두(尖頭) 출력이 큰 펄스(pulse)를 내는 장치》
—*vt.* Q스위치로 첨두 출력이 큰 펄스를 내게 하다

qt. quantity; quart(s)

q.t., Q.T. [kjúːtíː] [*quiet*] *n.* (구어) 비밀, 내밀 ***do***

a thing ***on the*** (***strict***) ***q.t.*** …을 (아주) 비밀리에 하다(cf. on the QUIET)
Q-Tip [kjú:tìp] *n.* 《미》 큐팁《면봉; 상표명》
qto. quarto **qtr.** quarter(ly) **qts.** quarts **qty.** quantity **qu.** quart; quarter; quarterly; quasi; queen; query; question
qua [kwéi, kwɑ́:] [L] *ad.*, *prep.* …로서(as), …의 자격으로
Quaa·lude [kwéilu:d] *n.* 퀘일루드《methaqualone의 상표명》
qua·bird [kwɑ́:bə̀:rd] *n.* 〖조류〗 해오라기
*__quack__[1] [kwǽk] [의성어] *vi.* **1** 〈집오리 등이〉 꽥꽥 울다 **2** 시끄럽게[쓸데없는 말을] 지껄이다
— *n.* **1** (집오리 등의) 꽥꽥 우는 소리 **2** (시끄러운) 소음; 수다떨기: the ~ of the radio 라디오 잡음 소리 ***in a*** ~ 순식간에
quack[2] [*quack*salver] *n.* 돌팔이 의사(=∠ **dòctor**); 사기꾼, 야바위꾼 — *a.* Ⓐ 사기꾼의[이 쓰는], 가짜의: ~ medicines[remedies] 가짜 약[요법]
— *vi.*, *vt.* **1** 엉터리 치료를 하다 **2** 허풍 떨다; 아는 체하다; 과대 선전하다
quack·er [kwǽkər] *n.* 《구어》 오리
quack·er·y [kwǽkəri] *n.* (*pl.* **-er·ies**) ⓊⒸ 엉터리 치료
quáck gràss 〖식물〗 =COUCH GRASS
quack·ish [kwǽkiʃ] *a.* 돌팔이 의사의; 엉터리의 **~·ly** *ad.* **~·ness** *n.*
quack-quack [kwǽkkwǽk] *n.* **1** 꽥꽥 (소리)《집오리가 우는》 **2** 《유아어》 오리(duck)
quack·sal·ver [-sæ̀lvər] *n.* 《고어》 돌팔이[엉터리] 의사; 사기꾼, 야바위꾼
quack·u·punc·ture [kwǽkjupʌ̀ŋktʃər] *n.* 엉터리 침술 요법
quad[1] [kwɑ́d | kwɔ́d] *n.* **1** 《구어》 =QUADRANGLE 2 **2** =QUADRANT **3** 《구어》 =QUADRUPLET **4** 《영·속어》 =QUOD **5** 《속어》 =QUAALUDE
quad[2] 〖인쇄〗 *n.* 공목(quadrat)
— *vt.* (**~·ded**; **~·ding**) …에 공목을 넣다
quad[3] 《구어》 *a.* =QUADRAPHONIC
— *n.* =QUADRAPHONY
quad[4] *n.* **1** 《구어》 4인실; 4개짜리 물건 **2** 《미·속어》 헤드라이트가 4개인 차; [*pl.*] (차의) 4개의 헤드라이트
— *a.* 4명의, 4개의, 4인실의
quad[5] *n.* 《영》 쿼드《열량의 단위; =10^{15}btu》
quad. quadrangle; quadrant; quadrat; quadrilateral; quadruple; quadruplicate
quád bìke 《영》 대형 타이어의 4륜차《특히 오프로드용·경주용》(《미》 four wheeler)
quád dénsity 〖컴퓨터〗 4배 기록 밀도
quád léft *a.* (전산 조판에서) 〈행이〉 왼쪽으로 맞춰진
quad·plex [kwɑ́dplèks | kwɔ́d-] *n.* 4세대용 연립 주택 — *a.* 4겹의; 4배의
quadr- [kwɑdr | kwɔdr], **quadri-** [kwɑ́drə | kwɔ́d-], **quadru-** [kwɑ́dru | kwɔ́d-] 《연결형》 「4(four)」의 뜻《모음 앞에서는 quadr-》
quad·ra·ble [kwɑ́drəbəl] *a.* 〖수학〗 같은 넓이의 정사각형으로 나타낼 수 있는; 제곱할 수 있는
quad·ra·ge·nar·i·an [kwɑ̀drədʒənɛ́əriən | kwɔ̀d-] *a.*, *n.* 40세[대]의 (사람)(cf. QUINQUAGENARIAN)
Quad·ra·ges·i·ma [kwɑ̀drədʒésəmə | kwɔ̀d-] *n.* **1** 사순절(Lent)의 첫째 일요일(=∠ **Súnday**) **2** 《폐어》 사순절의 40일간
quad·ra·ges·i·mal [kwɑ̀drədʒésəməl | kwɔ̀d-] *a.* 《특히》 대재(大齋)가 40일간 계속되는; [**Q~**] 사순절의(Lenten)
quad·ra·min·i·um [kwɑ̀drəmíniəm] *n.* =QUADROMINIUM
quad·ran·gle [kwɑ́dræ̀ŋgl | kwɔ́d-] *n.* **1** 네모꼴, 사각형: a complete ~ 완전 사각형 **2** (특히 대학 등의 건물에 둘러싸인) 안뜰; 안뜰을 둘러싼 건물 **3** 《미》 육지 구획《동서 약 17-24km, 남북 약 27km의 지도상의 한 구획》 **-gled** *a.*
quad·ran·gu·lar [kwɑdrǽŋgjulər | kwɔd-] *a.* 네모꼴의, 사각형의 **~·ly** *ad.* **~·ness** *n.*
quad·rant [kwɑ́drənt | kwɔ́d-] *n.* **1** 〖기하〗 4분원(分圓); 4분원호(弧); 4분면(分面) **2** 4분원꼴의 기계 부품《등》 **3** 4분의(儀), 상한의(儀)《옛 천문 관측 기계; 현재는 sextant를 씀; cf. OCTANT 2》 **~·lìke** *a.*
quad·ran·tal [kwɑdrǽntl | kwɔd-] *a.* 4분원의, 4분면의
quadrántal corréctor 〖항해〗 상한차(象限差) 수정 장치
quádrant bálance 상한칭(象限秤), 원호칭(圓弧秤)
quad·ra·phon·ic [kwɑ̀drəfɑ́nik | kwɔ̀drəfɔ́n-] *a.* 〈녹음·재생이〉 4채널 방식의: a ~ recording 4채널 녹음 **-i·cal·ly** *ad.*
quad·ra·phon·ics [kwɑ̀drəfɑ́niks | kwɔ̀drəfɔ́n-] *n. pl.* [단수 취급] =QUADRAPHONY
qua·draph·o·ny [kwɑdrǽfəni | kwɔ-] *n.* Ⓤ (녹음·재생 등의) 4채널 방식
quad·ra·son·ic [kwɑ̀drəsɑ́nik | kwɔ̀drəsɔ́nik] *a.* =QUADRAPHONIC
quad·ra·son·ics [kwɑ̀drəsɑ́niks | kwɔ̀drəsɔ́n-] *n. pl.* [단수 취급] =QUADRAPHONY
quad·rat [kwɑ́drət | kwɔ́d-] *n.* **1** 〖인쇄〗 공목(空木) **2** [*pl.*; 단수 취급] 인쇄용 공목을 주사위 대신에 사용하는 놀이 **3** 직사각형의 좁은 토지《동·식물 분포 조사용으로 구획한》
quad·rate [kwɑ́drət, -reit | kwɔ́d-] *a.* 〖해부·동물〗 네모꼴의, 정사각형의, 정방형의: a ~ lobe 방형엽(方形葉)《뇌수·간장의》
— *n.* 정방형, 정사각형; 〖해부〗 방형골[근](骨[筋])
— *v.* [kwɑ́dreit | kwɔdréit] *vt.* 일치[적합, 조화]시키다《*with*, *to*》 — *vi.* 《고어》 일치하다《*with*》
quad·ra·thon [kwɑ́:drəθɑ̀n | -θɔ̀n] *n.* 4종 경기《수영·경보·자전거·마라톤을 하루에 치르는 경기》
quad·rat·ic [kwɑdrǽtik | kwɔd-] *a.* **1** 《고어》 정방형의(square): ~ paper 4각(角) 종이 **2** 〖수학〗 2차의 — *n.* 〖수학〗 2차 방정식; [*pl.*; 단수 취급] 2차 방정식론 **-i·cal·ly** *ad.*
quadrátic equátion 〖수학〗 2차 방정식
quadrátic fórm 〖수학〗 2차 형식
quadrátic fórmula 〖수학〗 2차 방정식의 근(根)을 푸는 공식
quadrátic résidue 〖수학〗 평방 잉여(剩餘)
quad·ra·ture [kwɑ́drətʃùər, -tʃər | kwɔ́d-] *n.* **1** 정사각형으로 하기 **2** Ⓤ 〖수학〗 구적법(求積法) **3** 〖천문〗 구(矩)《지구에서 볼 때 외행성(外行星)이 태양과 직각의 방향에 있는 일》 **4** 달의 상[하]현 **5** 〖전자공학〗 직각 위상(位相) ***the ~ of the circle*** 원적법(圓積法)《원과 같은 면적의 정방형을 만듦》
quad·rel [kwɑ́drəl | kwɔ́d-] *n.* 4각형의 돌[벽돌]
quad·rel·la [kwɑdrélə | kwɔd-] *n.* 《호주》 4중 승마권(勝馬券)(이 발매되는 마지막 4레이스)
quad·ren·ni·al [kwɑdréniəl | kwɔd-] *a.* 4년마다의, 4년간 계속되는: a ~ period 4년간
— *n.* 4년마다의 행사 **~·ly** *ad.*
quad·ren·ni·um [kwɑdréniəm | kwɔd-] *n.* (*pl.* **~s, -ni·a** [-niə]) 4년간
quadri- [kwɑ́drə | kwɔ́d-] 《연결형》 =QUADR-
quad·ri·ad [kwɑ́driæ̀d] *n.* 4인조; 4개 한벌
quad·ric [kwɑ́drik | kwɔ́d-] 〖수학〗 *a.* 2차의: a ~ equation 2차 방정식
— *n.* 2차 곡면(曲面); 2차 함수
quad·ri·cen·ten·ni·al [kwɑ̀drəsenténiəl | kwɔ̀d-] *n.*, *a.* 4백년 기념(의)
quad·ri·ceps [kwɑ́drəsèps | kwɔ́d-] *n.* (*pl.* ~, **~·es**) 〖해부〗 (대퇴(大腿)) 사두근(四頭筋)
quad·ri·cy·cle [kwɑ́drəsàikl | kwɔ́d-] *n.* 사륜차 **-cler, -clist** *n.*
quad·ri·en·ni·al [kwɑ̀driéniəl | kwɔ̀d-] *a.* =

QUADRENNIAL **~·ly** *ad.*
quad·ri·en·ni·um [kwɑ̀driéniəm | kwɔ̀d-] *n.* = QUADRENNIUM
quad·ri·fid [kwɑ́drəfid | kwɔ́d-] *a.* 〖식물·동물〗 사열(四裂)의, 네 갈래로 된 〈꽃잎 등〉
quad·ri·ga [kwɑdrí:gə | kwɔd-] *n.* (*pl.* **-gae** [-gai | -dʒi:]) (고대 로마의) 4두 2륜 전차(戰車)
quád ríght (전산 조판에서) 〈행이〉 오른쪽으로 맞춰진
quad·ri·lat·er·al [kwɑ̀drəlǽtərəl | kwɔ̀d-] *a.* 4변형의 **—** *n.* 4변형; 방형(方形)의 땅; 4변형의 요새지 **~·ly** *ad.* **~·ness** *n.*
quad·ri·lin·gual [kwɑ̀drəlíŋgwəl | kwɔ̀d-] *a.* 4개 국어를 쓰는, 4개 국어로 된
quad·ri·lit·er·al [kwɑ̀drəlítərəl | kwɔ̀d-] *a.* 4자(字)로 된 **—** *n.* 4자로 된 낱말[어근]
qua·drille[1] [kwɑdríl | kwə-] *n.* **1** Ⓤ 네 사람이 패 40장을 가지고 노는 카드 놀이 《18세기에 유행》 **2** 쿼드릴 《방형꼴로 2[4]사람씩 짝지어 추는 춤》; 그 곡(曲)
quadrille[2] [F] *a.* 〈그래프용지 등이〉 모눈 모양의
quad·ril·lion [kwɑdríljən | kwɔd-] *n.* (*pl.* **~s,** [수사(數詞) 뒤에서] **~**) **1** 《영》 100만의 4제곱 《1에 0이 24개 붙음》 **2** 《미·프랑스》 1,000조(兆) 《1,000의 5제곱; cf. BILLION》 **—** *a.* 1,000의 5제곱인
quad·ri·no·mi·al [kwɑ̀drənóumiəl | kwɔ̀d-] 〖수학〗 *a.* 4항(項)의 **—** *n.* 4항식
quad·ri·par·tite [kwɑ̀drəpɑ́:rtait | kwɔ̀dripɑ́:r-] *a.* 4부[사람](으)로 된, 4부로 나누어진; 4자[국] 사이의(cf. TRIPARTITE): a ~ pact 4국 협정 **~·ly** *ad.*
quad·ri·phon·ic [kwɑ̀drəfɑ́nik | kwɔ̀drifɔ́n-] *a.* = QUADRAPHONIC
quad·ri·ple·gi·a [kwɑ̀drəplí:dʒiə, -dʒə | kwɔ̀d-] *n.* 〖병리〗 사지(四肢) 마비 **-plé·gic** *a., n.* 사지 마비의 (환자)
quad·ri·pole [kwɑ́drəpòul | kwɔ́d-] *n.* = QUADRUPOLE
quad·ri·reme [kwɑ́drərì:m | kwɔ́d-] *n.* (고대 로마의) 4단(段) 노의 갤리선(galley)
quad·ri·sect [kwɑ́drəsèkt | kwɔ́d-] *vt.* 4등분하다 **quàd·ri·séc·tion** *n.*
quad·ri·son·ic [kwɑ̀drəsɑ́nik | kwɔ̀drisɔ́n-] *a.* = QUADRAPHONIC
quad·ri·syl·lab·ic [kwɑ̀drəsilǽbik | kwɔ̀d-] *a.* 4음절의 **-i·cal** *a.*
quad·ri·syl·la·ble [kwɑ́drəsìləbl | kwɔ́d-] *n.* 4음절어
quad·ri·va·lence [kwɑ̀drəvéiləns | kwɔ̀d-] *n.* 〖화학〗 4가(價) **-lent** [-lənt] *a.*
quad·ri·va·len·cy [kwɑ̀drəvéilənsi | kwɔ̀d-] *n.* (*pl.* **-cies**) = QUADRIVALENCE
quad·riv·i·al [kwɑdríviəl | kwɔd-] *a.* **1** 〈길이〉 4갈래로 나누어진 **2** (중세 대학의) 4학과의
quad·riv·i·um [kwɑdríviəm | kwɔd-] *n.* (*pl.* **-i·a** [-iə]) 〖역사〗 4과(科), 4학(學) 《중세 대학의 산술·음악·기하·천문학; cf. TRIVIUM》
quad·ro [kwǽdrou] *n.* (*pl.* **~s**) (계획 도시의) 가구(街區)
quad·ro·min·i·um [kwɑ̀drəmíniəm | kwɔ̀d-] *n.* 4세대용 연립 주택(quadplex)
quad·roon [kwɑdrú:n | kwɔd-] *n.* 백인과 반백인과의 혼혈아 《흑인의 피를 1/4 받은 사람; cf. MULATTO, OCTOROON》
quad·ro·phon·ics [kwɑ̀drəfɑ́niks | kwɔ̀drəfɔ́-], **qua·droph·o·ny** [kwɑdrɑ́fəni | kwɔdrɔ́-] *n.* = QUADRAPHONY
quadru- [kwɑ́dru | kwɔ́d-] 《연결형》 = QUADR-
qua·dru·ma·na [kwɑdrú:mənə | kwɔd-] *n. pl.* 〖동물〗 사수류(四手類) 《인간 이외의 영장류》
quad·ru·mane [kwɑ́drumèin | kwɔ́d-] *a., n.* 〖동물〗 사수류(四手類)의 (동물)
quad·ru·ma·nous [kwɑdrú:mənəs | kwɔd-] *a., n.* = QUADRUMANE
quad·rum·vir [kwɑdrʌ́mvər | kwɔd-] *n.* 4두(四頭) 정치 지도자의 한 명
quad·rum·vi·rate [kwɑdrʌ́mvərət, -rèit | kwɔd-] *n.* 4명으로 이루어진 통치[관리, 경영] 집단; 4인조; 4자 연합
quad·ru·ped [kwɑ́drupèd | kwɔ́d-] 〖동물〗 *n.* 4지 동물 《보통 포유류》
— *a.* = QUADRUPEDAL **~·ism** *n.*
quad·ru·pe·dal [kwɑdrú:pədl | kwɔd-] *a.* 네 발을 가진, 사지(四肢) 동물의
quad·ru·ple [kwɑdrú:pl | kwɔ́drupl] *a.* **1** 4중[겹]의(fourfold) **2** 4부[단위]로 된 **3** 4곱의 《*of, to*》 **4** 〖음악〗 4박자의: a ~ tune 4박자곡 / ~ measure [rhythm, time] 4박자
— *n.* [the ~] 4배: *the* ~ of …의 4배
— *vt., vi.* 4곱으로 하다[되다] **~·ness** *n.* **-ply** *ad.*
Quadrúple Allíance 4국 동맹 《1718년 스페인에 대항하여 맺은 영국·프랑스·오스트리아·네덜란드의 동맹》
quad·ru·plet [kwɑdrʌ́plit | kwɔ́dru-] *n.* **1** 4개 한 벌[세트] **2** 네 쌍둥이 중의 한 사람; [*pl.*] 네 쌍둥이(⇨ twin 관련) **3** 4인승 자전거
quadrúple tìme 〖음악〗 4박자
quad·ru·plex [kwɑ́druplèks | kwɔ́d-] *a.* **1** 4곱[겹]의(fourfold) **2** 〖통신〗 (같은 회로에 의한) 4중 송신의 **—** *n.* 4중 전신기
quad·ru·pli·cate [kwɑdrú:plikət | kwɔd-] *a.* **1** 4곱[겹]의(fourfold); 네 번 거듭한 **2** 4통으로 작성한 〈문서 등〉 **3** 네번째의 **—** *n.* **1** 4통 중의 하나 **2** [*pl.*] (같은 사본 등의) 4통 ***in*** **~** 4통으로 작성된
— [-plәkèit] *vt.* **1** 4곱[겹]으로 하다(cf. DUPLICATE) **2** 〈문서 등을〉 4통 작성하다, 사본을 4통 만들다
quad·ru·pli·ca·tion [kwɑdrù:plikéiʃən | kwɔd-] *n.* Ⓤ (문서 등의) 4통 작성[복사]
quad·ru·plic·i·ty [kwɑ̀druplísəti | kwɔ̀d-] *n.* Ⓤ 4중성
quad·ru·pole [kwɑ́drupòul | kwɔ́d-] *n.* 〖전기〗 4중극(重極), 4극자(極子) **-pò·lar** *a.*
quads [kwɑ́dz | kwɔ́dz] *n. pl.* 《구어》 대퇴 사두근(大腿四頭筋)
quae·re [kwíəri] [L] *vt.* [명령법으로] 물어보라, 조사하라(inquire); 감히 묻는다: It is most interesting, no doubt; but ~, is it true? 과연 재미있기는한데 정말인지 아닌지 물어보라. **—** *n.* 의문, 문제
quaes·tor [kwéstər | kwí:s-] *n.* (고대 로마의) 검찰관, (후의) 재무관 **~·shìp** *n.* Ⓤ 그 직[임기]
quaff [kwɑ́f, kwǽf | kwɔ́f] 《문어》 *vt.* 〈술 등을〉 꿀꺽꿀꺽 마시다, 단숨에 들이켜다 《*off, out, up*》(⇨ drink 유의어): (~+목+부) ~ *off* a glass of beer 맥주 한 잔을 쭉 들이켜다 **—** *vi.* 술을 꿀꺽꿀꺽 [단숨에] 들이켜다
— *n.* 쭉 들이켬, 통음 **~·er** *n.*
quaf·fa·ble [kwɑ́fəbəl] *a.* (술이) 취하게 하는; 마시기에 적합한
quag [kwǽg] *n.* = QUAGMIRE
quag·ga [kwǽgə] *n.* (*pl.* **~, ~s**) 〖동물〗 얼룩말의 일종 《남아프리카산(産); 19세기에 멸종》
quag·gy [kwǽgi] *a.* (**-gi·er**; **-gi·est**) 수렁의, 진창의, 습지의; (근육 따위가) 흐느적흐느적한, 축 늘어진
quag·mire [kwǽgmàiər] *n.* **1** 수렁, 진창(bog, marsh) **2** 꼼짝할 수 없는 곤경, 궁지: a ~ of debt 빚의 수렁 **3** 느슨한[풀어진] 것
qua·hog, -haug [kwɔ́:hɔ:g | kwɑ́:hɔg] *n.* 《미》 〖패류〗 대합류(類)의 조개 《북미 대서양 연안산(産)》
quaich, quaigh [kwéix] *n.* (*pl.* **~(e)s; ~s**) 《스코》 (손잡이가 두 개 있는 나무) 술잔
Quai d'Or·say [kwéi-dɔ:séi] **1** 케도르세 《파리의 센 강변의 프랑스 외무성 소재지; cf. DOWNING STREET》 **2** 프랑스 외무성; 프랑스 외교 (정책)
∗**quail**[1] [kwéil] *n.* (*pl.* **~s,** [집합적] **~**) **1** 〖조류〗 메추라기; 《미》 메추라기 무리의 새; Ⓤ 그 고기 **2** 《미·속어》 아가씨, 소녀, 성적 매력이 있는 젊은 여자; 남녀

공학 학교의 여학생 **~·like** *a.*

quail² *vi.* 풀이 죽다, 겁내다, 움찔하다(shrink) ⟪*at, before*⟫: (~+전+명) He *~ed at* the thought of the punishment. 그는 벌받을 생각에 기가 죽었다. / I *~ed before* her angry looks. 나는 그녀의 성난 얼굴을 보고 움찔했다. **—** *vt.* (고어) 겁주다

quáil càll[**pìpe**] 메추라기 꾀는 우레

quáil clòck 메추라기 시계 ⟪메추라기 울음 소리로 시간을 알림⟫

quail-roost [kwéilrùːst] *n.* (미·학생속어) 여자 기숙사

‡quaint [kwéint] *a.* **1** 기묘한, 기이한(odd): a ~ person 괴짜 **2** 별스러워 흥미를 끄는, 예스러워 운치 있는: a ~ sense of humor 독특한 유머 감각 **3** 기발한, 변덕스러운 **4** 현명한, 학식있는

— *n.* 변덕스러운 사람; 기인(奇人)

~·ly *ad.* **~·ness** *n.*

***quake** [kwéik] *vi.* **1** 덜덜[와들와들] 떨다(shudder), 전율하다(tremble), 몸서리치다(shiver) ⟪*with, for*⟫(⇨ shake 유의어): (~+전+명) He was *quaking with* fear[cold]. 그는 공포[추위] 때문에 떨고 있었다. / Tom *~d at* the thought of his examination. 시험 치를 생각을 하니 톰은 떨렸다. **2** 흔들리다, 진동하다(vibrate): The ground *~d* as the bomb exploded. 폭탄이 터졌을 때 땅이 흔들렸다.

— *n.* **1** 흔들림, 진동; 전율 **2** (구어) 지진(earthquake)

quake-prone [kwéikpròun] *a.* 지진이 자주 일어나는

quake·proof [kwéikprùːf] *a.* 지진에도 안전하게 만들어진, 내진의 **—** *vt.* …에 내진 장치[설계]를 하다

***Quak·er** [kwéikər] [「주의 말씀에 떨다」는 말에서 붙인 속칭으로 퀘이커 교도 자신들은 이 말을 쓰지 않음] *n.* **1** 퀘이커 교도 ⟪George Fox (1624-91)가 창시한 개신교의 일파인 프렌드회(Society of Friends)의 회원; 절대 평화주의자⟫ **2** [**q~**] 떠는 것[사람] **3** (미) = QUAKER GUN **4** [**q~**] ⦗조류⦘ 신천옹 ⟪퀘이커의 옷 빛깔과 비슷한 단색(單色)의 새⟫(= **∠ bìrd**); ⦗곤충⦘ 나방의 일종(= **∠ mòth**) **5** Pennsylvania 주 사람 ⟪별명⟫ **6** [보통 *pl.*] 익지 않은 커피 열매 ⟪질이 나쁜 커피에 흔히 들어 있음⟫ **~·like** *a.*

Quáker Cíty [the ~] (미) 필라델피아 ⟪속칭⟫

Quak·er·dom [kwéikərdəm] *n.* 퀘이커 교도 단체; 프렌드회; = QUAKERISM

Quak·er·ess [kwéikəris] *n.* 여자 퀘이커교도

Quáker gùn (미) 나무 대포; 가짜 대포

Quak·er·ish [kwéikəriʃ] *a.* [종종 **q~**] ⟨복장·언어 등이⟩ 퀘이커 교도 같은; 근엄한

Quak·er·ism [kwéikərìzm] *n.* Ⓤ 퀘이커파의 교리[신조, 관습]

quak·er-la·dies [kwéikərlèidiz] *n. pl.* [종종 **Q~**] ⦗식물⦘ 꼭두서니속(屬); (영) 탱알속(屬)

Quak·er·ly [kwéikərli] *a.* = QUAKERISH

— *ad.* 퀘이커 교도답게

Quáker Óats 퀘이커 오츠 ⟪아침 식사용 시리얼; 상표명⟫

Quáker(s') mèeting 1 퀘이커 예배 집회 ⟪성령에 감동한 회원이 기도를 하기까지 모두 침묵을 지킴⟫ **2** (미·구어) 침묵의 모임, 이야기가 활발치 못한 모임; (초상집에서의) 밤새기

quak·ing [kwéikiŋ] *a.* 떨고 있는 **~·ly** *ad.*

quáking áspen[**ásh**] ⦗식물⦘ 사시나무

quáking gráss ⦗식물⦘ (볏과(科)의) 방울새풀

quak·y [kwéiki] *a.* (**quak·i·er**; **-i·est**) 떠는, 전율하는 **quák·i·ly** *ad.* **quák·i·ness** *n.*

qual. qualitative

qua·le [kwáːli, -lei | kwáːli, kwéili] *n.* (*pl.* **-li·a** [-liə]) ⦗철학⦘ 특질(特質)

qual·i·fi·a·ble [kwáləfàiəbl | kwɔ́-] *a.* 자격이 주어지는, 적격이라고 할 수 있는

***qual·i·fi·ca·tion** [kwɑ̀ləfikéiʃən | kwɔ̀-] *n.* **1** ⓊⒸ 자격 부여[증명], 면허; 유자격; 자격 ⟪*for*⟫; 적성, 능력: citizenship *~s* 시민 자격 **2** 자격 증명서, 면허장: a medical ~ 의사 면허증 / ~ shares ⦗증권⦘ 자격주(資格株) **3** ⓊⒸ 제한(함), 한정, 조건; 수정 **4** (고어) 성질(性質)

property **~** 재산 자격 ⟪선거권 등에 관한⟫ ***with ~s*** 조건부로 ***without*** (***any***) **~** 무조건[무제한]으로

qual·i·fi·ca·tor [kwáləfikèitər | kwɔ́-] *n.* ⦗가톨릭⦘ 심리(審理) 준비원

qual·i·fi·ca·to·ry [kwáləfikətɔ̀ːri | kwɔ́lifikèitəri] *a.* 자격을 부여하는; 제한하는, 조건부의

***qual·i·fied** [kwáləfàid | kwɔ́l-] *a.* **1** 자격 있는, 적격의, 적임의(competent, fit) ⟪*for*⟫; 면허를 받은, 검정을 거친: a ~ teacher 적임[유자격] 교사 / a ~ doctor 유자격 의사 / He is well[fully] ~ *for* the work. 그는 그 일에 적임이다. **2** [주로 명사 앞에서] 제한[한정]된, 조건부의; 수정된: in a ~ sense 에누리한 뜻에서, 다소 / ~ acceptance ⦗금융⦘ (어음의) 제한 인수 / The plan was given only ~ support. 그 계획에는 제한된 지원만이 주어졌다. **3** (영·속어) 심한, 몹쓸(bloody, damned): a ~ fool 천하의 바보 **4** 훌륭한, 완벽한: a ~ gentleman 훌륭한 신사

— *n.* [때때로 *pl.*; 단수·복수 취급] (…의) 유자격자, 적임자 ⟪*for*⟫ **~·ly** *ad.* **~·ness** *n.*

qual·i·fi·er [kwáləfàiər | kwɔ́-] *n.* **1** 자격[권한]을 주는 사람[것]; 한정하는 것 **2** ⦗문법⦘ 한정어, 수식어 ⟪형용사·부사 등⟫

‡qual·i·fy [kwáləfài | kwɔ́-] *v.* (**-fied**) *vt.* **1** …에게 자격을 주다; 적임으로 하다, 적격으로 하다 ⟪*for*⟫: (~+목+***to*** do) His experience *qualifies* him *to* do that job. 그의 경험은 그 일을 하는 데에 충분하다. // (~+목+전+명) These experiences ~ *her for* the job. 이러한 경험이 있기 때문에 그녀는 그 일에 적격이다. **2** [~ one*self* 로] …의 **자격을 얻다** ⟪*in, for*⟫ (⇨ qualified 1): (~+목+전+명) I *qualified myself for* the office[*in* medicine]. 나는 그 직무[의사]의 자격을 얻었다. // (~+목+***to*** do) He *qualified himself to* do the job. 그는 그 일을 할 자격을 얻었다. **3** …에게 권한을 주다; 법적 권능을 부여하다: Paying a fee doesn't automatically ~ you for membership. 가입비를 냈다고 저절로 회원이 되는 것은 아니다. **4** 제한[한정]하다(limit, restrict); 수정하다; ⦗문법⦘ …의 뜻을 한정[수식]하다(modify): ~ an opinion 의견을 수정하다 / Adjectives ~ nouns. 형용사는 명사를 수식한다. **5** ⟨분노 등을⟩ 가라앉히다, 완화하다, 진정시키다(soften); ⟨술 등을⟩ 묽게 하다 ⟪*with*⟫: ~ spirits *with* water 술에 물을 타다 **6** (…이라) 칭하다, 간주하다 ⟪*as*⟫

— *vi.* **1** 자격을 얻다, 유자격자가 되다, 적임임을 보이다; 검정을 받다, 면허[인가]를 받다 ⟪*as, for, in*⟫: (~+***as*** 보) She expects to ~ *as* a nurse. 그녀는 간호사 자격을 딸 작정이다. // (~+전+명) He has not yet *qualified for* the race[*in* medicine]. 그는 아직 레이스에 나갈[의사의] 자격이 없다. **2** ⦗스포츠⦘ 예선을 통과하다; (사격 연습장에서 marksman의 자격이 되는) 필요 득점을 올리다; ⦗군사⦘ 실습 사격 시험에 합격하다 **3** ⦗법⦘ (법률상 필요한 행위를 해서) 자격을 얻다 ▷ quálity, qualificátion *n.*

qual·i·fy·ing [kwáləfàiiŋ | kwɔ́l-] *a.* **1** 자격을 주는: a ~ examination 자격 시험, 검정 시험 **2** 한정하는, 제한하는: a ~ statement 한정적 진술

quálifying gàme[**hèat, ròund**] 예선 (경기)

***qual·i·ta·tive** [kwálətèitiv | kwɔ́litə-] *a.* 성질(상)의, 질적인(opp. *quantitative*); ⦗화학⦘ 정성(定性)의, 정질(定質)의 **~·ly** 질적으로 *ad.*

thesaurus **qualification** *n.* certification, training, competence, accomplishment, eligibility, suitability, fitness, proficiency, skillfulness

qualify *v.* certify, license, empower, authorize, allow, permit, sanction, warrant, fit, equip, prepare, train, educate, teach, instruct

quálitative análysis 〚화학〛 정성(定性) 분석(cf. QUANTITATIVE ANALYSIS)

Qua·li·täts·wein [kwɑ̀:litéitsvàin] [G] *n.* 독일산(産) 고급 포도주

‡**qual·i·ty** [kwɑ́ləti | kwɔ́-] [L 「어떤 종류의」의 뜻에서] *n.* (*pl.* **-ties**) **1** Ⓤ Ⓒ 질(質)(opp. *quantity*) **a** 특성, 특질, 특색(characteristic) **b** Ⓤ Ⓒ 소질, 자질 **c** Ⓤ Ⓒ 품질, (품질의) 좋고 나쁨: of (a) good[high] ~ 질이 좋은 / of (a) poor[low] ~ 질이 나쁜 **d** 본질: the ~ *of* love 사랑의 본질 **2** Ⓤ 우량질, 우량성(excellence), 우수성, 고급 **3** (드물게) 성격, 기질 **4** Ⓤ (고어) 사회적 지위; (고어) 높은 신분; 자격(capacity): the ~ 상류 인사들 **5** (드물게) 자격, 입장 **6** Ⓤ 〚음악·음성〛 음질; (모음 등의) 음색(timbre) **7** X선의 침투력 **8** 고급 신문[잡지] **9** 능력, 재능 ***give*** a person ***a taste of*** one***'s*** ~ 수완[능력]을 엿보이다 ***have*** ~ 뛰어나다 ***in*** (***the***) ~ ***of*** …의 자격으로
—*a.* Ⓐ **1** 상질의, 훌륭한(excellent); 양질의 제품을 생산하는: a ~ publisher 일류 출판사 / ~ goods [leather] 우량품[가죽] **2** 상류 사회의, 귀족적인: a ~ family 상류 가정 **3** 충실한, 〈관계 등이〉 깊은
~·less *a.* ▷ quálitative *a.*; quálify *v.*

quálity assúrance 품질 보증

quálity círcle 품질 관리 서클《생산에 있어서 품질의 관리·향상을 위해 의견을 나누는 그룹》

quálity contròl 〚경영〛 품질 관리《略 Q.C.》

quálity néwspaper (영) 고급 신문, 고급지《일반 대중지와 대비되는 지식층이 읽는》(cf. TABLOID)

quálity of lìfe 〚의학〛 (중시해야 할) 생활[생명]의 질(質)《略 QOL》

qual·i·ty-of-life [-əvláif] *a.* 생활의 질의[에 관한], 생활 수준을 좌우하는

quálity pàper 고급지(紙)[신문]

quálity pítching 〚야구〛 =QUALITY START

quálity pòint[**crèdit**] =GRADE POINT

quálity stárt 〚야구〛 퀄리티 스타트《선발 투수가 상대 타선을 6이닝 3실점 이하로 막는 성적》

quálity tíme **1** 가장 재미있고 가치있는 시간 **2** 머리가 잘 돌아가는 시간

qualm [kwɑ́:m, kwɔ́:m] *n.* [종종 *pl.*] **1** 불안, 염려, 양심의 가책 (*about*): have no ~*s* of conscience 양심의 가책이 없다 **2** 일시적 현기증, 메스꺼움(nausea): ~*s* of seasickness 뱃멀미

qualm·ish [kwɑ́:miʃ, kwɔ́:-] *a.* **1** 양심의 가책을 받는, 불안한 **2** 메스꺼운(squeamish): a ~ smell 메스꺼운 냄새 **~·ly** *ad.* **~·ness** *n.*

quam·ash [kwɑ́mæʃ, kwəmǽʃ | kwɔ́mæʃ, kwəmǽʃ] *n.* 〚식물〛 =CAMASS

quan·da·ry [kwɑ́ndəri | kwɔ́n-] *n.* (*pl.* **-ries**) 당황, 곤경, 난처한 처지, 난국(⇨ predicament 유의어): be in a (great) ~ 어찌 할 바를 모르다

quand même [kɑ́:n-mèm] [F =even if] *ad., conj.* 설사 …이라 하더라도, …에도 불구하고

quan·go [kwǽŋgou] [*qu*asi-*a*utonomous *n*ational *g*overnmental *o*rganization] *n.* (*pl.* **~s**) [때로 **Q~**] (영) (정부의) 특수 법인, 독립 정부 기관

quant[1] [kwɑ́nt | kwɔ́nt] [*quant*itative] *n.* 〚증권·경영〛 (미·속어) 금융 시장 분석가, 주식 투자 상담가

quant[2] *n.* (영) (평저선(punt)용의) 삿대
—*vt.* 〈배를〉 삿대질하여 나아가게 하다

quant. quantitative

quan·ta [kwɑ́ntə | kwɔ́n-] *n.* QUANTUM의 복수

quan·tal [kwɑ́ntl | kwɔ́n-] *a.* 〚물리〛 **1** 양자(量子)의, 양자력의 **2** 비연속적인 **~·ly** *ad.*

---

quality *n.* **1** 품질 standard, grade, level, sort, type, kind, variety **2** 특성 feature, trait, attribute, characteristic **3** 능력, 재능 excellence, superiority, merit, worth, value, talent

quantity *n.* number, amount, total, aggregate, sum, weight, size, mass, volume, bulk, length

---

quan·tic [kwɑ́ntik | kwɔ́n-] *n.* 〚수학〛 유리 동차 함수(有理同次函數), 동차 다항식(多項式)

Quan·ti·co [kwɑ́ntikòu | kwɔ́n-] *n.* 콴티코 기지《미국 Virginia 주 북동부에 있는 미해병대 기지》

quan·ti·fi·ca·tion [kwɑ̀ntəfikéiʃən | kwɔ̀n-] *n.* Ⓤ **1** 양을 정함 **2** 〚논리〛 부량(附量), 양화(量化)《빈사(賓辭)·단어·명제의 논리량을 한정함》
~·al *a.* **~·al·ly** *ad.*

quan·ti·fi·er [kwɑ́ntəfàiər | kwɔ́n-] *n.* **1** 〚논리〛 양[한정] 기호 **2** 〚문법〛 수량(형용)사《some, any, all 따위》 **3** 〈데이터 등을〉 수량화[정량화]하는 사람 **4** 〚컴퓨터〛 정량자, 한정 기호

quan·ti·fy [kwɑ́ntəfài | kwɔ́n-] *vt.* (**-fied**) **1** …의 양을 정하다[재다], 정량하다(measure) **2** 〚논리〛 〈명제의〉 양을 정하다《all, every, some 등을 써서》
-fi·a·ble *a.* **-fi·a·bly** *ad.*

quan·tile [kwɑ́ntail | kwɔ́n-] *n.* 〚통계〛 변위치(變位置)

quan·ti·tate [kwɑ́ntətèit | kwɔ́n-] *vt.* **1** (정확하게) …의 양을 평가하다 **2** 수량사로 나타내다

*__quan·ti·ta·tive__ [kwɑ́ntətèitiv | kwɔ́ntitə-] *a.* **1** 양의, 양에 관한(opp. *qualitative*): in a ~ respect 양적으로는 **2** 양으로 계산된: a ~ difference 양적 차이 **3** 〈고전시의 운율 조직이〉 장단에 기초를 둔 **4** 〚언어〛 음량(音量)의 **~·ness** *n.* ▷ quántity *n.*

quántitative análysis 〚화학〛 정량(定量) 분석; 〚경영〛 (증권 투자 등의) 계량적 분석

quántitative èasing 〚경제〛 양적 완화 (정책)《유동성 공급 확대; 略 QE》

quántitative genétics 양(量) 유전학(population genetics)

quántitative inhéritance 양적(量的) 유전

quan·ti·ta·tive·ly [kwɑ́ntətèitivli | kwɔ́ntitə-] *ad.* 양적으로; 정량적(定量的)으로; 음량의 면에서(는)

‡**quan·ti·ty** [kwɑ́ntəti | kwɔ́n-] [L 「어느 정도의 양의」의 뜻에서] *n.* (*pl.* **-ties**) **1** Ⓤ 양(opp. *quality*) (⇨ sum 유의어): I prefer quality to ~. 양보다 질을 택한다. **2** (어떤 특정의) 분량, 수량 (*of*): in large[small] *quantities* 다[소]량으로[의], 많이[적게] **3** [종종 *pl.*] (고어) 다량, 다수 **4** 〚수학〛 양; 양을 나타내는 기호[숫자]: a known ~ 기지량(既知量)[수] **5** 〚물리〛 열량, 질량 **6** (일의) 대소, 경중(輕重), 정도 **7** Ⓤ 〚음악〛 음가(音價); 〚음성〛 음량; 〚운율〛 음절의 장단, 음량 부호(=~ mark) **8** Ⓤ 〚논리〛 양《명사(名辭)의 범위》: extensive[intensive] ~ 외연[내포]량 **9** Ⓤ 〚법〛 기한, 기간 **10** 〚전기〛 전기량
a negligible ~ 〚수학〛 무시할 수 있는 양; 하찮은 사람[물건] ***a*** ~ [***quantities***] ***of*** 많은, 다량[다수]의 ***an unknown*** ~ 〚수학〛 미지량[수]; 미지수의 사람[것] ***in*** ~ = ***in*** (***large***) ***quantities*** 많은[많이], 다량의[으로](⇨ *n.* 2)
—*a.* Ⓐ 양적인, 수량의: ~ production 대량 생산

quántity màrk 음량(音量) 부호《모음에 달아 길이를 나타냄》

quántity survèyor 〚건축〛 견적사(士)

quántity thèory (**of móney**) 〚경제〛 화폐 수량설《일반 물가 수준은 유통되는 화폐량에 의해 변화한다는 설》

quan·ti·va·lence [kwɑntívələns | kwɔn-] *n.* 〚화학〛 원자가

quan·ti·za·tion [kwɑ̀ntizéiʃən | kwɔ̀n-] *n.* Ⓤ 〚물리〛 양자화(量子化)

quan·tize [kwɑ́ntaiz | kwɔ́n-] *vt.* 〚물리〛 **1** 양자화하다 **2** 양자역학을 적용하다 **quán·tiz·er** *n.*

quán·tized búbble [kwɑ́ntaizd- | kwɔ́n-] 〚컴퓨터〛 =HARD BUBBLE

quant. suff. *quantum sufficit*

quan·tum [kwɑ́ntəm | kwɔ́n-] *n.* (*pl.* **-ta** [-tə]) **1** 양(quantity, amount) **2** 특정량; 몫(share) **3** 다량, 다수; 총량 **4** 계량[측정] 가능한 것 **5** 〚물리〛 양자(量子) —*a.* 획기적인, 비약적인

quántum chémistry 양자 화학

quántum chromodynámics 양자 크로모 역학 《쿼크(quark)의 상호 작용에 관한 이론; 略 QCD》

quántum compúter 〚컴퓨터〛 양자(量子) 컴퓨터 《양자 역학적 원리에 의해 작동하는 컴퓨터》

quántum condítion 〚물리〛 양자 조건

quántum electrodynámics 양자 전자(電磁) 역학 《略 QED》

quántum electrónics 양자 전자공학

quántum fíeld thèory 〚물리〛 장(場)의 양자론

quántum grávity 〚물리〛 양자 중력 (이론)

quántum júmp[**léap**] **1** 〚물리〛 양자 비약(飛躍) **2** 차원[단차(段差)]적 비약, 돌연한 비약, 약진

quan·tum lib·et [kwántəm-líbet | kwɔ́n-] 〚L〛 *ad.* 〚처방〛 원하는 만큼(as much as is desired) 《略 q.l.》

quántum líquid 〚물리〛 초유체(超流體)

quántum mechánics 〚물리〛 양자 역학

quán·tum-me·chán·i·cal *a.*

quántum nùmber 〚물리〛 양자수

quántum óptics 양자 광학

quántum phýsics 〚물리〛 양자 물리학

quántum státe 〚물리〛 양자 상태

quántum statístics 〚물리〛 양자 통계학

quan·tum suf·fi·cit [-sʌ́fəsit] 〚L〛 *ad., n.* 〚처방〛 충분히; 충분한 양 《略 q.s., quant. suff.》

quántum thèory [the ~] 〚물리〛 양자론

quap [kwáp | kwɔ́p] *n.* 〚물리〛 반양자와 쿼크로 된 가설상의 입자

quar. quart; quarter(ly)

quar·an·tine [kwɔ́:rəntì:n, kwár-] 〚It. 「40일간」의 뜻에서〛 *vt.* **1** 〈선박·승객을〉 검역(檢疫)하다; 격리하다; 정선(停船)을 명하다 **2** 고립시키다 《정치적·경제적으로》; [제재로서의] 단절하다
— *n.* **1** Ⓤ 격리 《전염병이 돌고 있는 지방으로부터의 여행자·화물에 대한》, 검역 격리; 교통 차단: in[out of] ~ 격리 중에[검역필인] **2** 검역; 검역소, 격리소: a ~ officer[station] 검역관[검역소] **3** 검역 정선 기간 《옛날에는 40일간으로 정해져 있었음》; 검역 정선항(港) **4** ⓊⒸ 고립화(isolation); 단절 《정치적·사회적인 제재로서의》 **5** 〚영국법〛 과부 잔류 기간 《40일》; 과부 잔류권(權) 《남편의 사후 그 집에 40일 동안 머물 수 있는 권리》 **-tìn·a·ble** *a.* **-tìn·er** *n.*

quárantine ànchorage 검역 정박(지)

quárantine flàg 〚항해〛 검역기(旗) 《노란색》(yellow flag)

quare [kwέər] *a.* 《방언》 = QUEER

quar·en·den [kwárəndən] *n.* 《영》 사과의 한 품종 《Devon산(産)》

quark[1] [kwɔ́:rk, kwá:rk | kwá:k] *n.* 〚물리〛 쿼크 《hadron의 구성 요소로 여겨지는 입자》

quark[2] 〚G〛 *n.* 쿠아르크 《독일산(産) 저지방 치즈》

quárk mòdel 〚물리〛 쿼크 모형

‡**quar·rel**[1] [kwɔ́:rəl | kwɔ́-] 〚L 「불평하다」의 뜻에서〛 *n.* **1** (화가 나서 하는) **말다툼**, 싸움, 다툼, 시비, 반목, 불화 《*with, between*》: lover's ~ 연인들의 다툼 / It takes two to make a ~. 《속담》 상대가 있어야 싸움이 된다. 《싸움은 쌍방의 책임》

> 유의어 **quarrel** 주로 말다툼을 가리킨다: a domestic *quarrel* 가정 내의 싸움 **fight** 맞붙어서 하는 싸움: have a *fight* with a person …와 한바탕 싸우다 **brawl** 거리 등에서 하는 떠들썩한 싸움: a *brawl* between husband and wife 떠들썩한 부부 싸움 **struggle** 장애를 극복하기 위한 신체적·정신적인 괴로운 싸움: the *struggle* of life 인생의 싸움

2 [주로 부정문에서] 싸움[말다툼]의 원인, 불평 《*against, with*》; 싸울[불평할] 까닭: I have *no* ~ *against*[*with*] him. 그와 싸울 까닭이 없다. **3** (싸움에서) …의 편[쪽]: a just ~ 올바른 편[쪽] ***espouse***[***take up***] a person***'s*** **~** …의 싸움에 편들다 ***fasten***[***fix***] ***a ~ on***[***upon***] …에게 싸움을 걸다 ***fight*** a person***'s ~s for*** him[her] …의 싸움을 편들다 ***find ~ in a straw*** 사소한 일로 시비를 걸다 ***in a good ~*** 떳떳한 싸움에서 ***make up a ~*** 화해하다, 사과하다 ***seek***[***pick***] ***a ~ with*** …에게 싸움을 걸다
— *vi.* (**~ed**; **~·ing** | **~led**; **~·ling**) **1** 싸우다, 시비[말다툼]하다, 다투다; 사이가 틀어지다 《*with; about, over*》: (~+전+명) She *~ed with* her husband *about* their children. 그녀는 자식들 일로 남편과 다투었다. **2** 잔소리하다, 불평하다, 나무라다 《*with*》; 트집잡다, 이의를 말하다 《*with*》: (~+전+명) A bad workman *~s with* his tools. 《속담》 서투른 무당이 장구만 나무란다. / It is no use *~ing with* Providence. 하늘을 원망해 봤자 소용없다. **~ *with* one*'s bread and butter*** ⇨ bread.
~·(l)er *n.* 싸움[말다툼]하는[싸우기 좋아하는] 사람
~·ing·ly *ad.* ▷ quárrelsome *a.*

quarrel[2] *n.* **1** 〚역사〛 네모난 화살촉이 달린 화살 **2** 마름모꼴 창유리[타일](quarry) **3** (석수의) 정(chisel)

***quar·rel·some** [kwɔ́:rəlsəm | kwɔ́-] *a.* **싸우기 좋아하는**, 논쟁하기 좋아하는, 걸핏하면 싸우려는
~·ly *ad.* **~·ness** *n.*

quar·ri·er [kwɔ́:riər | kwɔ́-] *n.* = QUARRYMAN

***quar·ry**[1] [kwɔ́:ri | kwɔ́ri] 〚L 「(돌을) 네모로 하다」의 뜻에서〛 *n.* (*pl.* **-ries**) **1 채석장**, 돌산 **2** (지식·자료 등의) **원천**, 보고(寶庫); (인용구 등의) 출처: a ~ of information 지식의 원천
— *v.* (**-ried**) *vt.* **1** 〈돌을〉 쪼아 내다, 채석하다 《*out*》: (~+목+부) ~ (*out*) marble 대리석을 떠내다 **2** …에 채석장을 내다 **3** (고문서·서적 등에서) 〈사실 등을〉 찾아내다, 〈기록 등을〉 더듬어 찾다, 뒤져내다
— *vi.* **1** 돌을 떠내다 **2** 애써 찾아내다

quarry[2] *n.* (*pl.* **-ries**) **1** 사냥감, 엽수(獵獸), 엽조 **2** 추구의 대상; 공격의 목적

quarry[3] *n.* (*pl.* **-ries**) = QUARREL[2] 2

quar·ry-faced [-fèist] *a.* 〚석공〛 (자연석 그대로) 표면 처리한(rock-faced)

quar·ry·ing [kwɔ́:riiŋ | kwɔ́-] *n.* Ⓤ 채석(업)

quar·ry·man [kwɔ́:rimən | kwɔ́-] *n.* (*pl.* **-men** [-mən, -mèn]) 채석공

quárry tìle 쿼리 타일 《무광 바닥 타일》

quart**[1] [kwɔ́:rt] 〚L 「1/4」의 뜻에서〛 *n.* **1 쿼트** 《액량의 단위; = 1/4 gallon, 2 pints; 《영》 약 1.14리터, 《미》 약 0.95리터; 略 qt.》 **2** 쿼트 《건량(乾量)의 단위; = 1/8 peck, 2 pints; 《영》 약 1.14리터, 《미》 약 1.10리터; 略 qt.》 **3** 1쿼트들이 병[단지]; 1쿼트의 맥주[사과주] ***try to put a ~ into a pint pot 불가능한 일을 하려고 하다

quart[2] [ká:rt] *n.* **1** 〚카드〛 (특히 piquet에서) 같은 짝의 넉장 연달은 카드(cf. TIERCE 4, QUINT[1] 2) **2** 《드물게》 〚펜싱〛 = QUARTE ***a ~ major*** 넉장의 최고점 패의 연속 《ace, king, queen, jack》 ***a ~ minor*** 넉 장의 최하점 패의 연속 《10, jack, queen, king》

quart. quarter; quarterly

quár·tal hármony [kwɔ́:rtl-] 〚음악〛 4도 화음

quar·tan [kwɔ́:rtn] *a.* 〈말라리아 등의 열이〉 나흘마다 일어나는, 나흘마다의: ~ fever 4일열(四日熱)
— *n.* Ⓤ 〚병리〛 4일열

quar·ta·tion [kwɔ:rtéiʃən] *n.* Ⓤ 사분법(四分法) 《금의 순도를 높이는 작업의 한 단계; 금과 은을 1: 3으로 합금함》

quárt bòttle 1 쿼트들이 병 《1/4갤런들이의 술병》

quarte [ká:rt] *n.* 〚펜싱〛 수비의 제4자세 《상반신의 좌측을 수비; cf. PRIME[1] *n.* 5》 ***~ and tierce*** 펜싱 연습

> **thesaurus** **quarrelsome** *a.* argumentative, belligerent, disputatious, contentious, combative, bellicose, hot-tempered, irritable

‡quar·ter [kwɔ́:rtər] *n.*, *a.*, *v.*

「4분의1」 **1** ─ (1시간의 1/4) → 「15분」 **3**
(1달러의 1/4) → 「25센트(화)」 **2**
(동서남북의 4가지 중의 하나) → 「방위」 **10** → (어떤 방위의 장소) → 「지역」 **11**

— *n.* **1 4분의 1**, 1/4 (a fourth): a ~ of a mile 4분의 1마일 / a mile and a ~ 1마일과 4분의 1 / three ~*s* 4분의 3 / for a ~ (of) the price = for ~ the price 그 값의 4분의 1에 **2** 《미·캐나다》 **4분의 1 달러** 《=25cents》, 25센트 경화(cf. PENNY, NICKEL, DIME) **3 15분**: at a ~ past[to] five 5시 15분에[15분 전에] / strike the ~*s* 〈시계가〉 15분마다 치다 **4** 1년의 1/4 《3개월》; 1분기(分期) 《4지불기의 하나; cf. QUARTER DAY》; 3개월마다의 지불: the previous ~ 이전의 3개월 **5** 《미》 (4학기제 학교의) 1학기 《1학기는 12주간; cf. SEMESTER》 **6** 1/4 야드 《=9 inches》 《영》 1/4 마일 (경쟁); [the ~] 《구어》 1/4 마일 경쟁(의 거리): He has done *the* ~ in 50″. 1/4 마일을 50초에 달렸다.(cf. HALF 4 a) **7** 《영》 쿼터 《곡량(穀量)의 단위; 略 qr.; =8 bushels》; 쿼터 《중량의 단위; =1/4 hundredweight; 略 qr.; 《영》 28 lb., 《미》 25 lb.》 **8** 〔천문〕 달의 주기의 1/4, 현(弦): the first[last] ~ 상[하]현 **9** 〔스포츠〕 (미식 축구 등의) 한 시합의 4구분의 하나(cf. HALF 3 a); 시합의 전[후]반의 반; = QUARTERBACK; [*pl.*] 준준(準準)결승(quarterfinals) **10** 방위(方位), 방위각: What ~ is the wind in? 바람은 어떤 방향인가?; 형세는 어떤가? **11** 지방, 지역: from every ~[all ~*s*] 사면팔방에서 **12** (도시의 특수) 지구, …가(街): gay ~*s* 호모 지구 / the Jewish ~ 유대인 거리 / the residential ~ 주택 지구 **13** 특정 지구의 거주자들 **14** [보통 *pl.*] 처소, 주거, 숙소(lodgings): the servants' ~*s* 하인 방 **15** [*pl.*] 〔군사〕 숙사, 막사, 병영(cf. HEADQUARTERS): winter ~*s* 겨울용 막사 **16** (특수한) 방면; (정보 등의) 출처(source): from a good[reliable] ~ 확실한[믿을 만한] 소식통에서 **17** Ⓤ (특히 투항자에게 보이는) 관대, 자비(clemency); 경감(輕減), 유예; 구명(救命) **18** 네발짐승 몸뚱이의 4분체 《다리 하나를 포함한》 **19** 〔수의학〕 말발굽의 앞부분과 뒷부분 사이의 측면 부분 **20** 구두의 등가죽 뒤쪽 중앙에서 발끝 가죽에 걸친 부분 **21** 〔항해〕 4분의 1길(fathom) **22** 〔항해〕 (배 안의) 부서(部署)(post, station) **23** (문장(紋章)에서) 방패의 4분의 1 무늬 **24** 선측(船側) 후반부(cf. QUARTERDECK 1) **25** 젖통 《젖소의》 **26** 〔건축〕 간주(stud) 《두 기둥 사이의 작은 기둥》 **27** 〔컴퓨터〕 2비트

a bad ~ of an hour 불쾌한 한 때 ***ask for*** [***cry***] ***~*** 〈패전자·포로가〉 살려 달라고 애걸하다 ***at close ~s*** 거의 맞닿을 만큼 접근하여 ***beat to ~s*** 〔항해〕 〈승무원을〉 부서에 배치하다 ***beat up*** a person***'s ~*** = ***beat up the ~s of*** a person …의 집을 불시에 찾아가다 ***give no ~s to*** …을 사정없이 공격하다 ***give ~*** 살려주다 ***live in close ~s*** 비좁은 곳에 빽빽히 살다 ***not a ~*** 4분의 1[조금]도 …않다 ***on the ~*** 〔항해〕 배의 뒤쪽에 ***receive ~*** 목숨을 건지다 ***take up*** one***'s ~s*** 숙소를 잡다, 머무르다 《*in, at, with*》

— *a.* Ⓐ **1** 4분의 1의, 4등분의: a ~ mile 4분의 1마일 **2** [보통 복합어를 이루어] 불완전한 **3** 직각으로 연결된: a ~ crank 직행 크랭크

— *vt.* **1** 4(등)분하다 **2** 〈동물의 몸을〉 사지(四肢)로 찢다 **3** (반역자의) 〈네가랑이를〉 찢어 죽이다 **4** 〈군대를〉 숙영시키다, 숙사를 준비하다; 숙박시키다: 《~+목+전+명》 ~ oneself *at* a hotel[*with* a person] 호텔[…의 집]에 숙박하다 / The soldiers were ~*ed on* the inhabitants. 군인들은 주민들의 집에 숙영했다. **5** 〔항해〕 부서에 배치시키다 **6** 〈사냥개 등이〉 〈어떤 곳을〉 뛰어다니다 **7** (문장(紋章)에서) 〈방패를〉 종횡선(線)으로 4분하다 **8** 〔기계〕 …에 4분원(分圓)이 되도록 구멍을 뚫다; 〈크랭크 등을〉 직각으로 연결하다

— *vi.* **1** 〈군대가〉 숙영하다 《*at, with*》; 부서에 자리잡다 **2** 〈사냥개가〉 사냥감을 찾아 뛰어다니다 **3** 〔항해〕 〈범선이〉 뒤에서 비스듬히 바람을 받으며 달리다

▷ quárterly *a.*, *ad.*

quarter *n.* **1 방향, 지역** direction, place, point, spot, location **2 …지구** district, area, region, part, side, neighborhood, locality, zone, province

quar·ter·age [kwɔ́:rtəridʒ] *n.* Ⓤ **1** 숙사 할당 《군대 등의》 **2** 숙사 준비비, 설영비 **3** 숙박소 **4** 《고어》 매분기(每分期)[3개월마다]의 지불금; 4분기마다의 지불 《연금 등의》

quar·ter·back [kwɔ́:rtərbæ̀k] *n.* **1** 〔미식축구〕 쿼터백 《forward와 halfbacks 사이에 위치함; 略 QB, q.b., qb》 **2** 《미·비유》 지도자, 지휘자

— *vt.*, *vi.* **1** 〔미식축구〕 쿼터백을 맡다 **2** 지휘하다, 명령을 내리다: ~ a public-relations campaign 홍보 활동을 지휘하다

quárterback snéak 〔미식축구〕 쿼터백 스니크 《공을 가진 쿼터백이 그대로 중앙으로 뛰어들기》

quar·ter-bell [-bèl] *n.* 15분마다 울리는 시계의 종

quárter bènd (연관(鉛管) 따위의) 90° 굴곡

quárter bìnding 책등에 가죽[헝겊]을 대기[댄 책]

quar·ter-bloke [-blòuk] *n.* 《영·군대속어》 보급계 장교(quartermaster)

quar·ter-bound [-bàund] *a.* 책등에 가죽[헝겊]을 댄, 가죽등[헝겊등] 장정의

quar·ter-bred [-brèd] *a.* 〈말·소 따위가〉 4분의 1 순종의

quar·ter-breed [-brì:d] *n.* 《미·경멸》 4분의 1 혼혈아 《아메리칸 인디언의 피가 4분의 1 섞인 백인》

quárter bùtt 〔당구〕 반 버트보다 짧은 큐

quárter cràck 〔수의학〕 = SAND CRACK

quárter dày 4분기 지불일 《《미》 1월, 4월, 7월, 10월의 각 제1일; 《영》 Lady Day(3월 25일), Midsummer Day(6월 24일), Michaelmas(9월 29일), Christmas(12월 25일)》

quar·ter·deck [-dèk] *n.* 〔항해〕 **1** 뒷갑판 **2** [the ~; 집합적] 고급 선원, 사관(officers)(cf. FORECASTLE, LOWER DECK, WARDROOM)

quárter dóllar 25센트화(貨)(quarter)

quárter éagle 미국의 옛 금화 《10달러 금화(eagle)의 4분의 1》

quar·tered [kwɔ́:rtərd] *a.* **1** 넷으로 나눈; 넷으로 쪼갠 **2** 숙사를 얻은 **3** (문장(紋章)에서) 〈방패가〉 열십자로 4등분된

quar·ter·fi·nal [kwɔ̀:rtərfáinl] *n.*, *a.* 〔스포츠〕 준준(準準)결승(의)(cf. SEMIFINAL) **~·ist** *n.*

quárter gàllery 〔항해〕 선미(船尾) 전망대

quárter gràin 곧은 나뭇결

quárter hòrse 《미》 단거리 경주마

quar·ter-hour [kwɔ́:rtəráuər] *n.* **1** 15분간 **2** (어떤 정시(定時)의) 15분전[후] **~·ly** *a.*, *ad.*

quárter ìll (소·양의) 기종저(氣腫疽)

quar·ter·ing [kwɔ́:rtəriŋ] *n.* Ⓤ **1** 4등분; 《특히》 사지로 찢기, 능지처참 **2** (군대의) 숙사 할당 **3** [*pl.*] 4등분 문장(紋章) **4** 〔천문〕 달의 상현[하현] 변화 **5** 〔건축〕 사이 기둥 **—** *a.* 직각으로 부착된; 〔해양〕 풍파가 뒤에서 엇몰아치는

quar·ter-jack [-dʒæ̀k] *n.* **1** 15분마다 시계를 치는 인형 **2** 《군대속어》 = QUARTERMASTER

quárter lìght 《영》 (자동차의 환기·채광을 위한) 삼각창(《미》 wing) 《환기용》

quárter lìne (선단(船團)의) 기러기 대형

quar·ter·ly [kwɔ́:rtərli] *a.*, *ad.* **1** 〈잡지 등이〉 연 4회 발행의[으로], 한 해 네 번의[으로]; 사계(四季)의[로]: a ~ meeting 사계 집회 **2** 4분의 1의[로] **3** (문장(紋章)에서) 방패꼴을 넷으로 나눈[나누어]: ~ quartered 방패꼴의 1/16 모양의 **—** *n.* (*pl.* **-lies**) 계간물(季刊物), 계간지(誌)

quar·ter·mas·ter [kwɔ́:rtərmæ̀stər | kwɔ́:tə-mɑ̀:s-] *n.* **1** 〖육군〗 병참 장교《숙사 할당·주부식·피복·연료·운수 등을 맡아봄; 略 QM》; 보급 부대원 **2** 〖해군〗 조타수(操舵手) **~·lìke** *a.* **~·shìp** *n.*

Quártermaster Còrps 《미》 병참 부대《略 QMC, Q.C.》

quártermaster géneral 〖군사〗 병참감(兵站監)《略 QMG》

quártermaster sérgeant 〖군사〗 병참 하사관《略 QMS》

quar·ter-mil·er [-máilər] *n.* 1/4마일 경주 선수

quar·tern [kwɔ́:rtərn] *n.* 《영·고어》 **1 a** 4분의 1 **b** 쿼턴《pint, gill, peck, stone 등의 액량·곡량(穀量)의 1/4》 **2** 《영》 4파운드의 빵 덩어리(=~ **lóaf**)

quárter nélson 〖레슬링〗 쿼터 넬슨《목 누르기; cf. FULL NELSON, HALF NELSON》

quárter nòte 〖음악〗 4분음표(《영》 crotchet)

quar·ter-phase [kwɔ́:rtərfèiz] *a.* 〖전기〗 2상(相)의(two-phase)

quar·ter-plate [-plèit] *n.* 〖사진〗 명함판 사진[원판]《8.3×10.8 cm》

quárter pòint 〖항해〗 나침반의 두 점이 이루는 각의 4분의 1《2° 48′ 45″가 됨》

quárter rèst 〖음악〗 4분쉼표(《영》 crotchet rest)

quar·ter·saw [-sɔ̀:] *vt.* (**~ed**; **~ed, -sawn** [-sɔ:n]) 〈통나무를〉 세로로 네 조각으로 켜다

quárter séction 《미》 〖측량〗 사방 반마일의 땅《160에이커》

quárter sèssions 1 《영》 사계(四季) 법원; 《미》 3개월마다 열리는 법원 **2** 《미》 하급 형사 재판소

quar·ter·staff [-stæ̀f | -stɑ̀:f] *n.* (*pl.* **-staves** [-stèivz]) 육척봉(六尺棒)《양 끝에 쇠를 댄 막대기; 옛날에 영국 농민이 무기로 썼음》; 육척봉술(術)

quárter tòne[stèp] 〖음악〗 4분음

quar·ter-wind [-wìnd] *n.* 〖항해〗 비스듬히 뒤에서 부는 바람《범주(帆走)에 좋은 순풍; cf. QUARTER *vi.* 3》

***quar·tet(te)** [kwɔ:rtét] *n.* **1 4인조**; 네 개 한 벌 **2** 〖음악〗 **4중주[중창]**; 4중주[중창]곡; 4중주[중창]단 (⇨ solo 관련) **3** 〖유전〗 4분자, 4분체

quar·tic [kwɔ́:rtik] 〖수학〗 *a.* 4차의
— *n.* 4차 다항식, 4차 방정식

Quar·tier La·tin [kɑ:rtjéi-lætǽŋ] [F] [the ~] = LATIN QUARTER

quar·tile [kwɔ́:rtail] 〖통계〗 *n.* 4분위수(分位數)
— *a.* 4분위수의

quar·to [kwɔ́:rtou] *n.* (*pl.* **~s**) **1** ⓊⒸ 4절판(折判), 4절지《전지를 두 번 접은 것; 略 q., Q., qto.; 4to, 4°라고도 씀》 **2** 4절판의 책(cf. FOLIO, OCTAVO) — *a.* 4절(판)의: a ~ edition 4절판

quar·tus [kwɔ́:rtəs] *a.* 《영》 넷째의《같은 이름의 남학생 이름 뒤에 붙임; cf. PRIMUS[1] *a.*》: Jones ~ 4번째의 존스

***quartz** [kwɔ́:rts] *n.* Ⓤ 〖광물〗 **석영**(石英)《그 투명한 결정을 rock crystal(수정)이라 함》: smoky[violet] ~ 연(煙)[자]수정(cf. AMETHYST 1)
— *a.* 수정의 **~·ose** [-ous] *a.*

quártz clòck 수정 (발진식) 시계《수정 발진을 이용한 시계》

quártz crýstal 〖전자〗 수정 결정판(板), 수정 진동자

qúartz-crýs·tal clòck [-krístl-] = QUARTZ CLOCK

quártz glàss 석영 유리

quártz hèater 석영관식(石英管式) 난로[스토브]

quartz·if·er·ous [kwɔ:rtsífərəs] *a.* 석영으로 이루어진, 석영을 함유한

quártz-í·o·dine làmp [kwɔ́:rtsáiədain-] 석영 요오드등

quartz·ite [kwɔ́:rtsait] *n.* Ⓤ 규암(珪岩)

quártz làmp 석영 수은등

quártz móvement 〖시계〗 석영 진동자(振動子)를 시간 표준으로 하는 기계 부분

quártz plàte 〖전자〗 수정판(板)《수정 진동자의 판》

quártz wàtch 수정 (발진식) 시계

qua·sar [kwéizɑ:r, -sɑ:r | -zɑ:, -sɑ:] *n.* 〖천문〗 준성(準星), 항성상(恒星狀) 천체

quash [kwɑ́ʃ | kwɔ́ʃ] *vt.* **1** 〈반란 등을〉 진압하다, 억누르다, 누르다(suppress): ~ one's anxiety 불안을 억누르다 **2** 〖법〗 〈판결·명령 등을〉 파기[폐기]하다, 무효로 하다

qua·si [kwéizai, -sai, kwɑ́:zi] [L = as if] *a.* 의사(擬似)의; 유사의; 준(準)…, 반(半)… ★quasi-로서 연결형이 되는 경우와 뜻은 같음: a ~ corporation 준법인 / a ~ contract 준계약
— *ad.* 외견상, 표면상; 즉, 말하자면

quasi- [kwéizai, -sai, kwɑ́:zi] 《연결형》 「유사; 반…, 준…, 의사…」의 뜻(cf. PSEUDO-) ★흔히 「사이비」의 뜻으로 경멸적으로 씀.: *quasi*-cholera 의사 콜레라 / in a *quasi*-official capacity 반(半) 공적 자격으로 / a *quasi*-conjunction 준 접속사

qua·si·at·om [kwéizaiǽtəm] *n.* 〖물리〗 준(準)원자

qua·si·crys·tal [kwéizaikrístl] *n.* 〖물리〗 준결정(準結晶)

qua·si·fis·sion [kwéizaifíʃən] *n.* 〖물리〗 준(準)핵분열

qua·si-ju·di·cial [kwéizaidʒu:díʃəl] *a.* 준사법적인, 준법관적 사문(査問) 권한이 있는 **~·ly** *ad.*

qua·si-leg·is·la·tive [kwéizailédʒislèitiv | -lətiv] *a.* 준입법적인 (기능을 가진)

Qua·si·mo·do [kwɑ̀:simóudou] *n.* 콰시모도 **1 Salvatore** ~ (1901-68)《이탈리아의 시인; 노벨 문학상(1959)》 **2** 부활절 후 첫 일요일(Low Sunday)

qua·si·mol·e·cule [kwéizaimɑ́likjù:l | -mɔ́l-] *n.* 〖물리〗 준분자

qua·si·mon·ey [kwéizaimʌ̀ni] *n.* 준화폐

qua·si·par·ti·cle [kwéizaipɑ́:rtikl] *n.* 〖물리〗 준입자

qua·si·pe·ri·od·ic [kwèizaipìəriɑ́dik | -riɔ́-] *a.* 준주기적인

qua·si-pub·lic [kwèizaipʌ́blik] *a.* 〈조직 등이〉 준공공적인, 공공성이 강한

quá·si-stél·lar óbject [kwéizaistélər-] 〖천문〗 항성상(恒星狀) 천체《略 QSO》

quási-stéllar rádio sòurce 〖천문〗 항성상 전파원(電波源), 퀘이사《略 QSRS》

quas·qui·cen·ten·ni·al [kwɑ̀skwisenténiəl | kwɔ̀s-] *n., a.* 125주년 기념일[제](의)

quas·sia [kwɑ́ʃiə | kwɔ́ʃə] *n.* 〖식물〗 소태나무 무리의 식물《남미산(産)》; Ⓤ 〖화학〗 그것에서 채취하는 쓴 액체《강장제·구충제》

quat·er [kwǽtər] [L = four times] *ad.* 〖처방〗 네 번

qua·ter·cen·ten·ar·y [kwɑ̀tərsenténəri | kwɔ̀-təsentí:nəri] *n.* (*pl.* **-ries**) 400주년 (기념제)
— *a.* 400주년의 **-tén·ni·al** *a.*

qua·ter·nar·y [kwɑ́tərnèri | kwətə́:nəri] *a.* **1** 네 요소로 된; 〖화학〗 4기(基)[원소]로 된; 네 개 한 벌의 **2** 4번째의 **3** [Q~] 〖지질〗 제4기의 **4** 〖수학〗 4변수의
— *n.* (*pl.* **-ries**) **1** 4부 한 벌의 것 **2** (숫자) 4 **3** [the Q~] 〖지질〗 제4기 ***the Pythagorean*** **~** 피타고라스의 4변수《1+2+3+4로 되는 신비한 수 10》

quáternary ammónium còmpound 〖화학〗 제4(급) 암모늄 화합물

qua·ter·nate [kwɑ́tərnèit | kwətə́:nət] *a.* 4개 한 조의, 〈잎 따위가〉 네 장으로 된

qua·ter·ni·on [kwətə́:rniən, kwɑ-] *n.* **1** 네 개 한 벌; 4인조 **2** 〖수학〗 4원수(元數); [*pl.*] 4원법(元法) 산법(算法)

qua·ter·ni·ty [kwətə́:rnəti] *n.* (*pl.* **-ties**) **1** 네 개 한 벌; 4인조 **2** [the Q~] 〖신학〗 사위 일체(四位一體)

qua·tor·zain [kətɔ́:rzein, kæ-] *n.* 14행시(詩)

quat·rain [kwɑ́trein | kwɔ́-] *n.* 4행시

qua·tre [kɑ́:tər | kǽtrə] [F = four] *n.* (카드·주사

위 등의) 4, 네 끗
quat·re·foil [kǽtər-fɔ̀il, -trə-] *n.* **1** (클로버 등의) 네 잎 **2** 〖건축〗 4엽 장식; (문장(紋章)의) 4엽 무늬 **~ed** *a.*

quatrefoil 2

quat·tro·cent·ist [kwɑ̀:troutʃéntist] *n.* 15세기의 예술가 《이탈리아 문예 부흥기의》
quat·tro·cen·to [kwɑ̀:troutʃéntou] [It. =400; 「1400년대」의 뜻에서] *n.* 15세기 《이탈리아 문예 부흥의 초기》
quat·tu·or·de·cil·lion [kwɑ̀tjuɔ̀:rdisíljən | kwɔ̀t-] *n.* (*pl.* **~s**) (미) 1,000의 15제곱(10^{45}); (영) 1,000의 28제곱(10^{84})
*__qua·ver__ [kwéivər] *vi.* **1** 〈목소리가〉 떨리다; 목소리를 떨다; 진동하다(vibrate) 《*with*》 **2** 떨리는 소리로 노래[말]하다, 떨리는 음을 내다
— *vt.* 〈소리를〉 떨다, 떨리는 소리로 노래[말]하다 《*out*》: (~+목+부) ~ *out* a few words 떨리는 목소리로 몇 마디 말하다
— *n.* 떨리는 소리[목소리]; (영) 〖음악〗 8분 음표 ((미) eighth note): a ~ rest 8분 쉼표/There was a ~ in Lena's voice. 레나의 목소리는 떨리고 있었다. **~·er** *n.*
qua·ver·ing [kwéivəriŋ] *a.* 떨리는(tremulous) **~·ly** *ad.* 떨리는 소리로, 소리를 떨며
qua·ver·y [kwéivəri] *a.* 떨리는 목소리의(tremulous) **quá·ver·i·ness** *n.*
quay [kí:] *n.* (보통 돌·콘크리트로 만든) 방파제, 선창, 부두(⇨ wharf 유의어)
quay·age [kí:idʒ] *n.* Ⓤ 부두세(稅), 부두 사용료(wharfage); 부두 용지[면적]; [집합적] 부두(quays)
quay·side [kí:sàid] *n.* 부두 지구
Qube [kjú:b] *n.* 큐브 《시청자가 참가할 수 있게 송수신 기능을 가진 유선 텔레비전; 상표명》
Que. Quebec
quean [kwí:n] *n.* **1** (고어) 뻔뻔스러운 계집애, 말괄량이(jade), 왈패(hussy) **2** 매춘부 **3** (스코) 소녀, 미혼 여자
quea·si·ly [kwí:zili] *ad.* 욕지기나게, 메스껍게
quea·sy [kwí:zi] *a.* (**-si·er**; **-si·est**) **1** 욕지기나게 하는, 역겨운 〈음식〉; 느글거리는 〈속〉; 메스꺼워하는 〈사람〉: feel ~ 메스꺼워지다 **2** 성미가 까다로운; 소심한; 불쾌한, 불안한
quéa·si·ness *n.* Ⓤ 욕지기, 메스꺼움
Que·bec [kwibék] *n.* 퀘벡 《캐나다 동부의 주; 그 주도; 略 Que.》 **~·er, Que·béck·er** *n.*
Que·bec·ois [kèibekwɑ́:] *n.* (*pl.* ~[-z]) (프랑스계) 퀘벡 사람(Quebecer); 퀘벡 독립 당원; 퀘벡에서 사용되는 프랑스 어 — *a.* 퀘벡(사람)의
que·bra·cho [keibrɑ́:tʃou] *n.* (*pl.* **~s**) **1** 〖식물〗 케브라초 《남미산(産) 옻나뭇과(科)의 교목; 껍질은 무두질·물감에 씀》 **2** 그 재목[껍질]
que·bra·da [keibrɑ́:də] *n.* (미남부) 협곡(ravine); 작은 강(brook)
Quech·ua [kétʃwɑ:, -wə] *n.* (*pl.* **~, ~s**) Ⓤ 케추아 말 《원래 잉카 문명권의 공용어》; [the ~(s)] 케추아 족 **Quéch·uan** *a.*
queeb [kwí:b] *n.* (미·속어) 사소한 문젯거리 《기계 부품의 고장 등》
‡**queen** [kwí:n] [Gk 「여자, 아내」의 뜻에서] *n.* **1** [종종 **Q~**] **a** (군주로서의) 여왕, 여자 군주(=~ regnant) 《영국에서는 현 군주가 여왕일 때, king을 포함하는 말의 king은 queen이 됨; King's English → Queen's English》 **b** 왕비, 왕후(=~ consort): the King and *Q*~ 국왕 부처 **c** 황태후 **2** [종종 **Q~**] (신화적 또는 전설적) 여왕, 여신 **3** 여왕에 견줄 만한 자[것], 여성 제1인자; 미인, (특히) 미인 콘테스트의 입선자: a ~ of beauty 미의 여왕/a movie ~ 은막의 여왕/the rose, the ~ of flowers 꽃의 여왕 장미 **4** (속어) 애인, 정부, 아내 **5** (속어) 동성애자(homosexual), 동성애자의 여자역; (속어) 계집애 같은 남자 **6** 〖카드〗 퀸; 〖체스〗 여왕 **7** 암고양이; (벌·개미 등의) 여왕: ⇨ queen bee, queen ant **8** (통신에서) Q자를 나타내는 부호
the Q~ of Grace [***Heaven***] 성모 마리아 ***the ~ of hearts*** 〖카드〗 하트의 퀸; 미인 ***the Q~ of heaven*** = JUNO. ***the Q~ of love*** = VENUS. ***the Q~ of night*** = DIANA ***the Q~ of Scots*** = MARY STUART. ***the Q~ of the Adriatic*** = VENICE. ***the ~ of the meadow***(***s***) 〖식물〗 = MEADOWSWEET. ***the ~ of the prairie*** 〖식물〗 터리풀 무리의 식물 《장미과(科)》 ***the ~ of the seas*** = GREAT BRITAIN. ***the Q~ of the West*** = CINCINNATI. ***to the*** [***a***] ***~'s taste*** 더할 나위 없이, 완벽하게 ***turn Q~'s evidence*** ⇨ evidence.
— *vt.* **1** 여왕으로서 지배하다 **2** [~ it으로] 여왕같이 행동하다, 여왕 노릇을 하다, (의기양양하여) 여왕인 양 군림하다 《*over*》(cf. LORD[KING] it over) **3** 〖체스〗 〈졸(pawn)을〉 여왕이 되게 하다 **4** 왕비로[여왕으로] 삼다 **5** (미·속어) 〈여성과〉 데이트하다; 〈여성을〉 에스코트하다
— *vi.* **1** 여왕으로 군림하다 **2** 〖체스〗 〈졸이〉 여왕이 되다 **3** 여성을 에스코트하다
▷ quéenlike, quéenly *a.*
Quéen Ánne 앤 여왕(1665-1714) 《영국의 여왕(1702-14)》 — *a.* Ⓐ 〈18세기 초기의 건축·가구 등이〉 앤 여왕 시대 양식의: ~ style 앤 여왕 시대 양식
~ is dead. (영·구어) 그것은 낡아빠진 이야기다.
Quéen Ánne's Bóunty 앤 여왕 기금 《1703년 설립된 영국국교회 성직록을 위한 기금》
Quéen Ánne's láce 〖식물〗 야생 당근
quéen ánt 여왕개미
quéen bée 여왕벌; 여성 지도자, 여두목
queen·cake [kwí:nkèik] *n.* ⓊⒸ 작은 하트형 건포도 과자
Quéen Cíty (캐나다·구어) = TORONTO
quéen clòser 〖석공〗 반폭 벽돌; 반길이 벽돌
quéen cónsort (국왕의 아내로서의) 왕비 《여왕과 구별하여》
queen·dom [kwí:ndəm] *n.* **1** Ⓤ 여왕의 지위 **2** (드물게) 여왕국 《예컨대 영국은 여왕 통치하에서도 the United Kingdom이라 부름》
quéen dówager 국왕의 미망인, 대비, 황태후 《선왕의 후비; cf. QUEEN MOTHER》
queen·hood [kwí:nhùd] *n.* Ⓤ **1** 여왕의 신분[지위]; 여왕의 위엄 **2** 여왕의 통치 기간
queen·ing [kwí:niŋ] *n.* **1** (영) 사과의 일종 **2** Ⓤ 〖체스〗 졸이 여왕이 되기
queen·less [kwí:nlis] *a.* 여왕이 없는; 〈꿀벌이〉 여왕벌이 없는
queen·like [kwí:nlàik] *a.* 여왕 같은, 여왕다운
queen·ly [kwí:nli] *a.* (**-li·er**; **-li·est**) 여왕의; 여왕 소속의; 여왕다운(cf. KINGLY): ~ obligations 여왕의 의무/~ grace 여왕과 같은 우아함
— *ad.* 여왕같이[답게], 여왕에 어울리게
quéen·li·ness *n.*
Quéen Máb [-mǽb] 인간의 꿈을 지배한다는 요정 《영국·아일랜드 민화의》
quéen máry (미·속어) 마리화나
Quéen Máud Lànd [-mɔ́:d-] 퀸모드랜드 《남극 대륙의 아프리카 남쪽에 위치하는 지역》
quéen móther (현 국왕의 어머니인) 대비, 황태후(cf. QUEEN DOWAGER); 왕자[공주]를 둔 여왕
quéen òlive 〖식물〗 여왕올리브 《열매가 크고 향긋함; 스페인 Seville산(産)이 유명》
queen·pin [kwí:npìn] *n.* (속어) 조직의 중심 여성
quéen pòst 〖건축〗 쌍대공, 퀸 포스트 《지붕의 뼈대를 세로로 받치는 한 쌍의 지주 중 하나》(cf. KING POST)
quéen régent 섭정 여왕
quéen régnant (한 나라의 군주로서의) 여왕

Queens [kwíːnz] *n.* 퀸즈 (New York 동부의 Long Island의 한 구역)
Quéen's Awárd (영) 여왕상(賞) (수출·과학 기술·환경 각 분야에 공이 있는 기업에 줌)
Quéen's Bénch (**Divísion**) [the ~] 〖영국법〗 여왕좌(女王座) 법원(cf. KING'S BENCH (DIVISION))
Quéens·ber·ry rùles [kwíːnzbèri- | -bəri-] **1** 퀸즈베리 규칙 (Queensberry 후작(侯爵)이 설정한 권투의 여러 규칙) **2** 공평한 경쟁의 규칙
Quéen's Bírthday (영) [the ~] 여왕 탄생일 (실제 탄생일 외에 공식 축제일은 6월 둘째 토요일)
Quéen's cólour (영) 여왕기(旗) (여왕 통치하의 영국기)
Quéen's Cóunsel ⇨ King's Counsel
Quéen's Énglish [the ~] (여왕 치세 중의) 순정(純正)[표준] 영어(cf. KING'S ENGLISH)
quéen's évidence ⇨ king's evidence
quéen's híghway (영) ⇨ king's highway
queen·ship [kwíːnʃìp] *n.* Ⓤ **1** 여왕의 지위[신분, 직] **2** 여왕다움, 여왕에 어울림
queen·side [-sàid] *n.* 〖체스〗 (게임 시작 때 판면의) 퀸 쪽
queen-size [-sàiz] *a.* (구어) 〈침대가〉 퀸 사이즈의, 중특대(中特大)의 (king-size보다 작은 사이즈)
Queens·land [kwíːnzlæ̀nd, -lənd] *n.* 퀸즐랜드 (오스트레일리아 동북부의 주(州)) **~·er** *n.*
Quéen's Regulátions [the ~] (영국·영연방의) 군무(軍務) 규정
Quéen's spéech ⇨ King's speech
queen-stitch [-stítʃ] *n.* 장식 자수(刺繡)(의 일종)
quéen sùbstance 〖생화학〗 여왕 물질 (여왕벌이 분비하여 일벌의 난소 기능을 억제하는 페로몬(pheromone)의 일종)
queens·ware [kwíːnzwɛ̀ər] *n.* Ⓤ 크림색의 Wedgwood 도자기
quéen's wéather [the ~] (영) 쾌청(快晴)
quéen wásp 여왕벌, 암벌
‡**queer** [kwíər] *a.* **1** 기묘한, 괴상한(odd)(⇨ strange 유의어): a ~ fish[bird, card, customer] 괴짜 **2** (구어) 수상한, 의심쩍은: a ~ transaction 부정 거래 **3** 〈몸이〉 찌뿌드드한, 〈기분이〉 언짢은, 편찮은; 현기증 나는(faint), 어질어질한(giddy); 머리가 돈: feel a little ~ 좀 어질어질하다 **4** (속어) (남성) 동성애의 (homosexual) (이 뜻이 있기 때문에 3, 5, 7의 뜻으로는 별로 쓰지 않게 되었음; cf. GAY 5 a) **5** (미·속어) 나쁜, 부정한; 쓸모없는; 가짜의, 위조의(counterfeit): ~ money 위조 화폐 **6** (영·속어) 술 취한 (drunk) **7** (고어) (…에) 열중하는 (*for*)
— *vt.* (구어) **1** 엉망으로 만들다, 망쳐놓다(ruin) **2** [보통 ~ one*self* 로] …을 불리한 입장에 서게 하다; 찌뿌드드하게[편찮게, 어지럽게] 하다: (~+목+전+명) ~ *oneself with* a teacher 선생님에게 신용을 잃다 **3** 위험에 내맡기다 ~ ***the pitch for*** a person = ~ a person***'s pitch*** (영·속어) …의 계획[성공의 기회]을 몰래 망쳐놓다
— *n.* **1** (속어·경멸) 남성 동성애자 **2** [the ~] 가짜 돈 **3** (경멸) 괴짜, 기인 **4** (미·속어) (금주법 시대의) 밀조주 **~·dom** *n.* (속어·경멸) 호모 (상태) **~·ly** *ad.* 기묘하게, 이상하게 **~·ness** *n.* Ⓤ 괴상함; 괴벽; 괴팍스러운 행동; 불쾌
queer-bash·ing [kwíərbæ̀ʃiŋ] *n.* (속어) 호모 괴롭히기[박해, 폭행] **quéer-bàsh·er** *n.*
queer·core [kwíərkɔ̀ːr] *n.* Ⓤ (속어) 동성애 청년 음악 (punk rock조(調)의 음악)
queer·ie [kwíəri] *n.* (영·속어·경멸) 괴상한 놈; 동성애자
queer·ish [kwíəriʃ] *a.* 좀 이상한
Quéer Strèet (영·구어) London의 Carey Street (의 별칭); (영) (경제적) 곤란, 빚 ***in*** ~ (영·속어) 경제적으로 곤궁하여, 파산하여, 평판이 나쁜
***quell** [kwél] *vt.* **1** 〈반란 등을〉 진압하다, 평정하다; 정복하다: ~ popular demands 민중의 요구를 억누르다 **2** 〈공포 등을〉 억누르다, 가라앉히다 **3** (고어) 죽이다 **~·a·ble** *a.* **~·er** *n.*
Quel·part [kwélpɑ̀ːrt] *n.* 켈파트 (대한민국 제주도의 별칭)
Que·moy [kimɔ́i] *n.* 진먼(金門) (중국 남부 대만 해협의 섬)
‡**quench** [kwéntʃ] *vt.* **1** 〈갈증 등을〉 가시게 하다 (allay) (*with*): ~ one's thirst 갈증을 풀다 **2** 〈불·빛 등을〉 끄다(extinguish) (*with*): (~+목+전+명) ~ a fire *with* water 물로 불을 끄다 **3** 〈뜨거운 것을〉 물 속에 넣어 식히다 **4** 〈희망·속력·동작을〉 죽이다, 제지하다, 억누르다(stifle) (*with*) **5** (속어) 〈반대자를〉 침묵시키다(shut up) **6** 〖전자공학〗 〈가스 봉입 계수관의〉 방전을 멈추다 **7** 〖물리〗 〈발광·방전을〉 소멸시키다 ~ ***the smoking flax*** 〖성서〗 발전할 가망성을 도중에서 꺾다 (이사야 42: 3)
— *vi.* **1** 꺼지다; 식다 **2** 가라앉다, 진정되다
— *n.* quench하는 일[된 상태] **~·a·ble** *a.*
▷ quénchless *a.*
quench·er [kwéntʃər] *n.* **1** quench하는 사람[물건] **2** 갈증을 가시게 하는 것; 음료: a modest ~ 목을 축일 정도의 음료
quench·less [kwéntʃlis] *a.* (문어) 억누를 수 없는; 끌 수 없는 (unquenchable이 일반적): ~ curiosity 억누를 수 없는 호기심 **~·ly** *ad.* **~·ness** *n.*
que·nelle [kənél] *n.* 고기 완자
Quen·tin [kwéntn] *n.* 남자[여자] 이름
Que pas·a? [kei-pɑ́ːsə] [Sp = Hello, what's going on?] (미·속어) [의문문에서] 야, 무슨 일이지?
quer·ce·tin [kwə́ːrsətin] *n.* Ⓤ 〖화학〗 케르세틴 (황색 물감)
quer·i·mo·ni·ous [kwèrəmóuniəs] *a.* 투덜투덜하는, 불평투성이의 **~·ly** *ad.*
que·rist [kwíərist] *n.* 질문자
quern [kwə́ːrn] *n.* (양념 가는) 맷돌
quer·sprung [kvɛ́ərʃprùŋ] [G.] *n.* 〖스키〗 직각 회전
quer·u·lous [kwérjuləs] *a.* 투덜거리는, 불평이 많은; 성마른(peevish) **~·ly** *ad.* **~·ness** *n.*
***que·ry** [kwíəri] *n.* (*pl.* **-ries**) **1** 질문, 의문; 의혹 **2** 물음표 (?), (교정쇄 등에서) 의문나는 곳에 붙이는 기호 (?, q., qu. 등) **3** [의문문 앞에 써서] 묻건대, 과연 그런가(Is this true?) (略 qu., qy.): *Q*~ [*Qu.*], was the money ever paid? 묻건대, 도대체 돈은 치렀는가? **4** (집필자가 신문·잡지 편집자에게 쓰려는 기사가 게재 가능한 것인지) 조회하는 일 **5** (영) 불만 **6** (속어) (학교에서의) 테스트
— *v.* (**-ried**) *vt.* **1** 〈사실 여부를〉 묻다, 질문하다, 의문을 가지다 (*whether, if*): (~+**wh.** 절) I ~ the reliability of his word. = I ~ *whether* his word can be relied on. 그의 말을 믿을 수 있을지 의심스럽다. **2** (미) 〈권위 있는 사람에게〉 질문하다(question) **3** …에 물음표를 붙이다
— *vi.* 질문하다; 의심을 표시하다
quéry lànguage 〖컴퓨터〗 문의[조회]하는 언어 (略 QL)
ques [kwés] *n.* (속어) 〖컴퓨터〗 의문 부호 (?)
ques. question
qué se·rá se·rá [kéi-sərɑ́ː-sərɑ́ː] [Sp = What will be, will be.] 케세라세라, 될 대로 되라, 어떻게든 되겠지.
Ques·nay [keinéi] *n.* 케네 **François** ~ (1694-1774) (프랑스의 경제학자)
‡**quest** [kwést] *n.* (문어) **1** 탐색, 탐구, 찾음, 추구 (pursuit); 탐구의 대상 (*for*): on a ~ 탐색 중에 **2** (특히 중세 기사의) 탐구 여행; 그 기사단 **3** [집합적]

thesaurus **queer** *a.* odd, strange, unusual, extraordinary, peculiar, weird, outlandish, eccentric, unconventional, abnormal, irregular
quest *n.* search, seeking, pursuit, chase, hunt

탐구자(들) **4** 《방언》 검시(inquest) **5** 《드물게》 모금 ***in ~ of*** …을 찾아: He set off *in ~ of* adventure. 그는 모험을 찾아 떠났다.
— *vi.* 뒤밟아 찾다; 《고어》 탐색에 나서다; 사냥개가 추적하다 《*about, after, out*》: 《~+副》 《~+前+名》 ~ *about*[*out*] *for* game 〈사냥개가〉 사냥감을 뒤밟아 찾아 다니다[내다]
— *vt.* 《시어》 찾다, 추구하다 《*out*》; 요구하다
~·er *n.* **~·ing** *a.* **~·ing·ly** *ad.*

‡**ques·tion** [kwéstʃən] *n.* **1** 물음, 질문, 질의(opp. *answer*): That's a good ~! 《구어》 좋은 질문입니다! 《대답을 잘 모를 때》 **2** 문제; 논점; 의제; 채결, 표결; 현안(懸案): an open ~ 미결 문제 / the ~ at[in] issue 계쟁(係爭) 문제, 현안 / That is the ~. 그게 문제(점)이다. **3** Ⓤ 의문, 의심(doubt) 《*about, as to, of*》: There is no ~ *about*[*as to, of*] her sincerity. = There is no ~ *about*[*as to, of*] her *being* sincere. 그녀의 성실함에는 의심의 여지가 없다. **4** (가벼운 뜻으로) 문제, 일(matter)

> 유의어 **question** 어려움이나 논쟁을 일으키는 문제: raise the *question* of employment 고용 문제를 일으키다 **problem** 해결이 요구되는 문제: solve a *problem* 문제를 해결하다 **issue** 논쟁의 대상이 되어 있는 문제점이나 법률상의 쟁점, 사회적·국제적인 문제: political *issues* 중요 정치 문제

5 기회, 가능성 **6** 〖정치〗 (여론을 묻는) 정책 문제 **7** 〖법〗 (정보를 얻기 위한) 질문, 심문: a leading ~ 유도 심문 **8** 〖문법〗 의문문 **9** (문제의) 연구, 탐구
beg the ~ ⇨ beg. ***beside the ~*** 본문제를 떠난, 문제 외의, 부적절한 ***beyond*** (***all***) ***~*** 틀림없이, 물론 ***bring***[***throw***] ***… into ~*** …을 논의의 대상으로 하다, 문제시 하다 ***call in***[***into***] ***~*** 〈진술 등에〉 의심을 가지다, 이의를 제기하다 ***come into ~*** 논의되다, 문제가 되다 ***in ~*** 문제의; 해(該)…, 본(本)…: the person[matter] *in* ~ 당사자[본건(本件)] ***make no ~ of*** …을 의심치 않다 ***out of***[***past, without***] ***~*** =beyond (all) QUESTION. ***out of the ~*** 문제가 안 되는; 전연 불가능한 ***put a ~ to*** …에게 질문하다 ***put the ~*** 〈의장이〉 표결에 붙이다 ***Q~!*** (집회 등에서 연설자의 탈선을 주의시켜) 본제로 돌아가라; 이의 있소! ***~ and answer*** 질의응답 《대구이어서 무관사》 ***raise a ~*** 문제를 제기하다, 문제 삼다 ***The ~ is …*** 문제는 …이다
— *vt.* **1** 질문하다, 묻다(ask); 심문하다(inquire of): ~ a witness 증인을 심문하다 // 《~+目+前+名》 I ~*ed* him *on* his opinion. 나는 그에게 의견을 물었다.

> 유의어 **question**은 **ask**와 달리 「질문」을 목적어로 취하지 않는다. 또 ask보다 사람을 추급(追及)하는 면이 강하다.

2 조사하다, 검사하다 **3** 〈자연 현상·근원 등을〉 탐구하다, 연구하다 **4** 의심하다 《*about, if,* etc.》, 이의를 제기하다, 문제 삼다; 시비하다(dispute): 《~+***wh.*** 節》 Some people ~ *whether*[*if*] his remarks are true. 그가 한 말의 진실성을 의심하는 자도 있다. // 《~+***that*** 節》 It can*not* be ~*ed that* …임은 의심할 여지가 없다 《부정문에서》
— *vi.* 질문을 하다 ▷ quéstionless *a.*

*__ques·tion·a·ble__ [kwéstʃənəbl] *a.* **1** 의심나는(doubtful), 미심쩍은: ~ activities 의심스런 행동 **2** 수상쩍은, 문제가 되는
quès·tion·a·bíl·i·ty, ~·ness *n.* **-bly** *ad.*

question *n.* **1** 질문 inquiry, query, interrogation **2** 문제, 논점 issue, problem, matter, point, subject, topic, theme **3** 의문 doubt, dubiousness, dispute, argument, debate, controversy

ques·tion·ar·y [kwéstʃənèri | -tʃənəri] *a.* 질문의, 의문의 — *n.* (*pl.* **-ar·ies**) = QUESTIONNAIRE

ques·tion-beg·ging [kwéstʃənbègiŋ] *n.* 논점 회피

ques·tion·er [kwéstʃənər] *n.* 질문자, 심문자

ques·tion·ing [kwéstʃəniŋ] *a.* 따지는, 캐묻는, 미심쩍어하는, 알고 싶어하는, 탐구하는: a ~ mind 호기심 / a ~ look 의심쩍어하는 눈치
— *n.* ⓊⒸ 의문, 질문, 탐구, 연구; 심문

ques·tion·ing·ly [kwéstʃəniŋli] *ad.* 질문조로, 미심쩍게, 수상하다는 듯이

ques·tion·less [kwéstʃənlis] *a.* 의심 없는, 명백한
— *ad.* 의심 없이, 문제 없이 **~·ly** *ad.*

‡**quéstion màrk** **1** 물음표 《?》; 의문점 **2** 미지의 사항, 미지수 ***a ~ over***[***against***] …에 의문이 있다, …은 수수께끼이다

quéstion màster 《영》 =QUIZMASTER

ques·tion·naire [kwèstʃənέər] [F] *n.* 질문 사항 《참고 자료를 얻기 위한》; 질문서[표] 《항목별로 쓴》, 앙케트; 질문서에 의한 조사 — *vt.* …에 질문서를 보내다; (질문서로) …에서 참고 자료를 얻다

quéstion of fáct 〖영국법〗 사실 문제

quéstion of láw 법률 문제

quéstion stòp =QUESTION MARK

quéstion tàg =TAG QUESTION

quéstion tìme (영국 의회에서의) 질의 시간

ques·tor [kwéstər | kwíːs-] *n.* =QUAESTOR

quet·zal [ketsɑ́ːl | kwétsl] *n.* (*pl.* **~s, -za·les**) **1** 〖조류〗 케트살 《중미산(産)의 꼬리가 긴 고운 새; 과테말라의 국조(國鳥)》 **2** (*pl.* **-za·les** [-leis]) 케트살 《과테말라의 화폐 단위; 기호 Q; = 100 centavos》

Quet·zal·co·a·tl [ketsɑ̀ːlkouɑ́ːtl | kètslkouǽtl] *n.* 케찰코아틀 《고대 아즈텍 족의 주신; 날개가 있는 뱀의 모습임》

*__queue__ [kjúː] *n.* **1** 편발; 변발; 땋은 머리; 〖문장〗 짐승의 꼬리 **2** (차례를 기다리는 사람이나 차의) 줄, 열; 〖컴퓨터〗 큐, 대기 행렬: in a ~ 줄을 지어 / form a ~ 줄을 짓다 ***jump the ~*** 《영》 (줄에) 새치기하다
— *v.* (**queued**; **queu**(**e**)**·ing**) *vt.* 〈머리를〉 편발로 하다, 땋아 내리다; 〖컴퓨터〗 대기 행렬에 넣다
— *vi.* 《주로 영》 줄을 짓다; 줄지어 차례를 기다리다 《*up*》; 줄에 끼이다 《*on*》: 《~+副》 ~ *up* for a bus 줄지어 버스를 기다리다

queue-jump [kjúːdʒʌ̀mp] *vi.* 줄에 끼어들다, 새치기하다 **~·er** *n.* **-jùmp·ing** *n* 새치기, 끼어들기

quéu·ing thèory [kjúːiŋ-] 〖수학〗 대기 행렬의 이론

Qué·zon Cíty [kéizɑn- | -zɔn-] 케손 시티 《1948-76년간 필리핀의 공식 수도; 현재는 Metropolitan Manila의 일부》

quib·ble [kwíbl] *n.* **1** (문제를 회피하려는) 둘러대기, 발뺌, 애매한 말(투); 어물쩍하는 말 **2** 억지스런 변명, 궤변(evasion) **3** 트집 잡기, 하찮은 반대(carp)
— *vi.* 결말을 쓰다, 말재롱부리다; 애매한 말을 쓰다; 어물쩍하다, 억지스런 변명을 하다 《*with, about, over*》

quib·bler [kwíblər] *n.* 애매한 말을 하는 사람, 어물쩍 넘기는 사람

quib·bling [kwíbliŋ] *a.* 핑계대는, 발뺌하는; 트집 잡는: ~ debates 트집 잡는 논쟁
— *n.* 트집잡기; 어물쩍 넘기기

quib·bling·ly [kwíbliŋli] *ad.* 어물쩍하여

quiche [kíːʃ] *n.* 키시 《치즈·베이컨 파이의 일종》
eat ~ 《미·속어》 비열한 짓을 하다

quiche-eat·er [kíːʃìːtər] *n.* 《미·속어》 비열한[싫은] 녀석; 계집애 같은 남자, 남성 동성애자

‡**quick** [kwík] *a., n., ad.*

> OE 「살아 있는」의 뜻에서 → (싱싱한) → 「예민한, 민감한」 **4** → 「민첩한」 **5** → 「빠른, 급속한」 **1**

— *a.* **1** 빠른, 급속한, 신속한(prompt): a ~ grower 성장이 빠른 식물 / a ~ train 쾌속 열차 / He did a ~ mile. 그는 눈깜박할 사이에 1마일을 달렸다. / *Q~* at meal, ~ at work. 《속담》 밥을 빨리 먹는 사람은 일솜씨도 빠르다.

> 유의어 **quick** 행동이 민첩한, 시간이 짧은 **rapid, fast** 다같이 「동작·행동 등이 빠른」의 뜻이지만 rapid는 움직임 그 자체를, fast는 움직이고 있는 사람·물건을 중시한다. **swift** 움직임이 원활하고 날랜 **speedy** 속도가 빠른, 행동이 재빠른

2 **즉석의**; 일순간의, 단시간의: a ~ answer 즉답 **3** **조급한**, 성급한, 성마른: a ~ temper 급한 성미 **4** 〈눈·귀 등이〉 **날카로운**, 예민한, 민감한(acute): a ~ wit (예리한) 기지 / ~ of sight 눈이 밝은[예민한] **5** **재빠른**, **민첩한**(opp. *slow*); **이해가 빠른**, 머리가 잘 도는, 영리한, 약은 《*at, of, to*》; 《구어》 반응이 빠른: a ~ thinker 머리 회전이 빠른 사람 // 《~+***to*** do》 He was ~ *to* see the advantage in doing that. 그는 그렇게 하는 것이 유리하다는 것을 재빨리 깨달았다. // 《~+전+***-ing***》 He is ~ *of* hear*ing*[understand*ing*]. 그는 귀가 밝다[이해가 빠르다]. **6** 〈커브가〉 급한 **7** 《고어》 살아 있는; 살아 있는 식물로 된 **8** 《미》 바로 돈으로 바꿀 수 있는, 현금화할 수 있는 **9** 《미·속어》 〈옷이〉 (몸에) 딱 맞는 **10** **활발한**, **생기 있는**; 〈불·불꽃이〉 활활 타는; 《폐어》 신랄한, 자극적인: ~ water 흐르는 물 / the ~ flames 열화(烈火) / in ~ agony 몹시 고민하여 **11** 《고어》 임신하여(pregnant) 《*with*》: ~ *with* child 임신해서 태동을 느끼고

Be ~! 빨리 (해라)! ***be ~ at*** …가 빠르다: He *is* ~ *at* figures. 그는 셈이 빠르다. ***be ~ on the draw***[***trigger***] (문제 해결 등에서) 반응이 빠르다; 기민하다 ***in ~ succession*** 연달아, 연방 ***~ and dirty*** 《미·속어》 임시 변통으로 만든, 되는 대로의

— *n.* **1** [the ~] 산 것, 생물(living creature): *the* ~ and the dead 산 자와 죽은 자 **2** 속살, (손톱 밑의) 생살; (상처 등의) 새살, 《특히》 (새살의) 새로 난 꺼풀 **3** (감정의) 중추, 급소, 아픈데 **4** 핵심: the ~ of the matter 사건의 핵심 **5** 《영》 (산사나무 따위의) 생울타리; 생울타리를 이루는 나무 ***to the ~*** (1) 속살까지; 골수까지: cut him *to the* ~ 그의 급소를 찌르다 (2) 철두철미(한), 알짜의: a Tory *to the* ~ 철저한 보수당원 (3) 산 것 같이, 그대로의: He is painted *to the* ~. 그림은 그의 실물 그대로이다.

— *ad.* **1** [항상 동사 뒤에 둠] 《구어》 속히, 급히, 빨리(quickly): run as ~ as one can 있는 힘을 다해서 달리다 **2** [특히 분사와 함께] 빨리: a ~-firing gun 속사포 / ~ forgotten 곧 잊혀지는 (***as***) ***~ as lightning***[***flash, thought, wink***] 《구어》 번개같이, 눈깜박할 사이에, 순식간에; 즉각

quick-and-dirt·y [kwíkəndə́:rti] *n.* 《미·속어》 (카운터식의) 간이식당(snack bar)
— *a.* 《구어》 싸게 만들 수 있는; 질 나쁜

quíck ássets 《미》 〖회계〗 당좌[유동] 자산

Quick·BASIC [kwíkbèisik] *n.* 〖컴퓨터〗 퀵 베이식 《컴파일러 방식의 BASIC 언어의 하나》

quíck brèad 《미》 베이킹파우더를 넣어 즉석에서 구운 빵 《corn bread, muffin 등》

quíck búck 《미·속어》 쉽게 번[벌리는] 돈, 불로소득, 부당하게 번 돈(fast buck)

quick-change [-tʃèindʒ] *a.* Ⓐ **1** 여객기[객선]에서 화물 수송기로[화물선으로] 변할 수 있는 〈비행기·배〉 **2** 변장술이 빠른 〈배우 《등》〉: a ~ artist 변장술이 빠른 배우

quíck dráw (권총을) 빨리 뽑아 쏘는 경기

quick-eared [-íərd] *a.* 귀가 밝은[예민한]

⁑**quick·en** [kwíkən] *vt.* **1** 〈발걸음 등을〉 **빠르게 하다**; 서두르게 하다(hasten): She *~ed* her pace. 그녀는 걸음을 재촉했다. **2** **활기 띠게 하다**, **자극하다**(stimulate), 생기[활기]를 주다, 불러 일으키다(arouse): This experience *~ed* his imagination. 이 경험이 그의 상상력을 자극했다. **3** 《고어·문어》 되살리다, 소생시키다; 불을 피우다: 《~+목+전+명》 He *~ed* the hot ashes *into* flames. 그는 뜨거운 재를 휘저어 불길을 되살렸다.
— *vi.* **1** 빨라지다: The pulse *~s.* 맥박이 빨라진다, 가슴이 두근거린다. **2** 살아나다, 되살다, 생기[활기]를 띠다 **3** (임신부가) 태동(胎動)을 시작하다[느끼다]
~·er *n.* ▷ quíck *a.*

quick·en·ing [kwíkəniŋ] *a.* Ⓐ 되살아나게 하는; 활발하게 하는, 기운을 돋우는: a gradually ~ pace 점점 빨라지는 걸음[속도]

quick-eyed [kwíkáid] *a.* 눈이 빠른[예민한]

quíck fíre 〖군사〗 속사(速射)

quick-fire [-fáiər], **-fir·ing** [-fáiəriŋ] *a.* 속사의; 《구어》 〈질문 등이〉 잇달은

quick-fir·er [-fàiərər] *n.* 속사포

quíck fíx 《구어》 일시 모면하는[미봉적인] 해결(책), 응급조치; 즉효약

quick-fix [-fíks] *a.* 임시변통의; 효과가 빠른, 즉효의

quick-freeze [-frí:z] *vt.* (**-froze** [-fróuz]; **-fro·zen** [-fróuzn]) 《미》 〈식품을〉 급속 냉동시키다
— *vi.* 〈식품이〉 급속 냉동되다

quick-freez·er [-frì:zər] *n.* 급속 냉동고[냉동실]

quick-freez·ing [-frí:ziŋ] *n.* Ⓤ 급속 냉동법

quick-fro·zen [-fróuzn] *a.* 급속 냉동시킨

quick·hedge [-hèdʒ] *n.* 산울타리

quick·ie, quick·y [kwíki] *n.* **1** 《구어》 급히 만든 것, 졸속 영화[소설]; 속성 연구[계획]; 바삐 하는 여행 **2** 바삐 마시는 한 잔 술(quick one) **3** 《비어》 단시간 내의 성행위 **4** 《미·속어》 = WILDCAT STRIKE
— *a.* 빠른, 날랜; 짧은; 급조의

quíck kíck 〖미식축구〗 퀵 킥

quick·lime [kwíklàim] *n.* Ⓤ 생석회

quick-lunch [-lʌ̀ntʃ] *n.* 《미》 간이식당

***quick·ly** [kwíkli] *ad.* **1** **빨리**, 속히, 급히 서둘러서, 신속히: Can't you finish your work more ~? 더 빨리 일을 끝낼 수 없어? **2** 《고어》 민감하게

quíck màrch 〖군사〗 속보 행진

quick·ness [kwíknis] *n.* Ⓤ **1** 민첩, 기민 **2** 빠르기, 속도 《운동 등의》; 신속, 급속, 급격 **3** 성급함, 성마름

quíck óne 《구어》 쭉 단숨에 들이켜는 술

quíck ópener 〖미식축구〗 퀵 오프너

quick-o·ver [-òuvər] *n.* 《미·속어》 얼른 훑어보기

quíck púsh 《미·속어》 잘 속는 사람

quíck rátio 〖회계〗 당좌 비율

quick-re·lease [-rilí:s] *a.* 〈장치가〉 신속 이탈의

quick·sand [-sæ̀nd] *n.* ⓊⒸ **1** 유사(流砂), 표사(漂砂) 《올라서면 빠져버리는 젖은 모래층》 **2** 마음 놓을 수 없는 상태[사태], 위험한 상태 **-sànd·y** *a.*

quick-scent·ed [-séntid] *a.* 후각이 예민한

quick·set [-sèt] *a.* 산울타리의
— *n.* 《주로 영》 (특히 산사나무(hawthorn)의) 산울타리(= **~ hèdge**); (산울타리의) 어린 나무

quick-set·ting [-sétiŋ] *a.* 〈시멘트·페인트 따위가〉 빨리 굳는

quick-sight·ed [-sáitid] *a.* 눈치가 빠른, 안식(眼識)이 예리한 **~·ness** *n.*

***quick·sil·ver** [kwíksìlvər] [OE 「살아 있는」의 뜻에서] *n.* Ⓤ **1** **수은**(mercury) **2** 유동성; 쾌활한 성질, 변덕스러운 기질; Ⓒ 변덕스러운 사람
— *a.* 수은의; 변덕스러운: his ~ temperament 변덕스러운 그의 기질
— *vt.* 수은과 합금하다; 〈거울용 유리에〉 수은을 바르다

quíck sòrt 〖컴퓨터〗 빠른 정렬

quick·step [-stèp] *n.* **1** 〖군사〗 속보; 《특히》 속보 행진곡 **2** 〖무용〗 퀵스텝, 속보 **3** [the ~] 《미·구어》 설사

quíck stúdy 이해가[터득이] 빠른 사람[배우, 연주가]

quick-tem·pered [-témpərd] *a.* 성급한, 성마른,

thesaurus **quiet** *a.* **1** 조용한 silent, hushed, noiseless, soundless **2** 한적한 peaceful, undisturbed, isolated, secluded **3** 암전한 calm, serene,

괄괄한
quick tìme 1 〚군사〛 속보(速步) 《1분에 120보 정도의》 2 《속어》 매춘부와의 짧은 성교
quick·wa·ter [kwíkwɔ̀:tər] *n.* 급류, 여울
quick-wit·ted [-wítid] *a.* 기지가 있는, 재치 있는, 눈치 빠른, 기민한 **~·ly** *ad.* **~·ness** *n.*
quid[1] [kwíd] *n.* 씹는 담배 (한 입)
quid[2] *n.* (*pl.* **~, ~s**) 《영·속어》 1파운드 금화(sovereign), 1파운드(£1): five ~ 5파운드
be not the full ~ 《호주·속어》 저능이다 ***be ~s in*** 《영·속어》 제대로 잘 되어가다
quid·di·ty [kwídəti] *n.* (*pl.* **-ties**) 1 본질, 실질 2 억지 변명(quibble), 궤변
quid·nunc [kwídnʌ̀ŋk] [L = what now?] *n.* 《고어》 소문 퍼뜨리기 좋아하는 사람, 남의 일을 캐기 좋아하는 사람(busybody)
quid pro quo [kwíd-prou-kwóu] [L] 답례(품), 대상(代償)(물)(compensation), 상당하는 물건, 대용품, 보상(물); 보복
qui·es·cence, -cen·cy [kwaiésns(i)] *n.* Ⓤ 정지(靜止); 무활동(inactivity); 침묵, 정적
qui·es·cent [kwaiésnt] *a.* 조용한, 정지한, 움직이지 않는; 무활동의; 침묵의; 〈병이〉 나아가는: a ~ mind 조용한 마음 **~·ly** *ad.*
⁑**qui·et** [kwáiət] [L 「평온한」의 뜻에서; quit와 같은 어원] *a.* (**~·er**; **~·est**) 1 **조용한, 고요한**(opp. *noisy*) (⇨ silent [유의어]): ~ suburbs 조용한 교외 2 〈마음이〉 **평온한**; 평화로운, 평안한, 고요한(serene): a ~ life 평온한 생활 / ~ waters 잔잔한 호수[바다] 3 **한적한,** 적적한: a ~ Sunday 한적한 일요일 4 〈태도·거동이〉 찬찬한, 온화한, 얌전한; 말없는, 내성적인: a ~ manner 차분한 태도 / a ~ person 과묵한 사람 5 비밀의, 은근한, 에두른: harbor ~ resentment 말 없는[내심의] 분노를 품다 / I had a ~ dig at him. (말로) 은근히 그를 꼬집어 주었다. 6 〈복장·색채 등이〉 수수한, 점잖은(opp. *loud*): ~ colors 수수한 색 배합 7 〈환경·생활양식 등이〉 단조로운, 변화 없는 8 약식(略式)의(opp. *formal*), 비공식적인 9 〚상업〛 활기 없는, 한산한: a ~ market 활기[거래] 없는 한산한 시장
(***as***) ***~ as a mouse*** 쥐죽은 듯이 조용한 ***Be ~!*** 조용히 해라! ***keep*** a thing ***~*** = ***keep ~ about*** a thing …을 비밀로 해 두다
—*n.* Ⓤ 1 고요, 한적, 정적 2 휴양, 안정(repose); 마음의 평화, 안식, 안온: live in ~ 평온하게 살다 3 평화 《사회적인》, 태평: a time of ~ 태평 시대

> [유의어] **quiet** 조용한 「상태, 분위기」 **quietness** 조용한 「성질」 **quietude** 조용한 「습성·경향」

at ~ 평온하게, 고요히 ***on the ~*** 몰래, 살그머니(secretly)(cf. on the Q.T.) ***out of ~*** 침착성을 잃고 ***peace and ~*** 정적
—*v.* 《(미)에서는 quiet를, (영)에서는 quieten을 쓰는 일이 많음》 *vt.* 1 조용하게 하다 《*down*》: ~ (*down*) the noisy students 떠들어대는 학생들을 조용하게 하다 2 달래다, 진정시키다, 안심시키다(soothe): ~ a crying baby 우는 아이를 달래다 3 〈소란·공포 등을〉 누그러지게 하다, 가라앉히다(pacify) 4 〚법〛 〈부동산·권리 등을〉 확인하다
—*vi.* 조용해지다, 평온해지다, 잠잠해지다; 가라앉다 《*down*》: (~+[부]) The excitement *~ed down.* 흥분이 가라앉았다.
▷ quíeten *v.*; quíetude *n.*
qui·et·en [kwáiətn] *v.* 《주로 영》 = QUIET
qui·et·er [kwáiətər] *n.* 〚기계〛 방음 장치 《내연 기관의》
qui·et·ism [kwáiətìzm] *n.* Ⓤ 1 〚종교〛 정적주의(靜寂主義) 《17세기 말의 신비주의적 종교 운동》 2 (마음의) 평화, 평온, 고요함 3 무저항주의
quí·et·ist *n., a.* 정적주의자(의) **quì·et·ís·tic** *a.*
⁑**qui·et·ly** [kwáiətli] *ad.* 1 **조용히, 고요히,** 살짝; 평온하게, 얌전하게: He closed the door ~. 그는 문을 조용히 닫았다. 2 침착[차분]하게: "I'm not afraid of death," he said ~. "난 죽음이 두렵지 않다"고 그는 침착하게 말했다. 3 수수하게: dress ~ 수수한 옷차림을 하다 ***just ~*** 《호주·구어》 우리끼리 이야기지만, 비밀인데(between you and me)
qui·et·ness [kwáiətnis] *n.* = QUIET
quíet ròom (정신 병원의) 격리실
qui·e·tude [kwáiətjù:d | -tjù:d] *n.* Ⓤ 고요[조용]함(calmness), 평온, 정적
qui·e·tus [kwaiíːtəs] *n.* 《문어》 1 최후의 일격, 결정타 2 죽음; 소멸(extinction): make one's ~ 자살하다 3 무활동, 무기력 상태 ***get*** one***'s ~*** 최후의 일격을 받다, 죽다 ***give*** a person ***his***[***her***] ***~*** …에게 최후의 일격을 가하다, …을 죽이다
quiff[1] [kwíf] *n.* (*pl.* **~, ~s**) 1 《미·속어》 헤픈[방탕한] 여자 2 (담배 연기의) 한 번 내뿜기; 일진의 바람
quiff[2] *n.* 1 《영》 이마에 착 붙인 남성의 곱슬한 앞머리 2 《속어》 교묘한 술책
quiff[3] *n.* 《미》 담배 한 모금 연기; 일진(一陣)의 바람
***quill** [kwíl] *n.* 1 **깃대,** 우간(羽幹)(feather stem); (날개 또는 꼬리의 빳빳하고 단단한) 깃(=**~ fèather**) 2 깃대로 만든 것; (거위 깃으로 만든) 깃펜(=~ pen); 이쑤시개(toothpick), (현악기의) 채, 술대(plectrum) 3 [보통 *pl.*] (고슴도치 등의) 침, 바늘 4 갈대 피리, 갈대 줄기 등으로 된 실패; 〚약학〛 마른 육계(肉桂) 등을 작게 만 것 5 [보통 the pure ~] 최상의 것, 극상품, 진짜(the real thing)(cf. the real McCOY)
drive the ~ 펜을 놀리다, 쓰다
—*vt.* 〚방직〛 1 〈레이스 등에〉 관상(管狀)으로 주름을 달다 2 〈실을〉 실패에 감다 3 침으로 찌르다 4 〈새의〉 깃을 뽑아내다 **~·like** *a.*
quill·back [kwílbæ̀k] *n.* (*pl.* **~, ~s**) 〚어류〛 퀼백 《잉어목(目) 서커과(科)의 담수어; 북미 중부·동부산》
quíll drìver 《익살·경멸》 문필가, 《특히》 하급 서기
quíll drìving 《익살·경멸》 글쓰기, 문필업
quill·er [kwílər] *n.* 실 감는 기계[직공]
Quil·ler-Couch [kwílərkú:tʃ] *n.* 퀼러쿠치 **Sir Arthur Thomas ~** (1863-1944) 《영국의 소설가·비평가; 필명 Q》
quil·let [kwílit] *n.* 《영·고어》 = QUIBBLE **~·ed** *a.*
quill·ing [kwíliŋ] *n.* Ⓤ 1 관상(管狀) 주름 달기; Ⓒ 그 주름이 달린 레이스[리본] 2 〚공예〛 퀼링 《여러 가지 색깔의 가는 종이 조각들로 그림이나 디자인을 만드는 기법》
quíll pèn 깃펜(quill)
quíll shàft 〚기계〛 중공축(中空軸)
quill·work [kwílwə̀:rk] *n.* 호저의 바늘 또는 새의 깃대를 이용한 장식 공예
quill·wort [kwílwə̀:rt] *n.* 〚식물〛 물부추
***quilt** [kwílt] [L 「매트리스」의 뜻에서] *n.* 1 (솜·털·깃털 등을 넣어 만든) **누비이불** 2 (이불 대신으로 쓰는) 덮개, 침대 덮개(coverlet) 3 퀼트 제품
—*vt.* 1 …에 속을 넣어 누비다; 〈지폐·편지 등을〉 옷 같은 것에 넣고 꿰매다: (~+[목]+[전]+[명]) He *~ed* money *in* his belt. 그는 돈을 띠에 숨겨 넣고 꿰매었다. 2 이불 등을 덮다 3 《속어》 때리다, 매질하다, 치다(thrash) 4 《영》 〈문학 작품 등을〉 모아 편집하다: (~+[목]+[부]) ~ *together* a collection of verse 그러모아 시집을 만들다
—*vi.* 퀼트를 만들다 **~·er** *n.*
quilt·ed [kwíltid] *a.* 누비이불의[같은], 누빈
quilt·ing [kwíltiŋ] *n.* Ⓤ 1 속을 넣어 누비기 2 누비이불의 재료, 이불감 3 퀼트 작품 4 = QUILTING BEE 5 때리기, 매질
quílting bèe[**pàrty**] 《미》 누비이불 만드는 여자들의 모임(cf. BEE[1] *n.* 3)

---

composed, placid, tranquil, gentle, mild, moderate, reserved **—** *n.* stillness, silence, hush, peace, noiselessness, calmness, serenity

quim [kwím] *n.* 《영·비어》 = VAGINA
quin [kwín] *n.* 《영·구어》 = QUINTUPLET 1, 2
qui·na [kí:nə, kwáinə] *n.* = CINCHONA
quín·a·crine (hydrochlóride) [kwínəkrì:n(-)] *n.* 퀴나크린 《말라리아 예방·치료약》
quínacrine mùstard 퀴나크린 머스터드 《성(性) 판정에 쓰는 화합물》
qui·na·ry [kwáinəri] *a.* 5(개)의; 5부[개]로 된; 5개씩의(quintuple); 5번째의; 5진법의
— *n.* 다섯으로 이루어진 조(組)
qui·nate[1] [kwáineit] *a.* 〖식물〗 〈겹잎이〉 다섯 개의 작은 잎으로 된
quin·ate[2] [kwáineit, kwín-] *n.* 〖화학〗 퀴닌산염(酸塩)
quince [kwíns] *n.* 〖식물〗 모과 《유럽산(産)》
quin·cen·te·na·ry [kwìnsenténəri | -tí:nəri] *n.* (*pl.* **-ries**) 500년(기념)제(quingentenary)(⇨ centenary) **—** *a.* 500년[제]의
quin·cen·ten·ni·al [kwìnsenténiəl] *n., a.* = QUINCENTENARY
quin·cun·cial [kwinkʌ́nʃəl], **-cunx·ial** [-kʌ́ŋksiəl] *a.* (주사위의) 다섯 눈 모양의, (카드 패의) 다섯 점 모양의; 〖식물〗 〈잎이〉 5장의 **~·ly** *ad.*
quin·cunx [kwíŋkʌŋks] *n.* 다섯 눈[점] 모양; 다섯 눈 모양의 것; 〖식물〗 오엽 배열 《잎·꽃잎의 배열 모양》
quin·dec·a·gon [kwindékəgɑ̀n | -gən] *n.* 15각형
quin·de·cen·ni·al [kwìndiséniəl] *a.* 15주년(기념)의 **—** *n.* 15주년(기념)제
quin·de·cil·lion [kwìndisíljən] *n., a.* 퀸데실리온(의) 《미국에서는 10^{48}, 영국·독일·프랑스에서는 10^{90}》
qui·nel·la [ki:nélə, kwi-] *n.* (경마 따위의) 복승식(複勝式); 복승식 레이스
quin·es·trol [kwinéstrɑl | -trɔl] *n.* 〖약학〗 퀴네스트롤 《합성 estrogen의 경구 피임약》
quin·gen·te·nar·y [kwìndʒenténəri | -tí:nəri] *a.* 500년째의 **—** *n.* (*pl.* **-ries**) 500년(기념)제
Qui Nhon [kwí:-njɔ́:n] 퀴논 《베트남 남동부의 항구 도시》
quín·ic ácid [kwínik-] 〖화학〗 퀸산(酸)
quin·i·dine [kwínədì:n, -din] *n.* 〖약학〗 퀴니딘 《심장병·말라리아 치료제》
qui·nie·la [ki:njélə] *n.* = QUINELLA
qui·nine [kwáinain, kwináin | kwiní:n] *n.* Ⓤ **1** 〖화학〗 퀴닌 **2** 〖약학〗 키니네제(劑), 《특히》 염산[황산] 키니네 《말라리아 특효약》
quínine wàter 키니네가 든 탄산수
qui·noa [kinóuə | kí:nwɑ:, kinə́uə] *n.* Ⓤ 퀴노아 《남아메리카 안데스 산맥의 고원에서 자라는 곡물》
quin·o·line [kwínəlì:n] *n.* 〖화학〗 퀴놀린 《불쾌한 냄새가 나는 무색의 액체; 용매·방부제·염료 제조용》
qui·none [kwinóun] *n.* Ⓤ 〖화학〗 퀴논 《물감의 원료 등으로 이용》
quin·o·noid [kwínənɔ̀id] *a.* 〖화학〗 퀴논의[비슷한]
quinqu- [kwínk] 《연결형》 = QUINQUE-
quin·qua·ge·nar·i·an [kwìŋkwədʒinέəriən] *a., n.* 50세[대]의 (사람)
quin·quag·e·nar·y [kwinkwɑ́:dʒənèri | -kwǽdʒinəri] *n., a.* (*pl.* **-ries**) 50년(기념)제(의)
Quin·qua·ges·i·ma [kwìŋkwədʒésəmə] *n.* **1** 〖영국국교〗 사순절(Lent) 바로 앞 일요일(=~ **Súnday**) **2** 〖가톨릭〗 오순절(의 주일) **-mal** *a.*
quin·quan·gu·lar [kwiŋkwǽŋgjulər] *a.* 5각이 있는; 5각형의
quinque- [kwíŋkwi], **quinqu-** [kwínk] 《연결형》 「5」의 뜻 《모음 앞에서는 quinqu-》
quin·que·cen·ten·ar·y [kwìnkwisenténəri] *n., a.* (*pl.* **-ries**) = QUINCENTENARY
quin·quen·ni·ad [kwinkwéniæ̀d | kwiŋ-] *n.* = QUINQUENNIUM
quin·quen·ni·al [kwinkwéniəl | kwiŋ-] *a.* 5년마다의; 5년의, 5년 계속되는 **—** *n.* **1** 5년 주기 **2** 5주년, 5년제 **3** 근속 5년, 5년의 재직 기간 **4** 5년간(quinquennium) **~·ly** *ad.*
quin·quen·ni·um [kwinkwéniəm | kwiŋ-] *n.* (*pl.* **~s, -ni·a** [-niə]) 5년간
quin·que·par·tite [kwìnkwipɑ́:rtait | kwìŋ-] *a.* 다섯으로 갈린; 5부로 된
quin·que·reme, -qui·reme [kwínkwərì:m] *n.* (고대 로마의) 노가 5단으로 된 노예선
quin·que·va·lent [kwìnkwəvéilənt | kwìŋ-] *a.* 〖화학〗 5개의 각기 다른 원자가를 가진, 5가(價)(원자)의(pentavalent) **-lence, -len·cy** *n.*
quin·qui·na [kinkí:nə | kwiŋkwái-] *n.* = CINCHONA
quins [kwínz] *n. pl.* 《영·구어》 = QUINTUPLETS
quin·sy [kwínzi] *n.* Ⓤ 〖병리〗 (화농성의) 후두염(喉頭炎), 편도선염 **quín·sied** *a.*
quint[1] [kwínt, kínt] *n.* **1** 〖음악〗 퀸트 《5도 높은 key에 대응하는 오르간의 음전(音栓)》; (바이올린의) E선 **2** 〖카드〗 (특히 피켓에서) 같은 종류의 5매 계속되는 패(cf. TIERCE 4, QUART[2] 1): the ~ major 에이스, 킹, 퀸, 잭, 10의 다섯 패 / the ~ minor 잭 이하 7까지의 다섯패 **3** 《미·속어》 농구팀
quint[2] *n.* 《구어》 = QUINTUPLET; QUINTET(TE)
quin·ta [kíntə] *n.* (스페인·포르투갈 등의) 시골집, 별장
quin·tain [kwíntn | -tin] *n.* **1** Ⓒ (중세의) 창(槍) 과녁 **2** Ⓤ (중세의) 창 과녁 찌르기

quintain 2

quin·tal [kwíntəl] *n.* 퀸틀 《《미》 100 lb., 《영》 112 lb.(hundredweight)》; 〖미터법〗 100kg 《상형(avoirdupois) 단위로 220.46 lb.》
quin·tan [kwíntn] 〖의학〗 *a.* 닷새마다 일어나는: a ~ fever 5일열 **—** *n.* Ⓤ 5일열
quinte [kǽnt] [F] *n.* 〖펜싱〗 제5자세
quin·ter·ni·on [kwintə́:rniən] *n.* 〖제본〗 5장 겹접기
quin·tes·sence [kwintésns] *n.* **1** (물질의) 에센스, 정(精), 정수, 진수, 본질, 본체 **2** 전형, 화신 《*of*》 **3** (고대 철학에서) 제5원(元) 《흙·물·불·바람 이외에 존재하는 우주의 구성 요소로 생각했던 것》
quin·tes·sen·tial [kwìntəsénʃəl] *a.* **1** 정수의, 본질적인 **2** 전형의 **3** (고대 철학에서) 제5원의 **~·ly** *ad.* 참으로, 철저히
quin·tet(te) [kwintét] *n.* **1** 〖음악〗 5중주[중창], 5중주[중창]단(⇨ solo 관련) **2** 5인조, 다섯 개 한 벌(cf. QUARTET(TE)) **3** 《구어》 (남자) 농구팀
quin·tic [kwíntik] 〖수학〗 *a.* 5차의 **—** *n.* 5차 방정식
quin·tile [kwíntil | -tail] *n.* **1** 〖통계〗 5분위수(分位數) **2** 〖점성〗 두 별이 72° 떨어져 있는 성위(星位)
quin·til·lion [kwintíljən] *n.* (*pl.* **~s,** [수사 뒤에서] ~) 《영》 100만의 다섯 제곱; 《미·프랑스》 1,000의 여섯 제곱
quin·tu·ple [kwintjú:pl, -tʌ́pl | kwíntjupl] *a.* **1** 5배의, 다섯 겹의(fivefold) **2** 〖음악〗 5박자의, 5중의
— *n.* 5배(의 양); 《드물게》 다섯 개 한 벌
— *vt., vi.* 5배하다, 5배가 되다
quin·tu·plet [kwintʌ́plit, -tjú:- | kwíntju-] *n.* **1** 다섯 개 한 벌, 5인조 **2** 다섯 쌍둥이의 하나(⇨ twin 관련); [*pl.*] 다섯 쌍둥이 **3** 〖음악〗 5연음부
quin·tu·plex [kwíntjuplèks, kwintjú:pleks |

thesaurus **quit** *v.* **1** 그만두다 give up, stop, cease, discontinue, drop, abandon, abstain from, desist from **2** 떠나다 leave, depart from, go away
quite *ad.* **1** 완전히 entirely, completely, fully,

kwíntju-] *a.* 5중의, 5배의
quin·tu·pli·cate [kwintjú:plikət | -tjú:-] *a.* 5배의, 다섯겹의; (복사 문서의) 5통째의
— *n.* 5배의 수[액수, 양]; (문서의) 5매 복사
— [-plikèit] *vt., vi.* 5배하다, 5배가 되다; 〈동일 문서 등을〉 (동시에) 5통 복사하다
quin·tù·pli·cá·tion *n.*
quin·tus [kwíntəs] *a.* 《영》 다섯 번째의 《같은 이름의 남학생 이름 뒤에 붙임; cf. primus[1]》
quip [kwíp] *n.* **1** 재치 있는 말, 경구(警句); 신랄한 말, 빈정대는 말 **2** 어물쩍거리는 말(quibble) **3** 괴상한 것[짓], 기행(奇行) **—** *vi., vt.* (**~ped**; **~·ping**) 빈정대다, 조롱하다, 놀리다 《*about, at*》
quip·ster [kwípstər] *n.* 빈정대기[비꼬기] 잘하는 사람, 기발한 말을 하는 사람
qui·pu [kí:pu:] *n.* (고대 잉카 제국에서 쓰던) 결승(結繩) 문자
quire[1] [kwáiər] *n.* (종이의) 한 첩 《24매 또는 25매; 略 qr.; cf. REAM[1]》 ***in ~s*** 〈인쇄한 것이〉 접지만 되어, 제본이 안 되어
quire[2] *n., v.* 《고어》 =CHOIR
Quir·i·nal [kwírənl] *n.* **1** 퀴리날리스 언덕 《로마의 일곱 언덕 중 하나》; 그 언덕에 있는 궁전 《1870-1946년의 이탈리아 궁전; 현 이탈리아 대통령 관저》 **2** 이탈리아 정부(당국)(cf. VATICAN)
— *a.* Quirinal의; Quirinus의
Qui·ri·nus [kwiráinəs] *n.* 〖로마신화〗 퀴리누스 《전쟁의 신; 뒤에 Romulus와 동일시됨》
quirk [kwə́:rk] *n.* **1** 변덕, 기상(奇想); 버릇, 기벽(奇癖) **2** 어물거리는 말, 어물쩍하는 말(quibble) **3** 재치 있는 말, 경구(警句) **4** (운명 등의) 급변, 급전: by a ~ of fate 운명의 급변으로 **5** (글씨·그림의) 멋부려 쓴 것(flourish) **6** 〖건축〗 쇠시리의 깊은 홈 **7** 《영·공군속어》 경험없는 비행병; 연습기(機)
— *a.* 깊은 홈이 있는 **—** *vt.* 〈건물 따위에〉 깊은 홈을 파다 **—** *vi.* 급격히 구부러지다 **~·ish** *a.*
quirk·y [kwə́:rki] *a.* (**quirk·i·er**; **-i·est**) 꾀바른, 변덕스러운 **quírk·i·ly** *ad.* **quírk·i·ness** *n.*
quir·l(e)y [kwə́:rli] *n.* 《미·속어》 궐련(cigarette)
quirt [kwə́:rt] *n., vt.* 《미》 가죽으로 엮은 승마 채찍(으로 때리다)
quis·le [kwízl] *vi.* 《구어》 배반하다, 배신자가 되다
quís·ler *n.* =QUISLING
quis·ling [kwízliŋ] *n.* [나치스에 매국 행위를 했다는 노르웨이의 정치가 Vidkun Quisling의 이름에서] 제5열원(員)(fifth columnist); 반역자, 매국노(traitor)
~·ìsm [-ìzm] *n.* Ⓤ 매국 행위 **~·ite** *n., a.*
⁑**quit** [kwít] *v.* (**~·ted,** 《주로 미》 **~**; **~·ting**) *vt.* **1** 《미》 〈일 등을〉 **그만두다,** 중지하다(stop), 그치다(give up): 《~+*-ing*》 ~ drink*ing* 술을 끊다 / ~ grumbl*ing* 투덜거리기를 그만두다 **2** 〈사람·장소를〉 **떠나다**(leave), …에서 물러나다, 내놓다, 사직하다: ~ one's job 사직하다 / He has decided to ~ as manager of the team. 그는 팀장 자리에서 물러나기로 결심했다. **3** 단념하다; 〈쥐었던 것 등을〉 놓다(let go) **4** …을 (공포 따위에서) 벗어나게 하다 《*of*》: 《~+목+전+명》 I ~*ted* her *of* fear. 그녀의 공포를 제거해 주었다. **5** 《시어》 보답하다(requite), 갚다(repay), 청산하다(clear off): 《~+목+전+명》 ~ love *with* hate 사랑을 미움으로 갚다 **6** [보통 ~ one*self* 로] 《고어》 처신하다(behave) 《*well, like* ...》
— *vi.* **1** 일을 중지하다, 그만두다; 《미·구어》 사직하다(resign): 《~+전+명》 ~ *on* life 삶을 포기하다 **2** 떠나가다(go away); 〈터[집]를 빌렸던 사람 등이〉 비우고 나가다: receive notice to ~ 퇴거 통고를 받다 **3** 단념하다, 패배를 인정하다 ***Death ~s all scores.*** 죽음은 모든 것을 청산한다. ***give*** [***have***] ***notice to ~*** 사직[퇴거]을 권고하다[권고받다] ***~ hold of*** …을 놓아주다 ***~ it*** 《미·속어》 죽다
— *a.* Ⓟ **1** 용서받아, 석방되어(free) **2** 면하여, 청산되어(rid) 《*of*》: I gave him money to be ~ *of* him. 그에게 돈을 주고 손을 끊었다. ***be ~ for*** …만으로 그치다[면하다] ***get ~ of*** one***'s*** debts (빚에서) 벗어나다 The others can ***go ~.*** (다른 자들은) 석방되다[풀려나다]
— *n.* 퇴직; 단념, 포기 **~·ta·ble** *a.* ▷ quíttance *n.*

wholly, totally, absolutely **2** 정말 truly, really, definitely, certainly, positively, actually **3** 상당히 fairly, relatively, moderately, reasonably, rather, somewhat, pretty

quítch (**gràss**) [kwítʃ-] =COUCH GRASS
quit·claim [kwítklèim] 〖법〗 *n.* Ⓤ 권리의 포기[양도]; Ⓒ 권리 양도 증서
— *vt.* 〈토지 등〉의 권리를 포기하다
quítclaim dèed 〖법〗 무담보 양도 증서, 권리 방기형 양도 증서
⁑**quite** [kwáit] *ad.*

① 아주, 완전히	**1 a**
② 다소간; 꽤, 상당히	**4, 3**

1 a 아주, 완전히, 전적으로(wholly), 극히; 절대로: ~ certain 아주 확실한 / It's ~ finished. 완전히 끝났다. **b** [부정어와 함께 부분 부정을 나타내어] 완전히 …은 아니다, 다 …은 아니다: "Are you ready?" — "No, *not* ~." 준비됐어? — 아직, 잠깐만. **2** [~ a [an] ..., ~ some ...으로] 사실상; 거의; 정말; 말하자면 …이나 다름없이: ~ *a* sudden change 아주 갑작스런 변화 / That was ~ *a*[*some*] party. 그것은 굉장한 파티였다. **3** 《구어》 (생각했던 것보다는) **꽤,** 제법, 상당히 《경우에 따라서는 빈정대는 어조도 됨》: ~ a pretty girl 상당히 예쁜 아가씨 / ~ small 아주 작은 / I went ~ a long way. 나는 꽤 멀리까지 갔다.

유의어 **very**는 객관적이며 「대단히」 **quite**는 비교적 「…으로서는」

USAGE **quite**가 부정관사와 함께 「형용사+명사」에 붙을 때에는 *quite* a(n) ...과 a *quite* ...의 두 어순의 경우가 있다. 후자는 《미·구어》에서 많이 쓰인다: It is *a quite* good book(=*quite* a good book). 아주 좋은 책이다.

4 [종종 but과 함께] 《영》 정녕 …(하나 그러나), 다소간(more or less): She is ~ pretty, *but* uninteresting. 그녀는 예쁘긴 하지만 재미가 없는 여자다.
be ~ the thing 대유행이다 ***He*** [***She***] ***isn't ~.*** 《영·구어》 신사[숙녀]라고는 좀 말하기 어렵다. 《a gentleman[lady]을 보충해 볼 것》 ***not ~*** 그다지 (…하지) 않는: *not* ~ proper 그다지 적절하지 않는 / *not* ~ well 아직 좀 편찮아 ***not ~ the thing to do*** 아주 좋다고는 할 수 없는, 좀 신통치 않지만 (할 수 없다 《등》) (***Oh***) ***~.*** =***Q~ so.*** 정말 그렇다, 그렇고말고. ***~ a few*** [***a little, a bit***] 《미·구어》 꽤 많은, 상당수의 He[She] is ***~ a man*** [***woman***]. 이제는 (제법) 어른이다. ***~ a number of ...*** 상당수의 … ***~ right*** 좋아; 고장 없다, 무사하다(all right) ***~ something*** 《구어》 멋진 것, 대단한 것 ***~ too*** ⇨ too.
Qui·to [kí:tou] *n.* 키토 《남미 에콰도르(Ecuador)의 수도》
quít ràte 해고율(解雇率), 퇴직률
quit·rent [kwítrènt] *n.* 〖역사〗 면역 지대(免役地代) 《봉건 시대 부역(賦役) 대신 납부한》
quits [kwíts] *a.* Ⓟ 비긴, 피장파장인 《돈을 갚거나 보복을 함으로써》: We're ~ now. 이것으로 비겼다, 이제 피장파장이다. ***be ~ with*** …에게 보복[앙갚음]하다; …와 피장파장이 되다: I will *be* ~ *with* him. 그에게 보복하겠다. ***call it*** [***cry***] ***~*** 《구어》 비긴 것으로 하다, 피장파장임을 인정하다; 〈관계 따위를〉 그만두다, 중지하다 ***double or ~*** 낼 돈이 곱이 되느냐 본전이 되느냐의 내기 《도박 등에서》
quit·tance [kwítns] *n.* Ⓤ 《고어·시어》 **1** 갚음 **2**

면제, 해제(release) ⟪*from*⟫ **3** Ⓒ 채무 면제 증서, 영수증(receipt)

give a person ***his*****[*****her*****]** ***~*** …에게 (집에서) 나가라고 하다 ***Omittance is no ~.*** 재촉 않는다고 빚이 탕감된 것은 아니다. ⟪Shak.⟫

quit·ter [kwítər] *n.* ⟪미·구어⟫ (일·의무 등을 끝까지 해보지 않고) 포기하는 사람, 쉬 체념하는 사람; 꾀부리는 사람; 겁쟁이

quit·tor [kwítər] *n.* 〚수의학〛 제관염(蹄冠炎) ⟪말의 발굽에 생기는 일종의 종기⟫

qui va là? [kí:-vɑ:-lɑ́:] 〔F = Who goes there?〕 누구냐? ⟪보초가 수하(誰何)하는 말⟫

‡**quiv·er**[1] [kwívər] *vi.* (떨리듯) 흔들리다(vibrate), 떨리다 ⟪*with, at*⟫(⇨ shake 유의어): ⟪~+전+명⟫ ~ *in* the wind 바람에 나부끼다 / ~ *with* fear 공포에 떨다 / She ~*ed at* the sight. 그녀는 그 광경을 보고 떨었다.

— *vt.* 〈날개 등을〉 떨다, 〈동물이〉 〈귀·코·더듬이 등을〉 흔들다, 떨게 하다: The insect ~*ed* its antennae. 그 벌레는 더듬이를 흔들었다.

— *n.* 떨기, 진동; 떨리는 소리

~·er *n.* **~·y** *a.*

quiver[2] *n.* (등에 메는) 화살통, 전동

a ~ full of children 〚성서〛 대가족, 많은 아이들 ⟪시편 127: 5⟫ ***have an arrow*** [***a shaft***] ***left in*** one***'s*** ~ 아직 수단[자력(資力)]이 남아 있다

quiver[2]

quiv·er·ful [kwívərfùl] *n.* **1** 전동 하나 가득한 화살 **2** 다수, 많음 **3** (일가(一家)의) 많은 아이들

quiv·er·ing [kwívəriŋ] *a.* 떨리는, 진동하는, 떨고 있는(trembling)

~·ly *ad.*

qui vive [ki:-ví:v] 〔F〕 [의문문에서] 누구냐(Who goes there?) ⟪보초의 수하 소리⟫; 경계 ***on the ~*** 경계하여(on the lookout), 감시하여

Qui·xo·te [kihóuti, kwíksət] ⇨ Don Quixote

quix·ot·ic, -i·cal [kwiksɑ́tik(əl) | -sɔ́t-] *a.* **1** 돈키호테식의, 주책없는 기사도를 발휘하는, 극도로 의협심이 있는 **2** 공상적인, 비현실적인: ~ ways 비현실적인 수단 **3** 터무니없는 **-i·cal·ly** *ad.*

quix·o·tism [kwíksətìzm], **quix·o·try** [-sətri] *n.* **1** Ⓤ 돈키호테적인 성격 **2** 기사연하는[주책없는 용맹을 떨치려는] 행동[생각], 공상적인 행동[생각]

***quiz** [kwíz] *n.* (*pl.* **~·zes**) **1** (구두·필기에 의한) 간단한 시험[테스트](⇨ examination 관련); (라디오·텔레비전의) 퀴즈: a general knowledge ~ 일반 상식 퀴즈 **2** 놀리기, (짓궂은) 장난(practical joke) **3** 남에게 장난하는 사람, 놀리는 사람 **4** ⟪고어⟫ 괴짜; 괴상한 차림의 사람

— *v.* (**~zed**; **~·zing**) *vt.* **1** ⟪미⟫ (테스트 삼아) 질문하다, (학급 등에서) 물어서 시험해 보다 ⟪*about, on*⟫: ⟪~+목+전+명⟫ The teacher ~*zed* his pupils *on* English. 선생님은 학생들에게 영어 테스트를 했다. **2** 놀리다, 조롱하다 **3** 비웃듯이 바라보다, 이상한 듯이 흘금흘금 보다

— *vi.* 장난하다, 놀리다, 조롱하다

~·za·ble *a.*

quíz gàme ⟪미⟫ (라디오·텔레비전의) 퀴즈 게임[프로]

quíz kìd ⟪구어⟫ 천재 아동, 신동

quiz·mas·ter [kwízmæ̀stər | -mɑ̀:s-] *n.* ⟪미⟫ 퀴즈 프로 사회자(⟪영⟫ question master)

quíz prògram[**shòw**] ⟪미⟫ (라디오·텔레비전의) 퀴즈 프로

quiz·(z)ee [kwizí:] *n.* 질문받는 사람, ⟪특히⟫ 퀴즈 프로의 해답자

quiz·zer [kwízər] *n.* 시험[질문]하는 사람; = QUIZ GAME, QUIZ PROGRAM

quiz·zi·cal [kwízikəl] *a.* **1** 우스꽝스러운, 기묘한, 괴상한 **2** 미심쩍어하는; 난처한: a ~ expression on his face 그의 당혹한 표정 **3** 짓궂은 장난하기[놀리기] 좋아하는 **~·ly** *ad.* **~·ness** *n.*

quíz·zing glàss [kwíziŋ-] 외알 안경, 단안경(monocle)

Qum·ran [kúmrɑ:n] *n.* 쿰란 ⟪사해의 북서안에 있는 고대 유적; 동굴에서 사해 문서(Dead Sea Scrolls)가 발견됨(1947)⟫

quo·ad hoc [kwóuæd-hɑ́k | -hɔ́k] 〔L〕 이에 관해서는, 여기까지는(to this extent)

quod [kwɑ́d | kwɔ́d] ⟪영·속어⟫ *vt.* (**~·ded**; **~·ding**) 교도소[감옥]에 집어넣다(imprison)

— *n.* 교도소, 감옥 ***in*** [***out of***] ***~*** 투옥되어[출감하여] 있는

quód·dy (**bòat**) [kwɑ́di(-)] *n.* (선수·선미가 같은 모양의) 용골 범선

quod e·rat de·mon·stran·dum [kwɑ́d-érət-dèmənstrǽndəm | kwɔ́d-] 〔L = which was to be demonstrated〕 증명 끝 ⟪수학의 정리(定理)·문제의 증명의 끝에 씀; 略 Q.E.D.⟫

quod erat fa·ci·en·dum [-fèiʃiéndəm] 〔L = which was to be done〕 해답 끝 ⟪수학에서 결미(結尾)로 씀; 略 Q.E.F.⟫

quod·li·bet [kwɑ́dləbèt | kwɔ́d-] 〔L〕 *n.* 신학상의 논쟁; 〚음악〛 유머러스한 혼성곡

quòd·li·be·tár·i·an *n.* **quòd·li·bét·ic** *a.*

quod vi·de [kwɑd-váidi | kwɔd-] 〔L = which see〕 그것을 보라, …참조 ⟪略 q.v.⟫

quoin [kwɔ́in] 〔coign의 변형〕 *n.* **1** (건물의) 외각(外角), 바깥 모퉁이; (방의) 구석(corner) **2** (담의) 귀돌(cornerstone); 모나게 맞물린 돌 **3** 쐐기 모양의 버팀돌[목] **4** 〚인쇄〛 (판면(版面)을 조이는) 쐐기

— *vt.* …에 귀돌을 놓다; 쐐기를 박다, 쐐기로 조이다

quoit [kwɔ́it] *n.* **1** [*pl.*; 단수 취급] 고리던지기 ⟪놀이⟫ **2** 그 놀이용 고리 ⟪쇠 또는 로프로 만든⟫ **3** ⟪호주·속어⟫ 엉덩이 **4** 〚고고학〛 = DOLMEN ***deck ~s*** 갑판 위에서의 고리던지기

quo ju·re? [kwóu-dʒúəri] 〔L = by what right?〕 무슨 권리로?

quok·ka [kwɑ́kə | kwɔ́kə] *n.* 쿼카 ⟪호주 남서부에 사는 캥거루과(科)의 소형 동물⟫

quo mo·do [kwóu-móudou] 〔L〕 어떤 방법으로(in what manner); …와 같은 방식으로; …처럼

quo·mo·do [kwóumədòu] 〔L〕 *n.* [the ~] …하는 식, 방법, 수단(manner, means)

quon·dam [kwɑ́ndəm | kwɔ́ndæm] 〔L = formerly〕 *a.* 이전의, 한때의: a ~ friend of mine 내 옛 친구

Quón·set (**hùt**) [kwɑ́nsit(-) | kwɔ́n-] [미국 해군 기지의 이름에서] *n.* ⟪미⟫ 퀀셋 ⟪벽과 지붕이 반원형으로 연이어진 숙사, 조립 주택; cf. NISSEN HUT⟫

Quonset hut

quor·ate [kwɔ́:rət] *a.* ⟪영⟫ 정족수에 달해 있는

Quorn [kwɔ́:rn] *n.* 식물성 단백질 ⟪식용 균류(菌類)에서 나오며 채식가의 대용 식물; 상표명⟫

quo·rum [kwɔ́:rəm] *n.* **1** 〚법〛 (의결에 필요한) 정수, 정족수: have[form] a ~ 정족수가 되다 **2** 선발된 단체 **3** 〚영국사〛 (재판 개정의 정족수를 이루는) 특정의 치안 판사 **4** (모르몬교의) 종교 회의

quot. quotation; quoted

quo·ta [kwóutə] *n.* **1** 몫, 분담한 몫; 분담[할당]액 **2** (정부 관리하에 제조·수출·수입될) 상품 할당량, 쿼터: production ~*s* 생산 할당량 / ~ restrictions 할당 제한 **3** (이민·입회·수업·등록 등의) 인원 할당수

thesaurus **quiver**[1] *v.* vibrate, shudder, shiver, tremble, quake, shake, wave

quota *n.* portion, allowance, share, allocation,

quot·a·bil·i·ty [kwòutəbíləti] *n.* Ⓤ 인용 가치
quot·a·ble [kwóutəbl] *a.* 인용할 만한, 인용할 가치가 있는 **~·ness** *n.* **-bly** *ad.*
quóta ìmmigrant 미국 정부의 이민수 할당의 적용을 받은 이민
quóta quìckie (1920-30년대의) 쿼터를 맞추기 위해 단기간에 제작한 영화
quóta sỳstem [the ~] (수입액·이민수 등의) 할당 제도, 쿼터제
quo·ta·tion [kwoutéiʃən] *n.* **1** 인용문[구, 어] 《*from*》: ~*s from* the Bible 성경에서 따온 인용구 **2** Ⓤ 인용 《*from*》: suitable for ~ 인용에 적당한 **3** 〖상업〗 시세(표), 시가 《*on*》; ⓊⒸ 견적(見積)(액) 《*for*》: current ~*s for* …의 시가 **4** = QUOTATION MARK **5** 〖인쇄〗 공목(空木)
▷ quóte *v.*; quótative *a.*
quotátion màrk [보통 *pl.*] 인용 부호(inverted commas): double ~ (《" "》) / single ~ (《' '》) ★ 대체로 《미》에서는 " "의 형태를 쓰고, 《영》에서는 ' '을 쓰지만, " "은 《영》에서도 씀; 이중 인용이 있을 때에는 "' '" 또는 거꾸로 '" "'의 형식을 취함.
quo·ta·tive [kwóutətiv] *a.* 인용의; 인용하는, 인용하는 버릇이 있는 **—** *n.* 인용 어구[표현]
quote [kwóut] [L 「수(數)로 장구(章句)를 끊다」의 뜻에서] *vt.* **1** 〈남의 말·글 등을〉 인용하다: ~ Milton 밀턴의 시를 인용하다 // (~+목+전+명) ~ a passage *from* Chaucer 초서의 한 구절을 인용하다 // (~+목+***as*** 보) This instance was ~*d as* important. 이 예가 중요한 것으로 인용되었다. **2** (예증·전거로서) 〈사람·실례 등을〉 예로 들다: (~+목+목) He ~*d* me some nice examples. 그는 내게 좋은 예를 보여 주었다. **3** 〖인쇄〗 〈말에〉 인용 부호[따옴표]를 달다, 인용 부호로 싸다 **4** 〖상업〗 〈상품의〉 시세[시가]를 말하다, 〈시세를〉 매기다, 견적하다: ~ a price 거래 가격을 부르다, 값을 매기다 // (~+목+전+명) ~ a commodity *at* five dollars 상품 가격을 5달러로 견적하다
— *vi.* **1** 인용하다 《*from*》: (~+전+명) ~ *from* the Bible 성서에서 인용하다 **2** [명령법으로] 인용(문)을 시작하다 《받아쓰기·전문 등에서 인용문을 시작할 때 쓰며, 끝날 때는 unquote를 씀》: He said (~) I will not run for governor (*unquote*). 그는 "나는 지사에 입후보하지 않겠다"고 말했다. **3** 〖상업〗 시세[시가]를 말하다: (~+전+명) ~ *for* building a new house 신축 비용을 견적하다
~ ***unquote*** 《구어》 말하자면, 다시 말해서
— *n.* 《구어》 **1** 인용문[구] **2** [보통 *pl.*] 인용 부호, 따옴표(quotation marks): in ~*s* 인용 부호에 싸여 **3** 〖상업〗 시세, 거래 가격
quót·er *n.* 인용자, 가격 견적자
▷ quotátion *n.*; quótative *a.*
quót·ed cómpany [kwóutid-] 《영》 〖증권〗 (주식) 상장회사
quóted sháre 《영》 〖증권〗 상장주(식)
quóted strìng 〖컴퓨터〗 따옴(문자)열 《따옴표에 에둘린 문자열》
quote·wor·thy [kwóutwə̀:rðì] *a.* 인용할 가치가 있는 **-thi·ness** *n.*
quoth [kwóuθ] *vt.* 《고어》 말하였다(said) ★ 제1인칭·3인칭 직설법 과거를 나타내며 항상 주어 앞에 둠: "Very true," ~ he. "정말이야"라고 그는 말했다.
quoth·a [kwóuθə] *int.* 《고어》 그래 참, 그래요 《경멸·빈정대는 말투로 씀》
quotid. [L = daily] *quotidie* 매일(의) 《처방전에서》
quo·tid·i·an [kwoutídiən] *a.* **1** 나날의; 매일 일어나는 **2** 흔해 빠진, 평범한, 시시한(trivial)
— *n.* 〖병리〗 매일열(= **~ fèver**); 매일 일어나는 것 **~·ly** *ad.* **~·ness** *n.*
quo·tient [kwóuʃənt] *n.* 〖수학〗 몫, 상(商); 지수, 비율 ***differential ~*** 미분 계수 ***intelligence ~*** 지능 지수 《略 IQ》
quótient gròup 〖수학〗 인자군(因子群)(factor group)
quótient rìng 〖수학〗 상환(商環)(difference ring)
quo va·dis? [kwou-vɑ́:dis] [L = Where do you go?] 〖성서〗 (주여) 어디로 가시나이까? 《요한복음 16: 5》
quo war·ran·to [kwóu-wɔ:rǽntou | -wɔr-] [L = by what warrant[authority]] 〖법〗 심문 영장 《옛날 직권·특권 남용자에게 해명을 요구하기 위해 낸 영장》
Qur·'an, Qur·an [kurɑ́:n | kɔ:-] *n.* = KORAN
qursh [kə́:rʃ] *n.* = QIRSH
qu·rush [kurú:ʃ] *n.* QIRSH의 복수
q.v. *quod vide* (L = which see)
Q-val·ue [kjú:væ̀lju:] *n.* 〖물리〗 Q값 《핵반응 등에서의 반응열에 상당하는 에너지》
QWERTY, qwer·ty [kwə́:rti] *n.* 《구어》 쿼티 (자판) 《영문 자판의 문자 배열이 표준적인 키보드; 최상단의 좌측이 q, w, e, r, t, y의 순》 **—** *a.* qwerty의
qy., Qy. query

---

ration, part, proportion, percentage
quotation *n.* citation, reference, allusion, excerpt, extract, selection, passage, line

R r

r, R [ɑ́:r] *n.* (*pl.* **r's, rs, R's, Rs** [-z]) **1** 아르 《영어 알파벳의 제18자; cf. RHO》 **2** (연속물의) 18번째(의 것); (J를 넣지 않은 때의) 17번째(의 것) **3** R자 모양(의 것) **4** X선·라듐 방사능의 단위 **5** 로마 숫자의 80 ***the r*[*R*] *months*** 'r'의 달 《9월부터 다음 해 4월까지 8개월; 달 이름에 r자가 들어 있으며 굴(oyster)의 계절》 ***the three R's*** 읽기·쓰기·셈 《*r*eading, w*r*iting, & a*r*ithmetic》

r, R 〖전기〗 resistance; royal; ruble **R** rabbi; 〖화학〗 radical; radius; 〖수학〗 ratio; 《미》 〖영화〗 restricted 준(準) 성인용 《17세 미만은 보호자의 동반이 필요》; 〖물리〗 roentgen(s); 〖체스〗 rook **r.** railroad; railway; rare; rate; received; recipe; red; repeat; return; residence; 〖시계〗 *retarder* 《F =retard》; retired; right; river; road; rod; royal; run(s); rupee **R.** railroad; railway; Réaumur; rector; redactor; Regiment; *Regina* 《L =queen》; response; Republic(an); *Rex* 《L= king》; River; Royal Ⓡ registered trademark 등록 상표

Ra [rɑ́:] *n.* 〖이집트신화〗 태양신

Ra 〖화학〗 radium **RA, R.A.** Rear Admiral; Regular Army; right ascension; Royal Academy[Academician]; Royal Artillery **R.A.A.F., RAAF** Royal Australian Air Force; Royal Auxiliary Air Force **RAAMS** 〖군사〗 remote antiarmor mine system 원격 대(對)전차용 지뢰 시스템

ra·bal [réibəl] [*ra*diosonde *bal*loon wind data] *n.* 〖기상〗 레이벌 관측(cf. PIBAL)

Ra·bat [rɑ:bɑ́:t, rə-] *n.* 라바트 《Morocco의 수도》

ra·ba·to [rəbɑ́:tou, -béi-] *n.* (*pl.* **~s**) 17세기 초에 남녀 공용으로 사용하던 폭넓은 레이스 칼라; 칼라 받침

Rab·bah [rǽbə] *n.* =AMMAN

rab·ban [rǽbən, rəbɑ́:n] *n.* (*pl.* **rab·ba·nim** [rəbɑ́:nim, rɑ́:bənìm]) 〖유대교〗 대가; 스승, 선생 《랍비(rabbi)보다 높은 지위의 인물에 대한 존칭》

rab·bet [rǽbit] *n.* 〖목공〗 은촉이음[붙임]; 은촉(홈) 《널빤지와 널빤지를 끼워 맞추기 위해서 그 단면에 낸 홈》 (=**∠ jòint**) **—** *vt., vi.* 은촉홈을 파다, 은촉이음으로 하다 《*on, over*》

rabbets

rábbet plàne 〖목공〗 개탕 대패, 홈 대패

rab·bi¹ [rǽbai] *n.* (*pl.* **~(e)s**) **1** 〖유대교〗 **a** 랍비; 율법학자 **b** 직업적인 유대교 지도자[목사] **2** [유대인 목사·학자·교사에 대한 존칭으로] 선생: *R*~ Jochonan 조코난 선생

rab·bi² [rǽbi] *n.* (*pl.* **~(e)s**) 〖교회〗 라비 《목사가 입는, 소매와 등이 없는 옷》

rab·bin [rǽbin] *n.* 〖유대교〗 **1** 《고어》 =RABBI 1a **2** [the ~s; 집합적] (2-13세기의 유대의) 랍비[율법학자]들

rab·bin·ate [rǽbənət, -nèit] *n.* Ⓤ **1** rabbi의 직[신분, 임기] **2** [집합적] rabbi들, 율법학자단: the Orthodox ~ 정통파 유대교 율법학자단

rab·bin·ic, -i·cal [rəbínik(əl)] *a.* **1** rabbi의, 랍비식[투]의 **2** 랍비의 교의[저작, 어법]의 **3** rabbi가 되기 위한; [**R~**] Talmud기(期)의 랍비의: a ~ school 랍비 학교 **-i·cal·ly** *ad.*

Rabbínic (**Hébrew**) (중세 랍비가 사용한) 랍비말, 후기 히브리 말

rab·bin·ism [rǽbənìzm] *n.* Ⓤ 유대의 율법주의; 랍비의 교의[학설, 어법]

Rab·bin·ite [rǽbənàit], **Rab·bin·ist** [rǽbənist] *n.* 랍비 신봉자, 랍비파 유대교도 《Talmud에 집착하고 랍비의 설교를 신봉함》 **ràb·bin·ís·tic** *a.*

‡rab·bit¹ [rǽbit] *n.* (*pl.* **~s,** [집합적] **~**) **1** 집토끼 《hare보다 작음; 《미》에서는 사육 토끼와 야생 토끼의 구별 없이 rabbit이라고 하는 것이 일반적》, 《일반적으로》 토끼 **2** Ⓤ 토끼의 모피; 토끼 고기 **3 a** 겁쟁이, 뱅충이 **b** 《영·구어》 (스포츠, 특히 골프·테니스·크리켓에) 서투른 경기자(poor player); 초심자: He is a ~ *at* tennis. 그는 테니스가 서투르다. **4** =WELSH RABBIT (***as***) ***timid as a ~*** 몹시 겁많은[소심한] ***breed*** [***multiply***] ***like ~s*** 《경멸》 〈사람이〉 아이를 많이 낳다 ***run like a ~*** 황급히 달아나다

— *vi.* (**~·ted**; **~·ting**) **1** 토끼 사냥하다 **2** 《영·구어》 (…에 대해) 불평을 늘어놓다, 지루하게 되뇌다 《*on, about*》 **~·er** *n.* 토끼 사냥꾼 **~·like** *a.*

rabbit² *vt.* (**~·ted**; **~·ting**) 《비어》 저주하다 ***Odd ~ it!*** 빌어먹을 것, 제기랄!

rábbit anténna (토끼 귀 모양의) 실내 소형 안테나

rábbit bàll 래빗 볼 《탄력이 좋은 현재의 야구공》

rábbit bàndicoot 〖동물〗 긴귀반디쿠트(bilby, bilbi) 《오스트레일리아산(産)의 유대류(有袋類) 동물》

rábbit bùrrow 토끼굴 《토끼가 새끼를 기르기 위해 판 구멍》

rábbit èars [단수 취급] **1** 《미·구어》 =RABBIT ANTENNA **2** 《미·속어》 (심판·선수들이) 관객을 과도하게 의식하기; 그러한 선수[심판] 《야유를 당하면 몹시 흥분하는 등》

rábbit fèver 〖수의학〗 야토병(野兎病)(tularemia)

rábbit fòod 《미·구어》 푸른 야채 《특히 상추》, 생야채

rab·bit·foot [rǽbitfùt] *n.* **1** =RABBIT'S FOOT **2** 《미·속어》 탈옥자, 도망자

— *vi.* 《미·속어》 도망치다, 달아나다

rab·bit-hole [-hòul] *n.* 토끼굴

rab·bit-hutch [-hʌ̀tʃ] *n.* (상자 모양의) 토끼장; 《영·속어》 〖운율〗 (인체의) 가랑이, 넓적다리 《특히 압운(押韻)에서》

rab·bit-mouthed [-máuðd] *a.* 언청이의(harelipped)

rábbit pùnch [토끼를 도살하기 전에 후두부를 때리는 데서] 〖권투〗 뒤통수 치기 《반칙》

rab·bit·ry [rǽbitri] *n.* (*pl.* **-ries**) [집합적] 토끼; 토끼 사육장; 토끼 사육업

rábbit's fòot 토끼발 《행운의 부적 삼아 가지고 다니는 토끼의 왼쪽 뒷발》

rábbit wàrren 1 토끼 사육장; 산토끼 번식지 **2** 사람들로 벅적거리는 거리[뒷골목, 지역, 집]

rab·bit·y [rǽbiti] *a.* 토끼 같은; 토끼가 많은; 소심한, 내성적인

rab·ble¹ [rǽbl] *n.* **1** 어중이떠중이, 오합지졸, 폭도들(mob): a ~ of children 아이들 무리 **2** [the ~; 집합적] 《경멸》 하층 사회[계급], 서민[천민]들 **3** (동물·곤충의) 떼; 《드물게》 뒤죽박죽된 것

— *vt.* 떼를 지어 습격하다[달려들다]

thesaurus **race¹** *n.* competition, chase, pursuit, relay, contest, rivalry, contention

race² *n.* **1** 인종, 민족 racial division, people, eth-

rabble[2] *vt., vi.* **1** 《영·방언》 빨리 말하다[읽다], 재잘거리다(gabble) 《*forth, off, out, over*》 **2** 되는대로 일을 하다

rabble[3] 〖야금〗 *n.* 교반봉(攪拌棒) 《제철용》
— *vt.* 교반봉으로 휘젓다 **ráb·bler** *n.*

rab·ble·ment [rǽblmənt] *n.* Ⓤ **1** 소동, 소란 《오합지졸 등의》 **2** = RABBLE[1]

rab·ble·rouse [rǽblràuz] *vi.* 민중을 선동하다

rab·ble·rous·er [-ràuzər] *n.* 민중 선동가(demagogue)

rab·ble·rous·ing [-ràuziŋ] *a.* Ⓐ 민중을 선동하는, 민중 선동가의

Rab·e·lais [rǽbəlèi, ⌐−⌐|⌐−⌐] *n.* 라블레 **François** ~ (1494?-1553) 《프랑스의 풍자 작가》

Rab·e·lai·si·an [ræ̀bəléiziən, -ʒən] *a.* 라블레 식의 《야비하고 우스꽝스러운》
— *n.* 라블레 숭배자[모방자, 연구가] **~·ìsm** *n.*

Ra·bi [rʌ́bi:] *n.* 라비 《이슬람력(曆)의 제3월 혹은 제4월》

ra·bid [rǽbid] *a.* **1** 맹렬[격렬]한, 과격한, 열광적인, 광신적인; 미친 듯한, 미쳐 날뛰는(furious), 광포한 **2** 공수병에 걸린, 〈개가〉 미친, 광견병의: a ~ dog 미친 개 **~·ly** *ad.* **~·ness** *n.*

ra·bid·i·ty [rəbídəti, ræ-] *n.* Ⓤ **1** 맹렬, 과격 **2** 공수병에 걸려 있음, 광기(狂氣)

***ra·bies** [réibi:z] *n.* Ⓤ **광견병**, 공수병(hydrophobia) **rab·ic** [rǽbik, réi-] *a.*

Ra·bin [rɑ:bí:n] *n.* 라빈 **Yitzhak** ~ (1922-95) 《이스라엘의 군인·정치가·수상; 노벨 평화상 수상(1994)》

R.A.C. (영) Royal Armoured Corps; (영) Royal Automobile Club

rac·coon, ra·coon [rækú:n, rə-] *n.* (*pl.* **~, ~s**) **1** 〖동물〗 미국너구리 《먹이를 발로 씻어 먹는 버릇이 있음》 **2** Ⓤ 그 모피

raccóon dòg 너구리 《동부 아시아산(産)》

‡**race**[1] [réis] *n., v.*

> ON 「흐름」의 뜻에서
> 「달리기」 → 「경주」 **1** → 「경쟁」 **2** / 「경마」 **1**
> 「달리기」 → 「흐름」 → 「급류」 **9**

— *n.* **1** **경주**; 경조(競漕), 경마, 경견(競犬), 자전거[자동차] 경주: win[lose] a ~ 경주에 이기다[지다] **2** 《일반적으로》 경쟁; 선거전: an arms ~ 군비 경쟁 / the presidential ~ 대통령 선거전 **3** 급한 일, 급히 서두름: a ~ to find a vaccine 백신을 발견해야 할 급선무 **4** [the ~s] 경마[경견] 대회; 경마 개최 **5** 《문어》 (태양·달의) 운행 **6** 《문어》 (시간의) 경과, 계속, 지속; (사건·이야기 등의) 진행, (물체의) 전진 **7** 《문어》 인생행로, 생애, 경력: His ~ is nearly run. 그의 수명은 거의 다 되었다. **8** 《스코》 질주, 달리기 **9** 여울, 급류 **10** 수류; 수로(channel), 용수로, 도랑 **11** 〖항공〗 후류(後流) 《프로펠러 뒤쪽에 생기는 기류》; 〖기계〗 (베틀의) 북이 왔다갔다 하는 길; (볼 베어링 등의) 마찰되는 면

a ~ against time[***the clock***] 시간과의 경쟁 ***in***[***out of***] ***the*** ~ 승산이 있고[없고] ***make the*** ~ (미) 입후보하다 ***open*** ~ 아무나 나갈 수 있는 공개 경주 ***play the ~s*** (미) 경마에 걸다 ***ride a*** ~ 경마 《등》을 하다[에 나가다] ***run a*** ~ 경주하다 《*with, against*》 ***The ~ is not to the swift.*** 〖성서〗 발이 빠르다고 달음박질에 우승하는 것도 아니다.

— *vi.* **1** **경주**[**경쟁**]**하다** 《*with, against*》: 《~+전+명》 ~ *with* a person …와 경주하다 **2** 경마 《등》을 하다, 경마 《등》에 미치다[를 일삼다] **3** **질주하다**, 달리다 **4** 〈엔진 등이〉 헛돌다, 공전하다

— *vt.* **1** 전속력으로 달리게 하다; 경주시키다; 〈말·차·요트 등을〉 레이스에 출전시키다: 《~+목+전+명》 I ~*d* my dog *against* his. 나는 나의 개를 그의 개와 경주시켰다. **2** …와 경주하다, …을 앞지르려고 달리다 **3** 〈의안 등을〉 황급히 통과시키다; 급송하다; 빨리 달리게 하다: ~ a motor 차를 빨리 몰다 // 《~+목+전+명》 ~ a bill *through* the House 의안을 황급히 하원에서 통과시키다 **4** 〖기계〗 〈엔진 등을〉 헛돌게 하다, 공전시키다

~ against time 서두르다 ~ (***a***)***round*** (급한 일로) 여기저기 뛰어다니다, 허둥대다 ~ ***away*** 〈재산 등을〉 경마 《등》으로 털어먹다 ~ ***off*** 《호주·구어》 〈여자를〉 유혹하다 ~ ***up*** 〈…을〉 뛰어 올라가다; 〈기온·경비 등이〉 (…까지) 급상승하다 《*into, to*》

‡**race**[2] [réis] [OF 「씨족」의 뜻에서] *n.* **1** **인종**(= human ~)(⇨ people 유의어); [the ~] 인류; **민족**; 국민: *the* Korean ~ 한민족 / the white ~ 백색 인종 / a ~ problem 인종 문제 / a person of mixed ~ 혼혈아 **2** Ⓤ **씨족**, 혈족, 일족; 가계, 혈통; 명문 출신; (공통의 조상을 가진) 자손 **3** 동아리, 동류, 부류, 집단 《*of*》 **4** 〖생물〗 속(屬), 유(類), 품종: the feathered[finny, four-footed] ~ 조류[어류, 네발짐승] **5** ⓊⒸ (특정 인종의) 특성, 특징; 《드물게》 (술·문체 등의) 특징; 독특한 맛[멋], 풍미; 신랄함
— *a.* Ⓐ **1** 인종(상)의, 인종적인 **2** 《미·속어》 race music의 ▷ rácial *a.*

race[3] *n.* 《특히》 생강의 뿌리

Race [réis] *n.* **Cape** ~ 레이스 곶 《캐나다 Newfoundland 섬의 남단》

race·a·bout [réisəbàut] *n.* (미) 경주용 요트[자동차]

race-bait·er [-bèitər] *n.* 《미·속어》 인종 차별을 하는 사람

race-bait·ing [-bèitiŋ] *n.* Ⓤ 인종 공격

race-ball [-bɔ̀:l] *n.* (영) 경마 개최와 관련해서 열리는 무도회

race·car [réiskɑ̀:r] *n.* = RACING CAR

ráce càrd 경마 순번표, 공식 출전표[프로그램]

race·course [-kɔ̀:rs] *n.* **1** 경주장, 경마장(racetrack); 경주로 **2** 물방아의 수로(水路)

race-cup [-kʌ̀p] *n.* (경주·경마 등의) 우승배

race·go·er [-gòuər] *n.* 경마 팬

ráce gròund 경마장, 경주장

ráce hàtred 인종적 증오[반감]

race·horse [-hɔ̀:rs] *n.* 경마말, 경주마(racer)

ra·ce·mate [reisí:meit, rə-] *n.* 〖화학〗 라세미산[포도산]염; 라세미 화합물

ra·ceme [reisí:m, rə-] *n.* 〖식물〗 총상(總狀) 꽃차례

ráce mèeting (영) 경마 대회

ra·ce·mic [reisí:mik, -sém-|rə-] *a.* 〖화학〗 **1** 라세미산(酸)의[에서 얻을 수 있는] **2** 라세미(화합물)의

racémic ácid 라세미[포도]산(酸) 《포도즙 속에 있는 타르타르산의 일종》

rac·e·mif·er·ous [ræ̀səmífərəs] *a.* 〖식물〗 총상 꽃차례의

rac·e·mism [rǽsəmìzm] *n.* 〖화학〗 라세미성(性)

rac·e·mi·za·tion [ræ̀səməzéiʃən, reisì:mə-|-mai-] *n.* 〖화학〗 **1** 라세미화(化) 《선광성(旋光性)의 감소·상실》 **2** 라세미화 (측정)법 《라세미화의 정도를 측정하여 화석의 연대를 결정함》
ra·ce·mize [reisí:maiz] *v.*

rac·e·mose [rǽsəmòus], **-mous** [-məs] *a.* **1** 〖식물〗 총상 꽃차례의, 총상으로 배열된 **2** 〖해부〗 포도송이 꼴의, 만상(蔓狀)의 **~·ly** *ad.*

ráce mùsic 《미·속어》 레이스 뮤직 《블루스를 베이스로 한 단순한 재즈》

ráce nòrming 채점의 인종별 보정(補正) 《채용 따위에서 인종마다 득점 평균을 내고, 그 차이를 득점에 가감하여 기회 균등을 꾀함》

ráce plàte (직기의) 레이스판(板)

ráce prèjudice 인종적 편견

ráce psychòlogy 인종 심리학

---

nic group **2 혈통** blood, bloodline, line, lineage, breed, ancestry, parentage, extraction, racial type **3 부류** group, type, class, species

rac·er [réisər] *n.* **1** 경주자; 경주마; 경주용 요트[자전거, 자동차 《등》] **2** 빨리 움직이는 동물 《특수한 뱀·연어·송어 등》; 속도가 빠른 것 **3** 〖군사〗 (대포의) 호형 포상(弧形砲床), 회전대(臺); 경주용 스케이트

ráce relàtions 1 [복수 취급] (한 사회 내의) 인종[이민족] 관계 **2** [단수 취급] 인종 관계론

Ráce Relàtions Àct [the ~] 《미》 인종 관계 법령

ráce rìot 《미》 인종 폭동 《특히 백인과 흑인 간의》

ráce rùnner 〖동물〗 레이스 러너 《북미산의 도마뱀의 일종》

ráce sùicide 민족 자멸 《산아 제한에 의한 인구의 점감(漸減)》

race·track [réistræ̀k] *n.* 경마장, 경주장, 주로(走路), 트랙 **~·er** *n.* 경마 팬

race-walk [-wɔ̀:k] *vi.* 경보 경기에 참가하다 **—** *n.* 경보

ráce wàlker 경보 선수

ráce wàlking 경보(競步)

race·way [-wèi] *n.* 《미》 **1** (harness race용의) 경마장; 자동차 경주장; 경주견(犬) 레이스장 **2** (광산 등의) 도수로(導水路), (물방아의) 수로(millrace) **3** 〖전기〗 배선관

Ra·chel [réitʃəl] *n.* **1** 여자 이름 **2** 〖성서〗 라헬 《Jacob의 아내》

ra·chis [réikis] *n.* (*pl.* **~·es, ra·chi·des** [rǽkidì:z, réi-]) **1** 〖식물〗 꽃대, 잎대 **2** 〖해부〗 척주, 척추 **3** 〖동물〗 우축(羽軸) 《새 깃털의 줄기》

ra·chid·i·an [rəkídiən] *a.*

ra·chi·tis [rəkáitis] *n.* Ⓤ **1** 〖병리〗 구루병, 곱삿병(rickets); 척주염 **2** 〖식물〗 위축병

ra·chit·ic [rəkítik] *a.*

Rach·ma·ni·noff [rɑ:xmɑ́:nənɔ̀:f, -nɑ̀f | rækmǽninɔ̀f] *n.* 라흐마니노프 **Sergey Vasilyevich ~** (1873-1943) 《러시아의 작곡가·피아니스트》

Rach·man·ism [rǽkmənìzm] *n.* Ⓤ 《영》 (빈민가 주민에 대한) 건물주의 임대료 착취 행위

⁎**ra·cial** [réiʃəl] *a.* 인종(상)의, 종족의, 민족의: ~ harmony 인종간의 조화 / ~ relations 인종 관계 / ~ bar 인종 장벽[차별] / ~ conflict 인종 갈등 / ~ discrimination 인종 차별 **~·ly** *ad.*

rácial integrátion 《미》 인종 차별 폐지

ra·cial·ism [réiʃəlìzm] *n.* 《주로 영》 = RACISM **-ist** *n.* **rà·cial·ís·tic** *a.*

rácial préjudice 인종적 편견

rácial prófiling 《미》 (경찰의 피의자 조사·심문 때) 흑인이나 유색 인종 차별 관행

rácial uncónscious = COLLECTIVE UNCONSCIOUS

rac·i·ly [réisili] *ad.* **1** 팔팔하게, 얼얼하게, 통쾌하게 **2** 흥미 진진하게; 맛 좋게(spicily)

Ra·cine [ræsí:n, rə-] *n.* 라신 **Jean Baptiste ~** (1639-99) 《프랑스의 극작가》

⁎**rac·ing** [réisiŋ] *n.* **1** 경마; 경주; 보트 경주, 자동차 레이스: a ~ prophet 경주 결과를 예상하는 사람 《경마 등의》 / the ~ world 경마계(界) **2** 〖전기·기계〗 헛돎 **—** *a.* Ⓐ **1** 경주(용)의; 경마(용)의 **2** 경주하는, 경주에 참가하는

rácing càr 경주용 자동차

rácing cértainty 《영》 확실한 것

rácing còlors (경마에서) 기수가 착용하는 모자와 옷의 색깔

rácing cùp 상배(賞盃), 우승배 《경마 등의》

rácing flàg 레이스 기(旗) 《레이스 중인 요트가 마스트 꼭대기에 다는 식별기》

rácing fòrm 《미·속어》 경마 신문[전문지]

rácing gìg 2[3]인승의 길쭉한 레이스용 보트

rácing màn 경마를 좋아하는 사람, 경마 팬

rácing skàte 경주용 스케이트

rácing skìff (선체가 좁고 긴) 1인승 경조용 경보트

rácing yàcht 레이스용 요트

rac·ism [réisizm] *n.* Ⓤ 민족적 우월감; 인종적 차별[편견], 인종적 증오; 인종주의 정책[체제]

rac·ist [réisist] *n., a.* 인종 차별주의자(의)

‡**rack**[1] [ræk] *n.* **1** (모자 등의) …걸이, 선반, 그물 선반 《기차의》, 격자 선반, …시렁, …대(臺), 상자 시렁 《서류 분류용》; 식기 시렁(plate-rack), 꼴시렁(hayrack); 〖인쇄〗 활자 케이스 선반; 수리용 자동차를 들어 올리는 장치: a hat ~ 모자 걸이 / a clothes ~ 옷걸이 / a spice[wine] ~ 향신료[와인] 수납 선반 **2 a** (옛날의 팔다리를 잡아당기는 식의) 고문대 **b** [the ~] 고문; (육체·정신의) 큰 고통(의 원인) **3** 〖기계〗 (톱니바퀴의) 톱니 막대 **4** (가죽을 당기는) 신장기(伸張器) **5** 《미·속어》 침대, 방; 마약 상습자의 소굴

live at ~ and manger 《고어》 호사롭게[유복하게] 살다 ***off the ~*** (진열용의) 옷걸이에서 가져온, 기성복의 ***on the ~*** 《영·구어》 매우 힘든 상황에 놓여 ***put*** a person ***on*** [***to***] ***the ~*** 고문하다 ***stand*** [***come***] ***up to the*** [one***'s***] ~ 순순히 운명[의무]을 받아들이다

— *vt.* **1** 고문하다; 괴롭히다, 고통을 주다(torment): be *~ed* by remorse 양심의 가책으로 고통을 겪다 // (~+목+전+명) Cancer *~ed* her body *with* pain. 암은 그녀의 몸에 극심한 고통을 주었다. **2** 끊어지도록 잡아당기다[틀다]; 잡아 찢다 **3** 〈머리 등을〉 무리하게 쓰다, 〈생각을〉 짜내다 《*for, to* do》 **4** 〈소작인 등을〉 착취하다; 〈토지를〉 함부로 써서 메마르게 하다 **5** 대[선반, 시렁]에 얹다 **6** 〈말을〉 꼴시렁에 매어 두다 **7** 〖기계〗 (톱니 막대로) 신축(伸縮)시키다 **8** 〖항해〗 (두 밧줄로) 서로 동여매다 **~ one's brains** …을 생각[기억]해 내려고 몹시 애쓰다 **~ up** 《구어》 해치우다, 달성하다(achieve), 〈득점을〉 올리다, (결정적인) 승리를 거두다, 〈이익 등을〉 축적하다: The new store is *~ing up* profits. 새 가게는 이익을 올리고 있다.

rack[2] *n.* Ⓤ (보통 건물의) 파괴, 파멸(destruction) ***go to ~*** (***and ruin***) 파멸하다, 황폐해지다, 못쓰게 되다

rack[3] *n.* 《문어》 (바람에) 날리는 구름, 조각 구름 **—** *vi.* 〈구름 등이〉 (바람에 날려) 하늘 높이 날다

rack[4] *vt.* 〈포도주를〉 재강에서 짜내다 《*off*》; 〈판매용의 통에〉 맥주를 채우다

rack[5] *n.* 〖승마〗 (말의) 가볍게 뛰는 걸음; (말의) 경구보(輕驅步) **—** *vi.* 〈말이〉 경구보로 뛰어가다

rack[6] *n.* (양·송아지·돼지의) 목덜미 살; 새끼 양의 갈비새김

rack·a·bones [rǽkəbòunz] *n. pl.* [단수 취급] 《미》 피골이 상접한 사람[동물]; 《특히》 여윈 말

ráck and pínion 〖기계〗 톱니 막대와 톱니바퀴가 맞물리는 기구 **ráck-and-pínion** *a.*

ráck càr 《미》 〖철도〗 자동차 운반용 화차

ráck dùty 《미·군대속어》 잠자기, 취침 시간

racked [rækt] *a.* 《미·속어》 확실한, 틀림없는; 장악하고 있는; 술[마약]에 취해 있는

‡**rack·et**[1], **rac·quet** [rǽkit] *n.* [OF 「손바닥」의 뜻에서] **1** (테니스·배드민턴 등의) 라켓 **2** [*pl.*; 단수 취급] 벽내(壁內) 정구, 라켓 《벽을 둘러친 코트에서 벽에 친 공을 받아치는 공놀이》 **3** 라켓 모양의 눈신(snowshoes); (늪지 등에서 신는) 나무신 **—** *vt.* 라켓으로 치다

racket[2] *n.* **1** [종종 a ~] 떠드는 소리, 소음(noise), 소동 《*about, with*》 **2** 법석, 유흥 **3** 《구어》 (공갈·협박·사기 등에 의한) 부정, 부정한 돈벌이; 밀매매, 암거래, 밀수, 공갈; [the ~s] 조직적인 비합법 활동 **4** 《익살·경멸》 직업 **5** 괴로운 경험, 고난, 시련 ***be in on a ~*** 부정한 돈벌이 패거리에 끼어 있다 ***be*** [***go***] ***on the ~*** 유흥[도락]을 하다 ***It isn't my ~.*** 《미·속어》 내가 알 바 아니다. ***make*** [***kick up, raise***] ***a ~*** 큰 소동을 일으키다 ***stand the ~*** 시련에 견디다; 책임지다; 계산을 치르다 ***What's the ~?*** 《미·구어》 웬일이야? **—** *vi.* **1** 난봉을 피우다, 흥청망청 살아가다, 방탕하다 《*about*》 **2** 떠들다 **3** 《미·속어》 사기치다, 공갈치다

thesaurus **radiant** *a.* **1** 빛나는 shining, bright, illuminated, brilliant, luminous, lustrous, glowing, gleaming, glittering, sparkling, glaring

rácket abùse 〖테니스〗 라켓을 집어던지는 등의 (난폭한) 행동
rack·et-ball [rǽkitbɔ̀:l] *n.* 라켓 경기용의 공
rácket còurt 라켓 경기용 코트
rack·e·teer [rӕ̀kətíər] *n.* (공갈·협박·사기 등으로) 부정한 돈벌이를 하는 사람; 폭력단원, 공갈꾼, 야바위꾼 **—** *vi.* (공갈·협박·사기 등으로) 부정한 돈벌이를 하다; 협박하다, 공갈하다; 밀수하다 **~·ing** *n.* Ⓤ 공갈
rack·et-press [rǽkitprès] *n.* 라켓프레스 《라켓의 모양이 변하지 않도록 넣어 두는 틀》
rack·et·tail [-tèil] *n.* 〖조류〗 벌새의 일종 《꼬리가 라켓 모양임》
rack·et·y [rǽkiti] *a.* (**-et·i·er**; **-et·i·est**) **1** 소란한(noisy) **2** 떠들기 좋아하는; 흥청거리는; 방탕하는 **3** 건들건들하는, 허약한, 약한; 불안정한
rack·ing [rǽkiŋ] *a.* 고문하는; 몸을 괴롭히는, 심한 〈두통·기침·치통〉 **—** *n.* 〖석공〗 (벽돌·돌 등의) 계단 모양 쌓기 **~·ly** *ad.*
ráck jòbber (상점 등의 상인을 상대하는) 도매업자
rack·le [rǽkl] *a.* 《스코》 고집 센; 성급한
ráck mònster **1** 졸음, 수마(睡魔) **2** (졸음이 오는) 전신 피로
ráck ràil 랙 레일, 톱니 궤도(cograil)
ráck ràilway[ràilroad] 톱니 궤도식 철도, 아프트식 철도
ráck ràte 《특히 미》 (호텔의) 일반 객실의 표준 요금
ráck rènt 엄청나게 비싼 지대[집세, 소작료]
rack-rent [rǽkrènt] *vt.* …에게서 엄청나게 비싼 지대[집세, 소작료]를 받다 **~·er** *n.*
ráck tìme = RACK DUTY
ráck whèel 큰 톱니바퀴(gear wheel, cogwheel)
rack·work [-wə̀:rk] *n.* Ⓤ 〖기계〗 rack 기구(機構)[장치]
ra·clette [rɑ:klét, ræ-] *n.* 〖요리〗 라클렛 《삶은 감자에 녹인 치즈로 맛을 낸 스위스 요리》; 라클렛(용) 치즈
ra·con [réikɑn | -kɔn] *n.* 《영》 = RADAR BEACON
ra·con·tage [rӕ̀kəŋtɑ́:ʒ | -kɔn-] [F] *n.* 소문, 이야기; 일화(逸話)
ra·con·teur [rӕ̀kəntə́:r | -kɔn-] [F] *n.* 이야기꾼; 이야기를 잘하는 사람, 좌담가, 담화가
ra·coon [rækú:n | rə-] *n.* (*pl.* **~s,** ~) = RACCOON
rac·quet [rǽkit] *n.* = RACKET[1]
rac·quet·ball [rǽkitbɔ̀:l] *n.* 라켓볼 《벽을 둘러친 코트에서 라켓으로 비교적 큰 공을 치는, 스쿼시 비슷한 경기》 **~·er** *n.*
rac·y[1] [réisi] *a.* (**rac·i·er**; **-i·est**) **1** 〈음식 등이〉 독특한 풍미가 있는, 향기로운; 신선한; 본고장의 **2** 〈이야기·문장 등이〉 활기 있는, 기운찬, 생기 있는, 통렬한, 통쾌한: a ~ literary style 신랄한 문체 **3** 〈이야기가〉 아슬아슬한, 난잡스러운, 도발적인; 선정적인
be ~ of the soil 그 고장의 독특한 맛이 있다
rác·i·ness *n.*
racy[2] *a.* 〈체격이〉 레이스하기에 알맞은; 유선형의
rad[1] [rǽd] *n.* 〖물리〗 라드 《1그램에 대해 100에르그의 흡수 에너지를 부여하는 방사능의 단위》
rad[2] *n.* 《영·속어》 과격파(radical)
rad[3] *a.* 《미·속어》 근사한, 훌륭한
RAD 〖컴퓨터〗 rapid application development; reflex anal dilatation 〖의학〗 반사성 항문 확장
rad. 〖수학〗 radian; radiator; 〖수학〗 radical; radio; radius; radix
R.A.D.A. [rɑ́:də] [*R*oyal *A*cademy of *D*ramatic *A*rt] *n.* 《영》 왕립 연극 학교
*__ra·dar__ [réidɑ:r] [*ra*dio *d*etecting *a*nd *r*anging] *n.* **1** Ⓤ 〖전자〗 레이더, 전파 탐지법 **2** 전파 탐지기, 레이더 (장치) **3** (자동차의) 속도 측정 장치
— *a.* Ⓐ 레이더의

(opp. *dark, dull*) **2** 찬란한 splendid, magnificent, dazzling, glowing, vivid, intense **3** 즐거운 joyful, elated, ecstatic, delighted, pleased, happy

rádar astrònomy 레이더 천문학
rádar bèacon 레이더 비컨(racon)
rádar fènce[scrèen] 레이더망(網)
rádar gùn 속도 측정기, 스피드 건(speed gun)
ra·dar·man [réidɑ:rmən | -mæ̀n] *n.* (*pl.* **-men** [-mən, -mèn]) 레이더 기사(技師)
rádar pìcket 〖군사〗 레이더 피켓 《레이더의 탐지 범위를 확대하기 위해 배치한 선박·항공기 등》
ra·dar·scope [-skòup] *n.* (레이더의) 전파 영상경(電波映像鏡)
rádar tèlescope 레이더 망원경
rádar tràp (자동차의) 속도 위반 탐지 장치[구간, 장소] (speed trap)
RADC 《영》 Royal Army Dental Corps
rad·dle[1] [rǽdl] [ruddle의 변형] *n.* Ⓤ 〖지질〗 자토(赭土) **—** *vt.* [주로 과거분사로] 자토[연지 《등》]를 발라대다
raddle[2] *vt.* 한데 합쳐 엮다, 짜다, 꼬다
rad·dled [rǽdld] *a.* 매우 지친[지쳐 보이는]
ra·dec·to·my [rədéktəmi] *n.* 〖치과〗 치근 (부분) 절제술
radi- [réidi] 《연결형》 = RADIO-
*__ra·di·al__ [réidiəl] *a.* **1** 광선의; 방사(放射)(상)의, 복사형(輻射形)의 **2** 반지름[반경](radius)의; 반지름 방향의: a ~ cut 반지름 절단 **3** 〖해부〗 요골(橈骨)의; 〖동물〗 방사 기관(器官)의, 경맥(徑脈)의; 〖식물〗 방사상 꽃의: the ~ nerve 요골 신경
— *n.* **1** 방사상의 것[구조, 도로]; 방사상[요골]의 신경[동맥] **2** = RADIAL(-PLY) TIRE **~·ly** *ad.*
rádial ártery 〖해부〗 요골 동맥
rádial cléavage 〖생물〗 방사 난할(放射卵割)(cf. SPIRAL CLEAVAGE)
rádial éngine 〖기계〗 성형(星形) 엔진
ra·di·al·ize [réidiəlàiz] *vt.* 방사상으로 놓다[배열하다]
rádial ker·a·tót·o·my [-kerətɑ́təmi | -tɔ́t-] 〖안과〗 방사상 각막 절개(술) 《근시 교정 수술의 하나》
rádial mótion 〖천문〗 시선(視線) 운동
rá·di·al(-ply) tíre [réidiəl(plài)-] 레이디얼 타이어 《타이어 동체부를 구성하는 나일론 등의 층이 주변 방향에 대해 직각을 이룬 것》
rádial sáw 어떤 방향으로든 임의로 조절할 수 있는 원반 모양의 동력톱
rádial sýmmetry 〖생물〗 (해파리·불가사리 등의 생물체 구조의) 방사 대칭(對稱)
rádial triangulátion 〖측량〗 방사 삼각 측량
rádial velócity 〖천문〗 시선(視線) 속도 《천체가 관측자의 시선 방향에 가까워지거나 멀어지는 속도》
ra·di·an [réidiən] *n.* 〖수학〗 라디안, 호도(弧度) 《각도의 단위; 약 57.2958°》
*__ra·di·ance, -an·cy__ [réidiəns(i)] *n.* Ⓤ **1** 광휘(光輝), 광채 **2** 눈[얼굴]의 빛남 《기쁨·희망 등으로 빛나는》 **3** = RADIATION **4** 진한 분홍색 **5** 복사 휘도(輝度)
__ra·di·ant__ [réidiənt] *a.* **1 Ⓐ 빛[열]을 내는; 빛나는, 밝은, 찬란한; 반짝이는; 눈부신 **2** 즐거운 듯한, 상냥스럽게 미소 짓는: a ~ smile 행복한 미소 **3** Ⓐ 복사의, 방사되는 **4** 〖생물〗 방사상의, 방산 분포의
— *n.* **1** 〖광학〗 광점(光點), 발광체 **2** (유성군(流星群)의) 방사점(= ~ point) **3** 전기[가스] 히터의 백열하는 부분 **~·ly** *ad.*
▷ rádiance *n.*; rádiate *v.*
rádiant énergy 〖물리〗 복사 에너지
rádiant flúx 〖물리〗 복사속(束)
rádiant héat 복사열, 방사열: the ~ of the sun 태양 복사열
rádiant héater 복사[방사] 난방기
rádiant héating 복사[방사] 가열(panel heating); 방사 난방
rádiant pòint 발광[방사]점; 〖천문〗 방사[복사]점
*__ra·di·ate__ [réidièit] *vi.* **1** 〈빛·열 등이〉 발하다, 빛나다, 방출하다, 사출[복사]하다, 사방으로 방사하다, 방사

상으로 퍼지다: ~ in all directions 사방팔방으로 퍼지다 // (~+전+명) Heat ~*s* *from* the stove. 열이 난로에서 발산한다. **2** 〈도로 등이〉 사방으로 뻗다, 복사상으로 발하다 (*from*); 〈사람이〉 (기쁨 등으로) 빛나다, (기쁨 등을) 발산하다 (*with*): (~+전+명) Roads ~ *from* the city in every direction. 도로가 시에서 사방팔방으로 뻗어 있다.

— *vt.* **1** 〈빛·열 등을〉 방출[사출, 발산, 방사]하다, 발하다, 분출[확산]시키다; 〈영향력 등을〉 주위에 미치다 **2** 〈기쁨·행복·사랑 등을〉 발산하다 **3** 〖TV·라디오〗 〈프로그램을〉 방송하다 **4** = IRRADIATE

— [-ət, -èit] *a.* 방사하는; 복사[방사]상의; 〖생물〗 방사 대칭의 **~·ly** *ad.*

▷ radiátion *n.*; rádiant *a.*

***ra·di·a·tion** [rèidiéiʃən] *n.* **1** Ⓤ **방사**, 복사; 발광(發光), 방열(放熱); 복사 에너지 **2** 방사물[선]; 방사상 배열 **3** Ⓤ 〖물리〗 방사능[성] **~·al** *a.* **~·less** *a.*

radiátion bèlt = VAN ALLEN (RADIATION) BELT

radiátion chémistry 방사선 화학

radiátion dàmage 〖물리〗 방사선 손상

ra·di·á·tion-field photógraphy [reidiéiʃən-fì:ld-] = KIRLIAN PHOTOGRAPHY

radiátion fòg 〖기상〗 복사 안개 (밤의 복사열에 의해 생기는 안개)

radiátion pàttern 〖물리〗 안테나 지향성도(圖)

radiátion potèntial 〖물리〗 방사 전위(放射電位)

radiátion prèssure 〖천문〗 방사압, 복사압, 광압(光壓)

radiátion sìckness 〖의학〗 방사선 숙취, 방사선병 (피로·구토·탈치·탈모·적[백]혈구 감소·내출혈 등을 일으킴)

radiátion thèrapy = RADIOTHERAPY

ra·di·a·tive [réidièitiv | -diə-] *a.* 방사[방열]하는, 방사성의

rádiative cápture 〖물리〗 방사성 포획 (원자핵이 중성자 따위 입자를 포획함)

***ra·di·a·tor** [réidièitər] *n.* **1** (빛·열 등의) **방사체**, 복사체(輻射體), 발광체, 방열체[구] **2 라디에이터**, 방열기, 난방기; (호주) 전기 난방기 **3** 〖통신〗 공중선, (송신) 안테나 **4** 냉각 장치 (자동차·비행기 엔진 등의)

‡**rad·i·cal** [rǽdikəl] *a., n.*

> L「뿌리」의 뜻에서「근본적인」 **1** →「철저한」 **2 b** →「과격한」 **2 a**이 되었음.

— *a.* **1 근본적인**, 기초적인: a ~ difference 근본적인 차이점 **2 a** 〈사람·사상 등이〉 **과격한, 급진적인** (extreme), 급진파의, 혁명적인(revolutionary)(⇨ progressive 유의어): a ~ party 급진[과격]파 **b** 〈개혁·치료 등이〉 발본적인, 철저한, 완전한; 극단적인, 과도한: a ~ change in company policy 회사 경영 방침의 철저한 개혁 / ~ cuts in the defense budget 국방 예산의 과도한 삭감 **3** 본래의, 난 그대로의: ~ defects of character 타고난 성격상의 결점 **4 a** 〖수학〗 근(根)의; 근호(根號)의; 무리 함수의 **b** 〖언어〗 어근의: a ~ word 어근어 **c** 〖식물〗 근생(根生)의 **d** 〖화학〗 기(基)의 **e** 〖음악〗 근음(根音)의 **5** (속어) 멋진, 대단한, 믿을 수 없는

— *n.* **1 a** 과격론자, 급진주의자 **b** [종종 **R~**] 급진당원: the ~*s*[*R~s*] 급진파 **2 a** 〖언어〗 어근 **b** (한자의) 부수(部首) (변(邊)·방(旁)·관(冠)·각(脚)) **c** 〖화학〗 기(基)(root) **d** 〖음악〗 근음 **e** 〖수학〗 근호, 근; 무리식

ràd·i·cál·i·ty *n.* Ⓤ 과격[급진]성 **~·ness** *n.*

▷ rádix, rádicalism *n.*; rádically *ad.*

rádical áxis 〖기하〗 근축(根軸)

rádical chíc (사교계의) 과격파를 좋아하기, 과격파 성향; (구어) 파격적인 스타일

rádical expréssion 〖수학〗 무리식(無理式)

rádical hárd SF = CYBERPUNK

rad·i·cal·ism [rǽdikəlìzm] *n.* Ⓤ 급진[과격]주의

rad·i·cal·ize [rǽdikəlàiz] *vt., vi.* 급진적으로 하다[되다], 급진주의로 변하다, 근본적으로 개혁하다

ràd·i·cal·i·zá·tion *n.*

rádical léft [the ~] 급진 좌익, 극좌(cf. NEW LEFT)

rad·i·cal·ly [rǽdikəli] *ad.* 원래는; 철저히; 근본적으로; 급진적으로

rádical ríght [the ~] 급진 우익, 극우

rádical sìgn 〖수학〗 근호, 루트(root) (√)

rad·i·cand [rǽdəkæ̀nd, ˌ-ˈ] *n.* 〖수학〗 근호(根號) 속의 수

rad·i·cate [rǽdəkèit] *vt.* 〈식물을〉 뿌리박게[내리게] 하다; 정착시키다 — *a.* 뿌리내린

rad·i·cel [rǽdəsèl] *n.* 〖식물〗 작은[어린] 뿌리

ra·dic·chi·o [rɑ:dí:kiòu, rə-] [It.] *n.* 양상추의 일종 (흰색의 엽맥(葉脈)에 붉은 자주색의 잎; 샐러드, 요리의 고명에 쓰임)

rad·i·ces [rǽdəsi:z, réid- | réid-] *n.* RADIX의 복수

ra·di·ci·da·tion [rèidəsədéiʃən] *n.* Ⓤ (식품에 대한) 방사선 조사(照射) 살균

rad·i·cle [rǽdikl] *n.* **1** 〖식물〗 작은 뿌리, 어린 뿌리 **2** 〖해부〗 소근(小根) (혈관 또는 신경 말단의 근상부(根狀部)) **3** 〖화학〗 기(基) **ra·dic·u·lar** [rədíkjələr] *a.*

rad·ic-lib [rǽdiklíb] [*radic*al-*lib*eralist] *n.* (미·구어) 급진적 자유주의자

ra·dic·u·li·tis [rədìkjuláitis] *n.* 〖병리〗 척수 신경근염

ra·di·es·the·si·a [rèidiesθí:ʒiə, -ʒə, -ziə] *n.* **1** Ⓤ 방사 감지, 방사(선) 탐지(술) (점 막대나 흔들이를 써서 숨은 것에서 발하는 에너지를 감지함) **2** Ⓤ (점치는 막대에 의한) 수맥 탐지 **3** 방사 감지의 연구

ra·di·i [réidiài] *n.* RADIUS의 복수

‡**ra·di·o** [réidiòu] [*radio*telegraphy, *radio* telephony] *n.* (*pl.* **~s**) **1** ⓊⒸ [보통 the ~] **라디오 (방송)**; 무선 방송; Ⓒ 라디오 방송 사업, 라디오 방송국, 라디오 프로그램: listen to *the* ~ 라디오를 듣다 / ⒸⒺ hear the news on[in(×)] *the radio* 라디오로 뉴스를 듣다 **2** 라디오 (수신기) **3 a** Ⓤ **무선 전신[전화]**, 무선 통신, 무전: send a message by ~ 무전으로 송신하다 **b** 무선 전신기, 무선 장치

— *a.* Ⓐ **1** 무선의, 무전의; 전파에 의한: ~ waves 무선 전파 **2** 라디오의[를 사용한] **3** 방사성의

— *vt.* **1** 〈통신을〉 무선으로 보내다; 〈남에게〉 무전으로 연락하다: ~ a message to headquarters 본부에 메시지를 무선으로 보내다 **2** 라디오로 방송하다

— *vi.* **1** 무선으로 연락하다, 무전을 치다 **2** 라디오 방송을 하다

radio- [réidiou, -diə] (연결형) 「방사, 복사; 반경; 요골(橈骨); 라듐; 무선, 전파; 방사성」의 뜻

ra·di·o·a·cous·tics [rèidiouəkú:stiks] *n. pl.* [단수 취급] 전파학, 무선 음향학

ra·di·o·ac·tin·i·um [rèidiouæktíniəm] *n.* 〖화학〗 라디오악티늄 (방사성 원소 thorium 227의 속칭; 기호 RdAc)

ra·di·o·ac·ti·vate [rèidiouǽktəvèit] *vt.* 〈물질에〉 방사능을 부여하다

***ra·di·o·ac·tive** [rèidiouǽktiv] *a.* **방사성[능]이 있는**, 방사성의: ~ contamination 방사능 오염

▷ radioactívity *n.*

radioáctive áge 〖물리〗 방사성 연대

radioáctive dáting = RADIOMETRIC DATING

radioáctive decáy 〖물리〗 방사성 붕괴

radioáctive fállout 방사성 낙진[강하물] (죽음의 재)

radioáctive ísotope = RADIOISOTOPE

radioáctive séries 〖물리〗 방사성 계열, 괴변(壞變) 계열, 붕괴 계열

thesaurus **radical** *a.* **1 근본적인** fundamental, basic, rudimentary, elementary **2 급진적인** extreme, extremist, immoderate, revolutionary,

radioáctive trácer 〖물리〗 방사성 추적자(追跡子)
radioáctive wárfare (방사성 물질에 의한) 방사(능)전 《略 R.W.》 ★ radiological warfare라고도 함.
radioáctive wáste 방사성 폐기물
ra·di·o·ac·tiv·i·ty [rèidiouæktívəti] *n.* Ⓤ 〖물리〗 방사능[성]: artificial ~ 인공 방사능
ra·di·o·a·larm [réidiouəlɑ́:rm] *n.* 라디오 겸용 자명종 시계
rádio altímeter 〖항공〗 전파 고도계(高度計)
ra·di·o·am·pli·fi·er [rèidiouǽmpləfàiər] *n.* 〖통신〗 고주파 증폭기[장치]
ra·di·o·as·say [rèidiouæséi] *n.* 〖물리〗 (시료(試料)에서의) 방사능 분석 (시험)
rádio astrónomer 전파 천문학자
rádio astrónomy 전파 천문학
ra·di·o·au·to·graph [rèidiouɔ́:təgræ̀f | -grɑ̀:f] *n.* (사진 필름에 감응된) 방사선 사진(autoradiograph)
rádio bèacon 무선 표지(소) 《선박·항공기의 항행을 도움》
rádio bèam 〖통신〗 라디오[신호] 전파, 무선 빔
ra·di·o·bi·ol·o·gy [rèidioubaiɑ́lədʒi | -ɔ́l-] *n.* Ⓤ 방사선 생물학 **-bì·o·lóg·i·cal** *a.* **-gist** *n.*
ra·di·o·broad·cast [rèidioubrɔ́:dkæ̀st | -kɑ̀:st] *vi., vt.* (**~, ~·ed**) 라디오로 방송하다, 무선 방송하다
— *n.* ⓊⒸ 라디오[무선] 방송
~·er *n.* 라디오 방송자; 무선 방송 장치
ra·di·o·broad·cast·ing [rèidioubrɔ́:dkæ̀stiŋ | -kɑ̀:st-] *n., a.* 무선 방송(의): a ~ station 라디오 방송국
rádio bùtton 〖컴퓨터〗 라디오 버튼 《윈도나 다이얼로그 박스에서 사용하는 선택 버튼》
rádio càb 무선 (장치를 갖춘) 택시
rádio càr (경찰차처럼) 무선 장치를 갖춘 자동차
ra·di·o·car·bon [rèidioukɑ́:rbən] *n.* Ⓤ 〖화학〗 방사성 탄소; 《특히》 탄소 14
radiocárbon dàting = CARBON DATING
ra·di·o·car·di·o·gram [rèidioukɑ́:rdiəgræ̀m] *n.* 〖의학〗 방사(능) 심전도(心電圖)
ra·di·o·car·di·og·ra·phy [rèidioukɑ̀:rdiɑ́grəfi | -ɔ́g-] *n.* Ⓤ 방사 심전도 측정
rádio cassétte recòrder 라디오 카세트 리코더 《세 가지가 하나로 합친 것》
ra·di·o·cast [réidioukæ̀st | -kɑ̀:st] *vi., vt.* (**~, ~·ed**) = RADIOBROADCAST
ra·di·o·chem·i·cal [rèidioukémikəl] *a.* 〖화학〗 방사 화학의
ra·di·o·chem·is·try [rèidioukémistri] *n.* Ⓤ 방사 화학 **-chém·ist** *n.*
Rádio Cíty 라디오 시티 《뉴욕 시에 있는 록펠러 센터의 일부; RCA 빌딩과 Radio City Music Hall이 포함됨》
ra·di·o·co·balt [rèidioukóubɔ:lt] *n.* 〖화학〗 방사성 코발트, 《특히》 코발트 60[57 《등》]
rádio communicátion 무선 통신
rádio còmpass (선박·항공기용의) 무선 방향 탐지기, 라디오 컴퍼스, 무선 나침반
rádio contról 무선 조종[제어]
ra·di·o·con·trolled [rèidioukəntróuld] *a.* 무선 조종의
Rádio Dáta Sỳstem 〖컴퓨터〗 무선 데이터 시스템 《略 RDS》
ra·di·o·de·tec·tor [rèidiouditéktər] *n.* 무선 검파기(檢波器): a crystal ~ 광석[결정] 검파기
ra·di·o·di·ag·no·sis [rèidioudàiəgnóusis] *n.* (*pl.* **-ses** [-si:z]) 〖의학〗 방사선 진단
rádio diréction finder 무선 방향 탐지기 《略 RDF》

rebel, rebellious, militant, fanatic, leftist, left-wing **3** 철저한, 극단적인 thorough, complete, total, entire, absolute, utter, drastic, violent

rá·di·o·ech·o sòunding [réidiouèkou-] 전파 음향 측심법 《고주파수의 전자파 반사에 의해 수심 등을 재는 방법》
ra·di·o·e·col·o·gy [rèidiouikɑ́lədʒi | -kɔ́l-] *n.* 〖생태〗 방사선 생태학
ra·di·o·el·e·ment [rèidiouéləmənt] *n.* 〖화학〗 방사성 원소
rádio field inténsity[stréngth] 전파 강도; (전파가 통과할 때의) 전자장(電磁場)의 강도
rádio fix 무선 위치 《2개 송신국으로부터 무선을 수신하여 결정된 선박·비행기의 위치》
Rádio Frée Éurope 자유 유럽 방송 《미국의 BIB (국제 방송 공사)가 독일에서 동유럽으로 보내는 방송》
rádio fréquency 무선 주파수 《약 9kHz부터 수천 GHz까지의》
rá·di·o-fré·quen·cy héating [réidioufrí:kwənsi-] 전자 가열
rádio-fréquency wélding 고주파 용접
rádio gàlaxy 〖천문〗 전파 은하
ra·di·o·gen·ic [rèidioudʒénik] *a.* **1** 방사능[방사성 붕괴]에 의하여 만들어진; 방사능을 내는: ~ lead 방사성 붕괴로 만들어진 납 / ~ heat 방사능에 의해 만들어진 열 **2** 라디오 방송에 알맞는 〈가수〉
ra·di·o·go·ni·om·e·ter [rèidiougòuniɑ́mitər | -ɔ́m-] *n.* 무선 방위계
ra·di·o·gram [réidiougræ̀m] *n.* **1** 무선 전보 **2** = RADIOGRAMOPHONE **3** = RADIOGRAPH
ra·di·o·gram·o·phone [rèidiougrǽməfòun] *n.* 《영》 라디오 겸용 전축
ra·di·o·graph [réidiougræ̀f | -grɑ̀:f] *n.* 방사선(투과) 사진, 《특히》 뢴트겐[감마선] 사진
— *vt.* …의 뢴트겐 사진을 찍다
ra·di·og·ra·pher [rèidiɑ́grəfər | -ɔ́g-] *n.* 《영》 뢴트겐 기사(radiologist)
ra·di·og·ra·phy [rèidiɑ́grəfi | -ɔ́g-] *n.* Ⓤ 방사선 사진술, X선 촬영(법)
ra·di·o·graph·ic [rèidiougrǽfik] *a.* **-i·cal·ly** *ad.*
rádio hàm 《속어》 아마추어 무선사
rádio héating 〖전기〗 고주파 가열
ra·di·o·im·mu·no·as·say [rèidiouimjunouǽsei] *n.* 〖의학〗 (방사성 동위 원소에 의한) 표지(標識) 면역 검정(법), 방사 면역 검정(법)
ra·di·o·im·mu·nol·o·gy [rèidiouìmjunɑ́lədʒi | -nɔ́l-] *n.* 방사성 면역학
rádio interférence 전파 장애, 혼신, 라디오 장애
ra·di·o·i·o·dine [rèidiouáiədàin] *n.* 〖화학〗 방사성 요오드
ra·di·o·i·ron [rèidiouáiərn] *n.* 〖화학〗 방사성 철(鐵)
ra·di·o·i·so·tope [rèidiouáisətoup] *n.* 〖물리·화학〗 방사성 동위 원소 **-i·so·to·pic** [-tɑ́pik | -tɔ́p-] *a.*
rádio knìfe 전기 메스 《외과용》
ra·di·o·la·bel [rèidiouléibəl] *vt.* 〈원소를〉 방사성 동위 원소를 써서 식별하다
— *n.* 식별용 방사성 동위 원소
ra·di·o·land [réidioulæ̀nd] *n.* [때로 **R~**] 《익살》 라디오 방송 수신 가능 범위(의 청취자)
ra·di·o·lar·i·an [rèidiouléəriən] *n.* 〖동물〗 방산충(放散蟲), 방사충
rádio lìnk 〖통신〗 무선 결합[링크]
ra·di·o·lo·ca·tion [rèidiouloukéiʃən] *n.* Ⓤ 전파 탐지법
ra·di·o·lo·ca·tor [réidioulòukeitər] *n.* 《영》 전파 탐지기(radar)
ra·di·o·log·i·cal [rèidiəlɑ́dʒikəl | -lɔ́dʒ-], **-log·ic** [-lɑ́dʒik | -lɔ́dʒ-] *a.* **1** 방사성 물질에 의한: ~ warfare 방사능전[전쟁] **2** 방사선학[의학]의
ra·di·ol·o·gist [rèidiɑ́lədʒist | -ɔ́l-] *n.* **1** 방사능 연구자, 방사[엑스]선 학자 **2** 엑스선 의사[기사], 방사선 의사
ra·di·ol·o·gy [rèidiɑ́lədʒi | -ɔ́l-] *n.* Ⓤ **1** 방사선학; 방사선 의학 **2** 방사[엑스]선 사용, 엑스선 투시

ra·di·o·lu·cent [rèidiəlú:sənt | -lú:snt] *a.* 방사선 (반)투과성의 **-lú·cen·cy** *n.*
ra·di·o·lu·mi·nes·cence [rèidioulù:mənésns] *n.* 〖물리〗 방사선 발광(發光) **-cent** *a.*
ra·di·ol·y·sis [rèidiɑ́ləsis | -ɔ́l-] *n.* (*pl.* **-ses** [-sì:z]) 〖화학〗 방사선 분해
ra·di·o·man [réidioumæ̀n] *n.* (*pl.* **-men** [-mèn]) **1** 무선 기사 **2** 라디오 방송국 직원, 방송 사업 종사자
ra·di·o·me·te·or·o·graph [rèidioumì:tiɔ́:rəgræ̀f | -ɔ́rəgrɑ̀:f] *n.* = RADIOSONDE
ra·di·om·e·ter [rèidiɑ́mitər | -ɔ́m-] *n.* 〖물리〗 라디오미터, 복사계(輻射計)
ra·di·o·met·ric [rèidiouméṭrik] *a.* 라디오미터에 의한, 방사 분석의; 방사성 탄소 연대 측정의 **-mét·ri·cal·ly** *ad.*
radiométric dáting 〖지질〗 방사성 연대 결정(법)
ra·di·om·e·try [rèidiɑ́mətri | -ɔ́m-] *n.* Ⓤ 방사 분석, 복사 측정술, 라디오미터 사용법
ra·di·o·mi·crom·e·ter [rèidioumaikrɑ́mətər | -krɔ́m-] *n.* 〖물리〗 (복사(輻射) 에너지 검출용) 열전(熱電) 방사계
rádio mícrophone 무선 마이크
rádio mònitoring 〖군사〗 전파 감시
rádio navigátion 〖공군·해군〗 무선 항법(航法)[항행], 전파 항법
ra·di·on·ics [rèidiɑ́niks | -ɔ́n-] *n. pl.* [단수 취급] **1** (미) 전자 공학 **2** 전자 심령 현상 연구 《전자 장치를 이용한 심령 감응(력) 연구》
ra·di·o·nu·clide [rèidiounjú:klaid | -njú:-] *n.* 〖물리·화학〗 방사성 핵종(核種)
rádio páger 무선 호출 신호기 《외출자에게 용건이 있음을 알리는》
ra·di·o·pag·ing [réidioupèidʒiŋ] *n.* (beeper에 의한) 무선 호출
ra·di·o·paque [rèidioupéik] *a.* 방사선[엑스선] 불투과성의, 뢴트겐 사진으로 보이는 **-pác·i·ty** [-pǽsəti] *n.*
ra·di·o·phare [réidioufɛ̀ər] *n.* 〖항해〗 무선 표지
ra·di·o·phar·ma·ceu·ti·cal [rèidioufɑ̀:rməsú:tikəl] *n., a.* 〖약학〗 방사성 의약품(의)
ra·di·o·phone [réidioufòun] *n.* **1** = RADIOTELEPHONE **2** 〖물리〗 광선 전화기(photophone)
ra·di·o·phon·ics [rèidioufɑ́niks | -fɔ́n-] *n. pl.* [단수 취급] (영) 전자 음악; 라디오에서 흘러나온 소리; 녹음 재생음
ra·di·o·pho·no·graph [rèidioufóunəgræ̀f | -grɑ̀:f] *n.* 라디오 달린 레코드플레이어
ra·di·o·pho·to [rèidioufóutou] *n.* = RADIOPHOTOGRAPH
ra·di·o·pho·to·graph [rèidioufóutəgræ̀f | -grɑ̀:f] *n.* 무선 전송 사진
ra·di·o·pho·tog·ra·phy [rèidioufətɑ́grəfi | -tɔ́g-] *n.* Ⓤ 무선 사진 전송
ra·di·o·pro·tec·tive [rèidiouprətéktiv] *a.* 〖의학〗 방사선 방호의[에 도움이 되는] **-pro·téc·tion** *n.*
rádio púlsar 〖천문〗 전파 펄서 《가시광선·X선을 내는 펄서와 구별하여》
rádio rànge (항공기 비행 유도용) 무전 장치
rádio ránge bèacon 무선 항로 표지
rádio recéiver 라디오[무선] 수신기
rádio rélay 무선 중계국
ra·di·o·re·sist·ance [rèidiourizístəns] *n.* 〖생물〗 방사성 저항성 **-ant** *a.*
ra·di·o·scope [réidiəskòup] *n.* 방사성 물질 탐지 장치, 방사선[엑스선] 측정기
ra·di·os·co·py [rèidiɑ́skəpi | -ɔ́s-] *n.* Ⓤ X선 투시(법), 뢴트겐 진찰[검사](법)
ra·di·o·sen·si·tive [rèidiousénsətiv] *a.* 〖의학〗 방사선[방사능] 감수성의 〈암세포 등〉; 방사선에 민감한, 방사선으로 파괴되는 **rà·di·o·sèn·si·tív·i·ty** *n.*
ra·di·o·sen·si·tiz·er [rèidiousénsətàizər] *n.* 방사선 감수성 증강 물질
ra·di·os·i·ty [rèidiɑ́səti | -ɔ́s-] *n.* 〖컴퓨터〗 라디오시티 《컴퓨터 그래픽스에서 확산광을 계산하는 방법》
ra·di·o·so·di·um [rèidiousóudiəm] *n.* 〖화학〗 방사성 나트륨
ra·di·o·sonde [réidiousɑ̀nd | -sɔ̀nd] *n.* 〖기상〗 라디오존데(radiometeorograph) 《대기 상층의 기상 상태를 측정하여 전파로 지상에 송신하는 기계》
rádio sòurce 〖천문〗 (우주의) 전파원
rádio spèctrum 전파 스펙트럼
rádio stàr 〖천문〗 전파 별 《우주 전파원(源)의 하나》
rádio stàtion 무선국; 라디오 방송국
ra·di·o·ster·il·ize [rèidioustérəlàiz] *vt.* 방사선으로 살균[소독]하다 **-ìzed** *a.*
ra·di·o·stron·ti·um [rèidioustrɑ́ntiəm | -strɔ́n-] *n.* 〖화학〗 방사성 스트론튬, 《특히》 스트론튬 90
ra·di·o·sur·ger·y [rèidiousə́:rdʒəri] *n.* 방사선 외과
rádio tàxi 무선 (호출) 택시
ra·di·o·tech·nol·o·gy [rèidiouteknɑ́lədʒi | -nɔ́l-] *n.* 방사선 공학, X선 공학, 무선 기술
ra·di·o·tel·e·gram [rèidioutéləgræ̀m] *n.* 무선 전보(radiogram)
ra·di·o·tel·e·graph [rèidioutéləgræ̀f | -grɑ̀:f] *n.* 무선 전신(술) ─*vt.* 무선 전신으로 보내다 ─*vi.* 무선 전신을 치다
ra·di·o·tel·e·graph·ic [rèidioutələgrǽfik] *a.* 무선 전신의[에 의한]
ra·di·o·te·leg·ra·phy [rèidioutəlégrəfi] *n.* = RADIOTELEGRAPH
ra·di·o·tel·e·phone [rèidioutéləfòun] *n.* 무선 전화(기) ─*vt., vi.* 무선 전화를 걸다
ra·di·o·tel·e·phon·ic [rèidioutələfɑ́nik | -fɔ́n-] *a.* 무선 전화의
ra·di·o·te·le·pho·ny [rèidioutəléfəni] *n.* Ⓤ 무선 전화(술)
rádio télescope 〖천문〗 전파 망원경

radio telescope

ra·di·o·tel·e·type [rèidioutélətàip] *n.* 무선 텔레타이프(장치) 《略 RTT, RTTY》
ra·di·o·tel·ex [rèidioutéleks] *n.* (배에서 육지로 보내는) 무선 텔렉스
ra·di·o·ther·a·peu·tics [rèidiouθerəpjú:tiks] *n. pl.* [단수 취급] 방사선 치료학[요법]
ra·di·o·ther·a·py [rèidiouθérəpi] *n.* Ⓤ **1** 방사선 요법, 방사선 치료 **2** 방사선 치료사의 일 **-pist** *n.* 방사선 치료사
ra·di·o·ther·my [réidiouθə̀:rmi] *n.* Ⓤ 〖의학〗 방사선열(熱) 요법
ra·di·o·thon [réidiouθɑ̀n | -θɔ̀n] *n.* 장시간의 모금 방송 프로그램(cf. TELETHON)
ra·di·o·tho·ri·um [rèidiouθɔ́:riəm] *n.* 〖화학〗 방사성 토륨
ra·di·o·tox·in [rèidioutɑ́ksin | -tɔ́k-] *n.* 방사성 독물 **-tox·ic** [-tɑ́ksik | -tɔ́k-] *a.*
ra·di·o·tox·o·log·ic [rèidioutɑ̀ksəlɑ́dʒik | -tɔ̀ksəlɔ́dʒ-] *a.* 방사성 독물 연구의
ra·di·o·trac·er [réidioutrèisər] *n.* 〖화학〗 방사성 트레이서 《어떤 원소를 추적하는 트레이서에서 쓰이는 방사성 동위 원소》
rádio transmítter 라디오[무선] 송신기
ra·di·o·trans·par·ent [rèidioutrænspɛ́ərənt] *a.* X선[방사선] 투과성의(cf. RADIOLUCENT)
rádio tùbe (라디오용) 진공관, 전자관
ra·di·o·vis·ion [rèidiouvíʒən] *n.* (드물게) = TELEVISION
rádio wàve 〖통신〗 전파, 전자파

rádio wìndow 〖천문〗 전파의 창(窓) 《지구의 대기를 통과하기 쉬운 전파의 주파수 영역》

∗**rad·ish** [rǽdiʃ] *n.* **1** 〖식물〗 래디시 《유럽 원산의 무의 일종》 **2** 《야구속어》 공; 《미·속어》 야구 **~·lìke** *a.*

∗**ra·di·um** [réidiəm] *n.* Ⓤ 〖화학〗 라듐 《방사성 금속 원소; 기호 Ra, 번호 88》

rádium emanàtion 〖화학〗 = RADON

rádium súlfate 〖화학〗 황산 라듐

rádium thèrapy 라듐 요법

∗**ra·di·us** [réidiəs] [L 「(수레바퀴의) 살」의 뜻에서] *n.* (*pl.* **-di·i** [-diài], **~·es**) **1 a** 반지름, 반경(cf. DIAMETER): The ~ of a circle is half the diameter. 원의 반지름은 지름의 반이다. **b** 반경 범위, 반지름의 길이: every house within a ~ of 50 miles 반경 50마일 이내의 모든 집 **c** (활동·능력 등의) 범위, 구역, 행동 반경 **2** 복사선(輻射線); 방사상(放射狀)의 것, 바퀴의 살 **3** 〖해부〗 요골(橈骨); 〖곤충〗 경맥(徑脈); 〖식물〗 사출화(射出花); 〖동물〗 (방사 대칭형 동물의) 대칭면, 상칭면 **4** 바늘 《육분의(六分儀)·사분의(四分儀) 등의》; 〖기계〗 편심(偏心) 거리

~ of action 행동 반경; 항속력[거리] ***~ of damage*** 〖군사〗 손해[사상] 반경 ***~ of safety*** 〖군사〗 안전 반경 ***the four-mile ~*** 런던의 Charing Cross에서 4마일 이내 《이 구역 내는 운임이 시내와 같음》

rádius of cúrvature 〖수학〗 곡률 반경

rádius of gyrátion 〖물리〗 회전 반경

rádius véctor (*pl.* **ra·di·i vec·to·res** [-vektɔ́:ri:z], **~s**) **1** 〖수학〗 동경(動徑) **2** 〖천문〗 동경 벡터 《태양과 궤도상의 임의의 행성을 잇는 직선》; 동경 벡터의 거리

ra·dix [réidiks] *n.* (*pl.* **~·es, ra·di·ces** [rǽdəsì:z, réi- | réi-]) **1** 〖언어〗 어근(語根); 〖수학〗 근; 기(基), 기수(基數); 〖해부〗 (뇌·신경 등의) 뿌리 **2** 〖식물〗 뿌리(root) **3** 〖철학〗 근원

rad·lib [rǽdlíb] *n.* 《구어》 = RADIC-LIB

RAdm., RADM. Rear Admiral

ra·dome [réidòum] *n.* 레이돔 《항공기의 외부 레이더 안테나용 플라스틱 덮개》

ra·don [réidɑn | -dɔn] *n.* Ⓤ 〖화학〗 라돈 《라듐의 방사성 붕괴로 생기는 방사성 희(稀)가스 원소; 기호 Rn, 번호 86》

rádon dàughter (담배 연기에서 검출되는) 유해 방사성 분자

rad/s, rad/sec. radians per second

rad·u·la [rǽdʒulə] *n.* (*pl.* **-lae** [-lì:], **~s**) 〖동물〗 (연체 동물의) 치설(齒舌) **-lar** [-lər] *a.*

rad·waste [rǽdwèist] *n.* = RADIOACTIVE WASTE

R.A.E.C. Royal Army Educational Corps

Rael·ian [rɑ́i:li:ən] [창시자의 이름에서] *n.* 라엘파(派) 신자 《외계인이 인간 복제를 통해 인류를 창조했다고 믿음》 **—** *a.* 라엘파 신도[신앙]의

R.A.F., RAF [ɑ́:rèiéf, 《구어》 rǽf] [*R*oyal *A*ir *F*orce] *n.* [the ~] 영국 공군

ra·fale [rəfǽl] [F] *n.* 〖군사〗 (포의) 일제 사격

raff [rǽf] *n.* Ⓤ 하층 사회, 하층민; 건달패; 폐물, 쓰레기(riffraff)

raf·fer·ty [rǽfərti] *a.* 《영·호주》 혼란한, 무질서한

Ráf·fer·ty's rúles [rǽfərtiz-] 《호주·구어》 (권투 등에서의) 무규칙 《전연 룰이 없는 원칙》

raf·fi·a [rǽfiə] *n.* **1** 〖식물〗 라피아 야자 《Madagascar산(産)》(= **∠ pàlm**) **2** Ⓤ 라피아 잎의 섬유 **3** 라피아 모자

raf·fi·nate [rǽfənèit] *n.* 〖화학〗 라피네이트 《석유를 용제로 처리했을 때 용해하지 않는 부분》

raf·fi·né [ræfinéi] [F] *a.* 세련된, 고상한 **—** *n.* 멋쟁이, 세련된 사람

raf·fi·nose [rǽfənòus] *n.* Ⓤ 〖화학〗 라피노오스 《식물에 많은 3당류》

raff·ish [rǽfiʃ] *a.* **1** 〈사람·행동·풍채 등이〉 관습에 얽매이지 않는, 자유분방한 **2** 평판이 나쁜, 막돼먹은, 상스러운, 방탕한, 야비한, 저급한; 저속하고 난한 (flashy) **~·ly** *ad.* **~·ness** *n.*

raf·fle[1] [rǽfl] *n.* 추첨식 판매법, 복권 판매 《추첨에 당선된 자에게 상품을 줌》
— *vi.* 추첨식 판매에 참가하다: (~+전+명) ~ *for* a trip to Bali 발리 여행 상품 추첨에 참가하다
— *vt.* 추첨식 판매법[복권식]으로 팔다: (~+목+부) ~ *off* a television 텔레비전을 추첨식으로 판매하다
ráf·fler *n.*

raffle[2] *n.* Ⓤ 폐물, 잡동사니, 쓰레기(rubbish)

raf·fles [rǽflz] *n.* [종종 **R~**] 신사다운 강도, 아마추어[서투른] 강도[빈집털이]

∗**raft**[1] [rǽft, rɑ́:ft | rɑ́:ft] [ON 「통나무」의 뜻에서] *n.* **1** 뗏목; 뗏목배, 고무 보트: an inflatable rubber ~ 공기를 넣어 부풀리는 고무 보트 **2** 부잔교(浮棧橋); (헤엄칠 때의) 부대(浮袋) **3** (항행을 방해하는) 유목(流木)[성엣장 《등》] **4** 수면에 떼지은 물새
— *vt.* **1** 뗏목으로 엮다[엮어 나르다] **2** 뗏목으로 건너다[나르다]: We *~ed* ourselves across the stream. 뗏목으로 강을 건넜다. **3** 〈성엣장이〉 〈유기물 등을〉 바다로 떠내려 보내다
— *vi.* 뗏목으로 가다; 뗏목을 쓰다

raft[2] *n.* [a ~] 《미·구어》 많음, 다량(abundance); 다수: *a ~* of books 많은 책

∗**raf·ter**[1] [rǽftər, rɑ́:f- | rɑ́:f-] *n.* 〖건축〗 서까래
— *vt.* **1** …에 서까래를 얹다; 〈재목을〉 서까래로 만들다 **2** 《영·방언》 쟁기로 갈아엎어 밭이랑을 만들다

rafter[2] *n.* 뗏목 타는 사람; 뗏목 만드는 사람

rafter[3] *n.* (특히, 칠면조의) 무리

raf·tered [rǽftərd, rɑ́:f- | rɑ́:f-] *a.* 서까래를 얹은, 서까래가 보이는

ráft ìce (다른 얼음장 위에 얹힌) 빙괴(氷塊)

raft·ing [rǽftiŋ | rɑ́:ft-] *n.* (스포츠로서의) 뗏목타기, 래프팅

rafts·man [rǽftsmən, rɑ́:fts- | rɑ́:fts-] *n.* (*pl.* **-men** [-mən, -mèn]) = RAFTER[2]

R.A.F.V.R. 《영》 Royal Air Force Volunteer Reserve

⁑**rag**[1] [rǽg] *n.* **1 a** 넝마(tatter); 넝마 조각, 헝겊 **b** [*pl.*] 누더기: The tramp was dressed in *~s.* 부랑자는 누더기를 입고 있었다. **c** [*pl.*] 《익살》 옷, 의복 **2** 제지용[속 채우는 데 쓰는] 넝마 **3 a** 조각, 단편 《*of*》: a ~ *of* cloud 조각 구름 **b** [종종 부정의 뜻을 강조하여] 소량 《*of*》 **4 a** 《경멸》 (신문지·(손)수건·기·막·돛·지폐 등을 가리켜) 넝마, 해진 조각, 허섭스레기; 《경멸》 신문, 잡지 **b** 천한 사람, 누더기를 걸친 사람; 하찮은 사람[물건] **5** [the R~] 《영·속어》 육해군 클럽 **6** (감귤류의) 속껍질 **7** [the ~] 생리용품
(as) limp as a ~ [doll] 아주 지쳐서 ***chew the ~*** 재재거리다(chatter) ***feel like a wet ~*** 《구어》 대단한 피곤을 느끼다 ***from ~s to riches*** 가난뱅이에서 부자로 ***get*** one***'s ~ out [up]*** = lose one's RAG ***in ~s*** 누더기를 걸치고; 낡아 해진 ***like a red ~ to a bull*** (소에게 빨간 천을 보인 것처럼) 몹시 흥분시키는 ***lose*** one***'s ~*** 화를 내다 ***not a ~ of*** …이라곤 조금도 없는 ***on the ~*** 《미·구어》 화나서, 초조하여 ***take the ~ off*** …을 능가하다 ***to ~s*** 갈기갈기 〈찢어지다〉 ▷ rágged *a.*

rag[2] 《구어》 *v.* (**~ged**; **~·ging**) *vt.* **1** 꾸짖다, 책망하다, 타박하다: Father *~ged* me for joining John for a walk. 아버지는 내가 존과 함께 산책한 것에 대해 꾸짖으셨다. **2** 놀리다, 희롱하다, 짓궂게 굴다(tease) **3** 마구 다루다; …에게 심한 장난을 치다; 〈남의 방 등을〉 어질러 놓다 **4** 《미·속어》 소란하게 하다, 습격하다 **—** *vi.* **1** 마구 떠들어 대다 **2** 《영》 장난치다
— *n.* 《영》 **1** (대학생 등의) 짓궂은 장난, 큰 소동을 일으키는 장난; 《영》 (자선 등을 위한) 학생의 가장 행렬 **2** 농담

rag[3] *n.* Ⓤ **1** 지붕 이는 슬레이트 **2** 석회암

rag[4] *n.* **1** = RAGTIME **2** 래그 《래그타임의 리듬으로 작곡된 곡》 **—** *v.* (**~ged**; **~·ging**) *vt.* 래그타임식으로 연주하다 **—** *vi.* 래그타임을 연주하다

ra·ga [rɑ́:gə] *n.* 라가 《인도 음악의 멜로디 형식; 그것에 의한 즉흥 연주》

rag·a·muf·fin [rǽgəmʌ̀fin] *n.* **1** 누더기를 걸친 더러운 사람[소년]; 부랑아 **2** ragga 애호가 **3** ＝RAGGA **~·ly** *a.*

rág-and-bóne màn [rǽgən*d*bóun-] 《영》 넝마주이[장수]

rág bàby ＝RAG DOLL

rag·bag [rǽgbæ̀g] *n.* **1** 헝겊 주머니 《리넨 등의 조각을 넣어 둠》 **2** 잡동사니; 너절한 사람

rág bòlt 가시못, 미늘 달린 볼트

rág bòok 찢기지 않게 천으로 만든 아동용 책

rág dày 《영》 학생의 가장행렬의 날 《자선 보금을 위한》

rág dòll 봉제[헝겊으로 만든] 인형

‡**rage** [réidʒ] *n.* **1** ⓊⒸ **a** 격노, 분격, 분노(fury): in a ~ 화를 벌컥 내어 **b** (바람·비·파도 등의) 격렬, 맹렬, 맹위, 사나움(violence): the ~ of wind[waves] 바람[파도]의 사나움 **2** [(all) the ~] 《구어》 (일시적) 대유행(의 것): I remember when long hair was *all the* ~. 긴머리가 유행이었던 것을 기억한다. **3** [a ~] 열망, 갈망 《*for*》; …광(mania) 《*for*》 **4** 열광; 열의, 열정; 감동, 감흥 ***burst into a ~ of tears*** 울음보를 터뜨리다, 눈물이 왈칵 쏟아지다 ***fly*** [***fall, get***] ***into a ~*** 벌컥 화내다

—*vi.* **1 a** 격노하다; 발광하다, 야단치다, 호되게 꾸짖다; 몹시 욕하다; 매도하다 《*at, against*》: 《~+전+명》 ~ *against* an enemy 적에게 몹시 노하다 **b** 제 마음대로 행동하다, 날뛰다 **2** 〈폭풍이〉 사납게 휘몰아치다, 맹위를 떨치다, 〈병이〉 창궐하다; 고조(高調)에 달하다; 한창이 되다

—*vt.* **1** 노하게 하다 **2** [~ one*self* 로] 〈폭풍 등이〉 거세지다: ~ *itself* out 〈바람이〉 잠잠해지다

~·ful *a.*

rág fàir 누더기[헌옷] 시장

rag·ga [rǽgə] *n.* Ⓤ 〖음악〗 래가 《레게(reggae)에서 발전된 대중음악; 힙합과 리듬 앤드 블루스의 요소를 지님》(dancehall)

rag·ga·muf·fin [rǽgəməfin] *n.* ＝RAGAMUFFIN

‡**rag·ged** [rǽgid] *a.* **1** 〈옷이〉 남루한, 초라한 **2** 〈옷 등이〉 찢어진, 해어진, 누덕누덕한; 누더기 옷을 입은: a ~ child 누더기를 걸친 아이 **3** 깔쭉깔쭉한, 울툭불툭한; 덥수룩한, 더부룩한 **4** 조화되지 않은, 귀에 거슬리는(harsh); 싫은, 유쾌하지 못한: a ~ cry 귀에 거슬리게 울부짖는 소리 **5** 거친; 결점이 있는, 불완전한 **6** 야생의(wild); 손질을 게을리한 **7** 신경이 지칠 대로 지친, 기진맥진한 ***~ out*** 《미·속어》 지쳐서, 기진맥진하여, 피로가 겹쳐 ***run*** a person ~ 사람을 지치게 하다 **~·ly** *ad.* **~·ness** *n.*

rag·ged-ass [rǽgidæ̀s] *a.* ＝RAGGEDY-ASS

rágged édge 《미》 (절벽 등의) 가장자리; 극단 ***on the ~*** 위급한 순간에, 파산[자포자기, 발광, 발병]에 직면하여: *on the* ~ of despair 절망에 처해서

rágged róbin 〖식물〗 전추라의 일종

rágged schóol 〖영국사〗 빈민 학교

rag·ged·y [rǽgidi] *a.* (**-ged·i·er**; **-i·est**) **1** 누더기의, 다 찢어진 **2** 털이 북슬북슬한 **3** 초라해 보이는; 낡은

Ràg·ged·y Ánn [rǽgidi-] 래기디 앤 《미국의 작가 Johnny Gruelle의 동화의 주인공; 상표명》

rag·ged·y-ass [rǽgidiæ̀s] *a.* 《미·비어》 미숙한, 멍청한; 좋지 못한, 형편없는

rag·ger [rǽgər] *n.* 《미·속어》 **1** 래그타임 팬 **2** 신문 기자

rag·ging [rǽgiŋ] *n.* Ⓤ **1** 《속어》 야유, 희롱; 마구 꾸짖음, 질책 **2** 《영》 장난, 난폭

rag·gle-tag·gle [rǽgltǽgl] *a.* 잡동사니의, 잡다한, 마구 뒤섞인

rag·i [rǽgi] *n.* 〖식물〗 왕바랭이

rag·ing [réidʒiŋ] *a.* **1** 격노한; 격한; 쑤시고 아픈 **2** 미친 듯이 사나운, 맹렬한, 〈바람·전쟁·역병 등이〉 맹위를 떨치는 **3** 대단한 **~·ly** *ad.*

rag·lan [rǽglən] *n.* 래글런형 외투 《소매가 곧장 목덜미까지 뻗었으며 헐렁함》

—*a.* Ⓐ 래글런(형)의

raglan

ráglan sléeve 래글런 슬리브[소매]

rag·man [rǽgmæ̀n, -mən] *n.* (*pl.* **-men** [-mèn, -mən]) 넝마 장수, 넝마주이

Rag·na·rok [rɑ́:gnərɑ̀k, -rɔ̀k] *n.* 〖북유럽신화〗 신들의 몰락

ra·gout [rægú:] [F] *n.* ⓊⒸ 라구 《고기·야채를 넣은 일종의 스튜》

—*vt.* 조리하여 스튜로 만들다

rag-out [rǽgàut] *n.* 《속어》 이전의 기사를 전재한 것

rág pàper 래그 페이퍼 《넝마를 원료로 만드는 고급지》

rag·pick·er [rǽgpìkər] *n.* 넝마주이

rág ròof ＝RAGTOP

rág rùg 넝마로 만든 깔개

rág shòp 넝마 가게, 헌옷 가게

rag·stone [rǽgstòun] *n.* Ⓤ 경질암(硬質岩), 조암(粗岩)

rags-to-rich·es [rǽgztərìtʃiz] *a.* 가난뱅이에서 부자가 된[출세한]

rag·tag [-tæ̀g] *n.* [the ~; 집합적] 하층 계급; 서민 (***the***) ***~ and bobtail*** [집합적] 사회의 찌꺼기, 하층민; 부랑자; 오합지졸

rag·time [-tàim] *n.* Ⓤ 래그타임 《빠른 박자로 싱코페이션(syncopation)을 많이 사용한 곡; 재즈 음악의 일종》 **—***a.* 우스꽝스러운, 미친 듯한

rag·top [-tɑ̀p | -tɔ̀p] *n.* 《미·속어》 포장 지붕식 자동차, 컨버터블 차(convertible)

rág tràde [the ~] 《구어》 양복업계, 《특히》 여성복 산업

rág tràder 《구어》 양복업자, 《특히》 여성복업자

rag·weed [-wì:d] *n.* 〖식물〗 **1** 두드러기쑥 《국화과(科); 꽃가루는 알레르기의 원인》 **2** ＝RAGWORT

rág whèel 쇠사슬 톱니바퀴, 사슬 기어

rag·worm [-wə̀:rm] *n.* 〖동물〗 ＝CLAMWORM

rag·wort [-wə̀:rt, -wɔ̀:rt] *n.* 〖식물〗 금불초

rah [rɑ́:] [hur*rah*] *int.* 《미·구어》 만세, 후라, 후레이

rah-rah [rɑ́:rɑ́:] *a.* 《구어》 (축구 시합의 응원처럼) 열광적인, 노골적으로 애교심[팀 의식]을 드러낸: a group of ~ undergraduates 열광적으로 응원하는 대학생들

ráh-rah[**rá-ra**] **skìrt** [rah-rah girl(＝cheer girl)에서] (미국의 치어리더가 입는) 짧은 주름치마

rai [rái] *n.* 〖음악〗 (북미의) 팝 음악의 하나 《아랍과 알제리 민속 음악을 서구화한 것》

*__raid__ [réid] [OE 「승마」의 뜻에서] *n.* **1** (점령할 목적이 아니라 상대방에게 타격을 주기 위한 갑작스런) 습격, 급습, 기습; 공습(＝air ~) 《*on, upon*》 **2** (경찰의) 현장 급습, 불시 단속, 일제 검거: a police ~ on a narcotics ring 마약 범죄단에 대한 경찰의 급습 **3** (약탈 목적의) 침입; 불법 침입 **4** (권력자의) 자금 유용 **5** 〖금융〗 (주가 폭락을 노리는 투기꾼의) 투매 **6** 인원 빼돌리기[스카우트하기] ***make a ~*** 습격하다, 급습하다; 〈경찰이〉 불시 단속하다 《*on*》

—*vt.* **1** 침입하다, 급습[공습]하다 **2** 〈경찰이〉 불시 단속하다; 급습하여 빼앗다 **3** …에서 〈인원을〉 빼돌리다

—*vi.* 급습[공격]하다 《*on, upon*》

RAID 〖컴퓨터〗 redundant array of independent disks 효율화·사고 대책을 위한 하드 디스크의 중복 배열; redundant array of inexpensive disks

thesaurus **rage** *n.* **1** 격노 anger, fury, wrath, frenzy, madness, raving, tantrum, rampage **2** 격렬 violence, turbulence, tumult

ragged *a.* **1** 남루한 tattered, torn, holey **2** 울툭불툭

raid·er [réidər] *n.* **1** 침입[침략]자, 급습자; 《영》 강도 **2** 불시 단속 경관 **3** 침입(비행)기 《등》; 특별 돌격대[특공대](원) **4** (시장) 교란자 **5** (주식 매입 등으로) 회사를 빼앗는 사람

ráid·ing pàrty [réidiŋ-] *n.* (군인, 경찰의) 기습조, 공격조

‡**rail**[1] [réil] *n.*, *v.*

> L「곧은 막대」의 뜻에서
> →「난간」 **1 b**
> →(철도의)「레일」 **2 a**→「철도」 **2 b**

—*n.* **1 a** (울타리 등의) **가로장**(bar), 가로대 **b** [종종 복합어] (사닥다리·커튼 등의) 가로대; 난간(railing) **c** [*pl.*] 울타리(fence) **2 a** [*pl.*] **레일**, 궤조(軌條) **b** Ⓤ 철도; [*pl.*] 역: a ~ yard 역 구내 / a ~ bus 궤도 버스 **c** [*pl.*] 〖증권〗 철도주(株); 《미·속어》 철도원 **3** (문 등의) 위아래 테

(***as***) ***straight as a ~*** 똑바로; 꼿꼿하게 ***by ~*** 철도(편으)로 ***off the ~s*** (1) 탈선하여 (2) 정도에서 벗어나; 사회 관습을 지키지 않아 (3) 혼란하여 (4) 〈사람이〉 미쳐 ***on the ~s*** (1) 궤도에 올라, 순조로워 (2) 정도에서 벗어나지 않고; 사회의 관습을 지켜 ***over the ~*** (뱃전을 넘어) 바다 속으로 ***ride*** a person (***out***) ***on a ~*** 《미》 (1) 〈사람을〉 가로장에 얹어 (교회로) 나르다 《린치의 일종》 (2) 〈사람을〉 엄히 처벌하다; 공동체에서 추방하다

—*vt.* **1** …에 울타리를 두르다; 가로장[난간]으로 둘러막다 《*off*, *in*》: (~+목+부) (~+목+전+명) The garden is *~ed off from* the road. 정원은 울타리로 길과 접해 있다. **2** …에 레일을 깔다; 《영》 철도로 보내다[수송하다]

—*vi.* 기차 여행을 하다

~ ***it*** 《미·속어》 빈둥거리다 **~·like** *a.*

rail[2] *vi.* 욕하다, 꾸짖다; 조롱하다; 불평하다 《*at*, *against*》: (~+전+명) ~ *at* fate 불운함을 푸념하다 / They *~ed against* the government. 그들은 정부를 맹렬히 비난했다. **~·er** *n.* **~·ing·ly** *ad.*

rail[3] *n.* 〖조류〗 흰눈썹뜸부기 무리

rail·age [réilidʒ] *n.* Ⓤ 철도 화물 운임; 철도 운수

ráil ànchor 〖철도〗 레일 고정 장치

rail·bird [réilbə̀:rd] *n.* 《구어》 (울타리에서 경마나 조련을 구경하는) 경마광; 말참견하는 사람

rail-bus [réilbʌ̀s] *n.* 궤도 버스; 노면 전차

rail·car [-kɑ̀:r] *n.* **1** 궤도차, 기동차 **2** 《미》 철도 차량 《객차·화차를 포함한 총칭》

rail·card, Rail·card [-kɑ̀:rd] *n.* 《영》 레일카드 《철도 요금이 할인되는 패스》

ráil detèctor càr 〖철도〗 철로 점검 차량

ráil fènce 《미》 가로장 울타리

rail·gun [-gʌ̀n] *n.* 〖군사〗 레일건 《2개의 도전용(導電用) 레일 사이에서 가속 발사되는 포; 속도가 빨라 충격만으로 목표물을 파괴함》

rail·head [-hèd] *n.* **1** 궤도 머리 《부설된 철도 선로의 말단》; 철도의 종점; 레일의 윗부분 《바퀴와 접촉하는》 **2** 〖군사〗 (군수품의) 철도 수송 종점 《그 다음부터는 도로 수송》

*__rail·ing__[1] [réiliŋ] *n.* ⓊⒸ **1** [종종 *pl.*] 난간; 가로장; 울타리: iron ~*s* 철제 난간 **2 a** [집합적] 레일, 궤도 **b** 레일 재료

railing[2] *n.* [또는 *pl.*] 욕지거리, 매도, 폭언; 놀림

rail·ler·y [réiləri] *n.* (*pl.* **-ler·ies**) ⓊⒸ [또는 *pl.*] 농담, 놀림, 희롱; Ⓒ 희롱하는 행위[말]

rail·less [réillis] *a.* 레일 없는, 무궤도의

rail·man [réilmən] *n.* (*pl.* **-men** [-mən, -mèn]) **1** 부두의 적하(積荷) 신호계 **2** 철도 종업원

한 jagged, craggy, rugged, uneven, irregular **3** 거친 rough, crude, unpolished, unrefined

raid *n.* surprise attack, assault, onset, onslaught, invasion, incursion, charge, thrust, foray

ráil mòtor 전동차(電動車), 기동차

ráil rìde 〖윈드서핑〗 레일 라이드 《보드의 옆가장자리 레일 위에 타고 윈드서핑하기》

‡**rail·road** [réilròud] *n.* **1** 《미》 **철도 선로**, 철도; 철도 시설 《★ 《영》에서는 railway; 《미》에서도 경편(輕便)[시가] 궤도는 railway라고 함》: travel first class on the ~ 일등 객실로 철도 여행을 하다 **2** 철도 회사 《略 R.R.》; [*pl.*] 철도주(株) **3** 〖볼링〗 =SPLIT

—*a.* Ⓐ 철도의: a ~ accident 철도 사고 / a ~ carriage 객차 / a ~ company 철도 회사 / a ~ line 철도 선로

—*vt.* **1** …에 철도를 부설하다 **2** 철도로 수송하다[나르다] **3 a** 〈의안을〉 일사천리[억지]로 통과시키다: (~+목+전+명) ~ a bill *through* a committee 법안을 위원회에서 일사천리로 통과시키다 **b** 〈사람을〉 볶아쳐서[재촉하여, 무리하게] …시키다 **4** 《미·속어》 무고한 죄를 뒤집어씌우다, 누명을 씌워 투옥하다

—*vi.* 철도에서 일하다; 철도로 여행하다; 철도를 깔다

ráilroad cròssing 《미》 철도 건널목

rail·road·er [-ròudər] *n.* 《미》 철도 부설 기술자; 철도 종업원[직원](《영》 railwayman)

ráilroad flàt[apàrtment] 〖건축〗 기차칸식 아파트 《한 줄로 이어진 각 방이 다음 방으로 가는 통로가 되는 싸구려 아파트》

rail·road·ing [-ròudiŋ] *n.* Ⓤ 《미》 **1** 철도 부설 사업[작업, 공사]; 철도 사업; 기차 여행 **2** 《구어》 사람[일]을 서두르게 함, 일사천리의[억지스러운] 법안 통과

ráilroad màn 《미》 철도 종업원(railroader)

ráilroad pén (제도용의) 복선(複線) 가막부리

ráilroad stàtion 《미》 철도역

ráilroad tràcks 《미·속어》 육군 대위 계급장의 두 줄 은선(銀線); 치열 교정기(braces)

rail-split·ter [-splìtər] *n.* **1** (통나무로) 울타리용 가로장을 만드는 사람 **2** [the Rail-Splitter] Abraham Lincoln의 별명

ráil tràck 궤도, 선로

ráil tràil 《미》 레일 트레일 《선로를 철거하여 보행로나 자전거 도로로 개조한 길》

‡**rail·way** [réilwèi] *n.* **1** 《영》 **철도**(=~ line), 철도 선로(《미》 railroad) **2** 《미》 경편(輕便)[시가, 고가, 지하철] 궤도: a commuter[street] ~ 통근[노면] 전차

—*a.* Ⓐ 《영》 철도의[에 의한]: a ~ engineer 철도 기사 / a ~ letter 열차 우송 편지 / a ~ novel (기차 안에서 읽을 만한) 가벼운 소설 ***at ~ speed*** 황급히

—*vt.* …에 철도를 부설하다; 철도로 수송하다

—*vi.* 철도를 부설하다; 기차 여행하다

ráilway càrriage 《영》 객차

ráilway cròssing 《영》 철도 건널목

rail·way·man [réilwèimæ̀n, -mən | -mən, -mèn] *n.* (*pl.* **-men** [-mèn, -mən | -mən]) 《영》 =RAILROADER

ráilway rúg 기차 여행용의 무릎 덮개

ráilway stàtion 《영》 철도역

rail·way-yard [-jɑ̀:rd] *n.* 《영》 (철도의) 조차장(操車場)

rai·ment [réimənt] *n.* Ⓤ [집합적] 《문어》 의류, 의복(clothing); 복장

‡**rain** [réin] *n.* **1** Ⓤ 비; Ⓒ 강우; Ⓤ 우천(rainy weather): a heavy ~ 호우 / It's pouring with ~. 비가 억수같이 오고 있다. **2 a** [*pl.*] (우기 등의) 강우, 장마; 소나기, 한차례 내리는 비: spring ~*s* 봄장마 **b** [the ~s] (열대 지방의) 우기(雨期) **3** [a ~] (…의) 비 《*of*》; 빗발(치는 듯한 …): *a ~ of* bullets [blows, telegrams] 빗발치는 총탄[타격, 전보]

(***as***) ***right as ~*** 《구어》 매우 순조로운[건강한] ***come ~ or*** (***come***) ***shine*** = ***~ or shine*** 날씨가 좋든 나쁘든, 비가 오든 별이 나든; 어떠한 일이 있어도 ***in ~*** 빗발치듯 ***in the ~*** 우중에, 비를 무릅쓰고 ***It looks like ~.*** 비가 올 것 같다. ***the Sea of R~s*** (월면(月面)의) 비의 바다(Mare Imbrium)

—*vi.* **1** [보통 it를 주어로 하여] **비가 오다**: *It ~s.*

비가 온다. / It never ~*s* but it pours. = When it ~*s*, it pours. 《속담》 비가 오기만 하면 억수로 쏟아진다; 설상가상. // 《~+副》 *It* has ~*ed over.* 비가 그쳤다. / *It* ~*s in.* 비가 샌다. / *It* ~*ed all night.* 밤새 비가 내렸다. **2** 〈…이〉 비 오듯 하다: 《~+前+名》 Shells and bullets ~*ed upon* us. 총포탄이 비 오듯 쏟아졌다. / Tears ~*ed down* her cheeks. 눈물이 비 오듯 그녀의 뺨을 흘러내렸다. **3** 〈하늘·구름·신 등이〉 비를 내리다, 비를 내리게 하다 《*on*》
— *vt.* **1** [it을 주어로 하여 one*self*로] 비를 내리다: 《~+目+副》 *It* has ~*ed itself out.* 비가 그쳤다. **2** [it을 주어로 하여] …의 비를 내리게 하다, …이 비 오듯 쏟아지다: *It* ~*ed* large drops. 굵은 비가 내렸다. / *It* ~*ed* blood[invitations]. 피[초대장]가 비 오듯 했다. **3** 〈호의·은혜 등을〉 (…에게) 아낌없이 주다: ~ favors on a person …에게 은혜를 많이 베풀다 **4** 빗발치듯 퍼붓다: ~ kisses 키스를 퍼붓다 // 《~+目+前+名》 ~ praise *on* a person …에게 빗발치듯 찬사를 퍼붓다
be ~ed off (영) = ***be ~ed out*** (미) 〈경기 등이〉 비로 중지[연기]되다 ***It ~s cats and dogs.*** 비가 억수같이 쏟아진다. ***~ down on*** a person[thing] …에 대해 〈비난 따위가〉 쏟아지다 ***~ on*** a person***'s parade*** 남의 일[하루, 기회 따위]을 망쳐 놓다

rain·band [réinbæ̀nd] *n.* **1** 우선(雨線) 《대기 중의 수증기에 의해 일어나는 태양 스펙트럼의 검은 선》 **2** 〖기상〗 강우대(降雨帶)

ráin bàrrel (영) = WATER BUTT

rain·bird [-bə̀ːrd] *n.* 울음소리로 비를 알리는 새

ráin bòot 우화(雨靴), 레인 부츠

rain·bow** [réinbòu] *n.* **1** 무지개; 무지개 모양의 것; 가지각색 **2** 덧없는 희망 **3** = RAINBOW TROUT **4** (속어) = RAINBOW PILL ***all the colors of the ~ 갖가지[온갖] 색 ***chase*** (***after***) ***~s*** 무지개를 좇다 《실현 가능성이 없는 꿈을 좇아 많은 시간을 허비하다》
— *a.* 다민족[인종]의; 7색의; 가지각색의, 다채로운
— *vt.* 무지개 모양으로[다채롭게] 하다
— *vi.* 무지개처럼[다채롭게] 보이다

Ráinbow Brídge 레인보우 브리지 《미국 Utah주 남부의 천연 돌다리》

ráinbow chàser 공상가, 몽상가(visionary)

ráinbow coalítion (미) (정치에서) 소수 집단과 불이익 집단의 결속 《선거 혹은 정치적 토론에서 유리한 위치에 서기 위한》

rain·bow-col·lar [-kɑ́lər | -kɔ́l-] *a.* (구어) 〈공장 근로자가〉 현장과 관리 양쪽을 경험한; (현장 자동화로) 기술·관리의 재교육을 받은

rain·bow-col·ored [-kʌ̀lərd] *a.* 무지개색의

ráinbow drèssing 〖항해〗 무지개[만함(滿艦)] 장식

ráinbow fish = GUPPY

ràinbow nátion 무지개 국가 《다양한 문화와 인종으로 구성된 남아프리카 공화국을 일컫는 말》

ráinbow pìll (속어) 알록달록한 정제[캡슐]; 《특히》 한쪽은 적색이고 다른 쪽은 청색의 캡슐 《진정·수면제》

ráinbow ròof 〖건축〗 무지개[홍예형] 지붕

ráinbow rùnner 〖어류〗 난류(에 서식하는) 전갱어

ráinbow tròut 〖어류〗 무지개송어 《캐나다 원산》

rain-box [réinbɑ̀ks | -bɔ̀ks] *n.* 〖연극〗 비 상자 《빗소리를 내는 장치》

ráin chàrt 우도(雨圖), 등우선도(等雨線圖)

ráin chèck (미) **1 a** 우천 교환권 《옥외 경기가 비로 중지될 때 관람객에게 주는 다음 회의 유효표》 **b** (상품의 재고 등이 없는 경우) 후일 우선적으로 물품[서비스]을 제공한다는 보증권 **2** (지금은 사양하지만 나중에 요구할) 후일의 약속[초대, 요구], 초대의 연기
give [***take***] ***a ~*** 나중에 다시 초대하겠다고[초대에 응하겠다고] 약속하다: "Stay for the dinner, please." — "I'll *take a* ~, thanks." 저녁 드시고 가세요. — 나중에요, 고마워요.

ráin clòud 비구름(nimbus)

‡**rain·coat** [réinkòut] *n.* 비옷, 레인코트

ráin dànce **1** (아메리칸 인디언의) 기우(祈雨) 춤 **2** (미·속어) (정치가를 초청한) 성대한 환영회[연회]

ráin dàte (미) (옥외 행사[경기]의) 당일이 우천일 경우의 변경일[순연일]

ráin dày 강우일 《강우량 0.2밀리미터 이상》

ráin dòctor = RAINMAKER 1

‡**rain·drop** [réindrɑ̀p | -drɔ̀p] *n.* 빗방울, 낙숫물

‡**rain·fall** [réinfɔ̀ːl] *n.* Ⓤⓒ **1** 강우 **2** (비·눈 등을 포함한) 강수량, 강우량: a ~ chart 등우선도(等雨線圖) / a ~ of 70 inches a year 연간 70인치의 강우량

ráin fòrest 다우림(多雨林), 《특히》 열대 다우림

ráin gàuge 우량계[기]

ráin glàss 청우계(barometer)

Rai·nier [rəníər, rei-] *n.* **Mount ~** 레이니어 산 《미국 워싱턴 주 Cascade 산맥의 최고봉》

rain·less [réinlis] *a.* 비가 오지 않는, 건조하기 쉬운

rain·mak·er [réinmèikər] *n.* **1** (아메리칸 인디언 등의) 마술로 비를 오게 하는 사람, 기우사(祈雨師) **2** 인공 강우 전문가 **3** (속어) 유력한 원외(院外) 활동가

rain·mak·ing [-mèikiŋ] *n.* Ⓤ 인공 강우

ráin òut **1** (옥외 스포츠 등의) 우천으로 인한 연기[중지]; 우천으로 연기된[취소된] 운동 경기[야외 행사] **2** 〖물리〗 (수중 핵폭발 뒤 등의) 방사성 물방울의 강하

rain·proof [-prùːf] *a.* 〈천·외투 등이〉 방수의
— *n.* = RAINCOAT — *vt.* 방수 처리[가공]를 하다

ráin ràdar 레인 레이더 《빗방울의 수·크기를 잼》

ráin shàdow 〖기상〗 비그늘, 산으로 막혀 강수량이 적은 지역

ráin shòwer 소나기: scattered ~*s* 때때로 소나기 《일기 예보에서》

rain·spout [-spàut] *n.* (배수용 세로) 홈통

rain·squall [-skwɔ̀ːl] *n.* 비를 동반한 돌풍

rain·storm [-stɔ̀ːrm] *n.* 폭풍우

rain·suit [-sùːt | -sjùːt] *n.* (상하 한 벌의) 비옷, 레인 슈트

rain·tight [-tàit] *a.* = RAINPROOF

rain·wash [-wɔ̀ːʃ | -wɔ̀ʃ] *n.* **1** Ⓤ 〖지질〗 우식(雨蝕) 《빗물에 의한 침식》 **2** 빗물에 씻겨 내려간 것 《흙모래 등》

rain·wa·ter [-wɔ̀ːtər] *n.* Ⓤ 빗물, 천수(天水)
— *a.* 빗물의: a ~ tank 빗물 통

rain·wear [-wɛ̀ər] *n.* Ⓤ (방수가 되었거나 내수성인 천으로 된) 우천용 의류, 비옷

rain·worm [-wə̀ːrm] *n.* 지렁이(earthworm)

‡**rain·y** [réini] *a.* (**rain·i·er**; **-i·est**) **1** 비가 오는, 비의; 비 같은: ~ weather 우천 **2** 비 섞인, 비가 올 듯한: ~ clouds 비구름 / the *rainiest* place in Britain 영국에서 비가 가장 많이 오는 지역 **3** 〈도로 등이〉 비에 젖은: ~ streets 비에 젖은 거리
ráin·i·ly *ad.* **ráin·i·ness** *n.*

ráiny dáy **1** 비 오는 날 **2** 궁할 때, 만일의 경우
for [***against***] ***a ~*** 만일의 경우에 대비하여

ráiny séason (몬순·열대 지역의) 장마철, 우기(雨期)

‡**raise** [réiz] *v.*, *n.*

기본적으로는 「(낮은 데 있는 것을) 들어올리다, (가로 누운 것을) 세우다」의 뜻.

타	① (높은 데로) 올리다	**1**
	② 〈집 등을〉 세우다	**2**
	③ 늘리다	**5**
	④ 〈문제 등을〉 제기하다	**8**
	⑤ 재배하다; 사육하다; 기르다	**9 a**
	⑥ 모집하다; 〈돈을〉 모으다	**9 b, c**

— *vt.* **1** 올리다, 들어올리다(⇨ lift 유의어); 높이

thesaurus **raise** *v.* **1** 올리다 lift, elevate, uplift, hoist, heave up **2** 세우다 construct, build, erect, put up **3** 늘리다, 높이다 increase, escalate, inflate, heighten, augment, amplify, intensify **4** 일으키다 cause, create, engender, kindle, arouse, awaken,

치켜들다; 〈넘어진 기둥 등을〉 **일으키다**; 〈기 등을〉 올리다; 세우다; 끌어[띄워] 올리다; 높이다: (~+목+전+명) ~ water *from* a well 우물에서 물을 길어 올리다 / ~ a person *from* his knees 무릎 꿇은 사람을 일으키다 // (~+목+부) ~ *up* one's arms 두 팔을 올리다 **2** 〈집 등을〉 **세우다**, 건축[건립]하다 (build, erect): ~ a house 집을 세우다 **3** 〈먼지·소동·반란 등을〉 **일으키다**: ~ a rebellion 반란을 일으키다 **4 a** **승진[진급, 향상]시키다**, 〈지위·이름을〉 높이다: (~+목+전+명) I'll ~ you *to* manager. 자네를 지배인으로 승진시켜 주겠다. // (~+목+부) He was ~*d up* over all his equals. 그는 동료 중에서 발탁되었다. **b** [~ one*self* 로] 출세[성공]하다; 기립하다 **5** 늘리다, 높이다; 〈소리를〉 지르다: ~ the standard of living 생활 수준을 높이다 / ~ rents 집세를 올리다 / ~ one's voice 소리지르다 **6** 〈죽은 자를〉 소생[부활]시키다; 〈영혼 등을〉 불러내다, 나타내다; 〈잠을〉 깨우다; 《스코》 성나게 하다: ~ the dead 죽은 자를 되살리다 **7** 〈웃음·불안·의문 등을〉 일으키다, 자아내다: ~ a ripple of applause 박수가 잔물결처럼 퍼지다 **8** 〈문제·질문·이의 등을〉 제기[제출, 제안]하다: ~ a question 문제를 제기하다 // (~+목+전+명) ~ a cry[an objection] *against* …에 항의하다 **9** 《미》 **a** **기르다**(grow), 재배하다; 사육하다(breed); 양식하다: ~ corn 옥수수를 기르다 / ~ children 아이들을 키우다 **b** 모으다, 모집[소집, 징집]하다(muster): (~+목+부) ~ *up* an army 군사를 일으키다, 군대를 모집하다 **c** 조달하다, 〈돈을〉 모으다, 마련하다: (~+목+전+명) ~ funds *for* a new scholarship 새로운 장학금을 위해 기금을 모으다 **10 a** 〈포위·금지 등을〉 해제하다 **b** 〖항해〗 〈육지·다른 배 등이〉 보이는 곳까지 오다 **11** 생각나게 하다; 〈희망 등을〉 불러일으키다 **12** 《미》 임명하다 **13** 〖수학〗 제곱하다, 자승(自乘)하다 《*to*》: ~ 5 *to* 4th power 5를 4제곱하다 **14** (이스트 등으로) 부풀게 하다; 돋우다; (조각·주물 등에서) 돋을새김을 하다 **15** 〈천 등에〉 보풀을 세우다 **16** (무선 전화로) …와 교신하다, …을 호출하다: ~ headquarters 본부와 교신하다 **17** 《미·캐나다》 〈수표 등을〉 변조하다, 〈수표 액면 가격 등을〉 고치다 **18** 〖카드〗 더욱 많이 걸다 **19** 〈가래를〉 기침하여 뱉다

~ a check 《미》 수표의 액수를 고액으로 고쳐 쓰다[위조하다] ***~ a dust*** 먼지를 일으키다[피우다]; 소동을 일으키다 ***~ cloth*** 천의 표면에 보풀을 일으키다 ***~ color*** 염색하여 빛깔을 선명하게 하다 ***~ from death*** [***the dead***] 소생시키다 ***~ hell*** [***the mischief, the devil, the roof, Cain, Ned***] 《미》 소동을 일으키다, 야단법석을 하다; 화내다, (큰소리로) 질책하다, 야단치다 ***~ money on*** …을 잡히고 돈을 마련하다 **~ one*self*** 발돋움하다 **~ one*'s eyebrows*** (경멸하여) 이맛살을 찌푸리다 **~ one*'s glass to*** …을 축하하기 위해 건배를 들다: Ladies and gentlemen, will you ~ *your glasses to* the bride and groom. 신사 숙녀 여러분, 신랑 신부를 위해서 축배를 듭시다. **~ one*'s hand to*** a person …에게 손을 치켜들다 《때리는 동작》 **~ one*'s hat to*** a person …에게 가볍게 모자를 들고 인사하다 **~ one*'s head*** 얼굴을 들다 《자리에 있음을 나타내기 위해》, 나타나다 **~ one*'s voice*** 소리를 높이다, 고함치다; 말하다, 발설하다 **~ one*'s voice against*** …에 항의하다 ***~ the wind*** ⇨ wind[1]

—*vi.* **1** 《방언》 일어나다, 일어서다, 올라가다, 오르다(rise) **2** 〖카드〗 거는 돈을 올리다

—*n.* 《미》 **1** 올림 **2** 높게 한[높아진] 곳; (복도·도로 등의) 올라가는 곳 **3** 《속어》 조달 **4** 증가; 가격 인상, 승급(《영·구어》 rise): get a ~ 승급되다 **5** 승갱도(昇坑道) ***make a ~*** 찾아내다; 조달하다

---

provoke, incite **5** 제기하다 put forward, introduce, advance, suggest, present **6** 기르다 grow, farm, cultivate, produce, breed, rear, bring up, nurture **7** (돈을) 모으다 get together, collect, assemble, levy, accumulate, amass

---

ráis·a·ble, ~·a·ble *a.*

***raised** [réizd] *a.* **1** 높인, 높아진, 한층 높은: a ~ bottom (되 등의) 높인 바닥 **2** 양각(陽刻)의, 도드라진: ~ letters[type] 점자(點字) / ~ work 양각 세공 **3** (효모로) 부풀게 한: ~ pastry 부풀린 과자 **4** 보풀이 일게 한; 〈감정 등이〉 고조된: ~ feelings 고조된 감정 **5** (수표·어음의) 액면가를 높인, 변조한

ráised béach 〖지질〗 융기 해안

ráised ránch 1층이 반지하에 있는 2층 집, 미니 2층

rais·er [réizər] *n.* **1** 올리는 사람[기구]; 일으키는 사람: a fire~ 방화범 **2** 〖포경〗 부양구(浮揚具) **3** 사육[배양]자; (자금 등의) 조달자 **4** 보풀을 세우는 직공, 기모기(起毛機) **5** 효모

***rai·sin** [réizn] *n.* **1** 건포도 **2** Ⓤ 짙은 남빛 **3** 《미·속어》 흑인; 노인

rais·ing [réiziŋ] *n.* 〖언어〗 상승 《변형 문법의 규칙》

rai·son d'état [réizoun-détɑ] [F = reason of state] 국가적 이유[견지]

rai·son d'être [réizoun-détrə | -zɔːn-déit-] [F = reason of being] *n.* (*pl.* **rai·sons d'être** [~]) 존재 이유

rai·son·né [rèizounéi | -zɔn-] [F] *a.* 조직[합리]적으로 배열[분류]한(arranged systematically); 조직적인, 합리적인: a catalog(ue) ~ 분류 목록

rai·son·neur [rèzənɔ́ːr] [F] *n.* (작품의 주제·철학 따위의 작자의 말을 대신하는) 소설[연극]의 해설자

rait·a [ráitə] *n.* Ⓤ (남아시아의) 요구르트를 넣어 다진 생야채 요리

raj [rɑ́ːdʒ] *n.* [the ~] 《인도》 주권; 지배, 통치

Ra·jab [rədʒǽb] *n.* 이슬람력(曆)의 제7월

ra·ja(h) [rɑ́ːdʒə] *n.* **1** (옛날 인도의) 왕[영주]; 수장(首長); 귀족 **2** (말레이·자바의) 추장

Ra·ja·sthan [rɑ́ːdʒəstɑ̀ːn | ╲-╱] *n.* 라자스탄 《인도 북서부의 주》

Ra·ja·stha·ni [rɑ̀ːdʒəstɑ́ːni] *n.* Rajasthan 지방의 언어 —*a.* Rajasthan 사람[문화, 말, 지방]의

Raj·put, Raj·poot [rɑ́ːdʒpuːt] *n.* 라지푸트 족 《옛날에 북인도를 지배한 종족; Kshatriya(무사 계급)의 자손이라 칭함》

Raj·ya Sa·bha [rɑ́ːdʒjə-səbɑ́ː] (인도 국회의) 상원(上院)

‡rake[1] [réik] *n.* **1** 갈퀴, 써레, 고무래; (고무래 모양의) 부지깽이 **2** (도박장의) 판돈을 그러모으는 도구 (***as***) ***lean*** [***thin***] ***as a ~*** 말라서 뼈와 가죽뿐인

—*vt.* **1** 갈퀴질하다; 〈불을〉 헤치다; (갈퀴 등으로) 긁어모으다 《*together*》, 긁어 헤치다 《*off*》; 소제하다, 긁어서 치우다; 긁어 고르다 《*up, over*》; 긁다, 스치다; 할퀴다; 〈씨 등에〉 흙을 덮다; 〈불 등을〉 묻다: (~+목+부) ~ *up*[*out*] a fire 불을 긁어 모으다[헤치다] // (~+목+전+명) ~ fallen leaves *from* a lawn 잔디밭에서 나뭇잎을 긁어내다 **2** 이리저리 긁어모으다 《*together, up, out*》; 샅샅이 캐내다, 찾아 돌아다니다; 들추어 내다, 폭로하다 《*up*》; 질책하다 《*over*》: (~+목+부) ~ *up* an old scandal 묵은 추문을 들추어내다 **3** 〈부·돈을〉 재빨리[풍부히] 그러모으다 《*in*》: ~ *in* money 큰 돈을 벌다 **4** 꼼꼼하게[샅샅이] 찾다[조사하다]: He ~*d through* his pockets. 그는 그의 주머니를 샅샅이 뒤졌다. **5 a** 〖군사〗 (기총) 소사(掃射)하다 《*along, through*》 **b** (망원경 등으로 샅샅이) 전망하다; (멀리) 바라보다

—*vi.* **1** 갈퀴[써레]를 쓰다, 갈퀴로 긁다; 긁어 모으다 **2** 샅샅이 캐내다, 깊이 파고들다 《*among, in, into*》; 애써 모으다: (~+전+명) He ~*d into* our life. 그는 우리 생활을 이것저것 조사하였다.

~ down 《미·속어》 (도박 등으로) 〈돈을〉 벌다 ***~ in*** 《구어》 〈돈을〉 잔뜩 긁어들이다[벌다] ***~ it in*** 《구어》 돈을 잔뜩 벌다 ***~ off*** (갈퀴 등으로) 긁어 헤치다; 〈리베이트 등을〉 받다 ***~ out*** 〈물건을〉 찾아내다; 〈불을〉 긁어내다 ***~ over*** (갈퀴로) 긁어 고르다; 《미》 검사[심사]하다; 〈과거의 일을〉 들추어내다, 폭로하다 ***~ up***

《구어》 (갈퀴로) 긁어 모으다; 〈과거의 일을〉 들추어내다, 폭로하다 **rák·a·ble** *a.*

rake[2] *n.* 난봉꾼, 방탕아(libertine)
— *vi.*, *vt.* 방탕하다

rake[3] *n.* **1** 경사(도) **2** 〖항해〗 이물[고물]의 돌출(부); (돛대·연통 등의) 고물[뒤] 쪽으로의 경사 **3** (무대 또는 관람석의) 경사면 **4** 〖항공〗 (날개·프로펠러의) 경사; 〖기계〗 (절삭(切削) 공구의) 날의 경사각(角)
— *vt.*, *vi.* 〈돛대·연통 등을[이]〉 고물[뒤]쪽으로 경사지게 하다[경사지다]

rake[4] *vi.* 《방언》 전진하다, 《특히》 빨리 나아가다; 《방언》 〈매가〉 사냥감을 좇아서 날다, 〈사냥개가〉 냄새를 맡으며 사냥감을 좇다

raked [réikt] *a.* (수직선·수평선에서) 경사진, 비스듬한

rake·hell [réikhèl] 《고어》 *a.* 방탕한
— *n.* 방탕아 **ráke·hell·y** *a.*

rake-off [-ɔ̀:f | -ɔ̀f] *n.* 《구어》 **1** (이익 등의) 배당(share) **2** (공공 사업 등에 관련된 부정 이익의) 배당, 수수료, 리베이트(rebate) **3** (가격의) 할인, 가격 인하(discount)

rak·er[1] [réikər] *n.* rake하는 사람[것]; = RAKER TOOTH

raker[2] *n.* 〖건축〗 (기둥·벽 따위가 넘어지지 않게 비스듬히 괸) 버팀목[기둥]

ráker tòoth (잘라낸 가지 따위의 절단면을) 다듬는 톱(니)(cleaner tooth)

ra·ki [rɑ:kí:, rə-, rǽki, rɑ́:ki] *n.* 라키 《유럽 남동부 지방에서 곡물·포도 등으로 만드는 강한 증류주》

rak·ish[1] [réikiʃ] *a.* **1** 멋진, 날씬한(smart), 쾌활한: a ~ hat 멋진 모자 **2** 〈배가〉 경쾌한, 속력이 빠를 것 같은 《해적선이 대개 경사진 돛대를 가지고 있던 데서》 **~·ly** *ad.* **~·ness** *n.*

rakish[2] *a.* 방탕한, 무절제한(fast)
~·ly *ad.* **~·ness** *n.*

rale, râle [rǽl, rɑ́:l | rɑ́:l] [F] *n.* 〖병리〗 (청진기에 들리는 호흡기의) 수포음(水泡音)

Ra·leigh [rɔ́:li, rɑ́:-] *n.* 롤리 **Sir Walter ~** (1554-1618) 《영국의 군인·탐험가·정치가》

rall [rɔ́:l] *n.* 《미·속어》 폐결핵 환자

rall. 〖음악〗 rallentando

ral·len·tan·do [rɑ̀:ləntɑ́:ndou | ræ̀lentǽn-] [It.] 〖음악〗 *a.*, *ad.* 점점 느린[느리게] 《略 rall.》
— *n.* (*pl.* **~s, -di** [-di]) 랄렌탄도(의 악장)

rál·li càrt[càr] [rǽli-] [종종 **R- c-**] 4인승의 소형 2륜 마차

‡**ral·ly**[1] [rǽli] *v.* (**-lied**) *vt.* **1** 〈흩어진 군대·집단 등을〉 **다시 불러 모으다,** 규합하다, 모집하다, 재결집하다: ~ scattered troops 흩어진 군대를 재집결하다 / ~ one's friends 친구를 불러 모으다 **2** 〈정력을〉 집중하다; 〈체력·기력 등을〉 회복하다; 고무하다, 자극하다: She never really *rallied* after the operation. 그녀는 수술 후 좀처럼 기력을 찾지 못했다.
— *vi.* **1** 다시 모이다 (*for*), 다시 집결하다; 집합하다, 단결하다; 지원하러 모이다: ~ around the president 대통령을 지원하러 모이다 **2** 회복하다; 원기를 회복하다 (*from*); 〈시장·경기가〉 회복되다: (~+전+명) ~ *from* illness 병에서 회복하다 **3** 〖금융〗 〈증권 등이〉 시세를 회복하다, 반등하다 **4** 〖테니스〗 계속해서 서로 쳐 넘기다 **5** 〖야구〗 반격하다: Our team *rallied* in the ninth inning to win the game. 우리 팀은 9회에 반격해서 경기에 이겼다. **6** 《미》 끝까지 해보다 **~ *in price*** 〖상업〗 다시 값이 올라가다 **~ *round*** 도우러 달려오다
— *a.* 〖증권〗 다시 값이 올라가는, 반등(反騰)하는
— *n.* (*pl.* **-lies**) **1** [a ~] **다시 모임,** 재거(再擧), 재결집; 만회 **2** [a ~] (기력·경기 등의) **회복;** 〖금융〗 반발, 반등: make *a* ~ 기력을 회복하다 **3** (정치적·종교적) **대회,** 집회; 시위 운동: a political ~ 정치적인 집회 **4** (배드민턴·테니스 등에서) 계속하여 서로 쳐 넘기기, 랠리; 〖권투〗 서로 치기; 〖야구〗 반격 **5** 랠리 《일반 도로에서 교통 규칙을 지키며 하는 장거리 자동차 경주》 **rál·li·er** *n.* 집회 참가자

rally[2] *vt.*, *vi.* (**-lied**) 놀리다, 조롱하다, 업신여기다

ral·ly·cross [rǽlikrɔ̀:s | -krɔ̀s] *n.* 랠리크로스 《도로와 들을 달리는 자동차 경주》

ral·lye [rǽli] *n.* = RALLY[1] 5

ral·ly·ing [rǽliiŋ] *n.* 장거리 자동차 경기, 자동차 랠리

rállying crỳ 1 (단체·운동 등의) 표어, 슬로건(slogan) **2** 함성, 성원 소리

rállying pòint 재집결[집합]지(점); 활력 회복점; 세력을 되찾는 계기

ral·ly·ist [rǽliist] *n.* (자동차) 랠리 참가자

ral·ly·mas·ter [rǽlimæ̀stər | -mɑ̀:s-] *n.* (자동차) 랠리 조직 위원장

ralph [rǽlf] *vi.* 《미·속어》 토하다 (*up*); 《미·속어》 오른쪽으로 돌다 — *n.* 《구어》 우선회 ***hang a ~*** 《구어》 (모퉁이를) 오른쪽으로 돌다

Ralph [rǽlf | réif, rɑ́:lf, rǽlf] *n.* 남자 이름

*****ram**[1] [rǽm] *n.* **1** (거세하지 않은) **숫양**(⇨ sheep 관련) **2** [the R~] 〖천문〗 = ARIES **3** 성벽을 부수는 해머; 충각(衝角) 《옛날 군함의 이물에 붙인, 쇠로 된 돌기》; 충각함(艦) **4** (항타기(杭打機)의) 쇠달구, 쇠메; 말뚝 박는 드롭 해머 **5** 자동 양수기; (수압기의) 피스톤 **6** 〖항공〗 램(압); 램 효과(= ~ effect): ~ drag 램 저항 《제트 엔진의 실질 추진력》
— *v.* (**~med**; **~·ming**) *vt.* **1** 성벽을 부수는 해머로 치다; 충각으로 들이받다; 부딪치다, 격돌하다 (*against*, *at*): (~+목+전+명) ~ one's head *against* a wall 벽에 머리를 부딪치다 **2** 〈말뚝 등을〉 때려 박다 (*down*, *in*, *into*); 〈흙 등을〉 다져 굳히다; 장전기(rammer)로 쑤셔 넣다: (~+목+전+명) ~ a charge *into* a gun 총에 탄약을 재다 // (~+목+부) ~ earth well *down* 흙을 충분히 다져 굳히다 **3** 《구어》 〈물건을〉 (용기 등에) 쑤셔넣다, 밀어넣다 **4** 억지로 밀어붙이다: ~ a bill through the Senate 무리하게 법안을 상원에서 가결시키다
— *vi.* 〈차 등이〉 심하게 부딪치다, 격돌하다 (*into*); 〈흙 등을〉 밟아 굳히다; 빠른 속도로 움직이다
~ ... *down* a person*'s throat* ⇨ throat. **~ ... *home*** 〈의론을〉 반복하여 충분히 이해시키다 **~ ... *into* a person*'s head*** 〈의견 등을〉 반복하여 남의 머리에 박아넣다 **~·like** *a.*

ram[2] *n.*, *vi.* 《호주》 사기꾼의 한패(가 되다)

RAM [rǽm] 〖컴퓨터〗 random-access memory

R.A.M. Royal Academy of Music 영국 음악원

Ra·ma [rɑ́:mə] *n.* 〖힌두교〗 라마 《Vishnu 신(특히 7번째)의 화신》

-rama [rǽmə, rɑ:mə] 《연결형》 -ORAMA의 변형: cine*rama*

ra·ma·da [rəmɑ́:də] *n.* 짚으로 지붕을 인 정자

Ram·a·dan [ræ̀mədɑ́:n] *n.* **1** 라마단 《이슬람교 달력의 9월; 이슬람교도가 해돋이로부터 해가 질 때까지 단식하는》 **2** 라마단의 단식

ram·age [rǽmidʒ] *n.* 〖인류학〗 래미지 《공통의 조상을 갖는 영속적인 혈연 집단; 부계나 모계에 선택적으로 귀속》

rám-air tùrbine [rǽmὲər-] 〖항공〗 램에어 터빈 《장치가 고장났을 때 비행 풍압을 원동력으로 하는 작은 터빈》

ra·mal [réiməl] *a.* 가지의, 가지 모양의

Rá·man effèct [rɑ́:mən-] 〖물리〗 라만 효과 《빛이 투명한 매질(媒質)을 통과할 때, 산란하여 빛의 일부 파장이 변화하는 현상》

Ra·ma·pith·e·cus [rɑ̀:məpíθikəs] *n.* 〖생물〗 라마피테쿠스 《화석 영장류의 하나; 마이오세(世)에 절멸》

thesaurus **rally** *v.* **1** 규합하다 get together, assemble, convene, unite, summon (opp. *disperse*) **2** 다시 모이다 regroup, reassemble, reform, reunite **3** 회복하다 recover, revive, get better, improve
ramble *v.* walk, go for a walk, hike, wander,

ra·mate [réimeit] *a.* 가지가 있는[뻗어 있는]

Ra·ma·ya·na [rɑːmɑ́ːjənə | -máiənə, -mɑ́ːjə-] *n.* 라마야나 《고대 인도의 2대 서사시 중 하나; cf. MAHABHARATA》

Ram·a·zan [ræ̀məzɑ́ːn] *n.* =RAMADAN

ram·bla [rɑ́ːmblə] *n.* 물이 마른 협곡

ram·ble** [rǽmbl] *vi.* **1** (어슬렁어슬렁) **거닐다,** 만보(漫步)하다; 산책하다, 소요하다 《*about, over*》 (⇨ wander 유의어): ~ *about* in the countryside 시골을 산책하다 **2** 〈초목 등이〉 덩굴지다; 〈덩굴풀 등이〉 퍼지다; 〈강·길 등이〉 굽이쳐 가다, 구불구불 뻗어가다: 《~+전+명》 Vines ~*d over* the fence. 덩굴이 담장 위로 뻗었다. **3** 두서없이 말하다[쓰다]; 조리가 서지 않다 ~ ***on 오래 지껄이다: The speaker ~*d on* endlessly. 연설자는 오랫동안 두서없이 이야기했다.
— *vt.* 어슬렁거리다, 만보하다
— *n.* **1** 산책, 만보, 소요(stroll) **2** 구불구불한 길; 산책길 **3** 《드물게》 만담(漫談), 한담(閑談) ***on the*** ~ 산책하는[하며]

ram·bler [rǽmblər] *n.* 어슬렁거리는[한담하는] 사람; 〖식물〗 덩굴장미(=~ **ròse**)

ram·bling [rǽmbliŋ] *a.* **1** 어슬렁거리는, 한가로이 걷는; 방랑성의 **2** 〈말·글 등이〉 산만한; 두서없는, 종잡을 수 없는; 흩어져 있는; 〈집·거리 등이〉 꾸불꾸불한, 무질서하게 뻗어 있는, 사방으로 뻗은; 균형이 잡히지 않은 **3** 〖식물〗 덩굴지는 **4** 《미·속어》 〈열차가〉 빠른
~·ly *ad.* **~·ness** *n.*

Ram·bo, r- [rǽmbou] *n.* 〈태도·행동이〉 람보식의 사람 《혼자 사는 기술을 터득하고 폭력적으로 보복하는 영화 주인공 Rambo에서》 — *vt.* [**r~**] 《미·속어》 …에게 난폭하게 굴다, 엉망진창으로 파괴하다
~·esque, ~·like *a.*

Ram·bouil·let [rǽmbulèi | rɔ́mbujèi, rǽmbulèi] [F] *n.* (양의) 람브이에종(種) 《Merino종(種)에서 개량된 양으로, 양질의 고기와 털을 얻을 수 있음》

ram·bunc·tious [ræmbʌ́ŋkʃəs] *a.* 난폭한, 사나운, 사납게 날뛰는, 제멋대로의, 다룰 수 없는, 무법한; 떠들썩한; 벌집 쑤셔 놓은 듯한 **~·ly** *ad.* **~·ness** *n.*

ram·bu·tan [ræmbúːtn] *n.* 〖식물〗 람부탄 《말레이시아 원산의 무환자나뭇과의 교목》; 그 열매

R.A.M.C. Royal Army Medical Corps

rám effèct 〖우주항공〗 램 효과 《비행체에 흡입되는 공기는 흡입구에서 감속이 되면서 동압이 정압으로 전환되어 압력이 상승하는 현상》

ram·e·kin, ram·e·quin [rǽmikin] *n.* **1** Ⓤ 램킨 《치즈에 빵부스러기·달걀 등을 섞어서 구운 것》 **2** (램킨을 구워서 식탁에 내놓는 도기제의) 램킨 접시

ra·men [rɑ́ːmən] [Jap.] *n.* 라면

ra·men·tum [rəméntəm] *n.* (*pl.* **-ta** [-tə]) 깎아낸 부스러기, 입자; 〖식물〗 인편(鱗片)

Ram·e·ses [rǽməsiːz] *n.* =RAMSES

ra·met [réimit] *n.* 〖식물〗 라메트 《같은 개체에서 무성적(無性的)으로 번식시킨 개체군(clone)의 일원》

ra·mi [réimai] *n.* RAMUS의 복수

ra·mie [rǽmi, réimi] *n.* **1** 〖식물〗 라미, 모시 《쐐기풀과(科)》 **2** Ⓤ 그 섬유

ram·i·fi·ca·tion [ræ̀məfikéiʃən] *n.* ⓊⒸ **1** [보통 *pl.*] 가지, 분지(分枝), 분기(分岐), 세분화 **2** [집합적] 나뭇가지(branches) **3** 지맥(支脈), 지류: ~*s* of a nerve 신경의 지맥 **4** 나뭇가지 모양; 분지법(分枝法) **5** 작은 구분, 분파 **6** 결과(consequence)

ram·i·form [rǽməfɔ̀ːrm] *a.* 가지 모양의[같은]; 분기(分岐)한, 분파된

ram·i·fy [rǽməfài] *vi., vt.* (**-fied**) 가지를 내다[내게 하다]; 분기[분파]하다[시키다]; 작게 구분되다[하다]

---

stroll, saunter, roam, amble, rove, traipse, jaunt
rampant *a.* **1** 마구 퍼지는 uncontrolled, unrestrained, widespread, epidemic, spreading **2** 무성한 luxuriant, exuberant, rank, profuse, lavish **3** 사나운 aggressive, vehement, violent, wild, fanatical

---

rám·jet (èngine) [rǽmdʒèt-] 〖항공〗 램제트 (엔진) 《고속 비행 중의 유입 공기압으로 공기를 압축하는 제트 엔진》

rámmed éarth [rǽmd-] 〖건축〗 (다져서) 굳힌 흙

ram·mer [rǽmər] *n.* **1** 박는[다지는] 사람[물건], 달구, 메, 치는 막대 **2** 〖군사〗 (탄약) 꽂을대(ramrod), 장전기(裝塡機) 《총구에 화약을 재는》

ram·mish [rǽmiʃ] *a.* **1** 숫양(羊) 같은 **2** 악취가 강한, 냄새 나는; 맛이 짙은 **3** 호색(好色)의 **~·ness** *n.*

ram·my [rǽmi] *a.* 《비어》 〈남자가〉 욕정이 난

ra·mon [rəmóun] *n.* 〖식물〗 뽕나뭇과의 식물

Ra·mon [réimən] *n.* 남자 이름 《Raymond의 별칭》

Ra·mo·na [rəmóunə] *n.* 여자 이름

ra·mose [réimous, rəmóus] *a.* 가지가 난(branching), 가지로 갈라진(branched); 가지 모양의
~·ly *ad.* **ra·mos·i·ty** [rəmɑ́səti | -mɔ́s-] *n.*

ra·mous [réiməs] *a.* **1** 가지의[같은] **2** =RAMOSE

ramp[1] [ræmp] *vi.* **1** 〈사자 등이〉 뒷발로 일어서다 **2** 덤벼들려고 하다; 위협하는 자세를 취하다 **3** 날뛰며 돌아[뛰어]다니다, 행패를 부리다; 격노하다 《*about*》; (물 위를) 질주하다: ~*ing* and raging in a great fury 화내며 날뛰는 **4** 〖건축·축성〗 경사지다, 물매를 이루다 **5** 〈식물이〉 타고 오르다 — *vt.* 〖건축·축성〗 …에 사면(斜面)[경사로]을 만들다; 휘게 하다
— *n.* **1** (사자 등이) 덤벼들 듯이 뒷발로 일어서기 **2** 《구어》 날뛰며 돌아다니기; 격노

ramp[2] *n.* **1** (입체 교차로 등의) 경사로, 진입로(slope), 램프웨이; (높이가 다른 두 도로·건물·성곽 등의 플로어 등을 잇는) 경사로, 비탈; 《영》 과속 방지 턱(speed bump) **2** 〖건축〗 (계단 난간의) 굽은 부분, 만곡부; (항공기의) 이동식 계단, 트랩(=boarding ~); 〖항공〗 주기장(駐機場)(=parking ~)

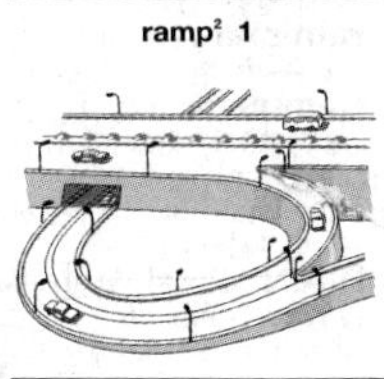
ramp² 1

ramp[3] 《영·구어》 *vt.* 속여 빼앗다(swindle), 사취하다; 폭리를 취하다; 잡아[낚아]채다(snatch)
~ ***up*** 〈주가를〉 끌어올리다, 바가지 씌우다
— *n.* 사기, 편취(騙取); 폭리

ram·page [rǽmpeidʒ | -ˊ, ˊ-] *n.* (화가 나서) 날뜀, 야단법석; 광포한 행동; 격노[흥분] 상태 ***go*** [***be***] ***on a*** [***the***] ~ 날뛰며 돌아다니다
— [-ˊ, ˊ-] *vi.* 날뛰며 돌아다니다, 사납게 돌진하다; 미쳐 날뛰다 **ram·pág·er** *n.*

ram·pa·geous [ræmpéidʒəs] *a.* 날뛰며 돌아다니는, 손댈 수 없는; 사나운, 난폭한, 격한, 맹렬한
~·ly *ad.* **~·ness** *n.*

ram·pan·cy [rǽmpənsi] *n.* Ⓤ **1** (언동의) 사나움, 격렬함, 과격함 **2** (병·나쁜 일·미신 등의) 만연(蔓延), 유행 **3** 초목이 우거짐, 무성 **4** (문장(紋章)에서 《특히》 사자 등의) 뒷발로 일어서기

***ram·pant** [rǽmpənt] *a.* **1** 〈병·소문 등이〉 **유행하는,** 마구 퍼지는, 성한: a ~ rumor 손쓸 수 없이 퍼지는 소문 **2** 〈식물이〉 만연하는, 무성한, 우거진 **3** 사나운, 광포한, 과격한; 자유분방한: a ~ leopard 사나운 표범 **4** (문장(紋章)에서) 〈특히 사자가〉 뒷발로 일어선: a lion ~ 뒷발로 일어선 사자 **5** 〖건축〗 (아치 등의) 한 쪽의 홍예 받침대가 높은
~·ly *ad.*

rampant 4

***ram·part** [rǽmpɑːrt, -pərt] *n.* **1** 누벽(壘壁), 성벽 **2** 방어, 수비; 방어물
— *vt.* **1** 누벽[성벽]을 두르다[으로 견고히 하다] **2** 방어하다, 방비하다

ram·pike [rǽmpàik] *n.* 《캐나다》 고목(枯木), 죽은 나무 《산불·번개 등으로 하얗게 벗겨지거나 쪼개진》
ram·pi·on [rǽmpiən] *n.* 초롱꽃속(屬)의 식물 《유럽산; 잎과 뿌리는 식용》
rámp wèight 〚항공〛 램프 중량 《항공기가 비행을 시작할 때의 최대 중량》
ram-raid·ing [rǽmrèidiŋ] *n.* Ⓤ 《영》 차로 상점 유리를 밀고 돌진하는 강도 (행위)
rám-ràid *n.*,*v.* **rám-ràid·er** *n.*
ram·rod [rǽmrɑ̀d | -rɔ̀d] *n.* **1** (총의) 탄약 꽂을대, 탄약 재는 쇠꼬치 **2** 엄격한 규율가[책임자, 교사, 상관], (특히 농장의) 감독 (***as***) ***stiff***[***straight***] ***as a*** ~ 직립한, 곧은, 직립 부동의; 〈태도 등이〉 딱딱한 ― *a.* 곧은; 〈태도 등이〉 딱딱한; 엄한, 강직한; 유연성 없는 ― *vt.* (**~·dod**; **~·ding**) 《구어》 강력히 밀고 나가다 《*through*》; …에게 엄격한 규율을 강요하다; 통제하다
Ráms·den éyepiece [rǽmzdən-] 〚광학〛 램즈덴 접안 렌즈
Ram·ses [rǽmsi:z] *n.* 라메스, 람세스 《고대 이집트의 국왕들; 특히 제19 왕조의 라메스 2세》
Ram·sey [rǽmzi] *n.* 남자 이름
ram·shack·le [rǽmʃæ̀kl] *a.* **1** 〈마차·집 등이〉 넘어질 듯한, 흔들거리는, 덜컥거리는(rickety): a ~ house 쓰러져 가는 집 **2** 약한; 일정한 주견이 없는 (unsteady); 도덕 의식이 낮은 **3** 아무렇게나 만든
ram·son [rǽmzən, -sən] *n.* 〚식물〛 잎이 넓은 마늘의 일종; [*pl.*] 뿌리 《샐러드용》
ram·stam [rǽmstæ̀m] 《스코·영》 *a.* 완고한, 무모한 ― *n.* 완고[경솔]한 사람
ra·mus [réiməs] *n.* (*pl.* **-mi** [-mai]) 〚식물·동물·해부〛 (식물·혈관·뼈·신경 등의) 가지, 분기(分岐)
‡**ran** [rǽn] *v.* RUN의 과거
Ran [rɑ́:n] *n.* 〚북유럽신화〛 란 《바다의 여신; 항해자를 익사시킴》
R.A.N. Royal Australian Navy
rance [rǽns] *n.* Ⓤ 란스 《청색과 백색 무늬가 든 적갈색 대리석; 벨기에산(産)》
***ranch** [rǽntʃ | rɑ́:ntʃ] [Sp. =rancho] *n.* **1** 대목장, 대목축장: on[at] the ~ 농장에서 **2** 《미서부·캐나다》 (특정 동물·과실의) (대)농장, 농원, 사육장: a chicken ~ 양계장 / a fruit ~ 과수원 **3** [집합적] 목장[농장]에서 일하는 사람들 **4** =RANCH HOUSE **5** 관광 목장(= dude ~)
― *vi.* 목장을 경영하다; 목장에서 일하다
ránch drèssing 랜치 드레싱 《마요네즈와 버터밀크를 섞어 만든 흰색의 샐러드 드레싱》
***ranch·er** [rǽntʃər | rɑ́:n-] *n.* **1** 농장주, 목장주 **2** ranch에서 일하는 사람, 목동; 목장 감독 **3** =RANCHMAN
ranch·er·ie [rǽntʃəri | rɑ́:ntʃ-] *n.* 《캐나다서부》 (인디언의) 보류지[정착지]
ran·che·ro [ræntʃέərou | rɑ:n-] [Sp.] *n.* (*pl.* **~s**) 《미》 =RANCHMAN
ranch·ette [ræntʃét] *n.* 작은 목장[농장]; =RANCH HOUSE
ránch hòuse 《미》 **1** 목장주(主)의 집 **2** 랜치 하우스 《미국 교외에 많은 칸막이가 없고 지붕 물매가 뜬 단층집》
ranch·ing [rǽntʃiŋ | rɑ́:ntʃ-] *n.* Ⓤ 목축일, 목장 경영: cattle[sheep] ~ 소[양] 목축
ran·chi·to [rɑ:ntʃí:tou] *n.* (*pl.* **~s**) 작은 목장[가축 농장]; 오두막집
ranch·man [rǽntʃmən | rɑ́:ntʃ-] *n.* (*pl.* **-men** [-mən, -mèn]) 《미》 목장[농장] 경영자[소유자]; 목장[농장] 노동자; 카우보이
ránch mìnk 사육 밍크
ran·cho [rǽntʃou | rɑ́:n-] [Sp. 「오두막집」의 뜻에서] *n.* (*pl.* **~s**) **1** 목장[농장] 노동자의 오두막집[합숙소], 오두막집 **2** =RANCH 1
ránch wàgon =STATION WAGON
ran·cid [rǽnsid] *a.* **1** 썩은 냄새[맛]가 나는 〈버터 등〉, 악취가 나는, 코를 찌르는 〈냄새〉: ~ oil 고약한 냄새가 나는 기름 **2** 불쾌한, 역겨운(offensive)
~·ly *ad.* **~·ness** *n.*
ran·cid·i·ty [rænsídəti] *n.* Ⓤ 썩은 냄새, 악취
ran·cor | -cour [rǽŋkər] *n.* ⓊⒸ (깊은) 원한, 유감; 적의, 악의; 증오: have[nurse] ~ against a person …에게 원한을 품다 **~ed** *a.*
ran·cor·ous [rǽŋkərəs] *a.* 원한이 있는; 악의에 불타는 **~·ly** *ad.* **~·ness** *n.*
rand[1] [rǽnd] *n.* **1** 구두 뒤축 위에 끼워 밑을 판판하게 하는 가죽 **2** 《영·방언》 (경작지의) 가장자리 **3** (강기슭의) 높은 땅
rand[2] *n.* 랜드 《남아프리카 공화국의 화폐 단위; 기호 R》
R.& A. Royal and Ancient (Golf Club of St. Andrews)
Ran·dal, Ran·dall [rǽndl] *n.* 남자 이름
ran·dan[1] [rǽndæn, ―́] *n.* 《구어·방언》 들떠서 떠듦: go on the ~ 신나게 떠들어 대다
randan[2] *n.* 랜댄 《가운데 사람은 주걱 모양의 노를 젓고, 다른 두 사람은 보통 노를 사용하는 3인승 보트》; 그 배를 젓는 법
R&B, r&b rhythm and blues **R&D, R. and D.** research and development 연구 개발 **R.&I.** =R. ET I.
Ran·dolph [rǽndɑlf | -dɔlf] *n.* 남자 이름
‡**ran·dom** [rǽndəm] *a.* **1** 닥치는 대로의, 되는대로의: a ~ guess 어림짐작 / a ~ remark 두서없는 말

> 유의어 **random** 분명한 목적·계획이 없이 되는대로의 **haphazard** 합리성·적절성이나 최종 결과 등을 고려하지 않고 이루어지는: a *haphazard* lie 되는대로 지껄이는 거짓말 **casual** 숙고(熟考)·의도·목적 등이 없이 이루어지는: a *casual* remark 홀쩍 던지는 말 **desultory** 계획성·일관성이 없이 한 일에서 다음 일로 옮겨가는: in a *desultory* fashion 만연[산만]하게

2 임의의; 〚통계〛 무작위(無作爲)의 **3** 〚건축〛 〈돌·기와 등의 크기·모양이〉 일정하지 않은: ~ shingles 치수가 일정하지 않은 지붕널 / ~ bond 일정하지 않게 쌓음 **4** 《미·속어》 순서 없는; 변칙적인; 정리가 안 된 《특히 해커들 사이에서》 **5** 《미·속어》 천박한, 성실하지 못한, 비생산적인; 이유 없는; 하찮은것없는
― *n.* [다음 성구로] ***at*** **~** 닥치는 대로, 되는대로: Contestants were chosen *at* ~ from the audience. 경기 참가자들은 관객 중에서 무작위로 선발되었다.
― *ad.* 〚건축〛 〈크기·모양이〉 각기 다르게, 일정하지 않게: ~-sized slates 각기 다른 크기의 슬레이트
~·ly *ad.* **~·ness** *n.*
rándom áccess 〚컴퓨터〛 임의 접근 《축적된 기억을 임의의 순서로 이용할 수 있는 방식》
ran·dom-ac·cess [rǽndəmǽkses] *a.* 〚컴퓨터〛 임의 추출 방식의
rándom-áccess mémory 〚컴퓨터〛 랜덤 액세스 메모리, 임의 추출 기억 장치 《略 RAM》
rándom érror 〚통계·컴퓨터〛 랜덤 오차; 확률적 오차, 무작위 오차
rándom fíle 〚컴퓨터〛 랜덤[임의] 파일 《파일 내의 임의의 레코드를 등속(等速)으로 인출·이용할 수 있는 것》
ran·dom·ic·i·ty [rændəmísəti] *n.* (품질·모양이) 한결같지 않음, 고르지 못함, 불균일성
ran·dom·ize [rǽndəmàiz] *vt.* (난수표를 쓰거나 하여) 무작위화하다, 무작위로 고르다, …에서 임의로 추출하다 **ràn·dom·i·zá·tion** *n.* **-iz·er** *n.*

thesaurus **random** *a.* chance, accidental, fortuitous, serendipitous, adventitious, arbitrary, indiscriminate, sporadic, casual, unsystematic, orderless, disorganized, unplanned
range *n.* **1** 열, 줄 row, line, file, rank, string,

rándom lìne 〖측량〗 랜덤 라인 《장애물을 피해 설정된 측량선》
rándom lógic 〖컴퓨터〗 불규칙 논리
rándom númber 무작위 추출법에 의한 숫자[번호], 난수(亂數)
rándom sámple 〖통계〗 무작위 (추출) 표본
rándom sámpling 〖통계〗 임의[무작위] 추출법
rándom váriable 〖통계〗 확률 변수
rándom wálk **1** 〖물리〗 난보(亂步), 취보(醉步); 브라운 운동(Brownian movement) **2** 〖통계〗 (주가 변동의 예측에 관한) 랜덤 워크설
R & R, R and R rest and recreation[recuperation] 휴양[위로] 휴가; rock'n'roll
rand·y [rǽndi] *a.* (**rand·i·er**; **-i·est**) **1** 《스코》 거친, 소란스러운, 난잡한, 수다스러운 **2** 《영·방언》 다루기 힘드는, 날뛰는 〈소 등〉 **3** 호색적인, 음탕한
ránd·i·ness *n.*
Ran·dy [rǽndi] *n.* 남자 이름 《Randolph의 애칭》
ra·nee [rɑ́:ni, rɑní:] *n.* raja(h)의 아내; (인도의) 왕비, 공주
‡rang [rǽŋ] *v.* RING[2]의 과거
‡range [réindʒ] *n., v., a.*

「열」 **1 a**
→(줄지음)─→(산의 줄지음)→「산맥」 **1 b**
　　　　　└→「한 줄로 늘어서다」 통→
　　　　　　(이어지는 장소)→「범위」 **2**
└→(순서)→「계급」 **7**

— *n.* **1 a** 열, 줄; 잇닿음, 줄지음, 계속: the first ~ of soldiers 제1열의 병사들 **b** 산맥: the Cascade *R*~ 캐스케이드 산맥 **c** 연속 《같은 종류의 것의》, 조(組), 모임: a complete ~ of electrical goods 전기 제품의 전 기종 **2** 범위, 구역, 넓이; (동식물의) 분포 구역; 서식기(棲息期), 무성기; [a ~; the ~] (수중 동물이 사는) 물의 깊이, 서식 범위 **3 a** 〖군사〗 사정(射程), 사거리(射距離): within[out of] ~ 사정 내[외]에서 **b** 〖항공〗 항속 거리 **c** [UC] 음역; 시계(視界); 지식[능력, 감각] 범위: one's ~ of vision 보이는 범위 **d** 사격(연습)장(=rifle ~), 미사일 실험장; 골프 연습장 **4** 방목 구역; 목장(rangeland) **5** (같은 종류의) 도구 한 벌 **6** (변화의) 범위, 한도, 한계; 〖통계〗 레인지, (변동) 범위; 〖수학〗 치역(値域): the ~ of steel prices 철강의 가격 폭 **7** 계급, 신분, 지위; 부류; 종류: in the higher ~*s* of society 사회의 상류 계급에서 **8** 배회, 서성댐, 방황 **9** (요리용) 레인지(cooking stove); 《미》 (가스·전자) 레인지 **10** (드물게) 방향 **11** 《미》 〖측량〗 경선간(經線間) 지구 《자오선을 표준으로 하고 그 동편 또는 서편에 6마일씩 간격을 두고 그린 구역》; 〖측량〗 2점 이상에 의해 결정되는 측선(側線)의 수평 방향, 측심(測深)이 가능한 수면을 나타내는 선 **12** 〖항해〗 가항(可航) 범위; 〖물리〗 (하전 입자의) 도달거리 **13** 〖기상〗 교차(較差) **14** (석재의 일정 높이로의) 정층(整層) 쌓기; 양면 서가(書架) **15** (유리의 두께를 재는) 게이지

a golf*[*driving*] ~** 골프 연습장 ***at long*[*short*] ~** 원[근]거리에서 ***beyond*[*outside*] *the ~ of …의 범위 밖에 ***in ~ with*** …와 나란히 ***in the ~ of*** …의 범위 안에 ***out of*[*within*] ~** 사정거리 밖[안]에 ***out of** one**'s ~*** (1) 손이 미치지 않는 (2) 지식 범위 밖에 ***within the ~ of*** (1) 사정거리 안에 (2) 손에 닿는, …이 할 수 있는

— *vt.* **1 a** 가지런히 하다, 정렬시키다; 늘어놓다, 배치하다 《*on, in, along*》: (~+목+전+명) ~ books *on* a shelf 책을 선반에 가지런히 놓다 **b** 《시어》 〈머리카락을〉 매만지다 **2** [수동형 또는 ~ one*self* 로] 〈한 패·당(黨) 등에〉 넣다; …의 편을 들다, …을 지지하다 《*with, among, beside, on*》; …의 반대편에 서다 《*against*》: (~+목+전+명) All these groups were ~*d against*[*with*] the government. 이들 집단은 모두 정부의 적[지지 세력]이 되었다. / They ~*d themselves with* the liberals. 그들은 개혁파를 지지했다. **3** 분류하다 **4** 〈총·망원경 등을〉 향하게 하다, 사정(射程)을 정하다, 겨누다, 조준하다, 자세를 잡다 《*on*》: (~+목+전+명) ~ a telescope *on* …에 망원경을 맞추다 **5** (…의) 범위를 정하다 **6** 배회하다, 찾아 헤매다, 걸어다니다 **7** 〈연안을〉 순항(巡航)하다 **8** 〖항해〗 〈닻의 체인 등을〉 갑판 위로 풀어내다 **9** 《미》 방목하다, 목장에 풀다(pasture) **10** 《영》 〖인쇄〗 〈활자를〉 줄에 맞게 넣다

— *vi.* **1 a** 한 줄로 늘어서다 **b** 〈산맥 등이〉 연해 있다, 뻗다: (~+부) a boundary that ~*s north* and *south* 남북으로 뻗은 경계선 // (~+전+명) Brick houses ~ *along* the road. 벽돌집이 길가에 죽 늘어서 있다. **c** 편들다, 가담하다 《*with*》 **2** 〈동식물이〉 분포하다, 서식하다 《*over*》 **3 a** (물건을 찾아서) 헤매다, 방황하다, 돌아다니다 《*in, over, through*》: (~+전+명) ~ *through* the woods 숲 속을 헤매다 / talks *ranging over* a variety of subjects 두서없는 여러 가지 이야기 **b** 〈마음 등이〉 (…의) 범위에 이르다, 미치다, 퍼지다: (~+전+명) emotion *ranging from* smugness *to* despair 자기 만족에서 절망까지의 여러 감정 / His studies ~ *over* many subjects. 그의 연구는 여러 문제에 미치고 있다. **4** 변화[변동]하다; 〈온도계 등이〉 오르내리다, 움직이다: Prices ~ *from* $20 *to* $50. 가격은 20달러에서 50달러까지 여러 가지이다. **5** 평행하다 《*with*》; 어깨를 나란히 하다 《*with*》: (~+전+명) He ~*s with* the great writers. 그는 위대한 작가들과 어깨를 나란히 한다. **6** 〈탄환이〉 나아가다(go); 도달하다, 닿다; 사거리(射距離)가 …이다: (~+보) This gun ~*s* 8 miles. 이 포의 사정거리는 8마일이다. **7** 〖항해〗 순항하다 **8** 〈정박 중인 배가〉 앞뒤로 흔들리다 《*about*》 **9** 《영》 〖인쇄〗 행(行) 끝이 가지런히 되다

~ *in on* = **~ … *in*** (총으로) …을 조준하다 **~ one*self*** (1) 줄을 짓다, 정렬하다 (2) (무절제한 생활 후에 결혼하여) 착실해지다, 일정한 직업을 얻다 (3) 편들다 《*with*》

— *a.* 방목장의; 〈가축이〉 방목되어 있는; 방목장에서 일하는: ~ horses 방목되고 있는 말들
▷ rángy *a.*

ranged [réindʒd] *a.* 〖건축〗 〈벽돌·석재 따위를〉 수평으로 쌓은
ránge finder 거리 측정기, 거리계
range·land [réindʒlæ̀nd] *n.* 방목장
range·mas·ter [réindʒmæ̀stər | -mɑ̀:s-] *n.* 사격 훈련장 관리인
ránge òil 레인지[취사용 난로]용 기름
ránge pòle 〖측량〗 측량대, 폴
***rang·er** [réindʒər] *n.* **1** 돌아다니는 사람, 방랑자(wanderer) **2** 《미》 산림 경비대[감시]원; 무장 순찰대원; 《영》 왕실림 관리인 **3** 《미》 기마 경찰대원 **4** [**R~**] 〖미군〗 (제2차 대전 중의) 특별 유격대원, 레인저 부대원(cf. 《영》 COMMANDO) **5** (밀림 지대의) 게릴라전 훈련을 받은 병사 **6** [**R~**] 《미》 레인저 《월면 탐사선》 **7** 《영》 레인저 《Girls Guides의 16세 이상의 단원》
ránge tàble 조립 테이블
ráng·ing pòle[**ròd**] [réindʒiŋ-] = RANGE POLE
Ran·goon [ræŋgú:n] *n.* 랑군 《미얀마 수도 양곤(Yangon)의 구칭》
rang·y [réindʒi] *a.* (**rang·i·er**; **-i·est**) 《미》 **1** 돌아다니는, 돌아다니기에 알맞은; 방랑성의 《동물 등》 **2** 손발이 가늘고 긴 **3** 드넓은, 넓디 넓은 **4** 《호주》 산맥이 있는, 산이 많은 **ráng·i·ness** *n.*
ra·ni [rɑ́:ni, rɑní:] *n.* = RANEE
ra·nid [rǽnid, réin-] *n., a.* 〖동물〗 송장개구리(의)

---

chain, series, sequence **2** 범위 scope, compass, span, scale, reach, extent, area, field, province, domain, latitude, bounds **3** 종류 assortment, variety, kind, sort, type, class, rank, species, genus
— *v.* extend, stretch, reach, cover, go, run

‡rank[1] [rǽŋk] *n.* **1** 계급, 계층, 등급, (사회적) 지위, 신분; Ⓤ 고위, 고관; 상류 사회[계급]: the ~ of major[captain] (육군) 소령[대위]의 계급 / the upper ~*s* of society 상류 사회 / a writer of the first ~ 일류 작가 / advance in ~ 승진하다 **2** ⓒⓤ 열, 줄, 정렬; 〖군사〗 횡렬(橫列) 《보통 두 줄; cf. FILE[2]》; 횡대로 줄지은 병사: orchestra players arranged in ~*s* 여러 줄에 늘어앉은 오케스트라의 연주자들 **3** [*pl.*] 사병, (장교 이외의) 군대 구성원; [*pl.*] 군대; [집합적] 하사관, 병졸 **4** [보통 *pl.*] (정당·회사·단체의) 일반 당원[사원, 회원] 《간부와 구별하여》 **5** 〖체스〗 (체스판의) 가로줄 **6** 〖수학〗 (행렬의) 계수(階數)(=determinant ~) **7** 《영》 (손님을 기다리고 있는) 택시의 주차장 **8** 〖컴퓨터〗 계급, 등급, 순위 ***all ~s*** 〖군사〗 전원 ***break ~(s)*** 열을 흐트러뜨리다, 낙오하다 ***close (the) ~s*** (1) 〖군사〗 열의 간격을 좁히다 (2) 결속을 굳히다, 일치단결하다 ***fall into ~*** 열에 끼다, 줄을 서다 ***give first ~ to*** …을 제1위에 놓다, 으뜸으로 치다 ***keep ~*** 질서를 지키다 ***other ~s*** 하사관병 ***pull one's ~ on*** 《군대속어》 계급을 이용하여 명령으로 누르다 ***rise from the ~s*** (1) 사병에서 장교가 되다 (2) 낮은 신분에서 출세하다 ***take ~ of*** …의 위에 서다 ***take ~ with*** …와 어깨를 나란히 하다

— *vt.* **1** 나란히 세우다, 정렬시키다: ~ soldiers 병사를 정렬시키다 **2** 〈사람·사물을〉 (특정의 계급·지위·신분 등으로) 위치시키다, 분류하다; 등급을 매기다; 평가하다: (~+목+보) We ~ his abilities very high. 우리는 그의 재능을 높이 평가한다. // (~+목+전+명) ~ football *above* baseball 야구보다 축구를 상위에 놓다 // (~+목+**as** 보) Byron is ~*ed as* a great poet. 바이런은 위대한 시인으로 평가되고 있다. **3** 나란히 하다, 같은 줄로 하다 《one *with* another》 **4** 《미》 …보다 낫다, …의 위에 서다: A colonel ~*s* a major. 대령은 소령보다 높다. **5** 《미·속어》 괴롭히다; 모욕하다; 비판하다

— *vi.* **1** 자리 잡다, 지위를 차지하다 《*among*, *with*》; 줄짓다, 정렬하다; 위치하다, 나란히 서다; 〖군사〗 줄지어 나아가다, 행진하다 《*off*, *past*》: (~+보) ~ high[low] in one's class 학급에서 성적이 상위[하위]이다 / ~ well ahead of the other students 다른 학생을 훨씬 능가하고 있다 // (~+전+명) ~ *among* the greatest poets in the country 그 나라의 위대한 시인들 축에 끼다 // (~+**as** 보) He ~*s* high *as* a critic. 그는 평론가로서 높은 지위를 차지하고 있다. **2** 《미》 상위를 차지하다; 제1위를 차지하다 **3** 〖스코법〗 파산자의 재산에 대한 청구권을 갖다

~·less *a.*

rank[2] *a.* **1** 무성한, 울창한 《*with*》: a garden ~ *with* weeds 잡초가 무성한 정원 **2** 땅이 너무 기름진 **3** 고약한 냄새가 나는; 맛이 고약한; 부패한: a ~ cigar 냄새가 고약한 궐련 **4 a** 지독한, 심한, 참을 수 없는 **b** 극단의, 지나친: ~ treason 대역(죄) **5** 〖법〗 과도한 **6** 야비한, 천한, 음탕한: ~ language 야비한 말 **7** 순전한; 지독한: a ~ amateur 순전한 아마추어 **~·ish** *a.* **~·ly** *ad.* **~·ness** *n.*

ránk and fáshion 상류 사회

ránk and fíle [the ~] [단수·복수 취급] 병졸; [the ~] 일반 서민, 대중, (어떤 집단의) 보통 회원, 대다수(의 사람), 평사원

rank-and-file [rǽŋkənfáil] *a.* **1** 평사원의, (지도자가 아닌) 일반 조합원의; 서민[일반] 대중의, 일반인의 **2** (장교가 아닌) 사병의, 하사관병의

rank-and-fil·er [-fáilər] *n.* 일반 서민[회원, 사병]에 속하는 사람

ránk correlátion 〖통계〗 순위 상관(順位相關)

Ran·ke [rɑ́:ŋkə] *n.* 랑케 **Leopold von ~** (1795-1886) 《독일의 역사가》

rank·er [rǽŋkər] *n.* **1** 정렬하는[시키는] 사람 **2** 사병 **3** 사병 출신 장교, 특진 장교

Rán·kine cỳcle [rǽŋkin-] [스코틀랜드의 물리학자 이름에서] 〖물리〗 랭킨 주기

rank·ing [rǽŋkiŋ] *n.* Ⓤ 순위, 등급 매김, 서열

— *a.* **1** 뛰어난, 탁월한, 일류의: a ~ authority 일류의 권위자 **2** 간부의, 상급의, 상위의: a ~ diplomat 상급 외교관 **3** [보통 복합어를 이루어] …의 지위[위치]에 있는: high-~ 고위의 / a low-~ executive 하급 행정관

ran·kle [rǽŋkl] *vi.* **1** 《고어》 곪다, 상처가 아프다, 쑤시다 **2** 끊임없이 아프다; 〈원한 등이〉 마음에 사무치다, 〈불쾌한 감정 등이〉 끊임없이 마음을 괴롭히다: (~+전+명) The bitter experience ~*d in* our hearts. 쓰라린 경험이 우리 가슴에 맺혔다.

— *vt.* 괴롭히다, 짜증나게 하다

RANN Research Applied to National Needs 《미》 긴급 문제 연구[계획]

ran·sack [rǽnsæk] *vt.* **1** 〈집·호주머니 등을〉 샅샅이 뒤지다, 들추다, 찾아 헤매다 《*for*》: (~+목+전+명) He ~*ed* the room *for* the key. 그는 열쇠를 찾으려 온 방 안을 뒤졌다. **2** 빼앗다(rob), 약탈하다 《*of*》: (~+목+전+명) The house was ~*ed of* all its valuables. 집안의 귀중품이 전부 약탈당했다. **3** 기억을 더듬다, 생각해 내려고 애쓰다: (~+목+전+명) ~ one's memory *for* forgotten things 잊은 일을 생각해 내려고 애쓰다 **4** 면밀히 조사하다 **~·er** *n.*

ran·som** [rǽnsəm] *n.* **1** (포로의) 몸값, 배상금; Ⓤ 〖신학〗 그리스도의 속죄, 죄 갚음 **2** Ⓤ 해방, 되찾기, 몸값을 치르고 자유롭게 하기 **3** 특권[명예]세 **4** 공갈, 협박 ***a king's ~ 왕의 몸값; 막대한 돈 ***hold*** a person ***to*** [***for***] ***~*** …을 억류하고 몸값을 요구하다

— *vt.* **1** …을 배상하다, (몸값을 치르고) 되찾다 **2** …에게서 몸값[배상금]을 받다 《*for*》 **3** 배상을 받고 해방[석방]하다; 〖신학〗 (그리스도가 십자가에 못박혀 죽음으로써) 죄를 갚다, 속죄하다 **4** …에게 몸값[배상금]을 요구하다 **~·er** *n.* **~·less** *a.*

ránsom bìll[**bònd**] 나포 선박의 배상 증서

rant [rǽnt] *vi.* **1** 고함치다, 폭언하다, 호통치다; 장담하다; 야단치다 《*at*》: (~+전+명) ~ *at* a lazy student 나태한 학생을 야단치다 **2** 열광적으로 설교하다 **3** 〈배우가〉 대사를 외치듯이 말하다 ***~ and rave*** 고래고래 소리치다 **—** *vt.* 외치다, 고함치다 《*out*》

— *n.* Ⓤ **1** 장담; 고함 소리, 호언, 노호(怒號) **2** 《스코》 야단법석 **ránt·ing·ly** *ad.*

ran·tan·ker·ous [ræntǽŋkərəs] *a.* 《미·구어》 =CANTANKEROUS

rant·er [rǽntər] *n.* 호언장담하는 사람, 고함치는 사람; [**R~**] 초기 감리교도

rant·ing [rǽntiŋ] *n.* **1** 《영·속어》 (70년대 후반의) 절규형의 시 낭송(회) **2** [*pl.*] 연이은 고함[호통] 소리

ran·u·la [rǽnjulə] *n.* 〖병리〗 하마종(蝦蟇腫) 《혀 아래 생기는 정체낭종(停滯囊腫)》

ra·nun·cu·lus [rənʌ́ŋkjələs] *n.* (*pl.* **~·es, -li** [-lài]) 〖식물〗 미나리아재비속(屬)

ranz des vaches [rɑ́:n-dei-vɑ́:ʃ] [F] 목동의 선율 《스위스의 목동이 뿔피리로 부는》

ra·ob [réiɑb | -ɔb] [*r*adiosonde *ob*servation] *n.* 〖기상〗 라디오존데 관측(cf. RAWIN)

R.A.O.C. 《영》 Royal Army Ordnance Corps

Ra·óult's láw [rɑ:ú:lz-] [프랑스의 화학자 이름에서] 〖물리·화학〗 라울의 법칙

rap**[1] [rǽp] *n.* **1** 톡톡 두드림[침] 《*at*, *against*, *on*》; 세게 두드리는 소리: She heard a loud ~ *at* the door. 그녀는 문을 세게 두드리는 소리를 들었다. **2** 《속어》 질책, 비난; 평판, 평가; 《미·속어》 징역형; 《미·속어》 범죄 혐의; 체포, 구속: a murder ~ 살인용의 **3** 《속어》 고소, 고발 **4** 수다, 잡담; 의논 ***beat the ~ 《속어》 벌을 면하다, 무죄가 되다 ***get a ~ on*** [***over***] ***the knuckles*** (1) (어린이가 벌로서) 손가락 마디를 얻어맞다 (2) 야단맞다 ***take a ~*** 《미·구어》 얻어맞다; 부딪치다 ***take the ~*** 《미·구어》 벌

thesaurus **rank**[1] *n.* grade, level, stratum, class, status, position, station, standing

[비난]을 받다; 남의 죄를 뒤집어쓰다
— *v.* (**~ped**; **~·ping**) *vt.* **1** 톡톡[톡톡] 두드리다: 《~+목+부》 《~+목+전+명》 ~ *out* a tune *on* the piano 피아노를 두드려 곡을 치다 **2** 나무라다, 혹평하다; 비난하다 **3** 갑자기 심한 말을 쓰다, 내뱉듯이 말하다; 〈명령·구령·질책 등을〉 화나서[큰소리로] 말하다 《*out*》: 《~+목+부》 ~ *out* an oath 내뱉듯이 욕을 하다 / ~ *out* orders 큰소리로 명령하다 **4** 판결을 내리다; 〈형사범으로서〉 체포하다, 형벌에 처하다; 《속어》 죽이다 ***~ out*** (1) 두드려 〈소리 등을〉 내다 (2) 내뱉듯이 말하다 (3) 〈신령이〉 톡톡 치는 소리로 〈통신을〉 알리다
— *vi.* **1** 톡톡[톡톡] 두드리다 《*at, on*》: 《~+전+명》 ~ *on* a table 테이블을 톡톡 두드리다 **2** 《미·속어》 지껄이다, 잡담하다 **3** 의기투합하다

rap[2] *n.* **1** 랩 《18세기 아일랜드의 사주(私鑄) 화폐; 1/2 페니 상당》 **2** 《구어》 [a ~; 부정문에서] 조금도: I don'*t* care *a* ~. 조금도 신경쓰지 않는다.
not worth a ~ 보잘것없는

rap[3] *n.* = RAP MUSIC

ra·pa·cious [rəpéiʃəs] *a.* **1** (완력으로) 잡아채는, 강탈하는 **2** 욕심 많은(greedy), 탐욕한 **3** 〖동물〗 〈새 등이〉 생물을 잡아먹는, 육식하는 **~·ly** *ad.* **~·ness** *n.*

ra·pac·i·ty [rəpǽsəti] *n.* Ⓤ **1** 강탈 **2** 탐욕

Ra·pal·lo [rəpɑ́:lou] *n.* 라팔로 《이탈리아 북서부의 항구 도시》

Ra·pa Nui [rɑ́:pə-nú:i] = EASTER ISLAND

R.A.P.C. 《영》 Royal Army Pay Corps

ráp clùb 《미·속어》 잡담 클럽 《실제로는 남자 손님에게 음란 행위를 서비스하는 곳》

RAPCON [rǽpkɑn | -kɔn] [*R*adar *Ap*proach *Con*trol] *n.* 〖항공〗 레이더에 의한 항공 진입 관제

*__rape__[1] [réip] *vt., vi.* **1** 〖법〗 **성폭행하다** **2** 《고어·시어》 강탈하다, 약탈하다 **3** 파괴하다, 침범하다
— *n.* ⓊⒸ **1** 〖법〗 **성폭행**(cf. STATUTORY RAPE): an attempted ~ 성폭행 미수 **2** 《시어》 **강탈**, 약탈; 침범, 침해; (자연 등의) 파괴: the ~ of the countryside 시골의 파괴
ráp·a·ble, ~·a·ble *a.* **ráp·er** *n.*

rape[2] *n.* Ⓤ 〖식물〗 (서양) 평지 《씨는 coleseed》

rape[3] *n.* Ⓤ [종종 *pl.*] 포도 찌꺼기 《식초 제조용》

rápe càke 평지씨 깻묵

rápe làw[shìeld] 〖미국법〗 성폭행 피해자 보호법

rápe òil 평지 기름

rape·seed [réipsì:d] *n.* ⓊⒸ 평지씨

rápe wàgon 《미·비어》 = PIMPMOBILE

ráp fúll *a.* 〖항해〗 〈돛이〉 바람을 받아 부푼

ráp gròup 토의[토론] 그룹 《종종 진행자에 의해 진행》

Ra·pha·el [rǽfiəl, réif- | rǽfeiəl] *n.* **1** 남자 이름 **2** 라파엘 **Sanzio ~** (1483-1520) 《이탈리아의 화가·조각가·건축가》 **3** 〖성서〗 라파엘 《외전(外典)에 기록된 대천사(大天使)》

Ra·pha·el·esque [rǽfiəlésk, rèif- | rǽfeiəl-ésk] *a.* 라파엘풍의

ra·phe [réifi] *n.* (*pl.* **-phae** [-fi:]) 〖해부〗 봉합(선)

ra·phi·a [réifiə, rǽf-] *n.* = RAFFIA

raph·i·des [rǽfidì:z] *n.* 〖식물〗 결정속(結晶束)

‡**rap·id** [rǽpid] [L 「낚아채다」의 뜻에서] *a.* **1 빠른**, 급한, 신속한: ~ growth 빠른 성장 **2** 〈행동이〉 날랜, 민첩한, 재빠른; 서두르는(⇨ quick 유의어): a ~ worker 민첩하게 일하는 사람 / ~ motion 빠른 움직임 **3** 〈비탈길 등이〉 가파른, 급한, 험한 **4** 〖사진〗 〈렌즈나 감광제가〉 고감도의
— *n.* **1** [보통 *pl.*] 여울, 급류 **2** 고속 수송 열차[시스템] ***shoot the ~s*** (1) 〈보트가〉 여울을 건너다 (2) 위험한 짓을 하다 ▷ rapídity *n.*

Rápid Deplóyment Fòrce 〖미군〗 긴급 배치군 《미군의 거점이 없는 지역에서 분쟁 때 급파될 수 있는 부대; 略 RDF》

---

rapid *a.* quick, fast, swift, speedy, fleet, hurried, hasty, brisk, prompt (opp. *slow, leisurely*)

rápid éye mòvement 〖심리〗 급속 안구 운동 《수면 중에 안구가 급속히 움직이는 현상; 이때 꿈을 꾸는 일이 많음; 略 REM》

rápid éye mòvement slèep = REM SLEEP

rápid fíre 〖군사〗 속사(速射)

rap·id-fire [rǽpidfáiər] *a.* **1** 속사(速射)의: a ~ gun 속사포 **2** 〈질문 등이〉 잇단, 연이은: ~ questions 잇단 질문

*__ra·pid·i·ty__ [rəpídəti] *n.* Ⓤ **급속**, 신속, 민첩; 속도: with ~ 신속히(rapidly) ▷ rápid *a.*

‡**rap·id·ly** [rǽpidli] *ad.* **빨리**, 급속히, 신속히, 순식간에: the ~ changing world of technology 빠르게 변화하고 있는 과학 기술의 세계 ▷ rápid *a.*

rap·id·ness [rǽpidnis] *n.* Ⓤ **1** 신속; 민첩 **2** (비탈길 등이) 가파름

ra·pi·do [rɑ́:pidòu] *n.* (*pl.* **~s, -di** [-dì:]) (스페인·이탈리아의) 급행 열차

rápid reáction force 긴급 대응 부대

rap·id-re·sponse [rǽpidrispɑ́ns | -spɔ́ns] *a.* (비상시에) 신속히 대응[반응]할 수 있는

rápid thérmal exchànge 고속 체온 교환 장치 《근육에 필요한 혈액의 유입량은 유지하면서 인체 장기의 체온을 감소시킴; 略 RTX》

rápid tránsit (고가 철도 또는 지하철에 의한) 고속 수송(법)

rápid wáter 《미》 (소방 용수의 유출 속도를 높이기 위해 물에 섞는) 소화 용수용 액제(液劑)

ra·pi·er [réipiər] *n.* **1** 가늘고 긴 쌍날칼 《주로 결투용》 **2** [형용사적] rapier 같은, 날카로운, 찌르는 듯한: a ~ glance 무섭게 쏘아봄 / a ~ thrust 날카로운 풍자, 가볍게 받아넘기는 대답

rap·ine [rǽpin, -pain | -pain, -pin] *n.* Ⓤ 《시어·문어》 강탈, 약탈

rap·ist [réipist] *n.* 강간범, 성폭행범(raper)

ráp mùsic 랩뮤직 《1970년대 후반부터 디스크자키와 흑인들에 의해 발전된 팝 뮤직의 한 스타일》

rap·pa·ree [ræ̀pərí:] *n.* **1** 〖역사〗 (17세기 아일랜드의) 무장한 약탈자 **2** 《폐어》 도적, 해적, 강도

ráp pàrlor 《미·속어》 = RAP CLUB

rap·pee [ræpí:] *n.* 래피 《독한 코담배의 일종》

rap·pel [ræpél, rəp-] 〖등산〗 *n.* 라펠 《이중 자일에 의한 현수 하강(懸垂下降)》 — *vi.* (**~led**; **~·ling**) 라펠하다, 현수 하강하다

rap·pen [rɑ́:pən] *n.* (*pl.* ~) 라펜 《스위스의 청동 화폐》

rap·pé píe [rǽpi-] 《캐나다》 래피 파이 《감자·닭고기·오리고기 등으로 만든 파이》

rap·per [rǽpər] *n.* **1** 두드리는 사람[것] **2** (문의) 노커 **3** 《미·속어》 남에게 누명을 씌우는 죄 **4** 《미·속어》 말하는 사람(talker) **5** 《고어》 저주의 말 **6** 랩 가수[음악가]

rap·ping [rǽpiŋ] *n.* 톡톡 두드리기, 톡톡 두드리는 소리; (영매와 영 사이의) 톡톡 두드리는 소리에 의한 교신

rap·port [ræpɔ́:r, rə-] [F] *n.* Ⓤ **1** (일치·조화를 특징으로 한) 관계, 접촉 《*with, between*》 **2** (강령술(降靈術)에서 영매(靈媒)를 이용한) 교신(交信), 영교(communication); 〖심리〗 (의사의) 소통성 《정신과 의사와 환자, 심리 테스트 실험자와 피실험자 사이의 신뢰감》 ***be in*** [(프랑스 어풍) ***en***] ***~ with*** …와 화합[일치]하고 있다

rap·por·teur [ræ̀pɔ:rtə́:r] [F] *n.* **1** (회의의) 기록계, 서기 **2** (위원회의) 보고자

rap·proche·ment [ræ̀prouʃmɑ́:ŋ | ræprɔ́ʃmɑ:ŋ] [F] *n.* (특히 국가 간의) 친선, 친교 회복, 화해

rap·scal·lion [ræpskǽljən] *n.* 《고어》 악한, 무뢰한; 부랑배, 건달

ráp sèssion 《미·속어》 (어떤 특정 테마에 대한) 그룹 토론

ráp shèet 《미·속어》 전과(前科) 기록

ráp sòng = RAP MUSIC

ráp stùdio 《미·속어》 = RAP CLUB

rapt** [rǽpt] *a.* **1** 넋[마음]을 빼앗긴, 황홀해 있는, 매우 기쁜 《*away, with*》: be ~ *with* joy 기뻐 어찌할 바를 모르다 / a ~ smile 매우 기뻐하는 웃음 **2** 몰두한, 열중한, 골몰한 《*in, upon*》: a ~ listener 열심히 듣는 사람 ***be ~ away [***up***] 몰두해 있다, 열중해 있다, 혼을 빼앗기고 있다 ***be ~ in study*** 공부에 몰두해 있다 ***be ~ to the seventh heaven*** 미칠 듯이 기뻐하다 ***with ~ attention*** 열중하여
~·ly *ad.* **~·ness** *n.* ▷ rápture *n.*

rap·tor [rǽptər, -tɔːr] *n.* **1** 맹금(猛禽) **2** 《미군》 랩터 《최신예 전투기 F-22의 별칭》

rap·to·ri·al [ræptɔ́ːriəl] *a.* **1** 생물을 잡아먹는, 육식의 **2** 〈발톱이〉 먹이를 잡기에 알맞은 **3** 《동물》 맹금류[맹수]의: ~ birds[beasts] 맹금[맹수]
— *n.* 맹금, 육식성 동물

***rap·ture** [rǽptʃər] *n.* **1** 큰 기쁨, 황홀(경), 환희 (ecstasy) **2** [종종 *pl.*] 기쁨[환희]의 표현[외침] **3** 《고어》 유괴, 납치 **4** [the R~] 《신학》 (그리스도가 재림할 때) 그리스도와 공중에서 만나는 체험
be in ~s 미칠 듯이 기뻐하고 있다 ***fall*** [***go***] ***into ~s over*** …을 미칠 듯이 기뻐하다 ***with ~*** 황홀하여
— *vt.* 황홀하게 하다 **~·less** *a.*

rápture of the déep[**dépth**] 《병리》 = NITROGEN NARCOSIS

rap·tur·ous [rǽptʃərəs] *a.* 기뻐 날뛰는, 미칠 듯이 기뻐하는, 열광적인: ~ praise 열광적인 칭찬
~·ly *ad.* **~·ness** *n.*

ra·ra a·vis [rέərə-éivis | rάːrə-ǽvis] [L 「드문 새(bird)」의 뜻에서] (*pl.* **ra·ra a·vis·es** [-éivisiz], **ra·rae a·ves** [rέəriː-éiviːz]) **1** 보기 드문 사람[것] **2** 진품(珍品)

***rare**[1] [rέər] [L 「드문드문한」의 뜻에서] *a.* **1** 드문, 진기한, 희한한, 귀한, 진귀한: a ~ disease 희귀병 / ~ occasions 좀처럼 없는 기회 / It is ~ *for* him *to* go out. 그가 외출하는 일은 드물다.

> 유의어 **rare** 동류의 것으로서 수나 예가 적음을 뜻하는데, 질이 우수하여 가치가 높음을 암시한다: a *rare* china[porcelain] 진귀한 자기 **scarce** 평소에는 또는 이전에는 풍부했지만 지금은 부족한: *scarce* first editions 드문 초판본

2 〈공기 등이〉 희박한(thin): be light-headed from the ~ mountain air 산의 희박한 공기 때문에 머리가 어찔어찔하다 **3** 《구어》 참 좋은, 매우 뛰어난, 훌륭한; 매우 재미있는; 매우 큰, 심한: a ~ display of courage 대단한 용기의 발휘 / She showed ~ tact in inviting them both. 그녀는 뛰어난 사교성을 발휘해 그들을 다같이 초대했다. / We had ~ fun. 우리는 참 재미있었다. **4** [부사적으로] 《영·구어》 상당히, 매우 ***have a ~ time*** (***of it***) 즐겁게 지내다 ***in ~ cases*** = ***on ~ occasions*** 드물게, 때로는 ***~ and*** 《구어》 아주(very): ~ *and* hungry 아주 배가 고픈 ***~ old*** 《구어》 매우 좋은[나쁜]
— *ad.* 《구어·시어》 매우, 극히 **~·ness** *n.*

rare[2] [OE 「가볍게 삶은」의 뜻에서] *a.* 《미》 〈스테이크가〉 설익은, 덜 구워진(《영》 underdone): ~ steak 설익은 스테이크

ráre bírd = RARA AVIS

rare·bit [rέərbit] *n.* = WELSH RABBIT

ráre bóok (고서 등의) 희귀본, 진귀한 책

ráre éarth 《화학》 **1** 희토(稀土) 《각종 광물에 포함된 희토류 원소의 산화물》 **2** = RARE-EARTH ELEMENT

ráre-éarth èlement[**mètal**] [rέərə́ːrθ-] 《화학》 희토류 원소

rár·ee shòw [rέəri-] **1** 요지경(peep show) **2** (거리의 싸구려) 구경거리

rar·e·fac·tion [rὲərəfǽkʃən] *n.* Ⓤ (공기·가스 등의) 희박화(化); 희박한 상태 **~·al** *a.* **-tive** [-tiv] *a.*

rar·e·fied, rar·i·fied [rέərəfàid] *a.* **1** 〈지위 등이〉 매우 높은, 고상한, 심원한; 난해한: the ~ atmosphere of a scholarly symposium 학회 심포지엄의 심원한 분위기 / ~ tastes 고상한 취미 **2** 희박해진 **3** 순화된, 세련된; 선발된, 엘리트의 **4** 세밀화된

rar·e·fy, rar·i·fy [rέərəfài] *v.* (**-fied**) *vt.* **1** 희박하게 하다(opp. *condense*): ~ a gas 가스를 희박하게 하다 **2** 순화[정화]시키다(purify); 〈의론 등을〉 다듬다 **3** 세밀하게 하다 **—** *vi.* **1** 희박하게 되다 **2** 세밀하게 되다

ráre gás 《화학》 희(稀)가스 (noble gas)

rare·ly** [rέərli] *ad.* **1** 드물게, 좀처럼 …하지 않는 (seldom): We ~ see him nowadays. 요즈음은 그를 좀처럼 볼 수가 없다. / Englishmen ~ talk to strangers in trains. 영국인들은 기차에서 낯선 사람에게 좀처럼 말을 걸지 않는다. / It is ~ that he drinks. 그가 술 마시는 일은 좀처럼 없다. ★ 《구어》 ~ ever라고도 함: He ~ *ever* drinks. 그는 술을 좀처럼 마시지 않는다. **2** 드물 만큼, 희한하게, 아주, 매우 (잘); 훌륭하게(splendidly): She was ~ beautiful. 그녀는 정말로 아름다웠다. ***~ if ever = 《구어》 ***~ ever*** 설사 …하더라도 극히 드문: She ~ *if ever* plays the piano now. 그녀는 지금은 피아노를 거의 치지 않는다. ***~ or never*** 좀처럼 …하지 않는: He ~ *or never* laughs. 그는 좀처럼 웃지 않는다. ▷ rare[1] *a.*

rare·ripe [rέərràip] *a.* 〈과일·채소 등이〉 올되는, 조생종의; 조숙한 **—** *n.* **1** 조생종 과일[야채] **2** 《방언》 = GREEN ONION

rar·ing [rέəriŋ] *a.* Ⓟ [보통 ~ *to* do] 《구어》 열망하는, 갈망하는; 몹시 하고 싶어하는, 좀이 쑤시는: ~ *to* go 몹시 가고 싶어하는 **~·ness** *n.*

rar·i·ty [rέərəti] *n.* (*pl.* **-ties**) **1** Ⓤ 아주 드묾, 희박; 진귀: Volcanic eruptions occur with great ~. 화산 폭발은 좀처럼 일어나지 않는다. **2** 진품(珍品), 희귀한 것: ~ value 희소 가치

RAS reliability, availability and serviceability 《컴퓨터》 신뢰도·이용 가능도·보수 가능도 《컴퓨터 능력 평가의 주요소》 **R.A.S.** Royal Asiatic Society 《영》 왕립 아시아 협회; Royal Astronomical Society 《영》 왕립 천문 학회 **R.A.S.C.** Royal Army Service Corps 《현재는 R.C.T.》

***ras·cal** [rǽskəl | rάːs-] *n.* **1** 악한, 불량배, 악당, 건달 **2** 《익살》 녀석, 놈; 장난꾸러기: You lucky ~! 이 운 좋은 녀석아! **3** 《고어》 천한 사람, 하층민
— *a.* 파렴치한, 불량배의, 천한; 《고어》 하층 계급의
~·dom [-dəm] *n.* ⓊⒸ [집합적] 악당; 악당 근성 **~·ism** *n.* = RASCALITY **~·like** *a.*

ras·cal·i·ty [ræskǽləti | rɑːs-] *n.* (*pl.* **-ties**) **1** 악당의 짓, 비열, 파렴치; Ⓤ 악당 근성 **2** 못된[나쁜, 비열한] 짓 **3** 하층민

ras·cal·ly [rǽskəli | rάːs-] *a.* **1** 무뢰한의, 악당의; 악랄한 **2** 야비한, 교활한 **3** 천한 **4** 〈장소가〉 더러운
— *ad.* 무례한 태도로; 파렴치하게, 비열하게, 교활하게

ra·schel [rɑːʃél] *n.* 《방직》 라셀 《약간 느슨하게 짠 메리야스의 일종》

rase [réiz] *vt.* **1** 조각하다 **2** = RAZE

***rash**[1] [rǽʃ] *a.* **1** 무분별한, 무모한, 경솔한, 지각없는 **2** 성급한, 조급한: ~ promises 성급한 약속
~·ly *ad.* **~·ness** *n.*

rash[2] *n.* **1** 《의학》 발진, 뾰루지: a heat ~ 땀띠 **2** (보통 불쾌한 일 등의) 빈발, 다발(多發) 《*of*》: a ~ *of* robberies 강도 사건의 빈발

rash·er [rǽʃər] *n.* 베이컨[햄]의 얇은 조각 《굽거나 프라이하기 위한 것》; 곁들이기 위한 베이컨[햄]

RASIS 《컴퓨터》 reliability, availability, serviceability, integrity, security 《컴퓨터 시스템이 갖추어야 할 조건》

thesaurus **rapture** *n.* joy, ecstasy, elation, exaltation, bliss, enchantment, delight, happiness
rare[1] *a.* **1** 드문 infrequent, scarce, sparse, sporadic **2** 희한한 uncommon, exceptional, unusual, remarkable, strange, unique **3** 훌륭한 outstanding,

ra·so·ri·al [rəsɔ́:riəl] *a.* 〈새가〉 (먹이를 얻기 위해) 땅을 어지럽히는 습성의

rasp [rǽsp, rɑ́:sp | rɑ́:sp] *n.* **1** 이가 굵은 줄; 강판 **2** 줄질; 줄질하는 소리; 끽끽하는 소리 **3** 안달, 초조 **4** 《스코·구어》 = RASPBERRY
— *vt.* **1** 이가 굵은 줄로 쓸다 《*off, away*》; 거칠게 쓸다, 마구 깎다, 강판질하다; 박박 문지르다, 쓸어[갈아] 내다; 삐걱거리게 하다: 《~+목+부》 ~ *off* [*away*] corners 모서리를 깎아 내다 **2** 귀에 거슬리는 소리로 말하다 《*out*》: ~ *out* an order 귀에 거슬리는 소리로 주문하다 **3** 안타깝게 하다, 초조하게 하다: The sound *~ed* his nerves. 그 소리가 그의 신경을 초조하게 했다. — *vi.* 쓸리다; 삐걱거리다: 《~+전+명》 She was *~ing on* her violin. 그녀는 바이올린을 끽끽거리고 있었다.

ras·pa·to·ry [rǽspətɔ̀:ri | rɑ́:spətəri] *n.* 〖외과〗 골막 박리기(骨膜剝離器)

*__rasp·ber·ry__ [rǽzbèri, -bəri | rɑ́:zbəri] *n.* (*pl.* **-ries**) **1** 〖식물〗 나무딸기 **2** (미·속어) 입술 사이에서 혀를 진동시켜 내는 야유 소리; 비난, 혹평 《경멸·냉소를 뜻함》 **3** 거절; 각하(却下) ***get*** [***give, hand***] ***the ~*** 혹평[조소]받다[하다]

ráspberry cáne 나무딸기의 새 가지

ráspberry vínegar 나무딸기 시럽

rasp·er [rǽspər, rɑ́:sp- | rɑ́:sp-] *n.* **1** 강판 **2** 〖수렵〗 (뛰어넘기 어려운) 높은 울타리

rasp·ing [rǽspiŋ, rɑ́:sp- | rɑ́:sp-] *a.* **1** 〈소리 등이〉 귀에 거슬리는(irritating), 삐걱거리는(grating): a ~ voice 귀에 거슬리는 목소리 **2** 신경을 자극하는, 초조하게 만드는 **3** 〖수렵〗 뛰어넘기 어려운; 매우 빠른 — *n.* 톱밥 **~·ly** *ad.* **~·ness** *n.*

Ra·spu·tin [ræspjú:tn, -tin] *n.* 라스푸틴 **Grigori Yefimovich** ~ (1872-1916) 《러시아의 수사; 니콜라스 2세와 알렉산드라 황후의 신임을 얻어 국정에 참여》

rasp·y [rǽspi, rɑ́:spi | rɑ́:spi] *a.* (**rasp·i·er**; **-i·est**) **1** 삐걱거리는; 귀에 거슬리는 **2** 신경질적인, 성을 잘 내는

ras·sle [rǽsl] (미·방언) *vi.* 레슬링을 하다(wrestle) — *n.* 레슬링 시합

Ras·ta [rǽstə, rɑ́:s-] *n., a.* = RASTAFARIAN

Ras·ta·far·i·an [ræ̀stəfέəriən, -fɑ́:r-, rɑ̀:s-] *n., a.* 래스터패리언(의) 《에티오피아 황제 Haile Selassie(본명 Ras Tafari)를 신으로 신앙하는 자메이카 흑인; 아프리카 복귀를 주창》 **~·ism** *n.*

ras·ter [rǽstər] *n.* 〖TV〗 래스터 《브라운관의 주사선으로 구성된 화상(畫像)》; 〖컴퓨터〗 점방식 《음극(선)관 등의 화면 위의 화상을 만드는 데 쓰이는 수평선의 집합》

ráster ímage pròcessor 〖컴퓨터〗 래스터 화상 처리 장치 《원본 이미지를 출력할 미디어에 맞추어 새로 그리는 소프트웨어》

ras·ter·ize [rǽstəraiz] *vt.* 〖컴퓨터〗 인쇄 가능한 이미지로 바꾸다

ráster scàn 〖컴퓨터〗 래스터 주사(走査)

ras·tle [rǽsl] *vi., vt.* (방언) = WRESTLE

ras·ty [rǽsti] *a.* (미·속어) 〈젊은 여자의 얼굴이〉 사나운

ra·sure [réiʒər, -ʃər] *n.* 말소, 삭제, 소거(erasure)

‡**rat** [rǽt] *n.* **1** 쥐 **2** (속어) 변절자, 탈당자; 노동 조합 협정액보다 낮은 임금으로 일하는 직공, 파업 불가담 직공, 파업 파괴자(scab); 배신자, 비열한 인간 **3** (미·구어) (머리를 땋을 때 덧넣는) 다리, 딴머리 **4** (미·속어) 스파이, 밀고자; 파렴치한, 무뢰한; 품행이 나쁜 여자 **5** (미·속어) 신입생(freshman) **6** [보통 복합어로] (속어) …에 자주 가는 사람: a mall[gym] ~ 쇼핑몰[체육관]에 자주 가는 사람 ***as drunk*** [***poor, weak***] ***as a ~*** 곤드레만드레 취해서[한 푼 없이, 아주 힘을 잃고] ***like*** [***as wet as***] ***a drowned ~*** 물에 빠진 생쥐처럼, 흠뻑 젖어 ***like ~s leaving*** [***deserting***] ***the sinking ship*** 가라앉는 배를 떠나는 생쥐들처럼 《어려움이 닥치면 몸 담은 곳을 떠나는 변절자에 대해》 ***smell a ~*** (구어) 눈치채다, 알아채다; 의심을 품다
— *int.* [**R~s**!; 불신·경멸·실망 등을 나타내어] (속어) 바보같으니!, 설마(incredible)!
— *v.* (**~·ted**; **~·ting**) *vi.* **1** 〈개가〉 쥐를 잡다 **2** (속어) 탈당[변절]하다; 배신하다; 비열한 짓을 하다; 밀고하다 **3** (속어) 조합 협정액보다 낮은 임금으로 일하다; 동맹 파업에 가담하지 않다, 파업을 파괴하다; 〈약속·협정 등을〉 깨다
— *vt.* **1** (미) (머리에) 다리를 넣고 땋다 **2** (호주·뉴질) 도둑질하다, 슬쩍 훔치다
~ ***around*** (속어) 어정대다 ~ ***on*** (미·속어) 배반하다, 버리다; 밀고하다 ~ ***out*** (속어) 버리다, 돌보지 않다 《*on*》; 꽁무니를 빼고 도망치다, 손을 떼다 ▷ rátty *a.*

ra·ta [rɑ́:tə] *n.* 〖식물〗 라타 《뉴질랜드산의 메트로시데로스속(屬)의 교목》; 그 목재

rat·a·bil·i·ty [rèitəbíləti] *n.* ⓤ **1** 평가할 수 있음 **2** (영) 과세 자격, 지방세 납입 의무[부담 능력]

rat·a·ble [réitəbl] *a.* **1** 평가할 수 있는 **2** 비례하는, 일정한 비율에 따른: ~ distribution of wealth 부의 비례 분배 **3** (영) 〈집·가격 등이〉 지방세를 부담해야 할, 과세해야 할(taxable) **~·ness** *n.* **-bly** *ad.*

rátable válue (영) (지방세의) 과세 평가액

rat·a·fi·a [ræ̀təfí:ə | -fíə], **-fee** [-fí:] *n.* **1** ⓤ 래터피어 《아몬드 열매로 맛을 낸 과실주》 **2** (영) = MACAROON

ratafía bìscuit (영) = MACAROON

rat·al [réitl] (영) *n.* 지방세 과세 표준(액) — *a.* **1** 과세하는, 납세상의 **2** 지방세의

ra·tan [rætǽn, rə-] *n.* = RATTAN

rat·a·plan [rǽtəplæ̀n] *n.* 둥둥 《북소리》 — *vt., vi.* (**~ned**; **~·ning**) 둥둥 치다[울리다]

rat-arsed [rǽtɑ̀:rst] *a.* (영·속어) 굉장히 취한, 고주망태가 된

rat-a-tat [rǽtətǽt], **rat-a-tat-tat** [rǽtətæ̀t-tǽt] [의성어] *n.* **1** 둥둥, 쾅쾅(rat-tat) 《문·북 등을 두드리는 소리》 **2** (속어) 기관총

ra·ta·tou·ille [ræ̀tətú:i, -twí:] [F] *n.* (Provence 풍의) 야채 스튜 요리

rat·bag [rǽtbæ̀g] *n.* (호주·뉴질·속어) **1** 역겨운 녀석; 괴짜; 처치 곤란한 녀석; 몹시 불쾌한 놈 **2** 사나운[난폭한] 말

rát·bite fèver[**disèase**] [rǽtbàit-] 〖병리〗 서교열(鼠咬熱), 서교증(症)

rat·catch·er [-kæ̀tʃər] *n.* **1** 쥐잡이꾼, 쥐 잡는 동물 **2** (영·속어) 약식 사냥복

rát chèese 값싼 치즈, 《특히》 체더치즈(Cheddar)

ratch·et [rǽtʃit], **ratch** [rǽtʃ] 〖기계〗 *n.* **1** 래칫, 미늘톱니바퀴 (장치); 깔쭉톱니바퀴 (장치) **2** (톱니바퀴의 역회전을 막는) 미늘, 바퀴쐐기, 제동기 **3** 꾸준한 상승[하강]: the up-toward ~ oil prices 꾸준히 상승하는 원유 가격
— *vi.* 래칫 장치로 움직이게 하다, 서서히 오르다 《*up*》; 서서히 내리다 《*down*》
— *vt.* **1** 래칫을 달다; 바퀴를 래칫식으로 하다 **2** 단계적으로 증가시키다 《*up, upward*》

rátchet drìll 〖기계〗 깔쭉톱니 송곳

rátchet effèct 단속적 효과

ratch·et-jaw [rǽtʃitdʒɔ̀:] *n.* (미·속어) 수다쟁이

ratchet *n.* **1**

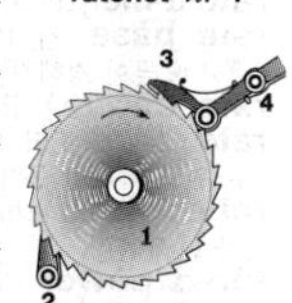

1 ratchet wheel
2 pawl preventing reversal of motion
3 pawl conveying motion to wheel
4 reciprocating lever

---

superior, special, excellent, incomparable, matchless, peerless, unparalleled, choice
rarely *ad.* seldom, infrequently, hardly, scarcely
rash[1] *a.* impulsive, reckless, hasty, audacious, thoughtless, careless, incautious, imprudent

rátchet whèel 〖기계〗 래칫, 깔쭉톱니바퀴

‡rate[1] [réit] *n.*, *v.*

> L「헤아린 부분의」의 뜻에서
> 「요금」 **2** →(한 단위당 요금)→「비율」 **1**
> →(빠르기의 비율)→「속도」 **3**

— *n.* **1** 비율, 율(率): birth[death] ~ 출생[사망]률 / the ~ of discount 할인율 **2** 요금, 대금, 시세, 가격, 평가; (시간당) 급료, 임금 《*of*, *for*》; 운송료, 운임: hotel ~*s* 호텔 요금 / postal[railroad] ~*s* 우편[철도] 요금 / a ~ *of* 10 cents a pound 1파운드당 10센트의 대금 / an hourly ~ 시간당 급료 **3** 속도; 진도; 정도; (시계의) 하루의 오차: work at rapid ~ 빠른 속도로 일하다 / The population is growing at an alarming ~. 놀라운 속도로 인구가 증가하고 있다. **4** [*pl.*] 세금; 《영》 지방세(《미》 local taxes), 지방 재산세(《미》 property tax): pay the ~*s* 지방세를 내다 **5** (배·선원 등의) 등급, 종류: of the first ~ 일류의 **(*as*) *sure as ~s*** 《미》 아주 확실하게 ***at a high*** [***low***] ~ 고[염]가로: live *at a high* ~ 호화롭게 살다 ***at all ~s*** 어떻게 해서라도 ***at an easy ~*** 싼 값으로; 쉽게 ***at any ~*** 하여튼, 좌우간에; 적어도 ***at that*** [***this***] ~ 《속어》 그런[이런] 상태[형편]로는, 그래[이래]가지고는 ***at the*** [***a***] ~ ***of*** …의 비율로; …의 값으로; …의 속도로: *at the* ~ *of* 10 miles an hour 시속 10마일의 속도로 ***give special ~s*** 할인하다 ***~s and taxes*** 지방세와 국세

— *vt.* **1** 평가하다, 어림잡다: (~+목+보) ~ a person's merit high …의 공적을 높이 평가하다 // (~+목+전+명) ~ glory *at* its true value 명성을 올바르게 평가하다 **2** …로 여기다, …이라고 생각하다[간주하다]: (~+목+(***as***) 보) He is ~*d* (*as*) one of the richest men. 그는 가장 부유한 사람 중의 한 사람으로 여겨진다. // (~+목+전+명) be ~*d among* the most influential men 가장 유력한 사람들 중의 하나로 간주되다 **3** [보통 수동형으로] 《영》 (과세를 목적으로) …을 평가하다 《*at*》, …에게 지방세를 과하다: (~+목+전+명) The house *is* ~*d at* £50 per annum. 그 집의 가옥세는 연 50파운드로 사정되어 있다. **4** 〖항해〗 (선원·선박의) 등급[서열]을 정하다 《*as*》; 〖전기〗 규격을 정하다; 운임[임금]을 정하다 **5** (시계의) 오차를 측정하다 **6** …의 가치가 있다, 《미》 평점을 매기다; (직무상) 지급되다

— *vi.* **1** 어림되다, 평가되다 《*as*》: a performance that didn't ~ very high 그다지 높게 평가되지 않았던 연기 // (~+보) He ~*s* high in my estimation. 나는 그를 높이 평가한다. **2** …에 위치하다, …의 등급을 갖고 있다; 여겨지다, …로 간주되다: (~+***as*** 보) The ship ~*s as* first. 그 배는 일급선이다. **3** 《미·구어》 자격이 있다, 가치가 있다 **4** 《구어》 평판이 좋다, 인기가 있다 ~ ***up*** (보험의) 요율을 높이다

rate[2] *vt.*, *vi.* 나무라다(scold), 욕하다, 꾸짖다 《*at*》

rate·a·ble [réitəbl] *a.* =RATABLE

ráte bàse (잡지의) 보증 부수(部數) 《이를 바탕으로 광고 요금이 정해짐》; 요금 산정 기준

ráte càp 《미》 금리 상한선, 금리 캡

ráte càrd 광고 요율표(料率表) 《광고 요금·게재 회수·원고 마감일 등을 명시한 표》

rát·ed lóad [réitid-] 〖기계〗 정격 부하(定格負荷) [하중(荷重)]

ráted pòwer 〖오디오〗 정격 출력(定格出力)

ra·tel [réitel, rɑ́:tl] *n.* 〖동물〗 오소리의 일종 《남아프리카·인도산》

ráte-of-clímb ìndicator [réitəvkláim-] 〖항공〗 승강계(昇降計)

ráte of exchánge =EXCHANGE RATE

ráte of ínterest 이율

ráte of retúrn 〖금융〗 이익[수익]률

rate·pay·er [réitpèiər] *n.* 《영》 지방세 납부자; 공공요금 납부자

rat·er [réitər] *n.* **1** 평가[측정]자 **2** [복합어를 이루어] (어떤) 등급에 속하는 것[사람]: a first-~ 일류 인물, 일등품 / a 10-~ 10톤의 요트 **3** 《속어》 중간 정도의 요트

rat·fink [rǽtfìŋk] *n.* 《미·속어》 보기 싫은 놈; 비열한 사람; 밀고자; 배반자

rat·fish [rǽtfìʃ] *n.* 〖동물〗 은상어(chimaera)

rath [rǽθ, rɑ́:θ | rɑ́:θ] *a.* =RATHE

rathe [réið] 《고어·시어》 *a.* **1** 시각[시기]이 이른, 일찍 피는, 올되는, 조생의 **2** 신속한 — *ad.* 아침 일찍; 이르게, 신속하게 **~·ly** *ad.* **~·ness** *n.*

‡rath·er [rǽðər, rɑ́:ð- | rɑ́:ð-] *ad.*, *int.*

> OE「더 빠른」의 뜻에서
> (더 빨리)→(더 바람직하게)→「차라리」 **1**→「약간」 **3**

— *ad.* **1** (…이기보다는) 오히려, 차라리 《*than*》: The contrary is ~ to be supposed. 오히려 그 반대를 생각해야 한다. / He is a writer ~ *than* a scholar. 그는 학자라기보다는 오히려 문필가이다. / It is sultry ~ *than* warm. 따뜻하다기보다는 무덥다. **2** 어느 쪽인가 하면, 그보다는 …한 쪽이 낫다: die ~ than yield 양보하느니 차라리 죽는 것이 낫다 / The attempt was ~ a failure. 그 계획은 어느 쪽인가 하면 실패였다. **3** 어느 정도, 약간, 다소, 좀, 상당히, 꽤: ~ dark 약간 어두운 / I feel ~ better today. 나는 오늘 약간 기분이 좋다. **4** [접속사적으로] 그렇기는커녕, 반대로, 도리어: It wasn't help, ~ a hindrance. 도움이 되기는커녕 방해가 되었다. ★ 대개 《영》 *rather a* kind man, 《미》 *a rather* kind man의 어순. **5** [or ~] 아니, 차라리, 더 정확히 말하자면: late last night, *or* ~ early this morning 간밤 늦게라기보다는 오늘 아침 일찍 / He is a painter, *or* ~, a watercolorist. 그는 화가라기보다 정확히는 수채화가이다.

I should ~ think so. 그렇고 말고요. ***~ too*** 좀 지나치게 ***~ you*** [***him, her***] ***than me*** 나보다는 당신이[그가, 그녀가] 《남이 하려는 일을 나는 하기 싫을 때》 (***all***) ***the ~ that*** [***because***] …이기 때문에 더욱 ***would*** [***had***] ~ 오히려 …하고 싶다[하는 편이 낫다] 《*than*》: I *would* ~ not go. 나는 별로 가고 싶지 않다. / I *had* ~ never been born *than* have seen this day of shame. 이런 창피를 당하느니 차라리 태어나지 말 것을.

— [rǽ:ðə:r, rɑ́:- | rɑ́:-] *int.* [반어적으로 강한 긍정의 답에] 《영·구어》 그렇고 말고, 틀림없이(certainly): "Do you like this?"—"*R~!*" 이것을 좋아하는가? — 좋아하다마다!

rath·er·ish [rǽðəriʃ, rɑ́:ð- | rɑ́:ð-] *ad.* 《미·구어》 =SOMEWHAT

Rath·ke's póuch[**pócket**] [rɑ́:tkəz-] [독일의 해부학자 이름에서] 〖발생〗 라트케낭(囊)

rat·hole [rǽthòul] *n.* **1** 쥐구멍 **2** 좁고 지저분한 방[아파트, 사무실] ***down the ~*** 하찮은 목적을 위하여 — *vt.* 《미·속어》 남의 눈에 띄지 않게 저장하다

raths·kel·ler [rɑ́:tskèlər, rǽts-, rǽθs-] [G] *n.* **1** (독일의) 시청사 지하 식당 **2** 《미》 (독일식) 지하 식당 [맥주홀]

rat·i·cide [rǽtəsàid] *n.* 쥐약 **ràt·i·cíd·al** *a.*

rat·i·fi·ca·tion [rӕ̀təfikéiʃən] *n.* UC 비준, 재가; 인가, 승인; 〖법〗 추인(追認) ▷ rátify *v.*

rat·i·fi·er [rǽtəfàiər] *n.* 비준[시인]자, 재가자(裁可者)

***rat·i·fy** [rǽtəfài] *vt.* (**-fied**) **1** 비준하다, 재가하다;

thesaurus **rate**[1] *n.* **1** 비율 percentage, ratio, proportion, scale, degree **2** 요금 pay, payment, fee, price, cost, charge, rent — *v.* **1** 평가하다 judge, assess, appraise, evaluate, value, measure, weigh up, grade, rank, classify, categorize **2** …로 여기다 consider, regard as, reckon, deem

승인하다, 인가하다: The treaty was *ratified* by all the member states. 그 조약은 모든 회원국들로부터 비준받았다. **2** 실증(實證)하다
▷ ratificátion *n.*

ra·ti·né, ra·ti·ne [rӕtənéi] [F] *n.* Ⓤ **1** 라티네 연사(撚絲) **2** 라티네직(織)

rat·ing¹ [réitiŋ] *n.* **1** ⓊⒸ (과세를 위한) 평가, 평가액; 견적액 **2** (미) (시험의) 평점, (실업가·기업 등의) 신용도: have[enjoy] a high credit ~ 신용도가 높다 **3** 〖라디오·TV〗 시청률(audience rate); (레코드의) 판매량 **4** (선박·군함 승무원 등의) 등급(class), 등급별; 등위 매김; (톤수에 따른) 경주용 요트의 등급; [*pl.*] 어떤 등급의 승무원 전원 **5** (영화의) 연령별 관람 제한 제도(cf. FILM RATING) **6** 〖영국해군〗 하사관, 수병 **7** (영) 지방세액

rating² *n.* ⓊⒸ 꾸짖음, 질책 ***give a sound*** ~ 호되게 꾸짖다

ráting bàdge 〖미해군〗 직종별 계급장 (하사관의 왼쪽 소매에 다는 계급·직종 표지)

ráting nùt 〖시계〗 조정 너트[나사]

rátings ágency (기업·국가의) 신용[등급] 평가 기구[회사]

*__ra·tio__ [réiʃou, -ʃiòu | -ʃiòu] *n.* (*pl.* **~s**) ⓊⒸ 〖수학〗 비(比), 비율(cf. PROPORTION); 〖금융〗 (복본위제(複本位制)에서) 금은비가(金銀比價) (금과 은의 상대적 가치): the ~ of 5 to 2 5대 2의 비율
direct[***inverse, reciprocal***] ~ 정[역, 반]비 ***in the ~ of*** …의 비율로: They are *in the ~ of* 3 : 2. (~ of three to two로 읽음) 3대 2의 비율로 되어 있다. ***simple***[***compound***] ~ 단[복]비

ra·ti·oc·i·nate [rӕʃiάsənèit, -óus-, rӕti- | -tiɔ́s-] *vi.* (문어) 추리[추론]하다 **-nà·tor** *n.*

ra·ti·oc·i·na·tion [rӕʃiὰsənéiʃən, -òus-, rӕti- | -tiɔ̀s-] *n.* Ⓤ (문어) 추리, 추론

ra·ti·oc·i·na·tive [rӕʃiάsənèitiv, -óus-, rӕti- | -tiɔ́s-] *a.* (문어) **1** 추리의, 추론적인 **2** 이론을 캐기 좋아하는, 이론을 좋아하는

rátio contròl 〖컴퓨터〗 비례 제어 (두 양 사이에 어떤 비례 관계를 유지시키려는 제어 방식)

*__ra·tion__ [rǽʃən, réi- | rǽ-] *n.* **1** (식료품·연료 등의) **일정한 배급량**, 할당량, 정량: a daily ~ of meat and bread 고기와 빵의 하루 할당량 **2** [*pl.*] 식량, 양식 **3** [보통 *pl.*] 〖군사〗 하루분의 양식, 군용식: ⇨ C ration, D ration ***be put on ~s*** 정액 지급을 받다, 배급 받다 ***iron***[***emergency***] ~ 비상용 휴대 양식 ***on short ~s*** 양식이 제한되어
— *vt.* **1** 〈식량·의류·연료 등을〉 배급[지급, 공급]하다 (*to*); 〈사병에게〉 급식하다 (*out*): ~ *out* food *to* an army 군대에 식량을 배급하다 **2** …을 배급제로 하다: ~ meat 고기를 배급제로 하다 **3** 소비를 제한하다 (*to*) **4** 〈말 등을〉 조심해서 쓰다

⁑**ra·tion·al** [rǽʃənl] *a.* **1 a 이성이 있는**, 이성적인, 도리를 아는: a ~ decision 이성적인 결정 **b 제정신인**, 정신이 멀쩡한 **2 합리적인**, 사리에 맞는, 논리적인, 분별있는: a ~ negotiator 분별 있는 교섭자 / The patient seems perfectly ~. 환자는 완전히 정상으로 보인다. **3** 추리의, 추론의: ~ faculty 추리력 **4** 순이론의, 이성주의의 **5** 〖수학〗 유리(有理)의(opp. *irrational*): a ~ expression 유리식
— *n.* **1** 합리적인 것; 도리를 아는 자, 인간 **2** = RATIONALE **3** 〖수학〗 유리수 **~·ly** *ad.* **~·ness** *n.*
▷ rátionalize *v.*

rátional dréss[**cóstume**] 합리복(合理服) (특히 자전거를 탈 때의 여성용 반바지)

---

ratify *v.* confirm, endorse, sign, sanction, warrant, approve, authorize, authenticate, certify, validate, accept, consent to, uphold

rational *a.* reasonable, sensible, logical, sound, intelligent, wise, judicious, sagacious, shrewd, perceptive (opp. *irrational, illogical, insane*)

ra·tio·nale [rӕʃənǽl | -nά:l] *n.* **1** 이론적 해석[근거, 설명] **2** 근본적 이유, 원리

rá·tion·al-e·mó·tive thèrapy [rǽʃənlimoú-tiv-] 〖심리〗 논리 정동(情動) 요법 (개인의 불합리한 믿음을 설득에 의해 수정시키는 심리 요법)

rátional expectátionist 〖경제〗 합리적 기대론자

rátional expectátions 〖경제〗 합리적 기대(가설)

rátional fórm 〖수학〗 유리식

rátional fúnction 〖수학〗 유리 함수

rátional horízon 〖천문〗 천문 지평(地平); 〖지리〗 지심 지평(地心地平)

ra·tio·nal·ism [rǽʃənəlìzm] *n.* Ⓤ **1** 이성론(理性論), 합리주의 **2** (종교상의) 이성주의
-ist *n.* 합리주의자, 순리론자 (신학·철학상)

ra·tio·nal·is·tic [rӕʃənəlístik] *a.* **1** 순리적인, 합리주의적인, 이성주의의 **2** 합리주의자의, 순리론자의
-ti·cal·ly *ad.*

ra·tio·nal·i·ty [rӕʃənǽləti] *n.* (*pl.* **-ties**) **1** Ⓤ 순리성, 합리성; 도리를 알고 있음 **2** [*pl.*] 합리적인 행동[견해]

ra·tio·nal·i·za·tion [rӕʃənəlizéiʃən | -lai-] *n.* Ⓤ **1** 합리화 **2** 이론적 설명, 합리적 사고, 합리화 상태 **3** 〖수학〗 유리화

ra·tio·nal·ize [rǽʃənəlàiz] *vt.* **1** 합리화하다; 이론적으로 설명하다 (*away*): ~ (*away*) a folk tale 민화에 대해 합리적으로 해석하다 **2** 〖심리〗 〈무의식적인 동기에서 한 행동을〉 그럴듯하게 설명하다 **3** (주로 영) 〈산업·회사·조직을〉 합리화하다 **4** 〖수학〗 유리화(有理化)하다: ~ the denominator of a fraction 분수의 분모를 유리화하다 — *vi.* 자기 행위를 합리화하다; 합리적으로 생각[행동]하다; (산업) 합리화를 행하다
▷ rátional *a.*

rátional númber 〖수학〗 유리수

rátional operátion 유리 연산, 가감승제

rátion bòok 배급 통장

rátion càrd 배급 카드

ra·tion·ing [rǽʃəniŋ] *n.* 배급 (제도)

rátio scále 비율[비례] 척도

rátio tèst 〖수학〗 무한 급수의 비에 의한 판정법

rat·ite [rǽtait] *a., n.* 〖조류〗 평흉류(平胸類)의 (새) (타조·거위 등의 주조류(走鳥類))

rat·line, -lin [rǽtlin], **rat·ling** [rǽtliŋ] *n.* 〖항해〗 줄사닥다리의 디딤줄; [*pl.*] 줄사닥다리

rát mìte 〖곤충〗 집진드기 (쥐·사람의 피를 빨아먹음)

ra·to, RATO [réitou] [*r*ock-et-*a*ssisted *t*ake*o*ff] *n.* 〖항공〗 로켓 보조 이륙

ra·toon [rætú:n] *n.* (목화·사탕수수 등의) 그루터기에서 나는 움[새싹], 그루터기 모종
— *vi.* 그루터기에서 움트다
— *vt.* 그루터기 모종으로 재배하다

rát pàck (미·속어) (10대의) 거리 불량배 집단

rát pòison 쥐약

rát ràce (구어) **1** 치열하고 무의미한 경쟁, 과다 경쟁; [the ~] (치열한) 경쟁 사회 **2** 큰 혼잡

rat·rac·er [rǽtrèisər] *n.* (미·구어) 치열하게 경쟁하는 사람; 혼잡에 휘말린 사람

rat·run [rǽtrʌ̀n] *n.* (영·속어) 샛길, 옆[지름]길

rát's áss (미·비어) 무(無), 영; 약간의 관심[주의]

rats·bane [rǽtsbèin] *n.* Ⓤ 쥐약 (특히 아비산(亞砒酸))

rat·shit [rǽtʃit] *a.* (속어) 하찮은, 쓸모없는

rát's nèst = MARE'S NEST

RATT radio teletype 〖항공〗 무선 텔레타이프

rat·tail [rǽttèil] *n.* **1** 쥐꼬리 같은 것 **2** 〖어류〗 꼬리가 긴 민어과(科)의 심해어 **3** 〖동물〗 털이 (거의) 없는

꼬리(를 가진 말) **—** *a.* 쥐꼬리 같은, 가늘고 긴

ráttail cómb 뾰족한 자루가 달린 머리 빗

rat·tan [rætǽn, rə-] *n.* **1** 〖식물〗 등(藤)(나무); 그 줄기 **2** 등 지팡이, 등 회초리

rat-tat [rǽttǽt], **rat-tat-tat** [rǽtətǽt], **rat-tat-too** [rǽtətúː] [의성어] *n.* =RAT-A-TAT

rat·teen [rætíːn] *n.* (폐어) =RATINÉ

rat·ten [rǽtn] *vt.* (구어) (노동 쟁의 때 기계·기구를 숨기거나 파손하여) 〈고용주를〉 괴롭히다, 골탕먹이다, 〈공장에〉 손해를 끼치다; 〈기계 등을〉 (노동 쟁의 중에) 부수다 **~·er** *n.* **~·ing** *n.*

rat·ter [rǽtər] *n.* **1** 쥐잡이 《사람·고양이·개·기구》 **2** (속어) 탈당자, 밀고자, 배신자, 변절자 **3** 조합 협정률보다 낮은 임금으로 일하는 사람, 파업 파괴자

rat·tish [rǽtiʃ] *a.* **1** 쥐 같은 **2** 쥐가 번식한

‡**rat·tle¹** [rǽtl] *vi.* **1 a** 왈각달각[덜걱덜걱, 우르르] 소리나다[소리내다], 덜걱덜걱 움직이다: (~+전+명) ~ *at* the door 문을 덜걱거리다 / The doors ~*d in* the storm. 문이 폭풍 속에서 덜걱덜걱 움직였다. **b** 〈죽어가는 사람이〉 목구멍에서 가르랑거리다 **2** 〈차가〉 덜걱거리며 달리나; 힘차게 차를 몰다[말을 타고 가다]; 〈사람이〉 (차로) 달리다 《*down, along, over, past*》: (~+전+명) a train *rattling along* the track 철로 위를 덜걱거리며 달리는 열차 **3** 거침없이 [빠른 말로] 지껄이다 《*on, away*》: (~+부) He ~*d away*[*on*] gaily. 그는 명랑하게 지껄였다.

—*vt.* **1** 덜걱덜걱[우르르] 소리나게 [울리게] 하다; …을 덜걱덜걱 움직이다: (~+목+전+명) The gale ~*d* the tiles *from* the roof. 질풍으로 지붕의 기와가 와그르르 떨어졌다. **2** 〈시·이야기·선서 등을〉 빠른 말로 말하다[지껄이다, 읽다, 외다] 《*off, on, out, over, away, through*》: (~+목+부) ~ *off* a speech 빠른 말로 연설하다 **3** 척척 해치우다; 〈의안 등을〉 일사천리로 통과시키다 《*through*》: (~+목+부) ~ a piece of business *through* 일을 척척 해치우다 **4** 활기를 돋우다 《*up*》 **5** (구어) 흥분시키다, 놀라게 하다, 당황하게 하다, 혼란시키다; 덤불을 두들겨 〈사냥감을〉 몰아내다: Nothing ~*d* him. 그는 어떤 일에도 동요되지 않았다. **6** 상소리로 꾸짖다 **7** 녹초가 되게 하다; 괴롭히다 **~ *around in*** …안에서 뒹굴뒹굴 굴러다니다 《너무 큰 집에서 살고 있는 사람들에 대한 말》 **~ *a person's cage*** …을 괴롭히다 **~ *a person's chain*** (미·속어) …을 속이다

—*n.* **1** 왈각달각 소리, 덜거덕거리는 소리; (특히 죽을 때) 목구멍에서 가르랑거리는 소리(=death ~); 왁자지껄: the ~ of traffic 교통 소음 **2** 딸랑이 《장난감》; 〖동물〗 향음 기관(響音器官) 《특히 방울뱀의 꼬리》 **3** 수다, 재잘거림, 떠들썩함, 수다스러운 사람; 꼬투리 속에서 소리나는 열매가 생기는 식물 **4** 소동

rattle² *vt.* 〖항해〗 〈(배의) 돛대 밧줄에〉 줄사다리(ratline)를 달다 《*down*》

rat·tle·bag [rǽtlbæ̀g] *n.* **1** 딸랑이 주머니 《장난감》 **2** 〖식물〗 활나물 《콩과(科)》

rat·tle·box [-bɑ̀ks | -bɔ̀ks] *n.* **1** 딸랑이 상자 《장난감》 **2** 〖식물〗 활나물 《콩과(科)》

rat·tle·brain [-brèin], **-head** [-hèd], **-pate** [-pèit] *n.* 수다스럽고 머리는 빈 사람; 경솔한 사람

rat·tle·brained [-brèind], **-head·ed** [-hèdid], **-pat·ed** [-pèitid] *a.* 수다스럽고 머리가 텅 빈; 경솔한

rat·tled [rǽtld] *a.* (구어) 난처한, 낭패인; (구어) 만취한

rat·tler [rǽtlər] *n.* **1** 딸랑딸랑[덜거덕] 소리내는 것 [사람] **2** 수다쟁이 **3** (구어) 일품(逸品), 《특히》 우수한 말 《馬》 **4** (미·구어) 폭풍우; 화물 열차 **5** (구어) =RATTLESNAKE

***rat·tle·snake** [rǽtlsnèik] *n.* **1** 〖동물〗 방울뱀 **2** (속어) 배반자, 믿을 수 없는 녀석

rat·tle·trap [-træ̀p] *n.* **1** (구어) 덜걱거리는 마차, 고물 자동차 **2** [보통 *pl.*] (영) 쓸모없는 골동품, 잡동사니 **3** (속어) 수다쟁이; 입

— *a.* 덜걱거리는, 낡아 빠진(rickety)

rat·tling [rǽtliŋ] *a.* **1** 딸랑[덜걱]거리는: a ~ door 덜걱거리는 문 **2** (구어) 활발한, 기운찬, 빠른: ~ pace 기운찬 속도 **3** (구어) 굉장한, 훌륭한: have a ~ dinner 대단한 저녁을 먹다 **4** 성가신, 귀찮은

— *ad.* [주로 good을 강조하여] (구어) 매우, 대단히, 아주: a ~ *good* time 아주 좋은 시간 **~·ly** *ad.*

rat·tly [rǽtli] *a.* 덜걱거리는, 달가닥거리는

rat·ton [rǽtn] *n.* 《영·방언》 쥐(rat)

rat·toon [rætúːn] *vi., vt.* =RATOON

rat·trap [rǽttræ̀p] *n.* **1** 쥐덫 **2** 절망적인 상황, 난국 **3** (영·속어) 입 **4** (구어) 지저분한[황폐한] 건물 **5** (구어) (자전거의) 표면이 우툴두툴한 페달

rat·ty [rǽti] *a.* (**-ti·er**; **-ti·est**) (속어) **1** 쥐 같은, 쥐 특유의; 쥐가 많은: a ~ neighborhood 쥐가 많은 지역 **2** 비참한, 비천한; 초라한, 남루한; 비열한 **3** (영·속어) 성마른, 성을 잘 내는 ***get*** **~** 화를 내다 《*with*》

rau·ci·ty [rɔ́ːsəti] *n.* 쉰 목소리, 귀에 거슬리는 소리

rau·cous [rɔ́ːkəs] *a.* (문어) 쉰 목소리의, 귀에 거슬리는; 소란한: ~ laughter 귀에 거슬리는 웃음 / a ~ party 소란한 파티 **~·ly** *ad.* **~·ness** *n.*

raught·y [rɔ́ːti] *a.* (영·속어) =RORTY

raunch [rɔ́ːntʃ, rɑ́ːntʃ | rɔ́ːntʃ] *n.* (구어) **1** 초라함, 누추함 **2** 조야함, 야비함, 천함; 외설

— *a.* 저속한: a ~ joke 저속한 농담

raun·chy [rɔ́ːntʃi, rɑ́ːn- | rɔ́ːn-] *a.* (**-chi·er**; **-chi·est**) (미·구어) **1** 칠칠치 못한, 초라한, 외양에 신경 쓰지 않는 **2** 추잡한, 야비한, 외설한, 호색적인; 술에 취한 **ráun·chi·ly** *ad.* **-chi·ness** *n.*

rau·wol·fi·a [rɔːwúlfiə, rau-] [독일의 식물학자 이름에서] *n.* **1** 〖식물〗 인도사목(蛇木) **2** 인도사목의 건조 뿌리 《혈압 강하제, 진정제》

***rav·age** [rǽvidʒ] [F 「강탈하다」의 뜻에서] *n.* **1** Ⓤ 파괴, 황폐; 파괴의 맹위(猛威): the ~*s* of the elements 자연의 맹위 **2** [*pl.*] 황폐한[파괴된] 자취, 참혹한 피해, 손해: the ~*s* of war 전쟁의 피해

—*vt., vi.* **1** 유린하다, 파괴하다; (비유) …을 상하게 하다: a face ~*d* by grief 슬픔으로 일그러진 얼굴 **2** 약탈하다: Enemy soldiers ~*d* the village. 적군은 마을을 약탈했다. **~·ment** *n.* **ráv·ag·er** *n.*

R.A.V.C. (영) Royal Army Veterinary Corps

***rave¹** [réiv] [F 「꿈꾸다」의 뜻에서] *vi.* **1** 헛소리하다; (미친 사람처럼) 지껄이다; 떠들다, 소리치다, 고함치다 《*against, about, of*》: (~+전+명) ~ *against* one's fate 자신의 불운을 한탄하다 **2** 열심히 이야기하다[설명하다]; 격찬하다 《*about, over*》: (~+전+명) They ~*d about* their trip. 그들은 그들의 여행에 관하여 열심히 이야기하였다. **3** 〈바람·물 등이〉 사납게 일다, 노호(怒號)하다; 미친 듯이 기뻐하다 《*of, about*》: (~+전+명) The sea ~*s against* the cliffs. 심한 파도가 벼랑에 부딪치고 있다.

—*vt.* **1** [~ one*self* 로] (미친 사람처럼) 정신없이 지껄이다, 외치다, 절규하다: (~+목+보) ~ *oneself* hoarse 소리를 질러 목이 쉬다 // (~+목+전+명) ~ *oneself to* sleep 날뛰다가 지쳐서 잠들다 **2** [~ one*self* 로] 〈폭풍우 등이〉 사납게 불다[치다], …(의 상태)가 되다: (~+목+부) The storm ~*d itself out.* 폭풍우가 맹위를 떨치다가 그쳤다. **~ *with fury*** 격노하다

—*a.* (구어) **1** 격찬하는, 마구 칭찬하는 **2** 열광적인

—*n.* Ⓤ **1** 사납게 날뜀, 광란 (바람·파도의) 노호(怒號): the ~ of the storm 사납게 몰아치는 폭풍우 **2** (구어) 격찬(=~ review), 무턱대고 하는 호평: This play received ~*s.* 이 연극은 호평을 받았다. **3** (구어) 열중; 떠들썩한 파티; (영·속어) (일시적) 유행; (구어) 혹평

rave² *n.* [보통 *pl.*] (짐을 더 싣기 위한 짐수레 등의) 옆둘레판, 가로로 댄 (보조)틀

thesaurus **ravage** *n.* devastation, desolation, ruin, destruction, demolition, wreckage, damage
raw *a.* **1** 날것의 fresh, uncooked **2** 가공하지 않은 unrefined, crude, coarse, unprocessed, unpre-

rav·el [rǽvəl] *v.* (**~ed**; **~·ing** | **~led**; **~·ling**) *vt.* **1** 〈편물·망 등을〉 풀다 ⟪*out*⟫ **2** 〈얽힌 사건 등을〉 밝히다, 해명하다 ⟪*out*⟫ **3** 〈실·머리카락 등을〉 얽히게 하다, 엉클다 ⟪*up*⟫; 〈문제 등을〉 혼란[착잡, 복잡]하게 하다: The affairs were *~ed* by his death. 사건은 그의 죽음으로 복잡하게 되었다. ***the ~(l)ed skein of life*** 복잡다단한 인생 **—** *vi.* **1** 풀리다, 풀어지다 ⟪*out*⟫ **2** 〈곤란이〉 해소되다 ⟪*out*⟫ **3** 〈도로 표면이〉 부서지다; 엉클어지다, 혼란[복잡]해지다
— *n.* **1** (새끼·직물 등의) 풀린 끝 **2** (털실 등의) 얽힘 ⟪*of*⟫ **3** 혼란, 착잡(complication) **~·(l)er** *n.* **~·ly** *a.*

rave·lin [rǽvlin] *n.* 〖축성〗 V자형 보루 ⟪해자로 둘러싸인 외곽 보루⟫

rav·el·(l)ing [rǽvəliŋ] *n.* **1** Ⓤ 풀기; 풀림 **2** 얽힌 실 (ravelled thread), 풀려나온 실

rav·el·ment [rǽvəlmənt] *n.* Ⓤ 얽힘, 혼란, 분규

*__ra·ven__[1] [réivən] *n.* 〖조류〗 **갈가마귀** ⟪흔히 불길한 징조로 여겨짐⟫; 큰 까마귀; [the R~] 〖천문〗 까마귀자리(Corvus)
— *a.* 새까만, 검고 윤나는; 칠흑의: ~ hair 검은 머리

rav·en[2] [rǽvən] *vi.* **1** 약탈하다, 노략질하다 ⟪*about*⟫: go *~ing about* 노략질하고 다니다 **2** (먹이를) 찾아 다니다 ⟪*for, after*⟫ **3** 게걸스럽게 먹다
— *vt.* **1** 약탈하다 **2** 게걸스럽게 먹다
— *n.* = RAVIN **~·er** *n.*

ra·ven-haired [réivənhɛ́ərd] *a.* 흑발(黑髮)의

rav·en·ing [rǽvəniŋ] *a.* **1** 탐욕스러운; 게걸스럽게 먹는 **2** 먹이를 찾아다니는, 약탈하는

rav·en·ous [rǽvənəs] *a.* **1** 게걸스럽게 먹는, 게걸든: eat with a ~ appetite 게걸스럽게 먹다 **2** 굶주린 ⟪*for*⟫; 탐욕스러운; 약탈하는: be ~ *for* food 먹을 것에 굶주리다 / a ~ jungle beast 탐욕스러운 밀림의 야수 **~·ly** *ad.* **~·ness** *n.*

rav·er [réivər] *n.* ⟪영·속어⟫ **1** 제멋대로 살아가는 사람, 쾌락주의자, 난봉꾼 **2** 열광적인 사람[팬] **3** 동성애자

ráve revíew ⟪미⟫ (영화·책 등에 대한 신문·잡지의) 호평, 절찬의 평

rave-up [réivʌ̀p] *n.* ⟪영·구어⟫ 소란한 파티

rav·in [rǽvin] *n.* ⓊⒸ ⟪시어·고어⟫ **1** 강탈, 약탈; 포식 **2** 약탈품, 노획물; 먹이 ***beast***[***bird***] ***of ~*** 맹수[맹금]

*__ra·vine__ [rəví:n] *n.* **좁은 골짜기,** 산골짜기, 계곡(⇨ valley 유의어)

rav·ing [réiviŋ] *a.* **1** 광란하는, 미쳐 날뛰는; 헛소리하는: be in ~ hysterics 어처구니없는 히스테리를 일으키고 있다 / a ~ maniac 허튼소리를 하는 미치광이 **2** ⟪구어⟫ 대단한, 굉장한: a ~ beauty 절세의 미인
— *ad.* ⟪구어⟫ 대단히, 굉장하게 ***be ~ mad*** 완전히 미치다 **—** *n.* ⓊⒸ [종종 *pl.*] 헛소리; 광란, 노호(怒號) **~·ly** *ad.*

rav·i·o·li [rӕvióuli, rɑ̀:v-] [It.] *n. pl.* [단수·복수 취급] 라비올리 ⟪저며서 양념한 고기를 밀가루 반죽으로 싼 요리⟫

rav·ish [rǽviʃ] *vt.* **1** [보통 수동형으로] 황홀하게 하다, 미칠 듯이 기쁘게 하다: She *was ~ed* with the view. 그녀는 그 경치를 보고 황홀해했다. **2** ⟪문어⟫ 빼앗다, 강탈하다; 강간하다 **~·er** *n.*

rav·ish·ing [rǽviʃiŋ] *a.* 매혹적인, 황홀하게 하는 (captivating) **~·ly** *ad.*

rav·ish·ment [rǽviʃmənt] *n.* Ⓤ 황홀하게 함, 뇌쇄; 환희, 기뻐 날뜀

‡**raw** [rɔ́:] *a.* **1** 날[생]것의(opp. *cooked*); 덜 익은[구운]: a ~ carrot 생당근 **2 a 가공하지 않은,** 원료 그대로의; 다루지 않은, 정제하지 않은, 〈명주 등이〉 꼬지 않은; 〈술이〉 물 타지 않은; 〈짐승 가죽이〉 무두질되지 않은: ~ spirits 물 타지 않은 술 / ~ sugar 원당 / ~ milk 미살균 우유 **b** 〈땅·지역 등이〉 개척[개발]되지 않은; 〈도로가〉 포장되지 않은: ~ land 미개발 토지 **c** 〈하수가〉 정화 처리되지 않은 **d** 〈자료·서류 등이〉 필요한 처리[정리, 편집, 수정]가 되지 않은; 〖통계〗 〈자료·값 등이〉 거친, 날… **e** 〈필름이〉 노광[사용]하지 않은 **f** 〈천의 끝·단춧구멍 등이〉 감치지 않은

> 유의어 **raw** 가공되지 않은 천연 그대로의: *raw* cotton 원면 **crude** 원료 등이 거칠어 정제해야 하는: *crude* petroleum 원유

3 경험이 없는, 미숙한, 익숙치 않은 ⟪*to*⟫; 세련되지 않은: a ~ recruit 신병(新兵) **4** 〈상처 등이〉 쓰라린, 껍질이 벗겨진, 속살이 나온, 쑤시는: ~ skin 까진 피부 **5** 〈날씨 등이〉 으스스한: a ~ day 으스스 추운 날 **6** 방금 끝낸, 완성된 지 얼마 안 되는: ~ paint 갓 칠한 페인트 **7** ⟪속어⟫ 심한, 불공평한, 부당한: a ~ deal 부당한 처사 **8** ⟪미·속어⟫ 노골적인, 음란한; 벌거벗은: a ~ portrayal of human passions 인간 욕정의 생생한 묘사 ***~ head and bloody bones*** (옛날 이야기의) 무서운 것; 해골과 넓적다리 뼈가 십자형으로 교차한 것 ⟪죽음의 상징⟫; [형용사적] 무시무시한
— *n.* **1** [the ~] 살갗이 벗겨진 곳, 생살, 찰과상, 아픈 곳, 약점: *the* ~ on one's knee 무릎의 찰과상 **2** [the ~] 생것, 날것, ⟪특히⟫ 술의 원액 **3** 버릇없는 사람 **4** 가공하지 않은 것; [*pl.*] 미정제품, 미가공품, 조당(粗糖), 원유; 생굴 ***in the ~*** 자연 그대로의, 가공하지 않고; 알몸의, 벌거벗은[벗고]: nature *in the ~* 있는 그대로의 자연 ***touch***[***catch***] a person ***on the ~*** …의 아픈 데[약점]를 건드리다
~·ly *ad.* **~·ness** *n.* 생것, 날것, 미숙; 거칢; 냉습

Ra·wal·pin·di [rɑ̀:wəlpíndi] *n.* 라왈핀디 ⟪파키스탄 북동부의 도시⟫

raw·boned [rɔ́:bóund] *a.* 빼빼 마른(gaunt), 앙상한

ráw dáta 〖컴퓨터〗 (처리되지 않은) 미가공 데이터

ráw déal ⟪구어⟫ 부당한 대우[취급], 가혹한 처사: have[get] a ~ 푸대접을 받다

raw·heel [-hì:l] *n.* ⟪미·속어⟫ 신참자(新參者)

raw·hide [-hàid] *n.* **1** Ⓤ 생가죽, (가축의) 원피; Ⓒ 생가죽 채찍[밧줄] **2** ⟪미·속어⟫ 고참자; 부하에게 엄격한 교관[상사] **—** *a.* 생가죽(제)의: ~ boots 생가죽 부츠 **—** *vt.* 생가죽 채찍으로 때리다; 〈광석 등을〉 생가죽 포대에 담아 나르다

ra·win [réiwin] [*ra*dar *win*d] *n.* 〖기상〗 레이윈 ⟪송신기를 단 기구에 의한 고층풍(高層風) 측정⟫

ra·win·sonde [réiwinsɑ̀nd | -sɔ̀nd] *n.* 〖물리〗 레이윈존데 ⟪상층풍 관측용 라디오존데⟫

raw·ish [rɔ́:iʃ] *a.* 날것의, 미숙한 **~·ness** *n.*

Rawl·plug [rɔ́:lplʌ̀g] *n.* ⟪영⟫ =WALL ANCHOR ⟪상표명⟫

ráw matérial 원료, 소재

ráw scóre (시험 등에서) 통계 처리하기 전의 숫자

ráw sílk 생사(生絲); 그 직물

rax [rǽks] *vt., vi.* ⟪스코⟫ 기지개를 켜다(stretch)

‡**ray**[1] [réi] [L 「수레바퀴의 살」의 뜻에서] *n.* **1 광선** ⟪*of*⟫: a ~ *of* sunlight 한 줄기의 햇빛 **2** (희망 등의) 빛, 서광, 한 줄기 광명(*of*); 시선; 약간, 소량: a ~ *of* genius 천재의 번득임 / a ~ *of* hope 한 줄기의 희망 **3** 〖물리〗 열선, 방사선, 복사선 **4** 〖수학〗 방사선, (원의) 반지름, 반직선 **5** 사출형(射出形); 방사상 조직 **6** 〖식물〗 = RAY FLOWER **7** 〖동물〗 불가사리의 팔; (물고기의) 지느러미 줄기 ***get***[***grab***] ***some ~s*** ⟪속어⟫ 햇볕을 쬐다, 일광욕하다
— *vi.* **1** 〈빛 등이〉 번쩍이다, 빛나다 ⟪*forth, off, out*⟫ **2** 〈생각·희망 등이〉 번득이다 **3** 방사하다
— *vt.* 〈광선을〉 방사하다, 발하다; …에 광선을 비추다; (방사선 요법에서) 조사(照射)하다

ray[2] *n.* 〖어류〗 가오리

ray[3] *int.* ⟪미·속어⟫ 만세(hurrah) **—** *vi.* 만세를 부르다

ray[4] *n.* = RE[1]

Ray [réi] *n.* 남자 이름 ⟪Raymond의 애칭⟫

---

pared, untreated, unfinished, unmanufactured **3** 경험이 없는 immature, inexperienced, untrained, unskilled, untutored, unpracticed, new
ray[1] *n.* beam, shaft, gleam, flash, glimmer

ra·ya(h) [rɑ́:jə, ráiə] *n.* 〘역사〙 이슬람교도가 아닌 터키 국민, (특히 오스만 제국하의) 그리스도교도

ráy flòwer[flòret] 〘식물〙 (국화과(科) 식물의) 설상화(舌狀花)

ráy fùngus 〘균류〙 =ACTINOMYCETE

ráy gùn (SF에 나오는) 광선총

Ráy·leigh dìsk [réili-] [영국의 물리학자 이름에서] 〘음향〙 레일리 원판

Ráyleigh scàttering 〘광학〙 레일리 산란(散亂)

Ráyleigh wàve 〘물리〙 레일리파(波)

ray·less [réilis] *a.* **1** 빛[광선] 없는; 캄캄한: a ~ cave 어두운 동굴 **2** 〘식물〙 설상화(舌狀花)가 없는 **~·ness** *n.*

Ray·mond, -mund [réimənd] *n.* 남자 이름 《애칭 Ray》

Ray·náud's disèase [reinóuz-] [프랑스의 의사 이름에서] 〘병리〙 레이노병 《레이노 현상 발작을 특징으로 하는 혈관 장애》

Raynáud's phenòmenon 〘의학〙 레이노 현상 《손의 소동맥 수축에 의한 일시적 혈액 부족으로 손가락·손의 일부가 창백해지는 현상》

∗**ray·on** [réiɑn | -ɔn] [F] *n.* Ⓤ 레이온, 인조 견사 **—** *a.* Ⓐ 레이온(제)의

Ray·on·ism [réiənìzm] *n.* 광선주의 《1911년 발달한 추상화 화법》 **-ist** *a.*, *n.*

ray·on·nant [réiənənt] *a.* **1** (문장(紋章)의) 광선을 사출(射出)하는 **2** 〘건축〙 방사선식의

ráy tràcing 〘컴퓨터〙 광선 추적법(追跡法)

raze [réiz] *vt.* **1** 〈도시·집 등을〉 남김없이 파괴하다, 무너뜨리다: ~ a row of old buildings 한 줄로 늘어선 낡은 건물들을 무너뜨리다 **2** 《고어》 〈기억 등을〉 지우다, 없애다 **ráz·er** *n.*

ra·zee [reizí:] *n.* **1** (옛날의) 상갑판을 뜯어내고 뱃전을 낮춘 배[《특히》 군함] **2** 잘라서 줄인 것 **—** *vt.* **1** 뱃전을 낮추다 **2** 잘라내어 작게 하다

ra·zon [réizɑn | -zɔn] *n.* 〘군사〙 (무선 장치에 의한) 방향·항속 거리 가변(可變) 폭탄(=~ **bòmb**)

ra·zoo [rɑ́:zu:] *n.* [보통 부정문으로] 《호주·뉴질·속어》 소액의 돈: have *not* a ~ 돈이 한 푼도 없다

‡**ra·zor** [réizər] *n.* 면도칼; (전기) 면도기; 날카로운 사람 **(as) sharp as a ~** (1) 날카로운 (2) 매우 약삭빠른 **be on the[a] ~'s edge** 위기일발이다, 위기에 처하다 **—** *vt.* 면도칼로 베다[자르다]; 《미·속어》 〈훔친 것 따위를〉 분배하다, 나누다

ra·zor·back [réizərbæ̀k] *n.* **1** (면도칼처럼) 날카로운 등[산등성이] **2** 〘동물〙 긴수염고래; 《미》 반(半)야생 돼지 **3** 《미·속어》 (서커스단 등의) 잡역부 **—** *a.* =RAZOR-BACKED

ra·zor-backed [-bæ̀kt] *a.* 등[가장자리]이 날카로운[뾰족한]

ra·zor·bill [-bìl] *n.* 〘조류〙 날카로운 부리를 가진 새 《바다쇠오리·제비갈매기 등》

rá·zor-billed áuk [-bìld-] 〘조류〙 큰부리바다오리 《razorbill의 일종; 북대서양 연안산(産)》

rázor blàde 안전 면도날

rázor clàm 〘패류〙 맛조개 무리

rázor cùt 레이저 컷 《면도칼 사용의 헤어 컷》

ra·zor-cut [-kʌ̀t] *vt.* (**~; ~·ting**) 〈머리털을〉 면도칼로 자르다

∗**ra·zor-edge** [réizərèdʒ] *n.* **1** 면도날; 날카로운 날 **2** 날카로운 산등 **3** 위기; 아슬아슬한 고비, 분기선 **be on a ~** 위기에 처해 있다 **-èdged** *a.* 날카로운; 일촉즉발의

rázor fish =RAZOR CLAM

ra·zor-grind·er [-gràindər] *n.* **1** 면도칼 숫돌 **2** 〘조류〙 큰유리새의 일종 《오스트레일리아산(産)》

rázor hàircut =RAZOR CUT

rázor jòb 《영·구어》 가차없는 공격[비판], 악의에 찬 비평, 깎아내림, 비방

Rázor scòoter 레이저 스쿠터 《알루미늄제의 접을 수 있는 가벼운 스쿠터; 상표명》

ra·zor-sharp [-ʃɑ́:rp] *a.* 매우 날카로운

rázor shèll =RAZOR CLAM

rázor slàsher 면도칼로 해치는 사람

rázor stràp 면도칼을 가는 가죽, 혁지(革砥)

ra·zor-thin [-θìn] *a.* 몹시 얇은; 아슬아슬한 차이의, 종이 한 장 차의, 극히 적은: ~ majority 아슬아슬한 과반수

rázor wìre 레이저 와이어 《면도날 같은 네모난 쇳조각이 달린 울타리용 철선》

razz [rǽz] *n.* 《미·속어》 =RASPBERRY 2 **—** *vt.*, *vi.* **1** 놀리다, 조롱하다 **2** 비웃다, 조소하다 **3** 짓궂게 굴다, 괴롭히다

razz·ber·ry [rǽzbèri, -bəri | rɑ́:zbəri] *n.* (*pl.* **-ries**) =RASPBERRY 2

raz·zi·a [rǽziə] *n.* 침략, 약탈, 습격

raz·zle [rǽzl] *n.* 《구어》 소동, 야단법석(razzle-dazzle) ***be[go] (out) on the ~*** (파티나 술집에 가서) 법석을 떨며 실컷 즐기다

raz·zle-daz·zle [rǽzldǽzl] *n.* 《영·속어》 **1** Ⓤ [the ~] 소동, 야단법석; (대)혼란, 와글거림 **2** (기법·효과 등의) 겉치레의 현란[화려]함; (극 등의) 화려한 연기 (장면) **3** 《주로 미》 (공격측의) 교란 전법 **4** 《미·속어》 (일반적인) 트릭, 교묘한 속임수 **5** 떠들썩한 선전[광고] **6** 술에 취함 **7** 《속어》 파동식 회전 목마, 유원지의 탈것 **8** 《속어》 매춘부 ***go on the (old) ~*** 야단법석을 떨다 **—** *a.* 화려한, 신기한

razz·ma·tazz [ræ̀zmətǽz] *n.* 《미·속어》 **1** =RAZZLE-DAZZLE 1 **2** Ⓤ 활기, 원기 **3** 난함, 야함 **4** 속임, 발뺌; 대대적인 선전

Rb 〘화학〙 rubidium **R.B.** Rifle Brigade **RBA** 〘컴퓨터〙 relative byte address **rbc, RBC** red blood cells; red blood count **RBE** 〘생물〙 relative biological effectiveness **RBI, rbi, r.b.i.** run(s) batted in 〘야구〙 타점 **R.C.** Red Cross; Reserve Corps; Roman Catholic **RCA** Radio Corporation of America **R.C.A.F.** Royal Canadian Air Force **R.C.Ch.** Roman Catholic Church **rcd.** received **R.C.M.** 《영》 Royal College of Music **R.C.M.P.** Royal Canadian Mounted Police **R.C.N.** Royal Canadian Navy; Royal College of Nursing 《영》 왕립 간호원

ŕ còlor 〘음성〙 (모음의) r음색 《further [fə́:rðər]의 미국 발음 [ə:r, ər] 등》

r-col·ored [ɑ́:rkʌ̀lərd] *a.* 〘음성〙 〈모음이〉 r 음색을 띤

R.C.P. Royal College of Physicians 《영》 왕립 내과 대학 **rcpt.** receipt **RCS** reaction control system 〘항공〙 반동 제어 장치 **R.C.S.** Royal College of Surgeons 《영》 왕립 외과 대학 **Rct.** receipt; 〘미육군〙 Recruit **R.C.T.** 《영》 Royal Corps of Transport **rcvr** receiver **R.D.** Rural Delivery **RD, R/D, R.D.** 〘은행〙 refer to drawer **rd.** rendered; road; rod(s); round **Rd.** rendered; road **RDA** recommended daily allowance; recommended dietary allowance **RDB** 〘군사〙 Research and Development Board **RDBMS** 〘컴퓨터〙 relational database management system **R.D.C.** Royal Defense Corps; 〘영국사〙 Rural District Council **RDF** radio direction finder[finding]; Rapid Development Force 《미》 긴급 전개 부대

r-drop·ping [ɑ́:rdrɑ̀piŋ | -drɔ̀p-] 〘음성〙 *n.* 'r' 탈락음 **—** *a.* 'r' 탈락음의(r-less)

RDS respiratory distress syndrome 신생아의 호흡 장애 증후군 **RDX** Research Department Explosive 백색·결정성·비수용성의 강력 폭약(cyclonite)

thesaurus **reach** *v.* **1** …에 도착하다 arrive at, get to, come to, land on[at] **2** 이루다 attain, achieve, gain, accomplish, make **3** (손·발을) 뻗다

re[1] [réi, ríː] *n.* 〚음악〛 전음계적 장음계의 두번째 음, 「레」음

re[2] [ríː, réi | ríː] [L] *prep.* 〚법·상업〛 …에 관[대]하여; …의 경우: ~ Brown 브라운 사건에 관하여 / ~ your letter of the 10th of April 4월 10일자 귀하의 서신에 관하여

're [ər] (we, you, they 뒤에 오는) are의 단축형: we'*re* [wíər], you'*re* [júər], they'*re* [ðéiər]

re-[1] [rìː, riː, ríː, ri] *pref.* 「서로, 반대, 뒤, 물러남, 비밀; 분리, 떠남, 밑, 재차, 부정」 등의 뜻: *re*act, *re*sist, *re*main, *re*sign

re-[2] *pref.* 《자유롭게 동사 또는 그 파생어에 붙임》 「다시, 거듭하여, 새로; 다시 …하다, 원상으로 돌아가다」 등의 뜻: *re*adjust, *re*capture; *re*-cover(cf. RECOVER), *re*enter, *re*assure, *re*make

Re [réi] *n.* 〚이집트신화〛 레 《태양신 Ra의 별칭》

Re 〚화학〛 rhenium **Re, re.** reference; regarding; rupee(s) **r.e.** 〚미식축구〛 right end **RE** religious education **R.E.** real estate; Reformed Episcopal; Right Excellent; Royal Engineers (영) 공병대; Royal Exchange **R.E.A.** (미) Railway Express Agency; Rural Electrification Administration

⁑**reach** [ríːtʃ] *v.*, *n.*

> ㊎ 「뻗다」 **4** → 「(뻗어) …에 닿다」 **2** → 「…에 도착하다」 **1**

—*vt.* **1** …에 도착[도달]하다(arrive in[at]): ~ London 런던에 도착하다 / ~ old age 노년에 달하다 / The boat ~*ed* the shore. 배가 해안에 닿았다. / [C.E] When the black car *reached*[*reached to*(×)] the corner, it stopped. 검은색 차는 길모퉁이에 이르자 멈춰 섰다. **2 a** …에 닿다: Your letter ~*ed* me yesterday. 네 편지는 어제 받았다. **b** 명중하다(hit) **c** …에 이르다, 퍼지다, 미치다; 〈길이가〉 …에 달하다; 〈비용 등이〉 총 …가 되다: The cost will ~ millions of dollars. 비용이 수백만 달러에 이를 것이다. / The loud bang ~*ed* our ears. 큰 소리가 우리 귀에 들어왔다. **d** 〈결과·결론에〉 도달하다 **3** 〈목적 등을〉 이루다 **4** 〈손 등을〉 **내밀다, 뻗다**; (손을 뻗어) …을 잡다: (~+목+부) (~+목+전+명) ~ *out* one's hand *for* the ball 그 공을 잡으려고 손을 쭉 뻗다 / ~ a book *on* a high shelf 높은 선반 위에 있는 책을 손을 뻗어 잡다 // (~+목+목) Please ~ me that book. 그 책 좀 집어 주십시오. / *R*~ him a kick. 그 놈을 (한 번) 차 버려. **5** 〈사람의 마음 등을〉 움직이다, 〈사람의〉 마음에 영향을 주다: Men are often ~*ed* by flattery. 사람의 마음은 아부에 흔들리기 쉽다. **6** (전화 따위로) 연락하다: If anything happens, you can ~ me by telephone. 무슨 일이 있으면 전화로 연락하여 주시오. **7** (미·속어) …에게 뇌물을 주다, 매수하다

—*vi.* **1** 손을 뻗다 《*for, out for, after, toward*》; 발돋움하다; 〈손·발이〉 앞으로 나오다, 뻗다; 〈식물이〉 (한 방향으로) 뻗다, 향하다: (~+부) A hand ~*ed out* and held me. 한 손이 뻗어 나와 나를 잡았다. // (~+전+명) ~ *for* a dictionary 사전을 집으려고 손을 내밀다 **2** 얻으려고[이룩하려고] 힘쓰다[노력하다] 《*at, after, for*》: (~+전+명) ~ *after* happiness 행복을 추구하다 / ~ *for* a weapon 무기를 구하려고 노력하다 // (~+부) ~ *out* for new knowledge 새로운 지식을 추구하다 **3** 번지다, 퍼지다, 이르다, 미치다 《*to*》: (~+전+명) The cost ~*ed to* a vast amount. 비용은 막대한 금액에 달했다. // (~+부) The park ~*es down* to the sea. 공원은 바다에까지 이른다. **4** 〚항해〛 (돛의 방향을 바꾸지 않고) 한 침로(針路)로 항해하다, 순풍으로 달리다

~ back (1) (물건을 집기 위해) 몸을 뒤로 젖히다 (2) (과거로) 기억을 더듬어 가다 ***~ bottom*** 밑바닥에 이르다; 근원을 캐다 ***~ down*** (1) 몸을 아래로 뻗다 (2) 손을 뻗어 〈걸려 있는 것 등을〉 내리다 ***~ (out) after*** [***at, for***] (1) …을 잡으려고 손을 뻗다 (2) …에 도달하려고 애쓰다 (3) …을 얻으려고 노력하다 ***~ out*** (***to***) (1) 〈손 등을〉 뻗다 (2) 〈식물이〉 자라다 (3) …와 접촉하려고 하다 ~ one***'s ears*** …의 귀에 소리가 들리다

—*n.* **1** (팔이) **미치는 범위**(range), 리치, 팔의 길이; 착탄 거리, 손쉽게 갈 수 있는 거리: CAUTION: keep out of ~ of children. 주의: 아이들 손이 닿지 않는 곳에 두시오. **2** (잡으려고) 손을 뻗음: make a ~ for a gun 손을 뻗어 총을 잡다 **3** 세력[지력, 권력] 범위; 이해력, 견해, 지각 범위 《소리·빛깔 등의》: a subject beyond my ~ 내가 이해할 수 없는 주제 **4** 범위, 구역; 퍼짐(expanse), 넓게 퍼진 곳 **5** [*pl.*] (한눈에 바라보이는) 강의 두 굽이 사이의 유역[직선 유역], (두 수문 사이의) 운하의 일직선 구간: the upper[lower] ~*es* of the Thames 템스 강의 상류[하류] **6** 갑, 곶 (promontory); 후미 **7** 〚항해〛 (돛의 동일한 방향(tack)에서의) 한 침로의 항정(航程) **8** [*pl.*] 특수한 계급[지위]: people in the higher[upper] ~*es* of society 사회의 상류 계급 사람들 **9** (짐마차의) 연결봉 ***beyond*** [***above, out of***] one***'s ~*** 손이 닿지 않는, 힘이 미치지 않는 ***have a wide ~*** 범위가 넓다 ***not ... by a long ~*** 훨씬 (…않다) ***within*** (***easy***) ***~ of*** = ***within the ~ of*** …의 손이 (쉽게) 닿는 곳에 ***Your ~ should exceed your grasp.*** 현재보다 더 전진하도록 애써야 한다.

~·a·bíl·i·ty *n.* **~·a·ble** *a.* **~·er** *n.*

réach and frèquency 〚광고〛 도달도(度)와 도달 횟수 《일련의 광고 활동으로 그 광고가 어느 정도 침투했는가를 측정할 때 사용되는 두 가지 요소》

reach·less [ríːtʃlis] *a.* 도달[달성]할 수 없는

reach-me-down [ríːtʃmidàun] *a.*, *n.* (영·구어) = HAND-ME-DOWN

réach ròd 조작봉(操作棒)

re·ac·quaint [rìːəkwéint] *vt.* …에 다시 알리다 **~·ance** *n.*

re·ac·quire [rìːəkwáiər] *vt.* 다시 획득하다

re-act [rìːǽkt] *vt.* 재연하다; 다시 행하다, 반복하다: ~ the part in a film 영화의 한 부분을 재연하다

***re·act** [riǽkt] *vi.* **1** (작용·힘에 대하여) **반작용하다**, 반동하다 《*on, upon*》 **2** 반대[반발]하다, 반항하다 《*against*》: ~ *against* oppression 압정에 반항하다 **3** (자극 등에) 반응[대응]하다 《*to*》: ~ *to* a shock by jumping 충격에 반응해 뛰어오르다 **4** 〚화학〛 반응하다 《*to, upon*》; 〚물리〛 반발하다 《*against, upon*》: ~ *to* a drug 약에 반응하다 **5** 역행하다, 되돌아가다 **6** 〈주가가〉 상승 후 하락하다 **7** 〚군사〛 역습하다, 반격하다

▷ reáction *n.*; reáctionary, reáctive *a.*

re·ac·tance [riǽktəns] *n.* [U] 〚전기〛 리액턴스, 유도 저항, 감응 저항 《略 react.》

re·ac·tant [riǽktənt] *n.* **1** 〚화학〛 반응물, 반응체 **2** 반응하는 사람[물건]; 반대자, 반항자

***re·ac·tion** [riǽkʃən] *n.* [UC] **1** 반작용; 반항, 반발, 반대; 상호 작용 《*against, to, upon*》: ~ *against* militarism 군국주의에 대한 반동 **2** (정치상의) **반동**, 역행, 보수적[극우] 경향, 복고: the forces of ~ 보수[반동] 세력 **3** (자극·사건·영향 등에 대한) **반응**, 태도, 의견, 인상 《*to*》: the nation's ~ *to* the President's speech 대통령 연설에 대한 국민의 반응 **4** (과로·긴장·흥분 후의) 활력 감퇴, 무기력 **5** 〚화학〛 반응; 〚물리〛 반작용, 반동력; 핵반응: a ~ wheel 반동 수차[물레방아] 《흘러내리는 물의 반동으로 도는》 / an allergic ~ 알레르기 반응 **6** 〚전기〛 반충(反衝) 작용, 재생: a ~ condenser 재생 축전기 / ~ control 재생 조정기 **7** 〚증권〛 (주가 상승 후의) 반락(反落), 급락

~·al *a.* **~·al·ly** *ad.* ▷ reáct *v.*; reáctionary *a.*

---

stretch, extend, hold out, thrust out, stick out

reaction *n.* **1** 반작용 counteract, counterbalance, reversal, recoil **2** 반응 response, reply, feedback

***re·ac·tion·ar·y** [riǽkʃənèri | -ʃənəri] *a.* **1** 반동의, 반작용의, 반발적인 **2** 반동적인, 극우적인, 보수적인, 복고적인: a ~ statesman 반동[보수] 정치가 **3** 역진하는 **4** 〖화학〗 반응의
—*n.* (*pl.* **-ar·ies**) 반동주의자[사상가], 보수주의자

reáction ègine 〖항공〗 (로켓의) 역추진[반동] 엔진

reáction formàtion 〖정신분석〗 반동 형성 《사회적·도덕적으로 좋지 않은 욕구나 원망을 억제하기 위하여 이 욕구와는 반대 방향의 독단적 행동을 취하는 무의식적 행위》

re·ac·tion·ism [riǽkʃənìzm] *n.* Ⓤ 반동[복고, 보수]주의, 복고론 **-ist** *n.*

reáction shòt 〖영화·TV〗 얼굴에 나타나는 반응을 잡는 숏, 표정의 클로즈업

reáction tìme 〖심리〗 반응 시간

reáction tùrbine 〖기계〗 반동 터빈

re·ac·ti·vate [riǽktəvèit, rì:-] *vt.* **1** 재활성화하다 **2** 현역에 복귀시키다; 〈유휴 공장 등을〉 재가동하다, 재개하다; 〈신경 형태 등을〉 부활시키다, 〈병 등을〉 재발시키다 **—***vi.* 다시 활발하게 하다, 재개[재발]하나
re·àc·ti·vá·tion *n.*

re·ac·tive [riǽktiv] *a.* **1** (자극에 대해) 민감한, 반응이 빠른 **2** 반동[복고]적인, 반발적인, 역행의 **3** 〖화학〗 반응적인; 〖물리〗 반작용적인; 〖전기〗 리액턴스를 나타내는 **~·ly** *ad.* **~·ness** *n.*

reáctive depréssion 반응성 울병(鬱病)

reáctive schizophrénia 〖정신의학〗 반응성 정신 분열병

re·ac·tiv·i·ty [rì:æktívəti] *n.* Ⓤ 반동, 반동성, 반동력; 반응; 반발; 〖물리〗 반응성[도]

***re·ac·tor** [riǽktər] *n.* **1** 반응[반동]을 나타내는 사람[동물] **2** 〖화학〗 화학 반응기, 반응 장치 **3** 〖전기〗 리액터 《교류 회로에 유도 저항을 주는 장치》; 〖물리〗 원자로(pile): a research ~ 실험용 원자로 **4** 〖면역〗 (면역 검사 등의) 반응 양성자, 반응 체질; 〖심리〗 반응자

reáctor zòne 〖물리〗 (우라늄 광산 등에서의) 핵반응 지대, 자연 원자로 지대 《오클로 현상(Oklo phenomenon)의 흔적이 보이는 지역》

‡read¹ [rí:d] *v.* (**read** [réd]) *vt.* **1** 〈책·편지 등을〉 읽다, …의 작품을 읽다; 음독하다, 낭독하다, 읽어서 들려주다 《*out, aloud*》: ~ a book[letter] 책[편지]을 읽다 / ~ Shakespeare 셰익스피어의 작품을 읽다 / ~ a story (*aloud*) to one's children 자녀들에게 이야기를 읽어 주다 // (~+목+부) Have you ~ the book *through*? 그 책을 다 읽었습니까? / Please ~ *out*[*up*] the article. 그 기사를 소리내어 읽어 주시오. // (~+목+목) (~+목+전+명) *R*~ me the letter. = *R*~ the letter *to* me. 그 편지를 읽어 주시오. **2** 읽어서 …하게 하다: (~+목+전+명) ~ a child *to* sleep 책을 읽어 주어 어린애를 잠들게 하다 // (~+목+보) ~ one*self* hoarse 책을 읽어 목이 쉬다 **3** 〈외국어 등을〉 독해하다, 읽어서 이해하다: He can ~ French. 그는 프랑스 어를 읽을 줄 안다. **4** 〈기호·부호·눈금·악보 등을〉 해독하다; 〈점자 등을〉 판독하다: ~ Braille 점자를 읽다 / I can't ~ music. 나는 악보를 볼 줄 모른다. **5** 〈온도계·시계 등이〉 나타내다: The thermometer ~*s* 70 degrees. 온도계는 70도를 나타내고 있다. / The ticket ~*s* "From Seoul to Busan". 차표에는 「서울-부산행」이라고 씌어 있다. **6** (표정·태도 등에서) 〈사람의 마음·생각 등을〉 읽다, 알아차리다, (관찰에 의해) 깨닫다, 이해하다, 해석하다; 〈운명·장래를〉 점치다, 예언하다; 예측하다; 〈수수께끼를〉 풀다; 〈의미·의도 등을〉 알아채다: ~ a person's thought …의 마음을 들여다보다 // (~+목+전+명) ~ something *in*[*on*] a face 안색으로 눈치채다 / ~ a person's fortune *in* tea leaves 찻잎으로 운세를 점치다 // (~+목+***as*** 보) ~ the dark sky *as* the threat of a storm 어두운 하늘을 보고 폭풍의 접근을 알다 / You must not ~ our protest *as* nothing but bluff. 우리의 항의를 엄포로만 해석해서는 안 된다. // (~+목+부) We can ~ this passage (*in*) two ways. 이 문장은 두 가지 뜻으로 해석할 수 있다. **7** [보통 명령문으로] …라고 정정해서 읽다 《*for*》; 교정하다: *R*~ "cavalry" for "calvary." "calvary"는 "cavalry"라고 정정해서 읽어라. **8** …의 뜻으로 해석하다: (~+목+***as*** 보) ~ a statement *as* an insult 어떤 말을 모욕으로 간주하다 **9** (영) 공부[연구]하다, 전공하다 《*at*》: (~+목+전+명) He is ~*ing* chemistry *at* Cambridge. 그는 케임브리지 대학에서 화학을 전공하고 있다. **10** [보통 수동형으로] 독회(讀會)에 회부하다 《*for*》: (~+목+전+명) The bill *was* ~ *for* the first time. 그 법안은 제1 독회에 회부되었다. **11** (무선 교신·전화 등에서) 〈상대방의〉 말[목소리]을 알아듣다; (속어) …의 의도를 이해하다: Do you ~ me? 들립니까? / I ~ you loud and clear. 수신 상태가 양호하다, 네가 말하는 것을 잘 알고 있다. **12** 〖컴퓨터〗 〈데이터·프로그램·제어 정보를〉 읽다 《외부 기억 매체 등에서 빼내어 주기억 장치에 입력함》 **13** (구화법에서) 〈입술을〉 읽다 **14** 〖생물〗 〈유전 정보를〉 읽다
—*vi.* **1** 읽다, 독서하다; 음독하다, 낭독하다; 강독하다(lecture): (~+부) ~ *aloud* 낭독하다 // (~+전+명) He ~*s at* a junior high school level. 그의 독해력은 중학 수준이다. / I ~ *to* my child every night. 나는 매일 밤 내 아이에게 책을 읽어 준다. **2** 독해하다, 의미를 이해하다; 읽어서 알다 《*of, about*》: (~+전+명) I ~ *of* his death in yesterday's newspaper. 어제 신문을 읽고 그의 죽음을 알았다. **3** 연구[공부]하다, 많이 읽어두다 《*for, in*》: (~+전+명) ~ *for* the bar 변호사가 되기 위해 공부하다 **4** 〖음악〗 악보를 읽다[보고 노래하다] **5** 읽어서 …한 느낌을 주다, …하게 읽히다: (~+보) This book ~*s* interesting. 이 책은 재미있다. **6** 〈문장이〉 …이라고 씌어 있다, …로 해석되다: (~+부) a rule that ~*s* several ways 여러 가지 뜻으로 해석되는 규칙 // (~+***as*** 보) It ~*s as* follows. 그 문구는 다음과 같다. **7** 〖컴퓨터〗 데이터를 읽다[판독하다] **8** (속어) 나타나다(appear)

He that runs may ~. 〖성서〗 뛰어가는 사람도 읽어서 알 수 있다. 《그만큼 명백하다》 **~ a person *a lesson*[*lecture*]** 장황하게 설교하다, 잔소리하다 **~ *... back to*** 〈필기한 것을〉 큰소리로 읽어 주다 **~ *between the lines*** 행간을 읽다, 말 속의 숨은 뜻을 읽다 **~ *for*** 〈남에게〉 읽어서 들려주다 **~ *for a degree*** [***honors***] 학위를 얻기[우등하기] 위하여 공부하다 **~ *from*** [***out of***] ***a book*** 책의 어떤 부분을 낭독하다, 골라 읽다 **~ *in*** (1) 연구하다, 공부하다; 전공하다 (2) 〖컴퓨터〗 〈데이터·프로그램 따위를〉 읽어 들이다 《주기억 장치에 입력하다》 (3) 〈사람을〉 정식으로 입회[취임]시키다 **~ *in a book*** 책을 탐독하다 **~ *into*** …의 뜻으로 해석하다 **~ *like*** …라고 씌어 있다, …으로 해석되다 **~ a person *like a book*** …의 마음을 꿰뚫어보다 **~ *off*** 〈계기의 눈금 등을〉 읽다; 초읽기를 하다; 다 읽다 **~ *out*** (1) 음독하다 (2) 〈정보를〉 (발신기에서) 송신하다; 〖컴퓨터〗 〈자료·프로그램 등을〉 읽다 (3) (미·캐나다) 〈당원·회원을〉 제명하다 《*of*》 **~ a person *out of a society*** [***party***] (그 취지를 선언하여) 회[당]에서 …을 제명하다 **~ *over*** [***through***] 통독하다, 끝까지 다 읽다 **~ one*self hoarse*** [***stupid, blind***] 책을 너무 읽어서 목이 쉬다[바보가 되다, 눈이 멀다] **~ (one*self*) *in*** (1) (일에 착수하기 전에) 자료를 잘 조사하다 (2) 〖영국국교〗 (영국 국교회의 39개조 신조 등을 낭독하여) 목사로 취임하다 **~ a person*'s hand*** …의 손금을 보다 **~ *the signs of the times*** 정세를 통찰하다 **~ *the sky*** 점성(占星)하다; 일기를 점치다 **~ *to*** …에게 읽어 들려주다 **~ *to* one*self*** 묵독하다 **~ *up*** 〈어떤 학과를〉 연구하다, 전

thesaurus **read¹** *v.* **1** 이해하다 interpret, construe, decipher, understand, comprehend **2** 예언하다 foretell, predict, forecast, prophesy, divine

공하다; 복습하다, 다시 하다 **~ up on** …에 관하여 많이 공부하다 **~ with** a person 〈가정 교사가〉 …의 공부 상대가 되어 주다

— *n.* **1** ((영)) [a ~] (1회의) 독서 (시간) **2** 읽을 거리 **3** 〖컴퓨터〗 읽기, 판독 ***have*** [***take***] ***a quiet*** [***quick, short***] **~** 찬찬히[빨리, 잠시 동안] 책을 읽다

‡**read²** [réd] *v.* READ의 과거·과거분사

— *a.* **1** [부사를 동반하여] 읽어[공부하여] 잘 알고 있는: a well-~ man 박식한 사람 **2** 읽히고 있는: a widely-~ magazine 널리 읽히고 있는 잡지 ***deeply*** [***well***] **~ *in*** …에 정통한, 조예가 깊은 ***little*** [***slightly***] **~ *in*** …에 지식이 얕은 ***take ... as ~*** …을 당연한 일로 여기다

read·a·bil·i·ty [rìːdəbíləti] *n.* Ⓤ **1** 재미있게 읽을 수[씌어] 있음 **2** 읽기 쉬움

read·a·ble [ríːdəbl] *a.* **1** 재미있게 읽을 수 있는[쓰인], 읽기 쉬운: a ~ book 재미있는 책 **2** 〈인쇄·필적 등이〉 읽기 쉬운, 읽을 수 있는

-bly *ad.* 읽어서 재미있게; 읽기 쉽게 **~·ness** *n.*

réad after wríte 〖컴퓨터〗 = READ-AFTER-WRITE VERIFY ((略 RAW))

read-af·ter-write [rìːdæftəráit | -ɑːf-] *a.* 〖컴퓨터〗 기록 후 판독할 수 있는

réad-after-wríte vèrify 〖컴퓨터〗 기록 후 판독 검사

re·a·dapt [rìːədǽpt] *vt., vi.* 재적응시키다[하다]

~·a·ble *a.*

read-a-thon [ríːdəθɑ̀n | -θɔ̀n] *n.* 독서 마라톤, 연속 독서 장려, 도서관 이용 운동

re·ad·dress [rìːədrés] *vt.* **1** 다시 말을 걸다 **2** 주소를 다시 쓰다 **3** 〈일 등을〉 다시 착수하게 하다 **~ one*self*** 다시 착수[시작]하다 ((*to*))

‡**read·er** [ríːdər] *n.* **1** 독자, 읽는 사람; 독서가 **2** (출판사의) 원고 판정인 ((원고의 출판 여부를 결정하는)) (= **públisher's ~**); 교정자(proofreader) **3** 리더, 독본 **4** 낭독자; (예배에서 성경 등의) 낭독자 **5** ((영)) (대학의) 강사; ((미)) 대학 조교, 채점 조수: a ~ in French 프랑스 어 강사 **6** 〖컴퓨터〗 판독기 **7** (가스·전기 등의) 검침원 **8** = MICROREADER **9** [*pl.*] 뒤에 표를 한 트럼프 카드 **10** ((속어)) 큰길에서 영업하기 위한 허가증 **11** ((미·속어)) (마약의) 처방전(prescription) **12** 수배자의 조회 통지

read·er-friend·ly [ríːdərfréndli] *a.* 〈책 등이〉 독자가 읽기 편한[쉬운], 독자의 필요[기호]에 맞춘

read·er·ly [ríːdərli] *a.* 〖문예〗 〈독자가〉 수동적으로 읽는 ((비평 용어))

read·er-re·sponse [ríːdərrispɑ̀ns | -spɔ̀ns] *a.* 독자의 반응을 중시하는

read·er·ship [ríːdərʃìp] *n.* ⓊⒸ (신문·잡지 등의) 독자 수[층]; ((영)) 대학 강사의 직[직위]; 출판사의 reader직[지위]; 독자(의 길)

réaders' sérvice càrd 독자 카드 ((잡지 등에 끼어 있는 엽서; 구독 신청 등에 사용))

réad hèad 〖컴퓨터〗 판독 헤드

‡**read·i·ly** [rédəli] *ad.* **1** 쾌히, 서슴없이, 선뜻; 이의 없이 **2** 쉽사리, 손쉽게; 즉시 ▷ réady *a.*

read-in [ríːdìn] *n.* 〖컴퓨터〗 리드인, 판독 입력

read·i·ness** [rédinis] *n.* Ⓤ **1** 준비가 되어 있음 **2** 자진해서[기꺼이] 함, 쾌락(快諾): (~+to*** do) He expressed his ~ *to* adopt the reform bill. 그는 그 개혁안을 당장 채택하고 싶다는 의향을 표명했다. **3** 신속, 재빠름; 용이 ((*of*)): ~ *of* speech 청산유수 **4** 〖교육〗 준비성 ((행동·학습에 필요한 일정 단계의 발달상의 조건)) **5** 〖군사〗 현재의 전투 능력, 즉응력(卽應力) ***in ~*** (***for***) 준비를 갖추고 **~ *of wit*** 임기응변 ***with ~*** 쾌히, 자진하여 ▷ réady *a.*

‡**read·ing** [ríːdiŋ] *n.* **1** ⓊⒸ 독서, 읽기; 낭독; 독서력, 독서 범위[폭, 량]: He is good at ~. 그는 독서력이 있다. / I haven't done much ~ lately. 최근에 독서를 많이 하지 못했다. **2** (의회의) 낭독회 **3** ⓊⒸ 학식, ((특히)) 문학상의 지식: a man of wide [vast, extensive] ~ 박식한 사람 **4 a** Ⓤ 읽을거리: good[dull] ~ 재미있는[따분한] 읽을거리 **b** [*pl.*] 선집(選集), …독본: ~*s* from Shakespeare 셰익스피어 선집 / side ~*s* 부독본 **5** (청우계·온도계 등의) 표시 도수, 기록 ((*on*)): The thermometer ~ is 101.2°F. 온도계의 도수는 화씨 101.2도를 나타내고 있다. **6 a** (사본·원고 등의) 읽는 법(version) ((*of*)); (이본(異本) 고증에서의) 이문(異文), 변형: the various ~*s of* a line in Shakespeare 셰익스피어의 작품의 어떤 행에 대한 다양한 해석 **b** (사건·꿈 등의) 판단, 해석, 견해; 연출[연주]법 ((*of, for*)): What is your ~ of the fact? 자네는 이 사실을 어떻게 보는가? ***penny ~*** (빈민을 위한) 입장료가 싼 낭독회 ***the first*** [***second, third***] **~** (의회의) 제1[제2, 제3] 독회

— *a.* **1** 독서하는, 책을 좋아하는: the ~ public 독서계(讀書界) **2** 독서의, 읽기 위한, 독서용의

Read·ing [rédiŋ] *n.* 레딩 ((잉글랜드 중남부 Berkshire주의 주도; 미국 Pennsylvania 주 동남부의 도시))

réading àge 〖교육〗 독서 연령 ((같은 수준의 독서 능력을 가진 아동의 평균 연령))

réading dèsk (서서 읽기 위해 표면이 경사진) 독서대; (교회의) 성경대(lectern)

réading glàss **1** 확대경, 잔 글자용 렌즈 **2** [*pl.*] 독서용 안경

réading gròup = BOOK GROUP

réading làmp[**lìght**] 독서용 램프, 서재용 스탠드

réading lìst (대학 등의) 추천 도서

réading màtter (신문·잡지의) 기사, 읽을거리

réading nòtice 기사식 광고 ((신문·잡지에서 일반 기사와 같은 활자로 조판한))

réading ròom **1** 도서 열람실, 독서실 **2** (인쇄소의) 교정실

réading wànd (상품의 코드(bar code) 정보의) 자동 판독기[장치]

re·ad·just [rìːədʒʌ́st] *vt.* **1** 재정리[재조정]하다 **2** 〈기업을〉 다시 일으키다; 〈재정을〉 바로잡다

~·a·ble *a.* **~·ment** *n.*

READ·ME file [ríːdmìː-] 〖컴퓨터〗 리드미 파일 ((소프트웨어의 기능이나 사용법 등에 관한 정보를 담고 있는 파일))

re·ad·mis·sion [rìːədmíʃən] *n.* Ⓤ 재입학; 재허가

re·ad·mit [rìːədmít] *vt.* (**~·ted**; **~·ting**) **1** 다시 넣다 **2** 다시 허가하다; 재입학시키다

re·ad·mit·tance [rìːədmítəns] *n.* Ⓤ **1** 재허가 **2** 재입학

read-on·ly [ríːdóunli] *a.* 〖컴퓨터〗 읽기 전용의

réad-ónly mèmory 〖컴퓨터〗 판독 전용 기억 장치 ((略 ROM))

re·a·dopt [rìːədɑ́pt | -dɔ́pt] *vt.* **1** 다시 양자로 삼다 **2** 다시 채용하다 **rè·a·dóp·tion** *n.*

re·a·dorn [rìːədɔ́ːrn] *vt.* 다시 꾸미다, 고쳐 꾸미다, 다시 장식하다

read·out [ríːdàut] *n.* ⓊⒸ **1** 〖컴퓨터〗 **a** (정보의) 해독, 판독, 정보 읽기 ((기억 장치에서 정보를 읽어내는 일)) **b** 해독된 정보 **2** 〖우주과학〗 (인공위성으로부터의 데이터·화상의) 무선 송신 — *vi.* 정보[데이터]를 송신[기록, 표시]하다

read-through [-θrùː] *n.* **1** 통독 **2** (연극의) 대본 읽기

re·ad·ver·tise [rìːədvə́ːrtaiz] *vt.* ((특히)) 〈일자리를〉 재광고하다

read-write [rìːdráit] *a.* 〖컴퓨터〗 〈파일·디스크 등이〉 판독과 기록이 가능한, 데이터 변경이 가능한

réad/wríte hèad [ríːdráit-] 〖컴퓨터〗 판독 기록 헤드 ((자기 디스크나 자기 테이프 등에서 정보를 읽거나 쓰는 데 사용되는 헤드))

réad/wríte mèmory 〖컴퓨터〗 판독 기록 메모리

---

readily *ad.* **1** 쾌히 willingly, gladly, happily, eagerly, cheerfully, with pleasure **2** 쉽사리 easily, effortlessly, with ease, without difficulty

read·y [rédi] *a.* (**read·i·er**; **-i·est**) **1 준비가 된,** 채비를 갖춘(prepared): 《~+*to* do》 The soldiers were ~ *to* defend the fortress. 병사들은 요새를 방어할 준비가 되어 있었다. // 《~+전+명》 ~ *for* printing[working, sea] 인쇄[운전, 출항] 준비가 된 **2 각오가 되어 있는,** 언제든지[기꺼이] …하려는(willing) 《*for, to* do》: ~ *to* forgive 기꺼이 용서하는 // 《~+전+명》 I am ~ *for* death. 나는 죽을 각오가 되어 있다. **3 a** 막 …하려고 하는, 금방이라도 …할 것 같은(about) 《*to* do》: a tree ~ *to* fall 지금이라도 쓰러질 듯한 나무 **b** …하기 쉬운, (…하는) 경향이 있는 (apt): He is too ~ to suspect. 그는 곧잘 (남을) 의심한다. **4** 재빠른, 신속한, **즉석의;** 능숙한: ~ at excuses 변명을 잘하는 / a ~ reply 즉답 / a ~ wit 빠른 기지 **5** 가까이 있는, 얻기 쉬운; 용이한, 곧 쓸 수 있는, 편리한: the *readiest* way to do it 가장 손쉬운 방법 **6** 【경기】 준비가 되어 있는; 【군사】 사격 준비 자세를 취한: *R*~, present, fire! 사격 준비, 겨누어, 발사! **7** (미·속어) 〈음악·음악가가〉 일류의

a ~ pen [***writer***] 부지런히 글을 씀[쓰는 사람] ***get*** [***make***] ~ (…을 위해) 준비를 하다, (…에 대한) 준비를 하다 《*for*》 ***get … ~*** …을 준비하다 (***Get***) **~,** (***get***) ***set, go!*** = ***R~, steady, go!*** [경주에서 구령으로] 제자리에, 준비, 땅[출발]! ***hold*** one***self ~ to*** …하려고 준비를 갖추다 ***make*** [***get***] one***self ~ for*** …에 대비하다, 준비하다 ***~ for Freddie*** (속어) 예기치 않은 일에도 준비가 되어, 각오하여 ***~ to*** (one's) ***hand*** 바로 가까이 있는, 바로 쓸 수 있는 ***~, willing and able*** 당장이라도 …하기를 원하는

—*vt.* (**read·ied**) **1** 준비[마련]하다: 《~+목+전+명》 ~ the room *for* use 그 방을 쓸 수 있도록 준비하다 / They *readied* themselves *for* the journey. 그들은 여행 준비를 했다. **2** (속어) 현금으로 지불하다 《*up*》 ***~ a horse*** (경마속어) 다음에 유리한 핸디캡을 얻기 위해 고의로 말을 뒤지게 하다

—*ad.* (**read·i·er**; **-i·est**) **1** [종종 과거분사를 동반하여] 미리, 준비하여: ~-cooked 미리 요리된 **2** [보통 비교급·최상급 형태로] 신속하게: the child that answers *readiest* 가장 빨리 대답하는 아이 **3** 기꺼이 (readily), 척척

—*n.* **1** [the ~] 준비 완료 상태 **2** 【군사】 (총의) (사격) 준비 자세, 거총 **3** (영·구어) [the ~s] 현금, 당장 사용할 수 있는 돈 ***at the ~*** 거총 자세로 《곧 겨눌 수 있는 자세》; 곧 행동할 수 있는 상태로: soldiers with weapons *at the* ~ 거총 자세의 군인들 ***come to the ~*** 준비 자세를 취하다, 대비하다 ***plank down the ~*** 현금으로 지불하다

▷ réadiness *n.*; réadily *ad.*

réady bòx (함포 등의) 탄약 보급 상자

réady cásh = READY MONEY

read·y-fad·ed [rédifèidid] *a.* (새 양복을) 바랜[낡은] 것처럼 만든[디자인한]

read·y-made [rédiméid] *a.* **1** 〈옷·음식 등이〉 **이미 만들어져 있는, 기성품의;** 기성품을 파는: ~ clothes 기성복 **2** (미리 준비되어) 매우 편리한 (handy), 안성맞춤의 **3** 〈사상·의견 등이〉 제 것이 아닌, 빌어 온; 평범한, 개성이 없는, 진부한

—*n.* **1** 기성품, 《특히》 기성복 **2** = READYMADE

read·y·made [rédiméid] *n.* 【미술】 레디메이드 《현대 미술의 오브제; 일상의 기제품(旣製品)을 본래의 용도가 아닌 다른 의미를 부여하여 조각 작품으로 발표한 것》

réady méal (데우기만 하면 먹을 수 있도록) 조리가 다 되어 있는 식품

read·y-mix [-mìks] *a., n.* (각종 성분을) 미리 조제[조합]한 (것·상품) 《식품·페인트 등》: ~ pancakes 미리 조합해 놓은 팬케이크

read·y-mixed [-míkst] *a.* 미리 조제[조합, 혼합]한: ~ concrete 미리 혼합한 콘크리트 / ~ paint 조합 페인트

réady móney [**cásh**] 현금; 맞돈

réady réckoner 계산표, (이자·세금 등의) 조견표

réady ròom 【공군】 (출격 전에 명령을 받는) 상황실, 조종사 대기실

read·y-to-eat [-təíːt] *a.* 〈식품이〉 인스턴트의, 바로 먹을 수 있는

read·y-to-wear [-təwέər] *a.* (미) 기성품인; 기성복을 취급하는 **—***n.* 기성복

read·y-wit·ted [-wítid] *a.* 재치 있는, 기지가 있는, 임기응변의, 기민한

~·ly *ad.* **~·ness** *n.*

re·af·firm [rìːəfə́ːrm] *vt.* **1** 다시 단언하다, 다시 긍정[시인]하다 **2** 다시 확인하다

rè·af·fir·má·tion *n.*

re·af·for·est [rìːəfɔ́ːrist | -fɔ́r-] *vt.* 다시 조림(造林)하다 **rè·af·for·es·tá·tion** *n.*

Rea·gan [réigən] *n.* 레이건 **Ronald** (**Wilson**) ~ (1911-2004) 《미국 제40대 대통령(1981-89)》

Rea·gan·ism [réigənìzm] *n.* 레이건주의, 레이건식 사고방식[정책]

Rea·gan·om·ic [rèigənɑ́mik | -nɔ́m-] [*Reagan* +econo*mic*] *a.* 레이건 경제 정책의 《감세와 통화 조정 등》

Rea·gan·om·ics [rèigənɑ́miks | -nɔ́m-] [*Reagan* +econo*mics*] *n.* 레이건의 경제 정책

re·a·gent [riéidʒənt] *n.* **1** 【화학】 시약, 시제(試劑), 반응물; 반응력 **2** 【의학·심리】 반응자, 피험자(被驗者)

-gen·cy *n.*

re·ag·gre·gate [riːǽgrigèit] 【화학】 *vt., vi.* 〈분자 등을〉 재결합시키다[하다] **—** [-gət] *n.* 재결합한 것 **re·àg·gre·gá·tion** *n.*

re·a·gin [riéidʒin, -gin | -dʒin] *n.* **1** 매독에 반응해 형성되는 항체 **2** 건초열·천식 등에서 보이는 항체

re·al[1] [ríːəl, ríːl | ríəl, ríːl] *a., ad., n.*

> L 「사물의」의 뜻에서
> 「진짜의」→「진정한」 **1**→「실재하는」 **2**

—*a.* **1 진짜의**(genuine), 진품의; **진정한,** 진실한: a ~ pearl 진짜 진주 / a ~ friend 참다운 친구 / a ~ summer 여름다운 여름 / the ~ thing[stuff] (구어) 진짜; 극상품 / the ~ reason for an act 어떤 행동의 진정한 동기

> 유의어 **real** 외관과 내용이 일치하여 가짜나 가공의 것이 아닌: a *real* diamond 진짜 다이아몬드 **true** 현실의 것 또는 실제와 일치하는: a *true* story 실화 **actual** 실제로 존재하는: in *actual* life 실생활에서

2 실재하는, (공상이 아닌) **현실의,** 실제의; 객관적인, 실질적인: a ~ person in history 역사상의 실재 인물 / a ~ victory 실질적인 승리 **3** 〈묘사 등이〉 박진감 있는; 대단한: The earthquake was a ~ surprise to me. 그 지진은 나에게 대단히 놀라운 것이었다. / She is a ~ brain. 그녀는 대단한 수재이다. **4** 【법】 부동산의(opp. *personal*); 〈수입·임금이〉 실질의 **5** 【수학】 실수(實數)의(opp. *imaginary*): ~ analysis 실수 분석 **6** 【광학】 실상(實像)의(opp. *virtual*) **7** 【철학】 실재적인 **8** 진지한, 성실한: ~ sympathy 마음으로부터의 동정

a ~ man 거짓 없는 사람; 명실상부한 사람 ***effect a ~ cure*** 근치(根治)하다 ***Get ~!*** (미·구어) 좀 진지해져라!, 정신 차려라! ***It's been ~.*** (1) (속어) 참으로 즐거웠다. (2) (비꼼) 아주 좋았다. 《형편없다는

thesaurus **ready** *a.* **1** 준비가 된 prepared, equipped, organized, completed, finished **2** 기꺼이 …하려는 willing, agreeable, eager, happy, glad **3** 신속한 prompt, quick, rapid, swift, speedy, punctual, timely **4** 얻기 쉬운 near, accessible, handy

real[1] *a.* **1** 진짜의 genuine, authentic, veritable, valid **2** 진정한 sincere, heartfelt, honest, truthful

뜻》 ***keep it*** ~ (미·구어) 있는 그대로[원래 모습대로] 행동하다 ~ ***live*** 실물의, 진짜의

—*ad.* (미·구어) 정말로(really), 매우, 아주(quite): He was ~ glad to see me. 그는 나를 보고 정말로 기뻐했다.

—*n.* **1** [the ~] 현실(cf. IDEAL), 실체(reality), 실물; 진실, 실재 **2** 〖수학〗 실수(=~ number) 《유리수·무리수의 총칭》 ***for*** ~ (미·구어) 진짜의, 정말의; 정말로, 실제로 **~·ness** *n.*

▷ réality *n.*; réalize *v.*; réally *ad.*

re·al² [reiɑ́:l] *n.* **1** [Sp.] (*pl.* **~s, ~es** [reiɑ́:leis]) 레알 《스페인의 옛 은화; 약 12.5센트》 **2** [Port.] (*pl.* **~s, reis** [réis]) 레이스 《포르투갈·브라질의 옛 화폐 단위》

réal áction 〖법〗 대물(對物) 소송 《물건 자체의 회복을 청구하는 소송》

réal ále (영) (전통적 방법으로 발효시킨) 참맥주

réal chéese [the ~] (속어) 중요 인물, 거물

∗**réal estàte 1** 부동산 《특히 토지》, 물적 재산 **2** [집합적] (미) 팔 집 **3** (속어) (손이나 얼굴의) 더러움

re·al-es·tate [rí:əlestèit] *a.* 부동산의

réal estàte àgent (미) 부동산 매매 중개인, 토지 브로커

réal-estàte invéstment trùst (미) 〖금융〗 부동산 투자 신탁 《略 REIT》

réal fócus 〖광학〗 실(實)초점

re·al·gar [riǽlgər | -gɑ:r] *n.* Ⓤ 〖광물〗 계관석(鷄冠石)

réal Géorge (미·속어) [the ~] 멋진 것[사람], 최고의 것

réal GŃP 〖경제〗 실질 국민 총생산

réal góne *a.* (미·학생속어) 훌륭한, 대단한, 멋진

re·a·li·a [riéiliə, riǽl-, reiɑ́:l-] *n. pl.* **1** (교육용) 실물 교재(敎材) **2** 〖철학〗 실재물

re·a·lign [rì:əláin] *vt.* 재편성하다, 재조정하다, 재정렬하다 **~·ment** *n.*

réal ímage 〖광학〗 실상(實像)

réal íncome 〖경제〗 실질 소득

∗**re·al·ism** [rí:əlìzm | ríəl-] *n.* Ⓤ **1** 현실주의; 사실[현실]성(cf. ROMANTICISM, IDEALISM) **2** 〖문학·예술〗 사실주의, 리얼리즘 **3** 〖철학〗 실재론, 실념론(實念論)(opp. *nominalism*) **4** 〖교육〗 실학(實學)주의 **5** 〖법〗 실체주의

re·al·ist [rí:əlist | ríəl-] *n.* **1** 현실주의자, 실제가 **2** 〖문학·예술〗 사실주의 작가[화가], 리얼리스트 **3** 〖철학〗 실재론자; (스콜라 철학에서는) 실념론자, 개념 실재론자 —*a.* =REALISTIC

∗**re·al·is·tic** [rì:əlístik | rìəl-] *a.* **1** 현실주의의; 현실적인, 실제적인(cf. IDEALISTIC); 〈임금·가격이〉 실질적인; 진짜 같은: a ~ estimate 실제적인 견적 / a ~ decoy 진짜 같은 미끼 **2** 〖문학·예술〗 사실파의, 사실주의의, 사실적인: a ~ novel 사실주의 소설 / a ~ portrayal 사실적인 묘사 **3** 〖철학〗 실재[실존]론적인 **-ti·cal·ly** *ad.*

‡**re·al·i·ty** [riǽləti] *n.* (*pl.* **-ties**) **1** Ⓤ 진실(성) **2** 현실(성)(opp. *ideality*), 사실: accept[deny] ~ 현실을 받아들이다[부정하다] / escape from ~ 현실에서 도피하다 **3** 실재, 본체(real existence): the ~ of God 신의 실재[존재] **4** Ⓤ 실물과 똑같음, 박진성 **5** ⓊⒸ 〖철학〗 (현상계의 바닥에 있는) 실재, 실체, 실재[실체]성 **6** 〖법〗 =REALTY

in ~ 실은, 실제로는, 정말로 ***with*** ~ 실물 그대로

▷ réal *a.*

re·al·i·ty-based [riǽlətibèist] *a.* 〈TV 프로그램 등이〉 실화에 근거한

reálity chèck (구어) 현실의 점검[직시] 《희망 사항이나 예상·상상 등을 배제하고 사실들을 직시하기》

reálity prìnciple 〖정신분석〗 현실 원칙 《환경의 불가피한 요구에 적응하여 작용하는 심리 과정의 원리》

reálity sòftware 〖컴퓨터〗 리얼리티 소프트웨어 《3차원 영상을 만드는 프로그램; 실제로 그곳에 있는 듯한 현실감을 자아냄》

reálity tèsting 〖정신의학〗 현실 검사 《자아와 비(非)자아, 외계와 자기의 내부를 구별하는 객관적 평가》

reálity thèrapy 〖정신의학·심리〗 현실 요법 《환자가 처한 현실을 잘 인식케 하여 현실에 적응토록 하는 심리 요법》

reálity TV 리얼리티 TV 《일반인들이 등장하여 실제 생활을 보여주는 프로그램》(=**reálity shòw**)

re·al·iz·a·ble [rí:əlàizəbl | ríə-] *a.* **1** 실현할 수 있는 **2** 실감할 수 있는 **3** 현금으로 바꿀 수 있는

∗**re·al·i·za·tion** | **-sa·tion** [rì:əlizéiʃən | rìəlai-] *n.* ⓊⒸ **1** 사실이라고 생각함[깨달음]; 실정을 앎; 이해, 실감, 체득 **2** (희망·계획 등의) 실현, 구현, 현실화, 달성 《*of*》: the ~ *of* one's dream 꿈의 실현 **3** 실물같이 그림 **4** 현금화, 환금; (돈·재산의) 취득: the ~ of assets 자산의 현금화

▷ réalize *v.*

‡**re·al·ize** | **-ise** [rí:əlàiz | ríəl-] *v.*

> 「진짜(real)로 만들다」 ─→「실현하다」 **2**
> └→「진짜라고 느끼다」 →「이해하다」 **1**

—*vt.* **1** 실감하다, 깨닫다, (명확히) 이해하다, 분명히 파악하다: (~+*that* 절) She ~*d that* no one loved her as much as her parents did. 그녀는 부모만큼 자기를 사랑하는 사람은 없다는 것을 깨달았다. // (~+*wh.* 절) He ~*d how* difficult it was. 그는 그것이 얼마나 어려운가를 알았다. **2** [종종 수동형으로] 실현하다, 달성하다, 실행하다: His dream of going abroad *was* finally ~*d*. 외국에 가는 그의 꿈은 마침내 실현되었다. **3** 여실히 보여주다, 실감나게 그리다, 사실적으로 묘사하다: He tried to ~ these events on screen. 그는 이들 사건을 영화에서 사실적으로 나타내려고 하였다. **4** 〈재산·수입·이익을〉 얻다, 벌다: (~+목+전+명) ~ a large profit *on* the sale of one's house 집을 팔아서 거액을 벌다 **5** 현금으로 바꾸다: ~ securities 증권을 환금하다 **6** 〈얼마에〉 팔리다: His picture ~*d* $20,000. 그의 그림은 2만 달러에 팔렸다.

—*vi.* 돈으로 바꾸다, 환금하다; 돈이 되다

-iz·er *n.* ▷ réal *a.*; realizátion *n.*

ré·al·ized prófit [rí:əlàizd- | ríəl-] 〖회계〗 실현 이익

re·al·iz·ing [rí:əlàiziŋ | ríəl-] *a.* 실현하는; 확실히 이해하는, 실감하는

re·al·li·ance [rì:əláiəns] *n.* Ⓤ 재동맹

réal lífe 현실, 실생활

re·al-life [rí:əllàif | ríəl-] *a.* 실생활[현실]의, 실재의

réal líne 〖수학〗 실수(實數) 직선; 실수축(軸)

re·al·lo·cate [ri:ǽləkèit] *vt.* 재할당[재분배]하다

re·al·lot [rì:əlɑ́t | -lɔ́t] *vt.* 재분배하다

‡**re·al·ly** [rí:əli, rí:li | ríəli, rí:li] *ad.* **1** 정말로, 실제로: see things as they ~ are 사물을 있는 그대로 보다 **2** [ought to, should를 강조하여] 실은, 사실은: You *should* ~ have done it (for) yourself. 사실은 너 자신이 그것을 했어야 했다. **3** 참으로, 확실히: It ~ is a pity. 그건 참으로 유감이다. / *R*~, this is too much. 확실히 이것은 지나치다. **4** [감탄사적으로] 그래, 어머, 아니: Not ~! 설마! / R~? 정말인가? / R~! 과연! / Well ~! 원 (놀랍다), 저런저런!

~ ***and truly*** 정말로

re·al·ly [rì:əlái] *vt., vi.* (**-lied**) 재동맹하다[시키다], 새로이 제휴하다[시키다]

---

3 실재하는 actual, existent, occurring, factual

realize *v.* **1** 깨닫다 understand, comprehend, grasp, know, apprehend, recognize, perceive **2** 실현하다 fulfill, achieve, accomplish, actualize

really *ad.* **1** 실제로 actually, in fact, in truth **2** 참으로 extremely, thoroughly, truly **3** 확실히 certainly, surely, undoubtedly, indeed, absolutely

realm [rélm] *n.*

> royal과 같은 어원
> 「왕국」 **1** →「(특정의) 영역」 **2**

1 (문어) 〖법〗 **왕국**(kingdom); 국토, 영토: the ~ of England 잉글랜드 왕국 **2 범위, 영역**: the ~ of dreams 꿈의 영역 **3** (학문 등의) 분야, 부문: the ~ of science 과학의 분야 **4** 〖식물·동물〗 (분류의) 부문, 계(界); 권(圈), 대(帶)(region) ***beyond*** [***within***] ***the ~s of possibility*** 불가능한[가능한] ***the laws of the ~*** (문어) 영국 국법 ***the ~ of God*** 하느님 나라 《종전의 the Kingdom of God을 남녀 포괄 용어로 바꾼 표현》 ***the ~ of nature*** 자연계

réal McCóy [the ~] (미·속어) =McCOY

réal mémory 〖컴퓨터〗 실기억, 실기억 장치

réal móney 실가(實價)[실질] 화폐; 현금

réal númber 〖수학〗 실수 《유리수와 무리수의 총칭》

réal párt 〖컴퓨터〗 실수부(實數部)(cf. IMAGINARY PART)

re·al·po·li·tik [reiɑ́:lpòulitì:k, ri- | rei-] [G] *n.* [종종 **R~**] 현실 정책, 실익(實益) 정책

réal présence [종종 **R- P-**] 〖신학〗 그리스도의 실재 《미사[성찬]에 있어서의 그리스도의 살과 피의 실재설》

réal próperty 〖법〗 물적 재산, 부동산

réal rìghts 〖법〗 물권(物權)

réal stórage 〖컴퓨터〗 실기억(實記憶)

réal ténnis (영) =COURT TENNIS

réal tíme **1** 〖컴퓨터〗 리얼타임, 실시간(實時間), 즉시 응답 《입력되는 자료를 즉시 처리하는 것》 **2** 《일반적으로》 즉시, 동시

re·al-time [rí:əltàim] *a.* **1** 〖컴퓨터〗 리얼타임의, 실시간의 **2** 〈기록·방송 등이〉 즉시의, 동시의; 순간의; 대기 시간이 없는

réal-tìme operátion 〖컴퓨터〗 실시간 작동[연산] 《실제의 현상과 같은 속도로 입력 또는 출력이 진행되도록 컴퓨터를 동작시키는 것》

réal-tìme prócessing 〖컴퓨터〗 실시간 처리 《즉시 응답을 얻을 수 있는 프로그램 실행이나 데이터 처리 방식》

réal-tìme sỳstem 〖컴퓨터〗 실시간[즉시 처리] 시스템 《단말에서 보내온 데이터를 즉시 컴퓨터 처리하여 단말로 되돌리는 시스템》

re·al·tor [rí:əltər, -tɔ̀:r, rí:l- | ríəl-, rí:l-] *n.* (미) 부동산업자; [**R~**] 전미(全美) 부동산업자 협회(National Association of Realtors)의 공인 부동산 중개업자 《단체 마크》

re·al·ty [rí:əlti, rí:l | ríəl-, rí:l-] *n.* Ⓤ 〖법〗 부동산(real estate)(opp. *personalty*)

re·al-val·ued [rí:əlvǽlju(:)d | ríəl-] *a.* 〖수학〗 실수치의, 실수를 사용한

réal wáges 〖경제〗 실질 임금(opp. *nominal wages*)

réal wórld 대학 밖의 세계, 실사회

re·al-world [-wə̀:rld] *a.* 현실 세계[사회]의

ream[1] [rí:m] *n.* **1** 〖제지〗 연(連) 《보통은 480매(short ream), 신문지는 500매(long ream)》 **2** [*pl.*] (구어) 다량의 종이[문서] ***a printer's*** [***perfect***] ~ 인쇄 용지 1연 《516매》

ream[2] *vt.* **1** 〈구멍을〉 뚫다[넓히다]; 〈불량한 곳을〉 넓혀 제거하다 《*out*》 **2** (과즙 짜는 기구로) 짜다: ~ an orange 오렌지를 짜다 **3** (미·속어) 속이다, 기만하다 **4** 〖항해〗 〈뱃널의 틈을〉 넓히다 《caulking을 위해》 **5** 〈파이프의 담배통을〉 리머로 청소하다

get ~ed (속어) 호되게 꾸지람을 듣다 **~ *out*** (미·속어) 엄하게 꾸짖다

ream·er [rí:mər] *n.* **1** 〖기계〗 리머, 확공기(擴孔器), 구멍 뚫는 송곳: a pipe ~ 파이프 확공기 **2** (미) 과즙기

re·an·i·mate [rì:ǽnəmèit] *vt.* **1** 되살아나게 하다, 소생[부활]시키다 **2** 〈기운을 잃었던 사람의〉 기운을 북돋우다(enliven); 격려[고무]하다

re·àn·i·má·tion *n.*

reap [rí:p] *vt.* **1** 〈작물을〉 **베어 내다, 수확하다**; 〈밭 등에서〉 작물을 수확하다: ~ grain 곡물을 거둬들이다/~ a field 밭에서 작물을 수확하다 **2** 〈보답 등을〉 받다; 〈성과·이익 등을〉 올리다, 거두다

— *vi.* 수확하다; 보답을 받다

~ ***as*** [***what***] one ***has sown*** 뿌린 씨를 거두다, 인과응보 **~ *the fruits of*** one**'*s actions*** 자업자득 **~ *where*** one ***has not sown*** 심지 않은 데서 거두다; 자신이 한 일에 걸맞지 않는 보상[처벌]을 받다; 남의 공을 가로채다 ***sow the wind and ~ the whirlwind*** 나쁜 짓을 하여 그 몇 갑절의 화를 입다 **~·a·ble** *a.*

***reap·er** [rí:pər] *n.* **1** 거두어[베어]들이는 사람, 수확자 **2** 수확기(機) **3** [종종 the (Grim) R~] 죽음의 신, 사신, 죽음 《수의를 걸치고 손에 낫(scythe)을 든 해골로 상징됨》

réaper and bínder 바인더 《베면서 단으로 묶는 기계》

réap·ing hòok [rí:piŋ-] (미) 낫 《곡식 수확용》

réaping machìne 자동 수확기

re·ap·par·el [rì:əpǽrəl] *vt.* (**~ed**; **~·ing** | **~led**; **~·ling**) 〈옷을〉 다시 입히다, 새로 입히다

***re·ap·pear** [rì:əpíər] *vi.* 재현[재발]하다

~·ance *n.*

re·ap·pli·ca·tion [rì:æpləkéiʃən] *n.* ⓊⒸ 재적용; 재신청, 재지원

re·ap·ply [rì:əplái] *v.* (**-plied**) *vt.* 다시 사용하다, 다시 적용하다, 다시 종사시키다

— *vi.* 재신청[재지원]하다

re·ap·point [rì:əpɔ́int] *vt.* 다시 임명[지정]하다, 복직[재선]시키다 **~·ment** *n.*

re·ap·por·tion [rì:əpɔ́:rʃən | -pɔ́:-] *vt.* 다시 배분[할당]하다; 〈선거구 의원 수를〉 재배분하다

— *vi.* 재배분하다 **~·ment** *n.*

re·ap·praise [rì:əpréiz] *vt.* 다시 평가하다, 재검토하다 **-práis·al** *n.*

rear[1] [ríər] *n.* [보통 the ~] **1 뒤**, 배후, (맨) 후부(opp. *front*): at[in] *the* ~ of …의 배후에[에서], 〈집 등〉의 뒤에/follow in *the* ~ 뒤에 붙다, 뒤에서 따라가다/go to *the* ~ 배후로 돌다 **2** (어떤 공간에서) 뒷부분: move to *the* ~ of the bus 버스 뒷자리로 옮기다 **3** (구어) 궁둥이(buttocks): sit on one's ~ 털썩 주저앉다 **4** 〖군사〗 후위(後衛), 후미(opp. *van*[2]): take[attack] the enemy in (*the*) ~ (적)의 배후를 습격하다 **5** (영·구어) 수세식 변소 ***bring*** [***close***] ***up the ~*** 후위를 맡다, 맨 뒤에 오다(opp. *lead the van of*) ***get off*** one**'*s ~*** (미·고어) 본격적으로 일에 착수하다 ***get*** one**'*s ~ in gear*** (속어) 서두르다 ***hang on the ~ of*** (적)의 뒤를 따라다니다

— *a.* 후방의: the ~ gate 뒷문/a ~ attack 배후 공격/~ service 후방 근무

— *ad.* 후방에서[으로]

— *vi.* (구어) 뒤보러 가다, 변소에 가다

***rear**[2] [ríər] *vt.* **1** 〈아이를〉 **기르다**, 교육하다; 〈가족을〉 부양하다 **2** 〈동물을〉 사육하다; 재배하다; 길들이다 **3** (문어) 〈높은 건물을〉 세우다, 건립하다: 《~+목+전+명》 ~ a monument *to* a person …을 기념하여 비를 세우다 **4** 〈물건을〉 똑바로 세우다, 일으키다, 들어올리다, 솟게 하다: ~ a ladder 사다리를 세우

---

thesaurus **realm** *n.* **1** 왕국 kingdom, country, land, state, province, empire, domain, monarchy, principality **2** 영역 world, field, sphere, area, department, region, zone, province, orbit

rear[2] *v.* **1** 기르다 bring up, raise, care for, nurture, parent, educate, train **2** 사육하다, 재배하다

다/~ oneself 똑바로 서다 // 《~+목+전+명》 The mountains *~ed* their crests *into* the clouds. 산들은 구름 속에 솟아 있었다. **5** 〈목소리 등을〉 지르다, 높이다(elevate)

—*vi.* **1** 〈말 등이〉 뒷다리로 서다 《*up*》 **2** 〈사람이〉 자리를 박차고 일어서다 《*up*》 **3** 《문어》 높이 우뚝 솟다 **~ one's voice**[**a hand**] 소리를 높이다[손을 들다] **~ the**[**one's**] (**ugly**) **head** 머리를 쳐들다; 《비유》 〈나쁜 생각 등이〉 고개를 쳐들다; 〈사람이〉 두각을 나타내다 **~ up** (1) 〈말이〉 뒷다리로 서다 (2) 〈뱀 등이〉 고개를 쳐들다 (3) 〈문제 등이〉 생기다

réar ádmiral 《미》 해군 소장(rear admiral upper half), 해군 준장(rear admiral lower half)

réar échelon 〖군사〗 후방군

réar énd 1 후부, 후미(tail end) **2** 《구어》 궁둥이

rear-end [ríərénd] *a.* 후미의, 후부의

—*vt.* 《구어》 〈다른 자동차와〉 차를 추돌시키다; 〈자동차 등이〉 …에 추돌하다: A freight train *~ed* the commuter train this morning. 오늘 아침 화물 열차가 통근 열차에 추돌했다.

rear-end·er [ríəréndər] *n.* 〈자동차의〉 추돌 사고

rear·er [ríərər] *n.* **1** 양육자, 사육자, 재배자 **2** 뒷다리로 서는 버릇이 있는 말

réar guárd 1 〖군사〗 후위(opp. *vanguard*) **2** 〈정당 등의〉 보수파

rear·guard [ríərgὰ:rd] *a.* 후위[후방]의; 지연의, 방어적인

réarguard áction 1 지연 작전 **2** 속이는[따돌리는] 행동[전술]

re·ar·gue [rì:ά:rgju:] *vt.* 다시 의논하다, 재론하다

re·ar·gu·ment *n.*

rear·horse [ríərhɔ̀:rs] *n.* 〖곤충〗 버마재비, 사마귀

rear·ing [ríəriŋ] *n.* Ⓤ **1** 〈아이의〉 양육 **2** 〈새·동물 등의〉 사육: livestock ~ 가축 사육

réar líght[**lámp**] 〈자동차의〉 미등(尾燈)

re·arm [ri:ά:rm] *vt.* **1** 재무장시키다 **2** 신무기를 갖추게 하다 《*with*》 **—***vi.* 재무장[재군비]하다

re·ar·ma·ment [ri:ά:rməmənt] *n.* Ⓤ 재무장, 재군비

re·ar·most [ríərmòust] *a.* 제일 후미의, 최후의(last), 맨 뒤의(hindmost)

réar projéction 〖영화〗 배경 영사

*__re·ar·range__ [rì:əréindʒ] *vt.* 다시 정리[정렬]하다; 다시 배열하다 **~·ment** *n.* ⓊⒸ 재배열, 재정리; 〖화학〗 전위(轉位)

réar síght 〈총의〉 뒷가늠자

réar vással 배신(陪臣), 가신(家臣)

réar·view mírror [ríərvjù:-] 〈자동차의〉 백미러

réar-vi·sion mírror [ríərvìʒən-] = REARVIEW MIRROR

rear·ward [ríərwərd] *a.* 후미의, 제일 뒤의

—*ad.* 후방에[으로], 배후에[로]: The seats faced ~. 좌석은 뒤를 향해 있었다. **~ of** …의 후방으로

—*n.* Ⓤ **1** 후방, 후부, 배후: in[at] the ~ 후부[배후]에 **2** 〖군사〗 후위

rear·wards [ríərwərdz] *ad.* = REARWARD

réar-whéel dríve [ríərhwí:l-] 〈자동차의〉 뒷바퀴 굴림, 후륜 구동(後輪驅動)

réar wíndow 〈자동차의〉 뒷창문

re·as·cend [rì:əsénd] *vi.* 다시 오르다

-cén·sion [-sénʃən], **-cént** [-sént] *n.*

‡**rea·son** [rí:zn] *n.* **1** ⓊⒸ 이유, 까닭, 동기(cause): for *~s* of …의 이유로, …인 까닭에 / for some ~ or other 그 어떤 이유로 / give[yield, render] a ~ for …의 이유를 말하다 / have ~ for[to do] …의[할] 이유가 있다, …임[함]은 당연하다 ★ 강조형은 have *every* reason for[to do] / The ~ why he hesitates is that ... 그가 망설이는 것은 …이기 때문이다 ★ 구어에서는 that을 because로 바꾸는 경우가 있음. // 《~+*to* do》 There is ~ *to* believe that he is dishonest. 그가 정직하지 못하다고 믿을 만한 까닭이 있다. // 《~+전+*-ing*》 She had her own *~s for* com*ing* here. 여기에 온 데는 그녀 나름의 이유가 있었다.

> 유의어 **reason** 어떤 사태의 유래에 관한 논리적 설명: She had a *reason* for getting angry. 그녀는 화낼 만한 이유가 있었다. **cause** 어떤 결과를 초래하는 필연적 원인: Carelessness is often a *cause* of accident. 부주의는 흔히 사고의 원인이 된다. **motive** 희망·욕망 등과 같은 어떤 행동으로 이끄는 요인·동기: the *motive* for a crime 범죄의 동기

2 변명, 핑계, 구실, 해명 《*to* do》: ~(*s*) of State 국가적 이유 《종종 위정자의 구실》 / the[a] woman's [the lady's] ~ 여자의 (당치도 않은) 논리 《I love him, because I love him. 등》 / It'll give me a ~ *to* see you again. 그것은 너를 다시 만날 구실이 될 것이다. **3** Ⓤ 도리, 이치, 조리: out of ~ 이치에 맞지 않은, 도리를 어기고 / hear[listen to] ~ 사리를 좇다; 〈여자·아이 등이〉 …의 말을 잘 알아차리다 / There is ~ in what you say. 당신이 하는 말에는 일리가 있다. **4** Ⓤ 이성, 사고력, 판단력; 분별, 양식: as ~ is[was] 이성이 명하는 대로, 양식에 따라 **5** [종종 one's ~] Ⓤ 제정신, 분별 있는 행위: regain [restore] *one's* ~ 제정신으로 돌아오다 / be restored to ~ 본정신으로 돌아오다 / lose *one's* ~ 미치다 **6** Ⓤ 〖논리〗 논거, 전제(premise), 《특히》 소(小)전제 **7** 〖철학〗 이성: practical[pure] ~ 실천[순수] 이성

all the more ~ for** do**ing**[**to** do]* 《구어》 (…하는 것은) 실로 당연하다 ***beyond (***all***) ***~*** 터무니없는 ***bring to ~*** 도리를 깨치게 하다, 잘 알아듣게 하다, 정도(正道)를 깨닫게 하다 ***by ~ of*** …의 이유로, …이기 때문에 ***by ~*** (***that***) …인 고로 ***in*** (***all***) ***~*** 도리상; 올바른 ***It stands to ~ that*** …은 이치에 맞다, 당연하다 ***neither rhyme nor ~*** ⇨ rhyme. ***or you*** [***he, she, they***] ***will know the ~ why*** [명령문에 이어서] 《구어》 그렇지 않으면 혼날 줄 알아라 ***will*** [***want to***] ***know the ~ why*** 《구어》 화를 낼 것이다 ***with*** (***good***) ***~*** 당연한, 무리가 아닌

—*vi.* **1** 추리[추론]하다, 논리적으로 생각하다, 판단을 내리다 《*about, of, on, upon*》: 《~+부》 ~ *badly*[*soundly*] 그릇되게[올바르게] 추론하다 // 《~+전+명》 ~ *about*[*on*] a matter 어떤 문제에 관해 추론하다 **2** 이치를 따지다[밝히다], 설득[설명]하다 《*with*》: 《~+전+명》 I *~ed with* him on the matter. 나는 그 문제에 대해 그와 논의했다.

—*vt.* **1** 이론적으로 생각해 내다[해결하다] 《*out*》: 《~+목+부》 ~ *out* the answer to the question 그 문제에 답을 생각해 내다 **2** 논하다; 논증[판단]하다: 《~+*wh.* 절》 Let's ~ *whether* your answer is correct or not. 너의 답이 옳은지 그른지 논해 보자. // 《~+*that* 절》 We *~ed that* he was guilty. 우리는 그가 유죄라고 판단했다. **3** …을 설득하여 …시키다[못하게 하다] 《*down, into*》: 《~+목+전+명》 ~ oneself *into* perplexity 자기 독단으로 생각하고 당황하다 // 《~+목+부》 ~ a person *down* …을 설득하다 **4** 〈확실한 근거하에〉 지지하다 ***ours*** [***yours, theirs,*** etc.] ***not to ~ why*** 《구어》 우리들[당신들, 그들]에게는 이러쿵저러쿵 말할 권리가 없다 **~·er** *n.*
▷ réasonable *a.*

‡**rea·son·a·ble** [rí:zənəbl] *a.* **1** 〈사고·감정·의견 등이〉 도리에 맞는, 논리적인, 조리가 서는, 정당한: a ~

breed, keep, tend, grow, cultivate
reasonable *a.* **1** 이치에 닿는 logical, practical, rational, sensible, intelligent, wise, sound, judicious, plausible, admissible **2** 정당한 fair, just, equitable, impartial, unbiased **3** 비싸지 않은 moderate, inexpensive, low, modest, cheap

excuse 이치에 닿는 변명 **2 온당한**, 적당한(moderate): ~ terms 온당한 조건 **3** 〈값 등이〉 **비싸지 않은**, 〈기부 등이〉 합당한: at a ~ price 적당한 값으로 **4** 《드물게》 이성이 있는 **5** 〈사람·행동이〉 **사리를 아는, 분별이 있는**: He is ~ in his demands. 그가 무리한 요구를 하는 것은 아니다.
~·ness *n.* **rèa·son·a·bíl·i·ty** *n.*
▷ réason *n.*; réasonably *ad.*
réasonable áccess rùles 《미》 정당한 방송 이용 규칙 《매스 미디어 이용권(access)을 방해한 방송 회사에 대한 처벌 규정》
***rea·son·a·bly** [ríːzənəbli] *ad.* **1 사리에 맞게**, 합리적으로; 분별 있게, 이성을 갖고 **2** 알맞게, 무리없이; 상당히, 꽤: The first one is ~ good. 첫 번째 것은 그런대로 괜찮다. **3** [문장 전체를 수식하여] 당연히, 마땅히
rea·soned [ríːznd] *a.* Ⓐ 도리에 입각한, 사리에 맞는; 상세한 이유를 붙인; 숙고한 끝의
***rea·son·ing** [ríːzəniŋ] *n.* ⓊⒸ **1 추리**, 추론; 이론; 논법; 추리력 **2** [집합적] (추론의 결과로서의) 논거, 증명: sound ~ 올바른 논증
— *a.* 추리의; 이성이 있는: a ~ power 추리력 / a ~ creature 인간
rea·son·less [ríːznlis] *a.* 이성이 없는; 도리를 모르는, 분별없는 **~·ly** *ad.* **~·ness** *n.*
re·as·sem·ble [rìːəsémbl] *vt., vi.* 다시 모으다[모이다]; 새로 짜 맞추다
-blage [-blidʒ], **-bly** *n.* Ⓤ 재집합
re·as·sert [rìːəsə́ːrt] *vt.* 거듭 주장[단언, 언명]하다 **-sér·tion** *n.*
re·as·sess [rìːəsés] *vt.* 재평가하다; 재부과하다; 다시 할당하다 **~·ment** *n.*
re·as·sign [rìːəsáin] *vt.* 다시 할당[위탁]하다, 다시 양도하다, (양도된 것을) 반환하다 **~·ment** *n.*
re·as·so·ci·ate [rìːəsóuʃièit] *vt., vi.* 다시 연상하다; 재연합[교제]하다
re·as·sume [rìːəsúːm | -sjúːm] *vt., vi.* 다시 취하다; 다시 인수하다; 재가정(再假定)하다; 다시 시작하다 **-súmp·tion** *n.*
re·as·sur·ance [rìːəʃúərəns] *n.* ⓊⒸ **1** 안심함[시킴], 안도; (새로운) 자신, 확신 **2** 재보증 **3** 《영》 《보험》 재보험(reinsurance)
***re·as·sure** [rìːəʃúər] *vt.* **1 안심시키다**, 다시 용기를 내게 하다, 다시 자신을 갖게 하다 《*about, of, that* 절》: 《~+목+전+명》 The doctor ~*d* the patient *about* his disease. 의사는 병세를 설명하여 환자를 안심시켰다. // ~ oneself 안심하다 **2** 재보증하다 **3** 《영》 = REINSURE ▷ reassúrance *n.*
re·as·sur·ing [rìːəʃúəriŋ] *a.* 안심시키는, 용기를 돋우는, 고무적인(encouraging), 위안을 주는 **~·ly** *ad.*
re·a·ta [riáːtə, -ǽtə | -áːtə] *n.* = RIATA
re·at·tach [rìːətǽtʃ] *vt.* 다시 달다, 재장착하다
re·at·tain [rìːətéin] *vt.* 재달성[재도달]하다
re·at·tempt [rìːətémpt] *vt.* 다시 해보다, 재차 시도하다
Reaum, Réaum. Réaumur (temperature)
Re·au·mur, Ré- [réiəmjùər] [프랑스의 물리학자 이름에서] *a.* 열씨(列氏) 눈금의 《물의 끓는점은 80°, 어는점은 0°; 略 R.》
reave[1] [ríːv] *v.* (**~d,** 《고어·시어》 **reft** [réft]) *vt.* 약탈하다, 강탈하다; [보통 수동형으로] …에게서 빼앗다(bereave) 《*of, from*》: 《~+목+전+명》 parents *reft of* their children 아이들을 잃은 부모 / *be reft of* one's power 권력을 잃다
— *vi.* 빼앗다 **réav·er** *n.*
reave[2] *vt., vi.* 《고어》 찢다(rend); 부수다(break); 떼어 놓다
re·a·wak·en [rìːəwéikən] *vt., vi.* 다시 각성시키다[하다]
reb [réb] *n.* **1** 《미·구어》 [종종 **R~**] 남군 병사(Johnny Reb); 남부 백인 **2** 반역자, 모반자(rebel)

REB relativistic electron beam 《물리》 상대론적 전자 빔 《500keV 이상 고에너지 전자 빔》
re·bab [ribáːb] *n.* 리밥 《인도네시아의 현악기》
re·badge [ribǽdʒ] *vt.* 〈상품을〉 이름[로고]을 바꿔 다시 시장에 내다
re·bap·tism [rìːbǽptizm] *n.* ⓊⒸ 재세례; 재명명
re·bap·tize [rìːbǽptaiz] *vt.* 다시 세례하다; …에게 다시 이름을 붙이다(rename)
re·bar, re-bar [ríːbàːr] *n.* 《고어》 《건축》 콘크리트 보강용 강철봉
re·bar·ba·tive [ribáːrbətiv] *a.* 《문어》 호감을 사지 못하는, 싫은, 불쾌한(repellent) **~·ly** *ad.*
re·base [ribéis] *vt.* 〈물가 지수 따위에〉 새로운 평가[산정] 기준을 설정하다
re·bate[1] [ríːbeit, ribéit | ribéit] *vt.* **1** 〈지불한 금액의 일부를〉 환불하다; 〈…에게〉 환불해 주다, 리베이트를 주다: He ~*d* five dollars to me. 그는 내게 5달러를 환불해 주었다. **2** 《고어》 〈칼 등을〉 무디게 하다(blunt) **3** 《고어》 감소하다, 약화시키다
— *vi.* (관행으로) 리베이트를 주다
— [ríːbeit] *n.* 환불, 리베이트; 감소: a tax ~ 세금의 환불 **ré·bat·er** *n.*
re·bate[2] [ríːbeit, rǽbət] *n., vi., vt.* = RABBET
re·ba·to [rəbáːtou, -béi-] *n.* (*pl.* **~s**) = RABATO
reb·be [rébə] *n.* 《유대어》 유대인 학교 교사(rabbi)
Re·bec·ca [ribékə] *n.* **1** 여자 이름 《애칭 Becky》 **2** 《성서》 = REBEKAH
re·bec(k) [ríːbek] *n.* (중세의) 3현 악기
Re·bek·ah [ribékə] *n.* **1** 여자 이름 **2** 《성서》 리브가 《이삭의 처》
‡**reb·el** [rébəl] [L 「전쟁을 다시 하다」의 뜻에서] *n.* **1 반역자**, 반도, 반항자 《*against, to*》 **2** [종종 **R~**] 《미》 반란군 병사 《남북 전쟁 때의 남군 병사》; [종종 **R~**] 《미·구어》 남부 백인
— *a.* Ⓐ 반역의: the ~ army 반란군
— [ribél] *vi.* (**~led**; **~·ling**) **1 모반[반역]하다**, 반란을 일으키다 《*against*》; (권위·관습 등에) 반대하다, 반항하다 《*against*》: ~ *against* all authority 모든 권위에 대항하다 **2** 화합하지 않다 《*with*》; 반감을 가지다, 반발하다, 몸서리치다 《*against, at*》: 《~+전+명》 My mind ~*s at* the thought. 그것을 생각하면 오싹해진다. **~·lìke** *a.*
▷ rebéllion *n.*; rebéllious *a.*
reb·el·dom [rébəldəm] *n.* ⓊⒸ **1** 반도(叛徒)의 제압 지역; 《미》 (특히 남북 전쟁 때의) 남부 연방(Confederate States) **2** [집합적] 반도 **3** 반역 행위
***re·bel·lion** [ribéljən] *n.* ⓊⒸ **1 모반, 반란**, 폭동: rise in ~ 폭동을 일으키다

> 유의어 **rebellion** 실패로 끝난 모반을 가리키는 경우가 많다: put down a *rebellion* 반란을 진압하다 **revolution** 혁명 또는 사상·사회의 변혁으로 성공한 것을 나타낸다: the Industrial *Revolution* 산업 혁명 **revolt** 권위 있는 것에 대한 공공연한 반항: a *revolt* because of unjust government 악정(惡政) 때문에 일어난 반란

2 반항, 저항, 도전 《권력에 대한》: ~ *against* one's father 아버지에 대한 반항 ***the Great R~*** 《영국사》 대반란 《1642-60년의 시민 혁명》
▷ rebél *v.*; rebéllious *a.*
***re·bel·lious** [ribéljəs] *a.* **1 반역하는**, 모반하는: ~ subjects 역신(逆臣)들 **2** 반항심이 있는; 반항하는; 반체제의: a ~ temper 반항적인 기질 **3** 〈병 따위가〉 낫

thesaurus **reasonably** *ad.* rationally, sanely, logically, sensibly, plausibly, soundly
rebel *n.* revolutionist, insurrectionist, insurgent, traitor, revolter, agitator, traitor, anarchist
rebellion *n.* disobedience, revolution, insurrection
rebuke *v.* reprimand, scold, chide, admonish,

기 힘든, 난치의; 〈사물이〉 다루기 힘든, 힘에 부치는: ~ curls 곧 풀려 흐트러지는 머리카락
~·ly *ad.* **~·ness** *n.*

re·bel·low [rìbélou] *vt., vi.* 《문어·고어》 〈바람 등이〉 윙윙 되울리다, (…에) 크게 반향하다 《*to, with*》

re·bid [rìbíd] *v.* (~; **~·den**, ~; **~·ding**) *vt.* **1** 〘카드〙 (브리지에서) 〈한 번 비드했던 으뜸패를〉 다시 비드하다 **2** 〈사업·계약·프로젝트 따위에〉 재입찰하다
— *vi.* 다시 비드하다
— *n.* 두 번째 비드 **~·da·ble** *a.*

re·bill [rìbíl] *vt.* 재청구하다

re·bind [rìbáind] *vt.* (**-bound** [-báund]) 다시[고쳐] 묶다; 다시 제본하다

re·birth [rìbə́:rθ, ㅅㅅ | ㅅㅅ] *n.* Ⓤⓒ 재생, 갱생; 부활; 회복

re·birth·ing [rìbə́:rθiŋ] *n.* 리버싱 《출생시를 다시 체험시켜 공포 따위를 극복하게 하는 심리 요법》

re·bloom [rìblú:m] *vi.* 도로 피다; 도로 젊어지다

reb·o·ant [rébouənt] *a.* 《시어》 울려 퍼지는, 하늘 높이 반향하는

re·boot [rìbú:t] 〘컴퓨터〙 *vt.* 〈컴퓨터를〉 재시동(再始動)하다 — *vi.* 〈컴퓨터가〉 재시동하다
— *n.* 재시동, 리부트

re·bop [rí:bɑ̀p | -bɔ̀p] *n.* = BEBOP

re·bore [rìbɔ́:r] *vt.* …에 구멍을 다시 뚫다; 〈내연기관 실린더의〉 직경을 넓히다
— *n.* 다시 뚫기; (실린더의 직경을 확대한) 엔진

re·born [rìbɔ́:rn] *a.* Ⓟ 다시 태어난, 갱생[재생]한

re·bound[1] [rìbáund] *v.* REBIND의 과거·과거분사

re·bound[2] [ribáund, rìbáund | ribáund] *vi.* **1** 〈공 등이〉 되튀다 《*from*》: (~+전+명) A ball *~s from* a wall. 공이 벽에 맞아 되튄다. **2** 반향하다 (resound) **3** (좌절·실패 등에서) 다시 일어서다 《*from*》: ~ *from* despair 절망으로부터 일어서다 **4** 〘농구〙 리바운드 볼을 잡다 **5** 〈행위가〉 (자기에게로) 되돌아오다 《*on, upon*》: (~+전+명) The evil deed *~ed upon* him. 그의 악행이 그에게로 되돌아왔다. — *vt.* **1** 되튀게 하다, 돌이키다 **2** 〈음을〉 반향시키다 **3** 〘농구〙 〈리바운드 볼을〉 잡다
— [rí:bàund, ribáund] *n.* **1** 되튐, 반발 **2** 반향, 산울림(echo) **3** (감정 등의) 반동 **4** 〘농구〙 리바운드(볼) ***on the ~*** (1) 〈공이〉 되튀는 것을: hit a ball *on the* ~ 공이 되튀는 것을 치다 (2) 《구어》 (실연(失戀) 등의) 반동(反動)으로: She didn't really love Brad; she married him *on the* ~. 그녀는 브래드를 진심으로 사랑하지 않았다. 실연의 반동으로 결혼한 것이었다.

re·bound·er [rí:bàundər] *n.* 〘농구〙 리바운드 볼을 잘 잡는 선수; 소형 트램펄린

re·bo·zo, -so [ribóusou, -zou | -zou] *n.* (*pl.* **~s**) (스페인·멕시코 여성의) 긴 스카프

re·branch [rìbrǽntʃ] *vi.* 가지가 다시 갈라져 나가다, 2차적으로 분기하다

re·brand [rìbrǽnd] *vt.* 리브랜드하다 《기업·조직 등의 이미지 재고나 변화를 위한 개명 등》 **re·bránd·ing** *n.*

re·breath·er [rìbrí:ðər] *n.* 수중 호흡기 《마스크와 산소 공급 장치로 되어 있음》

re·broad·cast [rìbrɔ́:dkæ̀st | -kɑ̀:st] *vt., vi.* (~, **~·ed**) 재방송하다; 〈타방송국의 프로그램 등을〉 중계 방송하다
— *n.* Ⓤⓒ 재방송; 중계 방송; 재방송 프로

re·buff [ribʌ́f, rí:bʌf | ribʌ́f] *n.* **1** 거절, 퇴짜; (계획 등의) 좌절 **2** (행동·진행의) 방해, 저지
— *vt.* 거절하다, 퇴짜 놓다; 저지하다

reproach, reprehend, censure
recall *v.* **1** 상기하다 remember, recollect, think of, reminisce about, look back on **2** 연상시키다 call up, summon up, evoke **3** 도로 부르다 summon back, call back, bring back **4** 취소하다 revoke, retract, take back, withdraw, veto, nullify, cancel

*__re·build__ [rìbíld] *vt.* (**-built** [-bílt]) 재건하다, 개축하다, 다시 세우다; 개조하다 **~·er** *n.*

‡**re·buke** [ribjú:k] 《문어》 *vt.* 비난하다, 꾸짖다: (~+목+전+명) ~ a person *for* his carelessness …의 부주의를 나무라다
— *n.* Ⓤⓒ 비난, 힐책: give[receive] a ~ 견책하다[당하다] / without ~ 나무랄 데 없이
re·búk·er *n.* **re·búk·ing·ly** *ad.*

re·bus [rí:bəs] *n.* 글자[그림] 맞추기[수수께끼]

re·but [ribʌ́t] *vt.* (**~·ted**; **~·ting**) **1** 물리치다, 거절하다 **2** 〘법〙 논박[반박]하다, …의 반증을 들다: *~ting* evidence 〘법〙 반증 — *vi.* 반증을 들다
~·ment *n.* **~·ta·ble** *a.*

re·but·tal [ribʌ́tl] *n.* 〘법〙 원고의 반박; 반증(의 제출)(contradiction)

re·but·ter[1] [ribʌ́tər] *n.* 반박[반론]자; 반론, 반증

rebutter[2] *n.* 〘법〙 (피고의) 제3 답변(cf. SURREBUTTER)

rec [rék] [*rec*reation] *n.* 《구어》 **1** 오락, 레크리에이션 **2** [the ~] 《영·속어》 유원지

rec. receipt; received; receptacle; recipe; record(er); recorded; recording

re·cal·ci·trance, -tran·cy [rikǽlsitrəns(i)] *n.* Ⓤ 말을 듣지 않음; 고집, 반항

re·cal·ci·trant [rikǽlsitrənt] *a.* 완강하게 반항하는, 휘어잡을 수 없는, 고집 센; 〈병이〉 저항성의 《*against, at*》 — *n.* 고집쟁이, 반항자 **~·ly** *ad.*

re·cal·ci·trate [rikǽlsətrèit] *vi.* 완강하게 반항하다, 고집을 부리다, 몹시 어기대다[싫어하다] 《*against, at*》 **re·càl·ci·trá·tion** *n.* Ⓤ

re·cal·cu·late [rì:kǽlkjulèit] *vt.* 다시 계산하다, 재검토하다 **rè·cal·cu·lá·tion** *n.* Ⓤ 재계산, 재검토

re·ca·lesce [rì:kəlés] *vi.* 〘야금〙 (쇠가 냉각 도중에) 다시 뜨거워지다, 재휘(再輝)하다

re·ca·les·cence [rì:kəlésns] *n.* Ⓤ 〘야금〙 재휘, 재열(再熱)(현상) **-cent** [-snt] *a.*

‡**re·call** [rikɔ́:l] *vt.* **1** 상기하다, 생각해 내다(⇨ remember 유의어): (~+**-ing**) I can't ~ hav*ing* met him. 그를 만난 일이 생각나지 않는다. // (~+***that*** 절) I ~ *that* I read the news. 그 뉴스를 읽은 일이 기억난다. // (~+***wh.*** 절) Try to ~ *who* he is. 그가 누구인지 잘 생각해 봐. **2** 생각나게 하다, 상기시키다 《*to*》; 연상시키다: an old house which *~s* a Victorian farmhouse 빅토리아조(朝)의 농가를 연상시키는 낡은 집 // (~+목+전+명) The story *~ed* old faces *to* my mind. 그 이야기를 듣자니 내 마음에 그리운 얼굴들이 떠올랐다. **3** 도로 부르다, 〈대사를〉 소환[파면]하다; 《미》 (일반 투표로) 〈관리를〉 해임하다: (~+목+부) (~+목+전+명) ~ a special correspondent *home*[*to* the main office in Seoul] 특파원을 본국[서울 본사]으로 소환하다 **4** 〈물건을〉 회수하다; 〈명령·앞서 한 말을〉 취소하다, 철회하다: ~ a promise 약속을 취소하다 / Defective cars were all *~ed*. 결함이 있는 차들은 모두 회수되었다. **5** 《시어》 소생시키다, 부활시키다 《*to*》
— [rikɔ́:l, rí:kɔ̀:l] *n.* Ⓤⓒ **1** 회상, 상기; 회상력, 기억력: total ~ 세밀한 데까지 생각해 내는 능력(을 가진 사람) **2** 도로 부름; (대사 등의) 소환; 《미》 리콜 《일반 투표에 의한 공무원의 해임(권)》 **3** 취소; 철회 **4** (결함 제품의) 회수(callback) **5** [the ~] 〘군사〙 (나팔·북 등의) 재집합 신호; 〘항해〙 소정(召艇) 신호: sound *the* ~ 소집 나팔[북]을 울리다 ***beyond***[***past***] ~ 생각해 낼 수 없는; 돌이킬 수 없는
~·a·ble *a.* **~·er** *n.*

re·can·a·li·za·tion [rì:kæ̀nəlizéiʃən | -lai-] *n.* 〘의학〙 재소통 《기능 상실된 혈관·수정관을 회복시키기》

re·cant [rikǽnt] *vt.* 〈신앙·주장 등을〉 (공식(公式)으로) 고치다, 취소하다; 철회하다; 부인하다, 부정하다 **—** *vi.* 자기 주장을 취소[철회]하다
~·er *n.* **~·ing·ly** *ad.*

re·can·ta·tion [rìːkæntéiʃən] *n.* UC 취소, 개론(改論), 변설(變說)

re·cap[1] [ríːkæ̀p, ⌒⌒] *vt.* (**~ped**; **~·ping**) (미) 〈자동차의 타이어를〉 (보수하여) 재생시키다; 〈모자·뚜껑 등을〉 (원래대로) 씌우다: ~ a bottle 병 뚜껑을 닫다 **—** [⌒⌒] *n.* 재생 타이어 **~·pa·ble** *a.*

re·cap[2] [ríːkæ̀p] (구어) *n.* = RECAPITULATION
— *vt.* (**~ped**; **~·ping**) = RECAPITULATE

re·cap·i·tal·i·za·tion [riːkæ̀pitəlizéiʃən | -lai-] *n.* U 자본 재구성

re·cap·i·tal·ize [rìːkǽpitəlàiz] *vt.* 〈회사의〉 자본 구성을 재편하다

re·ca·pit·u·late [rìːkəpítʃulèit] *vt., vi.* **1** 요점을 되풀이하다, 요약하다(summarize) **2** 〖생물〗 〈개체 발생이〉 〈진화의 모든 단계를〉 반복하다 **3** 〖음악〗 (소나타 형식으로) 재현하다

re·ca·pit·u·la·tion [rìːkəpìtʃuléiʃən] *n.* UC **1** 요점의 되풀이; 요약; 개요 **2** 〖생물〗 발생 반복 **3** 〖음악〗 재현부

re·ca·pit·u·la·tive [rìːkəpítʃulèitiv] *a.* 개괄적인, 약설적인, 요약적인

re·ca·pit·u·la·tor [rìːkəpítʃulèitər] *n.* 요약자(者)

re·ca·pit·u·la·to·ry [rìːkəpítʃulətɔ̀ːri | -təri] *a.* = RECAPITULATIVE

re·cap·tion [rikǽpʃən, rìː-] *n.* U 〖법〗 (불법 점유된 물건의) 자력(自力)에 의한 회수

***re·cap·ture** [rìːkǽptʃər] *vt.* **1** 탈환하다(retake), 되찾다; 다시 체포하다: He *~d* the spirit of his youth. 그는 젊은이의 기백을 되찾았다. **2** (미) 〈정부가〉 〈수익의 일부를〉 초과 징수하다 **3** 〈과거의 일을〉 생각해 내다, 상기하다
— *n.* U **1** 탈환, 회복 **2** C 도로 찾은 물건[사람] **3** (미) (정부의) 재징수, 초과 징수 **-tur·a·ble** *a.*

re·ca·reer [rìkəríər] *n.* 퇴직 후의 일[직업]

re·cast [rìːkǽst | -kɑ́ːst] *vt.* (**re·cast**) **1** 개주(改鑄)하다 **2** 고쳐 만들다[쓰다] **3** 다시 계산하다 **4** 〈연극·오페라의〉 배역을 바꾸다, 〈배우를〉 바꾸다
— [⌒⌒ | ⌒⌒, ⌒⌒] *n.* 개주(물); 개작(품); 재계산; 배역 변경

rec·ce, rec·cy [réki], **rec·co** [rékou] *n.* (군대속어) = RECONNAISSANCE
— *vt., vi.* = RECONNOITER

rec'd., recd. received

re·cede**[1] [risíːd] *vi.* **1** 물러가다; 멀어지다 (*from*): (~+전+명) A ship *~d from* the shore. 배가 해안에서 멀어져 갔다. **2** 〈기억·인상이〉 희미해지다: (~+전+명) The event *~d into* the dim past. 그 사건은 희미한 과거 속으로 잊혀져 갔다. **3** 움츠러지다, 감퇴[감소]하다; 〈가치·품질 등이〉 떨어지다, 나빠지다: *receding* prices 하락하는 물가 **4** 쑥 들어가다, 움푹 들어가다, 뒤편으로 기울다: a *receding* chin 움푹 들어간 턱 **5** 〈계약 등에서〉 손을 떼다; 〈주장 등을〉 거두다, 철회하다; (지위에서) 내려오다 (*from*): (~+전+명) ~ *from* an agreement 계약을 철회하다 **~ *into the background 세력을 잃다
▷ recéssion, recéss *n.*; recéssive *a.*

re·cede[2] [rìːsíːd] *vt.* 〈영토 등을〉 (본래의 소유자에게) 반환하다

re·céd·ing cólor [risíːdiŋ-] 후퇴색 (파랑·초록·자주 등)

‡re·ceipt [risíːt] *n.* **1** C 영수증: make out[write] a ~ 영수증을 쓰다 / Can I have a ~, please? 영수증 주세요. **2** U 받음, 영수, 수취 (*of*): on (the) ~ *of* …을 받는 대로 / be in ~ *of* 〖상업〗 …을 받다 / I am in ~ *of* your letter dated April 5. 4월 5일자(의) 편지는 잘 받았습니다. **3** C 받은 물건; [보통 *pl.*] 수령액: total *~s* 총수령액 **4** (고어) = RECIPE ***the ~ of custom*** 〖성서〗 세관 (마태 복음 9 : 9)
— *vt.* 〈계산서에〉 영수필(Received)이라고 쓰다; (미) …의 영수증을 발행하다
— *vi.* (미) 영수증을 발행하다 (*for*)
▷ recéive *v.*

recéipt bòok 수령 대장; 영수증철

re·ceipt·or [risíːtər] *n.* 수령자; 〖미국법〗 압류물 보관자

recéipt stàmp 수입 인지

re·ceiv·a·ble [risíːvəbl] *a.* **1** 믿을 만한: a ~ certificate 신용할 수 있는 증명서 **2** 받아야 할, 지불되어야 할: bills ~ 받을어음 **3** 받을 수 있는; 받을 만한(opp. *payable*) **—** *n.* [*pl.*] 수취 계정[어음]

‡re·ceive [risíːv] [L 「되찾다」의 뜻에서] *vt.* **1** 〈제공·배달된 것 등을〉 받다, 수취하다; 얻다 (*from*): I *~d* many gifts. 나는 많은 선물을 받았다. // (~+목+전+명) She *~d* an honorary degree *from* Harvard. 그녀는 하버드에서 명예 학위를 받았다. / I *~d* a sad letter *from* my mother. 나는 어머니에게서 슬픈 편지를 받았다.

> 유의어 **receive** 주어진 것·제공된 것을 받는다는 뜻으로서, 받는 사람이 동의하거나 승낙하는 것과는 관계가 없다: *receive* many gifts 많은 선물을 받다 **accept** 기꺼이 또는 고맙게 생각하며 받아들이다: *accept* an invitation 초대에 응하다 **admit** 받아들이는 측이 허가하여 동의하다: *admit* a person to room 방으로 들이다

2 〈교육·훈련·치료 등을〉 받다, 경험하다: ~ an education[instruction] 교육을[지시를] 받다 **3** 〈동정·모욕·타격 등을〉 받다, 입다: (~+목+전+명) ~ a blow *on* the head 머리를 얻어맞다 **4** 〈정보·지시·경고 등을〉 받다, 듣다: ~ news 소식을 받다 **5** 〈신청 등을〉 접수하다, 수리(受理)하다: He *~d* her offer but did not accept it. 그는 그녀의 제의를 수리했으나 수락하지는 않았다. **6** 〈건물 등이〉 〈사람·물건을〉 안에 들이다, 맞아들이다, 수용하다: ~ visitors 손님을 숙박시키다 **7** 〈힘·무게 등을〉 받아내다, 버티다: (~+목+전+명) ~ a weight *on* one's back 등으로 무거운 것을 받치다 **8** (문어) 맞아들이다 (*into*), 환영하다, 접견하다: (~+목+전+명) ~ a person *into* a club …을 클럽의 일원으로 맞아들이다 / ~ a person *into* the church …을 새 교인으로 받아들이다 / The butler *~d* him *into* the hall. 집사는 그를 홀로 안내했다. **9** 〈의견·충고 등을〉 이해하다; 믿다, 받아들이다(⇨ received): a principle universally *~d* 보편적으로 받아들여지는 원칙 // (~+목+***as*** 보) I *~d* it *as* certain. 나는 그것을 확실하다고 믿었다. / Nobody *~d* her story *as* true. 아무도 그녀의 이야기를 사실로 인정하지 않았다. **10** 〖테니스〗 〈서브를〉 받아 치다 **11** 〖통신〗 〈전파를〉 수신[수상]하다, 청취하다: ~ foreign stations 외국 방송을 청취하다 / *Receiving* you loud and clear! 잘 들립니다! **12** 〈성찬을〉 받다, 〈성체를〉 배령(拜領)하다; 〈성직자가〉 〈고백 등을〉 듣다: ~ the sacrament[the Holy Communion] 성찬을 받다, 성체를 배령하다 / A priest *~d* his confession. 사제는 그의 참회를 들었다. **13** 〈훔친 물건을〉 사들이다, 고매(故買)하다
— *vi.* **1** 받다, 수령하다 **2** (문어) 응접하다, 방문을 받다: He *~s*(= He is at home) on Tuesdays. 그는 화요일을 면회일로 하고 있다. **3** 〖테니스〗 서브를 받

thesaurus **recede**[1] *v.* **1** 물러가다 go back, retreat, withdraw, ebb, abate **2** 감소하다 lessen, fade, diminish, decrease, dwindle, shrink, wane
receive *v.* **1** 받다 accept, get, acquire, obtain, gain, take **2** 겪다 undergo, experience, encounter, go through, sustain, bear, suffer **3** 수용하다 hold, contain, accommodate, admit, take
recent *a.* new, fresh, novel, latest, modern, con-

아 치다 **4** 〖통신〗 수신[수상]하다, 청취하다 **5** 성찬을 받다, 성체를 배령하다(communicate) **~ ... *at the hands of*** a person …으로부터 〈은혜 등을〉 받다 ▷ recéipt, recéption *n.*; recéptive *a.*

re·ceived [risí:vd] *a.* Ⓐ 받아들여진, 믿어지고 있는, 용인된: a ~ text 표준판/a ~ moral idea 일반에게 받아들여진 도덕 개념

Recéived Pronunciátion 〖음성〗 표준 발음 《영국의 음성학자 Daniel Jones의 용어로, Received Standard (English)의 발음; 略 R.P.》

Recéived Stándard (Énglish) 공인 표준 영어 《public school 및 Oxford, Cambridge 두 대학에서, 또는 교양인 사이에서 널리 쓰이는》

‡**re·ceiv·er** [risí:vər] *n.* **1** 받는 사람, 수취인; 접대하는 사람 **2** 수화기, 수신기, 수상기, 리시버 **3** 수납기, 그릇, 받는[모으는] 그릇; 가스 탱크, 배기실(排氣室) **4** 〖테니스〗 리시버(opp. *server*); 응전하는 사람 **5** 〖법〗 (파산된) 재산 관리인, 계쟁(係爭) 재산 수탁 관리자, 수익 관리인 **6** 〖상업〗 수납원 **7** 장물 취득자

re·ceiv·er·shìp [risí:vərʃìp] *n.* Ⓤ 〖법률〗 관재인(管財人)의 직[임기]; 재산 관리(를 받는) 상태: The company went into ~. 그 회사는 법정 관리에 들어갔다.

recéiver géneral (Massachusetts주의) 세입 징수 장관

re·ceiv·ing [risí:viŋ] *a.* 받는; 환영의; 수신의: a ~ aerial[antenna] 〖통신〗 수신 안테나/a ~ station 〖통신〗 수신소[국] **— *n.*** Ⓤ **1** 받음 **2** 장물 취득

recéiving blànket 목욕 후에 몸을 싸는 담요 《유아용》

recéiving ènd 받는 쪽; 싫어도 받아들일 수 밖에 없는 사람, 희생자; 《야구속어》 포수의 수비 위치 ★ 보통 다음 성구로. ***be at*[*on*] *the* ~** 받는 쪽이다; 공격[비난]의 대상이 되다, (…으로) 언짢은 기분을 가지고 있다 《*of*》

recéiving lìne (리셉션 등의) 영접 열(列)

recéiving òrder 〖영국법〗 (파산 재산의) 관리 명령(서)

recéiving sèt 〖통신〗 수신[수상]기

recéiving shìp 〖해군〗 신병 연습함(艦)

recéiving stàtion 수신소, 수신국

re·cen·cy [rí:snsi] *n.* Ⓤ 최신, 새로움(recentness) 《*of*》

re·cen·sion [risénʃən] *n.* Ⓤ 교정; Ⓒ 교정본[판]: the ~ of manuscripts 사본의 교정 **~·ist** *n.* 교정자

‡**re·cent** [rí:snt] [L 「새로운」의 뜻에서] *a.* **1** 최근의, 근래의, 근대의(modern, late), 새로운: a ~ event 최근의 사건[일]/in ~ years 최근 몇 년간 **2** [**R~**] 〖지질〗 현세(現世)의: the *R*~ epoch 현세 **~·ness** *n.* ▷ récency *n.*

‡**re·cent·ly** [rí:sntli] *ad.* 요즈음, 근래[최근]에(cf. LATELY) ★ 주로 과거형·현재완료형과 함께 쓰임: I did not know it until quite ~. 나는 그것을 아주 최근까지 몰랐다. / It was only ~ that he got well. 그의 몸이 나은 것은 바로 요즈음의 일이다. / He has ~ been to London. 그는 최근에 런던에 갔다 왔다.

re·cept [rí:sept] *n.* 〖심리〗 지각상(知覺像), 유상(類像) 《유사한 자극의 반복으로써 형성되는》

re·cep·tu·al [riséptʃuəl] *a.*

re·cep·ta·cle [riséptəkl] *n.* **1** 그릇, 용기(container); 두는 곳, 저장소 **2** 피난소(shelter) **3** 〖식물〗 꽃턱 **4** 〖전기〗 소켓, 콘센트

re·cep·ti·ble [riséptəbl] *a.* 받을 수 있는, 수용할 수 있는 **re·cèp·ti·bíl·i·ty** *n.*

‡**re·cep·tion** [risépʃən] *n.* **1** 환영; 응접, 접견, 접대 **2** (세상의) 평판, 반응: a favorable ~ 호평 **3** 환영회, 리셉션 《*for*》: hold a ~ *for* the new professor 신임 교수를 위한 환영회를 열다/a warm ~ 열렬한 환영; 《반어》 심한 저항/a wedding ~ 결혼 피로연 **4** Ⓤ 《영》 (회사 등의) 접수처; (호텔의) 프런트 **5** Ⓤ 받음, 수령, 수리(受理); Ⓤ 입회 허가, 입회, 가입 《*into*》 **6** Ⓤ 〖통신〗 청취(상태), 수신(율); 수신[수상]력 **7** (지식의) 수용(력); 감수(感受), 감득: a very weak power of ~ 매우 빈약한 이해력 **8** Ⓤ (새 학설 등의) 용인, 승인 ▷ recéive *v.*; recéptive *a.*

recéption cènter 《영》 살 곳을 잃은 가족들의 공공 수용 시설

recéption clàss 《영》 (초등학교 내에 4-5세 아동의) 초등 교육 준비반

recéption clèrk 《미》 (호텔의) 객실 예약[접수]원

recéption dày 면회일

recéption dèsk (호텔의) 접수처, 프런트

re·cep·tion·ism [resépʃənìzm] *n.* 〖신학〗 신수주의(信受主義)

re·cep·tion·ist [risépʃənist] *n.* 《미》 (호텔·회사 등의) 접수원, 응접원; 〖신학〗 신수(信受)주의자

recéption òrder 《영》 (정신 이상자의) 수용 명령

recéption ròom **1** 응접[접견]실; (병원 등의) 대합실 **2** 《영》 (침실·주방·화장실 등에 대응하여) 거실 ★ 주로 부동산업자의 용어.

*__re·cep·tive__ [riséptiv] *a.* **1** 《일반적으로》 수용하는, 〈사상·인상 등을〉 잘 받아들이는, 감수성[수용력]이 풍부한 《*of*, *to*》: He is ~ *to*[*of*] new ideas. 그는 새로운 생각을 잘 받아들이는 힘이 있다. **2** 〈제의·충고 등을〉 잘 받아들이는 **3** 수용(기관)의: a ~ end organ 수용 말단 기관 **4** (언어 활동에서) 수용적인(opp. *productive*) **~·ly** *ad.* **~·ness** *n.* ▷ recéive *v.*; receptívity, recéption *n.*

re·cep·tiv·i·ty [rì:septívəti] *n.* Ⓤ 수용성, 감수성, 이해력

re·cep·tor [riséptər] *n.* 〖생리〗 수용기(受容器), 감각 기관(sense organ); 〖생화학〗 수용체

re·cep·to·rol·o·gy [risèptərάlədʒi | -rɔ́l-] *n.* Ⓤ 〖생물〗 수용체학

recéptor sìte 〖생화학〗 세포 내 수용 영역

re·cer·ti·fi·ca·tion [rì:sə:rtifikéiʃən] *n.* 면허장[자격증]의 갱신

‡**re·cess** [risés, rí:ses] [L 「물러가다」의 뜻에서] *n.* **1** ⓊⒸ (통상의 일·활동의 일시적인) 쉼, 휴식, 휴게; (의회의) 휴회; 《미》 휴가; (법정의) 휴정: at ~ 휴식 시간에/in ~ 휴회 중에/take[go into] a ~ 쉬다, 휴회하다 **2** (산맥·해안선 등의) 우묵하게 들어간[후미진] 곳; 벽감(壁龕)(niche); 벽의 우묵 들어간 곳(alcove) **3** [종종 *pl.*] 깊숙한 곳; (깊은) 마음 속, 구석: in the inmost[deepest] ~*es* of …의 깊숙한 곳에(서는) **4** 〖해부〗 와(窩), 오목한 곳 《기관(器官)의》 **—*vt.*** **1** 우묵한 곳[벽감, 벽의 우묵 들어간 곳 등]에 놓다[감추다] 《*in*, *into*》 **2** …에 우묵한 곳[벽감]을 만들다: ~ a wall 벽에 우묵한 곳을 만들다 **3** 《미》 〈의회·법정 등을〉 휴회[휴정]하다: ~ the Senate 상원을 잠시 휴회하다 **—*vi.*** 《미》 휴회하다(adjourn), 휴교하다 ▷ recéde[1] *v.*

*__re·ces·sion__[1] [riséʃən] *n.* **1** Ⓒ 〖경제〗 (일시적) 경기 후퇴, 불경기(⇨ depression 유의어) **2** Ⓤ 퇴거, 후퇴 **3** (벽·건물 등의) 쑥 들어간 곳, 우묵한 곳, 후미진 곳 **4** (종교적 의식 후의) 퇴장

re·ces·sion[2] [rì:séʃən] *n.* Ⓤ (점령지 등의) 반환

re·ces·sion·al [riséʃənl] *a.* **1** (예배 후) 퇴장의, 퇴장할 때에 부르는 **2** (의회의) 휴회의; 휴정(休廷)의; 휴가의 **— *n.*** **1** 퇴장 성가 《예배 후 목사와 합창대가 퇴장하는 동안 부르는》(= **~ hỳmn**) **2** (예배 후의) 퇴장 (의 열(列))

recéssional moráine 〖지질〗 후퇴 퇴석(堆石)

---

temporary, up-to-date, current (opp. *old*)

reception *n.* **1** 환영, 접대 welcoming, greeting, entertaining **2** 평판 response, recognition, acknowledgment, reaction **3** 환영회 party, function, social occasion, soiree **4** 수령 receiving

recession[1] *n.* **1** 불경기 economic decline, downturn, depression, slump **2** 후퇴 receding, retreat, withdrawal, ebbing, subsiding, abatement

re·ces·sion·ar·y [riséʃənèri | -ʃənəri] *a.* 경기 후퇴의, 불황과 관련된
re·ces·sion·proof [riséʃənprù:f] *a.* 경기 후퇴의 영향을 받지 않는, 불경기에도 끄떡없는
re·ces·sive [risésiv] *a.* **1** 후퇴하는, 퇴행(退行)의, 역행하는(receding) **2** 〖생물〗 열성(劣性)의(cf. DOMINANT 2): ~ character 열성 형질(形質) / ~ gene 〖유전〗 열성 유전자 **3** 〖음성〗 〈악센트가〉 역행의: ~ accent 역행 악센트 《cigarétte → cígarette처럼 앞쪽으로 이행하는》 **—** *n.* 〖생물〗 열성 형질
~·ly *ad.* **~·ness** *n.*
Rech·a·bite [rékəbàit] *n.* 〖성서〗 레갑 (사람) 《천막 생활과 금주를 한》; 금주가
re·charge [rì:tʃɑ́:rdʒ] *n.* **1** 재습격; 역습 **2** 재장탄, 재충전 **—** *vt.* **1** 재습격하다 **2** 재고발하다 **3** 재장전[재충전]하다 ~ one*'s* ***batteries*** 《구어》 휴가를 가다, 재충전하다 **~·a·ble** *a.* **rè·chárg·er** *n.*
re·char·ter [rì:tʃɑ́:rtər] *n.* 재계약; (지점 등의) 신규 (설립) 인가 **—** *vt.* 〈지점 등의〉 신규 설립을 인가하다
ré·chauf·fé [rèiʃouféi] [F] *n.* (*pl.* **~s** [-z]) **1** UC 다시 데운 요리 **2** (소설 등의) 개작(改作)
re·check [ri:tʃék] *vt.* 재검토하다; 재대조하다
re·cher·ché [rəʃɛ́ərʃei, ⌐-⌐ | -⌐-] [F] *a.* **1** 엄선된, 골라 뽑은, 빼어난 **2** 〈요리·표현이〉 별난, 멋있는, 공들인 **3** 세련된
re·chip [rì:tʃíp] *vt.* 〈남의 핸드폰 등의〉 칩을 갈아끼우다, 비밀 번호를 바꾸다 《도용하기 위해서》
re·chris·ten [rì:krísn] *vt.* 다시 명명하다, 다시 이름을 붙이다(rebaptize)
re·cid·i·vate [risídəvèit, ri:-] *vi.* (죄를 범하는 등) 다시 전락하다, 나쁜 짓을 거듭하다(relapse)
re·cid·i·vism [risídəvìzm] *n.* U **1** 〖법〗 상습적 범행 **2** 〖정신의학〗 상습(성), 재범(성)
re·cid·i·vist [risídəvist] *n.* 〖법〗 재범자; 상습범
re·cid·i·vis·tic [risìdəvístik] *a.* 거듭해서 죄를 짓기 쉬운; 상습범적인
re·cid·i·vous [risídəvəs] *a.* 죄를 거듭 짓기 쉬운, 상습범적인
recip. reciprocal; reciprocity
***rec·i·pe** [résəpì] *n.* **1** (요리의) **조리법,** 요리법 《*for*》: a ~ *for* a cake 케이크 만드는 법 **2** (약 따위의) 처방(전) **3** 방법, 비결, 비방, 비책 《*for*》: the ~ *for* success in business 사업에서의 성공의 비결
re·cip·i·ence, -en·cy [risípiəns(i)] *n.* U 수령, 수납, 수용(reception); 감수성, 수용성(receptiveness)
re·cip·i·ent [risípiənt] *n.* 수납자, 수령인; 용기(容器) **—** *a.* 수령하는; (잘) 받아들이는, 감수성이 있는
***re·cip·ro·cal** [risíprəkəl] *a.* **1 상호간의**(mutual); 호혜적(互惠的)인: ~ help[love] 상호 부조[서로 사랑함] / ~ trade 호혜 무역 / a ~ treaty 호혜 조약 **2** 보복의, 보답의, 대상적(代償的)인: ~ gifts 보답의 선물 **3** 상당하는, 대등한, 동등한: ~ privileges at other health clubs 다른 헬스클럽에서도 동등하게 이용할 수 있는 특전 **4** 〖문법〗 〈대명사·동사가〉 상호 관계를 나타내는: a ~ pronoun 상호 대명사 《each other, one another 등》 **5** 상반하는(opposite) **6** 〖수학〗 상반의, 역(逆)의; 〖논리〗 환용(換用)할 수 있는: ~ proportion 반[역]비례 **7** 〖항해〗 역방향의 **8** 〖유전〗 상호의, 상반의
— *n.* **1** 상호적인 것; 상당하는 것; 상대되는 것 **2** 〖수학〗 역수(逆數), 반수(反數): The ~ of x is $1/x$. x의 역수는 $1/x$이다.
~·ly *ad.* 서로, 호혜적으로; 상반되게 **~·ness** *n.*
▷ recíprocate *v.*; reciprócity *n.*
recíprocal exchánge 협동 보험 조합
recíprocal inhibítion 〖정신의학〗 상호 억제, 역제지법(逆制止法)
recíprocal insúrance 협동 보험
recíprocal léveling 〖측량〗 상호 수준(水準) 측량
recíprocal translocátion 〖유전〗 상호[교환] 전좌(轉座)
recíprocal vèrb 〖문법〗 상호 동사 《두 사람 이상이 관계되어 쓰이는 동사》
re·cip·ro·cate [risíprəkèit] *vt.* **1** 〈애정·은혜 등에〉 보답하다, 답례하다; 보복하다: I would like to ~ your kindness. 당신의 친절에 보답하고 싶습니다. **2** 교환하다, 주고받다 **3** 〖기계〗 왕복 운동을 시키다
— *vi.* **1** 보답[답례]하다, 갚다: 《~+前+名》 To every attack he *~d with* a blow. 공격을 받을 때마다 그도 되갈겼다. **2** 대응하다, 일치하다 《*with*》 **3** 〖기계〗 왕복 운동을 하다: *reciprocating* motion 왕복 운동 ~ ***each other's affection*** 서로 사랑하다
-cà·tive *a.* **-ca·to·ry** [-kətɔ̀:ri] *a.*
re·cíp·ro·cat·ing èngine [risíprəkèitiŋ-] 왕복 기관, 피스톤식 기관
re·cip·ro·ca·tion [risìprəkéiʃən] *n.* U 교환; 보답, 보복; 〖기계〗 왕복 운동; 대응 ***in ~ for*** …의 보답[답례]으로서
re·cip·ro·ca·tor [risíprəkèitər] *n.* 보답하는 사람; 왕복 기관
rec·i·proc·i·ty [rèsəprɑ́səti | -prɔ́s-] *n.* U 상호 관계[상태]; 상호 작용; 교환; 〖상업〗 상호 이익[의무, 권리]; 호혜주의: a ~ treaty 호혜 조약
reciprócity fàilure 〖사진〗 상반칙(相反則) 불궤(不軌)
re·cir·cu·late [risə́:rkjulèit] *vt., vi.* 재유통[재순환]시키다[하다] **re·cìr·cu·lá·tion** *n.*
re·ci·sion [risíʒən] *n.* U 취소, 폐기(cancellation) 《법률 등의》
recit. 〖음악〗 recitative
***re·cit·al** [risáitl] *n.* **1** (음악·무용의 1인 또는 소수의) 리사이틀, 연주회, 독주[독창]회(cf. CONCERT): give a flute ~ 플루트 연주회를 열다 **2** (시 등의) 낭송, 낭독(회): give a ~ of a poem 시를 낭독하다 **3** 《문어》 상술(詳述), 자세한 설명; 이야기 **4** 〖법〗 (법률 문서·증서 등의) 사실의 설명 부분, 비고(備考) 부분
~·ist *n.* ▷ recíte *v.*
***rec·i·ta·tion** [rèsətéiʃən] *n.* **1** U **상술**(詳述) **2** UC 암송, 낭송; C 암송문 **3** UC 《미》 (복습 교재·과제에 관한) 구두 반복[암송, 복창] 《교사 앞에서의》; 교실 과업 시간

> 〖유의어〗 **recitation**은 구두 질문을 섞어 가며 하는 「수업」 **lecture**는 일방적인 「강의」 **seminar**는 학생의 활동을 중심으로 하는 「연습」

rec·i·ta·tive[1] [rèsətətí:v] *n.* **1** 〖음악〗 서창(敍唱), 레시터티브 **2** = RECITATION **—** *a.* 레시터티브(풍)의
rec·i·ta·tive[2] [résətèitiv, risáitə- | risáitə-] *a.* 서술[설화]의; 낭독[암송]의
‡**re·cite**[1] [risáit] *vt.* **1** 〈시·산문 등을〉 (청중 앞에서) 읊다, 암송하다; **낭독[낭송]하다**: ~ a poem 시를 낭송하다 **2** 《미》 교사 앞에서 〈과제를〉 암송[복창]하다, 〈과제에〉 관하여 질문에 답하다 **3** 자세히 이야기하다: ~ one's adventures 모험담을 얘기하다 **4** 열거하다: Let me ~ some merits in his book. 그의 책에 있는 몇 가지 장점을 열거하겠습니다. **5** 〖법〗 문서에 〈사실을〉 자세히 기술하다
— *vi.* **1** 낭독[낭송]하다, 암송하다 **2** 《미》 (교사 앞에서) 과제를 암송[복창]하다
re·cít·a·ble *a.* ▷ recítal, recitátion *n.*
re·cite[2] [rì:sáit] *vt.* 다시 인용하다
re·cit·er [risáitər] *n.* 읊는 사람, 암송[낭송]자; 암송용 문장 모음; 《미》 복창자
re·cít·ing nòte [risáitiŋ-] 〖음악〗 낭송조; 낭창음(朗唱音)

thesaurus
reciprocal *a.* mutual, shared, common, exchanged, corresponding, correlative
reckless *a.* rash, careless, thoughtless, incautious, heedless, inattentive, regardless, wild, imprudent, unwise, indiscreet, mindless

reck [rék] [부정 또는 의문문에서] 《시어·문어》 *vi.* **1** 개의하다, 마음을 쓰다(care) 《*of, with*》: (~+전+명) He *~ed not of* the danger. 그는 위험을 개의치 않았다. **2** 조심하다 **3** [비인칭 it를 주어로] 중요하다, 관계하다(concern): *It ~s not.* = What *~s* it? 아무래도 상관없다. **—** *vt.* **1** 개의하다: (~+**wh.** 절) They do *not ~ what* may become of him. 그들은 그가 어찌되든 개의치 않는다. **2** [비인칭 it를 주어로] 〈…에게〉 중요하다: *It ~s* me *little* whether it is true or not. 사실이든 아니든 나와는 관계없다. ***What ~s he*** [***What ~s it him***] ***if …?*** 비록 …일지라도 그에게 무슨 상관이 있겠는가?

:reck·less [réklis] *a.* **1** 앞뒤를 가리지 않는, 무모한: ~ driving 무모한 운전 **2** 개의치 않는 《*of*》: be ~ *of* the consequence 결과에 개의치 않다
~·ly *ad.* 무모하게; 개의치 않고 **~·ness** *n.*

:reck·on [rékən] *vt.* **1** 〈수를〉 세다, 계산하다(⇨ count[1] 유의어); 총계하다 《*up*》; 합계 …이 되다 USAGE ~ up은 특히 《영》; 「수를 세다」의 뜻으로는 count 쪽이 일반적: ~ the cost of the trip 여행 비용을 계산하다 // (~+목+부) ~ *up* the bill 계산서를 총계하다 **2** 〈크기·거리 등을〉 측정하다, 산출하다: ~ the size of the cave 동굴의 크기를 측정하다 **3** 하나하나 세다, 열거하다 《*up, over*》: (~+목+부) ~ *up* the names 이름을 열거하다 **4** (…으로부터) 기산(起算)하다 《*from*》: (~+목+전+명) In the U.S. taxes are *~ed from* Jan. 미국에서는 세금이 1월부터 기산된다. **5** 〈사람의 가치를〉 평가하다 《*up*》; (…로) 판단하다, 간주하다, 생각하다 《*as, for*》: (~+목+**as** 보) (~+목+(**to be**) 보) (~+목+전+명) I ~ him *as*[(*to be*), *for*] a wise man. 그를 현명한 남자라고 생각한다. **6** (…의) 하나로 간주하다, 보다, 셈에 넣다 《*among, in, with*》: (~+목+전+명) We ~ him *among* our supporters. 우리는 그를 우리 후원자의 한 사람으로 본다. **7** 《구어》 〈…라고〉 생각하다, 추정하다: (~+**that** 절) I ~ *that* he will not come. 그는 오지 않을 것으로 생각한다.
— *vi.* **1** 계산하다, 셈하다; 수를 세다: ~ from 1 to 20 1에서 20까지 세다 **2** 지불하다, 정산(精算)[결제]하다 **3** 기대하다, 신뢰하다 《*on*》: ~ *on* one's parents 부모에게 의지하다 / We'd *~ed on* having good weather. 날씨가 좋기를 기대했다. **4** 《구어》 생각하다, 추정하다: He will come soon, I ~. 그는 곧 오리라고 생각하네. **5** 판단[평가]하다
~ for …에 책임이 있다; …의 준비를 하다 ***~ in*** …을 계산에 넣다 ***~ with*** …와 직면[대립]하다; …에 대하여 청산하다; …을 고려에 넣다 ***~ without*** …을 무시하다, 간과하다, 고려에 넣지 않다 ***~ without*** one***'s host*** ⇨ host[1]. **~·a·ble** *a.* **~·er** *n.* 계산하는 사람; 청산인; 계산 조견표

***reck·on·ing** [rékəniŋ] *n.* Ⓤ **1** 계산(calculation), 집계 **2** 결제, 청산 **3** Ⓒ 계산서 《술집 등의》 **4** 응보, 벌 **5** 평가, 판단 **6** = DEAD RECKONING
be out in[***of***] one***'s ~*** 계산을 잘못하다; 기대[의지]한 바가 어그러지다 ***the day of ~*** 계산일, 결산일; [the Day of R~] 《특히》 응보를 받는 날, 최후의 심판일

re-claim [rì:kléim] *vt.* **1** 〈권리·소유물 등의〉 반환을 요구하다; 되찾다, 회수하다 **2** 다시 요구하다

***re·claim** [rikléim] *vt.* **1** 교정(矯正)[개선]하다(reform), 개심시키다 《*from*》; 〈미개인을〉 개화[교화]하다(civilize): (~+목+전+명) ~ a person *from* a life of sin …을 죄악의 생활에서 개심케 하다 **2** 개간하다; 〈땅을〉 메우다, 간척하다(⇨ recover 유의어): *~ed* land 매립지 // (~+목+전+명) This land will be *~ed for* a new airport. 이 땅은 신공항으로 개간될 것이다. **3** 〈동물 등을〉 길들이다(tame) **4** 〈천연 자원을〉 이용하다; 〈폐물을〉 재생(이용)하다: (~+목+전+명) ~ iron *from* scrap 고철에서 철을 재생 이용하다
— *n.* Ⓤ **1** 교정, 교화: past[beyond] ~ 개심[교정, 교화]의 가망이 없는 **2** 개간, 개척, 매립 **3** (폐물의) 재생 이용; 《특히》 재생 고무 **~·a·ble** *a.* **~·er** *n.*
▷ reclamátion *n.*

> **reckon** *v.* **1** 계산하다 count, add up, compute, tally **2** 간주하다, 평가하다 regard as, consider, deem, evaluate, gauge, estimate, appraise **3** 생각하다 think, believe, suppose, assume, imagine, fancy, guess, surmise, conjecture

re·claim·ant [rikléimənt] *n.* 개간자; 교정자; 반환 청구자[요구자]

rec·la·ma·tion [rèkləméiʃən] *n.* Ⓤ Ⓒ 교정; 개간, 간척, 매축(埋築); (동물의) 길들임; (미개인의) 교화: land ~ by drainage 간척

ré·clame [reiklɑ́:m] [F] *n.* Ⓤ 유명; 주지(周知); 자기 선전, 자가 광고, 매명(賣名)

re·clas·si·fy [rì:klǽsəfài] *vt.* 다시 분류하다; 〈정보의〉 기밀 분류를 바꾸다 **re·clàs·si·fi·cá·tion** *n.*

re·clear·ance [rì:klíərəns] *n.* 기밀 정보 취급 허가의 변경

rec·li·nate [rékləneìt, -nət] *a.* 〔식물〕 〈잎·줄기 등이〉 밑으로 굽은

***re·cline** [rikláin] [L 「뒤로 기울다」의 뜻에서] *vt.* 기대게 하다, 의지하다; 〈몸을〉 눕히다 《*against, on*》: (~+목+전+명) ~ one's head *on* a pillow 머리를 베개에 얹다
— *vi.* 기대다(lean), 눕다 《*on, against*》; 의지하다 《*upon*》: ~ *against* a fence 울타리에 기대다
re·clín·a·ble *a.*

re·clin·er [rikláinər] *n.* **1** 기대는 사람[것] **2** = RECLINING CHAIR

re·clín·ing chàir [rikláiniŋ-] 안락의자 《등과 발받침을 앞뒤로 조절할 수 있음》

re·clos·a·ble [rì:klóuzəbl] *a.* 〈포장 용기 등이〉 다시 밀폐시킬 수 있는

re·clothe [rì:klóuð] *vt.* (**~d, -clad** [-klǽd]) 다시 옷을 입히다; 새로 입히다, 갈아입히다

re·cluse [réklu:s, riklú:s | riklú:s] *a.* 속세를 떠난, 은둔[은퇴]한; 쓸쓸한, 외로운
— *n.* 세상을 버린 사람; 은둔[은퇴]자
~·ly *ad.* **~·ness** *n.*

re·clu·sion [riklú:ʒən] *n.* Ⓤ 은둔, 출가; 고독; 사회적 소외

re·clu·sive [riklú:siv] *a.* 세상을 버린; 은둔한; 쓸쓸한, 적막한 **~·ly** *ad.* **~·ness** *n.*

re·coal [rì:kóul] *vt.* 〈배 등에〉 석탄을 다시 공급하다[싣다] **—** *vi.* 석탄을 다시 공급하다[싣다]

re·coat [rì:kóut] *vt.* (페인트 등으로) …에 겉칠하다; 덧칠하다, 다시 칠하다

:rec·og·ni·tion [rèkəgníʃən] *n.* Ⓤ Ⓒ **1** 인식, 인정, 인지(認知): give ~ to …을 인정하다 / receive [meet with] much ~ 크게 인정을 받다 // (~+**that** 절) There is growing ~ *that* we should abolish segregation. 인종 차별을 폐지해야 한다는 인식이 점점 더해 가고 있다. **2** 알아봄, 면식(面識); 인사, 절: escape ~ 들키지 않다, 간파되지 않다 **3** [때때로 a ~] 〈공로 등을〉 알아줌, 표창, 보수, 보답, 사례 **4** 승인, 허가, 공인: de facto ~ (새 정권 등의) 사실상의 승인 **5** 〔컴퓨터〕 (문자·도형·음성 등의) 인식 ***beyond*** [***out of***] ***~*** 옛 모습을 찾아볼 수 없을 정도로, 알아볼 수 없을 만큼 ***in ~ of*** …을 인정하여, …의 보답[보수]으로
~·al *a.* **re·cog·ni·tive** [rikɑ́gnətiv | -kɔ́g-] *a.*
▷ récognize *v.*

***rec·og·niz·a·ble** [rékəgnàizəbl, ⌐-⌐--] *a.* 인식[승인]할 수 있는; 알아볼[분간할] 수 있는, 본 기억이 있는 **rèc·og·nìz·a·bíl·i·ty** *n.* **-bly** *ad.* 곧 알아볼 수 있을 정도로

re·cog·ni·zance [rikɑ́gnəzəns | -kɔ́g-] *n.* **1** 〔법〕 서약(서); 서약 보증금 **2** 《고어》 = RECOGNITION **3** 《고어》 휘장, 기장(記章)

re·cog·ni·zant [rikɑ́gnəzənt | -kɔ́g-] *a.* 《고어》 인정하는, 의식하는 《*of*》

‡**rec·og·nize** | **-nise** [rékəgnàiz] *vt.* **1** 인정하다 (acknowledge), 인지하다, 알아보다: ~ a person's voice …의 목소리를 알아보다 // 《~+목+**to be** 보》 ~ a person *to be* honest …이 정직하다는 것을 인정하다 // 《~+**that** 절》 He ~*d that* he had been beaten. 그는 졌다는 것을 인정하였다. **2** 《미》 …의 발언권을 인정하다, …에게 발언을 허가하다: The Speaker ~*d* the Congressman from Maine. 의장은 메인 주 의원의 발언권을 인정했다. **3** 〈국가·정부 등을〉 공식적으로 인정하다, 승인하다: 《~+목+**as** 보》 ~ a country *as* an independent state 한 나라를 독립국으로 승인하다 **4** 〈특정 사실·법률적 사태를〉 (…라고) 승인하다; 인가[공인]하다 《*as*》: 《~+목+**as** 보》 ~ him *as* the lawful heir 그를 법정 상속인으로 인정하다 **5** 본 기억이 있다, (보고) 생각해 내다; (알아보고) 인사하다(salute) **6** 〈남의 수고 등을〉 알아주다, 표창하다, 감사하다(appreciate) 《*with*》: Your services must be duly ~*d*. 당신의 공로는 응분의 표창을 받아야 한다. **7** 〖법〗 〈비적출자를〉 인지하다: 《~+목+**as** 보》 ~ a person *as* one's son …을 자기 아들로 인지하다

— *vi.* 〖미국법〗 서약 증서[보석 증서]를 제출하다, 서약하다 **réc·og·nìz·er** *n.*

▷ recognítion *n.*; recógnizant *a.*

re·cog·ni·zee [rikɑ̀gnəzíː | -kɔ̀g-] *n.* 〖법〗 서약을 받는 사람, 수(受)서약자

re·cog·ni·zor [rikɑ̀gnəzɔ́ːr | -kɔ̀g-] *n.* **1** 〖법〗 서약자 **2** 인지[분간]하는 사람; 인정[승인]하는 사람

re-coil [rìːkɔ́il] *vt., vi.* 다시 감다[감기다]

***re·coil** [rikɔ́il] *vi.* **1** 후퇴[패주]하다; 뒷걸음질치다, 꽁무니를 빼다; 주춤[움찔]하다 《*before, from, at*》: 《~+전+명》 He ~*ed at* the sight. 그는 그 광경을 보고 움찔했다. **2** 뒤로 반동하다 《총포의 발사 후》 **3** 〈행위가〉 (자신에게) 되튀다; 되돌아오다: 《~+전+명》 Our acts ~ (*up*)*on* ourselves. 자기 행위의 결과는 자신에게 되돌아온다.

— [ríːkɔ̀il, rikɔ́il] *n.* UC **1** 되튐, 반동, 뒤로 반동함 《대포의》: Hate is only the ~ of love. 미움은 사랑의 반동일 뿐이다. **2** 뒷걸음질, 위축, 혐오, 진저리침 《*from*》 **~·ing·ly** *ad.*

re·coil·less [rikɔ́illis, ríːkɔ̀il-] *a.* 반동이 적은[없는], 무반동의: a ~ rifle 무반동 총

re·coil-op·er·at·ed [ríːkɔilɑ̀pəreitid | -ɔ̀p-] *a.* 반동식(反動式)의

re·coin [rìːkɔ́in] *vt.* 개주(改鑄)하다

re·coin·age [rìːkɔ́inidʒ] *n.* UC 개주 (화폐)

re-col·lect [rìːkəlékt] *vt.* **1** 다시 모으다 **2** [~ one*self* 로] 〈마음 등을〉 진정시키다, 냉정[침착]하게 하다 **3** 〈용기 등을〉 다시 불러일으키다, 북돋우다

— *vi.* 《드물게》 다시 모이다

‡**rec·ol·lect** [rèkəlékt] *vt.* **1** 《노력하여》 생각해 내다, 회상하다(⇨ remember 유의어): I can't ~ you. 당신을 본 기억이 없습니다. // 《~+**-ing**》 I ~ hav*ing* heard the melody. 그 멜로디를 들은 기억이 난다. // 《~+목+**-ing**》 I ~ him[his] say*ing* so. 그가 그렇게 말한 것이 생각난다. 《목적격 him을 쓰는 것은 구어》 // 《~+**that** 절》 I ~ *that* I have met her before. 전에 그녀를 만난 기억이 난다. // 《~+**wh. to** do》 ~ *how to* do it 그것을 어떻게 해야 할지 기억해 내다 // 《~+**wh.** 절》 ~ *how* it was done 그것을 어떻게 했는지 생각해 내다 **2** [~ one*self* 로] 《특히 기도 때》 몰두하다; 《종교적인》 명상에 잠기다

— *vi.* 생각나다, 기억나다: as far as I ~ 내가 기억하는 한에서는 ★ remember에 비해, 잊어버린 것을 생각해 내기 위해 특별히 노력한다는 뜻이 강함.

▷ recolléction *n.*; recolléctive *a.*

rec·ol·lect·ed [rèkəléktid] *a.* **1** 생각난, 추억[회상]의; 묵상에 잠긴 **2** 침착한, 차분한, 냉정한 **~·ly** *ad.* **~·ness** *n.*

re-col·lec·tion [rìːkəlékʃən] *n.* U 다시 모음, 재수집

‡**rec·ol·lec·tion** [rèkəlékʃən] *n.* **1** UC 회상, 회고, 상기(⇨ memory 유의어); UC 기억(력): I have no ~ of meeting her before. 그녀를 전에 만난 기억이 없다. **2** [종종 *pl.*] 옛날을 생각나게 하는 것, 추억, 회고록: ~*s* of one's childhood …의 어린 시절을 생각나게 하는 것 **3** 묵상, 명상 **4** 평정, 침착

be past [***beyond***] ~ 생각해 내지 못하다 ***have no ~ of*** …의 기억이 없다 ***in*** [***within***] ***one's ~*** …의 기억 속에 남아 있는 ***to the best of my ~*** 내가 기억하는 한에는, 내 기억이 맞다면

rec·ol·lec·tive [rèkəléktiv] *a.* 기억력이 있는; 기억의, 추억의 **~·ly** *ad.*

re·col·o·nize [rìːkɑ́lənàiz | -kɔ́l-] *vt.* 다시 식민[식민지화(化)]하다 **rè·col·o·ni·zá·tion** *n.*

re·col·or [rìːkʌ́lər] *vt.* 다시 칠하다, 다시 물들이다

ré·colte [rékɔlt] [F] *n.* **1** 수확(harvest), 수확물 **2** 포도의 수확(vintage)

re·com·bi·nant [rìːkɑ́mbənənt | -kɔ́m-] *n., a.* 〖유전〗 (유전자 간의) 재조합형(의)

recómbinant DNÁ 재조합된 DNA

recómbinant DNÁ technòlogy 〖유전〗 재조합 DNA 기술[공학]

re·com·bi·na·tion [rìːkɑmbənéiʃən | -kɔm-] *n.* **1** U 재결합 **2** 〖유전〗 재조합 **~·al** *a.*

recombinátional repáir 〖유전〗 (DNA분자의) 재조합 회복

re·com·bine [rìːkəmbáin] *vt.* 다시 연결하다; 재결합시키다

re·com·fort [rikʌ́mfərt] *vt.* 《고어》 위로하다, 격려하다

re·com·mence [rìːkəméns] *vt., vi.* 다시 시작하다, 다시 하다, 재개하다 **~·ment** *n.*

‡**rec·om·mend** [rèkəménd] *vt.* **1** 추천[천거]하다: ~ one's own person 자천하다 // 《~+목+전+명》 ~ a person *to* a firm[*for* a post] …을 어느 회사[자리]에 추천하다 // 《~+목+**as** 보》 ~ a person *as* a secretary …을 비서로 추천하다 **2** 권하다, 충고[권고]하다(advise); 제시하다: 《~+목+목》 《~+목+전+명》 ~ a person a long rest = ~ a long rest *for* a person …에게 장기 휴양을 권하다 // 《~+목+**to** do》 ~ a person *to* stop drinking …에게 금주할 것을 권하다 // 《~+**that** 절》 I ~ *that* the work (should) be done at once. 그 일을 즉시 하도록 권합니다. **3** 〈행위·성질 등이〉 …을 (남의) 마음에 들게 하다 《*to*》: His manners ~ him. 태도가 좋아서 누구나 그를 좋아한다[남의 호감을 산다]. / Honesty ~*s* any person. 정직하면 누구라도 남의 호감을 살 수 있다. **4** 《문어》 의뢰하다, 위탁하다, 맡기다(commend) 《*to*》: 《~+목+전+명》 No one would ~ himself *to* hazard. 아무도 자신을 운에 맡기려고는 하지 않을 것이다. **~ one*self to*** …에 자천하다; …에게 호감을 사도록 하다; …에 일신을 내맡기다 **~·a·ble** *a.* **~·er** *n.*

▷ recommendátion *n.*; recomméndatory *a.*

‡**rec·om·men·da·tion** [rèkəmendéiʃən, -mən-] *n.* **1** U 추천, 천거, 권장; 권고, 충고: on the ~ of one's closest aids 가까운 측근의 추천으로 **2** 추천장 (a letter of recommendation) **3** 장점, 좋은 점: her ~*s* for the job 그 직업에 어울리는 그녀의 장점

▷ recomménd *v.*; recomméndatory *a.*

rec·om·men·da·to·ry [rèkəméndətɔ̀ːri | -təri] *a.* 추천의, 권고의; 장점이 되는

thesaurus **recognize** *v.* **1** 인지하다 realize, see, be aware of, be conscious of, perceive, discern, understand, apprehend **2** 승인하다 acknowledge, accept, admit, concede, allow, grant, endorse, sanction, approve, validate **3** 본 기억이 있다 know, identify, recall, remember

rec·om·ménd·ed díetary allówance [rèkəméndid-] 권장 식사 허용량 (略 RDA)
re·com·mis·sion [rìːkəmíʃən] *vt.* 재임명[재위임]하다 **—** *n.* Ⓤ 재임명, 재취역
re·com·mit [rìːkəmít] *vt.* (**~·ted**; **~·ting**) 다시 위탁하다; 〈의안 등을〉 위원회에 다시 회부하다; 다시 범하다 **~·ment** *n.* **~·tal** *n.*
‡**rec·om·pense** [rékəmpèns] *vt.* **1** (공적·노력 등에 대해) …에게 **보답하다**, 갚다 (*for, to*): (~+목+전+명) (~+목+목) ~ him *for* his services = ~ his services *to* him = ~ him his services 그의 봉사에 대하여 보답하다 **2** (손해·상해 등에 대해) …에게 보상[배상, 변상]하다 (*for*): (~+목+전+명) ~ a person *for* his losses 남의 손실을 보상하다
— *vi.* 보상[배상, 변상]하다; 은혜를 갚다
— *n.* ⓊⒸ 보답; 보수(reward); 보상, 배상, 변상 (*for*)
re·com·pile [rìːkəmpáil] *v.* 〖컴퓨터〗 〈프로그램을〉 다시 컴파일하다
re·com·pose [rìːkəmpóuz] *vt.* **1** 다시 만들다, 개조(改組)하다 **2** 〈감정 등을〉 가라앉히다, 진정시키다 **3** 〖인쇄〗 재조판하다
-po·sí·tion [-kɑmpəzíʃən | -kɔm-] *n.*
re·com·prés·sion chàmber [rìːkəmpréʃən-] = HYPERBARIC CHAMBER
re·con[1] [rikɑ́n | -kɔ́n] *n.* (미·구어) = RECONNAISSANCE **—** *vt., vi.* = RECONNOITER
re·con[2] [ríːkən] *n.* 〖유전〗 레콘 (유전자의 최소의 재조합 단위)
re·con·cen·tra·tion [rìːkɑ̀nsəntréiʃən | -kɔ̀n-] *n.* Ⓤ 재집중
rec·on·cil·a·ble [rékənsàiləbl, ⌐–⌐––] *a.* **1** 조정할[화해시킬] 수 있는 **2** 조화[일치]시킬 수 있는
rèc·on·cìl·a·bíl·ity *n.* **~·ness** *n.* **-bly** *ad.*
‡**rec·on·cile** [rékənsàil] *vt.* **1** 화해시키다, 융화시키다 (*with*): (~+목+전+명) ~ persons *to* each other = ~ a person *to*[*with*] another 두 사람을 화해시키다 **2** 〈분쟁 등을〉 **조정하다**, 중재하다: ~ a dispute 논쟁을 조정하다 **3 일치시키다**, 조화시키다(harmonize) (*to, with*): ~ accounts 수지 결산을 맞추다 // (~+목+전+명) ~ one's statements *with* one's conduct 언행을 일치시키다 **4** [~ one*self* 또는 수동형으로] …에 만족하게 하다, 스스로 체념[만족]하게 하다 (*to*): (~+목+전+명) ~ *oneself*[*be* ~*d*] *to* …을 감수하다 / He *is* ~*d to* living in London. 그는 런던 생활에 만족하고 있다. **~·ment** *n.* = RECONCILIATION **-cìl·er** *n.* 조정자, 화해자
*__rec·on·cil·i·a·tion__ [rèkənsìliéiʃən] *n.* **1** ⓊⒸ 화해; 조정 (*between, with*) **2** 조화, 일치 (*of*): a ~ *of* religion and science 종교와 과학의 조화 **3** Ⓤ 복종, 체념
reconciliátion ròom 고백실
rec·on·cil·ia·to·ry [rèkənsíljətɔ̀ːri | -təri] *a.* 화해[조정]의; 조화[일치]의
re·con·dense [rìːkəndéns] *vt., vi.* 재응결하다[시키다] **rè·con·den·sá·tion** *n.*
rec·on·dite [rékəndàit, rikɑ́ndait | rékəndàit, rikɔ́ndait] *a.* (문어) **1** 심오한, 난해한; 알기 어려운: a ~ treatise 난해한 논문 **2** 막연한; 숨겨진
~·ly *ad.* **~·ness** *n.*
re·con·di·tion [rìːkəndíʃən] *vt.* 원상태로 되돌아가게 하다, 재조정하다, 수리하다
re·con·duct [rìːkəndʌ́kt] *vt.* 데리고 돌아오다, 출발점에 되돌아가게 하다
re·con·fig·ure [rìːkənfígjər] *vt.* 〈항공기·컴퓨터의〉 형[부품]을 바꾸다
re·con·firm [rìːkənfə́ːrm] *vt.* 재확인하다, (특히) …의 예약을 재확인하다
re·con·fir·ma·tion [rìːkɑnfərméiʃən | -kɔn-] *n.* 재확인; 예약 재확인
re·con·nais·sance [rikɑ́nəsəns, -zəns | -kɔ́nəsəns] *n.* ⓊⒸ **1** 〖군사〗 정찰; 정찰대: a ~ regiment 수색 연대 / ~ in force 강행 정찰 **2** (토지·가옥 등의) 답사; 예비 조사
recónnaissance cár 〖군사〗 정찰차
recónnaissance sàtellite 정찰 위성
re·con·nect [rìːkənékt] *vt., vi.* 다시 연결하다[되다]
re·con·noi·ter | -tre [rìːkənɔ́itər, rèk- | rèk-] *vt.* **1** 정찰하다 **2** 〈토지·가옥 등을〉 답사하다
— *vi.* 정찰하다 **~·er | -trer** *n.*
re·con·quer [rìːkɑ́ŋkər | -kɔ́ŋ-] *vt.* 다시 정복하다, (특히) 정복하여 되찾다
re·con·quest [rìːkɑ́ŋkwest | -kɔ́ŋ-] *n.* 재정복
R. Econ. S. (영) Royal Economic Society
re·con·se·crate [rìːkɑ́nsəkrèit | -kɔ́n-] *vt.* 다시 성별(聖別)하다 **rè·con·se·crá·tion** *n.*
*__re·con·sid·er__ [rìːkənsídər] *vt.* **1 재고하다**; 다시 생각하다: ~ a refusal 거부할지의 여부를 재고하다 **2** 〖의회〗 〈동의·투표 등을〉 재의(再議)[재심]에 부치다
— *vi.* 재고하다; 재의[재심]하다
rè·con·sid·er·á·tion *n.* Ⓤ
re·con·sign [rìːkənsáin] *vt.* 재위탁[재위임]하다, 재발송하다
re·con·sign·ment [rìːkənsáinmənt] *n.* 재위탁; 〖상업〗 송장의 변경
re·con·sol·i·date [rìːkənsɑ́lədèit | -sɔ́l-] *vt.* 다시 공고히 하다, 재통합하다 **rè·con·sòl·i·dá·tion** *n.*
re·con·sti·tu·ent [rìːkənstítʃuənt | -tju-] *a.* 새 조직을 만드는; 새 정력[활력]을 주는 **—** *n.* 강장제
re·con·sti·tute [rìːkɑ́nstətjùːt | -kɔ́nstitjùːt] *vt.* **1** 재구성[재편성]하다; 재건하다; 개조하다 **2** 〈분말 식품 등을〉 (물을 타서) 원래대로 되게 하다: ~ powdered milk 분유에 물을 타서 액상 우유로 하다
rè·con·sti·tú·tion *n.*
‡**re·con·struct** [rìːkənstrʌ́kt] *vt.* **1 재건하다** (rebuild), 부흥[복원, 복구]하다, 개조하다: ~ the Cabinet 내각을 개조하다 **2** (부분을 연결하여) 〈사건 등을〉 재현하다, 재구성하다: ~ the events of the murder 살인 사건을 재현하다 **~·i·ble** *a.* **-con·strúc·tor** *n.* ▷ reconstrúction *n.*
re·con·struct·ed [rìːkənstrʌ́ktid] *a.* 재건[복원, 개조]된; 재생의: a ~ ruby 재생 루비
‡**re·con·struc·tion** [rìːkənstrʌ́kʃən] *n.* Ⓤ **1** 재건, 복구, 부흥; Ⓒ 재건[복구]된 것: the post-war ~ of Germany 전후 독일 재건 **2** [**R~**] (미) (남북 전쟁 후의) 남부 제주(諸州)의 재통합(기)
Re·con·struc·tion·ism [rìːkənstrʌ́kʃənìzm] *n.* Ⓤ 재건[개혁]주의 (20세기 미국 유대인의 근대화 운동) **-ist** *n., a.*
re·con·struc·tive [rìːkənstrʌ́ktiv] *a.* 재건의, 부흥의; 개조의, 개축의 **~·ly** *ad.* **~·ness** *n.*
reconstrúctive súrgery 〖외과〗 재건 수술
re·con·vene [rìːkənvíːn] *vt., vi.* 다시 소집[집합]하다
re·con·ven·tion [rìːkənvénʃən] *n.* 〖법〗 = COUNTERCLAIM
re·con·ver·sion [rìːkənvə́ːrʒən, -ʃən] *n.* Ⓤ **1** 재개종(再改宗), 복당(復黨); 복구, 복귀 **2** 산업의 재전환; (기계의) 재개장(再改裝)
re·con·vert [rìːkənvə́ːrt] *vt.* **1** 재개종[복당]시키다 **2** 예전 상태로 복귀시키다 **3** 〈산업 체제 등을〉 다시 전환하다; 재개장하다 **~·er** *n.*
re·con·vey [rìːkənvéi] *vt.* 원위치[장소]에 되돌려 놓다; 〈토지 등을〉 전 소유자에게 되돌려주다, 재양도하다 **~·ance** [-əns] *n.*
re·cop·y [rìːkɑ́pi | -kɔ́pi] *vt.* (**-cop·ied**) 재복사하다, 고쳐 복사하다

---

recommend *v.* **1 추천하다** advocate, commend, endorse, approve, suggest, offer, propose **2 충고하다** advise, counsel, guide, urge, exhort
reconcile *v.* **1 화해시키다** reunite, bring together, pacify, appease, mollify **2 조정하다** settle, resolve, heal, cure, rectify, square

‡**re·cord**[1] [rikɔ́:rd] [L 「마음에 환기하다, 상기하다」의 뜻에서] *vt.* **1** 기록하다, 적어 놓다; 기록에 남기다: (~+목+전+명) ~ history *in* books 역사를 책에 기록하다 **2** 녹음[녹화]하다: ~ the violin solo 바이올린 독주를 녹음하다 / His speech has been *~ed* on tape. 그의 연설은 테이프에 녹음되어 있다. **3** 〈온도계 등이〉 표시하다(indicate, read): The thermometer *~ed* 20℃. 온도계는 섭씨 20도를 가리키고 있었다. **4** 〈문헌·사건 등이〉 〈사실 등을〉 알려주다; 〈신문 등이〉 보도하다(report) (*that* 절)
— *vi.* **1** 기록하다 **2** 녹음[녹화]하다 **~·a·ble** *a.*

‡**rec·ord**[2] [rékərd | -kɔ:d] *n., a.*

> (기억하기 위한 메모로서의) 「기록」 **1**
> →(뛰어난 기록) → 「최고 기록」 **7**
> → 「기록적인」 형
> →(사람에 관한 기록) → 「경력」 **3**
> →(음의 기록) → 「레코드」 **6**

— *n.* **1** UC **기록**, 등록, 등기; 증거, 증언, 설명: escape ~ 기록에서 빠지다 / I keep a ~ of everything I spend. 지출하는 것은 모두 기록한다. **2** 기록(문서); 의사록(議事錄), 공판 기록: a ~ of accidents 사고 기록 / court of ~ 기록 재판소 (소송·판결을 기록·보관하여 증거로 하는 재판소) **3** **경력**, 이력; 신원; **성적**: a family ~ 가계도(家系圖), 족보 / one's academic ~ 학업 성적 / have good[bad] ~ 〈사람·말·배 등의〉 이력[내력]이 좋다[나쁘다] **4** 범죄 기록, 전과(=criminal ~): have a ~ 전과가 있다 **5** 기념품(memorial): Keep this coin as a ~ of your visit. 방문 기념으로 이 동전을 가져라. **6** **레코드**, 음반: play[put on, turn on] a ~ 레코드를 틀다 / cut[make] a ~ 레코드에 녹음하다 **7** 경기 기록; 최고 기록: beat[break, cut] the ~ 기록을 깨뜨리다 / set a new world ~ in …에서 세계 신기록을 수립하다 **8** [컴퓨터] 레코드 (file의 구성 요소가 되는 정보의 단위)
a matter of ~ (공식) 기록에 있는 사항, 움직일 수 없는 사실 ***bear ~ to*** …을 보증하다, …을 증언하다 ***change the ~*** (구어) 같은 짓을 반복하지 않다 ***for the ~*** 공식적인[으로], 기록하기 위한[해] ***get [keep, put, set] the ~ straight*** 오해를 바로잡다 ***go [place oneself] on ~*** 공식으로 의견을 말하다, 언질을 주다 ***keep to the ~*** 주제에서 벗어나지 않다 ***off the ~*** 비공식적으로[발표해서는 안 될]: speak *off the* ~ 비공식적으로 이야기하다 ***on [upon] (the) ~*** 기록에 실려[실린]; 공표되어: the greatest earthquake *on* ~ 전대미문의 대지진 / leave[place, put] *on* ~ 기록으로 남기다 ***previous criminal ~*** 전과 ***take [call] to ~*** = call ... to WITNESS. ***travel out of [stray from] the ~*** 본 문제에서 벗어나다
— *a.* A 기록적인: a ~ crop (기록적인) 대풍작

rec·or·da·tion [rèkərdéiʃən] *n.* 기억, 기념, 기록

récord brèaker 기록을 깨뜨린 사람

rec·ord-break·ing [rékərdbrèikiŋ] *n., a.* 기록을 깨뜨림[깨뜨린], 전례가 없음[없는]

récord chànger 음반 자동 교체 장치

re·córd·ed delívery [rikɔ́:rdid-] (영) 배달 증명 우편((미) certified mail)

‡**re·cord·er** [rikɔ́:rdər] *n.* **1** (특히 공무상의) **기록 담당자**, 등록자 **2** 기록기; 등록기; (전신의) 수신기: a time ~ 타임 리코더, 시간 기록기 **3** (전기·자기·레이저에 의한 음성·영상 등의) 기록 장치, 녹음[녹화] 장치 **4** [영국법] 지방 법원 판사 **5** [음악] 리코더 (옛날 플루트의 일종)

récord fìlm 기록 영화(cf. DOCUMENTARY film)

récord hèad = RECORDING HEAD

récord hòlder 기록 보유자

***re·cord·ing** [rikɔ́:rdiŋ] *n.* **1** UC **녹음**, 녹화 (상태): make a ~ of …을 녹음[녹화]하다 **2** 녹음[녹화]된 것 (디스크·레코드·테이프)
— *a.* 기록하는, 기록 담당의; 자동 기록 장치의

recórding àngel [the ~] [그리스도교] 기록 담당 천사 (인간의 생전의 행위를 기록)

recórding hèad **1** (레코드 제조에 쓰는) 커터(cutter) **2** [전자] (테이프 리코더·VTR의) 기록[녹음, 녹화] 헤드

recórding sècretary [의회] (단체 등의) 기록 담당자

re·cord·ist [rikɔ́:rdist] *n.* 기록 담당자; [영화] 녹음 담당자

rec·ord·keep·ing [rékərdkì:piŋ | -kɔ:d-] *n.* 문서[기록] 보존

récord lìbrary 레코드 대출 도서관

Récord Òffice (영) 공립 기록 보관소, 공문서 보존관

‡**récord plàyer** 레코드 플레이어

re-count [rì:káunt] *vt.* 다시 세다, 계산을 다시 하다
— [스] *n.* (투표 등의) 재계표

***re·count** [rikáunt] *vt.* **자세히 말하다**; 이야기하다; 열거하다

re·count·al [rikáuntl] *n.* 자세히 이야기하기, 자세한 이야기

re·coup [rikú:p] *vt.* **1** 〈손실 등을〉 되찾다: ~ one's losses 손해를 되찾다 **2** 〈건강·활력 등을〉 회복하다: ~ one's strength 힘을 회복하다 **3** …에게 (손해 등을) 보상[변상]하다, 벌충하다, 메우다 (*for*): (~+목+전+명) He *~ed* me *for* the loss. 그는 내게 손해액을 변상해 주었다. **4** [법] (권리에 근거하여) 〈어떤 것의 일부를〉 공제하다 — *vi.* **1** 손실 등을 되찾다, 벌충하다, 메꾸다 **2** [법] 공제하다, 〈피고가〉 공제 청구하다
— *n.* (드물게) 벌충, 회복; 변상, 배상; 공제
~·a·ble *a.* **~·ment** *n.* U 공제; 보상, 변상

***re·course** [rí:kɔ:rs, rikɔ́:rs | rikɔ́:rs] *n.* **1** U 의지, 의뢰: have ~ to …에 의지하다, …을 수단으로 사용하다 / without ~ to …에 의지하지 않고 **2** 의지하는 것[사람] **3** U [법] 상환 청구(권)

re-cov·er [rì:kʌ́vər] *vt.* **1** 다시 덮다, 덮개를 다시 하다 **2** 갈아 붙이다; 표지를 갈아 붙이다

‡**re·cov·er** [rikʌ́vər] *vt.* **1 a** **되찾다**, 도로 찾다; 〈시체 등을〉 찾아내다: ~ a stolen wallet 도둑맞은 지갑을 도로 찾다 **b** 〈건강·의식 등을〉 **회복하다**, 되찾다, 소생시키다, 회복시키다: (~+목+전+명) ~ a person *to* life …을 소생시키다 // ~ one's feet[legs] 일어서다

> 유의어 **recover** 잃거나 빼앗긴 것을 (우연히) 되찾다: *recover* one's weight 원래의 체중을 되찾다 **regain** 노력하고 애써서 잃은 것을 되찾다: *regain* one's health 건강을 되찾다 **reclaim** 과오·범죄로부터 되돌리다; 미가공·미개척 상태에서 쓸모 있도록 바꾸다: *reclaim* wasteland 황무지를 개간하다 **retrieve** 일단 손에서 벗어난 것을 노력하여 되찾다: *retrieve* one's honor 명예를 되찾다

2 〈손실을〉 벌충하다; [법] (판결 혹은 법에 따라) 〈손해배상 등을〉 받다; 〈토지·권리 등을〉 (승소하여) 되찾다: (~+목+전+명) ~ damages *for* false imprisonment 불법 감금에 대한 배상을 받다 **3** 개심시키다, 회개시키다 (*from, out of*): (~+목+전+명) ~ a person *from*[*out of*] vice …을 악의 길에서 개심시키다 **4 a** 〈유용한 물자를〉 회수하다; 재생시키다: (~+목+전+명) ~ usable things *from* waste 폐기물에서 유용한 것을 재생하다 **b** 개간[개발]하다: (~+목+전+명) ~ land *from* the sea 바다를 간척

thesaurus **record**[2] *n.* **1** 기록 register, log, file, chronicle, diary, journal, documents, notes, annals, archives **2** 경력 work history, career, curriculum vitae, life history, background
recover *v.* **1** 되찾다 get back, redeem, retrieve, reclaim, repossess, regain, recapture **2** 회복하다

[매립]하다 **5** 〖펜싱〗 (찌른 뒤에) 칼을 본래의 준비 자세로 돌리다 **6** (드물게) 되돌아오다
~ one***self*** 제정신으로 돌아오다; 침착해지다; 몸의 균형을 되찾다; 손발이 자유로워지다
—*vi.* **1 건강을 회복하다** 《*from, of*》: 《~+전+명》 ~ *from*[*of*] an illness 병이 낫다 **2** 원상태로 복구되다 《*from*》: 《~+전+명》 ~ *from* the effects of the earthquake 〈도시 등이〉 지진의 피해에서 복구되다 **3** 〈기운·균형·침착을〉 되찾다 《*from*》 **4** 〖법〗 승소하다, (승소하여) 권리를 되찾다; 손해 배상을 받다 **5** 〖펜싱·권투〗 준비 자세로 돌아가다
—*n.* [UC] 자세의 회복(recovery) ***at the*** ~ 준비 자세로 돌아가서 **~·er** *n.* ▷ recóvery *n.*
re·cov·er·a·ble [rikʌ́vərəbl] *a.* 회복 가능한, 되찾을 수 있는 **~·ness** *n.*
‡**re·cov·er·y** [rikʌ́vəri] *n.* (*pl.* **-er·ies**) [UC] **1** (빼앗기거나 잃어버린 것을) **되찾기**, 도로 찾음; (갇힌 사람의) 구조: He helped me in the ~ of the stolen property. 그는 내가 도둑맞은 재산을 되찾는 데 도움을 주었다. **2** (우주선 등의) 회수 **3** 복구, 복원 **4** [보통 a ~] (건강의) **회복**, 완쾌 《*from*》: She made *a* quick ~ *from* her operation. 그녀는 수술에서 빨리 완쾌되었다. **5** (경기의) 회복 **6** (산업 폐기물 등의) 재생 (이용) **7** (토지의) 조성, 매립, 간척, 개간 **8** 〖법〗 권리의 회복, 승소
recóvery posìtion (환자 의식의) 회복 자세
recóvery prògram (미) (마약 중독자 등의) 갱생 프로그램
recóvery ròom (병원의) 회복실
recpt. receipt
rec·re·an·cy [rékriənsi] *n.* [U] (문어·시어) 겁, 비겁; 불성실, 변절
rec·re·ant [rékriənt] (문어·시어) *a.* **1** 겁 많은, 비겁한(cowardly) **2** 변절한, 신의 없는
—*n.* 겁쟁이, 비겁자; 배반자 **~·ly** *ad.*
re-cre·ate [rì:kriéit] *vt.* 다시 만들다, 개조하다; 재현하다 **-á·tive** *a.* **-á·tor** *n.*
∗**rec·re·ate** [rékrièit] *vt.* **1** [~ one*self* 로] **휴양하다**, 기분 전환을 하다, 심심하거나 답답한 마음을 풀다 《*with, by*》: ~ *oneself with* …을 하고 즐기다 **2** 기운을 회복시키다, 상쾌하게 하다: A cup of coffee will ~ you. 커피를 한 잔 마시면 기운이 날 겁니다.
—*vi.* 휴양하다, 기분 전환을 하다 **réc·re·à·tor** *n.*
re-cre·a·tion [rì:kriéiʃən] *n.* **1** [U] 개조; 재현 **2** 개조물; 재현된 것[장면]
‡**rec·re·a·tion** [rèkriéiʃən] *n.* [UC] **휴양**, 기분 전환, 오락, 레크리에이션: take ~ 휴양하다 / a facility for ~ 오락 시설 **réc·re·a·tò·ry** *a.*
▷ récreate *v.*; recreátional *a.*
∗**rec·re·a·tion·al** [rèkriéiʃənl] *a.* **휴양의**, 오락의
rec·re·a·tion·al·ist [rèkriéiʃənlist] *n.* = RECREATIONIST
recreátional véhicle 레저 차량 《略 RV》
recreátion gróund (영) 운동장; 유원지
rec·re·a·tion·ist [rèkriéiʃənist] *n.* 자연 환경 보호주의자; (옥외의) 레크리에이션을 즐기는 사람, 행락객
recreátion ròom[**hàll**] (미) 오락실 《춤·유희·카드 놀이 등을 하는 방》
rec·re·a·tive [rékrièitiv] *a.* 휴양[오락, 기분 전환]이 되는, 원기를 회복시키는
rec·re·ment [rékrəmənt] *n.* **1** 〖생리〗 재귀액(再歸液) 《분비 후 다시 혈액 속으로 흡수되는 타액·위액 등》 **2** (드물게) 폐물; 광재(鑛滓) **rèc·re·mén·tal** *a.*
rec·re·men·ti·tious [rèkrəməntíʃəs, -men-] *a.* 불순물의; 여분의, 쓸데없는
re·crim·i·nal·ize [rì:krímìnəlàiz] *vt.* 다시 중요 범죄로 취급하다
re·crim·i·nate [rikrímənèit] *vi., vt.* 되받아 비난하다, 반소(反訴)하다 《*against*》 **re·crìm·i·ná·tion** *n.* **-nà·tive** *a.* **-na·tò·ry** *a.* 되받아 비난하는
réc ròom [rék-] (구어) = RECREATION ROOM
re·cross [rì:krɔ́:s | -krɔ́s] *vi., vt.* 다시 가로지르다 [교차하다]
re·cru·desce [rì:kru:dés] *vi.* 〈아픔·병·불만 등이〉 재발하다, 도지다
re·cru·des·cence [rì:kru:désns] *n.* [UC] 재발, 도짐; 재연 **-dés·cent** [-désnt] *a.*
∗**re·cruit** [rikrú:t] *n.* **1 신병**, 보충병; 〖미군〗 최하급 사병 **2** (단체 등의) **신입 회원**, 풋내기; 신입생, 신입 사원: a raw[new] ~ 초심자, 풋내기 **3** 《일반적으로》 새로운 보충[공급]
—*vt.* **1** 〈신입 회원·사원 등을〉 모집하다; 〈신병을〉 징집하다, 〈군대를〉 신병으로 보완[보강]하다: They ~*ed* several new members to the club. 그들은 클럽 신규 회원 여러명을 모집했다. **2** 〈비축을〉 보충하다(replenish); 더하다(add to): ~ one's library 새로운 책으로 장서를 보강하다 **3** (문어) 〈체력을〉 회복시키다: ~ oneself 휴양하다 **4** 〈인재를〉 빼오다, 스카우트하다; 입회를 권유하다
—*vi.* **1** 신병[신입 회원]을 모집하다[가입시키다]; 스카우트하다: the ~*ing* officer 징병관 **2** 보충하다 **3** 휴양하다, 기운을 회복하다, 되찾다
~·a·ble *a.* **~·al** *n.* [UC] 보충, 보급(품) **~·er** *n.*
re·cruit·ment [rikrú:tmənt] *n.* [UC] **1** 신병 모집; 신규 모집, 채용, 보충 **2** 원기 회복
re·crys·tal·lize [rì:krístəlàiz] *vt., vi.* 다시 결정(結晶)시키다[하다] **rè·crys·tal·li·zá·tion** *n.*
Rec. Sec., rec. sec. recording secretary
rect. receipt; rectangle; rectangular; rectified; rector; rectory **rec't** receipt
rect- [rékt], **recti-** [rékti] 《연결형》 「직(直); 정(正)」의 뜻 《모음 앞에서는 rect-》: *rect*itude, *rect*angle
rec·ta [réktə] *n.* RECTUM의 복수
rec·tal [réktl] *a.* 〖해부〗 직장(直腸)(rectum)의: ~ capsule 직장 투여 캡슐 **~·ly** *ad.*
∗**rect·an·gle** [réktæ̀ŋgl] [L 「바른 각」의 뜻에서] *n.* **직사각형**
∗**rect·an·gu·lar** [rektǽŋgjulər] *a.* **직사각형의**; 직각의 **rect·àn·gu·lár·i·ty** *n.* **~·ly** *ad.* **~·ness** *n.*
rectángular coórdinates 〖수학〗 직교 좌표
rectángular hypérbola 〖기하〗 직각 쌍곡선
rec·ten·na [rekténə] *n.* 렉테나, 정류(整流) 안테나
rec·ti [réktai] *n.* RECTUS의 복수
rec·ti·fi·ca·tion [rèktəfikéiʃən] *n.* [UC] **1** 개정, 교정; (기계·궤도 등의) 수정, 조정 **2** 〖화학〗 정류(精溜) **3** 〖전기〗 정류(整流)
rec·ti·fi·er [réktəfàiər] *n.* **1** 개정[수정]자 **2** 〖화학〗 정류기(器); 〖전기〗 정류기[관]
rec·ti·fy [réktəfài] *vt.* (**-fied**) **1** 개정[수정]하다, 교정하다, 고치다; 〈기계·궤도 등을〉 수정하다, 조정하다 **2** 〖화학〗 〈알코올 등을〉 정류(精溜)하다 **3** 〖전기〗 정류(整流)하다 **4** 〖기하〗 〈곡선·호의〉 길이를 구하다 **5** 〈악습 등을〉 고치다, 제거하다 ***a ~ing detector*** 〖전기〗 정류 검파기(檢波器) ***a ~ing tube***[***valve***] 〖전기〗 정류관 ~ one***self*** 고쳐지다, 좋아지다
réc·ti·fi·a·ble *a.*
rec·ti·lin·e·ar [rèktəlíniər], **-lin·e·al** [-líniəl] *a.* 직선의, 직선으로 둘러싸인; 직선으로 나가는; 수직의(perpendicular) **-lín·e·ar·ly** *ad.*
rec·ti·ros·tral [rèktərɑ́strəl | -rɔ́s-] *a.* 〈새가〉 곧은 부리를 가진
rec·ti·tude [réktətjù:d | -tjù:d] *n.* [U] (문어) 정직, 엄정; 청렴; (판단 등의) 정확; (드물게) 곧음
rec·ti·tu·di·nous [rèktətjú:dənəs | -tjú:-] *a.* 청렴한 체하는

---

get better, get well, heal, improve, revive
recreation *n.* relaxation, leisure, refreshment, restoration, amusement, entertainment, fun, sport
recruit *n.* **1 신병** enlistee, draftee, conscript **2 신회원** new member, newcomer, initiate, novice, beginner, learner, trainee, apprentice

rec·to [réktou] *n.* (*pl.* **~s**) (opp. *verso*) (서적의) 오른쪽 페이지; 종이의 표면 **—** *a.* Ⓐ 오른쪽 페이지의
recto- [réktou, -tə] 《연결형》 rectum의 뜻
rec·to·cele [réktəsì:l] *n.* 직장(直腸) 탈장
*__rec·tor__ [réktər] [L 「지배자」 「지도자」의 뜻에서] *n.* **1** 〖영국국교〗 (10분의 1세(稅)(tithes)를 수령한) 교구 목사(cf. VICAR); 《미》 (신교 감독파의) 교구 목사 **2** 교장, 학장, 총장 **3** 〖가톨릭〗 주임 신부, 신학교 교장, 수도원장 **rec·to·ri·al** [rektɔ́:riəl] *a., n.* **~·shìp** *n.* = RECTORATE
rec·tor·ate [réktərət] *n.* ⓊⒸ rector의 직[임기]
rec·to·ry [réktəri] *n.* (*pl.* **-ries**) 《영》 rector의 주택[영지, 수입], 사제관(parsonage)
rec·trix [réktriks] *n.* (*pl.* **-tri·ces** [-tráisi:z]) [보통 *pl.*] 〖조류〗 꽁지깃
rec·tum [réktəm] *n.* (*pl.* **~s, -ta** [-tə]) 〖해부〗 직장(直腸)
rec·tus [réktəs] *n.* (*pl.* **rec·ti** [-tai]) 〖해부〗 직근(直筋)
re·cu·ler pour mieux sau·ter [rəkjú:lei-puər-mjə̀:-sóutei] [F] 도약하기 위해 뒤로 물러서다; 《비유》 이보 전진을 위한 일보 후퇴
re·cum·bent [rikʌ́mbənt] *a.* **1** 드러누운, 기댄(reclining) 《*on, upon, against*》; 휴식하는 **2** 활발치 못한, 태만한 **3** 〖동물·식물〗 모로 누운
-bence, -ben·cy [-bənsi] *n.* Ⓤ 기댐, 드러누움; 휴식(repose) **~·ly** *ad.*
re·cu·per·ate [rikjú:pərèit] *vt.* 〈건강·손실 등을〉 회복하다 **—** *vi.* (병·손실 등에서) 회복하다, 건강해지다, 만회하다 《*from*》
re·cù·per·á·tion *n.* Ⓤ 회복, 만회
re·cu·per·a·tive [rikjú:pərèitiv | -pərə-] *a.* 회복시키는; 회복력이 있는 **~·ness** *n.*
re·cu·per·a·tor [rikjú:pərèitər] *n.* 회복하는 사람; 〖공학〗 복열(復熱) 장치; (대포의) 복좌(復座) 장치
*__re·cur__ [rikə́:r] *vi.* (**~red**; **~·ring**) **1** 〈사람·이야기 등이〉 되돌아가다, 회상하다, 되돌아가 말하다 《*to*》; 마음에 다시 떠오르다, 회상되다: (~+전+명) ~ *to* the matter of cost 다시 비용 문제로 돌아가다 / ~ *in*[*on, to*] the mind[memory] 다시 마음[기억]에 떠오르다; 생각해 내다 // The idea kept *~ring.* 그 생각이 머리에서 떠나지 않았다. **2** 〈사건·문제 등이〉 재발하다, 다시 일어나다; 반복되다 **3** 〈문제 등이〉 다시 제기되다 **4** 의뢰하다; 호소하다 《*to*》: ~ *to* violence[arms] 폭력[무력]에 호소하다 **5** 〖수학〗 순환하다(circulate)
▷ recúrrence *n.*; recúrrent *a.*
re·cur·rence [rikə́:rəns, -kʌ́r- | -kʌ́r-] *n.* ⓊⒸ **1** 다시 일어남, 재현, 재발(repetition); 순환 **2** 회상, 추억 **3** Ⓤ 의지함(recourse) ***have ~ to arms*** 무력에 호소하다
re·cur·rent [rikə́:rənt, -kʌ́r- | -kʌ́r-] *a.* 재발[재현]하는, 정기적으로 일어나는; 순환하는 **~·ly** *ad.*
recúrrent educátion 회귀 교육 《사회인이 다시 학교에 돌아와 교육을 받는 것》
recúrrent féver 〖병리〗 재귀열, 회귀열
re·cur·ring [rikə́:riŋ, -kʌ́r- | -kʌ́r-] *a.* **1** 되풀이하여 발생하는 **2** 〖수학〗 순환하는
recúrring décimal 〖수학〗 순환 소수
re·cur·sion [rikə́:rʒən | -ʃən] *n.* **1** 〖컴퓨터〗 재귀, 반복 **2** 〖수학〗 귀납, 회귀
recúrsion fòrmula 〖수학〗 귀납식, 회귀 공식
re·cur·sive [rikə́:rsiv] *a.* **1** 〖수학〗 순환의: ~ function 순환 함수 **2** 되풀이되는, 재귀하는 **3** 〖컴퓨터〗 순환적인, 반복적인, 회귀적인 **~·ly** *ad.* **~·ness** *n.*
recúrsive definítion 〖논리〗 회귀적 정의; 〖컴퓨터〗 재귀적 정의
recúrsive subróutine 〖컴퓨터〗 재귀적 서브루틴 《자기를 호출할 수 있는》
re·cur·vate [rikə́:rvət, -veit] *a.* 〖식물〗 뒤로 휜
re·curve [rì:kə́:rv] *vt., vi.* 뒤로 휘다; 〈바람·흐름 등이〉 구부러져서 되돌아오다, 거꾸로 휘다
re·curved [rì:kə́:rvd] *a.* 뒤쪽으로 휜
rec·u·sance [rékjəzəns, rikjú:-] *n.* = RECUSANCY
rec·u·san·cy [rékjəzənsi, rikjú:-] *n.* **1** Ⓤ 복종 거부 **2** 〖영국사〗 영국 국교 기피
re·cu·sant [rékjəzənt, rikjú:-] *a., n.* **1** 복종을 거부하는 (사람) 《*against*》 **2** 〖영국사〗 영국 국교를 기피하는 (사람(refuser))
re·cuse [rikjú:z] 〖법〗 *vt.* 〈법관·배심원 등을〉 기피하다 **—** *vi.* 〈판사 등이〉 사퇴하다, 회피하다
re·cú·sal *n.*
rec·vee, rec-v [rèkví:] *n.* 《구어》 = RECREATIONAL VEHICLE
re·cy·cle [rì:sáikl] *vt.* **1** 재활용하다; 재순환시키다: *~d* paper 재생지 **2** (본질적인 형태·성질을 바꾸지 않고) 개조하다, 고치다: The old factory is being *~d* as a theater. 낡은 공장을 극장으로 개조 중이다. **3** 〈무역 흑자에 의한 자금 등을〉 (차관·투자 등의 형태로) 환류시키다 **—** *vi.* **1** 재순환하다; 재활용되다 **2** (초읽기에서) 이전 시점으로 돌아가다 **3** 〈컴퓨터가〉 같은 데이터 처리를 되풀이하다
-cla·ble *a.* **-cler** *n.*
recýcle bìn 〖컴퓨터〗 휴지통
re·cy·cl·ing [rì:sáikliŋ] *n.* 재활용, 재생 이용; 재순환 (작용)
‡**red** [réd] *a.* (**red·der**; **~·dest**) **1** 붉은, 빨간, 빨간색의, 적색의: a ~ rose 붉은 장미 **2** 〈털·피부 등이〉 붉은 **3** (노여움·부끄러움 등으로) 빨개진 《*with*》; 피에 물든; 핏발이 선: with ~ hands 피 묻은 손으로; 살인을 범하여 / He turned ~ *with* anger. 그는 화가 나서 빨개졌다. **4** 〖회계〗 적자의: a ~ balance sheet 적자 대차 대조표 **5** [종종 **R~**] 적화된; 좌익의, 공산주의의: ~ activities 적화 운동 **6** 〈자석이〉 북극을 가리키는, 북극의 **7** 영령(英領)의 《지도에서》: paint the map ~ 대영 제국의 영토를 확장하다 ***paint the town ~*** 야단법석을 떨다, 소동을 일으키다 ***turn ~*** 빨개지다 (⇨ *a.* 3); 적화(赤化)되다 ***~, white and blue*** (미국기의) 적, 백, 청 《애국심의 상징》
— *n.* **1** ⓊⒸ 빨강, 적색 **2** 빨간 그림물감[안료, 도료, 염료]; Ⓒ 빨간 것; 빨간 헝겊, 빨간 옷 **3** [종종 **R~**] 공산당원[주의자], 빨갱이; [the R~s] 적군(赤軍), 붉은 군대 **4** 《구어》 붉은 신호, 정지 신호(= ~ light); 적포도주(= ~ wine) **5** 〖영국사〗 [the ~, the R~] (17세기 영국의) 적색 함대 **6** [the ~] 〖회계〗 적자
be in (***the***) ***~*** 《미》 적자를 내고 있다, 빚을 지고 있다 ***get***[***come***] ***out of ~*** 적자를 면하다 ***go***[***get***] ***into*** (***the***) ***~*** 《미》 적자를 내다, 결손을 보다 ***see ~*** 《고어》 격노하다 **~·ness** *n.* 빨강, 적열 상태
▷ rédden *v.*
red- [red, rid] *pref.* [몇몇 단어의 모음 앞에서] re-의 이형(異形): *red*integrate
-red [rid] *suf.* [상태를 나타내는 명사를 만듦]: hat*red*, kind*red*
re·dact [ridǽkt] *vt.* **1** 〈원고 등을〉 수정하다, 편집하다(edit) **2** 〈진술서·성명서 등을〉 작성하다, 기초하다
re·dác·tor *n.*
re·dac·tion [ridǽkʃən] *n.* **1** Ⓤ 편집; 교정, 개정(revision) **2** 개정판 **~·al** [-ʃənəl] *a.*
réd ádmiral (북미·유럽산) 멋쟁이류(類)의 나비
réd alért 최종 단계의 [긴급] 공습 경보
réd álga 〖식물〗 홍조(紅藻)
re·dan [ridǽn] *n.* 〖축성〗 철각보(凸角堡) 《∨자형의 방비벽》
réd ánt 〖곤충〗 붉은 개미
red·ar·gue [ridɑ́:rgju:] *vt.* 《고어》 논파[반박]하다
Réd Ármy [the ~] **1** (구소련의) 적군(赤軍) **2** [보통 ~ Faction] (구서독의) 적군파 《극좌 테러리스트 집단; 略 RAF》; (일본의) 적군

thesaurus **recur** *v.* reoccur, come back, reappear, happen[occur] again, return, repeat itself
recycle *v.* reuse, reprocess, salvage, save

Réd Árrows [the ~] 영국 공군의 곡예 비행대
red-arse [rédɑ̀ːrs] *n.* 《영·속어》 신병, 신참자
réd ársenic = REALGAR
réd áss [the ~] 《미·속어》 안달복달, 우울
red·assed [rédæ̀st] *a.* 《미·비어》 격노한
red-backed [-bæ̀kt] *a.* 등이 붉은
red-bait [-bèit] *vi., vt.* 《미·구어》 공산주의자라 하여 탄압하다; 공산주의자를 색출하다
~·er *n.* **~·ing** *n., a.*
réd báll 《미·속어》 급행 화물 열차; (열차·트럭·버스의) 급행편 《화차에 붙인 빨간 표에서》
réd ballóon 레드 벌룬 《위기 경고의 표지》
réd bárk 〖식물〗 기나수의 약용 껍질
réd béds 〖지질〗 적색층 《붉은 퇴적암층》
réd béet 〖식물〗 적(赤)근대
réd·bel·ly dàce [rédbèli-] 〖어류〗 산란기에 수컷의 배가 적황색으로 빛나는 소형 잉엇과 담수어의 총칭
réd bíddy 《영·구어》 싸구려 적포도주, 메틸알코올을 혼합한 술
red·bird [-bə̀ːrd] *n.* 〖조류〗 **1** = CARDINAL *n.* 2 **2** 참샛과(科)에 속하는 피리새의 일종
réd blìndness 〖의학〗 적색맹, 제1 색맹
réd-blìnd *a.*
réd blóod cèll[**còrpuscle**] 적혈구(erythrocyte) 《略 RBC》
red-blood·ed [-blʌ́did] *a.* Ⓐ 《구어》 남자다운, 기운찬, 씩씩한; 〈소설 등이〉 손에 땀을 쥐게 하는
~·ness *n.*
red·bone [-bòun] *n.* 레드본 《털이 붉은 미국의 사냥개》
Réd Bòok 《영》 (19세기의) 신사록 《nobility와 gentry의 인명을 실은 붉은 표지의 책》
réd bóx 《영》 정부 공문서함
réd bráss 〖야금〗 적색 황동
red·breast [-brèst] *n.* 〖조류〗 (가슴이 붉은) 방울새
red·brick [-brìk] [오래된 대학은 석조인 데 비해 19-20세기에 창설된 대학은 연와조인 데서] 《영》 *a.* Ⓐ [종종 **R~**] 〈대학이〉 근대에 창설된
— *n.* [종종 **R~**] 근대 대학
rédbrick univérsity [때로 **R- U-**] 《영》 근대에 창설된 대학, 신설 대학
Réd Brigádes [the ~] 붉은 여단 《이탈리아의 극좌 테러 집단》
red·bud [-bʌ̀d] *n.* 〖식물〗 박태기나무 《미국산(産)》
réd cábbage 〖식물〗 붉은 양배추
red·cap [-kæ̀p] *n.* 《영·군대속어》 헌병; 《미》 (붉은 모자를 쓴) 짐꾼 《철도 등의》
réd cárd 〖축구〗 레드 카드 《심판이 선수에게 퇴장을 명할 때 보이는 카드》
réd cárpet (고관의 출입로에 까는) 붉은 융단; [the ~] 극진한 예우[대접, 환영] ***roll out the ~*** (***for*** a person) (…을) 정중하게 대접하다
red-car·pet [-kɑ́ːrpit] *a.* Ⓐ 정중한, 성대한, 융숭한: a ~ reception 극진한 환영
réd cédar 〖식물〗 연필향나무; 미국측백
réd céll = RED BLOOD CELL
réd cént 《미·구어》 1센트 동전; [a ~; 부정문에서] 한 푼: I do*n't* care *a* ~. 나는 조금도 개의치 않는다.
Réd Chámber [the ~] 《구어》 캐나다 상원
Réd Chína 《구어》 중공, 중국
réd cláy 〖지질〗 붉은 점토
réd clóver 〖식물〗 붉은토끼풀 《사료용》
red·coat [-kòut] [원래 붉은 옷을 입고 있었던 데서] *n.* 영국 군인 《미국 독립 전쟁 당시의》
réd córal 붉은 산호 《지중해산; 보석용》
réd córpuscle 적혈구
réd cóunt (혈액 속의) 적혈구 수

---

redeem *v.* **1** 도로 찾다 reclaim, regain, recover, retrieve, repossess **2** 벌충하다 make up for, compensate for, atone for, offset, redress, outweigh

Réd Créscent [the ~] 적신월사(赤新月社) 《이슬람 국가의 적십자사에 해당하는 조직》
‡**Réd Cróss** [the ~] **1** 적십자사(= ~ **Society**) **2** 십자군 (표지) **3** [**r- c-**] (흰 바탕에 붉은 색의) 성(聖) 조지 십자장(章) 《잉글랜드의 국장(國章)》
réd cúrrant 〖식물〗 레드 커런트 《유럽 서북부 원산의 붉은 열매가 열리는 까치밥나무; 또는 그 열매》
redd[1] [réd] 《방언》 *vt.* 정돈하다, 치우다 《*out, up*》; 해결하다 《*up*》: ~ a room for company 손님을 맞기 위해 방을 치우다 **—** *vi.* 정돈하다 《*up*》
redd[2] *n.* (연어·송어의) 산란 구역; (어류의) 알
réd dèer 〖동물〗 붉은사슴 《유라시아 대륙산》; 흰꼬리사슴 《미국 및 남미 북부산(産)》
Réd Delícious 〖원예〗 홍(紅) 델리셔스 《껍질이 붉은 사과 품종》
∗**red·den** [rédn] *vt.* 붉게 하다; …의 얼굴을 붉히게 하다: The blood *~ed* the bandage. 피가 붕대를 붉게 물들였다.
— *vi.* 붉어지다; (…을 보고) 얼굴을 붉히다 《*at*》; (노여움·부끄러움으로) 빨개지다 《*with*》: (~+전+명) His face *~ed with* anger. 그의 얼굴은 노여움으로 빨개졌다.
red·den·dum [redéndəm] *n.* (*pl.* **-da** [-də]) 〖법〗 보류 조항
réd dévil 《속어》 **1** 세코바르비탈(secobarbital; 진정·최면제)의 빨간 캡슐 **2** [the R- D-s] 영국 육군 낙하산 연대
∗**red·dish** [rédiʃ] *a.* 불그스름한, 불그레한, 붉은 빛을 띤 **~·ness** *n.*
red·dle [rédl] *n.* = RUDDLE
red-dog [réddɔ̀ːg | -dɔ̀g] *vt., vi.* (**~ged**; **~·ging**) 〖미식축구〗 스크럼선을 넘어 전격적으로 공격하다 **~·ger** *n.*
réd drúm 〖어류〗 민어과의 대형 식용 물고기
réd dúster 영국 상선기(商船旗)
réd dwárf 〖천문〗 적색 왜성(矮星)
rede [ríːd] 《영·고어·방언》 *n.* Ⓤⓒ 충고; 계획; 이야기; 속담; 해석; 판단; 운명 **—** *vt.* 충고하다; 〈수수께끼 등을〉 풀다; 〈꿈을〉 해석하다; 주석하다
réd éarth (열대 초원 지대 특유의) 적색토
re·dec·o·rate [rìːdékərèit] *vt., vi.* 다시 장식하다, 개장(改裝)하다 **re·dèc·o·rá·tion** *n.*
re·ded·i·cate [rìːdédikèit] *vt.* 다시 바치다[헌정하다] **re·dèd·i·cá·tion** *n.*
∗**re·deem** [ridíːm] *vt.* **1** 되사다; 〈저당물을〉 도로 찾다: ~ one's pawned watch 전당잡힌 시계를 찾다 **2** 〈채무·채권을〉 변제하다, 상환하다; 〈지폐를〉 회수하다 **3** 〈쿠폰·상품권 등을〉 상품으로 바꾸다 **4** 〈지폐를〉 정화(正貨)와 바꾸다, 태환(兌換)하다 **5** 〈약속·의무를〉 이행하다: ~ one's duty 의무를 이행하다 **6** 〈결점 등을〉 채우다, 벌충하다: (~+목+전+명) The eyes ~ the face *from* ugliness. 눈 덕택에 못생긴 얼굴이 가려지고 있다. **7** 〈명예·권리·지위 등을〉 (노력하여) 회복하다, 만회하다 **8** 속신(贖身)하다, 속전(贖錢)을 주고 구조하다(ransom); 〖신학〗 〈하느님·그리스도가〉 구속(救贖)하다, 속죄하다: ~ oneself[one's life] 속전을 내어 목숨을 건지다 // (~+목+전+명) Comforting others *~ed* him *from* his own despair. 그는 남들을 위로함으로써 자신의 절망에서도 구출되었다. **9** 〈토지를〉 매립하다
▷ redémption *n.*; redémptive, redémptory *a.*
re·deem·a·ble [ridíːməbl] *a.* 되살 수 있는, 〈저당물을〉 되찾을 수 있는; 상환할 수 있는 **-bly** *ad.*
re·deem·er [ridíːmər] *n.* 되사는 사람; 〈저당잡힌 것을〉 도로 찾는 사람; 속(贖)바치는[구제해 주는] 사람; [the[our] R~] = JESUS CHRIST
re·deem·ing [ridíːmiŋ] *a.* 〈결점·실망 등을〉 보충하는, 벌충하는: a ~ feature[point] 다른 결점을 보충할 만한 장점
re·de·fine [rìːdifáin] *vt.* 재정의하다
rè·def·i·ní·tion *n.*

re·de·liv·er [rì:dilívər] *vt.* 돌려주다, 돌려보내다; 재교부하다; 해방시키다(liberate); 되풀이 말하다

re·de·liv·er·y [rì:dilívəri] *n.* 반환, (원상) 회복

re·de·mand [rì:dimǽnd | -mɑ́:nd] *vt.* 다시 요구하다; 반환을 요구하다 **~·a·ble** *a.*

re·demp·tion** [ridémpʃən] *n.* Ⓤ **1** 되찾기, 되사기; (약속의) 이행 **2** 속전을 내어 (죄인을) 석방시킴 **3** 〖신학〗 (그리스도에 의한) 구속(救贖), 구원(salvation): ~ of man's original sin 인간의 원죄의 구속 / in the year of our ~ 2003 서기 2003년에 **4** Ⓒ 보상물, 대상(代償); (결점을 보충할 만한) 장점 **5** 저당 잡힌 것을 도로 찾음 **6** (어음·채권 등의) 상환, 회수 **7** 《영》 (지위·자격을) 돈으로 삼 ***beyond [***past, without***] ~ 회복할 가망이 없는; 구제할 길이 없는 **~·al** *a.* **~·er** *n.* 《미》 (미국에의) 무임 도항(渡航) 이주자 《도항한 후 일정 기간 노동하기로 한》
▷ redéem *v.*

redémption cènter (상품 교환용) 쿠폰 교환소

redémption prìce 〖증권〗 상환 가격, 환매 가격

redémption yìeld 〖금융〗 상환 이율

re·demp·tive [ridémptiv] *a.* 되사는, 〈저당잡힌 것을〉 도로 찾는; 속전을 내는; 보상의; 상환의; 구제의, 속죄의: ~ religions 구세 종교 **~·ly** *ad.*

re·demp·to·ry [ridémptəri] *a.* = REDEMPTIVE

re·de·nom·i·na·tion [rì:dinɑ̀mənéiʃən] *n.* 리디노미네이션 《통화의 호칭을 변경하기; 1,000원을 10원으로 하는 따위》

Réd Énsign [the ~] = RED DUSTER

re·de·ploy [rì:diplɔ́i] *vt., vi.* 〈부대·공장 시설·자본·노동자 등을〉 이동[전환]시키다[하다]
~·ment *n.* Ⓤ 이동, 이전, 배치 전환

re·de·pos·it [rì:dipɑ́zit | -pɔ́z-] *vt.* 재예치[예금]하다 — *n.* 재예금

re·de·scend [rì:disénd] *vi., vt.* 다시 내리다

re·de·scribe [rì:diskráib] *vt.* 다시 기술[묘사]하다

re·de·sign [rì:dizáin] *vt.* 재설계[재계획]하다
— *n.* 재설계[계획]; 새 디자인

re·de·ter·mine [rì:ditə́:rmin] *vt.* 다시 결정하다

re·de·vel·op [rì:divéləp] *vt.* 재개발하다; 〖사진〗 재현상하다 — *vi.* 재개발하다
~·ment *n.* Ⓤ 재개발, 부흥, 재건

redevélopment cómpany 재개발 기업

red-eye [-ài] *n.* **1** 눈의 충혈 **2** 《미·캐나다·구어》 = RED-EYE SPECIAL **3** Ⓤ 《미·속어》 싸구려 위스키[술] **4** 《미·속어》 토마토케첩 **5** 《미·속어》 = RED-EYE GRAVY **6** 《캐나다·속어》 토마토 주스를 섞은 맥주 **7** 〖사진〗 적목(赤目) 현상 《눈이 빨갛게 나오는 현상》 **8** 〖조류〗 붉은눈비레오(= **réd-eyed víreo**)

red·eye [rédài] *n.* **1** 〖어류〗 눈이 빨간 물고기 《rudd, rock bass 등》; 〖동물〗 아메리카살무사(copperhead) **2** [**R~**] 〖미육군〗 (어깨에 메는) 지대공 미사일 **3** (철도의) 빨간 신호 **4** 《미·속어》 싸구려 위스키

red-eyed [-àid] *a.* 눈(가장자리)이 빨간; 빨간 눈의

réd-eye grávy 《미》 〖요리〗 햄 즙으로 만든 고깃국물

red-ey·er [-àiər] *n.* 《속어》 야간 비행편 이용자

réd-eye spécial[**flíght**] 심야[야간] 비행편

réd fáce 《구어》 겸연쩍어하는 듯한 얼굴, 쑥스러워하는 얼굴

red-faced [-féist] *a.* 얼굴이 붉은; 얼굴을 붉힌, 부끄러운, 당황한; 화가 난 **-fác·ed·ly** *ad.*

red·fin [-fìn] *n.* 〖어류〗 붉은 지느러미의 각종 담수어

réd fír 〖식물〗 붉은잣나무; 더글러스 잣나무

réd fíre 빨간 불꽃 《불꽃놀이·신호용》

red·fish [-fìʃ] *n.* (*pl.* **~, ~·es**) 《영》 (산란기 방정(放精) 전의) 수컷 연어; 북대서양산 볼락속(屬)의 식용어

réd flág 붉은 기, 적기 《혁명·위험 신호·개전을 표시하는》; [the R- F-] 적기가(歌), 혁명가 《영국 노동당의 당가》

red-flag [-flǽg] *vt.* (**~ged**; **~·ging**) 〈…에〉 주의를 기울이다; …에게 주의를 환기하다, 경고하다
— *a.* 적기(赤旗)의; 강조[경고, 자극]를 나타내는

réd flásh 적색 섬광

réd fóx 〖동물〗 붉은여우; 여우 가죽

réd gíant 〖천문〗 적색 거성 《진화 중간 단계의 항성으로, 표면 온도가 낮고 붉게 빛나는 큰 별》

réd góld 금과 구리의 합금, 적금(赤金)

réd góods 레드 상품 《이익율은 낮으나 회전이 빠른 상품; 신선한 식료품 등》

réd-green (**cólor**) **blìndness** [-grì:n-] 적록색맹

réd gróuse 〖조류〗 붉은뇌조 《영국산(産)》

Réd Guárd (중국의) 홍위병; 급진 좌파

Réd Guárd·ism [-gɑ́:rdizm] 홍위병 운동

réd gúm **1** 〖병리〗 (아기의) 잇몸에 나는 발진 **2** 〖식물〗 유칼리나무; 그 수지(樹脂)

red-hand·ed [-hǽndid] *a.* **1** 손이 빨간; 손이 피투성이의 **2** Ⓟ 현행범의 ***be caught*** [***taken***] ~ 현행범으로 붙잡히다 **~·ly** *ad.* **~·ness** *n.*

réd hánds 피 묻은 손; 살인죄: with ~ ⇨ red *a.*

réd hát 〖가톨릭〗 추기경(cardinal)의 모자; 《영·속어》 참모 장교

Réd Háts [the ~] 홍모파(紅帽派) 《티베트 불교의 한 종파》

red·head [-hèd] *n.* 머리털이 빨간 사람; 〖조류〗 흰죽지오리 《유럽·아메리카산》; 《미·속어》 대학 1년생

red·head·ed [-hèdid] *a.* 머리털이 빨간; 〈특히 새가〉 머리가 붉은

rédheaded wóodpecker 〖조류〗 붉은머리딱따구리 《북미산》

réd héat 적열(赤熱) (상태·온도)

réd hérring **1** 훈제한 청어(smoked herring) **2** 남의 관심을 딴 데로 돌리게 하는 것; 사람을 헷갈리게 하는 정보: draw a ~ across the path[track, trail] (남의 주의를 딴 데로 돌리려고) 주제와 관계없는 말을 끄집어내다

***red-hot** [rédhɑ́t | -hɔ́t] *a.* **1** 새빨갛게 단 **2** 극도의, 극단의 **3** 열렬한, 몹시 흥분한, 노발대발한: ~ anger 격노 **4** 〈뉴스 등이〉 최신의: ~ tips on the stock market 주식 시장에 관한 최신 비밀 정보 **5** 선정적인, 섹시한
— [⌐⌐] *n.* **1** 《미》 흥분한[열광한] 사람; 과격한 급진주의자; 《미·속어》 여자를 동반하지 않은 남자 **2** 《미·구어》 핫도그; (시나몬이 든) 작고 빨간 과자

réd-hót máma 《미·속어》 발랄한[화끈한, 섹시한] 연인[육체파 미녀]; (1920년경에 인기 있던) 야성미 있는 여성 가수

réd húnt 《속어》 빨갱이 사냥 《공산주의자 및 그 동조자의 체포[탄압]》

re·di·al [rì:dáiəl] *n.* 자동 재다이얼 (방식, 기능)
— *vt., vi.* 재차 다이얼을 돌리다

re·did [ridíd] *v.* REDO의 과거

re·dif·fu·sion [rì:difjú:ʒən] *n.* Ⓤ **1** (라디오·TV 프로의) 재방송 **2** TV 프로의 영화관 상영 **3** [**R~**] 《영》 유선 방송 《상표명》

re·di·gest [rì:didʒést] *vt.* 다시 소화하다

Réd Índian (종종 경멸) = AMERICAN INDIAN

red·in·gote [rédiŋgòut] *n.* 레딩고트 《앞이 트인 긴 여성용 코트》

réd ínk **1** 빨간 잉크 **2** 《구어》 손실, 적자(cf. BLACK INK) **3** 《미·속어》 값싼 붉은 포도주

red-ink [rédíŋk] *vt.* 빨간 잉크로 기입하다, 빨간 잉크로 쓰다

red·in·te·grate [redíntəgrèit, rid-] *vt., vi.* 복구하다, 복원하다; 재건[부흥]하다

red·in·te·gra·tion [redìntəgréiʃən, rid-] *n.* Ⓤ 복구, 복원; 〖심리〗 (과거 체험의) 재생, 복원
red·ín·te·grà·tive *a.*

Réd Internátional 적색(赤色) 인터내셔널 《1919년 Moscow에서 창립; 제3 인터내셔널이라고도 함》

thesaurus **redemption** *n.* **1** 되찾기 reclamation, recovery, retrieval, repurchase **2** 구원 freeing, liberation, release, emancipation, rescue

rè·dirékt, -dai-] vt. 1 …을 다시 향하게 돌리다; (영) 〈편지의〉 수신인 이름[주소]을 바꾸다 2 …의 방향[초점]을 바꾸다 -réc·tion n.

re·di·rect ... 재직접 심문 ... 재할인하다

re·dis·count ... 재할인 어음 ... (어음의) 재할인율

re·dis·cov·er ... 재발견하다

re·dis·solve ... vi. 다시 녹이다

re·dis·trict ... 를〉 재구획하다

re·di·vide [rì:diváid] vt., vi. 재분배[되다]; 새로 분배[구분]하다 -vi·sion ... 재분 [UC] 재분배[재구분](된 것)

red·i·vi·vus [rèdəváivəs, -ví-] a. 되살아난, 태어난

réd jásmine 〖식물〗 붉은 재스민 《중남미산(産) 협죽도과(科)의 관목》

réd kangaróo 붉은 캥거루

réd lábel 화기(火氣) 엄금 라벨

réd lámp 빨간 램프, 홍등(紅燈) 《병원·약방의 야간 등》; 위험 신호

réd láne (영·속어) 목구멍(throat)

réd léad [-léd] 연단(鉛丹), 광명단(光明丹) 《산화납으로 만든 물감》

red-lead [rédléd] vt. …에 연단을 바르다

red·leg [-lèg] n. 다리가 빨간 새

red-legged [-lègd] a. 붉은 다리의

red-let·ter [rédlétər] a. Ⓐ 붉은 글자로 표시된; 기념[경축]해야 할: a ~ day 기념일; 축제일
— vt. (기쁜 일을 기념하여) 붉은 글자로 기록하다, 특필하다

*réd líght (철도 등의) 적신호, 위험 신호; 붉은 등, 홍등(紅燈) ***see the*** ~ 위험을 깨닫다

red-light [rédláit] vt. (구어) 1 적신호로 정지시키다 2 달리는 열차에서 밀어 떨어뜨리다; 차에서 내리게 하다 — vi. (미·속어) 매춘하다

réd-líght dístrict 홍등가

réd líne 〖아이스하키〗 레드 라인 《링크를 양분하는 붉은 선》

red·line [-làin] vi., vt. 1 〖항공〗 안전 한계 고도로 비행하다[에 맞추다] 2 (미) (급여 지급 대장 등의) 리스트에서 〈항목을〉 삭제하다; (지역에) redlining을 적용하다 3 〖컴퓨터〗 〈수정 부분 등을〉 표시하다
— n. 〖항공〗 운용 한계[속도] 《안전하게 비행할 수 있는 한계점[속도]》; 〖자동차〗 최대 회전 속도

red-line [rèdláin] a. 빨간 밑줄을 그은; 〈정치·경제적 현안 문제가〉 꼭 지켜야 할

red·lin·ing [-làiniŋ] n. (미) (은행·보험 회사에 의한) 특정 경계 지역 지정 《담보 융자·보험 인수를 거부함》

Réd Lìst (영) (정부 지정의) 위험물 목록

red·ly [rédli] ad. 붉게

réd màn 1 (고어) = RED INDIAN 2 [R- M-] (미) 자선 우호 단체의 일원

réd márrow 〖해부〗 적색 골수(骨髓)

Réd Máss 〖가톨릭〗 붉은 미사 《사제가 붉은 제복을 입고 하는 미사》

réd méat 붉은 고기 《쇠고기·양고기 등; cf. WHITE MEAT》

---

redress *v.* **1** 교정하다 rectify, remedy, square, make amend for **2** (불균형을) 바로잡다 put right, even up, regulate, adjust, correct

---

réd ... (서인도제도산(產)) 노랑촉수

red·neck ... [어류] ... n. (미·구어) (경멸) (남부의 교양 없는) 백인 노동자; (영·구어) (경멸) (로마) ... = RED-NECKED

red-necked ... a. (미·구어) 화난; 편협한, 완고한

réd Nèkt ...

Réd Nó. 2 ... (속어) 싸구려 적포도주

에 FDA에서 ... 색 2호 《인공 착색료; 1976년 사용 금지》

re·do [ri:dú:] vt. (-did [-díd]; -done [-dʌ́n]) 다시 하다, 〈집 등을〉 다시 하다, 다시 꾸미다 — n. ... 다시 함, 개장(改裝)

réd ócher 대자석(代赭石)

red·o·lence, -len·cy [rédələns(i)] n. Ⓤ (문어) 방향(芳香), 향기

red·o·lent ... a. 1 좋은 냄새가 나는 2 (…의) 냄새가 짙은 ... garlic 마늘 냄새 나는 3 Ⓟ 〈…을〉 상기시키는, 암시하는 (suggestive) (*of*)

réd órpiment ...

re·dou·ble [ri:dʌ́bl] vt. ... 배가(倍加)하다, 한층 더 ... ~ one's efforts 노력을 배가하다 ... 4 ... 시키다 ... 더욱 더 ... 올린 ... 반복하다, ... 상대편 ...
— vi. 배가하다, 강해지다 ... double ... 증대하다 2 ... 3 ... 상대 ... 을 다시 배가하다

re·doubt [ridáut] n. 〖축성〗 ... 사각형 보루, 작은) 보루 요새(stronghold) ...

re·doubt·a·ble [ridáutəbl] a. (문어) 1 〈적·논객 등이〉 무서운, 가공할, 강력한 2 ... 당당한 ~·bly ad. ~·ness n.

re·doubt·ed [ridáutid] a. (고어) = REDOUBTABLE

re·dound [ridáund] vi. 1 〈신용·이익 등을〉 늘리다, 높이다(*to*); 이바지하다 (*to*): ~ *to* a person's honor …의 명예를 높이다 2 〈이익 등이〉 돌아가다, 미치다 (*to*) 3 〈행위가〉 (결과로서) 되돌아오다 (*on, upon*) — n. 결과가 미침, 응보

red·out [rédàut] n. 〖항공〗 붉은 현기증 《급격한 감속으로 항공기 조종사나 우주 비행사의 머리에 피가 몰려서 두통과 함께 시야가 붉게 흐려지는 현상》

re·dox [rí:dɑks | -dɔks] [*red*uction+*ox*idation] n., a. 〖화학〗 산화 환원 반응(의)

réd óxide 〖화학〗 철단(鐵丹), 삼산화이철(三酸化二鐵)

réd óxide of zínc 〖광물〗 홍(紅) 아연광(zincite)

réd páint (미·속어) 케첩

réd pánda 〖동물〗 레서판다(lesser panda)

red-pen·cil [rédpénsl] vt. (~ed; ~·ing | ~led; ~·ling) (빨간 연필로) 삭제하다, 검열하다, 정정하다

réd pépper 〖식물〗 고추; 고춧가루(cayenne)

réd phósphorus 〖화학〗 적린(赤燐)

Réd Plánet [the ~] 붉은 행성 《화성의 속칭》

red·poll [-pòul] n. 〖조류〗 홍방울새(linnet)의 일종

Réd Pólled[Póll] 〖동물〗 (영국산(產)의 뿔 없는) 붉은 소

Réd Pówer 레드 파워 《아메리칸 인디언의 문화적·정치적 운동의 슬로건》

re·draft [rì:drǽft | -drɑ́:ft] n. 고쳐 쓴 초고; 〖상업〗 (부도 어음의 수취인이 발행하는) 상환 청구 환어음
— vt. 다시 쓰다; 다시 기초하다

réd rág (소·사람 등을) 성나게 하는 것; 붉은 헝겊 《공산당의 붉은 기를 멸시해서 하는 말》; (속어) 혀(tongue) ***a ~ to a bull*** (영) 매우 화나게 하는 것

re·draw [ri:drɔ́:] v. (-drew [-drú:]; -drawn [-drɔ́:n]) vt. 〈선을〉 다시 긋다 — vi. 어음을 재발행하다

re-dress [rì:drés] vt. 다시 입히다; 다시 꿰매다; …에 붕대를 다시 감다

*re·dress [ridrés] (문어) vt. 1 〈부정 등을〉 바로잡다, 교정하다; 〈균형을〉 되찾다, 〈불균형을〉 시정하다;

réd shíft 〖천문·물리〗 적색[적방] 편이(偏移) 《도플러 효과나 강한 중력장으로 인한》
red·shirt [-ʃə̀:rt] *n.* 혁명당원, 무정부주의자, 공산주의자
red-short [-ʃɔ́:rt] *a.* 〖야금〗 〈쇠·강철이〉 열에 약한 (cf. COLD-SHORT) **~·ness** *n.* 적열취성(赤熱脆性)
red·skin [-skìn] *n.* (종종 경멸) = AMERICAN INDIAN
réd snápper 〖어류〗 붉돔 《특히 물퉁돔·금눈돔 등》
réd snów 적설(赤雪) 《고산·극지 등의》
réd spíder 〖동물〗 잎진드기 《과수의 해충》
Réd Spòt [the ~] 〖천문〗 (목성 표면의) 대적반(大赤斑)
Réd Squáre [the ~] (모스크바의) 붉은 광장
réd squírrel 〖동물〗 붉은날다람쥐 《북미산》; 유럽다람쥐 《영국 원산》
réd stár 〖천문〗 적색성 《표면 온도가 낮은 붉은 별》
Réd Stár 적성단(赤星團) 《국제적 동물 애호 단체》; [the ~] 「붉은 별」 《구소련의 국방부 기관지》
red·start [-stὰ:rt] *n.* 〖조류〗 딱새, 상딱새
réd státe (미) 대통령 선거에서 공화당 후보가 승리한 주(州)(cf. BLUE STATE)
Red·stone [-stòun] *n.* (미) 지대지(地對地) 전술 미사일의 일종
réd stùff 적색 연마제 《황동·은 따위를 닦는 가루》
réd tápe [영국에서 공문서를 묶는 데 쓴 빨간 끈에서] (까다로운) 관청식, 관료적 형식주의: cut ~ 관료적 형식주의를 지양하다 **red-tape** [-téip] *a.*
red-tap·ism [-téipizm], **-tap·er·y** [-téipəri] *n.* Ⓤ (주의·제도·형식 등의) 관료적 형식주의, 번문욕례(繁文縟禮)
red-tap·ist [-téipist] *n.* 관료적인 사람, 번거로운 형식을 따지는 사람
Réd Térror [the ~] 〖프랑스사〗 공포 시대; 《일반적으로》 적색 테러 《혁명 후에 행하는 공포 정치》
réd tíde 적조(赤潮)
red·top [-tὰp | -tɔ̀p] *n.* 〖식물〗 외겨이삭 《볏과(科)의 목초》

… 그는 병으로 피골이 상접했다. **4 a** (…으로) 변형시키다 《*to*》: ~ glass *to* powder 유리를 …하다 **b** (간단하게) 정리하다 《*to*》: (~+목+전+명) ~ all the questions *to* one 모든 질문을 하나로 정리하다 **c** 강제로[억지로] …시키다: (~+목+전+명) ~ a person *to* tears[terror] …을 눈물 흘리게[겁나게] 하다 **5** 진압하다, 복종시키다(subdue): (~+목+전+명) ~ the rebels *to* submission 폭도를 진압하다 **6** 〈물감 등을〉 묽게 하다: ~ paint with turpentine 테레빈유로 페인트를 묽게 하다 **7** …으로 (되돌아가게) 하다; 적합[적응, 일치]시키다: (~+목+전+명) ~ a rule *to*[*into*] practice 규칙을 실행하다 **8** 〖수학〗 환산하다; 통분[약분]하다; 〈방정식을〉 풀다: ~ an equation 방정식을 풀다 // (~+목+전+명) ~ fractions *to* their lowest terms 분수를 약분하다 **9** 〖외과〗 〈삔 뼈 등을〉 본디로 돌려 놓다, 정복(整復)하다 **10** 〖화학〗 환원시키다; 〈화합물을〉 분해하다 《*to*》; 〖물리〗 수정하다: (~+목+전+명) ~ a compound *to* elements 화합물을 원래의 원소로 환원시키다 **11** 〈소스·수프 등의〉 수분을 빼다, 조리다 **12** 〖야금〗 …을 정련하다; 〖사진〗 감력(減力)하다; 〖생물〗 감수 분열시키다 **13** 〖음성〗 〈음을〉 약화하다
— *vi.* **1** 줄다, 감소하다, 축소되다; 저하되다; 약해지다 **2** (절식 등으로) 체중을 줄이다: No more, thanks, I'm *reducing.* 이제 충분합니다, 감량 중이니까요. **3** 변화하다; 동등해지다; (분류 결과) …로 되다, 정리되다 《*to*》 **4** 〖생물〗 감수 분열하다
re·dúc·i·ble *a.* **re·dúc·i·bly** *ad.*
re·duced [ridjú:st | -djú:st] *a.* **1** 줄인, 축소한, 감소한; 할인한: at a ~ price 할인 가격으로 **2** 영락한, 몰락한; 쇠약한: in ~ circumstance 몰락[영락]하여 **3** 〖화학〗 환원한
redúced máss 〖기계〗 환산(換算) 질량
redúced páid-up insúrance 〖보험〗 납입필 보험
re·duc·er [ridjú:sər | -djú:s-] *n.* 변형[축소]하는 것[사람]; 〖화학〗 환원제; 〖사진〗 감력액(減力液); (페인트의) 희석액, 시너
re·duc·ing [ridjú:siŋ | -djú:s-] *n.* Ⓤ (감식(減食)·약제 등에 의한) 체중 감량법
redúcing àgent 〖화학〗 환원제
redúcing glàss 〖광학〗 축소 렌즈
re·duc·tant [ridʌ́ktənt] *n.* 〖화학〗 환원제
re·duc·tase [ridʌ́kteis, -teiz] *n.* 〖생화학〗 환원효소
redúctase tèst 환원 효소 시험 《우유의 세균 검사》
re·duc·tio ad ab·sur·dum [ridʌ́ktiòu-æd-æbsɔ́:rdəm, -zɔ́:r-, -ʃiòu-] [L = reduction to absurdity] 〖논리〗 귀류법(歸謬法), 배리법(背理法), 간접 증명법; (부조리에 이를 정도의) 공연한 토론, 의론

thesaurus **reduce** *v.* **1** 줄이다 lessen, make smaller, lower, diminish, decrease, curtail, contract, shorten, abbreviate, alleviate, abate (opp.

의 지나친 전개, 극단적인 예(extreme case)

re·duc·tion [ridʌ́kʃən] *n.* **1 a** ⓊⒸ 축소, 삭감; 감소; 할인; 축사(縮寫); 축도(縮圖): ~ in[of] the power of the church 교회 세력의 축소/Do you make any ~ for cash? 현금이라면 할인해 줍니까? **b** Ⓤ 저하, 하락; 격하 **2** Ⓤ 변형, 정리, 단순화 **3** 적합, 적응 **4** 항복, 귀순, 함락 **5** Ⓤ 〚수학〛 약분, 환산; 〚화학〛 환원법; 〚외과〛 복위, 정복(술); 〚논리〛 환원법; Ⓤ 〚천문〛 수정 《관측 중의 오차의 보정(補正)》; ⓊⒸ 〚생물〛 감수 분열 **6** 〚컴퓨터〛 (데이터의) 정리

~ ***to absurdity*** = REDUCTIO AD ABSURDUM

redúction divìsion 〚생물〛 감수 분열

redúction fòrmula 〚수학〛 환원[환산] 공식

redúction gèar 〚기계〛 감속 기어

re·duc·tion·ism [ridʌ́kʃənìzm] *n.* Ⓤ 〚생물〛 환원주의 《생명 현상은 물리학적·화학적으로 모두 설명될 수 있다는 주장》; 〚논리〛 환원주의; (경멸) 지나친 단순화 (지향) **-ist** *n., a.* **re·dùc·tion·ís·tic** *a.*

redúction potèntial 〚물리·화학〛 환원 전위(電位)

redúction ràtio 축률(縮率) 《원판에 대한 마이크로필름의 축소율》

re·duc·tive [ridʌ́ktiv] *a.* **1** 감소하는 **2** 복원[환원]하는 **3** minimal art의

— *n.* 감소[환원]시키는 것 **~·ly** *ad.* **~·ness** *n.*

re·duc·tiv·ism [ridʌ́ktivìzm] *n.* **1** = MINIMAL ART **2** = REDUCTIONISM **-ist** *n.*

re·duc·tor [ridʌ́ktər] *n.* 〚화학〛 환원 장치

re·dun·dan·cy, -dance [ridʌ́ndəns(i)] *n.* (*pl.* **-cies**; **-dan·ces**) ⓊⒸ **1** 여분, 과잉(물) **2** 쓸데없는 말, 장황 **3** 〚우주과학〛 중복성 **4** 〚언어〛 잉여성 **5** (주로 영) 실업, 일시 해고 **6** 잉여 인원

redúndancy chèck 〚컴퓨터〛 중복 검사 《여분의 비트를 부가하여 잘못을 검출하기》

redúndancy pàyment (영) (잉여 노동자 해고 시의) 퇴직 수당

re·dun·dant [ridʌ́ndənt] *a.* **1** 〈표현이〉 말이 많은, 장황한 **2** 여분의, 과다한(superfluous) **3** 매우 풍부한, 남아도는: lush, ~ vegetation 울창하고 무성한 식물 **4** 〚공학〛 〈구조가〉 여재(餘材)를 갖는; 초정압(超靜壓)의 **5** 〚언어〛 잉여적인, 예측 가능한 **6** 〚컴퓨터〛 중복된 **7** (주로 영) 잉여의 〈노동자〉; (일시) 해고된: He was made ~. 그는 해고됐다. **~·ly** *ad.*

redúndant chèck 〚컴퓨터〛 = PARITY CHECK

redúndant vérb 〚문법〛 이중 변화 동사 《과거형이 2개 이상인 동사: hang, wake 등》

redupl. reduplicate; reduplication

re·du·pli·cate [ridjú:plikèit | -djú:-] *vt.* **1** 이중으로 하다, 배가하다, 되풀이하다: These cells are able to ~ themselves. 이 세포들은 자가 분열할 수 있다. **2** 〚문법〛 〈문자·음절을〉 중복하다; 음절을 중복하여 〈파생어·활용형·변화형을〉 만들다

— [-kət, -kèit] *a.* **1** 반복[중복]한, 배가한 **2** 〚식물〛 〈꽃잎 등의 끝이〉 밖으로 젖혀진 **-cà·tive** *a.*

re·du·pli·ca·tion [ridjù:plikéiʃən | -djù:-] *n.* ⓊⒸ **1** 배가; 반복 **2** 〚문법〛 (어두·음절의) 중복

re·dux [ridʌ́ks] *a.* [명사 뒤에서] 돌아온: the Victorian era ~ 돌아온 빅토리아 시대

red·u·zate [rédʒuzèit] *n.* 〚지학〛 환원성 퇴적물 《석탄·석유 등의》

red·ware [rédwɛ̀ər] *n.* (미) 산화철을 많이 함유한 질그릇

red·wa·ter [rédwɔ̀:tər] *n.* 〚수의학〛 (소의) 적뇨증

réd wíne 붉은 포도주, 적포도주

red·wing [-wìŋ] *n.* 〚조류〛 **1** 개똥지빠귀의 일종 **2** = RED-WINGED BLACKBIRD

réd-winged bláckbird [-wìŋd-] 〚조류〛 붉은어깨검정새 《북미의 소택지에 많음》

increase, enlarge) **2** (비용을) 삭감하다 cheapen, cut, mark down, discount, slash **3** (지위 등을) 낮추다 demote, downgrade, humble

red·wood [-wùd] *n.* 〚식물〛 아메리카삼나무; Ⓤ 《일반적으로》 적색 목재

Rédwood Nátional Párk 레드우드 국립 공원 《California주 북서부, 태평양 연안의 redwood의 숲》

réd wòrm 〚동물〛 = BLOODWORM; 《특히》 실지렁이

re·dye [ridái] *vt.* 다시 염색하다

red-yel·low [-jélou] *a.* 주황색의

réd zóne 위험[출입 금지] 구역; (미·속어) 〚미식축구〛 레드존 《상대측 20야드 라인 안쪽》

ree [rí:] *n.* = REEVE[3]

Ree·bok [rí:bʌ̀k | -bɔ̀k] *n.* 리복 《스포츠 용품; 상표명》

re·ech·o [rì:ékou] *vt., vi.* 다시 반향하다, 울려 퍼지다 — *n.* (*pl.* **~es**) 반향의 되울림

reed [rí:d] *n.* **1** 〚식물〛 **갈대**; 갈대밭; [*pl.*] (영) (지붕 이는) 마른 갈대 (이엉): ~ shaken with the wind 바람에 흔들리는 갈대; 줏대가 없는 사람/a thinking ~ 생각하는 갈대; 「인간」 **2** (시어) 갈대 피리, 목적(牧笛); 목가; 화살 **3** (베틀의) 바디 **4** 〚음악〛 리드, (악기의) 혀; [the ~s] 리드 악기(부)(= ~ instrument) ***a broken*** [***bruised***] **~** 〚성서〛 부러진[상한] 갈대; 믿을 것이 못되는 사람[것] ***lean on a*** ~ 하찮은[시시한] 것[사람]을 믿다

— *vt.* **1** 〈집·지붕을〉 갈대로 이다 **2** 〈갈대·짚을〉 이엉으로 쓰다 **3** 갈대로 꾸미다 **4** 〈악기에〉 혀를 달다 **~·like** *a.*

reed·bird [rí:dbə̀:rd] *n.* = BOBOLINK

re·ed·i·fy [rì:édəfài] *vt.* (**-fied**) = REBUILD

reed·ing [rí:diŋ] *n.* **1** 〚건축〛 세로홈 **2** (동전·메달 가장자리의) 깔쭉깔쭉함

réed ìnstrument 리드 악기 《reed가 있는 bassoon, clarinet, oboe 등의 목관 악기》

re·ed·it [rì:édit] *vt.* 다시 편집하다, 개정하다

re·e·di·tion [rì:idíʃən] *n.* 개정판

réed màce (영) 〚식물〛 부들(cattail)

reed·man [rí:dmæ̀n] *n.* (*pl.* **-men** [-mèn]) 리드(악기) 주자

réed òrgan 리드 오르간 《파이프를 사용하지 않고 리드를 사용한 소형 오르간》

réed pìpe **1** (파이프 오르간의) 리드관, 설관(舌管) **2** 갈대 피리, 목적(牧笛)

réed rèlay 〚전기〛 리드 계전기(繼電器) 《전화 교환 시스템용》

réed stòp (오르간의) 리드 음전(音栓)

re·ed·u·cate [rì:édʒukèit | -dju-] *vt.* 재교육하다; 〈신체장애자 등을〉 특별 교육하다

rè·èd·u·cá·tion *n.* Ⓤ 재교육

réed wàrbler 〚조류〛 개개비 《특히 유럽산(産)》

reed·y [rí:di] *a.* (**reed·i·er**; **-i·est**) **1** 〈장소가〉 갈대가 많은, 갈대가 무성한: a ~ marsh 갈대가 무성한 습지 **2** (시어) 갈대로 만든 **3** 갈대 같은; 호리호리한: ~ grass 갈대 같은 풀 **4** 갈대 피리 소리 같은; 〈목소리가〉 새된 **réed·i·ly** *ad.* **réed·i·ness** *n.*

reef[1] [rí:f] *n.* (*pl.* **~s**) **1** 암초, 초(礁); 모래톱: a coral ~ 산호초/strike a ~ 좌초하다 **2** 〚광산〛 광맥 **3** (위험한) 장애물 **réef·y** *a.*

reef[2] *n.* (*pl.* **~s**) 〚항해〛 (돛의) 축범부(縮帆部) ***take in a*** **~** 돛을 줄이다; 〈재정 등을〉 긴축하다; 조심하여 나아가다, 신중을 기하다

— *vt.* 〈돛을〉 줄이다; 축범하다 ~ one***'s sails*** 활동 범위를 좁히다, 노력을 덜하다

reef·er[1] [rí:fər] *n.* **1** 축범하는 사람; (구어) 축범 담당자 《해군 소위 후보생(midshipman)의 별명》 **2** 리퍼(= **réefing jácket**) 《보통 튼튼하고 푸른 천으로 만든 더블 재킷》 **3** = REEF KNOT

reefer[2] *n.* (속어) **1** 마리화나(marihuana)를 넣은 궐련 **2** 마리화나 담배를 피우는 사람

reefer[3] *n.* (미·구어) (대형) 냉장고, 냉장[냉동] 트럭[차], 냉장선

réefer wèed (미·속어) 마리화나

réef knòt (영) 〚항해〛 = SQUARE KNOT

réef pòint 〖항해〗 축범삭(索) 《돛을 말아 올려 매는》
reek [ríːk] *n.* Ⓤ **1** 악취; 악취가 나는 공기: the ~ of decaying vegetables 썩어 가는 야채의 악취 **2** 《주로 방언》 김, 증기; 연기: the warm ~ of food 음식에서 나는 따뜻한 김
— *vi.* **1** 악취를 풍기다, …냄새가 나다 《*of, with*》: 《~+전+명》 ~ *with* sweat 땀내가 나다 / ~ *of* blood 피비린내 나다 **2** (불쾌함 등의) 기미가 있다 《*with, of*》: 《~+전+명》 ~ *of* affectation 몹시 잘난 체하다, 으스대다 / ~ *of* murder 살기를 띠고 있다 / He ~*s with* flattery. 그는 아첨하는 경향이 있다. **3** 《주로 방언》 연기 나다; 김을 내다 **4** 피를 뿜다, 피[땀]투성이가 되다 《*with*》
— *vt.* **1** 〈연기·냄새 등을〉 발하다, 내다 **2** …을 (연기로) 그슬리다 **~·er** *n.* **réek·y** *a.*
‡**reel**[1] [ríːl] *n.* **1** 릴, 얼레, (실 감는) 실패, 자새 **2** (기계의) 회전 부분 **3** (케이블·필름 등의) 감는 틀, 스풀; (낚싯대의 손잡이 쪽에 다는) 릴 **4** 틀에 감은 필름; 〖영화〗 권(卷) 《보통 1권은 1,000 ft 또는 2,000 ft》
(***straight***[***right***]) ***off the*** ~ 〈실 등이〉 줄줄 풀려; 《구어》 〈말 등이〉 연달아 거침없이; 바로, 그 자리에서
— *vt.* **1** 〈실을〉 얼레[물레, 틀]에 감다, 잣다: 《~+목+전+명》 ~ silk *in* a frame 명주실을 얼레에 감다 **2** (고치로부터) 실을 뽑다 《*off*》: 《~+목+전+명》 ~ silk *off* cocoons 고치에서 명주실을 자아내다 **3** 〈물고기·낚싯줄·실·측정선(測程線) 등을〉 릴[얼레]로 감아 끌어당기다 《*in, up*》: 《~+목+부》 ~ a fish *in*[*up*] 릴을 감아 물고기를 끌어올리다
— *vi.* 릴로 감아 올리다
~ ***it in*** 《미·속어》 [You ~] (사람을) 보기 좋게 낚다
~ ***off*** 〈고치에서 실 등을〉 켜[뽑아]내다; 거침없이[술술] 이야기하다[쓰다], 노상 지껄이다: The old sailor ~*ed off* one story after another. 늙은 선원은 잇따라서 술술 이야기했다. ~ ***out*** 〈실을〉 풀어내다
~·a·ble *a.* **~·er** *n.*
reel[2] *n.* **1** 비틀거림, 갈지자걸음(stagger) **2** 현기증 ***without a ~ or a stagger*** 비틀거리지 않고
— *vi.* **1** 비틀거리다, 갈지자걸음으로 걷다 《*about, along*》 **2** 〈전열(戰列)이〉 동요하기 시작하다; 〈산 등이〉 진동하는 것처럼 보이다 **3** 〈광경이〉 빙빙 도는 것처럼 보이다: Everything ~*ed* before his eyes. 모든 것들이 그의 눈 앞에서 빙빙 도는 것 같았다. **4** 현기증을 일으키다: His brain ~*ed*. 그는 어질어질했다. — *vt.* …을 비틀거리게 하다, 어지럽게 하다
~·ing·ly *ad.*
reel[3] *n.* 릴 《스코틀랜드 고지 사람의 경쾌한 춤》; 그 곡 — *vi.* 릴 춤을 추다
∗**re·e·lect** [rìːilékt] *vt.* 재선하다: The committee voted to ~ him (as) chairman. 위원회는 투표로 그를 재선임하였다. **rè·e·léc·tion** *n.*
re·el·i·gi·ble [riːélidʒəbl] *a.* 재선[재임명]될 자격이 있는 **rè·el·i·gi·bíl·i·ty** *n.*
reel·man [ríːlmæ̀n] *n.* (*pl.* **-men** [-mèn]) 《호주》 구명 밧줄을 감는 릴 조작원 《해수욕장의 구조대의 일원》
reel-to-reel [ríːltəríːl] *a.* 〈테이프 녹음기가〉 오픈 릴식의: a ~ tape recorder 오픈릴식 테이프 녹음기
re·em·bark [rìːimbάːrk] *vt., vi.* 재승선[재탑승]시키다[하다], 다시 탑재[적재]하다 **-bar·ká·tion** *n.* Ⓤ
re·em·bod·y [rìːimbάdi | -bɔ́di] *vt.* (**-bod·ied**) 다시 형성[편성]하다
re·em·broi·der [rìːimbrɔ́idər] *vt.* 〈레이스 따위를〉 특별한 자수로 장식하다
re·e·merge [rìːimə́ːrdʒ] *vi.* 다시 나타나다, 재출현하다 **rè·e·mér·gence** *n.* **-gent** *a.*
re·em·pha·size [rìːémfəsàiz] *vt.* 다시 강조[역설]하다 **-sis** *n.*
re·em·ploy [rìːimplɔ́i] *vt.* …을 재고용하다 **~·ment** *n.*
re·en·act [rìːinǽkt] *vt.* **1** 다시 제정하다, 다시 법률로 정하다 **2** 재연하다; 〈이전의 일·사건을〉 재현하다 **~·ment** *n.* Ⓤ 재제정; 재연; 재현

re·en·force [rìːinfɔ́ːrs] *v., n.* 《미》 = REINFORCE **~·ment** *n.*
re·en·gine [rìːéndʒin] *vt.* 〈선박 등에〉 새 엔진을 달다
re·en·gi·neer [rìːendʒiníər] *vt.* 재설계하다, 개량하다
re·en·gi·neer·ing [rìːendʒiníəriŋ] *n.* 〖경영〗 조직 재충전, 리엔지니어링 《사업 과정을 혁신적으로 재설계하고 그것을 고유 기능이 무시된 혼성 팀이 수행하도록 하는 경영 전략》
re·en·list [rìːinlíst] *vi.* 재입대하다
— *vt.* 재모집하다, 다시 입대시키다 **~·ment** *n.*
∗**re·en·ter** [rìːéntər] *vt.* **1** …에 다시 들어가다: The spacecraft ~*ed* the atmosphere. 우주선은 대기권에 재돌입했다. **2** …에 다시 가입하다 **3** (표·명부·계산서 등에) 다시 기입(記入)하다 **4** 〖조각〗 〈선명하지 않은 선을〉 더 깊이 파다
— *vi.* **1** 다시 들어가다; 다시 입국[입장]하다; 다시 가입하다 **2** 〖법〗 다시 소유권을 얻다 **3** 〈우주선이〉 대기권으로 재돌입하다
re·en·ter·a·ble [rìːéntərəbl] *a.* 〖컴퓨터〗 재입(력) 가능한
re·én·ter·ing àngle [rìːéntəriŋ-] 요각(凹角)
reéntering pòlygon 요(凹)다각형
re·en·trance [rìːéntrəns] *n.* = REENTRY
re·en·trant [rìːéntrənt] *a.* **1** 다시 들어가는 **2** 오목한, 안쪽으로 굽은 **3** 〖축성〗 요각(凹角)의(opp. *salient*) **4** 〖컴퓨터〗 재진입의 — *n.* **1** 다시 들어가는 것[사람]; 안으로 향하고 있는 것[사람] **2** 요각
reéntrant àngle = REENTERING ANGLE
re·en·try [rìːéntri] *n.* ⓊⒸ **1** 다시 들어감[넣음]; 재입국, 재입장 **2** (인공위성·로켓 등의 대기권에의) 재돌입 **3** 〖법〗 (부동산의) 재점유, 부동산 점유 회복 **4** 〖카드〗 리드를 되찾을 수 있는 카드 패: a card of ~ 리드당한 것을 만회할 수 있는 높은 점수의 카드 **5** 《속어》 마약 도취 상태에서 깨어남
reéntry còrridor 〖로켓〗 (우주선의) 재돌입 통로
reéntry dràft 〖야구〗 리엔트리 드래프트 《자유 계약 선수(free agent)를 대상으로 하는 드래프트》
reéntry vèhicle (우주선 등의) 지구 대기권 재돌입체 《略 RV》
re·e·quip [rìːikwíp] *vt., vi.* 재장비하다[시키다]
re·e·rect [rìːirékt] *vt.* 다시 세우다
∗**re·es·tab·lish** [rìːistǽbliʃ] *vt.* **1** 재건하다 **2** 복직[복위]시키다 **3** 복구하다; 부흥하다(restore); 회복하다 **~·ment** *n.*
re·es·ti·mate [rìːéstəmèit] *vt., vi.* 재견적[재평가]하다 — *n.* 재견적, 재평가
re·e·val·u·ate [rìːivǽljuèit] *vt.* 재평가하다
reeve[1] [ríːv] *n.* **1** 〖영국사〗 지방 행정관, 원님(cf. SHERIFF); 하급 지방관 **2** 《캐나다》 의장 《읍·면의회의》 **3** 〖광산〗 광부 감독
reeve[2] *vt.* (**~d, rove** [róuv]) **1** 〖항해〗 〈밧줄을 구멍 등에〉 꿰다 《*through*》 **2** 〈밧줄·실 등을〉 뚫고 나가게 하다 **3** 구멍에 꿰어 매다 《*in, on, round, to*》 **4** 〈배가 여울이나 부빙군(浮氷群) 등의 사이를〉 요리조리 피하여 나아가다
reeve[3] *n.* 〖조류〗 목도리도요의 암컷(cf. RUFF[1])
re·ex·am [rìːigzǽm] *n.* 《구어》 재시험, 재검사, 재심사(reexamination)
re·ex·am·ine [rìːigzǽmin] *vt.* **1** 재시험[재검토, 재검사]하다 **2** 〖법〗 〈증인을〉 (반대 심문 후에) 재심문하다 **rè·ex·àm·i·ná·tion** *n.*
re·ex·change [rìːikstʃéindʒ] *n.* **1** Ⓤ 〖상업〗 역환어음(redraft) **2** ⓊⒸ 재교환, 재교역
re·ex·port [rìːekspɔ́ːrt, ⌐⌐⌐] 〖상업〗 *vt.* 〈수입품을〉 재수출하다 — [⌐⌐⌐] *n.* **1** = REEXPORTATION **2** ⓊⒸ 재수출품; [주로 *pl.*] 재수출고
re·ex·por·ta·tion [rìːekspɔːrtéiʃən] *n.* Ⓤ 재수출

thesaurus **referee** *n.* umpire, judge, arbitrator
reference *n.* **1** 참고, 언급 citation, mention, allu-

ref [réf] *n.* 《구어》 (경기의) 심판관(referee)
ref. referee; reference; referred; reformation; reformed; reformer; refund
re·face [rìːféis] *vt.* **1** 〈건물·돌 등의〉 겉을 개장(改裝)하다 **2** 〈옷의〉 안단을 새로 갈다
re·fash·ion [rìːfǽʃən] *vt.* **1** 고쳐 만들다, 개조[개장]하다 **2** 꾸밈새를 바꾸다, 모양[배치]을 달리하다 **~·ment** *n.*
re·fas·ten [rìːfǽsn | -fɑ́ː-] *vt.* 다시 고정시키다[잠그다]
Ref. Ch. Reformed Church
re·fect [rifékt] *vt.* 《고어》 (음식물로) 기운나게 하다
re·fec·tion [rifékʃən] *n.* **1** Ⓤ 원기 회복 《음식에 의한》 **2** 식음, 식사; Ⓒ 간단한 식사, 간식 **3** Ⓤ 기분 전환, 위안, 휴양 **re·fec·to·ri·al** [rìːfektɔ́ːriəl] *a.*
re·fec·to·ry [riféktəri] *n.* (*pl.* **-ries**) (특히 수도원·수녀원·대학 등의) 식당(dining room); 다실, 휴게실
reféctory tàble (refectory에서 쓰는) 튼튼하고 묵직한 다리가 있는 길쭉한 사각형 식탁; 양끝을 접을 수 있는 길쭉한 식탁
‡**re·fer** [rifə́ːr] [L 「도로 날라오다」의 뜻에서] *v.* (**~red**; **~·ring**) *vt.* **1 a** 〈…을〉 〈…에게〉 **알아보도록 하다**, 조회하다: (~+목+전+명) He *~red* me *to* the secretary *for* information. 그는 나한테 비서에게 문의하라고 했다. **b** 〈서적 등을〉 참조하게 하다: (~+목+전+명) ~ a student *to* a dictionary 학생에게 사전을 찾아보게 하다 **2** 〈사실 등에〉 주목하게 하다 《*to*》: (~+목+전+명) The asterisk *~s* the reader *to* a footnote. 별표(*)는 독자에게 각주를 보라는 뜻이다. **3** 〈사건·문제 등을〉 **위탁[부탁]하다**, 맡기다, 회부하다 《*to*》: (~+목+전+명) ~ a bill *to* a committee 의안을 위원회에 회부하다 **4** 〈이유·원인·기원 등을〉 …**에 돌리다**, 귀착시키다, …의 탓으로 하다(attribute) 《*to*》; 〈어떤 종류·장소·시대 등에〉 속하는 것으로 하다 《*to*》: (~+목+전+명) ~ one's victory *to* Providence 승리를 천우신조에 돌리다 / This picture is *~red to* the sixth century. 이 그림은 6세기 것으로 되어 있다.
—*vi.* **1 지시하다**, 나타내다; 주목시키다 《*to*》: (~+전+명) The asterisk *~s to* a footnote. 별표는 각주의 표시이다. **2 참고[참조]하다**; (메모 등에) 의지하다; (사전을) 조사하다 《*to*》: (~+전+명) ~ *to* one's watch *for* the exact time 정확한 시간을 알려고 시계를 보다 / ~ *to* a dictionary 사전을 찾아보다 **3 언급하다**, 입 밖에 내다 《*to*》; 인용하다; (…을 …이라고) 부르다 《*to, as*》: (~+전+명) Don't ~ *to* the matter again. 그 일을 다시는 입 밖에 내지 마라.

> 유의어 **refer** 남의 주의·관심을 끌기 위해 직접적으로 분명히 어떤 사람·사물의 이름을 들다, 또는 그것에 대해 언급하다: He didn't *refer* to that point. 그는 그 점에는 언급하지 않았다. **allude** 에둘러서, 또는 넌지시 언급하다: *allude* to a person's impoliteness …가 예의 없다는 것을 넌지시 말하다

4 (특히 인물·기능 등에 관하여) **문의하다, 조회하다**: (~+전+명) ~ *to* a former employer *for* a character 인적 사항을 전 고용주에게 문의하다 **5 관련되다**, 적용되다 《*to*》: (~+전+명) This rule *~s to* this case. 이 규칙은 이 경우에 적용된다. **6** 〚문법〛 〈대명사가 명사 등을〉 가리키다, 받다 《*to*》
~ one***self to*** …에게 의탁[의존]하다, 몸을 맡기다 **~ *to*** a person ***as*** …을 …이라고 부르다 ***R~ to drawer.*** 〚상업〛 발행인 회부. 《은행에서 예금 잔고 없이 발행된 수표에 기입하는 문구; 略 R.D.》
~·a·ble *a.* **re·fér·rer** *n.*
▷ réference *n.*; referéntial *a.*

sion, hint **2 관련** regard, respect, relation, application, relevance, connection

***ref·er·ee** [rèfəríː] *n.* **1** (경기·시합의) **심판원**, 레퍼리 《주로 농구·축구·하키·럭비·권투·레슬링 등의》 **2** (문제 해결을) 위임받은 사람 **3** 《영》 신원 조회처; 신원 보증인 **4** 〚법〛 중재인, 조정자 **5** 논문 심사 위원; (장학금의) 심사원
—*vt., vi.* …의 중재를 하다, 심판하다
referée's assìstant = ASSISTANT REFEREE
réferee stóp cóntest 〚권투〛 레퍼리 스톱 시합 《아마추어 권투에서 심판이 더 이상의 시합 속행을 중지시키고 한쪽의 KO승을 선언함; 略 RSC》
‡**ref·er·ence** [réfərəns] *n.* **1** Ⓤ,Ⓒ (서적 등의) **참조**, 대조 《*to*》: a library for ~ 참고 도서관 / for (one's) ~ 참고를 위한[위하여] **2 a** (인물·기량 등에 관한) **문의**, 조회 《*to*》 **b** 신용[신원] 조회처, 신원 보증인: a banker's ~ 은행의 신용 증명서 **3** Ⓤ **언급**, 논급 《*to*》: make ~ *to* …에 언급하다 **4** Ⓤ **관련**, 관계 《*to*》: have[bear] ~ *to* …에 관계가 있다 **5** 신원[신용] 증명서[조회서], 추천서 **6** Ⓤ (위원회 등에의) 위탁, 위임 《*to*》; 위탁의 범위: terms of ~ 위탁 조건, 권한 **7** Ⓒ 〚문법〛 〈대명사가〉 가리킴, 받음: backward[forward] ~ 앞[뒤]의 어구를 받음 **8** 참조문, 인용문; 참고 문헌[도서] **9** = REFERENCE MARK **10** (계측·평가의) 기준: a point of ~ 평가[판단] 기준
in [***with***] **~ *to*** …에 관하여, …와 관련하여: I am writing to you *in* ~ *to* the job opening in your department. 귀 부서의 취직 자리와 관련하여 편지를 드립니다. ***without* ~ *to*** …에 관계 없이: all persons, *without* ~ *to* age 연령에 관계없이 모든 사람들
—*a.* Ⓐ 참고의, 참고용의
—*vt.* **1** 〈서적·논문 등에〉 참조표[참조 사항]를 달다; 참조문으로 인용하다 **2** 〈표 등에〉 참조하기 쉽도록 싣다
réference bèam 〚광학〛 (홀로그래피의) 참조파(波)
réference bíble 관주(貫珠) 성서 《난외에 다른 부분에의 참조를 표시한 것》
réference bòok 1 참고서, 참고 도서 《사전·지도 등》 **2** (대출 금지의) 관내 열람 도서 **3** 《남아공》 (백인 이외의) 신분 증명서
réference eléctrode 〚물리·화학〛 조합(照合)[기준] 전극
réference gròup 〚사회〛 준거(準據) 집단, 관계 집단 《개인이 자기 태도·판단의 기준으로 여기는 특정 집단》
réference lìbrary 1 참고 도서관 《도서관 밖으로의 대출을 불허하는》 **2** 참고 도서류
réference lìne (좌표를 정하는) 기준선
réference màrk 참조 부호[기호] 《asterisk(*), obelisk(†), double obelisk(‡), paragraph(¶), section(§) 등》
réference pòint (판단·비교의) 기준점
réference sèrvice (도서관의) 참고 업무 《자료 조사·의뢰의 안내와 지도하기》
ref·er·en·da·ry [rèfəréndəri] *a.* 국민[일반] 투표의, 보통 선거의
ref·er·en·dum [rèfəréndəm] *n.* (*pl.* **-da** [-də], **~s**) **1** 국민 투표, 일반 투표 **2** (외교관이 본국 정부에 보내는) 훈령 요청서, 청훈서
ref·er·ent [réfərənt] *n.* 〚수사학·언어〛 (단어의) 지시 대상(물); 관계항 **—** *a.* 관계있는, 언급한 《*to*》
ref·er·en·tial [rèfərénʃəl] *a.* **1** 참고의, 참조의; 참고용의: a ~ mark 참조 부호 **2** 참조가 붙은 **3** 관계있는, 관련 있는 **4** 지시하는 **~·ly** *ad.*
referéntial méaning 〚언어〛 지시적 의미
re·fer·ral [rifə́ːrəl] *n.* **1** refer하기 **2** (진찰 후 환자 등을 다른 병원으로) 보내기; 면접 후 구직자를 구인처에 보내기 **3** 위탁[추천]된 사람
reférral fée 소개료
re·férred páin [rifə́ːrd-] 〚병리〛 관련통(關聯痛) 《실제의 환부와 떨어진 자리에서 느껴지는 통증》
ref·fo [réfou] *n.* (*pl.* **~s**) 《호주·구어》 《경멸》 (특히 나치 독일·구소련으로부터의) 망명 이주자, 이민

re·fill [riːfíl] *vt.* 다시 (꽉) 채우다, 보충하다
—*vi.* 다시 차다 **—** [ㅅ] *n.* **1** 새 보충물, 다시 채운 것(recharge); (볼펜 등의) 바꾸어 쓰는 심 **2** 《구어》 (음식물의) 두 그릇[잔]째: a ~ on the coffee 다시 채운 커피 **~·a·ble** *a.*

re·fi·nance [rìːfinǽns, riːfáinæns] *vt., vi.* **1** 〈국가·주·회사 등의〉 재정을 재건하다, …에 자금을 보충하다 **2** 〈회사채나 우선주를〉 상환하기 위해 증권류를 매각하다 **rè·fi·nán·cing** *n.*

***re·fine** [riːfáin] *vt.* **1** 정련[제련]하다; 정제하다; 깨끗하게 하다, 맑게 하다(clarify), …에서 불순물을 제거하다: ~ iron ore 철광석을 정련하다 **2** 〈말·태도 등을〉 품위 있게[우아하게] 하다, 세련하다, 풍취[아취] 있게 하다: ~ one's taste and manners 취미와 예의를 품위 있게 하다 **3** 〈문체 등을〉 닦다(polish)
—*vi.* **1** 순수해지다, 맑아지다 **2** 세련되다, 품위 있게[우아하게] 되다 **3** 세밀히 구별하다; 상세히 논술하다 《*on, upon*》 **~ *on* [*upon*]** …을 개량하다, 연마하다
re·fín·a·ble *a.* **re·fín·er** *n.* ▷ refínement *n.*

***re·fined** [riːfáind] *a.* **1** 정제[정련]된 **2** 세련된, 품위 있는, 우아한(⇨ delicate 유의어) **3** 미묘한, 정묘한, 정교한; 엄정한, 정확한: ~ distinctions 엄밀한 구별 **~·ly** *ad.* **~·ness** *n.*

***re·fine·ment** [riːfáinmənt] *n.* Ⓤ **1** 세련, 고상, 우아: a man of ~ 고상한 사람 **2** 세련된 태도[취미] **3** 정제, 정련; 순화, 정화 **4** 미세한 점, 세밀한 구별: ~*s* of cruelty 계획적으로 세밀하게 꾸며진 잔학한 짓/a ~ of logic 논리의 치밀한 점 **5** 섬세한 고안; 개선, 개량; 진보, 극치 ▷ refíne *v.*

***re·fin·er·y** [riːfáinəri] *n.* (*pl.* **-er·ies**) 정제[정련]소, 정련 장치[기구] ▷ refíne *v.*

re·fin·ish [rìːfíniʃ] *vt.* 〈목재·가구 등의〉 표면을 다시 끝손질하다 **~·er** *n.*

re·fit [rìːfít] *v.* (**~·ted**; **~·ting**) *vt.* 수리[수선]하다; 〈배 등을〉 재(再)장비[개장(改裝), 수리]하다
—*vi.* 〈특히 배가〉 수리를 받다, 재장비되다, 개장되다, 보급을 받다: The ship has come in to ~. 그 배는 수리받기 위해 입항했다.
—*n.* (특히 배의) 수리, 개장 **~·ment** *n.*

refl. reflection; reflective; reflex(ive)

re·flag [rìːflǽg] *vt.* (분쟁 지역에서의 보호를 위해) 〈상선의〉 선적(船籍)을 변경하다 **~·ging** *n.*

re·flate [riːfléit] *vt.* 〈통화·신용 등을〉 다시 팽창시키다(cf. INFLATE, DEFLATE)
—*vi.* 〈정부 등이〉 통화의 재팽창 정책을 취하다

re·fla·tion [riːfléiʃən] *n.* Ⓤ 〖경기〗 (통화 수축 후의) 통화 재팽창, 리플레이션(⇨ inflation 유의어)

re·fla·tion·ar·y [rifléiʃənèri | -ʃənəri] *a.* 〖경제〗 경기 부양의, 리플레이션적인: ~ measures 경기 부양책

‡**re·flect** [riflékt] [L 「뒤로 굴절하다」의 뜻에서] *vt.* **1** 반사하다, 반향하다 《*back, off*》: ~ heat[light] 열[빛]을 반사하다 **2** 〈거울 등이 상을〉 비치다: A mirror ~*s* your face. 거울은 얼굴을 비친다. **3** 〈신용·불명예 등을〉 초래하다: (~+목+전+명) His success ~*ed* credit *on* his parents. 그가 성공함으로써 그의 부모의 신망이 두터워졌다. **4** 반영하다, 나타내다: followers ~*ing* the views of the leader 지도자와 같은 견해를 갖고 있는 추종자들 **5** 반성하다, 곰곰이 생각하다: (~+***that*** 절) He ~*ed that* it was difficult to solve the problem. 그는 그 문제를 해결하는 것은 어렵다고 생각했다. // (~+***wh.*** 절) Just ~ *how* fast time flies. 시간이 얼마나 빨리 흘러가는지 생각해 보시오. **6** 《고어》 딴 데로 빗나가게 하다, 스쳐가게 하다
—*vi.* **1** 반사하다, 반향하다 《*from*》: (~+전+명) light ~*ing from* the water 수면으로부터 반사되는 빛 **2** 〈수면 등이〉 반사시키다; 〈거울 등이〉 상을 비추다, 반영하다 **3** 곰곰이 생각하다, 숙고하다 《*on, upon*》: (~+전+명) ~ *on* oneself 반성하다/~ *on* one's virtues and faults 자기의 장단점을 곰곰이 생각하다 **4** 〈행위 등이〉 (나쁜) 영향을 미치다, 신용을 떨어뜨리다, 불명예를 초래하다, 체면을 손상시키다 《*on, upon*》; 비난하다, 중상하다, 헐뜯다 《*on, upon*》: (~+전+명) ~ *on* a person's honesty …의 성실성을 헐뜯다/His crime ~*ed on* the whole community. 그의 범죄 때문에 동네 전체의 명예가 손상되었다. **~·ing·ly** *ad.* 반성[숙고]하여; 반사적으로; 비난하여 ▷ refléction, refléxion *n.*; refléctive *a.*

re·flec·tance [rifléktəns] *n.* 〖물리·광학〗 반사율 《입사광과 반사광의 에너지의 비》

re·fléct·ed glóry [rifléktid-] 《경멸》 (타인의) 후광: She basked in the ~ of her father's success. 그녀는 아버지의 성공의 후광을 입었다.

re·fléct·ing tèlescope [rifléktiŋ-] 반사 망원경(reflector)

‡**re·flec·tion** | **-flex·ion** [riflékʃən] *n.* **1** Ⓤ **a** 반사; 반향: an angle of ~ 반사각 **b** 반영, 투영, 영향: Crime is a ~ of the health of society. 범죄는 사회의 건강 상태를 반영한다. **c** 반사광, 반사열, 반향음; (신경 등의) 반사 작용 **2 a** (거울 등의) 영상, (물 등에 비친) 그림자 **b** 《경멸》 남을 모방하는 사람, 아주 닮은 사람[언행, 사상] **3** Ⓤ 반성, 숙고 《*on, upon*》; 재고 **4** [종종 *pl.*] (숙고하여 얻은) 감상, 의견, 생각: ~*s* on his conduct 그의 행위에 대한 소견/with the ~*s* that …라고 생각하며 **5** 비난, 비방, 문책 《*on upon*》; 불명예, 체면 손상, 창피: be a ~ *on* …의 불명예가 되다 **6** 〖생리〗 (신경 등의) 반사 작용(reflex action) **7** ⓊⒸ 〖해부〗 반전(反轉)[굴절](부) ***cast* ~(*s*) *upon*** …을 비난하다, …의 불명예가 되다 ***on* [*upon*] ~** 숙고한 나머지; 잘 생각해 보니: At first I disagreed, but *on* ~, I realized they were right. 처음에는 동의하지 않았지만, 곰곰이 생각해 보니 그들이 옳다는 것을 알았다. ***without* (*due*) ~** (잘) 생각해 보지 않고, 경솔하게
~·al *a.* 반사의; 반성의, 숙고의 **~·less** *a.*
▷ refléct *v.*

refléction nèbula 〖천문〗 반사 성운(星雲)

refléction plàne 〖결정〗 반사 평면, 반사면

***re·flec·tive** [rifléktiv] *a.* **1** 반사하는; 반영하는: a ~ surface 반사면 **2** 〈동작이〉 반사적인, 상호 연관적인 **3** 반사에 의한, 투영된: ~ light 반사광 **4** 반성[숙고]하는, 묵상적인; 사려 깊은(⇨ pensive 유의어) **~·ly** *ad.* **~·ness** *n.* ▷ refléct *v.*

re·flec·tiv·i·ty [rìːflektívəti] *n.* **1** Ⓤ 반사력[성] **2** 〖물리·광학〗 = REFLECTANCE

re·flec·tom·e·ter [rìːflektɑ́mətər, riflèk- | -tɔ́m-] *n.* 〖광학〗 반사(율)계

re·flec·tom·e·try [rìːflektɑ́mətri, riflèk- | -tɔ́m-] *n.* 〖광학〗 반사(광) 측정

***re·flec·tor** [rifléktər] *n.* **1 a** 반사물[기(器)], 반사경[판(板)]; 반사면 **b** = REFLECTING TELESCOPE **2** (습관·감정·의견 등을) 반영하는 것 **3** 숙고자, 반성자; 비평가

re·flec·tor·ize [rifléktəràiz] *vt.* …을 빛이 반사하게 하다; [주로 과거분사로] …에 반사 장치를 만들다
re·flèc·tor·i·zá·tion *n.*

refléctor stúds 《영》 (도로의) 야간 반사 장치

re·flet [rəfléi] [F] *n.* 표면의 특별한 광휘; 도자기의 금속적 광택, 무지개색, 진줏빛

***re·flex** [ríːfleks] *a.* **1** 〖생리〗 반사 작용의, 반사적인 **2** 〈효과·영향 등이〉 반동적인; 역행하는, 재귀적인: the ~ consequence of inflation 인플레이션의 반동으로 일어나는 결과 **3** 〈빛 등이〉 반사된 **4** 〖식물〗 〈풀·줄기 등이〉 휘어진 **5** 〖통신〗 리플렉스 증폭(增幅) 장치의 **6** 반성하는; 내성적인 **7** 〖전자〗 반사형의

thesaurus **refined** *a.* **1** 정제된 purified, pure, clarified, clear, filtered, distilled, processed (opp. *crude, coarse, unrefined*) **2** 세련된 cultured, cultivated, civilized, polished, stylish, elegant, sophisticated, courtly, well-mannered, urbane
reflect *v.* **1** 반사하다, 비치다 throw back, cast

—*n.* **1** 〖생리〗 **a** 반사 행동(= ~ **àct**) **b** 반사 작용(= ~ **àction**): conditioned ~ 조건 반사 **2** [*pl.*] 재빨리 반응(하여 행동)하는 능력, (흔히 말하는) 반사 신경 **3** (빛·열의) 반사; 반사광 **4** (거울 등에 비친) 영상, 그림자; 반영 **5** 모방, 번안 **6** 〖언어〗 반영형, 대응형
—[rifléks] *vt.* **1** 반전시키다, 되접다, 휘게 하다 **2** 반사 작용을 일으키게 하다, 반사시키다 **3** 〖통신〗 …에 리플렉스 증폭 장치를 하다 **~·ly** *ad.* 반사하여; 반성하여; 반동적으로 **~·ness** *n.* ▷ refléxive *a.*
réflex ánal dilatàtion 〖의학〗 반사 항문 확장법
réflex ángle 〖수학〗 우각(優角)
réflex árc 〖생리〗 (신경 경로의) 반사호(弧), 반사궁(弓) 《충격이 통과하여 반사를 형성하는》
réflex cámera 〖사진〗 리플렉스형 카메라 ***twin*** [***single***] ***lens ~*** 이안(二眼)[단안(單眼)] 리플렉스 카메라
re·flexed [rifléKst] *a.* 〖식물〗 〈잎 따위가〉 뒤로 젖혀진; 밖으로 굽은
re·flex·i·ble [rifléksəbl] *a.* 〈빛·열 등이〉 반사될 수 있는, 반사성의 **re·flèx·i·bíl·i·ty** *n.*
re·flex·ion [riflékʃən] *n.* 《영》 = REFLECTION
re·flex·ive [rifléksiv] *a.* **1** 〖문법〗 재귀[반사]의: a ~ pronoun 재귀대명사 **2** 반응하는, 되돌아오는, 회상적인 **3** 반사성의 —*n.* 〖문법〗 재귀동사[대명사] 《*I wash myself.*에서 wash는 재귀동사, myself는 재귀대명사》 **~·ly** *ad.* **~·ness** *n.*
re·flex·i·vize [rifléksəvàiz] *vt.* 〈동사·대명사를〉 재귀적으로 하다
re·flex·ol·o·gy [rìfleksɑ́lədʒi | -ɔ́l-] *n.* 〖생리〗 반사학; 반사법 **-gist** *n.*
re·float [rìːflóut] *vt.* 〈침몰선·좌초선 등을〉 다시 떠오르게 하다, 끌어올리다, 암초에서 끌어내리다
—*vi.* 다시 떠오르다, 인양되다, 암초에서 벗어나다
re·flo·res·cent [rìːflɔːrésnt] *a.* 〈꽃이〉 다시 피는 **-cence** *n.*
re·flow [rìːflóu] *vi.* **1** 〈조수가〉 써다, 썰물이 되다; 역류[환류]하다 **2** 다시 밀어닥치다
— [스스] *n.* 썰물; 두 번째 범람[홍수]; 역류, 환류
re·flow·er [riːfláuər] *vi.* 〈꽃이〉 다시 피다
re·flu·ent [réfluənt, rəflúː- | réflu-] *a.* 〈조류·혈액 등이〉 빠지는, 퇴류[역류]하는 **réf·lu·ence** *n.*
re·flux [ríːflʌ̀ks] *n.* ⓊⒸ **1** 역류; 퇴조(退潮), 썰물: the flux and ~ of the tides 조수의 간만; (비유) 인생의 영고성쇠 **2** 〖화학〗 환류(액)
re·fo·cus [riːfóukəs] *vt.* 〈렌즈의〉 초점을 다시 맞추다
re·fold [rifóuld] *vt.* 다시 접다, 접은 상태로 되돌리다
re·foot [rìːfút] *vt.* 〈양말 등의〉 바닥을 갈아 대다
re·for·est [rìːfɔ́ːrist | -fɔ́r-] *vt.* 다시 나무를 심다, 재조림하다 **rè·fòr·es·tá·tion** *n.*
re·forge [rifɔ́ːrdʒ] *vt.* 〈쇠 따위를〉 다시 불리다; 고쳐 만들다
re·form [rìːfɔ́ːrm] *vt.* **1** 다시[고쳐] 만들다 **2** 재편성[개편]하다 —*vi.* 다시 만들어지다, 새로운 형태가 되다; 재편성[개편]되다
‡**re·form** [rifɔ́ːrm] *vt.* **1** 〈제도 등을〉 개정[개혁, 개선]하다: ~ a system 제도를 개혁하다 **2** 개심(改心)시키다; 〈남의 행위를〉 교정(矯正)하다: ~ oneself 개심하다 / a ~*ed* criminal 교정된[개심한] 범죄자 **3** 〈폐해·혼란 등을〉 시정[구제]하다, 제거하다 **4** 〖미국법〗 〈법률 문서를〉 수정[정정]하다(correct): ~ the criminal codes 형법을 개정하다
—*vi.* **1** 개선[개혁, 교정]되다 **2** 개심하다
—*n.* ⓊⒸ **1** (사회·제도·정치 등의) 개정, 개혁, 개선: social ~ 사회 개혁 **2** 구제, 교정, 개심 **3** (개개의) 개선, 정정; (폐단 등의) 제거, 일소
—*a.* Ⓐ **1** 개혁의 **2** [**R~**] 개혁파 유대교의
~·a·ble *a.* ▷ reformátion *n.*; refórmative *a.*
Refórm Àct [the ~] 〖영국사〗 영국 선거법 개정법 《1800년대의》
re·for·mat [rifɔ́ːrmæt] *vt.* (**~·ted**; **~·ting**) …에 서식을 다시 설정하다; 〖컴퓨터〗 〈데이터 따위를〉 재(再)초기화하다
re·for·mate [rifɔ́ːrmeit, -mət] *n.* (개선된) 석유 생산 《옥탄가를 높인》
re-for·ma·tion [rìːfɔːrméiʃən] *n.* ⓊⒸ 재형성, 개조, 개장(改裝), 재구성, 재편성
***ref·or·ma·tion** [rèfərméiʃən] *n.* **1 a** ⓊⒸ 개선, 개혁, 혁신 **b** Ⓤ 교정, 개심, 강화 **2** [the R~] **a** 〖그리스도교〗 종교 개혁 《16-7세기에 천주교에 대한 신교도의; cf. PROTESTANT》 **b** 종교 개혁기 **3** 〖법〗 정정 명령 **~·al** *a.* ▷ refórm *v.*
re·for·ma·tive [rifɔ́ːrmətiv] *a.* = REFORMATORY **~·ly** *ad.* **~·ness** *n.*
re·for·ma·to·ry [rifɔ́ːrmətɔ̀ːri | -təri] *a.* **1** 개혁[개선]의, 혁신적인 **2** 교정의, 교화적인, 갱생의: ~ lectures 훈계, 설교
—*n.* (*pl.* **-ries**) 소년원(reform school)
Refórm Bill [the ~] 〖영국사〗 선거법 개정 법안
re·formed [rifɔ́ːrmd] *a.* **1** 개량[개선, 개혁]된 **2** 개심한 **3** [**R~**] 신교의, 《특히》 칼뱅파의
Refórmed Chúrch (in América) [the ~] (미국) 개혁파 교회
refórmed spélling 개정 철자법 《through를 thru로 적는 등 묵음을 빼고 소리 나는 대로 표기하는 방법》
***re·form·er** [rifɔ́ːrmər] *n.* **1** 개혁[개량]가 **2** [**R~**] (16세기의) 종교 개혁자 **3** 〖영국사〗 (19세기의) 선거법 개정론자
re·form·ing [rifɔ́ːrmiŋ] *n.* 〖화학〗 개질(改質)
re·form·ism [rifɔ́ːrmizm] *n.* Ⓤ 개혁[개량, 혁신] 주의[운동, 정책]; 사회 개혁론 **-ist** *n.*, *a.*
Refórm Jéw 개혁파 유대교도
Refórm Júdaism 개혁파 유대교
refórm schòol 《미》 = REFORMATORY *n.*
re·for·mu·late [rìːfɔ́ːrmjuleit] *vt.* …을 다시 공식화하다; 다시 처방하다
re·for·ti·fy [rìːfɔ́ːrtəfài] *vt.* (**-fied**) 다시 요새화[강화]하다 **rè·for·ti·fi·cá·tion** *n.*
refr. refraction
re·fract [rifrǽkt] *vt.* 〖광학〗 〈광선을〉 굴절시키다; 〈눈의〉 굴절력을 측정하다
re·frac·tile [rifrǽktl | -tail] *a.* 굴절력이 있는 (refractive)
re·fráct·ing àngle [rifrǽktiŋ-] 〖광학〗 굴절각
refrácting tèlescope 굴절 망원경

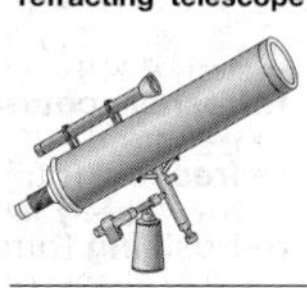
refracting telescope

re·frac·tion [rifrǽkʃən] *n.* Ⓤ **1 a** 〖물리〗 굴절 (작용), 굴사(屈射): double ~ 이중 굴절 **b** (눈의) 굴절력 (측정) **2** 〖천문〗 대기차(大氣差) ***the index of ~*** 굴절률 **~·al** *a.*
refráction corrèction 〖천문〗 굴절 보정(補正)
re·frac·tive [rifrǽktiv] *a.* **1** 굴절하는, 굴절력을 가지는: a ~ lens 굴절 렌즈 **2** 굴절의[에 의한] **~·ly** *ad.* **~·ness** *n.*
refráctive índex 〖물리〗 굴절률
re·frac·tiv·i·ty [rìːfræktívəti] *n.* Ⓤ 굴절성[도]
re·frac·tom·e·ter [rìːfræktɑ́mətər | -tɔ́m-] *n.* 〖광학〗 굴절률 측정기, 굴절계
re·frac·to·met·ric [rifræ̀ktəmétrik] *a.*
re·frac·tor [rifrǽktər] *n.* **1** 굴절 매체; 굴절 렌즈 **2** = REFRACTING TELESCOPE

---

back, mirror, image **2** 반영하다 indicate, express, show, display, demonstrate, reveal
reform *v.* improve, make better, ameliorate, amend, mend, rectify, correct, change, revise, reorganize, reconstruct, remodel, remake, revamp, make over, renovate

re·frac·to·ry [rifrǽktəri] *a.* **1** 〈사람·동물 등이〉 감당할 수 없는, 다루기 힘드는, 순종하지 않는: a ~ child 말 안 듣는 아이 **2** 〈병 따위가〉 난치의, 고질의; (병 등에) 저항할 수 있는, 병독에 감염되지 않는 **3** 〚야금〛 〈금속 등이〉 용해[처리]하기 어려운; 〈벽돌 등이〉 내화성(耐火性)의 **—** *n.* (*pl.* **-ries**) 내화 물질; [*pl.*] 내화 벽돌 **-ri·ly** *ad.* **-ri·ness** *n.*

refráctory pèriod 〚생리〛 불응기 《신경·근세포가 자극에 반응한 후, 다음 자극에 반응할 수 없는 짧은 기간》

‡**re·frain**[1] [rifréin] *vi.* **그만두다, 삼가다,** 참다, 억누르다, 자제하다, 멀리하다 《*from*》: 《~+전+명》 ~ *from* greasy food 기름기 많은 음식을 삼가다/I cannot ~ *from* laughing. 웃지 않을 수가 없다.

> 유의어 **refrain** 어떤 행동·욕망을 일시적으로 억제하다: *refrain* from further criticism 더 이상의 비판을 억제하다 **abstain** 주의(主義)를 위해 또는 깊이 생각한 끝에 자신에게 해롭다고 생각되는 것을 강한 의지로 삼가다: *abstain* from alcohol 금주하다 **forbear** 자제심을 발휘하여 참다: I cannot *forbear* with his insults. 그의 모욕적인 언행에는 참을 수 없다.

— *vt.* 《고어》 억제하다, 참다

~ one***self*** 자제하다, 근신하다 **~·er, ~·ment** *n.*

∗**re·frain**[2] [rifréin] *n.* **후렴,** 반복구(burden, chorus) 《시나 노래의 각 절 끝의》

re·frame [rifréim] *vt.* 다시 구성하다; …에 다시 테를 달다

re·fran·gi·ble [rifrǽndʒəbl] *a.* 〈광선 등이〉 굴절성의 **re·fràn·gi·bíl·i·ty** *n.*

re·freeze [rifríːz] *vt., vi.* 다시 얼다[얼리다]

re·fres·co [refréskou] [Sp.] *n.* (*pl.* **~s**) 청량음료

‡**re·fresh** [rifréʃ] *vt.* **1** 〈음식물·휴식 등이 사람·심신을〉 **상쾌하게 하다,** 원기를 회복시키다 《*by, with*》: ~*ed by*[*with*] sleep 잠으로 원기를 되찾아 **2** 〈기억 등을〉 **새롭게 하다**(renew): ~ one's memory 기억을 되살리다 **3** 〈불을〉 다시 활활 타게 하다; 〈전지를〉 충전하다; 〈배 등에〉 새로이 공급하다, 보급하다 《*with*》: 《~+목+전+명》 ~ a ship *with* supply 배에 식량을 보급하다 // ~ one's glass 잔을 다시 채우다 **4** (깎거나 칠하여) 새것처럼 만들다[보이게 하다]: ~ a fence 칠을 해서 울타리를 새것처럼 만들다 **5** 〚컴퓨터〛 〈화상·기억 장치의 내용을〉 재생하다, 리프레시하다 《비디오 스크린을 재조작하여 display가 스러져 없어지는 것을 방지함》 ***feel ~ed*** 기분이 상쾌하다 **~ one*self*** (음식 등으로) 기분이 상쾌해지다, 기운을 차리다 **—** *vi.* **1** (음식·휴양 등으로) 원기를 회복하다, 기분이 상쾌해지다 **2** 먹고 마시다, 한잔하다 **3** 〈배 등이〉 식량[물 《등》]을 보충하다 ▷ refréshment *n.*

re·fresh·er [rifréʃər] *n.* **1 a** 원기를 회복시키는 사람[것]; 음식물 **b** 《구어》 청량음료 **2** 생각나게 하는 것 **3** 〚영국법〛 특별[추가] 사례금 《사건이 오래 끌 때 barrister에게 지불하는》 **4** = REFRESHER COURSE

refrésher còurse 재교육 강습 《전문 지식 습득·보완을 위한》

re·fresh·ful [rifréʃfəl] *a.* 심신을 상쾌하게 하는, 원기를 돋우는 **~·ly** *ad.*

∗**re·fresh·ing** [rifréʃiŋ] *a.* **1 상쾌한,** 산뜻한, 산뜻하게 하는, 가슴이 후련한: a ~ beverage[drink] 청량음료 **2** 새롭고 신나는, 참신하고 기분 좋은 **~·ly** *ad.* ▷ refrésh *n.*

‡**re·fresh·ment** [rifréʃmənt] *n.* **1** Ⓤ **원기 회복,** 기분을 상쾌하게 함: She felt ~ of mind and body after a hot bath. 그녀는 뜨거운 물에 목욕을 한 후 심신이 상쾌해진 것을 느꼈다. **2** 원기를 회복시키는 것, 피로를 풀어 주는 것 **3** [*pl.*] **가벼운 음식물,** 다과: take some ~*s* 간단히 좀 먹다 / *R*~*s* provided. 다과 제공. 《모임 통지문에서》 ▷ refrésh *v.*

refréshment càr 식당차 《흔히 dining car 또는 diner보다 간단한 뷔페식의 간이 식당차》

refréshment ròom (역·회의장 따위의) 식당

Refréshment Súnday 사순절(Lent) 동안의 제4 일요일

re·fríed béans [riːfráid-] = FRIJOLES REFRITOS

refrig. refrigerate; refrigeration

re·frig·er·ant [rifrídʒərənt] *a.* **1** 식히는 (cooling); 얼게 하는 **2** 해열하는 〈약〉: ~ medicine 해열제 **3** 청량감을 주는 **—** *n.* **1** 냉각[냉동]제; 청량제[음료] **2** 해열제; 완화제 《*to*》

re·frig·er·ate [rifrídʒərèit] *vt.* 냉각시키다; 냉장[냉동]하다: a ~*d* van 냉장차(車) **—** *vi.* 식다, 얼다; 냉장되다 **re·frig·er·á·tion** *n.* Ⓤ

re·fríg·er·at·ing machìne [rifrídʒərèitiŋ-] 냉동기, 냉동 장치

re·frig·er·a·tive [rifrídʒərèitiv, -rət-] *a.* 냉각시키는, 냉장의

∗**re·frig·er·a·tor** [rifrídʒərèitər] *n.* **1 냉장고,** 냉각[냉동] 장치, 냉장기; 빙실(氷室) **2** 증기 응결기

refrígerator càr 냉장차[화차] 《식품 수송용》

re·frig·er·a·tor-freez·er [-fríːzər] *n.* 냉동 냉장고

re·frig·er·a·to·ry [rifrídʒərətɔ̀ːri | -təri] *a.* 냉각하는 **—** *n.* **1** (냉동 장치의) 냉각실, 냉각 탱크, 빙실 **2** (증류기의) 증기 응축기

re·frin·gence [rifríndʒəns] *n.* = REFRACTIVITY

re·frin·gent [rifríndʒənt] *a.* = REFRACTIVE

reft [réft] *v.* REAVE의 과거·과거분사

re·fu·el [rìːfjúːəl] *v.* (**-ed**; **~·ing** | **~led**; **~·ling**) *vt.* **1** …에 연료를 보급하다 **2** 〈논쟁 등에〉 기름을 붓다 **—** *vi.* 연료의 보급을 받다 **~·a·ble** *a.*

∗**ref·uge** [réfjuːdʒ] [L 「뒤로 달아나다」의 뜻에서] *n.* **1** Ⓤ **피난,** 도피; 보호: give ~ to …을 비호하다 / seek ~ with a person …에게 가서 피신하다 **2 피난처,** 도피처, 은신처; 《영》 (도로의) 안전 지대(《미》 safety island): a house of ~ 빈민 수용소, 양육원 **3** 의지가 되는 사람[것], 의지, 위안자[물]: the ~ of the distressed 괴로워하는 자의 벗 / take[seek] ~ in[at] …에 피난하다; …에서 위안을 구하다 **4** 수단, 방편; 핑계, 구실: the last ~ 최후의 수단

∗**ref·u·gee** [rèfjudʒíː, ⌐-⌐ | ⌐-⌐] *n.* (국외에의) **피난자,** 망명자; 도망자: an economic ~ 경제 난민 ▷ réfuge *n.*

ref·u·gee·ism [rèfjudʒíːizm] *n.* 망명[피난, 도망]자의 상태[신분]

re·fu·gi·um [rifjúːdʒiəm] *n.* (*pl.* **-gi·a** [-dʒiə]) 〚생태〛 레퓨지아 《빙하기와 같은 대륙 전체의 기후 변화기에 비교적 기후 변화가 적어 다른 곳에서는 멸종된 것이 살아 있는 지역》

re·ful·gence, -gen·cy [rifʌ́ldʒəns(i)] *n.* Ⓤ 《문어》 광휘, 광채, 찬란함

re·ful·gent [rifʌ́ldʒənt] *a.* 빛나는, 찬란한 **~·ly** *ad.*

∗**re·fund**[1] [rifʌ́nd, ríːfʌnd] *vt.* 〈금전을〉 **갚다**(reimburse), 반제[상환]하다, 환불하다: They ~*ed* his deposit. 그들은 그의 계약금을 돌려 주었다.

— *vi.* 반제(返濟)하다, 반환[상환]하다

— [ríːfʌ̀nd] *n.* ⓊⒸ **반제,** 환불, 상환; 상환액: receive a full ~ 전액을 환불 받다

~·a·ble *a.* **~·ment** *n.* 환불

re·fund[2] [rìːfʌ́nd] *vt.* **1** 새로 적립하다 **2** 〚금융〛 〈회사채·공채·채무 등을〉 차환(借換)하다; 〈구 증서를〉 새 증서와 교환하다

refúnd annúity 〚보험〛 사망시 환불부(附) 연금

re·fur·bish [rìːfə́ːrbiʃ] *vt.* 다시 닦다[갈다]; 일신하다(renovate), 개장하다 **~·er** *n.* **~·ment** *n.*

re·fur·nish [rìːfə́ːrniʃ] *vt.* 다시 공급[설비]하다; 새 비품을 공급[설비]하다

thesaurus **refresh** *v.* freshen, revitalize, revive, stimulate, energize, exhilarate, inspirit
refuge *n.* **1** 보호 safety, security, protection, asylum **2** 피난처 shelter, haven, retreat, sanctuary, harbor **3** 수단 resort, tactic, strategy

re·fus·a·ble [rifjúːzəbl] *a.* 거절[거부, 사절]할 수 있는

‡re·fus·al [rifjúːzəl] *n.* UC **1 거절,** 거부(opp. *acceptance*), 사퇴: ((~+*to* do)) They were offended by his ~ *to* attend the party. 그들은 그가 파티에 참석하는 것을 거절해서 기분이 상했다. **2** [보통 the ~] 취사선택(권); 우선권, 선매권(先買權)(option): buy *the* ~ of (계약금을 치르고) …의 우선권을 갖다 ***give*** a person ***a flat*** ~ …에게 딱 잘라 거절하다 ***give*** [***have***] ***the*** ~ ***of*** …의 (취사선택의) 우선권을 주다[얻다] ***take no*** ~ 거절 못하게 하다 ▷ refúse¹ *v.*

‡re·fuse¹ [rifjúːz] *vt.* **1** 〈신청 등을〉 **거절[거부]하다,** 사절하다, 사퇴하다: ((~+목+목)) ~ a person money …에게 돈을 주기를 거부하다 / They ~*d* me permission. = I was ~*d* permission. 나는 허가를 얻을 수 없었다.

> 유의어 **refuse** 단호하게 강한 태도로 거절하다: *refuse* a bribe 단호히 뇌물을 거절하다 **decline** refuse보다는 온건하게 거절하다: *decline* an invitation 초대를 사양하다 **reject** refuse보다 더 강한 태도로 딱 잘라 거절하다: *reject* a suitor 구혼자를 퇴짜 놓다 **spurn** 경멸하며 거절하다

2 〈의뢰·요구·명령 등을〉 거절하다; 〈여자가 남자의 구혼을〉 거절하다, 퇴짜 놓다(opp. *accept*): I wanted to see the patient, but I was ~*d*. 환자를 보기 원했지만 거절당했다. **3** 〈…하는 것을〉 거부하다, …하려고 하지 않다: ((~+*to* do)) ~ *to* discuss the question 그 문제에 관해 논하려 하지 않다 / ~ *to* burn [shut] 좀처럼 타지[닫히지] 않다 **4** 〈말이 장애물을〉 뛰어넘지 않고 갑자기 멈춰 서다 **5** 『카드』 〈같은 짝의 패를〉 (없어서) 내지 못하다 **6** 『군사』 〈전투 전에 측면 부대를〉 뒤로 물러서 있게 하다

— *vi.* **1** 거절[거부]하다, 사퇴하다 **2** 〈말이〉 (장애물 앞에서) 멈춰 서다 **3** 『카드』 같은 짝의 패가 없어 다른 패를 내다 ▷ refúsal *n.*

∗ref·use² [réfjuːs] *n.* U (문어) **1 폐물,** 찌끼, 쓰레기: ~ bins 쓰레기통 / ~ consumer 쓰레기 소각로 **2** (비유) 인간 폐물[말짜]

— *a.* A 폐물의, 무가치한

réfuse collèctor [réfuːs-] (영·문어) 쓰레기 수거인((미) garbage collector)

réfuse dùmp [réfuːs-] (도시의) 쓰레기 폐기장

re·fuse·nik, -fus- [rifjúːznik] *n.* (구어) (구소련에서) 출국이 금지된 사람[시민, 과학자], ((특히)) 국외 이주가 허가되지 않는 유대인

re·fus·er [rifjúːzər] *n.* **1** 거절자, 사퇴자 **2** 영국 국교 기피자(recusant) **3** (도랑·울타리 등을) 뛰어넘지 않고 멈춰 서는 말

re·fut·a·ble [rifjúːtəbl, réfjut- | réfjut-] *a.* 논박[논파]할 수 있는 **-bly** *ad.*

re·fut·al [rifjúːtəl] *n.* = REFUTATION

ref·u·ta·tion [rèfjutéiʃən] *n.* UC 논박, 논파, 반박; 반증

re·fut·a·tive [rifjúːtətiv] *a.* 반박[반론, 논박]하는; 반증의

re·fute [rifjúːt] *vt.* **1** 논박[논파]하다, 반박하다: ~ a statement 진술에 반박하다 **2** 〈…의〉 잘못을 밝히다 **re·fút·er** *n.*

reg [rég] *n.* (영·구어) = REGISTRATION MARK; (구어) [*pl.*] = REGULATION(S)

reg. regent; regiment; region; register(ed); registrar; registry; regular(ly) **Reg.** Regent; Regiment; *Regina* ((L = queen))

---

refugee *n.* exile, fugitive, escapee

regard *v.* **1** 간주하다 look upon, view, consider, think of **2** 평가하다 judge, rate, value, estimate, gauge, appraise, assess **3** 주의하다 heed, pay attention to, listen to, mind, take notice of

---

∗re·gain [rigéin, riː-] *vt.* **1** 〈잃은 것을〉 **되찾다,** 회복하다; 탈환하다(⇨ recover 유의어): ~ one's health 건강을 회복하다 / ~ one's footing[feet, legs] 〈넘어진 사람이〉 다시 일어나다 **2** 〈장소·상태에〉 복귀[귀착]하다, 다시 도착하다 **~·a·ble** *a.*

∗re·gal¹ [ríːgəl] [L 「왕의」의 뜻에서] *a.* **1 제왕의,** 왕의(royal): ~ government[office] 왕정[왕위] / ~ power 왕권 **2** 제왕다운, 왕 같은; 당당한(stately): live in ~ splendor 왕 같은 호화로운 생활을 하다 **~·ly** *ad.* **~·ness** *n.*

regal² *n.* 『음악』 레갈((16-17세기의 휴대용 소형 오르간))

re·gale [rigéil] *vt.* **1** 융숭하게 대접하다; 맘껏 즐기게 하다; [~ one*self* 로] (맛있는 것을 먹고) 원기를 회복하다 ((*with, on*)): ((~+목+전+명)) ~ one*self with* a cigar 기분 좋게 엽궐련을 피우다 **2** 〈아름다움·음악 등이〉 〈사람을〉 매우 기쁘게[즐겁게] 해 주다 ((*on*)): ~ one*self on* a beautiful scene 아름다운 경치를 보고 즐기다 — *vi.* **1** 〈성찬을〉 맛있게 먹다, 미식(美食)하다 **2** (음식물로) 잔뜩 즐기다 ((*on*))

— *n.* (고어·문어) **1** 성찬, 향응 **2** 산해진미; 미식

~·ment *n.* 향응, 성찬; 산해진미 **re·gál·er** *n.*

re·ga·li·a¹ [rigéiliə, -ljə] *n. pl.* **1** 왕권[왕위]의 표상, 즉위식의 보기(寶器) ((왕관, 홀(scepter) 등)) **2** 기장(記章) ((관직·협회 등의)), 훈장; (정식의) 의복 **3** 화려한 예복, 성장

regalia² [Sp.] *n.* 레갈리아 ((Cuba산(産)의 고급 엽궐련))

re·gal·ism [ríːgəlìzm] *n.* U 제왕 교권설(帝王敎權說)[주의] ((제왕의 교회 지배권을 인정하는)) **-ist** *n.*

re·gal·i·ty [rigǽləti] *n.* (*pl.* **-ties**) **1** U 왕위; 왕권 **2** 왕국, 왕토

régal móth 산누에나방과(科)의 큰 나방

‡re·gard [rigɑ́ːrd] *v., n.*

> 「지켜보다」가 본래의 뜻. → 「주시하다」 **5** → 「간주하다」 **1** → 「생각하다」 **1**

— *vt.* **1** [종종 수동형으로] 〈사람·사물·일을〉 …으로 **여기다,** …이라고 생각[간주]하다 ((*as*)): ((~+목+*as* 보)) ~ the situation *as* serious 사태를 중대시하다 / I ~ every assignment *as* a challenge. 나는 어떠한 임무도 모두 도전이라고 생각한다.

> 유의어 **regard** 외관상 또는 시각에 의한 판단을 나타낸다 **consider** 충분한 고려와 경험의 결과를 바탕으로 한 판단을 가리킨다: We *consider* Shakespeare a great poet. 우리는 셰익스피어를 위대한 시인이라고 생각한다.

2 [보통 부사(구)를 동반하여] (호의·증오감 등을 가지고) **보다,** 대하다: ((~+목+전+명)) ~ a person *with* favor[dislike] …을 호의[혐오감]를 가지고 보다 **3** (호의적으로, 또는 높이) 평가하다; 존중하다, 중요시하다; 존경하다: I ~ my teachers highly. 선생님들을 존경한다. **4** [보통 부정문에서] 고려[참작]하다; …에 주의하다(opp. *disregard*) **5** (문어) 주목[주시]하다, 주의하다; 눈여겨보다 **6** (고어) 〈사물이〉 관계하다, 관련을 가지다: The matter does not ~ you at all. 그 일은 너와는 전혀 관계가 없다. ***as*** **~*s*** (문어) …에 관하여는, …의 점에서는(concerning)

— *vi.* **1** 바라보다, 눈여겨보다, 응시하다 **2** 유의[주의, 주목]하다 ((*on*))

— *n.* **1** U **관계,** 관련: in a person's ~ …에 관해서는 **2** U **고려,** 관심, 염려, 배려 ((*for, to*)): have [pay] ~ *to* …을 고려하다 / without ~ *to*[*for*] …을 고려하지 않고, …에 상관없이, 아랑곳없이 **3** (고려되어야 할) 점, 사항(point): in this[that] ~ 이[그] 점에 있어서는 **4** UC **존경,** 존중, 경의 ((*to, for*)); 호의, 호감: have a great[have no] ~ *for* …을 중히 여기다[여기지 않다], 존경하다[하지 않다] / hold a person in high[low] ~ …을 존경하다[존경하지 않다] **5** (문

어) 주시, 주목, 응시, (고정된) 시선 《*on, upon*》: fix one's ~ *upon* a person …을 주시하다 **6** [*pl.*] (편지에서의) 안부 인사: with best ~*s* to …에게 안부 전해 주십시오 / C.E Give him my best *regards* [*regard*(×)]. 그분에게 안부 전해 주십시오. ***in ~ of*** [***to***] = ***with ~ to*** …에 관해서는: *With ~ to* the contract, I have some questions. 그 계약에 관해서 질문이 있습니다. ▷ regárdful *a.*

re·gar·dant [rigɑ́:rdnt] *a.* **1** (문장(紋章)에서) 〈사자 등이〉 머리를 뒤로 향한 (자세의) **2** 《고어·시어》 주시하는, 주의 깊은

re·gard·ful [rigɑ́:rdfəl] *a.* Ⓟ 《문어》 **1** 주의[사려] 깊은, 유의하는 《*of*》, 용의주도한: be ~ *of* one's promise 약속을 지키다 **2** 경의를 표하는 《*for, of*》: You should be more ~ *of* your parents' wishes. 부모님의 희망을 좀 더 존중해야 한다.

~·ly *ad.* **~·ness** *n.*

‡**re·gard·ing** [rigɑ́:rdiŋ] *prep.* 《문어》 …에 관해서(는), …의 점에서는(with regard to): He knew nothing ~ the lost watch. 분실한 시계에 관해서 그는 아무것도 몰랐다.

∗**re·gard·less** [rigɑ́:rdlis] *a.* **1** 부주의한; 관심없는, 개의치 않는 《*of*》 **2** 고려되지 않는

~ of …을 개의치 않고: ~ *of* age or sex 연령이나 성별에 상관없이, 남녀노소의 구별 없이

— *ad.* 《구어》 비용[반대, 어려움, 결과 《등》]을 무릅쓰고; 그럼에도 불구하고, 여하튼: press on ~ 한눈팔지 않고 일을 계속하다 **~·ly** *ad.* **~·ness** *n.*

re·gath·er [ri:gǽðər] *vt., vi.* 다시 모으다[모이다]; (…와) 다시 만나다

∗**re·gat·ta** [rigǽtə, -gɑ́:tə | -gǽtə] [It. 「경쟁」의 뜻에서] *n.* 레가타, 보트 레이스, 요트 레이스

regd. registered

re·ge·late [rí:dʒəlèit, ╲─╱] *vi.* 〖물리〗 복빙(復氷)하다 《녹은 얼음·눈이 다시 얼어붙음》

rè·ge·lá·tion *n.* Ⓤ 〖물리〗 복빙

re·gen·cy [rí:dʒənsi] *n.* (*pl.* **-cies**) ⓊⒸ **1** 섭정 정치; 섭정의 직 **2** 섭정 기간[관할구] **3** [the R~] 섭정기 《영국: 1811-20; 프랑스: 1715-23》 **4** 《미》 대학 평의원의 직 — *a.* **1** 섭정의 **2** (영국·프랑스의) 섭정기의

re·gen·er·a·ble [ridʒénərəbl] *a.* **1** 재생시킬 수 있는 **2** 〖그리스도교〗 갱생[개심]시킬 수 있는 **3** 혁신[개신, 개조]할 수 있는

re·gen·er·a·cy [ridʒénərəsi] *n.* Ⓤ 재생, 갱생; 개심, 개신; 부흥

∗**re·gen·er·ate** [ridʒénərèit] 《문어》 *vt.* **1** 갱생시키다; 개심시키다 **2** 재건하다, 재현시키다; 〈사회·제도 등을〉 혁신[쇄신]하다 **3** 〖생물〗 〈잃어버린 부분 등을〉 재생시키다, 소생시키다: The lizard ~*d* its broken tail. 그 도마뱀은 잘려진 꼬리를 재생시켰다. **4** 재생하여 이용하다: ~ a battery 전지를 충전하다

— *vi.* **1** 재생하다 **2** 새 생명을 얻다, 갱생하다; 개심하다 **3** 개조[쇄신]하다

— [-rət] *a.* **1** 새 생명을 얻은, 갱생한 **2** 개량[쇄신]된 **~·ly** *ad.* **~·ness** *n.*

re·gen·er·a·tion [ridʒènəréiʃən] *n.* Ⓤ **1** (정신적·도덕적인) 갱생, 신생 **2** 재건, 부흥, 부활 **3** 개혁, 쇄신; 재생 **4** 〖생물·전자〗 재생

re·gen·er·a·tive [ridʒénərətiv, -rèit-] *a.* **1** 재생시키는; 개신하는, 개조하는 **2** 개심시키는 **3** 〖기계〗 회생식의, 축열식(蓄熱式)의 **4** 〖통신〗 재생식의 **~·ly** *ad.*

regénerative bráking 〖전기〗 회생 제동

regénerative cóoling 〖물리〗 재생식 냉각법

regénerative féedback 〖전자〗 재생 피드백 《입력 위상(位相)에 맞추어 되돌려 보내는》

regénerative fùrnace 축열로

re·gen·er·a·tor [ridʒénərèitər] *n.* **1** 재생[갱생]자; 개심자; 개혁자(renovator) **2** 〖기계〗 축열(蓄熱) 장치, 축열로(爐) **3** 〖통신〗 재생기

re·gen·e·sis [rì:dʒénəsis] *n.* Ⓤ 갱생, 재생; 부활, 갱신, 신생

∗**re·gent** [rí:dʒənt] *n.* **1** [종종 **R~**] 섭정(攝政) **2** 《드물게》 통치자, 지배자 **3** 《미》 (주립 대학 등의) 평의원 **4** 《미》 학생 부장, 학생감

— *a.* [종종 **R~**; 명사 뒤에 써서] 섭정하는: the Prince[Queen] *R~* 섭정 황태자[황후]

~·al *a.* **~·ship** *n.*

Régent's Párk 리전트 파크 《런던 북서부에 있는 공원; 동물원이 있음》

Régent Stréet 리전트 가(街) 《런던 West End에 있는 번화가》

re·ger·mi·nate [ri:dʒə́:rmənèit] *vi.* 다시 싹트다

re·ges [rí:dʒi:z] *n.* REX의 복수

reg·gae [régei] *n.* Ⓤ 레게 《서인도 제도에서 생긴 록풍의 음악》

reg·gae·ton [règeitóun] *n.* 레게톤 《랩과 캐러비안 리듬을 결합한 푸에르토리코 음악》

Rég·ge (póle) théory [rédʒei-] [이탈리아의 물리학자 이름에서] 〖원자〗 레제(극(極)) 이론 《강한 상호 작용을 하는 소립자의 반응을 수학적인 극(極)이나 궤도를 써서 나타내는 이론》

Reg·gie [rédʒi] *n.* 남자 이름 《Reginald의 애칭》

reg·go [rédʒou] *n.* = REGO

reg·i·cid·al [rèdʒəsáidl] *a.* 국왕 살해의, 시해(弑害)의, 시역(弑逆)의, 대역의

reg·i·cide [rédʒəsàid] *n.* Ⓤ **1** 국왕 살해, 시해, 시역, 대역 **2** 국왕 살해자, 시역자 **3** [the R~s] **a** 〖영국사〗 Charles 1세를 사형에 처한 고등법원 판사들 **b** 〖프랑스사〗 Louis 16세를 사형에 처한 국민공회의 자코뱅당원들

ré·gie [reiʒí:, ╱─] [F] *n.* (담배·소금 등의) 정부 직영, 관영, 전매 제도

re·gild [rigíld] *vt.* (**~·ed, -gilt**) 다시 도금(鍍金)하다

∗**re·gime, ré·gime** [rəʒí:m, rei-, -dʒí:m | rei-dʒí:m] [F 원래는 L 「지배」의 뜻에서] *n.* **1** 제도; 정체, 체제, 통치 방식; 통치[지배] 기간: the ancient [old] ~ 구정체; 구체제; 구제도(cf. ANCIEN RÉGIME) **2** 정권 **3** (기후·사건·행위의) 일정한 형(型), 상황 **4** 〖의학〗 = REGIMEN 1

reg·i·men [rédʒəmən, -mèn | rédʒimèn, -mən] [L 「지배」의 뜻에서] *n.* **1** 〖의학〗 (식사·운동 등에 의한) 섭생, 양생법 **2** 《드물게》 지배(government), 통치(rule); 《고어》 정체(正體) **3** 〖문법〗 **a** ⓊⒸ 지배 **b** (전치사의) 피지배어, 목적어 **4** 〖약학〗 처방[투약] 계획

∗**reg·i·ment** [rédʒəmənt] *n.* **1** 〖군사〗 연대 《battalion보다 크고 brigade보다 작은 전투 단위》: a ~ of foot 보병 연대 **2** [종종 *pl.*] 《주로 방언》 다수, 대군(大群) 《*of*》

— [-mènt] *vt.* **1** 엄격히 통제[조직화]하다: an education that ~*s* children 아동을 획일적으로 관리하는 교육 **2** 〖군사〗 연대로 편성[편입]하다 **3** 〈노동자 등을〉 조직화하다; 〈자료 등을〉 계통화하다

règ·i·men·tá·tion *n.* Ⓤ

reg·i·men·tal [rèdʒəméntl] *a.* Ⓐ 연대의, 연대에 배속된, 규격화된, 통제적인: ~ management 획일적 관리 — *n.* [*pl.*] 연대복, 군복 **~·ly** *ad.*

regiméntal cólour 《영》 연대기(旗)

reg·i·ment·ed [rédʒəməntid] *a.* 《경멸》 **1** 엄격히 통제된, 조직화된: The school imposes a very ~ lifestyle on its students. 그 학교는 학생들에게 아주 엄격히 통제된 생활 방식을 강요한다. **2** 가지런히 정렬된: ~ lines of trees 가지런히 줄이 정렬된 나무들

re·gi·na [ridʒáinə, -dʒí:- | -dʒái-] [L =queen] *n.* 《영》 [보통 **R~**] **1** (여왕의 이름 뒤에 써서) 여왕(reigning queen): Elizabeth ~ 엘리자베스 여왕 ★

thesaurus **regenerate** *v.* renew, reconstruct, reform, restore, refresh, revive, re-create

regime *n.* government, rule, reign, control, command, administration, establishment, direction

region *n.* **1** 지역 area, province, territory, division, sector, zone, tract, quarter, locality **2** 영역

R.로 줄여서 포고문 등의 서명에 씀: E. *R.*(= Queen Elizabeth) **2** 〚법〛 현(現)여왕 《Reg.로 줄여서 왕실 대 국민의 소송 사건에 칭호로서 씀》: *Reg.* v. Jones 여왕 대 존스 (형사 사건) **re·gí·nal** *a.*

Reg·i·nald [rédʒənəld] *n.* 남자 이름 《애칭 Reggie》

‡re·gion [ríːdʒən] *n.*

원래는 「왕국」의 뜻→(지배 구역)→「지역」, 「지방」

1 (명확한 한계가 없는 광대한) **지방, 지역**; 지대(⇨ area 유의어)): a tropical ~ 열대 지방/a ~ of the earth 지구상의 한 지역 **2** [종종 *pl.*] (천지를 상하로 구분한) 부분, 역(域), 경(境), 계(界) 《세계 또는 우주의》, 층 《대기 또는 바다의》: the airy ~ 하늘/the lower[infernal, nether] *~s* 지옥, 황천, 저승/the ~ beyond the grave 저승, 황천/the upper *~s* 하늘, 천국/a galactic ~ 은하계 **3** (활동·연구 등의) **범위, 영역,** 분야 《*of*》; 〚수학〛 영역: a ~ *of* authority 권력이 미치는범위/study in the ~ *of* logic 논리학 분야를 연구하다 **4 a** 행정구, 관구, 구 **b** (1975년 스코틀랜드의 행정 구획 개혁에 따른) 주(州) 《잉글랜드 등의 county에 해당》 **c** [*pl.*; 종종 the ~s] (수도에서 떨어진) 지방, 시골 **5** 〚해부·동물〛 (신체의) 부위, 국부: the abdominal ~ 복부(腹部) **6** 〚컴퓨터〛 영역 《기억 장치의》 ***in the ~ of*** …의 가까이에, 근처에, 약 … ▷ régional *a.*

∗re·gion·al [ríːdʒənl] *a.* **1 지역(전체)의,** 지대의 **2** (특정) 지방의, 지방적인: ~ differential 〚노동〛 지역차 《지역에 따라 임금액이 다름》/~ edition 〚출판〛 지역판 《일정 지역용 잡지》 **3** 〚해부·동물〛 국부의: ~ anesthesia 국부 마취

rè·gion·ál·i·ty *n.* **~·ly** *ad.*

régional cóuncil (스코틀랜드의) 주(州)의회

re·gion·al·ism [ríːdʒənəlìzm] *n.* Ⓤ **1** 지방(분권)주의 **2** 향토애 **3** 지방적 관습[특질], 방언 **4** 〚예술〛 지방주의 **-ist** *n.* **rè·gion·al·ís·tic** *a.*

re·gion·al·ize [ríːdʒənəlàiz] *vt., vi.* 지방으로 분할하다[되다], 지방 분권화하다[되다]

régional líbrary (미) 지역 도서관 《인접 수개 군(郡)의 공용 공립 도서관》

régional magazíne (미) 지역 잡지

régional metamórphism 〚지질〛 광역 변성(廣域變成) 작용

régional théater 〚연극〛 지역 극단 《미국에서 뉴욕 이외의 도시에서 활동하는 극단의 총칭》

ré·gis·seur [rèiʒəsə́ːr] [F] *n.* (*pl.* **~s** [-z]) **1** 〚발레〛 연출가, 레지쇠르 **2** 〚영화·연극〛 영화[무대] 감독; 연출가

‡reg·is·ter [rédʒistər] [L 「뒤로 나르다; 기록하다」의 뜻에서] *n.* **1 등록[등기]부**(=~ **bòok**); (특정인의) 명부: a parish[church] ~ 교구[교회]의 교적부 《출생·세례·결혼·사망 등이 기록된》/the electoral ~ 선거인 명부 **2** (생사 등의 공적인) 기록, 등기, 등록; 표, 목록: call the ~ 출석을 부르다 **3** (속도·수량 등의) **자동 기록기,** (금전) 등록기, 기록 표시기 **4** 〚음악〛 성역(聲域), 음역(音域); 음전(音栓), (오르간의) 스톱; 스톱의 손잡이(stop knob) **5** 선박 등록부; 선적 증명서: ship's ~ (세관의) 선적(船籍) 증명서 **6** (특히 난방의) 통풍[온도, 환기] 조절 장치 **7** 〚사진〛 (합성 사진을 만들기 위한) 정합(整合) **8** 〚인쇄〛 안팎 인쇄면의 정합(整合) **9** 등기 우편 **10** 〚언어〛 언어 사용역(域) **11** 〚컴퓨터〛 레지스터 《CPU가 적은 양의 데이터나 처리하는 동안의 중간 결과를 일시적으로 저장하기 위해 사용하는 고속의 기억 회로》 **12** (주로 미) 등기관(登記官)

—*vt.* **1** (정식으로 명부 등에) **기재하다, 등기하다, 등록하다**; 기록하다: ~ the birth of a baby 아기의 출생 신고를 하다/~ oneself 선거인 명부에 등록하다, 등록 절차를 밟다 **2** 〈우편물을〉 등기로 부치다; (영) 〈수하물 등을〉 (일시적으로) 맡기다: get[have] a letter *~ed* 편지를 등기로 부치다 // (~+목+전+명) ~ luggage *on* a railway (영) 수하물을 상환증을 받고 철도편으로 부치다 **3** 〈온도계 등이〉 〈온도를〉 가리키다; 〈기계가〉 저절로 기록하다: The thermometer *~ed* 20 degrees Celsius today. 오늘은 온도계가 섭씨 20도를 가리켰다. **4** 마음에 명기하다, 명심하다 《*in*》: (~+목+전+명) His face was *~ed in* my memory. 그의 얼굴은 나의 기억에 깊이 새겨졌다. **5** 〚인쇄〛 〈안팎의 인쇄면 등을〉 바르게 맞추다 **6** 〈놀람·기쁨·노여움 등을〉 표정[몸짓]으로 나타내다, 표정짓다: His face *~ed* fear. 그의 얼굴에 공포의 기색이 나타났다.

—*vi.* **1** (호텔 등에서) **기명하다,** (숙박부 등에) 기입하다; 서명하다; 선거인 명부에 등록하다; (입학·청강의) 등록을 하다 《*for*》: (~+전+명) ~ *at* a hotel 호텔에 묵다/~ *for* a course 수강 신청을 하다 **2** 〚인쇄〛 〈안팎의 인쇄면 등이〉 바르게 일치하다 **3** 〈배우 등이〉 (놀람·기쁨·노여움 등의) 표정을 짓다, 몸짓을 하다 《*on*》: A broad smile *~ed on* her face. 그는 만면에 미소를 띠었다. **4** [보통 부정문에서] (구어) (…에) 인상을 남기다, 마음에 명기되다 《*with*》: Her face simply did*n't* ~ *with* me. 그녀의 얼굴은 전혀 인상에 남아 있지 않았다. **5** 〚음악〛 오르간의 음전을 조작하다 **~·er** *n.*

∗reg·is·tered [rédʒistərd] *a.* **1 등록[등기]한,** 기명의: a ~ design 등록 의장(意匠)/a ~ reader 예약 독자 **2** 〈우편물이〉 **등기의**: a ~ letter 등기 편지 **3** 공인된, 정부 허가를 받은: a ~ patent 공인 특허 **4** 〈소·말·개 등이〉 혈통표가 등록된

régistered bónd 기명 공채(公債)[채권]

régistered máil (미) 등기 우편((영) registered post)(cf. CERTIFIED MAIL)

régistered núrse (미) (주(州)) 공인 간호사, 등록 간호사(略 R.N.)

régistered póst (영) = REGISTERED MAIL

régistered represéntative 〚증권〛 (등록) 증권 외무원

régistered trádemark 등록 상표

régister òffice = REGISTRY 3

régister of wílls (미) 유언 검증관

régister tòn 〚항해〛 (선박의) 등록 톤

régister tònnage 〚항해〛 등록 톤수

reg·is·tra·ble [rédʒistrəbl], **-ter·a·ble** [-tərəbl] *a.* **1** 등록[등기]할 수 있는 **2** 등기로 부칠 수 있는 **3** 나타낼 수 있는; 표시되는 **règ·is·tra·bíl·i·ty** *n.*

reg·is·trant [rédʒistrənt] *n.* 등록자; 《특허》 상표[특허] 등록자

reg·is·trar [rédʒistrɑ̀ːr, ⌐-⌐|⌐-⌐] *n.* **1** 기록원, 등기 공무원, 호적 사무원 **2** (대학의) 학적 담당 사무원, 학적 계원 **3** 증권 등록 기관, 주주 명부 계원; (병원의) 입원[진료]접수계 **4** 〚영국법〛 등록관 **~·shìp** *n.*

Reg·is·trar-Gen·er·al [rédʒistrɑ̀ːrdʒénərəl] *n.* (*pl.* **Reg·is·trars-**) (런던의) 호적 본서(General Register Office) 장관

reg·is·tra·ry [rédʒistrəri] *n.* (케임브리지 대학의) 기록[학적] 담당자

reg·is·trate [rédʒistrèit] *vi.* 파이프 오르간의 음전(音栓)을 선택[조절]하다

∗reg·is·tra·tion [rèdʒistréiʃən] *n.* **1** Ⓤ **기재,** 등기, 등록; 기명; (우편물의) 등기: a ~ fee 등기료/~ stamp 등기 우표/the ~ of a child's birth 출생 신고 **2** (온도계 등의) 표시 **3** 등록된 사람[사항]들 **4** [집합적] 등록자 수, 등록 건수 **5** 〚정치〛 선거인 등록: the ~ of qualified voters 유권자의 선거 등록 **6** 등록 증명서 **7** Ⓤ 〚음악〛 음전 조절 《오르간의》 **8** ⓊⒸ 〚인쇄〛 인쇄 정합(整合) 《안팎 양면의》

---

field, sphere, orbit, realm, domain, world **3** (신체의) 부위 part, place, section, site

register *v.* **1** 등록하다 record, enter, set down, chronicle, enroll, inscribe, write down, note, list **2** 가리키다 read, indicate, show, display **3** 표정짓다 express, reveal, reflect, demonstrate

registrátion àrea 《미》 (국세 조사를 위한 출생·사망 기록의) 등록 지역
registrátion bòok (자동차) 등록증
registrátion dòcument 《영》 (차의) 등록 증명서
registrátion númber[márk] 자동차 등록 번호, 차량 번호
registrátion plàte 《호주·뉴질》 (자동차의) 번호판
reg·is·try [rédʒistri] *n.* (*pl.* **-tries**) **1** Ⓤ 기재, 등기, 등록 **2** Ⓤ 등기 우편 **3** 호적 등기소; 《고어》 직업 소개소 ***marriage at a ~ (office)*** 신고 결혼 《종교적 의식을 올리지 않는》
régistry òffice 《영》 **1** 호적 등기소 **2** 《고어》 (가정부·요리사 등의) 직업 소개소
Re·gius [ríːdʒjəs, -dʒəs] [L] *a.* 왕의(royal); 칙임(勅任)의
Régius proféssor (Oxford, Cambridge 대학 등의) 흠정 강좌 담당 교수
re·give [rigív] *vt.* 다시 주다
re·glaze [rìːgléiz] *vt.* 〈창의〉 유리를 갈아 끼우다
re·gle [ríːgl] *n.* (미닫이 문의) 홈
reg·let [réglit] *n.* **1** 〖건축〗 홈, 평이랑; 평쇠시리 **2** 〖인쇄〗 (행간에 끼우는) 나무 인테르
reg·nal [régnəl] *a.* 성세(聖世)의, 국왕 치하의; 왕(국)의: the ~ day 즉위 기념일
reg·nant [régnənt] *a.* **1** [명사 뒤에서] 통치하는, 지배하는, 군림하는(ruling): a queen ~ (일국의 군주로서의) 여왕(cf. QUEEN CONSORT) **2** 우세한, 유력한, 주요한, 세력이 있는: a ~ determination 움직일 수 없는 결정 **3** 일반적으로 행해지는, 유행의 **-nan·cy** *n.*
reg·num [régnəm] [L] *n.* (*pl.* ***-na*** [-nə]) 왕국(kingdom)
reg·o [rédʒou] *n.* (*pl.* **~s**) 《호주》 자동차 등록(비)
reg·o·lith [régəlìθ] *n.* 〖지질〗 표토(表土)(mantle rock); (달 표면의) 돌가루 모양의 물질
re·gorge [rìːgɔ́ːrdʒ] *vt.* **1** 되던지다 **2** 게우다, 토하다 **—***vi.* 다시 흘러나오다, 역류하다; 분출하다
Reg. Prof. Regius Professor
re·grade [rìːgréid] *vt.* **1** 〈도로 등을〉 다시 경사지게 하다 **2** 〈학생의〉 학년을 바꾸다
re·grant [rìːgrǽnt | -grάːnt] *vt.* 다시 허가하다, 재교부하다, …에게 다시 교부금을 주다
—*n.* 재허가, 재교부; 재교부금
re·grate[1] [rigréit] *vt.* **1** 〖역사〗 〈곡물·식료품 등을〉 매점하다(buy up) **2** 〈매점한 식료품 등을〉 (비싸게) 되팔다
regrate[2] *vt.* 〈벽·돌 따위의 표면을〉 새롭게 보이도록 깎아내다
re·grat·er, -gra·tor [rigréitər] *n.* **1** 《영》 매점자 **2** 《방언》 (곡물 등을 농가를 돌며 사들이는) 중매인, 사재기 상인
re·greet [riːgríːt] *vt.* 다시 인사하다, 답례하다
re·gress [ríːgres] *n.* Ⓤⓒ **1** 되돌아감, 후퇴, 역행; 귀환, 복위 《*to, into*》 **2** 상환 청구권; 복귀권 **3** 퇴보, 타락(cf. PROGRESS) **4** 〖천문〗 역행 **5** 〖논리〗 (결과로부터 원인에의) 소급
— [rigrés] *vi.* **1** 되돌아가다, 복귀하다; 퇴보[퇴화]하다 **2** 〖천문〗 회귀[후퇴, 역행]하다 **re·grés·sor** *n.*
re·gres·sion [rigréʃən] *n.* Ⓤⓒ 복귀; 〖생물〗 퇴보, 퇴화; 〖기하〗 (곡선의) 회귀; 〖천문〗 역행 (운동)
regréssion anàlysis 〖통계〗 회귀 분석[해석]
regréssion coefficient 〖통계〗 회귀 계수
re·gres·sive [rigrésiv] *a.* **1** 되돌아가는, 후퇴하는, 회귀하는 **2** 〖생물〗 퇴보[퇴화]하는 **3** 〖논리〗 결과에서 원인으로 소급하는 **4** 〖수학·통계〗 회귀하는
~·ly *ad.* **~·ness** *n.*
regréssive assimilátion 〖음성〗 역행 동화(逆行同化)
‡**re·gret** [rigrét] *n.* **1** 유감, 섭섭함, 서운함; 후회, 회한 《*for, at*》: express ~ *at* …에 유감의 뜻을 표하다 / express ~ *for* …을 사과하다 / feel ~ *for* …을 후회하다 / have no ~*s* 유감으로 생각지 않다 / hear with ~ of[that …] …을[이라고] 듣고 섭섭하게 생각하다 / refuse with much ~ 매우 유감이지만 거절하다

> 유의어 **regret** 과거의 행위나 잘못에 대한 후회. 가벼운 실망감부터 양심의 가책까지 그 범위가 넓음 **penitence** 도덕적 죄의식을 느껴 다시는 죄를 짓지 않겠다는 결의: Absolution is dependent upon sincere *penitence.* 사면은 진정으로 참회하느냐에 달려 있다. **remorse** 양심의 가책, 참회의 기분: be untroubled by feelings of *remorse* 양심의 가책 따위는 느끼지 않다 **repentance** 자신의 죄를 깨닫고 완전히 새로 태어남을 강조: *repentance* accompanied by a complete change of character 완전한 인격 변화가 뒤따른 회개

2 (죽음·불행에 대한) 슬픔, 비탄, 낙담; 애도, 애석 《*at, for, over*》 **3** [*pl.*] **a** 유감의 뜻, 후회의 말 **b** (초대장에 대한) 정중한 거절, 사절(장): send one's ~*s* 초대를 거절하는 편지를 보내다 (***much*** [***greatly***]) ***to*** one***'s ~*** (매우) 유감스럽지만[섭섭하지만]
—*vt.* (**~·ted**; **~·ting**) **1** 후회하다, 뉘우치다, 분해하다, 섭섭하게[유감으로] 생각하다; 《~+*-ing*》 《~+***that*** 절》 I ~ hav*ing* spent the money. = I ~ *that* I spent the money. 나는 그 돈을 쓴 것을 후회한다. // 《~+***to*** do》 I ~ *to* say that … …하다니 유감이다, 섭섭하다 / I ~ *to* have to do this. 이렇게 할 수밖에 없어 유감이다. **2** 불쌍하게 여기다, 슬퍼하다, 한탄하다; 애석하게 여기다, 아까워하다, 서운해하다
It is to be ~ted that … …은 섭섭한[유감스러운, 애석한] 일이다 **~·ter** *n.*
▷ regrétful, regréttable *a.*
re·gret·ful [rigrétfəl] *a.* 뉘우치는; 슬퍼하는; 애석해하는; 서운해하는, 아까워하는, 유감의 뜻을 표하는: a ~ face 서운해 하는 표정 **~·ly** *ad.* **~·ness** *n.*
re·gret·less [rigrétlis] *a.* 유감스럽게 생각하지 않는, 애석해[서운해]하지 않는
*__re·gret·ta·ble__ [rigrétəbl] *a.* [완곡적] 유감스러운, 후회되는, 서운한, 안된, 가엾은, 애처로운, 개탄할: a most ~ mistake 매우 후회스러운 실수 / ⒸⒺ I made several *regrettable*[regretful(×)] mistakes. 나는 후회스러운 실수를 몇 번 했다.
~·ness *n.* **-bly** *ad.* ▷ regrét *v.*
re·group [rìːgrúːp] *vt.* 재편성하다, 다시 모으다
—*vi.* 다시 모이다, 재편성되다 **~·ment** *n.*
re·grow [rigróu] *vt., vi.* (특히 간격을 두고) 재성장하다[시키다] **re·grówth** *n.*
regs [régz] [*regulations*] *n. pl.* 규제, 규정, 규칙
Regt., regt. regent; regiment
reg·u·la·ble [régjuləbl] *a.* 정리[조절, 규정]할 수 있는; 단속[제한]할 수 있는
reg·u·lant [régjulənt] *n.* 억제[조절]제
‡**reg·u·lar** [régjulər] *a., n., ad.*

> L 「자의」의 뜻에서 → (자의에 의한) → 「규칙적인」 **2** ─┬→ 「정식의」 **3**
> └→ 「정해진」 **8** → 「정기적인」 **1**

—*a.* (opp. *irregular*) **1 a** 정기적인, 일정한, 불변의: (a) ~ income 정기적인 수입 / the ~ salary 고정급 / at ~ intervals 일정한 간격으로 **b** 원칙에 따른, 정례의, 정기의: a ~ congress 정기 국회 / a ~ meeting 정기 집회 **2 a** 〈생활이〉 규칙적인, 정연한; 〈맥박·

thesaurus **regret** *v.* **1** 후회하다 feel sorry about, repent **2** 슬퍼하다 lament, mourn, deplore
regular *a.* **1** 보통의 usual, normal, customary, habitual, routine, typical, everyday, daily, common, average, unvarying **2** 규칙적인 rhythmic, periodic, steady, even, uniform, constant, unchanging, consistent, orderly, systematic **3** 정

호흡 따위가〉 고른: keep ~ hours = lead a ~ life 규칙적인 생활을 하다 / ~ breathing 정상 호흡 **b**〈변통·월경 등이〉 규칙적으로 있는, 정상(적)인 **3** (법률·관례·표준 등에 맞는) **정규의,** 정식의; 면허[자격]를 얻은; 《미》 〖정치〗 공인(公認)의: I suspected the man wasn't a ~ doctor. 그 사람이 정식 의사가 아니라고 의심했다. **4** 통상의, 보통의, 언제나의: ~ classes 정규 수업 / put a thing in its ~ place 물건을 언제나 두는 자리에 놓다 **5** 《미》 〈사이즈가〉 보통의, 표준의: cigarettes of ~ size 표준 사이즈의 담배 **6** 균형 잡힌, 조화를 이룬; 〈이 따위가〉 고른: ~ features 단정한 얼굴 / ~ teeth 고른 치아 **7** 〖군사〗 정규의, 상비의: ~ soldiers 정규병 **8** 〈고객 등이〉 일정한, 정해진; 단골의: ~ readers 정기 구독자 / a ~ customer 단골손님 **9** 정해진 시간의, 정시의: ~ bus departure 버스의 정시 발차 **10 a** 《미·구어》 마음에 맞는, (기분) 좋은; 〈사회적·경제적 지위 등이〉 자기와 같은 수준인: a ~ fellow[guy] 호한(好漢), 호남아 **b** [종종 비꼬아] 《구어》 완전한, 순전한, 진짜의 **11** 〖기하〗 등변 등각의; 〈입체형이〉 각 면의 크기와 모양이 같은: a ~ triangle 정삼각형 **12** 〖문법〗 규칙 변화의: ~ verbs 규칙 동사 **13** 〖그리스도교〗 〈성직자가〉 종규(宗規)에 매인 수도회에 속하는(cf. SECULAR): ~ clergy 수사 **14** 〖식물〗 균정(均整)한 《흔히 꽃에 대하여》 **15** 〈커피가〉 레귤러인 《밀크 혹은 크림이 적당히 들어간》 **16** 〖결정〗 등축(等軸)의

— *n.* **1** [보통 *pl.*] 정규병; 정규 선수; 단골손님 **2** 수도사, 수사 **3** 상시 고용인[직공] **4** 《미》 〖정치〗 철저한 지지자, 충실한 당원 《어느 당파의》 **5** 안심할 수 있는 사람[것] **6** 《미》 (옷 등의) 표준 사이즈

— *ad.* 《방언》 = REGULARLY

~·ness *n.* ▷ régularly *ad.*

régular ármy 상비[정규]군; [the R- A-] (예비군을 포함하지 않은) 미국 상비군

régular chécking accòunt 《미》 보통 당좌 예금

reg·u·lar·i·ty [règjulǽrəti] *n.* (*pl.* **-ties**) 규칙적임; 질서, 균형, 조화; 일정불변; 정규, 정상: with ~ 규칙대로, 어김없이

reg·u·lar·ize [régjuləràiz] *vt.* 《문어》 질서 있게 하다, 조직화하다; 조정하다; 정식화하다 **règ·u·lar·i·zá·tion** *n.* **-iz·er** *n.*

‡**reg·u·lar·ly** [régjulərli] *ad.* **1 규칙적으로;** 질서 있게, 반듯하게: write a diary ~ 매일 꼭 일기를 쓰다 **2 정기적으로;** 여느 때와 같이: I meet him ~, once a week. 일주일에 한 번씩 정기적으로 그를 만난다. **3** 격식대로, 정식으로; 적당하게 **4** 《구어》 온통, 철저히, 감쪽같이: She was ~ lucky then. 그때 그녀는 완전히 운이 좋았다.

régular polyhédron 〖수학〗 = REGULAR SOLID

régular pýramid 〖수학〗 정각뿔

régular refléction 〖광학〗 정(正)반사

régular séason 〖야구〗 공식전(公式戰)

régular sólid 〖수학〗 정다면체

régular yéar 〖유대력〗 354일 평년; 384일 윤년

∗**reg·u·late** [régjulèit] *vt.* **1 규제하다,** 단속하다, 통제하다: ~ the testing of the drug 그 약의 테스트를 규제하다 **2** 〈수량·정도·기계를〉 **조절[조정]하다,** 정리하다: ~ the temperature 온도를 조절하다 / ~ a watch 시계를 맞추다 **3** 규칙적이 되게 하다, 질서 정연하게 하다: ~ one's eating habit 먹는 습관을 규칙적이 되게 하다 **-la·tive** [-lèitiv, -lət-]

▷ regulátion *n.*

식의 official, established, fixed, state, conventional, formal, proper, orthodox, approved, sanctioned, standard, traditional

regulate *v.* **1** 규제하다 control, rule, direct, guide, govern, manage, order, administer, handle, organize, supervise, oversee, monitor **2** 조정하다 adjust, balance, set, modulate

---

∗**reg·u·la·tion** [règjuléiʃən] *n.* **1** 규칙, **규정;** 법규 (⇨ law 유의어): traffic[safety] ~*s* 교통[안전] 법규 **2** Ⓤ **규제,** 단속 **3 조절,** 조정

— *a.* Ⓐ 정규의, 규정의, 표준의; 정상의; 보통의, 예의, 여느: a ~ ball 정규공 / a ~ cap[uniform] 제모[제복] / a ~ speed 규정 속도 / of the ~ size 규정된 크기의, 보통[표준] 크기의

▷ régulate *v.*

reg·u·la·tor [régjulèitər] *n.* **1** 규정자; 단속자, 정리자; 〖영국사〗 선거 조사[감시] 위원 **2** 〖기계〗 조절[조정]기; (시간) 조절 장치; (기계의) 정시기(整時器); 표준 시계 **3** 원칙; 표준

régulator pìn (시계의) 제어봉(棒)

reg·u·la·to·ry [régjulətɔ̀:ri | -təri] *a.* 조절[조정]하는; 규정하는, 단속하는

régulatory[régulator] gène 〖유전〗 조절[제어] 유전자

Reg·u·lo [régjulòu] *n.* 《영》 레귤로 《가스레인지의 온도 자동 조절 장치; 상표명》

reg·u·lus [régjuləs] *n.* (*pl.* **~·es, -li** [-lài]) **1** [**R~**] 〖천문〗 레굴루스 《사자자리(Leo)의 일등별》 **2** 〖화학·야금〗 레귤러스 《광석을 제련할 때 생기는 황화금속의 덩어리; 불순 중간 생성물》

Reg·u·lus [régjuləs] *n.* **1** 레굴루스 **Marcus Atilius** ~ (?-250? B.C.) 《로마의 장군》 **2** 레귤러스 《미국 해군의 유도탄》

re·gur·gi·tate [rigə́:rdʒətèit] 《문어》 *vi.* **1** 〈액체·가스 따위가〉 되내뿜다, 역류하다 **2** 〈음식이〉 게워지다

— *vt.* **1** 역류시키다 **2** 게우다, 토하다 **3** 〈남의 말 등을〉 (생각해 보지 않고) 그대로 되뇌다

-tant *n.* **re·gùr·gi·tá·tion** *n.*

re·hab [ríːhæ̀b] 《미》 *n.* **1** = REHABILITATION **2** 갱생 시설 — *vt.* = REHABILITATE

re·ha·bil·i·tant [rìːhəbílətənt] *n.* 사회 복귀의 치료[훈련]를 받고 있는 환자[장애자]

re·ha·bil·i·tate [rìːhəbílətèit] *vt.* **1** 〈장애자·부상자·범죄자 등을〉 사회 복귀시키다 **2** 원상으로 복귀시키다(restore), 수복(修復)하다, 복구[회복]하다; 부흥하다, 재건하다 **3** 명예[신망, 평판]를 회복시키다: ~ oneself 명예[신용]를 회복하다 **4** 복직[복위, 복권]시키다 **-ta·tive** [-tətiv, -tèi-] *a.* **-tà·tor** *n.* 복직[복권]자; 명예 회복자

∗**re·ha·bil·i·ta·tion** [rìːhəbìlətéiʃən] *n.* Ⓤ **1** (장애자 등의) **사회 복귀,** 갱생: the ~ of mentally ill patients 정신 장애 환자들의 사회 복귀 **2** 복직, 복위, 복권; 명예 회복 **3** 부흥, 재건

re·han·dle [rìːhǽndl] *vt.* **1** 다시 다루다 **2** 개조하다, 개작하다

re·hang [rihǽŋ] *vt.* 〈그림·커튼 따위를〉 다시 걸다[달다]

re·hash [rìːhǽʃ] *vt.* **1** 〈고기 등을〉 다시 썰다[저미다] **2** 〈낡은 사상·강의 등을〉 (크게 변경하거나 개량하지 않고) 다시 써먹다, 재탕하다, 개작하다: ~ old arguments 지난 논쟁을 재탕하다

— [ㅅㅡ] *n.* 다시 만듦, 되써먹음, 개작, 재탕

re·hear [rìːhíər] *vt.* (**-heard** [-hə́ːrd]) **1** 다시 듣다, 되듣다 **2** 〖법〗 재심하다

re·hear·ing [rìːhíəriŋ] *n.* 〖법〗 재심, 속심(續審)

∗**re·hears·al** [rihə́ːrsəl] *n.* **1** UC **리허설** 《연극 등의》, 시연(試演)(회), 총연습(회); 예행 연습: a dress ~ (무대 의상을 입고 하는) 총연습 / a public ~ 공개 시연 / in ~ 리허설 중 **2** Ⓤ 암송, 복창, 낭송 **3** (이야기·경험 등을) 자세히 말하기, 자세한 이야기

▷ rehéarse *v.*

∗**re·hearse** [rihə́ːrs] *vt.* **1 연습하다,** …의 예행 연습을 하다, 시연하다: ~ a new play 새 연극을 시연하다 **2** (연습을 시켜) 숙달시키다 **3** 복송[암송]하다 **4** 열거하다, 자세히 말하다

— *vi.* (연극 등의) 예행 연습을 하다

re·héars·er *n.* **re·héars·a·ble** *a.*

▷ rehéarsal *n.*

re·heat [rìːhíːt] *vt.* 다시 가열하다 — [⌐⌐] *n.* 〖항공〗 (제트 엔진의) 재연소(법); 재연소 장치
re·heat·er [rìːhíːtər] *n.* 재가열기 《한번 사용한 증기를 다시 사용하기 위해 가열하는 장치》
re·heat·ing [rìːhíːtiŋ] *n.* 〖항공〗 (가스의) 재연소 《터보제트 엔진의 연소 분류(噴流)를 터빈 각 단(段)의 중간에서 다시 가열해서 연소시켜 효율을 좋게 함》
re·heel [rihíːl] *vt.* 〈구두 따위에〉 굽[뒤축]을 갈아 대다
re·hire [rìːháiər] *vt.* 재고용하다 — *n.* 재고용
Re·ho·bo·am [rìːəbóuəm] *n.* 르호보암 **1** Solomon 왕의 아들이자 Judah의 초대왕 **2** [**r~**] 대형의 포도주 병 《보통 병 크기의 6배》
re·home [rìːhóum] *vt.* 〈애완동물을〉 새 가정에 입주시키다, 새 가정을 찾아 주다 《특히 동물 수용소에서》
re·house [rìːháuz] *vt.* …에게 새 집을 지어 주다, 새 집에 살게 하다 《헌집을 헐거나 하여》
re·hu·man·ize [rìːhjúːmənàiz] *vt.* …의 인간성을 회복시켜 주다, 참사람으로 만들다
re·hy·drate [rìːháidreit] *vt.* 〖화학〗 다시 수화(水和)하다, (물을 가하여) 〈건조 식품을〉 원상으로 돌아가게 하다
Reich [ráik] [G 「제국」의 뜻에서] *n.* **1** (독일) 제국; 영지; 국가 **2** [the ~] (특히 나치 시대의) 독일 (Germany)
Reichs·bank [ráiksbæ̀ŋk] [G] *n.* 독일 국립 은행 《1843-1945》
reichs·mark [ráiksmɑ̀ːrk] [G] *n.* (*pl.* **~s,** ~) 라이히스마르크 《독일에서 사용하던 마르크화; 1925-48》
Reichs·tag [ráikstɑ̀ːg] [G] *n.* (옛날의) 독일 의회
re·i·fy [ríːəfài, réiə-] *vt.* (**-fied**) 〈추상 개념 등을〉 구체[구상]화하다, 구체화하여 생각하다: ~ a concept 개념을 구체화하다 **rè·i·fi·cá·tion** *n.* 구체화, 구상화
R 18 〖영화〗 18세 미만자 입장 금지
‡**reign** [réin] [L 「(왕이) 지배하다」의 뜻에서] *n.* **1** 치세, 왕대(王代): during five successive ~*s* 5대 동안 계속하여, 5대에 걸쳐 / under[in] the ~ of …의 치세에 **2** Ⓤ 군림; 통치, 지배 **3** Ⓤ 통치권, 권세: hold the ~*s* of government 정권을 잡다 / Night resumes her ~. 다시 밤의 세계가 된다.
— *vi.* **1** 군림하다, 지배하다, 주권을 잡다 《*over*》(⇨ govern 유의어): (~+전+명) ~ *over* people 국민을 통치하다 **2** 세력을 휘두르다, 세도를 부리다(dominate): The bishop ~*s* in his city. 주교는 그의 시에서 실권을 가지고 있다. **3** 널리 성행[유행]하다, 널리 퍼지다: Silence ~*s*. 만물이 고요하다.
reign·ing [réiniŋ] *a.* **1** 군림하는 **2** 세도를 부리는 **3** 널리 유행하는, 널리 퍼져 있는
re·ig·nite [rìːignáit] *vt.* 다시 불붙이다; 〈불을〉 다시 일으키다 — *vi.* 다시 발화하다
Réign of Térror [the ~] (프랑스 혁명 중의) 공포 시대; [**r- of t-**] 《일반적으로》 공포 정치
rei·ki [réiki] [Jap.] *n.* 영기(靈氣) 요법
re·im·burse [rìːimbə́ːrs] *vt.* **1** 변상[배상]하다(indemnify) 《*for*》 **2** 〈비용을〉 갚다, 상환하다(repay), 변제하다 **~·ment** *n.* UC 갚음, 변제, 상환, 배상 **-búrs·er** *n.*
re·im·plant [rìːimplǽnt] *vt.* 〖외과〗 재이식하다 **rè·im·plan·tá·tion** *n.* 재이식
re·im·port [rìːimpɔ́ːrt] *vt.* 〈수출품 등을〉 재[역]수입하다 — [⌐⌐⌐] *n.* **1** Ⓤ 재수입, 역수입 **2** [보통 *pl.*] 재[역]수입품
re·im·por·ta·tion [rìːimpɔːrtéiʃən] *n.* **1** Ⓤ 재수입 《수출품 등의》 **2** 역수입품
re·im·pose [rìːimpóuz] *vt.* 〈폐지된 세금을〉 다시 부과하다 **re·im·po·si·tion** [rìːimpəzíʃən] *n.*
re·im·pres·sion [rìːimpréʃən] *n.* UC 재인상(再印象); Ⓒ 재판(물)
re·im·print [rìːimprínt] *vt.* 재판(再版)하다, 번각하다
re·im·pris·on [rìːimprízn] *vt.* 재투옥[감금]하다
Reims [ríːmz] *n.* 랭스 《프랑스 북동부의 도시》
‡**rein** [réin] [L「누르다」의 뜻에서] *n.* **1** [종종 *pl.*] 고삐 《보통 가죽으로 된》; 유아 보호용 벨트: on a long ~ 고삐를 늦추어 / throw (up) the ~*s* to (말의) 고삐를 내던지다, 제멋대로 굴게 하다, …의 자유에 맡기다 / Pull on the ~*s*. 고삐를 당겨라. **2** 통제 수단; 통어, 제어; 구속, 견제, 지배: without ~ 구애 없이, 자유롭게 **3** [종종 *pl.*] 제어(력), 통제권, 지휘권: assume[drop] the ~*s* of government 정권을 잡다[놓치다] / hold the ~*s* 정권 《등》을 잡고 있다 / take the ~*s* (현재의 지배자 대신에) 지휘하다, 지배하다 **4** CU [종종 *pl.*] 행동의 자유
draw in the ~(s) (고삐를 잡아당겨) 말을 멈추게 하다 ***draw ~*** (1) 〈보조 등을〉 늦추다 (2) = draw in the REIN(S). ***give a horse*** (***the***) ***~(s)*** 말을 제멋대로 가게 하다 ***give*** ((***a***) ***free***[***full***]) ***~*** [***the ~s, a loose ~***] ***to*** …에게 자유를 주다, 멋대로 하게 하다 ***hold***[***keep***] ***a tight ~ over***[***on***] …을 엄격히 통제하다[제어하다, 가르치다, 다루다] ***keep a slack***[***loose***] ***~ on*** …의 고삐를 느슨히 하다, 엄하게 대하지 않다
— *vt.* **1** 〈말에〉 고삐를 매다; 고삐로 조종하다[몰다]; (고삐를 당겨) 〈말을〉 세우다; (고삐를 당겨) 〈말의〉 보조를 늦추다: ~ a horse well 말을 잘 몰다 **2** 제어하다, 통제[억제]하다; 지배하다, 통어하다, 이끌다: (~+목+부) ~ *in* one's temper 울화를 억제하다 // ~ one's tongue 입조심하다
— *vi.* **1** 〈말이〉 고삐를 따라 움직이다 **2** 고삐를 써서 말을 세우다 《*in, up, back*》: ~ *back*[*up*] (고삐를 당겨) 〈말 등을〉 멈추게 하다 / ~ *in* 고삐를 당겨 〈말을〉 세우다; 억제하다
re·in·car·nate [rìːinkɑ́ːrneit | ⌐⌐⌐] *vt.* 〈영혼에〉 다시 육체를 부여하다; 환생시키다
— [-nət, -neit] *a.* 다시 육체를 부여받은; 환생한
re·in·car·na·tion [rìːinkɑːrnéiʃən] *n.* **1** Ⓤ 다시 육체를 부여함; 영혼 재래(설), 윤회 **2** UC 재생, 환생, 화신 **~·ist** *n.*
re·in·cor·po·rate [rìːinkɔ́ːrpərèit] *vt.* 다시 통합[합동]시키다, 다시 법인으로 만들다
***rein·deer** [réindìər] *n.* (*pl.* **~, ~s**) 〖동물〗 순록(馴鹿)

reindeer

réindeer mòss[**lìchen**] 〖식물〗 이끼의 일종 《순록의 먹이》
re·in·dus·tri·al·i·za·tion [rìːindʌ̀striəlizéiʃən | -lai-] *n.* (특히 미국의) 재공업화, 산업 부흥
re·in·dus·tri·al·ize [rìːindʌ́striəlàiz] *vt., vi.* (…을) 재공업화하다
re·in·fect [rìːinfékt] *vt.* 재감염시키다
re·in·fec·tion [rìːinfékʃən] *n.* 재감염
re·in·fla·tion [rìːinfléiʃən] *n.* Ⓤ 통화 재팽창
***re·in·force** [rìːinfɔ́ːrs] *vt.* **1** 강화[증강, 보강]하다, …의 힘을 북돋우다(strengthen); 보충하다 《*with*》: (~+목+전+명) ~ a wall *with* mud 진흙으로 벽을 보강하다 **2** 지원군을 보내다, 증원하다: ~ a garrison 수비대를 증강하다 **3** 〈공급·저장·경험 등을〉 늘리다; 〈건강을〉 증진하다: ~ a supply 공급을 늘리다 **4** 〖심리〗 〈자극에 대한 반응을〉 강화하다
— *n.* 보강물[재] **-fórc·er** *n.* 〖심리〗 강화 인자(因子) ▷ reinfórcement *n.*
re·in·fórced cóncrete [rìːinfɔ́ːrst-] 철근 콘크리트

thesaurus **reign** *n.* monarchy, sovereignty, power, government, rule, command, control, administration, ascendancy, dominion, influence
rein *n.* check, restraint, constraint
reinforce *v.* **1** 강화하다 strengthen, support, back

reinfórced plástic (섬유를 섞은) 강화 플라스틱
re·in·force·ment [rì:infɔ́:rsmənt] *n.* **1** Ⓤ 보강, 강화, 증원 **2** [*pl.*] 증원 부대[함대], 지원병 **3** 보강(재), 보급(품) **4** Ⓤ.Ⓒ 〖심리〗 강화
reinfórcement thérapist 〖정신의학〗 강화 요법사
reinfórcement thérapy 〖정신의학〗 강화 요법
re·in·form [rì:infɔ́:rm] *vt.* 다시 알리다
re·in·fuse [rì:infjú:z] *vt.* 재주입[고취]하다
re·ink [ri:íŋk] *vt.* 다시 잉크를 묻히다
rein·less [réinlis] *a.* **1** 고삐 없는 **2** 속박이 없는, 구속되지 않은, 자유로운; 방종한(loose)
reins [réinz] *n. pl.* **1** 《고어》 신장, 콩팥(kidneys); 허리 **2** 〖성서〗 감정·애정이 있는 곳; 감정과 애정
re·in·sert [rì:insɔ́:rt] *vt.* 다시 끼워 넣다[써넣다]
-sér·tion *n.*
reins·man [réinzmən] *n.* (*pl.* **-men**) 기수, 마부
re·in·spect [rì:inspékt] *vt.* 재검사[시찰]하다
re·in·stall·ment [rì:instɔ́:lmənt] *n.* (분할불 따위의) 추가분; 재취임[임명]
re·in·state [rì:instéit] *vt.* **1** 〈질서 등을〉 원상태로 하다: ~ law and order 법과 질서를 회복하다 **2** 복위[복권, 복직]시키다 **3** …의 건강을 회복시키다
~·ment *n.* Ⓤ 복위, 복권, 복직, 회복, 수복
re·in·struct [rì:instrʌ́kt] *vt.* 다시 가르치다, 재교육하다
re·in·sure [rì:inʃúər] *vt.* …을 재보증[재확보]하다; …을 위해 재보험을 들다 **—** *vi.* 보증을 더욱 확실하게 하다 **-sur·ance** [-ʃúərəns] *n.* Ⓤ 재보험(액)
-súr·er *n.* 재보험자
re·in·te·grate [ri:íntəgrèit] *vt.* 다시 완전하게 하다; 재건[부흥]하다; 다시 통일[통합]하다 **-grà·tive** *a.*
re·in·te·gra·tion [rì:intəgréiʃən, rì:in-] *n.* Ⓤ 복구, 복원; 재건; 재통합
re·in·ter [rì:intə́:r] *vt.* (**~red**; **~·ring**) 〈시체를〉 다시 묻다, 개장(改葬)하다
re·in·ter·pret [rì:intə́:rprit] *vt.* 다시 해석하다; 새로이 해석하다 **re·in·tèr·pre·tá·tion** *n.*
re·in·tro·duce [rì:intrədjú:s | -djú:s] *vt.* 다시 소개하다; 재도입하다; 다시 제출하다 **-dúc·tion** *n.*
re·in·vent [rì:invént] *vt.* 〈이미 발명·고안된 것을〉 재발명[고안]하다 **~ *the wheel*** 《구어》 시간과 노력을 낭비하다, 불필요한 일을 하다 **-vén·tion** *n.*
re·in·vest [rì:invést] *vt.* **1** 재투자하다 **2** 다시 입히다; 다시 주다 《*with*》 **3** 다시 임명하다 《*in*》; 회복시키다 **~·ment** *n.*
re·in·ves·ti·gate [rì:invéstigèit] *vt.* 다시 조사하다
re·in·vig·or·ate [rì:invígərèit] *vt.* 되살리다, 새로 기운을 차리게 하다, 활기를 되찾게 하다
rè·in·vig·or·á·tion *n.*
reis [réis] *n. pl.* (*sing.* **re·al** [reiɑ́:l]) 레이스 《포르투갈 및 브라질의 옛 화폐 단위》
re·is·sue [ri:íʃu:] *vt.* 〈증권·우표·통화·서적 등을〉 재발행하다 **—** *vi.* 다시 나오다[나타나다]
— *n.* **1** Ⓤ.Ⓒ (서적·우표 등의) 재발행; 신판 **2** 재발행물; 재상영 영화
REIT [rí:t] [*r*eal *e*state *i*nvestment *t*rust] *n.* 《미》 〖금융〗 부동산 투자 신탁 (회사)
re·it·er·ant [ri:ítərənt] *a.* 되풀이하여 말하는, 반복하는
∗**re·it·er·ate** [ri:ítərèit] *vt.* (여러 번) 되풀이하다[반복하다]; 반복하여 말하다
— [-rət] *a.* (여러 번) 반복되는
re·ìt·er·á·tion *n.* 반복; 중언부언; 〖인쇄〗 뒷면 인쇄
re·it·er·a·tive [ri:ítərèitiv, -rə- | -rə-] *n.* 〖문법〗 중첩어(重疊語); 반복어 《dillydally, willy-nilly 등》

up, uphold, stress, underline, emphasize **2** 증원하다 augment, increase, add to, supplement
reject *v.* **1** 거절하다 refuse, turn down, decline, veto, deny **2** 퇴짜놓다 cast out, discard, renounce, abandon, forsake, eliminate, exclude

— *a.* 되풀이하는, 반복하는 **~·ly** *ad.* **~·ness** *n.*
Réi·ter's sỳndrome[disèase] [ráitərz-] [독일의 세균학자 이름에서] 〖병리〗 라이터 증후군 《관절염·결막염·요도염의 증후를 수반하는 원인 불명의 질환》
reive [rí:v] *v.* 《스코》 습격[약탈]하다(reave)
réiv·er *n.*
re·jas·er [ri:dʒéisər] *n.* 《미·속어》 폐물 이용자
re·jas·ing [ri:dʒéisiŋ] *n.* 《미·속어》 폐물[폐기물](재)이용
‡**re·ject** [ridʒékt] [L 「뒤로 던지다」의 뜻에서] *vt.* **1** 거절하다, 각하하다, 거부[부인]하다(⇨ refuse[1] 유의어): ~ a vote 투표를 거부하다 / ~ the offer of a better job 보다 나은 일의 제안을 거절하다 **2** 〈사람·응모자 등을〉 불합격시키다, 받아들이지 않다: ~ a suitor 구혼자를 퇴짜 놓다 **3** 〈불량품 등을〉 퇴짜 놓다, 버리다 **4** 〈위 등이 음식을〉 받지 않다, 토하다 **5** 〖의학〗 〈이식된 장기·조직 따위에〉 거부 반응을 나타내다
— [rí:dʒekt] *n.* 거부된 사람[것]; 불합격자[품], 흠 있는 물건 **~·a·ble** *a.* **re·jéc·tive** *a.*
▷ rejéction *n.*
re·jec·ta·men·ta [ridʒèktəméntə] *n. pl.* **1** 폐물, 폐기물, 쓰레기(refuse) **2** 해안에 밀려온 해초류[표착물, 난파물] **3** 〖생리〗 배설물(excrement)
re·ject·ee [ridʒektí:, -dʒékti, rì:dʒektí:] *n.* 《미》 거절당한 사람; (특히 징병 검사의) 불합격자
∗**re·jec·tion** [ridʒékʃən] *n.* **1** Ⓤ 거절; 배제, 폐기; 각하, 부결: the ~ of a person's demand …의 요구 거절 **2** 폐기물; 배설물; 구토 **3** Ⓤ 〖의학〗 거부 반응
rejéction frònt [때때로 **R- F-**] 거부 전선 《이스라엘과의 교섭·화평을 거부하는 아랍 제국[조직]의 전선》
re·jec·tion·ist [ridʒékʃənist] *n., a.* **1** 거부파(의) 《이스라엘을 거부하는 아랍의 지도자·조직·국가》 **2** 타협을 거부하는 (사람[그룹])
rejéction slìp (출판사가 채택하지 않기로 한 원고에 붙여 보내는) 거절 쪽지, 거절표(票)
rejéctive árt = MINIMAL ART
re·jec·tiv·ist [ridʒéktəvist] *n.* = MINIMALIST
re·ject·or, -jec·ter [ridʒéktər] *n.* **1** 거절자 **2** 〖전기〗 제파기(除波器) 《바람직하지 않은 신호를 제거하는 회로》
re·jig [rì:dʒíg] *vt.* (**~ged**; **~·ging**) 《영·구어》 …에 새로운 설비를 갖추다; 재조정[재정비]하다
— *n.* 새로운 설비의 도입; 다시 손봄, 재조정
re·jig·ger [rì:dʒígər] 《구어》 *vt.* = REJIG
— *n.* 다시 손보는 사람, 재조정자
‡**re·joice** [ridʒɔ́is] 《문어》 *vt.* **1** 〈소식 등이〉 기쁘게 하다: a song to ~ the heart 마음을 즐겁게 하는 노래 **2** [수동형으로] 기뻐하다, 좋아하다: I *am ~d to* see you. 만나뵈어 기쁘게 생각합니다.
— *vi.* **1** 기뻐하다, 좋아하다, 축하하다 《*at, in, over*》: (~+전+명) ~ *at*[*in*] a person's success 남의 성공을 기뻐하다 / ~ *over* the good news 희소식을 듣고 기뻐하다 // (~+***to*** do) (~+***that*** 절) I *~d to* hear that he had got better. = I *~d that* he had got better. 그가 좋아졌다는 소식을 들으니 기뻤다. **2** 향유하다, 누리고 있다 《*in*》: (~+전+명) ~ *in* good health 건강을 누리고 있다 **3** 《익살》 (이름·칭호를) 가지고 있다, …라고 불리다 ★ 보통 ~ *in* the name of …의 형태로 쓰임. **re·jóic·er** *n.*
∗**re·joic·ing** [ridʒɔ́isiŋ] *n.* **1** Ⓤ 기쁨, 환희 **2** [*pl.*] 환호; 축하; 환락: public ~*s* 국민의 축하
~·ly *ad.* 기뻐하여, 환호하여, 축하하여
re·join[1] [rì:dʒɔ́in] *vt., vi.* 재합동[재결합]시키다[하다]; 다시 함께 되다, 재회하다; 복귀하다, 다시 참가하다: ~ one's regiment 원대 복귀하다
re·join[2] [ridʒɔ́in] *vi.* **1** 응답[답변]하다 **2** 〖법〗 〈피고가〉 제2 답변을 하다, 항변하다 **—** *vt.* …이라고 응답[답변]하다
re·join·der [ridʒɔ́indər] *n.* **1** 답변, 대답, 응답; 말대꾸 **2** 〖법〗 (피고의) 제2 답변서: make a ~ 재답변하다 ***in* ~** 대답으로

re·ju·ve·nate [ridʒúːvənèit] *vi., vt.* **1** 다시 젊어지(게 하)다, 원기를 회복하다[시키다]: That vacation has ~*d* him. 그 휴가로 그는 원기를 회복했다. **2** 〈중고품 등을〉 원상태에 가깝게 하다, 신품 상태로 되돌리다 **-nà·tive** *a.* **-nà·tor** *n.* 회춘제

re·ju·ve·na·tion [ridʒùːvənéiʃən] *n.* Ⓤ 다시 젊어짐, 회춘, 원기 회복

re·ju·ve·nesce [ridʒùːvənés] *vi.* **1** 다시 젊어지다 **2** 〖생물〗 새 활력을 얻다, 재생하다 **—** *vt.* 다시 젊어지게 하다; 〖생물〗 〈세포에〉 새로운 활력을 주다

re·ju·ve·nes·cence [ridʒùːvənésns] *n.* Ⓤ **1** 다시 젊어짐, 회춘 **2** 〖생물〗 (세포의) 부활, 재생 **-nes·cent** [-nésnt] *a.*

re·ju·ve·nize [ridʒúːvənàiz] *v.* = REJUVENATE

re·key [riːkíː] *vt.* 〖컴퓨터〗 〈데이터를〉 키보드를 사용하여 다시 입력하다

re·kin·dle [riːkíndl] *vt.* **1** 다시 불을 붙이다; 재연(再燃)시키다 **2** 다시 기운을 돋우다 **—** *vi.* **1** 다시 불타다; 재연하다 **2** 다시 기운이 나다 **-dler** *n.*

rel. relating; relative(ly); religion; religious

-rel [rəl] *suf.* 「작은」; 「경멸」의 뜻

re·la·bel [riːléibl] *vt.* (**~ed**; **~·ing** | **~led**; **~·ling**) …에 다시 표를 붙이다; …의 라벨을 갈아 붙이다

re·la·dle [riːlǽdl] *vt.* 〖야금〗 〈녹은 합금강을〉 혼합시키다

re·laid [rìːléid] *v.* RELAY[2]의 과거·과거분사

re·lapse [rilǽps] *vi.* **1** (원래의 나쁜 상태로) 되돌아가다 ((*into*)); 다시 나쁜 길에 빠지다, 타락[퇴보]하다 ((*into*)): ~ *into* heresy[unbelief] 원래의 사교(邪敎)[불신앙]로 돌아가다 / ~ *into* silence 다시 조용해지다 **2** 〈사람이〉 병이 도지다[재발하다] ((*into*))
— *n.* [rilǽps, ríːlæps | rilǽps] **1** (원래의 나쁜 상태로) 되돌아감; 타락, 퇴보 ((*into*)) **2** (병의) 재발, 도짐: have a ~ 병이 도지다
re·láps·er *n.* **re·láps·a·ble** *a.*

re·láps·ing féver [rilǽpsiŋ-] 〖의학〗 (열대 지방의) 회귀열 ((3~7일 주기로 고열이 반복되는 풍토병))

‡**re·late** [riléit] *v.*

> 「이야기하다」, 「언급하다」의 뜻에서
> 「사람·사물을 다른 사람·사물과 결부시키다」→「관계시키다」

— *vt.* **1** 이야기하다, 말하다, 설명하다(⇨ tell[1] 유의어): ~ one's experiences to a person …에게 경험담을 이야기하다 **2** 관계[관련]시키다(connect) ((*to, with*)); …사이의 관계[관련]를 설명하다[나타내다]: (~+목+전+명) ~ the result *to*[*with*] a cause 결과를 어떤 원인과 관련시키다(⇨ related 1) // ~ poverty and disease 가난과 질병 사이의 관계를 설명하다 **3** 〈…에게 …와의〉 친족 관계를 갖게 하다 ((*to*))(⇨ related 2)
— *vi.* **1** (…와) 관련이 있다 ((*to*)); (…을) 가리키다 ((*to*)): (~+전+명) This letter ~*s to* business. 이 편지는 사업상의 것이다. **2** 부합[합치]하다 ((*with, to*)): (~+전+명) The evidence does not ~ *with* the fact. 그 증거는 사실과 부합하지 않는다. **3** [종종 부정문으로] (남과) 사이좋게 지내다, 적응[순응]하다: two sisters *unable* to ~ *to* each other 서로 사이좋게 지내지 못하는 자매 **4** 〖법〗 소급하여 적용하다[발효하다]
be ~d to …와 관계가 있다; …와 친척[인척]간이다 ***relating to*** …에 관하여 ***Strange to ~*** 묘한[이상한] 이야기이지만 **re·lát·a·ble** *a.* **re·lát·er** *n.*
▷ relátion, rélative *n.*

∗**re·lat·ed** [riléitid] *a.* **1** 관계가 있는, 관련된: ~ matters 관련 사항 / paintings and the ~ arts 회화와 관련 예술 **2** 친족의, 동족의 ((*to*)): ~ language 동족 언어 / She is closely[distantly] ~ *to* me. 그녀는 나와 가까운[먼] 친척 관계이다. **3** 이야기된 **4** 〖음악〗 〈음·화음·가락이〉 근접의 **~·ness** *n.*
▷ reláte *v.*

‡**re·la·tion** [riléiʃən] *n.* **1** ⓊⒸ 관계, 관련; 연관 ((*between, to, among, with*)): the ~ *between* cause and effect 인과 관계 **2** [보통 *pl.*] **a** (구체적인) 관계, 이해관계, 교섭; 교제: maintain[establish] friendly ~*s* between the two countries 두 나라 간의 우호 관계를 유지[확립]하다 **b** (사람과의) 관계, 성교: conjugal ~*s* 부부 관계 / human ~*s* 인간 관계 **3** Ⓤ 친족[친척] 관계, 연고; Ⓒ 친척 ★ 「친척」의 뜻으로는 relative가 더 보통. **4** Ⓤ 설화, 진술, 언급; Ⓒ 이야기 **5** Ⓤ 〖법〗 고발, 신고; (법의 효력의) 소급 ((*to*))
a poor ~ (같은 부류 중에서) 뒤떨어진 사람[것] ***be out of all ~ to*** = ***bear no ~ to*** …와 전혀 관계가 없다 ***have ~s with*** …와 교섭[관계]을 가지다 ***have ~ to*** …와 관계[관련]가 있다 ***in***[***with***] ***~ to*** …에 관하여 ***make ~ to*** …에 언급하다
~·less *a.* ▷ relátional *a.*

re·la·tion·al [riléiʃənəl] *a.* **1** 관계있는; 상관적인 **2** 친척의 **3** 문법적인 관계를 나타내는 **~·ly** *ad.* 관계하여, 상관적으로

relátional dátabase 〖컴퓨터〗 관계 데이터베이스

relátional óperator 〖컴퓨터〗 관계 연산자(演算子)

re·la·tion·ism [riléiʃənìzm] *n.* 〖철학〗 관계주의

∗**re·la·tion·ship** [riléiʃənʃìp] *n.* Ⓤ **1** 관계, 관련 (connection); (사람 사이의) 감정적 유대, 관계; 연애 ((*between, to, with*)): the ~ *between* theory and practice 이론과 실천의 관계 **2** 친척 관계 **3** 〖생물〗 유연(類緣) 관계 ***degrees of ~*** 촌수, 친등(親等)
▷ relátion *n.*

rel·a·ti·val [rèlətáivəl] *a.* 〖문법〗 관계사(關係詞)의, 관계사적인 **~·ly** *ad.*

‡**rel·a·tive** [rélətiv] *n.* **1** 친척, 인척, 일가: a near ~ 가까운 친척 / a distant[remote] ~ 먼 친척 **2** 〖문법〗 관계사(⇨ 문법 해설 (26)), ((특히)) 관계 대명사 **3** 관계물[사항]; 상대적 의미를 가진 말; 상대적 존재
— *a.* **1** 비교상의; 상대적인: ~ merits 우열 / a ~ concept 상대 개념 / Beauty is ~. 미는 상대적인 것이다. **2** 관계있는, 관련되어 있는 ((*to*)): a fact ~ *to* the accident 그 사고와 관련된 사실 **3** 상관적인, 대응하는: ~ phenomena 상관 현상 **4** (…에) 호응하여, 비례하여 ((*to*)): Price is ~ *to* demand. 가격은 수요에 비례한다. **5** 〖음악〗 관계의: ~ keys 관계조(調) **6** 〖문법〗 관계절을 이끄는, 관계사에 이끌린 ***~ to*** …에 관하여, …의 비율로, …에 비례하여 **~·ness** *n.*
▷ reláte *v.*

rélative áddress 〖컴퓨터〗 상대 번지(cf. BASE ADDRESS)

rélative ádjective 〖문법〗 관계 형용사

‡**rélative ádverb** 〖문법〗 관계 부사

rélative áperture 〖광학〗 (망원경·카메라 등의) 구경비(口徑比)

rélative atómic máss = ATOMIC WEIGHT

rélative béaring 〖항해〗 상대 방위(相對方位)

rélative biológical efféctiveness 생물학적 효과비(效果比), 생물 효과비

rélative céll rèference 〖컴퓨터〗 상대 셀 참조

rélative cláuse 〖문법〗 관계사절

rélative cómplement 〖수학〗 차집합, 차(difference)

rélative dénsity 〖물리〗 상대 밀도, 비중

rélative deprivátion 〖사회〗 상대적 결핍

rélative dispérsion 〖광학〗 상대 분산도

rélative fréquency 〖통계〗 상대 도수[빈도]

rélative humídity 〖물리·기상〗 상대 습도

thesaurus **relation** *n.* **1** 관계, 관련 connection, association, linking, correlation, alliance, bond, relevance **2** 친척 relative, kinsman, kinswoman
relatively *ad.* rather, reasonably, comparatively
relax *v.* **1** 힘을 빼다 loosen, slacken, weaken, untighten, let up **2** 편하게 하다 loosen up, calm down, tranquilize, soothe, pacify **3** 줄이다 lessen,

rélative impédiment 〖법〗 근친 결혼 장애

rélative índex of refráction 〖광학〗 상대 굴절률

∗**rel·a·tive·ly** [rélətivli] *ad.* **1** 상대적[비교적]으로: a ~ small difference 비교적 작은 차이 **2** (…에) 비례하여, 비해서, 비교하여 《*to*》: attach importance to one thing ~ *to* others 다른 것에 비해 중요시하다 ~ ***speaking*** 비교해서 말하면
▷ rélative *a.*

rélative májor 〖음악〗 관계 장조

rélative majórity 《영》 상대 다수 《선거에서 과반수 미달인 경우의 수위(首位)》

rélative mínor 〖음악〗 관계 단조

rélative molécular máss =MOLECULAR WEIGHT

rélative permeabílity 〖물리〗 비투자율(比透磁率) 《略 r.d.》

rélative permittívity 〖전기〗 비투전율(比透電率)

rélative pítch 〖음악〗 상대 음고(音高); 상대 음감(音感)

‡**rélative prónoun** 〖문법〗 관계 대명사

rélative topólogy 〖수학〗 상대[유도(誘導)] 위상

rélative wínd 상대풍(風) 《특히 기체(機體)에 대한 기류의 속도·방향》

rel·a·tiv·ism [rélətivìzm] *n.* Ⓤ 〖철학〗 상대론[주의]; 〖물리〗 상대성 이론 **-ist** *n.* 상대론자

rel·a·tiv·is·tic [rèlətivístik] *a.* **1** 상대주의의 **2** 〖물리〗 상대론적인

relativístic màss 〖물리〗 상대론적 질량

relativístic quántum mechánics 〖물리〗 상대론적 양자론(量子論)

rel·a·tiv·i·ty [rèlətívəti] *n.* Ⓤ **1** 관계[관련]있는 것; 관계있음, 관련성, 상관(성); 비교적임: the ~ of beauty to taste 미와 기호의 상관성 **2** 상호 의존 **3** [*pl.*] 《영》 임금의 상대적 격차 **4** [종종 **R~**] 〖물리〗 상대성 (이론) ***the principle*** [***theory***] ***of*** ~ 상대성 원리[이론]

rel·a·tiv·ize [rélətivàiz] *vt.* 상대화하다, 상대적으로 취급하다[생각하다]; …에 상대성 이론을 적용하다

re·la·tor [riléitər] *n.* **1** 이야기하는[말하는] 사람 **2** 〖법〗 범죄 신고자, 고발자

re·launch [rí:lɔ:ntʃ] *n.* 새 판매 촉진 (활동) ―*vt.* [–́] **1** 〈상품 따위를〉 (개선하여) 새로운 방법으로 판촉하다 **2** 〈일 따위를〉 다시 시작하다

‡**re·lax** [rilǽks] *vt.* **1** 〈긴장·힘 등을〉 늦추다(loosen); …의 힘을 빼다: ~ the muscles 근육의 긴장을 풀다 **2** 〈정신적 긴장을〉 풀게 하다, 편하게 하다, 쉬게 하다: The warm bath always ~*s* me. 따뜻한 물로 목욕하면 언제나 긴장이 풀린다. **3** 〈주의·노력 등을〉 줄이다, 덜하다, 게을리 하다: Don't ~ your efforts now. 지금 노력을 게을리 하지 마라. **4** 〈법·규율 등을〉 관대하게 하다: ~ the requirements for a license 면허 취득 조건을 완화하다 **5** 〈변이〉 통하게 하다: ~ the bowels 변이 통하게 하다
―*vi.* **1 a** 〈긴장·힘·추위 등이〉 풀리다; 나른해지다 **b** 풀리어 (…으로) 되다 《*in, into*》 **2 a** 〈사람이〉 정신적 긴장을 풀다, 누그러지다 **b** 〈사람이〉 긴장이 풀리어 (…으로) 되다 《*into*》: ~ *into* sleep 긴장이 풀려 잠들어 버리다 **3** 쉬다 《*in, from*》; 편히 하다 **4** 〈규칙·규율 등이〉 완화되다 **5** 변비가 낫다
~ ***... away*** = ~ ***away ...*** 〈병을〉 편안히 지내며 고치다 ~ (***in***) one***'s efforts*** 노력을 덜하다
~·er *n.* ▷ relaxátion *n.*

---

reduce, diminish, decrease, abate **4** 관대하게 하다 moderate, soften, ease **5** 쉬다 rest, lounge, repose
release *v.* **1** 석방하다 set free, liberate, deliver, emancipate **2** 풀어놓다 untie, undo, unloose, unbind, unchain, unfetter **3** 면하게 하다 excuse, absolve, acquit, exonerate, exempt **4** 공개하다 make public, announce, reveal, disclose, publish

---

re·lax·ant [rilǽksənt] *a.* 느긋하게 하는; 완화하는 ―*n.* 완하제, 이완제

∗**re·lax·a·tion** [rì:lækséiʃən] *n.* **1** Ⓤ (긴장·근육·정신 등의) 풀림, 이완(弛緩); 경감, 완화 **2** Ⓤ 휴양, 편히 쉼, 기분 전환[풀이]; 기분 전환으로 하는 일, 오락, 레크리에이션: read a novel for ~ 기분 전환을 위해 소설을 읽다 **3** Ⓤ 쇠약, 정력 감퇴 **4** 〖수학〗 완화법; 〖물리〗 완화 ▷ reláx *v.*

relaxátion òscillator 〖전자〗 완화 발진기

relaxátion tìme 〖물리〗 완화 시간

re·lax·a·tive [rilǽksətiv] *a.* 완화하는, 완화성의, 긴장을 풀어 주는; 편히 쉬게 하는: ~ reading 기분 전환의 독서

re·laxed [rilǽkst] *a.* **1** 느슨한, 관대한 **2** 긴장을 푼, 힘을 뺀 **3** 느긋한; 딱딱하지 않은
re·lax·ed·ly [-lǽksidli] *ad.* **re·láx·ed·ness** *n.*

reláxed thróat 〖병리〗 인후 카타르, 인두염

re·lax·in [rilǽksin] *n.* 〖생화학·약학〗 릴랙신 《출산을 촉진시키는 호르몬》

re·lax·ing [rilǽksiŋ] *a.* 〈기후 등이〉 맥 빠지게 하는, 나른한(opp. *bracing*): a ~ climate 몸이 나른해지는 기후

re·lax·or [rilǽksər] *n.* 《미》 고수머리 완화제 《흑인의 곱슬곱슬한 머리털을 펴는》

∗**re·lay**[1] [rí:lei | rí:lei, riléi] [L 「뒤에 남기다」의 뜻에서] *n.* **1 a** 교체자, 새 사람; 교대, 교체(shift): work in[by] ~*s* 교대제로 일하다 **b** 새로운 공급; 새 재료: a ~ of oil[food] 기름[식량] 보급 **2** [《영》 rí:lei] **a** 《구어》 릴레이 경주[경영(競泳)], 계주(繼走)(=~ **ràce**) **b** 그 선수 한 사람이 뛰는 거리 **3** (여행 도중) 바꾸어 탈 말, 역마(驛馬)(=~ **hórse**); (사냥 등에서) 교대용 개; 역참(驛站) 《바꾸어 탈 말이 있는》 **4** 〖전기〗 계전기(繼電器), 중계기; 〖군사〗 체전(遞傳) **5** 〖방송〗 **a** 중계: a stage ~ broadcast 무대 중계/a ~ station 중계국(局) **b** 중계 방송(=~ **bróadcast**)
―[rí:lei, riléi] *vt.* **1** 중계하다; 〈전언 등을〉 교대하여 보내다: ~ broadcast music 방송 음악을 중계하다 **2** …을 대신할 것을 준비하다; 교대자와 교대시키다, …에게 교대할 역마를 대다; 새 재료를 공급하다
―*vi.* **1** 중계방송하다 **2** 대신할 것을 얻다

re·lay[2] [rì:léi] *vt.* (**-laid** [-léid]) **1** 다시 두다, 고쳐 놓다; 〈포석·철도 등을〉 다시 깔다 **2** 〈벽 등을〉 다시 칠하다 **3** 〈세금 등을〉 다시 과하다

rélay mòbile (방송용) 중계차

re·learn [rì:lə́:rn] *vt., vi.* (**~ed, -learnt** [-lə́:rnt]) 다시 배우다

re·lease [rì:lí:s] *vt.* 〈토지·가옥 등을〉 전대(轉貸)하다; 〖법〗 양도하다 ―*n.* 양도 계약; 양도된 토지[재산]

‡**re·lease** [rilí:s] *vt.* **1** 〈사람·동물을〉 석방[방면]하다, 놓아주다, 해방시키다 《*from*》(⇨ free 유의어): (~+목+전+명) ~ a person *from* slavery …을 노예 신분에서 해방하다 **2** 풀어놓다, 떼어놓다; 〈폭탄을〉 투하하다 《*from*》: (~+목+전+명) ~ a bomb *from* an airplane 비행기에서 폭탄을 투하하다 **3** 면하게 하다, 해제하다 《*from*》; 〖법〗 면제하다: (~+목+전+명) be ~*d from* the army 제대하다/~ a person *from* a debt …을 빚에서 면하게 하다 **4** 〈영화 등을〉 개봉하다; 〈레코드 등을〉 발매하다; 〈뉴스 등을〉 발표하다, 공개하다: (~+목+전+명) ~ the letter *for* publication 그 서한을 공개하다/~ a statement *to* the press 보도진에 성명을 발표하다 **5** 〈식료품·물자 등을〉 방출하다 **6** 〖기계〗 내뿜다, 방출하다 **7** 〖법〗 〈권리 등을〉 포기하다, 기권하다; 양도하다 **8** 〈핸드 브레이크 등을〉 풀다
―*n.* Ⓤ **1** 석방, 방면; 면제, 해제; 해방[석방] 영장; 구출, 구제 《*from*》 **2** 발사, (폭탄의) 투하 **3** ⓊⒸ 공개(물); 개봉 (영화); (뉴스 등의) 발표(물); (레코드 등의) 발매(물); 허가(품) **4** ⓊⒸ 방출(품) **5** ⓊⒸ 〖법〗 기권 (증서), 양도 (증서) **6** 〖기계〗 (기체의) 배출 (장치) **7 a** (핸드 브레이크 등의) 해제 버튼[핸들] **b** (카메라의) 릴리스 **re·léas·a·ble** *a.* **~·ment** *n.*

reléase còpy 〚언론〛 (공식 발표 등의) 사전 보도 자료

reléase dàte release copy의 발표 일시

re·léased tíme [rilíːst-] (미) (교외 종교 교육 《등》을 위한) 자유 시간

re·leas·ee [riliːsíː] *n.* (채무 등의) 피(被)면제자; 〚법〛 (권리·재산의) 양수인(讓受人)

reléase prìnt 〚영화〛 개봉 영화[필름], 일반 상영용 필름

re·leas·er [rilíːsər] *n.* **1** release하는 사람[것] **2** 〚동물행동〛 릴리서, 해발인(解發因) 《동물에 특정 행동을 유발시키는 소리·냄새·몸짓·색채 등의 자극》

reléase thèrapy 〚정신의학〛 해제[해방] 요법

re·léas·ing fàctor [rilíːsiŋ-] 〚생화학〛 호르몬 방출 인자

re·lea·sor [rilíːsər] *n.* 〚법〛 기권자; (권리·재산의) 양도인

rel·e·gate [réləgèit] *vt.* **1 a** (중요하지 않은 자리 등으로) …을 내려앉히다[내쫓다, 좌천시키다], 격하시키다 《*to, into, out of*》: (~+목+전+명) ~ a person *to* an inferior post …을 좌천시키다 **b** (영) [보통 수동형으로] 〈축구 팀을〉 하위 리그로 격하시키다 **2** 〈사건·일 등을〉 이관하다, 위임[위탁]하다; 〈사람을〉 조회시키다 《*to*》: (~+목+전+명) He ~*d* the task *to* his assistant. 그는 그 일을 조수에게 맡겼다. **3** 〈어떤 종류·등급 등에〉 소속시키다 《*to*》, 분류하다 《*to*》: (~+목+전+명) ~ a new species *to* a given family 신종을 소정의 과(科)에 넣다

rel·e·ga·ble [réligəbl] *a.* **rèl·e·gá·tion** *n.*

re·lent [rilént] *vi.* **1** (화·흥분 등이 가라앉아) 마음이 누그러지다; 가엾게 여기다 《*at*》 **2** 〈바람 등이〉 약해지다, 부드러워지다 **~·ing·ly** *ad.* ▷ reléntless *a.*

*__re·lent·less__ [riléntlis] *a.* **1 냉혹한**, 잔인한, 가차없는, 혹독한: ~ persecution 잔인한 박해 **2** 집요한, 끊임없는: a ~ ambition 끊임없는 욕망
~·ly *ad.* **~·ness** *n.*

re·let [riːlét] *vt.* 〈토지·가옥 등을〉 다시 빌려 주다
— [스스] *n.* (영) 다시 빌려 주는 주거[가옥], 신규 셋집[셋방]

rel·e·vance, -van·cy [réləvəns(i)] *n.* Ⓤ **1** (표현 등의) 적절, 타당성; (당면 문제와의) 관련(성) 《*to*》: have ~ *to* …와 관련이 있다 **2** 현대의 중대한 사회 문제와의 관련 **3** 〚컴퓨터〛 (필요로 하는 데이터의) 검색 능력

*__rel·e·vant__ [réləvənt] *a.* **1** (당면 문제에) **관련된**; 적절한 《*to*》: matters ~ *to* the subject 그 문제에 관련이 있는 사항 **2** 상응하는, 상대적인 《*to*》 **3** 현대적 의미가 있는 **~·ly** *ad.*

re·lex·i·fy [riːléksəfài] *vt.* 〚언어〛 〈언어의〉 어휘 교체를 하다 《문법 구조를 바꾸지 않고 어휘를 다른 언어의 단어로 바꾸어 넣다》 **re·lèx·i·fi·cá·tion** *n.*

re·li·a·bil·i·ty [rilàiəbíləti] *n.* Ⓤ 신뢰할 수 있음, 믿음직함, 신뢰도, 확실성: a ~ test (자동차 등의) 장거리 시험

*__re·li·a·ble__ [riláiəbl] *a.* **1 믿을 수 있는**, 의지가 되는 (dependable); 확실한: a ~ friend 믿을 수 있는 친구 / from a ~ source 믿을 만한 출처[소식통]로부터 (의) **2** 〚통계〛 신뢰성이 높은
— *n.* 의지[신뢰]할 수 있는 사람[것]
~·ness *n.* **-bly** *ad.*

re·li·ance [riláiəns] *n.* **1** Ⓤ 신뢰, 신용, 신임, 의지 《*upon, on, about*》 **2** 의지할 사람[것], 의지할 곳
feel [***have, place***] **~ *upon*** [***on, in***] …을 신뢰하다, …에 의지하다 ***in* ~ *on*** …을 신뢰하여, 의지하여

re·li·ant [riláiənt] *a.* 신뢰하는, 의지하는 《*on*》; 자신을 믿는; 독립심이 있는, 자립한 — *n.* [**R~**] 릴라이언트 《영국의 자동차; 상표명》 **~·ly** *ad.*

*__rel·ic__ [rélik] *n.* **1 a** [*pl.*] (역사적) **유물**, 유품, 유적 (ruins): a museum of historic ~*s* 역사 유물 박물관 / the Roman ~*s* 로마 유적 **b** (풍속·신앙 등의) 잔재, 자취, 형적 **2 a** 〚그리스도교〛 (성인·순교자 등의) 유골, 성보(聖寶), 유보(遺寶) **b** 고인의 유품 **3** (구어) 노인; 시대에 뒤떨어진 사람[물건] **4** [*pl.*] 시체, 유골 (remains) **~·lìke** *a.*

rel·ict [rélikt] *n.* **1** 〚생태〛 잔존 생물 《환경의 변화로 한정된 지역에 살아남은 생물》; 〚지질〛 잔존 광물[구조] **2** 나머지 (것); 잔존자 **3** (고어) 미망인, 과부(widow)
— *a.* 〚지질〛 잔존하는; 〚생태〛 유존종(遺存種)의

re·lic·tion [rilíkʃən] *n.* (해면·호면(湖面) 등의) 수위 감퇴에 의한 토지의 증대

‡**re·lief** [rilíːf] *n.* Ⓤ **1 a** (고통·걱정·곤궁 등의) **제거, 경감**: bring quick ~ from pain 통증을 없애는 데 즉효이다 / get ~ from anxiety 걱정이 없어지다 **b** 안도, 안심, 위안: tears of ~ and joy 안도와 기쁨의 눈물 / breathe a sigh of ~ 안도의 한숨을 쉬다 **2** (난민·포위된 도시 등의) **구제**, 구조, 구원; Ⓒ 원조 물자: send ~ to the refugees 난민에게 원조 물자를 보내다 **3** 기분 전환, 잠시의 휴식; Ⓒ 기분 전환 거리 **4 교체**; Ⓒ 교체자[병] 《*of*》 **5** (버스·비행기 등의) 임시 증편 **6** 〚조각·건축〛 ⓊⒸ **돋을새김**, 양각; 부조(浮彫): high[low] ~ 높은[얕은] 돋을새김 **7** 두드러짐, 탁월; (대조에 의한) 강조, 강세(emphasis) **8** 〚회화〛 돋보이게 그리기 **9** 〚지리〛 기복 **10** 〚인쇄〛 철판(凸板) 인쇄 **11** (영) 면세금(《미》 benefit): tax ~ 세금 공제
bring [***throw***] ***into* ~** 부각시키다, 두드러지게 하다, 눈에 띄게 하다 ***give a sigh of* ~** 한시름 놓다 ***in* ~** 돋을새김한; 뚜렷이, 눈에 띄게; 안심하여 ***on* ~** (정부의) 구호를 받고 ***stand out in bold*** [***strong***] **~** 뚜렷이[두드러지게] 눈에 띄다 ***to*** **one's ~** 한시름 놓게: *To our* great ~[=Much *to our* ~], the miners were all saved. 광부들이 모두 구출되어 크게 안심했다.
— *a.* **1** 걱정[압박]을 완화하는; 구제의: a ~ fund 구제 기금 / ~ works 구제[실업 대책] 사업(으로 만들어진 도로[다리, 건조물]) **2** 임시의, 교대의 **3** 돋을새김으로 한; 표면이 고르지 않은 **4** 철판(凸板) 인쇄의
▷ relíeve *v.*

relíef àce 〚야구〛 릴리프 에이스 《팀의 구원 투수 중에서 가장 믿을 만한 투수》

re·lief·er [rilíːfər] *n.* 〚야구〛 구원 투수; (미·구어) 생활 보호를 받고 있는 사람

relíef màp 기복 지도, 입체 모형 지도

relíef pìtcher 〚야구〛 구원 투수

relíef prìnting 〚인쇄〛 철판(凸版)[활판] 인쇄

relíef ròad (영) (자동차용) 우회로(bypass)

relíef vàlve 〚기계〛 안전판(瓣), 완화판

re·li·er [riláiər] *n.* 신뢰자, 의뢰자 《*on*》

‡**re·lieve** [rilíːv] *vt.* **1** 〈고통·중압 등을〉 **경감하다**, 덜다, 완화하다: This pill will ~ your headaches. 이 알약을 먹으면 두통이 덜할 거야. **2 안도하게 하다**; 〈긴장 등을〉 풀게 하다: ~ the tension 긴장을 줄이다 **3** (고통·공포 등에서) 해방하다, 〈걱정을〉 덜다 《*of, from*》; (익살) 훔치다 《*of*》: (~+목+전+명) ~ a person *from* fear …의 공포를 제거하다 / A pickpocket ~*d* him *of* his money. 소매치기가 그의 돈을 훔쳐 갔다. **4** (빈곤·탄압 등에서) **구제하다**; (포위된 도시 등에서) 구조하다, 구원하다; …에 보급하다: (~+목+전+명) ~ the poor *from* poverty 빈곤에서 빈민을 구제하다 **5** (완곡) …을 해직[해임]하다 《*of*》, 면제하다; 〈보초 등을〉 교체하다: (~+목+전+명) ~ a person *of* his post …을 해임하다 **6** (변화로) 〈단조로움을〉 덜다, …에게 변화를 갖게 하다 《*by, with*》 **7 돋보이게 하다**, 눈에 띄게 하다: (~+목+전

thesaurus **relentless** *a.* ruthless, merciless, pitiless, unforgiving, cruel, harsh, strict
reliable *a.* dependable, trustworthy, true, faithful, certain, sure, authentic, credible
relieve *v.* **1** 경감하다 alleviate, soothe, soften, palliate, appease, ease, dull, abate, reduce, lessen, diminish **2** 해방하다 free, release, liberate, deliver, exempt, extricate, discharge, unburden **3** 구제

+명) a mountain ~*d against* the blue sky 창공에 우뚝 솟은 산
— *vi.* **1** 구제하다, 구원하다; 〚야구〛 구원 투수를 하다 **2** 두드러지다, 눈에 띄다
~ ***nature*** [***the bowels,*** one***self***] 용변을 보다 ~ a person ***of*** …에게서 〈괴로움·고통 등을〉 덜어 주다, 제거하다; 《익살》 …에게서 〈돈 등을〉 훔치다 ~ one***'s feelings*** (울거나 고함쳐서) 울분[불평]을 토하다
re·líev·a·ble *a.* ▷ relíef *n.*
re·lieved [rilíːvd] *a.* **1** (…에) 안심한, 안도한 《*at, to* do》: He was ~ *at* the news. 그는 그 소식을 듣고 안심했다. **2** (…에서) 해방된, 벗어난 《*from, of*》
~·ly *ad.*
re·liev·er [rilíːvər] *n.* **1** 구제자[물]; 구원 투수; 위안자[물] **2** 완화 장치
re·líev·ing òfficer [rilíːviŋ-] 〚영국사〛 (행정 교구 등의) 빈민 구제관
re·lie·vo [rilíːvou, -ljé- | -líː-] *n.* (*pl.* **~s**) 〚조각·건축〛 부조(浮彫), 돋을새김 ***alto-*** [***basso-, mezzo-***] ~ 높은[얕은, 반] 돋을새김 ***in*** ~ = in RELIEF
relig. religion; religious
re·light [rìːláit] *vt.* …에 다시 점화하다
re·li·gieuse [rəliʒə́ːz] [F] *n.* (*pl.* **~s**) 수녀
religio- [rilídʒiou, -dʒə] 《연결형》 religion의 뜻
‡**re·li·gion** [rilídʒən] [L 「(자기의 신앙에) 다시 얽매다」의 뜻에서] *n.* **1** Ⓤ 종교: ministers of ~ 성직자, 목사 / believe in ~ 종교를 믿다 **2** (개별의) 종교, 종파, …교: the Christian[Buddhist] ~ 기독교[불교] **3** Ⓤ 수도[신앙] 생활; 신앙(심): a man without ~ 신앙심 없는 사람 **4** 신조, 주의 ***be in*** ~ 성직자이다 ***enter into*** ~ 수도원에 들어가다, 수도자가 되다 ***find*** ~ (영적 체험에 의해) 회심(回心)하다 ***get*** [***experience***] ~ (1) 신앙 생활에 들어가다 (2) 《구어》 매우 진지해지다 ***make a*** ~ ***of*** do***ing*** = ***make it*** ~ ***to*** do (신조처럼 지켜서) 반드시 …하다
~·ist *n.* 독실한 신자; 사이비 신자 **re·li·gion·ís·tic** *a.*
~·less *a.*
re·li·gion·er [rilídʒənər] *n.* 수사; 신앙가; 광신자, 사이비 신자
re·li·gion·ism [rilídʒənìzm] *n.* Ⓤ 엄격한[열렬한] 신앙심; 광신; 신앙심이 깊은 체하기
▷ relígious, relígiose *a.*
re·li·gion·ize [rilídʒənàiz] *vt.* 신앙심을 갖게 하다; 종교적으로 해석하다
re·li·gi·ose [rilìdʒióus, ⌐-⌐⌐ | ⌐⌐-⌐] *a.* 믿음이 깊은; 《특히》 종교에 지나치게 열성적인
re·li·gi·os·i·ty [rilìdʒiásəti | -ɔ́s-] *n.* Ⓤ **1 a** 신앙심이 깊음 **b** 《특히》 광적인 신앙 **2** 신앙심이 깊은 체함
‡**re·li·gious** [rilídʒəs] *a.* **1** 종교(상)의, 종교에 관한: a ~ war 종교 전쟁 / a ~ book 종교 서적 / a ~ school 신학교 **2** 〈사람·행위 등이〉 종교적인, 신앙의, 신앙심이 깊은; 경건한: a ~ service 예배 / a deeply ~ person 신앙심이 깊은 사람 **3** 양심적인, 세심한; 엄정한 **4** 계율을 지키는, 수도의; 수도회에 속하는: a ~ monk[friar] 수도사 **5** (시어) 신성한, 거룩한 ***with*** ~ ***care*** 세심하게 주의하여
— *n.* (*pl.* ~) [보통 the, some, several 등을 붙여] 《시어·고어》 수사, 수녀; [the ~] 신앙심 깊은 사람들
~·ly *ad.* **~·ness** *n.* ▷ relígion *n.*
relígious educátion 종교 교육
relígious hòuse 수도원(convent, monastery)
relígious órder 수도회

Relígious Socíety of Fríends [the ~] = SOCIETY OF FRIENDS
re·line [rìːláin] *vt.* …에 선을 새로 긋다; 〈옷 등의〉 안감을 갈아 대다
***re·lin·quish** [rilíŋkwiʃ] *vt.* 《문어》 **1** 〈소유물·권리 등을〉 양도[포기]하다: ~ one's right 권리를 양도하다 / ~ the throne 왕좌를 넘기다 **2** 〈계획·습관 등을〉 그만두다, 버리다, 포기하다 **3** …을 쥔 손을 늦추다, 손을 놓다: ~ one's hold of[on] a rope 로프를 잡고 있는 손을 놓다 **4** 〈고국 등을〉 떠나다
~·er *n.* **~·ment** *n.*
rel·i·quar·y [réləkwèri | -kwəri] *n.* (*pl.* **-quaries**) 성골[유물]함
re·lique [rélik] *n.* 《고어》 = RELIC
re·liq·ui·ae [rilíkwiìː] *n. pl.* 유물; 유해; 화석
rel·ish** [réliʃ] [OF 「남겨진 것, 뒷맛」의 뜻에서] *n.* **1** ⓊⒸ 맛(taste), 풍미(flavor), 향기; (음식물 등의) 독특한 맛; Ⓤ 맛보기: with keen[great] ~ 충분히 음미하며 / Hunger gives ~ to any food. 배가 고프면 무엇이나 맛이 있다. **2** Ⓤ 흥미, 홍취, 재미: I have no ~ for those jokes. 그런 농담은 하나도 재미 없다. **3** 조미료, 양념, 고명 **4** Ⓤ 식욕; 감상; [보통 부정문에서] 기호(liking), 취미 《*for, of*》: lose all ~ *for* one's food 식욕을 완전히 잃다 **5** ⓊⒸ 소량; 기미, 기색 《*of*》 ***give ~ ***to*** …에 풍미를 더하다 ***have no*** ~ ***for*** …에 취미[흥미]가 없다
— *vt.* **1** 즐기다; 기쁘게 생각하다: ~ a long journey 긴 여행을 즐기다 // (~+**-*ing***) I do not ~ be*ing* treated like an incompetent. 금치산자 취급을 받는 것은 불쾌합니다. **2** 〈음식을〉 맛있게 먹다, 맛보다 **3** 맛들이다, 풍미를 더하다
— *vi.* **1** …의 맛이 나다 《*of*》, 풍미가 있다(taste) 《*of*》: (~+전+명) This soup ~*es of* onions. 이 수프는 양파 맛이 난다. **2** 기미[기색]가 있다, 낌새가 있다 《*of*》 **3** 즐거워[기분 좋아]지다
~·a·ble *a.* 맛있는; 재미있는 **~·ing·ly** *ad.*
re·live [rìːlív] *vi.* 소생하다 — *vt.* (특히 상상으로) 다시 체험하다, 상기하다, 재현하다 **re·lív·a·ble** *a.*
rel·le·no [rəljéinou] [Sp.] *a.* 〚멕시코요리〛 소를 채워 넣은, 《특히》 치즈를 넣은 — *n.* (*pl.* **~s**) 치즈를 넣은 고추 요리
rel·lie [réli] *n.* 《호주·뉴질·구어》 친척(relative)
rel·lo [rélou] *n.* (*pl.* **~s**) 《호주·구어》 친척
re·load [rìːlóud] *vt.* **1** …에 다시 짐을 싣다 **2** 다시 〈총알을〉 재다(recharge) — *vi.* 재장전하다
— [⌐⌐] *n.* 재장전
re·lo·cat·a·ble [rìːloukéitəbl] *a.* 〈건축물 등이〉 이동 가능한(portable); 〚컴퓨터〛 〈프로그램·루틴이〉 재배치 가능한
re·lo·cate [rìːloukéit, ⌐⌐- | ⌐-⌐] *vt.* **1** 다시 배치하다; 〈주거·공장·주민 등을〉 이전[이동]시키다; 《미》 강제 소개(疎開)시키다 **2** 〚컴퓨터〛 재배치하다
— *vi.* 이전[이동]하다: The firm ~*d* from Seoul to Suwon. 그 회사는 서울에서 수원으로 이전했다.
re·lo·ca·tion [rìːloukéiʃən] *n.* Ⓤ **1** 재배치, 배치 전환 **2** 〚컴퓨터〛 재배치
relocátion càmp [**cènter**] 《미》 (적국인) 강제 수용소; 난민 수용소
re-look [rìːlúk] *vi.* 다시 살펴보다[고려하다], 재고(再考)하다 《*at*》
re·look [ríːluk] *n.* 재고, 재고찰
rel. pron. relative pronoun
re·lu·cent [rilúːsnt] *a.* 《고어》 반짝이는, 빛나는
re·luct [rilʌ́kt] *vi.* 《고어》 싫어하다, 마음이 내키지 않다; 주저하다(hesitate) 《*at*》; 저항하다, 반항[반발]하다 《*at, to, against*》
re·luc·tance, -tan·cy** [rilʌ́ktəns(i)] *n.* Ⓤ **1** 싫음, 마지못해 함, 꺼림, 마음 내키지 않음; 《드물게》 반항: (~+to*** do) He showed the greatest ~ *to* make a reply. 그는 대답하기가 몹시 못마땅하다는 태도를 보였다. **2** 〚전기〛 자기(磁氣) 저항

하다 help, assist, rescue, save, succor
religious *a.* **1** 종교의 holy, divine, doctrinal, spiritual **2** 신앙심이 깊은 godly, pious, devout
relinquish *v.* **1** (권리 등을) 포기하다 give up, renounce, resign, surrender **2** (습관 등을) 그만두다 discontinue, stop, cease, drop, abstain from
reluctance *n.* unwillingness, disinclination, hesitance, loathness, aversion, distaste

with [***without***] **~** 마지못해서[기꺼이]
▷ relúctant *a.*

re·luc·tant** [rilʌ́ktənt] *a.* **1** 마음 내키지 않는; 마지못해 하는, 달갑지 않은: 《~+to*** do》 She seemed ~ *to* go with him. 그녀는 그와 함께 가고 싶은 마음이 내키지 않는 것 같았다.

> 유의어 **reluctant** 어떤 일을 해야 한다고 생각하면서도 내키지 않아, 마지못해 일시적으로 동의하는 기분을 나타낸다: *reluctant* to expel students 학생을 제적할 마음이 내키지 않는 **unwilling** 어떤 일을 하고 싶지 않다고 단호히 거부하는: I was *unwilling* to agree. 나는 찬성하고 싶지 않았다. **loath** unwilling보다 더욱 강한 거부를 나타낸다: be *loath* to admit a mistake 과오를 인정하려고 하지 않다

2 (고어) 반항[저항]하는, 다루기 힘드는 ***the ~ sun of late autumn*** 만추의 약한 햇빛 **~·ly** *ad.*
▷ relúctance, relúctancy *n.*

relúctant drágon 충돌을 피하는 지도자[정치가, 장교《등》]

re·lume [rilúːm | -ljúːm] *vt.* (시어) 다시 불붙이다; 〈하늘·표정을〉 다시 밝게 하다

re·lu·mine [rìːlúːmin | -ljúː-] *vt.* =RELUME

‡re·ly [rilái] *vi.* (**-lied**) 의지하다; 신뢰하다, 믿다 《*on, upon*》(⇨ depend 유의어): 《~+전+명》 I ~ *on* my parents for tuition. 학비를 부모님께 의지하고 있다. / He is not to be *relied upon.* 그는 신용할 수 없다. / I ~ *on* you to come. 꼭 와 주리라고 믿고 있겠네.
~ upon a broken reed 신통치 않은 사람[것]에 의지하다 ***~ upon it*** 틀림없이, 반드시
▷ relíance *n.*; relíable *a.*

rem, REM¹ [rém] [*r*oentgen *e*quivalent in *m*an] *n.* (*pl.* **~**) 〖의학〗 렘 《방사선의 작용을 나타내는 단위》

REM² [rém] [*r*apid *e*ye *m*ovement] *n.* (*pl.* **~s**) 〖심리·생리〗 급속 안구 운동 《수면 중에 눈알이 빠르게 움직이는 현상》

rem. remark; remittance

re·made [riːméid] *v.* REMAKE의 과거·과거분사

‡re·main [riméin] *vi.* **1** [보어를 동반하여] …대로이다, 여전히 …이다: 《~+보》 ~ faithful 변함없이 충성을 바치다 // 《~+***done***》 ~ *unmarried* 독신 생활을 계속하다 // 《~+전+명》 The population ~*s at* around 800. 인구는 여전히 약 800명이다. **2** 남다, 잔존[존속]하다, 살아남다: 《~+전+명》 ~ *on*[*in*] one's memory 기억에 남다 **3** 머무르다(stay), 체류하다: 《~+보》 ~ abroad 외국에 체류하다 // 《~+전+명》 ~ *at* one's post 유임하다 / ~ away *from* school 학교를 쉬다 **4** …않은 채 남아 있다, 아직 …하지 않으면 안 되다: Much more still ~*s* to be done. 해야 할 일은 아직 많이 남아 있다. **5** 결국 …의 것이 되다, …의 수중에 들어가다 《*with*》: 《~+전+명》 The victory ~*ed with* the Thebans. 승리는 테베 사람에게 돌아갔다. ***I ~ yours sincerely.*** 경구 《편지의 끝맺음 말》 ***Let it ~ as it is.*** 그대로 내버려 둬라. ***Nothing ~s but to ...*** 이제는 …할 뿐이다 ***~ on the right side of ...*** (구어) (1) …와 사이가 좋은 (2) 〈사람을〉 괴롭히지 않는
— *n.* [보통 *pl.*] **1** 나머지, 남은 것; 잔고, 잔액; 잔재 **2** 잔존자, 유족, 생환자 **3** (문어) 유해, 유골; 잔해 **4** (작가의) 유저(遺著), 유고(遺稿); 유물, 유적; (고생물 등의) 화석; 유풍(遺風), 자취: fossil ~*s* 화석

***re·main·der** [riméindər] *n.* **1** 나머지, 잔여; 나머지 사람들[것], 잔류자[물]: a ~ of the week 그 주의 남은 기간 **2** [*pl.*] 유적 **3** 〖수학〗 (뺄셈·나눗셈의) 나머지; 팔다 남은 책 **4** Ⓤ Ⓒ 〖법〗 잔여권(殘餘權); (작위 등의) 계승권 **5** [*pl.*] 유효 기간이 지난 수중의 우표, (우체국의) 팔다 남은 우표
— *a.* Ⓐ 나머지의
— *vt.* 〈팔다 남은 책을〉 싸게 처분하다
~·shìp *n.* Ⓤ 〖영국법〗 잔여권

re·main·der·man [riméindərmən] *n.* 〖법〗 잔여권자, 계승권자

remáinder thèorem 〖수학〗 나머지[잉여] 정리

***re·main·ing** [riméiniŋ] *a.* (아직) 남아 있는, (아직) 존재하는

re·make [rìːméik] *vt.* (**-made** [-méid]) 고쳐 만들다; 개조하다, 바꾸다(transform); 《특히》 〈오래된 영화를〉 다시 영화화하다 **—** [ㄹㅡ] *n.* 재제조; 개조, 재건; 재영화화 작품 **rè·mák·er** *n.*

re·man [rìːmǽn] *vt.* (**~ned**; **~·ning**) **1** 〈함선 등에〉 새로 승무원을 보충하다; 〈요새 등에〉 다시[새로] 병력을 배치하다 **2** …에게 용기[남자다움]를 되찾게 하다

re·mand [rimǽnd, -mɑ́ːnd | -mɑ́ːnd] *vt.* **1** 송환하다, …에게 귀환을 명하다: ~ a person to his country 고국으로 …을 송환하다 **2** 〖법〗 〈사건을〉 하급 법원으로 반송하다 **3** 〖법〗 〈사람을〉 (증거가 나올 때까지) 재(再)구류[유치]하다
— *n.* Ⓤ 반송, 귀환, 재구류; Ⓒ 귀환 명령을 받은 사람, 〖법〗 재구류자: on ~ 재구류 중의

remánd cèntre (영) 구치소

remánd hòme (영) 소년 구치소 《지금은 정식 명칭으로 사용되지 않음; cf. COMMUNITY HOME》

rem·a·nence [rémənəns] *n.* 〖전기〗 잔류 자기

rem·a·nent [rémənənt] *a.* 남겨진, 잔류하는, 잔존해 있는; 〖전기〗 잔류 자기의

rémanent mágnetism 〖지질〗 잔류 자기(磁氣)

rem·a·net [rémənèt] *n.* 잔여, 나머지, 잔류물; 〖법〗 연기 공소 사건; 〖영국법〗 연기 의안

re·man·u·fac·ture [rìːmænjufǽktʃər] *vt.* 〈제품을〉 재제조[재생]하다; 다른 제품으로 만들다
— *n.* 재제조[재생] (과정); 재제조[재생]품

re·map [rìːmǽp] *vt.* …의 지도를 다시 만들다; …의 배치를 바꾸다, 재배치하다

re·mar·gin [rìːmɑ́ːrdʒin] *vi.* 〖증권〗 추가 증거금[담보]을 넣다

‡re·mark [rimɑ́ːrk] *vt.* **1** …에 주의[주목]하다, …을 알아차리다, 감지하다, 인지하다: 《~+목+***do***》 ~ a boy *pass* by 소년이 지나가는 것을 알아차리다 // 《~+***that*** 절》 I ~*ed that* it had got colder. 추워진 것을 깨달았다. **2** 말하다, 의견을 말하다[쓰다]: 《~(+전+명)+***that*** 절》 He ~*ed* (*to* me) *that* it was a masterpiece. 그는 (나에게) 그것이 걸작이라고 말했다. ***as ~ed above*** 위에서 말한 대로
— *vi.* (감상을) 말하다; 논평하다 《*on, upon*》; 감지하다: 《~+전+명》 It would be rude to ~ *upon* her appearance. 그녀의 용모에 대해 이러쿵저러쿵하는 것은 실례가 된다.
— *n.* **1** Ⓤ (문어) 주의, 주목, 인지, 관찰 **2** 의견, 말, 비평(⇨ comment 유의어)
make a ~ 한마디 하다 ***make ~s*** 비평하다; 연설하다 ***pass a ~*** 의견을 말하다 ***pass without ~*** 묵과[묵인]하다 ***the theme of general ~*** 항간의 화제 ▷ remárkable *a.*

‡re·mark·a·ble [rimɑ́ːrkəbl] *a.* **1** 주목할 만한, 놀랄 만한; 두드러진: a ~ discovery 주목할 만한 발견 **2** 비범한, 뛰어난, 드문, 비상한; 이상한: a ~ change 현저한 변화 **~·ness** *n.*

***re·mark·a·bly** [rimɑ́ːrkəbli] *ad.* 두드러지게, 현저하게, 몹시, 매우

re·marque [rimɑ́ːrk] *n.* 〖미술〗 **1** (도판(圖版) 인쇄의 진도를 나타내는) 난외 표지, 안표(眼標) **2** 난외 표지

thesaurus **remain** *v.* **1** 존속하다 be left, survive, last, abide, endure **2** 머무르다 stay, wait, linger, tarry (opp. *go, depart, leave*)
remainder *n.* remnant, leftover, residue, balance, surplus, excess, remains, leavings
remarkable *a.* extraordinary, unusual, uncom-

[약도]가 붙은 도판[교정쇄](=**~ pròof**)
Re·marque [rimɑ́:rk] *n.* 레마르크 **Erich Maria ~** (1898-1970) 《독일 태생의 소설가; 1947년에 미국에 귀화; 대표작 *Arc de Triomphe*(개선문)》
re·mar·ry [rì:mǽri] *v.* (**-ried**) *vt.* 〈전 배우자와〉 재결합하다; 〈사람을〉 재혼시키다 **—** *vi.* 재혼하다
rè·már·riage *n.*
re·mas·ter [ri:mǽstər] *vt.* …의 마스터테이프를 다시 만들다, 재록(再錄)하다
re·match [rì:mǽtʃ, ˊˋ] *vt.* 재경기[재시합]시키다; 재현하다 **—** [ˊˋ] *n.* 재시합
Rem·brandt [rémbrænt, -brɑ:nt | -brænt, -brənt] *n.* 렘브란트 **~ Harmenszoon van Rijn** [**Ryn**] (1606-69) 《네덜란드의 화가》
Rèm·brandt·ésque, ~·ish *a.*
R.E.M.E. (영) Royal Electrical and Mechanical Engineers
re·meas·ure [ri:méʒər] *vt.* 다시 재다
re·me·di·a·ble [rimí:diəbl] *a.* **1** 치료할 수 있는 **2** 구제[교정(矯正)]할 수 있는 **~·ness** *n.* **-bly** *ad.*
re·me·di·al [rimí:diəl] *a.* **1** 치료하는, 치료상의: ~ surgery 치료를 위한 외과 수술 **2** 구제적인; 교정하는, 개선적인: ~ punishment 교정적 처벌 **3** 〖교육〗 보수[보충]적인 **~·ly** *ad.*
remédial réading 교정(矯正) 독서 지도, 독서 치료
re·me·di·a·tion [rimì:diéiʃən] *n.* 교정, 개선; 치료 교육 **~·al** [-ʃənl] *a.*
rem·e·di·less [rémədilis] *a.* 불치의; 돌이킬 수 없는; 구제[교정, 보수]할 수 없는 **~·ly** *ad.* **~·ness** *n.*
‡**rem·e·dy** [rémədi] *n.* (*pl.* **-dies**) **1** 치료, 요법; 치료약 **2** 구제책, 교정법 《*for*》 **3** 〖법〗 (권리의) 구제 절차, 배상, 변상: have no ~ at law 법적으로는 구제 방법이 없다 **4** 〖조폐〗 공차(公差) 《동전의 표준 무게·순도에서의 허용 오차》 (tolerance)
There is no ~ but ... …하는 수밖에 별 도리가 없다
— *vt.* (**-died**) **1** 〈병·상처 등을〉 치료하다, 고치다(⇨ heal 유의어) **2** …을 구제하다; 보수하다; 배상하다; 교정하다, 개선하다; 제거하다(remove), 경감하다: ~ an evil 악폐를 제거하다
▷ remédiable, remédial, rémediless *a.*
‡**re·mem·ber** [rimémbər] *v.*

① 생각해 내다; 기억하다	타 **1, 2** 자 **1, 2**
② 잊지 않고 …하다	타 **2**

— *vt.* **1** 생각해 내다, 상기하다: 《~+***that*** 절》 He suddenly *~ed that* he made a promise with her. 그는 갑자기 그녀와의 약속이 생각났다.

> 유의어 **remember** 과거의 어떤 일을 기억하고 있다. 또는 생각해 내다: *remember* the days of one's childhood 어린 시절의 나날을 기억하다 **recall** 노력해서 의식적으로 생각해 내다: *recall* the words of a song 가사를 생각해 내다 **recollect** 잊었던 것을 생각해 내려는 노력을 강조한다: I cannot *recollect* the exact circumstances. 정확한 사정을 아무래도 생각해 낼 수 없다.

2 기억하고 있다; 잊지 않고 …하다 《*for, by, against*》: ~ the poem *by* heart 시를 암송하다 / Can you ~ her phone number? 그녀의 전화번호를 기억하십니까? // 《~+***to*** do》 *R~ to* get the letter registered. 그 편지를 잊지 말고 등기로 부쳐 주시오. // 《~+***-ing***》 《~+***that*** 절》 I ~ see*ing* you before. =I ~ *that* I saw you before. 전에 당신을 만난 기억이 있다. // 《~+목+***-ing***》 I ~ him sing*ing* beautifully. 그가 훌륭하게 노래를 부른 것을 기억한다. // 《~+***wh.*** 절》 I can't ~ *who* mentioned it. 누가 그렇게 말했는지 기억이 나지 않는다. // 《~+***wh. to*** do》 Do you ~ *how to* play chess? 체스 두는 법을 기억하고 있습니까? // 《~+목+***as*** 보》 I ~ her *as* vivacious. 그녀는 쾌활했던 것으로 기억하고 있다. // 《~+목+전+명》 ~ a person *for* his kindness …이 친절하게 해 준 것을 기억하다[잊지 않다] **3** …을 고맙게[괘씸하게] 여기고 있다; …에게 재산을 남기다; …에게 선물[팁]을 주다: ~ the waitress 웨이트리스에게 팁을 주다 // 《~+목+전+명》 He *~ed* me *in* his will. 그는 유언장에 써서 나에게 유산을 나누어 주었다. **4** …을 위해 기도하다: 《~+목+전+명》 ~ a person *in* one's prayer …을 위해 기도하다 **5** (구어) 안부를 전하다: 《~+목+전+명》 *R~* me (kindly) *to* your family. 당신의 가족에게 안부 전해 주시오. **6** 〈도구·컴퓨터 등이〉 〈프로그램 등을〉 (설정된 시각에) 실행하다
— *vi.* **1** 기억하고 있다; 기억해 두다; 기억력이 있다: if I ~ right(ly) 내 기억이 정확하다면 **2** 상기하다, 회고하다: He *~s* of his youth. 그는 자신의 젊은 시절을 회고한다. ***~ ... against*** a person 〈사람〉에게 …으로 원한을 품다 ***~ of*** (미) …한 기억이 있다, …을 상기하다 ***~ oneself*** 생각해 내다; 자기의 잘못을 깨닫다 ***something to ~*** one ***by*** 무언가 생각나게 하는 것; (구어) 일격, 일발
~·a·ble *a.* **~·er** *n.* ▷ remémbrance *n.*
‡**re·mem·brance** [rimémbrəns] *n.* **1** 기억; 추억, 회상(⇨ memory 유의어): many happy *~s* of our college days 대학 시절의 수많은 즐거운 추억들 **2** Ⓤ 기억력; 기억의 범위 **3** Ⓤ 기념; Ⓒ 기념품, 유물: I sent her a small ~ on Mother's Day. 어머니날에 기념품을 보내 드렸다. **4** [*pl.*] (안부의) 전갈
bear [***keep***] ***in ~*** 기억하고 있다 ***bring ... to*** [***put ... in***] ***~*** 생각나게 하다, 상기시키다 ***call*** [***come***] ***to ~*** 생각해 내다, 생각이 떠오르다 ***escape*** one***'s ~*** 잊다 ***have no ~ of*** …을 전혀 기억하지 못하다 ***in ~ of*** …을 기념하여 ***to the best of*** one***'s ~*** …이 기억하는 한은
▷ remémber *v.*
Remémbrance Dày **1** (캐나다) 영령(英靈) 기념일 《제1·2차 세계 대전의 전사자를 추도함; 11월 11일》 **2** (영) 영령 기념일 《Remembrance Sunday의 구칭》
re·mem·branc·er [rimémbrənsər] *n.* (고어) **1** 생각나게 하는 사람[것]; 기념물, 유물 《*of*》 **2** 비망록
the City R~ (영) (의회의 위원회 등에서) 런던 시 의회 대표자 ***the King's*** [***Queen's***] ***R~*** (영) 왕실 수입 징수관 《최고법원 주사(主事)가 겸무》
Remémbrance Sùnday (영) 휴전 기념 일요일 《제1·2차 세계 대전의 전사자 추도일; 현재는 11월 11일에 가장 가까운 일요일》
re·merge [rimə́:rdʒ] *vt.* 다시 합병하다
re·mex [rí:meks] *n.* (*pl.* **rem·i·ges** [rémədʒì:z]) 〖조류〗 날개 깃, 칼깃
rem·i·form [réməfɔ̀:rm] *a.* 노(櫓) 모양을 한
rem·i·grant [rémigrənt] *n.* (이민의) 귀국자, 귀환하는 사람[동물]
re·mi·grate [rì:máigreit] *vi.* **1** 다시 이동[이주]하다 **2** 〈이민이〉 귀국하다 **rè·mi·grá·tion** *n.*
re·mil·i·ta·rize [rì:mílətəràiz] *vt.* 재군비[재무장]하다 **rè·mil·i·ta·ri·zá·tion** *n.* Ⓤ 재군비, 재무장
‡**re·mind** [rimáind] *vt.* 생각나게 하다, 상기시키다, 일깨우다: 《~+목+전+명》 He *~s* me *of* his brother. 그를 보니 그의 동생 생각이 난다. // 《~+목+***to*** do》 Please ~ her *to* call me. 그녀에게 잊지 말고 전화해 달라고 일러 주시오. // 《~+목+***that*** 절》 *R~* him *that* I'll come tomorrow. 내일 간다고 그에게 일러 주게. ***That ~s me.*** 그러고 보니 생각난다.
— *vi.* 생각나다 ▷ remíndful *a.*

mon, conspicuous, rare, exceptional, outstanding, striking, impressive, notable, important, distinctive, peculiar, special, unique
remedy *n.* **1** 치료 cure, treatment, medicine, medication, therapy, antidote **2** 구제책 solution, corrective, redress, panacea

***re·mind·er** [rimáindər] *n.* **1** 생각나게 하는 사람[것]; 기념품 **2** 상기시키는 조언[주의], 암시, 신호: a gentle[significant] ~ 부드러운[의미심장한] 암시 **3** 〖상업〗 독촉장

re·mind·ful [rimáindfəl] *a.* Ⓟ **1** 생각나게 하는, 추억을 되살아나게 하는 《*of*》 **2** 〈사람이〉 …을 기억하고 있는, 잊지 않고 있는 《*of*》: a man ~ *of* his duties 직무를 잊지 않는 사람

Rem·ing·ton [rémiŋtən] *n.* (미국의) 레밍턴 총기 제조업체; 그 총 《상표명》

rem·i·nisce [rèmənís] *vi.* 추억하다, 추억에 잠기다 《*of, about*》: ~ *about* the good old days 그리운 옛날을 추억하다 — *vt.* …의 추억을 말하다[쓰다]

***rem·i·nis·cence** [rèmənísns] *n.* **1** Ⓤ 회상, 추억, 기억: after a few minutes of ~ 잠시 회상한 후 **2** Ⓤ 기억력 **3** 생각나게 하는 것[일], 연상시키는 것 **4** 옛 생각; [*pl.*] 회고담, 회상록

***rem·i·nis·cent** [rèmənísnt] *a.* **1** Ⓟ 상기[연상]시키는, 회상하게 하는, 암시하는(suggestive) 《*of*》: His style of writing is ~ *of* Melville's. 그의 문체는 멜빌의 문체를 연상케 한다. **2** 〈말·표정 등이〉 옛날을 회상하는 (듯한), 추억의, 회고(담)의
— *n.* 추억을 이야기하는 사람; 회상록을 쓰는 사람
~·ly *ad.* 회상에 잠겨

rem·i·nis·cen·tial [rèmənisénʃəl] *a.* = REMINISCENT **~·ly** *ad.*

re·mint [rìːmínt] *vt.* 〈화폐를〉 다시 주조하다

rem·i·ped [réməpèd] 〖동물〗 *a.* 노(櫓) 같은 다리를 가진 — *n.* 노 같은 다리를 가진 동물

re·mise[1] [rimáiz] 〖법〗 *vt.* 〈권리·재산 등을〉 양도하다, 포기하다 — *n.* 권리 포기

re·mise[2] [rimáiz | rəmíːz] *n.* 〖펜싱〗 레미스 《팔을 뻗은 자세로 재공격하기》

re·miss [rimís] *a.* **1** 태만한, 게으른; 부주의한 《*in, about*》: He's terribly ~ *in* his work. 그는 자기 일에 지독하게 태만하다. **2** 무기력한, 해이한
~·ly *ad.* **~·ness** *n.*

re·mis·si·ble [rimísəbl] *a.* 〈죄 등이〉 용서할 수 있는; 면제[완화]할 수 있는

re·mis·sion [rimíʃən] *n.* ⓊⒸ **1** 용서 《*of*》; 〖그리스도교〗 (죄의) 사면; 특사; (빚·세금 등의) 면제, (모범수의) 형기 단축: the ~ *of* sins 죄의 면죄 **2** 풀림; (아픔·병 등의 일시적) 경감, 완화, 진정; (분노 등의) 누그러짐: the ~ of the storm 폭풍의 진정 **3** 《드물게》 송금(remittance)

re·mis·sive [rimísiv] *a.* 사면[면제]하는, 관대한; 경감하는 **~·ly** *ad.* **~·ness** *n.*

***re·mit** [rimít] *v.* (**~·ted**; **~·ting**) *vt.* **1** 〈돈을〉 보내다, 송금하다: (~+목+목) (~+목+전+명) *R*~ me the money at once. = *R*~ the money *to* me at once. 지급(至急)으로 송금해 주시오. **2** 〈죄를〉 용서하다: God will ~ their sins. 하느님은 그들의 죄를 용서하실 것이다. **3 a** 〈빚·형벌 등을〉 면제하다, 경감하다: (~+목+전+명) ~ taxes *to* half the amount 세금을 반감하다 **b** 〈주의·노력 등을〉 완화하다, 경감하다: ~ watchfulness 경계를 늦추다 **4** 〖법〗 〈사건을〉 하급 법원으로 이송하다; 〈문제·사건을〉 (위원회 등에) 위탁하다 《*to*》 **5** 조회하게 하다 《*to*》 **6** 원상태로 돌이키다; 다시 투옥[감금]하다; 포기하다, 행복하다 **7** 연기하다(put off) 《*to, till*》
— *vi.* **1** 송금하다 **2** 감퇴하다, 진정하다, 완화되다(abate); 쉬다, 중단하다 《*from*》: The pain finally ~*ted.* 마침내 통증이 가라앉았다.
~·ment *n.* **~·ta·ble** *a.*
▷ remíssion, remíttal, remíttance *n.*

re·mit·tal [rimítl] *n.* = REMISSION

re·mit·tance [rimítəns] *n.* ⓊⒸ **1** 송금 **2** 송금액 **3** 송금 수단 ***make* (*a*) ~** 송금하다, 〈환어음 등을〉 발행하다

remíttance màn (영) 본국의 송금으로 외국에서 사는 사람 《게으름뱅이의 표본》

re·mit·tee [rimitíː, —ˊ—] *n.* 송금 수취인

re·mit·tent [rimítənt] *a.* 〈열병 등이〉 더했다 덜했다 하는, 이장성(弛張性)의: a ~ fever 이장열(弛張熱) — *n.* 이장열(cf. INTERMITTENT) **~·ly** *ad.*

re·mit·ter [rimítər] *n.* **1** Ⓤ **a** 〖법〗 (소송 사건의 하급 법원으로의) 이송 **b** 〖법〗 원권(原權) 회복, 복권 **2** 송금인; (어음 등의) 발행인; 화물 발송인

re·mit·tor [rimítər] *n.* 송금인

re·mix [rimíks] *vt.* **1** 다시 섞다 **2** 믹싱하여 고치다 — *n.* [ˊ—] 믹싱하여 고친 녹음

***rem·nant** [rémnənt] *n.* **1** [the ~] 나머지, 잔여 **2** 찌꺼기, 지스러기; 자투리: a ~ sale 떨이 판매 **3** 잔존물, 유물, 자취(relic): ~*s* of former greatness 지나간 시절의 위대함의 잔존물
— *a.* 나머지(물건)의: one's ~ existence 여생
~·al *a.*

re·mo [ríːmou] *n.* 《미·속어》 얼간이, 멍청이

re·mod·el [rìːmádl | -mɔ́dl] *vt.* (**~ed**; **~·ing** | **~led**; **~·ling**) …의 형(型)을 고치다, 개작[개조, 개축]하다; 〈행실 등을〉 고치다: (~+목+전+명) ~ a building *into* an apartment house 건물을 아파트로 개조하다 **~·er, ~·ler** *n.*

re·mod·el·ing | **-el·ling** [rìːmádəliŋ | -mɔ́d-] *n.* 〖건축〗 주택 개보수, 리모델링

re·mod·i·fy [rimádəfài | -mɔ́d-] *vt.* (**-fied**) 재수정하다 **rè·mod·i·fi·cá·tion** *n.*

re·mold [rìːmóuld] *vt.* **1** 고쳐 만들다, 개조[개주(改鑄)]하다(remodel) **2** = RETREAD
— *n.* [ˊˋ] 재생 타이어

re·mon·e·tize [rìːmánətàiz | -mʌ́n-] *vt.* 다시 법정 화폐로 통용시키다

re·mon·strance [rimánstrəns | -mɔ́n-] *n.* ⓊⒸ 충고, 간언(諫言); 항의; 〖영국사〗 악정(惡政) 진정서: on[at] the ~ of …의 충고에 따라 / deaf to ~*s* 충언(忠言)에 귀 기울이지 않는

re·mon·strant [rimánstrənt | -mɔ́n-] *a.* 간언하는, 충고하는; 항의의 — *n.* 충고자; 항의자(remonstrator) **~·ly** *ad.*

re·mon·strate [rimánstreit | rémənstrèit] *vi.* **1** 간언하다, 충고하다 《*on, upon, about*》 **2** 항의하다 《*against*》 — *vt.* …을 항의하다, …에 대해 이의를 제기하다 《*to, with*》

re·mon·stra·tion [rimànstréiʃən, rèmən- | rè-mən-] *n.* ⓊⒸ 간언, 충고, 항의

re·mon·stra·tive [rimánstrətiv | -mɔ́n-] *a.* 간언적인, 충고의, 항의의 **~·ly** *ad.*

re·mon·stra·tor [rimánstreitər | rémənstrèi-] *n.* 간언[충고]하는 사람; 항의자

re·mon·tant [rimántənt | -mɔ́n-] 〖원예〗 *a.* 〈장미 등이〉 두[여러] 번 피는 — *n.* 두[여러] 번 피는 장미

rem·on·toir(e) [rèməntwáːr] [F] *n.* (시계의) 속도 조절 톱니바퀴, 태엽을 감는 꼭지[장치]

rem·o·ra [rémərə] *n.* **1** 〖어류〗 빨판상어 **2** (고어) 장애물

re·morse** [rimɔ́ːrs] [L 「물다」의 뜻에서] *n.* Ⓤ **1** 후회, 양심의 가책, 자책 《*at, for*》: in[with] deep ~ 깊이 후회하여 / feel ~ *for*[*at*] one's fault 과오를 후회하다 **2** (폐어) 연민, 자비(pity) ***without **~** 가차[사정] 없이 ▷ remórseful *a.*

re·morse·ful [rimɔ́ːrsfəl] *a.* 후회하는, 양심의 가책을 받는; 후회의, 후회에 의한 **~·ly** *ad.* **~·ness** *n.*

re·morse·less [rimɔ́ːrslis] *a.* **1** 뉘우치지 않는 **2** 무자비한, 가차 없는, 잔인한, 냉혹한
~·ly *ad.* **~·ness** *n.*

thesaurus **remnant** *n.* remainder, residue, balance, remains, piece, fragment, scrap
remorse *n.* regret, sorrow, sorriness, penitence, repentance, guilt, shame, self-reproach
remote *a.* **1** 먼 distant, far, faraway **2** 외딴 outlying, inaccessible, isolated, lonely, secluded

re·mort·gage [ri:mɔ́:rgidʒ] *vt.* 다시 저당잡히다; 저당 조건을 변경하다 **—** *n.* 저당 조건 변경

‡**re·mote** [rimóut] 〖L 「이동된」의 뜻에서〗 *a.* (**re·mot·er**; **-est**) **1** 〈거리가〉 먼, 멀리 떨어진 《*from*》 (⇨ distant 유의어): ~ stars 멀리 떨어진 별들/the ~ corners of the earth 지구의 끝 **2** 원격의; 외딴(secluded), 궁벽한 《*from*》 ★ distant와 달리, 고독하거나 도달하기 어렵거나 불편함을 암시함: a ~ village 벽촌 **3** [부사적으로] 멀리 떨어져(far off): dwell ~ 멀리 떨어져 살다/live ~ 벽촌에 살다 **4** (시간적으로) 먼, 먼 옛날[후일]의 《*from*》: the ~ past[future] 먼 과거[미래] **5** 관계가 먼; 혈족 관계가 먼; 동떨어진, 아주 다른 《*from*》: a ~ ancestor [descendant] 먼 조상[후손]/~ *from* common experiences 여느 경험과 다른 **6** 〈태도 등이〉 쌀쌀한, 냉담한: with a ~ air 쌀쌀맞은 태도로 **7** 원격 조작의 **8** 〈가망·가능성 등이〉 희박한, 거의 없는(slight); 도무지 일어날 것 같지 않은: ~ possibility 희박한 가능성 ***have not the remotest***[***have only*** ~] ***conception***[***idea***] ***of*** …이 무엇인지 조금도 모르다[막연하게 알다]

— *n.* 〖라디오·TV〗 스튜디오 밖에서의 방송 프로그램 《운동 경기·사건 보도 등의 중계 방송 프로그램》

— *ad.* (공간적·시간적으로) 멀리 떨어져

~·ly *ad.* **~·ness** *n.*

remóte áccess 〖통신·컴퓨터〗 원격 접근

remóte bátch 〖컴퓨터〗 원격 일괄 처리 《통신 회선의 연결로 중앙 처리 장치에서와 같이 단말 장치에서 데이터를 일괄 처리하는 방식》

remóte contról 〖전기·통신〗 원격 조작[제어], 리모트 컨트롤

re·mote-con·trolled [rimóutkəntróuld] *a.* 원격 조작의

remóte interrogátion 원격 전화 문의 《출타시에 집·사무실의 자동 응답기의 내용을 알아보기》

remóte jób èntry 〖컴퓨터〗 원격 작업 입력 《略 RJE》

remóte lóg-in 〖컴퓨터〗 원격 로그인

remóte prócessing 〖컴퓨터〗 원격 처리

remóte sénsing 원격 탐사 《인공위성에서 보내온 사진 등에 의한 지형 등의 관측》

remóte sénsor 〖우주과학〗 원격 측정기 《인공위성에서 지구나 다른 천체를 관측하는 장치》

remóte wórking 원격 재택 근무 《회사의 컴퓨터 시스템과 연결된 컴퓨터를 집에서 사용하여 일하기》

re·mo·tion [rimóuʃən] *n.* Ⓤ 멀리 떨어져 있음[있는 상태]; 이동, 제거; (폐어) 출발

ré·mou·lade [rèiməlɑ́:d] [F] *n.* 레물라드 (소스) 《냉육·생선·샐러드용》

re·mould [rì:móuld] *vt.* (영) =REMOLD

re·mount [rì:máunt] *vt.* **1** 〈말·자전거 등에〉 다시 타다; 〈사닥다리·산 등에〉 다시 오르다; 다시 걸다[올리다]: ~ a calendar on the wall 달력을 벽에 다시 걸다 **2** 〈기병대 등에〉 새 말을 공급하다 **3** 〈대포 등을〉 바꾸어 설치하다; 〈사진·보석 등을〉 갈아 끼우다

— *vi.* **1** 말[자전거 《등》]에 다시 타다; 사닥다리[의자 《등》]에 다시 올라가다 **2** 거슬러 올라가다, 되돌아가다 《*to*》 **—** [∸, ∸́] *n.* 예비 말, 새 말; 보충 말; 〖군사〗 새 말의 보충

re·mov·a·ble [rimú:vəbl] *a.* **1** 이동할 수 있는: a ~ bed 이동 침대 **2** 제거할 수 있는; 면직[해임]할 수 있는 **3** 〖수학〗 제거 가능한 **re·mòv·a·bíl·i·ty** *n.* Ⓤ **~·ness** *n.* **-bly** *ad.*

*__re·mov·al__ [rimú:vəl] *n.* ⓊⒸ **1** 이동, 이전; 이사 **2** 제거, 철거, 철수; (완곡) 살해: snow ~ 제설/the surgical ~ of a tumor 종양 절제 **3** 해임, 면직

remóval vàn (영) 이삿짐[가구] 운반 밴[트럭]((미) moving van)

‡**re·move** [rimú:v] 〖L 「제거하다」의 뜻에서〗 *vt.* **1** 치우다(take away); 〈모자 등을〉 벗다, 떼다, 벗기다(take off); **제거하다**, 없애다, 삭제하다 《*from*》: ~ one's coat 웃옷을 벗다 // (~+목+전+명) ~ a name *from* a list 명단에서 이름을 삭제하다 **2** 옮기다, 이동시키다 《*from, to*》: (~+목+전+명) ~ a desk *to* another room 책상을 다른 방으로 옮기다 **3** (완곡) 죽이다, 암살하다 **4** (문어) 물러나게 하다; 해임[면직, 해고]하다 《*from, for*》: (~+목+전+명) ~ a boy *from* school 학생을 퇴학시키다/~ a pitcher *from* the game 투수를 교대시키다/He was ~*d for* grafting. 그는 뇌물 수수로 면직되었다. **5** 〖법〗 〈사건을〉 이송하다 **6** [수동형으로] (영·고어) (식사에서) 다음에 …이 나오다 《*by*》

— *vi.* **1** (문어) 이동하다, 이사하다 《*to, into*》: (~+전+명) ~ *to* New York 뉴욕으로 이사하다 **2** (시어) 떠나가다, 사라지다 **3** 제거되다, 벗겨지다: paint that ~*s* easily 간단하게 지워지는 페인트

~ ***furniture*** 이삿짐 운반업을 하다 ~ ***mountains*** 기적을 행하다 ~ one***self*** 물러가다, 떠나가다 ~ one***'s hat*** 모자를 벗다 《인사로》

— *n.* **1** (고어) 이동, 이전(move), 이사; 퇴거, 철수 **2** 거리, 간격 《*from*》 **3** 단계(step, stage); 등급; 촌수; 세대차 **4** (영) (학교의) 진급 **5** (영·고어) 〖요리〗 다음에 나오는 요리

a cousin in the second ~ =a cousin twice REMOVED. ***at many ~s from*** …에서 멀리 떨어져 ***but one ~ from*** …에 가까운, …와 종이 한 장 차이인: an action *but one* ~ *from* crime 범죄나 다름없는 행위 ***get*** one***'s***[***a***] ~ 진급하다

▷ remóval, remótion *n.*

*__re·moved__ [rimú:vd] *a.* **1** 떨어진, 먼 《*from*》 **2** 〈혈연 관계가〉 …촌의, …등친(等親)의 **3** 제거된; 죽은 ***a*** (***first***) ***cousin once***[***twice***] ~ 사촌의 자녀[손자], 종질[재종손], 5[6]등친 **~·ly** *ad.* **~·ness** *n.*

re·mov·er [rimú:vər] *n.* **1** 이전[전거(轉居)]자, 이동하는[시키는] 사람 **2** (영) 이삿짐 운반[운송]업자 **3** (페인트 등의) 박리제(剝離劑), 제거제: a bottle of ink ~ 잉크 제거제 한 병 **4** 〖법〗 사건 이송

Rem·ploy [rémplɔi] *n.* 렘플로이 《신체장애자들이 일하는 영국의 국영 제조회사》

REM slèep [rém-] 〖생리〗 =PARADOXICAL SLEEP

re·mu·da [rimjú:də] *n.* (목장에서 노동자가 당일 사용할 말을 고르는) 말 떼

re·mu·ner·ate [rimjú:nərèit] *vt.* (문어) **1** …에게 보수를 주다, 보상하다 **2** 〈노력·수고 등에〉 보답하다

-ner·a·ble *a.* **-à·tor** *n.*

re·mu·ner·a·tion [rimjù:nəréiʃən] *n.* ⓊⒸ (문어) 보수, 보상(reward); 급료(pay) 《*for*》

re·mu·ner·a·tive [rimjú:nərèitiv | -nərət-] *a.* 〈일 등이〉 보수가 있는; 수지맞는, 유리한(paying): a ~ salary 좋은 급료/~ a position 높은 보수가 주어지는 지위 **~·ly** *ad.* **~·ness** *n.*

Re·mus [rí:məs] *n.* 레무스 《전설상의 로마 건국사인 Romulus의 쌍둥이 동생》(cf. ROMULUS)

REN registered enrolled nurse 정식 간호사

Re·na [rí:nə] *n.* 여자 이름 《Marina의 애칭》

*__Re·nais·sance__ [rènəsɑ́:ns, -zɑ́:ns, ∸-∸ | rənéisəns] [OF 「다시 태어나다」의 뜻에서] *n.* **1 a** [the ~] 문예 부흥(기), 르네상스 《14-16세기에 유럽에서 일어난 그리스·로마의 고전 문예 부흥》 **b** 르네상스식 미술[건축] 양식 **2** [종종 **r~**] (문예·종교 등의) 부흥, 부활; 신생: the Provençal ~ 프로방스 문예 부흥

— *a.* 문예 부흥 (시대)의, 르네상스 (양식)의: ~ painters 문예 부흥기의 화가들

Rénaissance màn 르네상스적 교양인 《폭넓은 지식과 교양의 소유자; 이상적으로는 모든 학문과 예술에 통달한 사람》

---

remove *v.* **1** 제거하다 delete, eliminate, erase, obliterate, withdraw, abolish, eradicate, destroy **2** 옮기다 take away, move, convey, shift, transfer, transport **3** 죽이다 get rid of, kill, murder, assassinate **4** 물러나게 하다 dismiss, evict, expel, cast out, oust, relegate, unseat, displace

Rénaissance Revìval 〖건축〗 르네상스 부흥 양식 《중기 빅토리아 건축 양식》
Rénaissance wòman 르네상스적 교양 부인
re·nais·sant [rinéisənt] *a.* 부흥하고 있는; [**R~**] 르네상스의
re·nal [rí:nəl] *a.* 〖해부〗 신장의, 신장부의: ~ diseases 신장병 / ~ capsule 신피막(腎皮膜)
rénal cálculus 〖의학〗 신결석(kidney stone)
rénal cléarance 〖생리〗 신장 청정(淸淨)
rénal pélvis 〖해부〗 신우(腎盂)
re·name [rì:néim] *vt.* …에게 새 이름을 지어주다, 개명하다
Ren·ard [rénərd] *n.* = REYNARD
re·na·scence [rinǽsns] *n.* 갱생, 재생; 부활, 부흥 《*of*》; [**R~**] = RENAISSANCE
re·na·scent [rinǽsnt] *a.* 재생[갱생]하는; 부활[부흥]하는; 재기하는, 만회하는
re·na·tion·al·ize [rì:nǽʃənəlàiz] *vt.* 다시 국유화하다
re·na·tur·a·tion [ri:nèitʃəréiʃən] *n.* 〖생화학〗 재생, 복원
re·na·ture [rinéitʃər] *vt.* 〈한번 변한 것을〉 재생[복원]하다
Re·nault [rənɔ́:lt] *n.* 르노 《프랑스의 국영 자동차 메이커; 상표명》
ren·coun·ter [renkáuntər] *n.* 회우(會遇); 조우(전), 회전(會戰); 결투; 논쟁 **—** 《고어》 *vt., vi.* 회전[충돌]하다; 조우(遭遇)하다, 마주치다
*__rend__ [rénd] [OE 「찢다, 째다」의 뜻에서] *v.* (**rent** [rént], **~·ed**) *vt.* **1** 《문어》 **째다, 찢다**(tear), 비틀어 뜯다; 잘게 부수다 **2** 나누다, 분열[분리]시키다: 《~+목+전+명》 The country was *rent in* two. 국토는 둘로 갈라졌다. **3** 떼어 놓다, 비틀어 떼다, 강탈하다 《*off, away*》: 《~+목+전+명》 ~ a child *from* his mother's arm 어머니의 팔에서 강제로 아이를 떼어내다 **4** 〈옷·머리털 등을〉 쥐어뜯다: She wept and *rent* her hair. 그녀는 울며 자신의 머리털을 쥐어뜯었다. **5** 〈슬픔 등이 가슴을〉 에다, 〈마음을〉 산란하게 하다 **6** 〈환성 등이 하늘을〉 찌르다 **7** 〈나무껍질을〉 벗기다; 쪼개어 만들다
— *vi.* 째지다, 쪼개지다; 산산조각이 나다, 분열하다: 《~+부》 ~ *asunder* 산산조각이 나다
rénd·i·ble *a.* ▷ rent[2] *n.*
‡**ren·der** [réndər] *vt.* 《문어》 **1** …을 …하게 하다, …이 되게 하다(make): 《~+목+보》 ~ a person helpless …을 속수무책인 상태로 만들다 / His wealth ~*s* him important. 돈이 있으니까 그는 행세한다. **2** 〈원조를〉 **주다,** 하다, 해 주다(give): 《~+목+전+명》 《~+목+목》 ~ a service *to* a person = ~ a person a service …을 위하여 봉사하다 **3** 〈경의 등을〉 나타내다; (사람·하느님 등에게) 〈감사를〉 드리다: 《~+목+전+명》 ~ thanksgiving[thanks] *to* God 신에게 감사를 드리다 **4 a** 〈계산서·이유·회답 등을〉 제출하다, 교부하다(submit): 《~+목+전+명》 ~ a bill *for* payment 지불 청구서를 제출하다 **b** 〈판결을〉 언도하다; 〈평결을〉 내리다: ~ a verdict 판결[평결]을 내리다 **5** 〈마땅히 내야 할 것을〉 바치다, 납부하다: 《~+목+전+명》 ~ tribute *to* the king 왕에게 조공을 바치다 **6** (글·그림으로) **표현하다,** 묘사하다; 〈연극을〉 연출하다, 연기하다; 〈음악을〉 연주하다; 〈글을〉 번역하다(translate): 《~+목+전+명》 *R~* the following *into* Korean. 다음 글을 우리말로 번역하시오. **7** 보답하다, (답례로) 주다: ~ thanks 감사[사례]하다 // 《~+목+전+명》 ~ evil *for* good 선을 악으로 보답하다 **8** 갚다, 돌려주다: 《~+목+부》 I'll ~ *back* your money. 당신의 돈을 갚겠습니다. **9** 포기하다, 양도하다 《*up*》 **10** 〈지방을〉 녹여서 정제(精製)하다: 《~+목+부》 ~ *down* fat 지방을 정제하다 **11** 〈돌·벽돌 등에〉 초벌칠하다 **12** 넘겨 주다, 내주다: 《~+목+전+명》 ~ a fort *to* the enemy 적에게 요새를 내주다
— *vi.* **1** (당연한) 보수를 주다, 사례금을 지불하다 **2** (지방 등에서) 기름을 정제[채취]하다 **3** 〖항해〗 〈밧줄·사슬 등이〉 술술 풀려 나오다
account ~ed 〖상업〗 지불 청구서 **~ *an account of*** …의 이야기를 하다, …을 설명하다 **~ one*self at*** 《고어》 …에 나타나다, …으로 가다 ***R~ unto Caesar the things that are Caesar's.*** 〖성서〗 카이사르의 것은 카이사르에게 바쳐라. **~ *up*** (1) 《문어》 …을 말하다; 〈기도를〉 올리다 (2) 《고어》 〈성 등을〉 (적에게) 내주다, 포기하다
— *n.* **1** (지방을 정제한) 정제유 **2** 초벌칠 **3** 〖영국사〗 집세, 지대 **~·a·ble** *a.* **~·er** *n.*
ren·der·ing [réndəriŋ] *n.* UC **1** (연극·음악 등의) 표현, 연출, 연주 **2** 번역 (솜씨), 번역문 **3** 넘겨줌, 반환(물), 인도(품), 교부(품) **4** 〖건축〗 초벌칠 **5** (특히 지방(脂肪)의) 정제(精製)
ren·der·set [réndərsèt] *vt.* 〈벽에〉 두벌칠하다
— *n., a.* 두벌칠(한)
*__ren·dez·vous__ [rɑ́:ndəvù:, -dei- | rɔ́ndi-] [F] *n.* (*pl.* ~[-z]) **1** (시간과 장소를 정한) **회합**(의 약속), 회동, 랑데부: arrange the ~ 모임 약속을 하다 **2** 회합 장소 **3** 〖군사〗 (군대·함대의) 지정 집결지, 집결 기지; 집합, 집결 **4** (우주선의) 랑데부
— *vi.* **1** (약속 장소에서) 만나다; 집합[집결]하다 **2** 〈우주선이〉 랑데부하다
ren·di·tion [rendíʃən] *n.* UC **1** 번역; 연출; 연주; 공연 **2** 《고어》 (특히 탈주범의 본국에의) 인도
rend·rock [réndrɑ̀k | -rɔ̀k] *n.* U 폭파용 폭약의 일종
ren·e·gade [rénigèid] *n.* **1** 탈당자, 변절자, 배신자 **2** 배교자(背敎者), 《특히》 이슬람교로 개종한 기독교도
— *a.* **1** 배교의 **2** 배신의, 변절한
— *vi.* 배교[변절]자가 되다, 배반하다, 배신하다
re·nege | **-negue** [riníg, -nég | -ní:g, -néig] *vi.* **1** 〖카드〗 (선과 같은 종류의 패를 가지고 있으면서) 딴 패를 내다 《반칙 행위》 **2** 손을 떼다, 약속을 어기다, 취소하다 《*on*》 **—** *n.* 〖카드〗 딴 패를 내기
re·nég·er *n.*
re·ne·gó·ti·a·ble-rate mórtgage [rì:nigóuʃiəblrèit-] 정기 금리 재조정 조항부(附) 주택 저당 대출 《略 RRM》
re·ne·go·ti·ate [rì:nigóuʃièit] *vt., vi.* 재교섭하다; 〈계약·조약 등을〉 재조정하다
rè·ne·gó·ti·a·ble *a.* **rè·ne·go·ti·á·tion** *n.*
‡**re·new** [rinjú: | -njú:] *vt.* **1 새롭게 하다,** 일신하다: The old walls have been ~*ed* by plastering. 낡은 벽이 회반죽을 발라 새로워졌다. **2 다시 시작하다, 재개하다:** ~ a battle 전투를 재개하다 **3** 〈계약 등을〉 **갱신하다;** …의 기한을 연장하다: ~ a license 면허를 갱신하다 / ~ a library book 책의 대출 기한을 연장하다 **4** 보충[보완]하다: ~ a stock of goods 재고품을 보충하다 / ~ supplies of coal 석탄을 보충하다 **5 새것과 바꾸다 6** 〈사람을〉 (정신적으로) 갱생시키다, 부활하다; 〈힘·젊음 등을〉 되찾다, 회복하다: ~ one's youth 되젊어지다 **7** 재건[재흥]하다(rebuild) **8** 〈낡은 것을〉 새것으로 만들다
— *vi.* **1** 다시 시작되다[일어나다] **2** 〈계약 등을〉 갱신[계속]하다 **3** 회복하다 **~·er** *n.* ▷ renéwal *n.*
re·new·a·ble [rinjú:əbl | -njú:-] *a.* **1** 〈계약 등을〉 계속[갱신, 연장]할 수 있는 **2** 회복[부활]할 수 있는 **3** 다시 시작할 수 있는 **-bly** *ad.*
renéwable énergy 재생 가능 에너지 《태양열·수력·풍력 에너지 등》
renéwable resóurce 재생 가능 자원
re·new·a·bles [rinjú:əblz] *n. pl.* = RENEWABLE ENERGY
*__re·new·al__ [rinjú:əl | -njú:-] *n.* UC **1 일신, 새롭**

thesaurus **rendezvous** *n.* appointment, engagement, date, meeting, assignment, tryst
renounce *v.* **1** 포기하다 give up, relinquish, resign, abdicate, surrender, forgo **2** 관계를 끊다

게 하기[되기] **2** 부흥, 부활; 재생, 소생 **3** 재개(再開), 다시 하기: urban ~ 도시 재개발 **4** (계약·어음 등의) 갱신, 고쳐 쓰기, 기한 연기

re·newed [rinjúːd | -njúː-] *a.* 새롭게 한; 다시 시작한; 회복[부흥]된 **~·ly** *ad.* 새로이(anew)

re·ni·fleur [rènəfləːr] *n.* 〖정신의학〗 악취(惡臭) 기호자

re·ni·form [rénəfɔːrm, ríːn-] *a.* 〈잎 등이〉 콩팥 모양의, 잠두(蠶豆) 모양의

re·nig [riníg] *vi., n.* =RENEGE

re·nin [ríːnin] *n.* Ⓤ 〖생화학〗 레닌 《신장 내에서 생기는 단백질 분해 효소》

re·ni·tent [rináitnt, rénətənt] *a.* 저항[반대]하는; 완강히 반항하는 **re·ní·ten·cy** *n.*

ren·min·bi [rénmìnbíː] [Chin.] *n.* (*pl.* ~) 인민폐(人民幣) 《중국의 통화, 기본 단위는 원(元; yuan); 略 RMB》

ren·net[1] [rénit] *n.* 《영》 사과의 일종

rennet[2] *n.* Ⓤ **1** 레닛 《치즈 제조용으로 조제된 송아지의 제4위(胃)의 내막(內膜)》 **2** 〖생화학〗 응유(凝乳) 효소(rennin)

ren·nin [rénin] *n.* Ⓤ 〖생화학〗 응유 효소, 레닌 《레닛(rennet) 중의 응고 효소》

re·no [ríːnou] *n.* (*pl.* **~s**) 《캐나다·속어》 재생 주택, 손질을 마친 중고 주택

Re·no [ríːnou] *n.* 리노 《미국 Nevada주 서부의 도시; 이혼 재판소로 유명》 ***go to ~*** 이혼하다

re·no·gram [ríːnəgræ̀m] *n.* 〖의학〗 리노그램 《방사성 물질을 사용한 신장(腎臟)의 배설 상황 기록》

re·nog·ra·phy [riːnágrəfi | -nɔ́g-] *n.* 〖의학〗 신장 촬영(법), 리노그래피

re·no·graph·ic [rìːnəgræ̀fik] *a.*

Re·noir [rénwaːr] *n.* 르누아르 **1 Jean ~** (1894-1979) 《프랑스의 영화감독》 **2 Pierre Auguste ~** (1841-1919) 《프랑스 인상파의 대표적 화가》

re·nom·i·nate [rìːnáməneit | -nɔ́m-] *vt.* 다시 지명하다, 재임(再任)시키다 **rè·nom·i·ná·tion** *n.*

re·nor·mal·i·za·tion [rìːnɔːrməlizéiʃən | -lai-] *n.* 〖물리〗 환치(換置) 계산법 《양자론에 있어서의 계산법의 하나》 **re·nór·mal·ìze** *vt.*

***re·nounce** [rináuns] *vt.* **1** (공식으로) **포기[폐기]하다**; 〈습관 등을〉 그만두다, 끊다; 선서하고 버리다[끊다]; 단념하다: ~ smoking 금연하다 / ~ one's peerage 귀족의 지위를 포기하다 **2** …와의 관계[인연]를 끊다; …을 부인[거절]하다: ~ friendship 절교하다 / ~ one's son 아들과 의절하다 / ~ the world 은둔하다, 은퇴하다

— *vi.* **1** 포기[단념]하다; 〖법〗 (권리 등을) 포기하다 **2** 〖카드〗 나온 패가 없어서 다른 짝의 패를 내다

— *n.* 〖카드〗 나온 패가 없어서 다른 짝의 패를 냄 **~·ment** *n.* **re·nóunc·er** *n.* ▷ renunciátion *n.*

re·no·vas·cu·lar [rìːnouvæ̀skjulər] *a.* 〖해부·의학〗 신(腎)혈관의, 신혈관성의: ~ hypertension 신혈관성 고혈압

ren·o·vate [rénəvèit] *vt.* **1** (청소·보수·개조 등을 하여) …을 새롭게 하다, 수선[수리]하다: ~ old cathedrals 낡은 대성당을 수리하다 **2** …의 기력을 회복시키다, 활기를 되찾게 하다(refresh) **3** 쇄신[혁신]하다 **rèn·o·vá·tion** *n.* ⓊⒸ 수선, 수리; 혁신, 쇄신; 원기 회복 **-và·tor** *n.* 혁신[쇄신]자; 수선[수리]자

re·nown** [rináun] *n.* Ⓤ **명성**, 영명(令名), 고명(高名): an author of great ~ 굉장히 명성이 높은 작가 / win one's ~ 명성을 얻다 ***have ~ for …으로 유명하다[명성이 있다] **~·less** *a.*

re·nowned [rináund] *a.* 유명한, 명성 있는: many ~ organizations 많은 이름 있는 단체들

---

abandon, forsake, cast off, shun, discard
renovate *v.* modernize, recondition, refurbish
renown *n.* fame, repute, celebrity, eminence, distinction, note, prominence, prestige

---

***rent**[1] [rént] *n., v.*

> 「이용하는 대상(代償)」
> ┌(지불하는 쪽) 「빌린 삯」 「삯으로 빌리다」
> └(받는 쪽) 「빌려준 요금」 「요금을 받고 빌려주다」

— *n.* ⓊⒸ **1 지대**(地代), 소작료; **집세**; 임차료(賃借料): pay high[low] ~ 높은[낮은] 집세를 내다 / ~, food and clothes 의식주비 **2** 《미》 임대, 임차; 《폐어》 수익, 수입 《지대·집세 등》 **3** 《방언》 대지(貸地); 셋집 **4** (기계·설비 등의) 사용료, 임대료 **5** 〖경제〗 초과 이윤 ***For ~.*** 《미》 셋집[셋방] 있음.(《영》 To let.)

— *vt.* **1** 〈토지·집·기계 등을〉 임대하다 《*out*》: ~ a farm to …에게 농지를 임대하다 **2** 〈토지·집·기계 등을〉 임차하다(⇨ borrow 유의어) ~ a house from Mr. Brown 브라운 씨에게서 집을 임차하다

— *vi.* 〈집·토지 등이〉 (얼마에) 임대되다: 《~+전+명》 ~ *at* [*for*] 1,000 dollars a year 임대료가 1년에 1,000달러이다 **~ *out*** 《미》 …을 임대하다

rent[2] *n.* **1** (의복 등의) 찢어진 곳, 해진 데 《*in*》 **2** (구름·바위 등의) 끊어진[갈라진] 틈; 협곡(峽谷) **3** (관계·의견의) 분열; 불화: a ~ in a party 당내의 분열

rent[3] *v.* REND의 과거·과거분사

rent-a- [réntə] 《연결형》 「임대」의 뜻

rent-a-bike [réntəbàik] *n.* 임대 자전거

rent·a·ble [réntəbl] *a.* 임대[임차]할 수 있는 **rènt·a·bíl·i·ty** *n.*

rent-a-car [réntəkàːr] *n.* 《미》 (시간제·거리제 등의) 임대 자동차, 렌터카(업), 승용차 대여(업)

— *a.* 렌터카 (회사)의

rent-a-cop [réntəkàp | -kɔ̀p] *n.* 《미·속어》 청원 경찰 (제도); 《경멸》 경비원

rent-a-crowd, rent·a·crowd [réntəkràud] *n.* 《영·속어》 (돈 등으로) 동원한 군중

***rent·al** [réntl] *n.* **1** Ⓤ 임대료, 임차료, 지대[집세]로서 치르는[받는] 총액; 지대[집세] 수입 **2** 《미》 임대차물(賃貸借物) 《아파트·자동차·텔레비전 등》 **3** 렌탈업, 임대업; 렌탈 회사[가게]

— *a.* 임대의; 임대[임차]할 수 있는: ~ income 임대수입 / ~ contract 임대 계약

réntal càr 임대 자동차

réntal collèction (공공 도서관 등에서의) 유료 대출 도서

réntal lìbrary 《미》 유료 대출 도서관, 대출 문고

rent-a-mob, rent·a·mob [réntəmàb | -mɔ̀b] *n.* 《영·속어》 (돈 등으로) 동원한 폭도

rént bòok 임차료장(賃借料帳) 《집세·지대 등을 기록한 것》

rént bòy 《속어》 소년 남창(男娼)

rént chàrge 〖법〗 지대(地代) 부담 《그 토지의 소유주가 아닌 사람에게 지불해야 하는 지대》

rént contròl (정부의) 집세 통제

rente [rɑ́ːnt] [F] *n.* (*pl.* **~s** [~]) 연금, 연수(年收); [보통 *pl.*] (프랑스 정부 발행의) 장기 공채; 그 이자

rent·ed [réntid] *a.* [보통 복합어를 이루어] 임대료가 …한: high-[low-]~ 세가 비싼[싼]

ren·ten·mark [réntənmàːrk] *n.* [때때로 **R~**] 렌텐마르크 《1923-31년 독일 정부가 통화 안정을 위하여 중앙 은행에 발행하도록 한 지폐》

rent·er [réntər] *n.* **1** 임차[차지(借地), 소작, 차가(借家)]인[단체] **2** 빌려 주는 사람; 비는 사람 **3** 《영》 영화 공급자; 영화관 주인

rent-free [réntfríː] *ad., a.* 땅세[집세, 사용료] 없이[없는], 임대료 없이[없는]

ren·tier [rɑːntjéi] [F] *n.* 불로 소득 생활자 《금리·지대·배당 등으로 사는 사람》

rént pàrty 주최자의 집세를 마련하기 위한 파티

rent-roll [réntròul] *n.* 《영》 **1** 땅세[집세] 장부, 소작 장부, 대부 장부 **2** 땅세·집세 《등》의 총액

rents, 'rents [rénts] [parents의 준말] *n. pl.* 《미·속어》 부모

rént sèrvice 1 〖영국법〗 지대(地代) 봉사 2 지대 대신의 노역(勞役)
rent-sta·bi·lized [réntstèibəlaizd] *a.* (일정 한도 내로) 집세를 법률로 규제한
rént strìke 집세 지불 거부 운동
re·num·ber [rìːnʌ́mbər] *vt.* …의 번호를 다시 매기다; 다시 세다
re·nun·ci·a·tion [rinʌ̀nsiéiʃən, -ʃi-|-si-] *n.* 1 (권리·칭호 등의) 포기, 폐기: the king's ~ of the throne 국왕의 왕위 포기 2 (욕망·쾌락 등의) 자제, 금욕; (야심 등의) 포기, 단념: Monks lead a life of ~. 수도사는 금욕 생활을 한다. 3 부인, 거부, 거절; 거절 성명(서) 4 절교, 인연을 끊음 5 신주(新株) 인수권 포기
re·nun·ci·a·tive [rinʌ́nsièitiv] *a.* 포기하는, 기권의; 부인[거절]의; 중지의
re·nun·ci·a·to·ry [rinʌ́nsiətɔ̀ːri|-təri] *a.* = RENUNCIATIVE
ren·ver·sé [rɑ̀ːnvɛərséi] [F] *a.* 〖발레〗 랑베르세 《상체를 뒤로 젖힌 자세로 회전하는》
re·oc·cu·py [riːɑ́kjupài|-ɔ́k-] *vt.* 다시 점유[소유]하다; 다시 종사하게 하다
re·oc·cur [riːəkə́ːr] *vi.* 다시 일어나다, 재발생하다 **~·rence** *n.*
re·of·fend [rìːəfénd] *vi.* 재범을 저지르다: Without help, many released prisoners will ~. 도움이 없으면 석방된 많은 죄수들은 재범을 저지를 것이다. **re·of·fénd·er** *n.*
re·of·fer [riːɔ́ːfər|-ɔ́f-] *vt.* 1 다시 제출[신청, 제의]하다 2 〈증권을〉 팔기 위해 시중에 내놓다
— *n.* 재신청; 재제출; 재제의
***re·o·pen** [riːóupən] *vt.* 1 다시 열다 2 다시 시작하다, 재개하다: ~ an argument 논쟁을 재개하다
— *vi.* 다시 열리다, 재개되다
~ old wounds 과거의 좋지 않은 기억을 들춰내다
re·ó·pen·ing *n.* Ⓤ
re·o·pen·er [riːóupnər] *n.* (구어) 교섭 재개 (조항)
re·or·der [rìːɔ́ːrdər] *vt.* 다시 정리하다; 〖상업〗 다시[추가] 주문하다 — *n.* 〖상업〗 재(再)[추가] 주문: put through a ~ for the books 그 책을 재주문하다
re·or·di·na·tion [rìːɔːrdənéiʃən] *n.* 재서임(再敍任); 재안수(再按手)
re·org [riːɔ́rg] *n.* (구어) = REORGANIZATION
***re·or·ga·ni·za·tion** [rìːɔːrgənizéiʃən|-naiz-] *n.* 재편성, 개편
***re·or·gan·ize** [rìːɔ́ːrgənàiz] *vt.* 재편성하다; 개편[개조, 개혁]하다; 〈기업 등을〉 재건하다 **-iz·er** *n.*
re·o·ri·ent [rìːɔ́ːriənt] *vt.* …에게 새로운 방향[방침]을 주다, 재교육하다; 새로운 환경에 순응시키다
re·o·ri·en·tate [rìːɔ́ːriəntèit] *vt.* = REORIENT
rè·o·ri·en·tá·tion *n.* Ⓤ 방향 전환, 재교육
re·o·vi·rus [rìːouváiərəs, ╶╶─|╶╶─] *n.* (*pl.* **~·es**) 레오 바이러스 《Reoviridae과(科)의 대형 바이러스의 총칭; 소아 위장염의 원인이 되는 바이러스 포함》
rep¹, repp [rép] *n.* Ⓤ 렙 《골지게 짠 천; 커튼·가구 포장용》
rep² [*rep*etition] *n.* 《영·학생속어》 시문(詩文)의 암송; 암기한 시문
rep³ *n.* [*rep*robate] *n.* (속어) 방탕자, 난봉꾼
rep⁴ *n.* 1 (구어) 대표; 외판원(representative) 2 (속어) 명성; (갱단 등의) 조직에서의 지위
— *vt.* (**~ped**) …의 대리[대표]역을 맡다
rep⁵ *n.* (구어) 1 = REPERTORY COMPANY 2 = REPERTORY THEATER 3 = REPERTORY
rep⁶ [*r*oentgen *e*quivalent *p*hysical] *n.* (*pl.* ~) 〖의학〗 렙 《방사선 조사량(照射量)의 단위》
rep. repair; repeat; report(ed); reporter; representative; reprint; republic **Rep.** Representative; Republic; (미) Republican
re·pack [riːpǽk] *vt.* 다시 포장하다; 다른 용기에 꾸리다
re·pack·age [rìːpǽkidʒ] *vt.* 1 〈짐을〉 다시 꾸리다[포장하다] 2 좀 더 좋은[매력적인] 모양으로 하다 **-ag·er** *n.*
re·pag·i·nate [riːpǽdʒənèit] *vt.* 〖컴퓨터〗 …에 페이지를 다시 달다 **re·pàg·i·ná·tion** *n.*
re·paid [riːpéid] *v.* REPAY의 과거·과거분사
re·paint [rìːpéint] *vt.* …을 다시 칠하다: ~ the house 집을 다시 칠하다
— [╶╴, ╶╴] *n.* 다시 칠하기; 다시 칠한 것[부분]
‡re·pair¹ [ripέər] *vt.* 1 수선[수리]하다(⇨ mend 유의어); 치료하다: ~ a motor 모터를 수리하다 2 〈건강·체력 등을〉 회복하다: ~ one's health by resting 휴양으로 건강을 회복하다 3 〈결함·잘못 등을〉 정정[교정]하다(remedy) 4 〈손해 등을〉 보상하다, 배상하다: ~ damage 손해를 메우다
— *vi.* 수선하다, 수리하다
— *n.* Ⓤ 1 a 수선, 수리, 손질; [종종 *pl.*] 수선[수리, 복구] 작업: *R~s* done while you wait. 〖광고〗 즉석에서 수선해 드립니다. b 수리 상태; 손질이 잘 된 상태 2 [*pl.*] 수선비 3 회복; 보상
beyond*[*past*] ~** 수리할 가망이 없는 ***in* (*a state of*) *good*[*bad*] ~** = ***in*[*out of*] ~** 손질이 잘 되어 있는[있지 않은] ***make ~s (전체를) 수리하다 ***under ~(s)*** 수리 중 **~·a·ble** *a.* **re·pàir·a·bíl·i·ty** *n.*
▷ reparátion *n.*
repair² *vi.* (문어) 1 가다, 다니다, 자주 가다 《*to*》: (~+전+명) ~ in person *to* London 자신이 런던으로 가다 2 여럿이 가다, 모여들다 《*to*》 3 구하러 가다; 의지하러 가다 《*to*》: ~ *to* a shop for tools 도구를 구하러 가게에 가다
— (고어) *n.* 1 의지, 의뢰 2 자주 다니기; 자주 가는 곳, 여럿이 모이는 곳 ***have ~ to*** …에 자주 다니다
re·pair·er [ripέərər] *n.* 수리공; 수리 도구
re·pair·man [ripέərmæ̀n|-mən] *n.* (*pl.* **-men** [-mèn|-mən]) (시계·텔레비전 등의) 수리공
re·pair·per·son [-pə̀ːrsn] *n.* 수리공 《여성도 포함되는 남녀 포괄어》
repáir shòp 수리점, 정비 공장
re·pand [ripǽnd] *a.* 〖식물〗 〈잎이〉 잔물결 모양의 가장자리가 있는
re·pa·per [rìːpéipər] *vt.* …에 벽지를 갈아 붙이다; 새 종이로 다시 포장하다
rep·a·ra·ble [répərəbl, ripέər-|répərə-] *a.* 1 수선할 수 있는 2 보상[배상]할 수 있는 **-bly** *ad.*
***rep·a·ra·tion** [rèpəréiʃən] *n.* 1 Ⓤ 배상; 배상금; [*pl.*] (패전국이 지불하는) 배상금: demand ~ from the company 회사에 보상을 요구하다 2 Ⓤ 수리, 수선 《지금은 보통 repair(s)》: a house in need of urgent ~ 긴급히 수리가 필요한 집
make ~ for …을 배상하다
▷ repáir¹ *v.*; repárative, repáratory *a.*
re·par·a·tive [ripǽrətiv] *a.* 1 수선[수리]의 2 회복의[시키는] 3 배상의
re·par·a·to·ry [ripǽrətɔ̀ːri|-təri] *a.* = REPARATIVE
rep·ar·tee [rèpərtíː, -téi, -pɑːr-] *n.* 1 재치 있는 응답 2 Ⓤ 재치 있게 맞받는 재간
re·par·ti·tion [rìːpɑːrtíʃən] *n.* 분할, 분배, 배분; 재구분, 재분할, 재분배 — *vt.* 배분하다; 재구분하다
re·pass [rìːpǽs|-pɑ́ːs] *vi.* 다시 지나가다, 되돌아오다 — *vt.* 다시 지나가게 하다; 〈의안 등을〉 다시 제출하여 통과시키다 **re·pas·sage** [rìːpǽsidʒ] *n.* Ⓤ
re·past [ripǽst, -pɑ́ːst|-pɑ́ːst] *n.* (문어) 식사(meal); (한 번의) 식사량: a dainty[rich] ~ 성찬,

thesaurus **repair¹** *v.* 1 수선[수리]하다 mend, fix, restore, adjust, overhaul, patch, heal, cure 2 정정하다 correct, rectify, redress, make good
reparation *n.* atonement, compensation, indemnity
repeat *v.* redo, restate, retell, iterate, recite, rehearse, echo, parrot, duplicate, copy

미식 / a light[slight] ~ 가벼운 식사
—*vi.* 식사하다 《*on, upon*》
re·pat [ríːpæt] *n.* 《영·구어》 =REPATRIATE; =REPATRIATION
re·pa·tri·ate [rìːpéitrièit | -pǽt-] *vt.* **1** 〈포로·망명자들을〉 본국으로 송환하다 **2** 〈이익·자산 등을〉 본국으로 보내다 —*vi.* 본국에 돌아가다
—*n.* 본국 송환[귀환]자, 귀국자(cf. EVACUEE)
re·pa·tri·a·tion [rìːpeitriéiʃən | -pæt-] *n.* Ⓤ 본국 송환, 귀환
‡**re·pay** [riːpéi] *v.* (**-paid** [-péid]) *vt.* **1** 〈돈을〉 갚다, 상환하다: 《~+목+목》 《~+목+전+명》 *R~* me the money. = *R~* the money *to* me. 돈을 갚아 주게. **2** 〈호의·진심 등에〉 (…으로) 보답하다, 되돌리다, 답하다 《*with*》: She *repaid* the compliment *with* a smile. 그녀는 찬사에 대해 미소로 답했다. **3** 〈사람에게〉 **보답하다,** 은혜를 갚다; 보복하다: How can I ever ~ you? 당신께 어떻게 보답할지 모르겠습니다. // 《~+목+전+명》 ~ a person *for* his kindness …의 친절에 보답하다
—*vi.* **1** 빚을 갚다 **2** 보답하다
~·a·ble *a.* **~·ment** *n.*
repáyment mòrtgage 《영》 원리금 상환 담보 대부(cf. ENDOWMENT MORTGAGE)
*__re·peal__ [ripíːl] *vt.* 〈법률 등을〉 **무효로 하다,** 폐지[폐기, 철회]하다: ~ a grant 인가를 취소하다
—*n.* ⓊⒸ **1** (법률의) 폐지, 폐기, 취소, 철회: the ~ of laws 법률의 폐지 **2** [**R~**] 〖영국사〗 영국·아일랜드 합병 철회 운동 **~·a·ble** *a.*
re·peal·er [ripíːlər] *n.* 폐지론자; [**R~**] 〖영국사〗 영국·아일랜드 합병 철회론자
‡**re·peat** [ripíːt] *vt.* **1** **되풀이하다,** 반복하다; 다시 경험하다; 되풀이하여 말하다: Could you ~ your question? 질문을 다시 말씀해 주시겠어요? // 《~+*that* 절》 I ~ *that* I can't accede to your demand. 다시 말하지만 너의 요구에 응할 수 없다. **2** 복창[암송]하다: *R~* the following words after me. 다음 말들을 따라 하시오. **3** (메아리·축음기 등에 의해) 〈말·음성 등을〉 재생하다(reproduce) **4** 〈…을 남에게〉 말하다, 말을 옮기다: I promised not to ~ the secret. 비밀을 남에게 누설하지 않을 것을 약속했다. **5** 재경험하다, 다시 이수하다: You can't ~ the past. 과거는 다시 경험할 수 없다. **~ one*self*** 같은 말을 되풀이하다; 〈일이〉 되풀이되다, 되풀이하여 일어나다: History *~s itself.* 《속담》 역사는 되풀이한다.
—*vi.* **1** **되풀이하여 말하다,** 반복하다 **2** 〈먹은 것이〉 넘어오다; 〈양파·부추 등이〉 입 안에 뒷맛이 남다: 《~+전+명》 Fried mackerels always ~ *on* me. 고등어 튀김을 먹으면 언제나 넘어온다. **3** 《미》 (한 선거에서) 두 번 이상 투표하다, 부정 투표하다 **4** 〈수·소수(小數) 등이〉 순환하다 **5** 유급하다
—*n.* **1** 되풀이 **2 a** 반복되는 것 **b** 재방송 프로그램 **3** 〖음악〗 반복, 반복절(節), 반복 기호 **4** 사본(寫本), 복제(複製)(reproduction); 반복 무늬 **5** 〖상업〗 재공급, 재주문 **re·pèat·a·bíl·i·ty** *n.* **~·a·ble** *a.*
▷ repetítion *n.*; repetítious, repétitive *a.*
*__re·peat·ed__ [ripíːtid] *a.* Ⓐ **되풀이된,** 거듭된
*__re·peat·ed·ly__ [ripíːtidli] *ad.* **되풀이하여;** 재삼재사; 여러 차례
re·peat·er [ripíːtər] *n.* **1** 되풀이하는 사람[것]; 복창[암송]하는 사람 **2** 두 번 치는 시계 《스프링을 누르면 15분 단위로 한 번 친 시각을 다시 치는 옛날 시계》 **3** 재수생, 유급생 **4** 연발총 **5** 《미》 (두 번 이상 투표하는) 부정 투표자 **6** 상습범(habitual criminal) **7** 〖수학〗 순환 소수 **8** 〖통신〗 중계기(中繼器)[대(臺)]
re·peat·ing [ripíːtiŋ] *a.* **1** 반복하는, 되풀이하는; 〈소수가〉 순환하는 **2** 〈총이〉 연발하는
repéating décimal 〖수학〗 순환 소수
repéating fírearm[**rífle**] 연발총
repéating wátch =REPEATER 2
repéat kèy 〖컴퓨터〗 반복 키
re·pe·chage [rèpəʃɑ́ːʒ] [F] *n.* 〖스포츠〗 패자 부활전
re·peg [rìːpég] *vt.* 〖경제〗 〈변동 시세제 통화를〉 고정 시세제로 복귀시키다
*__re·pel__ [ripél] *v.* (**~led**; **~·ling**) *vt.* **1** 〈공격자·적 등을〉 **쫓아버리다,** 격퇴하다; 물리치다: ~ the enemy [assailants] 적[습격자들]을 격퇴하다 **2** 〈생각·감정 등을〉 떨쳐버리다; 억제하다, 억누르다 **3** 〈물 등을〉 받지 않다, 튀겨내다; 〖물리〗 튀기다, 반발하다: This cloth *~s* water. 이 옷은 물이 배지 않는다. **4** 〈제안·구애 등을〉 퇴짜 놓다, 거절[거부]하다: ~ a suggestion 제안을 거절하다 **5** 혐오감[불쾌감]을 주다: The odor *~s* me. 정말로 지독한 냄새다.
—*vi.* **1** 쫓아내다, 퇴짜 놓다 **2** 불쾌하게 하다
~·lence, ~·len·cy [-ləns(i)] *n.* Ⓤ 반발성; 격퇴성
~·ler *n.* ▷ repéllent *a.*
re·pel·lent, -lant [ripélənt] *a.* **1** 불쾌한(disagreeable); 혐오감을 주는 **2** [보통 복합어를 이루어] 〈물 등이〉 배지 않는; 〈벌레 등을〉 물리치는, 튕기는; 격퇴하는, 반발하는: a water-~ garment 방수복
—*n.* **1** 물리치는 것; 반발력: an insect ~ 해충약, 구충제 **2** 방수 가공제(劑); 방충제(劑) **3** 〖의학〗 (종기 등을) 삭게 하는 약 **~·ly** *ad.*
‡**re·pent**[1] [ripént] [L 「다시 유감스럽게 여기게 하다」의 뜻에서] *vi.* **후회하다,** 뉘우치다, 회개하다 《*of*》: 《~+전+명》 ~ *of* one's rashness 경솔했음을 후회하다 / ~ *of* one's sins 자기 죄를 뉘우치다
—*vt.* …을 뉘우치다, 후회하다, 유감으로 생각하다, 회개하다: ~ one's sins 죄를 뉘우치다 // 《~+**-ing**》 《~+***that*** 절》 I ~ hav*ing* flunked. = I ~ *that* I have flunked. 낙제한 것을 유감으로 생각한다.
~·er *n.* **~·ing·ly** *ad.*
▷ repéntance *n.*; repéntant *a.*
re·pent[2] [ríːpənt, ripént | ríːpənt] *a.* 〖식물·동물〗 포복성의, 기어다니는(creeping)
*__re·pent·ance__ [ripéntəns] *n.* Ⓤ **후회,** 회한; 회개, 참회 ▷ repént[1] *v.*; repéntant *a.*
re·pent·ant [ripéntənt] *a.* **1** 후회하는, 뉘우치는 《*for*》 **2** 후회를 나타내는: a ~ mood 후회의 기분 **3** 회개의, 참회의 **~·ly** *ad.*
re·peo·ple [rìːpíːpl] *vt.* …에 다시 사람을 살게 하다, 재식민하다; …에 가축을 재공급하다
re·per·cus·sion [rìːpərkʌ́ʃən, rèp- | rìːp-] *n.* ⓊⒸ **1** [*pl.*] (간접적) 영향; (사건·행동 등의 오래 남는) 영향 《*on*》: spark *~s* 〈사건의 영향 등이〉 번지다 **2** (빛의) 반사; (소리의) 반향; 되튐 **3** 격퇴, 반격
re·per·cus·sive [rìːpərkʌ́siv, rèp- | rìːp-] *a.* 반향[반사]하는[시키는]; 반향[반사]한; 반향[반사]적인 **~·ly** *ad.* **~·ness** *n.*
rep·er·toire [répərtwɑ̀ːr, -twɔ̀ːr] [F] *n.* 레퍼토리, 상연 목록, 연주 곡목; 〖컴퓨터〗 레퍼토리 《어떤 특정 명령 시스템에 쓰이는 문자나 부호의 범위》 ***in*** ~ 〈연극·발레 등이〉 같은 장소에서 일정 기간 상연되는
rep·er·to·ry [répərtɔ̀ːri | -təri] *n.* (*pl.* **-ries**) **1 a** (연극의) 레퍼토리 방식 **b** =REPERTOIRE **2** (특히 지식 등의) 축적(stock), 집적(集積) **3** 창고, 저장소, 보고(寶庫)
répertory còmpany 레퍼토리 극단 《일정 수의 프로그램을 번갈아 상연하는 극단》
répertory thèater 레퍼토리 극장 《전속 극단을 가지고 프로그램을 바꾸어 상연하는 극장》
re·pe·ruse [rìːpərúːz] *vt.* 다시 읽다; 재열람(再閱覽)[재음미]하다
-rus·al *n.* ⓊⒸ 재독(再讀); 재음미
rep·e·tend [répətènd, ⌐—⌐] *n.* **1** 〖수학〗 (순환 소

---

repel *v.* **1** 물리치다 repulse, drive back, push back, frustrate (opp. *welcome*) **2** 거절하다 reject, decline, turn down **3** 혐오감을 주다 revolt, disgust, sicken, nauseate (opp. *attract, delight*)
repentance *n.* sorrow, remorse, regret, penitence, conscience, shame, guilt

수 중의) 순환절[마디] **2** 반복음[구, 어]

ré·pé·ti·teur [rèipeitətə́ːr | ripèt-] [F] *n.* (오페라 하우스 전속) 가수의 연습 코치

‡rep·e·ti·tion [rèpətíʃən] *n.* **1** UC 되풀이, 반복; 재주장: learn by ~ 반복을 통해서 배우다 **2 a** UC 암송; 재현; 재연, 재연주; 〖음악〗 복주(復奏), 복창 **b** 복사, 모사, 사본 **3 a** 반복된 말 **b** 모방

~·al, ~·ar·y [-èri | -əri] *a.* 반복하는, 되풀이하는 ▷ repéat *v.*; repetítious, repétitive *a.*

rep·e·ti·tious [rèpətíʃəs] *a.* 자꾸 되풀이하는, 지루한 **~·ly** *ad.* **~·ness** *n.*

re·pet·i·tive [ripétətiv] *a.* **1** 되풀이하는, 반복성의: a ~ drill 반복 연습 **2** = REPETITIOUS **~·ly** *ad.* **~·ness** *n.*

repétitive DNÁ 〖생화학〗 반복성 DNA 《각 세포에 특정한 유전자가 되풀이해서 포함된 DNA》

repétitive stráin[stréss] ínjury 〖의학〗 반복성 긴장 장애 《略 RSI》

re·phrase [rìːfréiz] *vt.* 고쳐[바꾸어] 말하다

re·piece [rìːpíːs] *vt.* 다시 엮어 맞추다, 다시 조립하다

re·pine [ripáin] *vi.* 《문어》 불평하다, 투덜거리다, 푸념하다 《*at, against*》 **re·pín·er** *n.*

repl. replace(ment)

‡re·place [ripléis] *vt.* **1** 제자리에 놓다, 되돌리다: *R*~ phone when finished. 통화가 끝난 후에는 제자리에 놓으세요. // 《~+목+전+명》 ~ a book *on* the shelf 책을 책장에 도로 꽂다 **2** 대신하다, …의 후임자가 되다: TVs have ~*d* radios. TV가 라디오를 대체했다. // 《~+목+***as*** 보》 Mary ~*d* Ann *as* the team's captain. 메리가 앤을 대신하여 팀의 주장이 되었다. **3** 바꾸다, 대체하다, 갈다, 교환하다 《*by, with*》: 《~+목+전+명》 ~ a worn tire *by*[*with*] a new one 헌 타이어를 새것으로 갈다 **4** 돌려주다, 갚다: ~ a sum of money borrowed 빌린 금액을 갚다 **5** 복직[복위]시키다 **~·a·ble** *a.* **re·plác·er** *n.* ▷ replácement *n.*

***re·place·ment** [ripléismənt] *n.* **1** U 제자리에 되돌림, 반환; 복직, 복위(復位): the ~ of man's labor by machinery 인간의 노동력을 대신하여 기계의 힘을 사용하는 것 **2** U 교체, 교환(substitution); C 대체물, 교환품; 후계자, 교체자: ~ parts 교환 부품 / provide a ~ or a refund 교환이나 환불을 해주다 **3** 〖미군〗 보충병, 교체 요원 **4** UC 〖지질〗 교대 작용(*metasomatism*)

replácement dèpot 〖군사〗 보충대

replácement lèvel 인구 보충 출생률 《총인구를 유지하는 데에 필요한 출생률》

rep·la·mine·form [rèpləmíːnfɔ̀ːrm] *n., a.* 생체의 복제 재료를 얻기 위한 공정[기술](의) 《세라믹·금속·중합체 등이 쓰임》

re·plan [riːplǽn] *vt.* …의 계획을 다시 세우다

re·plant [rìːplǽnt | -plɑ́ːnt] *vt.* **1** 옮겨 심다, 이식(移植)하다 **2** 이주시키다 **3** …에 새로 식물을 심다 **4** 〖외과〗 〈절단된 손·손가락 등을〉 다시 이식하다
— *n.* 이식한 식물 **rè·plan·tá·tion** *n.* UC 다시 심기, 이식; C 이식된 식물

re·plat·form [rìːplǽtfɔːrm] *vt.* 《영》 〈열차를〉 (평소와는 다른 폼에) 재배차하다[발차하게 하다]
-formed [-d] *a.* (다른 폼에) 재배차된 〈열차〉

re·play [rìːpléi] *vt.* **1** 〈경기를〉 다시 하다 **2** 재연하다 **3** 〈테이프 등을〉 재생하다
— [스스] *n.* **1** 재시합(rematch) **2** 《구어》 재연, 재현, 반복 **3** (테이프 등의) 재생

re·plead·er [rìːplíːdər] *n.* 〖법〗 재소답(再訴答) (명령); 재소답의 권리

re·plen·ish [ripléniʃ] *vt.* **1** 보충[보급]하다 **2** 〈난로 등에〉 (연료를) 공급하다[대다] 《*with*》: 《~+목+전+명》 ~ the fire *with* fuel 불에 연료를 지피다 **3** 채우다; 다시 채우다(refill) 《*with*》: ~ one's cup *with* coffee 컵에 커피를 다시 채우다 **4** 〈토지를〉 사람으로[동물로] 가득 채우다 **~·er** *n.* **~·ment** *n.*

re·plete [riplíːt] *a.* 《문어》 **1** 충만한(filled), 충분히 공급된 《*with*》 **2** 포만한, 포식한 《*with*》: ~ *with* wine 포도주를 실컷 마시고 **3** 완비된 《*with*》; 완전한 **~·ly** *ad.* **~·ness** *n.*

re·ple·tion [riplíːʃən] *n.* UC 《문어》 **1** 충만, 충실, 과다(過多) **2** 포식, 과식, 만복 **3** U 다혈증(多血症) ***to*** ~ 가득 차게, 물리도록, 충분히

re·plev·i·a·ble [riplévìəbl] *a.* 〖법〗 〈부당하게 압류된 동산이〉 되찾을 수 있는, 점유 회복 가능한

re·plev·in [riplévin] *n.* UC 〖법〗 압류(押留) 동산의 회복 (영장), 압류 동산 회복 소송

re·plev·y [riplévi] *vt.* (**-plev·ied**) 〖법〗 〈압류 동산을〉 회복 소송으로 되찾다
— *n.* (압류) 동산의 소유권 회복

rep·li·ca [réplikə] *n.* **1** (원작자에 의한) 원작의 모사(模寫) **2** 복사(품), 복제(품) **3** 〖음악〗 반복

rep·li·ca·ble [réplikəbl] *a.* **1** 반복 가능한; 재제(再製) 가능한 **2** 〖유전〗 복제 가능한

rep·li·car [réplikɑːr] *n.* 클래식 카의 복제차 《엔진이나 부품은 새것》

rep·li·case [réplikèis, -kèiz] *n.* 〖생화학〗 레플리카아제, RNA 레플리카아제 《RNA를 주형(鑄型)으로 하여 RNA를 합성하는 효소》

rep·li·cate [réplikèit] *vt.* **1** 부본[사본]을 뜨다, 모사[복제]하다 **2** 〈잎 등을〉 뒤로 접다, 접어젖히다: a ~*d* leaf 뒤로 젖혀진 나뭇잎
— *n.* 〖음악〗 한 음계(octave) 높은[낮은] 반복음
— [-kət] *a.* **1** 반복된 **2** 〈잎 등이〉 뒤로 젖혀진, 뒤로 접힌 **rép·li·cà·tor** *n.*

rep·li·ca·tion [rèpləkéiʃən] *n.* UC **1** 응답; 〖법〗 (피고의 답변에 대한) 원고의 제2의 소답(訴答)(cf. PLEADINGS); 〖영국법〗 재항변서(再抗辯書) **2** 뒤로 젖혀짐; 되풀이; 반향 **3** 사본, 모사 **4** 〖생화학〗 복제 《DNA 등의》

rep·li·ca·tive [réplikèitiv] *a.* 증식(增殖)하는; 같은 것을 만들어 내는

rep·li·con [réplikɑ̀n | -kɔ̀n] *n.* 〖생화학〗 레플리콘 《DNA나 RNA의 복제 단위》

‡re·ply [riplái] *v.* (**-plied**) *vi.* **1** 대답하다, 답변하다 《*to*》(⇨ answer 유의어): 《~+전+명》 ~ *to* a person …에게 대답하다 / ~ *to* a letter 편지에 답장을 쓰다 **2** 응답[응수]하다; 응전(應戰)하다 《*to*》: 《~+전+명》 ~ *to* an enemy's fire 적의 포화에 응사하다 **3** 〈소리가〉 반향하다, 메아리치다 **4** 〖법〗 〈원고가〉 항변하다; 마지막 변호를 하다 **5** (대리 또는 대표하여) 답변[회답]하다 《*for*》
— *vt.* 대답하다, 대꾸하다: 《~+***that*** 절》 He *replied that* his mind was made up. 그는 결심이 섰다고 대답하였다.
— *n.* (*pl.* **-plies**) **1** 대답, 회답 ★ answer보다 딱딱한 말: give a direct ~ 직접 대답하다 **2** 응수; 응전 《*to*》 **3** 〖법〗 (피고의 항변에 대한 원고의) 답변 **4** 〖음악〗 (푸가 등의) 응답부 ***in* ~ (*to*)** (…의) 대답으로서, (…에) 답하여 ***make* ~** 대답하다 《*to*》: He *made* no ~. 그는 대답을 하지 않았다.
re·plí·er *n.*

replý cóupon (세계 공용의) 반신권 《우표와 교환 가능》

re·ply-paid [ripláipéid] *a.* 〈전보가〉 반신료가 선불된; 〈봉투가〉 요금 수취인 지불의

replý (póstal) càrd 《미》 왕복 엽서(cf. RETURN CARD)

re·po[1] [ríːpòu] *n.* (*pl.* **~s**) 《미·구어》 = REPURCHASE AGREEMENT

thesaurus **replace** *v.* **1** 제자리에 놓다 put back, return, restore **2** 대신하다 succeed, follow after, come after, substitute for, act for
reply *v.* answer, respond, retort, rejoin, return
report *v.* **1** 보고하다 announce, communicate, tell, narrate, describe, detail, disclose, divulge **2** 기록

repo[2] *n.* (*pl.* **~s**) ((미·구어)) (대금 미불로 인한) 상품[차] 회수; 회수된 자동차; 환매 부동산
—*vt.* 〈대금 미불 차를〉 회수하다

re·point [rìːpɔ́int] *vt.* 〈벽에〉 벽돌의 줄눈을 다시 칠하다

re·po·lar·i·za·tion [riːpòulərizéiʃən | -raiz-] *n.* 〖생물〗 (세포의) 재분극(再分極)

répo màn, re·po·man [ríːpoumæ̀n] *n.* ((미·구어)) 대금 미불차 회수업자

ré·pon·dez s'il vous plaît [reipóundei- siːl-vuː-pléi] 〔F =reply, if you please〕 회답을 기다립니다 ((초대장에 쓰는 말; 略 R.S.V.P.))

re·pone [ripóun] *vt.* 〖스코법〗 복권[복직]시키다

re·pop·u·late [riːpɑ́pjulèit | -pɔ́p-] *vt.* …에 다시 사람을 살게 하다

‡**re·port** [ripɔ́ːrt] 〔L 「가지고 돌아오다」의 뜻에서〕 *n.* **1** (조사·연구의) **보고(서)**, 리포트 ((*of, on*)): an oral [a written] ~ 구두[문서] 보고/a false ~ 허위 보고, 오보/an audit ~ 감사[결산] 보고/a ~ *on* an accident 사고에 대한 보고서

> 유의어 우리나라 학생들이 「리포트」라고 하는 것은 영어로는 **paper**로, 학기말에 제출하는 것은 **term paper**이다.

2 ⓤⓒ **소문**; 세평; ⓤ 평판: be of good[ill] ~ 평판이 좋다[나쁘다]/We have only ~ to go on. 풍문을 근거로 할 수 밖에 없다. **3** (신문 등의) 보도, 기사; 공보 **4** [*pl.*] **a** 판례집 **b** 〖의회〗 의사록 **c** (강연·토론 등의) 속기록 **5** 폭음, 쾅하는 소리; 총성, 포성: with a loud ~ 큰 폭음을 내며 **6** ((영)) (학교의) 성적표(= ((미)) ~ card) **7** ((영)) (특별한 상관에 딸린) 부하 (직원) **8** 〖컴퓨터〗 보고서, 리포트 ((계통적으로 정리·편성된 정보를 내용으로 하는 출력; 특히 인쇄된 출력을 말함))
make* ~** 보고하다 ***on* ~** (규칙 위반 등으로) 출두 명령을 받고 ***R~ to the Nation. 「국민에 대한 보고」 ((영국 정부의 경제·시사 문제 등에 관한 정기 발표)) ***The ~ goes* [*runs, has it*] *that ...*** …이라는 소문이다(It is reported that ...) ***through good and evil ~*** 세상 사람들의 평판이 좋든 나쁘든
—*vt.* **1** 〈연구·조사 등을〉 **보고하다**(⇨ tell[1] 유의어); 〈들은 것을〉 전하다, 말하다; 공표하다; 〈…가〉 …라고 말하다: ~ a 10% rise in the consumer price index 소비자 물가 지수가 10% 상승한 것을 보고하다 // ((~+목+(*to be*) 보)) He was *~ed* (*to be*) killed in the war. 그는 전사한 것으로 보도되었다. ★ to be를 생략하는 것은 주로 미국 용법 // ((~+목+전+명)) ~ the accident *to* the police 경찰에 그 사건을 알리다 // ((~+***that*** 절)) ((~+***-ing***)) He *~ed that* he had met her. = He *~ed* hav*ing* met her. 그는 그녀를 만났다고 말했다. **2** 〈연설·강연 등을〉 기록하다; 〈기자가〉 …의 기사를 쓰다, 보도하다: ~ a speech 연설을 (속기로) 기록하다/The incident was *~ed* in the local paper. 그 사건은 지역 신문에 보도되었다. **3** ((미)) 〈불법 행위·피해 등을〉 (당국에) 신고하다 ((*to*)); …을 (상사·경찰 등에게) 일러바치다, 고자질하다: ((~+목+전+명)) ~ a servant *to* her employer *for* misconduct 하녀의 비행을 주인에게 일러바치다 **4** 〈소재·상황을〉 신고하다, 통보하다: ~ a fire 화재를 신고하다 // ((~+목+전+명)) ~ a person *to* the police …을 경찰에 고발하다 **5** [~ one*self*로] **a** 〈도착 등을〉 (상사에게) 신고하다 ((*to*)) **b** 출두하다: ((~+목+전+명)) *R~ yourself to* the manager. 지배인에게 출두하시오.

—*vi.* **1 보고하다**; 보고서를 작성[제출]하다 ((*of, on, upon*)): ((~+전+명)) ~ *on* the condition of a mine 광산의 상황에 관한 보고서를 제출하다/~ *of* a person's health …의 건강 상태를 보고하다 **2** (신문사 등의) 기자[통신원]로 근무하다 ((*for*)): ((~+전+명)) He *~s for The Times.* 그는 타임스지(誌)의 기자이다. **3** (소재·상황 등을 상사에게) 신고하다, 보고하다 ((*to*)); 출두하다 ((*to, at*)); 출근하다 ((*for*)): ((~+보)) ~ sick 병이 났다고 보고하다 // ((~+전+명)) ~ *to* the police 경찰에 (소재를) 신고하다, 경찰에 출두하다/~ *for* duty[work] 출근하다 **4** 책임을 지다, 감독하에 있다, (…에) 직속이다 ((*to*))
It is ~ed that he is ill. = He ***is ~ed to be*** ill. (그가 아프다)는 소식[소문]이 있다. ***move to ~ progress*** ((영)) 〖의회〗 (종종 하원에서 방해할 목적으로) 토론 중지의 동의(動議)를 제출하다 **~ *at*** …에 출석[출두]하다 **~ *back*** (1) …의 보고를 가지고 돌아가다 (2) 돌아와서 …이라고 쓰다[말하다] (3) 조사하여 보고하다 **~ *progress*** ((영)) 경과 보고를 하다 **~ *well* [*badly*] *of*** …을 좋게[나쁘게] 보고하다

re·port·a·ble [ripɔ́ːrtəbl] *a.* **1** 보고[보도]할 수 있는; 보고[보도] 가치가 있는 **2** 〈병·소득 등이〉 신고[보고] 의무가 있는

re·port·age [ripɔ́ːrtidʒ, rèpɔːrtɑ́ːʒ, rèpər-] *n.* **1** 보도, 보고 **2** 〔F〕 보고 문체; 보고 문학, 르포르타주

repórt càrd ((미)) (학교의) 성적표, 통지표(((영)) report); 성적

re·port·ed·ly [ripɔ́ːrtidli] *ad.* 전하는 바에 의하면, 소문에 의하면; 보도에 따르면

re·pórt·ed quéstion [ripɔ́ːrtid-] 〖문법〗 =INDIRECT QUESTION

repórted spéech 〖문법〗 간접 화법(indirect narration); 피전달부

*__re·port·er__ [ripɔ́ːrtər] *n.* **1 보고[신고]자** **2** 신문[취재] 기자, 통신원 ((*for*)): a sports[financial] ~ 스포츠[경제] 기자 **3** (법원의) 서기관; 의사 속기사

re·port·ing [ripɔ́ːrtiŋ] *n.* ⓤ (TV·신문 등의) 보도: accurate[balanced, objective] ~ 정확한[균형 있는, 객관적인] 보도

repórting pày 〖노동〗 출근 수당 ((일이 없음을 미리 통보받지 않고 출근한 자에게 주는 수당))

re·por·to·ri·al [rèpərtɔ́ːriəl, rìːpɔːr-, rìːpər-] *a.* 보고자의; 기자의; 기록자의; 보고의, 기록의
~·ly *ad.*

repórt stàge [the ~] ((영)) 〖의회〗 (하원의 제3독회 전에 하는) 위원회 보고의 심의

re·pos·al [ripóuzəl] *n.* 〈신뢰·신용 등을〉 둠; 〈관리·조처 등을〉 맡김, 위탁

re-pose [riːpóuz] *vt., vi.* 포즈[자세]를 다시 취하다[취하게 하다]; 〈문제 따위를〉 다시 제기하다

*__re·pose__[1] [ripóuz] ((문어)) *n.* ⓤ **1 a 휴식**(rest); 수면; 휴양, 정양 **b** 안일, 안온 **2** 〖종교〗 (성인(聖人)의) 영면(永眠) **3 a** (마음의) 평온; (태도 등의) 침착: find ~ of mind in faith 신앙에서 마음의 평온을 찾다/lack ~ 침착하지 못하다 **b** (장소 등의) 한적, 정적 **4** 〖미술〗 (색채 등의) 조화, 안정감 **5** (활동의) 휴지, 정지: a volcano in ~ 휴화산 ***in ~*** 〈표정이〉 온화한; 가라앉은 ***seek* [*take, make*] *~*** 휴식하다
—*vt.* ((구어)) [종종 ~ one*self*로] **눕히다**, 쉬게 하다, 휴양시키다: *R~ yourself* for a while. 잠시 누워 쉬십시오.
—*vi.* **1 쉬다**, 휴식하다: ((~+전+명)) ~ *on* a couch 긴 의자에서 쉬다 **2** 자다, 편히 눕다; 영면하다, 안치되다: ((~+전+명)) ~ *on* [*upon*] a bed 침대에 눕다/The village *~d in* the dusk. 그 마을은 저녁의 어스름 속에 잠들고 있는 듯했다./He *~s at* Arlington Cemetery. 그는 알링턴 묘지에 안장돼 있다./Below this stone ~ the mortal remains of ... 이 돌 아래 …가 잠들다 ((묘비의 문구)) **3** 가로놓이다, 놓여 있다; 기초를 두다 ((*on, upon*)): ((~+전+명)) The foundations ~ *upon* rock. 토대는 암석 위에

하다 record, write down, take down, document **3** 신고하다 tell on, inform on, accuse
repose[1] *n.* **1** 휴식 rest, relaxation, leisure, ease, inactivity, respite, time off, sleep, slumber **2** 평온 composure, calmness, poise **3** 한적 quietness, tranquility, peace, stillness, silence

놓여 있다. **4** 《고어》 의지하다, 신뢰하다; 〈증거·논의 등이〉 (…에) 의거하다, 입각하다 《*on*》: (~+전+명) Her trust *~d in* God. 그녀는 하느님께 의지하고 있었다. **5** 〈마음이〉 언제까지나 머무르다: (~+전+명) His mind *~d on*[*upon*] the past. 그는 언제까지나 과거의 추억에 잠겨 있었다. ***~ on a bed of down*** [***roses***] 호화롭게 살다

re·pos·ed·ly [ripóuzidli] *ad.* ▷ repóseful *a.*

repose² *vt.* 《문어》 **1** 〈신뢰·희망 등을〉 두다, 걸다 《*in, on*》: ~ trust *in* the treaty 조약을 신뢰하다 **2** 위임[위탁]하다 《*in*》

re·pose·ful [ripóuzfəl] *a.* 평온한, 조용한; 침착한 **~·ly** *ad.* **~·ness** *n.*

re·pos·it [ripάzit | -pɔ́z-] *vt.* **1** 보존하다, 저장하다(store); 맡기다(deposit) **2** 《드물게》 되돌리다, 원래의 장소로 돌려주다

re·po·si·tion¹ [rì:pəzíʃən, rèp-] *n.* **1** 저장, 보존, 보관 **2** 《뼈 등의》 정복(整復)(법)

re·po·si·tion² [rì:pəzíʃən] *vt.* **1** 다른[새로운] 장소로 옮기다, …의 위치를 바꾸다 **2** 〈제품의〉 이미지[시장 전략 《등》]의 전환을 꾀하다 **3** 〖외과〗 〈《수술 등으로 일시 움직였던》 장기나 뼈를〉 원위치로 되돌리다

re·pos·i·to·ri·um [ripὰzətɔ́:riəm | -pɔ̀z-] *n.* (*pl.* **-ri·a** [-riə]) (고대 로마의 신전이나 교회 등의) 보물 창고, 저장고

re·pos·i·to·ry [ripάzətɔ̀:ri | -pɔ́zitəri] *n.* (*pl.* **-ries**) **1** 저장소, 창고; 진열소, 매점 **2** 납골당, 매장소 **3** (지식 등의) 보고 《*of*》 **4** (비밀을) 털어놓을 수 있는 사람 《*of*》

re·pos·sess [rì:pəzés] *vt.* **1** 다시 손에 넣다, 되찾다 **2** …에게 회복[회수]시켜 주다 **3** 〈대금[임대료]을 치르지 않은 상품[토지, 가옥]을〉 회수하다 **~ one*self* of** …을 재소유[회복, 회수]하다

~·a·ble *a.* **-sés·sion** *n.* Ⓤ 재소유, 회복

re·post [ripóust] *n., vi.* =RIPOSTE

re·pot [rì:pάt | -pɔ́t] *vt.* (**~·ted**; **~·ting**) 〈식물을〉 다른 (큰) 화분에 옮기다

re·pous·sé [rəpu:séi | ‒‒́] [F] *a., n.* ⓊⒸ 〖미술〗 (금속판 등의 안쪽을 쳐서) 겉으로 무늬를 도드라지게 한 (세공)

re·pow·er [rì:páuər] *vt.* …에 동력을 재공급하다; 《특히》 〈선박 등에〉 새로운 엔진을 장치하다

repp [rép] *n.* =REP¹

repped [répt] *a.* 골지게 짠 직물의

rep·ple-dep·ple [répldèpl] *n.* 《미·군대속어》 보충대(replacement depot)

repr. represent(ing), represented; reprint(ed)

rep·re·hend [rèprihénd] *vt.* 《문어》 꾸짖다, 나무라다, 비난하다(blame) **~·a·ble** *a.* **~·er** *n.*

rep·re·hen·si·ble [rèprihénsəbl] *a.* 비난할 만한, 괘씸한 **~·ness** *n.* **-bly** *ad.*

rep·re·hen·sion [rèprihénʃən] *n.* Ⓤ 질책, 견책, 비난

rep·re·hen·sive [rèprihénsiv] *a.* 비난하는, 견책하는 **~·ly** *ad.*

re·pre·sent [rì:prizént] *vt.* **1** 다시 선사하다, 다시 제출하다 **2** 〈극 등을〉 재연하다

‡**rep·re·sent** [rèprizént] *vt.*

> 본래는 「분명히 나타내다」의 뜻(cf. RE-², PRESENT³).
>
> 「나타내다」 **1** ─ (그림·글로 나타내다) → 「묘사하다」 **3**
> ─ (전체를 대신하여 나타내다) → 「대표하다」 **2**
> ─ (의미하다) → 「…에 상당하다」 **9**

1 a 나타내다, 의미하다, 상징하다: The dove *~s* peace. 비둘기는 평화를 상징한다. / The word 'god' *~s* nothing to me. 「신」이라는 단어는 내게는 아무런 의미가 없다. **b** (문자·기호 등으로) 나타내다, 표현[표시]하다: The color red commonly *~s* danger. 빨간색은 일반적으로 위험을 나타낸다. **2** 대리[대표]하다; 〈선거구·선거민을〉 대표하다, …출신 의원이다 《*at, on, in*》: ~ a labor union *on* a committee 위원회에서 노동조합을 대표하다 / He *~ed* Korea *at* the conference. 그는 한국을 대표해서 회의에 참석했다. / He *~s* Michigan *in* the Senate. 그는 미시간주 출신의 상원 의원이다. **3** 〈특히 조각·그림 등이〉 표현하다, 묘사하다, 그리다: The painting *~s* him as a man 22 years old. 그 그림은 22세 때의 그의 모습을 묘사하고 있다. / Whom does this portrait ~? 이 초상화는 누구를 그린 것이냐? **4** 마음에 그리다(image), 상상하다(recall) 《*to*》: (~+목+전+명) Can you ~ infinity *to* yourself? 무한이란 것을 상상할 수 있습니까? **5** 《문어》 …이라고 말하다; 기술하다, 말로 표현하다; 주장[단언]하다: (~+목+***as*** 보) (~+목+***to be*** 보) He *~ed* himself *as*[*to be*] a student. 그는 자기가 학생이라고 말했다. // (~+***that*** 절) He *~ed that* they were in urgent need of help. 그들은 원조가 절실하다고 그는 말했다. **6** 설명하다, 지적하다: (~+목+전+명) I don't know how to ~ it *to* you. 어떻게 해야 너에게 납득이 가는 설명을 할 수 있을지 모르겠다. **7** 《문어》 (무대에서) 상연하다; …의 역을 맡다, …로 분장하다: She *~ed* a queen. 그녀는 여왕 역을 맡아 했다. **8** [보통 수동형으로] …의 표본[전형, 일례]이 되다: a genus *~ed* by two species 2개의 종에 의해 대표되는 속(屬) **9** …에 상당하다, 대응하다: ~ a decrease of 20% 20% 감소에 해당하다 **~·a·ble** *a.* **~·er** *n.*

*__rep·re·sen·ta·tion__ [rèprizentéiʃən] *n.* **1** ⒸⓊ 표시, 표현, 묘사: the ~ of the visual world 눈에 보이는 세계의 표현 **2** ⓊⒸ 대표, 대리, 대변; [집합적] 대표자 **3** ⓊⒸ 상상(력), 개념 작용 **4** 초상, 화상(畫像), 조상(彫像) **5** ⓊⒸ 연출; 분장; 상연: a theatrical ~ 연극의 상연 **6** 설명, 진술; 주장, 단언: different *~s* of the same fact 동일한 사실의 다른 설명들 **7** 《문어》 [*pl.*] 진정(陳情), 항의(appeal) 《*to, against*》: make strong *~s to* the authorities 당국에 강력히 항의하다 **8** ⓊⒸ 대의(代議) 제도; 국회 의원 선출권; [집합적] 의원단(團)

functional[***vocational***] ~ 직능 대표 ***proportional*** ~ 비례 대표제 《略 P.R.》 ***regional*** ~ 지역 대표제

rep·re·sen·ta·tion·al [rèprizentéiʃənəl] *a.* **1** 〖미술〗 구상적인; 구상(具象)파[주의]의 **2** 대리의, 대의 제도의: ~ democracy 대의 민주주의

rep·re·sen·ta·tion·al·ism [rèprizentéiʃənəlìzm, -zən-] *n.* 〖철학〗 표상주의; 〖미술〗 구상주의 **-ist** *n.*

‡**rep·re·sen·ta·tive** [rèprizéntətiv] *n.* **1** 대표자, 대리인 《*of, from, on, at*》 ★ delegate는 회의 등에 출석하는 대표자; 재외(在外) 사절; 후계자: send a ~ to the meeting 회의에 대표를 보내다 **2** 국회의원; [**R~**] 《미》 하원 의원: the House of *R~s* 《미》 하원 **3** 대표물; 견본, 표본; 전형 《*of*》 **4** 판매 대리인, 세일즈맨 (=sales ~) ***legal***[***personal***] ~ 유언 집행인, 파산 관재인 ***real***[***natural***] ~ 가계(家系) 상속자 ── *a.* **1** 대표하는, 대리의; 대의 제도의: the ~ chamber[house] 대의원(院), 국회 / ~ government [system] 대의 정체[제도] **2** Ⓟ 표시하는, 묘사하는, 상징하는 **3** 대표적인, 전형적인(typical) 《*of*》: a ~ selection *of* Elizabethan plays 엘리자베스 여왕 시대의 희곡을 대표하는 선집 **4** 〖철학〗 표상주의(representationalism)의; 〖미술〗 구상주의의 ***be ~ of***

thesaurus **represent** *v.* **1** 나타내다 symbolize, stand for, mean, betoken, personify, typify exemplify **2** 묘사하다 depict, portray, delineate, illustrate, denote, paint, draw, sketch, show, display **3** 대표하다 act for, appeal for, speak for
representative *n.* **1** 대표자 spokesman, spokeswoman, spokesperson, agent, deputy, delegate,

…을 대표하다; …을 나타내다: The Congress[Parliament] *is* ~ *of* the people. 의회는 국민을 대표한다. **~·ly** *ad.* **~·ness** *n.*
▷ represént *v.*; representátion *n.*

rep·re·sént·ed spéech [rèprizéntid-] 〖문법〗 묘출(描出) 화법 《직접 화법과 간접 화법의 중간적 성질을 가진》

re-press [rì:prés] *vt.* 다시 누르다; 《특히》 〈레코드를〉 다시 프레스(press)하다

*__re·press__ [riprés] *vt.* **1 a** 〈감정·욕망 등을〉 억제하다(check), 억누르다: ~ a desire to smoke 담배를 피우고 싶은 욕망을 억제하다 **b** 〈사람을〉 억누르다, 억압하다: ~ a minority race 소수 민족을 탄압하다 **2** 정복하다, 〈폭동 등을〉 진압하다: ~ a revolt[riot] 반란[폭동]을 진압하다 **3** 〖심리〗 〈욕구 등을〉 (무의식 속으로) 억압하다 **4** 〖생물〗 〈유전자를〉 억제하다
~·i·ble *a.* ▷ represséion *n.*; représsive *a.*

re·pressed [riprést] *a.* 억압[진압, 억제]된

re·press·er [riprésər] *n.* 억압[억제]하는 것[사람]

re·pres·sion [ripréʃən] *n.* ⓊⒸ **1** 진압; 억제, 제지 **2** Ⓤ 〖심리〗 억압; 억압 본능: the ~ of the ego by the superego 초자아에 의한 자아의 억압

re·pres·sive [riprésiv] *a.* 제지하는, 억압적인, 진압의 **~·ly** *ad.* **~·ness** *n.*

re·pres·sor [riprésər] *n.* =REPRESSER; 〖생화학〗 억제 물질

re·price [rì:práis] *vt.* 값을 다시 매기다

re·priev·al [riprí:vəl] *n.* (사형) 집행 유예 (기간) (reprieve, respite)

re·prieve [riprí:v] *vt.* **1** …의 형의 집행을 연기하다; 〈사형수의〉 형 집행을 유예하다 **2** …을 (위험·곤란 등에서) 일시 구제하다, 잠시 경감하다 《*from*》
— *n.* **1** (형의) 집행 유예, (사형) 집행 연기(영장) **2** (고통·어려움 등의) 일시적 모면[구제, 경감], 유예

rep·ri·mand [réprəmæ̀nd | -mà:nd] *n.* 견책, 징계(reproof); 비난, 질책
— *vt.* 꾸짖다, 질책하다; 견책[징계]하다: 《~+목+전+명》 The captain ~*ed* the sentry *for* deserting his post. 대장은 보초가 초소를 이탈한 것을 질책했다. **~·er** *n.* **~·ing·ly** *ad.*

re·print [rì:prínt] *vt.* 〈책을〉 재판(再版)하다; 번각(飜刻)하다 — *vi.* 〈책이〉 재판되다
— [스] *n.* 재판(본) **~·er** *n.*

re·pri·sal [ripráizəl] *n.* **1** ⓊⒸ 보복, 앙갚음: in [by way of] ~ for …에 대한 보복으로 **2** 〖역사〗 보복적 포획[나포, 강탈]: attack the enemy camp in ~[as a ~] 보복으로 적진을 공격하다 ***letters of*** **~** 나포 면허장 ***make* ~(*s*)** 보복하다

re·prise [ripráiz] *n.* **1** [보통 *pl.*] 〖법〗 (토지의) 연간 필요 경비 **2** [riprí:z] 〖음악〗 (주제 등의) 반복, 재현부(再現部) ***beyond*[*above, besides*] *~s*** 모든 경비를 지급한 나머지의
— [riprí:z] *vt.* 반복되다, 되풀이하다

re·pris·ti·nate [ri:prístənèit] *vt.* 최초[원래]의 상태로 되돌리다 **re·prìs·ti·ná·tion** *n.*

re·pri·va·tize [ripráivətàiz] *vt.* 〈국영화된 것을〉 재민영화하다

re·pro [rí:prou] *n.* (*pl.* **~s**) 《구어》 =REPRODUCTION; =REPRODUCTION PROOF; =REPROGRAPHICS

‡**re·proach** [ripróutʃ] *vt.* **1** 비난하다; 꾸짖다, 책망하다 《*for, with*》: 《~+목+전+명》 ~ a person *for* being idle[*with* his idleness] …의 나태함을 꾸짖다 / He ~*ed* me *with* extravagance. 그는 나를 무절제하다고 비난했다. **2** 《드물게》 …의 체면[신용·평판]을 손상시키다: haughtiness which often ~*es* the English gentry 종종 영국 신사의 평판을 떨어뜨리는 오만함
— *n.* **1 a** Ⓤ 비난, 질책 **b** Ⓒ 비난의 말: words of ~ 비난의 말들 **2** Ⓤ 불명예, 치욕, 망신; Ⓒ 수치가 되는 것 《*to*》: Slums are a ~ *to* a civilized city. 슬럼가(街)는 문명 도시의 수치다. **3** [the R~es] 〖가톨릭〗 성(聖)금요일 ***beyond*[*above*] ~** 나무랄 데 없는, 훌륭한 ***bring*[*draw*] ~ *on*[*upon*]** …의 치욕이 되다 ***heap ~es on*** …을 마구 꾸짖다[비난하다]
~·a·ble *a.* 나무랄 만한 **~·er** *n.* **~·ing·ly** *ad.* 나무라듯이, 비난조로 ▷ repróachful, repróachless *a.*

re·proach·ful [ripróutʃfəl] *a.* **1** 나무라는, 책망하는, 비난하는 (듯한) **2** 《고어》 수치스러운; 나무랄 만한 **~·ly** *ad.* **~·ness** *n.* ▷ repróach *v.*

re·proach·less [ripróutʃlis] *a.* 비난의 여지가 없는, 더할 나위 없는 **~·ness** *n.*

rep·ro·bate [réprəbèit] *a.* **1** 사악한, 타락한; 절개 없는 **2** 하느님의 버림을 받은 — *n.* **1** 타락자, 난봉꾼, 무뢰한 **2** [the ~] 하느님의 버림을 받은 사람(opp. *the elect*) — *vt.* **1** 《문어·드물게》 꾸짖다, 비난하다 **2** 〖신학〗 〈하느님이〉 버리시다 **3** 물리치다, 거부하다, 부인하다 **-bà·tive** *a.* 비난[배척]하는

rep·ro·ba·tion [rèprəbéiʃən] *n.* Ⓤ **1** 〖신학〗 영원의 정죄(定罪), 영벌(永罰) **2** 반대, 배격, 배척, 이의 《*against*》 **3** 비난, 질책

re·proc·ess [rì:prɑ́ses | -próu-] *vt.* 다시 가공하다, 재생하다

re·proc·essed [rì:prɑ́sest | -próus-] *a.* 〈양모를〉 재생 가공한, 다시 짠

re·pró·cess·ing plànt [rì:prɑ́sesiŋ- | -próu-] (핵연료) 재처리 공장

‡**re·pro·duce** [rì:prədjú:s | -djú:s] *vt.* **1** 〈장면·소리 등을〉 재생하다, 재현하다; 재연하다; 복사하다, 복제하다, 모조하다; 〈인물·풍경을〉 그리다: 《~+목+전+명》 ~ a picture *from* an old print 옛 판화에서 그림을 복사하다 **2** 〈동·식물이〉 〈부분·기관을〉 재생하다: ~ a severed branch 잘려나간 가지를 재생하다 **3** 〖생물〗 **a** 〈동·식물을〉 번식시키다: ~ a new variety of sheep 양의 새로운 종을 번식시키다 **b** [~ one*self* 로] 생식[번식]하다 **4** 〈책을〉 재판하다, 번각하다; 전재하다 **5** 〖경제〗 재생산하다
— *vi.* **1** 〈동·식물이〉 생식하다, 번식하다: Most plants ~ by seed. 대부분의 식물은 종자에 의해 번식한다. **2** [well 등의 부사와 함께] 복사[복제, 재생]되다: This print ~*s well.* 이 판화는 복사가 잘 된다.
-dúc·er *n.* **-dùc·i·bíl·i·ty** *n.* **-dúc·i·ble** *a.*
▷ reprodúction *n.*; reprodúctive *a.*

*__re·pro·duc·tion__ [rì:prədʌ́kʃən] *n.* Ⓤ **1** 재생, 재현 **2** 〖경제〗 재생산 **3** ⒸⓊ **a** 복사물, 번각물, 복제품 **b** 복제, 모조, 전재(轉載): a photographic ~ 사진에 의한 복제 **4** 〖생물〗 생식 (작용), 번식 **5** 〖심리〗 재생 작용 ▷ reprodúce *v.*; reprodúctive *a.*

reprodúction pròof 〖인쇄〗 전사지(紙)

re·pro·duc·tive [rì:prədʌ́ktiv] *a.* **1** 생식의; 생식하는, 번식하는: ~ organs 생식기 **2** 재생[재현]의 **3** 복제하는, 복사하는 **4** 다산(多産)의(fertile)
~·ly *ad.* **~·ness** *n.*

reprodúctive cèll 생식 세포

re·pro·gram [rì:próugræm] *vt.*, *vi.* 〖컴퓨터〗 프로그램을 다시 만들다 **~·ma·ble** *a.*

re·pro·graph·ics [rì:prəgrǽfiks] *n.* Ⓤ 〖전자〗 (출판용) 그래픽 복사 인쇄

re·prog·ra·phy [riprɑ́grəfi | -prɔ́g-] *n.* Ⓤ (문헌 등의) 복사(複寫) 기술
re·pro·graph·ic [rìprəgrǽfik] *a.* **-pher** *n.*

*__re·proof__[1] [riprú:f] *n.* (*pl.* **~s**) Ⓤ 《문어》 책망, 견책, 비난; 꾸지람; Ⓒ 잔소리(rebuke): a word of ~ 비난의 말 / receive a sharp ~ 심한 잔소리를 듣다 ***in* ~ *of*** …을 꾸짖어 **~·less** *a.* ▷ repróve *v.*

---

commissioner, ambassador, envoy **2** 견본 example, examplar, specimen, type, illustration
reproach *v.* criticize, blame, admonish, condemn
reproduce *v.* **1** 재생하다, 복사하다 redo, remake, repeat, imitate, follow, copy, duplicate, replicate, photocopy **2** 번식하다 breed, procreate, give birth, multiply, propagate, proliferate

re·proof[2] [rì:prú:f] *vt.* **1** 다시 방수 가공하다 **2** 〖인쇄〗 …의 교정쇄를 다시 내다
répro pròof = REPRODUCTION PROOF
re·prov·a·ble [riprú:vəbl] *a.* 비난할 만한 ~·**ness** *n.*
re·prov·al [riprú:vəl] *n.* = REPROOF[1]
re·prove [rì:prú:v] *vt., vi.* 다시 증명[입증]하다
***re·prove** [riprú:v] *vt., vi.* **꾸짖다,** 책망하다; 나무라다(blame), 비난하다, 야단치다 《*for*》: ~ *reproving* glance 비난하는 눈짓 / He ~*ed* her *for* telling lies. 그는 그녀를 거짓말한다고 꾸짖었다.
~ a person ***to his face*** …을 마주 대하여 나무라다
re·próv·er *n.* **re·próv·ing·ly** *ad.* 꾸짖듯이, 비난조로 ▷ repróof[1] *n.*
reps [réps] *n.* = REP[1]
rept. 〖상업〗 receipt; report
rep·tant [réptənt] *a.* = REPENT[2]
***rep·tile** [réptil, -tail | -tail] [L 「기다」의 뜻에서] *n.* **1 파충류 동물,** 파행(爬行) 동물(crawling animal) **2** 비열한 사람, 악랄한 인간
— *a.* **1** 파행하는, 기어 다니는; 파충류의 **2** 비열한, 엉큼한(base); 악의 있는 ~·**like** *a.* ▷ reptílian *a.*
Rep·til·i·a [reptíliə] *n. pl.* 파충류 《분류명》
rep·til·i·an [reptíliən, -ljən] *a.* **1** 파충류의[같은] **2** 비열한 — *n.* 파행 동물, 파충류 동물
Repub. Republic; Republican
‡**re·pub·lic** [ripʌ́blik] *n.* **1 공화국;** 공화 정체(cf. MONARCHY) **2** [the R~; 보통 서수와 함께] (프랑스의) 공화제[국] 《the First Republic에서 the Fifth Republic까지》 **3** (공통의 목적을 가진) …사회, …계, …단(壇): the ~ of letters 문학계, 문단 / the ~ of art 미술계 **4** 《고어》 국가 ▷ repúblican *a.*
***re·pub·li·can** [ripʌ́blikən] *a.* **1 공화국의,** 공화 정체[주의]의: ~ government 공화 정치 **2** [**R~**] 《미》 공화당의(cf. DEMOCRATIC) **3** 〈동물 등이〉 떼지어 사는, 군생(群生)의
— *n.* **1** 공화주의자 **2** [**R~**] 《미》 공화당원(cf. DEMOCRAT) ~·**ism** *n.* Ⓤ 공화 정체[주의]; [**R~**] 《미》 공화당의 주의[정책]
▷ repúblic *n.*; repúblicanize *v.*
re·pub·li·can·ize [ripʌ́blikənàiz] *vt.* 공화국[정체]으로 만들다; 공화주의화하다
re·pùb·li·can·i·zá·tion *n.* -**iz·er** *n.*
Repúblican Párty [the ~] 《미》 공화당(cf. ELEPHANT)
re·pub·li·ca·tion [rì:pʌbləkéiʃən] *n.* **1** 재판(再版)물, 번각(물) **2** Ⓤ 재공포, 재발행
re·pub·lish [rì:pʌ́bliʃ] *vt.* **1** 다시 공포[선포]하다 **2** 재판(再版)[번각]하다 **3** 〖법〗 〈유언장 등을〉 재집행하다 ~·**er** *n.*
re·pu·di·ate [ripjú:dièit] [L 「이혼하다」의 뜻에서] *vt.* **1** 거절[거부]하다; 〈비난·혐의 등을〉 부인하다: ~ a claim 요구를 거부하다 **2** 〈아내와〉 이혼하다; …와의 인연을 끊다, 절교[의절]하다: ~ a son 아들과 의절하다 **3** 〈채무 등의〉 이행을 거절하다; 〈국가가〉 〈국채의〉 지불을 거부하다
re·pu·di·a·ble [ripjú:diəbl], -**à·tive** *a.* -**à·tor** *n.*
re·pu·di·a·tion [ripjù:diéiʃən] *n.* Ⓤ **1** 거절; 부인 **2** (국채 등의) 지불 거절; 〖그리스도교〗 (성직자의) 성직록(祿)의 사절 **3** 이혼, 의절, 절교 **re·pú·di·a·tò·ry** *a.*
re·pugn [ripjú:n] *vt.* 《고어》 …에 반대하다, 반항하다 《*against*》; 《폐어》 …와 모순되다 — *vi.* 《고어》 반대[저항]하다
re·pug·nance [ripʌ́gnəns] *n.* **1** Ⓤ [종종 a ~] 혐오(aversion), 싫증, 증오, 반감 《*to, for, toward, against*》: feel *a* great ~ *for*[*toward*] him 그에게 강한 반감을 갖다 **2** ⓊⒸ 모순, 불일치 《*of, between, to, with*》: the ~ *of* one's actions and one's words 언행의 불일치
re·pug·nan·cy [ripʌ́gnənsi] *n.* (*pl.* -**cies**) = REPUGNANCE
re·pug·nant [ripʌ́gnənt] *a.* **1** 비위에 맞지 않는, 아주 싫은, 불유쾌한, 증오하는 《*to*》: a ~ smell 불쾌한 냄새 **2** 모순된 《*to*》; 일치[조화]하지 않는 《*with*》 **3** 반항[반대]하는, 반감을 가진, 적의를 품은(hostile) 《*to*》 ~·**ly** *ad.*
***re·pulse** [ripʌ́ls] *vt.* **1 격퇴하다**(repel); 물리치다: ~ an assailant 습격자를 격퇴하다 **2** 거절하다, 퇴짜 놓다; 반박하다 **3** 혐오감을 주다, 불쾌하게 하다: The very thought of it ~*s* me. 그것은 생각만 해도 불쾌하다.
— *n.* ⓊⒸ 격퇴; 거절, 퇴짜
meet with [***suffer***] (***a***) ~ 격퇴[거절]당하다
re·púls·er *n.* ▷ repúlsion *n.*; repúlsive *a.*
re·pul·sion [ripʌ́lʃən] *n.* Ⓤ **1** 격퇴; 반박; 거절 **2** ⓊⒸ 반감(aversion), 증오, 혐오 《*for*》 **3** 〖물리〗 척력(斥力), 반발 작용(opp. *attraction*) **4** 〖의학〗 (뾰루지 등의) 소산(消散)
re·pul·sive [ripʌ́lsiv] *a.* **1** 불쾌한, 혐오감을 일으키는, 역겨운: a ~ sight[smell] 불쾌한 장면[냄새] **2** 물리치는, 쫓아버리는 **3** 〈태도 등이〉 쌀쌀한(repellent), 붙임성 없는, 냉정한(cold) **4** 〈소리가〉 반향하는; 〖물리〗 반발하는: ~ force 척력(斥力)
~·**ly** *ad.* ~·**ness** *n.*
repúlsive(-type) màglev [-(tàip)-] 〖철도〗 반발식 자기 부상(磁氣浮上)
rep·u·nit [répjù:nit] [*rep*eating+*unit*] *n.* 레퓨닛 《같은 정수(整數)가 겹친 수; 22, 222, 2222 등》
re·pur·chase [rì:pə́:rtʃəs] *vt.* 되사다; 다시 사다 — *n.* 환매(還買); 환매품 -**chas·er** *n.*
repúrchase agrèement 《미》 〖금융〗 (재무성 채권 등의) 환매(還買) 약정 《일정 기간 후 환매한다는 조건》; (상품의) 환매 계약 《略 RP》
re·pu·ri·fy [ri:pjúərəfài] *vt.* (-**fied**) 다시 순화하다
re·pur·pose [rì:pə́:rpəs] *vt.* (약간 바꿈으로써) 〈장치·건물 등을〉 용도 변경하다
rep·u·ta·ble [répjutəbl] *a.* 평판이 좋은, 이름 높은; 훌륭한, 존경할 만한(honorable, respectable)
rèp·u·ta·bíl·i·ty *n.* ~·**ness** *n.* -**bly** *ad.*
‡**rep·u·ta·tion** [rèpjutéiʃən] *n.* ⓊⒸ **1 평판,** 세평: a man of good[bad] ~ 평판이 좋은[나쁜] 사람 **2 명성,** 덕망: a man of ~ 명망 있는 사람 / lose [maintain] one's ~ 신용을 잃다[유지하다]
be held in ~ 명성이 있다 ***have***[***enjoy***] ***the*** ~ ***of*** = ***have***[***enjoy***] ***a*** ~ ***for*** …으로 평판이 좋다, …으로 유명하다 ***live up to*** one***'s*** ~ 평판에 부끄럽지 않게 행동하다 ***of great***[***no***] ~ 평판이 자자한[무명의] ***of*** ~ 평판이 있는 ~·**al** *a.* ▷ repúte *v.*
***re·pute** [ripjú:t] *n.* Ⓤ **1 평판**(reputation), 세평: a man of high ~ 평판이 좋은 사람 **2** 명성, 고명(高名), 신용: a hotel of (some) ~ 명성이 있는 호텔
be in high[***of good***] ~ 평판이 좋다, 신용이 있다 ***by*** ~ 세평에 의하여, 소문으로 a man ***of*** ~ 세상에 이름난 (사람) ***through good and ill*** ~ 세평에 개의치 않고
— *vt.* …이라고 평하다, 여기다, 생각하다(⇨ reputed): (~+목+(***as***) 보) They ~ her (*as*) an honest girl. 그들은 그녀를 정직한 소녀라고 생각하고 있다. // (~+목+(***to be***) 보) They ~ him (*to be*) wise. 그들은 그를 현명하다고 여기고 있다.
▷ reputátion *n.*; réputable *a.*
re·put·ed [ripjú:tid] *a.* **1** …이라고 일컬어지는, …이라는 평판인: his ~ father 그의 부친이라 일컬어지는 사람 **2** 평판이 좋은, 유명한: be well[ill] ~ 평판이 좋다[나쁘다] / He is ~ (*to be*) a perfect fool. 그는 완전한 바보라고 소문나 있다.

thesaurus **reprove** *v.* rebuke, scold, chide, reproach, admonish, criticize, censure, condemn
reputation *n.* name, position, status, standing, respect, esteem, fame, celebrity, renown
request *v.* ask for, solicit, seek, apply for, call

re·put·ed·ly [ripjú:tidli] *ad.* 세평에 의하면, 평판[소문]으로는: a ~ honest man 소문에 의하면 정직한 사람
req. require(d); requisition **reqd.** required
‡**re·quest** [rikwést] *vt.* 《ask보다 딱딱한 말》 **1** (신)청하다, 구하다, 바라다: ~ a permission to go out 외출 허가를 신청하다 / We ~ the honor[pleasure] of your company. 부디 참석해 주시기 바랍니다. **2** …하도록 부탁하다, 요청[간청]하다: 《~+목+*to* do》 Visitors are *~ed* not *to* touch the exhibits. 진열품에 손을 대지 않도록 방문객들께 부탁드립니다. // 《~(+목)+*that* 절》 He *~ed* (*us*) *that* we (should) pay attention to the fact. 그는 우리들에게 그 사실에 유의하도록 요청했다. ★ 《구어》에서는 종종 should를 생략함. ***as ~ed*** 소청대로
— *n.* ⓊⒸ **1** 부탁, 요구, 요청, 청원, 간청, 청구 《*for, to, of*》: refuse a ~ 요청을 거절하다 / make ~(*s*) *for* …을 원하다, 요청[간청]하다 **2** 청구[요구]물, 수요품(需要品); 간청문, 의뢰서, 청원서: If you need supplies, send in a ~. 지급품이 필요할 경우 청구서를 제출하시오. **3** 수요(demand), 인기, 주문 ***at*** a person***'s ~*** = ***at the ~ of*** a person …의 부탁[요청]에 의하여 ***be in*** (***great***) ***~*** (대단히 많은) 수요가 있다 ***by ~*** 요청에 따라, 부탁에 의하여 ***come into ~*** 수요가 생기다 ***on***[***upon***] ***~*** 청구하는 대로 곧 〈보내다〉: It is available *on* ~. 청구하면 입수할 수 있다. **~·er, ~·or** *n.* ▷ requíre *v.*
requést nòte 〖영국법〗 (통관 전에 세관에 제출하는) 과세품 양륙 허가원
requést stòp 《영》 (승객의 요청이 있을 때만 서는) 임시 버스 정류소
re·quick·en [rì:kwíkən] *vt., vi.* 소생시키다[하다]; 다시 활기를 띠게 하다[띠다]
re·qui·em [rékwiəm, rí:k- | rékwiəm, -èm] 〖L 「안식」의 뜻에서〗 *n.* **1** 〖가톨릭〗 망자를 위한 미사(곡), 위령곡, 레퀴엠 **2** (명복을 비는) 만가(挽歌)(dirge), 애가, 비가 **3** Ⓤ 안식, 평안
réquiem shàrk 〖어류〗 강남상엇과(科)의 상어 《열대산(産)》
re·qui·es·cat [rèkwiéskɑ:t, -kæt] 〖L =may he rest〗 *n.* 〖가톨릭〗 망자를 위한 기도
requiescat in pa·ce [-in-pɑ́:tʃei | -in-péisi] 〖L〗 〖가톨릭〗 돌아가신 이에 명복이 있을지어다 《묘비명; 略 R.I.P.》
‡**re·quire** [rikwáiər] *vt.* **1** 필요로 하다; …할[될] 필요가 있다, …을 요하다 《need보다 딱딱한 말》: He *~s* medical care. 그는 치료를 받을 필요가 있다. // 《~+*to* do》 《~+*-ing*》 We ~ *to* know it. = We ~ know*ing* it. 우리는 그것을 알 필요가 있다. // 《~+*that* 절》 The emergency *~s that* it (should) be done. 위급한 경우이므로 그것을 해야 한다. **2** (권리·권력으로) …을 요구하다; 〈법·규칙 등이〉 …을 명하다, 명령하다; (사람에게) …을 요청하다(cf. DEMAND, CLAIM): 《~+목+*to* do》 ~ an agent *to* account for money spent 대리인에게 돈의 사용 용도의 설명을 요구하다 / He *~d* them *to* be present. 그는 그들에게 출석하라고 명령했다. // 《~+목+전+명》 I'll do all that is *~d of* me. 요구하는 것은 모두 하겠다. // 《~+*that* 절》 He *~d that* I (should) pay the money. 그는 나에게 돈을 치르라고 말했다. ★ 《구어》에서는 종종 should를 생략함. **3** 〈노력·인내·돈 등이〉 불가피하다, 꼭 필요하다; 〈시간·돈이〉 들다, 걸리다: The work *~d* infinite patience. 그 일은 무한한 인내가 절대 필요했다.
— *vi.* (드물게) 요구하다; 필요하다, 명령하다

---

for, entreat, beg for, plead for, implore, demand
require *v.* **1** 필요로 하다 need, lack, be short of, want, desire **2** 요구하다 demand, call for, insist on, ask for, require, necessitate **3** 명령하다 instruct, order, command, oblige, compel

if circumstances ~ 필요하다면 ***It ~s that*** …할 필요가 있다 **re·quír·a·ble** *a.* **-quír·er** *n.* ▷ requírement, requisítion, requést *n.*; réquisite *a.*
re·quired [rikwáiərd] *a.* 《미》 〈학과가〉 필수(必修)의(compulsory)(opp. *elective*): a ~ subject (미국 대학의) 필수 과목
requíred cóurse (학교에서) 필수 과목[단위]
requíred réading 필독 도서
‡**re·quire·ment** [rikwáiərmənt] *n.* ⓊⒸ 요구, 필요; Ⓒ 요구물, 필요물, 필수품; 필요조건, 요건: *~s* for graduation 졸업 요건 / meet the *~s* of daily life 일상생활의 필요를 충족시키다
▷ requíre *v.*
*__req·ui·site__ [rékwəzit] *a.* 《문어》 필요한, 필수의, 없어서는 안 될(essential, necessary) 《*for, to*》: the skills ~ *for* a job 직무에 필요한 기능
— *n.* [보통 *pl.*] 필수품, 필요물, 요소, 요건, 필요조건 《*for, to*》 **~·ly** *ad.* **~·ness** *n.*
▷ requíre *v.*; requisítion *n.*
req·ui·si·tion [rèkwəzíʃən] *n.* **1** Ⓤ (권력 등에 의한) 요구, 청구, 요청, 명령 **2** 〖군사〗 징발, 징용(령) **3** 청구서, 명령서 **4** Ⓤ 소용, 필요, 수요 **5** Ⓤ 〖국제법〗 범인 인도 요구 **6** Ⓤ 필요조건 ***be in***[***under***] ***~*** 수요가 있다, 사용되다 ***bring***[***call, place***] ***into ~*** = ***put in ~*** = ***lay under ~*** 징용[징발]하다
— *vt.* **1** 요구하다; 강제 사용하다; 소집하다 《略 req.》 **2** 〖군사〗 징발[징용]하다 《*for*》: 《~+목+전+명》 ~ supplies *for* troops 군용으로 물자를 징발하다
re·quit·al [rikwáitl] *n.* 《문어》 Ⓤ **1** 보답, 보상 **2** 보복, 복수, 벌 ***in ~ of***[***for***] …의 보답으로; …의 보복으로
re·quite [rikwáit] *vt.* 《문어》 **1** 보답하다(reward): 《~+목+전+명》 ~ a person *for* his help *with* a gift …의 도움에 대한 보답으로 선물을 하다 **2** …에게 보복하다, 복수하다(avenge) 《*with*》: ~ a traitor *with* death 배반자에게 죽음으로 보복하다
~ evil with good 악을 선으로 갚다 ***~ like for like*** 상대방과 같은 수단으로 갚다, 원수는 원수로 은혜는 은혜로 갚다 **re·quít·a·ble** *a.* **re·quít·er** *n.*
re·ra·di·ate [rì:réidieit] *vt., vi.* 〖물리〗 (흡수 에너지를) 재방사(再放射)하다
rè·ra·di·á·tion *n.* **-à·tive** *a.*
re·rail [rì:réil] *vt.* 〈기관차를〉 선로에 되돌리다
re·read [rì:rí:d] *vt.* (**-read** [-réd]) 다시 읽다, 재독하다 **—** *n.* 다시 읽기, 재독 **~·a·ble** *a.*
re·re·cord [rì:rikɔ́:rd] *vt.* 〈녹음한 것을〉 (다른 레코드·테이프에) 다시 녹음하다
re·re·cord·ing [rì:rikɔ́:rdiŋ] *n.* 〖영화〗 영화나 비디오의 사운드 트랙 최종 녹음
rere·dos [ríərdɑ̀s, ríəri- | ríədɔs] *n.* (교회의) 제단(祭壇) 배후의 장식벽(altarpiece)
re·re·fine [rì:rifáin] *vt.* 〈사용이 끝난 모터오일을〉 (윤활유로 만들기 위해) 재정제하다
re·re·lease [rì:rilí:s] *n.* (영화·레코드의) 재공개[재발매](된 것) **—** *vt.* 〈영화·레코드를〉 재공개[재발매]하다
rere·mouse [ríərmàus] *n.* (*pl.* **-mice** [-màis]) 《고어》 박쥐
re·route [rì:rú:t] *vt.* 다른[새로운] 길로 수송하다
re·run [rì:rʌ́n] *vt.* (**-ran** [-rǽn]; **-run**; **~·ning**) **1** 《미》 재상영[재방송]하다, 재연하다; 〖컴퓨터〗 …을 다시 실행하다 **2** 〈경주를〉 한 번 더 하다 **—** [ㅅ́, ㅅ̀] *n.* 《미》 재상영, 재방송, (극의) 재연; 〖컴퓨터〗 재실행
res [rí:z, réis] *n.* (*pl.* ~) 〖법〗 물(物), 실체, 물건; 사건; 재산
RES remote entry service 〖컴퓨터〗 원격 입력 서비스; 〖면역〗 reticuloendothelial system **res.** research; reserve(d); residence; resides; resigned; resistance; resolution
re·sad·dle [rì:sǽdl] *vt.* …에 안장을 고쳐 얹다
res ad·ju·di·ca·ta [rí:z-ədʒù:dikéitə, réis-] 〖L〗 = RES JUDICATA

re·sail [rì:séil] *vt., vi.* 다시 돛을 달고 가다, 다시 출범하다; 귀항(歸航)하다(sail back)

re·sal·a·ble [rì:séiləbl] *a.* 전매(轉賣)할 수 있는, 다시 팔리는, 재판매가 가능한

re·sale [rí:sèil, ∸∸] *n.* ⓊⒸ 재판매, 재매각; 전매(轉賣); (바이어에 대한) 추가 판매
— *a.* 중고의(secondhand)

résale prìce màintenance (영) 재판매 가격 유지(略 r.p.m.)

résale shòp (미) (자선 자금 조달을 위한) 중고점 판매점

re·sa·lute [rì:səlú:t] *vt.* 다시 인사하다, 답례하다

re·saw [rì:sɔ́:] *vt.* (**~ed**; **~ed, -sawn**) 다시 톱으로 썰다 — [∸∸] *n.* (통나무를) 세로로 켜는 톱

re·scale [rì:skéil] *vt.* (규모를 축소하여) 다시 설계[설립, 공식화]하다

re·sched·ule [rì:skédʒu(:)l | -ʃédju:l] *vt.* **1** 〈행사·계획 등의〉 예정을 다시 세우다: ~ a baseball game because of rain 우천으로 야구 경기 일정을 변경하다 **2** 〈채무 이행을〉 연기[유예]하다

re·scind [risínd] *vt.* 〈법률·조약 등을〉 무효로 하다, 폐지하다, 철폐하다: ~ an agreement 협정을 백지화하다 **~·a·ble** *a.* **~·er** *n.*

re·scis·si·ble [risísəbl, -síz-] *a.* 폐지[취소]할 수 있는

re·scis·sion [risíʒən] *n.* Ⓤ 무효로 함; 폐지, 철폐; 〚법〛 계약 해제

re·scis·so·ry [risísəri, -síz-] *a.* 무효로 하는, 폐지하는; 철폐하는; 해제하는, 폐기하는: a ~ action 증서 무효 확인 소송

re·script [rí:skrìpt] *n.* **1** (질문서·청원서에 대한 로마 황제·교황 등의) 답서(答書), 교서 **2** 조칙(詔勅), 칙서, 포고령; 공식 발표 **3** 고쳐 쓰기, 고쳐 쓴 것 **4** 사본, 부본 **5** 〚미국법〛 (상급 법원의) 지시서

‡**res·cue** [réskju:] *vt.* **1** 구출하다, 구조하다, 구하다 (*from*) (⇨ save[1] 유의어); 〈사람을〉 해방하다: (~+목+전+명) ~ a drowning child = ~ a child *from* drowning 물에 빠진 아이를 구출하다 / ~ the environment *from* pollution 환경을 오염으로부터 구하다 **2** 〚법〛 〈압류 물건을〉 불법으로 탈환하다; 〈죄수를〉 탈주시키다
— *n.* **1** ⓊⒸ 구출, 구원, 해방: Storms delayed the ~ of the victims. 폭풍우 때문에 희생자들의 구출이 지연되었다. **2** Ⓤ 〚법〛 불법 석방, 불법 탈환
go [***come***] ***to the ~ of*** a person …을 구출하다, 원조하다
— *a.* 구조의, 구제의: a ~ home (여성) 갱생의 집 / a ~ party[team] 구조대 / ~ work 구조 사업
rés·cu·a·ble *a.* **rès·cu·ée** *n.* 구출된 사람 **~·less** *a.* **rés·cu·er** *n.* 구조자, 구출자

réscue bàll 〚우주〛 개인용 우주 탈출 구형(球形) 장치

réscue bìd 〚카드〛 (브리지에서) 자기 편의 곤경을 타개하기 위한 끗수 올려 부르기

réscue bòat 해난 구조선

réscue mìssion 구조대; (영세민) 구제 전도단

réscue rèmedy (영) 구조약(꽃에서 얻는 향유; 신경 진정제)

re·seal [rì:sí:l] *vt.* 다시 봉(封)하다

re-search [rì:sɔ́:rtʃ] *vt., vi.* 다시 찾다, 재탐색하다

‡**re·search** [risɔ́:rtʃ, rí:sə:rtʃ] *n.* **1** ⓊⒸ [종종 *pl.*] (학술) 연구, 과학적 탐구, 학술 조사 (*into, on*): space ~ 우주 탐구 / market ~ 시장 조사 / carry out[make, conduct, do] ~(*es*) *on* …을 연구하다 / two interesting pieces of ~ in physics 물리학에 있어서 흥미진진한 두 개의 연구 **2** (신중한) 수색, 탐구, 조사 (*for, after*) **3** Ⓤ 연구 능력, 연구심: a scholar of great literary ~ 문학 연구에 아주 유능한 학자
— *vi.* 연구하다, 조사하다 (*into*): (~+전+명) ~ *into* a matter thoroughly 문제를 철저하게 조사하다
— *vt.* 연구하다, 조사하다(⇨ examine 유의어): ~ cancer 암을 연구하다 **~·a·ble** *a.*

reséarch and devélopment (기업의) 연구와 개발(略 R&D, R and D)

∗**re·search·er** [risɔ́:rtʃər, rí:sə:rtʃ-] *n.* 연구원, 조사원, 탐색자

re·search·ful [risɔ́:rtʃfəl, rí:sə:rtʃ-] *a.* 연구에 몰두하는, 학구적인

re·search·ist [risɔ́:rtʃist, rí:sə:rtʃ-] *n.* = RESEARCHER

reséarch lìbrary (특정 분야의) 학술 도서관, 연구 도서관

reséarch pàrk 연구 개발용 공업 단지

reséarch proféssor 연구 교수(대학 등에서 자유로이 연구에 몰두할 수 있는 교수)

reséarch reáctor 연구용 원자로

reséarch submèrsible 심해(深海) 잠수 조사선

reséarch wòrker = RESEARCHER

re·seat [rì:sí:t] *vt.* **1** 〈교회·극장 등에〉 새 자리를 마련하다 **2** 다시 앉히다; 복직[복위, 재취임]시키다 **3** 〈의자 등의〉 앉는 자리를 갈다 ~ one***self*** 〈섰던 사람이〉 다시 앉다, 자세를 고쳐 앉다

re·seau [reizóu, rə- | rézou] [F] *n.* (*pl.* **~x** [reizóuz, -zóu], **~s**) **1** (특히 기상 관측소의) 망상(網狀) 조직(network) **2** 그물 세공의 레이스감 **3** 〚천문〛 레조(위치 관측을 쉽게 하기 위한 건판(乾板) 위의 방안(方眼)) **4** 〚사진〛 컬러 사진용 필터 스크린의 하나

re·sect [risékt] *vt.* 〚외과〛 〈뼈 등을〉 잘라 내다
re·sèct·a·bíl·i·ty *n.* **~·a·ble** *a.*

re·sec·tion [risékʃən] *n.* Ⓤ **1** 〚외과〛 절제(술) **2** 〚측량〛 후방 교회법(交會法) **~·al** *a.*

re·se·da [risí:də | résidə] *n.* 〚식물〛 물푸레나무속(屬)의 식물; Ⓤ 회록색, 연둣빛(greyish green)
— *a.* 회록색의

re·seed [rì:sí:d] *vt.* …에 다시[새로] 씨를 뿌리다; [~ one*self* 로] 스스로 씨를 뿌리다; 자생(自生)하다
— *vi.* 자생하다

re·seg·re·gate [rì:ségrigèit] *vt.* (미) …에 대한 인종 차별을 부활시키다 **rè·seg·re·gá·tion** *n.*

re·seize [rì:sí:z] *vt.* **1** 다시 붙잡다, 다시 점유[점령]하다, 탈환하다 **2** 〚법〛 〈횡령당한 토지의〉 점유권을 회복하다

re·sei·zure [rì:sí:ʒər] *n.* ⓊⒸ 재입수, 재점유, 탈환, 수복, 회복

re·se·lect [rì:silékt] *vt.* 다시 고르다, 재선발하다
rè·se·léc·tion *n.*

re·sell [rì:sél] *vt.* (**-sold** [-sóuld]) 전매(轉賣)하다, 다시 팔다

∗**re·sem·blance** [rizémbləns] *n.* **1** Ⓤ 유사(likeness), 닮음; Ⓒ 유사점 (*to, between, of*): He has a close[striking] ~ *to* his father. 그는 아버지를 많이 닮았다. / There is little ~ *between* them. 그들 사이에는 닮은 데가 없다. **2** 유사물; 닮은 얼굴, 초상, 상(像), 그림(image) **3** (고어) 외관, 외형, 모양
bear [***have***] (***a***) **~ *to*** …을 닮다 ▷ resémble *v.*

re·sem·blant [rizémblənt] *a.* **1** 닮은, 유사한 (*to*) **2** 〈예술 등이〉 (사물을) 재현하는, 모방하는, 사실적인

‡**re·sem·ble** [rizémbl] *vt.* **1** …을 닮다, …와 공통점이 있다 (*in*): The brothers ~ each other *in* taste. 그 형제는 취미면에서 서로 닮았다. **2** (고어) …을 (…에) 비기다 (*to*)
— *vi.* 닮다: closely[faintly] ~ 아주[약간] 닮다
-bling·ly *ad.* ▷ resémblance *n.*

re·send [rì:sénd] *vt.* (**-sent** [-sént]) 되돌려 보내다, 다시 보내다; 〚통신〛 (중계기로) 송신하다

∗**re·sent** [rizént] *vt.* 〈사람·행위·발언 등에 대해〉 분개하다, …에 골내다, 원망하다, 괘씸하게 생각하다: ~ an unfavorable criticism 비호의적인 비평에 분개하다 / He *~ed* the cutting remarks. 그는 신랄

thesaurus **rescue** *v.* save, free, release, liberate, emancipate, redeem, salvage, relieve
research *v.* investigate, analyze, study, examine

한 말에 화를 냈다. // ((~+**-ing**)) I ~ his be*ing* too arrogant. 그가 너무 오만한 것이 불쾌하다. **~·er** *n.* ▷ reséntment *n.*; reséntful *a.*

re·sent·ful [rizéntfəl] *a.* 분개한; 골을 잘 내는: a ~ look 화난 표정 **~·ly** *ad.* **~·ness** *n.*

***re·sent·ment** [rizéntmənt] *n.* Ⓤ **분개**, 분노; 원한, 적의 ((*against, at*)): walk away in ~ 분연히 걸어가 버리다 / He felt ~ *against* his master. 그는 주인에 대하여 분노를 느꼈다.

res·er·pine [résərpin, -pìːn, rəsə́ːrpin] *n.* Ⓤ 〖약학〗 레서핀 ((진통·진정·혈압 강하제))

***res·er·va·tion** [rèzərvéiʃən] *n.* **1** Ⓤ **보류**; ⓊⒸ 〖법〗 유보(留保) (조항), 유보권; 제외: the ~ of rights 권리의 유보 **2** [종종 *pl.*] (방·좌석 등의) **예약** (booking), 지정, (승차권·입장권 등의) 예약; 예약석[실] ((영) booking): a dinner ~ 저녁 식사 예약 / cancel ~*s* 예약을 취소하다 **3** 제한, 조건, 단서: accept a proposal without ~ 조건 없이 제안을 수리하다 **4** ((미)) (인디언을 위한) 정부 지정 보류지, 공공 보류지 ((학교·삼림 등으로 씀)): an Indian ~ 인디언 보호 거주지 / a military ~ 군용지 **5** 자연보호 구역; 금렵지(禁獵地), (특히 엽조(獵鳥)·동물의) 사육지 **6** Ⓤ ((고어)) 은폐, 은닉; 비밀; 기만적 답변 **7** Ⓤ 〖가톨릭〗 (병자·불참자를 위해) 성체[성찬]의 일부를 남겨 두기 **8** Ⓤ 〖가톨릭〗 (교황에 의한) 성직 임명권의 보류 **9** ((영)) (자동차 도로 등의) 중앙 분리대 **10** (입 밖에 낼 수 없는) 마음의 걱정, 의혹 ((*about*))

make ~s 예약을 하다; (조약 등에) 유보 조항을 달다: You are advised to *make* seat ~*s* in advance. 미리 좌석 예약을 하는 게 좋다. ***mental ~*** 〖법〗 심중 유보; 심리 유보 ***off the ~*** 일상의 속박에서 벗어나; 마음 편하게 ***on the ~*** ((미·구어)) 특정 정당[그룹]에 소속되어 ***without ~*** 기탄없이, 솔직하게; 무조건으로 ***with ~(s)*** 유보 조건을 붙여, 조건부로

~·ist *n.* (항공 회사 등의) 예약 담당 ▷ resérve *v.*

reservátion pòlicy (인도의) (하층민의 교육·고용 등의) 기회[자리] 할당 정책

re-serve [riːsə́ːrv] *vt.* 다시 내놓다; 다시 섬기다

*****re·serve** [rizə́ːrv] *vt.* **1** (훗날을 위하여) **남겨[떼어] 두다**, 보존하다 ((*for*)): ((~+목+전+명)) ~ money *for* a rainy day 만약의 경우에 대비하여 돈을 여축해 두다 **2** 〈좌석·방 등을〉 **예약해 두다**, 지정하다(⇨ reserved 1): ((~+목+전+명)) This house is ~*d for* special guests. 이 집은 귀빈을 위한 것이다. **3** 〈권리·이익 등을〉 (계약 등에 의해서) 보유하다, 확보하다, 유지하다 ((*to*)): All rights ~*d*. 판권 소유. **4** 다음으로 넘기다, 이월[연기]하다(postpone); 삼가다, 사양하다 **5** 보류하다 **6** 〖법〗 〈어떤 권익·조약의 적용 등을〉 유보하다; 제외하다 **7** 〖가톨릭〗 〈성체·성찬의 일부를〉 남겨 두다 **8** [보통 수동형으로] 운명 짓다 ((*for*)) (⇨ reserved 4): ((~+목+전+명)) A great future *is* ~*d for* you. 당신의 앞길은 창창하다. / This discovery *was* ~*d for* Newton. 이 발견은 뉴턴에 의해 비로소 이루어졌다. **~ one*self for*** …을 위하여 정력을 비축해 두다

— *n.* **1** **비축**; 여축; 보존물, 예비품; 여력; [*pl.*] (석탄·석유·천연가스 등의) 매장량: money *in* ~ 예비금 **2** 준비[예비]금, 적립금: gold ~ 금 준비 ((발권 은행의)) / foreign exchange ~ 외환 보유고 **3** 특별 보류지, 지정 보호 지역: a forest ~ 보안림 **4** [the ~(s)] 〖군사〗 예비군[대, 함대]; 예비역 인원: a ~ officer 예비역 장교 **5** 〖경기〗 후보 선수; (입상자 실격에 대비한) 후보 입상자 ((품평회 등)) **6** Ⓤ **예비**, 보류, 보존 **7** Ⓤ **제한**, 제외, 유보 **8** ((문어)) Ⓤ **자제**, 신중, 겸양, 사양; 침묵; 은폐, 감춤; (문학·예술 등에서) 과대 표현을 피하기: the traditional ~ of the Englishman 영국인의 전통적인 신중함 / lose[abandon] one's ~ 침묵을 깨다 **9** (경매 등의) 최저 제한 가격 ((*of*))

in ~ 남겨 둔; 별도로 준비되어 있는; 예비의: keep [have] *in* ~ 예비로 남겨 두다 ***place to ~*** 〖부기〗 준비금[적립금]으로 부어 넣다 ***the first*** [***second***] ***~*** 예비[후비]군 ***throw off ~*** 마음을 터놓다, 흉허물 없이 대하다 ***with all ~*** [***all proper ~s***] 진위(眞僞)는 보증할 수 없다고 미리 말하고 (발표하다) ***without ~*** (1) ((문어)) 기탄없이, 사양하지 않고; 솔직하게 (2) 무제한으로, 무조건으로 (3) 〈경매품이〉 가격 무제한의 ***with ~*** 조건부로; 사양하여

— *a.* 남겨 둔, 예비의, 준비의: a ~ fund 준비금 / a ~ supply 예비 물자 **re·sérv·er** *n.*

▷ reservátion *n.*

resérve bànk ((미)) 연방 준비 은행 ((12개 은행; cf. the FEDERAL Reserve System))

resérve buóyancy 〖항해〗 예비 부력(浮力)

resérve capàcity 〖자동차〗 (배터리의) 예비 용량

resérve càrd 도서 대출 예약 카드 ((전에 신청한 책이 대출 가능함을 알리는))

resérve clàuse 〖스포츠〗 보류 조항 ((프로 스포츠 선수의 이적에 관한 계약 조항))

resérve cùrrency 〖금융〗 준비 통화

***re·served** [rizə́ːrvd] *a.* **1** **보류한**, 남겨 둔, 예비의; 예약한, 전세 낸, 전세 준, 지정의: ~ money 예비금 / ~ army[troops] 예비군 / a ~ seat 예약[지정]석, 전세석 / a ~ car[carriage] (열차의) 전세차 **2** 제한된 **3** 사양하는, 삼가는, 서먹서먹한; 말수가 적은, 수줍은 ((*with, toward*)): be ~ *with* strangers 낯선 사람과는 서먹서먹하다 **4** Ⓟ 운명 지어진 ((*for*)): He was ~ *for* the discovery. = The discovery was ~ *for* him. 그 발견은 그 사람 때문에 있었던 거나 마찬가지다. / It was ~ *for* him to make the admirable discovery. 그 훌륭한 발견은 그에 의해서 비로소 이룩되었다. **re·sérv·ed·ness** *n.*

resérved bóok 필수 과목용 참고 도서 ((대학 도서관 등에서 다른 책과 구별하여 둠))

resérved líst 〖영국사〗 해군 예비역 장교 명부

re·serv·ed·ly [rizə́ːrvidli] *ad.* 삼가서; 새치름하게, 터놓지 않고; 서름서름하게

resérved occupátion ((영)) 전시 중에 병역이 면제되는 직업

resérved pówer ((미)) 〖정치〗 보류 권한 ((주(州) 또는 국민을 위해 헌법에 의해 유보된))

resérved wórd 〖컴퓨터〗 예약어(豫約語) ((일정한 철자로 된 문자열(文字列)))

resérve gràde ((호주)) (스포츠 팀의) 2군

resérve òfficer 〖군사〗 예비역 장교

Resérve Òfficers Tráining Còrps [the ~] ((미)) 예비역 장교[학도 군사] 훈련단 ((略 ROTC, R.O.T.C.))

resérve prìce ((영)) 최저 경매 가격(cf. ((미)) UPSET PRICE)

resérve ràtion 〖군사〗 예비 식량 ((밀폐 용기에 포장한 농축 식량; 유사시에 사용))

resérve trànche 리저브 트랑슈 ((IMF 가맹국이 출자액중 25%에 해당하는 외화를 자유롭게 꺼낼 수 있는 부분))

re·serv·ist [rizə́ːrvist] *n.* 예비[후비]군, 재향 군인, 보충병

res·er·voir** [rézərvwɑ̀ːr, -vwɔ̀ːr | rézəvwɑ̀ː] [F] *n.* **1** **저수지**; 저장소; 급수소; 저장기(器), 저수통, (램프의) 기름통, (만년필의) 잉크통; 가스통 **2** (지식·부 등의) 저장, 축적; 보고 ((*of*)): a great ~ *of* knowledge 많은 지식의 축적 / A computer is a ~ *of* information. 컴퓨터는 정보의 보고이다. **3** 〖생물〗 (동식물의 분비물) 저장기(器); 보균자(保菌者), 보유 숙주(= **~ hòst**) **4** 공급원, 출처, 모체; 〖병리〗 감염원, 병원소(病原巢) ***a depositing [***settling***] ***~*** 침전지(沈澱池) ***a receiving ~*** 집수지(集水池)

— *vt.* **1** 저수지[저수조]에 저장하다; 축적하다 **2** …에 저수지 ((등))을 설비하다

---

reserve *v.* **1** 보존하다 keep, lay aside, withhold, conserve, save, retain, store, hoard, stockpile **2** 예약해 두다 book, engage, arrange for

re·set[1] [rìːsét] *vt.* (~; **~·ting**) **1** 다시[고쳐] 놓다; 〈계기 등의〉 눈금을 고쳐 놓다; 〈머리를〉 다시 세트하다: 《~+목+전+명》 ~ one's watch *by* the radio signal 라디오 시보에 맞추어 시계를 고치다 **2** 〖인쇄〗 〈활자를〉 다시 짜다 **3** 〈보석을〉 바꿔 박다 **4** 〖외과〗 〈부러진 뼈를〉 맞추다, 정골[정형]하다 **5** 〖컴퓨터〗 〈메모리·셀의 값을〉 '0'으로 하다, 재기동[리셋]하다 **6** 〈날붙이를〉 날을 갈아 달다, 다시 갈다
— [ᅩ] *n.* 바꾸어 놓음; 고쳐 박음; 〖인쇄〗 재조판(한 것); 이식(移植) 식물 **~·ta·ble** *a.*

reset[2] 《스코》 *vt., vi.* (~; **~·ting**) 〈죄인을〉 은닉하다, 훔친 물건을 받다
— *n.* Ⓤ 죄인 은닉; 장물 수수

re·set·tle [rìːsétl] *vt.* **1** 다시 정주시키다 《*in*》 **2** [~ one*self* 로] 다시 자리잡다 《*in, on*》 **3** 〈분쟁 등을〉 다시 진정시키다 **4** …에 재식민(再植民)하다 — *vi.* 다시 자리에 앉다, 다시 정주하다 **~·ment** *n.* Ⓤ 재식민

res ges·tae [ríːz-dʒéstiː, réis-] 〔L〕 **1** 이루어진 일, 업적 **2** 〖법〗 (소송 사건의) 부대 상황 《증거 능력을 가진 중요한 사실》

resh [réiʃ] *n.* **1** 레쉬 《히브리 어 알파벳 제 20번째 문자》 **2** r의 문자로 나타내어지는 자음

re·shape [rìːʃéip] *vt., vi.* 모양을 고치다, 다시 만들다, 새 형태를 취하다[취하게 하다]; 새 국면을 개척하다 **re·sháp·er** *n.*

re·sharp·en [riːʃáːrpən] *vt.* 다시 날카롭게 하다, 다시 벼리다

re·ship [rìːʃíp] *v.* (**~ped**; **~·ping**) *vt.* 배에 되싣다; 딴 배에 옮겨 싣다 — *vi.* 재승선 (계약을) 하다 ~ one***self*** 재차 승선하다
~·ment *n.* ⓊⒸ 배에 되실음, 옮겨 실음; 배에 되실은 짐, 옮겨 실은 짐 **~·per** *n.*

re·shuf·fle [rìːʃʌ́fl] *vt.* **1** 〖카드〗 〈패를〉 다시 치다 **2** 〈내각 등을〉 개편하다, 개조하다; 전환시키다
— *n.* **1** (카드놀이의 패를) 다시 치기 **2** (내각 등의) 인사 이동, 인원 개편, 전환: a cabinet ~ 내각 개편

re·sid [rizíd] *n.* = RESIDUAL OIL

re-side [rìːsáid] *vt.* 〈건물의〉 벽널을 갈아 끼우다

re·side [rizáid] *vi.* 《문어》 **1** (장기간) 거주하다 《*at, in*》 《live가 일반적》; 〈공무원 등이〉 (임지에) 주재하다: ~ abroad 외국에 거주하다 // 《~+전+명》 He ~*s* here *in* Seoul. 그는 이곳 서울에 살고 있다. **2** 〈성질이〉 존재하다, 있다 《*in*》: 《~+전+명》 The value ~*s* solely *in* this point. 그 가치는 오로지 이 점에 있다. **3** 〈권리 등이〉 (귀)속하다 《*in*》: 《~+전+명》 The power of decision ~*s in* the President. 결정권은 대통령에게 있다. **re·síd·er** *n.*
▷ résidence *n.*; résident *a.*

res·i·dence [rézədəns] *n.* **1** 주거, 주소; 주택 (home); (특히 크고 좋은) 대저택(cf. MANSION): an official ~ 관저, 공관 / a summer ~ 여름 별장 **2** Ⓤ 거주, 거류; 주재, 체재: *R*~ is required. 임지(任地) 거주를 요함. / a ~ requirement 거주 요건 **3** 《문어》 재주(在住)[체재] 기간 **4** Ⓤ (권력 등의) 소재 《*of*》 ***have*** [***keep***] one***'s*** **~** 거주하다 ***in*** **~** 주재하고, 관저에 살고; 〈대학 관계자가〉 구내에서 거주하는 ***take up*** one***'s*** **~** ***in*** …에 주거를 정하다
▷ resíde *v.*; résident, residéntial, residéntiary *a.*

résidence tìme 〖화학〗 체류(滯留) 시간 《반응물이 반응기(器) 내에 머무는 시간》; 〖물리〗 체류 시간 《핵폭발 후, 대기 중에 방사성 물질이 잔류하는 시간》

res·i·den·cy [rézədənsi] *n.* (*pl.* **-cies**) **1** (옛 인도 등의) 총독 대리 공관; 《영》 (보호국 주재관의) 관저 **2** (옛 네덜란드령(領) 동인도의) 행정 구획 **3** Ⓤ 《미》 전문의 실습 기간 《인턴을 마친 후 병원에서 실습하는》; 수련의(medical resident)의 신분(cf. INTERNSHIP) **4** (회사 등의) 간부 연수 교육

res·i·dent [rézədənt] *a.* **1** 거주하는, 살고 있는 《*at, in*》: a ~ tutor 입주 가정 교사 / the ~ population of the city 시의 현재 거주 인구 / She is ~ *at* his house. 그녀는 그의 집에 살고 있다. **2** 고유의, 내재(內在)하는 《*in*》: privileges ~ *in* a class 계급 고유의 특권 / a power ~ *in* the people 국민에 내재하는 힘 **3** 〈새·짐승 등이〉 이주하지 않는, 철새가 아닌 (opp. *migratory*) **4** 〖컴퓨터〗 〈프로그램이〉 상주(常駐)의: ~ program 상주 프로그램
— *n.* **1** 거주자, 살고 있는 사람(cf. VISITOR, TRANSIENT, INHABITANT); 거류민: foreign ~*s* 재류 외국인 / summer ~*s* 피서객 **2** 《미》 레지던트 《intern을 마친 전문의(醫) 수련자》(cf. HOUSE PHYSICIAN) **3** 외국 주재 사무관, 주차관(駐箚官); (옛 인도 등의) 총독 대리; 변리 공사(=minister ~); 지사 《옛 네덜란드령 동인도의》 **4** 유조(留鳥), 텃새(opp. *migratory bird*) **5** 〖컴퓨터〗 상주 《기억 장치 중에 항상 존재하는 프로그램》 ▷ résidence *n.*; resíde *v.*

résident álien (합법적) 거주 외국인 《미국에 법률상 유효한 주거가 있는 외국인; 시민권을 얻기 위해 이주한 외국인》

résident commíssioner 1 《미》 〖정치〗 (미국 하원의 Puerto Rico에서 온) 상주 대표 《발언권은 있으나 투표권이 없는 판무관》 **2** 《영》 (식민지 등의) 판무관

res·i·dent·er [rézədəntər] *n.* 《스코·미》 주민, 거주자

résident fónt 〖컴퓨터〗 내장 폰트

res·i·den·tial [rèzədénʃəl] *a.* **1** 주거의; 주택에 알맞은: a ~ district[quarter, section] 주택지[구역, 가] **2** 거주에 관한 **3** (학생을 위한) 숙박 설비가 있는; 〈호텔 등이〉 장기 체재 손님용의 **4** 강의에 출석해야 하는: a ~ course 교실에 출석을 요하는 과목 **5** 《영》 거주를 요하는, 학내 거주의 **~·ly** *ad.* 거주 지역에 관해

residéntial cáre 《영》 거주[재택] 간호

residéntial hotél 거주용 호텔, 호텔식 아파트

residéntial qualificátions (투표자에게 필요한) 거주 자격

residéntial schóol 기숙 학교; 《캐나다》 (인디언·이뉴잇족의 자녀들을 위한) 기숙 학교

res·i·den·ti·ar·y [rèzədénʃièri, -ʃəri | -ʃəri] *a.* **1** 거주[주재, 재류]하는(residing) **2** 일정 기간 관사에 거주할 의무가 있는 — *n.* (*pl.* **-ar·ies**) **1** 거주자, 주재[재류]자(resident) **2** 〖가톨릭〗 대성당 참사 회원 (=**cánon** ∼) 《매년 cathedral 관사에 일정 기간 거주》

résident registrátion 주민 등록

résident's associátion 《영》 지역 주민회

re-sid·ing [rìːsáidiŋ] *n.* (건물의) 벽널 보강재

re·sid·u·al [rizídʒuəl | -djuəl] *a.* **1** 남은; 잔여(殘餘)의 **2** 〖수학〗 나머지의, 〈계산의 오차를〉 설명할 수 없는 **3** 〖법〗 잔여 재산의 — *n.* **1** 잔여, 남은 것 **2** [종종 *pl.*] 후유증 **3** 〖수학〗 나머지; 오차 **4** [*pl.*] 《미》 (영화·TV의 재방영·광고 방송 등에서 출연자에게 지불하는) 재방송료 **~·ly** *ad.*

resídual cúrrent devìce (전기 기구 등의) 차단기

resídual érror 〖물리·컴퓨터〗 설명되지 않은 오차

resídual íncome (세금을 제한) 실수입

resídual mágnetism 〖전기〗 잔류 자기

resídual óil 〖화학〗 잔유(殘油) 《원유를 정제한 후에 남은 오일》

resídual pówer 《미》 정부의 잔여 권한

resídual próduct 잔여 생산물, 부산물

resídual secúrity 〖증권〗 잔여 증권 《보통주나 전환 사채》

resídual stréss 〖야금〗 잔류 응력(應力)

re·sid·u·ar·y [rizídʒuèri | -djuəri] *a.* **1** 남은, 잔여의; 잔재(성)의, 찌꺼기의 **2** 〖법〗 잔여 재산의; 잔여 유산의 취득권을 가진

resíduary bequést 〖법〗 잔여 재산의 유증

resíduary cláuse 〖법〗 (유언의) 잔여 재산 처분 조항

thesaurus **residence** *n.* **1** 주거 house, home, place, dwelling, habitation **2** 거주 occupation, habitation, stay, sojourn, tenancy
resident *n.* inhabitant, occupant, householder, dweller, resider, sojourner, tenant
resign *v.* **1** 사임하다 quit, leave, retire **2** 포기하다

resíduary estáte 〖법〗 잔여 재산
resíduary légacy 〖법〗 = RESIDUARY BEQUEST
resíduary legatée 잔여 재산 수유자(受遺者)
res·i·due [rézədjù: | -djù:] *n.* **1** 잔여 **2** 〖수학〗 나머지 **3** 〖법〗 잔여 재산 **4** 〖화학〗 잔기(殘基); 잔재; 찌꺼기, 잔류물 ***for the*** ~ 그 외의 것으로[나머지에 대하여] 말하자면 ▷ resíduary *a.*
re·sid·u·um [rizídʒuəm | -dju-] [L] *n.* (*pl.* **~s, -sid·u·a** [-zídʒuə | -djuə]) **1** 잔여, 남은 것 **2** 〖화학〗 잔재 《연소·증발 등의 뒤에 남는》; 부산물(residual product) **3** 〖수학〗 (뺄셈의) 나머지; 설명되지 않은 오차(residual error) **4** 《드물게》 최하층민, 인간의 찌꺼기, 인간 말짜 **5** 〖법〗 잔여 재산
re-sign [rì:sáin] *vt.* 다시 서명하다, 재조인하다, 〈계약을〉 경신하다
‡**re·sign** [rizáin] *v.*

타 「파기하다」	→(직위·관직을) 「그만두다」 **1** →(권리를) 「포기하다」 **2**

— *vi.* **1** (특히 정식으로) **사임하다,** 사직하다 《*from, as*》: (~+전+명) ~ *over* the failure 그 실패로 사임하다 / ~ *from* the Cabinet 내각을 사퇴하다 // (~+*as* 보) ~ *as* chairman 의장(직)을 사임하다

유의어 **resign** 공식으로 직·직위 등을 사임하다: *resign* from the government 공직에서 물러나다 **retire** 특히 노령·정년 등으로 퇴직하다: *retire* into one's country 고향으로 은퇴하다

2 (운명 등에) 복종하다, 따르다 《*to*》
— *vt.* **1** 〈지위·관직 등을〉 **사직하다,** 사임하다, 그만두다: ~ one's seat[job, post] 사직하다 / The minister ~*ed* his office. 그 장관은 사임했다. **2** 〈권리·희망 등을〉 **포기[단념]하다;** 버리다; 〈계약 등을〉 파기하다: ~ a claim[an agreement] 청구권을 포기하다[계약을 파기하다] **3** 〈일·재산 등을〉 양도하다, 맡기다, 위탁하다: (~+목+전+명) He ~*ed* his position *to* his son. 그는 그 자리를 아들에게 물려주었다. **4** [~ one*self* 로] (운명 등에) 몸을 맡기다, 감수하다, 체념하다(⇨ resigned 1); 따르다 《*to*》
~ one***self*** [one***'s mind***] ***to*** do***ing*** 체념하고 …하기로 하다 ~ one***self to*** sleep[(one***'s***) fate] 잠자다[운명에 맡기다] **~·er** *n.* ▷ resignátion *n.*
*__res·ig·na·tion__ [rèzignéiʃən] *n.* **1** Ⓤ **사직,** 사임: the ~ *of* a cabinet 내각의 총사퇴 **2** 사표(a letter of ~) **3** Ⓤ **체념,** 인종(忍從), 감수; 포기, 단념 《*to*》: blind ~ *to* authority 권위에 대한 맹종
general ~ 총사직 ***give in***[***hand in, send in, tender***] one***'s*** ~ 사표를 내다 ***meet***[***accept***] one***'s fate with*** ~ 운명을 감수하다 ▷ resígn *v.*
re·signed [rizáind] *a.* **1** 단념한; 체념한; …을 감수하는; 인종(忍從)하는 《*to*》: with a ~ look 체념한 듯한 얼굴로 / be ~ *to* die[*to* one's fate] 죽음을[피할 수 없는 운명이라고] 각오하고 있다 **2** 사직[사임]한 (retired); 사직[사임]하여 빈 〈직위 등〉
-sign·ed·ly [-záinidli] *ad.*
re·sile [rizáil] *vi.* **1** 〈고무공 등이〉 되튀다; 탄력이 있다 **2** 곧 기운을 회복하다, 쾌활해지다, 회복력이 있다 **3** 〈탄성체가〉 원상으로[제자리로] 돌아가다; 복귀[회복]하다 **4** (계약 등에서) 손을 떼다 《*from*》; 주저하다, 회피하다 《*from*》 **~·ment** *n.*
re·sil·ience, -ien·cy [rizíljəns(i), -liəns(i) | -liəns(i)] *n.* Ⓤ **1** 되튐; 탄력, 탄성(elasticity), 복원력: economic ~ 경제적인 탄력성 **2** (병·불행으로부터의) 신속한 회복력; 쾌활성
re·sil·ient [rizíljənt, -liənt | -liənt] *a.* **1** 되튀는; 원상으로 돌아가는, 탄력 있는 **2** 곧 기운을 회복하는 **3** 쾌활한, 발랄한(buoyant) **~·ly** *ad.*
*__res·in__ [rézin] *n.* ⓊⒸ **1 수지**(樹脂); 송진(cf. ROSIN) **2** 합성수지 ***synthetic*** ~ 합성수지
— *vt.* …을 수지로 처리하다 **~·like** *a.*
res·in·ate [rézənət, -nèit] *n.* 〖화학〗 수지산염(酸鹽) — *vt.* [-èit] …을 수지로 처리하다, …에 수지가 스며들게 하다
résin canàl[dùct] 〖식물〗 수지도(樹脂道)
res·in·if·er·ous [rèzəníf*ə*rəs] *a.* 수지를 분비하는
res·in·i·form [rézənifɔ̀:rm] *a.* 수지 타입의
res·in·i·fy [rezínəfài] *v.* (**-fied**) *vt.* 수지화하다; 수지로 처리하다; …에 수지를 바르다, …에 수지가 스며들게 하다 — *vi.* 수지가 되다
res·in·oid [rézənɔ̀id] *a., n.* 수지 같은 (물질); 합성수지; 고무 수지
res·in·ous [rézənəs] *a.* 수지(질)의; 수지로 만든; 수지를 함유한 **~·ly** *ad.* **~·ness** *n.*
res·i·pis·cence [rèsəpísns] *n.* 과거의 잘못을 자각함[뉘우침]; 개심(改心); 회오(悔悟)
res ip·sa lo·qui·tur [rí:z-ípsə-lóukwitər | -lɔ́kwi-] [L = the thing speaks for itself] 〖법〗 과실 추정칙(推定則)
‡**re·sist** [rizíst] *vt.* **1** …에 **저항하다,** 반항[적대]하다 (⇨ oppose 유의어): (~+-***ing***) ~ be*ing* arrested 붙잡히지 않으려고 반항하다 // ~ tyranny 압제에 저항하다 **2** 방해하다, 저지하다 **3** 격퇴하다: ~ the enemy 적을 격퇴하다 **4** 반대하다, 무시하다, 거스르다: ~ law 법을 거스르다 **5** [보통 cannot[could not] ~로] 참다, 삼가다, 억제하다: (~+-***ing***) I *cannot* ~ laugh*ing*. 웃지 않고는 배길 수 없다. **6** 〈화학 작용·자연력 등에〉 견뎌 내다, 영향을 받지 않다: a constitution that ~*s* disease 병에 걸리지 않는 체질 / This watch ~*s* water. 이 시계는 내수성이다. 《be waterproof만큼 내수성이 없는 경우》
— *vi.* 저항하다; 방해하다; 참다: The enemy ~*ed* stoutly. 적은 완강히 저항했다.
— *n.* 방염제(防染劑); 절연 도료; 방부제
~·ing·ly *ad.* 저항[반항]하여
▷ resístance *n.*; resístant *a.*
‡**re·sis·tance** [rizístəns] *n.* ⓊⒸ **1 a 저항,** 반항, 적대, 반대: armed ~ 무력에 의한 저항 / ~ without violence 비폭력 저항 **b** (물리적) 저항, 저항력 《*of*》 **c** (화학 작용에 대한) 저항력[성]; 내성 **d** 저항감, 반감 **2** 방해, 저지 **3** Ⓤ 〖전기〗 저항 (略 R); Ⓒ 전류 저항 장치(resistor): electric ~ 전기 저항 / ~ amplification 〖전기〗 저항 증폭 **4** 〖정신의학〗 저항 **5** [종종 (the) R~] 레지스탕스, 지하 저항 운동: *the* French *R~* in World War II 제2차 대전 중의 프랑스의 레지스탕스 ***a line of*** ~ 저항선 ***a piece of*** ~ 주요 작품, 압권(壓卷); 가장 중요한 요리 ***offer***[***make, put up***] ~ 저항하다 《*to, against*》; 반응이 있다 ***passive*** ~ 소극적 저항 ***the line of least*** ~ 최소 저항선, 가장 쉬운[편한] 방법: take[choose, follow] *the line of least* ~ 가장 편한 방법을 취하다
▷ resístant *a.*; resíst *v.*
resístance bòx 〖전기〗 저항 상자 《resistance coil 상자》
resístance còil 〖전기〗 저항 코일
resístance lèvel 〖증권〗 (시세의) 상한가 저항선
resístance thermòmeter 〖야금〗 저항(식) 온도계
resístance tràining 저항력 훈련
resístance trànsfer fàctor 내성(耐性) 전달 인자 (略 RTF)
resístance wèlding 저항 용접
re·sis·tant, re·sis·tent [rizístənt] *a.* **1** 저항하는; 방지하는; 방해하는; 저항력이 있는 **2** [보통 복합어를 이루어] 내(耐) …의, …한 저항력이 있는: corrosion-

relinquish, surrender, renounce, give up
resist *v.* **1** 저항하다 fight, withstand, defy, oppose, confront, struggle against, contend with **2** 저지하다 stop, halt, prevent, obstruct, hinder, block, thwart, frustrate, inhibit, restrain **3** 삼가다 abstain from, refrain from, keep from, avoid

resistant materials 방부 물질 / a fire-*resistant* house 내화 가옥 **—** *n.* **1** 저항자; 반대자; 레지스탕스의 일원 **2** 방염제(防染劑), 방부제(resist) **~·ly** *ad.*

re·sist·er [rizístər] *n.* 저항자 ***passive*** **~** 소극적인 저항자

re·sist·i·bil·i·ty [rizìstəbíləti] *n.* Ⓤ 저항할 수 있음, 견딜 수 있음; 저항력, 저항성

re·sist·i·ble [rizístəbl] *a.* 저항[반항]할 수 있는 **-bly** *ad.*

re·sis·tive [rizístiv] *a.* 저항하는, 저항력이 있는, 저항성의 **~·ly** *ad.* **~·ness** *n.*

re·sis·tiv·i·ty [rì:zistívəti] *n.* Ⓤ 저항력; 〖전기〗 고유 저항, 저항률

re·sist·less [rizístlis] *a.* **1** 불가항력의, 저항할 수 없는: the ~ force of the universe 저항할 수 없는 우주의 힘 **2** 저항하지 않는 **~·ly** *ad.* **~·ness** *n.*

re·sis·to·jet [rizístoudʒèt] *n.* 〖우주과학〗 전기 저항 제트 엔진

re·sis·tor [rizístər] *n.* 〖전기〗 저항기, 저항 장치

resíst prìnting 〖염색〗 방염(防染), 날염(捺染)

re·sit [rì:sít] 《영》 *vt., vi.* (**-sat** [-sǽt]; **~·ting**) 시험을 다시 치르다 **—** [ㅅㅡ] *n.* 재수험(再受驗); 재시험, 추가 시험

re·site [ri:sáit] *vt.* 다른장소로 옮기다

re·sit·ting [rì:sítiŋ] *n.* (의회 등의) 재개회

re·size [ri:sáiz] *vt.* (특히 컴퓨터 모니터 상에서) 크기를 변경하다

res ju·di·ca·ta [rí:z-dʒù:dikéi:tə, -ká:tə, réis-] [L] 〖법〗 기결 사건[사항]

re·skill [ri:skíl] *vt.* 새 기술을 가르치다; 재교육하다

re·skin [ri:skín] *vt.* …의 표면을 수리하다, 외장재를 바꾸다

res·me·thrin [rezmí:θrən, -méθ-] *n.* 〖약학·화학〗 레스메스린 《속효성 합성 살충제》

re·so·cial·i·za·tion [rìsouʃəlizéiʃən | -lai-] *n.* 〖사회〗 재사회화(再社會化) 《성인이 되어 짧은 시간에 하나의 역할을 버리고 다른 역할에 적응해 가는 사회화 과정으로, 결혼·취업·전직 등이 그 예》

re·soil [ri:sɔ́il] *vt.* **1** (침식으로 유실된) 표토를 보충하다 **2** 다시 더럽히다[오염시키다]

rés·o·jet èngine [rézoudʒèt-] 〖항공〗 레조제트 엔진 《펄스 제트 엔진의 하나》

re·sole [rì:sóul] *vt.* 〈구두의〉 창을 갈아대다 **—** [ㅅㅡ] *n.* 새 구두창

re·so·lic·it [rì:səlísit] *vt.* 재간청[청원]하다

re·sol·u·ble[1] [rizáljubl, rézəl- | -zɔ́l-] *a.* **1** 분해[용해]할 수 있는 《*into*》 **2** 해결할 수 있는 **~·ness** *n.*

re·sol·u·ble[2] [ri:sáljubl | -sɔ́l-] *a.* 다시 용해할 수 있는

⁎res·o·lute [rézəlù:t] *a.* 굳게 결심한(determined); 단호한, 불굴의; 의연한; …할 결의인 《*for*》: a ~ man 의연한 사람 / He is ~ *for* peace. 그는 화평에 굳은 결의를 가지고 있다. **~·ly** *ad.* **~·ness** *n.*

‡res·o·lu·tion [rèzəlú:ʃən] *n.* **1** ⓊⒸ 결의, 결심(한 일): New Year('s) ~ 새해의 각오[결심] // (~+*to* do) He made a vain ~ never *to* repeat the act. 그는 다시는 그런 행위를 되풀이하지 않겠다고 결심했으나 헛일이었다. **2** 결정, 결의(안); 결의문 《*on*》: the ~ *on* an oral approach in teaching English 영어 교육에서 구두 교수법을 활용하기로 한 결정 **3** Ⓤ 결단(력), 불굴, 확고부동: a man of great ~ 결단력이 강한 사람 **4** ⓊⒸ (의문·문제 등의) 해결, 해답(solution) 《*of*》; Ⓤ 분해, 분석 《*into*》: the ~ *of* a question 문제의 해결 **5** Ⓤ 〖의학〗 〈종기 등이〉 삭아 없어짐 **6** Ⓤ 〖음악〗 해결 (화음) 《불협화음에서 협화음으로 옮김》 **7** Ⓤ 〖TV〗 해상도(解像度), 선명도 **8** Ⓤ 〖광학〗 분해능(分解能), 해상력 **9** Ⓤ (법원의) 판결 **10** 〖운율〗 음절 분열 **11** (레이더에서 복수의 대상을 판별하는 데 필요한) 최소 거리, 감도 한계

form [***make, take***] ***a*** **~** 결심[각오]하다 ***good*** **~*s*** 행실을 고치려는 결심 ***pass a*** **~** ***in favor of*** [***against***] …에 찬성[반대]의 결의안을 승인하다

~·er, ~·ist *n.* 결의 참가[서명]자, 결의 찬성자

▷ resólve *v.*; résolute, resólutive *a.*

re·sol·u·tive [rizáljutiv, rézəlù:t- | rizɔ́lju-] *a.* **1** 해결 능력이 있는; 해결하기 위한 **2** 〖의학〗 〈종기를〉 삭히는 **3** 용해할 수 있는, 분해력을 가진 **4** 〖법〗 〈계약·의무 등을〉 해소시키는: a ~ clause 〖법〗 해제 조항 **—** *n.* 〖약학〗 (종기를) 삭히는 약(resolvent)

‡re·solve [rizálv | -zɔ́lv] *v., n.*

> 원 「분해하다」 **2** → 「해결하다」 **4** → (의문점을 분명히 하다) → (결말을 짓다) → 「결심하다」 **1**

— *vt.* **1** 〈사람이〉 결심[결정]하다(⇨ decide 유의어); 결심시키다; 〈의회가〉 결의하다, 의결하다; 표결하다: (~+***that*** 절) It was ~*d that* ... …으로 의결되었다 // (~+***to*** do) ~ *to* study law 법률을 공부하기로 결심하다 / The House ~*d to* take up the bill. 의회는 그 법안의 채택을 결의했다. // (~+목+***to*** do) This fact ~*d* him *to* fight. 이 사실 때문에 그는 싸울 결심을 했다. **2** 분해[분석]하다; 용해하다, 녹이다 《*into*》: (~+목+전+명) ~ water *into* oxygen and hydrogen 물을 산소와 수소로 분해하다 **3** (분해하여) 변화[변형]시키다, 변하게 하다; [~ itself로] 〈병이〉 자연 치유되다: (~+목+전+명) The fog was soon ~*d into* rain. 안개는 곧 비로 바뀌었다. // The illness ~*d itself*. 병은 자연적으로 치유되었다. **4** 〈문제 등을〉 풀다, 해결하다(solve); 〈의심 등을〉 풀다, 해명하다, 설명하다: ~ a conflict 분쟁을 해결하다 / ~ doubts 의문을 해소하다 **5** 〖음악〗 〈불협화음을〉 협화음으로 해결하다 **6** 〖광학〗 해상(解像)하다 **7** 〖의학〗 〈종기 등을〉 삭히다 **8** 〖수학〗 분해하다

~ *itself into* …으로 분해[환원]하다; …으로 귀착되다, 결국 …으로 되다

— *vi.* **1** 결심하다; 결정하다, 결의하다 《*on, upon, against*》: (~+전+명) He ~*d on* making an early start. 그는 일찍 떠나기로 결정했다. **2** 분해[환원]하다, 용해하다 《*into, to*》: (~+전+명) It ~*s into* its elements. 그것은 원소로 분해된다. **3** 귀착하다, …으로 되다, 변하다 《*into*》 **4** 〖음악〗 협화음이 되다 **5** 〖의학〗 〈종기 등이〉 삭다 **6** 〖법〗 〈매매 계약 등이〉 무효가 되다, 소멸하다

— *n.* **1** ⓊⒸ 결심, 결의: put one's ~ into effect 결의를 실행으로 옮기다 // (~+***to*** do) He made a ~ *to* stop smoking. 그는 담배를 끊을 결심을 하였다. **2** Ⓤ (문어·시어) 결단(력), 견인불발, 불굴, 확고부동 **3** 《미》 (의회 등의) 결의 ***keep*** **one*'s*** **~** 결심을 지속하다 ***make a*** **~** 결심하다 **re·sòlv·a·bíl·i·ty** *n.* Ⓤ 분해[용해]성 **re·sólv·a·ble** *a.*

▷ resolútion *n.*; résolute, resólvent *a.*

⁎re·solved [rizálvd | -zɔ́lvd] *a.* Ⓟ 결심한(determined); 단호한(resolute); 깊이 생각한, 숙고한: We are ~ *to* do our utmost. 우리는 최선을 다할 결심이다. **re·solv·ed·ly** [-zálvidli | -zɔ́l-] *ad.* **-sólv·ed·ness** *n.*

re·sol·vent [rizálvənt | -zɔ́l-] *a.* 분해하는, 용해하는, 용해력이 있는, (종기를) 가라앉히는 **—** *n.* 분해물; 〖수학〗 분해 방정식; 〖화학〗 용제(溶劑); 〖약학〗 (종기를) 가라앉히는 약

re·solv·er [rizálvər | -zɔ́lv-] *n.* 해결[해답]자; 결심자

re·sólv·ing pòwer [rizálviŋ- | -zɔ́lv-] (광학 기기·필름 등의) 해상력(解像力); (망원경의) 분해 능력

⁎res·o·nance [rézənəns] *n.* **1** ⓊⒸ 반향(echo), 울

thesaurus **resolute** *a.* determined, resolved, decided, firm, fixed, steadfast, bold, courageous, earnest, obstinate (opp. *irresolute*)

resolve *v.* **1** 결심하다 determine, decide, settle on, undertake **2** 분해[분석]하다 break down, separate, divide, disintegrate, dissolve, analyze, anatomize

림, 여운: a ~ box[chamber] 공명 상자 **2** Ⓤ 공명(共鳴); 〖전기〗 (파장의) 동조(同調), 공진(共振) **3** 중요성, 의의

résonance radiàtion 〖물리〗 공명(共鳴) 방사

res·o·nant [rézənənt] *a.* **1** 〈소리 등이〉 반향하는, 울려 퍼지는(resounding); 낭랑한 **2** 〈장소·물체 등이〉 반향을 일으키는, 울리는 《*with*》: a valley ~ *with* the songs of birds 새들의 노래 소리가 울려퍼지는 계곡 **3** 공명(共鳴)의, 공진(共振)의 **4** 〈주파수 등이〉 동조하는; 공명음의 **—** *n.* 〖음성〗 공명음 **~·ly** *ad.*

résonant càvity 〖전자〗 공진 공동(空洞)

résonant cìrcuit 〖전자〗 공진 회로

rés·o·nant-jét èngine [-dʒét-] 〖항공〗 = RESOJET ENGINE

res·o·nate [rézənèit] *vi.* **1** 공명[공진]하다 **2** 울려 퍼지다 **3** 〖천문〗 동조하다

res·o·na·tor [rézənèitər] *n.* 공명기(器), 공진기

re·sorb [rìːsɔ́ːrb | -zɔ́ːrb] *vt., vi.* 다시 흡수하다[되다]

re·sor·bent [rìːsɔ́ːrbənt | -zɔ́ːr-] *a.* 다시 흡수하는

res·or·cin·ol [rizɔ́ːrsənɔ̀ːl, -nɑ̀l | -nɔ̀l], **-cin** [-sin] *n.* Ⓤ 〖화학〗 레조르시놀 《염료 제조·의약·사진용》

re·sorp·tion [rìːsɔ́ːrpʃən | -zɔ́ːrp-] *n.* 재흡수; 흡수; 〖지질〗 융식(融食) 작용 《화성암 형성시 마그마가 재용융(再溶融)하는 과정》 **re·sórp·tive** *a.*

re-sort [rìːsɔ́ːrt] *vt.* 재분류[재구분]하다

‡**re·sort** [rizɔ́ːrt] *vi.* **1** 의지하다, (보통 달갑지 않은 수단에) 호소하다, 도움을 청하다 《*to*》: (~+전+명) ~ *to* violence 폭력을 쓰다 / They ~*ed to* a drastic measure. 그들은 강경 조치를 취했다. **2** (어떤 장소에) 자주 드나들다; (습관적으로) 잘 가다[다니다] 《*to*》: (~+전+명) ~ *to* a hot spring 온천에 잘 가다

— *n.* **1** [보통 수식어와 함께] **행락지,** 휴양지, 사람들이 자주 가는 곳, 《특히》 휴일의 오락장: a health ~ 보양지 / a holiday ~ 휴일의 유흥장 / a summer [winter] ~ 피서[피한]지 / a ~ hotel 행락지의 호텔 **2** ⓊⒸ 자주 드나들기; 많은 사람의 모임, 붐빔: a place of great[general, public] ~ 사람들이 많이 모여드는 곳 **3** Ⓤ 의뢰, 의지(recourse) 《*to*》; Ⓒ 의지가 되는 사람[것]; Ⓤ (최후의 수단으로서 보통 바람직하지 않은 수단에) 호소하기: oppose any ~ *to* arms 어떠한 무력 행사에도 반대하다

as a last ~ 최후의 수단으로서 ***have*** [***make***] ***~ to*** force[violence] (완력[폭력])에 호소하다 ***in the last ~*** 결국에는 ***without ~ to*** …에 의지[호소]하지 않고, …의 수단을 쓰지 않고 **~·er** *n.*

re-sound [rìːsáund] *vt., vi.* 다시 울리(게 하)다

∗**re·sound** [rizáund] *vi.* **1** 〈장소가〉 (소리 따위로) 울려 퍼지다, 반향하다 《*with*》: (~+전+명) The room ~*ed with* the children's shouts. 방안은 어린애들의 고함 소리로 가득 찼다. **2** 〈악기·소리 등이〉 **울리다,** 울다 《*through, around, in*》: A gong ~*ed*. 공[징]이 울렸다. **3** 〈사건·명성 등이〉 널리 알려지다, 떨치다 《*through, around*》: (~+전+명) ~ *around* the world 전세계에 널리 알려지다

— *vt.* **1** 반향시키다, 반향하다 **2** 큰소리로 말하다; 극구 칭찬하다, 찬양하다

re·sound·ing [rizáundiŋ] *a.* Ⓐ **1** 울려 퍼지는, 반향하는, 메아리치는 **2** 철저한, 완전한; 널리 알려진: a ~ success 대성공 **~·ly** *ad.*

‡**re·source** [ríːsɔːrs, -zɔːrs, risɔ́ːrs | rizɔ́ːs, -sɔ́ːs] *n.* **1** [보통 *pl.*] (한 나라의) **자원,** 재원, 자력(資力), 자산; (공급·원조의) 원천, 공급원, 물자: natural ~*s* 천연자원 / ~*s* of strength 힘의 원천 **2** (대처하는) **수단,** (만일의 경우에) 의지할 수 있는 것, 방편, 방책(shift): We had no other ~ but to wait and see. 기다리면서 관망하는 것 밖에 다른 방법이 없었다. **3** Ⓤ **기략**(機略), 변통하는 재주, 기지(wit) **4** 심심풀이, 오락 **5** [보통 *pl.*] 정신적 재능, 소질, 자질

a man of no ~s 무취미한 사람 ***a man of ~*** 기지가 있는 사람 ***a man of unlimitted ~*** 기지가 대단한 사람 ***at the end of*** one***'s ~s*** 백계가 다하여, 속수무책인 ***be thrown on*** one***'s own ~s*** 자기 힘으로 타개하지 않으면 안 될 처지가 되다 ***leave*** a person ***to his*** [***her***] ***own ~s*** …을 제멋대로 지내게 내버려 두다 ***without ~*** 의지할 곳 없이 **~·less** *a.*

▷ resóurceful *a.*

re·sóurce-básed páyment [-béist-] 능력급(給)

re·source·ful [riːsɔ́ːrsfəl, -zɔ́ːrs-] *a.* **1** 기략이 풍부한, 변통성 있는, 재치·수완이 비상한(quick-witted) **2** 자력이 있는, 자원이 풍부한 **~·ly** *ad.* **~·ness** *n.*

resp. respective(ly); respiration; respondent

re·speak [rìːspíːk] *vi.* 다시 말하다, 거듭 말하다 **—** *vt.* (되풀이해서) 반향하다, 울리다

‡**re·spect** [rispékt] *n., vt.*

> 「주목(注目)함」
> →(존경의 뜻을 갖고서의 주목)
> 「존중」 **2** 「존경」 **1** →(경의를 나타내는 것) →「인사」 **5**
> →(주목하는 곳)→「점」 **3 b**

— *n.* **1** Ⓤ **존경,** 경의 《*for*》 (opp. *disrespect*): in [out of] ~ *for* …에 경의를 표하여 / win[earn, command, gain] the ~ of …의 존경을 얻다 **2** Ⓤ **존중,** 중시 《*for, to*》: ~ *for* the elderly 연장자에 대한 존중[배려] **3 a** Ⓤ 주의, 관심, 고려 《*to*》 **b** [보통 in ~] **점**(point), 개소, 내용, 세목(detail) **4** Ⓤ 관계, 관련 《*to*》: have ~ *to* …에 관계가 있다 **5** [*pl.*] 인사, 문안, 안부 《*to*》: Give my ~*s to* your mother. 어머님께 안부 전해 주게. **6** 《고어》 고려(할 사항)

be held in ~ 존경 받다: He *is held in* great ~ by all his neighbors. 그는 이웃들로부터 많은 존경을 받고 있다. ***have ~ for*** …을 존경하다 ***have*** [***pay***] ***~ to*** …에 관심을 가지다, …을 고려하다 ***hold*** a person ***in ~*** …을 존경하다 ***give*** [***send***] one***'s ~s to*** …에게 안부하다(⇨ 5) ***in all*** [***many, some***] ***~s*** 모든[많은, 어느] 점에서 ***in every ~*** 모든 점에서: The plan is faulty *in every* ~. 그 계획은 모든 점에서 불완전하다. ***in no ~*** 어떠한 점에 있어서도 (전연) …않다 ***in ~ of*** [***to***] …에 관하여, …에 대하여(는)(with regard to) ***in ~ that*** …인 것을 생각하면, …이니까 ***in this*** [***that***] ***~*** 이[그] 점에 있어서 ***pay*** one***'s ~s to*** …에게 문안드리다, …에게 경의를 표하다 ***~ of persons*** 특별 대우, 편파적 대우 ***with all ~ for your opinion*** 말씀은 지당합니다만 ***with ~ to*** …에 관하여(는), …에 대하여(는)(as regards) ***without ~ to*** [***of***] …을 고려하지 않고, …을 무시하고

— *vt.* **1** **존경하다**; 중요시하다 《*for, as*》(opp. *despise*): ~ oneself 자존심이 있다 // (~+목+*as* 보) I ~ Mr. Smith *as* my leader. 나는 스미스씨를 지도자로서 존경하고 있다.

> 유의어 **respect** 가치 있는 것에 대하여 그것에 어울리는 경의를 표하다: *respect* him as a great scholar 위대한 학자로서 그를 존경하다 **esteem** 가치 있는 것에 대해 호의적인 감정이 담긴 경의를 표하다: His scholarship was highly *esteemed*. 그의 학식은 높이 평가 받았다. **admire** esteem보다도 더 강한 마음으로부터의 애정을 품고 있음을 암시한다: I *admire* him for his patience. 그의 참을성에는 탄복을 한다.

3 해결하다 solve, answer, work out, clear up
resource *n.* **1** 자원 reserve, reservoir, store, stock, supply, fund, accumulation, hoard, assets, materials, wealth **2** 수단 resort, way, device
respect *n.* esteem, regard, admiration, approval, appreciation, reverence, honor, praise

2 소중히 여기다, 존중하다: ~ a person's rights [wishes] …의 권리를 존중하다[희망을 고려하다] / He is a man who ~*s* his words. 그는 약속을 중히 여기는 사람이다. **3** 〈규칙·전통·관습 등을〉 지키다, 방해하지 않다, 침해하지 않다: ~ a person's silence 남의 침묵을 방해하지 않다 **4** 《고어》 관계하다, 관련되다 ***as ~s*** …에 관하여, …에 대하여 ***~ persons*** 《고어》 〈고위층 인사 등을〉 특별 대우하다, 사람에 따라 차별 대우하다(cf. RESPECTER)
▷ respéctful, respéctable *a.*

re·spect·a·bil·i·ty [rispèktəbíləti] *n.* (*pl.* **-ties**) **1** Ⓤ 존경할 만함, 인격의 고결, 훌륭한 태도[행위] **2** 체면, 체통; 상당한 지위[신용]가 있음, (생활 등이) 남부끄럽지 않음(decency) **3** 신분이 높은 사람들; 명사들; 《비꼼》 점잖은 분(prig) **4** [종종 *pl.*] 인습적인 예의[관습] ▷ respéctable *a.*

‡**re·spect·a·ble** [rispéktəbl] *a.* **1** 존경할 만한, 훌륭한: a ~ citizen 훌륭한 시민 **2** 품행이 방정한; 상당한 지위에 있는; 남부끄럽지 않은, 흉하지 않은(acceptable, presentable): a ~ suit of clothes 보기 흉하지 않은 옷 / a ~ neighborhood 사회적 지위가 있는 사람들이 사는 지역 **3** 점잔을 빼는, 남의 이목을 의식하는 **4** 《구어》 〈질·수량·크기 등이〉 상당한, 꽤 많은: a ~ amount[number] 상당량[수] / a ~ minority 소수이나 상당한 수
— *n.* [보통 *pl.*] 존경할 만한 사람, 훌륭한 사람
~·ness *n.* **-bly** *ad.* 훌륭하게; 꽤, 상당히; 흉하지 않게 ▷ respectabílity *n.*

re·spect·ant [rispéktənt] *a.* (문장(紋章)에서의) 〈동물 등이〉 서로 마주보고 있는

re·spect·ed [rispéktid] *a.* 훌륭한, 소문난; 높이 평가되는

re·spect·er [rispéktər] *n.* [보통 부정문; no ~ of로] 차별 대우하는 사람[것], 편파적인 사람[것]: Death is *no* ~ *of* wealth[persons]. 죽음은 재산의 다과를[사람을] 가리지 않는다.

*****re·spect·ful** [rispéktfəl] *a.* 경의를 표하는, 공손한, 정중한 《*to, toward*》, 존중하는: a ~ reply 정중한 답변 ***be ~ of*** tradition (전통)을 존중하다 ***keep*** [***stand***] ***at a ~ distance from*** …을 경원하다 **~·ness** *n.*

*****re·spect·ful·ly** [rispéktfəli] *ad.* 공손하게, 삼가, 정중하게 ***Yours*** (***very***) ~ = 《미》 ***R~*** (***yours***) 근배(謹拜) 《손윗 사람에게 보내는 편지의 정중한 맺음말》

re·spect·ing [rispéktiŋ] *prep.* …에 관하여[대하여](concerning, about)

*****re·spec·tive** [rispéktiv] *a.* Ⓐ

> respect *n.* **3 b**의 「점」에서 「개별적인 사항」→「개개의」, 「각자의」라는 뜻이 되었음.

저마다의, 각각의, 각자의 ★ 보통 복수 명사와 함께 씀.: the ~ countries 각 나라들 / the ~ merits of the candidates 후보자들의 각각의 장점 / They went off to their ~ jobs. 그들은 각각 자기의 일터로 떠났다. **~·ness** *n.*

*****re·spec·tive·ly** [rispéktivli] *ad.* [보통 문장 끝에 둠] 각각, 저마다, 제각기, 각자: The first, second, and third prizes went to Jack, George, and Frank ~. 1등상은 잭이, 2등상은 조지가, 3등상은 프랭크가 각각 받았다.

re·spell [rìːspél] *vt.* (**~ed, -spelt** [-spélt]) (음성 표기법으로) 바꾸어 철자하다; 〈말을〉 다시 철자하다

Res. Phys. Resident Physician

re·spi·ra·ble [réspərəbl, rispáiə-] *a.* 호흡하기에 알맞은; 호흡할 수 있는

res·pi·rate [réspərèit] *vt.* 인공호흡시키다

*****res·pi·ra·tion** [rèspəréiʃən] *n.* **1** Ⓤ 호흡; 한번 숨쉼, 단숨(breath) **2** Ⓤ 〖생리〗 호흡 작용: artificial ~ 인공호흡 **~·al** *n.*
▷ respíre *v.*; réspiratory *a.*

res·pi·ra·tor [réspərèitər] *n.* **1** (거즈) 마스크; 〖영국군〗 방독 마스크(gas mask) **2** 《미》 인공호흡 장치 ***a Drinker ~*** ⇨ DRINKER RESPIRATOR

re·spi·ra·to·ry [réspərətɔ̀ːri, rispáiə- | rispírətəri, -páiə-] *a.* 호흡 (작용)의, 호흡을 하기 위한: the ~ organs 호흡기 / a ~ disease 호흡기 질환 / ~ failure 호흡 부전

réspiratory distréss sỳndrome 〖병리〗 **1** (신생아의) 호흡 장애 증후군 **2** (성인의) 호흡 곤란 증후군

réspiratory énzyme 〖생화학〗 호흡 효소

réspiratory pígment 〖생화학〗 호흡 색소

réspiratory quòtient[**ràtio**] 〖생리〗 호흡률, 호흡비(比) 《내뱉는 탄산가스의 양과 외부로부터 흡수하는 산소량과의 비; 略 R.Q.》

réspiratory sỳstem 〖해부〗 호흡기계(系)

réspiratory tráct 〖해부〗 기도(氣道)

réspiratory trèe 〖동물〗 (해삼류의) 호흡수(樹)

re·spire [rispáiər] *vi.* **1** 호흡하다; 숨쉬다 **2** 휴식하다; 한숨 돌리다 — *vt.* 호흡하다; 《드물게·시어》 〈향기를〉 발산하다, 풍기다, (…한) 분위기가 되게 하다

res·pi·rom·e·ter [rèspərámətər | -rɔ́m-] *n.* 호흡계(計), 호흡 상태를 측정하는 기구

res·pi·rom·e·try [rèspərámətri | -rɔ́m-] *n.* 호흡 측정학

res·pite [réspit | -pait, -pit] *n.* **1** (일·고통 등의) 일시적 중지, 휴지(lull); 휴식; 휴식 기간 《*from*》: take a ~ *from* one's work 일을 잠시 쉬다 / The drug brought a brief ~ *from* the pain. 그 약은 고통을 잠시동안 잊게 해 주었다. **2** (채무 등의) 유예, 연기; (사형의) 집행 유예: a ~ for payment 지불 유예 ***put in ~*** 유예하다, 연기하다
— *vt.* **1** 〈고통 등을〉 일시적으로 덜어주다, …에게 휴식을 주다 **2** 〖법〗 …에게 형의 집행을 유예하다, 〈부채의 상환 독촉을〉 유예하다; 연기하다 **3** 〈봉급 지불을〉 정지하다

réspite càre 일시적 위탁; 임시 간호 《가족 대신 노인 환자나 장애자를 일시적으로 보살피는 제도》

re·splend [rispléndl] *vi.* 빛나다, 반짝이다

re·splen·dence, -den·cy [rispléndəns(i)] *n.* Ⓤ 광휘, 찬란함(brilliancy)

re·splen·dent [rispléndənt] *a.* 빛나는, 눈부시게 [빤짝빤짝] 빛나는, 찬란한 **~·ly** *ad.*

‡**re·spond** [rispánd | -spɔ́nd] *vi.* **1** (구두로) 대답[응답]하다 《*to*》(⇨ answer 유의어): 《~+전+명》 ~ *to* a question 질문에 답하다 **2** (동작으로) 응하다, 응수하다, 반응하다: ~ *to* a charity drive 자선 운동에 응하다 / Tom ~*ed* with rage *to* the insult. 톰은 모욕을 당하고 격노했다. **3** (자극 등에) 반응하다, 감응하다(react), 〈질병 등이〉 좋은 반응을 나타내다 《*to*》: 《~+전+명》 Nerves ~ *to* a stimulus. 신경은 자극에 반응한다. **4** 〖가톨릭〗 〈신도들이〉 응창[답창]하다 **5** 《미》 책임을 다하다, 배상하다 《*in*》
— *vt.* …이라고 대답하다, 응답하다
— *n.* **1** 〖건축〗 벽에 붙은 기둥; 대응주(對應柱); (아치를 받치는) 붙임 기둥 **2** 〖가톨릭〗 응창 성가(應唱聖歌); 응창하는 귀절(response) **~·er** *n.*
▷ respónse, respóndence *n.*; respóndent, respónsive *a.*

re·spon·dence, -den·cy [rispándəns(i) | -spɔ́n-] *n.* ⓊⒸ 적합, 대응, 일치; 대답, 응답(response) 《*to*》

re·spon·dent [rispándənt | -spɔ́n-] *a.* **1** 응하는, 감응[반응]하는 《*to*》 **2** 〖법〗 피고의 입장에 있는
— *n.* 응답자; 〖법〗 (특히 이혼 소송의) 피고

thesaurus **respective** *a.* separate, individual, personal, own, particular, specific, various
responsible *a.* **1** 책임 있는 accountable, answerable, blameworthy, guilty, culpable **2** 중책의 authoritative, executive, decision-making, powerful, high, important **3** 신뢰할 수 있는 trustwor-

‡re·sponse [rispɑ́ns | -spɔ́ns] *n.* **1** ⓊⒸ **응답**; 대답(answer, reply): a quick ~ 속답 / receive a positive[negative] ~ 긍정적[부정적]인 대답을 듣다 / She made no ~. 그녀는 아무런 대답이 없었다. **2** ⓊⒸ 감응, 반응; 〖생물·심리〗 (자극에 대한) 반응 **3** 〖가톨릭〗 [*pl.*] 응답문[가(歌)], 응창 《사제를 따라 합창대·신도들이 창화(唱和)하는》; 응창 성가(應唱聖歌)(responsory)(cf. VERSICLE); (신탁을 구하는 자에 대한) 신의 응답 **4** 〖카드〗 (브리지에서의) 리스폰스 **5** 〖컴퓨터〗 반응, 응답 ***call forth no ~ in*** a person***'s breast*** …의 마음 속에 아무 감흥도 일으키지 않다 ***in ~ to*** …에 응하여, …에 답하여
▷ respónd *v.*; respónsive *a.*

respónse cùrve 〖물리〗 (마이크로폰 등의) 응답 곡선

re·spons·er [rispɑ́nsər | -spɔ́n-] *n.* = RESPONSOR

respónse tìme 〖컴퓨터〗 응답 시간

respónse vàriable 〖통계〗 응답 변수

‡re·spon·si·bil·i·ty [rispɑ̀nsəbíləti | -spɔ̀n-] *n.* (*pl.* **-ties**) **1** Ⓤ **책임**, 책무, 의무 《*for, of, to*》: heavy ~ 중책 / a sense of ~ 책임감 / a position of ~ 책임 있는 지위 / accuse a person of ~ *for* …에 대한 책임에 관해 …을 추궁하다 / avoid ~ 책임을 회피하다

> 유의어 **responsibility** 자신이 떠맡거나, 또는 자신에게 주어진 일이나 의무를 수행하는 책임 **duty** 양심·정의감·도덕심에서 당연히 해야 할 의무: *duty* to one's country 국가에 대한 의무 **obligation** 특정한 입장·약속·계약·법률 등과 같은 사정에서 생기는 의무: financial or social *obligations* 재정적 또는 사회적 의무

2 (구체적인) 책임, 부담, 무거운 짐 《*to*》: A child is a ~ *to* its parents. 자식은 부모가 책임을 져야 하는 대상이다. **3** Ⓤ (미) 신뢰도(度), 확실성(reliability), 의무 이행 능력, 지불 능력
be relieved of one***'s ~***[***responsibilities***] 책임을 벗어나다 ★ 복수형일 경우에는 해고된다는 뜻의 완곡 표현으로도 씀. do it ***on*** one***'s own ~*** 자기 책임[독단]으로 (그것을 하다) ***take***[***assume***] ***the ~ of***[***for***] (do***ing***) …의 책임을 지다 ***take the ~ upon*** one***self*** 책임을 떠맡다
▷ respónsible *a.*

‡re·spon·si·ble [rispɑ́nsəbl | -spɔ́n-] *a.* **1 a** (…에 대하여) **책임이 있는**, 책임을 져야 할 《*to, for*》: feel oneself ~ *for* …의 책임을 느끼다 **b** 〈사물·사람이〉 …의 원인인, …을 초래하는 《*for*》: the person ~ *for* the incident 사건의 책임자[장본인] **2** 〈지위 등이〉 책임이 무거운, 중책의: a ~ office [position] 책임이 무거운 직[지위] **3** 분별[지각] 있는 **4** **신뢰할 수 있는**, 책임을 다할 수 있는, 확실한(reliable): a very grave and ~ man 매우 성실하게 책임을 수행할 수 있는 사람 **5** (미) 의무 이행 능력이 있는, 지불 능력이 있는
hold a person ***~ for*** …에게 …의 책임을 지우다 ***make*** one***self ~ for*** …의 책임을 맡다
~·ness *n.* **-bly** *ad.* 책임지고, 틀림없이
▷ responsibílity *n.*

re·spon·sions [rispɑ́nʃənz | -spɔ́n-] *n. pl.* (영) (Oxford 대학에서) B.A. 학위의 제1차 시험 《속어로 smalls라고도 함》(cf. MODERATION 3, GREAT *n.* 5)

∗re·spon·sive [rispɑ́nsiv | -spɔ́n-] *a.* **1** 바로 대답하는(answering); 반응[공명]하는, 민감한, 이해가 빠른; 반응을 잘 일으키는 《*to*》: a ~ government 민감하게 반응하는 정부 **2** 대답의, 대답을 나타내는: a ~ smile 대답을 나타내는 미소 **3** 응답 성가를 부르는
~·ly *ad.* 대답하여, 반응하여 **~·ness** *n.*

---

thy, reliable, dependable, competent
rest¹ *n.* **1** 휴식 repose, relaxation, leisure, ease, inactivity, respite, time-off **2** 수면 sleep, nap, doze, slumber, siesta **3** 평온 quietness, tranquillity, calmness, peace, stillness, silence **4** 정지 intermission, break, interval, pause

---

re·spon·sor [rispɑ́nsər | -spɔ́n-] *n.* 〖전자〗 (레이더의) 질문기(質問機) 수신부

re·spon·so·ry [rispɑ́nsəri | -spɔ́n-] *n.* (*pl.* **-ries**) 〖가톨릭〗 응창 성가(response) 《성서 낭독 후의 성가》

re·spon·sum [rispɑ́nsəm | -spɔ́n-] *n.* (*pl.* **-sa** [-sə]) 랍비(rabbi) 회답서 《유대교 율법에 관한 질문에의 답변》

re·spray [rì:spréi] *vt.* (과수(果樹) 등에) 다시 소독약을 분무하다; (자동차 등에) 재분무 도장하다
— *n.* 재분무 도장

re·spring [rì:spríŋ] *vt.* (가구의) 스프링을 갈다

res pu·bli·ca [rí:z-pʌ́blikə, réis-] [L] 국가, 공화국; 사회

res·sen·ti·ment [rəsɑ:nti:mɑ́:ŋ] [F] *n.* **1** 원한 **2** 간접적으로 나타내는 노여움 **3** 패배주의적인 토라진 태도; (자기보다 잘 사는 사람에 대한) 노여운 마음

‡rest¹ [rést] *n.* **1** ⓊⒸ **휴식**, 휴양; 수면: the day of ~ 안식일, 일요일 / allow an hour for ~ 휴식 시간 1 시간을 주다 / go to one's (final) ~ 영면하다, 죽다 **2** Ⓤ 안정(安靜); 안심; 평온: take a complete ~ 절대 안정하다 **3 a** 안식처, 숙소 **b** Ⓤ 잠자리; 무덤 **4** 정지; 〖음악〗 휴지, 쉼표; 〖운율〗 중간 휴지(caesura): bring a car to ~ 자동차를 멈추다 **5** (물건을 얹는) 대(臺), 받침대; (총포의) 조준대; (당구의) 큐걸이, 브리지, 레스트; 발판: a book ~ 서가 / a ~ for a billiard cue 당구의 큐걸이 ***at ~*** 휴식하여; 잠자고; 안심하여; 영면(永眠)하여; 정지하여; 해결되어 ***be called to*** one***'s*** (***eternal***) ***~*** (완곡) 돌아가시다 ***be laid to ~*** 매장되다; 〈사건 등을〉 끝마치다, 잊어버리다 ***come to ~*** 정지하다, 서다 ***give a ~*** 잠깐 쉬게 하다 ***Give it a ~.*** (구어) 조용히 좀 해. 《it은 상대방의 mouth를 가리킴》 ***go***[***retire***] ***to ~*** 잠자다 ***put***[***set***] a person***'s mind at ~*** …을 안심시키다, 쉬게 하다 ***set a question at ~*** 문제를 해결하다 ***take***[***have***] ***a***[one***'s***] ***~*** 쉬다, 잠자다 ***take*** one***'s fill of ~*** ⇨ fill
— *vi.* **1** 쉬다, 휴식하다 《*from*》; **휴양하다**, 충분히 쉬다 《*up*》: (~+전+명) ~ *from* work 일을 쉬다 **2** 드러눕다, 잠자다; 영면하다, 죽다: lie down to ~ 잠자리에 들다 // (~+전+명) ~ *in* the grave 지하에 잠들다 **3** 휴지하다, 정지(靜止)하다; 그대로 있다: (~+전+명) The ball ~*ed on* the lawn. 공은 잔디 위에 멈췄다. **4** [부정문에서] 안심하고 있다, 마음놓고 있다: (~+전+명) I can*not* ~ *under* these circumstances. 이런 상황에서는 안심할 수 없다. **5** 위치하다, 존재하다, 걸려 있다(lie) 《*on*》 **6** 〈농지가〉 휴경중이다, 묵고 있다: let land ~ 토지를 묵혀 두다 **7** 〈부담·책임 등이〉 …에게 걸려 있다, …의 책임이다 **8** 얹혀[받쳐져] 있다, 기대다 《*on, upon, against*》: (~+전+명) The columns ~ *on* their pedestals. 원기둥은 각기 받침대에 얹혀 있다. **9** 의지하다 《*on, upon*》; 희망을 걸다, 믿다 《*in*》: (~+전+명) ~ *in*[*on*] her promise 그녀의 약속을 믿다 / ~ *in* God 하느님을 믿다 **10** 기초[근거]를 두다, (증거 등에) 의거하다 《*on, upon*》: (~+전+명) Science ~*s on*[*upon*] phenomena. 과학은 현상에 기초를 둔다. **11** 〈결정·선택 등이〉 …(여하)에 달려 있다, …에게 있다 《*on, upon, with*》: (~+전+명) The choice ~*s with* you. 선택은 너의 자유다. **12** 〈눈·시선 등이〉 멈추다, 쏠리다 《*on, upon*》: (~+전+명) A smile ~*ed on* her lips. 미소가 그녀의 입가에 감돌았다. / Her eyes ~*ed on* the picture. 그녀의 눈은 그 그림에 머물렀다. **13** 〖법〗 〈변론·증거 제출을〉 자발적으로 중단하다
— *vt.* **1 a** **쉬게 하다**, 휴양시키다 《*from*》 **b** [~ one*self*로] 휴식하다 **c** 편히 쉬게 하다: *R*~[God ~]

his soul! 신이여, 그의 영혼을 고이 잠들게 하소서! **2** 〈토지 등을〉 묵히다 **3** 두다, 얹다, 기대게 하다 (*on, upon, against*): (~+목+전+명) ~ one's chin *on* one's hands 양손에 턱을 괴다 / ~ one's back *against* a tree 나무에 등을 기대다 **4** 〈눈길 등을〉 …에 멈추게 하다, …으로 돌리다 (*on*): (~+목+전+명) ~ one's gaze *on* a person …을 응시하다 **5** …에 기초를 두다, …에 의거하다 (*on, upon*): (~+목+전+명) He ~*s* his theory *on* three basic premises. 그의 이론은 세 가지의 기본적 전제에 기초를 두고 있다. **6** 〈희망 등을〉 …에 걸다: (~+목+전+명) ~ one's case *on* a single argument 단 하나의 논증에 의거하여 주장하다 **7** 〖법〗 증거 제출을 자발적으로 중단하다 ***I ~ my case.*** (익살) 자, 내가 말한 대로잖아. ***let the matter ~*** 문제를 그대로 두다 ***~ a case*** (사건의) 변론[입증]을 마치다 ***~ in peace*** (문어·완곡) 땅속에 잠들다, 영면하다: May he[his soul] ~ *in peace*! 고이 잠드소서!, 그의 명복을 비노라! ***~ on*** one***'s arms*** 무장한 채 쉬다; 마음을 놓지 않다 ***~ on*** one***'s oars*** (젓기를 멈추고) 노에 기대어 잠시 쉬다; 잠깐 쉬다, 한숨 돌리다 ***~*** one***self*** 휴식[휴양]하다 ***~ up*** 충분히 쉬다

~·er *n.* ▷ réstful, réstless *a.*

‡**rest²** [rést] [L 「뒤에 서다, 남다」의 뜻에서] *n.* **1** [the ~] 나머지, 잔여, 여분(remainder) (*of*): for *the ~ of* one's life 그 뒤에 죽을 때까지 / *the ~ of* the students 나머지 학생들 **2** [the ~; 복수 취급] 그 밖의 사람들[것들]: *The* ~ (of us) are to stay behind. 나머지 사람들은 뒤에 남기로 되어 있다. **3** [the ~] (영) 〖은행〗 적립금, 준비금; 차감(差減) 잔고(surplus) **4** (테니스 등에서) 공을 연속적으로 되받아치기(rally)

above (all) the ~ 특히, 그 중에서도 ***among the ~*** 그 중에 끼어서; 그 중에서도, 특히 ***and the ~*** = ***and all the ~ of it*** 기타 등등, 그 밖의 여러 가지 ***(as) for the ~*** 그 밖의 것은[에 대하여], 나머지는 ***as to the ~*** 그 밖의 점에 대하여는

— *vi.* **1** [보어와 함께] 여전히 …이다, …인 채로 이다[있다](remain): (~+보) ~ content[satisfied] 만족하고 있다, 흡족해 하고 있다 / The affair ~*s* a mystery. 사건은 여전히 오리무중이다. **2** (고어) 남아 있다, 잔존하다 ***R~ [You may ~] assured that*** I will keep my promise. (약속은 틀림없이 지키겠으니) 안심하시오. It ***~s with*** you to decide. (결정은 당신)에게 달려 있다.

rest³ *n.* 〖역사〗 (돌진할 때 창끝을 받치는 갑옷의) 창받침

re·stage [rìːstéidʒ] *vt.* 〈연극 등을〉 재공연하다

re·stamp [rìːstǽmp] *vt.* 다시 날인하다; 다시 우표를 붙이다; 재차 밟다

rést àrea (고속도로변에 있는) 운전자 휴게소

re·start [rìːstɑ́ːrt] *vt.* **1** 재출발시키다; 재시동 시키다 **2** (한때 중지한 후에) 재개하다, 다시 착수하다

— *vi.* 재출발하다; 재착수하다

— *n.* **1** 〖컴퓨터〗 재시동; 〖항공〗 재스타트 **2** [종종 R~] (영) (정부의 Restart scheme에 의한) 재취직 (촉진 제도)

re·state [rìːstéit] *vt.* 다시 말하다, 다시 성명하다, 바꿔[고쳐] 말하다 **~·ment** *n.*

‡**res·tau·rant** [réstərənt, -tərɑ̀ːnt | -tərɔ̀nt, -rɑ̀ːnt, -tərɔ̃ŋ] [F] *n.* 요리점, 레스토랑, 음식점; (큰 호텔 따위의) 식당: a Chinese ~ 중국 음식점 / a fancy ~ 고급 레스토랑

réstaurant càr (영) 식당차(dining car)

res·tau·ra·teur [rèstərətə́ːr | -tə-, -tɔ-] [F] *n.* 레스토랑 주인[지배인]

rést cùre 안정 요법 (주로 정신병의)

rést dày 휴일, 안식일; (드물게) 일요일

rest·ed [réstid] *a.* 활력이 넘치는, 기운찬

rést ènergy 〖물리〗 정지(靜止) 에너지

rést fràme 〖물리〗 정지 좌표계(座標系)

rest·ful [réstfəl] *a.* 편안한, 평온한; 고요한, 한적한: be ~ to the spirit 마음을 평온하게 하다 **~·ly** *ad.* **~·ness** *n.*

rest·har·row [résthæ̀rou] *n.* 〖식물〗 오노니스속(屬)의 유럽 초본 (뿌리가 질긴 잡초)

rést hòme 요양소, 휴양소

rést hòuse 1 (여행자의) 휴게[숙박]소 **2** 휴식의 집 (휴양지에 있는 숙박 시설 등)

res·tiff [réstif] *a.* (영·고어) = RESTIVE

res·ti·form [réstəfɔ̀ːrm] *a.* 그물 같은, 줄 모양의

réstiform bòdy 〖해부〗 삭상체(索狀體), 밧줄 모양체 (소뇌와 연결된, 연수 양쪽에 있는 밧줄 모양의 신경 섬유 다발)

rest·ing [réstiŋ] *a.* **1** 휴식[정지]하고 있는 **2** 〖생물〗 휴면하고 있는; 〈세포 등이〉 증식하지 않고 있는: a ~ stage 휴면기

rest·ing-place [réstiŋplèis] *n.* **1** 휴게소; 무덤 **2** 〖건축〗 층계참(landing)

res·ti·tute [réstətjùːt | -tjùːt] *vi., vt.* 원상으로 되돌리다, 반환하다; 배상하다; 회복하다

res·ti·tu·tion [rèstətjúːʃən | -tjúː-] *n.* Ⓤ **1** (정당한 소유자에게의) 반환, 상환 (*to, of*); 손해 배상 (*of*) **2** 복위(復位), 복직; 복구, 회복 **3** 〖물리〗 탄력에 의한 복구, 원상 회복 ***force[power] of ~*** 복원력(復原力) ***make ~ of*** …을 반환[상환, 배상]하다

rés·ti·tù·tive, -tú·to·ry *a.*

res·tive [réstiv] *a.* **1** 침착성이 없는, 들떠 있는: in a ~ mood 들뜬 기분으로 **2** 다루기 힘든, 힘에 부치는, 반항적인 **3** 〈말 등이〉 나아가기를 싫어하는 **~·ly** *ad.* **~·ness** *n.*

‡**rest·less** [réstlis] *a.* **1** 침착하지 못한, 들떠 있는: a ~ mood 들뜬 기분 **2** 불안한(uneasy); 잠 못 이루는: spend a ~ night 잠 못 이루는 밤을 지내다 **3** 끊임없는; 쉬지 못하게 하는; 부단히 활동하는: a man of ~ energy 활동가 **~·ly** *ad.* **~·ness** *n.*

réstless cávy 〖동물〗 야생 기니피그

rést màss 〖물리〗 정지 질량(靜止質量)

re·stock [rìːstɑ́k | -stɔ́k] *vt.* 새로 사들이다, 재고를 다시 채우다 (*with*)

re·stor·al [ristɔ́ːrəl] *n.* = RESTORATION

***res·to·ra·tion** [rèstəréiʃən] *n.* Ⓤ **1** 회복, 부활, 복구 (*of*): the ~ *of* order 질서의 회복 / the ~ *of* an ancient practice 옛 관행의 부활 **2** 본래의 상태[지위]로 돌아감, 복직, 복위 (*to*): one's ~ *to* health 건강의 회복 **3** 반환, 환부 (*of*): the ~ *of* stolen goods 도둑 맞은 물건의 반환 **4 a** 수복(修復), 복원 (미술품·문헌 등의), 복원 (작업) (*of*): the ~ *of* a painting 그림의 복원 / closed during ~*s* 보수중 휴업 **b** Ⓒ (건물 등의) 원형 복원(復元), 복원한 건물; 원형 모조 (사멸 동물 등의): a ~ of a dinosaur 공룡의 복원 모형 **5** 〖역사〗 [the R~] 왕정 복고 (1660년의 Charles Ⅱ의 복위); 왕정 복고 시대 (1660-85, 때로는 James Ⅱ의 통치 시대까지 포함하여 1688년까지) **6** 〖신학〗 만민 구제 **~·ism** *n.* Ⓤ 〖신학〗 만민 구제설 **~·ist** *n.* ▷ restóre *v.*

Restorátion cómedy 복고 희극 (영국의 왕정 복고(1660) 이후에 만들어진 희극)

re·stor·a·tive [ristɔ́ːrətiv | -stɔ́r-, -stɔ́ːr-] *a.* 부활[회복]의; 〈음식물·약제 등이〉 건강[원기]을 회복시키는 **—** *n.* 강장제; 의식 회복약 **~·ly** *ad.* ▷ restóre *v.*

‡**re·store** [ristɔ́ːr] *vt.* **1** 복구[재건]하다, 부흥하다, 회복하다, 부활시키다, 〈고건물·미술품 등을〉 복원[수복]

thesaurus **rest²** *n.* remainder, residue, balance, remnant, surplus, excess, remains, leftovers

restore *v.* **1** 재건하다 renovate, repair, fix, mend, refurbish, rebuild, reconstruct, remodel, revamp **2** 회복시키다 revitalize, refresh, revive **3** 되돌려 주다 put back, return, replace

restrain *v.* **1** 억제하다 control, subdue, check,

하다; 〈멸종 동물 등을〉 원형 복구하다: ~ law and order 치안을 회복하다/ ~ one's makeup 화장을 고치다 // (~+목+전+명) The decayed castle was *~d out of* all recognition. 폐허가 된 옛 성이 몰라볼 정도로 복구되었다. **2** [보통 수동형으로] 〈건강·원기·의식 등을〉 **회복시키다** (*to*): (~+목+전+명) He *is ~d to* health. 그는 건강을 회복했다. **3** 복직[복위]시키다 (*to*): (~+목+전+명) The banished king was *~d to* the throne. 추방되었던 왕은 복위하였다. **4** 〈유실물·도난품 등을〉 **되돌려 주다**, 반환하다: (~+목+전+명) The stolen document was soon *~d to* its owner. 도난 당한 문서는 곧 주인에게 반환되었다. // (~+목+목) Has he *~d* her the money? 그는 그 여자에게 그 돈을 되돌려 주었을까? **5** 〈문헌 등을〉 원래로 돌리다, 교정(校訂)하다: ~ a text 본문을 교정해서 원형으로 돌리다 **6** 〈가공 식품에〉 가공으로 손실된 영양가를 보충하다
~ to life 소생시키다, 부활시키다 **re·stór·a·ble** *a.* **re·stór·er** *n.* 원상 복구시키는 사람[것]
▷ restorátion *n.*; restórative *a.*

restórer gène 〖유전〗 (수정 능력) 회복 유전자
re·stór·ing sprìng [ristɔ́ːriŋ-] 〖기계〗 복원 스프링
restr. restaurant
re-strain [rìːstréin] *vt.* 다시 잡아당기다
‡**re·strain** [ristréin] [L 「뒤로 묶다」의 뜻에서] *vt.* **1** 〈감정·욕망 등을〉 **억제하다**, 누르다: ~ one's temper 감정을 누르다 **2** **구속**[검거, 감금]**하다**, 자유를 빼앗다 (*of*): ~ a person *of* his[her] liberty …의 자유를 빼앗다, 제한하다 **3** **제지하다**, 못하게 하다, 말리다 (*from*): (~+목+전+명) ~ a child *from* doing mischief 아이가 장난을 못하게 하다 **~ one-*self*** 참다, 자제하다 **~·a·ble** *a.* **~·ing·ly** *ad.*
▷ restráint *n.*
***re·strained** [ristréind] *a.* **1** **삼가는**, 절도 있는; 〈표현·문체 등이〉 자제된: give a ~ performance 절도 있는 연기를 하다 **2** 억제된, 억눌린; 차분한 **~·ly** *ad.*
re·strain·er [ristréinər] *n.* **1** 제지자; 억제자[물] **2** 〖사진〗 현상 억제제
re·stráin·ing òrder [ristréiniŋ-] 〖법〗 금지 명령
***re·straint** [ristréint] *n.* **1** UC **억제**, 제지; 금지; 억제력; C 억제하는 것: put a ~ on a person[a person's activity] …을[…의 활동을] 억제하다/be beyond ~ 억제할 수 없다 **2** U 구속, 속박; 검거, 감금; C 구속하는 것 **3** (선박의) 출항[입항] 금지 **4** UC 사양, 근신, 자제, 삼가기, 조심: throw[cast, shake] off all ~ 모든 자제심을 미련 없이 팽개치다/exercise ~ on spending 소비를 자제하다
be under ~ 감금되어 있다 ***in ~ of vice*** 악을 억제하고 ***put*** [***place, keep***] ***under ~*** 감금하다 (특히 정신 병원에) ***without ~*** 자유로이; 제멋대로; 거리낌없이 ▷ restráin *v.*
restráint of tráde (가격 고정 등에 의한) 거래 제한, 자유 거래 제한
re·strength·en [ristréŋkθən] *vt.* 재강화[재보충]하다
***re·strict** [ristríkt] *vt.* **1** **제한하다**, 한정하다 (*to, within*): (~+목+전+명) be *~ed within* narrow limits 좁은 범위에 한하다/The speed is *~ed to* 30 kilometers an hour here. 여기서 속도는 시속 30킬로로 제한되어 있다. **2** 〈자유·활동 등을〉 금지[제한]하다: ~ freedom of speech 언론의 자유를 제한하다 ▷ restríction *n.*; restríctive *a.*

---

suppress, repress, smother **2** 감금하다 tie up, bind, fetter, confine, lock up, imprison, detain, arrest **3** 제지하다 prevent, obstruct, hinder, inhibit
restrict *v.* limit, regulate, control, moderate, hinder, impede, hamper, handicap, restrain
result *n.* consequence, outcome, effect, reaction, end, conclusion, aftermath, product, fruits

---

***re·strict·ed** [ristríktid] *a.* **1** **제한된**, 한정된, 제약된(limited): have a ~ application 응용 범위가 제한되어 있다 **2** (미) 대외비의, 기밀의 〈문서 등〉: a ~ document 기밀 문서 **3** (미) 특정 집단[계층]에 한정된, (특히) 백인 그리스도 교도에게 한정된: a ~ hotel 백인 전용 호텔 (인종 차별론자의 완곡한 용법)/a ~ residential area 거주 제한 지역 (백인 전용 지구) **4** (미) 〈영화가〉 17세 미만은 부모 동반이 필요한 (略 R) **5** (일정 지역 내에) 구속된 **~·ly** *ad.*
restrícted área (미) (군인) 출입[통행] 금지 구역 (off-limits area)
restrícted cláss (경주 참가 요트의) 규격 인정급 (認定級)
restrícted stòck 제한부 주식 (일정한 조건을 붙여 회사의 직원에게 보수로서 지급하는 미등록 주식)
***re·stric·tion** [ristríkʃən] *n.* **1** UC **제한**, 한정; 〖논리〗 한정: without ~ 무제한으로 **2** UC 구속, 속박 **3** 제한[제약]하는 것, 제약, 규정: parking *~s* 주차 제한 규정: strict[tough, tight] ~ on …에 대한 엄격한 제약 **4** UC 사양
impose [***place, put***] ***~s on*** …에 제한을 가하다
lift [***remove, withdraw***] ***~s*** 제한을 해제하다
▷ restríct *v.*; restríctive *a.*
restríction ènzyme [**endonùclease**] 〖생화학〗 제한 효소 (이중 사슬 DNA를 특정 부위에서 절단하는 효소)
restríction fràgment 〖유전〗 제한 효소(restriction enzyme)에 의한 DNA 분자의 단편
re·stric·tion·ism [ristríkʃənìzm] *n.* U 제한주의[정책]; 무역 제한 (정책); 기계화[오토메이션] 제한 정책; 생산량 제한 정책 **-ist** *n., a.* 제한주의자(적인), 제한주의[정책](의)
restríction sìte 〖생화학〗 제한 부위 (제한 효소가 절단하는 이중 사슬 DNA상의 부위)
***re·stric·tive** [ristríktiv] *a.* **1** **제한**[한정, 구속]하는: a ~ monetary policy 금융 긴축 정책 **2** 구속성의; 〈특히 계약 등이〉 구속성을 지닌 **3** 〖문법〗 한정적인, 제한적인: the ~ use of relative pronouns 관계대명사의 제한적 용법 **~·ly** *ad.* 제한적으로 **~·ness** *n.*
▷ restríct *v.*
restríctive cláuse 제한 조항; 〖문법〗 제한절, 제한적 관계사절
restríctive cóvenant (미) (토지 사용) 제한 조약
restríctive endórsement 〖상업〗 (수표·증권의) 양도 제한 배서
restríctive práctices (영) (공익에 반하는) 기업 협정; (노조에 의한) 조합원이나 사용자의 행위 제한
re·stric·tor [ristríktər] *n.* 흐름 제한 장치
re·strike [rìːstráik] *vt.* (**-struck** [-strʌ́k]; **-struck, -strick·en** [-stríkən]) 다시 치다; 〈화폐를〉 다시 찍다, 개주하다 ── [ㅡㅅ] *n.* 개주화(改鑄貨); 원판을 재사용하여 찍은 판화
re·string [rìːstríŋ] *vt.* (**-strung** [-strʌ́ŋ]) (현악기·라켓 등에) 새 현[거트]을 갈아 달다
rést ròom (극장·호텔·백화점 등의) 화장실, 세면실
re·struc·ture [rìːstrʌ́ktʃər] *vt.* 재구성하다; 〈조직·제도 등을〉 개혁하다, 재편성하다 **-tur·er** *n.*
re·struc·tur·ing [rìːstrʌ́ktʃəriŋ] *n.* 〖경영〗 기업 혁신 전략, 리스트럭처링 (발전 가능성이 있는 방향으로 사업 구조를 바꾸거나 비교 우위에 있는 사업에 투자 재원을 집중적으로 투입하는 경영 전략)
rést stòp (간선 도로변의) 주차장, 휴게소; 휴게 정차
re·stud·y [rìːstʌ́di] *vt.* (**-stud·ied**) **1** 다시 학습[연구, 조사]하다 **2** 재평가하다
── *n.* 재연구[학습, 조사]
re·stuff [rìːstʌ́f] *vt.* 다시 채우다, 속을 고쳐 넣다
re·style [rìːstáil] *vt.* …을 다시 만들다, 모델을 바꾸다
‡**re·sult** [rizʌ́lt] [L 「뒤로 뛰다」의 뜻에서] *n.* **1** UC **결과**(opp. *cause*), 성과, 귀착, 결말; [보통 *pl.*] (시험·경기 등의) 성적, 최종 득점: meet with good *~s* 좋은 결과를 얻다/give instant *~s* 즉효가 있다/the

football ~*s* 축구 시합의 결과

> 유의어 **result** 어떤 행위·사항의 최종적인 결론의 결과로서, 구체적인 것을 보여주는 경우가 많다: the *result* of election 선거의 결과 **effect** cause의 상대 되는 말로서, 어떤 원인에서 생기는 직접적인 결과: achieve the desired *effect* 소기의 결과를 이룩하다 **consequence** 원인에 대한 직접적인 결과가 아니고, 어떤 사건과 관련하여 필연적으로 나타나는 결과: consider the *consequence* of one's decision 자기 결정의 결과를 고려하다

2 〖수학〗 결과, 답 **3** (미) (심의 기관·입법부의) 결의, 결정 **4** (영·구어) (축구 경기의) 승리 ***as a ~ of*** …의 결과로서 ***get ~s*** 결실을 맺다, 보람이 있다 ***in ~*** (미) 그 결과 ***in the ~*** 결국 ***The ~ was that ...*** 결과는 …이었다 ***without ~*** 헛되이 ***with the ~ that ...*** (문어) …이라는 결과가 되어, 그 결과로

— *vi.* **1** 결과로서 생기다; 기인[유래]하다 ((*from*)): War is sure to ~. 그 결과는 반드시 전쟁이 된다. // (~+전+명) Disease often ~*s from* poverty. 질병은 종종 빈곤에서 생긴다. **2** 귀착하다, 끝나다(end) ((*in*)): (~+전+명) ~ *in* heavy loss 큰 손실로 끝나다 / Their negotiation ~*ed in* failure. 그들의 협상은 결국 실패했다. **3** 〖법〗 복귀하다 ((*to*))

▷ resúltant, resúltful, resúltless *a.*

***re·sul·tant** [rizʌ́ltənt] *a.* 결과로서 생기는; 〈힘 등이〉 합성적인: a ~ force 〖물리〗 합력(合力)

— *n.* **1** 결과 ((*of*)) **2** 〖물리〗 합력, 합성 운동 **3** 협력, 협동 **4** 〖수학〗 종결식, 소거식(消去式) **~·ly** *ad.*

resúltant tóne 〖음악〗 결합음, 가음(加音)(combination tone)

re·sult·a·tive [rizʌ́ltətiv] *a.* 〖문법〗 〈동사·접속사·구 등이〉 결과를 나타내는, 귀결성의

re·sult·ful [rizʌ́ltfəl] *a.* 성과있는, 유효한 **~·ness** *n.*

re·sult·ing·ly [rizʌ́ltiŋli] *ad.* 결과적으로, 결국(as a result)

re·sult·less [rizʌ́ltlis] *a.* 무익한, 성과[효과]가 없는

‡**re·sume** [rizú:m | -zjú:m] *vt.* **1** 다시 시작하다, 다시 계속하다: ~ conversation 이야기를 다시 시작하다 / The House ~*d* work. 의회가 재개되었다. **2** 다시 차지하다, 재점유하다: ~ one's seat 자리에 다시 앉다 **3** 다시 착용하다: ~ one's hat 모자를 다시 쓰다 **4** 〈건강 등을〉 되찾다 **5** 〈이미 말했던 것을〉 요약하다 (cf. RÉSUMÉ)

~ the thread of one***'s discourse*** 이야기의 원줄거리로 돌아가다, 이야기의 실마리를 잇다

— *vi.* **1** 되찾다, 다시 차지하다 **2** 다시 시작하다, 계속하다 ***to ~*** [독립 부정사로서] 얘기를 계속하자면

re·súm·a·ble *a.* 되찾을[회복될, 재개할] 수 있는

ré·su·mé, re·su·me, re·su·mé [rézumèi, ⌐–⌐ | rézjumèi] [F] *n.* **1** 대략, 적요, 개요(summary)(cf. RESUME *vt.* 5) **2** (미) 이력서

re·sum·mon [rì:sʌ́mən] *vt.* 다시 소환[소집]하다

***re·sump·tion** [rizʌ́mpʃən] *n.* **1** 되찾음, 회수, 회복, 재점유 **2** UC (중단후의) 재개(再開); 〖은행〗 정금(正金) 지불 재개: We are hoping for an early ~ of peace talks. 평가 협상이 빨리 재개되기를 바라고 있다.

re·sump·tive [rizʌ́mptiv] *a.* **1** 개략의, 개설의, 요약의 **2** 되찾는; 다시 시작하는 **~·ly** *ad.*

re·su·pi·nate [risú:pənèit, -nət | -sjú:pinət] *a.* 〖식물〗 전도(轉倒)한, 〈잎이〉 위로 뒤틀린

re·su·pi·na·tion [risù:pənéiʃən | -sjù:-] *n.* U 〖식물〗 도립(倒立), 전도

re·sup·ply [rì:səplái] *vt.* 재공급[재보급]하다

re·sur·face [rì:sə́:rfis] *vt.* 표면을 갈아 붙이다, 다시 꾸미다, 〈도로의 표면을〉 재포장하다

— *vi.* 〈잠수함이〉 다시 수면에 떠오르다; 〈문제 등이〉 표면화하다 **-fac·er** *n.*

re·surge[1] [risə́:rdʒ] *vi.* 소생하다, 재기[부활]하다, 다시 나타나다

resurge[2] *vi.* 〈파도 등이〉 되돌아오다; 일진일퇴하다

re·sur·gence [risə́:rdʒəns] *n.* U 재기, 부활

re·sur·gent [risə́:rdʒənt] *a.* 소생[재기, 부활]하는

— *n.* 소생자, 재기[부활]자

res·ur·rect [rèzərékt] *vt.* **1** 소생[부활]시키다; 〈잊혀졌던 관습 등을〉 부활시키다: ~ an ancient custom 옛 관습을 부활시키다 **2** 〈시체를〉 파내다, 도굴하다(exhume) — *vi.* 소생하다, 부활하다, 되살아나다 **-réc·tor** *n.*

***res·ur·rec·tion** [rèzərékʃən] *n.* UC **1** [the R~] 그리스도의 부활; 전 인류의 부활 ((최후의 심판일에 있어서의)) **2** 부흥, 부활, 재유행 ((*of*)): a ~ *of* hope 희망의 소생 **3** 시체의 도굴(盜掘)

~·al [-ʃənl], **-tive** *a.* ▷ resurréct *v.*

res·ur·rec·tion·ar·y [rèzərékʃənèri | -ʃənəri] *a.* 부활의[하는]; 시체 도굴의

resurréction gàte = LICH GATE

res·ur·rec·tion·ism [rèzərékʃənìzm] *n.* (최후의 심판일에) 전 인류의 부활을 믿음; 시체 도굴

res·ur·rec·tion·ist [rèzərékʃənist] *n.* **1** 부활시키는 사람 ((잊혀졌던 것 등을)) **2** 죽은 사람의 부활을 믿는 사람 **3** (특히 해부용의) 시체 도굴자

resurréction màn = RESURRECTIONIST 3

resurréction pìe (영) 남은 음식으로 만든 파이

resurréction plànt 〖식물〗 **1** 부활초 **2** = ROSE OF JERICHO

re·sur·vey [rì:sərvéi] *vt.* 재측량[재답사, 재열람]하다 — [–⌐–, ⌐–⌐] *n.* 재측량; 재답사; 재열람

re·sus·ci·tate [risʌ́sətèit] *vt.* **1** 〈죽기 직전의 사람을〉 (인공호흡 등으로) 소생시키다 **2** 〈과거의 것을〉 부흥하다, 부활시키다 — *vi.* 소생하다, 부활하다

re·sùs·ci·tá·tion *n.* **-tà·tive** *a.*

re·sus·ci·ta·tor [risʌ́sətèitər] *n.* 소생[부활]시키는 것[사람]; 인공호흡기

ret [rét] *vt.*, *vi.* (**~·ted**; **~·ting**) (부드럽게 하기 위해) 〈삼 등을〉 물에 담그다, 습기에 쐬다; 〈건초 등이〉 습기에 썩다

ret. retain; retired; returned

re·ta·ble [ritéibl, rí:tèi-] *n.* (교회의) 제단 뒤의 선반 ((십자가·촛대 등을 세움)); 제단 뒤의 칸막이

re·tail** [rí:teil] [L 「다시 작은 조각으로 자르다」의 뜻에서] *n.* U 소매(小賣), 소매상, 산매(散賣)(opp. *wholesale*) ***at [(영) ***by***] ***~*** 소매로

— *a.* 소매의, 소매상의 ***a ~ dealer*** [***price, shop***] 소매 상인[가격, 가게]

— *ad.* 소매로: buy wholesale and sell ~ 도매가로 사고 소매가로 팔다

— *vt.* **1** 소매하다(opp. *wholesale*) **2** [ritéil] 자세히 이야기하다, 들은 말을 옮기다; 〈말을〉 퍼뜨리다

— *vi.* 〈상품이〉 …에 소매되다 ((*at, for*)): (~+전+명) It ~*s at* [*for*] 600 won. 그것은 소매로 600원이다.

rétail bànk (미) (일반 대중이나 중소기업을 거래처로 하는) 소액 거래 은행

re·tail·er *n.* **1** [rí:teilər] 소매 상인 **2** [ritéilər] (소문 등을) 퍼뜨리는 사람

re·tail·ing [rí:teiliŋ] *n.* 소매(업) (cf. WHOLESALING)

rétail pàrk 리테일 파크, 쇼핑 지구 ((교외에 주차장이 구비된))

rétail príce [the ~] 소매 가격

rétail príce ìndex [the ~] (영) 소매 물가 지수 ((略 RPI))

rétail stòre 소매(상)점

thesaurus **resume** *v.* carry on, take up, continue, proceed, go on, recommence, restart, reopen, recover, reinstitute

resurrection *n.* rebirth, renaissance, restoration, reintroduction, reestablishment, comeback

rétail thérapy ((익살)) 쇼핑 치료 ((우울할 때 쇼핑으로 기분을 전환하기))

‡**re·tain** [ritéin] [L 「뒤에 유지하다」의 뜻에서] *vt.* **1** 계속 유지하다, 간직하다, 보유[유지]하다: ~ one's right 권리를 보유하다 **2** 〈변호사 등을〉 고용하다(hire) **3** 〈관습·제도 등을〉 (폐지하지 않고) 존속시키다: ~ an old custom 옛 관습을 존속시키다 **4** 잊지 않고 있다, 마음에 간직하다: (~+목+전+명) ~ the fact *in* memory 그 사실을 잊지 않고 있다

re·tàin·a·bíl·i·ty *n.* **~·a·ble** *a.* **~·ment** *n.*

▷ reténtion *n.*; reténtive *a.*

re·táined éarnings[**prófit**] [ritéind-] 〖회계〗 (사내) 유보 이익, 이익 잉여금

retáined óbject 〖문법〗 보류 목적어 ((I was given *this watch* (by my uncle). / This watch was given *me* (by my uncle).에서 *this watch, me* 등 이중 목적어의 수동태에서 남아 있는 목적어))

retáined óbject cómplement 〖문법〗 보류 목적 보어

re·tain·er[1] [ritéinər] *n.* **1** 보유자, 보유물 **2** 〖역사〗 가신(家臣), 신하, 종자(從者)(follower) **3** 〖기계〗 (베어링이 들어 있는) 축받이통 **4** (치열 교정용의) 치아 고정 장치

retainer[2] *n.* 〖법〗 변호 약속, 소송 의뢰(서); 변호사 의뢰료(retaining fee)

re·tain·ing [ritéiniŋ] *a.* Ⓐ (일정하게) 보유하는, 유지하는

retáining fèe 변호사 의뢰료, 착수금(retainer)

retáining fòrce 〖군사〗 견제 부대

retáining wàll 옹벽(擁壁)

re·take [rì:téik] *vt.* (**-took** [-túk]; **-tak·en** [-téikən]) **1** 다시 잡다; 도로 찾다, 회복하다 **2** 〖사진·영화〗 〈장면을〉 다시 찍다; 재녹음하다

— [⌐⌐] *n.* 〖사진·영화〗 다시 찍기, 재촬영(한 사진)

re·tal·i·ate [ritǽlièit] *vi.* **1** (같은 수단으로) 보복하다, 앙갚음하다, 응수하다 ((*to, for*)); 악으로 갚다 ((*on, upon, against*)): (~+전+명) ~ *for* an injury 상해에 대해 같은 수단으로 보복하다 / ~ *on*[*upon*] one's enemy 적에게 복수하다 **2** 보복 과세하다

— *vt.* 보복하다, 앙갚음하다 **-à·tor** *n.*

re·tal·i·a·tion [ritæ̀liéiʃən] *n.* Ⓤ (같은 수단으로의) 앙갚음, 보복 ***in ~ of***[***for***] … 의 보복으로

re·tal·i·a·tive [ritǽlièitiv | -liə-] *a.* = RETALIATORY

re·tal·i·a·to·ry [ritǽliətɔ̀:ri | -təri] *a.* 보복적인, 앙갚음의, 복수심이 강한: ~ tariff 보복 관세

***re·tard** [ritɑ́:rd] [L 「뒤로 늦추다」의 뜻에서] *vt.* **1** 속력을 늦추다(opp. *accelerate*); 시간이 걸리게 하다, 지체시키다; 방해하다(hinder) **2** 〈성장·발달·진행을〉 방해하다, 저지하다(⇨ retarded): Smoking ~*s* growth. 흡연은 성장을 저해한다.

— *vi.* 〈특히 조수의 간만·천체의 운행 등이〉 늦어지다, 지연되다

— *n.* **1** UC 지체, 지연; 방해, 저지 **2** [rí:tɑrd] ((미·구어)) 지진아, 정신 박약자

at ~ 지체되어, 방해되어 ***in ~*** 늦어서 ((*of*)), 지체당하여, 〈성장·진행 등이〉 방해되어서 ***the ~ of the tide***[***high water***] 〖천문〗 지조(遲潮) 시간 ((만월과 그 뒤의 만조와의 사이)) **~·ing·ly** *ad.*

re·tard·ant [ritɑ́:rdnt] *a., n.* 저지하는[늦추는] (것); 〖화학〗 지연[억제]제 **-ance, -an·cy** *n.*

re·tar·da·taire [ritɑ̀:rdətɛ́ər] *a.* 〈예술 작품·건축물이〉 이전[시대에 뒤진] 양식으로 만들어진

re·tar·date [ritɑ́:rdeit] *a.* 지능 발달이 더딘

— *n.* 〖심리·교육〗 지능 발달이 더딘 사람

retain *v.* **1** 간직하다 keep, maintain, preserve, reserve **2** 마음에 간직하다 remember, memorize, recall, recollect, keep in mind

retard *v.* slow down, delay, hinder, obstruct, impede, interrupt, thwart, frustrate

re·tar·da·tion [rì:tɑ:rdéiʃən] *n.* UC **1** 지연; 저지, 방해; 지체[방해]량 **2** 〖물리〗 감속도(opp. *acceleration*); 방해물: acceleration and ~ 가속과 감속 **3** 지능 발달의 지연

re·tard·a·tive [ritɑ́:rdətiv] *a.* 지체시키는; 방해[저지]하는; 〈속도를〉 느리게 하는

re·tard·a·to·ry [ritɑ́:rdətɔ̀:ri | -təri] *a.* = RETARDATIVE

re·tard·ed [ritɑ́:rdid] *a.* 〖교육〗 〈어린이가〉 정서·지능·학력 발달이 더딘: a ~ child 지진아

re·tard·ee [ritɑ̀:rdí:, -⌐⌐] *n.* ((미)) 〖심리·교육〗 지능 지진아; 정신 박약아

re·tard·er [ritɑ́:rdər] *n.* 지연시키는 사람[물건]; 〖화학〗 억제제; (시멘트의) 응결 지완제(遲緩劑)

re·tard·ment [ritɑ́:rdmənt] *n.* = RETARDATION

re·tar·get [rì:tɑ́:rgit] *vt.* **1** 〈로켓 등을〉 새로운 목표를 향하게 하다, (…의) 목표[표적]를 바꾸다 **2** 〈상품을〉 새로운 구매자층에게 맞추다; (일 등의) 목표[일정]를 변경하다: ~ the completion of the job 일의 완성 예정을 변경하다

re·taste [rì:téist] *vt.* 다시 맛보다

retch [rétʃ] *vi.* 구역질나다

유의어 **retch** 헛구역질하다 **vomit** 실제로 토하다

— *n.* 메스꺼움; 구역질(하는 소리)

retd. retained; retired; returned

re·te [rí:ti] *n.* (*pl.* **-ti·a** [-ʃiə, -ʃə, -tiə]) 〖해부〗 (신경·혈관 등의) 망(網), 망상 조직(plexus)

re·teach [rì:tí:tʃ] *vt.* 재교육하다

re·tell [rì:tél] *vt.* (**-told** [-tóuld]) 다시 말하다, 되풀이하다; 형태를 고쳐 말하다: old Greek tale *retold* for children 어린이용으로 고쳐 쓴 그리스의 옛 이야기

re·tell·ing [rì:téliŋ] *n.* 다시 만든[개작된] 이야기

re·ten·tion [riténʃən] *n.* UC **1** 보류, 보유, 유지 **2** 유치, 구치, 감금; 〖스코법〗 압류(押留), 차압 **3** 보유력(力); 기억(력): high in imagination and strong in ~ 뛰어난 상상력에 기억력도 좋은 **4** 〖보험〗 보유(액) **5** 〖병리〗 정체, 체류 ***~ of urine*** 폐뇨(閉尿)

re·ten·tion·ist [riténʃənist] *n., a.* (사형 제도의) 존속 지지자(의)

re·ten·tive [riténtiv] *a.* **1** 보유하는 ((*of*)), 보유력이 있는; 습기를 유지[간직]하는 ((*of*)): be ~ *of* heat [moisture] 열[습기]을 잘 간직하는 **2** 기억력이 좋은: a ~ memory 좋은 기억력 **3** 〖의학〗 〈붕대 등을〉 움직이지 않게 하는 **~·ly** *ad.* **~·ness** *n.*

re·ten·tiv·i·ty [rì:tentívəti] *n.* Ⓤ **1** 유지[보존]력; 기억력 **2** 〖물리〗 보자성(保磁性)

re·test [rì:tést] *vt.* 재시험[재분석]하다

— [⌐⌐] *n.* 재시험, 재분석

re·tex·ture [rì:tékstʃər] *vt.* (약품을 써서) 재생 처리하다 — *n.* 재생 처리

re·think [rì:θíŋk] *vt., vi.* (**-thought** [-θɔ́:t]) 재고하다, 생각을 고치다 — [⌐⌐] *n.* [보통 a ~] ((주로 영)) 재고(再考): have *a* ~ 재고하다

R. et I. *Rex et Imperator* ((L = King and Emperor)); *Regina et Imperatrix* ((L = Queen and Empress))

re·ti·a [rí:ʃiə, -ʃə, -tiə] *n.* RETE의 복수

re·ti·ar·y [rí:ʃièri | -tiəri, -ʃiəri] *a.* 그물을 쓰는; 〈거미가〉 그물 줄을 치는; 그물 모양의

ret·i·cence [rétəsəns] *n.* UC (성격적인) 과묵, 말수가 적음; (입을) 조심함 ((*of*))

ret·i·cen·cy [rétəsənsi] *n.* = RETICENCE

ret·i·cent [rétəsənt] *a.* **1** 과묵한; 말을 삼가는 ((*on, upon, about*)) **2** 〈표현 등을〉 억제한 **~·ly** *ad.*

ret·i·cle [rétikl] *n.* **1** 〖전자〗 레티클 ((주로 LSI 등의 회로 패턴을 정착시킬 때 쓰는 원판(原版))) **2** 〖광학〗 (망원경 등의) 십자선, 망선(網線)

re·tic·u·la [ritíkjulə] *n.* RETICULUM의 복수

re·tic·u·lar [ritíkjulər] *a.* **1** 그물 모양의; 복잡하게 얽힌 **2** 〚해부〛 망상의; 벌집 위의 **~·ly** *ad.*

retícular formátion 〚해부〛 망양체(網樣體) 《뇌간(腦幹)부 신경 세포의 조직》

re·tic·u·late [ritíkjulət, -lèit] *a.* **1** 그물 모양의, 망상의; 망상 조직의; 그물로 뒤덮인 **2** 〚식물〛 망상맥의 **3** 〚생물〛 망상 진화의 **—** *v.* [-lèit] *vt.* 그물 모양으로 만들다; 그물[그물 모양인 것]로 덮다[표시하다] **—** *vi.* 그물 모양이 되다 **~·ly** *ad.*

re·tic·u·lat·ed [ritíkjuleitid] *a.* 망상 조직[그물망]으로 생긴[배열된]

retículate pýthon 〚동물〛 그물비단구렁이 《동남아산(産)》

re·tic·u·la·tion [ritìkjuléiʃən] *n.* [종종 *pl.*] **1** 그물코, 망상 조직, 그물 세공(network) **2** 〚사진〛 그물 모양의 주름 《감광 유제(乳劑)에 생기는》 **3** 수도관 망

ret·i·cule [rétikjù:l] *n.* **1** 여자용 손가방, 그물 주머니 **2** = RETICLE

re·tic·u·lo·cyte [ritíkjuləsàit] *n.* 〚해부〛 망상 적혈구

re·tic·u·lo·en·do·the·li·al [ritìkjulouèndouθí:liəl] *a.* 〚해부〛 세망내피계(細網內皮系)의

reticuloendothélial sỳstem 〚면역〛 세망내피계 《略 RES》

re·tic·u·lose [ritíkjulòus] *a.* = RETICULATE

re·tic·u·lum [ritíkjuləm] *n.* (*pl.* **-la** [-lə]) **1** 그물 모양의 것, 망상 조직; 〚해부〛 세망(細網) **2** 봉소위(蜂巢胃), 벌집위 《반추 동물의 제2위》

re·ti·form [rí:təfɔ̀:rm, rét-] *a.* 그물 모양의

retin- [rétən] 《연결형》 「망막(retina)」의 뜻 《모음 앞에서는 retin-》

ret·i·na [rétənə] *n.* (*pl.* **~s, -nae** [-nì:]) 〚해부〛 (눈의) 망막 **~ *burns*** 〚군사〛 망막 화상

ret·i·nal[1] [rétənəl] *a.* (눈의) 망막의

ret·i·nal[2] [rétənæ̀l, -nɔ̀:l | -næ̀l] *n.* 〚생화학〛 레티날, 비타민 A 알데히드

ret·i·nene [rétənì:n] *n.* 〚생화학〛 레티넨

ret·i·nite [rétənàit] *n.* 〚광물〛 수지석(樹脂石)

ret·i·ni·tis [rètənáitis] *n.* Ⓤ 〚병리〛 망막염

retinítis pig·men·tó·sa [-pìgmentóusə, -mən-] 〚안과〛 색소성 망막염

retino- [rétənou, -nə] 《연결형》 = RETIN-

ret·i·no·blas·to·ma [rètənoublæstóumə] *n.* (*pl.* **~s, ~ta** [-mətə]) *n.* 〚병리〛 망막아종(芽腫)

ret·i·noid [rétənɔ̀id] *n.* 〚생화학〛 레티노이드

ret·i·nol [rétənɔ̀:l, -nɑ̀l | -nɔ̀l] *n.* **1** = VITAMIN A **2** 〚화학〛 레티놀

ret·i·nop·a·thy [rètənɑ́pəθi | -nɔ́p-] *n.* 〚안과〛 망막증

ret·i·no·scope [rétənəskòup] *n.* 〚안과〛 (눈의) 검영기(檢影器)

ret·i·nos·co·py [rètənɑ́skəpi, rétənəskòu-] *n.* 〚안과〛 망막 검영법

ret·i·no·tec·tal [rètənoutéktəl] *a.* 망막 시개(網膜視蓋) 사이의

ret·i·nue [rétənjù: | -njù:] *n.* [집합적] (특히 왕후·귀족·고관의) 종자(從者), 수행원[단]: be in the ~ of …에 수행하다 **rét·i·nued** *a.*

re·tin·u·la [ritínjulə] *n.* (*pl.* **-lae** [-li:]) 〚해부〛 자망막(子網膜) 《절지동물의 복안·단안의 가장 안쪽 감광층》

re·tir·a·cy [ritáiərəsi] *n.* (미) 퇴직, 은퇴

re·tir·al [ritáiərəl] *n.* (스코) 은퇴, 퇴직; 퇴각, 철퇴

re·tir·ant [ritáiərənt] *n.* 퇴직자(retiree)

‡**re·tire** [ritáiər] [L 「뒤로 끌다」의 뜻에서] *vi.* **1** 퇴직하다, 은퇴하다 《*from, into*》(⇨ resign 유의어): (~+전+명) ~ *from* business 폐업하다, 사업에서 은퇴하다 / ~ *into* a country 낙향하다, 시골에 은둔하다 **2** 자다, 잠자리에 들다 《USAGE go to bed보다 형식적인 말》: (~+전+명) ~ *to* rest[bed] 취침하다 // (~+부) I ~*d* late that evening. 그날 밤 늦게 잠자리에 들었다. **3** 〈군대가〉 후퇴하다, 철수하다

> 유의어 **retire** 계획적으로 후퇴[철수]하는 경우, 또는 이를 완곡하게 표현할 때 쓴다: *retire* before (the advance of) the enemy 적의 진격에 철수하다 **retreat** 부득이 후퇴하다: *retreat* from a blockhouse 작은 요새에서 후퇴하다

4 물러가다; 식당에서 응접실로 물러나다(withdraw): (~+전+명) I ~*d to* my room[study]. 나는 내 방으로[서재로] 물러갔다. **5** 〈해안선이〉 쑥 들어가다; 〈파도 등이〉 물러가다 **6** 〚경기〛 (부상 등으로) 퇴장하다; 〚펜싱〛 뒤로 물러나다 **7** 〚크리켓〛 아웃이 되어 물러나다 **—** *vt.* **1** 〈어음·지폐 등을〉 회수하다 **2** 퇴거[후퇴]시키다 **3** 은퇴[퇴직, 퇴역]시키다 《*from*》 **4** 감추다, 움츠리다; 물러나게 하다; 〈기계 등을〉 폐기하다 **5** 〚야구·크리켓〛 〈타자를〉 아웃시키다, (교대를 위해) 선수를 퇴장시키다

~ *into* oneself 갑자기 말이 없어지다, 혼자 생각에 잠기다; 세상을 등지다 **~ *on a pension* [*under the age clause*]** 연금 수혜자로[정년으로] 퇴직하다

— *n.* **1** (드물게) 은퇴, 은거; 피난소, 은거처 **2** 〚군사〛 후퇴 (신호의) 나팔(retreat)

▷ retírement *n.*

***re·tired** [ritáiərd] *a.* **1** 은퇴한, 퇴직한, 퇴역한: a ~ life 은퇴 생활, 세상을 등진 생활 / a ~ pension = ~ pay 퇴직 연금 **2** 삼가는, 사양하는; 비사교적인 **3** 외딴, 구석진, 궁벽한: a ~ valley 궁벽한 골짜기 **~·ly** *ad.* **~·ness** *n.*

retíred líst [the ~] (영) 퇴역 장교 명부; (미) 퇴역군인 명부

re·tir·ee [ritàiərí:, ‒⌐‒] *n.* (미) 퇴직자, 은퇴자

***re·tire·ment** [ritáiərmənt] *n.* **1** UC 은퇴, 은거; 퇴거 **2** UC 퇴직, 퇴역 **3** 은거 기간, 정년 후의 기간 **4** (퇴직자용의) 연금 **5** 은거하는 곳, 외딴 곳, 벽촌 **6** (채권 등의) 회수 ***go into* ~** 은거[은퇴]하다 ***live* [*dwell*] *in* ~** 한거하다

— *a.* 퇴직의, 퇴직자의

retírement commùnity (미) 노인[퇴직자] 주택지구[공동 생활체]

retírement hòme 퇴직자[노인] 전용 아파트

retírement pày 퇴직금

retírement pènsion (영) 퇴직 연금

retírement plàn 개인 퇴직금 적립 계획; 퇴직자 연금 제도(pension plan)

***re·tir·ing** [ritáiəriŋ] *a.* **1** Ⓐ (영) 퇴직(자)의; 은퇴하는; 은거하고 있는: a ~ allowance 퇴직금[수당] / a ~ place 은거 장소 / a ~ room (완곡) 화장실 / The company's official ~ age is 65. 회사의 공식 은퇴 연령[정년]은 65세이다. **2** 내향적인, 삼가는 (reserved), 수줍은(shy)

~·ly *ad.* **~·ness** *n.*

retíring collèction 설교[연주회] 후의 헌금

re·told [ri:tóuld] *vt.* RETELL의 과거·과거분사

re·took [ri:túk] *vt.* RETAKE의 과거

re·tool [ri:tú:l] *vt., vi.* **1** (공장 등의) 기계 설비를 재정비[근대화]하다; (미·캐나다) 개조하다, 재편성하다 **2** (미·구어) 자기 변혁을 하다

re·tor·na·do [rètɔ:rnɑ́:dou] [Sp., Port. 「돌아온 사람」의 뜻에서] *n.* (*pl.* **~s**) **1** 외국 돈벌이에서 돌아온 스페인 사람 **2** 구식민지에서 돌아온 포르투갈 사람

re·tor·sion [ritɔ́:rʃən] [F] *n.* Ⓤ 〚국제법〛 (관세 정책에 의한) 보복(cf. REPRISAL)

***re·tort**[1] [ritɔ́:rt] *vt.* **1** 반박[항변]하다; (공격·비난 등에) 보복하다, 앙갚음하다 《*on, against, upon*》: ~ an insult 모욕을 앙갚음하다 // (~+목+전+명) ~ an argument *against* a person …의 주장을 반박하다

thesaurus **retreat** *n.* **1** 퇴각 withdrawal, decamping, departure, flight, evacuation **2** 은둔 seclusion, solitude **3** 은거처 refuge, haven, shelter,

2 말대꾸하다, 맞받아 응수하다[쏘아 붙이다] 《*on, upon, against*》: (~+목+전+명) ~ a jest *on* a person …의 농담을 받아 넘기다
— *vi.* 역습[반격]하다, 보복하다; 말대꾸하다, 반박[항변]하다 《*on, upon, against*》: (~+전+명) He *~ed upon* me for what I said. 그는 내가 한 말에 대해 반박했다.
— *n.* UC **1** 말대꾸, 맞받아 응수하기 **2** 역습; 반박

retort² *n.* **1** 〖화학〗 레토르트, 증류기 **2** 식품[통조림]의 멸균 장치 — *vt.* **1** 〈수은 등을〉 레토르트로 건류(乾溜)하다, (밀폐해서) 고열 처리하다 **2** 〈통조림 식품을〉 압력솥에 넣고 멸균하다

retort² *n.* 1

re·tort·er [ritɔ́:rtər] *n.* 반박[말대꾸]하는 사람

re·tor·tion [ritɔ́:rʃən] *n.* **1** U 되구부림, 비틀기 **2** 〖국제법〗 =RETORSION **3** 보복, 복수

retórt pòuch 레토르트 식품[포장] 《가열한 살균 식품을 내열 플라스틱에 밀봉한 것》

re·touch [ri:tʌ́tʃ] *vt.* **1** 〈그림·사진·문장 등을〉 손질하다, 수정 [가필]하다 **2** 〈새로 심은 모발을〉 (부분) 염색하다 — [´-, `-´] *n.* **1** (그림·사진·문장 등의) 손질, 수정 (부분); 가필 (부분) **2** 모발의 부분 염색 **3** 〖고고학〗 2차 가공(물) **~·a·ble** *a.* **~·er** *n.*

re·trace [ri:tréis] *vt.* 〈그림이나 글씨 등을〉 다시 본떠 그리다, 다시 덧그리다

re·trace [ri:tréis | ri-, ri:-] *vt.* **1** 되돌아가다 《같은 길을》: ~ one's steps[way] 온 길을 되돌아가다 **2** 근원을 찾다, 거슬러 올라가 조사하다 **3** 되살피다; 회고[추상]하다 **~·a·ble** *a.* **~·ment** *n.*

***re·tract** [ritrǽkt] [L 「뒤로 끌다」의 뜻에서] *vt.* **1** 〈혀 등을〉 쑥 들어가게 하다, 오그라뜨리다: ~ fangs 엄니를 집어넣다 **2** 〈한 말을〉 취소하다, 〈약속·명령 등을〉 철회하다 **3** 〈착륙 장치 등을〉 기체 내로 끌어들이다; 〈코드·카메라의 삼각대 등을〉 접다, 집어넣다: ~ a plane's landing gear (이륙 후) 비행기의 바퀴를 안으로 접어 넣다
— *vi.* **1** 쑥 들어가다, 오그라들다 **2** 한 말을 취소[철회]하다 《*from*》 **3** 뒷걸음질 치다
rè·trac·tá·tion *n.* UC (앞서 한 말의) 취소, 철회

re·tract·a·ble [ritrǽktəbl] *a.* **1** 취소[철회]할 수 있는 **2** 쑥 들어가게 할 수 있는; 신축 자재의

re·trac·tile [ritrǽktil, -tl | -tail] *a.* 〖동물〗 신축 자재의, 신축 가능한; (고양이 발톱처럼) 쑥 들어가게 할 수 있는(opp. *protrusile*)
rè·trac·tíl·i·ty *n.* U 신축성

re·trac·tion [ritrǽkʃən] *n.* UC **1** 〈동물이 기관 등을〉 움츠림(opp. *protrusion*); 수축력 **2** (의견·약속 등의) 취소, 철회(retractation)

re·trac·tive [ritrǽktiv] *a.* 쑥 들어가게 하는, 움츠리는; 수축성의: ~ muscles 수축근
~·ly *ad.* **~·ness** *n.*

re·trac·tor [ritrǽktər] *n.* **1** 끌어당기는 사람[물건]; 앞서 한 말을 취소하는 사람, 철회자 **2** 〖해부〗 수축근(opp. *protractor*) **3** 〖외과〗 견인기(器) 《상처를 비집는 기구》, 견인 붕대 **4** 〖총포〗 추통자(抽筒子) 《발사 후 탄피를 끄집어 내는》

re·train [ri:tréin] *vt.* 재교육[재훈련]하다 — *vi.* 재교육[재훈련] 받다 **~·a·ble** *a.* **~·ing** *n.*

re·train·ee [ri:treiní:] *n.* 재교육[재훈련]을 받는 사람

re·tral [rí:trəl, rét-] *a.* 뒤쪽의, 후방의, 배후에 있는 **~·ly** *ad.*

re·trans·fer [ri:trænsfə́:r] *vt.* 재이송(再移送)하다, 반송하다 — *n.* [ri:trǽnsfər] 재이송, 반송

re·trans·late [ri:trænsléit] *vt.* (원래의 국어로) 재번역하다; (다른 언어로) 중역(重譯)하다, 개역(改譯)하다 **-lá·tion** *n.*

re·trans·mit [ri:trænsmít] *vt.* 고쳐 송신하다, 재송신하다

re·tread [ri:tréd] *vt.* (**-trod** [-trɑ́d | -trɔ́d]; **-trod·den** [-trɑ́dn | -trɔ́dn], **-trod**) 되밟아[되걸어] 가다; 다시 밟다

re·tread [rí:trèd] *n.* **1** (미·호주) 재생 타이어 《접지면을 갈아 붙인》 **2** 재고용자; 재취직자; 《군대속어》 재소집병 **3** 새 일자리를 위해 재교육 받은 사람; 정력을 다 소모한 사람 **4** 《구어》 단순 개작 **5** 《속어》 구식인 사람; 옛것을 반복하는 사람 — [´-] *vt.* (**~·ed**) **1** (자동차 타이어의) 바닥을 갈아 붙이다(cf. RECAP¹) **2** (낡은 것을 단순히) 반복하다, 개작(改作)하다

re·treat [ri:trí:t] *vt., vi.* 재취급하다, 재처리하다

‡**re·treat** [ritrí:t] *n.* **1** UC 퇴각, 후퇴; [the ~] 퇴각 신호; 귀영의 나팔[북] **2** U 은퇴, 은둔; C 은거처, 피난처, 잠복처: a mountain ~ 산장(山莊) / a rural ~ 시골의 은거처 / a summer ~ 피서지 **3** 보호 수용소 《주정뱅이·정신 이상자 등의》 **4** UC 〖가톨릭〗 묵상회 (기간) **5** (벽 등에서 다른 곳보다) 쑥 들어간 면
beat a ~ 퇴각하다, 도망가다; (사업에서) 손을 떼다 ***be in full ~*** 총 퇴각하다 ***cover*** [***cut off***] ***the ~*** 퇴각 부대의 후미를 맡다[퇴로를 끊다] ***go into ~*** 은둔 생활을 하다 ***make good*** one***'s ~*** 무사히 퇴각하다[피하다]
— *vi.* **1** 물러서다; 후퇴하다, 퇴각하다 《*from*》(⇨ retire 유의어): (~+전+명) ~ *from* the front 전선에서 퇴각하다 **2** 은퇴[은거]하다 《*to, into, on*》: (~+전+명) ~ *to* the country 시골에 틀어박혀 살다 **3** 움푹 해지다, 쑥 들어가다: a *~ing* chin 쑥 들어간 턱 **4** 손을 떼다, 그만두다 《*from*》 **5** 〈주식이〉 가치가 떨어지다[하락하다] **6** 〖항공〗 뒤로 기울다
— *vt.* **1** 〈특히 체스의 짝을〉 뒤로 물리다 **2** 물러나게 하다, 은퇴시키다 **~·al** *a.* **~·er** *n.* **re·tréat·ive** *a.*

re·treat·ant [ritrí:tənt] *n.* (일시적으로 수도원 등에 들어가는) 묵상자, 수도자

re·treat·ism [ritrí:tizm] *n.* 〖사회〗 회피주의 《사회적으로 규정된 규범·가치·수단을 거부하는 일》

re·tree [ritrí:] *n.* U 흠 있는 종이, 불량지

re·trench [ritréntʃ] *vt.* **1** 단축[축소]하다; 〈비용 등을〉 절감하다, 긴축하다(reduce) **2** 삭제하다, 생략하다 **3** 〖축성〗 (성 등에) 참호·흉벽 《등》으로 복곽(複郭)을 만들다 — *vi.* 절약하다, 비용을 절감하다
~·a·ble *a.* **~·er** *n.*

re·trench·ment [ritréntʃmənt] *n.* UC **1** 단축, 축소 **2** 삭제, (인원) 삭감; 경비 절감 **3** C 〖축성〗 복곽, 내곽(內郭)

re·tri·al [ri:tráiəl] *n.* UC **1** (처음부터) 다시 행함; 재시험, 재실험 **2** 〖법〗 재심(再審)

re·trib·al·ize [ri:tráibəlàiz] *vt.* 부족(部族) 상태로 복귀시키다 **rè·trib·al·i·zá·tion** *n.*

ret·rib·u·tion [rètrəbjú:ʃən] *n.* U 《문어》 **1** (나쁜 행동에 대한) 응보, 보복, 앙갚음 《*for*》: ~ *for* one's sin 죄의 응보 **2** 징벌, 천벌, 응보: the day of ~ 최후의 심판일; 응보의 날

re·trib·u·tive [ritríbjutiv] *a.* 《문어》 보복의, 인과응보의, 응분의 벌을 받는 **~·ly** *ad.*

re·trib·u·tiv·ism [ritríbjutəvìzm] *n.* U (형벌의) 응보[보복]주의 **-ist** *n., a.*

re·trib·u·to·ry [ritríbjutɔ̀:ri | -təri] *a.* =RETRIBUTIVE

re·triev·al [ritrí:vəl] *n.* U **1** 회복, 복구, 만회 **2** 수선, 수정, 정정 **3** 벌충, 보상(補償) **4** 회복의 가망성 **5** 〖컴퓨터〗 (정보) 검색: information ~ 정보 검색 / ~ system 정보 검색 시스템 ***beyond*** [***past***] ***~*** 회복[만회]할 가망이 없는[없을 만큼]

***re·trieve** [ritrí:v] *vt.* **1** 되찾다, 회수하다(⇨ recover 유의어); 회복하다 **2** 만회하다, 부활[갱생]시키다: ~ oneself 개심[갱생]하다 **3** 벌충하다, 〈손해를〉 메우다; 수선하다, 정정하다 **4** 〈사냥개가 사냥감을〉 찾아서

den, sanctuary, hideaway, resort, asylum
retrieve *v.* get back, recover, regain, redeem, reclaim, repossess, recapture, rescue, salvage

물어오다; 〈낚싯줄을〉 끌어당기다 **5** 구하다, 구출하다 《*from, out of*》: 《~+목+전+명》 ~ a person *from*[*out of*] ruin …을 파멸에서 구하다 **6** (테니스 등에서) 어려운 공을 잘 되받아치다 **7** 생각해 내다; 재발견하다 **8** 〖컴퓨터〗 〈정보를〉 검색(檢索)하다
— *vi.* 〈사냥개가〉 사냥감을 찾아서 물어오다; 〈낚싯줄을〉 끌어 당기다[감아 올리다]
— *n.* **1** Ⓤ 회복, 회수, 만회; 회복 가능성 **2** (테니스 등에서) 어려운 공을 되쳐냄
beyond [***past***] ~ 회복할 가망이 없는
re·triev·a·bíl·i·ty *n.* **re·tríev·a·ble** *a.*

re·trieve·ment [ritríːvmənt] *n.* = RETRIEVAL

re·triev·er [ritríːvər] *n.* **1** 되찾는 사람, 회복자 **2** 리트리버 《총으로 쏜 사냥감을 물어오도록 훈련된 사냥개》

ret·ro[1] [rétrou] *n.* (*pl.* **~s**) = RETRO-ROCKET

retro[2] *n., a.* (패션·음악 등의) 리바이벌(의), 재유행(의); 재연(再演)(의)

retro[3] *a.* 《구어》 〈법령 등이〉 소급하는; 〈급여가〉 소급분의

RETRO, Ret·ro [rétrou] [*retro*fire officer] *n.* (*pl.* **~s**) 《미》 (우주선의) 역추진 로켓 기술자

retro- [rétrou, -trə] *pref.* 「후방에; 다시 제자리에; 거꾸로; 재…, 역…, 반…, 퇴…」 등의 뜻(cf. PRO-[1])

ret·ro·act [rétrouæ̀kt] *vi.* **1** 반동하다 **2** 거꾸로 작용하다; 이전으로 소급하다, 과거에 일어난 일에 영향을 주다

ret·ro·ac·tion [rètrouǽkʃən] *n.* Ⓤ **1** 반동, 반작용, 반응 **2** 역동(逆動) **3** (법률 등의) 소급 효력

ret·ro·ac·tive [rètrouǽktiv] *a.* 반동하는; 〈법률·승급 등의 효력이〉 소급하는: ~ to May 1 5월 1일로 소급해서 **~·ly** *ad.* **rèt·ro·ac·tív·i·ty** *n.*

retroáctive inhibítion 〖심리〗 역행[소급] 억제 《전에 학습한 일의 기억이 뒤의 학습으로 방해받는 일》

retroáctive láw 〖법〗 소급법

ret·ro·cede[1] [rètrəsíːd] *vi.* **1** 되돌아가다, 물러가다, 후퇴하다 **2** 〖의학〗 〈병이〉 내공(內攻)하다
-céd·ent, -cés·sive *a.*

retrocede[2] *vt.* **1** 〈영토 등을〉 반환하다 **2** 〖보험〗 재재(再再) 보험에 들다

ret·ro·ces·sion [rètrəséʃən] *n.* Ⓤ **1** (영토 등의) 반환 **2** 후퇴; 〖의학〗 내공; 환부

ret·ro·ces·sion·aire [rètrəsèʃənέər] *n.* 〖보험〗 재재 보험자, 재재 보험 인수 회사

ret·ro·choir [rétrəkwàiər] *n.* 〖건축〗 (대성당 등에서) 성가대석 또는 대제단 뒤쪽 부분

ret·ro·cog·nate [rètroukάgneit | -kɔ́g-] *a.* 〖심리〗 역행 인지의, 과거사를 기억하는

ret·ro·cog·ni·tion [rètroukɑgníʃən | -kɔg-] *n.* 〖심리〗 역행 인지(認知) 《과거의 사건을 텔레파시로 느낌》

ret·ro·di·rec·tive [rètroudiréktiv] *a.* 〖광학〗 〈거울·반사기 등이〉 역행하는, 역전의

ret·ro·en·gine [rétrouèndʒin] *n.* 역추진 로켓 엔진

rétro fàshion 〖복식〗 레트로 패션 《과거에 유행한 모드를 다시 부활시킨 것》

ret·ro·fire [rétroufàiər] *vt., vi.* (역추진 로켓에) 점화하다[되다] — *n.* Ⓤ (로켓의) 역추진 점화

ret·ro·fit [rétroufit, ╴─╯] *n.* 구형(舊型) 장치의 개장(改裝)[갱신]; 새로 설치된 장치
— *vt.* (**~·ted**; **~·ting**) 〈구형 장치를〉 개장[갱신]하다; (비행기·컴퓨터 등의) 장비[장치]를 개장[갱신]하다

ret·ro·flex(ed) [rétrəflèks(t)] *a.* **1** 뒤로 휜 **2** 〖병리〗 뒤로 굽은 **3** 〖음성〗 반전음(反轉音)의, 반전적인

ret·ro·flex·ion, -flec·tion [rètrəflékʃən] *n.* Ⓤ **1** 반전(反轉) **2** 〖병리〗 자궁후굴(cf. RETROVERSION 4) **3** 〖음성〗 반전(음)

ret·ro·gra·da·tion [rètrougreidéiʃən | -grə-] *n.* Ⓤ **1** 후퇴 **2** 퇴보, 퇴화 **3** 소급, 되돌아감 **4** 〖천문〗 역행 (운동)

ret·ro·grade [rétrəgrèid] *a.* **1** 후퇴하는, 되돌아가는, 퇴행적인 **2** 〈순서 등이〉 반대의: a ~ order 역순 **3** 퇴화하는 **4** 〖천문〗 (동에서 서로) 역행하는 **5** 악화되기 쉬운 **6** 〈로켓이〉 역추진의 **7** 〖의학〗 〈건망증이〉 역행성의 — *vi.* **1** 후퇴하다; 역행하다; 퇴각하다 **2** 소급하다 **3** 퇴보[퇴화]하다; 타락하다 **4** 〖천문〗 〈유성 등이〉 역행하다 **~·ly** *ad.*

rétrograde amnésia 역행성 건망증

ret·ro·gress [rètrəgrés, ╯─╴] *vi.* **1** 되돌아가다[오다], 후퇴하다; 역행하다; 하강하다 **2** 퇴화[퇴보]하다; 쇠퇴하다

ret·ro·gres·sion [rètrəgréʃən] *n.* ⓊⒸ **1** 후퇴 **2** 〖생물〗 퇴화; 〖의학〗 쇠퇴, 퇴행 **3** 〖천문〗 역행 (운동)

ret·ro·gres·sive [rètrəgrésiv] *a.* **1** 후퇴[역행]하는 **2** 퇴화하는 **~·ly** *ad.*

ret·ro·ject [rétrədʒèkt | ╴─╯, ╯─╴] *vt.* 뒤쪽으로 던지다 **rèt·ro·jéc·tion** *n.*

ret·ro·len·tal [rètrouléntl] *a.* 수정체 뒤[후방]에 있는

retroléntal fi·bro·plá·sia [-fàibroupléiʒiə] 〖병리〗 수정체 뒤에 있는 섬유 증식(증), 후(後)수정체 섬유 증식(증)

ret·ro·lin·gual [rètroulíŋgwəl] *a.* 〖해부〗 후설(後舌)의, 혀의 안쪽에 있는 〈선(腺) 따위〉

ret·ro·nym [rétrənim] *n.* **1** 일반화된 상품명 《Kleenex(화장지) 등과 같이 보통 명사화해서 쓰이는 말》 **2** 일반화된 광고 표기 《Kentucky Fried Chicken의 fingerlickin' good(손가락을 빨 정도로 맛있는) 등》

ret·ro·pack [rétroupæ̀k] *n.* 〖우주과학〗 (우주선의) 역추진 보조 로켓 시스템

ret·ro·pul·sion [rètrəpʌ́lʃən] *n.* Ⓤ 뒤로 밀어냄; 〖병리〗 후방 돌진 《뒤로 비틀거리는 병》

ret·ro·re·flec·tion [rètrouriflékʃən] *n.* 역반사(逆反射) 《반사 경로가 입사 경로와 평행인 경우》 **-tive** *a.*

ret·ro·re·flec·tor [rètrourifléktər] *n.* 〖광학〗 **1** 역반사체(逆反射體) **2** 레이저 광선 역반사 장치

ret·ro·rock·et [rétrourὰkit | -rɔ̀k-] *n.* 〖우주과학〗 역추진 로켓

re·trorse [ritrɔ́ːrs, ríːtrɔːrs] *a.* 〖식물·동물〗 거꾸로 향한, 뒤쪽[아래쪽]으로 향한 **~·ly** *ad.*

ret·ro·sex·u·al [rètrousékʃuəl] *n., a.* 레트로섹슈얼(의) 《패션과 외모에 관심이 거의 없는 남자; cf. METROSEXUAL》

ret·ro·spect [rétrəspèkt] *n.* Ⓤ **1** 회상, 회고, 추억, 회구(懷舊)(opp. *prospect*) **2** 선례의 참고; 소급력 ***in*** **~** 되돌아보면, 회고해 보니
— *vt., vi.* **1** 회고[추억]하다; 회상에 잠기다 《*on*》 **2** 소급하여 대조해 보다 《*to*》

ret·ro·spec·tion [rètrəspékʃən] *n.* ⓊⒸ 회고, 추억, 회상

ret·ro·spec·tive [rètrəspéktiv] *a.* **1** 회고의, 회구의; 〈경치가〉 배후에 있는 **2** 〖법〗 소급하는, 소급력을 가지는: a ~ law 소급법 — *n.* **1** (화가 등의) 회고전; (영화·음악의) 회고 상영 **2** 작품 연표
~·ly *ad.* 회고적으로, 추억에 잠겨, 과거로 거슬러 올라가 **~·ness** *n.*

re·trous·sé [rètruːséi | rətrúːsei] [F] *a.* 〈코가〉 위로 향한[젖혀진], 들창코의

ret·ro·ver·sion [rètrəvə́ːrʒən, -ʃən | -ʃən] *n.* ⓊⒸ **1** 뒤돌아봄 **2** 뒤로 굽음, 반전(反轉) **3** 퇴화, 퇴행(退行) **4** 〖병리〗 (자궁 등의) 후경(後傾): ~ of the uterus 자궁후굴(後屈) **5** (원래 언어로의) 재번역, 반역(反譯) **rét·ro·vèrse** *a.*

ret·ro·vert [rétrəvə̀ːrt] *vt.* 뒤로 구부리다; 〈특히 자궁을〉 후굴시키다 **~·ed** [-id] *a.*

ret·ro·vi·rus [rètrəváiərəs, ╯─╲─] *n.* 〖생물·유전〗 RNA 종양 바이러스 《유전 정보의 부호화에 DNA 대신 RNA를 사용하는 바이러스》 **rèt·ro·ví·ral** *a.*

re·trude [ritrúːd] *vt.* 〖치과〗 〈이·턱을〉 뒤로 이동시키다

re·tru·sion [ritrúːʒən, -ʃən] *n.* 〖치과〗 (이·턱의) 후퇴, 후방 전위(轉位) **-sive** *a.*

thesaurus **return** *v.* **1** 돌아오다, 돌아가다 come back, go back, reappear, reoccur, come again **2**

re·try [rìːtrái] *vt.* (**-tried**) **1** 다시 해 보다 **2** 〖법〗 재심(再審)하다

ret·si·na [rétsənə, retsíː-] *n.* Ⓤ 수지향(樹脂香) 포도주 《그리스산(産)》

ret·ter·y [rétəri] *n.* (*pl.* **-ter·ies**) (아마(亞麻)의) 침수 처리장

re·tune [rìːtjúːn | -tjúːn] *vt.* 〈악기를〉 다시 조율하다; 〈라디오 등의〉 주파수를 맞추다

re·turf [riːtə́ːrf] *vt.* 잔디를 다시 심다

‡**re·turn** [ritə́ːrn] [L 「뒤로 휘다」의 뜻에서] *vi.* **1** (본래의 장소·상태·화제 등으로) **되돌아가다**, 돌아가다[오다]; 회복하다: (~+전+명) ~ *to* New York 뉴욕으로 돌아가다 / ~ *from* a journey 여행에서 돌아오다 / ~ *to* one's old habit 본래의 습관으로 되돌아가다 / ~ *in* one's work 일을 다시 시작하다 / ~ *to* powers 정권에 복귀하다 / ~ *to* one's story 이야기의 원점으로 돌아가다 **2** 〈재산 등이〉 (소유자에게) 다시 (찾아) 오다; 〈병 등이〉 재발하다: The fever *~ed.* 열이 다시 났다. **3** 대답하다, 대꾸하다

— *vt.* **1 돌려주다[보내다]**, 되돌려 놓다, 도로 보내다, 반환하다 (USAGE 전후 관계에 따라 give[throw, put] back 쪽이 구어적); 〈포로 등을〉 송환하다: (~+목+전+명) *R~* this book *to* the shelf. 이 책을 서가에 도로 갖다 두시오. // (~+목+목) When will you ~ me the book I lent you? 빌려드린 책을 언제 돌려 주시겠습니까? **2** 갚다, 보답하다, 답례하다 《*for*》; (받은 것과 같은[유사한] 것으로) 응하다: ~ a favor 호의를 호의로 답하다 // (~+목+전+명) ~ a kindness *with* ingratitude 은혜를 원수로 갚다 **3** 대답하다, 답변하다, 대꾸하다: (~+목+전+명) ~ a polite answer *to* question 질문에 공손히 대답하다 **4** (정식으로) 제출하다, 보고하다; 성명하다, 신고하다; 〈배심원이〉 답신(答申)하다: (~+목+보) ~ a person guilty …에게 유죄 판결을 언도하다 // (~+목+*as* 보) ~ a soldier *as* killed 병사를 전사한 것으로 보고하다 **5** 〈빛·소리 등이〉 반사하다, 반향하다 **6** 〈노동·투자 등이〉 〈이익·소득을〉 내다, 가져오다(yield): ~ a good profit 꽤 이익을 내다 **7** 〈선거구가〉 〈후보를〉 선출하다, 선거하다; 재선하다: (~+목+전+명) ~ a person *to* Parliament …을 국회의원으로 선출하다 **8** 〖카드〗 같은 패로 응하다 **9** 〖테니스〗 〈공을〉 되받아치다

~ good for evil 악을 선으로 갚다 ***~ home*** 귀가[귀향, 귀국]하다 ***~ like for like*** 같은 수단[말]으로 응수하다 ~ a person***'s lead*** = ~ one***'s partner's*** [***opponent's***] ***lead*** 〖카드〗 제편[상대편]의 패와 같은 패로 응하다 ~ a person***'s love*** 사랑을 사랑으로 갚다 ***~ thanks*** 감사하다, 감사의 말을 하다 《특히 건배에 대해서》, (하느님에게) 감사를 드리다 《식전의 기도에서》 ***~ to dust*** 흙으로 돌아가다, 죽다 ***~ to life*** 소생하다 ***~ to*** one***self*** 제정신이 들다 ***~ to the basics*** 기본[원점, 초심]으로 돌아가다 ***To ~*** (***to the subject***) [독립 부정사구] 여담은 그만하고, 본론으로 돌아가서

— *n.* **1** UC **귀환**, 귀가, 귀국, 귀향 **2** UC **순환**, 회귀(回歸); 복귀; 재발: the ~ of the season 계절의 순환 **3** UC **반환**, 반납 **4** UC 답례, 보답; 말대꾸: by way of ~ 답례로서 **5** UC 대답, 회답 **6** [보통 *pl.*] 반품 **7** [종종 *pl.*] 보수, 수입, 수익(률), 이윤(yield) 《*on*》 **8** 보고(서), 신고(서), 답신(서); 소득세 신고서; [보통 *pl.*] 통계표, 개표 보고; 〖법〗 회부(서), (집행리(吏)의) 집행 보고서 **9** 《영》 선출 **10** 《영》 왕복표(=~ ticket); 지급 회신(=~ of post) **11** 〖건축〗 정면에서 측면으로의 연결; 곡벽(曲壁); 〖축성〗 전회(轉廻); (강 등의) 굴곡, 굴곡부 **12** 〖테니스〗 공을 되받아치기; 〖펜싱〗 되찌르기 **13** 〖카드〗 상대와 같은 패를 내기 **14** [*pl.*] 《영》 (일종의 부드러운) 살담배 **15** 타이프라이터의 리턴 키 **16** 〖전기〗 귀로(歸路), 귀선(歸線)

by ~ (***of post*** [《미》 ***mail***]) (우편에서) 받는 즉시로, 대지급으로 ***in ~*** 답례로; 회답으로; 그 대신에 ***in ~ for*** [***to***] …의 답례[회답]로 ***make a ~ for*** …에게 답례하다, …에 보답하다 ***make a ~ of*** …의 보고[신고]를 하다 ***Many*** [***I wish you many***] ***happy ~s*** (***of the day***)***!*** 장수하시기를 빕니다! 《생일 등의 인사말》 ***official ~s*** 공보(公報) ***~ of a salute*** 답포(砲) ***running ~s*** 개표 속보 ***secure a ~*** 《영》 (의원으로) 선출되다 ***Small profits and quick ~s.*** 박리다매 《상점의 표어; 略 S.P.Q.R.》 ***the*** [***a***] ***point of no ~*** ⇨ POINT of no return. ***without ~*** 수익[이익] 없이 ***write in ~*** 답장을 쓰다 ***yield*** [***bring***] ***a quick*** [***prompt***] ***~*** 곧 이익을 낳다

— *a.* Ⓐ (되)돌아가는[오는]; 회답[답례]의; 반송용의; 재차의: a ~ cargo 반송 화물 / a ~ envelope 반신용 봉투 / a ~ passenger 돌아가는 승객 / a ~ postcard 반신용 엽서 / a ~ voyage 귀항 / a ~ visit 답례 방문 ▷ retúrnless *a.*

re·turn·a·ble [ritə́ːrnəbl] *a.* **1** 반환할 수 있는; 반환해야 할 **2** 보고[제출]해야 할 **3** 〖법〗 회부해야 할
— *n.* 《미》 환불 받을 수 있는 빈 병[깡통]

retúrn addrèss (우편의) 발신인[발송인] 주소

retúrn bènd (연관(鉛管) 등의) U자형 곡관(曲管)

retúrn càrd 왕복 엽서 《광고자가 주문 등의 회신을 바라는; cf. REPLY (POSTAL) CARD》

re·turned [ritə́ːrnd] *a.* **1** 돌려 보내진, 반송되어진 **2** 돌아온, 귀환한: a ~ soldier 귀환병
~ ***empties*** (1) (발송인에게) 반송된 빈 병[빈 상자] (2) 식민지에서 영국으로 돌아온 목사

retúrned mán 《캐나다》 (해외 파견 후 본국에서 제대하게 되는) 귀환병

re·turn·ee [ritəːrníː, -ˊ-] *n.* 《미》 귀환자, 복귀자 《전쟁터·교도소 등으로부터의》; 복학자; (습득물을) 신고한 사람

re·turn·er [ritə́ːrnər] *n.* 되돌아가는 사람; 《영》 (일시 휴직·출산 휴가 후 등으로) 복직하는 전문직 종사자 《특히 여성》

retúrn fàre 귀로 운임; 《영》 왕복 운임

retúrn gáme 설욕[복수]전, 2차전, 리턴 매치

retúrn hàlf 귀로 편도표

re·turn·ik [ritə́ːrnik] *n.* (구소련·동유럽의 공산주의 체제 붕괴 후) 조국에 귀환한 사람

re·túrn·ing òfficer [ritə́ːrniŋ-] 《영·캐나다·호주》 선거 관리 위원

retúrn kèy 〖컴퓨터〗 리턴 키(enter key)

re·turn·less [ritə́ːrnlis] *a.* **1** 보수[수익, 이익]가 없는 **2** 돌아갈 수 없는; 피할 수 없는

retúrn mátch = RETURN GAME

retúrn on ássets 〖회계〗 총자산[총자본] 이익률 《略 ROA》

retúrn on équity 〖회계〗 자기 자본 수익률 《순이익을 자기 자본으로 나눈 비율; 略 ROE》

retúrn on invéstment 〖회계〗 투자 수익[이익]률 《略 R.O.I.》

retúrn pòstage 반신용 우표[우편 요금]

retúrn tícket 《영》 왕복표(《미》 round-trip ticket); 《미》 돌아가는 차표

retúrn tríp 《영》 왕복 여행(《미》 round trip)

retúrn vísit 재방문, 답방: The Korean president is making a ~ to Washington. 한국 대통령이 미국을 답방하고 있다.

re·tuse [ritjúːs | -tjúːs] *a.* 〖식물·곤충〗 〈잎·날개가〉 끝이 둥글고 약간 움푹 들어간

re·type [ritáip] *vt.* (정정하기 위해) 다시 타이프를 치다

Reu·ben [rúːbən] *n.* **1** 남자 이름 **2** 〖성서〗 르우벤 《Jacob의 맏아들; 창세기 29: 32》 **3** 르우벤족(族) 《르우벤을 조상으로 하는 이스라엘 12지족(支族)의 하나》 **4** = REUBEN SANDWICH

Réuben sándwich 루벤 샌드위치 《호밀 빵에 콘비프·스위스치즈·사워크라우트(sauerkraut)를 얹어서 구운 빵》

돌려주다 restore, replace, put back **3 대답하다** answer, reply, respond, retort, rejoin

re·u·ni·fy [rìːjúːnəfai] *vt.* (**-fied**) 다시 통일[통합]시키다 **rè·u·ni·fi·cá·tion** *n.*

re·un·ion [rìːjúːnjən] *n.* **1** Ⓤ 재결합[합동] **2** Ⓤ 재회; 화해; 융화; Ⓒ 동창회, 친목회: a class ~ (졸업 후의) 동창회

re·un·ion·ism [rìːjúːnjənizm] *n.* Ⓤ [보통 **R~**] (가톨릭 교회와 영국 국교회와의) 재결합주의 **-ist** *n.* **rè·ùn·ion·ís·tic** *a.*

re·u·nite [rìːju(ː)náit] *vt., vi.* **1** 재결합[합동]시키다[하다] **2** 화해[재회]시키다[하다] 《*with*》

re-up [rìːʌ́p] *vi.* (**~ped**; **~·ping**) 《미·속어》 재입대하다; 재계약하다, 다시 지불하다

re·up·take [rìːʌ́pteik] *n.* 〖생리〗 재흡수, 재섭취

re·us·a·ble [rìːjúːzəbl] *a.* 재사용[재이용]할 수 있는 **rè·us·a·bíl·i·ty** *n.*

re·use [rìːjúːz] *vt.* 다시 사용[이용]하다; 재생하다 — [-júːs] *n.* Ⓤ 재사용, 재이용

re·used [rìːjúːzd] *a.* 재생한 〈양털 등〉: ~ wool 재생 울

Reu·ters [rɔ́itərz] *n.* (영국의) 로이터 통신사 (Reuter's News Agency) 《1851년 런던에서 창설》 (cf. AFP) **~ *commodity indexes*** 로이터 통신의 상품 시세 지수

re·u·ti·lize [rìːjúːtəlàiz] *vt.* 다시 이용하다

rev [rév] [*rev*olution] 《구어》 *n.* (내연 기관 등의) 회전 —*v.* (**~ved**; **~·ving**) *vt.* **1** (내연 기관 등의) 회전 속도를 올리다 《*up*》: (~+목+부) ~ an engine *up* 엔진의 회전 속도를 올리다 **2** 〈생산력을〉 증가시키다, 향상시키다 《*up*》 **3** 고속으로 운전[조업]하다 《*up*》 **4** 보다 더 활동적으로 하다 《*up*》
—*vi.* **1** 〈엔진이〉 회전하다, 〈내연 기관 등이〉 회전 속도가 빨라지다 《*up*》 **2** 활동적이 되다 《*up*》

Rev, Rev. [rév] [*Rev*erend] *n.* [the ~] 《영·속어》 …목사, 신부

REV reentry vehicle 〖우주과학〗 재돌입 비상체(飛翔體) **rev.** revenue; reverse(d); review(ed); revise(d); revision; revolution; revolving **Rev.** Revelation; Reverend; Review; Revised

re·vac·ci·nate [rìːvǽksəneit] *vt.* 다시 예방 접종하다; 다시 우두를 놓다 **rè·vac·ci·ná·tion** *n.*

re·val·i·date [rìːvǽlədeit] *vt.* **1** 재확인하다; 법적으로 유효하다고 재차 인정하다, 재허가하다 **2** 〈증명 등을〉 갱신하다 **rè·val·i·dá·tion** *n.*

re·val·or·ize [rìːvǽləraiz] *vt.* **1** (자산의) 평가를 변경하다(revalue) **2** (통화 등의) 가치를 바꾸다[회복시키다] **rè·val·o·ri·zá·tion** *n.* 평가 복원

re·val·u·ate [rìːvǽljueit] *vt.* **1** 재평가하다 **2** (평가의) 가치를 개정하다, 《특히》 절상하다

re·val·u·a·tion [rìːvæljuéiʃən] *n.* Ⓤ 재평가; (통화 가치의) 개정, 《특히》 평가 절상

re·val·ue [rìːvǽljuː] *vt.* **1** 재평가하다 **2** 〖경제〗 평가를 갱신[절상]하다(opp. *devalue*)

re·vamp [rìːvǽmp] *vt.* **1** 《미·구어》 개조[개정(改訂), 혁신, 개혁, 쇄신]하다: ~ the cabinet 내각을 개편하다 / ~ a product 제품을 개량하다 **2** (구두코) 가죽을 갈다, 조각을 대어 깁다; 수선하다
— [스] *n.* **1** 맞잇기, 맞붙임 **2** 혁신, 개조, 개작 **~·er** *n.*

re·vanche [rəvǽntʃ, -vɑ́ːnʃ] [F] *n.* Ⓤ **1** 보복, 복수, 보복주의 **2** 실지(失地) 탈환책, 실지 보복 정치

re·vanch·ist [rəvǽntʃist, -vɑ́ːnʃist] *n.* 보복주의자 《특히 실지 탈환을 노리는》 —*a.* 보복주의의, 실지 회복 정책[론자]의; 영토 회복 주의의 **-ism** *n.* = REVANCHE

re·var·nish [rìːvɑ́ːrniʃ] *vt.* 니스를 다시 칠하다

re·vas·cu·lar·ize [rìːvǽskjuləraiz] *vt.* 〖의학〗 (심장 등에) 혈관을 이식[재생]하다 **rè·vas·cu·lar·i·zá·tion** *n.*

rév còunter 《영·구어》 = TACHOMETER

Revd. Reverend

‡re·veal¹ [rivíːl] *vt.* **1** 드러내다, 적발[폭로]하다 (disclose); 밝히다, 〈비밀 등을〉 누설하다 《*to*》: ~ a secret 비밀을 폭로하다 / Details of the murder were ~*ed* by the local paper. 그 살인 사건에 대한 자세한 정황이 지역 신문에 보도되었다. // (~+목+(*to be*) 보) (~+*that* 절) Research ~*ed* him (*to be*) a bad man. = Research ~*ed that* he was a bad man. 조사 결과 그는 나쁜 사람임이 드러났다. **2** 〈숨겨져 있던 것을〉 보이다, 나타내다: (~+목+전+명) The fog cleared and ~*ed* a distant view *to* our sight. 안개가 걷히고 원경이 모습을 드러냈다. // (~+목+*as* 보) She ~*s* herself *as* full of mercy. 그녀는 매우 자애로운 사람처럼 행동한다. **3** 〖신학〗 〈신이〉 계시[묵시]하다 《*to*》 **~ *itself*** 나타나다; 알려지다 **~ one*self*** 이름을 밝히다
—*n.* Ⓤ 시현(示現), 계시, 묵시; 폭로
re·vèal·a·bíl·i·ty *n.* **~·a·ble** *a.* **~·er** *n.*
▷ revelátion, revéalment *n.*

reveal² *n.* 〖건축〗 문설주; (자동차의) 창틀

re·véaled relígion [rivíːld-] 계시 종교(opp. *natural religion*)

revéaled theólogy 계시 신학

re·veal·ing [rivíːliŋ] *a.* **1** 계발적(啓發的)인, 뜻이 깊은 **2** 〈숨겨진 부분이〉 노출된; 〈피부 등을〉 노출시킨 **~·ly** *ad.* **~·ness** *n.*

re·veal·ment [rivíːlmənt] *n.* Ⓤ **1** 폭로; 탄로 **2** 〖신학〗 시현(示現), 계시

re·veg·e·tate [riːvédʒitèit] *vt.* (식물이 고갈된 토지에) 다시 식물을 키우다, …을 다시 녹화(綠化)시키다 **rè·veg·e·tá·tion** *n.*

rev·eil·le [révəli | rivǽli] [F 「눈을 뜨다」의 뜻에서] *n.* 〖군사〗 **1** 기상 나팔[북] **2** 조례(朝禮) **3** 《일반적으로》 기상[작업 개시]의 신호[시각]

***rev·el** [révəl] *v.* (**~ed**; **~·ing** | **~led**; **~·ling**) *vi.* **1** 주연을 베풀다, 마시고 흥청거리다 **2** 한껏 즐기다, 매우 기뻐하다; (…에) 빠지다 《*in*》: (~+전+명) ~ *in* reading 독서를 즐기다
—*vt.* 〈시간·금전을〉 흥청망청 낭비하다 《*away*》: (~+목+부) ~ one's time *away* 흥청대며 시간을 보내다 **~ *it*** 마시고 흥청거리다
—*n.* ⓊⒸ **1** 환락; 연회, 축연 **2** [종종 *pl.*] 술잔치; 술 마시고 흥청거림 **~·(l)er** *n.*

***rev·e·la·tion** [rèvəléiʃən] *n.* **1** Ⓤ 폭로, 적발 《*of*》; 누설, 발각; Ⓒ 폭로된 사물, 뜻밖의 새 사실: It was a ~ to me. 그것은 나에게는 뜻밖의 이야기였다. / What a ~! 정말 뜻밖의 이야기다! **2** Ⓤ 〖신학〗 천계(天啓), 계시, 묵시; Ⓒ 계시 종교(revealed religion); 성경 **3** [the R~, (the) R~s; 단수 취급] 〖성서〗 요한 계시록(the Apocalypse) **~·al** *a.* 천계[계시]의 **~·ist** *n.* 천계[계시]를 믿는[전하는] 사람; [the R~] 요한 계시록의 기록자 ▷ revéal *v.*

rev·e·la·tor [révəlèitər] *n.* **1** 폭로자 **2** 계시자; 예언자

re·ve·la·to·ry [rivélətɔ̀ːri, révəl- | -təri] *a.* **1** 계시의, 계시적인 **2** (…을) 나타내는 《*of*》: a picture ~ *of* the artist's sorrow 화가의 슬픔을 나타내는 그림

rev·el·rout [révəlràut] *n.* [집합적] 《고어》 술 마시고 떠드는 사람들

rev·el·ry [révəlri] *n.* (*pl.* **-ries**) ⓊⒸ [종종 *pl.*] 술 마시고 떠들어댐[흥청거림], 환락

rev·e·nant [révənənt] [F] *n.* **1** 저승에서 돌아온 자; 망령, 유령 **2** (유배·긴 여행에서) 돌아온 사람
—*a.* 되풀이해서 돌아오는; 망령 같은

re·ven·di·cate [rivéndikèit] *vt.* 〖법〗 회복[반환]을 제소[청구]하다; (공식 청구에 의해) 회복하다 **re·vèn·di·cá·tion** *n.*

thesaurus **reveal¹** *v.* **1** 폭로하다 disclose, divulge, tell, leak, make known, broadcast, publicize, proclaim **2** 보이다 show, display, exhibit, uncover, unveil, unmask (opp. *conceal, hide*)
revel *n.* celebration, party, festival, carousal

‡re·venge [rivéndʒ] *n.* **1** Ⓤⓒ 복수(vengeance), 앙갚음; 보복 **2** Ⓤ 복수심, 원한(怨恨), 원수 **3** Ⓤ 복수의 기회; 〖경기〗 설욕의 기회
by one of Time's ~s 짓궂은 운명의 장난으로, 기구하게도 ***give*** a person ***his***[***her***] ***~*** 설욕전에 응하다 ***have***[***take***] one***'s ~*** 복수하다, 원한을 풀다 ***in ~ of***[***for***] …의 앙갚음으로 ***seek*** one***'s ~ on***[***upon***] …에게 복수할 기회를 노리다
— *vt.* **1** [~ one*self* 또는 수동형으로] **복수하다**, 원수를 갚다 (*on, upon*): (~+목+전+명) ~ one*self on*[*upon*] a person = *be ~d on*[*upon*] a person …에게 복수하다, 원한을 풀다

> 유의어 **revenge** 개인적인 증오·악의가 동기가 되어 보복하다 **avenge** 부정·악행·압박에 대해 정의감에서 당연하고 정당한 보복을 하다: *avenge* a murder by bringing the criminal to trial 범인을 재판에 회부함으로써 살인에 보복하다

2 〈피해자·부당 행위 등의〉 원한을 갚다, 보복하다: They *~d* their dead cruelly. 그들은 무자비한 방법으로 죽은 사람의 원한을 갚았다. // (~+목+전+명) ~ wrong *with* wrong 원수를 원수로 갚다
— *vi.* 원한을 풀다 (*upon*)
~·less *a.* **re·véng·er** *n.* ▷ revéngeful *a.*

re·venge·ful [rivéndʒfəl] *a.* 복수심에 불타는, 앙심 깊은 **~·ly** *ad.* **~·ness** *n.*

‡rev·e·nue [révənjùː | -njùː] [L 「되돌아오다」의 뜻에서] *n.* **1** Ⓤ **세입**(income): the public ~ 국고 세입 **2** Ⓤ 수익, (정기적인) 수입; 수입의 출처; 수입 항목 **3** [*pl.*] 총수입, 재원(財源), 수입 총액 **4** [보통 the ~] 국세청, 세무서 **5** = REVENUE STAMP
defraud the ~ 탈세하다

révenue àgent 세입 징수원

Révenue and Cústoms = HM REVENUE AND CUSTOMS

révenue bònd 〖재정〗 세입 담보채(債), 특정 재원 공채, 수익 사업채(債)

révenue cùtter (정부의) 밀수 감시정

révenue enhàncement 세입 증가 (증세라는 말 대신 쓰는 표현)

révenue expènditure 〖상업〗 수익적 지출

révenue òfficer 세관 감시관 (밀수를 단속하는)

rev·e·nu·er [révənjùːər | -njùː-] *n.* (미·구어) **1** 밀수[밀주] 감시관; 밀주 단속 세무관 **2** 밀수 감시선

révenue shàring (미) (연방 정부에서 각 주에 대한) 세입의 교부

révenue stàmp 수입(收入) 인지(fiscal stamp)

révenue tàriff 수입 관세

révenue tàx 수입세

re·verb [rivə́ːrb] *n.* (구어) (스테레오 등의) 잔향(殘響), 반향(反響) **—** *vt., vi.* = REVERBERATE

re·ver·ber·ant [rivə́ːrbərənt] *a.* **1** 반향하는, 울려 퍼지는 **2** 〈광선·열을〉 반사하는 **~·ly** *ad.*

re·ver·ber·ate [rivə́ːrbərèit] *vi.* **1** 반향하다(echo); 울려퍼지다: (~+전+명) A loud voice *~d through* the hall. 고함 소리가 회장 안에 울려 퍼졌다. **2** 〈음파 등이〉 잔향하다 **3** 〈빛·열이〉 반사하다, 굴절하다 **4** 〈소문 등이〉 되돌아오다
— *vt.* **1** 반향시키다: (~+목+전+명) The steam whistle of the train was *~d through* the hills. 열차의 기적 소리가 이 산 저 산에 메아리쳤다. **2** 〈빛·열을〉 반사하다, 굴절시키다

re·vér·ber·at·ing fùrnace [rivə́ːrbərèitiŋ-] 반사로(反射爐)

re·ver·ber·a·tion [rivə̀ːrbəréiʃən] *n.* Ⓤ **1** 반향; 반사 **2** [*pl.*] 반향[잔향]음(音) **3** [*pl.*] 반사광(光); 반사열 **4** (비유) 반향, 영향 **5** (지진의) 여진(余震) **6** 반사열 조사(照射)

revérberation tìme (음의) 잔향(殘響) 시간

re·ver·ber·a·tive [rivə́ːrbərèitiv] *a.* 반향(反響)하는; 반사하는(reverberant)

re·ver·ber·a·tor [rivə́ːrbərèitər] *n.* 반사기(器); 반사경(鏡); 반사등(燈), 반사로(爐)

re·ver·ber·a·to·ry [rivə́ːrbərətɔ̀ːri | -təri] *a.* **1** 〈불·열 등이〉 반사된, 반사에 의한; 반향[반사]으로 생기는; 〈노(爐)가〉 반사식의: a ~ furnace 반사로 **2** 반향하는; 굴절한 **—** *n.* (*pl.* **-ries**) 반사로(爐)

∗re·vere[1] [rivíər] *vt.* (경건한 마음으로) **숭배하다**, 경외하다, 존경하다(⇨ worship 유의어)
re·vér·a·ble *a.* **re·vér·er** *n.*

revere[2] *n.* = REVERS

∗rev·er·ence [révərəns] *n.* **1** Ⓤ 경외하는 마음, (…에 대한) **숭상, 존경** (*for*); 경의, 경외 **2** Ⓤ 위덕, 위엄 **3** 경외하는 마음의 표시; (고어) 경례, 공손한 태도 **4** [your[his] R~] 신부[목사]님 (성직자·목사의 경칭) ***at the ~ of*** …을 존경하여 ***do***[***pay***] ***~ to*** …에 경의를 표하다, …에게 경례하다 ***feel ~ for*** …을 존경하다 ***hold*** a person ***in ~*** …을 존경하다 ***make a profound ~*** 공손하게 절하다 ***saving your ~*** 죄송한 말씀입니다만
— *vt.* 존경하다, 숭상하다, 경외하는 마음으로 대하다
-enc·er *n.*
▷ revére *v.*; réverend, réverent, reveréntial *a.*

∗rev·er·end [révərənd] *a.* Ⓐ **1** [the R~] … 목사[신부]님 (성직자의 경칭; 略 (the) Rev(d).): (the) *R~*[*Rev.*] John Smith 존 스미스 목사님 (*Rev.* Smith처럼 성(姓)에만은 붙이지 않음) ★ archbishop에는 the Most *R~*, bishop은 the Right *R~*, dean은 the Very *R~*로 씀. **2** 숭상할 만한, 거룩한 〈사람·사물·장소 등〉 **3** 성직자의: a ~ utterance 성직자의 말 ***the ~ gentleman*** 그 성직자[목사]
— *n.* (구어) [보통 *pl.*] 목사, 성직자
▷ revére *v.*; réverence *n.*

Réverend Móther 수녀원장

rev·er·ent [révərənt] *a.* **1** 숭상하는; 경건한: in a ~ manner 정중하게 **2** (미·방언) 독한 〈위스키〉
~·ly *ad.* 경건[겸손]하게 **~·ness** *n.*

rev·er·en·tial [rèvərénʃəl] *a.* 공손한, 존경을 표시하는, 경건한 **~·ly** *ad.* 겸허하게 **~·ness** *n.*

rev·er·ie [révəri] *n.* **1** Ⓤⓒ 몽상; 공상(空想); 백일몽, 환상, 환상적인[비현실적인] 생각, 망상

> 유의어 **reverie** 눈뜨고 꾸는 몽상: startle from one's *reverie* 몽상에서 깨어나다 **dream** 잠잘 때에 꾸는 꿈: awake from a *dream* 꿈에서 깨어나다

2 〖음악〗 환상곡 ***be lost in*** (***a***) ***~*** = ***fall into*** (***a***) ***~*** 공상[상념]에 잠기다

re·vers [rivíər, -véər] [F] *n.* (*pl.* ~[-z]) (옷깃·소매 등의) 밖으로 접은 부분

re·ver·sal [rivə́ːrsəl] *n.* Ⓤⓒ **1** 반전(反轉), 전도; 역전, 되돌아옴: a ~ of the situation 상황의 반전 **2** 〖법〗 (하급심 판결의) 취소, 파기 **3** 〖사진〗 반전 (현상)

‡re·verse [rivə́ːrs] *n.* **1** [the ~] 역(逆), 반대 (*of*); 반전(反轉): It is *the ~ of* kindness. 그건 친절이라기 보다는 그 반대이다. **2** [the ~] 뒤, 배면, 배후; (주화·메달 등의) 뒷면(opp. *obverse*); (펼친 책의) 왼쪽 페이지(verso)(opp. *recto*): *the ~* side of the form 양식지 뒷면 **3** [종종 *pl.*] 불운, 실패, 패배(敗北) **4** 전도(轉倒); (자동차의) 후진, 후진 기어; 역전[역진] 장치;

---

revenue *n.* income, return, yield, gain, profits
revere[1] *v.* respect, admire, esteem, venerate
reverse *n.* **1** 반대 opposite, contrary, converse **2** 뒤 other side, back, rear, underside **3** 불운 setback, failure, misfortune, adversity, hardship

Ⓤ 〖기계〗 역전(逆轉); 〖무용〗 역[좌]회전: put an engine into ~ 엔진을 역회전시키다 **5** 〖미식축구〗 리버스 플레이 **6** (총의) 개머리판, (창의) 뒤끝
in ~ 후미(後尾)에; 뒷면에; 보통과 반대로 ***on the ~*** 〈자동차가〉 후진하여 ***quite the ~*** = ***the very ~*** 그 정반대 ***suffer*** [***sustain, meet with, have***] ***a ~*** 실패[패배]하다 ***take ... in ~*** 후면 공격을 가하다 ***the ~s of fortune*** 불운, 패배
— *a.* **1** Ⓐ **거꾸로의**, 반대의, **상반되는** 《*to*》(⇨ opposite 유의어) **2** Ⓐ 뒤[이면]의, 배후의; 뒤로 향한(opp. *obverse*): the ~ side of a fabric 직물의 안쪽 **3** 역전하는, 후퇴용의 **4** (거울상처럼) (상하·좌우가) 반대의, 바뀐, 전도(轉倒)된 ***in ~ order*** 차례를 거꾸로 하여, 역순으로 ***the ~ side of the medal*** (1) 메달의 뒷면 (2) 문제의 이면[다른 면]
— *vt.* **1** 〈위치·방향·순서 등을〉 **거꾸로 하다**, 반대로 하다; 뒤집다 **2** 바꿔 놓다, 전환하다 **3** 〖기계〗 역동(逆動)[역류(逆流)]시키다, 역전시키다; 〈자동차를〉 후진시키다: 《~+전+명》 The car *~ed out of* the gate. 그 차는 후진하여 문을 나갔다. **4** 〈주의·결정 등을〉 역전시키다, 번복하다; 〖법〗 파기하다, 취소하다: ~ a verdict 평결을 취소하다 **5** (영) 〈전화 요금을〉 수신인 지불로 하다, 콜렉트콜로 하다
— *vi.* **1** 거꾸로[반대로] 되다; 되돌아오다, 역행하다 **2** 〈엔진 등이〉 거꾸로 돌다; 〈자동차 등이〉 후진하다; 후진 기어를 넣다: He *~d* into a parking space. 그는 주차할 공간으로 차를 후진했다. **3** 〖무용〗 역[좌]회전하다, 반대 방향으로 움직이다
R~ arms! 거꾸로 총! 《장례식 등에서 총을 거꾸로 메게 하는 구령》 **~ one*self*** (…에 대한) 생각[태도]을 바꾸다 《*about, over*》 **~ one*'s field*** 〖미식축구〗 리버스 필드하다 《공을 가진 선수가 갑자기 반대 방향으로 뛰다》; 《일반적으로》 방향을 바꾸어 반대 방향으로 가다 ***~ the charges*** 요금을 콜렉트콜로 하다
~·ly *ad.* 거꾸로, 반대로; 이에 반하여, 또 한편으로는 ▷ revérsal *n.*

revérse àdvertising 역광고(逆廣告) 《소비자가 그의 요구를 데이터베이스에 입력하면 공급자가 그것을 보고 고객을 찾아내는 방법》

revérse ángle shòt 〖영화〗 = REVERSE SHOT

revérse annúity mòrtgage (미·캐나다) (연금 방식) 역(逆)주택 담보 대출 《略 RAM》

re·verse-charge [rivə́:rstʃɑ́:rdʒ] *a.* (영) 〈통화 요금이〉 수신인 지불의((미) collect)

revérse commúter 역방향 통근자 《도심부에 살면서 교외로 통근하는 사람》

revérse commúting 역방향 통근 《도시에서 교외로의》

revérse cúlture shòck 역문화(逆文化) 쇼크 《외국에서 오랫동안 생활한 사람이 고국으로 돌아왔을 때 느끼는 소외감》

revérse cúrve (도로·선로의) S자형 커브

re·versed [rivə́:rst] *a.* **1** 거꾸로 된, 반대의, 뒤집은: a ~ charge (영) 전화 요금 수신인 지불(collect call) **2** 〈판결 등이〉 취소된, 파기한 **3** 왼쪽으로 감기는; 〖수학〗 뒤로 가는, 역진의
re·vers·ed·ly [rivə́:rsidli, -və́:rst-] *ad.*

revérsed cóllar = CLERICAL COLLAR

revérse díctionary 역순(逆順) 사전

revérse discriminátion (미) 역(逆)차별 《피차별자 우대로 생기는 그 밖의 사람의 불리》

re·verse-en·gi·neer [rivə́:rsèndʒiníər] *vt.* 역설계(逆設計)하다; 분해하여 모방하다 **-néered** *a.* 분해하여 모방한 《반도체에 대하여 흔히 씀》

revérse engineéring 분해 공학; 역설계(逆設計) 《신제품을 분해하여 구조를 정밀하게 분석, 그 설계를 역으로 탐지하는 기술》

revérse Énglish 모순 영어 (어법); 〖당구〗 회전 비틀어치기

revérse fáult 〖지질〗 역단층(逆斷層)

revérse géar (자동차의) 후진(後進) 기어

revérse mórtgage = REVERSE ANNUITY MORTGAGE

revérse osmósis 〖화학〗 역삼투

revérse plàte 〖인쇄〗 역판(逆版)

revérse Pólish notátion 〖컴퓨터〗 역(逆)폴란드 기법 《略 RPN》

revérse psychólogy 〖심리〗 반(反)심리학

re·vers·er [rivə́:rsər] *n.* 역으로 하는 사람[것]; 〖전기〗 전극기(轉極器), 반전기(反轉器)

revérse rácism (미) 역(逆)인종 차별 《흑인·소수 민족의 차별 폐지 때문에 백인이 입학·취업에서 오히려 불리해지는 상태》

revérse shòt 〖영화〗 역촬영

revérse tákeover 〖금융〗 역지배[탈취]

revérse transcríptase 〖생화학〗 역전사(逆轉寫) 효소 《RNA에 의존하여 DNA를 합성시키는 효소》

revérse transcríption 〖생화학〗 (RNA에서 DNA로의) 역전사(逆轉寫)

revérse vénding machìne 빈 병[깡통] 회수기

revérse vìdeo 〖컴퓨터〗 반전(反轉) 영상

re·vers·i·ble [rivə́:rsəbl] *a.* **1** 역으로[거꾸로] 할 수 있는 **2** 〈변했던 것이〉 (다시 변해서) 원래 상태로 돌아갈 수 있는; 〈명령·판결 등이〉 철회[취소] 가능한 **3** 양면으로 입을 수 있는 〈의복 등〉 **4** 〖항공〗 〈프로펠러가〉 역추진 가능한 **5** 〖물리·화학〗 가역(可逆)의
— *n.* 양면 겸용의 옷(감)
re·vèrs·i·bíl·i·ty *n.* **re·vérs·i·bly** *ad.*

revérsible reáction 〖화학〗 가역(可逆) 반응

re·vérs·ing líght [rivə́:rsiŋ-] (영) (자동차의) 후진등(backup light)

re·ver·sion [rivə́:rʒən, -ʃən | -ʃən] *n.* ⓊⒸ **1** 전도, 반전, 역전; 전환 **2** 반대 방향으로 바뀐 상태, 뒤집힘 **3** (문어) 되돌아감, (원래 상태로의) 복귀 **4** 〖생물〗 격세 유전(隔世遺傳), 환원 유전(atavism) **5** 〖법〗 재산의 복귀; 복귀 재산; 계승[상속]권; 복귀권 **6** 장래 (특히 죽은 후에) 지불받는 돈 《연금·생명 보험금 등》; 장차 향유할 권리 **~·al** [-əl], **~·ar·y** [-èri | -əri] *a.* 되돌아가는, 복귀의; 〖법〗 복귀권이 있는; 〖생물〗 격세 유전의 **~·er** *n.* 〖법〗 (재산 등의) 계승권자

revérsionary annúity 〖보험〗 (상속인) 생잔(生殘) 연금

revérsionary bónus (보험의) 증액 배당

***re·vert** [rivə́:rt] [L 「뒤로 되돌아가다」의 뜻에서] *vi.* **1** (본래 상태·습관·신앙으로) **되돌아가다** 《*to*》: 《~+전+명》 ~ *to* the old system 옛 제도로 복귀하다 / The region has *~ed to* a wilderness. 그 지방은 본래의 황야로 되돌아갔다. **2** 〖법〗 〈부동산 등이〉 복귀[귀속]하다 《*to*》 **3** (처음 이야기·생각으로) 되돌아가다; 회상하다 《*to*》: 《~+전+명》 ~ *to* the original topic of conversation 본래의 화제로 되돌아가다 **4** 〖생물〗 격세 유전하다 《*to*》
— *vt.* 〈눈길을〉 뒤로 돌리다; 〈발길을〉 돌리다
— *n.* **1** 되돌아가는[복귀하는] 사람[물건] **2** 〖법〗 복귀권, 복귀 재산 **~·er** *n.* **~·i·ble** *a.* 〈재산 등이〉 복귀되어야 할 ▷ revérsion *n.*

re·ver·tant [rivə́:rtnt] *n., a.* 〖유전〗 복귀 돌연변이체(의) 《돌연변이로 예전 형태로 되돌아간 생물종》

re·vert·ase [rivə́:rteis, -eiz | -eiz, -eis] *n.* 〖생화학〗 = REVERSE TRANSCRIPTASE

re·vert·ed [rivə́:rtid] *a.* 〖생물〗 격세 유전된

rev·er·y [révəri] *n.* (*pl.* **-er·ies**) = REVERIE

re·vest [rìːvést] *vt.* **1** 다시 수여[부여]하다 **2** 〈사람을〉 복직시키다 《*in*》 **3** (토지·지위 등의) 권리를 다시 얻게 하다 《*in*》 **4** 〈의상 등을〉 다시 입히다 — *vi.* 다시 수여받다, 〈권리 등이〉 복귀되다 《*in*》: The title *~ed in* him. 그 칭호는 다시 그의 것이 되었다.

thesaurus **review** *n.* **1** 비평 criticism, assessment, evaluation, rating, judgement **2** 재조사 survey, study, analysis, examination, scrutiny, appraisal **3** 재고 reconsideration, revision, rethink

re·vet [rivét] *vt.* (**~·ted**; **~·ting**) 〖토목〗 〈제방·벽 등을〉 돌[콘크리트, 모래주머니]로 덮다[굳히다]
re·vet·ment [rivétmənt] *n.* **1 a** 〖축성〗 (돌 등으로) 덮어 씌우기(facing) **b** 〖토목〗 옹벽(擁壁), 호안(護岸) **2** 〖군사〗 방벽(防壁)
‡re·view [rivjúː] *n.*, *v.*

> OF「다시 보다」의 뜻에서
> (작품을 자세히 보다)→「비평」 **1**→「평론 잡지」 **1**
> (공부를 되살피다)→「복습」 **3**

—*n.* **1 평론**, 비평, 논평; 평론 잡지: a literary ~ 문예 평론지 / write a ~ for the newspaper(s) 신문에 비평을 쓰다 **2** Ⓤ **재조사, 재검토**, 재고; Ⓒ 관찰 **3** Ⓤ 《미》 복습, 연습(《영》 revision); Ⓒ 《미》 연습 문제 **4** 사찰, 시찰; 열병, 사열, 관병식(觀兵式), 관함식(觀艦式): a military[naval] ~ 관병[관함]식 **5** 회고, 반성 **6** 개관, 전망 **7** Ⓤ 〖법〗 재심, 사후 심사: a court of ~ 재심 법원 **8** 〖연극〗 = REVUE
be*[*come*] *under* ~** 검토되고 있다[검토되기 시작하다] ***march in* ~** 사열 행진을 하다 ***pass in* ~** 검열을 받다, 검열하다; 사열하다 ***the Board of R~ (영화 등의) 검열국
—*vt.* **1 다시 조사하다; 정밀하게 살피다**; 관찰하다: ~ the situation 상황을 살피다 **2** 《미》 〈학과를〉 **복습하다**(《영》 revise) **3** 시찰하다; 검열하다; 열병(閱兵)하다: ~ the troops 군대를 사열하다 **4** 회고하다, 회상하다 **5** 개관[개설]하다 **6** 〈책·극·영화 등을〉 비평[논평]하다: His most recent works were favorably ~*ed*. 그의 최신작은 호평을 받았다. **7** 〖법〗 재심하다
—*vi.* **1** 평론을 쓰다, 비평하다 《*for*》 **2** 돌이켜 보다, 회고하다; 재검토하다 **3** 《미》 복습하다 **~·a·ble** *a.*
▷ revíewal *n.*
re·view·al [rivjúːəl] *n.* ⓊⒸ **1** 재조사, 재검토; 검열, 열병 **2** 비평, 평론 **3** 《미》 복습 **4** 회상, 회고
revíew còpy (서평(書評)용) 증정본
re·view·er [rivjúːər] *n.* **1** 비평가, 평론가; 평론 잡지 기자 **2** 검열자
revíew òrder 1 (열병식의) 정장(正裝) **2** 열병 대형
∗re·vile [riváil] *vt.* [보통 수동형으로] …의 욕을 하다, 매도하다, …을 헐뜯다
—*vi.* 욕하다 《*at, against*》
~·ment *n.* 욕, 욕설, 매도(罵倒) **re·víl·er** *n.*
re·vin·di·cate [rivíndəkèit] *vt.* 다시 옹호[변호, 변명]하다
re·vis·al [riváizəl] *n.* **1** 교정(校訂), 정정, 개정(改訂), 수정(修正) **2** 개정본[판] **3** 재검사
***second* ~** 재교
∗re·vise [riváiz] [L 「다시 보다」의 뜻에서] *vt.* **1 교정[정정, 수정, 개정]하다**, 교열하다, 재검사하다 **2** 〈의견 등을〉 바꾸다, 변경하다 **3** 《영》 복습하다(《미》 review) **4** 〖생물〗 〈식물 등을〉 재분류하다
—*n.* **1** 수정, 정정, 교정(校正) **2** 개정판(revision) **3** 〖인쇄〗 재교쇄(刷), 재교지 **re·vís·a·ble** *a.*
▷ revísion *n.*; revísory *a.*
revísed edítion [riváizd-] 〖출판〗 개정판 《2판(the second edition), 3판(the third edition) 등》
Revísed Stándard Vérsion [the ~] (성서의) 개정 표준역(譯) 《신약은 1946년, 구약은 1952년에 미국에서 출판; 略 RSV, R.S.V.》
Revísed Vérsion (**of the Bible**) [the ~] 개역(改譯) 성경 《King James의 Authorized Version의 수정판; 신약은 1881년, 구약은 1885년에 출판; 略 RV, Rev. Ver.》
re·vis·er, re·vi·sor [riváizər] *n.* **1** 교정[교열]자; 정정[수정]자; [*pl.*] 성경 개역자(cf. REVISED VERSION) **2** 〖인쇄〗 교정자
∗re·vi·sion [rivíʒən] *n.* **1** ⓊⒸ **개정**, 교정, 정정, 수정 《*of, in*》; 교열 **2** 수정한 것; 교정본; 개정판; 정정서, 개역 **3** [the R~] 개역 성경 **4** 《영》 복습(《미》 review) **~·al** [-əl], **~·ar·y** [-èri | -əri] *a.* **~·ism** *n.* Ⓤ 수정론[주의], 수정사회주의 **~·ist** *n.* 수정론자
▷ revíse *v.*
re·vis·it [riːvízit] *n.*, *vt.* 재방문(하다)
re·vis·it·ed [rivízitid] *a.* [**R~**] (책의 제명(題名) 뒤에 붙여서) …재고(再考)
re·vi·so·ry [riváizəri] *a.* 교정의; 정정의
re·vi·tal·ize [rìːváitəlaiz] *vt.* **1** 생기를 회복시키다; 소생시키다 **2** 부흥시키다; 활력을 불어 넣다: efforts to ~ regional economies and industries 지역 경제와 산업을 부흥시키려는 노력
rè·vi·tal·i·zá·tion *n.* 새로운 활력[생명, 힘]을 줌; 경기 부양화, 경제력 활성화
∗re·viv·al [riváivəl] *n.* ⓊⒸ **1 재생**, 소생, 부활 **2** 회복; 부흥, 재건; (습관·유행 등의) 재유행 **3** 〖그리스도교〗 신앙 부흥 (운동); 신앙 부흥 특별 전도 집회 **4** [the R~] 문예 부흥(Renaissance) **5** 재공연, 재상영, 재연주, 리바이벌 **6** 〖법〗 (법적 효력의) 회복
the ~ of architecture = ***the Gothic ~*** (19세기의) 고딕 건축의 부흥 ***the R~ of Learning*** [***Letters, Literature***] 문예 부흥
~·ìsm *n.* Ⓤ 신앙 부흥 운동; 재유행의 조짐, 부흥의 기운(氣運) **~·ist** *n.* 신앙 부흥론자
‡re·vive [riváiv] [L 「다시 살다」의 뜻에서] *vt.* **1 소생하게 하다, 되살리다**; 기운나게 하다: His encouraging words ~*d* my drooping spirits. 그의 격려의 말을 듣고 풀 죽어 있던 나는 기운이 솟았다. **2** 재개하다; 부활[부흥]시키다; 〈습관·유행 등을〉 재유행시키다: an attempt to ~ the economy 경제를 다시 살리기 위한 시도 **3** 재공연[재상영]하다 **4** 상기하다, 회상하다, 환기하다 **5** 〈법적 효력을〉 부활[복귀]시키다 **6** 〖화학〗 환원시키다
—*vi.* **1** 소생하다: (~+전+명) ~ *from* a swoon 의식을 되찾다 **2** 기운을 다시 찾다; 〈감정·기억 등이〉 다시 살아나다 **3** 〈법적 효력이〉 부활하다, 되살아나다 **4** 〖화학〗 환원하다
re·vìv·a·bíl·i·ty *n.* **re·vív·a·ble** *a.* **re·viv·er** [riváivər] *n.* 소생[부활]시키는 사람[것]; 《구어》 자극성 음료, 흥분제; 재염색제
▷ revíval *n.*
re·viv·i·fy [riːvívəfài] *vt.* (**-fied**) **1** 다시 살아나게 하다, 부활시키다(revive); 기운나게 하다 **2** 〖화학〗 환원시키다 **re·vìv·i·fi·cá·tion** *n.* Ⓤ 소생, 부활; 원기 회복; 〖화학〗 환원 **-fi·er** *n.*
re·vi·vis·cence, -cen·cy [rèvəvísns(i)] *n.* Ⓤ **1** 소생, 부활; 원기 회복 **2** 〖생물〗 동면에서 깨어남
-cent *a.*
re·vi·vor [riváivər] *n.* ⓊⒸ 〖영국법〗 (중단된 소송의) 부활 절차
rev·o·ca·ble [révəkəbl, rivóuk-], **re·vok·a·ble** [rivóukəbl, révə-] *a.* 폐지[취소, 해제]할 수 있는, 무효화할 수 있는
rèv·o·ca·bíl·i·ty *n.* **~·ness** *n.* **-bly** *ad.*
rev·o·ca·tion [rèvəkéiʃən] *n.* ⓊⒸ 폐지, 취소; 〖법〗 (계약·유언 등의) 철회, 파기
rev·o·ca·tive [révəkèitiv, rivάkət- | rivɔ́kət-], **-to·ry** [-tɔ̀ːri | -təri] *a.* 폐지[취소, 해제]의
re·voice [rìːvɔ́is] *vt.* **1** 다시 소리로 내다; 응답하다; 반향시키다 **2** 조율하다
re·voke [rivóuk] *vt.* 〈명령·약속·면허 등을〉 취소하다, 폐지하다, 무효로 하다, 해약하다, 철회하다: ~ a license 면허를 취소하다 —*vi.* **1** 〈약속·동의 등을〉 취소하다 **2** 〖카드〗 판에 깔린 패의 짝이 있는데도 규약을 어기고 다른 패를 내다
—*n.* **1** 취소, 폐지 **2** 〖카드〗 revoke함 ***beyond* ~** 취소할 수 없는 ***make a* ~** = REVOKE *vi.* 2
re·vók·er *n.* **re·vók·ing·ly** *ad.*

---

revise *v.* **1** 수정하다 emend, amend, correct, edit, rewrite, revamp, update **2** (의견 등을) 바꾸다 reconsider, review, alter, change, reassess
revival *n.* resurrection, rebirth, resuscitation

‡re·volt [rivóult] *n.* **1** (소규모의) 반란, 반발, 폭동 《*against*》 **2** 반항(심), 반항적 태도 **3** Ⓤ 혐오, 불쾌, 반감, 강한 항의의 표명 ***in ~*** …에 반항하여 ***rise in ~*** 반기를 들다, 반란을 일으키다

— *vi.* **1** 반란[폭동]을 일으키다 《*against*》, 반역하다 《*from*》, 적편에 붙다 《*to*》: 《~+전+명》 ~ *from* one's allegiance 충성의 맹세를 저버리다 / People *~ed against* their rulers. 민중은 지배자들에 대하여 반란을 일으켰다. **2** 매우 싫어하다, 비위가 상하다, 반감이 생기다 《*at, against, from*》: 《~+전+명》 Human nature *~s at* such a crime. 인간의 본성은 그러한 범죄에 대해 혐오감을 일으킨다. / ~ *from* eating meat 고기를 싫어하다

— *vt.* 비위 상하게 하다, …을 불쾌하게 하다 **~·ed** [-id] *a.* 반란을 일으킨 **~·er** *n.* ▷ revolútion *n.*

re·volt·ing [rivóultiŋ] *a.* **1** 반란[모반]하는 **2** 불쾌감을 일으키는, 메스꺼운, 지긋지긋한 **~·ly** *ad.*

rev·o·lute¹ [révəlùːt] *a.* 〖식물〗 〈잎 등이〉 바깥쪽으로 감긴(cf. CONVOLUTE)

revolute² *vi.* 《속어》 혁명에 가담하다; 혁명을 하다[겪다]

‡rev·o·lu·tion [rèvəlúːʃən] *n.*

L 「회전하다」의 뜻에서
「회 돌아감」 ┬ (물체가 돌기) → 「회전」 **3**
　　　　　　└ (체제가 돌기) → 「혁명」 **1**

1 ⓊⒸ (정치상의) 혁명: a bloodless ~ 무혈 혁명 **2** ⓊⒸ 대변혁, 개혁; 격변, 완전한 변화 **3** 회전, 선회; 1회전 **4** Ⓤ (계절 등의) 주기; 순환, 회귀 **5** Ⓤ 〖천문〗 운행, 공전(公轉)(cf. ROTATION); 공전 주기; 《속어》 (천체의) 자전(自轉): the ~ of the earth (a)round the sun 지구의 공전
▷ revólt, revolútionize, revólve *v.*; revolútionary *a.*

***rev·o·lu·tion·ar·y** [rèvəlúːʃənèri | -ʃənəri] *a.* **1** 혁명의; 혁명적인, 대변혁의, 대변혁[전환]을 가져오는: a ~ leader 혁명 지도자 / ~ changes in education 교육에 있어서의 혁명적인 대변화 **2** [**R~**] 미국 독립 전쟁의 **3** 선회의, 회전(回轉)의

— *n.* (*pl.* **-ar·ies**) 혁명당원; 혁명론자
▷ revolútion *n.*

Revolútionary cálendar [the ~] 프랑스 혁명력(曆)(French Revolutionary calendar)

Revolútionary Wár **1** [the ~] 〖미국사〗 독립 전쟁(1775-83)(the War of Independence, the American Revolution) **2** [the ~s] 〖프랑스사〗 혁명전쟁(1792-1802)

revolútion còunter 적산 회전계(積算回轉計)《모터 등의 회전수를 지시 또는 기록하는 장치》

rev·o·lu·tion·ism [rèvəlúːʃənìzm] *n.* Ⓤ 혁명주의, 혁명론

rev·o·lu·tion·ist [rèvəlúːʃənist] *n.* 혁명당원; 혁명론자

rev·o·lu·tion·ize [rèvəlúːʃənàiz] *vt.* **1** 혁명[대변혁]을 일으키다; 급격한 변화를 가져오다 **2** 혁명 사상을 불어 넣다[심다] — *vi.* 대변혁을 받다; 혁명을 겪다 **-iz·er** *n.*

***re·volve** [rivɑ́lv | -vɔ́lv] *vi.* **1** 회전하다, 선회(旋回)하다(rotate); (…을 축으로) 돌다(⇨ turn 유의어) 《*on*》: 《~+전+명》 The earth *~s on* its axis. 지구는 지축을 중심으로 자전한다. **2** 〈천체가〉 공전(公轉)하다, 운행하다, 주전(周轉)하다 《*around, about*》: 《~+전+명》 The moon *~s around* the earth. 달은 지구의 주위를 운행한다. **3** 〈계절 등이〉 순환하다; 주기적으로 일어나다: The seasons ~. 계절은 순환한다. **4** 〈여러 가지 생각이 가슴 속을〉 오가다, 생각나다 《*around*》: Several fantasies *~ed around* in my mind. 몇 가지의 터무니없는 공상이 머리 속을 맴돌았다. **5** 〈토론 등이〉 …을 중심 제목으로 삼다, 초점을 맞추다 《*around*》: 《~+전+명》 The debate *~d around* the morality of abortion. 토론은 임신 중절의 도덕성을 주요 테마로 다루었다.

— *vt.* **1** 회전시키다(⇨ turn 유의어), 원을 그리듯이 움직이게 만들다 **2** 운행시키다 **3** 궁리하다, 숙고하다(consider, ponder) ***~ in the mind*** 숙고하다

re·vólv·a·ble *a.* ▷ revolútion *n.*

re·volv·er** [rivɑ́lvər | -vɔ́l-] *n.* **1** (탄창 회전식) 연발 권총 **2** 회전하는[시키는] 사람[물건]; 회전 장치; 〖제강〗 회전로(爐) **3** 〖금융〗 《속어》 = REVOLVING CREDIT ***the policy of the big ~ (보복 관세에 의한) 위협 정책

re·volv·ing [rivɑ́lviŋ | -vɔ́lv-] *a.* Ⓐ 회전하는; 회전 장치의: a ~ bookstand 회전 서가(書架)

revólving chárge accòunt 회전 외상 매출 계정

revólving crédit 〖상업〗 회전 신용 계정; 회전 신용(장)

revólving dóor **1** 회전문 **2** (비유) 끊임없는 되풀이 **3** (구어) 직원의 교체가 심한 회사[조직]; (최단 기간에) 죄인[환자]을 내보내는 교도소[병원]

revolving door 1

re·volv·ing-door [rivɑ́lviŋdɔ̀ːr | -vɔ́lv-] *a.* **1** 끊일 사이 없는; (기업·조직 등에서) 직원이 자주 바뀌는 **2** 전직 관리가 유관 사기업에 들어가는

revólving fúnd 회전 자금; 《미》 연방 정부 회전 기금

revólving stáge 〖연극〗 회전 무대

re·vue [rivjúː] [F = review] *n.* 〖연극〗 레뷔, 시사 풍자의 익살극《촌극·춤·무용으로 이루어진 뮤지컬 코미디》

re·vul·sant [rivʌ́lsənt] *a., n.* 〖의학〗 = REVULSIVE

re·vulsed [rivʌ́lst] *a.* 반감을 가진, 혐오하고 있는

re·vul·sion [rivʌ́lʃən] *n.* ⓊⒸ **1** 극도의 불쾌감, 혐오감 《*at, against*》 **2** (감정·상태 등의) 격변, 급변 **3** 《드물게》 되돌아감, 잡아뗌, 회수 **4** 〖의학〗 유도법《특히 반대 자극 등에 의한》 **~·àr·y** *a.*

re·vul·sive [rivʌ́lsiv] 〖의학〗 *a.* 유도(誘導)하는
— *n.* 유도약; 유도 기구(器具) **~·ly** *ad.*

Rev. Ver. Revised Version (of the Bible)

re·wake [riwéik] *vi., vt.* 다시 깨어나다[깨우다]

‡re·ward [riwɔ́ːrd] *n.* ⓊⒸ **1** 보수, 보상, 상: give a ~ for …에 대하여 포상을 주다 / No ~ without toil. 《속담》 고생 끝에 낙(樂). **2** 현상금, 사례금 《분실물의 반환·죄인의 체포 등에 대한》 **3** [종종 *pl.*] 보답, 응보, 벌 《*of, for*》 **4** 이익
gone to one's ~ 죽어서 천국에 간[있는] ***in ~ for*** [***of***] …에 대한 상으로서, …에 보답하여

— *vt.* [종종 수동형으로] **1** 보답하다, 보상하다: Our patience was finally *~ed*. 우리 인내심이 마침내 보상을 받았다. **2** 보수[상]를 주다 《*for*》; 보답하다 《*with*》: 《~+목+전+명》 The teacher *~ed* Tom *for* his diligence. 선생님은 톰에게 부지런하다고 상을 주셨다. / The mother *~ed* her child *with* a pretty story. 어머니는 아이에게 상으로서 재미있는 이야기를 해주셨다. **3** 보복하다, 벌하다

— *vi.* 보답하다
~·a·ble *a.* **~·er** *n.* **~·less** *a.* 무보수의, 헛수고의

re·ward·ing [riwɔ́ːrdiŋ] *a.* **1** 보답하는[받는], 보상으로서의 **2** …할 만한 가치가 있는, …할 보람이 있는: a ~ book 읽을 가치가 있는 책 **~·ly** *ad.*

re·wash [riwɑ́ʃ | -wɔ́ʃ] *vt.* 다시 씻다

re·weigh [riːwéi] *vt.* 무게를 다시 달다[두 번 달다]

thesaurus **revolution** *n.* **1** 혁명 revolt, rebellion, insurrection, uprising, rising, insurgence, mutiny, riot, coup, coup d'état **2** 대변혁 drastic change, radical alteration, complete shift, metamorphosis, upheaval, upset, transformation, innovation, reformation, cataclysm **3** 회전 rota-

re·win [rìːwín] *vt.* (**-won**; **-win·ning**) 다시 획득하다, 되찾다
re·wind [rìːwáind] *vt.*, *vi.* (**-wound** [-wáund]) 다시 감다[감기다]; 〈필름·테이프 등을〉 되돌려 감다 — [스] *n.* **1** 다시[되돌려] 감기 **2** (테이프 녹화기의) 되돌려 감는 기능 **3** (카메라의) 필름 감는 기능
re·wire [rìːwáiər] *vt.* **1** 배선(配線)을 바꾸다: ~ a office 사무실의 배선을 바꾸다 **2** 회신을 타전(打電)하다, 반신(返信)을 치다 — *vi.* 배선을 바꾸다
re·word [rìːwə́ːrd] *vt.* **1** 바꾸어 말하다[쓰다], …의 말투를 바꾸다 **2** 되풀이하다(repeat); 반복해서 말하다, 복창하다
re·work [rìːwə́ːrk] *vt.* **1** 개정하다, 뜯어고치다; 재생하다, 재가공하다 **2** 〈식물을〉 접목으로 변종을 만들다 — [스] *n.* 다시 만듦, 재가공
ré·worked wóol [ríːwəːrkt-] 재생 양모
re·wrap [rìːrǽp] *vt.* 다시 포장하다
re·writ·a·ble [rìːráitəbl] *a.* 〖컴퓨터〗 재기록이 가능한: a ~ CD 다시 쓰기[재기록] 가능한 씨디
‡**re·write** [rìːráit] *vt.* (**-wrote** [-róut]; **-written** [-rítn]) **1** 다시 쓰다; 고쳐 쓰다: (~+목+전+명) ~ a story *for* children 어린이를 대상으로 이야기를 고쳐 쓰다 **2** (미) 〖신문〗 〈기자가 제출한 기사를〉 신문에 실을 수 있도록 고쳐 쓰다 **3** …에게 답신 편지를 쓰다 — [스] *n.* **1** 고쳐 씀; 정정본[판]; 개작(改作) **2** (미) 고쳐 쓴 기사 **rè·wrít·er** *n.*
re·write·man [ríːraitmæ̀n] *n.* (*pl.* **-men** [-mèn]) (미) (원고) 고쳐 쓰는 기자, 정리 기자
re·write·per·son [-pə̀ːrsn] *n.* = REWRITEMAN
réwrite rùle 〖언어〗 바꾸어 쓰기 규칙 《구(句)구조 규칙의 하나》
rex [réks] [L 「왕」의 뜻에서] *n.* (*pl.* ***re·ges*** [ríːdʒiːz]) 국왕; [**R~**] 현 국왕 《略 R.; cf. REGINA》: George *R*~ 조지 왕
Rex [réks] *n.* 남자 이름 《Reginald의 애칭》
réx begónia 가을 해당화과의 관엽 식물 《인도원산》
Rex·ine [réksiːn] *n.* Ⓤ 모조 가죽 《상표명》
Réye's sỳndrome [ráiz-, réiz-] [최초로 발견한 호주의 소아과 의사 이름에서] 〖병리〗 라이 증후군 《소아에 흔히 있는 뇌장애》
Rey·kja·vik [réikjəvìːk, -vik] *n.* 레이캬비크 《Iceland의 수도·항구 도시》
Rey·nard [réinɑːrd, -nərd, rénərd | rénɑːd] *n.* **1** 레이너드 《~ *the Fox*(여우 이야기)에 나오는 주인공 여우 이름》 **2** [**r~**] 여우(fox)
Reyn·old [rénld] *n.* 남자 이름 《Reginald의 애칭》
Reyn·olds [rénldz] *n.* **1** 레이놀즈 **Sir Joshua** ~ (1723-92) 《영국의 초상화가》 **2** 레이놀즈 **Burt** ~ (1936-) 《미국의 영화배우》 **3** 레이놀드사(社) 《미국 최대의 담배 회사》
Réynolds nùmber [영국의 물리학자 Osborne Reynolds의 이름에서] 〖물리〗 레이놀즈수(數) 《액체의 흐름을 나타냄; 기호 Re》
re·zone [rìːzóun] *vt.* 〈지구·지역을〉 재구분하다, 선을 다시 긋다 — [스] *n.* 재구분, 구분 변경, 다시 긋기
Rf 〖화학〗 rutherfordium **RF, R.F., r.f.** radio frequency **rf., r.f., rf** 〖야구〗 right field; right fielder **r.f.** range finder; rapid fire **R.F.** *République Française* (F = French Republic); Reserve Force; (영) Royal Fusiliers **R.F.A.** (영) Royal Field Artillery; (영) Royal Fleet Auxiliary
R̀ fàctor [*R*esistance *factor*] 〖유전〗 R 인자(因子) 《세균의 약제 내성 인자》

---

tion, spin, single turn, round, whirl
revulsion *n.* repulsion, disgust, nausea, distate
reward *n.* **1** 보수, 보상 recompense, payment, remuneration, bonus, bounty, present, gift, tip, prize, gratuity **2** 응보 punishment, penalty, retribution, requital, retaliation, deserts

r.f.b., R.F.B. 〖미식축구〗 right fullback **RFC, R.F.C.** (미) Reconstruction Finance Corporation; Royal Flying Corps 《현재는 R.A.F.》; Rugby Football Club **RFD, R.F.D.** rural free delivery **RFI** radio frequency interference 무선 주파수 방해 **rg, r.g.** 〖미식축구〗 right guard **R.G.A.** (영) Royal Garrison Artillery **RGB** 〖TV〗 red, green, blue 《컬러 TV화상의 3원색》
RGB mònitor 〖컴퓨터〗 RGB 모니터
RGN (영) Registered General Nurse **RGNP** real gross national product 실질 국민 총생산 **R.G.S.** (영) Royal Geographical Society **Rgt.** Regiment **Rgtl.** Regimental **Rh** 〖생화학〗 Rh factor; 〖화학〗 rhodium **RH** Relative Humidity **r.h.** relative humidity **r.h., R.H., RH** right hand 오른손 사용 〈악기 등〉 **R.H.** Royal Highlanders 영국 고지 연대; Royal Highness **R.H.A.** (영) Royal Horse Artillery; Royal Humane Association
rhabdo- [rǽbdou, -də] 《연결형》 봉(棒)(모양)(rod), 지팡이
rhab·dom [rǽbdəm, -dɑm | -dɔm, -dəm] *n.* 〖해부·동물〗 **1** 봉상체 **2** 감간(感桿) 《절지동물의 복안 내부에서 빛을 느끼는 봉상체》
rhab·do·man·cy [rǽbdəmæ̀nsi] *n.* ⓊⒸ 막대기 점(占) 《특히 수맥(水脈)·광맥을 찾는》 **-màn·cer** *n.*
rhab·do·my·o·ma [ræ̀bdoumaióumə] *n.* (*pl.* **~s, ~·ta**) 〖병리〗 횡문근종(橫紋筋腫)
rhab·do·my·o·sar·co·ma [ræ̀bdoumàiousɑːrkóumə] *n.* (*pl.* **~s, ~·ta**) 〖병리〗 횡문근육종 《악성종양》
rhab·do·vi·rus [rǽbdouvàirəs] *n.* (*pl.* **~·es**) 랩도 바이러스과의 RNA 바이러스의 총칭
Rhad·a·man·thine [ræ̀dəmǽnθin, -θain | -θain] *a.* **1** Rhadamanthus의[에 관한, 를 특징짓는] **2** 엄정(嚴正)한, 강직(剛直)한
Rhad·a·man·thus, -thys [ræ̀dəmǽnθəs] *n.* **1** 〖그리스신화〗 라다만토스 《Zeus와 Europa 사이의 아들; 정의의 귀감; 죽은 뒤 지옥의 세 재판관의 하나로 뽑혔음》 **2** 강직한 재판관
Rháe·tian Àlps [ríːʃiən-, -ʃən-] [the ~] 레티안 알프스 《스위스 동부에서 오스트리아 서부에 걸친 산맥》
Rhae·to-Ro·man·ic [rìːtouroumǽnik], **-Romance** [-mǽns] *n.* Ⓤ, *a.* 레토로만어(語)(의) 《스위스 남동부·티롤(Tyrol)·이탈리아 북부의 로맨스어》
rham·nose [rǽmnous, -nouz] *n.* 〖생화학〗 람노오스, 데옥시만노오스(deoxymannose)
rhap·sode [rǽpsoud] *n.* = RHAPSODIST 1
rhap·sod·ic, -i·cal [ræpsɑ́dik(əl) | -sɔ́d-] *a.* **1** 서사[음송]시의 **2** 광상적인, 열광적인, 거창한 **-i·cal·ly** *ad.*
rhap·so·dist [rǽpsədist] *n.* **1** 〖고대그리스〗 음유(吟遊) 시인, 서사시 낭송자 **2** 광상시[광상곡] 작자 **3** 열광적인 표현을 하는 사람
rhàp·so·dís·tic *a.*
rhap·so·dize [rǽpsədàiz] *vt.*, *vi.* **1** 광상시를 쓰다; 광상곡을 짓다 **2** 서사시적으로 낭송하다; 열광적으로 쓰다[말하다] 《*about*, *on*, *over*》
rhap·so·dy [rǽpsədi] [Gk 「시(詩)를 이어 붙이다」의 뜻에서] *n.* (*pl.* **-dies**) **1** 〖고대그리스〗 서사시, 랩소디, (한 번 음송하는 데 알맞은) 서사시의 일절 **2** 격앙된 감정의 표현, 열광적인 문장[시가]; 환희, 열광 **3** ⒸⓊ 〖음악〗 광상곡, 광시곡 ***go into rhapsodies*** 열광적으로 말하다[쓰다] 《*over*》
rhat·a·ny [rǽtəni] *n.* (*pl.* **-nies**) **1** 〖식물〗 라타니아 《콩과(科)의 관목; 남아메리카산(産); 약용》 **2** 라타니아 뿌리 《약용 또는 포도주 착색용》
rha·thy·mi·a [rəθáimiə] *n.* 〖심리〗 낙천성, 마음 편함
r.h.b., R.H.B. 〖미식축구·하키〗 right half back
r.h.d. 〖자동차〗 right-hand drive
rhe [ríː] *n.* 〖물리〗 리 《유동도(流動度)의 단위》

Rhe·a [rí:ə | rí(:)ə] *n.* **1** 여자 이름 **2** 〖그리스신화〗 레아 《Uranus와 Gaea의 딸》 **3** [**r~**] 아메리카 타조 《발가락이 셋임》 **4** 〖천문〗 레아 《토성의 제5 위성》
rhe·bok [rí:bɑ̀k | -bɔ̀k] *n.* (*pl.* **~s,** [집합적] **~**) 리복 《남아프리카산(産)의 영양, 곧은 뿔이 특징》
rhe·mat·ic [rimǽtik] *a.* 〖언어〗 단어를 형성하는; 동사의, 동사에서 파생된
rheme [rí:m] *n.* 〖언어〗 = COMMENT 4
rhe·nic [rí:nik] *a.* 〖화학〗 레늄의[을 함유한]
Rhen·ish [rénìʃ, rí:n-] 《고어》 *a.* 라인 강 지방[유역]의: ~ wine[hock] 라인 백포도주 ★ 지금은 보통 Rhine을 형용사로 사용함.
— *n.* Ⓤ 라인 백포도주(cf. HOCK[2])
rhe·ni·um [rí:niəm] *n.* Ⓤ 〖화학〗 레늄 《희유 금속 원소; 기호 Re, 번호 75》
rheo- [rí:ou, rí:ə] 《연결형》 「흐름, 유동[유체, 유성]」의 뜻
rhe·o·base [rí:əbèis] *n.* 〖생리〗 기전류(基電流)
rhe·ol·o·gy [ri:ɑ́lədʒi | -ɔ́l-] *n.* Ⓤ 〖물리〗 유동학(流動學), 유성학(流性學)
rhè·o·lóg·i·cal *a.* **rhè·o·lóg·i·cal·ly** *ad.* **-gist** *n.*
rhe·om·e·ter [ri:ɑ́mətər | -ɔ́m-] *n.* **1** 유량계 **2** 〖의학〗 혈류계(血流計) **rhè·o·mét·ric** *a.*
rhe·om·e·try [ri:ɑ́mətri | -ɔ́m-] *n.* Ⓤ **1** 유동 측정 **2** 〖의학〗 혈행 측정
rhe·o·re·cep·tor [rí:ourisèptər] *n.* 〖생물〗 수류 지각기(水流知覺器)
rhe·o·scope [rí:əskòup] *n.* 검전기(檢電器), 검류기, 전류 검사기
rhe·o·stat [rí:əstæ̀t] *n.* 〖전기〗 가감(加減) 저항기; 조광기(調光器) **rhè·o·stát·ic** *a.*
rhe·o·tax·is [rì:ətǽksis | rìə-] *n.* Ⓤ 〖생물〗 주류성(走流性)
rhe·o·tome [rí:ətòum] *n.* 〖전기〗 단속기
rhe·o·trope [rí:ətròup] *n.* 〖전기〗 변류기(變流器)
rhe·ot·ro·pism [ri:ɑ́trəpìzm | -ɔ́t-] *n.* Ⓤ 〖생물〗 굴류성(屈流性)
rhe·sus [rí:səs] *n.* 〖동물〗 = RHESUS MONKEY
rhésus bàby 〖의학〗 Rh용혈성 질환의 신생아[태아] 《Rh음성형 여성이 Rh양성형 태아를 임신했을 경우의》
Rhésus fàctor 〖생화학〗 = RH FACTOR
rhésus mónkey[**macáque**] 〖동물〗 붉은털원숭이 《의학 실험용; Rh factor를 가진 원숭이》
rhet. rhetoric; rhetorical
rhe·tor [rí:tər, rét-] *n.* **1** 〖고대그리스〗 수사학자, 웅변술 교사 **2** 웅변가
***rhet·o·ric** [rétərik] [Gk 「이야기하다」의 뜻에서] *n.* Ⓤ **1** 수사법, 화려한 문체; 미사(美辭); 과장 **2** 수사학; 웅변; 웅변술, 수사적 기교 **3** 작문법, 문장법 **4** 설득력, 매력 ▷ rhetórical *a.*
rhe·tor·i·cal [ritɔ́:rikəl, -tɑ́r- | -tɔ́r-] *a.* **1** 수사(修辭)적인; 수사학(修辭學)의; 수사학상의; 웅변적인 **2** 미사여구의 **~·ly** *ad.* **~·ness** *n.*
rhetórical quéstion 〖문법〗 수사 의문, 반문적 의문 《이를테면 Nobody cares. 의 뜻의 *Who cares?*》
rhet·o·ri·cian [rètəríʃən] *n.* 수사학자, 웅변가, 과장적인 연설가[작가]; 수사학[작문법, 웅변술] 교사
rheum [rú:m] *n.* Ⓤ **1** 점막 분비물 《눈물·콧물 등》; 눈물 **2** (코)카타르(catarrh), 감기
rheu·mat·ic [ru:mǽtik, rum-] *a.* 류머티즘의; 류머티즘에 걸린[걸리기 쉬운], 류머티즘에 걸리게 하는, 류머티즘에 기인한: ~ diseases 류머티즘성 질환
— *n.* 류머티즘 환자; [the ~s] 《구어·방언》 류머티즘(rheumatism) **-i·cal·ly** *ad.* 류머티즘에 걸려
rheumátic féver 〖병리〗 류머티즘열
rheumátic héart disèase 〖병리〗 심장 류머티즘 《류머티즘열로 인한 심장병》
rheu·mat·ick·y [ru:mǽtiki, rum-] *a.* 《구어》 = RHEUMATIC
‡**rheu·ma·tism** [rú:mətìzm] *n.* Ⓤ 〖병리〗 류머티즘; = RHEUMATIC FEVER; = RHEUMATOID ARTHRITIS ▷ rheumátic *a.*
rheu·ma·tiz [rú:mətìz] *n.* 《방언》 = RHEUMATISM
rheu·ma·toid [rú:mətɔ̀id] *a.* 류머티즘성(性)의; 류머티즘에 걸린; 류머티즘과 유사한
rhéumatoid arthrítis 〖병리〗 류머티즘성 관절염
rhéumatoid fáctor 〖생화학〗 류머티즘 인자 《관절 류머티즘 환자의 자기 항체》
rheu·ma·tol·o·gy [rù:mətɑ́lədʒi | -tɔ́l-] *n.* 〖의학〗 류머티즘학
rhèu·ma·to·lóg·i·cal *a.* **-gist** *n.*
rheum·y [rú:mi] *a.* (**rheum·i·er**; **-i·est**) **1** 점액을 분비하는 **2** 코카타르에 걸린; 냉랭한, 〈공기 등이〉 냉습(冷濕)한
rhex·is [réksis] *n.* (*pl.* **rhex·es** [réksi:z]) 〖병리〗 (혈관·기관·세포의) 파열
Rh fàctor [ɑ́:réitʃ-] [*Rh*esus *factor*] 〖생화학〗 리서스 인자(因子) 《적혈구 속에 있는 응혈소》
R.H.G. 《영》 Royal Horse Guards
rhig·o·lene [rígəlì:n] *n.* 〖화학〗 리골린 《석유에서 추출한 고휘발성 액체; 국부 한냉 마취제》
rhin- [rain], **rhino-** [ráinou, -nə] 《연결형》 「코; 비강」의 뜻 《모음 앞에서는 rhin-》
rhi·nal [ráinl] *a.* 〖해부〗 코의, 비강(鼻腔)의(nasal): the ~ cavities 비강
***Rhine** [ráin] *n.* [the ~] (독일의) 라인강
Rhine·land [ráinlæ̀nd, -lənd] *n.* [the ~] 라인 지방 《독일의 라인 강 서쪽 지방》
rhin·en·ceph·a·lon [ràinenséfəlɑ̀n, -lən | -lɔ̀n] *n.* (*pl.* **~s, -a·la** [-ələ]) 〖해부〗 후뇌(嗅腦) 《후각 중추를 포함한 대뇌의 한 부분》
-ce·phal·ic [-səfǽlik] *a.*
rhine·stone [ráinstòun] *n.* Ⓤ 라인석(石) 《모조 다이아몬드》
Rhíne wìne **1** 라인산(産) 포도주 《주로 백포도주》 **2** 《일반적으로》 백포도주
rhi·ni·tis [raináitis] *n.* Ⓤ 〖병리〗 비염(鼻炎), 코카타르
rhi·no[1] [ráinou] *n.* (*pl.* **~, ~s**) 《구어》 〖동물〗 = RHINOCEROS
rhino[2] *n.* Ⓤ 《영·속어》 돈(money), 현금(cash)
rhino[3] *n.* (*pl.* **~s**) = RHINO FERRY
rhino[4] *n.* 《속어》 **1** 우울, 의기소침 **2** 《영》 치즈
— *a.* **1** 향수병에 걸린, 우울한, 침울한 **2** 파산된
rhino- [ráinou, -nə] 《연결형》 = RHIN-
***rhi·noc·er·os** [rainɑ́sərəs | -nɔ́s-] *n.* (*pl.* **~·es,** **~**) 〖동물〗 무소, 코뿔소
rhinóceros bèetle 〖곤충〗 장수풍뎅이
rhíno fèrry 《미》 모터 달린 상자형 배(pontoon(s)) 《미 해군 상륙 작전 때 쓰이는 작은 배》
rhi·nol·o·gy [rainɑ́lədʒi | -nɔ́l-] *n.* Ⓤ 비과학(鼻科學) **rhì·no·lóg·i·cal** *a.* **-gist** *n.*
rhi·no·phar·yn·gi·tis [ràinoufæ̀rindʒáitis] *n.* Ⓤ 〖병리〗 비인두염(鼻咽頭炎)
rhi·no·plas·ty [ráinəplæ̀sti] *n.* Ⓤ 코 성형술
rhì·no·plás·tic *a.*
rhi·nor·rhe·a [ràinərí:ə] *n.* Ⓤ 〖병리〗 비루(鼻漏) 《코 점액이 지나치게 많이 나오는 증상》
rhi·no·scope [ráinəskòup] *n.* 〖의학〗 비경(鼻鏡)
rhi·nos·co·py [rainɑ́skəpi] *n.* Ⓤ 〖의학〗 검비(檢鼻)(법), 비경 검사(법)
rhi·no·vi·rus [ràinouváirəs, ⌐–⌐–] *n.* 〖의학〗 코감기 바이러스 《감기의 병원체》
RHIP Rank has its privileges. 《미·군대속어》 지위에는 그에 따르는 특권이 있다. **R. Hist. S.** 《영》 Royal Historical Society
rhiz- [raiz], **rhizo-** [ráizou] 《연결형》 「뿌리」의 뜻 《모음 앞에서는 rhiz-》
rhi·zan·thous [raizǽnθəs] *a.* 〖식물〗 뿌리에서 직접 꽃을 피우는
rhiz·ic [rízik] *a.* 〖수학〗 (방정식의) 근(root)의
rhi·zo·bi·um [raizóubiəm] *n.* (*pl.* **-bi·a** [-biə])

〖세균〗 (리조븀속(屬)의) 근류(根瘤) 박테리아
rhi·zo·carp [ráizoukɑ̀:*r*p] *n.* 〖식물〗 숙근성(宿根性) 식물 **rhì·zo·cár·pous** *a.*
rhi·zoc·to·nia [rɑ̀izɑktóuniə | -zɔk-] *n.* 리족토니아 《감자 잎을 썩게 하는 병균》
rhi·zo·gen·ic [rɑ̀izoudʒénik] *a.* 〖식물〗 뿌리를 내는
rhi·zoid [ráizɔid] *a.* 뿌리 모양의(rootlike)
— *n.* 가근(假根), 헛뿌리 **rhi·zói·dal** *a.*
rhi·zo·ma·tous [raizɑ́mətəs | -zɔ́m-] *a.* 뿌리줄기의, 땅속줄기의
rhi·zome [ráizoum], **rhi·zo·ma** [raizóumə] *n.* 뿌리줄기, 땅속줄기, 근경(根莖)
rhi·zo·mor·phous [rɑ̀izoumɔ́:*r*fəs] *a.* 〖식물〗 〈모양이〉 뿌리 같은
rhi·zoph·a·gous [raizɑ́fəgəs | -zɔ́f-] *a.* 뿌리를 먹는, 식근성(食根性)의
rhi·zo·plane [ráizəplèin] *n.* 〖생태〗 근면(根面) 《흙이 붙은 뿌리의 표면》
rhi·zo·pod [ráizəpɑ̀d | -pɔ̀d], **rhi·zop·o·dan** [raizɑ́pədn | -zɔ́p-] *n.* 〖동물〗 근족충류(根足蟲類)의 동물 《아메바 등》 **rhi·zóp·o·dous** *a.*
rhi·zo·sphere [ráizəsfìə*r*] *n.* 〖생태〗 근권(根圈) 《토양 중에서 식물의 뿌리가 영향을 미치는 범위》
rhi·zot·o·my [raizɑ́təmi | -zɔ́t-] *n.* (*pl.* **-mies**) 〖외과〗 척추 신경근 절단 수술
Rh négative 〖생화학〗 Rh음성의 혈액[사람]
Rh-neg·a·tive [ɑ́:rèitʃnégətiv] *a.* 〈혈액이〉 Rh음성의, Rh 인자가 없는
rho [róu] *n.* (*pl.* **~s**) **1** 로 《그리스 자모의 제17자; Ρ, ρ; 영어의 r에 해당》 **2** 〖물리〗 = RHO MESON
Rho., Rhod. Rhodesia
rhod- [roud], **rhodo-** [róudou] 《연결형》 「장밋빛; 빨강」의 뜻 《모음 앞에서는 rhod-》
Rho·da [róudə] *n.* 여자 이름
rho·da·mine [róudəmì:n], **-min** [-min] *n.* Ⓤ 로다민 《적색의 합성 염료》
Rhòde Ísland [ròud-] [Du.「빨간 섬」의 뜻에서] 로드아일랜드 주(州) 《미국 New England 지방에 있는 미국에서 가장 작은 주; 略 R.I.》
Rhòde Íslander *n.* 로드아일랜드 주민
Rhòde Ísland Réd 로드아일랜드 레드 《깃털이 적갈색의 난육(卵肉) 겸용의 미국산(産) 닭》
Rhòde Ísland Whíte 로드아일랜드 화이트 《백색의 난육(卵肉) 겸용의 미국산(産) 닭》
Rhodes [róudz] *n.* **1** 로도스 섬 《에게 해(Aegean Sea) 중의 그리스령(領) 섬》 **2** 로즈 **Cecil John ~** (1853-1902) 《영국 태생의 남아프리카 정치가》
Rho·de·sia [roudí:ʒə | -ʃə, -ziə] *n.* 로디지아 《아프리카 남부의 옛 영국 식민지; 현재는 Zambia, Zimbabwe로 각각 독립국이 됨》
-sian *a., n.* 로디지아의 (사람)
Rhodésian mán 〖인류〗 로디지아인(人) 《Rhodesia에서 머리뼈가 발견된 아프리카형(型) 네안데르탈 구인(舊人)》
Rhodésian rídgeback 로디지안 리즈백 《남아프리카산(産) 사냥개》
Rhódes schólar (영국 Oxford 대학의) 로즈 장학생
Rhódes schólarship [the ~] 로즈 장학금 《C. J. Rhodes의 유언에 의해 Oxford 대학에 마련됨; 영연방·미국·독일에서 선발된 학생에게 수여함》
Rho·di·an [róudiən] *a., n.* Rhodes 섬의 (사람)
rho·di·um [róudiəm] *n.* Ⓤ 〖화학〗 로듐 《금속 원소; 기호 Rh, 번호 45》
rhodo- [róudou, -də] 《연결형》 = RHOD-
rho·do·chro·site [ròudəkróusait] *n.* (철과 칼슘을 포함하는) 망간($MnCO_3$)광(鑛)
rho·do·den·dron [ròudədéndrən] *n.* 〖식물〗 진달래속(屬)의 각종 화목(花木)
rho·do·lite [róudəlàit] *n.* Ⓤ 로돌라이트 《장밋빛 석류석의 일종; 보석용》
rho·do·nite [róudənàit] *n.* 장미 휘석 《장식용》
rho·dop·sin [roudɑ́psin | -dɔ́p-] *n.* 〖생화학〗 시홍소(視紅素)
rho·do·ra [roudɔ́:rə, rə-] *n.* 〖식물〗 철쭉의 일종
rhomb [rɑ́m*b* | rɔ́m*b*] *n.* = RHOMBUS
rhomb- [rɑmb | rɔmb], **rhombo-** [rɑ́mbou, -bə | rɔ́m-] 《연결형》 「능형의; 사방형(斜方形)의」의 뜻 《모음 앞에서는 rhomb-》
rhom·ben·ceph·a·lon [rɑ̀mbenséfəlɑ̀n, -lən | rɔ̀mbenséfəlɔ̀n] *n.* (*pl.* **~s, -la** [-lə]) 〖해부〗 후뇌(後腦)
rhom·bi [rɑ́mbai | rɔ́m-] *n.* RHOMBUS의 복수
rhom·bic, -bi·cal [rɑ́mbik(əl) | rɔ́m-] *a.* **1** 마름모꼴의, 사방(斜方)형의, 능형의 **2** 〖결정〗 사방정계(斜方晶系)의
rhom·bo·chasm [rɑ́mbəkæ̀zm | rɔ́m-] *n.* 〖지질〗 (단층 사이의 긴장으로 생기는) 마름모꼴 균열
rhom·bo·he·dron [rɑ̀mbəhí:drən | rɔ̀m-] *n.* (*pl.* **~s, -dra** [-drə]) 〖결정〗 능면체(菱面體), 사방(斜方) 육면체 **-dral** *a.*
rhom·boid [rɑ́mbɔid | rɔ́m-] *n.* 〖기하〗 편릉형(偏菱形), 장릉형(長菱形), 장사방형(長斜方形)
— *a.* 장사방형의 **rhom·bói·dal** *a.*
rhom·boi·de·us [rɑmbɔ́idiəs | rɔm-] *n.* (*pl.* **-de·i** [-diài]) 〖해부〗 능형(菱形)근(rhomboid muscle)
rhom·bus [rɑ́mbəs | rɔ́m-] *n.* (*pl.* **~·es, -bi** [-bai]) **1** 〖기하〗 마름모꼴, 사방형 **2** 〖결정〗 사방 육면체(斜方六面體)
rhó mèson 〖물리〗 로 중간자(中間子) 《매우 불안정하고 단명(短命)한 중간자》
rhon·chus [rɑ́ŋkəs | rɔ́ŋ-] *n.* (*pl.* **-chi** [-kai]) 〖병리〗 나음(囉音), 라셀음, 수포음
Rhon·da [rɑ́ndə | rɔ́n-] *n.* 여자 이름
Rhone [róun] *n.* [the ~] 론 강 《프랑스 동부에서 지중해로 흐르는 강》
Rhóne wìne 론 포도주
rhó pàrticle 〖물리〗 로 입자
R horìzon R층 《토양 바로 밑의 기암층(基岩層)》
rho·ta·cism [róutəsìzm] *n.* 〖음성〗 **1** (다른 음의) r음으로 전환 《특히 모음 사이에서 z의 r로의 변화》 **2** 지나친 r음의 사용
rho·ta·cize [róutəsàiz] *vt.* r음으로 전환하다; 〈모음 뒤에 r음을〉 발음하다 — *vi.* r음 전환되다
rho·tic [róutik] *a.* 〖음성〗 **1** 음절 끝이나 자음 앞에서 r음을 발음하는 **2** [r]음과 유사한 음의
r.h.p. rated horsepower 〖기계〗 정격(定格) 마력
Rh pósitive 〖생화학〗 Rh 양성의 혈액[사람]
Rh-pos·i·tive [ɑ́:rèitʃpɑ́zətiv | -pɔ́z-] *a.* 〈혈액이〉 Rh 양성의, Rh인자가 있는
R.H.S. Royal Historical Society (영) 영국 사학회; Royal Horticultural Society (영) 영국 원예학회; Royal Humane Society (영) 영국 수난(水難) 구조회
rhu·barb [rú:bɑ:*r*b] *n.* Ⓤ **1** 〖식물〗 대황(大黃); 대황의 잎자루 《식용》 **2** 대황의 뿌리 《하제》 **3** 대황색, 담황색(淡黃色) **4** (구어) 와글와글 《많은 사람이 동시에 떠드는 소리》; (미·속어) 말다툼, 격론(激論) **5** (속어) 외진 시골, 벽촌, 외딴 곳 **6** 《공군속어》 저공 소사(低空掃射) — *vi.* (공군속어) 저공에서 기총 소사하다
rhu·barb·ing [rú:bɑ:*r*biŋ] *a.* 〈배우가〉 군중으로서 와자지껄 떠드는 — *n.* 소동, 혼란
rhumb [rʌ́m*b* | rʌ́m] *n.* (*pl.* **~s**) 〖항해〗 **1** 항정선(航程線)(= ~ line) **2** 나침(羅針) 방위 《32 방위의 하나》; 나침반 상의 연속하는 두 방위 사이의 각도
rhum·ba [rʌ́mbə, rúm-, rú:m- | rʌ́m-] *n.* = RUMBA
rhum·ba·tron [rʌ́mbətrɑ̀n] *n.* 〖전자〗 = CAVITY RESONATOR
rhúmb lìne 〖항해〗 항정선(航程線)
*__rhyme, rime__ [ráim] [L 「열(列)」의 뜻에서] *n.* **1** Ⓤ (시의) 운, 각운(脚韻), 압운(押韻) **2** 동운어(同韻語) **3** ⓊⒸ 압운시; [보통 *pl.*] 운문, 시가(詩歌)

double [***female, feminine***] ~ 이중운[여성운] ((motion: notion과 같이 강약 두 음으로 된 것)) ***imperfect*** ~ 불완전운 ((years: hours, phase: race와 같이 자음이나 모음 중 어느 한쪽만 일치하는 것)) ***neither*** ~ ***nor reason*** 이유도 까닭도 없는 ***nursery*** ~ 동요, 자장가 ***run*** one***'s*** ~***s*** ((미·학생속어)) 변명을 늘어 놓다 ***single*** [***male, masculine***] ~ 단운(單韻)[남성운] ((disdain: complain과 같이 마지막 1음절만의 압운)) ***without*** ~ ***or reason*** 분별이 없는, 전혀 까닭 모를, 조리 없는

— *vi.* **1** 시를 짓다 **2** 운(韻)을 달다 ; 운이 맞다 ((*with*)): (~+전+명) "More" ~*s with*[*to*] "door". more는 door와 운이 맞는다. **3** 〈시가〉 압운되어 있다: poetry that ~*s* 압운시

— *vt.* **1** 〈시를〉 짓다 ; 시로 짓다 ; 시작(詩作)으로 지내다 ((*away*)) **2** 압운시키다, 운을 달게 하다 ((*with*)): (~+목+전+명) ~ "shepherd" *with* "leopard" shepherd를 leopard와 압운시키다

~·less *a.* 무운(無韻)의

rhymed [ráimd] *a.* 운을 단, 압운(押韻)한 ; 운문의

rhýmed vérse 압운시(押韻詩)(opp. *blank verse*)

rhym·er [ráimər] *n.* **1** 시 짓는 사람(versifier) **2** = RHYMESTER

rhýme róyal 〔시학〕 제왕 운시(帝王韻詩) ((ababbcc로 압운하여 각행 10음절을 포함하는 7행으로 이루어진 시형))

rhýme schème 〔시학〕 압운(押韻) 형식 ((ababbcc 등으로 나타냄))

rhyme·ster [ráimstər] *n.* ((고어)) 엉터리 시인, 삼류 시인

rhym·ing [ráimiŋ] *a.* Ⓐ 운이 맞는 ; 운을 가진

rhýming díctionary 압운(押韻) 사전

rhýming slàng 압운 속어 ((tea-leaf로 thief를 나타내는 등 ; [-i:f]의 음이 일치))

rhym·ist [ráimist] *n.* 시 짓는 사람

rhyn·cho·ce·pha·lian [rìŋkousəféiljən] *n.*, *a.* 도마뱀의 일종(tuatara)(의)

rhy·o·lite [ráiəlàit] *n.* **1** 〔암석〕 유문암(流紋岩) **2** [**R~**] 〔군사〕 리오라이트 ((미 탄도 미사일 발사 실험에서의 모니터용 위성)) **rhy·o·lit·ic** [ràiəlítik] *a.*

‡rhythm [ríðm] [Gk 「흐르다」의 뜻에서] *n.* Ⓤ Ⓒ **1** 율동, 리듬 ; 규칙적인 반복 (운동): the ~ of the seasons 사계의 순환 **2** (말의) 억양, 음조 **3** 〔음악〕 절주(節奏), 리듬 ; = RHYTHM SECTION **4** 〔미술〕 (주제·형태 ((등))이) 일정한 틀에 따라 반복됨 **5** 〔문학〕 (주제 등의) 반복 ; 율동성 **6** 〔시학〕 운율, 운율 형식 **7** 〔생리〕 주기, 율동: the heart ~ 심장의 율동

▷ rhýthmic, rhýthmical *a.*

rhýthm and blúes 〔음악〕 리듬 앤드 블루스 ((흑인 음악의 일종 ; rock'n'roll의 모체 ; 略 r & b, R & B))

rhýthm bànd 리듬 밴드 ((초등학생 등의 리듬 악기 [타악기]를 중심으로 편성된 밴드))

rhythmed [ríðmd] *a.* 율동적인, 주기적인

rhýthm guitár 〔음악〕 리듬 기타(cf. LEAD GUITAR)

***rhyth·mic, -mi·cal** [ríðmik(əl)] *a.* **1** 율동적인, 리드미컬한 ; 주기적인 **2** 규칙적으로 순환하는

-mi·cal·ly *ad.* 리드미컬하게, 율동적으로

▷ rhýthm *n.*

rhýthmic gymnástics 〔스포츠〕 리듬 체조

rhyth·mic·i·ty [riðmísəti] *n.* 리드미컬한 것, 리듬 [박자]이 맞는 것[상태]

rhyth·mics [ríðmiks] *n. pl.* [단수 취급] 율동법, 음률법 ; 음률학[론]

rhyth·mist [ríðmist] *n.* **1** 리듬을 만들어내는[연구하는] 사람 **2** 리듬 감각이 있는 사람

rhyth·mize [ríðmaiz] *vt.* 율동화하다, 리듬을 붙이다 **rhỳth·mi·zá·tion** *n.*

rhythm·less [ríðmlis] *a.* 리듬[운율]이 없는, 박자가 맞지 않는 ; 균형이 잡히지 않은

rhýthm mèthod 주기(週期) 피임법

rhýthm sèction 〔음악〕 (밴드의) 리듬 담당 그룹 ((피아노·기타·베이스·드럼))

rhýthm stìck 리듬봉

rhyt·i·dec·to·my [rìtədéktəmi] *n.* 〔외과〕 주름살 절제(切除)(술) ; 미용 정형

rhy·ton [ráitɑn | -tɔn] *n.* (*pl.* **-ta** [-tə], ~) 〔고고학〕 (고대 그리스의) 뿔모양의 술잔

R.I. R. et I. ; Rhode Island ; ((영)) Royal Institute [Institution]

ri·a [rí:ə] *n.* 〔지리〕 길고 좁은 쐐기형 후미 ; [*pl.*] 리아스식 해안

RIA radioimmunoassay

R.I.A. Royal Irish Academy

ri·al [riɔ́:l, -ɑ́:l | -ɑ́:l] *n.* **1** 리알 ((이란의 화폐 단위 ; 기호 R ; =100 dinars)) **2** = RIYAL

riál o·má·ni [-oumɑ́:ni] 리알 오마니 ((오만의 화폐 단위))

ri·al·to [riǽltou] *n.* (*pl.* **~s**) 증권 거래소, 시장

Ri·al·to [riǽltou] *n.* **1** [the ~] 리알토 (섬) ((Venice의 2대 섬의 하나로 상업 중심 구역)) **2** [the ~] 리알토교(橋) ((베니스 대운하(the Grand Canal)의 대리석 다리)) **3** ((미)) 극장가(街) ; [the ~] 리알토가(街) ((New York 시 Broadway의 극장가)) **4** 리알토 ((미국 California주 Los Angeles 근교의 도시))

ri·ant [ráiənt, rí:- | rái-] *a.* ((드물게)) 쾌활한, 유쾌한 ; 〈얼굴이〉 웃고 있는, 미소띤, 방긋방긋 하고 있는

ri·a·ta [riɑ́:tə, -ǽtə | -ɑ́:tə] *n.* ((미)) = LASSO

‡rib [ríb] *n.* **1** 〔해부〕 늑골, 갈빗대 **2** 〔요리〕 갈비 ((고기가 붙은 갈빗대)) **3** 갈빗대 모양의 것 ; (선박의) 늑재(肋材) ; 〔항공〕 (날개의) 소골(小骨) ; 〔건축〕 서까래 ; (다리의) 가로보 ; 살 ((양산의)) **4** 두렁 ((논·밭의)) ; 이랑 ((논밭·직물·편물 등의)) ; 산마루 ; (모래 위에 남은) 파도 자국 **5** 〔식물〕 엽맥(葉脈) ; 〔조류〕 깃대(quill) ; 〔곤충〕 시맥(翅脈) **6** ((익살)) 아내(wife), 젊은 여자 ((창세기 2 : 21-22)) **7** [*pl.*] 음식 ; 식사

false [***floating, asternal, short***] ~***s*** 가(假)늑골 ((흉골에 연결되어 있지 않은)) ***poke*** [***nudge, dig***] a person ***in the*** ~***s*** 넌지시 옆구리를 찔러 알리다 ~***s*** [***a*** ~] ***of beef*** 쇠고기의 갈빗살 ***smite*** a person ***under the fifth*** ~ …의 심장을 찌르다, 죽이다 ((사무엘 하 2 : 23)) ***stick to the*** [one***'s***] ~***s*** ((구어)) 〈식사가〉 내용이 풍부하고 영양이 있다 ***tickle*** a person ***in the*** ~***s*** 사람을 웃기다 ***true*** [***sternal***] ~***s*** 진(眞)늑골 ((흉골에 연결된))

— *vt.* (**~bed** ; **~·bing**) **1** …에 늑골[늑재]을 붙이다 [강화하다] ; 늑골[늑재]로 둘러싸다 **2** …에 이랑 무늬를 달다, …에 이랑을 만들다 ; 〈토지를〉 이랑지게 갈다 **3** ((구어)) 괴롭히다, 놀리다(tease) **~·ber** *n.*

R.I.B.A. Royal Institute of British Architects 영국 왕립 건축가 협회

rib·ald [ríbəld, ráib-] *a.* 음란한[상스러운] 말을 하는 〈사람〉 ; 상스러운[야비한] 〈말〉, 음란[불경]한

— *n.* 상스러운[음란한] 말을 하는 사람, 품위가 없는 사람, 야비한 사람

rib·ald·ry [ríbəldri, ráib-] *n.* Ⓤ **1** 상스러움, 야비함 **2** 상스러운 말[농담] ; 야비한 태도

rib·and [ríbənd] *n.* = RIBBON

ri·ba·vi·rin [ràibəvàiərin] *n.* 〔유전·생화학〕 리바비린 ((합성 리보 핵산의 일종))

rib·band [ríbbæ̀nd, ríbənd | ríbənd] *n.* 〔조선〕 대판(帶板) ((늑재(肋材)를 임시로 받치는))

ribbed [ríbd] *a.* **1** 늑골이 있는 **2** 이랑이 있는: ~ fabric 이랑지워 짠 천

ribbed-knit [ríbdnìt] *n.* 이랑 무늬가 있는 옷

rib·bing [ríbiŋ] *n.* Ⓤ **1** [집합적] 늑골 ; (배의) 늑재 ; (건물의) 뼈대, 골격 **2** 늑상(肋狀) 조직 ((잎맥·깃대·

thesaurus **rhythm** *n.* **1** 율동 beat, cadence, tempo, pulse, throb, lilt **2** 운율 flow, cadence
rich *a.* **1** 부유한 wealthy, moneyed, affluent, well-to-do, well-off, prosperous **2** 풍부한 well-provided, overflowing, copious, abundant, ample, plen-

시맥(翅脈) 등의)); 두렁 **3** 늑재(肋材) 붙이기; (천의) 이랑 무늬 **4** ((구어)) 괴롭힘, 놀림

rib·ble-rab·ble [ríbəlræ̀bəl] *n.* 군중; 혼란스러운 말[음]

‡**rib·bon** [ríbən] *n.* **1** ⓒⓤ 리본, 장식띠 **2** 리본 모양의 것, 가늘고 긴 조각, 오라기; [*pl.*] 잘게 찢어진 것: tear ... to ~*s* …을 갈기갈기 찢다 **3** (잉크) 리본 ((타이프라이터·압인기(押印器)용)); (훈장의) 리본, 장식 끈; 상(賞), 훈장 **4** (시계의) 태엽; 띠톱의 날; 금속성 줄자; 〚사진〛 리본 마그네슘 **5** 〚목공〛 가늘고 길게 쪼갠 널빤지; 〚조선〛 대판(帶板), 대재(帶材) **6** [*pl.*] 고삐 (reins) ***be torn to*** [***hang in***] ***~s*** 갈기갈기 찢어지다[찢어져 매달려 있다] ***handle*** [***take***] ***the ~s*** 말[마차]을 몰다 ***to a ~*** ((미·구어)) 완전히, 완벽하게

—*vt.* **1** 리본을 달다, 리본으로 장식하다 **2** 끈 모양으로 찢다 **3** 끈 같은 선을 넣다[붙이다]

—*vi.* 끈 모양으로 되다 ((*out*)): The road ~*s out* northward. 그 길은 북쪽으로 이어진다.

~·lìke *a.* **ríb·bon·y** *a.*

ríbbon bùilding 〚도시공학〛 대상(帶狀) 건축 ((ribbon development에 따른))

ríbbon càndy 리본형 사탕과자 ((리본 모양으로 겹쳐 놓은 과자; 특히 크리스마스에 팔림))

ríbbon còpy 타이프라이터로 친 서류의 사본(cf. CARBON COPY)

ríbbon devèlopment ((영)) 〚도시공학〛 대상(帶狀) 개발 ((도시에서 교외로 간선 도로를 따라 무질서하게 뻗어가는 주택 건축))

rib·boned [ríbənd] *a.* **1** 리본을 단, 리본으로 장식한 **2** 갈기갈기 찢어진 **3** 리본 모양의 줄[무늬]이 있는

rib·bon·fish [ríbənfìʃ] *n.* (*pl.* **~, ~·es**) 〚어류〛 띠 모양의 바닷물고기 ((갈치 등))

ríbbon làke (길고 좁은) 빙하곡의 호수

ríbbon mìcrophone 리본 마이크로폰 ((고감도 마이크))

ríbbon pàrk 대상(帶狀) 녹지

Ríbbon Socìety [the ~] 녹유회(綠紐會), 녹색 리본회 ((19세기 초기 아일랜드에서 신교도에 대항하기 위하여 결성된 가톨릭 교도의 비밀 결사; 녹색 리본을 기장으로 삼았음))

ríbbon snàke 가터 뱀(garter snake) ((무독, 황색 또는 등적색의 띠가 있음))

ríbbon wìndow 리본 윈도 ((건물 벽면을 띠모양으로 가로지르는 일련의 창문))

ríbbon wòrm 〚동물〛 유형(紐形) 동물

rib·by[1] [ríbi] *a.* 늑골[늑골재]이 보이는; ((속어)) 초라한

ribby[2] [RBI를 그대로 읽은 데서] *n.* (*pl.* **-bies**) ((야구속어)) 타점

ríb càge 〚해부〛 흉곽

ri·bes [ráibi:z] *n.* (*pl.* **~**) 〚식물〛 까치밥나무속(屬)의 식물

ríb èye (송아지 따위의) 스테이크용 가슴살

rib·knit [ríbnìt] *a.* 〈니트 옷이〉 이랑[골] 무늬가 있는: a ~ sweater 이랑 무늬 스웨터

—*n.* 이랑[골] 무늬가 있는 옷(ribbed-knit)

rib·less [ríblis] *a.* **1** 늑골[늑재]이 없는 **2** 늑골이 보이지 않는, 살이 찐

rib·let [ríblit] *n.* 〚요리〛 새끼양[송아지] 갈빗대 끝의 살

ribo- [ráibou, -bə] ((연결형)) 「리보오스(ribose)」의 뜻

ri·bo·fla·vin [ràiboufléivin, ㅡㅡㅡ, -bə-] *n.* ⓤ 〚생화학〛 리보플라빈 ((비타민 B_2 또는 G; 성장 촉진 요소))

ri·bo·nu·cle·ase [ràibounjú:klièis | -njú:-] *n.* 〚생화학〛 리보뉴클레아제 ((리보핵산 가수 분해 효소))

ri·bo·nu·clé·ic ácid [ràibounju:klí:ik- | -nju:-klí:ik-] *n.* 〚생화학〛 리보핵산(核酸)(RNA)

ri·bo·nu·cle·o·pro·tein [ràibounjù:kliouprόu-tèin | -njù:-] *n.* 〚생화학〛 리보핵산 단백질 ((RNA와 단백질의 복합체))

ri·bo·nu·cle·o·side [ràibounjú:kliəsàid | -njú:-] *n.* 〚생화학〛 리보뉴클레오시드 ((Ribonucleotide의 전구체))

ri·bo·nu·cle·o·tide [ràibounjú:kliətàid | -njú:-] *n.* 〚생화학〛 리보뉴클레오티드 ((리보뉴클레오시드와 인산의 에스테르 결합체; RNA의 구성 단위))

ri·bose [ráibous] *n.* 〚생화학〛 리보오스 ((주로 RNA에서 얻어지는 오탄당(五炭糖)의 일종))

ri·bo·só·mal RNA [ràibəsóuməl-] 〚생화학〛 리보솜 리보 핵산 ((세포질의 핵단백 입자 안에 있는 리보핵산; 略 rRNA))

ri·bo·some [ráibəsòum] *n.* 〚생화학〛 리보솜 ((세포 안의 RNA와 단백질의 복합체; 단백 합성이 이루어짐))

rì·bo·só·mal *a.*

ri·bo·zyme [ráibəzàim] *n.* 〚생화학〛 리보자임 ((RNA 분자 단독으로 효소 활성을 나타내는 것의 총칭))

ríb ròast 리브 로스트의 늑골 ((소 외측의 살))

ríb stèak 쇠갈비 스테이크(club steak)

rib-stick·ers [ríbstìkərz] *n. pl.* ((미·속어)) 콩(beans)

rib-tick·ler [-tìklər] *n.* ((구어)) 웃기는 이야기, 농담(joke)

rib-tick·ling [-tìkliŋ] *a.* 우스꽝스러운, 재미있는

R.I.C. Royal Institute of Chemistry 영국 화학 협회; Royal Irish Constabulary

Ri·car·di·an [rikά:rdiən] *a.* 리카도 학설[학파]의

—*n.* 리카도 학도

Ri·car·do [rikά:rdou] *n.* 리카도 **David ~** (1772-1823) ((영국의 경제학자))

‡**rice** [ráis] *n.* ⓤ **1** 쌀; 밥: boil[cook] ~ 밥을 짓다 / boiled ~ 밥 / fried ~ 볶음밥 / brown ~ 현미 / polished ~ 백미, 도정미 / rough ~ (탈곡한) 벼 **2** 〚식물〛 벼: a ~ crop 미작, 벼농사

—*vt.* 〈삶은 감자 등을〉 ricer로 으깨다, 쌀알 모양으로 만들다

rice·bird [ráisbə̀:rd] *n.* 〚조류〛 논에 많은 새들의 총칭 ((bobolink, Java sparrow 등; 미국산))

ríce blàst 〚식물〛 (벼의) 도열병(稻熱病)

ríce bòwl **1** 밥그릇 **2** 미작(米作) 지대 ((동남 아시아 등))

ríce bràn 쌀겨

ríce còal 미립탄(米粒炭) ((쌀알 크기의 무연탄))

rice-field [ráisfì:ld] *n.* 논, 무논

ríce flòur 쌀가루, 미분(米粉)

ríce pàddy 논(paddy)

ríce pàper 얇은 고급 종이의 일종

ríce pòlishings 왕겨

ríce púdding 라이스 푸딩 ((우유·쌀가루·설탕으로 만드는 푸딩))

ric·er [ráisər] *n.* ((미)) 라이서 ((삶은 감자 등을 압착하여 작은 구멍으로 국수같이 밀어내는 부엌용 기구))

ricer

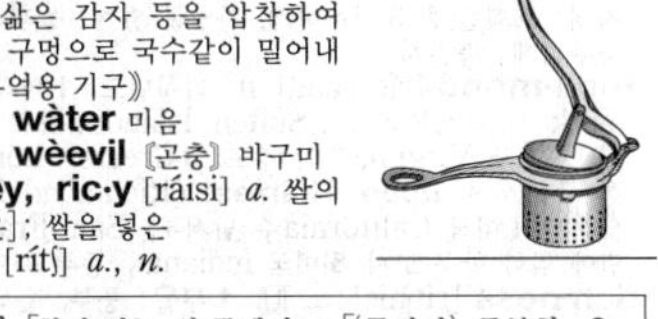

ríce wàter 미음

ríce wèevil 〚곤충〛 바구미

ric·ey, ric·y [ráisi] *a.* 쌀의[같은]; 쌀을 넣은

‡**rich** [rítʃ] *a., n.*

OE 「힘이 있는」의 뜻에서 → 「(물건이) 풍부한」 **2**
→(경제적으로 풍부한) → 「부유한」 **1**
「사치스런」 → 「값진」 **4**
→(생산력이 풍부한) → 「땅이 기름진」 **3** / 「영양분 있는」 **5**

—*a.* **1 a** 부유한, 돈 많은(opp. *poor*): *R*~ men feed, and poor men breed. ((속담)) 부자는 식복(食

tiful, bountiful **3** 비옥한 fertile, productive, fruitful, lush **4** 값진 expensive, costly, precious, valuable, priceless (opp. *cheap*) **5** 호화로운 opulent, lavish, luxurious, sumptuous, splendid, elegant, exquisite, magnificent, grand, gorgeous

福), 가난뱅이는 자식복. **b** [the ~; 명사적; 집합적으로 복수 취급] 부자(들): *the* new ~ 벼락부자들

> 유의어 **rich, wealthy** 둘 다 「돈 많은」의 뜻이지만, wealthy는 사회적으로 훌륭한 지위를 차지하고 있음을 암시한다: a *wealthy* banker 부유한 은행가

2 풍부한, 윤택한 《*in, with*》: a ~ crop 풍작 / ~ *in* oil 석유가 풍부한 **3** 〈토지가〉 기름진, 비옥한; 산출이 많은: ~ fields 비옥한 전답 **4** Ⓐ 귀중한, 값진 **5** 영양분 있는; 농후한; 감칠맛 있는, 〈술이〉 독하고 맛이 좋은(full-bodied) **6** 화려한, 호화로운; [분사와 함께 복합어를 이루어 부사적으로] 사치스런: ~-clad 사치스런 옷차림을 한 **7** 〈건물·가구가〉 좋은 재질의; 손이 많이 간 **8** 〈사람이 재능이〉 많은 **9** 〈빛깔이〉 진한, 선명한(vivid): a design with ~ colors 빛깔이 선명한 디자인 **10** 《문어》 〈소리가〉 낭랑한 **11** 〈향기가〉 강렬한 **12** 《구어》 아주 우스운, 매우 재미나는; [반어적으로] 터무니없는, 얼토당토 않은(absurd): a ~ joke 재미있는 농담 **13** 함축적인, 의미심장한
(as) ~ as Croesus [a Jew] 갑부인 ***~ and poor*** [복수 취급] 부자나 가난뱅이나 모두 ***~ beyond the dream of avarice*** 굉장한 부자의; 매우 행복한 ***strike it ~*** ⇨ strike *v.* ***That's ~!*** 《구어》 거참 재미있군! ▷ ríches *n.*; enrích *v.*

-rich [ritʃ] 《연결형》 「…이 풍부한」의 뜻

Rich·ard [rítʃərd] *n.* **1** 남자 이름 《애칭 Dick, Dicky, Richie》 **2** [~ **I**] 리처드 1세(1157-99) 《영국왕(1189-99); 통칭 Richard the Lion-Hearted》 **3** [~ **II**] 리처드 2세(1367-1400) 《영국왕(1377-99)》 **4** [~ **III**] 리처드 3세(1452-85) 《영국왕(1483-85)》 ***~'s himself again.*** 리처드는 회복했노라. 《실망·공포·질병 등에서 회복하였을 때 하는 말; Cibber가 개작한 Shakespeare의 *Richard Ⅲ* 중의 구절에서》

Ríchard Róe [-róu] 리처드 로 **1** 〖법〗 (원래 토지(점유) 회복 소송에서) 피고의 이름이 분명치 않았을 때 사용한 가명(cf. JOHN DOE) **2** (일반적으로 거래·수속·소송의) 한 쪽 당사자의 가명

Rich·ard·son [rítʃərdsən] *n.* 리처드슨 **1 Samuel ~** (1689-1761) 《영국의 소설가》 **2 Henry Hobson ~** (1838-1886) 《미국의 건축가》

rích bítch 《속어》 돈 많은 녀석[여자]

Rich·e·lieu [ríʃəljùː | -ljəː] *n.* 리슐리외 **Armand Jean du Plessis ~** (1585-1642) 《프랑스의 추기경·정치가》

rich·en [rítʃən] *vt., vi.* 풍부하게 하다[만들다]; 더욱 부자가 되다[로 만들다]

‡**rich·es** [rítʃiz] *n. pl.* [보통 복수 취급] **1** 부(富)(wealth), 재물: *R*~ have wings. 《속담》 재물에는 날개가 있다. **2** 풍부함, 많음 ***heap up [amass] great ~*** 막대한 부를 쌓다 ***the ~ of knowledge [the soil]*** 지식의 풍부[토지의 풍요] ▷ rích *a.*

***rich·ly** [rítʃli] *ad.* **1** 부유하게; 풍요하게 **2** 《문어》 값지게; 호화롭게 **3** 비옥하게, 자양분 있게; 농후하게 **4** 풍부하게; 충분히

Rich·mond [rítʃmənd] *n.* 리치먼드 **1** 미국 New York 시 남서부의 군; Staten Island 등으로 이루어짐 **2** 미국 Virginia주의 주도 **3** Greater London의 한 구획(= **~ upòn Thámes**) 《Richmond Park가 있음》 **4** 미국 California주 남서부, San Francisco 만에 임한 항구 도시 **5** 미국 Indiana주 동부의 도시

***rich·ness** [rítʃnis] *n.* Ⓤ **1** 부유; 풍부, 윤택 **2** 풍요, 비옥 **3** 귀중, 훌륭함 **4** 자양분

rích rhýme 〖운율〗 완전 동일운(韻)

Rích·ter scàle [ríktər-] [미국의 지진 학자 이름에서] [the ~] 리히터 스케일 《지진의 진도(震度) 척도; 1-10까지 있음》

ri·cin [ráisin, rís-] *n.* 〖화학〗 리신 《피마자에서 채취한 백색의 유독한 단백질 가루》

ric·in·o·le·ic acid [rìsənoulíːik-, -nóuliik-] 〖화학〗 리시놀 산 《피마자유에 존재하는 글리세라이드》

ric·i·nus [rísənəs] *n.* 〖식물〗 피마자, 아주까리

rick[1] [rík] *n.* 퇴적(堆積) 《건초 등의》, 짚가리, 건초더미; 건초[곡물] 보관소; 장작더미
— *vt.* 〈보리·건초 등을〉 쌓다, 짚가리로 하다

rick[2] *vt., n.* = WRICK

Rick [rík] *n.* 남자 이름 《Eric, Richard의 애칭》

rick·ets [ríkits] *n. pl.* [단수 취급] 〖병리〗 구루병(傴僂病); 골연화(증)

rick·ett·si·a [rikétsiə] [미국의 병리학자 이름에서] *n.* (*pl.* **-si·ae** [-siìː], **~s**) 리케차 《발진티푸스 등의 병원체》 **-si·al** *a.*

rick·et·y [ríkiti] *a.* **1** 구루병에 걸린, 곱사등이의 **2** 〈가구 등이〉 흔들흔들하는, 곧 무너질 것 같은 **3** 〈생각 등이〉 미덥지 못한 **4** 〈사람이〉 관절이 약한, 허약한 **5** 낡아빠진, 황폐한 **6** 〈운동·동작이〉 불규칙한, 어색한

rick·ey [ríki] *n.* ⓊⒸ 리키 《진(gin)과 탄산수에 라임(lime) 과즙을 탄 음료》

rick·rack, ric·rac [ríkræ̀k] *n.* ⓊⒸ 리크랙 《지그재그로 된 납작한 끈; 어린이옷 가장자리 장식용》

rick·sha, -shaw [ríkʃɔː, -ʃɑː | -ʃɔː] [Jap.] *n.* 인력거

rick·yard [ríkjɑ̀ːrd] *n.* 건초 쌓아놓는 마당

rick·y-tick [ríkitík, -tìk] 《미·구어》 *n.* [의성어] 리키틱 《1920년대의 빠른 템포의 기계적·규칙적 비트의 재즈》 **—** *a.* **1** 리키틱풍(風)의 **2** 낡은, 진부한

rick·y-tick·y [-tíki, -tìki] *a.* = RICKY-TICK

ric·o·chet [rìkəʃéi, ⌐-⌐ | ríkəʃèi, -ʃèt] [F] *n.* **1** 튀며 날기 《탄환 등이 물이나 땅의 표면을》 **2** 도탄(跳彈) **3** 튀며 나는 탄환[돌] **—** *vi.* (**~ed** [-d]; **~·ing** [-iŋ] | **~·ted** [-ʃètid]; **~·ting** [-ʃètiŋ]) 〈탄환 등이〉 튀며 날다; 도탄 사격을 하다

ri·cot·ta [rikɑ́tə, -kɔ́ːtə | -kɔ́tə] *n.* [It.] 리코타 《이탈리아산(産) 치즈의 일종》

R.I.C.S. 《영》 Royal Institute of Chartered Surveyors 왕립 공인 측량사 학회

ric·tus [ríktəs] *n.* (*pl.* **~, ~·es**) **1** (새 등의) 부리의 벌림 **2** 놀라 입을 벌린 얼굴[표정]; 구강(口腔)

‡**rid**[1] [ríd] [OE 「(땅을) 개척하다」의 뜻에서] *vt.* (~, 《고어》 **~·ded**; **~·ding**) **1** (…에게서) 없애다, 제거[구축]하다; (…으로부터) 자유롭게 하다, 면하게 하다 《*of*》: (~+목+전+명) ~ the house *of* rats 집에서 쥐를 제거하다 / ~ a person *of* his fears …의 공포를 없애다 / ~ the mind *of* doubt 의심을 떨쳐버리다 **2** [~ one*self* 로] 면하다, 벗어나다 《*of*》: (~+목+전+명) ~ *oneself of* a bad habit 악습에서 벗어나다 **3** 《고어》 구(救)하다, 해방하다 《*from, out of, of*》
be ~ of 〈원치 않는 것을〉 면하다, …을 않게 되다: He *is* ~ *of* fever. 열이 내렸다. ***get ~ of*** (1) 〈원치 않는 것을〉 면하다, …을 벗어나다 (2) …을 그만두다, 제거하다; 폐하다, 죽이다(kill)
▷ ríddance *n.*

rid[2] *v.* 《고어》 RIDE의 과거·과거 분사

rid·a·ble, ride- [ráidəbl] *a.* **1** 타기에 알맞은, 탈 수 있는 〈말 등〉 **2** 말 타고 갈 수 있는 〈길·강 등〉

rid·dance [rídns] *n.* ⓊⒸ **1** 면함, 벗어남, 제거; 탈출 《*from*》 **2** 귀찮은 것[일]을 쫓아 버림
Good ~ (to bad rubbish)! 거참 시원하게 없어졌군! ***make clean ~ of*** …을 일소하다

‡**rid·den** [rídn] *v.* RIDE의 과거 분사
— *a.* [보통 복합어를 이루어] **1** 지배된, 압제받은: priest-~ 성직자가 행세하는 **2** (악몽 등에) 시달린, 얽매인, 고통받은: fear-~ 공포에 떠는 **3** 무턱대고 많은, 득실거리는: a weed-~ garden 잡초가 우거진 정원

‡**rid·dle**[1] [rídl] *n.* **1** 수수께끼(⇨ mystery 유의어) **2** 난문, 난제; 알 수 없는 것[사람] ***read a ~*** (알 수 없는 일에 대한) 해답[뜻]을 찾아내다 ***speak in ~s*** 수수께끼를 걸다; 수수께끼 같은 말을 하다
— *vi.* 수수께끼 같은 말을 하다; 수수께끼를 걸다
— *vt.* 〈수수께끼 등을〉 풀다: ~ (out) one's dream

꿈 해몽을 하다 ***R~ me, ~ me.*** 자, 이 수수께끼를 풀어 봐요. **ríd·dler** *n.*

riddle[2] *n.* 어레미(cf. SIEVE)
— *vt.* **1** 〈곡물 등을〉 체질해 거르다, 어레미로 치다 **2** 〈증거·사실 등을〉 정사(精査)[검토]하다 **3** 탄환 등으로 〈배·벽·사람 등을〉 구멍투성이로 만들다, 벌집으로 만들다 **4** 사실을 들어서 〈사람·주장을〉 오금박아주다 **5** (질병·해악 등으로) …을 채우다, 좀먹다: a government *~d* with corruption 부패로 가득찬 정부
— *vi.* **1** 체질하다 **2** 스며들다 《*through*》
be ~d with …투성이이다

rid·dling [rídliŋ] *a.* **1** 수수께끼 같은, 알 수 없는: a ~ speech 알 수 없는 말 **2** 수수께끼를 푸는, 점을 치는 **~·ly** *ad.*

‡**ride** [ráid] *v.* (**rode** [róud], 《고어》 **rid** [ríd]; **rid·den** [rídn], 《고어》 **rid**) *vi.* **1** 말을 타다; 말을 몰다: (~+부) ~ *behind* (기수의) 뒤에 타다 / She was *riding astride*[*sidesaddle*]. 그녀는 말에 바로 올라[옆으로] 타고 있었다. / He jumped on his horse and *rode off*[*away*]. 그는 말에 뛰어 올라 타고 달려가 버렸다. // (~+전+명) ~ *on* horseback 말을 타다 / ~ *at* full gallop 전속력으로 달리다 **2** (탈것을) 타다; 타고 가다; 자전거 여행을 하다 《*in, on*》: (~+전+명) ~ *in*[*on*] a train 기차를 타다 / ~ *on* a bicycle 자전거를 타다 **3** 〈배가〉 물에 뜨다, 정박하다; 〈수면을〉 달리다; 〈구름·새 등이〉 (바람을 타고) 날다, (공중에) 뜨다; 〈달·태양이〉 떠 있다, 중천에 걸려 있다: (~+보) The moon *~s* high. 달이 높이 떠 있다. // (~+전+명) The ship *~s at* anchor. 배는 닻을 내리고 정박해 있다. / The boat *rode over* angry waves. 작은 배는 성난 파도를 타고 나아갔다. **4** 〈사태 등이〉 진행되다; (시대 풍조에 의해) 옮겨지다, 지탱되다: *riding* on his father's success 아버지의 성공에 편승하여 **5** 〈말 등이〉 탈 수 있다, 타는 기분이 …하다; 〈땅이〉 말타기에 …하다: (~+부) a horse that *~s easily* 탄 기분이 좋은 말 // (~+보) The course *rode* soft after the rainfalls. 비가 온 뒤라 코스는 승마하기에 너무 물렀다. **6** 《구어》 …여하에 따르다, …에 달려 있다: His success *~s* on a promotion. 그의 성공은 선전하기에 달려 있다. **7** 《구어》 〈일이〉 순조롭게 진행되다: Let the matter ~. 되어가는 대로 내버려 두어라. **8** 말타듯 걸터 앉다[타다] 《*on*》: (~+전+명) ~ *on* a person's back[shoulders] …의 등[양 어깨]에 목말 타다 **9** 〈의류가〉 치켜 올라가다; 〈칼라·넥타이 등이〉 비어져 나오다: Her skirt *~s* up above her knees. 그녀의 치마가 무릎 위까지 올라가 있다. **10** (…에) 겹쳐지다; 〈부러진 뼈·인쇄 등이〉 서로 겹치다: The red *~s* on the blue. 붉은색은 파란색에 겹쳐 인쇄된다. **11** 걸리다, 얹혀 있다, 떠받쳐 움직이다 《*on*》: (~+전+명) The wheel *~s on* the axle. 차 바퀴는 굴대로 돌아간다. **12** 《속어》 성교하다 **13** 〖재즈〗 즉흥 연주하다 **14** 승마복 차림으로 …의 무게가 나가다: (~+보) I ~ 12 stone. 《영》 승마복을 입은 체중이 12스톤이다.
— *vt.* **1** 〈말·탈것 등을〉 타다, 타고 가다; 〈말 등을〉 몰다: (~+목+전+명) ~ one's horse *at* a fence 담장을 뛰어 넘으려고 말을 달리다 / ~ one's horse *at* the enemy 말을 타고 적진에 돌격하다

> 유의어 **ride** 말·자전거 등을 타다: *ride* a bus 버스를 타다 **drive** 차 등을 타고 운전하는 경우를 말한다: *drive* a bus 버스를 운전하다

2 〈배 등이〉 …에 뜨다, 운반되다, 떠받쳐지다; 〈바람을〉 타다: The ship was *riding* the waves. 그 배는 파도를 타고 나아갔다. **3** 말[자동차]로 지나가다; 말을 타고 〈경기 등을〉 하다: ~ a race 경마를 하다 **4** 《미·구어》 놀리다, 곯리다(tease) **5** [보통 수동형으로] 지배하다, 압제하다; 괴롭히다: *be ridden* by doubts [prejudices] 의혹[편견]에 사로잡히다 **6** 태우다, 걸터 앉히다; 태우고 가다, 태워서 실어 나르다: (~+목+전+명) ~ a child *on* one's back 아이를 등말 태우다 **7** 〈배가 폭풍 등을〉 이겨내다; 〈곤란을〉 극복하다 《*out*》 **8** …에 걸리다, 얹혀 있다 **9** 〈배를〉 정박시키다: (~+목+전+명) ~ a ship *at* anchor 배를 정박시키다 **10** 〖재즈〗 …을 (즉흥) 연주하다 **11** 교미하기 위해 〈암컷에게〉 올라타다; 《속어》 성교하다 **12** 말을 타고 사냥하다; 말을 타고 (짐승 떼 가운데서) 몰이해 내다 《*off, out*》
let a thing ***~*** …을 내버려두다, 방치하다 ***~ again*** 원기를 회복하다 ***~ a method***[***jest***] ***to death*** 어떤 방식[농담]을 지나치게 써서 소용[효과] 없게 만들다 ***~ and tie*** 《고어》 둘이 교대로 한 필의 말을 타고 가다 ***~ at*** (말 따위를) …으로 향해 몰아가다 ***~ bareback*** 안장 없는 말을 타다 ***~ bitch*** 차의 뒷자석 중앙에 타다 ***~ circuit*** 순회 재판을 열다 ***~ down*** (1) 말로 …을 따라잡다, 말로 몰아세우다 (2) 말로 쓰러뜨리다, 압도하다 (3) 〖항해〗 〈로프를〉 몸무게로 누르다 ***~ easy***[***hard***] 〈말·배가〉 타기 편하다[힘들다] ***~ for a fall*** (1) 떨어지기 알맞게 타다 (2) 무모한 짓을 하다; 《미·구어》 뜻밖의 변[파멸]을 당할 짓을 하다 ***~ gain*** (라디오·텔레비전 방송국에서 송신을 위해) 음량을 조절하다 ***~ herd on*** 지키다, 감독하다, 경비하다 ***~ high*** 의기양양하다, 잘 해나가다 ***~ no hands*** 《미·구어》 핸들을 잡지 않고 자전거를 타다 ***~*** a person ***off*** (폴로 경기에서) 공과 상대방의 사이로 말을 몰고 들어가 상대방의 공치기를 방해하다 ***~ off on side issues*** 요점을 피하여 지엽의 문제를 내놓다 ***~*** a person ***on a rail*** 사람을 가름대에 태워서 나르다 《벌》 ***~*** one***'s hobby horse*** 《구어》 (지겹도록) 좋아하는 화제를 되풀이하다 ***~*** one***'s horse to death*** (1) 말이 죽어 넘어 지도록 타다 (2) 한 가지 재주를 자꾸 써서 싫증나게 하다 ***~*** (***on***) ***the wind*** 바람을 타고 날다 ***~ out*** a storm (1) 〈폭풍을〉 이겨내다 (2) 〈어려움 등을〉 극복하다 ***~*** (***roughshod***) ***over*** …을 유린하다; …을 압도하다, 무시하다 ***~ shotgun*** 《미》 (1) 〈역마차 등을〉 호위하다 (2) 승객으로서 자동차에 타다 ***~ the beam*** 〖항공〗 신호 전파를 따라 비행하다 ***~ the circle*** 〈판사 등이〉 (재판하기 위해) 순회하다 ***~ the line*** (소떼를 모으기 위해) 둘레를 말타고 돌다 ***~ the whirlwind*** 〈천사가〉 회오리바람을 몰다; 풍운을 타다 ***~ to hog***[***pig***] 산돼지 사냥을 하다 ***~ to hounds*** ⇨ hound. ***~ up*** 〈속옷의 깃·칼라·넥타이 등이〉 치켜 올라가다, 모양이 비뚤어지다 ***~ up to*** 타고 …에 다다르다
— *n.* **1** 탐, 태움 《말·차·사람의 등에》, 타고[태우고] 감; 승마, 승차, 승선; 편승; 기마[차] 여행: hitch a ~ 차를 히치하이크하다 **2** (유원지 등의) 탈것; 운송 기관[수단]; 차[탈것] 준비 **3** 숲 속의 승마길 **4** 타는 기분; 승차 시간 **5** 〖영국군〗 보충 기병대 **6** 《속어》 성교 (대상) **7** 《재즈속어》 즉흥 연주 **8** 《속어》 마약에 의한 환각 경험(trip) **9** 《미·학생속어》 쉬운 과목
along for the ~ 《구어》 일단 참가하여, 소극적으로 가담하여 ***give*** a person ***a ~*** …을 태워 주다 ***go for a ~*** 한차례 타러 나가다 ***have***[***take***] ***a ~*** 〈말·마차 등을〉 한번 타다 ***have***[***give*** a person] ***a rough ~*** 호된 꼴을 당하다[당하게 하다] ***take*** a person ***for a ~*** 《구어》 …을 자동차로 데리고 나가서 죽이다; …을 속이다, 속여넘기다(deceive, hoax)

ride·a·ble [ráidəbl] *a.* = RIDABLE

ri·dent [ráidnt] *a.* 《고어》 웃고 있는, 미소 짓는; 기분 좋은

ride-off [ráidɔ̀ːf, -ɔ̀ːf | -ɔ̀f] *n.* 《미》 = JUMP-OFF

ride·out [ráidàut] *vt., vi.* 《미·재즈속어》 〈마지막 합창 부분을〉 즉흥적·열광적으로 연주하다

‡**rid·er** [ráidər] *n.* **1** 타는 사람, 차를 모는 사람, 기수; 《미》 목동; 《미》 승객 **2** 추서(追書), 첨서(添書), 첨부 서류; 추가 조항 《특히 의회 제3독회의》, 보칙(補則); 《영》 부대 의견 《verdict에 붙이는》 **3** 타는 것, 덮어 씌우는 것; 위에 얹혀 있는 기구[부분] 《울타리 맨 윗부분의 가로목 등》; (저울대의) 움직이는 추; (난간의) 손잡이; 〖기계〗 대(臺) 위의 운전 부분 **4** 〖수학〗 응용 예제 **5** 《속어》 경마, 자동차 레이스

by way of ~ …의 추가로서, 첨부하여 ((*to*)) **~·less** *a.* 탈 사람이 없는; 추가 조항이 없는 **~·shìp** *n.* (공공 교통 기관의) 이용자수, 승객수

ride·shar·ing [ráidʃὲəriŋ] *a.* 〈통근차 등을〉 함께 타는 — *n.* (통근차 등의) 함께 타기

‡ridge [rídʒ] *n.* **1** 산등성이, 산마루; 산맥; 분수령 **2** 봉우리(crest); 콧날; 융기(선), 물마루 **3** (동물의) 등, 등줄기 **4** 이랑, 두렁; 돋워 올린 온상 **5** 지붕 마룻대; 〖기상〗 기압의 봉우리
— *vt.* **1** 마룻대를 올리다 **2** 이랑을 짓다[세우다] ((*up*)); 이랑 모양으로 만들다; 이랑[온상]에 심다
— *vi.* 이랑[두렁]이 되다; 이랑 모양으로 융기하다[물결이 일다] **~·lìke** *a.* ▷ rídgy *a.*

ridge·back [rídʒbæ̀k] *n.* (구어) = RHODESIAN RIDGEBACK

rídge bèam = RIDGEPOLE

ridged [rídʒd] *a.* 이랑이 진, 이랑 모양으로 융기한

ridge·line [rídʒlàin] *n.* 융기선, 분수선(分水線)

ridge·ling, ridg- [rídʒliŋ] *n.* 〖수의학〗 **1** 고환 **2** 완전히 거세되어진 동물

ridge-piece [rídʒpìːs] *n.* 〖건축〗 = RIDGEPOLE 1

ridge·pole [-pòul] *n.* **1** 〖건축〗 마룻대 **2** 텐트의 들보

ridge-rope [-ròup] *n.* (텐트의) 들보 밧줄

rídge rùnner (미·속어) 남부의 촌사람

rídge tènt (영) 역V자형 텐트, A자형 텐트(cf. DOME TENT, FRAME TENT)

rídge tìle 〖건축〗 용마루 기와

ridge·tree [-trìː] *n.* (고어) = RIDGEPOLE

ridge·way [-wèi] *n.* 산등성이 길

ridg·y [rídʒi] *a.* (**ridg·i·er**; **-i·est**) 등이 있는, 이랑[두렁]이 있는; 융기한 ▷ rídge *n.*

‡rid·i·cule [rídikjùːl] *vt.* 비웃다, 조소[조롱]하다

> [유의어] **ridicule** 의식적으로 악의를 갖고 남을 바보 취급하다: *ridicule* a pretentious person 뽐내는 사람을 비웃다 **deride** 경멸하는 감정으로 남을 업신여기다: *deride* a person's ignorance 남의 무지를 비웃다 **mock** 농담으로 남의 모습이나 동작을 흉내내다 **taunt** 굴욕적인 사실을 들면서 조롱하다

— *n.* **1** Ⓤ 비웃음, 조소, 조롱, 놀림 **2** (고어) 조롱거리, 웃음거리; 바보스러움 ***bring*** a person ***into*** ~ = ***cast*** ~ ***upon*** a person = ***hold up*** a person ***to*** ~ …을 조롱하다, 놀리다 ***lay*** one***self open to*** ~ 남의 웃음거리가 될 만한 일을 하다 **-cùl·er** *n.* ▷ ridículous *a.*

‡ri·dic·u·lous [ridíkjuləs] *a.* 웃기는, 우스꽝스러운; 터무니없는, 바보 같은: Don't be ~. 바보 같은 소리 하지 마라. **~·ly** *ad.* **~·ness** *n.*

***rid·ing¹** [ráidiŋ] *n.* **1** Ⓤ 승마; (차에) 타기, 승차 **2** (숲 속의) 승마로, 승마장
— *a.* **1** 승마(용)의 **2** 타고 조작할 수 있는 〈농기구 등〉: a ~ plow 자동 쟁기

riding² *n.* (영) **1** 구(區) ((영국 구(舊) Yorkshire주를 동·서·북으로 3분한 행정 구획; 1974년 폐지)) **2** 구 ((영 본국 또는 식민지에 있어서의 행정 구획; 특히 캐나다의 선거구)) ***the Three R~s*** 전(全) Yorkshire주

ríding bòots 승마화, ((특히)) top boots

ríding brèeches 승마 바지

ríding còat 승마용 상의

ríding cròp[whìp] (끝에 가죽끈으로 만든 고리가 달린) 말채찍

ríding hàbit (여성용) 승마복

ríding lìght[làmp] 〖항해〗 정박등 ((흰빛))

ríding màster 마술(馬術) 교사, (기병대의) 마술 교관

ríding schòol 승마 학교, 육군 마술 연습소

rid·ing-suit [ráidiŋsùːt] *n.* 승마복

rid·ley [rídli] *n.* 바다거북의 일종

ri·dot·to [ridɑ́tou | -dɔ́t-] *n.* 18세기에 유행한 가장무도 음악회

riel [ríːl, riél | ríːəl] *n.* 릴 ((캄보디아의 화폐 단위; = 100 sen))

Rie·mánn·i·an geómetry [riːmɑ́ːniən-] 〖기하〗 리만 기하학

Ríe·mann ìntegral [ríːmɑːn-, -mən-] 〖수학〗 정수; 적분(integral)

Ries·ling [ríːzliŋ, ríːs-] [G] *n.* Ⓤ 백포도주의 일종

rif [ríf] [*r*eduction *i*n *f*orce] (미·구어) *vt.* (**~fed**; **~·fing**) **1** 해고하다, 그만두게 하다 **2** 격하시키다 — *n.* **1** 해고 ((특히 공무원의 인원 감축의 경우; cf. RIF)) **2** 격하

Rif, Riff [ríf] *n.* **Er** ~ 리프 산맥 ((모로코 북부 지중해 연안의 산맥))

RIF (미) Reduction in Force ((예산 감축에 의한 공무원의 감원; 그 해고 통지; cf. RIF))

ri·fam·pin [rifǽmpin], **-pi·cin** [-pəsn] *n.* 〖약학〗 리팜핀, 리팜피신 ((폐결핵·한센병(病) 치료용 항생물질))

ri·fa·my·cin [rìfəmáisn | -sin] *n.* 〖약학〗 리파마이신 ((항생제))

rife [ráif] *a.* Ⓟ (문어) **1** 〈나쁜 병이〉 유행하는, 유포되어 있는, 〈소문이〉 자자한: Crime is ~ in our city. 우리 마을은 범죄가 빈발하고 있다. **2** 〈나쁜 것이〉 수두룩한, 수없이 많은, 가득찬 ((*with*))
be [***grow, wax***] ~ 유행[유포]하다; 많다, 가득하다 **~·ly** *ad.* **~·ness** *n.*

riff¹ [ríf] [refrain²의 생략] 〖재즈〗 *n.* 리프, 반복 악절(樂節)[악구(樂句)] — *vi.* 리프를 연주하다

riff² *vt.* (구어) = RIF

riff³ *n.* (미·속어) 냉동 화물차

Riff [ríf] *n.* (*pl.* **~s, Riff·i** [rífi]) 리프 족(族)의 사람 ((베르베르 족의 한 지족(支族))); 모로코 북부의 산악지대 **Ríf·fi·an** *a.*, *n.*

RIFF 〖컴퓨터〗 resource interchange file format

rif·fle [rífl] *n.* **1** (미) **a** 강의 물살이 빠른 곳(rapid), 급류 **b** 잔물결 **2** 트럼프 카드 섞는 법 ((끝을 조금 구부려서 하는)) **3** (사금 채취통의) 홈 **4** 〈책 등을〉 펄럭 펄럭 넘기는 것 **5** (미·야구속어) 강타, 날카로운 타격 **6** (미·속어) 시도 ***make the*** ~ (미·속어) 물살이 센 곳을 잘 건너다; 성공하다, 목적을 달성하다
— *vi.* **1** 〈사람·손가락이〉 (페이지 등을) 펄럭펄럭 넘기다 **2** 잔물결이 일다 **3** 〈트럼프 카드를〉 엇갈리게 섞다
— *vt.* **1** 〈트럼프 카드를〉 두 몫으로 나누어 양쪽에서 엇갈리게 섞다 **2** 〈페이지 등을〉 펄럭펄럭 넘기다 **3** 잔물결이 일게 하다

rif·fler [ríflər] *n.* 물결형 줄

riff·raff [rífræ̀f] *n.* **1** [the ~; 복수 취급] 하층민, 천민; (인간) 쓰레기 **2** Ⓤ (방언) 쓰레기, 잡동사니
— *a.* 쓸데없는, 하찮은, 쓰레기 같은

‡ri·fle¹ [ráifl] [G 「홈, 도랑」의 뜻에서] *n.* **1** 라이플총, 선조총(旋條銃)(cf. SMOOTHBORE); 소총 **2** [*pl.*] = RIFLE CORPS **3** (고어) (총포의) 선조, 강선(腔綫)
— *vt.* **1** (총신 등에) 강선을 넣다 **2** (구어) 〈공을〉 핑 장한 속도로 날리다 **3** 라이플 총으로 쏘다

rifle² *vt.* 샅샅이 뒤지다[찾다](ransack); 강탈[약탈]하다; 포획하다, 도둑질하다: (~+목+전+명) ~ a person *of* money …에게서 돈을 강탈하다 **rí·fler** *n.*

ri·fle·bird [ráiflbə̀ːrd] *n.* 〖조류〗 풍조(風鳥)의 일종 ((오스트레일리아산(産)))

Rífle Brigàde 〖영국사〗 소총 여단

rífle còrps 소총 부대 ((지원병으로 구성))

rífle gréen (영) 암록색 ((rifleman의 군복색))

rífle grenàde 〖군사〗 총류탄(銃榴彈)

ri·fle·man [ráiflmən | -mən, -mæ̀n] *n.* (*pl.* **-men** [-mən, -mèn]) **1** 소총병, 소총 연대병 ((인명에 붙여 쓸 때는 Rifleman(= Private)이라 함)); 선조총

thesaurus **right** *a.* **1** 바른, 정당한 just, fair, equitable, impartial, good, upright, righteous, virtuous, moral, ethical, lawful **2** 정확한 correct, accurate, unerring, precise, exact, valid **3** 적당한

의 명사수 **2** 〖조류〗 =RIFLEBIRD

rífle pìt 사격호(壕)

rífle rànge (소총) 사격장; 소총 사정(射程), 착탄거리

ri·fle·ry [ráiflri] *n.* Ⓤ 소총 사격술; 라이플 경기

ri·fle·scope [ráiflskòup] *n.* 《미》 라이플총 망원 조준기

ri·fle·shot [ráiflʃàt | -ʃɔ̀t] *n.* 소총탄; Ⓤ 소총 사정거리; Ⓒ 소총 사수; 명사수

ri·fling[1] [ráifliŋ] *n.* Ⓤ 강선(腔綫)을 붙임; 선조(旋條)

rifling[2] *n.* Ⓤ 강탈, 약탈

rift[1] [ríft] *n.* **1** 갈라진 데, (갈라진) 금, 균열, 열극(split) **2** 불화, (우정·애정 등의) 균열 《*in, between*》 **3** 〖지질〗 단층(fault); 지구(地溝) 《단층에 따라서 이어진 열곡(裂谷)》 ***a*** (***little***) **~ *within*** [***in***] ***the lute*** 발광의 징조; 불화[분열]의 전조 ***get a* ~ *on*** 《속어》 =get a MOVE on

—*vt.* [보통 수동형으로] 가르다, 쪼개다

—*vi.* 갈라지다, 쪼개지다

rift[2] *n.* (강의) 여울, 급류

ríft sàw (판자를 켜는) 얇은 톱

ríft vàlley 〖지질〗 열곡(裂谷), 지구(地溝) 《지층이 내려앉아 생긴 계곡》

Ríft Vàlley féver 〖병리〗 리프트 밸리열(熱) 《아프리카에서 발생하는 감염성이 강한 바이러스성 질환》

ríft zòne 〖지질〗 지구대(地溝帶)

*__rig__ [ríg] *v.* (**~ged**; **~·ging**) *vt.* **1** (배에) **삭구(索具)를 갖추다**, 〈배를〉 (작동·사용 가능하게) 준비하다; 의장(艤裝)하다(equip): (~+목+전+명) The ship is *~ged with* new sails. 배에 새 돛이 장비되어 있다. **2** (배·비행기의) 각 부품을 조립하여 장비하다 《*up*》; 채비하다 《*up*》: (~+목+부) ~ *up* a Christmas tree in the room 방에 크리스마스 트리를 세우다 **3** 《구어》 입히다, 차려입게 하다 《*out, up*》; [~ *oneself* 또는 수동형으로] (특별한) 차림을 하다, 차려입다: (~+목+부) He *was ~ged out* as a clown. 그는 어릿광대 차림을 하고 있었다. **4** 임시변통으로 만들다, 급히 만들다, 날림으로 짓다 《*up*》: (~+목+부) ~ *up* a barracks 임시 막사를 급히 만들다 **5** 《구어》 부정 수단으로 조작하다; 농간을 부리다: ~ an election 선거에서 부정 행위를 하다 **6** 《영》 …에게 못된 장난을 치다

—*vi.* 〈배가〉 삭구를 장비하다, 출항 준비가 되다: (~+전+명) Has the ship *~ged for* the voyage yet? 배는 이미 출항 장비를 끝냈는가?

~ the stock market 〈투기꾼이〉 인위적으로 증권 시세를 조작하다 ***~ upon*** …에게 장난하다

—*n.* **1** 〖항해〗 삭구 장비, 의장; 범장(帆裝) **2** Ⓤ 《구어》 의복; (야한 또는 색다른) 몸차림 **3** Ⓤ 준비; Ⓒ 《미》 말을 맨[채비를 갖춘] 마차; 《구어》 자동차, 버스, 트럭 **4** 낚시 도구 **5** 유정(油井) 굴착 장치 **6** ⓊⒸ 《영》 기계(奇計); 기만 **7** ⓊⒸ 《영》 장난; 〖상업〗 매점(買占) ***in full* ~** 완전 범장으로; 《구어》 성장(盛裝)하여 ***run a* ~** 장난하다, 까불다

Ri·ga [ríːgə] *n.* 리가 《구소련의 Latvia 공화국의 수도》; [the Gulf of ~] 리가 만

rig·a·doon [rìgədúːn], **ri·gau·don** [rìgoudɔ́ːŋ] *n.* 옛날에 유행한 2/4 또는 4/4박자의 쾌활한 2인 무도; 그 곡

rig·a·ma·role [rígəməròul] *n.* =RIGMAROLE

rig·a·to·ni [rìgətóuni] *n.* 리가토니 《바깥쪽에 줄무늬가 있는 튜브 모양의 파스타》

Ri·gel [ráidʒəl, -gəl] *n.* 〖천문〗 리겔 《오리온자리의 1등성》

rigged [rígd] *a.* [보통 복합어를 이루어] …식 범장(帆裝)의: square-~ 가로돛식 범장의

rig·ger [rígər] [rig에서] *n.* **1** 삭구(索具) 장비자, 의장자(艤裝者); (건축 현장의 낙하물 위해 방지용) 비계 장치; 〖항공〗 기체 조립 및 장비공; 준비계(係) **2** [보통 복합어를 이루어] …식 범장선: a square-~ 가로돛식 범장의 배 **3** 시세를 조작하는 사람; 부정한 농간을 부리는 사람

rig·ging[1] [rígiŋ] *n.* Ⓤ **1** 〖항해〗 삭구 《돛·돛대·로프 등의 총칭》; 의장(艤裝); 장비(equipment) **2** 《구어》 옷, 의류, 의복 **3** (일반적인) 장비

rigging[2] *n.* 《스코》 건물의 지붕; (사람·동물의) 등

rígging lòft (조선소의) 삭구 작업장; (극장 무대의) 배경 장치 조작장

Ríggs' disèase [rígz-] [미국의 치과 의사 이름에서] 〖치과〗 치조농루(齒槽膿漏)

‡**right** [ráit] *a., ad., n., v.*

> 「곧은」→「바른」 **1**
> →명 「정의」 **2**→(정의의 주장)→「권리」 **1**
> →형 「적당한」 **2 a**→「정상적인」 **4**
> →(적정한)→(힘이 있는)→(두 손 중에서 보다 센 손)→「오른손」→「오른쪽의」 **3**

—*a.* **1 a** 바른, 옳은(opp. *wrong*); 선량한(opp. *wrong*); 정당한, 정의의: (~+*to* do) Was he ~ *to* leave her? 그가 그녀에게서 떠난 것은 옳았는가? // (~+전+*-ing*) You were ~ *in* judg*ing* so. 네가 그렇게 판단한 것은 옳았다. // (~+*of*+명+*to* do) It was quite ~ *of* you *to* refuse the offer. 네가 그 제의를 거절한 것은 참 옳았다. **b** 틀림없는, 맞는; 정확한: My watch isn't ~. 내 시계는 정확하지 않다. **2 a** 적당[적절]한; (기준·원리에) 걸맞는; 더할 나위 없는, (…에게 있어) 말할 나위 없는: the ~ man in the ~ place 적재적소 / All's ~. 만사가 잘 되어간다. **b** 질서 정연한: put things ~ 정돈하다, 바로잡다 **3** Ⓐ 오른쪽[편]의(opp. *left*); [보통 **R~**] (정치적으로) 우익의, 우파의 **4** 건강한(healthy); 건전한, 정상적인, 제정신의 **5** 표면의, 정면의: the ~ side (옷 등의) 겉면 **6** 똑바른(straight); 직각의: a ~ line 직선 **7** 《고어》 정말의, 진실의, 진정한(real) **8** 〖야구〗 우익의

act a* ~ *part 올바른 행위를 하다 ***all* ~** 더할 나위 없는, 아주 좋은 (***as***) **~ *as a ram's horn*** 《구어》 몹시 굽은 (***as***) **~ *as rain*** 《구어》 아주 순조로워, 매우 건강하여 ***get it* ~** 올바르게 이해시키다[하다] ***get on the* ~ *side of*** …의 마음에 들다 ***give one's* ~ *hand*** [***arm***] 희생을 무릅쓰다 ***in one's* ~ *mind*** [***senses***] ⇨ mind, sense. ***on the* ~ *side of*** ⇨ side. **~ *and left*** 좌우의[로]; 사방에서 **~ *enough*** 더할 나위 없는, 만족스러운 ***R~ oh!*** =RIGHTO. **~ *or wrong*** 좋든 나쁘든, 어떻든 **~ *side up*** 겉을 위로 하여 ***R~ you are!*** 《구어》 옳은 말씀이오, 자네 말대로야!; [제의·명령에 대답하여] 알았습니다! ***set*** [***put, get***] **~** 정리하다, 정돈하다; 교정(矯正)하다, 정정하다; 건강체로 회복시키다 ***set*** [***put***] ***oneself* ~** 자기가 옳다고 주장하다 ***She's*** [***She'll be***] **~.** 《호주·구어》 괜찮아질거야. ***That's* ~.** 좋소.; 《구어》 그렇소(yes), 맞았소. ***the* ~ *way*** 옳은 길, 정도(正道); 가장 효과적인 방법; 진상; [부사적] 바르게, 적절히 ***Too* ~!** 《호주·구어》 그렇다니까, 정말 그렇소; 좋아!(okay)

—*ad.* **1 a** 정면으로, 곧바로; 직접: I went ~ at him. 나는 그를 향하여 곧장 갔다. **b** 줄곧(all the way): go ~ to the end 끝까지 가다 **2 a** 아주, 완전히 **b** [부사·전치사 앞에서] 바로, 실지로, 틀림 없이: ~ opposite 바로 맞은 편에, 정반대로 / ~ in the middle of one's work 한창 일하고 있을 때 **3** 《구어》 곧, 지체 없이: I'll be ~ back. 곧 돌아오겠소. **4** 바르게, 정당하게, 공정하게; 정확히; 제대로: act ~ 바르게 행동하다 / answer ~ 옳게 대답하다 **5** 적당히; 원하는 대로; 순조롭게; 알맞게; 정연하게: Things went ~. 만사가 잘되어 갔다. **6** 오른쪽[편]에: turn ~ 오른쪽으로 향하다[돌다] / Keep ~. 《게시》 우측 통행. **7** 《고어》 매우, 완전히, 몹시 **8** [공손한 호칭]: the *R~* Honorable ⇨ honorable / the *R~* Reverend ⇨ reverend

---

suitable, proper, appropriate, fit, desirable

—*n.* **1** 권리 privilege, prerogative, authority, power, license, entitlement **2** 바름 justice, equity, truth, fairness, lawfulness, goodness, morality

a ~ smart (미·방언) 다수(의), 꽤 많은 〈수·양·액수〉; 매우, 크게 ***come ~*** 제대로 되다, 좋아지다(opp. *go wrong*); 실현하다 ***get in ~ with*** a person (미) …의 마음에 들다, …의 환심을 사다 ***go ~*** 잘되다 ***go ~ on*** 똑바로 가다 ***if I remember ~*** 내 기억이 틀림없다면 ***R~ about*** (***face***[***turn***])***!*** 뒤로 돌아! ***~ against*** …의 바로 맞은편에 ***~ along*** 정지하지 않고, 쉬지 않고, 끊임없이 ***~ and left*** 좌우로; 사방팔방으로, 도처에: be abused *~ and left* 도처에서 비난받다 ***~ away*** 곧, 지체하지 않고(at once) ***~ down*** 바로 아래에; 노골적으로; 바람이 자고 ***~ here*** 바로 여기에(서) ***~ in the wind's eye*** 바람을 정면으로 안고 ***~, left and centre*** (영) 도처에(서) ***~ now*** 지금 바로, 방금 ***~ off*** (구어) ⇨ off *a.* ***~ off the bat*** (구어) ⇨ RIGHT away. ***R~ on!*** [감탄사적] (구어) 그렇다, 옳소, 좋아!; 그대로 계속해!; 착실히 ***~ out*** 솔직하게, 숨김없이 ***~ over the way*** 길 바로 건너편에 a veranda ***~ round*** the house (집을) 죽 둘러싼 (베란다) ***~ smart*** (미중남부) 몹시, 지독히 ***~ straight*** (미) 지금 당장, 즉시 ***~ there*** 바로 저기에(서) ***See ... ~*** (구어) (남의) 뒤를 봐주다, 돌보다: …의 이익이 되도록 하다 ***turn ~ round*** 빙 돌리다[한 바퀴 돌다]

— *n.* **1** Ⓤⓒ 권리; 인권; 정당한 요구[자격]: (~+*to* do) I have a[the] ~ *to* demand an explanation. 내게는 설명을 요구할 권리가 있다. // (~+前+*-ing*) You have no ~ *of* say*ing* such things to your superiors. 너는 손윗사람에게 그런 말을 할 권리가 없다. **2** Ⓤ 바름, 정당; 정의, 정도(正道), 도리; 바른 행위 **3** [때때로 *pl.*] (개인·단체·기업이 가진) 권익, 소유권, 판권 **4** (권리에서 비롯된) 재산; 〖금융〗 신주(新株) 인수권 **5** 정확; [*pl.*] 진상; [*pl.*] 정상 상태 **6** [the ~, one's ~] 오른쪽[편]: on *one's* ~ 오른편에 / on *the* ~ of …의 오른쪽에 **7** 〖군사·야구〗 우익(right field); 오른쪽에 쓰는 물건; 〖권투〗 오른 주먹의 펀치; 오른손; 오른발 **8** [보통 the R~; 집합적] 〖정치〗 우파, 보수당(cf. LEFT[1] *n.* 2, CENTER *n.* 8): sit on *the R~* 우파[보수당] 의원이다 **9** 표면, 정면(opp. *reverse*)

a bit of all ~ (영·구어) 훌륭한 사람[것] ***as of ~*** = by RIGHT(s). ***be in the ~*** 도리에 맞다, 옳다(opp. *be in the wrong*) ***bring ... to ~s*** …을 본래의 상태로 만들다, 바로잡다 ***by ~*** (***s***) 바르게, 정당히, 당연히 ***by***[***in***] ***~ of*** …이라는 이유로; …의 권한으로 ***claim a ~ to*** …에 대한 권리를 주장하다 ***do*** a person ***~*** …을 공평하게 다루다, 정당히 평가하다 ***get***[***be***] ***in ~ with*** (미) …의 마음에 들다, …의 환심을 사다 ***get ... dead to ~s*** 〈…의〉 정체[본성]를 알다 ***give*** a person ***his ~s*** (구어) 체포된 사람에게 법적 권리를 알리다 ***go***[***turn***] ***to the ~ about*** 뒤로 돌아서다; 국면[주의, 정략 《등》]을 바꾸다 ***have a***[***the***] ***~ to*** a thing[***to*** do, ***of*** do***ing***] …을 요구할 권리가 있다[당연히 …할 만하다] ***have no ~ to*** a thing[***to*** do, ***of*** do***ing***] …을 요구할[…할] 권리가 없다(⇨ *n.* 1) ***in*** one***'s own ~*** 자기의 명의로, 자기(본래)의 권리로, 부모에게서 물려 받은[받아서]: a queen *in her own* ~ 여왕 《왕비로서가 아니라 태어났을 때부터 여왕으로서의 권리를 가지는 사람》 / She has a little money *in her own* ~. 그 여자는 부모로부터 물려 받은 돈을 좀 가지고 있다. ***in the ~*** 바르게; 정직하게; 정확히 ***keep on*** one***'s ~*** 오른쪽으로 가다; 정도를 걷다 ***Keep to the ~.*** (게시) 우측 통행. ***Might is ~.*** ⇨ might[2]. ***Mr.***[***Miss***] ***R~*** (구어) 남편[아내]되기에 가장 알맞은 사람, 남편[아내]감인 사람 ***of ~*** = by RIGHT(s). ***set***[***put***] ***to ~s*** 정돈하다, 고치다 ***stand on*** one***'s ~s*** 권리를 주장하다[지키다] ***the Bill of R~s*** ⇨ bill[1]. ***the ~s and wrongs*** …의 진상[실정] ***within*** one***'s ~s*** 자기 권리 내에서; (…하는 것도) 당연하게

— *vt.* **1** 똑바로 세우다, 일으키다 **2** 바로잡다; 고치다, 교정하다 **3** 권리를 얻게 하다[회복시키다]; 구하다, 구제하다: ~ the oppressed 피압박자를 구하다 **4** 〈부정 등을〉 바로 고치다; 〈손해 등을〉 보상하다: ~ the wrongs 부정을 바로잡다 / ~ an injury 손해를 보상하다

— *vi.* 〈기울어진 배 등이〉 똑바로 일어서다, 〈휘어진 것이〉 곧게 펴지다, 원래 위치로 돌아가다

~ itself 다시 일어나다; 정상 상태로 돌아가다 ***~ oneself*** 명예를 회복하다, 복권(復權)하다; 결백함을 밝히다 ***~ the helm*** 키를 용골(龍骨)과 일직선으로 하다 ▷ righteous, rightful *a.*; rightly *ad.*; rightness *n.*

right·a·ble [ráitəbl] *a.* 바로잡을[고쳐 놓을] 수 있는

right-a·bout [ráitəbàut] *n.* **1** [the ~] 반대 방향 **2** = RIGHT-ABOUT-FACE ***send*** a person ***to the ~***(***s***) …을 쫓아버리다, 물리치다; 당장 해고하다; 〈군대를〉 퇴각시키다 — *a.*, *ad.* 반대 방향의[으로]

right-a·bout-face [-əbàutféis] *n.* 180도 전환 《주의·정책의》, 변절; 전향; 〖군사〗 뒤로 돌아

right-and-left [-ənd*l*éft] *a.* 좌우의; 좌우 두 손[발]의: a ~ screw 양단 역(逆) 타래나사

***right ángle** 직각: at ~s with …와 직각으로

right-an·gled [-ǽŋgld] *a.* 직각의: ~ triangle 직삼각형(right triangle)

right árm **1** 오른팔 **2** [one's ~] 심복(right hand)

right ascénsion [the ~] 〖천문〗 시경(時經); 적경(赤經)

Right Bánk [the ~] (파리 센(Seine) 강의) 우안(右岸)(cf. LEFT BANK)

right-brain [-brèin] *n.* 우뇌(右腦)

right círcular cóne 〖기하〗 직원뿔

right círcular cýlinder 〖기하〗 직원기둥

right-click [-klík] *vi.* 〖컴퓨터〗 (마우스의) 오른쪽 버튼을 클릭하다 《*on*》

right-down [-dáun] *a.*, *ad.* 철저한[하게]

right·en [ráitn] *vt.* 고치다, 바로잡다

***right·eous** [ráitʃəs] *a.* (문어) **1 a** (도덕적으로) 바른, 정의의, 공정한; 정직한, 청렴 강직한, 유덕한 **b** [the ~; 명사적; 복수 취급] 바른[정의의] 사람, 유덕한 사람 **2** 정당한, 당연한: ~ indignation 의분(義憤) **3** (속어) 진짜의, 거짓 없는; (반어) 굉장한, 최고의: ~ playing by a jazz great 재즈 대가에 의한 최고의 연주 **~·ly** *ad.* **~·ness** *n.* ▷ right *n.*

righteous cóllar (미·속어) 정당한 체포(권의 행사)

righteous móss (미·흑인속어) 백인 특유의 머리카락

right·er [ráitər] *n.* 바로잡는 사람

right fáce 〖군사〗 우향우

right fíeld 〖야구〗 외야의 우익

right fíelder 〖야구〗 우익수

***right·ful** [ráitfəl] *a.* Ⓐ 올바른, 정의에 입각한; 정당한 권리를 가진; 적법[합법]의; 당연[정당]한; 적절한; 걸맞는, 어울리는 **~·ly** *ad.* **~·ness** *n.*

right gúy (미·구어) 믿을 수 있는 녀석

right hánd **1** 오른손 **2** 오른쪽; (우선시되는) 오른편, 상석(上席) **3** [one's ~] 가장 믿을 수 있는 사람, 심복 ***give***[***offer***] a person ***the ~ of fellowship*** ⇨ fellowship. ***put*** one***'s ~ to the work*** 일을 본격적으로 하다

***right-hand** [ráithæ̀nd] *a.* Ⓐ **1** 오른편[쪽]의, 오른손의; 오른손을 쓰는: (a) ~ drive (자동차의) 우측 핸들(의 차) **2** 심복의, 믿을 만한 **3** 오른쪽[우]회전의 **4** = RIGHT-HANDED

right-hand·ed [-hǽndid] *a.* **1** 오른손잡이의(cf. LEFT-HANDED) **2** 오른손에 의한; 〈도구 등이〉 오른손용의 **3** 오른편으로 도는; 우선회의(clockwise) **~·ly** *ad.* **~·ness** *n.*

right-hand·er [-hǽndər] *n.* 오른손잡이; 〖야구〗 우완 투수; 오른쪽으로 도는 것; (구어) 오른손의 공격

thesaurus **rigid** *a.* **1** 단단한 stiff, hard, inflexible, unbendable, unyielding, inelastic **2** 고정된 fixed, set, firm, unchangeable **3** 엄격한 strict,

right-hand mán 심복 (부하), 오른팔 같은 사람
right-hand rúle [the ~] 〖물리〗 (플레밍의) 오른손 법칙
Right Hónorable 후작(侯爵) 이하의 귀족[추밀 고문관·시장 《등》]에게 주어지는 경칭 《略 Rt Hon》
right·ish [ráitiʃ] *a.* 오른편으로 기운
right·ist [ráitist] *n.* [종종 **R~**] 우익[우파]의 사람; 보수주의자(opp. *leftist*); 권리 주장자[확장론자, 옹호론자] **—** *a.* 우익[우파]의 **-ism** *n.*
ríght jóint 《미·속어》 건전한 술집[도박장]; 공정한 대우를 받을 수 있는 교도소
right-jus·ti·fy [ráitdʒʌ̀stəfai] *vt.* 〖컴퓨터〗 오른쪽으로 당기다
right-laid [ráitlèid] *a.* 〈밧줄 따위가〉 오른쪽으로 꼬인
right·less [ráitlis] *a.* 권리[자격]가 없는; 권리[자격]를 잃은
right-lined [ráitlàind] *a.* 직선의
∗**right·ly** [ráitli] *ad.* **1** 정확히; 정말로: If I remember ~ 내 기억이 틀림없다면 **2** 바르게, 정당히 **3** [문장 전체를 수식하여] 마땅히, 당연히: He is ~ served. 그는 당연한 갚음[벌]을 받은 것이다. 《꼴 좋다.》 **4** 적절하게: be ~ dressed 딱 맞게 입은 **5** [부정문에서] 《구어》 확실하게는: I can*not* say ~. 분명하게는 말할 수 없다. **~ *or wrongly*** 옳건 그르건, 옳고 그름은 잘 모르겠으나
right-mind·ed [ráitmáindid] *a.* 마음이 바른[곧은] **~·ly** *ad.* **~·ness** *n.*
ríght móney 《속어》 전문가의 투자금(smart money)
right·most [ráitmòust] *a.* 가장 오른쪽의
right·ness [ráitnis] *n.* Ⓤ **1** 올바름; 정직; 정의, 공정 **2** 정확; 진실 **3** 적절
right·o, right-oh [ràitóu] *int.* 《영·구어》 좋다, 알았다(all right, O.K.)
ríght of abóde 《영》 (특정 국가의) 거주권, 거류권
ríght of asýlum [the ~] 〖국제법〗 피(被)보호권, 비호권(庇護權) 《망명자가 외국(대사관)의 보호를 받을 권리》
right-of-cen·ter [ráitəvséntər] *a.* 중도 우파의; 우익의
ríght of líght [the ~] 〖법〗 일조권(日照權)
ríght of primogéniture [the ~] 〖법〗 장자 상속권(primogeniture)
ríght of prívacy [the ~] 〖법〗 프라이버시[사생활 보호]의 권리
ríght of séarch [the ~] 〖국제법〗 수색권 《중립국 선박에 대한 교전국의》
ríght of úser [the ~] 〖법〗 사용권; 계속적 사용에서 생기는 추정 권리
ríght of vísit (and séarch) [the ~] 《영》 = RIGHT OF SEARCH
right-of-way [ráitəvwéi] *n.* (*pl.* **rights-, ~s**) ⓊⒸ **1** 통행권 《타인 소유지 안의 도로의》; 통행권이 있는 도로 **2** 《미》 공도 용지(公道用地); 철도[선로] 용지; 송전선[천연 가스 수송관] 용지 **3** (교통상의) 우선 통행권; 우선권 《발언 등의》; 진행 허가 **4** 〖펜싱〗 공격할 권리
right-on [-ɔ́:n | -ɔ́n] *a.* 《미·속어》 완전히 옳은; 시대 정신에 부합되는
Ríght Réverend 주교(bishop)의 칭호
rights [ráits] 《미·구어》 *n. pl.* 공민권(civil rights) **—** *a.* 공민권의
ríght shóulder árms 〖군사〗 《구령》 우로 어깨 총!
ríghts íssue 〖증권〗 (신주의) 주주 할당 발행
right-size [ráitsàiz] *vi., vt.* 〈회사 조직이〉 적정 규모로 바뀌다[바꾸다], 〈조직의〉 규모를 축소하다(downsize) **right-sìz·ing** *n.*

severe, stern, rigorous, austere, spartan, harsh
rigor *n.* strictness, severity, sternness, austerity, toughness, harshness, rigidity, inflexibility

ríght stáge (객석을 향하여) 오른쪽 무대
ríght stúff [the ~] 《구어》 (인간에게) 필요한 자질 《불굴의 정신, 용기, 정의감, 결단력, 신의 등》
right-thinking [ráitθíŋkiŋ] *a.* 올바른 생각[신념]을 지닌
right-to-choose [ráittətʃú:z] *a.* 임신 중절을 택할 권리를 주장하는: a ~ group 임신 중절 선택 권리파
right-to-die [-tədái] *a.* (회복의 가망이 없는 환자의) 죽을 권리를 인정하는
ríght to knów 알 권리 **ríght-to-knów** *a.* 알 권리에 관한
right-to-life [-təláif] *a.* (태아의) 태어날 권리를 주장하는, 임신 중절에 반대하는: a ~ group 임신 중절 반대파 **-líf·er** *n.* 임신 중절 금지법 지지자
ríght to súnshine 〖법〗 = RIGHT OF LIGHT
ríght-to-work [-təwə́:rk] *a.* 《미》 노동권의[에 관한]
ríght-to-wórk làw 《미》 노동권법 《조합에 가입하지 않아도 직장을 유지할 수 있는》
ríght tríangle 직각 삼각형
ríght túrn **1** 몸을 우측(右側)으로 90도 방향 전환하기 **2** 〖군사〗 = RIGHT FACE
right·ward [ráitwərd] *a.* Ⓐ 오른쪽으로 향하는, 오른쪽(으로)의 **—** *ad.* 오른쪽으로[에]
right·wards [ráitwərdz] *ad.* 《영》 = RIGHTWARD
ríght whàle 〖동물〗 참고래
ríght wíng (경기의) 우익(수); [the ~; 집합적] (정당 등의) 우익, 보수파(opp. *left wing*)
right-wing [ráitwíŋ] *a.* 우익의, 우파의 **~·er** *n.* 우파의 사람, 보수주의자
right·y [ráiti] *n., a.* (*pl.* **right·ies**) 《미·구어》 오른손잡이(의), 우완 투수(의); 《영·구어》 보수주의자(의) **—** *ad.* 오른손으로, 오른손을 써서
right·y-ho [ráitihòu] *int.* 《구어》 = RIGHTO
∗**rig·id** [rídʒid] *a.* **1** 단단한, 딱딱[뻣뻣]한(⇨ stiff 유의어); 고정된; 〖항공〗 〈비행선이〉 경식(硬式)의: a ~ dirigible 경식 비행선 **2 a** 〈생각 등이〉 딱딱한, 완고한, 융통성 없는: ~ opinions 융통성 없는 의견 **b** 강직(剛直)한, 불굴의 **3** 엄격한, 엄정한, 엄숙한(stern); 엄밀한, 정확한(precise): ~ rules 엄격한 규칙 **4** (공포·분노 등으로) 움직일 수 없는 **5** 《미·속어》 술 취한
bore a person **~** 《구어》 …를 몹시 지루하게 하다
shake a person **~** 《구어》 …를 크게 놀라게 하다[공포를 주다] **~·ly** *ad.* **~·ness** *n.*
▷ rigídity, rígor *n.*
rígid désignator 〖논리〗 엄밀 지시어
ri·gid·i·fy [ridʒídəfài] *vt., vi.* (**-fied**) 굳게[엄격하게, 엄밀하게] 하다[되다] **ri·gìd·i·fi·cá·tion** *n.*
ri·gid·i·ty [ridʒídəti] *n.* Ⓤ **1** 단단함, 강직(强直), 경직(硬直); 〖물리〗 강성률(剛性率), 강도(剛度) **2** 엄격, 엄숙; 엄밀 **3** 강직, 불굴
rig·id·ize | -ise [rídʒədàiz] *vt.* (특수 가공으로) 굳히다
rig·man [rígmæn] *n.* (*pl.* **-men** [men]) (어선의) 어망 담당자, 어로원
rig·ma·role [rígməròul] *n.* 시시하고 장황한 이야기[글] **—** *a.* 시시한, 장황한, 조리가 안 서는
Rig·o·let·to [rigolétto] [It.] *n.* 「리골레토」 《Giuseppe Verdi 작의 오페라》
∗**rig·or | rig·our** [rígər] *n.* Ⓤ **1** 엄함(severity), 엄격, 준엄; Ⓒ 가혹한 행위; (법·규칙 등의) 엄격한 적용 **2** [때로 *pl.*] 고됨 《생활 등의》, 곤궁, 고초: the ~(*s*) of life 생활고 **3** (생활 태도 등의) 근엄; 엄밀, 정확(exactness): the logical ~ of mathematics 수학의 논리 정연함 **4** [종종 *pl.*] 호됨 《추위 등의》, 혹독: the ~(*s*) of a long winter 긴 겨울의 혹독함 **5** 〖병리〗 오한, 한기; 경직 **6** 《미·연극속어》 (연기자의) 군음; (관객의) 냉담 ▷ rígorous, rígid *a.*
rig·or·ism [rígərìzm] *n.* Ⓤ 엄격[엄정, 엄숙]주의 **-ist** *n.* **rìg·or·ís·tic** *a.*
rig·or mor·tis [rígər-mɔ́:rtis, ráigɔ:r- | rígə-, ráigə-] [L] 〖의학〗 사후(死後) 강직

***rig·or·ous** [rígərəs] *a.* **1** 엄한, 엄격한(strict); 〈기후 등이〉 호된, 혹독한: be ~ with one's child 자식에게 엄격하다 **2** 엄밀한, 정밀한, 정확한
~·ly *ad.* **~·ness** *n.* ▷ rigor *n.*

rig·our [rígər] *n.* 《영》 = RIGOR

rig-out [rígàut] *n.* 《영·구어》 의복 일식(一式); 채비, 준비

Rigs·dag [rígzdɑ̀:g] 〔Dan.〕 *n.* [the ~] (1849-1953년의) 덴마크 국회

Rig-Ve·da [rigvéidə, -ví:də] *n.* [the ~] 리그베다 《인도 최고(最古)의 성전(聖典); 4 베다 중의 하나; cf. VEDA》

R.I.I.A. Royal Institute of International Affairs

Riks·dag [ríksdɑ̀:g] 〔Swed.〕 *n.* [the ~] 스웨덴 국회

rile [ráil] *vt.* 《구어》 화나게 하다, 짜증나게 하다; 《미》 〈액체를〉 섞어서 흐리게 하다

ri·ley [ráili] *a.* 《미》 탁한; 《구어》 화난

ri·lie·vo [riljévou | rìliéi-] 〔It.〕 *n.* (*pl.* **-vi** [-vi:]) 〖조각〗 = RELIEF 6

Ril·ke [rílkə] 〔Gr.〕 *n.* 릴케 **Rainer Maria ~** (1875-1926) 《오스트리아의 시인》

rill¹ [ríl] *n.* 《시어》 시내, 세류(small brook)
— *vi.* 시내처럼 흐르다, 세류가 되어서 흐르다

rill², rille [ríl] *n.* 〖천문〗 열구(裂溝); 달표면의 계곡

rill·et [rílit] *n.* 작은 내, 실개천

‡rim¹ [rím] *n.* **1** (원형의) **가장자리,** 변두리, 언저리

> 유의어 **rim** 특히 둥근 것의 가장자리: the *rim* of crater 분화구의 가장자리 **brink** 낭떠러지 등의 가장자리: the *brink* of a cliff 절벽의 가장자리 **brim** 컵·찻잔 등의 가장자리: The cup was filled to the *brim.* 잔은 가장자리까지 채워져 있었다.

2 (차바퀴의) 테두리, 큰 테, 외륜, 테두리 쇠; (방직기 등의) 동륜 **3** 〖항해〗 수면, 해면 **4** 〖농구〗 (골망을 걸친) 둥근 철봉, 림 ***on the ~s*** 《미·속어》 최저 비용으로, 될 수 있는 대로 싸게 ***the golden ~*** 《시어》 왕관
— *vt.* (**~·med**; **~·ming**) rim을 붙이다; 둘러싸다
~·less *a.* 〈안경 등이〉 테가 없는

rim² *vt.* (**~·med**; **~·ming**) 《미·속어》 속이다

Rim·baud [ræmbóu] *n.* 랭보 (**Jean Nicolas**) **Arthur ~** (1854-91) 《프랑스의 시인》

rim-brake [rímbrèik] *n.* 림브레이크 《자전거 등의 바퀴 테두리에 작용하는》

rim-drive [-dràiv] *n.* 림 구동(驅動) (장치)

rime¹ [ráim] *n., v.* = RHYME

rime² *n.* Ⓤ 〖기상〗 무빙(霧氷); 서리처럼 보이는 것; 《시어》 서리; 단단한 표면 **—** *vt.* 서리로 덮다

rime riche [rí:m-rí:ʃ] (*pl.* **-s -s** [rí:m-rí:ʃ]) 〖운율〗 동운(同韻)

rime·ster [ráimstər] *n.* = RHYMESTER

rim·fire [rímfàiər] *a.* 기부(基部) 가장자리에 기폭약이 있는 〈탄약통〉

Rim·i·ni [rímәni] *n.* 리미니 《이탈리아 북부 아드리아 해에 면한 항구 도시·휴양지》

rim·land [rímlæ̀nd] *n.* 〖정치〗 정치적·전략적으로 중요한 주변 지역

rím lìghting 역광 조명(backlighting)

rimmed [rímd] *a.* 테를 두른; [보통 복합어를 이루어] …의 테가 있는: gold-~ glasses 금테 안경

Rim·mon [rímən] *n.* 〖성서〗 림몬 《다마스커스에서 숭배되던 신》 ***bow down in the house of ~*** (타협하기 위해) 신념을 굽히다 《열왕기 하 5: 18》

ri·mose [ráimous, ⌐⌐ | raimóus, ráimouz], **ri·mous** [ráiməs] *a.* 〖식물〗 갈라진[터진] 틈이 있는, 틈이 많은 **rí·mose·ly** *ad.* **ri·mos·i·ty** [raimɑ́səti | -mɔ́s-] *n.*

RIMPAC [rímpæk] 〔*Rim* of the *Pac*ific Exercise〕 *n.* 환태평양 해군 합동 연습

rim·ple [rímpl] *n.* 주름, 접힌 데
— *vt.* …에 주름이 지게 하다, …에 접힌 자리를 만들다 **—** *vi.* 주름지다, 접힌 자리가 생기다

rim·rock [rímrɑ̀k | -rɔ̀k] *n.* 〖지질〗 벼랑 끝의 바위

Rim·sky-Kor·sa·kov [rímskikɔ́:rsəkɔ̀:f, -kɑ̀f | -kɔ̀v] *n.* 림스키코르사코프 **Nikolai Andreevich ~** (1844-1908) 《러시아의 작곡가》

rim·y [ráimi] *a.* (**rim·i·er**; **-i·est**) 서리로 덮인(frosty)

rinc·tum [ríŋktəm] *n.* 《비어》 직장(rectum)

***rind** [ráind] *n.* **1** ⓊⒸ 껍질, 외피 《수목·과실·베이컨·치즈·고래 등의》

> 유의어 **rind** 멜론·오렌지 등의 껍질을 말하는데, 오렌지에는 **peel**을 더 많이 쓴다: orange *rind* [*peel*] 오렌지 껍질 **skin**은 바나나·양파 등의 껍질을 말함: an onion *skin* 양파 껍질

2 외관, 외면 **3** [the ~] 《속어》 뻔뻔스러움
— *vt.* …의 껍질을 벗기다 **~·less** *a.*

rind·ed [ráindid] *a.* [보통 복합어를 이루어] 껍질이 …한: thick-~ 껍질이 두꺼운

rin·der·pest [ríndərpèst] *n.* Ⓤ 우역(牛疫) 《소의 전염병》

‡ring¹ [ríŋ] *n.* **1 a** 고리, 바퀴(circle) **b** 고리 모양의 것; (사람의) 빙 둘러앉은[둘러선] 것 **2** 반지, 귀고리, 코고리, 팔찌; (소의) 코뚜레; 《영》 (새 발목에 채우는) 발목 고리, 표식 고리; 《미》 피임 링(《영》 loop); [*pl.*] (동근) 파문 **3** 연륜(年輪), 나이테, 환대(環帶) 《양치류의》 **4** 〖기하〗 환(環), 환면, 환체; 〖화학〗 환(環) 《고리 모양으로 결합한 원자 집단》; 〖천문〗 (토성 등의) 환, 고리 **5** 원형 경기장; 투우장(bullring); 경마장, 경기장, 곡마장; 동물 품평회의 전시장; 정치적 경쟁(장(場)); (권투·레슬링의) 링; [the ~] 프로 권투 **6** 〖건축〗 바퀴 모양의 테두리 **7** 〖경마〗 도박사석(席); [the ~; 집합적] (경마의) 도박사들 **8** (사리적(私利的)인) 도당, 매점(買占)[매출(賣出)] 동맹: a ~ of dope smugglers 마약 밀수업자 일당[도당] **9** [*pl.*] (체조의) 조환(吊環), 링

be in the ~ for …의 선거에 출마하다 ***form a ~*** 고리 모양을 이루다; 둥글게 둘러앉다; 손가락으로 고리를 만들다 《OK나 잘 되어 있음을 나타내는 손짓》 ***hold*** [***keep***] ***the ~*** 수수방관하다 ***in a ~*** 고리 모양으로, 원형을 이루어 〈춤추다 《등》〉, 빙 둘러서 〈앉다 《등》〉 ***lead the ~*** 《고어》 솔선하다, 주도자가 되다 (cf. RINGLEADER) ***make a ~*** 매점 동맹을 맺다 ***meet in the ~*** (권투 등에서) 시합을 하다 ***run*** [***make***] ***~s around*** a person 《구어》 …보다 훨씬 빨리 가다; …보다 훨씬 낫다; …보다 결정[압도]적으로 이기다, 압승하다 ***throw*** [***toss***] one***'s hat in the ~*** ⇨ hat. ***tilt*** [***ride, run***] ***at the ~*** (옛날 무예 겨루기에서) 높이 달아맨 고리를 말을 달리면서 창끝에 꿰다 ***win the ~*** 《고어》 상을 타다, 이기다

— *vt.* **1** 둥글게 둘러싸다, 에워싸다(encircle) 《*round, about, in*》; 둥글게 열을 짓다, 둘러앉히다; 둘러싸서 사냥하다: (~+목+부) (~+목+전+명) The young singer was ~*ed about*[*round*] *with* the excited girls. 그 젊은 가수는 열광하는 소녀들에게 둘러싸였다. **2** 고리[반지, 귀고리, 코고리]를 끼우다; (전서구(傳書鳩) 등에) 다리 고리를 끼우다 **3** 〖원예〗 고리 모양으로 껍질을 벗기다(girdle); 〈사과·양파 등을〉 고리 모양으로 베다 **4** 〖마술〗 (말을 타고) 원을 그리며 돌다 **5** 〈가축 등을〉 한 곳에 둘러서 몰아넣다 **6** (고리 던지기 놀이에서) 고리를 던져 걸다
— *vi.* **1** 고리가 되다, 둥글게 되다; 둥글게 둘러앉다 《*about, round*》 **2** 고리 모양으로 움직이다, 빙빙 돌다; 〈매·솔개 등이〉 원을 그리며 날아 오르다; 〈여우 등이〉 원을 그리며 뛰다
~ a quoit 고리쇠를 기둥에 끼우다 《놀이》 **~ one*self*** 둘러싸다 《*round*》 **~ (*up*) *cattle*** 말 타고 주위를 돌아다니며 가축을 한곳에 모으다
~·less, ~·lìke *a.*

‡ring[2] [ríŋ] *v.* (**rang** [rǽŋ], 《드물게》 **rung** [rʌ́ŋ]; **rung**) *vi.* **1 a** 〈방울·종 등이〉 울리다, 울다; 〈나팔 등이〉 울리다: The bell[telephone] is *~ing.* 벨[전화]이 울리고 있다. **b** …의 소리가 나다; (…같이) 들리다(sound): 《~+보》 The coin *rang* true[false]. 그 동전은 소리가 진짜로[가짜로] 들렸다. **2 a** 〈음성 등이〉 울리다, 울려 퍼지다(resound) 《*out*》; 〈귀가〉 울리다: My ears ~. 귀울음이 난다. // 《~+부》 A shot *rang out.* 총성이 울려 퍼졌다. **b** 〈말·노래 등이〉 (아직) 여운이 울리다, 들리는 듯하다: 《~+전+명》 The melody still *rang in* her ears. 그 멜로디는 아직 그녀의 귓속에서 들리는 듯했다. **3 a** 신호의 종[벨]을 울리다, 벨을 울려서 부르다, 벨을 울려서 안내를 청하다; 〈종·벨이〉 울려서 〈기도·식사 등을〉 알리다 《*for*》: 《~+전+명》 ~ *at* the front door 현관의 벨을 울리다 / ~ *for* a servant 벨을 울려서 하인을 부르다 / ~ *for* church 종을 울려서 예배를 알리다 // 《~+전+명+**to** do》 ~ *for* a maid *to* bring tea 하녀에게 차를 갖고 오도록 벨을 울리다 **b** 《영》 전화를 걸다[하다](call) 《*up*》: I'll ~ back again. 나중에 다시 전화하겠다. **4** 〈장소가〉 울리다; 소문이 자자하다, 평판이 높다 《*with*》: 《~+전+명》 The beach *rang with* young people's shouts. 해변에는 젊은이들의 고함 소리가 울려 퍼지고 있었다. / The whole town *~s with* his fame. 온 거리는 그의 명성으로 자자하다.

—*vt.* **1 a** 〈종·방울 등을〉 울리다, 치다 **b** 〈동전·금속 등을〉 울려서 진짜 여부를 확인하다 **c** 종[초인종]을 울려서 부르다[소집하다]: 《~+목+부》 ~ a servant *down*[*in, up*] 벨을 울려 하인을 밑[안, 위]으로 부르다 **d** 종[벨]을 울려서 알리다; 〈시계·차임 등이 때를〉 알리다: The bell *rang* 10 o'clock. (시계)벨이 10시를 알렸다. **e** 《주로 영》 …에 전화를 걸다(telephone), 〈사람을〉 (전화로) 불러내다 《*up*》; (타임 리코더·금전 등록기 등에) 기록하다: 《~+목+부》 *R~* me *up* any time. 언제라도 전화를 주시오. **2** 소리 높이 말하다, 울려 퍼지게 하다; 시끄럽게 말하다(din): ~ a person's praises …을 요란하게 칭찬하다

~ *a bell* ⇨ bell[1]. **~ *again*** 반향하다 《*to*》 **~ *around*** = RING ROUND. **~ a person *back*** …에게 다시 전화하다 **~ *down*** [***up***] ***the curtain*** 벨을 울려서 막을 내리다[올리다], …의 결과[개시]를 알리다 《*on*》 **~ *in*** 〈새해 등을〉 종을 울려서 맞다, …의 도착을 알리다; (타임 리코더로) 도착 시간을 기록하다(opp. *ring out*); 전화를 걸다; 《미·속어》 부정 수단으로 집어넣다; …을 고려의 대상에 넣다 **~ *in on*** 《미·구어》 초대하지 않았는데 오다 **~ *in* one's *ears*** 〈고인(故人)의 말 등이〉 귀에 쟁쟁하다 **~ *in* one's *fancy*** [***heart***] 기억에 생생하다 **~ *off*** 전화를 끊다; 이야기를 멈추다; 《속어》 떠나다, 물러가다 **~ *off the hook*** [보통 진행 시제로] (전화가) 계속 울리다 **~ *out*** 〈가는 해 등을〉 종을 울려서 보내다; (타임 리코더로) 퇴사 시간을 기록하다(opp. *ring in*) **~ *round*** 《영》 차례로 전화하다 **~ one's *own bell*** 자화자찬하다 **~ *the bell*** ⇨ bell[1]. **~ *the changes*** ⇨ change. **~ *the knell of*** …의 조종(弔鐘)을 울리다; …의 폐지[몰락]를 고하다 **~ *through*** 《영》 전화를 걸다 《*to*》 《특히 같은 건물 내에서》 **~ *true*** [***false***] ⇨ *vi.* 1 b; 〈약속·말 등이〉 정말[거짓말]같이 들리다 **~ *up*** 《주로 영》 방울[벨]을 울려서 깨우다; 〈사람을〉 전화로 불러내다; 《미》 금전 등록기에 〈금액을〉 넣다 : Could you ~ it *up* for me? 얼마입니까? ***the curtain ~s down*** 막이 내리다, 끝나다

—*n.* **1** (종·벨 등의) 울림; 울리는 소리; 《구어》 전화 벨 소리 **2** 한 벌의 종(소리): a ~ of six bells 여섯 개 한 벌의 종 **3 a** 소리 《물건의 성질·진가(眞假)를 나타내는》: try the ~ of a coin 화폐가 진짜인지 가짜인지 소리를 내어보다 **b** 잘 울리는 소리[목소리] **c** (…의) 땡[짤랑짤랑]하는 소리 《*of*》 **4** [a ~, the ~] (이야기·문장 등의) 품, 가락, 느낌: *a* ~ of assurance in his voice 그의 목소리에 담긴 확신에 찬 느낌 **5** [a ~] 전화 걸기

Give me a ~ (up) this afternoon. (오후에) 전화를 걸어 주게. ***give the bell a ~*** 벨을 울리다 ***have the ~ of truth*** 진실성이 담겨 있다 ***have the true*** [***right***] ~ 진짜의 소리가 나다

ring-a-ding [ríŋədìŋ] 《미·속어》 *n.* 대소동, 깜짝 놀라게 하는 물건[사람] **—***a.* 활기 있는

ring-a-l(i)e·vi·o [riŋəlí:viòu] *n.* 두 팀이 편을 갈라 상대편의 사람을 찾아내서 가두는 놀이 《같은 편이 구하도록 함》

ríng-a-ring o'rós·es [ríŋəriŋ-əróuziz] = RING-AROUND-THE-ROSY

ring-a·round-the-ros·y [-əràundðəróuzi], **-a-ros·y** [-əróuzi] *n.* Ⓤ 원을 그리며 노래하고 춤추다가 신호에 따라 웅크리는 놀이

ring·back [-bæ̀k] *n.* ⓊⒸ (전화) 링백 (서비스) 《통화 중인 상대방의 전화가 끝나면 되걸려 오는 통신 서비스》

ring·bark [-bɑ̀:rk] *vt.* = GIRDLE[1] 2

ríng bèarer 《미》 (신랑 신부 옆에서) 반지를 들고 있는 소년

ríng-billed gúll [-bìld-] 〖조류〗 고리부리갈매기 《북미산》

ríng bìnder 링 바인더 《금속제 고리의 루스리프(loose-leaf)의 바인더》

ring·bolt [-bòult] *n.* 고리 달린 볼트

ring·bone [-bòun] *n.* 〖수의학〗 (말의) 지골류(趾骨瘤)

ring·burn·er [-bə̀:rnər] *n.* 《영·속어》 매운 카레

ríng cìrcuit 〖전기〗 환상(環狀) 회로

ríng còmpound 〖화학〗 환상(環狀) 화합물(cf. CYCLIC)

ríng dànce = ROUND DANCE

ríng dỳke 환상 암맥(環狀岩脈)

ring·dove [-dʌ̀v] *n.* 〖조류〗 산비둘기 《목 양쪽에 흰 반점이 하나씩 있는 유럽산》

ringed [ríŋd] *a.* **1** 고리가 있는; 고리 모양의 **2** 반지를 낀; 결혼한(married), 약혼한; 〈새가〉 발에 고리를 찬 **3** 고리로 둘러싸인

rínged séal 〖동물〗 얼룩큰점박이 바다표범

rin·gent [ríndʒənt] *a.* 입을 크게 벌린; 〖식물〗 〈화관이〉 입술 모양의: ~ flower 순상화

ring·er[1] [ríŋər] [ring[1]에서] *n.* **1** 둘러싼 사람[것] **2** 고리[편자] 던지기 하는 사람 《놀이》; 그 쇠고리[편자](의 한 번 던지기) **3** 몰리어 빙빙 도망쳐 다니는 여우 **4** 《호주·뉴질》 숙련된 양털 깎는 사람; 가장 일 잘하는 사람

ringer[2] [ring[2]에서] *n.* **1** 종을 치는 사람(=bell ~); 종을 울리는 장치; 전화의 벨소리를 내는 장치 **2** [종종 dead ~] 《속어》 꼭 닮은 사람[것] 《*for, of*》: He is a (*dead*) ~ *for* his father. 그는 아버지를 빼다 박은 것 같다. **3** 《속어》 경기의 부정 참가자 **4** 《속어》 (도난 차량에 붙인) 위조 번호판; 위조자

Ríng·er's solùtion [ríŋərz-] [영국의 의사 Sydney Ringer의 이름에서] 링거액(液) ★ Ringer solution이라고도 함.

ring·ette [riŋét] *n.* Ⓤ 링게테 《고무 고리를 사용하는 캐나다의 아이스하키와 유사한 여성 스포츠》

ríng fènce 울, 울타리; 제한, 속박

ring-fence [ríŋfèns] *vt.* 〖금융〗 〈자금을〉 보호하다, 보증하다

ríng fìnger 무명지, 약손가락 《결혼 반지를 끼는 왼손의》

ríng formàtion (달 표면의) 환상체(環狀體)

ríng gàge 링 게이지 《원통형 물체의 지름을 재는 도구》

ríng gèar 〖기계〗 링기어 《안쪽에 톱니가 있음》

ring·git [ríŋgit] *n.* (*pl.* **~, ~s**) 링깃 《말레이시아의 화폐 단위; =100 sen; 기호 $》

ring·hals [ríŋhæls] *n.* (*pl.* **~, ~·es**) 〖동물〗 독 뱀는 코브라 《남아프리카산》

ríng hùnt 불로 둘러싸서 잡는 사냥법

ring-in [ríŋìn] *n.* 《호주·구어》 대용품; 교대 요원

ring·ing [ríŋiŋ] *a.* **1** 울리는, 울려 퍼지는: a ~ frost 밟으면 소리나는 서리 **2** 〈말·표현 등이〉 단호한, 강한: a ~ appeal 강한 어필[주장, 호소]
— *n.* 울림, 울려퍼짐; 공명(감): have a ~ in the ears 귀가 울다 **~·ly** *ad.*
ringing tòne 《영》 (전화의) 호출음
ring·lead·er [ríŋlìːdər] *n.* 주모자, 두목, 장본인: a ~ of revolution 혁명 주모자
ring·let [ríŋlit] *n.* **1** 작은 고리, 작은 바퀴 **2** 고수머리(curl) **3** 〔천문〕 토성의 큰 고리를 구성하는 얇고 가는 고리 **~·ed** [-id] *a.* 〈머리털이〉 곱슬곱슬한
ríng·let·y [-i] *a.* 고수머리의
ríng lòck 고리 자물쇠 《몇 개의 홈을 낸 고리를 맞추어서 여는 자물쇠》
ríng machìne 〔인쇄〕 링 머신 《활자를 갈아끼우는 라이노타이프(Linotype)》
ríng màil 고리 갑옷 《가죽에 작은 고리를 꿰매 붙인》
ríng màin 《영》 〔전기〕 환상(環狀) 주회로(cf. RING CIRCUIT)
ring·man [-mən] *n.* (*pl.* **-men** [-mən]) 《영》 (경마의) 도박꾼; 《미》 권투 선수(boxer)
ring·mas·ter [-mæ̀stər | mɑ̀ːs-] *n.* 곡예 주임 《서커스의》; 《미·철도속어》 구내 주임(yardmaster)
ring·neck [-nèk] *n.* 목에 고리 무늬가 있는 새[동물]
ring-necked [-nèkt] *a.* 〔동물〕 목에 고리 무늬가 있는
ríng-necked dúck 북미산(產) 오리의 일종 《목에 띠가 있음》
ríng-necked phéasant (아시아 원산의) 꿩
ríngneck snáke 북미산(產) 뱀의 일종 《Diadophis 속(屬)의 작고 독이 없는 뱀; 목에 띠가 있음》
ríng nèt 〔어업〕 건착망(巾着網)
ríng nètwork 〔컴퓨터〕 환상(環狀) 네트워크
Ríng of Fíre [the ~] 환태평양 화산대
ríng pùll 《영》 (음료·깡통 등의) 잡아당겨 따는 손잡이(《미》 pull tab, tab)
ring-pull [-pùl] *a.* 〈깡통 등이〉 고리를 잡아당겨 여는
ríng ròad 《영》 (도시 주변의) 환상(環狀) 도로, 순환 도로(《미》 beltway)
ríng shòut 링 샤우트 《아프리카 서부 기원의 미국 남부의 춤; 재즈에 영향을 주었음》
ring·side [-sàid] *n.* [the ~] 링사이드 《권투장·서커스장 등의 맨 앞줄 자리》; 가까이에서 보이는 장소
— *a.* Ⓐ 링사이드의 〈좌석 등〉; 바로 앞의; 잘 보이는: have a ~ view of …을 바로 가까이에서 보다
ring·sid·er [ríŋsàidər] *n.* (권투 등의) 링사이드의 관객, 맨 앞줄의 관객
ríng spòt 〔식물〕 윤문병(輪紋病)
ring·ster [ríŋstər] *n.* 《미·구어》 일당의 한 사람
ring·straked [ríŋstrèikt] *a.* (몸 주위에) 띠 모양의 줄무늬가 있는
ring·tail [ríŋtèil] *n.* **1** 《미·속어》 불평가, 성마른 사람; 《호주·속어》 겁쟁이, 믿지 못할 사람 **2** 〔동물〕 꼬리에 고리 무늬가 있는 동물
ring-tailed [-tèild] *a.* 꼬리에 고리 무늬가 있는
ríng-tailed snórter 《미·속어》 건장한 남자
ring·tone [ríŋtòun] *n.* (전화의) 호출음 《특히 휴대 전화의 착신을 알리는 벨소리; 다양하여 개인적으로 선택 가능》
ring·toss [-tɔ̀ːs | -tɔ̀s] *n.* 고리 던지기
ríng vaccinátion 전원(全員) 접종 《전염병 환자의 관계자 전원에 대한》
ríng wàll (일정 토지를) 둘러친 담
ring·way [-wèi] *n.* 《영》 = RING ROAD
ring·worm [-wə̀ːrm] *n.* Ⓤ 〔병리〕 동전 버짐, 백선(白癬)
*__rink__ [ríŋk] *n.* **1** (실내) 스케이트장, 스케이트 링크; 롤러스케이트장 **2** (빙상의) 컬링(curling) 경기장; 아이스하키 경기장; 잔디 볼링장 **3** 컬링[론 볼링] 경기의 한쪽 팀 《4명으로 구성》
— *vi.* 스케이트장에서 얼음을 지치다 **~·er** *n.*
rink·y-dink [ríŋkidìŋk] 《미·속어》 *n.* 고리타분한 [쓸데없는] 것; 싸구려 오락 시설; 거짓말, 속임수; 사기 **—** *a.* 고리타분한; 싸구려의, 하찮은: a ~ college 무명 대학
rink·y-tink [-tìŋk] *n.*, *a.* 《미·속어》 = RICKY-TICK
*__rinse__ [ríns] *vt.* **1** 헹구어 내다, 씻어내다 《*out*, *away*》: 《~+목+전+명》 *R*~ the soap *out of* your head. 머리의 비누를 씻어내어라. **2** 헹구다, 가시다 《*out*》 **3** 〈음식물을〉 위(胃)로 흘려 넣다 《*down*》: 《~+목+부》 ~ the food *down* with a glass of milk 한 잔의 우유로 음식물을 (위 안에) 흘려 넣다
— *n.* **1** ⓊⒸ 헹굼, 가심; 가셔냄: give it a ~ 한 번 헹구다 **2** (헹구는) 린스제(劑); 헹굼물 **3** (머리에) 린스를 사용하는 것 **4** 머리 염색: ~*s* for gray hair 흰머리(용) 염색 **ríns·a·ble** *a.* **ríns·er** *n.*
rins·ing [rínsiŋ] *n.* **1** = RINSE *n.* 1 **2** [보통 *pl.*] 헹군 물; 찌끼(residue)
Ri·o [ríːou] *n.* **1** = RIO DE JANEIRO **2** 브라질산 커피 **—** *a.* Rio de Janeiro의
Ri·o Bra·vo [ríːou-brɑ́ːvou] 리오 브라보 《Rio Grande 강의 멕시코 이름》
Ri·o de Ja·nei·ro [ríːou-dei-ʒənέərou, -dʒə- | -də-dʒəníər-] 리우데자네이루 《브라질의 옛 수도; 약칭 Rio》
Ri·o Gran·de [ríːou-grɑ́ːndei, -di] **1** [the ~] 리오그란데 강 《미국과 멕시코의 국경을 이루는 강》 **2** [the ~] 브라질의 동남부를 서쪽으로 흘러가는 Paraná 강 지류
Ri·o·ja [ríóuhɑː] *n.* 리오하 《스페인 북부 지방산(產) 포도주》
‡**ri·ot** [ráiət] *n.* **1** 폭동, 소요, 소동 **2** 〔법〕 소요(騷擾)(죄) **3** Ⓤ 술 마시고 떠들, 야단법석, 혼란 **4** [a ~ of] 다채로움, 가지각색; (상상·감정 등의) 분방(奔放) 《*of*》: *a* ~ *of* color 다채로운 색깔 / *a* ~ *of* emotion 감정의 격발 **5** [a ~] 《구어》 아주 유쾌한 사람[물건]; 한바탕 웃을 만한 일, 요절할 일, 대성공 **6** Ⓤ 《고어》 방종, 난봉 ***run*** **~** 방탕하다; 떠들며 돌아다니다; 〈식물이〉 무성하게 자라다; 〈꽃이〉 만발하다
— *vi.* **1** 폭동을 일으키다; 떠들다 **2** 방탕 생활을 하다, 난봉 부리다; 술 마시고 법석을 떨다 **3** 〈감정 등에〉 빠져들다, 탐닉하다(indulge) 《*in*》: 《~+전+명》 Don't ~ *in* drink. 음주에 빠져들어서는 안 된다. **4** 〈식물이〉 만발하다; 〈장소가〉 …로 가득 차다 《*with*》
— *vt.* 《드물게》 방탕 생활로[떠들고 흥청거리며] 〈시간·돈을〉 소비하다[지내다], 낭비하다 《*away*, *out*》: 《~+목+부》 ~ *away* one's time[money] 흥청망청거리며 시간[돈]을 낭비하다
~·ry *n.* 《고어》 폭동; [집합적] 폭도(暴徒), **~·er** *n.* 폭도, 술 마시고 떠드는 사람 ▷ ríotous *a.*
Ríot Àct [the ~] **1** 《영》 소요 단속령 《1715년 영국에서 공포》 **2** [종종 the r- a-] 호되게 꾸짖음; 경고 ***read the r- a-*** 〈경찰 관리가〉 소요 단속령을 읽어 들려주다; 《구어》 〈부모가 어린애 등을〉 호되게 꾸짖다, 야단치다
ríot gàs (경찰의 폭동 진압용) 최루 가스(CS gas)
ríot gèar (경찰의) 폭동 진압용 장비
ríot gìrl 강경파 여권론자 《특히 90년대의 공격적인 punk rock으로 여권을 주장하는 젊은 페미니스트》
ríot gùn 폭동 진압용 단총
ri·ot·ous [ráiətəs] *a.* **1** 폭동의, 폭동을 일으키는 **2** 떠들썩한; 술 마시고 떠드는; 분방한, 방종한: ~ living 방종한 생활 **3** 굉장히 재미있는: a ~ comedy 아주 재미있는 희극 **4** 〈색 등이〉 풍부한, 다채로운
~·ly *ad.* **~·ness** *n.*
ríot police 경찰 기동대
ríot shìeld (기동대의) 폭동 진압용 방패
ríot squàd [집합적] 폭동 진압 경찰대
*__rip__[1] [ríp] *v.* (**~ped**; **~·ping**) *vt.* **1** 째다, 찢다, 잡아찢다 《*up*》; 비집어[찢어] 열다: 《~+목+보》 ~ a letter open 편지를 찢어 개봉하다 **2** 벗겨[찢어, 베어] 내다; 해어지게 하다: 《~+목+부》 ~ *off* the wallpaper 벽지를 벗겨내다 // 《~+목+전+명》 ~ a page

out of a book 책에서 한 페이지를 떼어내다 **3** 〈재목을〉 세로 켜다; 〈틈·구멍·통로 등을〉 내다 **4** 《구어》 거칠게 말하다 《*out*》: (~+목+부) ~ *out* an oath 악담을 퍼붓다 **5** 폭로하다, 들추어내다 《*up*》 **6** 〖야구〗 통쾌하게 치다

— *vi.* **1** 째지다, 찢어지다; 해어지다(rend): (~+부) The sleeve ~*ped away* from the coat. 상의에서 소매가 찢어져 나갔다. **2** 《구어》 빠른 속도로[거칠게] 돌진하다; 멋대로 행동하다: (~+전+명) The car ~*ped along* the highway. 자동차는 고속 도로를 질주했다. **3** 맹렬히 공격[비난]하다 《*into*》 **4** 《미·속어》 굉장히 잘 해내다, 성공하다

let it*[*her*] ~** 《구어》 〈자동차 등을〉 맹렬히 몰다 ***let ~ 〈격정 등을〉 쏟다, 발산하다, 화풀이하다; 욕지거리하다 ***let things ~*** 되어가는 대로 내버려두다 ***~ ... across*** …을 둘로 쪼개다[자르다] ***~ and apart*** 격노하다, 미쳐 날뛰다 ***~ and tear*** 마구[미친 듯이] 날뛰다 ***~ ... apart*** …을 흩어놓다; [수동형으로] 괴로워하다; 헐뜯다, 깎아내리다 ***~ into*** …을 맹렬히 공격[비난]하다 ***~ off*** ⇨ *vt.* 2. ***~ on*** a person …을 못살게 굴다; 욕하다 ***~ out* (*with*)** 《구어》 욕지거리를 퍼붓다 ***~ up*** 잡아찢다; 〈길 등을〉 파헤치다; 〈조약 등을〉 파기하다, 일방적으로 무시하다 ***~ up the back*** 험담을 하다 《특히 본인이 없는 데서》, 남을 공격하다

— *n.* **1** 잡아 찢음, 째진 틈; 해어진 데; 열상(裂傷) **2** = RIPSAW **3** 《영·구어·방언》 돌진; 소동을 일으키는 녀석 **4** 《속어》 사기; 도둑; 약탈품 **5** 《미·속어》 벌금; 즐거운 일, 기쁨; 시도, 해 보는 것: have a ~ at ... …을 해 보다 **6** 오징어 낚시용 바늘(ripping hook)

rip[2] *n.* **1** (조수의 충돌에 의한) 격조(激潮) **2** 여울에 이는 물결; 거센 파도, 격랑

rip[3] *n.* 《구어》 방탕아, 난봉쟁이, 망나니; 폐마; 도움이 안 되는 것, 쓸모없는 것

rip[4] *vt.* = RASTERISE

RIP 〖컴퓨터〗 raster image processor

R.I.P. *Requiesca*(*n*)*t in pace* 《L = May he[she (*or* they)] rest in peace!》

ri·par·i·an [ripέəriən, rai- | rai-] *a.* **1** 강기슭의; 호숫가의 **2** 강가에 생기는[사는] — *n.* 〖법〗 강기슭 토지의 소유자; 강기슭[호숫가]에 사는 사람

ripárian ríght 〖법〗 강기슭[하천 부지] 소유자 특권 《어업·용수 등 강의 이용권》

rip-ass [rípæ̀s] *vi.* 《미·속어》 〈차가〉 날듯이 달리다

ríp còrd 〖항공〗 (기구·비행선의) 긴급 가스 방출삭(索); (낙하산의) 예삭(曳索); 절연 전선 두 개가 나란히 있는 코드 《접속시 외피를 찢어서 사용》

ríp cùrrent 역조(逆潮), 이안류(離岸流); 심적 갈등

*__ripe__ [ráip] *a.* **1** 익은: ~ fruit 익은 과일 / Soon ~, soon rotten. 《속담》 빨리 익은 것은 빨리 썩는다, 대기만성.

> 유의어 **ripe** 「충분히 익은, 성숙한」의 뜻이다: a *ripe* harvest 익은 작물 **mature** 성숙의 과정을 강조한다: a *mature* animal 충분히 성장한 동물 **mellow** 익은 과일이 말랑말랑하고 맛있고 향기로움을 강조한다: *mellow* fruit 달콤한 과일

2 붉고 탐스러운 〈입술〉, 풍만한 **3** 마시기[먹기]에 알맞게 된, 숙성한: ~ cheese 먹기 알맞게 된 치즈 **4** 원숙[숙달]한, 노련[익숙]한; 난숙한, 한창의: a person of ~ judgment 판단력이 원숙한 사람 **5** 기회가 무르익은 《*for*》; 준비가 다 된: a plan ~ *for* execution 실행할 기회가 무르익은 계획 // (~+***to*** do) The plan is ~ *to* be executed. 그 계획은 실행할 시기에 이르렀다. **6** 곪은, 화농한 **7** 《구어》 천한, 상스러운 〈농담 등〉; 《고어》 술 취한(intoxicated) ***at a*[*the*]*~ old age*** 고령으로 ***be ~ for*** …의 기회가 무르익다 ***be ~ in*** …에 숙달해 있다, …에 원숙하다 a person ***of ~ years*** 충분히 성장한 사람 《어린애에 비해서》

— *vt.*, *vi.* 《드물게·시어》 = RIPEN

~·ly *ad.* 익어서; 원숙하여 **~·ness** *n.* 성숙, 원숙; 준비되어 있음; 화농 ▷ rípen *v.*

*__rip·en__ [ráipən] *vi.* **1** 〈과일 등이〉 익다: The plums ~ in July. 자두는 7월에 익는다. **2** 기회가 무르익다; 원숙해지다, 숙성하다

— *vt.* 익히다; 원숙하게 하다 **~·er** *n.*

▷ rípe *a.*

ri·pie·no [ripjéinou] 〖음악〗 *a.*, *n.* (*pl.* **~s, -ni**) = TUTTI

rip-off [rípɔ̀:f | -ɔ̀f] *n.* **1** 《미·속어》 도둑질, 강탈, 사기; 사기꾼 **2** 《속어》 (엄청난 돈의) 사취, 갈취 **3** 도작(盜作); 도작 영화[소설]

— *vt.* 도둑질하다; 사취하다

ríp-off àrtist 《미·속어》 사기꾼, 도둑

ri·poste [ripóust | -pɔ́st, -póust] *n.* **1** 〖펜싱〗 되찌르기 **2** 재치 있는 즉답(repartee); (날카로운) 반론, 반격: a clever ~ 명쾌한 반격

— *vi.* 되찌르다; 재치 있게 말대꾸하다; 응수[반격]하다 — *vt.* 〈…이라고〉 재치 있게 응답하다

ríp pànel 〖항공〗 (기구(氣球)의 하강용) 긴급 가스 방출구

ripped [rípt] *a.* **1** 《속어》 취한 **2** 《속어》 마약에 취한 **3** 《미·속어·완곡》 살해당한 **4** 《미·속어》 근육이 울퉁불퉁한

rip·per[1] [rípər] *n.* **1** 찢는 사람[물건]; 세로로 켜는 톱, 내릴톱(ripsaw); (칼 등으로) 몸을 찢듯 자르는 살인광 **2** 《주로 영·속어》 매우 좋은 사람[물건] **3** 《미》 두 대를 연결한 썰매(= double-~)

ripper[2] *a.* 《호주·속어》 훌륭한, 일류의

rip·ping [rípiŋ] 《주로 영·속어》 *a.* 멋진, 훌륭한 (fine, splendid) — *ad.* 멋지게, 훌륭하게: ~ good 매우 좋은 **~·ly** *ad.* **~·ness** *n.*

rípping bàr 받침대가 붙은 지레(pinch bar)

‡**rip·ple**[1] [rípl] *vi.* **1** 잔물결이 일다; 잔물결을 일으키며 흐르다; 〈배가〉 잔물결을 일으키며 나아가다: The lake ~*d* gently. 호수에 조용히 잔물결이 일었다. **2** 〈식물·머리털 등이〉 찰랑찰랑 흔들리다; 〈천 등이〉 물결치듯 처지다, 주름지다 **3** 〈소문·소식·영향이〉 파문처럼 퍼지다 **4** 찰랑찰랑 소리나다; 소곤거리다

— *vt.* **1** 잔물결을 일으키다; 파문을 일으키다 **2** 〈머리털 등을〉 곱슬곱슬하게 하다 **3** (잔물결 같은) 소리를 내다; 경쾌한 리듬으로 연주하다

— *n.* **1** 잔물결(wavelet)(⇨ wave 유의어); 파문; 영향 **2** 파동; 작은 기복(起伏); (머리털 등의) 물결 모양, 웨이브 **3** 잔물결 (같은) 소리; 웅성웅성하는 소리: a ~ of laughter 떠들썩한 웃음소리 **4** 얕은 여울 **5** 〖지질〗 = RIPPLE MARK **~·less** *a.* **ríp·pling·ly** *ad.*

▷ ríppy *a.*

ripple[2] *n.*, *vt.* 삼바디(로 빗다)

ríp·pler *n.* 삼 훑는 사람[기계]

rípple contròl 리플 컨트롤 《전력 수요의 피크 타임에 전력 회사가 수요 가정의 온수기를 자동적으로 끄는 시스템》

rípple effèct 파급 효과

rípple màrk (모래 위의) 물결 (모양의) 자국, 풍문(風紋), 연흔(漣痕)

rip·plet [ríplit] *n.* 잔물결, 작은 파문

rip·ply [rípli] *a.* (**-pli·er**; **-pli·est**) 잔물결이 이는; 파문이 있는; 찰랑찰랑 하는

rip·rap [rípræ̀p] 《미》 〖토목〗 *n.* 사석(砂石) 《기초 공사를 위한》; 사석 기초, 사석 지형 — *vt.* (**~ped**; **~·ping**) 사석으로 굳히다; …에 기초를 만들다

rip·roar·ing [rípr̀ɔ:riŋ], **rip·roar·i·ous** [-rɔ́:riəs] *a.* 《구어》 떠들썩한, 소란스러운; 법석을 떠는; 활발한; 건장한, 왕성한

rip·saw [-sɔ̀:] *n.* 세로로 켜는 톱, 내릴톱

rip·snort·er [-snɔ́:rtər] *n.* 《구어》 **1** 몹시 떠들썩한[난폭한] 사람 **2** 굉장한 물건[일]; 대폭풍 **3** 훌륭한 사람[물건]; 두근거리게 하는 것; 웃기는 농담

ríp·snórt·ing *a.*

rip·stop [-stɑ̀p | -stɔ̀p] *a.*, *n.* 찢어지는 것을 막도록 가공된 (천)

ríp strìp (담뱃갑·껌통 등의) 뜯는 줄
rip·tide [-tàid] *n.* =RIP CURRENT
Rip·u·ar·i·an [rìpjuέəriən] *a.* 리프아리족의
—*n.* 리프아리족[사람]
Rip Van Win·kle [rip-væn-wíŋkl] Washington Irving 작 *The Sketch Book* 중의 이야기(의 한 주인공); 《비유》 시대에 뒤떨어진 사람
RISC, Risc, risc [rísk] [*r*educed *i*nstruction *s*et *c*omputer] *n.* 〖컴퓨터〗 간단한 명령만 하드웨어에 준비되어 있는 컴퓨터
‡**rise** [ráiz] *v., n.*

> OE 「(낮은 것이) 높아지다」의 뜻에서
> ┌→「일어서다」, 「기상하다」 ㉶ 1
> ┤ ┌→(양·정도가 커지다)→「증가(하다), 오르다」 ㉶ 18
> └→「오르다, 뜨다」 ㉶ 2; 「상승」 ┼→(고도가 오르다)→「솟아오르다」 ㉶ 3; 「오르막(길)」
> └→「생기다」 ㉶ 11; 「발생」

—*v.* (**rose** [róuz]; **ris·en** [rízn]) *vi.* **1** 《문어》 일어서다(stand up), 직립하다; 일어나다, 기상하다(get up), 〈말이〉 뒷발로 서다: (~+㊄) ~ *early* 일찍 일어나다 // (~+㊇+㊔) ~ *to* one's feet 일어서다

> 유의어 **rise** 「일어나다, 상승하다」를 뜻하는 말이다 **arise** 시 등에 쓰이며, 격식차린 말로서 「일어나다, 발생하다」의 뜻으로는 rise보다 많이 쓰인다 **get up** 평이한 구어적인 말

2 〈해·달·별이〉 뜨다, (하늘로) 오르다, 떠오르다(opp. *fall*), 〈연기가〉 피어 오르다, 〈새가〉 날아 오르다; 〈막이〉 오르다: (~+㊇+㊔) The moon is *rising above* the horizon. 달이 지평선 위에 떠오르고 있다. // The curtain ~*s.* 막이 오른다. **3** 솟아오르다, 치솟다(tower up): (~+㊄) Mt. Seorak ~*s high.* 설악산이 높이 솟아 있다. // (~+㊇+㊔) The mountain ~*s* 1,000 meters *out of* the sea. 그 산은 해발 1,000미터이다. **4** (물러가려고) 일어서다, 떠나다, 물러나다; 《영》 폐회가 되다, 산회(散會)하다: (~+㊇+㊔) ~ *from* (the) table (식사를 마치고) 식탁에서 물러나다 **5** 〈털 등이〉 (공포·노여움으로) 서다, 곤두서다, 경직하다 **6** (넘어졌다가) 일어서다, 재기하다 **7** 폭동을 일으키다, 반항하여 일어서다, 봉기하다 《*against*》: (~+㊇+㊔) The people *rose against* the oppression. 사람들은 압제에 반항하여 봉기했다. **8** 〈건물 등이〉 세워지다, 건축되다; 〈건물이〉 서 있다 **9** 〈반죽 등이〉 부풀어오르다; 〈지면이〉 융기하다 **10 a** 〈생각·정경 등이〉 떠오르다: (~+㊇+㊔) The idea *rose to* mind[*in* the mind]. 그 생각이 마음에 떠올랐다. **b** 〈물건이〉 나타나다, 〈소리가〉 들려오다 **11 a** (…에서) 발원하다 《*in, from, at*》: (~+㊄) *Where* does the Ganges ~? 갠지스 강은 어디에서 발원하는가? // (~+㊇+㊔) The river ~*s from* Lake Paro. 이 강은 파로 호에서 발원한다. **b** 〈소문이〉 생기다, 퍼지다; 〈불화·오해 등이〉 생기다, 발생하다 《*from*》: Trouble *rose between* them. 그들 사이에 분쟁이 일어났다. **12** 〈토지·길이〉 오르막이 되다(slope upward): (~+㊇+㊔) The ground gradually ~*s toward* the east. 그 땅은 동쪽으로 차츰 높아져 있다. **13** 출세하다, 승진하다, 향상하다: (~+㊇+㊔) ~ *to* fame 명성을 날리다 / ~ *to* greatness 훌륭하게 되다 / He *rose from* the ranks. 그는 사병에서 장교로 승진했다. **14** 초월하다, 극복하다 《*above*》: (~+㊇+㊔) ~ *above* petty quarrels 사소한 싸움 등을 초월하다 **15** (수면에) 떠오르다, 〈물고기가〉 미끼를 찾아 수면에 뜨다: (~+㊇+㊔) ~ *at*[*to*] a bait[fly] 〈물고기가〉 미끼를 물다, 미끼[유혹]에 걸리다 **16** …에 견디어내다; (…에 응하여) 일어서다, 대처하다 《*to*》; 열렬한 반응을 나타내다, 박수갈채하다 《*to*》: (~+㊇+㊔) ~ *to* the occasion 임기응변의 조치를 취하다 / ~ *to* the requirements 요구에 응할 힘이 있다, 임무를 감당할 수 있다 / I can't ~ *to* it. 그것을 할 힘[생각]이 없다. **17** 〈감정 등이〉 격해지다; 〈위가〉 메슥거리다; 〈기운이〉 나다; 〈바람이〉 일다, 세어지다; 〈바다가〉 사나워지다; 〈소리가〉 높아지다, 커지다; 〈열이〉 높아지다, 오르다; 〈색이〉 짙어지다: feel (one's) temper *rising* 노여움이 격해짐을 느끼다 / His jokes made her color ~. 그의 농담에 그녀는 얼굴을 붉혔다. **18 a** 부피가 늘다; 증대하다; 〈조수가〉 밀려 오다, 들어오다 **b** 〈온도계 등이〉 상승하다, 오르다; 〈물가 등이〉 오르다, 등귀하다 《*in*》: (~+㊇+㊔) Stocks ~ *in* price. 주가가 오른다. **19** 〈빵 등이〉 부풀어 오르다 **20** 《문어》 소생하다, 부흥하다: (~+㊄) (~+㊇+㊔) ~ *again* = ~ *from* the dead 소생하다

—*vt.* **1** 올리다, 올라가게 하다, 높이다; 〈가격을〉 올리다 **2** 〈산·비탈길을〉 올라가다; 《미》 오르다 **3** 몰아내다; 〈새·짐승을〉 날아[뛰어] 오르게 하다; 〈물고기를〉 물위로 꾀어 내다 **4** 살아나게 하다 **5** 〈빵·수포 등을〉 부풀어오르게 하다

Morning[***Dawn***] ~***s.*** 아침[새벽]이 되다. ~ ***above*** …의 위에 솟아 있다; ⇨ *vi.* 14. ~ ***and fall*** 〈배가〉 파도에 오르내리다; 〈가슴이〉 뛰다, 울렁거리다 ~ ***and shine*** 〈잠자리에서〉 일어나다; [종종 명령형으로] 기상! ~ ***a ship*** 〖항해〗 (접근해서) 배의 모습이 차차 수평선 위에 나타나는 것을 보다 ~ ***from the ashes*** 잿더미에서 다시 일어나다, 부흥하다 ~ ***in life***[***the world***] 출세하다 ~ ***in*** a person***'s opinion***[***estimation***] …에게 높이 평가받다 ~ ***in the mind***[***to mind***] ⇨ *vi.* 10a. ~ ***… out of the sea*** ⇨ *vi.* 3 ~ ***to a fence*** 〈말이〉 울타리를 뛰어넘다 ~ ***to*** one***'s eyes*** 〈눈물이〉 눈에 글썽거리다 ~ ***to the emergency***[***crisis***] 위급에 대응하여 일어서다, 위기에 대처하다 ~ ***up against*** …에 항의하여 들고 일어나다

—*n.* **1** 오름, 상승; 뜸 《해·달·별의》; (막이) 오름, 개막 **2** 입신, 출세; 향상, 진보; 번영 《*of, to*》 **3** 등귀 **4** 소생; 부활: the ~ and fall 흥망(興亡) **5** 증가(량) (increase); 증대(량); 증수(량); 《영·구어》 봉급 인상, 승급(《미》 raise); 이익(《미》 gain); 〖음악〗 소리[음조]의 높아짐: a ~ in pay[salary] 승급 **6** 오르막(길); 둔덕, 언덕; (대륙)붕(棚) **7** 기원(起源), 근원; 일어남; 발생: the ~ of a stream 시냇물의 근원지 **8** 〖건축〗 (층계의) 층 사이의 수직 높이; (엘리베이터의) 상하[수직] 거리 **9** 물고기가 수면까지 떠오름 **10** 출현, 나타남; 주목 받음 ***and the*** ~ 《미남부》 …남짓, 이상 ***ask for a*** ~ 봉급 인상을 요구하다 ***at*** ~ ***of sun***[***day***] 해가 뜰 때에 ***get***[***have, take***] ***a*** ~ ***out of*** a person 《속어》 …을 골리다, 약올리다; …을 꾀어[짜증나게 하여] 자기가 바라던 대답 등을 하게 만들다 ***give*** ~ ***to*** …을 발생시키다, …의 근원이다 ***have***[***make, achieve***] ***a*** ~ 출세하다 ***on the*** ~ 〈물가·수치 등이〉 올라, 오름세에; 등귀하는 경향으로 ***take***[***have***] ***its*** ~ 일어나다, 생기다; 발원하다 《*in, from*》

‡**ris·en** [rízn] *v.* RISE의 과거 분사
—*a.* 오른, 일어난; 부활한, 승천한 ***the*** ~ ***sun*** 떠오른 태양; 욱일승천하는 기세의 사람[것]

ris·er [ráizər] *n.* **1** 일어나는 사람: an early[a late] ~ 일찍[늦게] 일어나는 사람 **2** 반도(叛徒), 폭도 **3** 〖건축〗 층뒤판 《계단의 수직판》 **4** 〖연극〗 (무대 위의) 무대, 이중 무대 **5** 〖배관〗 수직도관

rise·time [ráiztàim] *n.* 〖전기〗 라이즈 타임 《펄스 진폭이 10%치(値)에서 90%치에 이르기까지의 경과 시간》

ris·i·bil·i·ty [rìzəbíləti] *n.* (*pl.* **-ties**) 《문어》 **1** Ⓤ 웃는 버릇, 잘 웃는 성질 **2** 큰 웃음, 즐겁게 떠듦(merriment); [종종 *pl.*] 웃음의 감각, 유머; 웃기는 것

ris·i·ble [rízəbl] *a.* **1** 웃을 수 있는; 잘 웃는; 우스운 **2** Ⓐ 웃음의[에 관한] —*n.* [*pl.*] 유머 감각

thesaurus **risky** *a.* perilous, hazardous, dangerous, unsafe, precarious(opp. *safe, secure*)
rite *n.* ritual, ceremony, observance, service,

***ris·ing** [ráiziŋ] *a.* [보통 한정적] **1** 〈해·달·별이〉 떠오르는, 올라가는, 오르는: the ~ sun 아침 해 **2 a** 앙등하는: a ~ market 등귀 시세 **b** 증대[증가]하는, 증수(增水)하는 **3** 오르막[비탈]길의; 높아진: a ~ hill 치받이 / ~ ground 둔덕, 고대(高臺) **4** 승진[향상]하는: a ~ man 욱일승천하는 기세의 사람 **5** 발달[성장] 중인: the ~ generation 청년(층)
— *ad.* **1** …에 가까운, …이 될락말락하는: a boy ~ ten 곧 열 살이 될 소년 **2** 《미중부》 〈수·양이〉 …을 넘는, …이상의: a crop ~ (of) a million bushels 백만 부셸을 웃도는 수확
— *n.* UC **1** 상승; 돋음 《해·달·별의》 **2** 기립; 기상(起床); 출현 **3** 소생, 살아남; 부활: ~ again 부활(resurrection) **4** 반란, 봉기(rebellion) **5** 고대(高臺) **6** 돌기, 융기; 돌출물[부]; 《방언》 종기, 뾰루지 **7** 《빵 부풀리는》 이스트, 효모; 발효 기간 ***the ~ of the sun*** 해돋이; 〖성서〗 해 뜨는 곳, 동녘, 동양

rísing dámp 상승 수분[습기]

rísing fíves 《영》 이제 곧 5살이 되는 아이들, 이번에 학령에 이르는 아동

rísing hínge 〖건축〗 올림 경첩

rísing máin 《영》 《지하의 물을 끌어 올리는》 수직관[파이프]

rísing rhýthm 〖운율〗 《악센트가 시각(詩脚)의 마지막 음절에 놓이는》 리듬

rísing vòte 기립 투표

‡risk [rísk] *n.* **1** UC 위험(성); 모험(⇨ danger 유의어), 도박 **2** UC 〖보험〗 위험(률); 보험금(액); 피보험자[물]: a good[bad] ~ (보험 회사가 보아) 위험이 적은[많은] 피보험자; 신뢰할 수 있는[없는] 사람 **3** 위험한 물건; 위험 분자 ***at all ~s*** = ***at any*** [***whatever***] ~ 어떤 위험을 무릅쓰고서라도, 꼭, 기어이 ***at*** ~ 위험한 상태에 ***at ~ to*** one*self* [one***'s own life***] 목숨을 걸고 ***at*** one***'s own ~*** 자기가 책임지고 ***at*** (***the***) ***owner's ~*** ⇨ owner. ***at the ~ of*** …의 위험을 무릅쓰고, …을 희생하고 ***run*** [***take***] ***a*** [***the***] ***~ of*** = ***run*** [***take***] ***~s of*** 되든 안 되든 (모험을) 해보다, …의 위험을 무릅쓰다
— *vt.* **1** 위태롭게 하다(hazard); 모험하다: ~ one's fortune[life] 재산[생명]을 걸다 **2 a** 〈위험 등을〉 각오하고 하다: ~ failure 실패를 각오하고 하다 **b** 감행하다, 감히 …하다: (~+*-ing*) I'm willing to ~ los*ing* everything. 나는 모든 것을 잃는 한이 있어도 기꺼이 하겠다. ~ ***it*** 성패를 걸고 해 보다
~·er *n.* **~·ful** *a.* **~·less** *a.*

rísk àrbitrage 〖증권〗 리스크를 수반한 재정(裁定) 거래

rísk asséssment 위험(도) 평가[분석]

risk-a·verse [rískəvə̀ːrs] *a.* 위험 회피적인: ~ culture 위험 회피 문화

rísk-bén·e·fit ràtio [rískbénəfit-] 《의료·사업 등에서의》 위험성과 수익성과의 비율

rísk càpital 〖경제〗 = VENTURE CAPITAL

rísk fàctor 〖의학〗 위험 인자 《특정의 병의 원인이 되는 인자; 폐암에 대한 흡연 등》

risk·free [-fríː] *a.* 구입자에게 손해가 안 되는 《통신판매 등에서 해약하더라도》

rísk mànagement 위기 관리 《안전 대책·보험 등으로 손실 위험을 막고 손해를 최소화하는》

rísk mànager 보험 담당 임직원

risk-mon·ey [rískmʌ̀ni] *n.* 부족금 보상 수당 《은행 등에서 출납계원에게 주는》

risk·tak·er [rísktèikər] *n.* 위험을 무릅쓰는 사람, 모험가

risk·tak·ing [-tèikiŋ] *n.* 위험 부담[각오]

***risk·y** [ríski] *a.* (**risk·i·er**; **-i·est**) **1** 위험한; 모험적인 **2** 〈이야기·연극 장면 등이〉 외설한, 아슬아슬한: ~ jokes 음란한 농담 **rísk·i·ly** *ad.* **rísk·i·ness** *n.*

Ri·sor·gi·men·to [rizɔ̀ːrdʒəméntou, -sɔ̀ːr- | -sɔ̀ː-] [It.] *n.* 〖역사〗 이탈리아 통일 운동(1750-1870)

ri·sot·to [risɔ́ːtou, -sɑ́t-, -zɔ́ːt- | -zɔ́t-] [It.] *n.* U 이탈리아의 스튜 요리 《파·닭고기·쌀 등으로 만듦》

ris·qué [riskéi | ⌐–] [F] *a.* = RISKY 2

Riss [rís] *n.*, *a.* [the ~] 〖지질〗 리스 빙하기(의) 《Alps 주변의 제3빙하기》

ris·sole [risóul, ⌐– | ⌐–] [F] *n.* 고기 만두 《파이 껍질에 고기·생선 등을 다져 넣어 뭉쳐서 튀긴 프랑스 요리》

rit. 〖음악〗 ritardando

Ri·ta [ríːtə] *n.* 여자 이름

Rit·a·lin [rítəlin] *n.* 〖약학〗 리탈린 《어린이의 주의 결여 장애에 쓰이는 약; 상표명》

ritard. 〖음악〗 ritardando

ri·tar·dan·do [rìːtɑːrdɑ́ːndou | rìtɑːdǽn-] [It.] 〖음악〗 *a.*, *ad.* 점점 느린[느리게] 《略 rit(ard).》
— *n.* (*pl.* **~s**) 리타르단도의 악장

rite** [ráit] *n.* **1** [종종 *pl.*] (종교적) 의식, 의례(⇨ ceremony 유의어); [종종 **R~**] 성찬식, 예배식: the burial[funeral] ~*s* 장례식 **2** 관습, 관례 ***~ of reconciliation 〖가톨릭〗 고해 성사 ***the ~ of confirmation*** 〖가톨릭〗 견진(堅振) 성사
~·less *a.* ▷ rítual *a.*

ríte of intensificátion 〖인류〗 강화(強化) 의례 《공동체의 위난을 해소시키기 위한 의식》

ríte de pássage [F] = RITE OF PASSAGE

ríte of pássage 〖인류〗 통과 의례 《성인식·결혼식 등》; 중대한 전기(轉機)

ri·tor·nel·lo [rìtərnélou] [It.] *n.* (*pl.* **~s**, **-li** [-liː]) 〖음악〗 리토르넬로 《17세기 오페라의 간주곡; 독주부를 끼고 반복 연주되는 총주부(總奏部)》

***rit·u·al** [rítʃuəl] *a.* 의식의[에 관한]; 제식의
— *n.* **1** 종교적인 의식 《일정한 형식에 따른》, 제사의 차례; 전례; 예배식 **2** 로마 정식서, 의식서, 예전(禮典); U 제식의 집행 **3** 의식의 하나, 의식적인 행사, 《의식처럼》 반드시 지키는 일 **4** 《사회적 관습화된》 예의, 풍습, 형식 **~·ly** *ad.*

rítual abùse 악마 숭배 의식에서 행해지는 아동 학대

rit·u·al·ism [rítʃuəlìzm] *n.* U 의식주의; 〖종교〗 의식학(學); 의식에 대한 집착

rit·u·al·ist [rítʃuəlist] *n.* 의식주의자; [**R~**] 《영국 국교회》 의식파의 사람; Oxford movement의 지지자
— *a.* 의식주의(자)의

rit·u·al·is·tic [rìtʃuəlístik] *a.* 의식의; 의식주의의
-ti·cal·ly *ad.*

rit·u·al·ize [rítʃuəlàiz] *vi.* 의례적으로 되다
— *vt.* 의례화하다; 〈남을〉 의례화시키다

rítual múrder 신을 달래기 위한 인간 살생

ritz [ríts] *n.* U [때로 **R~**; the ~] 《미·구어》 부유한 귀족적인 스타일; 겉치레, 과시: put on *the* ~ 사치스러운 차림을 하다; 거만한 태도를 취하다
— *vt.* …에게 건방지게 굴다

ritz·y [rítsi] [호화 호텔 Ritz의 이름에서] *a.* (**ritz·i·er**; **-i·est**) **1** 아주 고급의, 호화로운, 사치스러운; 거만한; 속물의 **2** 부유한, 유복한
rítz·i·ly *ad.* **rítz·i·ness** *n.*

riv. river

riv·age [rívidʒ, ráiv- | rív-] *n.* 《고어》 강기슭, 해변

‡ri·val [ráivəl] [L =river; 같은 강물을 써서 서로 겨루는 사람의 뜻에서] *n.* **경쟁자**, 적수, 라이벌 《*in*》; 맞설 사람, 호적수: without a ~ 무적으로
— *a.* 경쟁하는, 대항하는: ~ lovers 연적 / ~ suitors 구혼 경쟁자들
— *v.* (**~ed**; **~·ing** | **~led**; **~·ling**) *vt.* …와 경쟁하다, 서로 겨루다; …와 맞먹다, 맞겨루다, 호적수가 되다, 필적하다; …을 닮다: (~+목+전+명) The two young men ~*ed* each other *in* love. 두 젊은이는 서로 연적이 되어 겨루었다. / She ~*s* her sister *in* beauty. 그녀는 언니 못지않은 미인이다.

---

sacrament, celebration, practice, convention
rival *n.* opponent, adversary, antagonist, contestant, competitor, challenger, contender, match

~·less *a.* ~·shìp *n.* =RIVALRY ▷ rívalry *n.*
ri·val·rous [ráivəlrəs] *a.* 경쟁의, 대항[적대]의, 맞서는 **~·ness** *n.*
∗**ri·val·ry** [ráivəlri] *n.* (*pl.* **-ries**) UC 경쟁, 대항, 적대; 필적 ***be in*** **~** 경쟁하고 있다 ***enter into*** **~** ***with*** …와 경쟁을 시작하다 ***friendly*** **~** 서로 격려하며 힘쓰는 경쟁 ▷ rival *v.*
rive [ráiv] *v.* (**~d**; **riv·en** [rívən], **~d**) (고어) *vt.* **1** 찢다, 쪼개다; 비틀어 떼다, 잡아 뜯다 (*away, off, from*): (~+목+부) The bark of the trunk was *riven off*[*away*]. 나무껍질이 벗겨졌다. **2** 〈마음을〉 찢어놓다, 아프게 하다 **—** *vi.* 찢어지다, 쪼개지다
riv·el [rívəl] *n.* (캐나다) 〔요리〕 작은 경단
riv·en [rívən] *v.* RIVE의 과거 분사
‡**riv·er**[1] [rívər] *n.* **1** 강, 하천: (영) the ~ [*R*~] Thames 템스 강 / (미) the Hudson *R*~ 허드슨 강 ★ (미)에서는 고유명사에 소문자로 the *river* Thames 등과 같이 쓰지 않음; 대개는 the Rhine처럼 River를 생략함.

> 유의어 **river** 바다나 호수로 직접 흘러드는 큰 강 **stream** 작은 강, 내: walk along a clear *stream* 맑은 내를 끼고 걷다 **brook** 수원(水源)에서 river에 이르는 시내로서 문어적임: Children were fishing in the *brook.* 아이들이 시내에서 낚시질하고 있었다.

2 [*pl.*] 다량의 흐름: ~*s* of blood 피바다 / ~*s* of tears 하염없이 흐르는 눈물 **3** [the ~] 생사의 갈림길 **4** [the R~] 〔천문〕 에리다누스 성좌(Eridanus)
cross the **~** (***of death***) 죽다 ***sell*** a person ***down the*** **~** (미·구어) …을 팔아 넘기다, 배신하다 (betray) ***send up the*** **~** (미·속어) 교도소에 집어넣다 **~·less** *a.* **~·lìke** *a.* ▷ ríverine *a.*
riv·er[2] [ráivər] *n.* 째는[쪼개는] 사람
riv·er·ain [rívərèin, ∸-∸] *a.* 강의, 강변의; 강가에 있는[사는] **—** *n.* 강변에 사는 사람
riv·er·bank [rívərbæ̀ŋk] *n.* 강둑, 하안(河岸)
ríver bàsin 〔지리〕 (강의) 유역
riv·er·bed [-bèd] *n.* 강바닥, 하상(河床)
ríver bìrch 〔식물〕 내자작나무 (북미 동부산)
ríver blìndness 〔병리〕 =ONCHOCERCIASIS
riv·er·boat [-bòut] *n.* 강(江)배
ríver bòttom (미) 강변의 낮은 땅
ríver càpture 하천 쟁탈
riv·er·craft [-kræ̀ft | -krɑ̀:ft] *n.* 강을 정기 운항하는 소형선
ríver dùck 〔조류〕 담수오리류
riv·ered [rívərd] *a.* 하천[강]이 있는
riv·er·front [rívərfrʌ̀nt] *n.* (도시의) 강변 지대
riv·er-god [-gɑ̀d | -gɔ̀d] *n.* 강의 신
riv·er·head [-hèd] *n.* 강의 발원지, 수원(水源)
ríver hòrse 하마(hippopotamus)
riv·er·ine [rívəràin, -rì:n, -rìn] *a.* 강의, 강가의, 강변의; 강가에 있는, 강변에 사는
ríver mòuth 하구(河口)
ríver nòvel 대하소설(roman-fleuve)
riv·er·scape [rívərskèip] *n.* 하천 풍경
∗**riv·er·side** [rívərsàid] *n.* [the ~] 강변, 강기슭 **—** *a.* Ⓐ 강변의, 강기슭의: a ~ hotel 강변의 호텔
Ríverside Párk New York시 Hudson 강변의 공원
ríver tèrrace 하안 단구(河岸段丘)
riv·er·ward [rívərwərd] *ad.* 강 쪽으로 **—** *a.* 강에 면한, 강쪽의
riv·er·wards [rívərwərdz] *ad.* =RIVERWARD
riv·er·weed [rívərwì:d] *n.* 이끼풀의 일종
∗**riv·et** [rívit] *n.* 대갈못, 리벳; [*pl.*] 돈(money) **—** *vt.* (**~·ed**; **~·ing** | **~·ted**; **~·ting**) **1** 대갈못을 박다, 리벳으로 고정시키다 (*down, on, upon, into, to*): (~+목+부) ~ two pieces of iron *together* 두 쪽의 쇠를 리벳으로 잇다 // (~+목+전+명) ~ a metal plate *on* a roof 지붕에 금속판을 리벳으로 박다 **2** 〈리벳·못 등을〉 대가리를 구부려 박다(clinch) **3** 고정시키다 (*upon, to*), 굳게 하다: ~*ed* friendship 굳은 우정 // (~+목+전+명) ~ something *in* one's mind 마음 속에 굳게 새기다 **4** 〈시선·주의 등을〉 집중하다, 끌다: (~+목+전+명) ~ one's eyes *on* …을 주시하다 **~·er** *n.* 리벳공(工), 리벳 죄는 기계 **~·less** *a.*
rívet gùn (자동식) 리벳 박는 도구
riv·et·ing [rívitiŋ] *a.* (영·구어) 매혹적인, 황홀하게 하는; 설레이게 하는
rívet sèt 리벳 세트 (리벳 대가리를 붙이는 공구)
Riv·i·er·a [rìviέərə] *n.* **1** [the ~] 리비에라 해안 지방 (지중해 연안; 프랑스의 Nice에서 이탈리아의 La Spezia까지의 경치 좋은 피한지(避寒地)) **2** 해안 피한지[명승지]: the Cornish ~ 콘월(Cornwall) 피한지
ri·vière [rìviέər, rivjέər] [F] *n.* 보석 목걸이 (다이아몬드로 된)
∗**riv·u·let** [rívjulit] *n.* 개울, 작은 시내: sweat in a ~ 흐르는 땀
rix-dol·lar [ríksdɑ̀lər] *n.* 옛 네덜란드·독일 등지의 은화
Ri·yadh [rijɑ́:d] *n.* 리야드 (사우디아라비아의 수도)
ri·yal [rijɔ́:l, -jɑ́:l | -jɑ́:l] *n.* 리얄 (사우디아라비아의 화폐 단위; 기호 R; =20 qursh)
RJ road junction 〔군사〕 도로 교차점 **RJE** remote job entry 〔컴퓨터〕 원격 작업 입력 **R.L.** (영) Rugby League
r-less [ɑ́:rlis] *a.* 〔음성〕 =R-DROPPING
R.L.O. returned letter office **R.L.S.** Robert Louis Stevenson **rly., Rly.** railway **RM, r.m.** Reichsmark(s) **rm.** ream; room **R.M.** resident magistrate; royal mail; Royal Marines **R.M.A., RMA** random multiple access 임의 다중 동시 교신 방식; Royal Marine Artillery; Royal Military Academy **RMB** renminbi **R.M.C.** Royal Military College **rmdr** remainder **R.Met.S.** Royal Meteorological Society **R.M.L.** Royal Mail Lines Ltd.
Ŕ mònths [the ~] 'r' 달 (달 이름에 r자가 있는 9월에서 4월까지; 굴(oyster)의 계절)
rms, RMS, R.M.S. root-mean-square **rms.** reams; rooms **R.M.S.** Railway Mail Service; Royal Mail Steamer[Steamship] **Rn** 〔화학〕 radon **R.N.** registered nurse; Royal Navy
RNA [ɑ̀:rènéi] [*r*ibo*n*ucleic *a*cid] *n.* 〔생화학〕 리보 핵산(cf. DNA)
ŔNÁ pólymerase 〔생화학〕 RNA폴리메라제 (리보 핵산 합성 효소)
ŔNÁ réplicase 〔생화학〕 RNA레플리카제 (RNA 합성 효소)
R.N.A.S. (영) Royal Naval Air Service; Royal Naval Air Station
RN·ase [ɑ́:réneis, -eiz | -eiz, -eis], **RNA·ase** [ɑ́:rénéieis, -eiz | -eiz, -eis] *n.* 〔생화학〕 RN아제 (리보 핵산 분해 효소)
ŔNÁ sýnthetase 〔생화학〕 RNA 합성 효소
ŔNÁ vírus RNA(형) 바이러스(cf. RETROVIRUS)
R.N.C. Royal Naval College **rnd.** round **R.N.D.** Royal Naval Division **rnge** range **R.N.P.** ribonucleoprotein **R.N.R.** Royal Naval Reserve **R.N.V.R.** Royal Naval Volunteer Reserve **R.N.Z.A.F.** Royal New Zealand Air Force **R.N.Z.N.** Royal New Zealand Navy **ro.** recto; roan; rood **R.O.** Receiving Office; Regimental Order; Royal Observatory **R/O** rule out **ROA** return on assets 〔회계〕 총자산[자본] 이익률
roach[1] [róutʃ] *n.* (*pl.* **~, ~·es**) 〔어류〕 잉엇과(科)의 민물고기 (유럽산(産)) (***as***) ***sound as a*** **~** 아주 팔팔[건강]하여
roach[2] [cock*roach*] *n.* (*pl.* **~·es, ~**) **1** (구어)

〖곤충〗 바퀴벌레 **2** 《속어》 대마초 담배 꽁초; 《미·속어》 경관 **3** 《미·속어》 매력 없는 여자; 비겁한 놈 **4** 《미·경마속어》 《이류의》 경주마

roach[3] *n.* 〖항해〗 **1** 가로돛 아래쪽을 호상(弧狀)으로 자른 것; 빳빳이 서게 자른 말의 갈기 **2** 관자놀이 부분부터 말듯이 빗어 올린 머리 모양
— *vt.* **1** 〈말의 갈기를〉 짧게 자르다; 짧게 다듬다 **2** 〈머리 모양을〉 말듯이 빗어 올리다 《*up*》 **3** 〖항해〗 가로돛 아래쪽을 호상으로 자르다

róach bàck 《개 등의》 굽은 등

róach clìp[hòlder] 《미·속어》 대마초 꽁초를 피우기 위한 클립[홀더]

róach còach 《미·속어》 경식(輕食) 판매차[트럭]

‡road [róud] [OE 'riding'(말타고 가기)의 뜻에서] *n.* **1 길,** 도로, 가도(highway); 《도시의》 거리 《略 Rd.》 (⇨ street 유의어): 30 York Rd., London 런던시 요크로(路) 30번지 / cross the ~ 길을 건너다 / drive along the ~ 길을 따라 운전하다 **2** 행로, 진로 《*to*》 **3** [the ~] 길, 방법, 수단 《*to*》: *the* ~ *to* peace[ruin] 평화[파멸]로 이르는 길 **4** 《미》 철도(railroad); 〖광물〗 《운반용의》 갱도(抗道) **5** [종종 *pl.*] 〖항해〗 정박지: the outer ~ 외항(外港) **6** [the ~] 《미》 《극단·선수단 등의》 순회 공연지, 원정지
any ~ = ANYWAY. ***beaten*** ~ 《사람의 내왕으로》 밟아 다져진 길; 상도(常道) ***break a*** ~ 길을 만들면서 나아가다, 곤란을 극복하며 나아가다 ***burn up the*** ~ ⇨ burn[1]. ***by*** ~ 육로로, 자동차로 ***down the*** ~ 장래에 ***for the*** ~ 작별의 표시로: one *for the* ~ 석별의 한 잔 ***get out of*** one***'s*** [***the***] ~ 치우다, 없애다; …의 통행을 방해하지 않도록 비키다 ***give*** a person ***the*** ~ …을 통행시키다 ***hit the*** ~ 《구어》 출발하다; 떠나다, 가버리다 ***hog the*** ~ 도로 중앙을 달리다[운전하다], 《자동차 운전으로》 도로를 독차지하다(cf. ROAD HOG) ***hold*** [***hug***] ***the*** ~ 〈자동차가〉 노면에 착 붙어서 달리다 ***in*** a person***'s*** [***the***] ~ …의 길을 막아; 《속어》 …의 방해가 되어 ***on the*** (***high***) ~ ***to*** recovery[success, etc.] 《회복[성공]》의 도중에 있어 ***on the*** ~ 〈특히 외판원이〉 여행 도중에; 〈극단 등이〉 순회 공연 중에; 〈야구 팀 등이〉 원정 중에; 방랑 생활을 해서; 개시해서; …하는 도중에; 계속 …하는 ***out of the common*** [***general, usual***] ~ 상도(常道)를 벗어나 ***over the*** ~ 교도소에; 길을 가로질러서 ***rule of the*** ~ 통행 규칙; 해로(海路) 규칙 ***take it on the*** ~ 〈극단이〉 지방 순회 공연을 하다 ***take the*** ~ 지방을 순회 《공연》하다; 《고어》 출발하다 ***take the*** ~ ***of*** …의 위에 서다 ***take to the*** ~ 여행을 떠나다; 방랑자가 되다; 《영·고어》 노상강도가 되다 ***the end of the*** ~ 《일·관계 등의》 끝, 최후; 인생의 최후
— *a.* 《미·구어》 지방 순회의
— *vt.* 개가 〈엽조(獵鳥)의〉 냄새 자국을 쫓다; 도로 운송을 하다 **~·less** *a.*

road·a·bil·i·ty [ròudəbíləti] *n.* Ⓤ 《자동차의》 노면(路面) 주행 성능

road·a·ble [róudəbl] *a.* 노면 주행에 알맞은 〈자동차〉; 자동차로 변할 수 있는 〈비행기〉

róad àgent 〖미국사〗 노상강도 《옛날 역마차 길에 출몰했던》 (highwayman)

róad àpple 《속어》 노상(路上)[길가]의 말똥

road·bed [róudbèd] *n.* **1** 노반(路盤) 《철도 선로 밑의》; 노상(路床) 《도로의》 **2** 포장(鋪裝) 재료

road·block [-blɑ̀k | -blɔ̀k] *n.* 《도로상의》 바리케이드, 방책(防柵); 노상 장애물; 장애(물) 《*to*》
— *vt.* 봉쇄하다; …의 장애가 되다, …을 방해하다

road·book [-bùk] *n.* 도로 안내서

road-bound [-bàund] *a.* 도로에서만 달릴 수 있는; 이동하는 데 도로 밖에 쓸 수 없는

róad còmpany 《미》 지방 순회 극단

road·craft [-krӕft | -krɑ̀:ft] *n.* 《영》 《자동차》 운전 기술

róad dràg 노면 고르는 기계

road·e·o [róudiòu] [*road*+rod*eo*] *n.* (*pl.* **~s**) 로디오 《트럭 운전사의 운전 기술을 겨루는 대회》

road·er [róudər] *n.* 《영·속어》 장거리 택시 승객

róad fùnd 《영》 도로 기금 《도로의 건설·유지 기금》

róad fùnd lìcence 《영·구어》 자동차세 납부증

róad gàme 〖스포츠〗 원정 시합

róad gàng 도로 보수반(補修班)

road·guard [róudgɑ̀:rd] *n.* 〖군사〗 교통 규제 요원

róad hàulage 〖운수〗 《영》 대형 트럭 수송

róad hòg 《구어》 《자동차 등의》 난폭한[횡포부리는] 운전자; 두 차선에 걸쳐서 가는 운전자

road·hold·ing [-hòuldiŋ] *n.* Ⓤ 《영》 자동차의 주행(走行) 안전성, 노면 유지 성능

road·house [-hàus] *n.* (*pl.* **-hous·es** [-hàuziz]) 《시외의》 도로변의 여관[술집, 나이트클럽]; 《알래스카·캐나다 북부의》 변변찮은 호텔

róad hùmp = SLEEPING POLICEMAN

road·ie [róudi] *n.* **1** 《구어》 《연예 단체의》 지방 공연 매니저 **2** [보통 *pl.*] 《속어》 맥주

road·kill [róudkìl] *n.* **1** 차에 치어서 죽은 동물 **2** 차로 동물을 치어 죽임

róad màking 도로 건설 《기술》

road·man [róudmən, -mӕn] *n.* (*pl.* **-men** [-mèn]) 도로 인부

róad mànager = ROADIE 1

róad màp **1** 《특히 자동차 여행용》 도로 지도 **2** 《일·계획 따위의》 지침(서)

róad mènder 도로 보수원

róad mètal 도로 포장용 자갈, 포장 재료

róad mòvie 로드 무비 《주인공이 각지를 차 등으로 편력하면서 줄거리가 전개되는 영화》

róad pèn 끝이 두 갈래로 갈라진 제도용 펜

róad pèople 《미·구어》 떠돌이

róad pìzza 《미·속어》 작은 동물의 시체 《차에 치어 납작하게 피자처럼 된》

róad prìcing 도로 통행료 징수

róad ràcing 《특히 자동차의》 로드 레이스

róad ràge 교통 체증으로 인한 운전자의 짜증

róad ràsh 《미·속어》 skate-board에서 굴렀을 때 입는 상처

róad ròller 《노면을 다지는》 로드 롤러

road·run·ner [-rʌ̀nər] *n.* 〖조류〗 뻐꾸깃과(科)의 일종 《미국 남서부·멕시코산(産)》

roadrunner

róad sàfety 교통안전

róad sènse 《운전자·보행자의》 교통사고를 피하는 감각[육감]

∗róad shów 《미》 **1** 《극단 등의》 **순회 흥행,** 지방 흥행 **2** 〖영화〗 독점 개봉 흥행 《좌석을 예매하는 신작(新作) 영화의》, 로드쇼 **3** 《브로드웨이 뮤지컬 등의 본흥행에 앞선》 지방 흥행 **4** 《상품·정부 계획 등의》 순회 선전

road-show [-ʃòu] *vt.* 〈영화를〉 독점 개봉 흥행하다, 로드쇼를 하다

∗road·side [róudsàid] *n.* **길가,** 노변, 대로변
by [***on, at***] ***the*** ~ 길가에
— *a.* Ⓐ 길가의, 대로변의: a ~ inn 길가의 여인숙

róad sìgn 도로 표지

róad stàke 《미·속어》 여행 비용, 여비

road·stead [róudstèd] *n.* 〖항해〗 정박소, 《항구 밖의》 닻 내리는 곳(cf. ROAD *n.* 5)

road·ster [róudstər] *n.* **1** 승용마 《도로에서 타는》; 《영》 튼튼한 자전거 **2** 접이식 지붕의 자동차 《2인승의》 **3** 경장(輕裝) 마차 (buggy) **4** 〖항해〗 《항구 밖의》 정박선(船) **5** 방랑자; 노상강도

roadster 2

road·stop [róudstὰp | -stɔ̀p] *n.* 노변 카페
róad tàx 《영》 (자동차의) 통행세
róad tèst **1** (새 차의) 도로 주행 성능 시험 **2** (운전 면허 취득을 위한) 도로 주행 실기 시험
road-test [-tèst] *vt.* 도로 주행 성능[실기] 시험하다
road-train [-trèin] *n.* 《호주》 연결된 트레일러 무리; 자동차 대열
róad trìp 《미·구어》 (장거리) 자동차 여행
róad wàrrior 《속어》 순회 외판원; 컴퓨터·휴대 전화·삐삐 등을 갖춘 비즈니스 여행자
∗**road·way** [róudwèi] *n.* [the ~] 《특히》 **차도,** 도로 부지[용지](cf. PAVEMENT, SIDEWALK, FOOTPATH)
road·work [-wə̀ːrk] *n.* Ⓤ 〖스포츠〗 로드워크 《컨디션 조절을 위한 장거리 러닝 등》
róad wòrks 《영》 《게시》 도로 공사: *R*~ ahead. 앞쪽 도로 공사중. (《미》 Construction ahead. 또는 Men working ahead.)
road·wor·thy [-wə̀ːrði] *a.* 〈말·차 등이〉 도로용으로 알맞은; 〈사람이〉 여행에 견디는
‡**roam** [róum] *vi.* **1** (정처없이) **걸어다니다,** 돌아다니다, 거닐다, 배회하다(⇨ wander 유의어): (~+전+명) ~ *from* place *to* place 이곳 저곳을 배회하다 / The traveler ~*ed about* the world. 그 여행자는 세계를 두루 다녔다. **2** (눈이) 두리번거리다
—*vt.* 〈장소를〉 돌아다니다, 방랑하다; 둘러보다: ~ the countryside 시골을 돌아다니다 / Her eyes ~*ed* the office. 그녀는 사무실을 한바퀴 둘러보았다.
—*n.* 돌아다님, 산책, 배회; 표랑(漂浪) **~·er** *n.*
roam·ing [róumiŋ] *n.* 〖통신〗 로밍 《계약하지 않은 통신 회사의 통신 서비스도 받을 수 있는 것》
roan[1] [róun] *n.* Ⓤ 부드러운 양피(羊皮) 《모로코 가죽 대용의 제본용 가죽》
roan[2] *a., n.* 밤색에 흰색 또는 회색의 털이 섞인 (말[소]); (위의) 색
róan ántelope 〖동물〗 영양 《아프리카 남부산(産)》
‡**roar** [rɔ́ːr] *vi.* **1** 〈사자 등이〉 **으르렁거리다** **2** 고함치다, 외치다, 울부짖다, 왁자하게 웃다, 크게 웃다: (~+전+명) ~ *for* mercy 살려 달라고 외치다 / ~ *with* laughter[pain, anger] 크게 웃다[고통으로 신음하다, 화가 치밀어 고함치다] **3** 노호(怒號)하다; 〈자동차·기계 등이〉 큰 소리를 내며 움직이다: (~+전+명) The fire ~*ed up* the chimney. 불이 힘찬 소리를 내며 굴뚝으로 타올라갔다. // (~+부) A huge truck ~*ed away.* 큰 트럭이 굉음을 내며 사라졌다. **4** 〈장소가〉 울리다: (~+부) The hall ~*ed again.* (청중의 목소리로) 회당이 울렸다. **5** 〈말이 병으로〉 글그렁거리다
—*vt.* 큰 소리로 말[노래]하다, 고함치다, 외치다; 고함쳐서 …하게 하다: (~+목+부) ~ *out* a command 큰 소리로 명령하다 / They ~*ed* the speaker *down.* 청중은 연사를 큰 소리로 야유하여 말을 못하게 했다. // (~+목+보) He ~*ed* himself hoarse. 그는 고함쳐서 목소리가 쉬었다. ~ ***up*** 질책하다, 혼내다
—*n.* **1** 으르렁거리는 소리, 포효 **2** 노호; **외치는** 소리; 왁자함; 큰 웃음 소리 ***in a*** **~** 왁자하게: set the table[company, room] *in a* ~ 좌중의 사람들을 크게 웃기다
roar·er [rɔ́ːrər] *n.* 으르렁거리는[포효하는] 것, 노호하는 것; 〖수의학〗 천명증(喘鳴症)에 걸린 말; 《미·속어》 매우 좋은[멋진] 것
∗**roar·ing** [rɔ́ːriŋ] *a.* **1** **포효하는,** 노호하는, 고함치는; 굉음을 내는 **2** 《구어》 활발한, 크게 번창하는; 활기 있는; 대성황의: a ~ success 대성공 **3** 떠들썩한, 시끌벅적한; 술 마시며 떠드는
a ~ night 폭풍우치는 밤; 술마시며 떠드는 밤 ***drive a ~ trade*** 장사가 크게 번창하다 ***get ~ drunk*** 곤드레만드레 취하다 ***in ~ health*** 대단히 건강하여
—*n.* ⓊⒸ **1** 으르렁거림, 포효 **2** 포효[노호] 소리, 굉음(轟音) **3** 〖수의학〗 (말의) 천명(喘鳴)증
—*ad.* 《구어》 몹시, 극도로: ~ drunk 몹시 취하여
róaring fórties [the ~] 북위 및 남위 40도에서 50도 사이의 해양 폭풍 지대

Róaring Twénties [the ~] 《미》 광란의 1920년대(the jazz age)
‡**roast** [róust] *vt.* **1** 〈특히 고기를〉 (오븐에) **굽다**(⇨ cook 유의어): ~ beef 쇠고기를 굽다 **2** 〈콩·커피 원두 등을〉 볶다: (~+목+보) ~ the beans brown 콩을 알맞게 볶다 **3** 〈감자·밤 등을〉 (화로에 묻어서) 굽다, 찌다 **4** 세게 가열하다; (불에 쬐어) 데우다[녹이다]: (~+목+전+명) She was ~*ing* herself *before* the fire. 그녀는 불을 쬐어 몸을 녹이고 있었다. **5** 화형(火刑)하다, 불 고문하다; 〖야금〗 〈광석을〉 공기를 쐬어서 산화시켜 가열하다 **6** 《구어》 놀리다, 조롱하다; 《구어》 혹평하다, 신랄하게 비난하다
—*vi.* **1** 〈고기가〉 구워지다; 그슬리다; 로스트로 하다; 볶아지다; 볕에 타다: They were ~*ing* under the sun. 그들은 일광욕을 하고 있었다. **2** 타는 듯이 뜨겁다: I am simply ~*ing.* 더워 죽겠다. ***fit to ~ an ox*** 〈불이〉 매우 크고 뜨거운, 맹렬히 타고
—*n.* **1** Ⓤ 《미》 (오븐에) 구운 고기, 불고기; Ⓒ 불고기용 고기(《영》 joint), 로스트 《보통 쇠고기》 **2** 불에 구운 것; 굽기, 불에 대기[익히기] **3** 《속어》 야유, 조롱 **4** 《미》 (야외의) 불고기 파티, 불고기를 해 먹는 피크닉 **5** 〖야금〗 배소(焙燒) ***rule the ~*** 주인이 되다; 좌지우지하다(be master)(cf. rule the ROOST)
—*a.* Ⓐ 구운, 볶은 **~·a·ble** *a.*
róast bèef 쇠고기 구이, 로스트 비프
roast·ed [róustid] *a.* 구운; 《미·속어》 곤드레만드레 취한
roast·er [róustər] *n.* **1** 굽는 사람[기계], 로스트 오븐 **2** 로스트용 고기 **3** 통째로 굽는 병아리[돼지 새끼] **4** (연회에서의) 초대 연사
roast·ing [róustiŋ] *a.* **1** 구이용의; 타는[찌는] 듯한, 몹시 더운 **2** [부사적으로] 타는[찌는] 듯이, 몹시 덥게: a ~ hot day 찌는 듯이 더운 날 **—***n.* **1** Ⓤ 굽기, 볶음 **2** 몹시 비난함[꾸짖음]: give a person a good[real] ~ …을 호되게 꾸짖다[비난하다] **~·ly** *ad.*
róasting èar 껍질째 구운[굽기에 알맞은] 옥수수; (미남부·중부) 삶거나 찌기에 알맞은 옥수수
róasting jàck 고기 굽는 꼬챙이 회전기
‡**rob** [rάb | rɔ́b] *v.* (**~bed**; **~·bing**) *vt.* **1 a** 〈사람에게서〉 (물건을) **강탈하다,** 약탈하다, 빼앗다 (*of*)(⇨ steal 유의어): (~+목+전+명) I was ~*bed of* my purse. 나는 지갑을 털렸다. / A highwayman ~*bed* the traveler *of* his money. 노상강도가 여행자에게서 돈을 강탈했다. **b** 〈집·가게 등을〉 털다, 훔치다: ~ a bank 은행을 털다, 은행 강도짓을 하다 **2** 〈…에게서〉 (행복·능력 등을) 빼앗다, (부당하게) 박탈하다, 잃게 하다: (~+목+전+명) ~ a person *of* his[her] name …의 명예를 잃게 하다 / The insufficient nutrition ~*bed* him *of* his sight. 영양실조 때문에 그는 실명(失明)했다. **3** 《미·속어》 〈남을〉 굴복시키다, 납작하게 만들다
—*vi.* 강도질[도둑질]을 하다; 약탈을 하다(plunder): He said he would not ~ again. 그는 다시는 강도질을 않겠다고 말했다.
~ a person ***blind*** …에게서 큰 돈을 사취하다 ~ ***Peter to pay Paul*** ⇨ Peter ▷ róbbery *n.*
Rob [rάb | rɔ́b] *n.* 남자 이름 《Robert의 애칭》
rob·a·lo [rάbəlòu, róu-, roubάːlou | roubάːlou, rɔ́bəlòu] *n.* (*pl.* **~, ~s**) = SNOOK[1]
rob·and [rάbənd | rɔ́b-] *n.* 〖항해〗 돛을 매는 짧은 밧줄
‡**rob·ber** [rάbər | rɔ́b-] *n.* **강도, 도둑;** 노상강도; 약탈자(⇨ thief 유의어): a ~ band 강도단
róbber bàron 〖영국사〗 (중세의) 노상강도 귀족; 《미》 (19세기 후반의) 벼락부자; 악덕 자본가

thesaurus **roam** *v.* wander, rove, ramble, meander, drift, range, travel, walk, tramp
roar *v.* yell, bawl, shout, howl, shriek, scream
rob *v.* steal from, burgle, break into, mug, defraud, swindle, cheat, dispossess

rob·ber·y [rábəri | rɔ́b-] *n.* (*pl.* **-ber·ies**) UC 강도(질), 도둑질, 약탈, 강탈; 강도 사건; U 〖법〗 강도죄: commit ~ 강도질하다 / daylight ~ 백주의 강도
rob·bin [rábin | rɔ́b-] *n.* = ROBAND
robe [róub] *n.* **1** [종종 *pl.*] 예복, 관복; 법복(法服) **2** [*pl.*] 옷, 의복 **3** 길고 헐거운 겉옷; 긴 원피스의 여자옷, 긴 유아복 **4** 《시어》 옷, 덮개: the ~ of night 밤의 장막 **5** 《미》 무릎 덮개 《짐승 가죽 등으로 만든 여행·옥외용의》 **6** 《미》 양복 서랍 ***both ~s*** 문인과 무인 ***follow the ~*** 법률가가 되다 ***the long ~*** 변호사[사법관, 성직자]의 옷[직]: gentlemen of *the long* ~ 변호사들, 법관들 ***the short ~*** 군복; 군인
— *vt.* 예복[관복 등]을 입히다; 덮개 등으로 덮다; 장식하다: (~+목+전+명) The professors were ~*d in* gowns. 교수들은 가운을 몸에 걸치고 있었다.
— *vi.* 예복[관복]을 입다
~ one***self*** 옷을 입다, 걸치다 (*in*)
robe-de-cham·bre [roub-də-ʃá:mbrə] [F] *n.* (*pl.* ***robes-de-chambre*** [~]) 화장옷(dressing gown); 침실옷
Rob·ert[1] [rábərt | rɔ́b-] *n.* 남자 이름 《애칭 Bob, Bobby, Dob, Dobbin, Rob, Robin》
Robert[2] *n.* 《영·구어》 경찰관(policeman)(cf. BOBBY, PEELER[1])
Ro·ber·ta [rəbə́:rtə] *n.* 여자 이름
Rob·ert·so·ni·an [ràbərtsóuniən | rɔ̀b-] *a.* 〖유전〗 로버트슨(형) 전좌(轉座)의
rob·in [rábin | rɔ́b-] *n.* 〖조류〗 **1** 유럽울새, 로빈 **2** 《미》 개똥지빠귀(= ∠ **rédbreast**) 《아메리카산(産)》
robin 1
Rob·in [rábin | rɔ́b-] *n.* 남자 이름 《Robert의 애칭》
Róbin Góod·fel·low [-gúdfèlou] 영국 민화의 장난꾸러기 꼬마 요정(Puck)
Róbin Hòod 로빈후드 《12세기경의 영국의 전설적인 의적(義賊)》
Róbin Hòod's bàrn 《미·속어》 멀리 돌아서 가는 길: go around ~ 둘러서 가다; 간접적 방법으로 성사시키다; 간단한 일을 복잡하게 하다
rób·in's-egg blúe [rábinzèg- | rɔ́b-] 초록빛 도는 청색, 청록색(青綠色)
Rob·in·son [rábinsn | rɔ́b-] *n.* 남자 이름 ***before you can say Jack ~*** ⇨ Jack Robinson
Róbinson Crú·soe [-krú:sou] 로빈슨 크루소 《영국 작가 Daniel Defoe의 표류기; 그 주인공》
Róbinson projéction 〖지도〗 로빈슨 투영도법
ro·ble [róublei] *n.* 〖식물〗 캘리포니아주·멕시코산(産)의 각종 참나무
ro·bo [róubòu | ∠-] *n.* 《미》 〖의회〗 로보 《의원들이 보내는 상투적인 말 투성이의 편지》
ro·bo·call [róuboukɔ̀:l] *n.* 로보콜 《자동 음성 판촉 전화》
Rob·o·doc, Rob·o-Doc [rábədàk | rɔ́bədɔ̀k] [*robo*t+*doc*tor] *n.* 로봇 의사 《수술[의료]용 로봇》
ro·bomb [róubàm | -bɔ̀m] *n.* = ROBOT BOMB
rob·o·rant [rábərənt | rɔ́b-] 〖의학〗 *a.* 힘을 돋우는; 강장하는 — *n.* 강장제(tonic)
ro·bot [róubət, -bat | -bɔt, -bət] [Czech. 「노예」의 뜻에서; 구체코슬로바키아의 극작가 K. Capek의 극에서] *n.* 로봇; 인조[기계] 인간; 기계적으로 일하는 사람; 자동 교통 신호기 **~·ism** *n.* **~·like** *a.*
róbot bòmb 로봇 폭탄 《제트 추진 회전식; 2차대전 시의 the V-1》

robber *n.* burglar, thief, mugger, stealer, housebreaker, looter, raider, bandit, pirate
robe *n.* gown, dress, garment, vestment, cassock
robust *a.* healthy, vigorous, strong, energetic, powerful, muscular, sturdy

ro·bot·esque [ròubətésk, -bat- | -bɔt-, -bət-] *a.* 로봇과 같은
ro·bo·tic [roubátik | -bɔ́t-] *a.* 로봇을 이용하는, 로봇식의 **-i·cal·ly** *ad.*
robótic dáncing (노상에서 행하는) 로봇 댄스
ro·bot·i·cist [roubátəsist | -bɔ́t-] *n.* 로봇 기술자[연구가]
ro·bot·ics [roubátiks | -bɔ́t-] *n. pl.* [단수 취급] 로봇 공학(工學); 로봇 춤
ro·bot·ize [róubətàiz, -bat- | -bɔt-, -bət-] *vt.* 로봇[자동]화하다 — *vi.* 자동화하다
rò·bot·i·zá·tion *n.* (산업 설비의) 로봇화, 자동화
róbot lànguage 〖컴퓨터〗 로봇 언어
ro·bot·o·mor·phic [ròubətəmɔ́:rfik, -bat- | -bɔt-, -bət-] *a.* 로봇형의, 로봇적인
róbot pìlot 〖항공〗 = AUTOMATIC PILOT
róbot revolùtion 로봇 혁명 《산업 혁명과 대비하는 뜻으로》
Rob Roy [ráb-rɔ́i | rɔ́b-] 로브로이 《스카치 위스키로 만든 맨해튼 칵테일》
ro·bur·ite [róubəràit] *n.* U 〖화학〗 (광산용) 고성능 무염(無炎) 폭약
ro·bust [roubʌ́st, róubʌst] *a.* (**~·er, ~·est**) **1** 〈사람·몸이〉 강건한, 건장한, 원기왕성한, 튼튼한(⇨ strong 유의어): a ~ physique[frame] 강건한 체격 **2** 〈신념·정신이〉 강한, 확고한 **3** 〈일이〉 힘이 드는, 인내를 요하는 **4** 〈사람이〉 거친, 난폭한, 소란스러운 **5** 〈술이〉 감칠맛이 있는 **~·ly** *ad.* **~·ness** *n.*
ro·bus·tious [roubʌ́stʃəs] *a.* **1** 우악스러운; 소란스러운 **2** 〈기후·폭풍우 등이〉 사나운, 모진 **3** 《고어》 건장한, 강한 **~·ly** *ad.* **~·ness** *n.*
roc [rák | rɔ́k] *n.* 대괴조(大怪鳥) 《아라비아의 전설 속의》 ***a ~'s egg*** 실제로는 없는 것
R.O.C. Royal Observer Corps
ro·caille [roukái] [F] *n.* **1** 〖미술〗 로카이유 《18세기 로코코 장식의 주요 부분, 암석·조개·식물 모양의 곡선》 **2** = ROCOCO
roc·am·bole [rákəmbòul | rɔ́k-] *n.* 〖식물〗 (유럽산) 부추의 일종
ROCE return on capital employed 〖금융〗 자본이익률
Róche lìmit [róu:ʃ-] 〖천문〗 로슈 한계 《주성(主星)과 위성간의 거리의 한계치》
Ro·chélle sàlt [rouʃél, rə- | rɔ-] 〖화학·약학〗 로셸염(塩) 《주석산(酒石酸) 칼륨나트륨으로서 완하제》
Róche lóbe [프랑스 천문학자 Edouard Roche의 이름에서] 〖천문〗 로슈의 돌출 《천체 상호의 인력 작용으로 생기는 가스 모양 돌출부》
roche mou·ton·née [róuʃ-mù:tənéi] [F] (*pl.* **-s -s** [-z]) 〖지질〗 양군암(羊君岩)(sheepback rock)
roch·et [rátʃit | rɔ́tʃ-] *n.* 제의(祭衣)의 일종 《주교·감독 등이 입는 리넨이나 한랭사(寒冷紗)의》
rock[1] [rák | rɔ́k] *n.* **1 a** UC 바위, 암석, 반석; 암각(岩角), 암벽; 암상(岩床); 암괴(岩塊); 《미》 돌 《대소에 관계 없이》(⇨ stone 유의어) ★ 투척(投擲) 무기로서의 돌을 뜻할 때 이 말을 쓰는 일이 많음. **b** [the R~] = GIBRALTAR 1 **2** [종종 *pl.*] 암초; 위험물; 곤경; 재난 **3** 견고한 기초; 방호(防護), 기댈 곳 **4** U 《주로 영》 딱딱한 사탕 《막대 모양》; 얼음사탕(= ~ candy) **5** = ROCK CAKE **6** = CURLING STONE **7 a** [보통 *pl.*] 《속어》 돈(money); 《특히》 달러 지폐 **b** [종종 the R~] 《속어》 보석, 다이아몬드 **8** 《미·속어》 각얼음(ice cube) **9** (형무소의) 섬; (형무소의) 독방동 **10** [*pl.*] 《비어》 불알(testicles) **11** 〖어류〗 = ROCKFISH; 〖조류〗 = ROCK PIGEON **12** U 《방언》 딱딱한 치즈 **13** 《속어》 코카인, 헤로인의 결정(結晶) 《끽연용》
(***as***) ***firm*** [***steady, solid***] ***as*** (***a***) ***~*** 지극히 견고한; 〈사람이〉 믿을 수 있는 ***between a ~ and a hard place*** 곤경에 처해서, 원치 않는, 선택을 강요당하여 ***built*** [***founded***] ***on the ~*** 반석 위에 세운, 기초가 튼튼한 ***get*** one***'s ~s off*** 《비어》 사정(射精)하

다, 성교하다 ***have ~s in** one's* [*the*] ***head*** 《속어》 머리가 이상하다, 돌대가리다 ***off the ~s*** 《구어》 위험에서 벗어나 ***of the old ~*** 〈보석이〉 진짜이고 좋은, 상등의 ***on the ~s*** 《구어》 〈배가〉 좌초해서; 파멸하여; 파산하여, 돈에 궁하여; 얼음 조각 위에 부은 〈위스키〉, 온더록스로: bourbon *on the ~s* 버본 온더록스 ***~ of ages*** 월급(wages) ***R~s ahead!*** 〖항해〗 암초다, 위험하다! ***R~s for Jocks*** 《미·속어》 (대학의) 지질학 강의[과정] ***run*** [***go, strike***] ***on*** [***against***] ***the ~*** (***s***) 〈배가〉 좌초하다; 위험에 부딪치다 ***sunken ~*** 암초 ***the R~ of Ages*** 예수 그리스도

—*a.* 암석[돌]의, 암석[돌] 같은

—*vt., vi.* 《미》 돌로 때리다, 돌을 던지다

‡**rock**[2] [rάk | rɔ́k] *vt.* **1** (앞뒤·좌우로 살살) 흔들다, 움직이다, 요동시키다(sway); 진동시키다; 흔들어 …시키다: ~ a cradle 요람을 흔들다 // (~+목+보) She *~ed* her baby asleep. 그녀는 아기를 살살 흔들어 재웠다. **2** 달래다, 진정시키다: (~+목+전+명) be *~ed in* security[hope] 위험은 없다[희망이 있다]고 안심하다 **3** (감정적으로) 크게 동요시키다, 쇼크를 주다; 몹시 혼란케 하다: The murder case *~ed* the whole country. 그 살인 사건은 전국적으로 쇼크를 주었다.

—*vi.* **1** 흔들리다, 진동하다(⇨ swing 유의어): The cradle *~ed.* 요람이 흔들리고 있었다. // (~+전+명) The steamer was *~ing on* the waves. 기선은 파도에 흔들리고 있었다. **2** (흥분·감동 등으로) 동요하다, 감동하다: (~+전+명) The hall *~ed with* the laughing crowd. 회장(會場)은 군중들의 웃음소리로 떠들썩했다. **3** 록에 맞추어 춤추다, 록을 연주하다; 《구어》 멋진 때를 보내다 《*out*》; 《속어》 〈가수·악단이〉 감동[감명]을 주다

—*n.* **1** 흔들림, 진동, 동요 **2** Ⓤ 록 음악(=~ **mùsic**); 로큰롤; 《미·속어》 록 팬

—*a.* 록의; 《미·속어》 〈재즈 음악[댄스]이〉 아주 좋은[신나는] **~·a·ble** *a.* **~·ing·ly** *ad.* ▷ rócky[2] *a.*

rock[3] *n.* 《고어》 실패, 실감개(distaff)

rock·a·bil·ly [rάkəbìli | rɔ́k-] *n.* Ⓤ 로커빌리 《열광적인 리듬의 재즈 음악》

rock·a·by(e) [rάkəbài | rɔ́k-] *int., vi.* =HUSHABY(E)

rock·air [rάkɛ̀ər | rɔ́k-] *n.* 록에어 《비행기로 상공에서 발사하는 관측용 로켓》

róck and róll =ROCK'N'ROLL **~·er** *n.*

róck and rýe 라이보리 위스키에 얼음 사탕을 넣고 오렌지·레몬을 가미한 음료

rock·a·way [rάkəwèi | rɔ́k-] *n.* 《미》 2·3인승의 지붕있는 4륜마차

róck ballèt 록 발레 《록 음악을 씀》

róck bèd 바위의 기반, 암반

róck bòlt 〖채광·토목〗 록 볼트 《터널·지하 공간의 천장 붕괴 방지용 철제 볼트》

róck bóttom (가격 등의) 최저, 밑바닥, 최저 단계

rock-bot·tom [-bάtəm | -bɔ́t-] *a.* 최저의, 최하의 〈가격〉: ~ prices 최저 가격

rock·bound [-bàund] *a.* 바위로 둘러싸인, 암석이 많은, 바위투성이의(rocky); 〈마음이〉 완강한, 불굴의

róck càke[**bùn**] 《영》 록 케이크 《표면이 거칠거칠하고 단단한 과자 또는 건빵》

róck cándy 《미》 얼음 사탕(《영》 sugar candy)

róck clìmb (한 번의) 암벽 타기

rock-clìmb·ing [-klàimiŋ] *n.* Ⓤ 암벽 등반, 바위타기, 록클라이밍 **róck-clìmb·er** *n.* 암벽 등반가

róck còrk 〖광물〗 석면(石綿)의 일종

róck cràb 해안 바위에 사는 게

róck crùsher 암석 분쇄기; 《미·속어》 (돌 깨는) 죄수

róck crỳstal 〖광물〗 (무색 투명한) 수정

róck dòve =ROCK PIGEON

róck drìll 착암기(鑿岩機)

Rock·e·fel·ler [rάkəfèlər | rɔ́k-] *n.* 록펠러 **1 a John D. ~** (1839-1937) 《미국의 자본가·자선가; 록펠러 재단의 창립자》 **b John D. ~, Jr.** (1874-1960) 《a의 아들; 자선가》 **2 Nelson A. ~** (1908-1979) 《1974-77 미국의 부통령; John D. ~, Jr.의 아들》

Róckefeller Cénter [the ~] 록펠러 센터 《New York시 중심에 있는 고층 건물 지대》

Róckefeller Foundátion 록펠러 재단 《1913년 J.D. Rockefeller가 창립》

rocker 1

rock·er [rάkər | rɔ́k-] *n.* **1** 흔들리는 것, (흔들의자 밑에 받친) 굽은 막대; 요람을 흔드는 사람; 《미》 흔들의자, 흔들목마 **2** 〖광산〗 선광기(選鑛器) (cradle) **3** 〖스케이트〗 활주면이 호(弧) 모양으로 굽은 스케이트 **4** 로큰롤 노래[연주자] ***off** one's **~*** 《속어》 미쳐서(crazy); 열광해서, 흥분해서

rócker àrm 〖기계〗 로커 암, 요동 완부(搖動腕部)

rócker swìtch 로커 스위치 《한쪽 끝을 누르면 다른 끝이 튀어나오는 전기 개폐 스위치》

rock·er·y [rάkəri | rɔ́k-] *n.* (*pl.* **-er·ies**) =ROCK GARDEN

‡**rock·et**[1] [rάkit | rɔ́k-] [It. 「실패(distaff)」의 뜻에서; 그 모양에서] *n.* **1 a** 로켓(=~ engine) 《액체 산소에 의한 분사식 엔진》 **b** 로켓 무기 《폭탄·미사일 등》; 로켓 발사에 의한 우주선 **2** 화전(火箭), 봉화; 쏘아올리는 불꽃; 신호탄 **3** 《영·속어》 엄한 질책: give a person a ~ …을 호되게 나무라다 / get a ~ 호되게 꾸지람듣다 **4** [*pl.*] 《속어》 (불룩 튀어나온) 가슴

—*a.* Ⓐ 로켓의[에 의한]

—*vt.* 로켓탄으로 공격하다, 로켓을 발사하다; 〈인공위성 등을〉 로켓으로 쏘아올리다[나르다]

—*vi.* **1** 돌진하다, 급히 가다 《*away, off*》 **2 a** 〈가격이〉 갑자기 오르다 **b** 벼락 출세하다 **3** 〈엽조(獵鳥)가〉 일직선으로 날아 오르다 **~·lìke** *a.* **~·er** *n.* 로켓 조종사; 일직선으로 날아 오르는 엽조

rocket[2] *n.* 〖식물〗 겨잣과(科)의 식물 《샐러드용; 꽃은 관상용》

rócket astrónomy 로켓 천문학

rócket bàse 〖군사〗 미사일 기지(基地)

rócket bòmb 로켓 폭탄, 로켓 미사일

rock·et·drome [-dròum] *n.* 로켓 발사장

rock·e·teer [ràkitíər | rɔ̀k-] *n.* 로켓 사수(射手)[조종자, 탑승자]; 로켓 연구가[기사, 설계가]

rócket èngine[**mòtor**] 로켓 엔진

rócket fùel 1 로켓 연료 **2** =ANGEL DUST

roc·ket-fu·eled [rάkitfjù:əld] *a.* 초고속의: signs of ~ growth 초고속 성장의 징후들

rócket gùn 로켓포

rócket làuncher 로켓탄 발사기

rócket plàne 로켓 비행기; 로켓포 탑재기

rock·et-pro·pelled [rάkitprəpèld | rɔ́k-] *a.* 로켓 추진식의

rócket propùlsion (비행기의) 로켓 추진력

rócket rànge 로켓 발사 실험장

rócket ráttling 로켓(무기)에 의한 위협

rock·et·ry [rάkitri | rɔ́k-] *n.* Ⓤ **1** 로켓 공학[실험, 사용] **2** [집합적] 로켓(rockets)

rócket scìence [다음 성구로] ***It's not ~.*** 《구어》 그것은 별로 어려운 일이 아니다: Go on, you can do it. It's not exactly ~. 해 봐, 넌 할 수 있어. 별거 아니야.

rócket scìentist 1 =ROCKETEER **2** 《미·속어》 수완 있는 금융가; 《일반적으로》 머리가 좋은 사람, 수재 ***It doesn't take a ~.*** (이해)하기 쉬운 것이다.

rócket shìp 1 로켓(추진)선(船); 로켓포를 갖춘 작은 함정; 우주 항공기 **2** 《미·마약속어》 바늘 달린 피하 주사기

rócket slèd 로켓 썰매 《로켓 엔진에 의하여 한 가닥의 레일 위를 달리는 실험용 썰매》

rock·et·sonde [rákitsànd | rɔ́kitsɔ̀nd] *n.* 〖기상〗 로켓존데 《고공 기상 관측용; 로켓으로 쏘아 올리고 낙하산으로 회수》
rock·face [rákfèis | rɔ́k-] *n.* 암벽면; 안벽(岸壁)
rock-faced [-féist] *a.* 〈사람이〉 표정이 굳어 있는, 무표정한; 〖석공〗 〈표면이〉 자연석 그대로인
rock·fall [-fɔ̀:l] *n.* 낙석(落石), 무너져 내린 암석
rock·fest [-fèst] *n.* 《미》 로큰롤 음악제
róck fèver 〖병리〗 = UNDULANT FEVER
rock·fish [-fìʃ] *n.* (*pl.* **~, ~·es**) 〖어류〗 볼락
róck flòur (빙하에 깎여 부스러진) 암분(岩粉) (glacial meal)
róck gàrden 바위로 된 정원; 석가산(石假山)이 있는 정원
róck gòat 〖동물〗 야생 염소
rock-hard [ràkhá:rd | rɔ̀k-] *a.* 바위처럼 단단한[강인한]
rock·head [-hèd] *n.* 《미·구어》 돌대가리, 미치광이, 고집쟁이
rock-hewn [-hjù:n] *a.* 바위를 잘라[쪼아서] 만든
róck hòund 《구어》 지질학자; 돌수집가
róck hòunding 암석[화석, 광물] 수집
∗**Rock·ies** [rákiz | rɔ́k-] *n. pl.* [the ~] = ROCKY MOUNTAINS
rock·ing [rákiŋ | rɔ́k-] *a.* 흔들리는; 《미·학생속어》 굉장한, 멋있는: The party is ~! 파티 정말 멋지다! **—** *n.* 흔들림, 진동
rócking bèd 〖의학〗 흔들침대 《인공호흡용》
rócking chàir 흔들의자
rócking hòrse 흔들목마
rócking stòne 〖지질〗 요석(搖石)
rócking tùrn 〖스케이트〗 요전(搖轉) 《호선(弧線)의 바깥쪽에서 몸을 비틀어 스케이트와 같은 쪽으로 미끄러져 되돌아오기》
Róck Ísland 록아일랜드 《미국 Illinois주 북서부의 도시》
róck jòck 《미·속어》 등산광(狂)
róck lèather 〖광물〗 석면의 일종
rock·ling [rákliŋ | rɔ́k-] *n.* 북대서양산(産)의 몸집이 작은 농어와 대구의 총칭
róck lóbster 〖동물〗 = SPINY LOBSTER
róck màple 〖식물〗 = SUGAR MAPLE
róck mùsic = ROCK[2]
rock'n'roll [rákənróul | rɔ́k-] *n.* **1** 로큰롤 《열광적으로 몸을 뒤흔들며 추는 춤; 재즈·대중 음악의 일종》 **2** [the ~] 《영·속어》 실업 수당(dole); 실업 수당 지급소 ***be the ~*** 《영》 새로운 대(大)인기물[유행물]이다 **—** *vi.* 로큰롤을 추다[연주하다] **~·er** *n.*
Róck of Gibráltar [the ~] 지브롤터의 바위 《지중해의 남부 스페인의 지브롤터 해협의 험악한 절벽의 단단한 바위》; 《비유》 매우 안전한 상황, 실패하지 않는 사람
róck òil 석유(petroleum)
rock·oon [ráku:n, ─́ | rɔkú:n] [*rock*et+ball*oon*] *n.* 로쿤 《기구로 하늘 높이 올라가서 발사되는 작은 로켓》
róck òpera 록 오페라 《록 음악으로 이루어진》
róck pigeon 양비둘기(rock dove)
róck plànt 암생(岩生) 식물
róck pòol 《영》 (바닷가의) 바위 틈에 고인 물(《미》 tidepool)
róck ràbbit 〖동물〗 새앙토끼 《북반구 고산에 사는》 (pika)
rock-ribbed [rákrìbd | rɔ́k-] *a.* **1** 바위가 이랑진, 암석의 층을 이룬, 바위투성이의 **2** 완고한, 굽히지 않는; 〈사물이〉 확고한, 견고한: ~ determination 확고한 결심
rock·rose [-ròuz] *n.* 〖식물〗 물푸레나뭇과(科)의 식물
róck sálmon 〖어류〗 돔발상어 따위의 통칭
róck sàlt 암염(岩鹽)(mineral salt)
rock·shaft [-ʃæ̀ft | -ʃà:ft] *n.* 〖기계〗 요축(搖軸)
rock·shel·ter [-ʃèltər] *n.* 얕은 동굴이나 이와 유사한 장소 《선사 시대인들이 살던 곳》
róck snàke 〖동물〗 비단구렁이(python)
róck sólid **1** 확고부동한, 굳건한 **2** 바위처럼 단단한
róck squìrrel 〖동물〗 미국 남서부산(産)의 대형 바위다람쥐
róck stéady 〖음악〗 록 스테디 《1960년대 후반에 자메이카에서 발생·유행한 음악》
róck tàr 석유(petroleum)
róck trìpe 〖식물〗 석이(石耳)
rock·u·men·ta·ry [ràkjuméntəri | rɔ̀k-] [*rock* +do*cumentary*] *n.* 〖음악〗 록음악의 역사[음악가]를 다룬 기록 영화
róck wàllaby 〖동물〗 바위왈라비 《오스트레일리아산(産) 소형 캥거루》
rock·weed [rákwì:d | rɔ́k-] *n.* 모자반속(屬)의 해초
róck wòol 암면(岩綿) 《광석을 녹여서 만든 섬유; 절연·방음용》
rock·work [-wə̀:rk] *n.* Ⓤ 바위쌓기 공사 《석가산·돌담 등》
‡**rock·y**[1] [ráki | rɔ́ki] *a.* (**rock·i·er**; **-i·est**) **1** 바위가 많은, 바위투성이의; 암석으로 된 **2** 〈무게가〉 바위 같은 **3** 장애가 많은, 곤란한 **4** 태연한; 무정한(hard); 완고한: a ~ heart 냉혹한[무정한] 마음
róck·i·ly *ad.* **róck·i·ness** *n.*
rocky[2] *a.* (**rock·i·er**; **-i·est**) 불안정한, 흔들흔들하는(shaky); 불안한, 불확실한; 《속어》 (지쳐서) 휘청휘청하는, 현기증 나는; 《미·속어》 술 취한; 록 음악의, 록스러운 **róck·i·ly** *ad.*
Rócky Móuntain góat 〖동물〗 = MOUNTAIN GOAT
Rócky Móuntain Nátional Párk 로키 산 국립 공원 《미국 Colorado주 북부에 있는 산악 자연 공원》
∗**Rócky Móuntains** [the ~] 로키 산맥 《북미 서부의 대산맥; 최고봉 Mt. Elbert (4,399 m)》
Rócky Móuntain shéep 〖동물〗 = BIGHORN
Rócky Móuntain spótted féver 〖병리〗 로키산 홍반열 《진드기가 매개하는 병》
Rócky Móuntain Stàtes [the ~] 미국 로키 산맥 주변의 여러 주
ro·co·co [rəkóukou, ròukəkóu | rəkóukou] *n.* **1** Ⓤ 로코코식 《18세기 프랑스의 건축·미술의 양식》 **2** 표면적인 고상함을 특징으로 하는 18세기 중기의 음악 양식 **—** *a.* **1** [**R~**] 〖미술〗 (회화가) 로코코 양식의 **2** 《일반적으로》 로코코식의 **3** 《경멸》 〈건축·가구·문체 등이〉 꾸밈이 많은; 유행에 뒤떨어진
‡**rod** [rád | rɔ́d] *n.* **1** (금속·목제의) 막대(기), 장대, 지팡이(⇨ bar[1] 유의어); 낚싯대 **2** 가지, 작은 가지; (타올걸이 등의) 가는 봉 **3** 회초리; [the ~] 매질, 징벌: Spare *the* ~ and spoil the child. 매를 아끼면 아이를 망친다. **4** 물건 걸이 **5** 로드 《길이의 단위: = 5.5야드; 면적의 단위: = 30.25평방 야드》 **6** 직표(職標), 권표(權標); 권위, 권력, 직권 **7** 〖전기〗 피뢰침 **8** 〖성서〗 혈통, 자손 **9** 《미·속어》 권총; 총잡이(= ~boy) **10** 〖생물〗 간균(桿菌); 〖해부〗 (망막 내의) 간상체(桿狀體) **11** 〖기계〗 피스톤봉(棒) **12** = HOT ROD
give the ~ 매질하다 ***have a ~ in pickle for*** …을 벌주려고 벼르다 ***kiss the ~*** 순순히 벌을 받다 ***make a ~ for*** one***self*** [***for*** one***'s own back***] 화를 자초하다 ***ride*** [***hit***] ***the ~s*** = ***grab a handful of ~s*** 《미·속어》 화물 열차에 무임승차하다 ***~ and line*** 낚싯줄을 맨 낚싯대 ***rule with a ~ of iron*** ⇨ iron. **~·less** *a.* **~·lìke** *a.*
Rod [rád | rɔ́d] *n.* 남자 이름
‡**rode**[1] [róud] *v.* RIDE의 과거
rode[2] *vi.* 〈들새가〉 밤에 땅 쪽으로 날다; 〈멧도요가〉 번식기에 밤에 날다
ro·dent [róudnt] *n.* 설치 동물 《쥐·다람쥐 등》 **—** *a.* **1** 갉작거리는 **2** 〖동물〗 설치류의 **3** 〖의학〗 〈특히 궤양이〉 침식성의 **~·lìke** *a.*
ro·den·tial [roudénʃəl] *a.* 설치류의

ro·den·ti·cide [roudéntəsàid] *n.* 쥐약
ródent ùlcer 〖병리〗 잠식성 궤양 《안면 등에 나타나는 궤양성 피부암》
ro·de·o [róudiòu, roudéiou] *n.* (*pl.* **~s**) (미) **1** 목우(牧牛)를 몰아 모음 《수를 세거나 낙인을 찍기 위하여》 **2** 로데오 《cowboy의 말타기 등의 경기 대회; 오토바이 등의 곡예 쇼》 **~·er** *n.*
Rod·er·ick [rádərik | rɔ́d-] *n.* 남자 이름
Ro·din [roudǽn, -dǽŋ] *n.* 로댕 **Auguste ~** (1840-1917) 《프랑스의 조각가》
rod·let [rádlit | rɔ́d-] *n.* 작은 대[막대기]
rod·man [rádmən | rɔ́d-] *n.* (*pl.* **-men** [-mən, -mèn]) **1** 〖측량〗 측간수(測桿手) **2** 낚시꾼(angler) **3** (미·속어) 권총 강도[갱]
ród mìll 선재(線材) 압연기; 선재 제조 공장
Rod·ney [rádni | rɔ́d-] *n.* 남자 이름
ro·do·mon·tade [ràdəmαntéid | rɔ̀dəmɔn-] *n.* Ⓤ *a.* 호언장담(하는) **—** *vi.* 자기자랑하다, 허풍떨다
roe¹ [róu] *n.* Ⓤ 어란(魚卵), 곤이(=hard ~); 어정(魚精), 이리(milt)(=soft ~); (새우 등의) 알

> 유의어 **roe** 물고기의 몸 속에 있는 알 **spawn** 낳아 놓은 알

roe² *n.* (*pl.* **~s,** [집합적] **~**) 〖동물〗 =ROE DEER
ROE return on equity 〖회계〗 자기 자본 이익률
roe·buck [róubʌ̀k] *n.* (*pl.* **~s,** [집합적] **~**) 〖동물〗 roe deer의 수컷
róe dèer 〖동물〗 노루
Roent·gen [réntgən, -dʒən, rʌ́nt- | rɔ́ntjən, rɔ́ntgən, rʌ́nt-] *n.* **1** 뢴트겐 **Wilhelm Konrad ~** (1845-1923) 《독일의 물리학자로 뢴트겐선(線)의 발견자》 **2** [**r~**] 뢴트겐 《방사선의 세기의 단위; 略 R》 **—** *a.* [**r~**] 뢴트겐(선)의: a ~ photograph 뢴트겐 사진(X-ray photograph)
roent·gen·i·um [rèntgíːniəm] [Wilhelm Konrad Roentgen을 기리기 위해] 〖화학〗 뢴트게늄 《11족의 인공 방사성 원소; 기호 Rg, 원자 번호 111》
roent·gen·ize [réntgənàiz, -dʒən-, rʌ́nt- | rɔ́ntjən-, rɔ́ntgən-, rʌ́nt-] *vt.* …에 X선 조사(照射)를 하다; X선을 통과시켜 〈기체를〉 전기 전도성(傳導性)으로 하다 **ròent·gen·i·zá·tion** *n.*
roent·gen·o·gram [réntgənəgræ̀m | rɔntgén-], **-graph** [-græ̀f | -grɑ̀ːf] *n.* 뢴트겐[X선] 사진
roent·gen·og·ra·phy [rèntgənάgrəfi, -dʒən-, rʌ̀nt- | rɔ̀ntgənɔ́g-] *n.* Ⓤ X선 촬영(법)
roent·gen·o·log·ic [rèntgənəládʒik | rɔ̀ntgənəlɔ́dʒ-], **-i·cal** [-əkəl] *a.* 방사선과의, X선학의
roent·gen·ol·o·gy [rèntgənάlədʒi, -dʒən-, rʌ̀nt- | rɔ̀ntgənɔ́l-] *n.* Ⓤ 뢴트겐선학, 뢴트겐과(科)
roent·gen·o·par·ent [rèntgənəpɛ́ərənt | rɔ̀ntgən-] *a.* X선 투과성의
roent·gen·o·scope [réntgənəskòup | rɔ́ntgənə-] *n.* 〖물리〗 뢴트겐 투시경[장치] **ròent·gen·o·scóp·ic** *a.*
roent·gen·o·ther·a·py [rèntgənəθérəpi | rɔ̀ntgen-] *n.* Ⓤ 뢴트겐(선) 요법
Róentgen rày [종종 **r- r-**] =X RAY
roe·stone [róustòun] *n.* Ⓤ 어란석(魚卵石)
Róe v. Wáde [róu-vəːrsəs-wéid] 로우 대 웨이드 사건 《미국에서 낙태를 헌법에 의해 인정한 최고 재판소의 판례》
R.O.G., r.o.g. 〖상업〗 receipt of goods
Ro·gal·list [rougǽlist] *n.* 로갈로[행글라이더]로 활공하는 사람
Ro·gal·lo [rougǽlou] [NASA의 기술자 이름에서] *n.* (*pl.* **~s**) 로갈로 《삼각형의 행글라이더》
ro·ga·tion [rougéiʃən] *n.* **1** 〖로마법〗 법률 초안[제출] **2** [*pl.*] 〖그리스도교〗 기도 《그리스도 승천제(昇天祭) 전의 3일간의》; 탄원
Rogátion Dàys 기원일(祈願日) 《그리스도 승천제(Ascension Day) 전의 3일간》
Rogátion Sùnday 기원일 전의 일요일
Rogátion Wèek 기원절(節) 주간
rog·a·to·ry [rάgətɔ̀ːri | rɔ́gətəri] *a.* 심문[조사]하는
rog·er¹ [rάdʒər | rɔ́dʒ-] *vt., vi.* (영·비어) (여자와) 성교하다, 육체 관계를 갖다
roger² [received의 'r'을 통신 부호로 ROGER라고 부른 데서] *int.* **1** 〖통신〗 알았다(received (and understood)) **2** (구어) 좋다, 알았다, 오케이(all right, O.K.) **3** 〖통신〗 'r' 자
Rog·er [rάdʒər | rɔ́dʒ-] *n.* **1** 남자 이름 《애칭 Hodge, Hodgkin》 **2** =JOLLY ROGER (***Sir***) **~ *de Coverley*** ⇨ Sir Roger de Coverley
Ro·gét's Thesáurus [rouʒéiz-, róuʒeiz-, rάʒeiz- | rɔ́ʒeiz-] [영국의 의사·저술가 P.M. Roget의 이름에서] 로제 유어(類語) 분류 사전
‡rogue [róug] *n.* **1** 악한, 악당(rascal); 사기꾼 **2** (귀여운 뜻으로) 장난꾸러기 **3** 건달, 방랑자, 부랑자 **4** 떠돌아다니는 코끼리[물소] 《무리를 떠나 방랑하여 성질이 거칠어진 것》; 게으름 피우는 말 《경마 또는 사냥에서》 **5** 〖원예〗 같은 씨앗에서 싹튼 식물 중 제일 하치
***play the* ~** 사기치다
— *vt.* 속이다; 〈밭의 불량의 모종을〉 솎다, 밭을 솎다
— *vi.* 떠돌아다니다; 못된 짓을 하다, 사기치다
— *a.* Ⓐ 〈야생 동물이〉 무리에서 떠나 흉포한
rogúe élephant 무리를 떠나서 떠돌아다니는 코끼리 《성격이 거침》
ro·guer·y [róugəri] *n.* (*pl.* **-er·ies**) ⓊⒸ 나쁜 짓, 사기; Ⓤ 장난: play ~ upon …을 속이다
rógues' gállery (경찰의) 범죄자 사진 대장
rógue's márch 악당 행진곡[추방곡] 《이전에 군인을 군대에서 쫓아낼 때 썼음》; 사람을 떠들어대서 몰아냄 《사회·단체 등에서》
rógue's yàrn 식별끈 《소유자·제작자를 나타내기 위해 밧줄에 별도로 꼬아 넣는 가는 끈》
rógue tràder 악당 주식 중개인 《회사의 허가 없이 투기하다가 입은 막대한 손실을 감추는》
ro·guish [róugiʃ] *a.* **1** 건달의, 악한의(rascally); 나쁜 짓을 하는(dishonest) **2** (드물게) 장난을 하는, 까부는, 익살맞은 **~·ly** *ad.* **~·ness** *n.*
Ro·hyp·nol [rouhípnαl | -nɔl] *n.* Ⓤ 수면 유도제의 일종 《상표명》
roi [rwάː] [F] *n.* (*pl.* **~s** [-z]) 왕
le ~ le veult [lə-rwάː-lə-vɔ́ː] 재가(裁可)(=the King wills it) 《프랑스 왕이 재가를 내릴 때 쓰던 문구》 ***le ~ s'avisera*** [-sαːvíːzərαː] 부(不)재가(=the King will consider) 《의안(議案)에 프랑스 왕이 재가를 거부할 때 쓰던 문구》
R.O.I. return on investment
roid [rɔ́id] *n.* (미·속어) 〖의학〗 스테로이드(steroid)
roil [rɔ́il] (미·영·방언) *vt.* **1** 〈액체를〉 휘젓다[흐리게 하다] **2** 〈…의〉 마음을 휘젓다, 혼란[산란]케 하다; 화나게 만들다, 안달하게 하다, 발끈하게 하다(irritate, vex) **—** *vi.* 미친 듯이 날뛰다; 〈파도가〉 넘실거리다, 소용돌이 치다(billow)
— *n.* 교란, 휘젓기(agitation); 탁류
róil·y *a.* 흐린, 흙탕의(muddy); 성난
roist·er [rɔ́istər] *vi.* **1** 야단스럽게 뽐내다, 으스대다 **2** 술 마시며 떠들다 **~·er** *n.* **~·ing** *a.*
rois·ter·ous [rɔ́istərəs] *a.* **1** 야단스럽게 뽐내는; 난폭하게 구는 **2** 술을 마시고 떠들어 대는 **~·ly** *ad.*
Rok [rάk | rɔ́k] *n.* 한국군 병사
ROK [rάk | rɔ́k] [the *R*epublic *o*f *K*orea] *n.* 대한민국
rol·a·mite [róuləmàit] *n.* 〖기계〗 롤라마이트 《베어링의 마찰을 적게 하기 위하여 고안된 S자 형의 엷은 밴드》
Ro·land [róulənd] *n.* **1** 남자 이름 **2** 롤랑 《샤를마뉴 대제(大帝)의 충신; 12용사 중 최대의 용장》 **3** 용장

> thesaurus **role** *n.* **1** 배역 part, character, portrayal, representation **2** 역할, 임무 capacity, func-

(勇將), 용사 ***die like ~*** 굶어[목말라] 죽다 ***give a ~ for an Oliver*** 용호상박하다, 백중하다 《Roland와 Oliver가 5일간 싸웠어도 승부가 나지 않았다는 데서》; 같은 수단으로 보복하다

:role, rôle [róul] 〖F 「배우의 대사를 적은 두루마리」의 뜻에서〗 *n.* **1** (배우의) 배역(part): Mary made a spectacular debut in the ~ of Silva. 메리는 실바역으로 화려하게 데뷔했다. **2** 역할, 임무, 구실: the teacher's ~ in society 사회에서의 교사의 역할 ***fill the ~ of*** …의 임무를 다하다 ***play an important ~ in*** …에서 중요한 역할을 하다

róle cònflict 〖사회〗 역할 갈등

róle mòdel 역할 모델

róle plày = ROLE-PLAYING

role-play [róulplèi] 〖심리〗 *vt.* (실생활에서) …의 역할을 하다; (역할을 하여) 체험[경험]하다
— *vi.* 그 장면에 맞는 역할을 하다

role-play·ing [-plèiiŋ] *n.* 〖심리〗 역할 연기

róle-playing gàme 〖컴퓨터〗 역할 놀이 《경기자가 환상적 모험 속에서 각자의 역할을 선택하여 여러가지 경험을 겪으면서 성장하는 과정을 즐기는 컴퓨터 게임; RPG, role-play라고도 함》

róle revèrsal (남녀의) 역할 전환 《일·가사·육아 등에 있어서의》

róle sèt 〖사회〗 역할군(役割群) 《하나의 사회적 지위에 따르는 일련의 역할들》

Ro·lex [róuleks] *n.* 롤렉스 《스위스의 시계 메이커; 상표명》

rolf [rálf | rɔ́lf] *vt.* …에게 롤프식 마사지를 하다

Rolf [rálf | rɔ́lf] *n.* 남자 이름

Rolf·ing [rɔ́:lfiŋ, rálf- | rɔ́lf-] 〖미국의 물리 요법가의 이름에서〗 *n.* [종종 **r~**] 롤프식 마사지 《근육을 깊숙이 마사지하는 물리 요법》

⁑roll [róul] *v.*, *n.*

> L 「바퀴」의 뜻에서
> 「구르다」, 「굴러가다」 **1 a** →(상하·좌우로 움직이다)
> →「파동하다」, 「흔들리다」 **5 a, 10 a**
> →(높게, 낮게 울리다)→「우렁우렁 울리다」 **8 a**

— *vi.* **1** 구르다, 굴러가다[나아가다]; 회전하다; 〈눈알이〉 이리저리 돌다: The ball ~*ed* into the street. 공이 길가로 굴러갔다. **2** 《구어》 우스워 데굴데굴 구르다, 포복절도하다 《*about*》 **3** 차를 타고 가다[달리다]; 〈차가 구르듯이〉 천천히 나아가다[달리다]: (~+副) (~+前+名) The cab ~*ed along* (the road). 택시가 (길을 따라) 갔다. **4** 〈눈물·땀이〉 흘러내리다 《*down*》 **5 a** 〈파도 등이〉 굽이치다, 넘실거리다; 〈땅이〉 기복(起伏)하다; 〈강 등이〉 도도히 흐르다: (~+副) The country went ~*ing on*[*by*] for miles and miles. 그 땅은 여러 마일이나 기복을 이루며 뻗어나 있었다. // (~+前+名) I saw the waves ~*ing into* the beach. 파도가 해변으로 너울거리며 다가오는 것이 보였다. **b** 〈구름이〉 뭉게뭉게 떠돌다[흐르다]; 〈연기 등이〉 뭉게뭉게 오르다 **6** 〈세월이〉 흐르다, 지나가다 《*by, on*》 **7** 〈천체 등이〉 궤도를 주기적으로 돌다[운행하다] **8 a** 〈천둥·북 등이〉 우렁우렁[쿵쿵] 울리다: Thunder ~*ed*. 천둥이 울렸다. **b** 〈말이〉 거침없이 나오다, 유창하다; 〈새가〉 떨리는 소리로 지저귀다 **9 a** 데굴데굴 구르다, 뒹굴다 《*over, in*》: (~+副) The barrel ~*ed over*. 통이 데굴데굴 굴렀다. // (~+前+名) ~ *in* the bed 침대에서 뒹굴다 **b** [be ~ing으로] 《구어》 (…에 싸여) 빈들빈들 지내다, 사치하며 살다(wallow) 《*in*》: (~+前+名) He *is* ~*ing in* money. 그는 돈에 파묻혀 산다. **10 a** 〈배·비행기가〉 좌우로 흔들리다(cf. PITCH[1]): (~+前+名) The ship ~*ed* heavily *in* the waves. 배가 파도에 심하게 흔들렸다. **b** 〈사람이〉 몸을 흔들다, 비틀비틀 걷다: (~+前+名) He ~*s in* his walk. 그는 몸을 흔들면서 걷는다. **11** 《구어》 (일 등에) 착수하다; 시작되다[하다] **12 a** 〈종이·천·실 등이〉 둥글게 말리다 《*together, up*》 **b** 〈고양이 등이〉 등을 둥글게 하다, 둥그래지다 《*up*》 **13** 〈금속·인쇄 잉크·가루 반죽 등이 롤러에 걸려〉 늘어지다 **14** 《속어》 (…와) 성교하다 《*with*》

— *vt.* **1 a** 굴리다, 굴리며 가다, 회전시키다: (~+目+前+名) The children were ~*ing* a snowball *along* the playground. 아이들은 운동장에서 눈뭉치를 굴리고 있었다. / He ~*ed* the top *between* his fingers. 그는 팽이를 손가락 사이에 끼고 돌렸다. **b** 때려서 굴러가게 하다; 때려눕히다 **c** 곰곰이 생각하다 **d** 〈주사위를〉 던지다, 굴리다 **2** 〈물결·물을〉 세차게 나아가게 하다: The river is ~*ing* its waters. 강은 도도히 흐르고 있다. **3** 〈북 등을〉 치다, 울리다; 목청을 돋우어서 노래 부르다[말하다]; 〈r음 등을〉 혀를 꼬부려서 발음하다: He ~*s* his r's. 그는 r음을 굴려서 발음한다. // (~+目+副) The organ ~*ed out*[*forth*] its stately welcome. 오르간이 장중한 환영곡을 연주하였다. **4** 둥글게 만들다; 굴려서 덩어리지게 하다: ~ pills 환약을 만들다 / ~ cigarettes 궐련을 말다 // (~+目+前+名) ~ the snow *into* a ball 눈을 굴려 둥글게 만들다 / The hedgehog ~*s* itself *into* a ball. 고슴도치는 몸을 공처럼 둥글게 한다. **5** 〈눈알을〉 굴리다; 〈여자가 남자에게〉 추파를 던지다 《*at*》 **6** 좌우로 흔들다; 〈배·돛·마스트가 삭구(索具) 등을〉 흔들어 떨구다 **7 a** 말다, 감다; 말아서 만들다; 두루 감싸다: (~+目+前+名) He ~*ed* the flag *round* its staff. 그는 기를 깃대에 말았다. / He ~*ed* himself (*up*) *in* the rug. 그는 무릎 덮는 담요로 몸을 감았다. **b** 〈만 것을〉 펴다 《*out*》 **8** 〈지면·도로·잔디 등을〉 롤러로 고르다; 〈금속·천·종이·반죽 등을 롤러로〉 늘이다: ~ a lawn 잔디밭을 고르다 // (~+目+補) (~+目+副) She ~*ed* the pastry flat[~*ed out* the pastry]. 그녀는 가루 반죽을 납작하게 했다[늘였다]. **9** 〖광산〗 선광기(選鑛機)로 흔들다 **10** 〈연기·먼지 등을〉 뭉게뭉게 휘말아 올리다: (~+目+副) The chimneys were ~*ing up* smoke. 굴뚝은 연기를 뭉게뭉게 내뿜고 있었다. **11** 〈촬영 카메라 등을〉 돌리다, 작동시키다 **12** 《미·속어》 (취하거나 잠든 사람에게서) 금품을 훔치다 **13** 《속어》 성교하다

be ~ing in it[***money***] 《구어》 굉장한 부자이다 ***let it ~*** 《구어》 자동차의 속도를 유지하다[올리다] ***~ along*** 〈마차가〉 덜커덕덜커덕 굴러가다; 계속 움직이다 ***~ around*** 〈둥근 것이〉 데굴데굴 구르다, …을 데굴데굴 굴리다 ***~ back*** (1) (*vt.*) 통제로 〈물가를〉 어느 수준까지 도로 내리다; 격퇴하다; 〈카펫 등을〉 말아서 치우다 (2) (*vi.*) 〈과거가〉 생각나다; 〈파도·조수 등이〉 빠지다 ***~ by*** 〈세월이〉 지나가다; 〈차가〉 지나가다; 차로 지나가다 ***~ down*** 굴러[흘러] 떨어지다 ***~ in*** (1) 많이 들어가다[모이다] (2) 《미·구어》 자다, 잠자리에 들다 (3) 도착하다, 나타나다 ***~ in the aisles*** 〈청중이〉 포복절도하다 ***~ in the hay*** 《구어·비어》 성교하다 ***~ into one*** 합쳐서 하나로[한 사람으로] 하다 ***~ off*** (1) 《미·구어》 자동차로 〈어느 거리를〉 달리다 (2) 〈윤전기·복사기 등으로〉 복사[인쇄]하다 (3) 〈말 등을 암기하여〉 막힘 없이 술술 말하다 (4) 〈짐차가〉 짐을 실은 채 (배에서) 나가다 ***~ on*** 굴러서 가다; 나아가다, 운행하다; 〈세월이〉 흘러가다; 〈파도 등이〉 밀려들다; 〈양말 등을〉 말아올리면서 신다; 〈페인트 등을〉 (롤러로) 칠하다 ***~ out*** (1) (*vi.*) 굴러 나가다; 《구어》 일어나서 나오다 《침대 등에서》; 여행에 나서다; 뻗치다, 펴다 (2) (*vt.*) 《구어》 대량 생산하다; 〈신제품을〉 대대적으로[본격적으로] 시판하다 ***~ out the red carpet*** 정중하게 마중(할 준비를) 하다 ***~ over*** 굴러 넘어지다; 〈사람을〉 자빠뜨리다; 〖증권〗 〈상환 기한이 된 채무·채권 등을〉 신규 발행 채권으로 바꿔 사다 ***~ oneself*** (***up***) 몸을 둥글게 하다; 몸을 감싸다 ***~ the bones*** 크랩(craps) 노름을 하다 ***~ up*** 말아올리다; 둥글게 말다; 둥글게 굽다; 〈연기 등이〉 뭉게뭉게 올라가다; 〈돈 등이〉 모이

---

tion, position, place, situation, job, post, task
roll *v.* go around, rotate, revolve, spin, wheel

다, 〈돈 등을〉 모으다; 차로 가다, 다가가다; 웅성웅성 모여들다; 《구어》 나타나다, 등장하다 ~ ***with the*** [***a***] ***punch*** 《구어》 내민 펀치와 같은 방향으로 물러나다; 유연한 태도[정책]로 충격을 완화시키다

— *n.* **1** 두루마리; (두루마리로 된 양피지 등의) 기록, 공문서 **2** [종종 **R~**] **a** **명부**, 목록, 표(list): an honor ~ 우등생 명부 / join the ~ of a club 클럽에 가입하다 **b** [종종 **R~s**] 변호사 명부, (학교·군대 등의) 출석부 **3** 한 통, 롤, 두루마리: six ~*s* of color film 컬러 필름 6통 **4** 말아 만든 물건; 《특히》 궐련; 털실의 타래; 말아 만든 빵[과자], 롤빵(cf. BREAD); 만 고기 **5** 〖기계〗 롤러, 압연기(壓延機); 감아 올리는 녹로(轆轤); 〖제본〗 회전 압형기(押型機) **6** **a** 굴리기; **회전** **b** (배의) 옆질, 좌우 요동(opp. *pitch*) **c** (비행기·로켓 등의) 횡전(橫轉) **d** (파도 등의) 굽이치기, 놀; (토지의) **기복**(起伏) **7** (북의) 연타(連打); 울림; 낭랑한 음조 《운문·산문의》; 떨리는 소리 《카나리아 등의》: a fire ~ 화재를 알리는 북소리 / the ~ of thunder 우렛소리 **8** 《미·속어》 지폐 뭉치(wad), 돈(money); 부(wealth) **9** 〖건축〗 소용돌이 무늬 《이오니아식 기둥머리의》; 둥근 쇠시리 **10** [the R~s] 《영》 보관 서류 수장소(收藏所) 《원래는 the Master of the Rolls가 맡아 보았지만 지금은 Public Record Office 소관》

a ~ in the hay 《미·속어》 성교, 섹스 ***call the ~*** 출석을 부르다(cf. ROLL-CALL) ***in the ~ of saints*** 성인[성녀]의 반열에 들어 ***on a ~*** 《미·구어》 (1) (도박에서) 계속 이기, 승운을 타고 (2) 행운[성공]이 계속되어 ***on the ~s*** 《영》 변호사 명부에 이름이 올라[등록되어] ***on the ~s of fame*** 명사록에 이름이 올라; 역사에 이름을 남겨 ***strike off*** [***from***] ***the ~s*** 제명하다; 《영》 변호사 명부에서 빼다 ***the Master of the R~s*** 《영》 기록 보관관 《고위의 법관으로 오늘날은 고등 법원의 판사》 ***the ~ of honor*** 명예 전사자 명부 ▷ enróll *v.*

Rol·land [rɔlɑ̃] [F] *n.* 롤랑 **Romain ~** (1866-1944) 《프랑스의 소설가·극작가; 노벨 문학상 수상(1915)》

roll-a·round [róulərὰund] *a.* (바퀴가 달려) 이동 가능한

roll·a·way [róuləwèi] *a.* 〈가구 등이〉 롤러(roller)가 달린 《사용하지 않을 때는 간단히 치울 수 있게》
— *n.* 접침대(=~ **bèd**)

roll·back [róulbæ̀k] *n.* **1** (통제에 의한) 물가 인하 정책 **2** 〖정치〗 롤백 정책 《Eisenhower 대통령의 구소련에 대한 강경 외교 정책》 **3** 되물리침 《이전의 수준[위치]까지 후퇴시킴》; 격퇴, 반격

róll bàg 롤백 《학생·운동 선수용 즈크제 소형 백》

róll bàr 롤바 《전복시 승객 보호를 위해 장치한 자동차의 천장 보강용 철봉》

róll bòok (교사의) 출석부

róll càge 롤 케이지 《경주용 자동차의 운전자 보호용 철제 보강(補强) 틀》

róll càll 점호, 출석 조사; 〖군사〗 점호 신호[나팔], 점호 시간: skip (the) ~ 점호를 생략하다 / have [make] a ~ 점호하다

***roll-call** [róulkɔ̀:l] *vt.* …의 출석을 부르다, 출결석을 조사하다

róll-call vóte 호명 투표

roll-cu·mu·lus [-kjù:mjuləs] *n.* 〖기상〗 층적운(層積雲), 두루마리 구름

rólled cóllar [róuld-] 롤 칼라 《옷깃을 되접어 꺾은 깃의 총칭》

rólled góld (금속 등에 입힌) 얇은 금박(金箔)

rólled óats 롤드 오트 《껍질을 벗겨 찐 다음 롤러로 으깬 귀리; 오트밀용》

rólled róast 로스트용 얇은 고기말이

***roll·er**[1] [róulər] *n.* **1** **롤러**; 굴림대; 녹로(轆轤); 땅 고르는 기계; (인쇄기의) 인육봉(印肉棒); 압연기(壓延機); 전마기(轉磨機); 《방언》 (반죽을 미는) 밀대(rolling pin) **2** (괘도·스크린·차양 등을 감는) 심대: the ~ of a window shade 창문의 차양을 마는 롤러 **3** (무거운 것을 굴리기 위한) 산륜(散輪) **4** (폭풍 후의) 큰 놀, 큰 파도(⇨ wave 유의어) **5** 두루마리 붕대(=~ **bàndage**)

roller[2] *n.* 〖조류〗 롤러카나리아; 비둘기의 일종

Roll·er [róulər] *n.* 《구어》 = ROLLS-ROYCE

róller arèna 롤러스케이트장

roll·er·ball [róulərbɔ̀:l] *n.* 아주 가는 볼펜

róller bèaring 〖기계〗 롤러 베어링(cf. BALL BEARING)

Roll·er·blade [róulərblèid] *n.* 롤러블레이드 《롤러가 한 줄로 늘어선 롤러스케이트; 상표명》
— *vi.* [때로 **r~**] 롤러블레이드를 타다

róller blìnd 《영》 감아올리는 블라인드

róller còaster **1** (유원지 등의) 롤러코스터(《영》 switchback) 《높이 끌어올렸다가 레일 위에 차를 타성(惰性)으로 달리게 하는 오락 설비, 또는 그 차량; 《미》에서는 단지 coaster라고도 함》 **2** 갑자기 변하는 사건[행동, 체험]

roll·er-coast·er [róulərkòustər] *a.* 파란만장한; 〈시세 등이〉 기복이 심한 — *vi.* 오르락내리락하다

Róller Dèrby 롤러 더비, 롤러 게임 《상표명》

róller dìsco 롤러 디스코 《롤러스케이트를 신고 추는 디스코 춤》; 그 댄스장

roll·er·drome [-dròum] *n.* 《미》 롤러스케이트장

róller hòckey 롤러 하키 《롤러스케이트를 타고 하는 하키》

róller mìll 롤러 제분기

róller rìnk 롤러스케이트장

róller shàdes 《미》 (두루마리식) 차양, 블라인드

róller skàte [보통 *pl.*] 롤러스케이트화

róller skàter *n.* 롤러스케이트를 타는 사람

roll·er-skate [-skèit] *vi.* 롤러스케이트를 타다

roll·er-skat·ing [-skèitiŋ] *n.* 롤러스케이트 타기

róller tòwel 두루마리[회전식] 타월

Rolle's théorem [róulz-] 〖수학〗 롤의 정리(定理)

rol·ley [rάli | rɔ́li] *n.* = RULLEY

róll film 〖사진〗 롤 필름, 두루마리 필름

rol·lick [rάlik | rɔ́l-] *vi.* 흥겹게 뛰놀다, 까불며 날뛰다 — *vt.* 《영·속어》 야단치다
— *n.* UC 흥겹게 뛰놂, 까불며 날뜀
~·ing, ~·some [-səm] *a.* 까부는, 뛰노는; 쾌활한

roll-in [róulìn] *n.* 〖하키〗 롤인 《사이드 라인을 넘은 볼을 되돌리기》; 〖컴퓨터〗 롤인 《우선 순위가 높은 프로그램을 수행하기 위해 주기억 장치에서 보조 기억 장치로 옮겨 놓았던 우선 순위가 낮은 프로그램을 다시 원 상태로 주기억 장치로 되돌려 보내는 것》

‡**roll·ing** [róuliŋ] *n.* UC **1** **굴림, 구르기**; 회전 **2** 땅 고르기 **3** 눈알을 굴림 **4** (배·비행기의) 가로 흔들림, 롤링 **5** (파도의) 너울거림; (땅의) 완만한 기복 **6** (천둥 등의) 울림: the ~ of thunder 우렛소리
— *a.* **1** 구르는; 회전하는 **2** 〈눈알이〉 두리번거리는 **3** 〈땅이〉 완만하게 기복하는; 〈파도가〉 굽이치는: a ~ country 기복이 진 땅 **4** 소리를 내며 흐르는; 〈천둥 등이〉 울리는 **5** 〈계절 등이〉 순환[경과]하는, 돌아오는; 〈모자 테·칼라 등이〉 말려 올라가는; 뒤로 젖혀진 **6** 돈이 엄청나게 많은 **~·ly** *ad.*

rólling barráge 〖군사〗 = CREEPING BARRAGE

rólling brídge 개교(開橋), 전개교(轉開橋)

rólling fríction 〖공학〗 구름 마찰

rólling hìtch 〖항해〗 가지 꼴로 묶기 《둥근 기둥 등에 밧줄을 묶는 방식의 하나》

rólling kítchen 〖군사〗 이동 취사차

rólling láunch 〖상업〗 신제품의 점진적 시장 도입

rólling mìll 압연(壓延) 공장; 압연기(機)

rólling pìn (반죽을 미는) 밀대

rólling prèss **1** 롤 광택기(calender) 《피륙·종이 등에 광내는》 **2** 롤 인쇄기 《동판 인쇄의》

rólling stóck [집합적] **1** (철도의) 차량 《기관차·객차·화차 등》 **2** (운수업자 소유의) 화물 자동차 《트럭·견인용 트럭 등》

rólling stóne 구르는 돌; 주소[직업]를 자주 바꾸는 사람; ⦅미⦆ 활동가: A ~ gathers no moss. ⦅속담⦆ 구르는 돌에는 이끼가 끼지 않는다; 직업을 자주 옮기면 돈이 모이지 않는다. ⦅⦅미⦆에서는 「활동가는 녹슬지 않는다」의 뜻으로도 씀⦆
Rólling Stónes [the ~] 롤링 스톤스 ⦅1962년 결성된 영국의 록밴드⦆
rólling stríke 파상(波狀) 스트라이크
roll·mops [róulmɑ̀ps | -mɔ̀ps] *n.* (*pl.* **~, -mop·se** [-sə]) [보통 단수 취급] 롤몹스 ⦅피클스에 청어 저민 것을 만 요리⦆
roll-neck [-nèk] *a.* ⦅주로 영⦆ 롤넥의 ⦅긴 터틀넥⦆
roll-off [-ɔ̀:f | -ɔ̀f] *n.* 〖볼링〗 (동점일 경우의) 결승 게임
róll of hónour ⦅영⦆ =HONOR ROLL
roll-on [-ɔ̀:n | -ɔ̀n] *a.* **1** (화장품이) 볼펜식인, 회전 도포 방식(回轉塗布方式)의 **2** =ROLL-ON / ROLL-OFF
roll-on/roll-off, roll-on-roll-off [róulɔ̀:n-róulɔ̀:f | róulɔ̀nróulɔ̀f] *a.* 〈페리 등이〉 짐을 실은 트럭[트레일러 ⦅등⦆]을 그대로 싣고 내릴 수 있는
roll·out, roll-out [-àut] *n.* (신형 비행기 등의) 첫 공개[전시]; (비행기의) 착륙 후 활주; 〖컴퓨터〗 롤아웃 ⦅내부 주기억 장치의 내용을 외부 보조 기억 장치로 옮기는 것⦆
roll·o·ver [-òuvər] *n.* **1** 공중 제비; 전락 **2** (자동차의) 전복 (사고) **3** 〖금융〗 롤오버 ⦅금융 기관이 만기된 부채의 상환을 연장해 주는 조치⦆
róll-o·ver árm [-òuvər-] (의자·소파의) 롤 오버식 팔걸이
roll·past [-pæ̀st | -pɑ̀:st] *n.* 중(重)무기 분열 행진
Rolls-Royce [róulzrɔ́is] *n.* 롤즈로이스 ⦅영국제의 고급 자동차; 상표명⦆
róll tòp (책상의) 접뚜껑
roll-top [róultɑ̀p | -tɔ̀p] *a.* 접뚜껑이 달린
róll-top désk 접뚜껑이 달린 책상
roll-up [-ʌ̀p] *a.* 걷어올릴 수 있는: ~ sleeves 말아 올릴 수 있는 소매 **—** *n.* (18세기의) 남자용 긴 바지; ⦅구어⦆ (가치·가격 등의) 상승
roll·way [-wèi] *n.* **1** (재목을 강으로 떨어뜨리는) 미끄럼대; (강기슭의) 재목더미 **2** 외부에서 지하실로 통하는 입구
roll-your-own [-jəròun] *n.* 손으로 만 담배 **—** *a.* 〈담배가〉 손으로 만
ro·ly-po·ly [róulipóuli, ∠-∠-] *n.* (*pl.* **-lies**) **1** ⦅영⦆ (잼이 든) 돌돌 만 푸딩(=∠ **púdding**) **2** 통통한[땅딸막한] 사람 **3** ⦅미⦆ 오뚝이 모양의 장난감(tumbler) **—** *a.* 땅딸막한, 통통한
Rom [róum] *n.* (*pl.* **~s, Ro·ma** [róumə]) 집시 남자
ROM [rɑ́m | rɔ́m] 〖컴퓨터〗 read-only memory
rom. 〖인쇄〗 roman (type) **Rom.** 〖언어〗 Romance; Romania(n); Romanic; 〖성서〗 Roman(s); Rome
Ro·ma [róumə] *n.* **1** 로마 ⦅Rome의 이탈리아 말 이름⦆ **2** 여자 이름
Ro·ma·ic [rouméiik] *n.* Ⓤ 현대 그리스 말 **—** *a.* 현대 그리스(말[사람])의[에 관한]
ro·maine [rouméin, rə-] *n.* **1** 〖식물〗 상추의 일종 **2** 로메인(크레이프) ⦅평직의 얇은 직물⦆
ro·maji [róumədʒi] [Jap.] *n.* Ⓤ 일본어의 로마자 표기법
ro·man [roumɑ́:ŋ] [F] *n.* **1** 로망 ⦅중세 프랑스 문학의 운문체 소설⦆ **2** 이야기, 장편 소설
‡**Ro·man** [róumən] *a.* **1** 로마의; (고대) 로마(사람)의; (고대) 로마 사람식[기질]의: ~ citizens 로마 시민 / ~ virtues 고대 로마인의 미덕 **2** [보통 **r~**] 〖인쇄〗 로만체의 **3** 천주교의, (로마) 가톨릭교의(=~ Catholic) **4** 〈건축이〉 (고대) 로마식의 ⦅아치나 둥근 천장을 즐겨 사용한⦆; 〈아치가〉 반원형의 **5** 로마자의; 로마 숫자의 **6** 콧날이 오똑한
— *n.* **1** (고대) 로마 사람 **2** ⦅구어⦆ (로마) 가톨릭교도, 천주교도; [보통 the ~s] 고대 로마의 그리스도교도 **3** [*pl.*; 단수 취급] 〖성서〗 로마서 ⦅略 Rom.⦆ **4** Ⓤ [보통 **r~**] 〖인쇄〗 로만체 활자 ⦅略 rom.⦆ **5** (이탈리아어(語)의) 로마 사투리 ***the Epistle to the ~s*** ⇨ epistle. ***the King***[***Emperor***] ***of the ~s*** 신성 로마 제국 황제
▷ Rómanish *a.*; Róme *n.*; Rómanize *v.*
ro·man à clef [roumɑ́:ŋ-ɑ:-kléi] [F =novel with key] (*pl.* **ro·mans à clef** [roumɑ́:nz-]) 실화 소설
Róman álphabet [the ~] 로마자, 라틴 문자 (Latin alphabet)
Róman árch 〖건축〗 반원형 아치(semicircular arch)
Róman árchitecture 〖건축〗 (고대) 로마식 건축
Róman bríck 로마 벽돌 ⦅황갈색의 가늘고 긴 특수 벽돌⦆
Róman cálendar [the ~] 로마력(曆)
Róman cándle 통형(筒形) 꽃불
Róman Cátholic *a.* (로마) 가톨릭 교회의, 천주교의 **—** *n.* (로마) 가톨릭교도, 천주교도
Róman Cátholic Chúrch [the ~] (로마) 가톨릭 교회, 천주교회
Róman Cathólicism (로마) 가톨릭교, 천주교; 그 교의(教義)[의식, 관습]
‡**ro·mance** [roumǽns, ∠-] [L 「로망스 말로 쓴 것」의 뜻에서] *n.* **1** 로맨스, 소설 같은[모험적인] 사건; 연애 사건(love affair) **2** Ⓤ 전기적인 분위기[기분, 세계], 공상벽(癖); Ⓒ 가공적인 이야기, 허구(虛構) **3** 중세의 기사 이야기; ⓊⒸ 전기(傳奇)[공상, 모험] 소설 **4** Ⓤ 〖음악〗 로맨스 ⦅형식에 구애되지 않는 서정적인 소곡(小曲)⦆ **5** ⓊⒸ [**R~**] =ROMANCE LANGUAGES
— *vi.* **1** 꾸민 이야기를 하다; 허풍떨다 ⦅*about*⦆ **2** 낭만적으로 생각하다[말하다, 쓰다] **3** ⦅구어⦆ (…와) 연애하다 ⦅*with*⦆
— *vt.* **1** 〈사건 등을〉 가공적으로 만들어 내다 **2** (아부·선물 등으로) …의 호의를 사려고 하다, 알랑거리다 **3** ⦅구어⦆ …에게 구애하다, …와 연애하다
— *a.* [**R~**] 로망스어(계통)의
▷ romántic, Románic *a.*
Rómance lánguages [the ~] 로망스 어 ⦅포르투갈·스페인·프랑스·이탈리아·루마니아의 말과 같이 라틴 어에서 유래하는 언어⦆
Róman cemént 로만 시멘트 ⦅천연 시멘트의 일종⦆
ro·manc·er [roumǽnsər] *n.* **1** 로맨스[가공 소설] 작가, 전기(傳奇) 소설가 **2** 터무니없이 꾸민 말을 하는 사람 **3** 공상가
ro·manc·ist [roumǽnsist] *n.* =ROMANCER 1
Róman cóllar =CLERICAL COLLAR
Róman Cúria [the ~] 로마 교황청(cf. CURIA)
Róman Émpire [the ~] 로마 제국 ⦅27 B.C.에 Augustus Caesar가 건설, 395 A.D.에 동서로 분열⦆
Ro·man·esque [ròumənésk] *a.* **1** 〈건축·조각·그림 등이〉 로마네스크식의 **2** [종종 **r~**] 전기[공상] 소설의; 공상적인(fanciful) **3** 로망스어의, 프로방스어의
— *n.* Ⓤ **1** 로마네스크식 ⦅건축·그림 등⦆ **2** 로망스 어
ro·man-fleuve [roumɑ́:ŋflǝ́:v] [F =river novel] (*pl.* **ro·mans-fleuves** [~]) 대하소설(saga)
Róman hóliday [고대 로마에서 노예나 포로 등에게 무기를 소지시켜 싸우게 한 데서; Byron의 시에서] 로마(사람)의 휴일 ⦅남을 희생시켜서 즐기는 오락⦆; 소동, 폭동
rom·a·ni [rɑ́məni, róum- | rɔ́m-, róum-] *n.* (*pl.* **-ies**) =ROMANY **—** *a.* =ROMANY
Ro·ma·ni·a [rouméiniə, -njə] *n.* =RUMANIA
Ro·ma·ni·an [rouméiniən, -njən] *a.*, *n.* =RUMANIAN
Ro·man·ic [roumǽnik] *a.* **1** 로망스어의, 라틴어 계통의 **2** 고대 로마 사람(식)의: the ~ races 로마 민족 **—** *n.* Ⓤ 로망스어
Ro·man·ish [róuməniʃ] *a.* ⦅보통 경멸⦆ 로마 가톨

리교의

Ro·man·ism [róumənìzm] *n.* Ⓤ **1** (보통 경멸) (로마) 가톨릭교; (로마) 가톨릭교의 교의(教義)[제도] **2** 고대 로마 제도[정신]

Ro·man·ist [róumənist] *n.* **1** (보통 경멸) = ROMAN CATHOLIC **2** 로마법 학자; 고대 로마 연구자[학자] **Rò·man·ís·tic** *a.*

Ro·man·ize [róumənàiz] *vt.* **1** [때로 **r~**] 로마자(체)로 쓰다[인쇄하다], 로만체 활자로 인쇄하다 **2** (로마) 가톨릭교화하다 **3** (고대) 로마화하다, 로마식이 되게 하다 **—** *vi.* **1** (로마) 가톨릭교도가 되다 **2** (고대) 로마 사람식이 되다, (고대) 로마의 풍습[문화]을 모방하다 **Rò·man·i·zá·tion** *n.*

Róman láw 로마법

Róman létters[týpe] 〖인쇄〗 로만체 (활자)

Róman míle 로마 마일 《고대 로마인이 사용했던 길이 단위; 1,000파스(Roman pace), 약 1,480m》

Róman nóse 로마코, 매부리코(cf. GRECIAN NOSE)

Róman númerals 로마 숫자 《I, II, V, X, C 등》 (cf. ARABIC NUMERALS)

Ro·ma·no [roumɑ́:nou] *n.* 로마노 치즈 《이탈리아산(産) 치즈의 일종(= **~ chèese**)》

Romano- [rouméinou-, -nə] 《연결형》 「로마(Rome)의」의 뜻

Róman órder [the ~] 〖건축〗 로마 주식(柱式), 혼합 주식(Composite order)

Ro·ma·nov, -noff [róumənɔ̀:f, -nɑ̀f, roumɑ́:nəf | róumənɔ̀f] *n.* 로마노프 왕조(의 왕) 《1613-1917까지 러시아에서 군림한》

Róman péace = PAX ROMANA

Róman púnch 로만 펀치 《레몬수에 럼주·달걀 흰자위 거품 등을 섞은 음료》

Róman ríte = LATIN RITE

Róman róad (영) 로만 로드 《J. Caesar가 영국에 만든 도로; 똑바른 것이 특징; 지금도 그 자취나 명칭이 남아 있음》

Róman schóol [the ~] 로마화파(畫派) 《16-17세기에 Rome에서 Raphael 등이 이끈》

Ro·mansh, -mansch [roumǽnʃ, -mɑ́:nʃ] *n.* Ⓤ 로만시 어 《스위스 국어의 하나》 **—** *a.* 로만시 어의

‡ro·man·tic [roumǽntik] *a.* **1** 낭만적인, 공상[전기(傳奇)] 소설적인, 소설에 있음직한: a ~ love 낭만적인 사랑 **2** 공상에 잠기는; 공상적인, 몽상적인, 비실제적인, 실행하기 어려운: a ~ person[mind] 공상적인 사람[마음] **3** 신비적인, 괴기한; 영웅적인, 의협적인(heroic) **4** 열렬한 사랑의, 정사적(情事的)인, 로맨틱한: marry for ~ love 열렬한 연애 결혼을 하다 **5** 가공의, 허구의: a purely ~ story 순전히 만들어 낸 이야기 **6** [종종 **R~**] 〖문예〗 낭만주의[파]의(cf. CLASSICAL 2, REALISTIC 2)

— *n.* **1** 로맨틱한 사람; [종종 **R~**] 낭만주의자[파] **2** [보통 *pl.*] 로맨틱한 사상[특징, 요소] **-ti·cal·ly** *ad.* 공상적[낭만적]으로

ro·man·ti·cism [roumǽntəsìzm] *n.* Ⓤ **1** 낭만적임, 낭만적인 것[경향, 기분] **2** [종종 **R~**] 〖문예〗 로맨티시즘, 낭만주의 《18세기말부터 19세기 초두에 일어난 문예 사상; cf. CLASSICISM, REALISM》

-cist *n.* 낭만적인 사람, 로맨티시스트; [종종 **R~**] 낭만주의자 **ro·màn·ti·cís·tic** *a.*

ro·man·ti·cize [roumǽntəsàiz] *vt.* 공상적[낭만적]으로 하다[보다, 말하다, 묘사하다], 낭만화하다

— *vi.* 공상적[낭만적]인 생각을 가지다; 낭만적으로 그리다[행동하다] **ro·màn·ti·ci·zá·tion** *n.*

Romántic Móvement [the ~] 낭만주의 운동 《18세기 말부터 19세기 초엽에 걸쳐 유럽 각국에서 일어난 문예 운동》

romántic schóol [the ~; 종종 the R- S-] 〖문예〗 낭만파 《고전주의에 반대하여 18세기 말, 19세기 초에 일어난 Romanticism의 일파》

Róman vítriol 〖화학〗 = BLUE VITRIOL

Rom·a·ny [rɑ́məni, róum- | rɔ́m-, róum-] *n.* (*pl.* **~, -nies**) **1 a** 집시(Gypsy) **b** [the ~; 집합적] 집시 족 **2** Ⓤ 집시 어(語) **3** 짙은 보라색

— *a.* Ⓐ 집시 어의

Rómany rýe 집시와 사귀는 사람; 집시의 언어[풍속]에 정통한 사람

ro·maunt [roumɑ́:nt, -mɔ́:nt | -mɔ́:nt] *n.* (고어) 전기적(傳奇的)인 이야기, 기사 이야기

Rom. Cath. Roman Catholic **Rom. Cath. Ch.** Roman Catholic Church

‡Rome [róum] *n.* **1** 로마 《이탈리아의 수도; 고대 로마 제국의 수도》: All roads lead to ~. (속담) 모든 길은 로마로 통한다. 《같은 목적에 도달하는 데에도 여러 가지 방법이 있다》/ Do in ~ as the Romans do. (속담) 로마에서는 로마인이 하듯이 하라, 입향순속(入鄕循俗). / ~ was not built in a day. (속담) 로마는 하루에 이루어지지 않았다, 큰 일은 단시일에 되는 것이 아니다. **2** (로마) 가톨릭 교회

fiddle while ~ is burning 대사(大事)를 버려두고 안일에 빠지다 《Nero의 고사(故事)에서》 ***go over to ~*** (로마) 가톨릭교로 개종하다 ▷ Róman *a.*

Róme Béauty 롬 뷰티 《미국산(産) 대형 사과 품종》

Rom·el·dale [rɑ́məldeil | rɔ́m-] *n.* 로멜데일(종) 《미국 원산의 양》

ro·me·o [róumiòu] *n.* 고무로 만든 남성용 실내화의 일종

Ro·me·o [róumiòu] *n.* **1** 로미오 《Shakespeare작 *Romeo and Juliet*의 주인공》 **2** (*pl.* **~s**) 열렬한 애인 《남자》 **3** 문자 r을 나타내는 통신 용어

Rome·ward [róumwərd] *ad., a.* **1** (로마) 가톨릭교로(의) **2** 로마로(의)

Rome·wards [róumwərdz] *ad.* = ROMEWARD

Rom·ish [róumiʃ] *a.* (경멸) (로마) 가톨릭(교회)의 **~·ly** *ad.* **~·ness** *n.*

Rom·ma·ny [rɑ́məni | rɔ́m-] *n., a.* = ROMANY

Rom·mel [rɑ́məl | rɔ́m-] *n.* 롬멜 **Erwin ~** (1891-1944) 《나치스 독일의 육군 원수》

romp**[1] [rɑ́mp | rɔ́mp] *vi.* **1** 〈아이 등이〉 뛰어놀다, 장난치며 놀다, 희롱하며 뛰어놀다 《*around, about*》 **2** (구어) (경마·경주 등에서) 쾌주하다; 쉽게 성공하다 ***~ home = ***~ to a victory[win]*** (경마·경주 등에서) 쉽게 이기다, 낙승하다: ~ *to a* 3-1 *victory* over Giants 자이언츠에 3대 1로 낙승하다 ***~ through*** (…에) 가볍게 합격하다; 〈서류 등을〉 쉽게 처리하다

— *n.* **1** 장난하고 노는 아이, 장난꾸러기; 《특히》 말괄량이 **2** 떠들썩한 유희; 장난치며 놀기 **3** 낙승: win in a ~ 낙승하다 **~·er** *n.* **~·ing·ly** *ad.*

romp[2] *vt.* (미·속어) **1** 산산이 부수다 **2** 격투하다 **—** *n.* 싸움

romp·ers [rɑ́mpərz | rɔ́mp-] *n. pl.* 롬퍼스 《위아래가 붙은 아이들의 놀이옷》

romp·ish [rɑ́mpiʃ | rɔ́mp-] *a.* 말괄량이의, 뛰노는 **~·ly** *ad.* **~·ness** *n.*

romp·y [rɑ́mpi | rɔ́m-] *n.* = ROMPISH

Rom·u·lus [rɑ́mjuləs | rɔ́m-] *n.* 〖로마신화〗 로물루스 《로마의 건설자로서 최초의 국왕; Mars와 Rhea Silvia의 아들로 쌍둥이인 Remus와 함께 이리에게 양육됨》

ROM·ware [rɑ́mwὲər | rɔ́m-] *n.* 〖컴퓨터〗 ROM용 소프트웨어

RONA 〖회계〗 return on net assets

Ron·ald [rɑ́nld | rɔ́n-] *n.* 남자 이름 《애칭 Ron, Ronnie, Ronny》

ron·da·vel [rɑ́ndəvèl | rɔ́n-] *n.* (남아프리카의) 원형 주택 《보통 초가 지붕의》

ronde [rɑ́nd | rɔ́nd] *n.* 윤무(輪舞); 〖인쇄〗 론드체(體)

ron·deau [rɑ́ndou, -ㅡ | rɔ́n-] [F 「작은 원」의 뜻에서] *n.* (*pl.* **~x** [-z]) **1** 〖운율〗 론도체 《2개의 운(韻)으로 10행 또는 13행으로 된 단시(短詩); 시의 최초의 단어가 두 번 후렴(refrain)으로 쓰임》 **2** 〖음악〗 = RONDO

ron·del [rάndl, rαndél | rɔ́ndl] *n.* 론델체 《14행시(行詩); RONDEAU의 변형》

ron·de·let [rάndəlèt, ⌐—⌐ | rɔ́ndə-] *n.* 〖운율〗 론델렛, 소(小)론도체

ron·delle [rαndél | rɔn-] *n.* 환(丸) 글라스 《스테인드 글라스의 장식으로 사용되는 작은 원반 모양의 글라스》

ron·di·no [rαndí:nou | rɔn-] *n.* (*pl.* **~s**) 〖음악〗 짧은 론도

ron·do [rάndou, —⌐ | rɔ́n-] [It.] *n.* (*pl.* **~s**) 〖음악〗 론도, 회선곡(回旋曲) 《주선율이 여러 번 반복됨》

ron·dure [rάndʒər | rɔ́ndjuə] *n.* (문어) 원형(圓形); 구체(sphere)

Ro·ne·o [róuniòu] (영) *n.* (*pl.* **~s**) 로네오 복사기 《등사기; 상표명》(mimeograph)
— *vt.* [r~] 로네오 복사기로 복사하다

Rón·ne Íce Shèlf [róunə-] 론 빙붕(氷棚) 《남극대륙 서부 Weddell Sea 남부의 빙벽》

ron·nel [rάnl | rɔ́nl] *n.* 론넬 《살충제》

Ron·nie [rάni | rɔ́ni] *n.* 사람 이름 《Ronald, Veronica의 애칭》

Rönt·gen [réntgən, -dʒən, rʌ́nt- | rɔ́ntjən, rɔ́ntgən, rʌ́nt-] *n.* = ROENTGEN

roo, 'roo [ru:] *n.* (*pl.* **~s**) (호주·구어) = KANGAROO

rood [rú:d] *n.* **1 a** 십자가 위의 그리스도상 **b** [the ~] (고어) (그리스도가 처형된) 십자가 **2** 루드 《영국의 지적(地積) 단위; $1/4$ 에이커, 약 1,011.7 m^2》
by the* (*holy*) *R~ (고어) 십자가에 맹세코, 하느님에 맹세코, 틀림없이

róod bèam (성당 안의 성단(聖壇) 또는 성가대석 입구 위에 가로지른) 십자가 들보

róod clòth (4순절 동안) 그리스도의 십자가상을 덮는 천

róod lòft (교회의) 성단 후면의 자리

róod scrèen (교회의) 성단 후면의 칸막이

róod spìre 십자가 첨탑

***roof** [rú:f, rúf | rú:f] *n.* (*pl.* **~s**) **1** 지붕 **2** 지붕 모양의 물건; 차의 지붕: the ~ of a car 차의 지붕 / the ~ of the mouth 입 천장, 구개(口蓋) **3** 최고부, 꼭대기: the ~ of heaven 천공(天空) **4** (비유) 집, 가정 (생활): live under the same ~ with a person …와 한 지붕 아래 살다, …와 동거하다
all under one ~ 한 곳에 잡다하게 많은 ***be* (*left*) *without a ~*** 살 집이 없다 ***bring the ~ down*** (구어) (지붕이 무너지도록) 큰소리로 이야기하다, 떠들썩하다 ***fall off the ~*** (미·속어) 생리가 시작하다 ***full to the ~*** 지붕까지, 한 방 가득히 ***have a* [*no*] *~ over one's head*** (구어) 거처할 집이 있다[없다] ***hit* [*go through*] *the ~*** (구어) 벌컥[단단히] 화내다, 화가 나서 길길이 뛰다; 〈물가 등이〉 최고 한도까지 오르다[를 넘어서다] ***leave the parental ~*** 부모 슬하를 떠나다 ***raise the ~*** (구어) 떠들썩하다 《갈채·노여움·축하 등으로》; 큰소리로 불평하다 ***the ~ of the world*** 세계의 지붕 《Pamir 고원》; 대단히 높은 고원 ***under a person's ~*** …의 집에 유숙하고, …의 신세를 지고
— *vt.* **1** …에 지붕을 이다, 지붕을 해 덮다: (~+목+부) (~+목+전+명) The shed was *~ed over with* tin. 그 오두막은 지붕이 함석으로 되어 있었다. **2** 〈빈 터를〉 지붕으로[처럼] 덮다 《*in*》 **3** 집안에 들이다; 보호하다 **~·age** [-idʒ] *n.* = ROOFING **~·like** *a.*

roofs *n.* **1** 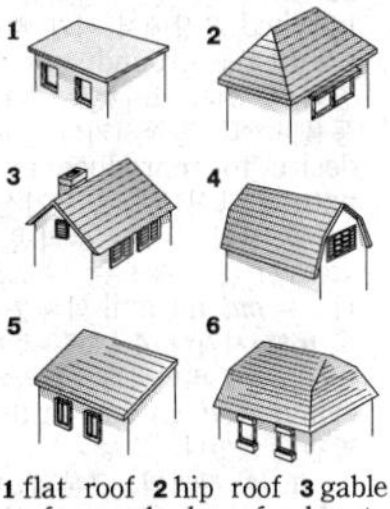
1 flat roof 2 hip roof 3 gable roof 4 gambrel roof 5 lean-to roof 6 mansard roof

roof·board [rú:fbɔ̀:rd, rúf- | rú:f-] *n.* (기와 밑에 까는) 지붕널

roofed [rú:ft, rúft | rú:ft] *a.* **1** 지붕이 있는: a ~ wagon 유개(有蓋) 화차 **2** [보통 복합어를 이루어] …으로 지붕을 한: flat-~ 편편한 지붕의 / thatch-~ 초가지붕의

roof·er [rú:fər, rúf- | rú:f-] *n.* **1** 지붕 이는 사람 [재료] **2** (영·구어) 향응(饗應)에 대한 감사의 편지 (Collins)

róof gàrden 1 옥상 정원 **2** (미) 옥상 레스토랑
from the ~s 공공연히, 널리

roof·guard [rú:fgὰ:rd, rúf- | rú:f-] *n.* 지붕의 눈(雪) 미끄럼막이

roof·ies [rú:fiz] *n. pl.* (미·속어) 루피스 《의식을 잃게 하는 불법 진정제; 성범죄에 이용》

roof·ing [rú:fiŋ, rúf- | rú:f-] *n.* **1** Ⓤ 지붕이기; 지붕 이는 재료 **2** 지붕; (비유) 보호
— *a.* 지붕 이는 데 쓰는

róofing nàil (지붕의) 루핑 못

roof·less [rú:flis, rúf- | rú:f-] *a.* **1** 지붕이 없는 **2** 집 없는

roof·line [rú:flàin, rúf- | rú:f-] *n.* 지붕선, 지붕 윤곽

roof·plate [rú:fplèit] *n.* 지붕 이는 널

róof ràck (영) 루프 랙 《자동차의 지붕 위 짐받이》

róof ràt 〖동물〗 이집트 쥐

roof·top [-tὰp | -tɔ̀p] *n.* 지붕, 옥상 ***from the ~s*** 공공연히, 널리 — *a.* Ⓐ 옥상의, 옥상에 있는: a ~ restaurant 옥상 레스토랑

roof·tree [-trì:] *n.* **1** 마룻대 **2** 지붕(roof): under the ~ 집에서 **3** 주거, 집; 가정

rooi·bos [rɔ́ibɔ:s] *n.* Ⓤ 〖식물〗 루이보스 《남아프리카산(産) 차나무의 일종》

róoibos tèa 루이보스 차(茶)

rook[1] [rúk] *n.* **1** 〖조류〗 당까마귀 **2** 부당한 대금을 청구하는 사람; 야바위꾼, 타짜꾼
— *vt.* 〖카드〗 협잡하다; 손님들에게 바가지를 씌우다: be *~ed* 사기 당하다, 속다 / ~ a person of a person's money 속여서 …의 돈을 빼앗다

rook[2] *n.* 〖체스〗 루크, 성장(城將)(castle) 《체스의 말의 하나로 한국 장기의 차(車)에 해당; 略 R》

rook·er·y [rúkəri] *n.* (*pl.* **-er·ies**) **1** 당까마귀가 떼지어 사는 곳; 당까마귀 떼 **2** 바다표범[물개, 펭귄]의 서식지; 그런 동물의 군서(群棲) **3** (주로 미·고어) 공동 주택; 빈민굴(slum) **4** 같은 형편[처지]의 사람들의 집단[모임]

rook·ie, rook·ey [rúki] *n.* (구어) **1** 신병, 새 징모병; 풋내기, 초심자: a ~ reporter 신참 기자 **2** (미) 〖야구〗 (프로 팀 등의) 풋내기[신인] 선수

rook·y[1] [rúki] *a.* (**rook·i·er**; **-i·est**) 당까마귀가 사는[많은]

rooky[2] *n.* (구어) = ROOKIE

***room** [rú:m, rúm] *n., v.*

「공간」 ─┬「장소」→(집안의 장소)→「방」 **1**
　　　　 └「여유」, 「여지」 **4 b**

— *n.* **1** 방, 실(室): a dining ~ 식당 **2** [*pl.*] (영) (한 조(組)의) 방, 하숙방, 셋방: take *~s* 방을 빌리다 **3** [보통 the ~; 집합적] 실내의 사람들 **4** Ⓤ **a** (사람·물건 등이 차지하는) **장소**; 빈 장소: (~+*to* do) There was no ~ *to* turn in. 누울 자리도 없었다. **b** 여지, 여유, 기회 (*for*): ~ *for* doubt 의심의 여지 **5** 수용(능)력(capacity): have no ~ for linguistics 언어학에 재능이 없다
give ~ 물러가다; 물러나서 …에게 기회를 주다 《*to*》 ***in* a person's *~* = *in the ~ of* a person** (고어) …대신에 ***leave ~ for*** …의 여지를 남겨 두다 ***leave the ~*** (구어) 화장실에 가다 ***live in ~s*** 하숙 생활을 하다 ***make ~*** 장소를 내주다, 자리를 양보하다, 길을 비켜주다 《*for*》 ***no more ~s*** (미·속어) 〈사람·연주

등이〉 더 이상 없는, 최고인 ***no*** [***not*** (***enough***)] ***~ to swing a cat*** (***in***) 몹시 비좁은 ***~ and to spare*** 충분한 여지[장소] ***~ for rent*** [종종 호칭으로] (미·구어) 바보, 골빈 놈 (뇌가 있을 곳이 비어 있어서 임대할 수 있다는 의미) ***~ of reconciliation*** 〖가톨릭〗 고백실 ***take up ~*** 장소를 잡다[차지하다] ***would rather have*** a person***'s ~ than his company*** …은 (있는 것보다는) 없는 편이 낫다

— *vi.* (미) **1** 방을 함께 차지하다, 동거하다 (*together*): (~+副) The students ~ *together* in the dormitory. 학생들은 기숙사에 함께 살고 있다. **2** (남과) 동숙[합숙]하다 (*with*); (장소에) 묵다, 유숙하다, 하숙하다 (*at*): (~+前+名) I used to ~ *with* my friend in London. 런던에서 나는 친구와 함께 하숙하고 있었다.

— *vt.* (미) 〈손님을〉 재우다, 〈하숙인에게〉 방을 빌려주다; 〈손님 등을〉 방으로 안내하다[묵게 하다] ***~ in*** 〈점원 등이 근무처에서〉 숙식하며 일하다 ▷ róomy *a.*

róom and bóard 식사를 제공하는 하숙(lodging and meals); 식사를 포함한 숙박 요금

róom clèrk (호텔의) 객실 담당원

róom divìder (방의) 칸막이 가구

roomed [rú:md, rúmd] *a.* [보통 복합어를 이루어] …의 방이 있는: a three-~ house 방 세 개짜리 집

room·er [rú:mər, rúm-] *n.* (미) 셋방 든 사람; (특히 방만 빌리고 식사는 하지 않는) 유숙자(lodger)

room·ette [ru:mét, rum-] *n.* (미) 〖철도〗 루멧 (침대차의 1인실; 세면소·화장실·침대가 딸려 있음)

room·ful [rú:mfùl, rúm-] *n.* **1** 방 하나 가득 **2** [집합적] **a** 만장의[열석한] 사람들 **b** 방에 가득 찬 것[물품]

room·ie [rú:mi, rúmi] *n.* (미·구어) = ROOMMATE

róom·ing hòuse [rú:miŋ-, rúm-] (미) 하숙집 ((영) lodging house)

room·ing-in [-ín] *n.* (*pl.* **~s**) 모자 동실(同室) (병원에서 갓난애를 어머니와 같은 방에 두기)

room·mate [rú:mmèit, rúm-] *n.* 동숙인, 동거인, 한방 친구

róom sèrvice **1** 룸 서비스 (호텔·하숙 등에서 방으로 식사를 날라다 주는) **2** [집합적] 룸 서비스 담당자 (호텔 등의)

róom tèmperature (통상의) 실내 온도 (20℃ 정도)

room·y [rú:mi, rúmi] *a.* (**room·i·er**; **-i·est**) 넓은, 널찍한(spacious): a ~ mansion 넓은 저택
róom·i·ly *ad.* **róom·i·ness** *n.*

roor·back, -bach [rúərbæ̀k] *n.* (미) (선거 전의 정적(政敵)에의) 중상, 모략적 선전

Roo·se·velt [róuzəvèlt] *n.* 루스벨트 **1 Theodore ~** (1858-1919) (미국의 제26대 대통령(1901-09); 노벨 평화상 수상(1906)) **2 Franklin Delano ~** (1882-1945) (Theodore의 조카; 제32대 대통령 (1933-45); 뉴딜(the New Deal) 정책을 수행; 略 F.D.R.)

Roo·se·velt·i·an [ròuzəvéltiən] *a.* 루스벨트주의의, 루스벨트의 정책을 지지하는

*__roost__ [rú:st] *n.* **1** (가금(家禽), 특히 닭의) 홰; (새들의) 보금자리; 닭장 **2** 홰에 앉은 한 떼의 새 **3** (비유) 쉬는 곳; 침실, 잠자리; 숙소
at ~ (1) 홰에 앉아서 (2) 잠자리에 들어서, 잠자고 ***come home*** [***back***] ***to ~*** 〈나쁜 일이〉 본 자리[상태]에 돌아오다: Curses(, like chickens,) *come home to* ~. (속담) 남을 저주하면 제게 화가 돌아온다, 누워서 침뱉기. ***go to ~*** (1) 〈새가〉 잠자리에 들다 (2) (구어) 〈사람이〉 자다 ***rule the ~*** 〈사람이〉 가정 (등)을 좌지우지하다, 지배하다, 쥐고 흔들다(cf. ROAST *n.*)

— *vi.* **1** 홰에 앉다, 잠자리에 들다 **2** 자리에 눕다; 유숙하다, (특히) 하룻밤을 보내다 **3** (속어) 〈사람이〉 (높은 의자 등에) 착석하다

— *vt.* 휴식소를 마련해 주다

*__roost·er__ [rú:stər] *n.* (미) 수탉(cock); (구어) 잘난 체하는 사람

roost·er·fish [rú:stərfìʃ] *n.* 〖어류〗 (북미 태평양 연안산(産)의) 전갱이

róoster tàil (고속선(船)·자동차 등이 일으키는) 높이 이는 물보라[흙먼지]

‡**root**[1] [ru:t, rút | rú:t] *n.* **1 a** [종종 *pl.*] (식물의) 뿌리; 땅밑줄기: tree ~*s* 나무의 뿌리 / deep spreading ~*s* 땅속 깊이 뻗어 있는 뿌리 **b** [*pl.*] (영) 근채류(根菜類); 초목: ~ ginger 뿌리 생강 **2 a** (혀·이·손가락·손톱 등의) 뿌리 (부분); (수정·보석·에메랄드 등의) 뿌리 (암석에 붙은 불투명한 부분) **b** 밑바닥; 근저(根底); 기슭: the ~ of a hill 언덕 기슭 **3** [보통 the ~] **근원**, 본원, 기원; 핵심; 기초: *the* ~ of the matter 사물의 근저, 본질적 부분 / Money is the ~ of all evil. 돈은 모든 악의 근원이다. **4 a** [*pl.*] (사람과 토지·습관 등과의) 결합; (정신적) 고향 **b** 시조, 조상 **c** 〖성서〗 자손 **5** 〖언어〗 어근(etymon); 〖수학〗 근(根), 근수(根數) (radical) (부호 √); 〖음악〗 근음(根音), 기음(基音), 밑음 **6** 〖문법〗 기체(基體)(base); 원형(= ~ fòrm)
at (***the***) ***~*** 근본은, 본질적으로는 ***by the ~*** (***s***) 뿌리째, 송두리째; 근본적으로. pull[dig, pluck] up *by the* ~(s) 뿌리뽑다, 근절시키다 ***cubic*** [***square***] ***~*** 〖수학〗 입방[평방]근 ***get at*** [***go to***] ***the ~ of*** …의 근본을 밝히다, 사물의 진상을 규명하다 ***have ~s*** 정착하다, 뿌리박다 ***lay the ax to the ~ of*** ⇨ ax. ***lie at the ~ of*** …의 근본을 이루다, …의 원인이다 ***pull up*** one***'s ~s*** (마지못해) 정착지를 떠나다 ***put down ~s*** 뿌리를 내리다; (집을 마련하여) 자리잡다: *put down* (new) ~*s* in the countryside 시골에 자리잡다 ***~ and all*** 뿌리째, 몽땅 ***~ and branch*** 완전히, 철저히 ***take*** [***strike***] ***~*** 뿌리를 박다; 〈사상 등이〉 정착하다 ***to the ~*** (***s***) 근본적으로, 철저히(completely)

— *vt.* **1 a** 뿌리박게 하다, 뿌리 깊이 심다; 〈공포 등이 사람을 뿌리 박힌 것처럼〉 꼼짝 못하게 하다(⇨ rooted 3) (*to*): (~+目+前+名) ~ the seeds *in* a hot bed 온상에서 씨가 뿌리박게 하다 / Terror ~*ed* me *to* the ground[spot]. 무서워서 나는 그 자리에서 꼼짝 못했다. **b** [종종 수동형으로] 〈생각·주의(主義) 등을 …에〉 정착시키다 (*in*): (~+目+前+名) The desire to reproduce *is* deeply ~*ed in* human nature. 생식 본능은 인간성에 깊이 뿌리박혀 있다. **2** 〈식물·사상 등을〉 뿌리뽑다, 근절하다 (*out, up, away*): (~+目+副) ~ *up* weeds 잡초를 뿌리째 뽑다 / ~ *out* an evil 악폐를 근절하다 **3** …을 완전히 곤혹(困惑)시키다 **4** (호주·속어) 성교하다

— *vi.* **1** 뿌리박다; 정착하다 **2** 기원되다 (*in*): A crime ~*ed in* his pride. 그 범죄는 그의 자존심이 발단이 되었다.

— *a.* Ⓐ 뿌리의; 근본의: the ~ cause 근본 원인
~·like *a.* ▷ róoty[1], róotless *a.*; róotage *n.*

root[2] *vi.* **1** 〈돼지 등이〉 코로 땅을 파서 먹을 것을 찾다 (*about, around*) **2** (…속을 온통 뒤져서) 찾다, 찾아내다 (*about, around*; *in, among*): (~+副) (~+前+名) He was ~*ing about among* the piles of papers[*in* the drawer]. 그는 서류 더미를 헤집으며[서랍 속을 헤적이며] 무언가를 찾고 있었다. **3** (미·구어) (돼지처럼) 게걸스럽게 먹다

— *vt.* **1** 〈돼지가〉 코로 파헤집어 먹을 것을 찾다 (*up, out*): (~+目+副) The pigs were ~*ing up* the garden. 돼지들이 코로 뜰을 파헤치며 먹을 것을 찾고 있었다. **2** 〈물건을〉 헤집어 찾다; 〈남에게〉 〈물건을〉 찾아주다; 밝혀내다, 폭로하다: ~ out the truth 진실을 찾아내다

root[3] *vi.* (미·구어) **1** (팀 등을) 응원하다, 성원(聲援)하다(cheer) (*for*): (~+前+名) The students were ~*ing for* their team. 학생들은 자기네 팀을 응원하고 있었다. **2** (정신적으로) 지지하다, 격려하다 (*for*) — *n.* = ROOTER[2]

root·age [rú:tidʒ, rút- | rú:t-] *n.* ⓤⓒ **1** 뿌리 내림; 정착 **2** 뿌리 (한 식물의 뿌리 전체) **3** 근원, 기원; 원인

róot bèer (미) 루트 비어 (사르사파릴라(Sarsaparilla) 뿌리·사사프라스(Sassafras)뿌리 등의 즙에 이스트를 넣어서 만든 음료; 알코올 성분이 거의 없음)

root-bound [-bàund] *a.* **1** 〚원예〛 뿌리를 잘 내린 **2** 오래 살던 곳을 떠나려 하지 않는, 뿌리박은

róot canàl (치아의) 근관(根管)(=**púlp ~**)

róot canàl thèrapy (치아의) 근관 치료법 (치수(齒髓)를 빼내 치근(근관)을 성형·멸균한 후, 근관 충진재를 채워 넣는 치료법)

róot càp 〚식물〛 근관(根冠) (뿌리의 맨 끝)

róot cèllar (근채 작물·야채를 저장하는) 지하 저장실

róot clìmber 〚식물〛 반연근(攀緣根) 식물

róot cròp 근채류(根菜類), 근채 작물 (뿌리를 먹는 무·감자 등)

róot dirèctory 〚컴퓨터〛 루트 (자료)방

róot division 뿌리 나누기

***root·ed** [rú:tid, rút- | rú:t-] *a.* **1** 〈식물이〉 뿌리박은; 뿌리 있는; 〚해부〛 〈이(齒) 따위가〉 뿌리를 박고 붙어 있는 **2** 〈사상·습관 등이〉 뿌리 깊은, 정착한: a deep-~ belief 뿌리 깊은 신앙 **3** ⓟ (공포 등으로 그 자리에 뿌리 박힌 듯) 움직이지 못하는 (*to*): He stood ~ *to* the spot. 그는 그 자리에 꼼짝 못하고 서 있었다. **~·ly** *ad.* **~·ness** *n.*

root·er[1] [rú:tər, rút- | rú:t-] *n.* 코로 땅을 파는 동물 (돼지 등)

rooter[2] *n.* (미·구어) 응원자 (특히 열광적인)

root·faced [rú:tfèist] *a.* (호주·속어) 잔뜩 찌푸린 얼굴의

róot gràft 〚원예〛 뿌리접

róot hàir 〚식물〛 뿌리털, 근모(根毛)

root·hold [rú:thòuld] *n.* 뿌리 내림이 좋은 토지

root·in'-toot·in' [rú:tintú:tin] *a.* (미·구어) 홍청대는, 떠들석한; 흥분시키는, 자극적인

róot knòt 〚식물〛 근류 선충병(根瘤線蟲病)

roo·tle [rú:tl] *v.* (영) =ROOT[2]

root·less [rú:tlis, rút- | rú:t-] *a.* **1** 뿌리없는 **2** 사회적으로 바탕이 없는; 불안정한 **~·ly** *ad.* **~·ness** *n.*

root·let [rú:tlit, rút- | rú:t-] *n.* 〚식물〛 작은 뿌리; 지근(支根)

róot méan squáre 〚수학〛 제곱 평균

róot nòdule (콩과(科) 식물의) 근류(根瘤), 뿌리혹

róot prèssure 〚식물〛 근압(根壓) (뿌리 조직내 세포의 침투압)

róot ròt 〚식물·병리〛 뿌리가 썩는 병

róot sìgn 〚수학〛 =RADICAL SIGN

root·stalk [-stɔ̀:k] *n.* 〚식물〛 근경(根莖)

root·stock [-stɑ̀k | -stɔ̀k] *n.* **1** 〚식물〛 뿌리 줄기, 근경(根莖) **2** 〚원예〛 꺾꽂이의 대목(臺木) **3** 근원, 기원

roots·y [rú:tsi] *a.* (음악이) 민족적인(ethnic)

róot vègetable =ROOT CROP

root·y[1] [rú:ti, rúti | rú:ti] *a.* (**root·i·er**; **-i·est**) **1** 뿌리가 많은 **2** 뿌리 모양의 **3** (미·속어) 성적으로 흥분한, 발정한

rooty[2] *n.* ⓤ (영·군대속어) 빵(bread)

R.O.P. run-of-paper 발행인이 지정하는 광고 지면

rop·a·ble, rope- [róupəbl] *a.* rope로 묶을 수 있는; (호주·구어) 성이 난; 〈말이〉 사나운

‡**rope** [róup] *n.* **1** 새끼, 밧줄, 로프, 끈(cf. CABLE, CORD): pay out ~ 로프를 풀어내다 / Name not a ~ in his house that hanged himself. (속담) 목매단 집에서 새끼줄 이야기는 꺼내지 마라, 환자 앞에서 죽음 이야기는 하지 마라. **2** 올가미줄; 측량줄, 로프 (척도(尺度)의 이름, 20ft.); 〚건축〛 새끼 장식 **3** [*pl.*] (권투장 등의) 링줄; 새끼 울을 친 곳 **4** [the ~] 교수(絞首)용 밧줄; 교수형; 줄타기용 줄: get *the* ~ 〈판결이〉 교수형이 되다 **5** 한 엮음: a ~ of onions 한 두름의 양파 **6** (포도주·엿 등에 생기는) 실 모양의 점질물(粘質物) **7** [the ~s] (속어) 비결, 요령(knack): know *the* ~*s* 일의 요령을 알고 있다; 세상 일에 통달하다 **8** (미·속어) 여송연

a ~ of sand 박약한[실제의 힘이 없는] 유대[의지물], 의지할 수 없는 것 ***be at*** [***come to***] ***the end of*** one***'s ~*** 백계무책이다, 진퇴유곡에 빠지다 ***be outside the ~s*** (속어) 요령을 모르다, 문외한이다 ***dance on a ~*** ⇨ dance. ***give*** a person ***enough*** [***plenty of***] ***~ to hang*** him***self*** 제멋대로 하고 싶은 일을 시켜두다 ***jump*** [***skip***] ***~*** 줄넘기 하다 ***know*** [***learn***] ***the ~s*** …에 대해 잘 알다[배우다]; 요령을 잘 알다[배우다] ***on the*** [one***'s***] ***high ~s*** 득의만면하여; 거만하게 ***on the ~*** 〈등산가가〉 서로 밧줄로 몸을 연결하여 ***on the ~s*** (권투장의) 링 줄을 붙잡고, 링에 몰려; (속어) 궁지에 몰려, 난처해져서 ***put*** a person ***up to the ~s*** = ***show*** a person ***the ~s*** …에게 요령을 가르치다 One***'s ~ is out.*** 진퇴유곡이다, 운이 다 되었다.

— *vt.* **1** 밧줄로 묶다 (*up*, *together*); 〈등산가 등이〉 밧줄로 엮어매다, 밧줄에 매어 달다: (~+목+부) (~+목+전+명) The climbers were ~*d together* [~*d to* one another]. 등산가들은 로프로 서로 이어 매고 있었다. **2** 밧줄로 울을 치다[구획하다], 줄을 치다 (*in*, *out*, *round*); 밧줄을 쳐서 격리하다[출입 금지로 하다]: (~+목+부) They had ~*d off* part of the meadow. 그 목초지의 일부는 밧줄로 구획이 쳐져 있었다. **3** (미·호주) 〈말·소 등을〉 밧줄로 잡다; 올가미로 잡다(lasso) **4** (영) 〚경마〛 이기지 못하도록 〈말을〉 억제하다 **5** (구어) 꾀어들이다, 추기고 꾀다 (*in*)

— *vi.* **1** 끈적끈적해지다, 실[밧줄]같이 되다: Some candy is cooked till it ~*s*. 캔디에는 끈적끈적한 실이 나도록 조려서 만드는 것이 있다. **2** 〈등산가들이〉 밧줄로 몸을 서로 이어매다 (*up*); 〈등산가가〉 로프를 써서 올라가다[내려가다, 등산하다] **3** (영) 〚경마〛 (말을) 이기지 못하도록 억제하다, 〈경기자가〉 (지려고) 고의로 전력을 기울이지 않다

~ a person ***into*** do***ing*** …하도록 꾀다, 꼬드겨 …하게 하다 **~** a thing ***off*** 차단하다, 출입 금지시키다 **~ *in*** 〈장소를〉 밧줄로 두르다; (구어) 〈남을 한패로〉 꾀어들이다, (추기어) 한패에 끼게 하다 **~·lìke** *a.*

▷ rópy *a.*

rope·danc·er [róupdæ̀nsər | -dɑ̀:ns-] *n.* 줄타기 곡예사

rope·danc·ing [-dæ̀nsiŋ | -dɑ̀:ns-] *n.* ⓤ 줄타기 (재주)

rópe làdder (밧)줄사다리

rope·mak·ing [-mèikiŋ] *n.* 밧줄 제조, 제망(법)

rope·man·ship [róupmənʃìp] *n.* 줄타기 곡예

rop·er [róupər] *n.* 밧줄 만드는 사람; 〈소·말을〉 로프로 붙잡는 사람

rop·er·y [róupəri] *n.* (*pl.* **-er·ies**) =ROPEWALK

rópe's ènd (형벌용) 밧줄 채찍; 교수(絞首)용 밧줄

rópe tòw 로프토 (스키어들이 잡고 슬로프 위로 오르는 회전 로프)

rope·walk [róupwɔ̀:k] *n.* 새끼 공장

rope·walk·er [-wɔ̀:kər] *n.* 줄타기 곡예사

rope-walk·ing [-wɔ̀:kiŋ] *n.* ⓤ 줄타기

rope·way [-wèi] *n.* (화물 운송용) 삭도(索道)(cableway)

rope·work [-wə̀:rk] *n.* **1** 새끼[로프] 공장 **2** 로프 제작법, 새끼 꼬는 법; 로프 사용법

rop·ey [róupi] *a.* =ROPY

rópe yàrd 새끼[로프] 공장(rope walk)

rópe yàrn **1** 밧줄 만드는 가는 줄 **2** 보잘것없는 것, 하찮은 일(trifle)

rop·ing [róupiŋ] *n.* ⓤ **1** rope 만들기, 새끼 꼬기 **2** 새끼줄붙이, 밧줄로 된 도구(cordage)

rop·y [róupi] *a.* (**rop·i·er**; **-i·est**) **1** 로프 같은 **2** 끈적끈적하는, 점착성의 **3** (영·구어) 품질이 나쁜; 나쁜 상태의 **róp·i·ly** *ad.* **róp·i·ness** *n.*

roque [róuk] *n.* ⓤ (미) 로크 (크로케(croquet) 비슷한 구기(球技))

Roque·fort [róukfərt | rɔ́kfɔː] [남프랑스의 산지 이름에서] *n.* 로크포르 치즈(=~ **chéese**) ((진한 양젖 치즈; 상표명))

ro·que·laure [rɑ́kəlɔ̀ːr, róuk- | rɔ́k-] [F] *n.* 로클로르 ((18세기의 무릎까지 오는 남자 외투))

ro·quet [roukéi | róuki] 〖크로케〗 *vt., vi.* 자기의 공을 〈상대방의 공에〉 맞히다; 〈자기의 공이〉 상대방의 공에 맞다 **—** *n.* UC 공을 맞힘, 공이 맞음

ro·ric [rɔ́ːrik] *a.* 이슬의[에 관한]; 이슬에 젖은

ro-ro [róurou] *n.* =ROLL-ON/ROLL-OFF

ró-ro shìp 로로선 ((화물을 적재한 트럭·트레일러를 수송하는 화물선))

ror·qual [rɔ́ːrkwəl] *n.* 〖동물〗 긴수염고래(finback)

Rór·schach tèst [rɔ́ːrʃɑːk-] 〖심리〗 로르샤흐 테스트 ((잉크의 얼룩 같은 무의미한 무늬를 해석시켜 사람의 성격 등을 알아내는 검사))

rort [rɔ́ːrt] ((호주·속어)) *n.* **1** 야단법석, 시끄러운 파티 **2** 계략, 사기 **—** *vt.* (자기 이익을 위해) 계략을 꾸미다, 남을 속이다

ror·ty [rɔ́ːrti], **raugh·ty** [rɔ́ːti] *a.* (**-ti·er**; **-ti·est**) ((영·속어)) 유쾌한, 명랑한: We had a ~ time. 잘 놀았다.

ROS road only storage 〖컴퓨터〗 읽기 전용 기억 장치; run of schedule time 〖방송〗 광고주가 아니라 방송국측에서 시간을 골라 CM을 방송하는 방식

Ro·sa [róuzə] *n.* **Monte** ~ 몬테로사 ((이탈리아와 스위스 국경에 있는 Pennine Alps의 산))

ro·sace [rouzéis, -zɑ́ːs | róuzeis] *n.* 〖건축〗 **1** 장미꽃 모양의 장식; 장미꽃 모양의 의장(意匠) **2** 장미꽃 모양의 창문

ro·sa·ce·a [rouzéiʃiə] *n.* 〖병리〗 빨간 코, 주사비(酒皶鼻) ((코·이마·볼에 생기는 만성 피지선 염증))

ro·sa·ceous [rouzéiʃəs] *a.* **1** 〖식물〗 장미과(科)의[에 관한] **2** 장미 같은, 장미꽃 모양의; 장밋빛의

Ro·sa·lia [rouzéiliə], **Ro·sa·lie** [róuzəli, rɑ́z- | róuz-, rɔ́z-], **Ros·a·lind** [rɑ́zəlind, róuz- | rɔ́z-], **Ros·a·line** [róuzəlìːn], **Ros·a·mond, Ros·a·mund** [rɑ́zəmənd, róuz- | rɔ́z-] *n.* 여자 이름

ros·an·i·line [rouzǽnəlin, -làin | -lìːn, -lin] *n.* U 〖화학〗 로자닐린 ((적색 염기성 염료))

ro·sar·i·an [rouzέəriən] *n.* **1** 장미 재배자 **2** [**R~**] 〖가톨릭〗 로사리오회(會) 회원

ro·sar·i·um [rouzέəriəm] *n.* (*pl.* **~s, -i·a** [-iə]) 장미 꽃밭, 장미 화원

ro·sa·ry [róuzəri] *n.* (*pl.* **-ries**) **1** [종종 **R~**] 로사리오의 기도(서) **2** 〖가톨릭〗 로사리오 ((로사리오 기도에 사용하는 묵주)) **3** 장미 꽃밭, 장미 화단[화원]

rosary 2

Ros·ci·an [rɑ́ʃiən | rɔ́ʃ-] *a.* 연기의, 명연기의, 명배우의

Ros·ci·us [rɑ́ʃiəs | rɔ́ʃ-] *n.* 로스키우스 **Quintus** ~ (126?-62 B.C.) ((고대 로마의 명배우)); 명배우

ros·coe [rɑ́skou | rɔ́s-] *n.* ((미·속어)) 권총, 연발권총

Ros·coe [rɑ́skou | rɔ́s-] *n.* 남자 이름

‡**rose**[1] [róuz] *n.* **1** 〖식물〗 **장미,** 장미과(科) 식물; 장미꽃: a wild ~ 야생 장미/(as) red as a ~ 매우 붉은/A ~ by any other name would smell as sweet. ((속담)) 장미의 이름이 장미가 아니라도 향기롭기는 매한가지다. ((이름 따위는 아무래도 좋다, 실체가 문제이다))/No ~[There's no ~] without a thorn. =Every ~ has its thorn. ((속담)) 가시 없는 장미는 없다, 세상에 완전한 행복은 없다. **2 a** U 장밋빛, 담홍색 **b** [*pl.*] 장밋빛 안색 **c** 장미 향기; 장미 향료 **3** [the ~] 가장 아름다운[인기 있는] 여인, 명화(名花) **4** 안락, 유쾌 **5** 장미 모양, 장미 무늬; (물뿌리개의) 꼭지 **6** =ROSETTE **7** [the ~] ((구어)) 〖의학〗 단독(丹毒) **8** 〖보석〗 로즈커트(의 보석)(rose cut)

(*a*) ***bed of ~s*** ⇨ bed. ***a blue ~*** 있을 수 없는 것, 안될 말 ***a path strewn with ~s*** 환락 생활, 호사스런 생활 ***be not all ~s*** = ***be not ~s all the way*** 편안하기만 하지는 않다 ***come up ~s*** ((구어)) 성공하다, 잘되어 나가다 ***gather*** (***life's***) ***~s*** (인생의) 환락을 좇다 ***put ~s in*** a person'***s cheeks*** ((영·구어)) 건강해 보이도록 하다 ***~s all the way*** ((구어)) 행복한, 괴로움이 없는 ***the Alpine ~*** 〖식물〗 석남(石南) ***the ~ of May*** 〖식물〗 백수선(白水仙) ***the Wars of the R~s*** 〖영국사〗 장미 전쟁 ((1455-85; Lancaster 가문(붉은 장미)과 York 가문(백장미)과의 왕위(王位) 다툼)) ***the white ~ of virginity*** [***innocence***] 백장미와 같은 순결[결백] ***under the ~*** ((문어)) 은밀히(in secret), 남몰래(confidentially) ((옛날에는 장미가 비밀의 상징; cf. SUB ROSA))

— *a.* 장밋빛의, 담홍색의; 장미의; 장미향이 나는

— *vt.* **1** 장밋빛으로 하다; 장미 향기를 풍기게 하다 **2** 〈얼굴을〉 붉히다 ((운동·흥분 등으로)) **3** 〈양털 등을〉 장밋빛으로 물들이다 **~·like** *a.* ▷ rósy *a.*

‡**rose**[2] [róuz] *v.* RISE의 과거

Rose [róuz] *n.* 여자 이름

ro·sé [rouzéi | ⌐⌐] [F 「핑크색의」의 뜻에서] *n.* UC 로제(와인) ((엷은 장밋빛 포도주))

róse acàcia 〖식물〗 꽃아카시아 ((북미 남부산(産)))

ro·se·ate [róuziət, -zièit] *a.* ((문어)) **1** 장밋빛의(rosy): a ~ dawn 장밋빛 새벽 **2** 행복한; 낙관적인: a ~ future 장밋빛 미래 **~·ly** *ad.*

Ro·seau [rouzóu] *n.* 로조 ((도미니카 연방의 수도))

rose·bay [róuzbèi] *n.* 〖식물〗 협죽도(夾竹桃)속(屬); 석남(石南); ((영)) 버들잎바늘꽃

róse bèetle 〖곤충〗 장미풍뎅이 ((장미를 해침))

róse bòwl **1** 장미 꽃꽂이용 유리분 **2** [the R- B-] 로즈 볼 ((Los Angeles에 있는 스타디움; 그곳에서 매년 1월 1일에 거행되는 대학 대항 미식 축구 경기))

***rose·bud** [róuzbʌ̀d] *n.* **1 장미꽃 봉오리** **2** 묘령의 (아름다운) 소녀; ((미)) 처음으로 사교계에 나오는 소녀 **3** ((속어)) 항문(anus) ((주로 남성 동성애자의 용어))

rose·bush [-bùʃ] *n.* 장미 나무; 장미 덤불

róse còld 〖병리〗 화분병, 장미열 ((장미 꽃가루 때문에 생기는 알레르기 증상))

róse còlor **1** 장밋빛 **2** 유망성, 호황(好況) ***seem all ~*** 만사가 유망해 보이다

rose-col·ored [-kʌ̀lərd] *a.* **1** 장밋빛의 **2** 밝은, 유망한, 쾌활한 **3** 낙관적인 ***see things through ~ spectacles*** [***glasses***] 사물을 낙관적으로 보다 ***take a ~ view*** 낙관하다

róse-colored glásses 낙관적 견해, 낙관시

róse cùt 〖보석〗 로즈형, 로즈 커트, 로즈 커트 다이아몬드(rose[1], rose diamond) **róse-cùt** *a.*

róse dìamond 로즈형[24면] 다이아몬드

rose·drop [-drɑ̀p | -drɔ̀p] *n.* 〖의학〗 비사증(鼻皶症), 비홍증(鼻紅症); 주부코 ((음주가의 붉은 코))

róse fèver =ROSE COLD

róse gàrden **1** [the R- G-] ((미)) 로즈 가든 ((White House의 정원)) **2** 장미 화원 **3** ((비유)) 안락한 생활 **4** ((미·속어)) 움직일 수 없는 환자 모임 ((뇌졸중 환자 등의))

róse gerànium 〖식물〗 아욱과(科)의 관목 ((남아프리카 남부산(産)))

róse hìp 들장미[장미] 열매

rose·leaf [-lìːf] *n.* (*pl.* **-leaves** [-lìːvz]) 장미꽃잎; 장미잎 ***a crumpled ~*** 한창 행복할 때 일어나는 사소한 괴로움[걱정거리, 장해]

rose-lipped [-lìpt] *a.* 입술이 붉은

ro·se·ma·ling [róuzəmɑ̀ːliŋ] *n.* 노르웨이풍의 가구·목제품 등의 장식 작품 ((노르웨이 민족에 기원을 둔 꽃의 도안·모양·조각으로 장식되어 있음))

róse màllow 〖식물〗 **1** 무궁화과(科)의 식물 **2** 촉규화(蜀葵花), 접시꽃

rose·mar·y [róuzmὲəri, -məri | -məri] *n.* (*pl.* **-mar·ies**) **1** 〖식물〗 로즈메리 《상록 관목으로 충실·정조·기억의 상징》 **2** Ⓤ [집합적] 로즈메리의 잎 《조미료·향료용》

Rose·mar·y [róuzmὲəri, -məri | -məri] *n.* 여자 이름

róse mòss 〖식물〗 채송화

róse nóble Edward 4세 때 발행된 영국의 옛 금화

róse of Chína 〖식물〗 월계화(China rose)

róse of Jéricho 〖식물〗 안산수(安産樹)(resurrection plant)

róse of Sháron 〖식물〗 샤론의 들꽃 《성경에 나오는 식물》; 무궁화

róse òil 장미 기름[향유]

ro·se·o·la [rouzí:ələ, ròuzióulə] *n.* Ⓤ 〖의학〗 장미진(疹), 홍진; 풍진(rubella)

roséola in·fán·tum [-infǽntəm] 〖의학〗 소아 장미진, 돌발성 발진증

róse pínk 장밋빛; 장미색 안료

rose-pink [róuzpíŋk] *a.* = ROSE-COLORED

róse quártz 〖광물〗 장미 석영(石英)

rose-red [-réd] *a.* 장밋빛의, 장미꽃처럼 빨간

róse ròom 《미·속어》 중환자실

rose·root [róuzrù:t] *n.* 바위솔 《돌나물과(科)의 다년초; 뿌리는 장미 냄새를 풍김》

ros·er·y [róuzəri] *n.* (*pl.* **-ser·ies**) 장미원[화원]

Róse's mètal 〖야금〗 로즈[로제] 합금

rose-tint·ed [róuztìntid] *a.* = ROSE-COLORED

róse trèe 장미 나무

Ro·set·ta [rouzétə] *n.* 여자 이름

Rosétta stòne 1 [the ~] 로제타석(石) 《1799년 나폴레옹 원정시 나일 하구의 Rosetta 부근에서 발견되어 고대 이집트 상형 문자 해독의 실마리가 된 비석》 **2** (문제 해결 등의) 중대한 열쇠, 실마리가 되는 대발견

ro·sette [rouzét] *n.* **1 a** (리본 등의) 장미 매듭(= ~ **knót**) **b** (복식용의) 장미꽃 장식 **2** 〖건축〗 **a** 둥근 꽃 모양의 장식 **b** = ROSE WINDOW **3** 〖전기〗 로제트 《전기 줄을 달기 위해 천장에 붙여 두는 사기》 **4** = ROSE DIAMOND **5** 〖식물〗 로제트 《잎 등이 여러겹 서로 겹쳐져 방사상으로 나와 있는 모양》; 로제트병(病)(= ~ **disèase**)

rosettes 2 a

ro·set·ted [rouzétid] *a.* 장미꽃 장식을 한 〈구두 따위〉; 장미 매듭을 한 〈리본 따위〉

rose-wa·ter [róuzwɔ̀:tər] *a.* **1** 장미 향수 같은 **2** 부드러운, 감상적인; 우아한(elegant)

róse wàter 1 장미 향수 **2** 찬사; 미지근한 수법; 감상적인 기분

róse wíndow 〖건축〗 원화창(圓花窓), 장미창, 바퀴창(rosette)

rose window

rose·wood [-wùd] *n.* **1** 〖식물〗 자단(紫檀) **2** Ⓤ 그 재목

Rosh Ha·sha·na(h) [róuʃ-hɑ:ʃɔ́:nə, -ʃɑ́:-, -hə-, rɔ́:ʃ- | rɔ́ʃ-həʃɑ́:nə] (유대교의) 신년제 《유대력 Tishri월(그레고리력의 9-10월) 1일과 2일》

Ro·si·cru·cian [ròuzəkrú:ʃən, rɑ̀z- | ròuz-] *n.* 장미 십자회원, 연금술사(鍊金術師) 《1484년 Christian Rosenkreuz가 독일에서 창설했다고 전해지는 연금 마법의 기술을 부리는 비밀 결사 회원》
— *a.* 장미 십자회원의; 연금술의
~·ism *n.* Ⓤ 장미 십자회의 신비 사상[행사, 제도]

Ro·sie [róuzi] *n.* 여자 이름 《Rose의 애칭》

ros·in [rɑ́zin | rɔ́z-] *n.* Ⓤ 로진 《송진에서 테레빈유(油)를 증류하고 남은 잔류물; cf. RESIN》
— *vt.* 로진을 바르다[으로 문지르다]; 로진으로 봉하다 **rós·in·y** *a.* 로진 모양의, 수지(樹脂)가 많은

Ro·si·na [rouzí:nə] *n.* 여자 이름

Ros·i·nan·te [rɑ̀zənǽnti, ròuzənɑ́:n- | rɔ̀zinǽn-] *n.* **1** 로시난테 《Don Quixote가 탔다는 말》 **2** [종종 **r~**] 말라빠진 말, 쓸모없는 말, 폐마(jade)

rósin bàg 〖야구〗 로진 백 《투수가 미끄러움을 막기 위해 손에 바르는》

rósin òil 로진유(油) 《인쇄 잉크·윤활유용 등》

ROSLA raising of school-leaving age

ross [rɔ́:s, rɑ́s | rɔ́s] *n.* 거친 나무껍질
— *vt.* 나무껍질을 벗기다 **~·er** *n.* 나무껍질 벗기는 사람[기계, 도구]

Ross [rɔ́:s, rɑ́s | rɔ́s] *n.* 남자 이름

Róss Dependency 로스 속령(屬領) 《뉴질랜드령의 남극 Ross해 연안의 여러 섬》

Ros·set·ti [rouséti, rouzéti, rə- | rɔséti] *n.* 로세티 **1 Dante Gabriel ~** (1828-82) 《영국의 화가·시인》 **2 Christina Georgina ~** (1830-94) 《영국의 여류 시인; D. G. Rossetti의 누이동생》

Róss Íce Shèlf [the ~] 로스 빙붕(氷棚) 《남극 Ross해 남부를 막고 있는 빙붕》

Ros·si·ni [rousí:ni, rɔ:s- | rɔs-] *n.* 로시니 **Gioacchino Antonio ~** (1792-1868) 《이탈리아의 가극 작곡가》

Róss Séa [the ~] 로스해 《New Zealand 남쪽; 남극해의 일부》

Róss's séal 로스 바다표범

ros·tel·lum [rɑstéləm | rɔs-] *n.* (*pl.* **~s, -tel·la** [-lə]) **1** 〖식물〗 소취(小嘴) **2** 〖동물〗 액취(額嘴) **3** 〖곤충〗 소문상기(小吻狀器)

ros·ter [rɑ́stər | rɔ́s-] *n.* **1** 〖군사〗 근무 명부[표]; 〖야구〗 (벤치에 들어갈 수 있는) 등록 멤버 **2** (당번 순서 등을 적은) 명부, 등록부
— *vt.* 근무 당번표[명부]에 실리다

Ros·tov [rəstɔ́:f | rɔ́stɔf] *n.* 로스토프 《유럽 러시아 남부 Don강 하류의 항구 도시》

ros·tra [rɑ́strə | rɔ́s-] *n.* ROSTRUM의 복수

ros·tral [rɑ́strəl | rɔ́s-] *a.* **1** 뱃부리 장식이 있는 **2** 〖동물〗 부리[주둥이]의; 주둥이[부리]가 있는 **~·ly** *ad.*

róstral cólumn 해전(海戰) 기념주(柱) 《뱃부리(rostrum)를 달거나 그 모양을 조각한》

ros·trate [rɑ́streit | rɔ́s-] *a.* 〖동물〗 부리가 있는; 부리 모양의 돌기가 있는

ros·trat·ed [rɑ́streitid | rɔ́s-] *a.* **1** 〖동물〗 = ROSTRATE **2** 뱃부리 장식이 있는

ros·trum [rɑ́strəm | rɔ́s-] *n.* (*pl.* **-tra** [-trə], **~s**) **1** 연단, 강단(講壇); 설교단; (오케스트라의) 지휘대 **2** [보통 rostra; 단수 취급] 〖고대로마〗 뱃부리 연단 《포획선의 뱃부리를 공회소(Forum)에 장식한 데서》 **3** 〖동물〗 부리, 주둥이 모양의 돌기(突起) **4** 뱃부리 **5** [집합적] 연설가[자] ***take the ~*** 등단하다
▷ róstral *a.*

ros·y [róuzi] *a.* (**ros·i·er**; **-i·est**) **1 a** 장밋빛의, 담홍색의 **b** 〈피부·볼 등이 건강하여〉 혈색이 좋은, 발그레한, 홍안의 **2** 〈장래가〉 유망한; 낙관적인: ~ views 낙관론 **3** 장미로 만든[꾸민]; 장미가 많은
rós·i·ly *ad.* **rós·i·ness** *n.*

ros·y-fin·gered [róuzifíŋgərd] *a.* 장밋빛 손가락을 한 《Homer가 '새벽'을 형용한 말》

rot [rɑ́t | rɔ́t] *v.* (**~·ted**; **~·ting**) *vi.* **1** 썩다(decay), 부패하다, 썩어 문드러지다 《*away, off, out*》(⇨ decay 유의어): 《~+副》 The log was *~ting away.* 재목은 썩어가고 있었다. / These branches will soon ~ *off.* 이 나뭇가지는 곧 썩어 떨어질 것이다. **2** 〈죄수가〉 쇠약해지다: The prisoners were left to ~ in prison. 죄수들은 감옥에서 쇠약해 가는 대로 방치되었다. **3** (도덕적으로) 부패[타락]하다; 못쓰게 되다 **4** 《영·속어》 실없는 소리를 지껄이다: They

are only *~ting*. 그들은 허튼 소리를 하고 있을 뿐이다. **~ about** 《영·속어》 빈들거리다
— *vt.* **1** 썩이다, 부패시키다: Too much sugar will ~ your teeth. 설탕을 너무 많이 먹으면 이빨이 썩을 것이다. / Oil sometimes *~s* the rubber. 기름이 배어 고무가 못쓰게 되는 일이 있다. **2** (도덕적으로) 타락시키다; 못쓰게 하다 **3** 〈아마·마 등을〉 침수(浸水)하다 **4** 《영·속어》 놀리다, 빈정대다
— *n.* Ⓤ **1 a** 썩음, 부패; 부패물: the ~ and waste of a swamp 부패한 불모의 소택지 **b** (사회적·정신적인) 부패, 타락 **2** 〖식물〗 부패병 《세균 등에 의한》; 《고어》 〖의학〗 소모성 질환; [보통 the ~] 〖수의학〗 양(羊)의 간장병 **3** 《영·속어》 헛소리(nonsense): Don't talk ~! 말 같지 않은 소리 마라! **4** Ⓒ [*sing.*] 〖크리켓〗 3주문(柱門)의 (설명을 할 수 없는) 연속 쓰러짐; 연달은 실패 ***R~!*** 《속어》 바보 같으니, 쓸데없이! ***stop the ~*** 위기를 막다, 실패하지 않도록 하다[손을 쓰다] ***The ~*** [***A ~, R~***] ***sets in.*** 갑자기 잘 안 되어 간다. ***tommy ~*** 《속어》 바보 같은 것, 실패 ***What ~ that …!*** …이라니 정말 시시하다!

ROT rule of thumb 주먹구구식 계산 **rot.** rotating; rotation

ro·ta [róutə] *n.* **1** 근무 명부(roster); 《주로 영》 당번, 윤번 **2** [the R~] 〖가톨릭〗 최고 법원 ★ Sacra Romana Rota(=Sacred Roman Rota)라고도 함.

ro·tam·e·ter [routǽmətər, róutəmì:-] *n.* 로타미터 《액체 유량 측정 계기》

ro·ta·plane [róutəplèin] *n.* =ROTOR PLANE

Ro·tar·i·an [routέəriən] *n.* 로터리 클럽(Rotary Club)의 회원 — *a.* 로터리 클럽(회원)의 **~·ism** *n.*

∗**ro·ta·ry** [róutəri] [L 「수레바퀴」의 뜻에서] *a.* **1** 도는, 회전하는, 선회하는; 환상(環狀)의: ~ motion 회전 운동 **2** 〈기계 등이〉 회전식의: a ~ fan 선풍기
— *n.* (*pl.* **-ries**) **1** 회전 기계 《윤전기 등》; =ROTARY CONVERTER **2** 《미》 환상(環狀) 교차로, 로터리(traffic circle; 《영》 roundabout) ★ traffic circle이라고도 함. **3** [**R~**] =ROTARY CLUB
▷ rótate *v.*

Rótary Clùb [the ~] 로터리 클럽 《Rotary International의 각지의 지부, 원래 1905년 미국에서 시작》

rótary convérter 〖전기〗 회전 변류기(變流機)

rótary cúltivator 〖농업〗 로터리형(型) 경운기

rótary cútter 회전날 커터

rótary éngine 회전식 발동기, 로터리 엔진

rótary hóe 회전 제초(除草)[경운]기

Rótary Internátional 국제 로터리 클럽 협회 《사회 봉사와 국제 친선을 모토로 하는 국제적 사교 단체》

rótary plów 로터리 제설기(除雪機); 회전 경운기

rótary préss 〖인쇄〗 윤전 (인쇄)기

rótary prìnting 윤전 인쇄

rótary púmp 회전 펌프

rótary shútter (카메라의) 회전 셔터

rótary tíller 회전 경운기

rótary wíng 〖항공〗 (헬리콥터 따위의) 회전익(翼)

ró·ta·ry-wíng áircraft [róutəriwíŋ-] =ROTORCRAFT

∗**ro·tate¹** [róuteit | -ˊ] *vi.* **1 a** (축을 중심으로 하여) 회전[순환]하다: The seasons ~. 사철은 돌고 돈다. **b** 〖천문〗 〈천체가〉 자전(自轉)하다 **2** 교대하다, 윤번으로 하다, 윤작하다: The EU presidency *~s* among the members. EU 의장은 회원국 사이에서 순번제로 돌아간다.
— *vt.* **1** 회전[순환]시키다(⇨ turn 유의어) **2** 주기적으로 순환시키다; 〖농업〗 〈농작물을〉 윤작하다: They ~ crops on the poor soil. 그들은 그 메마른 토지에서 농작물을 윤작하고 있다. **3** 교대시키다
ró·tat·a·ble *a.* ▷ rotátion *n.*; rótary, rótative *a.*

rotate² *a.* (꽃부리 등이) 바퀴 모양의

ró·tat·ing-wing áircraft [róuteitiŋwìŋ- | routéit-] 〖항공〗 =ROTORCRAFT

∗**ro·ta·tion** [routéiʃən] *n.* ⓊⒸ **1** (축을 중심으로 한) 회전, 선회; 〖천문〗 (천체의) 자전(cf. REVOLUTION): the ~ of the Earth on its axis 지구의 자전 **2** 순환(recurrence); 〖농업〗 윤작(rotation of crops) **3** 교체, 교대, 윤번 **4** 〖당구〗 로테이션 《풀(pool)에서 공의 번호순으로 포켓에 집어 넣는 게임》 ***in*** [***by***] ~ 차례로, 윤번제로 **~·al** *a.* **~·al·ly** *ad.*
▷ rótate *v.*; rótative *a.*

rotátional mólding 회전 성형(成形)

rotátional quántum nùmber 〖물리〗 회전 양자수

rotátion áxis 〖결정〗 회전축

ro·ta·tive [róuteitiv, -ˊ-, róutə- | routéi-, róutə-] *a.* **1** 회전하는, 회전 운동을 일으키는: ~ velocity 회전 속도 **2** 순환하는 **~·ly** *ad.*

ro·ta·tor [róuteitər | -ˊ-] *n.* **1** (*pl.* **~s**) 회전하는[맴도는] 것; 교체하는 것[사람]; 〖물리〗 회전자(回轉子); 〖야금〗 회전로(爐) **2** (*pl.* **~s, ~·es** [ròutətɔ́:ri:z]) 〖해부〗 회선근(回旋筋)

rótator cùff 〖해부〗 (어깨의) 회선건판(回旋腱板)

ro·ta·to·ry [róutətɔ̀:ri | róutətəri, routéi-] *a.* **1** 회전성의, 회전하는; 교체하는 **2** 순환하는; 윤번(제)의 **3** 〈근육이〉 회선(回旋)하는

Ro·ta·va·tor [róutəvèitər] *n.* 로터베이터 《회전식 가래가 달린 경운기; 상표명》
ró·ta·vàte *vt.* 로터베이터로 갈다

ro·ta·vi·rus [ròutəváiərəs] *n.* 로터바이러스 《방사상의 바이러스로 유아나 동물의 새끼에 위장염을 일으킴》

ROTC, R.O.T.C. Reserve Officers Training Corps 예비역 장교 훈련단, 학생 군사 훈련단

Rot-corps [rɑ́tkɔ̀:r | rɔ́t-] *n.* Ⓤ 《미·군대속어》 = ROTC

rote¹ [róut] *n.* Ⓤ 기계적 방법; 기계적 기억: the ~ of daily living 천편일률적인 일상 생활
by ~ 기계적으로; 외어서

rote² *n.* 물기슭에 부딪치는 파도 소리

róte lèarning 무턱대고 외우기

ro·te·none [róutənòun] *n.* Ⓤ 〖화학〗 로테논 《인축(人畜)에 독성이 적은 살충제》

ROTF(L) rolling on the floor (laughing) 마룻바닥에서 구를 만큼 우습다, 정말 웃긴다. 《인터넷 용어》

rot·gut [rɑ́tgʌ̀t | rɔ́t-] *n.* Ⓤ 《속어》 (혼합물을 넣어 만든) 저질 술 — *a.* 〈술이〉 질이 낮은

rô·ti [routí:] *n.* 고기구이, 로스트

ro·ti·fer [róutəfər] *n.* 〖동물〗 담륜충(擔輪蟲)

ro·ti·form [róutəfɔ̀:rm] *a.* 바퀴 모양의

ro·tis·ser·ie [routísəri] [F 「(고기를) 굽다」의 뜻에서] *n.* **1** 불고기집 **2** (꼬챙이가 달린) 고기 굽는 회전식 기구 — *vt.* (**-ied**; **-i·ing**) (회전식 기구로) 굽다

Rotísserie Léague 가상 야구 리그 《전화·컴퓨터를 이용하여 일정 규칙에 의해 상상속의 팀과 시합을 하는 게임》

ro·to¹ [róutou] *n.* (*pl.* **~s**) =ROTOGRAVURE

roto² *n.* (*pl.* **~s**) (남미, 특히 칠레의) 최하층민, 빈민

ro·to·chute [róutəʃù:t] *n.* 로토슈트, 회전 낙하산 《프로펠러가 달려 있어 낙하 속도를 늦춤》

ro·to·graph [róutəgræ̀f | -grɑ̀:f] *n.* 로토그래프, 원고 사진

ro·to·gra·vure [ròutəgrəvjúər, -gréivjər] *n.* **1** ⓊⒸ 윤전[로토] 그라비어(판) **2** 《미》 〖신문〗 로토그라비어 사진 페이지

ro·tor [róutər] *n.* **1** 〖기계〗 축차(軸車) 《증기 터빈의》 **2** 〖전기〗 회전자(回轉子) **3** 〖항공〗 회전 날개 《헬리콥터 등의》: a single-~ helicopter 회전 날개가 1기(基)인 헬리콥터 **4** 〖항해〗 풍통(風筒), 회전 원통 《풍통선의》

thesaurus **rotten** *a.* **1** 썩은 bad, spoiled, sour, tainted, rancid, decomposed, decaying, putrid, stinking **2** 타락한 corrupt, dishonorable, immoral, wicked, evil, sinful, vicious, degenerate
rough *a.* **1** 울퉁불퉁한 uneven, irregular, bumpy, broken, stony, rugged, jaggy, craggy **2** 다듬지 않

rótor blàde (회전 날개식 비행기의) 날개
ro·tor·craft [róutərkræ̀ft | -krɑ̀:ft] *n.* 〖항공〗 회전 날개 항공기 《헬리콥터와 같이 회전 날개로 부양력(浮揚力)을 얻는 항공기》
ro·tor·head [róutərhèd] *n.* 《미·속어》 헬리콥터 조종사[승무원]
rótor plàne 〖항공〗 =ROTORCRAFT
rótor shìp 풍통선(風筒船)
ro·to·scope [róutəskòup] *n.* 로토스코프 《만화 영화에서 사진이나 영화로 미리 찍어 이를 바탕으로 만화화해 가는 작화법과 그 장치》
ro·to·till [róutətìl] *vt.* 회전 경운기로 경작하다
Ro·to·till·er [róutətìlər] *n.* 로토틸러 《회전 경운기; 상표명》
ro·to·vate [róutəvèit] *vt.* 《영》 =ROTOTILL
ro·to·va·tor [róutəvèitər] *n.* 《영》 =ROTOTILLER
rot·proof [rɑ́tprù:f | rɔ́t-] *a.* 방부성(防腐性)의
‡**rot·ten** [rɑ́tn | rɔ́tn] *a.* **1** 썩은(spoiled); 불결한, 썩은 내 나는: a ~ egg 썩은 달걀 **2** (도덕적·사회적으로) 타락한, 부패한; 버릇없는, 무례한 **3** 〈논리성이〉 약한, 근거 불충분한 **4** 《구어》 열등한, 천한, 불유쾌한: ~ luck 《미·구어》 불운/a ~ deal 부당한 취급/a ~ trick 비열한 책략 **5** 남루한; 〈바위 등이〉 부서지기 쉬운, 취약(脆弱)한; 궂은, 비오는, 축축한
a*[*the*] *~ apple 악영향을 미치는 것[사람], 암적 존재 **~·ly** *ad.* **~·ness** *n.*
rótten bórough 〖영국사〗 부패 선거구 《유권자의 격감에 의해서 자격이 없는데도 의원을 선출한 선거구》
rótten égg 《구어》 나쁜 놈, 저열한 놈
Rótten Rów 로튼 거리 《London의 Hyde Park의 승마 도로; 단지 the Row라고도 함》
rot·ten·stone [rɑ́tnstòun | rɔ́t-] *n.* Ⓤ 트리폴리(tripoli)석(石) 《분해한 규질(硅質) 석회석; 금속 연마에 쓰임》
rot·ter [rɑ́tər | rɔ́t-] *n.* 《영·속어·익살》 **1** 건달 **2** 쓸모없는 사람, 무용지물; 미움받는 자
Rot·ter·dam [rɑ́tərdæ̀m | rɔ́t-] *n.* 로테르담 《네덜란드 남서부의 항구 도시》
Rott·wei·ler [rɑ́twailər | rɔ́t-] *n.* 로트와일러 개 《독일산(産)으로 경비견·경찰견으로 쓰임》
— *a.* 공격적인, 사정없는
rot·u·la [rɑ́tʃulə | rɔ́t-] *n.* (*pl.* **~s, -lae** [-lì:]) 〖해부〗 슬개골(膝蓋骨) **-lar** *a.*
ro·tund [routʌ́nd] [L 「둥근」의 뜻에서] *a.* **1** 둥근 모양의; 둥글게 된: ~ fruit 둥근 과일 **2** 〈사람·얼굴 등이〉 둥근; 토실토실하게 살찐 **3** 〈입을〉 둥글게 벌린; 〈소리 등이〉 낭랑한, 우렁찬 **4** 〈문체 등이〉 과장된, 화려한 **~·ly** *ad.* **~·ness** *n.*
ro·tun·da [routʌ́ndə] *n.* 〖건축〗 **1** 원형 건물 《지붕이 둥근》 **2** (둥근 천장이 있는) 원형 홀
ro·tun·date [routʌ́ndət] *a.* 둥글게 된, 공 모양의
ro·tun·di·ty [routʌ́ndəti] *n.* ⓊⒸ **1** 둥근 것; 원형; 구형 **2** 통통함; 비만(肥滿) **3** 〈목소리가〉 우렁참, 낭랑함
ro·tu·ri·er [routjúərièi | rɔ-] [F] *n.* (*pl.* **~s** [-z]) **1** 평민, 서민(commoner) **2** 벼락부자
Rou·ault [ru:óu] *n.* 루오 **Georges ~** (1871-1958) 《프랑스의 야수파 화가》
rou·ble [rú:bl] *n.* =RUBLE
rouche [rú:ʃ] *n.* =RUCHE
rou·é [ru:éi, ⌐- | ⌐-] [F] *n.* (초로의) 난봉꾼, 방탕아(rake)
Rou·en [ru:ɑ́:ŋ, -ɑ́:n | ⌐-] *n.* 루앙 《프랑스 북부 Seine 강 연안 도시; Joan of Arc 처형지》

은 incomplete, unrefined, unpolished, crude **3** 난폭한 rowdy, wild, violent, savage **4** (날씨 등이) 거친 stormy, squally, tempestuous, wintry, tumultuous **5** 상스러운 coarse, vulgar, unmannerly, impolite, discourteous, blunt, uncivil **6** 대강의 approximate, inexact, imprecise, vague, hazy

***rouge**[1] [rú:ʒ] [F =red] *n.* Ⓤ **1** (화장용) 연지, 루주: put on some ~ 연지를 조금 바르다 **2** 〖화학〗 벵갈라, 철단(鐵丹) 《금속을 닦는 데 씀》
— *a.* 《고어》 붉은 빛의
— *vi., vt.* 〈얼굴·입술에〉 연지를 바르다; 붉어지다, 얼굴을 붉히다
rouge[2] *n.* **1** (Eton식 럭비의) 스크럼(scrummage) **2** 《캐나다》 〖축구〗 상대방의 득점이 되는 터치다운
rouge et noir [rú:ʒ-ei-nwɑ́:r] [F =red and black] 루주 에 누아르 《적색과 흑색 무늬의 테이블에서 하는 카드 도박》
‡**rough** [rʌf] *a., ad., n., v.*

> 「거칠거칠한」 **1** ─┬→「다듬지 않은」 **2** →「대강의」 **7**
> └→「거친」, 「사나운」 **4**

— *a.* **1 a** (촉감이) **거칠거칠한**, 껄껄한(opp. *smooth*): ~ hands 거친 손 **b** 〈길 등이〉 울퉁불퉁한, 험한 **c** 털이 거센; (털 등이) 헝클어진; 털이 많은: a dog with a ~ coat 복슬개 **2** 세공[가공]하지 않은, 다듬지 않은; 대충 틀만 잡은; 미완성의; 서투른, 솜씨 없는: ~ skin (무두질 않은) 거친 가죽/~ rice 현미/~ stone 원석 **3** 〈토지 등이〉 미개발의, 황량한 **4 a** 난폭한, 사나운; 〈일 등이〉 (지력보다) 체력을 요하는, 거친: ~ work 험한 일; 폭행 **b** 〈바다·하늘·날씨 등이〉 거친, 험한: ~ weather 악천후 **c** 〈항해·비행 등이〉 험한 날씨를 무릅쓴: ~ passage[voyage] 악천후를 무릅쓴 항해; 시련 **5** 조잡한, 상스러운, 버릇없는; 소박한 **6 a** 〈소리가〉 귀에 거슬리는, 가락이 맞지 않는 **b** 〈맛이〉 떫은; 미숙한, 〈맛이〉 신 **7** 대강의, 대충의, 개략의(approximate): a ~ estimate[guess] 개산(概算)[대충의 어림] **8** 그다지 좋지 않은, 불편한, 변변찮은: ~ camping 원시적인 캠핑 생활 **9** 쓰라린, 사정 없는, 감당할 수 없는 《*on*》 **10** 《구어》 기분이 좋지 않은, 몸이 편찮은 **11** 〖음성〗 (그리스어에서) h음이 붙은, 기음(氣音)이 붙은 **12** 〖카드〗 〈포커의 패가〉 좋지 않은 ***be ~ on*** …에게 가혹하게 굴다 ***give*** a person (***a lick with***) ***the ~ side of*** one***'s tongue*** …을 호되게 꾸짖다 ***have a ~ time*** (***of it***) 쓰라린 일을 겪다, 애를 먹다 ***in the ~ leaf*** 아직 잎이 어릴 적에 ***~ and ready*** =ROUGH-AND-READY ***~ and round*** 보잘것없으나 푸짐한 ***~ and tough*** 튼튼한 ***the ~er sex*** 남성(opp. *the softer sex*)
— *ad.* **1** 거칠게, 사납게; 함부로 **2** 대강, 대충 **3** (특히 옥외에서) 아무렇게나: sleep ~ 〈부랑자 등이〉 노천에서 자다 ***cut up ~*** 《구어》 화내다 ***live ~*** 쓰라린 생활을 하다
— *n.* **1** 거친 것, 껄껄한 것; 편자의 미끄럼을 막는 못(spike) **2** Ⓤ 울퉁불퉁한 토지; 〖골프〗 [the ~] 러프 《긴 풀 등이 있는 황무지》 **3** ⓊⒸ 미가공(물); 미완성품 **4** 학대; 쓰라린 고생 **5** 《영》 난폭한 사람, 불량자 **6** ⓊⒸ 밑그림, 스케치 **7** 《미·속어》 사고 차를 재생한 중고차 ***in ~*** 초잡아, 초벌로 (써서) ***in the ~*** (1) 미가공의; 미완성의 (2) 난잡한[하게]; 준비 없는 (3) 대강(의), 대충(의); 개략의 (4) 《미·구어》 곤란하여 (5) 일상[평소]대로(의) ***over ~ and smooth*** 도처에 ***take the ~ with the smooth*** 인생의 부침에 개의치 않다, 태평하게 지내다 ***the ~*(*s*) *and the smooth*(*s*)** 인생의 성쇠[부침], 행과 불행
— *vt.* **1** 거칠게 하다, 깔쭉깔쭉[울퉁불퉁]하게 하다; 교란시키다; 〈편자에〉 스파이크를 달다: (~+目+副) The wind had *~ed* (*up*) his hair. 바람으로 그의 머리는 흐트러져 있었다. **2** 거칠게 다루다, 학대하다, 심한 말을 쓰다 《*up*》; (구기에서 상대방을) 일부러 거칠게 공격하다; 화나게 하다 **3** 거칠게 만들다; 〈다이아몬드 등을〉 대충 자르다; 〈삼을〉 대충 쪼개다 《*off*》; 대강의 모양을 만들어 내다 《*out*》; 대충 넣어 채우다 《*in*》: ~ *out* a diagram 약도를 그리다 **4** 개략을 쓰다 《*in*》; 대체적인 계획을 세우다 《*out*》: (~+目+副) ~ *out* a scheme 계획을 대충 세우다 **5** 〈말을〉 길들이다

— *vi.* **1** 〈표면 등이〉 거칠거칠[울퉁불퉁]해지다, 거칠어지다 **2** 거칠게 굴다, 화내다
~ ***in*** 개략을 쓰다, 대충 그리다, 스케치하다 ~ ***it*** 《구어》 불편을 참다, 원시적인 생활을 하다 ~ ***out*** (1) 개략을 쓰다, 대충 그리다, 스케치하다 (2) 대체적인 계획을 세우다 ~ ***up*** 《구어》 (1) 거칠게 다루다, 폭력을 휘두르다 (2) 〈장소를〉 난잡하게 하다 ~ **a person *up the wrong way*** (…을) 화나게 하다
~**·er** *n.* 대충 만드는 사람 ~**·ness** *n.* ▷ róughen *v.*
rough·age [rʌ́fidʒ] *n.* Ⓤ 조악한 음식물[사료] 《영양가가 적은 음식이나 사 료, 섬유질, 식용 겨 등》
rough-and-read·y [rʌ́fənrédi] *a.* **1** 졸속(拙速) 주의의, 임시 변통의 **2** 거친, 정성들이지 않은; 대강의, 조잡한
rough-and-tum·ble [-əntʌ́mbl] *a.* 마구하는, 되는 대로의, 저돌적인, 뒤범벅이 된
— *n.* 혼전, 난투: the ~ of life 인생의 부침
róugh blúegrass 〖식물〗 큰새포아풀(bird grass)
róugh bréathing 〖음성〗 **1** (그리스어의 어두 모음 또는 ρ의) 기음(氣音)을 수반하는 발음 **2** 기음 부호 《 ʻ 》
rough·cast [-kæ̀st | -kɑ̀:st] *n.* Ⓤ **1** 초벌칠, 애벌칠 **2** 대체적인 본[모형], 대강 만듦
— *a.* **1** 애벌칠의 **2** 대충 만든
— *vt.* (**-cast**) **1** 애벌칠하다; 대충 만들다 **2** 〈계획 등을〉 대충 만들다; (이야기 등의) 대강의 줄거리를 세우다
róugh cóat (페인트 등의) 애벌칠
róugh cópy 초고(草稿); 그림 등의 대강의 모사(模寫)
róugh cút 아직 편집하지 않은 영화 필름
rough-cut [-kʌ́t] *a.* 〈담배 등이〉 굵게 썬(opp. *fine-cut*)
róugh déal 엄한 취급; 불공평한 취급
róugh díamond **1** 아직 갈지 않은 다이아몬드 **2** 다듬어지지 않았으나 뛰어난 자질을 가진 사람
rough·dry [-drái] *vt.* (**-dried**) 〈세탁한 의복 등을〉 다리지 않고 말리다
— *a.* 세탁하여 말렸으나 다리지 않은
rough·en [rʌ́fən] *vt., vi.* 거칠게 하다[되다], 깔쭉깔쭉하게 하다[되다], 울퉁불퉁하게 하다[되다] ~**·er** *n.*
róugh físh (낚시질의 대상도 안 되고 상품 가치도 없는) 잡어(《영》 coarse fish)
rough-foot·ed [rʌ́ffútid] *a.* 〈새가〉 발에 깃털이 있는
róugh grázing 《영》 손 대지 않은 자연목장
rough-grind [-gráind] *vt.* 〈날붙이를〉 애벌 갈다
rough-han·dle [-hǽndl] *vt.* 거칠게 다루다
rough·hew [-hjú:] *vt.* (**~ed**; **-hewn** [-hjú:n], **~ed**) **1** 〈재목·돌을〉 대충 자르다[깎다] **2** 대충 만들다; 두손매무리하다
rough·hewn [-hjú:n] *v.* ROUGHHEW의 과거분사
— *a.* **1** 대충 깎은; 대충 만든 **2** 투박한, 교양 없는, 버릇없는
rough·house [-hàus] 《구어》 *n.* **1** 큰 소동; 큰 싸움; 야단법석 **2** 폭력 (행위)
— *vt., vi.* 호되게 다루다; 크게 떠들다[싸우다], 난폭하게 굴다 — *a.* 난폭한, 폭력의
rough·ing [rʌ́fiŋ] *n.* 〖스포츠〗 반칙(적 방해)
rough·ing-in [-ín] *n.* 〖건축〗 지하 공사; 배관, 배선 공사
rough·ish [rʌ́fiʃ] *a.* **1** 좀 거친[난폭한] **2** 좀 버릇없는[귀에 거슬리는] **3** 좀 떫은, 좀 독한 〈술〉
róugh jústice 법에 의하지 않은 심판; 불공평한 취급
rough-leg·ged [rʌ́flègd] *a.* 〈새·말이〉 다리에 털이 있는
róugh lémon 레몬의 한 품종 《다른 감귤류의 접목용 대목으로 씀》
*__rough·ly__ [rʌ́fli] *ad.* **1** 거칠게; 난폭하게; 버릇없이; 귀에 거슬리게: treat a person ~ 사람을 거칠게 다루다 **2** 대충, 개략적으로: ~ estimated 개산(概算)으로 / ~ speaking 대충, 대략
rough·neck [rʌ́fnèk] *n.* 《미·구어》 **1** 버릇없는 놈, 난폭한 자(rowdy) **2** 유정(油井)을 파는[수리하는] 인부
róugh rìde 곤란한 시기
rough·ride [-ràid] *vi.* **1** (사나운 말 등을) 타서 길들이다 **2** 심한 방법으로 억압하다
rough·rid·er [-ráidər] *n.* **1** 조마사(調馬師)(horsebreaker) **2** 사나운 말을 잘 타는 사람 **3** [**R~**] 미국-스페인 전쟁 때 미국의 의용 기병대원 ★ Rough Rider라고도 씀.
rough-sawn [-sɔ́:n] *a.* 거칠게 켠
rough·shod [-ʃɑ́d | -ʃɔ́d] *a.* **1** 〈말이〉 편자에 스파이크를 단 **2** 포악한 ***ride ~ over*** 〈남에게〉 으스대다, 남을 생각지 않고 함부로 굴다; 거칠게 다루다
róugh shóoting 수렵지[사냥터] 이외에서의 총사냥
róugh slédding 《구어》 나쁜 정황, 난항
rough-spo·ken [-spóukən] *a.* 난폭하게 말하는
róugh stùff 《구어》 폭력, 난폭(한 행위); 반칙(행위); 상스러운 일, 저속
róugh wòrk 예비적인 일; 《구어》 난폭, 폭력; 힘드는 일
rough-wrought [-rɔ́:t] *a.* 조제(粗製)의, 서둘러서 만든, 되는대로 대충 만든
rou·lade [ru:lɑ́:d] *n.* 룰라드 **1** 〖음악〗 장식음으로서 삽입된 신속한 연속음 **2** 잘게 썬 고기를 쇠고기의 얇은 조각으로 만 요리
rou·leau [ru:lóu] *n.* (*pl.* **~s, ~x** [-z]) **1** 두루마리(roll); 장식용의 감은 리본 **2** 밀봉 경화
rou·lette [ru:lét] *n.* **1** ⓊⒸ 룰렛 《도박의 일종; 그 도구》 **2** 점선기(點線器) 《우표 등 째는 곳에 점선을 뚫는 톱니바퀴식 연장》 **3** 작은 인두 《머리를 지지는》 **4** 〖기하〗 룰렛; 〖수학〗 윤전(輪轉) 곡선
Rou·ma·ni·a [ruméiniə, -njə] *n.* = RUMANIA
‡**round**[1] ⇨ round (p. 2186)
round[2] [ráund] *vi., vt.* 《고어》 속삭이다(whisper)
*__round·a·bout__ [ráundəbàut] *a.* **1** 에움길의, 빙 도는; 넌지시 하는 〈말 등〉; 간접의: a ~ statement 돌려 말하는 방법 **2** 《미》 (코트 등의) 자락을 수평으로[연미(燕尾)식이 아니게] 자른 **3** 토실토실 살찐 **4** 에워싼 **5** 〖철도〗 환상(環狀) 교통 정리의, 로터리의
— *n.* **1** 에움길; 완곡한[간접적인] 말씨 **2** 원(circle); 둥근 것; 둥근 곳; 원진(圓陣), 둘러친 울타리 **3** 《영》 원형[환상] 교차로, 로터리(《미》 rotary) **4** 《영》 회전목마(merry-go-round)(《미》 carousel) **5** 《미》 남자(아이)용 짧은 재킷(= ∠ **jácket**) **6** 《미》 왕복 여행(round trip) ***What you lose on the swings, you make on the ~s.*** 《속담》 도로아미타불이다. ~**·ness** *n.*
róund ángle 〖기하〗 주각(周角), 4직각
róund árch 반원 아치
round-arm [-ɑ̀:rm] *ad., a.* 〖크리켓〗 〈투구 등을〉 옆[수평]으로 팔을 휘둘러 (하는)
róund bárrow 〖고고학〗 원형 묘
róund brácket [보통 *pl.*] 둥근 괄호
róund cháracter 입체적 인물 《소설에서 그 신상이 충분히 묘사되어 있는 등장인물》
róund dànce 원무(圓舞), 윤무(輪舞), 원형을 만들며 추는 포크댄스
róund dòwn 〖컴퓨터〗 잘라 버림
round·ed [ráundid] *a.* **1** 둥글게 한[된], 둥글린 **2** 〖음성〗 입술을 둥글게 하여 발음되는, 원순음(圓脣音)의: a ~ vowel 원순 모음 **3** 완성된, 완벽한; 세련된 **4** (목소리가) 낭랑한 **5** 10의 배수로 표시되는, 끝수[우수리]가 없는, 어림수의 ~**·ly** *ad.* ~**·ness** *n.*
roun·del [ráundl] *n.* **1** 작은 원형물; 작은 원반(圓盤) **2** 둥근 문장(紋章); 작고 둥근 창(窓); 〖역사〗 둥글게 생긴 작은 방패 **3 a** 후렴이 있는 짧은 노래 **b** = RONDEL **c** = RONDEAU **4** (비행기의 국적을 나타내는) 원형 표지 **5** 윤무(round dance)

thesaurus **roundabout** *a.* indirect, meandering, winding, circuitous, tortous, devious
rouse[1] *v.* **1** 깨우다 wake up, call, get up **2** 자극하

roun·de·lay [ráundəlèi] *n.* **1** 짧은 후렴이 있는 노래[가락] **2** 원무(圓舞)의 일종 **3** 새의 지저귐

round·er [ráundər] *n.* **1** 물건을 둥글게 만드는 도구; (손·기계로 물건을) 둥글게 하는 사람 **2 a** 《고어》 순회자 **b** [**R~**] 《영》 (메서디스트파의) 순회 설교자 **3** 《미·구어》 같은 일을 되풀이하는 사람; 공장[현장]을 돌아다니는 사람; 술집을 옮기며 계속 마시는 사람, 상습적인 술꾼; 상습범; 부랑자 **4** [*pl.*; 단수 취급] 《영》 라운더스 《야구와 비슷한 구기(球技)》 **5** 《구어》 〖권투〗 〈몇〉 회전(의 시합): a 10-~ 10회전

round-eye [ráundài] *n.* 《속어·경멸》 서양 여자 《동양 여자에 대하여》

round-eyed [-áid] *a.* 눈이 동그란; 눈이 휘둥그레진, 눈을 크게 뜬

round-faced [-fèist] *a.* 둥근 얼굴의

róund fíle 둥근 줄

róund gáme 라운드 게임 《편을 짜지 않고 각자 단독으로 하는 게임》

róund hánd 둥그스름한 글씨체 《제도용 글자 등; cf. RUNNING HAND》

Round·head [ráundhèd] *n.* 〖영국사〗 의회당원, 원두(圓頭)당원 《1642-49년의 내란시 왕당에 적대하여 머리를 짧게 깎았던 청교도의 별명》

round·head·ed [-hèdid] *a.* 〈사람이〉 머리가 둥근, 단두(短頭)의; 〈나사 따위가〉 머리가 둥근; 〈창 따위가〉 위쪽이 반원형인

round·heel [ráundhì:l] *n.* 《속어》 **1** 절조가 없는 [유혹에 약한] 사람; 잘 속는 사람; 《특히》 남자 꼬임에 잘 걸려드는 여자 **2** 약한 프로 복서

round·house [-hàus] *n.* (*pl.* **-hous·es** [-hàuziz]) 《미》 **1** 원형 기관차고(庫) 《중앙에 전차대(轉車臺)가 있는》 **2** 〖항해〗 (옛날 범선의) 후갑판 선실 **3** 〖역사〗 구치소 **4** 〖야구〗 큰 커브의 투구 **5** 〖권투〗 크게 휘두르는 훅 **6** 〖카드〗 (피노클(pinochle)에서) 같은 그림의 킹과 퀸의 짝 패 **—** *a.* 크게 휘두르는 〈펀치〉

róundhouse kìck (무술에서) 돌려차기

round·ing [ráundiŋ] *a.* **1** 둥글어지는 **2** 주위를 둘러싸는[도는], 회전[선회]하는 **3** (도구 등이 모난 것을) 둥글게 하는 데 쓰는

— *n.* **1** 둥글게 함[됨]; 둥글어진 것[표면, 모서리] **2** 〖음성〗 원순화(圓脣化)

round·ish [ráundiʃ] *a.* 둥그스름한, 약간 둥근

round·let [ráundlit] *n.* 소원(小圓), 소구(小球)

róund lót 〖증권〗 거래 단위 《주식 100주 또는 채권 1000달러; cf. ODD LOT》

round-lot·ter [-lɑ́tər | -lɔ́t-] *n.* 〖증권〗 (최소) 거래 단위 투자가

round·ly [ráundli] *ad.* **1** 둥글게, 원형으로 **2** 《드물게》 세차게, 활발히; 신속[급속]히 **3** 솔직히(frankly); 단연 **4** 완전히, 철저히; 호되게 **5** 대강, 어림셈으로

róund róbin **1** 연속, 계속(sequence, series) **2** (서명의 순서를 감추기 위해) 원형으로 서명한 단체 항의서[탄원서 《등》], 사발통문; 기명 회람장 **3** 《미》 (테니스·체스 등의) 리그전

róund shòt (옛날 대포의) 구형(球形) 포탄

round-shoul·dered [ráundʃóuldərd] *a.* 등이 굽은

rounds·man [ráundzmən] *n.* (*pl.* **-men** [-mən, -mèn]) **1** 《영》 (상점의) 외무원, 배달원 **2** 《미》 경사(警査); 순회 감시인, 순찰인

róund stèak 소의 사태(round)에서 두껍게 베어 낸 고기

róund tàble **1 a** 둥근 테이블, 원탁 **b** 원탁회의 **c** [집합적] 원탁회의 참석자들 **d** 《구어》 토론회 **2** [the R- T-] **a** Arthur 왕의 원탁 **b** [집합적] 원탁의 기사들

round-ta·ble [ráundtèibl] *a.* Ⓐ 원탁의, 원탁을 둘러앉은: a ~ conference[discussion] 원탁 회의[토의]

round-the-clock [ráundðəklɑ́k | -klɔ́k] *a.* 《영》 계속 무휴(無休)의; 24시간 연속(제)의

round-the-world [ráundðəwə́:rld] *a.* 《영》 세계 일주의

round·top [ráundtɑ̀p | -tɔ̀p] *n.* 〖항해〗 돛대 다락, 장루(檣樓)

róund tríp 《영》 일주 여행; 《미》 왕복 여행

round-trip [-tríp] *a.* 《영》 일주 여행의; 《미》 왕복 여행의: a ~ ticket 《미》 왕복표(《영》 return ticket)

round-trip·per [-trípər] *n.* **1** 《야구속어》 홈런 **2** 《미》 왕복 여행자

round-trip·ping [-trìpiŋ] *n.* 《영·속어》 〖금융〗 저리(低利)로 차입한 자금을 고리(高利)로 대부하여 이익을 얻는 일

róund túrn 〖항해〗 (밧줄 등의) 한 마름 《급정선용(急停船用) 등》

róund ùp 〖컴퓨터〗 올림

round·up [-ʌ̀p] *n.* **1** 《미·호주》 **a** 가축을 몰아 모으기 **b** [집합적] 몰아 모은 가축 **2** (범인 일당 등의) 검거, …몰이: a police ~ of suspects 경찰의 용의자 일제 검거 **3** (뉴스 등의) 총괄

róund wíndow 〖해부〗 내창(內窓) 《중이(中耳) 내벽의 개구부(開口部)》

round·wood [-wùd] *n.* (기둥 따위에 쓰는) 둥근 재목, 통나무

round·worm [-wə̀:rm] *n.* 회충

roup[1] [ráup] 《스코》 *n.* 소란스런 외침; 경매(auction) **—** *vt.* 경매하다

roup[2] [rú:p] *n.* Ⓤ 가금(家禽)의 전염성 호흡기병

roup[3] [rú:p] *n.* 목이 쉼, 쉰 목소리

roup·y[1] [rú:pi] *a.* (**roup·i·er**; **-i·est**) roup[2]에 걸린

roupy[2] *a.* 목쉰

rouse[1] [ráuz] *vt.* **1** 깨우다, 눈뜨게 하다(awaken) 《*from, out of*》: (~+목+부) ~ *up* one's child 아이를 깨우다 // (~+목+전+명) He was ~*d from* the swoon. 그는 기절했다가 의식을 회복했다. **2** 환기하다, 고무하다, 분발시키다 《*to*》; 〈감정을〉 일으키게 하다, 격발시키다; 잔뜩 화나게 하다: ~ a person's pride …의 자존심을 자극하다 // (~+목+전+명) ~ a person *from* his idleness …을 분발하게 하다 / The insult ~*d* him *to* anger. 모욕을 당하여 그는 발끈 화를 내었다. **3** 〈사냥감을〉 몰아내다, 날아오르게[튀어나오게] 하다: (~+목+전+명) The dog ~*d* a hare *from* the bushes. 개는 토끼 한 마리를 덤불 속에서 몰아냈다. **4** 〖항해〗 세게 잡아 당기다[거두다] 《*in, out, up*》 **5** 〈양조 중의 맥주를〉 휘젓다

— *vi.* **1** 깨다, 눈을 뜨다, 일어나다 《*up*》: (~+부) (~+전+명) ~ *up* (*from* sleep) (잠에서) 깨다 **2** 분기하다, 분발하다. 《*up*》: (~+부) He ~*d up* suddenly. 그는 갑자기 분발하였다. **3** 〈감정이〉 격발하다 《*up*》 **4** 〈새·짐승이〉 날아[뛰어] 오르다

~ one***self*** 일어서다, 분기[분발]하다, 정신을 차리다 ~ a person ***to action*** …을 분발[분기]시키다 ***want rousing*** (게을러서) 자극을 요하다

— *n.* **1** 각성; 분기 **2** 〖군사〗 기상 나팔

rous·ed·ness *n.*

rouse[2] *n.* 《고어》 가득 찬 잔; 건배; 술판, 술마시며 떠들기 ***give a ~*** 건배하다, 축배를 올리다 ***take*** one***'s ~*** 술 마시며 떠들다

rouse·a·bout [ráuzəbàut] *n.* 《호주·구어》 (목장 등의) 잡역부(雜役夫), 미숙련 노동자

rous·er [ráuzər] *n.* **1** 각성자, 환기자 **2** 《구어》 깜짝 놀라게 할 만한 일; 심한 거짓말 **3** 〖양조〗 교반기(攪拌器) **4** 큰 소리; 소리 큰 사람[노래] **5** (같은 종류의 것 중에서) 최고의 것; 훌륭한 사람[것]

rous·ing [ráuziŋ] *a.* **1** 각성시키는; 고무하는; 흥분시키는 **2** 타오르는; 열렬한; 활발한, 적극적인 **3** 《구어》 〈거짓말 등이〉 터무니없는 **~·ly** *ad.*

Róus sarcòma [ráus-] 〖수의학〗 라우스 육종 《가축의 결합 조직에 발현하는 악성 종양》

Rous·seau [ru:sóu | ∠-] *n.* 루소 **Jean Jacques ~** (1712-78) 《스위스 태생의 프랑스 사상가·문학가》

다 stir up, excite, incite, induce, impel, inflame, agitate, stimulate **3** 화나게 하다 anger, annoy, infuriate, incense, exasperate

round

round는 형용사·명사·동사·부사·전치사 등 다양한 품사 기능을 가진 말이다. 근간의 뜻인 「둥긂, 회전, 일순」을 축으로 「둥근, 도는, 일주하는」 등의 뜻으로 확대된다.
전치사나 부사나 《미》에서는 대부분의 경우 round보다 around를 많이 쓰고 《영》에서는 round와 around를 구별하는 사람이 많다. 이 경우 around는 정지 상태를 나타내는 데 쓰며, round는 도는 운동을 나타내는 데 쓴다. 그러나 최근에 영국에서는 이 양자의 구별없이 쓰는 경향이 늘어가고 있다: go *around*[*round*] the world 세계를 일주하다

‡**round** [ráund] *a.*, *n.*, *v.*, *ad.*, *prep.*

① 둥근(것)	형 **1**	명 **1**
② 도는(회전)	형 **3 a**	명 **3**
③ 일주하는(일주하여)	형 **3 b**	전 **1**
④ (…)둘레에	부 **3 a**	전 **4 a**

— *a.* (**~·er**; **~·est**) **1 둥근 a** 원형의; 둥그스름한: a ~ pond 둥근 연못/a ~ face 둥근 얼굴/a ~ plate 둥근 접시/~ eyes 동그란 눈/⇨ ROUND TABLE. **b** 〈홍예문이〉 반원형의, 아치 모양의 **c** 원통형[상]의: a ~ can 원통형의 깡통 **d 공 모양의,** 구형(球形)의: a ~ ball 둥근 공/The earth is ~, like a ball. 지구는 공 모양으로 둥글다.
2 a 토실토실 살찐, 통통한; 둥글게 휜, 각이 없는, 만곡(彎曲)한: one's ~ cheeks 포동포동한 볼/one's ~ shoulders 새우등 **b** 〈필적이〉 둥그스름한: ⇨ ROUND HAND
3 a 도는, 차례로 도는 **b** 일주(一周)하는, 한 바퀴 도는: a ~ tour 주유(周遊)/⇨ ROUND TRIP
4 Ⓐ **a** 〈수·양이〉 꼭 맞는, 완전한: a ~ dozen 꼭 한 다스 **b** (10, 100, 1000 등의) 정수(整數)로 표시되는, 우수리 없는; 대략의, 대체적인: a ~ number 우수리 없는 수/a ~ half million 약 50만/in ~ figures [numbers] 우수리를 버리고, 대략(적으로) **c** 〈금액 등이〉 꽤 많은, 상당한 (수의): a ~ sum 상당한 액수/at a ~ price (상당히) 고가로
5 a 유창한, 유려(流麗)한; 원숙한: a ~ polished writing style 원숙하고 세련된 문체 **b** 〈포도주 등이〉 원숙한, 맛이 깊은: ~ wine 숙성된 맛의 포도주
6 〈목소리가〉 낭랑한, 우렁찬; 쩡쩡 울리는: a ~ voice 낭랑한 목소리
7 기세 좋은, 활발한; 신속한, 쾌속의: a ~ pace 활발한 보조
8 a 솔직한, 있는 그대로의; 기탄없는, 노골적인: a ~ answer 솔직한 대답/~ dealing 정직한 거래 **b** Ⓟ 〈…에〉 솔직한, 숨김없는 《*with*》: be ~ *with* a person …에게 숨김없이[솔직히] 말하다
9 〖음성〗 〈모음 등이〉 원순(圓脣)의: ~ vowels 원순 모음
10 〈물고기가〉 내장이 뽑히지 않은, 통째로 있는
— *n.* **1 둥근 것 a** 원, 고리 **b** 원형의 것[방, 건물 《등》], 〈단면이〉 둥근 것 **c** 둘러앉음[둘러앉은 사람들]
2 a 구(球)[**원통**]**형의 것 b** (소의) 허벅지살, 대접 **c** (빵의) 둥근 한 조각 《loaf의 가로 자른 조각》; 그것으로 만든 샌드위치
3 돌기 a 회전; 순환: the earth in its daily[yearly] ~ 자전[공전]하는 지구/the ~ of the seasons 계절의 순환 **b** [종종 *pl.*] 한 바퀴, 일순(一巡); 순회, 순시, 순찰; (의사의) 회진(回診); [보통 *pl.*] 순회로[구역]: do a paper ~ (일정한 구역을) 신문 배달하다/make the ~*s* of firms 여러 회사를 차례차례 방문하며 다니다/The doctor is out on his ~*s*. 의사는 왕진 중입니다./⇨ MILK ROUND **c** [보통 *pl.*] (소문·뉴스 등의) 퍼지는 경로: go the ~(*s*) 〈소문 등이〉 퍼지다, 전해지다
4 (틀에 박힌 일·일상사 등의) 연속, 되풀이, (완결된 하나의) 과정; 일련의 것 《*of*》: one's daily ~ = the daily ~ *of* life 나날의 생활[일, 임무]/a ~ *of* parties 파티의 연속
5 일제히 하기, 일제 협의, 다각적 무역 협상, 라운드: ⇨ URUGUAY ROUND
6 a 한 경기[시합], 한 판: a ~ of golf 골프의 1라운드 《18홀을 돌기》 **b** (권투의) 1회, 1라운드: a fight of ten ~*s* 10회전
7 a 일제 사격; (탄약의) 1발분: fire five ~*s* 일제 사격을 5회 계속하다 **b** (환성의) 한바탕: ~ after ~ of cheers 연달아 일어나는 환성
8 a 원무(곡) **b** 〖음악〗 윤창(輪唱)
9 (모두에게 돌아가는 술 등의) 한 순배(의 양): pay for a ~ of drinks 모두에게 한 순배 돌리는 술값을 내다
10 (사닥다리의) 가로장, 발판
give* a person *the ~s of the kitchen 《영·속어》 …을 꾸짖다
***go for a good*[*long*] ~** 먼 길을 한 바퀴 돌다, 멀리 산책을 가다
***go*[*make*] one*'s*[*the*] *~*(*s*)** (1) 순시[순찰]하다 (2) 《구어》 〈소문 등이〉 전해지다, 〈병이〉 퍼지다 《*of*》
in the ~ (1) 〖조각〗 환조(丸彫)로[의] (2) 모든 각도에서 (본), 생생한[하게] (3) 〈극장이〉 원형식의
out of ~ 원형이 일그러져
play a ~ (경기를) 한 판하다(cf. *n.* 6 a)
take a ~ 한 바퀴 돌다, 돌아다니다; 산책하다
— *vt.* **1 a** 〈…을〉 **둥글게 하다,** 구형(球形)[원통형]으로 하다: Over millennia ice and water have ~*ed* the stones. 여러 수천 년 동안에 얼음과 물이 (침식하여) 돌을 둥글게 했다.
b 〈…을〉 통통하게 살찌게 하다; 둥그스름하게 하다 《*out*》: 《~+목(+부)》 with ~*ed* eyes 눈이 휘둥그레져서
2 《구어》 완성하다, 마무리하다; 매듭짓다 《*off*, *out*; *with*, *by*》; (끝수를) 반올림하다: ~ one's character 인격을 완성하다/The day's outing was ~*ed off with* a visit to the theater. 그날의 나들이는 연극 구경으로 매듭지었다.
3 《구어》 〈…을〉 **돌다**; 일주하다: The car ~*ed* the corner. 차는 모퉁이를 돌았다./The runner is ~*ing* second. 주자는 2루를 돌고 있다.
4 〖음성〗 〈모음을〉 입술을 둥글게 하여 발음하다: ~ the lips 입술을 둥글게 하여 발음하다 《[uː] [w] 등의 경우》
— *vi.* **1 a 둥글게 되다,** 둥그레지다, 둥그스름해지다 《*out*》 **b** 통통하게 살찌다 《*out*》: 《~(+부)》 Her figure is beginning to ~ *out*. 그녀의 몸매는 통통해지고 있다.
2 〈…으로〉 돌아 들어가다 《*into*》: 《~+전+명》 The runners ~*ed into* the homestretch. 경주자들은 코너를 돌아 홈스트레치에 접어들었다.
3 (…으로) 발달하다, 성장하다 《*into*》: 《~+전+명》 ~ *into* manhood 어른이 되다
4 a 돌다; 뒤돌아보다: He ~*ed* on his heels to look at me. 그는 휙 돌아서서 나를 쳐다보았다.
b 돌아서서 갑자기 〈…을〉 습격하다; 갑자기[불쑥] 〈…을〉 나무라다, 비난하다 《*on*, *upon*》 《수동형 가능》: 《~+전+명》 The tiger ~*ed on* him. 호랑이는 갑자기 그에게 덤벼들었다./His wife ~*ed on* him when he returned drunk. 술에 취해서 돌아갔을 때 아내는 그에게 바가지를 긁었다.
5 〈숫자를〉 반올림하다

~ down 〈숫자의〉 우수리를 〈…으로〉 잘라버리다 《*to*》: ~ *down* £33.30 *to* £33 33파운드 30펜스를 33파운드로 깎아버리다
~ off (1) 〈…의〉 모를 없애다; 〈…을〉 둥그스름하게 하다: ~ *off* the corners of a table 테이블의 모를 없애고 둥글게 하다 (2) 〈…을〉 완전하게 하다; 〈문장을〉 솜씨 있게 마무리하다[완결하다]: Let's ~ *off* the party with a song. 노래로써 파티를 마무리하자. (⇨ *vt.* 2) / This passage needs ~*ing off*. 이 문장은 세련되게 다듬을 필요가 있다. (3) 〈숫자를〉 어림수로 나타내다, 반올림하다: ~ *off* to 3 decimals 반올림하여 소수점 이하 3자리까지로 하다
~ on[**upon**] ⇨ *vi.* 4b
~ out (1) 〈…을〉 완성하다, 마무리하다, 완전한 것으로 만들다: ~ *out* one's education by traveling abroad 해외여행으로 교육을 마무리하다 (2) ⇨ *vi.* 1a, b
~ to (1) 〖항해〗 〈배가〉 이물을 바람 불어오는 쪽으로 돌려 멈추다 (2) 건강[기력]을 회복하다
~ up (1) 〈가축을〉 몰아 모으다 (2) 《구어》 〈흩어진 사람·것을〉 모으다, 끌어모으다 (3) 〈범인 일당을〉 검거하다: The police ~*ed up* the gang of criminals. 경찰은 그 범죄자 일당을 검거했다. (4) 《영》 〈숫자의〉 우수리를 〈…으로〉 반올림하다 《*to*》: ~ *up* £33.70 *to* £34 33파운드 70펜스를 34파운드로 반올림하다 (5) 〈문제를〉 해결하다
— *ad.* ★ 《미》에서는 round보다 around를 씀. **1** (일정 기간) **처음부터 끝까지,** 쭉, 내내(cf. *prep.* 7): (all) (the) year ~ 1년 내내
2 돌고, 회전하여; 빙빙, 순환하여: ⇨ LOOK round, TURN round / Spring comes ~ soon. 봄이 곧 돌아온다.
3 a (장소의) **둘레에,** 사방에; 가까이에, 근방에, 여기저기: go[walk] ~ 여기저기 걸어다니다 / show a person ~ …을 여기저기 안내하다 / all the country ~ 온 나라 안에 / a village girdled ~ with hills 사방이 산으로 둘러싸인 마을 **b** [숫자와 함께] **둘레가** 〈…〉: The tree is 4 feet ~. 그 나무는 둘레가 4피트이다.
4 먼 길을 돌아, 우회하여
5 (모든 각자에게) 한 차례 돌아, 골고루, 차례차례: Tea was carried ~. 차가 모두에게 차례차례 날라졌다. / Glasses went ~. 유리잔이 모두에게 돌아갔다.
6 (어떤 곳에서 다른 데로) **돌아,** 돌려서: Bring my car ~. 내 차를 이리로 돌려 주시오.
7 어떤 곳에; 나서서: I'm going ~ to John's tonight. 나는 오늘밤 존의 집에 갈 작정이다.
8 자택에: Come ~ sometime. 일간에 한번 들르시오.
9 〈의식·건강을〉 회복하여, 정상 상태로 돌아와: bring a woman ~ after a faint 실신한 여성의 의식을 회복시키다
all ~ 빙글 (한 바퀴) 돌아
ask[**invite**] a person **~** …을 (자택으로) 초대하다
come ~ ⇨ come
go a long way ~ 멀리 돌아서 가다
go round-and-round 결론을 내지 못하고 이야기하다
~ about (1) 원을 이루어, 둘레에, 주변에; 사방팔방에: The pupils are mostly from the farms ~ *about*. 학생들은 대개가 그 주변의 농가 아이들이다. (2) 반대쪽에: turn ~ *about* 홱 등을 돌리다 (3) 멀리 돌아서
~ and ~ 빙글빙글 돌아: The music goes ~ *and* ~. 그 음악이 되풀이해서 흘러 나온다.
the other[**wrong, right, opposite**] **way ~** ⇨ way[1]
— [ràund] *prep.* ★ 《미》에서는 round보다 around를 씀. **1** …을 (빙)돌아, …을 일주하여: a tour ~ the world 세계 일주 여행 / The earth moves ~ the sun. 지구는 태양 둘레를 돈다.
2 …을 돌아, …을 우회하여: drive ~ a fallen tree 쓰러진 나무를 피해서 차를 몰다 / go ~ a corner 모퉁이를 돌다 / ⇨ round the CORNER
3 …의 둘레에[를], …의 사방에: She looked ~ her [the room]. 그녀는 사방[방]을 둘러보았다.
4 a …의 주위에, …을 빙 둘러싸[에워싸]: A fence has been built ~ the yard. 그 마당 둘레에는 울타리가 쳐졌다. / The members of the committee sat ~ the table. 위원들은 테이블을 둘러싸고 앉았다. **b** …을 문제의 중심으로 하여, …에 대해: write a book ~ the event 그 사건을 테마로 책을 쓰다
5 …의 가까이에, …의 주변에: ten miles ~ the town 그 도시의 10마일 사방에
6 …쯤, …정도, …무렵: ~ Christmas 크리스마스 무렵 / I'll expect you ~ noon. 정오경에 오십시오. / The book will cost somewhere ~ $10. 그 책 값은 10달러쯤 할 것입니다.
7 〈시간〉 동안, …동안 내내(cf. *ad.* 1): He worked ~ the year. 그는 1년 내내 일을 했다.
~ about ... (1) …둘레를: dance ~ *about* the pole 장대 둘레를 춤추다 (2) 대략…, 얼추…(cf. *prep.* 6): He will come back ~ *about* 10 o'clock. 그는 대략 10시쯤에 돌아올 것이다. (3) …의 근처에: He lives ~ *about* here. 그는 이 근방에 살고 있다.
~ and ~ ... …의 둘레를 빙글빙글: argue ~ *and* ~ a subject 문제의 (핵심이 아니고) 주변을 맴돌고 있다
~ the clock ⇨ clock[1]
~·ness *n.* 완전, 원만; 솔직; 엄정

~·ism *n.* Ⓤ 루소(의 자연)주의, 민약설(民約說)
roust [ráust] *vt.* **1** 《구어》 강제로 일으키다, 잡아끌다 《*out, up*》 **2** 《속어》 체포하다 — *vi.* 《호주·구어》 화나서 소리치다, 고함치다 — *n.* 《속어》 (경찰의) 단속
roust·a·bout [ráustəbàut] *n.* 《미》 **1** 항만[부두] 노동자 **2** (유전 등의) 미숙련 노동자
rout[1] [ráut] *n.* **1** ⓊⒸ 패주, 궤주(潰走) **2** 대패(大敗): a ~ of the home team by the rival team 라이벌 팀에 의한 홈 팀의 대패 **3** 혼란된 군중[회합]; 떠들썩한 군중; 〖법〗 불온 집회 《세 사람 이상의》 **4** 《영·고어》 사교적인 모임, 큰 야회(夜會) ***put ... to ~*** 패주[궤주]시키다 — *vt.* 패주시키다(defeat)
rout[2] *vt., vi.* =ROOT[2]
rout[3] 《영·방언》 *vi.* 〈소 등이〉 큰소리로 울다
— *n.* (소 등의) 우는 소리
róut càke 《영》 야회용 케이크
‡**route** [rú:t, ráut | rú:t, 〖군사〗 ráut] *n.* **1 a** 길(road), 노정; 루트; 항로(航路): an air ~ 항공로 / take a different ~ 다른 경로를 취하다 **b** 《비유》 수단, 방법, 길 **2** 《미》 (우유·신문 등의) 배달 구역 **3** Ⓤ 《고어》 〖군사〗 행군 명령 **4** [**R~**] 《미》 국도 …호선[번]: *R~* 66 국도 66호선 《Chicago-Los Angeles 연결 도로》
en[***on***] ***~*** 도중에, 여행중에 ***give***[***get***] ***the ~*** 출발 명령을 내리다[받다] ***go the ~*** 〖야구〗 《구어》 〈투수가〉 완투(完投)하다 ***take*** one***'s ~*** 나아가다, 가다 《*to*》 ***the great circle ~*** 대권(大圈) 항로
— *vt.* **1** 〈…의〉 루트를 정하다 **2** 〈화물 등을〉 (…의 루트로) 발송하다 《*by, through*》
róute-gó·ing perfórmance [ráutgóuiŋ-, rú:t-] 〖야구〗 완투(하기)
route·man [rú:tmən] *n.* (*pl.* **-men** [-mən, -mèn]) (한 구역의) 배달 책임자; 작업 분배 담당자 《공장·조선소 등에서 종업원의 임무를 분배하는 사람》
róute màrch 도보 행군
Róute Óne 《영》 〖축구〗 상대 골대 쪽으로 길게 차기
Róute 128 루트 128호선 《Boston 외곽의 벤처 산업 단지》

rout·er[1] [rú:tər, ráut-] *n.* (상품의) 발송 담당

rout·er[2] [ráutər] *n.* **1** 홈 파는 기구[기계]; = ROUTER PLANE **2** 라우터 《데이터 전송시의 최적 경로를 선택하는 장치》

róut·er plàne [ráutər-] 홈 파는 대패

róute stèp 〔군사〕 노상 행군 보조(步調)

róute sùrvey (철도·도로 등의) 노선 측량

‡**rou·tine** [ru:tí:n] [F = route(길)] *n.* ⓊⒸ **1 a** 판에 박힌 일, 일상의 일[과정]: the day's ~ 일과 **b** 관례; 차례, 기계적 절차 **2** (미) (연극에서) 틀에 박힌 몸짓[연기]; 일정한 일련의 댄스 스텝 **3** 〔컴퓨터〕 루틴 《프로그램에 의한 컴퓨터의 일련의 작업》

—*a.* **1** 일상의, 정기적인 **2** Ⓐ 기계적인, 틀에 박힌 **~·ly** *ad.* **~·ness** *n.*

rou·ti·neer [rù:təníər] *n.* (창의 없이) 기계적인 일만 하는 사람

rout·ing [rú:tiŋ, ráut- | rú:t-] *n.* **1** 여정(旅程); 절차의 결정 **2** 전달; 발송; 발송 절차 **3** 우편물의 선별[분류]; 우편물 배달 계획

róuting nùmber (미) = SORT CODE

rou·tin·ism [ru:tí:nizm] *n.* Ⓤ (천편일률적) 관례[관습] 존중 **-ist** *n.*

rou·tin·ize [ru:tí:naiz, rú:tənàiz] *vt.* 규칙[관식]화하다, 일상화하다, 관례화하다: ~ a process 절차를 확립하다 **rou·tìn·i·zá·tion** *n.*

roux [rú:] [F] *n.* (*pl.* ~ [-z]) 〔요리〕 루 《밀가루를 버터로 볶은 것》

ROV remotely-operated vehicle 《무인 해중 작업 장치의 총칭》

*__rove__[1] [róuv] *vi.* **1** 헤매다, 배회하다, 유랑하다: ~ *over* a desert 사막을 헤매다 // (~+전+명) The invaders ~*d through* the country. 침략자들은 온 나라 안을 배회했다. **2** 〈눈이〉 두리번거리다 **3** 〈애정·권리 등이〉 항상 이동하다 **4** 〔궁술〕 임의로 정한 먼 과녁을 향해 쏘다; (고어) 〔낚시〕 산 미끼로 견지질하다

—*vt.* 〈장소를〉 배회하다, 유랑하다: ~ the world 세계를 방랑하다

—*n.* 배회, 방랑, 유랑; (눈의) 두리번거림 ***on the ~*** 배회하여, 방랑[유랑]하며

rove[2] *v.* REEVE[2]의 과거·과거 분사

rove[3] *n.* 조방사(粗紡絲)

—*vt.* 〈솜 등을〉 거칠게 잣다, 물레로 굵게 자아내다

rove[4] *n.* 리벳의 고정 따리쇠

róve bèetle 〔곤충〕 반날개 《딱정벌레의 하나》

*__rov·er__[1] [róuvər] *n.* **1** (문어) 유랑자, 배회자 **2** [보통 *pl.*] 〔궁술〕 임시 과녁; 먼 과녁(을 향해 쏘는 사람) **3** (영) **a** (음악회 등의) 입석 손님 **b** [**R~**] (18세 이상의) 연장(年長) 보이스카우트 《현재의 Venture Scout》 **4** (영) 〔럭비〕 로버 《공격과 방어를 겸함》 ***shoot at ~s*** 먼 과녁을 쏘다; 무턱대고 쏘다

rover[2] *n.* 조방공(粗紡工); 조방기(粗紡機)

rover[3] *n.* 해적; (고어) 해적선

rov·ing[1] [róuviŋ] *n.* Ⓤ 방랑; 먼 과녁을 향해 쏘기

—*a.* 방랑하는; 이동하는; 산만한; 상주하지 않는; 시선이 이리저리 움직이는: a ~ editor 이동 편집 기자 / a ~ ambassador 이동 대사(大使) ***have a ~ eye*** 곁눈질하다, 추파를 던지다 **~·ly** *ad.* **~·ness** *n.*

roving[2] *n.* 조방사(粗紡絲); 연방(練紡)

róving commíssion **1** (조사원 등의) 자유 여행 권한 **2** (구어) 여기저기 뛰어다니는 업무

róving mínister (미) 이동[순회] 공사

‡**row**[1] [róu] *n.* **1** 열, 줄: a ~ of beautiful teeth 아름다운 치열(齒列) **2** (극장·교실 등의) 좌석 줄: in the front ~ 앞줄에 **3 a** (양쪽에 집이 늘어선) 거리, 가(街); …거리 《(영) 흔히 동네 이름으로서》 **b** 가로수, 줄선 나무들 **4** [the R~] (영) = ROTTEN ROW

a hard [***long, tough***] ***~ to hoe*** 어려운 일 ***at the end of one's ~*** 막다른 지경에 이르러; 지쳐 ***hoe one's own ~*** (미) 자기 일을 하다 ***in a ~*** 한 줄로; 연속적으로 ***in ~s*** 여러 줄로 서서; 열을 지어서

‡**row**[2] [róu] *vi.* **1** (노를 써서) 배를 젓다; 〈배가〉 저어지다: (~+부) We ~*ed out.* 우리는 배를 저어 나갔다. // (~+전+명) He ~*ed down* the river. 그는 배를 저어 강을 내려갔다. **2** 보트레이스에 참가하다; (…와) 보트레이스를 하다: (~+전+명) They ~*ed against* the Oxford crew. 그들은 옥스퍼드 대학팀과 보트레이스를 했다.

—*vt.* **1** 〈배를〉 젓다: ~ 30 to the minute 1분간에 30피치로 젓다 / Let's ~ a boat. 보트를 젓자. // (~+목+부) He ~*ed off* the boat. 그는 보트를 젓기 시작했다. **2** 저어 나르다; 저어서 …하다: (~+목+부) He ~*ed* us *up*[*down*] (the river). 그는 우리들을 위하여 배를 저어 (강을) 올라[내려]갔다. // (~+목+전+명) ~ a person *across* the river …을 배로 강을 건네 주다 / He was ~*ed to* the shore. 그는 기슭에까지 배를 얻어 탔다. **3** 〈노를〉 사용하다; 〈노를〉 갖추다; (어떤 번호의 위치에서) 노를 젓다: a boat that ~*s* 6 oars 여섯 자루 노의 보트 / ~ bow[stroke] 앞노[정조(整調)]를 젓다 / ~ five in the boat 다섯째(노)를 젓다 **4** 〈보트레이스에〉 참가하다: ~ a race 보트레이스를 하다

look one way and ~ another (속어) 어떤 것을 노리는 체하면서 딴 것을 노리다 ***~ against the tide*** [***stream, wind***] 어려운 일을 꾀하다, 곤란과 싸우다 ***~ down*** 저어서 따라잡다 ***~ dry*** 물이 튀지 않게 젓다 ***Rowed of all!*** 노 올려, 젓기 그만! ***~ in one*** [***the same***] ***boat*** 같은 배를 젓다; 같은 일에 종사하다, 같은 처지에 있다 (*with*) ***~ out*** 저어서 지치게 하다 ***~ over*** 경쟁에 쉽게 이기다; 독주하다 ***~ up*** 힘을 더 내어 젓다, 역조(力漕)하다 ***~ up Salt River*** (미) 〈반대당 사람을〉 패배시키다 ***~ wet*** 물을 튀기며 젓다; 헛젓다

—*n.* **1** 젓는 거리[시간] **2** 노젓기, 보트놀이: go for a ~ 보트 타러 가다 **~·a·ble** *a.* **~·er** *n.*

‡**row**[3] [ráu] [rouse[1]에서의 역성(逆成)(?)] (구어) *n.* **1** ⓊⒸ 법석, 소동; 떠들썩함, 소음: There's too much ~. 시끄러워 죽겠다. **2** 싸움, 말다툼 **3** (영) 꾸짖기, 질책, 꾸지람 듣기 ***get into a ~*** 꾸지람 듣다 ***Hold*** [***Shut***] ***your ~!*** (속어) 닥쳐! ***make*** [***kick up, raise***] ***a ~*** 소동을 일으키다; 항의하다 (*about*) ***What's the ~?*** 도대체 무슨 일이냐?

—*vt.* (영) 꾸짖다, 욕하다: (~+목+부) ~ a person *up* …을 꾸짖다

—*vi.* 떠들다; 말다툼하다, 싸우다: (~+전+명) Stop ~*ing with* your colleagues. 동료와 싸우는 것은 그만두어라.

row·an [róuən, ráu-] *n.* 〔식물〕 마가목(= **~ trèe**); 그 열매

row·an·ber·ry [ráuənbèri | -bəri] *n.* 마가목의 빨간 열매

row·boat [róubòut] *n.* (미) (노로 젓는) 보트 (rowing boat)(⇨ boat 관련)

row·de·dow [ráudidàu | ⌐-⌐] *n.* Ⓤ (미·속어) 야단법석, 소란, 소동

row·dy [ráudi] *a.* (**-di·er**; **-di·est**) 〈사람·행위가〉 난폭한, 싸움을 좋아하는; 떠들썩한 —*n.* (*pl.* **-dies**) 난폭한[싸우기 좋아하는, 시끄러운] 사람; 무뢰한 **rów·di·ly** *ad.* **rów·di·ness** *n.* **~·ish** *a.*

row·dy·dow [ráudidàu | ⌐-⌐] *n.* (미·속어) = ROWDEDOW

row·dy·dow·dy [ráudidáudi] *a.* (미·속어) 시끄러운, 떠들썩한

row·dy·ism [ráudiìzm] *n.* Ⓤ 난폭함, 대들 듯한 기세, 떠들썩함, 야단법석

row·el [ráuəl] *n.* **1** (박차 끝의) 톱니바퀴 **2** 〔수의학〕 삽환 타농기(揷環打膿器) 《고름을 빼내기 위해 말 등의 피하(皮下)에 삽입하는 가죽·고무 등의 조각》

—*vt.* (**~ed**; **~·ing** | **~led**; **~·ling**) **1** 박차를 가하

thesaurus **routine** *n.* pattern, procedure, practice, custom, habit, schedule, method, way

row[3] *n.* argument, dispute, disagreement, quarrel

다 **2** 삽환 타농기를 삽입하다 **3** 《비유》 괴롭히다
row·en [ráuən] *n.* 목초의 두 번째 수확
Ro·we·na [rouwí:nə | rouí:-] *n.* 여자 이름
rów hòuse [róu-] 《미》 연립 주택(의 한 채)(《영》 terraced house)
row·ing [róuiŋ] *n.* **1** Ⓤ 배젓기, 조정 **2** [형용사적] 조정용의
rówing bòat 《영》 = ROWBOAT
rówing clùb 조정부, 보트 클럽
rówing machìne 〖스포츠〗 로잉 머신 《노젓기 연습 기구》

rowing machine

Row·land [róulənd] *n.* 남자 이름
row·lock [rálək, rʌ́l- | rɔ́l-, rʌ́l-] *n.* 《영》 (보트의) 노걸이, 노받이(《미》 oarlock)
Rów·ton hòuse [ráutn-, rɔ́:-] 〖영국사〗 저소득 독신자용 숙박소
Rox·an·a [rɑksǽnə | rɔk-] *n.* 여자 이름 《애칭 Roxy》
rox·burghe [rɑ́ksbə:rou, -bʌr- | rɔ́ksbərə] *n.* 〖제본〗 록스버러 장정
Roy [rɔ́i] *n.* 남자 이름
‡**roy·al** [rɔ́iəl] *a.* Ⓐ **1 a** [종종 **R~**] 왕[여왕]의; 왕실의: ~ power 국왕의 권력 / the blood ~ 왕족(royal family) **b** 국왕이 준; 칙허[칙정](勅許[勅定])의: a ~ charter 칙허장 / a ~ edict 칙령(勅令) **2** [보통 **R~**] 《영》 국왕의 보호가 있는; 왕권 밑에 있는; 왕립의: a ~ library 왕립 도서관 ★ 공공 기관·시설·단체의 이름에서는 반드시 「왕립」이라는 뜻은 아님. **3 a** 왕다운, 국왕에 어울리는 **b** 기품[위풍] 있는, 고귀한 **4** 《구어》 당당한, 훌륭한(splendid); 멋진, 호화로운, 최고의: a man of ~ bearing 태도가 당당한 사람 **5** 대형(大型)의, 특대의 **6** 〖화학〗 화학적 변화를 받지 않는, 불활성의 ***a battle ~*** 큰 전투; 상대를 가리지 않는 큰 싸움 ***have a ~ time*** 매우 재미있는 시간을 보내다 ***in ~ spirits*** 아주 기운차게
— *n.* **1** 《구어》 왕족(의 일원) **2** = ROYAL PAPER **3** = ROYAL STAG **4** 〖항해〗 = ROYAL SAIL **5** = ROYAL FLUSH **6** = ROYAL BLUE **7** (10개의 종을 사용하는) 전조 명종(轉調鳴鐘)(change ringing) **8** [the R~s] 《영》 보병 제1연대 《지금은 Royal Scots라 함》
▷ róyalty *n.*
Róyal Acádemy [the ~] 영국 왕립 미술원(= ~ **of Árts**) 《略 R.A.》
Róyal Áir Fòrce [the ~] 영국 공군 《略 R.A.F., RAF》
Róyal and Áncient [the ~] 로열 앤드 에인션트 골프 클럽 《세계 최고(最古); 1754년 개설》
róyal assént [the ~] 《영》 (의회를 통과한 법안의 발효에 필요한) 국왕의 재가
Róyal Bállet [the ~] 영국 로열 발레단
róyal blúe 1 감청색 **2** 《미·속어》 환각제, LSD
róyal búrgh 〖역사〗 스코틀랜드의 칙허(勅許) 자치 도시
Róyal Canádian Móunted Políce [the ~] 캐나다 기마 경찰대 《연방 경찰》
róyal cólony 직할 식민지
Róyal Commíssion 《영》 영국 심의회 《법의 운용·사회·교육 사정 등을 조사 보고함》
Róyal Cóurts of Jústice [the ~] 왕립 재판소 《London Strand가의 고등 법원》
róyal dúke 왕족 공작 《Prince의 칭호를 가짐》
Róyal Engineérs [the ~] 영국 육군 공병대
róyal évil = KING'S EVIL

---

royal *a.* **1** 왕의 kingly, queenly, kinglike, queenlike, princely, regal, monarchical, sovereign **2** 당당한, 훌륭한 majestic, magnificent, glorious, grand

Róyal Exchánge [the ~] 런던 증권 거래소 《略 R.E.》
róyal fámily 왕실, 황족
róyal férn 〖식물〗 고비의 일종
Róyal Féstival Háll [the ~] 로열 페스티벌 홀 《런던의 콘서트홀; 略 R.F.H.》
róyal flúsh 〖카드〗 같은 조(組)의 ace, king, queen, jack, 10의 5장이 연속된 최고의 패
Róyal Flýing Córps [the ~] 영국 육군 항공대 《Royal Air Force에 합병; 略 RFC》
Róyal Gréenwich Obsérvatory [the ~] 영국 왕립 그리니치 천문대
Róyal Híghness 전하 《왕족에 대한 경칭; 略 R.H.》
Róyal Hórse Gùards [the ~] 《영》 근위 기병대 《略 R.H.G》
róyal ícing 로열 아이싱 《계란 흰자위에 설탕을 섞어 만드는 케이크의 당의(糖衣)》
Róyal Institútion [the ~] 영국 왕립 과학 연구소 《略 R.I.》
roy·al·ism [rɔ́iəlìzm] *n.* Ⓤ 왕정주의, 왕당주의, 왕제(王制)주의
roy·al·ist [rɔ́iəlist] *n.* **1** 왕정주의자, 왕당원; [**R~**] 〖영국사〗 왕당원(Tory) **2** 〖미국사〗 영국파(Tory); [**R~**] 〖프랑스사〗 왕당원 **3** 《미》 보수주의자, 완고한 사람: an economic ~ 완고한 실업가, 구두쇠
— *a.* **1** 근왕의; 왕당의 **2** 왕당주의의
roy·al·is·tic [rɔ̀iəlístik] *a.* = ROYALIST
róyal jélly 로열 젤리 《여왕벌이 될 유충이 먹는 영양이 풍부한 물질》
roy·al·ly [rɔ́iəli] *ad.* **1** 왕으로서; 왕답게 **2** 장엄하게; 훌륭히; 《구어》 멋지게, 굉장히 **3** 《미·속어》 완전히, 아주, 전적으로
Róyal Máil [the ~] 영국 체신 공사
Róyal Marínes [the ~] 영국 해병대(《미》 Marine Corps) 《略 R.M., RM》
róyal mást 〖항해〗 로열 마스트 《큰 돛배의 아래에서 세번째 마스트의 윗부분》
Róyal Mílitary Acádemy [the ~] 영국 왕립 육군 사관 학교 《略 RMA》
Róyal Mínt [the ~] 영국 조폐국
Róyal Nátional Théatre [the ~] 영국 국립 극장
Róyal Nával Áir Sèrvice [the ~] 영국 해군 항공대 《略 R.N.A.S.》
Róyal Návy [the ~] 영국 해군 《略 R.N.》
róyal óak 로열 오크 《영국왕 Charles 2세가 1651년 Worcester 싸움에 패했을 때 숨어서 살아난 오크나무; cf. OAK-APPLE DAY》
róyal octávo 로열 8절판
Róyal Ópera Hòuse [the ~] 로열 오페라 하우스 《London에 있는 오페라 극장》
róyal pálm 〖식물〗 대왕야자
róyal páper 로열판 《24×19인치의 필기 용지; 25×20인치의 인쇄지》
róyal poinciána 〖식물〗 봉황목(鳳凰木)
róyal príncess 왕녀
Róyal Psálmist [the ~] 〖성서〗 다윗왕(David) 《속칭》
róyal púrple 푸르스름한 자줏빛
róyal quárto 로열 4절판
róyal róad 쉬운 방법, 지름길, 왕도: the ~ to success 성공에의 지름길
róyal sáil 〖항해〗 로열 마스트의 돛, 맨 꼭대기 돛
róyal salúte 왕예포(王禮砲)
Róyal Shákespeare Cómpany [the ~] 로열 셰익스피어 극단 《1960년 발족》
Róyal Socíety [the ~] 왕립 협회, 영국 학술원 《1662년 인가; 정식명 the Royal Society of London for Improving Natural Knowledge; 略 R.S.》
róyal stág 뿔이 12갈래 이상의 사슴
róyal stándard [the ~] 《영》 왕기(王旗)
róyal ténnis = COURT TENNIS

***roy·al·ty** [rɔ́iəlti] *n.* (*pl.* **-ties**) **1** Ⓤ 왕위; 왕권 **2** 왕족의 한 사람; [집합적] 왕족 **3** Ⓤ 왕의 존엄, 왕위(王威); 왕자(王者)의 풍모; 존귀, 장엄 **4** [보통 *pl.*] 왕의 특권 **5** 왕령(王領) **6** 특권 계급 **7 a** 화폐 주조세(鑄造稅); 광산[광구] 사용료 **b** 특허권 사용료; (저서·작곡 등의) 인세(印稅), 저작권 사용료; (희곡의) 상연료: pay *royalties* on one's book …의 저작에 인세를 지불하다

róyal wárrant 왕실 납품권 《영국 왕실로의 납품을 허가하는 인증서》

róyal wé 군주의 we(⇨ we 2)

royst·er [rɔ́istər] *vi.* = ROISTER

Ro·zélle rùle [rouzél-] 〖미식축구〗 로젤 규약 《프로 리그에서의 선수 계약 규칙의 하나》

roz·zer [rɑ́zər | rɔ́z-] *n.* 《영·속어》 경찰(관)

Rp rupiah(s) **RP** Received Pronunciation 표준적 발음 **rp.** reprint(ing) **R.P.** Reformed Presbyterian; Regius Professor **RPC** Royal Pioneer Corps. **R.P.E.** Reformed Protestant Episcopal **Rpf** Reichspfennig **RPG** report program(me) generator 〖컴퓨터〗 보고서 프로그램 작성기 **RPI** retail price index **r.p.m., RPM** revolutions per minute 매분 …회전 **R.P.O.** Railroad Post Office **RPQ** request for price quotation **rps, r.p.s.** revolutions per second **R.P.S.** Royal Photographic Society **rpt.** repeat; report **RPV** 〖항공〗 remotely piloted vehicle **RQ, R.Q.** respiratory quotient **R.Q.M.S.** 《영》 Regimental Quartermaster Sergeant **rr.** rear **R.R.** railroad; Right Reverend; rural route

r-qual·i·ty [ɑ́:rkwɑ̀ləti | -kwɔ̀l-] *n.* 〖음성〗 = R COLOR

R-rat·ed [ɑ́:rrèitid] [*r*estricted-*rated*] *a.* 〈영화가〉 준성인용의

RRB Railroad Retirement Board **R.R.C.** Royal Red Cross **R.R.E.** 《영》 Royal Radar Establishment

-rrhage [ridʒ], **-rrhagia** [réidʒiə] 《연결형》 「파열, 유출 과다, 이상 배출」의 뜻

-rrhaphy [rəfi] 《연결형》 「봉합」의 뜻

-rrhea [rí:ə | riə] 《연결형》 「유출, 발사, 방출」의 뜻

rRNA ribosomal RNA **RRP** recommended retail price 권장 소매 가격 **RRR** 〖미군〗 reduced risidual radiation **RRSP** 《캐나다》 registered retirement savings plan **rs, Rs** rupees **Rs.** reis **r.s., RS** right side **R.S.A.** Royal Scottish Academy; Royal Society of Antiquaries; (London의) Royal Society of Arts **RSC** 〖권투〗 referee stop contest **R.S.D.** Royal Society of Dublin **R.S.E.** Royal Society of Edinburgh **R.S.F.** Royal Scots Fusiliers **R.S.F.S.R.** Russian Soviet Federated Socialist Republic **RSI** repetitive strain injury 반복 운동 손상 **R.S.M.** Regimental Sergeant Major **R.S.O.** railway suboffice **R.S.P.B.** 《영》 Royal Society for the Protection of Birds **R.S.P.C.A.** 《영》 Royal Society for the Prevention of Cruelty to Animals **R.S.P.C.C.** 《영》 Royal Society for the Prevention of Cruelty to Children **R.S.S.** *Regiae Societatis Socius* 《L = Fellow of the Royal Society》; rotating service structure 〖우주과학〗 회전식 정비탑; Royal Statistical Society **R.S.V.** Revised Standard Version (of the Bible) **R.S.V.P., r.s.v.p.** *Répondez s'il vous plaît.* 《F = Reply, if you please.》 회답을 바람 **R.S.W.** Royal Scottish Society of Painters in Water Colours **R.S.W.C.** right side up with care **rt.** right **r.t.** 〖럭비〗 right tackle **R.T., R/T** radiotelegraphy; radiotelephone; radiotelephony

'rt [ərt] 《고어》 art의 단축형: thou'*rt* = you are

RTA 《영》 road traffic accident

RTÁ fúrniture [*r*eady-*t*o-*a*ssemble *furniture*] 기성 조립식 가구

rte., Rte. route **RTF** 〖컴퓨터〗 Rich Text Format **Rt. Hon.** 《영》 Right Honorable **RTN** 〖컴퓨터〗 return **R.T.O., RTO** Railroad Transportation Officer 〖미군〗 철도 수송 지휘관; 〖영국군〗 Railway Transport Officer

RTOL [ɑ́:rtɔ:l, -tɑl | -tɔl] [*r*educed *t*ake-*o*ff and *l*anding] *n.* 〖항공〗 단거리 이착륙기

Rt. Rev(d). Right Reverend **Rts.** 〖상업〗 rights **R.T.S.** Religious Tract Society 《영》 종교 책자 협회 《U.S.C.L.에 통합》 **r-t-w** ready-to-wear **Ru** 〖화학〗 ruthenium **R.U.** rat unit 〖의학〗 쥐 단위

ru·a·na [ruɑ́:nə] *n.* 루아나 《콜롬비아 지방의 겉옷》

‡**rub**[1] [rʌ́b] *v.* (**~bed**; **~·bing**) *vt.* **1** 비비다, 마찰하다; 문질러 닦다: He *~bed* his eyes and yawned. 그는 눈을 비비고 하품을 했다. // (~+목+부) He *~bed* his hands *together.* 그는 두 손을 마주 비볐다. // (~+목+전+명) I *~bed* my hands *on* the towel. 나는 손을 수건으로 잘 닦았다. **2** 문지르다 《*against, on, over*》; 문질러 바르다[넣다] 《*into, through*》; 문질러 넓히다; 문질러 (…을) 만늘다 《*in*》; 문질러 떼다[없애다] 《*off, from, out of*》: (~+목+전+명) She *~bed* the tabletop *with* wax polish. 그녀는 탁자 위를 왁스로 문질렀다. / ~ cream *over* the face 얼굴에 크림을 문질러 바르다 / ~ the ointment *into* the skin = ~ the skin *with* the ointment 연고를 피부에 문질러 바르다 // (~+목+보) She *~bed* her hands sore. 그녀는 아프도록 손을 비벼댔다. **3** 비벼[문질러] (…한 상태로) 하다: He *~bed* himself dry with a towel. 그는 수건으로 몸을 닦아 말렸다. **4** 대다, 스치다; 스쳐 벗기다, 까지게 하다 《*away, off, out*》: (~+목+전+명) ~ the rust *from* old rifles 낡은 라이플 총의 녹을 문질러 벗겨내다 **5** 문질러 베끼다, 탁본(拓本)하다: (~+목+전+명) ~ a copy *from* a monument 기념비를 탑본(榻本)하다 **6** 안달나게 하다, 약오르게 하다

— *vi.* **1** 스치다, 마찰하다, 닿다 《*against, on, upon*》; 맞스치다 《*together*》: (~+전+명) The wheel is *~bing against* something. 수레바퀴에 무언가 닿아서 삐걱거리고 있다. // (~+부) Ink stains don't ~ *off* easily. 잉크 얼룩은 비벼도 쉽게 닦아지지 않는다. **2** 《주로 영·구어》 애써 나아가다; 이럭저럭 해나가다 《*on, along, through*》: (~+부) We *~bed along* quite well. 우리는 이럭저럭 잘 해나갔다. // (~+전+명) I'll try to ~ *through* the world. 나는 어떻게 해서든 생계를 꾸려가겠다.

~ along 《영·구어》 겨우[이럭저럭] 해나가다(⇨ *vi* 2); 의좋게 지내다 ***~ away*** 문질러[닦아] 없애다 ***~ down*** (1) 〈몸을〉 마찰하다, 문질러 닦다[말리다] (2) 문질러 반반하게[닳게] 하다, 마무리하다 (3) 〈말을〉 솔질하다 (4) 마사지하다 (5) 《구어》 〈경찰관 등이〉 몸을 더듬어 수색하다 ***~ elbows*** [***shoulders***] ***with*** …와 팔꿈치[어깨]를 서로 맞대다; …와 어울리다; 〈저명 인사 등과〉 교제하다(associate) ***~ in*** [***into***] 〈약 등을〉 문질러 바르다 ***~ it in*** 《구어》 〈실패·잘못 등을〉 (짓궂게) 되풀이하여 말하다, 상기시키다 ***~ off*** 문질러 떨어뜨리다, 문질러 없애다[없어지다]; 《구어》 〈광채가〉 엷어지(게 하)다 ***~ off on to*** [***onto***] (접촉하여) …에 옮다, 영향을 끼치다 ***~ on*** = RUB along. ***~ out*** (1) 문질러 지우다[지워지다], 문질러 떼다[떨어지다]: ~ *out* one's name 이름을 지우다 (2) 완전히 파괴하다; 《속어》 〈사람을〉 죽이다(kill) ***~ one's hands*** 두 손을 비비다 《만족한 표정》 ***~ a person's nose in*** ⇨ nose. ***~ a person the right way*** …을 만족시키다, 비위를 맞추다 ***~ up*** (1) …을 잘 문지르다, 닦다 (2) 〈그

thesaurus **rubbish** *n.* **1** 쓰레기 garbage, trash, waste, refuse, litter, junk, debris, scrap, rubble,

림물감 등을〉 섞어 개다 (3) 〈기억을〉 새롭게 하다, 생각나게 하다 (4) 복습하다 ~ ***up against*** 《구어》 〈사람과〉 접촉하다, 가까워지다 ~ a person (***up***) ***the wrong way*** …을 화나게 하다, 안달하게 하다

— *n.* **1** 《구어》 문지르기, 마찰 **2** 감정을 해치기, 빈정대기, 싫은 소리, 비난 **3** [the ~] 장애, 곤란 **4** 《구기장·운동장의》 울퉁불퉁함; 장애물 때문에 공이 빗나감 **5** 《영·방언》 숫돌(whetstone)

a ~ of [***on***] ***the green*** 〔골프〕 공이 무엇에 맞아 진행 방향이 바뀜 ***There's the ~.*** 그것이 문제로다. 《Shak., *Hamlet* 중에서》 ***the ~s and worries of life*** 인생의 신산(辛酸) 고초

rub[2] *n.* = RUBBER[2]

rub-a-dub [rʌ́bədʌ̀b] [의성음] *n.* 둥둥 《북소리》

Rú·barth's disèase [rú:bɑ:rts-, -bɑ:rθs-] 루바르스 병(病) 《육식 동물의 바이러스성 간염》

ru·basse [ru:bǽs, -bɑ́:s | -bɑ́:s] *n.* 〔광물〕 루비색 석영

ru·ba·to [ru:bɑ́:tou] 〔음악〕 *n.* (*pl.* **~s**) 루바토(의 템포·연주법) — *a.*, *ad.* 루바토의[로]

‡**rub·ber**[1] [rʌ́bər] [rub[1]에서; 고무지우개로 쓴 데서] *n.* **1** Ⓤ **a** 고무, 생고무, 천연고무 **b** 합성 고무 **2 a** 고무 제품; 《영》 고무지우개(eraser); 목욕 수건 **b** 《포장용》 고무 고리 **c** 《미·구어》 콘돔 **3** 《미·구어》 고무 타이어; 차 한 대의 타이어 전부 **4** [보통 *pl.*] **a** 《미》 《고무》 덧신 **b** 《영》 《암벽 등반용》 스니커 **5** = RUBBERNECKER **6** 〔야구〕 본루(本壘)(home plate); 투수판(pitcher's plate); 《구기장의》 울퉁불퉁함 **7** 충돌; 장애, 곤란; 불운, 불행 **8** 안마사(師), 마사지사 **9** 숫돌, 거친 줄, 샌드페이퍼

— *a.* Ⓐ 고무의[로 만든]: ~ cloth 고무를 입힌 천

— *vt.* 〈천 등에〉 고무를 입히다

— *vi.* 《미·속어》 목을 길게 빼고 구경하다

~·less, ~·lìke *a.* ▷ rúbbery *a.*

rubber[2] *n.* 〔카드〕 **1** 세 판 승부 **2** [the ~] 세 판 승부 중의 2승; 세 판 승부의 결승전(=~ game)

have a ~ of bridge 브리지의 세 판 승부를 하다

rúbber àrm 〔야구〕 지칠줄 모르는 투수

rúbber bánd 고무 밴드

rúbber bòots 고무장화; 《미·속어》 콘돔

rúbber búllet 《폭동 진압용》 고무탄

rúbber cemént 고무풀, 고무 접착제

rúbber chéck 《미·속어》 부도 수표

rúb·ber-chíck·en cìrcuit [rʌ́bərtʃíkin-] 《구어》 각지를 순회하는 저명인이 참석하는 일련의 회합

rúbber dínghy 《미》 《소형》 고무보트

rúbber dúck 《적지 잠입 공작원을 태운》 고무보트 《헬리콥터에서 저공 투하》

rub·ber-faced [rʌ́bərfèist] *a.* 얼굴 표정을 여러 가지로 바꾸는

rúbber gàme 〔스포츠〕 《득점이 같을 때의》 결승전 《홀수 시합으로 된 시리즈에서》

rúbber gòods 《완곡》 고무 제품 《피임 용구》, 콘돔

rúbber héel 《미·속어》 탐정

rub·ber·ize [rʌ́bəràiz] *vt.* 〈천에〉 고무를 입히다, 고무로 처리하다

rub·ber·ized [rʌ́bəraizd] *a.* Ⓐ 고무로 도포된, 고무를 입힌: ~ cloth 고무 도포 천

rúbber látex 고무 유액(乳液)

rub·ber·neck [rʌ́bərnèk] 《미·구어》 *n.* = RUBBERNECKER — *vi.* 《목을 길게 빼고》 유심히 보다(stare); 구경하다(sightsee) — *a.* Ⓐ 관광(용)의

rúbberneck bùs[**wàgon**] 《미·구어》 관광버스

rub·ber·neck·er [-nèkər] *n.* 《미·구어》 **1** 목을 길게 빼고 들여다 보는[구경하는] 사람 **2** 관광객, 《특히》 안내자의 인솔을 받는 관광객

rúbber plànt **1** 인도 고무나무 **2** 고무나무 《실내 장식용 관엽 식물》

sweeping **2** 시시한 생각 nonsense, drivel, gibberish, balderdash, twaddle, bunkum

rúbber ríng 《영》 고무 밴드; 수영 튜브

rúbber shèath 콘돔(condom)

rúbber sòck 《미·속어》 겁쟁이; 《미 해군의》 신병

rúbber solútion 《타이어 수리용의》 고무액

rúbber stámp **1** 고무도장 **2** 《경멸》 무턱대고 도장 찍는 사람; 잘 생각해 보지 않고 찬성하는 사람[관청, 의회 《등》]

rub·ber-stamp [-stǽmp] *vt.* **1** …에 고무도장을 찍다 **2** 《경멸》 무턱대고 도장을 찍다; 〈계획·법안 등을〉 잘 생각지 않고 찬성하다 — *a.* 〈계획·제안 등을〉 충분히 고려하지 않고 허가하는

rúbber trèe = PARA RUBBER

rub·ber·y [rʌ́bəri] *a.* 고무 같은, 탄력 있는(elastic), 질긴(tough): ~ beef 질긴 쇠고기

rub·bing [rʌ́biŋ] *n.* **1** ⓊⒸ 문지름; 마찰; 안마, 마사지 **2** 《비명(碑銘) 등의》 탁본(拓本)

rúbbing àlcohol 《미》 소독용 알코올(《영》 surgical spirit)

‡**rub·bish** [rʌ́biʃ] *n.* Ⓤ **1** 쓰레기, 찌꺼기, 폐물; 소용없는 물건: dump ~ 쓰레기를 버리다 **2** 시시한 생각, 어리석은 짓: talk ~ 부질없는 소리를 지껄이다

— *vt.* 《호주》 헐뜯다, 비난하다; 일소[파괴]하다

— *int.* 쓸데없이; 시시해

~·ing *a.* 《구어》 시시한, 쓸데없는

rúb·bish·y *a.* 쓰레기의, 찌꺼기의; 시시한, 쓸데없는

rúbbish bìn 《영》 쓰레기통 ★ rubbish bin은 옥내용, dustbin은 옥외용.

rub·ble [rʌ́bl] *n.* Ⓤ **1** 《돌 등의》 파편, 조각 **2** 《기초공사 등에 쓰는》 거친 돌, 잡석, 쇄석 — *vt.* 파괴하다

rub·ble·work [rʌ́blwə̀:rk, rú:bl- | rʌ́bl-] *n.* Ⓤ 잡석 쌓기

rub·bly [rʌ́bli] *a.* (**-bli·er**; **-bli·est**) 돌[벽돌] 조각이 많은; 잡석으로 된

rub·down [rʌ́bdàun] *n.* 신체 마찰, 마사지 《특히 운동 중·운동 후에 하는》: a brisk ~ with a rough towel 건포 마찰

rube [rú:b] *n.* 《속어》 《순박한》 시골뜨기; 《미·속어》 풋내기, 철부지; 《속어》 멍텅구리

ru·be·fa·cient [rù:bəféiʃənt] 〔의학〕 *a.* 《피부의》 발적(發赤)을 일으키는 — *n.* 발적제(劑)

ru·be·fac·tion [rù:bəfǽkʃən] *n.* Ⓤ 《피부의》 발적(發赤) 《상태》; 발적 작용

ru·be·fy [rú:bəfài] *vt.* (**-fied**) 빨갛게 하다; 〈피부를〉 발적시키다

Rúbe Góldberg [rú:b-] [미국의 만화가의 이름에서] *a.*, *n.* 너무 복잡하여 실행 불가능한 (일); 지나치게 품을 들인 (물건)

ru·bel·la [ru:bélə] *n.* Ⓤ 〔의학〕 풍진(風疹)(German measles)

ru·bel·lite [ru:bélait, rú:bəlàit | rú:bəlàit] *n.* 〔보석〕 홍전기석(紅電氣石)

Ru·ben·esque [rù:bənésk] *a.* **1** 루벤스(풍)의 **2** 《루벤스의 그림에 등장하는 여인처럼》 풍만하고 관능적인

Ru·bens [rú:bənz] *n.* 루벤스 **Peter Paul ~** (1577-1640) 《플랜더스(Flanders)의 화가》

ru·be·o·la [ru:bí:ələ, rù:bióu-] *n.* = MEASLES

ru·be·o·sis [rù:bi:óusis] *n.* 〔병리〕 피부 조홍 《피부나 안구의 홍채가 병적으로 붉어지는 현상》

ru·bes·cent [ru:bésnt] *a.* 빨개지는; 홍조(紅潮)를 띠는 **-cence** *n.*

Ru·bi·con [rú:bikɑ̀n | -kən] *n.* **1** [the ~] 루비콘 강 《이탈리아 중부의 강; 주사위는 던져졌다고 말하며 Julius Caesar가 건넜음》 **2** [**r~**] 〔카드〕 루비콘 《(pinochle 등에서) 상대가 규정 스코어에 도달하기 전에 이기거나, 상대보다 2배 이상의 스코어로 이기는 것》

cross [***pass***] ***the ~*** 단호한 조처를 취하다, 중대 결의를 하다

ru·bi·cund [rú:bikʌ̀nd | -kənd] *a.* 〈안색이〉 불그레한, 혈색이 좋은 **rù·bi·cún·di·ty** *n.*

ru·bid·i·um [ru:bídiəm] *n.* Ⓤ 〔화학〕 루비듐 《금속 원소; 기호 Rb, 번호 37》

ru·bíd·i·um-strón·ti·um dàting [ru:bídiəms-tránʃiəm- | -strɔ́n-] 〖지질〗 루비듐 스트론튬 연대 측정
ru·bied [rú:bid] *a.* 루비색의, 진홍색의
ru·bi·fy [rú:bəfài] *vt.* (**-fied**) 빨갛게 하다
ru·big·i·nous [ru:bídʒənəs] *a.* 붉은 갈색의
Rú·bik('s) Cúbe [rú:bik(s)-] [헝가리의 고안자 E. Rubik 이름에서] 루빅 큐브 《정육면체의 색 맞추기 퍼즐 장난감; 상표명》
Ru·bin·stein [rú:binstàin] *n.* 루빈스타인 **Art(h)ur** ~ (1887-1982) 《폴란드 태생의 미국 피아니스트》
ru·bi·ous [rú:biəs] *a.* 《시어》 빨간, 루비색의
ru·ble | rou·ble [rú:bl] [Russ. 「은 막대」의 뜻에서] *n.* 루블 《구소련의 화폐 단위; =100 kopecks; 기호 R, Rub》
rub·out [rʌ́bàut] *n.* 《미·속어》 말살; 살인
ru·bre·dox·in [rù:brədɑ́ksin | -dɔ́k-] *n.* 〖생화학〗 루브레독신 《혐기성(嫌氣性) 박테리아 속의 전도성(電導性) 단백질의 하나》
ru·bric [rú:brik] [L; ⇨ ruby] *n.* **1** (책 등의 장·절의) 제명, 제목; 항목, 부문(class) **2** 〖그리스도교〗 전례 법규(典禮法規) 《의식·미사의 지침서; 옛날에는 빨갛게 쓰거나 인쇄하였음》 **3** 주서(朱書), 붉게 인쇄한 것, 빨간 글씨 **—** *a.* **1** 붉은 문자의, 붉게 인쇄한 **2** 기념해야 할, 축제의
ru·bri·cal [rú:brikəl] *a.* 적색의; 전례(典禮) 법규의
ru·bri·cate [rú:brikèit] *vt.* **1** 주서(朱書)하다, 빨갛게 쓰다, 빨갛게 인쇄하다 **2** …에 빨간 제목을 붙이다 **3** 전례 법규로 규정하다
rù·bri·cá·tion *n.* 주서; 빨간 제목
ru·bri·cian [ru:bríʃən] *n.* 전례에 밝은 사람
rub·stone [rʌ́bstòun] *n.* 숫돌(whetstone)
rub-up [-ʌ̀p] *n.* **1** 문질러 닦아냄 **2** 《영》 복습(復習)
rub·urb [rʌ́bə:rb] [*ru*ral+sub*urb*] *n.* [종종 *pl.*] 먼 교외(의 마을) **rub·úr·ban** *a.* 먼 교외의
rub·ur·ban·ite [rəbə́:rbənàit] *n.* 먼 교외 거주자
rub·ur·bi·a [rəbə́:rbi:ə] *n.* **1** 교외에 가까운 시골, 시골에 가까운 교외 **2** 먼 교외 (거주자)
*__ru·by__ [rú:bi] [L 「빨간」의 뜻에서] *n.* (*pl.* **-bies**) **1** 루비, 홍옥(紅玉) **2** 보석 《특히 회중시계의》 **3** Ⓤ 빨간 포도주; 《영·속어》 〖권투〗 피 **4** Ⓤ 루비색, 진홍색 **5** Ⓤ 《영》 〖인쇄〗 루비 《5.5포인트 활자》(《미》 agate) **6** 빨간 여드름 ***above rubies*** 대단히 귀중한
— *a.* Ⓐ (**-bi·er**; **-bi·est**) 루비색의, 진홍색의
— *vt.* 진홍색으로 물들이다
~·like *a.* ▷ rúbious *a.*
Ru·by [rú:bi] *n.* 여자 이름
rúby glàss 빨간 유리
rúby làser 루비 레이저 《루비의 결정체를 이용하는 적색 레이저 광선; 광통신 등에 사용》
rúby mùrray [-mə̀:ri | -mʌ̀ri] *n.* 《영·속어》 카레
rúby wédding 홍옥혼식(婚式) 《결혼 40주년》
ruche [rú:ʃ] [F] *n.* 루시 《주름끈, 주름 장식; 여성복의 깃·소매 끝에 닮》 **rúched** [-t] *a.*
ruch·ing [rú:ʃiŋ] *n.* Ⓤ 루시 장식; 그 재료
ruck¹ [rʌ́k] *n.* **1** 다수, 다량 (*of*): a ~ *of* ... 다수[량]의 … **2** [the ~] 잡동사니, 허섭스레기 **3** [the ~] (경마에서) 낙오된 말의 떼 **4** [the ~] 대중 **5** 〖럭비〗 럭 《땅 위에 있는 공 주위에 선수들이 밀집하여 밀치는 상태》 **—** *vi.* 〖럭비〗 럭하다
ruck², ruck·le¹ [rʌ́kl] *vt., vi.* 주름살지(게 하)다 (*up*) **—** *n.* 주름살, 주름
ruck·le² [rʌ́kl, rúkl] 《영》 *n.* Ⓤ (임종 때의) 목에서 그르렁거리는 소리 **—** *vi.* 목을 그르렁거리다
ruck·sack [rʌ́ksæ̀k, rúk-] [G] *n.* (등산용) 배낭
ruck·us [rʌ́kəs] [*ruc*tion+rump*us*] *n.* ⓊⒸ 《미·속어》 야단법석, 소동
ruc·tion [rʌ́kʃən] *n.* [《미》 a ~; 《영》 *pl.*] 《구어》 **1** 소란, 소동 **2** 심한 불만[항의]
ru·da·ceous [ru:déiʃəs] *a.* 〈바위가〉 역질(礫質)의
rud·beck·i·a [rʌdbékiə, ru:d-] *n.* 〖식물〗 루드베키아 《북미 원산의 국화과(科)의 다년초》

rudd [rʌ́d] *n.* 〖어류〗 잉엇과(科)의 민물고기
‡**rud·der** [rʌ́dər] *n.* **1** (배의) 키; (비행기의) 방향타 **2** 지도자; 지침 **3** (엿기름을 휘젓는) 교반봉 **4** (새의) 꽁지깃 **~·less, ~·like** *a.*
rud·der·fish [rʌ́dərfiʃ] *n.* (*pl.* **~, ~·es**) 배를 따라간다는 물고기 《pilot fish 등》
rud·der·post [-pòust] *n.* 〖항해〗 키를 다는 고물의 기둥, 타주(舵柱)
rud·der·stock [-stɑ̀k | -stɔ̀k] *n.* 〖항해〗 키자루, 타간(舵幹)
rud·dle [rʌ́dl] *n.* Ⓤ 홍토(紅土), 대자석(代赭石), 석간주(石間硃) **—** *vt.* 빨간 흙으로 물들이다; 〈양에〉 홍토로 표를 하다 **~·man** [-mən] *n.* 석간주 장수
rud·dock [rʌ́dək] *n.* 《영·방언》 〖조류〗 유럽산 울새 《속칭》
*__rud·dy__ [rʌ́di] [OE 「붉은」의 뜻에서] *a.* (**-di·er**; **-di·est**) **1 a** 〈안색 등이〉 불그스레한, 혈색이 좋은, 건강한: a ~ complexion 혈색 좋은 얼굴빛 **b** 《문어》 붉은, 붉게 빛나는: a ~ sky 붉게 타는[놀이 진] 하늘 **2** Ⓐ 《영·속어》 싫은, 괘씸한, 지긋지긋한(bloody)
— *ad.* 《영·속어》 매우, 몹시
— *vt., vi.* (**-died**) 붉게 하다, 붉어지다
-di·ly *ad.* **-di·ness** *n.* Ⓤ 빨간 빛; 불그스레함
rúddy dúck[díver] 〖조류〗 홍오리 《북아메리카산(産)》
rúddy túrnstone 〖조류〗 꼬까도요
‡**rude** [rú:d] [L 「날것의」의 뜻에서] *a.* **1** 버릇없는(impolite), 조야(粗野)한, 무례한: a ~ reply[man] 무례한 대답[사람] / ⒸⒺ The shop assistant was very *rude* to[with(×)] me. 그 가게 종업원은 나에게 아주 무례하였다. **2** Ⓐ **a** 가공하지 않은; 미완성의; 날림의: ~ ore 원광(석) / a ~, first stage of development 손대지 않은, 개발 초기의 단계 **b** 미숙한, 조잡한; 졸렬한, 대강의: at a ~ estimate 어림짐작으로 **3** 귀에 거슬리는, 소란스러운, 성가신 **4** 교양 없는, 무교육의; 미개의, 야만의 **5** 거친, 울퉁불퉁한 **6** (주로 영) 단단한, 건장한(opp. *delicate*): ~ health 강건(强健) **7** Ⓐ 돌연한, 거친; 격렬한 **8** 〈농담 등이〉 야비한, 음란한 ***be ~ to*** …에게 실례가 되다, …을 모욕하다 ***say ~ things*** 무례한 말을 하다
~·ness *n.*
rúde bíts 《영·속어》 (여성의) 유방, (남녀의) 성기
rúde bóy 《속어》 (자메이카에서) 갱의 일원, 폭력 단원
*__rude·ly__ [rú:dli] *ad.* **1** 버릇없이, 무례하게: She answered me very ~. 그녀는 내게 매우 무례하게 답했다. **2** 조잡하게 **3** 불쑥, 거칠게, 격렬하게
ru·der·al [rú:dərəl] *a., n.* 〖생태〗 거친 땅에서 자라는 (식물)
*__ru·di·ment__ [rú:dəmənt] *n.* **1** [*pl.*] **a** 기본, 기초 (원리): master the ~*s* of grammar 문법의 기초를 마스터하다 **b** 초보; 시작 **2** [보통 *pl.*] (발전의) 조짐, 싹수 **3** 〖생물〗 퇴화[흔적] 기관
ru·di·men·tal [rù:dəméntl] *a.* = RUDIMENTARY
ru·di·men·ta·ry [rù:dəméntəri] *a.* **1** 기본의; 초보의(elementary) **2** 〖생물〗 미발달의, 형성기의; 발육 부전의, 흔적의: a ~ organ 흔적 기관 **3** 원시적인
rud·ish [rú:diʃ] *a.* 난폭[무례]한, 거친
Ru·dolf, -dolph [rú:dɑlf | -dɔlf] *n.* 남자 이름
Ru·dy [rú:di] *n.* 남자 이름 《Rudolph의 애칭》
*__rue¹__ [rú:] [OE 「슬퍼하다」의 뜻에서] *vt., vi.* 〈죄·과실 등을〉 후회하다; …안 했더라면 하고 여기다; 슬퍼하다: ~ one's carelessness 부주의를 후회하다 / You'll live to ~ it. 언젠가는 그것을 후회할 것이다.

thesaurus **rude** *a.* **1** 무례한 ill-mannered, mannerless, impolite, discourteous, impertinent, insolent, impudent, uncivil, disrespectful, blunt **2** 조잡한 crude, rough, simple, rudimentary
rudiments *n.* basics, fundamentals, elements, essentials, beginnings, foundation
rugged *a.* **1** 울퉁불퉁한 rough, uneven, irregular, bumpy, rocky, stony, broken up, jagged, craggy

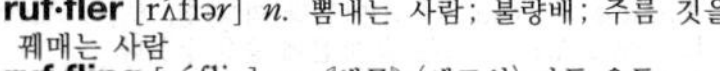

~ *the day* (*when*) …했던 것을 뉘우치다
— *n.* Ⓤ 《고어》 후회, 회오(悔悟); 연민, 비탄
rú·er *n.*

rue² *n.* Ⓤ 〖식물〗 루타 《지중해 연안 원산의 귤과(科)의 상록 다년초; 잎은 흥분·자극제로 썼음》

rúe anèmone 〖식물〗 (북아메리카산(産)의) 꿩다리 비슷한 식물

rue·ful [rú:fəl] *a.* **1** 후회하는; 슬픔에 잠긴 **2** 가엾은, 애처로운 ***the Knight of the R~ Countenance*** 슬픈 얼굴의 기사 《Don Quixote의 별명》
~·ly *ad.* **~·ness** *n.*

ru·fes·cent [ru:fésnt] *a.* 붉은 빛이 도는, 불그레한
ru·fés·cence *n.*

ruff¹ [rʌ́f] *n.* **1** 주름 깃 《엘리자베스 여왕 시대의》 **2** (새나 짐승의) 목둘레 깃털, 목털 **3** 〖조류〗 목도리도요 **~·like** *a.*

ruff¹ 1

ruff² *n.* **1** 〖카드〗 으뜸패로 따기[치기] **2** 《폐어》 옛날 카드놀이의 일종 ***cross*** [***double***] ~ 패끼리 서로 으뜸패로 치기
— *vt., vi.* 〖카드〗 으뜸패로 가지다[를 내다]

ruff³, ruffe *n.* 〖어류〗 농어무리 《민물고기》

ruffed [rʌ́ft] [ruff¹에서] *a.* 주름 옷깃이 있는; 〈새·짐승이〉 목털이 있는

rúffed gróuse 〖조류〗 목도리뇌조 《북아메리카산(産)》

∗ruf·fi·an [rʌ́fiən, -fjən] *n.* 악한, 무법자, 깡패
— *a.* 악당의, 깡패의; 잔인한, 흉포한
~·ìsm *n.* Ⓤ 흉악, 잔인(한 행위) **~·ly** *a.*

∗ruf·fle¹ [rʌ́fl] *vt.* **1** 구기다; 구깃구깃하게 만들다; 주름살지게 하다 **2** 물결이 일게 하다; 〈머리털 등을〉 헝클어뜨리다; 〈새가〉 깃털을 곤두세우다: He stood there with his hair ~*d* by the breeze. 그는 미풍에 머리카락을 날리며 그 자리에 서 있었다. // (~+목+부) The bird ~*d up* its feathers. 새가 성이 나서 깃털을 세웠다. **3** 〈피부 등을〉 스쳐 벗기다 **4** 〈사람·마음·평정을〉 교란하다, 당황하게 하다; 성나게 하다: ~ a person's temper …의 기분을 동요시키다, 울화를 터뜨리게 하다 **5** 〈책장을〉 펄럭펄럭 넘기다; 〈카드를〉 섞다(shuffle) **6** 〈천 등을〉 주름잡다, 〈옷깃을〉 주름 장식으로 하다 **~ *it*** 뻐기다, 뽐내다 **~ a person*'s* [*a few*] *feathers*** 화나게[불안하게] 하다

ruffle¹ *n.* 2

— *vi.* **1** 구겨지다 **2** 물결이 일다; 〈깃발이〉 나부끼다 **3** 안달나다, 화나다 **4** 《드물게》 뻐기다, 시비조가 되다
— *n.* **1** 파동, 잔물결 **2** 주름 장식, 주름 깃; 주름 장식 모양의 것; (새의) 목털: a blouse with ~*s* 주름 장식이 달린 블라우스 **3** ⒸⓊ 동요, 당황; 안달, 성냄 **4** 《고어》 소동, 싸움 ***put in a*** ~ 동요[당황]하게 하다; 화나게 하다 **rúf·fly** *a.*

ruffle² *vt.* 〈북을〉 나직이 둥둥 울리다 **—** *n.* 북을 나직이 둥둥 울리는 소리

ruf·fled [rʌ́fld] *a.* **1** 주름 장식이 있는; 목털이 난 **2** 주름투성이의; 물결이 인; 교란된

2 세련되지 못한 unrefined, unpolished, uncultured, crude, unsophisticated, graceless **3** 고된 tough, harsh, demanding, difficult, hard
ruin *n.* **1** 폐허 destruction, devastation, havoc, wreckage, demolition, desolation, decay **2** 파멸 downfall, overthrow, defeat, elimination, termination, end **3** 파산 loss, failure, bankruptcy, insolvency, destitution, calamity, disaster

ruf·fler [rʌ́flər] *n.* 뽐내는 사람; 불량배; 주름 깃을 꿰매는 사람

ruf·fling [rʌ́fliŋ] *n.* 〖생물〗 (세포의) 파동 운동

ru·fi·yaa [rú:fijɑ̀:] *n.* (*pl.* ~) 몰디브의 화폐 단위 《100라리(laris)에 상당; rupee라고도 함》

RU 486 [ɑ̀:rju:-fɔ́:réitisíks] 프랑스제의 사후(事後) 경구 피임약(abortion pill)

ru·fous [rú:fəs] *a.* 적갈(赤褐)색의

Ru·fus [rú:fəs] *n.* 남자 이름

‡rug [rʌ́g] *n.* **1** (방바닥·마루의 일부에 까는) 깔개, 융단, 까는 모피, 《특히》 난로 앞에 까는 것 《마룻바닥 전체를 덮지 않는 점에서 carpet와 구별됨》: a bear ~ 곰의 모피로 된 깔개 **2** 《영》 무릎 덮개(《미》 lap robe) **3** 《미·속어》 (남자용) 가발
cut the [***a***] ~ 《속어》 jitterbug을 추다 ***pull the ~ from under*** a person ⇨ pull the CARPET from under a person. ***sweep … under the*** ~ 《미·구어》 ⇨ sweep … under the CARPET

RUG 〖컴퓨터〗 restricted users group

ru·ga [rú:gə] *n.* (*pl.* **-gae** [-dʒi:, -gi:]) 〖생물〗 (특히 위벽·장 등의 점막의) 주름(winkle, fold, ridge)

ru·gate [rú:geit, -gət] *a.* 주름[구김살]이 있는 (wrinkled)

Rug·be·ian [rʌ́gbiən, rʌgbí:ən] *a., n.* (영국의) Rugby School의 (학생[졸업생])

∗Rug·by [rʌ́gbi] *n.* **1** [종종 **r~**] Ⓤ 럭비, 럭비식 축구 (=~ football)(cf. AMERICAN FOOTBALL, ASSOCIATION FOOTBALL) **2** 럭비 《England 중부의 도시; Rugby School의 소재지》 **3** = RUGBY SCHOOL

Rúgby fóotball [종종 **r~**] 럭비(식 축구)

Rúgby Lèague [the ~] 《영》 프로 럭비 연맹

Rúgby Schòol 럭비교(校) 《영국 중부의 Rugby 시에 있는 유명한 public school》

Rúgby shìrt 럭비 셔츠 《니트의 풀오버(pullover) 모양의 스포츠 셔츠》

Rúgby Ùnion [the ~] 《영》 럭비 동맹 《아마추어팀 연합》

‡rug·ged [rʌ́gid] *a.* (**~·er**; **~·est**) **1** 울퉁불퉁한; 바위투성이의: a ~ mountain 바위 산 **2** 〈얼굴이〉 주름진, 찌푸린(wrinkled); 거칠고 억센; 보기 흉한, 못생긴 **3** 세련되지 못한; 난폭한(rude): ~ kindness 무뚝뚝한 친절 / ~ honesty 솔직 **4** 엄한, 엄격한 〈교사〉 **5** 〈생활·훈련 등이〉 고된, 괴로운, 어려운: live a ~ life 어려운 생활을 하다 **6** 〈음성 등이〉 귀에 거슬리는 **7** 〈날씨 등이〉 거친, 험악한, 폭풍우의 **8** 《미》 강건한, 튼튼한 **~·ly** *ad.* **~·ness** *n.*

rug·ged·ize [rʌ́gidàiz] *vt.* 〈카메라·전자 제품 따위를〉 진동[충격]에 견딜 수 있게 만들다, 내구성을 높이다

rug·ger [rʌ́gər] *n.* 《영·구어》 럭비(Rugby football)(cf. SOCCER)

rug·ger-bug·ger [rʌ́gərbʌ̀gər] *n.* 《영·구어》 광적인 럭비 선수[팬]

rúg jòint 《미·속어》 호화로운 나이트클럽[레스토랑, 호텔 《등》]

rúg mèrchant 《미·속어》 스파이, 첩자

ru·gose [rú:gous, ─́], **-gous** [-gəs] *a.* 주름이 많은; 〖식물〗 〈잎이〉 주름진 **~·ly** *ad.*

ru·gos·i·ty [ru:gɑ́səti | -gɔ́s-] *n.* (*pl.* **-ties**) Ⓤ 주름투성이; Ⓒ 주름(살)(wrinkle)

rúg ràt 《미·속어》 어린아이, 유아, 개구쟁이

Ruhr [rúər] *n.* [the ~] 루르 지방 《Ruhr강 유역의 석탄 광업 및 산업이 융성한 지방》

‡ru·in [rú:in] [L 「격렬하게 떨어지다」의 뜻에서] *n.* **1 a** [종종 *pl.*] 폐허(remains), 옛터: the ~*s* of ancient Greece 고대 그리스 유적 **b** 파괴된 것, 황폐한 것; 잔해(殘骸); (옛 모습을 찾을 수 없는) 몰락[영락]한 사람[모습]: a ~ of an old man 산송장 같은 노인 / He is but the ~ of what he was. 그는 옛 모습을 찾아볼 수 없을 만큼 몰락했다. **2** [*pl.*] 손해, 피해 **3** Ⓤ 파멸, 멸망; 파산; 몰락, 영락(零落); (여자의) 타락: the ~ of the country 국가의 멸망

4 [one's ~, the ~] 파멸[몰락]의 원인, 화근: Alcohol was *his* ~. 그는 술 때문에 몸을 망쳤다. ***be the ~ of*** …의 파멸의 원인이 되다: Drink will *be the* ~ *of* him. 그는 술로 신세를 망치고 말 것이다. ***bring*** [***reduce***] ***to ~*** 몰락[영락, 실패]시키다 ***fall*** [***go, come***] ***to ~*** 망하다, 황폐하다 ***lay*** [***lie***] ***in ~s*** 황폐케 하다[하여 있다] ***rapine and red ~*** 약탈과 화재

—*vt.* **1 파멸시키다,** 황폐케 하다, 못쓰게 만들다(⇨ destroy 유의어): The crops have been *~ed* by the storm. 폭풍우 때문에 농작물을 망쳤다. **2** 〈사람을〉 몰락[영락]시키다, 파산시키다: He will ~ his prospects if he keeps on acting like that. 만약 그가 저런 행동을 계속한다면 그의 장래는 망쳐질 것이다. **3** 《고어》 〈여자를〉 타락시키다, …의 정조를 유린하다 ~ one***self*** 패가망신하다, 몰락하다

—*vi.* **1** 파멸하다, 망하다 **2** 몰락[영락]하다 **3** 《시어》 거꾸로 떨어지다 **~·able** *a.* **~·er** *n.*

▷ rúinous *a.*; rúinate *v.*

ru·in·ate [rú:inèit] 《고어》 *a.* =RUINED

—*vt., vi.* =RUIN

ru·in·a·tion [rù:inéiʃən] *n.* **1** Ⓤ 파멸(시킴, 상태); 파괴, 황폐; 몰락, 영락, 파산 **2** 파멸[타락]의 원인, 화근(禍根)

ru·ined [rú:ind] *a.* **1** 파멸한, 멸망한, 황폐한 **2 a** 몰락한, 파산한; 해를 입은 **b** 《고어》 〈여자가〉 타락한

ru·in·ous [rú:ənəs] *a.* **1** 〈건물 등이〉 파괴된, 황폐한; 몰락한 **2** 파멸을 초래하는 **3** 《구어》 〈세금 등이〉 터무니없이 비싼: ~ taxes 터무니없는 세금

~·ly *ad.* **~·ness** *n.*

RUKBA, R.U.K.B.A. Royal United Kingdom Beneficent Association

rul·a·ble [rú:ləbl] *a.* **1** 《미》 규칙상 허용되는 **2** 지배[통치]할 수 있는

‡**rule** [rú:l] *n., v.*

> L 「곧은 막대」에서 → 「자」 **6** → 「규정」
> → 「규칙」 **1** → (규칙의 행사) → 「지배」 **4 a**
> → (표준적인 것) → 「습관」 **3**

—*n.* **1 규칙,** 규정(⇨ law 유의어): the *~s* of baseball 야구의 경기 규정 / a breach of (the) *~s* 규칙 위반 / There is no ~ without some exceptions. 《속담》 예외 없는 규칙은 없다. **2** 〖그리스도교〗 교훈, 종규(宗規); 〖법〗 (법정의) 명령 **3** 상습, 습관; 관례, 통례; 주의; 정칙(定則): Rainy weather is the ~ here in August. 이곳은 8월에 언제나 비가 많이 온다. **4** Ⓤ **a 지배,** 통치(control) 《*of*》: the ~ *of* force 무력 통치 / under the ~ *of* a dictator 독재자의 지배하에 **b** [수식어와 함께] 통치 기간, 통치권, 치세: during the ~ of George Ⅲ 조지 3세의 치세 중에 **5** (과학·예술상의) 법칙, 방식; (수학상의) 규칙, 해법; 표준 **6** 자(尺), 척도 **7** 〖인쇄〗 괘(罫), 괘선(罫線) **8** 〖천문〗 [the R~] 수준기(水準器) 자리(Norma)

according to ~ = by RULE. (***a***) ***~ of thumb*** 주먹구구, 눈어림, 손대중; 경험 법칙 ***as a*** (***general***) ***~*** 대개, 일반적으로 ***bear ~*** 지배[통치]하다 ***bend the ~*** = stretch the RULE ***by ~*** 규정[규칙]대로 ***carpenter's ~*** 접자 ***hard and fast ~*** 융통성 없는 표준; 딱딱한 기준 ***make it a ~ to*** do …하는 것을 상례로 하다, 늘 …하곤 하다 ***~ of the road*** (차·배 등의) 통행 규칙, 해로 규칙 ***~ of three*** 〖수학〗 비례산(算), 3수법(數法) ***standing ~*** 정관 ***stretch the ~*** 규칙을 확대 적용[해석]하다, (원칙상 안 되는 것을) 봐주다. ***the double ~ of three*** 〖수학〗 복비례산 ***the ~s of decorum*** 예법 ***work to ~*** 《영》 〈노동조합원이〉 합법적인 투쟁을 하다

—*vt.* **1** 〈국왕·정부 등이〉 **지배하다,** 통치하다(⇨ govern 유의어): Eighty million years ago, dinosaurs *~d* the earth. 8천만 년 전에는 공룡이 지구를 지배했다. **2** 지휘[지도]하다; 〈감정을〉 억제하다: The good-natured man allowed himself to be *~d* by his wife. 그 어수룩한 남편은 부인에게 쥐여 지냈다. **3** 〈법정 등이〉 규정[판결]하다, 재정[결정]하다: (~+***that*** 절) The court *~d that* the evidence was admissible. 법정은 그 증언을 받아들일 수 있다고 판결했다. **4** [보통 수동형으로] 설득하다; 〈격정(激情) 등이〉 좌우하다: Listen to my words and *be ~d* by me. 내 말을 잘 듣고 충고에 따르도록 해라. / Don't *be ~d* by your passions. 격정에 좌우되어서는 안 된다. **5** 자로 〈선을〉 긋다; 〈종이에〉 괘선을 치다: (~+목+전+명) ~ a line *on* the paper[*across* the sheet] 종이에[종이에 가로] 선을 긋다

—*vi.* **1 지배하다,** 통치하다: (~+전+명) ~ *over* a tribe 부족을 지배하다 / The king *~d over* the subjects with justice. 왕은 국민을 공정하게 통치했다. **2** 재결(裁決)하다: (~+전+명) The court will soon ~ *on* the matter. 법정은 그 사건에 대해 곧 판결을 내릴 것이다. / The judge *~d against* him. 그 재판은 그의 패소(敗訴)로 끝났다. **3** 〖상업〗 〈시세 등이〉 보합(保合)하다: ~ high[low] 강[약] 보합하다 **4** 《미·속어》 발군이다, 최고이다 《낙서 등에 잘 사용됨》

~ against …에게 불리한 재결을 하다(⇨ *vi.* 2) ***~ good*** 〈작물이〉 대체로 양호하다 ***~ off*** 〈난(欄) 등을〉 줄을 그어 구획하다 ***~ out*** (규정 등에 의하여) 제외하다, 배제하다; 제거하다, 불가능하게 하다, 무시하다 ***~ … out of order*** …을 위반이라고 판정하다: They *~d* him[the matter] *out of order*. 그들은 그를[그 일을] 위반이라고 판정했다.

rúle ábsolute 〖법〗 절대명령

rule·book [rú:lbùk] *n.* **1** (취업) 규칙서 **2** [the ~] (특정 활동·스포츠 등의) 규칙집

Rúle, Británnia! 브리타니아여, 통치하라! 《영국의 국가(國歌)》

ruled [rú:ld] *a.* **1** 지배 당한 **2** 〈용지가〉 괘선을 넣은

Rúle 43 〖영국법〗 다른 수감자로부터 위해받을 위험이 있는 수감자의 격리 수감 《교도소법 43조》

rúle jòint 〖목공〗 접자

rule·less [rú:llis] *a.* 법의 지배를 받지 않는; 규칙이 없는 **~·ness** *n.*

rúle of láw [the ~] 법(에 의한 지배), 법규(범)

rúle of nínes 〖의학〗 9의 법칙 《화상의 면적과 몸 표면의 비율 계산의 기초》

rule-of-rea·son [rú:ləvrí:zn] *a.* 합리적인, 도리에 맞는

rúle of thúmb **1** 경험 법칙, 어림 감정 **2** 대충이지만 실제에 근거한 방법[수단]

‡**rul·er** [rú:lər] *n.* **1 통치자,** 지배자, 주권자 《*of*》 **2 a** 자 **b** 괘(罫)[선]를 치는 사람[기구]

~·shìp *n.* Ⓤ 통치자의 지위[직권, 임기]

rúles committèe (의회의) 의사(議事) 운영 위원회

‡**rul·ing** [rú:liŋ] *a.* **1 지배[통치]하는:** the ~ classes 지배 계급 / the ~ party 여당 **2** 우세[유력]한, 주요한: a ~ passion 주정(主情) / the ~ spirit 주동자; 수뇌 **3** 〈시세 등이〉 일반적인: the ~ price 일반적인 시세, 시가(市價)

—*n.* **1** 판정, 재정(裁定) **2** Ⓤ 괘(선)을 그음; [집합적] 괘선 **3** Ⓤ 지배, 통치

rúling élder (장로 교회파의) 장로

rúling pén (제도용) 펜

rul·ley [rʌ́li] *n.* 《영》 4륜 짐수레, 트럭

*__rum__[1] [rʌ́m] *n.* Ⓤ **1** 럼 술 《당밀이나 사탕수수로 만듦》 **2** 《미》 《일반적으로》 술 **~·less** *a.*

▷ rúmmy[2] *a.*

rum[2] *a.* (**~·mer**; **~·mest**) 《영·속어》 **1** 기묘한

thesaurus **rule** *n.* **1 규칙** law, regulation, ordinance, order, decree, commandment, guideline **2 관례** practice, procedure, routine, custom, habit, convention, standard, form **3 지배** reign, dominion, sovereignty, kingship, queenship, regime,

(queer), 이상한, 괴상한(odd): a ~ start 기묘한 사건 **2** 서투른 **3** 어려운, 만만찮은, 위험한: a ~ customer 섣불리 손댈 수 없는 사람 ***feel*** ~ 기분이 나쁘다 **~·ly** *ad.* **~·ness** *n.*

Rum. Rumania(n)

ru·ma·ki [rəmɑ́:ki] *n. pl.* 〖요리〗 루마키 《하와이 전채 요리의 일종으로 닭의 간과 마름 열매 등을 베이컨으로 말아 구운 것》

ru·mal [ru:mɑ́:l, ⌐–] *n.* 루말 《인도에서 남자가 머리에 감는 스카프》

Ru·ma·ni·a [ruméiniə, -njə | ru(:)-] *n.* 루마니아 《유럽 남동부의 공화국; 수도 Bucharest》

-ni·an *n., a.* 루마니아 사람(의); Ⓤ 루마니아 말(의); 루마니아의

ru·man·ite [rú:mənàit] *n.* 루머나이트 《호박(琥珀) 비슷한 화석 수지(化石樹脂)》

rum·ba [rʌ́mbə, rú(:)m- | rʌ́m-, rúm-] *n.* 룸바 《원래 쿠바 흑인의 춤; 그것이 미국화한 춤[곡](rhumba)》 **—** *vi.* 룸바를 추다

*__rum·ble__[1] [rʌ́mbl] *vi.* **1** 〈천둥·지진 등이〉 **우르르 울리다**; (뱃속에서) 꾸르륵 소리나다: The thunder [gunfire] is *rumbling.* 뇌성[포성]이 우르르 울리고 있다. **2** 〈차 등이〉 덜거덕거리며 가다 《*by, down*》: (~+㊀) (~+㊂+㊄) A cart ~*d along* (the road). 짐수레가 덜거덕거리며 지나갔다. **3** 《속어》 〈불량배들이〉 싸우다

— *vt.* **1** 우르르[덜거덕] 소리나게 하다[소리내며 가게 하다, 굴리다] **2 a** 와글와글 소리치다[말하다]: (~+㊃+㊀) Each of them ~*d out*[*forth*] his complaint. 그들은 저마다 와글와글 불평을 늘어놓았다. **b** 나직이 울리는 소리로 말하다

— *n.* **1** 우르르[덜거덕] 소리; 소음; 소문; 불평: the far-off ~ of thunder 멀리서 울리는 천둥소리 **2** 마차 후부의 하인석; 《미》 자동차 후부의 무개(無蓋) 보조석(=~ seat) **3** 《미·속어》 갱들의 싸움(gang fight) ▷ rúmbling *a., n.*

rumble[2] *vt.* 《영·속어》 …의 진상을 간파[규명]하다

rum·bler [rʌ́mblər] *n.* 우르르[덜거덕] 소리내는 것; 회전통, 럼블러(tumbling box)

rúmble sèat 《미》 (구식 자동차 후부의 무개(無蓋)) 접좌석

rúmble strìp (전방의 위험을 알리기 위하여) 도로에 잔 홈을 파서 차가 진동하게 한 구간

rum·ble-tum·ble [rʌ́mbltʌ́mbl] *n.* 덜거덕거리는 차; 덜거덕덜거덕 움직임, 심한 동요

rum·bling [rʌ́mbliŋ] *n.* **1** 우르르[덜거덕] 소리 **2** [종종 *pl.*] 불평, 불만, 투덜대기 **3** [보통 *pl.*] 소문 **~·ly** *ad.*

rum·bly [rʌ́mbli] *a.* 〈차 등이〉 덜거덕거리는; 우르르[덜거덕] 소리내는

rum·bus·tious [rəmbʌ́stʃəs] *a.* 《영·속어》 시끄러운, 소란스러운, 떠들썩한(boisterous) **~·ly** *ad.* **~·ness** *n.*

rum·dum [rʌ́mdʌ̀m] *a.* 《미·속어》 술 취한, (술에 젖어) 머리가 돈; 보통의, 평범한

— *n.* 주정뱅이; 머리가 돈 녀석; 보통 사람

ru·men [rú:min | -men] *n.* (*pl.* **ru·mi·na** [-mənə]) 반추위 《반추 동물의 제1위》; 제1위의 반추 내용물

rúm hòle 《미·속어》 싸구려 술집

ru·mi·nant [rú:mənənt] *a.* **1** 반추하는; 반추 동물의 **2** (반추하듯) 명상하는, 생각에 잠기는(meditative): a ~ scholar 생각에 잠긴 학자

— *n.* 반추 동물 **~·ly** *ad.*

ru·mi·nate [rú:mənèit] *vi.* **1** 〈소 등이〉 반추하다 **2** 곰곰이 생각하다(ponder), 생각에 잠기다, 심사숙고하다 《*about, of, upon, over*》 **—** *vt.* **1** 〈소 등이 먹이를〉 반추하다 **2** 생각에 잠기다

ru·mi·nat·ing·ly *ad.*

ru·mi·na·tion [rù:mənéiʃən] *n.* Ⓤ **1** 반추 **2** 심사숙고 **3** [종종 *pl.*] 숙고의 결과

ru·mi·na·tive [rú:mənèitiv, -nət-] *a.* **1** 깊이 생각하는, 명상에 잠기는 **2** 반추하는

~·ly *ad.* 명상적으로

ru·mi·na·tor [rú:mənèitər] *n.* 명상[묵상]하는 사람

rum·mage [rʌ́midʒ] *vt.* **1** 뒤지다, 샅샅이 찾다; (뒤져서) 찾아내다; (찾기 위해) 뒤적거리다: (~+㊃+㊀) I ~*d up*[*out*] the pin. 가까스로 핀을 찾아냈다. **2** 샅샅이 조사하다; 〖항해〗 《특히》 세관원이 〈배 안을〉 검사[임검]하다: (~+㊃+㊂+㊄) ~ a ship *for* opium 아편을 찾아내기 위해 배 안을 수색하다

— *vi.* **1** 뒤지다, 뒤져서 찾다, 수색하다 《*about, in, among*》: (~+㊂+㊄) I began to ~ *for* the ticket *in* my pockets. 차표를 찾기 위해 호주머니를 뒤지기 시작했다. // (~+㊀) (~+㊂+㊄) He was *rummaging about among* the documents. 그는 문서를 뒤적거리며 무언가를 찾고 있었다. **2** 〖항해〗 임검하다, 수색하다 《*in*》

— *n.* **1** Ⓤ 《미》 잡동사니; 허섭스레기 **2** 샅샅이 뒤지기; (세관원의) 검색, 임검

rúmmage sàle 《미》 떨이 판매, 잡동사니 시장; 《특히》 자선 바자(《영》 jumble sale)

rummed [rʌ́md] *a.* 《미·속어》 술에 취한 《*up*》

rum·mer [rʌ́mər] *n.* (굽 달린) 큰 술잔

rum·my[1] [rʌ́mi] *n.* Ⓤ 카드놀이의 일종

rummy[2] [rum[1]에서] *n.* (*pl.* **-mies**) 《미·속어》 럼술을 마시는 사람; 대주가(drunkard)

— *a.* (**-mi·er**; **-mi·est**) 럼의[같은]

rummy[3] *a.* (**-mi·er**; **-mi·est**) 《영·속어》 기묘한, 괴상한(odd) **rúm·mi·ly** *ad.*

‡**ru·mor** | **ru·mour** [rú:mər] *n.* Ⓤ **1** 소문, 풍문, 풍설, 유언비어 《*that..., of*》 **2** 《고어》 소음; 평판

R~ has it that ... …이라는 소문이다: *R~ has it that* a lot of workers will be laid off. 많은 직원들이 해고될 것이라는 소문이 있다. ***start a ~*** 소문을 내다

— *vt.* [보통 수동형으로] 소문내다: (~+***that*** ㊆) (~+㊃+***to be*** ㊈) It *is* ~*ed that* he is ill. = He *is* ~*ed to be* ill. 그가 앓고 있다는 소문이 있다.

rúmor mìll 소문의 출처

ru·mor·mon·ger [rú:mərmʌ̀ŋgər, -mɑ̀ŋ- | -mʌ̀ŋ-] *n.* 소문을 퍼뜨리는 사람

*__rump__ [rʌ́mp] *n.* **1** (네발짐승의) 궁둥이, 둔부; (소의) 우둔(살); 《익살》 (사람의) 엉덩이 **2** 남은 것; 잔당(殘黨), 잔류파: a ~ of territory 영지의 중요하지 않은 부분 **3** [the R~] = RUMP PARLIAMENT

~·less *a.*

rúmp bòne 엉덩이뼈

rum·ple [rʌ́mpl] *vt.* 〈옷·종이 등을〉 구기다; 〈머리털 등을〉 헝클어 놓다 **—** *n.* 구김살, 주름(살)

rúm·ply *a.*

Rúmp Pàrliament [the ~] 〖영국사〗 잔부(殘部) 의회 《Long Parliament의 일부로 구성된 의회; 1648-1653, 1659-60》

rúmp stèak 《영》 우둔살 스테이크

rum·pus [rʌ́mpəs] *n.* 《구어》 **1** 소음, 소동, 소란 **2** 격론, 언쟁, 말다툼 ***kick up***[***make***] ***a ~*** 《구어》 소란을 피우다

rúmpus ròom 《미》 (가정내의, 특히 아이들의) 유희실, 오락실

rum·py pum·py [rʌ̀mpi-pʌ́mpi] 《영·구어·익살》 성교

rum·run·ner [rʌ́mrʌ̀nər] *n.* 《미·구어》 주류 밀수입자[선박]

rum·run·ning [-rʌ̀niŋ] *n., a.* 《미》 주류 밀수(의)

rum·shop [-ʃɑ̀p | -ʃɔ̀p] *n.* 《미·구어》 술집

---

government, administration, control, power

ruling *n.* judgment, adjudication, finding, verdict, resolution, decree, pronouncement

rumor *n.* gossip, hearsay, talk, report, news, story, whisper, information, word

⁝run [rʌ́n] *v.*, *n.*, *a.*

기본적으로는 「뛰다」의 뜻.	
① 뛰다; 달리게 하다	㉂ **1 a, 5, 6**
	㉅ **1, 4**
② (순조롭게) 움직이다; 운전하다	㉂ **11, 24**
	㉅ **11**
③ 경영하다	㉅ **15 a**
④ 흐르다	㉂ **8**
⑤ 통하다	㉂ **9 a**

—*v.* (**ran** [rǽn]; **~**; **~·ning**) *vi.* **1 a** 달리다, 뛰다; 급히 가다; 돌진하다: (~+㊮) ~ *back* 달려서 돌아오다 / But still the boy *ran on.* 그러나 그 소년은 여전히 달렸다. // (~+㊰+㊯) ~ *for* the doctor 의사를 부르러 급히 가다 / They *ran to* his rescue. 그들은 그를 구조하러 급히 달려갔다. // (~+***to*** do) He *ran to* meet her. 그는 급히 가서 그녀를 맞이하였다. **b** 〈물고기가〉 강을 거슬러 오르다; 〈식물이〉 땅바닥으로 뻗다, 퍼지다; 〖항공〗 활주하다: The salmon began to ~. 연어가 강을 거슬러 오르기 시작했다. **c** 급히 여행하다; 잠깐 다녀오다[방문하다] **d** …을 급습하다, 갑자기 덤비다; …에 돌진하다 (*at*) **2** 도망치다, 달아나다, 도주하다(flee): hit and ~ 치고 달리기를 하다 // (~+㊮) Seeing me, he *ran off.* 나를 보자 그는 도망쳤다. // (~+㊰+㊯) I *ran for* my life. 나는 필사적으로 도망쳤다. **3** 의지하다, (수단 등에) 호소하다: ~ to arms 무력에 호소하다 **4** 회전하다; 매끄럽게 움직이다, 미끄러지다; 〈공이〉 구르다: (~+㊰+㊯) Drawers ~ *on* ball bearings. 서랍은 볼 베어링 위를 움직인다. **5 a** 경주에 참가하다[나가다]; 달리기를 하다: (~+㊰+㊯) His horse *ran in* the Derby. 그의 말이 더비(경마)에 출전했다. **b** [순위의 부사와 함께] 달려서 (…등이) 되다: Bob *ran second* nearly all the way. 봅은 거의 계속 2위로 달렸다. **c** 입후보하다: He will ~ *for* Parliament[*for* (the) Presidency, *for* President]. 그는 국회의원[대통령]에 입후보할 것이다. **6** 〈차·열차·배 등이〉 달리다, 진행하다; 〈차·열차·배 등의〉 편(便)이 있다, (정기적으로) 운행하다, 다니다: The traffic ~*s* day and night. 교통편은 주야로 있다. // (~+㊰+㊯) This bus ~*s between* New York and Washington, D.C. 이 버스는 뉴욕과 워싱턴을 왕래한다. **7 a** 〈편물 등이〉 술술 풀리다 **b** (미) 〈스타킹이〉 줄이 가다, 올이 풀리다((영) ladder) **8 a** 〈물·피 등이〉 흐르다; 새다, 넘치다; (모래시계의) 모래가 흘러 내리다: His nose was ~*ning.* 그는 콧물을 흘리고 있었다. // (~+㊰+㊯) Tears were ~*ning down* her cheeks. 눈물이 그녀의 뺨을 흘러내리고 있었다. // (~+㊱) He felt as if his blood had ~ cold. 그는 피가 얼어붙는 듯했다. **b** 〈버터·양초 등이〉 녹아 흐르다 **9 a** 〈도로 등이〉 (어떤 방향으로) 뻗다, 통하다, 이어지다: (~+㊰+㊯) A corridor ~*s through* the house. 복도가 온 집안에 통하고 있다. **b** 〈화제 등이〉 …에 미치다, 걸치다 **10** 〈염색·잉크 등이〉 번지다: materials that ~ when washed 세탁을 하면 색이 번지는 옷감 **11** 〈기계 등이〉 돌아가다, 움직이다, 돌다: (~+㊰+㊯) The engine ~*s on* gasoline. 엔진은 휘발유로 돈다. **12** 〈때가〉 지나다, 경과하다, 흐르다: (~+㊰+㊯) The days *ran into* weeks. 하루하루가 지나 수주일이 되었다. **13 a** 〈어떤 상태로〉 되다, 변하다: (~+㊱) ~ mad 발광하다 / ~ high 높아지다 **b** (…의 상태가) 되다 (*to*); (…의 상태에) 빠지다 (*into*): ~ *into* debt[trouble] 빚을 지다[곤경에 빠지다] **14** 〈수량 등이〉 …에 달하다 (*to, into*): (~+㊰+㊯) The cost ~*s to* several million dollars. 그 비용은 수백만 달러에 이른다. **15** (…라고) 씌어 있다: (~+***as*** ㊱) The will ~*s as* follows. 유언은 다음과 같다. **16** 〈빌린 돈의 이자 등이〉 누적되다, 지불 의무가 생기다 **17** 계속하다; 판(版)을 거듭하다; 〈연극·영화가〉 계속 공연되다: (~+㊰+㊯) The novel *ran into* thirty editions. 그 소설은 30판을 거듭했다. // (~+㊮) How *long* will this play ~? 이 연극은 언제까지 상연됩니까? **18** 〈법률·계약 등이〉 통용하다, 효력을 지니다 **19 a** 〈책 등이〉 인쇄되다 **b** 〈이야기·사진 등이〉 (신문·잡지 등에) 게재되다, 실리다 (*in*) **20 a** 〈생각·기억 등이〉 떠오르다, 오고가다: (~+㊰+㊯) The memories of childhood kept ~*ning through* his mind. 어린 시절의 추억이 그의 머리 속에 끊임없이 떠올랐다. **b** 〈통증 등이〉 짜릿하게 전해지다 (*up, down*) **c** 대충[급하게] 훑어보다 **21** 〈소문 등이〉 나다, 퍼지다, 유포되다: The rumor ~*s* that our teacher will leave school before long. 선생님이 머지않아 학교를 그만두신다는 소문이 있다. **22 a** 〈성격·특징이〉 (…속에) 흐르다, 전해지다, 내재하다 **b** …의 경향이 있다, …으로 흐르다 **23** 평균[대체로] …이다: (~+㊱) Pears ~ big this year. 올해는 배가 대체로 굵다. **24** 〈생활·계획 등이〉 잘 영위되다, 잘 되어 가다 **25** 〈악구(樂句)를〉 빠르게 노래하다[연주하다] **26** 〈혀가〉 잘 돌아가다, 유창하다

—*vt.* **1 a** 〈사람·말 등을〉 달리게 하다; 〈기선·차 등을〉 다니게 하다, 왕복시키다, 운행시키다: (~+㊲+㊮) He *ran* the horse *up* and *down.* 그는 말을 몰아 여기저기를 달렸다. // (~+㊲+㊰+㊯) I *ran* him *up* the stairs. 나는 그에게 급히 계단을 오르게 했다. **b** 〈사람·말 등을〉 달려서 어떤 상태가 되게 하다: (~+㊲+㊰+㊯) You'll ~ me *off* my legs. 자네에게 끌려다니다가 녹초가 되겠네. // (~+㊲+㊱) He *ran* me breathless. 그는 나를 달리게 하여 숨차게 했다. **c** 〈사람과〉 경주하다 **2 a** 〈장소에서〉 도망가다, 도망치다: ~ one's country 망명하다 **b** 〈사냥감을〉 쫓다, 추적하다; 몰다: ~ a scent 냄새를 따라가다 **c** …의 출처를 밝히다: (~+㊲+㊰+㊯) *R*~ that report back *to* its source. 그 소문의 출처를 규명해라. **3** 〈사람을〉 차에 태워 가다: (~+㊲+㊰+㊯) (~+㊲+㊮) I will ~ you *to*[*as far as*] the station. 역까지 태워 주마. **4 a** 달려서 하다: ~ a race 경주하다 **b** 〈길·코스 등을〉 달려가다, 뛰어 지나가다, 건너다, 가로지르다 (*through*); 달려서 빠져나가다: ~ the streets 〈부랑아가〉 거리를 돌아다니다 / ~ a blockade 봉쇄선을 돌파하다 **5** 〈말을〉 경마에 출전시키다: (~+㊲+㊰+㊯) ~ a horse *in* the Derby 말을 더비 (경마)에 출전시키다 **6** 〈피·눈물 등을〉 흘리다; 흘려 붓다; 물로 채우다: ~ tears 눈물을 흘리다 / ~ the water for a bath 목욕을 하기 위해 물을 채우다 **7 a** 〈바늘·칼 등을〉 …에 찌르다; 〈실·손가락 등을〉 꿰다, 찔러 넣다: (~+㊲+㊰+㊯) ~ a nail *into* a board 판에 못을 박아 넣다 / She *ran* the needle *into* her left hand. 그녀는 왼손이 바늘에 찔렸다. **b** …에 부딪치다, 부딪다: (~+㊲+㊮) He *ran* the ship *ashore*[*aground*]. 그는 배를 좌초시켰다. / ~ a cart *into* a wall 수레를 벽에 처박다 **8** 〈가축이〉 (풀을) 먹다; 〈가축을〉 방목하다 **9** 밀수하다 (*across, into*) (cf. RUMRUNNER): ~ guns *across* the border 국경을 넘어 총을 밀수하다 **10 a** 대충 훑어보다: (~+㊲+㊰+㊯) She *ran* her eyes *over* the page. 그녀는 그 페이지를 대충 훑어보았다. **b** 〈손가락 등을〉 (건반·타자기) 위에서 달리게 하다 **11** 〈기계·자가용 차 등을〉 움직이다, 돌리다, 운전하다 **12** 인쇄하다 (*off*); 〈광고를〉 내다; 〈기사를〉 신문에 싣다[발표하다]; …이라고 씌어 있다: ~ an ad in the paper 신문에 광고를 내다 **13** 가공하다, 제조[제작, 정제]하다; 〈실험을〉 실시하다 **14** 〈정당 등이〉 〈사람을〉 (…에) 입후보시키다 (*for*): (~+㊲+㊰+㊯) ~ a candidate *in* an election 선거에 후보를 내세우다 **15 a** 〈회사·가게 등을〉 경영하다, 관리하다: ~ a school[factory] 학교[공장]를 경영하다 **b** 〈사람 등을〉 지휘[지배]하다: He is ~ by his wife. 그는 마누라에게 쥐여산다. **c** 〈서비스·강좌 등을〉 제공[준비]하다 **d** (미) 〈가족을〉 부양하다 **16** 〈위험 등을〉 무릅쓰다, 〈목숨 등을〉 걸다 **17** 빠지게 하다, 빠뜨리다: (~+㊲+㊰+㊯) ~ a person *into* trouble …을 곤경에 빠뜨리다 **18** 〈금속을〉 녹이다; 주조(鑄造)하다: ~ bullets 탄알을 주조하다

19 〈경계선을〉 긋다 **20** 급히 대강대강 꿰매다 **21** 생각을 계속하다, 사고하다 **22** 〈회계 등을〉 밀리게 하다 **23** 《속어》 들볶다, 곯려주다, 지분거리다, 놀리다 **24** 〈영화·연극 등을〉 상영[방영, 상연]하다

be ~ off one***'s feet*** 《구어》 매우 바쁘다, 부지런히 일하지 않으면 안되다 ***come ~ning*** 《구어》 (1) 달려오다 (2) 도움을 요청하다 ***~ about*** 뛰어 돌아다니다; 〈아이가〉 자유롭게 뛰어놀다 ***~ across*** …을 우연히 만나다[찾아내다]; 〈도로 등을〉 뛰어 건너다 ***~ afoul of*** =~ FOUL of. ***~ after*** (1) …의 뒤를 쫓다, 추적하다 (2) 《구어》 …의 꽁무니를 쫓다, …에 열중하다 (3) 《구어》 …을 보살피다, 도와주다 (4) 〈레이스에서〉 경주하다 ***~ against*** (1) …에 충돌하다 (2) …와 우연히 만나다 (3) …에게 불리하다 ***~ aground*** ⇨ aground. ***~ ahead of*** …을 능가하다 ***~ along*** [명령형으로] 가버려라, 떠나라(go away) ***~ around*** 뛰어 돌아다니다; (바람직하지 않은 사람과) 사귀다 《*with*》; 《특히》 〈아내[남편] 아닌 딴 여자[남자]〉와 관계하다 《*with*》 ***~ at*** …에 덤벼들다 ***~ at the nose*** [***mouth***] 콧물[침]을 흘리다 ***~ away*** 〈사람·동물이〉 …에서 달아나다, 도주[탈주]하다; 뺑소니치다; 〈일이〉 잘못되다 ***~ away from*** 〈아동이 학교에서〉 도망치다; 〈수병이〉 탈함(脫艦)하다; 〈주의 등을〉 버리다; 〈다른 경쟁자〉보다 훨씬 앞서다 ***~ away with*** (1) …을 가지고 도망치다, 훔치다(steal) (2) …을 데리고 달아나다, …와 사랑의 도피행을 하다(elope with) (3) 〈말·마차 등이〉 …을 단 채[태운 채] 달리다 (4) 〈감정 등이〉 …의 자제심을 잃게 하다, …을 극단으로 흐르게 하다 (5) 〈돈 등을〉 다 써버리다; 낭비하다 (6) [보통 부정문에서] …을 지레짐작하다 (7) 〈경기 등에〉 낙승하다 (8) 〈연기 등에서〉 남보다 훨씬 뛰어나다 ***~ back*** (1) 뛰어 돌아오다 (2) 〈가계(家系) 등이〉 …으로 거슬러 올라가다 《*to*》 (3) 〈감은 것·테이프 등을〉 되감다 (4) …을 회상하다 (5) 〈주가가〉 내리다 (6) 〈물 등이〉 역류하다 ***~ back over the past*** 과거를 회상하다 ***~ before*** (1) …에 쫓겨 달아나다 (2) …보다 앞서다 ***~ before*** one ***can walk*** 기본을 배우기도 전에 어려운 것을 하려고 하다 ***~ before the wind*** 〈배가〉 순풍을 받고 달리다 ***~ behind*** (1) …의 뒤를 달리다, 뒤떨어지다 (2) 〈비용이〉 …부족하다, 적자이다: ~ *behind* one's expenses 비용이 모자라다 ***~ … by*** [***past***] a person 남에게 …을 설명하다; …에 관해서 상담하다[의견을 듣다] ***~ close*** (1) …못지 않다 (2) …에 육박하다 ***~ down*** (*vi.*) (1) 뛰어 내려오다; 흘러 떨어지다 (2) (태엽이 풀려) 〈시계가〉 멈추다; 〈전지(電池) 등이〉 약이 닳다 (3) 〈사람이〉 쇠약해지다, 건강이 약해지다; [종종 진행형으로] 〈사물의 가치·수량 등이〉 감소하다, 축소되다 (4) 〈도시에서〉 시골을 방문하다 《*to*》; (*vt.*) (5) 〈사람·사냥감을〉 몰다; 추적하여 잡다 (6) 부딪쳐 넘어뜨리다; 〈자동차가 사람 등을〉 들이받다; 〈배를〉 충돌하여 침몰시키다 (7) …의 가치를 떨어뜨리다; 능률《등》을 떨어뜨리다 (8) [보통 수동형으로] 〈사람을〉 쇠약하게 하다; 〈건강을〉 쇠약하게 하다 (9) 찾아내다; …의 근원을 찾아내다 (10) 헐뜯다, 비방하다 (11) 〖야구〗 〈주자를〉 협살(挾殺)하다 (12) 대충 읽어보다, 속독하다; 《영》 〈강이〉 홍수가 진 후에 물이 빠지다 ***~ dry*** (1) 물이 마르다; 젖이 마르다 (2) 떨어지다, 다하다 ***~ for*** (1) …을 부르러 가다 (2) …에 입후보하다 ***~ for it*** 《구어》 위험에서 급히 도망치다 ***~ full*** 〖항해〗 돛에 바람을 가득 안고 달리다 ***~ in*** (1) 뛰어들다 (2) 맞붙어 싸우다; 도전하다, 육박하다 (3) 〈새 차[기계] 등을〉 길들이다 (4) 〖럭비〗 공을 가지고 골에 들어가다 (5) 《구어》 〈후보자를〉 당선시키다 (6) 〈남의 집에〉 잠깐 들르다 《*to*》 (7) …와 일치하다 《*with*》 (8) 《구어》 …을 구류하다; …을 체포하다 (9) 〖인쇄〗 (앞줄에) 밀어 끼우다, 이어짜다 ***~ in the family*** [***blood***] 〈정신병 등이〉 혈통에 있다 ***~ into*** (1) …에 뛰어들다 (2) …한 상태에 빠지다 (3) 〈수량이〉 …에 달하다, 이르다 (4) 〈액체·모래 등이〉 흘러나오다, 흘러떨어지다 (5) 〈차가〉 …와 충돌하다 (6) 《구어》 …와 우연히 만나다 (7) 〈바늘 따위가〉 …에 찔리다 (8) …에 계속되다 (9) …에 합류하다 (10) 〈이야기가〉 빗나가다 ***~ it fine*** ⇨ fine[1]. ***~ off*** (1) 〈사람·동물이〉 달아나다, 도망치다, (급히) 가다 (2) 사랑의 도피행을 하다 《*together*》 (3) 흘러나오다 (4) 《캐나다》 〈얼음·눈이〉 녹다 (5) 〈물을〉 흘려 보내다 (6) …을 인쇄하다 (7) 〈경주의〉 결승전을 하다 (8) 탈선하다 (9) 줄줄 읽다[쓰다] (10) 〈청구서가〉 지불이 끝나다 ***~ off with*** (1) …을 가지고 달아나다, 훔치다(steal) (2) …와 사랑의 도피행을 하다 ***~ on*** (1) 계속 달리다 (2) 〈병세가〉 진행하다 (3) 〈때가〉 지나다, 경과하다 (4) 계속 지껄이다 (5) 〈문장 등이〉 행(行)·단(段)을 끊지 않고 계속하다 (6) 〈서체(書體)가〉 초서가 되다 (7) …에 미치다, …에 얽히다 (8) 〈은행에〉 채권액의 반환을 청구하다 ***~ on to …*** 뜻하지 않게 우연히 …와 만나다 ***~ out*** (1) 뛰어 나가다; 뛰어서 지치다 (2) 흘러나오다 (3) 〈조수가〉 써다 (4) 〈재고품·보급 등이〉 바닥나다, 다하다, 끝나다; 〈사람이〉 무일푼이 되다, 다 써버리다 (5) 〈기한이〉 다하다, 만기가 되다 (6) 〖항해〗 밧줄이 풀려나가다 (7) 〈경주 등을〉 승부를 가리다 (8) 〈사람을〉 내쫓다, 추방하다 (9) 〖항해〗 〈밧줄을〉 풀어내다 (10) 〖크리켓·야구〗 〈공을 친 주자를〉 아웃시키다 (11) 돌출하다 (12) 〈시계 등이〉 태엽이 풀려서 서다 (13) 〈잡초 등이〉 무성하다 (14) 돌발하다 (15) 〖인쇄〗 예정 이상으로 늘다 ***~ out at*** 《구어》 〈일(의 비용)이〉 (금액·양 등에) 이르다, 달하다 ***~ out of*** (1) …을 다 써버리다, 〈물건이〉 바닥나다 (2) 〈사람을〉 (장소에서) 쫓아내다, 추방하다 ***~ out on*** 《구어》 …의 지지를 그만두다; 〈친구·아내 등을〉 버리다; 〈약속 등을〉 깨다 ***~ over*** (1) 〈차가 사람·물건을〉 치다 (2) 〈그릇·액체가〉 넘치다 (3) …에 잠깐 들르다 《*to*》 (4) …을 대충 훑어보다; 개설(槪說)하다 (5) 죽 어루만지다 ***~ through*** (1) 〈강이〉 관류(貫流)하다 (2) 매끄럽게 움직이다, 미끄러지다 (3) 〈생각·기억 등이〉 떠오르다, 오가다 (4) …을 대충 훑어보다, 통독하다 (5) 〈재산 등을〉 낭비하다; …을 다 써버리다 (6) 〈바늘 등이 손가락 등〉에 찔리다 (7) 〈바늘·칼 등을〉 …에 찌르다 (8) 〈길·코스 등을〉 급히 빠져 나가다 (9) 〈실·손가락 등을〉 …에 꿰다, 찌르다 (10) 〈글씨를〉 줄을 그어 지우다 (11) 〈연극·장면 등을〉 연습하다, 리허설하다 ***~ to*** (1) 달려서 …에 가다 (2) 〈수량 등이〉 …에 달하다, 이르다 (3) 〈파멸 등〉에 빠지다 (4) 〈사람이 지출[구매]할〉 자력이 있다 (5) 〈돈이〉 …하기에 족하다, 충분하다 (6) …의 경향이 있다 ***~ to arms*** 급히 무기를 들다[들고 일어나다] ***~ together*** 혼합하다, 섞다; 섞이다 ***~ to meet*** one***'s troubles*** 공연한 걱정을 하다 ~ a simile ***too far*** (비유)를 지나치게 하다, 지나치게 약은 말을 하다 ***~ up*** (1) 뛰어 올라가다 (2) 급히 성장하다 《*to*》 (3) 〈값이〉 오르다; 〈시세를〉 올리다 (4) 〈수량이〉 …에 달하다 (5) 〈젖은 천 등이〉 줄어들다 (6) 결승에서 지다 (7) 〈지출·빚 등이〉 늘다 (8) 〈지출·빚 등을〉 늘리다 (9) (경매에서) 〈값을〉 올리다; 〈상대에게〉 값을 올리게 하다 (10) 〈기 등을〉 술술 올리다 (11) 《구어》 급히 만들다, 〈집 등을〉 급히 짓다; 급히 꿰매다; 〈숫자를〉 급히 보태다; 급히 …하다 (12) (테스트를 위해 비행기 엔진의) 회전수를 올리다 ***~ up against*** (1) …와 충돌하다 (2) 《구어》 〈사람〉과 우연히 마주치다 ***~ upon*** (1) …와 뜻밖에 만나다 (2) …이 문득 생각나다 (3) 〈배가〉 좌초하다 ***~ up to*** (1) …에 뛰어가다 (2) …에 달하다 (3) 급히 여행하다; 잠깐 다녀오다 ***~ with*** 《구어》 …을 추진하다, 채용하다, …에 동조하다

— *n.* **1 a** 뛰기, 경주, 달리기; 경마(trip); 도주, 도망; 달려모이기; Ⓤ (특히 산란기의 물고기가) 강을 거슬러 오르기; 그 물고기 떼; 급한 여행, 단거리 여행: a five-minute ~ before breakfast 아침식사 전 5분간의 구보 **b** 주행 시간[거리]; 주정(走程), 행정(行程), 항정(航程) **c** [the ~] (열차·버스·배 등의) 운행, 운항; 항행: a non-stop ~ from Louisville to Memphis 루이즈빌에서 멤피스까지의 직행(편) **d** (비행기의) 활주; (스키의) 활강: a landing ~ 착륙 활주 **e** Ⓤ 《구어》 주력(走力), 도망치는 힘: no more ~ left in him 벌써 그는 뛰는 힘이 빠져서 **2** [the ~] 방향, 주향(走向) 《*of*》; 추세; 진행, 형세 《*of*》 **3** 조업

(操業)(시간); 작업(량) **4** 인쇄 부수(pressrun) **5 a** (물 등의) **유출**, 흐름; 유출량 **b** 《미》 시내, 세류(細流) **c** 〖주조〗 부어 넣기 **6** [the ~, one's ~] 출입[사용]의 자유 《*of*》: allow[give] one's guests *the* ~ *of* the house 손님에게 집을 자유롭게 사용하도록 허락하다 **7 a** 연속; (영화·연극 등의) 장기 공연: a ~ of wet weather 장마 **b** 유행 《*of*》 **8** 〖카드〗 같은 종류의 연속패의 한 벌 **9 a** 대수요(大需要), 날개 돋친 듯 팔림 **b** (은행의) 예금 인출의 쇄도 《*on*》 **10** [보통 the ~] (사람·물건의) 보통의 것[종류]: *the* common[general, ordinary] ~ of men 보통 사람 **11** (스포츠용의) 경사진 코스 **12** 방목장; (가축·가금의) 사육장; (사슴 등의) 통로, 길목 **13** 〖음악〗 빠른 장식 악구(樂句), 빠른 선주(roulade); 올동 《*of*》 **14** 〖야구·크리켓〗 득점, 1점: a three-~ homer 3점 홈런 **15** 《미》 (양말의) 올이 풀림(《영》 ladder), 전선(傳線): have a ~ in one's stockings 스타킹의 올이 나가다 **16** [the ~s] 《구어》 설사 **17** 〖컴퓨터〗 실행 《프로그램 중의 일련의 명령 실행 또는 그 상태》 **18** (…에의) 입후보 《*for*》

a good*[*an ill*] *~ at play (승부의) 승리[패배]의 연속 ***a ~ on the red*** 〖카드〗 붉은 패의 속출 ***at a ~*** 구보로 ***bill at the long ~*** 장기 어음 ***by the ~*** 갑자기 ***get the ~ upon*** 《미》 …을 놀리다, 조롱하다 ***give a good ~*** 충분히 달리게 하다 ***give*** a person ***a*** (***good***) ***~ for*** his ***money*** 치열하게 경쟁하다, 접전을 벌이다 ***Go and have a ~!*** 《속어》 꺼져 버려라! ***go for a ~*** (운동으로) 달리다 ***have a long*[*short*] *~*** 《미·구어》 〈영화·연극이〉 장기[단기] 흥행되다 ***have*[*get*] *a ~ for*** one***'s money*** 《구어》 (1) 돈을 치른[노력한] 만큼의 만족을 얻다 (2) 치열한 경쟁을 하다, 접전을 하다 ***have the ~ of*** (a person's house) (남의 집)에 자유로운 출입이 허용되다 ***have the ~ of*** one***'s teeth*** 무료로 식사할 수 있다 《보통 근로·봉사의 대가로서》 ***in the long ~*** 《구어》 긴 안목으로 보면, 결국은(in the end) ***in the short ~*** 단기적으로는, 당장은 ***keep the ~ of*** 《미》 …와 어깨를 나란히 하다, …에 뒤지지 않다 ***let*** a person ***have his ~*** …에게 자유를 주다, 하는 대로 내버려두다 ***make a ~ for it*** 〈위험을〉 서둘러 피하다 ***on the ~*** 《구어》 (1) 달려서; 바쁘게 뛰어; 서둘러, 허둥지둥 (2) 도주하여; (특히 경찰로부터) 자취를 감추어 ***out of the usual*[*common*] *~*** 보통과 다른, 유별난 ***take a ~ to*** the city (도시)까지 잠깐 여행하다 ***the ~ of the mill*[*mine*]** 보통품 ***with a ~*** 갑자기, 일제히, 와르르

— *a.* **1** 〈물고기가〉 바다에서 갓 거슬러 올라온 **2** 짜낸 **3** 〈버터 등이〉 녹은; 주조(鑄造)한: ~ butter 녹은 버터 **4** 밀수입한, 밀수출한 **5** [보통 복합어를 이루어] …경영의: state-~ radio 국영 라디오

run·a·bout [rʌ́nəbàut] *n.* **1 a** 소형 무개(無蓋) 마차 **b** 소형 자동차[모터보트, 비행기] **c** ＝ROADSTER **2** 배회하는 사람; 부랑자(vagabond)

— *a.* 배회하는, 뛰어다니는: a ~ guest conductor 돌아다니며 지휘하는 객연 지휘자

run·a·gate [rʌ́nəgèit] *n.* 《고어》 **1** 탈주[도망]자 **2** 부랑자 **3** 변절자

run-and-gun [-əngʌ́n] *a.* 《미·속어》 〖농구〗 단독 드리블해서 슛하는

run·a·round [rʌ́nəràund] *n.* 《구어》 핑계, 발뺌, 속임수; 〖인쇄〗 (삽화 등의 주위에) 자간을 좁혀 활자를 짜기 ***get the ~*** 속다 ***give*** a person ***the ~*** …에게 핑계를 대다, …을 속이다

— *vi.*, *vt.* 속다; 속이다

***run·a·way** [rʌ́nəwèi] *n.* **1 도망자**, 탈주자; 가출 소년[소녀]; 도망친 말 **2** 도망, 탈주, 사랑의 도피행 **3** 낙승 **4** 《미》 (자동차의) 폭주 **5** 《영》 배수관[로]

— *a.* Ⓐ **1 a 도망친**, 탈주[가출]한: a ~ horse 도망친 말 **b** 눈맞아 달아나는; 도망치면서 하는: ~ lovers 눈맞아 달아난 남녀/a ~ marriage 사랑의 도피 결혼 **2** 〈경주 등이〉 쉽게 이긴(easily won); 〈승리 등이〉 결정적인: a ~ victory 압승 **3** 〈물가 등이〉 급히 오르는: ~ inflation 끝없이 치솟는 인플레이션

rúnaway stàr 〖천문〗 도망성 《연성의 한 쪽이 폭발하여 초신성(超新星)이 될 때 곧바로 날아가 버리는 또 한 쪽의 별》

run·back [-bæ̀k] *n.* **1** 〖미식축구〗 상대편이 킥 또는 패스한 공을 빼앗아 달림 **2** 〖테니스〗 코트의 base line 뒤쪽 스페이스

rún bátted ín 〖야구〗 타점 《略 RBI》

rún chàrt 〖컴퓨터〗 실행 절차도

rún·ci·ble spóon [rʌ́nsəbl-] 세 가닥 스푼 《피클(pickles)·오르되브르 용》

run·ci·nate [rʌ́nsənət, -nèit] *a.* 〖식물〗 〈민들레 잎 등이〉 밑으로 향한 톱니 모양의

Run·di [rúndi] *n.* (*pl.* **~**(**s**)) 룬디족; 룬디어(語)(Kirundi)

run·dle [rʌ́ndl] *n.* **1** (사닥다리의) 단(rung²) **2** 굴대로 회전하는 것, 차바퀴

rund·let [rʌ́ndlit] *n.* **1** 런들릿 《영국의 옛 액체 용량 단위》 **2** 작은 나무통

run-down [rʌ́ndáun] *a.* **1** Ⓟ 〈사람이〉 건강을 해친, 지친(tired), 병든 **2** 황폐한 **3** 〈시계 등이〉 (태엽이 풀려) 멈춘, 선

run·down [-dàun] *n.* **1** 〖야구〗 협살(挾殺) **2** [보통 the ~] 감수(減數), 감원; (소집 해제에 의한) 감군(減軍) **3** 《미》 각 항목별 검사[분석, 보고], 개요 (보고)

rune¹ [rú:n] *n.* **1** [보통 *pl.*] 룬 문자, 북유럽 고대 문자 《고대 게르만인의 문자》 **2** 룬 문자로 쓰여진[새겨진] 것 **3** 신비한 기호[문자] **~·like** *a.*

rune² *n.* 핀란드의 시가(詩歌), 스칸디나비아의 고시(古詩); 《문어》 시, 노래

runed [rú:nd] *a.* 룬 문자(rune)를 새긴

run-flat [rʌ́nflæ̀t] *n.*, *a.* 《영》 펑크가 나도 주행 가능한 (안전 타이어)

***rung¹** [rʌ́ŋ] *v.* RING²의 과거분사

rung² *n.* **1** (사닥다리의) 단, 가로장; (의자의) 가로대 **2** (바퀴의) 살(spoke) **3** (사회적인) 단계

on the top ~ (***of the ladder***) 절정에, 최고 단계에 ***the lowest*[*topmost*] *~ of Fortune's ladder*** 불운의 구렁[행운의 절정] **~·less** *a.*

ru·nic [rú:nik] *a.* **1** 룬 문자(rune)의 **2** 〈시·장식 등이〉 고대 북유럽식의 **3** 신비적인

— *n.* **1** 룬 문자 비문(碑文) **2** 〖인쇄〗 루닉 《장식적인 굵은 활자》

run-in [rʌ́nìn] *n.* **1** 〖럭비〗 런인 《goal line 안에 뛰어 들어가 공을 땅에 댐》 **2** 《미·구어》 (특히 경관과의) 싸움, 언쟁 《*with*》: have a ~ *with* …와 싸우다 **3** [the ~] 《영》 준비 기간(의 활동)

— *a.* 《미》 〖인쇄〗 (원고 등에) 삽입된; 〈절·행 등에〉 잇대어 짠

run-length [rʌ́nléŋkθ] *a.* 〖컴퓨터〗 실행 길이의, 런렝스의

run·less [rʌ́nlis] *a.* 〖야구〗 득점 없는

run·let¹ [rʌ́nlit] *n.* 작은 통

runlet² *n.* 개울, 시내(rivulet)

run·na·ble [rʌ́nəbl] *a.* 〈사슴이〉 사냥하기 적합한

run·nel [rʌ́nl] *n.* **1** 작은 수로 **2** 《문어》 실 개울

***run·ner** [rʌ́nər] *n.* **1 a 달리는 사람**[**동물**], **경주자**[말]; 〖야구〗 주자, 러너; 도망자, 도주자: a good ~ 빨리 달리는 사람 **b** 심부름꾼; 사자(使者), 보발(步撥) **c** 수금원; 내탐자 **d** 《영》 (지방 신문의 일시적인) 기자, 통신원 **2** 〖영국사〗 순경 **3** [보통 복합어를 이루어] **a** 밀수업자(smuggler) **b** 밀수선 **4** 《미》 손님 끄는 사람; 주문원, 외교원 **5** (썰매·스케이트 등의) 활주부; (기계의) 굴대(roller); (맷돌의) 위짝; 동활차(動滑車); 양산의 고리쇠; 우산의 사북; 〖항해〗 (동활차의) 활주삭(滑走索) **6** 운전사, 기관사 **7 a** (식탁 중앙의) 길쭉한 식탁보 **b** 길쭉한 융단 **8** (양

runner 5

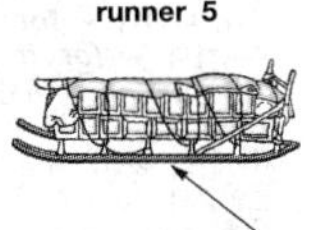

말의) 올이 풀린 곳 **9** 〖식물〗 (딸기 등의) 덩굴, 포복지(匍匐枝) **10** 〖조류〗 달리는 새, 《특히》 흰눈썹뜸부기
do a ~ 《영·속어》 급히 가버리다, 도망치다
rúnner bèan 《영》 〖식물〗 꼬투리를 먹는 콩(scarlet runner) 《강낭콩·완두 등》
rúnner's knée 《구어》 연골 연화(증)(chondromalacia)
run·ner-up [rʌ́nərʌ́p] *n.* **1** (경기·경쟁의) 차점자, 제2착자 **2** 입상자, 입선자
‡**run·ning** [rʌ́niŋ] *a.* **1 a** 달리는; 경마용의; 〈말이〉 질주하고 있는 **b** 달리면서 하는: a ~ shot 주행 중인 차량에서의 촬영 (장면) **c** 매우 급한, 대충의 **d** 〈물·강 등이〉 흐르는, 유동하는 **2** 연달은, 연속적인: a ~ pattern 연속 무늬 **3** 원활하게 움직이는[나아가는]; 원활하게 진행되는 **4** 〈글씨가〉 초서체의 **5** 〈기계 등이〉 돌고 있는, 운전[가동]중인 **6** 〈종기 등이〉 고름이 나는; 〈코가〉 콧물이 나는 **7** 동시에 행하여지는 **8** 〖식물〗 땅을 기는, 기어오르는(creeping) **9** 현재의; 현행의, 널리 퍼져 있는 ***in ~ order*** 〈기계가〉 정상 가동하고
— *ad.* [복수 명사 뒤에서] 잇따라, 연속해서: It rained five hours ~. 다섯 시간 계속해서 비가 왔다.
— *n.* Ⓤ **1 a** 달리기, 러닝; 경주 **b** 〖야구〗 주루(走壘) **2** 주력(走力) **3** 유출물; 유출량; 고름이 나옴 **4 a** (사업 등의) 경영, 운영, 관리 **b** 운전, 유지 관리
in [***out of***] ***the*** ~ (1) 경주에 참가[불참]하여 (2) 승산이 있어[없어] ***make*** [***take up***] ***the ~*** (1) 〈말이〉 앞서 달리며 페이스를 정하다 (2) 《영·구어》 솔선[리드]하다 (3) [명령형으로] 《속어》 저리 가라!, 꺼져라!
rúnning accóunt (은행의) 당좌 계정
rúnning bàck 〖미식축구〗 러닝백 《略 RB》
rúnning báttle = RUNNING FIGHT; 장기전, 끊임없는 싸움
rúnning bòard (옛날 자동차의) 발판
rúnning cómmentary **1** 필요에 따라 수시로 하는 해설[비평, 주석] **2** (스포츠 프로 등의) 실황 방송
rúnning còsts 〖경제〗 (차 따위의) 유지비
rúnning dòg 《경멸》 〖정치〗 추종자, 주구(走狗); 반혁명분자
rúnning Énglish 〖당구〗 비틀어[회전을 먹여] 치기
rúnning fíght 추격전, 이동전
rúnning fíre **1** 〖군사〗 (움직이면서 하는) 연속 급사격(急射擊) **2** (비난·질문 등의) 연발: a ~ of questions 쉴새 없이 이어지는 질문
rúnning gèar (자동차 등의) 구동(驅動) 장치
rúnning hánd 필기체, 초서체
rúnning héad[**héadline**] (책의 각 페이지 위의) 난외(欄外) 표제
rúnning jóke (극·TV 등에서) 반복해서 사용하는 농담; 재미있는 말
rúnning júmp 도움닫기 높이[멀리]뛰기
take a ~ (1) (도움닫기 높이[멀리]뛰기에서) 도약점까지 달리다 (2) [명령형으로] 《속어》 저리 가, 나가
rúnning knót **1** 당기면 죄어지는 매듭 **2** 당기면 풀리는 매듭
rúnning lìght (선박·비행기의) 야간 항행등
rúnning màte **1** 〖경마〗 (보조를 조정하기 위해) 같이 뛰게 하는 말 **2** 《미》 (선거에서) 하위 입후보자, 《특히》 부통령 후보자 **3** (특정인과) 자주 함께 있는 사람, 친한 사람
rúnning nóose 당기면 죄어지는 올가미
rúnning òrder (쇼나 프로그램의) 진행 순서; (운동 경기의) 출전 순서
rúnning repáirs 간단한[응급] 수리
rúnning rhýthm 〖운율〗 계조율(階調律) 《각각 한 개의 강세가 있는 음절과 한 개 또는 두 개의 강세가 없는 음절로 이루어진 운각(metrical foot)이 연속하여 만들어지는 보통의 운율》
rúnning rìgging[**ròpe**] 〖항해〗 동삭(動索) 《고정되어 있지 않은 모든 삭구》
rúnning ròom (육상 경기에서) 타주자와의 간격; 자유롭게 작업[활동]할 수 있는 공간
rúnning shòe 러닝슈즈 ***give*** a person *his*[*her*] ***~s*** 《미·속어》 …와의 관계를 끊다; 해고하다
rúnning sóre 곪은 부위, 종기
rúnning stárt **1** 〖경기〗 (삼단 뛰기 등의) 도움닫기 **2** (사업 등의) 처음부터의 호조건
rúnning státe 〖컴퓨터〗 실행 상태
rúnning stìtch (안팎으로 같은 땀이 나는) 러닝 스티치
rúnning stóry **1** (신문·잡지의) 연재 기사 **2** 기사의 부분 조판 원고
rúnning téxt (신문·잡지 등의) 기사 본문
rúnning tìme 〖컴퓨터〗 실행 시간; 〖영화〗 상영 시간
rúnning títle = RUNNING HEAD
rúnning tótal 임시 합계, 누계
rúnning wáter **1** 유수(流水) **2** 수돗물
run·ny [rʌ́ni] *a.* (**-ni·er**; **-ni·est**) **1** 흐르는 경향이 있는, 너무 무른 〈버터 등〉 **2** 〈코·눈이〉 점액을 분비하는: a ~ nose 콧물이 흐르는 코
run·off [rʌ́nɔ̀:f | -ɔ̀f] *n.* **1** ⓊⒸ 땅위를 흐르는 빗물, 유거수(流去水) **2** (동점자의) 결승전; 결승 투표 **3** (양의) 장기적[연속적] 감소[축소]
rúnoff prìmary 《미》 결선 투표 《두 최고 득표자 중 지명 후보가 될 사람을 정하는》
run-of-pa·per [rʌ́nəvpéipər] *a.* 〖신문〗 게재 위치를 편집자에게 일임하는 〈광고·기사 등〉
run-of-the-mill [rʌ́nəvðəmíl] *a.* 보통의, 평범한; 선별되지 않은 ★ mill-run이라고도 함.
run-of-the-mine [rʌ́nəvðəmáin] *a.* = RUN-OF-THE-MILL
run-of-the-river [rʌ́nəvðərívər] *a.* (저수지 없이) 흐르는 물을 이용하는 〈수력 발전소 등〉
run-on [rʌ́nɔ̀:n | -ɔ̀n] *a.* **1** 〖시학〗 (행말에 휴지 없이) 다음 행으로 이어지는 **2** 〖인쇄〗 행을 바꾸지 않고 계속하는 — *n.* 〖인쇄〗 추가(사항)
rún-on séntence 무종지문(無終止文) 《2개 이상의 주절을 접속사 없이 콤마로 이은 문장》
run·out [rʌ́nàut] *n.* 《구어》 실종, 도망; 소모; 〖컴퓨터〗 런아웃; 〖경마〗 도피
run·o·ver [-òuvər] *n.* (기사·소설 등의 조판을 다른 페이지·난·행으로) 넘기는 부분, 이월(移越)분
run·proof [-prù:f] *a.* 〈물감이〉 번지지 않는, 〈양말이〉 올이 풀리지 않는
runt [rʌ́nt] *n.* **1** (한배 새끼 중의) 작은 동물; 작은 소 《웨일스종》 **2** 《경멸》 꼬마 **3** 집비둘기의 일종 **~·ish** *a.*
run-through [rʌ́nθrù:] *n.* **1** (극·음악 등의) 예행연습(rehearsal) **2** 개요, 요약; 통독
rún tìme 〖컴퓨터〗 실행 시간
runt·y [rʌ́nti] *a.* (**runt·i·er**; **-i·est**) 발육 부전의, 왜소한, 꼬마의 **rúnt·i·ness** *n.*
run-up [rʌ́nʌ̀p] *n.* **1** [the ~] 준비 기간(의 활동), 전단계 《*to*》: during[in] *the* ~ *to* the election 선거 운동 기간 중에 **2** 〖육상경기〗 도움닫기 **3** (주가·가격 등의) 급상승
***run·way** [rʌ́nwèi] *n.* **1** 주로(走路); 활주로; 활주대(臺) **2** 짐승이 다니는 길 **3** 강줄기, 수로, 강바닥 **4** 〖극장〗 좌석 사이의 통로 **5** (재목을 굴려 내리는) 경사로(傾斜路); (창틀의) 홈; (기중기의) 주행로
ru·pee [ru:pí:, ⌐– | –⌐] *n.* **1** 루피 《인도·파키스탄·스리랑카의 화폐 단위; 기호 Re; =100 paise(인도), =100 cents(스리랑카), =100 paisa(파키스탄)》 **2** 1루피 은화
Ru·pert [rú:pərt] *n.* 남자 이름 《Robert의 애칭》
ru·pi·ah [ru:pí:ə] *n.* (*pl.* **~s**, **~**) **1** 루피아 《인도네시아의 화폐 단위; 기호 Rp; =100 sen》 **2** 1루피아 지폐
rup·ture [rʌ́ptʃər] *n.* **1** ⓊⒸ 파열, 터짐; 결렬, 단절; 불화, 사이가 틀어짐 《*between*, *with*》: the ~ of a blood vessel 혈관의 파열 / a ~ *between* friends 친구간의 불화 **2** 〖의학〗 탈장, 헤르니아(hernia)
come to a ~ 〈교섭이〉 결렬되다
— *vt.* **1 a** 〈혈관 등을〉 터뜨리다, 찢다, 파열시키다 **b** 〈관계 등을〉 단절[결렬]하다; 이간시키다, 불화하게

하다 **2** 〖의학〗 헤르니아를 일으키게 하다 —*vi.* **1** 찢어지다, 파열하다 **2** 〖의학〗 헤르니아에 걸리다

rúp·tur·a·ble *a.*

rúp·tured dúck [rʌ́ptʃərd-] 《미·속어》 명예 제대; 명예 기념장(章)

***ru·ral** [rúərəl] *a.* **1** 《도시에 대하여》 시골의, 전원의, 촌스러운, 시골티 나는(opp. *urban*): ~ life 전원 생활 / ~ communities 농촌

> 유의어 **rural** 시골의 단순·소박함과 평화로운 면을 강조하다: the charm of *rural* life 전원 생활의 매력 **rustic** 시골 또는 그 주민의 소박하고 거칠며 촌스러운 면을 강조한다: *rustic* simplicity 소박한 단순성 **pastoral** 전원의 단순·소박하며 평화로운 생활을 강조한다: *pastoral* scenery 목가적 풍경

2 농업의(agricultural) ***in ~ seclusion*** 인가에서 멀리 떨어져 **~·ly** *ad.* **~·ness** *n.*

▷ rúralize *v.*; rurálity *n.*

rúral déan 《영국 국교회의》 지방 감독

rúral delívery sèrvice 《미》 지방 무료 우편 배달

rúral frée delívery 《미》 rural delivery service의 옛 이름

ru·ral·ism [rúərəlìzm] *n.* Ⓤ 시골풍; Ⓒ 시골투의 말[표현]

ru·ral·ist [rúərəlist] *n.* 농촌 생활(주의)자; 시골 사람, 시골 주민

ru·ral·i·ty [ruərǽləti] *n.* (*pl.* **-ties**) Ⓤ 시골풍; Ⓒ 시골, 시골 풍습, 전원 풍경

ru·ral·ize [rúərəlàiz] *vt.* 시골풍으로 하다, 전원화하다 —*vi.* 전원 생활을 하다

rù·ral·i·zá·tion *n.* Ⓤ 전원화(化)

rúral róute 《미》 지방 무료 우편 배달 구역

rúral sociólogy 농촌 사회학

rur·ban [rə́ːrbən, rúər-] *a.* 《미》 전원 도시의[에 사는]; 교외에 있는[사는]

ru·ri·dec·a·nal [rùərədékənl] *a.* rural dean의

Ru·ri·ta·ni·a [rùərətéiniə, ⌐-⌐-] *n.* 로맨스와 모험의 왕국 《Hope 소설의 가상 왕국》 **-ni·an** *a.*, *n.*

rurp [rə́ːrp] [*r*ealized *u*ltimate *r*eality *p*iton] *n.* 〖등산〗 피턴(piton)의 일종

Rus. Russia; Russian

ruse [rúːz] *n.* 책략, 계략

ruse de guerre [rúːz-də-gέər] [F] 전략

‡rush[1] [rʌ́ʃ] *vi.* **1** 돌진[맹진]하다, 서두르다, 쇄도하다; 돌격하다 《*on, upon*》; 급행하다; 급히 행동하다: There is no need to ~. 서두를 필요없다. // (~+副) The river *~ed along.* 강이 세차게 흐르고 있었다. // (~+副+*to* do) ~ *out*[*outside*] *to* see the fire 화재를 보려고 급히 달려 나가다 // (~+前+名) ~ *to* the scene of an accident 사고 현장으로 달려가다 / ~ *at* the enemy 적을 향해 돌격하다 / The dog *~ed upon* the child. 개가 어린애에게 달려들었다. **2** 성급[경솔]하게 〈행동 등으로〉 옮기다: (~+前+名) ~ *into* extremes 극단으로 흐르다 / ~ *to* a conclusion 성급히 결론짓다 / ~ *into* print 급히 서둘러 출판하다 **3** 갑자기 일어나다[나타나다]: (~+前+名) Tears *~ed to* her eyes. 그녀의 눈에 갑자기 눈물이 솟았다. / A good idea *~ed into* his mind. 좋은 생각이 불현듯 머리에 떠올랐다. **4** 〖미식축구〗 공을 몰고 나가다

—*vt.* **1** 돌진시키다, 서두르게 하다; 몰아대다: ~ a message 지급 전보를 보내다 // (~+目+副) ~ a bill *through* 의안을 부랴부랴 통과시키다 / ~ (*through*) breakfast 아침 식사를 급히 먹다 // (~+目+前+名) ~ a sick person *to* a hospital 환자를 급히 병원으로 보내다 **2** 돌격하다, 돌격하여 빼앗다; 〈금광 등에〉 몰려들어 점령하다; 〈장애물 등을〉 돌파하다: They *~ed* the enemy. 그들은 적을 급습했다. **3** 《미·구어》 **a** 〈여자에게〉 끈덕지게 구애하다(court) **b** 〈대학의 사교 클럽에〉 입회 권유하기 위해 환대하다 **4** 〖미식축구〗 몰고 나가다 **5** 《속어》 〈손님에게〉 바가지씌우다

~ *in* …에 뛰어들다, 난입하다.: Fools ~ *in* where angels fear to tread. 《속담》 하룻강아지 범 무서운 줄 모른다. **~ *out*** 〈인쇄물 등을〉 대량으로 급조하다 **~ *one's fences*** 《결과에 대해》 너무 조급히 굴다

—*n.* **1 a** 돌진, 맹진; 돌격, 급습: a ~ of soldiers 병사들의 돌격 **b** 급격한 증가[발달] **c** 《감정의》 격발 **2** 분주한 활동; 분주, 분망; 러시, 혼잡: Calm down. What's the ~? 진정해라. 왜 서두르니? **3** 대단한 수량, 대수요, 주문 쇄도 《*for, on*》 **4** 《새 금광 등에의》 쇄도 《*for, to*》 **5** 〖미식축구〗 러시, 공을 몰고 나가기 **6** 《미》 난투 《대학의 기·막대기 등의 쟁탈전》; 《미·학생속어》 거의 만점인 좋은 성적 **7** [보통 *pl.*] 〖영화〗 러시 《테스트·편집용 첫 프린트》 **8** 《속어》 《마약 복용·주사 직후의》 쾌감, 황홀감

be in a ~ 서두르다; 서둘러[성급히] 결정하다 ***give*** a person ***the bum's ~*** 《미·속어》 …을 술집에서 쫓아내다 ***with a ~*** (1) 돌격하여 (2) 단숨에; 갑자기

—*a.* Ⓐ 쇄도하는, 바쁜; 급한, 급히 만든; 《미》 《학생 사교 클럽 권유가》 환대의

rush[2] *n.* **1** 골풀, 등심초 《멍석·바구니 등을 만듦》 **2** 하찮은 물건 ***not care a ~*** 조금도 개의치 않는 ***not worth a ~*** 아무 가치도 없는 —*a.* Ⓐ 골풀로 만든

—*vt.* 골풀로 세공하다; 〈바닥에〉 골풀을 깔다

~·lìke *a.* 골풀 같은; 연약한

rúsh àct [the ~] 《속어》 러시 공격; 《구어》 《애인의》 맹렬한 구애 작전

rúsh bàggage 〖항공〗 급송 수하물

rush-bear·ing [rʌ́ʃbὲəriŋ] *n.* 《영》 교회당 건립제(建立祭) 《영국 북부에서 행해짐》

rúsh cándle = RUSHLIGHT 1

Rush·die [rúʃdi] *n.* 러슈디 (**Ahmed**) **Salman ~** (1947-) 《인도 태생의 영국 작가》

rushed [rʌ́ʃt] *a.* 서두른, 급작스러운, 성급한: It was a ~ decision made at the end of the meeting. 그것은 회의 말미에 내린 성급한 결정이었다.

rush·ee [rʌʃíː] *n.* 《미》 학생 사교 클럽 가입을 권유받고 있는 학생

rush·en [rʌ́ʃən] *a.* 골풀제의, 골풀로 만든

rush·er [rʌ́ʃər] *n.* 돌진하는 사람; 〖미식축구〗 볼을 갖고 돌진하는 선수

rúsh hòur 《출·퇴근시의》 혼잡한 시간, 러시아워

rush·ing [rʌ́ʃiŋ] *n.* **1** 〖미식축구〗 러싱 《공을 몰고 나아가기》; 러닝 플레이로 나아간 거리 **2** 《미》 《학생 사교 클럽(fraternity, sorority)의》 입회 권유 사교행사

—*a.* 〈움직임이〉 격한, 성급한; 〈상거래 등이〉 활발한, 대성황의 **~·ly** *ad.*

rush·light [rʌ́ʃlàit] *n.* **1** 골풀 양초 **2 a** 희미한 불빛 **b** 불충분한 지식 **c** 변변치 못한 선생

Rush·more [rʌ́ʃmɔːr] *n.* **Mount ~** 러시모어 산 《South Dakota주의 산; 산 중턱에 Washington, Jefferson, Lincoln, T. Roosevelt의 거대한 두상이 새겨져 있음》

rúsh rìng 《골풀을 엮어 만든》 결혼반지

rush·work [rʌ́ʃwəːrk] *n.* 골풀 세공(품)

rush·y [rʌ́ʃi] *a.* (**rush·i·er**; **-i·est**) **1** 골풀[등심초]이 많은 **2** 골풀 같은; 골풀로 만든 **rúsh·i·ness** *n.*

rus in ur·be [rʌ́s-in-ə́ːrbi] [L] 도시 속의 시골

rusk [rʌ́sk] *n.* 러스크 《딱딱하게 구운 비스킷》; 노르스름하게 구운 빵(cf. ZWIEBACK)

Rus·kin [rʌ́skin] *n.* 러스킨 **John ~** (1819-1900) 《영국의 평론가·사회 사상가》

Russ [rʌ́s] *a.*, *n.* (*pl.* **~, ~·es**) 《고어》 = RUSSIAN

Russ. Russia(n)

Rus·sell [rʌ́sl] *n.* **1** 남자 이름 **2** 러셀 **Bertrand ~** (1872-1970) 《영국의 수학자·철학자·저술가》

Rússell réctifier 《조력(潮力) 발전용》 러셀 파동(波動) 정류 장치

thesaurus **rush**[1] *v.* hurry, make haste, hasten, run, race, dash, bolt, dart, gallop, charge, speed

rustic *a.* **1** 시골의 country, rural, pastoral, agri-

rus·set [rʌ́sit] *a.* **1** 적[황]갈색의, 팥빛의 **2** 적갈색 또는 황갈색의 실을 이용해 손으로 짠 **3** (고어) 소박한
— *n.* **1** Ⓤ 팥 빛깔, 황갈색(yellowish brown) **2** Ⓤ 팥 빛깔의 수직(手織)천 **3** 적갈색의 사과(=~ **ápple**)
~·ish *a.* **rús·set·y** *a.* 적[황]갈색의

rus·set·ing [rʌ́sitiŋ] *n.* 갈반(褐斑)

‡**Rus·sia** [rʌ́ʃə] *n.* **1** 러시아 (연방)(⇨ Russian Federation) 《1991년 소련의 붕괴로 생긴 나라》 **2** 러시아 제국(Russian Empire) 《수도 St. Petersburg (지금의 Leningrad)》 **3** 구소련 《수도 Moscow》 **4** =RUSSIA LEATHER ▷ Rússian *a.*, *n.*

Rússia léather (제본용의 튼튼한) 러시아 가죽

‡**Rus·sian** [rʌ́ʃən] *a.* 러시아(사람[말])의
— *n.* **1** 러시아 사람 **2** Ⓤ 러시아 말 **3** (러시아에서 지배적인) 슬라브 민족의 일원 **~·ism** *n.* 러시아(인) 편애; 러시아(인[어])의 특성

Rússian béar 러시안 베어 《보드카·크렘드카카오(crème de cacao)·크림의 칵테일》

Rússian Blúe 〖동물〗 러시아고양이 《몸통이 길쭉하고 귀가 큰 청회색 고양이》

Rússian bóot (장딴지까지 올라오는) 러시아식 장화

Rússian Chúrch [the ~] =RUSSIAN ORTHODOX CHURCH

Rússian dóll 러시아 (목각) 인형 《큰 인형 속에 작은 인형이 들어있음》

Rússian dréssing 러시아식 드레싱 《칠리소스·피망·잘게 썬 피클이 든 마요네즈 소스》

Rússian Émpire [the ~] 러시아 제국 《1917년에 멸망》

Rússian Federátion 러시아 연방 《유럽 동부에서 아시아 북동부에 이르는 넓은 지역; 수도 Moscow》

Rus·sian·i·za·tion [rʌ̀ʃənizéiʃən | -nai-] *n.* Ⓤ 러시아화(化)

Rus·sian·ize [rʌ́ʃənàiz] *vt.* 러시아화하다; 러시아 문화[이데올로기 《등》]를 따르게 하다

Rússian (Órthodox) Chúrch [the ~] 러시아 국교회 《동방 정교회의 한 파》

Rússian Revolútion [the ~] 러시아 혁명 《1917년 3월과 동년 11월 혁명》

Rússian roulétte **1** 러시안 룰렛 《탄알이 한 발 든 권총의 실린더를 돌려 총구를 자기 머리에 대고 방아쇠를 당기는 목숨을 건 게임》 **2** 자살 행위

Rússian sálad 러시아식 샐러드

Rússian Sóviet Féderated Sócialist Repúblic [the ~] 러시아 소비에트 연방 사회주의 공화국 《Russian Federation의 구 명칭; 수도 Moscow; 略 RSFSR, R.S.F.S.R.; cf. USSR》

Rússian thístle 〖식물〗 명아줏과(科) 식물

Rússian wólfhound =BORZOI

Rus·si·fi·ca·tion [rʌ̀səfikéiʃən] *n.* Ⓤ 러시아(령(領))화

Rus·si·fy [rʌ́səfài] *vt.* (**-fied**) =RUSSIANIZE

Russ·ki, -ky [rʌ́ski] *n.*, *a.* (속어·경멸) 러시아인(의)

Russo- [rʌ́sou, -sə] 《연결형》 「러시아 (사람)의; 러시아와 …와의」의 뜻

Rus·so-Jap·a·nese [rʌ́soudʒǽpənìːz] *a.* 러일간의

Rússo-Jápanese Wár [the ~] 러일 전쟁 (1904-5)

Rus·so-Ko·re·an [rʌ́soukəríːən] *a.* 한로(韓露)의

Rus·so·phile [rʌ́səfàil], **-phil** [-fil] *a.* 러시아편을 드는, 친로의 — *n.* 친로파

Rus·soph·il·ism [rʌsɑ́fəlìzm | -sɔ́f-] *n.* Ⓤ 친로주의

Rus·so·phobe [rʌ́səfòub] *n.* 러시아를 싫어하는[겁내는] 사람

Rus·so·pho·bi·a [rʌ̀səfóubiə] *n.* Ⓤ 러시아 혐오

‡**rust** [rʌ́st] *n.* Ⓤ **1** (금속의) 녹: the ~ on a nail 못의 녹 / get[rub] the ~ off 녹을 없애다 / keep from ~ 녹슬지 않게 하다 **2** 녹빛; 녹빛 도료[염료] **3** 무위(無爲), 무활동; 나쁜 습관 **4** 〖식물〗 녹병균; 녹병
***be in* ~** 녹슬어 있다 ***gather* ~** 녹슬다
— *vi.* **1** 〈금속 등이〉 녹슬다, 부식하다: Better wear out than ~ out. 《속담》 묵혀 없애느니 써서 없애는 것이 낫다. **2** 〖식물〗 녹병에 걸리다 **3** (쓰지 않아) 무디어지다, 못쓰게 되다 《*out*, *away*》: talents left to ~ 썩혀 둔 재능 **4** 녹빛이 되다
— *vt.* **1** 녹슬게 하다, 부식시키다 **2** (쓰지 않아) 무디게 하다 **3** 〖식물〗 녹병에 걸리게 하다
— *a.* 녹빛의 ▷ rústy[1] *a.*

rúst bèlt (미) [종종 **R- B-**] 사양 중공업 지대 《미국 피츠버그 등 중서부 지역과 북동 지역의 강철 산업 중심지》

rúst bùcket (미·속어) 노후선; (호주·속어) 녹슨 차

rust-col·ored [rʌ́stkʌ̀lərd] *a.* 녹빛의

‡**rus·tic** [rʌ́stik] [L 「시골」의 뜻에서] *a.* **1** (문어) 시골(풍)의, 전원 생활의, 시골뜨기의(⇨ rural 유의어) **2** (문어) 소박한, 꾸밈없는; 무례한, 조야(粗野)한, 야비한: ~ simplicity 순진한 소박함 **3** Ⓐ 〈가구·건물 등이〉 거칠게 만든; 통나무로 만든: a ~ bridge[chair] 통나무 다리[의자] **4** 불규칙체(體)의 《고대 라틴 글자체》, 모나지 않은(cf. SQUARE)
— *n.* (문어·경멸) 시골뜨기, 촌놈, 《특히》 농부; 순진한 사람; 조야한 사람
rus·ti·cal [rʌ́stikəl] *a.* **-ti·cal·ly** *ad.*

rus·ti·cate [rʌ́stikèit] *vi.* 시골로 은퇴하다; 시골에서 살다 — *vt.* **1 a** 시골로 보내다 **b** 시골풍으로 하다 **2** 〖석공〗 〈벽면의 돌을〉 건목치다 **3** (영) 〖대학〗 정학 처분하다 **-cà·tor** *n.*

rus·ti·ca·tion [rʌ̀stikéiʃən] *n.* Ⓤ **1** 시골로 쫓음; 시골살이, 전원생활 **2** (영) 〖대학〗 정학 (처분) **3** 〖석공〗 건목치기

rus·tic·i·ty [rʌstísəti] *n.* Ⓤ **1** 시골풍; 시골 생활 **2** 소박, 투박, 검소; 야비, 조야

rústic wòrk 통나무로 만든 정자[가구 《등》]; 〖석공〗 건목치기

‡**rus·tle** [rʌ́sl] *vi.* **1** 〈종이·나뭇잎·비단 등이〉 살랑살랑 소리내다; 살랑살랑 소리내며 움직이다, 옷 스치는 소리를 내며 걷다 《*along*》: The reeds ~*d* in the wind. 갈대가 바람에 와스스했다. **2** (미·구어) **a** 활발히 움직이다, 활약하다, 열심히 벌다 **b** 가축을 훔치다
— *vt.* **1** 〈종이·나뭇잎·비단 등을〉 살랑살랑 흔들다, 옷 스치는 소리를 내다 **2** 살랑살랑 소리 내며 흔들어 떨어뜨리다 **3** (미·구어) **a** 활발히 움직이다[다루다] **b** 재빨리 손에 넣다 **c** 〈소·말 등을〉 훔치다
~ *in silks* 비단 옷을 입고 있다 **~ *up*** (구어) (1) 그러모으다 (2) 급히 준비하다[만들다]
— *n.* **1** 살랑살랑 소리, 옷 스치는 소리 **2** (미·구어) 정력적인 활동 **3** (미·속어) 강도

rus·tler [rʌ́slər] *n.* **1** 살랑살랑 소리내는 것[사람] **2** (미·구어) **a** 활동[활약]가 **b** 가축 도둑

rust·less [rʌ́stlis] *a.* **1** 녹이 없는 **2** 〈금속이〉 녹슬지 않는(rustproof)

*__rus·tling__ [rʌ́sliŋ] *a.* **1** 살랑살랑 소리나는, 옷 스치는 소리가 나는 **2** (미·속어) 활동적인, 활발한
— *n.* **1** [*pl.*] 살랑살랑 소리(남) **2** Ⓤ (미·구어) 가축 도둑질 **~·ly** *ad.*

rúst mìte 녹 진드기

rust·proof [rʌ́stprùːf] *a.* 녹슬지 않는 〈금속〉
— *vt.* …에 방수(防銹) 처리하다

rust-through [-θrùː] *n.* 녹슮, 녹에 의한 부식

‡**rust·y**[1] [rʌ́sti] *a.* (**rust·i·er**; **-i·est**) **1 a** 녹슨: a ~ sword 녹슨 칼 **b** 녹에서 생긴 **2** 〖식물〗 녹병에 걸린 **3** Ⓟ (쓰지 않아) 무디어진, 서툴러진 **4** 녹빛의, 색이 바랜; 낡은; 구식의: ~ old clothes 색이 바랜 헌 옷 **5** 〈목소리가〉 쉰 **rúst·i·ly** *ad.* **rúst·i·ness** *n.*
▷ rúst *n.*

---

cultural **2** 소박한 unsophisticated, plain, simple, homely, artless, naive, unrefined **3** 거칠게 만든 coarse, rough, indelicate, uncouth, clumsy

rusty² *a.* (**rust·i·er**; **-i·est**) **1** 〈말이〉 다루기 힘든, 반항적인 **2** 《방언》 심기가 나쁜 **3** 썩은[고약한] 냄새가 나는 ***turn* ~** 화를 내다

rust·y-dust·y [-dʌ́sti] *n.* 《미·속어》 엉덩이; 녹슨 것[총]

rut¹ [rʌ́t] *n.* **1** 바퀴 자국; 홈 **2** 상투적인 방법, 상습, 단조로운 생활 ***get into a* ~** 틀에 박히다 ***go on in the same old* ~** 10년을 하루같이 해나가다 ***move in a* ~** 판에 박힌 일을 하다

—*vt.* (**~·ted**; **~·ting**) [보통 과거분사로] 바퀴 자국을 내다; 홈을 내다

rut² *n.* Ⓤ (수사슴·황소 등의) 발정(發情)(heat); [종종 the ~] 발정기(期) ***go to* (*the*) ~** 발정하다, 암내나다 ***in* [*at*] (*the*) ~** 발정하여

—*vi.* (**~·ted**; **~·ting**) 암내나다, 발정하다

ru·ta·ba·ga [rù:təbéigə, ˊ-ˋ-] *n.* 〖식물〗 순무의 일종(Swedish turnip) 《뿌리가 황색》

ruth [rú:θ] *n.* Ⓤ 슬픔, 비애, 후회; 불운, 재난

Ruth [rú:θ] *n.* **1** 여자 이름 **2** 〖성서〗 룻 《Boaz와 결혼하여 David의 조상이 된 여자》 **3** 〖성서〗 룻기(記)

Ru·the·ni·a [ru:θí:niə, -njə] *n.* 루테니아 《Ukraine 서부의 역사적 지역명》

ru·then·ic [ru:θénik, -θí:n-] *a.* 〖화학〗 루테늄의, 비교적 높은 원자가의 루테늄을 함유한

ru·the·ni·ous [ru:θí:niəs, -njəs] *a.* 〖화학〗 (비교적 낮은 원자가의) 루테늄을 함유한

ru·the·ni·um [ru:θí:niəm, -njəm] *n.* Ⓤ 〖화학〗 루테늄 《백금류의 금속 원소; 기호 Ru, 번호 44》

Ruth·er·ford [rʌ́ðərfərd, rʌ́θ- | rʌ́ð-] *n.* **1** 러더퍼드 **Ernest ~** (1871-1937) 《영국의 물리학자》 **2** [**r~**] 〖물리〗 러더퍼드 《방사능의 강도 단위》

Rútherford átom 〖물리〗 러더퍼드 원자 《중심에 정전하(正電荷)가 응집된 핵이 있고 그 주위로 전자가 궤도 운동을 하는 원자 모형》

ruth·er·for·di·um [rʌ̀ðərfɔ́:rdiəm] *n.* 〖화학〗 러더퍼듐 《104번 원소; 기호 Rf》

ruth·ful [rú:θfəl] *a.* **1** 동정심이 많은; 슬퍼하는, 슬픔에 잠기는 **2** 슬픈, 불쌍한 **3** 후회하는, 자책에 사로잡히게 하는 **~·ly** *ad.* **~·ness** *n.*

∗**ruth·less** [rú:θlis] *a.* 무자비한, 무정한(pitiless), 가차없는; 냉혹한(cruel) **~·ly** *ad.* **~·ness** *n.*

ru·ti·lant [rú:tələnt] *a.* 빨갛게[황금색으로] 빛나는, 번쩍번쩍 빛나는

ru·tile [rú:ti:l, -tail | -tail] *n.* Ⓤ 〖광물〗 금홍석(金紅石)

ru·tin [rú:tn] *n.* 〖약학〗 루틴 《각종 출혈 예방 치료용》

Rut·land·shire [rʌ́tləndʃiər, -ʃər] *n.* 러틀랜드(셔) 《잉글랜드 중부의 옛 주》 ★ Rutland라고도 함.

rut·ted [rʌ́tid] *a.* 〈도로 등이〉 바퀴자국이 깊이 난 (cf. RUT¹)

rut·ting [rʌ́tiŋ] *a.* Ⓐ 〈수사슴 등이〉 발정한, 발정기의

rut·tish [rʌ́tiʃ] *a.* 발정한, 암내낸; 호색의 **~·ly** *ad.* **~·ness** *n.*

rut·ty [rʌ́ti] *a.* (**-ti·er**; **-ti·est**) 〈도로 등이〉 바퀴 자국이 많은 **rút·ti·ly** *ad.* **-ti·ness** *n.*

Ru·vu·ma [ruvú:mə] *n.* [the ~] 루부머 강 《탄자니아와 모잠비크의 국경을 이루는 강》

rux [rʌ́ks] *n.* Ⓤ **1** 《영·학생속어》 분통, 화, 짜증 **2** 《속어》 소음, 소란

R.V., RV recreational vehicle 레크리에이션용 차량; reentry vehicle (대기권) 재돌입체; Revised Version (of the Bible)(cf. A.V.)

R-val·ue [ɑ́:rvæ̀lju(:)] [*r*esistance *value*] *n.* 《미》 R치(値) 《건축 재료 등의 단열 성능치(値)》

RVR 〖항공〗 runway visual range **R.V.S.V.P.** *Répondez vite s'il vous plaît* 《F=Please reply at once》 **R.W., RW** radiological warfare; Right Worshipful; Right Worthy **R/W** right-of-way

Rwan·da [ruɑ́:ndə | ruǽn-] *n.* 르완다 《아프리카 중동부의 공화국; 수도 Kigali》

Rwán·dan, -dese [-di:z] *a., n.*

RWD rewind **r.w.d.** rear-wheel drive **R/WM** read / write memory **R.W.S.** 《영》 Royal Society of Painters in Water Colours **rwy., Rwy.** railway

Rx [ɑ́:réks] *n.* (*pl.* **~'s, ~s**) 처방; 대응책, 조치

Rx, rx 〖약학〗 take; tens of rupees **ry., Ry.** railway

-ry [ri] *suf.* [명사 어미] **1** 특수한 성질·행위: rogue*ry*, pedant*ry* **2** 제작소·배양소·사육장 등: brewe*ry*, bake*ry* **3** 물품의 종류: perfume*ry*, haberdashe*ry*

ry·a [rí:ə] *n.* Ⓤ 리아 《스칸디나비아산의 수직(手織) 융단》(=ˊ **rùg**)

ry·al [ráiəl] *n.* =ROSE NOBLE; 라이얼 《스코틀랜드의 중세 금화 또는 은화》

ryd·berg [rídbə:rg] *n.* 〖물리〗 리드베르크 《에너지의 단위: 13,606 eV; 기호 ry》

∗**rye¹** [rái] *n.* Ⓤ **1 a** 호밀 **b** 호밀의 씨[알] 《북유럽에서 빵의 원료, 영국에서 마초로 씀》(⇨ wheat 유의어) **2** 호밀 흑빵 **3** =RYE WHISKEY

—*a.* 호밀로 만든

rye² *n.* (집시족의) 신사

rýe bréad (호밀로 만든) 흑빵

rye·grass [ráigræ̀s] *n.* 〖식물〗 지네보리, 독보리 《목초의 일종》

Rýe Hòuse Plòt [the ~] 〖영국사〗 라이하우스 사건 《Charles 2세와 그의 아우 (뒤의 James 2세)의 암살을 계획한 모의(1683)》

rye·peck [-pèk] *n.* 《영·방언》 쇠끝이 달린 장대 《강 바닥에 꽂아 배를 매는 데 씀》

rýe whískey 라이[호밀] 위스키

ry·ot [ráiət] *n.* 《인도》 **1** 농부(peasant) **2** 경작자로서 토지를 보유한 사람, 자작농

R.Y.S. 《영》 Royal Yacht Squadron

Ryu·kyu [rijú:kju:] *n.* 류큐(琉球) 열도(=ˊ **Íslands**)

Ryú·kyu·an [-ən] *a., n.*

R.Z.S. 《영》 Royal Zoological Society

S s

s, S [és] *n.* (*pl.* **s's, ss, S's, Ss** [-iz]) **1** 에스 《영어 알파벳의 제19자》 **2** S자형(으로 된 것): make an *S* S자형을 이루다 **3** (연속된 것의) 제19번째(의 것) 《I나 J를 빼면 18번째》 **4** (학업 성적의) S평점(satisfactory) **5** (중세 로마 숫자의) 7; 70

S satisfactory; Saxon; sentence; 〖생화학〗 serine; short; 〖전기〗 siemens; signature; single; small; soft; 〖음악〗 soprano; South; Southern; 〖문법〗 subject; 〖화학〗 sulfur[sulphur]; **s.** second(s) 초; section; see; series; set; sign; silver; singular; small; society; *solidus* 《L = shilling(s)》; son; south; steamer; stem; substantive; sun; surplus **s., S.** school; secondary; senate; singular; socialist; society; soprano; steel **s., S, S.** south; southern **S.** Sabbath; Saint; Saturday; Saxon; Sea; September; 《호주》 shilling(s); Signor; Socialist; Society; Sunday

$, $** [L *solidus*의 머리글자 'S'를 장식화한 것] dollar(s); [**$] (포르투갈) escudo(s); peso(s); sol [soles]; yuan(s): *$* 1.00 1달러 ★ 만화 등에서는 「돈; 큰돈」을 나타내는 기호로도 쓰임.

-s [(유성음 뒤에서) z, (무성음 뒤에서) s] *suf.* **1** [명사의 복수 어미]: dogs, cat*s*(cf. -(E)S) **2** [동사의 제3인칭 단수 현재형 어미]: It rain*s*. / He jump*s*.(cf. -(E)S) **3** [부사 어미]: always, forward*s*, indoor*s*, needs, 《미·구어》 night*s*, Sunday*s*

's [(유성음 뒤에서) z, (무성음 뒤에서) s, ([s, z, (t)ʃ, (d)ʒ] 뒤에서) iz] **1** [명사의 소유격 어미]: Tom'*s*, cat'*s*, men'*s*, Chambers'*s* [tʃéimbərziz], etc. ★ s로 끝나는 고유 명사에는 보통 -s's, -s' 둘 다 쓰임: Dickens'*s*, Dickens' [díkinziz] **2** [문자·숫자·약어 등의 복수 어미]: t'*s*; 3'*s*; M.P.'*s* ★ [']는 생략하는 경우도 있음. **3** [z] 《고어》 God's의 단축형: '*s*blood = God's blood **4** [is, has, does, us의 단축형]: he'*s* = he is[has] / He'*s* done it. = He has done it. / What'*s* she do for a living? = What does she do for a living? / Let'*s* go. = Let us go.
USAGE 어느 단축형이든 문장 끝에는 사용할 수 없다. I wonder where he is. (그는 어디에 갔을까)는 옳지만, I wonder where he's.는 잘못이다.

S/ sol; soles; sucre(s) **Sa** 〖화학〗 samarium **SA** *Sturmabteilung* 《G = storm troops》 (나치) 돌격대(원); Sub-Authorization 부(副)구매 승인서; Support Assistance 지원 원조 **Sa.** Saturday **s.a.** safe arrival; *secundum artem* 《L = according to art》 인공적으로; semiannual; 《속어》 sex appeal; *sine anno* 《L = without year or date》 발행 연도 없음; subject to approval **S.A.** Salvation Army; San Antonio 《Texas 주의 도시명》; seaman apprentice; South Africa; South America; South Australia **$A** Australian dollar(s) **SAA** South African Airways; system application architecture 〖컴퓨터〗 시스템 응용 체계 **S.A.A.** Small Arms Ammunition; Speech Association of America **S.A.A.F.** South African Air Force

saag, sag [sǽg] *n.* Ⓤ 《인도》 시금치(spinach)

Saar [zɑ́ːr, sɑ́ːr] *n.* [the ~] **1** 자르(= ∠ **Básin**) 《독일 남서부의 주(州); the Saarland의 별칭》 **2** 자르 강 《독일 서부의 강》

Saar·land [zɑ́ːrlæ̀nd, sɑ́ːr- | sɑ́ː-] *n.* [the ~] 자를란트 《독일 남서부의 주(州); 석탄 산지》 **~·er** *n.*

SAARC South Asian Association for Regional Cooperation

sab [sǽb] [*sab*oteur] *n.* 《영·구어》 (스포츠로서의) 사냥 방해[반대] 운동가; 그 운동을 하는 동물 보호론자 **—** *vt., vi.* (사냥을) 방해하다; 동물 사냥 방해 여행을 가다

Sab. Sabbath **SAB** spontaneous abortion

sab·a·dil·la [sæ̀bədílə] *n.* 〖식물〗 사바딜라 《멕시코산(産) 백합과(科) 식물 및 그 씨》

Sa·bae·an [səbíːən] *a.* **1** 아라비아의 옛 왕국 사바 (Saba [séibə]; 〖성서〗 Sheba)의 **2** 사바 사람[말]의 **—** *n.* **1** 사바 사람 **2** Ⓤ 사바 말

Sa·bah [sɑ́ːbɑː] *n.* 사바 《Borneo 섬 북동쪽에 있는 말레이시아의 주; 주도 Kota Kinabalu》

Sa·ba·ism [séibəìzm] *n.* 별 숭배

Sab·a·oth [sǽbiɑ̀θ, -ɔ̀ːθ | sæbéiɔθ] [Heb. 「다수」의 뜻에서] *n. pl.* 〖성서〗 만군(萬軍)(hosts)
the Lord of ~ 만군의 주, 하느님 《로마서 9: 29》

sab·a·ton [sǽbətɑ̀n | -tɔ̀n] *n.* 사바톤 《갑옷에 딸린 쇠구두》

Sab·bat [sǽbət] *n.* = SABBATH 3

Sab·ba·tar·i·an [sæ̀bətέəriən] *n.* **1** 안식일 엄수주의자 **2** 토요일을 안식일로 지키는 유대교도; 일요일을 안식일로 지키는 그리스도교도; 일요일의 취업·오락 반대자 **—** *a.* 안식일의, 안식일 엄수(주의)의
~·ism *n.* Ⓤ 안식일 엄수주의

***Sab·bath** [sǽbəθ] [Heb. 「휴식」의 뜻에서] *n.* **1** [때로 the ~] 안식일(= ~ day) 《유대교에서는 토요일, 그리스도교에서는 일요일, 이슬람교에서는 금요일》 **2** [**s~**] 휴식[안식] 시간; 휴식, 평화, 평온, 고요: a *s~* of the tomb 무덤 속의 고요한 안식 **3** (연 1회 한밤중에 열리는) 악마의 연회(= Witches' ~)
break [***keep, observe***] ***the*** ~ 안식일을 지키지 않다[지키다]
— *a.* 안식일의 ▷ Sabbátical *a.*

Sab·bath-break·er [sǽbəθbrèikər] *n.* 안식일을 지키지 않는 사람

Sábbath dày = SABBATH 1

Sáb·bath-day's jóurney [-dèiz-] **1** 안식일의 노정 《유대교도가 안식일에 여행이 허락되었던 약 2/3마일》 **2** 편한 여행

Sab·bath·like [sǽbəθlàik] *a.* 안식일 같은

Sábbath schòol 1 = SUNDAY SCHOOL **2** 안식일 재림파 신도(Seventh-Day Adventist)들의 안식일[토요일] 학교

Sab·bat·i·cal [səbǽtikəl], **-ic** [-tik] *a.* **1** 안식일의; 안식일 같은; 안식일에 어울리는 **2** [**s~**] 안식의, 휴식의 **—** *n.* [**s~**] = SABBATICAL YEAR 2; (휴양·기술 습득 등을 위한) 장기 휴가

sabbátical léave = SABBATICAL YEAR 2

sabbátical yéar 1 [종종 **S~**] 안식년(年) 《옛 유대인이 7년마다 경작을 쉰 해; 출애굽기 23: 11》 **2** (미국 대학의) 안식 휴가 《7년마다 대학 교수·선교사에게 주는 1년간의 유급 휴가》

Sab·ba·tize [sǽbətàiz] *vi.* 안식일을 지키다 **—** *vt.* 안식일로 하다[지키다]

S.A.B.C. South African Broadcasting Corporation

sab·e [sǽbi] *v., n.* = SAVVY

Sa·be·an [səbíːən] *a., n.* = SABAEAN

Sa·bel·li·an [səbéliən] *n.* **1** 사벨리 사람 《Sabine 족과 Samnite 족을 포함한 고대 이탈리아의 중·남부 주민》 **2** 사벨리 말 **—** *a.* 사벨리 사람[말]의

sa·ber** | **-bre** [séibər] *n.* **1** 사브르, 기병도(騎兵刀) **2** 기병; [*pl.*] 기병대(cf. BAYONET, RIFLE[1]) **3** [the ~] 무력; 무단 정치(cf. SWORD): under the rule of *the* ~ 무력에 지배되어 ***rattle one***'s*** ~ (1) 무력으로 위협하다 (2) 화를 내는 체하다
— *vt.* 사브르로 베다[무장하다]

saber 1

sa·ber-cut [-kʌ̀t] *n.* 사브르에 베인 상처
sa·ber·met·rics [sèibərmétriks] [*S*ociety for *A*merican *B*aseball *R*esearch] *n. pl.* [단수 취급] 컴퓨터를 이용한 야구 데이터 분석(법)
sa·ber-rat·tler [-rǽtlər] *n.* 횡포한 군국주의자
sáber ràttling 무력에 의한 위협; (말로 하는) 무력의 과시
sáber sàw 휴대용 전기 실톱
sa·ber·tooth [-tù:θ] *n.* = SABER-TOOTHED TIGER[CAT]
sa·ber-toothed [-tù:θt] *a.* 검(劍) 모양의 송곳니가 있는
sáber-toothed tíger[**cát**] 〖고생물〗 검치호(劍齒虎) 《화석 동물》
sa·ber·wing [-wìŋ] *n.* 〖조류〗 벌새 《남미산(産)》
Sa·bi·an [séibiən] *n.*, *a.* 사비 교도(의) 《남부 이라크에 사는 민족으로, Koran에서는 이슬람교·유대교·그리스도교와 마찬가지로 진정한 신의 신자로 인정함》
sa·bin [séibin] [미국의 물리학자 W.C. Sabine의 이름에서] *n.* 〖물리〗 세이빈 《음(音)의 흡수력 단위》
Sa·bine [séibain | sǽ-] *n.* **1** (고대 이탈리아 중부의) 사빈 사람 **2** Ⓤ 사빈 말 — *a.* 사빈 사람[말]의
Sa·bíne Láke [səbí:n-] 사빈 호(湖) 《미국 Texas 주와 Louisiana주의 주(州) 경계에 위치한 호수》
Sá·bin vaccìne [séibin-] 〖약학〗 경구용 소아마비 생(生) 백신
***sa·ble** [séibl] *n.* **1** 〖동물〗 검은담비 **2** Ⓤ 검은담비의 모피; [*pl.*] 검은담비 모피 옷 **3** Ⓤ (시어) 검은색; [*pl.*] (시어) 상복(喪服): in ~*s* 상복을 입고 **4** Ⓒ 검은담비의 꼬리털로 만든 화필
— *a.* **1** (시어) 검은색의: a ~ steed 흑마(馬) **2** 검은담비 털[가죽]의 **3** 암흑의, 음침한 **4** 악마의 ***his*** ~ ***Excellency***[***Majesty***] 악마 대왕, 염라대왕
sáble àntelope 〖동물〗 (아프리카산(産)의) 대형 영양 《긴 사브르 같은 뿔을 가지고 있음》
sa·bled [séibld] *a.* (시어) **1** 상복을 입은 **2** 검은 색의
sa·ble·fish [séiblfìʃ] *n.* (*pl.* **~**, **~·es**) 〖어류〗 은대구 《북태평양산(産)》
SABMIS sea-based antiballistic missile intercept system 해저[잠수함] 요격 미사일망 《통칭 sea-based ABM system》
sa·bot [sǽbou] [F =shoe, boot] *n.* (*pl.* **~s** [-z]) **1** 나막신; 바닥이 나무로 된 신 **2** 〖군사〗 탄저판(彈底板); (축사(縮射)용) 송탄통(送彈筒) **3** 《호주》 선수(船首)가 짧은 소형 요트
sab·o·tage [sǽbətɑ̀:ʒ] [F 원래 프랑스 노동자들이 쟁의 중에 나막신(sabot)으로 기계 등을 파괴한 데서] *n.* Ⓤ **1** 사보타주 《쟁의 중인 노동자에 의한 공장 설비·기계 등의 파괴, 생산 방해》 **2** 파괴[방해] 행위: commit[practice] ~ 파괴 행위를 하다

> 유의어 **sabotage** 우리나라에서는 「태업」의 뜻으로 쓰이며 기물 파괴의 뜻은 없지만, 영어의 sabotage에는 「태업」의 뜻이 없다. 「태업」의 뜻으로 (미)에서는 **slowdown** (**strike**), (영)에서는 **go-slow, ca'canny**를 쓴다.

— *vt.* 〈계획·정책 등을〉 고의로 파괴[방해]하다; 사보타주하다 — *vi.* 사보타주하다
sa·boted [sæbóud | ⌐–] *a.* 나막신을 신은
sab·o·teur [sæ̀bətə́:r] [F] *n.* 파괴[방해] 활동자
sa·bra [sɑ́:brə, -brɑ:] *n.* 토박이 이스라엘 사람

***sa·bre** [séibər] *n.* (영) = SABER
sab·re·tache [séibərtæ̀ʃ | sǽ-] *n.* (기병용) 소형 가죽 가방 《사브르 혁대의 왼쪽 허리에 차는》
Sa·bri·na [səbrí:nə] *n.* 여자 이름
sab·u·lous [sǽbjuləs] *a.* **1** 모래가 있는 **2** 〈식물이〉 모래땅에서 자라는 **3** 〖의학〗 (오줌 따위가) 침전물이 많은 **-los·i·ty** *n.*
sac [sǽk] *n.* 〖생물〗 주머니, 낭(囊), 액낭(液囊), 기낭(氣囊) **~·lìke** *a.*
Sac [sɔ́:k, sǽk] *n.* (*pl.* **~**, **~s**) = SAUK
SAC Senate Appropriations Committee (미) 상원 세출 위원회; Seoul Area Command; Strategic Air Command (미) 전략 공군 사령부
sac·cade [sækɑ́:d | sə-] *n.* **1** 〖동물·생리〗 난속적[성] 운동 《독서할 때의 안구의 순간적 움직임 등》 **2** (고삐를 세게 당겨) 말을 급히 세우기
sac·cád·ic *a.* 실룩거리는, 경련적인
sac·cate [sǽkət, -keit] *a.* 〖생물〗 주머니 모양의; 주머니를 가진
sacchar- [sǽkər], **saccharo-** [sǽkərou, -rə] 《연결형》 「당(糖)의; 사카린의」의 뜻 《모음 앞에서는 sacchar-》
sac·cha·rase [sǽkərèis, -rèiz | -rèis] *n.* 〖생화학〗 사카라아제
sac·cha·rate [sǽkərèit] *n.* 〖화학〗 당산염(糖酸塩)
sac·char·ic [səkǽrik] *a.* 당질(糖質)의; 당에서 얻은
saccháric ácid 〖화학〗 당산(糖酸)
sac·cha·ride [sǽkəràid, -rid] *n.* 〖화학〗 당류(糖類); 단당류
sac·cha·rif·er·ous [sæ̀kərífərəs] *a.* 당(糖)을 내는[함유한]
sac·char·i·fi·ca·tion [səkæ̀rəfikéiʃən] *n.* Ⓤ 당화(糖化) (작용)
sac·char·i·fy [səkǽrəfài | sækǽ-] *vt.* (**-fied**) 〈녹말을〉 당화(糖化)하다
sac·cha·rim·e·ter [sæ̀kərímətər] *n.* 〖화학〗 (편광) 검당계(檢糖計)
sac·cha·rin [sǽkərin] *n.* Ⓤ 〖화학〗 사카린
sac·cha·rine [sǽkərin | -ràin] *a.* **1** 당분의[같은] (sugary); 당분 과다의: ~ diabetes 당뇨병 **2** 아주[너무] 단 **3** 〈성격이〉 지나치게 상냥한[친절한]; 〈태도·말소리 등이〉 지나치게, 달콤한, 감상적인
— *n.* = SACCHARIN **~·ly** *ad.*
sac·cha·rin·i·ty [sæ̀kərínəti] *n.* Ⓤ 당질(糖質), 단맛
sac·cha·ri·nize [sǽkərənàiz] *vt.* **1** …에 사카린을 첨가하다 **2** (비유) 달콤하게 하다
sac·cha·rize [sǽkəràiz] *vt.* 당화(糖化)하다(saccharify)
sac·cha·roid [sǽkərɔ̀id] *a.* 〖지질〗 결정상(結晶狀)의, 입상 집합(粒狀集合)의 — *n.* Ⓤ 당정(糖晶)
sàc·cha·rói·dal *a.*
sac·cha·rom·e·ter [sæ̀kərɑ́mətər | -rɔ́-] *n.* 〖화학〗 (비중) 당도계(糖度計)
sac·cha·rose [sǽkəròus] *n.* Ⓤ 〖화학〗 자당(蔗糖) (sucrose)
sac·ci·form [sǽksəfɔ̀:rm] *a.* 낭상(囊狀)의, 주머니 모양의
sac·cu·lar [sǽkjulər] *a.* 낭상(囊狀)의
sac·cu·late [sǽkjulèit, -lət], **-lat·ed** [-lèitid] *a.* 소낭(小囊)의, 소낭으로 이루어진
sàc·cu·lá·tion *n.* Ⓤ 소낭 형성; 소낭 구조
sac·cule [sǽkju:l] *n.* **1** 〖해부〗 (내이 미로(內耳迷路)의) 구형낭(球形囊) **2** 소낭(小囊)
SACD super audio compact disc 슈퍼 오디오 CD 《고음질의 디지털 오디오 디스크》
sac·er·do·tage [sǽsərdòutidʒ] *n.* (익살) **1** = SACERDOTALISM **2** 성직자 지배

thesaurus **sacred** *a.* holy, blessed, hallowed, blest, consecrated, sanctified, religious, spiritu-

sac·er·do·tal [sæ̀sərdóutl] *a.* **1** 성직(聖職)의, 사제 (제도)의: ~ vestments 사제복 **2** 〈교리 등이〉 성직권(權) 존중의 **~·ly** *ad.* 성직으로서, 사제로서; 성직권을 중히 여겨

sac·er·do·tal·ism [sæ̀sərdóutlìzm, sǽkər-] *n.* Ⓤ **1** 성직[사제] 제도; 성직자 기질; 성직 존중 **2** 성직 특권주의 **3** 《경멸》 = PRIESTCRAFT **-ist** *n.* 사제제(制) 옹호론자

SACEUR Supreme Allied Commander, Europe 〖군사〗 NATO 유럽 연합군 최고 사령관[사령부]

sác fùngus = ASCOMYCETE

sa·chem [séitʃəm] *n.* **1** 족장, 추장(chief) 《북아메리카 인디언의》 **2** 《미》 (12명으로 구성된 New York 시의) Tammany Society의 임원 **3** 《미·속어》 (단체·정당 등의) 우두머리, 두목, 거두

Sa·cher torte [sɑ́:kər-tɔ̀:rt] 초콜릿 케이크의 일종 《살구잼과 초콜릿 당의(糖衣)를 입힘》

sa·chet [sæʃéi | ∠-] [F = sack] *n.* **1** (서랍이나 장롱에 넣어 두는) 향주머니; 향가루(= ~ **pòwder**) **2** (1회용 샴푸나 설탕이 든) 작은 봉지

‡**sack**[1] [sǽk] *n.* **1** 부대, 마대, 자루 《삼베로 만든》; 한 부대(의 양) **2** 봉지; 한 봉지(의 양): a ~ of candy 사탕 한 봉지 **3** [the ~] 《구어》 해고, 파면; (결혼 신청 등의) 거절, 퇴짜 놓기 **4** [the ~] 《속어》 침대, 침낭, 잠자리: be in *the* ~ 잠자고 있다 **5** [sacque로도 씀] 헐렁한 윗옷 《여성·아동용》(= ~ dress) **6** 《미》 = SACK COAT **7** 《야구속어》 누(壘), 베이스(base) **8** 《속어》 골프 백
get [***have***] ***the ~*** 《구어》 해고당하다, 파면되다; 퇴짜 맞다 ***give the ~ to*** a person = ***give*** a person ***the ~*** …을 해고하다, 퇴짜 놓다 ***hit the ~*** 《속어》 잠자리에 들다, 자다 ***hold the ~*** 《구어》 불리한 일을 맡다, 본의 아닌 책임을 맡다; 궁지에 홀로 남다
— *vt.* **1** (삼베) 자루에 넣다 **2** 《구어》 해고하다(⇨ dismiss 유의어); 퇴짜 놓다 **3** 획득하다 《*up*》 **4** 《구어》 격파하다, 패배시키다 《싸움에서》 **5** 《구어》 슬쩍 훔쳐 가다; 착복하다 ~ ***in*** [***out***] 《미·구어》 잠자리에 들다 ~ ***up*** 《속어》 자다, …에 묵다 《*with*》
~·lìke *a.* ▷ sáckful *n.*

sack[2] *vt.* **1** 〈점령군이〉 〈도시를〉 약탈하다 **2** 〈도둑 등이〉 〈물건을〉 앗아 가다 **3** 〖미식축구〗 〈쿼터백을〉 스크리미지 라인 뒤쪽에서 태클하다 — *n.* [the ~] (점령지의) 약탈, 노략질: put to *the* ~ 약탈하다

sack[3] *n.* Ⓤ 〖역사〗 색(와인) 《옛 스페인산(産) 셰리주(sherry sack)·카나리아 제도산(産) 백포도주(Canary sack) 등》

sáck àrtist 《속어》 게으름뱅이; 난봉꾼

sack·but [sǽkbʌ̀t] *n.* **1** 〖음악〗 색버트 《중세기의 trombone》 **2** 색버트 연주자 **3** 〖성서〗 삼각금(琴)(trigon)

sack·cloth [-klɔ̀:θ | -klɔ̀θ] *n.* Ⓤ **1** 질긴 삼베, 굵은 베, 자루용 삼베 **2** (삼베·무명 등의) 참회복, 상복 ***in ~ and ashes*** 비탄에 젖어; 깊이 뉘우쳐

sáck còat 《미》 (평상복으로서의) 신사복 상의

sáck drèss = SACK[1] 5

sáck dùty 《미·군대속어》 수면 (시간)

sack·er[1] [sǽkər] *n.* **1** 부대[자루]를 만드는[채우는] 사람 **2** 《야구속어》 누수(壘手)(baseman)

sacker[2] *n.* 약탈자

sack·ful [sǽkfùl] *n.* (*pl.* **~s, sacks·ful**) **1** 한 부대분, 한 가마니분 《*of*》 **2** 대량

sack·ing[1] [sǽkiŋ] *n.* Ⓤ 자루감, 올이 굵은 삼베

sacking[2] *n.* Ⓤ **1** 약탈, 강탈 **2** 결정적 승리

sack·less [sǽklis] *a.* **1** 기력이 없는 **2** 《스코》 해롭지 않은 **3** 《고어》 죄 없는, 결백한 《*of*》

sáck ràce 색 레이스 《두 다리를 자루 속에 넣고 뛰는 경주》

sáck ràt 《미·속어》 잠꾸러기

---

al, devotional, churchly, ecclesiastical, godly, divine, deified, supreme

sáck sùit 《미》 신사복 《윗옷은 sack coat》

sáck tìme 《미·속어》 **1** 잘 시간, 수면 (시간) **2** 틈, 짬

SACLANT Supreme Allied Commander, Atlantic 〖군사〗 NATO 대서양군 최고 사령관[사령부]

sacque [sǽk] *n.* = SACK[1] 5

sac·ra [sǽkrə, séi-] *n.* SACRUM의 복수

sa·cral[1] [séikrəl] 〖해부〗 *a.* 천골(薦骨)(부)의
— *n.* 천골 (신경)

sacral[2] *a.* **1** 성례(聖禮)의, 성식(聖式)의 **2** 신성한

sa·cral·ize [séikrəlàiz] *vt.* (종교적 의식에 의해) 신성하게 하다 **sà·cral·i·zá·tion** *n.*

sac·ra·ment [sǽkrəmənt] [L 「신성한 것으로서 분리시킴」의 뜻에서] *n.* **1** 〖그리스도교〗 성례전(聖禮典) 《세례(baptism)와 성찬(the Eucharist)의 두 예식》 **2** 〖가톨릭〗 성사(聖事) 《영세·견진·성체·고해·종부·신품·혼배의 7가지》 **3** [the ~, the S~] 성찬, 성만찬; 성체, 성찬용 빵 **4** 신비[신성]한 것 **5** 표시, 상징 《*of*》 **6** 신성한 맹세, 선서, 서약
go to ~ 성찬식에 참석하다 ***minister the ~*** 성찬식을 행하다 ***take*** [***receive***] ***the ~*** (***to*** do) (…할 것을 맹세하고) 성찬을 받다 ***the Blessed*** [***Holy***] ***S~*** 성찬의 빵 《성체》 ***the five ~s*** 5대 성사(聖事) 《견진·고해·신품·혼배·종부》 ***the last ~*** 종부 성사, 병자 성사 ***the two ~s*** 2대 성례 《신교의 세례와 성찬》
— *vt.* **1** 신성하게 하다 **2** 선서시키다
▷ sacraméntal *a.*

sac·ra·men·tal [sæ̀krəméntl] *a.* **1** 성사[성례]의, 성찬(식)의: ~ rites 성찬식 / ~ bread 성찬식용 빵 **2** 신성한(sacred) **3** 〈교리 등이〉 성사 중시(주의)의 **4** 상징적인(symbolic) **5** 《익살》 붙어 다니는 〈어구 등〉
— *n.* [보통 *pl.*] 준(準)성사 《성수(聖水)·성유(聖油)를 바르거나 성호(聖號)를 긋는 등》
~·ìsm *n.* Ⓤ 성찬 중시주의 **~·ist** *n.* 성찬 중시자 **-men·tál·i·ty** *n.* **~·ly** *ad.*

Sac·ra·men·tar·i·an [sæ̀krəmentέəriən] *a.* **1** 〖역사〗 성찬 형식주의(자)의 **2** [**s~**] 성찬 중시의
— *n.* **1** 〖역사〗 성찬 형식주의자 《Zwingli 및 Calvin 파의 교도》 **2** [**s~**] 성찬주의자(sacramentalist)
~·ìsm *n.* = SACRAMENTALISM

sac·ra·men·ta·ry [sæ̀krəméntəri] *a.* **1** 성사의, 성찬식의(sacramental) **2** = SACRAMENTARIAN

Sac·ra·men·to [sæ̀krəméntou] *n.* 새크라멘토 《미국 California주의 주도》

Sácrament Súnday 성찬식을 행하는 일요일

sa·crar·i·um [səkrέəriəm] *n.* (*pl.* **-i·a** [-iə]) **1** 〖그리스도교〗 지성소(至聖所); (성당의) 내진(內陣) **2** 〖가톨릭〗 성수반(盤) **3** 〖로마사〗 성단(聖壇) 《저택 내 성소(聖所)》(sanctuary)

‡**sa·cred** [séikrid] *a.* **1** 신성한, 성스러운(holy); 〈동물 등이〉 신성시되는: the ~ altar 성단(聖壇) **2** 〈문학·음악 등이〉 종교적 의식에 관한, 종교적인, 성전(聖典)의: a ~ concert 종교 음악회 / a ~ number 성수(聖數) 《특히 7》 **3** (신에게) 바친, (…을) 모신 《*to*》: a tree ~ *to* the gods 신목(神木) **4** 〈어떤 사람·목적에〉 전용(專用)의, 불가결의 《*to*》: a fund ~ *to* charity 자선을 위한 자금 **5** 존경할 만한, 훌륭한 **6** 〈약속·의무 등이〉 신성 불가침의, 어길 수 없는: a ~ promise 꼭 지켜야 할 약속 ***be ~ from*** …을 모면하다: No place *was* ~ *from* outrage. 난동을 면한 곳은 한 군데도 없었다. ***His*** [***Her, Your***] ***Most S~ Majesty*** 《고어》 폐하 《옛 영국 왕[여왕]의 존칭》 ***hold ~*** 신성시하다, 존중하다; 보호하다
~·ly *ad.* **~·ness** *n.* 신성 불가침

sácred babóon 〖동물〗 망토개코원숭이 《고대 이집트에서 영수(靈獸)로 숭상》

sácred bambóo 〖식물〗 남천(南天)(nandina)

Sácred Cóllege (**of Cárdinals**) [the ~] 〖가톨릭〗 추기경회(樞機卿會) 《전(全)추기경으로 이루어진 교황의 최고 자문 기관》

sácred ców **1** (인도의) 성우(聖牛) **2** 《익살》 신성 불가침의 사람[것] 《비판·공격할 수 없는 사람[것]》

Sácred Héart [the ~] 〖가톨릭〗 성심(聖心) 《그리스도의 심장; 그리스도의 사랑과 속죄의 상징》
sácred íbis 〖조류〗 흑따오기 《고대 이집트에서 영조(靈鳥)로 여겨짐; Nile 강 유역산(産)》
sácred múshroom 〖식물〗 **1** (아메리카 원주민들이 의식에서 사용하는) 환각성 버섯 《북미산(産)》 **2** = MESCAL BUTTON
sácred órder 고위 성직[성품]
Sácred Róman Róta = ROTA 2
Sácred Writ [the ~] 성서(Scripture)
‡**sac·ri·fice** [sǽkrəfàis] [L 「신성하게 함」의 뜻에서] *n.* **1** Ⓤ (신에게) **산 제물을 바침**; Ⓒ (신에게 바친) 산 제물, 제물: a human ~ 인신 공양 《제물로서 사람을 신에게 바침》/ offer a ~ 제물을 바치다 **2** ⒸⓊ **희생(시킴)**; 희생적 행위; 희생물: fall a ~ to …의 희생이 되다 **3** (손해를 각오한) 투매(投賣); (드물게) 싸구려 물품, 투매품 **4** 〖야구〗 희생타, 희생 번트(=~ bunt) **5** (속죄를 위한) 기도[감사, 회개 《등》]; 〖신학〗 그리스도의 헌신 《십자가에 못 박힘》; 성찬(식) ***at the ~ of*** …을 희생물로 바치고, …을 희생하여 ***make a ~ of*** …을 희생하다 ***make the great*** [***last, supreme***] ~ (1) 위대한[최후의, 최고의] 희생을 하다 《조국을 위한 전사》 (2) 〈여자가〉 싫어하면서 몸을 허락하다 ***sell at a*** (***large***[***great***]) ~ 떨이[특가]로 팔다
— *vt.* **1 희생으로 바치다**; 산 제물을 바치다 《*to*》; 희생이 되다 《*for, to*》 ★ 보통 (미)에서는 for, (영)에서는 to가 일반적임: (~+목+전+명) ~ sheep *to* God 신에게 양을 산 제물로 바치다 **2 희생하다**, 단념하다 《*for, to*》 ★ for가 일반적임. (영)에서는 to도 씀: (~+목+전+명) ~ oneself *for* one's country 나라를 위해 몸을 바치다 **3** (구어) 〈상품·재산 등을〉 투매하다 **4** 〖야구〗 〈주자를〉 희생타로 진루(進壘)시키다 《*to*》 **5** (연구용으로) 죽이다
— *vi.* **1** (…에게) **산 제물을 바치다** 《*to*》: (~+전+명) ~ *to* God 신에게 산 제물을 바치다 **2** (…을 위해) 희생이 되다 **3** 〖야구〗 희생타를 치다 **4** (구어) 투매하다 **~·a·ble** *a.* **-fic·er** *n.*
sácrifice búnt 〖야구〗 희생 번트
sácrifice flý 〖야구〗 희생 플라이
sácrifice hít 〖야구〗 희생타
sac·ri·fi·cial [sæ̀krəfíʃəl] *a.* **1** 희생의, 산 제물의: a ~ lamb 번제(燔祭)의 새끼 양 **2** 희생적인, 헌신적인 **3** 투매의: ~ prices 투매 가격 **~·ly** *ad.*
sacrifícial ánode 〖화학〗 전기 방식용(防蝕用) 양극(陽極) 《수중 구조물의 방식을 위한》
sac·ri·lege [sǽkrəlidʒ] *n.* **1** Ⓤ 신성 모독(죄) 《교회 등의 성소 침입·성물 절취 등》 **2** 죄받을 일, 불경스러운 일
sac·ri·le·gious [sæ̀krəlídʒəs] *a.* **1** 신성을 더럽히는; 성물을 훔치는; 교회를 침범하는: a ~ person 성물 도둑 **2** 죄받을; 무엄한 **~·ly** *ad.* **~·ness** *n.*
sa·cring [séikriŋ] *n.* (고어) **1** Ⓤ 성찬의 빵과 포도주를 축성(祝聖)하기 **2** (주교·왕의) 취임[즉위]식
sácring béll 〖가톨릭〗 제령(祭鈴)(을 울리는 때)
sac·rist [sǽkrist, séi-] *n.* = SACRISTAN 1
sac·ris·tan [sǽkristən] *n.* **1** 성구(聖具) 보관인 **2** (고어) 교회지기
sac·ris·ty [sǽkristi] *n.* (*pl.* **-ties**) (교회의) 성구실, 성기실(聖器室)
sacro- [sǽkrou, -rə, séi-], **sacr-** [sǽkr, séi-] 《연결형》 〖해부〗 「천골(薦骨)」의 뜻 《모음 앞에서는 sacr-》
sac·ro·il·i·ac [sæ̀krouíliæ̀k, sèi-] *n.*, *a.* 〖해부〗 천장관절(薦腸關節)(의): ~ joints 천장관절
sac·ro·sanct [sǽkrousæ̀ŋkt] *a.* 극히 신성한, 신성불가침의 **sàc·ro·sánc·ti·ty** *n.*
sa·crum [sǽkrəm, séi-] *n.* (*pl.* **~s, sa·cra** [-krə]) 〖해부〗 엉치등뼈, 천골(薦骨)(cf. SACRAL[1])
SACW (영) Senior Aircraftwoman
‡**sad** [sǽd] [OE 「만족한, 지겨운」의 뜻에서] *a.* (**~·der**; **~·dest**) **1 슬픈**(opp. *glad*), 슬퍼하는, 슬픔을 나타내는: a ~ countenance 슬픈 얼굴/a ~ heart 슬픈 마음/a ~ song 비가(悲歌) **2** 〈빛깔이〉 칙칙한, 수수한 **3 슬프게 하는**, 애처로운, 비통한: ~ news 슬픈 소식, 비보(悲報) **4** (미·속어) **지독한**; (통탄할 만큼) 고약한; 말도 안 되는: a ~ coward 지독한 겁쟁이/a ~ mess 엉망, 뒤죽박죽/He writes ~ stuff. 그는 지독히 서툰[난해한] 글을 쓴다. **5** (방언) 〈빵 등이〉 잘 부풀지 않은, 찐득찐득한 ***a sadder and a wiser man*** 슬픈 경험으로 현명해진 사람 ***in ~ earnest*** (고어) 진정으로, 진지하게 ***make ~ work of it*** 큰 실수를 하다, 엉망으로 만들다 ***~ to say*** 슬프게도, 유감스럽게도 ***That's really ~.*** (미·속어) 불쌍해라.
SAD seasonal affective disorder **SADARM** sense and destroy armor 〖군사〗 감지 파괴의 감지와 파괴 《미육군에서 개발한 8인치포용 대전차 포탄》
Sa·dat [sədɑ́:t | -dǽt] *n.* 사다트 **Mohammed Anwar el-~** (1918-81) 《이집트의 대통령(1970- 81); 노벨 평화상 수상(1978)》
***sad·den** [sǽdn] *vt.* **1** [종종 수동형으로] 슬프게 하다, 수심 띠게 하다: We *were* deeply *~ed* by the news of her death. 그녀가 죽었다는 소식에 우리는 깊은 슬픔에 잠겼다. **2** 〖염색〗 칙칙한 빛깔로 하다
— *vi.* **1** 슬퍼지다, 우울해지다 **2** 빛깔이 칙칙해지다 **~·ing·ly** *ad.*
‡**sad·dle** [sǽdl] *n.* **1 안장** 《말 등의》 **2** (자전거의) 안장 **3** 안장 모양의 물건 **4** 양쪽 허리살을 포함한 등살 《양·사슴의》 **5** (두 봉우리 사이의) 안부(鞍部), 안장 같은 산 **6** 〖건축〗 (현관의) 발판 **7** (구두의) 안장 모양의 장식 가죽 《구두끈 구멍이 있는 부분》 **8** (대포의) 조준경(의) 자리 **9** 〖기계〗 축안(軸鞍) **10** (시민 밴드 라디오를 장비하고 운행 중인) 자동차 무리 중 한가운데 차 **11** = SADDLE SHOES
back in the ~ 다시 일하는 ***cast*** a person ***out of the ~*** …을 면직하다 ***either win the ~*** [***horse***] ***or lose the horse*** [~] 성패를 걸고 해 보다 (a horse) ***for the ~*** 타는 (말) ***in the ~*** (1) 말을 타고 (2) (속어) 재직[재임]하고; 권력을 잡고 ***lose the ~*** 낙마하다, 말에서 떨어지다 ***put the ~ on the right*** [***wrong***] ***horse*** (속어) 책망해야 할[엉뚱한] 사람을 책망하다; 칭찬해야 할[엉뚱한] 사람을 칭찬하다 ***sell*** one***'s ~*** (미·속어) 돈이 모두 없어지다, 매우 가난해지다 ***take*** [***get into***] ***the ~*** 말을 타다 ***tall in the ~*** (미·구어) 당당하게, 긍지를 잃지 않고
— *vt.* **1** 안장을 얹다 《*up*》: ~ a horse 말에 안장을 얹다 **2** …에게 〈책임을〉 지우다, …에게 (…을) 과(課)하다 《*with*》: (~+목+전+명) ~ a person *with* responsibility …에게 책임을 지우다
— *vi.* **1** 말에 안장을 얹다 《*up*》 **2** 안장을 얹은 말에 올라타다 《*up*》 **3** (속어) 〈남성이〉 성교하다 《*up*》 **~·like** *a.*
sad·dle·back [sǽdlbæ̀k] *n.* **1** 안장 모양(의 산등성이) **2** 등에 안장 모양의 점 무늬가 있는 새·물고기 《등》 **3** (영) 새들백 판 《포장지의 치수로 45×36인치》 **4** 〖건축〗 안장 모양의 지붕 — *a.* = SADDLE-BACKED
sad·dle-backed [-bæ̀kt] *a.* 안장 모양의
sad·dle·bag [-bæ̀g] *n.* **1** 안낭(鞍囊), 안장에 다는 주머니 **2** (자전거의) 새들백
sáddle blànket 안장 깔개[방석]
sáddle blòck (**anesthésia**) 새들 마취, 안상(鞍狀) 마취 《주로 무통 분만에 사용됨》
sad·dle·bow [-bòu] *n.* 안장의 앞테 《활 모양으로 굽은 부분》
sad·dle·cloth [-klɔ̀:θ | -klɔ̀θ] *n.* **1** = SADDLE BLANKET **2** 번호 새긴 천 《경주마 안장에 붙이는》
sáddle hòrse 타는 말, 승용마
sáddle lèather **1** 무두질한 마구용 쇠가죽 **2** 1과

thesaurus **sacrifice** *n.* **1 제물** offering, gifts, oblation **2 희생** renunciation, abandonment, surrender, relinquishment, yielding, forfeiture, loss
safe *a.* **1 안전한** secure, protected, sheltered,

비슷한 가죽
sad·dle·less [sǽdllis] *a.* 〈말이〉 안장 없는, 안장을 얹지 않은
sad·dler [sǽdlər] *n.* **1** 마구 제조인, 마구 판매인 **2** 《주로 미》 승용마 **3** 〖군사〗 마구고(庫) 경비병
sáddle ròof 〖건축〗 양박공 지붕(gable roof)
sad·dler·y [sǽdləri] *n.* (*pl.* **-dler·ies**) **1** [집합적] 마구(馬具) 한 벌, 마구류 **2** Ⓤ 마구 제조업[제조소]; Ⓒ 마구상 **3** Ⓤ 마구 제조 기술
sáddle shòes 《미》 새들 슈즈 《구두끈 있는 등 부분을 색이 다른 가죽으로 씌운 캐주얼 슈즈》
sáddle sòap 가죽 닦는 비누
sáddle sòre (맞지 않는) 안장으로 쓸린 상처
sad·dle·sore [sǽdlsɔ̀:r] *a.* (말을 타서) 몸이 아픈[뻣뻣한]; 안장에 쓸려 아픈
sáddle stìtch **1** 새들 스티치 《가죽 제품의 가장자리를 감치는 바느질》 **2** 〖제본〗 중철 《주간지처럼 접은 책 등을 철사로 박는 제본》, 등매기
sad·dle·tree [-trì:] *n.* **1** 안장틀 **2** 〖식물〗 튤립나무, 미국목련(tulip tree) 《북미산(産)》
sad·do [sǽdou] *n.* 바보, 얼간이; 무능력자
sád dóg 《익살》 난봉꾼(rake), 망나니
Sad·du·cee [sǽdʒusì: | -dju-] *n.* **1** 사두개교도 《부활·천사 및 영혼의 존재 등을 믿지 않는 유대교도의 일파》 **2** [종종 **s~**] 물질주의자
Sàd·du·cé·an *a.* **~·ìsm** *n.*
sa·dhu [sɑ́:du:] [Skt.] *n.* 《인도》 탁발승; 고행자
Sa·die [séidi] *n.* 여자 이름 《Sarah의 애칭》
Sádie Háwkins Dày [-hɔ́:kinz-] 《미》 새디 호킨스 데이 《여자가 먼저 남자를 무도회에 초대할 수 있는 날》
sad·i·ron [sǽdàiərn] *n.* 다리미(flatiron), 인두
sa·dism [séidizm, sǽ-] [프랑스의 소설가 Marquis de Sade의 이름에서] *n.* Ⓤ **1** 〖정신의학〗 사디즘, 가학성(加虐性) 성애(opp. *masochism*) **2** 잔학함을 좋아함; 극단적인 잔학성 **sá·dist** *n.* 가학 성애자, 사디스트; 잔학함을 즐기는 사람
sa·dis·tic [sədístik, sei-] *a.* 사디스트적인
sa·dís·ti·cal·ly *ad.*
sad-look·ing [sǽdlúkiŋ] *a.* 슬픈 얼굴을 한, 슬퍼 보이는
‡**sad·ly** [sǽdli] *ad.* **1** 슬프게; 애처롭게, 비통하게 **2** [문장 전체를 수식하여] 슬프게도(grievously), 유감스럽게도 **3** 몹시, 한탄할 정도로: be ~ wounded 심한 상처를 입다 **4** (색이) 칙칙하여
—*a.* 《영·방언》 기분이 언짢은
‡**sad·ness** [sǽdnis] *n.* **1** Ⓤ 슬픔, 비애(⇨ sorrow 유의어) **2** 슬픈 일[모양, 기분]: fall into a ~ 슬퍼지다
sado- [séidou, sǽ- | séi-] 《연결형》 「사디스트적인」의 뜻
sad·o·mas·o [sǽdoumǽsou, séi-] *a.* 가학 피학성(加虐被虐性) 변태 성욕의
—*n.* 가학 피학성 변태 성욕자
sad·o·mas·och·ism [sæ̀doumǽsəkìzm] *n.* Ⓤ 〖정신의학〗 가학 피학성 변태 성욕 《동일한 사람이 sadism과 masochism을 동시에 지님》
-ist *n.* **-màs·och·ís·tic** *a.*
sád sàck [제2차 대전 중 George Baker의 만화 *The Sad Sack*에서] 《미·속어》 **1** (군대 생활에) 요령이 없는 병사, 무능한 병사 **2** 요령부득인 사람
sae [séi] *ad.* 《스코》 =SO[1]
SAE, S.A.E. Society of Automotive Engineers (미국) 자동차 기술자 협회 **s.a.e.** self-addressed envelope ; stamped addressed envelope 반신용 봉투(를 동봉할 것)
SAE nùmber 〖기계〗 SAE 점도(粘度) 번호 《윤활유의 점성 규격수》
Sa·far [səfɑ́:r] *n.* 이슬람력(曆)의 두 번째 달
sa·fa·ri [səfɑ́:ri] [Arab. 「여행」의 뜻에서] *n.* **1** ⓊⒸ 원정(遠征) 여행 《사냥·탐험 등의》 **2** (특히 아프리카 동부에서의) 수렵[탐험]대 **3** 《미》 캠페인[유세] 여행, (정부 요인의) 유람 여행 **—***vi.* 원정 여행을 하다
safári bòots 사파리 부츠 《면(綿) 개버딘제의 부츠; 장거리 도보 행군용》
safári jàcket 사파리 재킷 《주머니 네 개와 허리 벨트가 특징인 면(綿) 개버딘제 재킷》
safári lòok 〖복식〗 사파리 룩 《safari jacket과 같은 활동적인 패션의 한 형태》
safári pàrk 사파리 공원 《동물을 놓아 기르는 동물 공원; 차를 타고 구경함》
safári sùit 사파리 슈트 《상의는 사파리 재킷, 하의는 같은 천의 스커트[바지]의 맞춤》
‡**safe** [séif] [L 「상처가 없는」의 뜻에서] *a.* **1** 안전한, 위험이 없는(opp. *dangerous*): a ~ place 안전한 장소 / be in ~ storage 안전하게 보관되어 있다

> 유의어 **safe** 위험·손해·모험의 염려가 없이 안전한: The ship is *safe* in port. 배는 무사히 입항해 있다. **secure** 위험 등을 걱정할 필요 없는, 보장되어 있다는 안심을 나타냄: feel *secure* about the future 미래에 대해서는 걱정이 없다

2 [arrive, be, bring, come, see, keep 등의 보어로서] 안전히, 무사히[하여]: *arrive* ~ 안착하다 / *bring* something back ~ 물건을 가지고 무사히 돌아오다 / God *keep* you ~! 부디 무사하소서! **3** 〈행동·계획이〉 틀림없는, 무난한; 확실히 …하는 《*to* be, *to* do》; 확실한: He is ~ *to* get in. 그의 당선은 확실하다. / from a ~ quarter 확실한 소식통[출처]으로부터 **4** 해가 없는, 무해한: a ~ book for children 어린이들에게 안심하고 줄 수 있는 책 **5** 위험성이 없는, 신중한, 착실한, 신뢰할 만한; 《영·속어》 괜찮은, 좋은, 훌륭한(fine): a ~ person to confide in 비밀을 털어놓을 만한 사람 **6** 도망칠 염려가 없는 《*in*》: a criminal ~ *in* jail 감옥에 들어와서 도망칠 염려가 없는 범인 **7** 지나치게 조심하는, 패기 없는 **8** 〖야구〗 세이프의: a ~ slide 세이프 슬라이드
a ~ catch 명(名)캐처[포수(捕手)] ***a ~ first*** [***second***] 1등[2등]이 틀림없는 사람 ***a ~ one*** [***'un***] 〖경마〗 우승이 확실한 말 (***as***) ***~ as anything*** [(구어) ***houses, the Bank of England***] 더없이 안전한 ***be on the ~ side*** 조심하다, 신중을 기하다 ***It is better*** (***to be***) ***~ than sorry.*** 《격언》 나중에 후회하는 것보다 미리 조심하는 편이 낫다. ***It is ~ to say that*** …라고 해도 괜찮다 ***play it ~*** 《구어》 조심하다, 신중을 기하다 arrive ***~ and sound*** 무사히 (도착하다) ***~ and sure*** 안전이 확실한
—*n.* (*pl.* **~s**) **1** 금고(金庫) **2** =MEAT SAFE **3** 안장에 쓸리지 않게 하는 가죽 **4** 새는 물을 받는 접시 **5** 《미·속어》 =CONDOM
~·ness *n.* 안전성; 확실; 신중을 기하는 것
sáfe bét **1** 틀림없이 이기는 내기 **2** 확실한 것
safe·blow·ing [-blòuiŋ] *n.* Ⓤ (금고 도둑의) 금고 폭파 **sáfe·blòw·er** *n.* (폭약을 사용하는) 금고 도둑
safe·break·er [-brèikər] *n.* 금고 털이 강도
safe·break·ing [-brèikiŋ] *n.* Ⓤ 금고 털이
sáfe compúter pràctice 〖컴퓨터〗 (바이러스 감염 예방을 위한) 컴퓨터 안전 기준 실시
safe-con·duct [-kɑ́ndʌkt | -kɔ́n-] *n.* **1** (주로 전시의) 안전 통행권[증] **2** 호송, 호위 ***in*** [***with, under, upon***] (***a***) **~** 안전 통행을 허가받아
—*vt.* …에 안전 통행권을 주다; 호송[호위]하다
safe·crack·er [-krǽkər] *n.* 《미》 =SAFEBREAKER
sáfe depòsit (귀중품 등의) 보관소
safe-de·pos·it [-dipɑ̀zit | -pɔ̀-] *a.* 귀중품을 안전하게 보관하는: a ~ company 금고 대여 회사 / a ~ box[vault] 대여 금고 《은행의 지하실에 있으며 개인에

---

guarded, defended, unharmed, unhurt, uninjured, undamaged **2** 무해한 harmless, innocuous, nontoxic, nonpoisonous **3** 신뢰할 만한 reliable, trustworthy, dependable, honest

게 빌려 줌》
***safe·guard** [séifgɑ̀:rd] *vt.* 〈권익을〉 보호하다; 호송하다(convoy) **~ing duties** 산업 보호세(稅)
— *n.* **1** 보호(책); 보호[방위] 수단 《*against*》: a ~ *against* the possible loss 일어날 수 있는 손실에 대한 예방책 **2** 안전 통행증 **3** 호위병, 호위선(船) **4** (기계 등의) 안전 장치 **5** 보호 조항[규약]; 〖경제〗 긴급 수입 제한 조처
sáfe hárbor (전시·천재지변 때의) 피난항; 피난 장소
sáfe háven 안전한 피난 장소
sáfe hít 〖야구〗 안타(base hit)
sáfe hòuse (스파이 등의 연락용) 은신처, 아지트
safe·keep [-kì:p] *vt.* 보관[보호]하다(safeguard)
safe·keep·ing [-kí:piŋ] *n.* Ⓤ 보관(custody), 보호: be in ~ with a person …에게 보관되어 있다
safe·light [-làit] *n.* Ⓤ 〖사진〗 안전광 《암실용》
‡safe·ly [séifli] *ad.* **1** 안전하게, 무사히 **2** 틀림없이 ***It may ~ be said*** (***that ...***) (…이라고) 말해도 좋을 것이다
sáfe mòde 〖컴퓨터〗 안전 모드 《컴퓨터의 문제점을 진단하기 위해 가장 기본적인 상태로 부팅하는 방법》
saf·en [séifən] *vt.* **1** 안전하게 하다 **2** 〈…의〉 독성을 완화시키다 **~·er** *n.* (독성) 완화제
sáfe pássage 안전 통행권(safe-conduct)
sáfe pèriod [the ~] 〖생리〗 (월경 전후의) (피임) 안전 기간
sáfe róom (건물이나 가옥의) 안전실
sàfer séx kìt 안전한 섹스 도구 세트 《콘돔 따위》
sáfe sèat (영) 당선이 확실한 선거구
sáfe séx (AIDS 등 질병 예방을 위해 콘돔을 사용하거나 부부간에서만 하는) 안전한 섹스
‡safe·ty [séifti] *n.* (*pl.* **-ties**) **1** Ⓤ 안전, 무사; 무난: traffic[road] ~ 교통 안전 / There is ~ in numbers. (속담) 수가 많은 편이 안전하다. **2** 안전성, 안전율: *S*~ first. (표어) 안전 제일 **3** 안전책, 위험 방지 장치 **4** (총의) 안전 장치; (구어) = SAFETY BOLT **5** 〖미식축구〗 세이프티 《자기편 골라인 뒤에 (잘못) 공을 찍거나 펌블한 공이 뒤로 나가버리는 일; 상대팀이 2점을 얻음》 **6** 〖야구〗 안타(safe hit) **7** (속어) = CONDOM **8** 〖당구〗 상대방이 득점하기 어려운 위치로 공을 치기 (a gun) ***at*** **~** 안전 장치를 한 (총) ***flee for ~*** = ***seek ~ in flight*** 피난하다 ***in ~*** 안전하게 ***play for ~*** 신중을 기하다 《요행수·투기 등을 하지 않다》 ***with ~*** 안전하게, 무사히
— *a.* Ⓐ 안전한, 안전을 보장하는, 해가 없는, 위험 방지의: ~ measures 안전 조치
— *vt.* 안전하게 하다, …에 안전 장치를 하다
sáfety bèlt **1** 구명대(帶); 구명삭(索) **2** (비행기·버스 등의) 안전 벨트 ★ 지금은 seatbelt를 더 많이 씀.
sáfety bìcycle (고어) 안전 자전거 《지금의 보통 자전거》(cf. ORDINARY)
sáfety bòlt (문의) 안전 빗장; (자물쇠 등의) 안전 장치
sáfety càtch **1** (총포의) 안전 장치 **2** (승강기 등의) 안전 정지 장치
sáfety chàin 안전 체인
safe·ty-check [séiftitʃék] *vt.* 안전 점검하다
safe·ty-con·scious [-kɑ̀nʃəs] *a.* 안전을 중시하는
sáfety cùrtain (극장의) 방화막(防火幕)
safe·ty-de·pos·it [-dipɑ̀zit | -pɔ̀-] *a.* = SAFE-DEPOSIT
sáfety devìce 안전[보안] 장치
sáfety educàtion 안전 교육
sáfety fàctor 〖기계〗 안전율[계수]
sáfety film 〖사진〗 (타지 않는) 안전 필름
safe·ty-first [-fə́:rst] *a.* Ⓐ 안전 제일주의의, 매우 신중한: a ~ policy 안전 제일주의
sáfety fùse **1** 〖전기〗 퓨즈 **2** 안전 도화선
sáfety glàss 안전 유리
sáfety hàrness (차 따위의) 안전 벨트
sáfety hàt 안전모(帽), 작업용 헬멧
sáfety inspèction (미) 차량 검사((영) M.O.T. (test))
sáfety ìsland[**ìsle**] (미) (도로상의) 안전지대
sáfety làmp 안전등 《광산용》
sáfety lòck **1** 안전 자물쇠 **2** (총의) 안전 장치
safe·ty·man [-mæ̀n] *n.* (*pl.* **-men** [-mèn]) **1** 갱외(坑外) 근무 탄광부 《위험 작업이 없는》 **2** 〖미식축구〗 수비진 최후부의 방어수
sáfety màtch 안전성냥 《황린(黃燐)을 사용치 않는 지금의 보통 성냥》
sáfety méasure 안전지책, 안전 조치
sáfety nèt **1** (서커스 등의) 안전망 **2** (비유) 안전(대)책; (금융 등의) 안전망
sáfety pìn **1** 안전 핀 **2** (수류탄·지뢰의) 기폭용 핀
sáfety plày 〖카드〗 (브리지의) 안전책 《overtrick을 희생하여도 contract를 안전하게 만들려는 플레이》
sáfety ràzor 안전 면도기
sáfety shòe 안전화 《낙하물에 대한 발가락 보호용 작업화》
sáfety switch **1** 〖전기〗 안전 개폐기 **2** 〖철도〗 자동 스위치, 안전 전철기(轉轍器)
sáfety vàlve **1** (보일러의) 안전판(瓣) **2** (감정·정력 등의) 무난한 배출구 **3** 〖미식축구〗 세이프티 밸브 《다운필드를 달리는 주자가 디펜스에 커버되었을 때 플랫에 있는 백에게 던지는 짧은 패스》 ***act***[***serve***] ***as a ~*** 안전판 역할을 하다 ***sit on the ~*** 강압 정책[억압 수단]을 쓰다
sáfety zòne (미) = SAFETY ISLAND
saf·flow·er [sǽflàuər] *n.* **1** 〖식물〗 잇꽃, 홍화 **2** Ⓤ 그것에서 뽑은 염료[연지]
sáfflower òil 홍화유 《safflower의 씨에서 추출한 것; 요리·약의 기초제, 페인트·니스에 사용됨》
***saf·fron** [sǽfrən] *n.* **1** 〖식물〗 사프란 《가을에 피는 crocus》; 그 암술머리 《과자용 향미료》 **2** Ⓤ 선황색, 샛노랑(= **~ yéllow**)
— *a.* 사프란색의
— *vt.* 사프란으로 향미를 내다; 사프란 색으로 염색하다
sáffron càke 사프란 케이크 《사프란으로 향미를 낸, 영국 Cornwall 지방의 전통적 과자》
saf·ing [séifiŋ] *a.* 〖우주과학〗 **1** 안전화(化)의 《고장·잘못된 동작에서 안정 상태로 작동되는》 **2** 〈로켓·미사일 등이〉 안전화 장치가 되어 있는
S. Afr. South Africa(n)
saf·ra·nine [sǽfrənì:n], **-nin** [-nin] *n.* Ⓤ **1** 사프라닌 《선홍색 염기성 염료의 일종》 **2** 페노사프라닌 (phenosafranine) 《보랏빛이 도는 붉은색 염료; 직물과 현미경 표본 염색에 사용됨》
S.Afr.D. South African Dutch
sag [sǽg] *v.* (**~ged**; **~·ging**) *vi.* **1** 〈길·땅 등이〉 가라앉다, 꺼지다; 〈문·교량 등이〉 기울다; 〈천장·대들보·밧줄 등이〉 중간이 휘다, 처지다; 〈초 등이〉 구부러지다: a *~ging* roof 내려앉은 지붕 / ~ under the weight 무게로 휘다 **2** 〈의류·바지 등이〉 느슨해지다, 처지다 **3** 약해지다, 나른해지다: *~ging* shoulders 축 늘어진 어깨 **4** 〖상업〗 〈시세가〉 일시적으로 떨어지다 **5** 〖항해〗 (바람에 밀려) 떠내려가다, 표류하다 《*to*》
— *vt.* 축 늘어지게 하다, 처지게 하다; 약하게 하다
~ *along* 내리막길을 걷다; 느릿느릿 나아가다 **~ *to* one*'s knees*** 맥없이 주저앉다
— *n.* **1** 늘어짐, 처짐; (길의) 침하(沈下) **2** 〖상업〗 (시세의) 하락, 점락(漸落) **3** 〖항해〗 (바람에 밀려) 표류
SAG screen actors guild 영화배우 조합
sa·ga [sɑ́:gə] [ON 「이야기」의 뜻에서] *n.* **1** (중세 북유럽의) 전설 **2** 무용담, 모험담, 사화(史話) **3** 대하소설(= ~ novel)
***sa·ga·cious** [səgéiʃəs] *a.* **1** 현명한, 영리한, 슬기로운; 기민한: a ~ lawyer 명민한 변호사 **2** (폐어) 〈사냥개가〉 후각이 예민한 **~·ly** *ad.* **~·ness** *n.*
***sa·gac·i·ty** [səgǽsəti] *n.* Ⓤ 현명, 총명; 기민
sag·a·more [sǽgəmɔ̀:r] *n.* 추장 《북아메리카 인디언의》(cf. SACHEM)

sága nòvel =SAGA 3

***sage**[1] [séidʒ] *a.* 《문어》 **1** 슬기로운, 현명한; 사려 깊은 **2** 《비꼼》 현자[철인(哲人)]인 체하는; 점잔빼는
— *n.* **1** 현자, 철인; 경험이 풍부한 현자, 박식한 사람 **2** 《비꼼》 현자인 체하는 사람
the S~ of Chelsea 첼시의 철인 《Carlyle의 속칭》 ***the S~ of Concord*** 콩코드의 철인 《Emerson의 속칭》 ***the seven ~s*** (***of Greece***) 고대 그리스의 7현인 《Bias, Chilo, Cleobulus, Periander, Pittacus, Solon, Thales》 **~·ly** *ad.* **~·ness** *n.*

sage[2] *n.* **1** 〖식물〗 (약용) 샐비어 《꿀풀과(科)》 **2** 샐비어의 잎, 세이지 《약용·향미료용》 **3** =SAGEBRUSH **4** =SAGE GREEN

SAGE [séidʒ] [*S*emi-*A*utomatic *G*round *E*nvironment] *n.* 《미》 반(半)자동식 방공 관제 지상 시설 《사람과 컴퓨터에 의한; cf. BADGE》

sage·brush [séidʒbrʌ̀ʃ] *n.* Ⓤ 〖식물〗 산쑥 《북미 서부 불모지에 많은》

sage·brush·er [-brʌ̀ʃər] *n.* 《미·속어》 서부극, 서부물 《소설》

Ságebrush Státe [the ~] 미국 Nevada주의 속칭

ságe chéese 세이지 치즈 《샐비어 잎에서 우려낸 물로 향미를 내고 물들인 치즈》

ságe gréen 샐비어 (잎의) 색, 회록색

ságe gròuse 〖조류〗 뇌조(雷鳥)의 일종 《북미 서부산(産); 수컷은 sage cock, 암컷은 sage hen》

ságe tèa 샐비어 잎을 달인 차[탕]

sag·ger, sag·gar [sǽgər] *n.* 토갑(土匣) 《내화토(耐火土) 용기와 고급 도기(陶器)는 여기에 넣어 구움》
— *vt.* 〈도기를〉 …에 넣어 굽다

sag·gy [sǽgi] *a.* (**-gi·er**; **-gi·est**) (무거워) 아래로 처진, 축 늘어진

Sa·ghal·ien [sɑ̀gɑːljén] *n.* =SAKHALIN

Sa·git·ta [sədʒítə] [L =arrow] *n.* 〖천문〗 화살자리 (the Arrow)

sag·it·tal [sǽdʒətl] *a.* **1** 〖해부〗 시상 봉합(矢狀縫合)의 《두개골의》: a ~ suture 시상 봉합 **2** 화살 (모양)의 **~·ly** *ad.*

Sag·it·tar·i·us [sæ̀dʒətɛ́əriəs] *n.* **1** 〖천문〗 궁수(弓手)자리(the Archer) **2** 〖점성〗 인마궁(人馬宮) 태생의 사람 《보통 11월 22일부터 12월 21일 사이》

Sag·it·tar·i·an [sæ̀dʒətɛ́əriən] *n., a.* 〖점성〗 인마궁 태생의 (사람)

sag·it·tate [sǽdʒətèit], **sa·git·ti·form** [sədʒítəfɔ̀ːrm, sǽ-|sǽ-] *a.* 〖식물〗〈잎이〉 화살촉 모양의

sa·go [séigou] *n.* (*pl.* **~s**) **1** Ⓤ 사고 《사고야자의 나무심에서 뽑은 녹말》 **2** 사고야자(=**~ pàlm**)

sa·gua·ro [səgwɑ́ːrou, səwɑ́ː-] *n.* (*pl.* **~s**) 〖식물〗 사와로(giant cactus) 《키가 큰 기둥선인장; Arizona 주 원산》

Sa·har·a [səhǽrə, -hɛ́ərə|-hɑ́ːrə] [Arab. 「사막」의 뜻에서] *n.* **1** [the ~] 사하라 사막 《아프리카 북부》 **2** [**s~**] 《일반적으로》 사막, 불모지(desert)
Sa·hár·i·an, -hár·ic *a.*

Sa·har·an [səhǽrən, -hɛ́ər-|-hɑ́ːr-] *n.* 사하라 사막의 주민; 〖언어〗 사하라 제어(諸語)
— *a.* 사하라 사막의; 사하라 제어의

Sa·hel [səhéil, -híːl] *n.* [the ~] (사하라) 사막 주변 지대의 사바나[대초원]

sa·hib [sɑ́ːib|sɑ́ːhib] *n.* (*fem.* **sa·hi·ba(h)** [sɑ́ːibə]; cf. MEMSAHIB) 《인도》 **1** [종종 **S~**] 각하, 나리, …님, …씨 《식민지 시대의 인도인의 유럽인에 대한 경칭》 **2** 《구어》 백인, 《특히》 영국인; 신사 ***pucka*** [***pukka***] **~** 훌륭한 신사

Sah·ra·wi [sɑːrɑ́ːwiː] *n.* (*pl.* **~, ~s**) (서(西)사하라의) 사라위 족(族)

‡said [séd] *v.* SAY의 과거·과거분사
when all is ~ and done 최종적으로, 결국
— *a.* Ⓐ [보통 the ~] 〖법〗 전기(前記)의, 상술(上述)한 ★ 법률 용어로서 또는 익살조로 씀.: *the* ~ person 당사자, 당해 인물, 본인

sai·ga [sáigə] *n.* 큰코영양 《염소 비슷한 영양; 아시아 서부·러시아 동부산(産)》

Sai·gon [saigɑ́n|-gɔ́n] *n.* 사이공 《1976년까지 남 Vietnam의 수도; cf. HO CHI MINH CITY》

‡sail [séil] [OE 「잘라낸 한 조각의 천」의 뜻에서] *n.* **1** 돛; [집합적] 배의 돛 《일부 또는 전부》 **2** 돛 모양의 것; 《특히》 풍차(風車)의 날개; 《시어》 (새의) 날개; 〖어류〗 돛새치 등의 등지느러미(cf. SAILFISH); (앵무조개의) 촉수(觸手) **3** [a ~] 범주(帆走), 항해, 항행; 항정(航程): three days' ~ 3일의 항정 **4** 돛단배, 범선; [집합적] 선박, …척(ships): thirty ~ 30척 **5** [the S~] 〖천문〗 돛자리(Vela) **6** [*pl.*; 단수 취급] 《속어》 〖항해〗 돛 제작자
at full ~(s) (1) 강한 순풍을 받고; 전속력으로 (2) 바로, 곧장 ***bend the ~*** 돛을 활대[밧줄 《등》]에 매달다 ***carry ~*** 돛을 올리고 있다 ***fill the ~*** 돛에 바람을 받게 하다 ***furl a ~*** 돛을 내리다[감다] ***get under ~*** 출항[출범]하다 ***go for a ~*** = ***take a ~*** 뱃놀이 가다 ***haul in*** one***'s ~s*** 경주에서 물러서다, 사양하다, 삼가다 ***hoist*** [***put up***] **~** 돛을 올리다; 《구어》 가버리다 (***in***) ***full ~*** 돛을 모두 올리고 ***in ~*** 돛을 올리고; 돛단배를 타고 ***lower*** one***'s ~*** 돛을 내리다; 항복하다 《*to*》 ***make ~*** 돛을 올리다, 출범하다; (속력을 더 내기 위하여) 돛을 더 달다; 《구어》 가버리다 ***mend ~*** 돛을 다시 감다 ***more ~ than ballast*** 실속보다 겉치레 ***S~ ho!*** 〖항해〗 배가 보인다! 《경보》 ***set ~*** (***for***) 돛을 올리다; (…을 향하여) 출범하다 ***shorten ~*** (속도를 늦추기 위하여) 돛을 줄이다 ***square ~*** 옆돛, 횡범(橫帆) ***strike ~*** 돛을 내리다 《바람이 셀 때 또는 경의·항복의 신호》; 항복하다 ***take in ~*** = shorten SAIL; 〈욕망 등을〉 자제하다 ***take the wind out of*** a person***'s ~s*** ⇨ wind[1]. ***trim the*** [one***'s***] ***~s*** 돛을 조절하다; 임기응변의 조치를 취하다; 《구어》 절약하다 ***under*** (***full***) ***~*** 돛을 올리고; 항행중에
— *vi.* **1** 범주하다; 돛을 달고 가다; 배로 가다, 항해하다: ~ (at) ten knots 10노트로 범주하다 // (~+전+명) ~ *round* an island 섬을 돌아 항해하다 / We ~*ed down* the river by steamer. 우리들은 기선으로 강을 내려갔다. // (~+부) The ship is ~*ing along*. 배가 항해 중이다. **2** (스포츠·재미로) 요트를 조종하다 **3** 〈배가〉 출범하다, 출항하다 《*from, for*》: The ship ~*s* at eight tomorrow morning. 그 배는 내일 아침 8시에 출범한다. // (~+전+명) He ~*ed* (on the United States) *from* San Francisco (bound) *for* Honolulu. 그는 (유나이티드 스테이츠호를 타고) 샌프란시스코로부터 호놀룰루를 향해 떠났다. **4** 〈특히 여자가〉 점잔 빼며[경쾌하게] 걷다; 점잖게 걷다: (~+전+명) She ~*ed into* the room. 그녀는 점잖게 방으로 들어왔다. **5** 〈물새·물고기가〉 미끄러지듯 헤엄쳐 가다; 〈새·비행기가〉 하늘을 경쾌하게 날다; 〈구름·달이〉 뜨다, 떠다니다: clouds ~*ing* overhead 머리 위를 가볍게 떠가는 구름 // (~+부) He ~*ed up* in a new car. 그는 새 차로 미끄러지듯 달렸다. **6** 《구어》 힘차게 일을 시작하다; 과감히 하다 《*in, into*》: (~+전+명) He ~*ed in*[*into*] the work. 그는 힘차게 일을 시작했다. **7** 《구어》 공격하다, 욕하다, 매도하다, 책망하다 《*in, into*》: (~+전+명) He ~*s into* his wife whenever his work goes badly. 그는 자기 일이 잘 안 될 때에는 언제나 아내를 꾸짖는다. **8** 〈시험·의회 등을〉 무난히 통과하다, 어려운 일을 손쉽게 해치우다, 성취하다 《*through*》: (~+전+명) The bill ~*ed through* the House almost intact. 그 법안은 거의 아무런 수정 없이 하원을 통과하였다.
— *vt.* **1** 〈배·사람이〉 〈바다를〉 항해하다 **2** 〈배를〉 달리게 하다; 조종하다; 〈장난감 배를〉 띄우다: ~ a ship out (to sea) 배를 출항시키다 **3** 〈하늘을〉 날다
~ against the wind (1) 〖항해〗 맞바람을 안고 범주(帆走)하다 (2) 《구어》 대세를 거스르다 ***~ before the wind*** (1) 순풍에 돛을 달고 가다 (2) 순조롭게 진행하다, 출세하다 ***~ close to*** [***near***] ***the wind*** (1) 〖항해〗 돛을 바싹 죄고 항행하다 《거의 바람을 마주

안고 가다》 (2) 아슬아슬한 짓[말]을 하다 **~ for** U.S.A. (미국)을 향해 출항하다 **~ in** (1) 입항하다 (2) 《구어》 힘차게 착수[시작]하다 **~ into** (1) …에 당당하게 들어가다; 단호한 결심으로 …에 착수하다 (2) 《구어》 호되게 꾸짖다; 공격하다 **~ large** 〈배가〉 순풍을 받고 달리다 **~ under false colors** ⇨ color. **~ with a large[scant] wind** 충분히 바람을 받고[거의 바람 없이] 항행하다 **~·a·ble** *a.* **sáiled** *a.*

sail·board [séilbɔ̀:rd] *n.* **1** 1-2인승의 작은 평저(平底) 범선; 윈드 서핑용 보드 **2** [*pl.*] 《미·속어》 (사람의) 발

sail·boat [-bòut] *n.* 《미》 (경기·레저용) 범선, 요트 (《영》 sailing boat)(⇨ boat 관련) **~·er** *n.* **~·ing** *n.*

sail·cloth [-klɔ̀:θ | -klɔ̀θ] *n.* Ⓤ **1** 범포(帆布), 돛베 **2** 거친 삼베 《의복·커튼용》

sail·er [séilər] *n.* **1** 배; 돛단배(cf. STEAMER) **2** [마력·속력·항법을 나타내는 단어와 함께 쓰여서] 속력이 …인 선(船): a good[fast] ~ 속력이 빠른 배 / a bad[poor, slow] ~ 속력이 느린 배

sail·fish [séilfiʃ] *n.* (*pl.* **~, ~·es**) 【어류】 돛새치

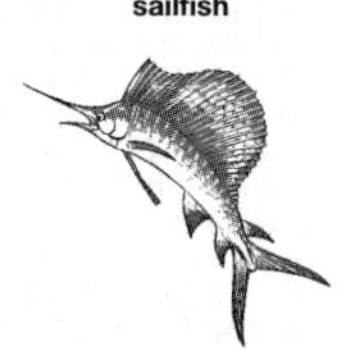

sailfish

‡sail·ing [séiliŋ] *n.* Ⓤ **1** 범주(帆走)(법), 항해(술), 항행(법); 선박 여행; 요트 경기 (cf. GREAT-CIRCLE SAILING, PLAIN SAILING, PLANE SAILING) **2** 항행력, 배의 속력 **3** ⓊⒸ (정기선의) 출범, 출항: a list of ~*s* 출항표 / the ~ date 출항일

sáiling bòat 《영》 =SAILBOAT

sáiling dày **1** (여객선의) 출항[출범]일 **2** 화물 선적 최종일

sáiling lèngth 요트의 길이 《배의 전체 길이, 또는 흘수선의 길이》

sáiling lìst 출항(예정)표

sáiling màster 항해장 (《영》에서는 요트의, 《미》에서는 군함의)

sáiling òrders 출범[출항] 명령(서)

sáiling shìp[vèssel] (대형) 범선

sail·less [séillis] *a.* **1** 〈배가〉 돛이 없는 **2** 〈바다가〉 돛 그림자 하나 안 보이는

sáil lòft 제범(製帆) 공장, 제범소

sail·mak·er [séilmèikər] *n.* 돛 꿰매는 사람; 【미해군】 장범장(掌帆長)

sail·off [-ɔ̀:f | -ɔ̀f] *n.* 《미》 요트 경주

‡sail·or [séilər] *n.* **1** 선원, 뱃사람; 하급 선원, 갑판원: a ~ boy 소년[견습] 선원 **2** (장교에 대하여) 수병; 해군 군인 **3** [good, bad 등의 수식어와 함께] 배에 …한 사람: a *bad*[*poor*] ~ 뱃멀미하는 사람 / a *good* ~ 뱃멀미를 하지 않는 사람 **4** 수병모(水兵帽); 《구어》 =SAILOR HAT; =SAILOR SUIT ***spend (money) like a ~*** (상륙 허가를 받아 상륙한 선원처럼) 돈을 척척 쓰다 ***take ~*** 항해 용어를 사용하다 **~·ing** *n.* 선원 생활; 선원의 일 **~·less** *a.* **~·lìke** *a.* **~·ly** *a.* 선원다운, 선원에 적합한

sáilor cóllar 세일러 칼라 《수병복의 깃을 모방한 여성복의 젖힌 깃》

sáilor hát 빳빳한 차양에 운두가 낮고 딱딱한 밀짚모자

sail·or·man [séilərmən, -mæ̀n] *n.* (*pl.* **-men** [-mən, -mèn]) 《구어》 =SAILOR

sáilor's fárewell 《속어》 헤어질 때의 악담

sáilors' hóme 선원 숙박소[보호소, 회관]

sáilor's knòt (밧줄의) 수부 매듭; (넥타이의) 세일러 노트

sáilor sùit 선원[수병]복; (어린이의) 세일러복

sail·plane [séilplèin] *n.* 세일플레인 《상승 기류를 이용해서 장거리를 나는 글라이더》
— *vi.* 세일플레인으로 날다 **sáil·plàn·er** *n.*

sail·yard [-jɑ̀:rd] *n.* 【항해】 (돛의) 활대

sain·foin [séinfɔin | sǽn-] *n.* 【식물】 콩과(科)에 속하는 목초의 하나 《사료》

‡saint [séint] [L 「신성한」의 뜻에서] *n.* **1** 성인, 성자 《시성(諡聖)된》: a patron ~ 수호성인

USAGE 인명·지명 앞에서 관례적으로 St.로 줄여서 St. Paul, St. Helena처럼 쓰기도 함; 이 경우 발음은 [sèint | sənt] ★ 이 사전에서 성인명은 St.를 뺀 표제어에 포함시켰다. 지명이나 그 밖의 복합어는 그대로 표제어로 다루되, St.는 Saint로 철자할 때의 어순으로 처리하였다.

2 [보통 *pl.*] 천국에 간 사람, 죽은 사람 **3** 성인 같은 사람, 군자, 덕이 높은 사람: Young ~*s*, old devils [sinners]. 《속담》 젊은 때의 신앙심은 믿을 수 없다. **4** (운동·조직 등의) 발기인, 후원자 **5** 천사: ~ Michael the archangel 대천사 성미가엘 **6** 신앙가; [종종 **S~**] 어떤 종파 신자의 자칭; 《비꼼》 성인인 체하는 사람 ***play the ~*** 성인처럼 처신하다, 믿음이 두터운 사람인 체하다 ***provoke a ~ = try the patience of a ~*** 성인군자도 화나게 하다, 지독히 화나는 짓을 하다 ***Sunday ~*** 《속어》 일요일에만 신자인 체하는 사람, 일요 성인; 위선자 ***the (blessed) S~s*** (하느님의 선택을 받고) 천당에 사는 사람들; 그리스도교도들 ***the departed ~*** 고인, 죽은 사람 《특히 장례식에 참석한 사람들의 용어》
— *vt.* [주로 과거분사로] 성인으로 숭배하다, 시성(諡聖)하다(cf. SAINTED)
— *vi.* 성인처럼 생활하다
~ *it* 성인처럼 행세하다; 신앙심이 깊은 체하다
~·lìke *a.* ▷ sáintly *a.*

Sàint Ágnes's Éve 성아그네스 축일 전야 《1월 20일 밤; 소녀가 특별한 기원을 드리면 그날 밤에 미래의 남편을 꿈에 본다고 함》

Sàint Ándrew's Cróss 성안드레 십자가 《X자형》

Sàint Ándrew's Dày 성안드레이의 날 《스코틀랜드의 수호성인을 기리는 축제; 11월 30일》

Sàint Ánthony's Cróss 성안토니오 십자가 《T자형》

Sàint Ánthony's fíre 【병리】 성안토니열 《맥각(麥角) 중독·단독(丹毒) 등의 피부 염증》

Sàint Bernárd **1** 성베르나르 《알프스 산에 있는 두 고개의 이름; Great[Little] Saint Bernard》 **2** 세인트버나드 개 《St. Bernard 고개의 수도원에서 기르던 구명견》

St. Chrístopher 성크리스토퍼 메달 《여행자의 수호 성자의 이름에서》

Sàint Chrístopher and Né·vis [-ní:vis] 세인트크리스토퍼 네비스 《서인도 제도의 독립국; 수도 Basseterre》

St. Dávid's Dày 성데이비드의 날 《웨일스의 성자 기념 축제일; 3월 1일》

saint·dom [séintdəm] *n.* =SAINTHOOD

saint·ed [séintid] *a.* **1** 시성(諡聖)된 **2** 천국에 있는, 천사의; 죽은, 돌아가신, 고(故)… **3** 신성한, 거룩한 **4** 덕이 높은: a ~ king 덕이 높은 왕

St. Él·mo's fíre[líght] [sèint-élmouz-] 세인트엘모의 불(corposant) 《폭풍우가 부는 밤에 돛대나 비행기 날개 등에 나타나는 방전(放電) 현상》

saint·ess [séintis] *n.* 여자 성인, 성녀(聖女)

Sàint Géorge's **1** 세인트조지스 《서인도 제도 Grenada의 수도》 **2** 성조지 병원 《London 소재》

St. Géorge's Chánnel [the ~] 성조지 해협 《웨일스와 아일랜드 사이》

St. Géorge's Cróss 성조지 십자가 《흰 바탕에 붉은 십자형; 잉글랜드의 국장(國章)》

St. Géorge's Dày 성조지의 축일 《4월 23일》

St. Gótt·hard [-gɑ́tərd | -gɔ́t-] [the ~] (알프스의) 생고타르 고개[터널]

St. He·le·na [-əlí:nə, -həlí:nə | -ilí:nə] **1** 세인트헬레나 《아프리카 서해안의 영국령 섬; 나폴레옹의 유형지》 **2** 유형지

saint·hood [séinthùd] *n.* Ⓤ **1** 성인임; 성인의 신분[자격] **2** [집합적] 성인들, 성자들
St. Jámes's (**Pálace**) **1** 성 제임스 궁(宮) ((London의 왕궁)) **2** 그 부근의 상류 주택가 **3** 영국 궁정: the American ambassador to the Court of ~ 주영 미국 대사
St. Jóhn 세인트존 ((캐나다 New Brunswick 주 남부 Fundy 만에 면한 항구 도시; 대륙 횡단 철도의 종점))
Saint-John's-wort [-dʒɑ́nzwə̀:rt | -dʒɔ́nz-] *n.* 〖식물〗 세인트존스워트 ((측막태좌목 물레나물과의 여러해살이풀))
Sàint Kítts and Ne·vis [-kítz-ən-ní:vis] = SAINT CHRISTOPHER AND NEVIS
St. Láwrence [the ~] 세인트로렌스 강 ((Ontario 호에서 시작하여 5대호를 지나 St. Lawrence 만에 흘러드는 캐나다 최대의 강))
St. Láwrence Séaway 세인트로렌스 수로 ((북미 5대호와 대서양을 연결하는 수로))
St. Leg·er [-lédʒər] 성 레저 경마 ((잉글랜드 Doncaster에서 매년 9월 개최))
St. Lóuis 세인트루이스 ((Missouri 주 동부 Mississippi 강가의 도시))
Sàint Lú·cia [-lú:ʃə] 세인트루시아 ((서인도 제도 동부의 독립국; 수도 Castries))
St. Lúke's súmmer (영국의) 성(聖) 누가 날씨 ((10월 18일 전후의 좋은 날씨; cf. INDIAN SUMMER))
saint·ly [séintli] *a.* (**-li·er**; **-li·est**) 성인다운; 덕이 높은, 거룩한; 신앙심이 깊은: ~ relics 성유골, 성보(聖寶) **sáint·li·ly** *ad.* **sáint·li·ness** *n.*
St. Mártin's Dày 성 마르티노 축일 ((11월 11일; 스코틀랜드에서는 QUARTER DAYS의 하나))
St. Mártin's súmmer (영) 봄날 같은 포근한 날씨 ((11월의 St. Martin's Day 무렵의 좋은 날씨; cf. INDIAN SUMMER))
St. Míchael and St. Géorge 성 미가엘-성 조지 훈장 ((외교관에게 주는 영국 knight 훈장))
St. Mónday (익살) 성 월요일: keep ~ (일요일에 너무 마셔서) 월요일에 쉬다
St. Mo·ritz [-məríts] 생모리츠 ((스위스 남동부의 소도시로 겨울 스포츠 중심지))
St. Pan·cras [-pǽŋkrəs] 세인트팽크라스 ((London 중앙 북부의 옛 자치구))
Sàint Pátrick's Dày 성 패트릭 기념일 ((3월 17일; 아일랜드의 수호성인 St. Patrick의 축제일))(cf. PATRICK 2)
saint·pau·li·a [seintpɔ́:liə | sənt-] [발견자인 독일의 W. von Saint Paul의 이름에서] *n.* 〖식물〗 세인트폴리아, 아프리카제비꽃(African violet) ((아프리카 원산; 실내 관상용))
St. Pául's 성 바울 대성당 ((London을 관구로 하며 그 감독은 Bishop of London))
St. Péter's 성 베드로 대성당 ((Rome의 Vatican City 소재))
St. Pe·ters·burg [-pí:tərzbə̀:rg] 상트페테르부르크 ((제정 러시아의 수도; cf. LENINGRAD))
St. Péter's chàir 로마 교황의 지위
Saint-Saëns [sænsɑ́:ns] *n.* 생상스 **Charles Camille** ~ (1835-1921) ((프랑스의 작곡가))
sáint's dày 성도 기념일 ((교회의 축제일))
saint·ship [séintʃip] *n.* Ⓤ **1** 성인의 신분[지위] **2** 성인다움
Saint-Si·mon [sænsimɔ́:ŋ] *n.* 생시몽 **Comte de** ~ (1760-1825) ((프랑스의 철학자·사회주의 사상가))
Saint-Si·mo·ni·an [sèintsaimóuniən | səntsi-] *a.* 생시몽주의의, 국가 사회주의의
— *n.* 국가 사회주의자 **~·ism** *n.* Ⓤ 생시몽주의
St. Sophía 성 소피아 ((Constantinople에 있는 이슬람교 사원))
St. Stéphen's 영국 하원[의회]의 속칭
St. Swíth·in's[**Swíth·un's**] **Dày** [-swíðinz-] 성 스위딘 축일 ((7월 15일; 이 날의 날씨가 40일간 계속된다고 함))
St. Thómas's 성 토머스 병원 ((London 소재))
Saint-Tro·pez [sæ̀ntrəpéi] *n.* 생트로페 ((프랑스 남동부 French Riviera 거리; 관광 휴양지))
Sàint Válentine's Dày 성 밸런타인 축일 ((2월 14일; 이날 (특히 여성이 남성) 애인에게 선물이나 사랑의 편지를 보내는 관습이 있음))(Valentine's[Valentine] Day)
Sàint Víncent and the Gren·a·dínes [-grènədí:nz] 세인트빈센트 그레나딘 ((서인도 제도에 있는 독립국; 수도 Kingstown))
St. Ví·tus's[**Ví·tus'**] **dánce** [-váitəsiz-] 〖의학〗 무도병(舞蹈病)(chorea)
Sai·pan [saipǽn] *n.* 사이판 섬 ((서태평양 North Mariana 제도의 주도(主島); 미국의 신탁 통치령))
saith [séθ, séiəθ | séθ] *vt., vi.* (고어) SAY의 3인칭 단수·직설법·현재
⁑**sake**[1] [séik] [OE 「소송, 논쟁」의 뜻에서] *n.* Ⓤ [for the ~ of ..., for ...'s ~로] 동기, 이익; 목적; 원인, 이유: art *for* art's ~ 예술을 위한 예술 ((예술 지상주의)) ★ sake 앞의 보통 명사의 어미가 [s]음일 경우에는 보통 소유격의 s를 생략함.
for any ~ 하여튼 ((간청하는 말)) ***for both***[***all***] ***our ~s*** 우리 양편[모두]을 위하여 ***for brevity's***[***charity's***] ~ 간결[자선]을 위하여 ***for convenience'*** ~ 편의상 ***for heaven's***[***goodness', God's, Christ's, mercy's, pity's***] ~ 제발, 아무쪼록 ((뒤에 오는 명령법을 강조함)) ***for old time's***[***times'***] ~ 옛 정을 생각하여 ***for*** (one***'s***) ***name's*** ~ …의 이름 때문에, …의 명예[체통]를 위하여 ***for shortness'*** ~ = for brevity's SAKE. ***for the ~ of*** = ***for ...'s*** ~ …을 위하여 ***S~s*** (***alive***)***!*** (미) 이거 놀랐는걸!
sa·ke[2] [sɑ́:ki, sɑ́kei] [Jap.] *n.* 정종 ((일본식으로 빚어 만든 맑은 술))
sa·ker [séikər] *n.* 〖조류〗 송골매의 일종 ((매사냥용))
Sa·kha·lin [sǽkəlì:n | ˌ-ˈ] *n.* 사할린(섬) ((러시아 동부 오호츠크 해(海)의 섬))
Sa·kha·rov [sɑ́:kərɔ̀:f] *n.* 사하로프 **Andrei** (**Dmitrievich**) ~ (1921-89) ((구소련의 핵물리학자·반체제 운동가; 1975년 노벨 평화상 수상))
sa·ki[1] [sǽki | sɑ́:-] *n.* 〖동물〗 굵은꼬리원숭이 ((남아메리카산(産)))
sa·ki[2] [sɑ́:ki] *n.* = SAKE[2]
sal[1] [sǽl] *n.* 〖화학·약학〗 염(塩)(salt)
sal[2] *n.* (속어) = SALARY
sal[3] [sɑ́:l] *n.* 〖식물〗 사라수(沙羅樹) ((인도산(産) 나왕의 일종))(= ~ **trèe**)
Sal [sǽl] *n.* (미·속어) **1** = SALVATION ARMY **2** 빈민 구제 시설
sa·laam [səlɑ́:m] [Arab. 「평안」의 뜻에서] *n.* **1** 살람 ((이슬람교도의 인사말)) **2** 이마에 손바닥을 대고 하는 절 ((이슬람교도의)) **3** 경례, 인사; [*pl.*] 경의; 문안
make one***'s*** ~ (이슬람교도식으로) 이마에 손바닥을 대고 절하다, 경례하다 ***send ~s*** 경의를 표하다
— *vt., vi.* 이마에 손바닥을 대고 절하다 **~·like** *a.*
sal·a·bil·i·ty [sèiləbíləti] *n.* Ⓤ **1** 판매 가능성 **2** 잘 팔림, 살 사람[수요]이 있음
sal·a·ble [séiləbl] *a.* **1** 팔기에 알맞은, (잘) 팔리는, 수요가 있는 **2** (고어) 〈사람이〉 돈으로 좌우되는, 매수하기 쉬운 **sál·a·bly** *ad.*
sa·la·cious [səléiʃəs] *a.* **1** 호색의, 색골인 〈사람〉 **2** 음란한, 음탕한, 저질의 〈말·글·그림 등〉
~·ly *ad.* **~·ness** *n.*
sa·lac·i·ty [səlǽsəti] *n.* Ⓤ 호색; 음탕
*****sal·ad** [sǽləd] [L 「소금에 절인」의 뜻에서] *n.* **1** ⓊⒸ 샐러드, 생채 요리 **2** Ⓤ 샐러드용 채소, ((특히)) 상추(lettuce); 날로 먹는 채소 **3** 뒤범벅 **4** (미·속어) = FRUIT SALAD
sálad bàr 샐러드 바 ((레스토랑 내의 셀프서비스식 샐러드 카운터))

sálad bàsket 샐러드 바스켓《샐러드용 야채를 씻는 소쿠리》
sálad bòwl 샐러드용 접시
sálad crèam 《주로 영》 (크림 같은) 샐러드용 드레싱
sálad dàys 1 [one's ~] 경험 없는 풋내기 시절 2 젊고 활기 있는 시절, 전성기
sálad drèssing 샐러드용 드레싱
sa·lade [səlɑ́:d] *n.* =SALLET
salàde niçóise [-nì:swɑ́z] [F] 살라드 니스와즈《프랑스 니스 스타일의 샐러드》
sálad fòrk 샐러드(용) 포크
sálad grèen 샐러드용 야채
sálad òil 샐러드 기름
sálad plàte 샐러드 접시; 샐러드 요리
sal·a·man·der [sǽləmæ̀ndər] *n.* **1** 〖동물〗 도롱뇽 **2** 불도마뱀《불 속에 산다고 믿어졌던 괴물》; 불의 요정 (⇨ nymph 관련) **3** 불에 견디는 것 **4** 요리용 철판; 휴대용 난로[버너]

salamander 1

sal·a·man·drine [sæ̀ləmǽndrin] *a.* **1** 도롱뇽의[같은] **2** 불도마뱀의[같은] **3** 불에 견디는, 내화(耐火)의
sa·la·mi [səlɑ́:mi] [It.] *n.* **1** 살라미《향미가 강한 소시지》 **2** 《미·속어》 음경, 페니스: play hide the ~ 성교하다 **3** 《미·학생속어》 바보, 얼간이
Sal·a·mis [sǽləmis] *n.* 살라미스《그리스 남서쪽에 있는 섬; 기원전 480년 이 해역에서 그리스 해군이 페르시아 해군을 격파하였음》
salámi slìcing 《구어》 살라미식 자르기(전술)《한 번에 아주 조금씩 제거[수행]하기》
salámi tàctics (조직에서) 달갑지 않은 분자의 제거 정책
sál ammóniac [sǽl-] =AMMONIUM CHLORIDE
sal·an·gane [sǽləŋgæ̀n, -gèin] *n.* 〖조류〗 칼새《그 둥지는 식용》
sa·lar·i·at [səlέəriət] [F] *n.* [the ~] 봉급 생활자[샐러리맨] 계층
sal·a·ried [sǽlərid] *a.* **1** (시간급이 아닌) 봉급을 받는: a ~ man 봉급 생활자, 샐러리맨 **2** 〈직위·관직 등이〉 유급의: a ~ job 유급직 / The post is ~. 그 직책은 유급이다.
‡**sal·a·ry** [sǽləri] [L 「(고대 로마에서 병사들의 급료로 지급된) 소금을 사기 위한 돈」의 뜻에서] *n.* (*pl.* **-ries**) **1** 봉급, 급료《공무원·회사원의》(⇨ pay 유의어): a monthly[an annual] ~ 월급[연봉] / What[How much] ~ does he get? 그는 봉급을 얼마 받고 있습니까? / draw one's ~ 봉급을 타다 **2** 《폐어》 사례, 보수
— *vt.* (**-ried**) **1** 〈…에게〉 봉급[급료]을 지불하다 **2** …에 보답하다 **~·less** *a.* 무급의
sálary càp 팀 연봉 상한제
sal·a·ry·man [sǽlərimæ̀n] *n.* (*pl.* **-men** [-mən]) (한국·일본의) 샐러리맨, 월급쟁이 ★ salaried man의 일본식 영어 표현임
sálary sávings insùrance 봉급 적립 보험
sal·bu·ta·mol [sælbjú:təmɔ̀(:)l] *n.* 〖약학〗 살부타몰《기관지 이완제》
sal·chow [sǽlkau] [스웨덴의 스케이터 이름에서] *n.* 〖스케이트〗 살코《피겨 스케이팅 점프의 일종》
‡**sale** [séil] *n.* **1** ⓊⒸ 판매, 매각, 매도(selling); 매매, 거래: a cash ~=a ~ for cash 현금 판매 / a ~ on credit 외상 판매 **2** Ⓒ 팔림새, 판매 성적, 수요; [종종 *pl.*] 매상(고), 매출액: ~*s* of air conditioners 에어컨의 매출액 **3** Ⓒ 특매, 염매; 재고 정리 판매 (=clearance ~): a summer ~ 여름 상품 대매출 / a closing down ~ 점포 정리 대매출 / ⒸⒺ I bought both pairs of shoes in[on(×)] a *sale.* 세일 기간 중에 구두 두 켤레를 샀다. **4** Ⓒ 경매(auction): a compulsory ~ 강제 경매 **5** [*pl.*] 판매 업무, 판매 부문: He works in ~*s.* 그는 판매 부문에서 일하고 있다.
a bill of ~ 〖법〗 매매 증서 ***an account of*** ~ 매상 계산서 ***a*** ~ ***of work*** 자선시(慈善市), 바자 ***for*** [***on***] ~ 팔려고 내놓은 ***have a*** ~ 세일하다, 염가로 팔다 ***make a*** ~ 《속어》 성공하다 ***not for*** ~ 비매품 ***offer for*** ~ 팔려고 내놓다 ***put up for*** ~ 경매에 붙이다 ~ ***and***[***or***] ***return*** 〖상업〗 잔품 인수 조건부 매매 계약(cf. on APPROVAL) ***total ~s*** 총판매액
▷ séll *v.*; sálable *a.*
sale·a·bil·i·ty [sèiləbíləti] *n.* =SALABILITY
sale·a·ble [séiləbl] *a.* =SALABLE
Sa·lem [séiləm] *n.* **1** 〖성서〗 살렘《Canaan의 고대 도시; 현재의 Jerusalem이라고 함; 창세기 14 : 18》 **2** [s~] 《영》 비(非)국교도의 교회당(bethel) **3** 세일럼《미국 Oregon 주의 주도》
sal·ep [sǽlep] *n.* Ⓤ 샐렙《난초과(科) 식물의 구근(球根)을 말린 것; 식용·약용》
sal·e·ra·tus [sæ̀ləréitəs] *n.* Ⓤ 《미·속어》 (빵 굽는 데 쓰는) 중조(重曹)(baking soda)
sále rìng (경매에서) 빙 둘러싼 원매인들
sale·room [séilrù:m] *n.* =SALESROOM
sales [séilz] *a.* Ⓐ 판매(상)의: a ~ manager 판매 부장 / a ~ plan 판매 계획
sáles anàlysis 〖마케팅〗 판매 분석
sáles assìstant 《영》 =SALESCLERK
sáles chèck 매출 전표(sales slip)
sales·clerk [séilzklə̀:rk] *n.* 《미》 점원, 판매원(《영》 shop assistant)
sáles depàrtment (회사의) 판매부(문)
sáles drìve 판매 활동
sáles engineèr 판매 담당 기술자
sáles fínance còmpany 할부 (판매) 금융 회사
sáles fòrecast 〖마케팅〗 판매 예측
sales·girl [-gə̀:rl] *n.* (젊은) 여점원
sales·la·dy [-lèidi] *n.* (*pl.* **-dies**) **1** =SALESWOMAN **2** 《미·속어》 매춘부
‡**sales·man** [séilzmən] *n.* (*pl.* **-men** [-mən, -mèn]) **1** 《미》 (남자) 판매원, 점원: a door-to-door ~ 방문 판매원 **2** 세일즈맨, 외판원 **~·shìp** *n.* Ⓤ 판매술, 판매 수완; 이윤 추구의 정신
sales·peo·ple [-pì:pl] *n. pl.* 《미》 판매원(cf. SALESPERSON)
sales·per·son [-pə̀:rsn] *n.* 《미》 판매원, 점원; 외판원《남녀 공통으로 쓰임》
sáles pìtch =SALES TALK
sáles promòtion 판매 촉진(활동), 판촉
sáles represèntative 외판원《salesman보다 격식을 차린 말》
sáles resìstance 《미》 (판매 설득에 대한 소비자 측의) 구매 저항
sales·room [-rù:m] *n.* 매장(賣場); 《특히》 경매장
sáles slìp =SALES CHECK
sáles tàlk 구매 권유, 판매를 위해 늘어놓는 말; 설득력 있는 권유[구변]
sáles tàx 판매[영업]세(cf. VAT)
sales·wom·an [-wùmən] *n.* (*pl.* **-wom·en** [-wìmin]) 여자 판매원, 여점원
sale·yard [séiljɑ̀:rd] *n.* 《호주·뉴질》 (경매 전에 가축을 잠시 가두어 두는) 가축 우리
Sal·ic [sǽlik, séi-, səlí:k] *a.* **1** (프랑크 족 중의) 살리 지족(支族)의 **2** 살릭 법(Salic law)의
sal·i·cin [sǽləsin] *n.* Ⓤ 〖화학〗 살리신《버드나무 껍질 속에 함유된 배당체(配糖體); 해열 진통제》
Sálic láw [the ~] 〖역사〗 살릭 법(전)《프랑크 살리 지족(支族)이 제정한 법; 여자의 토지 상속권·왕위 계승권을 부인》
sal·i·cyl [sǽləsil] *n.* 〖화학〗 살리실기(基)
sa·lic·y·late [səlísəlèit | sǽlísi-] *n.* 〖화학〗 살리실산염(酸塩) ***sodium*** ~ 살리실산 나트륨

sal·i·cyl·ic [sæ̀ləsílik] *a.* 〖화학〗 살리실산(酸)의: ~ acid 살리실산

sa·li·ence, -li·en·cy [séiliəns(i)] *n.* (*pl.* **-lien·ces**; **-cies**) UC **1** 돌출, 돌기; 돌기물; 현저; 〖군사〗 돌각(突角): give ~ to a fact 어떤 사실을 특히 부각시키다 **2** 특징; 중요점《이야기·논의 등의》

sa·lient [séiliənt] 〖L 「뛰어오른」의 뜻에서〗 *a.* **1** 현저한, 두드러진: ~ features 특징 **2** 철각(凸角)의; 돌출한, 돌기한: a ~ angle 〖수학〗 철각 **3** 생기가 넘쳐흐르는, 약동하는; 《비유》 원기왕성한 **4** 〈물이〉 분출하는 **5** 《문장(紋章)에서》 〈사자 등이〉 뒷발을 모으고 뛰어오를 자세의(cf. RAMPANT)
— *n.* 철각; 〖군사·축성〗 돌출부 **~·ly** *ad.*

sa·li·en·tian [sèiliénʃən] *a.*, *n.* 〖동물〗 도약류의 (동물), 무미류(無尾類)의 (동물) 《개구리·두꺼비 등》

sálient póint 두드러진 특징, 눈에 띄는 점

sa·lif·er·ous [səlífərəs] *a.* 〖지질〗 소금을 함유한, 소금이 나는: ~ strata 함염(含鹽) 지층

sal·i·fy [sǽləfài] *vt.* (**-fied**) 〖화학〗 염화(鹽化)하다 **sàl·i·fi·cá·tion** *n.*

sa·li·na [səláinə] *n.* **1** 함수(鹹水)성 소택(沼澤), 함수호(湖) **2** 제염소, 염전

sa·line [séilain, -li:n | -lain] *a.* **1** 염분을 함유한; 소금기가 있는, 짠: a ~ solution 식염수/a ~ lake 함수호(鹹水湖), 염수호 **2** 식염성의; 염류의 **3** 〖약학〗 (알칼리 금속 또는 마그네슘 등의) 염성[염류]의
— *n.* **1** 염류; 함염물(含鹽物); 마그네슘 하제(下劑), 함염(含鹽) 하제 **2** 〖의학〗 염수 **3** 염수호, 염류천(鹽類泉) **4** 제염소, 염전

sa·lin·i·ty [səlínəti] *n.* U 염분, 염분 함유도, 염도

sa·li·nize [sǽlənàiz] *vt.* 소금으로 처리하다; …에 소금이 배어들게 하다 **sàl·i·ni·zá·tion** *n.*

sal·i·nom·e·ter [sæ̀lənɑ́mətər | -nɔ́-] *n.* 검염계(檢鹽計), 염분계

Sa·lique [səlí:k, sǽlik, séilik] *a.* = SALIC

Salis·bur·y [sɔ́:lzbèri, -bəri | -bəri] *n.* 솔즈베리 《영국 Wiltshire주의 주도》
(as) plain as ~ 극히 명료한

Sálisbury Pláin [the ~] 솔즈베리 평원 《영국 남부 Salisbury 북방의 고원 지대; 환상 열석(環狀列石)(Stonehenge)이 있음》

Sálisbury stéak 솔즈베리 스테이크 《햄버그스테이크의 일종》

Sa·lish [séiliʃ] *n.* **1** 〖언어〗 샐리시 어군(語群) 《북미 인디언 말의 Mosan 어군의 한 파》 **2** 샐리시 어군의 인디언 족(族) 《총칭》 **~·an** *a.*, *n.*

sa·li·va [səláivə] *n.* U 타액, 침(spittle)

sal·i·var·y [sǽləvèri | -vəri] *a.* A 침의; 타액을 분비하는: ~ glands 〖해부〗 타액선, 침샘

sal·i·vate [sǽləvèit] *vt.* (수은제 등으로 다량의) 침이 나오게 하다 — *vi.* 침[군침]을 흘리다, 침이 나오다 **sàl·i·vá·tion** *n.* U 타액의 분비

salíva tèst 타액 검사 《특히 경주마의 약물 검사》

sal·i·va·tor [sǽləvèitər] *n.* 타액 분비 촉진제

Sálk vaccìne [sɔ́:k-, sɔ́:lk- | sɔ́:k-] 〖개발자인 미국의 세균학자 Jonas E. Salk의 이름에서〗 소크 백신 《소아마비 예방용》

salle [sǽl, sɑ́:l] 〖F〗 *n.* 대청, 홀, 방

salle à man·ger [sæ̀ləmɑ:ŋʒéi] 〖F〗 (*pl.* ***salles-*** [~]) 식당(dining room)

sal·let [sǽlit] *n.* (15세기에 사용된) 가벼운 투구

Sál·lie Máe [sǽli-méi] 《미》 = SALLY MAE

***sal·low**[1] [sǽlou] *a.* (**~·er**; **~·est**) (안색이 병적으로) 누르께한, 흙빛의, 혈색이 나쁜(opp. *ruddy*): ~ cheeks 혈색이 나쁜 뺨
— *n.* U 누르스름한 색, 흙빛
— *vt.*, *vi.* 누르스름한 색으로 하다[되다], 흙빛으로 만들다[되다]
~·ly *ad.* **~·ness** *n.* U 혈색이 나쁨, 병적인 흙색

sallow[2] *n.* 〖식물〗 수양버들속(屬)의 버드나무(willow) 《숯 등을 만듦; cf. OSIER》

sal·low·ish [sǽlouiʃ] *a.* 〈안색이〉 누르스름한, 약간 흙빛이 도는, 약간 혈색이 나쁜

‡**sal·ly** [sǽli] 〖L 「튀어나오다」의 뜻에서〗 *n.* (*pl.* **-lies**) **1** (역습적인) 출격, 반격 《농성 부대·비행기 등의》, 돌격(sortie): make a ~ 반격하다 **2** (상상·감정·재치 등의) 분출; (행동의) 돌발 《*of*》 **3** 《구어》 소풍, 짧은 여행 **4** (상대편을 공격하는) 야유, 비꼼
— *vi.* (**-lied**) **1** 기운차게 나가다; 돌격하다, 〈농성군이〉 출격하다 《*out*》 **2** 외출하다, 소풍에 나서다 《*forth, off, out*》: 《~+副》 ~ *forth* for an excursion 발걸음도 가볍게 소풍에 나서다 **3** 씩씩하게[선뜻] 나아가다 **4** 분출하다, 뿜어 나오다: 《~+副》 Her blood *sallied out* from the wound. 그녀의 상처에서 피가 뿜어 나왔다. **sál·li·er** *n.*

Sal·ly [sǽli] *n.* 여자 이름 《Sarah의 애칭》
Salvation ~ 《속어》 구세군 여자 병사

Sal·ly-Ann [sæ̀liǽn] *n.* [the ~] 《구어》 구세군(Salvation Army); (구세군이 운영하는) 간이 숙박소, 자선 식당

sálly lúnn [-lʌ́n] 〖1800년경 영국에서 이것을 팔고 다녔던 여자의 이름에서〗 [때로 **S- L-**] 샐리런 《구워서 바로 먹는 달고 얄팍한 과자빵》

Sálly Máe 《미》 샐리 메이 《학자금 대출 조합(Student Loan Marketing Association)의 별칭》

sálly pòrt **1** (요새 등의) 출격구 **2** 비상문

sal·ma·gun·di, -dy [sæ̀lməgʌ́ndi] *n.* **1** UC (저민 고기·멸치·달걀·후추 등을 섞어 맵게 만든) 잡탕 요리 **2** 잡동사니, 잡집(雜集), 잡록(雜錄)

sal·mi [sǽlmi] *n.* UC 살미 《구운 들새 고기를 포도주와 버터로 맛들인 스튜 요리》

‡**salm·on** [sǽmən] *n.* (*pl.* **~s**, [집합적] **~**) **1** 〖어류〗 연어: the ~ run (산란을 위한) 연어의 이동 **2** U 연어 살 **3** U 연어 살빛(light yellowish pink)
be dead as a ~ 완전히 죽다
— *a.* A 연어의; 연어 살빛의 **~·lìke** *a.*

salm·on·ber·ry [sǽmənbèri | -bəri] *n.* (*pl.* **-ries**) 〖식물〗 새먼베리 《북미 태평양 연안 원산의 나무딸기》; 그 열매

salm·on-col·or [-kʌ̀lər] *n.* 연어 살색

sal·mo·nel·la [sæ̀lmənélə] 〖발견자인 미국의 수의사 이름에서〗 *n.* (*pl.* **-lae** [-li:], **~(s)**) 〖세균〗 살모넬라균 《식중독을 일으키는 병원균》

sal·mo·nel·lo·sis [sæ̀lmənelóusis] *n.* 〖병리〗 살모넬라증(症) 《살모넬라균에 의한 식중독》

sal·mo·nid [sǽlmənìd] *a.*, *n.* 〖어류〗 연어과(科)의 (물고기)

sálmon làdder[lèap] 산란기의 연어용 어제(魚梯)

sal·mo·noid [sǽlmənɔ̀id] *a.*, *n.* **1** 연어 비슷한 (물고기) **2** 〖어류〗 연어아목(亞目)의 (물고기)

sálmon pèel 새끼 연어

sálmon pínk 연어 살색

sálmon stéak 연어 살 스테이크

sálmon tròut 〖어류〗 바다송어 《유럽산(産)》

sal·ol [sǽlɔ:l | -ɔl] *n.* U 〖약학〗 살롤 《원래 상품명; 방부제》

Sa·lo·me [səlóumi] *n.* **1** 여자 이름 **2** 〖성서〗 살로메 《Herod 왕의 후처 Herodias의 딸, 왕에게 청하여 세례 요한의 목을 얻었음; 마태복음 14: 8》

***sa·lon** [səlɑ́n | sǽlɔn] 〖F〗 *n.* **1** (프랑스 등지의 큰 저택의) 객실, 응접실 **2** (파리 상류 부인의 객실에서 베푸는) 초대회, 명사의 모임; 상류 사회 **3** 미술 전람회(장) **4** (의상·미용 등의) 가게, …실(室), …점(店): a beauty ~ 미용실 **5** [the S~] 살롱 《매년 파리에서 개최되는 현대 미술 전람회》; 전국적인 미술 전람회
~·ist *n.* = SALONNARD

salón mùsh 《미·속어》 바에서 조용하게 연주되는 부드럽고 즐거운 음악

salón mùsic 살롱 음악 《작은 규모의 악단이 연주하는 경쾌하고 달콤한 음악》

sa·lon·nard [səlɑ́nɑ:rd | -lɔ́n-] 〖F〗 *n.* 살롱[명사들의 모임]에 출입하는 사람

*__sa·loon__[1] [səlúːn] *n.* **1** (미) 술집, 바 **2** (기선의) 담화실; (여객기의) 객실: a dining ~ (기선의) 식당 **3** [종종 복합어로] (영) 오락[유흥]장, …장(場), …점(店)((미) hall, parlor): a billiard ~ 당구장/a dancing ~ 댄스홀/a hairdresser's[shaving] ~ 이발소/a beauty ~ 미용실 **4** (호텔 등의) 큰 홀 **5** = SALOON BAR **6** = SALOON CAR

saloon[2] *int.* (미·속어) 안녕, 또 만납시다(so long)

salóon bàr (영) (술집·바의) 특실

salóon càbin 1등 선실

salóon càr (영) **1** 특별 객차((미) parlor car) 《객실을 칸막이 없이 담화실·식당으로 사용》 **2** 세단형 자동차((미) sedan)

salóon dèck 1등 선객용 갑판

sa·loon·ist [səlúːnist] *n.* (미) **1** 술집 주인(saloon keeper) **2** 술집의 단골손님

salóon kèeper 술집 주인

salóon pàssenger 1등 선객

salóon pìstol (영) 옥내 사격장용 권총

salóon rìfle (영) 옥내 사격장용 소총

sa·loop [səlúːp] *n.* **1** = SALEP **2** = SASSAFRAS **3** Ⓤ salep[sassafras]으로 만든 음료 《커피 대용》

Sal·op [sǽləp] *n.* 샐럽 주(州) 《Shropshire의 옛 이름; 그 이전에도 Shropshire의 별칭으로 사용되었음》

sal·o·pette [sæ̀ləpét] *n.* 샐로펫 《작업복·작업용 겉옷》: ~ pants 샐로펫 바지 《가슴받이가 달린》

Sa·lo·pi·an [səlóupiən] *a., n.* **1** Salop[Shropshire]의 (사람) **2** Shrewsbury 학교의 (재학생·출신자)

sal·pa [sǽlpə] *n.* (*pl.* **~s, -pae** [-piː]) 살파 《플랑크톤의 일종》

sal·pi·glos·sis [sæ̀lpəglɑ́sis | -piglɔ́s-] *n.* 〖식물〗 샐피글로시스속(屬)의 각종 관상식물 《남미 원산; 가짓과(科)》

sal·pin·gec·to·my [sæ̀lpindʒéktəmi] *n.* 〖의학〗 나팔관[이관(耳管)] 절제(술)

sal·pinx [sǽlpiŋks] *n.* (*pl.* **sal·pin·ges** [sælpíndʒiːz]) 〖해부〗 **1** 난관(卵管)(Fallopian tube), 나팔관 **2** 이관(耳管), 유스타키오관(Eustachian tube)

sal·sa [sɑ́ːlsə] *n.* Ⓤ **1** 살사 《재즈·록·소울 요소를 지닌 쿠바 리듬의 라틴 아메리카 음악》; 살사 춤 《살사 음악에 맞춰 추는 춤; 푸에르토리코 기원》 **2** 살사 《멕시코·스페인 요리에 쓰이는 매운 칠리 소스》

salse [sæls] *n.* 〖지질〗 이화산(泥火山)(mud volcano)

sal·si·fy [sǽlsəfi] *n.* (*pl.* **-fies**) 〖식물〗 선모(仙茅) 《뿌리는 식용; 남유럽 원산》

sál sòda 〖화학〗 (결정) 탄산[세탁]소다

‡**salt** [sɔːlt] *n.* **1** Ⓤ 소금, 식염(= common ~): spill ~ 소금을 엎지르다 《재수가 없다고 전해짐》 **2** [*pl.*] 염제(鹽劑), 약용 염 《완하제·방부제》 **3** 식탁용 소금(= table ~) **4** 소금 그릇(saltshaker) **5** 〖화학〗 염(鹽), 염류(鹽類) **6** Ⓤ 자극, 생기를 주는 것, 기지, 재치; 통쾌한 맛, 신랄함: To some men adventure is the ~ of life. 모험에서 삶의 보람을 느끼는 사람도 있다./talk full of ~ 재치가 넘치는 이야기를 하다 **7** [보통 an old ~] (구어) 선원, 《특히》 노련한 선원 **8** (미·속어) (가루로 된) 헤로인 **9** 바닷물이 드나드는 저습지

above*[*below*] *the ~ 〖역사〗 상석[말석]에; 귀족[하층] 계급에 속해 ***be true to one's ~*** (주인을) 충실히 섬기다 ***drop a pinch of ~ on the tail of*** …을 쉽게 붙잡다 ***eat*** a person***'s ~*** = ***eat ~ with*** a person …의 대접을 받다; …의 식객이 되다 ***in ~*** 소금을 친; 소금에 절인 ***like a dose of ~s*** (구어) (하제가 곧 효과를 나타내듯이) 신속하게, 능률적으로 ***not earn ~ to one's porridge*** 거의 아무 벌이도 못하다 ***not made of ~*** 소금으로 된 것이 아닌 《비에 젖어도 녹지 않는》 ***put*[*throw*] *~ on*** a person***'s tail*** …가 활기를 띠도록 …을 해 주다[독려하다] ***rub ~ in*(*to*)** (a person***'s***) ***wound*** (…의) 상처에 소금을 비벼 넣다, 궁지에 몰린 사람을 더욱 몰아세우다 ***take … with a grain*[*pinch*] *of ~*** …을 에누리해서 듣다 ***the ~ of the earth*** 〖성서〗 세상의 소금; (세상의 부패를 막는) 건전한 사회층, 착하고 고결한 사람들 《마태복음 5: 13》 ***worth*[*not worth*] one's ~** 급료 값을 하는[못하는, 무능한]

— *a.* **1** 소금의, 소금기 있는, 짠(cf. FRESH): a ~ spring 염천 **2** 소금에 절인: ~ cod 소금에 절인 대구 **3** Ⓐ **a** 〈토지 등이〉 해수에 잠기는 **b** 바닷물[해변]에 사는: ~ weeds 해변에 사는 풀 **4** 〈눈물·비애 등이〉 쓰라린, 괴로운(bitter); 〈재치·재담 등이〉 신랄한 **5** (구어) 엄청나게 비싼

— *vt.* **1** 〈음식에〉 소금을 치다; 소금으로 간을 맞추다 **2** 소금에 절이다 《*down*》 **3** 〈가축에게〉 소금을 주다 **4** 〖화학〗 염용액(鹽溶液)에 잠그다 《용해를 촉진시키기 위하여》, 소금으로 처리하다 **5** (속어) 〈광산·유정을〉 (질 좋은 광석[석유]을 넣어) 속이다; 〈상품 등을〉 실제 이상으로 보기 좋게 하다; 〈장부 등을〉 속이다 **6** 〈이야기 등에〉 양념을 치다, 재미있게 하다 **7** [과거분사로] 〈말이나 사람을〉 풍토에 적응시키다[익숙해지게 하다], 단련시키다 **8** (눈·얼음을 녹이기 위해 도로에) 소금을 뿌리다

~ away 소금에 절여 두다; 〈돈·증권을〉 저축하다, 안전하게 투자하다 ***~ down*** (1) 소금에 절이다 (2) (구어) 몰래 저축하다 (3) (미·속어) 혼내 주다, 골탕먹이다 ***~ out*** 용액에 소금을 넣어 (용해 물질을) 분리하다 ***~ prices*** 에누리하다 ***~*** a person ***up*** (미·속어) …을 파멸시키다 **~·lìke** *a.* ▷ sálty, sáline *a.*

SALT [sɔ́ːlt] [*S*trategic *A*rms *L*imitation *T*reaty[*T*alks]] *n.* 전략 무기 제한 협정[회담]

sált and pépper (미·속어) 불순한 마리화나

salt-and-pep·per [sɔ́ːltnpépər] *a.* **1** = PEPPER-AND-SALT **2** (미) 흑인과 백인이 같은 구역에 사는; 흑인과 백인이 뒤섞인

sal·tant [sǽltnt] *a.* **1** 뛰는, 튀는, 도약하는 **2** (문장(紋章)에서) 뛰는 자세의

sal·ta·rel·lo [sæ̀ltərélou, sɔ̀ːl-] [It.] *n.* (*pl.* **~s**) 살타렐로 《1-2명이 추는 빠른 스텝의 경쾌한 이탈리아·스페인의 춤》; 그 곡

sal·ta·tion [sæltéiʃən] *n.* Ⓤ **1** 춤추기; 도약, 약동 **2** 격변, 격동, 약진 **3** 〖생물〗 돌연변이(mutation) **~·ism** *n.* 도약 진화론 **~·ist** *n.*

sal·ta·to·ri·al [sæ̀ltətɔ́ːriəl] *a.* **1** 도약성의, 약동하는 **2** 〖동물〗 뛰기에 알맞은

sal·ta·to·ry [sǽltətɔ̀ːri | -təri] *a.* **1** 도약적인, 약동하는 **2** 약진적인: the ~ theory (of evolution) 약진(진화)론

salt·box [sɔ́ːltbɑ̀ks | -bɔ̀ks] *n.* **1** (목제의 부엌용) 소금 그릇(cf. SALTCELLAR) **2** = SALTBOX HOUSE

sáltbox hòuse (미) 소금 그릇형 가옥 《앞면은 2층이고 뒷면은 단층》

sált càke 조제(粗製) 황산나트륨 《유리·비누 제조용》

salt·cat [-kæ̀t] *n.* 소금 덩어리

salt·cel·lar [-sèlər] *n.* **1** (영) (식탁용) 소금 그릇((미) saltshaker) 《부엌용은 saltbox》 **2** (속어) 목덜미 좌우의 우묵한 데

salt·chuck [-tʃʌ̀k] *n.* (캐나다 서해안의) 바다, 염수만(鹽水灣); 염수 후미

sált dòme 〖지질〗 암염(岩鹽) 돔

salt·ed [sɔ́ːltid] *a.* **1** 소금에 절인, 소금으로 간한; 염분이 있는: ~ fish 소금에 절인 생선/~ nuts 땅콩 **2** 〈사람이〉 숙련된, 노련한 **3** (구어) 〈말이〉 (일단 전염병에 걸렸다가) 면역된 **4** 〈광산·유정에〉 협잡질[속임수]을 해 놓은 ***~ down*** (속어) 죽은, 뻗은, 뒈진

salt·er [sɔ́ːltər] *n.* **1** 제염업자; 소금 장수; 제염소 직공; 건물(乾物) 장수(drysalter) **2** (고기·생선 등을) 소금에 절이는 업자

Sálter dùck [영국의 기술자 Stephen H. Salter의 이름에서] 〖전기〗 솔터 덕, 솔터식 파력(波力) 발전 장치

salt·ern [sɔ́ːltərn] *n.* 염전; 제염소

salt·fish [sɔ́ːltfiʃ] *n.* (카리브 해 연안 지방의) 소금에 절인 대구, 간대구

sált flàt 솔트 플랫 《바닷물의 증발로 침전된 염분으로 뒤덮인 평지》

sált gràss 염생초(塩生草) 《염분이 많은 습지나 알칼리 토양에서 자라는》
sált hórse[júnk] 《해양속어》 소금에 절인 쇠고기
sal·ti·grade [sǽltigrèid] 〖동물〗 *a.* **1** 도약에 알맞은 다리를 가진 **2** 파리잡이거밋과(科)의
— *n.* 파리잡이거미
sal·tim·boc·ca [sɑ̀:ltəmbóukə] [It.] *n.* 〖요리〗 살팀보카 《송아지 고기에 햄을 싸서 세이지(sage)로 양념하여 구운 이탈리아 요리》
sal·tine [sɔ:ltí:n] *n.* 짭짤한 크래커
salt·ing [sɔ́:ltiŋ] *n.* **1** 소금에 절이기, (식품의) 염장 **2** 《영》 = SALT MARSH
sálting òut 〖화학〗 염석(塩析)
sal·tire [sǽltiər | sɔ́:ltaiə] *n.* (문장(紋章)의) X형 십자, 성(聖)안드레 십자가(Saint Andrew's Cross)
salt·ish [sɔ́:ltiʃ] *a.* 짭짤한, 소금기가 있는
~·ly *ad.* **~·ness** *n.*
sált láke 염수호(塩水湖)
Sált Làke Cíty 솔트레이크시티 《미국 Utah주의 주도; Mormon교 본부 소재지》
Sált Làke Státe [the ~] 미국 Utah주의 속칭
salt·less [sɔ́:ltlis] *a.* **1** 소금기 없는, 맛없는 **2** 무미건조한, 덤덤한, 하찮은(dull)
sált lìck **1** 동물이 소금을 핥으러 가는 곳(cf. DEER LICK) **2** (가축용) 소금 덩어리
sált màrsh 바닷물이 드나드는 늪지, 염소(塩沼) 《종종 제염에 이용됨》
sált mìne **1** 암염갱(岩塩坑), 암염 산지 **2** [보통 the ~s] 가혹한 일(을 강요당하는 곳) ***go*** [***get***] ***back to the ~***(***s***) 진저리 나는[틀에 박힌] 일로 돌아가다
salt·ness [sɔ́:ltnis] *n.* Ⓤ **1** 소금기 (있음), 짬 **2** 신랄함, 얼얼함(pungency)
sált pàn **1** [보통 *pl.*] 천연[인공] 염전 **2** 소금 가마 **3** [*pl.*] 제염소(saltworks)
salt·pe·ter | -tre [sɔ̀:ltpí:tər] *n.* Ⓤ **1** 〖화학〗 초석(硝石) **2** 〖광물〗 칠레 초석(= Chile ~)
sáltpeter pàper = TOUCH PAPER
sált pìt 염갱(塩坑), 염전(salt pan)
salt-pond [-pɑ̀nd | -pɔ̀nd] *n.* 염지(塩池), 염전
sált pórk 소금에 절인 돼지고기
sált rhèum 〖의학〗 습진(濕疹)(eczema)
sált·ris·ing bréad [-ràiziŋ-] 《주로 미》 달걀·우유·밀가루 등을 섞어 소금을 넣은 효모 빵
salt·shak·er [-ʃèikər] *n.* 《미》 (뚜껑에 구멍이 있는) 식탁용 소금 그릇; 《속어》 (도로의 얼음 제거용) 소금 뿌리는 트럭
sált spòon 소금 숟가락 《식탁용》
sált trùck 《미》 (빙판길의) 소금 살포차
sal·tus [sǽltəs, sɔ́:l-] *n.* (*pl.* **~·es**) **1** (발전 도상의) 급격한 변동, 급변 **2** (논리의) 비약
sált wáter **1** 소금물, 바닷물 **2** 바다 **3** 《익살》 눈물
salt·wa·ter [sɔ́:ltwɔ́:tər] *a.* **1** 바닷물[염수]의, 함수(鹹水)의, 해산(海産)의: a ~ fish 염수어, 바닷물고기 **2** 바다의, 바다에 관한 **3** 바다에 익숙한
sáltwater táffy (해수·식염수를 넣어 만든) 태피
sált wèll 염정(塩井)
salt·works [-wə̀:rks] *n. pl.* [단수·복수 취급] 제염소
salt·wort [-wə̀:rt] *n.* 〖식물〗 솔장다리, 퉁퉁마디 《해안에서 자라며, 태워서 소다회(灰)를 만듦》
∗**salt·y** [sɔ́:lti] *a.* (**salt·i·er**; **-i·est**) **1** 소금기 있는, 짠, 짭짤한; 맛이 없는: a slightly ~ taste 약간 짠 맛 **2** 신랄한, 재치 있는 **3** 《미·속어》 상스러운, 비속한: ~ humor 저질 유머 **4** 바다의, 항해의 **5** 〈말이〉 다루기 힘드는 **6** 노련한, 산전수전 다 겪은 **7** 《미·속어》 심한; 믿기 어려운; 불쾌한 ***jump ~*** 《미·흑인속어》 버럭 화를 내다
sált·i·ly *ad.* **sált·i·ness** *n.* 소금기가 있음; 재치
sa·lu·bri·ous [səlú:briəs] *a.* **1** 〈기후·토지·음식물 등이〉 건강에 좋은, 몸에 좋은 **2** (정신적으로) 유익한 **~·ly** *ad.* **~·ness** *n.* **-bri·ty** [-brəti] *n.* Ⓤ 건강에 좋음

Sa·lu·ki [səlú:ki] *n.* 살루키 《그레이하운드 비슷한 사냥개》
sal·u·ret·ic [sæ̀ljurétik] 〖의학〗 *n.* 염분 배설제(劑) **—** *a.* 염분 배설의 **-i·cal·ly** *ad.*
sal·u·tar·y [sǽljutèri | -təri] *a.* **1** 건강에 좋은 **2** 〈충고 등이〉 유익한, 건전한 **-tàr·i·ly** *ad.*
∗**sal·u·ta·tion** [sæ̀ljutéiʃən] *n.* ⓊⒸ **1** 인사 《★ 현재는 보통 greeting을 씀》: raise one's hat in ~ 모자를 살짝 올려서 인사하다 **2** 인사말; (편지 서두의) 인사말 《Dear Mr.— 등》 **3** 《드물게》 (가벼운) 절, 경례 ★ 현재는 salute가 보통. **~·al** *a.*
▷ salúte *v.*; salútatory *a.*
sa·lu·ta·to·ri·an [səlù:tətɔ́:riən] *n.* 《미》 내빈에 대한 환영사를 말하는 졸업생 《보통 차석(次席) 졸업생; cf. VALEDICTORIAN》
sa·lu·ta·to·ry [səlú:tətɔ̀:ri | -təri] *a.* 인사의, 환영의 **—** *n.* (*pl.* **-ries**) 《미》 (개회 또는 내빈에 대한) 인사말 《졸업식에서 보통 차석 졸업생이 함; cf. VALEDICTORY》
⁑**sa·lute** [səlú:t] [L 「(상대방의) 건강을 기원하다」의 뜻에서] *vt.* **1** 〖군사·해양〗 **경례하다**; 예포를 쏘다, 경의를 표하다 (*with, by*): (~+목+전+명) ~ one's superior officer *with* a hand 상관에게 거수 경례를 하다 / The Queen was ~*d with* 21 guns. 여왕은 21발의 예포로 환영을 받았다. **2** **인사하다**, 절하다 **3** (웃는 얼굴·키스·갈채로) 〈사람을〉 맞이하다 (*with*): (~+목+전+명) ~ a person *with* cheers …을 갈채로 맞이하다 **4** 〈광경·소리 등이〉 눈에 보이다, 귀에 들리다 **5** 《고어》 손[뺨]에 키스하다
— *vi.* **1** 〖군사〗 예포를 쏘다 **2** 인사하다; 경례하다
— *n.* **1** 〖군사·해양〗 **경례**, 예포, 받들어총: fire [give] a ~ (of 7 guns) (7발의) 예포를 쏘다 / take the ~ 《특히》 (최고 지휘관이) 경례를 받다 **2** **인사**, 절: raise one's hand in ~ 거수경례를 하다 **3** 갈채, 만세 **4** (인사로) 손[뺨]에 하는 키스 **5** 《미》 폭죽(爆竹) **6** 〖펜싱〗 시합 개시의 인사 ***come to the ~*** 〖군사〗 경례하다 ***exchange ~s*** 예포를 교환하다 ***return a ~*** 답례하다; 답포(答砲)를 쏘다 ***stand at*** (***the***) ***~*** (경기 전에) 경례의 자세로 서다 **sa·lút·er** *n.*
▷ salutátion *n.*; salútatory *a.*
sal·u·tif·er·ous [sæ̀ljutífərəs] *a.* = SALUTARY
Salv. Salvador
salv·a·ble [sǽlvəbl] *a.* (난파선·화재 등에서) 구출[구조]할 수 있는 **sàl·va·bíl·i·ty** *n.* **~·ness** *n.*
Sal·va·dor [sǽlvədɔ̀:r] *n.* **1** = EL SALVADOR **2** 남자 이름
Sal·va·do·ran [sæ̀lvədɔ́:rən] *a.* 엘살바도르 공화국의 **—** *n.* 엘살바도르 사람
∗**sal·vage** [sǽlvidʒ] [L 「구하다」의 뜻에서] *n.* Ⓤ **1** 해난(海難) **구조**, 조난 선박의 화물 구조: a ~ operation 구조 작업 **2** 구조 선박, 구조 화물 **3** 침몰선의 인양 (작업) **4** 구출, (화재에서의) 인명 구조, 《특히》 (피보험) 재화(財貨)의 구출; 구출 재화: a ~ company 구난(救難) 회사 **5** 재난 구조료(= ~ **mòney**), 구조 사례금 **6** 〖보험〗 보험금 공제액 **7** 폐품 이용[회수]: a ~ campaign 폐품 수집 운동
— *vt.* **1** 〈난파선·화재 등으로부터 배·재화 등을〉 구출[구조]하다 (*from*); 〈침몰선을〉 인양하다 **2** 《비유》 〈환자를〉 구출하다 **3** 《미·군대속어》 착복하다, 횡령하다 **4** 〈폐품을〉 이용하다 **5** 구하다, 지키다, 실패로부터 막다: He tried to ~ the company's reputation. 그는 회사의 명성을 지키려고 노력하였다.
~·a·ble *a.* **sàl·vage·a·bíl·i·ty** *n.* **sál·vag·er** *n.*
sálvage archaeòlogy 〖고고학〗 구출[긴급 발굴] 고고학 《공사·홍수 등에 있어서, 매장물의 파괴 방지를 위한 긴급 발굴》
sálvage bòat 해난 구조선, 구난선
sálvage còrps (화재 보험 회사의) 화재 구출대
sálvage yàrd 《미》 폐차장
Sal·var·san [sǽlvərsæ̀n] *n.* 〖의학〗 살바르산 《상표명; 매독약 「606호」》

sal·va·tion** [sælvéiʃən] [L「구하다」의 뜻에서] *n.* **1** Ⓤ 구제, 구조: the company's ~ from bankruptcy 회사를 파산에서 구제하기 **2** 구제물; 구제 수단; 구제자: be the ~ of …의 구제 수단이 되다, …을 구제하다 **3** Ⓤ 〖신학〗 구원, 구세; Ⓒ 구세주 ***find ~ (그리스도교로) 개종하다; 《익살》 마침 잘 됐다고[좋은 기회라고] 변절하다 ***work out*** one***'s own*** ~ 자력으로 구제책을 강구하다 **~·al** *a.*

Salvátion Ármy [the ~] **1** 구세군 《1878년 전도와 사회사업을 위해 영국인 W. Booth가 조직한 군대식 그리스도교 단체; 모토는 Through Blood and Fire》 **2** 구세군 가게

Sal·va·tion·ism [sælvéiʃənìzm] *n.* Ⓤ **1** 구세군의 교리 **2** [**s~**] 영혼의 구제를 강조하는 교리, 복음 전도

Sal·va·tion·ist [sælvéiʃənist] *n.* **1** 구세군 군인 **2** [**s~**] 복음 선교자[전도자]
— *a.* 구세군의; [**s~**] 복음 전도의

salve¹ [sǽv, sɑ́:v | sǽlv] *n.* **1** Ⓤ 고약, 연고(軟膏) (cf. LIPSALVE): apply ~ to a wound 상처에 연고를 바르다 **2** ⓊⒸ 위안, 위로 **3** 《미·속어》 아첨, 감언; 소액 뇌물 **—** *vt.* **1** 고약을 바르다; 〈병·상처 등을〉 고치다 **2** 〈고통을〉 가라앉히다, 덜다(soothe); 〈자존심·양심 등을〉 달래다; 아첨하다 **3** 《미·속어》 〈…에게〉 보수를 주다; (뇌물로) 매수하다

salve² [sǽlv] *vt.* **1** 해난(海難)을 구조하다, 〈배·화물을〉 구하다 **2** 〈가재(家財)를〉 화재에서 건져내다[꺼내다](salvage)

sal·ve³ [sǽlvi] *int.* 행복이 있으라, 만세(hail)
— *n.* 〖가톨릭〗 *Salve, Regina*(=Hail, Queen)로 시작되는 성모 찬미가(로 된 기도)

sal·ver [sǽlvər] *n.* (금속제) 쟁반 《하인이 간단한 식사·명함·편지 등을 얹어 내놓는》

sal·vi·a [sǽlviə] *n.* 〖식물〗 샐비어, 깨꽃 《여름에 심홍색 꽃이 핌》

sal·vif·ic [sælvífik] *a.* 구제(救濟)를 베푸는[에 도움이 되는, 초래케 하는]: God's ~ will 신의 구제 의지 **-i·cal·ly** *ad.*

sal·vo¹ [sǽlvou] [It.] *n.* (*pl.* **~(e)s**) **1** 일제 사격; 폭탄의 일제 투하, (예포의) 일제 발사 **2** 일제히 일어나는 박수 갈채[환호, 환성]: laugh in ~ 일제히 웃다
— *vt., vi.* 일제 사격[투하]을 하다

salvo² *n.* (*pl.* **~s**) **1** 위안, (감정의) 완화책, (명예 등의) 보전 수단 **2** 〖영국법〗 유보 조항, 단서(proviso)

sal vo·la·ti·le [sæ̀l-voulǽtəli: | sæl-vɔ-] [L=volatile salt] 탄산 암모니아(수)(smelling salts)

sal·vor [sǽlvər] *n.* 해난 구조자[선]

sal·war [sʌlwɑ́:r] *n.* 인도의 여성용 바지 《헐렁하고 발목이 끼는》: a ~ kameez 살와르 까미즈 《긴 셔츠와 헐렁한 바지》

Sal·yut [sɑ́:ljù:t] [Russ. =salute] *n.* 살류트 《구소련의 우주 스테이션 1호(1971), 2호(1973)》

Sam [sǽm] *n.* **1** 남자 이름 《Samuel의 애칭》; 여자 이름 《Samantha의 애칭》 **2** 《학생속어》 멋있는 사내 **3** 《미·마약속어》 (연방 정부의) 마약 단속관
~ and Dave 《미·흑인속어》 [집합적] 경찰(관) ***stand ~*** 《속어》 (특히 술값 등) 비용을 도맡다, 한턱내다 ***take*** one***'s ~ upon it*** 책임지다, 장담하다 ***Uncle ~*** 미국 사람; 미국 정부(cf. JOHN BULL) ***upon my ~*** 《영·속어》 맹세코, 꼭

SAM [sǽm] [surface-to-*a*ir *m*issile] *n.* 지[함]대공(地[艦]對空) 미사일

SAM sequential access method 〖컴퓨터〗 순차적 접근 방식; Single Asian male **Sam., Saml.** 〖성서〗 Samuel **S. Am.** South America(n) **SAMA** Saudi Arabian Monetary Agency 사우디 아라비아 금융청(金融廳)

sa·ma·dhi [səmɑ́:di] *n.* 〖불교〗 선정(禪定), 삼매(三昧) 《명상의 최고 경지》

Sa·maj [səmɑ́:dʒ] *n.* 사마지 《힌두교의 혁신적 종교 단체[운동]의 총칭》

Sa·man·tha [səmǽnθə] *n.* 여자 이름

sa·ma·ra [sǽmərə, səmέərə | səmɑ́:rə] *n.* 〖식물〗 익과(翼果), 시과(翅果)(key fruit)

Sa·mar·i·a [səmέəriə] *n.* **1** 사마리아 《고대 Palestine의 북부 지방》 **2** 고대 헤브라이 인의 북(北)왕국; 그 수도

Sa·mar·i·tan [səmǽrətn] *a.* **1** 사마리아(Samaria)의 **2** 사마리아 사람[말]의 **3** 동정심이 많은
— *n.* **1** 사마리아 사람 **2** Ⓤ 사마리아 말 **3** [때로 **s~**] =GOOD SAMARITAN; 사마리아 인(人) 협회 회원 **4** 인정 많은 사람 **~·ism** *n.*

sa·mar·i·um [səmέəriəm] *n.* Ⓤ 〖화학〗 사마륨 《희토류 원소; 기호 Sm, 번호 62》

Sam·ar·kand [sæ̀mərkǽnd | mɑː] *n.* 사마르칸트 《우즈베키스탄 공화국의 오래된 오아시스 도시》

sa·mar·skite [səmɑ́:rskait] *n.* Ⓤ 〖광물〗 사마스카이트 《우라늄 등을 함유한 광물》

Sa·ma-Ve·da [sɑ́:məvéidə, -ví:-] *n.* [the ~] 사마베다 《가영(歌詠)을 모은 Veda》

sam·ba [sǽmbə, sɑ́:m-] *n.* 삼바 《아프리카에서 비롯된 경쾌한 2/4박자의 브라질 댄스》; 삼바 곡
— *vi.* (**~(e)d**) 삼바춤을 추다

sam·bar, -bur [sǽmbər, sɑ́:m-] *n.* 〖동물〗 삼바 《동남아시아산(産)의 세 갈래 뿔을 가진 큰 사슴》

sam·bo¹ [sǽmbou] *n.* (*pl.* **~s**) **1** 《속어》 (남미의) 인디오와 흑인과의 혼혈아 **2** [종종 **S~**] 《경멸》 (남자) 검둥이

sambo² [Russ.] *n.* 〖스포츠〗 삼보 《레슬링과 유도 기술을 합친 격투기》

Sám Brówne (**bèlt**) **1** 멜빵 달린 장교용 혁대 **2** 《속어》 장교

‡same ⇨ same (p. 2217) ▷ sámeness *n.*

sa·mekh, sa·mech [sɑ́:məx] *n.* 헤브라이 알파벳의 15번째 자(字)

sam·el [sǽməl] *a.* 〈벽돌·타일이〉 덜 구워져 약한

same·ness [séimnis] *n.* Ⓤ **1** 동일성, 같음, 흡사 **2** 단조로움, 무변화

S.Am(er). South America(n)

same-sex [-séks] *a.* 동성(同性)의: ~ marriage 동성 간 결혼

same·y [séimi] *a.* 《영·구어》 단조로운, 구별이 안 되는 **~·ness** *n.*

sam·fu, -foo [sǽmfu:] *n.* 샘푸 《깃이 높은 상의와 바지로 이루어진 중국의 여자 옷》

Sám Híll 《미·속어》 지옥; [hell의 완곡한 표현; 의문사를 강조하여] 도대체, 대관절: Who in (the) ~ are you? 도대체 당신은 누구요? / What the ~ is the matter? 대관절 무슨 일이냐?

Sa·mi [séimi] *n.* =LAPP

Sa·mi·an [séimiən] *a.* (그리스의) 사모스(Samos) 섬의; 사모스 섬 사람의 **—** *n.* 사모스 섬 사람

Sámian wáre 사모스 도자기 《로마 유적에서 많이 발굴된 적갈색 또는 흑색의 무른 도자기》

sam·iel [sæmjél] *n.* =SIMOOM

sa·mink [séimiŋk] *n.* 세이밍크의 모피 《돌연변이로 털이 검은 담비 비슷하게 된 밍크》

sa·mite [sǽmait, séi-] *n.* Ⓤ (중세의) 금실[은실]을 섞어서 짠 비단

sa·mi·ti, -thi [sǽmiti:] *n.* (*pl.* **sa·mi·tis**) 《인도》 정치 집단; 위원회, 협회

sa·miz·dat [sɑ́:mizdɑ̀:t] [Russ.] *n.* Ⓤ (특히 구소련의) 지하 출판(사[물])

sa·miz·dat·chik [sɑ̀:mizdɑ́:tʃik] [Russ.] *n.* (*pl.* **-chi·ki** [-tʃiki:]) 지하 출판 활동가

Saml., Sam'l Samuel

sam·let [sǽmlit] *n.* 〖어류〗 연어 새끼

Sam·my [sǽmi] *n.* (*pl.* **-mies**) **1** 남자 이름 《Samuel의 애칭》; 여자 이름 《Samantha의 애칭》 **2** 《속어》 (제1차 대전에 참가한) 미국 병사 **3** 《미·속어》 유대인 남자[학생] **4** [**s~**] 《영·속어》 바보, 얼간이 **5** 《구어》 (남아프리카의) 인도인 청과물 상인
stand ~ 술을 한턱 내다(cf. stand SAM)

same

as, that, which, who, where 등과 상관적으로 써서 「같은 종류, 동일물」을 나타낸다. the same ... that ...는 「동일물」을, the same ... as ...는 「같은 종류의 것」을 나타낸다고 하지만 반드시 그런 것은 아니다.

동일물을 강조할 때는 the very same ...(바로 그…)을 쓰기도 한다: This is *the very same* watch I lost yesterday. 이것은 내가 어제 잃어버린 바로 그 시계다.

‡same [séim] *a.* **1** [the ~] 같은 ★Ⓐ나 Ⓟ에서 모두 the를 붙여서 씀. **a** (질·양·정도·종류 등이) 같은, 똑같은, 동일한, 한가지의: We eat *the* ~ food every day. 우리는 매일 같은 음식을 먹는다. / He and I are *the* ~ age. 그와 나는 동갑이다. / He always gives *the* ~ old excuse. 그는 맨날 케케묵은 똑같은 변명을 한다. / He has made *the* very ~ mistake again. 그는 또다시 똑같은 잘못을 저질렀다. ★ the same을 강조할 때에는 the very same을 쓰는 일이 있음; cf. one and the SAME. **b** (이전과) 같은, 변함없는: at *the* ~ price 같은 가격으로 / The patient is much[about] *the* ~. 환자는 대체로 같은 용태다. / Seoul was not *the* ~ city after the war. 서울은 전쟁 후에 완전히 달라져 버렸다.

> 유의어 **same**은 동일물 또는 다른 것일지라도 질·내용·외관 등이 똑같다: take the *same* route 같은 행로로 가다 **identical**은 동일함이 same보다 강조되어 모든 세부에 이르기까지 완전히 똑같은: the *identical* person 동일인, 본인 **equal**은 동일물은 아니나 양·크기·가치 등이 같다: *equal* shares in the business 사업에서의 동등한 할당 **similar**는 동종의 것으로 성질·형상 등이 비슷하다의 뜻으로 쓰인다: two *similar* paintings 두 장의 비슷한 그림

2 [보통 the ~; as, that, who, where 등과 상관적으로 쓰여] **a** (질·양·정도·종류 등이) 〈…와〉 같은, 동종의, 동일한 《용법은 1의 ★와 같음》: *the* ~ book *as* yours[you have] 네가 가진 것과 같은 책 / Your shoes are *the* ~ size *as* mine. 자네 신발 크기는 내 것과 같다. / *The* ~ man *that*[*who*] came yesterday is here again. 어제 왔던 사람이 또 와 있다. 《★ as는 동종인 경우에, that는 동일한 경우에 사용된다고 되어 있으나, 현재 엄밀한 구별은 없음》/ They met at[in] *the* ~ place (*where*) they had met before. = They met at[in] *the* ~ place *as* before. 그들은 전과 같은 장소에서 만났다. ★ 종속절에 주어와 동사가 생략될 경우에는 as가 쓰임. **b** (이전과) 같은, 변함없는: He made *the* ~ mistake *as* last time. 그는 지난 번과 똑같은 잘못을 저질렀다.

3 [this, that, these, those 다음에] 예(例)의, 저, 이, 그, 당…, …이라고 하는 《★ the보다 강조적이지만, 종종 경멸적으로 쓰임》: We are fed up with *that* ~ old sermon of his. 우리는 그의 예의 잔소리에 진절머리가 난다. / Later *this* ~ boy became president. (다름아닌 바로) 이 소년이 후에 대통령이 되었다.

about the ~ 거의 같은(⇨ 1 b)

all the ~ (1) [보통 it를 주어로 하여] (…에게는) 똑같은; 아무래도 좋은[상관 없는] 《*to*》: if *it* is *all the* ~ (*to* you) 상관이 없으시다면 / You can pay now or later; *it* is *all the* ~ *to* me. 지금 지불하셔도 되고 나중에 하셔도 됩니다. 나에게는 어느 쪽이든 상관 없습니다. (2) [부사적으로] 그래도 (역시), 그렇지만 (nevertheless): He has defects, but I like him *all the* ~. 그에게는 결점이 있지만 그래도 나는 그를 좋아한다.

at the ~ time 동시에; 그렇지만, 그렇기는 하나: His jokes are insulting, but, *at the* ~ *time*, very funny. 그의 농담은 무례하지만 한편 아주 웃기기도 한다.

be* (*all*) *in the ~ boat ⇨ boat

come*[*amount*] *to the ~ thing 결국은 마찬가지다

just the ~ = all the SAME

much the ~ 거의[대체로] 같은(⇨ 1 b)

one and the ~ 동일한, 똑같은: The evening star and the morning star are *one and the* ~ star. 개밥바라기와 샛별은 같은 한가지 별이다.

(***the***) ***~ but*[*only*] *different*** 《구어》 거의 비슷한, 엇비슷한, 약간 다른

the ~ old 흔히 있는, 흔해[낡아] 빠진, 예의(⇨ 3)

the very ~ 꼭 같은, 바로 그(⇨ 1 a)

— *pron.* **1** [the ~] **동일물**, 동일한 것[사람]: *The* ~ goes for you. 똑같은 일이 너에게도 해당된다, 너도 마찬가지다. / I'll do *the* ~ to you some day. 언젠가 네게 같은 짓을 해 주겠다. / I'll have *the* ~. [주문할 때에] 나도 같은 것으로 하겠다.

2 [the를 붙이지 않고] 《익살》 **동일한 것**[**일**, **사람**]: The charge is $100; please remit ~. 대금은 100달러입니다. 송금해 주십시오. ★ same 대신에 it 등의 대명사를 사용하는 것이 일반적임.

I wish you the ~! = (***The***) ***~ to you!*** (1) [Happy New Year! 라든가 Merry Christmas! 등의 인사에 답하여] 당신께서도 또한 그러시기를! (2) [모욕적인 말에 대하여] 너도 마찬가지지[같다]!

one and the ~ 동일한 사람[것]

S~ here. 《구어》 (1) [상대방의 말에 동의를 나타내어] 나도[여기도] 마찬가지다: "I'm very tired." — "*S~ here.*" 아, 참 피곤하다. — 나도 마찬가지다. (2) [주문을 할 때에] 여기[나]도 같은 것을 주시오.

(***The***) ***~ again, please.*** 한 그릇[잔] 더 주시오.

to*[*from*] *the ~ 〈편지 등이〉 같은 사람에게[으로부터]

— *ad.* **1** [the ~] **a** 마찬가지로, 똑같이: 'Right' and 'write' are pronounced *the* ~. right와 write는 발음이 똑같다. / I still feel *the* ~ about you. 당신에 대한 감정에는 변함이 없소. **b** [as와 상관적으로 쓰여] (…와) 같게: I don't think *the* ~ *as* he does. 나는 그가 생각하는 식으로 생각하지 않는다.

2 [the를 붙이지 않고; as와 상관적으로 쓰여] 《구어》 …와 마찬가지로: He has his pride, ~ *as* you (do). 그에게도 너와 마찬가지로 긍지가 있다.

Sam·nite [sǽmnait] *a.* (고대 이탈리아의) 삼늄(Samnium) 사람의; 삼늄 사람[말]의 — *n.* 삼늄 사람; Ⓤ 삼늄 말

Sam·ni·um [sǽmniəm] *n.* 삼늄 《고대 이탈리아 중부의 나라》

Sa·mo·a [səmóuə] *n.* 사모아 (제도) 《남태평양의 14개의 화산섬으로 이루어진 군도; 미국령 American Samoa와 1962년 독립한 Western Samoa로 갈라짐》

Sa·mo·an [səmóuən] *a.* 사모아 섬[사람, 말]의 — *n.* **1** 사모아 사람 **2** Ⓤ 사모아 말

Sa·mos [séimɑs | -mɔs] *n.* 사모스 《에게 해(海) 동부 그리스령(領)의 섬》

SAMOS satellite anti-missile observation system 미사일 정찰 위성

sa·mos·a [səmóusə] *n.* 사모사 《인도의 전통 요리》
sam·o·var [sǽməvɑ̀:r] [Russ.] *n.* 사모바르 《러시아의 차 끓이는 주전자》

samovar

Sam·o·yed(e) [sæ̀məjéd, səmɔ́iid | sæ̀məjéd] *n.* **1** 사모예드 사람 《중앙 시베리아의 몽고족》 **2** Ⓤ 사모예드 말 《우랄(Uralic) 어족의 하나》 **3** 《영》 사모예드 개 《흰색 또는 크림색의 스피츠계》
-yéd·ic *a.* 사모예드 사람[말]의
samp [sǽmp] *n.* Ⓤ 《미》 굵게 간 옥수수(죽)
sam·pan [sǽmpæn] [Chin.] *n.* 삼판선(三板船), 삼판 《바닥이 판판한 (외돛) 거룻배》

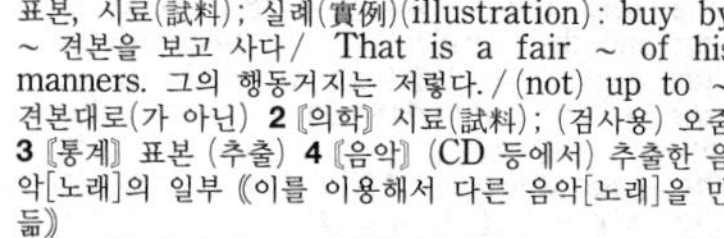
sampan

sam·phire [sǽmfaiər] *n.* **1** 미나릿과(科) 크리스뭄속(屬)의 다육(多肉) 식물 《유럽산(産); 잎을 식초에 절임》 **2** = GLASSWORT
:sam·ple [sǽmpl | sɑ́:m-] [example의 두음 소실(頭音消失)] *n.* **1** 견본, 샘플, 표본, 시료(試料); 실례(實例)(illustration): buy by ~ 견본을 보고 사다 / That is a fair ~ of his manners. 그의 행동거지는 저렇다. / (not) up to ~ 견본대로(가 아닌) **2** 〖의학〗 시료(試料); (검사용) 오줌 **3** 〖통계〗 표본 (추출) **4** 〖음악〗 (CD 등에서) 추출한 음악[노래]의 일부 《이를 이용해서 다른 음악[노래]을 만듦》
— *a.* Ⓐ **1** 견본의: a ~ copy 신간 견본 / a ~ fair 견본시(市) **2** 실험의 **3** 〖통계〗 표본의
— *vt.* **1** …의 견본[표본]을 만들다; (견본으로 질을) 시험하다 **2** 시식[시음]하다: ~ wine 포도주를 시음하다 **3** …의 견본[표본]이 되다, 표본 추출을 하다 **4** 〖음악〗 (CD 등에서) 〈음악[노래]의 일부를〉 추출하여 이용하다
sámple bàg 《호주》 선전용 견본을 넣은 주머니
sámple càrd 견본 카드
sámple pòint 〖수학〗 표본점
sámple pòst 상품 견본 우편 《특별 요금 우편》
sam·pler [sǽmplər | sɑ́:m-] *n.* **1** 견본 검사자 **2** 시식[시음]자 **3** 시료(試料) 채취기, 견본 추출 검사 장치; 〖음악〗 샘플링하는 장치[기계] **4** 《미》 견본집; 선집(選集); (기량을 보이기 위한) 자수(刺繡) 시작품
sámple ròom **1** 견본 진열실 **2** 《미·구어》 술집
sámple spàce 〖수학〗 표본 공간
***sam·pling** [sǽmpliŋ | sɑ́:m-] *n.* **1** Ⓤ 견본[표본] 추출(법); Ⓒ 추출 견본: random ~ 임의 추출 견본 **2** 시식[시음](회) **3** 〖전기〗 샘플링, 표본화 **4** 〖음악〗 샘플링 《디지털 녹음된 CD 등에서 음악이나 노래를 임의로 추출하여 새 음악[노래]의 일부로 이용하기》
sámpling distribùtion 〖통계〗 (정규 모집단(母集團)을 기초로 한) 표본 분포
sámpling èrror 〖통계〗 표본 오차
sámpling inspèction 〖상업〗 표본 추출 검사
sam·sa·ra [səmsɑ́:rə] *n.* 〖힌두교·불교〗 윤회 (전생), 유전(流轉)(cf. NIRVANA)
Sam·son [sǽmsn] *n.* **1** 남자 이름 **2** 〖성서〗 삼손 《구약 성서에 나오는 장사(壯士); 애인 Delilah에 속아 장님이 된 후 적에게 인도됨; 사사기 13-16》 **3** 《일반적으로》 장사(壯士), 힘센 남자 (***as***) ***strong as*** ~ 엄청나게 힘이 센
Sámson('s) pòst [때로 **s~**] 〖항해〗 (이물[고물]의) 계선주(繫船柱); (갑판의 하역용 boom을 받치는) 킹포스트(king post)
***Sam·u·el** [sǽmjuəl] *n.* **1** 남자 이름 《略 Sam., 애칭 Sammy》 **2** 〖성서〗 사무엘 《히브리의 예언자·사사(士師); 사무엘 상 10 : 1》 **3** 〖성서〗 사무엘서(The First [Second] Book of Samuel) 《구약 중의 상·하 2책; 略 Sam.》
Sam·u·el·son [sǽmju:əlsən, -jəl-] *n.* 새뮤얼슨 **Paul Anthony** ~ (1915-) 《미국의 경제학자; 노벨 경제학상 수상(1970)》
sam·u·rai [sǽmurài] [Jap.] *n.* (*pl.* **~, ~s**) (일본의) 무사; [the ~] 무사 계급
san [sǽn] *n.* 《속어》 = SANATORIUM
San [sɑ́:n] [Sp., It.] *a.* = SAINT
Sa·n'a, Sa·naa [sɑ:nɑ́:] *n.* 사나 《Yemen의 수도》
Sán Andréas fáult 〖지리〗 샌앤드레어스 단층 《북미 서해안의 대단층(大斷層)》
San An·to·ni·o [sæ̀n-æntóuniòu] 샌안토니오 《미국 Texas 주 남부의 도시》
san·a·tive [sǽnətiv] *a.* 병을 고치는 (힘이 있는); 건강에 좋은
***san·a·to·ri·um** [sæ̀nətɔ́:riəm] [L 「건강, 보양」의 뜻에서] *n.* (*pl.* **-ri·a** [-riə], **~s**) **1** (특히 정신병·결핵 환자) 요양소 **2** 휴양지 **3** 《영》 (학교 등의) 양호실
san·a·to·ry [sǽnətɔ̀:ri | -təri] *a.* 건강에 좋은, 병을 고치는
san·be·ni·to [sæ̀nbəní:tou] *n.* (*pl.* **~s**) 〖역사〗 **1** 회개복, 죄수복 《옛 스페인의 종교 재판소에서 회개한 이교도에게 입힌 노란 옷》 **2** 지옥복 《회개하지 않은 이교도를 화형에 처할 때 입힌 검은 옷》
San·cho Pan·za [sǽntʃou-pǽnzə] 산초 판자 《Cervantes작 *Don Quixote*에 나오는 인물; 돈키호테의 하인, 상식이 풍부한 속물(俗物)의 표본》
sanc·ta [sǽŋktə] *n.* SANCTUM의 복수
sanc·ti·fi·ca·tion [sæ̀ŋktəfikéiʃən] *n.* Ⓤ **1** 신성화, 청정화(淸淨化) **2** 축성(祝聖)
sanc·ti·fied [sǽŋktəfàid] *a.* **1** 신성화된; 축성된; 정화된 **2** 독실한 체하는
sanc·ti·fi·er [sǽŋktəfàiər] *n.* **1** 신성하게 하는 사람 **2** [**S~**] 성령(Holy Spirit)
***sanc·ti·fy** [sǽŋktəfài] *vt.* (**-fied**) **1** 신성하게 하다, 축성(祝聖)[성별(聖別)]하다 **2** 〈사람의〉 죄를 씻다, 정화하다 **3** (종교적 입장에서) 정당화하다, 시인하다 (justify): ~ a marriage 결혼을 인가하다
▷ sánctity, sanctificátion *n.*
sanc·ti·mo·nious [sæ̀ŋktəmóuniəs] *a.* 독실한[신성한] 체하는, 독실한 신자인 체하는
~·ly *ad.* **~·ness** *n.*
sanc·ti·mo·ny [sǽŋktəmòuni] *n.* Ⓤ 독실한 체함, 독실한 신자인 체함
sanc·tion** [sǽŋkʃən] [L 「신성하게 함」의 뜻에서] *n.* Ⓤ **1** 재가(裁可), 인가, 시인; 《일반적으로》 허용, 찬성(approval): (~+to*** do) We have the ~ of the law *to* hunt in this place. 이곳에서 사냥하는 것은 법률로 인가되어 있다. **2** 도덕적[사회적] 구속력: the ~ of conscience 양심의 구속력 **3 a** (법령·규칙 위반에 대한) **제재**, 처벌: social ~*s* 사회적 제재 **b** [보통 *pl.*] (국제법 위반국에 대하여 보통 여러 나라가 공동으로 가하는) 제재 (조치); 제재 규약: economic [military] ~*s* 경제[무력] 제재
give ~ to …을 재가[시인]하다 ***punitive*** [***vindicatory***] ~ 형벌 ***remuneratory*** ~ 포상(褒賞) ***suffer the last ~ of the law*** 사형을 받다 ***take ~s against*** …에게 제재 조치를 취하다
— *vt.* **1** 인가[재가]하다; 시인하다; 찬성하다: (~+***-ing***) His conscience didn't ~ steal*ing*. 그의 양심은 도둑질하는 것을 용납하지 않았다. **2** 〈법령 등에〉 제재 규정을 설정하다
~·a·ble *a.* **~·er** *n.* **~·ist** *n.* **~·less** *a.*
sanc·ti·tude [sǽŋktitjù:d | -tjù:d] *n.* 신성, 고결
***sanc·ti·ty** [sǽŋktəti] *n.* (*pl.* **-ties**) **1** Ⓤ 거룩함,

thesaurus **sample** *n.* specimen, example, instance, illustration, exemplification, model
sanction *n.* authorization, warrant, accreditation, license, endorsement, permission, consent, approval, approbation, acceptance

정(淨)함, 고결 **2** Ⓤ 신성, 존엄 **3** [*pl.*] 신성한 의무[감정《등》]: the *sanctities* of the home 가정의 신성(한 의무) ***odor of*** ~ 유덕(有德)의 향기

∗**sanc·tu·ar·y** [sǽŋktʃuèri | -əri] *n.* (*pl.* **-ar·ies**) **1** 신성한 장소, 신전, 사원, 성당, 교회 **2** 성역(聖域)《중세에 법률의 힘이 미치지 못했던 교회 등》; 피신처, 은신처 **3** 〖유대교〗 성막(聖幕), 예루살렘 신전; 지성소(至聖所) **4** (교회의) 성단소(chancel) **5** (비유) (타인에게 침범당하지 않는) 안식처《마음속 등》 **6** Ⓤ (교회 등의) 죄인 비호권(庇護權), 성역권 **7** 〖수렵〗 금렵기[구], 보호 지역: a wildlife ~ 야생 동물 보호 구역 ~ ***privilege*** 면죄 특권 ***take***[***seek***] ~ 성역으로 피신하다 ***violate***[***break***] ~ 성역을 침범하다《죄인을 체포하기 위해》

sánctuary mòvement (미) 불법 입국자 보호 운동《남미, 특히 미국이 지원하는 엘살바도르·과테말라에서 압제 정치를 피해 미국으로 불법 입국하는 사람을 보호하는 운동》

sanc·tum [sǽŋktəm] *n.* (*pl.* **~s, -ta** [-tə]) **1** (유대 신전의) 성소(聖所) **2** (타인의 침해를 받지 않는) 사실(私室), 피난처

sánctum sanc·tó·rum [-sæŋktɔ́:rəm] **1** (유대 신전의) 지성소(至聖所) **2** 사실(私室), 피난처(sanctum)

Sanc·tus [sǽŋktəs] [L = holy] *n.* 〖가톨릭〗 상투스《성찬식 때 감사송(頌) 다음에 부르는 노래; *'Sanctus'*(거룩하시다)로 시작됨》; 성가곡

Sánctus bèll 제종(祭鍾)《미사 때 울리는 종》

sánctus tùrret 제종을 매다는 종루

⁑**sand** [sǽnd] *n.* **1** Ⓤ 모래: a grain of ~ 모래 한 알 / (as) numberless[numerous] as the ~(*s*) (on the seashore) (바닷가의) 모래알 같이 수많은 **2** [*pl.*] 모래땅, 모래 벌판[언덕]; 사막; [종종 *pl.*] 모래톱, 사주(砂洲) **3** [보통 *pl.*] **a** (모래시계의) 모래알 **b** (비유) 시각, 시간; 수명 **4** Ⓤ 모래 빛깔, 불그스름한 노란색 **5** Ⓤ (미·구어) 용기, 결단력: have plenty of ~ 매우 용기[결단력]가 있다 **6** 잠잘 때 눈에 괴는 눈물 방울 **7** Ⓤ (미·속어) 설탕 **8** 〖의학〗 모래: brain ~ 뇌사(腦砂)《중추신경 조직에 존재하는 모래 상태의 물질》 ***built on*** ~ 모래 위에 세운; 불안정한 ***bury one's head in the*** ~ ⇨ head. ***dry ink***[***writing***] ***with*** ~ 모래로 잉크[글자]를 말리다《옛날 방식》 ***footprints on the ~s of time*** 이 세상에 산 발자취 ***plow***[***number***] ***the*** ~(***s***) 헛수고를 하다 ***put ~ in the wheels***[***machine***] 일을 방해하다; 파괴하다 ***raise*** ~ (미·구어) 큰 소동을 일으키다 ***run into the ~s*** 꼼짝 못하게 되다, 궁지에 빠지다 ***sow the*** ~ 무익한 일을 하다

— *vt.* **1** 〈…에〉 모래를 뿌리다: ~ a road (빙판) 길에 모래를 뿌리다 **2** 모래로 덮다[파묻다]《종종 *up, over*》: (~+목+부) The harbor is ~*ed up* by the current. 그 항구는 조류에 밀려온 모래로 얕아졌다. **3** 〈배를〉 모래톱에 얹히게 하다, 좌초시키다 **4** 모래를 섞다: ~ cement 시멘트에 모래를 섞다 **5** 모래[샌드페이퍼]로 닦다《*down, out*》 **~·a·ble** *a.*

Sand [sǽnd] *n.* 상드 **George** ~ (1804-76)《프랑스의 여류 작가; Mme. Dudevant의 필명》

⁑**san·dal** [sǽndl] *n.* [보통 *pl.*] **1** 샌들《고대 그리스·로마 사람이 신던 가죽신》 **2 a** 샌들(신)《고무창에 (가죽)끈으로 매게 된》 **b** 얕은 단화, (일종의) 슬리퍼 **c** (미) 얕은 오버슈즈 **3** (샌들의) 가죽끈

— *vt.* (**~ed**; **~·ing** | **~led**; **~·ling**) [주로 수동형으로] 〈…에게〉 샌들을 신기다

sán·dal(l)ed [-d] *a.* 샌들을 신은

san·dal·wood [sǽndlwùd] *n.* 〖식물〗 백단(白檀); Ⓤ 백단 재목: red ~ 자단(紫檀)

san·da·rac(h) [sǽndəræ̀k] *n.* **1** Ⓤ 샌드락《sandarac tree의 수지; 향료·니스에 씀》 **2** = SANDARAC TREE **3** 〖광물〗 계관석(realgar)

sándarac trèe 〖식물〗 (아프리카 북서부산(産)) 편백과(科)의 상록수

sand·bag [sǽn*d*bæ̀g] *n.* **1 a** 모래 부대; 〖군사〗 사낭(砂囊)《진지의 응급 방어용 모래 포대》 **b** 모래 자루《옛날에 막대기 끝에 달아서 무기로 썼음》 **c** (배의) 바닥짐(ballast)용 모래 포대 **d** 모래 주머니《창·문의 틈에서 들어오는 바람을 막는》

> 유의어 **sandbag** 모래 주머니[부대]를 말하며, 우리가 말하는 복싱 연습용의 「샌드백」은 (미)는 **punching bag,** (영)은 **punchball**이라고 한다.

2 (미·해군속어) 구명조끼

— *vt., vi.* (**~ged**; **~·ging**) **1** 모래 부대로 막다 **2** (미) 모래 자루로 때려눕히다 **3** (미·구어) 강요하다, 불시에 습격하다, 매복하다《*into*》 **4** (미·속어) (포커에서 센 카드를 가지고 있으면서도 상대방에게 걸도록 유도하여) 이기다; 〖권투〗 후반에 급습하다 **5** (미·속어) (레이스에서) 이기다, 질주하다

~·ger *n.* (미) 모래 자루로 때려눕히는 악당

sand·bank [-bæ̀ŋk] *n.* (바람에 휩쓸려 생긴) 모래 언덕; (강어귀 등의) 모래톱

sand·bar [-bɑ̀:r] *n.* (조류 때문에 형성된 강어귀 등의) 모래톱

sánd bàth 모래찜; (닭의) 사욕(砂浴); 〖화학〗 샌드배스, 전열 사반(傳熱砂盤)

sand-bed [-bèd] *n.* 모래 바닥, 모래층(層)

sand·blast [-blæ̀st | -blɑ̀:st] *n.* **1** Ⓤ 분사(噴砂), 모래 뿜기 **2** 분사기(機)《유리 표면을 갈거나 금속·돌 등의 표면을 닦는》 **3** 황폐시킴; 뿌리째 파괴하는 강한 힘 — *vt.* 분사기로 모래를 뿜어 닦다[갈다]

— *vi.* 분사기를 사용하다 **~·er** *n.*

sand-blind [-blàind] *a.* (고어) 반(半)소경의, 흐린 눈의(cf. GRAVEL[STONE]-BLIND)

sánd blùe·stem [-blù:stem] 〖식물〗 볏과(科) 나도기름새속(屬)의 다년초《미국 초원 지대에 분포》

sand·board [-bɔ̀:rd] 샌드보드《모래 언덕을 타면서 내려오는 스노보드 모양의 보드》

sand·box [-bɑ̀ks | -bɔ̀ks] *n.* **1** (미) (어린이가 안에서 노는) 모래 놀이통((영) sandpit) **2** (증기 기관차의) 모래통 **3** 모래통《옛날에 잉크를 말리려고 뿌리는》 **4** 모래로 된 거푸집 **5** 〖골프〗 tee용 모래 그릇

sand·boy [-bɔ̀i] *n.* (영·구어) 모래 파는 소년 ★ 다음 성구로. (***as***) ***jolly***[***merry, happy***] ***as a*** ~ (구어) 아주 명랑한

sand·burg [-bə:rg] [G] *n.* 모래의 벽[성채] (sandcastle)《해수욕객이 자신들의 구역을 표시하기 위해 쌓는 모래 벽》

Sand·burg [sǽndbə:rg] *n.* 샌드버그 **Carl** ~ (1878-1967)《미국의 시인·전기작가》

sand·bur(r) [sǽndbə̀:r] *n.* 〖식물〗 (북미 원산의 가시 돋친 열매가 생기는) 까마중 무리; 돼지풀의 일종

sand-cast [-kæ̀st | -kɑ̀:st] *vt.* 〈주물(鑄物)을〉 모래 거푸집에서 만들다

sánd càsting 모래 거푸집 주조(鑄造)(물)

sand·cas·tle [-kæ̀sl | -kɑ̀:sl] *n.* **1** (아이들이 만드는) 모래성 **2** 내용 없는 계획[생각], 사상누각

sánd clòud 모래 먼지《모래 폭풍으로 일어나는》

sánd cràck **1** 〖수의학〗 열제(裂蹄)《말굽의 병》 **2** 뜨거운 모래 위를 걸을 때 발에 생기는 갈라진[튼] 곳

sand·cul·ture [-kʌ̀ltʃər] *n.* 〖농업〗 사경법(砂耕法), 모래 재배

S & D search and destroy

sánd dàb 〖어류〗 넙치, 가자미

sánd dòllar 〖동물〗 성게의 일종《미국 동해안산(産)》

sánd drìft 유사(流砂), 표사(漂砂)

sánd dùne 사구(砂丘), 모래 언덕

sand·ed [sǽndid] *a.* 모래를 뿌린, 모래 투성이의;

---

sanctity *n.* sacredness, holiness, godliness, spirituality, piety, devoutness, goodness, virtue

sanctuary *n.* **1** 신성한 장소 holy place, shrine, church, temple, altar, sanctum **2** 피신처 refuge, haven, shelter, retreat, hiding place

모래땅의; ((폐어)) 모래 빛깔의
sánd èel 〖어류〗 =SAND LANCE
sand·er [sǽndər] *n.* **1** 사포(砂布)로 가는 사람[장치]; 샌더 ((모래로 닦는 기계)) **2** (기관차의) 모래 뿌리는 장치
san·der·ling [sǽndərliŋ] *n.* 〖조류〗 세발가락도요새
san·ders [sǽndərz] *n.* =SANDALWOOD
san·de·ver [sǽndəvər] *n.* =SANDIVER
S. & F. 〖보험〗 stock and fixtures
sánd flèa 〖곤충〗 **1** 모래벼룩 **2** 갯벼룩
sand·fly [sǽndflài] *n.* 〖곤충〗 눈에놀이 ((모기 비슷한 흡혈성 곤충)); 모래파리 ((흡혈성 파리))
sándfly fèver 〖병리〗 모래파리 열 ((모래파리가 매개하는 바이러스병))
sand·glass [sǽndglæ̀s | -glɑ̀:s] *n.* 모래시계
S and H, S & H shipping and handling (charges)
san·dhi [sʌ́ndi | sǽn-] *n.* UC 〖언어〗 연성(連聲) ((형태소의 음이 특정한 음성 환경에서 변화; *-ed*의 발음이 glaz*ed* [-d] — plac*ed* [-t]가 되는 경우))
sánd hìll 모래 언덕[산], 사구(砂丘)
sand·hill·er [sǽndhìlər] *n.* 모래 언덕 지대의 주민
sand·hog [-hɔ̀:g | -hɔ̀g] *n.* ((미)) 지하[해저] 공사의 일꾼
sánd hòpper 〖동물〗 =BEACH FLEA
Sand·hurst [sǽndhə:rst] *n.* 샌드허스트 ((영국 육군 사관 학교(Royal Military Academy)의 소재지; Berkshire주에 있음)): a ~ man ((영)) 육군 사관학교 출신자
San Di·e·go [sæ̀n-diéigou] 샌디에이고 ((미국 California주의 항구 도시; 해군 기지가 있음))
San·di·nis·ta [sæ̀ndəní:stə] *n.* 산디니스타 ((1979년 Somoza 정권을 무너뜨린 니카라과의 민족 해방 전선의 일원))
sánd íron ((영)) =SAND WEDGE
sar·nie [sɑ́:rni] *n.* ((영·구어)) =SANDWICH
san·di·ver [sǽndəvər] *n.* (녹인 유리 표면에) 뜨는 흰 황산염(sandever)
S & L, S and L savings and loan (association) ((미)) 저축 대부 조합 ((우리나라의 신용 금고에 해당되는 미국의 지역 금융 기관))
sánd lànce[làunce] 〖어류〗 까나리(sand eel)
sand·lot [sǽndlɑ̀t | -lɔ̀t] *n.* ((미)) (도시 아이들이 운동하며 노는) 빈터 **—** *a.* Ⓐ 빈터의, 빈터에서 하는: ~ baseball 빈터에서 하는 야구, 동네 야구
~·ter *n.* 동네 야구 선수
S and M, S & M sadism and masochism; sadist and masochist
sand·man [-mæ̀n] [졸리면 모래가 눈에 든 것처럼 눈을 비비는 데서] *n.* (*pl.* **-men** [-mèn]) [the ~] 잠의 귀신(cf. DUSTMAN): *The* ~ is coming. [부모가 아이에게] 이제 잘 시간이다.
sánd màrtin ((주로 영)) 〖조류〗 갈색[개천]제비
sánd pàinting (Navaho 인디언의 병을 고치기 위한 주술적인) 색채 모래 그림; 그 화법; 그 의식
sand·pa·per [-pèipər] *n.* Ⓤ 사포(砂布), 샌드페이퍼 **—** *vt.* 사포로 닦다 ((*down*)) ~ ***the anchor*** 〖항해〗 전혀 불필요한 일을 하다 **-per·y** *a.* 까칠까칠한
S & P 500 Standard & Poor's 500 Stock Index
sánd pìle 〖토목〗 모래 말뚝 ((약한 지반에 모래에 박아넣어 말뚝을 대신하는 것))
sand·pile [-pàil] *n.* 모래산; (특히 어린이가 노는) 모래터
sand·pip·er [-pàipər] *n.* (*pl.* **~s,** ~) 〖조류〗 깝작도요·삑삑도요의 무리
sand·pit [-pìt] *n.* **1** 모래 채취장 **2** ((영)) (어린이의) 모래 놀이터(((미)) sandbox)
sánd pùmp (바다·강의) 모래 퍼올리는 펌프
San·dra [sǽndrə | sɑ́:n-] *n.* 여자 이름 ((Alexandra의 애칭))
San·dro [sǽndrou] *n.* 남자 이름 ((Alexander의 애칭))
S. & S.C. sized and supercalendered
sánd shòe 모래땅에서 신는 즈크신; ((영·호주)) 가벼운 테니스화(sneaker)
sánd sìnk 샌드 싱크 ((모래를 이용한 유출 기름 가라앉히기))
sand·soap [-sòup] *n.* Ⓤ 모래가 섞인 비누 ((식기용·화장실용 등))
***sand·stone** [sǽndstòun] *n.* Ⓤ 〖지질〗 사암(砂岩) ((주로 건축용))
sand·storm [-stɔ̀:rm] *n.* 모래 폭풍 ((사막의))
sánd tàble **1** 〖광산〗 샌드 테이블 ((비교적 거친 광석의 진동 선광기(選鑛機))) **2** 모래판 ((아이들 놀이용)) **3** 〖군사〗 사판(砂板) ((모래로 굳혀 만든 작전 지형이 모형))
sánd tràp **1** ((미)) 〖골프〗 모래 구덩이, 벙커(((영)) bunker) **2** =SAND TABLE 1
sánd wàve (사막·해변 등에서의) 모래 파도
sánd wèdge[ìron] 〖골프〗 샌드웨지 ((벙커 속의 공을 쳐내는 골프채))
‡**sand·wich** [sǽndwitʃ, sǽn- | sǽnwidʒ] [18세기 영국의 백작 이름에서; 식사 때문에 중단되지 않고 카드놀이에 열중할 수 있도록 이를 고안했다고 함] *n.* **1** 샌드위치; 샌드위치 모양의 것 **2** ((영)) 샌드위치 케이크 (=**~ càke**) ((잼·크림 등을 사이에 끼운 케이크)) ***ride* [*sit*] ~** 두 사람 사이에 끼어 타다[앉다] **~ *of good and evil*** 선과 악의 맞닥뜨림
— *vt.* **1** 샌드위치 속에 끼우다 **2** (억지로) 끼워 넣다, 사이에 끼우다 ((종종 *in*)): (~+目+副) (~+目+前+名) ~ an appointment *in between* two board meetings 두 임원 회의 사이에 약속을 끼워 넣다
sándwich bàr (카운터식의) 샌드위치 전문 식당
sándwich bòard 샌드위치맨의 광고판
sándwich còin ((미)) 샌드위치 주화 ((같은 종류의 금속 사이에 다른 종류의 금속을 끼운))
sándwich cóurse ((영)) 교실 학습과 현장 실습을 번갈아 하는 교과 과정
sand·wich·e·ri·a [sæ̀n*d*witʃíəriə] [*sandwich*+cafet*eria*] *n.* 샌드위치 식당(sandwich bar)
sándwich generàtion 샌드위치 세대 ((부모와 자식을 함께 돌봐야 하는 중년 세대))
Sándwich Íslands [the ~] 샌드위치 제도 ((Hawaiian Islands의 구칭))
sándwich màn **1** 샌드위치맨 ((앞뒤 두 장의 광고판을 달고 다니는 사람)) **2** 샌드위치를 만드는[파는] 사람
sándwich shòp 간이식당(luncheonette)
sand·worm [sǽndwə̀:rm] *n.* 〖동물〗 갯지렁이
sand·wort [-wə̀:rt] *n.* 〖식물〗 벼룩이자리속(屬)의 식물; 개벼룩속(屬)의 식물
***sand·y** [sǽndi] *a.* (**sand·i·er**; **-i·est**) **1** 모래의; 모래땅의; 모래투성이의: a ~ beach 모래사장 **2** 깔깔한(gritty) **3** 〈머리털이〉 모래 빛깔의, 엷은 갈색의: a ~ beard 엷은 갈색의 수염 **4** 불안정한, 변하기 쉬운(shifting) **sánd·i·ness** *n.* **~·ish** *a.*
San·dy [sǽndi] *n.* **1** 남자 이름 ((Alexander의 애칭)) **2** 여자 이름 ((Alexandra의 애칭)) **3** 스코틀랜드 사람의 별명(cf. JOHN BULL)
sánd yàcht (바퀴 달린) 사상(砂上) 요트 ((모래 위를 바람으로 달리는))
sánd yàchting 사상 요트 경주
sánd yàchtsman 사상 요트 경주 선수
***sane** [séin] [L 「건강한」의 뜻에서] *a.* (**san·er**; **-est**) **1** 제정신의(opp. *insane*) **2** 〈사상·행동이〉 건전한, 온건한; 사리분별이 있는: (a) ~ judgment 분별 있는 판단 **~·ly** *ad.* **~·ness** *n.*
▷ sánity *n.*
san·for·ize [sǽnfəràiz] [상표명에서] *vt.* 〈천을〉 방축 가공(防縮加工)하다
San·for·ized [sǽnfəràizd] *a.* ((미)) (빨아도 줄지 않

thesaurus **sane** *a.* **1** 제정신인 rational, lucid (opp. *insane, mad*) **2** 분별 있는 reasonable, sensible, sound, balanced, levelheaded, judicious,

게) 방축 가공한 〈천〉 《상표명》
‡**San Fran·cis·co** [sæ̀n-frənsískou] 샌프란시스코 《미국 California 주의 항구 도시》
‡**sang** [sǽŋ] *v.* SING의 과거
san·ga·ree [sæ̀ŋgəríː] *n.* Ⓤ 포도주에 물을 타고 설탕·향료를 가미한 음료
sang de boeuf [sɑ̀ːŋ-də-bə́ːf] [F] *n.*, *a.* 〖요업〗 짙은 붉은 색(의) 《소의 선지피 빛깔; 중국 명대 초기 도자기에서 볼 수 있음》
sang·froid [sæŋfrwɑ́ː] [F =cold blood] *n.* Ⓤ 태연자약, 냉정, 침착(composure)
san·goma [sʌ̀ŋgóumə] *n.* (남아공) 주술사
San·graal [sæŋgréil], **-gre·al** [sǽŋgriəl] *n.* = HOLY GRAIL
San·grail [sæŋgréil] *n.* =HOLY GRAIL
san·gri·a [sæŋgríːə] [Sp. =blood] *n.* Ⓤ 붉은 포도주에 레모네이드 등을 넣어 차게 한 음료
sangui- [sǽŋgwə] 《연결형》 「피」의 뜻
san·guic·o·lous [sæŋgwíkələs] *a.* 〈기생충 따위가〉 혈액 속에 기생하는
san·guif·er·ous [sæŋgwífərəs] *a.* 〈혈관 등이〉 혈액을 나르는, 혈액 운반의
san·gui·fi·ca·tion [sæ̀ŋgwəfikéiʃən] *n.* Ⓤ 〖생리〗 조혈(造血), (음식의) 혈액화
san·gui·nar·i·a [sæ̀ŋgwənɛ́əriə] *n.* 〖식물〗 혈근초(血根草) 《뿌리가 붉은 양귀비과(科)의 식물》(bloodroot); 그 뿌리 《약용》
san·gui·nar·y [sǽŋgwənèri | -nəri] *a.* (문어) **1** 피비린내 나는(bloody); 피투성이의 **2** 잔인한, 살벌한 **3** (영) **a** 지독한: a ~ fool 지독한 바보 **b** 말씨가 험한, 입버릇 나쁜 《bloody 같은 말을 쓰는》: ~ language 험한 말 **-nàr·i·ly** *ad.* **-nàr·i·ness** *n.*
∗**san·guine** [sǽŋgwin] [L 「피의」의 뜻에서] *a.* **1** 〈기질이〉 명랑한(cheerful), 낙천적인(optimistic), 자신만만한(confident) **2 a** 다혈질의(cf. HUMOR); 혈색이 좋은 **b** (문어) 붉은, 붉은 핏빛의 **3** (드물게) 잔인한, 피비린내 나는, 피에 굶주린 ***be ~ of success*** 성공할 자신이 있다
— *n.* **1** 붉은 크레용[분필] (그림); (짙은) 붉은색 **2** 쾌활함, 낙천성
~·ly *ad.* **~·ness** *n.* **san·guin·i·ty** [-gwínəti] *n.*
san·guin·e·ous [sæŋgwíniəs] *a.* **1** 피의; 붉은 핏빛의 **2** 다혈질의; 낙천적인 **3** 유혈의, 살벌한
san·guin·o·lent [sæŋgwínələnt] *a.* 피의, 피 모양의; 피로 물든
san·guiv·or·ous [sæŋgwívərəs] *a.* 〖동물〗 흡혈성의
San·hed·rin [sænhédrin, -híːd-, sǽnidrin | sǽnid-], **San·he·drim** [sænhíːdrim, sǽni- | sǽni-] *n.* 산헤드린 《고대 이스라엘의 의회 겸 법원》; 《일반적》 평의회, 의회
san·i·cle [sǽnikl] *n.* 〖식물〗 참반디나물 《미나릿과(科)의 약초》
sa·ni·es [séiniìːz] *n.* 〖병리〗 (상처·궤양에서 나오는) 묽은 피고름
san·i·fy [sǽnifài] *vt.* (**-fied**) 위생적으로 하다
sa·ni·ous [séiniəs] *a.* 〈상처 등이〉 묽은 고름을 내는
sanit. sanitary; sanitation
san·i·tar·i·an [sæ̀nətɛ́əriən] *a.* (공중) 위생의
— *n.* 위생 개선가[기사]; 위생학자
san·i·tar·ist [sǽnətərist] *n.* =SANITARIAN
∗**san·i·tar·i·um** [sæ̀nətɛ́əriəm] *n.* (*pl.* **~s, -tar·i·a** [-tɛ́əriə]) (미) =SANATORIUM
‡**san·i·tar·y** [sǽnətèri | -təri] *a.* **1** Ⓐ (공중) 위생의, 위생상의(cf. SANITATION): a ~ inspector 위생검사관 / ~ science 공중 위생학 / ~ fittings (집의) 위생 설비, 《특히》 화장실 / the ~ board[commission] 위생국 **2** 위생적인, 청결한(hygienic), 무균의: a ~ cup (종이로 만든) 위생 컵 / ~ sewage 수세식 오물[오수] 처리
— *n.* (*pl.* **-tar·ies**) 공중 변소
-tàr·i·ly *ad.* **-tàr·i·ness** *n.* ▷ sánitate *v.*
sánitary bélt 생리대(帶)
sánitary córdon =CORDON SANITAIRE
sánitary engineér 위생 기사; (완곡) (수도·가스·변소 등의) 연관공(鉛管工), 배관공
sánitary engineéring 위생 공학
sánitary lándfill =LANDFILL 1
sánitary nàpkin (미) 생리대
sánitary tówel (영) =SANITARY NAPKIN
sánitary wàre [집합적] 위생 도기 《변기·욕조 등》
san·i·tate [sǽnətèit] *vt.* 위생적으로 하다; …에 위생 시설을 하다
∗**san·i·ta·tion** [sæ̀nətéiʃən] *n.* Ⓤ **공중 위생**; 위생 설비[시설]; 《특히》 하수도 설비 **~·ist** *n.*
sanitátion engineér (미·완곡) =SANITATION WORKER ★ sanitary engineer(위생 기사)와 혼동하지 않도록.
san·i·ta·tion·man [sæ̀nətéiʃənmæ̀n] *n.* (*pl.* **-men** [-mèn]) (미) =SANITATION WORKER
sanitátion wòrker (미) 환경 미화원
san·i·tize [sǽnitàiz] *vt.* **1** (청소·소독·살균 등으로) 위생적으로 하다, …에 위생 설비를 하다 **2** 〈문서·기록 등에서〉 불온한[기밀] 부분을 삭제하다; 〈식품 등을〉 무해하게 하다 **-tìz·er** *n.* 살균제 《식품 가공용》
sàn·i·ti·zá·tion *n.*
san·it·man [sǽnitmən] *n.* (*pl.* **-men** [-mən]) (미·구어) =SANITATIONMAN
san·i·tor·i·um [sæ̀nətɔ́ːriəm] *n.* (*pl.* **~s, -tor·i·a** [-tɔ́ːriə]) (미) =SANATORIUM
san·i·ty [sǽnəti] *n.* Ⓤ (opp. *insanity*) **1** 제정신, 정신이 온전함: lose one's ~ 미치다 **2** (사상 등의) 건전, 온전; (육체적인) 건강
San Jo·se [sæ̀n-houzéi] 새너제이 《미국 California주 서부의 도시》
San Jo·sé [sɑ̀ːn-hoːsé] 산호세 《중앙아메리카 Costa Rica 공화국의 수도》
Sán Jo·sè scále [sǽn-houzèi-] 〖곤충〗 배깍지진디 《사철나무깍지벌렛과(科)의 해충; 미국 California주 San Jose에서 발견된 과수의 해충》
San Juan [sæ̀n-*h*wɑ́ːn] 산후안 《푸에르토리코의 수도·항구 도시》
‡**sank** [sǽŋk] *v.* SINK의 과거
San·khya [sɑ́ːŋkjə] *n.* 상키아 학파 (철학), 수론(數論) 학파 《인도 6파(派) 철학의 하나》
san·man [sǽnmæ̀n] *n.* (구어) =SANITATIONMAN
San Ma·ri·no [sæ̀n-məríːnou] 산마리노 《이탈리아 동부의 작은 공화국; 그 수도》
san·nup [sǽnʌp] [Massachusetts의 sanompt younger man에서] *n.* (뉴잉글랜드 역사상) 북아메리카 인디언의 (젊은) 기혼 남성
sann·ya·si [sʌnjɑ́ːsi], **-sin** [-sən] *n.* 힌두교의 고행자(苦行者)
sans [sǽnz] [F] *prep.* (문어) …없이, …없어서 (without)
Sans. Sanskrit
san·sa [sǽnsə] *n.* =THUMB PIANO
San Sal·va·dor [sæ̀n-sǽlvədɔ̀ː*r*] 산살바도르 《중앙아메리카 El Salvador 공화국의 수도》
sans cé·ré·mo·nie [sɑːn-sèrəmɔːníː] [F] *ad.* 격식[체면]을 차리지 않고, 마음을 터놓고, 허물없이
San·scrit [sǽnskrit] *n.*, *a.* =SANSKRIT
sans-cu·lotte [sæ̀nzkjulɑ́t | -lɔ́t] [F 「반바지(culotte)를 입지 않은」의 뜻에서] *n.* **1** 상퀼로트 《프랑스 혁명 당시의 파리의 하층민 공화당원; cf. JACOBIN》 **2** 과격한 공화주의자, 급진적인 혁명가 (cf. BOLSHEVIK) **-lót·tic** *a.*, **-lótt·ish** *a.* 혁명적인, 과격파의 **-lót·tism** *n.* Ⓤ 과격 공화주의; 과격주의, 폭민주의

---

responsible, prudent, advisable (opp. *foolish*)
sanitary *a.* hygienic, clean, germ-free, antiseptic, sterile, unpolluted, healthy

sans doute [sɑːn-dúːt] 〖F〗 *ad.* 의심할 바 없이, 틀림없이
san·ser·if [sænsérif] *n., a.* 〖인쇄〗 = SANS SERIF
san·se·vi·e·ri·a [sæ̀nsəviíːriə | -víər-] *n.* 〖식물〗 (아프리카 원산의) 천세란(千歲蘭) 《용설란과(科)의 산세비에리아속(屬)》
sans fa·çon [sɑːn-fάsɔŋ] 〖F〗 *ad.* 탁 터놓고, 심중을 헤쳐 놓고
sans gêne [sɑːn-ʒén] 〖F〗 *ad.* 격식 없이, 자유롭게
San·skrit, -scrit [sǽnskrit] *n.* Ⓤ 산스크리트, 범어(梵語) **—** *a.* 산스크리트[범어]의
~·ist *n.* 산스크리트[범어] 학자
San·skrit·ic [sænskrítik] *a.* = SANSKRIT
sans phrase [sɑːn-frάːz] 〖F〗 *ad.* 단도직입적으로, 한 마디로
sáns sér·if [sǽnz-sérif] *n., a.* 〖인쇄〗 산세리프체의 (활자) 《세리프(serifs) 없는 활자체》
sans sou·ci [sɑ̀ːn-suːsíː] 〖F〗 *n., a.* 근심 걱정 없음[없는], 마음 편함[편한], 무사태평(한)
San·ta [sǽntə] *n.* 《구어》 = SANTA CLAUS
‡**San·ta Claus** [sǽntə-klɔ̀ːz] 〔어린이의 수호성인 「성니콜라스」(St. Nicholas)의 이름에서〕 산타클로스 ★ 《영》에서는 흔히 Father Christmas라고도 함.
San·ta Fe [sǽntə-féi] 샌타페이 《미국 New Mexico주의 주도》 **Sán·ta Fé·an** [-féiən] *n., a.*
San·ta Fé [sǽntə-féi] 산타페 《아르헨티나 동부의 도시》
Sánta Fé Tráil [the ~] 샌타페이 가도(街道) 《미국 Santa Fe에서 Missouri주의 Independence에 이르는 교역 산업 도로》
San·ta Ger·tru·dis [sǽntə-gərtrúːdis] (미국 Texas주에서 개발된 열대 지방에 적합한) 육우(肉牛)
Sán·ta Már·ta gòld [sǽntə-mάːrtə-] 산타마르타 골드 《콜롬비아산(産)의 강한 마리화나》
San·ta Mon·i·ca [sǽntə-mάnikə | -mɔ́-] 샌타모니카 《미국 California주 서남부의 해변 휴양지》
San·te·ri·a [sæ̀nteiríːə] *n.* [때로 **s~**] 산테리아 《아프리카 기원의 쿠바 종교》
San·te·ro [sæntéirou], **-ra** [-rɑː] *n.* (*pl.* **~s**) [때로 **s~**] 산테로 《쿠바에서 Santeria 의식을 담당하는 사제》
San·ti·a·go [sæ̀ntiάːgou] *n.* 산티아고 《칠레의 수도》
San·to Do·min·go [sǽntou-dəmíŋgou] 산토도밍고 《도미니카 공화국의 수도》
san·ton·i·ca [sæntάnikə | -tɔ́-] *n.* 〖식물〗 쑥속(屬)의 다년초 《산토닌을 많이 함유》
san·to·nin [sǽntənin] *n.* Ⓤ 산토닌 《구충제》
San·tos [sǽntəs] *n.* 산투스 《브라질 남부의 항구》
Sa·nu·si [sənúːsi] *n.* (*pl.* **~(s)**) 사누시 교도 《이슬람교도의 일파로 정치적으로 전투적》
san·ya·si [sʌnjάːsi] *n.* = SANNYASI
sao·la [sáulə] *n.* 〖동물〗 사올라 《1992년 베트남에서 발견된 솟과의 포유류》
São Pau·lo [sάn-páulou] 상파울루 《브라질 남부의 도시; 커피 산지》
São Sal·va·dor [sάn-sǽlvədɔ̀ːr] 상살바도르 《브라질 동부의 항구 도시》
São To·mé [sáu-təméi, sάn-tumé] 상투메 **1** 아프리카 서해안 Guinea만(灣)의 섬 **2** São Tomé and Principe의 수도
São To·mé and Prín·ci·pe [-ənd-príːnsipə] 상투메 프린시페 《아프리카 서부의 공화국; 수도 São Tomé》
‡**sap**[1] [sǽp] *n.* **1** Ⓤ 수액(樹液), (식물의) 액즙(液汁) **2** Ⓤ 《시어》 피; 《비유》 활기, 원기, 생기, 활력: the ~ of life 활력, 정력 / the ~ of youth 혈기 **3** Ⓤ 백목질(白木質)(sapwood) **4** 《속어》 잘 속는 사람, 얼간이 (saphead) **5** 가죽으로 싼 곤봉(blackjack)
— *vt.* (**~ped**; **~·ping**) **1** 〈나무 등에서〉 수액을 짜내다 **2** 《비유》 …의 활력을 잃게 하다
▷ sáppy, sápless *a.*

sap[2] *n.* **1** 〖군사〗 대호(對壕) 《적진으로 다가가기 위해 파는 참호》; 대호를 팜 **2** 서서히 파고 듦 **3** (체력 등을) 점차로 약화시킴
— *v.* (**~ped**; **~·ping**) *vt.* **1** 〖군사〗 대호를 파서 〈적진에〉 다가가다; 〈지면에〉 대호를 파다 **2** …의 밑을 파서 무너뜨리다 **3** 〈세력·체력·신앙 따위를〉 (서서히) 약화시키다(weaken), 해치다: The extreme heat *~ped* his strength and health. 극도의 더위로 그는 기력도 건강도 약해졌다. **—** *vi.* 〖군사〗 대호를 파다; 대호를 파서 적진에 다가가다
sap[3] [*sap*ling] 《미》 *n.* 곤봉
— *vt.* (**~ped**; **~·ping**) 곤봉으로 쳐서 쓰러뜨리다
sap[4] 《영·학생속어》 *n.* 맹렬한 공부; 공부만 파는 사람
— *vi.* (**~ped**; **~·ping**) 공부만 파고들다
sap·a·jou [sǽpədʒùː] *n.* 〖동물〗 거미원숭이 《중남미산(産)》
sa·pan·wood [səpǽnwùd] *n.* = SAPPANWOOD
sa·pe·le [səpíːli] *n.* 〖식물〗 사펠리 《마호가니 비슷하여 가구재로 씀》
sáp gréen (갈매나무 열매에서 뽑은) 암록색 물감; 암록색
sap·hap·py [sǽphæ̀pi] *a.* 《미·속어》 술 취한, 한잔해서 기분이 얼큰한
sap·head [-hèd] *n.* 《미·속어》 바보, 얼간이
~·ed [-id] *a.* **~·ed·ness** *n.*
sap·id [sǽpid] *a.* 《문어》 **1** 〈음식이〉 맛있는, 풍미 있는 **2** 〈이야기 등이〉 흥미 있는(opp. *insipid*)
~·ness *n.* ▷ sapídity *n.*
sa·pid·i·ty [səpídəti] *n.* Ⓤ 맛, 풍미; (문장 등의) 멋, 흥미
sa·pi·ence, -en·cy [séipiəns(i)] *n.* Ⓤ 《문어》 **1** 지혜(wisdom) **2** 아는[똑똑한] 체함
sa·pi·ens [séipiənz] *a.* (화석인(化石人)과 구별하여) 현(現)인류의
sa·pi·ent [séipiənt] 〔L 「아는」의 뜻에서〕 *a.* 《문어》 **1** 슬기로운, 지혜로운 **2** 아는 체하는 **~·ly** *ad.*
sa·pi·en·tial [sèipiénʃəl] *a.* 지혜의, 슬기로운; 지혜를 가르치는
sapiéntial bóoks [the ~] 지혜의 책 《구약 성서 중의 Proverbs, Ecclesiastes, Song of Solomon 및 외경 중의 Wisdom, Ecclesiasticus》
Sa·pir [səpíər] *n.* 사피어 **Edward ~** (1884-1939) 《독일 태생의 미국 언어학자·인류학자》
Sa·pír-Whórf hypòthesis [-*h*wɔ́ːrf-] 〖언어〗 = WHORFIAN HYPOTHESIS
sap·less [sǽplis] *a.* **1** 수액(樹液)이 없는; 마른, 시든 **2** 활기 없는(insipid) **~·ness** *n.*
***sap·ling** [sǽpliŋ] *n.* **1** 묘목, 어린 나무 **2** 풋내기, 젊은이 **3** 그레이하운드(greyhound)의 강아지
sap·o·dil·la [sæ̀pədílə] *n.* 〖식물〗 사포딜라, 추잉검나무 《열대 아메리카산(産); 수액에서 추잉검의 원료 chicle을 뽑아냄》; 사포딜라의 열매 《식용》
sap·o·na·ceous [sæ̀pənéiʃəs] *a.* **1** 비누(질)의[같은](soapy) **2** 종잡을 수 없는; 구변 좋은, 잘 얼러맞추는 **~·ness** *n.*
sa·pon·i·fi·ca·tion [səpɑ̀nəfikéiʃən | -pɔ̀-] *n.* Ⓤ 〖화학〗 비누화, 감화(鹼化): ~ value[number] 비누화값
sa·pon·i·fy [səpάnəfài | -pɔ́-] *vt., vi.* (**-fied**) 〖화학〗 비누화[감화]하다 **-fi·a·ble** *a.* **-fi·er** *n.* 감화제
sap·o·nin [sǽpənin] *n.* ⓊⒸ 〖화학〗 사포닌 《식물 배당체(配糖體)로서 비누처럼 거품이 생김》
sap·o·nite [sǽpənàit] *n.* 〖광물〗 사포나이트, 비누석(石) 《사문석 사이에 발견되는 점토 광물》
sa·por [séipər, -pɔːr] *n.* Ⓤ 맛, 풍미; 미각
sap·o·rif·ic [sæ̀pərífik] *a.* 맛을 내는, 풍미를 더해 주는
sap·o·rous [sǽpərəs] *a.* 맛[풍미]이 있는
sap·pan·wood [səpǽnwùd] *n.* 〖식물〗 다목, 소방목 《소방(蘇方)이라는 빨강·파랑 물감을 채취함》
sap·per [sǽpər] *n.* 〖군사〗 **1** 공병(工兵) **2** 《미》 적전(敵前) 공작병

Sap·phic [sǽfik] *a.* **1** 사포(Sappho)의; 사포풍[시체(詩體)]의 **2** (여성의) 동성애의
— *n.* 사포의 시체(詩體)

Sápphic vìce = SAPPHISM

*__sap·phire__ [sǽfaiər] *n.* **1** 사파이어, 청옥(青玉) **2** Ⓤ 사파이어빛, 유리(瑠璃)빛
— *a.* 사파이어빛의 ▷ sápphirine *a.*

sápphire wédding 사파이어혼(婚)식 《결혼 45주년 기념식》

sap·phi·rine [sǽfərin, -rìːn, -ràin | -rain] *a.* 청옥색의, 사파이어의[같은]

Sap·phism [sǽfizm] *n.* Ⓤ (여성) 동성애

Sap·pho [sǽfou] *n.* 사포 《기원전 600년경의 그리스의 여류 시인; 동성애자였다고 함》

sap·py [sǽpi] *a.* (**-pi·er**; **-pi·est**) **1** 수액(樹液)이 많은, 물기 많은(juicy) **2** 기운이 넘치는, (젊고) 활기찬 **3** 《미·구어》 어리석은(silly); 극단적으로 감상적인
sáp·pi·ness *n.*

sapr- [sæpr], **sapro-** [sǽprou, -rə] 《연결형》 「부패한; 부패물」의 뜻: *sapro*genic

sa·pre·mi·a | **-prae-** [səpríːmiə] *n.* Ⓤ 〖병리〗 패혈증(敗血症) **-mic** *a.*

sap·ro·gen [sǽprədʒən] *n.* 〖생물〗 부패균

sap·ro·gen·ic [sæ̀proudʒénik] *a.* **1** 부패를 일으키는; 부패성의: ~ bacteria 부패균 **2** 부패로 생기는

sa·proph·a·gous [sæprɑ́fəgəs | -prɔ́-] *a.* 〖생물〗 부패물을 섭취하는, 부생(腐生)의

sap·ro·phile [sǽprəfàil] *n.* 부생균(腐生菌), 부패물 기생균

sap·ro·phyte [sǽprəfàit] *n.* 〖식물〗 부생(腐生) 식물 《균류》, 사물(死物) 기생 생물

sap·ro·phyt·ic [sæ̀prəfítik] *a.* 〖생물〗 부생의, 부패 유기물을 영양원(源)으로 하는: ~ nutrition 부패 유기성 영양 **-i·cal·ly** *ad.*

sap·ro·zo·ic [sæ̀prəzóuik] *a.* 〖생물〗 부생 동물성의, 부생의

sap·sa·go [sǽpsəgòu] *n.* (*pl.* **~s**) (스위스 원산의) 단단한 녹색의 치즈 《클로버의 일종으로 맛을 낸 탈지유로 만듦》

sap·suck·er [sǽpsʌ̀kər] *n.* 〖조류〗 딱다구리의 일종 《북미산(産)》

SAPTA South Asian Preferential Trade Agreement 남아시아 특혜 무역 협정

sap·wood [-wùd] *n.* Ⓤ 나무의 겉껍질, 변재(邊材)

SAR [sɑ́ːr] [search *a*nd *r*escue] *n.* 수색 구난(救難): ~ operations 수색 구난 작업

Sar. Sardinia; Sardinian **S.A.R.** Sons of the American Revolution 《미》 독립 전쟁 유족 애국단; South African Republic

sar·a·band, -bande [sǽrəbæ̀nd] *n.* 사라반드 춤 《3박자의 스페인 춤》; 그 무곡

Sar·a·cen [sǽrəsən | -sn] *n.* 〖역사〗 사라센 사람 《시리아·아라비아의 사막에 사는 유목민》; (특히 십자군 시대의) 아라비아 사람[이슬람교도]
— *a.* = SARACENIC **~·ism** *n.*
▷ Saracénic *a.*

Sáracen córn 《영》 = BUCKWHEAT

Sar·a·cen·ic [sæ̀rəsénik] *a.* 사라센 (사람)의; 〈건축 등이〉 사라센식의

Sáracen's héad 사라센 사람의 머리 《문장(紋章)·여관 간판》

Sar·ah [sɛ́ərə] *n.* **1** 여자 이름 《애칭 Sally》 **2** 〖성서〗 사라 《Abraham의 아내이며 Isaac의 어머니》

SARAH Search And Rescue And Homing 〖항공〗 수색 구조(救助) 자동 유도

Sa·ra·je·vo [sæ̀rəjéivou, sɑ́ː-] *n.* 사라예보 《보스니아 헤르체고비나 공화국의 수도》

sa·ran [sərǽn] *n.* Ⓤ 사란 《합성 수지의 일종》; Ⓒ [**S~**] 그 상표명

Sarán Wràp 《미》 사란 랩 《식품 포장용 랩; 상표명》 (《영》 clingfilm)

sa·ra·pe [sərɑ́ːpi] *n.* = SERAPE

Sar·a·to·ga [sæ̀rətóugə] *n.* 새러토가 **1** 미국 California 주 서부의 도시 **2** 미국 Schuylerville의 옛 이름 《New York 주 동부에 있음; 독립 전쟁의 격전지였음》 **3** = SARATOGA TRUNK

Saratóga Cóoler 새러토가 쿨러 《라임 주스에 진저에일과 시럽을 섞은 비알코올성 칵테일》

Saratóga trúnk 《미》 (19세기에 유행한 여성용) 큰 여행 트렁크

Sa·ra·wak [sərɑ́ːwɑːk | -wək] *n.* 사라와크 《Borneo 서북부의 말레이시아 연방의 한 주(州)》

sarc [sɑ́ːrk] *n.* 《학생속어》 = SARCASM

sarc- [sɑːrk], **sarco-** [sɑ́ːrkou, -kə] 《연결형》 「살(flesh)」의 뜻 《모음 앞에서는 sarc-》

sar·casm [sɑ́ːrkæzm] [Gk 「살을 찢다」 → 「(살을 찢는 듯한) 빈정댐」의 뜻에서] *n.* 비꼬는[빈정대는] 말; Ⓤ 비꼼, 빈정거림, 풍자: in ~ 비꼬아서

> 유의어 **sarcasm** 상대방을 해치려는 악의를 품은 점이 **irony**와 다르다(⇨ satire 유의어)

‡**sar·cas·tic, -ti·cal** [sɑːrkǽstik(əl)] *a.* **1** 빈정대는, 비꼬는(sneering), 풍자적인, 냉소적인: a ~ comment 비꼬는[비아냥거리는] 말 **2** 풍자하기 좋아하는, 풍자를 사용하는 **-ti·cal·ly** *ad.*
▷ sárcasm *n.*

sar·celle [sɑːrsél] *n.* 〖조류〗 = TEAL

sarce·net [sɑ́ːrsnit] *n.* Ⓤ 부드럽고 얇은 견직물

sar·co·carp [sɑ́ːrkoukɑ̀ːrp] *n.* Ⓤ 〖식물〗 과육; Ⓒ 중과피(中果皮), 육과(肉果)

sar·code [sɑ́ːrkoud] *n.* Ⓤ 〖생물〗 (단세포 동물의) 원형질(protoplasm)

sar·coid·o·sis [sɑ̀ːrkɔidóusis] *n.* Ⓤ 〖병리〗 유육종증(類肉腫症) 《림프절·폐·뼈·피부에 육종 같은 것이 생김》

sar·col·o·gy [sɑːrkɑ́lədʒi | -kɔ́-] *n.* 《고어》 근(육)학

sar·co·ma [sɑːrkóumə] *n.* (*pl.* **~s, ~·ta** [-tə]) ⓊⒸ 〖병리〗 육종(肉腫)

sar·co·ma·to·sis [sɑːrkòumətóusis] *n.* Ⓤ 〖병리〗 육종증(症)

sar·coph·a·gous [sɑːrkɑ́fəgəs | -kɔ́-] *a.* 육식의

sar·coph·a·gus [sɑːrkɑ́fəgəs | -kɔ́-] *n.* (*pl.* **-gi** [-dʒài], **~·es**) 〖고고학〗 (정교하게 조각된 대리석의) 석관(石棺)

sar·cous [sɑ́ːrkəs] *a.* 살[근육]의

sard [sɑ́ːrd] *n.* Ⓤ 〖광물〗 홍옥수(紅玉髓)

sar·da·na [sɑːrdɑ́ːnə] [Sp] *n.* 사르다나 《스페인 Catalonia 지방의 전통적인 댄스(곡)》

Sar·dar [sərdɑ́ːr] *n.* **1** (인도·파키스탄·아프가니스탄의) 사령관, 고관 **2** (이집트의) 영국인 군사령관(sirdar)

*__sar·dine__[1] [sɑːrdíːn] *n.* (*pl.* **~, ~s**) 〖어류〗 정어리
packed [***crammed***] (***in***) ***like ~s*** 빽빽하게 들어차서, 꽉 찬, 콩나물시루같이
— *vt.* 《구어》 빽빽이 채우다

sar·dine[2] [sɑ́ːrdain, -dn] *n.* = SARD

sar·dine-fit [sɑːrdíːnfit] *a.* 입추의 여지없이 꽉[빽빽이] 들어찬

Sar·din·i·an [sɑːrdíniən] *a.* (이탈리아의) 사르디니아 섬(Sardinia)의; 사르디니아 왕국(1720-1859)의
— *n.* 사르디니아 사람; Ⓤ 사르디니아 말

sar·don·ic [sɑːrdɑ́nik | -dɔ́-] *a.* 냉소적인(scornful), 조롱[야유]하는; 비꼬는: a ~ laugh[smile] 냉소, 조소 **-i·cal·ly** *ad.*

sar·don·i·cism [sɑːrdɑ́nəsìzm] *n.* 냉소적 성질

sar·don·yx [sɑːrdɑ́niks, sɑ́ːrdəniks | sɑ́ːdə-] *n.* Ⓤ 〖광물〗 붉은줄무늬마노(瑪瑙) 《cameo 세공용》

sa·ree [sɑ́ːri] *n.* = SARI

sar·gas·so [sɑːrgǽsou] *n.* (*pl.* **~(e)s**) 〖식물〗 사르가소, 모자반속(屬) 《바닷말》(= **~ wéed**)

Sargásso Séa [the ~] 조해(藻海) 《서인도 제도 북동의 sargasso가 무성한 해역》

sar·gas·sum [sɑːrgǽsəm] *n.* 〖식물〗 = SARGASSO

sarge [sɑ́ːrdʒ] *n.* 《미·구어》 =SERGEANT
Sar·gent [sɑ́ːrdʒənt] *n.* 사전트 **1 John S.** ~ (1856-1925) 《영국에 살았던 미국 초상화가》 **2 Sir** (**Harold**) **Malcolm** (**Watts**) ~ (1895-1967) 《영국의 지휘자》
sa·ri [sɑ́ːri] *n.* (*pl.* **~s**) 사리 《인도 여인이 몸에 두르는 길고 가벼운 옷》(cf. DHOTI)
sa·rin [sɑ́ːrin, zɑːríːn] [G] *n.* 사린 《독성이 강한 신경 가스》
sark [sɑ́ːrk] *n.* 《스코》 셔츠, 속옷
sar·ky [sɑ́ːrki] *a.* (**-ki·er**; **-ki·est**) 《영·속어》 = SARCASTIC
sar·men·tose [sɑːrméntous], **-tous** [-təs], **-ta·ceous** [sɑ̀ːrmontéiʃəs] *a.* 【식물】 덩굴줄기가 있는; 덩굴줄기의[같은]
sar·nie [sɑ́ːrni] *n.* 《영·구어》 =SANDWICH
sa·rong [sərɔ́ːŋ | -rɔ́ŋ] *n.* 사롱 《말레이 반도 사람들이 허리에 감는 천》
sa·ros [sέərɑs | -rɔs] *n.* 【천문】 사로스 《일식·월식의 순환 주기; 6585.32일(약 18년)》
Sa·roy·an [sərɔ́iən] *n.* 사로이언 **William** ~ (1908-81) 《미국의 소설가·극작가》
sar·panch [sɑ́ːrpʌ̀ntʃ] *n.* (남아시아의 5인 회의(panchayat)나 부락의) 촌장
sar·ra·ce·ni·a [sæ̀rəsíniə] *n.* 【식물】 사라세니아, 병자초(甁子草) 《북미 소택지의 식충 식물》
SARS [sɑ́ːrs] severe acute respiratory syndrome 【병리】 중증 급성 호흡(기) 증후군
sar·sa [sɑ́ːrsə | sɑ́ː-] *n.* =SARSAPARILLA
sar·sa·pa·ril·la [sæ̀spərílə, sɑ̀ːr-] *n.* **1** 사르사(파릴라) 《중미 원산의 청미래덩굴속(屬)의 식물》 **2** Ⓤ 사르사 뿌리 《강장제·음료용》 **3** Ⓤ 사르사파릴라 《사르사 뿌리로 맛들인 탄산수》
SARSAT [sɑ́ːrsæ̀t] [search *a*nd *r*escue *sat*ellite-*a*ided *t*racking] *n.* 【우주과학】 수색 구조용 위성 지원 추적 시스템(의 위성)
sar·sen [sɑ́ːrsən] *n.* Ⓤ 【지질】 사르센석(石) 《잉글랜드 중남부에 산재하는 사암(砂岩)》
sarse·net [sɑ́ːrsnit] *n.* =SARCENET
sar·to·ri·al [sɑːrtɔ́ːriəl] *a.* 《문어》 **1** 재봉(사)의: the ~ art 《익살》 재봉 기술 / a ~ triumph 《익살》 훌륭하게 지은 옷 **2** 의복에 관한: one's ~ taste 옷에 대한 취향 **~·ly** *ad.*
sar·to·ri·us [sɑːrtɔ́ːriəs] *n.* (*pl.* **-ri·i** [-riài]) 【해부】 봉공근(縫工筋) 《허벅다리 안쪽에 비스듬히 뻗어 있는, 사람의 가장 긴 근육》
Sar·tre [sɑ́ːrtrə] *n.* 사르트르 **Jean Paul** ~ (1905-80) 《프랑스의 실존주의 작가·철학자》
SÁR tréaty 해상 수색 구조 조약(cf. SAR)
Sarum. *Sarisburiensis* (L =of Salisbury; Bishop of Salisbury의 서명(署名)에 쓰임: ⇨ CANTUAR.)
SAS [sǽs] Scandinavian Airlines System; small astronomy satellite 《미》 소형 천문 관측 위성; Special Air Service 《영》 공군 특수 기동대
SASE, s.a.s.e. self-addressed stamped envelope 《미》 자기 주소를 적은 반신용 봉투(를 동봉할 것)
‡sash[1] [sǽʃ] *n.* **1** 장식띠 《장교 등의 정장(正裝)용》; (어깨에서 허리로 띠는) 현장(懸章), 어깨띠; (상급 훈작사(勳爵士) 등이 어깨에 걸치는) 수(綬)(cf. CORDON) **2** 허리띠 《여성·어린이용》; 머리띠, 터번 **3** 《미·속어》 (마약 정맥 주사를 놓기 위한) 압박대
— *vt.* …에 허리띠[머리띠, 장식띠, 어깨띠]를 달다[붙이다] **sashed** [sǽʃt] *a.* **~·less** *a.*
sash[2] *n.* 【건축】 **1 a** (내리닫이 창의) 창틀, 새시 **b** = SASH WINDOW **2** (온실 등의) 유리창 **3** 《드물게》 = CASEMENT — *vt.* 〈집 등에〉 창틀을 달다
sa·shay [sæʃéi] [chassé의 변형] *vi.* **1** 《미·구어》 미끄러지듯이 나아가다[움직이다, 걷다]; 뻐기며 걷다 **2** (댄스에서) 샤세(chassé) 스텝을 밟다
— *n.* **1** 소풍; 산책 **2** =CHASSÉ
sásh bàr 금속 창살
sásh chàin (내리닫이창의) 창틀 사슬
sásh còrd[**lìne**] (창문을 내리고 올리는 데 쓰는) 창틀줄
sash·i·mi [sɑ́ːʃiːmi | sǽʃimi] [Jap.] *n.* ⓊⒸ 생선회
sásh lìft (내리닫이창의) 창틀 손잡이
sásh pòcket 창틀 추(sash weight)가 오르내리는 홈, 추통
sásh pùlley (내리닫이창의) 창틀 줄 도르래
sásh tòol (유리공·도장공(塗裝工) 등의) sash window용 솔
sásh wèight (내리닫이창의) 창틀 줄 끝의 추
sásh wìndow 내리닫이창(cf. CASEMENT window)
SASI [sɑ́ːzi] [*S*hugart *A*ssociates *S*tandard *I*nterface] *n.* 【컴퓨터】 사지 《PC에 하드디스크를 접속하는 인터페이스 규격》
sa·sin [séisin | sǽ-] *n.* 【동물】 인도영양(羚羊)
Sask. Saskatchewan
Sas·katch·e·wan [sæskǽtʃəwɑ̀n, -wən | -wən] *n.* **1** 서스캐처원 《캐나다 남서부의 주(州); 주도 Regina》 **2** [the ~] 서스캐처원 강(江) 《캐나다 중남부를 흘러 Winnipeg 호로 들어감》
sas·ka·toon [sæ̀skətúːn] *n.* 【식물】 =JUNEBERRY
Sas·quatch [sǽskwætʃ] *n.* 새스콰치, 원인(猿人)(Bigfoot) 《미국 북서부 산속에 산다는 사람 같은 큰 짐승》
sass [sǽs] [sassy에서의 역성] 《미·구어》 *n.* Ⓤ 건방진 말대꾸 — *vt.* …에게 건방진 말(대꾸)을 하다
sas·sa·by [sǽsəbi] *n.* (*pl.* **-bies**) 【동물】 사사비 영양 《남아프리카산(産)》
sas·sa·fras [sǽsəfræ̀s] *n.* 【식물】 사사프라스(나무) 《녹나뭇과(科) 식물; 북미 원산》; Ⓤ 그 나무[뿌리] 껍질 《강장제·향료》
Sas·sa·ni·an [səséiniən] *a.* (페르시아의) 사산 왕조의 — *n.* =SASSANID
Sas·sa·nid [səsɑ́ːnid | sǽsə-] *n.* (*pl.* **~s, -ni·dae** [-nidìː]) (페르시아의) 사산 왕조의 사람; [*pl.*] 사산 왕조(226-642 A.D.) — *a.* =SASSANIAN
Sas·se·nach [sǽsənæ̀k] *n.*, *a.* 《스코·아일·경멸》 잉글랜드 사람(Englishman)(의)
sass·wood [sǽswùd] *n.* 【식물】 사스나무 《서아프리카산(産) 콩과(科)의 교목》
sas·sy [sǽsi] [saucy의 변형] *a.* (**sas·si·er**; **-si·est**) **1** 《미·속어》 건방진, 무례한, 뻔뻔스러운(saucy)(cf. SASS) **2** 활발한, 생기 넘치는 **3** 아주 멋진
‡sat[1] [sǽt] *v.* SIT의 과거·과거분사
sat[2] [*sat*isfactory] *n.* [다음 성구로] ***pull*** ~ 《미·학생속어》 만족스러운 점수[성적]를 얻다
SAT [éseìtíː, sǽt] Scholastic Assessment Test 《미》 대학수학능력시험 《상표명》; 《영》 Standard Assessment Task **Sat.** Saturday; Saturn
‡Sa·tan [séitn] [Heb. 「적」의 뜻에서] *n.* 사탄 《인간과 신(the god)에 대한 대적(大敵)》, 마왕(the Devil), 악마 ~ ***rebuking sin*** 죄를 책망하는 사탄 《자기 잘못은 제쳐 놓고 남의 잘못을 비난하는 사람》
SATAN Security Administrator Tool for Analyzing Network
sa·tang [sɑːtǽŋ] *n.* (*pl.* **~, ~s**) 사탕 《타이의 동화(銅貨); = 1/100 baht》
sa·tan·ic, -i·cal [sətǽnik(əl), sei- | sə-] *a.* **1** [때로 **S~**] 마왕의, 사탄의: His *S~* Majesty 《익살》 악마 대왕 / the *S~* host 타락한 천사의 무리 《Milton의 말》 **2** 악마와 같은; 극악무도한, 흉악한 **-i·cal·ly** *ad.* 악마같이
Satánic schòol [the ~] 악마파 《Southey가 Byron, Shelley 등에게 붙인 이름》
Sa·tan·ism [séitənìzm] *n.* Ⓤ **1** 악마교, 악마 숭배; 악마주의 **2** 악마적 행위 **-ist** *n.* 악마 숭배자
Sa·ta·nol·o·gy [sèitənɑ́lədʒi | -nɔ́-] *n.* Ⓤ 악마 연구

thesaurus **satirical** *a.* mocking, ridiculing, taunting, ironic, sarcastic, sardonic, biting

sa·tay [sɑ́tei] *n.* 사테이 《양념한 고기·생선 꼬치 구이에 매운 땅콩 소스를 친 인도네시아·말레이시아 요리》
S.A.T.B. 〖음악〗 soprano, alto, tenor, bass
satch [sǽtʃ] *n.* [종종 **S~**] **1** 《미·속어》 입이 큰 녀석 《종종 크고 두터운 입술을 가진 흑인의 별명》 **2** 수다쟁이; 정치가 《종종 별명으로》
***satch·el** [sǽtʃəl] *n.* 학생 가방, 작은 가방 《손에 들 수도 있고 어깨에 메기도 하는 것》; (여행용 등의) 손가방 (⇨ bag[1] 유의어) **sátch·eled** [-d] *a.* 학생 가방을 멘
satch·el-mouth [sǽtʃəlmàuθ] *n.* 《미·속어》 입이 큰 놈(satch)
Sat·com [sǽtkɑ̀m | -kɔ̀m] [*sat*ellite *com*munications] *n.* 새트콤 《(미국의) 통신 위성 추적 센터》
satd. saturated
sate[1] [séit] *vt.* 물리게 하다, 배부르게 하다(⇨ sated) ~ one***self with*** …에 물리다, 아주 만족하다, …을 만끽하다
sate[2] [sǽt, séit] *v.* 《고어》 SIT의 과거·과거분사(cf. SAT[1])
sat·ed [séitid] *a.* 넌더리 나도록 물린: feel ~ 물리고 있다, 넌더리 나 있다 ***be ~ with*** steak 물리도록 (스테이크를) 포식하다
sa·teen [sætíːn] *n.* Ⓤ 면수자(綿繻子), 모(毛)수자 (cf. SATIN)
sate·less [séitlis] *a.* 《시어》 물릴 줄 모르는(insatiable) 《*of*》
‡**sat·el·lite** [sǽtəlàit] [L 「경호원, 수행자」의 뜻에서] *n.* **1** 〖천문〗 위성; 인공위성(=artificial ~): launch a ~ 인공위성을 쏘아 올리다 **2** 위성국; 위성 도시 **3** 위성 방송[텔레비전] **4** 종자(從者), 수행자; 아부자; 식객(dependent) **5** 〖생물〗 (염색체의) 부수체(付隨體)
— *a.* Ⓐ **1** (인공) 위성의: ~ communications 위성[우주] 통신 / ~ hookup 위성 중계 **2** 위성과 같은; 종속된: a ~ state[nation] 위성 국가
— *vi., vt.* 위성 중계하다 ~ a person ***out*** …을 본사에서 좌천하다
sat·el·lit·ic [sæ̀təlítik] *a.* 위성의
sátellite bòoster 위성 가속용 로켓
sátellite bròadcasting 위성 방송 《방송 위성을 이용하여 행하는 방송》
sátellite bùsiness 위성 비즈니스 《통신 위성을 이용하여 전화·TV·데이터 통신 등 각종 정보 서비스를 행하는 사업》
sátellite cìty =SATELLITE TOWN
sátellite dìsh 위성으로부터의 전파 수신용 접시 모양의 안테나
sátellite DNÁ 〖생물〗 부수(附隨) DNA 《핵 내의 주성분과는 다른 소형 DNA》
sátellite kìller 위성 파괴 위성, 킬러 위성
Sátellite Néws Chánnel 위성 뉴스 채널 《略 SNC》
sátellite pùblishing (신문·잡지의 원판을 위성으로 전송하여 인쇄하는) 위성 발행
sátellite stàte 위성국(國)
sátellite stàtion 인공위성[우주선] 기지; 위성 방송 기지
sátellite télephone 위성 전화 《인공위성을 이용하는 이동 전화》
sátellite télevision [**TV**] 위성 텔레비전
sátellite tòwn 위성 도시; 대도시 근교 도시
sat·el·li·za·tion [sæ̀təlizéiʃən | -lai-] *n.* 위성화, 위성국화, 종속화
sat·el·loid [sǽtəlɔ̀id] *n.* 〖항공·우주과학〗 저궤도 인공위성
sat·el·loon [sǽtəlùːn] *n.* 기구 위성 《에코 위성 등》
sa·tem [sɑ́ːtəm] *a.* (인도·유럽 어족 중의) 사템 어군의 《Indo-Iranian, Slavic, Baltic 등이 이에 속함》
sa·ti [sʌtíː, ⌐—] *n.* =SUTTEE
sa·tia·ble [séiʃəbl | -ʃiə-] *a.* 《문어》 만족시킬 수 있는, 물리게 할 수 있는(opp. *insatiable*)
-bìl·i·ty *n.* **~·ness** *n.* **-bly** *ad.*
sa·ti·ate [séiʃièit] *vt.* **1** 충분히 만족시키다(satisfy) **2** 싫증나게[물리게] 하다(sate) 《*with*》(⇨ satiated)
sa·ti·at·ed [séiʃièitid] *a.* 충분히 만족한, 물린 《*with*》
sa·ti·a·tion [sèiʃiéiʃən] *n.* =SATIETY
sa·ti·ety [sətáiəti] *n.* Ⓤ 물림, 싫증남, 포만(飽滿) (repletion) 《*of*》 ***to ~*** 물릴[싫증날] 만큼
sat·in** [sǽtn | -tin] [중국 푸젠 성(福建省)의 해항 이름에서] *n.* **1** Ⓤ 공단, 새틴(cf. SATEEN), 수자(繻子) **2** 비단 같은 표면 **3** 〖곤충〗 광택이 있는 나방의 일종 **4** Ⓤ 《영·속어》 진(gin) 《술의 일종》 ***figured ~ 수단(繡緞)
— *a.* **1** 새틴의 **2** 매끈매끈한, 윤나는: a ~ finish (은그릇 등의) 공단 마무리[윤내기]
— *vt.* 〈벽지 등에〉 공단과 같은 광택을 내다
~·lìke *a.* ▷ sátiny *a.*
sat·i·net(te) [sæ̀tənét] *n.* Ⓤ 공단[새틴] 모조직, 면(綿)공단[새틴], 면모(綿毛) 공단[새틴]
sátin pàper 비단 윤이 나는 종이
sátin spár[stóne] (진주 광택이 나는) 섬유 석고(纖維石膏)
sátin stìtch 새틴 스티치 《수자직식의 감침질》
sátin wèave 수자직(繻子織), 새틴직
sátin whíte 새틴 화이트 《석고와 알루미늄으로 된 백색 안료》
sat·in·wood [sǽtnwùd] *n.* 〖식물〗 **1** 새틴나무, 인도수자목 《인도산(産) 단향과의 교목》; Ⓤ 그 목재 **2** 좀피나무의 일종 《북아메리카·서인도 제도산(産)》
sat·in·y [sǽtəni] *a.* 공단[새틴] 같은; 윤기 있는; 매끈매끈한
‡**sat·ire** [sǽtaiər] *n.* **1** Ⓤ 풍자, 비꼼, 야유, 빈정댐

> 유의어 **satire** 특히 사회 제도·사회적 권위자 등에 대한 비꼼: a *satire* on modern industrial civilization 현대 산업 문명에 대한 풍자 작품 **sarcasm** 일반 개인에 대한 빈정거림: in bitter *sarcasm* 신랄하게 빈정거려

2 Ⓤ [집합적] 풍자 문학; Ⓒ 풍자 작품 《시·소설·연극 등》: a ~ on politics 정치에 대한 풍자문 **3** 웃음거리로 만드는 것, 모순 《*on, upon*》
sa·tir·ic, -i·cal [sətírik(əl)] *a.* 비꼬는, 풍자적인, 풍자하기 좋아하는, 빈정대는: a ~ poem 풍자시
-i·cal·ly *ad.*
sat·i·rist [sǽtərist] *n.* **1** 풍자시[문] 작자 **2** 풍자가, 비꼬기 좋아하는 사람
sat·i·rize [sǽtəràiz] *vt.* 풍자화하다, 풍자시[문]로 공격하다; 빈정대다, 비꼬다 **sat·i·ri·za·tion** [sæ̀tərizéiʃən | -rai-] *n.* **-rìz·er** *n.*
‡**sat·is·fac·tion** [sæ̀tisfǽkʃən] *n.* **1** Ⓤ 만족, 만족시킴, 만족함; 소원 성취: feel ~ at having realized one's long-cherished hope 숙원을 이루어서 만족해하다 **2** 만족을 주는 것: Listening to music is one of his greatest ~*s.* 음악 감상은 그에게는 가장 큰 기쁨의 하나이다. **3** Ⓤ **a** 〖법〗 (의무의) 이행; (손해의) 배상, (빚의) 상환 《*of, for*》 **b** (명예 훼손의) 사죄(謝罪); (명예 회복의) 결투 **4** 〖그리스도교〗 속죄
demand ~ 배상을 요구하다; 사죄[결투]를 요구하다 ***enter (up) ~*** 명령된 지불을 필했음을 법원에 등기하다 ***express*** one***'s ~ at***[***with***] …에 만족의 뜻을 표명하다 ***find ~ in*** do***ing*** …하는 것에[으로] 만족하다 ***give ~*** 만족시키다; 배상하다; 결투의 제의에 응하다 ***in ~ of*** …의 지불[배상]로서 ***make ~ for*** …을 배상[변상]하다 ***take ~ for*** 보복하다 ***to*** a person***'s ~*** = ***to the ~ of*** a person (1) [보통 문장 첫머리에 놓아] …이 만족한 것은: *To our* ~, he has passed the examination. 그가 시험에 합격하여 우리는 만족했다. (2) [보통 문장 끝에 놓아] …이 만족할 수 있도록: It is difficult to settle the matter *to the ~ of* all. 모두가 만족할 수 있도록 사건을 해결하기는 어

---

satisfaction *n.* fulfillment, gratification, pleasure, enjoyment, delight, happiness, pride

렵다. ***with*** (***great***[***much***]) ~ (크게) 만족하여
▷ sátisfy *v.*; satisfáctory *a.*

∗**sat·is·fac·to·ri·ly** [sæ̀tisfǽktərəli] *ad.* 만족하게, 흡족하게, 충분히, 납득이 가도록

‡**sat·is·fac·to·ry** [sæ̀tisfǽktəri] *a.* **1** 만족스러운, 더할 나위 없는, 충분한 (*for, to*): ~ results 만족스런 결과 **2** 〈성적이〉 보통의, 양호한, C의 **3** 〖신학〗 충분한 속죄가 되는 **-ri·ness** *n.*
▷ sátisfy *v.*; satisfáction *n.*

sat·is·fice [sǽtisfàis] *vi.* 최소한의 필요 조건을 충족시키다; 작은 성과에 만족하다

‡**sat·is·fied** [sǽtisfàid] *a.* **1** 만족한, 흡족한 (*with, by*): a ~ customer 만족한 고객 // (~+***to*** do) They are ~ *to* get equal shares. 그들은 고른 분배를 받아 만족하고 있다. **2** Ⓟ 수긍한, 납득한 (*of, about*): (~+***that*** 절) I am ~ *that* he is innocent. 나는 그가 무죄임을 인정한다. **3** 깨끗이 치른[지불한] ***be ~ of*** …을 납득하다 ***be ~ with*** …에 만족하다 ***rest ~*** 만족하고 있다 **~·ly** *ad.*

‡**sat·is·fy** [sǽtisfài] [L 「충분하게 하다」의 뜻에서] *v.* (**-fied**) *vt.* **1** 〈사람·욕망을〉 **만족시키다**; 〈사람의 뜻을〉 충족시키다 (*with*)(⇨ satisfied 1): ~ one's hunger 공복을 채우다 / The result did not ~ me. 그 결과는 나를 만족시키지 못했다. // (~+목+전+명) I could not ~ him *with* the answer. 나는 그 대답으로 그를 만족시킬 수가 없었다.

> 유의어 **satisfy** 욕망·희망·필요 등을 충분히 만족시키다 **content** 더 이상의 것이나 다른 것을 바라지 않을 정도로 필요함을 만족시키다: *content* oneself with a moderate meal 보통의 식사로 만족하다

2 〈요구 조건을〉 채우다: ~ the conditions 조건을 충족시키다 **3** 〈의무를〉 다하다, 이행하다; 〈숙원을〉 이루다; 〈부채를〉 다 갚다, 〈채권자 등에게〉 채무를 이행[변제]하다; 배상하다(compensate): ~ a creditor 채권자에게 (전액) 상환하다 // (~+목+전+명) ~ a debt *for* a person …에게 부채를 갚다 **4** 〈걱정·의심을〉 풀다; 납득[수긍]시키다(convince), 안심시키다 (*of, about*)(⇨ satisfied 2): ~ one's anxiety [doubts] 근심[의심]을 풀다 // (~+목+전+명) ~ a person *of* a fact …에게 어떤 사실을 납득시키다 // (~+목+***that*** 절) He *satisfied* me *that* it was true. 그는 그것이 진실임을 내게 납득시켰다. **5** 〖수학〗 (…의) 조건을 만족시키다
—*vi.* 만족을 주다, 충분하다
~ one***self*** 만족하다; (…임을) 수긍하다, 납득하다 (*of, that*) **~ *the examiners*** ⇨ examiner
-fi·a·ble *a.* **-fi·er** *n.*
▷ satisfáction *n.*; satisfáctory *a.*

∗**sat·is·fy·ing** [sǽtisfàiiŋ] *a.* **1** 만족을 주는, 충분한: a deeply~ feeling 충만감 **2** 납득이 되는; 수긍한 **~·ness** *n.*

sat·is·fy·ing·ly [sǽtisfàiiŋli] *ad.* 만족시킬 만큼, 납득이 가도록, 충분히

sat·nav [sǽtnæv] [*sat*ellite *nav*igation] *n.* 위성 항법 (인공위성의 전파를 받고 항공기·선박을 항행하는)

sa·tran·gi [sətrʌ́ndʒi] *n.* (인도) 면제(綿製) 카펫

sa·trap [séitræp | sǽtrəp] *n.* 태수(太守) (고대 페르시아 지방 장관); (전제적) 총독, 지사

sa·tra·py [séitrəpi | sǽ-] *n.* (*pl.* **-pies**) Ⓤ satrap의 통치; Ⓒ 그 관할구

sat·sum·a [sætsúːmə] *n.* 작은 밀감의 일종 (씨가 없고 껍질이 쉽게 벗겨지는)

sat·sang [sɑ́ːtsɑːŋ] *n., vi.* 〖힌두교〗 설교(하다)

sat·u·ra·ble [sǽtʃərəbl] *a.* 포화(飽和)시킬 수 있는
sàt·u·ra·bíl·i·ty *n.*

sat·u·rant [sǽtʃərənt] *a.* 포화시키는
—*n.* 〖화학〗 포화제(飽和劑)

∗**sat·u·rate** [sǽtʃərèit] [L 「채우다」의 뜻에서] *vt.* **1** 흠뻑 적시다, 담그다, 적시다, 함빡 스며들게 하다(⇨ saturated): (~+목+전+명) ~ a handkerchief *with* water 손수건을 물에 적시다 / ~ oneself *with* sunshine 온 몸에 흠뻑 햇빛을 받다 **2** 〈시장에〉 과잉 공급하다, 충만시키다 (*with*) **3** 〖화학〗 〈용액·화합물 등을〉 포화시키다: ~ water *with* salt 물을 소금으로 포화시키다 **4 a** [과거분사로] 〈담배 연기 등이〉 〈방 안을〉 가득 채우다; 〈전통·편견 등이〉 (…에) 배어들다(imbue) (*with*)(⇨ saturated 2) **b** [~ one*self*로] (연구 등에) 사람을 몰두시키다 (*in*): (~+목+전+명) In those days I ~*d myself in* English literature. 그 시절 나는 영문학 연구에 전념하고 있었다. **5** 〖군사〗 …에 집중 폭격을 가하다
— [-rət, -rèit] *a.* = SATURATED
— [-rət, -rèit] *n.* 포화 지방산(fatty acid)
▷ saturátion *n.*; sáturant *a., n.*

sat·u·rat·ed [sǽtʃərèitid] *a.* **1** 속속들이 스며든; 흠뻑 젖은 (*with*): a ~ towel 흠뻑 젖은 타월 / a shirt ~ *with* sweat 땀으로 흠뻑 젖은 셔츠 **2** Ⓟ (…으로) 가득한 (*with*); 〈전통·편견 등이〉 배어든 (*with*) **3** 〈색이〉 (강도·채도면에서) 포화도에 달한; 〖화학〗 포화된 **4** 〖지질〗 〈광물·토양 등이〉 규산을 최대한으로 함유한

sáturated cómpound 〖화학〗 포화 화합물

sáturated díving = SATURATION DIVING

sáturated fát 포화 지방 (버터·살코기·계란 노른자위 등에 함유된 단일 결합의 동식물 지방; 혈중 콜레스테롤 농도를 높임)

sáturated líquid 〖물리〗 포화 액체

sáturated solútion 〖화학〗 포화 용액

sat·u·ra·tion [sæ̀tʃəréiʃən] *n.* Ⓤ **1** 침윤(浸潤), 삼투; 〖화학〗 포화 (상태) (습도 100%의 상태) **2** 〖광학〗 (색의) 채도(彩度) (색의 포화도; 백색과의 혼합 정도) **3** 〖군사〗 (압도적인) 집중 공격 **4** (시장의) 포화 (수요를 공급이 충분히 충족하고 있는 상태) **5** 〖전자〗 (기억 소자 등의) 포화 상태

saturátion bòmbing 〖군사〗 집중[완전] 폭격

saturátion còverage (신문 등의) 집중 취재

saturátion cùrrent 포화 전류

saturátion cùrve 포화 곡선

saturátion dìving 포화 잠수 (단계적 가압으로 인체를 적응시키기)

saturátion pòint 포화점; 한도, 극한

sat·u·ra·tor, -rat·er [sǽtʃərèitər] *n.* 배어들게 하는[포화시키는] 사람[것]; 〖화학〗 포화기[장치]

‡**Sat·ur·day** [sǽtərdi, -dèi] [OE 「Saturn(토성)의 날」의 뜻에서] *n.* **토요일** (略 Sat., Sa.): next[last] ~ = *on* ~ next[last] 다음[지난] 토요일에 ★ 뒤쪽 형태는 주로 (영).
—*a.* Ⓐ 토요일의: *on* ~ afternoon 토요일 오후에
—*ad.* (미) 토요일에(on Saturday): See you ~. 그럼 토요일에 봅시다.

Sáturday nìght spécial [주말의 범죄에 흔히 쓰이는 데서] (미·속어) (염가의) 소형 권총

Sat·ur·days [sǽtərdiz, -dèiz] *ad.* (미) 토요일마다, 토요일에는 언제나(on Saturdays)

Sat·ur·day-to-Mon·day [sǽtərditəmʌ́ndi] *a.* 토요일부터 월요일까지의, 주말의 **—***n.* 주말 (휴가)

∗**Sat·urn** [sǽtərn] *n.* **1** 〖천문〗 **토성**: ~'s rings 토성의 고리 **2** 〖로마신화〗 농업의 신 (Jupiter 이전의 황금 시대의 주신(主神); 그리스 신화의 Cronos에 해당함) **3** Ⓤ 〖연금〗 납(cf. SATURNIC) **4** 새턴 (미국의 유인 우주선 발사용 로켓)
▷ Satúrnian, sáturnine *a.*

Sat·ur·na·li·a [sæ̀tərnéiliə] *n.* (*pl.* **~s,** ~) **1** [the ~; 때때로 복수 취급] 〖고대로마〗 (12월 17일경의 추수를 축하하는) 농신제(農神祭) **2** [종종 **s~**] 진탕 마시고 노는 잔치 (놀이), 흥청망청 떠들기 ***s~ of crime*** 방자한 나쁜 짓 **-lian** [-ljən] *a.*

thesaurus **satisfied** *a.* fulfilled, gratified, appeased, assuaged, pleased, happy, content

Sa·tur·ni·an [sətə́:rniən | sæ-] *a.* **1** 농업의 신(Saturn)의 **2** 황금 시대의; 행복한, 평화스러운: the ~ age 황금 시대 **3** 〖천문〗 토성의
— *n.* **1** (상상의) 토성인(人) **2** 새턴 운율(=~ **vérse**) 《초기의 라틴 시체(詩體)》

sa·tur·nic [sətə́:rnik] *a.* 〖의학〗 납중독(성)의(cf. SATURN 3) **~·ly** *ad.*

sat·ur·nine [sǽtərnàin] [OF 「토성(Saturn)의 영향 아래 태어난」의 뜻에서] *a.* **1** 〖점성〗 토성의 영향을 받고 태어난; 무뚝뚝한, 음울한(gloomy), 냉소적인 **2** 납의[같은]; 〖의학〗 납중독의[에 걸린]: ~ poisoning 납중독 **~·ly** *ad.* **~·ness** *n.*

sat·ur·nism [sǽtərnìzm] *n.* Ⓤ 〖병리〗 납중독(증)

Sat·ya·gra·ha [sʌ́tjəgrʌ̀hə] [Skt. 「진리의 고수」의 뜻에서] *n.* [때로 **s~**] 《인도》 《일반적으로》 진리 파악 운동, 무저항 불복종 운동 《Gandhi주의》

sa·tyr [séitər | sǽtər] *n.* **1** [종종 **S~**] 〖그리스신화〗 사티로스 《주신(酒神) Bacchus를 섬기는 반인 반수(半人半獸)의 숲의 신, 술과 여자를 몹시 좋아함; 로마 신화의 faun에 해당》 **2** 호색가, 색마 **3** 〖곤충〗 뱀눈나비 **~·like** *a.* ▷ satýric *a.*

satyr 1

sa·ty·ri·a·sis [sèitəráiəsis | sæ̀-] *n.* Ⓤ 〖병리〗 (남자의) 음란증(opp. *nymphomania*)

sa·tyr·ic, -i·cal [sətírik-(əl)] *a.* 사티로스(satyr)의[같은]

‡**sauce** [sɔ́:s] [L 「소금에 절인 음식」의 뜻에서] *n.* **1** ⓊⒸ **소스**; 《비유》 양념, 자극, 재미: white ~ 화이트 소스 《버터·밀가루로 만듦》 / Hunger is the best ~. 《속담》 시장이 반찬. / Sweet meat will have sour ~. 《속담》 달콤한 고기에 신 양념, 양지가 있으면 음지도 있다. / What's ~ for the goose is ~ for the gander. 《속담》 이것에 들어맞는 것은 저것에도 들어맞는다; 그 말은 내가 할 말이다. 《토론 때의 반박의 말》 **2** Ⓤ 《미》 (과일의) 설탕 조림(cf. APPLESAUCE) **3** Ⓤ 《속어》 뻔뻔스러움(cheek), 건방짐; 건방진 언동: What ~! 정말 건방지구나! **4** [the ~] 《미·속어》 독한 술
a poor man's* [*a carrier's*] ~** 공복, 식욕 (Give me***) ***none of your ~!*** = ***I don't want any of your ~!*** = ***Don't come with any of your ~!*** 《속어》 건방진 소리[실례되는 말] 하지 마라! ***hit the ~*** 《미·속어》 (실컷[언제나]) 술을 마시다 ***off the ~*** 《속어》 금주하고 ***on the ~*** 《미·속어》 술에 빠진, 알코올 중독인 ***serve the same ~ to*** a person = ***serve*** a person ***with the same ~*** 《속어》 …에게 똑같은 방법으로 보복하다
— *vt.* **1** …에 소스를 치다; (소스로) 간을 맞추다 **2** …에 재미[자극]를 더하다: a sermon ~*d* with wit 재치로 흥미를 돋운 설교 **3** 《구어》 …에게 무례한 말을 하다(sass) **~·less** *a.*
▷ sáucy *a.*

sauceboat

sauce·boat [sɔ́:sbòut] *n.* (배 모양의) 소스 그릇

saucepan

sauce·box [-bɑ̀ks | -bɔ̀ks] *n.* 《속어》 건방진 풋내기; 뻔뻔스러운 녀석

sauced [sɔ́:st] *a.* 《속어》 술 취한

***sauce·pan** [sɔ́:spæ̀n | -pən] *n.* **소스 냄비**, 스튜 냄비 《긴 손잡이가 달리고 뚜껑 있는 깊은 냄비》

sáuce pàrlor 《미·속어》 술집

‡**sau·cer** [sɔ́:sər] [OF 「소스 그릇」의 뜻에서] *n.* **1** 받침 접시(⇨ dish 유의어): a cup and ~ 받침 접시가 딸린 잔 **2** 받침 접시 모양의 것; 화분의 밑받침; (땅의) 얕게 옴폭한 곳; =FLYING SAUCER

sau·cer-eyed [sɔ́:səràid] *a.* (접시처럼) 눈이 휘둥그레진, 눈을 부릅뜬

sáucer éyes (놀라서) 휘둥그레진 눈

sau·cer·man [sɔ́:sərmæ̀n] *n.* (*pl.* **-men** [-mèn]) 비행 접시의 승무원; 우주인

***sau·cy** [sɔ́:si] *a.* (**sau·ci·er**; **-ci·est**) **1 뻔뻔스러운**, 건방진, 불손한: Don't be ~! 건방진 소리 마라! / a ~child 건방진 아이 **2 a** 쾌활한, 기운찬 **b** 재치 있는; 멋진(smart): a ~ car 멋진 자동차 **c** 《영·구어》 〈영화·연극 등이〉 외설적인
sáuc·i·ly *ad.* 건방지게 **sáuc·i·ness** *n.* Ⓤ 건방짐

Sau·di [sáudi | sɔ́:-] *a.*, *n.* =SAUDI ARABIAN

Sa·u·dia [sáudiə, sɑ:ú:diə] *n.* 사우디아 항공 《사우디 아라비아의 국영 항공 회사; 정식명 Saudi Arabian Airlines》

Sáudi Arábia 사우디 아라비아 《중앙 아라비아의 왕국; 수도는 Riyadh; 성도(聖都) Mecca》

Sáudi Arábian *a.*, *n.* 사우디 아라비아(사람)의; 사우디 아라비아의 주민

Sáudi Arábian Áirlines =SAUDIA

sau·er·bra·ten [sáuərbrɑ̀:tn] [G] *n.* 사우어브라튼 《식초 등에 절인 쇠고기를 볶은 독일 요리》

sau·er·kraut [sáuərkràut] [G 「새콤한」과 「양배추」의 뜻에서] *n.* Ⓤ 소금에 절인 양배추 《발효시킨 독일의 김치》

sau·ger [sɔ́:gər] *n.* 〖어류〗 Stizostedion속(屬)의 민물고기 《북미산(産)》

Sauk, Sac [sɔ́:k] *n.* (*pl.* **~, ~s**) 소크 족(族) 《Wisconsin주 일대에 살던 북미 인디언 족》

saul [sɑ́:l] *n.* =SAL[3]

Saul [sɔ́:l] *n.* **1** 남자 이름 **2** 〖성서〗 사울 《Israel의 초대 왕》 **3** 사도 Paul의 원래 이름

sault [sú:] *n.* 폭포; 급류

Sau·mur [soumjúər] [F] *n.* 소뮈르 포도주 《프랑스의 Loire 지방 소뮈르 지역산(産) 백포도주》

sau·na [sɔ́:nə, sáu- | sɔ́:-] [Fin. 「목욕탕」의 뜻에서] *n.* (핀란드의) 사우나 《한증욕》; 사우나 목욕탕

saun·ter [sɔ́:ntər, sɑ́:n- | sɔ́:n-] *vi.* 거닐다, 산보하다(stroll); 《비유》 빈둥거리다(idle) **~ *about*** 어슬렁어슬렁 돌아다니다, 배회하다 **~ *through life*** 일생을 허송세월하다
— *n.* **1** 산책(ramble), 배회 **2** 느릿한 옛날 댄스
~·er *n.* **~·ing·ly** *ad.*

-saur [sɔ̀:r] 《연결형》 (고대 생물인) 「…룡」의 뜻

sau·rel [sɔ́:rəl] *n.* 《미》 〖어류〗 전갱이류

sau·ri·an [sɔ́:riən] *a.*, *n.* 도마뱀속(屬)의[도마뱀 비슷한] (동물)

saur·is·chi·an [sɔ:rískiən] *n.* 용반류(龍盤類) 동물 《용반목(目)의 초식 또는 육식 공룡의 총칭》

sauro- [sɔ́:rou, -rə] 《연결형》 「도마뱀」의 뜻

sau·roid [sɔ́:rɔid] *a.* 도마뱀 같은
— *n.* 도마뱀류의 동물

sau·ro·pod [sɔ́:rəpɑ̀d | -pɔ̀d] *n.* 용각류(龍脚類) 동물 《초식 공룡의 총칭》 **sau·rop·o·dus** [sɔ:rɑ́pədəs | -rɔ́-] *a.* 용각류(類)의

-saurus [sɔ́:rəs] 《연결형》 -SAUR의 이형

sau·ry [sɔ́:ri] *n.* (*pl.* **-ries**) 〖어류〗 꽁치류(類)

‡**sau·sage** [sɔ́:sidʒ | sɔ́-] [L 「소금에 절인 음식」의 뜻에서] *n.* **1** ⓊⒸ **소시지**, 순대 **2** 소시지 모양의 것; 〖항공〗 소시지형 계류 기구(繫留氣球)(=~ **ballóon**) **3** 《속어》 독일 사람 **4** 《속어》 열등한 운동 선수, 《특히》 실력 없는 프로 복서[레슬러]
have not a ~ 《속어》 수중에 돈이 한푼도 없다
~·like *a.*

sáusage cùrl 소시지 모양으로 만 머리

sáusage dòg 《영·구어》 =DACHSHUND

---

satisfy *v.* satiate, sate, quench, fulfill, gratify, appease, assuage, meet, indulge, solve

sau·sage-fill·er [-filər] *n.* 소시지(내용물) 채우는 기구

sáusage fìnger 끝이 뭉툭한 손가락(opp. TAPER *finger*)

sau·sage-ma·chine [-məʃiːn] *n.* 소시지용 고기 다지는 기구

sáusage mèat 다진 고기 《소시지용》

sáusage róll 다져서 양념한 소시지 롤빵

sáusage trèe 〖식물〗 소시지나무 《열대 아프리카 원산의 상록 교목》

S. Aust. South Australia

sau·té [soutéi, sɔː- | sóutei] [F] *n.* (*pl.* **~s** [-z]) 〖요리〗 소테 《적은 기름이나 버터 등으로 살짝 튀긴 요리》 **—** *a.* 소테의[로 한]

— *vt.* (~(**e**)**d**; **~·ing**) 〈고기·야채 등을〉 소테로 하다, 기름에 살짝 튀기다(⇨ cook 유의어)

Sau·ternes [soutə́ːrn, sɔ-] [F] *n.* Ⓤ 소테른 백포도주 《프랑스 남부의 원산지명에서》

sauve qui peut [sóuv-kiː-pə́ː] [F =(let him) save himself who can] 달아나기 바쁨, 패주, 궤멸, 궤주(潰走)(rout)

sav·a·ble [séivəbl] *a.* 구할 수 있는; 절약[저축]할 수 있는

⁑**sav·age** [sǽvidʒ] [L 「숲의, 야생의」의 뜻에서] *a.* **1** Ⓐ 야만적인, 야만인의, 미개한: ~ customs 야만적인 풍습 / ~ tribes 미개 민족 **2** Ⓐ 〈토지·장소가〉 황량한(wild), 거친: ~ scenery 황량한 풍경 **3** 잔인[포악]한(brutal); 사나운, 무지막지한(ferocious), 야생의(untamed): ~ beasts 사나운 맹수들 / a ~ temper 잔인한 성격 **4** 〈행동 등이〉 천한, 무례한: ~ manners 버릇없음 **5 a** 〈말·공격 등이〉 가차없는, 맹렬한: ~ criticism 혹평 **b** 《구어》 격노한, 노발대발한 **6** 《학생속어》 최고의, 멋진 ***get ~ with*** …에 대하여 화를 왈칵 내다 ***make a ~ attack upon*** …을 맹렬히 공격하다 ***make*** a person ~ …을 격노시키다

— *n.* **1** 야만인, 미개인 **2** 야만적인[잔인한] 사람; 버릇없는 사람, 무뢰한 ***the noble ~*** 《문명에 때묻지 않은》 천진난만한 원시인

— *vt.* **1** 〈성난 개·말 등이〉 날뛰며 물어뜯다 **2** 맹렬하게 공격[비난]하다: a play *~d* by the critics 비평가들의 혹평을 받은 연극 **3** 잔인하게 다루다; …에게 폭력을 휘두르다 **~·ly** *ad.* **~·ness** *n.*

sav·age·ry [sǽvidʒri] *n.* (*pl.* **-ries**) **1** Ⓤ 야만, 미개 (상태) **2** Ⓤ 흉포, 포악성(fierceness), 잔인 **3** [보통 *pl.*] 야만적 행위, 만행 **4** [집합적] 야수; 야만인

sav·ag·ism [sǽvidʒìzm] *n.* 야만, 만행

SAVAK, Sa·vak [sævǽk, sɑːvɑ́ːk] *n.* 《혁명(1979) 전 이란의》 국가 치안 정보국, 비밀 경찰

*__sa·van·na, -nah__ [səvǽnə] [Sp.] *n.* 대초원, 사바나 《열대 지방 등의 나무 없는 대평원》; 《특히 미국 남동부의》 나무가 없는 평원, 초원 (cf. PRAIRIE, STEPPE)

savánna mónkey 〖동물〗 사바나원숭이 《아프리카 사하라 이남의 사바나에 사는 긴꼬리원숭이》

sa·vant [sævɑ́ːnt | sǽvənt] [F 「알다」의 뜻에서] *n.* 《문어》 학자, 석학(碩學)

sav·a·rin [sǽvərin] [프랑스의 미식가 이름에서] *n.* 사바랭 《럼주나 매실즙 등을 넣고 만든 둥근 원통형의 케이크》

sa·vate [səvǽt] [F] *n.* Ⓤ 프랑스식 권투 《머리와 발도 사용함》

⁑**save**¹ [séiv] *v.*, *n.*

> L 「안전한」의 뜻에서 (cf. SAFE)
> 「안전하게 하다」 → 「구조하다」 →
> 「지키다」 ─┬(소비로부터 보호하다) → 「저축하다」
> 　　　　　 └(낭비로부터 보호하다) → 「절약하다」

— *vt.* **1** 《위험·재난·손해 등에서》 〈사람·생명·재산 등을〉 구하다(rescue), 안전하게 하다, 구조하다; 모면하게 하다 《*from*》: ~ a person's life …의 목숨을 구하다 // 《~+목+전+명》 ~ a person *from* drowning …가 물에 빠진 것을 구해 내다

> 유의어 **save** 「사람을 위험 등에서 구해 내다」는 뜻의 가장 일반적인 말이다 **rescue** 신속·활발한 활동에 의해 절박하고 중대한 위험에서 구해 내는 것으로서, 종종 조직적인 구조 활동을 나타낸다: *rescue* the people from the burning house 불타는 집에서 사람들을 구조하다 **help** 구출 행동보다는 도움을 주는 것에 중점을 둔다: *help* a person out of danger 남을 위험에서 구해 내다

2 〈명예·신용·권리 등을〉 (안전하게) 지키다, 수호하다(safeguard); 〈신이〉 〈국왕 등을〉 지키다: ~ one's honor 자기의 명예를 지키다 **3** 〖신학〗 〈사람·영혼을〉 《죄에서》 구하다, 구원하다 《종종 *from*》 **4 a** 모으다, 저축하다, 떼어 놓다 《*up, for*》; 절약하다; 소중히 하다[아끼다]: ~ (*up*) money 돈을 모으다 / ~ one's eyes 눈을 소중히 하다[아끼다] // 《~+목+전+명》 ~ some milk *for* lunch 점심을 위해 우유를 조금 남겨두다 / He *~d* his best suit *for* the occasion. 그는 특별한 경우를 위해 가장 좋은 양복을 따로 보관해 두었다. / A penny *~d* is a penny gained[earned]. 《속담》 티끌 모아 태산. **b** 〖컴퓨터〗 〈파일·데이터를〉 보관[보존]하다 **5** 〈경비·시간·노력 등을〉 덜어주다, 줄이다, 면하게 하다, 쓰지 않아도 되게 하다, …의 낭비를 막다: ~ time 시간을 아끼다 / I was *~d* the trouble of going there myself. 내가 몸소 그곳에 가야 할 수고를 면했다. // 《~+*-ing*》 This shirt *~s* iron*ing*. 이 셔츠는 다리미질을 안 해도 된다. // 《~+목+목》 That will ~ me 100 won. 그러면 100원이 덜 든다. / A stitch in time *~s* nine. ⇨ stitch. **6** …의 시간에 대다: to ~ the (next) post 다음 배달 편에 늦지 않도록 **7** 제외하다(cf. SAVING²) **8** 〖스포츠〗 〈상대방의 득점을〉 막다, 세이브하다

— *vi.* **1** 저금하다, 돈을 모으다, 저축하다 《*up*》; 절약하다 《*on*》: 《~+부》 《~+전+명》 ~ *up for* a trip abroad 해외 여행을 위해 저금하다 / ~ *for* a rainy day 만일을 위하여 저금하다 **2** 〖신학〗 구원하다 **3** 〈생선·과일 등이〉 오래가다, 상하지 않다(keep, last): These peaches won't ~. 이 복숭아들은 오래가지 못할 것이다. **4** 〖스포츠〗 상대방의 득점을 막다; 〖야구〗 〈투수가〉 세이브하다

(***God***) ***~ me from my friends.*** 《친구인 척하며》 내게 참견 마라. ***God ~ the Queen*** [***King***]! 여왕[국왕] 폐하 만세! 《영국 국가》 ***~ one's breath*** ⇨ breath. **~ one*self*** 체력을 소모하지 않도록 하다, 몸[수고]을 아끼다 《*for*》 **~** (one*'s*) ***face*** ⇨ face. **~** one*'s* ***pains*** [***trouble***] 쓸데없는 수고[고생]를 덜다 **~** one*'s* ***pocket*** 돈을 쓰지 않다[않게 하다] **~** one*'s* (***own's***) ***skin*** [***neck***] 《미·구어》 목숨을 건지다, 화[재앙]를 면하다 ***~ the situation*** [***day***] 가까스로 사태를 수습하다, 어려운 고비를 넘기다 ***~ the tide*** 물때에 맞게 입항[출항]하다; 호기를 놓치지 않다 ***~ up*** 〈돈을〉 모으다 ***S~ us!*** 어머, 깜짝이야! ***to ~*** one***'s life*** [보통 can, be able to의 부정문에 쓰여] 거의, 완전히, 전혀: *I couldn't* remember her name *to ~ my life.* 그녀의 이름이 전혀 기억나지 않았다.

— *n.* **1** 《경기에서》 상대방의 득점을 방해함; 〖야구〗 세이브 《구원 투수가 앞선 자기 팀을 끝까지 선방하기》 **2** 〖카드〗 《브리지에서》 대손실을 막기 위한 수단

▷ sávior *n.*; sáfe *a.*

⁑**save**² [séiv] *prep.* 《문어》 …을 제외하고는, …외에는, …말고는(except): the last ~ one 꼴찌에서 둘째 / all dead ~ him 그를 제외하고는 모두 죽어 ★ 《영》에서 《고어·문어》, 《미》에서는 except 다음으로

thesaurus **savage** *a.* **1** 야만적인 vicious, ferocious, fierce, brutal, cruel, murderous, bloodthirsty, inhumane, harsh, ruthless, sadistic, barbarous **2** 사나운 untamed, wild, undomesticated

save¹ *v.* **1** 구하다 rescue, set free, liberate, deliv-

널리 쓰임. **~ *and except*** (스코) …외에는, …을 제외하면 **~ *errors*** 〔상업〕 오산은 제외함 **~ *for*** (문어) …을 제외하고(except (for))

— *conj.* (문어) …임을 제외하고는: There was not a sound ~ that from time to time a bird called. 때로 새가 우는 일 이외는 아무 소리도 들리지 않았다.

save-all [séivɔ̀:l] *n.* **1** 절약 장치; (흘러 떨어지는 재료 부스러기를 회수하는) 받침 접시; 초꽂이가 있는 촛대받이 **2** 〔항해〕 보조돛 **3** (방언) 저금통; (영·방언) 구두쇠

save-as-you-earn [séivæzjuə́:rn] *n.* (영) (급료 등의) 정기 적립 저축 제도 (略 S.A.Y.E)

save·en·er·gy [séivènərdʒi] *n.* (미) 에너지 절약

sav·e·loy [sǽvəlɔ̀i] *n.* ⓊⒸ (영) 양념을 많이 한 건제(乾製) 소시지

sav·er [séivər] *n.* **1** 구원자, 구조자, 구제자 **2** 절약가, 저축가 **3** 절약기[장치]: a coal ~ 석탄 절약기

Sáve the Chíldren Fùnd [the ~] 아동 구호 기금 (재해 지구의 어린이를 구호하기 위해 1919년 창설)

Sáv·ile Rów [sǽvil-] 새빌 거리 (런던의 고급 양복점들이 있는 거리)

sav·in(e) [sǽvin] *n.* 향나무속(屬)의 약용 식물

‡**sav·ing**[1] [séiviŋ] *a.* **1 a** 〈사람이〉 절약하는(economical), 검소한, 알뜰한; 〈노력·시간 등을〉 덜 수 있는 **b** [복합어를 이루어] …을 덜어 주는, …의 절약이 되는: time ~ 시간 절약의 **2** 구해 주는, 구조[구제]가 되는, 도와주는 **3** 〔법〕 보류[유보]의; 예외의, 제외적인: a ~ clause 유보 조항, 단서 **4** 벌충하는; Ⓐ (보완하는) 장점이 되는

— *n.* ⓊⒸ **1 절약**, 검약(economy); [*pl.*] **저금**, 저축: ~ of 30 percent 30%의 절약 / ~*s* deposits 저축성 예금 / From ~ comes having. (속담) 절약은 부의 근원. **2** 구조, 구제, 구원 **3** 〔법〕 보류, 제외

saving[2] *prep.* (문어) **1** …외에는 **2** …에게 경의를 표하면서 **~ *your presence*** [***reverence***] 당신 면전에서 실례되지만 — *conj.* (문어) …을 제외하고는(except), …외에: *S*~ that he is deaf, there is nothing wrong with him. 귀가 어두운 것을 제외하고는 그는 다른 결점이 없다.

sáving gráce (결점을 보완하는) 장점, 미점 (*of*) ***the ~ of*** modesty (겸손)의 미덕

sávings accòunt (미) 보통 예금 (계좌); (영) 저축 예금 (계좌)

sávings and lóan associàtion (미) 저축 대부 조합, 상호 은행((영) building society) (略 S&L)

sávings bànk 저축 은행; (미) 저금통 ***the post-office*** ~ 우편 저금 관리국

sávings bònd (미) (정부 발행의) 저축 채권

sávings ràtio 〔경제〕 저축률

sávings stàmp 저축 스탬프 (일정 액수에 달하면 savings bond로 전환할 수 있음)

***sav·ior** | **sav·iour** [séivjər] *n.* **1 구조자**, 구제자 **2** [the[Our] S~] **구세주** (그리스도)(Christ) ★이 뜻으로는 (미)에서도 Saviour의 철자로 쓰는 것이 일반적임. **~·hòod** *n.* **~·shìp** *n.*

sa·voir faire [sǽvwɑ:r-fέər] [F =know how to do] (사교 등에서의) 기지, 임기응변의 재치

sa·voir vi·vre [-ví:vrə] [F =know how to live] 세련된 태도; 처세술; 예의 바름

Sav·o·na·ro·la [sæ̀vənəróulə] *n.* 사보나롤라 **Girolamo** ~ (1452-98) (이탈리아의 종교 개혁자)

***sa·vor** | **sa·vour** [séivər] [L 「맛」의 뜻에서] *n.* ⒸⓊ **1** (특유한) 맛, **풍미**; 향기 **2** 아취, 운치, 재미, 흥미, 자극 **3** [a ~] 기미(氣味), 다소, 약간 (*of*)

— *vi.* 맛이 있다, 풍미가 있다 (*of*); (비유) …의 기미가 있다 (smack) (*of*): (~+전+명) His talk ~*ed of* self-conceit[dogmatism]. 그의 이야기에는 어딘지 자만심[독단성]이 엿보였다.

— *vt.* **1** …에 맛을 내다, …의 맛이 나다; (드물게) …의 기미를 보이다 **2** 맛보다, 음미하다; 감상하다 **~·er** *n.* 맛을 내는 사람[것] **~·ing·ly** *ad.* **~·less** *a.* 맛없는, 풍미 없는 **~·ous** *a.* 맛좋은, 풍미가 있는 ▷ sávory[2] *a.*

sa·vor·y[1] [séivəri] *n.* 〔식물〕 층층이꽃의 일종 (요리용)

sa·vor·y[2] | **sa·vour·y** [séivəri] *a.* **1** 맛좋은, 향긋한, 풍미 있는 **2** 즐거운, 기분 좋은 **3** [부정 구문에서] (문어) 〈평판이〉 좋은: He does*n't* have a very ~ reputation. 그는 평판이 별로 좋지 않다. **4** 〔요리〕 자극적인; 매콤한, 얼얼한(pungent)(cf. SWEET): a ~ omelette 매콤한 오믈렛

— *n.* (영) (식전 식후의) 구미를 돋우는 자극적인 요리, 입가심; (미) 향신료 식물

sá·vor·i·ly *ad.* **sá·vor·i·ness** *n.*

sa·voy [səvɔ́i] *n.* 〔식물〕 양배추의 일종(=**~ càbbage**)

Sa·voy [səvɔ́i] *n.* **1** 사보이 왕가(1861-1946)(의 사람) **2** 사부아 (프랑스 남동부의 지방, 본래는 공국(公國))

Sa·voy·ard [səvɔ́iərd | səvɔ́iɑ:d] *a.* Savoy(사람)의 — *n.* **1** Savoy 사람 **2** (London의) Savoy 오페라 극장 전속 배우 (Gilbert와 Sullivan의 가극을 처음으로 상연한 때의); Savoy 오페라의 팬

sav·vy [sǽvi] (속어) *vt., vi.* (**-vied**) 알다, 이해하다: *S*~? 알겠느냐? / No ~. 모르겠다.

— *a.* (**-vi·er**; **-vi·est**) 소식에 밝은, (사정에) 정통해 있는 — *n.* Ⓤ 실제적 지식, 상식, 지각, 이해; 직감, 기지(機智), 재치

‡**saw**[1] [sɔ́:] *n.* **1** 톱: a power ~ 전동 톱 **2** 톱 모양의 날붙이[도구]; 톱이 장치된 기계

— *v.* (**~ed**; **sawn** [sɔ́:n], (미) **~ed**) *vt.* **1 톱으로 켜다**; 톱으로 켜서 …으로 만들다; 〈나무를〉 베다: (~+목+전+명) ~ a log *in* half[two] 통나무를 반[둘]으로 켜다 / ~ a log *into* boards = ~ boards *out of* a log 통나무를 켜서 널빤지를 만들다 // (~+목+부) ~ a tree *down* 나무를 톱으로 베어서 넘어뜨리다 / ~ a branch *off* 나뭇가지를 톱질해서 자르다 / ~ wood *up* 목재를 잘게 톱으로 켜다 **2** (톱질하듯) 앞뒤로 움직이다: (~+목+전+명) ~ a knife *through* meat 나이프로 고기를 자르다 // (~+목+부) (~+목+전+명) ~ *out* a tune *on* the violin (활을 전후[좌우]로 움직여) 바이올린으로 한 곡을 켜다 **3** 〔제본〕 〈책 등에〉 (감치는 실을 넣는) 금을 내다

— *vi.* **1 톱질하다**, 나무를 켜다: ~ longways [crossways] of the grain 나뭇결을 세로[가로] 톱질하다 **2** 톱질이 되다, 톱으로 켜지다: (~+부) This timber ~*s easily*[*badly*]. 이 재목은 톱이 잘 먹는다[먹지 않는다]. **3** 톱질하듯이 손을 움직이다: (~+부) (~+전+명) He ~*ed away* dissonantly *at* the violin. 그는 서투른 솜씨로 바이올린을 켜 댔다.

~ *away* 톱질하다 (*on*) **~ *down*** (톱으로) 잘라 넘어뜨리다 **~ *gourds*** (미·속어) 코를 골다 **~ *on the fiddle*** 바이올린을 켜다 **~ *the air*** 팔을 앞뒤로 움직이다; (미·속어) (야구에서) 공을 헛치다 **~ *wood*** (미·속어) (참견 않고) 자기 일에만 전념하다; 코를 골다 (snore); 자다 **~·lìke** *a.*

‡**saw**[2] [sɔ́:] *v.* SEE[1]의 과거

saw[3] *n.* **1** 속담(proverb), 격언(saying): an old ~ 옛속담, 옛말 / a wise ~ 금언 **2** 상투적인[틀에 박힌] 말 **3** (미·속어) 10달러 (지폐)

SAW surface acoustic wave 〔통신〕 표면 탄성파

saw·bill [sɔ́:bìl] *n.* 〔조류〕 비오리

saw·bones [-bòunz] [「뼈를 자르는 (사람)」의 뜻에서] *n.* (*pl.* **~**, **~·es**) (익살) 외과 의사

saw·buck [-bʌ̀k] *n.* **1** (미) =SAWHORSE **2** (미·속어) 10[20]달러 지폐; (속어) 10년형(刑)

sáwbuck tàble X자형 다리 달린 테이블

saw·der [sɔ́:dər] *n.* (구어) 간살, 엉너리, 아부

---

er, salvage, redeem **2** 지키다 protect, guard, keep, shield, screen, preserve, conserve **3** 모으다 reserve, put aside, stockpile, store, hoard

savor *n.* **1** 맛 taste, flavor, tang **2** 향기 smell, aroma, fragrance, scent, perfume, odor

saw-doc·tor [sɔ́ːdɑ̀ktər | -dɔ̀k-] *n.* 《영》 톱날을 세우는 기구[사람]
saw·dust [-dʌ̀st] *n.* Ⓤ 톱밥; 《미·학생속어》 설탕 ***let the ~ out of*** (인형 속에 든 톱밥을 꺼내듯이) …의 흠집을 들추어 내다 **~·ish** *a.*
sáwdust èater 《미·속어》 제재소 노동자, 벌목 인부
sáwdust pàrlor 《미·속어》 대중 주점[식당]
saw·dust·y [-dʌ̀sti] *a.* 톱밥으로 가득한; 무미건조한, 지루한
saw-edged [-édʒd] *a.* 톱니 모양의, 들쭉날쭉한
sawed-off [sɔ́ːdɔ̀ːf | -ɔ̀f], **sawn-off** [sɔ́ːn-] *a.* **1** 한끝을 (톱으로) 자른, 짧게 한; 《미·속어》 표준보다 작은, 자그마한: a ~ shotgun 총신을 짧게 자른 산탄총 **2** 《구어》 키가 작은
saw·fish [sɔ́ːfìʃ] *n.* (*pl.* **~, ~·es**) 〖어류〗 톱상어
saw·fly [-flài] *n.* (*pl.* **-flies**) 〖곤충〗 잎벌
sáw gàte[fràme] 톱틀
sáw gràss 〖식물〗 참억새류의 풀
saw·horse [-hɔ̀ːrs] *n.* 톱질 모탕(buck)
sáw lòg 《미》 톱질할 통나무
sawm [sóum] *n.* 《이슬람》 라마단 기간 동안의 금식
***saw·mill** [sɔ́ːmìl] *n.* **제재소**; 제재용 톱
***sawn** [sɔ́ːn] *v.* SAW[1]의 과거분사
Saw·ney [sɔ́ːni] *n.* **1** 《속어·경멸》 스코틀랜드 사람 **2** 《영·구어》 [**s~**] 얼간이, 바보
— *a.* [**s~**] 바보[얼간이]의
sáw palmètto 《미》 〖식물〗 톱야자
sáw pìt 톱질 구덩이 《큰 톱을 켜는 두 사람 중 하나가 그 속에 들어감》(cf. PIT SAW)
sáw sèt 톱날을 세우는 기구
saw·tim·ber [sɔ́ːtìmbər] *n.* 제재하기에 알맞은 나무
saw·tooth [sɔ́ːtùːθ] *n.* (*pl.* **-teeth** [-tìːθ]) 톱니
— *a.* = SAWTOOTHED 1
saw-toothed [-tùːθt] *a.* **1** 톱니(모양)의, 들쭉날쭉하게 이어진 〈지붕〉 **2** 톱니 같은 이빨을 가진
sáw-whet òwl [-hwèt-] 〖조류〗 (북미산(產)) 작은 올빼미의 일종
saw·yer [sɔ́ːiər | sɔ́ːiə] *n.* **1** 톱질꾼 **2** 〖곤충〗 긴수염하늘소 ***the top ~*** 톱질 구덩이(saw pit)의 밖에서 켜는 사람; 《비유》 상관, 상급자
sax [sǽks] *n.* 《구어》 = SAXOPHONE
Sax. Saxon; Saxony
sax·a·tile [sǽksətil] *a.* = SAXICOLINE
saxe [sǽks] *n.* Ⓤ **1** = SAXE BLUE **2** 〖사진〗 난백지(卵白紙) 《인화지》
Saxe [sǽks] *n.* Saxony의 프랑스 명(名)
sáxe blúe [종종 **S- b-**] 밝은 회청(灰青)색
Saxe-Co·burg-Go·tha [sǽkskóubəːrggóuθə] *n.* 현재 영국 왕가의 구칭(1901-17)
sax·horn [sǽkshɔ̀ːrn] *n.* 〖음악〗 색스혼 《피스톤이 있는 금관 악기; cf. SAXOPHONE》
sax·ic·o·line [sæksíkəlin, -lain], **sax·ic·o·lous** [sæksíkələs] *a.* 〖생태〗 바위 틈[위]에 생기는[사는], 암생(岩生)의
sax·i·frage [sǽksəfridʒ] *n.* 〖식물〗 범의귀속(屬)의 여러 식물
sax·ist [sǽksìst] *n.* 《구어》 saxophone 연주자
sax·i·tox·in [sæ̀ksətɑ́ksin | -tɔ́k-] *n.* 〖생화학〗 색시톡신 《와편모 조류(渦鞭毛藻類)가 분비하는 신경독; 패류 등에 의한 식중독의 한 원인》
Sax·on** [sǽksn] [게르만 어 「검, 칼」의 뜻에서] *n.* **1 a** [the ~s] **색슨 족** 《독일 북부의 고대 민족》 **b** 색슨 사람 **2** (웨일스 사람·아일랜드 사람·스코틀랜드 사람과 구별하여) 잉글랜드 사람(Englishman); 스코틀랜드 저지(低地) 사람 **3** 앵글로색슨 사람 **4** 작센 사람 《독일의 Saxony 지방 사람》 **5** Ⓤ 색슨 말; 앵글로색슨 말, 순수한 영어; (저지(低地) 독일어의) 작센 방언 ***Old ~ 고대 색슨 말 《저지(低地) 독일의》
— *a.* **1** 색슨(사람)의, 색슨 말의 **2** = ENGLISH **3** 작센(사람)의 ***~ words*** (색슨 말에서 유래하는) 본래의 영어, 순수한 영어 **~·dom** *n.* Ⓤ 앵글로색슨 족의 영토

Sáxon blúe 색슨 파랑 《밝은 담청색 염료》
Sax·on·ism [sǽksənìzm] *n.* Ⓤ **1** 앵글로색슨 기질, 영국 정신 **2** 영어 국수주의, 외래어 배척주의 **3** Ⓒ 앵글로색슨 말[어법] **-ist** *n.*
Sax·on·ize [sǽksənàiz] *vt., vi.* 색슨풍(風)으로 하다
Sax·o·ny [sǽksəni] *n.* **1** 독일의 작센 지방 **2** Ⓤ [**s~**] 색스니 털실; 색스니 모직
sax·o·phone [sǽksəfòun] *n.* 〖음악〗 색소폰 《대형 목관 악기》 **-phòn·ist** *n.* **sàx·o·phón·ic** *a.*
sax·tu·ba [sǽkstjùːbə | -tjùː-] *n.* 저음 색스혼 (bass saxhorn)
‡**say** [séi] *v., n.*

뜸 ① 〈사실·의견 등을〉 말하다	**1**
② …이라고 쓰여 있다	**2**
③ 〈세상 사람들이〉 …이라고 말하다	**4**
④ 낭독하다	**7**

— *v.* (**said** [séd]; 3인칭 단수 현재 직설법 **says** [séz]) *vt.* **1** (…이라고) **말하다,** 이야기하다; 말로 나타내다; (의견으로서 …이라고) **말하다,** 주장하다, 〈견해 등을〉 진술하다, 언명하다: 《~+목+전+명》 I have nothing more to ~ (*to* you). 더 이상 (자네한테) 할 말은 없다. / What do they ~ *of* me? 사람들은 나에 관해서 뭐라고 말하고 있습니까? // 《~+***wh.*** 절》 *S~ when* you want to start. 언제 출발하고 싶은지 말하시오. / Easier *said* than done. 《속담》 행하는 것은 말처럼 쉬운 것이 아니다. **2** 〈신문·게시·편지 등에〉 …라고 쓰여 있다, 〈책 등에〉 나와 있다: The notice ~*s*, 'No school on Tuesday.' 게시에 '화요일은 휴교'라고 나와 있다. // 《~+***that*** 절》 Today's paper ~*s that* we'll have rain tonight. 오늘 신문에 의하면 밤에 비가 온다고 한다. **3** (대체로) …이라고 말하다, 추정하다, 가정하다(suppose); [명령법] 가정해라, …이라면(if); [삽입구처럼 쓰여] 말하자면, 예를 들면, 글쎄, 저어, 그러니까: Come and see me one of these days, ~, about next Saturday. 근간에, 그러니까 이번 토요일쯤에 놀러오시오. // 《~+***that*** 절》 *S~* it were true, what then? 그래, 그것이 정말이라고 하자, 그래서 어떻다는 거야? **4** 〈세상 사람들이〉 …**이라고 말하다,** 전하다(report); [be said to do로] (남들이) …**이라고 말하다:** 《~+***that*** 절》 They ~ he will run for President. 그가 대통령에 출마한다는 소문이 있다. / It is *said that* he is a liar. 그는 거짓말쟁이라고들 한다. // He *is said to* be a good painter. 그가 그림을 잘 그린다고들 한다. **5** 〈시계 등이〉 〈시각을〉 가리키다, 보여주다: What does your watch ~? 당신 시계는 몇 시입니까? **6** 〈사상·감정 등을〉 전달하다: a painting that ~*s* nothing 아무것도 전달하지[의미하지] 않는 그림 **7** 낭독하다, 읽다, 낭송하다, 복창하다; 〈기도를〉 하다, 〈미사를〉 드리다: ~ one's lessons (선생님 앞에서) 배운 것을 복창하다 / ~ grace (식사 전후에) 감사의 기도를 드리다 **8** 《미·구어》 명령하다, …하라고 말하다: 《~+***to*** do》 He *said* (for me) *to* start at once. 그는 내게 곧 출발하라고 말했다.
— *vi.* **1** **말하다,** 언급하다: It is just as you ~. 정말 네가 말하는 그대로다. // 《~+부》 *S~ on!* 말을 계속 하시오! / *S~ away.* 자꾸[계속해서] 말해라. **2** [부정 또는 의문문으로] 의견을 말하다: I can*not* ~. 나는 뭐라고 말할 수가 없다, 모르겠다. **3** 《미·구어》 저어, 여보세요, 잠깐만(《영》 I say): *S~*, there! 여보세요!
as much as to ~ (마치) …이라고 말하려는 듯이 [할 듯이] ★ *to say*는 「목적」을 나타내는 부사적 용법.

thesaurus **say** *v.* **1** 말하다 speak, utter, mention, pronounce, state, remark, announce, affirm, assert, maintain, declare, allege, profess, avow **2** …라고 쓰여 있다 indicate, specify, designate, tell, explain, suggest **3** (사상·감정 등을)

as who should ~ …이라고나 말하려는 듯이 ***have nothing to ~ for*** one***self*** (속어) 언제나 잠자코 있다; 변명할 것[말]이 없다 ***have something to ~ for*** one***self*** 변명할 것이 있다, 할 말이 있다 ***have something*** [***nothing***] ***to ~ to*** [***with***] …에게 할 말이 있다[없다] ***having said that*** [삽입적] …임에도 불구하고 ***I cannot ~ much for*** …은 나로서는 그렇게 좋다고 생각하지 않는다 ***I'll ~!*** (구어) [맞장구치며] 그렇지요, 과연, 물론이죠! ***I must ~*** [강조하며] 진짜로, 정말로 ***I ~.*** (영) 여보세요, 이봐 ((미) Say); 어머나, 깜짝이야 ***I should ~ not.*** 나는 그렇지 않다고 생각한다. ***I should ~*** (***that …***) …이겠지요 ***It goes without ~ing that …*** …은 말할 나위도 없다 ***It is not too much to ~ that …*** …이라 해도 지나치지 않다 ***It is said that …*** (소문으로는) …이라고들 한다; …이라고 말하는 사람이 있다 ***It*** [***That***] ***is ~ing a great deal.*** 그것 참 굉장한데; 그것 참 큰일이다. ***It ~s in the Bible*** [***papers***] ***that …*** 성서[신문]에 말하기를 ***I wouldn't ~ no.*** (영·구어) 기꺼이 하겠습니다, 알았습니다. ***let us ~*** 이를테면, 글쎄 ***not to ~*** …이 아닐지라도, …이라고는 말할 수 없지만: It is warm, *not to ~* hot. 덥다고는 못하겠지만 따뜻하다. ***~ a few words*** 간단한 인사말[연설]을 하다 ***~ a good word for*** …을 추천[권장]하다; …을 좋게 말해주다, 알선하다 ***~ away*** = ***~ on*** (속어) [명령] 계속해서 [그 다음을] 말해라 ***S~ it with flowers.*** ⇨ flower. ***~ it with music*** (미·구어) 음악으로 뜻을 전하다 ***~ much for*** …을 무척 칭찬하다 ***~ no*** 「아니다」라고 말하다; 찬성하지 않다 ***~ no more*** 그 이상 말을 하지 않다; [명령] 이젠 그만 ((알았다)) ***~ out*** 터놓고 말하다 ***~ over*** (***again***) 되풀이 말하다 ***~ so*** 그렇게 말하다: Do you ~ *so*? 그것은 정말인가?; [강조] *So* you ~! 그게 정말이란 말이지! ***~ something*** (1) 식전[식후]에 감사 기도를 드리다 (2) =SAY a few words. ***~*** [***have***] one***'s say*** ⇨ say *n.* ***S~s which?*** (미·속어) 금방 뭐라고 했지? ***S~s who?*** (미·속어) 그런 일이 어디 있담? (I don't believe it!) ***S~s you!*** (미·속어) 그런 터무니없는 소리를! ***~ the word*** 명령을 내리다 ***~ to*** do (미·속어) …하라고 명령하다 ***~ to*** one***self*** (마음속으로) 혼잣말을 하다, 스스로 다짐하다(think) ***~ well*** 당연한 소리를 하다 ***~ well*** [***evil, bad***] ***of*** …을 좋게[나쁘게] 말하다 ***~ yes*** 「그렇다」고 말하다; 승낙하다, 찬동하다 (consent) ((*to*)) ***so to ~*** 말하자면; 마치, 이를테면 ***strange to ~*** 이상한 이야기지만 ***that is to ~*** 즉, 다시 말하면; 적어도 ***That's not ~ing much.*** 그것은 당연하다 ***The less said about it the better.*** 말은 덜하는 편이 더 좋다. ***There is a lot*** [***little***] ***to be said for*** …에는 충분한 이유가 있다[없다] ***There is much to be said on both sides.*** 양쪽 모두 할 말이 많다. ***There is no ~ing who it was.*** 누구였는지 전혀 알 수 없다. ***They ~*** (=It is *said* that) he is very ill. (그는 중태에 빠져 있다)고 한다. (=He is *said* to be very ill.) ***though I ~ it*** (***who should not***) 내 입으로 말하기는 좀 안됐지만 ***to be said or sung*** 읽든가 혹은 노래하라 ((기도서 중의 지시)) ***to ~ nothing of*** …은 말할 것도 없이 ***to ~ that*** …이라는 점을 생각한다면 ***to ~ the least of it*** 줄잡아 말한다 해도 ***to ~ the truth*** 사실인즉 ***Well said!*** (구어) 그 말대로다, 잘 한 말이다! ***What do you ~*** [***What ~ you***] ***to*** a walk? (산책)하시지 않겠습니까? ***What I ~ is …*** 나의 의견은 …이다 ***what*** a person ***~s goes*** …의 말대로 ***when all is said*** (***and done***) 결국, 요컨대 ***Who can ~?*** 아무도 예측할 수 없다 ***Who shall I ~, sir?*** 누구시라고 할까요? ((전달할 말)) ***You can ~ that again!*** = ***You*** [***You've***] ***said it!*** (구어) 맞았어, 바로 그거야! ***You don't ~ so!*** 설마, 그럴까; 어머!; (비꼼) 아무려면!

— *n.* **1** [one's ~] (구어) 말하고 싶은 것, 말(해야) 할 것, 할 말 **2** UC [때로 a ~] (구어) 발언권, 발언할 차례[기회] ((*in*)) **3** [the ~] 결정권: She has *the* final ~. 그녀에게 결정권이 있다. **4** (고어) 격언 (dictum), 속담

have a [***no***] ***~ in the matter*** 참견할 권리가 있다[없다] ***have the ~*** (미) 모두 뜻대로 되다[지배하다] ***It is now my ~.*** 이번에는 내가 말할 차례다. ***say*** [***have***] one***'s ~*** (***out***) 하고 싶은 말을 하다

~·a·ble *a.*

SAYE (영) save-as-you-earn

say·est [séiist], **sayst** [séist] *vt., vi.* (고어) 말하다: thou ~ =you say

‡say·ing [séiiŋ] *n.* **1** 말하기, 발언, 언사: ~*s* and doings 언행 / It was a ~ of his that … 그는 곧잘 …라고 말했다 ((프랑스 어법)) **2** 속담, 전해 내려오는 말, 격언(⇨ proverb 유의어): It's a common ~ that … …은 흔히들 하는 말이다 / A ~ goes that time is money. 시간은 금이라는 속담이 있다.

as the ~ is [***goes***] 이른바, 속담에도 이르듯이

say-so [séisòu] *n.* (*pl.* **~s**) (구어) **1** [보통 one's ~로] (독단적) 주장, 발언 **2** [the ~] (권위 있는) 언명, 단언; 지시, 명령; 권한; 허가 ((*of*))

say·yid [sɑ́ːiid, séiid] *n.* (여러 이슬람 국가에서) 마호메트의 정통 직계로 인정되는 사람

Sb 〖화학〗 *stibium* ((L =antimony)) **sb.** 〖문법〗 substantive (noun) **s.b., sb** 〖야구〗 stolen base(s) 도루(盜壘) **SB** 〖방송〗 station break (방송 프로 중의 짧은 광고나 선전) **S.B.** *Scientiae Baccalaureus* ((L =Bachelor of Science)); Shipping Board; simultaneous broadcasting **SBA, S.B.A** (미) Small Business Administration 중소기업청

S-band [ésbæ̀nd] *n.* 〖통신〗 S주파대 ((1,550-5,200 MHz의 초고주파대; cf. L-BAND))

SBC 〖컴퓨터〗 single board computer; small business computer **SbE.**[**W.**] South by East [West] **SBIC** small business investment corporation

S-bend [ésbènd] *n.* (도로·파이프의) S자 모양의 굴곡부[굽이]

'sblood [zblʌ́d] [God's *blood!*] *int.* (고어) 제기랄, 아이고 (야단났다); (아니) 정말

SBN Standard Book Number **SBR** styrene-butadiene rubber **SBS** sick building syndrome **S by E** south by east **S by W** south by west **Sc** 〖화학〗 scandium; 〖기상〗 stratocumulus **SC** Security Council (of the United Nations) (국제 연합) 안전 보장 이사회 **sc.** scale; scene; science; scientific; *scilicet*; screw; scruple; *sculpsit* **s.c.** 〖상업〗 sharp cash; small capitals; supercalendered **Sc.** science; Scotch; Scots; Scottish **S.C.** Sanitary Corps; Security Council (of the United Nations); Signal Corps; South Carolina; Staff Corps; Supreme Court

scab [skǽb] *n.* **1** (헌데·상처의) 딱지 **2** U 개선(疥癬)(scabies), 옴; (양 등의) 피부병; 〖식물병리〗 감자[사과]의 반점병 **3** (속어) 악질, 건달, 무뢰한 **4** (구어·경멸) 노동조합 불참가자, 비조합원; (파업 때) 파업을 파괴하는 노동자; 배반자

— *vi.* (**~bed**; **~·bing**) **1** 〈상처에〉 딱지가 생기다 **2** (미) 비조합원으로서 일하다; 파업을 깨뜨리다 ((*on*)): ~ *on* strikers 파업자들을 배반하다

∗scab·bard [skǽbərd] *n.* **1** (칼·검 등의) 집, 칼집 (sheath) **2** (미) 권총집 ***throw*** [***fling***] ***away the ~*** 칼집을 내던지다; 단호한 태도를 취하다, 끝까지 싸우다

— *vt.* 칼집에 꽂다; 칼집을 만들어 끼우다

전달하다 express, communicate, make known, convey, reveal, disclose, divulge **4** 낭독하다 recite, repeat, deliver, orate, read, perform

saying *n.* proverb, aphorism, adage, maxim, axiom, saw, epigram, dictum, gnome

scábbard fish 〖어류〗 갈치
scab·bard·less [skǽbərdlis] *a.* 칼집이 없는
scab·bed [skǽbid, skǽbd] *a.* 딱지가 있는, 딱지투성이의; 옴이 옮은; 하잘것없는 **~·ness** *n.*
scab·ble [skǽbl] *vt.* (채석장에서) 〈돌을〉 대충 다듬다, 거칠게 깎다
scab·by [skǽbi] *a.* (**-bi·er**; **-bi·est**) **1** =SCABBED **2** 《구어》 비열한, 인색한; 경멸할 만한 **3** 〈철의 표면이〉 두툴두툴한; 〖인쇄〗 선명치 못한, 얼룩이 있는 **scáb·bi·ly** *ad.* **scáb·bi·ness** *n.*
sca·bies [skéibiz | -biìːz] *n. pl.* [단수 취급] 〖병리〗 개선(疥癬), 옴
sca·bi·et·ic [skèibiétik] *a.* 〖병리〗 옴[개선(疥癬)]의, 옴과 관련된
sca·bi·o·sa [skèibióusə] *n.* =SCABIOUS[2]
sca·bi·ous[1] [skéibiəs] *a.* **1** 부스럼[딱지] 투성이의 (scabby) **2** 옴의[같은]
scabious[2] *n.* 〖식물〗 체꽃속(屬)의 화초 ***sweet ~*** 체꽃
scab·land [skǽblæ̀nd] *n.* (불모의) 화산 용암지
scab·like [skǽblàik] *a.* 딱지 같은
scab·rous [skǽbrəs | skéib-] *a.* **1** 거칠거칠한, 툴두툴한 **2** 〈문제 등이〉 까다로운, 어려운 **3** 〈주제·장면 등이〉 음란한, 외설적인(salacious)
~·ly *ad.* **~·ness** *n.*
scad[1] [skǽd] *n.* [보통 *pl.*] 《미·구어》 많음, 다수, 다량, 거액(lots) 《*of*》: a ~ *of* fish 많은 물고기 / ~*s of* money 많은 돈
scad[2] *n.* (*pl.* **~, ~s**) 〖어류〗 전갱이의 일종
∗**scaf·fold** [skǽfəld] *n.* **1** (건축장의) 비계, 발판 **2** [the ~] 단두대; 교수형, 사형 **3** 〖해부·생물〗 골격, 뼈대 **4** (야외의) 조립된 무대[스테이지, 스탠드]
go to [***mount***] ***the ~*** 사형에 처해지다 ***send*** [***bring***] a person ***to the ~*** …을 사형에 처하다
—*vt.* 〈건물에〉 발판[비계]을 설치하다
scaf·fold·ing [skǽfəldiŋ] *n.* Ⓤ **1** (건축장의) 발판, 비계, 가구(架構) **2** 발판 재료

scaffolding 1

scag, skag [skǽg] *n.* **1** Ⓤ 《미·속어》 헤로인 (heroin) **2** 지겨운 놈, 못생긴 여자; 바보
scág jònes 《미·속어》 헤로인 중독
scagl·io·la [skæljóulə] [It.] *n.* Ⓤ 인조 대리석
scal·a·ble [skéiləbl] *a.* **1** (저울로) 달 수 있는 **2** 〈산 등이〉 오를 수 있는; 〖컴퓨터〗 확장·축소하여도 난조가 생기지 않는
scal·a·bil·i·ty [skèiləbíləti] *n.* Ⓤ 〖컴퓨터〗 확장성 《사용자 수의 증대에 유연하게 대응할 수 있는 정도》
scal·age [skéilidʒ] *n.* **1** 《미》 (하자가 생길 우려가 있는 물건 가격의) 공제율 **2** 《미·캐나다》 (통나무의) 재목 견적 치수
sca·lar [skéilər] *n.* 〖수학〗 스칼라 《실수(實數)로 표시할 수 있는 수량》(opp. *vector*)
—*a.* 스칼라의[를 사용한]; 단계가 있는
sca·lar·i·form [skəlǽrəfɔ̀ːrm] *a.* 〖식물〗 층계[사다리]꼴의 **~·ly** *ad.*
scal·a·wag | **scal·la-** [skǽləwæ̀g] *n.* 《미》 **1** 망나니, 깡패(scamp) **2** 작은 동물, 영양 불량의 동물 **3** 〖미국사〗 남북 전쟁 후 공화당에 가담한 남부의 백인 《남부 민주당원이 하는 경멸적인 말》
∗**scald**[1] [skɔ́ːld] *vt.* **1** (끓는 물·증기로) 데게 하다 《*with*》: be ~*ed* to death 덴 상처로 죽다 // 《~+목+전+명》 He ~*ed* himself *with* boiling water. 그는 끓는 물에 데었다. **2** 〈기구를〉 끓는 물로 소독하다 [끓이다] 《*out*》; 〈야채·닭 등을〉 데치다 **3** 〈우유 등의 액체를〉 비등점 가까이까지 가열하다[끓이다]
—*vi.* (열탕·증기에) 데다
like a ~ed cat (덴 고양이처럼) 놀라 어쩔 줄 모르고 ***~ed cream*** 우유를 끓여 만든 크림
—*n.* **1** (끓는 물·증기에 의한) 덴, 화상(cf. BURN[1] *n.*) **2** 〖식물〗 (심한 더위로 인한) 나뭇잎의 변색; (과일의) 썩음
scald[2] *n.* Ⓤ 《속어》 버짐, 기계총
scald[3] *n.* =SKALD **~·ic** *a.*
scald·er [skɔ́ːldər] *n.* 열탕(熱湯) 소독기, 펄펄 끓이는 기구
scáld hèad 《고어》 (어린이의) 기계총 머리
scald·ing [skɔ́ːldiŋ] *a.* 끓는; 〈모래밭 등이〉 뜨거운; 〈비평·비난 등이〉 통렬한 **~ *tears*** (비탄의) 뜨거운 눈물
‡**scale**[1] [skéil] [OF 「껍질」의 뜻에서] *n.* **1** 비늘: the ~ of a snake 뱀의 비늘 **2** 비늘 모양의 것; (비늘 모양으로 떨어지는) 인편(鱗片); (나비의 날개 등의) 인분(鱗粉); (피부병에 의한) 딱지; 갑옷의 미늘 **3** 〖식물〗 아린(芽鱗)(=bud ~) 《눈·봉오리를 보호》, 포엽(苞葉); 꼬투리, 깍지, 껍질 **4** (눈에 끼어) 흐리게 하는 것 **5** =SCALE INSECT **6** Ⓤ (보일러의 안쪽에 끼는) 물때; (가열된 철의 표면에 생기는) 산화물의 조각, 쇠똥; 이똥, 치석(齒石)
fall in ~s 〈페인트 따위가〉 벗겨져 떨어지다 ***remove the ~s from*** one***'s eyes*** 흐린 눈을 닦아내다; 각성시키다 ***The ~s fell from his eyes.*** 〖성서〗 그의 눈에서 비늘 같은 것이 벗어졌다. 《잘못을 깨닫다, 미몽(迷夢)에서 깨어나다; 사도행전 9：18》
—*vt.* **1** …의 비늘을 벗기다; …의 껍질을 까다[벗기다]: ~ a fish 생선의 비늘을 벗기다 / ~ peas 완두콩의 껍질을 까다 **2** …의 물때를 벗기다; 〈치석을〉 떼내다, 스케일링하다: ~ a boiler 보일러의 물때를 벗기다 // 《~+목+전+명》 ~ tartar *from* the teeth 치석을 제거하다 **3** 포신(砲身)의 내부를 손질하다 **4** 비늘로 덮다; …에 물때[딱지, 치석]가 끼게 하다 **5** 〈납작한 돌로〉 물수제비뜨다
—*vi.* **1** 벗겨져 떨어지다 《*off*》: 《~+부》 《~+전+명》 The paint is *scaling off* the door. 문의 페인트가 벗겨져 가고 있다. **2** (보일러 등에) 물때가 끼다
▷ scály *a.*
‡**scale**[2] [skéil] [ON 「접시」의 뜻에서] *n.* **1** 저울 접시; [종종 *pl.*; 단수 취급] 저울, 천칭; 체중 계량기 **2** [종종 *pl.*] 《비유》 (운명·가치를 결정하는) 저울 **3** [the S~s] 〖천문〗 저울자리; 〖점성〗 천칭궁(宮) (Libra) ***go*** [***ride***] ***to ~*** 〈기수(騎手)가〉 (레이스 전후에) 체중을 재다 ***hang in the ~*** 어느 쪽으로도 결정되지 않다 ***hold the ~s even*** [***equally***] 공평하게 재판[처리]하다 ***tip the ~***(***s***) 저울의 한쪽을 무겁게 하다; 우세하다[하게 되다]; 무게가 나가다 ***turn the ~***(***s***) (1) 저울의 한쪽을 무겁게 하다 (2) 정세를 일변시키다; 결정적으로 하다 ***turn the ~ at*** ten pounds (10파운드)의 무게가 나가다
—*vt.* **1** 저울로 달다 **2** (마음속으로) 저울질하다, 헤아리다, 비교하다(compare)
—*vi.* 무게가 …이다(weigh): 《~+보》 He ~*s* 150 pounds. 그는 체중이 150파운드 나간다.
‡**scale**[3] [skéil] *n.*, *v.*

L 「계단, 사다리」의 뜻에서
(단계가 있는 것) → 「음계(音階)」 **8**
→ 「저울눈」 **1** → 「축척」 **2**
(상대적인 크기) → 「규모」 **3**

—*n.* **1** 저울눈; 잣눈; 비례자, 눈금자: a thermometer with a Celsius ~ 섭씨 눈금의 온도계 **2 a** (모형·지도·제도 등의) 비례, 비율, 축척: a large-[small-]~ map 대[소]축척 지도 **b** (그래프·지도 등의) 축척선 **3** 규모; 장치: a plan of a large ~ 대규

thesaurus **scale**[3] *n.* **1** 비율 ratio, proportion **2** 규모 extent, scope, range, degree, reach **3** 등급

모의 계획 **4** (임금·요금·세금 등의) **율**, 등급표, 요금표: a ~ of wages[charges] 임금[요금]율/a ~ of taxation 과세율 **5** 〖수학〗 기(수)법(記(數)法), …(진)법((進)法)(=~ of notation): the decimal ~ 십진법(十進法) **6 등급**, 계단, 단계(gradation); 계급(rank): the social ~ 사회 계급 **7** (판단의) 척도; 〖교육·심리〗 (능력 측정) 척도 **8** 〖음악〗 음계: a major [minor] ~ 장[단]음계 **9** 〖컴퓨터〗 크기 조정, 스케일
a reduced ~ 축척; 축소 ***drawn to ~*** 일정한 비례로 확대[축소]하여 그려진 ***in ~*** 일정한 척도에 따라, 균형이 잡혀 《*with*》 ***on a large*** [***gigantic, grand, vast***] ***~*** 대규모로 ***on a small ~*** 소규모로 ***out of ~*** 일정한 척도에서 벗어나(서), 균형을 잃고 《*with*》 ***play*** [***sing, run over***] ***one's ~s*** 음계를 연주[노래, 복습]하다 ***sink in the ~*** 하위로 떨어지다 ***to ~*** 일정한 비례[비율]로
— *vt.* **1** 〈산 등에〉 기어오르다, (사닥다리로) 오르다 **2** 축척으로 그리다, 일정한 비율로 만들다; 비율에 따라 정하다: ~ down[up] 비율에 따라 줄이다[늘이다], 축소[확대]하다 **3** 〈인물·물건 등을〉 평가하다; (미) 〈입목·과실 등의〉 양을 어림잡다; 개산(概算)하다 **4** 〖컴퓨터〗 기준화하다
— *vi.* **1** 기어오르다; 점점 높아지다 **2** 〈수량 등이〉 비례하다 **3** 사닥다리[계단]로 되어 있다 **4** 음계를 타다[노래하다] ***~ back*** 축소하다

scále àrmor 미늘 갑옷

scale·back [skéilbæ̀k] *n.* =SCALE-DOWN

scale-beam [-bìːm] *n.* 저울대

scale·board [-bɔ̀ːrd] *n.* (그림·거울의) 뒤에 댄 널빤지; 〖인쇄〗 활자 정돈용 판

scále bùg 〖곤충〗 개각충(介殼蟲)(scale)

scaled[1] [skéild] *a.* **1** 〖동물〗 비늘이 있는, 비늘 모양의 **2** 비늘을 벗긴

scaled[2] *a.* 눈금이 있는

scale-down [skéildàun] *n.* (임금 등의) 일정 비율의 삭감[할인]; 계획적 축소; 규모 축소

scále-down bùying 내림시세 때의 구매

scále ecónomics 〖경제〗 규모의 경제

scále fèrn 〖식물〗 지중해 주변에 많은 꼬리고사릿과(科)의 일종

scále ìnsect 〖곤충〗 개각충, 깍지진디

scále lèaf 비늘 모양의 잎

scále mòss 〖식물〗 우산이끼류(類)

sca·lene [skeilíːn | ⌐—] *a.* **1** 〖기하〗 〈삼각형이〉 부등변의; (원뿔의) 축이 비스듬한: a ~ triangle 부등변 삼각형 **2** 〖해부〗 사각근(斜角筋)의
— *n.* **1** 〖기하〗 부등변 삼각형 **2** 〖해부〗 사각근

sca·le·nus [skeilíːnəs] *n.* (*pl.* **-ni** [-nai]) 〖해부〗 사각근(斜角筋)

scale·pan [skéilpæ̀n] *n.* 저울의 접시

scal·er[1] [skéilər] *n.* **1** 비늘을 벗기는 사람[도구] **2** 〖치과〗 치석(齒石) 제거기

scaler[2] *n.* 저울로 다는 사람

scaler[3] *n.* **1** 기어오르는 사람 **2** 〖물리〗 계수기, 계수 회로

scale-up [skéilʌ̀p] *n., a.* 정률(定率) 증가(하는)

scale-winged [-wìŋd] *a.* 〖곤충〗 인시류(鱗翅類)의(lepidopterous)

scale-work [-wə̀ːrk] *n.* (기와를 인 듯한) 미늘 세공

scal·ing [skéiliŋ] *n.* 〖물리〗 스케일링, 비례 축소; 〖컴퓨터〗 크기 조정; 〖치과〗 치석 제거

scáling cìrcuit 〖물리〗 =SCALER[3] 2

scáling làdder 성곽 공격용 사닥다리; 소방용 사닥다리

scall [skɔ́ːl] *n.* Ⓤ (두피병으로 인한) 비듬, 딱지

scal·la·wag [skǽləwæ̀g] *n.* =SCALAWAG

scal·lion [skǽliən] *n.* 〖식물〗 **1** 봄양파(spring onion) **2** 샬롯(shallot); 부추파(leek)

---

ranking, ladder, hierarchy, graduated system
— *v.* climb, ascend, mount, escalate

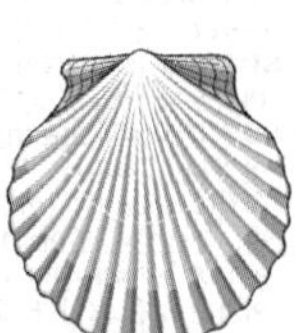
scallop *n.* **1**

scal·lop [skɑ́ləp, skǽ- | skɔ́-] *n.* **1** 〖패류〗 가리비; 그 껍데기(=~ shell); 가리비의 조개관자 **2** 조가비 모양의 냄비 《잘게 썬 생선 등을 요리하는》; 그 요리 **3** [*pl.*] 〖복식〗 스캘럽 《가리비 모양의 장식; 깃·소매 등》
— *vt.* **1** 〈어패류를〉 속이 얕은 냄비에 넣어 지지다[굽다] **2** 가리비[부채]꼴로 만들다; 〈깃·소매에〉 가리비 모양의 테를 두르다: a *~ed* cuff 가리비꼴로 장식한 커프스 **~·er** *n.* **~·ing** *n.* Ⓤ 스캘럽 《가리비 모양의 장식[무늬]》, 가리비잡이

scal·lo·pi·ni, sca·lop·pi·ne [skɑ̀ːləpíːni, skæ̀- | skɔ̀-] [It.] *n.* 스캘러피니 《얇게 썬 송아지 고기를 기름에 튀긴 이탈리아 요리》

scállop shèll **1** 가리비의 껍데기 《옛날 성지 순례의 기장》 **2** 가리비 모양의 냄비

scállop squàsh =PATTYPAN SQUASH

scal·ly [skǽli] *n.* 《영·속어》 **1** 젊은이 **2** 불량배, 범죄자, 비행 소년

scal·ly·wag [skǽliwæ̀g] *n.* =SCALAWAG

scal·o·gram [skéiləgræ̀m] *n.* 〖심리〗 반응도 《개개의 항목에 대해 긍정의 답이 표준의 하위 항목과 일치하는 태도 척도》

***scalp** [skǽlp] *n.* **1** 머리가죽, 두피 **2** 머리털이 붙은 머리가죽 《특히 북미 인디언 등이 전리품으로서 적의 시체에서 벗겨 낸 것》; 전승 기념품(trophy), 무용(武勇)의 징표 **3** 민둥산 꼭대기 **4** (아래턱이 없는) 고래 대가리 **5** Ⓤ (구어) (시세) 차익, 매매 차익금
have the ~ of …을 패배시키다, 이기다; 보복하다 ***out for ~s*** 도전적으로, 싸울 기세로 ***take*** a person***'s ~*** …의 머리가죽을 벗기다; …을 이기다
— *vt.* **1** 〈옛 북미 인디언이〉 …의 머리가죽을 벗기다 **2** 혹평하다, 험담하다 **3** (미·구어) 〈증권을〉 사서[팔아서] 시세 차익을 벌다; 〈입장권 등을〉 (매점하여) 비싸게 팔다, 암표 장사를 하다 **4** (미) 〈길을〉 고르다 **5** (미) …에게서 정치력을 빼앗다 **6** 〈금속덩이 등의〉 표면을 깎다 **7** (불순물을 제거하기 위해) 체질하다
— *vi.* (미·구어) (증권·입장권 등의 매매로) 차익금을 벌다

scal·pel [skǽlpəl] *n.* 외과용 메스

scalp·er [skǽlpər] *n.* **1** 머리가죽을 벗기는 사람 **2** (미·구어) 당장의 이익을 위하여 사고 파는 사람; (증권의) 매매로 시세 차익을 챙기는 사람 **3** 둥근 끌 《조각용》

scálp hàir 두발, 머리털

scalp·ing [skǽlpiŋ] *n.* 가죽 벗기기; 스캘핑 《주물(鑄物)의 거친 표면을 깎는 과정》; (광석 등의) 세정

scalp·less [skǽlplis] *a.* 머리가죽이 벗겨진; 대머리의

scálp lòck (북미 인디언 전사가 적에게 도전하기 위해) 머리가죽에 남기는 한 줌의 머리털

scal·y [skéili] *a.* (**scal·i·er**; **-i·est**) **1** 비늘이 있는; 비늘 모양의 **2** (비늘처럼) 벗겨져 떨어지는 **3** 물때가 낀; 〖식물〗 인편(鱗片)이 있는; 개각충(scale insect)이 붙은 **4** (속어) 천한, 더러운, 인색한
scál·i·ness *n.*

scály ánteater 〖동물〗 천산갑(pangolin)

scam, skam [skǽm] (미·속어) *n.* 신용 사기 (사건) ***What's the ~?*** (미·속어) 웬일이야?
— *v.* (**~med**; **~·ming**) *vt.* 속이다, 사기치다
— *vi.* 키스[애무]하다 《*on*》; 성교하다 《*on*》

SCAMA Station Conferencing and Monitoring Arrangement 〖로켓〗 발사장 모니터 장치

scam·mer [skǽmər] *n.* (속어) 사기꾼; 난봉꾼

scam·mo·ny [skǽməni] *n.* (*pl.* **-nies**) 〖식물〗 스카모니아 《메꽃과(科); 수지(樹脂)는 하제(下劑)》

sca·mor·za [skəmɔ́ːrtsə] [It.] *n.* 스카모르차 《이탈리아산(産) 치즈의 한 종류》

scamp[1] [skǽmp] *n.* **1** 건달; 망나니; 《고어》 노상강도 **2** 《익살》 장난[말썽]꾸러기, 개구쟁이
— *vi.* 〈좋아서〉 뛰어 돌아다니다 **~·ish** *a.*

scamp[2] *vt.* 〈일을〉 날림으로 하다, 겉날리다, 적당히 해치우다 《*over, off*》 **scámp·er** *n.*

***scam·per** [skǽmpər] *vi.* **1** 재빨리 달리다[뛰어 들어가다] 《*into*》; 급히 사라지다, 질겁하여 달아나다 《*off, away*》; (어린애·어린 짐승처럼) 뛰어 돌아다니다, 장난치며 뛰어다니다 《*about*》: (~+전+명) I saw a fox ~ *into* an earth. 여우가 굴로 재빨리 뛰어 들어가는 것을 보았다. **2** 급히 읽어내리다 《*through*》: (~+전+명) ~ *through* a book 책을 급히 읽어내리다
— *n.* **1** 질주, 도주 **2** 급히 하는 여행 《*through*》: a ~ *through* America 급한 미국 여행 **3** 급히 읽기 《*through*》

scam·pi [skǽmpi] [It. 「새우」의 뜻에서] *n.* (*pl.* **~, ~es**) **1** 〖동물〗 참새우 **2** 마늘 소스로 양념한 (참)새우 요리

***scan** [skǽn] *v.* (**~ned**; **~·ning**) *vt.* **1** 자세히[꼼꼼하게] 조사하다, 정밀 검사하다; 유심히[뚫어지게] 쳐다보다 **2** 《미·구어》 〈신문·책 등을〉 대충 훑어보다 **3** 〈시의〉 운율을 조사하다, 〈시행을〉 운각(韻脚)으로 나누다, 〈시를〉 운율적으로 낭독하다 **4** 〖TV〗 〈영상을〉 주사(走査)하다; (레이더로) 〈어떤 지역을〉 주사하다; …의 방사능 탐사를 하다 **5** 〖컴퓨터〗 〈데이터를〉 주사하다, 훑다 **6** 〖의학〗 〈인체 등을〉 주사하다
— *vi.* **1** 시의 운율을 살피다, 〈시행이〉 운율에 맞다, 운각으로 나누어지다 **2** 〖TV〗 〈영상이〉 주사하다
— *n.* **1** 정밀 검사, 음미 **2** 대충 훑어보기 **3** (시의) 운율 살피기, 운각 나누기 **4** 〖TV·통신〗 주사 **5** 이해, 시야, 이해의 범위, 이해력 **6** 〖의학〗 스캔, 주사
▷ scánsion *n.*

Scan., Scand. Scandinavia(n)

⁑**scan·dal** [skǽndl] [Gk. 「장애물, 덫」의 뜻에서] *n.* [UC] **1 a** 추문, 스캔들, 오직(汚職)[독직(瀆職), 부정, 횡령] 사건: a political ~ 정치 스캔들 **b** 불명예, 치욕, 수치(disgrace) 《*to*》 **c** (항간의) 물의(物議), 반감, 분개의 원인 **2** [U] 악평; 중상, 험담, 비방(backbiting); 〖법〗 (증인의 사건과는 관계없는) 중상적인 진술: talk ~ 중상하다 ***become ~*** (항간의) 물의를 일으키다 ***cause*** [***give rise to***] ***~*** 세상 사람들을 분개시키다 ***to the great ~ of*** …을 분개하게 한 것은
▷ scándalize *v.*; scándalous *a.*

scan·dal·ize [skǽndəlàiz] *vt.* 분개시키다, 괘씸하게 생각하게 하다, 중상하다; 험담하다; 체면을 잃게 하다 ***be ~d at*** [***by***] …로 분개하다; …로 정나미가 떨어지다 ▷ scándal *n.*

scan·dal·mon·ger [skǽndlmʌ̀ŋgər] *n.* 《경멸》 남의 추문을 퍼뜨리는 사람, 험담꾼

scan·dal·mon·ger·ing [-mʌ̀ŋgəriŋ] *a.* 남의 험담을 일삼는 **—** *n.* 험담하기

***scan·dal·ous** [skǽndləs] *a.* **1** 수치스러운(shameful), 불명예스러운, 창피하기 짝이 없는; 괘씸한; 악평이 자자한(infamous) **2** 중상하는, 비방적인, 험담하는, 욕설의 **~·ly** *ad.* **~·ness** *n.*
▷ scándal *n.*; scándalize *v.*

scándal shèet **1** 가십(gossip) 신문, 저급 잡지 **2** 《미·속어》 (실제보다 불린) 경비 청구서

scan·dent [skǽndənt] *a.* 〈덩굴 등이〉 기어오르는(climbing)

Scan·di·an [skǽndiən] *a., n.* = SCANDINAVIAN

scan·dic [skǽndik] *a.* scandium의

Scan·di·na·vi·a [skæ̀ndənéiviə] *n.* 스칸디나비아(반도) 《노르웨이와 스웨덴》; 북유럽 《노르웨이·스웨덴·덴마크 그리고 아이슬란드와 그 부근의 섬 및 때로 핀란드를 포함; 略 Scan., Scand.》

***Scan·di·na·vi·an** [skæ̀ndənéiviən] *a.* **1** 스칸디나비아의 **2** 스칸디나비아 사람[말]의
— *n.* 스칸디나비아 사람; [U] 스칸디나비아 말 《노르웨이 말·스웨덴 말·덴마크 말 등》

Scandinávian Áirlines Sỳstem 스칸디나비아 항공 《덴마크·노르웨이·스웨덴 3국의 공동 항공 회사; 略 SAS》

Scandinávian Península [the ~] 스칸디나비아 반도

scan·di·um [skǽndiəm] *n.* [U] 〖화학〗 스칸듐 《희토류(稀土類) 원소; 기호 Sc; 번호 21》

scank [skǽŋk] *n.* 《미·속어》 매력 없는 여자

scank·ie [skǽŋki] *a.* 《미·속어》 칠칠치 못한

scan·ner [skǽnər] *n.* **1** 〖TV·통신〗 스캐너, 영상 주사기(走査機); 〖컴퓨터〗 스캐너 **2** 〖의학〗 (인체 내부를 조사하는) 스캐너, 주사 장치 **3** = SCANNING DISC **4** 정밀 조사자

scan·ning [skǽniŋ] *n.* [UC] **1** = SCANSION 1 **2** 정시(精査) **3** 〖TV〗 주사(走査) **4** 〖의학〗 (인체의) 스캐닝, 주사법

scánning bèam 〖TV〗 주사 광선(走査光線)

scánning dìsc 〖TV〗 주사판(板)

scánning eléctron mìcrograph 〖전자〗 주사형(走査型) 전자 현미경 사진 《略 SEM》

scánning eléctron mìcroscope 주사형(型) 전자 현미경 《略 SEM》

scánning lìne 〖TV〗 주사선(線)

scánning ràdar 주사식(式) 레이더

scánning túnneling mìcroscope 주사형 터널 현미경 《略 STM》

scan·sion [skǽnʃən] *n.* [UC] **1** (시의) 운율 분석; 운율에 따라서 낭독하기 **2** 〖TV〗 주사(scanning)
~·ist *n.* ▷ scán *v.*

scan·so·ri·al [skænsɔ́:riəl] *a.* 〖동물〗 〈새의 발 등이〉 기어오르기에 알맞은; 〈딱따구리 등이〉 기어오르는 습성이 있는

***scant** [skǽnt] *a.* **1** 부족한, 빈약한, 적은, (…이) 모자라는 《*of*》 ★ scanty보다 딱딱한 말: a ~ supply *of* water 불충분한 물의 공급 **2** (전체적으로) 좀 부족한, 빠듯한, …남짓한, 가까스로의 **3** 《속어》 인색한, 아까워하는 **4** 〖항해〗 역풍(逆風)의
a ~ attendance 소수의 출석자[청중] ***be ~ of breath*** [***money***] 숨이 가쁘다[돈에 쪼들리다] ***with ~ courtesy*** 버릇없이, 무엄하게
— *vt.* **1** 아까워하다, 인색하게 굴다; 몹시 아끼다; 줄이다 **2** 경시하다, 아무렇게 다루다
— *ad.* 《미》 아껴서; 간신히, 가까스로(scarcely)
~·ness *n.*

scant·ies [skǽntiz] [*scant*+pant*ies*] *n. pl.* 《구어》 (여성용) 짧은 팬티

scant·ling [skǽntliŋ] *n.* **1** [U] (5인치 각(角) 이하의 나무·돌의) 각재(角材), 켜낸 재목; [집합적] 작은 각재류 **2** [U] (목재 등의) 작은 치수, 용적 **3** [a ~] 소량, 조금 《*of*》

scant·ly [skǽntli] *ad.* 모자라게, 부족하여, 가까스로; 겨우, 거의 …없이(scarcely)

***scant·y** [skǽnti] *a.* (**scant·i·er**; **-i·est**) **1** 부족한, 근소한, 빈약한, 불충분한(insufficient): ~ means 얼마 안 되는 재산 **2** 겨우 자라는(opp. *ample*) **3** 인색하게 구는; 빈약한(meager)
scánt·i·ly *ad.* **scánt·i·ness** *n.* [U] 모자람, 부족

SCAP Supreme Commander (for the) Allied Powers 연합군 최고 사령관 **SCAPA, S.C.A.P.A.** Society for Checking the Abuses of Public Advertising

Sca·pa Flow [skǽpə-flóu] 스캐퍼 플로 《영국 스코틀랜드 북부 Orkney 제도 안에 있는 작은 만(灣); 군항》

scape[1] [skéip] *n.* **1** 〖식물〗 꽃줄기, 근생 화경(根生

thesaurus **scandal** *n.* **1** 추문 wrongdoing, impropriety, misconduct, offense, transgression, crime, sin **2** 불명예 shame, disgrace, dishonor, discredit **3** 중상 slander, defamation, gossip
scanty *a.* meager, scant, sparse, small, paltry, slender, negligible, skimpy, thin, poor, insufficient, inadequate, deficient, limited, restricted

花梗) 《수선화처럼 직접 땅속 뿌리에서 나오는》 **2** 〖곤충〗 촉각근(觸角根); 〖조류〗 우축(羽軸), 우간(羽幹) **3** 〖건축〗 기둥 동체 《주신(柱身) 하부의 불룩한 부분》

scape², 'scape *v.*, *n.* 《고어》 =ESCAPE

-scape [skèip] 《연결형》 「…경(景), …경치」의 뜻: a land*scape* 지상의 풍경/a sea*scape* 바다 경치/cloud*scape* 구름의 경치

SCAPE self-contained atmospheric pressure ensemble 〖우주과학〗 대기압(大氣壓) 자급 시스템

scape·goat [skéipgòut] [scape(escape의 ME형)와 goat에서] *n.* **1** 희생양, 남의 죄를 대신 지는 사람, 희생(자) **2** 〖성서〗 속죄 염소 《옛날 유대에서 속죄일에 사람들의 죄를 대신 지워서 황야에 버린 염소》
—*vt.* …에게 죄[책임]를 전가하다
~·er *n.* **~·ing** *n.* Ⓤ 〖심리〗 전가(轉嫁) 《고통을 준 본인을 벌할 수 없을 경우 다른 사람을 공격하는 현상》
~·ism *n.* Ⓤ 책임 전가

scape·grace [skéipgrèis] *n.* 망나니, 쓸모없는 놈; 밥벌레, 식충이; 《익살》 개구쟁이

scape·ment [skéipmənt] *n.* =ESCAPEMENT

scápe whèel 〖시계〗 =ESCAPE WHEEL

scaph·oid [skǽfɔid] 〖해부〗 *a.* 배 모양의
—*n.* 주상골(舟狀骨)

s. caps. 〖인쇄〗 small capitals

scap·u·la [skǽpjulə] *n.* (*pl.* **-lae** [-lìː], **~s**) 〖해부〗 견갑골(肩甲骨), 어깨뼈(shoulder blade)

scap·u·lar [skǽpjulər] *a.* 견갑골의, 어깨의
—*n.* **1** 〖가톨릭〗 성의(聖衣) **2** 〖외과〗 견갑 붕대 **3** 견갑골 **4** 〖조류〗 견우(肩羽)(=**~ féather**)

scápular árch 〖해부〗 견갑대(肩甲帶)

scap·u·lar·y [skǽpjulèri | -ləri] *a.* =SCAPULAR
—*n.* (*pl.* **-lar·ies**) =SCAPULAR 1, 2

‡scar¹ [skɑ́ːr] *n.* **1** 흉터, (화상·부스럼의) 자국: a vaccination ~ 우두 자국/surgical ~*s* 수술 자국 **2** (마음·명성 등의) 상처, 고통: leave a ~ on one's good name 명성에 오점을 남기다 **3** 주물(鑄物)의 흠 **4** 〖식물〗 (줄기에 남는) 엽흔(葉痕), 잎자국
—*v.* (**~red**; **~·ring**) *vt.* **1** …에 상처를 남기다, 자국을 남기다: She dropped the ashtray and ~*red* the table. 그녀가 재떨이를 떨어뜨려서 테이블에 자국이 났다. **2** 〈경관을〉 망치다
—*vi.* 흉터가 남다, (자국을 남기고) 낫다 《*over*》: (~+부) The cut will ~ *over.* 그 벤 상처는 흉터가 남을 것이다. **~·less** *a.* **scárred** *a.* 흉터가 있는

scar² *n.* 《영》 절벽; 암초

scar·ab [skǽrəb] *n.* **1** 〖곤충〗 풍뎅이(=**~ bèetle**), 왕쇠똥구리 **2** (고대 이집트의) 갑충석(甲蟲石) 《왕쇠똥구리 모양으로 조각한 보석; 그 바닥 평면에 기호를 새겨 부적이나 장식품으로 썼음》

scar·a·bae·id [skæ̀rəbíːid] *a.*, *n.* 〖곤충〗 풍뎅잇과(科)의 (곤충)

scar·a·bae·oid [skæ̀rəbíːɔid] *a.*, *n.* 〖곤충〗 scarab 비슷한 (곤충)

scar·a·bae·us [skæ̀rəbíːəs] *n.* (*pl.* **~·es, -bae·i** [-bíːai]) =SCARAB

Scar·a·mouch(e) [skǽrəmàutʃ, -mùːʃ | -màutʃ, -mùːtʃ] *n.* **1** 스카라무슈 《고대 이탈리아 희극에서 허세를 부리는 광대》 **2** [**s~**] 《일반적으로》 허세를 부리는 겁쟁이, 허풍쟁이; 망나니, 불량자(rascal)

‡scarce [skέərs] *a.* **1** Ⓟ 〈식량·금전·생활 필수품이〉 부족한, 적은, 모자라는 《*of*》: be ~ *of* food 식량이 모자라다/Money is ~. 돈이 부족하다./ⒸⒺ Water is very *scarce*[rare(×)] in some parts of the country. 그 나라 일부 지역에서는 물이 아주 귀하다. **2** 드문, 진귀한(⇨ rare¹ 유의어): a ~ book 진본(珍本)
***make* one*self* ~** 《구어》 슬쩍 빠져나가다, 가 버리다; 은퇴하다; (장소·모임 등에) 가까이(하지) 않다
—*ad.* 《시어·문어》 =SCARCELY **~·ness** *n.* ▷ scárcity *n.*

‡scarce·ly [skέərsli] *ad.* **1** 거의 …않다(⇨ hardly 유의어): I ~ know him. 그를 거의 모른다. **2** 간신히, 가까스로, 겨우(barely): ~ twenty people 20명 될까 말까 **3** 분명히 …아닌: He can ~ have been there. 그가 거기에 있었을 리는 절대 없다. **4** [not의 완곡어로서] 아마 …아닌: He is ~ the right person for the job. 그는 아마 그 일에 적임이 아닐 게다.
~ any 거의 없다 ***~ … but*** …하지 않는 일[사람]은 드물다 ***~ ever*** 좀처럼 …않다 ***~ less*** 거의 같게 ***~ … when*** [***before***] …하자마자: He had ~ begun his speech *when* the door was opened. 그가 연설을 시작하자마자 문이 열렸다. ★ 강조하기 위하여 도치되는 경우가 많음: *S*~ had he begun ....

scarce·ment [skέərsmənt] *n.* 〖건축〗 벽의 발판, 벽단(壁段); 〖광산〗 사닥다리 걸이

***scar·ci·ty** [skέərsəti] *n.* Ⓤ **1** 부족(lack), 결핍 《*of*》: an energy ~ 에너지 부족/the ~ *of* labor 노동력 부족 **2** 식량난, 기근(dearth) **3** 드묾, 품귀(品貴), 희귀(rarity) ▷ scárce *a.*

scárcity sèason 단경기(端境期)

scárcity vàlue 희소가치

‡scare [skέər] *vt.* **1** 깜짝 놀래 주다, 위협하다, 으르다, 겁나게 하다(⇨ scared; ⇨ frighten 유의어) **2** 《구어》 겁주어 …하게 하다 《*into*》; 놀라게 하여 쫓아 버리다: (~+목+전+명) ~ a person *into* confession …을 위협하여 자백하게 하다/~ information *out of* a person …에게 겁주어 정보를 알아내다 // (~+목+부) ~ birds *away* 새를 쫓아버리다/He ~*d* the salesman *away*[*off*]. 그는 그 외판원을 겁주어 쫓아버렸다.
—*vi.* 겁내다, 놀라다: (~+전+명) She ~*d at* a lizard. 그녀는 도마뱀을 보고 겁을 냈다.
~ out 《미》 =SCARE up (1). ***~ a person shitless*** [***spitless, witless***] 《미·속어》 …을 몹시 겁주다 ***~ the dickens*** [***shit***] ***out of*** a person 《미·속어》 …을 움츠러들게 하다 ***~ up*** (1) 〈숨어 있는 사냥감을〉 몰아내다 (2) 《비유》 폭로하다, 밝히다; 《미·구어》 〈돈을〉 마련하다, 변통하다
—*n.* **1** (전쟁 등의 풍설로 인한) 공황; 경제 공황 **2** (이유 없는) 공포, (공연히) 겁냄 **3** [the ~] 《미·속어》 협박, 공갈, 으름짱
cause a ~ 소란을 피우다 ***throw a ~ into*** a person 《미》 …을 깜짝 놀라게 하다, 질겁하게 하다
—*a.* Ⓐ 겁을 주는, 겁나게 하는: a ~ story 겁나게 하는 이야기 **scár·er** *n.* **scár·ing·ly** *ad.*

scáre bàdge 《미·군대속어》 낙하산 훈련을 받은 증표로 주는 배지

scáre búying (부족을 예기한) 비축 구입

‡scare·crow [skέərkròu] *n.* **1** 허수아비 **2** (실속 없는) 허세 **3** 초라한[마른] 사람
~·ish *a.* **scáre·cròw·y** *a.*

***scared** [skέərd] *a.* **1** 겁을 집어먹은, 겁에 질린: a ~ child 겁을 먹은 아이/be ~ out of one's senses 겁이 나서 정신을 못 차리다, 대경실색하다 **2** Ⓟ …하기가 겁나는 《*of*, *to* do》; …하지 않을까 두려운
be more ~ than hurt 지레 겁을 집어먹다, 지나친 걱정을 하다 ***be ~ stiff*** 질겁하다 ***run ~*** 《미·구어》 겁먹은 듯이 처신하다; 낙선[실패]하지 않을까 두려워하다 ***~ shitless*** [***witless***] 《미·비어》 몹시 무서워하여

scáre(d) stràp 《미·속어》 안전 줄, 생명 줄

scared·y-cat [skέərdikæ̀t] *n.* 《구어》 겁쟁이

scare·head [skέərhèd] 《미·구어》 *n.* (신문의 특종용) 특대 표제 **—***vt.* 〈뉴스를〉 특종으로 하다

scáre hèadline =SCAREHEAD

scáre mèrchant =SCAREMONGER

---

scar¹ *n.* mark, blemish, blotch, disfigurement, defacement, damage, trauma, shock, injury

scarce *a.* **1** 부족한 short, meager, scant, scanty, sparse, insufficient, deficient, inadequate, lacking **2** 드문 rare, infrequent, uncommon, unusual

scare *v.* terrify, alarm, startle, frighten, make afraid, shock, horrify, appall, daunt, awe

scare·mon·ger [-mʌ̀ŋgər] *n.* 헛소문으로 세상을 놀라게 하는 사람, 유언비어 유포자
—*vi.* (유언비어를 퍼뜨려) 세상을 소란케 하다 **~·ing** *n.*, *a.*

scáre quòtes *pl.* 스케어 인용 부호 《자신의 생각과 무관함을 나타낼 때 쓰이는 부호》

scáre tàctics 공포 분위기 조성 전술

scare·truck [-trʌ̀k] *n.* 《미·속어》 (경찰의 주차 위반차 견인용) 레커차(wrecker), 견인차

‡**scarf**[1] [skɑ́:rf] *n.* (*pl.* **~s, scarves** [skɑ́:rvz]) **1** 스카프, 목도리(muffler) **2** (목도리처럼 느슨하게 매는) 넥타이(cravat); 〖군사〗 (어깨에 걸치는) 현장(懸章), 견대 **3** 《미》 책상보, 피아노 덮개 《등》
—*vt.* **1** 스카프로 덮다[싸다] **2** 〈스카프처럼〉 두르다, 걸치다, 덮다, 싸다 **~·less** *a.* **~·like** *a.*

scarf[2] *vt.* **1** 〈목재·가죽·금속을〉 접합(接合)하다, 끼워 잇다, 엇턱이음하다 **2** 〈고래를〉 갈라 헤치다
—*n.* (*pl.* **~s**) (목재·가죽·금속의) 접합, 끼워 잇기, 엇턱이음; 홈, 금, 벤 자리; 벗겨낸 고래 가죽 조각

scarf[3] *vt.* 《미·속어》 **1** 걸신들린 듯 먹다, 게걸스럽게 먹다; 벌컥벌컥 마시다[먹다] 《*down, up*》 **2** 슬쩍 훔치다, 날치기하다 **3** 버리다, 포기하다
—*n.* 먹는 것, 식사

scar-faced [skɑ́:rfèist] *a.* 얼굴에 흉터가 있는

scárf clòud 〖기상〗 삿갓구름

scárf jòint 〖건축〗 끼워 잇기, 접합

scarf·pin [skɑ́:rfpìn] *n.* 《영》 스카프 핀, 넥타이핀(tiepin)

scarf-ring [-rìŋ] *n.* 《영》 넥타이[목도리]용 장식 고리

scarf·skin [-skìn] *n.* UC 〖해부〗 표피(表皮), (특히 손톱 뿌리의) 얇은 피부

scarf-wise [-wàiz] *ad.* (현장(懸章)식으로) 어깨에서 허리로 비스듬히

scar·i·fi·ca·tion [skæ̀rəfikéiʃən | skὲər-] *n.* U **1** 〖의학〗 난절법(亂切法), 방혈(放血) **2** 혹평 **3** 〖농업〗 흙을 긁어 뒤집음, 표토를 파헤치기

scar·i·fi·ca·tor [skǽrəfikèitər | skέər-] *n.* **1** 《외과용》 난절도(亂切刀), 방혈기(放血器), 란셋(lancet) **2** 밭·도로의 표토를 파헤치는 기구

scar·i·fi·er [skǽrəfàiər | skέər-] *n.* = SCARIFICATOR; 〖의학〗 난절(亂切)자; 스파이크가 달린 노면 파쇄기

scar·i·fy [skǽrəfài | skέər-] *vt.* (**-fied**) **1** 〖외과〗 난절(亂切)하다 **2** 《문어》 혹평하다, 마구 헐뜯다; …의 감정을 해치다 **3** 〖농업〗 〈밭을〉 갈아 뒤집다, 〈도로의〉 표토를 파헤치다

scar·i·ous [skέəriəs] *a.* 〖식물〗 〈포엽(苞葉) 등이〉 엷은 막(膜) 모양의, 막질(膜質)의

scar·la·ti·na [skɑ̀:rləti:nə] *n.* U 〖병리〗 성홍열(猩紅熱)(scarlet fever)

‡**scar·let** [skɑ́:rlit] *n.* **1** UC 주홍색, 진홍색(bright-red color) **2** U (대주교·영국 고등 법원 판사·영국 육군 장교 등의) 진홍색의 옷; 진홍색의 대례복 **3** U 《비유》 죄악을 상징하는 주홍색
—*a.* **1** 주홍[진홍]색의 **2** 죄 많은; 〈여자가〉 음란한, 창부의(whorish) **3** 언어도단의, 눈꼴 사나운
***turn* [*blush, flush*] ~** 새빨개지다

scárlet féver 〖병리〗 성홍열(scarlatina)

scárlet hát 추기경의 모자[지위]

scárlet lády = SCARLET WOMAN

scárlet létter 주홍 글자 《옛날 간통한 자의 가슴에 붙였던 adultery의 머리글자 A》

scárlet pímpernel 〖식물〗 별봄맞이꽃

scárlet rásh 〖의학〗 장미진(疹)

scárlet rúnner 〖식물〗 강낭콩

scárlet ságe 〖식물〗 = SALVIA

scárlet tánager 〖조류〗 풍금새 《북미산(産)》

scárlet wóman[**whóre**] 간통한[음탕한] 여자, 매춘부, 음녀(淫女)

scarp [skɑ́:rp] *n.* **1** 〖축성〗 (해자의) 내벽, 안쪽 급경사면(cf. COUNTERSCARP) **2** (천연의) 급경사(면), 벼랑 —*vt.* 〈사면을〉 가파르게 하다; …에 안쪽 급경사면을 만들다

scar·per [skɑ́:rpər] *vi.* 《영·속어》 (셈을 하지 않고 [무전취식하고]) 도망치다, 내빼다 —*n.* 줄행랑, 도망

scar·ry [skɑ́:ri] *a.* 흉터 있는(scarred)

scart [skɑ́:rt] 《스코》 *n.* 할퀴기, 찰과상; 필적
—*vt.*, *vi.* 할퀴다

Scart, SCART [skɑ́:rt] [*S*yndicat des *C*onstructeurs des *A*ppareils *R*adiorécepteurs et *T*éléviseurs] *n.* 〖전자〗 스카트 《비디오 기기 접속용의 21핀 커넥터》

scár tìssue 〖의학〗 반흔 조직

scarves [skɑ́:rvz] *n.* SCARF[1]의 복수

scar·y [skέəri] *a.* (**scar·i·er**; **-i·est**) **1** 《구어》 놀라기 잘하는, 겁 많은 **2** 무서운, 두려운: a ~ movie 무서운 영화 **3** 《미·구어》 〈여성이〉 못생긴; 〈남자가〉 얼굴이 험상궂은 **scár·i·ness** *n.*

scat[1] [skǽt] *int.*, *n.* **1** 쉿 《고양이 등을 쫓는 소리》 **2** 쾅 《폭발·총포 소리》
—*ad.* [다음 성구로] ***go* ~** 《속어》 못 쓰게 되다
—*vi.*, *vt.* (**~·ted**; **~·ting**) 《구어》 급히 가다; [보통 명령문으로] 저리 가라(Go away!)

scat[2] *n.* UC 〖재즈〗 스캣 《무의미한 음절로 가사를 대신하는 즉흥적인 노래》(= ~ singing)
—*vi.* (**~·ted**; **~·ting**) 스캣을 부르다

scat[3] *n.* U (동물의) 똥

SCAT School and College Ability Test; supersonic commercial air transport

scat·back [skǽtbæ̀k] *n.* 〖미식축구〗 스캣백 《공을 가진 민첩한 공격측 백》

scathe [skéið] *n.* U 《고어·방언》 위해(危害), 손해, 손상(injury): without ~ 손상 없이, 무사히
—*vt.* **1** 《고어》 혹평하다, 헐뜯다 **2** 《고어·방언》 해치다, 손상하다(hurt) **~·ful** *a.* **~·less** *a.* **~·less·ly** *ad.*

scath·ing [skéiðiŋ] *a.* **1** 〈비평·조소 등이〉 냉혹한, 가차없는, 통렬한: a ~ remark 뼈아픈 말 **2** 상처를 입히는, 해치는 **~·ly** *ad.*

scato- [skéitou, -tə] 《연결형》 「대변」의 뜻

sca·tol·o·gy [skətɑ́lədʒi | -tɔ́-] *n.* U **1** 〖의학〗 분변학(糞便學); 분뇨에 의한 진단 **2** (화석의) 분석학(糞石學) **3** 분변음욕증(糞便淫慾症) 《분뇨에 집착하는 행위》; 이를 연구하는 학문 **4** 외설 문학; 외설적인 말
scàt·o·lóg·i·cal *a.* **-gist** *n.*

sca·toph·a·gous [skətɑ́fəgəs | -tɔ́-] *a.* 〖곤충〗 분식성(糞食性)의

sca·tos·co·py [skətɑ́skəpi | -tɔ́-] *n.* 〖의학〗 대변 검사

scát sìnging = SCAT[2]

‡**scat·ter** [skǽtər] *vt.* **1** 흩뿌리다, 흩어버리다(disperse), 뿌리다(strew) 《*on, over*》; 낭비하다; 〈재산을〉 탕진[낭비]하다(squander) 《*about, around, round*》: ~ leaflets 전단을 뿌리다 / He is *~ing* his money *about.* 그는 돈을 뿌리듯이 낭비하고 있다. // (~+목+전+명) ~ seeds *over* the fields = ~ the fields *with* seeds 밭에 씨를 뿌리다 **2** 〈군중·적군 등을〉 쫓아버리다(dispel); 〈바람이〉 〈구름·안개 등을〉 흩날려 버리다; 〈희망·의혹·공포 등을〉 사라지게 하다(dissipate): ~ one's hopes 희망을 없애다 **3** 〖물리〗 〈빛·입자 등을〉 확산[산재]시키다; 〖야구〗 안타를 산발로 처리하다, 〈상대 팀에〉 집중타를 허용하지 않다
—*vi.* **1** 뿔뿔이[사방으로] 흩어지다; 사라지다 **2** 〈총알이〉 산발(散發)하다 ***~ to the* (*four*) *winds*** 사방으로 흩뿌리다; 뿔뿔이 흩어지다
—*n.* **1** UC 흩뜨림 **2** 흩뜨려진 것; U (산탄(散彈) 등의) 비산(飛散) 범위 **3** 소수, 소량 《*of*》: a ~ *of* applause 드문드문 일어나는 박수 **4** 《미·속어》 (무허

thesaurus **scatter** *v.* **1** 흩뿌리다 disseminate, diffuse, spread, sow, sprinkle, strew, fling, toss, throw **2** 뿔뿔이 흩어지다 break up, disperse, disband, separate, dissolve (opp. *gather*, *assemble*)
scene *n.* **1** 배경 background, backdrop, setting,

가) 술집; 은신처, 아지트; (아파트) 방 5 〚야구〛 (안타의) 산발 **~·a·ble** *a.* **~·er** *n.*

scat·ter·a·tion [skæ̀təréiʃən] *n.* 분산; (인구·산업의) 지방 분산; (자금·노력의) 비효율적 분산 정책

scat·ter·brain [skǽtərbrèin] *n.* 《구어》 머리가 산만한[차분하지 못한] 사람

scat·ter·brained [-brèind] *a.* 《구어》 침착하지 못한, 차분하지 못한, 머리가 산만한

scátter communicàtion 산란 통신 《대류권·전리층에서의 전파의 산란을 이용한 원거리 통신》

scátter cùshion 《미》 (소파 등에 여기저기 놓는) 쿠션

scátter dìagram 〚통계〛 산포도, 점도표

scat·tered [skǽtərd] *a.* **1** 뿔뿔이 흩어진, 산재해 있는, 드문드문 있는; 산만한 **2** 산발적인 **~·ly** *ad.* **~·ness** *n.*

scat·ter·good [skǽtərgùd] *n.* 낭비하는 사람(spendthrift)

scat·ter·gun [-gʌ̀n] *n.* 산탄총(shotgun); 《군대속어》 기관총[단총](machine gun[pistol])

scat·ter·ing [skǽtəriŋ] *a.* **1** 흩어져 있는, 흩어져 가는, 드문드문한: a ~ flock of birds 사방으로 흩어져 날아가는 새떼 **2** 분산한: ~ votes 산표(散票)
— *n.* **1** Ⓤ 흩뿌리기, 분산; 산재; 〚물리〛 산란 **2** 흩뿌린 정도의 수[양], 소수, 소량 《*of*》 **~·ly** *ad.*

scáttering làyer (바닷속의) 산란층 《음파를 산란·반향시키는 생물층》

scat·ter·om·e·ter [skæ̀tərɑ́mətər | -rɔ́-] *n.* 스캐터로미터 《일종의 레이더》

scátter propagàtion = SCATTER COMMUNICATION

scátter rùg 《미》 작은 양탄자(throw rug)

scat·ter·shot [skǽtərʃɑ̀t | -ʃɔ̀t] *a.* Ⓐ 《미》 무차별의, 마구잡이의; 무차별 사격의, 난사의
— *n.* (장전한) 산탄; 산탄의 비산(飛散)

scát·ter·site hòusing [-sàit-] 《미》 분산 주택 (계획) 《저소득자용 공영 주택을 분산시켜 건립하는 일》

scat·ty [skǽti] *a.* (**-ti·er**; **-ti·est**) 《영·구어》 머리가 약간 돈; 머리가 산만한

scáup dùck [skɔ́:p-] 〚조류〛 검은머리흰죽지

scau·per [skɔ́:pər] *n.* = SCALPER 3

scaur [skɑ́:r | skɔ́:r] *n.* = SCAR²

scav·enge [skǽvindʒ] *vt.* **1** 〈거리를〉 청소하다 **2** 〈아직 쓸 만한 물건을〉 쓰레기통에서 끄집어 내다[모으다] **3** 〈내연 기관을〉 배기(排氣)하다 **4** 〈동물이〉 썩은 고기나 폐물을 찾아 다니다
— *vi.* **1** 〈동물이〉 (썩은 고기·밥찌끼 등을) 찾아 헤매다 《*for*》 **2** (이용할 수 있는 것을) 찾아 다니다 《*for*》 **3** 거리 청소부로 일하다 **4** 〈엔진·배기통이〉 청소되다

scávenge pùmp (내연 기관의) 배유 펌프

scav·en·ger [skǽvindʒər] *n.* **1** 《영》 가로 청소부; 폐품 수집자 **2** (썩은 고기를 먹는) 청소 동물 《특히 독수리·하이에나 등》; 청소 곤충 《쇠똥구리 등》
— *vi.* 청소부 노릇을 하다, 지저분한 일을 하다

scávenger hùnt 주워 모으기 게임 《지정된 물건을 사지 않고 빨리 모으면 이기는 게임》

Sc. B. *Scientiae Baccalaureus* (L = Bachelor of Science) **SCC** U.S.-Soviet standing consultative commission **S.C.C.** Sea Cadet Corps **Sc. D.** *Scientiae Doctor* (L = Doctor of Science) **Sc. D. Med.** Doctor of Medical Science **S.C.E., SCE** Scottish Certificate of Education

sce·na [ʃéinə] [It.] *n.* (*pl.* **-nae** [-ni:]) 〚음악〛 (가극의) 한 장면; 극적인 독창 부분

sce·nar·i·o [sinέəriòu | -nɑ́:r-] [It. 「장면」의 뜻에서] *n.* (*pl.* **~s**) **1** 〚연극〛 대본; 〚영화〛 시나리오, 영화 각본(screenplay) **2** (계획·예정 등의) 개요, 초안, 행동 계획

sce·nar·ist [sinέərist | sí:nər-] *n.* 영화 각본 작가, 시나리오 작가, 방송 작가

scen·ar·ize [sinέəraiz | sí:nər-] *vt.* 영화화하다; 각색하다

scend [sénd] *vi.*, *n.* = SEND²

‡**scene** [sí:n] *n.*

> Gk 「무대」의 뜻에서 → (무대의) 장면 **1, 4**
> 「…장(場)」 ┬→ (일이 전개되는 장면) → 「현장」 **3 a**
> └→ (눈앞에 보이는 장면) → 「경치」 **2 a**

1 a (연극·영화·텔레비전 등의 특정) **장면**, 신: a love ~ 러브 신 **b** [종종 *pl.*] (극·영화 등의) **무대(면)**, 배경, 무대 장치: shift the ~*s* 배경을 바꾸다 **2 a 경치**, 풍경, 광경 **b** (사회의) **정세**, 정황: the American ~ 미국적 풍경 《미국의 정치·사회적 정세》(⇨ view 유의어)

> 유의어 **scene** 한정된 개개의 풍경 **scenery** 집합적으로 (특히 자연의) 전풍경

3 a (사건·이야기 등의) **현장**, 장면, 무대: the ~ of an accident 사고의 현장 **b** (극·영화를 방불케 하는) 사건 **4** (극의) 장(場) 《略 sc.》: Act I, *S*~ II 제1막 제2장 **5** [*sing.*; the ~으로 수식어와 함께] 《구어》 (…의) 활약 장면, (패션·음악 등의) …계(界): an intriguing newcomer on *the* rock-music ~ 록 음악계의 매혹적인 신인 **6** 《구어》 추태, 소동, 난리 **7** [one's ~] 《구어》 흥미의 대상, 기호: Discos are not *my* ~. 디스코는 내 취향이 아니다.

a change of **~** (여행에 의한) 환경의 변화; 전지(轉地) ***behind the ~s*** 무대 뒤에서, 막후에서; 남몰래 ***come*** [***appear, arrive***] ***on the*** **~** 무대에 나타나다, 등장하다 ***have a nice*** **~** 활극을 벌이다 《*with*》; 법석을 떨다 ***lay the*** **~** ***in*** (소설에서) 장면을 …에 두다 ***make*** [***create***] ***a*** **~** 한바탕 소란을 피우다, 야단법석을 떨다 ***make the*** **~** 《속어》 (특수한 장소에) 나타나다, (참석하여) 존재를 나타내다; 성공하다; 인기를 모으다; 시도해 보다 ***on the*** **~** 현장에, 그 자리에 ***quit the*** **~** 퇴장하다; 죽다 ***set the*** **~** …에 대한 무대를 설정하다, …에의 준비를 하다 《*for*》 ***steal the*** **~** 《구어》 주의를 딴 데로 돌리게 하다
▷ scénic *a.*

scène [sέn] [F] *n.* = SCENE ***en*** **~** 상연되어

scéne dòck[**bày**] (극장의) 배경실, 장치실

scene·man [sí:nmən] *n.* 《폐어》 (*pl.* **-men** [-mən]) = SCENESHIFTER

scene-of-crime [sì:nəvkráim] *a.* Ⓐ 《영》 범죄 현장 감식의: a ~ officer 현장 감식 경찰관

scéne pàinter (무대의) 배경 화가

scéne pàinting (무대의) 배경화(법)

‡**scen·er·y** [sí:nəri] *n.* (*pl.* **-er·ies**) **1** Ⓤ (한 지방 전체의) **풍경**(⇨ view 유의어): the ~ in Scotland 스코틀랜드의 풍경 / admire the mountain ~ 산의 경치를 즐기다 / What beautiful ~! 경치가 정말 아름답구나! **2** ⓊⒸ [집합적] (연극의) **무대면**, 무대 장치, **배경**(cf. PROP³) ***chew the*** **~** 과장된 연기를 하다(overact)

scene·shift·er [sí:nʃìftər] *n.* (연극의) 무대 장치 담당자 **scéne·shift·ing** *n.*

scene-steal·er [-stì:lər] *n.* 《구어》 **1** (훌륭한[화려한] 연기로) 주역보다 더 인기 있는 조연 배우 **2** (중심 인물이 아닌데도) 큰 인기를 얻는 사람

*__sce·nic__ [sí:nik, sé-] *a.* **1** **경치의**, 풍경의; 경치가 아름다운: ~ wallpaper 경치를 그린 벽지 / ~ beauty 풍경의 미, 경승(景勝) / ~ route 경치가 아름다운 우회로 **2** 무대(상)의; 연극의, 극적인(dramatic); 무대 배경[장치]의: ~ effects 무대 효과 / a ~ artist (무대의) 배경 화가 **3** 〈그림·조각이〉 사건[이야기] 장면

---

set **2 경치** scenery, view, outlook, landscape, vista, panorama, prospect **3 현장** place, location, site, position, spot, whereabouts, stage **3 사건** event, incident, happening, situation, episode, affair, moment, proceeding

을 묘사한 **4** 〈사건·이야기 등이〉 생생한, 그림 같은
— *n.* 풍경화[사진, 영화]
scé·ni·cal·ly *ad.* 극적으로, 연극조로
▷ scéne *n.*

sce·ni·cal [síːnikəl] *a.* = SCENIC 2

scénic drìve 《미》 시닉 드라이브 《경치가 좋은 도로임을 뜻하는 도로 표지》

scénic ráilway (유원지 등의 인공적 풍경 속을 달리는) 꼬마 철도; = ROLLER COASTER

sce·no·graph [síːnəgræ̀f | -grɑ̀ːf] *n.* 배경화(背景畫); 원근도(遠近圖) **sce·nóg·raph·er** *n.*

sce·no·graph·ic, -i·cal [sìːnəgrǽfik(əl), sènə-] *a.* 배경화의, 원근 도법의

sce·nog·ra·phy [siːnɑ́grəfi | -nɔ́-] *n.* Ⓤ 배경 도법, 원근 도법

‡**scent** [sént] *n.* **1** ⓊⒸ **냄새**; 향내, 향기(⇨ smell 유의어) **2** Ⓤ 《영》 향수(perfume) **3** ⓊⒸ [보통 *sing.*] (짐승의) 냄새 자취; 단서, 힌트: have (a) ~ 냄새 자취를 따르다; 단서를 잡고 있다 **4** 뿌린 종잇조각 《paper chase 놀이에서 hare가 된 사람이 뿌림》 **5** ⓊⒸ (사냥개의) 후각(嗅覺); 직각력(直覺力), 육감 《*for*》: have no ~ *for* … …에 대한 센스가 무디다 ***cold*** [***hot***] **~** 희미한[강한] 냄새(자취) ***false* ~** 잘못 짚은 냄새[단서] ***follow up the* ~** 남기고 간 냄새를 맡으며 추적하다; 단서를 따라 추적하다 ***get*** [***take***] ***the* ~ *of* …** …을 냄새 맡다[눈치채다] ***lose the* ~** 단서를 놓치다 ***on the* ~** 냄새를 맡고, 단서를 잡아 《*of*》 ***put* … *on the* ~** …에게 뒤를 좇게 하다, …에게 단서를 잡게 하다 ***throw*** [***put***] **a person *off the* ~** = ***put*** a person ***on a wrong*** [***false***] **~** …을 따돌리다, 자취를 감추다
— *vt.* **1** …의 냄새를 맡다; 〈짐승의〉 냄새를 맡아내다[분간하다], 냄새로 찾아내다 《*out*》 **2** 〈비밀 등을〉 눈치채다, 알아채다; 〈위험 등을〉 감지하다: ~ danger 위험을 감지하다 **3 a** 냄새가 풍기게 하다(⇨ scented 2 b) **b** …에 향수를 뿌리다
— *vi.* **1** 냄새 자취를 따라 추적하다; 〈개 등이〉 냄새를 맡으며 돌아다니다 《*about*》 **2** (…의) 냄새를 풍기다, 기미가 있다 《*of*》 **~ *out*** 알아내다, 낌새를 채다

scént bàg 향주머니, 향낭; 〘동물〙 향낭, 취낭(臭囊) 《향선(香腺)의 분비물을 일시 저장하는 주머니》

scent-bot·tle [séntbɑ̀tl | -bɔ̀tl] *n.* 향수병

scent·ed [séntid] *a.* **1** 향수를 뿌린, 향료가 든: ~ soaps 향수 비누 **2 a** 냄새가 좋은 **b** Ⓟ 냄새로 가득찬 《*with*》 **3** [보통 복합어를 이루어] …한 냄새가 나는; 후각이 …한: keen-~ 후각이 예민한

scént glànd 〘동물〙 향선(香腺), 취선(臭腺)

scent·less [séntlis] *a.* 향기가 없는, 냄새가 없는; (사냥에서) 지나간 냄새가 사라져 버린; 후각이 없는, 냄새를 못 맡는

scént màrk 후각 표지 《배설물 등으로 동물이 지표에 남기는 고유한 냄새》

scent·om·e·ter [sentɑ́mətər | -tɔ́-] *n.* (대기 오염 조사용) 호기(呼氣) 오염 분석기(계)

scént òrgan 〘동물〙 취기관(臭器官) 《향선 등》

scep·sis [sképsis] *n.* 《영》 = SKEPSIS

***scep·ter** | **-tre** [séptər] *n.* **1** (제왕의 상징으로서의) 홀(笏), 권장(權杖) **2** [the ~] 왕권, 왕위; 주권: sway[wield] *the* ~ 군림[지배]하다 / lay down *the* ~ 왕위에서 물러나다
— *vt.* 왕위에 앉히다, …에게 왕권을 주다, 홀을 주다
scép·tered [-d] *a.* **~·less** *a.*

scepter 1

***scep·tic, -ti·cal** [sképtik(əl)] *a.* 《영》 = SKEPTIC(AL)

scep·ti·cism [sképtəsìzm] *n.* 《영》 = SKEPTICISM

scep·tre [séptər] *n.* 《영》 = SCEPTER

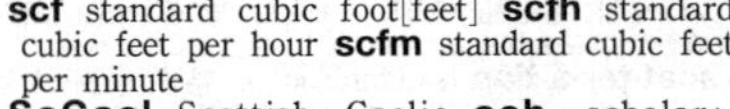

scf standard cubic foot[feet] **scfh** standard cubic feet per hour **scfm** standard cubic feet per minute

ScGael Scottish Gaelic **sch.** scholar; school; schooner **Sch.** 《호주》 schilling

scha·den·freu·de [ʃɑ́ːdnfrɔ̀idə] [G] *n.* 남의 불행을 고소하게 여김

schan·ze [ʃɑ́ːntsə] [G] *n.* 〘스키〙 도약대, 점프대

schap·pe [ʃɑ́ːpə | ʃǽpə] [G] *vt.* 〈견사(絹絲) 부스러기를〉 발효시켜 세리신(sericin)을 제거하다
— *n.* 견방사(絹紡絲)(= ~ **sílk**) 《자수실·혼방용》

schat·chen [ʃɑ́ːtxən] *n.* (유대인 사이의) 결혼 중매인[업자]

schat·zi [ʃɑ́ːtsi] [G] *n.* 《속어》 연인, 그리운 사람

‡**sched·ule** [skédʒu(ː)l | ʃédjuːl] *n.*, *v.*

> Gk「갈가리 찢긴 것」→(찢긴 종이 쪽지, 메모)→「일람표」→「시간표」→「예정표」→「예정」

— *n.* **1** ⓊⒸ **예정(표)**, 계획, 스케줄, 일정, 기일; 〘컴퓨터〙 일정: a publishing ~ 출판 일정 / one's work ~ 작업 예정(표) **2** 《미》 **시간표**, 시각표(timetable); 표, 일람표; 목록: a train ~ 열차 시각표 / a ~ of charge 요금표 **3** (문서 등의) 별표, 명세서; 부칙(附則) ***according to* ~** 예정대로; 예정에 따르면 ***ahead of* ~** 예정보다 먼저 ***behind* ~** 예정보다 늦게 ***on*** (***the***) **~** 시간표대로; 시간을 정확하게
— *vt.* **1** 예정에 넣다; …의 표[일람표, 목록, 명세서, 시간표]를 작성하다; …에 기재하다 **2** [흔히 수동형으로] (어떤 기일로) 〈사물을〉 **예정하다**: 《~+목+전+명》 The general meeting is ~*d for* December [Monday, five o'clock]. 총회는 12월[월요일, 5시]에 있을 예정이다. // 《~+목+***to*** do》 He is ~*d to* arrive here tomorrow. 그는 내일 여기에 도착할 예정이다. **schéd·u·lar** *a.* **schéd·ul·er** *n.*

schéd·uled cástes [skédʒu(ː)ld- | ʃédjuːld-] 지정(指定) 카스트 《인도에서 untouchables(불가촉 천민(不可觸賤民))이란 호칭 대신에 쓰는 공적인 호칭》

schéduled flìght 〘항공〙 정기편(定期便)

schéduled térritories [the ~] 〘역사〙 = STERLING BLOC [AREA]

schéduled tríbe (인도의) 지정[보호 대상] 부족민 《교육·고용에 있어 법적인 대우를 받는 하위 계층》

Schédule 1 [-wʌ́n] 《미》 1급 지정, 별표(別表) 《소지 및 사용이 법률로 규제되어 있는 마약 리스트》

scheel·ite [ʃéilait | ʃíː-] [발견자 Scheele의 이름에서] *n.* Ⓤ 〘광물〙 회중석(灰重石)

Sche·her·a·za·de [ʃəhèrəzɑ́ːdə | ʃihìər-] *n.* 셰헤라자드 《*Arabian Nights* 중의 페르시아 왕의 아내; 천일(千一) 밤마다 왕에게 재미있는 얘기를 들려주어 죽음을 면했다고 함》

scheik [ʃíːk | ʃéik] *n.* = SHEIK(H)

Schel·ling [ʃéliŋ] *n.* 셸링 **Friedrich Wilhelm Joseph von ~** (1775-1854) 《독일의 철학자》

sche·ma [skíːmə] *n.* (*pl.* **~·ta** [-tə], **~s**) **1** 개요, 윤곽, 대략 **2** 도해(圖解), 도식 **3** 〘논리〙 (삼단 논법의) 격(格); 〘문법·수사학〙 비유, 형용, 구법(句法); 〘철학〙 (칸트의) 선험적 도식; 〘심리〙 도식

sche·mat·ic [skiːmǽtik] *a.* **1** 개요의, 윤곽의 **2** 도식의, 도식적인 **—** *n.* 개략도, (전기 등의) 배선 약도 (= ~ **dìagram**) **-i·cal·ly** *ad.*

sche·ma·tism [skíːmətìzm] *n.* Ⓤ **1** (어떤 방식에 의한) 도식적 배치; (물건이 취하는) 특수한 형태 **2** 조직적 체계; 〘철학〙 (칸트의) 도식화[론]

sche·ma·tize [skíːmətàiz] *vt.* 조직적으로 배열하다; 도식화하다 **schè·ma·ti·zá·tion** *n.*

thesaurus **scent** *n.* fragrance, aroma, smell, perfume, bouquet, redolence, odor
schedule *n.* **1** 예정(표) timetable, plan, scheme, program **2** 일정 diary, calendar, itinerary, agenda

:scheme [skíːm] [Gk. 「형태」의 뜻에서] *n.* **1** 계획, 안(案), 설계 《*for*》; 《영》 (정부 등의) 사업 계획: adopt a ~ 계획을 채택하다 // (~+前+*-ing*) Their ~ *of* build*ing* the road has failed. 그들의 도로 건설 계획은 실패로 돌아갔다. **2** 음모, 책략, 계략: (~+*to* do) Their ~*s to* evade taxes were very crafty. 그들의 탈세 음모는 매우 교활한 것이었다. **3** 조직, 기구, 체계; 배합, 구성 **4** 도식(圖式), 도해; 일람표, 도표(schema), 분류표 **5** 개요, 대략; 요강: the ~ of work for the last year 작년도 사업 계획 개요 ***housing*** **~** (지방 자치 단체의) 주택 건설[공급] 계획 ***in the ~ of things*** 체제상[구성상] 당연히 ***lay a ~*** 계획을 세우다 ***the best laid ~s of mice and men*** 여럿이 신중히 결정한 안(案) 《실패한 경우를 지칭》
—*vt.* **1** 계획하다, 입안하다 《*out*》: ~ (*out*) a new airline 새로운 항공 노선을 계획하다 **2** 모의하다, 책동하다: (~+*to* do) They ~*d to* overthrow the Cabinet. 그들은 내각 타도의 음모를 꾸몄다.
—*vi.* 계획을 세우다; 음모를 꾸미다, 책동하다
~ *on* 《속어》 …와 농탕치다, …와 새롱거리다
~·less *a.*

schem·er [skíːmər] *n.* **1** 계획[입안, 고안]자 **2** 《특히》 음모가, 책략가, 모사

schem·ing [skíːmiŋ] *a.* 책략적인, 계획적인, 흉계가 있는, 교활한 —*n.* Ⓤ 계획; 음모 **~·ly** *ad.*

Sche·nec·ta·dy [skinéktədi] *n.* 스키넥터디 《미국 New York주 동부, Mohawk 강에 임한 도시》

Schéng·en agrèement [ʃéŋən-] [the ~] 셴겐 협정 《유럽 연합 국가들 간의 국경선 자유 왕래 협정》

scher·zan·do [skɛərtsáːndou | skɛətsǽn-] [It.] *ad.* 〖음악〗 해학적으로, 희롱조(調)로

scher·zo [skέərtsou] [It.] *n.* (*pl.* **~s, -zi** [-tsi]) 〖음악〗 스케르초, 해학곡

Schíck tèst [ʃík-] [미국 의사 B. Schick의 이름에서] 〖의학〗 시크 (반응) 시험 《디프테리아 면역 검사법》

Schíff('s) reágent [ʃíf(s)-] [독일 화학자 H. Schiff의 이름에서] 〖화학〗 시프 시약(試藥) 《알데히드 검출용》

schil·ler [ʃílər] *n.* (묘안석 등의) 섬광, 광채; (풍뎅이 등의) 무지개색

Schil·ler [ʃílər] *n.* 실러 (**Johann Christoph Friedrich von ~** (1759-1805) 《독일의 시인·극작가》)

schil·ling [ʃíliŋ] [G] *n.* 오스트리아의 화폐 단위 《略 S; =100 groschen》; 독일의 옛 화폐

schip·per·ke [skípərki | ʃíp-] *n.* 〖동물〗 시퍼키 《벨기에산(産)의 양치기 개》

schism [sízm, skízm] *n.* ⓊⒸ (단체의) 분리, 분열; (특히 교회의) 분파, 분립; Ⓤ 종파 분립죄

schis·mat·ic, -i·cal [sizmǽtik(əl), skiz-] *a.* 분리적인; (교회의) 종파 분립(죄)의 —*n.* 교회 (종파) 분리론자, 분리[분파]자 **-i·cal·ly** *ad.*

schis·ma·tize [sízmətàiz, skíz-] *vi.* 분리에 가담하다, 분열을 꾀하다 —*vt.* 분열시키다

schist [ʃíst] *n.* Ⓤ 〖지질〗 편암(片岩); 결정 편암

schis·tose [ʃístous], **schis·tous** [ʃístəs] *a.* 편암(schist)의, 편암질[모양]의 **schis·tos·i·ty** [ʃistásəti | -tɔ́-] *n.* 〖지질〗 편리(片理)

schis·to·some [ʃístəsòum] *n., a.* 〖동물〗 주혈흡충(住血吸蟲)(의) 《혈관 속에 기생》

schis·to·so·mi·a·sis [ʃìstəsoumáiəsis] *n.* Ⓤ 〖병리〗 주혈흡충병

schiz [skíts] *n.* 《속어》 =SCHIZOPHRENIA; =SCHIZOPHRENIC

schiz·an·dra [skitsǽndrə] *n.* 〖식물〗 오미자

schiz·o [skítsou] *n.* (*pl.* **~s**), *a.* 《구어》 정신 분열증 환자(의)(schizophrenic)

schizo- [skízou, -zə | skítsou] 《연결형》 「분열, 열개(裂開); 정신 분열증」의 뜻

schiz·o·carp [skízəkàːrp | skítsou-] *n.* 〖식물〗 분리과(分離果)

schiz·o·gen·e·sis [skìzədʒénəsis | skìtsou-] *n.* Ⓤ 〖생물〗 분열 생식 **-ge·nét·ic** *a.*

schi·zog·o·ny [skizágəni, skitság- | skitsɔ́g-] *n.* 〖생물〗 증원[전파] 생식

schiz·oid [skítsɔid] *a.* 〖병리〗 정신 분열 증세의, 분열증질의 —*n.* 정신 분열증질의 사람

schiz·o·my·cete [skìzoumáisiːt | skìtsoumaisíːt] *n.* 〖식물〗 분열균(分裂菌); [*pl.*] 분열균류(類)

schiz·o·my·co·sis [skìzoumaikóusis | skìtsou-] *n.* 〖병리〗 분열균증, 박테리아증

schiz·o·phrene [skítsəfrìːn | skítsou-] *n.* 정신 분열증 환자

schiz·o·phre·ni·a [skìtsəfríːniə | skìtsou-] *n.* Ⓤ 〖정신의학〗 정신 분열증

schiz·o·phren·ic [skìtsəfrénik] *a.* 〖정신의학〗 정신 분열증의 —*n.* 정신 분열증 환자

schiz·o·phyte [skízəfàit | skítsou-] *n.* 〖식물〗 분열 식물 《분열 균류와 분열 조류》

schiz·o·thy·mi·a [skìtsəθáimiə | skìtsou-] *n.* 〖정신의학〗 분열 기질

schiz·y, schiz·zy [skítsi] *a.* 《미·속어》 정신 분열증의; 다중(多重) 인격의

schlang [ʃlǽŋ] *n.* 《미·비어》 남근(penis)

schle·miel, -mihl, shle·miel [ʃləmíːl] *n.* 《미·속어》 (일이 잘 꼬이는) 불운한 사람, 얼간이(chump)

schlen·ter [ʃléntər, slén-] *n.* 《호주·뉴질·구어》 속임수(trick); 《남아공》 (다이아몬드의) 가짜
—*a.* 《호주·뉴질·남아공·구어》 가짜의, 모조의

schlep(p), shlep(p) [ʃlép] *vt.* 《미·속어》 〈귀찮은 것을〉 나르다, 갖고 다니다
—*vi.* 나르다; 발을 질질 끌며 걷다
—*n.* **1** 무능한 사람 **2** 힘겨운 여행, 고된 일

schlep·per, shlep·per [ʃlépər] *n.* 《미·속어》 (호의를 언제나 기대하고 있는) 귀찮은 사람

schlock [ʃlák | ʃlɔ́k] *a.* 《미·속어》 싸구려의, 저속한
—*n.* 싸구려, 저속한 것 **schlóck·y** *a.* 싸구려의

schlóck jòint[shòp, stòre] 《미·속어》 싸구려 상점

schlock·mei·ster [ʃlákmàistər | ʃlɔ́k-] *n.* 《미·속어》 싸구려 장수

schlong [ʃláŋ | ʃlɔ́ŋ] *n.* 《미·비어》 =SCHLANG

schmack [ʃmǽk] *n.* 《미·마약속어》 헤로인; 마약

schmaltz, schmalz, shmaltz [ʃmáːlts, ʃmɔ́ːlts] *n.* 《구어》 **1** 몹시 감상적인 음악[문장]; Ⓤ 극단적인 감상주의 **2** 《미》 (닭고기의) 지방
schmál(t)z·y *a.* 몹시 감상적인

schmáltz hèrring (산란 직전의) 기름이 오른 청어

schmat·te, schmat·tah [ʃmʌ́tə] *n.* 《미·속어》 헌 옷, 해진 의류

schmear, schmeer, shmear [ʃmíər] 《미·속어》 *n.* **1** (빵 등에 버터 등을) 한 번 바르기 **2** (관련 있는) 일, 사항, 문제 **3** 뇌물; 중상, 욕; 비난; 완패
—*vt.* **1** 〈버터 등을〉 바르다 **2** 매수하다; 호되게 다루다

schmeck [ʃmék] *n.* 《미·속어》 한 입 (먹기); 헤로인 **~·er** *n.* 헤로인 상용[중독]자

Schmídt cámera [ʃmít-] 슈미트 카메라 《천체 촬영용》

schmo(e) [ʃmóu] *n.* 《미·속어》 멍청이, 얼간이

schmooze, schmoose [ʃmúːz] *vi.* 《미·속어》 잡담하다, 수다 떨다

schmuck [ʃmʌ́k] *n.* 《미·속어》 얼간이, 시시한 놈; 《비어》 =PENIS

schmut·ter [ʃmʌ́tər] *n.* 《속어》 옷, 의복

schmutz [ʃmúts] *n.* 《속어》 오물; 더러움, 얼룩

schmutz·y [ʃmútsi] *a.* 《속어》 더러워진, 얼룩이 생긴

schnapps, schnaps [ʃnǽps] *n.* Ⓤ 네덜란드 진(Holland gin); 《일반적으로》 독한 술

---

3 목록 list, catalog, syllabus, inventory
scheme *n.* **1** 계획 plan, program, project, strategy, design, device, tactics, contrivance **2** 음모 plot, stratagem, maneuver, intrigue, conspiracy

schnau·zer [ʃnáuzər] *n.* 슈나우저《독일종 테리어개》

schnei·der [ʃnáidər] *vt.* (gin rummy에서 상대방의) 득점을 방해하다, 꼼짝 못하게 누르다; 대승[완승]하다 **—** *n.* (gin rummy에서 상대방의) 득점을 방해하기, 꼼짝 못하게 누름; 대승, 완승

schnit·zel [ʃnítsəl] *n.* ⓊⒸ 송아지 커틀릿(cutlet)

schnook [ʃnúk] *n.* 《미·속어》 잘 속는 사람, 멍텅구리, 얼간이; 괴짜

schnor·chel, -kel, -kle [ʃnɔ́ːrkl] *n.* = SNORKEL

schnor·rer [ʃnɔ́ːrər] *n.* 《속어》 (필요한 것을) 거저 얻는 사람, 거지, 식객

schnoz [ʃnáz | ʃnɔ́z] *n.* 《미·속어》 코

schnoz·zle [ʃnázl | ʃnɔ́zl] *n.* 《속어》 코

schol [skál | skɔl] [scholarship의 단축형] *n.* 《영·구어》 장학금; [*pl.*] 장학금 취득 시험

‡**schol·ar** [skálər | skɔ́lə] [L 「학교에 다니는 사람」의 뜻에서] *n.* **1** (특히 인문 과학 분야의) 학자, 인문학자; 고전학자 **2** [보통 부정문에서] 《구어》 학식이 있는 사람: be a poor (hand as a) ~ 변변히 읽을 줄도 쓸 줄도 모르다 / He is*n't* much of a ~. 그는 별로 학식이 있는 사람이 아니다. **3** 학생 **4** 《속어》 어학자; 어학에 능숙한 사람: She is a good Spanish ~. 그녀는 스페인 어를 잘한다. **5** 장학생, 특대생
a ~ and a gentleman 훌륭한 교육을 받은 교양이 있는 사람 **~·less** *a.*
▷ schólarly *a., ad.*; scholástic *a.*

schol·arch [skálaːrk | skɔ́l-] *n.* (고대 Athens의) 철학 학교 교장; 《일반적으로》 교장

***schol·ar·ly** [skálərli | skɔ́-] *a.* **1** 학자[학구]적인, 박식한; 학문을 좋아하는 **2** 학문적인, 학술적인(opp. *popular*): a ~ journal 학술 잡지
— *ad.* 학자답게, 학자적으로 **-li·ness** *n.*

***schol·ar·ship** [skálərʃìp | skɔ́-] *n.* **1** Ⓤ (특히 인문학의) 학문; (학문·연구로 얻은) 학식, 박학: a man of great ~ 대학자 **2 a** [종종 명칭과 함께 **S~**] 장학금 [제도]: a ~ association[society] 장학회, 육영회 / receive a ~ 장학금을 받다 / study on a Fulbright *S*~ 풀브라이트 장학금으로 공부하다 **b** Ⓤ 장학금을 받을 자격

***scho·las·tic** [skəlǽstik] [L 「학교의」의 뜻에서] *a.* **1** Ⓐ **a** 학교의; 학교 교육의: a ~ year 학년 **b** 학자의, 학문적인 **2** 《미》 중등학교의; 중등교육의 **3** 학자[교사]풍의; 학자티를 내는, 현학적인; 형식적인 **4** Ⓐ [종종 **S~**] (중세의) 스콜라 철학의
— *n.* **1** [종종 **S~**] 스콜라 철학자 **2 a** 《고어》 학생, 학자 **b** 학자연하는 사람, 현학자; 형식주의자 **c** 《가톨릭》 신학생 **-ti·cal** *a.* **-ti·cal·ly** *ad.* 학자연하게; 형식적으로; 스콜라 철학자식으로

Scholástic Áptitude Tèst 《미》 (대학 입학) 학습 능력 적성 시험 《略 SAT》

scho·las·ti·cism [skəlǽstəsìzm] *n.* Ⓤ **1** [종종 **S~**] 스콜라 철학 **2** 학풍 고집

scho·li·ast [skóuliæ̀st] *n.* 고전 주석자(註釋者), 주석학자(commentator) **schò·li·ás·tic** *a.*

scho·li·um [skóuliəm] *n.* (*pl.* **~s, -li·a** [-liə]) **1** [보통 *pl.*] (그리스·로마의) 고전 방주(旁註) **2** 《일반적으로》 주석, 평주(評註); (수학 등의) 예증(例證)

Schön·berg [ʃɔ́ːnbəːrg] *n.* 쇤베르크 **Arnold ~** (1874-1951) 《오스트리아 태생의 미국 작곡가》

‡**school**¹ [skúːl] [Gk 「여가」→「여가를 이용하여 배우기」→「배우는 장소」의 뜻에서] *n.* **1** (시설·건물로서의) 학교; 교사, 교실: keep[run] a ~ (사립)학교를 경영하다 / a sixth form ~ 《영》 제6학년 교실 **2** (특수 기능을 가르치는) 학교, 학원, 훈련소, 양성소, 연구소; (경험·환경 등의) 도장(道場): a driving ~ 자동차 학원 / in the hard ~ of daily life 일상생활의 엄한 도장 속에서 **3** Ⓤ 수업, 학교; 수업이 있는 날: *S*~ begins at 8: 30. 수업은 8시 반에 시작된다. / *S*~ opens tomorrow. 학교는 내일부터 시작한다. **4** Ⓤ [무관사로] (학교 교육의 의미에서의) 학교, 학업: start ~ 〈아동이〉 취학하다 / finish ~ 학업을 마치다, 졸업하다 **5** (대학의) 학부, (대학원급의) 전문 학부; 대학원; 그 건물; [*pl.*; 집합적] 대학, 학회: the *S*~ of Law 법학부 / a graduate ~ 대학원 **6** [종종 the ~; 집합적] 전교 학생(과 교직원) **7 a** [집합적] (학문·예술 등의) 파, 유파(流派), 학파, 화파(畫派), 학풍, 주의: the ~ of Plato[Raphael] 플라톤[라파엘]파 / the Stoic ~ 스토아파 / the laissez-faire ~ 자유방임주의(학)파 **b** (생활 등의) 양식, 방식: a man of the old ~ 구식인 사람 **8** (Oxford 대학에서) **a** 학위 시험 과목 《합격하면 honours degree를 획득하는》: take the history ~ 역사를 전공하다 **b** [*pl.*] 학위 시험(장) **9** 《군사》 소대 훈련, 밀집 교련 **10** 《음악》 교본
after ~ 방과 후에 ***at ~*** 취학 중; 수업 중 ***attend ~*** 통학하다; 학교에 다니다 ***come to ~*** 《속어》 행실을 고치다, 얌전해지다 ***go to ~*** 통학[등교]하다; 취학하다 ***go to ~ to*** …에게서 가르침을 받다, …에게서 배우다 ***in ~*** 재학 중 ***in the*** [***in for***] ***one's*** [***~s***] (Oxford 대학에서) 〈학생이〉 학위 시험을 치르는 중(인) ***leave ~*** 퇴학하다; 졸업하다 ***of the old ~*** 구식의(⇨ *n.* 7 b) ***out of ~*** 학교 밖에서; 학교를 나와; 퇴학하여; 졸업하여 ***~ of thought*** 생각[의견]을 같이하는 사람들, 학파, 유파 ***send*** [***put***] ***to ~*** 〈자녀를〉 학교에 보내다 ***teach ~*** 학교에서 가르치다 ***tell tales out of ~*** 내부의 비밀을 밖에 누설하다, 수치를 외부에 드러내다
— *a.* Ⓐ 학교의, 학교 (교육)에 관한: ~ education [life] 학교 교육[생활] / a ~ library 학교 도서관 / ~ supplies 학용품 / a ~ cap 학생모
— *vt.* **1 a** 교육하다, 가르치다(teach) 《*in*》, 훈육하다, 훈련하다: be well ~*ed in* French 프랑스 어 교육을 잘 받다 **b** 〈말 등을〉 조교(調教)하다, 〈예의범절을〉 가르치다 **2 a** [~ one*self* 로] 〈…하도록〉 수양하다: (~+목+***to*** do) ~ *oneself to* control one's temper 화를 억제하도록 수양하다 **b** [~ one*self* 로] (…을) 단련[훈련]하다 《*in, to*》: (~+목+전+명) ~ *oneself to* patience 인내력을 기르다 / ~ *oneself in* adversity 역경에 처해 자신을 단련하다 / ~ *oneself against* …하지 않도록 마음을 단련하다 **3** 학교에 보내다, …에게 학교 교육을 받게 하다

school² *n.* (물고기·고래 등의) 떼 《*of*》(⇨ group 유의어): a ~ *of* whales 고래 떼
— *vi.* 〈물고기 등이〉 떼를 짓다, 떼지어 나아가다
~ up 수면 가까이에 모여들다

schóol àge 1 학령, 취학 연령 **2** 의무 교육 연한

school-age [skúːlèidʒ] *a.* 학령에 달한

school·bag [-bæ̀g] *n.* (학생의) 책가방

schóol bèll 수업 (개시[종료]) 종, 학교종

schóol bòard 《미》 교육 위원회

school·book [-bùk] *n.* 교과서
— *a.* 교과서적인, 단순하고 판에 박은

‡**school·boy** [skúːlbɔ̀i] *n.* **1** (초등학교·중학교·고등학교의) 남학생(cf. SCHOOLGIRL) **2** [명사를 수식하여] 남학생의[다운]: ~ slang 학생 속어 / ~ mischief 남학생다운 장난 **~·ish** *a.*

schóol bùs 통학 버스, 스쿨 버스

Schóol Certìficate 《영》 《교육》 중등 교육 수료 시험[증서]

school·child [-tʃàild] *n.* (*pl.* **-chil·dren** [-tʃìldrən]) 어린 학생, 학동(學童)

schóol còlors (학교를 상징하는) 특정한 색의 교복; (유니폼 따위의) 학교색

schóol committee 《미》 = SCHOOL BOARD

schóol (**cróssing**) **guàrd** 초등학생 등·하교시의 교통 정리원

school·dame [-dèim] *n.* 《영》 dame school의 교장

schóol dày 1 수업일 **2** [one's ~s] (지난 날의) 학교[학생] 시절

thesaurus **scholarly** *a.* learned, erudite, academic, well-read, intellectual, literary, studious

schóol dìstrict (미) 학구(學區), 학군
schóol divìne (중세의) 신학 교사(教師)
schóol dòctor 교의(校醫), 학교 의사
schóol edìtion (책의) 학교용 판(版), 학생판
-schooler [skú:lər] 《연결형》「…학생」의 뜻: grade-*schooler* 초등학생
schóol fèe(s) 수업료
school·fel·low [skú:lfèlou] *n.* = SCHOOLMATE
schóol frìend (특히 영) 학교 (때) 친구
⁑**school·girl** [skú:lgə̀:rl] *n.* (초등학교·중학교·고등학교의) 여학생(cf. SCHOOLBOY) **~·ish** *a.*
schóol góvernor (영) 학교 운영회 이사
⁑**school·house** [skú:lhàus] *n.* (*pl.* **-hous·es** [-hàuziz]) **1** (특히 초등학교의 작은) 교사(校舍) **2** (영국의 학교 부속의) 교원 사택
school·ie [skú:li] *n.* (호주·속어) 교사, 선생
Schóol·ies (Wèek) [skú:liz(-)] (호주) 일주일 간의 졸업생 휴가
∗**school·ing** [skú:liŋ] *n.* Ⓤ **1** 학교 교육: lack formal ~ 정식 교육을 받지 못하다 **2** (통신 교육의) 교실 수업 **3** (고어) 견책, 징계 **4** 학비, 수업료, 교육비 **5** 훈련; 조마(調馬), 조교(調教)
schóol inspèctor 장학사[관]
school·kid [skú:lkìd] *n.* (구어) (학령) 아동, 학동
school-leav·er [-lì:vər] *n.* **1** (영) 이학자(離學者) 《법정 의무 연령인 16세가 되어 그 학기말 이후부터 학업을 떠나 취직하려는 사람》 **2** (중도) 퇴학생; 졸업생
schóol-leav·ing àge [-lì:viŋ-] (영) 졸업 연령
school·ma'am [-mæ̀m, -mà:m] *n.* = SCHOOLMARM
school·man [-mən, -mæ̀n] *n.* (*pl.* **-men** [-mən, -mèn]) **1** 스콜라 (철)학자[신학자] **2** [종종 **S~**] (중세 대학의) 신학[철학] 교수 **3** (미) (학교) 교사
school·marm [-mà:rm] *n.* (구어·익살) **1** (시골·소도시의 낡은 사고방식의) 여선생, 여교사 **2** (잔소리가 심하고 엄격한 구식의) 선생 타입의 여성
~·ish *a.* 잔소리가 심하고 엄격한[구식인]
⁑**school·mas·ter** [skú:lmæ̀stər | -mà:s-] *n.* **1** 남자 교원[교사, 선생]; (주로 영) (특히 중학교의 남자) 교장 **2** (선생 같은) 지도자 **3** 〖어류〗 도미의 일종
— *vt.* 교사로서 가르치다
— *vi.* 가르치다
~·ing *n.* Ⓤ 교사직(職) **~·ly** *a.* 학교 선생다운
school·mate [-mèit] *n.* 학우, 학교 친구, 동기생 (schoolfellow)
schóol mìss 여학생(schoolgirl); (특히 물정 모르는) 건방진 아가씨
school·mis·tress [-mìstris] *n.* 여교사; 여자 교장(cf. SCHOOLMASTER 1) **-tress·y** *a.* (구어) 딱딱하고 까다로운
Schòol of the Aír (호주) (오지에 거주하는 아동들을 위한) 방송 통신 학교
schòol of thóught (*pl.* **schools of thought**) (특정 집단이나 학파의) 신조, 관점, 학설
school·pho·bi·a [skú:lfòubiə] *n.* 학교 혐오[공포]증
schóol práyer 공립학교의 기도 시간
schóol repòrt (영) (학교의) 성적표((미) report card)
⁑**school·room** [skú:lrù:m] *n.* **1** 교실 **2** (집의) 아이들의 공부방, 학습실 ***in the ~*** 〈젊은 여성이〉 사회[사교계]에 진출하지 않은
schóol rùn (영) 통학 아동을 바래다주고 데려오는 일
schóol shìp 항해 실습선
∗**school·teach·er** [skú:ltì:tʃər] *n.* (초등·중·고등학교의) 교원, 교사, 선생 《영국에서는 유아학교·초등학교의 교원을 말함》
school·teach·ing [-tì:tʃiŋ] *n.* Ⓤ 교사직, 교직(教職)
schóol tíe = OLD SCHOOL TIE

schooling *n.* education, instruction, teaching, tuition, learning, training, coaching, drill

school·time [-tàim] *n.* Ⓤ **1** 수업 시간 **2** [보통 *pl.*] 학생[학교] 시절(school days) **3** 훈련[수련] 기간
school·work [-wə̀:rk] *n.* Ⓤ 학교 공부, 학업: neglect one's ~ 학교 공부를 게을리하다
school·yard [-jà:rd] *n.* 교정, 학교 운동장
schóol yéar 〖교육〗 학년 ★ 영·미에서는 보통 9월에서 6월까지를 말함.
∗**schoo·ner** [skú:nər] *n.* **1** 〖항해〗 스쿠너선(船) 《보통 2개, 때로는 3개 이상의 돛대를 가진 종범식(縱帆式) 범선》 **2** (미) 큰 포장마차 (= prairie ~) **3** (미·캐나다·호주) (맥주용의) 큰 조끼; (영) (셰리 등의) 큰 글라스

schooner 1

schoo·ner-rigged [skú:nərrìgd] *a.* 스쿠너식 돛을 장비한
Scho·pen·hau·er [ʃóupənhàuər] *n.* 쇼펜하워 **Arthur ~** (1788-1860) 《독일의 염세 철학자》
~·ìsm *n.* Ⓤ 그의 염세 철학
schorl [ʃɔ́:rl] *n.* Ⓤ 〖광물〗 철전기석(鐵電氣石), 솔
schot·tische [ʃátiʃ | ʃɔ́t-] *n.* 쇼티세 《polka 비슷한 2박자의 윤무》; 그 곡
Schótt·ky effèct [ʃátki- | ʃɔ́t-] 〖물리〗 (열전자 방사의) 쇼트키 효과
schrod [skrád | skrɔ́d] *n.* = SCROD
schtick, schtik [ʃtík] *n.* (속어) = SHTI(C)K
schtoonk [ʃtú:ŋk] *n.* (미·속어) 치사한 녀석
Schu·bert [ʃú:bərt] *n.* 슈베르트 **Franz ~** (1797-1828) 《오스트리아의 작곡가》
schuss [ʃús] [G 「탄환」의 뜻에서] *n.* 〖스키〗 직활강(直滑降); 직활강 코스 — *vt., vi.* 직활강하다
schuss·boom [ʃúsbù:m] *vi.* (속어) 〖스키〗 전속력으로 직활강하다 **~·er** *n.* 전속력 직활강자
schvartz·e, shvar·tze, schwar·tze [ʃvá:rtsə] *n.* (미·속어) 흑인
schvar·tzer, schwar·tzer [ʃvá:rtsər] *n.* (미·속어) 흑인 남자[노동자]
schwa [ʃwá:] [G] *n.* 〖음성〗 **1** 악센트가 없는 모음 《*a*bout의 *a* [ə], circ*u*s의 *u* [ə] 등》 **2** 그 기호 [ə]: ⇨ hooked schwa
Schwánn cèll [ʃwá:n-] 〖생화학〗 수반 세포 《신경 섬유초(鞘) 세포》
schwär·me·rei [ʃvèrmərái] [G] *n.* 열광, 심취
Schweit·zer [ʃwáitsər, ʃvái-] *n.* 슈바이처 **Albert ~** (1875-1965) 《독일 태생의 저술가·종교가·의사·음악가; 1952년 Nobel 평화상 수상》
SCI Science Citation Index **sci.** science; scientific
sci·ag·ra·phy [skaiǽgrəfi] *n.* = SKIAGRAPHY
sci·am·a·chy [saiǽməki] *n.* (*pl.* **-chies**) 그림자[가상의 적]와의 싸움, 상상의 싸움; 모의전
sci·at·ic [saiǽtik] *a.* **1** 좌골의 **2** 좌골 신경(통)의
sci·at·i·ca [saiǽtikə] *n.* Ⓤ 〖의학〗 좌골 신경통
sciátic nérve 〖해부〗 좌골 신경
SCID 〖병리〗 severe combined immune deficiency
⁑**sci·ence** [sáiəns] [L 「지식」의 뜻에서] *n.* **1** ⓊⒸ 과학; 학문, …학: natural ~ 자연 과학 / a man of ~ 과학자 / social ~ 사회 과학 / (the) applied ~ 응용 과학 / linguistic ~ 언어학 / the ~ of ethics 윤리학 **2** Ⓤ 《특히》 자연 과학; 이학(理學); 과학적 지식 체계, 과학적 연구 방법: College of Arts and *S~s* 교양(학)부 **3** 《일반적으로》 지식 체계; (사실·원리에 대한 구체적인) 지식 **4** Ⓤ (훈련에 따른 경기·요리 등의) 기술, 기량; 숙련 **5** [보통 **S~**] (미) 신앙 요법 (= Christian S~) ***blind ... with ~*** (영·속어) 과학 용어로 …을 혼란시키다 ***have ... down to a ~*** …의 요령을 충분히 터득하고 있다, …에 숙달해 있다
▷ scientífic, sciéntial *a.*

scíence fáir 과학 전람회
scíence fíction 공상 과학 소설 《略 SF, sci-fi》
Scíence Pàrk 《영》 첨단 과학 집중 지역 《미국의 Silicon Valley에 해당하는 지역》
sci·en·ter [saiéntər] 〖법〗 *ad.* 고의로, 일부러, 의도적으로(intentionally) **—** *n.* 고의
sci·en·tial [saiénʃəl] *a.* 과학의, 학문의, 지식의; 학식이 있는, 박식한, 재능 있는
*__sci·en·tif·ic__ [sàiəntífik] *a.* **1** 과학의, (자연) 과학상의: ~ studies 과학 연구 / ~ theory 과학 이론 **2** 과학적인, 정확한, 엄정한, 계통이 선: ~ management 과학적 경영 **3** 숙련된, 기술이 뛰어난: a ~ boxer 기술이 뛰어난 권투 선수 **-i·cal·ly** *ad.*
scientífic méthod 과학적 방법 《문제 확인에서 관련 자료를 수집, 그에 기초한 가설을 세우고 그 가설을 사실로 확인하는 연구 방법》
scientífic náme 〖생물〗 학명 《동식물의 세계 공통의 이름; opp. *popular name*》
scientífic notátion 〖수학〗 과학적 기수법(記數法)
scientífic sócialism 과학적 사회주의 《Marx, Engels 등의 사회주의; cf. UTOPIAN SOCIALISM》
sci·en·tism [sáiəntìzm] *n.* Ⓤ **1** 《종종 경멸》 과학(만능)주의 **2** (인문 과학에 있어서) 과학자적 태도[방법] **3** 과학 용어
‡**sci·en·tist** [sáiəntist] *n.* **1** 과학자, 자연 과학자, 과학 연구자 **2** [**S~**] **a** Christian Science의 신봉자 **b** (Christian Science에서, 최고의 치료자로서의) 그리스도
sci·en·tis·tic [sàiəntístik] *a.* 과학적 방법[태도]의
sci·en·tize [sáiəntàiz] *vt.* 과학적 방법으로 다루다
Sci·en·tol·o·gy [sàiəntálədʒi | -tɔ́-] *n.* 사이언톨로지 《미국인 L.R. Hubbard가 1965년 창설한 신흥 종교; 자기 수양을 통하여 능력을 개발하려는 운동》; 그 교회·단체에서 판매하는 제품 《상표명》
Scì·en·tól·o·gist, scì·en- *n.* 사이언톨로지 신봉자
sci-fi [sáifái] *n., a.* 《구어》 공상 과학 소설(의), SF(의): a ~ writer 공상 과학 소설가
scil., sc. scilicet 《L = namely》
scil·i·cet [síləsèt, sáil-] [L = it is permitted to know] *ad.* 즉, 다시 말하면(namely) 《略 scil., sc.》
scil·la [sílə] *n.* 〖식물〗 실라[무릇]속(屬) 《나릿과(科)》
Scil·lo·ni·an [silóuniən] *a., n.* 《영국》 실리 제도 (Scilly Isles)의 (주민)
scim·i·tar, scim·i·ter, scim·e·tar [símətər] *n.* (아랍 사람 등의) 언월도(偃月刀)

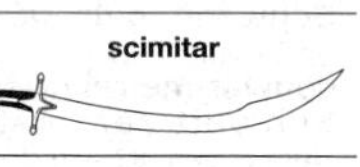
scimitar

scin·ti·gram [síntəgræ̀m] *n.* 〖의학〗 신티그램 《방사선 동위 원소 투여 후에 특수 계기에 의해 얻어지는 체내의 방사능 분포도》
scin·tig·ra·phy [sintígrəfi] *n.* Ⓤ 〖의학〗 신티그램 촬영[조영(造影)](법) 《방사성 물질 추적법의 하나》
scin·til·la [sintílə] *n.* (*pl.* **~s, -lae** [-liː]) **1** 불꽃 **2** [a ~; 부정문·의문문·조건절에서] 미량, 아주 조금 《*of*》: There is *not a* ~ *of* truth. 진실이라고는 티끌만큼도 없다.
scin·til·lant [síntələnt] *a.* 불꽃을 내는, 번쩍이는 (scintillating) **~·ly** *ad.*
scin·til·late [síntəlèit] *vi.* **1** 불꽃을 내다 **2** 〈별이〉 반짝반짝 빛나다 **3** 《비유》 〈재치·기지가〉 번득이다; 〈재치 등이〉 넘치다 《*with*》 **4** 〖전자〗 〈레이더 표시판의 광점 등이〉 깜박거리다 **—** *vt.* **1** 〈불꽃·섬광을〉 발하다 **2** 〈재치 등을〉 번득이게 하다
scin·til·lat·ing [síntəlèitiŋ] *a.* **1** 생기발랄한, 활발한 **2** 〈재치·기지가〉 번득이는 **3** 번쩍이는; 〈색의 배열 등이〉 눈부시게 아름다운 **~·ly** *ad.*
scin·til·la·tion [sìntəléiʃən] *n.* ⓊⒸ **1** 불꽃(을 냄), 섬광, 번쩍임 **2** (재치의) 번득임: ~ of wit 기지의 번득임 **3** 〖천문〗 항성의 번쩍임 **4** 〖기상〗 (대기 중의 광원·별의) 번쩍임 **5** 〖물리〗 (방사선에 의한 물질의) 섬광; (레이더 표시(판)의) 신틸레이션
scintillátion càmera 〖물리〗 신틸레이션 카메라 《체내의 방사성 물질을 탐사·기록하는 카메라》
scintillátion cóunter 〖물리〗 신틸레이션 계수기[카운터]
scintillátion spectròmeter 〖물리〗 신틸레이션 분석기
scin·til·la·tor [síntəlèitər] *n.* **1** 번쩍이는 것 《별 따위》 **2** 〖물리〗 신틸레이터 《방사선이 충돌하여 발광하는 물질》
scin·til·lom·e·ter [sìntəlámətər | -lɔ́-] *n.* = SCINTILLATION COUNTER
scin·ti·scan·ner [síntəskæ̀nər] *n.* 신티스캐너 《신티그램(scintigram)을 작성하는 장치》
scin·ti·scan·ning [síntəskæ̀niŋ] *n.* 〖의학〗 = SCINTIGRAPHY
sci·o·lism [sáiəlìzm] *n.* Ⓤ 겉핥기식[천박한] 지식[학문] **-list** *n.* 사이비 학자 **scì·o·lís·tic** *a.*
sciol·to [ʃɔ́ːltou | ʃɔ́l-] [It.] *ad.* 〖음악〗 자유롭게
sci·om·a·chy [saiáməki | -ɔ́-] *n.* (*pl.* **-chies**) = SCIAMACHY
sci·o·man·cy [sáiəmæ̀nsi] *n.* Ⓤ 심령점(心靈占)
sci·on [sáiən] *n.* **1** 《문어》 (특히 귀족·명문의) 귀공자, 자제, 자손: a ~ of a noble 귀족 출신의 사람 **2** (접붙이기의) 접순, 어린 가지, 움돋이
sci·o·phyte [sáiəfàit] *n.* 〖식물〗 음지 식물
Scip·i·o [sípiòu, skípi-] *n.* 스키피오 《로마의 장군·정치가; 대(大)스키피오(Scipio the Elder[Major], 237-183 B.C.)와 소(小)스키피오(Scipio the Younger[Minor], 185?-129 B.C.)가 있음》
sci·re fa·ci·as [sáiəri-féiʃiæ̀s] [L] *n.* 〖법〗 (집행·취소가 불가한 이유를 입증하도록 요구하는) 고지(告知) 영장(의 절차)
sci·roc·co [ʃirákou | -rɔ́-] *n.* **1** = SIROCCO **2** 시로코 《상표명; 독일 Volkswagen사의 소형 승용차》
scir·rhoid [skírɔid] *a.* 〖병리〗 경성암(硬性癌) 비슷한[모양의]
scir·rhous [skírəs] *a.* 경성암의; 딱딱한 섬유질의
scir·rhus [skírəs] *n.* (*pl.* **-rhi** [-rai], **~·es**) 〖병리〗 경성암(硬性癌) 《악성 종양의 일종》
scis·sel [sísəl | skí-] *n.* Ⓤ [집합적] 〖야금〗 철판을 잘라낸 부스러기
scis·sile [sísəl | -sail] *a.* 자를 수 있는, 분리되기[잘라지기] 쉬운
scis·sion [síʒən, síʃən] *n.* Ⓤ 절단(cutting); 분리, 분할, 분열(division)
scis·sor [sízər] [SCISSORS에서 역성(逆成)] *vt.* **1** 가위로 자르다 《*off, up, into,* etc.》; 오려내다 《*out*》 **2** 〈낱말·기록 등을〉 (…에서) 제거하다, 없애다 《*from*》 **—** *a.* Ⓐ 가위의 **~·er** *n.* 가위로 자르는 사람; 편집자 **~·lìke** *a.* **~·wise** *ad.*
scis·sor·bill [sízərbìl] *n.* **1** 〖조류〗 가위제비갈매기 **2** 《미·속어》 주변머리 없는 사람; 잘 속는 사람 **3** 《미·속어》 임금 노동자가 아닌 사람, 부자
scis·sor·ing [sízəriŋ] *n.* **1** Ⓤ 가위질 **2** [*pl.*] (가위로) 오려낸 것; 오려내기
‡**scis·sors** [sízərz] [L 「자르는 도구」의 뜻에서] *n. pl.* **1** 가위 (USAGE a pair of ~ (가위 한 자루), two pairs of ~; some ~; one's ~) **2** [a ~; 단수 취급] **a** 〖레슬링〗 다리 가위지르기(= ~ **hòld**) 《상대편의 머리[몸통]를 양 다리로 죄는 기술》: work ~ 다리 가위지르기를 걸다 **b** 〖체조〗 두 다리 펴닫기
~ *and paste* 가위와 풀로 하는[독창성 없는] 편집
scis·sors-and-paste [sízərzəndpéist] *a.* 《구어·경멸》 가위와 풀로 편집한 《남의 책을 오려내어 편집하는》, 독창성이 없는: a ~ essay 독창성이 결여된 논문

thesaurus **scientific** *a.* **1** 과학의 chemical, biological, medical, technical **2** 과학적인 systematic, methodical, orderly, regulated, controlled, pre-

scíssors kìck 1 〖수영〗 가위 차기 2 〖축구〗 시저 스킥 《점프할 때 한쪽 발을 먼저 올리고 이어 다른 쪽 발을 올려 공을 차기》
scíssors trùss 〖건축〗 (성당 건축 등에서의) 가위꼴 트러스
scis·sor·tail [sízərtèil] *n.* 〖조류〗 딱새 무리
scíssor tòoth (육식 동물의) 가위 같은 이, 열육치(裂肉齒)
sclaff [sklǽf] 〖골프〗 *vt.* (공을 치기 직전에) 〈지면을〉 골프채 끝으로 치다 **—** *vi.* (공을 치기 직전에) 골프채 끝으로 지면을 치다 **—** *n.* 스클래프 《공을 맞히기 전에 지면을 치기 또는 지면을 치고 나서 공을 치기》
SCLC., S.C.L.C. (미) Southern Christian Leadership Conference 남부 그리스도교 지도자 회의 《Martin Luther King, Jr. 목사가 속했던 흑인 민권 운동 조직》
scler- [skliər, skler], **sclero-** [sklíərou, -rə, sklér-] 《연결형》 「굳은; (눈의) 공막(鞏膜)」의 뜻
scle·ra [sklíərə] *n.* 〖해부〗 (눈의) 공막
scle·rec·to·my [skliəréktəmi] *n.* (*pl.* **-mies**) 〖외과〗 **1** 공막 절제(술) **2** 경화 고막 절제 《만성 중이염으로 중이에 생긴 부착물을 제거하는 수술》
scle·ren·chy·ma [skliəréŋkəmə] *n.* 〖식물〗 후막(厚膜) 조직(cf. COLLENCHYMA)
scle·ri·a·sis [skliəráiəsis] *n.* Ⓤ 〖병리〗 공피증(鞏皮症)
scle·ri·tis [skliəráitis] *n.* Ⓤ 〖병리〗 공막염(炎)
scle·ro·der·ma [sklìərədə́:rmə] *n.* 〖병리〗 경피증(硬皮症), 피부 경화증(硬化症)
scle·roid [sklíərɔid] *a.* 〖생물〗 경질(硬質)의, 경조직의, 경화된
scle·ro·ma [skliəróumə] *n.* (*pl.* **~s, ~·ta** [-tə]) 〖병리〗 경종증(硬腫症), 경화증(硬化症)
scle·rom·e·ter [skliərɑ́mətər | -rɔ́-] *n.* 경도계(硬度計)
scle·ro·pro·tein [sklèroupróuti:n] *n.* 〖생화학〗 경(硬)단백질(albuminoid)
scle·rose [skliəróus, sklíərouz] *vt., vi.* 〖병리〗 경화시키다[하다]
scle·rosed [skliəróust, sklíərouzd] *a.* 〖병리〗 경화증에 걸린, 경화한
scle·ros·ing [skliəróusiŋ, -ziŋ] *a.* 경화시키는, 경화증을 일으키는
scle·ro·sis [skliəróusis] *n.* (*pl.* **-ses** [-si:z]) **1** Ⓤ 〖병리〗 경화(硬化)(증): ~ of the arteries 동맥경화 **2** ⓊⒸ 〖식물〗 (세포벽·조직의) 경화
scle·rot·ic [skliərɑ́tik | -rɔ́-] *a.* **1** 〖식물〗 경화한 **2** 〖병리〗 경화성(性)의 **3** 〖해부〗 공막(鞏膜)의 **—** *n.* **1** 〖해부〗 공막(= **~ cóat**) **2** 경화제(劑)
scler·o·tin [sklíərətin, sklérə-] *n.* 〖생화학〗 스클로틴 《절지 동물 표피의 키틴질을 경화시키는 기능을 하는 경(硬) 단백질》
scle·ro·ti·tis [sklìərətáitəs, sklèrə-] *n.* = SCLERITIS
scle·rous [sklíərəs, sklérəs-] *a.* 〖해부·의학〗 굳은, 경화한; 골질의, 뼈 같은
Sc. M. *Scientiae Magister* 《L = Master of Science》 **S.C.M.** State Certified Midwife; Student Christian Movement
scobe [skóub] *n.* 《미·흑인속어》 흑인
***scoff¹** [skɔ́:f, skɑ́f | skɔ́f] *vi.* (특히 종교 기타 존중해야 할 것을) **비웃다**, 조소하다, 조롱하다(mock), 놀리다 《*at*》: (~+전+명) ~ *at* their beliefs 그들의 믿음을 비웃다
— *n.* **1** [보통 *pl.*] **비웃음**, 조롱 《*at*》 **2** [*sing.*; 보통 the ~] 웃음거리: *the* ~ of the world 세상의 웃음거리 **~·er** *n.* **~·ing·ly** *ad.* 비웃어, 조소하여

cise, exact, accurate, logical, mathematical
scold *v.* rebuke, reprimand, chide, reprove, reproach, censure, castigate, nag, criticize

scoff² 《영·구어》 *n.* ⓊⒸ 음식(food), 식사(meal) **—** *vt., vi.* 걸신들린 듯이 먹다; 강탈[약탈]하다
scoff·ings [skɔ́:fiŋs, skɑ́f- | skɔ́f-] *n.* 《미·속어》 음식; 식사
scoff·law [skɔ́:flɔ̀:, skɑ́f- | skɔ́f-] *n.* 《미·구어》 **1** 법을 우습게 아는 사람; 벌금을 안 내는 사람 **2** 상습적인 교통법[주류법] 위반자
‡scold [skóuld] *vt.* 〈아이·고용인 등을〉 **꾸짖다**, 잔소리하다 《*about, for*》: (~+목+전+명) ~ a person *for* his carelessness 조심성이 없다고 …을 꾸짖다
— *vi.* **1** 잔소리하다, 꾸짖다 **2** 욕지거리하다 《*at*》: (~+전+명) ~ *at* each other 서로 욕지거리하다
— *n.* [보통 *sing.*] 잔소리꾼; 《특히》 잔소리가 심한[앙알거리는] 여자 ***a common ~*** 이웃 사람들에게 쨍쨍거리는 여자 **~·a·ble** *a.* **~·er** *n.*
scold·ing [skóuldiŋ] *a.* 〈특히 여자가〉 잔소리가 심한, 꾸짖는 **—** *n.* ⓊⒸ 힐책, 잔소리: give[get, receive] a good ~ (*for*) (…의 이유로) 호되게 꾸짖다[꾸중 듣다] **~·ly** *ad.*
scol·e·cite [skɑ́ləsàit, skóu- | skɔ́-] *n.* 백색의 스콜레사이트 광석 《비석(沸石)의 일종》
sco·lex [skóuleks] *n.* (*pl.* **-le·ces** [skoulí:si:z], 종종 **scol·i·ces** [skɑ́ləsì:z | skɔ́-]) 〖동물〗 (촌충의) 두절(頭節), 머리마디
sco·li·o·sis [skòulióusis | skɔ̀li-] *n.* (*pl.* **-ses** [-si:z]) 〖병리〗 척추 측만(脊椎側灣) 《척추가 왼쪽 또는 오른쪽으로 굽는 병》
scol·lop [skɑ́ləp | skɔ́l-] *n., vt.* = SCALLOP
scol·o·pen·drid [skɑ̀ləpéndrid | skɔ̀-] *n.* 〖동물〗 왕지네
scom·ber [skɑ́mbər | skɔ́m-] *n.* 〖어류〗 고등어속(屬)의 각종 물고기
scom·broid [skɑ́mbrɔid | skɔ́m-] *a.* 고등어(과(科)) 비슷한 **—** *n.* 고등어아목(亞目)의 물고기
sconce¹ [skɑ́ns | skɔ́ns] *n.* (벽·기둥 등에서 쑥 내민) 돌출 촛대; (촛대의) 양초 꽂이

sconce¹

sconce² *n.* **1** 〖축성〗 보루, 작은 성채 **2** (고어) 차폐물, 피난소; 오두막 **—** *vt.* …에 보루를 구축하다; 보호하다, 가리다
sconce³ *n.* 《영》 벌 《옛날 옥스퍼드, 케임브리지 대학에서 관례·예법 등을 어긴 자에게 대량의 에일(ale)을 단숨에 마시게 한 것 등》; (처벌로 에일을 마시는) 조끼(mug)
— *vt.* 〈남에게〉 벌을 과하다
sconce⁴ *n.* 《고어·익살》 머리, 대가리(head); Ⓤ 지력, 지혜, 재치
scone [skóun | skɔ́n] *n.* 스콘 《핫케이크의 일종》
Scone [skú:n] *n.* 스쿤 《스코틀랜드 Perth 교외의 마을 이름》 ***the Stone of ~*** 스쿤의 돌 《스코틀랜드 왕이 즉위할 때 앉았던 돌; 지금은 영국 왕의 대관식 때 왕이 앉는 옥좌 밑에 놓여 있음》
***scoop** [skú:p] *n.* **1** 국자; 큰 숟가락; (치즈) 주걱; 석탄 부삽(coal scuttle): a cheese ~ 치즈 주걱 **2** 아이스크림을 뜨는 기구 **3** (준설기의) 양동이, 흙 푸는 통 **4** 〖외과〗 주걱 《체내 이물질을 제거하기 위한 스푼 모양의 기구》 **5** 파낸 구멍, 움푹 팬 곳; 계곡 **6** 떠냄, 한 번 품[뜸] **7** (구어) 〖신문〗 특종 기사(beat); 최신[극비] 정보; 특종 기사로 다른 회사를 앞지르기: get a ~ on the election fraud 부정 선거의 특종을 내다 **8** 《구어》 일확천금; 대성공 **9** 〖음악〗 포르타멘토(portamento)(의 효과) **10** (여성복의) 둥글게 파진 곳 **11** 《미·구어》 술, 맥주 한 잔
at [***in, with***] ***one ~*** 한 번 퍼서, 한 번에, 단번에 ***on the ~*** 《속어》 술자리를 벌이고, 방탕하여
— *vt.* **1** 푸다, 뜨다, 퍼올리다 《*up*》: (~+목+보) ~ a boat dry 배의 물을 완전히 퍼내다 // (~+목+전+명) ~ water *out of* a barrel 나무통에서 물을 퍼내다 **2** 〈진흙 등을〉 퍼내다; 파[도려]내다; 파서 만들다;

…에서 물을 떠내다 《*out*》: 《~+목+전+명》 ~ (*out*) a hole *in* the sand 모래에 구멍을 파다 **3** (구어) 〖신문〗 특종 기사로 〈다른 회사를〉 앞지르다; 〈특종 기사를〉 내다: ~ a rival paper 특종을 내어 경쟁 신문을 앞지르다 **4** (구어) 선수를 써서 크게 벌다 **5** (양손·양팔로) 단번에 그러모으다 **6** (속어) 채다, 훔치다 **7** 〈여성복의〉 목깃을 둥글게 하다
— *vi.* 국자[삽]로 퍼 없애다[모으다]
~ **up** [**in**] 퍼[떠] 올리다; 그러모으다; 크게 벌다
~·**er** *n.* 떠내는 사람[것]; 톱 뉴스감을 제공하는 사람

scooped [skúːpt] *a.* Ⓐ (여성 옷의 목둘레가) 깊고 둥글게 파인: a ~ neck[neckline] 반월형으로 깊게 파진 깃

scoop·ful [skúːpfùl] *n.* 한 국자[삽]의 분량 《*of*》

scóop nèt 건지는 그물, 뜰채

scoop-wheel [skúːphwìːl] *n.* (물방아의) 물 푸는 바퀴

scoot[1] [skúːt] *vi.* (구어) 내닫다, 뛰어 달아나다 《*off, away*》; 급히 가다 《*along*》 — *vt.* 내닫게 하다; 휙 움직이게 하다 — *n.* 돌진, 질주

scoot[2] *n.* (호주·뉴질·구어) 마시고 떠들기

scoot[3] *n.* (속어) 차, 스쿠터
— *vi.* (구어) scooter로 가다[놀다]

scoot·er [skúːtər] *n.* **1** 스쿠터 《핸들을 잡고 한쪽 발로 올라서고 한쪽 발로 땅을 차면서 달리는 어린이의 탈것》 **2** (모터) 스쿠터(= motor ~) **3** (미) (수상·빙상을 활주하는) 범선
— *vi.* scooter로 달리다[나아가다]

scooter 1

scoot·ers [skúːtərz] *a.* 머리가 돈, 머리가 혼란한

‡**scope**[1] [skóup] [Gk 「표적」의 뜻에서] *n.* **1** Ⓤ (지력·연구·활동 등의) **범위, 영역**; (정신적) 시야: beyond one's ~ 자기의 능력이 미치지 않는 곳에/a mind of wide ~ 시야가 넓은 사람 **2** Ⓤ **여지** (space), 기회, 배출구 《*for*》: give ~ to ability 능력을 발휘하다/~ *for* one's energy 정력의 배출구 **3** (공간의) 넓이, 길이; 지역, 지구: a great ~ of land 광대한 토지 **4** (활의) 사정(射程) **5** 〖컴퓨터〗 유효범위 ***beyond*** [***out of, outside***] ***the ~ of*** …이 미치지 않는 곳에, …의 범위 밖에(서) ***have an ample*** [***a free, a full, a large***] ***~ for*** one's ***activities*** 활동할 충분한 여지[기회]를 가지다 ***within the ~ of*** …이 미치는 곳에, …의 범위 내에(서)

scope[2] *n.* (구어) **1** 스코프, 관찰용 기구 《microscope, telescope 등》 **2** =HOROSCOPE
— *vt.* [다음 성구로] ~ **on** [**out**] … (미·속어) …을 바라보다, 살펴보다; 〈문제 등을〉 풀다

-scope [skòup] 《연결형》 「…보는 기계; …경(鏡)」의 뜻: tele*scope*, stetho*scope*

sco·pol·a·mine [skəpɑ́ləmìːn | -pɔ́-] *n.* Ⓤ 〖약학〗 스코폴라민 《진통제·수면제》

sco·po·phil·i·a [skòupəfíliə] *n.* 〖정신의학〗 절시증(窃視症) 《남의 나체·성행위를 보고 쾌감을 느낌》

scop·to·phil·i·a [skɑ̀ptəfíliə | skɔ̀p-] *n.* =SCOPOPHILIA

-scopy [-skəpi] 《연결형》 「관찰; 검사」의 뜻

scor·bu·tic [skɔːrbjúːtik] *a.* 〖병리〗 괴혈병(scurvy)의[에 걸린] — *n.* 괴혈병 환자

‡**scorch** [skɔ́ːrtʃ] [ON 「시들(게 하)다」의 뜻에서] *vt.* **1** (…의 겉을 검게) **태우다, 그슬리다 2** 〈햇볕 등이〉 〈피부를〉 태우다, 〈초목을〉 (열로) 시들게 하다, 말려 죽이다 **3** 혹평하다, 매도하다 **4** 〖군사〗 초토화하다
— *vi.* **1** 타다, 그을다; (열 때문에) 시들다, 마르다; (햇볕에 타서) 색이 검게 되다 **2** (구어) 〈자동차·오토바이 등이〉 질주하다; 〈사람이〉 차를 마구 몰다: 《~+부》 He ~*ed off* on a motorcycle. 그는 오토바이로 질주했다. **3** 〖야구〗 강속구를 던지다
— *n.* **1** 검게 탐[그을음]; 탄 자국 **2** (구어) 질주; 혹평 **3** 〖식물〗 잎이 시들거나 갈색 반점이 생기는 병

scorched [skɔ́ːrtʃt] *a.* 탄, 그을은

scórched-éarth pòlicy [skɔ́ːrtʃtə́ːrθ-] 〖군사〗 (침략군에게 도움이 될 만한 것은 모두 태워 버리는) 초토화 정책

scorch·er [skɔ́ːrtʃər] *n.* **1** 몹시 뜨거운 것 **2** [a ~] (구어) 타는 듯이 더운 날 **3** [a ~] 통렬한 비난[비평]: *a* ~ of a critique 통렬한 비평 **4** (구어) 자동차 폭주족 **5** [a ~] (속어) 굉장한 것, 일품(逸品) **6** 〖야구〗 매우 빠른 직선 타구

scorch·ing [skɔ́ːrtʃiŋ] *a.* **1** 태우는, 몹시 뜨거운 **2** (구어) 〈비평·비난 등이〉 맹렬한, 호된
— *ad.* 타는 듯이: be ~ hot 타는 듯이 덥다
— *n.* Ⓤ **1** (검게) 태움 **2** (구어) (자동차 등의) 난폭한 질주 ~·**ly** *ad.*

scórch màrk 태운[그슬린] 자국

‡**score** [skɔ́ːr] *n., v.*

「새긴 금」 **3** → (새긴 기록 표지) → 「득점」 **1** / → (20마다의 표지) → 「20」 **7**; → (보표의 선) → 「총보」 **11**

— *n.* **1** [보통 *sing.*] (경기·시합의) **득점**; 총득점, 득점 기록, 스코어: keep (the) ~ 득점을 기록하다/win by a ~ of 3 to 2 3대 2로 이기다 **2** (시험의) **점수**, 성적: the average ~ 평균점 **3** 새긴 금, 벤[긁힌] 자국(=~ **màrk**) **4** (주스·캔 등을 따기 좋게 하기 위한) 뚜껑에 미리 새긴 금 **5** 회계, 계산; (선술집 등에서 칠판이나 문짝에 분필로 표하는) 회계 기록, 빚: run up a ~ 빚을 자꾸 지다/pay one's ~ 회계를 청산하다, 빚을 다 갚다/Death pays all ~*s*. (속담) 죽으면 모든 셈이 끝난다. 《죽음은 모든 원한을 씻는다.》 **6** (고어) (경기·경주의) 출발[결승]선; (사격수 등의) 위치 **7** (*pl.* ~) 20(명[개]), 20개 한 벌; 20파운드: three ~ and ten 〖성서〗 인생 70년 **8** [*pl.*] 다수, 많음: in ~*s* 많이, 몽땅, 몰려서/~*s* of times 여러 차례/~*s* of years ago 수십년 전에 **9** [the ~] (구어) (사태의) 엄연한 사실, 진실, 진상; 내막 **10** [보통 *sing.*; on ~로] 이유, 근거: complain *on* the ~ of low pay 저임금에 대해 불평하다 **11** 〖음악〗 (영화·연극 등의) 배경 음악; 보표(譜表), 총보(總譜), 모음 악보: a film ~ 영화 음악/a piano ~ 피아노의 악보/in (full) ~ 총보로 **12** (구어) (논쟁에서) 상대를 꼼소리 못하게 함; 성공, 행운 **13** 〖광고〗 호의(好意) 기사 게재 **14** (미·구어) 요약; 결론; 총계
clear [***pay*** (***off***), ***quit, settle, wear off, wipe out***] ***a ~*** [***an old ~, old ~s***] 숙원(宿怨)을 풀다, 원수를 갚다 ***compressed*** [***close, short***] ***~*** (성악에서) 고음역(高音域)과 저음역을 두 단으로 나눠 적은 악보 ***know the ~*** (구어) 진상[내막]을 알다; 세상사[세상의 이면]를 알고 있다 ***make a ~*** 득점하다 ***make a ~ off*** one's ***own bat*** (남의 도움을 받지 않고) 자기 힘으로 하다 ***on that*** [***this***] ***~*** 그러한[이러한] 이유로; 그[이] 점에서는 ***on the ~ of*** …때문에; …의 점[건]에 관해서는 ***play to the ~*** 〖카드〗 득점에 따라서 전술을 바꾸다 ***settle the ~*** 보복하다 ***start*** [***go off, set off***] ***at*** (***full***) ***~*** 〈말 등이〉 출발선부터 전속력으로 달리다; 갑자기 기운차게 시작하다, 갑자기 신나게 이야기하기 시작하다 ***What a ~!*** 재수 참 좋다! ***What's the ~?*** 지금 점수[득점]가 몇 점이냐?; (구어) 형세가 어떠냐?
— *vt.* **1** 득점하다; 〈…〉점이 되다; 〈심판이〉 〈득점을〉 주다: ~ a century at cricket 크리켓에서 100점을 따다 **2** (미) 채점하다: ~ a test 시험 채점을 하다 **3**

thesaurus **scope**[1] *n.* **1** 범위 extent, range, sphere, area, field, realm, reach, span, confine, limit **2** 여지 opportunity, freedom, capacity

〖음악〗 〈악곡을〉 (관현악·성악용 등으로) 편곡[작곡]하다; 악보에 기입하다 **4** 새김눈[벤 자국]을 내다[내어 기록하다]; 표를 내다, 선[금]을 긋다; (선을 그어) 지워 버리다 《*out*》; (표를 하여) 〈빚 등을〉 치부하다, 〈얼마의〉 외상으로 달아 놓다 **5** 〈이익을〉 얻다, 올리다; 〈성공을〉 거두다: The play ~*d* a great success. 연극은 대성공이었다. **6** (미·구어) 심하게 비난하다, 깎아내리다
—*vi.* **1** 득점하다; 득점을 기록하다, 점수를 계산하다; (…보다) 낫다, 뛰어나다 《*against, over*》 **2** 〖야구〗 〈주자가〉 홈인하다; 〖경마〗 〈경주마가〉 레이스에서 이기다 **3** (시험 등에서 좋은[나쁜]) 성적을 얻다, (…으로) 평가되다 **4** 이익을 얻다; (속어) 성공하다; 존경받다, 청중을 매료시키다 **5** 새김눈[벤 자국]을 내다, 밑줄을 긋다 《*under*》 ~ ***a run*** 〖야구〗 득점하다 ~ ***off*** a person = ~ ***points*** [***a point***] ***off*** [***against***] (구어) (논쟁 등에서) …을 이기다, 꼼짝 못하게 하다 ~ ***out*** [***off***] 선을 그어 지우다 ~ ***under*** …밑에 선을 긋다, …에 밑줄을 긋다[치다] ~ ***up*** 기입[계산]하다

***score·board** [skɔ́ːrbɔ̀ːrd] *n.* **득점 게시판,** 스코어보드

score·book [-bùk] *n.* 득점 기록부, 스코어북

score·card [-kɑ̀ːrd] *n.* 〖경기〗 **1** 채점[득점] 카드, 채점표 **2** 선수 일람표

scóre dràw (축구 등에서) 동점으로 비김

score·keep·er [-kìːpər] *n.* (경기의) 득점 기록원 **scóre·kèep·ing** *n.*

score·less [skɔ́ːrlis] *a.* 무득점인, 0대 0인: a ~ game 무득점의 경기

score·line [-làin] *n.* (시합에서의) 총득점

scor·er [skɔ́ːrər] *n.* **1** 점수 기록원; (경기의) 득점 기록원(scorekeeper) **2** (경기의) 득점자

score·sheet [skɔ́ːrʃìːt] *n.* 〖야구〗 채점지, 득점 기입표[카드]

sco·ri·a [skɔ́ːriə] *n.* (*pl.* **-ri·ae** [-riìː]) **1** 〖지질〗 화산암재(火山岩滓) **2** 〖야금〗 쇠똥, 광재(鑛滓)(slag) **sco·ri·a·ceous** [skɔ̀ːriéiʃəs] *a.*

sco·ri·fi·ca·tion [skɔ̀ːrəfikéiʃən] *n.* 〖야금〗 소용(燒鎔) 시금법 《귀금속의 농축·분리법》

sco·ri·fy [skɔ́ːrəfài] *vt.* (**-fied**) 광재로 만들다, 소용(燒鎔)하다

scor·ing [skɔ́ːriŋ] *n.* ⓊⒸ **1** 경기 기록[기입]; 득점 **2** 관현악보 작성

scóring posìtion 〖야구〗 득점권(圈), 스코어링 포지션 《2루, 3루》

****scorn** [skɔ́ːrn] *vt.* **1** (노여움과 혐오감을 가지고) **경멸하다,** 멸시하다(⇨ despise 유의어) **2** (경멸하여) 거절하다; 〈…하기를〉 수치로[치사하게] 여기다: (~+*to* do) (~+*-ing*) ~ *to* tell a lie=~ tell*ing* a lie 거짓말하는 것을 수치로 여기다
—*vi.* (폐어) 조소[냉소]하다 《*at*》
—*n.* **1** Ⓤ (노여움이 섞인 심한) **경멸,** 멸시; 조롱, 조소, 비웃음, 냉소

> 유의어 **scorn** 분노가 담긴 심한 경멸: She gave him a look of *scorn.* 그녀는 멸시하는 눈초리로 그를 보았다. **contempt** 낮은 계급의 것, 바람직하지 못한 것·사람에 대한 강한 비난의 감정이 담긴 경멸: feel *contempt* for a weakling 나약한 자에 대해 경멸을 느끼다

2 [the ~] 경멸받는 사람[것], 웃음거리: He is *the* ~ of his neighbors. 그는 이웃의 웃음거리다.
become a ~ ***of*** …의 경멸의 대상이 되다, 웃음거리가 되다 ***have*** [***feel***] ~ ***for*** …에게 경멸감을 가지다 ***hold … in*** ~ …을 경멸하다 ***laugh*** a person ***to*** ~ …을 비웃다 ***pour*** ~ ***on*** [***over***] …을 경멸하다, 깔보다 ***think*** [***hold***] ***it*** ~ ***to*** do …함을 경멸하다

---

scorch *v.* burn, singe, sear, char, discolor
scorn *v.* look down on, disdain, disparage, slight, deride, mock, scoff at, sneer at

think ~ ***of*** …을 경멸하다, 업신여기다
~**·er** *n.* ~**·ing·ly** *ad.* ▷ scórnful *a.*

***scorn·ful** [skɔ́ːrnfəl] *a.* **경멸하는** 《*of*》, 조소적인; 업신여기는(mocking): with[in] a ~ tone 경멸하는 어조로 ~**·ness** *n.* ▷ scórnfully *n.*

***scorn·ful·ly** [skɔ́ːrnfəli] *ad.* **경멸적으로,** 깔보고, 멸시하여

scor·pae·nid [skɔːrpíːnid], **-noid** [-nɔid] *a., n.* 〖어류〗 양볼락과(科)의 (물고기)

Scor·pi·o [skɔ́ːrpiòu] *n.* **1** 〖천문〗 전갈자리 **2** 〖점성〗 천갈궁(天蠍宮)(cf. ZODIAC) **3** 〖동물〗 전갈속(屬)

SCORPIO [skɔ́ːrpiòu] [*s*ubmersible *c*raft for *o*cean *r*epair, *p*ositioning, *i*nspection and *o*bservation] *n.* 스코피오 《유삭(有索)식 무인(無人) 잠수 작업 장치》

scor·pi·oid [skɔ́ːrpiɔ̀id] *a.* **1** 〖동물〗 전갈 같은; 전갈목[류]의 **2** 〖식물〗 전갈 꼬리처럼 말린
—*n.* = SCORPION

***scor·pi·on** [skɔ́ːrpiən] *n.* **1** 〖동물〗 **전갈 2** 전갈 비슷한 도마뱀[물고기] **3** [the S~] 〖천문〗 = SCORPIO 1 **4** 〖성서〗 갈고리[사슬]가 달린 채찍 《형구》 **5** (속어) Gibraltar 사람 **6** (구어) (전갈같이) 음흉한 사람 **7** 투석기(catapult) 《고대의 무기》 **8** (행동에의) 자극

scor·pi·on·fish [-fìʃ] *n.* 〖어류〗 쏨뱅이

scórpion gràss 〖식물〗 물망초(forget-me-not)

Scor·pi·us [skɔ́ːrpiəs] *n.* 〖천문〗 전갈자리(the Scorpion)

scot [skɑ́t | skɔ́t] *n.* Ⓤ 〖영국사〗 세금, 할당액; 《일반적으로》 부채, 빚 ***pay*** ~ ***and lot*** 분수에 맞는 세금을 바치다; 청산하다(settle)

***Scot** [skɑ́t | skɔ́t] *n.* **1 a 스코틀랜드 사람**(Scotsman) **b** [the ~s; 집합적; 복수 취급] 스코틀랜드 사람 《전체》 **2 a** [the ~s] 스코트 족(族) 《6세기에 아일랜드에서 스코틀랜드로 이주한 게일 족(Gaels)의 한 파; Scotland의 이름은 이 종족 이름에서 생겼음》 **b** 스코트 족 사람 ▷ Scótch, Scóttish *a.*

Scot. Scotch; Scotch Whisky; Scotland; Scottish

scotch[1] [skɑ́tʃ | skɔ́tʃ] *vt.* **1** 〈소문·오보 등을〉 없애다, 뭉개버리다; 〈계획·음모 등을〉 꺾다, 뒤엎다: ~ a rumor 소문을 뭉개버리다 **2** (칼로) 베다, 반쯤 죽이다 **3** 〈차·통 등을〉 굄목으로 고정시키다[움직이지 못하게 하다] ~ ***a*** [***the***] ***snake*** (문어) (악폐 등을) 억누르다, 억압하다 —*n.* **1** 벤 자국, 상처 **2** (hopscotch 놀이에서 땅에 긋는) 선, 줄

scotch[2] *n.* (차의) 바퀴 받침, 바퀴 쐐기, (바퀴·술통 등의) 굄목 —*vt.* 〈바퀴·술통 등을〉 쐐기[굄목]로 괴다, 구르지[미끄러지지] 않게 괴다

****Scotch** [skɑ́tʃ | skɔ́tʃ] *a.* **1 스코틀랜드**(산(産))**의;** 스코틀랜드 사람[말]의 ★ 스코틀랜드 사람들 자신은 Scots 또는 Scottish를 씀. **2** (경멸·익살) 인색한, 구두쇠의 (stingy)
—*n.* **1** [the ~; 집합적; 복수 취급] 스코틀랜드 사람 《전체》 **2** Ⓤ 스코틀랜드 말[방언] 《Scots 쪽이 일반적》 **3** Ⓤ (구어) 스카치 위스키(=~ whisky)
out of all ~ (속어) 함부로, 제멋대로 ~ ***and English*** (영) 진[땅]뺏기놀이, 전쟁놀이
▷ Scótland, Scóts *n.*

Scótch bònnet 아주 매운 칠리 고추의 일종

Scótch bróth 스카치 브로스 《고기·야채에 보리를 섞은 걸쭉한 수프》

Scótch cáp 스카치 캡 《크고 검은 챙 없는 모자; glengarry 등》

Scótch cátch 〖음악〗 = SCOTCH SNAP

Scótch égg 스카치 에그 《저민 돼지고기를 달걀형으로 뭉쳐 빵가루에 묻혀 튀긴 요리》

Scótch fír 〖식물〗 유럽소나무(Scotch pine)

Scótch Gáelic (속어) = SCOTS GAELIC

Scotch-I·rish [skɑ́tʃáiəriʃ | skɔ́tʃ-] *n., a.* 스코틀랜드계 아일랜드 사람(의) 《특히 미국에 이주한 스코틀랜드계 북아일랜드 사람(의)》

Scotch·man [-mən] *n.* (*pl.* **-men** [-mən]) **1** 스코틀랜드 사람(Scotsman) **2** (속어) 인색한 사람 **3** (미·속어) 골퍼(golfer)

Scótch míst **1** (스코틀랜드 산지에 많은) 습기찬 짙은 안개, 이슬비 **2** 실체가 없는[비현실적인] 것

Scótch páncake 팬케이크(griddlecake)

Scótch píne 〖식물〗 유럽소나무(Scotch fir)

Scótch snáp 〖음악〗 스카치 스냅 《점음표의 리듬이 보통과는 거꾸로 된 것》

Scótch tápe 스카치테이프(Sellotape) 《투명한 접착용 테이프; 상표명》

Scótch térrier = SCOTTISH TERRIER

Scótch thístle 〖식물〗 큰엉겅퀴 《스코틀랜드의 국화》

Scótch vérdict **1** 〖법〗 (배심의) 증거 불충분이라는 평결 《스코틀랜드 형법에 의한》 **2** 확정적이 아닌 결정; 요령부득의 성명

Scótch whísky 스카치위스키 《스코틀랜드 원산》

Scotch·wom·an [-wùmən] *n.* (*pl.* **-wom·en** [-wìmin]) 스코틀랜드 여성

Scótch wóodcock 스카치우드콕 《anchovy의 페이스트와 볶은 달걀을 얹은 토스트》

sco·ter [skóutər] *n.* (*pl.* **~s, ~**) 〖조류〗 검둥오리

scot-free [skátfríː | skɔ́t-] *a.* 처벌을 면한; 무사한; 면세(免稅)의(cf. SCOT): go[get off, escape] ~ (구어) 벌을 면하다, 무사히 달아나다

sco·tia [skóuʃə] *n.* 〖건축〗 깊이 파인 쇠시리

Sco·tia [skóuʃə] *n.* (문어) = SCOTLAND

scot·i·ce [skátisi | skɔ́-] *ad.* = SCOTTICE

Scot·i·cism [skátəsìzm | skɔ́tə-] *n.* = SCOTTICISM

Sco·tism [skóutizm] *n.* Ⓤ 스코투스주의 《13세기의 Duns Scotus의 철학》 **Scó·tist** *n.*

‡**Scot·land** [skátlənd | skɔ́t-] [OE 「스코트 족(Scots)의 나라」의 뜻에서] *n.* 스코틀랜드 《Great Britain섬의 북반부를 점함; 수도는 Edinburgh》(cf. SCOT) ▷ Scótch, Scóttish *a.*

Scótland Yárd **1** 런던 경찰청 《본래의 소재지 이름에서; 현재는 이전하여 공식적으로는 New Scotland Yard》 **2** (런던 경찰청의) 수사과, 형사부

scot·o·din·i·a [skàtədíniə | skɔ̀tədái-] *n.* Ⓤ 〖병리〗 실신성 현훈(眩暈), 현기증

scot·o·graph [skátəgræ̀f | skɔ́təgràːf] *n.* X선 [암중(暗中)] 사진(radiograph)

sco·to·ma [skoutóumə | skɔ-] *n.* (*pl.* **~s, ~·ta** [-tə]) **1** 〖안과〗 (시야의) 암점(blind spot) **2** 〖심리〗 (지적인) 암부(暗部)

scot·o·phil [skátəfìl | skɔ́-], **-phile** [-fàil] *a.* 〖생리〗 호암성(好暗性)의(opp. *photophilic*)

scot·o·pho·bin [skàtəfóubin | skɔ̀-] *n.* 〖생화학〗 스코토포빈 《어둠 공포증을 유발하게 된다고 여겨지는, 뇌 조직 속에 존재하는 펩타이드》

sco·to·pi·a [skətóupiə, skou-] *n.* 〖안과〗 암순응(暗順應) 《어두운 곳에서 물체가 보이는 것》

sco·tot·ro·pism [skoutátrəpìzm | -tɔ́t-] *n.* 향암성(向暗性) 《특수한 식물 등이 어두운 쪽을 향해 뻗는 성질》(opp. *phototropism*)

Scots [skáts | skɔ́ts] *a.* = SCOTCH **—** *n.* **1** [the ~; 집합적] 스코틀랜드 사람 **2** Ⓤ (스코) 스코틀랜드 영어[사투리]: broad ~ 순전한 스코틀랜드 사투리

Scóts Gáelic 스코틀랜드 고지의 게일 말(Scottish Gaelic)

Scots-I·rish [skátsáiəriʃ | skɔ́ts-] *n., a.* = SCOTCH-IRISH

Scots·man [skátsmən | skɔ́ts-] *n.* (*pl.* **-men** [-mən]) = SCOTCHMAN

Scóts píne = SCOTCH PINE

Scots·woman [-wùmən] *n.* = SCOTCHWOMAN

Scott [skát | skɔ́t] *n.* 스코트 **Sir Walter ~** (1771-1832) 《스코틀랜드 태생의 작가》

scot·ti·ce [skátisi | skɔ́-] *ad.* 스코틀랜드 말[방언]로

Scot·ti·cism [skátəsìzm | skɔ́-] *n.* ⓊⒸ 스코틀랜드 어법[말투], 스코틀랜드 사투리[영어] 《표준 영어와 대비하여》

Scot·ti·cize [skátəsàiz | skɔ́-] *vt.* **1** 〈말·습관 등을〉 스코틀랜드식으로 하다 **2** 스코틀랜드 말로 번역하다 **—** *vi.* 스코틀랜드화하다

Scot·tie, Scot·ty [skáti | skɔ́ti] *n.* (구어) **1** = SCOTTISH TERRIER **2** 스코틀랜드 사람

*__Scot·tish__ [skátiʃ | skɔ́-] *a.* **1** 스코틀랜드(말[사람])의 **2** (경멸·익살) 구두쇠의, 인색한
— *n.* **1** [the ~; 집합적; 복수 취급] 스코틀랜드 사람 **2** Ⓤ 스코틀랜드 영어[사투리]
▷ Scóts, Scótland *n.*

Scóttish Certíficate of Educátion (스코) 보통 교육 수료 증서[시험] 《잉글랜드·웨일스의 General Certificate of Education에 해당하는 중등학교 수료 자격 시험; 略 S.C.E.》

Scóttish Gáelic = SCOTS GAELIC

Scóttish Nátional párty [the ~] (영) 스코틀랜드 민족당 《스코틀랜드의 독립을 주장》

Scóttish Párliament [the ~] 스코틀랜드 의회

Scóttish plày [the ~] Shakespeare의 *Macbeth*를 완곡하게 부르는 말 《극장에서 Macbeth를 말하면 불운이 온다고 믿는 데서》

Scóttish térrier 스코치테리어 《다리가 짧고 큰 머리에 작은 귀가 서 있으며 털이 많은 개》

*__scoun·drel__ [skáundrəl] *n.* 악당, 건달, 불한당
— *a.* 건달의, 불한당의; 비열한; 하등의, 천한, 불명예스러운 **~·ìsm** *n.* ⓊⒸ 나쁜 행동; 악당 근성 **~·ly** *a.* 악당의; 비열한

*__scour__[1] [skáuər] *vt.* **1** 문질러 닦다, 윤내다 **2** 문질러[비비어] 빨다 《*with*》 **3** 〈녹·때·얼룩 등을〉 벗겨내다, 문질러 떼어내다, 씻어 없애다 《*off, away, out*》: (~+목+전+명) ~ rust *off* a knife 칼의 녹을 벗기다 **4** 〈파이프·수로 등을〉 물을 흐르게 하여 깨끗이 하다, 씻어내다; 〈물 등이〉 세차게 흘러 〈수로 등을〉 형성하다: (~+목(+부)) ~ a ditch[toilet] 물을 흘려 내려서 도랑[변기]을 치다 **5** (하제(下劑) 등으로) …의 장을 세척하다, …에게 하제를 쓰다, 관장(灌腸)하다 **6** 일소[소탕]하다 《*of*》: (~+목+전+명) ~ the sea *of* pirates 바다의 해적을 소탕하다 / This poison *~ed* my house *of* rats. 이 독약으로 집안의 쥐가 싹 없어졌다. **7** (장소에서) 제거하다 《*from*》; 〈면·양모 등에서〉 불순물을 제거하다
— *vi.* **1** 문질러 닦다; 세탁하다 **2** 닦여서 윤이 나다 **3** 정련하다 **4** 〈가축이〉 설사하다
— *n.* **1** 씻어내기, 씻어내리기; 물에 씻겨 나간 곳[패웅덩이] **2** 씻어내는 기구, 연마제 **3** [보통 *pl.*; 단수·복수 취급] (말·소의) 설사

scour[2] *vt.* **1** 〈장소를〉 (사람·물건을 구하러) 바쁘게 찾아다니다, 찾아 헤매다: (~+목+전+명) He *~ed* the library *for* the book. 그는 그 책을 찾으려고 온 서고 안을 돌아다녔다. **2** 급히 지나치다, 뛰어 지나가다 **3** 〈책·서류를〉 철저하게 조사하다
— *vi.* **1** 허둥지둥 찾아다니다, 찾아 헤매다: (~+부) The fox *~ed about* in search of food. 여우는 먹을 것을 찾아 헤맸다. **2** 질주하다(rush) 《*away, off*》

scour·er[1] [skáuərər] *n.* 문질러 닦는 사람[솔]; 세탁하는 사람

scourer[2] *n.* 돌아다니는 사람; 질주자

*__scourge__ [skɔ́ːrdʒ] *n.* **1** (징벌에 쓰는) 회초리, 채찍, 매(whip, lash) **2** 죄[혹평]를 내리는 사람[것] **3** 천벌, 벌, 재앙 《전쟁·질병 등》; 고난, 괴로움 ***the white ~*** (풍토병인) 폐병
— *vt.* **1** 채찍질[매질]하다 **2** (문어) 징벌하다, 혼내다 **3** 몹시 괴롭히다 **4** 〈토지를〉 황폐하게 만들다

scóur·ing rùsh [skáuəriŋ-] 〖식물〗 속새(horsetail)

scour·ings [skáuəriŋz] *n. pl.* **1** 쓰레기, 먼지; 곡물 부스러기 **2** 인간 폐물, 사회의 낙오자

thesaurus **scoundrel** *n.* rogue, rascal, villain

scrap[1] *n.* **1** 조각, 파편 fragment, piece, bit, snip-

Scouse [skáus] *n.* 《영·구어》 **1** Ⓤ 리버풀(Liverpool) 사투리 **2** 리버풀 시민[출신자] **—*a.*** 리버풀의

Scous·er [skáusər], **Scous·i·an** [-siən] *n.* [종종 **s~**] 《영·구어》 리버풀 시민

‡scout¹ [skáut] [L 「듣다」의 뜻에서] *n.* **1** 〔군사〕 **정찰병**, 척후, 수색병; 정찰기[선] **2** 《일반적으로》 내탐자 **3** (스포츠·연예계 등의) **스카우트** 《유망한 신인을 발견하거나 빼내기》; 상대 팀을 내탐하는 사람 **4** [a ~] 정찰하기; 찾아다니기 **5** [종종 **S~**] 보이 스카우트(Boy Scouts)의 한 사람 《(미)에서는 종종 Girl Scouts의 일원에도 말함》 **6** 《영》 (Oxford 대학의) 사환(cf. GYP², SKIP⁴) **7** 《구어》 남자; 사람 **8** [**S~**] (미국의) 스카우트 로켓 ***on the ~*** 정찰 중

—*vi.* **1 정찰[수색]하다**(reconnoiter), 염탐하다: He is out *~ing.* 그는 척후로 나가 있다. **2** 찾아다니다, 스카우트하다 《*around, about*》 **3** (…을 위하여) 스카우트로서 일하다 《*for*》

—*vt.* **1 정찰하다**, 찾다, 조사하다 《*out, up*》 **2** …을 찾다가 발견하다 《*out, up*》

scout² *vt.* 〈제의·의견 등을〉 딱 잘라 거절하다; 일축하다, 무시하다 **—*vi.*** 비웃다, 조소하다 《*at*》

scóut càr 〔군사〕 **1** (기관총을 장비한 고속 경장갑의) 정찰 (자동)차 **2** 《미》 (경찰의) 순찰차

scout·craft [skáutkræ̀ft] *n.* Ⓤ scout¹의 기술[기량, 활동]

scout·er [skáutər] *n.* **1** 정찰자, 염탐꾼, 스파이 **2** [종종 **S~**] 소년단 지도원 《18세 이상》

scouth [skú:θ] [Sc.] *n.* 풍부, 다수, 다량; 여지, 기회

scout·hood [skáuthùd] *n.* Ⓤ **1** 보이[걸] 스카우트의 신분[특징, 정신]; 스카우트다움 **2** 〔미식축구〕 스카우팅 《상대 선수의 정보 수집》

scout·ing [skáutiŋ] *n.* Ⓤ **1** 정찰[척후] 활동 **2** (스포츠·예술계의) 스카우트의 활동 **3** [종종 **S~**] 보이[걸] 스카우트의 활동

scout·mas·ter [skáutmæ̀stər | -mà:s-] *n.* **1** 척후[정찰] 대장 **2** 소년[소녀]단의 대장; 《특히》 소년단의 어른 대장 ★ 8 scouts로 1 patrol 《반》을, 2-4 patrols로 1 troop 《대》를 이루며, 그 지휘자가 scoutmaster.

scow [skáu] *n.* **1** 대형 평저선(平底船) 《흔히 나룻배, 짐배》 **2** 《미·속어》 대형 트럭

***scowl** [skául] *vi.* **1 얼굴을 찌푸리다**, 못마땅한 얼굴을 하다; 노려보다 《*at, on*》: (~+전+명) The prisoner *~ed at* the jailer. 그 죄수는 교도관을 노려보았다. **2** 〈날씨가〉 험악해지다

—*vt.* **1** 얼굴을 찌푸려 …을 쫓아버리다 《*away*》, …에게 싫은 기색을 나타내어 …하게 하다 **2** 얼굴을 찡그려 …을 나타내다: He *~ed* his disappointment. 그는 얼굴을 찡그려 실망의 빛을 나타냈다. ***~ down*** 무서운 얼굴로 위압하다, 노려보아 입을 다물게 하다

—*n.* **1** 찌푸린 얼굴, 성난 얼굴 **2** 험한 날씨

~·er *n.* **~·ing·ly** *ad.*

SCP 〔생화학〕 single-cell protein **SCPO** senior chief petty officer **scr.** scruple(s) **S.C.R., SCR** Senior Combination[Common] Room

scrab·ble [skræ̀bl] [Du. 「할퀴다」의 뜻에서] *vi.* **1** (손톱으로) 할퀴다; 긁어모으다; 헤적여 찾다, 쑤석거리며 찾다 《*about*》 **2** 몸부림치다, 싸우다 **3** 휘갈겨 쓰다, 낙서하다(scribble) **—*vt.*** **1** 할퀴다, 긁다; 그러모으다, 긁어모으다: ~ the door with nails 문을 발톱으로 긁다 **2** 맞붙어 싸우다, 고군분투하다, 필사적으로 노력하다 **3** 휘갈겨 쓰다, …에 낙서하다

—*n.* [a ~] 《구어》 **1** 쑤석거려 찾기 **2** 휘갈겨 쓰기, 낙서 **3** 날치기질, 쟁탈(scramble) **scráb·bler** *n.*

Scrab·ble [skræ̀bl] *n.* 스크래블 《anagram 비슷한 단어 만들기 놀이; 상표명》

scrab·bly [skræ̀bli] *a.* 《구어》 **1** 긁히는; 귀에 거슬리는 **2** 초라한, 하찮은, 아주 작은

pet, remnant, tatter, particle, morsel, crumb, bite **2** 쓰레기 waste, junk, rubbish

scrag [skræ̀g] *n.* **1** 말라빠진 사람[동물] **2** Ⓤ 양[송아지]의 목덜미 고기(=~ ènd) **3** 《속어》 (사람의) 모가지(neck) **4** 《영》 주접이 든 식물 **5** 《미·속어》 못생긴 여자 **—*vt.*** (**~ged**; **~·ging**) **1** 〈동물의〉 목을 졸라 죽이다; 〈새 등의〉 목을 비틀다; 〈죄인을〉 교살하다 **2** …의 목을 조르다; 《구어》 …의 목덜미를 움켜쥐다 **3** 〔야금〕 〈용수철을〉 구부려서 시험하다

scrag·gly [skræ̀gli] *a.* (**-gli·er**; **-gli·est**) **1** 〈털 등이〉 터부룩한 **2** 고르지 못한; 들쭉날쭉한

scrag·gy [skræ̀gi] *a.* (**-gi·er**; **-gi·est**) **1** 말라빠진, 앙상한 **2** 까칠까칠한, 울퉁불퉁한

scram¹ [skræ̀m] *vi.* (**~med**; **~·ming**) [보통 명령형으로] 《구어》 떠나다, 달아나다: Let's ~! 달아나자! **—*n.*** 《미·속어》 (암흑가·서커스에서) 도주

scram² *n.* (원자로의) 긴급 정지

—*vi.* 〈원자로가〉 긴급 정지하다 **—*vt.*** 〈원자로를〉 긴급 정지시키다

‡scram·ble [skræ̀mbl] *vi.* **1** (민첩하게) **기어오르다** 《*up*》, 기어다니다 《*about*》, 기어가다, 기어 나아가다 《*on, along*》: (~+전+명) ~ *up* a cliff 벼랑을 기어오르다 **2 서로 다투다, 서로 빼앗다** 《*for, after*》; 앞을 다투어 빼앗다 《*for*》: (~+전+명) ~ *for* a seat 자리를 먼저 잡으려고 서로 다투다 / They *~d after* promotion in the office. 그들은 회사 안에서의 승진을 서로 다투었다. **3** 급히 서둘러 하다: (~+전+명) ~ *through* one's work 급히 서둘러 일을 해치우다 **4** 〈덩굴 등이〉 무성하다, 뻗어오르다 **5** 〔공군〕 〈전투기가〉 (적기 요격을 위해) 긴급 출격하다 **6** 〔미식축구〕 엄호자 없이 공을 갖고 돌진하다 **7** [명령형으로] 《미·속어》 도망가, 떠나 버려

—*vt.* **1** (서둘러) **긁어모으다**, 그러모으다; **뒤섞다**, 뒤범벅을 만들다(jumble) 《*up, together*》: (~+목+부) He *~d* the papers *up* on the desk. 그는 허겁지겁 책상 위의 서류를 그러모았다. **2** 당황하여 …을 혼동하다[뒤바꾸다]: She *~d* our names and faces. 그녀는 당황하여 우리들의 얼굴과 이름을 혼동해 버렸다. **3** 〈군중 등을〉 급히 이동[피난]시키다 **4** 〈달걀을〉 휘저으며 부치다 **5** 〈돈 등을〉 (서로 빼앗게 하려고) 뿌리다 **6** 〔통신〕 (도청 방지를 위해) 〈전화·무선 통신의〉 파장[주파수]을 바꾸다 **7** 〔군사〕 〈전투기를〉 (적기 요격을 위해) 긴급 출격시키다

—*n.* **1** [a ~] **기어오르기** **2** [a ~] 쟁탈(전), 서로 다투기 《*for*》 **3** [a ~] 무질서한 잡동사니, 뒤범벅: *a* ~ of papers on the desk 책상 위에 산더미처럼 쌓인 서류 **4** 〔공군〕 (전투기의) 긴급 출격 **5** 〔통신〕 스크램블 《도청 방지를 위해 주파수를 변경하기》 **6** 〔미식축구〕 스크램블 《엄호자 없이 공을 갖고 돌진하기》 **7** 스크램블 《기복이 심한 코스에서 하는 오토바이 경주》 **8** 재료를 뒤섞어 만든 요리 **9** 《미·속어》 (10대들의) 파티

scrám·bled éggs [skræ̀mbld-] **1** 스크램블드에그 《휘저어 부친 계란 프라이》 **2** 《군대속어》 (고급 장교의 모자챙에 붙은) 금빛 장식 술; 고급 장교들

scram·bler [skræ̀mblər] *n.* **1** scramble하는 사람[것] **2** 〔통신〕 (도청 방지용의) 주파수대 변환기 **3** 〔미식축구〕 엄호자 없이 공을 갖고 돌진하는 쿼터백

scrámbler télephone 도청 방지 전화

scram·bling [skræ̀mbliŋ] *n.* Ⓤ 《영》 스크램블링 《오토바이의 야외 횡단 경주》(motocross)

scram·jet [skræ̀mdʒèt] [*s*upersonic *c*ombustion *ramjet*] *n.* 스크램 제트 《초음속 기류 속에서 연료를 연소시켜 추진력을 얻는 램제트》

scran [skræ̀n] *n.* Ⓤ 《속어》 음식물, 먹을 것; 음식 찌꺼기 ***Bad ~ to you!*** 《아일·속어》 빌어먹을 자식! ***out on the ~*** 《속어》 구걸하여

scran·nel [skræ̀nl] *a.* 《고어》 **1** 여윈, 앙상한 **2** 〈소리가〉 새된, 가락이 안 맞는, 듣기 거북한

scran·ny [skræ̀ni] *a.* 《영·방언》 여윈, 마른

‡scrap¹ [skræ̀p] *n.* **1 a 한 조각**, 파편; 단편, 토막: a ~ of paper 종이 한 조각 **b** [a ~; 부정문에서] 조금: I do*n't* care *a* ~. 조금도 상관 않는다. **2** [*pl.*] (신문 등의) **오려낸 것**, 스크랩; (글 따위의) 발췌

3 [*pl.*] 동강난 것, 먹다 남은 것, 찌꺼기: ~*s* of dinner 식사에서 남은 것 4 Ⓤ 쓰레기, 폐물; (쇠)부스러기, 고철; 《비유》 파기된 약속 5 [보통 *pl.*] 지방질을 빼낸 찌꺼기 ***a*** (***mere***) ***~ of paper*** 종잇 조각; 휴지와 다름없는 조약 ***a ~ of a baby*** 작은 아기
— *a.* 폐물이[허섭스레기가] 된; 남은 것으로 만든: ~ value 〖상업〗 잔존 가치
— *vt.* (**~ped**; **~·ping**) 1 쓰레기로 버리다, 파쇠[고철]로 만들다 2 〈계획 등을〉 폐기[파기]하다; 해체하다 ▷ scráppy[1] *a.*

scrap[2] (속어) *n.* 1 다툼, 승강질, 싸움, 드잡이 2 (프로의) 권투 시합(prizefight): have a ~ with a person …와 다투다
— *vi.* (**~ped**; **~·ping**) 다투다, 싸우다 《*with*》

*__scrap·book__ [skrǽpbùk] *n.* 스크랩북[첩]

scráp càke (생선·콩 등의) 기름을 짜고 난 찌꺼기

‡**scrape** [skréip] *vt.* 1 문지르다, 문질러 깨끗이 하다; 닦다 2 깎다, 면도하다; 긁어내다, 벗겨내다[떼다] 《*off, away, out, down*》: ~ one's chin 수염을 깎아 턱을 밋밋하게 하다 // (~+목+부) ~ paint *off* 페인트를 긁어[벗겨]내다 // (~+목+전+명) ~ a pen *on* the paper 펜으로 종이 위를 찍찍 긁는 것처럼 글씨를 쓰다 3 스쳐 …에 상처를 내다; 비벼대다 《*against, past*》: ~ one's knee 무릎이 스쳐 까지다 4 마찰하여 귀에 거슬리는[삐걱거리는] 소리를 내다; 《경멸》 〈현악기를〉 켜다 5 파다, 도려내다 《*out, up*》: (~+목+부) He ~*d out* a hole in the garden. 그는 뜰에 구멍을 팠다. 6 (구어) 〈금전·인원 등을〉 긁어모으다 《*up, together*》; 애써서 하다, 무리해서 해나가다: ~ a living 생활비를 간신히 벌다, 간신히 먹고 살다 // (~+목+부) ~ *together* a baseball team 야구팀을 겨우 그러모으다 7 〈비포장도로를〉 고르다, 반반하게 하다(level)
— *vi.* 1 문지르다, 긁다; 스치며[간신히] 나아가다 《*against, on, along, by, through*》: (~+전+명) There is something *scraping against* the window. 무엇인가 창문에 쓰적거리는 것이 있다. 2 돈[물건 등]을 긁어모으다: work and ~ 일하여 조금씩 저축하다 3 〈페인트·진흙 등이〉 (…에서) 떨어지다, 벗겨지다 《*off*》 4 〈현악기를〉 켜다, 찍찍 긁어 소리내다 《*on*》: (~+전+명) ~ *on* a violin 바이올린을 끽끽 켜다 5 발을 비비다; 오른발을 뒤로 빼다 《경례로》: ~ a leg 오른발을 뒤로 빼면서 공손히 인사하다 6 간신히 합격하다 《*through*》: (~+전+명) ~ *through* an examination 간신히 시험에 합격하다 7 근근이 살아가다, 몹시 검약하다 《*along*》: (~+부) She ~*d along* without her parents' help. 그녀는 부모의 도움 없이 근근이 살아갔다.
bow and ~ ⇨ bow[1]. ***go and ~ oneself*** 떠나가다, 나가다 ***pinch and ~ = ~ and screw*** 치사스럽게 아끼다 ***~ along*** (1) 스쳐가다, 스칠 듯이 지나가다 (2) 근근이 살아가다 ***~ an acquaintance with*** (소개를 받지 않고) …와 억지로 가까워지다 ***~ by*** 이럭저럭 생계를 꾸려 나가다, 간신히 살아가다 《*on*》 ***~ down*** 바닥을 울려[발을 굴러] 〈연사를〉 침묵시키다 ***~ in*** [***into***] (학교 등에) 가까스로 (비벼) 들어가다 ***~ one's feet*** (1) =SCRAPE down (2) 어설프게 정식 인사를 하다 ***~ through*** 겨우 통과하다; 가까스로 급제하다 ***~ up*** (구어) 〈이야기·변명 따위〉를 꾸며 내다
— *n.* 1 문지름, 긁음, 비빔; 스치기: a ~ of the pen 일필(一筆) 2 문지르는 소리, 깎는 소리; 켜는 소리 3 문지른[깎은] 자국, 비빈[긁은] 자국; 벗겨진[까진] 상처, 찰상: a ~ on one's elbow 팔꿈치의 찰과상 4 (구어) (규칙 위반 등으로 스스로 초래한) 고생, 곤경(⇨ predicament 유의어) 5 뒤로 발을 빼며 절하기 6 의견 차이, 싸움 《*with*》 ***a bow and a ~*** 절하면서 오른발을 뒤로 뺌 ***bread and ~*** 살짝 버터 바른 빵 ***get into a ~*** 궁지에 빠지다 ***Keep out of ~s!*** 위험한 것에 접근하지 마라! **scráp·a·ble** *a.*

scrape-pen·ny [skréippèni] *n.* 몹시 인색한 사람, 구두쇠(miser)

scrap·er [skréipər] *n.* 1 긁는[깎는] 기구; 글자 지우개 2 신발 흙떨개(cf. DOORSCRAPER) 3 〖기계·토목〗 스크레이퍼, 길 고르는 기계 4 《경멸》 서투른 바이올린 연주자; 이발사(barber) 5 구두쇠

scráp hèap 1 쓰레기 더미; 파쇠 더미 2 [the ~] 쓰레기[폐품] 버리는 곳

scrap-heap [skrǽphìːp] *vt.* 폐기하다

scrap·ie [skrǽpi] *n.* 〖수의학〗 스크래피 《양의 바이러스성 전염병; 뇌와 중추 신경계의 질환》

scrap·ing [skréipiŋ] *n.* ⓊⒸ 1 깎음, 긁음, 할큄 2 [*pl.*] 깎은 부스러기, 긁어모은 것; 먼지, 부스러기, 쓰레기 ***the ~s and scourings of the street*** 거리의 쓰레기; 거리의 무뢰한
— *a.* 1 스치는, 삐걱거리는; 삐걱거리는 소리가 나는 2 비열한, 욕심이 많은

scráp ìron 파쇠, 쇠부스러기, 고철

scráp mèrchant 고철상, 폐품 수집상

scráp mètal 지스러기 금속, 《특히》 고철

scrap·nel [skrǽpnl] [*scrap*+shrap*nel*] *n.* (수제 폭탄의) 부스러기 금속 파편 《모든 방향으로 터져 대인(對人) 살상 효과가 큼》

scrap·page [skrǽpidʒ] *n.* 1 폐기물 2 (자동차의) 스크랩화(化)

scráp pàper 재생용 종이; 메모 용지

scrap·per[1] [skrǽpər] *n.* scrap[1]하는 사람[것]

scrapper[2] *n.* (구어) 1 싸움[논쟁, 경쟁]을 좋아하는 사람 2 프로 권투 선수(prizefighter)

scrap·ple [skrǽpl] *n.* Ⓤ (미) 스크래플 《저민 고기·야채·옥수수 가루를 기름에 튀긴 요리》

scrap·py[1] [skrǽpi] *a.* (**-pi·er**; **-pi·est**) 1 부스러기의, 쓰레기의, 찌끼의: a ~ meal 남은 재료로 만든 식사 2 단편적인, 조각조각의; 지리멸렬한, 간추려지지 않은, 산만한 **scráp·pi·ly** *ad.* **scráp·pi·ness** *n.*

scrappy[2] *a.* (**-pi·er**; **-pi·est**) (구어) 공세적인, 강경한; 싸움[언쟁, 토론]을 좋아하는
scráp·pi·ly *ad.* **scráp·pi·ness** *n.*

scrap·yard [skrǽpjɑ̀ːrd] *n.* 쓰레기[고철, 폐품] 버리는 곳

‡**scratch** [skrǽtʃ] *vt.* 1 a 할퀴다, 할퀴어 상처를 내다: *S*~ a Russian, and you will find a Tartar. (속담) 문명인도 한 꺼풀 벗기면 야만인. b 〈가려운 데를〉 긁다; 슬근슬근 긁다, 비비다, 간질이다: ~ one's head (난처해서) 머리를 긁다 / *S*~ my back and I will ~ yours. (속담) 오는 정이 있어야 가는 정이 있다. 2 긁어모으다, 모아 두다 《*together, up*》: (~+목+부) She ~*ed up* some money for holidays. 그녀는 휴가 때에 쓰려고 돈을 약간 모아 두었다. 3 긁어 파다: (~+목+부) ~ *out* a hole in the ground 땅을 긁어 구멍을 파다 4 a 긁어 지우다, 삭제하다; 말소하다, 취소하다(cancel) 《*off, out, through*》; (미) 〈후보자의 이름을〉 취소하다, 〈후보자의〉 지지를 거절하다 《*out*》: (~+목+부) His name was ~*ed out* from the list. 그의 이름은 명부에서 말소되어 있었다. b 〖경마〗 〈선수·말 등을〉 명부에서 지우다 c 〖컴퓨터〗 〈데이터 등을〉 제거하다 d (폐어) 〈사람을〉 (모임 등에서) 내쫓다 《*from*》 5 갈겨쓰다, 마구쓰다; 긁어서 쓰다[표시하다] 6 고생해서 모으다; 고생해서 〈생계를〉 유지하다 7 (미·속어) 〈지폐·서류 등을〉 위조하다
— *vi.* 1 a 할퀴다, 긁다, 할퀴어 상처를 내다: ~ on the door 문을 긁다 b 긁어 파다, 파헤쳐 찾다 2 〈펜이〉 긁히다 3 가려운 데를 긁다 4 꾸준히 일하여 돈을 모으다; 간신히[그럭저럭] 살아가다: (~+부) ~ *along* on very little money 극히 적은 돈으로 근근이 살아가다 5 〈선수·경주마 등이〉 출전을 그만두다, 포기하다 《*from*》 6 (정보 등을) 긁어모으다 《*for*》 7 (미) 〈투표자가〉 후보자의 이름을 지우다; 표를 나누다 8 (카드놀이 등에서) 득점을 하지 못하다 9 〖당구〗 요행수로 맞다 10 〖골프〗 스크래치를 하다 11 [보통 부정문에서] (미·

thesaurus **scratch** *v.* graze, scrape, abrade, cut, skin, lacerate, bark, rub, tear at

스포츠속어) 득점하다 **12** 〖음악〗 스크래치하다 **13** ((속어)) 마약을 찾다 **14** ((미·구어)) 빨리 가다
have not (***got***) ***a sixpence to ~ with*** 동전 한 푼 없다, 몹시 가난하다 ***~ about***[***around***] (***for***) 쑤석거려 (…을) 찾다; 〈금품을〉 찾아 헤메다 ***~ for*** one***self*** ((미)) 제 힘으로 해나가다 ***~ the surface of*** …의 겉만 만지다 ((핵심은 건드리지 않다))
—*n.* **1** 할퀴, 긁음; 할퀸 상처[자국]; 생채기, 찰과상: a ~ on the face 얼굴의 생채기 **2** 휘갈겨 씀[쓰기], 일필(一筆); ((미·속어)) 메모지; (신문 등에서) 한마디 하기 **3** 긁는 소리; 스크래치 ((레코드 등의 잡음)) **4** (핸디캡을 받지 않은 주자의) 출발선; 그 경주자(=**~ màn**) **5** 〖권투〗 (링 중앙의) 경기 개시선 **6** 〖당구〗 요행수로 맞음; 벌구(罰球); 실책 **7** (경기의) 영점; 대등(한 경기) **8** 〖야구〗 =SCRATCH HIT **9** 가발의 일종(=**~ wìg**) **10** (가축의) 먹이 **11** Ⓤ ((미·속어)) 돈, 현금(money); ((속어)) 차용금 **12** ((미·속어)) 무명인 **13** ((속어)) 질(膣), 외음부 **14** 〖음악〗 스크래치 **15** 〖컴퓨터〗 스크래치 ((작업용 컴퓨터의 내부·외부의 기억 매체))
a ~ of the pen 일필, 갈겨쓴 것, 서명 ***come*** (***up***) ***to*** (***the***) ***~*** 출발[개시]선에 나오다; 과감하게 대적하다 ***from***[***at, on***] ***~*** 스타트라인부터; ((구어)) 무(無)에서, 영에서 ***no great ~*** ((속어)) 대단한 것이 아닌 ***Old S~*** 악마(the Devil) ***start from ~*** 핸디캡 없이 출발하다; 무에서 시작하다 ***up to ~*** ((구어)) 좋은 상태로, 표준에 달하여
—*a.* Ⓐ **1** 갈겨쓰기[잡기]용의 **2** 〖경기〗 핸디캡 없는, 대등한: a ~ man 핸디캡을 받지 않은 경주자(opp. *limit man*) **3** ((구어)) 요행으로 맞은, 우연한 **4** ((속어)) 주워 모은, 그러모은, 임시변통의; 갑자기 만든; 잡다한: a ~ team 그러모은 팀 **5** 〈요리·케이크 등이〉 있는 재료로 만든 **6** 〖컴퓨터〗 일시적으로 사용하는
~·er *n.* ▷ scrátchy *a.*

scratch·back [skrǽtʃbæ̀k] *n.* 등 긁는 기구, 효자손

scratch·board [-bɔ̀:rd] *n.* 스크래치 보드 ((흰색의 점토를 두껍게 바르고 잉크막을 씌워, 철필 등으로 긁어 밑의 흰 바탕이 나타나도록 하는 두터운 판지)); 그 그림

scratch·card [-kɑ̀:rd] *n.* ((영)) 긁는 카드[복권]

scratch·cat [-kæ̀t] *n.* ((뉴질)) 심술궂은 여자

scrátch còat 초벽; 초벽 바르기

scrátch dìal (교회 등의 벽 등에) 새긴 해시계

scratch·es [skrǽtʃiz] *n. pl.* [단수 취급] 〖수의학〗 (말 다리에 생기는) 포도창

scrátch file 〖컴퓨터〗 스크래치 파일 ((데이터 파일을 처리할 때, 전체 또는 일부를 일시적으로 카피한 것))

scrátch hìt 〖야구〗 요행의 안타(安打)

scratch·ies [skrǽtʃiz] *n. pl.* ((호주·구어)) 즉석 복권

scrátch lìne (경주·세단뛰기 등의) 출발선

scrátch pàd ((미)) (한 장씩 떼어 쓰는) 메모 용지철, (마구 쓰기 위한) 잡기장

scratch·pad [-pæ̀d] *n.* 〖컴퓨터〗 스크래치패드 ((고속 작업역(域)용의 보조적 기억 장치))

scrátch pàper ((미)) 메모 용지(((영)) scrap paper)

scrátch ràce 핸디캡 없는 경주

scrátch shèet ((미·구어)) (경마 우승마·정보 등을 알려주는) 경마 신문

scrátch tèst **1** 〖의학〗 난절법(亂切法) ((피부의 알레르기 반응 시험의 일종; cf. PATCH TEST)) **2** 〖광물〗 긁기 경도(硬度) 시험

scratch·y [skrǽtʃi] *a.* (**scratch·i·er**; **-i·est**) **1** 〈펜·레코드 등이〉 긁히는 소리가 나는 **2** 〈문자·그림 등이〉 마구 쓴[그린], 되는대로 갈겨쓴: a ~ drawing 마구 그린 그림 **3** 〈선원·선수 등을〉 그러모은, 갑자기 만든 **4** 〈옷 등이〉 가려운, 따끔따끔한 **5** 잘 할퀴는 (버릇이 있는) **6** 〖수의학〗 〈말이〉 포도창에 걸린 **7** 결핍된; 드문드문한 **8** 〖크리켓〗 〈타자가〉 자신이 없는
scrátch·i·ly *ad.* **scrátch·i·ness** *n.*

---

scream *n.* shriek, howl, shout, yell, cry, screech, yelp, squeal, wail, squawk, bawl

---

∗**scrawl** [skrɔ́:l] *vt.* 갈겨쓰다, 아무렇게나 쓰다, 되는대로 마구 쓰다: ~ a letter 편지를 휘갈겨 쓰다 // (~+목+전+명) He ~*ed* a few sentences *on* the blackboard. 그는 몇몇 문장을 칠판에 갈겨썼다.
—*vi.* 흘려[갈겨] 쓰다, 낙서하다 ((*on, over*)): (~+전+명) The boy ~*ed over* the wall. 소년은 벽에 낙서를 했다.
—*n.* [*sing.*] (서투른 글씨로) 갈겨쓴 편지[필적]
scráwl·y *a.* 갈겨쓴, 흘려쓴; 되는대로의

scrawn·y [skrɔ́:ni] *a.* (**scrawn·i·er**; **scrawn·i·est**) **1** 〈사람·동물·몸의 일부 등이〉 여윈(lean), 수척한, 앙상한 **2** 〈식물 등이〉 키가 작은, 왜소한

screak, screek [skrí:k] ((미·영·방언)) *vi.* 갑자기 새된 목소리를 지르다; 삐걱거리다
—*n.* 새된 목소리; 삐걱거리는 소리

⁑**scream** [skrí:m] [의성어] *vi.* **1** 소리치다, 새된 소리[외침]를 지르다, 비명을 지르다, 쇳소리로 노래[연주]하다; 〈아이가〉 앙앙 울다: (~+전+명) ~ *in* anger[*with* sudden pain] 화가 나서 쇳소리를 지르다[갑작스런 고통으로 비명을 지르다]

> 유의어 **scream** 공포·고통 등으로 높고 날카로운 소리를 지르다: *scream* with terror 공포로 소리 지르다 **shriek** scream보다도 더욱 히스테릭하게 외치다: *shriek* with terror 공포로 비명을 지르다 **screech** 귀에 거슬리는 불쾌한 소리를 지르다: *screech* hysterically 히스테릭하게 새된 소리를 내다

2 〈부엉이 등이〉 날카로운 소리로 울다; 〈바람이〉 씽씽 불다; 〈기적·사이렌 등이〉 삑 울리다 **3** 깔깔거리며 웃다: (~+전+명) The girls ~*ed with* laughter. 소녀들이 깔깔거리며 웃어 댔다. **4** (…에 대해) 불만[항의]의 소리를 지르다 ((*about*))
—*vt.* **1** 소리질러 말하다 ((*out*)): (~+목+부) ~ *out* a curse[an order] 소리질러 저주[명령]하다 // (~+***that*** 절) She ~*ed that* her baby was being killed. 그녀는 아기가 죽어 간다고 소리질러 외쳤다. **2** [~ one*self*로] 소리를 질러 …으로 되게 하다: (~+목+보) ~ one*self* hoarse 절규하여 목이 쉬다 / The girl ~*ed herself* red in the face. 소녀는 얼굴이 빨갛게 달아오르도록 외쳤다. **3** (…에 있어서) 목소리 높여 요구[항의]하다 ((*that*)) ***~ for*** …을 필사적으로 구하다 ***~ one's head off*** 쇳소리로 마구 떠들어 대다
—*n.* **1** (공포·고통의) 절규, 쇳소리 **2** (매·수리 등의) 날카로운 울음소리; (기적 등의) 삑 소리; (타이어·브레이크 등이 내는) 끽 소리; 끽끽[낄낄] 웃는 소리 **3** [a ~] ((속어)) 우스꽝스러운 사람[것, 일] **4** ((미·속어)) 아이스크림 ▷ scréamy *a.*

scream·er [skrí:mər] *n.* **1** 날카롭게 외치는 사람, 날카로운 소리를 내는 것 **2** ((구어)) 포복절도케 하는 이야기[노래, 연극, 배우 등]; 아주 뛰어난 물건, 일품, 절품(絶品); 독자를 사로잡는 읽을거리; 그 작가; ((미·속어)) 〖TV·라디오〗 스릴러 **3** ((속어)) 〖인쇄〗 느낌표 ((!)) **4** ((미·속어)) (신문의 전단에 걸친) 이목을 끄는[선정적인] 큰 헤드라인(cf. BANNERLINE) **5** ((야구속어)) 통렬한 라이너 **6** 〖골프〗 강렬한 타구 **7** 〖조류〗 명매기의 일종 ((남미산(産))) **8** ((미·속어)) 특별히 어려운 일 **9** ((호주·속어)) 술에 금세 취하는 사람

scream·ing [skrí:miŋ] *a.* **1** 날카롭게 외치는, 쇳소리를 지르는; 삑삑 우는 **2** 〈빛깔 등이〉 번지르르한, 야한 **3** 우스워 못 견디는; 깔깔 웃는, 킬킬거리는 **4** 〈표제 등이〉 이목을 끄는, 선정적인 **5** ((구어)) 깜짝 놀라게 하는
—*n.* UC 외침(소리), 절규 **~·ly** *ad.* 굉장히, 몹시

scréaming bòmb 음향 폭탄, 폭명탄(爆鳴彈)

scream·ing-mee·mies [-mí:miz] *n. pl.* [보통 the ~; 단수·복수 취급] ((미·구어)) 신경과민, 히스테리

scréam thèrapy 절규 요법 ((억압된 감정을 절규로 발산시키는 심리 요법))

scream·y [skrí:mi] *a.* (**scream·i·er**; **-i·est**) **1** 절규하는, 쇳소리의 **2** 강렬한, 격렬한

scree [skríː] *n.* 〘지질〙 (산비탈에 쌓인) 돌더미, 바위 부스러기(의 산비탈)(talus)

***screech**[1] [skríːtʃ] [의성어] *n.* **1** 날카로운 외침, 쇳소리: an owl's ~ 올빼미의 새된 울음소리 **2** 끽끽[삐걱삐걱] 하는 소리
— *vi.* **1** 새된 소리를 지르다; (공포·고통 등으로) 비명을 지르다(⇨ scream 유의어) **2** 끽끽[삐걱삐걱] 소리가 나다; 〈브레이크가〉 끽 하는 소리를 내다
— *vt.* **1** 날카로운 소리로 외치다 (*out*): (~+목+부) She ~*ed out* her innocence. 그녀는 날카로운 소리로 자기의 결백을 외쳤다. **2** 〈자동차·브레이크 등을〉 끽끽 소리나게 하다 **~·er** *n.* ▷ scréechy *a.*

screech[2] *n.* **1** (캐나다·속어) 진한 럼주 **2** (미·캐나다·속어) 싸구려 위스키, 독한 저급주

screech·ing [skríːtʃiŋ] *a.* 새된 소리를 지르는; (미·속어) 술에 취한 **~·ly** *ad.*

scréech òwl 〘조류〙 **1** (미) 부엉이의 일종 **2** (영) 가면올빼미(barn owl)

screech·y [skríːtʃi] *a.* (**screech·i·er**; **-i·est**) 절규하는, 쇳소리의, 날카로운 소리를 내는

screed [skríːd] *n.* **1** [종종 *pl.*] 길게 늘어놓는 (지루한) 이야기, 긴 연설; (불평의) 긴 문구[편지] **2** 격의 없는 편지; 비공식 기사 **3** (미장이가 쓰는) 회벽칠할 때 쓰는 자 막대기

‡screen [skríːn] [ME 「커튼, 체」의 뜻에서] *n.* **1** 병풍, 휘장, 막, 발, 가리개; (창문 등의) 방충망: a sliding ~ 미닫이 / lay down a smoke ~ 연막을 치다 **2** 칸막이, (교회의) 본당 칸막이 **3** (영화·슬라이드의) 스크린, 영사막, 은막; [the ~; 집합적] 영화; 영화계 **4** 〘광물〙 여광기(濾光器), 정색(整色) 스크린 **5** 〘컴퓨터〙 화면, 스크린: ~ editing 화면 편집 **6** 차폐물, 장벽, 보호물; 눈가리개 **7** (흙·모래 등을 거르는) 체 **8** (적격) 심사[선택] 제도 **9** 〘군사〙 견제 부대, 전위함(前衛艦) **10** (전기·자기 등의) 차벽(遮壁) **11** 〘사진〙 망사 필터; 〘인쇄〙 (흐린 사진 망판을 만드는 데 쓰는) 망점이 새겨진 유리 **12** (농구 등의) 차폐 전법 **13** = SILK SCREEN **14** 〘기상〙 (온도계 등을 직사 일광에서 막는) 백엽상
put on a ~ of indifference 무관심한 체하다, 시치미를 떼다 ***under ~ of night*** 밤의 어둠을 타고
— *vt.* **1 a** 가리다; 〈방·창 등에〉 망을 달다[치다]: ~ windows 창문에 방충망을 달다 // (~+목+전+명) The trees ~ his house *from* public view. 나무들이 남의 눈으로부터 그의 집을 가리고 있다. **b** 칸막이하다, 구분하다 (*off, from*): (~+목+부) One corner of the room was ~*ed off*. 방의 한구석이 칸막이되어 있었다. **2** 지키다, 비호하다, 감싸다 (*from*): ~ a guilty man 죄를 범한 자를 감싸다 // (~+목+전+명) We must ~ them *from* danger. 우리는 그들을 위험으로부터 지켜 주어야[보호해야] 한다. **3** …의 적격 심사를 하다, 〈지원자 등을〉 심사[선발]하다, 가려내다 (*out*) **4** 〈모래·석탄 등을〉 체질하다, 쳐서 가려내다, 체로 거르다 (*out*) **5** 〈빛·소리·열 등을〉 차단하다, …에 차벽(遮壁)을 만들다 **6** 영사[상영]하다; 〈소설·연극 등을〉 영화화[각색]하다; 촬영하다: ~ a mystery novel 추리 소설을 영화화하다 **7** 〘스포츠〙 (농구·축구 등에서) 〈상대 선수를〉 막다, 방해하다 **8** = SILK-SCREEN
— *vi.* 영화로[화면에] 나타나다, 상영[영사]되다; 〈배우·책 등이〉 영화에 알맞다: (~+부) He ~*s well* [*badly*]. 그는 영화에 맞는다[맞지 않는다].
~ (one*'s*) ***calls*** 전화를 받을 것인지 받지 않을 것인지 가려내다 (자동 응답기를 이용하여)
— *a.* Ⓐ **1** (방충용의) 망을 단[친]: a ~ door 망을 친 문 **2** 영화의: a ~ actor 영화배우 / a ~ face 영화에 알맞은 얼굴 / a ~ star 영화 스타 / a ~ time 상영 시간 **3** = SILK-SCREEN
~·a·ble *a.* **~·er** *n.* **~·less** *a.* **~·lìke** *a.*

Scréen Àctors Guìld (미) 영화배우 조합 (略 SAG)

screen·a·ger [skríːnèidʒər] *n.* (구어) 컴퓨터와 인터넷에 매달린 젊은이

scréen dùmp 〘컴퓨터〙 화면 덤프 (화상을 복사하여 다른 출력 장소로 옮겨 보존하기)

scréen grìd 〘전자〙 (전자관의) 차폐(遮蔽) 격자, 스크린 그리드

screen·ing [skríːniŋ] *n.* ⓊⒸ **1** 체로 침; (적격) 심사, 선발; 집단 검진 **2** (영화·텔레비전 등의) 상영, 영사 **3** [*pl.*] 체질하고 남은 찌꺼기, (체질한) 석탄 부스러기 **4** 가림, 차폐; (창문 등의 방충용) 망, 철망
— *a.* 심사하는: a ~ committee 적격 심사 위원회 / a ~ test 적격 심사, 선발 테스트; 〘의학〙 스크리닝 테스트

screen·land [skríːnlæ̀nd] *n.* = FILMDOM

scréen pàss 〘미식축구〙 스크린 패스 (자기 편 블로커(blocker)들이 스크린처럼 둘러선 데서 던지는 패스)

scréen plày [-plèi] *n.* 영화 각본, 시나리오

screen-print [-prìnt] *vi., vt.* (실크 스크린 날염법의) 스크린 인쇄를 하다

scréen prìnt(ing) 스크린 인쇄

scréen sàver 〘컴퓨터〙 화면 보호 장치

screen·shot [-ʃɑ̀t | -ʃɔ̀t] *n.* 〘컴퓨터〙 스크린샷, 화면 갈무리 (화면의 나타나는 콘텐츠 내용을 그래픽 편집 프로그램 등으로 읽어 들인 이미지)

scréen tèst (영화 배우 지망자의) 스크린 테스트, 촬영 오디션

screen-test [-tèst] *vt.* 스크린 테스트하다
— *vi.* 스크린 테스트를 받다

screen·wash [-wɑ̀ʃ | -wɔ̀ʃ] *n.* (주로 영) (차의 앞 유리를) 자동 와이퍼로 닦기

screen·wash·er [-wɔ̀ːʃər | -wɔ̀ʃ-] *n.* (영) 자동차 앞유리의 자동 세척 장치

scréen wìper (영) 자동차의 앞유리창 닦개((미) windshield wiper)

screen·writ·er [-ràitər] *n.* = SCENARIST

screeve [skríːv] *vi.* (영·속어) 보도에 그림을 그리다, 거리의 화가 노릇을 하다

‡screw [skrúː] *n.* **1** 나사, 나사못, 볼트: a male [female] ~ 수[암]나사 / turn the ~ to the right 나사를 오른쪽으로 돌리다 **2** 나사 모양의 물건; 기계의 나선부(螺旋部); 코르크 마개뽑이; (배의) 스크루; (비행기의) 프로펠러 **3 a** (나사의) 한 번 죔: give a nut a good ~ 너트를 단단히 죄다 **b** 〘당구〙 깎아치기 **4** (영) [a ~ of ...] (소량의 담배·소금을 담는) 꼰 종이, 양끝을 꼰 한 봉지(의 양) **5** [보통 the ~(s)] (육체적·정신적인) 죄어들기, 조르기; 강요, 압박 **6** (영·구어) 쇠약한 말, 폐마(廢馬); 흠[하자] 있는 물건; (속어) 괴짜, 기인, 어리석은 자 **7** (영·구어) 구두쇠; 값을 깎는 사람 **8** (영·속어) 봉급, 임금: draw one's ~ 급료를 받다 **9** (속어) 교도관 **10** (속어) 열쇠 **11** (비어) 성교; 성교 상대; 매춘부 **12** (미·속어) 학생을 괴롭히는 교사; 어려운 문제
a ~ loose[***missing***] 나사가 늦춰져 있음; 이상한 데, 고장: He has *a ~ loose.* (구어) 그는 정신이 이상하다. / There is *a ~ loose* somewhere. 어디엔가 고장이 나 있다. ***a turn of the ~*** 죄어치기, 압박, 압력의 가중 ***put the ~(s) on*** = ***put ... under the ~*** = ***apply the ~ to*** (구어) …을 압박하다, 죄어대다, 괴롭히다, 억지로 지불하게 하다
— *vt.* **1** 나사로 죄다[박다, 조정하다, 고정시키다] (*up, down*): (~+목+부) ~ *down* a lid 뚜껑을 나사로 죄다 // (~+목+전+명) ~ a bracket *to* a wall 벽에 까치발을 나사못으로 붙이다 / The bookcase is ~*ed* to the wall. 그 책장은 벽에 고정되어 있다. **2 a** (비)틀다, 죄다, 구부리다: ~ a person's arm …의 팔을 비틀다 // (~+목+부) ~ one's head *around* (목 운동으로) 목을 빙 돌리다 **b** 〈뚜껑 등을〉 틀어 열다: ~ open a bottle 뚜껑을 돌려 병을 열다 **3** 〈얼굴을〉 찌푸리다; 〈눈을〉 가늘게 뜨다; 〈입을〉 오므리다: ~ one's eyes 눈을 가늘게 뜨다 // (~+목+전+

thesaurus **screech**[1] *n.* shriek, shout, squeak
screen *n.* net, curtain, blind, partition, divider, shelter, shield, protection —*v.* **1** 가리다 conceal,

명) ~ one's face *into* wrinkles 주름살이 지게 얼굴을 찌푸리다 **4** 〈종이·손수건을〉 구겨 쥐다 《*up*》: He *~ed* the letter *up* and threw it in the trash can. 그는 편지를 구겨서 쓰레기통에 던져 버렸다. **5** 분기시키다, 용기내게 하다; …의 능률을 올리게 하다 **6** 쥐어짜다, 짜내다; 억지로 받아내다, 착취하다 《*out of*, *from*》: (~+목+전+명) ~ water *out of* a towel 타월에서 물을 짜내다 / ~ money *from* people 사람들에게서 돈을 우려[짜]내다 / ~ a promise *out of* a person …에게서 억지로 약속을 받아내다 **7** …에게 강요하다(compel); 압박하다; 〈파는 사람에게〉 억지로 깎다 《*down*》: (~+목+부) be *~ed down* by strict rules 엄격한 규칙에 얽매이다 **8** 《속어》 속이다(cheat), 속여서 …을 빼앗다 **9** 《비어》 〈남자가〉 …와 성교하다 **10** 《미·속어》 어려운 문제로 괴롭히다 **11 a** 《영·구어》 〈사람을〉 긴장시키다, 당황스럽게 하다 《*up*》 **b** 《구어》 …에 실수하다, 망쳐놓다, 거덜나게 하다 《*up*》 **12** 〖당구〗 〈공을〉 비틀어 치다; 〖테니스〗 〈공을〉 깎아치다: (~+목+전+명) ~ the red *into* the pocket 빨간 공을 비틀어쳐 구멍에 넣다 **13** 〈돈 등을〉 마지못해 치르다: (~+목+부) He *~ed out* fifty thousand won for the dish. 그는 그 요리 값으로 마지못해 5만원을 지불했다. **14** 《속어》 뚫어지게 보다

—*vi.* **1** 〈나사가〉 돌다; 나사 모양으로 돌다 **2** (…에) 비틀리어 고정되다 《*on*》 **3** 몸을 비틀다 **4** 〈공이〉 비틀려져[굽어] 가다, 깎이다 **5** 인색하게 굴다, 몹시 아끼다; 압박[착취]하다 **6** 《비어》 〈남자가〉 성교하다 **7** 《구어》 실수하다, 틀리다 《*up*》 **8** 《속어》 도망치다 **9** 《속어》 뚫어지게 보다 **10** 손대다, 손을 내밀다

Go ~! 《속어》 꺼져! ***have* one's *head ~ed on right*** [***the right way***] 《구어》 분별이 있다, 제정신이다, 머리가 좋다 ***~ around*** 《미·속어》 (아무것도 하지 않고) 빈둥거리다, 빈들거리다 ***~ off*** 《비어》 (1) 망치다, 큰 실수를 저지르다 (2) 〈얼굴을〉 찡그리다, 비틀다 ***~ out*** 짜내다; 착취하다; 마지못해 치르다[내다] ***~ up*** (1) 바짝 죄다; 능률을 올리게 하다 (2) 《속어》 망치다, 결딴내다 (3) 〈집세 등을〉 부쩍 올리다 (4) 《구어》 〈사람을〉 긴장시키다: He wants *~ing up.* 그는 한 번 정신 차리게 해 줄 필요가 있다.

▷ scréwy *a.*

screw·ball [skrúːbɔ̀ːl] *n.* **1** 〖야구〗 스크루볼 《투수가 던지는 변화구의 일종》 **2** 《미·구어》 이상한 사람, 괴짜, 기인; 쓸모없는 사람 **3** 《미·속어》 통속적인 재즈 음악 —*a.* 《미·구어》 별난, 엉뚱한, 얼빠진

scréw bòlt 나사 볼트

scréw bòx (나무 나사를 깎는) 나사틀; 나사받이

scréw càp 틀어서 여는 뚜껑

scréw convèyor 나사[스크루] 컨베이어

scréw còupling 나사 연결기(器)

scréw cùtter 나사 깎는 기구

screw·driv·er [-dràivər] *n.* **1** 나사돌리개, 드라이버 **2** 《미》 스크루드라이버 《보드카와 오렌지 주스의 칵테일》

screwed [skrúːd] *a.* **1** 나사로 죈 **2** 나사 모양의, 나삿니가 달린 **3** 비뚤어진 **4** 《영·속어》 술 취한 **5** 《속어》 속은, 사기당한 ***~ up*** 《속어》 혼란한, 당혹한, 노이로제의

scréw èye (대가리가 둥근) 고리 모양의 나사

scréw gèar 나선 톱니바퀴, 나사 기어

screw·head [skrúːhèd] *n.* 나사 대가리

scréw hòok 나사 갈고리(못)

scréw jàck 나사(식) 잭

scréw kèy = SCREW WRENCH

scréw nàil 나사못

scréw nùt 나사 너트

scréw prèss 나사 프레스[압착기]

scréw propèller (비행기·기선의) 스크루 추진기

scréw-pro·pélled *a.*

scréw spìke 나사못, 나사 스파이크

scréw stèamer 스크루선(船)

scréw tàp 비트는 마개[꼭지] 《수도꼭지·암나사틀 등》

scréw thrèad 나사의 이[날]

screw-top [-tɑ̀p | -tɔ̀p] *n.* (병 등의) 비틀어 여는 마개

screw·up [-ʌ̀p] *n.* 《미·속어》 **1** 중대한 실수, 서투른[얼빠진] 짓 **2** 늘 실수[서투른 짓]하는 사람, 쓸모없는 사람

scréw vàlve 나사로 여닫는 막이판

scréw wrènch 몽키 렌치, 나사돌리개, 스패너

screw·y [skrúːi] *a.* (**screw·i·er**; **-i·est**) **1** 《구어》 머리가 좀 돈 **2** 《구어》 별난, 기묘한 **3** 《구어》 인색한, 쩨쩨한(stingy) **4** 《영·구어》 술 취한 **5** 나선[나사]꼴의, 비틀린, 꾸불꾸불한

scrib·al [skráibəl] *a.* 필기(筆記)의, 서기(書記)의

***scrib·ble**[1] [skríbl] *vt.* **1** (급히) **갈겨쓰다**, 날려 쓰다; 낙서하다: ~ a letter 편지를 갈겨쓰다 / ~ a wall 벽에 낙서하다 **2** 〈시·글을〉 서투르게 쓰다

—*vi.* **1** 갈겨쓰다, 낙서하다 **2** 서투른 문장[시]을 쓰다 **3** 문필을 업으로 삼다 《자기를 낮추는 표현》

No scribbling on the walls! (벽에) 낙서 금지!

—*n.* **1** [종종 *pl.*] 아무렇게나[되는대로] 쓴 것, 낙서, 악문; 잡문 **2** 갈겨쓰기, 난필, 악필

scribble[2] *vt.* 〈양털을〉 얼레빗질하다

scrib·bler[1] [skríblər] *n.* **1** 난필인 사람, 악필가 **2** 《경멸·익살》 엉터리 문인, 잡문가

scribbler[2] *n.* (양털을) 얼레빗질하는 기계(를 움직이는 사람)

scríb·bling blòck[**pàd**] [skríbliŋ-] (한 장씩 떼어 쓰는) 메모 용지철(scratch pad)

scrib·bling-pa·per [-pèipər] *n.* 잡기[메모] 용지

scribe [skráib] *n.* **1 a** 필기자, 필경자 **b** (인쇄술 발명 전에 사본을 베껴 쓰던) 사본 필경자, 사자생(寫字生) **2** (특히 공적 신분을 지닌) 대서인, 서기 **3** 〖유대사〗 (율법에 정통한) 학자 《서기관·법률가·신학자를 겸한》 **4** 《익살》 저작자, 작가; 신문 기자; 정치 기자 **5** = SCRIBER —*vt.* 〈나무·금속에〉 선침(線針)으로 선을 긋다

scrib·er [skráibər] *n.* 선침, 먹통

scrim [skrím] *n.* **1** Ⓤ 튼튼한 면[마]포 **2** 《미》 (무대에서 쓰는) 사견(紗絹) (배경)막

scrim·mage [skrímidʒ] *n.* **1** 드잡이, 격투, 난투; 작은 충돌 **2** 〖미식축구〗 스크리미지 **3** 연습 경기 **4** 〖럭비〗 = SCRUM

—*vi.* **1** 난투하다 **2** 〖럭비〗 스크럼을 짜다; 연습 경기를 하다 —*vt.* 〖럭비〗 〈공을〉 스크럼 속에 넣다

scrím·mag·er *n.*

scrímmage lìne = LINE OF SCRIMMAGE

scrimp [skrímp] *vt.* **1** 〈필요한 것 주기를〉 아까워하다, 긴축하다(stint) **2** 〈음식물의 양 등을〉 바짝 줄이다(skimp) —*vi.* 절약하다, 아끼다(economize) 《*on*》: (~+전+명) She *~s on* food. 그녀는 음식을 인색하게 아낀다. ***~ and save*** [***scrape***] 검소하게 살다, 근검 저축하다 **scrímp·y** *a.* 긴축하는, 인색한

scrim·shank [skrímʃæ̀ŋk] *vi.* 《영·군대속어》 직무를 태만히 하다

scrim·shaw [skrímʃɔ̀ː] *n.* **1** Ⓤ (선원의) 조각 세공품 《항해 중에 조개껍질·고래뼈·상아 등으로 만드는》 **2** (선원의) 수공예 조각 (기술)

—*vt.*, *vi.* 수공품을 만들다, 솜씨 좋게 세공하다

scrip[1] [skríp] *n.* **1** (간단한) 서류 《영수증·증명서·예정표 등》; 종잇조각 **2** 가주권(假株券), 가증권, 가사채 (= **~ certìficate**) **3** Ⓤ [집합적] 가주권[가증권]류(類), (차용) 증서 **4** (점령군의) 군표 **5** Ⓤ (긴급시에 발행되는) 임시 지폐(= **~ mòney**) **6** 《미·속어》 1달러 지폐; 〖미국사〗 (1달러 미만의) 지폐

scrip[2] *n.* 《고어》 (양치기·나그네·순례자의) 짐보따리

scri·poph·i·ly [skripɑ́fəli | -pɔ́f-] *n.* 낡은 주권[증권] 수집 취미 **-póph·i·ler** *n.*

‡script [skrípt] [L 「적힌 (것)」의 뜻에서] *n.* **1** Ⓤ 손으로 쓰기(handwriting); 필적; 필기 문자(opp.

hide, cover, veil, mask, cloak **2** 지키다 protect, guard, safeguard **3** 심사하다 check, test

screw *v.* fasten, clamp, rivet, batten

print): in the ordinary ~ 보통 필기체로 **2** (연극·영화·라디오[TV] 방송 등의) 대본, 각본, 스크립트: a film ~ 영화 대본 **3** Ⓤ 〖인쇄〗 스크립트 《초서체 활자》, 필기체 (활자) **4** [보통 *pl.*] 《영》 시험 답안지 **5** 규약(code) **6** 《미·속어》 환자의 처방전 《특히 마약의》 **7** 〖법〗 원본(opp. *copy*); 〖법〗 유언서(의 초안)
— *vt.* **1** 대본을 쓰다 **2** 입안하다
~·er *n.* = SCRIPTWRITER

Script. Scriptural; Scripture

script·ed [skríptid] *a.* 대본[원고]에 의한: a ~ talk[discussion] 원고에 의거한 강연[토론]

scrípt gìrl 〖영화〗 감독의 비서 《촬영 진행 기록계》

scrip·to·ri·um [skriptɔ́:riəm] *n.* (*pl.* **~s, -ri·a** [-riə]) (특히 중세 수도원 등이) 사기실(寫字室), 기록실, 필사(筆寫)실

scrip·tur·al [skríptʃərəl] *a.* [때로 **S~**] 성서 (중시(重視))의, 성서의 취지에 입각하는 **~·ly** *ad.*

***scrip·ture** [skríptʃər] [L 「쓴[적은] 것」의 뜻에서] *n.* **1** [the S~] 성서(the Bible) 《略 Script.》 ★ 신약·구약 성서 또는 그 둘을 가리켜 Holy Scripture 또는 the (Holy) Scriptures라고 함. **2** [때로 *pl.*; 종종 **S~**] (그리스도교 이외의) 경전, 성전; 권위 있는 서적 **3** 성서에서의 인용, 성서(속)의 말 **4** (학교 수업 과목으로서의) 성서(의 시간)(= **~ lèsson**)
— *a.* Ⓐ [종종 **S~**] 성서의[에 있는]: a *S~* text 성서의 일절

scrípture rèader (눈이 안 보이는 사람들을 찾아다니며) 성서를 읽어 주는 사람

script·writ·er [skríptràitər] *n.* **1** (극·영화·방송의) 대본[각본] 작자, 스크립트라이터 **2** 《미·속어》 처방약을 부정하게 판매하는 의사

scrive·ner [skrívnər] *n.* **1** 대서인 **2** (옛날의) 공증인(notary public) **3** 금융업자, 대금(貸金)업자

scrívener's pálsy 〖병리〗 서경(書痙)(writer's cramp)

scro·bic·u·late [skroubíkjulət, -lèit] *a.* 〖식물·동물〗 주름이 있는, 얽은 곳이 있는, 골이 있는

scrod [skrɑ́d | skrɔ́d] *n.* 《미》 대구 새끼 《특히 요리용으로 뼈를 발라낸 것》

scrof·u·la [skrɑ́fjulə | skrɔ́-] *n.* Ⓤ 〖병리〗 연주창 (king's evil)

scrof·u·lous [skrɑ́fjuləs | skrɔ́-] *a.* **1** 연주창의[에 걸린] **2** 타락한

***scroll** [skróul] [OF 「(종잇)조각」의 뜻에서] *n.* **1 a** 두루마리(책), 주지(周紙) **b** 《고어》 표, 명단, 일람표 **2** 《일반적으로》 소용돌이꼴의 장식; 〖건축·항해〗 소용돌이(장식), 소용돌이꼴; 스크롤 《바이올린 등 현악기의 머리 장식》 **3** (서명 등의 뒤에 쓰는) 장식 글씨(flourish) **4** 문장(紋章)의 명(銘)을 써 넣은 리본 **5** 〖컴퓨터〗 스크롤, 화면 이동
— *vt.* [보통 과거분사로] **1** 두루마리에 쓰다 **2** 두루마리로 만들다; 소용돌이꼴로 꾸미다, 소용돌이 무늬를 넣다; 〖컴퓨터〗 스크롤하다
— *vi.* **1** 〖컴퓨터〗 스크롤하다 **2** 말다, 두루마리 모양으로 되다 **scrólled** *a.* 소용돌이 장식이 있는

scrolls

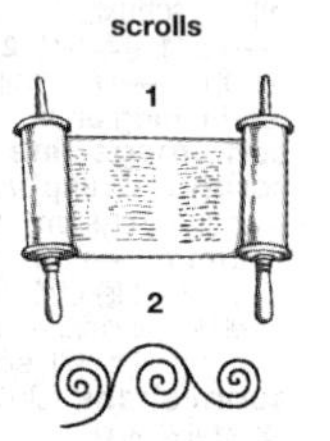

scróll bàr 〖컴퓨터〗 스크롤바 《윈도에 나타난 화면을 상하좌우로 움직일 때 사용하는 막대》

scróll gèar[whèel] 소용돌이 모양의 (톱니)바퀴 《변속 기어의 일종》

scroll·head [skróulhèd] *n.* 〖항해〗 이물의 소용돌이 장식

scróll sàw 곡선으로 자르는 톱, 실톱

scroll·work [-wə̀:rk] *n.* Ⓤ 소용돌이 장식, 소용돌이[운형(雲形), 당초(唐草)] 무늬

scronched [skrɑ́:ntʃt | skrɔ́ntʃt] *a.* 《미·구어》 술에 취한

scrooch [skrú:tʃ] *vt., vi.* 《미·구어》 쭈그리고 앉다, 웅크리다

Scrooge [skrú:dʒ] [Charles Dickens의 소설 *A Christmas Carol*의 주인공의 이름에서] *n.* [종종 **s~**] 《구어》 구두쇠, 수전노, 자린고비

scroop [skrú:p] *n.* Ⓤ 삐걱거림; Ⓒ 삐걱 소리
— *vi.* 삐걱 소리를 내다

scrote [skróut] *n.* 《영·속어》 **1** 모욕적인 말 **2** 아무짝에도 쓸모 없는 사람 **3** 음낭(scrotum)

scro·tum [skróutəm] *n.* (*pl.* **-ta** [-tə], **~s**) 〖해부〗 음낭 **scro·tal** [skróutl] *a.*

scrouge [skráudʒ], **scrooge** [skrú:dʒ] *vt., vi.* 《구어·방언》 밀어넣다, 쑤셔넣다

scrounge [skráundʒ] *vt.* 《구어》 **1** 슬쩍 훔치다, 날치기하다 **2** 달라고 하다, 우려내다, 등치다; 〈음식물 등을〉 찾아다니다, 징발하다: ~ a cigarette from a friend 친구한테 담배 한 개비 달라고 하다 — *vi.* **1** 훔치다 **2** 여기저기 찾아다니다 **scróung·er** *n.*

scroung·y [skráundʒi] *a.* (**scroung·i·er**; **-i·est**) **1** 도벽이 있는, 비열한 **2** 인색한 **3** 더러운, 지저분한

****scrub**[1] [skrʌ́b] *v.* (**~bed**; **~·bing**) *vt.* **1** 북북 문지르다[씻다, 빨다]; 비벼 빨다; (솔 등으로) 문지르다, 〈때 등을〉 북북 문질러 없애다 《*off*, *away*, *out*》: (~+목+부) ~ *out* a dish 접시를 문질러 닦다 // (~+목+전+명) ~ oneself *with* a towel 타월로 몸을 북북 문지르다 **2** 〈불순물을〉 없애다, 제거하다; 세정(洗淨)하다; 세척하다(cleanse); (수술 전에) 〈외과의사·간호사가〉 (손·팔을) 씻다 《*up*》 **3** 〈미사일 발사·비행을〉 중지하다, 연기하다(postpone) **4** 《속어》 폐지하다; 《구어》 〈계획·약속 등을〉 취소하다(cancel): ~ one's promise 약속을 취소하다 **5** 쫓아내다, 해고하다 **6** 《영·학생속어》 갈겨쓰다 **7** 〖컴퓨터〗 〈파일을〉 지우다 **8** 〈테이프를〉 편집하여 수정하다 **~ *round*** 《구어》 〈규칙·장애 등을〉 없던 것으로 하다, 무시하다
— *vi.* **1** 북북 문지르다[닦다]; 물로 씻어내다 **2** 〈외과의사·간호사가〉 (수술 전에) 손·팔을 씻다 《*up*》 **3** 〖화학〗 가스 세정하다
— *n.* **1** 북북 문질러 닦기, 씻어내는 청소; 세정; 세척: give a good ~ 북북 문질러 잘 닦다 **2** 미사일 발사 중지 **3** 《속어》 취소, 중지

scrub[2] *n.* **1** Ⓤ 작은 나무, 관목 **2** [집합적] 관목 덤불, 잡목이 우거진 곳[숲] **3** 《구어》 작은 사람[물건], 쓸모없는[하찮은] 녀석 **4** 《미·구어》 보결[2군] 선수, 제2군: a ~ team 2군 팀 **5** 《미·속어》 신입생
— *a.* **1** 작은; 소형의 **2** 열등한 **3** 관목이 많은 **4** 〖스포츠〗 보결의, 2군의

scrub·ber[1] [skrʌ́bər] *n.* **1** 갑판[마루]을 닦는 사람 **2** 솔, 수세미, 걸레 **3** 집진기(集塵器); 가스 세정기(洗淨器) **4** 《영·호주·속어》 바람둥이 여자, 창녀

scrubber[2] *n.* **1** 잡종, 《특히》 잡종의 거세된 소; 여윈 볼깐 소 **2** 《호주》 관목 지대의 주민[야생화한 소]

scrúb(·bing) brùsh [skrʌ́b(iŋ)-] 《미》 세탁솔, 수세미

scrub·by [skrʌ́bi] *a.* (**-bi·er**; **-bi·est**) **1** 〈나무·동물 등이〉 잘 자라지 못한, 왜소한 **2** 잡목[관목]이 무성한 **3** 〈사람이〉 왜소한, 초라한

scrúb clùb 《미·속어》 (실패만 하는) 무능 집단 《회사·연구소 등》

scrub·down [skrʌ́bdàun] *n.* 싹싹 비비기, 잘 씻기

scrub·land [skrʌ́blæ̀nd] *n.* 잡목으로 덮인 땅, 관목지

scrúb nùrse 수술실 (근무) 간호사

scrúb pìne 왜소한 소나무

scrúb ròom (의사와 간호사의) 손 소독실 《병원의 수술실 사이에 위치》

scrúb sùit (외과 의사들이 입는) 수술복

scrúb týphus 〖병리〗 털진드기병

scrub-up [-ʌ̀p] *n.* 철저히 씻기, (특히 외과 의사·

thesaurus **scrub**[1] *v.* rub, clean, wash, wipe
scrupulous *a.* **1** 양심적인 honest, upright, moral, ethical **2** 꼼꼼한 meticulous, careful, painstaking,

간호사가 수술 전에) 손·팔을 씻기
scrub·wom·an [-wùmən] *n.* (*pl.* **-wom·en** [-wìmin]) (미) =CHARWOMAN
scrud [skrʌ́d] *n.* (영·속어) (고통이 따르는) 중병; 성병
scruff[1] [skrʌ́f] *n.* [보통 the ~ of the neck로] 목덜미(nape): take[seize] a person by *the ~ of the neck* …의 목덜미를 붙잡다
scruff[2] *n.* **1** (영·방언) 비듬 **2** (영·구어) 지저분한[단정치 못한] 사람
scruff·y [skrʌ́fi] *a.* (구어) 단정치 못한, 지저분한, 초라한(shabby) **scrúff·i·ly** *ad.* **scrúff·i·ness** *n.*
scrum [skrʌ́m] *n.* **1** 〔럭비〕 스크럼 **2** (영·구어) (만원 전차·세일 등에) 쇄도하는 사람들
— *vi.* (**~med**; **~·ming**) 〔럭비〕 스크럼을 짜다
scrum·cap [skrʌ́mkæ̀p] *n.* 〔럭비〕 (선수가 쓰는) 헤드기어 《머리 보호용》
scrúm hálf 〔럭비〕 스크럼 하프 《공을 스크럼에 넣는 하프백》
scrum·mage [skrʌ́midʒ] *n.* =SCRUM 1
scrum·my [skrʌ́mi] *a.* (영·구어) 아주 맛있는: a ~ cake 아주 맛있는 케이크
scrump [skrʌ́mp] *vt., vi.* (영·방언) 〈과일을〉 과수원[뜰]에서 훔치다
scrum·ple [skrʌ́mpl] *vt.* (영) 〈종이·천을〉 꼬깃꼬깃 구기다
scrump·tious [skrʌ́mpʃəs] *a.* (구어) 굉장한(splendid), 훌륭한; 일류의(first-rate); 굉장히 맛있는(delicious) **~·ly** *ad.*
scrump·y [skrʌ́mpi] *n.* Ⓤ (영·방언) 신맛이 강한 사과주 《잉글랜드 남서부의 특산》
scrunch[1] [skrʌ́ntʃ] *v., n.* (구어) =CRUNCH
scrunch[2] *vt.* 〈머리 모양을〉 헝클어 보이도록 하다 《드라이 과정에서 일부러 손으로 함》
scrunch-dry [skrʌ́ntʃdrài] *vt.* 헝클어진 모양의 머리로 말리다
scrunch·y, scrunch·ie [skrʌ́ntʃi] *n.* (헝겊을 입힌) 작은 고무 고리 《머리를 모아 묶는 데 씀》
scru·ple**[1] [skrú:pl] 〔L 「뾰족한 잔돌」 → 「(뾰족한 잔돌이 찌르는 듯한) 양심의 가책」의 뜻에서〕 *n.* **1** [보통 *pl.*] 양심의 가책 **2** ⓊⒸ [보통 no, without 등의 뒤에 써서] 의심 《일의 옳고 그름 등에 대한》, 망설임, 주저: (~+*to* do) (~+전+*-ing*) He makes *no ~ to* tell a lie[~ *of* ly*ing*]. 그는 거짓말하는 것을 예사로 여긴다. ***have ~s [***no*** ~] ***about*** (do***ing***) (…하는 데) 마음에 꺼리다[꺼리지 않다], 주저하다[하지 않다] ***man of no ~s*** 거리낌 없이 나쁜 짓을 하는 사람 ***stand on ~*** 삼가다, 주저하다 ***without ~*** 거리낌 없이
— *vi.* [보통 부정문] **1** 꺼리다, 주저하다(hesitate): (~+전+명) He does*n't ~ at* doing wrong. 그는 거리낌 없이 나쁜 짓을 한다. **2** 양심의 가책을 느끼다
— *vt.* (고어) **1** 망설이다, 꺼리다: (~+*-ing*) ~ giv*ing* one's opinion 의견을 말하기를 꺼리다 // (~+*to* do) Don't ~ *to* do as you like. 서슴[거리낌] 없이 좋을 대로 하려무나. **2** 의심하다, 의심을 품다 **~·less** *a.* ▷ scrúpulous *a.*
scruple[2] *n.* **1** 스크루플 《약량(藥量) 단위; 20 grains =1.296g; 略 sc.》 **2** (고어) 조금, 미량
scru·pu·los·i·ty [skrù:pjulάsəti | -lɔ́-] *n.* Ⓤ 면밀[주도]성, 꼼꼼함
***scru·pu·lous** [skrú:pjuləs] *a.* **1** 양심적인, 지조 있는, 성실한 《*in*》 **2** 꼼꼼한, 세심한; 정확한, 철저한; 조심성 있는; 용의주도한 《*about*》: with ~ care 꼼꼼히 주의하여 **~·ly** *ad.* **~·ness** *n.*
scru·ta·ble [skrú:təbl] *a.* 〈암호 등이〉 판독[해독]할 수 있는; 이해할 수 있는
scru·ta·tor [skru:téitər] *n.* 세밀히 조사하는 사람, 검사자; 파고 따지는 사람
scru·ti·neer [skrù:təníər] *n.* (영) 검사관; 《특히》 투표 검사인, 검표인
***scru·ti·nize** [skrú:tənàiz] *vt.* **1** 세밀히 조사하다, 철저히 검사하다 **2** 뚫어지게[자세히, 유심히] 보다: He ~*d* her face. 그는 그녀의 얼굴을 유심히 보았다.
— *vi.* 세밀히 조사하다, 음미하다
-nìz·ing·ly *ad.* 유심히, 꼼꼼히 ▷ scrútiny *n.*
***scru·ti·ny** [skrú:təni] 〔L 「주의깊게 찾다」의 뜻에서〕 *n.* (*pl.* **-nies**) **1** ⓊⒸ 정밀한 조사[검사], 파고 따짐; 뚫어지게[유심히] 보기[보이기] **2** (영) 투표 (재)검사 **3** 감시, 감독 **4** 뚫어지게 봄 **5** 〔그리스도교〕 (초기 교회에서) 시험 《신자가 세례 전에 보는 시험》
make a ~ into …을 자세히 조사하다
scry [skrái] *v.* (**scried**) *vi.* 수정(水晶)으로 점치다 (cf. CRYSTAL GAZING) — *vt.* =DESCRY
SCS Soil Conservation Service
SCSI [skʌ́zi] [small computer system interface] *n.* 〔컴퓨터〕 스커지(scuzzy) 《소형 컴퓨터용의 주변 기기 접속을 위한 인터페이스 규격》
sct. scout **sctd.** scattered
scu·ba [skjú:bə] [*s*elf-*c*ontained *u*nderwater *b*reathing *a*pparatus] *n.* 스쿠버 《잠수용 수중 호흡 장치》

scuba

scu·ba-dive [skjú:bədàiv] *vi.* 스쿠버 다이빙을 하다
scúba dìver 스쿠버 다이버
scúba dìving 스쿠버 다이빙 《스쿠버를 달고 잠수하는 스포츠》
scud[1] [skʌ́d] *vi.* (**~·ded**; **~·ding**) **1** 질주하다, 급히 달리다 **2** 〈구름이 바람에 몰려〉 질주하다; 스치고 지나가다; 〈화살이〉 과녁을 벗어나 높이 날다 **3** 〔항해〕 〈배가〉 (거의 돛을 올리지 않고) 강한 뒷바람을 받고 달리다
— *n.* **1** [a ~] 휙 달림[날아감] **2** 날아가는 구름, 비구름 **3 a** [종종 *pl.*] 소나기, 지나가는 비 **b** 돌풍
scud[2] *vt.* (**~·ded**; **~·ding**) 〈짐승 가죽의〉 남은 털[오물]을 제거하여 깨끗이 하다 — *n.* (제거된) 털, 오물
Scud [skʌ́d] *n.* 스커드 (미사일) 《구소련이 개발한 장거리 지대지 유도 미사일》(=~ **mìssile**)
scu·do [skú:dou] *n.* (*pl.* **-di** [-di:]) 스쿠도 《19세기까지의 이탈리아의 은화(단위)》
scuff [skʌ́f] *vi.* **1** 발을 질질 끌며 걷다(shuffle) **2** 〈구두·마루 등이〉 상하다, 닳다 **3** (한 발·두 발로) 문지르다 **4** (미) 발로 찌르다 — *vt.* **1** 〈발을〉 질질 끌다 **2** 〈물건을〉 (발로) 문지르다 **3** 〈구두·마루 등을〉 상하게 하다, 닳게 하다
— *n.* **1** 발을 질질 끌고 걷기[걷는 소리] **2** (질질 끌거나 닳아서 생기는) 손상, 자국 **3** [보통 *pl.*] 슬리퍼
scuff·er [skʌ́fər] *n.* (영·속어) [종종 *pl.*] 경찰관
scuf·fle [skʌ́fl] *vi.* **1** 드잡이하다, 격투하다, 난투하다 **2** 허둥지둥 달리다[돌아다니다] **3** 발을 질질 끌며 걷다(scuff) **4** (미·속어) 그럭저럭 먹고살다 **5** (미·속어) 〔재즈〕 춤추다 《*along*》
— *n.* **1** 드잡이, 난투 **2** 발을 질질 끄는 걸음
scúffle hòe =THRUST HOE
scuf·fler [skʌ́flər] *n.* 경운기(耕耘機)
scuf·fling [skʌ́fliŋ] *n.* Ⓤ 움직이는[바스락거리는] 소리
scug [skʌ́g] *n.* (영) 변변치 못한 학생, (뛰어난 점이 없어) 존재가 희미한 사람
scul·dug·gery [skʌldʌ́gəri] *n.* =SKULDUGGERY
scull [skʌ́l] *n.* **1** 스컬 《혼자서 양손에 하나씩 쥐고 젓는 노》 **2** 스컬 (보트) 《양쪽의 스컬로 젓는 가벼운 경주용 보트》(sculler) **3 a** [a ~] 스컬로 젓기 **b** [*pl.*] 스컬 보트의 경조(競漕) — *vt., vi.* 스컬로 젓다
scull·er [skʌ́lər] *n.* **1** (양쪽의) 스컬로 배를 젓는 사람 **2** =SCULL 2

---

thorough, exact, precise, punctilious, strict
scrutinize *v.* study, examine, inspect, survey, scan, look over, investigate, probe, analyze

scul·ler·y [skʌ́ləri] *n.* (*pl.* **-ler·ies**) (식기를 닦거나 넣어 두는) 방, 식기실
scul·ler·y-maid [skʌ́lərimèid] *n.* 식기 닦는 하녀, 부엌데기
scull·ing [skʌ́liŋ] *n.* Ⓤ 스컬 보트의 경조(競漕)
scul·lion [skʌ́ljən] *n.* **1** 《고어》 부엌일[허드렛일]하는 사람, 설거지꾼 **2** 비천한 사람
sculp [skʌ́lp] *vt., vi.* 《구어》 =SCULPTURE
sculp·fest [skʌ́lpfèst] *n.* 《미·구어》 조각전(展)
scul·pin [skʌ́lpin] *n.* (*pl.* **~, ~s**) **1** 〖어류〗 둑중개 무리의 바닷고기 《북미 대서양 해안산(産)》 **2** 《비유》 건달; 쓸모없는 짐승
sculp·ser·unt [skʌlpsíərʌnt] 〚L =they sculptured (it)〛 *v.* 〈그들이〉 이것을 새기다(cf. SCULPSIT)
sculp·sit [skʌ́lpsit] 〚L =he[she] sculptured (it)〛 *v.* 〈아무개가〉 조각하다, …이 이것을 새기다 《조각자 서명과 함께 쓰이는 3인칭 단수; 略 sc., sculps.》
sculpt [skʌ́lpt] *vt., vi.* 《구어》 조각하다(sculpture)
***sculp·tor** [skʌ́lptər] *n.* **1** 조각가, 조각사 **2** [the S~] 〖천문〗 조각실(室)자리
Scúlptor's Tóol [the ~] 〖천문〗 조각도(刀)자리
sculp·tress [skʌ́lptris] *n.* 여류 조각가
sculp·tur·al [skʌ́lptʃərəl] *a.* 조각의, 조각적인, 조각술의 **~·ly** *ad.*
‡**sculp·ture** [skʌ́lptʃər] 〚L 「새겨진 것」의 뜻에서〛 *n.* **1** Ⓤ 조각, 조각술: ancient ~ 고대 조각 **2** [집합적] 조각(물), 조상(彫像) **3** 〖동물·식물〗 (표면의) 무늬 **4** 〖지질〗 침식에 의한 지형의 변화
— *vt.* **1** 조각하다: 《~+목+전+명》 ~ a statue *in*[*out of*] stone 돌로 상(像)을 조각하다 **2** 조각물로 장식하다 **3** 〈비·바람이〉 침식하다(erode)
— *vi.* 조각을 하다 ▷ scúlpt *v.*; sculpturésque *a.*
sculp·tured [skʌ́lptʃərd] *a.* [보통 Ⓐ] **1** (나무·돌 등으로) 조각된, 깎아 만든 **2** 〈인체 등이〉 조각같이 잘 다듬어진: ~ cheekbones 조각 같은 광대뼈
sculp·tur·esque [skʌ̀lptʃərésk] *a.* 조각식의, 조각물과 같은; 당당한
scum [skʌ́m] *n.* **1** Ⓤ [또는 a ~] (액체 위에 뜨는) 찌끼, 더껑이, 거품 《*of*》 **2** Ⓤ [집합적] 《경멸》 인간 쓰레기[찌꺼기] 《*of*》 **3** 《미·속어》 더러운 놈 **4** 《비어》 정액 ***You filthy ~!*** 이 밥벌레 같은 놈아!
— *v.* (**~med**; **~·ming**) *vt.* **1** …에서 뜬 찌꺼기를 걷어내다 **2** …에 거품[더껑이]을 만들다
— *vi.* 거품이 일다, 더껑이가 생기다
scum·bag [skʌ́mbæ̀g] *n.* 《속어》 **1** 콘돔(condom) **2** 더러운 자식, 쓰레기 같은 놈
scum·ble [skʌ́mbl] *vt.* 〖회화〗 (불[반]투명 색을 엷게 칠하여) 색조를 부드럽게 하다; (가볍게 문질러) 〈목탄화 등의〉 선[색]을 부드럽게 하다
— *n.* 색조(tints)를 부드럽게 하기, 바림
scum·my [skʌ́mi] *a.* (**-mi·er**; **-mi·est**) **1** 더껑이가 생긴, 거품이 인 **2** 《구어》 〈사람 등이〉 비열한, 쓸모없는(worthless)
scunge [skʌ́ndʒ] 《호주·속어》 *vt.* 빌리다, 꾸다
— *n.* 시시한 녀석; 꾸기만 하는 놈
scun·gy [skʌ́ndʒi] *a.* (**-gi·er**; **-gi·est**) **1** 《호주·구어》 더러운; 불쌍한 **2** 《남아공·속어》 어두운
scun·ner [skʌ́nər] *n.* **1** 혐오, 증오 **2** 《스코》 혐오스러운 놈[것] ***take***[***have***] ***a ~ against***[***at***] …에 반감을 품다, …을 몹시 싫어하다
— *vi.* 《주로 스코》 몹시 혐오하다
scup [skʌ́p] *n.* (*pl.* **~, ~s**) 〖어류〗 도밋과(科)의 식용어 《북미 대서양 연안산(産)》
scup·per [skʌ́pər] *n.* [보통 *pl.*] **1** 〖항해〗 갑판의 배수구 **2** 《일반적으로》 물 빼는 구멍 **3** 《미·속어》 (거리에서 손님을 유혹하는) 매춘부 (***full***) ***to the ~s*** 《구어》 배가 잔뜩 불러, 만복이 되어 — *vt.* 《영》 **1** 기습하여 몰살하다 **2** 《영·구어》 망하게 하다
scup·per·nong [skʌ́pərnɔ̀:ŋ | -nɔ̀ŋ] *n.* 〖식물〗 포도의 한 품종 《미국 남부산(産) 머루(fox grape)의 재배종; 황록색으로 알이 큼》
scurf [skə́:rf] *n.* Ⓤ (머리의) 비듬(dandruff)
scúrf·y *a.* 비듬투성이의; 비듬 같은
scur·ril(e) [skə́:ril | skʌ́rail] *a.* 《고어》 =SCURRILOUS
scur·ril·i·ty [skəríləti] *n.* (*pl.* **-ties**) **1** Ⓤ 상스러움 **2** ⓊⒸ 입버릇이 더러움; 상스러운 말[비난]
scur·ri·lous [skə́:rələs | skʌ́-] *a.* 〈말씨 등이〉 야비한, 상스러운; 입버릇이 나쁜 **~·ly** *ad.* **~·ness** *n.*
***scur·ry** [skə́:ri | skʌ́ri] *vi.* (**-ried**) **1** 허둥지둥[총총걸음으로] 달리다, 잰 걸음으로 서두르다 **2** 〈눈·나뭇잎 등이〉 (바람에) 흩날리다
— *n.* (*pl.* **-ries**) **1** [*sing.*; 종종 the ~] (당황한) 총총걸음; 총총걸음으로 달림; 그 발소리 **2** 단거리 경마[경주] **3** 소나기, 별안간 퍼붓는 눈
scur·vy [skə́:rvi] *n.* Ⓤ 〖병리〗 괴혈병 《vitamin C의 결핍으로 인해 생기는 병》
— *a.* Ⓐ (**-vi·er**; **-vi·est**) 《구어》 치사한, 야비한, 천박한 **scur·vied** [skə́:rvid] *a.* 괴혈병에 걸린
scúr·vi·ly *ad.* **scúr·vi·ness** *n.*
scúrvy gràss 〖식물〗 양고추냉이속의 풀 《괴혈병에 효험 있다는 약초》
scut [skʌ́t] *n.* **1** (토끼·사슴 등의) 짧은 꼬리 **2** 《속어》 쓸모없는[치사한] 인간 **3** 《미·속어》 신인, 풋내기
scu·ta [skjú:tə] *n.* SCUTUM의 복수
scu·tage [skjú:tidʒ] *n.* Ⓤ 〖역사〗 (봉건 시대의) 병역 면제세
Scu·ta·ri [skú:təri] *n.* **1** 스쿠타리 《터키의 도시 위스퀴다르(Üsküdar)의 이탈리아 어명》 **2** 스쿠타리 《알바니아의 도시 슈코더(Shkodër)의 이탈리아 어명》
scu·tate [skjú:teit] *a.* **1** 〖동물〗 순판(楯板)이 있는, 갑(甲)이 있는 **2** 〖식물〗 둥근 방패 모양의
scutch [skʌ́tʃ] *vt.* 〈삼·솜 등을〉 쳐서 가리다, 두드리다 — *n.* **1** Ⓤ 삼 찌꺼기 **2** =SCUTCHER
scutch·eon [skʌ́tʃən] *n.* **1** =ESCUTCHEON 1 **2** 〖동물〗 =SCUTE **3** 열쇠 구멍 덮개 **4** 명찰, 문패
scutch·er [skʌ́tʃər] *n.* 타면기, 타마기
scute [skjú:t] *n.* 〖동물〗 (곤충 등의) 순판(楯板); 인갑(鱗甲), (거북의) 갑; 등딱지
scu·tel·late [skju:télət, skjú:təlèit] *a.* 〖동물〗 소순판(小楯板)[인편(鱗片)]이 있는; 〈새가〉 발에 비늘이 있는
scu·tel·lum [skju:téləm] *n.* (*pl.* **-la** [-lə]) **1** 〖동물〗 소순판(小楯板); (새 발의) 각질 인편(鱗片); (곤충의) 소린부(小鱗部) **2** 〖식물〗 배반(胚盤), 흡반
scút pùppy 《미·속어》 (병원의) 인턴(intern)
scut·ter [skʌ́tər] *vi.* 《영》 =SCURRY
***scut·tle**[1] [skʌ́tl] *n.* **1** 석탄 통(=coal ~) 《실내용》; 석탄 통에 가득한 양 **2** 《영·방언》 (곡물·채소를 담는) 큰 바구니 **3** 《미·속어》 흑인 (승객)
scuttle[2] *vi.* 바삐 가다, 황급히 달리다, 허둥지둥 달아나다 《*away, off*》 — *n.* [a ~] 바쁜 걸음; 허둥지둥 떠나기[흩어지기, 도망치기]
scuttle[3] *n.* **1** 작은 창 《갑판·뱃전의》, 작은 승강구; (배 밑의) 작은 구멍 **2** 승강구의 뚜껑 **3** (지붕 등의) 천창, 채광창 **4** 《영》 (자동차의) 스커틀 《보닛 바로 뒤의 보디》 — *vt.* **1** 〈배를〉 해수판(海水瓣)을 열고[구멍을 뚫어] 가라앉히다 **2** 〈계획 등을〉 폐기하다, 중지하다
scut·tle·butt [skʌ́tlbʌ̀t] *n.* **1** 〖항해〗 (갑판 위의) 음료수 통 **2** Ⓤ 《미·구어》 소문(rumor)
scu·tum [skjú:təm] *n.* (*pl.* **-ta** [-tə]) **1** =SCUTE **2** 〖해부〗 방패꼴의 뼈조각, 갑상 연골(甲狀軟骨); 슬개골(膝蓋骨) **3** (고대 로마의) 직사각형[반원기둥 꼴]의 방패 **4** [**S~**] 〖천문〗 방패자리
scut·work [skʌ́twə̀:rk] *n.* (하급 직원의) 지루한[시시한] 일[업무], 일상적 업무(=**scút wòrk**)
scuzz [skʌ́z] *n.* 《속어》 더러운[싫은] 사람[것]; (10대 사이에서) 매력없는 여자
scuzz-food [skʌ́zfù:d] *n.* 《미·속어》 정크 푸드 《포테이토칩·팝콘·시리얼 등》
scuzz·y[1] [skʌ́zi] *a.* (**-zi·er**; **-zi·est**) 《미·속어》 더러운, 때묻은, 싫은, 못 쓰게 된

scuz·zy[2] [skʌ́zi] *n.* 《미·구어》 = SCSI

Scyl·la [sílə] *n.* **1** 〖그리스·로마신화〗 스킬라 《큰 바위에 사는 머리가 여섯, 발이 열두 개인 여자 괴물》 **2** 스킬라 바위 《Sicily 섬 앞바다의 소용돌이 Charybdis와 마주 대하는 이탈리아 해안의 큰 바위》
between ~ and Charybdis 《문어》 앞뒤가 가로막혀, 진퇴 양난이 되어

***scythe** [sáið] *n.* (자루가 긴) 큰 낫 《풀·곡물 베는 낫》(cf. SICKLE)
— *vt.* 큰 낫으로 베다

scythe

Scyth·i·a [síθiə | síð-] *n.* 스키타이 《흑해 북부의 옛 지방》

Scyth·i·an [síθiən | síði-] *a.* 스키타이(Scythia)의
— *n.* 스키타이 사람; Ⓤ 스키타이 말

SD 《미》 〖우편〗 South Dakota **sd.** sewed; sound **s.d.** several dates; *sine die* 《L =without day》 무기(無期) **S.D.** *Scientiae Doctor* 《L =Doctor of Science》; standard deviation 〖통계〗 표준 편차 **S/D** sight draft 〖상업〗 일람불환 어음 **S.Dak.** South Dakota

SD càrd [ésdi-] [*s*ecure *d*igital *card*] SD카드 《PDA나 휴대전화 등 소형 디지털 기기의 저장 장치로 사용되는 플래시 메모리 카드; cf. SDHC CARD》

'sdeath [zdéθ] [God'*s death*] *int.* 《고어》 제기랄, 염병할, 빌어먹을 《노여움·놀람·결심 등을 나타내는 소리》

S.D.F. Social Democratic Federation

SDHC càrd [ésdi:eitʃsí-] [*s*ecure *d*igital *h*igh *c*apacity *card*] SDHC카드 《SD카드보다 저장 용량이 큰 메모리 카드의 일종》

SDI selective dissemination of information 정보 선택 제공; Strategic Defense Initiative 《미》 전략 방위 구상 **SDLP** 《영》 Social and Democratic Labour Party **S.D.P.** Social Democratic Party (독일의) 사회민주당 **SDR** Special Drawing Rights (국제 통화 기금(IMF)의) 특별 인출권 **SDS** Students for Democratic Society 민주 사회를 위한 학생 연합 《미국의 과격 학생 단체》

se- [si, sə, se] 《연결형》 「떨어져서(apart); …없이(without)」의 뜻: *se*duce, *se*lect

Se 〖화학〗 selenium **SE** standard English; Stock Exchange; systems engineering 시스템 공학 **s.e., SE, S.E.** southeast; southeastern

‡**sea** [sí:] *n.* **1** [보통 the ~; 《시어·문어》에서는 또한 *pl.*] 바다, 해양, 대해, 대양(opp. *land*) **2** [보통 the S~] 《일반적으로》 (육지·섬으로 둘린) 바다; …해 《동해·지중해 등》: on[in] *the* Baltic *S*~ 발트 해에서/*the* Red *S*~ 홍해/*the* South *S*~ 남해 **3** (내륙의 큰) 호수; 함수호(鹹水湖) **4** ⓊⒸ [종종 *pl.*] (날씨·바람과 관련시켜 말하는 어떤 상태의) 바다, 물결, 파도: a broken ~ 큰 물결이 사납게 치는 파도/a heavy ~ 큰 물결, 놀/a long ~ 굽이치는 큰 파도/a rough ~ 험한 바다, 격랑(激浪)/short ~*s* 불규칙하게 치는 잔 파도 **5** [a ~ of ..., ~s of ...로] 《비유》 (바다처럼) 많음, 다량(의), 다수(의); 망망하게 넓음, 광막(廣漠): *a* ~ *of* flame 불바다 **6** [the ~] 선원 생활 **7** 〖천문〗 = MARE[2] **8** (주로 영) 해변, 바닷가
across the ~(s) 해외에, 외국에 ***all at ~*** 망망대해에; (막막하여) 어쩔 줄 모르고 ***at ~*** (1) (육지가 보이지 않는) 해상에[에서]; 항해 중에 (2) = all at SEA ***beyond***[***across, over***] ***the ~(s)*** 《문어》 바다 저편에; 해외로[의], 외국에서 ***by ~*** 해로(海路)로, 바다로; 배편으로 〈여행하다 등〉 ***by the ~*** 해변에 ***command of the ~*** 제해권 ***far away in the ~*** 바닷길로, 뱃길로; 배편으로 ***follow the ~*** 뱃사람이 되다 ***go*** (***down***) ***to the ~*** 바닷가에 가다 ***go to ~*** 선원이 되다; 출항하다 ***half ~s over*** 바다를 반쯤 가로질러[건너]; 목적지까지 반쯤 와서, 반쯤 끝내고; 《구어》 얼큰히 취하여 ***keep the ~*** 제해권을 확보하다; 〈배가〉 계속 항해하다; 육지를 떠나[앞바다에] 있다 ***on the ~*** 바다 위에 (떠서), 배에 타고; 〈집 등이〉 바다에 임해서 ***put*** (***out***) ***to ~*** 출범하다; 육지를 떠나다 ***ship a ~*** 〈보트·배·사람 등이〉 파도를 뒤집어쓰다 ***sound the ~*** 바다 깊이를 재다 ***stand***[***go***] ***out to ~*** (해안에서) 앞바다로 나가다 ***take the ~*** 승선하다; 출범하다; 진수(進水)하다 ***the four ~s*** (섬나라를 둘러싼) 사방의 바다: within *the four ~s* 사해(四海) 안에; 영국 내에 ***when the ~ gives up its dead*** 〖성서〗 바다가 죽은 자들을 내어줄 때; 부활의 날에 《수장할 때 하는 말》 ***wish*** a person ***at the bottom of the ~*** …가 바다에 빠져 죽기를 원하다; …을 저주하다
— *a.* Ⓐ **1** 바다의, 바다 특유의, 바다에 관련된: a ~ chart 해도(海圖) **2** 해양의; 해상의 **3** 배[선원]의 **4** 해군의: ~ forces 해군 (부대)

séa áir 바다[해변]의 공기

séa ànchor 해묘(海錨) 《이물에서 투하하여 배의 표류를 막고 뱃머리가 맞바람을 받게 하는, 돛베로 만든 원뿔형의 저항물》

séa anèmone 〖동물〗 말미잘(seaflower)

sea·bag [sí:bæ̀g] *n.* 세일러 백 《수병[선원]의 사물(私物) 자루》

séa bànk 해안; 방파제

sea-based [-béist] *a.* 해상에 기지를 둔; 해상 기지 발진(發進)의: ~ missiles 해상 기지 발진 미사일

séa bàss 〖어류〗 **1** 농엇과(科)에 속하는 물고기의 총칭 **2** 1과 비슷한 식용어의 총칭

séa bàthing 해수욕

sea·beach [-bì:tʃ] *n.* 해변, 바닷가

séa bèan 바닷가에 밀려오는 각종 콩·종자 《장식품이 됨》

séa bèar 〖동물〗 흰곰, 북극곰; 물개

sea·bed [-bèd] *n.* [the ~] 해저(海底)

Sea·bee [sí:bì:] [*C*onstruction *B*attalion] *n.* **1** 〖미해군〗 해군 건설대원; [the ~s] 해군 건설대 **2** [s~] 시비선(船) 《짐을 바지(barge)째 싣고 수송하는 대형 화물선》

séa bèlls 〖식물〗 갯메꽃

sea·bird [-bə̀:rd] *n.* 바다새, 해조(海鳥) 《갈매기·바다쇠오리 등》

séa bìscuit 선원용 건빵(hardtack)

séa blìte [-blàit] 〖식물〗 갯솔나물 《명아줏과(科)》

séa blùbber 〖동물〗 해파리(jellyfish)

sea·board [-bɔ̀:rd] *n.* 해안선; 해안 지대, 연안 (지방): the eastern ~ 동해안
— *a.* Ⓐ 바다에 임한; 해안의

séa bòat **1** 외항선(外航船) 《연안선(沿岸船)·강배와 대조하여》: a good[bad] ~ 파도에 견디어내는[못 견디는] 배 **2** 비상용 보트, 구명 보트

sea·boot [-bù:t] *n.* (어부·선원의) 긴 방수 장화

sea·borg·i·um [si:bɔ́:rgiəm] *n.* Ⓤ 시보기엄 《원자의 충돌시 발생하는 방사성 원소; 기호 Sg》

sea-born [-bɔ̀:rn] *a.* 바다에서 난[생긴]: the ~ city = VENICE 《속칭》/the ~ goddess = APHRODITE[VENUS]

sea·borne [-bɔ̀:rn] *a.* **1** 배로 운반된, 해상 운수(運輸)의; 바다를 건너서 오는(cf. AIRBORNE): ~ articles 수입품/~ goods 해운 화물/~ trade 해상 무역 **2** 〈배가〉 표류하는; 해상의(afloat)

sea-bow [-bòu] [*sea* rain*bow*] *n.* 바다의 물보라로 생기는 무지개

séa brèach 바닷물에 의한 제방 붕괴

séa brèad = SHIP BISCUIT

séa brèam 〖어류〗 감성돔과(科)의 식용어

séa brèeze 바닷바람, 해풍, 해연풍(海軟風)(opp. *land breeze*)

séa càbbage = SEA KALE

séa càlf 〖동물〗 점박이바다표범(harbor seal)

séa canàry 〖동물〗 흰돌고래

séa càptain 1 (상선의) 선장; 함장; 해군 대령 2 《시어·문어》 대(大)항해자, 대제독(大提督)
séa càt 〖동물〗 바다표범, 물개
séa chànge 1 《고어》 바다의 작용에 의한 변화, 조수로 인한 변형 2 현저한 변화[변모]: undergo a ~ 면목을 일신하다
séa chèst 〖항해〗 1 (선원의) 사물함(私物函) 2 해수 상자 《흘수선 아래 선체 내부의 바닷물 출입 설비》
séa chèstnut 〖동물〗 성게(sea urchin)
sea-cloth [-klɔ̀ːθ | -klɔ̀θ] *n.* (무대 배경의) 파도용 막
séa còal 1 가루 모양의 역청탄(瀝青炭) 2 《고어》 석탄 《목탄(charcoal)과 구별하여》
***sea·coast** [síːkòust] *n.* 해안, 해변, 연안
sea·cock [-kɑ̀k | -kɔ̀k] *n.* 〖항해〗 (증기 기관의) 해수 콕, 선저판(船底瓣) 《해수의 선내 취수용》
séa còok 배의 요리사
sea·cop·ter [-kɑ̀ptər | -kɔ̀p-] [*sea*+heli*copter*] *n.* 수륙양용 헬리콥터, 수상 헬리콥터
séa còw 〖동물〗 해우(海牛); 바다코끼리
séa cràyfish[cràwfish] = SPINY LOBSTER
séa cròw 〖조류〗 붉은부리갈매기; 가마우지
séa cùcumber 〖동물〗 해삼
sea·cul·ture [-kʌ̀ltʃər] *n.* Ⓤ 바다 양식, 해산물 양식
séa dèvil 〖어류〗 아귀; 매가오리
séa dòg 1 《문어·익살》 노련한 뱃사람 2 〖동물〗 점박이바다표범(harbor seal) 3 = DOGFISH 4 해적
sea·drome [-dròum] *n.* 수상기 기지; 긴급 해상 이착륙장, 수상 부유(浮遊) 공항
séa dùck 〖조류〗 바다오리 《검은머리흰죽지·검둥오리·흰뺨오리 등》
séa dùty 〖미해군〗 해외 근무[임무]
séa èagle 〖조류〗 흰죽지참수리, 흰꼬리수리
sea-ear [-ìər] *n.* 〖패류〗 전복(abalone)
séa èlephant 〖동물〗 코끼리바다표범(elephant seal)
séa fàn 〖동물〗 (강장동물인) 산호충의 일종, (특히 Florida나 서인도 제도산) 부채꼴 산호
sea·far·er [-fɛ̀ərər] *n.* 뱃사람; 항해자
sea·far·ing [-fɛ̀əriŋ] *a.* Ⓐ 1 항해의, 해로 여행의 2 (직업으로) 배를 타는, 바다에서 사는: a ~ man 선원, 뱃사람 —*n.* Ⓤ 항해; 선원 생활
séa fàrming 양식(養殖) 어업, 바다 양식
séa fight (전함끼리의) 해전(海戰)
séa fire 바다 생물의 발광(發光)
séa fish (민물고기와 구별하여) 바닷물고기
sea·floor [-flɔ̀ːr] *n.* 해저(seabed)
sea·flow·er [-flàuər] *n.* 〖동물〗 말미잘
sea-foam [-fòum] *n.* 1 바다의 거품 2 Ⓤ 〖광물〗 해포석(海泡石) 《고급 파이프의 재료》
séa fòg 해무(海霧), 바다 안개 《바다에서 육지로 밀려오는》
sea·food [-fùːd] *n.* 1 ⓊⒸ 해산 식품 《어류·조개류》, 어패류 요리, 생선 요리 2 《미·속어》 위스키 《특히 암흑가에서》 —*a.* Ⓐ 해산물 요리의: a ~ restaurant 해산물 요리 전문 식당
sea·fowl [-fàul] *n.* (*pl.* ~, ~s) = SEABIRD
séa fòx 〖어류〗 환도상어
séa frèt = SEA FOG
séa frònt (도시의) 해안 거리, 임해 지구; (건물의) 바다를 향한 쪽
séa gàte 1 바다로 통하는 항행용 수로 2 해문(海門), 파도막이 문
séa gàuge 〖항해〗 1 (배의) 흘수(吃水) 2 (수압에 의한) 자기 해심계(自記海深計)
sea·girt [-gə̀ːrt] *a.* 《시어》 〈섬 등이〉 바다에 둘러싸인
sea-god [-gɑ̀d | -gɔ̀d] *n.* (*fem.* **-dess** [-is]) 바다의 신, 해신(海神)(cf. NEPTUNE)
sea·go·ing [-gòuiŋ] *a.* Ⓐ 1 〈배가〉 원양 항해의[에 알맞은] 2 〈사람이〉 항해를 업으로 삼는: a ~ fisherman 원양 어업자 —*n.* 해양 여행
séa-grant còllege [-grǽnt- | -grɑ́ːnt-] 《미》 (국립) 고등 해양 연구소
séa gràpe 1 〖식물〗 모자반; 가시솔나물 2 [*pl.*] 오징어 알
séa gràss 〖식물〗 거머리말
séa gréen 해록색(海綠色) 《푸르스름한 녹색 또는 노르스름한 녹색》
sea-green [-gríːn] *a.* 해록색의
séa gùll 1 〖조류〗 갈매기, 《특히》 바다갈매기 2 《미·속어》 (통조림[냉장]한) 치킨 3 《미·속어》 (함대가 입항하기를 기다리는) 아내, 애인
séa hàre 〖동물〗 군소 《연체 동물》
sea-haul [-hɔːl] *n.* 해상 수송
séa hèdgehog 〖동물〗 = SEA URCHIN; 〖어류〗 = GLOBEFISH
séa hòg 〖동물〗 돌고래(porpoise)
séa hòlly 〖식물〗 1 미나릿과(科) 에린기움속(屬)의 다년초 《예전의 최음제(催淫劑)》 2 아칸터스속(屬)
séa hòrse 1 〖어류〗 해마(海馬) 2 〖신화〗 해마 《sea-god의 수레를 끄는 마두어미(馬頭魚尾)의 괴불》 2 〖동물〗 해마(walrus)
séa ìce 해빙
séa-is·land cótton [-àilənd-] 〖식물〗 해도면(海島綿) 《미국 Sea Islands에서 재배되던 면화; 현재는 서인도 제도산(産)》
sea·jack [-dʒæ̀k] *n.* 선박의 납치
—*vt.* 〈배를〉 해상에서 납치하다
séa kàle 〖식물〗 갯배추 《유라시아 해안산(産); 다육질의 어린 잎은 식용》
sea-kind·ly [-kàindli] *a.* 거친 바다를 잘 항행하는
séa kìng (고대 스칸디나비아의) 해적왕
‡**seal**[1] [síːl] [L 「작은 인장」의 뜻에서] *n.* 1 인장(印章); 도장, 인감; 문장(紋章) 2 인인(認印), 실인(實印), 옥새(玉璽): the privy ~ 《영》 옥새 3 (확증·보증·확인·약조의) 표; (…의) 보증, 확인 4 봉인(封印), 봉함, 봉 5 a 봉랍(封蠟), 봉연(封鉛) b 봉인지, 봉함지 6 사람의 입을 봉하는 것, 비밀 엄수의 약속 7 예언적인 징후(徵候), …상(相): the ~ of death[genius] on one's face 죽음[천재의] 상 8 (보증의) 증표, 표지: the ~ of love 사랑의 증표 《키스·결혼·출산 등》 9 [보통 the ~s] 《영》 대법관[국무 대신]의 관직 10 〖가톨릭〗 (사제의) 고백의 비밀(= ~ **of conféssion**) 11 (하수도의) 방취판(防臭瓣) 《철관[연관]을 S자형으로 굽혀 놓고 물이 괴게 한》 12 (사회 사업단 등이 발행하는) 실 《봉투·소포 등에 붙이는》: a Christmas ~ 크리스마스 실 ***affix a ~ to*** …에 도장을 찍다 ***break*** [***take off***] ***the ~*** 개봉하다 ***Lord Keeper of the Great*** [***Privy***] ***S~*** 국새상서(國璽尙書) ***receive*** [***return***] ***the ~s*** 《영》 국무 대신에 취임하다[을 사직하다] ***~ of approval*** 승인 ***set*** [***put***] ***the ~ on*** (1) …을 승인[보증]하다 (2) 《구어》 원만하게 결말을 짓다, 공식적으로 끝내다 ***the Great S~*** 국새 ***under*** [***with***] ***a flying ~*** 봉하지 않고 ***under ~*** 조인되어; 압인(押印) 증명되어 ***under ~ of silence*** 비밀[침묵]을 지킨다는 조건으로 a bond ***under*** one**'s** ***hand and ~*** 서명 날인한 (증서)
—*vt.* 1 〈증서·문서 등에〉 도장을 찍다, 날인[조인]하다; (품질 등을 증명하여) …에 검인을 찍다 2 (날인하여) 〈서면 등을〉 주다, 하사하다, 양여하다(grant): (~+목+전+명) He has ~*ed* his will *to* his son. 그는 날인을 하여 유서를 아들에게 주었다. 3 〈…에〉 봉인을 하다; 〈편지를〉 봉하다; 밀폐하다 《공기·가스 등으로부터》; 〈틈을〉 막다, 메우다; 봉해 넣다: (~+목+부) ~ *up* a letter 편지를 봉하다 / ~ (*up*) a crack 갈라진 틈을 막다[메우다] 4 a 〈눈·입술을〉 꼭 닫다, 감다, 봉하다: His lips are ~*ed*. 그는 입막음을 당하고 있다. b 〈입구·건물·지역 등을〉 봉쇄하다, 출입 금지로 만들다 《*off*》 5 a 굳게 하다; 확실하게 하다 《*with*》; 증명하다, 보증[확인]하다(certify): (~+목+전+명) We ~*ed* the promise *with* a handshake. 우리는 악수를 하여 그 약속을 굳게 했다. b 《구어》 〈운명 등을〉

정하다, 지정하다 **6** 〖영국해군〗 수납하다; 〈무기·군복 등을〉 공인[채택]하다 **7** 〖가톨릭〗 성호를 긋다; 세례를 주다; 견진성사(堅振聖事)를 베풀다 **8** 〖모르몬교〗 〈부부·친자 등의〉 영원한 결연을 맺다 **9** 〖전기〗 〈플러그 등을〉 끼우다 **10** 〈하수관 등을〉 방취판으로 방취하다 **~ *in*** 가두다 **~ *off*** 밀봉하다; 출입을 금하다; 포위하다

‡**seal**[2] [síːl] *n.* (*pl.* **~s,** [집합적] **~**) **1** 〖동물〗 바다표범; 물개(=fur ~) **2** 바다표범[물개]의 가죽(sealskin); 그 모피 **3** Ⓤ 암갈색(=~ brown) ***eared ~*** 강치 ***the common*** [***true***] **~** 바다표범
— *vi.* 바다표범[물개] 잡이를 하다: go *~ing* 바다표범[물개] 잡이를 가다 **~·lìke** *a.*

SEAL [síːl] 〖미해군〗 sea, air, land (team) 특수 부대

Sea·lab [síːlæ̀b] *n.* (미해군의) 해양 연구용 해저(海底) 거주 실험실

séa làdder (뱃전의) 사다리

sea-lane [síːlèin] *n.* 해로, 항로, 해상 교통 수송로, 통상 항로

seal·ant [síːlənt] *n.* **1** 밀폐[봉함]제(劑) **2** 방수제

séa làvender 〖식물〗 (불꽃)갯질경이

séa làwyer 1 (구어) 〖항해〗 불평·잔소리 잘하는 선원 **2** (속어) 귀찮은 녀석

séal brówn 짙은 갈색, 암갈색

seal-eas·y [síːlíːzi] *a.* 간단히 봉할 수 있는: ~ envelopes 간단히 봉할 수 있는 봉투

séa lèather 상어[돌고래 등]의 가죽

sealed [síːld] *a.* **1** Ⓐ 봉인을 한 **2** (호주) 〈도로가〉 포장된 **3** (미·구어) 해결[처리]된

sealed-beam [síːldbíːm] *a.* 필라멘트·반사경·렌즈를 한 초점에 맞춰 밀봉한 《헤드라이트 등》

séaled bóok [「봉인되어 내용을 알 수 없는 책」의 뜻에서] 신비한[수수께끼 같은] 것

séaled órders (지정된 때까지 발표되지 않는) 봉함 명령

séaled páttern 〖영국군〗 (군용 장비의) 표준형

séa lègs (구어) **1** 흔들리는 배의 갑판 위를 비틀거리지 않고 걷는 걸음걸이 **2** 배에 익숙해짐
find [***gain, get, have***] ***one's ~*** (***on***) 배에 익숙해지다, 갑판 위를 비틀거리지 않고 걷다 ***get one's ~ off*** 육상 보행에 익숙해지다

séa lèopard 〖동물〗 (남극해산(産)) 바다표범

seal·er[1] [síːlər] [seal[1]에서] *n.* 날인자; 검인자; (미) 도량형 검사관; 초벌칠용의 도료

sealer[2] [seal[2]에서] *n.* 바다표범[물개]잡이 사람[배]

seal·er·y [síːləri] *n.* (*pl.* **-er·ies**) 물개[바다표범] 집결지[어장]; Ⓤ 물개[바다표범] 어업

séa lètter 1 (전시의) 중립국 선박 증명서 **2** 입항선에 발행된 하물·승무원 등을 기록한 증서

séa lèttuce 〖식물〗 파래 《식용 해조》

séa lèvel 1 해수면, 평균 해면 **2** 〖천문〗 평균 해면 《지구 이외의 행성 표면 지형의 평균 고도》
above [***below***] **~** 해발[해면하]…: 1,000 meters *above* ~ 해발 1,000미터

séal fìshery 바다표범잡이; 그 어장

sea·lift [síːlìft] *n., vt.* 해상 수송(하다)

séa lìly 〖동물〗 갯나리, 바다나리(crinoid)

séa lìne 수평선; 해안선; 측심사(測深絲)

seal·ing [síːliŋ] [seal[2]에서] *n.* Ⓤ 물개잡이, 바다표범잡이

séaling wàx 봉랍(封蠟)

séa lìon 〖동물〗 강치

sea lion

séal lìmb(s) 〖병리〗 해표지증(海豹肢症)(phocomelia)

séa lòch (스코) (바다의) 후미, 협만(狹灣), 피오르드

Séa Lòrd (영) (해군 무관 출신의) 해군 본부 위원

séal pòint 〖동물〗 크림색에 암갈색 반점이 있는 샴고양이

séal rìng 인장을 새긴 반지

séal ròokery 물개[바다표범] 번식지

seal·skin [síːlskìn] *n.* **1** Ⓤ 물개[바다표범]의 모피 **2** 물개[바다표범] 모피로 만든 여자용 외투
— *a.* 물개 모피로 만든

Séa·ly·ham térrier [síːlihæ̀m- | -liəm-] 실리엄 테리어 《Wales 원산의 다리가 짧고 머리가 크고 흰털이 난 사냥개; 단순히 Sealyham이라고도 함》

‡**seam** [síːm] *n.* **1 a** 솔기, 꿰맨 줄: the *~s* of trousers 바지의 솔기: The ~ at the back of her skirt has split. 그녀의 스커트 뒷부분의 솔기가 틀어졌다. **b** 솔기의 바늘땀[실땀] **2** (배의 널빤지 등의) 붙인 곳, 접합된 곳 **3** 상처 자국, 흉터 **4** 〖편물〗 뜨개질코 **5** 〖지질〗 두 지층의 경계선, 얇은 광층 **6** 〖해부〗 봉합선(縫合線); (얼굴 등의) 주름살 **7** 균열, 갈라진 금
burst at the ~s (구어) 〈장소 등이〉 터져 나갈 듯이 가득 차다, 만원이다 ***come*** [***break, fall***] ***apart at the ~s*** 솔기가 터지다; (구어) 〈계획·회사·사람이〉 (여러 곳에서 파탄을 초래하여) 결딴나다, 거덜나다 ***split one's ~s*** (미·구어) 포복절도하다
— *vt.* **1** 〈두 천 등을〉 꿰매다, 이어 붙이다, 철하다: (~+목+부) ~ *up* a dress 옷을 꿰매어 잇다 **2** …에 상처 자국[금]을 내다; 주름살을 짓다, 흔적을 남기다 (⇨ seamed) **3** (미) 〖편물〗 안뜨기로 뜨다
— *vi.* 터지다, 갈라지다; 주름살지다 **~·lìke** *a.*
▷ séamy, séamless *a.*

sea-maid(·en) [síːmèid(n)] *n.* 인어(人魚)(mermaid); 바다의 요정[여신]

séa màil 배편 우편(물)

‡**sea·man** [síːmən] *n.* (*pl.* **-men** [-mən, -mèn]) **1** 선원, 뱃사람(cf. LANDSMAN) **2** 항해자: a good [poor] ~ 배의 조종을 잘[서투르게] 하는 사람 **3** 〖해군〗 수병(bluejacket)
▷ séamanly, séamanlike *a.*

séaman appréntice (미) (해군의) 1등병

sea·man·like [síːmənlàik], **-man·ly** [-mənli] *a.* 뱃사람 같은[다운]; 선박 조종을 잘하는

séaman recrúit (미) (해군의) 2등병

sea·man·ship [síːmənʃìp] *n.* Ⓤ 선박 조종술

sea·mark [síːmɑ̀ːrk] *n.* **1** 항해 목표, 항로 표지(cf. LANDMARK); 위험 표지 **2** 만조선(滿潮線)

séa màt 〖동물〗 이끼벌레의 일종

seamed [síːmd] *a.* **1** 주름살 진 《*with*》: a deeply ~ face 깊은 주름살이 진 얼굴 / His face was ~ *with* care. 그의 얼굴은 근심 걱정으로 주름살이 져 있었다. **2** Ⓟ 상처 자국이 있는: a face ~ *with* scars 상처 자국이 있는 얼굴

séa mèw 〖조류〗 갈매기(gull)

séa mìle 해리(海里)(nautical mile)

séa mìne 기뢰(機雷)

seam·ing [síːmiŋ] *n.* **1** 솔기[이음매] 만들기; 장식적인 솔기 **2** (금실·은실을 짜 넣은 장식용) 솔기용 레이스(=~ làce)

séa mìst 바다 안개

seam·less [síːmlis] *a.* **1** 〈스타킹 등이〉 솔기[이음매]가 없는 **2** (질이) 고른, 한결같은
~·ly *ad.* **~·ness** *n.*

séa mònster 바다의 괴물; 〖어류〗 은상어

séa mòss 1 〖식물〗 이끼 모양의 해초 《홍조류》 **2** 〖동물〗 이끼벌레

sea·mount [síːmàunt] *n.* 해산(海山) 《심해저(深海底)에서 1,000 m 이상 높이의 바다 속의 산》

séa mòuse 〖동물〗 바다쥐 《환형 동물》

séam prèsser 1 솔기용 다리미 **2** 가래질 뒤에 땅을 고르는 농구

seam·ster [síːmstər | sém-] *n.* 재봉사, 《특히》 재단사(tailor)

seam·stress [síːmstris | sém-] *n.* 침모, 여자 재봉사

séa mùd 바다 진흙 《비료용》

séa mùle 예선(曳船) 《디젤 엔진 가동의 강철로 만든 상자 모양의 배》

seam·y [síːmi] *a.* (**seam·i·er**; **-i·est**) **1** 기분이 나쁜, 혐오스러운; 이면의 **2** 솔기가 있는[나온] **3** 상처 자국[주름]이 있는 ***the ~ side*** 옷의 안 ***the ~ side of life*** 인생의 이면, 사회의 암흑면
séam·i·ness *n.*

Sean·ad Eir·eann [sǽnɑːd-ɛ́ərən | ʃǽnəd-] [Ir. =Senate of Ireland] [the ~] (아일랜드 공화국의) 상원

sé·ance [séiɑːns] [F 「앉음」의 뜻에서] *n.* 집회, 회; 《특히》 강신술(降神術)의 모임

séa nèedle 〖어류〗 꽁치아재비

séa nèttle 〖동물〗 쏘는 대형 해파리(jellyfish)

séa nỳmph 바다의 요정(妖精)

séa òtter 〖동물〗 해달

sea-ox [síːɑ̀ks | -ɔ̀ks] *n.* 〖동물〗 =WALRUS

séa pàlm 포스텔시아 《야자와 닮은 태평양 연안의 대형 갈조(褐藻)》

séa pàrrot 〖조류〗 =PUFFIN

séa pàss =SEA LETTER 1

séa pày 해상 근무 수당

séa pèn 〖동물〗 바다조름속(屬)

séa pìe **1** 소금에 절인 고기 파이 《선원용》 **2** 《영》 〖조류〗 =OYSTERBIRD

sea·piece [-pìːs] *n.* 바다의 그림, 해경화(海景畫)

séa pìg 〖동물〗 돌고래; 듀공(dugong)

séa pìnk 〖식물〗 아르메리아 《갯질경잇과(科)의 해안에 나는 초본》

sea·plane [-plèin] *n.* 수상기, 수상 비행기, 비행정 (cf. FLYING BOAT): a ~ tender[carrier] 수상기 모함(母艦)

sea·plant [-plæ̀nt] *n.* 해초

‡**sea·port** [síːpɔ̀ːrt] *n.* **항구**, 해항(海港); 항구 도시

séa pòwer 해군력(naval strength), 제해권; 해군국

séa pùrse 〖어류〗 상어[가오리]의 알주머니

SEAQ Stock Exchange Automated Quotation System 런던 증권 거래소의 시세 자동 표시 시스템

sea·quake [-kwèik] *n.* 해진(海震)

sear [síər] *vt.* **1** (표면을) 태우다, 그슬리다; 〈상처 등을〉 소작(燒灼)하다; 〈…에게〉 화상을 입히다: a *~ed* hand 화상입은 손 **2** 무감각하게 하다: a *~ed* conscience 마비된 양심 **3** 〈별·바람이〉 시들게 하다, 바싹 말리다(parch): *~ed* leaves 시든 잎 **—***vi.* 〈초목이〉 시들다, 말라 죽다
—*a.* 《문어》 시든, 생기 없는, 마른 ***the ~ and yellow leaf*** 노랗게 시든 잎, 인생의 황혼
—*n.* 시든 상태; 그슬림, 그슬린[탄] 자국

‡**search** [sə́ːrtʃ] [L 「한 바퀴 돌다」→「돌며 찾다」의 뜻에서] *vt.* **1** 찾다, 수색[탐색]하다, 〈장소·사람을〉 수색하여 찾다 《*for*》; 〈책 등을〉 자세히 조사하다: ~ a ship 배를 임검하다 / ~ a book 책을 자세히 조사[검토]하다 / ~ a house 가택 수색하다 // 《~+목+전+명》 ~ one's pockets *for* money 돈이 있나 보려고 호주머니를 뒤지다 **2** (숨긴 것을 찾으려고) 〈남을〉 몸수색하다, 〈…의 소지품을〉 수색하다: 《~+목+전+명》 ~ a person *for* smuggled goods[weapons] 밀수품[무기]이 있나 몸[소지품]수색하다 **3** 〈얼굴 등을〉 유심히 보다: ~ a person's nose …의 코를 유심히 보다 // 《~+목+전+명》 ~ a ship *with* a telescope 망원경으로 배를 유심히 살피다 **4** (외과 기구 등으로) 〈상처를〉 살피다(probe); 〈사람의 마음·감정 등을〉 살피다: ~ a wound 상처를 살피다 / ~ one's conscience (가책받을 일이 없나) 자기의 양심에 물어보다 **5** 〈기억을〉 더듬다: ~ one's memory 자기 기억을 더듬다 **6** 〈바람·추위 등이〉 속속들이 스며들다(penetrate); 〈광선이〉 속을 비추다, …에 비쳐들다 **7** (조사·탐색에 의해) 발견하다; 폭로하다 《*out*》: ~ *out* all the facts 모든 사실을 폭로하다 ***S~ me.*** = ***You can ~ me.*** 《구어》 (나는) 모르겠다, 알 게 뭐야.
—*vi.* 찾다, 구하다, 탐구[추구]하다 《*for, after*》; 파고들다, 조사하다(investigate) 《*into*》: 《~+전+명》 ~ *after* health and happiness 건강과 행복을 추구하다 / ~ *for* stolen goods 장물[도난품]을 찾다 / ~ *into* an accident 사고를 조사하다
—*n.* UC **1** 수색, 추구 《*for*》 **2** 조사, 음미 《*after, for, of*》 **3** (빛·바람·추위 등의) 침투력[범위]
in ~ of = ***in the***[***a***] ***~ for*** …을 찾아서, …을 구해서 ***make a ~*** 수색하다 《*for*》 ***the right of ~*** 수색권 《공해상에서 교전국이 중립국 선박에 대해 행하는》 **~·a·ble** *a.* 찾을 수 있는, 조사할 수 있는

search-and-de·stroy [sə́ːrtʃəndistrɔ́i] *a.* (게릴라에 대한) 수색 섬멸하는, 토벌[소탕] 작전의

séarch èngine 〖컴퓨터〗 검색 엔진

search·er [sə́ːrtʃər] *n.* **1** 수색자; 조사자; 검사자, 세관[선박] 검사관; 죄수 신체 검사관 **2** 포강(砲腔) 검사기 **3** 〖의학〗 탐침(探針) 《방광 결석 등을 찾는》
the ~ of hearts 〖성서〗 인간의 마음을 감찰하시는 이, 하느님 《로마서 8 : 27》

***search·ing** [sə́ːrtʃiŋ] *n.* U 수색, 탐색; 검사, 검토
—*a.* **1** 〈눈매·관찰 등이〉 **날카로운**; 수색하는: a ~ question 날카로운 질문 **2** **엄중한**, 면밀한; 철저한: a ~ investigation 철저한 조사 **3** 〈추위 등이〉 몸에 스며드는: a ~ cold[wind] 모진 추위[바람]
~·ly *ad.* 엄하게; 신랄하게 **~·ness** *n.*

search·less [sə́ːrtʃlis] *a.* 수색할 수 없는; 포착하기 어려운, 헤아릴 수 없는

search·light [sə́ːrtʃlàit] *n.* 탐조등, 탐해등(探海燈), 서치라이트; 탐조등의 빛: play a ~ on …을 탐조등으로 비추다

séarch pàrty 수색대

séarch sèrvice 서치 서비스 《절판본 등 구하기 어려운 책을 찾아주는 서비스업》

séarch wàrrant (가택) 수색 영장

séa rèach (바다로 통하는 강물의) 직선 수로

sear·ing [síəriŋ] *a.* 타는 듯한; 《구어》 (성적으로) 흥분시키는 **~·ly** *ad.*

sear·ing-i·ron [síəriŋàiərn] *n.* 인두

séa rìsks 〖보험〗 해난(海難)

séa ròad 《미》 물길, 해로(海路), 항로; (항구 밖의) 정박지(roadstead)

séa ròbber 해적(pirate)

séa ròbin 〖어류〗 성대(gurnard)

séa ròom 〖항해〗 선박 조종 여지; 충분한 활동 여지

séa ròute 해로

séa ròver 해적(pirate); 해적선

Sears, Roe·buck & Co. [síərzróubʌk-] 시어스 로벅 《미국의 대통신 판매 회사; 본사 Chicago》

Séars Tówer 시어스 타워 《미국 Chicago 소재의 고층 건물; 높이 443m, 110층》

séa sàlt 바다 소금(cf. ROCK SALT)

Sea·sat [síːsæ̀t] [*sea*+*sat*ellite] *n.* 시샛 《해양의 자료를 수집하는 미국의 자원 탐사 위성》

sea·scape [síːskèip] *n.* 바다 경치; 바다의 그림, 해경화(海景畫)(cf. LANDSCAPE)

séa scòrpion =SCORPIONFISH

séa scòut [종종 **S- S-**] 해양 소년 단원

séa sèrpent **1** 큰바다뱀 《공상적인 괴물》: the (great) ~ 용(龍) **2** 〖천문〗 [the S- S-] 바다뱀자리(Hydra) **3** 〖동물〗 바다뱀(sea snake)

séa shànty 《영》 =CHANTEY

sea·shell [-ʃèl] *n.* 바다 조개[조가비]

‡**sea·shore** [síːʃɔ̀ːr] *n.* **해변**, 해안, 바닷가; 〖법〗 해안 《고조선(高潮線)과 저조선의 중간 지역》
—*a.* A 해안[해변]의, 바닷가의 〈집·마을〉

***sea·sick** [síːsìk] *a.* **뱃멀미가 난**, 뱃멀미의: get ~ 뱃멀미하다 **~·ness** *n.*

‡**sea·side** [síːsàid] *n.* [the ~] **해안**, 해변, 바닷가(seashore); (도시의) 해안쪽 ★ 특히 《영》에서는 피서지 등으로서의 해안 지대. ***go to the ~*** (해수욕·피

thesaurus **search** *v.* go through, look through, scour, ransack, examine, explore, investigate, inspect, survey, study, pry into

서 하러) 해안으로 가다
—*a.* Ⓐ 해안[해변]의, 바닷가의
séaside resórt 해안 피서지, 해수욕장
séa slùg 〚동물〛 =HOLOTHURIAN; 나새류(裸鰓類)의 동물
séa snàke 〚동물〛 바다뱀; =SEA SERPENT 1
séa snìpe 〚조류〛 바닷가의 작은 도요새, 《특히》 지느러미발도요새
‡**sea·son** [síːzn] *n.*, *v.*

L 「씨를 뿌리다[뿌리는 시기]」의 뜻에서 「철·계절」 명 **1, 2 a** →「시절」 명 **2 a** →(과일·해산물 등의 제철)→(맛들게 하다)→「…에 양념하다」 타 **1**

—*n.* **1** 철, 계절: the (four) ~*s* 사철 **2 a** 시절, 계절, 절기: the rainy ~ 장마철/a closed[an open] ~ 금렵[수렵]기 **b** 한창때, 제철, 한물; 유행기(期), 활동기: the blooming ~ 개화기/the ~ of harvest 수확기/the theater ~ 연극 시즌 **c** (운동 경기 등의) 시즌: the baseball ~ 야구 시즌/Autumn is the best ~ to make a trip[~ for traveling]. 가을은 여행하기에 제일 좋은 계절이다. **3** Ⓤ 좋은 기회, 좋은 시기 **4** (영·구어) =SEASON TICKET **5** (문어) 연령, …세(歲): a boy of 8 ~*s* 8세 소년 **6** (고어) 조미료, 양념(seasoning)
at all ~s 사철을 통하여 어느 때나, 일년 내내 ***for a ~*** (문어) 잠시 동안 ***in due ~*** 때가 오면; 적절한 때에 ***in good ~*** (문어) 때마침; 넉넉히 시간에 대어, 일찌감치 ***in ~*** 〈과실·어류 등이〉 한창[한물, 제철] 때에, 한철로서; 사냥철로서; 때를 만난: a word (of advice) *in* ~ 시기적절한 충고 ***in*** (~) ***and out of ~*** (때를 가리지 않고) 언제든지, 끊임없이 ***out of ~*** 철이 지나, 한물 지나; 금렵기에; 시기를 잃어 ***S~'s Greetings!*** 메리 크리스마스! ***the holiday ~*** 휴가 시즌 《크리스마스·부활제·Whitsunday·8월 등》 ***the*** (***London***) ***~*** (초여름의) 런던 사교기 ***the off***[***dead, silly***] ***~*** (영) 운동 경기·연극 등이 없는 7·8월 시절; 여름의 침체기
—*vt.* **1** 〈음식에〉 맛을 내다, 맛들이다, 양념하다(spice): (~+목+전+명) ~ a dish *with* salt 소금으로 요리의 간을 맞추다 **2** …에 흥미[정취]를 돋우다 《*with*》: (~+목+전+명) ~ conversation *with* humor[wit] 유머[재치]로 대화에 흥을 돋우다 **3** 〈술을〉 익히다, 숙성시키다(mature) **4** 〈재목을〉 건조시키다, 말리다: ~ timber 재목을 건조시키다 **5** 길들이다, 적응시키다, 익숙하게 하다; 연마[단련]시키다: a writer ~*ed* by experience 경험이 풍부한 작가 // (~+목+전+명) ~ oneself *to* cold[fatigue] 추위[피로]에 익숙해지다 **6** (문어) 완화하다, 누그러뜨리다, 부드럽게 하다(soften)
—*vi.* 맛이 들다, 익다; 길들다; 〈재목 등이〉 건조해지다, 마르다 ▷ séasonal, séasonless *a.*
sea·son·a·ble [síːzənəbl] *a.* **1** 계절의, 철[때]에 맞는; 순조로운: ~ weather 순조로운[계절다운] 날씨 **2** 때를 만난, 시기적절한, 호기(好期)의(timely), 〈선물 등이〉 적절한(appropriate): ~ advice 시기적절한 충고 **~·ness** *n.* **-bly** *ad.* 시기적절하게
∗**sea·son·al** [síːzənl] *a.* 계절의, 계절적인; 주기적인, 정기적인: a ~ wind 계절풍/~ goods 계절 상품/a ~ laborer 계절 노동자/~ rates 계절 요금 **~·ly** *ad.*
séasonal afféctive disórder 〚정신의학〛 계절성 정서 장애 《겨울철이 되면 반복되는 울병》
sea·son·al·i·ty [sìːznǽləti] *n.* Ⓤ 계절적 특성, 계절성: a high degree of climatic ~ 계절적 특성인 고온 기후
séasonal variátion 〚생물〛 계절적 변이, 계절형

seasoning *n.* flavoring, pickle, sauce, relish, spice
seat *n.* chair, bench, stool —*v.* place, position, put, situate, deposit, hold, take, accommodate

séason créep 계절 변형《지구 온난화로 계절의 변화가 달라지는 현상》
sea·soned [síːznd] *a.* **1** 양념한: ~ dishes 양념한 요리 **2** 〈나무 등이〉 잘 마른: well-~ timber 잘 마른 재목 **3** Ⓐ 〈사람·동물이〉 길든, 경험이 많은, 노련한: a ~ actor 베테랑 배우
sea·son·er [síːznər] *n.* 양념하는 사람; 조미료, 양념
∗**sea·son·ing** [síːzəniŋ] *n.* Ⓤ **1** 조미, 양념함; 간을 맞춤; Ⓒ 양념, 조미료 **2** 흥취를 돋우는 것, 흥취 **3** (재목 등의) 말림 **4** 익힘, 길들임; 단련; (새로운 풍토에의) 순화(馴化)
sea·son·less [síːznlis] *a.* 사계절(의 구별)이 없는
séason tícket (영) 정기(승차)권((미) commutation ticket); 정기 입장권
séa squìrt 〚동물〛 우렁쉥이, 멍게(ascidian)
séa stàr =STARFISH
séa stàte 바다의 상황; 해황(海況)
séa stòres 항해 전에 준비하는 필요 물품
sea·strand [síːstrǽnd] *n.* 해안
séa swàllow 〚조류〛 제비갈매기; (영·방언) 바다제비
‡**seat** [síːt] *n.* **1** 좌석, 자리; 걸상, 의자 《chair, bench, sofa 등》: have[(영) take] a ~ 앉다, 착석하다/use a box for a ~ 상자를 걸상으로 쓰다 **2** (극장·열차 등의) 좌석, 예약석, 지정석: reserve a ~ on a plane 비행기의 좌석을 예약하다/a window ~ 창가 자리 **3** (의자의) 앉는 부분; (기계 등의) 대(臺), 대좌: the toilet ~ 변좌(便座) **4** (신체·의복의) 엉덩이, 둔부(臀部): the ~ of one's trousers 양복 바지의 엉덩이 부분 **5** (말·자전거 등의) 앉음새, 탄 자세: have a good ~ on a horse 말 탄 자세가 좋다 **6** 위치, (활동의) 소재지, 중심지; (병의) 근원 《*of*》: the ~ *of* disease 병소(病巢)/the ~ *of* war 전장/The stomach is the ~ *of* digestion. 위는 소화를 하는 곳이다. **7** 의석, 의원권, 의원[위원 《등》]의 지위: have a ~ in Parliament 국회의원이다/a ~ on the bench 재판관의 자리 **8** 토지, 영지(領地); 시골의 저택, 별장
by the ~ of one***'s pants*** (구어) 경험에 의해, (경험에서 얻은) 육감으로(cf. SEAT-OF-THE-PANTS) ***keep*** one***'s ~*** 좌석에 앉은 채로 있다: Please *keep your ~s*! 그냥 앉아 계세요, 일어서지 마세요! ***lose*** one***'s ~*** 〈의원이〉 낙선하다 ***take a***[***the***] ***back ~*** 뒷좌석에 앉다; (속어) 눈에 띄지 않다 ***take*** one***'s ~*** (지정된) 좌석에 앉다 ***take*** one***'s ~ in the House of Commons*** (영) 하원의원이 당선 후 처음으로 등원하다 ***win a***[one***'s***] ***~*** 의석을 얻다, 당선하다
—*vt.* **1** 착석시키다, 앉히다: (~+목+전+명) ~ a person *in* a sofa …을 소파에 앉히다/Please ~ yourself *in* a chair. 의자에 앉으십시오. **2** 〈기계·부품을〉 고정시키다, 설치[장치]하다 《*in, on*》 **3** [보통 ~ one*self* 또는 수동형으로] (비유) 자리잡다, 뿌리를 박다, 이주하다, 살다, 거주하다: (~+목+전+명) a family long ~*ed in* Paris 파리에 오래 산 가족/They ~*ed themselves along* the shore. 그들은 해안에 자리를 잡고 살았다. **4** 자리에 안내하다 **5** …만큼의 좌석을 가지다; …에 자리를 만들다, 수용하다: This hall ~*s*[is ~*ed* for] 2,000. 이 강당은 2,000명을 수용할 수 있다[2,000명의 좌석이 있다]. **6** 〈권위 있는 지위에〉 취임시키다; …으로 선출하다, 의석을 얻게 하다 **7** 〈의자의〉 앉는 부분을 만들어 달다[갈다]; 〈바지의〉 엉덩이에 천을 대다[갈다]
—*vi.* 딱 끼워지다, 〈뚜껑 등이〉 딱 맞다
be ~ed 앉다, 앉아 있다: Please *be ~ed*, ladies and gentlemen. 여러분, 앉아 주십시오 ***~ a candidate*** 후보자를 당선시키다 ***~*** one***self*** 앉다(⇨ *vt.* 1); (어떤 곳에) 정착하다, 안주하다(⇨ *vt.* 3)
~·less *a.*
séa tàngle 〚식물〛 다시마 《다시마속(屬)의 해조》
séat bèlt (자동차·비행기 등의) 좌석 벨트, 안전 벨트(safety belt): fasten[unfasten] one's ~ 안전 벨트를 매다[풀다]

séat èarth 〖지질〗 하반(下盤) 점토《석탄층의 아래층》
seat·ed [síːtid] *a.* [보통 복합어를 이루어] **1** 앉는 부분이 …한, 걸상이 …한; 엉덩이가 …한: double-~ trousers 엉덩이 부분이 2중으로 된 바지 **2** 뿌리가 …한: a deep-~ disease 고질(병)
seat·er [síːtər] *n.* [보통 복합어를 이루어] (자동차·비행기의) …인승(乘): a two-~ 2인승 차[비행기《등》]
séa tèrm 해사(海事)[항해] 용어
seat·ing [síːtiŋ] *n.* Ⓤ **1** 착석 **2** [집합적] 좌석(의 설비); 수용(력); 좌석 배열: a ~ capacity 좌석 수, 수용 능력 **3** 의자의 씌우개[속]의 재료 **4** 승마의 자세[앉음새] **—** *a.* 의자[좌석]의; 착석자의
seat·mate [síːtmèit] *n.* 옆에 앉은[옆자리의] 사람《탈것 등의》
séat mìle 〖항공〗 좌석 마일《유료 여객 1명 1마일의 수송 단위》
SEATO, Sea·to [síːtou] [*S*outh*e*ast *A*sia *T*reaty *O*rganization] *n.* 동남 아시아 조약 기구《1977년 폐지; cf. NATO》
seat-of-the-pants [síːtəvðəpǽnts] *a.* (구어) **1** 육감과 경험에 의한, 빈사적인: a ~ management style 직감적인 경영 방식 **2** 계기(計器)에 의존하지 않는
sea·train [síːtrèin] *n.* 열차 수송선; (육·해군의) 해상 호송 수송 함대, 해상 수송 선단
séa trìals (새로 만든 배의) 시험 운항
séa tròut 〖어류〗 송어, 바다송어
séat rùnner 〖자동차〗 앞좌석을 앞뒤로 움직이게 하는 레일
Se·at·tle [siǽtl] *n.* 시애틀《미국 Washington주 서부, Puget Sound에 면한 항구 도시》
séa tùrtle 〖동물〗 바다거북
seat·work [síːtwə̀ːrk] *n.* Ⓤ (미) (학교의 자기 자리에서 하는) 자습《읽기·쓰기 등》
séa ùrchin [모양이 고슴도치(urchin) 비슷한 데서] 〖동물〗 성게(sea chestnut); 성게의 살《식용》
sea·wall [síːwɔ̀ːl] *n.* 방파제(sea bank)
***sea·ward** [síːwərd] *a.* **1** 바다를 향한, 바다쪽의: a ~ course 바다쪽 길 **2** 〈바람 등이〉 바다에서 오는: a ~ wind 바닷바람, 해풍
— *n.* [the ~] 바다쪽
— *ad.* = SEAWARDS
sea·wards [síːwərdz] *ad.* 바다쪽으로, 바다를 향하여
sea·ware [síːwɛ̀ər] *n.* Ⓤ (바닷가에 밀려온 큰) 해초, 해조《비료용》
sea·wa·ter [-wɔ̀ːtər] *n.* Ⓤ 해수, 바닷물
sea·way [-wèi] *n.* ⓊⒸ **1** 해로(海路), 항로 **2** 외해(外海), 공해(open sea) **3** 항속(航速), 항행: make ~ 항해하다 **4** 거친 바다, 격랑: in a ~ 풍랑에 시달리어 **5** (외항선이 다닐 수 있는) 깊은 내륙 수로, 운하
***sea·weed** [síːwìːd] *n.* ⓊⒸ 해초, 해조(海藻); (미·속어) 시금치
sea·wife [-wàif] *n.* 〖어류〗 놀래깃과(科)의 바닷물고기(wrasse)
séa wìnd = SEA BREEZE
séa wòlf **1** 〖어류〗 크고 식욕이 왕성한 바닷물고기《늑대고기(wolffish)·농어 등》 **2** 해적; 잠수함
sea·wor·thy [-wə̀ːrði] *a.* 항해에 적합한[견딜 수 있는] **-thi·ness** *n.*
séa wràck (특히 큰 종류의) 해초[해조] 무더기
se·ba·ceous [sibéiʃəs] *a.* 〖생리〗 피지(皮脂) 모양[성]의, 지방 과다의(fatty); 지방을 분비하는: a ~ gland 피지선(皮脂腺)
Se·bas·tian [sibǽstʃən] *n.* 남자 이름
SEbE Southeast by East 남동미동(南東微東)
seb·or·rhe·a, -rhoe·a [sèbəríːə] *n.* 〖의학〗 지루(증)(脂漏症) **-rhé·al, -rhé·ic, -rhóe·ic** *a.*
SEbS Southeast by South 남동미남(南東微南)
se·bum [síːbəm] *n.* Ⓤ 〖생리〗 피지(皮脂)
sec[1] [sék] [*second*[2]] *n.* (구어) 순간, 잠깐
sec[2] [*sec*retary] *n.* (속어) 비서
sec [sék] [F] *a.* 〈포도주가〉 쌉쌀한 (맛이 나는)
sec 〖수학〗 secant **SEC, S.E.C.** Securities and Exchange Commission (미국) 증권 거래 위원회; Supreme Economic Council (구소련) 최고 경제 회의 **sec.** secant; second(s); secondary; secretary; section(s); sector; secundum **Sec.** Secretary
SECAM [síːkæm] *n.* 세캄《프랑스가 개발한 컬러 TV의 방식》
se·cant [síːkænt, -kənt | -kənt] 〖수학〗 *a.* 끊는, 나누는, 교차하는: a ~ line 할선(割線)
— *n.* 시컨트, 정할(正割), 할선《略 sec》
sec·a·teurs [sékətər, -tə̀ːr | sékətəz, sèkətə́ːz] [F] *n. pl.* [단수·복수 취급] (영) 전지(剪枝) 가위: a pair of ~ 전지 가위 한 자루
sec·co [sékou] [It.] *n.* (*pl.* **~s**) ⓊⒸ 세코, 건식(乾式) 프레스코 화법(= **frésco ~**)
— *a., ad.* 〖음악〗 〈음표나 악절이〉 짧게 끊겨서 연주되는[되어]
Sec·co·tine [sékətiːn] *n.* 세코틴《대용 아교; 상표명》
se·cede [sisíːd] *vi.* (문어) (정당·교회 등에서) 탈퇴[분리]하다 (*from*): ~ *from* the union 조합을 탈퇴하다
se·ced·er [sisíːdər] *n.* **1** 탈퇴자, 분리자 **2** [**S~**] (스코) 분리교회의 신도
se·cern [sisə́ːrn] *vt.* **1** 식별하다, 변별하다 **2** 〖생리〗 분비하다(secrete) **~·ment** *n.*
se·cern·ent [sisə́ːrnənt] 〖생리〗 *a.* 분비(성)의
— *n.* 분비 기관, 분비 기능; 분비 촉진제
se·ces·sion [siséʃən] *n.* ⓊⒸ **1** (정당·교회로부터의) 탈퇴, 분리 **2** Ⓤ [종종 **S~**] (1860-61년 미국 남부 11주의) 연방 탈퇴《이로써 남북 전쟁(Civil War)이 일어났음》 **3** [보통 **S~**] (미) 분리파 ***the War of S~*** 〖미국사〗 남북 전쟁 **~·al** *a.* **~·ìsm** *n.* Ⓤ 분리론; 〖건축·공예〗 시세션 운동, 분리파
Secéssion Chúrch [the ~] 분리 교회《1733년 스코틀랜드 국교로부터 분리한 장로교회》
se·ces·sion·ist [siséʃənist] *n.* **1** 분리[탈퇴]론자 **2** [종종 **S~**] 〖미국사〗 (남북 전쟁시의) 분리[탈퇴]론자 **3** [종종 **S~**] 〖미술〗 분리파 예술가
— *a.* 분리[탈퇴](론자)의, 탈당의
Seck·el [sékəl, sík-] [미국의 품종 개량가 이름에서] *n.* 〖식물〗 세컬배《작고 수분이 많은 적갈색 배》
sec. leg. *secundum legem*
***se·clude** [siklúːd] *vt.* **1** 〈사람을〉 …에서 떼어놓다(separate), 차단[격리]하다 (*from*): (~+목+전+명) ~ a person *from* his companions …을 그의 동료들에게서 떼어놓다 **2** [~ one*self* 로] …에서 은둔하다 (*from*); …에 틀어박히다 (*in*)(⇨ secluded 2): (~+목+전+명) ~ *oneself from* society 사회에서 은둔하다
▷ seclúsion *n.*; seclúsive *a.*
se·clud·ed [siklúːdid] *a.* **1** 〈장소가〉 외진 (곳에 있는), 호젓한: a ~ mountain cottage 외딴 곳에 있는 산장 **2** 〈사람·생활이〉 격리된, 차단된; 은둔한 (*from*); (방에) 틀어박힌 (*in*): a ~ life 은둔 생활 / He remains ~ *in* his room. 그는 방에 틀어박혀 있다. **~·ly** *ad.* **~·ness** *n.*
***se·clu·sion** [siklúːʒən] *n.* Ⓤ **1** 격리; 틀어박힘: a policy of ~ 쇄국 정책 **2** 은둔; 한거(閑居), 은퇴: live in ~ 은둔 생활을 하다 / (the) need for ~ 은둔 욕구 **~·ist** *n.* ▷ seclúde *v.*; seclúsive *a.*
se·clu·sive [siklúːsiv] *a.* 은둔적인, 틀어박히기를 좋아하는 **~·ly** *ad.* **~·ness** *n.*
sec·o·bar·bi·tal [sèkoubɑ́ːrbətɔ̀ːl, -tæ̀l | -tl] *n.* 〖약학〗 세코바르비탈《진정·수면제》
Sec·o·nal [sékənɔ̀ːl, -næ̀l | -næ̀l] *n.* 세코날《secobarbital의 상표명》

thesaurus **seclusion** *n.* privacy, solitude, retreat, retirement, withdrawal, isolation, hiding
secondary *a.* **1** 부차적인 lesser, subordinate,

‡sec·ond[1] [sékənd] [L 「뒤따르다」의 뜻에서] *a.* **1** 제2의, 둘째 (번)의; 2등의, 2위의, 차석의, 2류의; 열등한(inferior) ((*to*)): the ~ chapter 제2장 / for the ~ time 두 번째로, 다시 / a ~ cabin 2등 선실 / goods of ~ quality 2류 상품 **2** [a ~] 또 하나의(another), 다른, 부가의, 보조의, 부(副)의; 대신의; 제2의: Habit is (*a*) ~ nature. 습관은 제2의 천성이다. / a ~ Daniel 제2의 다니엘 ((명재판관)) **3** 〚문법〛 2인칭의[을 나타내는] **4** 〚음악〛 제2의, 부차적인; 〈소리·목소리가〉 낮은, 저음부의: the ~ violin 제2 바이올린 / ~ alto 낮은 알토 **5** 〚자동차〛 제2단의, 세컨드(기어)의
a ~ chance (제대로 할 수 있는) 다시 한 번의 기회 ***at ~ hand*** ⇨ second hand[1]. ***come in*** [***finish***] ~ (경주에서) 2등이 되다 ***every ~ day*** 이틀마다, 하루 걸러 ***in the ~ place*** 둘째로, 다음으로 ~ ***only to A*** A 다음으로, A에 버금가는 ***~ to none*** ((구어)) 어느 것[누구]에도 뒤지지 않는
— *ad.* 제2로, 둘째(번으)로, 다음으로; 2등으로: come ~ 둘째가 되다, 둘째로 오다, 차위가 되다 / travel ~ 2등으로 여행하다
— *n.* **1** [보통 the ~] (서수의) 제2; 제2위, 2등, 2번 **2** (두 개로 나누어진 것의) 한쪽; 2분의 1 **3** 지원자, 후원자; (결투 등의) 입회자, 보조자; (권투의) 세컨드; (의회의) 재청자 **4** Ⓤ 〚자동차〛 제2단, 세컨드(기어): in ~ 제2단으로 **5** (달의) 2일, 초이튿(날): the ~ of June 6월 2일 **6** 제2타자(打者); 제2세, 제2대(代); 2등 차 **7** (지위·시험·경쟁 등에서) 제2류[등, 위]의 사람[것, 명예 ((등))] **8** [*pl.*] 더 청해서 먹는 음식; 두 번째로 나오는 요리: "The lemonade was delicious." — "How about ~*s*?" 레모네이드가 맛있었어요. — 한 잔 더 드실래요? **9** 〚음악〛 2도, 2도 음정 **10** [*pl.*] 〚상업〛 2등품, ((특히)) 2등품 밀가루(의 빵) **11** [보통 무관사로] 〚야구〛 2루
a good [***poor***] ~ 1등과 큰 차가 없는[있는] 2등 ***the ~ in command*** 부사령관
— *vt.* **1** 후원하다, 지지하다, 보충하다; 〈동의(動議)·결의(決議)에〉 재청하다, 찬성하다: ~ a proposal 제안에 찬성하다 **2** (결투에서) …의 입회인이 되다, (권투에서) …의 세컨드를 보다
▷ sécondary *a.*; sécondly *ad.*

‡sec·ond[2] [sékənd] [L 시간의 첫째 단위인 「분」(minute)에 대하여 '둘째'(second) 단위란 뜻에서] *n.* **1** 초, 1초시(秒時) ((기호 s; 略 sec)) **2** 순간, 잠깐(moment): Wait a ~. 잠깐 기다려 주시오. **3** 〚수학〛 초 ((각도의 단위; 기호 ″)) ***in a ~*** 금세, 순식간에 ***not for a*** [***one***] ~ 조금도 …않다(never)

sec·ond[3] [sikɑ́nd | -kɔ́nd] [F =second position] *vt.* ((영)) 〈장교·공무원 등을〉 (일시적으로) 배치 변경하다, 전속시키다 ((*for, to*))

Sécond Ádvent [the ~] 그리스도의 재림

Sécond Ádventist 그리스도 재림론자

Sécond Améndment ((미)) 헌법 수정 제2조 ((1791년 권리 장전의 일부로 비준, 주(州)의 민병 유지 권리를 보장함))

sec·ond·ar·i·ly [sékəndèrəli, sèkəndέər- | sékəndər-] *ad.* 제2위로, 종(속)적으로; 제2로, 두번째로; 보좌로서

‡sec·ond·ar·y [sékəndèri | -dəri] *a.* Ⓐ **1** 제2위의, 제2류의(cf. PRIMARY 1): of ~ importance 둘째로 중요한 **2** 부(副)의, 종(從)의, 부차적인, 파생적인; 종속적인, 보조의; 별로 중요하지 않은: many ~ effects of air pollution 대기 오염에 관한 많은 부수적인 영향 **3** 중등 교육[학교]의(cf. PRIMARY 4): ~ education 중등 교육 ***be ~ to*** …에 버금가다, …보다 2차적이다
— *n.* (*pl.* **-ar·ies**) **1** 제2차적인 것 **2** 대리자, 보좌 **3** 〚전기〛 2차 회로 **4** 〚조류〛 작은 칼깃(=~ feather); 〚곤충〛 (나비 무리의) 뒷날개 **5** 〚언어〛 =SECONDARY ACCENT **6** 〚문법〛 2차어(구), 형용사구 **7** 〚천문〛 반성(伴星); 위성(satellite) **8** 〚미식축구〛 (수비팀의 후방에 있는) 제2수비진
▷ sécondàrily *ad.*

minor, subsidiary (opp. *primary, prime, main*) **2** 파생적인 derived, indirect, resulting, resultant **3** 보조의 second, backup, relief, auxiliary, extra

sécondary áccent 제2 악센트

sécondary báttery 2차 전지

sécondary cáche 〚컴퓨터〛 2차 캐시 ((캐시 메모리와 메인 메모리 사이에 둔 메모리))

sécondary cátaract 속발성(續發性) 백내장

sécondary céll 2차 전지

sécondary cóil 〚전기〛 2차 코일

sécondary cólor 등화색(等和色) ((2원색을 등분 혼합한 색))

sécondary consúmer 〚생태〛 (초식 동물을 먹고 사는) 2차 소비자 ((여우·매 등))

sécondary dáta 〚마케팅〛 2차 자료 ((이미 다른 목적을 위해 수집된 자료))

sécondary derívative 〚문법〛 2차 파생어

sécondary distribútion 〚증권〛 제2차 분매(分賣) ((이미 발행한 증권을 2차로 팔기))

sécondary eléctron 〚물리〛 2차 전자

sécondary emíssion 〚물리〛 2차 전자 방출

sécondary féather 〚조류〛 작은 칼깃

sécondary gròup 〚사회〛 제2차 집단 ((학교·조합·정당 등 의식적으로 조직된 집단))

sécondary índustry 제2차 산업

sécondary módern (영국의) 중등 현대 학교 ((그래머 스쿨로 진학하지 않는 11-16세 사이의 학생 교육 기관))

sécondary módern schòol ((영)) 신(新) 중등학교 ((2차 대전 후에 설치한 실무 교육을 중시하는 학교))

sécondary óffering =SECONDARY DISTRIBUTION

sécondary pícketing ((영)) 2차적 피켓 시위 ((파업에 참가하지 않는 노동자들이 파업 중인 회사에 자재 반입을 막는 시위 형태))

sécondary plánet 위성

sécondary próduct 부산물

sécondary ráinbow (쌍무지개의) 바깥쪽 무지개

sécondary recóvery (석유·천연가스의) 2차 채수(採收) ((인공 가압 등에 의한))

sécondary róad 2급 도로

***sécondary schòol** 중등학교

sécondary séx characterìstic [**chàracter**] 〚의학〛 제2차 성징(性徵)

sécondary sòurce 2차 자료 ((저자가 스스로 수집하지 않은 정보))(cf. PRIMARY SOURCE)

sécondary stórage 〚컴퓨터〛 보조 기억 장치

sécondary stréss **1** 〚공학〛 2차 응력 **2** 〚언어〛 = SECONDARY ACCENT

sécondary téchnical schòol ((영)) 중등 실업학교 ((농·공·상의 산업 기술 교육을 중시함; cf. SECONDARY MODERN SCHOOL))

sécondary wáll 〚식물〛 (세포막의) 2차막

sécondary wàve (지진의) 제2파, S파

sécondary wórd 〚언어〛 제2차적 파생어

sécond bállot 결선[제2회] 투표

sécond banána ((미·속어)) (코미디쇼 등에서의) 조연자(cf. TOP BANANA); ((일반적으로)) 2인자; 비굴한 사람

sécond báse 〚야구〛 2루; 2루의 위치[수비]

sécond báseman 〚야구〛 2루수

sécond bést 차선책, 차선의 사람[사물]

sec·ond-best [sékəndbést] *a.* 차선(次善)의, 제2위의: the ~ solution 차선의 해결책
— *ad.* 2위로 (떨어져) ***come off ~*** 차위(次位)로 떨어지다, 지다

sécond bírth 재생

Sécond Chámber (양원제 의회의) 상원

sécond chíldhood [「제2의 유년기」의 뜻에서] [one's ~, a ~] 노쇠, 노망(dotage)

sécond chóp 《속어》 2급품, 하등품
sécond cláss **1** 《제》 2급; 2류; 《탈것의》 2등 **2** 〖우편〗 제2종 ★ 《미·캐나다》에서는 신문·잡지 등의 정기 간행물; 《영》에서는 보통 우편. **3** 《영》 《대학 졸업 시험의》 차석 우등 졸업
sec·ond-class [-klǽs | -klɑ́ːs] *a.* **1** 2등[급, 류]의: a ~ passenger[ticket] 《영》 2등객[표] **2** 제2종 《우편물》의: ~ matter 《미》 제2종 우편물 《정기 간행물》 **3** 2류의; 열등한(inferior) **—** *ad.* 2등으로; 2등객으로; 제2종으로: travel[go] ~ 2등으로 여행하다
sécond-class cítizen 2등 시민, 사회적 약자
Sécond Cóming [the ~] = SECOND ADVENT
sécond cóusin 재종 형제[자매]
sécond cóver [the ~] 《잡지의》 표2 《표지 뒷면》
sécond déath 〖신학〗 제2의 죽음, 영원한 죽음 《사후의 재판으로 지옥에 떨어지기》
sec·ond-de·gree [-digríː] *a.* Ⓐ 〈특히 죄상·화상이〉 제2급의, 제2도의: ~ murder 제2급 모살 / ~ burn 〖의학〗 제2도 열상(熱傷) 《수포성 화상》
sécond divísion **1** 《영》 하급 공무원 **2** 〖스포츠〗 B급, 하위 팀
se·conde [sikɑ́nd | -kɔ́nd] *n.* 〖펜싱〗 제2의 자세 《방어의 자세; cf. PRIME[1] *n.* 5》
Sécond Émpire [the ~] **1** 〖프랑스사〗 제2 제정(帝政) 《제2 공화정 후 Louis Napoleon (Napoleon III)에 의해 수립된 제정(1852-70); 그 후 제3 공화정이 됨》 **2** [형용사적] 제2 제정 양식의
sec·ond·er [sékəndər] *n.* 후원자, 《특히 동의(動議)의》 재청자(cf. PROPOSER)
sécond estáte 《옛 신분제 사회의》 제2 신분, 귀족
sécond fíddle **1** 제2 바이올린 《연주자》 **2** 단역(端役), 보좌(역) **3** 차선의 것[사람], 하위의 사람
play **~** 남의 그늘에서 일하다, 보조역을 맡아 하다 《*to*》
sécond flóor [the ~] 《미》 2층; 《영》 3층
관련 second floor 3층 이상 있는 경우의 2층을 말하며, 2층집의 2층은 보통 upstairs 헛간·마구간의 2층은 loft라고 한다.
sécond géar 《자동차의》 제2단 변속기
sec·ond-gen·er·a·tion [sékən*d*dʒènəréiʃən] *a.* **1** 〈사람 등이〉 2세의 **2** 〈기계 등이〉 제2세대의: the ~ computer 제2세대 컴퓨터
sécond grówth 《미》 《처녀림 벌채 후에 자연 발생하는》 2차림(林)
sec·ond-guess [-gés] *vt.* 《미·구어》 **1** 결과를 안 후에 〈남을〉 비판[수정]하다 **2** 예언하다(predict), 〈남의 마음을〉 미리 알다(outguess) **~·er** *n.*
sécond hànd[1] 중개자, 매개물; 간접적인 관계자
at **~** 전해 듣고; 매개물[중간체]을 통하여, 간접적으로
***sécond hànd**[2] 《시계의》 초침(秒針)
***sec·ond·hand** [sékəndhǽnd] *a.* **1** 간접의, 전해 들은: ~ information 전해 들은 정보 **2** 중고의, 고물의; 중고품 매매의: a ~ car 중고차 / a ~ bookstore 헌책방 / ~ furniture 중고 가구
— *ad.* 고물[중고]로; 전해 들어, 간접으로: I heard the news ~. 나는 그 소식을 전해 들었다.
sécondhand smóke 간접 흡연 《비흡연자가 마시게 되는 남의 담배 연기》
sécond hóme 《주말·휴가용의》 별장
sec·ond-in-com·mand [sékəndinkəmǽnd | -mɑ̀ːnd] *n.* (*pl.* **seconds-**) **1** 〖군사〗 부사령관 **2** 차장(次長)
Sécond Internátional [the ~] 제2 인터내셔널 (⇨ international *n.*)
sécond lády [the ~, 종종 the S- L-] 《미》 세컨드 레이디 《부통령 부인 등; cf. FIRST LADY》
sécond lánguage 《한 나라의》 제2 공용어; 《모국어 다음의》 제2 언어, 《학교에서》 제1 외국어
sécond lánguage acquisítion 〖언어〗 제2 언어 습득
sécond lieuténant 〖군사〗 소위
Sécond Life 〖인터넷〗 세컨드 라이프 《아바타를 통해 현실에서 일어나는 일들을 체험할 수 있는 3차원 온라인 가상 현실; 상표명》
***sec·ond·ly** [sékəndli] *ad.* 둘째로, 다음으로
sécond màn 《전차의》 운전사 조수, 《증기 기관차의》 기관사 조수
sec·ond-mark [sékəndmɑ́ːrk] *n.* 《각도·시간의》 초(秒) 기호 (″): 1° 6′ 20″ 1도 6분 20초 《각도》
sécond máster 《영》 부교장, 교감
sécond máte 〖항해〗 2등 항해사
se·cond·ment [sikɑ́ndmənt | -kɔ́nd-] *n.* 《영》 《공무원·장교 등의》 임시 파견, 파견 근무
sécond mórtgage 2순위[2번] 저당
sécond náme 성(surname)
sécond náture 제 2의 천성
se·con·do [sikóundou, -kɑ́n- | sekɔ́n-] [It.] *n.* (*pl.* **-di** [-diː]) 〖음악〗 《특히 피아노 2중주의》 저음부; 저음부 연주자
sécond ófficer = SECOND MATE
sécond opínion 〖의학〗 다른 의사의 의견[진단]
sec·ond-pair [sékəndpɛ́ər] *a.* 《영》 3층의: a ~ front[back] 3층의 앞[뒷] 방
sécond pápers 《미·구어》 제2차 서류 《시민권 획득 최종 신청서》(cf. CITIZENSHIP PAPERS)
sécond pérson **1** [the ~] 〖문법〗 제2인칭 **2** [**S-P-**] 〖신학〗 《3위일체의》 제2위격(格)
sec·ond-rate [-réit] *a.* 《구어》 2류의, 열등한; 평범한: a ~ performance 평범한 연주
~·ness *n.* **-rát·er** *n.* 2류의 것, 하찮은 사람
sécond réading 〖정치〗 《의회의》 제2독회
Sécond Repúblic [the ~] 〖프랑스사〗 제2 공화정(共和政) 《1848년 수립된 공화제로 1852년 제2 제정(帝政)으로 바뀜》
sécond rún 〖영화〗 제2차 흥행 《개봉관 다음의 흥행》
sécond sélf 허물없는[막역한] 친구
sécond sérvice 〖영국국교〗 성찬식
sécond séx [the ~; 집합적] 제 2의 성, 여성
sécond síght 예지 능력; 투시력, 천리안(clairvoyance)
sec·ond-sight·ed [-sáitid] *a.* 투시력[통찰력]을 가진
sécond sòurce 2차 공급자 《어떤 메이커 제품과 동일하거나 호환성 있는 제품을 만드는 회사》
sec·ond-source [-sɔ̀ːrs] *vt.* …의 2차 공급자가 되다 **-sòurc·ing** *a.* 2차 공급자의
sec·ond-sto·ry [-stɔ̀ːri] *a.* **1** 《미》 2층의: a ~ window 2층의 창 **2** 《미》 2층 창으로 침입하는: ~ man (2층 창문으로 침입하는) 밤도둑 **3** 《영》 3층의
sec·ond-strike [-stráik] *a.* 〖군사〗 〈핵무기가〉 제2격의, 반격용의: ~ capability 제2격 능력
— *n.* 최초의 반격, 제2격
sécond stríng 제2안, 차선책; 《미》 교체 선수[요원], 제2군
sec·ond-string [-stríŋ] *a.* 《미》 〈운동 선수가〉 2군의, 후보의; 대용의; 2류의, 하찮은 **~·er** *n.* 《구어》 2류급[후보] 선수 《등》; 시시한 것[사람]; 차선책
sécond thóught 재고; 숙고 후의 의견[결심]
on **~*s*** [《미》 ~] 다시 생각해 보니[보고]
sécond tóoth 영구치(opp. *milk tooth*)
Sécond Wáve [the ~] 제2의 물결 《미국의 문명 비평가 A. Toffler의 말; 18세기의 산업 혁명을 계기로 일어난 물결; cf. THIRD WAVE》
sécond wínd **1** 제2 호흡, 호흡 조정 《심한 운동 후의》 **2** 원기 회복
get **one's ~** 원기를 회복하다; 컨디션을 되찾다
Sécond Wórld [the ~] 제2 세계 **1** 정치·경제 블

thesaurus **second-class** *a.* second-rate, low-class, inferior, lesser, unimportant
secret *a.* **1** 비밀의 confidential, private, unrevealed, undisclosed, untold, unknown **2** 숨겨진, 은밀한 hidden, concealed, disguised, latent, seclud-

록으로서의 사회주의 국가들 **2** 미국·러시아를 제외한 선진 공업국들

Sécond Wórld Wár [the ~] = WORLD WAR II

‡**se·cre·cy** [síːkrəsi] *n.* (*pl.* **-cies**) ⓊⒸ **비밀,** 은밀; 비밀 엄수; 비밀주의; 과묵, 말 없음(reticence); 은둔: promise ~ 비밀 엄수를 약속하다 / You can rely on his ~. 그가 비밀을 지킨다는 것은 믿을 수 있다. ***in*** **~** = SECRETLY ▷ sécret *a.*

‡**se·cret** [síːkrit] [L 「따로 나누어진」의 뜻에서] *a.* **1** 비밀의, 은밀한, 기밀의; 살그머니 하는: a ~ weapon 비밀 무기 / a ~ code 암호 **2** 《구어》 〈사람이〉 비밀을 지키는, 입이 무거운 《*about*》 **3** Ⓐ 〈장소 등이〉 **은밀한,** 숨겨진, 으슥한, 사람 눈에 띄지 않는: a ~ passage 비밀 통로 **4** 〈사람이〉 공표되지 않은, 인정되지 않은: a ~ bride 세상에 공표되지 않은 신부 **5** 마음 깊숙한(innermost) **6** 신비한, 심원한, 난해한 **7** 《미》 〈정보·문서 등이〉 극비의; 극비 문서를 다룰 자격이 있는 ***keep*** a thing **~** …을 비밀로 하다 ***the* ~ *parts*** 음부(陰部)

— *n.* **1** ⒸⓊ **비밀,** 은밀한 일, 기밀: an open ~ 공공연한 비밀 / keep a[the] ~ 비밀을 지키다 **2** [종종 *pl.*] (자연계의) **불가사의,** 신비: the ~*s* of nature 자연의 신비 **3** 해결의 열쇠, 진의(眞義) **4** [보통 the ~] **비결,** 비전(秘傳), 비방(秘方), 비법 《*of*》: *the ~ of* health 건강 비결 **5** [*pl.*] 음부 ***in*** **~** 비밀히, 남몰래 ***in the*** **~** 비밀에 참여하는, 비밀을 알고 (있는) ***let*** a person ***into a***[***the***] **~** …에게 비밀을 알리다 ***make a***[***no***] **~ *of*** …을 비밀로 하다[하지 않다]

sécret ágent 밀정(密偵), 간첩, 첩보부원

sec·re·taire [sèkrətέər] *n.* = SECRETARY 4

sec·re·tar·i·al [sèkrətέəriəl] *a.* Ⓐ **1** 비서(관)의, 서기의: a ~ pool[section] 비서실[과] **2** [**S~**] 《미》 장관의; 《영》 대신의

sec·re·tar·i·at(e) [sèkrətέəriət] *n.* **1** [**S~**] (국제 연합) 사무국 **2** [the ~; 집합적] 비서과 직원 **3** 비서[서기관]의 직; 비서실, 비서과, 문서과

‡**sec·re·tar·y** [sékrətèri | -təri] [L 「비밀이 맡겨진 사람」의 뜻에서] *n.* (*pl.* **-tar·ies**) **1 a** 비서(=private ~); 서기관, 비서관; 사무관; (회의) 간사: She is[acts as] ~ to the president. 그녀는 사장 비서다. **b** 서기: an honorary ~ 《영》 명예[무급] 서기 《略 hon. sec.》 **2** [**S~**] 《미》 장관; 《영》 대신: the *S~* of Defense 《미》 국방 장관 / the *S~* of State 《미》 국무 장관 / the *S~* of the Treasury 《미》 재무 장관 / the Home *S~* = the *S~* of State for Home Department 《영》 내무 장관[대신] **3** 《영》 차관(undersecretary): a parliamentary[permanent] ~ 정무[사무] 차관 **4** (위에 책장, 아래는 서랍, 접을 수 있는 판이 있는) 책상(secretaire) **5** = SECRETARY BIRD **6** Ⓤ 〖인쇄〗 초서체 활자(script)

~·shìp *n.* Ⓤ 서기관[비서관, 장관《등》]의 직[임기]

secretary 4

sécretary bìrd [이 새의 도가머리가 깃펜을 귀에 꽂은 서기를 연상케 하는 데서] 〖조류〗 뱀잡이수리, 서기관조 《아프리카산(産)》

sec·re·tary-gen·er·al [sékrətèridʒénərəl | -tri-] *n.* (*pl.* **sec·re·tar·ies-**) 사무 총장, 사무국장

sécret bállot 비밀 투표, 무기명 투표(opp. *open ballot*); = AUSTRALIAN BALLOT

se·crete[1] [sikríːt] 〖생리〗 *vt.* 분비하다 **—** *n.* 분비물

ed **3** 신비한 mysterious, cryptic, abstruse

sect *n.* group, denomination, order, faction, camp, splinter group, wing, division

section *n.* part, segment, division, component, piece, portion, bit, slice, fraction, fragment

secrete[2] *vt.* **1** 비밀로 하다, 숨기다: ~ one*self* 자취를 감추다 **2** 착복하다, 횡령하다

se·cre·tin [sikríːtin] *n.* Ⓤ 〖생화학〗 세크레틴 《소장 내에 생기는 일종의 호르몬》

sécret ínk 은현(隱顯) 잉크(invisible ink)

se·cre·tion[1] [sikríːʃən] *n.* ⓊⒸ 〖생리〗 분비 (작용) (cf. EXCRETION); 분비물[액]: excessive ~ 과잉 분비

secretion[2] *n.* ⓊⒸ 숨김, 은닉

se·cre·tive[1] [síːkritiv, sikríː-] *a.* 〖생리〗 분비(성)의 **~·ly** *ad.* **~·ness** *n.*

se·cre·tive[2] [sikríːtiv] *a.* 숨기는 경향이 있는 〈사람·성질 등〉, 비밀주의의; 말 없는

‡**se·cret·ly** [síːkritli] *ad.* **비밀히,** 내밀히, 몰래, 숨어서

se·cre·tor [sikríːtər] *n.* 〖해부〗 분비선(腺)

se·cre·to·ry [sikríːtəri] 〖생리〗 *a.* 분비(성)의 **—** *n.* (*pl.* **-ries**) 분비 기관[선]

sécret pártner (공개되지 않는) 기업의 사원; 익명 동업자(cf. SILENT PARTNER)

sécret políce [the ~] 비밀 경찰

sécret sérvice **1** [the ~] (정부의) 기밀 조사부, 첩보부, 첩보 기관 **2** [the S- S-] **a** 《미》 재무성 (비밀) 검찰국 《위조 적발·대통령 경호 등을 함; 1865년 창설》 **b** 《영》 내무성 (비밀) 검찰국 **3** 《고어》 비밀[첩보] 활동

sécret sérvice mòney 《영》 기밀비

sécret socíety 비밀 결사

‡**sect** [sékt] *n.* **분파,** 종파, (특히 영국 국교회로부터의) 분리파 교회; 학파; 당(파), 파벌

sect. section

sec·tar·i·an [sektέəriən] *a.* **1** 분파의, 종파[학파]의 **2** 당파심이 강한 **3** 〈관심의 폭·시야가〉 좁은; 〈사람·생각이〉 근시안적인, 편협한 **—** *n.* 분리파 교회 신도; 종파심이 강한 사람; 파벌[학벌]에 속하는 사람

~·ìsm *n.* Ⓤ 종파심; 파벌심, 학벌, 섹트주의

sec·tar·i·an·ize [sektέəriənàiz] *vi.* 분파 행동을 하다, 분파로 갈라지다 **—** *vt.* 파벌적으로 하다; 파벌하에 두다

sec·ta·ry [séktəri] *n.* (*pl.* **-ries**) **1** 당파[종파]에 속하는 사람, 《특히》 열성적인 신도 **2** [종종 **S~**] 분리파 교회 신도; 〖영국사〗 비국교도(Nonconformist), 프로테스탄트

sec·tile [séktil | -tail] *a.* 칼로 매끈하게 자를 수 있는; 〖광물〗 절단할 수 있는 **sec·til·i·ty** [sektíləti] *n.*

‡**sec·tion** [sékʃən] [L 「잘림」의 뜻에서] *n.* **1 a** 잘라낸 부분; (오렌지·귤 등 알맹이의) 한 쪽[조각]: a ~ of pie 파이 한 쪽 **b** 부분, 구분, 구획, 마디 **c** 《미》 (침대차의 상단 또는 하단의) 단 **2** 《미》 **a** (도시 등의) 구역, 지구: a city's business[residential] ~ 도시의 상업[주택] 지구 **b** 섹션 《측량 단위; 1평방 마일의 토지》 **3** (사회 등의) 계층, 계급: a politician popular with all ~*s* of society 사회의 모든 계층에 인기있는 정치가 **4** (관청의) 과; (단체의) 파, 파당, (회의 등의) 부회(部會); 《미》 (대학의) 작은 클래스[그룹]: a personnel ~ 인사과 **5** (서적·문장의) **절**(節), 단락(段落), 항(項) 《§(section mark)로 나타냄》; (신문·잡지의) **난**(欄); 〖음악〗 악절 《독립해 있지 않은 악구》 **6** 접합(接合)부분, (짜맞추는) 부분품: a bookcase built in ~*s* 조립식의 책장 / a ~ of the machine 기계의 부분품 **7** 절단; 분할, 분리 **8 a** (외과·해부의) 절개, 절단; 절개법(incision) **b** 잘라낸 부분, 절편(切片); (현미경 검사용으로 절취한 생물 조직·광물의) 박편(薄片) **9** 단면(도); 〖기하〗 입체의 절단면; (내부 구조의) 절단면; 원뿔 곡선: a cross ~ 횡단면 **10 a** 〖영국군〗 분대 **b** 〖미군〗 반(半)소대; 〖군사〗 참모부 **11** (철도·도로의) 보선구(保線區) **12** 〖음악〗 (오케스트라의) 부문, 파트, 섹션: the string ~ 현악 부문 **13** 〖식물〗 아속(亞屬) ***in*** **~** 단면으로 ***in*** **~*s*** 분해[해체]하여

— *vt.* 구분[구획]하다; 단면도를 그리다; 부분품을 그림으로 표시하다; (현미경으로 검사하기 위해) 얇은 조각을 만들다; 단락[절]으로 나누다[나누어 배열하다]; 〖외과〗 절개하다

▷ séctional *a.*

sec·tion·al [sékʃənl] *a.* **1** 부문적인; 지방적인, 국지적인: ~ interests 지방적인 이해/~ politics 지방 정치 **2** 구분의, 부분의, 구획의[이 있는], 구간의; 부문의 **3** 분파적인, 파벌적인: ~ strife 파벌 쟁의 **4** 〈가구 등이〉 조립식의 **5** 단면(도)의: a ~ plan 단면도
— *n.* 《미》 조립식 가구《소파·책꽂이 등》 **~·ly** *ad.*
▷ séction *n., v.*

sec·tion·al·ism [sékʃənlìzm] *n.* Ⓤ 지방[부분] 편중, 지방주의, 지방적 편견;파벌주의, 섹트주의[근성]

sec·tion·al·ize [sékʃənəlàiz] *vt.* 부분으로 나누다; 구분하다

séction éight [미육군 규칙 제8절에서] 《미》 [종종 S- E-] **1** (신체·품행·성격상의 부적격에 의한) 병역 면제 **2** (1에 의한) 병역 면제자, 병역 부적격자 **3** 《미·속어》 (병역 면제의 이유가 된) 정신병, 신경증; 정신병 환자, 신경증 환자

séction gàng[crèw] 《미》 〖철도〗 보선구 작업반

séction hànd[màn] 《미》 〖철도〗 보선공

séction màrk 〖인쇄〗 절표(節標) (§)

séction pàper 《영》 모눈종이(《미》 graph paper)

***sec·tor** [séktər] *n.* **1** 〖수학〗 **부채꼴**; 함수자; 〖기계〗 선형(扇形) 톱니바퀴; 〖군사〗 선형 전투 구역, 방위 구역 **2** (사회·산업 등의) **부문**, 분야, 영역: the banking ~ 금융 부문/the housing ~ 주택 부문 **3** 도시의 지역, 지구
— *vt.* 부채꼴로 분할하다

sec·tor·al [séktərəl] *a.* 부채꼴의; 〖군사〗 선형 전투 구역의

séctor fùnd 〖증권〗 (전자 산업 등) 특수 분야의 다양한 주(株)에 대한 투자

sec·to·ri·al [sektɔ́:riəl] *a.* **1** 부채꼴의 **2** 〖동물〗 〈이빨이〉 물어뜯기에 적합한(carnassial)

séctor scàn (레이더의) 부채꼴 주사(走査)

***sec·u·lar** [sékjulər] *a.* **1 a** 속인(俗人)의, 세속의(opp. *pious*); 현세의, 이승의(opp. *spiritual, religious*): ~ affairs 속세의 일 **b** 비종교적인, 종교에 관계하지 않는(opp. *sacred*); 〖가톨릭〗 수도원 밖의(opp. *regular*): a ~ clergy 교구에 거주하는 성직자/~ education 보통 교육/~ music 세속 음악 **2** 〖고대로마〗 한 대[세기] 한 번의, 백년마다의: a ~ hymn 백년제가(祭歌) **3** 몇 천년이고 계속되는; 〈명성이〉 불후의, 〈전쟁 등이〉 다년간 계속되는 **4** 〖경제〗 장기적인: ~ economic trend 장기 경제 경향
the ~ bird 불사조(phoenix)
— *n.* **1** 〖가톨릭〗 수도회에 속하지 않는 성직자, 교구 사제; (종교가에 대한) 속인 **2** 《미》 (흑인의) 속가(俗歌) **~·ly** *ad.* 세속적으로, 현세적으로; 속화(俗化)하여
▷ secularity *n.*; sécularize *v.*

sécular chánge 장기간에 서서히 일어나는 변화

sécular gámes 〖고대로마〗 백년제《100-120년에 한 번 개최된 축제》

sécular húmanism 세속적 인간주의《비종교 교육을 비난하여 씀》

sec·u·lar·ism [sékjulərìzm] *n.* Ⓤ 세속주의; 비종교주의(cf. CLERICALISM); 교육·종교 분리주의
-ist *n.* **-is·tic** *a.*

sec·u·lar·is·tic [sèkjulərístik] *a.* 세속주의의[를 신봉하는]

sec·u·lar·i·ty [sèkjulǽrəti] *n.* (*pl.* **-ties**) ⓊⒸ 속됨, 비속(卑俗)(worldliness); 속된 일; =SECULARISM

sec·u·lar·ize [sékjulərài z] *vt.* (세)속화하다, 속된 용도에 바치다, 〖가톨릭〗 환속시키다; 종교[교의(教義)]를 없애다: ~ education 교육을 종교에서 분리하다
sèc·u·lar·i·zá·tion *n.*

se·cund [sí:kʌnd, sé-, sikʌ́nd | sikʌ́nd] *a.* 〖식물〗 한쪽으로 치우친, 한쪽에만 나는《은방울꽃의 꽃 등》(unilateral) **~·ly** *ad.*

se·cun·do [sikʌ́ndou] [L] *ad.* 둘째로(cf. PRIMO[1])

se·cun·dum [səkʌ́ndəm] [L =according to] *prep.* …에 의하여[따라서]

secundum le·gem [-lí:dʒəm] [L =according to law] *ad.* 법률에 따라, 법률적으로

secundum na·tu·ram [-nɑ:tú:rɑ:m] [L= according to nature] *ad.* 자연에 따라, 자연히(naturally)

se·cun·dus [səkʌ́ndəs] *a.* 제2의(cf. PRIMUS[1])

se·cur·a·ble [sikjúərəbl] *a.* 손에 넣을 수 있는; 확보할 수 있는; 안전하게 할 수 있는

‡**se·cure** [sikjúər] [L 「걱정 없는」의 뜻에서] *a.* (**se·cur·er**; **-est**) **1** 안전한, 위험 없는, 난공 불락의《*against, from*》(⇨ safe 유의어): a nation ~ *from*[*against*] attack 적의 공격에 안전한 국가 **2 a** 〈발판·토대·매듭 등이〉 튼튼한, 〈선물 등이〉 무너지지 않는; 〈사물쇠·문 등이〉 단단하게 잠긴[닫힌]: a ~ knot 튼튼히 맨 매듭/a ~ foundation 단단한 토대 **b** 〈신념 등이〉 확고한 **3** Ⓟ 안전하게 보관하여, 엄중히 감금하여, 도망칠 염려가 없는: keep a prisoner ~ 죄수를 엄중히 감금해 두다 **4 a** 〈성공·승진 등이〉 확실한, 약속된: a ~ victory 확실한 승리 **b** 〈지위·생활·미래 등이〉 안정된, 걱정 없는, 보장된: a ~ job with good pay 보수가 좋은 안정된 직업 **5** Ⓟ 〈사람이〉 확신하는《*of*》 ***be ~ against*** [***from***] …에 대해서 안전하다, …의 우려가 없다, …할 위험이 없다(⇨ *a.* 1) ***be ~ of*** …을 확신하다
— *vt.* **1** 확보하다, 〈상을〉 획득하다, 보장하다; 유언으로 물려주다, 유증(遺贈)하다(devise): ~ a position 지위를 얻다/~ the freedom of speech 언론의 자유를 확보하다[지키다] ∥ 《~+目+目》 《~+目+전+명》 ~ a person a seat =~ a seat *for* a person …의 좌석을 잡아두다 **2** 안전하게 하다, 지키다, 굳게 하다, 방비하다《*against, from*》: 《~+目+전+명》 They ~*d* their town *from* an assault. 그들은 자기네 고장을 습격으로부터 지켰다. **3** 확실하게 하다; 보증하다(ensure), 담보를 하다, (담보를 잡혀) 지불 보증하다; 보험에 넣다《*against*》: ~ a loan 차관에 담보를 잡히다[붙이다] ∥ 《~+目+전+명》 ~ oneself *against* accidents 상해 보험에 들다 **4** 〈창 등을〉 꼭 닫다, 걸쇠를 걸다; 고정하다《*with*》; 〈죄수를〉 감금하다, 묶어 놓다; 〈귀중품 등을〉 엄중히 보관하다: 《~+目+전+명》 ~ a boat *with* a rope 보트를 밧줄로 고정하다 **5** 〖항해〗 일에서 해방하다, …에게 작업을 그만두게 하다
— *vi.* **1** 안전하(게 되)다《*against*》: 《~+전+명》 ~ *against* accidents 사고로부터 몸을 지키다 **2** 〖항해〗 작업을 그만두다; 〈배가〉 정박하다(moor)
~ arms 〖군사〗 (비에 젖지 않도록) 총구를 아래로 하여 몸 옆에 가지다: *S~ arms!* 《구령》 팔에 총! ***~ oneself against*** [***from***] …에 대해 일신을 지키다, …의 우려가 없도록 하다
~·ly *ad.* **~·ness** *n.* **se·cúr·er** *n.* ▷ secúrity *n.*

se·cure·ment [sikjúərmənt] *n.* **1** 확보; 보증 **2** 보호, 경비

se·cur·i·form [sikjúərəfɔ̀:rm] *a.* 〖곤충·식물〗 도끼 모양의

Se·cú·ri·ties and Exchánge Commìs·sion [sikjúərətiz-] [the ~] 《미》 증권 거래 위원회《略 SEC》

‡**se·cu·ri·ty** [sikjúərəti] *n.* (*pl.* **-ties**) **1** Ⓤ 안전, 무사: national ~ 국가 안보 **2** Ⓤ 안심; 마음 든든함; 《고어》 방심(放心): *S~* is the greatest enemy. 《속담》 방심이 제일 무서운 적이다. **3** ⓊⒸ 방호, 보호, 보장《*against*》; 감금, 경계; 예방 조치: a ~ *against* burglars 도둑에 대한 방위 (수단)/give ~ *against* …으로부터 보호하다 **4** (재정상의) 안전 **5** 경비(警備) 부문; 경비 회사 **6** ⓊⒸ 보증《*against, from*》; 담보

thesaurus **secure** *a.* **1** 안전한 safe, unharmed, undamaged, protected **2** 튼튼한 stable, steady, strong, sturdy, solid **3** 단단하게 감긴 fastened, shut, locked, **4** 안정된, 보장된 unworried, comfortable, confident, assured, reliable, dependable

《*for*》; 담보물, 보증물; 보증인 《*for*》; 차용서: He has given his house as ~ *for* the loan. 그는 그 대부금의 담보로 집을 잡히고 있다. **7** [*pl.*] 유가 증권 (stocks and bonds)
go [***stand***] ***~ for*** …의 보증인이 되다 ***in ~*** 무사하게 ***in ~ for*** …의 보장[담보]으로서 ***on*** (***the***) ***~ of*** …을 담보로 하여
— *a.* Ⓐ 안전[보안]의, 안전을 위한, 안전 보장의: a ~ company 경비 회사 / for ~ reasons 보안상의 이유로 ▷ secúre *a., v.*
secúrity ànalyst 증권 분석가
secúrity assìstance 《미》 안전 보장 원조 《군사 원조와 거의 같은 뜻》
secúrity blànket 《미》 어린아이가 안도감을 얻기 위해 항상 잡고 있는 담요; 안도감을 주는 물건[사람]
secúrity chèck 〘항공〙 (공중 납치 예방을 위한) 보안 검사 《수하물 및 신체 검사》
secúrity clèarance 비밀 정보 사용 허가
Secúrity Còuncil [the ~] (유엔의) 안전 보장 이사회 《略 SC》
Secúrity Fòrce 유엔 안전 보장군, 유엔군 《정식 명칭은 United Nations Peacemaking Force》
secúrity fòrces 치안[보안] 부대 《테러 등에 대비하는 경찰·군대》
secúrity guàrd 경비원
secúrity ìndustry 경비 산업, 안전 산업
secúrity ìnterest 〘법〙 선취 특권(lien)
secúrity màn[**òfficer**] 경비원, 경호원
secúrity pàct[**trèaty**] 안전 보장 조약
secúrity police [집합적] 비밀 경찰
secúrity rìsk 위험 인물 《비밀 누설 등 국가 안전을 위태롭게 하는》
secúrity sèrvice 국가 보안 기관
secy., sec'y secretary **SED** Scottish Education Department; shipper's export declaration
sed. sediment; sedimentation
se·dan [sidǽn] *n.* **1** 《미》 세단형 자동차(《영》 saloon) 《운전석을 칸막이하지 않은 보통의 상자형 승용차》 **2** (17-18세기의) 의자식 가마(= ~ **chàir**)
Se·da·rim [sidɑ́:rim] [Heb.] *n.* SEDER의 복수
se·date [sidéit] *a.* (**se·dat·er**; **-est**) **1** 차분한, 침착한(opp. *excitable*), 진지한, 조용한: a ~ party 조용한 파티 **2** 점잖은 〈빛깔 등〉, 수수한: a ~ costume 점잖은 의상 — *vt.* 〘의학〙 (진정제로) 진정시키다, 안정시키다 **~·ly** *ad.* **~·ness** *n.*
se·da·tion [sidéiʃən] *n.* Ⓤ 〘의학〙 진정 작용 《진정제 등에 의한》; 진정제 치료(법)
sed·a·tive [sédətiv] *a.* 진정 (작용)의; 진정시키는, 달래는 — *n.* 〘의학〙 진정제(劑)
se de·fen·den·do [sí:-dì:fendéndou] [L = in self-defense] *ad., a.* 〘법〙 자기 방어를 위하여[위한]: homicide committed ~ 자기 방어를 위해 저지른 살인
∗**sed·en·tar·y** [sédntèri | -təri] *a.* **1** 앉아 있는; 잘 앉는; 앉아 일하는, 앉아 일하는 데서 생기는: a ~ statue 좌상(坐像) **2** 정주(定住)(성)의; 〘동물〙 정착해 있는, 이주하지 않는; 고착성의; 정착성의: ~ birds 정주성 조류, 텃새 **3** 《폐어》 활발하지 않은(inactive), 굼뜬(sluggish)
— *n.* (*pl.* **-tar·ies**) 앉기 잘하는 사람; 앉아 일하는 사람 **-tàr·i·ly** *ad.* **-tàr·i·ness** *n.*
Se·der [séidər] *n.* (*pl.* **~s, -da·rim** [sidɑ́:rim]) (유대인의) 유월절(逾越節) 밤 축제
se·de·runt [sidíərənt] [L] *n.* (종교적) 집회; 오랫동안 앉아 있음; 《일반적으로》 좌담회, 간담회

---

see[1] *v.* **1** 보다 observe, look at, behold, regard, watch, view **2** 이해하다 understand, grasp, comprehend, follow, know, realize **3** 예상하다 forecast, anticipate **4** 확인하다 mind, make sure, ensure, guarantee **5** 만나다 meet, encounter

sedge [sédʒ] *n.* 〘식물〙 사초(莎草)
sedg·y [sédʒi] *a.* (**sedg·i·er**; **-i·est**) 사초가 무성한; 사초의[같은]
se·dil·i·a [sedíliə | -dáil-, -díl-] *n. pl.* (*sg.* **se·di·le** [sedáili]) 〘그리스도교〙 목사[사제]석 《교회당 안의 제단 남쪽, 보통 석조(石造); priest, deacon, subdeacon용의 셋이 있음》
∗**sed·i·ment** [sédəmənt] *n.* Ⓤ **1** 침전물, 앙금 **2** 〘지질〙 퇴적물, 침전 토사 **3** 〘의학〙 침사(沈渣) 《체액 바닥에 가라앉는 불용해성 물질》
— *vi., vt.* 침전하다[시키다]
sed·i·men·ta·ry [sèdəméntəri], **-tal** [-tl] *a.* 침전물의; 침전 작용에 의한; 〘지질〙 퇴적의: ~ rocks 퇴적암(岩), 수성암
sed·i·men·ta·tion [sèdəməntéiʃən] *n.* Ⓤ **1** 침적, 침전 (작용), 침강(沈降): blood ~ test 혈침 검사 **2** 〘지질〙 퇴적 (작용)
se·di·tion [sidíʃən] *n.* Ⓤ 선동; 〘법〙 난동 교사(죄); 치안 방해 **~·ist** *n.*
se·di·tion·ar·y [sidíʃənèri | -ʃənəri] *a.* = SEDITIOUS — *n.* (*pl.* **-ar·ies**) 치안 방해자, 난동 교사자
se·di·tious [sidíʃəs] *a.* 치안 방해의; 선동적인: a ~ demagogue 반정부적 민중 선동가
~·ly *ad.* **~·ness** *n.*
∗**se·duce** [sidjú:s | -djú:s] [L 「옆길로 이끌다」의 뜻에서] *vt.* **1** 부추기다, 꾀다, 꾀어 …하게 하다 《*into*》, (나쁜 길로) 유혹하다; 〈여자를〉 유혹하여 농락하다: (~+목+전+명) ~ a person *into* error …을 꾀어 잘못을 저지르게 하다 **2** 〈사람에게〉 (신념·주의·충성·의무를) 저버리게 하다, 잊게 하다 《*from*》: ~ a person *from* his duty …에게 의무를 저버리게 하다 **3** [좋은 뜻으로] 매혹하다, 끌다(attract) **~·a·ble, se·dúc·i·ble** *a.* 유혹하기 쉬운 **se·dúc·er** *n.* 유혹자; 색마 ▷ sedúction *n.*; sedúctive *a.*
se·duce·ment [sidjú:smənt | -djú:s-] *n.* = SEDUCTION
se·duc·tion [sidʌ́kʃən] *n.* **1** ⓊⒸ 유혹, 교사: ~ to vice 악(惡)으로의 유혹 **2** [보통 *pl.*] 유혹하는 것; 매혹, 매력 **3** 〘법〙 부녀 유괴(죄)
se·duc·tive [sidʌ́ktiv] *a.* 유혹[매혹]적인(enticing), 매력 있는, 눈길을 끄는(attractive)
~·ly *ad.* **~·ness** *n.* Ⓤ 유혹하는 힘
se·duc·tress [sidʌ́ktris] *n.* 남자를 유혹하는 여인
se·du·li·ty [sidjú:ləti | -djú:-] *n.* Ⓤ 근면(diligence)
sed·u·lous [sédʒuləs | -dju-] *a.* 《문어》 **1** 근면한, 부지런히 일[공부]하는: a ~ student 열심히 공부하는 학생 **2** 꼼꼼한, 용의주도한; 정성 들인 ***play the ~ ape*** 모방하여 터득하다 **~·ly** *ad.*
se·dum [sí:dəm] *n.* 〘식물〙 꿩의비름속(屬) 《돌나물과(科)》
⁑**see**[1] [sí:] *v.* (**saw** [sɔ́:]; **seen** [sí:n])

기본적으로는 「보다」의 뜻에서	
① 보이다	타 **1 a** 자 **1**
② 보다	타 **2 b, c**
③ 보아서 알다, 생각하다, 상상하다	타 **4, 5, 6** 자 **3**
④ 확인하다	타 **9** 자 **6**
⑤ 배웅하다	타 **12**
⑥ 주의하다	타 **13**
⑦ 만나다	타 **14**

— *vt.* **1 a** 보다, 보이다(⇨ look 유의어): I looked around but *saw* nothing. 나는 주변을 둘러보았지만 아무것도 보이지 않았다. // (~+목+**do**) I *saw* her go out. 나는 그녀가 외출하는 것을 보았다. / She was *seen* to go out. 그녀가 외출하는 것이 보였다. ★ 수동형에서는 to부정사가 따름. // (~+목+**-ing**) I *saw* her knit*ting* wool stockings. 나는 그녀가 털실로 스타킹을 짜고 있는 것을 보았다. **b** 참조하다: *S*~ p. 20. 20페이지 참조. **c** (꿈 등에서) 보다(cf. DREAM) **2 a**

구경[관광]하다: ~ the sights 명소를 관광하다 **b** 〈연극·영화 등을〉 **보다,** 구경하다: ~ a movie 영화를 보다 **c** 〈텔레비전 프로그램을〉 보다 ★ 이 뜻으로는 watch가 더 일반적임. **3** 〈로봇이〉 컴퓨터로 보다; 〈초능력자가〉 제3의 눈으로 보다; 〈뇌가〉 인지하다 **4 a 이해하다,** 알다, 깨닫다, 해득하다: ~ a[the] joke 농담을 알아듣다 // ⦅~+*wh.* 절⦆ I ~ *what* you mean. 말씀하시는 뜻을 알겠습니다. // ⦅~+*that* 절⦆ I ~ *that* he is joking. 그가 농담을 하고 있는 것으로 압니다. **b 보아서 알다,** 〈신문 등을〉 보다, 읽다(read): ⦅~+*that* 절⦆ I *saw* in the paper *that* another earthquake had occurred in Italy. 이탈리아에서 또 지진이 일어났다는 것을 신문에서 보았다. **5** 〈…을〉 (…이라고) 생각하다, 간주하다: ⦅~+목+보⦆ He *~s* it right to do that. 그는 그렇게 하는 것이 옳다고 생각한다. // ⦅~+목+부⦆ I can't ~ the matter that way. 나는 그 문제를 그런 방향[식]으로는 생각할 수 없다. **6 생각하다,** 상상하다, 예상하다: ⦅~+목+*as* 보⦆ I can't ~ him *as* a president. 나는 그 사람이 대통령이라고는 도저히 상상할 수 없다. // ⦅~+목+*-ing*⦆ I can't ~ her know*ing* my secret. 그녀가 나의 비밀을 알고 있으리라는 것은 생각할 수 없다. **7 발견하다,** 인정[인식]하다, 알아차리다: ⦅~+목+전+명⦆ I *saw* the charming points *in* him. 나는 그에게서 몇 가지 호감이 가는 점을 발견했다. // ⦅~+*that* 절⦆ I *saw* at once *that* I had made a mistake. 나는 내가 실수했다는 것을 즉시 알아차렸다. // ⦅~+*wh.* 절⦆ It remains to be *seen whether* he is reliable or not. 그가 믿을 만한지 어떤지는 두고 보아야 안다. **8** 예견[예측]하다; 예지하다 **9 잘 보다, 살펴보다,** 확인[조사]하다: ⦅~+*wh.* 절⦆ *S~ how* I operate this machine. 내가 이 기계를 어떻게 조작하는지 잘 보시오. / Go and ~ *if* the door is locked. 문이 잠겨 있는지 가서 확인해 보시오. **10** 경험하다, 마주치다: things *seen* (실지로) 관찰한 사물 / He will never ~ 50 again. 그는 이미 50 고개를 넘었다. **11** ⦅문어⦆ **a** 〈시대·장소가〉 〈사건·사태 등을〉 발생시키다, 〈시대·장소에서〉 〈사건·사태 등이〉 일어나다: The nineteenth century *saw* the Industrial Revolution. 19세기에 산업 혁명이 발생했다. **b** 〈시대·장소가〉 〈…하는 것을〉 보다: ⦅~+목+*-ing*⦆ The following day *saw* us fly*ing* northward. 그 다음 날 우리는 북쪽을 향해 비행하게 되었다. **12 배웅하다,** 바래다주다 (escort): ⦅~+목+전+명⦆ I *saw* my friend *to* the station. 친구를 정거장까지 배웅했다. **13** [보통 that절이나 과거분사인 보어를 동반하여] 주의하다, 조처하다, 주선하다: ⦅~+*that* 절⦆ *S~ that* he does it properly. 그가 그 일을 제대로 하도록 보살피시오. // ⦅~+목+*done*⦆ ~ a thing *done* 손수 감독하여 시키다 // ⦅~+*wh.* 절⦆ Well, I'll ~ *what* I can do. 그럼 어떻게 되도록 힘써 보지요. **14 a 만나다,** 면회[회견]하다, 접견하다(⇨ meet[1] 유의어): I am very pleased to ~ you. 만나서 반갑습니다, 잘 오셨습니다. **b** 만나러 가다, 방문하다, 위문하다; 〈의사에게〉 진찰을 받다 **15** (원조·보살핌 등으로) 〈…을〉 끝까지 봐주다 ⦅*through*⦆ **16** ⦅미·구어⦆ 뇌물을 주다, 매수하다 **17** 참다, 묵인하다, 내버려두다: ⦅~+목+*-ing*⦆ I can't ~ him mak*ing* use of me. 그가 나를 이용하도록 내버려둘 수 없다. // ⦅~+목+*do*⦆ I can't ~ people suffer. 나는 사람들이 고통받는 것을 차마 보고 있을 수 없다. **18** 〖카드〗 (포커 등에서) 〈상대방의 걸기에〉 응하다, 같은 금액으로 걸기에 응하다 **19** …와 자주 만나다, 데이트하다: Is Helen *~ing* anyone at the moment? 지금 헬렌은 데이트하는 사람 있니?

— *vi.* **1** (눈이) **보이다:** A cat can ~ in the dark. 고양이는 어둠 속에서 눈이 잘 보인다. **2** 〈기계가〉 (인간과 같이) 지각하다; 인지하다 **3 알다,** 깨닫다, 이해하다(understand): Do you ~? 알겠나? / You'll ~. (내 말대로라는 것을) 곧 알게 될 거요. **4** 간파하다 ⦅*through, into*⦆ **5** (…하도록) 주의하다, 배려하다, 주선하다 ⦅*to*⦆ **6 확인하다,** 살펴보다, 조사하다: Go and ~ for yourself. 가서 직접 알아보아라. // ⦅~+전+명⦆ He will ~ *into* the matter. 그는 그 문제를 조사해 볼 것이다.

as I ~ it 내가 보는 바로는 ***have seen better*** [**one's best**] ***days*** 떵떵거리던 시절도 있었다(⇨ better DAYS) ***have seen service*** 경험이 많다; 장기간 군에 복무한[전쟁에 나간] 일이 있다; 〈옷 등이〉 허름하다 (***I'll***) ***~ you!*** = ***I'll be ~ing you!*** 안녕, 또 만나세! ***I ~.*** 알겠소, 그렇군. ***I will*** [***I'll***] ***~.*** 생각해 보죠. ***Let me ~.*** ⇨ let[1]. ***~ about*** …을 고려하다, …의 조치를 하다; …에 유의하다: I'll ~ *about* it. 어떻게든 해 보지, 생각해 보죠. ***~ after*** …을 돌보다 ★ look after쪽이 보통. ***~ a lot of*** …을 종종 만나다, 자주 교제하다 ***~*** a person ***blowed*** [***damned, dead, hanged, in hell***] ***first*** (***before ...***) 그것만은 절대로 안 된다: I'll ~ you *dead*[*in hell*] *first before* that happens! 절대로 못한다, 어림도 없는 소리! ***~*** a person ***coming*** ⦅미·속어⦆ 속이다, 바가지 씌우다 ***S~ everything clear*** (***for lowering the boat***)***!*** 〖항해〗 준비! ⦅보트를 내릴 때의 명령⦆, 모든 준비를 갖춰라! ***~ for*** one***self*** 손수 확인[조사]하다 ***~ good*** [***fit***] ***to*** do …하는 것이 좋다고 (제멋대로) 생각하다 ***S~ here!*** ⦅미⦆ 여보세요, 이봐! ***~*** a person ***home*** 집까지 바래다주다 ***~*** a person ***in*** ⦅미·구어⦆ 안으로 안내하다 ***Seeing that*** …하기 때문에, …한 이상 ***~ into*** …을 조사하다; 간파하다 ***~ it*** 이해하다, 알다 I ***~ it*** [***life, things***] ***differently now.*** (지금 내) 견해는 다르다 ***~ justice done*** 일의 공평을 기하다; 보복하다 ***~ little of*** …을 좀처럼 만나지 않다, 자주 교제하지 않다 ***~ much*** [***nothing, something***] ***of*** …을 자주 만나다[전혀 만나지 않다, 간혹 만나다] ***~ no further than*** one***'s nose*** 앞이 캄캄하다, 한 치 앞도 못 보다 ***~*** a person ***off*** 배웅하다 ***~*** a person ***off the premises*** 〈수상한 사람 등을〉 집 밖으로 내보내다 ***~ out*** 현관까지 배웅하다; 끝까지 (지켜)보다; 완성하다 ***~ over*** (1) 〈집 등을〉 둘러보다, 살펴보다 (2) 조사하다 ***~ round*** = SEE over (1). ***~*** our***selves as others ~ us*** 결점을 자각하다 ***~*** one***'s way to*** do(***ing***) 어떻게든 …하다 ***~ the color of*** a person***'s money*** 지불할 돈이 있음을 알다 ***~ the devil*** ⦅속어⦆ 잔뜩 취하다 ***~ the last of*** …을 마지막으로 보다; 쫓아버리다; …와 관계를 끊다 ***~ the light at the end of the tunnel*** 오랜 고난 끝에 희망의 빛을 보다 ***~ the old year out and the new year in*** 묵은 해를 보내고 새해를 맞이하다 ***~ the red light*** 겁내다 ***~ the time when ...*** …한 변[경우]을 당하다 ***~ things*** ⇨ thing. ***~ through*** 꿰뚫어 보다, 간파하다 ***~*** a person ***through*** ⦅미·구어⦆ 비용을 대 주다 ***~*** a thing ***through*** [***out***] 일을 끝까지 해내다 ***~ through a brick wall*** 통찰력이 있다 ***~*** a person ***through his*** [***her***] ***troubles*** 고생하는 사람을 끝까지 돕다 ***~ to*** …에 주의하다; …을 준비하다 ***~*** (***to it***) ***that ...*** …하도록 주선하다, 꼭 …시키다 ***~*** a person ***to the door*** …을 현관까지 배웅하다 ***~ with*** …와 같은 의견이다, …에 동의하다 ***S~ you*** (***later*** [***soon***])***!*** = I'll SEE[1] you! ***So I ~.*** 그런 것 같군, 옳은 말씀이오. ***We'll ~.*** (1) = I'll SEE. (2) 곧 알게 되겠지. ***You ~.*** 아시다시피; 아시겠어요, 있잖아요, 하지만 (…이니까) **~·a·ble** *a.* ▷ sight *n.*

see[2] *n.* 〖가톨릭〗 주교[대주교] 관할구[권] ***the Holy*** [***Papal, Apostolic***] ***S~*** = ***the S~ of Rome*** 교황의 직(Papacy); 교황청

Sée·beck effèct [zéibek-, síː-] [독일의 물리학자 이름에서] 〖물리〗 제벡 효과, 열전(熱電) 효과(thermoelectric effect)

thesaurus **seed** *n.* **1** 씨 ovule, germ **2** 근원 source, origin, root, cause, reason, motive, basis **3** 자손 children, offspring, descendant

⁑**seed** [síːd] *n.* (*pl.* **~s,** [집합적] **~**) **1** 씨, 열매, 종자: grain ~*s* 곡물의 종자 **2** 종자가 되는 것; (종자로 쓰는) 괴경(塊莖), 구근(球根) **3** [보통 *pl.*] (싸움 등의) 씨, 원인, 근원 《*of*》: sow the ~*s of* discontent 불만의 씨를 뿌리다 **4** [집합적] 〖성서〗 자손: the ~ of Abraham 아브라함의 자손; 히브리 사람 **5** Ⓤ 정액(精液); 어정(魚精), 이리, (조개의) 알 **6** (양식용) 어린 굴 **7** 〖경기〗 시드된 경기자
go [***run***] ***to*** **~** 씨[열매]가 생기다; 한창때가 지나다, 초라하게 되다, 쇠퇴하다 ***in*** **~** (꽃이 지고) 씨가 생겨; 〈밭이〉 씨가 뿌려진 ***in the*** **~** (미) 〈면화가〉 조면기로 타지 않은 ***raise up*** **~** 아이를 낳다; 〖성서〗 〈아버지가〉 자식을 보다 ***sow the good*** **~** 좋은 씨를 뿌리다; 복음을 전하다
— *a.* Ⓐ **1** 씨의, 종자용의: ~ potatoes 씨감자 **2** 알이 작은: a ~ egg 작은 알 **3** (새 사업 등의) 출발 자금이 되는, 기초가 되는 **4** 미성숙한
— *vi.* **1** 씨를 뿌리다 **2** 씨를 맺다, 씨가 생기다; 종자를 떨어뜨리다
— *vt.* **1** 〈땅에〉 **씨를 뿌리다,** 〈…의 씨를〉 (밭에) 뿌리다 《*with*》; 구근(球根)을 심다: (~+목+전+명) ~ the field *with* corn 밭에 옥수수 씨를 뿌리다 **2** 〈드라이아이스 등을〉 구름 사이에 뿌리다 《인공 강우를 위해》 **3** (이익을 목적으로) …에 (…의 근본을) 도입하다 **4** 살포하다 **5** 〈과일에서〉 씨를 빼다 **6** 〖스포츠〗 시드하다 《우수한 선수끼리 처음부터 맞서지 않도록 대진표를 짜다》: ~ the draw (우수한 선수가 이겨 남도록) 강약별로 나누어 추첨하다
▷ séedy *a.*
séed bànk 종자 은행
seed·bed [síːdbèd] *n.* **1** 묘상(苗床), 모판 **2** 양성소, (죄악의) 온상
seed·cake [-kèik] *n.* 씨가 든 과자 《특히 caraway의 씨가 든》
séed càpital 〖경영〗 (벤처 사업 등의) 초기 투입 자본
séed càpsule (흰나리·붓꽃 등의 종자를 싸는) 삭(蒴)
seed·case [-kèis] *n.* **1** = SEED CAPSULE **2** = SEED VESSEL
séed còat 〖식물〗 종피(種皮)(testa)
séed còral (장식품용) 알갱이 산호
séed còrn (미) 종자용 옥수수
seed·ed [síːdid] *a.* **1** 씨가 있는; 씨를 뿌린 **2** (과일의) 씨를 제거한 **3** [복합어를 이루어] …의 씨가 있는: a hard-~ fruit 견과(堅果) 《밤·호두 등》 **4** 〖스포츠〗 〈선수·게임이〉 시드된
seed·er [síːdər] *n.* **1** 씨 뿌리는 사람[기구]; 씨앗 받는 기계 **2** (인공 강우용) 약제 살포 장비 **3** (영) 알배기 (물고기)(seed fish)
séed fish 알배기 (물고기)
seed·ing [síːdiŋ] *n.* Ⓤ **1** 씨 뿌리기: ~ machine 파종기 **2** (인공 강우의) 모립(母粒) 살포
séed lèaf 〖식물〗 자엽(子葉), 떡잎
seed·less [síːdlis] *a.* 씨가 없는
seed·ling [síːdliŋ] *n.* 실생(實生) 식물; 묘목 《3피트 이하》
seed·lip [síːdlìp] *n.* (영) (씨 뿌릴 때 사용하는) 종자 그릇
seed·man [síːdmən] *n.* = SEEDSMAN
séed mòney (미) 큰 사업[대모금]의 출발 기금
séed òyster (양식용) 종자[씨] 굴
séed pèarl 작은 진주알 《1/4 grain 이하》
séed plànt 종자식물
seed-plot [-plàt | -plɔ̀t] *n.* = SEEDBED
seed·pod [síːdpàd | -pɔ̀d] *n.* (콩·평지 등의) 꼬투리
séed potàto 씨감자
seeds·man [síːdzmən] *n.* (*pl.* **-men** [-mən, -mèn]) 씨를 뿌리는 사람; 씨앗 장수

---

seek *v.* **1** 찾다 search for, look for, be after, hunt for **2** 구하다 ask for, request, solicit, entreat **3** 노력하다 try, attempt, endeavor, strive, aspire

---

seed·stock [síːdstàk | -stɔ̀k], **séed stòck** *n.* **1** (심기 위해 보관된) 종자, 종근(種根), 덩이줄기 **2** 선별된 보호 동물 **3** 양식 동물
seed·time [síːdtàim] *n.* Ⓤ **1** 파종기 《늦봄 또는 초여름》 **2** 준비기, 양성[초창]기
séed vèssel 〖식물〗 과피(果皮)(pericarp)
seed-wool [-wùl] *n.* 종면(種綿) 《씨를 빼지 않은 목화》
seed·y [síːdi] *a.* (**seed·i·er**; **-i·est**) **1** 씨가 많은; 씨를 맺은; 〈물고기가〉 알배기의: a ~ orange 씨 많은 오렌지 **2** (구어) 〈복장 등이〉 초라한, 누추한, 꾀죄죄한 **3** Ⓟ (구어) 기분이 좋지 않은: feel[look] ~ 기분이 나쁘다[나빠 보이다] **4** 〈물건·일·장소가〉 별로 평판이 좋지 않은, 저급한: a ~ hotel 평판이 좋지 않은 호텔 **5** 〈프랑스산(産) 브랜디가〉 풀향기가 나는 **6** 〈유리가〉 작은 기포(氣泡)가 든
séed·i·ly *ad.* **séed·i·ness** *n.*
*__see·ing__ [síːiŋ] *n.* ⓊⒸ 봄, 보기; 시각(視覺); 시력: *S*~ is believing. (속담) 백문이 불여일견 / ~*s* and doings 보고 행한 일들
— *a.* 〈사람이〉 눈이 보이는; 시력[통찰력]이 있는; [the ~; 명사적; 복수 취급] 눈이 보이는 사람들
— *conj.* …한 점에서 보면(considering), …인 이상은, …이므로; …인 셈치고는
Séeing Èye dòg 맹도견(盲導犬) 《미국 New Jersey주의 자선 단체 Seeing Eye가 공급하는 개; 상표명》
⁑**seek** [síːk] *v.* (**sought** [sɔ́ːt]) *vt.* **1** **찾다,** 찾으러 가다; 조사[탐사]하다, 모색하다, 탐구하다; **찾아내다** 《*out*》: ~ the truth 진리를 탐구하다 **2** 〈부·명성 등을〉 **추구하다,** 얻으려고 하다, 〈충고 등을〉 **구하다,** 〈설명 등을〉 요구하다: ~ one's[a] fortune 한 재산 모으려 하다 // (~+목+전+명) ~ a lady's hand *in* marriage 여자에게 구혼하다 **3** (문어) 〈…하려고〉 **노력하다,** 시도하다(try): (~+***to*** do) ~ *to* find an answer 해답을 찾으려고 애쓰다 **4** 〈장소로〉 가다, 향하다: (~+목+전+명) He *sought* the woods *for* herbs. 그는 약초를 찾아 숲으로 갔다.
— *vi.* **1** **수색하다, 탐색하다,** 찾다 《*for*》, 샅샅이 찾다[뒤지다] 《*through*》: (~+전+명) He is ~*ing for* employment. 그는 일자리를 찾고 있다. / He *sought through* the park but he couldn't find his son. 그는 공원 안을 샅샅이 찾았지만 아들을 찾지 못했다. **2** **추구하다,** 얻으려 하다, 구하다 《*for, after*》: (~+전+명) He is always ~*ing for* [*after*] power. 그는 항상 권력을 추구하고 있다. **3** (고어) (…에) 가다(resort) 《*to*》
be not far to **~** 〈이유·동기 등이〉 가까운 데에 있다; 명백하다 ***be sadly to*** **~** (고어·시어) 몹시 결여되어 있다 ***be yet to*** **~** (고어·시어) 아직 없다 **~** ***after*** [***for***] …을 탐구하다, 열심히 찾다(⇨ *vi.* 2) **~** ***a quarrel*** 싸움을 걸다 **~** a person***'s life*** …을 죽이려고 꾀하다 **~** ***out*** 찾아내다
— *n.* (열·소리·광선·방사선 등의) 목표물 탐색; 〖컴퓨터〗 시크, 탐색 《디스크 기억장치의 읽기·쓰기 헤드를 특정 위치로 이동시킴》
seek·er [síːkər] *n.* **1** 수색자; 탐구자, 구도자(求道者): a ~ after truth 진리 탐구자 **2** 〖로켓〗 목표 감지 유도 장치 **3** (해부·수술용 등의) 소식자(消息子)
-seeking [síːkiŋ] 《연결형》 「…을 찾는」의 뜻: a heat-~ missile 열 추적 미사일
séek tìme 〖컴퓨터〗 탐색 시간 《디스크 기억 장치에서 지정하는 트랙으로 헤드가 움직여 도착할 때까지 걸리는 시간》
seel [síːl] *vt.* (훈련 과정에서) 〈어린 매의〉 눈꺼풀을 실로 꿰매다
see·ly [síːli] (고어) *a.* **1** 약한, 빈약한; 가련한 **2** 행복한 **3** 선량한; 행운의 **4** 단순한
⁑**seem** [síːm] [ON 「적합하다」의 뜻에서] *vi.* **1** …처럼 보이다, 보기에 …하다; …인 듯하다[것 같다]: (~+(***to be***) 보) He ~*s* (*to be*) young. 그는 젊어

보인다. / He ~s glad to see us. 그는 우리들을 만나 기뻐하는 것 같다. / He ~s (*to be*) an honest man. 그는 정직한 사람처럼 보인다. ∥ ⦅~+***to*** do⦆ He ~*ed to* think so to me. 내게는 그가 그렇게 생각하고 있는 것처럼 보였다.

> 유의어 **seem** 보통 말하는 사람의 주관적인 판단을 나타낸다. **appear** 외관이 그와 같이 보인다는 것을 뜻하는데, 「실제는 그렇지 않을지도 모른다」는 뜻이 함축되어 있는 경우도 있다: The house *appears* to be deserted. 그 집은 빈집인 것 같다. **look** appear와 마찬가지로 외면적인 것을 나타내는데, 「실제로도 그렇다」는 뜻이 담겨 있는 경우가 많다: She *looked* very much frightened. 그녀는 몹시 겁을 먹은 것같이 보였다.

2 …인 것처럼 생각되다, …인 것 같은 생각이 들다: ⦅~+***to*** do⦆ I ~ unable *to* please her. 나로서는 그녀를 기쁘게 할 수가 없을 것 같다. ∥ ⦅~+(***to be***) 보⦆ There ~*s* (*to be*) no need to hurry. 서두를 필요는 없을 것 같다. / There ~*s* (*to be*) no point in going. 간다 해도 아무런 의미[효과]가 없을 것 같다. **3** [it을 주어로 하여] …인 것 같다, …인 듯하다: ⦅~+보⦆ *It* ~*s* likely to rain. 비가 올 듯하다. / *It* ~*s* good to me to do so. 그렇게 하는 것이 좋을 듯 싶다.; 나는 그렇게 할 작정이다. ∥ ⦅~+***that*** 절⦆ *It* ~*s* (*that*) he was not there. 그는 거기에 없었던 것 같다. / *It* would ~ *that* the weather is improving. 날씨는 좋아질 것 같다. ⦅★ It ~s that …보다 완곡한 표현⦆ ∥ ⦅~+전+명+***that*** 절⦆ *It* ~*s to* me *that* he likes study. 내게는 그가 공부를 좋아하는 것으로 생각된다.(=He ~*s to* like study to me.) ★ 원칙적으로 현재·과거에 대해서 쓰이며 미래에 대해서는 쓰이지 않음(cf. LIKELY). ∥ *S~s* like there's no time at all. 시간이 전혀 없는 듯하다. ★ ⦅구어⦆에서는 it을 생략하는 경우도 있다.
as* (*it*) *~s good* [*best*]** 좋다[최선이라]고 생각되는 방향으로 ***can't* [*cannot*] *~ to do ⦅구어⦆ …할 수 없는 것 같다 ***It ~s so.*** = ***So it ~s.*** 그런 것 같다. ***It should* [*would*] *~ …*** 어쩐지 …인 듯하다

seem·er [sí:mər] *n.* 겉꾸미는[겉치레하는] 사람

∗**seem·ing** [sí:miŋ] ⦅문어⦆ *a.* Ⓐ **겉으로의, 외관상**[표면만]의, 허울만의, 겉꾸민, 그럴듯한
— *n.* Ⓤ 겉모양, 겉보기, 외관(appearance): to all ~ 어느 모로 보나

∗**seem·ing·ly** [sí:miŋli] *ad.* **1 겉으로는,** 표면[외관]상(은) **2** [문장 전체를 수식하여] 겉으로 보기에: *S~* he is mistaken. 겉보기에는 그가 틀렸다. **3** ⦅고어⦆ 어울리는(becomingly)

seem·ly [sí:mli] *a.* (**-li·er**; **-li·est**) 알맞은, 적당한; 품위 있는, 점잖은 **—** *ad.* 품위 있게; 알맞게; ⦅고어⦆ 어울리게 **séem·li·ness** *n.*

‡**seen** [sí:n] *v.* SEE¹의 과거분사
— *a.* **1** (눈에) **보이는,** 볼 수 있는 **2** ⦅고어⦆ (…에) 정통한 ⦅*in*⦆: be well[ill] ~ *in* ⦅고어⦆ …에 정통하다[하지 않다]

seep¹ [sí:p] *vi.* **1** 〈액체·빛 등이〉 스며 나오다, 뚝뚝 떨어지다, 새다: Cold ~*ed* into my bones. 냉기가 뼛속에 스며들었다. **2** 〈사상·이해 등이〉 침투하다, 서서히 확산하다, 퍼지다

seep² [sea+jee*p*] *n.* ⦅미⦆ 수륙 양용 지프

seep·age [sí:pidʒ] *n.* Ⓤ 누출[삼투](액[양])

seep·y [sí:pi] *a.* 물이 스며 나오는, 질척질척한

∗**seer¹** [sí:ər] *n.* **1 보는 사람, 관찰자 2** [síər] ⦅문어⦆ 천리안(千里眼); 선지자, 선각자, 예언자; 현인, 현자 **3** [síər] 점성술사

seer² [síər, séər | síə] *n.* 시어 ⦅인도의 무게 단위, 약 2파운드; 액량 단위, 약 1리터⦆

seer·ess [síəris] *n.* 여자 예언자 ⦅seer¹의 여성형⦆

seer·fish [síərfiʃ] *n.* (*pl.* **~, ~·es**) 〖어류〗 고등어무리

seer·suck·er [-sʌ̀kər] *n.* Ⓤ 박직(薄織) 리넨 ⦅인도산(産); 청색과 백색의 줄무늬가 들어 있음⦆

‡**see·saw** [sí:sɔ̀:] *n.* **1 a 시소** (놀이)(teeter-totter): play (at) ~ 시소 놀이를 하다 **b** 시소 널빤지, 널 **2** ⓊⒸ 동요, 변동; 아래위[앞뒤] 움직임; 일진일퇴, 접전: the ~ of one's lips 입술의 상하 움직임 **3** 〖카드〗 =CROSSRUFF
— *a.* Ⓐ **1** 시소 같은, 아래위[앞뒤]로 움직이는 **2** 동요[변동]하는; 일진일퇴하는: ~ motion 번갈아 아래위[앞뒤]로 움직이기 / a ~ game[match] 쫓기고 쫓는 접전, 시소 게임
— *ad.* 아래위[앞뒤]로 움직여; 동요하여 ***go ~*** 동요하다, 변동하다, 오르락내리락 하다, 일진일퇴하다
— *vi.* **1 a** 아래위[앞뒤]로 번갈아 움직이다 **b** 변동하다; 〈정책 등이〉 동요하다 **2** 시소를 타다
— *vt.* 아래위[앞뒤]로 움직이게 하다; 동요시키다

∗**seethe** [sí:ð] *v.* (**~d,** ⦅고어⦆ **sod** [sɑ́d | sɔ́d]; **~d,** ⦅고어⦆ **sod·den** [sɑ́dn | sɔ́dn]) *vi.* **1 a 끓어오르다,** 펄펄 끓다, 비등하다(boil) **b** 〈파도 등이〉 굽이치다, 소용돌이치다 **2** [보통 진행형으로] **a** 〈사람이〉 (화가 나서) 속이 끓어오르다 ⦅*with*⦆ **b** 〈군중·나라 등이〉 (불평·불만으로) 들끓듯이 법석이다, 시끌벅적하다 ⦅*with*⦆ **c** 〈장소 등이〉 (사람으로) 들끓다 ⦅*with*⦆
— *vt.* 〈가죽을 물에〉 담그다, 함빡 적시다(soak); ⦅고어⦆ 삶다

seeth·ing [sí:ðiŋ] *a.* **1 a** 펄펄 끓는, 비등하는 **b** 〈파도 등이〉 소용돌이치는 **2 a** (화·흥분 등으로) 속이 끓어오르는 **b** Ⓟ …으로 야단법석하는, 들끓는 **3** 격렬한, 심한, 혹독한

see-through, see-thru [sí:θrù:] *a.* 〈옷 등이〉 비치는; (구조상) 빛을 통과시키는
— *n.* 투명성; 비치는 옷

see·ya·bye [sì:jəbái] [see you bye에서] *int.* ⦅미·속어⦆ 안녕

seg [ség], **seg·gie** [ségi] *n.* ⦅미·속어⦆ 인종 차별주의자(segregationist)

se·gar [sigɑ́:r] *n.* =CIGAR

∗**seg·ment** [ségmənt] *n.* **1 단편, 조각,** 구분, 부분, 분절: the ~*s* of an orange 오렌지 조각 **2** 〖수학〗 선분(線分)(=line ~); (원의) 호(弧) **3** 〖동물〗 체절(體節), 환절(環節) **4** 〖언어〗 분절(음)
— [ségment, ─́─ | ─́─] *vt.* **1** 분할하다, 가르다 **2** 〖생물〗 (세포 증식에 의해) 분절[분리]하다
— *vi.* 갈라지다, 분열하다
▷ segméntal *a.*; segmentátion *n.*

∗**seg·men·tal** [segméntl] *a.* 부분의, 구분의, 부분으로 갈라진; 부분으로 된; 〖수학〗 선분의, 호(弧)의; 〖동물〗 환절의; 〖언어〗 분절의 **~·ly** *ad.*

seg·men·tal·ize [segméntəlàiz] *vt.* =SEGMENT

segméntal phóneme 〖언어〗 분절 음소(分節音素)

seg·men·tar·y [ségməntèri | -təri] *a.* =SEGMENTAL

seg·men·ta·tion [sègməntéiʃən] *n.* Ⓤ **1** 구분, 분할, 분열 **2** 〖동물〗 체절 구성(體節構成); 〖생물〗 (수정란의) 난할(卵割), 분할 **3** 〖언어〗 분절

ségment gèar 〖기계〗 세그먼트[부채꼴] 톱니바퀴

se·gno [séinjou, sén-] [It.] *n.* (*pl.* **~s, -gni** [-nji:]) 〖음악〗 기호(sign), ⦅특히⦆ 세뇨 ⦅악절의 앞 또는 뒤에 두는 반복 기호; 𝄋, :S:⦆

sé·go lí·ly [sí:gou-] 〖식물〗 나비나리(mariposa lily) ⦅북미산(産) 나리의 일종; 뿌리는 식용⦆

Se·go·vi·a [səgóuviə] *n.* 세고비아 **Andrés ~** (1893-1987) ⦅스페인의 기타 연주자⦆

seg·re·gate [ségrigèit] [L 「무리에서 떼어놓다」의 뜻에서] *vt.* **1** 〈사람·단체를〉 분리하다(separate), 격

thesaurus **seeming** *a.* apparent, ostensible, outward, external, surface, superficial, pretended, feigned, assumed (opp. *actual*, *genuine*)
seethe *v.* boil, bubble, fizz, foam, ferment
segment *n.* section, sector, part, cut, division,

리하다 《*from*》: ~ exceptional children 장애아를 분리하다 **2** [보통 수동형으로] 〈사람·단체를〉 (인종·성별에 따라) 분리하다, 차별 대우하다 — *vi.* **1** 분리하다; 관계를 끊다 **2** (인종·성별 등에 의해) 차별하다 **3** 〖유전〗 (감수 분열 때) 〈대립 유전자·형질이〉 분리하다 — [-gət, -gèit] *n.* **1** 분리[차별]된 것[사람, 집단] **2** 〖유전〗 (유전 형식이) 다른 것과 다른 순계(純系), 분리계 — [-gət, -gèit] *a.* (고어) 분리된

seg·re·gat·ed [ségrigèitid] *a.* **1** 분리된, 격리된; 갈라진 **2** 인종 차별의[을 하는] **3** 특수 인종[그룹]에 한정된: ~ education 인종 차별[격리] 교육 / a ~ bus 흑인과 백인의 자리가 따로 있는 버스
~·ly *ad.* **~·ness** *n.*

seg·re·ga·tion [sègrigéiʃən] *n.* Ⓤ **1** 분리, 격리; 격절(隔絶); 격리 수용; 독방 **2** 인종[성별] 차별(대우) (cf. DESEGREGATION, INTEGRATION) **3** 〖유전〗 (염색체의) 분리 **~·al** *a.* **~·ist** *n.* 격리론자; 인종[성별] 차별주의자

seg·re·ga·tive [ségrigèitiv] *a.* **1** 〈사람이〉 사교를 싫어하는, 비사교적인 **2** 인종[성별] 차별적인

seg·re·ga·tor [ségrigèitər] *n.* 분리하는 사람; 분리기(器)

se·gue [séigwei, ség-] [It.] 〖음악〗 *n.* 세구에 《단절 없이 다음 악장으로 이행하는 지시》 — *vi.* 단절하지 않고 연주하다; 사이를 두지 않고 이행하다

se·gui·dil·la [sèigədíːljə, sègə-] [Sp.] *n.* (*pl.* **~s** [-z]) **1** (두 사람이 추는 3박자의) 스페인 무용 **2** 그 춤곡 **3** 〖운율〗 독특한 스페인풍 리듬의 4-7행의 연(連)

sei·cen·to [seitʃéntou] *n.* [종종 **S~**] 이탈리아 문학·미술상의 17세기

sei·del [sáidl, zái-] [G] *n.* (맥주) 조끼

Séid·litz pòwders [sédlits-] 세들리츠산(散) 《Seidlitz 광천수(鑛泉水)와 비슷한 발포성 완하제》

sei·gneur [siːnjə́ːr, sei- | se-] [F] *n.* [종종 **S~**] (프랑스의) 영주, 봉건 군주; 님, 선생 《존칭》

sei·gneur·y [síːnjəri, séi- | séi-] *n.* **1** 영주[봉건 군주]의 영지 **2** (특히 프랑스령 캐나다에서) 칙허(勅許)에 의해 수여된 토지

seign·ior [síːnjər, séi- | séi-] *n.* = SEIGNEUR

seign·ior·age, seign·or·age [síːnjəridʒ, séi- | séi-] *n.* ⓊⒸ **1** 화폐 주조세(稅); 화폐 주조 이차(利差); 광산 채굴료, 특허권 사용료, 인세(印稅) **2** (고어) 군주의 특권

sei·gn(i)o·ri·al [sinjɔ́ːriəl, sei- | sei-] *a.* 영주의

seign·ior·y, seign·or·y [síːnjəri, séi- | séi-] *n.* (*pl.* **-ior·ies**) ⓊⒸ **1** 영주[성주]의 권력 **2** 영지(領地)(lord's domain) **3** 주권, 지배권 **4** Ⓒ (중세 이탈리아 도시 국가의) 시회(市會) 《베니스 등의》

seine [séin] *n., vt., vi.* 예인망(을 치다), 후릿그물(로 고기를 잡다)

seine

Seine [séin] *n.* [the ~] 센 강 《프랑스 북부를 흘러 파리 시내를 지나서 영국 해협에 이름》

sein·er [séinər] *n.* 예인망 어부[어선]

seise [síːz] *vt.* = SEIZE 5

sei·sin, -zin [síːzn | -zin] *n.* 〖법〗 (토지·동산의) (특별) 점유권, 점유 행위; 점유 물권

seism [sáizm, sáism | sáizm] *n.* 지진(earthquake)

seism- [sáizm, sáism | sáism] 《연결형》 「지진」의 뜻

seis·mal [sáizməl] *a.* = SEISMIC

component, piece, bit, portion, slice, wedge
seize *v.* **1** 붙잡다 grasp, grab, take hold of, grip, clutch **2** 파악하다 understand, grasp, comprehend, discern, perceive **3** 체포하다 catch, arrest, apprehend, take into custody

seis·mic [sáizmik, sáis- | sáiz-] *a.* **1** 지진의; 지진성의: a ~ area 진역(震域) / the ~ center[focus] 진원(震源) **2** (정도가) 큰, 심한: a ~ change 큰 변화
séis·mi·cal·ly *ad.*

seis·mic·i·ty [saizmísəti, sais- | saiz-] *n.* Ⓤ 지진 활동도

séismic próspecting 인공 지진에 의한 지질 조사, 지진 탐사

séismic wáve 지진파

seis·mism [sáizmizm, sáis- | sáiz-] *n.* Ⓤ 지진 현상; 지진 활동

seismo- [sáizmou, -mə, sáis- | sáiz-] 《연결형》 「지진」의 뜻 《모음 앞에서는 seism-》

seis·mo·gram [sáizməgræ̀m, sáis- | sáiz-] *n.* (지진계가 기록한) 진동 기록, 진동도(震動圖)

seis·mo·graph [sáizməgræ̀f | -grɑ̀ːf] *n.* 지진계, 진동계

seis·mog·ra·pher [saizmágrəfər | -mɔ́-] *n.* 지진학자

seis·mo·graph·ic [sàizməgræ̀fik, sàis- | sàiz-] *a.* 지진계의

seis·mog·ra·phy [saizmágrəfi, sais- | saizmɔ́-] *n.* Ⓤ 지진 관측(술), 지진학; 지진계 사용법

seis·mo·log·i·cal [sàizməládʒikəl | -lɔ́-] *a.* 지진학의: a ~ laboratory 지진 연구소 / a ~ observatory 지진 관측소

seis·mol·o·gy [saizmálədʒi, sais- | saizmɔ́-] *n.* Ⓤ 지진학 **-gist** *n.* 지진학자

seis·mom·e·ter [saizmámətər, sais- | saizmɔ́-] *n.* 지진계

seis·mo·scope [sáizməskòup, sáis- | sáiz-] *n.* 간이지진계

SEIU Service Employees International Union

séi whàle [séi-] 긴수염고래

‡seize [síːz] *vt.* **1** (갑자기) (붙)잡다, 꽉 쥐다, 붙들다 (⇨ take 유의어): ~ a rope 밧줄을 꽉 붙잡다 // (~+목+전+명) ~ a person *by* the hand …의 손을 붙잡다 **2** 〈의미·요점 등을〉 파악하다, 납득하다, 이해하다: I ~*d* your meaning. 당신이 말하는 뜻을 알았습니다. **3** 〈기회 등을〉 붙잡다, 포착하다; 이용하다 (~+목+*to* do) ~ an opportunity *to* ask questions 질문할 기회를 포착하다 **4** 〈적진·권력 등을〉 빼앗다, 강탈하다: ~ enemy ships 적선을 나포하다 **5** 〈범인 등을〉 붙잡다, 체포하다 **6** [종종 수동형으로] 〈공포·병 등이〉 〈사람을〉 덮치다, 엄습하다, 사로잡다: He was ~*d with* a sudden rage. 그는 별안간 분노에 사로잡혔다. **7 a** 〖법〗 〈금제품·문서 등을〉 (강권으로) 압류하다, 몰수하다 **b** 〈…에게〉 점유[소유]시키다 《*of*》(⇨ seized) **8** 〖항해〗 〈밧줄을〉 붙들어 매다, 동여매다(fasten): (~+목+부) ~ ropes *together* 밧줄과 밧줄을 붙들어 매다
— *vi.* **1** 잡다, 붙들다 《*on, upon*》: (~+전+명) ~ *on*[*upon*] a rope 밧줄을 붙잡다 **2** 〈기회·결점 등을〉 붙잡다, 포착하다 《*on, upon*》: (~+전+명) ~ *on* a chance 기회를 포착하다 **3** 〈공포·병 등이〉 덮치다, 엄습하다 《*on, upon*》 **4** (방법·수단을) (필사적으로) 강구하다 《*on, upon*》 **5 a** 〈기계가〉 (과열 등으로) 서다, 멈추다 《*up*》 **b** (영·구어) 〈교섭 등이〉 벽에 부딪치다
be ~d with 〈병에〉 걸리다; 〈공포 등에〉 사로잡히다
~ control of …을 장악하다 ***~ hold of*** …을 붙잡다 ***~ the throne***[***scepter***] 왕위를 빼앗다, 찬탈하다
séiz·a·ble *a.* 잡을 수 있는; 압류할 수 있는
séiz·er *n.* 잡는 사람; 압류인

seized [síːzd] *a.* Ⓟ 〖법〗 …을 소유한, 점유한 《*of*》: He is[stands] ~ *of* much property. 그는 많은 재산을 갖고 있다.

seize-up [síːzʌ̀p] *n.* (기계의) 고장, 정지; (영·구어) 막다름, 앞이 막힘

sei·zin [síːzn | -zin] *n.* = SEISIN

seiz·ing [síːziŋ] *n.* ⓊⒸ **1** (부동산의) 점유; 압류 **2** (붙)잡기, 꼭 쥠 **3** 〖항해〗 동여맴; 동여매는 밧줄

sei·zor [síːzər] *n.* 〖법〗 점유[소유]자; 압류자
sei·zure [síːʒər] *n.* **1** Ⓤ (갑자기) 붙잡음, 꽉 쥠; 체포 **2** ⓊⒸ 압류, 몰수 **3** ⓊⒸ 강탈; 점령; 점유 **4** 발작, 발병; 《특히》 뇌졸중: a heart ~ 심장 발작
▷ séize *v.*
se·j(e)ant [síːdʒənt] *a.* (문장(紋章)에서) 〈사자 등이〉 앞발을 세우고 앉은
Sejm [séim] [Pol.] *n.* 폴란드 국회
se·kos [síːkɑs | -kɔs] *n.* (고대 그리스의) 성역, 신전의 내부; 《일반적으로》 사원, 신전, 성소(聖所)
sel. select(ed); selection(s)
se·la·chi·an [siléikiən] 〖어류〗 *n.* 연골어(軟骨魚) 《상어·가오리 등》 **—***a.* 연골어 무리의
se·lah [síːlə, séla | síː-] *n.* 셀라 《구약 성서의 시편에 나오는, 뜻이 분명치 않은 히브리 말; 목소리를 높이거나 멈추라는 지시 기호로 짐작됨》
se·lam·lik [silɑ́ːmlik] [Turk.] *n.* (터키 사람 집의) 남자 전용실
sel·couth [sélkùːθ] *a.* 《고어》 이상한(strange), 별난, 드문(uncommon)
‡**sel·dom** [séldəm] *ad.* 드물게(rarely), 좀처럼 …않는(opp. *often*): Grandfather ~ goes out. 할아버지는 외출하시는 일이 드물다.
not* ~** 왕왕, 간혹, 이따금: It *not* ~ happens that …하는 일은 왕왕 있다 ***~, if ever 설사 …이라고 해도 극히 드물게: He ~, *if ever*, goes out. 그가 외출하는 일이란 극히 드물다. ***~ or never*** = ***very ~*** 여간 해서 …않다
‡**se·lect** [silékt] [L 「따로 모으다」의 뜻에서] *vt.* **1** 고르다, 선택하다, 선발하다(⇨ choose 유의어); 발탁[발췌]하다; 뽑다, 선출하다: (~+목+전+명) ~ the best *out of*[*from, among*] many books 많은 책 중에서 가장 좋은 것을 고르다 / ~ a birthday present *for* one's child 자기 아이에게 줄 생일 선물을 고르다 / ~ a chairman *by* secret ballot 의장을 비밀 투표로 선출하다 // (~+목+부) She ~*ed out* the biggest pearl. 그녀는 가장 큰 진주를 골라냈다. **2** 〖통신〗 분리하다
—*vi.* 고르다, 선택하다
—*a.* **1** 고른, 가려낸, 추려낸; 정선(精選)한, 극상의; 발췌한: ~ books 정선 도서 **2 a** 〈회·학교 등이〉 입회[입학] 조건이 까다로운: a ~ club 입회 조건이 까다로운 클럽 **b** 상류 사회의 **c** Ⓟ 선택에 까다로운, 가리는(cf. SELECTIVE)
—*n.* [종종 *pl.*] 정선품, 극상품
seléct chànnel 선택 채널 《한 순간에 단지 하나의 주변 장치로만 데이터의 처리가 가능한 입출력 채널; cf. MULTIPLEXER CHANNEL》
seléct commíttee [집합적] (의회의) 특별(조사) 위원회
se·lect·ed [siléktid] *a.* 선택된(chosen), 선발된(picked out), 정선[엄선]된
se·lect·ee [silèktíː] *n.* **1** (미) 선발 징병 응소자 **2** 선발된 사람
‡**se·lec·tion** [silékʃən] *n.* **1** ⓊⒸ 선발, (신중한) 선택, 정선(choice): a careful ~ 신중한 선택 **2** 선발된 것[사람]; 발췌, 선택물; 정선물; (경마 등에서) 우승이 예상되는 말[사람]; 선집(選集) **3** 전시회 **4** Ⓤ 〖생물〗 선택, 도태(淘汰) **5** 〖통신〗 분리
be a good ~ 최적임이다 ***artificial*** [***social, natural, sexual***] ***~*** 인위[사회, 자연, 자웅] 도태
~·al *a.* ▷ seléct *v.*; seléctive *a.*
seléctional restríction 〖언어〗 (생성 문법에서) 선택 제한
seléction commìttee 선발 위원(회) 《경기 팀의 새 선수 선발을 위한》
se·lec·tion·ist [silékʃənist] *n.* 선택주의자, 자연도태론자
*****se·lec·tive** [siléktiv] *a.* **1 a** 선택하는; 정선하는, 선택안(眼)이 있는: a ~ reader 양서를 선택해 읽는 사람 **b** 선택적인, 가리는: ~ bombing 선택 폭격 **2** 〖통신〗 〈수신기 등이〉 선택식의, 분리 감도가 좋은: ~ system 분리식 통신법 **3** 선택[도태]의
~·ly *ad.* **~·ness** *n.*
seléctive atténtion 〖심리〗 선택적 주의
seléctive distribútion 〖마케팅〗 선택적 판매 《기업이 지역마다 중간업자나 도매업자를 지정하는 판매 방식》
seléctive emplóyment tàx (영) 선택 고용세 《3차 산업 인구를 줄이기 위한 사업세(1966-73); 略 SET》
seléctive phó·to·ther·mol·y·sis [-fóutou-θərmɑ̀ləsis | -mɔ̀l-] 〖의학〗 선택적 사진열 융해 《특정한 색을 가진 조직만 조사(照射)하는 레이저 조사법》
seléctive sáfeguard 〖경제〗 선택적 보호 조치 《특정 지역의 특정 상품의 수입을 제한하는 긴급 수입 제한 조치》
seléctive sérvice (미) 선발 징병, 의무 병역
Seléctive Sérvice Sỳstem [the ~] (미) 선발 징병제 《1948년에 부활됨; 略 SSS》
se·lec·tiv·i·ty [silèktívəti, sìːlek- | silèk-, sìlek-] *n.* Ⓤ **1** 선택력[성]; 정선; 도태 **2** 〖통신〗 (수신기의) 분리 감도, 선택도(度)
se·lect·man [siléktmən] *n.* (*pl.* **-men** [-mən, -mèn]) (미) (New England 각주의) 도시 행정 위원 ★ New England에서는 [silèktmǽn].
se·lec·tor [siléktər] *n.* **1 a** 선택자, 정선자 **b** (영) 선수 선발 위원 **2 a** 선별기(機) **b** (오토매틱 차의) 변속 레버 **c** 〖통신〗 선파기(選波機)
seléctor lèver (자동) 변속 레버
selen- [silíːn, sélən], **seleno-** [silíːnou] 《연결형》 「달」의 뜻 《모음 앞에서는 selen-》
sel·e·nate [sélənèit] *n.* 〖화학〗 셀렌산염(酸鹽)
Se·le·ne [silíːni] *n.* 〖그리스신화〗 셀레네 《달의 여신; 로마 신화의 Luna에 해당》
se·le·nic [silíːnik, -lén-] *a.* 〖화학〗 셀렌의
selénic ácid 〖화학〗 셀렌산(酸) 《강한 2염기산》
se·le·ni·ous [silíːniəs] *a.* 〖화학〗 아(亞)셀렌의, 2[4]가(價)의 셀렌을 함유하는
sel·e·nite [sélənàit, silíːnait | sélinàit] *n.* **1** Ⓤ 〖화학〗 아(亞)셀렌산염; 〖광물〗 투명석고 **2** [(영) silíːnait] [S~] 달나라 사람
se·le·ni·um [silíːniəm] *n.* Ⓤ 〖화학〗 셀렌, 셀레늄 《비금속 원소; 기호 Se, 번호 34》
selénium cèll 셀레늄 광전지(光電池)
selénium rèctifier 〖전기〗 셀렌 정류기(整流器)
seleno- [silíːnou] 《연결형》 = SELEN-
se·le·no·cen·tric [silìːnouséntrik] *a.* 달 중심의, 달을 중심으로 본
sel·e·nod·e·sy [sèlənɑ́dəsi | -nɔ́-] *n.* Ⓤ 월면 측량학(測量學)
se·le·no·graph [silíːnəgræ̀f | -grɑ̀ːf] *n.* 월면도(月面圖)
sel·e·nog·ra·phy [sèlənɑ́grəfi | -nɔ́-] *n.* Ⓤ 월면지(月面誌) 《월면의 지세를 연구하는 학문》; 월면 지리[지세] **-ra·pher** *n.*
sel·e·nol·o·gy [sèlənɑ́lədʒi | -nɔ́-] *n.* Ⓤ 〖천문〗 월학(月學), 월리학(月理學) **-gist** *n.*
‡**self** [sélf] *n.* (*pl.* **selves** [sélvz]) **1** ⓊⒸ 자기, 자신: one's second[other] ~ 또 하나의 자기 / *S*~ do, ~ have. 《속담》 자업자득. **2** 개성, 특질, 본성; (어떤 시기·상태의) 자기, 본성, 진수(眞髓), 그 자신: Caesar's ~ 《시어》 시저 자신 / beauty's ~ 《시어》 미(美) 그 자체 / reveal one's real ~ 본성을 드러내다 **3** Ⓤ 자기의 이해, 사리(私利), 사욕, 사심, 이기심: control the ~ 자기를 억제하다 **4** Ⓤ 〖철학〗 자아 **5** (*pl.* **~s**) 〖원예〗 단색[자연색]의 꽃[동물] **6** 〖상업〗 본인 《나[너, 그] 자신 (등)》

thesaurus **seldom** *ad.* rarely, scarcely ever, hardly ever, infrequently (opp. *often, frequently*)
select *v.* choose, pick, single out, opt for, pre-

my humble ~ 소생(小生) ***rise above*** ~ 자기[사욕]를 버리다 one***'s better*** ~ 좋은 자기, 자기의 좋은 면, 자기의 양심; 애처(愛妻) ***your good selves*** 귀하, 귀점(貴店), 귀사《상용문에서》
—*a.* **1** 〈색 등이〉 단색의; 무지의 **2** 같은 재료의, 같은 종류의 **3** 〈술 등이〉 섞이지 않은, 순수한 **4** 〈활·화살 등이〉 나무로 된
—*vt., vi.* 자가 수분(受粉)시키다[하다]
▷ sélfish *a.*
self- [sélf] 《연결형》 [재귀대명사 my*self*, him*self*, it*self*, one*self* 등의 대용으로서 복합어를 만듦] 「자기, 자기를, 스스로, 자기에 대하여; 자기 혼자, 자동적인; 자연의; 단일한, 단색의; 순수한」의 뜻
USAGE (1) 이 복합어는 거의 모두 하이픈으로 연결됨. (2) 거의 모두 self에 제1 악센트를, 또 제2 요소의 말은 본래의 악센트를 유지함. (3) 이 사전에 수록되지 않은 복합어는 제2 요소의 뜻에서 유추하면 됨.
-self [self] 《연결형》 [복합[재귀] 대명사를 만듦] 「…자신」의 뜻: my*self*, your*self*
self-a·ban·doned [sélfəbǽndənd] *a.* 자포자기의; 방종한
self-a·ban·don·ment [sélfəbǽndənmənt] *n.* Ⓤ 자포자기; 방종
self-a·base·ment [sélfəbéismənt] *n.* Ⓤ 자기 비하(卑下); 겸손
self-ab·hor·rence [sélfəbhɔ́:rəns | -hɔ́r-] *n.* Ⓤ 자기 혐오[증오]
self-ab·ne·ga·tion [sélfæ̀bnigéiʃən] *n.* 《문어》 Ⓤ 자기 희생, 헌신
self-ab·sorbed [sélfæbsɔ́:rbd] *a.* 자기의 생각[이익]에 골몰한
self-ab·sorp·tion [sélfæbsɔ́:rpʃən] *n.* Ⓤ **1** 자기 몰두[도취], 열중 **2** 〖물리〗 (방사선의) 자기 흡수
self-a·buse [sélfəbjú:s] *n.* Ⓤ **1** 자기 비난 **2** 자기 재능의 악용 **3** 《완곡》 자위, 수음
self-ac·cess [sèlfəksés] *n.* Ⓤ 자가[자율] 학습법: a ~ center[library] 자율 학습 센터[도서관]
self-ac·cu·sa·tion [sélfæ̀kju(:)zéiʃən] *n.* Ⓤ 자기 질책, 자책(自責)(감)
self-ac·cus·ing [sélfəkjú:ziŋ] *a.* 자책하는
self-act·ing [sélfǽktiŋ] *a.* 자동(식)의
self-ac·tion [sélfǽkʃən] *n.* 자주적 행동[활동]; 자동
self-ac·ti·vat·ing [sélfǽktəvèitiŋ] *a.* 〈폭발 장치 등이〉 자동 시동식의
self-ac·tiv·i·ty [sélfæktívəti] *n.* = SELF-ACTION
self-ac·tor [sélfǽktər] *n.* 자동식 기계, 《특히》 자동 뮬 방적기
self-ac·tu·al·ize [sélfǽktʃuəlàiz] *vi.* 〖심리〗 자기 실현하다, 자기의 잠재 능력[자질 《등》]을 최고로 발휘하다 **-àc·tu·al·i·zá·tion** *n.* Ⓤ 자기 실현
self-ad·dressed [sélfədrést] *a.* **1** 〈봉투 등이〉 자기 앞으로 한[쓴], 반신용(返信用)의: a ~ stamped envelope 우표 붙인 자기앞 반신용 봉투 《略 SASE, s.a.s.e.》 **2** 자신을 향한: a ~ comment 자기 비평
self-ad·he·sive [sélfædhí:siv] *a.* 〈봉투·우표 등이〉 (자체에) 풀이 묻은
self-ad·just·ing [sélfədʒʌ́stiŋ] *a.* 자동 조정(식)의
self-ad·just·ment [sélfədʒʌ́stmənt] *n.* Ⓤ 자동 조정; 순응
self-ad·min·is·ter [sélfədmínistər] *vt.* 자기 관리하다
self-ad·mi·ra·tion [sélfæ̀dməréiʃən] *n.* 자화자찬, 자기 예찬
self-ad·vance·ment [sélfədvǽnsmənt | -vɑ́:ns-] *n.* 자기 향상
self-ad·ver·tise·ment [sélfæ̀dvərtáizmənt] *n.* 자기 선전

fer, favor, decide on, settle on —*a.* prime, first-rate, first-class, finest, excellent, best, limited, exclusive, privileged, high-quality

self-ad·vo·ca·cy [sélfǽdvəkəsi] *n.* 자기 주장[변호]
self-af·fect·ed [sélfəféktid] *a.* 자만하는(conceited), 자기 도취한
self-af·fir·ma·tion [sélfæ̀fərméiʃən] *n.* Ⓤ **1** 〖심리〗 자아 확인 **2** 〖논리〗 자기 확증
self-ag·gran·dize·ment [sélfəgrǽndizmənt] *n.* (권력·재산의) 자기 확대[강화]
self-al·ien·a·tion [sélfèiljənéiʃən] *n.* 〖심리〗 자기 소외
self-a·nal·y·sis [sélfənǽləsis] *n.* 자기 분석
self-an·ni·hi·la·tion [sélfənàiəléiʃən] *n.* (신과 동화하기 위한) 자기 멸각(滅却), 무아(無我)
self-an·ti·gen [sélfǽntidʒən] *n.* 〖생리〗 자기 항원(抗原)(autoantigen)
self-ap·plaud·ing [sélfəplɔ́:diŋ] *a.* 자기 예찬의, 자화자찬하는
self-ap·plause [sélfəplɔ́:z] *n.* 자화자찬, 자기 자랑
self-ap·point·ed [sélfəpɔ́intid] *a.* 독단적인, 자천(自薦)의, 자칭[자인]하는
self-ap·prais·al [sèlfəpréizəl] *n.* 자기 평가
self-ap·pre·ci·a·tion [sélfəprì:ʃiéiʃən] *n.* 자화자찬
self-ap·pro·ba·tion [sélfæ̀prəbéiʃən] *n.* 자기 칭찬, 자화자찬
self-ap·prov·al [sélfəprú:vəl] *n.* 자화자찬
self-as·sem·bly [sèlfəsémbli] *n.* 〖생화학〗 (생체 고분자 따위의) 자기(自己) 조립
self-as·sert·ing [sélfəsə́:rtiŋ] *a.* 자기를 주장하는; 자신에 찬; 주제넘은, 뻔뻔스러운 **~·ly** *ad.*
self-as·ser·tion [sélfəsə́:rʃən] *n.* Ⓤ 자기 주장; 주제넘게 나섬, 과시
self-as·ser·tive [sélfəsə́:rtiv] *a.* 자기 주장하는, 주제넘은 **~·ly** *ad.* **~·ness** *n.*
sélf assèssment 《미》 과세액 자기 평가, 자진 신고 납세
self-as·sumed [sélfəsú:md | -əsjú:md] *a.* 전단(專斷)의, 독단의
self-as·sump·tion [sélfəsʌ́mpʃən] *n.* = SELF-CONCEIT
self-as·sur·ance [sélfəʃúərəns] *n.* Ⓤ 자신(自信); 자기 과신
self-as·sured [sélfəʃúərd] *a.* 자신 있는; 자기 과신의 **~·ly** *ad.* **~·ness** *n.*
self-a·ware [sélfəwέər] *a.* 자기를 인식하는, 자각하는
self-a·ware·ness [sélfəwέərnis] *n.* 자기 인식, 자각
self-be·got·ten [sélfbigɑ́tn] *a.* 자생의
self-belt [sélfbélt] *n.* 옷과 같은 재질로 만든 허리띠 **~·ed** *a.*
self-bind·er [sélfbáindər] *n.* 자동 다발 묶음기; 자동 장정기(裝幀機)
self-build [sélfbíld] *n.* Ⓤ, *a.* 자기 건축(의), 손수 건축하기[하는] **-buíld·er** *n.*
self-burn·ing [sélfbə́:rniŋ] *n.* Ⓤ 분신 자살
self-ca·ter·ing [sèlfkéitəriŋ] *n., a.* 자취(自炊)(의)
self-cen·tered [sélfséntərd] *a.* **1** 자기 중심[본위]의; 이기적인: ~ people 자기 중심적인 사람들 **2** 자주적인, 자급 자족의, 독립한 **~·ly** *ad.* **~·ness** *n.*
sélf-chéck·ing nùmber [sélftʃékiŋ-] 〖컴퓨터〗 자체 검사수 《검사 문자가 부가된 수》
self-clean·ing [sélfklí:niŋ] *a.* 〈오븐 등이〉 자동세척식의, 자정(自淨)식의
self-clos·ing [sélfklóuziŋ] *a.* 〖기계〗 자동 폐쇄(식)의
self-col·lect·ed [sélfkəléktid] *a.* 침착[냉정]한
self-col·ored [sélfkʌ́lərd] *a.* **1** 〈꽃·동물·직물 등이〉 단색의 **2** 〈천 등이〉 자연색의
self-com·mand [sélfkəmǽnd | -mɑ́:nd] *n.* Ⓤ 자제, 극기(克己); 침착

self-com·mu·nion [sélfkəmjú:njən] *n.* 자성, 자기 성찰, 내성
self-com·pla·cence, -cen·cy [sélfkəmpléisns(i)] *n.* Ⓤ 자기만족, 자아도취
self-com·pla·cent [sélfkəmpléisnt] *a.* 자기만족의, 자아도취의 **~·ly** *ad.*
self-com·posed [sélfkəmpóuzd] *a.* 침착한
self-con·ceit [sélfkənsí:t] *n.* Ⓤ 자만심, 자부심, 허영심 **~·ed** *a.* 자부심이 강한
self-con·cept [sélfkɑ́nsept | -kɔ́n-], **-con·cep·tion** [-kənsépʃən] *n.* = SELF-IMAGE
self-con·cerned [sélfkənsə́:rnd] *a.* 이기적인; 병적으로 자기에게 관심을 가지는
self-con·demned [sélfkəndémd] *a.* 양심의 가책을 받는, 자책(自責)의
self-con·fessed [sélfkənfést] *a.* (결점을) 자인(自認)한, 스스로 인정하는
self-con·fi·dence [sélfkɑ́nfədəns | -kɔ́n-] *n.* Ⓤ **1** 자신(自信): gain ~ 자신을 얻다 **2** 자신 과잉
self-con·fi·dent [sélfkɑ́nfədənt | -kɔ́n-] *a.* 자신 있는; 자신 과잉의 **~·ly** *ad.*
self-con·grat·u·la·tion [sélfkəngrætʃuléiʃən] *n.* 자축(自祝), 자기만족
self-con·grat·u·la·to·ry [sélfkəngrǽtʃulətɔ̀:ri | -tjulətəri] *a.* 자축하는, 자기 만족의
***self-con·scious** [sélfkɑ́nʃəs | -kɔ́n-] *a.* **1** 자의식이 강한; 남의 이목을 의식하는 《*about*》; 사람 앞을 꺼리는, 수줍어하는 **2** 〖철학·심리〗 자의식의 **~·ly** *ad.* **~·ness** *n.* Ⓤ 자의식; 수줍음
self-con·se·quence [sélfkɑ́nsikwèns | -kɔ́nsikwəns] *n.* Ⓤ 거만, 자만(self-importance)
self-con·sis·ten·cy [sélfkənsístənsi] *n.* Ⓤ 자기모순이 없음, 시종일관, 조리 정연
self-con·sis·tent [sélfkənsístənt] *a.* 자기모순이 없는, 조리가 선, 일관성 있는
self-con·sti·tut·ed [sélfkɑ́nstətjù:tid | -kɔ́nstitjù:t-] *a.* 스스로 결정한, 자기 설정의
self-con·sum·ing [sélfkənsú:miŋ] *a.* 스스로 소모하는, 자멸하는
self-con·tained [sélfkəntéind] *a.* **1** 자기 충족의, 필요한 것을 완비한, 자급자족의: a ~ community 필요 시설이 다 완비된 공동체 **2** 말 없는, 터놓지 않는 **3** 자제심 있는 〈사람〉, 과묵한(reserved) **4** 〈기계 등이〉 그것만으로 완비된, 자급식의 **5** (영) 〈아파트 등이〉 가구별로 필요 시설이 갖추어진, 각호 독립식의 **~·ly** *ad.* **~·ness** *n.*
self-con·tempt [sélfkəntémpt] *n.* Ⓤ 자기 비하
self-con·tent [sélfkəntént] *n.* Ⓤ 자기만족
self-con·tent·ed [sélfkənténtid] *a.* 자기만족의, 독선적인 **~·ly** *ad.* **~·ness** *n.*
self-con·tent·ment [sélfkənténtmənt] *n.* = SELF-SATISFACTION
self-con·tra·dic·tion [sélfkɑ̀ntrədíkʃən | -kɔ̀n-] *n.* Ⓤ 자기모순; Ⓒ 자기모순의 진술[명제]
self-con·tra·dic·to·ry [sélfkɑ̀ntrədíktəri | -kɔ̀n-] *a.* 자기모순의, 자가당착의
***self-con·trol** [sélfkəntróul] *n.* Ⓤ **1** 자제(自制)(심), 극기(심): lose one's ~ 자제심을 잃다 **2** 자주관리(自主管理) **sélf-con·trólled** *a.* 자제심 있는
self-cor·rect·ing [sélfkəréktiŋ] *a.* 〈기계 등이〉 자동 수정(식)의
self-cre·ated [sèlfkriéitid] *a.* 자기 창조의
self-crit·i·cal [sèlfkrítikəl] *a.* 자기비판적인
self-crit·i·cism [sélfkrítəsìzm] *n.* Ⓤ 자기비판
self-cul·ture [sélfkʌ́ltʃər] *n.* Ⓤ 자기 수양, 자기 단련
self-deal·ing [sélfdí:liŋ] *n.* 사적 금융 거래, 《특히》 회사[재단] 돈의 사적 이용
self-de·ceit [sélfdisí:t] *n.* = SELF-DECEPTION
self-de·ceived [sélfdisí:vd] *a.* 자기기만에 빠진; 자신에 대해 과대평가하는; 착각하고 있는
self-de·ceiv·er [sélfdisí:vər] *n.* 자신을 속이는 사람
self-de·ceiv·ing [sélfdisí:viŋ] *a.* 자기기만의
self-de·cep·tion [sélfdisépʃən] *n.* Ⓤ 자기기만
self-de·cep·tive [sélfdiséptiv] *a.* 자신을 속이는, 자기기만의
self-de·feat·ing [sélfdifí:tiŋ] *a.* 〈계획 등이〉 의도한 대로 안 되는, 자멸적인
self-de·fense | -de·fence** [sélfdiféns] *n.* Ⓤ **1** 자기 방어, 자위(自衛), 호신 **2** 〖법〗 정당방위: in ~ 정당방위로 ***the art of ~ (권투·유도 등의) 호신술
self-de·fen·sive [sélfdifénsiv] *a.* 자기 방위의
self-de·liv·er·ance [sélfdilívərəns] *n.* 자살
self-de·lud·ed [sélfdilú:did] *a.* = SELF-DECEIVED
self-de·lu·sion [sélfdilú:ʒən] *n.* = SELF-DECEPTION
self-de·ni·al [sélfdinái əl] *n.* Ⓤ 자기 부정, 자제(력), 극기; 무사(無私): exercise ~ 자제하다
self-de·ny·ing [sélfdináiiŋ] *a.* 자기 부정적인, 극기심 있는; 무사(無私)의 **~·ly** *ad.*
self-de·pen·dence [sélfdipéndəns] *n.* Ⓤ 자기 의존, 독립독행(獨立獨行)
self-de·pen·dent [sélfdipéndənt] *a.* 자력(自力) 의존의, 독립독행의
self-dep·re·cat·ing [sélfdéprikèitiŋ], **-dep·re·ca·to·ry** [-kətɔ̀:ri | -təri] *a.* 자기를 경시하는, 자기 비하하는
self-de·pre·ci·a·tion [sélfdiprì:ʃiéiʃən] *n.* 자기 경시, 자기 비하
self-de·spair [sélfdispέər] *n.* 자기에 대한 절망, 자포자기
self-de·struct [sélfdistrʌ́kt] *vi.* 〈로켓·미사일 등이〉 (고장이 나면) 스스로 파괴하다, 자폭하다
— *a.* 〈로켓·미사일 등이〉 (고장 나면) 자기 파괴하는, 자폭하는: a ~ mechanism 자폭하는 구조
self-de·struc·tion [sélfdistrʌ́kʃən] *n.* Ⓤ 자멸, 자폭; 자살: ~ equipment 〖군사〗 자폭 장치
self-de·struc·tive [sélfdistrʌ́ktiv] *a.* **1** 자멸적인, 자멸형의, 자살적인(suicidal) **2** 자살 동기를 가진 **3** 〈로켓·장치 등이〉 자폭 기능을 가진
self-de·ter·mi·na·tion [sélfditə̀:rmənéiʃən] *n.* Ⓤ **1** 자결(自決), 자기 결정 **2** 민족 자결(권): racial ~ 민족 자결(주의)
self-de·ter·mined [sélfditə́:rmind] *a.* 스스로 결정한
self-de·ter·min·ing [sélfditə́:rminiŋ] *a.* 자기 결정의, 자결(自決)의
self-de·ter·min·ism [sélfditə́:rminizm] *n.* 〖철학〗 자기 활동 자동 결정론; 자율, 자기 결정
self-de·vel·op·ment [sélfdivéləpmənt] *n.* 자기 능력 개발, 자기 개발
self-de·vot·ed [sélfdivóutid] *a.* 헌신적인 **~·ly** *ad.*
self-de·vo·tion [sélfdivóuʃən] *n.* Ⓤ **1** 몰두, 열중 **2** 헌신(獻身), 자기 희생
self-di·rect·ed [sélfdiréktid, -dai-] *a.* 스스로 방향을 정하는, 자발적인
self-dis·ci·pline [sélfdísəplin] *n.* Ⓤ 자기 훈련[수양], 자제
self-dis·cov·er·y [sélfdiskʌ́vəri] *n.* 자기 발견
self-dis·play [sélfdispléi] *n.* 자기 현시[선전]
self-dis·trust [sélfdistrʌ́st] *n.* Ⓤ 자기 불신, 자신의 결여(opp. *self-confidence*) **~·ful** *a.*
self-doubt [sélfdáut] *n.* 자기 회의, 신념[자신] 상실
self-dram·a·tiz·ing [sèlfdrǽmətàiziŋ] *a.* 자기 현시적인, 자기 연출을 하는
self-drive [sélfdráiv] *a.* (영) 〈자동차 등이〉 빌려 쓰는 사람이 손수 운전하는
self-ed·u·cat·ed [sélfédʒukèitid] *a.* 독학한

thesaurus **self-conscious** *a.* shy, awkward, timorous, bashful, embrrassed, nervous

self-ed·u·ca·tion [sélfèdʒukéiʃən] *n.* Ⓤ 독학

self-ef·face·ment [sélfiféismənt] *n.* Ⓤ (겸손하여) 표면에 나서지 않음, 삼가는 태도

self-ef·fac·ing [sélfiféisiŋ] *a.* 표면에 나서지 않는, 자기를 내세우지 않는 **~·ly** *ad.*

self-em·ployed [sélfimplɔ́id] *a.* **1** 자가 경영의, 자영(업)의, 자유업의 **2** [the ~; 집합적; 복수 취급] 자영업자(층)

self-em·ploy·ment [sélfimplɔ́imənt] *n.* 자영(업), 자유업

self-en·rich·ment [sélfenrítʃmənt] *n.* 자기를 지적·정신적으로 풍요롭게 하는 것, 자기 계발

self-es·teem [sélfistí:m] *n.* Ⓤ 자존(심); 자부심

∗**self-ev·i·dent** [sélfévədənt] *a.* 자명(自明)한 **~·ly** *ad.*

self-ex·am·i·na·tion [sélfigzæ̀mənéiʃən] *n.* Ⓤ **1** 자성(自省), 반성, 자기 분석 **2** 〖의학〗 자기 검사: breast ~ 유방 자기 검사

self-ex·cit·ed [sélfiksáitid] *a.* 〖전기〗 발전기 자체에 의한, 자려(自勵)(식)의

self-ex·e·cut·ing [sélféksikjù:tiŋ] *a.* 〖법〗 〈법률·조약 등이〉 다른 법령을 기다리지 않고 즉시 시행되는, 자동 발효의

self-ex·iled [sélfégzaild | -éksaild] *a.* 〈자기 의사로〉 스스로 망명한

self-ex·is·tence [sélfigzístəns] *n.* Ⓤ 자기 존재, 자존

self-ex·is·tent [sélfigzístənt] *a.* 독립적 존재의; 〈나라 등이〉 독립의, 독립 상태에 있는

self-ex·plain·ing [sélfikspléiniŋ], **-ex·plan·a·to·ry** [-iksplǽnətɔ̀:ri | -təri] *a.* 자명(自明)한, 설명이 없어도 명백한

self-ex·pres·sion [sélfikspréʃən] *n.* Ⓤ (예술에 의한) 자기 표현

self-ex·tin·guish·ing [sélfikstíŋgwiʃiŋ] *a.* 자기 소화(消火)성의

self-feed [sélffí:d] *vt.* 〈가축을〉 자동 사료 공급기로 사육하다

self-feed·er [sélffí:dər] *n.* (가축의) 자동 사료 공급기, 자급(自給) 장치

self-feed·ing [sélffí:diŋ] *a.* 〈기계가〉 자급식의, 자동 공급식의

self-fer·tile [sélffə́:rtl | -tail] *a.* 〖생물〗 자가 수정의(opp. *self-sterile*)

self-fer·til·i·za·tion [sélffə̀:rtəlizéiʃən | -lai-] *n.* Ⓤ 〖생물〗 자가[자화] 수정(自家[自花]受精)(cf. CROSS-FERTILIZATION)

self-fill·ing [sélffíliŋ] *a.* 자동 주입식의

self-flat·ter·y [sélfflǽtəri] *n.* 자화자찬, 자기 미화 **sélf-flát·ter·ing** *a.*

self-for·get·ful [sélffərgétfəl] *a.* 자기를 잊은, 헌신적인, 무사 무욕의 **~·ly** *ad.* **~·ness** *n.*

self-for·get·ting [sélffərgétiŋ] *a.* = SELF-FORGETFUL

self-ful·fill·ing [sélffulfíliŋ] *a.* 자기 달성의; 자기 달성적인; 〈예언 등이〉 자기 충족의, 스스로 성취되는

self-ful·fill·ment [sélffulfílmənt] *n.* 자기 달성, 자기 실현

self-gen·er·at·ing [sélfdʒénərèitiŋ] *a.* **1** 자기 생식의, 자연 발생의 **2** 자가 발전의; 자발[자립]적인

self-giv·en [sélfgívən] *a.* 자력으로 얻은

self-giv·ing [sélfgíviŋ] *a.* 자기 희생적인

self-gov·erned [sélfgʌ́vərnd] *a.* **1** 자치의, 독립의 **2** 자동 조절의; 스스로 결정하는 **3** 자제하는

self-gov·ern·ing [sélfgʌ́vərniŋ] *a.* 자치의: a ~ colony 자치 식민지(cf. CROWN COLONY)

∗**self-gov·ern·ment** [sélfgʌ́vərnmənt] *n.* Ⓤ 자치, 민주 정치; 자주 관리; 자제, 극기

selfish *a.* self-seeking, self-centered, egocentric, egotistical, egotistic, self-interested, self-regarding

self-grat·i·fi·ca·tion [sélfgrætəfikéiʃən] *n.* **1** 자기 만족 **2** 자위

self-hard·en·ing [sélfhɑ́:rdniŋ] *a.* 〖야금〗 자경성(自硬性)의: ~ steel 자경강(鋼)

self-harm [sèlfhɑ́:rm] *n.* Ⓤ (의도적) 자해 — *vi.* (의도적으로) 자해하다

self-hate [sélfhéit], **-ha·tred** [-héitrid] *n.* Ⓤ 자기 혐오[증오]

self-heal [sélfhì:l] *n.* 〖식물〗 약성이 있는 식물, 약초, 《특히》 꿀풀

∗**self-help** [sélfhélp] *n.* Ⓤ **1** 자조(自助), 자립; 자립심: *S~* is the best help. 《격언》 자조는 최상의 도움이다. **2** 〖법〗 자력 구제, 자구(自救) 행위 **3** 자기 정신 요법, 자기 수양
— *a.* Ⓐ 〈책 등이〉 자립하기 위한, 자습의

self·hood [sélfhùd] *n.* Ⓤ **1** 자아; 개성 **2** 자기 본위, 이기심

self-hu·mil·i·a·tion [sélfhju:mìliéiʃən | -*h*ju:-] *n.* Ⓤ 겸손, 자기 비하

self-hyp·no·sis [sélfhipnóusis], **-hyp·no·tism** [-hípnətìzm] *n.* 자기 최면

self-i·den·ti·ty [sélfaidéntəti] *n.* (사물 그 자체와의) 동일성; 자기 동일성; 개성

self-ig·nite [sélfignáit] *vi.* 〈내연 기관 등이〉 자기 점화[자연 발화]하다

self-ig·ni·tion [sélfigníʃən] *n.* 자기 점화, 자연 발화

self-im·age [sélfímidʒ] *n.* 자기 이미지, 자상(自像), 자아상(自我像)

self-im·mo·la·tion [sélfìməléiʃən] *n.* (적극적) 자기 희생

self-im·por·tance [sélfimpɔ́:rtəns] *n.* Ⓤ 자존, 거만, 자만

self-im·por·tant [sélfimpɔ́:rtənt] *a.* 거드름 피우는, 자만심이 강한 **~·ly** *ad.*

self-im·posed [sélfimpóuzd] *a.* 〈일·의무 등이〉 스스로 부과한, 자진해서 하는

self-im·prove·ment [sélfimprú:vmənt] *n.* Ⓤ 자기 개선[수양] **-próv·ing** *a.*

self-in·clu·sive [sélfinklú:siv] *a.* **1** 자기를 내포하는 **2** 그 자체로 완전한

self-in·crim·i·nat·ing [sélfinkrímənèitiŋ] *a.* 〈증언 등이〉 자기에게 죄를 씌우게 되는

self-in·crim·i·na·tion [sélfinkrìmənéiʃən] *n.* (스스로 증언을 해서) 자기를 유죄에 이르게 함

self-in·duced [sélfindjú:st | -djú:st] *a.* 자기가 끌어들인; 〖전기〗 자기 유도의

self-in·duc·tion [sélfindʌ́kʃən] *n.* Ⓤ 〖전기〗 자기 유도

self-in·dul·gence [sélfindʌ́ldʒəns] *n.* Ⓤ 제멋대로 굶, 방종

self-in·dul·gent [sélfindʌ́ldʒənt] *a.* 제멋대로 하는, 방종한 **~·ly** *ad.*

self-in·flict·ed [sélfinflíktid] *a.* 스스로 초래한, 자초한

self-in·sur·ance [sélfinʃúərəns] *n.* 자가 보험

self-in·sure [sélfinʃúər] *vt.* 〈재산·이익을〉 자가 보험으로 하다 — *vi.* 자가 보험을 들다

∗**self-in·ter·est** [sélfíntərəst] *n.* Ⓤ 이기심, 이기주의; 사리(추구), 사욕

self-in·ter·est·ed [sélfíntərəstid] *a.* 사리를 도모하는, 자기 본위의, 이기적인 **~·ness** *n.*

self-in·tro·duc·tion [sélfintrədʌ́kʃən] *n.* 자기 소개

self-in·vit·ed [sélfinváitid] *a.* 불청객의, 자청한: a ~ guest 불청객

‡**self·ish** [sélfiʃ] *a.* **1** 이기적인, 자기 본위의, 제멋대로 하는 **2** 〖윤리〗 자애적(自愛的)인(opp. *altruistic*) ***the ~ theory of morals*** 자애[이기]설 **~·ly** *ad.* **~·ness** *n.* ▷ sélf *n.*

self-jus·ti·fi·ca·tion [sélfdʒʌ̀stəfikéiʃən] *n.* 자기 정당화, 자기 변호

self-knowl·edge [sélfnɑ́lidʒ | -nɔ́-] *n.* Ⓤ 자각, 자기 인식
self·less [sélflis] *a.* 사심 없는, 무사의, 무욕의 **~·ly** *ad.* **~·ness** *n.*
self-lim·it·ing [sélflímitiŋ] *a.* 스스로 제한하는; 자기 제어 방식의
self-liq·ui·dat·ing [sélflíkwidèitiŋ] *a.* 〈상품 등이〉 곧 현금화되는; 〈사업 등이〉 차입금을 변제할 수 있는, 자기 회수[변제]적인
self-load·er [sélflóudər] *n.* = SEMIAUTOMATIC
self-load·ing [sélflóudiŋ] *a.* 〈소총·카메라 등이〉 자동 장전(裝塡)식의
self-lock·ing [sélflɑ́kiŋ | -lɔ́-] *a.* 〈문 등이〉 자동적으로 자물쇠가 잠기는
self-love [sélflʌ́v] *n.* Ⓤ **1** 자애(自愛), 자기애; 이기주의 **2** 허영심 **3** = NARCISSISM
self-made [sélfméid] *a.* **1** 자력으로 성공한[출세한]: a ~ man 자수성가한 사람 **2** 자력으로 만든, 자작의
self-mail·er [sélfméilər] *n.* 봉투에 넣지 않고 우송할 수 있는 광고[소책자]
self-mail·ing [sélfméiliŋ] *a.* 봉투에 넣지 않고 우송할 수 있는
self-mas·ter·y [sélfmǽstəri | -mɑ́:s-] *n.* Ⓤ 극기(克己), 자제(自制)
self-med·i·cate [-médəkèit] *vi.* 자신이 치료하다
self-med·i·ca·tion [sélfmèdəkéiʃən] *n.* 자기 치료
self-mock·ing [sélfmɑ́kiŋ | -mɔ́-] *a.* 자조(自嘲)적인
self-mor·ti·fi·ca·tion [sélfmɔ̀:rtəfikéiʃən] *n.* Ⓤ 자진하여 고행(苦行)함
self-mo·tion [sèlfmóuʃən] *n.* 자발적 운동
self-mo·ti·vat·ed [sèlfmóutəvèitid] *a.* 자발적 동기 부여의
self-mo·ti·va·tion [sélfmòutəvéiʃən] *n.* 자기 동기 부여, 자발성
self-mov·ing [sélfmú:viŋ] *a.* 자동(식)의
self-mur·der [sélfmə́:rdər] *n.* Ⓤ 자해, 자살 **~·er** *n.*
self-mu·ti·la·tion [sèlfmju:təléiʃən] *n.* Ⓤ (특히 정신 질환의 증상으로서의) 자해, 자기 신체 절단
self-ne·glect [sélfniglékt] *n.* 자기 무시
self-noise [sélfnɔ́iz] *n.* 『항해』 자생 잡음 《배 자체가 내는 잡음》; 『통신』 자기 잡음 《송수신기 자체의》
self-ob·ser·va·tion [sèlfɑ̀bzərvéiʃən | -ɔ̀b-] *n.* 자기 관찰; 내성(內省)
self-op·er·at·ing [sélfɑ́pəreitiŋ | -ɔ́pə-] *a.* = AUTOMATIC
self-o·pin·ion [sélfəpínjən] *n.* (과대한) 자기 평가; 완고
self-o·pin·ion·at·ed [sélfəpínjənèitid] *a.* **1** 자부심이 강한, 자신을 과대평가하는 **2** 자기 주장을 고집하는, 고집 센
self-o·pin·ioned [sélfəpínjənd] *a.* = SELF-OPINIONATED
self-or·dained [sélfɔ:rdéind] *a.* 스스로 제정한, 자체 면허(免許)의
self-paced [sélfpéist] *a.* 〈학과 등이〉 자기 진도에 맞춰 학습할 수 있는
self-par·o·dy [sélfpǽrədi] *n.* 자기 풍자
self-pay [sélfpèi] *n.* 자기 부담
self-per·cep·tion [sélfpərsépʃən] *n.* 자아 인식[개념]
self-per·pet·u·at·ing [sélfpərpétʃuèitiŋ] *a.* (임기가 지나도) 유임하는[할 수 있는]; 무제한 계속할 수 있는 **-per·pèt·u·á·tion** *n.*
self-pit·y [sélfpíti] *n.* Ⓤ 자기 연민
self-pol·li·nate [sélfpɑ́ləneit | -pɔ́-] *vi., vt.* 자가 수분하다 **-pòl·li·ná·tion** *n.* 자가 수분
self-por·trait [sélfpɔ́:rtrit] *n.* 자화상(自畫像)
self-pos·sessed [sélfpəzést] *a.* 냉정한, 침착한 (self-composed)
self-pos·ses·sion [sélfpəzéʃən] *n.* Ⓤ 냉정, 침착
self-praise [sélfpréiz] *n.* Ⓤ 자화자찬, 자기 자랑
self-pres·er·va·tion [sélfprèzərvéiʃən] *n.* Ⓤ 자기 보존; 본능적 자위
self-pride [sélfpráid] *n.* (자신의 능력·재산·지위에 대한) 자랑, 자부심; 자만
self-pro·claimed [sèlfproukléimd | -prə-] *a.* 스스로 주장[선언]한, 자칭의
self-pro·duced [sélfprədjú:st] *a.* 자기 생산[제작, 창작, 연출]의
self-pro·mo·tion [sèlfprəmóuʃən] *n.* Ⓤ 자기 홍보[판촉] (행위)
self-pro·nounc·ing [sélfprənáunsiŋ] *a.* (따로 음성 표기를 하지 않고) 철자에 악센트 부호나 발음 구별 기호를 직접 표시하는
self-pro·pelled [sélfprəpéld] *a.* 〈미사일 등이〉 자체 추진의; 자주(自走)식의
sélf-propélled sándbag 《미·속어》 미해병대원
self-pro·pel·ling [sélfprəpéliŋ] *a.* = SELF-PROPELLED
self-pro·pul·sion [sélfprəpʌ́lʃən] *n.* (자동차 등의) 자동 추진 (장치)
self-pro·tec·tion [sélfprətékʃən] *n.* Ⓤ 자기 방위, 자위(self-defense) **sélf-pro·téct·ing** *a.*
self-pro·tec·tive [sélfprətéktiv] *a.* 자기 방위적인 **~·ness** *n.*
self-pub·lished [sélfpʌ́bliʃt] *a.* 〈책이〉 자비 출판의; 자비 출판한 〈사람〉: ~ books 자비 출판한 책
self-pu·ri·fi·ca·tion [sélfpjùərəfikéiʃən] *n.* 자연 정화; 자기 정화
self-ques·tion·ing [sélfkwéstʃəniŋ] *n.* (행동·동기에 대한) 자기 성찰, 자문, 반성
self-rais·ing [sélfréiziŋ] *a.* 《영》 = SELF-RISING
self-re·al·i·za·tion [sélfrì:əlizéiʃən | -rìəlai-] *n.* Ⓤ 자기 실현
self-rec·og·ni·tion [sélfrèkəgníʃən] *n.* 자아 인식; 『생화학』 (면역계(系)의) 자기 인식
self-re·cord·ing [sélfrikɔ́:rdiŋ] *a.* 자동 기록(식)의, 자기(自記)의
self-ref·er·ence [sélfréfərəns] *n.* **1** 자기 자신에 관한 언급 **2** 『논리』 자기 언급, 자기 지시
self-ref·er·en·tial [sèlfrefərénʃəl] *a.* **1** 『논리』 〈문장 등이〉 스스로의 진위(眞僞)를 주장하는, 자기 지시의 **2** 자신에게 언급하는
self-re·gard [sélfrigɑ́:rd] *n.* Ⓤ **1** 자애(自愛), 이기(심)(opp. *altruism*) **2** 자존(심) **~·ing** *a.*
self-reg·is·ter·ing [sélfrédʒistəriŋ] *a.* = SELF-RECORDING
self-reg·u·lat·ing [sélfrégjulèitiŋ] *a.* 자동 조절(식)의
self-re·li·ance [sélfriláiəns] *n.* Ⓤ 자기 의존, 독립독행
self-re·li·ant [sélfriláiənt] *a.* 자기를 의지하는, 독립독행하는
self-re·new·al [sélfrinjú:əl] *n.* 자기 재생
self-re·nun·ci·a·tion [sélfrinʌ̀nsiéiʃən] *n.* Ⓤ 자기 포기[희생]; 무사(無私), 무욕
self-rep·li·cat·ing [sélfrépləkèitiŋ] *a.* 『유전』 자기 재생[증식]하는, 자동적으로 재생하는: ~ organisms 자기 증식하는 생물
self-rep·li·ca·tion [sélfrèpləkéiʃən] *n.* 『유전』 자기 재생[증식]
self-re·pres·sion [sélfripréʃən] *n.* 자기 억압[억제]
self-re·proach [sélfripróutʃ] *n.* Ⓤ 자기 비난, 자책 **~·ful** *a.*
self-re·pro·duc·ing [sélfrì:prədjú:siŋ | -djú:-] *a.* = SELF-REPLICATING
***self-re·spect** [sélfrispékt] *n.* Ⓤ **자존(심)**, 자중
self-re·spect·ful [sélfrispéktfəl] *a.* = SELF-RESPECTING
self-re·spect·ing [sélfrispéktiŋ] *a.* 자존심이 있

는, 자중하는
self-re·straint [sélfristréint] *n.* Ⓤ 자제(自制), 극기
self-re·veal·ing [sélfrivíːliŋ] *a.* 자기 현시[표출]적인; 사적인 감정을 드러내는
self-rev·e·la·tion [sélfrèvəléiʃən] *n.* Ⓤ (자연스러운) 자기 현시(顯示)[표출]
self-re·vel·a·to·ry [sélfrivélətɔ̀ːri, -révə- | -təri] *a.* = SELF-REVEALING
self-rev·er·ence [sélfrévərəns] *n.* Ⓤ 강한 자존심, 자중(自重)
self-righ·teous [sélfráitʃəs] *a.* 독선적인 **~·ly** *ad.* **~·ness** *n.*
self-right·ing [sélfráitiŋ] *a.* 〈구명정 등이〉 자동적으로 복원(復元)하는, 전복될 우려가 없는
self-ris·ing [sélfráiziŋ] *a.* 《미》 〈밀가루가〉 (효모 없이) 저절로 부풀어 오르는: ~ flour 베이킹파우더 등을 미리 넣은 밀가루(cf. PLAIN FLOUR)
self-rule [sélfrúːl] *n.* = SELF-GOVERNMENT
***self-sac·ri·fice** [sélfsǽkrəfàis] *n.* ⓊⒸ **자기 희생**, 헌신(적인 행위) **-fic·ing** *a.* 헌신적인
self·same [sélfsèim] *a.* [the ~] 똑같은, 동일한 《same의 강조형》 **~·ness** *n.*
***self-sat·is·fac·tion** [sélfsæ̀tisfǽkʃən] *n.* Ⓤ **자기 만족**
self-sat·is·fied [sélfsǽtisfàid] *a.* 자기 만족의
self-sat·is·fy·ing [sélfsǽtisfàiiŋ] *a.* 자기 만족을 주는 (듯한)
self-seal·ing [sélfsíːliŋ] *a.* **1** 〈타이어 등이〉 펑크가 나도 자동적으로 막게 되어 있는, 자동 밀봉식의 **2** 〈봉투 등이〉 누르기만 하면 봉해지는
self-seek·er [sélfsíːkər] *n.* **1** 이기주의적인 사람, 자기 본위의 사람 **2** (라디오의) 자동 선국 장치
self-seek·ing [sélfsíːkiŋ] *n.* Ⓤ 이기주의, 자기 본위 **—** *a.* **1** 이기주의적인, 자기 본위의 **2** 〈라디오가〉 자동 선국식의 **~·ness** *n.*
self-se·lect·ing [sélfsiléktiŋ] *a.* 자기 선택의, 직접 고르는
self-se·lec·tion [sélfsilékʃən] *n.* 자기 선택 **-se·léct·ed** *a.*
self-serve [sélfsə́ːrv] *a.* = SELF-SERVICE
***self-ser·vice** [sélfsə́ːrvis] *n.* Ⓤ (식당·매점 등에서의) **셀프서비스, 자급식**
— *a.* Ⓐ 셀프서비스의(cf. FULL-SERVICE): a ~ filling station 셀프서비스 주유소
self-serv·ing [sélfsə́ːrviŋ] *a.* 자기의 이익만을 도모하는, 이기적인
self-slaugh·ter [sélfslɔ́ːtər] *n.* Ⓤ 자살(suicide), 자멸
self-sown [sélfsóun] *a.* 〈식물 등이〉 자생(自生)의, 자연적으로 생긴
self-start·er [sélfstáːrtər] *n.* **1** (오토바이·자동차 등의) 자동 시동기; 자동 시동기가 달린 자동차 《등》 **2** 《구어》 솔선해서 하는 사람
self-steer·ing [sélfstíəriŋ] *a.* 자동 조타(操舵)의 **—** *n.* 자동 조타
self-ster·ile [sélfstéril | -rail] *a.* 【생물】 자가 불임(不稔)(성)의(opp. *self-fertile*)
self-stick [sélfstík] *a.* 뒷면에 접착제가 묻은, 누르기만 하면 붙는
self-stim·u·la·tion [sélfstìmjuléiʃən] *n.* Ⓤ (자기 행동의 결과로 생기는) 자기 자극
self-stor·age [sèlfstɔ́ːridʒ] *n.* Ⓤ 셀프 스토리지, 자가 수납 《원하는 물건을 별도의 안전한 장소에 보관하는 것》
self-stud·y [sélfstʌ́di] *n.* Ⓤ (통신 교육 등에 의한) 독학; 자기 성찰 **—** *a.* 독습용의; 독학으로 습득한
self-styled [sélfstáild] *a.* Ⓐ 자칭하는, 자임(自任)하는: a ~ expert 자칭 전문가
self-suf·fi·cien·cy [sélfsəfíʃənsi] *n.* Ⓤ 자족(自足), 자급자족; 자부
self-suf·fi·cient [sélfsəfíʃənt], **-suf·fic·ing** [-səfáisiŋ] *a.* 자급자족할 수 있는; 자부심이 강한
self-sug·ges·tion [sélfsəgdʒéstʃən] *n.* Ⓤ 자기 암시
self-sup·port [sélfsəpɔ́ːrt] *n.* Ⓤ **1** (사람의) 자활 **2** (회사 등의) 자영, 독립 경영
~·ed [-id] *a.* **~·ing** *a.* 자활하는; 독립 경영의
self-sur·ren·der [sélfsəréndər] *n.* Ⓤ 망아(忘我), 몰두; 자기 포기
self-sus·tained [sélfsəstéind] *a.* 자활[자립]한
self-sus·tain·ing [sélfsəstéiniŋ] *a.* **1** 자립[자활]하는; 자급자족의 **2** 【물리】 〈핵반응 등이〉 (시동 후에) 자동으로 계속되는
self-taught [sélftɔ́ːt] *a.* 독학의, 독습의
self-tim·er [sélftáimər] *n.* 【사진】 셀프타이머, 자동 셔터
self-tor·ment [sélftɔ́ːrment] *n.* 자학
self-tor·ture [sélftɔ́ːrtʃər] *n.* Ⓤ 고행, 난행(難行)
self-trust [sélftrʌ́st] *n.* Ⓤ 자기 신뢰, 자신(self-confidence)
self-vi·o·lence [sélfváiələns] *n.* 자기 학대; 자살
self·ward [sélfwərd] *ad.* **1** 자기에게 향하여 **2** 자신의 내부에서, 마음속에서 **—** *a.* 자신에게 향하는
self-will [sélfwíl] *n.* Ⓤ 아집, 방자함, 자기 본위
sélf-wílled *a.* 방자한, 제멋대로의; 고집 센
self-wind·ing [sélfwáindiŋ] *a.* 〈시계가〉 자동적으로 태엽이 감기는
self-worth [sélfwə́ːrθ] *n.* 자존심
Sel·juk [seldʒúːk], **Sel·juk·i·an** [seldʒúːkiən] *n.* (11-13세기에 아시아 중서부를 통치한) 셀주크 왕조(의 사람); 셀주크 족[사람] **—** *a.* 셀주크 족의, 셀주크 왕조의
sel·kie [sélki] *n.* 셀키 《인간과 물개의 모습을 한 상상의 생물체》
*****sell** [sél] [OE 「주다」의 뜻에서] *v.* (**sold** [sóuld]) *vt.* **1 팔다,** 매도(賣渡)하다, 매각하다(opp. *buy*): a house to ~ 팔 집 / To ~. 《게시》 팔 물건, 매물. / ~ goods cheap[dear] 물품을 싸게[비싸게] 팔다 // (~+목+전+명) ~ goods *at* a discount[profit, loss] 물품을 할인하여[이익을 보고, 손해 보고] 팔다 / ~ a thing *at*[*for*] $100 물건을 100달러에 팔다 / ~ goods *by* retail 상품을 소매하다 **2** 〈가게가 물건을〉 **판매하다, 장사하다**: Do you ~ sugar? 설탕 있습니까? **3** 〈물건이〉 (얼마) 팔리다: His book *sold* a million copies. 그의 책은 백만 부 팔렸다. **4 a** 〈사물이〉 …의 판매를 돕다[촉진하다] **b** 《구어》 …에게 〈아이디어 따위를〉 팔다, 선전하다: ~ oneself 자기 선전을 하다, 자천(自薦)하다 // (~+목+전+명) (~+목+목) ~ an idea *to* a person = ~ a person (*on*) an idea 아이디어를 …에게 팔다 **5** 〈나라·친구 등을〉 팔다, 배반하다; 〈명예·정조를〉 팔다: ~ one's country [honor] 조국을 팔다[명예를 버리다] **6** [보통 수동형으로] 《구어》 〈사람을〉 속이다: *Sold* again! 또 속았구나, 또 당했구나! / *be sold* over the transaction 거래에서 속아 넘어가다 **7** 《구어》 …의 가치를 설득하다, 납득시키다 《*on*》
— *vi.* **1** 〈사람이〉 **팔다, 장사하다**; 팔러 가다, 팔려고 하다: My brother ~*s* in New York. 내 형은 뉴욕에서 장사를 하고 있다. / ~ forward 선매(先賣)하다 **2** 〈물건이〉 **팔리다**; (얼마에) 팔리다, 판매되다, 판매 성적이 …하다 《*at, for*》: (~+부) The book ~*s well.* 그 책은 잘 팔린다. // (~+전+명) This chair ~*s for* five dollars. 이 의자는 5달러에 팔린다. **3** 《구어》 〈아이디어 등이〉 받아들여지다, 환영받다: His idea will ~. 그의 생각은 환영받을 것이다.
be sold on (1) …에 열중하다 (2) 《구어》 …의 가치를 (무조건) 인정하다, 받아들이다 ***be sold out of*** …이 매진[품절]되다 ***made to ~*** 단지 팔기 위해 만들어진 《품질 등은 고려하지 않고》 ***~ a game*** [***match***] 돈을 먹고 경기에 져 주다 ***~ off*** 〈재고품·소유물 등을〉 헐값에 팔아치우다 ***~ on*** 〈산 것을〉 (…에

계) 비싸게 팔다, 전매하다 《*to*》 **~ *out*** (1) 〈상품 등을〉 다 팔아버리다; 〈가게·사람이〉 (상품을) 다 팔다; 상품이 매진되다: Sorry, we're *sold out.* 죄송하지만 상품이 매진되었습니다. (2) (빚·이사·은퇴 등으로) 〈가게 등을〉 팔아버리다, 처분하다 (3) 《미》 〈채무자의〉 재산을 처분하다, 경매하다 (4) 〈주의·친구 등을〉 팔다, 배반하다 (5) 『영국사』 군직(軍職)을 팔아 퇴역하다
~ *out of ...* 〈가게·사람이〉 …을 다 팔아버리다, 매진하다 **~ *over*** 매도하다; 전매(轉賣)하다 **~ one*self*** 자기 선전을 하다 **~ *short*** ⇨ short *ad.* **~ one*'s life dear*** [***dearly***] 개죽음을 하지 않다, 적에게 큰 손해를 입히고 죽다 **~ one*'s soul to the devil*** 눈앞의 이익 때문에 어리석은 짓을 하다 **~ *time*** 방송 광고를 허락하다 **~ *up*** 《영》 (1) 〈가게 등을〉 팔아버리다, 처분하다 (2) 〈채무자의〉 재산을 처분하다, 경매하다
— *n.* **1** Ⓤ 판매(술), 판매 면에서 본 매력 **2** 《구어》 잘 팔리는 물건, 인기 상품 **3** 《구어》 실망(거리); 《속어》 야바위, 사기(cheat)
▷ sále *n.*

séll-by dàte [sélbai-] (포장 식품의) 판매 유효 기일[기간] (《미》 pull-by date)

*****sell·er** [sélər] *n.* **1** 파는 사람, 판매인: a book ~ 서적상 **2** 팔리는 물건; 잘 나가는 상품: a good[bad] ~ 잘 팔리는[팔리지 않는] 물건 **3** =SELLING RACE

séllers' màrket 판매자 시장 《상품 부족으로 판매자가 유리한 시장; cf. BUYERS' MARKET》

séller's òption 판매자 선택권 《뉴욕 증권 거래소에서 파는 사람이 인도 시기를 임의 선택할 수 있는 권리; 略 s.o., so》

*****sell·ing** [séliŋ] *a.* **1** 판매하는, 판매의: the ~ price 파는 값, 판매가(격) **2** 판매에 종사하는: a ~ agent 판매 대리점[인] **3** (잘) 팔리는; 수요가 많은

sélling clìmax 『증권』 쏟아진 대량 매물(賣物)로 인한 주가(株價)의 대폭락

sélling plàte =SELLING RACE

sélling pòint (판매 때의) 상품의 강조점, (상품·사람의) 셀링 포인트

sélling ràce 매각 경마 《경마 후 이긴 말을 경매에 붙이는》

sell-off [sélɔ̀:f | -ɔ̀f] *n.* (주가 등의) 대량 매물로 인한 급락

séll òrder 『증권』 매도 주문 《주가가 내릴 것을 예상한》

Sel·lo·tape [sélouteìp] *n.* 《영》 셀로테이프, 스카치테이프 《상표명》
— *vt.* [때로 **s~**] 셀로테이프로 붙이다

sell·out [sélàut] *n.* 《구어》 **1** 매진(賣盡) **2** 입장권이 매진된 흥행, 대만원: a ~ audience 만원 관객 **3** 배신 (행위), 배신자 **4** 《구어》 밀고자

sell-through [sélθrù:] *n.* (대여가 아니고) 팔 목적으로 시장에 내놓는 상품[《특히》 비디오]

Sel·ma [sélmə] *n.* 여자 이름

selt·zer [séltsər] *n.* **1** [종종 **S~**] 셀처 탄산수 《독일의 Wiesbaden 부근의 Selters 마을에서 나는 천연 광천수》 **2** (상품용으로 가공한) 탄산수(=**~ wàter**)

sel·vage, sel·vedge [sélvidʒ] *n.* **1** (피륙의) 식서(飾緖), 변폭(邊幅) **2** 가장자리, 가(border, edge), 단 **3** 《드물게》 (자물쇠의) 구멍 뚫린 쇠판

sel·va·gee [sèlvidʒí:] *n.* 『항해』 속환삭(束環索) 《로프의 올을 감은 것; stopper로 사용됨》

selves [sélvz] *n.* SELF의 복수

SEM scanning electron microscope 주사(走査) 전자 현미경 **sem.** semicolon; seminar **Sem.** Seminary; Semitic

se·man·teme [siméntì:m] *n.* 『언어』 의의소(意義素)(cf. MORPHEME)

se·man·tic [siméntik] *a.* **1** (언어·기호의) 의미의, 어의의: ~ change 의미 변화 **2** 의미론의: a ~ approach 의미론적인 접근 **-ti·cal·ly** *ad.*

semántic fíeld 『언어』 의미의 장(場), 의미 영역 《의미상 연관된 낱말들의 집단》

semántic nét 『컴퓨터』 의미 네트(워크) 《언어의 의미·개념간의 관계·지식 등을 나타내는 네트워크》

se·man·tics [siméntiks] *n. pl.* [단수 취급] 『언어』 의미론, 어의(語義) 발달론; 『논리』 의의학(意義學) **-ti·cist** [-təsist], **se·man·ti·cian** [sì:mæntíʃən] *n.* 의미론[어의론] 학자

sem·a·phore [séməfɔ̀:r] *n.* **1** 수기(手旗) 신호 **2** 신호 장치; (특히 철도의) 완목(腕木) 신호기, 시그널
— *vt.* 〈신호를〉 수기로 보내다 **—** *vi.* 수기로 알리다
sèm·a·phór·ic *a.*

se·ma·si·ol·o·gy [simèisiálədʒi, -zi- | -ɔ́lə-] *n.* 『언어』 =SEMANTICS

se·mat·ic [simǽtik] *a.* 『생물』 경계색의 《독사의 색처럼 다른 동물을 경계하게 하는》: a ~ color 경계색

sem·bla·ble [sémbləbl] *n.* 유사한 것[사람]; 한 패; [one's ~] 친구, 동료
— *a.* 닮은, 유사한; 외견상의

*****sem·blance** [sémbləns] *n.* **1** ⒸⓊ **a** 외관, 외형, 모양, 모습: a manly ~ 남성적인 모습 **b** 허울, 티, 시늉, 위장 **2** 유사(類似)(likeness), 상사(相似): a mere ~ 단순한 유사 **3** 환영, 유령
have the ~ of …와 비슷하다, …처럼 보이다 ***in ~*** 겉보기에는 ***in*** (***the***) ***~ of*** …의 모습으로, …와 비슷하게 ***put on a ~ of*** …인 체하다, …을 가장하다 ***to the ~ of*** …와 비슷하게 ***under the ~ of*** …을 가장하여

seme [si:m] *n.* =SEMANTEME

se·mé(e) [səméi | sémei] [F] *n., a.* (문장(紋章)의) 띄엄띄엄 흩어진 무늬(의)

se·mei·ol·o·gy [sì:maiálədʒi, sè- | sì:maiɔ́lədʒi] *n.* =SEMIOLOGY

se·mei·ot·ic [sì:miátik, sèmi- | -ɔ́tik-] *a.* =SEMIOTIC

se·mei·ot·ics [sì:miátiks, sèmi- | -ɔ́tiks-] *n. pl.* [단수 취급] =SEMIOTICS

sem·eme [sémi:m, sí:m-] *n.* 『언어』 의의소(意義素) 《형태소를 나타내는 의미; 의미의 기본 단위》

se·men [sí:mən | -men, -mən] *n.* (*pl.* **sem·i·na** [sémənə]) Ⓤ 정액(精液) ▷ séminal *a.*

*****se·mes·ter** [siméstər] [L 「6개월」의 뜻에서] *n.* (미국·독일 등 대학의 1년 2학기 제도에서의) 한 학기, 반 학년; 반 년간, 6개월간

seméster hòur 『교육』 이수 단위

se·mes·tral [siméstrəl], **-tri·al** [-triəl] *a.* 6개월간의; 6개월마다 일어나는

sem·i [sémi, -mai | -mi] *n.* 《구어》 **1** [*pl.*] 《미》 =SEMIFINAL **2** 《미·호주》 =SEMITRAILER **3** 《영》 SEMIDETACHED 2

semi- [sémi, -mai | -mi] *pref.* [명사·형용사·부사에 붙여] 「반(半)…; 얼마간…; 좀…; …에 두 번」의 뜻(cf. HEMI-, DEMI-; BI-) ★ 이 복합어는 고유 명사 또는 i-로 시작하는 말 이외에는 일반적으로 하이픈이 필요 없음.

sem·i·ab·stract [sèmiǽbstrækt] *a.* 〈회화(繪畫)·조각이〉 반(半)추상의 **-ab·strác·tion** *n.*

sem·i·am·a·teur [sèmiǽmətʃər, -tər] *a.* (스폰서의 보조금 등을 받는) 아마추어의
— *n.* 세미아마추어의 운동 선수

sem·i·an·nu·al [sèmiǽnjuəl] *a.* 반년마다의, 한 해에 두 번의; 〈식물 등이〉 반년생의 **~·ly** *ad.*

sem·i·a·quat·ic [sèmiəkwǽtik, -əkwá-] *a.* 『식물·동물』 반수생(水生)의, 물 근처에서 생활하는

sem·i·ar·id [sèmiǽrid] *a.* 반건조한, 비가 매우 적은 〈지대·기후〉

sem·i·au·to·mat·ed [sèmiɔ́:təmèitid] *a.* 반자동화된, 반자동의

sem·i·au·to·mat·ic [sèmiɔ̀:təmǽtik] *a.* 반자동식의 **—** *n.* 반자동식 기계[소총] **-i·cal·ly** *ad.*

sem·i·ax·is [sèmiǽksis] *n.* 『수학』 (쌍곡선 등의) 반축(半軸)

sem·i·bar·bar·i·an [sèmibɑ:rbéəriən] *a.* 반야만의, 반개화한 **—** *n.* 반야만인, 반개화인 **sem·i·bar-**

ba·rism [-bɑ́:rbərìzm] *n.* Ⓤ 반야만 상태
sem·i·breve [sémibrì:v] *n.* 《영》 〖음악〗 온음표 (《미》 whole note)
sem·i·cen·te·na·ry [sèmisenténəri] *a.*, *n.* (*pl.* **-ries**) = SEMICENTENNIAL
sem·i·cen·ten·ni·al [sèmisenténiəl] *a.* 50년(기념)제의; 50주년의 **—***n.* 50년(기념)제; 50년제 축전
sem·i·cho·rus [sèmikɔ́:rəs] *n.* 소(小)합창(곡); 소합창대
sem·i·cir·cle [sémisə̀:rkl] *n.* 반원, 반원형(의 것)
sem·i·cir·cu·lar [sèmisə́:rkjulər] *a.* 반원(형)의: the three ~ canals 〖해부〗 (귀의) 세반고리관
sem·i·civ·i·lized [sèmisívəlàizd] *a.* 반(半)개화의, 반문명의 **-li·zá·tion** *n.*
sem·i·clas·si·cal [sèmiklǽsikəl] *a.* 준(準)고전적인, 준고전파의
⁑sem·i·co·lon [sémikòulən, ∸-∸-] *n.* 세미콜론 《; 》 USAGE period 《.》보다는 가볍고, comma 《,》보다는 무거운 구두점: A fool babbles continuously; a wise man holds his tongue. 어리석은 자는 입이 가볍고, 현자는 입이 무겁다.
sem·i·co·ma [sèmikóumə] *n.* (*pl.* **~s**) 반혼수(상태) **-ma·tose** [-tòus] *a.*
sem·i·con·duc·tor [sèmikəndʌ́ktər] *n.* 〖물리〗 반도체(半導體) **-dúct·ing** *a.* 반도체의
semicondúctor làser 〖전자〗 반도체 레이저
sem·i·con·scious [sèmikɑ́nʃəs | -kɔ́n-] *a.* 반의식이 있는, 의식이 완전하지 않은 **~·ness** *n.*
sem·i·con·serv·a·tive [sèmikənsə́:rvətiv] *a.* 〖유전〗 (DNA 등의 복제가) 반보존적인 **~·ly** *ad.*
sem·i·cyl·in·der [sèmisílindər] *n.* 반원통(半圓筒)
sem·i·dai·ly [sèmidéili] *ad.* 하루에 두 번
sem·i·dark·ness [sèmidɑ́:rknis] *n.* 어둑어둑함
sem·i·dem·i·sem·i·qua·ver [sémidèmisémikwèivər] *n.* 《영》 〖음악〗 64분 음표(《미》 sixty-fourth note)
sem·i·des·ert [sèmidézərt] *n.* 반사막 《초목이 거의 자라지 않는 건조 지대》
sem·i·de·tached [sèmiditǽtʃt] *a.* **1** 반쯤[일부분] 떨어진 **2** 《영》 〈집 등이〉 한쪽 벽이 옆채에 붙은, 두 채 연립의: a ~ house 두 채 한 집, 두 채 연립 주택 **—***n.* 《영》 두 채 연립 주택(《미》 duplex (house))
sem·i·de·vel·oped [sèmidivéləpt] *a.* 반쯤 개발된, 개발이 불충분한
sem·i·di·am·e·ter [sèmidaiǽmətər] *n.* ⓊⒸ 반지름, 반경(radius)
sem·i·di·ur·nal [sèmidaiə́:rnl] *a.* 반일(半日)(간)의, 하루 두 번의; 12시간마다의
sem·i·di·vine [sèmidiváin] *a.* 반신성(神聖)한, 반신(半神)의
sem·i·doc·u·men·ta·ry [sèmidɑ̀kjuméntəri | -dɔ̀-] *n.* (*pl.* **-ries**) 세미다큐멘터리 영화, 반기록영화 《documentary 영화의 수법으로 만든 극영화》
sem·i·dome [sémidòum] *n.* 〖건축〗 반원형 지붕
sem·i·dom·i·nant [sèmidɑ́mənənt | -dɔ́mə-] *a.* 〖유전〗 반우성(優性)의
sem·i·dry [sèmidrái] *a.* 반쯤 건조한
sem·i·farm·ing [sèmifɑ́:rmiŋ] *n.* Ⓤ (가축의) 방사; (작물의) 조방(粗放) 농업
sem·i·fi·nal [sèmifáinl] *n.*, *a.* 〖스포츠〗 준결승(의); 〖권투〗 세미파이널 게임(의)
~·ist *n.* 준결승 출전 선수[팀]
sem·i·fin·ished [sèmifíniʃt] *a.* **1** 반쯤 완성된 **2** 반가공의, 반제품의: a ~ product 반제품
sem·i·fit·ted [sèmifítid] *a.* (의복이 꼭 맞지는 않지만) 몸의 선에 맞게 디자인된
sem·i·flu·id [sèmiflú:id] *n.*, *a.* 반유동체(의)
sem·i·for·mal [sèmifɔ́:rməl] *a.* 〈복장이〉 반정장(正裝)의; 〈파티 등이〉 반예장(禮裝)을 하여야 하는
sem·i·gloss [sémiglɑ̀s | -glɔ̀s] *a.* 〈도료가〉 알맞게 광택이 나는
sem·i·le·thal [sèmilí:θəl] *n.* 〖유전〗 반치사(半致死)(성) **—***a.* 반치사(성)의
sem·i·liq·uid [sèmilíkwid] *n.*, *a.* 반액체(의) **-li·quid·i·ty** [-likwídəti] *n.*
sem·i·lit·er·ate [sèmilítərət] *a.*, *n.* 읽기·쓰기를 조금밖에 못하는 (사람), 반문맹의 (사람); 읽을 수는 있으나 쓰지 못하는 (사람) **-lít·er·a·cy** *n.*
sem·i·log·a·rith·mic [sèmilɔ̀:gəríðmik, -lɑ̀- | -lɔ̀-] *a.* 〖수학〗 반대수(半對數)의
sem·i·lu·nar [sèmilú:nər] *a.* 반달[초승달] 모양의
semilúnar válve (대동맥·폐동맥의) 반월판(瓣)
sem·i·má·jor áxis [sèmiméidʒər-] 〖천문〗 반장축(半長軸) 《태양의 주위를 도는 행성 등이 공전하면서 그리는 장원형(長圓形)의 반분(半分)》
sem·i·man·u·fac·tures [sèmimæ̀njufǽktʃərz] *n. pl.* 반제품 《철강·신문 용지 등》
sem·i·met·al [sèmimétl] *n.* 반금속 **-me·tál·lic** *a.*
sem·i·mí·nor áxis [sèmimáinər-] **1** 〖기계〗 장원 단축의 반분 **2** 〖천문〗 반단축(半短軸)
sem·i·month·ly [sèmimʌ́nθli] *a.*, *ad.* 반달마다의[에], 한 달에 두 번(의)
—*n.* (*pl.* **-lies**) 반 달마다 일어나는[행해지는] 일; 월 2회 간행물(cf. BIMONTHLY)
sem·i·nal [sémənl] *a.* **1** 정액(精液)의: a ~ duct 정관(精管) / ~ fluid 정액 / a ~ vesicle 정낭(精囊) **2** 발생의, 생식의 **3** 〖식물〗 종자의: a ~ leaf 떡잎 **4** (종자처럼) 발달 가능성이 있는, 근본의; 장래성이 있는: in a ~ state 앞으로 발달할 상태로 **5** 독창적인; 생산적인; 감화력이 강한; 중요한: a ~ book 독창적인 책 **~·ly** *ad.*
⁑sem·i·nar [sémənɑ̀:r] [L 「묘상(苗床)」의 뜻에서] *n.* **1 a** 세미나 《지도 교수 아래서 특수 주제를 연구 토의하는 학습법》; 연습(演習) **b** 세미나 연습실 **2** (단기간에 집중적으로 하는) 연구 집회; (대학원의) 연구과: a closed-door ~ 비공개 세미나
sem·i·nar·i·an [sèmənέəriən], **sem·i·na·rist** [sémənərist] *n.* 가톨릭 신학교 학생; (신학교 출신의) 성직자
***sem·i·nar·y** [sémənèri | -nəri] *n.* (*pl.* **-nar·ies**) **1 a** 《영》 가톨릭의 신학교 《특히 Jesuit파의》 **b** (각파의) 신학교 **2** (특히 high school 이상의) 학교 **3** (죄악 등의) 발생지, 온상 《*of*》: a ~ *of* vice 악의 온상
sem·i·nate [séməněit] *vt.* 〈씨를〉 뿌리다
sem·i·na·tion [sèmənéiʃən] *n.* ⓊⒸ 수정(授精); 보급, 선전; 《드물게》 파종(cf. DISSEMINATION)
sem·i·nif·er·ous [sèmənífərəs] *a.* 〖해부〗 정액을 만드는[운반하는]; 〖식물〗 종자가 생기는: ~ tubes 수정관(輸精管)
Sem·i·nole [sémənòul] *n.* (*pl.* **~, ~s**), *a.* 세미놀 족(의) 《원래 북미 Florida주, 지금은 Oklahoma주에 사는 아메리칸 인디언》
sem·i·of·fi·cial [sèmiəfíʃəl] *a.* 반공식(半公式)의, 반관적(半官的)인: a ~ gazette 반관보(半官報) **~·ly** *ad.*
se·mi·ol·o·gy [sì:miɑ́lədʒi, sèmi-, sì:mai- | sèmiɔ́lə-, sì:mi-] *n.* Ⓤ **1** 기호학(記號學); 기호 언어 **2** 〖의학〗 증후학(症候學)
se·mi·o·sis [sì:mióusis, sèmi-, sì:mai- | sèmi-, sì:mi-] *n.* 〖언어·논리〗 기호 현상[작용]
se·mi·ot·ic, -i·cal [sì:miɑ́tik(əl), sèmi-, sì:mai- | sèmiɔ́tik(əl)-, sì:mi-] *a.* **1** 기호(론)의: a ~ process 기호 작용(semiosis) **2** 〖의학〗 증후의(symptomatic) **—***n.* = SEMIOTICS
se·mi·ot·ics [sì:miɑ́tiks, sèmi-, sì:mai- | sèmiɔ́tiks, sì:mi-] *n. pl.* [단수 취급] 기호(언어)학; 〖의학〗 증후학
sem·i·par·a·site [sèmipǽrəsàit] *n.* 〖생물〗 반기생(半寄生) 생물
sem·i·per·ma·nent [sèmipə́:rmənənt] *a.* 일부 영구적인; 반영구적인
sem·i·per·me·a·ble [sèmipə́:rmiəbl] *a.* 〈막(膜) 등이〉 반투성(半透性)의

sem·i·plas·tic [sèmiplǽstik] *a.* 반소성(半塑性)의

sem·i·por·ce·lain [sèmipɔ́:rsəlin] *n.* 반자기(半磁器)

sem·i·post·al [sèmipóustl] *a.* ((미)) 〈우표가〉 기부금이 포함된 **—***n.* 기부금이 포함된 우표

sem·i·pre·cious [sèmipréʃəs] *a.* 〈광석이〉 준보석의: ~ stone 반[준]보석

sem·i·pri·vate [sèmipráivət] *a.* **1** 〈환자의 처우가〉 준특별 진료의, 준특실의 **2** 반사용(半私用)의

sem·i·pro [sémipròu, -mai- | -mi-] *a.*, *n.* (*pl.* **~s**) ((구어)) = SEMIPROFESSIONAL

sem·i·pro·fes·sion·al [sèmiprəféʃənl] *a.* 반(半)직업적인, 세미프로의, 반전문적인: a ~ job 준전문직 **—***n.* 세미프로의 사람[선수, 스포츠] **~·ly** *ad.*

sem·i·pub·lic [sèmipʌ́blik] *a.* **1** 반공공(半公共)의; 반관반민(半官半民)의 **2** 반공개석인

sem·i·qua·ver [sémikwèivər] *n.* ((영)) 〚음악〛 16분음표(((미)) sixteenth note)

Se·mir·a·mis [simírəmis] *n.* 〚그리스전설〛 세미라미스 ((아시리아의 전설상의 여왕; 미(美)와 지혜로 유명하며 Babylon의 창건자로 전해짐))

sem·i·re·li·gious [sèmirilídʒəs] *a.* 반종교적인

sem·i·re·tire·ment [sèmiritáiərmənt] *n.* (퇴직 후 재고용에 의한) 비상근(非常勤) (근무)

sem·i·rig·id [sèmirídʒid] *a.* **1** 반강체(半剛體)의 **2** 〚항공〛 반경식(半硬式)의 〈비행선〉

sem·i·sealed [sèmisí:ld] *a.* 〈봉투가〉 반만 봉해진

sem·i·skilled [sèmiskíld] *a.* **1** 반숙련의 〈직공 등〉 **2** 한정된 수작업(手作業)만 하는

sem·i-skimmed [sèmiskímd] *a.* ((영)) 〈우유가〉 부분 탈지유의, 지방분을 일부 뺀

sem·i·soft [sèmisɔ́:ft] *a.* 〈치즈 등이〉 알맞게 말랑한, 고형이지만 쉽게 잘리는

sem·i·sol·id [sèmisɑ́lid | -sɔ́l-] *n.*, *a.* 반고체(의)

sem·i·sub·mers·i·ble [sèmisəbmɔ́:rsəbl] *n.* 반잠수형 해양 굴착 장치

sem·i·sweet [sèmiswí:t] *a.* 약간 달게 만든, 너무 달지 않은 〈과자〉

sem·i·syn·thet·ic [sèmisinθétik] *a.* 〚화학〛 반(半)합성의 ((천연 섬유를 화학 처리하여 생기는 섬유의))

Sem·ite [sémait | sí:-, sém-] *a.* (Noah의 아들) 셈(Shem)의, 셈의 자손의(Semitic) **—***n.* **1** 〚성서〛 셈족 ((현대의 Jew, Arab; 고대의 Babylonian, Phoenician, Assyrian 등)) **2** ((특히)) 유대인(Jew)

Se·mit·ic [səmítik] *a.* **1** 셈 족[인종]의, 셈 계통의 **2** 셈 어계(語系)의: the ~ languages 셈 어(족) **3** ((특히)) 유대인의 **—***n.* Ⓤ **1** 셈 어 **2** [*pl.*; 단수 취급] ((미)) 셈학 ((셈 어·셈 문학 등의 계통적 연구))

Sem·i·tism [sémətìzm] *n.* **1** Ⓤ 셈 족식(式); Ⓤ ((특히)) 유대인 기질[풍] **2** 셈 말투 **3** 친유대 정책

Sem·i·tist [sémətist] *n.* **1** (셈 족의 언어·문화 등을 연구하는) 셈학자 **2** [**s~**] 유대인을 좋아하는 사람

Sem·i·to-Ham·it·ic [sémətouhæmítik] *n.*, *a.* 셈·햄 어족(의) ((AFRO-ASIATIC의 구칭))

sem·i·tone [sémitòun] *n.* **1** 〚음악〛 반음 **2** = HALF STEP

sem·i·ton·ic [sèmitɑ́nik | -tɔ́n-] *a.* 〚음악〛 반음의 **-i·cal·ly** *ad.*

sem·i·trail·er [sémitrèilər] *n.* 세미트레일러 ((앞 끝을 견인차 뒷부분에 얹게 된 구조의 트레일러)); 세미트레일러식 대형 화물 자동차

semitrailer

sem·i·trans·par·ent [sèmitrænspέərənt] *a.* 반투명의

sem·i·trop·i·cal [sèmitrɑ́pikəl | -trɔ́p-], **-trop·ic** [-trɑ́pik | -trɔ́p-] *a.* 아열대의(subtropic(al)): a ~ climate 아열대 기후 **-i·cal·ly** *ad.*

sem·i·trop·ics [sèmitrɑ́piks | -trɔ́p-] *n. pl.* 아열대 지방(subtropics)

sem·i·vo·cal [sèmivóukəl] *a.* 〚음성〛 반모음의

sem·i·vow·el [sémivàuəl] *n.* **1** 〚음성〛 반모음 (([j, w] 등)) **2** 성절 자음(成節子音)(syllabic consonant) **3** 반모음자 ((y, w))

sem·i·week·ly [sèmiwí:kli] *ad.*, *a.* 주 2회(의) **—***n.* (*pl.* **-lies**) 주 2회의 간행물

sem·i·year·ly [sèmijíərli] *ad.*, *a.* 연 2회(의) (semiannually) **—***n.* (*pl.* **-lies**) 연 2회의 간행물

sem·o·li·na [sèməlí:nə] [It.] *n.* Ⓤ 세몰리나 ((양질의 거친 밀가루; 마카로니·푸딩용))

sem·per fi·de·lis [sémpər-fidéilis, -dí:-] [L= always faithful] *a.* 항상 충실한 ((미국 해병대의 표어))

sem·per pa·ra·tus [sémpər-pəréitəs] [L= always prepared] *a.* 항상 준비가 되어 있는 ((미국 연안 경비대의 표어))

sem·pi·ter·nal [sèmpitə́:rnl] *a.* ((시어)) 영원한 (eternal) **~·ly** *ad.*

sem·pli·ce [sémplitʃèi | -tʃi] [It.] *a.*, *ad.* 〚음악〛 단순한[히], 순수한[히]; 장식음을 달지 않은[않고]

sem·pre [sémprei | -pri] [It.] *ad.* 〚음악〛 항상, 끊임없이 ((略 semp.)): ~ forte 내내 강하게

semp·stress [sémpstris] *n.* = SEAMSTRESS

Sem·tex [sémteks] [체코의 제조 공장이 있던 마을 이름에서] *n.* (무취의) 플라스틱제 폭발물[폭약] ((경찰견의 발견이 어려워 테러용으로 잘 쓰임))

sen [sén] *n.* (*pl.* **~**) **1** 센(錢) ((일본의 화폐 단위; = 1/100 yen)) **2** 센 ((인도네시아의 화폐 단위; = 1/100 rupiah)) **3** 센 ((말레이시아의 화폐 단위; = 1/100 ringgit)) **4** 센 ((캄보디아의 화폐 단위; = 1/100 riel))

SEN, S.E.N. ((영)) State Enrolled Nurse **sen., Sen.** senate; senator; senior

sen·a·ry [sénəri | sí:n-] *a.* 6의, 6으로 된

‡**sen·ate** [sénət] [L 「원로원」의 뜻에서] *n.* **1** 의회, 입법 기관 **2** [**S~**] (미국·프랑스·캐나다·오스트레일리아 등의) 상원(the Upper House) **3** 상원 의사당 **4** 〚고대로마·그리스〛 원로원 **5** (Cambridge 대학 등의) 평의원회, 이사회 ▷ senatórial *a.*

sénate hòuse **1** 상원 의사당 **2** (Cambridge 대학 등의) 평의원 회관, 이사 회관

‡**sen·a·tor** [sénətər] *n.* **1** 상원 의원(cf. CONGRESSMAN, REPRESENTATIVE); 정치가 **2** (고대 로마의) 원로원 의원 **3** (대학의) 평의원, 이사 **4** 〚스코〛 최고 민사 재판소 판사(Lord of Session) **~·shìp** *n.* Ⓤ senator의 직[임기] ▷ senatórial *a.*

sen·a·to·ri·al [sènətɔ́:riəl] *a.* **1** 상원[원로원] (의원)의; 상원[원로원] 의원다운; 상원[원로원] 의원으로 이루어진: ~ oratory 회의 연설 **2** (대학) 평의원회의 **3** ((미)) 상원 의원 선출권이 있는 〈선거구〉 **~·ly** *ad.* 상원[원로원] 의원답게; 엄숙하게(solemnly)

senatórial cóurtesy ((미)) 〚정치〛 상원 의례 ((대통령이 지명한 자에 대한 상원의 비준을 구할 경우, 피지명자 출신주 의원의 동의를 요하는 상원의 관례))

senatórial dìstrict ((미)) 상원 의원 선출구

se·na·tus [sənéitəs] *n.* 〚고대로마〛 원로원; ((스코)) 대학의 평의원회, 이사회

senátus con·súl·tum [-kənsʌ́ltəm] (고대 로마의) 원로원의 명령[결정]

‡**send**[1] [sénd] *v.* (**sent** [sént])

OE 「가게 하다」의 뜻에서	
타 ① 가게 하다	**1**
② 보내다, 부치다	**2**
③ (접시 등을) 돌리다	**3**

—*vt.* **1** (명령·의뢰 등에 의해서) 〈사람을〉 가게 하다, 파견하다: ~ an emissary 밀사를 보내다 // (~+목+

thesaurus **send**[1] *v.* dispatch, forward, mail, post, remit, transmit, convey, communicate, let

뮈) ~ a person *abroad* …을 해외로 파견하다 // (~+목+전+명) ~ a person *on* an errand …을 심부름 보내다 / ~ a child *to* college[bed] 아이를 대학에 보내다[재우다] / *S*~ a car *for* us. 차를 한 대 보내주시오. **2** 〈물건 등을〉 **보내다; 부치다,** 발송하다, 송달하다: ~ help 구원을 보내다 / ~ a telegram 전보를 치다 / ~ a letter by post[air] 편지를 우송하다[항공편으로 보내다] // (~+목+뮈) ~ a person *home* …을 집까지 데려다주다 // (~+목+목) (~+목+전+명) ~ a person a parcel = ~ a parcel *to* a person …에게 소포를 보내다 / ~ one's love [regards] *to* a person …에게 안부를 전하다 **3** 〈술·접시 등을〉 **돌리다,** (차례로) 전하다: (~+목+뮈) ~ the wine *round* 술을 돌리다 **4 내몰다,** 억지로 가게 하다: (~+목+전+명) *S*~ the cat *out of* the room. 고양이를 방에서 내몰아라. **5** 〈화살·공 등을〉 **쏘다,** 던지다; 〈빛·연기 등을〉 **내다,** 발하다 (*forth, off, out, through*): ~ a ball 공을 던지다 / ~ an arrow 화살을 쏘다 // (~+목+뮈) ~ *out* smoke [light] 연기[빛]를 내다 / ~ *forth* buds 싹[눈]을 내다, 싹트다 // (~+목+전+명) ~ a rocket *to* the moon 달을 향해 로켓을 발사하다 **6** [목적 보어와 함께] …으로 **만들다,** (어떤 상태에) 몰아넣다, 빠뜨리다 (*to, into*): (~+목+보) ~ a person mad …을 미치게 하다 // (~+목+전+명) ~ a person *into* tears[laughter] …을 울리다[웃기다] // (~+목+*-ing*) ~ a stone roll*ing* down the hill 언덕에서 돌을 굴려 내려가게 하다 **7** (문어) 〈신이 사람에게〉 허용하다, 주다; 받게 하다: (~+목+보) *S*~ her[him] victorious! 신이여, 여왕[왕]을 승리자가 되게 하옵소서! (영국 국가의 한 구절) // (~+목+목) God ~ him success! 신이여, 그를 성공하게 하옵소서! **8** 〖전기〗 〈신호·전파를〉 보내다, 송전하다 **9** (미·속어) 〈음악·예술 등이〉 열광시키다; 황홀하게 하다, 흥분시키다: His trumpet used to ~ me. 그의 트럼펫은 늘 나를 흥분시키곤 했다.

— *vi.* **1 사람을 보내다,** 심부름꾼을 보내다: (~+전+명) (~+*to* do) He *sent to* me *to* come soon. 그는 나에게 곧 오라고 사람을 보냈다. **2** 편지를 보내다, 전언을 써 보내다, 알리다 **3** 〖전기〗 발신하다, 신호를 보내다 **4** (속어) (즉흥 연주로) 열연하다

~ a person ***about*** his[her] ***business*** …을 해고하다, 쫓아 버리다 ~ ***after*** (1) …에게 전언을 보내다 (2) 〈떠난 사람을〉 뒤쫓게 하다 ~ ***and do*** 사람을 보내어 …시키다 ~ ***away*** 추방하다, 내쫓다, 해고시키다; 멀리 보내다 ~ ***away for*** …을 우편으로 주문하다 ~ ***back*** 돌려주다, 반환하다 ~ ***down*** (1) (영) 〖대학〗 정학시키다, 퇴학시키다 (2) 내리다; 〈물가를〉 하락시키다, 〈용기를〉 떨어뜨리다 (3) 〈사람을〉 (…의 죄로) 형무소에 보내다, 투옥하다 (*for*); 유죄 판결을 내리다 (4) 시골로 보내다 (5) 〈총알·타격이〉 쓰러뜨리다 ~ ***flying*** (1) 〈불꽃·파편 등을〉 튀게 하다 (2) 〈적을〉 패주시키다, 〈상대를〉 내던지다 ~ ***for*** (1) …을 데리러[가지러] (사람을) 보내다: ~ *for* the[a] doctor 의사를 데리러 보내다 (2) 주문해서 보내게 하다 (3) …하라고 말하다 ~ ***forth*** (1) 〈잎이〉 나다; 〈증기·냄새를〉 방출하다 (2) 수출하다; 출판하다 (3) 발송하다 (4) 포고(布告)하다 ~ ***in*** (1) 〈그림을〉 출품하다 (*for*); 〈계산서를〉 송부하다 (2) 내놓다 (3) 〈사표 등을〉 제출하다 (4) 〈명함을〉 안내인에게 내다; 〈이름을〉 알리다 (5) 〖크리켓〗 타자를 내다 (6) 〈음식을〉 식탁에 내놓다 ~ ***in*** [***up***] one***'s name*** 〈경기에〉 참가 신청을 하다 ~ ***off*** (1) 발송하다 (2) 전송하다 (3) 쫓아 버리다[내다] ~ ***on*** (1) 〈사람·물건을〉 먼저 보내다 (2) 〈편지를〉 회송하다 (3) 〈배우·선수를〉 출연[출장]시키다 ~ ***out*** (1) 발송하다 (2) 파견하다; 〈나무가 싹 등을〉 내다; 〈빛·향기 등을〉 방출하다 ~ ***over*** 파견하다; 방송하다 ~ ***packing*** 쫓아버리다, 해고하다 ~ ***round*** (1) 돌리다, 회람시키다; 회송하다 (2) 파견하다 ~ ***through*** 〈전갈 등을〉 전하다, 알리다 ~ ***up*** (1) 〈연기·향기 등을〉 내다; 〈로켓을〉 쏘아올리다 (2) (미·속어) 감옥에 집어넣다 (3) (영·속어) 조롱하다 (4) 올리다, 상승시키다 (5) 〈서류를〉 제출하다 (6) 〈음식을〉 식탁에 내다 (7) 〈명함을〉 내놓다, 〈이름을〉 알리다 (8) 〈공 등을〉 보내다 ~ ***word*** 전언하다, 전해 보내다 (*to*)

---

fly, throw, fling, hurl, cast (opp. *receive, get*)
senior *a.* high-ranking, superior, older, elder

send² *n.* 〖항해〗 파도에 배가 들어올려짐, 배의 뒷질 — *vi.* (**sent** [sént]) 파도에 들어올려지다, 〈배가〉 뒷질하다(cf. PITCH¹)

Sén·dai vìrus [séndai-] [일본의 지명 이름에서] 센다이바이러스 (세포 융합을 일으키기 쉬운 바이러스; 돼지 폐렴을 일으킴)

sen·dal [séndl] *n.* (중세의) 얇은 견직물

⁎**send·er** [séndər] *n.* **1 발송인,** 보내는 사람, 발신인, 제출자; 출하주(出荷主) **2** 〖전기〗 (전신·전화·라디오 등의) 송신기, 송화기(transmitter)(opp. *receiver*) **3** (속어) 멋진 사람; 매우 열광시키는 것; 청중을 열광시키는 연주자

send·ing-off [sèndiŋɔ́:f, -ɑ́f | -ɔ́f] *n.* (*pl.* **sendings-off**) (영) 〖축구〗 퇴장 (중대한 반칙을 범했을 때 심판으로부터 받는)

send-off [séndɔ̀:f | -ɔ̀f] *n.* (구어) **1** (역 등에서의) 전송, 송별 **2** (사람이나 사업의) 출발

send-up [-ʌ̀p] *n.* (영·속어) **1** 흉내 내어 놀림; 놀림 **2** 풍자 만화, 희화(戲畫)

se·ne [séinei] *n.* (*pl.* **~, ~s**) 세네 (서사모아의 화폐 단위; = 1/100 tala)

Sen·e·ca¹ [sénikə] *n.* (*pl.* **~, ~s**) **1** 세네카 족(族) (아메리칸 인디언의 Iroquois 족(族) 중 가장 큰 부족); 그 토인 **2** Ⓤ 세네카 말

Seneca² *n.* 세네카 **Lucius Annaeus ~** (?4 B.C.-65 A.D.) (로마의 철학자·극작가·정치가)

se·nec·ti·tude [sinéktətjù:d | -tjù:d] *n.* 인생의 말년, 노경, 노령기

sen·e·ga [sénigə] *n.* **1** 〖식물〗 세네가 (애기풀속(屬); 북미산(産)) **2** 세네가 뿌리 (거담제)

Sen·e·gal [sènigɔ́:l, -gɑ́:l] *n.* 세네갈 (서아프리카의 공화국; 수도 Dakar)

Sen·e·ga·lese [sènigɔ:lí:z, -lí:s, -gə- | -gəlí:z] *a.* 세네갈 (사람)의
— *n.* (*pl.* ~) 세네갈 사람; Ⓤ 세네갈 말

Sen·e·gam·bi·a [sènigǽmbiə] *n.* 세네감비아 (세네갈 강과 감비아 강 사이의 지역)

se·nes·cent [sinésnt] *a.* 늙은, 늙어가는, 노경(老境)의 **-cence** *n.* Ⓤ 노령, 노경; 노화, 노쇠

sen·e·schal [sénəʃəl] *n.* **1** (중세 귀족의) 집사(執事), 청지기(steward) **2** (영) (대성당의) 직원

sen·gi, -ghi [séŋgi] *n.* (*pl.* ~) 셍기 (자이레의 화폐 단위; = 1/100 likuta)

se·nhor [sinjɔ́:r] [Port. = Mr., Sir] *n.* (*pl.* **~s, se·nho·res** [sinjɔ́:ris]) **1** …님, …씨; 나리, 선생 (略 Sr.) **2** 포르투갈[브라질] 신사(cf. SEÑOR)

se·nho·ra [sinjɔ́:rə] [Port. = Mrs., Madam] *n.* (*pl.* **~s**) **1** 부인, 마님 (略 Sra.)(cf. SEÑORA) **2** 포르투갈·브라질의 기혼 부인

se·nho·ri·ta [sì:njərí:tə, sèin- | sènjɔ:-] [Port. = Miss] *n.* (*pl.* **~s**) **1** 영애, 아가씨, …양 (略 Srta.) (cf. SEÑORITA) **2** 포르투갈·브라질의 미혼 여성[처녀]

se·nile [sí:nail, -nil, sénail | sí:nail] *a.* **1** 노쇠한, 노망한 **2** 노인의, 노년의(gerontological) **3** 〖지질〗 노년기의 — *n.* 노인 **~·ly** *ad.*

sénile deméntia 〖병리〗 노인성 치매

sénile psychósis 〖병리〗 노인성 정신병

se·nil·i·ty [sinílǝti] *n.* Ⓤ 노쇠; 노령; 노망

‡**sen·ior** [sí:njər] [L 「나이가 든」의 뜻에서 (비교급)] *a.* **1 손위의** ★ 같은 이름의 부자간에는 아버지, 같은 이름의 두 학생에서는 나이 많은 쪽을 나타내어, 후치함. (opp. *junior*; cf. MAJOR; 略 sr., Sr, Sr.): Thomas Jones(,) *Sr.* 아버지 토마스 존스 **2** 선임의, 선배의, 고참의, 상급자인: a ~ man 고참자, 상급생

(cf. FRESHMAN) / ~ classes 상급 / a ~ examination 진급 시험 / a ~ State Department official 국무성 고관 **3** 상위의; 고급의; 수석의: a ~ counsel 수석 변호사 **4** (4년제 대학의) 최상급 학년의, 4학년의 (cf. FRESHMAN, SOPHOMORE, JUNIOR), (고등학교의) 최고 학년의 **5** 고령자의 **6** …이전의, …에 앞선 《*to*》 **7** 종가(宗家)의 **8** 〖금융〗 (배당·지불 등의 청구에 있어서) 우선의: ~ securities 우선 증권

— *n.* **1** [one's ~] 연장자, 손윗사람; 고로(古老), 장로(長老) **2** 선임자, 고참자, 선배, 상급자 **3** 상관, 상사, 수석자 **4** 《영》 (대학의) 상급생, 《미》 (대학 등의) 최상급생 ▷ seniórity *n.*

sénior chíef pétty òfficer 〖미해군〗 상사

sénior cítizen **1** 노령자, 노인 《old man의 완곡한 표현》 **2** (특히 연금으로 생활하는) 고령 시민 《《미》에서는 행정상 65세 이상》

sénior cítizenship 고령, 노령; 고령자의 신분

sénior cóllege 《미》 (junior college에 대하여) 4년제 대학

sénior cómbination[《영》 **common**] **ròom** 《미》 (대학 등의) 교직원 사교실 《略 S.C.R.; cf. JUNIOR COMBINATION[COMMON] ROOM》

sen·i·o·res pri·o·res [senióːreis-prióːreis] [L =elders first] *ad.* 연장자 우선으로

sénior hígh schòol 《미》 고등학교 《10, 11, 12 학년으로 우리 나라의 고등학교에 해당》 ★ senior high라고도 함.

sen·ior·i·ty [siːnjɔ́ːrəti, -jɑ́r- | sìːniɔ́r-] *n.* UC **1** 손위임, 연상 **2** 선배임, 선임, 고참 **3** (*pl.* **-ties**) 선임 순위, 연공 순위; 근속 연수: a ~ allowance 근속 수당

seniórity rúle 《미》 (의회의) 연공 서열

seniórity sýstem 연공 서열제

sénior máster sérgeant 〖미공군〗 상사

sénior mòment [senior 「노인」의 뜻에서] [a ~] 《미·구어·익살》 (일시적으로) 깜박하는 순간: have *a* ~ (일시적으로) 깜박하다

sénior núrsing òfficer 《영》 (병원의) 간호부장

sénior pártner (합명 회사·조합 등의) 장(長), 사장

sénior sérvice [the ~] 《영》 해군(the Navy)

sen·i·ti [sénəti] *n.* (*pl.* ~) 세니티 《통가(Tonga)의 화폐 단위; = 1/100 pa'anga》

sen·na [sénə] *n.* **1** 〖식물〗 센나 《차풀·석결명 무리》 **2** U 〖약학〗 그 잎을 말려서 만든 하제

sen·net [sénit] *n.* 〖연극〗 나팔 신호 《엘리자베스 왕조 연극에서 배우의 등장·퇴장을 알림; cf. SIGN》

sen·night, se'n·night [sénait, -nit | -nait] *n.* 《고어》 1주간(week)(cf. FORTNIGHT): Tuesday ~ 1주일 전[후]의 화요일

sen·nit [sénit] *n.* **1** 〖항해〗 꼰 밧줄 《보통 3-9가닥의 가는 밧줄로 꼰 것》 **2** (모자 만드는) 납작한 밀짚 끈

se·nor, se·ñor [seinjɔ́ːr, siːn- | se-] [Sp. = Mr., Sir] *n.* (*pl.* **~s**; **-ño·res** [-njɔ́ːreis]) **1** …님, …씨, …귀하; 나리, 선생 《略 Sr.; cf. DON[1]》 **2** 스페인 신사

se·no·ra, se·ño·ra [seinjɔ́ːrə, siːn- | se-] [Sp. =Mrs., Madam] *n.* (*pl.* **~s**) **1** 부인, 마님 《略 Sra.》 **2** 스페인의 기혼 부인

se·no·ri·ta, se·ño- [sèinjəríːtə, sìːn- | sènjɔː-] [Sp. =Miss] *n.* **1** 영애, 아가씨, …양 《略 Srta.》 **2** 스페인의 미혼 여성, 스페인 아가씨

Se·nous·si [sənúːsi] *n.* =SANUSI

Senr. Senior

sen·sate [sénseit] *a.* **1** 오감[감각]으로 아는; 감각이 있는 **2** 감각 중심의, 유물적인 **~·ly** *ad.*

‡**sen·sa·tion** [senséiʃən] *n.* **1** U 감각, 지각, 지각력: keen ~ 예리한 감각 **2** 느낌(feeling), 기분, …감: a ~ of fear 공포감 / a pleasant ~ 쾌감 / a ~ of freedom 해방감 **3** 〖생물〗 감각 기능 **4** UC (청중·대중의) 감동, 흥분 **5** 센세이션, 물의(物議), 선정(煽情); 세상을 떠들썩하게 하는 것 《사건·행동 등》, 대사건 《등》 **6** 〖생리〗 자극을 느끼는 기능 ***create*** [***cause, make***] ***a*** ~ 센세이션을 불러 일으키다, 큰 물의를 일으키다 **~·less** *a.*

▷ sensátional *a.*

*__sen·sa·tion·al__ [senséiʃənl] *a.* **1** 선풍적 인기의, 세상을 깜짝 놀라게 하는, 크게 물의를 일으키는 **2** 인기 끌기 위주의, 선정적인: ~ literature 선정 문학 **3** 《구어》 눈부신, 두드러진(striking) **4** 지각의, 감각(상)의 **5** 〖철학〗 감각론의 **~·ly** *ad.*

▷ sensátion *n.*; sensátionalize *v.*

sen·sa·tion·al·ism [senséiʃənəlìzm] *n.* U **1** (예술·저널리즘의) 선정주의, 흥미 본위, 인기 끌기 **2** 〖철학〗 감각론; 〖윤리·미학〗 감각주의

sen·sa·tion·al·ist [senséiʃənəlist] *n.* **1** 인기 끌기를 위주로 하는 사람, 크게 물의를 일으키는 사람, 선정주의자 **2** 〖철학〗 감각론자

sen·sa·tion·al·ize [senséiʃənəlàiz] *vt.* 선정적으로 다루다[보도하다, 표현하다]

sen·sa·tion·ism [senséiʃənìzm] *n.* 〖심리〗 감각주의; 〖철학〗 =SENSATIONALISM

‡**sense** [séns] *n., v.*

> 「감각」 **1** →(하나하나의) 「감각 능력」 **3**
> ─┬(느끼는 힘) ─┬「의식」 **4**
> │　　　　　　　└「분별」 **5**
> └(느끼는 내용) → 「의미」 **6**

— *n.* **1** 감각; 오감(五感)의 하나; 감각 기관: the (five) ~*s* 오감 / the ~ of sight[smell, hearing, taste, touch] 시각[후각, 청각, 미각, 촉각] **2** [the ~, a ~] (막연한) 느낌, 기분, 인상, …감, 심정, 지각: 《~+***that*** 절》 She had *a* ~ *that* the baby was in danger. 그녀는 아기가 위험하다고 느꼈다. // *a* ~ of uneasiness 불안감 / *a* ~ of warmth 따뜻한 느낌 / *a* ~ of loss 상실감 / *a* ~ of delight 쾌감 **3** 감각 능력; 관념, 인식, 인지; 통찰: the moral ~ 도덕감 / a ~ of guilt 죄책감 / a ~ of duty 의무감 **4** [*pl.*] 의식; 제정신, 본정신 **5** U 분별, 사려, 판단력, 지각, 상식, 센스; 이해력, 감상력: 《~+***to*** do》 She had the ~ *to* see that he had designs in doing so. 그가 그러한 수작을 부리는 데에는 속셈이 있다는 것을 간파할 만한 분별력이 그녀에게 있었다. // a man of ~ 지각 있는 사람, 사리를 분별할 줄 아는 사람 / common ~ 상식 / good ~ 양식 / ~ and sensibility (이)지와 (감)정 / a ~ of humor 유머를 이해하는 센스 / talk ~ 이치에 닿는 말을 하다 / *S*~ comes with age. 《속담》 나이가 들면 철도 든다. **6** (문맥이나 사전에 정의된) 의미, 뜻, 어의(語義)(⇨ meaning 유의어); 요점, 골자: You missed the ~ of his statement. 당신은 그의 진술의 요점을 놓쳤다. **7** U (전체의) 의견(opinion), 다수의 의향, 여론: the ~ of meeting 회의 출석자의 의향 **8** 가치, 진가; 장점: There is no ~ in worrying about the past. 과거를 걱정해 봤자 헛수고이다. **9** 〖수학〗 벡터(vector)의 한쪽 방향

bring a person ***to*** his[her] ***~s*** …을 정신 차리게 하다, …의 미몽을 깨우치다 ***have*** (***got***) ***enough ~ to come in from*** [***out of***] ***the rain*** 《구어》 비를 피할 만한 분별은 있다 《보통 사람과 같은 지혜는 있다》 ***have more ~ than to*** do …할 만큼 분별없는 사람은 아니다 ***have the ~ to*** do …할 만한 정도의 지각[분별]이 있다 ***in a ~*** 어떤 점[뜻]으로는; 어느 정도까지 ***in all ~s*** 모든 점에서 ***in every ~*** (***of the term***) 모든 의미에서 ***in no ~*** 결코 …이 아닌 ***in*** one***'s*** (***right***) ***~s*** 제정신으로 ***in what ~?*** 어떤 뜻으로? ***knock*** [***talk***] ***some ~ into*** a person (거친 방법으로) 분별 있는 행동을 하도록[어리석게 굴지

thesaurus **sensation** *n.* **1** 감각, 느낌 feeling, sense, awareness, perception, impression **2** 흥분, 센세이션 stir, excitement, agitation, commotion

sensible *a.* **1** 분별 있는 practical, realistic, wise,

않도록] …을 설득하다 ***lose*** **one's *~s*** 기절하다; 미치다 ***make ~*** 이치에 닿다, 뜻이 통하다; 〈표현·행동 등이〉이해할 수 있다: *make* ~ out of nonsense 억지로 의미를 취하다 ***out of*** **one's *~s*** 제정신을 잃고, 미쳐서 ***recover*** [***come to***] **one's *~s*** 의식을 되찾다 ***see ~*** 분별력이 생기다, 도리를 알다 ***stand to ~*** 이치에 맞다 ***take leave of*** **one's *~s*** (구어) 제정신을 잃다, 미치다: Have you *taken leave of your ~s*? 너 미쳤니? ***take the ~ of*** …의 의향을 묻다 ***There is no***[***some***] ***~ in*** **do*ing*** …하는 것은 무분별한[일리 있는] 일이다 ***the sixth ~*** 제6감 ***think ~*** 진지하게 생각하다 ***use a little ~*** 조금 머리를 쓰다 ***with a ~ of relief*** 한시름 놓는 기분으로

— *vt.* **1** 느끼다, 감각으로 분별하다: (~+***that*** 절) He vaguely *~d that* danger was approaching. 그는 위험이 다가오고 있음을 어렴풋이 느꼈다. **2** (주로 미·구어) 납득하다, 알아채다, 깨닫다(understand): The president *~d* the grave national danger. 대통령은 국가적 중대 위기를 깨달았다. **3** 〈계기가〉 감지하다; 〈방사능을〉 자동적으로 탐지하다; 〘컴퓨터〙 〈외부에서의 정보를〉 검지(檢知)하다, 판독하다

▷ sénsible, sénsitive, sénsory, sénsual, sénsuous *a.*

sénse cènter [the ~] 지각[감각] 중추

sense-da·tum [sénsdèitəm] *n.* (*pl.* **-ta** [-tə]) **1** 〘심리〙 (오관의 감각적 자극에 의한) 감각 자료, 감각 단위 **2** 〘철학〙 (현대 경험주의에서) 감각 여건

sense·ful [sénsfəl] *a.* **1** 의미 있는, 의의(意義) 있는 **2** 적정(適正)한, 사리를 분별하는 건전한, 현명한, 판단력 있는

sense·less** [sénslis] *a.* **1** 무감각의(insensate); 정신을 잃은, 인사불성의(unconscious); 감이 나쁜 **2** 몰상식한, 지각 없는, 어리석은, 무분별한: I am not so ~ as to do such a thing. 나는 그런 짓을 할 정도로 어리석지는 않다. **3** 무의미한(meaningless): ~ chatting 의미 없는 수다 ***fall ~ 졸도하다 ***knock*** **a person *~*** …을 때려서 기절하게 하다; 놀라 얼빠지게 하다

~·ly *ad.* **~·ness** *n.*

sénse of occásion (어떤 상황에서의) 사회[상식]적 행동 감각, 상황 분별(력)

sénse òrgan 감각 기관

sénse percèption (지력이 아닌) 감각에 의한 인식(력), 지각

sénse strèss = SENTENCE STRESS

sen·si·bil·ia [sènsəbíliə] *n.*, *pl.* 〘철학〙 지각[감지] 되는 것

***sen·si·bil·i·ty** [sènsəbíləti] *n.* (*pl.* **-ties**) **1** Ⓤ 감각 《신경 등의》, 감각력 **2** Ⓤ 민감, 신경질, 신경 과민 《*to*》 **3** Ⓤ 감도 《측정기 등의》 **4** [*pl.*] 감수성(cf. SENSE), 섬세한 감정[감각], 다감(多感): a person of refined *sensibilities* 세련된 감정을 가진 사람

▷ sénsible *a.*

‡**sen·si·ble** [sénsəbl] *a.* **1** 분별 있는, 양식(良識)을 갖춘, 지각 있는, 상식적인, 똑똑한; 판단력이 있는: a ~ man 지각 있는 사람 / That is very ~ of him. 그렇다니 그는 퍽 똑똑한 사람이다. **2** 〈행동·이야기 등이〉 현명한, 재치 있는; 사리에 맞는 **3** 알아챈 《*of*》; 깨달은, 잘 알고 있는 《*of*》: ~ *of* one's fault …의 실수를 알아챈 **4** 〈변화 등이〉 눈에 띌 정도의, 현저한 (appreciable): a ~ improvement 눈에 띄는 진전: a ~ difference in the temperature 상당한 온도 차 **5** 느낄 수 있는, 지각할 수 있는; 감각의: the ~ universe 감지되는 세계 / a ~ temperature 체감 온도 **6** 실용 위주의, 기능적인 〈의복 등〉 **7** (고어) 느끼기 쉬운, 민감한(sensitive) 《*to*》; 〈사람이〉 의식이 있는: The patient was speechless but still ~. 환자는 말할 수 없었지만 의식은 있었다.

▷ sénse, sensibílity *n.*; sénsibly *ad.*

sénsible héat 〘물리〙 현열(顯熱)(cf. LATENT HEAT)

sénsible horízon 〘천문〙 지평선(線)[면(面)], 수평선(線)[면(面)]

sen·si·bly [sénsəbli] *ad.* **1** 눈에 띌 정도로, 현저히 (appreciably) **2** 현명하게, 분별 있게(reasonably), 지각 있게; 느끼기 쉽게

séns·ing dèvice[**ìnstrument**] [sénsiŋ-] 검출 장치 《열·빛·연기 등의》

‡**sen·si·tive** [sénsətiv] *a.* **1** 민감한, 민감하게 반응하는; 과민한, 감각이 예민한, 여린; 〈감정이〉 상하기 쉬운: a ~ ear 예민한 귀 / be ~ *to* heat[cold] 더위[추위]를 잘 타다

> 유의어 **sensitive** 외부의 영향에 반응하거나 느끼거나 하기 쉬운 **susceptible** 외부로부터의 영향에 흔들리기 쉬운: be *susceptible* to the weather 날씨의 영향을 받기 쉽다

2 신경을 쓰는, 신경 과민의, 신경질적인, 걱정 잘하는, 화를 잘 내는: He is ~ about his weight. 그는 그의 몸무게에 대해 과민 방응을 보인다. **3** 〈사람·연기 등이〉 감수성이 예민한, 섬세한 **4** 〈화제·문제 등이〉 미묘한; 요주의의 **5** 〈문서·직무 등이〉 국가 기밀에 관련된, 극히 신중을 요하는: ~ diplomatic issues 신중을 요하는 외교 문제 **6** 〘상업〙 〈시세 등이〉 변동하기 잘하는, 불안정한, 민감한; 〘기계〙 감도가 강한, 예민한; 〘사진〙 감광성의, 고감도의: a ~ film[plate] 감광 필름[판] / a ~ thermometer 예민한 온도계

— *n.* 민감한 사람; 《특히》 최면술에 걸리기 쉬운 사람; 무당, 영매 **~·ly** *ad.* **~·ness** *n.*

▷ sénse, sensitívity *n.*

sénsitive ìtem 〘경제〙 요주의 수입 품목

sénsitive pàper 〘사진〙 감광지, 인화지

sénsitive plànt **1** 〘식물〙 함수초 **2** 《일반적으로》 만지면 움직이는 식물, 감각 식물 **3** 민감한 사람

***sen·si·tiv·i·ty** [sènsətívəti] *n.* (*pl.* **-ties**) ⓊⒸ **1** 민감도, 느끼기 쉬움, 민감(성), 감수성; 자극 감응[반응]성: the ~ of the artist 예술가의 감수성 **2** 〘사진〙 감광도; 〘전자〙 감도; 〘심리〙 민감성

▷ sénsitive *a.*

sensitívity gròup 〘심리〙 감수성 훈련(sensitivity training) 참가자 집단

sensitívity tràining 〘심리〙 감수성 훈련

sen·si·ti·za·tion [sènsətizéiʃən | -tai-] *n.* Ⓤ **1** 민감하게 만듦 **2** 〘의학〙 감작(感作); 〘사진〙 증감(增感)

sen·si·tize [sénsətàiz] *vt.* **1** 민감하게 하다 **2** 〘사진〙 …에 감광성을 주다; 〘의학〙 〈사람을〉 항원에 민감하게 하다, 감작(感作)하다 — *vi.* 감광성을 얻다; 항원에 민감해지다

sen·si·tiz·er [sénsətàizər] *n.* 감광약[제]; 증감제 (增感劑)

sen·si·tom·e·ter [sènsətámətər | -tɔ́-] *n.* 〘사진〙 감광도계(感光度計)

sen·sor [sénsɔːr, -sər] *n.* 〘전자〙 (빛·온도·방사능 등의 자극을 신호로 바꾸는) 감지기(感知器), 감지 장치

sén·sor-básed compùter [-béist-] 〘컴퓨터〙 센서 베이스트 컴퓨터 《감지기(感知器)에 의해 물리적 상태 따위로 입력시켜 자동 제어하는》

sen·so·ri·al [sensɔ́ːriəl] *a.* = SENSORY

sen·so·ri·neu·ral [sènsərinjúərəl | -njúə-] *a.* 지각 신경의[에 관한], 지각 기관의

sen·so·ri·um [sensɔ́ːriəm] *n.* (*pl.* **-ri·a** [-riə], **~s**) **1** 감각 중추, 지각 기관 **2** (속어) 두뇌, 마음

sen·so·ry [sénsəri] *a.* **1** 감각(상)의, 지각의: a ~ nerve[neuron] 지각 신경[신경 세포] / a ~ organ 감각 기관 **2** 지각 기관의, 감각 중추의

— *n.* 감각 기관(sense organ)

sénsory deprivátion 지각 상실; 감각 상실증 《주로 인식 부조(不調)·발달 손상을 가져옴》

---

prudent, judicious, sharp, shrewd, discerning, intelligent, clever, reasonable, rational, logical **2** 지각할 수 있는 perceptive, discernible, noticeable, visible, observable, tangible

*__sen·su·al__ [sénʃuəl | -sju-, -ʃu-] *a.* **1** 관능적인, 육체적 감각의, 관능을 만족시키는, 육욕적인, 육감적인

> 유의어 **sensual** (사물이) 육체적 감각에 만족을 주는, 또는 (사람이) 육감적 만족에 탐닉하는: *sensual* delight 관능적 즐거움 **sensuous** 나쁜 뜻은 없으며, (사물이) 감각을 통하여 만족을 주는, 또는 (사람이) 미(美)나 감성적인 기쁨에 민감한: *sensuous* impressions 감각적으로 느낀 인상

2 관능주의의, 음탕한(lewd), 호색적인 **3** 〖철학〗 감각론의[적인]; 세속적[물질적]인; 감각의 **~·ly** *ad.* ▷ sénse, sensuálity *n.*; sénsualize *v.*

sen·su·al·ism [sénʃuəlìzm | -sju-, -ʃu-] *n.* Ⓤ **1** 관능[육욕]주의; 육욕[주색]에의 탐닉, 호색 **2** 〖철학〗 감각론 **3** 〖미술〗 육감[관능]주의

sen·su·al·ist [sénʃuəlist | -sju-, -ʃu-] *n.* **1** 호색가 **2** 〖철학〗 감각론자; 〖미술〗 육감[관능]주의자

sen·su·al·i·ty [sènʃuǽləti | -sju-, -ʃu-] *n.* Ⓤ **1** 관능[육욕]성 **2** 호색, 음탕

sen·su·al·ize [sénʃuəlàiz | -sju-, -ʃu-] *vt.* 육욕에 빠지게 하다; 타락시키다 **sèn·su·al·i·zá·tion** *n.*

sen·su·ous [sénʃuəs | -sju-, -ʃu-] *a.* **1** 감각[미감]에 호소하는, 감각적인 **2** 민감한; 심미적인: a ~ temperament 예민한 성질 ★ sensual처럼 육욕의 뜻을 포함하지 않음(⇨ sensual 유의어). **~·ly** *ad.* **~·ness** *n.*

Sen·sur·round [sénsəràund] [*sense*+*surround*] *n.* 센서라운드 《귀에는 들리지 않으나 몸으로 진동을 느끼게 하는 음향 효과 방법; 상표명》

‡**sent** [sént] *v.* SEND의 과거·과거분사

sen·te [sénti:] *n.* (*pl.* **li·sen·te** [liséntì]) 센티 《Lesotho의 화폐 단위; $= ^1/_{100}$ loti》

‡**sen·tence** [séntəns] *n.*, *v.*

> L 「생각, 의견」의 뜻에서
> ┌→(판단을 내림) → 「판결」, 「선고」 **2**
> └→(하나의 내용을 갖춘 의견을 나타내는 말) → 「문장」 **1**

— *n.* **1** 〖문법〗 **문장**, 글(⇨ 문법 해설 (27)): a ~ word 문장 상당어 《Come!, Yes! 등》 **2** ⓊⒸ 〖법〗 (형사상의) **판결**, 선고, 처형, 형벌, 처벌: be under ~ of …의 선고를 받다, …형에 처해지다 / reduce a ~ to …으로 감형하다 **3** 〖논리·수학〗 명제 **4** 〖음악〗 악구(樂句) **5** 《고어》 금언, 명언, 경구(警句), 격언

pass [***pronounce***] ~ ***upon*** …에게 형을 언도하다; …에 대하여 의견을 말하다 ***serve*** one'***s*** ~ 징역을 치르다, 복역하다

— *vt.* [종종 수동형으로] **선고하다**, 판결하다; 형에 처하다: (~+목+전+명) ~ a person *to* death …에게 사형을 선고하다 / He was ~*d for* perjury. 그는 위증죄의 판결을 받았다. / be ~*d to* a fine for theft 절도죄로 벌금형을 선고받다 ▷ senténtial, senténtious *a.*

séntence àdverb 〖문법〗 문장 부사

séntence páttern 〖문법〗 문형(文型)

sen·ten·cer [séntənsər] *n.* (판결) 선고자, 재판관

séntence strèss 〖음성〗 문장 강세

sen·ten·tial [senténʃəl] *a.* **1** 판결의, 결단의 **2** 〖문법〗 문장의, 문장의 형태를 갖춘, 문장에 대한

senténtial cálculus 명제론(命題論) 《명제간(間)의 논리적 관계를 취급하는 기호 논리학의 분야》

senténtial fúnction 〖논리〗 명제 함수

sen·ten·tious [senténʃəs] *a.* **1** 금언적인, 간결한, 격언식의; 격언[금언, 교훈]이 많은 **2** 설교투의, 과장적인; 경구 등을 즐겨 쓰는; 독선적인, 잘난 체하는 **~·ly** *ad.* **~·ness** *n.*

sen·ti [sénti:] *n.* (*pl.* ~) 센티 《탄자니아의 화폐 단위; $= ^1/_{100}$ shilling》

sen·tience, -tien·cy [sénʃəns(i)] *n.* Ⓤ **1** 감각성(性), 지각력; 직감 **2** 직각(直覺); 유정(有情)

sen·tient [sénʃənt] *a.* **1** 감각[지각]력이 있는 **2** 의식하는, 민감한 — *n.* **1** 감각[지각]력이 있는 사람[것] **2** 마음, 정신 **~·ly** *ad.*

‡**sen·ti·ment** [séntəmənt] *n.* **1** ⓊⒸ (고상한) **감정**, 정서, 정감, 정조(情操)(⇨ feeling 유의어); (예술품에서 풍기는) 정취, 세련된 감정 **2** 감정적인 생각 **3** Ⓤ 감정에 흐르는 경향, 정에 약함, 다정다감, 감상(感傷) **4** ⓊⒸ [보통 *pl.*] 의견, 의향, 생각; 감상(感想), 소감, 감회; 취지; (말 자체에 대해 그 이면의) 뜻, 의미: Those are my ~*s.* 그것이 나의 의견이다. **5** [종종 *pl.*] (흔히 하는) 인사말 《연하장에 인쇄하거나 축배를 들 때의》 **~·less** *a.* ▷ sentiméntal *a.*

*__sen·ti·men·tal__ [sèntəméntl] *a.* **1** 감상적인, 정에 약한, 다감한, 정에 호소하는: a ~ song 감상적인 노래 / a ~ journey 향수 어린 여행 **2** (이성·사고보다는) 감정에 바탕을 둔, 감정적인, 정서적인 ***strike a ~ note*** (연설 등에서) 감상적인 투가 되다 **~·ly** *ad.*

sen·ti·men·tal·ism [sèntəméntəlìzm] *n.* Ⓤ **1** 감정[정서]주의, 감상주의 **2** 다정다감, 감격성, 감상벽(癖) **-ist** *n.* 다정다감한 사람, 감상적인 사람

sen·ti·men·tal·i·ty [sèntəmentǽləti] *n.* (*pl.* **-ties**) **1** Ⓤ 감정[감상]적임, 다정다감 **2** 감상적인 생각[의견, 행동]

sen·ti·men·tal·ize [sèntəméntəlàiz] *vi.* 감정에 빠지다, 정에 흐르다, 감상적이 되다 《*over*, *about*》 — *vt.* 감정[감상]적이 되게 하다, 감상적으로 보다[그리다, 다루다] **sèn·ti·mèn·tal·i·zá·tion** *n.*

sentiméntal válue 감상적 가치 《부모의 유품, 애인의 선물 등에서 느끼는》

sen·ti·mo [séntəmòu] *n.* (*pl.* **~s**) **1** 센티모(centavo) 《필리핀의 화폐 단위; $= ^1/_{100}$ peso》 **2** 1센티모 동전

*__sen·ti·nel__ [séntənl] *n.* **1** (문어·시어) **보초, 파수병**; 망꾼, 지키는 사람, 감시, 파수 ★ 군대에서는 SENTRY를 사용함. **2** 〖컴퓨터〗 (특정 정보 블록의 시작과 끝 또는 자기 테이프의 마지막 끝을 나타내는) 표지 ***stand*** ~ 보초를 서다, 파수 보다 《*over*》

— *vt.* (**~ed**; **~·ing** | **~led**; **~·ling**) 보초를 서다[세우다], 파수 보다, 파수병을 두다, 망보다

*__sen·try__ [séntri] [sentinel의 변형] *n.* (*pl.* **-tries**) 〖군사〗 **보초**, 초병, 파수병; 망꾼; 감시

be on [***keep***] ~ 보초를 서다 ***go on*** [***come off***] ~ 보초 근무에 들어가다[에서 물러나다]

séntry bòx 보초막, 초소, 위병소

séntry gò 보초 근무; 위병[보초] 교대의 신호: do [be on] ~ 보초 근무를 하다

séntry ràdar 감시 레이더 《지상 부대가 적의 부대·차량의 동태를 탐지하는 데 씀》

Se·nu(s)·si [sənú:si] *n.* = SANUSI

sen·za [séntsə, -tsɑ:] [It.] *prep.* 〖음악〗 …없이 《略 s.》: ~ tempo 박자[속도]에 구애되지 않고

‡**Se·oul** [sóul] *n.* **서울** 《대한민국의 수도》

Se·oul·ite [sóulait] *n.* 서울 사람[시민]

SEP simplified employee pension 간이 방식 종업원 연금제도 **sep.** separate(d) **Sep.** September; Septuagint

se·pal [sí:pəl, sé-] *n.* 〖식물〗 꽃받침 조각, 악편(萼片) **~·oid** [-ɔ̀id] *a.* 꽃받침 조각 모양의

-sepalous [sépələs] 《연결형》 「꽃받침이 있는」의 뜻: poly*sepalous*

sep·a·ra·bil·i·ty [sèpərəbíləti] *n.* Ⓤ 나눌[가를] 수 있음, 가분성(可分性), 분리성

sep·a·ra·ble [sépərəbl] *a.* **1** 뗄 수 있는, 분리할 수 있는 《*from*》 **2** 〖수학〗 가분(可分)의 **~·ness** *n.* **-bly** *ad.*

thesaurus **sentence** *n.* judgment, verdict, ruling, decision, decree, pronouncement
sentimental *a.* emotional, romantic, nostalgic, affectionate, loving, tender, warm

sep·a·rate [sépərèit] [L 「나누어서 준비하다」의 뜻에서] *vt.* **1 가르다, 떼다, 분리하다,** 잘라서 떼어 놓다 《*from*》: A hedge ~*s* the two gardens. 산울타리가 두 정원을 가르고 있다. / ~ church and state 종교와 정치를 분리하다 // 《~+목+전+명》 ~ a branch *from* the tree 가지를 나무에서 절단하다 / The English Channel ~*s* Great Britain *from* the Continent. 영국 해협이 대브리튼 섬과 대륙을 격리시키고 있다.

> 유의어 **separate** 원래 서로 붙어 있거나 엉켜 있던 것을 하나하나 분리하다 **divide** 원래 집합체인 것을 분할·분배 등을 위해 몇 개의 부분으로 나누다: *divide* a cake into four pieces 케이크를 네 조각으로 나누다 **part** 밀접한 관계가 있는 사람이나 물건을 갈라 놓다: The war *parted* children from their parents. 전쟁은 어린이를 부모로부터 갈라놓았다. **sever** 억지로[힘으로] 전체의 일부를 절단하다: *sever* a bough from the trunk 줄기에서 큰 가지를 잘라내다

2 〈사람을〉 **떼어놓다,** 헤어지게 하다, 별거시키다; 〈친구 등을〉 이간하다: ~ the two boys who are fighting 싸우고 있는 두 소년을 떼어놓다 // 《~+목+전+명》 be ~*d from* one's wife 아내와 별거하다 / ~ oneself *from* one's family 가족과 헤어지다 **3** 분류하다(sort), 골라내다; 추출하다, 분리하여 뽑아내다 《*from*》; 분산시키다: ~ milk 우유를 탈지(脫脂)하다 // 《~+목+전+명》 ~ cream *from* milk 우유에서 크림을 분리하다[탈지하다] / ~ the grain *from* the chaff 왕겨와 곡식을 분리하다 / ~ metal *from* ore 광석에서 금속을 추출하다 **4** 식별[구별]하다; 분리하여 생각하다 《*from*》: 《~+목+전+명》 ~ good *from* evil 선악을 분별하다 **5** 〈토지 등을〉 분할하다, 구획하다: 《~+목+전+명》 ~ a big tract of land *into* small plots 넓은 토지를 작은 구획으로 분할하다 **6** 《미》 제대시키다; 해고하다, 퇴학시키다 《*from*》: 《~+ 목+전+명》 He was ~*d from* the army. 그는 제대했다.

— *vi.* **1 갈라지다,** 끊어지다; 떨어지다, 관계를 끊다, 탈퇴하다 《*from*》: 《~+전+명》 ~ *from* the mother country 모국으로부터 독립하다 **2** 나뉘다 《*into*》: 《~(+부)+전+명》 The party ~*d* (*up*) *into* three cars. 일행은 3대의 자동차에 나눠 탔다. / The society ~*s into* several classes. 그 사회는 몇몇 계급으로 갈라져 있다. **3** 〈사람들이〉 헤어지다, 흩어지다; 〈부부가〉 별거하다: After dinner, we ~*d.* 저녁 식사 후 우리는 헤어졌다. **4** 〈일부 성분이〉 **분리되다:** 《~+전+명》 Oil ~*s from* water. 기름은 물에서 분리된다. **5** 〈밧줄이〉 끊어지다

— [sépərət] *a.* **1 갈라진,** 잘라진, 떨어진, (서로) 연관없는, 분리된: ~ volumes 별책 **2 따로따로의,** 개별적인; 단독의, 독립[격리]된 《*from*》: a ~ peace 단독 강화 **3** 실체가 없는, 무형의, 영적인 **~ *but equal*** 《미》 (인종) 분리 평등 정책의 《흑인과 백인을 분리는 하지만 교육·교통 수단·직업 등에서는 차별하지 않는》

— [sépərət] *n.* **1** 발췌 인쇄물(offprint), 별책(別冊), 분책(分冊) **2** [*pl.*] 〖복식〗 세퍼레이츠 《아래위가 따로 된 여성·여아복》 **~·ness** *n.*

▷ separátion *n.*; séparative *a.*; séparately *ad.*

sep·a·rat·ed [sépərèitid] *a.* (배우자와) 별거하는 《*from*》: Her parents are ~ but not divorced. 그녀의 부모는 별거하고 있지만 이혼하지는 않았다.

séparated mílk 탈지유

séparate estáte 〖법〗 (특히 별거하는) 아내의 특유 재산

separate *a.* **1 분리된** disconnected, unattached, unrelated, detached, divorced, divided, discrete (opp. *united*) **2 개별적인** individual, distinct, different, particular, autonomous, independent

∗**sep·a·rate·ly** [sépərətli] *ad.* **1 따로따로,** 개별적으로; 갈라져 **2** 단독으로 《*from*》

séparate máintenance 〖법〗 (남편이 별거 중인 아내에게 주는) 별거 수당

séparate schòol 《캐나다》 (지방 교육 위원회의 감독하에 있는) 분리파 교회 학교

sep·a·ra·tion [sèpəréiʃən] *n.* UC **1 분리,** 분할, 독립, 이탈, 떨어짐 《*from*》; 분류, 구분; 선별 **2** 분리점[선], 분할선, 틈 **3** 간격, 거리 **4** 〖법〗 (부부) **별거:** judicial[legal] ~ 판결에 의한 부부 별거 **5** U 《미》 제대; 해고, 퇴직, 퇴학; 이직 《*from*》 **6** U 〖우주과학〗 (다단식 로켓의) 분리 (시기); 〖식물〗 분구(分球); 〖지질〗 (단층 등의) 격리(隔離) 거리 **~ *of church and state*** 교회와 국가의 분리, 정교(政敎) 분리 **~ *of powers*** 〖정치〗 3권 분립 ▷ separátionist *n.*

separátion allówance 별거[가족] 수당 《특히 정부가 출정 군인의 아내에게 지급하는》

separátion anxìety 〖심리〗 분리 불안 《유아가 어머니로부터 분리될 때의 심리 상태》

separátion cènter 〖미군〗 소집 해제[제대] 본부

sep·a·ra·tion·ist [sèpəréiʃənist] *n.* = SEPARATIST

sep·a·ra·tism [sépərətìzm] *n.* U (정치·인종·종교상의) 분리 주의[상태](opp. *unionism*)

sep·a·ra·tist [sépərətist, -pərèitist | -rət] *n.* **1** [종종 **S~**] (정교(政敎) 등의) 분리주의자, 이탈[탈퇴]자 **2** (국교회로부터의) 분리파

— *a.* [종종 **S~**] (정교(政敎) 등의) 분리주의자의, 분리주의적인, 분리주의를 주창하는

sep·a·ra·tive [sépərətiv, -pərèitiv | -rə-] *a.* **1** 분리적 경향이 있는, 분리(성)의; 독립적인 **2** 〖동물·식물〗 구별적인, 독립의 **~·ly** *ad.* **~·ness** *n.*

sep·a·ra·tor [sépərèitər] *n.* **1** 분리하는 사람[것] **2** 선광기; (액체) 분리기; 분액기(分液器); (전지의) 격리판 **3** 〖컴퓨터〗 (정보 단위의 개시·종료를 나타내는) 분리 기호; 분리대(帶)

sep·a·ra·to·ry [sépərətɔ̀:ri | -təri] *a.* 분리시키는; 분리용의

sepd. separated **sepg.** separating

Se·phar·di [səfɑ́:rdi, -fɑ:rdí: | -fɑ́:di] *n.* (*pl.* **-dim** [-dim]) 세파르디 《스페인 또는 포르투갈계의 유대인》 **-dic** [-dik] *a.*

se·pi·a [sí:piə] [L 「오징어」의 뜻에서] *n.* U **1** 오징어(cuttlefish)의 먹물 **2** 세피아 《오징어 먹물로 만든 갈색 그림물감》 **3** 세피아색(의 사진[그림])

— *a.* 세피아색[그림]의

se·pi·o·lite [sí:piəlàit] *n.* 〖광물〗 해포석(海泡石)(meerschaum)

sepn. separation

se·poy [sí:pɔi] [Pers. 「기병」의 뜻에서] *n.* (영국 인도 육군의) 인도인 용병

Sépoy Mútiny[Rebéllion] [the ~] 세포이의 항쟁(Indian Mutiny) 《인도인 용병의 항쟁(1857-59)》

seps [séps] *n.* (*pl.* ~) 〖동물〗 (사지가 퇴화한) 도마뱀

sep·sis [sépsis] *n.* U 〖병리〗 부패 (작용), 부패증, 패혈증(敗血症)(septicemia)

sept [sépt] *n.* **1** (옛 아일랜드의) 씨족 **2** 《일반적으로》 씨족, 일족, 일문

Sept. September; Septuagint

sept- [sept], **septem-** [séptem], **septi-** [sépti] 《연결형》 「7」의 뜻 《모음 앞에서 sept-》

sep·ta [séptə] *n.* SEPTUM의 복수

sep·tal [séptl] *a.* 〖생리·해부〗 격벽(隔壁)의, 중격(中隔)의, 격막(隔膜)의

sep·tan [séptən] *a.* 〖의학〗 7일마다 일어나는 〈열〉: ~ fever 7일 열

sept·an·gle [séptæ̀ŋgl] *n.* 7각형

sept·an·gu·lar [septǽŋgjulər] *a.* 7각(형)의

sep·tate [sépteit] *a.* 〖생물〗 중격(中隔)[격벽, 격막(隔膜)]을 가진

‡**Sep·tem·ber** [septémbər] [L 「7월」의 뜻에서; 고대 로마에서는 1년을 10개월로 하여 3월부터 시작한 데서] *n.* 9월 《略 Sept., Sep., S.》
Septémber Mássacre [the ~] 9월 학살 《프랑스 혁명 때인 1792년 9월 Paris에서 있었던, 반혁명파에 대한 학살》
Septémber pèople 55세 이상의 중년기 후반에 든 사람들
Sep·tem·brist [septémbrist] *n.* **1** 〖프랑스사〗 9월 학살에 참가한 혁명파 **2** Black September의 멤버
sep·tem·par·tite [sèptempɑ́:rtait] *a.* 7개 부분으로 나누어진
sep·te·nar·y [séptənèri | -nəri] *a.* **1** 7의, 일곱으로 된 **2** 7년 계속하는; 7년에 한 번의, 7년마다의; 7년(간)의 **3** 7배의 **—***n.* (*pl.* **-ries**) **1** 7; 7개 한 벌; 7년간 **2** 〖운율〗 (특히 라틴시의) 7시각(詩脚)의 시구
sep·ten·nate [septéneit, -nət] *n.* 7년간
sep·ten·ni·al [septéniəl] *a.* 7년마다의; 7년간 계속하는; 7년마다 한 번의 **~·ly** *ad.*
sep·ten·ni·um [septéniəm] *n.* (*pl.* **~s, -ni·a** [-niə]) 7년간, 7년기(期)
sep·ten·tri·o·nal [septéntriənl] *a.* 《고어》 북쪽의, 북방의(northern, boreal)
sep·tet(te) [septét] *n.* **1** 〖음악〗 7중주[창](곡), 7중주[창]단(⇨ solo 관련); 7인조 **2** 〖운율〗 7행시
septi- [sépti, -tə] 《연결형》 =SEPT-
sep·tic [séptik] *a.* 〖병리〗 부패성의; 패혈증성(敗血症性)의; 전염성의: ~ fever 부패열
sep·ti·ce·mi·a, -cae- [sèptəsí:miə] *n.* Ⓤ 〖병리〗 패혈증 **-mic** [-mik] *a.*
sep·tic·i·ty [septísəti] *n.* Ⓤ 부패(성)
séptic sóre thróat 〖병리〗 패혈성 인두염(咽頭炎)
séptic tànk (하수 처리용) 정화 탱크, 오수 정화조 《박테리아를 이용하여 유해성 물질을 없앰》
sep·ti·lat·er·al [sèptəlǽtərəl] *a.* 7변[면]의
sep·til·lion [septíljən] *n.* (*pl.* **~s,** [수사 뒤에서] ~) 셉틸리언 《(미) 10^{24}; (영·독·프랑스) 10^{42}》
—*a.* 셉틸리언의 **-lionth** [-ljənθ] *a., n.*
sep·ti·mal [séptəməl] *a.* 7의; 7을 바탕으로 한
sep·time [sépti:m] *n.* 〖펜싱〗 (8개의 방어 자세 중의) 제7의 자세
sep·tin·ge·na·ry [sèptindʒí:nəri] *n.* 700년제(cf. CENTENARY)
sep·tu·a·ge·nar·i·an [sèptʃuədʒənɛ́əriən, -tju- | -tju-] *a., n.* 70세의 (사람); 70대의 (사람)
sep·tu·ag·e·na·ry [sèptʃuǽdʒənèri, -tju- | -tjuədʒí:nəri] *n.* (*pl.* **-ries**) 70세의 사람; 70대의 사람 **—***a.* **1** 70세의; 70대의 **2** 70에 바탕을 둔
Sep·tu·a·ges·i·ma [sèptʃuədʒésəmə, -tju- | -tju-] [L 「70일째」의 뜻에서] *n.* **1** 〖가톨릭〗 칠순절 **2** 〖영국국교〗 사순절(Lent) 전 제3일요일(=~ **Sún·day**) 《부활절(Easter)전 70일째의 뜻이지만 실제로는 63일째》 **3** [**s~**] 70일
Sep·tu·a·gint [séptjuədʒìnt, -tʃu- | -tju-] [L =seventy] *n.* [the ~] 70인역(譯)(성서) 《그리스어역 구약 성서; 이집트왕 Ptolemy Philadelphus (기원전 3세기)의 명에 의하여 알렉산드리아에서 70[72]명의 유대인이 70[72]일간에 번역해 냈다고 전해짐; 略 Sep(t)., LXX》
sep·tum [séptəm] *n.* (*pl.* **-ta** [-tə]) **1** 〖해부·생리〗 격벽(隔壁); 중격(中隔), 격막(隔膜) **2** 〖식물〗 포편(胞片)
sep·tu·ple [séptjupl, septjú:pl, -tʌ́pl | séptju-] *n., a.* 7곱[겹](의), 7배의
—*vt., vi.* 7곱[겹]으로 하다[되다]
sep·tup·let [septʌ́plit, -tjú:p- | -tjú:p-] *n.* **1** 7개 한 벌, 7인조 **2** 일곱 쌍둥이의 하나; [*pl.*] 일곱 쌍둥이 **3** 〖음악〗 7연음표
sep·ul·cher | -chre** [sépəlkər] [L 「매장하다」의 뜻에서] *n.* **1** 《문어·고어》 무덤, 묘 《특히 바위를 뚫은, 또는 돌·벽돌 등으로 지은》; 지하 매장소 **2** 《비유》 (희망 등의) 무덤 ***the Easter ~ 부활절 중의 성물(聖物) 안치소 ***the*** (***Holy***) ~ 성묘(聖墓) 《예루살렘에 있었던 그리스도의 묘》 ***whited*** ~ 〖성서〗 회칠을 한 무덤, 위선자(hypocrite)
—*vt.* 무덤에 안치하다(entomb), 파묻다, 매장하다
▷ sepúlchral *a.*
se·pul·chral [səpʌ́lkrəl] *a.* **1** 무덤[묘]의 **2** 매장에 관한 **3** 무덤 같은; 사자(死者)의; 음침한: ~ tones 음침한 목소리 **~·ly** *ad.*
sep·ul·ture [sépəltʃər] *n.* **1** Ⓤ 《문어》 매장(burial) **2** 《고어》 묘소, 무덤(sepulcher)
seq. sequel; *sequentes* 《L =the following》
seqq. *sequentia* 《*sequentes*의 복수》
se·qua·cious [sikwéiʃəs] *a.* **1** 남을 따르는, 순종하는, 맹종하는; 비굴한 **2** 논리가 일관된, 조리에 맞는
se·quel [sí:kwəl] *n.* **1** (소설 등의) 계속, 속편, 후편 《*to*》 **2** (사물의) 추이, 결과, 귀착점 《*of, to*》
in the ~ 그 후에 결국
se·que·la [sikwí:lə] [L] *n.* (*pl.* **-quel·ae** [-li:]) **1** [보통 *pl.*] 〖의학〗 후유증 **2** 결과
se·quel·ize [sí:kwəlàiz] *vt.* 속편을 만들다: ~ a hit movie 히트한 영화의 속편을 만들다
‡**se·quence** [sí:kwəns] [L 「뒤를 따르는 것」의 뜻에서] *n.* **1** Ⓤ 연달아 일어남, 연속, 속발(續發); 연쇄 **2** 일련의 연속; 연속물: a sonnet ~ 소네트 연작 **3 a** Ⓤ 순서, 차례 **b** 이치, 조리 **4** ⒸⓊ 결과, 결론, 귀결: crimes and its ~*s* 범죄와 그 귀결 **5** 〖카드〗 (3매 이상의) 연속패 《하트의 K, Q, J, 10, 9 등》 **6** 〖음악〗 반복 진행, 계기(繼起) **7** 〖영화〗 연속된 한 장면, 일련의 화면(scene) **8** Ⓤ 〖문법〗 시제의 일치[호응](= ~ of tenses)(cf. AGREEMENT) **9** 〖수학〗 열, 수열 **10** 〖가톨릭〗 부속가(附續歌), 속창(續唱) **11** 〖컴퓨터〗 순서: ~ check 순서 검사 《항목이 소정의 키 순서에 따라 나열되어 있는가를 확인하기 위한 검사》
in regular ~ 순서대로, 질서 정연하게 ***in*** ~ 차례차례로 ***out of*** ~ 순서가 엉망으로
—*vt.* 차례로 나열하다; 정리[배열]하다
▷ séquent, sequéntial *a.*
séquence of ténses [the ~] 〖문법〗 시제의 일치[호응]
se·quenc·er [sí:kwənsər] *n.* (정보 배열·로켓 발사시 등의) 순서 결정[조정] 장치; 〖음악〗 (악보·화음·기타 신호를 프로그램할 수 있는) 전자 악기 《작곡시에 재사용이 가능》
se·quenc·ing [sí:kwənsiŋ] *n.* (임신 등으로 인한 정년 전의 여성의) 직장 업무의 중단
se·quen·cy [sí:kwənsi] *n.* 순서; 연속, 속발
se·quent [sí:kwənt] *a.* **1** 다음에 오는, 차례차례 계속되는, 연속하는, 연속적인 **2** 결과로서 오는, 결과로서 생기는, 따라서 일어나는, 필연의, 당연한 《*to, on, upon*》 **—***n.* 필연의 결과[결론]
se·quen·tes [sikwénti:z], **se·quen·ti·a** [-ʃiə] [L] *n.* 이하(以下)(the following) 《略 *sing.* seq., *pl.* seqq.; et를 곁들이는 수가 있음: p. 5 (*et*) *seq*(*q*). 제 5페이지 이하》
se·quen·tial [sikwénʃəl] *a.* **1** 잇달아 일어나는, 연속하는, 순차적인 **2** 결과로서 일어나는 《*to*》 **3** (부작용 제거를 위해) 특정 순서로 순차 복용하는 《경구 피임약 등》 **—***n.* [보통 *pl.*] 순차 경구 피임제
se·quèn·ti·ál·i·ty *n.* **~·ly** *ad.*
sequéntial áccess 〖컴퓨터〗 순차 접근 《기억 장치의 정보 호출(呼出)이 기억된 차례로만 가능함》: ~ method 순차 접근 방법
sequéntial númbering sỳstem 일련번호 방식 《참고 문헌 표기법의 하나》
sequéntial prócessing 〖컴퓨터〗 순차 처리
***se·ques·ter** [sikwéstər] *vt.* **1** 격리하다 **2 a** 은퇴시키다, 고립시키다 **b** [~ one*self* 로] 은퇴하다(se-

thesaurus **sepulcher** *n.* tomb, grave, vault
sequence *n.* chain, course, cycle, series, progression, succession, set, order, pattern

clude) ⟪*from*⟫: ⟪~+목+전+명⟫ He *~ed himself from* the world. 그는 은둔했다. **3** 〚법〛 가압류(假押留)하다, 압수[몰수, 접수]하다
—*vi.* 기권하다; 〚법〛 미망인이 죽은 남편의 재산에 대한 요구를 포기하다
—*n.* 소송물 관리인 **-tra·ble** *a.* 가압류할 수 있는

se·ques·tered [sikwéstərd] *a.* **1** 은퇴한, 고립된, 물러나 들어박힌(retired); 외딴(isolated): a ~ life [retreat] 은퇴 생활[은둔처] **2** 몰수된, 가압류된

se·ques·trate [sikwéstreit] *vt.* **1** [보통 수동형으로] 〚법〛 가압류하다; 몰수하다, 파산시키다; 〈파산자의 재산을〉 강제 관리시키다 **2** ⟪고어⟫ 격리시키다, 은퇴시키다 **3** 〚병리〛 …에 부골(腐骨)을 형성하다
sé·ques·trà·tor *n.* 가압류인

se·ques·tra·tion [sìːkwestréiʃən, sikwes-, -kwəs- | sìː-, sè-] *n.* Ⓤ **1** 격리, 제거, 추방; 은퇴, 은둔 **2** 〚법〛 일시적 강제 관리, 가압류, 몰수 **3** 〚의학〛 부골(腐骨) 형성

se·ques·trum [sikwéstrəm] *n.* (*pl.* **-tra** [-trə]) 〚의학〛 (건전한 뼈에서 떨어져 남아 있는) 부골편(腐骨片)

se·quin [síːkwin] *n.* **1** 〚역사〛 고대 베니스의 금화 **2** 번쩍이는 금속 조각 ⟪여자옷 장식용⟫ **sé·quined** *a.*

se·quoi·a [sikwɔ́iə] *n.* 〚식물〛 세쿼이아 ⟪미국 서부산(産) 삼나뭇과(科)의 거목⟫

Sequóia Nátional Párk 세쿼이아 국립 공원 ⟪California주 중동부에 위치⟫

ser [síər, séər | síə] *n.* =SEER²

ser. serial; series; sermon; service **Ser.** serine

se·ra [síərə] *n.* SERUM의 복수

sé·rac [siræk | séræk] [F] *n.* [보통 *pl.*] 세락, 탑상 빙괴(塔狀氷塊) ⟪빙하가 급한 경사를 내려올 때 갈라진 틈과 틈이 교차해서 생기는⟫

se·ragl·io [sirǽljou, -rɑ́ːl- | serɑ́ːliòu, serɑ́ːljou, sə-] [It.] *n.* (*pl.* **~s**) **1** 이슬람교국의 궁전 **2** [**S~**] 〚역사〛 터키의 옛 궁전(=the Old S~) **3** 처첩의 방(harem); 후궁 **4** 매춘굴

se·ra·i [sərɑ́ːi, sərái | serái] *n.* (*pl.* **~s**) **1** (이란·인도의) 숙사, 숙소, 대상(隊商) 숙소 **2** (터키의) 궁전

se·rang [sərǽŋ] *n.* (남아프리카의) 말레이 인(人) 수부장(水夫長), 갑판장; (작은 상선의) 선장

se·ra·pe [sərɑ́ːpi] *n.* 세라피 ⟪멕시코 지방에서 남자가 어깨에 걸치는 기하학 무늬의 모포⟫

serape

ser·aph [sérəf] *n.* (*pl.* **~s, -a·phim** [-fìm]) **1** 〚성서〛 세라핌 ⟪인간과 닮은 모습으로 세 쌍의 날개가 있는 천사; 이사야 6: 2,6⟫ **2** 〚신학〛 치품(熾品)천사 ⟪천사의 9계급 중 제1 계급의 천사⟫ **3** 천사(angel)

ser·aph·ic, -i·cal [sirǽfik(əl)] *a.* **1** 치품천사의[같은] **2** 거룩한; 맑은, 청순한 〈미소 등〉

ser·a·phim [sérəfìm] *n.* SERAPH의 복수

Se·ra·pis [siréipis | sérə-] *n.* 세라피스 ⟪프톨레마이오스조 시대의 이집트에서 융합 정책에 의해 만들어진 명계(冥界)의 신⟫

Serb [sɔ́ːrb] *a., n.* =SERBIAN

Ser·bi·a [sɔ́ːrbiə] *n.* 세르비아 ⟪유고슬라비아의 일부; 원래 발칸의 왕국⟫

Ser·bi·an [sɔ́ːrbiən] *a.* 세르비아(Serbia)의; 세르비아 사람[어]의 —*n.* 세르비아 사람; Ⓤ 세르비아 어

Ser·bo-Cro·a·tian [sə̀ːrboukrouéiʃən, -ʃiən] *n.* Ⓤ 세르보크로아티아 어 ⟪유고슬라비아에서 사용되는 슬라브계의 말⟫; 세르보크로아티아 사람
—*a.* 세르보크로아티아 어[사람]의

---

sequester *v.* separate, isolate, set off, segregate
serene *a.* calm, composed, tranquil, peaceful, placid, still, quiet, undisturbed, unexcited

---

Ser·bó·ni·an Bóg [səːrbóuniən-] **1** 세르보니스의 늪 ⟪나일 강 삼각주와 수에즈 지협 사이에 있던 위험한 늪⟫ **2** ⟪비유⟫ 곤경, 궁지

sere¹ [síər] *n.* 〚생태〛 천이(遷移) 계열(cf. SUCCESSION)

sere² *a.* ⟪시어⟫ 시든, 마른, 말라빠진

se·rein [səræ̃n, -réin] [F] *n.* 열대 지방에서 해가 진 뒤 맑은 하늘에서 내리는 이슬비

Se·re·na [səríːnə] *n.* 여자 이름(cf. SERENO)

***ser·e·nade** [sèrənéid] [It. 「청명한」의 뜻에서; 여기에 sera(밤)의 연상이 가미됨] *n.* **1** 〚음악〛 세레나데, 소야곡 ⟪저녁 정서에 어울리는 조용하고 서정적인 악곡⟫; 여러 개의 악장으로 된 기악곡 형식의 하나 **2** =SERENATA 2
—*vt., vi.* (…를 위해) 세레나데를 부르다[연주하다]
-nád·er *n.*

ser·e·na·ta [sèrənɑ́ːtə] [It. =evening song] *n.* (*pl.* **~s, -te** [-tei]) **1** 칸타타(cantata) **2** 세레나타 ⟪조곡(組曲)과 교향곡 중간의 기악곡⟫ **3** 소야곡(serenade)

ser·en·dip·i·ty [sèrəndípəti] [*The Three Princes of Serendip*이라는 옛 이야기에서; 주인공이 찾아도 없는 보물을 우연히 발견한 데서] *n.* **1** Ⓤ 우연히 발견하는 능력, 행운 **2** [*pl.*] 운수 좋은 뜻밖의 발견(물)
-i·tous *a.*

serendípity bèrry 〚식물〛 =MIRACLE FRUIT

ser·en·dip·per [sèrəndípər] *n.* 운수 좋게 뜻밖의 발견을 하는 사람

‡**se·rene** [səríːn] *a.* (**se·ren·er**; **-est**) **1** 〈바다 등이〉 고요한(calm), 잔잔한; 맑게 갠, 청명한, 화창한: ~ weather 맑은 날씨 **2** 〈사람·생활·정신 등이〉 침착한; 조용한, 평온한, 평화스러운: ~ courage 침착한 용기 **3** [**S~**] 고귀하신 ⟪유럽 대륙에서 왕후[왕비]에 대한 경칭⟫: His[Her] *S~* Highness ⟪略 H.S.H.⟫, Their *S~* Highnesses ⟪略 T.S.H.⟫, Your *S~* Highness 전하 ***all*** **~** ⟪영·속어⟫ 평온무사, 이상 없음(all right)
—*n.* [the ~] **1** ⟪고어⟫ 맑게 갠 하늘; 평온한 바다[호수] **2** 평온, 침착
—*vt.* ⟪시어⟫ 〈바다·하늘·얼굴 등을〉 맑게 하다, 평온하게 하다 **~·ly** *ad.* **~·ness** *n.* ▷ serénity *n.*

Ser·en·get·i [sèrəngéti] *n.* 세렌게티 ⟪탄자니아 북서부의 초원; 야생 동물 보호구(Serengeti National Park)를 포함⟫

***se·ren·i·ty** [sərénəti] *n.* **1** Ⓤ (하늘·기후 등의) 고요함, 맑음, 화창함, 청명 **2** Ⓤ (마음·생활의) 평온, 평정, 침착 **3** [**S~**] 전하 ⟪경칭⟫: Your[His, etc.] *S~* =Your[His, Her] SERENE Highness
▷ seréne *a.*

Se·re·no [səríːnou], **-nus** [-nəs] *n.* 남자 이름 (cf. SERENA)

serf [sɔ́ːrf] *n.* **1** 농노(農奴) ⟪중세 농민의 한 계급, 토지에 부속하며 토지와 함께 매매되었음⟫ **2** 노예 (같은 사람)

serf·dom [sɔ́ːrfdəm], **serf·age** [-idʒ], **serf·hood** [-hud] *n.* Ⓤ 농노의 신분; 농노제

Serg. Sergeant

***serge** [sɔ́ːrdʒ] *n.* Ⓤ 서지 ⟪능직의 모직물⟫

‡**ser·geant** [sɑ́ːrdʒənt] *n.* **1** 하사관 ⟪상사, 중사, 하사⟫, 병장 ⟪略 Serg., Sergt., Sgt.⟫ ★ 미육군에는 sergeant major, first[master] sergeant, sergeant first class, staff sergeant 및 sergeant 의 5계급이 있음. **2** (경찰의) 경사(⟪영⟫ inspector와 constable의 중간; ⟪미⟫ captain 또는 lieutenant의 아래, patrolman의 위) **3** =SERGEANT AT ARMS **4** 〚영국법〛 =SERJEANT-AT-LAW **5** [**S~**] 지대지 탄도 미사일의 일종 **6** [보통 복합어로] 궁정의 특정 직무에 대한 칭호: ~ of the larder 식료품 창고계
sér·gean·cy, ~·ship *n.* Ⓤ sergeant의 직[지위, 임무]

sérgeant at árms (*pl.* **sergeants at arms**) ⟪영⟫ (왕실·의회·법정 등의) 경위; 경호원

ser·geant-at-law [sɑ́:rdʒəntətlɔ̀:] *n.* (*pl.* **ser-geants-**) = SERJEANT-AT-LAW
sérgeant fírst cláss 〘미군〙 중사
sérgeant májor 〘미육군·해병대〙 특무 상사
Sergt. Sergeant
***se·ri·al** [síəriəl] *n.* **1** (소설·영화·라디오·TV 등의) 연속물, 연재물(⇨ series 유의어); (연재물 등의) 1회분 **2** 정기 간행물
— *a.* **1** 연속적인; 일련의, 계속되는; 순차의: ~ murders 연쇄 살인 **2** 〈소설 등이〉 연속물의, 연속 출판의, 〈출판물이〉 정기의; 연속 간행의: a ~ story 연재 소설/~ rights to a novel 소설의 연재권 **3** 〘컴퓨터〙 〈데이터의 전송·연산이〉 직렬인, 시리얼의(cf. PARALLEL) **4** 〘음악〙 12음(조직)의 **~·ly** *ad.*
sé·ri·al-ác·cess mèmory [síəriəlǽkses-] 〘컴퓨터〙 순차 접근 기억 장치
sérial ínput 〘컴퓨터〙 직렬 입력
sérial ínterface 〘컴퓨터〙 직렬 인터페이스
se·ri·al·ism [síəriəlìzm] *n.* Ⓤ 〘음악〙 **1** 음렬(音列) 주의(의 이론[실천]) **2** 《특히》 12음 조직, 12음 기법, 12음 작곡법
se·ri·al·ist [síəriəlist] *n.* **1** 연속극[연재물] 작가 **2** 〘음악〙 음렬주의의 작곡가, 12음 작가
se·ri·al·i·ty [sìəriǽləti] *n.* 연속(성), 순차적임
se·ri·al·ize [síəriəlàiz] *vt.* **1** 연속물로서 연재[출판, 방송, 상영]하다 **2** 번호순으로 나열하다
sè·ri·al·i·zá·tion *n.*
sérial kíller 연쇄 살인범
sérial monógamy[márriage] 〘사회〙 연속 단혼(單婚) 《일정 기간(8~10년)마다 배우자를 바꾸는 결혼 형태》
sérial móuse 〘컴퓨터〙 직렬 마우스
sérial nùmber **1** (확인 등을 위한) 일련번호; 제조[제작] 번호 **2** 〘군사〙 인식 번호
sérial pórt 〘컴퓨터〙 시리얼 포트 《직렬 접속용 단자》
sérial prìnter 한 자씩 순차적으로 인자(印字)하는 인자기 《한 행씩 인자하는 것은 line printer》
sérial rìghts 〘출판〙 연재권
se·ri·ate [síərièit] *vt.* 연속시키다, 연속적으로 배열하다, 계속하다 — [síəriət, -rièit] *a.* 연속적인, 일련의, 연속적으로 일어나는
~·ly *ad.* **sè·ri·á·tion** *n.* Ⓤ 연속 (배열), 순차 배열
se·ri·a·tim [sìəriéitim, sèr-] [L] *ad.* 순차로, 잇달아
se·ri·ceous [siríʃəs] *a.* **1** 명주(실) 같은, 명주 같은 광택이 나는 **2** 〘식물〙 〈잎 등이〉 솜털로 덮여 있는
ser·i·ci·cul·ture [sirísəkʌ̀ltʃər] *n.* = SERICULTURE
ser·i·cin [sérəsin] *n.* Ⓤ 〘화학〙 세리신(silk gum) 《누에고치에서 갓 뽑아낸 명주실에 묻어 있는 젤라틴》
ser·i·cite [sérəsàit] *n.* Ⓤ 〘광물〙 견운모(絹雲母)
ser·i·cul·ture [sérəkʌ̀ltʃər] *n.* Ⓤ 양잠(업), 잠사업(蠶絲業) **sèr·i·cúl·tur·al** *a.* 양잠의
ser·i·cul·tur·ist [sèrəkʌ́ltʃərist] *n.* 양잠가, 잠사업자
‡se·ries [síəri:z] *n.* (*pl.* ~) **1** [a ~] 일련, (…의) 연속 《*of*》: *a* ~ *of* victories[misfortunes] 연승[잇단 불행] **2** 시리즈, 연속물, 연속 출판물, 총서(叢書), 제…집(集); (라디오·TV·영화 등의) 연속 프로; 연속 강의: a ~ on African wildlife 아프리카 야생 생물에 대한 연속 프로

> 유의어 **series** 한 작품 한 작품이 완결되면서 계속되는 것 **serial** 클라이맥스로 끝나고 다음으로 이어지는 연속물

3 (화폐·우표 등의) 세트, 시리즈, 한 벌 《*of*》 **4** (야구 등의) 연속 시합; [보통 the S~] 《미》 = WORLD SERIES **5** 〘화학〙 열(列); 〘전기〙 직렬 (연결); 〘수학〙 급수; 〘지질〙 통(統), 계; 〘생물〙 계열(系列); 〘음악〙 음렬(音列) ***a geometrical*** **~** 등차 급수 ***an arithmetical*** **~** 등비 급수 ***in*** **~** 연속하여; 연속 (간행)물로서; 〘전기〙 직렬로 ▷ sérial *a.*; sériate *a.*, *v.*
séries cìrcuit 〘전기〙 직렬 회로
séries génerator 직렬 (감기의) 발전기
se·ries-par·al·lel [síəri:zpǽrəlèl] *a.* 〘전기〙 직병렬(直竝列)의
séries wìnding 〘전기〙 직렬 감기(법)
se·ries-wound [-wàund] *a.* 〘전기〙 직렬로 감은
ser·if [sérif] *n.* 〘인쇄〙 (M, H 등의 글자에서 상하의 획에 붙인) 가는 장식 선, 세리프
ser·i·graph [sérəgræ̀f, -grɑ̀:f | -grɑ̀:f, -græ̀f] *n.* **1** 세리그래프 《실크스크린 인쇄에 의한 채색화》 **2** [**S~**] 생사(生絲) 검사기 《상표명》
se·rig·ra·pher [sirígrəfər] *n.*
se·rig·ra·phy [sirígrəfi] *n.* Ⓤ 실크스크린 인쇄법
se·rin [sérin] [F] *n.* 〘조류〙 카나리아(의 원종)
ser·ine [séri:n, -in, síər-] *n.* 〘생화학〙 세린 《인체 내에서 합성 가능한 아미노산의 일종; 세리신(sericin)의 가수 분해에 의해 얻어짐》
se·ri·o·com·e·dy [sìərioukɑ́mədi | -kɔ́-] *n.* 희비극(tragicomedy)
se·ri·o·com·ic, -i·cal [sìərioukɑ́mik(əl) | -kɔ́-] *a.* 진지하기도 하고 우습기도 한: a ~ play 진지하면서도 우스운 연극
‡se·ri·ous [síəriəs] *a.* **1** 진지한; 진담의, 진정의, 농담 아닌, 엄숙한; 생각이 깊은: a ~ look 심각한 얼굴/~ reading 숙독

> 유의어 **serious** 성격·태도 등이 신중하여 일이나 중요한 사항에 진지하게 임함을 암시한다: a *serious* talk 진지한 이야기 **earnest** 진지한 마음가짐이나 태도로 열심히 노력하다: an *earnest* student 공부에 열심인 학생 **sober** 냉정하고 진지함을 나타낸다: with a *sober* expression on one's face 진지한 표정으로 **grave** 사람의 언동·태도 등이 진지하고 위엄을 지니고 있음을 나타낸다: The jury looked *grave.* 배심원들은 엄숙한 얼굴을 하고 있었다.

2 중대한, 심각한; 방심할 수 없는, 용이치 않은; 중요한; 〈병 등이〉 중한, 심한, 위독한, 위험한: ~ damage 중대한 손해/a ~ illness 중병/a ~ proposal 중대한 제안/a ~ relapse (병의) 심한 재발/Marriage is a ~ matter. 결혼은 중요한 문제이다. **3** 〈문학·음악 등이〉 딱딱한, 따분한; 《고어》 경건한, 종교[도덕 《등》]에 관한: ~ literature 순수 문학
take for **~** 곧이듣다, 진담으로 받아들이다
▷ sériously *ad.*; sériousness *n.*
Sérious Fráud Òffice [the ~] 《영》 중대 사기[부정] 수사국
‡se·ri·ous·ly [síəriəsli] *ad.* **1** 진지하게; 진정으로, 엄숙하게: think ~ of amending one's life 자기의 품행을 고치려고 진지하게 생각하다/Do you ~ mean what you say? 당신은 진정으로 그런 말을 하는 것입니까? **2** [문장의 첫머리에서 문장 전체를 수식하여] 진지한 이야기인데, 농담은 그만두고 **3** 중대하게, 심하게; 걱정할 만큼: He is ~ ill. 그는 위독하다.
now **~** = **~** ***speaking*** 진지한 이야기인데, 농담은 그만두고 ***take*** a thing **~** 일을 진지[중대]하게 생각하다 ***take*** a person **~** …의 말을 진지하게 받아들이다
se·ri·ous-mind·ed [síəriəsmáindid] *a.* 신중한, 진지한 (태도의), 생각이 깊은 **~·ly** *ad.* **~·ness** *n.*
***se·ri·ous·ness** [síəriəsnis] *n.* Ⓤ **1** 진지함 **2** 중대[심각]함: the ~ of an illness 중태, 위독
in all **~** 아주 진지하게[진정으로]

thesaurus **series** *n.* succession, progression, sequence, chain, course, string, cycle
serious *a.* **1** 진지한 solemn, earnest, unlaughing, thoughtful, pensive, grave, somber, sober, stern, grim, poker-faced **2** 중대한 important, sig-

ser·iph [sérif] *n.* =SERIF
ser·jeant [sɑ́:rdʒənt] *n.* =SERGEANT
ser·jeant-at-arms [sɑ́:rdʒəntətɑ́:rmz] *n.* (*pl.* **ser·jeants-**) =SERGEANT AT ARMS
ser·jeant-at-law [-ətlɔ́:] *n.* (*pl.* **ser·jeants-**) 〖영국법〗 최고위 법정 변호사(barrister) 《1880년에 폐지; 지금의 King's Counsel에 해당함》
‡**ser·mon** [sə́:rmən] [L「이야기」의 뜻에서] *n.* **1** (성서에 의한) **설교**, 설법: preach a ~ 설교하다 **2** 교훈, 훈계 **3** 《구어》 잔소리, 장광설: get a ~ on …에 관한 일로 잔소리를 듣다 ***after*** **~** 예배가 끝난 후에 ***at*** **~** 교회에 가서, 예배 중에 ***lay*** **~** 속인의 설교 ***the S~ on the Mount*** 〖성서〗 산상 수훈(垂訓)
▷ sérmonize *v.*; sermónic *a.*
ser·mon·ette [sə̀:rmənét] *n.* 짧은 설교
ser·mon·ic, -i·cal [sə:rmɑ́nik(əl) | -mɔ́-] *a.* 설교적인, 설교 같은; 교훈적인
ser·mon·ize [sə́:rmənàiz] *vi., vt.* 설교하다; 잔소리[훈계]하다 **-ìz·er** *n.*
sero- [síərou-, -rə, sér-] 《연결형》「혈청」의 뜻: *sero*logy
se·ro·log·ic, -i·cal [sìərəlɑ́dʒik(əl) | -lɔ́-] *a.* 혈청학(상)의 **-i·cal·ly** *ad.*
se·rol·o·gy [sirɑ́lədʒi | -rɔ́-] *n.* **1** Ⓤ 혈청학 **2** 혈청 (반응) 테스트
se·ro·neg·a·tive [sìərənégətiv] *a.* 혈청 반응 음성의
se·ro·neg·a·tiv·i·ty [sìərounègətívəti] *n.* 〖의학〗 혈청 반응 음성(陰性); 《특히》 매독 반응 음성
se·ro·pos·i·tive [sìəroupɑ́zitiv | -pɔ́z-] *a.* 〖의학〗 혈청 반응 양성의; 《특히》 매독 반응 양성의
se·ro·pos·i·tiv·i·ty [sìəroupɑ̀zətívəti | -pɔ̀zə-] *n.* 혈청 반응 양성; 《특히》 매독 반응 양성
se·ro·sa [sirόusə, -zə] *n.* 〖해부·동물〗 =CHORION
se·ros·i·ty [sirɑ́səti | -rɔ́-] *n.* Ⓤ **1** 물 같음, 장액성(漿液性) **2** 〖생리〗 혈장(血漿)
se·ro·ther·a·py [sìərouθérəpi] *n.* Ⓤ 〖의학〗 혈청 요법(serum therapy)
se·ro·ti·nal [sirɑ́tənl, sèrətáinl | sirɔ́tinl] *a.* **1** 늦여름의 **2** 〖식물〗 만성(晩成)의, 늦되는; 철늦게 피는
se·ro·tine [sérətin, -tàin | -tàin] *a.* 〖식물〗 만성(晩成)의, 철늦게 피는
se·rot·i·nous [sirɑ́tənəs | -rɔ́t-] *a.* =SEROTINE
se·ro·to·nin [sèrətóunin, sìərə-] *n.* Ⓤ 〖생화학〗 세로토닌 《포유동물의 혈액·뇌 속에 있는 혈관 수축 물질》
se·ro·type [síərətàip] *n.* 〖의학〗 (미생물의 항원성(抗原性)에 의한) 혈청형, 항원형 **—** *vt.* …의 혈청[항원]형을 결정하다, 혈청형으로 분류하다
se·rous [síərəs] *a.* **1** 〖생리〗 장액(漿液)(성)의, 혈청의; 장액을 함유한[분비하는]: ~ fluid 장액 / ~ membrane 장막 **2** 〈액체가〉 묽은, 물 같은; 희박한
Ser·pens [sə́:rpənz, -penz] *n.* 〖천문〗 뱀자리
‡**ser·pent** [sə́:rpənt] *n.* **1 뱀** 《특히 크고 독 있는 종류; cf. SNAKE》 **2** 뱀 같은 사람, 음험한 사람, 악의를 가진 사람; 악인, 유혹자; (뱀처럼 꿈틀거리는) 불꽃 장치 **3** [the (Old) S~] 〖성서〗 악마(Satan) 《창세기 3: 1-5; 요한 계시록 12: 9, 20: 2》 **4** [the S~] 〖천문〗 뱀자리: the *S~* Bearer 뱀주인자리 **5** 〖음악〗 세르팡 《16-18세기의 뱀 모양의 저음 취주악기》
cherish a ~ in one***'s bosom*** 배은망덕한 자에게 친절을 베풀다 ▷ sérpentine *a.*
ser·pen·tar·i·um [sə̀:rpəntέəriəm] *n.* (*pl.* **~s, -i·a** [-iə]) 뱀 사육장
ser·pent-charm·er [sə́:rpəntʧɑ̀:rmər] *n.* (피리 소리로) 뱀 부리는 사람
sérpent gràss 〖식물〗 산범꼬리
ser·pen·tine [sə́:rpəntì:n, -tàin | -tàin] *a.* **1** 뱀 모양의; 뱀 같은; 꾸불꾸불한 **2** 음흉한, 교활한, 사람을 모함하는
— *n.* **1** 뱀 모양의 것, 꾸불꾸불한 것 **2** Ⓤ 사문석(蛇紋石) 《건축·장식용》 **3** 15-17세기에 사용된 대포 **4** 뱀춤(=**~ dànce**) 《리더를 따라 꾸불꾸불 움직이는 춤》 **5** 〖스케이트〗 S자 곡선 **6** [the S~] 서펜타인 연못 《London의 Hyde Park에 있으며 S자 모양임》
— *vi.* 꾸불꾸불 구부러지다
sérpent lìzard =SEPS
ser·pent's-tongue [sə́:rpəntstʌ̀ŋ] *n.* =ADDER'S-TONGUE
ser·pig·i·nous [sə:rpídʒənəs] *a.* 〖의학〗 〈피부병 등이〉 사행(蛇行)성[상(狀)]의
ser·rate [séreit, -rət] *a.* **1** 톱(니) 모양의, 톱니가 있는, 깔쭉깔쭉한 **2** 〖식물〗 〈잎 가장자리가〉 톱니 모양의: a ~ leaf 톱니 모양의 나뭇잎
— [səréit, séreit | səréit] *vt.* 가장자리를 깔쭉깔쭉하게 하다
ser·ra·ted [sérətid, səréi- | səréi-] *a.* =SERRATE
ser·ra·tion [seréiʃən, sə-] *n.* **1** Ⓤ 톱니 모양 **2** ⓊⒸ 톱니 모양의 가장자리[새김, 벤 자리]
ser·ru·late [sérjulət, -lèit | -rju-], **-lat·ed** [-lèitid] *a.* 작은 톱니 모양의 **sèr·ru·lá·tion** *n.*
ser·ry [séri] *vi., vt.* (**-ried**; **~·ing**) 가득 차다[채우다]; 밀집하다[시키다] **sér·ried** *a.* 밀집한, 빽빽한
se·rum [síərəm] *n.* (*pl.* **~s, -ra** [-rə]) ⓊⒸ **1** 〖생리〗 장액(漿液), 림프액(lymph) **2** 〖의학〗 혈청(cf. VACCINE): ~ injection 혈청 주사 **3** (우유의) 유장(乳漿), 유액(乳液)(whey) **~·al** [-əl] *a.*
sérum albúmin 〖생화학〗 혈청 알부민 《혈장의 주요 단백질》
sérum glóbulin 〖생화학〗 혈청 글로블린
sérum hepatítis 〖의학〗 혈청 간염 《혈액[혈청, 혈장] 등을 주입했을 때 감염되는》
sérum thèrapy 혈청 요법(serotherapy)
serv. servant; service
ser·val [sə́:rvəl] *n.* 〖동물〗 살쾡이의 일종 《아프리카산(産); 표범 비슷한 얼룩 무늬가 있음》
‡**ser·vant** [sə́:rvənt] [OF「섬기다」의 뜻에서] *n.* **1** 하인, 종, 머슴, 사용인(opp. *master*): a female ~ 하녀 / an outdoor ~ 바깥 하인, 정원사 《등》 / a ~*'s* hall 하인방 《식사나 휴식을 하는》 / Fire and water may be good ~*s*, but bad masters. 《속담》 불과 물은 편리한 것이지만 잘못 사용하면 큰일 난다. **2** 부하, 종복; 봉사자; (신조·예술·주의 등에) 충실한 사람; 도움이 되는 것 《도구·기계 등》: a ~ of the public 사회 봉사자 **3** 공무원: His[Her] Majesty's ~*s* = the king's[queen's] ~*s* 관리 / a civil ~ 문관 / a public ~ 공무원, 관리 **4** 《영》 (철도 회사 등의) 종업원, 사무원, 사원 **5** 《미》 노예(slave)
the ~ of the ~s (***of God***) 가장 천한 하인 《로마 교황의 자칭》 ***What did your last ~ die of?*** 《구어·익살》 지난번 하인은 무엇으로 죽었지? 《그런 일은 자기가 하면 어때?》 ***Your humble ~*** 《영·고어》 (1) [손윗사람과 이야기할 때] 저는, 저를 (2) 경백(敬白) 《편지 끝에 쓰는 말》 ***Your obedient ~*** 《영·고어》 경백(敬白) 《공문서 끝에 쓰는 말》 **~·hood** *n.* **~·less** *a.* **~·lìke** *a.*
sérvant gìrl[**màid**] 하녀
‡**serve** [sə́:rv] *v., n.*

L「노예, 하인」의 뜻에서

타	① 섬기다; 복무하다	**1, 4**
	② 소용이 되다	**2**
	③ 시중들다, 접대하다	**3**
	④ (음식을) 내다; 공급하다	**5, 6**

— *vt.* **1** 〈사람을〉 **섬기다**, 봉사하다, 모시다; (예배·신앙·헌신 등으로) 〈신을〉 섬기다; 〈임금·나라〉를 위해 일하다, …를 위해 진력하다: ~ one's master 주인을 섬

---

nificant, consequential, weighty, crucial
sermon *n.* **1** 설교 preaching, teaching, speech, address, oration **2** 잔소리 lecture, moralizing, declamation, reprimand, reproof, castigation
servant *n.* helper, maid, houskeeper, steward

기다 / ~ mankind[one's country] 인류[조국]에 봉사하다 // (~+목+부) ~ a family *well* 어떤 가정에서 일을 잘하다 **2 소용이 되다**, …에 이바지[공헌]하다, 도움이 되다; 〈목적을〉 **채우다**, 만족시키다(gratify): ~ two ends 일거양득이다 / ~ a cause 주의 주장을 추진하다 / if my memory ~*s* me right 나의 기억에 틀림이 없다면 / This will ~ our needs for now. 당분간은 이것으로 될 것이다. // (~+목+***as*** 보) This box ~*s* us *as* a table. 이 상자는 식탁 구실을 한다. **3** [보통 수동형으로] 〈점원이〉 〈손님을〉 **시중들다**, 접대하다, 주문을 받다; 〈손님에게 상품을〉 보이다: ~ a customer 고객을 응대하다 / *Are* you being ~*d*, Sir? 주문하셨습니까? / First come, first ~*d*. (속담) 먼저 온 사람이 먼저 대접받는다. 《빠른 놈이 장땡》 // (~+목+전+명) What may I ~ you *with*? 무엇을 보여드릴까요? **4** 〈임기·형기 등을〉 **복무[근무]하다**, 치르다, 복역하다 《*for*》 **5** 〈음식을〉 내다, 상을 차리다: Dinner is ~*d*. 식사 올립니다. 《하인의 말》 // (~+목+보) The dish must be ~*d* hot. 음식은 뜨겁게 해서 상에 올려야 한다. **6** (규칙적·계속적으로) 〈필요 물자를〉 …에게 공급하다 《*with*》; …의 요구를 충족시키다, …에게 편의를 주다; 〈철도 등이〉 통하다: ~ one's will 자기 욕구를 충족시키다 / The hospital ~*s* the entire city. 그 병원은 시 전체의 환자를 돌보고[담당하고] 있다. // (~+목+전+명) ~ a town *with* gas = ~ gas *to* a town 도시에 가스를 공급하다 **7** 〚법〛 〈영장 등을〉 송달하다, 집행하다, 교부하다 《*upon, with*》: (~+목+전+명) ~ a person *with* a summons = ~ a summons *on*[*upon*] a person …에게 소환장을 송달하다 **8** 〚경기〛 (테니스 등에서) 〈공을〉 서브하다 **9** 〚항해〛 〈밧줄 등을〉 보강하다, 감아주다 **10** 다루다, 대우하다(treat); 보답[대갚음]하다: (~+목+목) (~+목+전+명) ~ a person a trick 장난을 쳐서 …을 골탕먹이다 / ~ a person (*with*) the same sauce …에게 앙갚음하다 // (~+목+부) ~ a person *cruelly*[*well*] …을 학대하다[친절히 대하다] **11** 〈종마가〉 흘레붙다(cover), 교미시키다 **12** 〈대포 등을〉 쏘다, 발포하다, 조작[손질]하다; 〈기계를〉 움직이게 하다 **13** 〚가톨릭〛 (미사에서) 복사(服事)의 임무를 수행하다, 사제의 미사 집전을 돕다

— *vi.* **1 봉사하다**, 섬기다, 모시다; 종살이하다, 하인[하녀]으로 일하다, 시중들다; **근무하다**; (군에) 복무하다; 복역하다; 임기 동안 일하다: (~+전+명) ~ *on* a farm[*in* the kitchen] 농장[주방]에서 일하다 / ~ *at* a hospital[*with* a company] 병원[회사]에 근무하다 / ~ *under* the general 그 장군 휘하에서 복무하다 // (~+***as*** 보) ~ *as* a soldier 사병으로 복무하다 **2** (상점에서) 손님을 응대하다; 식사 시중을 들다; 음식물을 나누다; 〈상점이〉 영업하다: (~+전+명) ~ *behind* counter 점원으로 일하다 / ~ *at* table 식사 시중을 들다 **3** 〈날씨·기일 등이〉 형편에 알맞다, 적합하다, 적당하다: when the tide ~*s* 형편이 좋을 때에 **4** (필요에) 도움이 되다, 소용에 닿다, (용도·목적에) 알맞다; 쓸모가 있다 《*for, as*》: (~+전+명) ~ *for* a wing 날개 구실을 하다 / This cup will ~ *as* a sugar bowl. 이 컵은 설탕 그릇으로 알맞다. // (~+***to*** do) It ~*s to* show her honesty. 그것은 그녀의 성실성을 잘 나타내고 있다. **5** (테니스 등에서) 서브하다 《*to*》: (~+부) ~ *well*[*badly*] 서브를 잘 넣다[서브가 서툴다] **6** 〚가톨릭〛 복사(服事)의 일을 하다

as memory[***occasion***] ***~s*** 생각나는[기회 있는] 대로 (***It***) ***~s***[(구어) ***S~***] ***you***[***him,*** etc.] ***right!*** 거봐라, 꼴 좋다! ~ a person ***a bad turn*** …을 혼내다 ***~ as*** …의 역할을 하다 ***~ out*** (1) 〈음식 등을〉 돌리다 (2) 〈…에게〉 복수하다 (3) 〈임기·형기를〉 마치다 ~ a person ***right*** …에게 마땅한 대우를 하다, 당연한 취급을 하다 ***~ round*** 〈음식 등을〉 차례로 돌리다 ~ one***'s time*** 근무 연한을 치르다, 재직하다; 복역하다 ~ a person***'s turn***[***need***] …에게 소용이 되다, 임시변통되다 ***~ the Devil***[***God***] 악마[신]를 섬기다; 사악한[올바른] 행위를 하다 ***~ two masters*** 두 임금을 섬기다 ***~ up*** (1) 식탁에 차려내다 (2) 변명을 하다 ***~ with***[***in***] the army[company] (군[회사])에 근무하다 ***when the opportunity ~s*** 적당한 때에, 형편이 좋은 때에

— *n.* UC 〚스포츠〛 (테니스 등의) 서브 (방법); 서브 차례; 서브권 **sérv·a·ble, sérve·a·ble** *a.*
▷ sérvice *n.*

serv·er [sə́ːrvər] *n.* **1** 섬기는[시중드는] 사람, 봉사자, 급사; 근무자 **2** 〚가톨릭〛 (미사에서 사제를 돕는) 복사(服事) **3** (테니스·배구 등에서) 서브하는 사람 **4** 대형 접시, 쟁반; 주걱, 국자, (요리 등을 나누는) 대형 포크[스푼], 샐러드 집게 **5** 요리 운반용 왜건[손수레] **6** 〚법〛 영장 송달인 **7** 〚컴퓨터〛 서버 《각종 데이터를 제공하는 컴퓨터 시스템》

sérver fàrm 〚컴퓨터〛 서버 팜 《웹사이트의 모든 소프트웨어와 데이터를 보유한 대형 컴퓨터 회사》

serv·er·y [sə́ːrvəri] *n.* (*pl.* **-er·ies**) 상 차리는 방, 찬방, 식기실; (요리를 차리는) 카운터

Ser·vi·a [sə́ːrviə] *n.* Serbia의 옛 이름

ser·vice[1] [sə́ːrvis] *n., a., v.*

「봉사」, 「진력」 **1**
→(공공에 봉사함) → 「공무」, 「근무」 **5 a** / → 「병역」 **5 c** / → 「공공 사업」 **2**
→ 「고용」, 「유용」 **6, 7**
→(손님에 대한 봉사) → 「서비스」, 「접대」 **9**

— *n.* **1** [종종 *pl.*] **봉사**, 진력(盡力), 노고, 수고, 돌봄; [보통 *pl.*] 〚경제〛 용역, 서비스, 사무; 공헌, 이바지, 조력; 은혜; 서비스업: the distinguished ~*s* 혁혁한 공훈, 수훈 / medical ~*s* 의료 봉사 **2** CU (우편·전신·전화 등의) **공공 사업**, 업무, **시설**; (교통 기관 등의) **편**(便), **운행**, 왕복, 운전: telephone ~ 전화 사업 / postal ~ 우편 사무 / three airline ~*s* daily 하루 3회 항공편 / There is a good ~ of trains[boats]. 기차[기선]편이 좋다. **3** UC (관청 등의) 부문, 부국(部局); CU (병원의) 과(科); [집합적] 근무하는 사람들: (the) government ~ 관청 / Public Health *S*~ 공중 위생(사무)국 **4** (가스·수도의) **공급**, 배수, 배급; 부설; [*pl.*] 부대 설비 **5** UC **a** 봉직(奉職), 근무; 공무: the diplomatic ~ 외교관, 외무부 근무 **b** 복무; 임무, 노무: ~ regulation 복무 규정 **c** (육·해·공군의) **군무**, 병역 (기간); …군; (대포의) 조작: be in ~ 군에 복무하고 있다 **6** U **고용**, 사용됨 **7** U **쓸모 있음**, **유용**, 도움; (자동차·전기 기구 등의) (애프터)서비스; 정기 점검[수리]: the ~ department 애프터서비스부 / guaranteed ~ and parts 애프터서비스와 부품을 보증하는 / television repair ~ 텔레비전 수리 서비스 **8** CU 신을 섬김, 예배(식); 의식(儀式); 전례(典禮) 음악, 전례 성가: a marriage ~ 결혼식 / a burial ~ 장례식 **9** U (호텔 등의) 봉사, 서비스, 접대 **10** (식기 등의) 한 벌, 한 세트(set): a tea ~ 차 도구 한 벌 **11** U 〚법〛 송달(送達) 《영장·소송 서류 등의》: personal[direct] ~ 직접 송달 / ~ by publication 공시(公示) 송달 **12** UC 〚테니스〛 서브, 서브 차례[방법, 공] **13** 〚항해〛 밧줄 보강 재료 《철사 등》 **14** U 〚상업〛 국채 이자 **15** U 〚축산〛 씨 받기, 교미

at a person***'s ~*** …의 마음대로, (필요할 때마다) …에게 도움이 되는, 이용할 수 있는: I am *at your* ~. 무엇이든지 분부만 하십시오. / I am John Smith *at your* ~. 저는 존 스미스라고 합니다. (잘 부탁합니다.) ***be of*** (***great***) ***~ to*** …에 (매우) 도움이 되다 ***enter the ~*** 입대하다 ***get some ~ in …*** (속어) …에 다소 경험을 쌓다 ***go into ~*** 봉사[근무]하다 ***in***[***on***]

thesaurus **service**[1] *n.* **1** 봉사, 공헌 assistance, help, benefit **2** 근무 work, employment, labor, duties **3** 정기 점검 overhaul, maintenance, check, repair **4** 의식 ceremony, ritual, rite, sacrament
serviceable *a.* **1** 쓸모 있는 usable, of use, func-

active ~ 재직 중; 현역인[에] ***in ~*** 고용되어, 봉직하여, 군에 복무하고; 사용되고, 운용되고 ***in the ~*** 군에 복무하여 ***My ~ to*** him[her, etc.]. (그분)에게 안부 전해주시오. ***On His [Her] Majesty's S~*** 《영》 공용 《공문서 등의 무료 송달 표시; 略 O.H.M.S.》 ***on ~*** 재직의, 현직의, 현역 중인; 사용되고 있는 ***out of ~*** 일자리를 잃고; 〈수송기관 등이〉 사용[운전] 정지되어 ***place at*** (a person***'s***) ***~*** …에게 마음대로 쓰게 하다 ***press into ~*** 《미·구어》 이용하다 ***see ~*** (1) 〈병사가〉 실전 경험을 하다; 종군하다; 사용되다 (2) [완료형으로] 〈의복 등이〉 입어 낡았다; 여러 해 근무해 오다 ***take into*** one***'s ~*** 고용하다 ***take ~ with*** [***in***] …에 근무하다 ***the*** (***fighting***) ***~s*** 육해공군

― *a.* Ⓐ **1** 군의, 군용의: a ~ academy 군사 전문학교 **2** 서비스를 제공하는, 서비스업의; 애프터서비스의, 유지[수리]를 해주는: a ~ center for electrical appliances 전기 기구의 서비스 센터 / ~ contract 서비스 계약 **3** 직원[종업원]용의, 업무용의: ~ stairs 직원 전용 계단 **4** 유용한, 쓸 만한, 일상 사용하는

― *vt.* **1** 편리하게 하다; 편익(便益)이 있다 **2** 〈판매 후〉 손보아 주다, 수리[보존]하다: ~ an automobile 자동차를 정비하다 **3** 도움[서비스, 정보]을 제공하다 **4** 〈암컷과〉 교미하다 **5** 〈부채의〉 이자를 지불하다

service[2] *n.* = SERVICE TREE

ser·vice·a·bil·i·ty [sə̀ːrvisəbíləti] *n.* Ⓤ **1** 유용, 편리 **2** 오래감, 내구성

***ser·vice·a·ble** [sə́ːrvisəbl] *a.* **1** 쓸모 있는, 유용한, 편리한, 도움이 되는 《*to*》: a ~ tool 편리한 도구 **2** 튼튼한, 오래 쓸 수 있는(durable), 실용적인; 쓰기 쉬운: ~ cloth 튼튼한 천 **3** 《고어》 곰살궂은, 남을 돕기 좋아하는, 친절한(obliging)

~**·ness** *n.* **-bly** *ad.* 쓸모 있도록

sérvice àce 〔테니스〕 서비스 에이스(ace) 《되받아 칠 수 없는 서브》

sérvice àrea 1 가시청(可視聽) 구역, 유효 범위 《라디오·TV의》; 공급 구역 《수도·전력의》 **2** 〈자동차 도로변의〉 서비스 에어리어 《주유소·식당·화장실 등이 있는》

sérvice bòok 〔교회〕 기도서

sérvice brèak 〈테니스 등의 경기에서〉 상대의 서브로 얻는 점수

sérvice càp 정식 군모, 제모(制帽)

sérvice cèiling 〔항공〕 실용 상승 한도

sérvice cènter 〈자동차·전기 제품 등의〉 수리소, 정비소

sérvice chàrge 〈호텔 등의〉 서비스료

sérvice clùb 1 봉사 클럽 《Rotary Club과 같은》 **2** 〔군사〕 〈하사관의〉 오락 시설[센터]

sérvice còurt 〔테니스〕 서브를 넣는 장소

sérvice dèpot = SERVICE STATION

sérvice drèss 〔군사〕 평상시 군복, 제복

sérvice èlevator 《미》 업무[종업원]용 승강기

sérvice engineèr 1 수리 기사, 수리공 **2** = SALES ENGINEER

sérvice èntrance 업무[종업원]용 출입구

sérvice fèe = SERVICE CHARGE

sérvice flàt 《영》 식사를 제공하는 아파트

sérvice hàtch 《영》 요리를 내놓는 창구 《주방에서 식당으로의》

sérvice ìndustry 서비스 산업

sérvice lìfe 〈경제적인〉 사용 기간, 내용(耐用) 연한

sérvice lìne 〔테니스〕 서브선

sérvice màin 급수[배수] 본관(本管)

ser·vice·man [sə́ːrvismæ̀n, -mən] *n.* (*pl.* **-men** [mèn, -mən]) **1** 〔군사〕 〈현역〉 군인: an ex-~ 재향 군인 **2** 수리원(修理員); 주유소 종업원

---

tioning **2 실용적인** practical, utilitarian, nondecorative, useful, durable, strong, tough

servile *a.* menial, low, humble, mean, base

servitude *n.* slavery, enslavement, domination, subjection, bondage, bonds, chains, fetters

---

sérvice màrk 〈수송·보험 등 서비스업자의〉 서비스 마크, 직무 표장(標章) 《마크를 등록하면 법으로 보호됨》

sérvice mèdal 〔군사〕 공훈장(功勳章)

sérvice mèter 〈전화의〉 통화 도수계

sérvice mòdule 〔우주과학〕 기계선, 보조 우주선 《우주선의 소모품 적재·추진력 발생 장치 부분; 略 SM》

sérvice òfficer 공무원, 관리

ser·vice·per·son [-pə̀ːrsn] *n.* **1** 현역 군인 **2** 수리원, 정비공

sérvice pìpe 〈본관에서 끌어오는〉 옥내관, 배급관, 인입(引込)관(cf. MAIN[1]) 《수도·가스관 등》

sérvice plàza 〈고속도로변의〉 서비스 에어리어 《식당·주유소 등이 있는》

sérvice provìder 〈특히 인터넷의〉 서비스 제공자[업체]: an Internet ~ 인터넷 서비스 제공업체 《ISP》

sérvice rìfle 군용 소총

sérvice ròad 《영》 = FRONTAGE ROAD

sérvice stàtion 1 〈자동차의〉 주유소(filling[gas] station) **2** 수리소 《전기 기구 따위의》

sérvice strìpe 〔미군〕 연공 수장(年功袖章) 《군복 소매에 닮》

sérvice trèe 〔식물〕 마가목 무리; 그 열매

sérvice ùniform 〔군사〕 통상 군복, 평상복

sérvice wìre 〔전기〕 옥내 배선(屋內配線)

ser·vice·wom·an [-wùmən] *n.* (*pl.* **-wom·en** [wìmin]) 여성 현역 군인

ser·vic·ing [sə́ːrvisiŋ] *n.* Ⓤ **1** 〈차·기계 등의〉 유지 관리 **2** 〔금융〕 〈융자에 대한〉 이자 상환: debt ~ 부채 이자 상환

ser·vi·ette [sə̀ːrviét] *n.* 《영》 〈식탁용〉 냅킨(《미》 table napkin)

***ser·vile** [sə́ːrvil, -vail | -vail] *a.* **1** 노예의; 노예적인 〈노동 등〉: do ~ tasks 비천한 일들을 하다 **2** 노예 근성의; 비굴한(mean), 굴종적인, 자주성 없는: ~ obedience 노예적 복종 / ~ flatterers 비굴한 아첨꾼들 **3** 〈예술 등이〉 독창성이 없는, 극도로 모방적인

~**·ly** *ad.* ~**·ness** *n.* ▷ servílity, sérvitude *n.*

sérvile létter 보조 모음자 《다른 글자의 발음을 돕는 모음자: hate의 e 등》

sérvile wórk 〔가톨릭〕 일요일·축제일에 금지되어 있는 육체 노동

ser·vil·i·ty [səːrvíləti] *n.* Ⓤ **1** 노예 상태 **2** 노예 근성; 비굴한 복종, 굴종 **3** 독창성 없음, 극도의 모방

serv·ing [sə́ːrviŋ] *n.* Ⓤ **1** 음식을 차림, 음식 시중, 접대 **2** 한 끼분의 음식[음료], 한 그릇의 음식(helping): dish up five ~*s* of soup 다섯 개의 접시에 수프를 담다 **3** 〈전선·케이블 등의〉 피복재

― *a.* 〈요리의〉 분배용의: a ~ tray 분배 접시

serv·ing·man [sə́ːrviŋmæ̀n] *n.* (*pl.* **-men** [-mèn]) 머슴, 하인

ser·vi·tor [sə́ːrvətər] *n.* 《고어·시어》 **1** 종, 하인(attendant) **2** 〈Oxford 대학의〉 근로 장학생, 학교 일을 맡아 하는 학비 면제생 **3** 〈유리를 부는〉 유리공(工)

~**·shìp** *n.*

***ser·vi·tude** [sə́ːrvətjùːd | -tjùːd] *n.* Ⓤ **1** 노예 상태, 노예임, 예속 **2** 고역, 노역, 강제 노동; 징역: penal ~ 중(重)징역 《3년 이상》 **3** 〔법〕 용역권(用役權) 《지역권(地役權)과 채취권》 ▷ sérvile *a.*

ser·vo [sə́ːrvou] *n.* (*pl.* **~s**) **1** = SERVOMECHANISM **2** = SERVOMOTOR ― *a.* 서보 기구(機構)의[에 의한]: a ~ amplifier 서보 증폭기 / a ~ engineer 서보 기술자 ― *vt.* 서보 기구로 제어하다

servo- [səːrvou, -və] 《연결형》 「서보 기구의」의 뜻: *servo*control

ser·vo·con·trol [sə́ːrvoukəntròul] *n.* **1** 서보 기구에 의한 제어 **2** 〔항공〕 서보 조타[조종] 장치

― [⌐―⌐] *vt.* 서보 기구로 제어하다, 서보 조종 장치로 조작하다

ser·vo·mech·a·nism [sə́ːrvoumèkənìzm | sə̀ːrvoumé-] *n.* Ⓤ 〔기계〕 서보 기구, 〈전자〉 자동 제어 장치

ser·vo·mo·tor [sə́ːrvoumòutər] *n.* 〖기계〗 (자동 제어 장치로 움직이는) 서보모터, 간접 조속(調速) 장치 《보조 전동기·수압 펌프 등》

sérvo sỳstem 서보계(系)(servomechanism)

ser·vo·tab [sə́ːrvoutæ̀b] *n.* 〖항공〗 =SERVOCONTROL 2

SES socioeconomic status 사회 경제적 지위

*__ses·a·me__ [sésəmi] *n.* **1** 〖식물〗 **참깨**(의 씨) **2** = OPEN SESAME

sésame òil 참기름

ses·a·moid [sésəmɔ̀id] 〖해부〗 *a.* 참깨씨 모양의, 종자골의, 종자 연골의
—*n.* 종자골(鍾子骨), 종자 연골(軟骨)

sesqui- [séskwi, -kwə] 《연결형》 「1배 반; 〖화학〗 화합물의 원소 비율이 3대 2의」의 뜻: *sesqui*centennial

ses·qui·cen·ten·ni·al [sèskwisenténiəl] *a.* 150년(축제)의 —*n.* 150년(기념)제(cf. CENTENNIAL) **~·ly** *ad.*

ses·qui·pe·dal [seskwípidl] *a.* =SESQUIPEDALIAN

ses·qui·pe·da·li·an [sèskwipidéiliən, -ljən] *a.*, *n.* 1피트 반이나 되는 것 같은 (대단히 긴 단어), 긴 단어의 (문체)

sess. session

ses·sile [sésil, -sail | -sail] *a.* **1** 〖동물·식물〗 고착의, 착생(着生)의 **2** 〖식물〗 꼭지 없는: a ~ leaf 잎자루 없는 잎 《줄기에 바로 붙은 잎》 **ses·síl·i·ty** *n.*

séssile òak 〖식물〗 유럽산(産) 졸참나무의 일종 (durmast)

‡**ses·sion** [séʃən] [L 「앉다」의 뜻에서] *n.* **1 a** (의회·회의가) **개회 중임**; (법정이) 개정 중임; (거래소의) 개장, 입회: go into ~ 개회하다 / Congress is now in[out of] ~. 상원은 지금 개회[폐회] 중이다. **b** 회의, 회합 **2** (의회의) 회기, 개회기, 개정기: a long ~ 긴 회기 / extend the ~ 회기를 연장하다 **3** 《미·스코》 (대학의) 학기; 《영》 (대학의) 학년; 《미》 수업 (시간): morning ~*s* 오전의 수업 / the summer ~ 여름 학기 **4** [*pl.*; 종종 단수 취급] 〖영국법〗 법정; (주기적인) 치안 판사 재판소; 법원의 정기 회의; [the S~] 〖스코법〗 =COURT OF SESSION; (목사와 장로로 구성되는) 장로회: petty ~*s* 간이[즉결] 법원 **5** 《미·구어》 (어느 활동의) 기간, 《특히》 어려운[쓰라린] 시기; 《미·속어》 (마약에 의한) 환각 상태의 지속 기간; 《미·속어》 댄스 파티 **6** (특히, 집단적으로 하는 일정 기간의) 활동, 강습회, 모임; 《구어》 (두 사람 사이의) 타협, 협의: a study ~ 공부 모임 **7** 〖컴퓨터〗 세션 **a** 컴퓨터 시스템의 사용자가 단말기 앞에 앉아 로그인하여 사용을 시작한 다음 작업을 끝마칠 때까지의 동안 **b** 원격 컴퓨터와 사용자 사이에서 교환되는 데이터들의 완전한 집합
in full ~ 총회 개회 중; 전원 출석하여 ***in*** ~ 개회[개정, 회의] 중

ses·sion·al [séʃənl] *a.* 개회[개정, 회기](중)의; 회기마다의: ~ orders[rules] (영국 의회에서) 개회 기간 중의 의사 규정

séssion musìcian 고용 연주가 《악단에 속하지 않고 정해진 연주를 위해 고용되는》

ses·terce [séstəːrs] *n.* 세스테르티우스 《고대 로마의 화폐 단위; $^1/_4$ denarius》

ses·ter·ti·um [sestə́ːrʃiəm, -ʃəm, -tiəm] *n.* (*pl.* **-ti·a** [-ʃiə | -tjə]) 세스테르티움 《고대 로마의 화폐 단위; =1,000 sesterces》

ses·ter·tius [sestə́ːrʃəs, -ʃiəs] *n.* (*pl.* **-ti·i** [-ʃiài]) =SESTERCE

ses·tet [sestét, ⌐– | –⌐] *n.* **1** 〖음악〗 =SEXTET (cf. SOLO) **2** 〖시학〗 sonnet의 마지막 6행

ses·ti·na [sestíːnə] *n.* (*pl.* **~s, -ne** [-nei]) 〖시학〗 6행 6연체 《6행으로 된 6연(聯)과 3행의 결구(結句)를 가지는 시》

Ses·tos [séstɑs, -təs | -tɔs] *n.* 세스토스 《Hellespont 해협을 끼고 Abydos의 대안(對岸)에 있는 고대 트라키아(Thrace)의 도시》

‡**set** [sét] *v.*, *a.*, *n.*

> 기본적으로는 「놓다」의 뜻.
> ① 놓다; 배치하다 **1, 3**
> ② 갖다 대다 **2**
> ③ (어떤 상태로) 되게 하다; 조절하다 **4, 8**
> ④ 〈문제를〉 내다, 〈일을〉 부과하다 **5**
> ⑤ 〈사람을〉 앉히다 **6**

—*v.* (~; **~·ting**) *vt.* **1** 〈물건을〉 **놓다**, 두다, 얹다, 앉히다(⇨ put 유의어): (~+목+전+명) ~ chairs *for* six people 6인분의 의자를 놓다 / ~ a glass *on* a table 유리잔을 테이블 위에 놓다 / *S*~ the baby *on* her feet. 아기를 서게 하시오. // (~+목+부) ~ *down* the load 짐을 내리다 **2** (가까이) **갖다 내다**, 접근시키다; 〈불을〉 붙이다; 〈도장을〉 찍다; 〈문서에 서명·날인을〉 하다: (~+목+전+명) ~ a glass *to* one's lips 유리잔을 입에 대다 / ~ fire *to* a house = ~ a house *on* fire 집에 불을 지르다 / ~ one's hand[name] *to* a document 서류에 서명하다 **3** 〈사람을〉 **배치하다**, 임명하다: ~ a watch 파수꾼을 세우다 // (~+목+전+명) ~ a guard *at* the gate 경비원을 정문에 배치하다 / ~ spies *on* a person …에게 스파이들을 붙여 놓다 **4** (어떤 상태로) **되게[하게] 하다**, 상태로 하다: (~+목+보) ~ a prisoner free 죄수를 석방하다 // (~+목+전+명) ~ one's mind *at* rest 마음을 가라앉히다 / ~ one's room *in* order 방을 정돈하다 // (~+목+*-ing*) ~ the engine go*ing* 엔진을 걸다 **5** 〈일·문제 등을〉 내다, 부과하다, 맡기다, 할당하다, 나누어 주다, 명하다 《*for*》; 〈모범·유행 등을〉 보이다; 〈기록을〉 세우다, 수립하다: ~ a fast pace 빠른 페이스를 확립하다 // (~+목+목) (~+목+전+명) ~ a person an example = ~ an example *to* a person …에게 모범을 보이다 / He ~ me a difficult question. = He ~ a difficult question *for* me. 그는 내게 어려운 문제를 냈다. **6** 〈사람을〉 앉히다(seat): (~+목+부) ~ oneself *down* 착석하다 // (~+목+전+명) ~ a person *on* the throne …을 왕위에 앉히다 / ~ a child *in* a highchair 유아용 높은 의자에 아이를 앉히다 **7** 〈…에게〉 …시키다; …을 명하다; [~ one*self* 로] …하려고 노력하다: (~+목+*to* do) ~ a person *to* paint the door …에게 문에 페인트칠을 하게 하다 / She ~ *herself to* finish the homework. 그녀는 열심히 숙제를 마치려고 애썼다. **8** 〈기계·기구 등을〉 조절[조정]하다, 〈시계를〉 맞추다, 〈눈금 등을〉 맞추다; 〈자명종 등을〉 …시에 울리게 맞춰 놓다; 〈칼·면도기 등을〉 예리하게 하다, 갈다; 준비[정돈]하다; 〈식탁을〉 준비하다; 〈덫·폭발물 등을〉 놓다, 설치하다; 〖인쇄〗 〈활자를〉 짜다, 식자하다, 〈원고를〉 활자로 짜다 《*up*》; 〈골절·탈구된 뼈를〉 잇다: ~ a razor[saw] 면도칼을 갈다[톱날을 세우다] / ~ a trap 덫을 놓다 // (~+목+전+명) ~ one's watch *by* the time signal 시계를 라디오 시보에 맞추다 / ~ a dial *on* an oven 오븐의 다이얼을 맞추다 / ~ one's camera lens *to* infinity 카메라의 렌즈를 무한대에 맞추다 **9** 〈보석 등을〉 박아 넣다, 끼워 박다, 〈틀에〉 끼우다, …에 밑받침을 붙이다: (~+목+전+명) ~ a diamond *in* gold 다이아몬드에 금 밑받침을 붙이다 / ~ gold *with* jewels 금에 보석들을 박아 넣다 **10** 〈기둥 등을〉 세우다; 〈식물을〉 심다, 〈씨를〉 뿌리다: ~ plants 묘목을 심다 / ~ seeds 씨를 뿌리다 / ~ a flagpole in concrete 콘크리트로 깃대를 단단히 세우다 **11** 〈암탉에〉 알을 안기다, 〈알을〉 부화기에 넣다: (~+목+전+명) ~ a hen *on* eggs = ~ eggs *under* a hen 암탉에 알을 안기다 **12** 〈얼굴·진로 등을〉 (…으로) 향하다, 돌리다, 향하게 하다; 〈…을〉 부추겨[선동하여] (…에게) 공격하게 하다, 부추기다 《*against*, *at*》; 〈마음을〉 돌리다, 기울이다, 집중하다; [~ one*self* 로] (…에) 강경하게 반대하다, 반항하다 《*against*》: (~+목+전+명) ~ one's eyes *toward* the wood 눈을 숲 쪽으로 돌리다 / ~ one's mind *to* a task 마

음을 일로 돌리다 / ~ one's course *to* the south 진로를 남쪽으로 잡다 / He ~ his heart[hopes] *on* becoming a novelist. 그는 소설가가 되려고 마음먹었다. / He ~ the dogs *on* the trespasser. 그는 개를 부추겨 침입자에게 덤비도록 했다. **13** 〈값을〉 매기다, 〈가치를〉 두다, 평가하다(estimate): 《~+목+전+명》 ~ a price *on* an article 상품의 값을 매기다[정하다] / ~ the value of the vase *at* $1,000 그 꽃병에 천 달러의 값을 매기다 / She ~*s* honesty *above* everything else. 그녀는 무엇보다도 정직에 가치를 둔다. **14** 〈물건을〉 굳히다, 꼭 죄다, 고정하다; (종종 결심 등을 나타내어) 〈얼굴 등을〉 굳어지게 하다; 〈색·염료를〉 정착시키다; 〈우유 등을〉 응고시키다: ~ nuts well up 너트를 충분히 죄다 // 《~+목+전+명》 ~ milk *for* cheese 치즈를 만들기 위해 우유를 응고시키다 **15** 〖음악〗 〈가사에〉 곡을 붙이다, 〈곡에〉 가사를 붙이다, 작곡하다, 편곡하다; 〖연극〗 〈무대를〉 장치하다, 무대를 …에 두다 《*in*》: 《~+목+전+명》 ~ a psalm *to* music 찬송가를 작사하다 / ~ a scene *in* Hawaii 하와이를 무대로 하다 **16** 〈장소·시일 등을〉 정하다, 지정하다, 〈규칙·형식 등을〉 정하다; 〈한계·목표·목적 등을〉 설정하다: ~ a wedding date 결혼식 날짜를 정하다 / ~ a time limit 시간 제한을 정하다 // 《~+목+전+명》 ~ a place and time *for* a meeting 모임의 장소와 시간을 정하다 / ~ no limit *to* one's ambitions 공명심이 동하는 대로 행동하다 **17** 〈여자의 머리를〉 세트하다 **18** 〈과수가 열매를〉 맺게 하다 **19** 〈사냥개가〉 〈사냥감의〉 위치를 가리키다 **20** (부풀리기 위해) 〈반죽을〉 잠재우다, 발효시키다 **21** 〖컴퓨터〗 어떤 비트(bit)에 값 1을 부여하다

—*vi.* **1** 〈해·달이〉 **지다**, 저물다, 넘어가다; 〈세력이〉 기울다, 쇠하다: 《~+전+명》 The sun ~*s in* the west. 해는 서쪽으로 진다. **2 열매를 맺다**, 결실하다: 《~+부》 The apple trees have ~ *well* this year. 올해는 사과나무가 열매를 잘 맺었다. **3** 〈액체 등이〉 **굳어지다**, 응고하다; 〈물감 등이〉 정착(定着)하다; 〈표정이〉 굳어지다: His face has ~. 그의 표정이 굳어졌다. **4** 〈머리가〉 세트되다, 모양이 잡히다; 〈뼈 등이〉 제자리에 맞추어지다; 골절이 낫다 **5** 〈사냥개가〉 (부동 자세를 취하여) 사냥감이 있는 곳을 가리키다; 〈암탉이〉 알을 품다: 《~+부》 This dog ~*s well.* 이 개는 사냥감이 있는 곳을 잘 가리켜 준다. // 《~+전+명》 A hen ~*s on*[*upon*] eggs. 암탉은 알을 품는다. **6** 〈물줄기·바람 등이〉 …으로 **향하다**, 불다, 흐르다; 〈감정·의견 등이〉 기울다: 《~+전+명》 The wind ~*s to*[*from*] the north. 바람이 북쪽으로[북쪽에서부터] 분다. // 《~+부》 The tide ~*s in*[*out*]. 조수가 밀려들어온다[빠진다]. **7** 종사하다; 착수하다 《*about, to*》; 움직이기 시작하다, 출발하다 《*forth, forward, out*》 **8** 〈옷이〉 맞다, 어울리다 《★ 이 뜻으로는 sit, fit 가 보통임》; 〈돛이 배에〉 어울리다: 《~+부》 That dress ~*s well*[*badly*]. 그 옷은 몸에 잘 맞는다[맞지 않는다]. **9** 〈날씨 등이〉 안정되다: 《~+보》 The autumn weather has ~ fair. 가을 날씨가 안정되어 맑아졌다. **10** (춤 상대와) 마주 서다 **11** 《방언·속어》 착석하다(sit): Come in and ~ a spell. 들어와서 잠시 앉아라.

have** one**'s mind*[*heart*] *~ on …하기로 마음을 굳히다, 작심하다 ***~ about*** (1) 〈일 등에〉 착수하다, …하기 시작하다 《*doing*》; 꾀하다, …하려 하다 《*doing*》: ~ *about* the task with determination 단호히 그 일에 착수하다 (2) 《구어》 공격하다 (3) 〈소문을〉 퍼뜨리다 ***~ against*** (1) 〈물건을〉 …에 견주다, 비교하다, 균형 잡히게 하다 (2) 〈…을〉 …에서 빼다 (3) 〈…에〉 반대하다, 반대하는 경향을 보이다; 대항시키다 (4) …에 대해서 걸다(stake) (5) 〈사람을〉 …으로부터 이간시키다 ***~ apart*** 제쳐 두다(reserve) 《*for*》; 떼어놓다(separate); 〈사물이 …을 다른 것과〉 구별하다 《*from*》 ***~ a precedent*** 전례를 세우다 ***~ ashore*** 상륙시키다 ***~ aside*** (1) 옆에 두다, 챙겨 놓다 《*for*》; 제쳐 놓다 (2) 무시하다, 거절하다; 제외하다, 버리다: Let's ~ *aisde* all formality. 형식적인 일은 모두 집어치우자. (3) 〖법〗 〈판결을〉 파기하다; 무효로 하다; 거절하다: ~ *aside* a verdict 판결을 무효로 하다 ***~ at*** (1) …을 공격하다, 습격하다(attack) (2) 〈개를〉 부추겨 덤벼들게 하다 (3) …으로 평가하다 ***~ at ease*** 안심시키다; 해결하다 ***~ … at nothing*[*naught*]** …을 무시하다 ***~ back*** (1) 〈집 등을 어떤 거리만큼〉 떨어지게 짓다[두다] (2) 〈물건을〉 뒤로 옮기다; 〈시곗 바늘을〉 뒤로 돌리다, 되돌리다: *S*~ *back* your clocks one hour. 네 시계를 한 시간 뒤로 돌려라. (3) 좌절시키다; 지우다; 퇴보시키다; 저지하다 (4) 《구어》 …에게 비용이 〈얼마〉 들다: The house ~ them *back* $200,000. 그 집은 20만 달러가 들었다. ***~ before*** (1) …앞에 내놓다[늘어놓다] (2) 〈음식·술 등을〉 내다, 내놓다 (3) 〈사실 등을 …에게〉 제시하다 ***~ beside*** (1) …을 …옆에 두다 (2) …을 …와 비교하다 ***~ by*** (따로) 제쳐 놓다, 모아 두다; 중히 여기다 ***~ down*** (1) 밑에 놓다, 내려놓다, 앉히다 (2) 《영》 〈승객 등을〉 내리다: *S*~ me *down* at the station. 역에서 내려다오. (3) 적어 두다, 기록하다; 인쇄하다 (4) 〈…으로〉 여기다, 간주하다 《*as*》 (5) 〈원인 등을 …의〉 탓으로 하다, 돌리다 《*to*》: ~ *down* one's success *to* luck 성공을 행운의 탓으로 돌리다 (6) 〈규칙 등을〉 규정하다; 〈시일 등을〉 정하다 (7) 〈비행기를〉 착륙시키다; 〈비행기가〉 착륙하다 (8) 《미·속어》 삼진(三振)시키다(strike out) (9) 《속어》 꾸짖다, 나무라다; 면목을 잃게 하다 ***~ fair*** 좋은 날씨가 계속될 것 같은; 가망이 충분하여 《set는 과거분사》 ***~ foot*** in a person's house (…의 집에) 발을 들여놓다, 들르다, 들어가다 ***~ forth*** 《문어》 (1) 보이다, 진열하다 (2) 진술하다, 밝히다, 설명하다 (3) 발표하다, 발행하다 (4) 장식하다, 꾸미다 (5) 《고어》 출발하다, 길을 떠나다 ***~ forward*** (1) 촉진하다, 돕다 (2) 〈시계를〉 빠르게 하다 (3) 성명[제의]하다; 제출[제시]하다 (4) 출발하다 (5) (회합 등의) 시일을 당기다 ***~ going*** 움직이다, 운전시키다 ***~ in*** (1) 〈병·유행 등이〉 생기다, 일어나다, 퍼지기 시작하다: Darkness ~ *in.* 어둠이 퍼지기 시작했다. (2) 〈계절 등이〉 시작되다, 〈나쁜 날씨·좋지 않은 일 등이〉 시작되다, 〈밤이〉 되다: The rain seemed to have ~ *in* for the day. 그날은 비가 계속 오는 것 같았다. (3) 정해지다, 굳어지다 (4) 〈조수가〉 해안을 향해 흐르다[들다]; 〈바람이〉 육지를 향해 불다; 〈배를〉 해안 쪽으로 향하다; 삽입하다 ***~ light*[*much*] *by*** …을 경시[중시]하다 ***~ off*** (1) 돋보이게 하다, 드러나게 하다, …의 장식이 되다 (2) 칭찬하다(praise) (3) 〖은행〗 상쇄하다, …을 메우다 (4) 칸막이하다; 구획하다 (5) 〈폭탄·화약 등을〉 폭발시키다; 〈꽃불 등을〉 올리다, 발사하다 (6) 왁자하게 웃기다; 〈일을〉 일으키다, 유발하다; (…에게) …를 시키다 (7) 〈기계·장치 등을〉 시동시키다; 〈일·활동을 갑자기〉 시작하다 (8) 출발시키다 (9) 출발하다; 파생하다 ***~ off against*** …와 대항[대조]시키다; 공제하다 ***~ on*** (1) [on은 *ad.*] 부추기다, 선동하다; 추적시키다; 〈일 등에〉 사용하다 (2) [on은 *prep.*] …에 마음을 기울이다; …을 공격하다; …에 착수하다; 나아가다 ***~ out*** (1) 말하다, 〈생각·이론 등을〉 정연하게 제시하다; (자세하게) 설명하다 (2) 장식하다; 돋보이게 하다, 두드러지게 하다; 설계하다 (3) 칸막이하다, 구분 짓다; 제한하다; 진열하다 (4) 〈음식 등을〉 내다, 차리다 (5) 〖토목〗 〈위치를〉 측정하다; 〈돌을 바로 아래의 돌보다〉 삐죽 나오게 놓다 (6) 〈묘목 등을〉 사이를 두고 심다 (7) 〖인쇄〗 글자 사이를 떼어서 짜다 (8) (일에) 착수하다, 시작하다; 출발하다, 길을 떠나다; 〈조수(潮水)가〉 빠지다 ***~ over*** 양도하다, 넘겨주다; 〈사람을〉 감독시키다; 《미·속어》 죽이다 ***~ pen to paper*** 쓰다 ***~*** one***self to*** do …에 착수하다; …하려고 결심하다 ***~ the ax*(*e*) *to*** …을 찍어 쓰러뜨리다; 〈계획 등을〉 깨뜨리다, 파괴하다 ***~ the case*** 사정을 설명하다; 가정하다 ***~ things in train*** 일의 순서를 정하다 ***setting aside*** …은 차치하고 ***~ to*** [to는 *ad.*] 본격적으로 하기 시작하다; 싸움[전투, 토론]을 시작하다; 먹기 시작하다 ***~ up*** (1) 세우다, 똑바로 놓다 (2) 짜맞추다, 박제(剝製) 표본 등

으로 만들다; 표구(表具)하다(mount) (3) 시작하다, 창설[설정]하다 (4) 〈마차 등을〉 출발시키다 (5) (충분히) 지급하다, 제공하다, 갖추다 《*in, with*》 (6) 올리다, 나아가게 하다; 높은[권세 있는] 자리에 앉히다 (7) 〈게시 등을〉 내다 (8) 〈아픔 등을〉 일으키다; 〈짖는 소리·비명 등을〉 지르다; 〈소동 등을〉 일으키다; 〈항의를〉 제기하다 (9) 〈이론을〉 제시하다, 제안하다 (10) 몸을 발달[회복]시키다; 몸에 기운이 나게 하다, 용기를 북돋우다; 《속어》 의기양양하게 하다, 신나게 하다 (11) 《미》 취하게 하다, 〈잔을〉 채우다, 〈술을〉 대접하다, 한턱 내다 (12) 〖항해〗 밧줄을 팽팽하게 당기다 (13) 〖인쇄〗 판(版)으로 만들다, 〈활자를〉 짜다 (14) 경매에 붙이다 (15) 설비하다, 조립하다 (16) 개점[개업]시키다; (*vi.*) 개업[개점]하다 《*as*》 (17) 《영》 〈신기록 등을〉 수립하다 (18) [~ one*self* 로] 〈자기를 …이라고〉 주장하다, 〈…인〉 체하다 (19) 《속어》 〈범죄를〉 꾸미다; 〈남을〉 (책략을 써서) 위험한 처지에 빠뜨리다 (20) 〖컴퓨터〗 〈체계를〉 (어느 형태로) 설정하다 **~ *up against*** …에 대항하다[시키다] **~ *up for*** …이라고 주장[공언]하다; …인 체하다: ~ *up for* an authority 대가인 체하다 **~ *upon*** = SET on

— *a.* **1 a** 고정된, 움직이지 않는 〈눈초리 등〉 **b** 단호한; 단단히 결심한; 억지 부리는, 고집 센, 완고한 《*in*》: be ~ *in* one's opinions 의견이 완고하다 **2** 판에 박힌, 규정된, 정식의 〈연설 등〉; (미리) 정한, 정해진, 지정된, 격식대로의, 관습적인 〈기도 등〉: at the ~ time 규정된 시간에 / the ~ books for an examination 시험 지정서 / The hall holds a ~ number of people. 그 강당은 정원이 정해져 있다. **3** 미리 준비된(ready); 계획적인: get ~ 준비를 갖추다 / Is everyone ~? 모두 준비됐나?

all* ~** 《구어》 준비가 다 되어 ***in* ~ *terms 판에 박힌 말로; 딱 잘라서, 단호히 ***Ready, ~, go!*** 제 위치에, 준비, 시작! 《경주 등에서》 **~ *in* one*'s ways*** 고집 센, 완고한 **~ *phrase*** 성구(成句); 상투 용어 ***with ~ teeth*** 이를 악물고; 굳게 결심을 하고

— *n.* **1** (도구·커피잔 등의) 한 벌[짝], 한 조, 세트, 일군(一群): a chess ~ 체스 한 세트 / a ~ of ideas 일련(一連)의 생각 **2** [*sing.*, 집합적; 보통 *pl.*, 때로 단수 취급] (직업·지위·연령 등이 같은) 일단(의 사람들), 패, (특수) 사회, 집단, 동아리, 파: a literary ~ 문인들의 한 파 / the best ~ 상류 사회 / the smart ~ 유행의 첨단을 간다고 자처하는 사람들 **3** 〖라디오〗 수신기; 〖TV〗 수상기; 〖영화〗 발성 장치 **4** 모습, 자세, 태도; 생김새, 체격: the ~ of one's shoulders 어깨 모양 **5** (조류·바람의) 흐름, 방향; (여론의) 경향, 추세; (성격상의) 경향; 〖심리〗 (자극에 대한) 반응 준비[경향]: The ~ of his mind was obvious. 그의 마음가짐은 명백했다. **6** [the ~] 경사, 비틀림, 휨, 굽음 **7** 꺾꽂이용 가지, 어린 나무, 묘목; 갓 열린 과실; 덜 자란 양식 굴(oyster) **8** 〖스포츠〗 (테니스 등의) 세트: She won the match in straight ~*s* of 6-3, 6-4, 6-4. 그녀는 6-3, 6-4, 6-4로 잇달아 세트를 이겼다. **9** (사냥개가 사냥감을 노릴 때의) 부동 자세(=dead ~) **10** Ⓤ 《시어》 일몰, (해·달이) 짐: at ~ of sun 일몰에 **11** 한 번 까는 알, 한 번에 품는 알(clutch) **12** 〖무용〗 세트 무도곡 **13** 옷맵시; 입음새, 맞음새; 입은[쓴] 기분; 놓임새 **14** 응고, 응결 **15** (머리털의) 세트 **16** 〖수학·논리〗 집합(class) **17** (바닥·도로용의 네모진) 포석, 까는 돌(sett); 톱날; 톱날 세우는 기구; 안장 방석[속]; (벽의) 마무리 칠 **18** 〖연극〗 무대 장치; 〖영화〗 세트, 만든 배경 **19** 한 벌의 무자위; (고래 잡을 때 작살의) 꽂힘새; 〖인쇄〗 활자의 폭; 〖기계〗 단철(鍛鐵) 완성기(器), 갈퀴 달린 드라이버; 징의 대가리 만드는 기구; 집게; 걸이쇠; (웅)압력; 〖광산〗 1구(획); 종갱(縱坑)의 지주(支柱), 동바리 **20** 개인적인 대화; 토론 **21** 《속어》 1회분의 마약 **22** (재즈·음악 등의) 1회 연주 (시간), 1회 연주곡 ***make a dead ~*** (1) 맹렬히 공격하다 (2) (여성이 남성에게 잘 보이려고) 필사적으로 노력하다, 열렬히 구애하다 《*at*》

Set [sét] *n.* 〖이집트신화〗 세트 《짐승 머리와 뾰족한 코를 가진 악의 신》

se·ta [síːtə] *n.* (*pl.* **-tae** [-tiː]) 〖동물·식물〗 강모(剛毛), 거센 털, 가시 **sé·tal** *a.*

se·ta·ceous [sitéiʃəs] *a.* 〖동물·식물〗 강모 (모양)의, 강모와 같은; 강모 투성이의, 강모가 난

set-a·side [sétəsàid] *n.* **1** (특정 목적을 위해) 유보해 둔 것 《토지·이윤 따위》 **2** 특별 지정 구역 《자연보호·석유 자원 개발 따위를 위해》 **3** (정부의 식량·자원의) 비축; (정부 명령에 의한) 물품의 사용 금지

set·back [-bæ̀k] *n.* **1 a** (진보 등의) 방해; 좌절; 역전, 역행; 퇴보, 후퇴 **b** 역수(逆水), 역류 **c** (병의) 도짐 **2** 〖건축〗 단형(段形) 후퇴, 단벽(段壁), 층층으로 물려서 쌓기[쌓은 건축물] **3** 패배, 실패 **4** 〖미식축구〗 세트백 《쿼터백 뒤에 위치하는 오펜스백》

setback 2

sét bóok 《영》 (특히 졸업 시험용) 과제 도서[문학 작품]

sét chìsel (징·볼트 등의) 대가리를 절단하는 끌

set·down [-dàun] *n.* **1** 몹시 꾸짖음, 욕함, 질책, 매도; 콧대를 납작하게 만들기[꺾어주기] **2** (비행기의) 착륙

se te·nant, se-te·nant [səténənt, sètnɑ́ːŋ] [F] *n.*, *a.* (색채·디자인·액면이 다른) 우표 시트(의)

sét gùn 스프링 총(spring gun) 《방아쇠에 줄을 매놓아 그것을 건드리는 동물이나 사람을 쏘게 된 총》

seth [séit] *n.* 《인도》 **1** 상인 《대량의 상품을 판매하는》; 은행가 **2** 부자 **3** 상류 계급의 이름에 붙이는 칭호

Seth[1] [séθ] *n.* **1** 남자 이름 **2** 〖성서〗 셋 《Adam의 셋째 아들》

Seth[2] [séit] *n.* 〖이집트신화〗 = SET

SETI search for extraterrestrial intelligence 지구 밖 문명 탐사 (계획)

se·ti·form [síːtəfɔ̀ːrm] *a.* 강모(剛毛) 같은[모양의]

se·tig·er·ous [sitídʒərəs] *a.* 강모[가시]가 있는

set-in [sétìn] *n.* **1** (조수 등의) 밀려옴 **2** 개시, 시작; (계절 등의) 접어듦, 찾아옴 **3** 박아 넣은[삽입한] 것

— *a.* **1** 박아 넣을[끼워 넣을] 수 있는, 붙박이의: ~ closets 붙박이장 **2** 〖복식〗 세트인의, 꿰매어 넣는: a ~ sleeve 세트인 소매 《어깨에서 의복의 몸통 부분과 꿰매 붙인 보통 소매》

set·line [-làin] *n.* = TROTLINE

set·off [-ɔ̀ːf | -ɔ̀f] *n.* **1** (여행 등의) 출발 **2** (셈의) 비김; 상쇄, 공제 《*against, to*》; 〖법〗 상쇄 청구 **3** 돋보이게 하는 것, 장식품, 치장, 꾸밈 **4** 〖건축〗 내물린 층(setback) **5** 〖인쇄〗 오프셋(offset) (인쇄법)

se·ton [síːtn] *n.* 《폐어》 〖외과〗 관선(串線)(법)

Se·ton [síːtn] *n.* 시튼 **1 Saint Elizabeth Ann ~** (1774-1821) 《미국의 교육가·사회복지 개혁자·종교 지도자》 **2 Ernest Thompson ~** (1860-1946) 《영국 태생의 미국 작가》

se·tose [síːtous] *a.* 가시[강모]가 많은

set·out [sétàut] *n.* **1** ⓊⒸ (특히 여행의) 준비, 채비; 차림 **2** 개시, 출발(start) **3** (식기 등의) 한 벌; 상차리기, 차려 놓은 음식 **4** 《구어》 한 패, 동아리

at the first ~ 최초에

sét phráse 성구(成句)

sét pìece **1** (문예 등의) 기성 형식(에 의한 구성); (틀에 박힌) 정형화된 작품 **2** 〖연극〗 (무대 배경의) 독립된 세트 **3** 두드러진 효과를 의도한 장면[연설, 사건 《등》] **4** (치밀한) 군사[외교] 작전 **5** 《영》 〖축구〗 세트피스 《코너킥·프리킥 등》 **sét-pìece** *a.*

sét pòint 〖테니스〗 그 세트의 승패를 결정하는 득점

sét scène 〖연극〗 무대 장치; 〖영화〗 촬영용 장치

set·screw [-skrùː] *n.* (톱니바퀴·나사 등을 굴대에 달기 위한) 고정[멈춤] 나사

thesaurus **settle**[1] *v.* **1** 정주하다 colonize, occupy, inhabit, populate **2** 이주하다 move to, emigrate to **3** 진정시키다 calm down, tranquilize,

sét shòt 〖농구〗 선 위치에서 두 손으로 슛하는 것

sét squàre 《영》 삼각자(《미》 triangle)

sett [sét] *n.* (금속 가공용) 정; (도로용 등의 네모진) 포석(鋪石)

set·te·cen·to [sèteitʃéntou, -tə-] [It] *n.* (이탈리아 문학·예술의 시대인) 18세기

set·tee [setíː] *n.* (등받이가 있는) 긴 의자

settee

set·ter [sétər] *n.* **1** [종종 복합어로] set하는 사람[물건]; 박아 넣는[상감(象嵌)하는] 사람: a type(-) ~ 식자공 **2** 세터 《사냥감의 위치를 알리도록 훈련받은 사냥개》 **3** (경찰의) 스파이, 밀고자; (사기꾼·도둑의) 앞잡이 **4** (배구의) 세터 **5** [*pl.*] 여성

set·ter-on [sétərán | -ɔ́n] *n.* (*pl.* **set·ters-on**) 공격하는 사람; 선동자

sét téxt 《영》 =SET BOOK

sét thèory 〖수학〗 집합론

***set·ting** [sétiŋ] *n.* **1** Ⓤ 놓음, 둠, 앉힘; (선로의) 부설 **2** Ⓤ 〖인쇄〗 식자 **3** [보통 the ~] Ⓤ (해·달이) 짐: *the* ~ of the sun 해가 짐 **4** Ⓤ (톱 등의) 날 세우기 **5** Ⓤ (시멘트 등의) 응고, 경화, 응결; (머리의) 세트 **6** Ⓤ (보석 등을) 박음[박은 것], 상감(象嵌)(inlaying) **7** ⓊⒸ 〖음악〗 작곡, 가락 붙이기; (작곡된) 곡, 악보 **8** (벽 등의) 마무리칠(=~ coat) **9** ⓊⒸ (사냥개가) 사냥감을 가리킴 **10** (바람 등의) 방향; (조수의) 밀려듦 **11** 환경, 주위; (자연의) 환경, 배경; 〖연극〗 무대 장치, 무대면; (소설·연극의) 배경; 장소와 때 **12** (속어) 한 번에 까는 알 **13** 포상(砲床); 대좌(臺座); (기계 등의) 대(臺) **14** 1인분의 식기류; 식기 한 벌 **15** (계기 등의) 조절; 조절점

sétting bòard 곤충의 표본대

sétting cìrcle 〖천문〗 (적도의(赤道儀)의) 눈금 고리 《시환(時環) 또는 적위환(赤緯環)》

sétting còat (벽 등의) 마감칠, 겉칠

set·ting-lo·tion [sétiŋlòuʃən] *n.* 세트로션 《머리 세트용 화장수》

sétting nèedle 곤충꽂이 핀

sétting pòint 〖물리〗 (졸(sol)이 겔(gel)화하는) 응결 온도, 응고점

sétting rùle 〖인쇄〗 식자용 자

sétting stìck 〖인쇄〗 식자용 스틱

sétting tìme (시멘트의) 응고 시간; (수지(樹脂)의) 경화 시간

set·ting-up [-ʌ́p] *n., a.* **1** 짜맞춤[조립, 구성, 조판](에 사용하는) **2** 체력 단련(용의)

sétting-úp èxercises 유연 체조, 미용 체조(calisthenics)

‡**set·tle**[1] [sétl] *v.*

㊀ (움직이지 않게) 「놓다」,	→(사람을) ─┬→「정주시키다」 **2**	
	└→「직업에 종사하게 하다」 **3**	
「앉히다」 **1**	→(문제를 바로잡다) →「해결하다」 **6**	

—*vt.* **1** (움직이지 않도록) **놓다**, 앉히다: (~+목+전+명) ~ oneself *in* a chair 의자에 턱 앉다 **2** 〈사람을〉 **정주**(定住)**시키다**, 〈어떤 곳에〉 식민(植民)하다, 이주시키다; 〈거처에〉 **자리잡게 하다**, 살게 하다(⇨ settled 3): ~ Canada 캐나다에 식민하다 // (~+목+전+명) ~ oneself *in* …에 정주하다 / They ~*d* immigrants *in* rural areas. 그들은 이민자들을 시골 지역에 정착시켰다. **3** (직업 등에) 〈사람을〉 종사하게 하다, 〈살림이〉 **틀잡히게 하다**; 안정시키다: (~+목+전+명) ~ oneself *in* business 실업계에서 틀을 잡다 / He ~*d* his daughter *by* marriage. 그는 딸을 결혼시켜 안정시켰다. **4** 〈마음·신경·위 등을〉 **진정시키다**, 안정(安靜)하게 하다; 가라앉히다 《*down*》: ~ a disordered brain 흐트러진 머리 속을 진정시키다 / ~ one's stomach 위를 안정시키다, 메스꺼움을 멈추다 / ~ one's nerves 신경을 가라앉히다 **5** 침전시키다, 〈액체를〉 가라앉혀 맑게 하다 《*down*》; 응결시키다, 굳히다: The rain will ~ the dust. 이 비로 먼지가 가라앉게 될 것이다. **6** 〈문제·쟁의·분쟁 등을〉 (최종적으로) **해결하다**, 처리하다(dispose) 《*up*》: ~ difficulties 어려운 일을 해결하다 / ~ a dispute 분쟁을 해결하다 / The affair is ~*d* and done with. 그 일은 말끔히 처리되었다. **7 결정하다**, 확정하다, 정하다, 결심하다(determine): ~ one's route 진로를 결정하다 // (~+***wh. to*** do) Have you ~*d what to* do? 무엇을 할지 정했습니까? // (~+***to*** do) I have ~*d to* study law. 법률을 공부하기로 정했습니다. **8** 〈빚·셈을〉 치르다, 지불하다, 청산하다, 결제하다: ~ a bill 셈을 치르다 // (~+목+전+명) I have a debt to ~ *with* him. 그에게 청산해야 할 빚이 있다. **9** 〈제도 등을〉 확립하다, 영구적인 것으로 만들다(establish): Custom is ~*d* by a long experience. 습관이라는 것은 오랜 경험에 의해 고정[확립]된다. **10** 〖법〗 (…에게) 종신 계승권을 부여하다, 정식으로 양도하다, 〈재산을〉 나누어 주다 《*on, upon*》: (~+목+전+명) He has ~*d* his estate *on* his son. 그는 재산을 아들에게 정식으로 양도했다. **11** (꾸짖거나 때려서) 침묵시키다, 꼼짝 못하게 하다, 〈적을〉 해치우다: One blow ~*d* him. 그는 그 일격으로 꼼짝 못했다. / The rebuke ~*d* him. 그는 몹시 꾸중을 들어 나쁜 짓을 그만두었다. **12** (미·속어) 투옥하다 **13** (암컷에) 교배시키다

—*vi.* **1 자리를 잡다, 생활의 틀을 잡다**, 정주하다, 식민하다, 이주하다 《종종 *down*》: (~+전+명) They ~*d in* Brazil. 그들은 브라질에 정주했다. // (~+부) ~ *down* to the married life 생활의 틀을 잡고 결혼 생활에 들어가다 **2** 〈날씨 등이〉 안정되다: The weather is *settling*. 날씨가 좋아지고 있다. **3** (일에) 전념하다, 익숙해지다, 마음을 붙이다 《*down, to*》; (…한 상태에) 빠지다 《*with*》: (~+전+명) He ~*d to* his work. 그는 마음을 붙이고 일에 착수했다. // (~+부) ~ (*down*) to reading 마음먹고 독서를 하다, 독서에 전념하다 **4** 〈마음·감정 등이〉 가라앉다, 진정되다 《*down*》 **5** 정하다, 결정하다(decide) 《*on, upon, with*》; (불만족스러운 것에) 동의하다 《*for*》, 합의에 달하다 《*with*》: (~+전+명) ~ *on* a plan 계획[방안]을 정하다 / Have you ~*d on* the day for the meeting? 모임의 날짜를 정해 놓았는가? **6** 〈새 등이〉 내려앉다, 앉다; 〈비행기가〉 착륙하다; 〈시선이〉 멈추다, 못 박히다 《*on*》: (~+전+명) The bird ~*d on* a bough. 새가 가지에 앉았다. **7** 〈토대 등이〉 내려앉다; 〈배가〉 가라앉다 **8** 〈찌꺼기가〉 가라앉다, 〈액체가〉 맑아지다 《*down*》; (먼지 등이 …에) 앉다, 쌓이다 **9** 〈안개 등이〉 끼다, 내리다; 〈침묵·우울 등이〉 지배하다: (~+전+명) Silence ~*d on* the lake. 호수면은 아주 고요했다. **10** 〈병 등이〉 국부화하다 《*in, on*》 **11** 지불하다, 청산하다 **12** 휴식하다 《*in*》; 묵다 《*in, down*》

~ a document (유언장·계약서 등의) 형식과 내용을 확정하다 ***~ down*** (1) 진정하다[시키다], 〈흥분 등이〉 가라앉다[앉히다] (2) 정주하다; [종종 marry and ~ down으로] 결혼하여 자리를 잡다 (3) 진심으로 …할 생각을 가지다, (차분히) 착수하다, 몰두하다 《*to*》 (4) 〈새 등이〉 내려앉다; 〈배가〉 가라앉기 시작하다, 기울다 (5) 〈찌꺼기가〉 앉다, 〈액체가〉 맑아지다 (6) 〈안개 등이〉 자욱하게 끼다 (7) 조용해지다 ***~ for*** (불만족이지만) …을 받아들이다, 감수하다 ***~ in*** (새 집에) 이사하다; 자리잡고 살게 하다 ***~ into shape*** 모양이 잡히다, (일의) 틀이 잡히다 ***~ on*** [***upon***] (1) 결정하다 (2) 〈새 등이〉 …에 내리다, 〈가지 등에〉 앉다 (3) 지불하다, 셈하다; 〈재산 등을〉 …에게 법률에 의해 양도하다, 종신 수익권을 주다 ***~ … out of court*** 〖법〗 …을 재

soothe, compose, pacify **4** (분쟁을) 해결하다 resolve, clear up, reconcile, conclude **5** (새 등이) 내려앉다 land, come down, descend, repose, rest

판에 의하지 않고 해결[타협]하다 ~ one's ***affairs*** (1) 일을 처리하다 (2) (특히 유언장을 작성하든가 하여) 사후의 처리를 정해 두다 ~ a person's ***business*** …을 처치하다 ~ one***self down to*** 마음을 정하고 …에 차분히 착수하다 ~ ***to*** …에 착수하다 ~ ***up*** 해결하다; 결제[청산]하다 ~ ***with*** (1) …와 화해하다; 정하다, 결말짓다 (2) 처리하다, 지불하다, 청산하다; 복수하다 ***That ~s it***[***the matter***]. 그것으로 만사 해결, 결말이 났다.

settle[2] *n.* 등이 높은 긴 (나무) 의자 《좌석 아래가 상자로 되어 있음》

settle[2]

∗**set·tled** [sétld] *a.* **1** 고정된, 정해진, 확립된; 뿌리 깊은 〈슬픔 등〉: a ~ habit 굳어 버린 습관 **2** 〈사람·생활 등이〉 기틀이 잡힌, 자리잡힌 **3** 〈사람이〉 정주하는; 〈토지가〉 사람이 사는, 거주민이 있는 **4** 〈날씨 등이〉 안정된; 착실한, 조용한: ~ weather 안정된 날씨, 계속되는 맑은 날씨 **5** 청산된, 결제(決濟)된: a ~ account 결산필 계정 **6** 〈병이〉 만성인

‡**set·tle·ment** [sétlmənt] *n.* **1** Ⓤ 정착, 정주, 안주, (결혼하여) 생활을 안정시킴; 일정한 직업을 가짐 **2 a** Ⓤ 이민, 식민, 이주 **b** 식민지, 거류지; 이주지, 개척지 **c** 촌락, 부락: fishing ~ 어촌 **3** ⓊⒸ 〖사회〗 사회 복지 사업; Ⓒ 사회 복지관(=~ house) **4** ⓊⒸ 해결, 결정, 확정; 화해: come to[reach] a ~ 해결이 나다, 화해하다, 타협이 되다 **5** ⓊⒸ 청산, 결산; 정리, 처리 **6** ⓊⒸ (재산) 수여, 양도; 〖법〗 계승적 부동산 설정; Ⓒ 증여 재산 **7** Ⓤ (액체의) 맑아짐; (찌꺼기 등의) 가라앉음, 침전 **8** Ⓤ (건물·지반 등의) 강하, 침하(沈下), 침강 ***the Act of S~*** 〖영국사〗 왕위 계승령 《1701년에 발포; 왕위에 오르는 자는 Hanover 가문의 Princess Sophia 및 그 자손에 한한다고 규정》

séttlement dày (거래소의) 결산일, 결제일, 대금 지불일

séttlement hòuse 사회 복지관 《영세민 구제 사회 사업 시설》

séttlement òption 〖보험〗 보험금 지급 방법의 선택

séttlement wòrker 사회 복지 사업 봉사원[자]

‡**set·tler** [sétlər] *n.* **1** (초기의) 식민자, 이민, 이주자; 개척자 **2 a** 해결하는 사람, 결정자, 조정자, 청산인 **b** 《구어》 결판이 나게 하는 것 《결정적인 타격, 주장, 사건 등》, 최후의 일격 **3** 침전기[통]

set·tling [sétliŋ] *n.* **1** 고정, 붙박아 안정시킴 **2** 맑아짐; 침전, 침강; [*pl.*] 침전물, 찌끼, 앙금 **3** 결정; 해결; 청산, 결산 **4** 식민, 이주 **5** (바닥 등의) 내려앉음

séttling dày 청산일, (특히 2주마다의) 증권 거래 청산[결산]일

séttling rèservoir 침전지(池), 저수지

séttling tànk 침전 탱크

set·tlor [sétlər] *n.* 〖법〗 재산 양도인; (계승적 부동산 처분·신탁 등의) 설정자

set-to [séttù:] *n.* (*pl.* **~s**) 《구어》 **1** (권투 등의) 심한 치고받기 **2** (보통 단시간의) 격론(激論), 언쟁

sét-top bòx [séttɑ̀p-|-tɔ̀p-] 〖컴퓨터〗 세트톱 박스 《TV와 접속하여 인터넷 서비스 등을 이용할 수 있게 하는 장치》

set-up [-ʌ̀p] *a.* 체격이 좋은; 《속어》 기운찬
— *n.* =SETTING-UP EXERCISES

∗**set·up** [sétʌ̀p] *n.* **1** Ⓤ **a** (조직 등의) 기구(機構), 구조, 조직; 구성, 배열 **b** (기계 등의) 구성, 장치, 설치, 설정; (실험 등의) 장비 **2** 《미》 자세, 몸가짐, 태도, 거동; 체격 **3** 〖영화〗 (카메라·마이크·배우 등의) 배치, 위치; [the ~] 한 장면(scene)의 필름의 길이(footage) **4** 《미·구어》 서로 짠 경기, 고의로 계획된 일; 수월한 일[목표], 간단히 속여 넘길 수 있는 사람 **5** (술을 만드는 데 필요한) 탄산수·얼음·잔 등의 일습 **6** (이길 가망이 없는 경기에 나가는) 권투 선수 **7** 〖테니스·배구〗 세트업 《다음 플레이를 하기 쉽도록 보낸 공》 **8** 《미·구어》 계획; 상황 **9** 〖컴퓨터〗 세트업

Seu·rat [sə:rɑ́:] *n.* 쇠라 **Georges ~** (1859-91) 《프랑스의 화가; 신인상파의 시조》

sev·ak [séivæk] *n.* 《인도》 **1** 남자 하인 **2** 남자 사회 복지사(cf. SEVIKA)

‡**sev·en** [sévən] *a.* **1** Ⓐ 7의, 7개의, 7명의 《종종 다음에 오는 명사를 생략함》: ~ (dollars and) fifty (cents) 7달러 50센트 / the ~-hilled City = the CITY of (the) Seven Hills **2** Ⓟ 7세의
— *pron.* [복수 취급] 7개, 7명
— *n.* **1** (기수의) 7; 7의 기호 《7, vii, VII》 **2** 7시, 7세, 7달러[파운드, 센트, 펜스] **3** 7개[명] 한 조의 것 **4** (카드 등의) 7 **5** 일곱 번째(의 사람[물건])

Séven agàinst Thébes 〖그리스신화〗 테베 공략 7용사 《Amphiaraus, Capaneus, Eteoclus, Hippomedon, Parthenopaeus, Polynices, Tydeus; Polynices를 왕위에 오르게 하려고 군대를 이끌고 Thebes로 향한 Argos의 용사들》

séven chíef[**cárdinal, príncipal**] **vírtues** [the ~] (그리스도교의) 7주덕(主德) 《신의·희망·자선·현명·절제·정의·용기》

séven déadly síns [the ~] = DEADLY SINS

7-E·lev·en [sévənilévən] *n.* 세븐일레븐 《미국의 24시간 영업 편의점 체인; 상표명》

sev·en·fold [sévənfòuld] *a., ad.* 7배의[로]; 일곱 겹의[으로]; 7(부)로 이루어지는; 7인[부] 구성의

747 [sévənfɔ̀:r(ti)sévən] *n.* 보잉 747형 점보 제트기 (seven-forty-seven)

Séven Hílls (**of Róme**) [the ~] 로마의 7언덕 《이곳을 중심으로 고대 로마 시가 건설되었음》

sév·en-league bóots [-lì:g-] [the ~] 옛날 이야기 *Hop-o'-my-Thumb*에 나오는 한 걸음에 7리그 (약 21마일)를 걸을 수 있다는 신

séven líberal árts [the ~] 문법·논리·수사학·산수·기하·음악·천문 《중세의 주요 학과》

Séven Ságes [the ~] (고대 그리스의) 7현인

séven séas [the ~] 7대양 《남북 태평양·남북 대서양·인도양·남북 빙양(氷洋)》

7/7 [sèvənsévən] *n.* 2005년 7월 7일 발생한 런던 폭탄 테러

Séven Sísters [the ~] **1** 〖천문〗 묘성(昴星) (Pleiades) **2** (미국 동부의) 7대 명문 여자 대학 《Barnard, Bryn Mawr, Mount Holyoke, Radcliffe, Smith, Vassar, Wellesley》

Séven Stárs [the ~] 〖천문〗 묘성(昴星)

‡**sev·en·teen** [sèvəntí:n] *a.* **1** Ⓐ 17의, 17개[명]의 **2** Ⓟ 17세의
— *n.* **1 a** (기수의) 17 **b** 17의 기호(17, xvii, XVII) **2** [복수 취급] 17인, 17개; 17세; 17달러[파운드, 센트, 펜스] ***sweet*** **~** 묘령(妙齡)
— *pron.* [복수 취급] 17개, 17명

‡**sev·en·teenth** [sévəntì:nθ] *a.* **1** [보통 the ~] 제 17의, 17번째의 **2** 17분의 1의
— *n.* **1** [보통 the ~] **a** (서수의) 제 17 《略 17th》 **b** (한 달의) 17일 **2** 17분의 1
— *pron.* [the ~] 17번째의 사람[사물]

sév·en·teen-year lócust [-jìər-] 〖곤충〗 17년 매미 《유충기가 17년 걸림》

‡**sev·enth** [sévənθ] *a.* **1** [보통 the ~] 제7의, 7번째의 **2** 7분의 1의
— *ad.* 7번째로
— *n.* **1** [보통 the ~] **a** (서수의) 제7, 일곱 번째 《略 7th》 **b** (한 달의) 7일 **2** 7분의 1 **3** 〖음악〗 7도, 7도 음정
— *pron.* [the ~] 7번째의 사람[사물]
~·ly *ad.* 일곱(번)째로

thesaurus **settlement** *n.* **1** 식민, 이주 colonization, establishment, founding **2** 식민지, 거류지 community, colony, town, village **3** 해결 resolution, reconciliation, conclusion

séventh chòrd 〖음악〗 7화음 《3도 음정을 셋을 겹쳐서 구성하는 화음》

Séventh Dáy [보통 **S- d-**] 주의 제7일 《유대교 및 프렌드 교회에서는 토요일이 안식일》; (퀘이커 교도의) 토요일

sev·enth-day [sévənθdèi] *a.* **1** 주의 제7일인, 토요일의 **2** [보통 **Seventh-Day**] 토요일을 안식일로 삼는

Séventh-Day Ádventist [the ~s] 안식일 재림파[교단] 《토요일을 안식일로 함》; 안식일 재림파의 신도

Séventh Fléet [the ~] 〖미해군〗 제7함대

séventh héaven [the ~] 제7천(국) 《유대인·이슬람교도들이 여기에 하느님과 천사가 있다고 생각함》; 최고의 행복: in the ~ 더없는 행복 속에; 환희에 넘쳐 ***the ~ of delight*** 기쁨의 절정[극치]

*__sev·en·ti·eth__ [sévəntiiθ] *a.* **1** [보통 the ~] 제 70의, 70번째의 **2** 70분의 1의
— *n.* **1** [보통 the ~] (서수의) 제 70, 일흔번째 《略 70th》 **2** 70분의 1
— *pron.* [the ~] 70번째의 사람[사물]

‡**sev·en·ty** [sévənti] *a.* **1** Ⓐ 70의, 70개[명]의 **2** Ⓟ 70세의 ***~ times seven*** 〖성서〗 일곱 번씩 일흔 번이라도, 무수히
— *pron.* [복수 취급] 70개, 70명
— *n.* (*pl.* **-ties**) **1 a** (기수의) 70 **b** 70의 기호 《70, lxx, LXX》 **2** 70세; 70달러[파운드, 센트, 펜스], 70명, 70개 ***the seventies*** (세기의) 70년대; (연령의) 70대

sev·en·ty-eight [sévəntiéit] *n.* (구어) 78회전 레코드, SP 음반

sev·en·ty-five [-fáiv] *n.* **1** 75 **2** 〖군사〗 75밀리포 《제1차 대전 때의 야포》 — *a.* 75의

sev·en-up [sévənʌ́p] *n.* Ⓤ 〖카드〗 세븐업(all fours) 《2-4명이 6매의 패로 먼저 7점을 얻으면 이김》

Sev·en-Up, 7-Up [sévənʌ́p] *n.* 세븐업 《미국의 청량 음료; 상표명》

Séven Wónders of the Wórld [the ~] 세계의 7대 불가사의 《Egypt의 금자탑(Pyramids), Alexandria의 등대(Pharos), Babylon의 가공원(架空園)(Hanging Gardens), Ephesus의 Artemis 신전, Olympia의 Zeus 신상(神像), Halicarnassus의 영묘(Mausoleum), Rhodes의 거상(Colossus)》

sév·en-year ítch [-jìər-] **1** 〖병리〗 옴(scabies) **2** (익살) (결혼 후) 7년째의 권태(기)[바람기, 불만]

Séven Yèars' Wár [the ~] 7년 전쟁(1756-63) 《영국·프로이센 연합과 프랑스·오스트리아·러시아·스웨덴·작센 연합과의 전쟁》

*__sev·er__ [sévər] *vt.* **1** 절단하다, 자르다 《*from*》 (⇨ separate 유의어): ~ a rope 밧줄을 자르다 // (~+목+전+명) ~ a limb *from* the body 팔[다리]을 몸에서 절단하다 **2** 떼어 놓다(separate), 가르다(divide), 분리하다, 분할하다 《*into*》: (~+목+전+명) The world is ~*ed into* two blocks. 세계는 두 진영으로 갈라져 있다. **3** 〈인연·관계 등을〉 끊다, …의 사이를 가르다, 불화하게 하다: ~ husband and wife 부부의 사이를 갈라놓다, 이간시키다 **4** 〖법〗 〈재산·권리·책임 등을〉 가르다, 〈공유(共有)·심리(審理)를〉 분리하다(divide), 별개의 것으로 다루다
— *vi.* **1** 끊어지다, 갈라지다, 떨어지다, 분리하다 **2** 단절하다; 사이를 가르다 ▷ séverance *n.*

sev·er·a·ble [sévərəbl] *a.* **1** 절단할 수 있는 **2** 〖법〗 〈계약 등이〉 분리할 수 있는, 가분(可分)의
sèv·er·a·bíl·i·ty *n.*

‡**sev·er·al** [sévərəl] *a.* **1** Ⓐ (두셋은 아니고) 몇몇의, 수개의, 몇 개의, 몇 명[사람]의, 몇 번의: ~ ways to do the same thing 같은 일을 하는 몇몇의 방법 / I have been there ~ times. 몇 번인가 거기에 가 본 적이 있다.

> 유의어 **several** a few보다는 많고 many보다는 적다는 느낌을 나타내며 대체로 3, 4, 5 정도의 수를 뜻한다. **a few**는 「소수」의 뜻을 내포하는 수도 있지만 several에는 그런 뜻이 내포되어 있지는 않으며, 또 some처럼 막연한 느낌은 없다.

2 (문어) **a** [보통 one's ~로] 따로따로의, 각각의, 각자의: They went *their* ~ ways. 그들은 각자의 길을 갔다. / *S*~ men, ~ minds. (속담) 각인 각색. **b** 여러 가지의: ~ occasions 여러 가지 경우 **3** 〖법〗 (joint에 대하여) 단독의, 개별적인: a joint and ~ liability[responsibility] 연대 및 단독 채무[책임] ***every*** [***each***] ~ 각각의, 각자[각개]의
— *pron.* [복수 취급] 몇몇, 몇 개, 수개, 수명, 네댓 개 ***in ~*** (고어) 따로따로, 개별적으로

séveral estàte 개별[1인 전유] 재산

sev·er·al·fold [sévərəlfòuld] *a.* 수겹의, 수배의: a ~ increase 몇 배의 증가 — *ad.* 수겹으로, 수배로

sev·er·al·ly [sévərəli] *ad.* 따로따로, 개별적으로, 단독으로; 각각(respectively)

sev·er·al·ty [sévərəlti] *n.* Ⓤ **1** 각자, 개별(성) **2** 〖법〗 단독 보유; 단독 보유지[재산]: estate in ~ 단독 보유 물권

sev·er·ance [sévərəns] *n.* Ⓤ **1** 단절, 분리, 격리; 절단, 분할 **2** (고용의) 계약 해제 **3** 〖법〗 (합유·공유·소송) 분리

séverance pày [**pàckage**] 퇴직금, 퇴직[해직] 수당

séverance tàx (미) 주외(州外) 소비세 《석유·가스 등의 천연자원을 생산하는 주(州)가 자원을 다른 주(州)에 팔 때 과하는 세금》

‡**se·vere** [səvíər] *a.* (**se·ver·er**; **-est**) **1** 엄한, 엄중한; 호된, 모진; 비판적인; 가혹한; 〈태도·외견이〉 엄숙한, 무서운: ~ criticism 엄한 비평 / Don't be so ~ with the children. 아이들에게 그렇게 엄하게 굴지 마라. **2** 〈검사 등이〉 엄격한, 엄정한, 엄밀한 《*on*》 (⇨ strict 유의어): ~ standards 엄한 규준 **3** 〈복장·건축물·문체 등이〉 간소한, 수수한, 소박한 **4** 〈태풍·병 등이〉 심한, 맹렬한, 격심한, 위험한, 중한: a ~ illness 중병 / ~ thunderstorms 맹렬한 뇌우 / a ~ shock 심한 충격 **5** 〈일 따위가〉 힘드는, 어려운: a ~ test of strength 힘에 부치는 테스트 **~·ness** *n.*
▷ sevérity *n.*; sevérely *ad.*

sevére combíned immunodefíciency [**immúne defíciency**] 〖병리〗 중증 복합형 면역 부전증 《선천성 이상으로 면역 기능이 불완전함; 略 SCID》

‡**se·vere·ly** [səvíərli] *ad.* **1** 심하게, 엄하게, 엄격하게, 혹독하게: be ~ ill 중병이다 / suffer ~ from …로 몹시 고생하다 / Discipline was ~ enforced. 훈련[규율]은 엄하게 실시되었다. **2** 간소하게, 수수하게 ***leave*** [***let***] ***… ~ alone*** (싫어서) …을 일부러 피하다, 꺼려 멀리하다

*__se·ver·i·ty__ [səvérəti] *n.* (*pl.* **-ties**) **1** Ⓤ **a** 격렬, 혹독(harshness) **b** 엄격, 엄정(accuracy): with ~ 엄하게 **c** 통렬함, 신랄함, 격렬함 **d** 괴로움, 쓰라림 **2** 간소, 수수함, 소박한 멋 **3** [보통 *pl.*] 모진 경험, 가혹한 처사 ▷ sevére *a.*

Sev·ern [sévərn] *n.* [the ~] 세번 강 《잉글랜드 남서부의 강》

Se·ve·rus [səvíərəs] *n.* 세베루스 **Lucius Septimius ~** (146-211) 《로마 황제(193-211)》

sev·ika [séivikə] *n.* (인도) **1** 여자 하인 **2** 여자 사회 복지사(cf. SEVAK)

Se·ville órange [səvíl-] (영) = BITTER ORANGE

Sev·in [sévin] *n.* 세빈 《카르밤산계의 살충제; 상표명》

Sè·vres [sévrə | séivrə] *n.* **1** 세브르 《프랑스의 센 강가의 도시》 **2** Ⓤ 세브르 도자기(=~ **wàre**) 《세브르산(産) 고급 도자기》

---

severe *a.* **1** 엄한, 가혹한 rigorous, harsh, hard, strict, relentless, merciless, ruthless **2** 엄숙한 stern, grim, austere, disapproving **3** 심한, 맹렬한 extreme, serious, acute, fierce, violent, intense

‡sew [sóu] *v.* (**~ed**; **sewn**[sóun], **~ed**) *vt.* **1** 바느질하다, 꿰매다, 깁다; 꿰매어 달다; 박다; 꿰매어 맞추다 《*up*》: ~ cloth 천을 바느질하다 // (~+목+전+명) ~ a button *on* a coat 윗옷에 단추를 꿰매어 달다 **2** 재봉하여 만들다: ~ a shirt 셔츠를 재봉하여 만들다 **3** 〈구멍·상처 등을〉 꿰매어 막다[붙이다], 봉합하다 《*up*》; …을 넣어 꿰매다: ~ flour in a bag 밀가루를 자루에 넣어 꿰매다 **4** 〚제본〛 〈책을〉 철하다(bind), 제본하다
— *vi.* 바느질[재봉]하다, 재봉틀로 박다
~ **up** (1) 꿰매어 맞추다, 꿰매어 붙이다; 봉합하다 (2) [보통 수동형으로] 《영·구어》 녹초가 되게 하다; (곤드레만드레로) 취하게 하다; 막다르게 하다; 《속어》 속이다 (3) 《미》 독점하다, 지배권을 잡다; (배우 등과) 독점 계약하다; 《구어》 〈표를〉 확보하다; 〈선거·경기 등을〉 확실한 것으로 하다: ~ *up* votes at a convention 집회에서 표를 확보하다 (4) 《구어》 〈교섭 등을〉 잘 결정 짓다[성사시키다], 잘 마무리 짓다, 체결하다: ~ *up* a deal 교섭을 잘 결정 짓다
~·a·ble *a.* sèw·a·bíl·i·ty *n.*

sew·age [sú:idʒ | sjú:-] *n.* Ⓤ 하수 오물, 오수, 하수 — *vt.* …에 하수 비료를 주다

séwage dispòsal 하수 처리

séwage fàrm 하수 관개 이용 농장

séwage (tréatment) plànt 《특히 미》 하수 처리 시설(sewage works)

séwage wòrks 하수 처리장[시설]

se·wan [sí:wən] *n.* = WAMPUM

***sew·er¹** [sú:ər | sjúə] 〔MF 「배수하다」의 뜻에서〕 *n.* **1** 하수구(溝), 하수(도), 하수 본관: a ~ system 하수구 시설 **2** 〚해부·동물〛 배설공(排泄孔)
— *vt.* 〈시내 등에〉 하수도 설비를 하다

sewer² *n.* 〚역사〛 (중세 유럽의) 급사장, 조리장(調理長)

sew·er³ [sóuər] *n.* 바느질하는 사람[기계], 재봉사

sew·er·age [sú:əridʒ | sjúər-] *n.* Ⓤ **1** = SEWAGE **2** 하수 설비; 하수도 **3** 하수 처리

séwer gàs [sú:ər- | sjúə-] 하수 가스 《메탄 가스·이산화탄소를 포함하는》

séwer gràte [sú:ər- | sjúə-] 《미》 하수구, 배수구

sew·er·mouth [sú:ərmàuθ] *n.* 입정 사나운 사람

séwer ràt [sú:ər-] 〚동물〛 시궁쥐

***sew·ing** [sóuiŋ] *n.* Ⓤ **1** 재봉, 바느질 **2** [집합적] 바느질감 **3** [*pl.*] 바느질실(=∠ **thrèad**)

séwing bàsket 반짇고리

séwing cìrcle (자선의 목적으로 정기적으로 여자들이 모이는) 재봉 봉사회

séwing còtton (무명) 바느질실, 재봉실

séwing machìne **1** 재봉틀: a hand[an electric] ~ 수동[전동] 재봉틀 **2** 제본(製本) 재봉틀

séwing nèedle 바느질 바늘; 《미·방언》 잠자리(dragonfly)

***sewn** [sóun] *v.* SEW의 과거분사

sex** [séks] *n.* **1** Ⓤ 성, 성별, 남녀별: a member of the same[opposite] ~ 동성[이성]의 사람 **2** [보통 the ~; 집합적] 남성, 여성; [the ~] 《익살》 여자, 여성; [*pl.*] 양성: the equality of the *~es* 남녀평등 / a school for both *~es* 남녀 공학 / the male [rough(er), sterner, stronger] ~ 남성 / the female[fair, gentle, second, softer, weaker] ~ 여성 **3** Ⓤ 섹스, 성적임; 성욕; 성교; (여자) 성기(genitalia): ~ before marriage 혼전 성 관계 ***have **~** (…와) 성 관계를 갖다 《*with*》 ***without distinction of age or*** **~** 남녀노소의 구별 없이
— *a.* Ⓐ **1** 성의 차에 의한 **2** = SEXUAL
— *vt.* 〈병아리의〉 성을 감별하다 **~ *it up*** 《속어》 서로 열렬히 애무하다 **~ *up*** 《구어》 (1) …의 성욕을 자극하다, 성적으로 흥분시키다 (2) …의 성적 매력을 돋우다
▷ séxual, séxy *a.*

sex- [seks], **sexi-** [séksə] 《연결형》 「6」의 뜻(cf. HEX(A)-)

séx àct 성교

sex·a·ge·nar·i·an [sèksədʒənέəriən] *a., n.* 60세[대]의 (사람)

sex·ag·e·nar·y [seksǽdʒənèri | -nəri] *a.* 60(살)의, 60대의; 60을 단위로 하는
— *n.* (*pl.* **-nar·ies**) = SEXAGENARIAN

Sex·a·ges·i·ma [sèksədʒésəmə, -dʒéizə- | -dʒési-] *n.* 사순절 전의 제 2 일요일(=∠ **Súnday**)

sex·a·ges·i·mal [sèksədʒésəməl] *a.* 60의; 60씩 세는; 60분[진법(進法)]의; 60을 단위로 하는
— *n.* 60분수(分數)

sex·an·gle [séksæ̀ŋgl] *n.* 〚수학〛 6각형

sex·an·gu·lar [seksǽŋgjulər] *a.* 6각형의

séx appèal **1** 성적(性的) 매력, 이성을 끄는 힘 **2** 《일반적으로》 매력: The new theory has much ~. 그 새로운 이론은 꽤 매력이 있다.

sex-blind [séksblàind] *a.* 성 차별을 하지 않는, 성별을 따지지[상관] 않는

séx bòmb 《속어》 육체파 여성(sexpot)

séx cèll 〚생물〛 성세포(gamete)

sex·cen·te·na·ry [sèkssenténəri | -tí:-] *a.* 600년(제)의, 600의 — *n.* (*pl.* **-nar·ies**) 600년(기념)제(cf. CENTENARY)

séx chànge (수술에 의한) 성전환

séx chròmatin 〚생물〛 성염색질(Barr body)

séx chròmosome 〚생물〛 성염색체

séx clìnic 성문제 상담실[진료소]

sex·cur·sion [sekskə́:rʒən, -ʃən] *n.* (남자의) 섹스 목적의 여행

sex·de·cil·lion [sèksdisíljən] *n.* (*pl.* **~s**, [수사 뒤에서] ~) 섹스데실리온 《《미·프랑스》 1,000의 17제곱; 《영·독일》 1,000의 32제곱》
— *a.* 섹스데실리온의

séx determinàtion 〚생물〛 (수태시의) 성의 결정

sexed [sékst] *a.* **1** 유성(有性)의, 성의 **2 a** 성욕이 있는 **b** 성적 매력이 있는

séx educàtion 성교육

sexed-up [sékstʌ́p] *a.* 《구어》 **1** 성적으로 흥분한 **2** 섹스 문제를 가미한: a ~ movie of a novel 소설을 섹시하게 윤색한 영화

sex·en·ni·al [seksénial] *a.* **1** 6년에 한 번의, 6년마다의 **2** 6년간 계속되는
— *n.* 6년마다의 행사, 6년제 **~·ly** *ad.*

sex·foil [séksfɔ̀il] *n.* **1** 〚건축〛 6엽식(葉飾)(cf. TREFOIL) **2** 〚식물〛 6엽 식물[꽃]

séx glànd 〚해부〛 생식선(gonad)

sex-god·dess [séksgɑ̀dis] *n.* 《미·속어》 관능적 여배우

séx hòrmone 〚생화학〛 성호르몬

séx hỳgiene 성위생(학) 《개인·사회 복지와 연관하여 성과 성행동을 취급하는 위생학의 일부문》

sexi- [séksə] 《연결형》 = SEX-

sex·i·dec·i·mal [sèksədésəməl] *a.* 16진법의

sex·il·lion [seksíljən] *n.* = SEXTILLION

sex·i·ly [séksili] *ad.* 《구어》 섹시하게

sex-in·clu·sive [séksinklù:siv] *a.* 성(性) 포괄적인 〈단어 등〉

séx ìnstinct 성 본능

sex·ism [séksizm] *n.* Ⓤ 성 차별 (주의); 《특히》 여성 멸시, 남성 상위 주의

sex·ist [séksist] *n., a.* 성 차별 주의자(의)

sex·i·va·lent [sèksəvéilənt] *a.* 〚화학〛 6가(價)의

séx jòb 《속어》 **1** 쉽게 낚을 수 있는 여자 **2** 성적 매력이 있는 사람[여자]

séx kìtten 《구어》 성적 매력이 있는 젊은 여자

sex·less [séksllis] *a.* **1** 무성의, 남녀[암수]의 구별이 없는, 중성의 **2** 성적 매력[감정]이 없는, 성적으로 냉담한 **~·ly** *ad.* **~·ness** *n.*

séx lìfe 성생활

sex-lim·it·ed [sékslìmitid] *a.* 〚유전〛 한성(限性)의 《유전자의 성질이 한쪽에만 나타나는 경우》

séx lìne (상업적인) 음란 전화

sex-link·age [sékslìŋkidʒ] *n.* Ⓤ 〖유전〗 반성(伴性) 유전

sex-linked [-lìŋkt] *a.* 〖유전〗 반성(伴性)의, 〈형질이〉 염색체에 위치한 유전 인자에 의해 결정되는

séx màniac 색정광(色情狂), 색광, 색골

séx òbject 성적 대상(이 되는 사람)

séx offènder 성범죄자

sex·ol·o·gy [seksɑ́lədʒi | -sɔ́-] *n.* Ⓤ 성과학, 성에 관한 연구 **-gist** *n.*

séx òrgan 성기(sexual organ)

sex·par·tite [sekspɑ́:rtait] *a.* **1** 6부분으로 나누어진 **2** 〖식물〗 6가닥으로 갈라진 **3** 〖건축〗 6분할의

sex·pert [sékspə:rt] [*sex*+ex*pert*] *n.* (속어) 성문제 전문가

séx plày 성교 전의 애무, 성행위의 전희(前戲)(foreplay)

sex·ploi·ta·tion [sèksplɔitéiʃən] [*sex*+ex*ploitation*] *n.* Ⓤ 성을 이용하기, (영화 등에서의) 성의 상업화, 성적 착취

sex·ploit·er [séksplɔ̀itər] *n.* (구어) 성을 상업화한 영화, 포르노 영화

sex·pot [sékspɑ̀t | -pɔ̀t] *n.* (구어) 성적 매력이 대단한 사람, 섹시한 사람

séx ràtio 성비 《여자 100에 대한 남자의 인구비》

séx ròle 성의 역할 《한쪽 성에는 적합하나 다른 쪽에는 부적당한 작업·활동》

séx shòp 포르노 가게 《포르노 잡지·사진·성기구·최음제 등을 파는 곳》

séx sỳmbol 섹스 심벌, 성적 매력으로 유명한 사람

sext [sékst] *n.* **1** 〖가톨릭〗 6시경(時經), 육시과(六時課) 《정오의 성무일도(聖務日禱)》 **2** 〖음악〗 6도 음정

sex·tain [sékstein] *n.* 〖시학〗 **1** 6행 연구(聯句) **2** = SESTINA

sex·tan [sékstən] *a.* 〈열 등이〉 6일마다 오르는
— *n.* 〖의학〗 6일열

Sex·tans [sékstənz] *n.* [the ~] 〖천문〗 육분의(六分儀) 자리 《별자리》

sex·tant [sékstənt] *n.* **1** 6분의(分儀)(cf. OCTANT) **2** 원(圓)의 6분의 1, 6분원(六分圓) **3** [the S~] 〖천문〗 = SEXTANS

séx tèst 〖스포츠〗 성(性)검사 《정식으로는 femininity test》

sex·tet(te) [sekstét] *n.* **1** 〖음악〗 6중창[주](곡); 6인 합창[합주]대, 6중창단(⇨ solo 관련) **2** 6개 한 벌, 6인조; (하키 등의) 6인 팀

séx thèrapy 섹스 요법, 성치료, 성적 장애 치료 《심리 요법으로 성불능·불감증 등을 고치는》

sex·tile [sékstil, -tail] *a.* 〖천문〗 2개의 천체의 위치가 서로 60도 떨어진
— *n.* 60도 떨어진 위치[시좌]

sex·til·lion [sekstíljən] *n.* 섹스틸리언 《(미·프) 1,000의 7제곱; (영·독) 1,000의 12제곱》
— *a.* 섹스틸리언의

sex·to [sékstou] *n.* (*pl.* **~s**), *a.* = SIXMO

sex·to·dec·i·mo [sèkstoudésəmòu] *n.* (*pl.* **~s**), *a.* = SIXTEENMO

sex·ton [sékstən] *n.* 교회의 머슴, 교회지기 《종도 치고 무덤도 파는》

séx tòurism 섹스 관광 《매춘 규제가 없는 외국으로의 여행》

sex·tu·ple [sekstjú:pl | sékstjupl] *a.* **1** 6겹의; 6배의(sixfold); 6부분으로 된 **2** 〖음악〗 6박자의: ~ rhythm 6박자 — *n.* 6배(의 것)
— *vt.* 6배하다, 6겹으로 하다 — *vi.* 6배로 되다(cf. QUADRUPLE)

sex·tu·plet [sekstʌ́plit, sékstju- | sékstju-] *n.* **1** 여섯 쌍둥이의 한 사람(⇨ twin 관련); [*pl.*] 여섯 쌍둥이 **2** 여섯 개 한 벌 **3** 〖음성〗 6연부(連符)

sex·tus [sékstəs] *a.* (영) (동성(同姓)의 남학생 가운데의) 6번째의(⇨ primus[1])

sex·typ·ing [sékstàipiŋ] *n.* 성적 분업 할당[분업화]

‡**sex·u·al** [sékʃuəl, -sju-] *a.* **1** 성의, 성에 관한; 유성의; 남녀[암수]의; 생식의: ~ appetite 성욕 / ~ diseases 성병 / ~ organs 성기, 생식기 / ~ orientation[preference] 성적 기호 《특히 동성애》 / ~ perversion 변태 성욕 / ~ system[method] 〖식물〗 자웅 분류법 《린네의 인위(人爲) 분류법》 **2** 성적인, 성적 관심이 강한: ~ excitement 성적 흥분 / ~ morality 성도덕 **~·ly** *ad.* 남녀[암수]의 구별에 따라, 성적으로
▷ séx, sexuálity *n.*

séxual abúse 성적 학대

séxual assáult 성폭행, 강간(rape)

séxual deviátion 〖정신의학〗 성적 도착

séxual discriminátion 성 차별

séxual generàtion 〖식물〗 배우체(配偶體) 발생[생식]

séxual harássment (특히 여성을) 성적으로 괴롭히기, 성희롱

séxual íntercourse 성교(coitus)

***sex·u·al·i·ty** [sèkʃuǽləti | -sju-] *n.* Ⓤ **1** 성별, 성적 특질, 남녀[암수]의 구별, 성징(性徵) **2** 성적 관심; 성욕; 성행위

sex·u·al·ize [sékʃuəlàiz | -sju-] *vt.* **1** …에 남녀[암수]의 구별을 짓다, 성적 특징을 주다 **2** …에 성감을 주다

séxually transmítted diséase (임질·매독 등) 성적 접촉으로 감염되는 병, 성병(venereal disease) 《略 STD》

séxual pólitics 성의 정치학 《남녀 양성간의 질서·지배 관계》

séxual relátions 성관계, 성교, 교접

séxual reprodúction 〖생물〗 유성 생식

séxual seléction 자웅 선택[도태(淘汰)] 《생물의 암·수컷이 상대를 선택할 때 색채·행동·울음소리 등의 상대를 끄는 특징에 의한다는 Darwin의 학설》

séx wòrker 성 노동자 《매춘부를 점잖게 이르는 말》

sex·y [séksi] *a.* (**sex·i·er**; **-i·est**) (구어) **1** 성적 매력이 있는, 섹시한; 매력적인, 남의 눈을 끄는 **2** 성적인, 도발적인; 아슬아슬한, 외설적인: a ~ novel 음란 소설 **séx·i·ness** *n.*

Sey·chelles [seiʃél(z)] *n. pl.* **1** 세이셸 《인도양 서부의 92개 섬들로 이루어진 공화국; 수도 Victoria》 **2** [the ~] 세이셸 제도

Séy·fert gàlaxy [sáifərt-, sí:-] 〖천문〗 시퍼트 은하 《중심핵이 밝은 한 무리의 소우주》

Sey·mour [sí:mɔ:r] *n.* 남자 이름

sez [séz] [발음대로의 철자] *v.* (속어) = SAYS
S~ you*[*he*]*! (불신하거나 비꼬듯이) 말씀은 그러하나 글쎄올시다, 설마

sf science fiction; 〖음악〗 sforzando **s.f.** signal frequency; *sub finem* 《L = near the end》; surface foot **S.F.** sinking fund; Sinn Fein **S.F.A.** Scottish Football Association 스코틀랜드 축구 협회 **Sfc.** sergeant first class

sfer·ics [sfíəriks | sfér-] *n. pl.* [단수 취급] 〖통신〗 공전(空電); [단수·복수 취급] 전자적 태풍 관측 장치

SFO Serious Fraud Office

sfor·zan·do [sfɔ:rtsɑ́:ndou], **-za·to** [-tsɑ́:tou] [It. 「강요하다」의 뜻에서] *a., ad.* 〖음악〗 강음의[으로], 특히 힘찬[힘차게], 힘을 준 《略 sf, sfz》

S.F.R.C. (미) Senate Foreign Relations Committee **S.F.S.R.** Soviet Federated Socialist Republic

sfu·ma·to [sfu:mɑ́:tou] [It.] *n.* (*pl.* **~s**) 〖회화〗 스푸마토, 바림법

SFX special effects 〖영화·TV〗 특수 효과 **sfz** 〖음악〗 sforzando **SG** senior grade **sg.** singular **s.g.** specific gravity **S.G.** Secretary General; Solicitor General; Surgeon General **sgd.** signed **s.g.d.g.** *sans garantie du gouvernement* 《F = without government guarantee》

SGML Standard Generalized Markup Language (표준화된 범용 표시 언어)

sgraf·fi·to [skrɑːfíːtou] *n.* (*pl.* **-ti** [-tiː]) (도료·플라스터·이장(泥漿) 등의 표면을 굳기 전에 긁어 바탕의 대조적인 색조를 드러나게 하는) 장식 기법; 그 장식을 한 도자기

Sgt. Sergeant **Sgt. Maj.** Sergeant Major

sh [ʃ] *int.* 쉿 《조용히 하라는 소리》

sh. 〖증권〗 share(s); sheep; 〖제본〗 sheet; shilling(s); shunt **S.H.** School House **SHA** 〖항해〗 sidereal hour angle

Sha·ba [ʃɑ́ːbə] *n.* 샤바 주(州) 《콩고민주공화국 남동부에 있는 주》

Sha·'ban [ʃəbɑ́ːn, ʃɑː-, ʃɔː-] *n.* 이슬람력(曆) 제8월

Shab·bat [ʃəbɑ́ːt, ʃɑ́ːbəs] *n.* = SABBATH

‡**shab·by** [ʃǽbi] *a.* (**-bi·er**; **-bi·est**) **1** 초라한, 헙수룩한 차림의, 누더기를 걸친 **2** 낡아빠진, 헐어빠진, 허름한, 해진, 누더기의(cf. SMART ㉡); 보잘것없는, 시시한 **3** 〈거리·주거 등이〉 지저분한, 누추한, 더러운: a ~ hotel 낡고 더러운 호텔 **4** 비열한, 비루한, 칙살스러운; 인색한: ~ behavior 수치스러운 행동
sháb·bi·ly *ad.* **sháb·bi·ness** *n.*

shab·by-gen·teel [ʃǽbidʒentíːl] *a.* 영락했지만 체면을 차리는, 허세 부리는 **-gen·tíl·i·ty** *n.*

shab·rack [ʃǽbræk] *n.* 안장 방석[덮개]

Sha·bu·oth [ʃəvúːous, -əs] *n.* 〖유대교〗 오순절(五旬節)(Pentecost)

***shack** [ʃǽk] *n.* **1** 판잣집, 오두막[통나무]집 **2** [보통 수식어와 함께] (…의) 오두막집, 방, 실(室): a radio ~ 무선 통신실 **3** 《속어》 〖철도〗 (화물 열차의) 제동원
— *vi.* 《구어》 살다 《*in*》, 묵다 **~ *up*** 《속어》 동거하다; 내연 관계를 맺다 《*with*》; 살다, 정착하다

sháck jòb 《미·속어》 내연[동거](의 상대자)

***shack·le** [ʃǽkl] *n.* **1 a** [보통 *pl.*] 수갑, 족쇄, 차꼬 **b** 《문어》 [종종 *pl.*] 속박, 구속, 계루(係累) **2** (맹꽁이 자물쇠의) 걸쇠; (철도의) 연환(連環); (연결용) U자형 고리; (문장(紋章)의) 쇠고리줄 모양; 〖전기〗 찻잿반 모양의 노브(knob) 애자(碍子)
— *vt.* (**shack·led**; **-ling**) **1** 족쇄[수갑]를 채우다, 쇠사슬로 붙들어 매다 **2** 구속하다, 속박하다; 방해하다
sháck·ler *n.*

sháck ràt 《미·속어》 (여자와) 동거 생활을 하고 있는 병사

shad [ʃǽd] *n.* (*pl.* **~, ~s**) 〖어류〗 청어 무리 《북미 북대서양 연안에 많음》 ★ 종류를 나타낼 때의 복수는 shads.

shad·ber·ry [ʃǽdbèri | -bəri] *n.* (*pl.* **-ries**) 〖식물〗 채진목(의 열매)

shad·bush [-bùʃ] *n.* 〖식물〗 채진목

Shad·dai [ʃɑːdɑ́i] [Heb.] *n.* 신, 전지전능의 하느님

shad·dock [ʃǽdək] *n.* 〖식물〗 왕귤나무(의 열매) (cf. POMELO, GRAPEFRUIT)

‡**shade** [ʃéid] *n.*, *v.*

> 「그늘」 **1** ─┬(그늘의 정도) → 「색의 농도」 **4**
> └(그늘지게 하는 것) → 「차양」 **5**

— *n.* **1** Ⓤ Ⓒ **그늘**, 응달, 음지, 그늘진 곳(cf. SHADOW) 《★ a+형용사+~의 형태를 취할 때가 있음》: The tree makes *a pleasant* ~. 그 나무는 기분 좋은 그늘을 만들어 준다.

> 유의어 **shade** 빛·햇빛이 물체에 가려서 생기는 그늘 **shadow** 빛이 가려서 생기는 윤곽이 뚜렷한 그림자: the *shadow* of a dog 개의 모습[그림자]

2 [*pl.*] 《문어》 땅거미, 어스름, 어둠 **3** 으슥한 곳, 눈에 안 띄는 장소, 드러나지 않은 상태; (얼굴의) 어두운 기색 **4** Ⓤ (그림·사진 등의) 그늘 (부분), 음영; Ⓒ 명암[농담]의 정도, 색의 농도, 색조(⇨ color 유의어) **5** 차양(blind); 빛을 가리는[부드럽게 하는] 것, 해가리개; 차일, 커튼, 유리창 가리개; 양산(parasol); (전등 등의) 갓, 보안용 챙(eyeshade); [*pl.*] 《구어》 선글라스(sunglasses) **6** 《문어》 망령; 영혼; [the ~s] 저승, 황천; 무덤, 죽음 **7** [*pl.*] 지하 포도주 저장실; 호텔의 바(bar) **8** 《시어》 그림자(shadow) **9** [a ~] **극소한 양[정도]**, 기미, 약간, 티; [부사적으로] (아주) 조금, 다소: *a* certain ~ of disapproval 찬성하지 않는 기미 / *a* ~ better 아주 조금 나아[나은] / There is not *a* ~ of doubt. 티끌만 한 의심도 없다. / coffee with *a* ~ of cream 크림을 조금 넣은 커피 / *a* ~ difference 아주 작은 차이 **10** (의미·색조의) **근소한[미미한] 차이**, 사소한 차이 《*of*》: delicate ~*s of* meaning 의미의 미묘한 차이

in the* ~** (1) 응달[나무 그늘]에(서)(cf. in the SUN) (2) 빛을 잃고, 눈에 띄지 않게; 망각되어: *in the* ~ of obscurity 사람 눈을 피하여; 사람들에게 잊혀져 ***light and* ~** 명암, 천양지판: without *light and* ~ 명암이 없는; 단조로운 ***put [***throw, cast***] a person[thing] ***in*** [***into***] ***the* ~** 무색하게 하다, 지우다 ***remain in the* ~** 은둔해 있다, 세상에 알려지지 않고 있다 ***S~s of*** 《구어》 …을 생각나게 하는 것 ***the shadow of a* ~** 헛것, 가상(假象), 환영(幻影)
— *vt.* **1** 그늘지게 하다, …위에 그늘을 만들다 **2** 어둡게 하다, 흐리게 하다(darken) 《*with*》: A sullen look ~*d* his face. 못마땅한 빛이 그의 얼굴을 어둡게 했다. // 《~+목+전+명》 a face ~*d with* melancholy 우울한[어두운] 얼굴 **3** (보이지 않게) 감추다, 가리다 **4** (물체에) 빛[열]이 닿지 않도록 하다; (칸막이 등으로) 〈빛·열을〉 가로막다, 차단하다; 갓[차양, 차일]을 달다 《*with*》; 덮다(cover): a ~*d* lamp 갓을 씌운 전등 / ~ a light 빛을 가리다 // 《~+목+전+명》 ~ one's eyes *with* one's hand 손으로 눈 위를[햇빛을] 가리다 **5** (그림·사진 등에) 그늘을 짓다; 명암[음영, 농담]을 나타내다; 바림을 하다 **6** 〈의견·의미·태도 등을〉 차츰[조금씩] 변화시키다 **7** 《구어》 〈값을〉 조금 내리다, 할인하다: ~ the price 값을 깎다 **8** (오르간 등의) 음조를 늦추다[조절하다]
— *vi.* 〈빛깔·의견·방법·뜻 등이〉 차츰 변화하다 《*away, off, into*》 **~·ful** *a.* ▷ shády *a.*

shade·less [ʃéidlis] *a.* 그늘이 없는

sháde plànt 녹음수(綠陰樹); 음성(陰性) 식물

sháde trèe 그늘을 짓는 나무, 햇살을 가리는 나무

shad·i·ly [ʃéidili] *ad.* 응달져서, 그늘이 되어; 어둡게; 수상쩍게

shad·i·ness [ʃéidinis] *n.* Ⓤ 그늘짐; 뒤가 켕김, 수상쩍음

shad·ing [ʃéidiŋ] *n.* Ⓤ **1** 그늘지게 하기, 차광, 햇빛 가림 **2** 〖회화〗 묘영(描影)[명암]법, 농담, 음영 **3** Ⓒ (빛깔·성질 등의) 근소한[점차적인] 변화, 미묘한 차이

sha·doof, -duf [ʃɑːdúːf | ʃə-] *n.* (이집트 등의 관개용) 방아두레박

‡**shad·ow** [ʃǽdou] *n.* **1 a** (뚜렷한) **그림자**, 투영(投影); 사람 그림자(⇨ shade 유의어): the ~ of a building 건물의 그림자 **b** Ⓤ 응달, 그늘(shade); (그림·사진·뢴트겐 등의) 그늘, (명암의) 암(暗) **2** 영상(影像), (물이나 거울 등에 비치는) 영상(映像); 희미한 모습[흔적]: one's ~ in the mirror 거울에 비친 자기 모습 **3** 환영, 실체가 없는 것; (쇠약하여) 뼈와 가죽뿐인 사람; 유령, 망령 **4** (어떤 물건의) 그림자 같은 것, 옛 모습[자취], 이름만의 것: the ~ of power 이름뿐인 권력 **5** [보통 부정문·의문문을 수반하여] 아주 조금, 기미: There is *not* a ~ of doubt about it. 티끌만큼도 의심할 여지가 없다. **6** (그림자처럼) 늘 따라다니는 자, 늘 붙어 지내는 사람; 분신; 탐정, 형사, 스파이, 미행자 **7** [the ~(s)] 어둠, 저녁의 어둠, 컴컴함, 침침함; 마음의 그늘; Ⓒ (불행·의혹 등의) 어두운 그림자; (공포·위압감 등의) 위협, 영향력, 암운 《*of*》: the ~ *of* war 전쟁의 위협 **8** 그림자 지는 곳, 세력 범위 **9** Ⓤ 〖성서〗 (하느님의) 비호, 보호(shelter), 옹호

thesaurus **shackle** *n.* **1** 족쇄 chain, fetter, bond, manacle, tether, rope, handcuff **2** 속박 deterrent, restraint, impediment, obstacle, con-

10 전조, 조짐, 암시: Coming events cast their ~(*s*) before (them). 일이 일어날 때는 전조가 있는 법이다. **11** Ⓤ [the ~] 사람 눈에 띄지 않음(obscurity), 알려지지 않은 곳
be afraid [***scared, frightened***] ***of*** one***'s own*** ~ 자기 그림자를 무서워하다, 지나치게 겁을 내다 ***beyond the ~ of a doubt*** 추호도 의심하지 않고 ***cast a long ~*** 중요하다, 뛰어나다 ***catch at ~s*** 그림자를 잡으려고 하다, 헛수고하다 ***grasp at the ~ and lose the substance*** 그림자를 잡으려다 실체를 잃다 ***have only the ~ of freedom*** 명색뿐인 자유밖에 없다 ***in the ~ of*** (1) …보다 눈에 띄지[두드러지지] 않고 (2) = under the SHADOW of (1), (2). ***live in the ~*** 그늘에 살다, 세상에 알려지지 않고 살다 ***May your ~ never grow*** [***be***] ***less!*** 오래도록 건강하시기를 빕니다; 더욱 더 번영하시기를 빕니다! ***the mere ~ of*** one***'s former self*** 알아볼 수 없을 만큼 변해버린 모습 ***the ~ of death*** 죽음의 그림자, 죽음의 상(相) ***under the ~ of*** (1) …의 바로 가까이의[에서] (2) 《문어》 …의 보호[비호] 아래에서 (3) …의 위험이 있어; …의 운명을 지고 ***within the ~ of*** …의 바로 곁에 ***worn to a ~*** 앙상하게 야위어
— *a.* Ⓐ **1** 그림자의 **2** 실체가 없는, 이름뿐인 **3** 비공인의; 《영》 그림자 내각의, 재야 내각의: a ~ government 그림자 정부
— *vt.* **1** 그늘지게 하다(shade) **2** 어둡게 하다(darken), 흐리게 하다(cloud); 음울하게 하다 **3** 〈물체 등에〉 빛[열]이 닿지 못하게 하다; 〈빛·열을〉 차단하다, 가로막다(shade): 《~+목+전+명》 ~ the heat *from* one's face 얼굴에 열이 닿지 않도록 가로막다 **4** 막연히 나타내다, 어렴풋이 보이다[나타내다]; 상징하다; …의 전조가 되다 《*forth, out*》: 《~+목+부》 ~ *forth* future events 장래에 일어날 일의 조짐을 나타내다 **5** 그림자처럼 따라다니다, 미행하다, 뒤를 밟다: He testified that he had been ~*ed* by a man. 그는 한 사나이에게 미행을 당했다고 증언했다. **6** 《고어》 보호하다, 지키다(protect) **7** 《고어》 (그림에) 음영을 넣다, 바림하다
— *vi.* **1** 〈명암·색채 등이〉 서서히 변화하다 《*into*》 **2** 〈얼굴이〉 흐려지다, 어두워지다 《*with*》
~·er *n.* **~·less** *a.* **~·like** *a.* ▷ shádowy *a.*
shádow bànd 〖천문〗 (일식의 직전·직후의) 영대(影帶)
shad·ow·box [ʃǽdoubɑ̀ks | -bɔ̀ks] *vi.* (가상의 상대를 만들어 놓고) 혼자서 권투를 연습하다
shádow bòx (**fràme**) 섀도박스 《미술품·보석 등을 보호·전시하기 위해 앞면에 유리판을 끼운 케이스》
shad·ow·box·ing [-bɑ̀ksiŋ | -bɔ̀k-] *n.* Ⓤ (권투의) 혼자 하는 연습
shádow càbinet 《영》 재야(在野) 내각 《야당의 각료 후보들로 이루어지는》
shádow dànce (스크린 뒤에서) 그림자로 보여주는 댄스
shádow ecónomy 지하 경제 《적발하기 어려운 불법적인 경제 활동》
shádow fàctory 유사시에 군수 산업으로 전환하는 공장
shádow figure 실루엣
shádow gàzer 〖의학〗 《미·속어》 방사선 기사
shad·ow·graph [-grӕf | -grɑ̀ːf] *n.* **1** 그림자 그림(의 인형 놀이) **2** X선 사진; 〖사진〗 실루엣[역광선] 사진 **-gràph·y** *n.*
shad·ow·ing [ʃǽdouiŋ] *n.* (표본의 겉면에 코팅된 금속 원자를 분사하여) 전자 현미경의 가시도(可視度)를 높이는 것
shad·ow·land [ʃǽdoulæ̀nd | -lənd] *n.* Ⓤ Ⓒ **1** 저승, 영계(靈界) **2** 무의식의 경지; 가공의 세계 **3** 애매함
shádow màsk 〖TV〗 섀도 마스크 《3색 브라운관의 형광면 앞에 놓이는 다공(多孔) 금속판》
shádow plày[**shòw**] 그림자(인형)극
shádow tèst 〖안과〗 검영법(檢影法)
*****shad·ow·y** [ʃǽdoui] *a.* **1** 그림자가 많은, 어두운 **2** 그림자 같은; 어슴푸레한, 흐릿한 **3** 공허한; 덧없는, 실체 없는, 이름뿐인 **4** 환상의, 유령 같은; 두려운, 기분 나쁜 **5** 흔적을 나타내는, 어렴풋이 나타내는(dim, obscure) **shád·ow·i·ly** *ad.* **shád·ow·i·ness** *n.*
sha·duf [ʃɑːdúːf | ʃə-] *n.* = SHADOOF
*****shad·y** [ʃéidi] *a.* (**shad·i·er**; **-i·est**) **1** 그늘이 많은, 그늘진, 응달진(opp. *sunny*); 그늘을 만드는, 그늘이 되는; 그늘 속에 있는, 응달의; 어렴풋한 **2** 《구어》 떳떳하지 못한, 드러내 놓을 수 없는; 의심스러운, 수상한: a ~ transaction 암거래 ***keep ~*** 《속어》 비밀로 하다 ***on the ~ side of*** 50 (50)의 고개를 넘어서, (50)세가 넘어
SHAEF, Shaef [ʃéif] [*S*upreme *H*eadquarters *A*llied *E*xpeditionary *F*orces] *n.* 연합국 파견군 최고 사령부
‡**shaft**[1] [ʃǽft | ʃɑ́ːft] *n.* **1 a** (창·망치 등의) 자루, 손잡이; 화살대, 전죽(箭竹); 화살(arrow), 창 **b** 《비유》 날카로운 공격, 혹평: ~*s* of wit[satire] 날카로운 기지[비꼼] **2** 한 줄기의 광선(ray) **3** [*pl.*] (수레의) 채 **4** 〖식물〗 대; 나무 줄기, 수간(樹幹)(trunk); 〖동물〗 깃촉, 우축(羽軸) **5** 〖기계〗 축, 굴대; 샤프트: a ~ bearing 축 베어링 **6** 〖건축〗 **a** 기둥, 주체(柱體), 작은 기둥 **b** 굴뚝의 지붕 위에 나온 부분 **c** 《미》 기념주[탑]; 깃대; 촛대의 지주 **7** 《비어》 음경(penis); [*pl.*] 《속어》 (매력적인 여자의) 다리
get the ~ 《미·속어》 혼나다; 속다 ***give*** a person ***the ~*** 《미·속어》 〈남을〉 혼나게 하다; 〈남을〉 속이다
— *vt.* 자루로 밀다; 《미·속어》 〈남을〉 혼나게 하다, (남에게) 심한 짓을 하다; 〈남을〉 속이다, 야바위치다; 《속어》 …와 섹스하다 **~·less** *a.* **~·like** *a.*
shaft[2] *n.* **1** 〖광산〗 수갱(竪坑); 환기갱(換氣坑) **2** (승강기 등의) 통로 《수직 공간》
sháft hòrse (수레의) 채에 비끄러맨 짐말
shaft·ing [ʃǽftiŋ | ʃɑ́ːf-] *n.* Ⓤ 〖기계〗 축계(軸系); 축재(軸材)
sháft skìrt 샤프트 스커트 《앞[뒷]자락이 뾰족하게 긴 헴라인(hemline)의》
shag[1] [ʃǽg] *n.* Ⓤ **1** 거친 털, 조모(粗毛), 북실북실한 털 **2** (직물의) 보풀; 보풀이 나게 짠 천 **3** 독한 살담배
— *vt.* (**~ged**; **~·ging**) 텁수룩하게 하다, 보풀리다; 거칠게 하다, 껄끄럽게 하다 **~·lìke** *a.*
shag[2] *v.* (**~ged**; **~·ging**) *vt.* **1** 추적하다, 뒤쫓다; 쫓아가 되찾다 **2** 〖야구〗 (수비 연습에서) 〈플라이를〉 쫓아가서 잡다 **3** 《비어》 성교하다 **4** 《영·속어》 지치게 하다 《*out*》 **5** 《미·속어》 괴롭히다 — *vi.* **1** 《구어》 공줍기를 하다 **2** 《미·속어》 (급히) 가 버리다, 뺑소니 치다 **3** 《비어》 자위하다; 《영·속어》 섹스하다
— *n.* **1** 《속어》 데이트 상대, 짝 **2** 《비어》 성교(의 상대); 도색 그룹 — *a.* **1** 데이트에서의, 함께의 **2** 아주 멋진, 굉장한
shag[3] *n., vi.* (**~ged**; **~·ging**) 《미》 번갈아 한쪽 발로 뛰는 댄스(를 하다)
shag[4] *n.* 〖조류〗 유럽쇠가마우지
shag·a·nap·pi [ʃǽgənæ̀pi] *n.* 생가죽 끈[레이스]
shag·bark [ʃǽgbɑ̀ːrk] *n.* 〖식물〗 hickory의 일종; 그 열매; Ⓤ 그 목재
shagged [ʃǽgd] *a.* **1** = SHAGGY **2** 《영·속어》 기진맥진한 《*out*》
*****shag·gy** [ʃǽgi] *a.* (**-gi·er**; **-gi·est**) **1** 털이 많은, 텁수룩한; 털이 거친; 보풀이 많은 〈직물〉; 머리를 텁수룩하게 한 **2** 풀숲이 많은, 덩굴투성이의; 엉기성기 가지가 난 **3** 〖동물·식물〗 길고 부드러운 털이 있는 **4** 얽히고 설킨; 애매한 **shág·gi·ly** *ad.* **shág·gi·ness** *n.*
shággy càp = SHAGGYMANE
shág·gy-dóg stòry [ʃǽgidɔ́g-] **1** 말하는 사람은

---

straint, obstruction, curb, check
shadow *n.* **1** 그림자 silhouette, outline, shape **2** 어둠 dimness, dusk, twilight, darkness, gloom

신나지만 듣는 사람은 지루한 이야기 **2** 말하는 동물이 등장하는 농담[이야기] **3** 엉뚱한 결말의 황당한 이야기

shag·gy·mane [-mèin] *n.* 〖식물〗 식용 버섯의 일종

sha·green [ʃəgríːn, ʃæ-] *n.* Ⓤ **1** 섀그린 가죽, 도톨도톨하게 다룬 가죽 **2** 상어 가죽 《연마용》

— *a.* 섀그린 가죽(제)의 《shagreened라고도 함》

shah [ʃɑ́ː, ʃɔ́ː] *n.* [종종 **S~**] Iran 국왕의 존칭 **~·dom** *n.*

shaikh [ʃéik] *n.* = SHEIK(H)

Shai·tan [ʃaitɑ́ːn] *n.* 〖이슬람교〗 사탄; 악마

Shak. Shakespeare

shak·a·ble [ʃéikəbl] *a.* 동요시킬 수 있는; 진동시킬 수 있는

‡**shake** [ʃéik] *v.* (**shook** [ʃúk]; **shak·en** [ʃéikən]) *vt.* **1** 흔들다, 잡아 흔들다, 뒤흔들다; 흔들어 …하다, 흔들어 움직이다, 흔들어 떨어뜨리다: ~ a bottle of milk 우유병을 흔들다 / To be *shaken* before taking. 흔들어 복용할 것. 《약병의 주의서》 // (~+목+부) She *shook* the snow *off.* 그녀는 눈을 털었다. // (~+목+전+명) ~ fruit *from* a tree = ~ a tree *for* fruit 나무를 흔들어서 과일을 떨어뜨리다 / ~ a person *by* the shoulder …의 어깨를 잡아 흔들다 // (~+목+보) He caught hold of my arm and I could not ~ myself *free.* 그가 내 팔을 잡고 있어서 그를 떨쳐 버릴 수가 없었다. **2** 진동시키다, 떨리게 하다; (전후좌우로) 흔들리게 하다(rock): The earthquake *shook* the tall building. 지진이 고층 빌딩을 흔들리게 했다[뒤흔들었다]. **3** 휘두르다(brandish) **4** 〈마음·신앙 등을〉 동요시키다, 고뇌하게 하다, 혼란시키다, 냉정[침착성]을 잃게 하다(agitate); 〈자신감을〉 잃게[줄어들게] 하다; …의 의지력이 꺾이게 하다: ~ one's faith[resolution] 신념[결심]을 흔들리게 하다 / He was visibly *shaken by*[*with, at*] the news. 그는 그 소식을 듣고 눈에 띄게 동요하였다. // (~+목+전+명) She has been *shaken out of* all reason. 그녀는 아주 이성을 잃어버렸다. **5** (인사로서) 〈남의 손을〉 잡다, 악수하다 **6** [종종 ~ one*self* 로] 〈사람을〉 분기[분발]시키다 **7** 〖음악〗 〈목소리·악기 소리를〉 떨리게 하다, 떨리는 소리로 노래하다(trill) **8** (던지기 전에 손바닥 속에서) 〈주사위를〉 흔들다 **9** 《속어》 〈나쁜 버릇·병·근심 걱정 등을〉 떨어버리다, 쫓아버리다; 〈추적자 등을〉 따돌리다: He *shook* his pursuers. 그는 뒤쫓는 자들을 따돌렸다. **10** 《속어》 〈사람·방을〉 철저히 수색하다 **11** 《호주·속어》 훔치다

— *vi.* **1** 흔들리다, 진동하다(vibrate), 흔들어 섞다: The trees are *shaking* in the wind. 나무들이 바람에 흔들리고 있다. **2** 〈몸·목소리가〉 떨리다; (추위·노여움 등으로) 벌벌 떨다 《*with, from*》; 동요되다, 〈자신·결심·용기 등이〉 흔들리다: Her courage began to ~ when she heard the news. 그 소식을 듣자 그녀의 용기는 흔들리기 시작했다. // (~+전+명) ~ *with* cold[fear] 추위[공포]로 벌벌 떨다 / His voice was *shaking with* anger. 그의 목소리는 분노로 떨리고 있었다.

> 유의어 **shake** 「떨리다」는 뜻의 가장 일반적인 말이다 **tremble** 공포·피로·추위 때문에 몸의 일부가 무의식적으로 덜덜 떨리다: *tremble* with fear 무서움으로 떨다 **shiver** 추위·공포 때문에 순간적으로 몸전체가 떨리다[전율하다]: *shiver* with cold 추위에 떨다 **quake** 심한 흥분이나 공포로 몸이 심하게[와들와들] 떨리다: *quake* with fright 겁에 질려 떨다 **shudder** 공포나 경련으로 갑자기 몸이 와들와들 떨리다: *shudder* with horror 공포로 와들와들 떨다 **quiver** 가볍게 진동하다: Leaves *quivered* in the breeze. 산들바람에 나뭇잎이 떨렸다.

3 〈과일·곡식·모래 등이〉 후두두 떨어지다 《*down, off*》: (~+부) Sand ~*s off.* 모래가 후두두 떨어진다. **4** 《구어》 악수하다: Let's ~ and be friends again. 악수하고 화해합시다. **5** 〖음악〗 떠는 목소리로 노래하다(trill) **6** 허리를 흔들며 춤추다; 《속어》 허리를 흔들다 ***more … than*** one ***can ~ a stick at*** 《미·구어》 셀 수 없을 만큼, 많은 ***~ a foot*** 춤추다 ***~ a leg*** (1) 춤추다 (2) 바삐 걷다, 서두르다 (3) 돌아다니다 ***~*** a person ***by the hand*** = ***~ hands with*** a person …와 악수하다 ***~ down*** (1) 땅[마루]바닥에 던지다, 땅[마루]바닥에 펴다: ~ *down* blankets[straw] 담요[짚]로 임시 잠자리를 만들다 (2) 〈과실을 나무에서〉 흔들어 떨어뜨리다; 뒤흔들어 꽉 채우다 (3) 일을 시키다 (4) 원상태로 회복하다; 자리잡히게 하다, 익숙하게 하다 (5) 〈배·비행기·기계 등을〉 시운전하다 (6) 《미·속어》 (위협하거나 속여서) 돈을 빼앗다, 갈취하다 (7) 《미·구어》 〈몸·장소 등을〉 철저히 뒤지다[조사하다, 수색하다] (8) 굳어지다; 평온해지다; 자리가 잡히다; 주위 사람이나 환경에 익숙해지다; 〈기계가〉 제대로 움직이게 되다 (9) 《속어》 뇌물을 먹다, 부정 이득을 보다 (10) 임시 잠자리를 만들어 자다 《*in*》 ***~ in*** one***'s shoes*** (무서워) 덜덜 떨다 ***S~ it up!*** 《구어》 서둘러라, 꾸물대지 마라! ***~ off*** (1) 〈먼지 등을〉 털어내다 (2) 〈병·버릇 등을〉 고치다; 쫓아버리다 (3) 떨어뜨리다, 처지게 하다 (4) 〈추적자를〉 따돌리다 (5) 〈요구·제안 등을〉 거절하다 ***~ off the dust of*** (a person***'s house from***) one***'s feet*** ⇨ dust. ***~ on*** 《구어》 …에 동의하여 악수하다 ***~ on to*** 《미》 …이 마음에 들다, …을 받아들이다, 승낙하다 ***~ out*** (1) 〈…을〉 흔들어 대다 (2) 〈돛대·깃발 등을〉 펼치다; 〈담요·옷 등을〉 흔들어 말리다, 펼쳐 흔들다 (3) 〈먼지 등을〉 털다; 〈속을〉 흔들어 비우다 (4) 〈성냥 등을〉 흔들어 끄다 (5) 《구어》 〈조직 등을〉 크게 쇄신[개조]하다 ***~*** one***self*** 몸을 부들부들 떨다; 〈눈·먼지 등을 털려고〉 몸을 떨다 ***~*** one***self free from*** …에서 몸을 빼내다, …을 떨쳐버리다, …에서 벗어나다 ***~*** one***self together*** 《구어》 기운을 차리다 ***~*** one***'s finger at*** …에 대고 집게 손가락을 흔들다 《협박·경고·질책》 ***~*** one***'s fist***[***stick***] ***in*** a person***'s face***[***at*** a person] …의 얼굴을 향해 주먹[지팡이]을 휘두르다 《위협》 ***~*** one***'s head*** 고개를 젓다 《*over, at*》 《질책·실망·불응·불찬성·의심 등의 몸짓》 ***~*** one***'s sides*** 포복절도하다 ***~ the***[one***'s***] ***elbow*** 《고어》 주사위 놀이를 하다 ***~ up*** (1) 흔들어 섞다, 휘젓다 (2) 〈베개 등을〉 흔들어 고르다[모양을 바로잡다] (3) 편달하다, 격려하다, 각성시키다 (4) 오싹하게 하다 (5) 〈몸을〉 긴장시키다; 〈신경을〉 어지럽히다; 《구어》 〈조직·단체 등을〉 재편성하다 ***~ with laughter*** = SHAKE one's sides

— *n.* **1 a** 흔듦, 한 번 흔들기; 진동, 떨림, 동요; (마차 등의) 흔들거림, 격동 **b** 악수 **2 a** 부들부들 떨기; 《미·구어》 지진 **b** [the ~s] 《구어》 (열·추위·알코올 중독 등으로 인한) 떨림, 오한(chill) **3** 〖음악〗 떨리는 소리, 전음(顫音)(tremor) **4** [the ~] 《미·속어》 내쫓음, 해고; 《미·속어》 (친구와) 인연을 끊음 **5** 《구어》 순간, 일순, 잠깐 **6** 지붕 이는 널빤지, 지붕널 **7** 《미·구어》 밀크셰이크(= milk ~) **8** 《구어》 주사위의 한 번 굴리기 **9** (바람·온도의 영향을 받아 생긴) 나무의 갈라진 곳, (목재의) 금, (지면·암석 따위의) 갈라진 틈, 균열 **10** [a ~] 《미·구어》 취급, 대우, 처우, 처리

a fair ~ 공정한 취급; 공정한 처리: Everyone gets *a fair* ~. 모든 사람은 공평하게 대우받는다. ***be all of a ~*** 와들와들 떨고 있다 ***be no great ~s*** 《구어》 중요치 않다, 별것 아니다, 평범하다 ***give … a good ~*** …을 되게 흔들다 ***give a ~*** 한 번 흔들다; 《미·속어》 쫓아내다, 피하다 ***give***[***get***] ***the ~*** 해고하다[되다] ***in a brace***[***couple***] ***of ~s*** = ***in the ~ of a lamb's tail*** = ***in two ~s***[***half a ~***] (***of a lamb's tail***) 《구어》 순식간에

~·a·ble *a.* = SHAKABLE ▷ **shāky** *a.*

thesaurus **shake** *v.* **1** 흔들다, 흔들리다 jiggle, joggle, jerk, rock, roll, sway, swing, wobble, vibrate **2** 동요시키다 agitate, upset, unsettle **3** 떨리다 shiver, tremble, quiver, quake, shudder

shake·down [ʃéikdàun] *n.* **1** 임시의 잠자리[침대] **2** Ⓤ 흔들어 넣기[떨어뜨리기] **3** ⓊⒸ 《구어》 (배·비행기 등의) 성능 시험 운전, 승무원 적응 운전, 시운전; 조정 (기간), 정비 **4** 《미·구어》 철저한 수색 **5** ⓊⒸ 《미·구어》 돈의 강탈, 갈취(extortion)
— *a.* Ⓐ 《구어》 성능 시험의, 시운전의

sháke-hand gríp [-hæ̀nd-] 〖탁구〗 라켓을 악수할 때처럼 쥐는 방법(cf. PENHOLDER GRIP)

shake-hands [-hæ̀ndz] *n. pl.* [단수 취급] 악수(handshake)

‡shak·en [ʃéikən] *v.* SHAKE의 과거분사

sháken báby sỳndrome 〖의학〗 (어린이의) 뇌·눈의 내출혈 《어린이의 팔·어깨를 심하게 흔들어 생기는 치명적 증세》

shake·out [ʃéikàut] *n.* **1** 〖경제〗 진정화 《경기의 호황이 차츰 정상으로 복귀함》 **2** (주식 시세 따위의) 폭락 **3** (인원 정리를 포함한) 합리화, 재조직; 개편, 쇄신

shak·er [ʃéikər] *n.* **1** 흔드는 사람[것]; 진탕기(震盪器), 휘젓는 기구; (조미료 등을) 흔들어 뿌리는 병, 교반기(攪拌器); (칵테일 혼합용) 셰이커(=**cócktail** ~); 선동자 **2** [**S~**] 셰이커 교도, 진교도(震教徒) 《18세기 중엽 미국에 일어난 그리스도교의 일파; 그 교리의 일부인 춤에서 딴 이름》 **—** *a.* [**S~**] 셰이커 양식의 《셰이커 교도가 제작한 가구 등》
Shák·er·ism *n.* Ⓤ 셰이커교(의 교리)

‡Shake·speare [ʃéikspiər] *n.* 셰익스피어 **William** ~ (1564-1616) 《영국의 극작가·시인》

Shake·spear·e·an, -i·an [ʃeikspíəriən] *a.* 셰익스피어(풍[시대])의 **—** *n.* 셰익스피어 학자[연구가]

Shake·spear·e·an·a [ʃeikspìəriǽnə | -ɑ́:nə] *n. pl.* (역사적 문화재·서적 등의) 셰익스피어 관계물

Shakespéarean sónnet 셰익스피어풍의 14행시(English sonnet)

shake-up [ʃéikʌ̀p] *n.* ⓊⒸ **1** (승용물의) 흔들림, 격동 **2** (해고·좌천 등에 의한 인사·조직의) 대정리, 대쇄신, 대개조, 대이동, 재편성 **3** Ⓒ 급조한[임시] 물건[건물] **4** 《속어》 셰이크 업 《두 종류 이상의 위스키 등을 칵테일한 음료》

shak·i·ly [ʃéikili] *ad.* 떨며; 비틀거리며

shak·i·ness [ʃéikinis] *n.* Ⓤ 진동; 동요; 불안정

shak·ing [ʃéikiŋ] *a.* 흔들리는, 떠는
— *n.* ⓊⒸ 흔듦; 동요; 진동; 몸을 떪, 잠을 깨움; 〖의학〗 학질

sha·ko [ʃǽkou, ʃéikou] [Hung. 「뾰족한 (모자)」의 뜻에서] *n.* (*pl.* ~(**e**)**s**) 샤코 《깃털 장식이 앞에 달린 군모》

shako

Shaks. Shakespeare

Shak·spere [ʃéikspiər] *n.* = SHAKESPEARE

Shak·ta [ʃɑ́:ktə] *n., a.* 〖힌두교〗 성력(性力)파(의 신자)(의)

Shak·ti [ʃʌ́kti, ʃɑ́:k-] *n.* 〖힌두교〗 샤크티, 성력(性力) 《여성의 생식력[기]》; 시바(Siva)의 신(神) 아내

Shak·tism [ʃʌ́ktizm, ʃɑ́:k-] *n.* 〖힌두교〗 샤크티[성력] 숭배

shak·y** [ʃéiki] *a.* (**shak·i·er**; **-i·est**) **1** 흔들리는, 떨리는, 흔들거리는, 위태위태한, 덜컥거리는 **2** 〈몸이〉 부들부들 떨리는, 휘청거리는, 비틀거리는; 〈목소리·필적 등이〉 떨리는: ~ voice 떨리는 목소리 **3 a** 불확실한; 〈지위·정권·지식 등이〉 불안정한; 〈신용이〉 두텁지 못한; 〈건물 등이〉 무너질 듯한: ~ evidence 불확실한 증거 **b** 마음이 안 놓이는, 미덥지 못한, 수상한 **c** 〈주의 등이〉 동요하는; 확고하지 않은; 믿을 수 없는 **4** 병약한, 허약한 ***feel ~ 기분이 좋지 않다, 몸살이 나다 ***look*** ~ 안색이 좋지 않다

shale [ʃéil] *n.* Ⓤ 〖암석〗 혈암(頁岩), 이판암
shál·ey, shál·y *a.*

shále clày 〖지질〗 혈암 점토

shále òil 〖지질〗 혈암유(頁岩油)

‡shall ⇨ shall (p. 2302)

shal·loon [ʃælú:n] *n.* Ⓤ 섈룬 직물 《옷의 안감 또는 여성복감으로 쓰는 모직물》

shal·lop [ʃǽləp] *n.* 〖항해〗 샐럽 형의 배; (여울용의) 작은 배, 가벼운 배

shal·lot [ʃǽlət | ʃəlɔ́t] *n.* 〖식물〗 샬롯 《서양 파의 재배종의 일종》

‡shal·low [ʃǽlou] *a.* (~·**er**; ~·**est**) **1** 얕은(opp. *deep*): ~ water 얕은 물 **2** 천박한, 얄팍한, 피상적인 〈견해 등〉: ~ mind 피상적인 생각 **3** 〈호흡이〉 얕은, 호흡량이 적은: ~ breathing 얕은 호흡
— *n.* [*pl.*] 물이 얕은 곳, 여울: wade through the ~*s* 물이 얕은 곳을 걸어서 건너다
— *vt., vi.* 얕게 하다, 얕아지다 **~·ly** *ad.* **~·ness** *n.*

shal·low-brained [ʃǽloubréind], **-mind·ed** [-máindid], **-pat·ed** [-péitid] *a.* 천박한, 어리석은

shal·low-heart·ed [-hɑ́:rtid] *a.* 인정 없는

sha·lom [ʃəlóum] [Heb. 「평안」의 뜻에서] *int.* 샬롬 《만나거나 헤어질 때 하는, 유대인의 인사말》

shalt [ʃǽlt, ʃəlt] *auxil. v.* 《고어》 SHALL의 직설법 제2인칭 단수 현재형(⇨ shall): Thou ~(=You shall) not steal. 도적질하지 말지니라.

shal·war [ʃʌ́lwɑ:r] *n.* (파키스탄 등 남아시아의 남녀 공용의) 헐렁한 바지(salwar)

sham [ʃǽm] *n.* **1** Ⓤ 속임, 허위, 협잡, 위선 **2** 허풍선이, 사기꾼(charlatan), 야바위꾼; 꾀병 부리는 사람 **3** [a ~] 가짜, 엉터리 **4** 《고어》 (장식적인) 침대 덮개(=**shéet** ~); 베갯잇(=pillow ~)
— *a.* Ⓐ 허위의, 속임의; 가짜의, 진짜와 비슷한, 모조[위조]의; 모의의: a ~ fight[battle] 모의전/a ~ plea 허위의 항변 《다만 시간을 끌기 위한》/~ attack 위장 공격/~ illness 꾀병
— *v.* (**~med**; **~·ming**) *vt.* …인 체하다, …을 가장하다; 모조하다; 위조하다: ~ madness 미친 체하다/~ sleep 잠든 시늉을 하다 **—** *vi.* …하는 체하다, 가장[시늉]하다: He is only ~*ming.* 그는 단지 가장을 하고 있을 뿐이다. // 《~+보》 ~ dead 죽은 체하다

sha·man [ʃɑ́:mən, ʃéi-, ʃǽ-] *n.* (*pl.* **~s**) 샤머니즘(shamanism)의 주술사, 샤만; 무당, 마술사
sha·man·ic [ʃəmǽnik] *a.*

sha·man·ism [ʃɑ́:mənìzm, ʃéi- | ʃǽ-] *n.* Ⓤ 샤만교, 샤머니즘 《주로 시베리아 북부의 여러 종족 간에 행해지는 주술을 중심으로 하는 원시 종교의 일파》
-ist *n.* **shà·man·ís·tic** *a.*

sham·a·teur [ʃǽmətʃùər, -tər] [*sham*+*amateur*] *n.* 《속어》 사이비 아마추어, 세미 프로선수 《아마추어이면서 돈벌이하는 선수》 **~·ìsm** *n.*

sham·ba [ʃǽmbə] *n.* (동아프리카에 있는) (대)농원

sham·ble [ʃǽmbl] *vi.* 비틀비틀[휘청휘청] 걷다
— *n.* 휘청거림, 비틀거림, 비틀거리는 걸음걸이

sham·bles [ʃǽmblz] *n. pl.* [보통 단수 취급] **1** 도살장(slaughterhouse) **2** 《영》 고기 판매대, 고기 베는 대 **3** [a ~] 유혈의 장면, 유혈 현장, 살육장; 난장판; 황폐한 장소; 싸움터; 파괴의 장면, 파멸 **4** [a ~] 《구어》 대혼란(이 일어난 장면): Her room is *a* ~. 그녀의 방은 혼란 그 자체다. ***in*** ~ 파괴된, 난장판이 된

sham·bling [ʃǽmbliŋ] *a.* 어물거리는; 느릿느릿한, 꾸물거리는

sham·bol·ic [ʃæmbɑ́lik | -bɔ́-] *a.* 《영·구어》 난잡한, 아수라장 같은, 혼란한

‡shame [ʃéim] *n.* **1** Ⓤ **부끄러움**, 부끄러운 생각; 수치심: in ~ 부끄러워하여/be without ~ 수치를 모르다 **2** 치욕, 수치, 창피, 체면 손상, 불명예(⇨ disgrace 유의어): bow[hang] one's head in ~ 창피하여 고개를 숙이다[목을 매달다] **3** Ⓤ 《고어》 (여자의) 좋지 못한 행실: a life of ~ 추업(醜業) **4** [a ~] (너

---

shame *n.* **1** 부끄러움 humiliation, ignominy, mortification, remorse, guilt, embarrassment **2** 불명예 disgrace, dishonor, scandal, discredit, disrepute, infamy **3** 유감 pity, misfortune, bad luck

shall

오늘날의 일상어에서는 shall은 상대방의 의지를 묻는 1인칭의 *Shall* I[we] ...?와 단순미래 1인칭 I[We] shall ... (주로 영)의 용법에 한정되어 있다. 미래의 표현에는 본래 의지를 나타냈던 will이 단순미래의 shall 대신에 많이 쓰이게 되었다. 이 현상은 특히 (미)에서 두드러지나 (영)에서도 이런 추세가 강하다.

또 shall, will을 구별할 필요가 없는 I'll, we'll, you'll 등의 표현이 일상어에서는 일반화되어 있다.

⁑shall [ʃǽl, 《약하게》 ʃəl] *auxil. v.* ★ 단축형 **'ll**; 부정형 **shall not**, 부정단축형 **shan't**; 과거형 **should**; ★ shan't는 주로 (영)에서 쓰임.

OE「의무가 있는」의 뜻에서
① (영) [단순한 미래] …일[할] 것이다 **1 a**
② [말하는 이의 의지를 나타내어] …하여 주겠다 **2 a**
③ [상대방의 의향을 물어] Shall I?, Shall we? **2 b**

1 [말하는 이의 의지에 관계없이 장차 일어날 일을 나타내어] USAGE 보통 1인칭에 쓰이는데, 격식 차린 문체에서, 특히 (영)에서 쓰임; 일상의 구어에서는 (미·영) 다 같이 shall 대신에 will을 쓰는 경향이 강함. **a** [평서문에서] …**일[할] 것이다**; …하기로 되어 있다: I hope I ~ succeed this time. 이번에는 성공하리라 생각한다. / I ~ be twenty years old in April. 4월에는 20세가 된다. / I ~ be very happy to see you. 뵙게 되면 매우 기쁘겠습니다. 《기꺼이 만나뵙겠습니다》/ I ~ go later. 저는 나중에 가겠습니다. / We ~ have to hurry to get there in time. 우리가 제시간에 거기에 닿으려면 서둘러야 할 것이다. / I ~ have come home by eight o'clock. 8시까지에는 집에 돌아와 있을 것이다. ★ 미래완료를 나타냄. **b** [의문문에서] …**일까요**, …할까요, …할 예정입니까 USAGE 보통 1인칭에 쓰이는데, 2인칭에 쓸 경우에는 I shall...의 대답을 기대한 질문이 됨; 구어에서는 will 또는 won't를 씀: When ~ we see you again? 언제쯤 또 우리가 당신을 만날 수 있을까요? / How long ~ you be in New York? 뉴욕에는 얼마 동안 머무르실 겁니까?
USAGE (1) 간접화법문의 종속절에서, 단순미래일 경우에(He says, "I shall never succeed.") 주어의 인칭에 상관없이, 종종 will이 쓰임: He says that he will[shall] never succeed. 자기는 결코 성공할 수 없을 것이라고 그는 말한다. (2) 직접화법에서의 단순미래 you[he] will이 간접화법문의 종속절에서 1인칭을 주어로 하여 쓰이게 될 경우 (미)에서는 will을 쓰지만, (영)에서는 종종 shall이 쓰임: Ask the doctor if I will[(영) shall] recover. 내 병이 회복되겠는지 의사에게 물어봐 주시오.

2 [의지미래] **a** [2·3인칭을 주어로 하는 평서문 또는 종속절에 쓰여, 말하는 이의 의지를 나타내어] …**하여 주겠다**, …하게[하도록] 하겠다, (틀림없이) …하겠다: You ~ have my answer tomorrow. 내일 답을 해 주겠다. ★ 격식 차린 딱딱한 표현임; You will certainly have my answer tomorrow. 또는 I'll give you my answer tomorrow. 또는 You can have my answer tomorrow. 등이 더 일반적임. / You ~ sign the contract. 계약서에 서명해 주어야 되겠소. / You ~ *not* do so. 그렇게 해서는 안 된다. / You ~ do it. 그것을 너에게 하게[하도록] 하겠다. / He ~ do it. 그것을 그에게 시키겠다. **b** [보통 Shall I[we]...?로 상대방의 의향·결단을 물어] …**할까요**, …하면 좋을까요: "*S*~ *I* make you a cup of coffee?" — "Yes, please." 커피 한 잔 끓여 드릴까요? — 예, 부탁드립니다. / What ~ *I* do next? 다음에는 무엇을 하면 좋을까요? / "*S*~ *we* go out for shopping?" — "Yes, let's.[No, let's not.]" 쇼핑하러 나가실까요? — 예, 나갑시다[아뇨, 그만둡시다]. **c** [Let's ..., ~ we?로] …**하지 않겠습니까**: *Let's* go to see a movie, ~ *we*? 영화 보러 가지 않겠습니까? **d** [1인칭을 주어로 하여, 의무적 감각 또는 강한 결의를 나타내어] **반드시 …하다**, 무슨 일이 있어도 …하겠다 《★ 긍정문에서는 [ʃǽl]하고 강하게 발음하는 경우가 많음》: *I* ~ go, come what may. 어떤 일이 있어도 나는 반드시 간다. / *I* ~ never[never ~] forget your kindness. 은혜는 결코 잊지 않겠습니다. 《never shall forget ... 쪽이 강의적》

3 a [명령·규정] …하여야 한다(cf. SHALT), …로 정하다: The fine ~ not exceed $300. 벌금은 300달러를 넘지 못한다. / All records of this meeting ~ be destroyed. 이 회의의 기록은 모두 파기되어야 한다. **b** [명령·요구·협정 등을 나타내는 동사에 뒤따르는 that절 안에 쓰여]: The law *demands that* the money ~ be paid immediately. 법률은 그 돈을 즉시 지불하여야 할 것을 요구하고 있다.

4 [예언·운명적 필연] (문어) 반드시 …이리라, …될지어다: All life ~ one day be extinct. 모든 생명체는 어느 날엔가 죽게 마련이다.

무나) 심한[쓰라린, 분한] 것, 고역; 유감된 일: It was *a* ~ you weren't there. 네가 거기에 없어서 유감이었다. / It was *a* crying ~ that he lost the game. 그가 그 경기에서 져서 정말 분했다.
bring [***put***] ***to*** ~ 체면을 손상시키다, 창피 주다; 모욕하다; 훨씬 앞지르다 ***cry*** ~ ***on*** …을 극구 비난하다, 몹시 공격하다 ***feel*** ~ ***at*** [***to*** do] …을 [하는 것을] 창피하게 생각하다 ***flush with*** ~ 부끄러워[창피하여] 얼굴을 붉히다 ***For*** ~! = ***S***~ ***on you!*** = (고어) ***Fie for*** ~! 무슨 꼴이야, 부끄럽지 않느냐, 아이 망측해라! ***for*** (***very***) ~ 창피해서 〈못하겠다 등〉 ***It is a*** ~ [***What a*** ~] ***to treat you like that!*** (자네를 그렇게 대접하다니) 너무하다[될 말이냐]! ***lost to*** ~ = ***past*** [***without***] ~ 수치를 모르는[모르고] ***put ... to*** ~ (비교되어) …을 부끄럽게 만들다 ***think*** ~ ***to*** do …하는 것을 수치로 알다 ***to the*** ~ ***of*** …의 체면이 깎이게 ***What a*** ~! 그것 참 너무하군!; 그거 안됐구나!, 정말 유감이다[안타깝다]!
— *vt.* **1 부끄러워하게 하다**, …에게 **창피를 주다**, 망신시키다; 모욕하다: He was ~*d* before the whole school. 그는 모든 학생들 앞에서 창피당했다. **2** …에게 부끄러움을 느끼게 하여 …(못)하게 하다: (~+목+전+명) His example ~*d* me *into* working hard. 그의 모범에 나는 부끄러워져서 열심히 일하게 되었다. / He was ~*d out of* his bad habits. 그는 부끄럽게 생각하여 나쁜 버릇을 고쳤다. / He ~*d* me *into* going. 그는 나를 부끄러움으로 있을 수 없게 했다. ▷ shámeful *a.*

sháme cùlture 〖사회〗 수치의 문화

shame·faced [ʃéimfèist] *a.* **1** 부끄러워하는, 창피하게 여기는: ~ apologies 부끄러워하는 듯한 변명 **2** 수줍어하는, 얌전한 **shame·fac·ed·ly** [ʃèimféisidli, ʃéimfèist-] *ad.* **~·ness** *n.*

thesaurus **shameful** *a.* disgraceful, base, mean, outrageous, scandalous, dishonorable, deplorable, contemptible, humiliating
shameless *a.* unashamed, abashed, unpenitent,

shame·fast [ʃéimfæ̀st | -fɑ̀:st] *a.* 《고어》 = SHAMEFACED

∗**shame·ful** [ʃéimfəl] *a.* **1** 부끄러운, 창피스러운, 치욕적인; 면목 없는, 불명예스러운: ~ behavior 부끄러워해야 할 행동 / a ~ apology to one's classmates 동료에 대한 치욕적인 사과 **2** 고약한, 못된 **3** 잡스러운, 외설적인, 음란한 **~·ly** *ad.* **~·ness** *n.*

∗**shame·less** [ʃéimlis] *a.* **1** 수치를 모르는, 파렴치한, 뻔뻔스러운 **2** 풍속을 문란케 하는, 외설적인; 부도덕한, 타락한 **~·ly** *ad.* **~·ness** *n.*

shame-mak·ing [ʃéimmèikiŋ] *a.* 부끄럽게 하는

sham·ing [ʃéimiŋ] *a.* 수치스럽게 하는, 치욕적인: a ~ defeat by a less experienced team 경험이 적은 팀에 당한 수치스러운 패배

Sha·mir [ʃɑmí:r | ʃæ-] *n.* 샤미르 **Yitzhak** ~ (1915-) 《이스라엘 수상(1983-92)》

sham·mer [ʃǽmər] *n.* (병 등을) 가장하는 사람, 속이는 사람, 협잡꾼, 사기꾼, 야바위꾼

sham·mes [ʃɑ́:məs] *n.* (*pl.* **sham·mo·sim** [ʃɑmɔ́:sim]) **1** = SEXTON **2** 하누카(Hanukkah) 장식 촛대를 밝히는 촛불

sham·my, sham·oy [ʃǽmi] *n.* (*pl.* **-mies**; **~s**) = CHAMOIS 2, 3, 4

∗**sham·poo** [ʃæmpú:] *n.* (*pl.* **~s**) **1** 샴푸, 세발제: a dry ~ 알코올성 샴푸 **2** Ⓤ 머리 감기, 세발(洗髮); 샴푸로 빨기 **3** Ⓤ 마사지(massage); 《속어》 샴페인
—*vt.* **1** 〈머리를〉 **샴푸로 감다**; 〈깔개 등을〉 샴푸로 빨다 **2** 《고어》 마사지하다 **~·er** *n.*

sham·rock [ʃǽmrɑk | -rɔk] *n.* 〖식물〗 토끼풀, 애기괭이밥 《아일랜드의 국화(國花)》

shamrock

sha·mus [ʃɑ́:məs, ʃéi-] *n.* 《미·속어》 경관, 사립 탐정; 밀고자; 수위, 파수꾼

Shan [ʃɑ́:n, ʃǽn] *n.* (*pl.* **~(s)**) 샨 족(의 한 사람) 《미얀마 동북부에 사는 산지 민족》; Ⓤ 샨 어(語) 《샨 족 언어로 타이 제어(諸語)의 하나》

Shan·dong [ʃɑ́n:dúŋ] *n.* = SHANTUNG

shan·dry·dan [ʃǽndridæ̀n] *n.* **1** 낡은 털털이 마차 **2** 아일랜드의 2륜 포장 마차

shan·dy [ʃǽndi] *n.* Ⓤ 《영》 섄디 《맥주와 레모네이드의 혼합주》; = SHANDYGAFF

shan·dy·gaff [ʃǽndigæ̀f] *n.* Ⓤ 섄디개프 《맥주와 진저에일[진저비어]과의 혼합주》

shang·hai [ʃǽŋhái] *vt.* (**~ed**; **~·ing**) **1** 마약을 써서[취해 떨어지게 하여, 협박하여] 배에 끌어들여 선원으로 만들다; 유괴하다 **2** 《구어》 속여서[억지로] 〈싫은 일을〉 시키다, …하도록 강제하다 **~·er** *n.*

Shang·hai [ʃæŋhái] *n.* **1** 상하이, 상해(上海) 《중국의 항구 도시》 **2** 상하이 《다리가 긴 닭의 일종》

Shan·gri-la [ʃǽŋgrəlɑ̀:, ─ ─ ˊ | ˋ ─ ˊ] *n.* **1** 샹그릴라 《J. Hilton의 소설 *Lost Horizon*에 나오는 가공의 이상향》 **2** 유토피아, 지상 낙원 **3** 이름 모를 곳; 비밀의 장소, 멀리 떨어진 은신처 **4** (미국 항공대의) 비밀 기지 **5** 《미·군대속어》 변소

shank [ʃǽŋk] *n.* **1** 정강이(shin), 정강이 뼈(=∠**bòne**) **2** 《영》 양말의 목 윗부분 《정강이 부분》 **3** 뭉치 사태, 정강이 살 《양·소 다리 윗부분의 살》; 《익살》 다리(leg) **4** 기둥의 몸; (연장의) 자루, 손잡이; 닻채; 못[징, 열쇠, 낚시, 숟갈 등]의 몸대; 구두창이 땅에 닿지 않는 잘룩한 부분; 활자의 몸; 《속어》 나이프 **5** 〖골프〗 섕크 《클럽의 힐》 **6** 《미·구어》 나머지; 후반(부), 전반(부), 주요부 **7** 《속어》 매춘부 ***in the ~ of the evening*** 《미·구어》 저녁에, 해질녘에

unregretful, brazen, bold, impudent, audacious
shape *n.* **1** 모양 form, figure, contour, outline, silhouette, profile **2** 모습, 외양 guise, appearance, look, semblance, image, aspect

—*vi.* 〖식물〗 〈꽃·잎·열매 등이〉 꼭지가 썩어서 떨어지다 《*off*》; 《스코》 도보 여행하다
—*vt.* 〖골프〗 〈공을〉 클럽의 힐로 치다

shánked [-t] *a.*

shank·piece [ʃǽŋkpì:s] *n.* 구두창의 땅이 닿지 않는 부분을 만들기 위한 금속 조각[섬유]

shánks'[shánk's] máre[póny] [ʃǽŋks-] 《미·구어·익살》 자기의 다리, 도보 ***by ~*** 걸어서 ***ride[go on] ~*** 걸어서[도보로] 가다

∗**shan't** [ʃǽnt | ʃɑ́:nt] *v.* 《영·구어》 shall not의 단축형 (**I**) **~!** 《속어》 싫어! 《고집》 ***Now we ~ be long.*** 이제 됐다 됐어.

shan·ti(h) [ʃɑ́:nti] *n.* 〖힌두교〗 마음의 평화, 정적(靜寂)

Shan·tou [ʃɑ̀:ntóu | ʃæ̀ntáu] *n.* 산터우(汕頭) 《중국 광둥 성(廣東省)의 남지나해에 면한 항구 도시》

Shan·tung [ʃæ̀ntʌ́ŋ] *n.* **1** (중국의) 산둥 성(山東省) **2** [the ~] 산둥 반도 **3** [때로 **s~**] Ⓤ 산동주(紬)(pongee)

shan·ty [ʃǽnti] *n.* (*pl.* **-ties**) **1** 오두막집, 판잣집; 선술집 **2** 《미·속어》 얻어맞아 멍이 든 눈언저리(shiner) **3** = CHANTEY

shan·ty·town [ʃǽntitàun] *n.* (도시 안에 있는) 빈민가, 판자촌

shap·a·ble [ʃéipəbl] *a.* **1** 형체[모양]를 이룰 수 있는, 구체화할 수 있는 **2** = SHAPELY

‡**shape** [ʃéip] *n.* **1** ⓊⒸ **모양**, 꼴, 형태, 형상, 외형 (⇨ figure 유의어): The ~ of Italy is like boot. 이탈리아는 장화 모양이다. / What ~ is it? 어떻게 생겼니? **2** ⓊⒸ (사람의) **모습**, 외양, 스타일, 차림: an angel in human ~ 인간의 모습을 한 천사 **3** 양태, 양상; 종류: dangers of every ~ 온갖 위험 **4** (어슴푸레[기괴]한) 물건의 형태, 실루엣; 환영; 요괴, 유령: A vague ~ appeared through the mist. 어렴풋한 것이 안개 속에서 나타났다. **5** 모형, 형(型), 형강(形鋼), 형재(形材); (모자 등의) 목형, 골; 〖요리〗 (젤리·우무의) 틀, 판; 〖연극〗 무대 의상, 분장 **6** ⓊⒸ 뚜렷한 모양, 정리된 형태, 구체화된 것; 구체적인 모양; 구체화; 구현: He could give no ~ to his ideas. 그는 자신의 생각을 정리할 수 없었다. **7** Ⓤ [수식어와 함께] 《미·구어》 (건강·경영 등의) 상태, 형편: The old house was in bad ~. 그 오래된 집은 형편없는 상태였다. **8** (사물의) 하는 방법; 생활 양식: What will the ~ of the future be? 미래의 생활은 어떻게 될 것인가?
find a ~ 실현[구체화]하다 《*in*》 ***get into ~*** 틀을 잡다, 정리[계획]하다; 형태를 갖추다, 모양이 잡히다 ***give ~ to*** …에 형상을 주다 ***in good ~*** (몸의) 상태가 좋은 《*for*》 ***in ~*** 본래의 상태로; 〈건강이〉 호조로 ***in the ~ of*** …의 형태로, …로서의: a reward *in the ~ of* $200 200달러의 사례 ***keep in ~*** 모양을 망가뜨리지 않게 하다: "How do you *keep in ~*?" — "I exercise a lot." 몸매 유지를 어떻게 하세요? — 운동을 많이 합니다. ***knock into ~*** = get into SHAPE. ***lick[whip] ... into ~*** ⇨ lick. ***not in any ~ or form*** 어떤 형태로도 …아니다; 결코[조금도] …하지 않다 ***out of ~*** 원래의 모양을 잃어; 몸이 쇠약하여 ***put ... into ~*** …을 구체화시키다, 정리하다, 틀잡다 ***take ~*** 형태를 갖추다, 구체화하다, 구현하다 ***take the ~ of*** …의 형태로 나타나다 ***the ~ of things to come*** 미래를 예고하는 징후, 앞으로 다가올 사태 ***throw ... into ~*** …을 틀을 잡다, 정리하다, …을 구체화하다
—*vt.* **1** **형성하다**, …의 형체로 만들다[모양을 이루다]: (~+목+전+명) ~ clay *into* a ball 찰흙으로 공 모양을 만들다 / ~ clay *like* an apple 찰흙으로 사과 모양을 만들다 **2** **구체화하다**, 모양 짓다, 구현하다, 계획하다; 표현하다: ~ one's plan 계획을 구체화하다 // (~+목+전+명) ~ one's ideas *into* a book 자기 생각을 정리하여 책으로 만들다 **3** 적합하게 하다, 적응시키다, 맞추다(adjust) 《*to*》: (~+목+전+명) ~ shoes *to* one's feet 구두를 발에 맞추어 짓다 / You

should ~ your plans *to* your abilities. 능력에 맞추어 계획을 세우시오. **4** 〈진로·방침 등을〉 정하다: ~ one's course in life 인생의 행로를 정하다 **5** 상상하다, 생각하다; 고안하다, 궁리하다, 계획하다 **6** 말로 표현하다, 표명하다

— *vi.* **1** 《구어》 …의 꼴을 이루다, 모양이 잡히다, 형태를 취하다 **2** 〈계획 등이〉 구체화되다; 이루어지다: (~+副) Our plan is *shaping well*. 우리의 계획이 잘 이루어져 가고[구체화되어 가고] 있다. **3** …로 발전[발달]하다, 되어가다: Let time ~. 시간에[자연의 추세에] 맡겨 두라.

~ ***up*** [***out***] 형태를 이루다, 구체화하다; 발전하다, 호전하다; 어떤 경향을 나타내다; 체형을 좋게 하다 ***S~ up or ship out!*** 제대로 하든지 아니면 그만둬라! **~·a·ble** *a.* = SHAPABLE ▷ shápely *a.*

SHAPE, Shape [ʃéip] [*S*upreme *H*eadquarters of *A*llied *P*owers in *E*urope] *n.* 유럽 연합군 최고 사령부(1950)

shaped [ʃéipt] *a.* **1** 모양 지어진 **2** [종종 복합어를 이루어] …한 모양을 한: an egg-~ head 달걀 모양의 머리 / well-[ill-]~ 잘[못]생긴

sháped chárge 〖군사〗 성형(成形)[원추(圓錐)] 폭탄

***shape·less** [ʃéiplis] *a.* **1** 무형의, 일정한 형태가 없는 **2** 못생긴, 보기 흉한(unshapely), 볼품없는: a fat, ~ figure 뚱뚱하고 못생긴 모습 **3** 혼란한 **4** 엉성한 **~·ly** *ad.* **~·ness** *n.*

shape·ly [ʃéipli] *a.* (**-li·er**; **-li·est**) 〈여성의 몸매·다리가〉 형태[모양]가 좋은, 맵시 있는; 아름다운, 균형 잡힌 **shápe·li·ness** *n.*

shápe mèmory 형상 기억 《어떤 합금이 일정한 온도에서의 형태를 기억하여 그 온도가 되면 원래의 형상으로 되돌아가는 일》

shap·en [ʃéipən] *a.* …모양의, …의 모양으로 만들어진

shápe nòte 음계를 음표의 머리 모양으로 나타낸 것

shap·er [ʃéipər] *n.* **1** 모양을 만드는 사람[것] **2** 〖기계〗 형삭반(形削盤), 셰이퍼

shape-up [ʃéipʌ̀p] *n.* 《미》 (하역) 인부를 정렬시켜 놓고 뽑는 방법

sha·rav [ʃɑːrɑ́ːv] [Arab.] *n.* 샤라브 《중동에서 4-5월에 부는 건조하고 더운 동풍》

shard [ʃɑ́ːrd], **sherd** [ʃə́ːrd] *n.* **1** (특히 도기(陶器)의) 사금파리; 파편(fragments) **2** 〖동물〗 비늘(scale); 껍데기(shell); (곤충의) 겉날개, 시초(翅鞘)

‡share[1] [ʃɛ́ər] *n.* **1 a** 몫, 할당 몫, 일부분: get a fair ~ 당연한 몫을 받다 / This is my ~ of it[them]. 이건 내 차지다. **b** 내놓을 몫, 출자; 할당, 부담 《*of*, *in*》 **2** Ⓤ 역할, 참가; 진력, 공헌 《*in*》 **3** 주(株), 주식; 주권; 지분(持分); [*pl.*] 《영》 주식 (자본)(《미》 stock): deferred ~*s* 후배주(後配株) / ordinary ~*s* 《영》 통상주 / preferred[《영》 preference] ~*s* 우선주 **4** 〖경제〗 분담 소유, 공유; 시장 점유율

bear [***take***] one***'s ~ of*** …의 일부를 분담하다 ***fall to*** a person***'s ~*** …의 부담이 되다 ***go ~s*** 몫을 나누다, 공동으로 하다, 참여[분담]하다 《*with*, *in*》 ***have a*** [one***'s***] ***~ in*** …에 관여하다 ***on ~s*** 〈종업원이 출자자와〉 이해·손익을 같이하여 (go) ***~ and ~ alike*** 같은 몫으로 (나누다) 《*with*》 ***take the lion's ~*** 제일 큰 몫을 차지하다, 단물을 빨다

— *vt.* **1** 분배하다, 나누어 주다; 할당하다 《*out*; *among*, *between*》: (~+目+前+名) ~ (*out*) food and clothing *to*[*with*] the poor 빈민에게 양식과 의복을 나누어 주다 / He ~*d* (*out*) his property *among* his three children. 그는 3명의 아이들에게 재산을 분배했다. **2** 함께 나누다, 함께하다, 공유하다; 분담하다; 참가하다; 같이 쓰다 《*with*》: ~ expenses 비용을 분담하다 / ~ the blame 공동으로 책임을 지다, 비난[책망]을 함께 받다 / The two chemists ~*d* the Nobel prize. 두 명의 화학자가 노벨상을 공동 수상했다. // (~+目+前+名) ~ the bed *with* a person …와 한 침대에서 자다 / ~ a room *with* a person …와 함께 방을 쓰다 / My parents ~ joys and sorrows *with* me. = My parents ~ my joys and sorrows. 내 부모님은 기쁨과 슬픔[인생의 고락]을 나와 함께하여 주신다.

— *vi.* **1** 분배를 받다, 분담하다, 공동으로[같이] 하다, 함께 하다; 참가하다, 한몫 끼다 《*in*》: (~+前+名) ~ *in* profits 이익 분배에 참여하다 / ~ *in* a person's distress = ~ *with* a person in his distress …와 고난을 같이하다 **2** 평등하게 자기 몫을 받다, 등분하다 《*out*》 ***~ and ~ alike*** 등분하다, 균등하게 부담하다 **shár(e)·a·ble** *a.*

share[2] *n.* 가랫날(blade); 보습(plowshare)

share·bro·ker [ʃɛ́ərbròukər] *n.* 《영》 주식 중매인(《미》 stockbroker)

sháre certìficate 《영》 주권(株券)(《미》 stock certificate)

share·crop [-kràp | -krɔ̀p] *v.* (**~ped**; **~·ping**) 《미》 *vt.* 〈토지를〉 소작인으로서 경작하다

— *vi.* 소작하다

share·crop·per [-kràpər | -krɔ̀pər] *n.* 《미》 (노예제 폐지 후 미국 남부에 생겨난) 물납(物納) 소작인

shared file [ʃɛ́ərd-] 〖컴퓨터〗 공용 파일 《두 시스템에서 동시 사용할 수 있는 기억 장치》

shared housing 양로[노인] 공동 주택

shared line 《영》 (전화의) 공동 회선

shared parenting 《미》 = JOINT CUSTODY

share·hold·er [ʃɛ́ərhòuldər] *n.* 《영》 주주(株主)(《미》 stockholder)

share·hold·ing [ʃɛ́ərhòuldiŋ] *n.* 주식 보유액

sháre ìndex 주가 지수

sháre lìst 《영》 주식 시세표(《미》 stock list)

sháre òption 《영》 자사주(自社株) 구입권 제도

share-out [-àut] *n.* 분배, 배급 《*of*》

sháre prèmium 《영》 자본 잉여금(《미》 capital surplus)

share·push·er [-pùʃər] *n.* 《영·구어》 (시세 없는) 불량 증권 행상인[외판원]

shar·er [ʃɛ́ərər] *n.* 함께 하는 사람, 공유자, 공수자(共受者); 참가자 《*in*, *of*》; 분배자, 배급자(divider); 《고어》 = SHAREHOLDER

share·ware [ʃɛ́ərwɛ̀ər] *n.* 〖컴퓨터〗 셰어웨어 《소프트웨어의 일종으로 제한된 범위의 기능과 정보를 싼 값에 또는 무료로 시험 사용을 할 수 있고 요금 지불을 하면 업그레이드된 것을 이용할 수 있음》

sha·ri·a, sha·ri·'ah [ʃəríːə] [Arab.] *n.* 〖이슬람교〗 샤리아, 이슬람법(法) 《사람이 바르게 살아가는 법을 구체적으로 규정한 것》

sha·rif [ʃəríːf] *n.* 샤리프 《Muhammad의 딸 Fatima의 자손》; 이슬람 교도의 지도자(sherif)

‡shark[1] [ʃɑ́ːrk] *n.* 〖어류〗 상어

— *vi.* 상어 잡이를 하다 **~·lìke** *a.*

shark[2] *n.* **1** 《구어》 고리 대금업자, 욕심 사나운 지주[셋집 주인]; 욕심쟁이; 사기꾼 **2** 《미·속어》 명수(名手), 전문가, 달인 《*at*》; (공부도 운동도) 아주 잘 하는 학생 《*in*》 — *vi.* 사기를 치다, 부정한 짓을 하다

— *vt.* **1** 사기 치다, 착취하다 《*up*》 **2** 게걸스럽게 먹다, 걸신 들린 듯이 마시다

shark·bait [ʃɑ́ːrkbéit] *vi.* 《호주·속어》 (상어가 나올 위험 수역까지) 멀리 헤엄쳐 나가다

shárk bèll 《호주》 (해수욕장에서) 상어가 나타났음을 알리는 경보

shárk nèt 《호주》 상어잡이 그물; 상어 침입 방지망

shárk patròl 《호주》 (해수욕장 상공에서의) 상어 경계 순찰

thesaurus **share**[1] *n.* division, quota, ration, allowance, allocation, allotment, portion, part, lot, helping, serving — *v.* divide, split, distribute, apportion, deal out, give out

sharp *a.* **1** 날카로운 cutting, knifelike, edged, keen **2** 뾰족한 pointed, needlelike, spear-shaped, spiky **3** 가파른, 급격한 steep, sheer, vertical, abrupt,

shark·proof [ʃɑ́:rkprù:f] *a.* 상어 막이의 〈그물·약제 따위〉
shárk repèllent 기업 매수 방지책
shark·skin [-skìn] *n.* Ⓤ **1** 상어 가죽 **2** 샤크스킨 《모양이 상어 가죽 같은 양모·무명[레이온] 직물》
shárk sùcker 〖어류〗 빨판상어(remora)
shárk wàtcher (적대적 기업 매수 등에 대비한) 기업 매수 대응 감시 전문가
Shar·on [ʃǽrən, ʃέər-] *n.* **1** 여자 이름 《애칭 Shari》 **2** (이스라엘의) 샤론 평야 **3** 샤론 《미국 Pennsylvania주 서부의 도시》
Sháron frúit (이스라엘의 샤론 평야에서 재배되는) 감(persimmon)
***sharp** [ʃɑ́:rp] *a.*, *n.*, *ad.*, *v.*

「(날붙이가) 예리한」 **1 a**
→(각도가 날카로운) → 「모난」, 「험준한」, 「가파른」 **1 b, c**
→(대비가 날카로운) → 「뚜렷한」, 「선명한」 **3**
→(소리가 날카로운) → 「높은」 **6**
→(고통이 날카로운) → 「심한」 **7**
→(행동이 날카로운) → 「활발한」 **9**
→(감각이 날카로운) → 「예민한」 **10**

— *a.* **1 a** 날카로운, 예리한(opp. *blunt*, *dull*), 〈날이〉 잘 드는: a ~ knife[edge] 잘 드는 칼[날] **b** 뾰족한, 모난: a ~ pencil 끝이 뾰족한 연필 / The desk has ~ corners. 그 책상은 모서리가 각이 져 있다. **c** 〈비탈 등이〉 가파른, 험준한(steep); 〈길 등이〉 갑자기 꺾이는, 〈커브·회전 등이〉 급한; 〈변화 등이〉 급격한: a ~ turn in the road 도로의 급커브 / a ~ fall in the death rate 사망률의 급격한 저하 **2** 〈눈·코·얼굴 생김새가〉 선이 날카로운; 〈체격이〉 앙상한, 말라빠진: a ~ face 선이 날카로운 얼굴 **3** 〈윤곽 등이〉 뚜렷한, 선명한: a ~ impression 선명한 인상 **4** 〈의견이〉 대립된, 차이가 확실한: ~ contrast 현저한 대조 **5** 〈맛 등이〉 자극성인, 짜릿한, 매운, 신 **6** 〈소리가〉 날카로운, 째는 듯한, 드높은; 〖음악〗 가락이 높은, 반음 올린(opp. *flat*), 올림표[샤프]가 붙은; 〖음성〗 청음(淸音)의, 무성음(無聲音)의: a ~ cry 날카로운 외침 / a ~ flash 강한 섬광 **7** 〈추위 등이〉 살을 에는 듯한; 〈고통 등이〉 찌르는 듯한, 심한; 〈경험이〉 쓰라린, 비참한; 〈맥박이〉 거친; 〈식욕이〉 왕성한: a ~ pain 심한 통증 / a ~ appetite 왕성한 식욕 **8** 〈벌·법령·재판관 등이〉 (…에) 무자비한, 무정한, 엄한, 가혹한 《*with*》: He was ~ *with* her for the mistake. 그는 실수를 했다고 그녀를 엄하게 혼냈다. **9** 〈행동이〉 활발한, 민활한; 신속한; 〈시합 등이〉 맹렬한, 격렬한; 〈욕망 등이〉 강렬한: a short and ~ life 굵고 짧은 인생 / ~ arguments 격론 **10** 〈눈·코·귀가〉 예민한; 〈감시 등이〉 빈틈없는; 민감한; 영리한, 똑똑한; 교활한, 약은 《*at*》: a ~ watch 빈틈없는 감시 / a ~ nose 예민한 코 **11** 〈비평 등이〉 날카로운, 현명한, 적중한, 적절한, 기지가 넘치는; 〈말·성미가〉 거센, 신랄한(biting); 독기 찬(bitter): ~ criticism 신랄한 비평 **12** Ⓐ 《구어》 **a** (유행하는 차림으로) 이목을 끄는, 세련된; 스마트한, 멋진; (지나치게) 화려한: a ~ dresser 세련된 복장을 한 사람 **b** 〈사물이〉 뛰어난, 더할 나위 없는 **c** (자동차의) 장비[상태]가 좋은
(as) ~ as a needle[**tack**] (1) 〈말 등이〉 몹시 날카로운 (2) 매우 영리한 ***at the ~ end*** 매우 어려운 상황에서 ***be ~ on*** a person …에게 심하게 굴다 ***B ~*** 〖음악〗 올림 나(조) 《기호 B♯》 ***have a ~ tongue*** 독설을 퍼붓다 ***not be the ~est knife in the drawer*** 《영·익살》 머리가 둔하다 ***~ practices*** 사기 행위 ***S~ is***[***S~'s***] ***the word!*** 빨리 빨리 해!
— *n.* **1** 날카로운 것 **2 a** 바느질 바늘 **b** [*pl.*] 《영》 2급품의 (거친) 밀가루(middlings) **3** 《구어》 사기꾼 **4** 《미·구어》 전문가, 명수(expert) **5** 〖음악〗 올림표, 샤프 《반음 올리는 기호 ♯》, 올림음(cf. FLAT)
~s and flats 〖음악〗 (피아노·오르간의) 혹건
— *ad.* **1** 날카롭게; 격렬하게, 통렬하게 **2** 갑자기; 빨리, 급히, 급각도로: She turned around ~. 그녀는 휙 돌아섰다. **3** 정각에(punctually): (*at*) 6 o'clock ~ 정각 6시(에) **4** 활발하게; 세련되게, 멋지게; 화려하게 **5** 〖음악〗 《영》 반음 올려서; 높은 음조로
Look ~! 빨리 해; 조심해!
— *vt.* **1** 《미》 〖음악〗 반음 올리다(《영》 sharpen) **2** 《속어》 사취하다, 속이다 **3** 《고어》 〈칼 등을〉 갈다(whet)
— *vi.* **1** 《미》 〖음악〗 반음 올려서 노래[연주]하다(《영》 sharpen) **2** 《속어》 속이다, 협잡하다, 사기치다 **3** 《미·구어》 세련되게 입다, 정장을 하다 《*up*》
▷ shárpen *v.*; shárply *ad.*

sudden, rapid, unexpected **4** 뚜렷한 clear, distinct, marked **5** (고통 등이) 심한 intense, acute, keen, piercing, extreme, severe, stabbing, stinging **6** 영리한 keen, quick, smart, shrewd, discerning, perceptive **7** 신랄한 harsh, brusque, bitter, hard, biting, sarcastic, hurtful, cruel **8** 세련된 stylish, fashionable, chic, elegant

sharp-cut [ʃɑ́:rpkʌ́t] *a.* 예리하게 잘린; 선명한, 윤곽이 뚜렷한(clear-cut); 신랄한
sharp-eared [-íərd] *a.* 귀가 뾰족한; 귀가 예민한
sharp-edged [-édʒd] *a.* 날이 예리한, (잘) 드는, 날카로운; 통렬한, 신랄한
*__sharp·en__ [ʃɑ́:rpən] *vt.* **1** 〈날·연필 등을〉 예리하게 하다, 갈다; 뾰족하게 하다, 깎다 《*up*》: ~ a pencil 연필을 깎다 **2** 〈식욕·고통 등을〉 더욱 세게[심하게] 하다, 〈맛·냄새 등을〉 자극적으로 만들다, 맵게 하다 **3** 〈지성·감각 등을〉 더욱 예민[영리]하게 하다: The program will help students ~ their reading skills. 이 프로그램은 학생들의 독해 능력을 향상시켜 줄 것이다. **4** 빈틈없게 하다; 신랄하게 하다; 〈법률을〉 엄격하게 하다 **5** 〖음악〗 《영》 반음 올리다(sharp) **6** 〈윤곽을〉 확실히[뚜렷하게] 하다 **7** [~ one*self* 로] 치장하다, 화장하다, 차려입다 《*up*》
— *vi.* **1** 날카로워지다, 뾰족해지다; 〈사물·소리 등이〉 날카롭다 **2** 갈리다, 깎이다 **3** 심해지다 **4** 영리해지다, 민감해지다 **5** 《영》 〖음악〗 반음 올려서 노래[연주]하다(sharp) **6** 〈윤곽·영상 등이〉 선명해지다 ▷ shárp *a.*
shárp énd 《구어》 뱃머리; 《비유》 전선(前線), 첨단
sharp·en·er [ʃɑ́:rpənər] *n.* [보통 복합어로] 가는[깎는] 사람[것]: a knife ~ 칼 가는 숫돌 / a pencil ~ 연필깎이
sharp·er [ʃɑ́:rpər] *n.* 사기꾼; 《특히》 전문적인 도박꾼; = SHARPENER
sharp-eyed [ʃɑ́:rpáid] *a.* **1** 시력이 좋은; 눈이 날카로운 **2** 눈치 빠른, 통찰력이 예리한
sharp-freeze [-frí:z] *vt.* 급속 냉동하다
sharp·ie, sharp·y [ʃɑ́:rpi] *n.* 《미》 **1** 삼각돛을 단 평저(平底) 어선 **2** 《속어》 교활한 사람; 빈틈없는 사람
sharp·ish [ʃɑ́:rpiʃ] *a.*, *ad.* 《구어》 다소 날카로운[날카롭게], 좀 높은[높게]; 《영·구어》 좀 빠른[빨리]
***sharp·ly** [ʃɑ́:rpli] *ad.* **1** 날카롭게; 급격하게 **2** 심하게; 세게, 마구; 뚜렷이 **3** 민첩하게, 빈틈없이(shrewdly)
sharp·ness [ʃɑ́:rpnis] *n.* Ⓤ **1** 날카로움; 급함, 가파름; 격렬; 신랄: the ~ of a turn 급커브 **2** 선명; 영리; 교활 **3** 《드물게》 높은 가락
sharp-nosed [ʃɑ́:rpnóuzd] *a.* **1** 코끝이 뾰족한 **2** 〈비행기·탄환 등이〉 두부가 뾰족한 **3** 코[후각]가 예민한: a ~ dog 후각이 예민한 개
sharp-point·ed [-pɔ́intid] *a.* 끝이 뾰족한, 날카로운
sharp-set [-sèt] *a.* **1** 몹시 시장한, 굶주린 **2** 열망[갈망]하는, …에 열렬한 《*upon*, *after*》 **3** 끝이 예각(鋭角)이 된
sharp·shoot·er [-ʃù:tər] *n.* 사격의 명수; 저격병; 〖군사〗 1급 사수; (농구 등에서) 슛이 정확한 선수
sharp·shoot·ing [-ʃù:tiŋ] *n.* Ⓤ 정확한 사격
sharp-sight·ed [-sáitid] *a.* **1** 눈이 날카로운; 시력이 좋은 **2** 눈치 빠른, 빈틈없는, 통찰력이 예리한
~·ly *ad.* **~·ness** *n.*

sharp-tongued [-tʌ́ŋd] *a.* 입이 험한, 말이 신랄한, 독설을 내뱉는

sharp-wit·ted [-wítid] *a.* 재기(才氣)가 날카로운, 빈틈없는, 두뇌가 명석한, 총명한

sharp·y [ʃɑ́:rpi] *n.* = SHARPIE

Shás·ta dáisy [ʃǽstə-] 〖식물〗 샤스타데이지 《프랑스 국화와 해국(海菊)과의 교배종》

Shas·tra [ʃɑ́:strə] *n.* 〖힌두교〗 학술적 경전

shat [ʃǽt] *v.* SHIT의 과거·과거 분사

‡**shat·ter** [ʃǽtər] *vt.* **1 산산이 부수다,** 분쇄하다: ships ~*ed* by storms 폭풍에 파괴된 배들 **2** 파괴하다; 〈희망 등을〉 좌절시키다; 〈노력의 결과 등을〉 망치다 **3** 약화하다, 〈건강·신경 등을〉 손상시키다, 못쓰게 하다 **4** …의 마음에 충격을 주다(⇨ shattered 3) **5** 《영·구어》 기진맥진하게 하다(⇨ shattered 4) **6** 흩어 놓다, 흩뿌리다

— *vi.* **1** 산산조각이 나다, 비산(飛散)하다 **2** 손상되다, 못 쓰게 되다; 약해지다 **3** 〈곡물·포도 등의 과실이〉 (익어서) 떨어지다; 〈꽃잎이〉 날려 흩어지다

— *n.* **1** [*pl.*] 파편, 부서진 조각: break into ~*s* 분쇄하다 / in[into] ~*s* 산산조각이 되어 **2** 파손; 분쇄; 기진맥진한 상태; (건강·정신·경영 상태 등의) 난맥(亂脈), 엉망이 된 상태 **~·ing·ly** *ad.*

shátter còne 〖지질〗 충격 원뿔(암), 파쇄 원뿔(암) 《분화·운석 충돌로 인한 원뿔꼴 암석편》

shat·tered [ʃǽtərd] *a.* **1** 산산이 부서진: a ~ cup 산산이 부서진 컵 **2** 손상된, 결딴난, 상한: one's ~ health 결딴난 건강 **3** 《구어》 마음에 충격을 받은: a ~ look 충격을 받은 표정 **4** 《영·구어》 기진맥진한: feel ~ 기진맥진하다

shat·ter·ing [ʃǽtəriŋ] *a.* **1** 파괴적인; 귀청이 떨어질 것 같은 **2** 놀라운, 충격적인, 강렬한 〈체험 따위〉 **3** 《영·구어》 녹초가 되게 하는

shat·ter·proof [ʃǽtərprù:f] *a.* 산산이 부서지지 않는, 비산 방지(설계)의: ~ glass 안전 유리

shauri [ʃáuri:] *n.* (동아프리카에서) 논의할 거리; 말썽거리

‡**shave** [ʃéiv] *v.* (**~d**; **~d, shav·en** [ʃéivən]) 《특히 분사 형용사로서는 shaven을 씀》 *vt.* **1** 〈수염 등을〉 **깎다,** 면도하다 《*off, away*》 **2** 대패질하다, 〈표면을〉 밀다; 〈잔디 등을〉 깎다 **3** 엷게 자르다; 〈얼음을〉 갈다 **4** 스치다, 스치며 지나가다 **5** 〈가격 등을〉 (조금) 할인하다 **6** 〈형기(刑期) 등을〉 단축시키다 **7** 《영·속어》 빼앗다, 훔치다 **~ *a note*** 《미》 어음을 고율[고리]로 할인하다 **~ *away*[*off*]** 깎아버리다 **~ one*self*** 면도하다

— *vi.* **1** 수염을 깎다, 면도하다 **2** 스치다 **3** 〈면도칼이〉 들다 **4** 《미·구어》 어음·증권 등을 아주 싸게 사다

— *n.* **1** 면도 **2** 엷은 조각, 대팻밥 **3** 면도 도구; 깎는 기구 《대패 등》 **4** 《구어》 간신히 면함, 위기일발 **5** 《영》 속임수, 트릭; 장난 **6** 《미·구어》 (어음 등의) 고율[고리] 할인 ***by a close*[*narrow, near*] ~** 간신히, 아슬아슬하게 ***clean* ~** 깨끗이 수염을 깎음(cf. CLEAN-SHAVED[-SHAVEN]); 《영》 협잡, 사기 ***get*[*have*] *a* ~** 면도하다 ***have a close* ~ (*of it*)** 위험을 간신히 모면하다, 구사일생하다

shaved [ʃéivd] *a.* 《속어》 〈자동차가〉 불필요한 부품·액세서리를 떼낸

shave·ling [ʃéivliŋ] *n.* 《경멸》 까까중, 중; 젊은이, 애송이

shav·en [ʃéivən] *v.* SHAVE의 과거분사

— *a.* **1** [종종 복합어를 이루어] 깎은: a clean-~ face 말끔히 면도한 얼굴 **2** 〈잔디 등이〉 깎아 손질된 **3** 대패질을 한

shav·er [ʃéivər] *n.* **1** 깎는 사람; 이발사 **2** 깎는[면도] 도구; 전기 면도기 **3** 《고어》 고리 대금업자; 고율 어음 할인자; 《구어》 사기꾼, 놈 **4** [보통 a young[little] ~로] 《구어》 젊은이, 애송이

shave·tail [ʃéivtèil] *n.* 《미·군대속어》 (신임) 육군 소위

Sha·vi·an [ʃéiviən] *a.* G. B. Shaw의, Shaw식의
— *n.* Shaw 연구가[숭배자] **~·ism** *n.*

*__shav·ing__ [ʃéiviŋ] *n.* ⓊⒸ **1 수염을 밀기, 면도;** 깎음 **2** [보통 *pl.*] 깎아낸 부스러기, 대팻밥: pencil ~*s* 연필 깎은 부스러기 **3** 《미·구어》 할인

sháving brùsh 면도솔

sháving crèam 면도 크림

sháving fòam 면도용 거품

sháving hòrse 나무를 깎을 때 걸터앉는 받침대

sháving sòap 면도 비누

Sha·vu·oth [ʃəvú:ous] *n.* 〖유대교〗 = SHABUOTH

shaw [ʃɔ́:] *n.* 《고어·시어》 잡목 숲, 우거진 숲

Shaw [ʃɔ́:] *n.* 쇼 **George Bernard ~** (1856-1950) 《아일랜드 태생의 영국 극작가·비평가; 略 G.B.S.》

*__shawl__ [ʃɔ́:l] *n.* 숄, 어깨걸이
— *vt.* …에 숄을 걸치다; …을 숄에 싸다

sháwl cóllar (목부터 앞여밈 부분까지) 한 가닥으로 말린 옷깃

sháwl pàttern 숄 무늬 《동양의 숄에서 본뜬 화려한 디자인》; 화려한 무늬[디자인]

shawm [ʃɔ́:m] *n.* 중세의 통소의 일종 《oboe의 전신》

Shaw·nee [ʃɔ:ní:] *n.* (*pl.* **~, ~s**) [the ~(s)] 쇼니 족(族) 《Algonquian 족의 하나》; Ⓤ 쇼니 말

Shaw·wal [ʃəwɑ́:l] *n.* 이슬람력(曆)의 제10월

shay [ʃéi] *n.* 《고어·익살》 = CHAISE

sha·zam [ʃəzǽm] *int.* 샤잠, 수리수리마하수리 《요술사의 주문》

‡**she** [ʃí:, ʃi] *pron.* (소유격 **her**; 목적격 **her**; *pl.* **they**) **1 그 여자는**[가] ★ 제3인칭 여성 단수 주격의 인칭 대명사; 선박·달·기차·도시 등 여성으로 취급되는 것에도 씀. **2** 《고어》 [관계대명사의 선행사로] 여성이란 (누구든지): *S*~ who listens learns. 주의 깊게 듣는 여성은 기억도 잘한다. **3** 《영·방언》 [동사·전치사의 목적어로] = HER: between her husband and ~ 그녀와 남편과의 사이에 **4** [전화 통화할 때] (여성의 경우) 자신, 본인: This is ~. 저입니다.

— *n.* (*pl.* **~s**) **1** 여자, 여성; 《경멸》 계집: Is the baby a he or a ~? 갓난애는 사내아이냐 여자아이냐? **2** 암컷(cf. HE[1] *n.* 2) **3** 여성에 비유하는 사물[장치] 《선박·기차·달 등》

— *a.* Ⓐ [보통 복합어를 이루어] **1** 암컷의(female): a ~-cat 암코양이(⇨ cat 관련); 앙큼한 여자 / a ~-devil 악독한 여자, 독부(毒婦) **2** 여성적인; 여성을 대상으로 하는: a ~-poetry 여성적인 시

s/he [ʃí:ərhí:, ʃí:hí:] *pron.* 그(녀)는, 그(녀)가(he or she, she or he)

shéa bùtter [ʃí:- | ʃíə-] 시버터 《버터의 일종; 식용 또는 비누·양초 제조 원료》

*__sheaf__ [ʃí:f] *n.* (*pl.* **sheaves** [ʃí:vz]) **1** (곡물의) 단, 다발, 한 다발 《*of*》(⇨ bundle 유의어): a ~ *of* letters 편지 한 뭉치 / a ~ *of* arrows 한 전동(箭筒)의 화살 《보통 24개》 **2** 〖수학〗 층 **3** [*pl.*] 다수, 다량
— *vt.* (다발로) 묶다 **~·like** *a.*

*__shear__ [ʃíər] *n.* **1** [*pl.*] **큰 가위,** 원예용 가위, 전단기(剪斷機): a pair of ~*s* 큰 가위 한 자루(cf. SCISSORS) **2** 자르는 것, 절단 **3** (양의) 털 깎은 횟수, 한 번[1회]에 깎은 양모의 양; (양의) 나이: a sheep of one ~[two ~*s*] 한[두] 살의 양 **4** 〖기계〗 전단 응력(應力), 전단 변형; [*pl.*] = SHEAR LEGS

— *v.* (**~ed,** 《고어》 **shore** [ʃɔ́:r]; **shorn** [ʃɔ́:rn], 《드물게》 **~ed**) *vt.* **1** (큰 가위로) **베다, 깎다, 자르다;** …의 털을 깎다: ~ sheep 양의 털을 깎다 // (~+목+전+명) ~ wool *from* sheep 양에게서 털을 깎아내다 **2** 〖기계〗 전단(剪斷) 변형시키다; 전단하다 **3** [보통 수동형으로] (사람에게서) 박탈[탈취]하다 《*of*》(⇨ shorn) **4** 잽싸게 뚫고 나가다[가로지르다]: The bird ~*ed* the sky. 새가 하늘을 잽싸게 가로질러 날아갔다. **5** 《스코》 낫으로 베어내다[깎다] **6** 《시어》 칼이나 도끼로 자르다; 머리를 깎다

— *vi.* **1** 가위질하다; 양털을 깎다; (가위로) 잘리다;

thesaurus **shatter** *v.* **1** 산산이 부수다 smash, break, splinter, fracture, crush, crack **2** 파괴하다

(낫으로) 곡물을 잘라내다 **2** (비행기·배 따위가) 뚫고 [가로질러] 나가다: (~+전+명) The ship *~ed through* the waves. 배는 파도를 헤치고 나아갔다. **3** 〖광산〗 탄층(炭層)을 내리 깎다 **4** 〖기계〗 전단(剪斷) 변형을 받다; 〈케이블 등이〉 끊어지다 **~ *cloth*** 직물의 솜털을 자르다 **~ *off*** 가위로 잘라내다 **~ *off*** a person**'*s plume*** 자만심을 꺾어버리다

~·er *n.* 깎는[베는] 사람; 양털 깎는 사람; 전단기

shear·hog [ʃíərɑg | -rɔg, -hɔg] *n.* 처음으로 털을 깎은 양

shéar hùlk 〖항해〗 두 발 기중기선(船)

shear·ing [ʃíəriŋ] *n.* UC (큰 가위로) 자르는[깎는] 것, 양털 깎기; 전단; 전단 가공; [*pl.*] 깎은 양털

shéaring strèss 〖기계〗 전단 응력

shéar lègs 〖항해〗 두 발 기중기

shear·ling [ʃíərliŋ] *n.* 최근 털을 깎은 양의 가죽; 털을 한 번 깎은 양

shéar pìn 〖기계〗 시어핀 《과도한 힘이 가해지면 부러지는 장치》

shéar stèel 전단강(剪斷鋼), 칼날을 만드는 강철

shear·wa·ter [ʃíərwɔ̀:tər] *n.* 〖조류〗 섬새

sheat·fish [ʃí:tfiʃ] *n.* (*pl.* **~, ~·es**) 〖어류〗 메기의 일종

∗**sheath** [ʃí:θ] *n.* (*pl.* **~s** [ʃí:ðz, ʃí:θs]) **1** 칼집 **2** (연장의) 집, 덮개, 씌우개(cover) **3** 〖식물〗 엽초, 잎집 **4** 〖곤충〗 딱지날개 **5** 돌로 쌓은 제방 **6** 〖전기〗 (케이블의) 외장(外裝) **7** 시스 《몸에 착 붙는 여성용 원피스》 **8** 콘돔(condom) ▷ shéathe *v.*

sheathe [ʃí:ð] *vt.* **1** 칼집에 넣다; (비유) 싸움을 거두다 **2** 씌우다, 싸다, 외장하다 《*with, in*》 **3** 상자에 넣다[담다] 《*in*》 **4** 〈칼 등으로 살을〉 푹 찌르다 **5** 〈고양이 등이 발톱을〉 움츠리다, 끌어당기다 **~ *the sword*** 칼을 칼집에 넣다; 화해하다 **shéath·er** *n.*

sheath·ing [ʃí:ðiŋ] *n.* U **1** 칼집에 넣음 **2** 씌우개, 덮개 **3** (배 밑에 까는) 동판(銅板): 지붕널; (전선의) 외장(外裝); 〖건축〗 (기와 밑깔개 등으로 쓰는) 피복 재료: waterproof ~ 방수 피복 재료

shéath knìfe 칼집이 있는 나이프

sheave¹ [ʃí:v] *vt.* 〈곡물 등을〉 다발로 묶다, 모으다

sheave² [ʃív, ʃí:v] *n.* 도르래 바퀴, 고패; [집합적] 도르래, 활차

sheaves [ʃívz, ʃí:vz] *n.* SHEAF, SHEAVE²의 복수

She·ba [ʃí:bə] *n.* **1** 시바 《고대 남아라비아의 나라》 **2** (미·구어) 매력적인 미녀

the Queen of ~ 〖성서〗 시바의 여왕 《솔로몬 왕에게 가르침을 청한 여왕》

she·bang [ʃəbǽŋ] *n.* (미·구어) **1** 오두막, 판잣집; 술집 **2** 당면한 일, 사건; (조직·사건 등의) 짜임새, 뼈대 ***the whole ~*** 전체, 전모, 일체

She·bat [ʃəbɑ́:t] *n.* = SHEVAT

she·been [ʃəbí:n] *n.* (아일) 주류 밀매점, 《일반적으로》 싸구려 술집

She·chem [ʃí:kəm, ʃék-] *n.* 세겜 《고대 북이스라엘 왕국의 최초의 수도》

∗**shed¹** [ʃéd] *n.* **1** 오두막, 몸채에 잇대어 지은 오두막; 가축 우리; 양털 깎는 우리 **2** 광, (간이) 창고, 차고, 격납고; (세관의) 화물 창고: an engine ~ 기관차고 ***in the ~*** (뉴질) 작업 중에 ***ring the ~*** (호주·뉴질·구어) 가장 빠른 양털 깎기 기술자가 되다

— *vt.* shed에 넣다 **~·lìke** *a.*

‡**shed²** [ʃéd] *v.* (**~**; **~·ding**) *vt.* **1** 〈피·눈물 등을〉 흘리다; 〈물·액체 등을〉 (샘솟듯) 솟구치게 하다, 내뿜게 하다: ~ sweat 땀을 흘리다 / ~ tears 눈물을 흘리다 **2** 〈잎 등을〉 저절로 떨어지게 하다, 〈가죽·껍질·뿔 등을〉 벗다, 갈다, 탈락시키다; 〈옷을〉 벗어버리다; 〈무용지물·나쁜 버릇을〉 버리다; 해고하다; 이혼하다: Trees ~ their leaves in fall. 나무는 가을에 잎이 진다. **3** 〈빛·소리·냄새를〉 발하다, 발산하다; 〈영향·사상 등을〉 주다, 미치다: (~+목+부) Roses ~ their fragrance *around*. 장미는 주위에 향기를 풍긴다. // (~+목+전+명) This book ~*s* no light *on* the question. 이 책은 그 문제에 어떤 해결의 실마리도 주지 못한다. **4** 〈방수천·기름종이 등이〉 〈물이〉 스며들지 않다, 〈물을〉 되튀기다 **5** (영) 〈트럭 등이〉 잘못해서 화물을 떨구다 **6** 〖직조〗 〈날실을〉 상하로 갈라서 북이 들어갈 틈을 만들다; (방언) (머리에) 가르마를 짓다

— *vi.* 〈잎·씨 등이〉 떨어지다; 탈피[탈모, 탈각, 깃털갈이]하다: The snake ~*s* its skin. 뱀은 허물을 벗는다 **~ *light on*** …을 비추다; …을 명백히 하다 **~** one**'*s blood for*** …을 위해 피를 흘리다, …을 위해 죽다 **~ *the blood of*** a person = **~** a person**'*s blood*** …을 죽이다, 희생시키다

— *n.* 분수계(分水界), 분수령; (베틀의 북이 들어갈) 구멍, 틈새; 버려진 것; (머리카락의) 가르마

SHED solar heat exchanger drive 〖우주과학〗 태양열 교환 추진

‡**she'd** [ʃí:d] she had[would]의 단축형

shed·der [ʃédər] *n.* (피·눈물 등을) 흘리는 사람, 쏟는 것; 〖동물〗 탈각기(脫殼期)의 게[새우], 산란 후의 연어; (뉴질) 목장에서 우유 짜는 사람

shed·ding¹ [ʃédiŋ] *n.* **1** U 흘리기, 발산 **2** [보통 *pl.*] 벗은 허물 **3** U 나누기, 분계(分界)

shedding² *n.* 오두막, 광, 차고

she-dev·il [ʃí:dèvəl] *n.* 악녀, 독부

shéd hànd (호주) 양털 깎는 일꾼[조수]

shed·like [ʃédlàik] *a.* 오두막[광] 같은

shed·load [-lòud] *n.* (영·구어) 많음, 다수 ***~s of*** (영·구어) 많은, 다수의

shéd ròof 한 면만 경사진 지붕

sheen [ʃí:n] *n.* U 광휘, 광채; 광택, 윤; 현란한 의상; 광택 있는 천 **~·ful** *a.* **~·less** *a.* **~·ly** *ad.*

sheen·y¹ [ʃí:ni] *a.* (**sheen·i·er**; **-i·est**) (시어) (번쩍번쩍) 빛나는, 윤이 나는; 〈천 등이〉 광택 있는

shee·ny² [ʃí:ni] *n.* (*pl.* **shee·nies**) (속어·경멸) 유대인(Jew)

‡**sheep** [ʃí:p] *n.* (*pl.* **~**) **1** 양, 면양: a ~ farmer 목양업자 / a flock of ~ 한 떼의 양 / One may as well be hanged for a ~ as (for) a lamb. (속담) 새끼양을 훔치고 교수형을 당하느니 차라리 어미양을 훔치고 교수형을 당하는 편이 낫다. 《이왕 내친 김에 끝까지》 관련 거세하지 않은 수컷은 ram. 거세한 수컷은 wether. 암컷은 ewe. 새끼는 lamb. 양 고기는 mutton. 새끼양의 고기는 lamb. 매하고 우는 것은 bleat. 울음소리는 baa.

2 U 양가죽 **3** 순종적인[선량한] 사람; 수줍음 잘 타는 사람; 상상력[독창력]이 없는 사람; 겁쟁이, 바보 **4** [집합적] 신자, 교구민(cf. SHEPHERD 2)

a black ~ ⇨ black sheep. ***a lost*** [***stray***] **~** 〖성서〗 길 잃은 양 ***a wolf in ~'s clothing*** 〖성서〗 양가죽을 쓴 이리 ***follow like ~*** 맹종하다 ***like*** [***as***] ***a ~ to the slaughter*** 아주 얌전히 ***make*** [***cast***] ***~'s eyes at*** ⇨ sheep's eyes. ***return to*** one**'*s ~*** (이야기의) 본론으로 되돌아가다 ***separate the ~ and*** [***from***] ***the goats*** 〖성서〗 선인과 악인을 구별하다 ***~ that have no shepherd*** = ***~ without a shepherd*** 오합지졸

▷ shéepish *a.*

sheep·ber·ry [ʃí:pbèri | -bəri] *n.* 〖식물〗 (북미산(産)) 가막살나무속(屬)의 관목; 그 열매

sheep·cote [-kòut], **-cot** [-kɑ̀t | kɔ̀t] *n.* (영) 양 우리

sheep-dip [-dìp] *n.* 〖수의학〗 세양제(洗羊劑) 《양의 기생충 구제약》

sheep·dog [-dɔ̀g] *n.* 양 지키는 개 《collie 등》

sheep-farm·er [-fɑ̀:rmər] *n.* (영) 목양업자((미) sheepman)

sheep·fold [-fòuld] *n.* 양 우리

sheep·herd·er [-hə̀:rdər] *n.* (미) 양치기, 목동(shepherd)

---

destroy, demolish, wreck, ruin, dash, overturn
shave *v.* cut off, trim, snip off, crop

sheep·hook [-hùk] *n.* 목양자의 지팡이
sheep·ish [ʃíːpiʃ] *a.* **1** 양 같은; 매우 수줍어하는, 얼뜬, 소심한 **2** (실수·실패 등으로) 부끄러워하는, 당황해하는 **~·ly** *ad.* **~·ness** *n.*
shéep kèd 〖곤충〗 =SHEEP TICK
shéep làurel 〖식물〗 진달랫과 칼미아속(屬)의 일종
shéep lòuse 〖곤충〗 =SHEEP TICK
sheep·man [-mən] *n.* (*pl.* **-men** [-mən]) **1** 《고어·영》 =SHEPHERD **2** 《미》 목양업자
sheep·pen [-pèn] *n.* 《영》 =SHEEPFOLD
sheep·run [-rʌ̀n] *n.* (특히 오스트레일리아의) 넓은 목양장(sheep station)
shéep's èyes 추파, 요염한 눈길; 색정어린 눈길: cast[make] ~ at 《구어》 …에 추파를 던지다
sheep·shank [ʃíːpʃæ̀ŋk] *n.* 양의 정강이[다리]; 여윈[강마른] 것; 〖항해〗 간동그려 매기 《긴 밧줄을 임시 줄이는 법》
sheeps·head [ʃíːpshèd] *n.* **1** 요리한 양의 머리 **2** 《고어》 바보 **3** 〖어류〗 도밋과(科)의 식용어
sheep·shear·er [ʃíːpʃìərər] *n.* 양털을 깎는 사람; 털 깎는 기계
sheep·shear·ing [-ʃìəriŋ] *n.* ⓤⓒ 양털 깎기(의 시기), 양털 깎기 잔치
sheep·skin [-skìn] *n.* **1** ⓤ 양피, 무두질한 양가죽 **2** 양가죽 외투; 양모피 모자[깔개, 무릎 덮개] **3** ⓤ 양피지; ⓒ 양피지 서류 **4** 《미·구어》 졸업 증서(diploma)
shéep('s) sòrrel 〖식물〗 애기수영
shéep tìck 〖곤충〗 (양에 기생하는) 날개 없는 흡혈파리
sheep·walk [-wɔ̀ːk] *n.* 《영》 목양장
‡**sheer**[1] [ʃíər] *a.* **1** 얇은, 〈직물이〉 올 사이가 비쳐 보이는: ~ stockings 얇은 스타킹 **2** 섞인 것이 없는; 물을 타지 않은, 순수한: ~ whisky 물을 타지 않은 위스키 **3** Ⓐ 완전한, 순전한: ~ folly 더없는 어리석음/by ~ luck 정말 운이 좋아서/talk ~ nonsense 어처구니없는 말을 하다 **4** 〈낭떠러지 등이〉 깎아지른 듯한, 가파른: a ~ cliff 깎아지른 듯한 벼랑 **5** 《미·폐어》 빛나는, 반짝이는
— *ad.* **1** 수직으로, 똑바로; (경사가) 가파르게: fall 100 feet ~ 똑바로 100 피트 떨어지다 **2** 전연, 완전히(completely); 정면으로
— *n.* ⓤ 투명하게 비치는 직물; ⓒ 그 옷
~·ly *ad.* **~·ness** *n.*
sheer[2] *vi.* **1** 〖항해〗 침로에서 빗나가다; 방향을 바꾸다 **2** 〈싫은 사람·화제를〉 피하다 《*away, off, from*》 ~ ***off*** (충돌 등을 피하려고) 빗나가다; 피하다 《*from*》
— *vt.* **1** 차로에서 벗어나다; …의 방향을 바꾸게 하다 **2** 〖항해〗 (선체에) 현호를 달다
— *n.* **1** 〖항해〗 현호(舷弧) 《측면에서 본 갑판의 호도(弧度)》; 닻 하나로 정박한 배의 위치 **2** 만곡(彎曲) 진행; 진로[방향]를 바꾸는 일
sheer·legs [ʃíərlègz] *n. pl.* 〖항해〗 =SHEAR LEGS
shéer plàn 〖항해〗 측면 선도(線圖) 《선체 측면의 모양이나 갑판·수선(水線)의 위치 등을 나타내는 선도》
sheers [ʃíərz] *n. pl.* 〖항해〗 =SHEAR LEGS
sheesh [ʃíːʃ] *int.* 《구어》 체, 치, 제기 《분노·불쾌감·놀람의 소리; Jesus 또는 shit의 완곡적 표현》
‡**sheet**[1] [ʃíːt] *n.* **1** 시트, 요 위에 까는 천, 커버, 홑이불: change the ~*s* 시트를 갈다 **2** 넓게 퍼져 있는 것 [층, 피복]; [종종 *pl.*] (물·눈·얼음·불·빛깔 등의) 가득 퍼짐; 가득 퍼진 … 《*of*》: a ~ *of* ... 온통…, …의 벌판[바다]/a ~ *of* water[fire] 물[불]바다/~*s of* rain 호우(豪雨) **3** (금속·유리 등의) 얇은 판, 박판(薄板), 판자(⇨ board 유의어); (과자 굽는) 금속판, 플레이트(plate): a ~ of glass[iron] 유리[철판] 한 장/in ~*s* 박판으로 해서 **4** 《시어》 돛(sail) **5** …장[매], (종이) 한 장, (책장의) 한 장; (우표의) 시트: two ~*s* of paper 종이 두 장 **6** 《속어》 달러 (화폐); [the ~s] 돈 **7** 《속어》 신문, 잡지: a penny ~ 1페니 신문 **8** 〖인쇄〗 (대형) 매엽지(枚葉紙); (접기 전의) 인쇄지, 인쇄물: a fly ~ 전단(傳單)/a news ~ 한 장짜리 신문 **9** 식물 표본지 **10** 〖지질〗 암상(岩床); 기반암(基盤岩) **11** 수의(壽衣) **12** 흰옷 《참회하는 사람이 입는》 **13** 《속어》 (범죄자의) 기록, 파일
(***as***) ***white***[***pale***] ***as a*** ~ 〈얼굴이〉 백지장 같은, 창백한 ***blank*** ~ 백지; 백지 같은 마음[사람] 《선에도 악에도 물들 수 있는》 ***clean*** ~ 전과 없는[품행이 좋은, 선량한] 인물 ***get between the ~s*** 자다 ***in ~s*** 〈비·안개 등이〉 심하게; (인쇄만 하고) 제본하지 않은, 한 장 한 장 떨어져 있는 ***put on***[***stand in***] ***a white ~*** 참회하다, 회개하다
— *vt.* **1** 시트로 싸다, (침대 등에) 시트를 깔다, 덮개를 씌우다 **2** …에게 수의를 입히다 **3** 〈금속 등을〉 박편으로 피복하다; 얇게 덮다: be ~*ed* with sugar 설탕으로 덮여 있다 **4** 박판으로 만들다, 얇게 펴다[늘리다]
~ed rain 호우(豪雨)
— *a.* 박판(薄板)(제조)의
sheet[2] *n.* 아딧줄, 범각삭(帆脚索) 《풍향에 따라 돛의 각도를 조절하는 밧줄》; [*pl.*] (이물·고물의) 공간, 자리
a ~ in[***to***] ***the wind*** 《구어》 얼근히 취해서 ***have three***[***four***] ***~s in***[***to***] ***the wind*** 《구어》 곤드레만드레 취해 있다
— *vt.* [다음 성구로] ~ (***sails***) ***home*** 아딧줄로 돛을 활짝 펴다; 《미》 …에 대한 책임을 지우다, 〈필요성 등을〉 통감시키다
shéet ànchor **1** 〖항해〗 비상용 큰 닻, 부묘(副錨) **2** 마지막 수단, 최후로 의지할 것[사람]
shéet bènd 〖항해〗 두 가닥의 밧줄을 잇는 방식 중의 하나 《becket bend, mesh knot, netting knot 등》
shéet còpper 구리 박판(薄板)
shéet eròsion (빗물에 의한 토양의) 표층(表層) 침식
shéet fèeder 〖컴퓨터〗 시트 피더 《프린터에 용지를 한 장씩 넣는 장치》
shéet glàss 판(板)유리
sheet·ing [ʃíːtiŋ] *n.* ⓤ **1** 시트감, 시트 **2** 판금(板金), 피복(被覆) **3** [집합적] 울 판자, 흙받이 널
shéet ìron 얇은 강판, 철판
shéet lìghtning 〖기상〗 막전(幕電)
shéet mètal 판금(板金), 금속 박판(薄板)
shéet mùsic 낱장 악보 《책으로 매지 않은》
shéet pìle 방토벽(防土壁) 널판자, 파일용 강판(鋼板), 시트파일
Sheet·rock [ʃíːtrɑ̀k | -rɔ̀k] *n.* 시트록 《종이 사이에 석고를 넣는 석고 보드》
Shef·field [ʃéfiːld] *n.* 셰필드 《영국 Yorkshire의 공업 도시》
Shéffield pláte 경질(硬質)의 은도금 동판
she-goat [ʃíːgóut] *n.* 암염소(cf. HE-GOAT)
she/he [ʃíːərhíː, ʃíːhíː] *pron.* =S/HE
sheik(h) [ʃíːk | ʃéik] *n.* **1** (이슬람교, 특히 아라비아에서) 가장, 족장, 촌장; 장로; 교주: *S*~ ul Islam 이슬람교 교주 **2** 《속어》 미남자, 호색한
sheik(h)·dom [ʃíːkdəm | ʃéik-] *n.* sheik(h)의 관할 영토, 수장국(首長國)
shei·la [ʃíːlə] *n.* 《호주·속어》 젊은 여성, 소녀; 여자친구
Shei·la [ʃíːlə] [Ir.] *n.* 여자 이름
shei·tel [ʃéitəl] *n.* (*pl.* **sheit·len** [ʃéitlən]) 정통파 유대교의 기혼 여성이 쓰는 가발 《남편 이외의 남성에게 머리털을 그대로 보여주는 것을 금지하는 율법의 가르침에 따른 것임》
shek·el [ʃékəl] *n.* **1** 세켈 《유대의 무게 단위, 약 반 온스; 은화 2실링 9펜스》 **2** [*pl.*] 《속어》 돈(money), 현금; 부자: have got a lot of ~*s* 큰 부자이다
She·ki·nah [ʃikíːnə, -kái- | ʃekáinə] *n.* 〖유대교〗 셰키나 《속죄소(mercy seat)나 (초)자연적 현상에 나타난 여호와의 모습》; 하느님의 현현(顯現)

thesaurus **sheer**[1] *a.* **1** 얇은 thin, transparent, translucent, filmy, fine **2** 순전한 absolute, complete, utter, total, downright, unadulterated **3** 가파른 abrupt, steep, sharp, vertical, precipitous

shel·drake [ʃéldrèik] *n.* (*pl.* **~s, ~**) 〖조류〗 혹부리오리, 황오리

shel·duck [ʃéldʌ̀k] *n.* (*pl.* **~s, ~**) 〖조류〗 혹부리오리(의 암컷)

‡**shelf** [ʃélf] *n.* (*pl.* **shelves** [ʃélvz]) **1** 선반, 시렁; 한 시렁분의 것 (*of*): a ~ *of* books 책 한 시렁 **2** 선반 모양의 것; (낭떠러지의) 암붕(岩棚); 단(platform); 암초, 사주(砂洲), 물이 얕은 곳, 모래톱; 대륙붕 **3** 〖광산〗 기반암(基盤岩), 암상(岩床); 평층(平層) **4** (호주·구어) 밀고자 **5** (활을 쏠 때 활을 잡는) 왼손의 위쪽 (화살을 걸치는 부분)
be put [***laid, cast***] ***on the ~*** 선반에 얹히다; 일시 보류되다, 사용되지 않다; 해고되다; 폐기 처분하다; 〈여자가〉 혼기를 넘기다 ***off the ~*** 재고가 있어서 언제든 살 수 있는; 〈부품 등이〉 규격품인 **~ *warmer*** 오랫동안 팔리지 않는 물건, 팔다가 남은 물건 ***the continental ~*** 대륙붕 **~·lìke** *a.*
▷ shélve[1] *v.*

shelf·ful [ʃélffùl] *n.* 선반에 가득(한 분량) (*of*)

shélf ìce 빙붕(氷棚)

shélf lìfe 저장[보존] 기간 (저장된 약·식품 등의 재고 유효 기간)

shelf·list [ʃélflìst] *n.* (도서관의) 서가 목록

shélf màrk (도서관의) 서가(書架) 기호

shelf-stack·er [ʃélfstæ̀kər] *n.* (슈퍼마켓 등의) 선반에 물품을 적재하는 사람

‡**shell** [ʃél] *n.* **1 a** 조가비(seashell); (굴의) 껍질 **b** (거북·새우·게 등의) 등딱지, 껍데기 **c** (콩의) 깍지, 꼬투리 **d** 시초(翅鞘), 딱지날개 **e** (번데기의) 외피 **f** (과일·종자 등의) 껍질; [*pl.*] 카카오 껍질 **g** (새알의) 껍질 **2** 내관(內棺); 조개껍질 모양의 용기[덮개]; (조개처럼) 단단한 용기 **3 a** (속 없는) 외관, 외형, 겉모양 **b** (감정을 감추는) 외형, 겉치레 **4** 포탄, 유탄, 파열탄 (⇨ bullet 유의어); (미) 탄피: a blind ~ 불발탄 **5** 〖물리〗 전자각(電子殼) **6 a** (건물·탈것 등의) 뼈대; 선체(船體); 차체 **b** (미) 셸형 보트 **c** (파이의) 껍질; [*pl.*] 조개 모양의 파스타 (이탈리아 요리의 일종) **7** (의복의) 겉; (미) (머리에서 뒤집어쓰는) 여성용 소매 없는 블라우스 **8** = SHELL JACKET **9** 〖공학〗 곡면판(曲面板); 둥근 천장의 경기장 **10** (영) 중간 학년 (보통 4학년과 5학년 사이) **11** (내연 보일러의) 내압성 외판 금속 **12** 〖해부〗 외이(外耳)(concha) **13** 〖지리〗 지구의 각층, 지각 **14** (시어) 칠현금(lyre) **15** = SHELL COMPANY **16** 〖컴퓨터〗 셸 (명령어를 해석하는데 사용하는 프로그램; 유닉스 운영 체제의 명령어 해석기)
cast the ~ 껍데기를 벗다 ***come out of*** one***'s ~*** 마음을 터놓다 ***go into*** one***'s ~*** 말이 없어지다, 대화를 그만두다 ***in the*** [one***'s***] ***~*** 껍질에 싸인 채로, 〈알이〉 부화하지 않고; 미발달의 단계에서, 미숙해서; 중간 학년에 재학 중인 ***out of*** one***'s ~*** (구어) 껍데기에서 나와서, 마음을 터놓고: bring a person *out of* his[her] ~ …의 마음을 터놓게 하다 ***retire into*** one***'s ~*** 마음을 터놓지 않다, 입을 다물다
— *vt.* **1** 깍지에서 끄집어내다, 껍데기를 벗기다; (미) (옥수수의) 알을 떼다; 탈곡하다 **2** 껍데기로 싸다, 껍데기를 깔다 **3** 포격하다, 폭격하다 **4** (미·속어) 〈돈을〉 지불하다
— *vi.* **1** 껍데기가 벗겨지다[떨어지다] **2** 포격하다 **3** 조개껍질을 줍다[모으다]
(***as***) ***easy as ~ing peas*** (속어) 아주 쉬운 **~ *off*** 비늘처럼 벗겨지다 **~ *out*** (속어) 남김없이 지불하다; 필요한 전액을 내주다; 기부하다
~·less *a.* **~·lìke** *a.* ▷ shélly *a.*

‡**she'll** [ʃiːl, ʃil] she will[shall]의 단축형

shel·lac(k) [ʃəlǽk] *n.* Ⓤ **1** 셸락 (lac을 정제하여 얇게 굳힌 니스 등의 원료) **2** 셸락 레코드
— *vt.* (**-lacked** [-t]; **-lack·ing**) **1** 셸락을 바르다 **2** (미·속어) (몽둥이 등으로) 때리다; 쳐부수다(defeat); 폭행하다

shel·lack·ing [ʃəlǽkiŋ] *n.* ⓊⒸ **1** (미·속어) 구타, 몽둥이로 때리기; 완패(完敗), 대패(大敗): take a ~ 대패하다 **2** 셸락 니스 바르기

shell·back [ʃélbæ̀k] *n.* (해군속어) 늙은 선원; 배로 적도를 횡단한 사람

shell·bark [-bɑ̀ːrk] *n.* = SHAGBARK

shéll bèan 깍지는 안 먹는 콩류(類)(cf. STRING BEAN)

shéll còmpany[**corporàtion**] 자산이나 사업활동이 없는 명의뿐인 회사

shéll cóncrete 〖건축〗 셸콘크리트 (돔식 지붕·대건축물 등에 사용되는 강화 콘크리트)

shéll constrùction 〖건축〗 셸 구조 (철근 콘크리트의 매우 얇은 곡면 구조)

shelled [ʃéld] *a.* **1** 껍질을 벗긴[깐]: ~ nuts 껍질을 깐 견과(堅果) **2** [보통 복합어를 이루어] …한 껍질이 있는: hard[soft]-~ 딱딱한[부드러운] 껍질의 **3** 〈옥수수 등의 곡물 낟알이〉 대에서 떨어진

shéll ègg (껍질이 있는 채로의) 보통 달걀

shell·er [ʃélər] *n.* 껍질 까는 사람[기계]; 조개껍질 수집가

Shel·ley [ʃéli] *n.* 셸리 **1 Mary Wollstonecraft ~** (1797-1851) (영국 소설가; 2의 부인) **2 Percy Bysshe ~** (1792-1822) (영국의 시인)

shell·fire [ʃélfàiər] *n.* ⓊⒸ 포화, 포격

***shell·fish** [ʃélfìʃ] *n.* **1** (특히 식용의) 조개 **2** 갑각류(甲殼類) (게·새우 등)

shell·fish·er·y [-fìʃəri] *n.* 조개류·갑각류의 어업 어획(고)

shéll fòlder 여행용 팸플릿, 브로셔

shéll gàme 먹국 (골무 마술의 일종); 야바위 노름, 사기

shéll hèap 〖고고학〗 패총(貝塚)

shéll hòuse[**hòme**] 외각(外殼)[골격] 주택 (내장은 구입자 임의로 하게 함)

shell·ing [ʃéliŋ] *n.* ⓊⒸ **1** 포격 **2** 깍지[껍데기] 까기

shéll jàcket (미) (열대 지방용) 약식 예복; (영) 육군 장교 평상복

shell-lime [ʃéllàim] *n.* Ⓤ 조가비 재(灰)

shell-like [ʃéllàik] *n.* (구어·익살) (사람의) 귀

shéll mòney 조가비 화폐

shéll mòund 〖고고학〗 패총(貝塚)

shéll pínk 흰색 또는 노란색이 섞인 핑크 색깔

shéll prògram 〖컴퓨터〗 (컴퓨터 운영 체계를 가능하게 하는) 셸 프로그램

shell·proof [-prúːf] *a.* 포격[폭격]에 견디는, 방탄(防彈)의

shéll shòck 〖정신의학〗 탄환 충격 (폭탄으로 인한 기억력·시각 상실증), 전투 신경증(battle fatigue)

shell-shocked [-ʃɑ̀kt | -ʃɔ̀kt] *a.* 탄환 충격[전투 신경증]에 걸린

shéll stèak 대형 비프스테이크(cf. PORTER-HOUSE 2)

shéll strùcture 〖물리〗 (원자·원자핵의) 각(殼) 구조

shéll sùit (겉감은 방수 나일론이고 안감은 면으로 된) 육상 운동복, 스포츠 웨어 (보온용)

shell·work [-wə̀ːrk] *n.* Ⓤ 조가비 세공

shell·y [ʃéli] *a.* (**shell·i·er**; **-i·est**) 조가비가 많은[로 덮인]; 조가비[깍지] 같은

Shel·ta [ʃéltə] *n.* 셸터어(語) (아일랜드의 집시나 땜장이 등이 예로부터 써오던 은어)

‡**shel·ter** [ʃéltər] *n.* **1** 피난처; 은신처, (잠시) 비를 피하는 곳; 오두막; (버스 정류소 등의) 대합실; (임시) 수용소[시설] (*from, against*): a cabman's ~ 역마차의 손님을 기다리는 오두막 / a ~ for battered women (미) 학대당하는 여성의 은신처 **2** 〖군사〗 방공호, 대피호(=air-raid ~)(⇨ basement 유의어): a nuclear bomb ~ 핵 대피호 **3** Ⓤ 비호, 보호, 옹호; 피난: fly to a person for ~ = seek ~ at a person's house …에게 피신하다[보호를 의뢰하다] / We

---

shelter *n.* protection, shield, cover, screen, safety, security, defense, refuge, sanctuary, asylum, retreat, haven, harbor — *v.* protect, screen, safeguard, conceal, hide

took ~ in a nearby cabin. 우리는 근처 오두막으로 피난했다. **4** Ⓤ 주거, 집: food, clothing and ~ 의식주 **5** 〖금융〗 세금 피난 수단
give ~ to …을 비호[두둔]하다 ***take*** [***find***] ***~ from*** …로부터 피난[대피]하다; …을 피하다 ***under the ~ of*** …의 비호 아래
— *vt.* **1** 보호[비호]하다; 머물게 하다(lodge); …에게 피난처를 제공하다; 숨기다, 가리다, 덮어주다: ~ a person for the night …에게 하룻밤을 머물게 하다[재워 주다]∥(~+목+전+명) The hills at the back ~ the harbor *from* the north wind. 뒷산이 그 항구를 북풍에서 막아 준다. / He *~ed* himself *in* the crannies of the rocks. 그는 바위의 갈라진 틈에 피신했다. **2** (무역·산업 등을 국제 경쟁으로부터) 보호하다 **3** 〖금융〗 〈돈을〉 (세금 회피 수단을 이용하여) 투자하다 **~ one*self under*** [***behind***] …밑에[뒤에] 몸을 숨기다, (상관 등)에게 책임을 전가하다
— *vi.* **1** 피난하다, 숨다 **2** 햇빛[바람, 비]을 피하다 《*under, in, from*》: (~+전+명) I *~ed* for some time *from* the shower under a tree. 나는 나무 밑에서 잠시 동안 소나기를 피했다. **3** 〖금융〗 (세금 회피 수단을 이용하여) 투자하다 **~·er** *n.*

shel·ter·belt [ʃéltərbèlt] *n.* 《미》 방풍림(windbreak)

shel·tered [ʃéltərd] *a.* **1** (산업·기업이 국제 경쟁에서) 보호된: a ~ industry 보호 산업 / ~ trade 보호 무역 **2** (위험으로부터) 지켜지고 있는: tax-~ 세금을 물지 않는 / lead a ~ life (외부와의 교섭이 없는) 조용한 생활을 하다 **3** 세상의 풍파로부터 격리된; 노인·장애자 등에게 취직·사회 복귀의 장(場)을 제공하는, 비호되고 있는

shéltered hóusing [**hómes, accommodátion**] (노인·장애인 등을 위한) 보호 시설

shéltered wórkshop (장애인을 위한) 보호 작업장

shélter hálf 2인용 소형 천막(의 반쪽)

shel·ter·less [ʃéltərlis] *a.* 피난처가 없는, 도망갈[숨을] 데가 없는, 덮개가 없는

shélter tènt 휴대용 작은 천막 《2인용》

shélter trènch 〖군사〗 산병호(散兵壕); 방공[대피]호

shel·tie, shel·ty [ʃélti] *n.* (*pl.* **-ties**) **1** = SHETLAND PONY **2** = SHETLAND SHEEPDOG

***shelve**[1] [ʃélv] *vt.* **1** 선반에 얹다[두다]: ~ books 책을 선반에 얹다 **2** 〈의안 등을〉 보류하다, 무기 연기하다 **3** 해고하다, 퇴직시키다(dismiss) **4** 선반을 달다
shélv·er *n.* ▷ shélf *n.*

shelve[2] *vi.* 완만하게 비탈[경사]지다 《*up, down*》

***shelves** [ʃélvz] *n.* SHELF의 복수

shelv·ing[1] [ʃélviŋ] *n.* Ⓤ **1** 선반에 얹기 **2** 선반(을 만드는) 재료; [집합적] 선반(shelves) **3** 무기 연기, 보류 **4** 버림, 면직

shelving[2] *n.* Ⓤ 완만하게 비탈짐; Ⓒ 완만한 비탈
— *a.* 완만한 비탈[치받이]의

Shem [ʃém] *n.* Noah의 맏아들, 셈 족의 조상

She·ma [ʃəmɑ́ː] *n.* 〖유대교〗 셰마 《매일 아침저녁으로 하는 기도에서 읽히는 성서 부분》

she-male [ʃíːmeil] *n.* 《미·속어》 여성화된 남자

Shem·ite [ʃémait] *n.* = SEMITE

she·moz·zle [ʃəmɑ́zl | -mɔ́zl] *n.* 《영·속어》 싸움, 소동

she·nan·i·gan [ʃənǽnigən] *n.* 《구어》 **1** [보통 *pl.*] 허튼소리(nonsense), 장난 **2** ⓊⒸ 속임, 사기, 기만(deceit)

Sheng [ʃéŋ] *n.* Ⓤ 솅 어(語) 《케냐 도시의 젊은층에서 쓰이는 영어·스와힐리어·아프리카어가 혼합된 언어의 일종》

She·ol [ʃíːoul] *n.* (히브리 사람의) 저승, 황천(cf. HADES); 무덤; [**s~**] 《속어》 지옥

‡**shep·herd** [ʃépərd] [*sheep*+*herd*] *n.* **1** 양치기, 목양자 **2** 목사(cf. SHEEP 4); (정신적) 지도자, 보호자, 수호자; [the (Good) S~] 좋은 목자, 예수 그리스도 **3** 목양견(sheepdog) **4** [**S~**] 남자 이름
— *vt.* **1** 〈양을〉 치다, 지키다, 돌보다; 《구어》 주의 깊게 감시하다, 미행하다 **2** 〈군중 등을〉 인도하다, 안내하다; 정신적으로 이끌다: (~+목+전+명) ~ a crowd *into* a train 많은 사람을 이끌어 열차에 태우다
~·less *a.*

shépherd dòg = SHEEPDOG

shep·herd·ess [ʃépərdis] *n.* 양치는 여자; 시골 처녀

Shépherd Kíng (고대 이집트의) Hyksos 왕조의 왕

shépherd's cálendar 양치기 책력 《믿을 수 없는 일기 예보를 말할 때 씀》

shépherd's chéck (양치기가 입는) 흑백 격자 무늬의 천; 그 무늬

shépherd's cróok 목양자의 지팡이 《양을 걸어 당기기 위해 끝이 구부러졌음》

shépherd's píe 셰퍼즈 파이 《다진 고기의 상피와 감자를 이겨서 구운 것》

shépherd's pláid = SHEPHERD'S CHECK

shépherd's púrse 〖식물〗 냉이

she-pine [ʃíːpáin] *n.* 〖식물〗 소나무의 일종 《오스트레일리아산(産), 황색 목재는 돛대감》

Sher·a·ton [ʃérətən] *n.* **1** 셰라턴 **Thomas ~** (1751-1806) 《영국의 가구 제작자》 **2** 셰라턴풍[식]의 가구 — *a.* (간소하고 우아한) 셰라턴식의

sher·bet [ʃɔ́ːrbit] [Arab. 「마실 것」의 뜻에서] *n.* ⓊⒸ **1** 셔벗(《영》 sorbet) 《과즙 아이스크림》 **2** 《영·속어》 일종의 소다수; 비등산(沸騰散) 《소다수 원료》

sherd [ʃɔ́ːrd] *n.* = SHARD

she·reef [ʃeríːf] *n.* = SHARIF

Sher·i·dan [ʃéridn] *n.* 셰리던 **Richard Brinsley ~** (1751-1816) 《아일랜드의 극작가·정치가》

‡**sher·iff** [ʃérif] *n.* **1** 《미》 군(郡) 보안관 《군(county) 민이 선출하는 군 최고 관리로 보통 사법권과 경찰권을 가짐》 **2** 《영》 주(州) 장관[지사] 《county 또는 shire의 토지 보유자 중에서 임명되며 임기는 1년; 여러 가지 행정·사법권이 위임됨》
▷ shériffdom *n.*

sher·iff·al·ty [ʃérifəlti] *n.* (*pl.* **-ties**) ⒸⓊ sheriff의 직[임기, 직권]

shériff cóurt 《스코》 주(州) 법원

sher·iff·dom [ʃérifdəm], **-ship** [-ʃip], **-hood** [-hùd] *n.* = SHERIFFALTY

sher·lock [ʃɔ́ːrlɑk | -lɔk] [Conan Doyle의 탐정 소설의 주인공 Sherlock Homes의 이름에서] *n.* [종종 **S~**] 사립 탐정, 명탐정, 명추리[해결]자

Sher·lock·i·an [ʃəːrlɑ́kiən | -lɔ́k-] *a.* 셜록 홈스의[같은], 명탐정의 — *n.* 셜록 홈스의 팬[연구가]

Sher·pa [ʃέərpə | ʃɔ́ːr-] *n.* (*pl.* **~, ~s**) **1** 셰르파족(族)(의 한 사람) 《히말라야 산맥에 사는 티베트계 종족; 히말라야 등산대의 짐 운반과 길 안내로 유명》 **2** [때로 **s~**] (수뇌 회담 등의) 사전 교섭을 하는 사람 **3** 《영·속어》 운반인

sher·ry [ʃéri] *n.* Ⓤ 셰리주(酒) 《남부 스페인 원산의 백포도주》; 《일반적으로》 백포도주

shérry cóbbler 셰리주를 넣은 찬 음료수

sher·ry-glass [ʃériglæ̀s | -glɑ̀ːs] *n.* 셰리용 술잔 《테이블 스푼으로 네 개의 분량이 듦》

sher·wa·ni [ʃəːrwɑ́ːni] *n.* 셰르와니 《인도나 파키스탄의 상류층 남자들이 입는 긴 상의》

Shér·wood Fórest [ʃɔ́ːrwud-] **1** 셔우드 포리스트 《영국 중부 Nottinghamshire에 있었던 왕실림; Robin Hood의 근거지》 **2** 《미·군대속어》 잠수함의 미사일 보관실

‡**she's** [ʃíːz] she is[has]의 단축형

she-she [ʃíːʃìː] *n.* 《미·속어》 젊은 여자, 아가씨

Shet·land [ʃétlənd] *n.* 셰틀랜드 《스코틀랜드 북동쪽에 있는, 군도(群島)로 된 주(州)》

Shétland Íslands 셰틀랜드 《스코틀랜드 북동쪽의 군도(群島)》

Shétland láce 셰틀랜드 레이스 《가장자리 장식용》

Shétland póny 셰틀랜드종(種)의 조랑말(shelty)

Shétland shéepdog 셰틀랜드 제도 원산의 개 《몸집이 작으며, 양치기에 이용됨》
Shétland wóol 셰틀랜드산(産)의 가는 양털; 속옷·편물용의 가늘고 부드럽게 꼰 털실
She·vat [ʃəvɑ́:t, ʃəvɔ́:t] *n.* 유대력(曆)의 제5월
shew [ʃóu] *v.* (고어) 〖성서〗 = SHOW
shew·bread, show- [ʃóubrèd] *n.* Ⓤ 옛 유대교에서 제단에 올린 빵
S.H.F., SHF, s.h.f. superhigh frequency 〖통신〗 초고주파(超高周波)
shh [ʃ] *int.* 쉿, 조용히
Shi·a, Shi·'a, Shi·'ah [ʃí:ə] *n.* 〖이슬람교〗 **1** [복수 취급] 시아파 《이슬람교의 2대 분파 중의 하나; 마호메트의 사위 Ali를 정통 후계자로 여김; cf. SUNNI》 **2** [단수 취급] 시아파 교도(Shiite) **—*a.*** 시아파의
shi·at·su [ʃiǽtsu:] [Jap.] *n.* Ⓤ = ACUPRESSURE
shib·bo·leth [ʃíbəliθ | -lèθ] [히브리 어 「강」의 뜻에서] *n.* **1** 〖성서〗 십볼렛 《'sh'를 발음할 수 없었던 에브라임 사람(Ephraimites)을 길르앗 사람(Gileadites)과 구별하기 위해 시험으로 사용되었던 말》 **2** (특수 계급·단체의) 특별한 관습[복장, 주의] **3** 표어(catchword), 군호(watchword); 진부한 문구[교리]
shi·cer [ʃáisər] *n.* (호주·속어) 사기꾼; 파렴치한 인간; 악덕 변호사; 별 볼일 없는 것; (호주) 산출이 없는 광산; 헛된 요구
shick·er, shik·ker [ʃíkər] *n.* (속어) 술고래(drunkard); (호주·속어) 술, 알코올 ***on the ~*** (속어) 술 취한, 만취되어
shíck·ered, shík·kered [-d] *a.* 술 취한
shied [ʃaid] *v.* shy의 과거·과거 분사
shiel [ʃí:l] *n.* (스코) = SHIELING
‡**shield** [ʃí:ld] *n.* **1** 방패(cf. BUCKLER, TARGET) **2** 보호물, 방어물; (기계 등의) 외장; (원자로를 싸는) 차폐물 **3** 방패형의 물건 **4** 보호자, 옹호자 **5** 방패꼴 문장(紋章); 방패꼴 트로피, 우승패; (미) (방패꼴의) 경찰관[보안관, 클럽]의 배지 무늬 **6** 실드, 방패틀 《터널·광갱(鑛坑)을 팔 때 갱부를 보호하는 틀》; (기계 등의) 호신용 판(板), (대포의) 방순(防楯) **7** (쟁기의) 흙받이, (옷의) 땀받이 《겨드랑이에 대는 고무 등》 **8** 〖동물〗 방패 모양의 《거북의 배갑(背甲) 등》 **9** 〖천문〗 [the S~] 방패자리(Scutum) **10** 〖지리〗 순상지(楯狀地) 《주로 선캄브리아기의 암석으로 된 평평하고 넓은 지역》

shield *n.* 1

both sides of the ~ 방패의 양면, 사물[문제]의 안팎 ***the other side of the ~*** 방패의 반대쪽; 사물[문제]의 다른 일면
—*vt.* **1** 보호하다; …을 방패로 막다; 감싸다 《*from, against*》 ★ protect가 일반적임.: (~+[목]+[전]+[명]) ~ a person *from* danger …을 위험으로부터 보호하다[지키다] **2** 숨기다, 감추다, 은폐하다, 안 보이게 하다 《*from*》: ~ one's own name 본명을 숨기다 **3** [God ~] (폐어) 피하다; 금하다
—*vi.* 방패가 되다, 보호하다
~·er *n.* **~·lìke** *a.*
shíeld bàck 하트[방패] 모양의 의자 등받이
shíeld bèarer 방패지기 《옛 knight의 종자》
shield·ing [ʃí:ldiŋ] *n.* 차폐; 〖물리〗 차폐물; 〖야금〗 실딩
shíelding wìre 실드선(線) 《절연 전선을 금속망으로 싸고, 다시 염화비닐로 씌운 것》
shíeld làw (미) 취재원(源) 보호법 《기자의 정보원을 보호하는 법률》
shield·less [ʃí:ldlis] *a.* 방패 없는; 무장비의
~·ly *ad.* **~·ness** *n.*
shíeld volcàno 〖지질〗 순상(楯狀) 화산
shiel·ing, sheal- [ʃí:liŋ] *n.* (방언) (양치기·등산자·어부 등을 위한) 오두막; (야간용) 가축 우리; (산악 지대의) 여름 방목장
shi·er[1] [ʃáiər] *a.* SHY의 비교급
shier[2] *n.* 잘 놀라는 말(shyer)
shi·est [ʃáiist] *a.* SHY의 최상급
shiev·er [ʃí:vər] *n.* (미·속어) 배신자, 밀고자
‡**shift** [ʃíft] [OE 「정돈하다」의 뜻에서] *vt.* **1** 〈…의〉 **방향을 바꾸다**; 바꾸어 놓다[끼우다], 〈장면 등을〉 바꾸다: ~ the helm 키의 방향을 바꾸다 / ~ one's ground (논의의) 입장[논거]을 바꾸다 **2 물건을 이동시키다,** 옮기다, …의 위치·장소를 바꾸다: (~+[목]+[전]+[명]) ~ a burden *to* the other shoulder 짐을 다른 어깨로 옮기다 // (~+[목]+[부]) ~ one's head *round* 머리를 빙 돌리다 **3** 〈책임·허물을〉 전가하다, 씌우다 《*to, onto*》: ~ the blame 책임을 전가하다 **4** (미) 〈기어를〉 바꾸다, 변속하다 **5** 없애다, 제거하다: ~ the tax 탈세하다 // (~+[목]+[전]+[명]) ~ obstacles *out of* the way 장애물을 제거하다 **6** 〈적 등을〉 처치하다; 〈말이 기수를〉 흔들어 떨어뜨리다; (완곡) 죽이다 **7** 〖음성〗 〈음을〉 계통적으로 변화시키다; 〖언어〗 추이시키다 **8** 〖컴퓨터〗 〈기억 장치 내의 정보를〉 행 이동시키다, 시프트시키다 **9** (속어) 먹어[마셔서] 없애다, 다 먹어 버리다
—*vi.* **1 a 바뀌다,** 옮다; 위치가 변경되다: (~+[부]) She ~*ed about* for many years. 그녀는 여러 해 동안 여기저기 옮겨 살았다. // (~+[전]+[명]) ~ *from* one place *to* another 장소를 이리저리 옮기다 **b** 〈무대 등이〉 바뀌다: The scene ~*s.* 장면이 바뀐다. **c** (바람의) 방향이 달라지다 《*to*》: (~+[전]+[명]) The wind ~*ed* (*round*) *to* the south. 바람이 남풍으로 바뀌었다. **2 이리저리 변통해서 해보다,** 꾸려나가다: (~+[전]+[명]) ~ *with* little money 적은 돈으로 꾸려나가다 **3** (드물게) 속이다, 핑계를 대다 **4** (미) (자동차의) 기어를 바꿔 넣다 《*up, down*》 **5** 〖컴퓨터〗 시프트 키를 누르다 **6** 〖언어〗 음이 변화하다 **7** (구어) 가 버리다; 옷을 갈아입다; 다 먹어[마셔서] 버리다; (영·속어) 빠르게 나아가다[달리다] 《*off*》
~ back a day (하루를) 앞당기다 ***~ for oneself*** 혼자 힘으로 꾸려나가다 ***~ off*** 〈의무를〉 미루다, 〈책임을〉 회피하다, 씌우다 《*on*》 ***~ the blame*** [***responsibility***] (***on***) ***to another*** 책임을 남에게 전가하다
—*n.* **1** (위치·방향·상태 등의) **변화,** 이동, 전환; 변천, 순환: a ~ of wind 풍향의 변화 / ~*s* in policy 정책의 변화 **2 교체,** 교대, 순환; (교대하는) 패, 교대조: a day[night] ~ 주간[야간] 조; 교대 시간; 교대 직공 / ~ working 교대제 **3 수단,** 방법; 변통수, 속임수, 술책, 계략, 잔꾀, 대용 《*for*》 **4** 〖자동차〗 변속 기어(gearshift) **5** 시프트 드레스; (고어·방언) 슈미즈(chemise) **6** 〖광산〗 광맥의 단층, 시프트 《단층의 변위 거리》 **7** 손놀림, 소리의 위치 바꾸기 《현악기 연주시 왼손의 이동》 **8** 〖언어〗 (음의) 추이(cf. GRIMM'S LAW), 변화; (말의 의미·용법에 따른) 변화 **9** (농작물의) 윤작 **10** 〖컴퓨터〗 시프트 《비트나 문자의 배열을 우 또는 좌로 이동하는 것》 **11** 〖물리〗 (파동의) 주파수의 편이(偏移) **12** 〖화학〗 (원자·전자 등의) 위치의 이동 **13** 벽돌 호접법(互接法)
be put [***reduced***] ***to ~s*** 궁여지책을 쓰다 ***for a ~*** 미봉책으로 ***get a ~ on*** 박차를 가하다; 서두르다; 외출하다 ***live by ~***(***s***) 변통하여 그럭저럭 살림을 꾸려 가다 ***make*** (***a***) ***~*** 변통해 나가다, 그럭저럭 꾸려 나가다 《*with, without*》 one***'s*** [***the***] ***last ~*** 최후 수단 **~·a·ble** *a.* 옮길 수 있는; 소유권을 이전할 수 있는 ▷ shífty *a.*
shift·er [ʃíftər] *n.* 옮기는 사람[것], 이동 장치; (호주) 조정 가능 스패너; 속이는 사람; (속어) 장물아비; (광산의 한 구역의) 현장 주임
shift·ing [ʃíftiŋ] *a.* **1** 이동하는; 바뀌는, 〈풍향 등이〉 변하기 쉬운: ~ sand 흐르는 모래 **2** 술책을 부리는, 협잡의 **—*n.*** ⓊⒸ **1** 속임수, 농간, 술책, 잔꾀 **2** 이동, 변천; 교환, 교대, 변화(changing)

shífting cultivátion (열대 아프리카 등의) 이동 경작, 화전(火田) 농경
shíft kèy 시프트 키 《대문자·기호를 찍을 때 누르는 타자기[컴퓨터]의 키》
shift·less [ʃíftlis] *a.* 뱅충맞은; 기력 없는, 게으른; 주변 없는: a ~ husband 주변 없는 남편
~·ly *ad.* **~·ness** *n.*
shíftless generátion 〖심리〗 무기력 세대, 호기심이 없는 세대
shíft lèver (자동차의) 변속 레버
shíft lòck 〖컴퓨터〗 (키보드의) 시프트 로크
shíft règister 〖컴퓨터〗 시프트 레지스터
shíft stìck (미) 변속 레버
shift·work [ʃíftwə̀ːrk] *n.* 교대 근무
shift·y [ʃífti] *a.* (**shift·i·er**; **-i·est**) **1** 꾀가 많은, 책략을 좋아하는, 농간을 잘 부리는; 교활한; 믿을 수 없는; 엉터리의, 부정직한 **2** 의뭉스러운, 흘금거리는 〈눈길 등〉 **3** 〈운동 선수가〉 움직임이 재빠른, 붙잡기가 힘든 **shíft·i·ly** *ad.* **shíft·i·ness** *n.*
shi·gel·la [ʃigélə] *n.* (*pl.* **-lae** [-liː], **~s**) 시겔라 《이질균의 전형종(典型種)》
shig·el·lo·sis [ʃìgəlóusis] *n.* 적리(赤痢)
shih tzu [ʃíː-dzúː | -tsúː] (*pl.* **shih tzus, ~**) [종종 **S- T-**] 〖동물〗 (중국 원산의) 애완용의 작은 개
Shi·ism, shi·'ism [ʃíːizm] *n.* 〖이슬람교〗 시아파(派)의 교의(敎義)
shii·ta·ke, shi·ta·ke [ʃiːtǽkiː] *n.* 표고버섯(= ∼ **múshroom**)
Shi·ite, shi·'ite [ʃíːait] *n.* 〖이슬람교〗 시아파(派)의 사람 《이슬람교도의 한 파》 **—** *a.* 시아파 (신도)의
Shi·it·ic, shi·'it·ic [ʃiːítik] *a.*
▷ Shíism *n.*
shi·kar [ʃikɑ́ːr] *n.* Ⓤ (인도) 수렵, 사냥, 유렵(遊獵): on ~ 사냥하러 가서
shi·ka·ri, -ree [ʃikɑ́ːri] *n.* (인도) 사냥꾼, 수렵 몰이꾼, 수렵 안내인; 큰 것을 잡은 사냥꾼
shik·sa, -se, -seh [ʃíksə] *n.* (경멸) (유대인이 아닌) 소녀, 여자, (정통파 유대인 쪽에서 보아) 비(非) 유대적인 유대인 여자
shill [ʃíl] (미·속어) *n.* 야바위꾼, 한통속; 미끼, 함정; 앞잡이 **—** *vi.* **1** 야바위꾼 노릇을 하다 **2** 팔다, 선전하다; 앞잡이 노릇을 하다 《*for*》
shil·le·lagh, shil·la·la(h) [ʃəléili, -lə] *n.* (아일) 곤봉
‡**shil·ling** [ʃíliŋ] *n.* (영) **1** 실링 《영국의 은화, Norman Conquest 이후 1971년까지 사용; 1파운드의 1/20(=twelve pence); 略 s., 기호 /》 **2** 실링 《영국령 동아프리카의 화폐 단위; 略 Sh; =100 cents》
cut* a person *off with* [*without*] *a* ~ [*penny*]** 약간의 유산을 주어[주지 않고] 폐적(廢嫡)하다 ***pay twenty ~s in the pound 전액 지불하다 ***take the King's* [*Queen's*] ~** (영) 군인이 되다 ***turn* [*make*] *an honest* ~** = turn an honest PENNY
shílling màrk 실링 기호 《/ (s의 변형): 2/6 = 2실링 6펜스》
shílling shòcker (영) 선정적인 싸구려 소설(cf. PENNY DREADFUL)
shil·lings-worth [ʃíliŋzwə̀ːrθ] *n.* 1실링으로 살 수 있는 것; 1실링의 가치
shil·ly-shal·ly [ʃíliʃæ̀li] [shall I의 반복형에서] *n.* 우유부단(한 사람), 주저(hesitation)
— *vi.* (**-lied**) 주저하다, 망설이다(hesitate); 시간을 낭비하다, 빈둥빈둥 지내다
— *a.* 망설이는, 우유부단한
— *ad.* 망설이며, 주저하며
shil·pit [ʃílpit] *a.* **1** 〈사람이〉 병약한 **2** 〈술이〉 세지 않은, 김빠진
shi·ly [ʃáili] *ad.* =SHYLY
shim [ʃím] *n.* 틈 메우는 나무[쇠, 돌], 쐐기
— *vt.* (**~med**; **~·ming**) 틈 메우는 나무[쐐기, 쇠, 돌]를 박다

***shim·mer** [ʃímər] *vi.* **1** 희미하게 반짝이다, 빛나다 **2** 〈열파(熱波) 등이〉 흔들리다, 가물거리다
— *n.* Ⓤ **1** 반짝임, 흔들리는 빛, 희미한 빛, 미광(微光) **2** (열파 등의) 흔들림, 흔들리는 상(像), 아지랑이
~·ing·ly *ad.* **shím·mer·y** *a.*
shim·my [ʃími] *n.* (*pl.* **-mies**) **1** (미) 시미 《상반신을 흔들며 추는 선정적인 재즈 댄스; 제1차 대전 후에 유행》; 그 재즈 음악 **2** Ⓤ (특히 자동차 등의 앞바퀴의) 심한 진동 **3** (구어·유아어) =CHEMISE **4** (미·속어) 엉덩이를 흔드는 것
— *vi.* (**-mied**) (미) **1** 시미를 추다 **2** 진동하다, 동요하다, 흔들리다
***shin** [ʃín] *n.* 정강이(cf. CALF²); 경골(shinbone); 소의 정강이 살
— *v.* (**~ned**; **~·ning**) *vi.* **1** 기어오르다[내리다]: (~+전+명) ~ *up* a tree 나무에 기어오르다 / ~ *down* a pole 장대를 타고 내리다 **2** 도보로 가다, 건다, 뛰어 돌아다니다 《*about, along*》: (~+전+명) (~+부) ~ *along* (the street) (거리를) 걸어서 가다
— *vt.* **1** …을 기어오르다 《*up*》 **2** 정강이를 차다[차시 다치게 하다], 정강이를 부딪치다 《*against*》: (~+목+전+명) ~ oneself *against* a rock 바위에 정강이를 부딪치다 ~ ***it*** = ~ ***off*** [***away***] (미) 헤어지다, 떠나다
shin·bone [ʃínbòun] *n.* 경골, 정강이뼈(tibia)
shin·dig [-dìg] *n.* (구어) **1** 떠들썩한 모임[무도회], 연회, 파티 **2** =SHINDY 1
shin·dy [ʃíndi] *n.* **1** (*pl.* **-dies**) (영·구어) 소동, 법석, 옥신각신, 말싸움 **2** =SHINDIG 1
***kick up a* ~** 큰 소동[싸움]을 일으키다
‡**shine** [ʃáin] *v.* (**shone** [ʃóun | ʃɔ́n]) *vi.* **1** 빛나다, 반짝이다; 〈태양이〉 비치다: The sun ~s bright(ly). 태양이 환하게 빛난다. // (~+전+명) The sun *shone on* the water. 태양이 물 위에 비치고 있었다.

> 유의어 **shine** 빛을 내서 빛나거나, 또는 빛을 받아 반사하다: *shine* in the sun 햇빛을 받고 빛나다 **twinkle** 별·빛 등이 빤짝빤짝 빛나다: Stars are *twinkling.* 별들이 반짝이고 있다. **glitter** 별 등이 강한 빛으로 번쩍번쩍 빛나다: stars *glittering* in the sky at night 밤하늘에 번쩍이는 별들 **flash** 순간적으로 번쩍 빛나다: A shooting star *flashed* briefly. 별똥별이 일순간 번쩍했다. **glare** 불쾌할 정도로 강렬하게 빛나다 **glimmer** 희미하게 깜박이며 빛나다

2 빛을 내다, 〈얼굴·눈이〉 빛나다, 〈희망·행복감 등이〉 …에 빛나다 《*out, in, at*》: (~+전+명) Happiness ~*s on* her face. =Her face ~*s with* happiness. 그녀의 얼굴은 행복으로 빛나고 있다. **3** 뛰어나다, 이채를 띠다, 눈에 띄다, 돋보이다: ~ in school 학업 성적이 뛰어나다 // (~+***as*** 보) He ~*s as* a scholar. 그는 학자로서 뛰어난 사람이다.
— *vt.* **1** …을 반짝이게[빛나게] 하다; 〈전등 등을〉 켜다; (불빛·거울 등으로) 비추다: (~+목+전+명) *S*~ your flashlight *on* my steps. 플래시로 발밑을 비추어 주시오. **2** (**shined, shin·ing**)(미) 〈신·쇠붙이 등을〉 닦다(polish), …의 광을 내다 ★ 이 뜻으로는 polish가 일반적임.: ~ shoes 구두를 닦다 **3** (미·속어) (청소년들 간에) 무시하다 **4** (학생속어) (고의로) 〈과목 등을〉 낙제하다(punt)
~ down … = ***~ … down*** …보다 뛰어나다 ***~ out*** 빛나다, 반짝이다; 〈덕·정직 등이〉 빛을 발하다; 이채를 띠다 ***~ through*** 〈빛이〉 통과하다, 투과하다; 〈사실을〉 확실히 알다 ***~ up to*** = ***~ round*** (미·속어) …의 마음에 들려고 하다; (여자에게) 추파를 던지다
— *n.* **1** Ⓤ 빛, 광휘(brightness) **2** Ⓤ 빛남, 화려함; 탁월성 **3** [*sing.*] 광택, (구두의) 윤 **4** Ⓤ 햇빛, 갬 《날씨》 **5 a** [a ~] (영·구어) 부산함 **b** [*pl.*] (미·속어) 장난 **6** (미·구어) 기호(嗜好)(liking) **7** (미·경멸) 흑인
come rain or* ~** = (in***) ***rain or* ~** 날이 개든 비

가 오든, 날씨에 상관 없이; 어떤 일이 있더라도 ***make*** [***kick up***] ***a ~*** 소동을 일으키다 ***put a good ~ on*** …을 잘 닦다 ***take a ~ to*** a person (미·구어) …이 좋아지다, …에 반하다 ***take the ~ off*** [***out of***] a person …을 무색하게 하다
▷ shíny *a.*

shin·er [ʃáinər] *n.* **1** 빛나는[빛내는] 사람[물건], 이채를 띠는 사람; [보통 *pl.*] (속어) 다이아몬드, (일반적인) 보석 **2** (속어) (맞아서) 퍼렇게 멍든 눈: get a ~ 매를 맞아 눈이 멍들다 **3** (미) 여러 종류의 은빛이 나는 민물고기 **4** (영·속어) 금화, 은화, (특히) 1파운드 금화(sovereign); [*pl.*] 돈 **5** [*pl.*] 〖제지〗 빛나는 반점 **6** [*pl.*] 휘선(輝腺) (견·합성 섬유의 빛나는 부분; 제조 과정에서 생긴 결함)

shin·gle**[1] [ʃíŋgl] *n.* **1** 지붕널, 지붕 이는 판자; 널빤지 지붕 **2** (미·구어) (의원·변호사 등의) 작은 간판 **3** (여성 뒷머리의) 싱글 컷 (밑을 짧게 치는 단발; cf. BINGLE[2]) ***hang out [***up***] one***'s ~*** = ***put*** [***set***] ***up*** one***'s ~*** (미·구어) 〈의사·변호사가〉 개업하다, 간판을 내걸다
— *vt.* **1** 지붕널로 이다 **2** 〈두발을〉 싱글 컷으로 하다 **3** 서로 겹치도록 배열하다 **shín·gler** *n.*

shingle[2] *n.* [집합적] (영) (해변의) 조약돌, 자갈; [*pl.*] 자갈 깔린 해변 ★ gravel보다 큼.

shingle[3] *n.* (금속 가공의) 연철(鍊鐵) 조각
— *vt.* 〈쇠를〉 두들기고 압축시켜 슬래그[불순물]를 제거하다

shin·gled [ʃíŋgld] *a.* (지붕·건물 등이) 지붕널[널빤지]로 덮인

shin·gles [ʃíŋglz] *n. pl.* [단수 취급] 〖병리〗 대상 포진(帶狀疱疹)(herpes zoster)

shin·gly[1] [ʃíŋgli] *a.* 널빤지로 이은; 지붕널 모양의

shingly[2] *a.* (영) 조약돌이 많은, 자갈투성이의: a ~ beach 자갈 많은 해변

shín gùard 정강이받이 (축구·야구·하키용 등; cf. LEG GUARD)

shin·ing** [ʃáiniŋ] *a.* **1** 빛나는, 반짝이는(bright), 반짝반짝하는; 〈표정 등이〉 밝은, 반짝이는: ~ looks 밝은 얼굴[표정] / ~ eyes 빛나는 눈 **2** 두드러진, 탁월한: ~ talents 반짝이는 재능 / a ~ future 빛나는 장래 / a ~ example 훌륭한 본보기 ***improve the ~ hour 시간을 잘 이용하다 **~·ly** *ad.*

Shíning Páth [the ~] 페루의 좌익 게릴라 조직 ★ 스페인 어로 Sendero Luminoso라고도 함.

shin·kin [ʃíŋkin] *n.* (남웨일스) 하잘것없는 사람

shin·ny[1], **-ney** [ʃíni] *n.* Ⓤ 시니 (스코틀랜드·북부 잉글랜드에서 하는 아이들의 하키 놀이); Ⓒ 시니용 공[타봉] — *vi.* (**-nied**; **~·ing**) **1** 시니 경기를 하다 **2** 시니에서 공을 치다

shinny[2] *vi.* (**-nied**) (미·구어) (정강이로) 기어오르다 (*up*); 매달려서 내려오다

shín pàd = SHIN GUARD

shin·plas·ter [ʃínplæ̀stər | -plὰːs-] *n.* **1** 정강이용 고약 **2** (미·구어) 소액 지폐 (1862-78의); (미·호주) (인플레 등에 의한) 남발 화폐

shin·splints [ʃínsplìnts] *n. pl.* [단수 취급] 〖병리〗 정강이 외골증 (건초염, 피로 골절, 근긴장으로 생긴 하퇴 전부의 동통)

Shin·to [ʃíntou] [Jap.] *n.* Ⓤ (일본의) 신도(神道)
— *a.* 신도의[에 특유한] **~·ism** *n.* Ⓤ 신도 **~·ist** *n.* 신도 신자 **Shìn·to·ís·tic** *a.* 신도의

shin·ty [ʃínti] *n.* = SHINNY[1]

***shin·y** [ʃáini] *a.* (**shin·i·er**; **-i·est**) **1** 빛나는, 해가 비치는, 해가 쬐는, 〈날씨가〉 청명한; 닦은, 광택이 있는: ~ new cars 반짝반짝하는 새 차들 **2** 〈의복이〉 닳아[손때로] 빤질빤질한, 솜털이 닳은: the ~ seat of trousers 반들반들한 바지의 엉덩이
shín·i·ly *ad.* **shín·i·ness** *n.*

⁑**ship** [ʃíp] *n.* **1** [여성 취급] (큰) 배, 함선; (교통 수단으로서의) 배: a ~*'s* doctor 선의(船醫) / the ~*'s* journal 항해 일지 / a ~ (bound) for America 미국 가는 배 / on[in] a ~ 배를 타고 / a fleet of ~*s* 함대

> 유의어 **ship** 배를 뜻하는 가장 일반적인 말이다: a merchant *ship* 상선 **boat** 보통은 작은 배로서 노·돛·작은 엔진으로 움직이는 것에 쓰지만 넓은 뜻으로는 배 전반을 가리키는 경우도 있다: a fishing *boat* 어선 **vessel** 큰 배를 가리키는 것이 보통이며, 격식차린 말이다: a sailing *vessel* 범선

2 (세대박이 이상의) 범선 **3** (영·속어) 경주용 보트(racing boat) **4** [집합적; 복수 취급] 승무원, 선원(crew); [종종] 승선객 **5** 배 모양의 그릇[기구, 장식] **6** (구어) (대형의) 항공기; 비행선; 우주선
About ~! 배를 돌려! ***burn*** one***'s ~*** 배수진을 치다 ***by ~*** 배로, 배편으로 ***jump ~*** 〈승무원이〉 배에서 탈출하다; 〈활동 등을〉 (무단으로) 그만두다, 이탈하다 ***lose*** [***spoil***] ***the ~ for a ha'p'orth of tar*** (속담) 기와 한 장 아껴서 대들보 썩히다 ***on board*** (***a***) ~ 선내에, 배 위에서, 승선하여 ***pump ~*** (미·속어) 소변을 보다; 토하다 ***run a tight ~*** 선원을 확실히 관리하다; 사원을 제대로 일하게 하다, 확실하게 노무[인사] 관리를 하다; 좌지우지하다 ***~ of the line*** (고어) (포 74문 이상을 갖춘) 전열함(戰列艦) (지금의 전함에 해당) ***~'s fighter*** 함재 전투기 ***~s that pass in the night*** 스치고 지나는 사람, 우연히 알고는 다시는 안 만나는 사람 ***speak a ~*** 다른 배와 통신하다 ***take ~*** (고어) 배로 가다 ***the ~ of the desert*** 사막의 배 (낙타) ***when*** one***'s ~ comes home*** [***in***] 돈이 들어오면, 돈을 벌면, 운이 트이면
— *v.* (**~ped**; **~·ping**) *vt.* **1** 배에 싣다[쌓다], 배로 보내다[나르다]; (미) (기차·트럭 등으로) 보내다, 수송하다(transport): ~ cattle by railroad 소를 철도로 수송하다 // (~+목+전+명) The corn was ~*ped to* Africa. 곡식은 배로 아프리카에 수송되었다. **2** 〖항해〗 〈배가 파도를〉 뒤집어쓰다 **3** 〈물건을〉 배 안으로 가지고 들어가다[넣다] **4** 〈선원 등을〉 고용하다 (*on*) **5** 〖항해〗 〈돛대·키 등을〉 (제자리에) 놓다, 끼우다, 세우다: ~ oars 노를 거두어 배 안의 노 자리에 놓다 **6** [명령형으로] 〈사람을〉 이동시키다, 전속시키다; 쫓아내다, 멀리 보내다; 〈물건을〉 옮기다, 제거하다 (*off*)
— *vi.* **1** 배에 타다, 승선하다 **2** (…에) 배로 가다 (*to*); 배로 여행하다 **3** 선원으로 승선[근무]하다: (~+전+명) ~ as purser *on* an ocean liner 외국 항로 정기선의 사무장이 되다 **4** [부사를 동반하여] 〈과일 등이〉 운송에 견디다: These apples don't ~ *well.* 이 사과들은 운송이 쉽지 않다.
~ a wave [***sea***] 파도를 뒤집어쓰다 ***~ off*** …을 배에 실어 보내다; 쫓아버리다 ***~ on*** …일(日)에 발송하다 (주문주가 희망하는 출하일) ***~ out*** (1) (배 등으로) …을 외국으로 보내다, 전속시키다: ~ soldiers *out* to a foreign country 외국에 군대를 보내다 (2) (배 등으로) 자기 나라를 떠나다 (3) (구어) 사직하다; 해고당하다 ***~ over*** 해군에 (다시) 입대하다 ***~ped from*** …에서 발송된 (보통 주, 도시명을 기입) ***~ to*** …으로 발송하다 (수신인의 주소와 이름을 기입)

-ship [ʃìp] *suf.* **1** [형용사에 붙여 추상 명사를 만듦]: hard*ship* **2** [명사에 붙여 상태·신분·직업·재직 기간·기술·수완·집단·층 등을 나타내는 명사를 만듦]: friend*ship*, horseman*ship*

shíp bìscuit (선원용의) 건빵(hardtack)(cf. CAPTAIN'S BISCUIT)

ship·board [ʃípbɔ̀ːrd] *n.* 배; 배의 갑판, 뱃전, 현측; 선상에 있는 상태
go on ~ 승선하다 ***on ~*** 선상[함상]에서[으로]

ship·borne [ʃípbɔ̀ːrn] *a.* 해상 운송의

shíp brèad = SHIP BISCUIT

ship·break·er [-brèikər] *n.* 선박 해체업자

shíp bròker 선박 중개인 (선박의 매매, 적재량의 주선, 용선(傭船)·해상 보험의 중개 등을 함)

ship·build·er [-bìldər] *n.* 조선업자, 조선 기사; 조선 회사

ship·build·ing [-bìldiŋ] *n.* Ⓤ 조선(造船), 건함(建艦), 조선술, 조선학: a ~ yard 조선소
shíp bùrial 〖고고학〗 선관장(船棺葬) 《시체를 배에 담아 땅에 묻음》
shíp canàl 대형 선박용 운하
shíp càrpenter 배 대목, 선장(船匠)
shíp chàndler 선구상(船具商)
shíp chàndlery 선구업; 선구품(品); 선구 창고
shíp decànter 밑바닥이 넓은 유리병
shíp fèver 발진 티푸스(typhus)
ship·fit·ter [-fìtər] *n.* (선박 부품의) 설비자
ship·lap [-læ̀p] *n.* 〖건축〗 반턱 쪽매 이음 (판자)
shíp lètter 우편선 이외의 배로 탁송된 편지
ship·line [-làin] *n.* 선박 회사
ship·load [-lòud] *n.* 배 한 척분의 적하량 《*of*》; (막연하게) 대량, 다수
ship·man [-mən] *n.* (*pl.* **-men** [-mən]) 《고어·시어》 선장; 선원, 수부(sailor)
ship·mas·ter [-mæ̀stər | -mɑ̀:s-] *n.* 선장
ship·mate [-mèit] *n.* (같은 배의) 동료 선원; (낯선 선원 사이에 부르는) 친근한 호칭
***ship·ment** [ʃípmənt] *n.* **1** Ⓤ **선적**(船積); 수송, 발송, 출하: a port of ~ 선적항 **2** ⓊⒸ 뱃짐, 선하, 선적량(量), 적하 위탁 화물
shíp mòney 〖영국사〗 건함세(建艦稅), 선박세
shíp of státe (항해 중의 배에 비유한) 국가, 국사(國事)
shíp of the líne 전함(battleship)
ship·own·er [ʃípòunər] *n.* 선주(船主), 선박 소유자
ship·pa·ble [ʃípəbl] *a.* 〈모양·상태 등이〉 해운[선적]에 알맞은
ship·pen, -pon [ʃípən] *n.* 《영·방언》 외양간, 가축 우리
ship·per [ʃípər] *n.* 하주(荷主), 해운업자, 하송인(荷送人), 선적인[회사]; 운송업자
‡ship·ping [ʃípiŋ] *n.* Ⓤ **1** [집합적] **선박**(수); 선박 톤수(數)(tonnage) **2 적하,** 선적(船積), 적송(積送) **3** 해운(업), 선박 회사 대리업(= ~ **bùsiness**[**tràde**]) **4** [*pl.*] 선박주(株) **5** 《폐어》 항해(voyage)
shípping àgent 해운 회사[업자], 선박 회사 대리점[업자]
shípping and hándling (**chàrges**) 〖상업〗 발송 제(諸)경비 《우편료·운임·보험·포장료 등》
shípping àrticles 선원 고용 계약서
ship·ping-bill [ʃípiŋbìl] *n.* 선하 증권, 적하 송장
shípping clèrk 선적 사무원, 운송 대리점 사원; (회사 등의) 발송 담당
shípping fòrecast 해상 기상 예보
shípping làne 대양 항로
ship·ping-mas·ter [-mæ̀stər | -mɑ̀:s-] *n.* 《영》 선원 감독관 《고용 계약 등에 입회함》
ship·ping-of·fice [-ɔ̀:fis | -ɔ̀f-] *n.* 해운 회사 사무소; 선원 감독관 사무실
shípping ròom (상사·공장 등의) 발송실
ship·plane [ʃípplèin] *n.* 함재기(艦載機)
shíp ràilway (배를 육지로 끌어올리는) 선박용 레일
ship-rigged [-rígd] *a.* 3개의 돛대에 가로돛을 단
shíp's àrticles = SHIPPING ARTICLES
shíp's bìscuit = SHIP BISCUIT
shíp's bóat 구명정(救命艇); 작업용 보트
shíp's bòy = CABIN BOY
shíp's chàndler = CHANDLER
shíp's cómpany 〖항해〗 전(全)승무원
shíp's córporal 〖영국해군〗 위병 병장
ship·shape [ʃípʃèip] *a., ad.* 정돈된[되어], 질서 정연한[하게], 깨끗한[하게], 단정한[하게], 조촐한[하게]: in ~ manner 정연하게 (***all***) ***~ and Bristol fashion*** 정연히, 정돈되어
shíp's húsband (소유주를 대리하는) 선박 관리인
ship·side [-sàid] *n.* (선창에서) 배의 측면이 접하는 장소; 도크(dock)
shíp's pápers 〖항해〗 선박 서류 《선내에 반드시 비치하여야 하는 등록증·하물 목록·항해 일지 등》
shíp's sérvice 해군용 매점
shíp's stóres 선박 용품
shíp's tíme 〖항해〗 선박시(船舶時) 《선박 소재지의 지방 표준시》
shipt. shipment
ship-to-ship [-təʃíp] *a.* 〈미사일 등이〉 함대함의
ship-to-shore [-təʃɔ́:r] *a.* 배와 육지 사이의 — *ad.* 배에서 육지로 — *n.* 배와 육지 사이의 무전기; 《미·속어》 무선 전화
ship·way [-wèi] *n.* (조선소의 건조용) 조선대
ship·worm [-wɔ̀:rm] *n.* 〖패류〗 좀조개
ship·wreck** [ʃíprèk] *n.* **1** Ⓤ **난선**(難船), **난파**; Ⓒ 배의 조난 사고: suffer ~ 난파하다 **2** 난파선(의 잔해) **3** Ⓤ 파멸, 파괴; 실패 ***make ~ of …을 파괴하다, 전멸[멸망]시키다
— *vt.* 난선[난파]시키다; 파멸시키다: be *~ed* 난파하다; 파괴되다, 파멸하다 / ~ a company 회사를 망하게 만들다
— *vi.* 난파[난선]하다; 파멸하다
ship·wrecked [-rèkt] *a.* **1** 난파한 **2** 깨어진, 파괴된: ~ hopes 깨어진 희망
ship·wright [-ràit] *n.* 배 대목, 선장(船匠), 조선공
***ship·yard** [ʃípjɑ̀:rd] *n.* **조선소**
shire [ʃáiər] *n.* **1** 《영》 주(州)(county) **2** [종종 **S~**] 영국 중부 지방산(産)의 크고 힘센 복마(卜馬)[농사말](= ~ **hòrse**) **3** [the S~s] 《영》 -shire를 어미로 하는 영국 중부의 여러 주의 총칭 《특히 여우 사냥으로 유명한 Leicester*shire*, Northampton*shire* 및 Rutland*shire*》 **4** 《호주》 독자적인 의회를 가진 지방 ***the knight of the ~*** 〖영국사〗 주(州) 선출 대의원
-shire [ʃìər, ʃər] *suf.* 《영》 …주 《주 이름의 어미; Devon(shire)처럼 생략할 수 있거나 Essex, Kent처럼 -shire가 붙지 않는 것도 있음》 ★ Yorkshire처럼 지방 이름에도 씀.
shíre hòrse 샤이어 말 《영국 Shires 원산의 농경용 말》
shíre tòwn 《미》 군청 소재지(county seat), 읍; 상급 재판소가 개정되는 도시 《순회 재판소, 배심원이 딸린 재판소 등》
shirk [ʃɔ́:rk] *vt.* 〈일·의무·책임 등을〉 회피하다, 기피하다; (타인에게) 떠넘기다; 꾀부리다, 게으름피우다: ~ military service 징병[병역]을 기피하다 // (~+**-ing**) ~ *going* to school 학교 출석을 게을리하다
— *vi.* 책임을 회피하다, 게을리하다, 몰래 꾀부리다: (~+전+명) ~ *from* one's duty 의무를 회피하다 ***~ away***[***off, out***] 살금살금 빠져나가다
— *n.* **1** = SHIRKER **2** 책임 회피, 근무 태만
shirk·er [ʃɔ́:rkər] *n.* 기피자, 회피자; 게으름뱅이
Shir·ley [ʃɔ́:rli] *n.* 여자 이름 《애칭 Shirl》; [때로] 남자 이름
shirr [ʃɔ́:r] *n.* Ⓤ 주름 잡음, 주름 잡아 꿰맴; (천에 꿰매어 넣은) 신축자재의 고무줄
— *vt.* **1** 주름을 잡다, 주름 잡아 꿰매다 **2** 〈달걀을〉 얕은 접시에다 버터로 지지다
shirr·ing [ʃɔ́:riŋ] *n.* Ⓤ 〖복식〗 셔링 《2단 이상으로 잡는 주름 꿰매기》; 폭이 좁은 장식 주름
‡shirt [ʃɔ́:rt] [OE 「짧은」의 뜻에서; skirt와 같은 어원] *n.* **1** (남자용) **셔츠**, 와이셔츠 **2** 내의, 셔츠: Near is my ~, but nearer is my skin. 《속담》 제몸보다 소중한 것은 없다. **3** (여성용 칼라·커프스 달린) 셔츠 블라우스; 《미》 = SHIRTWAIST **4** (긴 셔츠형의) 남자 잠옷 **5** (깨지기 쉬운 짐을 싸는) 포장천 **6** = POLO SHIRT
(***as***) ***stiff as a boiled ~*** 태도가 몹시 딱딱하여, 잔뜩 점잔을 빼고 ***bet*** one***'s ~ on*** 확신하다, 꼭 …이라고 생각하다 ***get*** a person***'s ~ out*** 《구어》 …을 화나게 하다 ***give the ~ off*** one***'s back*** 《구어》 아낌없이 모두 주다 ***have not a ~ to*** one***'s back*** 셔츠도 입지 않고 있다, 몹시 가난하다

have[***get***] one***'s ~ out***[***off***] (속어) 화내다, 짜증내다 ***keep*** one***'s ~ on*** (속어) (성내지 않고) 침착성을 유지하다: "I've been waiting 30 minutes!" — "*Keep your ~ on.*" 30분이나 기다렸잖아! — 화내지 마라. ***lose*** one***'s ~*** (속어) 알거지가 되다, 큰 손해를 보다 ***put*** one***'s ~ on a horse*** (속어) (경마에) 있는 돈 전부를 걸다 ***stripped to the ~*** 셔츠 차림으로 〈일하다〉; 입은 옷을 송두리째 빼앗겨서
~·less *a.*

shirt·band [ʃə́ːrtbæ̀nd] *n.* 셔츠 깃 《칼라를 다는 부분》; 셔츠의 소매 끝

shirt·dress [-drès] *n.* =SHIRTWAIST 2

shirt·ed [ʃə́ːrtid] *a.* 셔츠를 입은

shirt·front [ʃə́ːrtfrʌ̀nt] *n.* 와이셔츠의 가슴판(dicky) 《떼었다 붙였다 할 수 있음》

shirt·ing [ʃə́ːrtiŋ] *n.* Ⓤ 셔츠감, 와이셔츠감

shírt jàcket 〖복식〗 셔츠 재킷 《셔츠 모양의 재킷》

shirt-lift·er [ʃə́ːrtlìftər] *n.* (호주·속어) 남자 동성애자

shirt·mak·er [-mèikər] *n.* 셔츠 제조자; (미) 남자 와이셔츠 비슷하게 만든 여자용 블라우스(shirtwaist)

shirt-off-his-back [-ɔːfhizbæ̀k | -ɔf-] *a.* 극단적으로 헌신적인, 지나치게 동정심이 많은, 자신을 돌보지 않고 남을 돕는

shirt·sleeve [-slìːv] *n.* 와이셔츠 소매 ***in*** one***'s ~s*** 윗도리를 벗고, 와이셔츠 차림으로

shirt-sleeve(**s**) [-slìːv(z)], **-sleeved** [-slìːvd] *a.* **1** 재킷을 입지 않은, 와이셔츠 차림의 **2** (비유) 비공식의, 약식의; 직접적인, 노골적인(direct): ~ diplomacy (규칙에 얽매이지 않는) 비공식적인 외교 **3** 세련되지 않은, 속된; 서민적인; 근면한 **4** 셔츠 한 벌만 입고도 괜찮을 정도로 온화한: ~ weather 코트가 필요 없는 온화한 날씨

shirt-suit [-sùːt | -sjùːt] *n.* 〖복식〗 셔츠슈트 《셔츠와 이에 어울리는 바지》

shirt·tail [-tèil] *n.* **1** 셔츠 자락 **2** 신문 기사 끝의 관련 추가 기사; 쓸모없는 것
— *a.* 미숙한, 철없는; (미남부·방언) 먼 친척의; 얼마 안 되는, 작은; 비공식의, 약식의

shirt·waist [-wèist] *n.* **1** (미) 블라우스((영) blouse) **2** 셔츠웨이스트 드레스 《와이셔츠 모양으로 앞이 트인 원피스》

shirt·waist·er [-wèistər] *n.* (영) =SHIRTWAIST 2

shirt·y [ʃə́ːrti] *a.* (**shirt·i·er**; **-i·est**) (영·구어) 토라진, 기분 상한, 언짢아하는, 성난

shish ke·bab [ʃíʃ-kəbɑ̀b | -kəbæ̀b] 시시케밥 《중동 지역 요리로 양고기·쇠고기 등을 포도주·기름·조미료로 양념해서 꼬챙이에 끼워 구운 것》

shit [ʃít] *vi.* (**~, shat** [ʃǽt], **~·ted**; **~·ting**) (비어) **1** 뒤보다, 똥누다 **2** 쇼크를 일으키다 **3** 〈…을〉 심하게 다루다, 호통치다 **4** 경찰에 밀고하다
be shat on 심한 벼락을 (상사 등으로부터) 맞다 ***~ a brick*** (변비로) 몹시 굳은 똥을 누다 ***~ on*** 밀고하다 ***~ on*** one***'s own doorsteps*** 귀찮은 일을 자초하다 ***~*** one***self*** 아차 실수하다; 흠칫흠칫하다
— *n.* Ⓤ (비어) **1** 똥(dung); [the ~s; 단·복수 취급] 설사(diarrhea) **2** 겉치레; 겉치레만의 이야기; 거짓말 **3** 쓸모없는 것; 조악한 물건 **4** [부정문에서] 무(無), 아주 조금 **5** 쓸모없는[싫은] 놈 **6** (미) 마약; 헤로인, 마리화나 **7** 불운, 불쾌한 상황; 기분 나쁜 대우
beat[***kick, knock***] ***the*** (***living***) ***~ out of*** (미) …을 흠씬 두들겨 패다 ***eat***[***take***] ***~*** 굴욕을 참다, 싫은 것을 감수하다 ***in deep ~*** (미) 어려운 지경이 되어 ***like ~*** 필사적으로, 지독히; 절대로 …않는 ***No ~!*** 《놀람·불신을 나타내어》 젠장!, 제기랄! ***not give a ~*** (비어) 전혀 개의치 않다: I do*n't give a ~* about politics. 난 정치 따위는 아무 관심 없다. ***not worth a ~*** (비어) 전혀 가치가 없다 (***when***) ***the ~ hits the fan*** =(***when***) ***the ~ flies*** 성가시게[귀찮게] 되다, 큰 소동이 일어나다
— *int.* 제기랄, 빌어먹을(bullshit)

shit-all [ʃítɔ́ːl] *a.* (비어) 조금도[전혀] …않은

shit-ass [-æ̀s] *n.* (비어) 치사한 녀석, 악당
— *vi.* 비열한 짓을 하다

shit·box [-bɑ̀ks | -bɔ̀ks] *n.* (속어) 화장실

shite [ʃáit] (비어) *n.*, *v.* =SHIT

shit·eat·er [-ìːtər] *n.* (속어) 대변 먹는 사람[동물]; 대변을 먹고 성적 만족을 얻는 사람 《略 SE》; 싫은 놈

shít èating (미·속어) 비열한 행위; 대변을 먹는 짓 《완곡하게 SE 또는 S/E로 줄여 씀》

shit-faced [-fèist] *a.* (비어) 바보 같은; 곤드레만드레 취한

shit·head [-hèd] *n.* (속어) 똥 쌀 놈, 싫은 놈; 마리화나 상용자

shit·hole [ʃíthòul] *n.* (속어·비어) 아주 더러운[불쾌한] 곳

shit-hot [-hɑ́t | -hɔ́t] *a.* (비어) 발군의, 매우 잘하는

shit·house [-hàus] *n.* (비어) (옥외) 변소; 불결한 장소

shit·kick·er, shit-kick·er [-kìkər] *n.* (속어·비어) **1** 농부, 카우보이, 시골 사람, 촌놈; 백인 **2** 컨트리 뮤직(country-and-western)의 연주자[팬] **3** [보통 *pl.*] (카우보이 등이 신는) 크고 무거운 부츠[장화] **4** 서부극[영화]

shit·less [ʃítlis] *a.*, *ad.* (속어) 대변이 나오지 않는[않을 정도로], 몹시: scared ~ 몹시 놀라서

shít lìst (비어) 블랙리스트

shit·load [ʃítlòud] *n.* [보통 a ~] 다량, 다수

shit-scared [-skɛ̀ərd] *a.* (비어) 몹시 무서워하는

shit-stir·rer [-stə̀ːrər] *n.* (비어) 멋대로 말썽을 부려 다른 사람에게 피해를 끼치는 사람

shit·tah [ʃítə] *n.* (*pl.* **shit·tim** [ʃítim], **~s**) 싯딤 나무 《구약 성서에 나오며, 아카시아 나무로 추측됨》

shit·ty [ʃíti] *a.* (비어) **1** 똥 투성이의 **2** 비열한, 심술궂은; 열등한, 조악한 **3** 진절머리 나는, 따분한; 불쾌한 **4** 술 취한

shiv [ʃív] *n.* (미·속어) 칼, 면도날, 날붙이

Shi·va [ʃíːvə] *n.* = SIVA

shi·vah, shi·va, shi·ve [ʃívə] *n.* 〖유대교〗 시바 《부모·배우자와 사별한 유대인이 장례식 후 지키는 7일간의 복상(服喪) 기간》

shiv·a·ree [ʃìvəríː] *n.* 소란한 장단치기((영) charivari) 《신혼 부부를 위해 냄비·주전자 등을 두드림》; (잔치 분위기의) 야단법석
— *vt.* (신혼 부부를 위하여) 시끄러운 장단을 치다; (소란을 피워) 골치 아프게 하다; 몰아내다, 쫓아내다

***shiv·er**[1] [ʃívər] *vi.* **1** (후들후들) 떨다, 추위로 떨다; 무서워 벌벌 떨다, 전율하다 《*with*》(⇨ shake 유의어): (~+전+명) ~ *with* cold[fright] 추위[공포]로 떨다 **2** 〖항해〗 〈돛이〉 펄럭이다 **3** 〈나무·풀 등이〉 (바람으로) 흔들거리다, 산들거리다
— *vt.* 떨리게 하다, 후들후들 떨게 하다; 〖항해〗 돛을 바람에 펄럭이게 하다
— *n.* **1** 떨림, 전율 **2** [the ~s] (구어) 오한; 전율; 〖병리〗 학질(ague) ***give*** a person ***the ~s*** …을 떨게 하다, 등골이 오싹하게 하다
▷ shívery[1] *a.*

shiver[2] *n.* [보통 *pl.*] (드물게) 산산조각, 부스러기; 파편: in ~*s* 산산조각이 나서
— *vt.*, *vi.* 산산이 부수다[부서지다]
~ my timbers! (해군속어) 제기랄, 빌어먹을!

shiv·er·ing [ʃívəriŋ] *n.* Ⓤ 몸의 떨림, 전율
~ fit 오한(惡寒)

shiv·er·ing·ly [ʃívəriŋli] *ad.* 벌벌 떨며

shiv·er·y[1] [ʃívəri] *a.* **1** 몸을 떠는; 떨기 잘하는; 오싹하는, 오한이 나는; 무서운, 오싹하게 하는 **2** 추운

shivery[2] *a.* 잘 부서지는, 깨지기 쉬운, 여린

shle·miehl [ʃləmíːl] *n.* =SCHLEMIEL

shlep [ʃlép] *n.* 하찮은 사람(schlep)

shlock [ʃlɑ́k | ʃlɔ́k] *a.*, *n.* =SCHLOCK

shmaltz [ʃmɑ́ːlts, ʃmɔ́ːlts] *n.* =SCHMAL(T)Z

shmat·te [ʃmɑ́ːte] *n.* =SCHMATTE

shmear [ʃmíər] *n., vt.* = SCHMEAR
shmen [ʃmén] *n. pl.* 《미·속어》 신입생(freshmen)
shmen·drik [ʃméndrik] *n.* 소심한 사람, 의기가 없는 사람; 바보, 멍청이
shmo(e) [ʃmóu] *n.* (*pl.* **~s**) = SCHMO(E)
***shoal**[1] [ʃóul] *n.* 여울; 모래톱, 사주(砂洲); [보통 *pl.*] 숨은 위험[장애], 함정
— *a.* 얕은; 〈선체가〉 얕은 수심에서 뜨는
— *vi., vt.* 〈물이〉 얕아지다, 얕게 하다; 여울이 되다; 〈배를〉 얕은 곳으로 가게 하다 ▷ shóaly *a.*
shoal[2] *n.* **1** 떼, 무리(crowd), 《특히》 고기 떼 《*of*》 (⇨ group 유의어) **2** [보통 *pl.*] 《구어》 다수, 다량 《*of*》: ~*s of* people 많은 사람들 ***in ~s*** 떼를 지어
— *vi.* 〈특히 물고기가〉 떼를 짓다, 무리 지어 모이다
shoal·y [ʃóuli] *a.* (**shoal·i·er**; **-i·est**) **1** 여울이 많은 **2** 숨은 위험[장애]이 많은, 함정이 많은
shoat[1] [ʃóut] *n.* 《미》 젖 뗀 새끼 돼지
shoat[2] [*sh*eep+g*oat*] *n.* 양과 염소의 교배종(geep)
‡shock[1] [ʃák | ʃɔ́k] *n.* **1** 충격, 충돌(collision); 격동, 진동, 지진: several ~*s* of earthquake 몇 차례의 지진의 진동 **2** Ⓤ (정신적인) 쇼크, 타격; 깜짝 놀람, 충동; (마음의) 동요; Ⓒ 충격적인 사건[뉴스]; 갑작스런 소동: His death came as a ~. 그의 죽음은 충격적인 것이었다. **3** Ⓤ 『의학』 충격, 쇼크(증): die of ~ 쇼크사하다 **4** 『전기』 전기 쇼크, 감전, 전격: get an electric ~ 감전하다 **5** 《구어》 마비, 졸중(卒中) **6** [*pl.*] 《구어》 완충 장치(=~ absorber); (불균일한 가열로 생긴) 금속 내부의 강한 응력 ***go into ~*** (의학적) 쇼크 상태가 되다 ***in ~*** 쇼크를 일으킨
— *vt.* **1** 충격을 주다; 얼떨떨하게 하다, 깜짝 놀라게 하다; 비위를 건드리다, 분개하게 하다: His bad language ~*ed* everyone there. 그의 못된 입버릇에 거기 있던 모든 사람은 기가 막혔다. **2** 깜짝 놀라게 하여 …한 상태에 빠뜨리다 《*into*》: He was ~*ed into* silence. 그는 충격을 받아 말문이 막혔다. **3** 《고어》 심하게 부딪히다, 충돌하다 **4** 〈전기가〉 짜릿하게 충격을 주다, 감전시키다 **5** (금속에) 큰 내부 응력을 일으키다 **6** 『의학』 쇼크를 일으키게 하다
— *vi.* **1** 《고어·시어》 격돌하다, 세게 부딪치다 **2** 고민하다; 혐오감을 일으키다; 쇼크를 받다 **~·a·ble** *a.*
shock[2] *n.* (보통 12단을 묶은) 보릿단 가리, 볏가리; 《미》 옥수수 단 — *vt.* (볏)가리[단]로 만들다
shock[3] *n., a.* 엉클어진 털(의), 흐트러진 머리칼(의), 난발(의); 길고 털이 엉클어진 개(의)
shóck absòrber 『기계』 완충기(緩衝器), 완충 장치 《기계·자동차 등의》
shock-ab·sorb·ing [ʃákəbsɔ̀ːrbiŋ | ʃɔ́k-] *a.* 완충적(인): a ~ device 완충 장치
shóck àction 『군사』 급습, 충동 작전
shock-bri·gade [-brigèid] *n.* (특히 구소련의) 특별 작업대 《정량 이상의 작업 이행》
shóck còrd 『항공』 완충 고무줄 《작은 비행기 착륙시 또는 글라이더의 출발시에 쓰는》
shóck dòg 삽살개; 《특히》 푸들 《작고 영리한 복슬개》
shock·er [ʃákər | ʃɔ́k-] *n.* **1** 소름 끼치게 하는 사람[것] **2** 자극적인 것; 값싸고 선정적인 소설(=shilling ~) **3** = SHOCK ABSORBER
shóck frònt 『물리』 충격파(shock wave)의 전면(前面); 『천문』 충격파면(面)
shock·head·ed [ʃákhèdid | ʃɔ́k-] *a.* 머리털이 더부룩한[엉클어진], 흐트러진 머리의
shock-hor·ror [-hɔ̀ːrər, -hàr-] *a.* 〈신문의 표제가〉 선정적인, 충격적인
***shock·ing** [ʃákiŋ | ʃɔ́k-] *a.* **1** 충격적인, 소름 끼치는, 쇼킹한: a ~ accident 충격적인 사고 **2** 고약한, 괘씸한: a ~ behavior 괘씸한 행동 **3** 형편없는, 아주 조잡한; 〈색이〉 강렬한, 짙은 **4** 《구어》 지독한, 심한: a ~ cold 지독한 감기
— *ad.* 《구어》 지독하게(very), 말할 수 없을 정도로: ~ poor 찢어지게 가난한 / ~ bad 형편없이 나쁜 **~·ness** *n.*
shock·ing·ly [ʃákiŋli | ʃɔ́k-] *ad.* **1** 깜짝 놀랄 만큼 **2** 《구어》 지독하게, 엄청나게: It is ~ expensive. 그건 무척 비싸다.
shócking pínk 진분홍, 짙은 분홍
shóck jòck 모독하는 말로 일부러 청취자를 화나게 하는 디스크자키
shock·proof [ʃákprùːf | ʃɔ́k-] *a.* 〈시계·기계 등을〉 충격에 견디게 만든, 내진(耐震) 구조의 — *vt.* 〈시계·기계 등을〉 진동[충격]으로부터 보호하다; 내진으로 만들다
shock-re·sis·tant [-rizìstənt] *a.* 충격 방지의, 충격에 견디는; 내진성의
shock-rock [-rák | -rɔ́k] *n.* 쇼크록 《특이한 연주·복장·소도구 등으로 청중에게 쇼크를 주는 록음악》
shóck stàll 『항공』 충격파 실속(失速) 《음속에 가까워지면 비행기 날개 표면에 수직 방향으로 발생하는 충격파(shock wave)로 갑자기 속도를 잃음》
shóck tàctics 『군사』 급습 전술; 급격한 행동[동작]
shóck thèrapy[trèatment] 『의학』 충격 요법 《insulin의 대량 주사, 전기 충격 등을 머리에 가하는 정신병 치료법》
shóck tròops 『군사』 기습 부대, 돌격대; 격투 부대
shóck tùbe 충격파관(管) 《실험실에서 충격파를 만드는 장치》
shock·u·men·ta·ry [ʃàkjuméntəri | ʃɔ̀k-] [*shock*+docu*mentary*] *n.* 쇼큐멘터리 《충격적인 장면을 많이 담은 다큐멘터리》
shóck wàve 『물리』 충격파(衝擊波); (사건 등이 주는) 충격, 파문, 반향: ~*s* from that accident 그 사고가 가져오는 여파
shóck wòrkers = SHOCK-BRIGADE
shod [ʃád | ʃɔ́d] *v.* SHOE의 과거·과거분사
— *a.* 《문어》 신을 신은
shod·dy [ʃádi | ʃɔ́di] *n.* Ⓤ **1** 재생한 털실(cf. MUNGO(E)) **2** ⓊⒸ 재생 모직물 **3** 싸구려 물품, 가짜 물건 — *a.* (**-di·er**; **-di·est**) **1** 재생 양모[모직물]의 **2** 겉만 번지르르한, 싸구려의 **3** 〈제품·완성도가〉 조잡한, 조악한, 질이 떨어지는 **4** 천한; 비열한; 초라한, 볼품없는 **shód·di·ly** *ad.* **shód·di·ness** *n.*
‡shoe [ʃúː] *n.* (*pl.* **~s,** 《고어·방언》 **shoon** [ʃúːn]) **1** [보통 *pl.*] 구두, 《미》 (발목을 덮는) 편상화; 《영》 단화(cf. BOOT[1]): a pair of ~*s* 구두 한 켤레 / put on[take off] one's ~*s* 신을 신다[벗다] ★ 《미》에서는 단화·반구두를 low shoes라고 함. **2** 구두 모양의 것; (자동차의) 브레이크 슈(=brake ~); (타이어의) 제동 쐐기; 《미》 (자동차) 타이어의 외피(外被)[케이싱] 《접지면의 피복(被服)》 **3** 편자(horseshoe) **4** (단장 등의 끝에 박은) 마구리 쇠, 쇠테; 『건축』 물받이; (의자 등의 다리에 씌우는) 캡 **5** (전차의) 집전 장치; 그 활주부(滑走部)의 접촉판; 썰매의 밑바닥 **6** 떨이개 《곡물을 제분기로 밀어 넣는 도구》 **7** 『목공』 = SOLEPLATE **8** [*pl.*] 경제[사회]적 지위; 입장, 관점 **9** 《미·속어》 사복 형사; 위조 여권; (카지노의) 카드를 돌리기 위한 상자; 최신 유행으로 치장한 사람
another pair of ~s 전혀 다른 일 ***dead men's ~s*** 쉽게 손에 넣고자 하는 것 《부모의 유산 등》; 《미·흑인속어》 경험하고 싶지 않으나 피할 수 없는 일 ***die in*** one***'s ~*** = ***die with*** one***'s ~s on*** 변사하다 《특히 교살되는 일》 ***drop the other ~*** 손댄 일을 결말짓다 ***fill*** a person***'s ~s*** …을 대신하다 ***If the ~ fits, wear it.*** 《미》 = ***If the cap fits***(, ***wear it***). ⇨ cap[1]. ***in*** a person***'s ~s*** …의 입장이 되어, …을 대신하여: That's easy for you to say. You're *not in my* ~*s*. 당신은 쉽게 말할 수 있겠죠. 내 처지가 아니니까. ***Over ~s, over boots.*** 《속담》 기왕에 내친 일이면 끝까지. ***put*** one***self in***[***into***] a person***'s ~s*** 남의 입장이 되어 보다 ***put the ~ on the right foot*** 나무랄 사람을 나무라다, 칭찬할 사람을 칭찬하다 ***shake***[***shiver, tremble***] ***in***

thesaurus **shock**[1] *n.* **1** 충격, 충돌 impact, blow, crash, collision **2** 쇼크 surprise, upset, disturbance

one's ~s 와들와들 떨다 《두려워서》 ***stand in a person's ~s*** …을 대신하다 ***step into a person's ~s*** …의 후임이 되다 ***The ~ is on the other foot.*** 형세는 역전되었다. ***tie one's ~s*** 행동을 바로 하다, 확실히 하다, 정신을 차리게 해 주다 ***wait for dead men's ~s*** …의 유산[자리]을 노리다 ***where the ~ pinches*** 고통[슬픔, 곤란]의 원인, 화근

—*vt.* (**shod** [ʃɑ́d | ʃɔ́d]; **shod, shod·den** [ʃɑ́dn | ʃɔ́dn]) **1** 구두를 신기다; 말에 편자를 박다 **2** 쇠굴레를 끼우다, 마구리를 달다 《*with*》: *shod with* iron 쇠 장식을 단 **~·less** *a.*

shoe·black [ʃúːblæ̀k] *n.* 《영》 구두닦이

shoe·box [-bɑ̀ks | -bɔ̀ks] *n.* 구두 상자; 《구어》 구두 상자 모양의 것

shoe·brush [-brʌ̀ʃ] *n.* 구둣솔

shoe·buck·le [-bʌ̀kl] *n.* 구두의 죔쇠

shoe·horn [-hɔ̀ːrn] *n.* 구둣주걱

—*vt.* 좁은 공간에 밀어[채워] 넣다

shoe·lace [-lèis] *n.* 구두끈(shoestring)

shóe lèather 구두 가죽; 《속어》 [집합적] 구두

as good [***honest***] ***a man as ever trod ~*** 누구 못지않게 좋은[정직한] 사람 ***save ~*** (차를 타거나 하여) 될 수 있는 대로 걷지 않다

∗**shoe·mak·er** [ʃúːmèikər] *n.* 구두 고치는 사람; 구둣방; 제화업자; 《속어》 엉터리 기술자

shoe·mak·ing [-mèikiŋ] *n.* [U] 구두 만들기[고치기]

shoe·pack [-pæ̀k] *n.* (무겁고 끈 달린) 방수 부츠 ★ pac라고도 함.

shóe pòlish 구두 (윤내는) 약

sho·er [ʃúːər] *n.* 말에 편자를 다는 사람

shoe·shine [ʃúːʃàin] *n.* 《미》 구두닦기; 닦은 구두의 표면: a ~ boy 구두닦이 소년 / get a ~ 구두를 닦아 달라고 하다

shóe shòp 《영》 = SHOE STORE

shóe stòre 《미》 구둣방

shoe·string [-strìŋ] *n.* 구두끈(shoelace); 《구어》 소액의 돈; [*pl.*] = SHOESTRING POTATOES

on a ~ 《미·속어》 적은 자본으로

—*a.* 가느다란; 적은 자본의; 위태위태한: live on a ~ budget 얼마 안 되는 생활비로 겨우 살다

shóestring càtch 〖야구〗 땅을 스칠 듯한 공을 간신히 받기

shóestring majórity 가까스로 넘는 과반수

shóestring potàtoes 가늘고 길게 썰어 기름에 튀긴 감자

shóestring tàckle 《속어》 〖미식축구〗 슈스트링태클 《ball carrier의 발목을 잡는 태클》

shóe trèe 구두골 《구두의 형태를 유지하기 위해 넣어 놓는 금속·목재의 틀》

sho·far [ʃóufər] *n.* (*pl.* **~s, sho·froth**) 〖유대교〗 (황소뿔의) 각적(角笛) 《뿔피리》

shofar

sho·gun [ʃóugən, -gʌn] 〔Jap.〕 *n.* (일본 막부 시대의) 육군 총사령관의 칭호, 장군 **~·al** *a.* **~·ate** *n.* [U] 쇼군의 직위; 막부 (시대)

Sho·lo·khov [ʃɔ́ːləkɔ̀ːf, -kɑ̀f | -kɔ̀f] *n.* 숄로호프 **Mikhail A. ~** (1905-84) 《구소련의 소설가; 노벨 문학상 수상(1965)》

Sho·na [ʃóunə] *n.* 쇼나 족(族) 《아프리카의 모잠비크와 짐바브웨에 분포하는 부족군》; 쇼나 어(語)

⁑**shone** [ʃóun | ʃɔ́n] *v.* SHINE의 과거·과거분사

shon·ky [ʃɑ́ŋki, ʃɔ́ːŋ- | ʃɔ́ŋ-] *a.* 《호주·뉴질·구어》 부정직한, 불법의

shoo [ʃúː] *int.* 쉬, 쉿 《새 등을 쫓는 소리》

—*vi., vt.* (**~ed, ~'d**) 쉬이하다; 쉬이하고 쫓다 《*away*》; 〈사람을〉 무리하게 가게 하다, 쫓아내다 《*away*》; 《미·속어》 〈경주마를〉 낙승(樂勝)시키다 《*in*》

shoo·fly [ʃúːflài] *n.* (*pl.* **-flies**) **1** 《미》 (어린이용) 흔들목마 **2** 파이의 일종(=~ pie) **3** 가선(假線); 가설 도로 **4** 미국의 포크 댄스의 일종

shóofly pìe 《미》 당밀 파이

shoo-in [ʃúːìn] *n.* 《미·구어》 **1** (승리가 확실한) 후보자[경기자, 말] **2** (선거의) 낙승; 확정적인 일; 낙승 가능한 경기

⁑**shook**[1] [ʃúk] *v.* SHAKE의 과거

—*a.* 《속어》 = SHOOK-UP

shook[2] *n.* 통·상자 등을 짜 맞출 판자의 한 묶음; 조립 부품 한 세트; 곡식 단 —*vt.* 한 벌씩 묶어 놓다

shook-up [ʃúkʌ́p] *a.* 정신적으로 동요되어 있는, 마음이 산란한; 기력을 상실한: a ~ generation 동요되어 있는 세대

shoon [ʃúːn] *n.* 《고어·방언》 SHOE의 복수

⁑**shoot**[1] [ʃúːt] *v., n.*

「힘차게 나아가다」 ㉶ **3** →(튀어나가다)
→「쏘다」 ㉶ **1** →
㉹ **1, 2** →「방사하다」 ㉹ **5**
→(표적을 잡다)→「촬영하다」 ㉹ **14**
→〈초목이〉「싹트다」 ㉶ **4**

—*v.* (**shot** [ʃɑ́t | ʃɔ́t]) *vt.* **1** 〈총·활·화살을〉 쏘다, 〈탄환을〉 발사하다: ~ a gun 총포를 쏘다 // (~+[목]+[전]+[명]) ~ an arrow *into* the air 공중으로 화살을 쏘다 **2** …을 사격하다[쏘다]; …을 쏘아 맞히다, 사살[총살]하다; 쏘아 망가뜨리다[파괴하다, 떨어뜨리다]; 관통시키다; 쏘아서 …을 (…으로) 만들다 《*in*》: ~ a bird 새를 쏘다 // (~+[목]+[전]+[명]) ~ a hole *in* the table 총을 쏘아서 탁자에 구멍을 내다 / He was *shot in* the left arm. 그는 왼팔에 총알을 맞았다. // (~+[목]+[보]) (~+[목]+[전]+[명]) ~ a person dead = ~ a person *to* death …을 사살하다 // (~+[목]+[부]) He had his arm *shot off*. 그는 포탄에 팔을 잃었다. **3** 〈질문 등을〉 연발하다, 연거푸 퍼붓다; (~+[목]+[전]+[명]) ~ question after question *at* a person …에게 연이어 질문을 퍼붓다 **4** 〈그물 등을〉 던지다; 〈짐 등을〉 내던지다 《*out*》; 〈쓰레기 등을〉 내버리다; 〈손·발·혀 등을〉 뻗치다, 내밀다 《*out*》; 〈소맷부리를〉 손목 쪽으로 잡아당기다; 〈초목이 새싹을〉 내밀다 《*forth, out*》: ~ a fishing net 어망을 던지다 / ~ an anchor 닻을 던져 내리다 / ~ one's cuffs 와이셔츠 소매를 당기다 《허세 부리는 태도》 // (~+[목]+[부]) ~ *out* one's arm 팔을 뻗치다 / ~ *out* buds 싹을 내밀다 // (~+[목]+[전]+[명]) The rider was *shot over* the horse's head. 기사(騎士)는 말 머리 너머로 내던져졌다. / He *shot* his finger *at* my nose. 그는 내 코끝에 손가락을 들이댔다. **5** 〈광선을〉 방사(放射)하다; 〈시선·미소 등을〉 던지다; 〈용암 등을〉 내뿜다[분사하다]: (~+[목]+[전]+[명]) ~ a light *on* the stage 무대에 조명을 비추다 / ~ a smile *at* a person …에게 미소를 던지다 / The volcano *shot* lava high *into* the air. 그 화산은 용암을 하늘 높이 내뿜었다. **6** 〈급류를〉 쏜살처럼 내려가다, 힘있게 지나가다; 《구어》 〈신호를〉 무시하고 내달리다: ~ the lights 신호를 무시하고 내달리다 / ~ the rapids 급류를 타고 내려가다 **7** 〈어떤 장소를〉 사냥하며 다니다, 〈어떤 장소에서〉 사냥감을 쏘다: ~ a woodland 숲에서 사냥을 하다 **8** [보통 수동형으로] 색이 다른 실을 짜넣다; 다른 것을 섞다, 변화를 주다 《*with*》(⇨ shot[2] *a.* 1): (~+[목]+[전]+[명]) silk *shot with* gold 금실을 섞어 짠 명주 / a story *shot with* humor 유머가 섞인 이야기 **9** 〈못·막대기 등을〉 내밀다 《*out*》 **10** 〈편지 등을〉 (서둘러서) 반송하다, 보내다, 배달하다 **11** 〖스포츠〗 (골을 향해) 〈공을〉 차다[던지다]; 〈구슬·주사위 등을〉 튀기다, 던지다; 《구어》 〖골프〗 〈경기를〉 하다, (…타수의) 최종 스코어를 올리다 **12** (손가락 끝으로) 〈먼지 등을〉 털다 **13**

---

shocking *a.* appalling, horrifying, dreadful, awful, frightful, terrible, horrible, disgraceful

《미·구어》 (주사위 게임에서) 〈돈을〉 걸다 **14** …의 사진을 찍다(photograph); 〖영화〗 …을 촬영하다(film) **15** 〈문빗장 등을〉 지르다, 끼우다, 벗기다 **16** (천체(天體)의) 고도를 재다; 육분의(六分儀)로 정오의 태양 고도를 재다 **17** (대패로) 〈재목을〉 매끈하게 깎다[밀다] **18** 〈폭약을〉 폭발시키다; 〈석유·석탄을〉 (폭파해서) 파내다, 채굴하다 **19** 《미·속어》 〈마약을〉 (정맥에) 주사하다; (…에게) 예방 주사를 놓다 **20** 〖항공〗 〈연습을〉 되풀이해서 하다 **21** 〈법안 등을〉 거부하다, 각하하다 《*down*》 **22** 《속어》 건네주다, 돌리다(pass): *S*~ the salt to me. 소금을 건네주시오. **23** 《속어》 〈계획 등을〉 단념하다, (던져) 버리다 **24** 〈돈을〉 다 쓰다, (한꺼번에) 써 버리다 **25** 《폐어》 〈노폐물을〉 (몸에서) 내보내다; 〈물고기가 알을〉 내놓다; 《속어》 토하다 **26** (경주에서) 상대를 앞질러 가다 **27** 〈씨실을〉 (날실 사이로) 통과시키다 **28** 〈광물을〉 결정화하다

— *vi.* **1** (…을 겨냥해서) **쏘다**, 사격하다; 총사냥하다: ~ wide of the mark 〈총알 등이〉 표적에서 멀리 벗어나다 // (~+전+명) ~ *at* a target[bird] 표적[새]을 쏘다 **2** (총에서) 탄환이 튀어나가다[발사되다], 총을 쏘다: My gun won't ~ straight. 내 총은 아무리 해도 총알이 똑바로 나가지 않는다. **3 힘차게 움직이다[달리다]**, 돌진하다; 쏜살같이 지나가다; 치솟다 《*up*》; 〈손 등이〉 갑자기[재빠르게] 움직이다; 튀어나오다 《*out*》; 〈생각 등이〉 반짝 빛나다; 〈표정 등이〉 갑자기 나타나다; 〈불길·연기·물·피 등이〉 내뿜다: (~+부) Flames *shot up* from the burning house. 불타는 집에서 불길이 치솟았다. / A motorboat *shot past*. 모터보트가 휙 지나갔다. / The car *shot ahead*. 차가 휙 지나갔다. // (~+전+명) A star *shot across* the sky. 별 하나가 하늘을 가로질러 쏜살같이 지나갔다[떨어졌다]. / A sudden thought *shot across* my mind. 문득 어떤 생각이 마음속에 번쩍 떠올랐다. / Blood *shot from* the wound. 상처에서 피가 내뿜었다. **4** 〈초목이〉 싹트다, 발아하다; (쑥쑥) 성장하다; 갑자기 커서 〈…가〉 되다; 〈생각 등이〉 발전하다, 성숙하다; 〈물가·인기 등이〉 갑자기 오르다, 급등하다 《*up*》: (~+부) The leaves have begun to ~ *forth*. 나뭇잎이 싹트기 시작했다. / My son *has shot up*. 나의 아들은 쑥쑥 성장했다. **5** 사진을 찍다; 〖영화〗 촬영하다[을 개시하다] **6** 〈갑(岬) 등이〉 내밀다; 〈산 등이〉 우뚝 솟다, 치솟다: (~+부) (~+전+명) a cape *~ing out into* the sea 바다에 돌출해 있는 곶 / The mountain *~s up against* the blue sky. 산이 푸른 하늘에 우뚝 솟아 있다. **7** 〈성적 등이〉 뛰어나다; 눈에 띄다 **8** (골을 향해) 공을 차다[던지다, 쏘다] **9** 〈고통·감정 등이〉 (…을) 지나가다; 쿡쿡 쑤시다, 욱신욱신 아프다: (~+전+명) A sharp pain *shot through* me. 심한 통증이 온몸에 일어났다. **10** 〈빗장·열쇠 등이〉 잠기다, 벗겨지다, 풀리다 **11** 마약을 주사하다; 약을 주사하다 **12** 《구어》 말하기 시작하다; [명령형으로] 빨리빨리[속 시원히] 말해 버려! **13** 《미·구어》 겨냥하다, 목표 삼다 **14** 〈동물이〉 사지를 쭉 늘리다 **15** (응고해서) 결정화되다

be shot (***through***) ***with*** …로 꽉 차다, …이 섞여 있다 ***I'll be shot***[***damned***] ***if*** it is true. (그렇다면) 내 목을 주마, 절대 그럴 리가 없다. 《강한 부정·부인》 ~ ***a covert*** 사냥터에서 사냥하다 ~ ***after*** 《미·구어》 급히 뒤쫓다 ~ ***ahead*** …을 따라잡다, 추월하다 《*of*》; 〈제품이〉 개발되다 ~ ***a line*** 《속어》 허풍을 치다(brag) ~ ***a look***[***glance***] 힐끗 보다 ~ ***a match*** 사격 경기에 참가하다 ~ ***at***[***for***] …을 겨냥해서 쏘다, …을 겨냥하다, 노리다; …을 목표로 노력하다 ~ ***away*** 〈탄약을〉 다 쏘아 버리다 ~ ***by*** 《미·구어》 휙[날쌔게] 지나가다 ~ ***down*** 쏘아 떨어뜨리다, 쏘아 잡다; (토론 등에서) 찍소리 못하게 만들다; 〈사람·제안 등을〉 거부하다, 뒤엎다; 〈권위 등을〉 실추시키다; …의 꿈을 무너뜨리다, 실망시키다 ~ ***... down in flames*** 〈…을〉 파멸시키다; 〈논쟁의 상대를〉 완전히 해치우다, 혼내 주다 ~ ***from the hip*** 깊이 생각하지 않고 말하다[행동하다] ~ ***home*** 과녁[목표]을 맞추다 ~ ***in*** (*vt.*) 엄호 사격을 하다; (*vi.*) (실내에서) 총을 쏘다; 재빨리 집어넣다 ***S***~ (***it***)***!*** 《미·속어》 아이고, 어머나, 흥! 《놀라움·불쾌의 표시》 ~ ***it out*** 《구어》 총격전으로 결말을 내다 ~ ***Niagara*** 나이아가라 폭포를 내려가다; 결사적인 모험을 하다 ~ ***off*** 발포하다 ~ ***off*** one***'s mouth***[***face***] 《미·속어》 경솔하게[무심코] 지껄이다; 과장하여 말하다, 허풍 떨다 ~ ***out*** 〈손·발 등을〉 불쑥 내밀다; 무력으로 해결하다; 〈빛 등을〉 발하다; 돌출하다 ~ ***over*** 빨리 가다 ~ one***self*** 자살하다 ~ ***straight***[***square***] 명중하다 ~ one***'s wad*** 가진 돈을 다 써 버리다; 마음에 있는 것을 다 털어놓다 ~ ***the breeze*** 잡담을 하다 ~ ***the cat*** 《속어》 토하다 ~ ***the moon*** 《미·속어》 밤을 타서 도망가다, 야반도주하다 ~ ***the works*** 철저하게 하다 ~ ***up*** (1) 쏘다, 저격하다; 마구 쏘다 (2) 빠르게 지나가다 (3) 쿡쿡 쑤시다, 욱신거리다 (4) 〈아이가〉 무럭무럭 자라나 (5) 〈물가가〉 급등하다; 높이 치솟다 (6) 〈마약을〉 주사하다 ***shot through with*** 〈위험물 등이〉 그득하여

— *n.* **1 사격**, 발포, 발사 **2** 사격 대회, 사격 시합; 《주로 영》 사냥 여행; (과녁을 쏘는) 횟수 **3** 사냥터; 사냥감; 사냥권 **4** 식물의 발아, 생장; 새로 나온 가지; 지맥(支脈), 분맥; 생장률, 발아율: ~*s* of a plant 식물의 새싹 **5** 급류, 여울; 분수(噴水); 사수로(射水路); 활주로 **6** 활강 사면로(chute) **7** 영화 촬영(기간) **8** 보트 경기에서 stroke 사이의 시간 **9** 《미》 (로켓·미사일 등의) 발사, 쏘아올림 **10** 〖결정〗 지맥(支脈) 모양의 결정 **11** 전율; 찌르는 듯한 통증 **12** 광선(光線) **13** 손발을 내미는 것; 갑작스런 움직임, 급진; (움직인) 거리 **14** 투망(投網) **15** (사진·영화의) 촬영 ***the whole*** ~ 《속어》 = EVERYTHING ▷ shót *n.*

shoot[2] [shit의 완곡어] *int.* 《미·구어》 이런, 젠장, 빌어먹을

shóot àpex 〖식물〗 생장점(生長點)

shoot-down [ʃúːtdàun] *n.* 격추

shoot-'em-up [-əmʌ̀p] *n.* 《미·구어》 **1** 총격전 **2** 총 쏘는 장면이 많이 나오는 서부 영화[TV 프로그램]

shoot·er [ʃúːtər] *n.* **1** 사수, 포수; 사냥꾼 **2** 연발총, 권총: a six-~ 6연발 권총 **3** 〖크리켓〗 땅을 스칠 듯이 가는 공; 〖축구〗 슛을 잘하는 사람 **4** 휙 지나가는 것 《유성 등》 **5** (유전 발굴의) 발파공 **6** (아마추어) 사진가 **7** 한 잔 《주류, 특히 위스키》

‡**shoot·ing** [ʃúːtiŋ] *n.* **1** UC **사격**, 저격, 과녁 맞히기; 사살; U 총사냥 ★ 《영》에서는 hunting과 구별함. **2** 수렵 구역 **3** U 쿡쿡 쑤시는 아픔 **4** 〖영화〗 촬영(cf. SHOT[1]) **5** 식물의 급성장, 생장기

— *a.* 급속한, 달리는 듯한

shóoting bòard 〖TV〗 슈팅 보드 《TV 광고 장면의 매초당 주요 장면을 그려놓은 판》(storyboard)

shóoting bòx 《영》 사냥터의 오두막집

shóoting bràke[**brèak**] 《영》 = STATION WAGON

shóoting gàllery **1** 사격장, 실내 사격 연습장 **2** 《속어》 마약 맞는 모임[장소]

shóoting ìron 《미·구어》 쏘는 무기, 《특히》 권총, 피스톨

shóoting lòdge 《영》 = SHOOTING BOX

shóoting màtch 사격 대회; [보통 the whole ~] 《속어》 모든 것[일], 전부, 일체

shóoting rànge 사격장

shóoting scrìpt 〖영화〗 촬영 대본

shóoting stàr **1** 유성, 운석(隕石) **2** 〖식물〗 미국앵초(櫻草)

shóoting stìck 《영》 (윗부분은 펴서 의자로도 쓸 수 있는) 사냥용 단장(短杖); 인쇄용 봉

shóoting wàr (무기로 하는) 전쟁, 실전(cf. COLD WAR, NERVE WAR)

shoot-out [ʃúːtàut] *n.* **1** 총격전; 《미》 (군대간의) 분쟁 **2** (경기 등의) 대접전; 《미·구어》 언쟁, 논쟁 **3** 〖축구〗 승부차기

shoot-the-chutes [ʃúːtðəʃúːts] *n. pl.* [보통 단수 취급] (유원지 등의) 궤도차, 롤러코스터

shoot-up [ʃúːtʌ̀p] *n.* 《속어》 마약 정맥 주사; 《구어》 총격(전)

‡**shop** [ʃáp | ʃɔ́p] [OE 「(판)채」의 뜻에서] *n.* **1** 《영》 가게, 상점, 소매점(《미》 store): a grocer's ~ 식료품점(《미》 grocery store) / *S~!* 누구 안 계세요! 《가게에서》 **2** 전문 상점, (백화점 등의) 정선[전문] 상품 매장: a gift[hat, tea] ~ 선물[모자, 차] 전문점 **3** (공예가의) 작업장; 제조소, 수선소(workshop); 공방(工房), 아틀리에: an engineering ~ 기계 공장 / a repair ~ 수리 공장 **4** 《미》 공장, 작업장, (작업장을 겸한) 가게(⇨ factory 유의어); (공장의) 부문: a carpenter's ~ 목공장 / the engine ~ (자동차 공장의) 엔진 부문 **5** 직업 훈련 과정[교실]; (중학교·초등학교의) 공작실; Ⓤ (교과로서의) 공작 **6** (화제·관심사로서의) 자신의 일[직업]: talk ~ (때·장소를 가리지 않고) 자기의 사업[직업, 전문] 이야기만 하다 **7** 《미》 쇼핑, 물건 사기 **8** 《영·속어》 자기 직장, 근무처, 사무소, 직장; 학교, 대학 **9** 《영·속어》 출연 계약, (연극 관계) 일 **10** 《영·속어》 형무소; 광고 대리점; 《영·속어》 런던 증권 거래소; 《영·속어》 남아프리카 금시장
all over the ~ 《속어》 도처에; 난잡하게, 지저분하게, 어질러놓아 ***come***[***go***] ***to the wrong***[***right***] ***~*** 《속어》 엉뚱한[올바른] 사람에게 부탁하러 가다 ***Cut the ~!*** 일 이야기는 그만두어라! ***hit*** a person ***all over the ~*** …을 쉽게 이기다 ***keep*** (***a***) ***~*** 가게를 내고 있다, 가게를 보다 ***live over the ~*** 직장에서 먹고 자다 ***set up ~*** 가게를 차리다, 개업하다 ***shut up ~*** 폐점하다; 일을 그만두다 ***sink the ~*** 자기의 직업[영업]상의 일을 말하지 않다, 장사를 숨기다 ***smell of the ~*** 지나치게 전문적이다, 전문가인 체하다 ***the other ~*** 경쟁 상대의 가게
— *v.* (**~ped**; **~ping**) *vi.* **1** 가게에서 물건을 사다, 물건을 사러 가다: go[be out] *~ping* 물건 사러 가다[가 있다] **2** (상품을) 보고 돌아다니다; (쇼핑·투자 대상을) 물색하다: He is *~ping* for an investment. 그는 투자 대상을 물색 중이다. **3** 밀고하다
— *vt.* **1** 상품을 보고 다니다; 사다; 《속어》 (주문·계약을 목적으로) 〈상품·가격을〉 알리다 **2** 《속어》 감옥에 집어넣다; 〈공범자를〉 밀고하다 **3** 《미》 해직[파면]하다 **4** 《영·속어》 (연극 관계) 일을 시키다 **5** 〈기계 등을〉 수리점에 내놓다 **~ *around*** 《미》 일자리를 구하러 다니다 **~ *for*** …을 사려고 여기저기 다니다; …을 찾아다니다; (정하기 전에) 이모저모 가능성을 타진하다

shop·a·hol·ic [ʃàpəhɑ́lik | ʃɔ̀pəhɔ́lik] *n.* 《구어》 병적으로 쇼핑을 좋아하는 사람, 쇼핑 중독자

shóp assìstant 《영》 점원

shóp automàtion 제조 현장의 자동화 《설비·기계·생산 현장 관리 업무 등의 자동화》

shop-bought [ʃápbɔ̀ːt | ʃɔ́p-] *a.* = STORE-BOUGHT

shop·boy [ʃápbɔ̀i | ʃɔ́p-] *n.* 《영》 상점 심부름꾼, 사환아이

shóp chàirman = SHOP STEWARD

shóp committèe (노동조합의) 직장 위원회

shóp dràwing (기계의) 공작도, 제작도, (건축 공사 등의) 시공도

shop·fit·ter [-fìtər] *n.* 점포 설계자[장식업자]

shop·fit·ting [-fìtiŋ] *n.* 점포용 비품; 점포 설계[장식]

shóp flòor (회사·공장 등의) 작업 현장; [the ~; 집합적] (경영자와 구별하여) 공장 근로자; 《특히》 (노동조합으로 조직된) 공장[현장] 근로자

shop·front [-frʌ̀nt | -frɔ̀nt] *n.* 가게의 정면, 점두(店頭)

shop·girl [-gə̀ːrl] *n.* 《영》 여자 판매원, 여점원(《미》 saleswoman)

shóp hòurs (가게의) 영업 시간

shop·house [-hàus] *n.* (동남아시아의) 주택 겸용 가게 《도로에 접해 있는》

shop·keep·er** [ʃápkìːpər | ʃɔ́p-] *n.* 《영》 가게 주인, 소매 상인(《미》 storekeeper)(cf. MERCHANT); 《일반적으로》 상인 ***a nation of ~s 영국 국민 《속칭》

shop·keep·ing [-kìːpiŋ] *n.* Ⓤ 《영》 소매업

shop·lift [-lìft] [shoplifter의 역성(逆成)] *vt., vi.* 가게 물건을 훔치다 **~·er** *n.* 가게 좀도둑 **~·ing** *n.* Ⓤ 가게 좀도둑질

shop·lot [-lɑ̀t | -lɔ̀t] *n.* (동남아시아) 가게 부지

shop·man [-mən] *n.* (*pl.* **-men** [-mən, -mèn]) **1** 《영》 점원, 판매원, 점원 감독; 소매 상인 **2** 《미》 직공, 노무자

shoppe [ʃáp | ʃɔ́p] *n.* 전문점, (큰 상점의) 전문 부문 ★ 이 철자는 간판 등에 사용되는 고풍(古風)스럽고 무게 있는 철자

shop·per [ʃápər | ʃɔ́-] *n.* **1** 물건 사는 사람; 물품 조달 대리인; 경쟁 상품 조사원 **2** 《미》 (광고용) 무료 신문, 광고 신문, 선전 전단지 **3** 쇼핑백 **4** 《영·속어》 밀고자

‡**shop·ping** [ʃápiŋ | ʃɔ́-] *n.* Ⓤ **1** 쇼핑, 물건 사기, 장보기; 가게[장] 구경: I've some ~ to do. 살 것이 좀 있다. **2** 구매 시설, 상품 **3** [집합적] 쇼핑한 물건 ***do the***[one***'s***] **~** 물건을 사다, 쇼핑하다
— *a.* 물건을 사기 위한

shópping arcàde = ARCADE 1

shópping bàg 《미》 쇼핑백(《영》 carrier bag)

shóp·ping-bag làdy [ʃápiŋbæ̀g- | ʃɔ́-] 《미》 쇼핑백 레이디 《쇼핑백에 전 재산을 넣고 떠돌이 생활을 하는 (나이 든) 여성》

shópping càrt (슈퍼마켓 등의) 손님용 손수레

shópping cènter (교외 주택지 등의) 상점가(街)

shópping lìst 살 물건의 품목을 적은 메모, 쇼핑 리스트

shópping màll (자동차를 못 들어오게 하는) 보행자 전용 상점가; 그 한 구역

shópping plàza = SHOPPING CENTER

shópping prècinct 《영》 (주차장을 갖춘) 보행자 전용 상점가

shop·py [ʃápi | ʃɔ́pi] *a.* (**-pi·er**; **-pi·est**) **1** 장사꾼의[같은]; 소매(小賣)의 **2** 상점이 많은 〈지역 등〉 **3** (화제 등이) 일에 관한, 직업상의, 전문의

shop-soiled [ʃápsɔ̀ild | ʃɔ́p-] *a.* = SHOPWORN

shóp stèward (기업체의) 노조 간부

shóp strèet 상점가

shop·talk [-tɔ̀ːk] *n.* Ⓤ **1** 직업 용어 **2** (직장 밖에서 하는) 직업[일] 이야기(cf. talk SHOP)

shop·walk·er [-wɔ̀ːkər] *n.* 《영》 매장(賣場) 감독(《미》 floorwalker)

shop·win·dow [-wìndou] *n.* 가게의 진열창(show window) ***put all*** one***'s goods***[***have everything***] ***in the ~*** 있는 대로 다 진열하다; 깊이가 없다, 천박하다

shop·wom·an [-wùmən] *n.* (*pl.* **-wom·en** [-wìmin]) 여점원

shop·worn [-wɔ̀ːrn] *a.* 〈상품이〉 팔리지 않고 오래된[찌든](shop-soiled); 진부한, 오래된

shor·an [ʃɔ́ːræn] [*sh*ort *r*ange *n*avigation] *n.* 쇼랜, 단거리 무선 항법 장치; 쇼랜 항법(cf. LORAN)

‡**shore**[1] [ʃɔ́ːr] *n.* **1** (바다·강·호수의) 물가, 강기슭, 호반; 해안 (지방): walk along the ~ of a lake 호숫가를 따라 걷다

> 유의어 **shore** 해상·수상에서 본 기슭으로서 바다·호수·강의 기슭: The ship reached *shore.* 배는 기슭에 도착했다. **coast** 해안에 대해서만 쓰이며, 보통 육지 쪽에서 본 해안: The town is on the *coast.* 그 도시는 해안을 끼고 있다. **beach** 바다·호수·강의 파도에 씻기는 모래 또는 자갈에 덮인 바닷가·물가: play on the *beach* 바닷가에서 놀다

2 [종종 *pl.*] (해안을 경계로 하는) 나라, 지방: foreign *~s* 외국 / one's native ~ 고향 **3** 육지 **4** 〖법〗 해안 《고조선(高潮線)과 저(低)조선 사이의 땅》 ***go***[***come***] ***on ~*** 상륙하다 ***in ~*** 〖항해〗 물가에 가까이, 얕은 곳에 ***off ~*** 해안에서 떨어져서, 난바다에

on ~ 육지에(opp. *on the water, on board*) ***put … on ~*** …을 상륙시키다, 양륙하다 ***within these ~s*** 이 나라 안에(서)

— *vt.* 양륙하다, 상륙시키다

∗**shore**² [ʃɔːr] *n.* (배·건물·담장·나무 등의) **지주**(支柱), 버팀목(prop)

— *vt.* **1** 지주로 받치다, 떠받치다 《*up*》 **2** 〈경제·통화·체제 등을〉 떠받치다, 〈사기 등을〉 높이다 《*up*》

shore³ *v.* 《고어》 SHEAR의 과거

shore-based [ʃɔ́ːrbèist] *a.* 기지가 육상에 있는 〈비행기 따위〉

shore·bird [ʃɔ́ːrbə̀ːrd] *n.* 강변·바닷가에 사는 새 《도요새·물떼새류》

shóre dìnner 《미》 해산물 요리

shóre lèave 〖해군〗 상륙 허가 (시간)

shore·less [ʃɔ́ːrlis] *a.* 물가[해안]가 없는; 《시어》 끝없는(boundless): a ~ area 상륙 불가능 지역

shore·line [-làin] *n.* 해안선

shóre pàrty 〖군사〗 상륙 전초 부대

shóre patròl 〖미해군〗 헌병(대) 《略 SP》

shore·ward [-wərd] *ad.* 물가 쪽으로, 육지[해안] 쪽으로 — *a.* 해안[육지] 쪽의, 해안으로 향한; 〈바람이〉 해안에서 불어오는

shore·wards [-wərdz] *ad.* = SHOREWARD

shor·ing [ʃɔ́ːriŋ] *n.* shore²로 받치기, 버팀목 설치공; [집합적] (건물·배 등의) 지주, 버팀목

shorn [ʃɔ́ːrn] *n.* SHEAR의 과거분사

— *a.* **1** 〈머리 등을〉 깎인; 베어 버린: a ~ lamb 털 깎인 양/God tempers the wind to the ~ lamb. 《속담》 하느님은 털을 막 깎인 어린 양[약한 자]에게 모진 바람을 보내지 않는다. **2** …을 빼앗긴

come home ~ 다 빼앗기고 돌아오다 ***~ of glory*** 영광을 잃고

‡**short** [ʃɔ́ːrt] *a., ad., n., v.*

(길이·거리·시간이) 「짧은」 형 **1 a, b, c**
→「키가 작은」, 「낮은」 형 **2**
→(기준에 못 미치는) →「부족한」 형 **5**
→「간결한[히]」 형 **3,** 부 **2** →(무뚝뚝하게)
→「갑자기」 부 **1**

— *a.* **1 a** 〈길이가〉 **짧은**(opp. *long*): a ~ line [tail] 짧은 선[꼬리]/~ hair 짧은 머리 **b** 〈거리가〉 짧은, 가까운: a ~ walk 단거리의 보행/at a ~ distance 가까이에 **c** 〈시간·과정·행위 등이〉 **짧은,** 단기간의, 순식간의: a ~ time ago 바로 얼마 전에/a ~ trip 짧은 여행 **d** 〈시간·행위 등이〉 짧게 느껴지는, 아차 하는 사이의: Today was a ~ day. 오늘은 하루가 짧은 것 같았다.

> 유의어 **short** 시간적·공간적으로 짧은; 시간적으로 쓸 때에는 다 끝나기도 전에 갑자기 그만둔다는 뜻이 되는 수가 있음: a *short* journey 단거리 여행 **brief** 대개 시간적으로 짧다는 뜻으로 쓰며 불필요한 것을 생략, 신속히 끝마친다는 뜻을 포함: *brief* intervals 짧은 간격

2 키가 작은(opp. *tall*): a ~ man 키가 작은 사람/~ grass 짧은 풀 **3** 간결한, 간단한; 생략한; 단축한: a ~ speech 간결한 연설 **4 불충분한,** 미치지 못하는: ~ sight 근시 **5** 〈돈·분량 등이〉 부족한: ~ weight[measure] 무게[치수]의 부족 **6** 쌀쌀한, 무뚝뚝한 《*with*》; 성미가 팔팔한, 성마른: He was very ~ *with* me. 그는 나에게 매우 냉담했다. **7** 〖음성〗 단음의; 〖운율〗 약음의: ~ vowels 단모음 **8** 부스러지기 쉬운; 파삭파삭한(crisp): eat ~ 〈과자 등이〉 먹으면 파삭파삭하다 **9** 〖상업〗 〈어음 등이〉 단기의; 현품 없이 파는; 공매(空賣)의, 상품이 달리는 **10** 〈식견 등이〉 좁은, 얕은; 〈지혜가〉 모자라는 **11** 〖크리켓〗 wicket에 미치지 못하는 **12** 《속어》 〈술이〉 독한, 물을 타지 않은, 강한

come[***fall***] ***~ of*** 부족하다, 〈기대에〉 어긋나다; 그르치다 ***get the ~ end of it***[***the stick***] 손해보다; 시시한[어이없는] 꼴을 당하다 ***in ~ supply*** 필요한 물품이 부족하여 ***in the ~ run*** 단기적으로는, 당장은(opp. *in the long* RUN) ***keep*** a person ***~*** …에 물건을 넉넉히 주지 않다 ***little ~ of*** 거의 …한, …에 가까운 ***make ~ work of*** …을 재빨리 해치우다 ***nothing ~ of*** 아주 …한 ***~ and sweet*** 간결한 ***~ clothes*** 아동복 《유아복 시기 다음에 입는》(cf. SHORTCLOTHES) ***~ for*** …의 단축[생략형]인: 'Phone' is ~ *for* 'telephone.' phone은 telephone의 약어[단축형]이다. ***~ of …*** (1) …이 부족하여: be ~ *of* money 돈이 부족하다 (2) …에 못 미치는 ***~ of breath***[***puff***] 숨이 가빠, 헐떡거려 ***~ on*** …이 부족하여 ***something ~*** 《속어》 화주(火酒) ***take a***[***the***] ***~ cut*** 지름길로 가다 ***to be ~*** 간단히 말하면, 요컨대

— *ad.* **1 갑자기**: pull[bring] up a horse ~ 말을 갑자기 세우다 **2** 짧게, 짤막하게, 간결히, 간단히: speak ~ 간략히 말하다 **3** 무뚝뚝하게, 쌀쌀하게 **4** (목표 등의) 가까이서, 못 미쳐: just ~ of the point 그 지점 바로 가까이에서 **5** 〖야구〗 배트를 짧게 잡아 **6** 불충분하게, 부족하여 **7** 잘 부서져서, 파삭파삭하게 **8** 〖상업〗 공매(空賣)로

be taken[***caught***] ***~*** 갑자기 뒤가 마렵다; 불시에 당하다 ***break ~ off*** 뚝하고 부러뜨리다[꺾이다] ***bring***[***pull***] ***up ~*** 갑자기 서다[멈추다] ***come***[***fall***] ***~*** 미치지 않다 《*of*》 ***cut ~*** 갑자기 끝내다[끝나게 하다]; 갑자기 막다; 바짝 줄이다, 단축하다, 뒷말을 못하게 하다 ***go ~*** 없이 지내다 《*of*》 ***run ~*** 부족하다, 없어지다; 부족하게 하다 《*of*》 ***sell ~*** 〖상업〗 공매(空賣)하다; 《미·구어》 얕보다, 과소평가하다 ***~ of*** …을 제외하고, …을 제쳐놓고 ***stop ~*** 갑자기 멈추다 ***stop ~ of doing*** …까지는 하지 않다 ***take*** a person ***up ~*** …의 이야기를 가로막다[중단시키다]

— *n.* **1** 《일반적으로》 짧은 물건 **2** U.C 부족, 결손, 부족분[액, 량]; [the ~s] 《속어》 자금난 **3** U 짧음, 간단, 간결 **4** U [the ~] 요점, 개요, 적요(摘要) **5** [*pl.*] 짧은[반]바지; 《미》 남자용 팬티: a pair of ~*s* 반바지 한 벌 **6** 〖전기〗 = SHORT CIRCUIT **7** 〖음성〗 단음절, 단모음 **8** 〖야구〗 유격수(shortstop); U 유격수의 수비 범위(=~ field) **9** (신문·잡지의) 짧은 (특집) 기사; 단편 영화, 단편 소설 **10** U 〖상업〗 실물 없는 거래, 공거래(=~ sale) 《현물 거래 없이 증권 시세의 오르내림으로 손익을 계산하는 거래》; C 현물 없이 공거래하는 사람(=~ seller), 가격 하락을 예상하는 투기업자 **11** [*pl.*] 〖인쇄〗 부족[추가] 부수(部數) **12** U 물을 섞지 않은 순 화주[위스키] **13** 《구어》 (독한 술) 한 잔 **14** [*pl.*] 중급품; 2급 밀가루(sharps)

for ~ 생략하여 ***in ~*** 한마디로 말하면, 요컨대 ***the long and*** (***the***) ***~ of it*** 요컨대, 즉

— *vt.* **1** = SHORT-CIRCUIT **2** = SHORTCHANGE

▷ shórtage, shórtness *n.*; shórten *v.*; shórtly *ad.*

shórt accòunt 〖증권〗 단기 매도 계정

short-act·ing [-ǽktiŋ] *a.* 〈약이〉 단시간 작용하는

‡**short·age** [ʃɔ́ːrtidʒ] *n.* **1** U.C **부족,** 결핍: a ~ of time[rain, food] 시간[비, 식료품] 부족 **2** 부족액[량] **3** 《미》 결점, 결함 ▷ shórt *a.*

shórt ánd = AMPERSAND

shórt and cúrlies [the ~] 《속어》 음모

short-arm [-àːrm] *n.* 권총, 피스톨; 《속어》 음경; 《미·속어》 = SHORT-ARM INSPECTION

shórt-arm inspèction[**drìll**] 《미·군대속어》 성병 검사

thesaurus **short** *a.* **1** (길이가) 짧은, 키가 작은 small, little, tiny, slight, stubby, dwarfish **2** 순식간의 brief, momentary, temporary, short-term, fleeting, transitory, transient **3** 불충분한, 부족한 inadequate, insufficient, deficient, lacking, wanting, scarce, unplentiful, low

shortage *n.* scarcity, lack, deficiency, insuffi-

short-ass | **-arse** [-ǽs | -ɑ́:rs] 《비어》 *n.* 키가 작은 사람, 땅딸보

shórt báck and sídes 《영·고어》 (남성 머리의 옆과 뒤를 아주 짧게 하는) 이발 방법

shórt bàllot 요직만 선거로 뽑고 나머지는 임명하는 투표 방식

shórt bíll 〖상업〗 단기 어음

short·bread [-brèd] *n.* Ⓤ 쿠키(cookie)의 일종 《밀가루·설탕·쇼트닝을 듬뿍 넣음》

short·cake [-kèik] *n.* **1** ⓊⒸ 《미》 쇼트케이크 《생크림과 과일을 2개의 케이크 사이에 끼우거나 위에 얹음》 **2** 《영》 = SHORTBREAD

shórt chánge 《미·구어》 부족한 거스름돈 ***get*** ~ 무시당하다, 주목받지 못하다 ***give*** a person ~ 《구어》 …을 무시하다, …에 주의를 기울이지 않다

short·change [-tʃéindʒ] *vt.* 《미·구어》 **1** (고객에게 고의로) 거스름돈을 덜 주다 **2** 속이다(cheat)

shórt·cháng·er *n.*

shórt-change ártist 거스름돈을 속이는 상인[사람] 《흔히 서커스 흥행사, 떠돌이 약장수 등》

shórt círcuit 〖전기〗 단락(短絡), 누전: cause a ~ 누전을 일으키다

short-cir·cuit [-sɔ́:rkit] *vt.* **1** 〖전기〗 단락[쇼트]시키다; 누전시키다 **2** 방해하다, 중단시키다 **3** 피해 지나가다; 〈수속을〉 생략하다, 줄이다

— *vi.* 〖전기〗 단락[쇼트]하다

shórt-circuit reàction 〖심리〗 단락(短絡) 반응, 근도(近道) 반응 《욕구 불만·갈등에 빠진 경우에 보이는 원시적 반응》

short·clothes [-klòuðz] *n. pl.* **1** = SMALLCLOTHES 1 **2** 어린이용 짧은 코트

short·coat [-kòut] *vt.* …에게 짧은 어린이용 코트를 입히다

***short·com·ing** [ʃɔ́:rtkʌ̀miŋ] *n.* [보통 *pl.*] **1** 결점, 단점, 불충분한 점 《fault가 일반적》; 부족 **2** 흉작

short-com·mons [-kɑ́mənz | -kɔ́-] *n. pl.* [단수 취급] 식량 공급 부족

shórt cón 《미·속어》 간단히 해먹을 수 있는 신용 사기

shórt cóvering 〖증권〗 환매(還買), 되사기 《공매한 주식만큼 환매하여 공매 총액(short position)을 청산하기》

shórt·crust pástry [ʃɔ́:rtkrʌst-] (잘 부서지는) 패스트리의 한 종류 《파이를 만드는 데 쓰임》

short·cut [-kʌ̀t] *n.* **1** 지름길: take a ~ 지름길로 가다 **2** 손쉬운 방법 — *a.* 손쉬운, 간단한

shórtcut kèy 〖컴퓨터〗 단축키

short-dat·ed [-déitid] *a.* 〈채권 등이〉 단기의

short-day [-déi] *a.* 〖식물〗 단일성(短日性)의

shórt divísion 〖수학〗 단제(短除)법

shórt drínk (작은 잔으로 마시는) 독한 술

short·en** [ʃɔ́:rtn] *vt.* **1** 짧게 하다, 〈치수 등을〉 줄이다, 단축하다: ~ a dress 옷을 줄이다 **2** 짧아 보이게 하다; 〈시간·여행 등의 지루함을〉 이야기 등으로 덜다, 짧게 느끼게 하다 **3** 깎다, 삭감하다, 덜다, 적게 하다; 생략하다 **4** 〈돛을〉 줄이다, 말아 올리다 **5** 〈긴 유아복을 벗기고〉 짧은 아동복을 입히다 **6** 〈과자 등을〉 파삭파삭하게 하다 **7** 빼앗다(deprive) ~ a person's arm*** [***hand***] …의 힘을 제한하다[꺾다]

— *vi.* 짧아지다, 줄다; 감소[축소]하다 **~·er** *n.*

▷ shórt *a.*

***short·en·ing** [ʃɔ́:rtəniŋ] *n.* **1** ⓊⒸ 쇼트닝 《과자 만드는 데 쓰는 버터·라드 등》 **2** Ⓤ **a** 단축 **b** 〖언어〗 생략(법), 단축(화); Ⓒ 생략어, 단축어

---

ciency, deficit, inadequacy, shortfall, want, poverty (opp. *abundance, surplus*)

shortcoming *n.* defect, fault, flaw, imperfection, drawback, weakness, weak point, frailty

shorten *v.* abridge, abbreviate, cut, compress, condense, reduce, lessen, decrease, diminish, curtail, trim (opp. *enlarge, extend*)

---

short·fall [ʃɔ́:rtfɔ̀:l] *n.* 부족; 부족분[액]

shórt fíeld 〖야구〗 유격수의 수비 범위

shórt fúse 《미》 성마름, 성급함

short-fused [-fjú:zd] *a.* 성미 급한, 화를 잘 내는

short·hair [ʃɔ́:rthɛ̀ər] *n.* 털이 짧은 집고양이의 일종

shórt·hàired *a.* 〈동물이〉 털이 짧은

‡**short·hand** [ʃɔ́:rthæ̀nd] *n.* Ⓤ **1** 속기(cf. LONGHAND) **2** (메모 등의) 약기(略記), 간단한 전달법

— *a.* **1** 속기의[에 의한]: a ~ reporter 속기 기자 **2** 약칭(略稱)으로 된

— *vt., vi.* 속기하다, 속기로 쓰다

short·hand·ed [-hǽndid] *a.* 일손이 모자라는, 인원 부족의 **~·ness** *n.*

shórthand tỳpist 《영》 (속기와 타자를 다 잘하는) 속기사(《미》 stenographer)

short-haul [-hɔ̀:l] *a.* 〈여행 등이〉 단거리의

shórt-haul communicàtion 〖통신〗 단거리 통신 《10마일 이내의 음성·데이터 통신》

shórt hèad 《영·속어》 〖경마〗 말 머리 하나의 차(差)[거리], 신승(辛勝)

short·head [-hèd] *n.* **1** 단두형(短頭型)의 사람 **2** 〖인류학〗 단두 《두개(頭蓋) 계수(cephalic index)가 81을 넘는 머리》 **~·ed** *a.*

short·hold [-hòuld] *n., a.* 단기 임차(의)

short·horn [-hɔ̀:rn] *n.* [종종 **S~**] 뿔이 짧은 소 《더럼(Durham)종(種)의 소》

shórt-hòrned grásshopper [-hɔ̀:rnd-] 더듬이가 짧은 메뚜기의 일종(locust)

shórt húndredweight 쇼트 헌드레드 웨이트 《중량의 단위; =100 lb》

short·ie [ʃɔ́:rti] *n.* 《구어》 = SHORTY

shórt ìnterest 〖상업〗 공매(空賣) 총액

short·ish [ʃɔ́:rtiʃ] *a.* 좀 짧은; 좀 간단한; 키가 좀 작은 **~·ly** *ad.* **~·ness** *n.*

shórt lég 〖크리켓〗 삼주문에서 가까운 야수(의 수비 위치)

short-life [-láif] *a.* 《영》 단명의, 〈식품이〉 부패하기 쉬운; 〈임대차 계약이〉 단기의

shórt lìst 《영》 선발 후보자 명단

short-list [-lìst] *vt.* 《영》 선발 후보자 명단에 올리다

short-lived [-láivd, -lívd] *a.* **1** 단명한 **2** 일시적인, 덧없는 **3** 〈방사성 동위 원소·소립자 등이〉 반감기(半減期)가 짧은 **~·ness** *n.*

‡**short·ly** [ʃɔ́:rtli] *ad.* **1** 곧, 얼마 안 있어, 이내(⇨ soon 유의어): ~ before[after] 직전[직후]에 **2** 간단히, 간략하게, 짧게(briefly): to put it ~ 간단히 말하면, 즉 **3** 쌀쌀하게, 무뚝뚝하게(curtly): answer ~ 무뚝뚝하게 대답하다 **4** 가까이(서)

shórt màrk 〖음성〗 단음 부호(breve) 《˘》

***short·ness** [ʃɔ́:rtnis] *n.* Ⓤ **1** 짧음, 가까움, 낮음 **2** 부족 **3** 무뚝뚝함 **4** 부서지기 쉬움, 무름

~ ***of breath*** 숨이 가쁨

shórt órder 《미》 (카운터식 식당 등에서) 즉석 요리(의 주문) ***in*** ~ 곧, 즉시, 재빨리

short-or·der [ʃɔ́:rtɔ̀:rdər] *a.* 《미》 즉석 요리(전문)의; 즉각 행하여지는 ~ ***cook*** 패스트푸드 식당의 요리사

shórt période còmet 〖천문〗 짧은 주기(周期) 혜성

shórt posìtion 〖증권〗 공매자(空賣者)의 입장; 공매 총액(short interest)

short-range [-réindʒ] *a.* **1** 사정(射程)이 짧은 **2** 단기간의

shórt ràte 〖보험〗 (1년 미만의) 단기 요율

shórt róbe [the ~] 짧은 옷 《군복; cf. LONG ROBE》; 군인들

short-run [-rʌ̀n] *a.* **1** 단기(간)의, 단기 상연의: a ~ motion picture 단기 상연 영화 **2** 〖야금〗 주형(鑄形)에 일부분만 금속이 들어가지 않은

shorts [ʃɔ́:rts] *n. pl.* = SHORT *n.* 5

shórt sále 《미》 〖상업〗 (증권·상품 등의) 공매(空賣), 단기 예측 판매

shórt séller 《미》 공매자; 단기 예측 매각인

short-sheet [ʃɔ́ːrtʃìːt] *vt., vi.* (사람을 곯리려고) 한 장의 시트를 둘로 접어 (침대에) 깔다; 《속어》 장난치다
short-short [-ʃɔ̀ːrt] *n.* =SHORT SHORT STORY
shórt shòrt stóry 초단편 소설
shórt shríft **1** (사형 집행 직전의) 참회와 사죄를 위한 짧은 시간 **2** 가차없이 다룸 ***give*** [***get***] **~ *to*** …을 지체없이 처치하다[되다], 가차없이 다루다[다루어지다]
shórt síght **1** 근시, 근시안(myopia) **2** 근시안적 견해[생각]
‡**short·sight·ed** [ʃɔ́ːrtsáitid] *a.* (cf. NEARSIGHTED; opp. *farsighted, longsighted*) **1 근시안의,** 근시의 **2** 근시안적인, 선견지명이 없는: a ~ policy 근시안적 정책 **~·ly** *ad.* **~·ness** *n.*
short-sleeved [-slíːvd] *a.* 〈옷이〉 반소매의
shórt snórt 《미·속어》 단숨에 들이켬
short-spo·ken [-spóukən] *a.* 말수가 적은; 퉁명한, 무뚝뚝한
short-staffed [-stǽft | -stɑ́ːft] *a.* 직원[요원] 부족의
short-stay [-stéi] *a.* Ⓐ 《영》 (장소에) 잠시[단기간] 머무르는: a ~ car park 단시간 주차장
short·stop [-stɑ̀p | -stɔ̀p] *n.* **1** 〖야구〗 유격수, 쇼트스톱 **2** 유격수의 위치 **3** 〖사진〗 =STOP BATH **4** 〖화학〗 (중합 반응의) 정지제(停止劑) **5** 《미·속어》 요리를 다른 사람에게 돌려 앞에 두는 사람
shórtstop bàth 〖사진〗 현상 정지액(液)[욕(浴)] (stop bath)
shórt stóry 단편 소설
shórt sùbject 단편 영화 《주로 기록·교육 영화》
shòrt témper 화를 잘 내는 성격, 급한 성미
short-tem·pered [-témpərd] *a.* 성마른
short-term [-tə́ːrm] *a.* 단기(간)의: ~ (interest) rate 단기 금리
short-term·ism [-tə́ːrmizm] *n.* Ⓤ 단기주의, 눈앞의 이익만 생각하기 《멀리 내다보지 못하는》
shórt tíme **1** 조업 단축 **2** 《속어》 매춘부와의 단시간 성행위
shórt tón 미(美) 톤 《=2,000 pounds; ⇨ ton[1] 1 b》
short-waist·ed [-wéistid] *a.* 〈의복 등이〉 허리가 짧은; 허리선이 높은[높게 보이는]
short·wave [-wéiv] *n.* **1** 〖통신〗 단파(短波) **2** 단파 수신기[송신기](=∠ **rádio**) **—** *a.* 단파의
— *vt., vi.* …을 단파로 발신하다[방송하다]
shórt wéight (상품의) 중량 부족
short-weight [-wéit] *vt., vi.* …의 무게를 속여 팔다
short-wind·ed [-wíndid] *a.* **1** 숨찬, 숨 가쁜 **2** 〈문장 등이〉 짧은, 간결한
short·y [ʃɔ́ːrti] *n.* (*pl.* **short·ies**) 《구어》 **1** 키가 작은 남자, 땅딸보, 꼬마; 《속어》 여자, 아기 《특히 hip-hop족이 쓰는 말》 **2** 짧은 의복 **3** 《스코》 =SHORTBREAD **4** 《미·속어》 위스키 한 잔
— *a.* 〈의복 등이〉 길이가 짧은
Sho·shone, Sho·sho·ni [ʃouʃóuni] *n.* (*pl.* **~, ~s**) (북미 인디언의) 쇼쇼니 족(族); Ⓤ 쇼쇼니 말
Sho·sta·ko·vich [ʃɑ̀stəkóuvitʃ | ʃɔ̀stə-] *n.* 쇼스타코비치 **Dimitry Dmitriyevich ~** (1906-75) 《구소련의 작곡가》
‡**shot**[1] [ʃɑt | ʃɔt] *n.* (cf. SHOOT) **1 a 발포,** 발사 **b** 총성, 포성 **c** (우주선·로켓 등의) 발사 **2** Ⓤ 사정(射程), 착탄 거리: out of[within] ~ 사정 밖[안]에 **3** (한 번의) 투망 **4** (*pl.* **~**) **a 탄환**(bullet); 총알 **b** (옛날의 둥근) 포탄, 포환(砲丸)(cf. SHELL) **c** [집합적] 산탄(散彈)(⇨ bullet 유의어) **d** (투포환 경기의) 포환 **5** (발포하는 듯한) 급격한 움직임: a ~ of lightning 번개 **6** 사수(射手); 저격병: a dead ~ 백발백중의 명사수/He is a good ~. 그는 훌륭한 사수이다. **7** 〖당구〗 찌르기, 치기; 〖축구〗 한 번 차기 **8 a** 겨냥, 저격 **b** 시도, 해보기 **c** 어림짐작, 추측; 빗댐: As a ~, I should say she's about forty. 내 짐작으로는 그 여자는 40세 전후이다. **9 a** 《구어》 주사, 흡입 **b** (위스키의) 한 잔 **10** 《영》 (술집의) 술값(bill) **11** 〖사진·역사〗 촬영; 스냅(사진); (영화·텔레비전의) 한 화면, 쇼트; 촬영 거리: a long ~ 원거리 촬영/a crane ~ 조감(鳥瞰) 촬영/a mid ~ 중거리 촬영/take a ~ for a person …의 사진을 찍다 **12** 〖광산〗 발파, 폭파(explosion), 폭약
a ~ in the arm 자신감을 주는 계기, 고무, 자극 ***a ~ in the dark*** 추측, 어림잡음 ***bad ~*** 잘못 짚음 ***call*** one***'s ~s*** (1) 결과를 예견하다 (2) 툭 터놓고 말하다 ***call the ~s*** 《구어》 명령하다, 지휘하다: Who is *calling the ~s* in this office? 이 사무실에서는 누가 실세지? ***flying ~*** 비행 물체 사격 ***give*** a thing ***a ~*** 시도해 보다 ***give*** one***'s best ~*** 최선의 노력을 다하다 ***Good ~!*** 잘 맞혔다!, 좋은 공이다! ***have a ~ at*** [***for***] 한 번 해보다, 시도해 보다 ***like a ~*** (총알처럼) 빠르게; 곧, 기꺼이 ***make a bad*** [***good***] ***~*** 잘못 맞히다[용하게 맞히다] ***not a ~ in the locker*** 수중에 무일푼이다 ***not by a long ~*** 조금도 …않다 ***put the ~*** 포환을 던지다 ***~ in the arm*** (1) 팔에 놓는 주사 (2) 《구어》 자극(물), 자극제, 도움(이 되는 것) ***~ in the dark*** 어림짐작, 억측 ***stand ~*** (***to***) …의 계산을 떠맡다 ***take a ~ at*** …을 겨누다, 저격하다
— *vt.* (**~·ted**; **~·ting**) **1** 탄환을 재다, 장탄하다 **2** 탄환을 추(錘)로 하여 가라앉히다
shot[2] *v.* SHOOT의 과거분사
— *a.* **1** 〈직물 등이〉 보는 각도에 따라 빛깔이 달라지게 짠(cf. SHOOT *vt.* 8): ~ silk 풍뎅이 빛깔의 비단 **2** 〈판자 등이〉 가장자리가 반듯하게 잘린 **3** Ⓟ 《미·구어》 〈신경 등이〉 몹시 지친; 〈물건 등이〉 아주 못 쓰게 된 **4** 탄환형의, 구상(球狀)의: ~ ore 구상 광석 **5** Ⓟ 《문어》 …이 스며든, …이 가득찬 《*with*》 **6** 《속어》 숙취의 **~** (***through***) ***with*** …이 스며든, …이 가득 찬
-shot [ʃɑt | ʃɔt] *suf.* **1** 「…이 미치는[유효한] 범위」의 뜻: within ear*shot*[a rifle*shot*] 들리는 범위[사정] 안에 **2** 「〈피가〉 모인」의 뜻: blood*shot* 핏발이 선, 충혈된
shót clòck 〖농구〗 30초 룰을 재기 위한 시계
shote [ʃóut] *n.* =SHOAT[1]
shót effèct 〖전자〗 (진공관에 있어서의 열전자 방사의) 산탄(散彈) 효과
shot-fir·er [ʃɑ́tfàiərər | ʃɔ́t-] *n.* 〖광물〗 (발파의) 점화자
shót glàss (양주용의) 작은 유리잔
shot·gun [-gʌ̀n] *n.* **1** 산탄(散彈)총, 새총, 엽총 **2** 〖미식축구〗 숏건 포메이션(=∠ **formátion**) **3** 《미·속어》 경찰의 자동차 속도 측정 장치; 트럭 운전 조수, 조수석 **4** 《미·속어》 결혼 중개인 **—** *vt.* (**~ned**; **~·ning**) shotgun으로 쏘다; 강제[강압]하다
— *a.* **1** 산탄총의: a ~ murder 탄총에 의한 살인 **2** 무턱대고 하는, 무차별의 **3** 방이 일직선으로 늘어선 **4** 강제적인 ***ride ~*** 《미서부》 (1) 〈역마차 등을〉 무장 호위하다; 호위로서 동승하다 (2) 《속어》 길동무로서 차[트럭]에 타다
shótgun clóning 〖유전〗 DNA조각들을 무작위로 삽입하는 복제 행위
shótgun expèriment 〖생화학〗 숏건 실험 《유전자 공학에서의 한 실험 방법》
shótgun márriage[**wédding**] 《구어》 (상대 처녀의 임신으로) 마지못해 하는 결혼; 마지못해 하는 타협
shótgun mícrophone (미약한 소리도 수록하는) 집음(集音) 마이크로폰
shót hòle 〖식물〗 (잎의) 천공병(穿孔病); 장약[발파]용 구멍
shot·mak·ing [-mèikiŋ] *n.* (농구 등의) 슈팅 솜씨, (골프 등의) 샷 솜씨
shót nòise 〖물리〗 (전자관 내의) 산탄 잡음
Sho·to·kan [ʃoutóukæn] [Jap.] *n.* Ⓤ 송도관 《가라테(karate)의 한 유형》
shot·proof [-prùːf] *a.* 방탄의, 화살[총알]이 통하지 않는

shót pùt [the ~] 〖경기〗 투포환(投砲丸)
shot-put·ter [-pùtər] *n.* 투포환 선수
shot·ten [ʃɑ́tn | ʃɔ́tn] *a.* **1** 〈청어가〉 막 산란한, 산란 후의 《음식으로서의 가치가 떨어짐》 **2** 《폐어》 쓸모없는
shót tòwer 탄환 제조탑(塔) 《용해된 납을 물에 떨어뜨려 만드는》
should ⇨ should (p. 2324)
shoul·der [ʃóuldər] *n.* **1** 어깨; 견갑(肩胛) 관절; 〖군사〗 어깨총의 자세 **2** 어깨살 《식용 짐승의 앞다리·전신부(前身部)》 **3** [*pl.*] 등의 상부, 어깨 부분 **4 a** 어깨에 해당하는 부분; (의복의) 어깨 **b** 어깨 같은 것; (산의) 등성이; (도로의) 갓길, 숄더; (병·현악기 등의) 어깨 **5** [종종 *pl.*] 《비유》 (책임을 지는) 어깨; 《구어》 책임을 지는 능력, 다른 사람에게 힘을 줄 수 있는 능력 **6** 〖목공〗 달구질, 달굿대 **7** 성(城)의 견각(肩角) 《능보면(稜堡面)과 측면이 이루는 부분》 **8** 〖인쇄〗 (활자의) 어깨 《활자 본바탕 외의 판판한 부분》
a ~ to cry* [*lean*] *on 동정을 바라는[고민을 털어놓을] 상대방 ***come to the ~*** 어깨총을 하다 ***cry on*** a person***'s ~*** (…의 동정을 얻고자) 괴로움을 하소연하다 ***give* [*show*] *the cold ~ to*** …에게 쌀쌀한[냉담한] 태도를 보이다; …을 피하다 ***have an old head on young ~s*** 젊은이답지 않게 분별력이 있다 ***have broad ~s*** (1) 어깨가 딱 벌어져 있다 (2) 무거운 짐[세금, 책임]을 견디다; 믿음직하다 ***head and ~s above …*** 머리하고 어깨만큼; 월등하게 ***lay the blame on the right ~s*** 나무랄 만한 사람을 나무라다 ***put out*** one***'s ~*** 어깨뼈를 삐다 ***put* [*set*]** one***'s ~ to the wheel*** 노력하다, 분발하다 ***rub ~s with*** (저명 인사 등)과 교제[접촉]하다 ***shift the blame* [*responsibility*] *on to other ~s*** 남에게 책임을 전가하다 ***~ to ~*** (1) 어깨를 맞대고; 밀집하여 (2) 합심하여, 협력하여 ***stand head and ~s above*** one***'s*** colleagues (동료)보다 한층 뛰어나다 **(*straight*) *from the ~*** 《구어》 솔직하게, 서슴없이, 단도직입적으로 ***take on*** one***'s own ~s*** 책임지다
— *vt.* **1** …을 어깨로 밀다[밀치다], 어깨로 밀고[밀어 헤치고] 나아가다: 《~+목+전+명》 ~ a person *out of* the way …을 어깨로 밀어 제치다 / ~ one's way *through* a crowd 군중 속을 밀어 헤치고 나아가다 **2** 짊어지다, 메다: ~ a knapsack 배낭을 메다 **3** 〈책임 등을〉 떠맡다, 짊어지다; 〈일 등을〉 떠맡다: ~ great responsibilities 중대한 책임을 짊어지다 **4** …과 어깨를 나란히 하고 서다
— *vi.* 어깨로 밀다
S~ arms! 《구령》 어깨에 총!
shóulder bàg 어깨에 메는 백, 숄더 백
shóulder bèlt 〖군사〗 멜빵, 견대(肩帶); (어깨에서 비스듬히 매는) 자동차의 안전 벨트
shóulder blàde [**bòne**] 〖해부〗 견갑골(肩胛骨) (scapula), 어깨뼈
shóulder bòard (군복의) 견장; =SHOULDER MARK
shóulder bràce 새우등 교정기(矯正器)
shoul·dered [ʃóuldərd] *a.* **1** 어깨에 멘[짊어진]: stand ~ 어깨총의 자세를 취하다 **2** [보통 복합어를 이루어] …한 어깨를 가진: broad-~ 어깨 폭이 넓은
shóulder flàsh 〖군사〗 (연대·임무를 나타내는) 직무 견장
shóulder hàrness (자동차의) 안전 벨트(shoulder belt); (어린 아이를 업을 때 쓰는) 멜빵, 견대
shoul·der-high [-hài] *a.*, *ad.* 어깨 높이의[에서]
shóulder hòlster 권총 차는 견대(肩帶)
shóulder knòt 어깨 장식 《17-18세기의 리본이나 레이스의》; 〖군사〗 정장 견장(肩章)
shoul·der-length [-léŋθ] *a.* 〈머리털 등이〉 어깨 길이의, 어깨까지 닿는
shóulder lòop 〖미군〗 (계급) 견장(대(臺)), 견대(肩臺) 《육군·공군·해병대 장교의》
shóulder màrk 〖미해군〗 (장교의) 계급 견장
shóulder pàd (옷의) 어깨솜
shóulder pàtch 〖군사〗 수장(袖章)
shoul·der-pegged [-pégd] *a.* 〈말이〉 어깨가 딱딱한
shoul·der·piece [-pìːs] *n.* 어깨받이; (갑옷의) 어깨에 대는 장구(裝具)
shóulder séason *n.* 성수기와 비수기 사이의 여행 기간 《특히 봄·가을》
shóulder stràp (바지의) 멜빵, (스커트·이브닝드레스 등의) 어깨끈; 〖군사〗 견장
shóulder sùrfing 《속어》 숄더 서핑 《개인 정보를 알아내기 위한 물리적인 훔쳐보기》
shóulder wèapon (소총 등) 어깨에 대고 쏘는 화기
should·est [ʃúdist] *auxil. v.* =SHOULDST
should·n't [ʃúdnt] *v.* SHOULD not의 단축형
shouldst [ʃúdst, ʃədst] *auxil. v.* 《고어》 SHOULD의 제2 인칭 단수형: thou ~ =you should
shouse [ʃáus] 《호주·속어》 *n.* 변소, 화장실
— *a.* 침울한, 풀 죽은
shout [ʃáut] *vi.* **1** 외치다, 큰 소리로 부르다[웃다]; 큰 소리를 내다(⇨ cry 유의어): 《~+전+명》 ~ *for* a waiter 큰 소리로 웨이터를 부르다 / ~ *to*[*for*] a person to come …에게 오라고 소리지르다 / ~ *at* a girl 소녀에게 야단치다[소리지르다] **2** 소리지르다; 환성을 올리다, 갈채하다: 《~+전+명》 ~ *with*[*for*] joy 환호하다 / ~ *with* laughter 큰 소리로 웃다 / ~ *with* one voice 일제히 소리치다 **3** 《미·속어》 찬송가 등을 정성껏 부르다
— *vt.* **1** …을[이라고] 외치다; 큰 소리로 말하다[알리다]: ~ one's approbation 찬성이라고 외치다 // 《~+목+부》 ~ (*out*) one's orders 큰 소리로 명령하다 // 《~+***that*** 절》 He ~*ed that* it had stopped raining. 그는 비가 그쳤다고 소리쳤다. **2** 소리질러 〈어떤 상태가〉 되게 하다: 《~+목+부》 ~ a boy *down* 소리질러 소년을 침묵시키다 // 《~+목+보》 ~ oneself hoarse 고함쳐서 목이 쉬다 **3** 《호주·뉴질·구어》 …에게 술 등을 대접하다, 한턱 내다 **4** 뚜렷이 나타내 보이다
~ a person ***down*** = ~ ***down*** a person (큰 소리쳐서) …에게 반대하다, …을 이겨내다
— *n.* **1** 외침(call, cry); 큰소리; 환성, 환호[갈채](소리) **2** 《영·구어》 〈술을〉 살 차례, 한턱 낼 차례
give* [*raise, set up*] *a ~ 한 번 소리치다, 고함 지르다: *give a* ~ of triumph 승리의 환호성을 지르다 ***It is my ~.*** 내가 한턱 낼 차례다. ***with a ~*** 소리지르며, 외치면서
shout·er [ʃáutər] *n.* 외치는 사람; 열렬한 지지자
shout·ing [ʃáutiŋ] *n.* Ⓤ 외침, 고함 소리, 환호
be all over but* [*bar*] *the ~ 《구어》 〈경쟁·경기 등에서〉 대세가 결정되다, 승부가 나다 ***within ~ distance*** 소리치면 들리는 곳에 **~·ly** *ad.*
shóuting blúes 외치듯이 노래하는 블루스
shóuting dìstance =HAILING DISTANCE
shóuting màtch 격렬한 말다툼, 서로 소리지르기
shout·line [ʃáutlàin] *n.* (광고 기사 등에서 굵은 활자나 선으로 표시하는) 요점 강조 부분
shout-out [ʃáutàut] *n.* 《속어》 공개 (감사) 인사
shout-up [-ʌ̀p] *n.* 《구어》 시끄러운 토론
shout·y [ʃáuti] *a.* 《구어》 소리치는, 큰 소리의: a ~ conversation in the theater 극장에서 큰 소리로 대화하기
shove [ʃʌ́v] *vt.* **1 a** (난폭하게) 밀다, 떠밀다, 밀치다; 밀어내다[제치다](⇨ push 유의어): 《~+목+전+명》 ~ a person *over* a cliff 벼랑에서 …을 떠밀어 떨어뜨리다 / ~ a person *out of* the room …을 방 밖으로 밀어내다 // 《~+목+부》 ~ each other *about* 서로 밀치락달치락하다 **b** [~ one's way로] 밀어제치고 나아가다 **c** …을 밀어 (어떤 상태로) 만들다: He ~*d* open the door. 그는 문을 밀어 열었다. **2** 《구어》 …을 놓다, 두다, 찔러 넣다(put): 《~+목+전+명》 ~ something *in* one's pocket …을 주머니에 찔러 넣다 // 《~+목+부》 ~ something *down* on paper 종이에 무엇인가 써놓다 / ~ one's clothes *on*

should

should는 시제의 일치에 따라 shall의 과거로 쓰여지는 외에는 거의 가정법 전용의 조동사가 되어 버린 결과, 현재형 shall에 대응한다고 볼 수 있는 경우는 극히 적다. 즉, 직설법에서 시제의 호응의 경우와 일부 가정법 귀결절에서 쓰이는 경우 정도이다.

특히 미국에서는 shall의 과거라기보다 must나 ought처럼 독립된 조동사로 본다. should의 주요 용법으로는 ① 「…하여야 하다」의 '의무·당연' ② 「…반드시 ~일 것이다」의 '가능성·기대' ③ 의문사와 함께 쓰여 '의외·놀람' 등을 나타내는 것이 있다.

⁑**should** [ʃəd, ʃúd] *auxil. v.* ★ 단축형 **'d**; 부정형 **should not**, 부정 단축형 **shouldn't.**

① [종속절에서] …일 것이다	**A 1**
② …하여야 하다[했다]	**B 1**
③ [it... that로] …하다니;	**B 2 a**
[의문사와 함께] …해야 하다	**B 3 a**
④ 만일 …이라면[이라도]	**B 5 a**
⑤ [1인칭에서] …일 텐데, …이었을 텐데	**B 5 b, c**
⑥ [I ~로] (나로서는) …하고 싶은데	**B 6**

— **A** [직설법에서 미래를 나타내는 shall의 과거형으로]

1 [시제의 일치로 종속절 안에서; 단순미래의 경우] **…일 것이다** 《USAGE 2인칭, 3인칭의 경우에는 should 대신 would를 쓰는 경우가 많음; 또 《미》에서와 《영·구어》에서도, 1인칭일 때 would를 쓰는 경우가 많음》: I was afraid I ~ be late. 지각하지나 않을까 하고 걱정했다. / The doctor said that I ~ be quite well in a couple of days. 2, 3일 지나면 아주 좋아질 것이라고 의사는 말했다. 《The doctor said to me, "You shall be quite well in a couple of days."로 고쳐 쓸 수 있음》

2 [시제의 일치로 종속절 안에서; 의지미래의 경우] **a** [말하는 이의 강한 의지·결의] …**하겠다** 《USAGE 1과 동일》: He said he ~ never forget me. 그는 나를 결코 잊지 않겠노라고 말했다. 《He said, "I shall never forget you."로 바꿔 쓸 수 있음》 **b** [상대의 의지를 확인하기 위하여] …**할까요** (라고 말하다) 《★ 주어의 인칭에 관계없이 should를 씀》: I asked him if I ~ bring him a drink. 나는 그에게 음료를 가져올까요 하고 물었다. 《I said to him, "Shall I bring you a drink?"로 바꿔 쓸 수 있음》

— **B** [가정법으로서] **1** [인칭에 관계없이 의무·당연] **a** …**하여야 하다,** 마땅히 …이어야 하다 《★ ought to, must보다 뜻이 약하며, 종종 의무보다는 권고를 나타냄》: You ~ study harder. 너는 공부를 더 열심히 해야겠다. / Young men ~ not yield up to any temptation. 젊은이는 어떤 유혹에도 져서는 안 된다. **b** [~ have+done에서] …**하여야 했다**(그런데 하지 않았다): You ~ *have seen* the game. 자네는 그 경기를 보았어야 했는데. 《보았더라면 좋았을 텐데》/ In fact we ~ *have left* an hour ago. 사실 우리는 한 시간 전에 출발했어야 했다.

2 a [유감·놀람 등을 나타내는 주절에 이어지는 *that* 절 또는 I am surprised, I regret 등에 이어지는 *that* 절에서] …**하다니,** …이라니 《★ 현재에서는 should를 사용하지 않고 직설법이 쓰이는 경우가 많음》: *I'm surprised that* your father ~ object. 너의 아버지가 반대했다니 놀랐다. / It is lucky *that* the weather ~ be so fine. 날씨가 이렇게 좋다니 행운이다. / It seems almost unthinkable *that* anyone ~ believe such nonsense. 누구도 이런 어처구니없는 말을 믿으리라고는 생각조차 못하는 일이다. **b** [필요·당연 등을 나타내는 주절에 이어지는 *that* 절에서] …**하는** (것은): It is essential *that* we ~ protect the environment. 우리가 환경을 보호하는 것은 필수적인 일이다. / It is right *that* he ~ be punished. 그가 벌을 받는 것이 옳다. **c** [명령·요구·주장·의향 등을 나타내는 주절에 이어지는 명사절 안에서] …하도록, …할 (것을) 《★ should를 쓰는 경우는 《영》에서 많음》: He insisted that nothing ~ start till he arrived. 그는 자기가 도착할 때까지 아무것도 시작하지 말 것을 주장했다. / I declined his request that I ~ attend the conference. 나는 회의에 참석하도록 하라는 그의 요청을 거절했다.

3 a [why, how 등과 함께, 당연의 뜻을 강조하여] …**해야 하다,** …할 만하다: *Why* ~ he say that to you? 어째서 그가 당신에게 그런 말을 해야 하나? / There is no reason *why* she ~ object. 그녀가 반대해야만 할 이유는 없다. / *How* ~ I know? 어떻게 내가 안단 말이요? **b** [who[what] ~ ... but ... 의 구문에서, 놀람 등을 나타내어] (…말고는 누가[무엇이]) …**했을까,** (다름아닌) …이지 않은가: *Who* ~ come in *but* the mayor himself! 들어온 사람은 다름아닌 시장 자신이었으니! / *What* ~ happen *but* my elevator stopped halfway. 내가 탄 승강기가 웬걸 중간에서 서 버렸지 않은가. **c** [보통 ~ worry로] 《미·반어》 (신경을 쓸) 필요가 있을까: With his riches, he ~ *worry* about a penny! 그처럼 돈 많은 부자가 동전 한 닢에 신경을 쓸 필요가 있을까!

4 [가능성·기대] **반드시** …**일 것이다,** (당연히) …할 것이다 《★ ought to보다도 부드러운 뜻》: Since he left at noon, he ~ have arrived there. 그는 정오에 출발했으니까 그곳에 도착해 있을 것이다. / The plane ~ be landing right on schedule. 그 비행기는 예정대로 착륙할 것이다.

5 a [조건절에 사용하여 실현 가능성이 적은 사항에 대한 가정·양보] **만일 …이라면,** 설사 …이라는 일이 있어도: If such a thing ~ happen, what shall we do? 만일 그런 일이 일어나면 우린 어떻게 하지? / Even if the report ~ be true, nothing will stop us. 만일 그 기사가 사실일지라도 아무도 우리를 막지 못할 것이다. / If anyone ~ come to see me, please tell him I will be back soon. 만일 누가 나를 찾아오거든 곧 돌아올 것이라고 말해 주시오. **b** [조건문의 귀결절에서, I[we] ~로 현재 또는 미래의 사항에 관한 상상을 나타내어] …**일 것이다,** …할 텐데 《★ 《미》에서는, 보통 would를 쓰며 《영》에서도 《구어》인 경우는 would가 쓰이는 일이 많음》: *I* ~ be upset if you were to forget your promise. 당신이 약속을 잊어버린다면 나는 큰일납니다. **c** [조건문의 귀결절에서, I[we] ~ have+*p.p.*로 과거의 사항에 관한 상상을 나타내어] …이었을 텐데 《★ 《미》에서는, 그리고 《영·구어》에서도 would가 쓰이는 일이 많음》: *I* ~ *have been* at a loss without your advice. 당신의 조언이 없었다면 나는 아주 난처했을 것이다.

6 [I ~로 말하는이의 의견·감정을 완곡하게 표현하여] (나로서는) …**하고 싶은데,** (나라면) …할 텐데 《★ 「만일 내가 당신이라면; 만일 듣게 되면; 만일 권고를 받는다면」 등의 조건을 언외에 품고 있는 표현으로서, would가 쓰이는 경우도 있음》: *I* ~ think you would apologize. 나는 네가 사과해야 한다고 생각한다만. / *I* ~ hardly tell him generous. 그를 관대하다고 말할 수는 없을 것 같습니다만. / That's beautiful, *I* ~ say. 그것 참 아름답군요. / *I* ~ say so. 아마 그렇겠지요. / "Can you do it for me?"—"Yes, *I* ~ think so." 해 주시겠습니까? — 예, 당연히 해 드려야죠. / *I* ~ (surely) think not. 당연히 그렇지 않을 겁니다. / *I* ~ have thought it was

worse than that. (영) 더 지독하리라고[도저히 그 정도로는 끝나지 않으리라고] 생각했었는데. ((★ 언외에 if you hadn't told me, 등의 뜻이 함축되어 있음))/ *I* ~ refuse. 나라면 거절한다, 거절하는 것이 좋겠군. **7** ((문어)) **a** [목적의 부사절 중에서] …할 수 있도록: I wrote down her address and phone number in case I ~ forget it. 나는 그녀의 주소와 전화번호를 잊지 않도록 적어 두었다. ((★ in case I forgot it의 표현이 보통임))/She talked to me in whispers for fear (that) [((문어)) lest] he ~ be heard. 그녀는 그가 들을까 봐 내게 작은 소리로 말했다. ((★ lest 구문의 경우, 특히 (미)에서 should를 생략하고 원형 [가정법 현재]을 씀)) **b** [lest에 이어지는 절에서] …하지 않도록 ((((구어))에서는 should를 쓰지 않는 일이 많음)): We made haste *lest* we ~ be late. 우리는 시간에 늦지 않도록 서둘렀다.
as it ~ be (미·속어) 훌륭하여: This is *as it ~ be.* 이것은 훌륭하다.
I ~ like to ... …하고 싶다 ((USAGE 공손하게 소망을 나타내는 형식임; (미)에서는 이 should 대신으로 would를 쓰는 경우가 많음: I should[would] like to는 ((구어))에서는 종종 I'd like to로 줄여 쓰임; 상대방의 희망을 물을 때에는 *Would* you like to ...?를 씀)): *I ~ like to* have a word with you. 한 말씀 드리고 싶습니다.
I ~ say [***think***] ⇨ B 6
who ~ ... but ⇨ B 3 b

옷을 입다 **3** 〈싫은 일·물건을〉 (다른 사람에게) 밀어붙이다 **4** (미·속어) 살해하다
— *vi.* **1** 밀다, 밀치다, 밀고 나아가다; 밀어서 떨어지다: (~+副) ~ *along* 밀고 나아가다/~ *in* 밀고 들어가다; 밀어 넣다 // (~+前+名) ~ *past*[*through*] a crowd 군중을 밀어제치고 나아가다 **2** 외출하다, 나가다
~ around (구어) 〈사람을〉 혹사하다, 부려먹다, 들볶다 ***~ off***[***out***] (1) (강가에서 장대로) 배를 밀어내다, 저어 떠나다; 배가 강가를 떠나다 (2) [보통 명령법] ((구어)) 가다, 떠나다 ***~ on*** 밀고[뚫고] 나아가다; 〈옷을〉 입다 ***~ up*** (앉을 자리를 마련하려고) 좁히다
— *n.* **1** 한 번 떼밀기, 밀치기 **2** 지지, 지원

shove-ha'·pen·ny, -half·pen·ny [ʃʌ́vhéipəni] *n.* Ⓤ (영) 돈치기 ((주화로 탁자 위에서 하는 놀이)); shuffleboard의 일종

‡shov·el [ʃʌ́vəl] *n.* **1 a** 삽, 셔블; 가래(⇨ spade[1] 유의어) **b** 동력삽(=power ~) **2** =SHOVELFUL **3** =SHOVEL HAT
— *v.* (**~ed**; **~·ing** | **~led**; **~·ling**) *vt.* **1** …을 삽으로 뜨다: (~+目+副) ~ *up* coal 석탄을 삽으로 뜨다 **2** …을 많이 (퍼) 넣다: (~+目+前+名) ~ sugar *into* one's coffee 커피에 설탕을 많이 넣다 **3** …을 삽으로 파다, 〈길 등을〉 삽으로 만들다: (~+目+前+名) ~ a path *through* the snow 삽으로 눈길을 만들다
— *vi.* 삽으로 일을 하다
~ down 게걸스럽게 먹다, 음식을 퍼넣다 ***~ in*** (1) =SHOVEL down (2) =SHOVEL up ***~ sand against the tide*** 밑 빠진 독에 물을 붓다 ***~ up*** 큰 돈을 벌다

shov·el·bill [ʃʌ́vəlbìl] *n.* 〖조류〗 넓적부리

shov·el·board [-bɔ̀ːrd] *n.* =SHUFFLEBOARD

shov·el·er | shov·el·ler [ʃʌ́vələr] *n.* **1** 삽질하는 사람; 퍼담는 도구[기계] **2** =SHOVELBILL

shov·el·ful [ʃʌ́vəlfùl] *n.* 삽으로 하나 가득(한 분량) ((*of*))

shóvel hàt 셔블 모자 ((영국 국교회 성직자의 챙 넓은 모자))

shov·el·nose [ʃʌ́vəlnòuz] *n.* (머리나 코가) 삽 모양인 동물 ((특히 물고기)); 주둥이가 납작하고 몸집이 작은 철갑상어의 일종(=**~ stúrgeon**)

shov·el-nosed [-nòuzd] *a.* 머리·코·부리가 넓고 평평한 삽 모양의 〈동물〉

shov·el·ware [-wɛ̀ər] *n.* Ⓤ 셔블웨어 ((책이나 신문에 인쇄된 정보를 무더기로 인터넷이나 CD-ROM에 담은 것))

shov·er [ʃʌ́vər] *n.* (통근 열차에 손님을) 밀어 넣는 사람

‡show [ʃóu] *v., n.*

① 보이다; (…이라는 것을) 나타내다	**1, 5**
② 〈감정·기분 등을〉 나타내다	**6**
③ 안내하다, 가르쳐 주다	**3, 4**
④ 전시하다	**2**

— *v.* (**~ed**; **shown** [ʃóun], ((드물게)) **~ed**) *vt.* **1** 〈물건·모습 등을〉 보이다, 보여주다, 나타내다, 내놓다, 제시하다: ~ oneself 모습을 나타내다, 참석하다, 나타나다 // (~+目+目) (~+目+前+名) He *~ed* me a book. = He *~ed* a book *to* me. 그는 나에게 책 한 권을 보여주었다. // (~+目+前+名) She *~ed* the letter *to* all her friends. 그녀는 그 편지를 친구 모두에게 보여주었다.

> 유의어 **show** 「사람에게 물건을 보여주다」라는 뜻의 가장 일반적인 말이다: *show* the ticket at the gate 입구에서 표를 보이다 **display** 물건의 아름다움, 좋은 부분을 분명히 보여주도록 전시하다: New dresses are *displayed* in the shop-window. 새 여성복이 진열창에 진열되어 있다. **exhibit** 사람의 눈을 끌도록 전시하다: *exhibit* paintings 그림을 전시하다 **expose** 숨겨져 있는 것을 폭로하다: *expose* a plot 음모를 폭로하다

2 a 〈동물·화초 등을〉 (품평회에) 출품하다; 〈그림을〉 전시하다, 진열하다(display) **b** 〈연극을〉 상연하다, 〈영화를〉 상영하다: ~ a movie 영화를 상영하다 **3** …을 가르쳐 주다, 지적하다; 〈길·장소 등을〉 가르쳐 주다: (~+目+目) ~ a person the way to the station …에게 정거장으로 가는 길을 가르쳐 주다 // (~+目+**wh.** 節) She *~ed* me *where* the bank was. 그녀는 은행이 있는 곳을 가르쳐 주었다. // (~+目+**wh. to** do) *S~* me *what to* do. 어떻게 하면 좋을지 가르쳐 주시오. **4** …을 안내하다, 인도하다; 배웅하다, 바래다주다: (~+目+前+名) ~ a person *to* the gate …을 문까지 배웅하다 // (~+目+副) ~ a guest *in*[*out*] 손님을 맞아들이다[배웅하다]/~ a person *over*[*round*, *around*] …을 두루 안내하다 **5 a** 〈…이라는 것을〉 나타내다; 〈시계·온도계·표 등이〉 …을 표시하다, 가리키다: My watch *~s* ten. 내 시계는 10시를 가리키고 있다. **b** …을 증명하다(prove), 명백히 하다; 설명하다: (~+目+補) ~ oneself a foolish man 스스로 어리석은 사람이라는 것을 증명하다/If you are a gentleman, you must ~ yourself such. 당신이 신사라면 신사답게 행동해야죠. // (~+***that*** 節) (~+目+***to be*** 補) The fact *~s that* he is honest. =The fact *~s* him *to be* honest. 그 사실은 그가 정직하다는 것을 말해 준다. // (~+目+***that*** 節) He *~ed* me *that* it was true. 그는 그것이 진실이라는 것을 내게 설명해 주었다. // (~+**wh.** 節) This letter *~s what* he is. 이 편지는 그가 어떤 사람인가를 말해 주고 있다 **6** 〈감정·태도·기색 등을〉 나타내다; 〈호의·감사 등을〉 보이다[표시하다]; ((문어)) 〈자비 등을〉 베풀다(grant): ~ one's pleasure at the news 소식을 듣고 희색을 나타내다 // (~+目+前+名) ~ a cold shoulder *to* a person …에게 냉정하게[쌀쌀하게] 대하다, …을 피하다/~ mercy *on* a person …에게 인정을 베풀다 // (~+目+目) ~ a person much kindness …에게 매우 친절히 대하다 **7** 〖법〗 진술하다: ~ cause 이유를 진술하다
— *vi.* **1** 보이다, 나타나다, 눈에 띄다, 알려지다: (~

+보) The mountain ~*s* purple from here. 그 산이 여기서는 자줏빛으로 보인다. // (~+전+명) ~ *to* advantage 돋보이다 / Grief ~*ed in* her face. 슬픔의 빛이 그녀의 얼굴에 나타났다. **2** 전시[진열]하다; (구어) 흥행[상연]하다: What's ~*ing* at that theater? 그 극장에서는 무슨 영화를 상영합니까? **3** (구어) **모습을 나타내다**, 얼굴을 보이다 **4** (미) (경마·레이스 등에서) 3등이 되다

it (***all***[***just***]) ***goes to*** **~** ***that*** **…** …임을 증명하다, 잘 알려지다 **~** a person ***around*** 관광시키다, 안내하다 **~** ***forth*** (1) 공표하다; 명시하다 (2) 나타나다 **~** ***off*** 〈실력·학식 등을〉 자랑해 보이다; 돋보이게 하다 **~** a person ***out*** 배웅하다 **~** one***'s hand***[***cards***] (1) 〖카드〗 손에 든 패를 보이다 (2) 생각[목적]을 털어놓다 **~** one***'s head***[***face, nose***] 얼굴을 보이다, 나타나다 **~** a person ***the door*** 나가라고 하다, 집 밖으로 내쫓다 **~** ***through*** (…을 통하여) 들여다보이다; 〈본성 등이〉 드러나다 **~** ***up*** (1) …을 눈에 띄게 하다, 돋보이게 하다; 돋보이다, 두드러지다 (2) 폭로하다 (3) (구어) 무안하게 하다 (4) (구어) (모임 등에) 나오다, 나타나다 ***to*** **~** ***for*** [부정문에서] …의 보람[보답]으로서는(… 없다)

— *n.* **1 a** (극장·나이트클럽·텔레비전 등의) **쇼, 흥행,** 구경거리, 볼만한 것: the greatest ~ on earth 지상 최대의 쇼 / a TV quiz ~ 텔레비전의 퀴즈 프로 / on ~ 공개된 **b 전람회,** 전시회, 품평회 **c** 창피, 웃음거리 **2** [UC] **a 보임,** 나타냄 **b** (감정·성능 등의) **표시,** 과시: a ~ of affection 호의의 표시 **3** 흔적, 징후, 모양, (특히 광물 존재의) 흔적(sign) **4** [U] **시늉,** 짓; 자랑, 허식, 성장(盛裝); 외모, 외관, 겉모양, 꼴: in dumb ~ 손짓[몸짓]으로 / with some ~ of reason 그럴듯하게 **5** 경관, 광경 **6** [a ~] (구어) 기회(chance), (실력을 보일) 호기 **7** [U] (미) (경마 등에서) 3위, 3착, 상위 **8** 기획, 사업, 업무; 사건, 일: The party was a dull ~. 모임은 시시했다.

all over the **~** (구어) 온통 여기저기에 ***boss***[***run***] ***the*** (***whole***) **~** (구어) 지휘하다; 좌지우지하다 ***by*** (***a***) **~** ***of hands*** (투표를) 거수로 ***for*** **~** 자랑으로, 과시하기 위해 ***get the*** **~** ***on the road*** (구어) 일에 착수하다, 활동을 개시하다 ***give*** a person ***a fair*** **~** …에게 좋은 기회를 주다 ***give the*** (***whole***) **~** ***away*** 내막을 폭로하다; 비밀 등을 밝히다; 마각을 드러내다 ***good*** **~** (1) [a good ~] 훌륭한 업적 (2) [Good ~] (영·구어) 훌륭하다, 멋있다 ***in*** **~** 자랑해 보여; 표면은, 겉보기는 ***make a good***[***poor***] **~** 〈사람·보석 등이〉 볼품이 있다[없다] ***make a*** **~** ***of*** …을 자랑삼아 보이다 ***make a*** **~** ***of*** one***self*** 창피당하다, 웃음거리가 되다 ***on*** **~** 진열되어 ***put up a good*** **~** (구어) 훌륭히 해내다[처신하다] ***stand***[***have***] ***a*** **~** (구어) 역량을 보일 기회가 있다, (희미한) 가망성이 있다 ***steal***[***walk off with***] ***the*** **~** (구어) 〈조연자 등이〉 인기를 가로채다 ***stop the*** **~** (***cold***) (앙코르 때문에 다음 순서를 진행시킬 수 없을 만큼) 대성공을 거두다

show-and-tell [ʃóuəndtél] *n.* 어린이가 주제를 정해 그것에 대해 토론하는 학습 활동

shów bìll 광고 쪽지, 포스터

show·biz [-bìz] *n.* (구어) = SHOW BUSINESS

show·boat [-bòut] *n.* 연예선(船), 쇼보트; (미·속어) (유별난 행동으로 사람들의) 주의를 끌려는 사람; 눈길을 끌고 싶어하는 사람 **—** *vt., vi.* (미·속어) 자랑해 보이다, 과시하다 **-bòat·ing** *n.* [U]

show·bread [-brèd] *n.* = SHEWBREAD

shów bùsiness 연예업, 흥행업, 연예계 ***That's*** **~!** (비유) 이 사업은 그런 것이다!

shów càrd 광고 쪽지, 광고 전단; 상품 견본을 붙인 카드

show·case [-kèis] *n.* **1** 유리 진열장[상자] **2** 전시, 진열(exhibit, display) **3** (미) 어떤 물건을 시험하기 위한 장소[매개] **—** *vt.* **1** 전시[진열]하다 **2** 〈신인·신제품 등을〉 소개하다 **3** 〈특별 방송을〉 방영하다

— *a.* 모범으로 보여진: a ~ city 모델 도시

shów cὸpy (시사회 같은 중요한 장소에서 상영되는) 영화 필름

showd [ʃáud] *vt., n.* (스코) 〈아기를〉 (달래기 위해) 흔들다[흔들기]

show·down [ʃóudàun] *n.* (미) **1** 〖카드〗 (포커에서) 손에 든 패를 전부 내보여주기 **2 a** [보통 a[the] ~] (구어) 최후의 대결; 결판: *a* court ~ 법정에서의 대결 **b** (계획 등의) 발표, 공개, 폭로

show·er[1] [ʃóuər] *n.* 보이는 사람[물건]

‡**show·er**[2] [ʃáuər] *n.* **1** [종종 *pl.*] **소나기**; 갑자기 쏟아지는 눈[진눈깨비, 우박]; (호주) (사막의) 모래 바람: be caught in a ~ 소나기를 만나다 **2 a** 샤워(하기): take[have] a quick ~ 간단히 샤워하다 **b** 샤워 설비, 샤워룸 **3** [종종 a ~] 많음, (탄환·편지 등의) 빗발침, 쏟아짐, 쇄도, 홍수 (*of*): *a* ~ *of* presents 많은 선물 **4** (미) = SHOWER PARTY **5** [집합적] (영·구어) 지저분한 게으름뱅이들; 보기 싫은 자식들

chase[***send***] ***to the*** **~*s*** 〖야구〗 선수를[(특히) 투수를] 교체시키다 Letters came ***in*** **~*s.*** (편지가) 쏟아져 (들어왔다).

— *vt.* **1** 소나기로 적시다; 물을 퍼붓다: ~ plants 식물에 물을 주다 **2** 〈탄환 등을〉 빗발치듯 퍼붓다 (*with*); 〈선물 등을〉 잔뜩 주다, 〈애정 등을〉 쏟다 (*on, upon*): ~ questions 질문을 퍼붓다 // (~+목+전+명) He ~*ed* gifts *on*[*upon*] his son. = He ~*ed* his son *with* gifts. 그는 아들에게 선물을 듬뿍 주었다.

— *vi.* **1** 소나기가 오다; 억수로 쏟아지다, 퍼붓다: (~+전+명) Tears ~*ed down* her cheeks. 눈물이 비오듯 그녀의 뺨에 흘러내렸다. **2** 〈편지 등이〉 빗발치듯 쏟아지다 **3** 샤워를 하다 **~·less** *a.*

shówer bàth 샤워; 샤워기; 샤워실(室); 흠뻑 젖음

shówer gèl 샤워 젤 (젤 상태의 샤워용 비누)

shówer pàrty (특정 목적을 위한) 선물을 주는 파티; (신부가 될 여성을 위한) 선물 파티

show·er·y [ʃáuəri] *a.* 소나기의, 소나기가 잦은; 소나기 같은: the ~ season 소나기가 잦은 계절 / ~ petals 소나기처럼 떨어지는 꽃잎

show·folk [ʃóufòuk] *n. pl.* 연예인들

show·girl [-gə̀:rl] *n.* 쇼걸 (뮤지컬 등의 가수 겸 무용수), 연기보다 용모로 한몫 보는 여배우; 마네킹

show·ground [-gràund] *n.* 품평회장, 전람회장

shów hòuse[**hòme**] (영) 모델 하우스

show·house [-hàus] *n.* 극장(theater)

show·i·ly [ʃóuəli] *ad.* 화려하게, 번지르르하게, 야하게

show·i·ness [ʃóuinis] *n.* [U] 화려, 겉만 번지르르함; 야함

show·ing [ʃóuiŋ] *n.* [UC] **1** 전시(회), 전람(회): a ~ of new-model cars 신형차 전시회 **2** 성적, 솜씨 **3** 외관, 겉모양, 볼품 **4 a** (정세의) 설명, 제기 **b** 정세, 형세 **5** (영화·연극의) 상영, 상연; 흥행 ***a strong***[***poor***] **~** 좋은[형편없는] 성과 ***make a good***[***bad, sorry***] **~** 좋은[나쁜] 성적을 거두다 ***On …*** **~** (영) …으로 판단해 볼 때

shów jùmping 〖승마〗 장애물 뛰어넘기

show·man [ʃóumən] *n.* (*pl.* **-men** [-mən]) **1** (쇼·서커스 등의) 흥행사 **2** 연기적 재능이 있는 사람

show·man·ship [-mənʃip] *n.* [U] **1** 흥행적 수완 **2** 연출 솜씨; 청중·관객 등을 끄는 수완

show-me [-mì:] *a.* (미·구어) 증거에 구애되는, 의심이 많은

Shów Mè Stàte [the ~] 미국 Missouri주의 속칭

‡**shown** [ʃóun] *v.* SHOW의 과거분사

show-off [ʃóuɔ̀:f | -ɔ̀f] *n.* **1** (구어) 자랑꾼 **2** [UC] 자랑, 과시 **~·ish** *a.*

show·piece [-pì:s] *n.* **1** 전시물 **2** (견본이 될 수 있는) 우수한 걸작품

show·place [-plèis] *n.* **1** 명승지, 명소 (유서 깊은 건조물·정원 등) **2** 훌륭한 설비[풍치]로 알려진 집[건물]

show·room [-rù:m] *n.* 진열실, 전시실

show·shop [-ʃɑ̀p | -ʃɔ̀p] *n.* 전시 판매점; (미·속

어》 극장
show·stop·per [-stɑ̀pər | -stɔ̀-] *n.* **1** 《구어》 열렬한 갈채를 받는 명연기(자)(cf. STOP the show) **2** 눈에 띄는 사람[것] **-ping** *a.*
Shów Súnday 《영》 Oxford 대학 축전(祝典)(Commemoration) 직전의 일요일; (예술가의) 전람회 작품 반입 직전의 일요일
show-through [-θrù:] *n.* (반투명지 등의) 인쇄가 비쳐 보임; (종이의) 투명도
show·time [-tàim] *n.* (연극·영화 등의) 개시 시간
shów trìal 여론 조작을 위한 공개 재판
show·up [-ʌ̀p] *n.* 《구어》 **1** 폭로, 들추어냄; 적발 **2** (경찰의 용의자 확인을 위한) 대질
shów wìndow 진열창(窓), 쇼윈도; 견본
*__show·y__ [ʃóui] *a.* (**show·i·er**; **-i·est**) **1** 눈에 띄는, 눈부신: ~ flowers 눈부신 꽃 **2** 화려한, 야한(gaudy) **3** 《경멸》 허세 부리는, 겉꾸미는
shp 〖기계〗 shaft horsepower
shpil·kes [ʃpílkəs] *n. pl.* 초조, 불안
shpt. shipment **shr.** share
shrad·dha [ʃrɑ́də] *n.* 〖힌두교〗 슈라다, 조령제(祖靈祭) 《죽은 후에 간격을 두고 여러 번 행하는, 조상의 영혼을 모시는 의식》
*__shrank__ [ʃræŋk] *v.* SHRINK의 과거
shrap·nel [ʃrǽpnl] [영국의 발명자 이름에서] *n.* (*pl.* ~) [집합적] **1** 유산탄(榴散彈) **2** 유산탄[포탄, 폭탄]의 파편
*__shred__ [ʃréd] *n.* **1** [종종 *pl.*] 조각, 단편, 파편, 끄트러기 **2** [a ~; 부정·의문문에서] 아주 조금, 소량(bit) 《*of*》: There's *not a* ~ *of* evidence to convict him. 그를 기소할 증거는 조금도 없다. ***tear into*** [***in, to***] **~*s*** 갈가리 찢다, 토막토막으로 끊다
— *vt.* (**~·ded, ~**; **~·ding**) **1** 조각조각으로 찢다[째다] **2** 《고어》 절단하다 **3** 《속어》 끝내 버리다, 해치우다
— *vi.* 〈천이〉 갈가리 찢어지다
~·less *a.* **~·lìke** *a.*
shred·ded [ʃrédid] *a.* 잘게 조각난; 《미·속어》 술 취한
shrédded whéat 아침 식사용의 곡물 식품
shred·der [ʃrédər] *n.* **1** 서류[문서] 분쇄기 **2** 강판
shrew [ʃrú:] *n.* **1** 잔소리가 심한 여자, 으르릉거리는 여자 **2** = SHREWMOUSE **~·lìke** *a.*
‡__shrewd__ [ʃrú:d] *a.* **1** 예민한, 날카로운; 영리한, 통찰력이 있는: a ~ guess 예리한 추측 **2** 〈눈매가〉 날카로운; 〈얼굴이〉 영리해 보이는 **3** 《고어》 〈고통·추위 등이〉 찌르는 듯한 **4** 빈틈없는, 약삭빠른, 재빠른 **5** 《고어》 악의(惡意) 있는(malicious) **6** 《폐어》 나쁜; 불길한(ominous) **7** 《고어》 짓궂은, 심술궂은 ***do a person a ~ turn*** …에게 장난[짓궂은 짓]을 하다
~·ly *ad.* **~·ness** *n.*
shrewd·ie [ʃrú:di] *n.* 《구어》 빈틈없는 사람, 만만치 않은 사람
shrew·ish [ʃrú:iʃ] *a.* 〈여자가〉 으르릉거리는, 앙알거리는, 짓궂은 **~·ly** *ad.* **~·ness** *n.*
shrew·mouse [ʃrú:màus] *n.* (*pl.* **-mice** [-màis]) 〖동물〗 뾰족뒤쥐
Shrews·bury [ʃrú:zbèri | ʃróuzbəri] *n.* 잉글랜드 Shropshire주의 주도
shri [ʃrí:, srí:] *n.* = SRI
‡__shriek__ [ʃrí:k] *vi.* 새된 소리를 지르다, 비명을 지르다 《*out*》; 〈새·개 등이〉 날카로운 소리로 울다; 〈악기·기적 등이〉 날카로운 소리를 내다(⇨ scream 유의어): (~+전+명) ~ *with* pain 통증으로 비명을 지르다
— *vt.* …을 새된 목소리로 말하다, 비명[소리]을 지르며 말하다 《*out, at*》: (~+목+전+명) ~ curses *at* a person 새된 목소리로 …을 욕하다 // (~+목+부) ~ *out* a warning 날카로운 목소리로 경고하다
— *n.* 비명, 새된 목소리, 부르짖음; 날카로운 소리 ***give*** [***utter***] ***a ~*** 비명을 지르다
shriev·al·ty [ʃrí:vəlti] *n.* UC 《영》 주장관(sheriff)의 직[임기, 관할 구역]
shrift [ʃríft] *n.* UC 《고어》 (사제 앞에서 하는) 고해[참회]; 임종 고해; 고해에 의한 사죄 ***give*** [***get***] ***short ~ to*** ⇨ short shrift
shrike [ʃráik] *n.* 〖조류〗 때까치
‡__shrill__ [ʃríl] *a.* **1** 〈(목)소리 등이〉 날카로운, 새된, 높은: a ~ cry 새된 울음 소리 / a ~ bird 날카로운 소리로 우는 새 **2** 〈요구·비평 등이〉 과장된; 신랄한, 격렬한 **3** 〈빛·색 등이〉 강렬한
— *ad.* 날카로운[새된, 높은] 목소리로
— *vi.* 날카로운 소리를 내다, 날카롭게 울리다
— *vt.* 새된 목소리로 노래하다[말하다] 《*out*》: ~ orders 날카로운 목소리로 명령을 내리다
— *n.* 새된 목소리, 날카로운 소리
shril·ly *ad.* **~·ness** *n.*
Shri·ma·ti [ʃrí:mʌti] *n.* = SRIMATA
*__shrimp__ [ʃrímp] *n.* (*pl.* **~s,** [집합적] **~**) **1** 작은 새우 **2** 《구어·경멸》 왜소한 사람, 난쟁이, 꼬마; 하찮은 사람 **3** 연분홍색
— *vi.* 작은 새우를 잡다
— *a.* **1** 〈요리가〉 작은 새우로 만들어진 **2** 작은 새우의, 작은 새우 가공[매매]의 **~·er** *n.* 작은 새우를 잡는 사람[배] **~·ing** *n.* 새우잡이 **~·lìke** *a.* **shrímp·y** *a.*
shrimp·boat [ʃrímpbòut] *n.* **1** 작은 새우잡이 배 **2** 〖항공〗 슈림프보트 《항공 관제관이 비행 상태를 추적하기 위하여 레이더 화면의 기영(機影) 옆에 붙여 놓는 작은 플라스틱 조각》
shrímp pínk 진한 핑크색
‡__shrine__ [ʃráin] [L 「상자」의 뜻에서] *n.* **1** (성인의 유골·유물을 모신) 성당, 사당, 묘(廟) **2** (신성시되는) 전당(殿堂), 성지, 성소: a ~ of art 예술의 전당 **3** (성인의 유골·유물을 넣은) 성골[성물]함(reliquary)
— *vt.* 《문어》 …을 사당에 모시다(enshrine)
‡__shrink__ [ʃríŋk] *v.* (**shrank** [ʃrǽŋk], **shrunk** [ʃrʌ́ŋk]; **shrunk, shrunk·en** [ʃrʌ́ŋkən]) *vi.* **1** 〈천 등이〉 오그라들다, 줄어들다; 주름이 잡히다: ~ in the wash[with water] 〈모직물 등이〉 세탁하면[물에 담그면] 오그라들다 **2** 〈양이〉 줄다, 작아[적어]지다: (~+전+명) ~ *from* drought 〈저수지의 물 등이〉 가뭄으로 줄다 **3** 움츠러지다, 움츠러들다, 뒷걸음질치다, 주눅들다; 겁내다, 피하다(avoid): (~+전+명) ~ *from* danger 위험을 겁내다[피하다] / ~ *from* speaking in the public 여러 사람 앞에서 말하는 것을 겁내다 // (~+부) ~ *up* 움츠러들다 / ~ *back* [*away*] from a person …을 피하다, 꺼리다, 겁내다
— *vt.* **1** 축소시키다; 줄어들게 하다(reduce); 찌푸리다, 움츠리게 하다: ~ up the shoulders 어깨를 으쓱하다 《*at*》 **2** 〈천 등을〉 방축(防縮) 가공하다 **3** 〖기계〗 〈부품을〉 가열하여 끼우다 《*on, on to*》
— *n.* **1** 뒷걸음질, 움츠러들기, 위축(recoil) **2** 수축 **3** 《미·속어》 정신과 의사(headshrinker)
▷ shrínkage *n.*
shrink·a·ble [ʃríŋkəbl] *a.* 줄어들기 쉬운; 수축되는
shrink·age [ʃríŋkidʒ] *n.* UC 수축; 축소, 감소; 감소량[도]
shrink·er [ʃríŋkər] *n.* **1** 뒷걸음질 치는 사람 **2** 수축기 **3** 《미·속어》 정신과 의사
shrink·ing [ʃríŋkiŋ] *a.* 움츠리는, 겁내는
shrink·ing·ly [ʃríŋkiŋli] *ad.* 움츠려서, 뒷걸음질쳐서, 겁내어
shrínking víolet 《구어》 수줍어하는[내성적인] 사람
shrink-proof [ʃríŋkprù:f], **-re·sis·tant** [-rizìstənt] *a.* 〈천 등이〉 빨아도 줄지 않는, 수축 방지의, 방축(防縮) 가공한
shrink-wrap [-rǽp] *vt.* (**~ped**; **~·ping**) 수축 포장하다 《플라스틱 피막을 가열하여 상품 형태대로 수축시키는 포장법》 — *n.* 수축 포장(용 피막[필름])
shrive [ʃráiv] *v.* (**~d,** 《고어》 **shrove** [ʃróuv]; **~d,** 《고어》 **shriv·en** [ʃrívən]) *vt.* **1** 〈사제가〉 고해를 듣고 죄를 용서하다; 속죄의 고행을 시키다 **2** 고해하여 사죄를 바라다 — *vi.* 고해하(러 가)다; 〈사제가〉 고해를 듣다, 사죄하다

*__shriv·el__ [ʃrívəl] *v.* (**~ed**; **~·ing** | **~led**; **~·ling**) *vt.* 주름(살)지게 하다, 오그라들게 하다; 시들게 하다, 줄어들게 하다, 움츠러들게 하다; 못 쓰게 하다
—*vi.* 주름(살)지다, 오그라들다, 시들다, 줄어들다; 움츠러들다; 못 쓰게 되다

shriv·en [ʃrívən] *v.* SHRIVE의 과거분사

shroff [ʃrɑ́f | ʃrɔ́f] *n.* (인도의) 환전상(換錢商), 은행가(banker); (중국의) 화폐 감정인
—*vt.* 〈화폐를〉 감정하다

shroom [ʃrú:m] *n.* 《미·속어》 =MAGIC MUSHROOM

Shrop·shire [ʃrɑ́pʃiər | ʃrɔ́p-] *n.* **1** 슈롭셔 《잉글랜드 중서부의 주; 옛 명칭은 Salop(1947-80)》 ★ 형용사 SALOPIAN. **2** 뿔 없는 영국종 식용 양

shroud [ʃráud] [OE 「의복」의 뜻에서] *n.* **1** 수의(壽衣) **2** 싸는 것, 덮개, 가리개, 장막 **3** [*pl.*] 〖해양〗 돛대 밧줄 《돛대 꼭대기에서 양쪽 뱃전에 치는》 **4** 〖기계〗 (물방아 바퀴의) 측판(側板) **5** [보통 *pl.*] 《고어》 지하 예배당(crypt) **6** 《폐어》 보호, 비호
—*vt.* **1** 〈시체에〉 수의를 입히다(enshroud) **2** 가리다, 덮다, 싸다; 숨기다 **3** 〈수차(水車)에〉 측판을 장착하다 **4** 《폐어》 숨겨서 보호하다 —*vi.* 피난하다
~·less *a.* **~·like** *a.*

shroud-wav·ing [-wèiviŋ] *n.* Ⓤ 《영》 (의사·정치인에 의한) 국민 의료의 질 저하에 대한 경고[항의]

shrove [ʃróuv] *v.* SHRIVE의 과거

Shróve Súnday 참회 주일 《재의 수요일(Ash Wednesday) 직전의 일요일》

Shrove·tide [ʃróuvtàid] *n.* 재의 수요일(Ash Wednesday) 전의 3일간 《옛날에는 참회와 사죄가 행해졌음; 남유럽 여러 나라에서는 carnival의 계절》

Shróve Túesday 참회 화요일(Pancake Day) 《재의 수요일(Ash Wednesday)의 전날》

‡**shrub**[1] [ʃrʌ́b] *n.* 관목(灌木), 떨기나무

> 유의어 **shrub** 「한 그루의 관목」을 뜻하지만 **bush**는 「한 그루의 관목」에 더하여 「관목의 숲」의 뜻도 있다(⇨ tree 유의어)

~·less *a.* **~·like** *a.* ▷ shrúbby *a.*

shrub[2] *n.* [보통 rum ~] Ⓤ 과즙에 설탕·럼술을 섞은 음료

shrub·ber·y [ʃrʌ́bəri] *n.* (*pl.* **-ber·ies**) **1** 관목을 심은 길, 관목 숲 **2** Ⓤ [집합적] 관목(shrubs)

shrub·by [ʃrʌ́bi] *a.* (**-bi·er**; **-bi·est**) **1** 관목이 무성한 **2** 관목의; 관목 모양[성질]의

*__shrug__ [ʃrʌ́g] *v.* (**~ged**; **~·ging**) *vt.* (양 손바닥을 내보이면서) 〈어깨를〉 으쓱하다 《불쾌·절망·놀라움·의혹·냉소 등의 몸짓》
—*vi.* 어깨를 으쓱하다: He *~ged* as if it didn't matter. 그것은 별거 아니라는 듯 어깨를 으쓱했다.
__~ away__ (시시하다고) 무시해 버리다 *__~ off__* (1) (시시하다고) 무시해 버리다 (2) 떨쳐버리다 (3) 몸을 뒤틀며 〈옷을〉 벗다 *__~ one's shoulders__* 어깨를 으쓱하다
—*n.* 어깨를 으쓱하기; 짧은 여성용 재킷

*__shrunk__ [ʃrʌ́ŋk] *v.* SHRINK의 과거·과거분사

shrunk·en [ʃrʌ́ŋkən] *v.* SHRINK의 과거분사
—*a.* 시든, 〈얼굴 등이〉 주름진

sht. sheet

shtark·er [ʃtɑ́:rkər] *n.* 《미·속어》 강한[억센] 남자; 깡패

shtetl [ʃtétl, ʃtéitl], **shte·tel** [ʃtétl, ʃtéi-] *n.* (*pl.* **shtet·lach** [ʃtétlɑ:x, -ləx]; **shtetels**) (옛날 동유럽·러시아 등지의) 작은 유대인 마을

shtg. shortage

shti(c)k [ʃtík] *n.* 《미·속어》 **1** (쇼 등에서) 상투적인 익살스러운 장면[동작] **2** 남의 주의를 끌기 위한 것 **3** 특징, 특수한 재능 **4** 흥미있는 분야, 활동 영역

shtook, schtuck [ʃtúk] *n.* Ⓤ ★ 다음 성구로.
__be in ~__ 《영·속어》 심각한 곤경에 빠지다

shtum [ʃtúm] *a.* 《영·속어》 입을 다문, 묵묵한

shtup [ʃtúp] 《미·비어》 *vt.* (여자와) 성교하다
—*n.* 성교; 간통하는 여자

shuck [ʃʌ́k] *n.* **1** (옥수수·땅콩 등의) 껍데기, 깍지(shell, pod) **2** [*pl.*] 《미·구어》 시시한[무가치한] 것 **3** (굴·대합 등의) 껍데기, 조가비 **4** 《미·속어》 속임수, 가짜, 허세, 허풍선이; 전과자 *__be not worth ~s__* 아무 가치도 없다
—*vt.* **1** …의 껍데기[깍지]를 벗기다[까다]: ~ corn 옥수수 껍질을 까다 **2** 《구어》 〈옷 등을〉 벗기다 《*off*》 **3** 〈악습을〉 버리다 《*off*》 **4** 《미·속어》 놀리다; 속이다
__~ing and jiving__ 《미·속어》 허풍과 속임수 **~·er** *n.*

shucks [ʃʌ́ks] *int.* 《미·구어》 이런, 쳇, 제기랄 《불쾌·실망·초조 등을 나타내는 소리》

shúck sprày 살충 분무액

‡**shud·der** [ʃʌ́dər] *vi.* **1** (공포·추위로) 떨다, 벌벌 떨다(⇨ shake 유의어): (~+전+명) ~ *with* cold 추워서 떨다 **2** (싫어서) 몸서리치다, 진저리 치다, 오싹하다: (~+전+명) (~+*to* do) ~ *at* the thought of = ~ *to* think of …을 생각하고 몸서리치다 **3** 〈기계 등이〉 진동하다
—*n.* **1** 떨림, 전율 **2** [the ~s] 《구어》 몸서리
shúd·der·y *a.*

shud·der·ing [ʃʌ́dəriŋ] *a.* 떠는; 몸서리치는; 오싹하는, 쭈뼛해지는

shud·der·ing·ly [ʃʌ́dəriŋli] *ad.* 오싹하여, 몸서리치며, 벌벌 떨며

*__shuf·fle__ [ʃʌ́fl] *vt.* **1** 〈발을〉 질질 끌다, 발을 끌며 걷다: The old man *~d* his feet. 그 노인은 발을 질질 끌며 걸었다. **2** (댄스에서) 발을 끌며 추다 **3** …을 이리저리 움직이다 **4** 교묘히 섞어 넣다 《*in*》; 눈을 속여 끄집어 내다 《*out*》 **5 a** 〈옷을〉 되는대로 걸치다 《*on*》; 아무렇게나 벗다 《*off*》: (~+목+부) ~ one's clothes *on*[*off*] 옷을 되는대로 입다[벗다] **b** 〈귀찮은 것을〉 버리다, 없애다 **6** …을 뒤섞다 《*together*》; 〈카드를〉 뒤섞다: (~+목+부) ~ the papers *together* 서류를 뒤섞어 놓다 **7** 밀치다, 급히 옮기다 **8** 얼버무리다, 속이다 **9** 〈책임 등을〉 전가하다
—*vi.* **1** 발을 질질 끌며 걷다: (~+부) He *~s along.* 그는 발을 질질 끌며 걸어다닌다. **2** 발을 끌며 춤추다 **3 a** 얼버무리다, 속이다 **b** (일·곤란·책임 등을) 교묘하게 타개하다, 용케 벗어나다[해내다], 발뺌하다: (~+전+명) ~ *out of* one's responsibilities 교묘하게 책임을 면하다 / ~ *through* one's task 일을 용케 해내다 **4** (옷 등을) 아무렇게나 걸치다 《*into*》; 되는대로 벗다 《*out of*》 **5** 카드를 뒤섞다 **6** 《미·속어》 (젊은이가) 집단으로 싸움을 하다
__~ off__ 버리다, 없애다; 〈책임 등을〉 전가하다 《*onto*》 *__~ the cards__* 카드를 섞어 쳐서 떼다; 《비유》 역할을 바꾸다; 정책을 바꾸다
—*n.* **1 a** 발을 끌며 걷기 **b** 〖무용〗 잰 걸음으로 발을 끌기[끌며 추기]: the double ~ 한쪽 발을 두 번씩 급히 끄는 스텝 **2** 얼버무림, 둘러대기, 발뺌 **3 a** 혼합, 뒤섞기 **b** (조직 등의) 재편성, 개각(改閣)(reshuffle) **c** 카드의 패 섞기; 카드를 칠 차례
__lose ... in the ~__ 《미》 무심결에 …을 빠뜨리다

shuf·fle·board [ʃʌ́flbɔ̀:rd] *n.* Ⓤ (배의 갑판에서 하는) 원반(圓盤) 밀어치기 놀이

shuf·fler [ʃʌ́flər] *n.* **1** 발을 끌며 걷는 사람 **2** 속이는[둘러대는] 사람 **3** 카드를 섞는 사람 **4** 《미·속어》 실업자, 떠돌이 일꾼, 사기 도박꾼; 행상인 **5** 《미·구어》 주정뱅이

shuf·ty [ʃúfti, ʃʌ́fti] *n.* 《영·속어》 흘끗 봄, 일견(一見)

*__shun__ [ʃʌ́n] *vt.* (**~ned**; **~·ning**) **1** 피하다, 멀리하다 **2** 《고어》 면하다 **3** 《고어》 막다
~·less *a.* 《시어》 피할 길 없는 **~·ner** *n.*

'shun [ʃʌ́n] [atten*tion*에서] *int.* 차렷

shun·pike [ʃʌ́npàik] 《미》 *vi.* 유료 고속도로를 피해 뒷길로 가다 —*n.* 고속도로를 피하기 위해 이용하는 도로

shun·pik·er [-pàikər] *n.* 《미》 유료 고속도로를 피해 뒷길로 가는 운전자

shun·pik·ing [-pàikiŋ] *n.* 《미》 유료 고속도로를

피하여 뒷길을 사용하기
shunt [ʃʌ́nt] *vt.* **1 a** 옆으로 돌리다[보내다]; 비키게 하다 **b** ((구어)) 〈의견·화제·행동·문제 등을〉 바꾸다; 회피하다; 〈일·책임 등을〉 전가하다; 〈계획 등을〉 연기하다, 묵살하다: ((~+목+전+명)) ~ the conversation *on to* another subject 이야기를 딴 화제로 돌리다 **2** ((구어)) **a** 〈사람을〉 따돌리다 ((*aside, off*)): ((~+목+부)) be *~ed aside* 따돌림을 당하다 **b** 〈사람을〉 …으로 좌천하다 ((*to*)) **3** 〖전기〗 …에 분로(分路)를 만들다[연결하다] **4** 〈열차 등을〉 (다른 선로에) 넣다, 전철(轉轍)하다(switch): ((~+목+전+명)) ~ a train *into* the siding 열차를 측선(側線)에 넣다 **5** 〈혈액을〉 한 혈관에서 다른 혈관으로 돌리다
— *vi.* **1** 한쪽으로 비키다 **2** 〈열차 등이〉 측선으로 들어가다, 전철하다; 대피하다: a *~ing* yard 조차장(操車場) **3** 왕복[전진 후퇴]하다(shuttle) **4** 〖전기〗 분로(分路)하다
— *n.* **1** ((미)) 옆으로 돌리기, 비키기; 전환 **2** 〖전기〗 분로(分路) **3** ((영)) 〖철도〗 전철기(機)(switches) **4** 〖외과·해부〗 단락, 문합(吻合) **5** ((속어)) (경주용 차의) 접촉[충돌] 사고 **—** *a.* 〖전기〗 분로(分路)의; 병렬의
shúnt dýnamo 분권(分捲) 직류 발전기
shunt·er [ʃʌ́ntər] *n.* ((영)) **1** 전철원(轉轍員); 전철기 **2** 전철 기관차 **3** ((속어)) 유능한 조직자
shúnt·ing èngine [ʃʌ́ntiŋ-] ((영)) 전철(轉轍) 기관차(switch engine)
shunt-wound [ʃʌ́ntwáund] *a.* 〖전기〗 〈발전기가〉 분권(分捲)의
shush [ʃʌ́ʃ] *int.* 쉬잇, 조용히 **—** *vt.* 쉬잇하여 입 다물게 하다 ((*up*)) **—** *vi.* 입 다물다, 조용해지다
— *n.* 쉬잇하는 신호
‡**shut** [ʃʌ́t] *v.* (~; **~·ting**) *vt.* **1** 〈창문·문 등을〉 닫다, 잠그다; 뚜껑을 덮다[닫다] ((*up*)); 〈눈·입·귀 등을〉 감다, 닫다(opp. *open*): Please ~ the window. 창문을 닫아주시오. **2** 〈책·우산·손·칼 등을〉 덮다, 접다: ~ an umbrella 우산을 접다 **3 a** 〈사람을〉 가두다(confine); 둘러막다; 막다, 차단하다: ((~+목+부)) ~ a place *in* by a bamboo fence 어떤 장소를 대나무 울타리로 둘러막다 // ((~+목+전+명)) ~ a monkey *into* a cage 원숭이를 우리 속에 가두다 **b** [~ one*self* 로] …에 틀어박히다 **4** 〈손·옷 등이〉 (문틈 등에) 끼이게 하다: ((~+목+전+명)) ~ one's clothes *in* a door 문틈에 옷이 끼다 **5** 〈사람을〉 (…로부터) 배제하다, 제외하다(exclude); [~ one*self* 로] (…과) 관계를 끊다 ((*from*)); 〈물건을〉 (…로부터) 차단하다 **6** (일시적·영구적으로) 〈공장·상점 등을〉 폐쇄하다(close), 폐점[휴업]하다 ((*up*)): ((~+목(+부))) He *~s* (*up*) his store for the winter. 그는 겨울 동안 가게를 닫는다. **7** 용접하다 ((*together*))
— *vi.* **1** 〈문·창 등이〉 닫히다, 잠기다; 막히다: The door won't ~. 문이 닫히지 않는다. **2** 〈가게·공장 등이〉 폐쇄되다; 폐점하다 ((*down, up*)) **3** 꽃봉오리 지다
be ~ of a person …와 인연이 끊어지다, 관계가 없다 ***~ away*** (1) …을 간수해 두다 (2) …을 격리하다, 가두다, 멀리하다 ***~ down*** (1) 〈내리닫이 창 등을〉 닫다, 잠그다 (2) 폐점하다, 휴업하다 (3) 〈땅거미·안개 등이〉 내리다, 내리 깔리다 (4) ((구어)) 그만두게 하다, 막다 ((*on, upon*)) ***~ in*** (1) 가두다 (2) 둘러싸다, 가리다, 보이지 않게 하다 (3) 밤이 닥치다, 어두워지다 ***S~ it!*** ((영·속어)) 입 다물어! ***~ off*** (1) 〈가스·수도·라디오 등을〉 끄다, 잠그다 (2) …에서 떼어내다, 격리하다 (3) 〈교통을〉 차단하다 ((*from*)) (4) 제외하다 ***~ out*** (1) 안 보이게 가리다, 차단하다 (2) 들이지 않다, 내쫓다, 배제하다, 〈가능성 등을〉 끊다 (3) ((미)) 〖경기〗 셧아웃하다, 완봉하다 ***~*** one***'s eyes*** [***ears***] 보려고[들으려고] 하지 않다, 보고[듣고]도 못 본[못 들은] 체하다 ((*to*)) ***~*** one***'s face*** [((영)) ***gob***] ((속어)) 입을 다물다 ***~*** one***'s heart to*** …을 생각하려고도 하지 않다; …에 냉담하다 ***~*** one***'s lights*** (***off***) 죽다, 자살하다 ***~*** one***'s mind to*** …에 애써 냉랭한 태도를 취하다, 〈마음에〉 받아들이지 않다 ***~*** one***'s mouth***[***trap***] 입을 다물다 ***~ the door in*** a person***'s face*** …의 면전에서 문을 닫다, 쫓아 버리다 ***~ the door on*** 생각하지 않기로 하다, 무시하다 ***~ the door to*** …을 받아들이지 않다, 얼씬 못하게 하다, 쫓아버리다 ***~ the stable door after the horse is stolen*** ((속담)) 소 잃고 외양간 고치다 ***~ to*** (1) 〈문 등을〉 닫다, 〈뚜껑을〉 덮다 (2) 〈문이〉 닫히다: ~ the door *to* 문을 닫다 / The door ~ *to.* 문이 닫혔다. ***~ together*** 용접하다 ***~ up*** (1) 〈가게 등을〉 폐점하다 (2) 〈집을〉 잠그다, 문을 닫다 (3) 뚜껑을 닫다 (4) 감금하다 (5) 〈물건을〉 간수하다, 밀폐하다 ((*in*)) (6) ((구어)) 침묵시키다, 입을 다물다: *S~ up!* 입 닥쳐!
— *a.* **1** 닫은, 닫힌, 잠긴: with ~ eyes = with one's eye's ~ 눈을 감고 **2** 〖음성〗 폐쇄음의 (([p, b, t, k] 등)); 폐음절의, 〈음절이〉 자음으로 끝나는
— *n.* **1** 닫기, 폐쇄, 잠그기; 닫는[잠그는] 시간 **2** 용접선 **3** 〖음성〗 폐쇄음
shut·down [ʃʌ́tdàun] *n.* Ⓤ (공장 등의) 일시 휴업[폐쇄], 휴점, 조업 정지
shut-eye [-ài] *n.* Ⓤ ((구어)) 잠, 수면(sleep): get some ~ 한숨 자다
shut-in [-ìn] ((미)) *a.* **1** (병 등으로) 집안[병원]에 갇힌, 바깥출입을 못하는 **2** 자폐(自閉)적인; 내성적인 **3** 〈가스정·유정이〉 일시적으로 봉쇄된 **4** 〈토지·장소가〉 틀어박힌 **—** *n.* **1** 몸져누운 병자 **2** 폐쇄된 유전 **3** 좁게 닫힌 부분
shut·off [-ɔ̀ːf | -ɔ̀f] *n.* **1** 마개, 꼭지; 차단하는 물건 ((밸브 등)) **2** Ⓤ 정지(stoppage), 차단, 저지 **3** 금렵기(禁獵期)
shut·out [-àut] *n.* **1 a** 못 들어오게 함 **b** 공장 폐쇄(lockout) **2** 〖야구〗 셧아웃 (게임), 완봉(完封): ~ bid 〖카드〗 상대방을 봉쇄할 목적으로 높이 부름(preemptive bid)
‡**shut·ter** [ʃʌ́tər] *n.* **1** 셔터, 덧문, 겉창; 뚜껑: take down the *~s* 덧문[겉창]을 열다 **2** 닫는 사람[것] **3** 〖사진〗 (사진기의) 셔터; (풍금의) 개폐기 **4** [*pl.*] ((미·속어)) 눈꺼풀(eyelids) ***put up the ~s*** (1) 셔터를 내리다, 가게 문을 닫다 (2) 폐업하다
— *vt.* **1 a** 문을 달다 **b** 〈풍금·사진기 등에〉 셔터를 달다 **2** 덧문[겉창]을 닫다 **3** 〈눈을〉 감다
— *vi.* 〈상점·공장 등이〉 종업(終業)하다, 폐쇄하다
~·less *a.*
shut·ter·bug [ʃʌ́tərbʌ̀g] *n.* ((미·속어)) 사진광(狂)
shut·tered [ʃʌ́tərd] *a.* 셔터가[덧문이] 내려진[달린]
shútter spèed 〖사진〗 셔터 속도 ((카메라 셔터가 열려 있는 시간))
***shut·tle** [ʃʌ́tl] *n.* **1** (베틀의) 북; (재봉틀의) 북, 셔틀 ((밑실 넣는 데)) **2 a** 정기 왕복 버스[열차, 비행기]; 우주 왕복선(=space ~) **b** (근거리간의) 정기 왕복로 **3** = SHUTTLECOCK 1
— *vt.* **1** (북처럼) 좌우로 움직이다 **2** (정기) 왕복편으로 수송하다
— *vi.* **1** 좌우로 움직이다 **2** (정기적으로) 왕복하다
— *a.* 근거리 왕복의 **~·less** *a.*
shúttle ármature 〖전자〗 이동 전기자(電機子)
shúttle bús 근거리 왕복 버스, 셔틀버스
shut·tle·cock [ʃʌ́tlkɑ̀k | -kɔ̀k] *n.* **1** (배드민턴 등의) 깃털공, 셔틀콕; Ⓤ 깃털공놀이(battledore and shuttlecock) (cf. BADMINTON) **2** 왕복하는 것; 줏대 없는 사람
— *vt.* 서로 받아치다, 주고 받다 **—** *vi.* 왕복하다
shúttle diplòmacy 왕복 외교 ((분쟁 중인 두 나라 사이를 제3국의 중재자가 오가며 해결하는 등))
shúttle dìplomat 왕복 외교관
shúttle sèrvice (근거리) 왕복 운행
shúttle tráin 근거리 왕복 열차(편)
shúttle vèctor 〖생물〗 셔틀 벡터 ((세균·효모 사이를 왕래하며 유전자를 나르는 벡터))
shut·tle·wise [ʃʌ́tlwàiz] *ad.* 왔다 갔다, 여기저기, 이쪽저쪽
s.h.v. *sub hoc verbo*[*voce*] ((L = under this word))

shwa [ʃwɑ́ː] *n.* ＝SCHWA

‡shy¹ [ʃái] *a.* (**~·er, shi·er**; **~·est, shi·est**) **1** 수줍은, 숫기 없는, 부끄럼 타는

> 유의어 **shy** 성격적으로 또는 남과의 교제에 익숙하지 못하기 때문에 남과 접촉하지 않으려 하거나, 사람들 앞에서 수줍음을 몹시 타는: a *shy* and retiring person 수줍고 사귀려 하지 않는 사람 **timid** 자신 없이 주뼛주뼛하며 내성적인: be *timid* with strangers 낯선 사람에게 주뼛주뼛하다 **modest** 별로 자기 주장을 하지 않고 소극적이며 얌전한: a *modest* self-respecting person 얌전하고 자존심 있는 사람 **humble** 온유하며 거만하거나 독단적인 데가 없이 겸양하는, 때로는 비굴의 뜻으로 쓰이는 경우도 있다: be *humble* although successful 성공하면서도 겸허하다

2 a 〈새·짐승·물고기 등이〉 잘 놀라는, 겁 많은 **b** 〈태도 등이〉 주뼛주뼛하는, 흠칫흠칫하는 **3** Ⓟ 조심성 있는 (wary); 꺼리는, 조심하여 …하지 않는 《*of* do*ing*》 **4 a** Ⓟ 《구어》 부족한 《*of*》 **b** [수량을 나타내는 명사 뒤에서] (얼마) 모자라는 《*of*》 **5** 〈식물이〉 별로 열매를 맺지 않는, 〈동물이〉 별로 새끼를 낳지 않는
fight ~ of …을 피하다, 싫어하다 ***look ~ on*** [***at***] …을 수상히 보다, 의심하다
— *v.* (**shied**) *vi.* **1** 〈말이〉 (…에 놀라) 뒷걸음질 치다, 뛰며 물러나다 《*at*》 **2** 〈사람이〉 꽁무니 빼다, 주저하다, 피하다: He *shied* away from a direct challenge. 그는 직접적인 도전을 피했다.
— *vt.* 피하다, 비키다
— *n.* (*pl.* **shies**) 뒷걸음질, (말이) 뛰어 물러남
▷ shý·ly *ad.*; shý·ness *n.*

shy² *v.* (**shied**) *vt.* 〈돌 등을〉 던지다, 팔매치다 《*at*》; (마구) 내던지다 — *vi.* 물건을 내던지다
— *n.* (*pl.* **shies**) **1** 던지기, 내던짐 **2** 《구어》 놀리기, 조소 **3** 《구어》 시도(try); 겨냥; 기회
have [***take***] ***a ~ at*** (do*ing* …) 《구어》 (어떤 일을 하려고) 시도하다, 해보다 **shý·er¹** *n.*

-shy [ʃai] 《연결형》 SHY¹ *a.*의 뜻: gun-~ 대포[총]를 두려워하는 / work-~ 일을 싫어하는

shy·er², shi·er [ʃáiər] *n.* 겁이 많은 사람, 잘 놀라는 사람; 《특히》 잘 놀라는 말, 뒷걸음질 치는 말

Shy·lock [ʃáilɑk | -lɔk] *n.* **1** 샤일록 《Shakespeare작 *The Merchant of Venice* 중의 유대인 고리대금업자》 **2** [종종 **s~**] 냉혹한 고리 대금업자
— *vi.* [**s~**] 고리 대금업을 하다
Shy·lóck·i·an *a.* **~·y** *a.*

∗shy·ly, shi·ly [ʃáili] *ad.* 수줍게, 부끄러워하며; 겁내어: She smiled ~. 그녀는 수줍게 미소 지었다.

∗shy·ness [ʃáinis] *n.* Ⓤ 수줍음, 숫기 없음; 겁 많음

shy·poo [ʃaipúː] *n.* 《호주》 싸구려 술(을 파는 술집)
— *a.* 싸구려 술의, 싸구려 술을 파는

shy·ster [ʃáistər] *n.* 《미·구어》 사기꾼; 《특히》 악덕 변호사[전문가]

si [síː] *n.* 〖음악〗 시 《전음계적 장음계의 제7음》, 나 음

sí [síː] [Sp.] *ad.* 예(yes)

Si 〖화학〗 silicon **SI** *Système International (d'Unités)* 국제 통일 단위계(系) 《미터(m), 킬로그램(kg), 초(s), 암페어(A) 등》 **S.I.** (Order of the) Star of India; Sandwich Islands; Staten Island

SIA Semiconductor Industry Association

si·al [sáiæl] *n.* Ⓤ 〖지질〗 시알 《sima 상층에 있으며 대륙 지각의 상반부를 구성하는, 규소와 알루미늄이 풍부한 물질》 **si·ál·ic** *a.*

sial- [sáiæl], **sialo-** [-lou, -lə] 《연결형》 「타액」이란 뜻

si·a·log·ra·phy [sàiəlɑ́grəfi | -lɔ́-] *n.* 〖의학〗 타액선 조영(造影) 《구강 내 타액선에 조영제를 주입하여 촬영하는 것》

si·a·loid [sáiəlɔ̀id] *a.* 타액 모양의

Si·am [saiǽm] *n.* 샴 《Thailand의 옛 명칭》

si·a·mang [síːəmæ̀ŋ | síːə-, sáiə-] *n.* 〖동물〗 큰긴팔원숭이

Si·a·mese [sàiəmíːz] *a.* **1** 샴의 **2** 샴 어(語)[사람]의 **3** (샴)쌍둥이의; 밀접한; 아주 닮은 **4** [**s~**] Y자형으로 디자인된, Y자형으로 결합된 〈파이프〉
— *n.* (*pl.* ~) **1** 샴 사람; Ⓤ 샴 어(語) **2** 샴고양이(＝~ cat) **3** [보통 **s~**] Y자형의 소방용 급수구(給水口)

Siamese *n.* 3

Síamese cát 샴고양이 《털이 짧고 눈이 파란 집고양이》

síamese connéction [때로 **S- c-**] ＝Siamese *n.* 3

Síamese fíghting fish 〖어류〗 샴 투어(鬪魚) 《타이산(産)》

Síamese twíns 샴쌍둥이 **1** 《Siam에서 태어난 샴쌍둥이 형제 Chang과 Eng(1811-74)》 **2** 《일반적으로》 몸이 붙어서 태어난 쌍둥이; 《비유》 밀접한 관계에 있는 한 쌍의 것

Si·ang [ʃiǽŋ] *n.* ＝XIANG

sib [síb] *a.* 혈연관계가 있는, 일가의, 혈족의
— *n.* **1 a** 근친, 친척, 일가 **b** [집합적] 친척(relatives) **2** 〖인류〗 씨족 **3** ＝SIBLING **~·shìp** *n.*

SIB Special Investigation Branch 《영》 (육군 헌병대의) 특별 수사대 **Sib.** Siberia(n)

Si·be·li·us [sibéiliəs, -ljəs] *n.* 시벨리우스 **Jean Julius Christian ~** (1865-1957) 《핀란드의 작곡가》

∗Si·be·ri·a [saibíəriə] *n.* **1** 시베리아 **2** 유형지(流刑地) ▷ Sibérian *a.*, *n.*

Si·be·ri·an [saibíəriən] *a.* 시베리아(사람)의
— *n.* 시베리아 사람

Sibérian expréss 《미·속어》 시베리아 특급 《시베리아에서 북극을 거쳐 북아메리카로 부는 거대한 한기단(寒氣團)》

Sibérian hígh 〖기상〗 시베리아 고기압 《겨울철에 아시아를 뒤덮는 고기압》

Sibérian Húsky 시베리아 원산의 중형 크기의 개 《썰매 끌기용》

sib·i·lance, -lan·cy [síbələns(i)] *n.* Ⓤ 〖음성〗 치찰음(齒擦音), 치찰음성(性)

sib·i·lant [síbələnt] *a.* **1** 쉬쉬 소리를 내는(hissing) **2** 〖음성〗 치찰음의: ~ letters 치찰음 문자
— *n.* 치찰음 《[s, z, ʃ, ʒ] 등》; 치찰음 문자 **~·ly** *ad.*

sib·i·late [síbəlèit] *vt.* 치찰음을 내다, 치찰음으로 발음하다 — *vi.* 쉬쉬 소리내다

sib·i·la·tion [sìbəléiʃən] *n.* Ⓤ 치찰음화

sib·ling [síbliŋ] *n.* [보통 *pl.*] 《문어》 (한쪽 어버이 또는 양친이 같은) 형제, 자매; 〖인류〗 씨족의 한 사람
— *a.* 형제의: ~ rivalry 형제간의 경쟁[대립]

síbling spècies 〖생물〗 자매종

sib·yl [síbəl] *n.* **1** [**S~**] 여자 이름 **2 a** (특히 아폴로 신을 모신) 무당, 무녀 **b** 여자 점쟁이, 여자 예언자; 여자 마법사; 마귀 할멈

sib·yl·line [síbəlìːn, -làin | síbəlàin, sibílain] *a.* **1** (아폴로 신을 모신) 무당의; 여자 점쟁이[예언자]의 **2** 신탁적(神託的)인, 예언적인

Síbylline Bóoks [the ~] 고대 로마의 예언·신탁집(集) 《Cumae의 무녀가 적었다고 함》

sic¹ [sík] *vt.* (**sicced, sicked**; **sic·cing, sick·ing**) **1** [개에 대한 명령] 〈사람을〉 공격하다(attack): *S~* him! 덤벼라! **2** 〈개 등을〉 부추겨 덤비게 하다

sic² [L＝so, thus] *ad.* 원문대로 《의심나는 또는 명백히 그릇된 원문을 그대로 인용할 때 뒤에 *sic*라고 표기함》

thesaurus **sickness** *n.* **1** 병 illness, disease, disorder, ailment, complaint, affliction, malady,

S.I.C. specific inductive capacity
SICBM small Intercontinental Ballistic Missile 소형 대륙간 탄도 미사일
sic bo [sik-bou] [Chin.] 중국 주사위 놀이의 일종
sic·ca·tive [síkətiv] *a.* 건조시키는
— *n.* (기름·페인트 등의) 건조제(drier)
sice[1] [sáis] *n.* (주사위 눈의) 6
sice[2], **syce** [sáis] *n.* 《인도》 마부, 말구종
Si·cil·ian [sisíljən, -liən] *a.* **1** 시칠리아 섬[왕국, 사람, 방언]의 **2** 《미》 시칠리아풍의
— *n.* 시칠리아 섬 사람[방언]
si·cil·i·a·no [sisìljɑ́:nou] *n.* (*pl.* **~s**) 시칠리아 무용[무곡]
****Sic·i·ly** [sísəli] *n.* 시칠리아 《이탈리아 남쪽의 섬; 지중해에서 제일 큼》 ▷ Sicílian *a., n.*
‡**sick**[1] [sík] *a.* **1 a** 병의, 병든, 앓는 USAGE 서술적 용법으로 《미》에서 보통 쓰며 (ill은 좀 딱딱한 표현), 《영》에서는 성경 또는 성구(成句)에 한정되고 보통은 ill을 씀. 다음 보기의 괄호 안은 《영》의 용법: He is *sick*[ill]. 그는 병이 났다. / feel *sick*[ill] 기분[안색]이 나쁘다 / fall[get] *sick*[ill] 병에 걸리다 **b** Ⓐ 병자(용)의 **2 a** Ⓟ 《영》 메스꺼운, 느글거리는: feel[turn] ~ 메스껍다 / make a person ~ 욕지기나게 하다 **b** Ⓐ 〈냄새 등이〉 고약한 **c** [보통 복합어를 이루어] …에 멀미하는: air~, car~, sea~ **3** Ⓟ 싫증이 나서, 물려서, 신물이 나서, 넌더리 나서 《*of*》: be ~ *of* doing nothing 놀고 먹는 데 지치다 **4** Ⓟ 그리워하여, 동경하여 《*for, of*》: be ~ *for* home 향수에 젖다 **5** Ⓟ 울화가 치밀어, 실망하여 **6** 〈정신 등이〉 불건전한; 〈농담 등이〉 기분 나쁜, 소름 끼치는, 병적인 **7** 〈얼굴 등이〉 창백한; 힘없는, 기죽은 **8** 〈기계·배 등이〉 상태가 나쁜(impaired); 수리를 필요로 하는: a ~ car 상태가 안 좋은 차 **9** 〈주철(鑄鐵)이〉 무른 **10** 〈포도주가〉 맛이 변한 **11** 〈땅이〉 생산성이 낮은, 유독 미생물을 함유한 ***(as) ~ as a dog***[***cat, horse, parrot***] 《속어》 몸의 컨디션이 아주 나쁜; 맥이 탁 풀려; 몹시 메스꺼운 ***be ~ and tired*** 물리다, 넌더리 나다 《*of*》 ***be ~ of*** …에 넌더리 나다 ***be out***[《영》 ***off***] ***~*** 《미》 아파서 결석[결근]하다 ***call in ~*** 병으로 결석하겠다고 전화로 알리다 ***go***[***report***] ***~*** 〖군사〗 병으로 결근하다, 병결 신고를 하다 ***look ~*** 〈얼굴 등이〉 핼쑥해 보이다 ***~ at heart*** 《문어》 번민하여, 비관하여 ***take ~*** 《미》 발병하다, 병들다 ***the S~ Man*** (***of Europe***[***of the East***]) 터키 제국 ***worried ~*** …으로 (병날 만큼) 걱정하고
— *vt.* 《영·속어》 〈먹은 것을〉 토하다 《*up*》
sick[2] *vt.* = SIC[1]
síck bàg (비행기·기차 안에 비치된) 멀미용 봉투
síck bày (배 안의) 병실
sick·bed [síkbèd] *n.* 병상
sick-ben·e·fit [-bènəfit] *n.* 《영》 (건강 보험의) 질병 수당
síck bèrth = SICK BAY
síck bùilding sỳndrome 빌딩 질환 증후군 《환기·통기가 잘 안 되는 빌딩에서 일하는 사람들에게 나타나는 두통·현기증·피로 등의 증상》
síck càll 〖미군〗 진료 소집(의 신호[시간])
síck dày 병으로 인한 휴가일 《유급 휴일》
****sick·en** [síkən] *vi.* **1** 메스꺼워지다, 구역질 나다 《*at*》: (~+전+명) I *~ed at* the mere sight of the lice. 나는 이를 보기만 했는데도 메스꺼워졌다. // (~+***to*** do) She *~ed to* see many snakes. 그녀는 많은 뱀을 보고 속이 메스꺼워졌다. **2** 병나다, 몸이 편찮다, 병나려 하다: (~+전+명) He is *~ing for* measles. 그는 홍역의 증세를 나타내고 있다. **3** 싫증 나다, 물리다, 넌더리 나다 《*of*》: (~+전+명) I am *~ing of* my daily routine. 나는 판에 박은 듯한 일과에 싫증이 난다. **4** 약해지다, 시들다, 못 쓰게 되다

infirmity, indisposition **2** 메스꺼움 vomiting, retching, upset stomach, nausea, queasiness

— *vt.* **1** 구역질 나게 하다 **2** 싫증나게 하다, 물리게 하다 **3** 병나게 하다 **4** 〈토지를〉 메마르게 하다, 척박하게 하다 ▷ sick[1] *a.*
sick·en·er [síkənər] *n.* 병나게 하는 것, 욕지기 나게 하는 것; 싫증[넌더리] 나게 하는 것; 《학생속어》 보기 싫은 녀석
sick·en·ing [síkəniŋ] *a.* 병나게 하는; 욕지기 나게 하는; 넌더리 나게 하는: a ~ sight 구역질 나는 광경
sick·en·ing·ly [síkəniŋli] *ad.* 구역질 나게; 넌더리 나게
sick·er [síkər] 《스코》 *a.* **1** 안전한: a ~ road 안전한 도로 **2** 신뢰할 수 있는: a ~ man 신뢰할 수 있는 사람 — *ad.* 안전하게; 확실하게 **~·ly** *ad.*
síck flàg 검역기(檢疫旗), 전염병기
síck héadache 《미》 구토성 두통, 편두통(migraine)
sick·ie [síki] *n.* 《미·속어》 병자, 《특히》 정신병 환자, 정신 도착자; 《호주·구어》 = SICK LEAVE
sick·ish [síkiʃ] *a.* 토할 것 같은, 좀 메스꺼운; 《고어》 찌뿌드드한, 거북한 **~·ly** *ad.* **~·ness** *n.*
****sick·le** [síkl] *n.* **1** 낫(cf. SCYTHE) **2** [the S~] 〖천문〗 (사자자리(Leo) 안의) 낫 모양의 별무리 **3** 수탉 꼬리 가운데의 낫 모양의 깃(= **~ fèather**)
— *a.* 낫 모양의: the ~ moon 초승달(crescent)
— *vt.* …을 낫으로 베다; 〖병리〗 〈적혈구를〉 겸상(鎌狀)으로 만들다
— *vi.* 〖병리〗 〈적혈구를〉 겸상(鎌狀)으로 하다
síck lèave 병가: be on ~ 병가 중이다
sick·le·bill [síklbìl] *n.* 길게 휘어진 낫 모양의 부리를 가진 새의 총칭
síckle cèll 〖병리〗 낫 모양의[겸상(鎌狀)] 적혈구 《비정상적인 헤모글로빈 함유》
síck·le-cell anèmia[**disèase**] [-sèl-] 〖병리〗 겸상(鎌狀) 적혈구 빈혈증 《흑인의 유전병》
síckle-cell tràit 〖병리〗 겸상 적혈구 체질
sick·le·mi·a [siklí:miə] *n.* = SICKLE-CELL TRAIT
síck lìst 환자 명부
be on the ~ 입원[병결] 중이다
****sick·ly** [síkli] *a.* (**-li·er**; **-li·est**) **1 a** 병약한, 병난, 자주 앓는: a ~ child 병약한 아이 **b** 환자가 많은, 병이 많은: ~ areas 병이 많이 발생하는 지역 **2** 병자 같은, 창백한: a ~ complexion (병으로) 창백한 얼굴 **3** 건강에 나쁜 〈기후 등〉 **4** 욕지기나게 하는, 메스꺼운 〈냄새 등〉; 혐오스러운, 불쾌한 《*with*》 **5** 〈빛·색 등이〉 흐린, 엷은(faint); 활기 없는(languid); 불안한
— *ad.* 병적으로
— *vt.* (**-lied**; **~·ing**) 병들게 하다, 창백하게 하다
síck·li·ly *ad.* **síck·li·ness** *n.*
sick-mak·ing [síkmèikiŋ] *a.* 《구어》 = SICKENING
‡**sick·ness** [síknis] *n.* **1** ⓊⒸ 병(⇨ illness 유의어); 앓음, 건강치 못함 **2** Ⓤ 메스꺼움, 욕지기
síckness bènefit 《영》 (건강 보험의) 질병 수당
sick·nick [síknik] *n.* 《미·속어》 정서 불안정자
síck nùrse 간호사
sick·o [síkou] *n.* (*pl.* **~s**) 《미·속어》 = SICKIE
sick-out [síkàut] *n., vi.* 병을 이유로 한 비공식 파업(을 하다)
síck paràde 〖영국군〗 진료 소집
síck pày (병가 중의) 질병 수당
sick·room [-rù:m] *n.* 병실
sick·sick·sick [síksíksík] *a.* 《미·속어》 이상해진; 병적인
sic trans·it glo·ri·a mun·di [sík-trǽnsit-gló:riə-mʌ́ndi] [L] 이 세상의 영화(榮華)는 이처럼 사라져 간다
Sid·dhar·tha [sidɑ́:rtə, -θə] *n.* 싯다르타 《석가여래의 어릴 때 이름》
sid·dhi [síddi] *n.* 〖불교〗 실지(悉地) 《성취·완성의 뜻; 초월(超越) 명상(transcendental meditation)의 실천 기술》; 이상한 힘
sid·dur [sídər, -duər] *n.* (*pl.* **sid·du·rim** [sidúərim]) 〖유대교〗 일용 기도서

‡**side** [sáid] *n.*, *a.*, *v.*

원래는 「옆구리」 **2** →(사물의) 「측면」	**1 c**
┌(중심에 대하여 측면) ┬「경사면」	**2**
│ └(한) 「쪽」	**1**
└(비유적으로) ┬(문제의) 「측면」	**1**
└(갈라진 것의 하나) 「편, 쪽」	**1, 4**

— *n.* **1 a** 쪽, 곁, 옆, 측면, 면: the right ~ 우측/at one's ~ 곁에 **b** (적·자기편의) 편, 측, 파, 당; (경기의) 편, 팀; [집합적] ((영)) (운동 경기의) 팀 **c** (사물·성격의) **측면**, 일면; 관찰면, 관점; (사건의) 면, 국면, 양상: a bright ~ 밝은 면/the blind ~ 약점 **2 a** (신체의) **옆구리** **b** (돼지·소의) 허구리살, 옆구리살 **c** (머리의) 측면, 옆 **d** [보통 복합어를 이루어] 산허리, 사면: hill~, mountain~ **e** [보통 복합어를 이루어] (물건의) 가, 가장자리; 강가: road~, sea~ **f** 방면, 지역, 부분, 위치 **3** 〖기하〗 (삼각형 등의) 변, (입체의) 면 **4** (혈통의) 계(系), …쪽, …편: on the paternal[maternal] ~ 아버지[어머니] 쪽의[에] **5** ((미·구어)) 곁들여 나오는 요리(=~ dish) **6** (책의) 면, 페이지 **7** Ⓤ ((영·속어)) 젠 체하는 태도, 거만, 난 체하기 **8** 세로줄 무늬 문장(紋章) **9** 〖항해〗 뱃전, 현측(舷側)(shipside) **10** Ⓤ ((영)) (당구에서) 공을 틀어치기

by the ~ of = ***by*** a person***'s ~*** ***from all ~s*** [***every ~***] (1) 각 방면으로부터 (2) 주도면밀하게 ***change ~s*** 탈당하다 ***draw*** a person ***to one ~*** = ***take*** a person ***to one ~*** (1) …의 곁에, 가까이에 (2) …에 비하여 ***from ~ to ~*** 좌우로; 옆으로 ***get on the bad*** [***wrong***] ***~ of*** a person ((구어)) …의 미움[노여움]을 받다 ***get on the right*** [***good***] ***~ of*** a person = ***get on*** a person***'s good ~*** ((미·구어)) …의 마음에 들다, …의 비위를 맞추다 ***have lots of ~*** ((구어)) 뻐기다, 뽐내다 ***have … on*** one***'s ~*** …가 (유리한 조건으로서) …을 가지고 있다; (사람에게는) …이 있다 ***hold*** [***shake, split***] one***'s ~s with*** [***for***] ***laughter*** [***laughing***] 포복절도하다 ***keep on the right ~ of the law*** 법을 어기지 않다 ***let the ~ down*** ((영)) 자기편[동료, 가족]을 실망[망신]시키다 ***No ~!*** 〖럭비〗 타임 아웃, 경기 끝! ***off*** [***on***] ***~*** 반칙[정규]의 위치(에) (***off***) ***to one*** (***the***) ***~*** 따로 떨어진 ***on all ~s*** 사방에, 도처에 ***on one ~*** 한쪽에, 곁에: place [put] *on one* ~ 한쪽에 두다, 치우다 ***on the other ~*** 저승에, 천당에 ***on the right*** [***bright, sunny***] ***~ of*** 60 ((구어)) (60) 살을 넘지 않은 ***on the right ~ of the law*** ((구어)) 법을 지키는, 합법적으로 ***on the ~*** (1) 요점[흥미]에서 멀어진 (2) 부업으로, 아르바이트로 (3) ((영)) 여분으로, 덤으로, 더 (4) ((미)) 배우자 이외에 (정을 통해서) (5) ((미)) 곁들이는 요리로 ***on the … ~*** 얼마간 …한 기미[편]인: Prices are *on the* high ~. 물가는 오름세이다. ***on the ~ of*** …을 편들어, 가담하여 ***on the wrong*** [***shady, far***] ***~ of*** 60 ((구어)) 〈사람이〉 (60) 살을 넘은 ***on the wrong ~ of the law*** ((구어)) 법을 어기는, 불법으로 ***on the wrong ~ of the tracks*** ((미)) 도시의 빈민 지역에 ***put … on*** [***to***] ***one ~*** (1) 〈물건을〉 치우다, 간수하다 (2) 〈문제·일 등을〉 일시 중지[보류]하다 ***put on ~*** ((구어)) (1) 뻐기다, 뽐내다 (2) (당구에서) 공을 틀어치다 ***~ by ~*** 나란히; 협력하여 ((*with*)) ***stand by*** a person***'s ~*** …을 편들다 ***take*** a person ***to one ~*** (개인적으로 할 얘기가 있어) …을 잠시 데리고 나오다 ***take ~s*** 편들다, 가담하다 ((*with*)) ***this ~ of*** ((구어)) (1) …까지 가지 않고도 (2) …의 일보직전의, 거의 …한

— *a.* **1** 곁의, 옆의; 측면의, 옆으로(부터)의: a ~ glance 곁눈질 **2 a** 종(從)의, 부(副)의; 부가적인, 부대적인 **b** 부업의: a ~ job 부업 **3** 비밀의

— *vi.* **1** 편들다, 가담[찬성]하다 ((*with*)) **2** ((영·속어)) 뻐기다, 으스대다 **3** (…에) 반대하다 ((*against*))

— *vt.* **1** …에 측면[옆]을 대다 **2** …과 병행하다, 나란히 걷다 **3** …을 지지하다, …에 편들다 **4** ((미·구어)) 치우다, 밀어젖히다

side·arm [sáidɑ̀:rm] *ad.*, *a.* 〖야구〗 옆으로 던져서[던지는]: ~ delivery 공을 옆으로 던지기

síde àrms 허리에 차는 무기, 휴대 무기 ((총검·권총 등)); ((미·군대속어)) (식탁의) 소금과 후추, 크림과 설탕

side·band [-bæ̀nd] *n.* 〖통신〗 측파대(側波帶)

side·bar [-bɑ̀:r] *n.* **1** 주요 뉴스에 곁들여 그것을 보충하는 짧은 뉴스 **2** 〖미국법〗 (배심원을 제외한) 판사와 검사와 변호사 사이의 협의

side-bar [-bɑ̀:r] *a.* 부차적인, 보조적인, 시간제의

síde bèt (주요한 내기의) 부차적인 개인간의 내기

***side·board** [sáidbɔ̀:rd] *n.* **1** (식당의 벽쪽에 비치된) **찬장**, 식기대 **2** 측면부(sidepiece) **3** [*pl.*] ((영)) = SIDE-WHISKERS

side·bone [-bòun] *n.* (새의) 허리뼈; [종종 *pl.*] 〖수의〗 제연골화골증(蹄軟骨化骨症)

side·burns [-bə̀:rnz] *n. pl.* ((미)) **1** 짧은 구레나룻(⇨ beard 유의어) **2** 살쩍, 귀밑털

sideburns 1

síde·bùrned *a.*

side-by-side [sáidbaisáid] *a.* 나란히 (서) 있는

side·car [sáidkɑ̀:r] *n.* **1** (오토바이의) 사이드카 **2** 〖증권〗 사이드카 ((주가의 등락 폭이 갑자기 커질 경우 매매를 일시 정지시키는 제도)) **3** 브랜디와 레몬 주스를 섞은 칵테일

síde chàin 〖화학〗 측쇄(側鎖), 곁사슬

síde chàir (식당 등의) 팔걸이 없는 작은 의자

síde chàpel (교회당의) 부속 예배당

sid·ed [sáidid] *a.* [보통 복합어를 이루어] (…의) 면[측면, 변]을 가진: an eight-~ box 8면체 상자/a one-~ judgment 일방적인 판단 **~·ness** *n.*

síde dìsh (주된 요리에) 곁들이는 요리[접시]; 반찬

síde dòor **1** 옆문 **2** 간접적 접근법 **3** ((미·속어)) 추월 차선

síde-door Púllman [sáiddɔ̀:r-] ((미·속어)) 유개(有蓋) 화차

side-dress [-drès] *vt.* …가까이에 비료를 주다

side-dress·ing [-drèsiŋ] *n.* 〖농업〗 측면 시비(側面施肥), 추비(追肥)

síde drùm = SNARE DRUM

síde effèct (약물 등의) 부작용

síde fàce 옆얼굴; 측면

side·foot [-fùt] *vt.*, *vi.* 〖축구〗 발의 측면으로 차다

side-glance [-glæ̀ns | -glɑ̀:ns] *n.* **1** 곁눈질, 흘겨보는 눈: a ~ of displeasure 불쾌한 곁눈질 **2** 간접적[부수적] 언급

side·head(·ing) [-hèd(iŋ)] *n.* (인쇄물의 난외의) (작은) 표제

side·hill [-hìl] *n.* ((미·캐나다)) 산허리(hillside)

síde hòrse 〖체조〗 안마(鞍馬)

síde ìssue 지엽적[부차적]인 문제

side·kick [-kìk] *n.* ((미·구어)) **1** 친구, 동료 **2** 짝패, 한패, 공모자(confederate); 조수 **3** ((미)) (바지의) 옆주머니

síde làmp ((영)) (자동차의) 사이드 램프

side·light [-làit] *n.* **1** 간접적[부수적]인 설명[정보]: let in[throw] a ~ on[upon] …을 간접적으로 설명하다, 우연히 …을 증명하다 **2 a** [보통 *pl.*] ((영)) (자동차의) 차폭등 **b** 〖항해〗 현등(舷燈) ((기선은 밤에 우측에 녹색, 좌측에 적색 등을 켬)) **3** 측면광 **4** (건물·배 등의) 옆창, 측면 채광창(cf. SKYLIGHT)

side·line [-làin] *n.* **1** 측선, 곁선 **2** 부업: as a ~ 부업으로 **3** (상점의) 전문품 외의 상품 **4** 〖스포츠〗 사이드라인; [*pl.*] 사이드라인의 바깥쪽 **5** [종종 *pl.*] 방관적 견지: from the ~*s* 방관적 입장에서/on the ~*s* 방관자로서 **—** *vt.* **1** ((미)) 〖스포츠〗 〈부상·병 등이

선수를〉 출장(出場)하지 못하게 하다 **2**〈원고 문장의 일부에〉 밑줄을 긋다 **3**〈사람을〉 중심에서 떼어내다
síde·lìn·er *n.* 방관자
side·ling, sid·ling [sáidliŋ] *ad.* 비스듬히
— *a.* 비스듬한, 옆으로 기운; 경사진
side·long [sáidlɔ̀:ŋ | -lɔ̀ŋ] *a.* **1** 옆의, 곁의, 비스듬한: cast a ~ glance upon[at] …을 곁눈질로 슬쩍 보다 **2** 한쪽으로 기울어진 **3** 간접적인
— *ad.* 옆으로, 비스듬히
side-look·ing [-lùkiŋ] *a.* 측방[측면] 감시의 〈레이더〉
side·man [-mæ̀n] *n.* (*pl.* **-men** [-mèn]) (특히 재즈·스윙의) 악단원, 반주 악기 연주자
síde mèat (미중남부) 돼지의 허구리살, 《특히》 베이컨
síde mìrror = SIDEVIEW MIRROR
side·note [-nòut] *n.* 〖인쇄〗 (페이지 좌우에 작은 활자로 짠) 방주(傍註)
side-on [-ɑ́n | -ɔ́n] *a.* 측면으로부터의
— *ad.* 측면에서
síde òrder (미) (코스 이외 요리의) 추가 주문
side·out [-àut] *n.* (배구·배드민턴에서) 서브측이 득점을 못해 서브권을 잃는 일
side·piece [-pì:s] *n.* 측면부, 측면에 덧붙인 것
síde plàte (빵 등을 곁들여 내는) 작은 접시
sider-, sidero- [sídər(ou)] 《연결형》 「철(鐵)」의 뜻
-sider [sáidər] 《연결형》 「(특정 지역에) 자리잡은, 사는」의 뜻: an east-*sider*
síde reàction (화학적인) 부반응(副反應); = SIDE EFFECT
si·de·re·al [saidíəriəl] [L 「별의」의 뜻에서] *a.* **1** 항성으로 측정된, 별의 운행을 기초로 한: a ~ clock 항성 시계 / a ~ revolution 1항성 주기 **2** 별의; 항성의; 성좌의
sidéreal dáy 〖천문〗 항성일 《23시간 56분 4.09초》
sidéreal tíme 〖천문〗 항성시
sidéreal yéar 〖천문〗 항성년(年) 《365일 6시간 9.54초》
sid·er·ite [sídəràit] *n.* Ⓤ 〖광물〗 능철석(菱鐵石)
síde ròad 곁길, 샛길; 지선(支線) 도로
síde ròd 〖철도〗 (기관차의 동력을 전달하는) 측봉(側棒), 연결봉
sid·er·o·lite [sídərəlàit] *n.* 〖암석〗 석철운(石鐵隕)
sid·er·o·phile [sídərəfàil] *a.* 친철(親鐵)의, 철과 결합하기 쉬운 **—** *n.* 친철 원소; 친철성 세포[조직]
sid·er·o·sis [sìdəróusis] *n.* Ⓤ 〖병리〗 철침착증(鐵沈着症), 철증(鐵症), 철분 진폐증
side·sad·dle [sáidsæ̀dl] *n.* 여성용 곁안장 《두 발을 한쪽으로 모아 앉음》 **—** *ad.* 곁안장에 걸터앉아
síde sàlad (주요리와 함께 내는) 샐러드
side-scan [-skæ̀n] *a.* = SIDE-LOOKING
síde-scan sònar 측방 감시용 수중 음파 탐지기
síde scène 〖연극〗 (이동 가능) 보조 세트
side·seat [-sì:t] *n.* (버스 등의) 옆 좌석, 측면 좌석
side·show [-ʃòu] *n.* **1** (서커스 등의) 여흥, 곁들이 프로 **2** 지엽적 문제, (부수적) 소사건
side·slip [-slìp] *n.* **1** (자동차·비행기 등의) 옆으로 미끄러짐, 옆으로 구름 **2** 《영》 곁가지; 《비유》 사생아
— *vi.* (**~ped**; **~ping**) 옆으로 미끄러지다
sides·man [sáidzmən] *n.* (*pl.* **-men** [-mən, -mèn]) (영국 국교회의) 교구 위원보(補), 교회 간사
side·spin [sáidspìn] *n.* 사이드 스핀
side·split·ter [-splìtər] *n.* (배꼽 빠질 정도로) 웃기는 것 《농담 등》
side·split·ting [-splìtiŋ] *a.* 포복절도케 하는, 배꼽 빼게 하는 **~·ly** *ad.*
síde stèp 사이드 스텝 《권투·스키 등에서 옆으로 내디디는 한 발》
side·step [-stèp] *v.* (**~ped**; **~ping**) *vt.* **1** (권투·축구에서) 〈공격을〉 옆으로 비켜 피하다 **2** 〈책임·질문 등을〉 회피하다 **—** *vi.* **1** 옆으로 비켜 피하다 **2** 회피하다 **~·per** *n.*
síde stìtching 〖제본〗 등매기 《접지된 인쇄물의 등쪽을 철사로 묶는 방식》
síde-strad·dle hòp [-strǽdl-] 거수 도약 운동
síde·stream smòke [-strì:m-] 생담배 연기
síde strèet (main street로 통하는) 옆길, 옆골목
side·stroke [-stròuk] *n.* **1** [보통 the ~] 〖수영〗 횡영(橫泳) **2** 〖당구〗 옆치기 **3** 후림불, 부수적 행위
side·swipe [-swàip] *n.* **1** ⓊⒸ (미) 옆을 스치듯 치기; (자동차가) 스치기 **2** (구어) 간접적 비난[비판]
— *vt.* (미) 옆을 스치듯 치다; 스치듯 충돌하다
síde·swìp·er *n.*
síde tàble (식당 등의 벽 쪽 또는 메인테이블 옆에 놓는) 사이드 테이블
síde tòol 〖기계〗 외날 바이트(bite)
side·track [-træ̀k] *n.* **1** (철도의) 측선, 대피선 **2** 주제에서 일탈함, 탈선 **3** 부차적인 입장[상태]
— *vt.* **1** 〈열차 등을〉 대피선에 넣다 **2** (주제에서) 벗어나다 **3** 〈사람을〉 따돌리다, 탈선시키다 **4** 〈일을〉 회피하다, 미루다
side·trip [-trìp] *n.* (여행 일정에 갑자기 편입된) 짧은 방문
side·view [-vjù:] *n.* 측경(側景), 측면도; 옆얼굴
sídeview mìrror (자동차의) 사이드 미러; 옆얼굴을 보기 위한 거울(《영》 wing mirror)
‡**side·walk** [sáidwɔ̀:k] *n.* (미) (포장한) **보도**, 인도 (《영》 pavement, footpath)
sídewalk àrtist (미) 거리의 화가 《보도에 분필로 그림을 그리고 통행인에게 돈을 받음》
sídewalk bìke (보조 뒷바퀴가 달린) 어린이용 자전거
sídewalk café 보도 노천카페
sídewalk sàle 노상 할인 판매
sídewalk superinténdent (미·구어) (건설 공사 현장에서 작업을 바라보고 있는) 작업 구경꾼
sídewalk sùrfing (미·속어) 스케이트 보드를 타기
side·wall [-wɔ̀:l] *n.* **1** 바람 들어간 타이어의 접지면(tread)과 테두리(rim) 사이의 부분 **2** (건물의) 측벽
side·ward [sáidwərd] *a.* 측면의, 곁의, 비스듬한 (sideways) **—** *ad.* 옆으로, 비스듬히
side·wards [sáidwərdz] *ad.* = SIDEWARD
side·way [sáidwèi] *n.* 샛길, 옆길; 인도, 보도(sidewalk) **—** *a., ad.* = SIDEWAYS
side·ways** [sáidwèiz] *ad.* **1 옆으로**, 비스듬히 **2** 교활한[경멸하는] 눈으로 ***knock [***throw***] ***…*** ~ (구어) (1) …에게 충격을 주다, …을 곤혹케 하다 (2) (사물에) 악영향을 주다 ***look*** ~ (1) 곁눈질하다 《*at*》 (2) 의아한 표정을 짓다 (3) 눈을 비스듬히 내리깔다
— *a.* **1** 옆의, 옆을 향한, 비스듬한: a ~ glance 곁눈질 **2** 간접적인; 속이는(evasive), 회피적인
side·wheel [sáidhwì:l] *a.* 〈기선이〉 외륜(外輪)(식)의
side-wheel·er [-hwì:lər] *n.* 〖항해〗 외륜선(船); 《야구속어》 왼손잡이 투수; 왼손잡이
side-whis·kers [-hwìskərz] *n. pl.* 긴 구레나룻
-whis·kered *a.*
síde wìnd 옆바람; 간접적인 공격[수단, 방법]
side·wind·er [-wàindər] *n.* **1** 옆으로부터의 일격 **2** 〖동물〗 (북미 서남부 사막에 사는) 방울뱀의 일종 **3** (미·속어) 매우 거칠고 사나운 남자; 보디가드 **4** [**S~**] 〖미군〗 사이드와인더 《초음속 단거리 공대공 미사일》
side·wise [sáidwàiz] *ad., a.* = SIDEWAYS
sidh [ʃí:] *n.* (*pl.* **sidhe** [ʃí:]) **1** (아일랜드 문학·전설에 나오는) 초인적 종족이 살았던 언덕 **2** 요정(fairy)
sid·ing [sáidiŋ] *n.* **1** (철도의) 측선, 대피선 **2** (미) 〖건축〗 (건물 바깥 벽의) 벽널, 판자벽 **3** Ⓤ (고어) 편들기, 가담
si·dle [sáidl] *vi.* 옆걸음질하다; 가만가만 다가들다 《*along, up*》 **—** *n.* 옆걸음질; 가만가만 다가들기
Sid·ney [sídni] *n.* **1** 남자[여자] 이름 **2** 시드니 **Sir Philip ~** (1554-86) 《영국의 군인·문인》
Si·don [sáidn] *n.* 시돈 《고대 페니키아의 항구 도시; 성서에서 부(富)와 악덕의 도시로 유명; 현재의 Lebanon의 Saida》 **Si·do·ni·an** [saidóuniən] *a., n.*

SIDS sudden infant death syndrome
siè·cle [sjékl] [F] *n.* 세기(century); 시대(age), 세대(generation)
‡**siege** [síːdʒ] *n.* [CU] **1** 포위 공격, 공성(攻城); 공성 기간: a regular ~ 정공법 / ~ warfare 포위 공격전 **2** 집요한 설득 **3** (병·불행 등으로 인한) 괴로운 기간 **4** 『조류』 떼, 무리 **5** 《폐어》 (지위 높은 사람의) 좌석, 옥좌(throne); 지위 ***lay ~ to*** …을 포위 (공격)하다: *lay ~ to* a lady's heart 여자를 끈질기게 유혹하다 ***push*** [***press***] ***the ~*** 맹렬히 포위 공격하다 ***raise the ~ of*** (1) 〈포위군이〉 …의 포위 공격을 중지하다 (2) 〈원군이〉 …의 포위를 풀다 ***stand a long ~*** 오랜 포위 공격에 견디다 ***state of ~*** 계엄 (상태) ***undergo a ~*** 포위 공격을 당하다
—*vt.* = BESIEGE
síege ecònomy 농성 경제 《전쟁·경제 제재 등으로 인하여 완전히 고립된 경제》
síege gùn 『역사』 공성포(攻城砲) 《중포(重砲)》
síege mentàlity 피포위(被包圍) 의식
síege pìece 긴급 화폐 《포위된 지역에서 발행되는 임시 금·은화》
síege tràin 『역사』 공성 포열(砲列)
siege·works [síːdʒwə̀ːrks] *n. pl.* 공성 보루(堡壘)
Sieg·fried [síːgfriːd] *n.* 지크프리트 《독일·북유럽 전설에 나오는 영웅; 큰 용을 무찌름》
Síegfried Lìne [the ~] 지크프리트선(線) 《제2차 세계 대전 전에 만든 독일 서부 일대의 요새선》
sie·mens [síːmənz, zíː-] *n.* (*pl.* **~**) 『전기』 지멘스 《도전율(導電率)의 단위; 略 S》
si·en·na [siénə] [이탈리아의 산지명에서] *n.* Ⓤ **1** 시에나토(土) 《산화철·점토·모래 등을 혼합한 황토종(種)의 안료》 **2** 시에나색, 황갈색 ***burnt ~*** 구운 시에나토 《황갈색 안료》 ***raw ~*** 생(生)시에나토 《황색 안료》
si·er·ra [siérə] *n.* **1** (뾰족뾰족한) 산맥, 연산(連山) **2** 『어류』 삼치(mackerel)의 일종 **3** [**S~**] 문자 s를 나타내는 통신 용어
Si·ér·ra Clùb [siérə-] 시에라 클럽 《미국의 자연 환경 보호 단체》
Sierra Le·o·ne [-lióun, -lióuni] 시에라리온 《서아프리카의 공화국; 수도 Freetown》
Siérra Má·dre [-mɑ́ːdrei] [the ~] 시에라마드레 산맥 《멕시코를 횡단하는 산맥》
Siérra Nevàda [the ~] 시에라네바다 산맥 **1** 미국 California주 동부의 산맥 **2** 스페인 남부의 산맥
si·es·ta [siéstə] *n.* (스페인·남미 등의) 낮잠
sieur [sjə́ːr] [F] *n.* …씨 《Mr.에 해당하는 옛 경칭》
sieve** [sív] *n.* **1 a** (고운) 체 **b** 조리 **2** 《구어》 입이 가벼운 사람: He is as leaky as a ~. (그는) 무엇이나 다 말해 버린다. ***draw water with a ~ = ***pour water into a ~*** 헛수고하다 ***have a head*** [***memory, mind***] ***like a ~*** 《구어》 기억력이 나쁘다
—*vt.* **1** 체로 치다, 체질하다 **2** 자세히 조사하다
sie·vert [síːvərt] *n.* 『물리』 시버트 《방사선의 생물학적 영향을 측정하는 단위; 略 Sv》
sif·fleur [siːflə́ːr] [F] *n.* 휘파람 부는 사람; 휘파람 비슷한 소리를 내는 각종 짐승
‡**sift** [síft] *vt.* **1 a** 체로 치다, 체질하다, 거르다: 《~+목+전+명》 ~ the wheat *from* the chaff 체질하여 왕겨에서 밀을 가려내다 **b** 선별하다, 가려내다 《*from*》: 《~+목+전+명》 ~ (*out*) the truth *from* the lies 여러 거짓 중에서 진실을 가려내다 **2** 〈설탕·가루 등을〉 뿌리다 《*over, upon, onto*》 **3** 〈증거 등을〉 엄밀히 조사하다, 감별하다: ~ *out* the facts 사실을 엄밀히 조사하다 ***~ out*** 정선하다, 추려내다
—*vi.* **1** 체질하다 **2** 〈빛·눈 등이〉 (체에서 떨어지듯) 새어들다, 날아들다 《*through, into*》: 《~+전+명》 The moonlight ~*s through* the window. 달빛이 창문으로 들어온다. **3** …을 엄밀히 조사하다 《*through*》
sift·er [síftər] *n.* **1** 체질하는 사람; 엄밀히 조사하는 사람 **2** 체(sieve): a flour ~ 소맥분 체 **3** (후추·설탕 등을) 뿌리는 병
sift·ing [síftiŋ] *n.* **1** 체로 고르기; 감별; 조사 **2** [*pl.*] 체질한 것: ~ of flour 체질한 소맥분
SIG special interest group **sig.** signal; signature; signor(s) **Sig.** signature; *signetur* 《L = let it be written》
‡**sigh** [sái] *vi.* **1** 한숨 쉬다, 탄식하다, 한탄하다 (lament); 애석해하다, 아까워하다: 《~+전+명》 ~ *for* grief 탄식하다 / ~ *with* relief 안도의 한숨을 쉬다 **2** 사모하다, 그리워하다, 동경하다(long) 《*for*》: 《~+전+명》 She ~*ed for* the happy old days. 그녀는 즐거웠던 옛 시절을 그리워했다. **3** 《문어》 〈바람이〉 한숨 짓듯 산들거리다
—*vt.* 한숨 지으며[탄식하며] 말하다 《*out*》: 《~+목+부》 ~ *out* one's grief 한탄하며 슬픔을 토로하다
—*n.* 한숨; 탄식; (바람의) 산들거리는 소리: give a ~ of relief 안도의 한숨을 쉬다 ***draw*** [***fetch, heave***] ***a ~*** 한숨 쉬다, 한숨 돌리다 **~·er** *n.*
sigh·ing·ly [sáiiŋli] *ad.* 한숨 쉬며; 탄식하여
‡**sight** [sáit] *n., v., a.*

> 원래는 see와 동의어
> ┌→(구경거리)→「광경」 **5**→「명승지」 **6**
> └→「보는 것」 **2**→(보는 능력)→「시력」 **1**
> →(시력이 미치는 범위)→「시계」 **3**

—*n.* **1** Ⓤ 시각, 시력: have good[bad] ~ 눈이 좋다[나쁘다] **2** Ⓤ [또는 a ~] 봄, 보임, 일람, 일견 **3** Ⓤ 시계(視界), 시야: get out of ~ 보이지 않게 되다 **4** Ⓤ 견지, 견해, 판단: do what is right in one's own ~ 자기가 옳다고 생각하는 바를 행하다 **5** 조망, 광경, 풍경(⇨ view [유의어]) **6** [the ~s] 명소, 관광지 **7** 《구어》 구경거리, 볼 만한 것; 웃음거리 **8 a** [a ~] 《영·구어》 많음, 다수, 다량 《*of*》: *a ~ of* money 많은 돈 **b** [a (long[damn]) ~; 부사적] 훨씬, 많이 **9** (총의) 겨냥, 조준; (총 등의) 가늠쇠[자], 조준기: take (a careful) ~ (잘) 겨냥하다 / adjust the ~(*s*) 조준을 맞추다 **10** 《구어》 기회(opportunity)
a perfect ~ 정말 볼 만한 구경[웃음]거리 ***a ~ for sore eyes*** 《구어》 보아서 즐거운 것, 눈요기, 진품(珍品); 진객(珍客) ***at first ~*** (1) 첫눈에 (2) 언뜻[한 번] 보기에 ***at*** [***on***] ***~*** 보고 곧, 보자마자 〈읽다 등〉 ***at*** (***the***) ***~ of*** …을 보고, …을 보자 ***bill*** (***payable***) ***at long*** [***short***] ***~*** 일람 후 장[단]기 지불 어음 ***by ~*** 얼굴만은 (알고 있는) ***cannot stand*** [***bear***] ***the ~ of*** …은 보기도 싫다 ***catch*** [***gain, get***] ***~ of*** …을 찾아내다 ***come in ~*** 보이게 되다, 나타나다: We *came in* ~ of land. 우리는 육지가 보이는 곳에 왔다. ***find*** [***gain***] ***favor in*** a person***'s ~*** …에게 잘 보이다[인기가 있다] ***go out of ~*** 안 보이게 되다 ***in ~*** (1) 보여, 보이는 (2) 가까운, 임박한 ***in*** a person***'s ~*** (1) …의 면전에서, …이 보는 곳에서 (2) …의 눈으로 보면 ***in ~ of*** …이 보이는 곳에서 ***in the ~ of*** …의 판단[의견]으로는 ***lose ~ of*** (1) …을 시야에서 놓치다, 보이지 않게 되다 (2) 잊어버리다 (3) 소식이 끊기다 ***lose*** one***'s ~*** 실명하다, 맹인이 되다 ***lower*** [***raise***] one***'s ~s*** 자신의 목표를 낮추다[높이다] ***not … by a long ~*** 《구어》 결코[아마] …아니다 ***Out of my ~!*** 꺼져라! ***out of ~*** (1) 안 보이는 곳에(서): *Out of* ~, out of mind. 《속담》 눈에서 멀어지면 마음도 멀어진다. (2) 터무니없이[는] (3) 멀리 떨어진 (4) 《미·속어》 훌륭한, 멋있는 ***put … out of ~*** (1) …을 감추다 (2) …을 무시하다 (3) 먹어[마셔] 버리다 ***see*** [***do***] ***the ~s*** of Seoul (서울) 구경을 하다 ***set*** one***'s ~s on*** …을 노리다, 목표로 하다 ***~ unseen*** 현물을 보지 않고 ***within ~ of*** 보이는 곳에(서)

thesaurus **sight** *n.* **1** 시력 eyesight, vision **2** 봄 view, glimpse, seeing, glance **3** 견해 opinion, point of view, judgment, estimation, feeling, perception **4** 명소 spectacle, scene, display, rarity

—*vt.* **1** 발견하다, 찾아내다, 보다: ~ land 배에서 처음으로 육지를 보다 **2**〈천체 등을〉 관측하다 **3** 겨냥하다, 조준하다 **4** (총·상한의(象限儀) 등에) 조준 장치를 달다; …의 조준 장치를 조정하다
—*vi.* **1** 겨냥하다, 조준하다: a *~ing* shot 조준 연습 사격 **2**〈어느 방향을〉 주의 깊게 보다 **3** 〚금융〛〈어음 등을〉 (발행인에게) 제시하다
—*a.* **1** 처음 보는, 즉석의: ~ translation 즉독즉해(卽讀卽解) **2** 〚상업〛 (지불을 위해) 일람불 어음을 보여 주며 주는 ▷ sée *v.*; síghtly *a.*

síght depòsit 〚금융〛 요구불 예금 《당좌 예금 등》
síght dràft[《영》 **bìll**] 〚금융〛 일람불 환어음
sight·ed [sáitid] *a.* **1**〈사람이〉 눈이 보이는 **2** [보통 복합어를 이루어] 시력이 …한, …시(視)의: near-[short-]~ 근시의
síght gàg (연극 등에서) 동작에 의한 개그[익살]
sight·hole [sáithòul] *n.* (관측 기계 등의) 보는 구멍
sight·ing [sáitiŋ] *n.* **1** 관찰함; 조준을 맞춤 **2** (UFO 등의) 관찰[목격](례(例))
sight·less [sáitlis] *a.* 시력이 없는, 눈먼(blind); 보이지 않는(invisible) **~·ly** *ad.* **~·ness** *n.*
sight·line [sáitlàin] *n.* (극장 등에서 관객이 무대를 보는) 시선
sight·ly [sáitli] *a.* (**-li·er**; **-li·est**) **1** 볼 만한, 보기 좋은, 아름다운, 잘생긴: a ~ horse 잘생긴 말 **2** 《미·구어》 전망이 좋은: a ~ spot 전망 좋은 장소 **3** 멀리서 보이는 **síght·li·ness** *n.*
sight-read [sáitrì:d] *vt.* **1**〈외국어를〉 즉석에서 읽다 **2**〈악보 등을〉 보고 (연습 없이) 즉석에서 읽다[연주하다, 노래하다]
síght rèader 악보를 보고 바로 연주[노래]하는 사람
sight-read·ing [-rì:diŋ] *n.* Ⓤ **1** (외국어의) 즉독(卽讀) 《연습하지 않고 읽기》 **2** 시주(視奏), 시창(視唱)
síght rhỳme 〚운율〛 시각운(視覺韻)
***sight·see** [sáitsì:] [sightseeing의 역성(逆成)] *vt.* [보통 go ~ing으로] **관광 여행하다**, 구경[유람]하다: *go ~ing* in London 런던을 관광 여행하다
****sight·see·ing** [sáitsì:iŋ] *n.* Ⓤ **관광** (여행), 유람
—*a.* 관광[유람]의: a ~ bus 관광 버스(⇨ bus 관련) ▷ síghtsee *v.*
***sight·se·er** [sáitsì:ər] *n.* **관광객**, 유람객
sight·wor·thy [-wə̀:rði] *a.* 볼 가치가 있는, 볼 만한
sig·il [sídʒil] *n.* **1** 인발, 도장, 막도장(seal, signet) **2** (점성술·마술 등에서) 신비한 표지[말, 장치]
sigill. *sigillum* 《L =seal, signet》
sig·int, SIGINT [sígint] [*sig*nal *int*elligence] *n.* (통신 방수(傍受) 등에 의한) 비밀 정보 수집(cf. HUMINT)
Sig·is·mund [sídʒismənd | síg-] *n.* 남자 이름
sig·la [síglə] *n.* (한 책에서 사용되는) 기호 일람표 《보통 권두에 있음》
sig·ma [sígmə] *n.* **1** 시그마 《그리스 자모의 제18자 Σ, σ, ς; 영어의 S, s에 해당》 **2** =SIGMA FACTOR **3** 〚물리〛 시그마 입자(=~ **pàrticle**) **4** 1초의 1/1000 (millisecond)
sígma fàctor 〚생화학〛 시그마 인자(因子) 《RNA 고리의 합성을 자극하는 단백질》
sig·mate [sígmət, -meit] *vt.* 〚문법〛 어미에 s [sigma]를 달다 —*a.* S자형의, Σ형의
sig·ma·tion [sigméiʃən] *n.*
sig·ma·tism [sígmətìzm] *n.* 〚음성〛 치찰음(齒擦音)의 부정확한 발음
sig·moid [sígmɔid] *a.* S[C]자 모양의; 〚해부〛 S자 결장(結腸)의 —*n.* 〚해부〛 S자형 만곡부, S자 결장
sígmoid flèxure **1** 〚동물〛 (새나 거북의 목의) S자형 만곡 **2** 〚해부〛 S자 결장(結腸)(=~ **còlon**)

sign *n.* **1** 기호 symbol, mark, cipher, code **2** 손짓, 몸짓 gesture, signal, motion, movement **3** 간판 signpost, notice, placard, board, marker **4** 조짐, 징후 indication, symptom, hint, mark, clue, token

sig·moid·o·scope [sigmɔ́idəskòup] *n.* 〚의학〛 S자 결장경(結腸鏡) **sig·mòid·o·scóp·ic** *a.*
****sign** [sáin] *n.*, *v.*

> 「(뜻을 전달하는) 표지」
> → 「기호」 「부호」 **1** → 「간판」 **4**
> → 「손짓」 **3** → 「신호」 **2**
> → 「전조」 **5 a** → 「기미」 → 「형적」 **5 b**

—*n.* **1** (수학·음악 등의) **기호**, 부호: the negative[minus] ~ 마이너스 부호 《−》/the positive [plus] ~ 플러스 부호 《+》 **2** **신호**; 암호(말), 군호(⇨ signal 유의어) **3** **손짓**, 몸짓(gesture); 수화(手話)의 몸짓: communicate in *~s* 손짓으로 말하다 **4 a** **간판**(signboard): a store ~ 상점 간판/at the ~ of …이라는 간판의 (요리·술)집에서 **b** **표지**, 게시: a traffic ~ 교통 표지 **5 a** **기미**, 기세; 조짐, 징후, 전조, 징조; 〚병리〛 (병의) 확인 징후: I see no ~ of rain. 비가 올 것 같지는 않다. **b** [주로 부정문에서] 자국, 자취, 흔적(trace), 형적: There is *no* ~ of habitation. 사람이 살고 있는 흔적이 없다. **6** 〚성서〛 기적, 이적(異蹟) **7** 〚천문〛 궁(宮) 《황도(黃道)의 12구분의 하나》(=star ~) ***in ~ of*** [***that*** …] …의 표시로서 ***make no ~*** (1) (기절하여) 꼼짝도 하지 않다 (2) (이의가 없어) 아무 신호도 하지 않다 ***make the ~ of the cross*** 십자[성호]를 긋다 ***seek a ~*** 기적(奇蹟)을 구하다 ***~s and wonders*** 〚성서〛 기적 ***the ~ of the zodiac*** =SIGN *n.* 7. ***the ~s of the times*** 〚성서〛 시대의 징후, 시류
—*vt.* **1** **서명하다**, 사인하다, 서명 날인하다; 서명하여 승인[보증]하다: ~ a letter 편지에 서명하다/~ and seal a paper 증서에 서명 날인하다 // 《~+목+전+명》 ~ one's name *to* a check 수표에 서명하다 **2**〈권리·재산 등을〉 서명하여 처분[양도]하다; (증서를 써서) 매도하다, 인도하다 《*away, off, over*》: 《~+목+부》 《~+목+전+명》 She *~ed over* the property *to* me. 그녀는 재산을 나에게 양도했다. **3** (손짓[몸짓]으로) …에게 …을 알리다, 신호하다, 눈짓하다, 나타내다: ~ one's assent[dissent] (몸짓으로) 찬성[불찬성]을 나타내다 // 《~+목+*to* do》 He *~ed* us *to* enter the room. 그는 우리들에게 방으로 들어오라고 신호를 했다. **4**〈선원·직업 선수 등을〉 (계약서에) 서명시켜 고용하다: ~ a new baseball player 새로운 야구 선수를 고용하다 **5** …에 표를 하다; (특히 세례 등에서) …에 십자를 긋다, 십자를 그어 정(淨)하게 하다(cross) **6** (전조로서) 나타내다 **7**〈길 등에〉 표지를 달다, …을 표지로 나타내다
—*vi.* **1 a** 서명하다 **b** 서명하여 받다[수취하다] **2** 손짓[눈짓]하다, 신호하다, 신호로 알리다: 《~+전+명+*to* do》 The policeman *~ed to* me *to* stop. 경관은 나에게 멈추라고 손짓[신호]했다. **3** 서명하여 고용되다, 취업 계약하다 《*on, up*》 **4** (길 등에) 표지를 달다 ***~ away*** (소유권·권리 등을) 양도하다 ***~ed, sealed, and delivered*** 〚법〛 서명 날인하여 (상대방에게) 교부필(畢) ***~ for*** (수취인으로) 서명하다 ***~ in*** 서명하여 도착을 기록하다(opp. *sign out*) ***~ off*** (1) 서명하여 포기를 맹세하다 《*from*》 (2) 《구어》 서명하여 편지를 끝맺다 (3) 〚방송〛 방송[방영]을 마치다; 방송 종료 신호를 하다 (4) 《미·속어》 말을 그치다, 입을 다물다 (5) …을 비공식적으로 승인하다 《*on*》 (6) 〚카드〛 (브리지에서) 비드(bid)를 선언하다 ***~ on*** (1) 서명시켜 채용하다; 서명하여 고용되다, 취업 계약하다 (2) 방송[방영] 개시를 알리다 ***~ on for*** …에 서명 계약하다 ***~ on the dotted line*** 사후(事後) 승인하다 ***~ out*** (1) 서명하여 외출을 기록하다 (2)〈책 등을〉 서명하여 반출[대출]하다 ***~ over*** 서명하여 양도하다 ***~ up*** (1) 서명하여 고용되다 (2) (클럽·정당 등에) 참가하다 ▷ sígnature *n.*
sig·na [sígnə] [L] *v.* [명령형으로] (처방전에서) 표기하시오(write), 표시하시오(mark), 레테르를 붙이시오(label)

Si·gnac [si:njǽk] *n.* 시냑 **Paul** ~ (1863-1935) 《프랑스의 신인상파 화가》
sign·age [sáinidʒ] *n.* 신호(signs), 신호계
*‡***sig·nal** [sígnəl] *n.* **1 a** 신호, 암호, 경보; (야구의) 신호 《*for, to* do》: make a ~ (신호의) 사인을 하다 **b** 신호기(機)

> 유의어 **signal** 주로 빛·소리·연기·손 또는 수기(手旗) 등에 의해, 특히 먼 곳에 보내는 미리 정해진 신호: a traffic *signal* 교통 신호 **sign** 주로 몸짓·손짓으로 무언가를 전하려는 신호: by *signs* rather than by words 말로써가 아니고 몸짓으로

2 (행동의) 동기 **3** 계기, 도화선 《*for*》: the ~ *for* revolt 폭동의 도화선 **4** 징조, 전조, 징후 **5** (카드놀이에서) 자기편에게 보내는 신호(의 수단) **6** (텔레비전·라디오 등의) 신호 《송신[수신]되는 전파·음성·영상 등》 ***a ~ of distress*** = ***a distress ~*** 조난 신호 ***the Royal Corps of S~s*** 《영》 영국군 통신대
— *a.* **1** Ⓐ 신호의, 신호에 관한 **2** 《문어》 현저한, 주목할 만한; 뛰어난, 훌륭한, 우수한: a man of ~ virtues 덕이 높은 사람, 고결한 인사 **3** 의미를 가진, 변별적인(distinctive)
— *v.* (**~ed**; **~·ing** | **~led**; **~·ling**) *vt.* **1** 《문어》 (사람·배 등에) 신호[암호]를 보내다 《*for, to* do》 **2** …을 신호로 알리다[통신하다], 경보를 발신하다: ~ an S.O.S. 조난 신호를 발신하다 // 《~+목+*to* do》 He ~*ed* me *to* stop talking. 그는 나에게 말을 중지하라고 신호했다. **3 a** …을 나타내다, …의 특징이다 **b** …의 조짐[전조]이 되다
— *vi.* 신호하다, 신호로 알리다: 《~+전+명》 ~ *for* a rescue boat 구조선 요청 신호를 보내다
▷ sígnalize *v.*; sígnally *ad.*
sígnal bòok (특히 육·해군의) 암호표
sígnal bòx 《영》 = SIGNAL TOWER
sígnal còrps 〖미육군〗 통신대 《略 SC》
sig·nal·er | **sig·nal·ler** [sígnələr] *n.* **1** (육·해군의) 신호수[원, 병] **2** 신호기
sígnal gènerator 〖전자〗 신호 발생기
sig·nal·ize [sígnəlàiz] *vt.* **1** 유명하게 하다; 두드러지게 하다, 이채를 띠게 하다: 《~+목+전+명》 He ~*d* himself *by* discovering a new comet. 그는 새 혜성을 발견하여 유명해졌다. **2** …을 특히 지적하다 **3** …에게 신호를 보내다 **sìg·nal·i·zá·tion** *n.*
sig·nal·ly [sígnəli] *ad.* **1** 뚜렷이, 두드러지게 (notably) **2** 신호에 의해
sig·nal·man [sígnəlmən] *n.* (*pl.* **-men** [-mən, -mèn]) (철도 등의) 신호원; 〖군사〗 통신대원
sig·nal·ment [sígnəlmənt] *n.* Ⓤ (경찰용) 인상착의
sígnal sèrvice (특히 군용) 통신 기관
sígnal strèngth 〖전기〗 신호의 강도
síg·nal-to-nóise ràtio [sígnəltənɔ́iz-] 〖전기〗 신호 대(對) 잡음비(比), SN비(比)
sígnal tòwer 《미》 (철도의) 신호소, 신호탑
sig·na·to·ry [sígnətɔ̀:ri | -təri] *a.* 서명한, 참가[기명] 조인한: the ~ powers to a treaty 조약 가맹국
— *n.* (*pl.* **-ries**) **1** 서명자, 조인자 **2** (조약) 가맹국, 조인국
*‡***sig·na·ture** [sígnətʃər, -tʃùər | -tʃə] *n.* **1** 서명, 사인; 서명하기: write one's ~ 사인하다 《★ sign one's ~는 틀린 표현임》

> 유의어 우리말로 「서명」의 뜻의 「사인」은 **signature** 또는 **autograph**이며, 「사인하다」는 **sign**

2 〖음악〗 (조표(調標)·박자 기호 등의) 기호: a time ~ 박자 기호 **3** 〖인쇄〗 인쇄지의 접지 번호, 전지(全紙) 번호; 견양 접장(摺帳); (번호를 매긴) 전지 **4** 〖방송〗 (프로그램의) 테마 음악 **5** 《미》 (처방전에 쓰는) 용법 주의 ▷ sígn *v.*; sígnatory *a.*
sígnature lòan 무담보 대출, 신용 대출
sígnature màrk 〖인쇄〗 쪽지 표시
sígnature pìece 《미·속어》 가장 뛰어난 장기(長技); 정평 있는 것
sígnature tùne 《영》 〖방송〗 (프로의) 테마 음악(theme song)
sígn bìt 〖컴퓨터〗 부호 비트 《부호 위치에 있는 비트, 그 수의 양음(陽陰)을 나타내는 것》
sign·board [sáinbɔ̀:rd] *n.* 간판; 게시판, 광고판, 표시판
sígn dìgit 〖컴퓨터〗 부호 숫자
signed [sáind] *a.* (특히 + 또는 −와 같은) 부호를 지닌
sign·ee [sainí:, ´–] *n.* (문서·기록 등에) 서명하는 사람, 조인자
sign·er [sáinər] *n.* 서명자; [**S~**] 〖미국사〗 독립 선언서 서명자; 수화법(sign language)을 쓰는 사람
sig·net [sígnit] *n.* (가락지 등에 새긴) 막도장, 도장, 인장, 인감; 인발 ***the* (*privy*) ~** (옛 영국왕의) 옥새 ***writer to the ~*** (스코틀랜드의 법에서) 법정 외 변호사
sígnet rìng 도장을 새긴 가락지
si·gni·fiant [sígnəfàiənt] Ⓕ *n.* 〖언어〗 = SIGNIFIER 2
sig·nif·i·cance, -can·cy [signífikəns(i)] *n.* Ⓤ **1** 중요, 중요성(⇨ importance 유의어): a person [matter] of little[no] ~ 별로[아무] 중요성이 없는 사람[일] **2** 의미, 의의; 취지(⇨ meaning 유의어) **3** 의미 있음, 의미심장함(expressiveness): a look [word] of great ~ 매우 의미심장한 표정[말]
signíficance lèvel 〖통계〗 (가설 검정의) 유의(有意) 수준, 위험률(level of significance)
signíficance tèst 〖통계〗 유의성(有意性) 검정
*‡***sig·nif·i·cant** [signífikənt] *a.* (opp. *insignificant*) **1** 중요한, 소중한: a ~ day 중요한 날 《기념일 등》 **2** Ⓟ …을 의미하는, 나타내는 《*of*》: Smiles are ~ *of* pleasure. 미소는 즐거움의 표출이다. **3** 의미 있는, 뜻깊은, 의의 깊은; 의미심장해 보이는: a ~ nod 의미심장한 끄떡임 **4** 상당한, 현저한, 아주 큰: a ~ change 현저한 변화 ▷ signíficance *n.*
signíficant dígits[**fígures**] 〖수학〗 유효 숫자 《0을 제외한 1부터 9까지》
sig·nif·i·cant·ly [signífikəntli] *ad.* 의미있는 듯이, 의미심장하게; 상당히, 두드러지게
signíficant óther **1** 개인의 행동·자존심에 큰 영향을 갖는 사람 《부모·동료 등》 **2** 《미·구어》 배우자, 동거애인
signíficant sýmbol 〖사회학〗 (말·미소와 같은) 의미가 있는 언어나 몸짓
sig·ni·fi·ca·tion [sìgnəfikéiʃən] *n.* 《문어》 **1** Ⓤ 의미; 의의; Ⓒ 어의(語義); 취지 **2** ⓊⒸ 표시, 표명, 통지(indication)
sig·nif·i·ca·tive [signífikèitiv | -kə-] *a.* (…을) 표시하는 《*of*》; 의미심장한, 의미[뜻] 있는, 뜻 깊은: ~ *of* approval 승인을 나타내는 **~·ly** *ad.* **~·ness** *n.*
sig·nif·i·ca·tor [signífikèitər] *n.* 사람의 운명을 가리키는 별
sig·ni·fi·ca·tum [signifəkéitəm, -kǽ-] *n.* (*pl.* **-ta** [-tə]) 〖언어〗 (기호의) 지시물(指示物)
sig·ni·fied [sígnəfàid] *n.* 〖언어〗 기의(記意) 《기호에 의해 표시되는 언어의 개념·의미》
sig·ni·fi·er [sígnəfàiər] *n.* **1** signify하는 사람[것] **2** 〖언어〗 기호 표현(signifiant) 《대상을 지시하는 기호》
*****sig·ni·fy** [sígnəfài] [L 「표(sign)를 적어서 나타내다」의 뜻에서] *v.* (**-fied**) *vt.* **1** 의미하다(mean); (몸짓·언어·동작 등으로) 나타내다, 알리다, 표명하다; 발표하다: 《~+목+(전+명)》 ~ one's approval (*with* a nod) (끄떡여) 승인을 나타내다 // 《~+***that*** 절》

thesaurus **significant** *a.* **1** 중요한 important, momentous, weighty, impressive, serious, vital **2** 의미있는 meaningful, expressive, indicative

With a nod he *signified that* he approved. = He *signified* his approval by nodding. 그는 고개를 끄덕여 찬성의 뜻을 표명했다. **2** …의 전조가 되다, 예시(豫示)하다: A lunar halo *signifies* rain. 달무리는 비가 올 징조이다. ***What does it ~?*** 그것이 얼마나 중요하다는 건가, 대수로운 일이 아니지 않나? ***What does this ~?*** 그것은 어떤 뜻인가?
— *vi.* [보통 부정문에서] 중요하다, 영향을 끼치다: (~+副) It does *not* ~ *much.* =It *signifies little.* 대수로운 일이 아니다.
▷ signíficant, signíficative *a.*; signification *n.*

sig·ni·fy·ing, -in' [sígnəfàiiŋ] *n.* 《미·속어》 설전(舌戰), (흑인 청년들의) 서로 악담하기 시합

sign-in [sáinìn] *n.* 서명 운동

sign·ing [sáiniŋ] *n.* **1** Ⓤ 서명; 계약; (운동 선수·가수·배우 등의) 전속 계약 **2** Ⓒ 《영》 전속 계약 선수[가수, 배우] **3** Ⓤ 손짓[몸짓] 언어, 수화(sign language)

si·gnior [síːnjɔːr, –ˊ] *n.* =SIGNOR

sígn lànguage (벙어리·다른 종족의 토인 사이에 쓰이는 의사 전달의) 손짓[몸짓] 언어; (농아자의) 수화

sígn mánual (특히 국왕의) 친서(親署); (각 사람의) 독특한 서명[특징]; (명령·의지 전달의) 손짓

sign of aggregátion 〖수학〗 괄호 기호

sign-off [sáinɔ̀ːf | -ɔ̀f] *n.* 〖라디오·TV〗 방송 종료(의 신호); (카드놀이에서) 이제는 마지막이라고[내놓을 패가 없다고] 말함

sígn of the cróss 〖가톨릭〗 십자가의 인(印), 성호 긋기

sígn of the zódiac 〖점성〗 황도십이궁(zodiac)의 각각을 차지하는 별자리 별

sign-on [-ɔ̀ːn | -ɔ̀n] *n.* 〖라디오·TV〗 방송 개시(의 신호)

si·gnor [síːnjɔːr, sinjɔ́ːr | síːnjɔː] [It.] *n.* (*pl.* **~s, -gno·ri** [-njɔ́ːriː]) **1** [**S~**] 각하, 나리, 님, 씨 《영어의 Sir, Mr.에 해당》 **2** (특히 이탈리아의) 귀족, 신사(signior) 《略 Sig., sig》

si·gno·ra [siːnjɔ́ːrə] [It.] *n.* (*pl.* **-re** [-rei]) **1** [**S~**] 부인, 여사, 마님 《영어의 Madam, Mrs.에 해당》 **2** (특히 이탈리아의) 귀부인, 마님

si·gno·re [siːnjɔ́ːrei] [It.] *n.* (*pl.* **~s, -ri** [-riː]) 귀족, 신사; 군(君), 각하 《호칭》

si·gno·ri·na [sìːnjɔːríːnə] [It.] *n.* (*pl.* **~s, -ne** [-ne]) [**S~**] 영양(令孃), …양 《영어의 Miss에 해당》

si·gno·ri·no [sìːnjəríːnou] [It.] *n.* (*pl.* **~s, -ni** [-ni]) 젊은 남성; [**S~**] 도련님, 군(君)

sig·no·ry, sig·nio- [síːnjəri] *n.* (*pl.* **-ries**) = SEIGNIORY

sign-out [sáinàut] *n.* 외출[퇴출]시의 서명

sígn pàinter[wrìter] 간판장이

sign·post [-pòust] *n.* 푯말; 도표(道標); 교통 표지판 설치용 기둥; (명확한) 길잡이, 지침
— *vt.* (도로에) 표지를 세우다; …에 방향을 지시[표시]하다 (*for*) **~·ed** [-id] *a.* 도로 표지가 있는

sign-up [-ʌ̀p] *n.* 서명에 의한 등록; (단체 등에의) 가입

sign·writ·er [-ràitər] *n.* =SIGN PAINTER

Sig·urd [sígərd | -guəd] *n.* (북유럽 신화의) 시구르트 《독일의 Siegfried에 해당하는 영웅》

Sikh [síːk] *n., a.* 시크교도(의) 《북부 인도의 힌두교 종파》 **~·ism** *n.* Ⓤ 시크교

Sik·kim [síkim] *n.* 시킴 주 《히말라야 남쪽에 있는, 인도의 주(州); 주도(州都)는 Gangtok》

Si·kor·sky [sikɔ́ːrski] *n.* 시코르스키 **Igor Ivan ~** (1889-1972) 《러시아 태생의 미국 항공 기사; 헬리콥터 실용화 성공 (1939-42)》

si·lage [sáilidʒ] *n., v.* =ENSILAGE

---

silence *n.* **1** 침묵 speechlessness, wordlessness, voicelessness, dumbness, muteness **2** 정적 stillness, quietness, hush, peace, tranquillity

---

sil·ane [sílein] *n.* 〖화학〗 **1** 시레인 《냄새가 고약한 수용성 가스; SiH_4; 반도체의 불순물 첨가제로 쓰임》 **2** 알칸(alkane) 비슷한 실리콘 수소화물

Si·las [sáiləs] *n.* 남자 이름

sild [síld] *n.* (*pl.* **~s**; [집합적] **~**) 〖어류〗 청어 무리의 잔 물고기, 어린 청어

sile [sáil] *vi.* 《북잉글》 〈비가〉 퍼붓다

‡si·lence [sáiləns] *n.* Ⓤ **1 a** 침묵, 무언; 정숙(stillness); Ⓒ 침묵의 시간: stony[awkward] ~ 돌 같은[기분 나쁜] 침묵 / *S*~ gives consent. 《속담》 침묵은 승낙의 표시이다. / Speech is silvern[silver], ~ is golden[gold]. 《속담》 웅변은 은이요, 침묵은 금이다. **b** 묵도(默禱), 묵념 **2** 정적; 잠잠함 **3** ⓊⒸ 무소식, 소식 두절; Ⓒ 무소식의 기간: after ten years of ~ 10년간 소식이 없은 후에 **4** 침묵을 지킴; 비밀 엄수 **5** 망각(oblivion): pass into ~ 잊혀져 버리다 **6** 〖음악〗 휴지(休止) **7** 무활동 상태, 죽음
break*[*keep*] *~ 침묵을 깨뜨리다[지키다] ***buy*** a person***'s ~*** 돈으로 …의 입을 막다 ***give the ~*** 《구어》 무시하다 ***in ~*** 말없이, 조용히 ***put*[*reduce*]** a person ***to ~*** (토론 등에서) 말문이 막히게 만들다, 논박하여 말문을 닫아 버리다
— *int.* 조용히, 쉬
— *vt.* 침묵시키다, (공포·불안 등으로) 조용하게 만들다
▷ sílent *a.*

si·lenced [sáilənst] *a.* 침묵 당한; 〈목사가〉 설교하는 것이 금지된

si·lenc·er [sáilənsər] *n.* **1** 침묵시키는 사람[것] **2** (권총의) 소음(消音) 장치; 《영》 (내연 기관의) 소음기, 머플러(《미》 muffler) **3** 《미》 테이블 밑에 까는 부드러운 천(silence cloth)

‡si·lent [sáilənt] *a.* **1** 조용한, 소리 없는, 목소리를 내지 않는, 정숙한; 고요한: ~ pictures 무성 영화

> 유의어 **silent** 소리·목소리가 전혀 나지 않는: a room *silent* and deserted 조용하고 사람 기척이 없는 방 **quiet** 소리·움직임 등이 없이 조용한: a *quiet* engine 별로 소리가 없는 엔진 **still** 소리·움직임이 없는 상태: The house was *still.* 그 집은 쥐 죽은 듯이 조용했다.

2 침묵을 지키는, 묵묵한, 말 없는 **3** 〈역사 등이〉 기재되어 있지 않는, 묵살된 (*on, of, about*) **4** 〖음성〗 발음되지 않는, 묵음(默音)의 (fate, knife의 *e*, *k* 등; cf. MUTE[1]) **5** 〈일·화산 등이〉 활동하지 않는, 휴지(休止)한: a ~ volcano 휴화산 **6** 소식이 없는, 격조한; 알리지 않는, 공표하지 않는
— *n.* [보통 *pl.*] 무성 영화 **~·ness** *n.*
▷ sílence *n.*

sílent áuction 입찰식 경매

sílent bútler (식당용) 뚜껑 달린 납작한 작은 쓰레기통

sílent chàin 〖기계〗 무음(無音) 쇠사슬 《동력을 전달하는 쇠사슬의 일종》

sílent díscharge 〖전기〗 무음 방전(放電)

‡si·lent·ly [sáiləntli] *ad.* 아무 말 않고, 잠자코, 묵묵히; 조용히; 고요하게

sílent majórity [보통 the ~; 집합적] 말 없는 다수; 일반 국민, 대중

sílent pártner 《미》 익명 동업자[사원](《영》 sleeping partner) 《출자만 하고 업무에 관여하지 않는 동업자[사원]》

sílent sérvice [the ~; 때로 **S- S-**] 영국 해군; 잠수함 부대

sílent sóldier 《군대속어》 지뢰

sílent spríng 침묵의[새가 울지 않는] 봄 《공해 또는 살충제에 의한 자연 파괴로 인하여 생겨나는》

sílent sỳstem 《미》 (교도소에서의) 침묵 제도 《죄수에게 침묵을 과하는 방식》

sílent trèatment (경멸·반대·거절 등을 나타내는) 묵살, 무시 ***give the ~*** = give the SILENCE

sílent vòte 부동표(浮動票)
sílent wáy [the ~] 침묵식 교수법 《말보다는 동작·그림·도구 등을 사용하는》
Si·le·nus [sailí:nəs] *n.* 〔그리스신화〕 **1** 실레노스 《술의 신 바커스(Bacchus)의 양부인 뚱뚱한 노인》 **2** (*pl.* **-ni** [-nai]) [**s~**] 《일반적으로》 숲의 요정 《satyr 비슷하지만 말의 다리를 함》
Si·le·sia [silí:ʒə, -ʃə | sailí:ziə, -ʒə] *n.* **1** 실레지아 《유럽 중부의 지방》 **2** [**s~**] Ⓤ 실레지아직(織) 《커튼·여성복 안감용》
Si·le·sian [silí:ʒən, -ʃən | sailí:ziən, -ʒən] *a.*, *n.* 실레지아의 (사람)
si·lex [sáileks] *n.* **1** = SILICA **2** Ⓤ 규조토 분말 **3** [**S~**] 사일렉스 《내열성 유리의 커피포트; 상표명》
***sil·hou·ette** [sìluét] 〔프랑스의 정치가 이름에서; 그림자 그림 그리기가 취미였다고도 함〕 *n.* **1** 실루엣, 반면 영상(半面影像) 《보통 흑색으로 사람의 옆얼굴을 나타내는》 **2** 《일반적으로》 윤곽
in ~ 실루엣으로, 반면 영상으로, 윤곽만으로
— *vt.* **1** [보통 수동형으로] 실루엣으로 그리다; …의 그림자를 비추다; …의 윤곽만 보이다: (~+목+전+명) the distant hills ~*d* in black *against* the blue sky 푸른 하늘을 배경으로 검게 윤곽을 나타내고 있는 먼 산들 **2** 〔인쇄〕 (망판(網版) 등에서) 〈그림의〉 배경 등을 오려내다 **-ét·tist** *n.*

silhouette 1

sil·i·ca [sílikə] *n.* Ⓤ 〔화학〕 규토(珪土), 무수규산(無水珪酸), 이산화규소
sílica gèl 실리카 겔 《방습제의 일종》
sílica glàss 석영(石英) 유리, 실리카 글라스
sil·i·cate [síləkət, -kèit] *n.* 〔화학〕 규산염(珪酸鹽)
si·li·ceous, -cious [səlíʃəs] *a.* 규산의[같은], 규토질의, 규토를 함유한
si·lic·ic [səlísik] *a.* 규소(珪素)를 함유한, 규토[규산]의: ~ acid 〔화학〕 규산
sil·i·cide [síləsàid, -sid] *n.* 〔화학〕 규소 화합물, 규화물(珪化物)
si·lic·i·fy [səlísəfài] *vt.*, *vi.* (**-fied**) 규화하다
si·lic·i·fi·cá·tion *n.* Ⓤ 규화 (작용)
sil·i·con [sílikən] *n.* Ⓤ 〔화학〕 규소 《비금속 원소; 기호 Si; 번호 14》
sílicon áge [the ~] 실리콘 시대 《반도체 칩이 이끄는 정보·통신 시대》
sílicon cárbide 〔화학〕 탄화 규소
sílicon chíp 〔컴퓨터〕 실리콘 칩
síl·i·con-con·trólled réctifier [-kəntróuld-] 〔전자〕 실리콘 제어(制御) 정류기(整流器) 《略 SCR》
sílicon dióxide 〔화학〕 이산화 규소(silica)
sil·i·cone [síləkòun] *n.* Ⓤ 실리콘, 규소 수지 《합성수지》
sil·i·con·ized [sílikənàizd] *a.* 실리콘으로 처리한; (물질에) 실리콘이 첨가된
sílicon nítride 질화 규소
Sílicon Válley 실리콘 밸리 《첨단 산업이 밀집된 San Francisco Bay 남쪽 분지의 통칭》; 《일반적으로》 첨단 산업 지구
sil·i·co·sis [sìləkóusis] *n.* Ⓤ 〔병리〕 규폐증
sil·i·cot·ic [sìləkátik | -kɔ́-] *a.*, *n.* 〔병리〕 규폐증(珪肺症)에 걸린 (사람)
si·lique [silí:k, sílik] *n.* 〔식물〕 장각과(長角果)
sil·i·quose [síləkwòus], **-quous** [-kwəs] *a.* 〔식물〕 장각과가 있는; 장각과 모양의
Sil·i·wood [síliwud] 〔*Sili*con Valley+Holly*wood*〕 *n.* 실리우드 산업 《Silion Valley의 첨단 디지털 기술과 Hollywood의 문화 콘텐츠를 결합한》
‡silk [sílk] *n.* **1** Ⓤ **명주실**, 생사, 견사; **비단**, 명주, 견직물; [*pl.*] 명주옷: *S~s* and satins put out the fire in the kitchen. 《속담》 옷치레가 심하면 끼니를 굶는다. **2** ⓊⒸ 비단 법복(= ~ gown); 《영·구어》 왕실 변호사(King's[Queen's] Counsel) **3** [*pl.*] (경마의) 기수복 《소속 마구간에 따라 색이 다름》 **4** (보석 등의) 비단 광택 **5** Ⓤ 명주실 모양의 것, 《특히》 (거미의) 줄; 《미》 옥수수의 수염(=corn ~) **6** 《미·흑인속어》 백인 여자 **7** 낙하산(parachute) ***artificial*** **~** 인조견(rayon) ***be dressed in ~s and satins*** 비단으로 몸을 감고 있다, 사치스러운 차림이다 ***hit the*** **~** 《속어》 (비행기에서) 낙하산으로 탈출하다 ***raw*** **~** 생사 ***take*** (***the***) **~** 《영》 왕실 변호사가 되다
— *a.* 명주의, 견직(絹織)의; 견사[생사]의: a ~ handkerchief 명주 손수건 / ~ conditioning 생사 검사 **~·like** *a.* ▷ sílken, sílky *a.*
sílk bròad 《흑인속어》 백인 여자
sílk còtton = KAPOK
sílk-cot·ton trèe [sílkkɑ̀tn- | -kɔ̀tn-] 〔식물〕 판야나무(kapok tree)
***silk·en** [sílkən] *a.* **1** 《문어》 **명주의**, 견직의, 비단의; 비단으로 만든 **2** 명주 같은; 부드럽고 윤나는 **3** = SILKY **4** 비단 옷을 입은
▷ sílk *n.*
sílken cúrtain 비단 커튼[휘장] 《부드러우나 가차 없는 영국의 외사(外事) 검열》
sílk gówn 《영》 왕실 변호사인 barrister의 제복; 왕실 변호사
sílk hát 실크 해트

silk hat

sil·kie [sílki] *n.* = SELKIE
sílk mòth 〔곤충〕 누에나방
sílk pàper 견지(絹紙) 《소량의 견사(絹絲)를 섞어 넣은 종이; 우표용》
Sílk Ròad[Ròute] [the ~] 실크 로드, 비단길 《고대 중동과 중국 간의 통상로》
sílk scrèen 실크 스크린 《날염용(捺染用)》; = SILK-SCREEN PROCESS
silk-screen [sílkskrì:n] *a.* 실크 스크린 날염법의[으로 만든, 을 사용한]: ~ print 실크 스크린 인쇄물 — *vt.* 실크 스크린 날염법으로 만들다[날염하다, 복제하다]
sílk-screen prínting 〔인쇄〕 실크 스크린(에 의한) 인쇄(screen printing)
sílk-screen pròcess 실크 스크린 날염법
sílk stócking 《미》 **1** 비단 양말: a pair of ~*s* 비단 양말 한 켤레 / a run[《영》 ladder] in a ~ 비단 양말의 올이 터진 금 **2** 사치스러운 옷을 입은 사람; 부유한 사람; 귀족
silk-stock·ing [-stɑ́kiŋ | -stɔ́k-] *a.* 《미》 **1** 비단 양말을 신은 **2** 사치스러운 옷을 입은; 상류 계급의, 부유한, 귀족적인
sílk trèe 〔식물〕 자귀나무 《콩과(科) 고목(高木)》
silk·weed [-wì:d] *n.* 〔식물〕 인주솜풀(milkweed) 《박주가릿과(科)》
***silk·worm** [sílkwə̀:rm] *n.* 〔곤충〕 **누에**
silk·y [sílki] *a.* (**silk·i·er**; **-i·est**) **1** 명주의[같은], 부드럽고 매끈매끈한 〈피부 등〉: ~ skin 부드러운 피부 **2** 입에 감치는, 맛이 순한 〈술 등〉 **3** 〈태도가〉 부드러운, 나긋나긋한; 아첨하는 투의; 언변이 좋은 **4** 〔식물〕 〈잎 등이〉 견모(絹毛)가 밀생한 **sílk·i·ly** *ad.* **sílk·i·ness** *n.*
sílky térrier 호주 원산의 애완견의 일종
***sill** [síl] *n.* **1** 문지방(doorsill); (기둥 밑의) 토대; 창문턱(windowsill) **2** 〔광산〕 갱도의 바닥; 탄층상(炭層床); 암상(岩床), 암층
sil·la·bub, sil·li·bub [síləbʌ̀b] *n.* = SYLLABUB
sil·ler [sílər] *n.* Ⓤ 《스코》 은(銀); 금전

thesaurus **silhouette** *n.* outline, delineation, contour, form, shape, profile

Sil·ler·y [síləri] *n.* Ⓤ 샴페인의 일종 《프랑스산(産)》

sil·li·man·ite [síləmənàit] *n.* 〖광물〗 규선석(硅線石)(fibrolite)

*****sil·ly** [síli] [OE 「행복한」의 뜻에서; 그 후 「천진난만한」→「어리석은」이 됨] *a.* (**-li·er**; **-li·est**) **1** 어리석은, 주책 없는, 지각 없는(⇨ foolish 유의어); 〈언행이〉 바보 같은, 시시한: a ~ ass 《종종 익살》 바보, 얼간이 / Don't be ~. 바보 같은 소리[짓] 마라. // 《~+*to* do》 You are very ~ *to* go by taxi. 택시로 가다니 너도 참 어리석구나. // 《~+*of*+명+*to* do》 It's ~ *of* you *to* trust him. 그의 말을 믿다니 너도 바보로구나. **2** 지능이 낮은, 저능의, 사고[분별, 양식]가 없는 **3** Ⓟ 《구어》 (얻어맞아) 기절한, 정신이 멍한(dazed) ★ 보통 다음 성구로: knock a person ~ …을 쳐서 기절[멍]하게 하다 / bore a person ~ …을 기절하도록 [미치도록] 지루하게 하다 **4** 〖크리켓〗 〈야수가〉 3주문에 아주 접근한 **5** 《고어》 소박한; 단순한; 검소한; 약한, 무력한 **6** 《폐어》 신분이 낮은, 비천한 ***play ~ buggers*** [***bleeders***] 빈둥거리다

—*n.* (*pl.* **-lies**) 《구어》 바보, 멍청이: Don't be such a ~. 바보 짓 좀 하지 마라.

síl·li·ly *ad.* 어리석게(도), 바보같이 **síl·li·ness** *n.* Ⓤ 어리석음, 우둔; 바보짓

sílly bìlly 《구어》 바보, 어리석은 사람

sílly sèason [the ~] 《구어》 뉴스의 고갈기(期) 《늦여름》

sil·ly-sid·er [-sàidər] *n.* 《캐나다·속어》 왼손잡이

si·lo [sáilou] *n.* (*pl.* **~s**) **1** 사일로 《곡식·마초 등을 저장하는 탑 모양의 건축물》 **2** 《미》 유도탄 지하 격납고 **3** (석탄 등의) 저장고

silo 1

Si·lo·am [silóuəm | sai-] *n.* 예루살렘 부근의 샘

sílo bùster 《군대속어》 (보복 공격을 방지하기 위한) 사일로 공격 핵미사일

silt [sílt] *n.* Ⓤ 미사(微砂), 침니(沈泥) 《모래보다 잘지만 진흙보다 굵은 침적토》 **—***vt.*, *vi.* **1** (개흙으로) 막다, 막히다 《*up*》 **2** (개흙처럼) 흐르다 《*in*》; 침수하다 《*away*》 **sil·tá·tion** *n.*

silt·stone [síltstoun] *n.* 실트(silt)암(岩) 《silt가 굳어져 생긴 것》

silt·y [sílti] *a.* (**silt·i·er**; **-i·est**) 미사(微砂)의[같은]; 미사투성이의

Si·lu·ri·an [silúəriən | sai-] *a.* (고대 Wales 동남부의) 실루리아 사람(Silures)의; 〖지질〗 실루리아계(系)[기(紀)]의 **—***n.* [the ~] 〖지질〗 실루리아기; 실루리아 사람

sil·va [sílvə] *n.* (*pl.* **~s, -vae** [-vi:]) (특정 지역의) 산림, 산림의 수목; 수림지(樹林誌) 《어떤 지방의 수목에 관한 기술》

sil·van [sílvən] *a.* 《문어》 =SYLVAN

Sil·va·nus [silvéinəs] *n.* **1** 남자 이름 **2** 〖로마신화〗 실바누스 《숲의 신, 농목(農牧)의 신》(cf. PAN)

******sil·ver** [sílvər] *n.* Ⓤ **1** 은 《기호 Ag; 번호 47》 **2** 은화(silver coin); 정화(specie); 화폐, 금전 **3** 은식기(silver ware); 은제품, 은그릇 **4** 은의 광택, 은빛, 은백색 **5** 〖사진〗 은염류(銀塩類), 《특히》 질산은 **6** =SILVER MEDAL ***cross*** a person***'s palm*** (***with*** **~**) …에게 (뇌물의) 돈을 주다

—*a.* **1** 은의, 은으로 만든, 은…: ~ cups[coins] 은배[화] **2** 〖화학〗 은과 화합한, 은을 성분으로 한 **3** 은을 산출하는 **4** 은 같은; 은백색의; 은빛으로 빛나는 **5** 〖경제〗 은본위제의[를 주장하는] **6** 《문어》 〈음색·음성이〉 맑은, 〈언변이〉 좋은, 웅변의: a ~ tongue 웅변 **7** (금을 첫째로 보고) 둘째의, 제2위의 **8** Ⓐ 〈기념일 등이〉 25년째의(cf. GOLDEN 5)

silly *a.* foolish, stupid, unintelligent, idiotic, unwise, thoughtless, reckless, immature

—*vt.* **1** 은을 입히다, 은도금하다 **2** 은을 칠하다, 〈거울에〉 주석과 수은의 합금을 칠하다; 〖사진〗 질산은을 바르다 **3** 《문어》 은빛으로 만들다; 백발로 만들다 **—***vi.* 《문어》 은백색이 되다, 은빛으로 빛나다; 〈머리털 등이〉 은빛이 되다

▷ sílvery, sílvern *a.*; sílverly *ad.*

sílver áge [the ~] **1** 〖그리스신화〗 (황금시대 다음의) 은시대 **2** [보통 **S- A-**] (문예의) 은시대 《Augustus 황제가 죽은 후부터 Hadrian 황제가 죽기까지(14-138)의 라틴 문학 융성 시대; Anne 여왕 재위 중(1701-15)의 영문학 융성 시대》

sílver annivérsary 25주년 기념일

sil·ver·back [sílvərbæ̀k] *n.* 나이 든 수고릴라 《보통 무리를 이끌며 등 뒤의 털이 회색임》

sílver bánd (은으로 도금한 금관 악기로 편성된) 브라스밴드

sílver báth 〖사진〗 감광액, 질산은 용액, (습판용의) 은욕(銀浴)

sílver béll 〖식물〗 때죽나무류의 관목 《북미산(産); 방울 모양의 흰 꽃이 핌》

sil·ver·ber·ry [-bèri | -bəri] *n.* (*pl.* **-ries**) 〖식물〗 볼레나무; 보리수나무

sílver bírch 〖식물〗 자작나무(paper birch)

sílver brómide 〖화학〗 취화은(臭化銀)

sílver búllet 《미·속어》 (문제 해결의) 묘책, 「특효약」

sílver certíficate 《미》 은증권(銀證券) 《옛날 미국 정부가 발행했던 은태환 지폐》

sílver chlóride 〖화학〗 염화은(塩化銀)

sílver córd 탯줄; 모자간의 유대

sílver dísc 실버 디스크 《음반 판매량이 많은 가수에게 상으로 주는》

sílver dóctor 제물 낚시 《연어·송어용》

sílver dóllar (미국·캐나다의) 1달러 은화

sílver fír 〖식물〗 전나무 《유럽 원산; 어린 가지는 회색의 잔털로 덮여 있음》

sil·ver·fish [-fìʃ] *n.* **1** (*pl.* **~, ~·es**) 은빛 금붕어 **2** (*pl.* **~**) 〖곤충〗 좀, 반대좀(bookworm)

sílver fòil 은박(銀箔)(cf. SILVER LEAF), 은색의 금속의 박(《영》 silver paper)

sílver fóx 은빛 여우(의 모피)

sílver fróst 우빙(雨氷)(glaze)

sílver gílt (장식용) 은박; 금도금한 은(그릇)

sílver góose 《미·속어》 〖의학〗 직장경(直腸鏡)

sílver gráy 은백색

sil·ver-gray [-gréi] *a.* 은백색의

sil·ver-haired [-hέərd] *a.* 은발[백발]의

sil·ver·ing [sílvəriŋ] *n.* ⓊⒸ 은박[은니(銀泥)]를 입힘, 은도금(한 것); 〖사진〗 질산은으로 감광(感光)시킴

sílver íodide 〖화학〗 옥화은(沃化銀), 요오드화은

sílver júbilee 25년제(祭)[축전]

sílver kéy [the ~] (어떤 목적을 이루기 위한) 뇌물(의 돈)

sílver Látin 은시대(the silver age)의 라틴 어

sílver lèaf 은박 《silver foil보다 얇음》

sil·ver·line [sílvərlàin] *vt.* …에(서) 희망을 발견하다, (비관적인 상황에 대하여) 낙관적인 희망을 표명하다

sílver líning 구름의 흰 가장자리; 밝은 희망[전망]: Every cloud has a ~. ⇨ cloud

sil·ver·ly [sílvərli] *ad.* 은같이, 은빛으로; 은방울 굴리듯 맑게

sílver médal 은메달(cf. BRONZE MEDAL, GOLD MEDAL) 《경기의 2등상》

sil·vern [sílvərn] *a.* 《고어·시어》 =SILVER

sílver nítrate 〖화학〗 질산은(銀)

sílver páper 은종이, 주석박(箔)(tin foil); 〖사진〗 은감광지; 은그릇을 싸는 박엽지(silver tissue)

sílver pláte 1 [집합적] 은식기 **2** 은도금(한 막)

sil·ver-plate [sílvərpléit] *vt.* 은도금하다 **-plát·ed** *a.* 은도금한

sílver pòint 〖물리〗 은점(銀點) 《은의 응고점; 961.93℃에 해당》

sil·ver·point [-pɔ̀int] *n.* CU 〖미술〗 은필(銀筆)(화)
sílver prínt 〖사진〗 질산은(銀) 사진
sílver sánd 백사(白砂) 《조원(造園)·원예용의 고운 모래》
sílver scréen [the ~] 영사막, 은막, 스크린; [the ~; 집합적] 영화(계), 영화 산업
sílver sérvice 은식기로 차리는 음식 서빙 《만찬 따위》
sil·ver·side [-sàid] *n.* 《영》 소의 허벅다리 윗부분 고기
sil·ver·smith [-smìθ] *n.* 은세공인(人) **~·ing** *n.*
sílver spóon 은수저; 《비유》 상속받은 부(富)
be born with a ~ in one's mouth ⇨ spoon *n.*
sílver stàndard [the ~] 은(화)본위(제)
Sílver Stár (Mèdal) 〖미군〗 은성 훈장
Sílver Stàte [the ~] 미국 Nevada주의 속칭
Sílver Stréak [the ~] 《영·구어》 영국 해협 (English Channel)
sílver súrfer 《구어》 인터넷을 즐기는 노인
sil·ver·tail [-tèil] *n.* **1** 〖곤충〗 반대좀(silverfish) **2** 《호주·구어》 돈 많은 실력자, 명사, 유력자
sílver thàw 우빙(雨氷)(glaze); 무빙(霧氷)(rime)
sílver tóngue 《문어》 설득력 있는 말솜씨
sil·ver-tongued [-tʌ́ŋd] *a.* 《문어》 언변이 좋은, 유창한, 설득력이 있는
sil·ver·ware [-wɛ̀ər] *n.* Ⓤ [집합적] 은그릇, 《특히》 식탁용 은그릇
sílver wédding 은혼식(銀婚式) 《결혼 25주년 기념식》
sil·ver·weed [-wì:d] *n.* 〖식물〗 뱀딸기류(類); 민눈양지꽃의 일종
sílver wíng 《미·속어》 50센트 은화 《날개를 편 독수리의 그림이 새겨져 있음》
sil·ver·work [-wə̀ːrk] *n.* 은세공; 은제의 장식물; 은그릇
*****sil·ver·y** [sílvəri] *a.* **1** 은의[같은]; 은백색의: ~ hair 은발 **2** 〈소리 등이〉 은방울을 굴리는 듯한, 맑은(clear) **3** 은을 함유한 **síl·ver·i·ness** *n.*
▷ sílver *n.*
Sil·ves·ter [silvéstər] *n.* 남자 이름
Sil·vi·a [sílviə] *n.* 여자 이름(Sylvia)
sil·vi·chem·i·cal [sìlvəkémikəl] *n.* 나무에서 추출되는 화학 물질의 총칭
sil·vics [sílviks] *n. pl.* [단수 취급] 삼림 생태학 《나무와 그 환경에 대한 학문》
sil·vi·cul·ture, syl- [sílvəkʌ̀ltʃər] *n.* Ⓤ 임학(林學), 식림법(植林法) **sìl·vi·cúl·tur·al** *a.* **sìl·vi·cúl·tur·al·ly** *ad.* **sìl·vi·cúl·tur·ist** *n.* 임학자, 식림법 연구가
s'il vous plaît [si:l-vu:-pléi] [F = if you please] 좋으시다면, 부디 《略 s.v.p.》
sim [sím] *n.* 《구어》 = SIMULATION; SIMULATOR
Sim [sím] *n.* 남자 이름 《Simeon, Simon의 애칭》
SIM simultaneous interpretation method 동시 통역 방식; subscriber identity module 〖전자〗 가입자 인식 모듈
si·ma [sáimə] *n.* Ⓤ 〖지질〗 시마 《규소와 마그네슘의 함량이 높으며, sial의 하층 및 해양의 지각을 이루고 있음》
si·ma·zine [sáiməzì:n], **-zin** [-zin] *n.* Ⓤ 시마진 《제초제(劑)의 일종》
sím càrd 〖컴퓨터〗 심 카드 《휴대 전화 사용자의 개인 정보를 저장하는 플라스틱 카드》
Sim·e·on [símiən] *n.* **1** 남자 이름 **2** 〖성서〗 시므온 《Jacob과 Leah의 아들》
Símeon Sty·lí·tes [-stailáiti:z] 성(聖) 시미언 **Saint** ~ (390?-459) 《기둥 위에서 살았다는 시리아의 고행자; 축일 1월 5일》
sim·i·an [símiən] *n.* 〖동물〗 유인원(ape), 원숭이
— *a.* 유인원의, 원숭이의[같은]
símian vírus 40 = SV40

‡**sim·i·lar** [símələr] [L 「비슷한」의 뜻에서] *a.* **1** 비슷한, 유사(類似)한 《*to*》; 닮은, 같은 종류의(⇨ same 유의어); ⇨ analogous 유의어): ~ tastes 비슷한 취미 / Your opinion is ~ *to* mine. 자네의 의견은 내 것과 비슷하다. **2** 〖기하〗 상사(相似)의: ~ figures 상사형, 닮은 꼴 **3** 〖음악〗 〈둘 이상의 성부(聲部)가〉 평행하게 나아가는 ▷ similárity, simílitude *n.*
*****sim·i·lar·i·ty** [sìməlǽrəti] *n.* (*pl.* **-ties**) 유사, 상사, 비슷함, 같은 모양임 《*to*》; Ⓒ 유사[상사]점
▷ símilar *a.*
similárity transformàtion 〖수학〗 닮음 변환
*****sim·i·lar·ly** [símələrli] *ad.* 유사[비슷]하게; 같은 모양으로, 같게
sim·i·le [síməli] [L 「유사한」의 뜻에서] *n.* UC **1** 〖수사학〗 직유(直喩), 명유(明喩) 《(as) brave as a lion 등; cf. METAPHOR》 **2** 직유 표현
si·mil·i·tude [simílətjù:d | -tjù:d] *n.* 《문어》 **1** Ⓤ 유사, 상사, 같은 모양 《*between*》; Ⓒ 유사물, 모양이 꼭 같은 것; (꼭) 닮은 사람, 동등한 사람 **2** Ⓤ 외모, 외형, 모습: in the ~ of …의 모습으로[을 한] **3** 비교; 비유: talk[speak] in ~*s* 비유로 말하다
▷ símilar *a.*
sim·i·lize [síməlàiz] *vt., vi.* 직유를 사용하다; 직유로 설명하다
sim·i·tar [símətər] *n.* = SCIMITAR
Sim·la [símlə] *n.* 심라 《인도 북부 Punjab주의 도시; 영국 통치 시대 하기(夏期) 인도 정부 소재지》
*****sim·mer** [símər] [의성어] *vi.* **1** (약한 불에) 부글부글 끓다, 지글지글 끓다 **2** 〈참고 있는 분노·웃음 등이〉 막 터지려고 하다, 부글부글 화가 치밀다: (~+전+명) He ~*ed with* indignation[laughter]. 그는 터지려는 분노[웃음]를 꾹 참고 있었다.
— *vt.* 뭉근히 끓게 하다[삶다], 약한 불로 끓이다(⇨ cook 유의어) **~ *down*** (약한 불에) 졸이다; 식어 가다; 조용해지다, 흥분이 가라앉다
— *n.* [보통 a ~] 서서히 삶아지는[끓어오르는] 상태; 화[웃음]가 막 폭발하려고 하는 상태: at *a*[on the] ~ 부글부글 끓기 시작하여, 막 폭발하려고 하여
sim·mer·ing [símәriŋ] *a.* 〈노염·반란 등이〉 당장에라도 폭발할 것 같은: ~ anger 폭발 직전의 노염
~·ly *ad.*
sim·nel [símnəl] *n.* 《영》 프루트 케이크(= **~ càke**) 《크리스마스 등에 만드는》
si·mo·le·on [səmóuliən] *n.* 《미·속어》 = DOLLAR
Si·mon [sáimən] *n.* **1** 남자 이름 《애칭 Sim》 **2** 〖성서〗 시몬 《그리스도의 열두 사도의 한 사람》
si·mo·ni·ac [saimóuniæ̀k] *n.* 성직(聖職) 매매자
si·mo·ni·a·cal [sàimənáiəkəl, sì-] *a.* 성직 매매의 **~·ly** *ad.* 성직 매매에 의해
si·mon·ist [sáimənist] *n.* = SIMONIAC
si·mon·ize [sáimənàiz] *vt.* (왁스 등으로) 닦다, 윤나게 하다
Símon Le·grée [-ligrí:] **1** 사이먼 러그리 《Stowe 작 *Uncle Tom's Cabin*에서의 노예 매매업자》 **2** 냉혹하고 무자비한 주인
Símon Péter = SIMON 2
si·mon-pure [sáimənpjúər] [18세기의 영국 희극의 인물명에서] *a.* 진짜의(real, genuine)
Símon sáys 「사이먼이 말한다」 《사이먼 역(役)이 명령하는 동작을 따라 하는 제스처 놀이》
si·mo·ny [sáiməni, sím-] *n.* Ⓤ 성물(聖物) 매매에 의한 이득; 성직 매매(죄)
si·moom [simú:m], **-moon** [-mú:n] *n.* 아라비아 사막의 모래 폭풍
simp [símp] *n.* 《미·구어》 = SIMPLETON
sim·pa·ti·co [simpɑ́:tikòu, -pǽt-] [It.] *a.* 같은

thesaurus **similar** *a.* like, comparable, corresponding, analogous, parallel, equivalent
simple *a.* **1** 단순한, 쉬운 easy, uncomplicated, straightforward, effortless, elementary, facile,

성질[정신]의, 기질[마음]이 서로 맞는; 호감이 가는, 매력이 있는

sim·per [símpər] *n.* 선웃음, 억지웃음, 바보 같은 웃음 **—***vi.* 선웃음을 웃다, 억지웃음을 웃다, 바보 같은 웃음을 웃다 **—***vt.* 억지웃음을 지으며 말하다
~·er *n.* **~·ing·ly** *ad.*

sim·ple [símpl] *a., n.*

L 「1배」의 뜻에서
「단순한」 **1** →
→「간단한」 **1** →「검소한」 **5**
→「순진한」 **6** → (악의 없는) →「사람 좋은」 **8**
→「순전한」 **4** →「정말 …한」 **4**

—*a.* (**-pler**; **-plest**) **1** 간단한, 단순한, 쉬운: a ~ problem 쉬운 문제

유의어 **simple** 내용·구조 등이 단순하여 다루기가 쉬운: a *simple* tool 간단한 도구 **easy** 육체적·정신적인 노력이 별로 필요하지 않고 쉬운: an *easy* task 쉬운 일

2 간결한(plain), 꾸밈없는 **3** 단일의(opp. *compound*), 단체(單體)의, 분해할 수 없는: a ~ substance 〖화학〗 단체 **4** Ⓐ 순전한, 온전한, 정말 …한: ~ madness 완전한 광기(狂氣) **5** 〈식사 등이〉 간소한; 수수한, 검소한: lead a ~ life 검소한 생활을 하다 **6** 〈성질 등이〉 순진한, 악의 없는, 천진난만한; 성의 있는: with a ~ heart 순진하게 **7** 《문어》 〈지위·신분 등이〉 천한, 보잘것없는, 평민 출신의 **8** 사람 좋은, 속기 쉬운, 고지식한; 무지(無知)한 《*about*》; 어리석은: (~+*to* do) He was ~ enough *to* believe that. 그는 그것을 믿을 정도의 숙맥이었다. **9** [각종 전문어에서] 단(單)…, 단일… (opp. *compound, complex*)
***pure and* ~** 순전한, 섞인 것이 없는
—*n.* **1** 단일 성분의 것, 단일물, 단순물; 단체, 원소 **2** 《고어》 약초; 약초 제제(製劑) **3** 무식한 사람, 바보(simpleton) **4** 평민 **~·ness** *n.*
▷ símplify *v.*; símply *ad.*

símple equátion 〖수학〗 1차 방정식

símple éye 〖동물〗 (절지동물, 특히 곤충의) 단안(單眼), 홑눈

símple fráction 〖수학〗 단분수(cf. COMPLEX FRACTION)

símple frácture 〖의학〗 단순 골절

símple frúit 〖식물〗 단과(單果)(true fruit)

símple harmónic mótion 〖물리〗 단진동(單振動)

sim·ple·heart·ed [símplhɑ́ːrtid] *a.* 순진한, 천진난만한(artless); 우직한

símple ínterest 〖금융〗 단리(單利)(cf. COMPOUND INTEREST)

símple ínterval 〖음악〗 단음정, 단순 음정 《1옥타브 이내의 음정》

símple léaf 〖식물〗 단엽(單葉)

símple machíne 단순 기계 《지레, 쐐기, 활차, 바퀴와 그 축, 사면(斜面), 나사의 6가지 중의 하나》

símple mícroscope 확대경

sim·ple·mind·ed [-máindid] *a.* **1** = SIMPLEHEARTED **2** 속기 쉬운, 어리석은 **3** 정신 박약의, 저능한 **4** 〈게임·잘못 등이〉 하찮은, 단순한
~·ly *ad.* **~·ness** *n.*

símple mótion 단순 운동 《직선 운동·원(호) 운동·나선 운동》

símple péndulum 〖물리〗 단진자(單振子)

símple séntence 〖문법〗 단문(單文) 《단 하나의 절(節)을 갖는 문장》

---

clear, comprehensible **2** 꾸밈없는 plain, undecorated, unadorned, natural, casual **3** 단일의 noncomplex, uncompounded, uncombined, pure, single **4** 순진한 innocent, naive, ingenuous

Símple Símon **1** 얼뜨기 사이먼 《영국 전래 동요의 주인공》; 얼간이 **2** 《미·속어》 돌, 다이아몬드

símple súgar 단당(糖)

símple ténse 〖문법〗 (조동사를 수반하지 않는) 단순 시제

símple tìme 〖음악〗 단순 박자

sim·ple·ton [símpltən] *n.* 바보, 얼간이

sim·plex [símpleks] *a.* **1** 단일의, 단순한(opp. *complex*) **2** 〖통신〗 단신(單信) 방식의
—*n.* (*pl.* **~·es**) **1** (*pl.* **~·es, -pli·ces** [-pləsìːz], **sim·pli·cia** [simplíʃiə]) 〖문법〗 단일어 **2** 〖수학〗 심플렉스, 단체(單體) 《각 차원의 공간에 대한 위상(位相) 기하학의 기본 요소》

sim·plic·i·ty [simplísəti] *n.* Ⓤ **1** 간단, 평이; 단순, 단일: It's ~ itself. 《구어》 그것은 아주 간단하다. **2** 순진, 천진난만; 소박, 고지식함, 사람 좋음: with ~ 천진난만하게 **3** 우직(愚直), 무지 **4** 간소, 검소, 꾸밈없음, 수수함; 담백: I like the ~ of her dress. 그녀 드레스의 간소한 데가 좋다. **5** 실직(實直), 성실(sincerity) ▷ símple *a.*

sim·pli·fi·ca·tion [sìmpləfikéiʃən] *n.* ⓊⒸ 평이화, 간이화; 단일화

sim·pli·fied [símpləfàid] *a.* Ⓐ 쉽게 한, 간소화한, 간략하게 한

sim·pli·fy [símpləfài] *vt.* (**-fied**) **1** 간단하게 하다, 평이하게 하다, 단순화하다: ~ one's explanation 설명을 평이하게 하다 **2** 간단[간략]화가 지나치다(oversimplify) **-fi·er** *n.*
▷ símple *a.*; simplificátion *n.*

sim·pli·mat·ic [sìmpləmǽtik] *a.* 〈구조·취급 등이〉 간단하며 자동식인

sim·plism [símplizm] *n.* Ⓤ 단순주의, 극도의 단순화

sim·plis·tic [simplístik] *a.* 극단적으로 단순화한
-ti·cal·ly *ad.*

Sim·plon [símplɑn | -plɔn] *n* [the ~] 심플론 고개(=~ **Páss**) 《스위스·이탈리아 사이의 알프스 산길》

sim·ply [símpli] *ad.* **1** 간단히, 평이하게; 단순하게: to put it ~ 간단히 말하면 **2** 간소하게, 꾸밈없이, 수수하게: She was ~ dressed. 그녀는 검소한 옷차림이었다. **3** 천진난만하게, 순진하게 **4** 고지식하게 **5** [종종 ~ and solely] 다만, 단순히, 단지 (…뿐으로): work ~ to get money 단지 돈 벌려고 일하다 **6** 《구어》 [강조] 정말로, 아주(very): ~ beautiful 정말 아름다운 **7** 《구어》 [부정문에서] 전혀, 절대로: I ~ do*n't* believe it. 난 절대로 그것을 믿지 않는다.

simp·y [símpi] *a.* 《속어》 바보 같은

sim·sim [símsəm] *n.* 《동아프리카》 = SESAME

sim·ul [síməl] *ad.* (처방전에서) 함께(together), 동시에 **—***n.* 〖체스〗 동시 대국(simultaneous display)

sim·u·la·cre [símjulèikər] *n.* 《고어》 = SIMULACRUM

sim·u·la·crum [sìmjuléikrəm] *n.* (*pl.* **-cra** [-krə], **~s**) 《문어》 **1** 상(像); 모습(image) **2** 그림자, 환영 **3** 가짜, 모조품, 위조물 《*of*》

sim·u·lant [símjulənt] *a.* 〖생물〗 의태(擬態)의; …을 흉내낸, …와 같이 보이는 《*of*》
—*n.* 흉내내는 사람, 모조품, 가짜

sim·u·late [símjulèit] *vt.* **1** 흉내내다; 가장하다, 분장(扮裝)하다, …인 체하다: ~ illness 꾀병을 부리다 **2** …의 모의 실험[훈련]을 하다 **3** 〖생물〗 의태(擬態)하다(mimic)
— [-lət, -lèit] *a.* 《고어》 흉내낸, 닮게 꾸민; 의태의
▷ simulátion *n.*; símulative *a.*

sim·u·lat·ed [símjulèitid] *a.* **1** 〈모피·피혁 등이〉 모조의, 가짜의: ~ furs[pearls] 모조 모피[진주] **2** 〈행동·감정 등을〉 가장한, …인 체하는 **3** 모의 실험[훈련]의

sim·u·la·tion [sìmjuléiʃən] *n.* ⓊⒸ **1** 가장(pretense), 흉내 **2** (생물의) 의태(擬態), 의색(擬色) **3** 시뮬레이션, 모의 실험[훈련]; 〖컴퓨터〗 시뮬레이션

sim·u·la·tive [símjulèitiv | -lət-] *a.* 흉내내는, …인 체하는, 속이는 《*of*》

sim·u·la·tor [símjulèitər] *n.* **1** 흉내내는 사람[것] **2** (실제와 똑같은 상황을 재현하는) 모의 훈련[실험] 장치, 시뮬레이터

si·mul·cast [sáiməlkæ̀st, sí- | síməlkɑ̀:st] [*simul*taneous+broad*cast*] *vt.* (**-cast, ~·ed**) 〈프로를〉 텔레비전과 라디오로 동시 방송을 하다
— *n.* Ⓤⓒ 동시 방송 (프로)

si·mul·ta·ne·i·ty [sàiməltəní:əti, sì- | sì-] *n.* Ⓤ 동시, 동시에 일어남, 동시성

*__si·mul·ta·ne·ous__ [sàiməltéiniəs, sì- | sì-] *a.* **1** 동시에 일어나는, 동시의, 동시에 존재하는 (*with*): ~ movements 동시 동작 / ~ interpretation 동시 통역 **2** 〚수학〛 연립시킨 **~·ness** *n.*

simultáneous equátions 〚수학〛 연립 방정식

*__si·mul·ta·ne·ous·ly__ [sàiməltéiniəsli, sì- | sì-] *ad.* 동시에 (*with*); 일제히

‡**sin**[1] [sín] *n.* **1** Ⓤⓒ (종교상·도덕상의) 죄, 죄악(⇨ crime 유의어): commit a ~ 죄악을 범하다 **2** 잘못; 과실, 위반(offense) (*against*) **3** (구어·익살) 벌받을 일, 어리석은 일: It's a ~ to stay indoors on such a fine day. 이 좋은 날씨에 집안에 박혀 있다니 될 말이냐.
actual ~ 〚신학〛 자죄(自罪) (***as***) ***... as*** ~ (구어) 참으로: (as) ugly[miserable] *as* ~ 참으로 추한[비참한] ***for*** one***'s ~s*** (익살) 무슨 죄로 ***like*** ~ (영·속어) 대단히, 몹시, 정색으로(cf. like MAD) ***live in*** ~ 불의의 생활을 하다; (완곡·익살) (결혼하지 않고) 동거하다 ***~s of omission***[***commission***] 태만[위반]의 죄 ***the man of*** ~ 그리스도의 적, 악마 ***the seven deadly ~s*** 칠대 죄악 (오만·탐욕·색욕·화냄·대식·시기·나태) ***the ~ against the Holy Ghost*** 〚성서〛 성령을 모독하는 죄 ***the ~ of Adam*** 원죄(原罪) ***visit a*** ~ 벌을 내리다 (*upon*)
— *v.* (**~ned**; **~·ning**) *vi.* **1** (주로 의식적으로 종교상·도덕상의) 죄를 짓다, 죄악을 거듭하다; 무엄한 짓을 하다 (*against*): (~+전+명) ~ *against* God 신에게 죄를 짓다 / ~ *against* propriety 예절에 어긋난 행동을 하다 **2** 불륜을 하다
— *vt.* (고어) 〈죄를〉 짓다, 저지르다: ~ a sin 죄악을 범하다 // (~+목+부) ~ *in* one's ill health 나쁜 짓을 하여 건강을 해치다 / ~ *away* one's happiness 죄악을 저질러서 행복을 잃다
be more ~ned against than ~ning 저지른 죄 이상으로 비난받다 ***~ in company with*** …와 같은 죄를 짓다 ***~ in good company*** 지체 높은 사람들도 같은 짓을 하다 (그러니 걱정 없다 등) ***~ one's mercies*** 신의 은총에 감사하지 않다
▷ sínful, sínless *a.*

sin[2] [sáin] *n.* 〚수학〛 =SINE

sin[3] [sí:n] *n.* 신 (히브리 어 알파벳의 제21번째 자)

SIN social insurance number (캐나다) 사회 보장 번호

Si·nai [sáinai, -niài] *n.* **1 Mount** ~ 시내 산 (모세가 신에게서 십계명을 받은 곳) **2** [the ~] 시나이 반도(=~ **Península**) **Si·na·it·ic** [sàiniítik] *a.*

Si·nan·thro·pus [sainǽnθrəpəs, si- | si-] *n.* =PEKING MAN

sin·a·pism [sínəpìzm] *n.* Ⓤ 〚의학〛 겨자 반죽, 겨자씨 연고(mustard plaster)

Sin·ar·quism [sínɑ:rkwìzm], **-chism** [-kìzm] *n.* Ⓤ 멕시코 국수주의 (운동) (1937년 멕시코에 전체주의 국가를 세우려고 일어난)

Sin·ar·quist [sínɑ:rkwist], **-chist** [-kist] [Sp.] *n.* (멕시코의) 국수당 당원

Sin·bad [sínbæd] *n.* =SINDBAD

sín bìn (속어) (아이스하키의) 페널티 박스

‡**since** ⇨ since (p. 2343)

‡**sin·cere** [sinsíər] [L 「순수한」의 뜻에서] *a.* (**-cer·er, more ~**; **-cer·est, most ~**) 성실한, 참된, 진실의, 정직[진지]한, 거짓 없는, 진심의, 표리 없는: ~ sympathy 진심으로의 동정 / He is ~ in his promises. 그는 약속을 어김없이 지킨다.

> 유의어 **sincere** 위선적인 데가 전혀 없고 말이나 행동이 성실하여 거짓·속임수·과장 등이 없는 **hearty** 감정을 나타냄에 있어서 정직한, 마음이 따뜻한: a *hearty* welcome 따뜻한 환영 **heartfelt** 표면에 나타낸 진실한 감정의 깊이를 나타낸다: *heartfelt* words 진심에서 우러난 말

~·ness *n.* ▷ sincérity *n.*

‡**sin·cere·ly** [sinsíərli] *ad.* 마음으로부터, 진정으로, 진실로, 표리 없이, 진지하게 ***Yours ~*** = (미) ***S~ yours*** 재배(再拜) (편지 끝에 쓰는 말)

*__sin·cer·i·ty__ [sinsérəti] *n.* Ⓤ 성실, 정직; 표리가 없음: a man of ~ 성실한[표리 없는] 사람
▷ sincére *a.*

sin·ci·put [sínsəpʌ̀t] *n.* (*pl.* **~s, sin·cip·i·ta** [sinsípətə]) 〚해부〛 전두부(前頭部)
sin·cip·i·tal [sinsípətl] *a.*

Sin·clair [sinklέər | síŋklεə] *n.* **1** 남자 이름 **2** 싱클레어 **Upton** (**Beall**) ~ (1878-1968) (미국의 소설가·사회 비평가)

Sind [sínd] *n.* 신드 (파키스탄 남동부 Indus 강 하류 지역; 인더스 문명의 중심지)

Sind·bad [síndbæd] *n.* 신드바드(=~ **the Sáilor**) (*Arabian Nights*에 등장하는 인물; 모험적인 항해를 일곱 번 하는 뱃사람)

Sind·hi [síndi] *n.* (*pl.* **~, ~s**) **1** [the ~] (Sind 지방에 사는) 신드 족 **2** 신드 어(語)

sin·do·nol·o·gy [sìndənɑ́lədʒi | -nɔ́-] *n.* 〚그리스도교〛 성해포(聖骸布) 연구

sine [sáin] *n.* 〚수학〛 사인, 정현(正弦) (略 sin)

si·ne [sáini] [L] *prep.* …없이, …없이도(without)

si·ne·cure [sáinikjùər, sí-] *n.* 한직(閑職); (특히) 명목뿐인 목사직 ***hardly a***[***not a, no***] ~ 결코 쉽지 않은 일 **-cùr·ist** *n.* 한직에 있는 사람

síne cùrve [sáin-] 〚수학〛 사인 곡선

sine die [sáini-dáii, sínei-dí:ei] [L =without day] *ad.* 무기한으로

sine qua non [sáini-kwei-nɑ́n, -kwɑ:-, sínei-] [L = without which not] *n.* 꼭 필요한 것, 필수 조건

*__sin·ew__ [sínju:] *n.* **1** 〚해부〛 건(腱), 힘줄 **2** [*pl.*] 근육, 근골(筋骨); 체력, 완력; 정력; 원기; 지지자[물]; 원동력 ***the ~s of war*** 군자금(軍資金); (일반적으로) (운용) 자금
— *vt.* 힘줄로 연결하다; …의 힘을 북돋우다; (시어) 지지[지원]하다 **~·less** *a.* ▷ sínewy *a.*

síne wàve 〚물리〛 사인파(波)

sin·ew·y [sínjui] *a.* **1** 건질(腱質)의, 힘줄이 많은, 질긴; 근골이 건장한, 강건한 **2** 〈문체가〉 힘찬, 야무진

sin·fo·ni·a [sìnfəní:ə] [It.] *n.* (*pl.* **~s, -ni·e** [-ní:ei]) 〚음악〛 교향곡(symphony); [**S~**] 교향악단; (초기 오페라의) 서곡(序曲)(overture)

sinfonía concertánte [It.] 협주 교향곡

sin·fo·niet·ta [sìnfənjétə, -foun-] [It.] *n.* 신포니에타 (소규모의 심포니); [**S~**] 소교향악단 (특히 현악기만의 오케스트라)

*__sin·ful__ [sínfəl] *a.* **1** 죄가 있는, 죄 많은: a ~ act 죄 많은 짓 **2** (구어) 벌 받을, 죄스러운: a ~ waste of money 벌 받을 돈 낭비 **~·ly** *ad.* **~·ness** *n.*

‡**sing** [síŋ] *v.* (**sang** [sǽŋ], (드물게) **sung** [sʌ́ŋ]; **sung**) *vi.* **1** 노래하다 (*to, for*): (~+전+명) ~ *in*[*out of*] tone 곡조에 맞게[어긋나게] 노래하다 / ~ *to* the organ 풍금에 맞추어 노래부르다 / ~ along (연주 등에 맞춰) 노래하다, 합창하다 **2** 〈새·벌레가〉 울

thesaurus **simultaneous** *a.* concurrent, contemporaneous, coincident, coexistent, parallel
sin[1] *n.* wrongdoing, badness, crime, offense, misdeed, misdemeanor, transgression, error,

since

since는 접속사·전치사·부사의 세 가지로 쓰인다. 이 세 가지 어느 경우를 막론하고 「…이후 지금까지」의 뜻을 나타낼 때에는 대개 주절에는 현재완료형을 쓰고, since가 이끄는 종속절에서는 과거형을 쓴다.
「…이므로, …이기 때문에」의 뜻으로 쓸 때 since는 because처럼 직접적인 인과관계를 나타내지 않으며, (미)에서는 '가벼운 이유'를 나타내는 as보다 많이 쓴다. 한편 접속사의 용법에서 「…이래」와 「…이므로」의 뜻을 혼동하지 않도록 문맥을 보고 가려야 한다: *since* he left home 그가 집을 나간 후 / 그가 집을 나갔기 때문에

‡since [síns] *conj., prep., ad.*

OE 「그 후」의 뜻에서
① …한 이래, …한 때부터 내내 접 **1** 전 **1** 부 **1**
② …이므로 접 **2**

— *conj.* **1** [동작·상태가 시작되는 과거의 시점을 나타내어] **a** [종종 ever ~로, 계속을 나타내는 완료형의 동사를 가진 주절 뒤에서] …**이래** (죽), …한 때부터 내내, 하고 나서는 내내 《★ since 절 안의 동사는 보통 과거형》: I have known her ~ she was a child. 어린이였을 때부터 그녀를 죽 알고 있다. / I've been doing this work (*ever*) ~ I retired. 은퇴하고 나서부터 내내 이 일을 계속해 오고 있다. **b** [보통 경험을 나타내는 완료형의 동사를 가진 주절에 뒤이어] …**한 때부터**(지금[그때]까지 사이에) 《USAGE since절 안의 동사는 보통 과거형이지만, 계속 중인 일이 동작·상태가 시작되는 시점과 관계할 때에는 현재[과거]완료도 쓰임》: He has learned a lot ~ he has been here. 그는 이곳에 오고 나서부터는 많은 것을 배웠다. 《★ since 절 안의 완료형은 현재도 거기에 살고 있음을 나타냄》/ He had not seen her ~ he (had) married. 그는 결혼하고 난 뒤부터 그녀와 만나지 않았었다. **c** [It is[(구어) It has been] ... ~ ...의 구문으로] …**한 지** (…년 째가 되다) 《since절 안의 동사는 과거형》: *It is*[*has been*] two years ~ I left school. 학교를 나온 지 2년이 되었다. 《Two years have passed ~ I left school.로 바꿔 쓸 수 있음》
2 [이유를 나타내어] …**이므로,** …이니까 《★ because처럼 직접적 인과관계를 나타내지 않으므로, because로 바꿔 쓸 수 없는 경우도 있음》: *S*~ we live in the computer era, you should get used to personal computers. 우리는 컴퓨터 시대에 살고 있으니까 PC를 익혀야 한다. / Let's do our best, ~ we can expect no help from others. 다른 사람들로부터 도움을 기대할 수 없으므로 우리 스스로 최선을 다합시다.

— *prep.* **1 a** [종종 ever ~로, 보통 계속을 나타내는 완료형의 동사와 함께] …**이래** (죽), …부터 (내내): He hasn't eaten anything ~ yesterday. 그는 어제부터 아무것도 먹지 않았다. / *S*~ then I had wondered where he lived. 그때 이래로 그가 어디에 살고 있을까 하고 궁금히 여기고 있었다. / *S*~ when do you have so much money? (미·구어) 도대체 언제부터 그렇게 부자가 되었느냐? **b** [It is ... ~ ...의 구문으로] …**이래** (…의 시간[기간]이 되다): *It's* a long time ~ her death. 그녀가 죽은 지 꽤 오래되었다.
2 a [보통 경험을 나타내는 완료형의 동사와 함께] …**이후,** …**부터** (지금[그때]까지의 사이에): She has changed a good deal ~ her marriage. 그녀는 결혼하고 난 이후 많이 달라졌다. **b** (구어) …의 (발명[발견]된) 시대 이래: He is the greatest inventor ~ Edison. (구어) 그는 에디슨 이래의 위대한 발명가이다.
~ *then* 그때 이래, 그때부터(⇨ *prep.* 1a)
~ *when* 언제부터(⇨ *prep.* 1a)

— *ad.* **1** [대개 완료형의 동사와 함께] **a** [종종 ever ~로] (그때) **이래** (죽), 그 뒤[후] 줄곧: He went over to Italy five years ago and I haven't heard from him (*ever*) ~. 그는 5년 전에 이탈리아로 건너갔는데 그 이후로는 그에게서 소식을 들은 적이 없다. **b 그 이래** (지금[그때]까지의 사이에), 그 후: I have not seen him ~. 그 후로 그를 만나지 못했다. / The old bridge has ~ been reconstructed. 그 낡은 다리는 그 후 다시 가설되었다.
2 [보통 long ~로] (지금부터) (몇 년) **전**: *long* ~ 오래전에 / not *long* ~ 최근, 요즈음에 / My grandpa died many years ~. 할아버지는 오래 전에 돌아가셨다.
***ever* ~** ⇨ 1
***long* ~** ⇨ 2

다, 지저귀다; 〈벌이〉 윙윙거리다; 〈시냇물이〉 졸졸거리다; 〈물건이〉 살랑거리다 **3** 〈귀가〉 (윙) 울리다: My ears ~. 귀가 울린다. **4** 〈바람·화살·총알 등이〉 픽픽[핑핑, 쌩쌩] 울리다; 〈주전자가〉 픽픽[부글부글] 하고 소리를 내다 **5** 크게 기뻐하다 (*for*): (~+전+명) ~ *for* joy 기뻐서 가슴이 설레다 **6** (문어) 시[노래]를 짓다; 시[노래]로 구가[예찬, 찬미]하다 (*of*): (~+전+명) Homer *sang of* the Trojan War in his *Iliad.* 호머는 「일리아드」에서 트로이 전쟁을 시로 읊었다. **7** 〈가사가〉 노래로 부를 수 있다, 노래가 되다: (~+부) The text of the song may ~ *well.* 그 가사는 노래 부르기가 좋을 것이다. **8** (미·속어) 〈범죄자가〉 자백하다, 밀고하다

— *vt.* **1** 〈노래를〉 **부르다**; 읊다: (~+목+목) *S*~ me the songs I delighted to hear. 이전에 내가 즐겨 듣던 노래들을 불러 주시오. **2** 영창하다, 영송(詠頌)하다 **3** 〈새가 노래를〉 지저귀다 **4** 구가[예찬]하다; 노래하여 축하하다 **5** [~ it*self*로] 노래가 되다 **6** 노래하며 보내다[마중하다], 〈길을〉 노래하며 가다, 노래를 부르며 …하다: ~ one's way 노래를 부르며 길을 가다 // (~+목+부) ~ one's days *away* 매일 콧노래를 부르며 지내다 / ~ the old year *out* and the new year *in* 노래로 묵은 해를 보내고 새해를 맞이하다 **7** 노래하여 …하게 하다: (~+목+전+명) ~ a child *to* sleep 노래를 불러주어 아이를 재우다
make* a person*'s head* ~** …의 머리를 때려서 띵하게 하다 **~ *another*[*a different*] *song*[*tune*]** 곡조[논조(論調), 태도]를 바꾸다; (특히) 겸손해지다 **~ *for* one*'s supper 대접받고 응분의 답례를 하다, 알맞은 보답을 하다 **~ *of*** 〈공적 등을〉 노래로 지어 부르다, 노래하여 찬양하다 **~ *out*** (속어) 소리 지르다, 큰 소리로 말하다; 부르다 **~ *small*** (지거나 야단맞고) 얌전해지다, 풀이 죽다 **~ *the praises of*** a person = ~ a person*'s praises* …을 칭찬[찬양]하다 **~ *the same song*** 같은 말을 되풀이하다 **~ *up*** 소리를 더 크게 하여 노래하다 The song has been ***sung to death.*** (그 노래는) 너무 들어서 싫증이 난다.

lapse, immorality (opp. *virtue, good*)
sincere *a.* **1** 참된, 진실의 genuine, real, true, unfeigned, unaffected, serious, earnest **2** 정직한 honest, trustworthy, frank, candid

— *n.* Ⓤ **1** 노래 부름, 노래; Ⓒ ((미)) 합창회(의 모임) ((영)) singsong) **2** (총알 등이) 핑 날아가는 소리, 쌩하는 소리, 윙윙 소리 ***on the*** ~ 〈끓는 주전자 등이〉 픽픽 소리를 내어 **~·a·ble** *a.* 노래할 수 있는, 노래하기 쉬운 ▷ sóng *n.*

sing. single; singular

sing·a·long [síŋəlɔ̀:ŋ | -lɔ̀ŋ] *n.* ((구어)) 노래부르기 위한 모임(songfest)

Sin·ga·pore [síŋgəpɔ̀:r] *n.* **1** 싱가포르 ((말레이 반도 남단에 위치한 공화국; 말레이시아에서 분리 독립(1965)한 영연방 가맹국의 하나; 그 수도)) **2** 싱가포르 섬

Sin·ga·po·re·an [sìŋgəpɔ́:riən] *a.* 싱가포르의

— *n.* 싱가포르 사람

Síngapore slíng 싱가포르 슬링 ((진과 체리 브랜디의 칵테일))

singe [síndʒ] *v.* (~**d**) *vt.* **1** …의 표면을 태우다, 그을리다(scorch) **2** 〈새·돼지 등의〉 털을 태워 없애다; 〈천의〉 보풀을 태워 없애다 **3** 〈명성 등을〉 손상시키다

— *vi.* 그을리다, 표면[거죽]이 타다

~ one***'s feathers*** [***wings***] (모험 등에) 실패하다, 실패하여 손해를 입다; 명성을 손상하다

— *n.* 그을림; 그을린 자국

‡sing·er[1] [síŋər] *n.* **1** 노래하는 사람, 가수, 성악가 **2** 우는 새, 명금(鳴禽) **3** 시인 **4** (미·속어) (특히 암흑가에서) 밀고자

sing·er[2] [síndʒər] *n.* 표면[털]을 태우는[그을리는] 사람[것], 머리칼 지지는 사람[기구]

sing·er-song·writ·er [síŋərsɔ́:ŋràitər | -sɔ́ŋ-] *n.* 가수 겸 작곡[작사]가

Sin·gha·lese [sìŋgəlí:z, -lí:s | -lí:z] *a., n.* (*pl.* ~) = SINHALESE

sing-in [síŋìn] *n.* ((미·구어)) (청중이 참가하는) 합창 모임

‡sing·ing [síŋiŋ] *n.* Ⓤ **1** 노래 부름, 노래, 노래하는 소리, 성악, 독창 **2** 지저귐; 소리 남, 휭휭[핑핑]하는 소리 **3** 귀울림 **4** 〖물리〗 명음(鳴音)

— *a.* 노래하는, 지저귀는

sínging bìrd = SONGBIRD

sing·ing-man [síŋiŋmæ̀n] *n.* (*pl.* **-men** [-mèn]) ((영)) 직업 가수

sing·ing-mas·ter [-mæ̀stər] *n.* 노래 선생, 성악 교사; (교회의) 성가대 지휘자

sínging schòol 음악 학교[교습소]

‡sin·gle [síŋgl] *a.* **1** Ⓐ 단 하나의, 단 한 개의(unique), 단독의: a ~ survivor 단 한 사람의 생존자

> 유의어 **single** double, triple 등의 상대되는 말로서 단일성을 강조 **sole** one and no more로서 단일성과 독자성을 강조 **only** 단일무이(單一無二)의 뜻에서 무비(無比)의 뜻

2 Ⓐ 1인용의; 독채의: a ~ bed 1인용 침대 **3** 혼자의, 고독한; 독신의(opp. *married*): (a) ~ life 독신 생활 / a ~ man 독신 남성 **4** ((고어)) 성실한, 정직한; 일편단심의, 순수한 **5** Ⓐ 각각의, 개개의: every ~ person 각 개인 **6** Ⓐ 단일의; 〖부기〗 단식(單式)의 **7** 〖식물〗 단판(單瓣)의, 외겹의(opp. *double*) **8** Ⓐ ((영)) 편도(片道)의(((미)) one-way) 〈차표〉(cf. RETURN) **9** Ⓐ 〖경기〗 단 둘이서 싸우는, 1대 1의 **10** 일치한, 단결한 **11** Ⓐ 일률적인, 모두에 공통의: a ~ pay scale for men and women 남녀 공통의 급여 체계

remain ~ 독신으로 지내다 ~ ***blessedness*** ((익살)) (마음 편한) 독신 (상태) ~ ***eye*** [***heart, mind***] 〖성서〗 바른[옳은] 눈[마음](cf. EVIL EYE) ***with a*** ~ ***eye*** 성실히, 일편단심으로

— *n.* **1 a** 단일, 한 개 **b** 한 사람; (호텔 등의) 1인용 방 **c** (젊은) 독신자 **d** (극장의) 1인석의 좌석표 **2** ((영)) 편도 차표(= ~ ticket)(((미)) one-way ticket) **3** [*pl.*] 〖테니스〗 싱글스, 단식 (경기)(cf. DOUBLE 4); 〖골프〗 2인 경기 **4** [보통 *pl.*] ((미·구어)) 1달러 지폐, ((영)) 1파운드 지폐 **5** (레코드의) 싱글판(cf. EP, LP) **6** 〖야구〗 1루타(one-base hit); 1루수 **7** (카드놀이에서 5점 승부의) 5 : 4의 승리 **8** [*pl.*] 외겹의 꼰실 **9** 〖식물〗 한 겹의 꽃, 단판화

— *vt.* **1** 골라내다, 선발하다, 발탁하다 ((*out*)): (~+목+부) We have ~*d* you *out* from all the candidates. 우리는 여러분을 모든 지원자들 중에서 선발했다. **2** 〖야구〗 〈1루타를〉 치다, 득점을 (싱글 히트에 의해) 올리다 ((*in, home*))

— *vi.* 〖야구〗 1루타를 치다

▷ singulárity, síngleness *n.*; síngular *a.*; síngly *ad.*

sin·gle-act·ing [síŋglæ̀ktiŋ] *a.* 〖기계〗 한쪽 방향으로 움직이는, 단동식(單動式)의, 단작용의(cf. DOUBLE-ACTING)

sin·gle-ac·tion [-æ̀kʃən] *a.* **1** 〈총이〉 단발식의 **2** = SINGLE-ACTING

sín·gle-án·swer mèthod [-ǽnsər- | -ɑ́:n-] 찬반(贊反) 질문법

sin·gle-bar·rel [-bǽrəl] *n.* 단신총(單身銃)

sin·gle-blind [-bláind] *a.* 〖의학〗 단순 맹검(盲檢)의 ((약·치료법의 내용을 피실험자는 모르고 하는 실험 방법; cf. DOUBLE-BLIND))

síngle bónd 〖화학〗 단일 결합(單一結合)

sin·gle-breast·ed [-bréstid] *a.* 〈양복 저고리 등이〉 싱글의, 단추가 외줄인(cf. DOUBLE-BREASTED)

sin·gle-cell [-sél] *a.* 〖생물〗 단세포의

síngle-céll prótein 〖생화학〗 단세포 단백질 ((석유의 미생물·효모 발효에 의해 생산된 단백질; 略 SCP))

sin·gle-chip [-tʃìp] *a.* 〖전자〗 단일 칩의

síngle cómbat 1대 1의 싸움

sín·gle-cóp·y sàles [-kɑ́pi- | -kɔ́pi-] (잡지의) 낱권 판매 ((예약 구독(subscription)에 반대되는 말; 특히 newsstand에서의 판매))

síngle créam ((영)) (커피·홍차용) 크림 ((지방 함유율이 약 18%))

síngle cróss 〖생물〗 (같은 종(種)간의) 제1대 잡종

single-cut [síŋglkʌ́t] *a.* 〈줄칼의 날이〉 외날인 ((줄눈이 한 방향으로만 평행으로 나 있는))

sin·gle-deck·er [-dékər] *n.* 단층선(船)[함(艦)]; ((영)) 2층 없는 전차[버스](cf. DOUBLE-DECKER)

— *a.* 1층만의 〈관람석·버스〉

sin·gle-den·si·ty [-dènsəti] *n., a.* 〖컴퓨터〗 단일 밀도(의)

sin·gle-dig·it [-dídʒit] *a.* 한 자릿수의, 10퍼센트 미만의: ~ inflation 10% 미만의 인플레

sin·gle-en·ten·dre [-ɑ:ntɑ́:ndrə] *n.* 꼭 들어맞는 말, 결정적인 한 마디; 노골적인 말투

síngle éntry 〖부기〗 단식 기장법(cf. DOUBLE ENTRY): by ~ 단식 부기로

sin·gle-eyed [-áid] *a.* **1** 홑눈의, 단안(單眼)의 **2** 외곬의, 골똘한, 곁눈 팔지 않는 **3** 순진한, 성실한

síngle fígures 한 자릿수, 10보다 작은 수: Inflation is down to ~. 인플레가 한 자릿수로 내려갔다.

síngle fíle 〖군사〗 1렬 종대(로)(Indian file)

in ~ 1렬 종대로

sin·gle-fire [-fáiər] *a.* 〈탄약통 등이〉 단발(單發)의

sin·gle-foot [-fùt] *n., vi.* 〖승마〗 가벼운 구보(로 달리다) **~·er** *n.*

sin·gle-hand·ed [-hǽndid] *a., ad.* 한 손의[으로], 혼자 힘의[으로]; 단독의[으로], 독립의[으로] **~·ly** *ad.* **~·ness** *n.*

sin·gle-hand·er [-hǽndər] *n.* 단독 항해하는 사람

sin·gle-heart·ed [-hɑ́:rtid] *a.* 순진한, 진심의, 성실한; 일편단심의 **~·ly** *ad.* **~·ness** *n.*

sin·gle·hood [síŋglhùd] *n.* Ⓤ 독신 (상태)

> **thesaurus** **single** *a.* **1** 단 하나의 one, sole, lone, solitary, unique, isolated, exclusive **2** 독신의 unmarried, unwed, partnerless, spouseless **3** 개개의 individual, particular, separate, distinct
> **singular** *a.* extraordinary, exceptional, rare,

sin·gle-is·sue [síŋglìʃu:] *a.* 〈정당 등이〉 단일 문제만을 호소하는, 단일 주장[정책]의: ~ group 《미》 단일 쟁점 집단《환경 보호 단체 등》
sin·gle-jack [-dʒæ̀k] *n.* 《미·속어》 외발[외팔, 외눈]의 거지
síngle knòt =OVERHAND KNOT
sín·gle-lens réflex [-lènz-] 일안(一眼) 반사형 카메라《略 SLR》
sin·gle-line [-láin] *a.* 일방통행의; 단일 품목의
sin·gle-load·er [-lóudər] *n.* 단발총
sìngle márket (EC 회원국 간의) 단일 시장
sin·gle-mind·ed [-máindid] *a.* (한 가지 목적에만) 전념하는, 성실한; 한결같은 **~·ly** *ad.* **~·ness** *n.*
síngle móther 미혼모, 모자 가정의 모친
sín·gle-náme pàper [-néim-] 〔은행〕 단명(單名) 어음
sin·gle·ness [síŋglnis] *n.* Ⓤ 단일, 단독; 독신; 전심, 일편단심 **~ *of purpose*** [***eye, mind***] 성심, 일심불란(一心不亂)
sin·gle-o [síŋglòu] *a.* 《미·속어》 **1** 독신의, 독신자의 **2** (범죄가) 단독범의
síngle párent 홀어버이, 편친(偏親)
sín·gle-par·ent fàmily [-pɛ̀ərənt | -pɛ̀ər-] 편친 가정, 한부모 가정
sin·gle-phase [-féiz] *a.* 〔전기〕 단상(單相)의: a ~ current[motor] 단상 전류[전동기]
sin·gle-piece [-pí:s] *a.* 일체 성형(成形)의 《창틀 등이 짜맞추지 않고 하나로 된》
síngle precísion 〔컴퓨터〕 단일 정밀도
síngle prémium 〔보험〕 일시불 보험료
sin·gles [síŋglz] *n.* (*pl.* ~) =SINGLE *n.* 3
síngles bàr 《미·캐나다》 싱글스바(dating bar) 《독신 남녀가 데이트 상대를 찾아 모이는 술집》
sin·gle-seat·er [síŋglsí:tər] *n.* 단좌(單座)[1인승] 비행기[자동차]
sin·gle-ser·vice [-sə̀:rvis] *a.* 〈음식 등이〉 1인분의, 1회분의
sin·gle-sex [-sèks] *a.* 〈교육·직업 훈련 등이〉 (남·녀) 한쪽 성만을 위한; 양성 공통이 아닌, (남녀)공학이 아닌
sín·gle-shót probabìlity [-ʃát- | -ʃɔ́t-] 단일 사탄 명중 공산(單一射彈命中公算)
síngle sídeband 〔통신〕 단측파대(單側波帶) 《略 SSB》
sin·gle-sit [-sìt] *n.* 《영》 독신자용 집[아파트]
sin·gle-space [-spéis] *vt.*, *vi.* 행간 여백 없이 타이프치다(cf. DOUBLE-SPACE)
sin·gle-stage [-stéidʒ] *a.* 단식의 〈로켓〉
síngle stándard **1** 단본위제(單本位制) 《금·은 등의 한 종류만을 본위 화폐로 하는》 **2** 단일 기준 《남녀 공통의[평등한] (성)도덕률》
sin·gle-step [-stép] *vt.* 〔컴퓨터〕 (프로그램에) 한 조작마다 하나씩 명령을 주다
sin·gle·stick [-stìk] *n.* 목검(木劍); Ⓤ 목검술[시합]
sin·gle-stick·er [-stìkər] *n.* 《구어》 외돛대의 요트
sin·glet [síŋglit] *n.* **1** 《영》 (남자용) 내의, 셔츠, 운동복(cf. DOUBLET 1) **2** 단일체(의 물건)
síngle tàx 《미》 단세제(單稅制), 단일 물건 과세제, 《특히》 토지 단세제(cf. MULTIPLE tax)
síngle tícket 《영》 편도(片道)표(《미》 one-way ticket)(cf. RETURN TICKET)
sin·gle·ton [síŋgltn] *n.* **1** 하나씩 일어나는 일[것], 홀로인 것, 독자(獨子) **2** (카드놀이의) 한 장 패(의 수)
sin·gle-tongue [síŋgltʌ̀ŋ] *vt.* 〔음악〕 (취주 악기에서) 〈빠른 템포의 악절을〉 단절법(單切法)으로 연주하다
sin·gle-track [-træ̀k] *a.* **1** 〔철도〕 단선(單線)의 **2** 한쪽 방향으로밖에 나아가지 못하는[행동하지 못하는]; 융통성이 없는
síngle transférable vóte 〔선거〕 단기 이양식 투표《유권자가 지지하는 후보에 순위를 매겨 투표하는》
sin·gle·tree [-trì:] *n.* =WHIPPLETREE
sin·gle-use [-jú:s] *a.* Ⓐ 1회용의
sin·gly [síŋgli] *ad.* **1** 단독으로, 독력으로 **2** 하나[한 사람]씩; 따로따로(individually): Misfortunes never come ~. (속담) 엎친 데 덮친 격, 설상가상. **3** 성실하게, 정직하게 **4** 《고어》 단지 …만(only, solely)
Sing Sing [síŋ-sìŋ] 싱싱 형무소《미국 New York 주 Ossining의 주립 교도소》
sing·song [síŋsɔ̀:ŋ | -sɔ̀ŋ] *n.* **1** 단조로운 가락의 시가(詩歌), 억양 없는 단조로운 말투: in a ~ 단조롭게 **2** 엉터리 시 **3** 《영》 즉석 합창회(《미》 sing)
— *a.* Ⓐ 단조로운, 억양이 없는; 평범한
— *vt.*, *vi.* 억양이 없는 목소리로[단조롭게] 읽다[이야기하다]
‡sin·gu·lar [síŋgjulər] *a.*, *n.*

> single(단일의)과 같은 어원.
> ┌「단수의」
> └(하나만 다른) →「유별난」

— *a.* **1** 남다른, 특이한, 희귀한, 희한한, 보기 드문, 비범한(unusual); 기이한: a woman of ~ beauty 보기 드문 미인 / a ~ event 기괴한 사건 **2** 둘도 없는, 유례없는: ~ in history 사상 유례없는 **3** 단 하나[한 사람]의, 단일의, 단독의; 〔문법〕 단수의(cf. PLURAL); 〔논리〕 단칭(單稱)의 **4** 〔법〕 각자의(individual), 각개의(separate)
— *n.* 〔문법〕 단수(형); 단수형의 낱말
~·ness *n.* =SINGULARITY
▷ singulárity *n.*; síngle *a.*
sin·gu·lar·i·ty [sìŋgjulǽrəti] *n.* Ⓤ **1** 특이(特異), 희유(稀有), 희한; 기묘, 색다름; Ⓒ 특성, 특이성(peculiarity) **2** 단독, 단일; 〔문법〕 단수성 **3** 〔수학〕 특이점(singular point)
sin·gu·lar·ize [síŋgjulərὰiz] *vt.* **1** 〔문법〕 단수화하다, 단수형으로 하다 **2** 기묘하게 하다, 두드러지게 하다(distinguish) **sìn·gu·lar·i·zá·tion** *n.*
***sin·gu·lar·ly** [síŋgjulərli] *ad.* **1** 이상[기묘]하게: be ~ dressed 괴상한 옷차림을 하고 있다 **2** 남다르게, 유별나게, 대단히: a ~ charming woman 뛰어나게 매력적인 여자 **3** 〔문법〕 단수로[로서]
sin·gul·tus [siŋgʌ́ltəs] *n.* 〔의학〕 딸국질(hiccup)
Sin·ha·la [sínhələ] *n.* =SINHALESE 2
Sin·ha·lese, Sin·gha·lese [sìnhəlí:z] *n.* (*pl.* ~) **1** 신할라 사람; [the ~] 신할라 족《Sri Lanka의 주요 민족》 **2** Ⓤ 신할라 말 **—** *a.* 신할라 (사람[말])의
Si·ni·cism [sínəsìzm] *n.* Ⓤ 중국 특유의 것, 중국풍[식], 중국적인 풍습[관례]
Si·ni·cize [sínəsàiz] *vt.* 중국화하다; 중국풍으로 하다
***sin·is·ter** [sínəstər] 〔L 「왼쪽」의 뜻에서; 왼쪽은 불길하다고 생각된 데서〕 *a.* **1** 〈조짐 등이〉 불길한, 재수 없는; 재앙이 되는: ~ symptoms 불길한 징후 **2** 악의가 있는, 사악한, 음흉한 〈계획 등〉 **3** 《익살》 왼쪽의(opp. *dexter*); 〈문장(紋章)이〉 (방패의) 왼쪽의 《마주보아 오른쪽》 **~·ly** *ad.* **~·ness** *n.* ▷ sínistral *a.*
si·nis·tral [sínəstrəl] *a.* **1** 〔패류〕 왼편으로 감긴 **2** 왼쪽의, 왼손잡이의(opp. *dextral*) **~·ly** *ad.*
sin·is·tral·i·ty [sìnəstrǽləti] *n.* Ⓤ 왼손[왼쪽]을 쓰기
sin·is·tro·dex·tral [sìnəstroudékstrəl, sinìs-] *a.* 왼쪽에서 오른쪽으로 움직이는
sin·is·trorse [sínəstrɔ̀:rs, siníst rɔ:rs] *a.* 〔식물〕 왼쪽으로 감기는(opp. *dextrorse*) **~·ly** *ad.*
‡sink [síŋk] *v.* (**sank** [sǽŋk], 《고어·미》 **sunk** [sʌ́ŋk]; **sunk, sunk·en** [sʌ́ŋkən]) ★ sunken은 오늘날 보통 형용사로서만 쓰임. *vi.* **1** 〈무거운 것이〉 가

---

unusual, unique, remarkable, outstanding
sinister *a.* **1** 불길한 ominous, ill-omened, inauspicious, portentous (opp. *auspicious*) **2** 사악한 evil, wicked, bad, villainous, malevolent, vile, vicious, malicious (opp. *benevolent, good, innocent*)

라앉다, 침몰하다: (~+전+명) The boat *sank to* the depths of the sea. 그 보트는 깊은 해저로 가라앉았다. **2** 〈해·달 등이〉 지다, 보이지 않게 되다: (~+전+명) The sun was *~ing in* the west. 해가 서쪽으로 지고 있었다. **3** 〈지반·건물 등이〉 **내려앉다**, 함몰하다; 〈토지가〉 기울다, 경사지다 (*to, toward*): (~+전+명) The road *~s toward* the river. 그 길은 강쪽으로 내리막이 되어 있다. / Ground *sank under* my feet. 발 밑의 땅이 함몰했다[꺼졌다]. **4 쇠약해지다**, 기진하다, 위독한 상태가 되다; 〈사람이〉 (맥없이) **쓰러지다**, 풀썩 주저앉다 (*back, down, to, into, on, onto, over*): (~+전+명) ~ *from* exhaustion 피로로 쇠약해지다 // (~+부) (~+전+명) She *sank down* wearily into a chair. 그녀는 의자에 맥없이 풀썩 주저앉았다. **5** 〈구름 등이〉 내려오다, 내리덮다, 내리다, (시야에서) 보이지 않게 되다 (*in, behind, below, beyond*): (~+전+명) Silence *sank on* all around. 사방이 고요해졌다. **6** 〈눈이〉 움푹 들어가다, 쑥 들어가다; 〈볼의 살이〉 빠지다: (~+부) His cheeks have *sunk in.* 그의 볼이 홀쭉해졌다. **7** 〈가치·가격 등이〉 하락하다; 〈수량 등이〉 감소하다, 줄어들다: The dollar is *~ing.* 달러(의 가치)가 떨어지고 있다. // (~+전+명) The stock *sank to* nothing. 재고가 바닥이 났다. **8** 〈고개가〉 수그러지다; 〈팔이〉 아래로 늘어지다 (droop), 〈눈이〉 아래를 향하다; 풀이 죽다, 낙담하다, 의기소침하다: (~+부) (~+전+명) His head *sank down on* his chest. 그의 고개가 푹 수그러졌다. **9** 〈바람·불길·홍수 등이〉 **약해지다**, 쇠퇴하다, 가라앉다, 〈물이〉 빠지다, 줄다(shrink); 〈소리 등이〉 낮아[약해]지다: (~+부) The flames have *sunk down.* 불길이 약해졌다. **10** (잠·망각·절망 등에) **빠지다**, …로 되다 (*in, into*): (~+전+명) ~ *into* silence 침묵하다 **11** 타락[몰락, 영락]하다; 〈지위·명성 등을〉 잃다 (*into*): (~+전+명) ~ *into* evil habits[poverty] 악습[빈곤]에 빠지다 **12** 스며들다, 침투하다; 〈교훈 등이〉 마음에 새겨지다, 이해되다: (~+전+명) The rain *sank through* the clothes. 빗물이 옷에 스며들었다. // (~+부) (~+전+명) His sayings have *sunk deep into* my mind. 그의 말은 나에게 깊은 감명을 주었다.

— *vt.* **1 가라앉히다**, 침몰시키다, 격침시키다 **2** 〈우물·굴을〉 파들어가다, 〈땅을〉 파다 **3** 새기다, 파다, 조각하다: ~ a die 주형[바탕]을 파다 **4** 빠져들게 하다, 처박아 넣다, 〈말뚝·파이프 따위를〉 박다, 묻다: (~+목+전+명) ~ piles *into* the ground 땅에 말뚝을 박다 **5** 〈두레박 등을〉 내리다; 〈시선·고개 등을〉 떨어뜨리다, 숙이다, 낮추다: (~+목+전+명) ~ one's head *on* one's chest 고개를 푹 숙이다 **6** 〈물을〉 줄이다, 빼다 **7** 〈소리·곡조를〉 낮추다: (~+목+전+명) *S~* your voice *to* a whisper. 목소리를 낮추어 속삭이는 소리로 말하시오. **8** 〈빚을〉 갚다, 상환하다, 청산하다: ~ the principal 원금을 갚다 **9** 〈수량을〉 감소시키다; 〈가격·가치 등을〉 낮추다, 내리다; 〈평가·권위 등을〉 낮추다, 떨어뜨리다 **10** 〈계획 등을〉 망치다, 파멸시키다, 약화시키다: (~+목+전+명) Their crime has *sunk* them *to* the dust. 죄악이 그들을 멸망시켰다. **11** 〈자본을〉 고정시키다; …에 투자하다 (*in*); (운이 나쁜 투자로) …에 손해를 보다: (~+목+전+명) ~ one's capital *in* a mine 광산에 투자하다 **12** 〈성명·직업 등 신분을〉 감추고 말하지 않다, 불문에 붙이다, 무시하다(ignore), 억누르다; 빼다, 생략하다(omit): We *sank* our differences. 우리는 의견 차이를 무시했다. **13** 〖스포츠〗 〈공을〉 바스켓[구멍, 포켓]에 넣다 **14** 〖항해〗 (배가 멀어져서) …이 보이지 않게 하다, (육지 등에서) 멀어지다 **15** 〖인쇄〗 〈행을〉 내려서 짜다

My heart sank* (*within me*).** 낙담했다. ***~ a basket (속어) 농구 골을 넣다 ***~ in*** 서서히 이해되다 ***~ in a person's estimation*** …의 신용을 잃다 ***~ into*** …에 스며들다; …에 파고들다; 차츰 …이 되다 ***~ oneself* [*one's own interests*]** 자기[자기의 이익]를 버리고 남의 이익을 꾀하다 ***~ or swim*** 흥하느냐 망하느냐; 죽느냐 사느냐 ***~ tooth into*** (미·속어) …을 먹다 ***~ under a burden*** 무거운 짐[중책]을 감당하지 못하다

— *n.* **1** (부엌의) **싱크대**, 개수통; (미) 세면대 **2 a** 물 버리는 곳, 하수구; 수채통 **b** 물이 괴는 낮은 땅 **3** (문어) (악 등의) 소굴 (*of*) **4** 〖연극〗 배경을 아래위로 움직이기 위한 홈 ***everything* [*all*] *but the kitchen ~*** (구어·익살) (필요 이상으로) 많은 것, 무엇이나 다

sink·a·ble [síŋkəbl] *a.* 가라앉힐 수 있는, 침몰할 우려가 있는

sink·age [síŋkidʒ] *n.* **1** Ⓤ 가라앉음, 침하, 함몰 **2** 우묵 팬 곳, 구덩이 **3** = SHRINKAGE

sink·er [síŋkər] *n.* **1** 가라앉(히)는 것[사람] **2** 우물 파는 사람; 조각하는[새기는] 사람 **3** (낚싯줄·그물 등의) 추 **4** (미·구어) 도넛; 1달러 **5** 〖야구〗 싱커(= ~ **bàll**) (공을 회전시키지 않는 곡구)

sink·hole [síŋkhòul] *n* **1** 싱크홀 (석회암 지방의 절구 모양으로 팬 땅) **2** (개숫물 등의) 구멍; (악의) 소굴 **3** (미·구어) 수지 맞지 않는 사업

sink·ing [síŋkiŋ] *n.* ⓊⒸ 가라앉음, 함몰; 쇠약, 쇠약감(感), 기운 없음, 풀죽음 — *a.* 가라앉는

sínking fùnd 감채(減債)[상환] 기금

sínking spèed (비행기·조류 등의 활공시의) 강하 속도

sínking spèll (주가 등의) 일시적 하락; (건강 등의) 일시적 악화

sink-or-swim [síŋkɔ:rswím] *a.* 흥하느냐 망하느냐의, 죽느냐 사느냐의, 운명을 건

sínk schòol (영) (비행 소년이 많은) 황폐화한 학교

sínk tìdy 싱크대의 삼각형 쓰레기통

sin·less [sínlis] *a.* 죄 없는, 결백한
~·ly *ad.* **~·ness** *n.*

***sin·ner** [sínər] *n.* **1** (종교·도덕상의) **죄인**, 죄 있는 사람, 죄 많은 사람; 불신자(不信者) **2** (가벼운 뜻으로) 개구쟁이, 녀석: a young ~ (익살) 젊은이
as I am a ~ 정말로, 확실히

Sínn Féin [ʃín-féin] [Ir. 「우리 자신」의 뜻에서] (아일랜드의 완전 독립을 위하여 1905년에 결성된) 신페인당, 신페인 당원(Sinn Feinner); 신페인 운동

Sino- [sáinou, -nə, sí-] (연결형) 「중국…」의 뜻

si·no·á·tri·al nóde [sàinouéitriəl-] 〖해부〗 동방결절(洞房結節)(sinus node) (심장의 수축을 시작하는 충동(衝動)을 일으키고 심박(心拍)의 조정 작용을 함)

sín òffering 속죄를 위한 제물

Si·no-Jap·a·nese [sàinoudʒæ̀pəní:z] *a.* 중국과 일본 간의: the ~ War 청일(淸日) 전쟁

Si·no-Ko·re·an [sàinoukərí:ən] *a.* 한중(韓中)의: the ~ relations[trade] 한중 관계[무역]

Si·nol·o·gist [sainɑ́lədʒist, si- | -nɔ́-], **Si·no·logue** [sáinəlɔ̀:g | -lɔ̀g] *n.* [때로 **s~**] 중국학자, 중국 연구가, 중국통

Si·nol·o·gy [sainɑ́lədʒi, si- | -nɔ́-] *n.* Ⓤ 중국학 (중국의 언어·역사·제도·풍습을 연구하는 학문)
Si·no·lóg·i·cal *a.*

Si·no·phile [sáinəfàil, sínə-] *a., n.* Ⓤ 중국을 좋아하는 (사람)

Si·no·phobe [sáinəfòub, sínə-] *a., n.* 중국을 혐오하는 (사람)

Si·no·pho·bi·a [sàinəfóubiə, sìnə-] *n.* Ⓤ 중국 혐오, 중국 공포증

Si·no-Ti·bet·an [sàinoutibétən, sìnə-] *n., a.* Ⓤ 지나·티베트 어족(의) (Chinese, Thai, Tibetan, Burmese 등)

SINS *s*hip's *i*nertial *n*avigation *s*ystem 선박 관성 항행 장치

sin·se·mil·la [sìnsəmíljə] *n.* 신세밀랴((미·속어) sinse [síns]) (씨 없는 대마에서 채취한 마리화나; 매

thesaurus **sink** *v.* **1** 가라앉다 go under, submerge, founder, capsize **2** 함몰하다 collapse, cave in, fall in **3** 쇠약해지다 decline, fade, fail, deterio-

우 강도 높은 THC를 함유》
sín sùbsidy 죄악 보조 《부부의 경우보다 미혼의 두 사람이 소득세가 더 적은 경우》
sín tàx 《미·구어》 (술·담배·도박 등의) 죄악세
sin·ter [síntər] *n.* Ⓤ **1** 온천 침전물, 규화(硅華), 탕화(湯花) **2** 〖야금〗 소결물(燒結物) **—** *vt., vi.* 〖야금〗 소결시키다[하다] **sìn·ter·a·bíl·i·ty** *n.*
sin·u·ate [sínjuət, -njuèit] *a.* **1** 꾸불꾸불한(winding) **2** 〖식물〗 〈잎 가장자리가〉 물결 모양의(sinuated) **—** [-èit] *vi.* 꼬불꼬불 굽이치다; 〈뱀 등이〉 꾸불꾸불 기다 **sìn·u·á·tion** *n.* 꾸불꾸불함, 굴곡
sin·u·at·ed [sínjuèitid] *a.* = SINUATE
sin·u·os·i·ty [sìnjuásəti | -ɔ́sə-] *n.* (*pl.* **-ties**) **1** Ⓤ 꾸불꾸불(함), 만곡, 굽이 **2** (강·길의) 굽이, 만곡부 **3** 복잡함
sin·u·ous [sínjuəs] *a.* 꾸불꾸불한, 물결 모양의; 완곡한, 간접적인 〈이야기 등〉; 복잡한
~·ly *ad.* **~·ness** *n.*
si·nus [sáinəs] *n.* (*pl.* **~·es**) **1** 〖해부·동물〗 공동(空洞)(cavity), 두(竇); 〖의학〗 누(瘻)(fistula); 〖식물〗 결각(缺刻) **2** 구멍; 굽이, 만곡(부) **~·lìke** *a.*
si·nus·i·tis [sàinəsáitis] *n.* Ⓤ 〖병리〗 정맥두염(靜脈竇炎); 부비강염(副鼻腔炎)
si·nus·oid [sáinəsɔ̀id] *n.* 〖수학〗 사인 곡선(sine curve); 〖해부〗 유동(類洞), 동양 혈관(洞樣血管)
si·nus·oi·dal [sàinəsɔ́idl] *a.* **si·nu·sói·dal·ly** *ad.*
sinusóidal projèction (지도의) 상송(Sanson) 도법; 정현(正弦) 곡선 도법
Si·on [sáiən] *n.* = ZION
-sion [ʃən, ʒən] *suf.* -tion처럼 동작[상태]을 나타내는 추상명사를 만듦: compul*sion*
Siou·an [sú:ən] *n.* (*pl.* **~, ~s**) **1** 〖언어〗 (북미 인디언의) 수(Sioux) 어족(語族) **2** [the ~(s)] 수 족 《수 어족에 속하는 언어를 사용하는 종족》
— *a.* 수 어족[수 족]의
Sioux [sú:] *n.* (*pl.* ~ [-z]) Sioux족의 사람 《북미 인디언의 한 종족》 **—** *a.* Sioux 사람의
Síoux Stàte [the ~] North Dakota주의 속칭
‡**sip** [síp] *v.* (**~ped**; **~·ping**) *vt.* 〈액체를〉 찔끔찔끔 마시다, 조금씩[음미하며] 마시다(⇨ drink 유의어): He sat at the table *~ping* his coffee. 그는 테이블에 앉아서 커피를 조금씩 마셨다.
—*vi.* 조금씩 마시다 《*at*》
—*n.* (음료의) 한 모금, (한 번) 찔끔: take a ~ 한 모금 마시다 **~·ping·ly** *ad.*
SIPC [sípik] [*S*ecurities *I*nvestor *P*rotection *C*orporation] *n.* 《미》 증권 투자가 보호 기관
∗**si·phon** [sáifən] [Gk 「관」의 뜻에서] *n.* **1** 사이펀, 빨아올리는 관, 빨대 **2** 사이펀 병(= ~ **bòttle**); 탄산수병 **3** 〖동물〗 수관(水管), 흡관(吸管)
—*vt.* **1** 사이펀으로 빨아올리다[옮기다], 빨대로 빨아올리다 《*from, off, out*》: (~+목+전+명) ~ gasoline *from* a tank 사이펀으로 탱크에서 휘발유를 빨아올리다 **2** 〈이익 등을〉 흡수하다, 빨아들이다 《*off*》; 〈자금 등을〉 유용(流用)하다 《*off*》: Heavy taxes ~ *off* the huge profits. 무거운 세금이 막대한 이익을 빨아들인다.
—*vi.* 사이펀을 통과하다[지나가다], 사이펀에서(처럼) 흘러나오다: (~+전+명) A fine spray ~*s from* the hole. 가늘고 잔 분무(噴霧)가 구멍에서 흘러나온다. **~·al, si·phon·ic** [saifánik | -fɔ́-] *a.*
si·phon·age [sáifənidʒ] *n.* 사이펀 작용
siphono- [sáifənou, -nə] 《연결형》 「관(tube), 사이펀」의 뜻: *siphono*stele
si·pho·no·phore [sáifənəfɔ̀:r, saifá-] *n.* 〖동물〗 관(管)해파리
sip·id [sípid] *a.* 맛이 좋은; 흥미 있는(sapid)(opp. *insipid*)
sip·per [sípər] *n.* **1** 조금씩 마시는 사람; 술꾼 **2** 《미·구어》 스트로, 빨대
sip·pet [sípit] *n.* **1** (구운·튀긴) 빵조각 《수프에 넣거나 고기에 곁들임》(crouton) **2** 조각
síp·py cùp [sípi-] 《미》 시피컵 《컵두껑에 구멍에 있어 흘림을 방지할 수 있는 유아용 컵》
Síp·py dìet[**règimen**] [sípi-] [미국의 내과의사 Bertram W. Sippy의 이름에서] 시피 식이(법) 《위궤양 환자를 위한 식이법》
SIPRI [sípri] [*S*tockholm *I*nternational *P*eace *R*esearch *I*nstitute] *n.* 스톡홀름 국제 평화 연구소
‡**sir** [sə́:r, sər] *n.* **1 a** 님, 씨, 귀하, 선생, 각하 《손윗사람 또는 의회에서 의장에 대한 경칭》: Good morning, ~. 안녕하십니까? **b** 여봐, 야, 이놈 《꾸짖거나 빈정거릴 때》: Will you be quiet, ~! 여봐, 조용히 해! **c** [**S~**] 근계(謹啓) 《편지의 머리말》; [*pl.*] 각위, 제위, 귀중 《회사 등에 대한 상용문(商用文)의 경우; 미국에서는 보통 Gentlemen을 사용함》 **d** 《고어》 직업 앞에 붙이는 남자의 경칭: ~ priest 목사[신부]님 **2** [**S~**] 경(卿)(cf. BARONET, KNIGHT) 《영국에서는 준남작(準男爵) 또는 나이트작(爵)의 이름 앞에 사용함; 성(surname)에는 붙이지 않음》: *S~* Isaac (Newton) 아이삭 (뉴튼)경 ***No, ~!*** 《미·구어》 천만에, 물론 [절대로] 아닙니다. ***Yes, ~!*** 《미·구어》 정말입니다.
—*vt.* (**~red, sir'd**[sə́:rd]; **~·ring**) …에게 sir라고 부르다
sir·car [sə́:rka:r, ─́ | ─́─] *n.* 《인도》 **1** 정부, 정청(政廳)(government) **2** 나리 《경칭》 **3** 집사(執事); 회계 담당자
sir·dar [sə́:rda:r | sə́:da:] *n.* (인도·파키스탄·아프가니스탄의) 사령관, 고관; (이집트·터키의) 군사령관; Sikh 교도
∗**sire** [sáiər] *n.* **1** (말 따위의) 아비(cf. DAM[2]); 종마(種馬) **2** 《시어》 아버지, 조상 **3** 《고어·호칭》 폐하(陛下)
—*vt.* 〈종마가 새끼를〉 낳게 하다
sir·ee [sərí:] *n.* [종종 **S~**] = SIRREE
∗**si·ren** [sáiərən] *n.* **1** 사이렌, 호적(號笛), 고동: an ambulance ~ 구급차의 사이렌 **2** [종종 **S~**] 〖그리스 신화〗 사이렌 《반은 여자이고 반은 새인 요정으로, 아름다운 노랫소리로 지나가는 뱃사공을 꾀어 죽였다고 함》 **3** 아름다운 목소리의 여가수; 고혹적인 미인; 요부
—*a.* 사이렌의; 매혹적인
si·re·ni·an [sairí:niən] *a., n.* 〖동물〗 해우류(海牛類)의 (동물)
síren sòng 유혹[기만]의 말
síren sùit 《영》 위아래가 붙은 작업복[아동복], (원래) 방공복
Sir·i·an [síriən] *a.* 〖천문〗 Sirius의
si·ri·a·sis [siráiəsis] *n.* (*pl.* **-ses** [-sì:z]) Ⓤ 〖병리〗 일사병(sunstroke)
Sir·i·us [síriəs] *n.* 〖천문〗 시리우스, 천랑성(天狼星)(the Dog Star) 《항성 중에서 가장 밝음》
sir·kar [sə́:rka:r, ─́ | ─́─] *n.* = SIRCAR
sir·loin [sə́:rlɔin] [sir의 연상에 의한 변형; sir는 프랑스 어의 sur(위)에 해당함; 즉 허리 고기(loin) 윗부분의 살이란 뜻] *n.* ⓊⒸ 소의 허리 상부의 살
si·roc·co [sərákou | -rɔ́-] [Arab. 「동(풍)」의 뜻에서] *n.* (*pl.* **~s**) 시로코 《사하라 사막에서 지중해 연안으로 부는》; 《일반적으로》 열풍
sir·ra(h) [sírə] *n.* 《고어》 여봐, 이봐 《아랫사람이나 어린아이에게 쓰는 경멸조의 말투》
sir·ree, sir·ee [sərí:] *n.* 《미·구어》 [yes 또는 no 뒤에서] sir의 강조형: Yes, ~. 그렇고 말고요. / No, ~. (절대로) 그렇지 않습니다, 전혀 아닙니다.
sir-rev·er·ence [sə̀rrévərəns | sə̀:-] *n.* 《폐어》 외람된 말씀이오나, 실례이오나
Sir Róger de Cóv·er·ley [-kʌ́vərli] 여러 명이 두 줄이 되어 추는 영국의 컨트리 댄스
sir·up [sírəp, sə́:r-] *n., vt.* = SYRUP
sir·up·y [sírəpi, sə́:r-] *a.* = SYRUPY

---

rate, weaken, degenerate, decay **4 쓰러지다** fall, drop, descend, go down, plunge, plummet
sip *n.* mouthful, swallow, drink, drop, taste, sup

sir·vente [səːrvént], **sir·ven·tes** [sərvéntis] [F] *n.* (*pl.* **-ventes** [-vénts]) (프랑스 중세의 음유 시인이 사회악을 풍자한) 풍자시

sis [sís] *n.* (미·속어) **1** =SISTER **2** (호칭) 아가씨 **3** =SISSY

Sis [sís] *n.* 여자 이름 《Cecilia, Cecily의 애칭》

-sis [sis] *suf.* (*pl.* **-ses** [siːz]) 「과정; 활동」의 뜻

SIS Satellite Interceptor System 〖군사〗 위성 요격 시스템; Scientific Intelligence Survey 과학 정보 조사단 **S.I.S.** (영) Secret Intelligence Service

si·sal [sáisəl, sí-] *n.* 〖식물〗 사이잘초(草) 《멕시코·중미산(産) 용설란의 일종》; Ⓤ 사이잘 삼 《각종 밧줄용》(=∠ **hèmp**)

sis-boom-bah [sísbùːmbáː] *n.* (미·속어) 보는 스포츠, 《특히》 미식축구

sis·kin [sískin] *n.* 〖조류〗 검은방울새

Sis·ley [sísli] *n.* 시슬레 **Alfred ~** (1839-99) 《영국 태생의 프랑스 인상파 풍경화가》

sis·si·fied [sísəfàid] *a.* (구어) 패기 없는, 유약한

sis·soo, sis·su [sísuː] *n.* 인도산(産)의 견고 단단한 목재 《조선(造船)·침목용》

sis·sy [sísi] *n.* (*pl.* **-sies**) (구어) **1** 소녀 **2** 여자 같은 남자 아이, 뱅충이, 겁쟁이 **—** *a.* 유약한, 여자 아이 같은

síssy bàr 오토바이의 등받침 《안장 뒤의 U자를 거꾸로 한 모양의 쇠붙이》

sis·sy·ish [sísiiʃ] *a.* (구어) 소녀 같은, 나약한

‡sis·ter [sístər] *n.* **1** 여자 형제, 언니, 누이, 누이동생, 자매(opp. *brother*), 누나; 이부[모](異父[母]) 자매; 시누이, 올케, 처제, 처형, 형수, 계수 **2** 여자 친구; 동포 자매 **3** 자매처럼 친한 사람 **4** 동급 여학생, 동지[동교파]의 여자; 〖가톨릭〗 수녀; 여성 회원 **5** (영) 간호사, 《특히》 수간호사 **6** 동형(同型)·동종(同種)의 것; 자매함(姉妹艦)[선, 국, 도시] **7** (호칭·미·속어) 아가씨 ***be like ~s*** 한동기간 자매 같다, 매우 친하다 ***the Little S~s of the Poor*** 빈민 구호 수녀회 《1840년 파리에서 창립된 가톨릭 수녀회》 ***the S~s of Mercy*** [***Charity***] 자선회, 자선단 《수녀가 창설한》 ***the Three*** [***Fatal***] ***S~s*** = ***the S~s three*** 〖그리스신화〗 운명의 세 여신 ***the Weird S~s*** Shakespeare의 작품 *Macbeth*에 나오는 3인의 마녀; =the Three SISTERS

— *a.* Ⓐ 자매 (관계)의: ~ arts 자매 예술 / a ~ language 자매어 **~·less** *a.* **~·lìke** *a.* ▷ sísterly *a.*

síster àct (미·속어) (기질이 비슷한 두 사람의) 동성애 관계; 동성애 남자와 여자의 성적 관계

síster cíty 자매 도시

sis·ter-ger·man [sístərdʒə́ːrmən] *n.* (*pl.* **sis·ters-**) 친자매(cf. HALF SISTER)

sis·ter·hood [sístərhùd] *n.* **1** Ⓤ 자매임, 자매 관계, 자매의 도리[의리] **2** 여성 단체[전도회, 자선회] (sistership)

síster hòok 〖항해〗 시스터 훅 《가위처럼 된 이중 갈고리》

***sis·ter-in-law** [sístərinlɔ̀ː] *n.* (*pl.* **sis·ters-**) 형수, 제수, 처형, 처제, 시누이, 올케(cf. BROTHER-IN-LAW)

sis·ter·ly [sístərli] *a.* 자매의[같은]; 자매다운, 의가 좋은, 친한 **—** *ad.* 자매같이 **-li·ness** *n.*

síster shíp 자매선(船) 《같은 설계로 건조된 동형(同型)선》

sis·ter·ship [sístərʃip] *n.* =SISTERHOOD

sis·ter-u·ter·ine [sístərjúːtəràin] *n.* (*pl.* **sis·ters-**) 동모(同母) 자매

Sis·tine [sístiːn, -tain] *a.* 로마 교황 Sixtus의; 《특히》 Sixtus Ⅳ(1471-84) 또는 Sixtus Ⅴ(1585-90)의

Sístine Chápel [the ~] (로마의 Vatican 궁전에 있는) 로마 교황의 예배당

Sístine Madónna [the ~] (독일의 Dresden 박물관에 있는) Raphael 작품의 성모상

sis·trum [sístrəm] *n.* (*pl.* **~s, -tra** [-trə]) (고대 이집트의 제례에 쓰인) 타악기

Sis·y·phe·an [sìsəfíːən] *a.* **1** 〖그리스신화〗 Sisyphus의 **2** 끝없는, 헛수고의: ~ labor 끝없는 헛고생

Sis·y·phus [sísəfəs] *n.* 〖그리스신화〗 시시포스 《코린트의 사악한 왕으로, 사후에 지옥에 떨어져 큰 바위를 산 위로 밀어 올리는 벌을 받아 이 일을 한없이 되풀이했다고 함》

‡sit [sít] *v., n.*

기본적으로는 「앉다」의 뜻.	
㉠ ① 앉다	**1**
② (새가) 앉다	**4**
③ (회의가) 개회하다	**7**

— *v.* (**sat** [sǽt], (고어) **sate** [sǽt, séit]; **sat**; **~·ting**) *vi.* **1** 앉다; 걸터앉다, 착석하다 《*down*; *on*, *at*, *in*》(opp. *stand*): (~+전+명) ~ *at* table 식탁에 앉다 / ~ *in*[*on*] a chair 의자에 앉다 / ~ *on* one's knees 무릎을 꿇고 앉다 // (~+부) Please ~ *down*. 앉으십시오. / *S~ up* straight. 앉은 자세를 바로 하시오. **2** (초상화·사진을 위해) 포즈를 취하다(pose) 《*to*, *for*》: (~+전+명) ~ *to* a photographer 사진을 찍게 하다 / ~ *for* a painter 화가의 모델이 되다 **3** 〈물건·사태 등이〉 방치되어 있다, 그대로 있다: (~+전+명) His car *sat in* the garage. 그의 차는 차고에 넣은 채 그대로 있다. **4** 〈개 등이〉 앉다, 쭈그리다, 도사리다; 〈새가〉 앉다 《*on*》, 둥우리에 들다, 알을 품다 (brood): (~+전+명) ~ *on* his back legs 〈개가〉 뒷다리로 앉다 / ~ *on* a branch 〈새가〉 나뭇가지에 앉다 / ~ *on* eggs 알을 품다 **5** [well 등의 양태 부사와 함께] 〈옷 등이〉 맞다, 어울리다(fit); 〈지위·행동 등이〉 적합하다, 어울리다 《*on*, *upon*》: (~+부) (~+전+명) The dress *~s badly on* her. 그 옷은 그녀에게 맞지 않는다. / Conservatism *~s well upon* him. 보수주의는 그에게 어울린다. **6** 〈법관·공무원 등이〉 취임하다, 제자리에 앉다; (위원회[의회]의) 일원이다 《*in*, *on*》: (~+전+명) ~ *on* the bench 법관이다 / ~ *in* Parliament[Congress] 국회의원이다 / ~ *for* a constituency (의회에서) 선거구를 대표하다 **7 a** 〈의회·법정이〉 개회[개정]하다, 의사를 진행하다: The court *~s* next month. 공판은 다음 달에 개정합니다. / Congress is *~ting* now. 국회는 지금 개회 중이다. **b** (문어) 〈위원회 등이〉 조사하다 《*on*, *upon*》 **8** 〈바람이〉 (…에서) 불다: (~+전+명) The wind *~s in* the north. 바람이 북쪽에서 불어온다. **9** (미) 아이를 보다(baby-sit); 〈병자를〉 간호하다, 돌보다 《*with*》 **10** …에 위치하다, 놓여 있다: (~+전+명) The temple *~s among* the pine trees. 그 절은 소나무 숲 속에 있다. **11** 〈근심·슬픔·손해 등이〉 고통[부담]이 되다, 내리누르다; 〈책임·부담·손실 등이〉 걸려 있다(rest), …을 압박하다 《*on*, *upon*》; 〈음식 등이〉 얹히다: (~+전+명) Grief *~s* heavily *at* her heart. 슬픔이 그녀의 마음을 무겁게 짓누른다. / The dishes ~ *on* my stomach. 그 음식은 속이 거북하다. **12** (영) 〈시험 등을〉 치르다, 수험하다 《*for*》: (~+전+명) ~ *for* an examination 시험을 치르다 **13** (구어) (거칠게) 억누르다, 침묵시키다 《*on*》; 〈보도·조사 등을〉 억압하다, 덮어두다 《*on*》

— *vt.* **1** 앉히다, 착석시키다 《*down*》: (~+목+부) (~+목+전+명) I *sat* myself *down beside* him. 나는 그의 옆에 앉았다. / I *sat* him *down in* a chair. 그를 의자에 앉혔다. **2** 〈말·보트 등을〉 타다: (~+목+부) She *~s* her horse *well*. 그녀는 자기 말을 잘 탄다. **3** (영) 〈필기 시험을〉 치르다, 수험하다 ***be ~ting pretty*** (구어) 유리한 입장에 있다; 안락한 생활을 하고 있다 ***just ~ there*** 가만 있다, 움직이지 않다 ***not ~ well*** [***right, easily, comfortably***] (…에) 받아들여지다, 수긍되다 《*with*》 ***~ around*** [***about***] (구어) 하는 일 없이 지내다, 빈둥빈둥 보내다

thesaurus **situation** *n.* **1** 위치, 장소 location, position, place, site, setting, environment **2** 처지,

~ at home 활동하지 않다, 하는 일 없이 집에 있다 **~ at** a person**'s feet** …의 제자이다; …을 숭배하다 **~ back** 팔짱 끼고 기다리다; (의자에) 깊숙이 앉다; (작업 후에) 휴식하다 **~ by** 무관심한[소극적인] 태도를 취하다 **~ down** 앉다; 자리잡다 《*before*》; 포위하다; 일을 본격적으로 하기 시작하다 《*to*》; 연설을 끝내다; 단념하다 《*with*》 **~ down and …** 자리잡고 앉아 차분히[진지하게] …하다 **~ down** (**hard**) **on** 《구어》 …을 (완강히) 반대하다 **~ down under** 〈멸시·대우 등을〉 순순히 받다, 감수하다 **~ heavy**[**heavily**] **on** 〈먹은 음식이〉 …에게 몹시 거북하다; …을 괴롭히다, 짓누르다 **~ in** 〈시합·회의 등에〉 참가하다; 《영·구어》 (고용되어) 아이를 보다; (경기·회의 등에서) …을 대신하다 《*for*》; 연좌 데모를 하다 **~ in on** 〈토론회·학급 등을〉 참관하다, 청강하다 **~ lightly on** …에게 부담이 되지 않다 **~ loose**(**ly**) **on** 〈주의 등이〉 …에게 구애되지 않다 **~ on**[**upon**] (위원회 등의) 일원이다, …을 심리[조사]하다; 《속어》 …에게 잔소리를 하다; 괴롭히다, 지분대다; 억누르다 **~ on a lead** 〖스포츠〗 리드를 지키려고 조심스럽게 경기하다 **~ on** one**'s hands** (좀처럼) 박수치지 않다, 찬의[열의]를 보이지 않다; 적절한 대책을 세우지 않다, 수수방관하고 있다 **~ on the throne** 왕위에 오르다 **~ out** (1) 바깥 (양지쪽)에 나가서 앉다 (2) 춤에 끼지 않다, 참가하지 않다 《무도회 등에서》 (3) 〈연극·음악회 등을〉 끝까지 보다[듣다] (4) (다른 방문객)보다 오래 머물다 **~ over** (카드놀이, 특히 bridge에서) 다음 차례이어서 유리하다 **~ right** 《미·구어》 [보통 부정문에서] (사람에 따라) 경우가 좋은, 잘 맞는 《*with*》 **~** one**self** 착석하다 **~ still for** …을 (묵묵히) 받아들이다, 부담하다 **~ting pretty** 편안한 처지에 있는, 안락한 생활을 하는 **~ through** …을 끝까지 보다[듣다] **~ tight** 《속어》 침착한 자세를 갖다; 사태를 정관(靜觀)하다; 의지를 관철하다 **~ under** …의 설교를 듣다 **~ up** 일어나 앉다; 똑바로 앉다; 〈개가〉 앞발을 들고 앉다; 〈사람을〉 일으키다; 《속어》 깜짝 놀라다, 정신차리다, 분발하다; 자지 않고 일어나 있다: ~ *up* all night 철야하다, 밤샘하다 / ~ *up* at work 야간 작업을 하다 **~ up and take notice** 《구어》 갑자기 관심을 나타내다, 놀라다, 흥분하다, 두려워하다; 〈환자가〉 차도를 보이다 **~ up with** 《미·구어》 〈환자를〉 돌보다, 간호하다

— *n.* 《구어》 **1** 앉음, 착석, 기다리기, 앉아 있는[기다리는] 시간 **2** (옷의) 어울림, 입음새

SIT static induction transistor

si·tar, sit·tar [sitɑ́ːr] *n.* 시타르 《기타 비슷한 인도의 현악기》 **~·ist** *n.*

sit·com [sítkɑ̀m | -kɔ̀m], **sitch·com** [sítʃ-kɑ̀m | -kɔ̀m] *n.* 《구어》 = SITUATION COMEDY

sit-down [sítdàun] *n.* **1** 연좌 데모[항의](= **~ demonstrátion**); 연좌 파업, 농성 파업(= ~ strike) **2** 집회, 미팅; 편히 쉬는 시간; 의자에 앉아 하는 식사 (cf. BUFFET[2]) **3** 《속어》 (특히 남성의) 배변(俳便)(= **~ jòb**) **—** *a.* Ⓐ 〈식사가〉 앉아서 하는; 〈춤 등이〉 앉은 자세로 하는

sit·down·er [-dàunər] *n.* 연좌 데모[파업]자

sít-down strìke = SIT-DOWN *n.* 1

⁑site [sáit] *n.* **1** (건축용) 대지, 집터, 용지, 부지: the ~ for a new school 신설 학교의 대지 **2** 유적; (사건 등의) 현장, 장소: historic ~*s* 사적 / the ~ of the murder 살인 현장 **3** 〖컴퓨터〗 사이트 《정보를 보관하고 있는 컴퓨터나 네트워크; Web site의 줄임말》

— *vt.* …의 위치를 차지하다, 용지를 정하다; 〈대포·기계 등을〉 설치하다

síte addrèss 〖컴퓨터〗 사이트 주소 《인터넷에서 dot으로 구분된 문자로 이루어진》

síte lìcense 〖컴퓨터〗 사이트 라이선스 《구입한 소프트웨어를 시설 내의 복수 단말에서 사용하는 것을 허가하는》

입장 state, condition, circumstances, case **3** 상태 status, station, standing, rank, degree

sith [síθ], **sith·ence** [síðəns], **sith·ens** [síðənz] *ad.*, *conj.*, *prep.* 《고어》 = SINCE

sit-in [sítìn] *n.* **1** = SIT-DOWN 1 **2** 인종 차별 철폐 항의 데모 《공공장소에 자리를 잡고 하는》

sit·ing [sáitiŋ] *n.* 〖건축〗 대지, 부지; 대지 구획[계획]

Sít·ka sprúce [sítkə-] 〖식물〗 가문비나무속(屬)의 수목 《북미 서부산(産)》

si·tol·o·gy [saitɑ́lədʒi | -tɔ́-] *n.* Ⓤ 식품학, 영양학

si·to·ma·ni·a [sàitəméiniə] *n.* Ⓤ 〖정신의학〗 폭식증, 이상 식욕, 병적 기아

si·to·pho·bi·a [sàitəfóubiə] *n.* Ⓤ 〖정신의학〗 거식증

***sit·ter** [sítər] *n.* **1** 착석자; 초상화를 그리도록[사진을 찍도록] 앉는 사람, 모델 **2** = BABY-SITTER **3** 알을 품고 있는 새 **4** 앉아 있는 엽조(獵鳥); 《속어》 쉽사리 맞힐 수 있는 사격 목표; 수월한 일

sit·ter-in [sítərín] *n.* (*pl.* **sit·ters-**) 《영》 = BABY-SITTER

***sit·ting** [sítiŋ] *n.* **1** Ⓤ 착석, 앉아 있기 **2** 초상화·사진의 모델이 됨: give a ~ to an artist 화가의 모델이 되다 **3** 좌석; (교회 등의) 일정한 좌석; 출석권; 열석, 참석 **4** 일하며 앉아 있는 기간, 한바탕의 일, 단숨 **5** 개회, 개정 (기간), (의회) 개회기 **6** (한 집단에 할당된) 식사 시간[장소]: serve dinner in two ~*s* 저녁 식사를 두 번에 할당하여 제공하다 **7** 알 품기; 알 품는 시기; 한배 새끼, 한 번에 품는 알의 수

at a[***one***] ~ 한 번[단숨]에

— *a.* Ⓐ **1** 앉아 있는, 앉아서 하는 **2** 재직[현직]의: a ~ President 현직 대통령 **3** 《영》 〈세든 사람 등이〉 거주 중인 **4** 알을 품고 있는

sítting dúck 《구어》 (맞히기) 쉬운 목표; 봉

***sítting ròom** 《영》 거실(living room)

sítting ténant 현재 세들어 사는 사람, 현 차지인(借地人)

si·tu [sáituː, sítuː] [L] *n.* ⇨ in situ

sit·u·ate [sítʃuèit] *vt.* …을 (어떤 장소·처지에) 놓다, 놓이게 하다, …의 위치를 정하다

— [-ət | -èit] *a.* 《고어》 = SITUATED

⁑sit·u·at·ed [sítʃuèitid] *a.* Ⓟ **1** 위치해 있는(located), (…에) 있는 《*at, on*》; 대지가 …인: a house ~ *on* a hill 언덕 위에 있는 집 **2** (특히 금전적으로) …한 처지[경우, 상태]에 있는: be awkwardly ~ 난처한 처지에 있다

⁑sit·u·a·tion [sìtʃuéiʃən] *n.* **1** (환경·주위에 관련하여 건물 등의) 위치, 장소; 집터, 용지, 부지: a good ~ for a camp 야영하기에 좋은 곳 **2 a** 처지, 경우, 입장 (⇨ state 유의어): an embarrassing ~ 난처한 처지 **b** (사물의) 상태, 정세, 형세, 시국, 사태: save the ~ 사태를 수습하다 **c** 관계 **d** (각본·이야기 등의) 위험한 지경, 아슬아슬한 장면, 고비 **3** 《문어》 근무처, 일자리: *S~s* Wanted[Vacant]. 《영》 구직[구인]. 《광고》 ▷ sítuate *v.*; situátional *a.*

sit·u·a·tion·al [sìtʃuéiʃənl] *a.* 상황[장면]에 따른 **~·ly** *ad.*

sit·u·a·tion·(al)·ism [sìtʃuéiʃən(l)ìzm] *n.* 〖심리〗 상황주의 《처한 상황에 따라 행동한다는 이론》

situátion cómedy 〖라디오·TV〗 연속 홈 코미디 (sitcom) 《매회 에피소드가 바뀜》(cf. SOAP OPERA)

situátion éthics [단수 취급] 상황 윤리

situátion ròom 〖군사〗 전황 보고실, 상황실

sit·u·a·tion·wise [sìtʃuéiʃənwàiz] *ad.* 정세로는, 정황으로는

sit-up [sítʌ̀p] *n.* 윗몸 일으키기, 복근(腹筋) 운동

sit-up·on [-əpɔ̀ːn | -əpɔ̀n] *n.* 《영·구어·완곡》 엉덩이(buttocks)

si·tus [sáitəs, síː-] [L] *n.* (*pl.* **~**) **1** 〖법〗 위치, 장소(position) **2** (생물체 기관의) 정상 위치

sítus pícketing 《미》 = COMMON SITUS PICKETING

sítz bàth [síts-, zíts-] 앉아 하는 목욕, 좌욕(hip bath); 좌욕조

sitz·fleisch [sítsflèiʃ, zíts-] [G] *n.* 《미·속어》 인내, 참을성

sitz·krieg [sítskrì:g, zíts-] [G] *n.* 교착전(膠着戰)
sitz·mark [sítsmà:rk, zíts-] [G] *n.* 〖스키〗 활주 중 넘어져서 눈 속에 남긴 자국
SI ùnit [ésái-] 국제 단위 《국제 단위계(Système International d'Unités)의 단위; cf. SI》
Si·va [sí:və, ʃí:-] *n.* 〖힌두교〗 시바 《3대 신격(神格)의 하나로 파괴를 상징함; cf. BRAHMA, VISHNU》
Si·wash [sáiwɑʃ, -wɔ:ʃ | -wɔʃ] *n.* **1** [종종 old ~] 《미·구어》 아담한 전형적인 시골 대학 **2** [종종 **s~**] 《미 북서부·속어·경멸》 인디언 (말), 인디언 같은 놈 《사냥꾼 등》; [**s~**] 난폭자, (사회의) 낙오자
— *vi.* [**s~**] 《미북서부》 노숙하다 — *vt.* [**s~**] 《속어》 블랙리스트에 올리다; …에게 술 사는 것을 금지하다
‡**six** [síks] *a.* **1** Ⓐ 여섯의, 여섯 개[사람]의: ~ men 남자 6명 **2** Ⓟ 여섯 살의
— *pron.* [복수 취급] 여섯 개[사람]
— *n.* **1** 여섯; 여섯 개, 여섯 사람 **2** 6의 숫자, 6의 기호 《6, vi》 **3** 여섯 시; 여섯 살; 6실링; 6펜스(sixpence) **4** 〖카드〗 6의 패; 6의 끗수가 나온 주사위: the ~ of hearts 하트의 6 / double ~*es* (두 개의 주사위가 함께 나와서) 짝이 된 6 **5** [*pl.*] 6 자루로 무게가 1파운드가 되는 초 **6** 6푼 이자의 공채
at ~es and sevens 혼란하여, 뒤범벅이 되어; 일치하지 않아 ***It is ~ of one and half a dozen of the other.*** 비슷비슷하다; 오십보백보 ***knock*** [***hit***] ***... for ~*** 《영·구어》 …에게 큰 타격을 주다; 크게 패배시키다 ***~ and eight*** (***pence***) 변호사에 대한 보통의 사례(6/8, 6 shillings 8 pence) ***~-by-~*** 《미·속어》 미군용의 6륜 6변속 장치 트럭; 대형 트럭 ***~ feet under*** 《구어》 매장된, 묘에 (들어가) ***~ to one*** 6대 1; 큰 차이
six-by [-bài] *n.* 《속어》 (대형) 트렁크
Síx Cóunties [the ~] 북아일랜드의 6개 주(州) 《Antrim, Armagh, Down, Fermanagh, Londonderry 및 Tyrone》
Síx-Day Wár [-dèi-] [the ~] 6일 전쟁 《1967년 6월 5-10일의 아랍과 이스라엘 간의 제3차 중동 전쟁》
six·er [síksər] *n.* **1** 〖크리켓〗 6점타(打) **2** 《미·속어》 6개월형 **3** 《미·속어》 = SIX-PACK
six-figure [sìksfígjər | -gə] *a.* Ⓐ 여섯 자릿수의: a ~ salary 여섯 자릿수의 봉급
six·fold [síksfòuld] *a., ad.* 6겹의[으로], 6배의[로]
six-foot·er [-fútər] *n.* 《구어》 키[길이]가 6피트인 사람[물건]
six-gun [-gʌ̀n] *n.* 《미·구어》 = SIX-SHOOTER
six·mo [síksmou] *n.* (*pl.* **~s**), *a.* 6절판(의 책[종이, 페이지])(의)(sexto)(cf. FOLIO)
Síx Nátions [the ~] (북미 인디언의) 6부족 연합 《Five Nations에 1722년 Tuscarora족이 참가》
six-o-six [-ousíks] *n.* 606호 《매독 치료제》
six-pack [-pæ̀k] *n.* 《구어》 (병·통 등 6개들이의) 종이 상자; 그 내용물; 《속어·익살》 (복근(服筋)이 6개 불거진) 잘 단련된 복근
∗**six·pence** [síkspəns] *n.* (*pl.* **~, -penc·es**) 《영》 6펜스의 은화 《1971년까지》; Ⓤ 6펜스의 가치, 6펜스어치 ***I don't care*** (***a***) ***~ about it.*** = ***It doesn't matter ~.*** 조금도 상관 없다. ▷ síxpenny *a.*
six·pen·ny [-pèni | -pəni] *a.* 6펜스의; 《영》 값싼, 싸구려의; 하찮은: a ~ thriller 6펜스짜리의 하찮은 선정(煽情) 소설[극, 영화]
six-shoot·er [-ʃù:tər] *n.* 《미·구어》 6연발 권총 (six-gun)
sixte [síkst] *n.* 〖펜싱〗 여섯째의 수비 자세
‡**six·teen** [sìkstí:n, ᐟᐟ] *a.* **1** Ⓐ 16의, 16개[사람]의 **2** Ⓟ 16세의 **3** [**~s**] = SIXTEENMO
— *pron.* [복수 취급] 16개[사람]
— *n.* **1** 16; 16의 기호 《16, xvi》 **2** 16세; 16달러[센트, 파운드, 펜스]
six·teen·mo [sìkstí:nmou] *n.* (*pl.* **~s**) 16절판(折判)(의 책)(sextodecimo, decimosexto) 《보통 7×5인치 크기; 略 16 mo; cf. FOLIO》 — *a.* 16절판의
‡**six·teenth** [sìkstí:nθ] [sixteen(16)과 -th(서수를 만드는 접미사)에서] *a.* [보통 the ~] **제16의, 16번째의**; 16분의 1의: a ~ part 16분의 1
— *n.* **1** [보통 the ~] (서수의) 제16; 16일; 16분의 1 **2** 〖음악〗 = SIXTEENTH NOTE
sixtéenth nòte 《미》 〖음악〗 16분 음표(《영》 semiquaver)
sixtéenth rèst 〖음악〗 16분 쉼표
‡**sixth** [síksθ] [six(6)와 -th(서수를 만드는 접미사)에서] *a.* [보통 the ~] **6번째의,** 제6의, 6분의 1의
— *n.* **1** [보통 the ~] **6번째,** 제6; (한 달의) 제6일, 초엿새 **2** 6분의 1 **3** 〖음악〗 6도 음정 **4** [the ~] 《영》 = SIXTH FORM **~·ly** *ad.* 6번째로
síxth chòrd 〖음악〗 6의 화음 《3화음의 제1전회(轉回)에서 bass에 제3음을 두는 것》
síxth cólumn 〖군사〗 제6부대, 제6렬 《유언비어를 퍼뜨리는 제5부대[열](fifth column)를 돕는》
Síxth dáy 금요일 《퀘이커교도의 용어》
síxth fórm 《영》 6학년(sixth) 《16세 이상의 학생으로 구성된 secondary school의 최고 학년》
síxth-fórm·er *n.*
síxth-form cóllege [síksθfɔ:rm-] (영국의 16세 이상의 학생들을 위한) 대학 준비 학교
six-three-three [síksθrì:θrí:] *a.* 〈교육 제도가〉 6·3·3제의(cf. EIGHT-FOUR)
síxth sénse [보통 *sing.*] 제6감, 직감
‡**six·ti·eth** [síkstiiθ] [sixty(60)와 -th(서수를 만드는 접미사)에서] *a.* [보통 the ~] **제60의, 60번째의**; 60분의 1의
— *n.* [보통 the ~] (서수의) 60(번)째; 제60분의 1
Six·tine [síksti:n | -tain] *a.* = SISTINE
Six·tus [síkstəs] *n.* 식스투스 《5명의 로마 교황 이름; cf. SISTINE》
‡**six·ty** [síksti] *a.* **1** Ⓐ **60의,** 60개[명]의 **2** Ⓟ 60세의
— *pron.* [복수 취급] 60개[명]
— *n.* (*pl.* **-ties**) **1** 60; 60의 기호 《60, LX, lx》 **2 a** 60세; 60달러[센트, 파운드, 펜스] **b** [the sixties] (세기의) 60년대 **c** [one's sixties] (나이의) 60대 **d** 〖상업〗 60일 지급 어음 ***like ~*** 《미·구어》 빠르게, 맹렬히; 아주 쉽사리 **~·ish** *a.*
six·ty·fold [síkstifòuld] *a., ad.* 60배의[로]
síx·ty-four-dól·lar quéstion [-fɔ̀:rdɑ́lər-] [the ~] 《구어》 (결정적인) 중대 문제, 난문제 《1940년대 미국의 라디오 퀴즈 프로에서》
six·ty-four·mo [-fɔ́:rmou] *n.* (*pl.* **~s**) UC 64절판(의 책), 64절지(紙)(cf. FOLIO, -MO)
síx·ty-fóurth nòte [-fɔ́:rθ-] 〖음악〗 64분 음표 (hemidemisemiquaver)
síx·ty-fóur-thou·sand-dól·lar quéstion [-fɔ́:rθàuzndda̋lər-] [the ~] = SIXTY-FOUR-DOLLAR QUESTION
síx·ty-fóurth rèst 〖음악〗 64분 쉼표
six·ty-nine [-náin] *n.* **1** 69 **2** 《비어》 = SOIXANTE-NEUF
siz·a·ble [sáizəbl] *a.* 상당한 크기의, 꽤 큰; 〈급료 등이〉 꽤 많은 **~·ness** *n.* **-bly** *ad.*
siz·ar, siz·er [sáizər] *n.* 특대 장학생 《Cambridge 대학이나 Dublin의 Trinity College에 있었던》 **~·shìp** *n.*
‡**size**[1] [sáiz] *n.* **1** Ⓤ **크기**; 치수, (형(型)의) 대소; Ⓒ (모자·장갑 등의) **사이즈,** 번수, 문수, (종이 등의) 판 **2** 《폐어》 정량, 정액; (Cambridge 대학 식당에서의 음식물의) 배급 정량 **3** Ⓤ 상당한 크기, 대단한 크기; 훌륭함; UC 도량(度量), 역량, 수완: a man of a considerable ~ 도량이 큰 사람, 수완 있는 사람 **4** [the ~] 《구어》 사실, 진상, 실정
be (***half***[***twice***]) ***the ~ of*** …의 (반[배]의) 크기다 ***be of a***[***the same***] ***~*** 같은 크기다 ***be of all ~s*** 크기가 가지가지다, 대소 여러 가지다 ***cut***[***chop, whittle***] ***... down to ~*** 〈과대평가되고 있는 사람·문제 등을〉 실력[실정]대로 평가를 낮추다 ***of some ~***

상당히 큰 ***take the ~ of*** …의 치수를 재다 ***That's about the ~ of it.*** ((속어)) 대략 그 정도이다, 진상[실정]이 대개 그렇다. ***try … for ~*** 치수가 맞는지 어떤지 (시험)해보다
— *vt.* **1** 어떤 치수[크기]로 만들다: ((~+목+전+명)) ~ a hat *to* one's head 모자를 머리에 맞추어 만들다 **2** 크기에 따라 분류하다, 대소(大小)의 순으로 배열하다; 〚군사〛 키순으로 배열하다: ((~+목+전+명)) ~ the clothes *into* three classes 의복을 3단계로 분류하다 **3** …의 크기[치수]를 재다, 측정하다(measure); 평가하다 ***~ down*** 차례로 작게 하다 ***~ up*** ((구어)) 치수를 재보다; 어떤 크기[정도]에 이르다; ((구어)) 〈인물·정세 등을〉 평가하다, 판단하다
— *a.* [보통 복합어를 이루어] 「사이즈가 …인」의 뜻: a small-~ hat 사이즈가 작은 모자

size² *n.* Ⓤ **1** 사이즈, 도사(陶砂) ((아교에 명반을 탄 풀; 종이에 글씨가 번지지 않게 함)); 옷감용 풀 ((주로 녹말)) **2** 점성 ((점토의)) — *vt.* size²를 칠하다

size·a·ble [sáizəbl] *a.* =SIZABLE
~·ness *n.* **-bly** *ad.*

sized [sáizd] *a.* [보통 복합어를 이루어] 크기가 …한: small-[large-]~ 소[대]형의 / middle-[medium-]~ 중형의

size·ism [sáizizm] *n.* 뚱뚱한 사람을 차별하기

siz·er¹ [sáizər] *n.* 정립기(整粒器); 치수 측정기; ((영·구어)) 엄청나게 큰 것

sizer² *n.* =SIZAR

síze stìck (발의 치수를 재는) 구둣방의 자

size-up [sáizʌ̀p] *n.* ((미·구어)) 평가, 판단

síze zéro 사이즈 제로 ((깡마른 모델만 입을 수 있는 옷 치수))

siz·ing¹ [sáiziŋ] [size¹에서] *n.* Ⓤ 크기[키]순으로 배열함; 정립(整粒); (나무·재배물을) 솎음; Ⓒ (Cambridge 대학 식당의) 배급 정량 ((조달부에서 공급하는))

sizing² *n.* Ⓤ size²를 칠함, 풀칠; 번짐을 막는 재료; Ⓒ 풀칠하는 기계

siz·y [sáizi] *a.* (**siz·i·er**; **-i·est**) ((고어)) 점착성의, 진득진득한 **síz·i·ness** *n.*

siz·zle [sízl] [의성어] *vi.* **1** 〈튀김 기름 등이〉 지글거리다 **2** ((구어)) 찌는[타는] 듯이 덥다 **3** ((구어)) 머리 끝까지 화가 치밀다 — *vt.* 지글지글 소리가 나게 굽다
— *n.* 지글지글(하는 소리)

siz·zled [sízld] *a.* ((미·구어)) 술에 취한

siz·zler [sízlər] *n.* 지글거리는 것; ((구어)) 몹시 더운 날

siz·zling [sízliŋ] *a.* 지글지글 소리내는; ((구어)) 몹시 뜨거운[더운]: ~ hot 몹시 더운[뜨거운] **~·ly** *ad.*

S.J. Society of Jesus **SJAA** ((영)) St. John Ambulance Association **SJAB** ((영)) St. John Ambulance Brigade

sjam·bok [ʃæmbɑ́k, -bʌ́k | ʃǽmbɔk] *n., vt.* ((남아프리카)) 무소의 가죽으로 만든 채찍(으로 치다)

S.J.C. Supreme Judicial Court ((미)) 대법원 **S.J.D.** *Scientiae Juridicae Doctor* ((L = Doctor of Juridical Science)) **sk.** sack

ska [skɑ́:] *n.* 스카 ((자메이카 기원의 대중 음악; 초기의 레게(Reggae)))

skag [skǽg] *n.* =SCAG

skald [skɔ́:ld, skɑ́:ld] *n.* (고대 스칸디나비아의) 음유 시인 **~·ic** *a.*

skank [skǽŋk] ((미·속어)) *n.* 불쾌한 것[사람], 기분 나쁜 것[사람]; 추녀; 매춘부 — *vi.* **1** 〈얼굴이〉 못생기다 **2** (레게 음악에 맞춰) 춤추다

skank·y [skǽŋki] *a.* ((미·속어)) 〈여성이〉 싫은, 불유쾌한, 추한

skat [skɑ́:t, skǽt] *n.* Ⓤ 스카트 ((세 사람이 32장의 패로 하는 카드놀이의 일종))

⁑**skate¹** [skéit] *n.* **1** [보통 *pl.*] 스케이트화(靴), 아이스 스케이트화(의 날)(= ice ~), 롤러스케이트화(= roller ~) **2** [보통 a ~] (스케이트의) 한 번 타기: go for *a* ~ 스케이트를 타러 가다 ***get***[***put***] ***one's ~s on*** ((영·구어)) 서두르다
— *vi.* **1** 스케이트를 타다; 얼음을 지치다; 미끄러져 가듯 (빨리) 뛰다 **2** 〈문제 등에〉 가볍게 언급하다, 피상적으로 다루다 ((*over*, (*a*)*round*)) ***~ over***[***on***] ***thin ice*** 미묘한[어려운] 문제를 다루다, 아슬아슬한 짓을 하다
~·a·ble *a.*

skate² *n.* (*pl.* **~, ~s**) 〚어류〛 홍어 ((가오리속(屬)))

skate³ *n.* ((미·속어)) 멸시할 사람; 녀석, 놈; 말라빠진 늙은 말(nag)

skate·board [skéitbɔ̀:rd] *n.* ((미)) 스케이트보드
— *vi.* 스케이트보드를 타다 **~·er** *n.* **~·ing** *n.*

skate·park [-pɑ̀:rk] *n.* 스케이트보드장

⁎**skat·er** [skéitər] *n.* 스케이팅을 하는 사람 ((특히 잘 타는 사람))

skáte shòe ((미)) 스케이트 신발 ((바닥에 바퀴가 달린 운동화))(((영)) Heely)

⁑**skat·ing** [skéitiŋ] *n.* Ⓤ 스케이트 (타기): go ~ 스케이트 타러 가다

skáting rìnk 아이스 스케이트장, 롤러스케이트장

skat·ol(e) [skǽtoul] *n.* Ⓤ 〚생화학〛 스카톨 ((똥냄새의 성분; 주로 향료 제조용))

skean [skí:ən], **skene** [skí:n] *n.* 양날의 단검 ((아일랜드나 스코틀랜드에서 쓰던))

skéan[**skéne**] **dhú** [-ðú: | -dú:] (스코틀랜드 복장에서) 양말 맨 윗부분에 차는 단검

sked [skéd] *n., vt.* ((구어)) =SCHEDULE

ske·dad·dle [skidǽdl] ((구어)) *vi.* 달아나다, 내빼다; 궤주(潰走)하다 — *n.* ⓊⒸ 도주; 궤주 **-dler** *n.*

skee [skí:] *n.* (*pl.* **~s, ~**), *vi.* =SKI

skee·sicks, -zicks, -zix [skí:ziks] *n.* ((미·속어)) 부랑자, 깡패(rascal)

skeet [skí:t] *n.* ((미)) 스키트 사격(= **~ shòoting**) ((클레이 사격의 일종)) **~·er** *n.*

skee·ter [skí:tər] *n.* ((구어)) 모기

skeev·y [skí:vi] *a.* ((미·속어)) 초라한, 더러운

skeg [skég], **skag** [skǽg] *n.* 〚항해〛 (배의) 키 하단을 지탱하며 프로펠러를 보수하기 위해서 돌출한 부분

skein [skéin] *n.* **1** (실의) 타래, 토리(cf. HANK) **2** 얽힘, 혼란 **3** (날짐승의) 떼(flight)

skel·e·tal [skélətl] *a.* 골격의, 해골의; 해골 같은, 피골이 상접한: a ~ structure 골격 **~·ly** *ad.*

⁑**skel·e·ton** [skélətn] [Gk 「마른 것」의 뜻에서] *n.* **1** 골격; ((특히)) 해골, 촉루(髑髏); ((구어)) 뼈와 가죽만 남은 사람: be reduced to a ~ 피골이 상접하게 되다 **2** (가옥·배 등의) 뼈대; 타다 남은 기둥[잔해] **3** (잎의) 조직, 줄기 **4** 골자, 윤곽, 개략 **5** 본질적인 부분 **6** 〚화학〛 분자의 골격 구조 ***a mere***[***walking***] ***~*** 피골이 상접한 사람 ***a***[***the***] ***~ at the feast***[***banquet***] 흥을 깨뜨리는 사람[사건] ***a***[***the***] ***~ in the closet***[((영)) ***cupboard***] 소문날까 두려워운 집안의 비밀[수치](=family ~)
— *a.* Ⓐ **1** 해골의; 〈계획이〉 골격뿐인, 개략의 **2** (인원·서비스 등의) 최소 한도의, 기간(基幹)의: a ~ staff [crew] 최소 한도의 인원, 기간 요원[승무원] / a ~ company[regiment] 기간 요원만의 중[연]대; (전사 등으로) 인원이 격감한 중[연]대

skéleton drìll 〚군사〛 가설(假設) 연습[훈련]

skel·e·ton·ize [skélətənàiz] *vt.* **1** …을 해골로 만들다; 골격만 남기다 **2** …의 살을 떼어 없애다; 개략[개요]을 기술하다; …의 수량을 크게 삭감하다: ~ a story 이야기의 개요를 기술하다

skéleton kèy (여러 자물쇠를 여는) 맞쇠, 곁쇠

skéleton sèt 〚연극〛 골격 세트 ((상연 중에 바꾸지 않는 기본적인 무대 장치))

skell [skél] *n.* ((미·속어)) 부랑자, 집 없는 걸인 ((지하철역 등에서 자는))

skel·lum [skéləm] *n.* ((스코·고어·방언)) 악당, 무뢰한, 불량배

skelm [skélm] *n.* ((남아공)) 건달, 깡패

skelp [skélp] *v.* (**~ed, skel·pit**) *vt.* ((스코)) **1** 찰싹 때리다(slap) **2** (찰싹 때려서) 〈동물을〉 몰다

— *n.* 찰싹 (치는 소리)
skel·ter [skéltər] *vi.* ＝SCURRY
skene[1] [skíːn] *n.* ＝SKEAN
ske·ne[2] [skíːni] *n.* (*pl.* **-nai** [-nai]) 고대 그리스의 극장
skep [skép] *n.* (짚으로 만든) 꿀벌집; (농가에서 쓰는) 일종의 바구니; 한 바구니의 양
skep·sis | scep- [sképsis] *n.* Ⓤ 회의(懷疑); 회의 철학
skep·tic | scep- [sképtik] *n.* **1** 회의론자, 의심 많은 사람 **2** 무신론자 **3** [**S~**] 〖철학〗 회의(학)파 사람
— *a.* 회의론[무신론]자의; [**S~**] 회의(학)파의
*****skep·ti·cal | scep-** [sképtikəl] *a.* **1** 의심 많은, 회의적인, 회의를 나타내는, 회의론자 같은; 신용하지 않는: be ~ about[of] …을 의심하다 **2** 무신론적인 **3** [**S~**] 〖철학〗 회의(학)파의, 피이론(자)이
~·ly *ad.* **~·ness** *n.*
skep·ti·cism | scep- [sképtəsìzm] *n.* Ⓤ 회의; [**S~**] 회의론[설]; 무신론
sker·rick [skérik] *n.* 《호주·뉴질》 조금, 소량; 작은 조각
sker·ry [skéri] *n.* (*pl.* **-ries**) 《주로 스코》 바위가 많은 작은 섬; 암초
‡**sketch** [skétʃ] [Gk 「즉흥」의 뜻에서] *n.* **1** 스케치, 사생도, 밑그림, 소묘(素描); 약도, 겨냥도: make a ~ 스케치[사생]하다, 약도를 그리다 《*of*》 **2** 초고, 초안; 줄거리, 개략, 대요; (인물 등의) 소묘, 점묘(點描): a ~ of a person's life …의 약력 **3** 소품, 단편; 촌극; 토막극 **4** 〖음악〗 소묘곡 《스케치식의 짧은 곡, 보통 피아노곡》 **5** 《속어》 웃음거리[꼴불견]의 사람: I never saw such a ~. 정말 꼴불견이었다.
— *vt.* **1** 스케치하다, 사생하다; …의 약도를 그리다: ~ a person's figure …의 모습을 스케치하다 **2** 개요(概要)를 말하다[기술하다]; 약기하다, 묘사하다 《*out*》: (~＋목＋부) ~ *out* the plan briefly 계획의 개요를 간단히 설명하다
— *vi.* **1** 스케치하다, 사생하다; 약도를 그리다: go ~*ing* ＝go out to ~ 사생하러 가다 // (~＋전＋명) ~ *from* nature 사생하다 **2** 촌극을 하다
~·a·ble *a.* ▷ skétchy *a.*
skétch blòck 스케치북, 사생첩; 떼어 쓸 수 있는 도화지
sketch·book [-bùk] *n.* **1** 사생첩(帖), 스케치북 **2** 소품[수필]집
sketch·er [skétʃər] *n.* **1** 사생하는 사람 **2** 대략의 줄거리를 세우는 사람
sketch·i·ly [skétʃili] *ad.* 스케치식으로; 대충, 단편적으로
skétch màp 약도, 겨냥도
sketch·pad [skétʃpæ̀d] *n.* ＝SKETCHBOOK
sketch·y [skétʃi] *a.* (**sketch·i·er**; **-i·est**) **1** 스케치[약도, 사생도]의[와 같은], 소묘(素描)의 **2** 개략만의, 대충의, 피상적인 **3** 미완성의, 불완전한; 가벼운: a ~ meal 가벼운 식사
skétch·i·ly *ad.* **skétch·i·ness** *n.*
skew [skjúː] *a.* **1** 비스듬한, 비뚤어진, 휜, 구부러진 **2** 〖수학〗 (곡선이) 3차원의; 불균제(不均齊)의, 〈분포 등이〉 비대칭(非對稱)의 **3** 〈교량 등이〉 비스듬히 걸쳐진
— *n.* ⓊⒸ **1** 비뚤어짐, 휨, 비스듬함 **2** 곁눈질 **3** 〖건축〗 디딤돌, 비스듬히 깬 돌, 담의 비스듬한 지붕 **4** 〖기계〗 사륜(斜輪) ***on the*** ~ 비스듬히, 굽어서
— *vt.* **1** 비스듬하게 하다; 〈못을〉 비스듬히 박다 **2** 비뚤어지게 하다, 구부리다; 왜곡하다 **—** *vi.* **1** 굽다; 빗나가다 **2** 곁눈으로 보다 《*at*》
skew·back [skjúːbæ̀k] *n.* 〖건축〗 아치 받침돌, 기공석(起拱石)
skew·bald [-bɔ̀ːld] *a.*, *n.* (흰색과 갈색으로) 얼룩진 (말)(cf. PIEBALD)
skéw distribútion 〖통계〗 비대칭(非對稱) 분포
skewed [skjúːd] *a.* **1** 〈정보 등이〉 부정확한, 잘못된: ~ statistics 부정확한 통계 **2** 편향된, 왜곡된 《*toward*》 **3** 기울어진, 비뚤어진(cf. ASKEW)
skew·er [skjúːər | skjúə] *n.* **1** 꼬챙이, (산적) 꼬치 **2** 꼬챙이 모양의 물건, 핀 **3** 《익살》 검(劍), 칼
— *vt.* **1** 꼬챙이로 꿰다 **2** 날카롭게 비판하다
skew-eyed [skjúːàid] *a.* 사시(斜視)의, 사팔눈의
skéw lìnes 〖수학〗 같은 평면상에 있지 않은[비뚤어진 위치의] 직선(군(群))
skew·ness [skjúːnis] *n.* **1** 비뚤어짐, 뒤틀림 **2** 〖통계〗 사행도(度), 비대칭도(度)
skew·whiff [skjúːhwíf] *a.*, *ad.* 《영·구어》 ＝ASKEW
‡**ski** [skíː] [ON 「나무 막대」의 뜻에서] *n.* (*pl.* **~s, ~**) **1** 스키(판) **2** 수상 스키(판)
— *a.* Ⓐ 스키의, 스키용의: a ~ resort 스키장
— *v.* (**~ed**; **ski·ing**) *vi.* 스키를 타다
— *vt.* 스키로 가다 **~·a·ble** *a.*
ski·a·gram [skáiəgræ̀m] *n.* **1** (X선 등의) 투시도 **2** ＝RADIOGRAPH
ski·a·graph [skáiəgræ̀f | -grɑ̀ːf] *n.* ＝RADIOGRAPH
ski·ag·ra·phy [skaiǽgrəfi] *n.* Ⓤ X선 투시술 **-pher** *n.*
ski·am·e·try [skaiǽmətri] *n.* Ⓤ 〖안과〗 검영법(檢影法)
ski·a·scope [skáiəskòup] *n.* 〖안과〗 검영기(器)
ski·as·co·py [skaiǽskəpi] *n.* Ⓤ **1** 〖안과〗 검영법 **2** (X선) 투시 (검사)
ski·bob [skíːbɑ̀b | -bɔ̀b] *n.* 스키봅 《바퀴 대신 스키를 붙인 자전거 모양의 스포츠 용구》 **~·ber** *n.* **~·bing** *n.*

skibob

skí bòot 스키화(靴)
skí bùm 《미·속어》 스키광(狂) 《특히 스키장 부근에서 직업을 구하면서 전전하는 사람》
skí bùnny 《미·속어》 (남자를 사귈 목적으로 스키장에 오는) 여자 스키어
skid [skíd] *n.* **1** [보통 *pl.*] (무거운 물건을 굴릴 때 까는) 활재(滑材), 굴대, 침목(枕木) **2** (자동차 바퀴의) 미끄럼을 막는 제동(制動) 장치 **3** (자전거·바퀴 등의) 미끄럼, 옆으로 미끄러짐 **4** 〖항해〗 방현재(防舷材); 받침대 **5** 〖항공〗 (헬리콥터 착륙용) 활주부(滑走部), 썰매 **6** [the ~s] 《미·속어》 파멸[실패, 패배]의 길 ***hit the ~s*** 《속어》 파멸[실패]하다 ***on the ~s*** 《미·속어》 파멸[실패, 타락, 빈곤]로 접어든; 해고당한 것 같은; 내리막길에 있는 ***put the ~s under***[***on***] a person 《구어》 …을 서두르게 하다; …을 실패[좌절]하게 하다
— *v.* (**~·ded**; **~·ding**) *vi.* **1** (브레이크를 건 채) 미끄러지다, 〈비행기가〉 밖으로 미끄러지다 **2** 《미·구어》 〈물가 등이〉 급속히 떨어지다 **3** 《영·속어》 물러가다, 떠나다 **—** *vt.* **1** 활재 위에 놓(고 끌)다; 《미》 〈목재 등을〉 끌어 나르다 **2** (바퀴에) 미끄럼 방지를 하다 **3** 옆으로[밖으로] 미끄러지게 하다
skíd chàin ＝TIRE CHAIN
skid·der [skídər] *n.* **1** 미끄럼 타는 사람; 〈목재 등을〉 끌어 나르는 사람 **2** (쇠갈퀴가 달린) 트랙터 《재목을 실어 옮기는》 **3** 《속어》 부랑자
skid·ding [skídiŋ] *n.* **1** ⓊⒸ (자동차가) 옆으로 미끄러짐, 스키드 **2** 〖기계〗 미끄럼
skid·doo, ski·doo[1] [skidúː] *vi.* 《미·구어》 떠나다, 가 버리다
skid·dy [skídi] *a.* (**-di·er**; **-di·est**) 〈표면·도로 등이〉 미끄러지기 쉬운
skíd fin 〖항공〗 주익(主翼) 위의 수직 안정판

thesaurus **skeptical** *a.* doubtful, dubious, questioning, distrustful, suspicious, hesitant, disbelieving, incredulous, unconvinced, cynical, pessimistic
sketch *n.* (preliminary) drawing, outline, dia-

skid·lid [skídlìd] *n.* 《영·구어》 (오토바이용) 헬멧
ski·doo[2] [skí:dù:] *n.* 《미》 설상(雪上) 스쿠터(《영》 ski-scooter)
skíd màrks 타이어가 미끄러진 자국; 《속어》 팬티의 얼룩
skíd pàd **1** 스키드[슬립] 운전 연습장 《일부러 미끄러지기 쉽게 만든 곳》 **2** (차의) 브레이크 장치
skid·pan [skídpæ̀n] *n.* 《영》 =SKID PAD
skid·proof [-prù:f] *a.* 미끄러지지 않는, 미끄럼 방지의 〈노면·타이어〉
skíd róad 《미》 **1** 벌채한 목재를 반출해 내는 길 **2** (벌채꾼들이 모이는) 읍의 번화가 **3** [종종 **S- R-**] = SKID ROW
skíd rów 《미》 하층 사회의 거리, 빈민굴
skid·way [-wèi] *n.* **1** (굴대·침목 등을 깐) 화물 운반로 **2** 미끄럼판 《목재를 실어내거나 켜기 위한》
∗**ski·er** [skí:ər] *n.* **스키 타는 사람, 스키어**
ski·ey [skáii] *a.* =SKYEY
skiff [skíf] *n.* **1** 작은 보트 《한 사람이 노로 젓는》 **2** 함재(艦載) 보트; 소형 범선

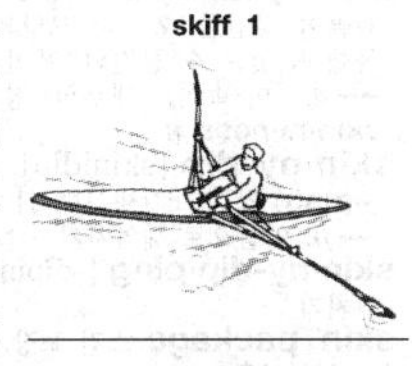
skiff 1

skif·fle [skífl] *n.* Ⓤ 《영》 스키플 《1950년대 후반에 유행한 재즈와 포크가 섞인 음악》
skí flỳing 스키 플라잉 《폼은 도외시하고 점프 거리만을 겨루는 스키 경기》
skig [skíg] *n.* 《미·속어》 **1** 팔기 어려운 상품에 대한 수수료[구전] **2** 팔기 어려운 상품을 다루는 판매원
skí héil [skí-háil] [G =Schi Heil(스키 만세)에서] 시하일 《스키어끼리의 인사말》
‡**ski·ing** [skí:iŋ] *n.* Ⓤ **스키 타기, 스키 경기[술(術)]**
ski·jor·ing [ski:dʒɔ́:riŋ, ⌐⌐⌐] [Norw. =ski driving] *n.* 말이 끄는 스키 경기
skí jùmp **1** 스키 점프; 스키 점프 경기 **2** 스키 점프장[코스] **—** *vi.* 스키 점프하다 **skí jùmp·er** *n.*
∗**skil·ful** [skílfəl] *a.* 《영》 =SKILLFUL
skí lìft (스키장의) 리프트, 스키 리프트
‡**skill**[1] [skíl] *n.* **1** Ⓤ **솜씨; 숙련,** 노련, 교묘; 익숙함 《*to* do, *in* do*ing*》: lack ~ at ... …에 서툴다: This job requires computer ~*s.* 이 작업은 컴퓨터 능력을 필요로 한다. **2** 기능, 기술 《*in, of*》 **3** (특별한 기술을 필요로 하는) 직업 ***have no ~ in*** …을 못하다, 수완이 없다 ▷ skílled, skíllful *a.*
skill[2] *vi.* [비인칭; 부정문·의문문에서] 《고어》 문제가 되다; 도움이 되다 **—** *vt.* 《영·방언》 이해하다
∗**skilled** [skíld] *a.* **1** 숙련된, 기술이 좋은 《*in, of*》: ~ workers 숙련 노동자

> 유의어 **skilled** 과거의 경력·수련에 의한 상태 **skillful** 현재의 능력에 중점: a *skillful* watchmaker 기술이 좋은 시계공

2 숙련[솜씨, 특수 기술]을 요하는
skílled hánd[wórkman] 숙련공
skílled lábor **1** 숙련 노동 **2** [집합적] 숙련 노동자
skil·less [skíllis] *a.* =SKILL-LESS
skil·let [skílit] *n.* **1** 《영》 (스튜용) 냄비 《긴 손잡이와 짧은 발이 달린》 **2** 《미》 =FRYING PAN
‡**skill·ful** [skílfəl] *a.* **1** 숙련된, 솜씨 좋은, 능숙한 《*at, in, of*》(⇨ skilled 유의어): be ~ *at* handling the ball 공을 잘 다루다 **2** 잘 만들어진, 교묘한: a ~ production 잘 만들어진 작품 **~·ness** *n.*

gram, plan, representation, delineation
skill[1] *n.* ability, accomplishment, adeptness, competence, efficiency, adroitness, deftness, dexterity, aptitude, expertise, art, talent, cleverness

∗**skill·ful·ly, skil·ful·ly** [skílfəli] *ad.* 솜씨 있게, 교묘하게
skil·lion [skíljən] *n.* 《미·구어》 무한대의 수
skill-less, skil·less [skíllis] *a.* 기술이 없는, 미숙한 **~·ness** *n.*
skíll sèt 기술이나 능력의 범위
skil·ly [skíli] *n.* Ⓤ 《영》 (특히 오트밀의) 묽은 죽
‡**skim** [skím] *v.* (**~med**; **~·ming**) *vt.* **1** 웃더껑이[뜬 찌끼]를 걷어내다 《*off*》: ~ *off* the grease 기름기를 걷어내다 **2** 〈수면 등을〉 **스쳐 지나가다,** 미끄러져 가다: The sailboat ~*med* the calm sea. 돛배는 잔잔한 바다를 미끄러져 나아갔다. **3** 스치듯 날려 보내다: (~+목+전+명) ~ a flat stone *over* the water 납작한 돌로 물수제비뜨다 **4** 〈책 등을〉 대충[대강] 읽다[보다] **5** 엷은 막[층]으로 덮다: Ice ~*med* the lake. 호수에 엷은 얼음이 얼었다. **6** …로부터 최상의 부분을 취하다 **7** 《속어》 소득 신고에서 제외시키다 **—** *vi.* **1** 스쳐가다, 미끄러지듯 나아가다 《*over, along, through*》: (~+전+명) The skater ~*med along* the ice. 스케이트 선수가 얼음 위를 경쾌하게 미끄러져 갔다. **2** 대충[대강] 읽다 《*over, through*》: (~+전+명) ~ *through*[*over*] a book 책을 대충 읽다 **3** 더껑이가 생기다, 뜬 찌끼가 생기다, 피막이 생기다 《*over*》: (~+부) The boiled milk ~*s over.* 끓인 우유에 더껑이가 생긴다. **4** 《속어》 도박 수익을 숨기다 **~ off** 〈최상의 부분을〉 취하다, 선발하다 **~ *the cream off milk*** = **~ *milk*** 우유에서 크림을 떠내다; 《비유》 제일 좋은 부분을 가져가다 **~ *the surface of*** 《미·구어》 피상적으로 다루다[취급하다]
— *n.* **1** 표면을 스쳐 지나가는 것 **2** 웃더껑이, 뜬 찌끼 **3** 웃더껑이의 제거 **4** 《속어》 숨긴 소득
skí màsk (스키어가 쓰는) 방한용 얼굴 가리개 《눈·코·입만을 내놓게 되어 있는》
skim·ble-skam·ble, -scam·ble [skímblskæ̀mbl] *a.* **1** 지리멸렬한; 종잡을 수 없는; 엉망인, 뒤범벅인 **2** 어리석기 짝이 없는
skim·board [skímbɔ̀:rd] *n.* 스킴보드 《물가에서 파도 타는 원반형 널》
skim·mer [skímər] *n.* **1** 더껑이를 걷어내는 연장[사람], 그물 국자; 거르는 기구 **2** 대충[급히] 훑어보는 사람 **3** 《미·속어》 (탈세를 위해) 소득을 숨기는 사람 **4** 〖조류〗 제비갈매기 무리 **5** 챙이 넓고 꼭대기가 납작한 밀짚 모자
skím[skímmed] mílk 탈지 우유 (cf. WHOLE MILK)
skim·ming [skímiŋ] *n.* Ⓤ **1** (찌기·더껑이의) 떠냄 **2** [*pl.*] 떠낸 크림 **3** 《속어》 소득의 은폐
ski·mo·bile [skí:moubì:l] *n.* 설상차(雪上車)
skimp [skímp] *vt.* **1** 인색하게 굴다, 절약하다; 〈음식·돈 등을〉 인색하게 주다 **2** 〈일 등을〉 날림으로 하다 **—** *vi.* 절약하다, 아끼다 《*on*》 **—** *a.* =SKIMPY ▷ skímpy *a.*
skimp·ing·ly [skímpiŋli] *ad.* 인색하게
skimp·y [skímpi] *a.* (**skimp·i·er**; **-i·est**) **1** 불충분한, 빈약한: a ~ dinner 빈약한 저녁 식사 **2** 인색한; 쩨쩨한 **3** 〈옷이〉 꽉 죄는
skímp·i·ly *ad.* **skímp·i·ness** *n.*
‡**skin** [skín] *n.* **1** CU (인체의) **피부, 살갗**: a fair ~ 흰 살결 / the outer ~ 표피 / the true[inner] ~ 진피(眞皮) **2** CU (동물의) **가죽,** 피혁, 모피; 수피(獸皮) 《깔개 등으로 쓰는》; Ⓒ 가죽으로 만든 기물, 가죽 부대 《술 등을 담는》: a raw ~ 생피(生皮) **3** **껍질,** 과피(果皮), 곡물의 겉껍질(⇨ rind 유의어): a banana ~ 바나나 껍질 **4** (더운 우유 등의 표면에 생기는) 엷은 막 **5** (선체·기체·건물 등의) 외판(外板), 외장(外裝) **6** 《미·속어》 구두쇠; 사기꾼 **7** 《속어》 말, 《특히》 여윈 말; 《익살》 사람, 놈 **8** 《속어》 1달러 지폐 **9** 《구어》 목숨, 생명(life) **10** 〖컴퓨터〗 스킨 《쉽게 변경할 수 있는 화면상의 정보 출현》
be in a person***'s ~*** …의 몸[경우, 처지, 형편]이 되어 보다 ***be no ~ off*** one***'s nose***[***back***] 《미·속어》 전혀 상관없다, 관계없다 ***by***[***with***] ***the ~ of***

one*'s* ***teeth*** 《구어》 간신히, 가까스로 ***change*** one*'s* **~** (다른 사람이 되듯) 성격이 딴판이 되다 ***fly***[***jump***] ***out of*** one*'s* **~** (기쁨·놀람 등으로) 펄쩍 뛰다 ***get under*** a person*'s* **~** 《구어》 (1) 화나게 하다, 성미를 건드리다 (2) 마음을 사로잡다; 흥미를 일으키게 하다 ***have a thick* ~** (비판 등에) 둔감하다; 뻔뻔하다 ***have a thin* ~** (비판 등에) 예민[민감]하다 ***in***[***with***] ***a whole* ~** 무사히, 다치지 않고 ***in*** one*'s* (***bare***) **~** 알몸으로, 옷을 입지 않고 ***make*** one*'s* **~** ***crawl*** 소름 끼치게 하다 ***save*** one*'s* **~** 무사히 도망치다 **~ *and bone*(*s*)** 뼈와 가죽뿐인 사람[동물, 몸] ***The* ~ *off your nose!*** 《구어》 건배! ***under the* ~** 한꺼풀 벗기면, 내막은, 속은 ***wet***[***soaked, drenched***] ***to the* ~** 흠뻑 젖은

—*a.* Ⓐ **1** 피부의[에 관한] **2** 《미·속어》 누드 전문의, 포르노의: a ~ film 포르노 영화 / a ~ magazine 《속어》 포르노[누드] 잡지

—*v.* (**~ned**; **~·ning**) *vt.* **1** 〈짐승·과실 등의〉 껍질을 벗기다: ~ a tiger 호랑이 가죽을 벗기다 **2** 생채기 내다, 스쳐서 상처를 입히다 **3** 《속어》 강탈하다, 속여 빼앗다 《*out of, of*》: (~+목+전+명) The robber ~*ned* me *of* jewelry. 강도가 나에게서 보석류를 강탈해 갔다. **4** 《미·구어》 몹시 비난하다 **5** 〈짐 끄는 말 등을〉 몰아대다 **6** 《미·속어》 = SKIN-POP

—*vi.* **1** 〈상처 등이〉 가죽[껍질]으로 덮이다, 아물다 《*over*》: (~+부) My wound has ~*ned over.* 상처에 딱지가 생겼다. **2** 《미·속어》 좁은 곳을 겨우 빠져나가다, 살짝 나가다; (시험 등에) 가까스로 합격하다 **3** 《구어》 기어오르다 《*up*》; 기어내리다 《*down*》 **4** 《미·속어》 = SKIN-POP

keep one*'s* ***eyes* ~*ned*** 《속어》 눈을 부릅뜨고 살피다, 정신을 바짝 차리고 있다 **~ *a flint*** 몹시 인색하게 굴다 **~ *alive*** (1) 산 채로 가죽을 벗기다; 몹시 괴롭히다 (2) 《구어》 호되게 야단치다 (3) 《미·구어》 크게 이기다 ***There is more than one way to* ~ *a cat.*** 문제를 해결하는 데에는 여러 가지 방법이 있다.

skin-beat·er [skínbìːtər] *n.* 《미·속어》 드러머(drummer)

skin-bound [-bàund] *a.* (경피증(硬皮症) 등으로) 표피가 살에 밀착한

skín càncer 〖의학〗 피부암

skín càre 피부 손질[관리]

skin-deep [-díːp] *a.* **1** 〈상처 등이〉 깊지 않은, 가죽 한 꺼풀 깊이의 **2** 피상적인 **—***ad.* 피상적으로(는)

skín disèase 피부병

skin-dive [-dàiv] *vi.* 스킨다이빙하다

***skín dìver** 스킨다이버, skin diving을 하는 사람

***skín dìving** 스킨다이빙 《잠수복 없이 간단한 보조 용구나 수중 호흡기를 몸에 부착하고 하는 잠수》

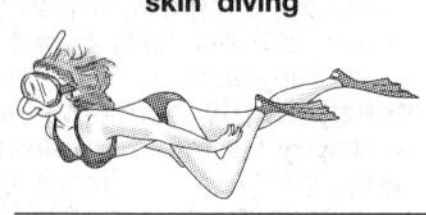
skin diving

skín effèct 〖전기〗 표피(表皮) 효과

skín flìck 《미·속어》 도색(桃色)[포르노] 영화

skin·flint [-flìnt] *n.* 지독한 구두쇠(cf. FLINT)

skín fòod [-fùːd] *n.* 피부 영양 크림

skin·ful [skínfùl] *n.* **1** 가죽 부대 하나 가득 **2** 《구어》 취할 만큼의 주량 ***have a* ~** 술에 취하다

skín gàme 속임수 승부, 야바위(swindle)

skín gràft 〖외과〗 피부 이식용 피부 조각

skín gràfting 〖외과〗 식피술(植皮術)

skin·head [skínhèd] *n.* **1** 대머리; 머리가 짧은 사람 **2** 《영》 스킨헤드 《1970년대 초, 장발족에 대항하여 삭발한 전투적인 보수파 청년》 **3** 《미·속어》 해병대 신병

skín hòuse 《미·속어》 스트립 극장, 포르노 영화관

skink[1] [skíŋk] *n.* 〖동물〗 도마뱀

skink[2] *vt.* 《방언》 〈마실 것을〉 따르다

skink·ing [skíŋkiŋ] *a.* 《스코》 〈액체·수프 등이〉 싱거운, 묽은

skin·less [skínlis] *a.* **1** 껍질 없는[벗긴] **2** 민감한, 과민한

skinned [skínd] *a.* **1** [보통 복합어를 이루어] …한 피부를 가진: a fair-~ boy 피부가 흰 소년 **2** 〈경기장이〉 잔디가 없는 **3** 무기를 가지고 있지 않은 **4** 《미·속어》 속은, (노름·사업 실패로) 빈털터리가 된 **5** 노출한

skin·ner [skínər] *n.* **1** 모피 상인(furrier); 가죽을 벗기는 사람(flayer) **2** 《미·구어》 나귀 등이 끄는 짐수레를 모는 사람 **3** 《속어》 사기꾼 **4** 대형 건설 기계 운전기사

Skin·ner [skínər] *n.* 스키너 **B**(**urrhus**) **F**(**rederic**) **~** (1904-90) 《미국의 행동주의 심리학자》 **~·ism** *n.* Ⓤ 행동주의

Skínner bòx 〖심리〗 스키너 상자 《동물의 학습, 특히 문제 해결 학습에 관한 실험에 쓰이는 상자 모양의 장치》

Skin·ner·i·an [skiníəriən] *a., n.* 스키너 이론의 (지지자)

skin·ny [skíni] *a.* (**-ni·er**; **-ni·est**) **1** 바싹 여윈, 피골이 상접한 **2** 가죽 모양의, 피질(皮質)의 **3** 〈옷이〉 몸에 꼭 맞는 **4** (물건의) 폭이 좁은 **5** 열등한, 부적절한 **—***n.* 《미·속어》 (내부의) 정보, 사실; 극비의 뉴스 **skín·ni·ness** *n.*

skin·ny-dip [skínidìp] 《미·구어》 *vi.* (**~ped**; **~·ping**) 알몸으로[벌거벗고] 헤엄치다 **—***n.* 알몸으로 헤엄치기 **~·per** *n.*

skin·ny-dip·ping [-dìpiŋ] *n.* 《속어》 벌거벗고 헤엄치기

skín pàckage 스킨 포장 《밀착 형태 플라스틱 필름 포장의 일종》

skin-pop [skínpɑ̀p | -pɔ̀p] *vt., vi.* (**~ped**; **~·ping**) 《미·속어》 〈마약을〉 피하 주사하다 **~·per** *n.*

skín reàction 〖의학〗 피부 반응

skín sèarch 《속어》 발가벗겨 불법 소지품[마약 주사 자국]을 조사함, 피부 수사 **skín-sèarch** *v.*

skín spècialist 〖의학〗 피부과 전문의

skint [skínt] *a.* Ⓟ 《영·속어》 무일푼의(penniless)

skín tèst 〖의학〗 (알레르기 체질 등을 가리기 위한) 피부 시험

skin·tight [skíntáit] *a.* 몸에 꼭 맞는

skín vìsion = EYELESS SIGHT

***skip**[1] [skíp] *v.* (**~ped**; **~·ping**) *vi.* **1** 뛰어다니다, 깡충깡충 뛰다[뛰놀다], 까불다, 재롱부리다; 〈돌 등이〉 표면을 스치며 날다 《*over, on*》: (~+부) ~ *about* for joy 기뻐서 깡충깡충 뛰다 // (~+전+명) He ~*ped along* the street. 그는 길을 깡충깡충 뛰어갔다. **2** 《영》 줄넘기하다 **3** 훑어보다, 건너뛰다 《*over*》; 띄엄띄엄 읽다: (~+전+명) ~ *over* the preface 서문을 빠뜨리고 읽다 / ~ *in* reading 띄엄띄엄 읽다 **4** 《속어》 황급히[남몰래] 가다; 줄행랑치다, 돈 계산을 하지 않고 도망치다 《*out, off*》 **5** 급히 여행하다, 서둘러 가다: (~+부) (~+전+명) ~ *over*[*across*] *to* France 프랑스로 급히 여행하다 **6** 〈화제가〉 급히[갑자기] 옮겨가다: (~+전+명) ~ *from* dance *to* mathematics 춤 이야기에서 수학 이야기로 갑자기 바뀌다 **7** 《미》 〖교육〗 월반(越班)하다

—*vt.* **1** 뛰어넘다 《*over, across*》; 뛰다 **2** 빠뜨리다; 생략하다, 건너뛰다: ~ difficult pages 어려운 면은 빼먹(고 읽)다 **3** 《구어》 〈식사 등을〉 거르다: I ~ coffee. (정식 따위에서) 커피는 필요 없습니다. **4** 물수제비뜨다: (~+목+전+명) ~ stones *on* the lake 호수에서 물수제비뜨다 **5** 〈수업 등을〉 빼먹다, 결석하다 **6** 《속어》 (돈을 지불할 수 없거나 벌을 면하려고) 〈어떤 곳을〉 급히 떠나다, 도망치다

S~ it! 《구어》 (1) 그만둬, 더 이상 말하지 마! (2) 괜찮아, 신경 쓰지 마! **~ *off***[***out***] 《미·구어》 달아나다 **~ *out on*** 《미·구어》 …에서 도피하다; …을 저버리다

—*n.* **1** 가볍게 뜀, 도약; 줄넘기: a hop, ~ and

thesaurus **skinny** *a.* thin, lean, scrawny
skip[1] *v.* **1** 뛰다 bound, jump, leap, spring, hop,

jump 3단 뛰기 **2** 군데군데 뛰어넘어 읽기, 그 부분 **3** 〔약학〕 도약 진행 **4** 〔컴퓨터〕 넘김

~·pa·ble *a.* 생략할 수 있는, 중요하지 않은

skip² *n.* **1** lawn bowling[curling] 팀의 주장; 육군 대위; 선장(skipper) **2** 〔컴퓨터〕 스킵 《일련의 명령어에서 하나 이상의 명령어를 무시하는 것》

— *vt.* (**~ped**; **~·ping**) …팀의 주장을 하다

skip³ *n.* **1** 〔광산〕 버킷; 석탄 담는 그릇; 광차(鑛車) **2** 《영》 대형 용기 《건축 현장 등에서 나오는 폐기물 운반용》

skip⁴ *n.* (Dublin 대학의) 사환

skí pànts (발목 부분이 홀쭉한) 스키 바지

skíp bòmb *vt.* 〔공군〕 저공 폭격하다

skíp bòmbing 저공 비행 (선박) 폭격법

skíp càr 스킵 카 《용광로에 원료를 투입하는 데 쓰이는 무개차》

skíp dìstance 〔통신〕 도약(跳躍) 거리 《전파 발사 지점과 전리층으로부터 반사파가 돌아오는 지점의 최소 거리》

skip·jack [skípdʒæ̀k] *n.* (*pl.* **~s,** **~**) **1** 〔어류〕 물 위로 뛰어오르는 물고기 《가다랭이 등》 **2** 〔곤충〕 방아벌레 **3** 생각이 얕은 젊은이

ski·plane [skíːplèin] *n.* 〔항공〕 설상기(雪上機) 《눈 위에서도 이착륙할 수 있는》

skí pòle 《미》 스키 지팡이

***skip·per¹** [skípər] *n.* **1** (작은 상선·어선 등의) 선장; 《일반적으로》 선장 **2** (운동 팀의) 주장; 《미》 감독 **3** (항공기의) 기장(機長)

— *vt.* **1** (배의) 선장 일을 맡아보다 **2** 《구어》 (팀의) 주장[《미》 감독] 일을 맡아보다

skipper² *n.* **1** 뛰는 사람, 춤추는 사람; 뛰는 것 **2** 〔곤충〕 팔랑나비 **3** 구더기, 치즈 벌레의 유충 **4** = SKIPJACK 1

skíp·per's dáughters [skípərz-] 높은 흰 파도

skip·ping·ly [skípiŋli] *ad.* **1** 뛰면서, 뛰놀면서 **2** (읽기 등에서) 마구 빠뜨리고, 대충

skip·ping-rope [skípiŋròup] *n.* 《영》 줄넘기 줄 (《미》 jump[skip] rope)

skíp ròpe = JUMP ROPE

skíp tràcer 《미·구어》 행방불명된 채무자 수색원

skíp zòne 〔통신〕 도약대(帶), 불감(不感) 지대

skirl [skɔ́ːrl] *vt., vi.* 《스코》 (백파이프 소리 같은) 높고 날카로운 소리를 내다

— *n.* 째지는 듯한 소리; 백파이프 소리

skir·mish [skɔ́ːrmiʃ] *n.* **1** 〔군사〕 (우발적인) 작은 접전(接戰), 사소한 충돌 **2** 작은 논쟁 **—** *vi.* **1** 사소한 접전[싸움, 충돌]을 하다 《*with*》 **2** 찾아다니다

~·er *n.* 작은 충돌을 하는 사람; 〔군사〕 척후병

skirr [skɔ́ːr] *vi.* 급히 가다, 달려가다, 서두르다; 날아가버리다 **—** *vt.* …의 안을 찾다; 급히 지나가다

— *n.* 삐걱삐걱하는 소리

⁑**skirt** [skɔ́ːrt] [OE 「짧은」의 뜻에서; shirt와 같은 어원] *n.* **1** **스커트**, 치마; (옷의) 자락; 페티코트: put on[take off] a ~ 치마를 입다[벗다]: She wore a short ~. 그녀는 짧은 치마를 입었다. **2** (차량·기계 등의) 철판 덮개, (종(鐘) 등의) 밖으로 퍼진 가장자리, 끝; 안장의 드리운 자락 **3** [*pl.*] 교외, 변두리 **4** [a (bit[piece] of) ~로] 《속어》 (젊은) 여자

on the ~s of …의 주변에, …에 접하여

— *vt.* **1** 둘러싸다; 접경(接境)하다 **2** 언저리를 지나다: We *~ed* the mountain. 우리는 산 언저리를 지나갔다. **3** 옷자락[가두리]을 달다; 옷자락으로 덮다 **4** 〈곤란·논쟁 등을〉 피해서 가다, 회피하다; 간신히 면하다

— *vi.* **1** 경계[변두리]에 있다 **2** 가장자리[언저리]를 따라 가다 《*along*》: 《~+전+명》 ~ *along* the edge of a cliff 벼랑의 가장자리를 따라 가다 **3** (특히 사냥에서) 장애물을 비켜가다 《*along, round*》

~ *around*[*round*] 〈문제를〉 회피하다

~·er *n.* **~·less** *a.* **~·like** *a.*

bounce, dance, prance, trip, frisk **2** 건너뛰다 omit, leave out, pass over, bypass, skim over

skírt chàser 《속어》 여자 꽁무니를 쫓아다니는 사내

skírt dànce 스커트 댄스 《긴 치맛자락을 아름답게 날리며 추는 춤》

skirt·ed [skɔ́ːrtid] *a.* [보통 복합어를 이루어] …한 스커트의: short[long]-~ 짧은[긴] 스커트의

skirt·ing [skɔ́ːrtiŋ] *n.* **1** Ⓤ 스커트 감[천] **2** 〔건축〕 = SKIRTING BOARD

skírting bòard 《영》 〔건축〕 굽도리널(《미》 baseboard)

skírt stèak 쇠고기의 가슴살을 뼈 없이 베어낸 것

skí rùn 스키 활주로, 슬로프

ski-scoot·er [skíːskùːtər] *n.* 《영》 = SKIDOO²

skí slòpe 겔렌데 《스키 연습장》

skí stìck 《영》 = SKI POLE

skí sùit 스키복

skit¹ [skít] *n.* **1** 가벼운 풍자문, 빈정대는 글 《*on, upon*》 **2** (풍자적인) 촌극(寸劇) **3** 비웃음 **4** 《영·방언》 농담

skit² *n.* 《구어》 **1** 많이 있는 것, 무리, 군중(crowd) **2** [*pl.*] 다수, 많음(lots)

skite [skáit] 《호주·속어》 *vi.* 자랑하다(boast)

— *n.* **1** 자랑 **2** 자랑하는 사람, 허풍선이

skí tòurer 크로스컨트리 스키 경기 참가자

skí tòuring 스키 투어, 크로스컨트리 스키

skí tòw **1** 스키토, 로프토 《로프를 잡은 스키어를 끌어올리는 장치》 **2** = SKI LIFT

skit·ter [skítər] *vi.* **1** 경쾌하게[잽싸게] 나아가다[달리다, 미끄러지다] 《*about, along, across, off*》; 〈물새가〉 수면(水面)을 스쳐 날다 **2** 낚싯줄을 수면에 스치듯이 끌며 낚다 **—** *vt.* …을 경쾌하게 나아가게 하다; 스치며 날게 하다

skit·ter·y [skítəri] *a.* (**-ter·i·er**; **-i·est**) = SKITTISH

skit·tish [skítiʃ] *a.* **1** 〈말 등이〉 잘 놀라는, 겁이 많은 **2** 〈특히 여자가〉 까부는, 방정맞은; 쾌활한, 활발한; 변덕스러운, 마음이 들뜬 **3** 〈사람이〉 수줍어하는, 조심성이 많은 **~·ly** *ad.* **~·ness** *n.*

skit·tle [skítl] *n.* 《영》 **1** [*pl.*; 단수 취급] 구주희(九柱戱) **2** 구주희용의 나무핀(= **~ pìn**) **3** [*pl.*] 놀이, 즐거움 **4** 《구어》 장난 삼아 하는 체스(의 승부) ***Life is not all beer and ~s.*** 인생은 마시고 놀고 하는 즐거움만이 아니다. ***S~s!*** 《속어》 싱거운 소리, 쓸데없는 소리!

— *vt.* 〔크리켓〕 〈타자를〉 연달아 아웃시키다 《*out*》

skittles 1

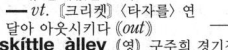

skíttle àlley 《영》 구주희 경기장

skíttle bàll 《영》 구주희용 나무공[원반]

skíttle gròund = SKITTLE ALLEY

skive¹ [skáiv] *vt.* 〈가죽 등을〉 깎다, 얇게 베다; 〈보석을〉 갈다

skive² *vi., vt.* 《영·속어》 일을 게을리하다, 〈의무를〉 팽개치다 **—** *n.* **1** 책임 회피, 태만; 게으름 피울 기회 **2** 편한 일 **~ *off*** (살며시) 빵소니치다

skiv·er¹ [skáivər] *n.* **1** 가죽을 벗기는 도구[사람] **2** 얇은 양피, 스카이버 가죽

skiver² *n.* 《영·속어》 게으름뱅이

skiv·vy¹ [skívi] *n.* (*pl.* **-vies**) 《미·속어》 **1** (특히 선원의) 셔츠(= **~ shìrt**); [*pl.*] (팬츠와 T셔츠로 된) 내의 **2** [*pl.*] 비치 샌들

skivvy² 《영·속어·경멸》 *n.* (*pl.* **-vies**) 하녀, 식모

— *vi.* 하녀로 일하다

ski·vy [skáivi] *a.* 《영·속어》 정직하지 못한, 게으름피우는

ski·wear [skíːwɛ̀ər] *n.* 스키복

sklonk [sklɔ́ːŋk, sklɑ́ŋk | sklɔ́ŋk] *n.* 《미·학생속어》 따분한 사람

sko [skóu] [「Let's go.」에서] *int.* 《미·속어》 가자

skoal [skóul] [Dan. 「컵(cup)」의 뜻에서] *n.* (건강·

행복·번영 등을 위한) 축배, 건배(toast)
— *int.* 축배(를 듭시다) **—** *vi.* 축배하다
skol·ly, -lie [skɑ́li | skɔ́li] *n.* 《남아공》 (백인 이외의) 갱, 악당, 불량배
skoo·kum [skú:kəm] *a.* 《미서부·캐나다》 **1** 큰, 힘센, 강력한 **2** 일류의, 훌륭한
Skr., Skrt., Skt. Sanskrit
sku·a [skjú:ə] *n.* 〖조류〗 도둑갈매기(=∽ **gùll**)
skul·dug·ger·y, skull- [skʌldʌ́gəri] *n.* (*pl.* **-ger·ies**) Ⓤ 《익살》 야바위, 사기, 부정
skulk [skʌ́lk] *vi.* **1** 살금살금 걸어다니다, 살금살금 …하다 《*through, about*》; 살금살금 빠져나가다, 슬그머니 숨다 《*behind*》 **2** 《영》 농땡이 부리다, 책임[의무]을 회피하다 **—** *n.* **1** 살금살금[숨어] 다니는 사람 **2** 숨기는 일; 책임 회피 **~·er** *n.* **~·ing·ly** *ad.*
⁎**skull** [skʌ́l] *n.* **1** 두개골, 해골 **2** 《경멸》 머리, 두뇌, 골통: have a thick ~ 머리가 둔하다 **3** 《속어》 전문가, 지식인; 지도자
— *vt.* 《속어》 **1** 머리를 때리다 **2** 《호주》 〈술을〉 마시다
skúll and cróssbones 두개골과 교차시킨 두 대퇴골 《죽음의 상징; 해적기 등의 표시》
skull-bust·er [skʌ́lbʌ̀stər] *n.* 《미·속어》 **1** 경관 **2** 어려운 과목[수업]
skull·cap [skʌ́lkæ̀p] *n.* **1** 작은 테두리 없는 모자 《주로 노인·성직자용》 **2** 〖해부〗 두개골의 상부 **3** 〖식물〗 골무꽃
skúll cràcker 건물 해체용 철구(鐵球)
skull·dug·ger·y [-dʌ́gəri] *n.* = SKULDUGGERY
skulled [skʌ́ld] *a.* [보통 복합어를 이루어] …한 두개골을 가진: thick-~ 머리가 둔한
skúll sèssion[pràctice] **1** 《미·속어》 (운동부의) 기술 연수회, 전술 회의 **2** 상담회; 의견[정보] 교환회
⁎**skunk** [skʌ́ŋk] *n.* (*pl.* **~s,** ~) **1** 〖동물〗 스컹크; Ⓤ 스컹크의 모피 **2** 《구어》 싫은 놈 **3** 《미·해군속어》 (레이더상의) 미확인 물체 **4** 《미·속어》 영패(零敗)(shutout)
— *vt.* 《미·속어》 **1** 영패시키다 **2** 〈계획 등을〉 완전히 망치다 **3** 〈빚 등을〉 떼먹다; 사취하다 《*out of*》
skúnk càbbage 〖식물〗 앉은부채
skunk-drunk [-drʌ̀ŋk] *a.* 《미·속어》 고주망태가 된
skunk·weed [-wì:d] *n.* (skunk cabbage 같은) 향기가 좋지 않은 식물
skúnk wòrks, skunk·works [-wə̀rks] *n.* 《미·속어》 (컴퓨터·우주선 등의 설계시에 쓰는) 비밀 실험실
skurf [skə́:rf] [*sk*ate+*surf*] *vi.* 《속어》 = SKATEBOARD **~·ing** *n.* = SKATEBOARDING
skut·te·rud·ite [skʌ́tərʌ̀dait] [노르웨이의 발견지 이름에서] *n.* 〖광물〗 방(方)코발트광(鑛), 스쿠테루드광 《코발트·니켈의 원광》
‡**sky** [skái] [ON 「구름」의 뜻에서] *n.* (*pl.* **skies**) **1** [the ~; 종종 *pl.*] 하늘, 창공 **2** Ⓤ 하늘빛 **3** [the ~, the skies] 천국(heaven); (천국의) 신(神) **4** [보통 *pl.*] 날씨, 일기; 기후, 풍토 **5** 《속어》 (제복 입은) 경관, 교도관 ***be in the ~*** [***skies***] 천국에 있다 ***be raised to the skies*** 승천하다, 죽다 ***drop from the skies*** 갑자기[느닷없이] 나타나다 ***out of a clear*** (***blue***) ~ 갑자기, 불시에 ***praise*** [***laud***] a person ***to the skies*** …을 높이 찬양하다, 몹시 칭찬하다 ***The ~ is the limit.*** 《구어》 (뭐든지 요구해라) 제한은 없어; (벌려고 하면) 얼마든지 벌 수 있다; 얼마든지 걸어도 좋다. 《내기에서》 ***under a foreign ~*** 이국의 하늘 아래에서 ***under the open ~*** 야외에서
— *v.* (**skied, skyed**) *vt.* **1** 〈공을〉 높이 날리다 **2** 〈그림 등을〉 천장 가까이에 진열하다
— *vi.* **1** (골프 따위에서) 하늘 높이 공을 날리다[치다]; 〖농구〗 누구보다 높이 점프하다 **2** 급격히 상승하다 **3** 《미·속어》 비행기로 가다
ský bèar 《미·속어》 헬리콥터에 탄 경찰
ský blúe 하늘색
sky-blue [skáiblù:] *a.* 하늘색의
ský-blue pínk *n., a.* 하늘색 핑크(의) 《상상의 색, 있을 수 없는 색》
sky·borne [-bɔ̀:rn] *a.* = AIRBORNE
sky·box [-bɑ̀ks | -bɔ̀ks] *n.* (스포츠 경기장의 맨 위의) 개인 관람석
sky·bridge [-brìdʒ] *n.* **1** (두 건물 사이를 잇는) 구름다리식의 통로(skywalk) **2** 건물 내 안뜰 위의 연결 통로
ský bùrial 풍장(風葬) 《티베트 장례법의 하나》
sky·cap [-kæ̀p] *n.* 《미》 공항의 수하물 운반인[짐꾼]
sky·clad [-klæ̀d] *a.* 《속어》 나체[알몸]의, 옷을 입지 않은 〈마녀〉
sky·coach [-kòutʃ] *n.* 운임이 싼 여객기 《최하급》
sky·dive [-dàiv] *vi.* 스카이다이빙하다 **-dìv·er** *n.*
sky·div·ing [-dàiviŋ] *n.* Ⓤ 스카이다이빙 《비행기에서 낙하하여 저공에서 낙하산을 펴는 스포츠》
Skye [skái] *n.* **1** 스카이 《스코틀랜드 북서부에 있는 섬》 **2** = SKYE TERRIER
sky·er [skáiər] *n.* 〖크리켓〗 높이치기
Skýe térrier 〖동물〗 스카이 테리어 《털이 길고 다리가 짧은 테리어》
sky·ey, ski- [skáii] *a.* **1** 하늘의[같은] **2** 하늘에 있는, 지극히 높은 **3** 하늘색의
sky-high [skáihái] *ad.* **1** 하늘처럼 높이[높게] **2** 매우, 지독하게 **3** 산산조각으로 **—** *a.* 매우 높은; 터무니없는 ***blow ~*** 철저히 논파(論破)하다; 모두 파괴하다
sky·hook [-hùk] *n.* **1** 스카이 훅 《항공기로부터 투하되는 물자의 감속을 위한 회전익(回轉翼)》 **2** = SKYHOOK BALLOON
skýhook ballóon 과학 관측용 고고도(高高度) 기구(氣球)
sky·jack [-dʒæ̀k] [*sky*+high*jack*] *vt.* 《구어》 〈비행기를〉 공중 납치하다(cf. HIJACK) **~·er** *n.* 비행기 공중 납치범 **~·ing** *n.* Ⓤ 비행기의 공중 납치
Sky·lab [skáilæ̀b] [*sky*+*lab*oratory] *n.* 《미》 유인(有人) 우주 실험실
‡**sky·lark** [skáilɑ̀:rk] *n.* **1** 〖조류〗 종달새 **2** 《구어》 야단법석; 악의 없는 장난
— *vi.* **1** 《구어》 뛰어다니다, 법석대다 **2** 《미·해군속어》 게으름을 피우다 **~·er** *n.*
sky·less [skáilis] *a.* (구름이 끼어) 하늘이 보이지 않는, 흐린(cloudy)
sky·light [skáilàit] *n.* **1** (지붕·천장 등의) 채광창 **2** Ⓤ 천공광(天空光) 《하늘의 산광(散光)·반사광》 **3** 야광

skylight 1

⁎**sky·line** [skáilàin] *n.* **1** 지평선(horizon) **2** (산·고층 건물 등의) 하늘을 배경으로 한 윤곽 **3** 목재 운송용 고가 케이블
sky·lounge [-làundʒ] *n.* 스카이라운지 《시내에서 승객을 태운 후, 헬리콥터에 매달아 공항으로 운반함》
sky·man [-mən] *n.* (*pl.* **-men** [-mən, -mèn]) **1** 《구어》 비행사(aviator) **2** 《속어》 공수부[낙하산] 대원
ský màrker 낙하산 달린 조명탄
ský màrshal (항공기 납치를 방지하기 위한) 항공 사복 경관
ský pàrlor 《미·속어》 고미다락(방)
Skype [skáip] *n.* Ⓤ 〖인터넷〗 스카이프 《인터넷을 통해 상대와 통화할 수 있는 전화 시스템; 상표명》
skype·cast [skáipkæ̀st] *n.* Ⓤ 〖인터넷〗 스카이프캐스트 《스카이프(Skype)를 통한 전화 통화》
~·ing *n.* Ⓤ
ský pìlot 《속어》 **1** 군대의 목사, 성직자 **2** 항공기 조종사
sky·rock·et [-rɑ̀kit | -rɔ̀-] *n.* 유성 불꽃, 봉화
— *vi.* **1** 하늘로 솟아 올라서 터지다; 갑자기 높이 날아오르다 **2** 〈물가가〉 급등하다, 〈명성 등이〉 급상승하다
— *vt.* 〈물가를〉 급등시키다, 〈명성 등을〉 급상승시키다
ský rùg 《미·속어》 남자용 가발

sky·sail [-sèil, 〚항해〛 -səl] *n.* 〚항해〛 제3마스트의 윗돛
sky·scape [-skèip] *n.* 하늘 경치(의 그림)
∗**sky·scrap·er** [skáiskrèipər] *n.* **1** 마천루, 초고층 빌딩 **2** 〚항해〛 삼각형의 제3 마스트의 윗돛, 천공범(天空帆) **3** 《미·야구속어》 높은 플라이
ský scrèen (미사일 탄도의) 궤도 이탈 탐지용 광학 장치
sky-shout·ing [-ʃàutiŋ] *n.* (확성기로) 비행기로부터의 선전
ský sìgn (전광) 옥상[공중] 광고
ský sùrfer =HANG GLIDER
ský sùrfing =HANG GLIDING
Ský Swèeper 《미》 (레이더에 의해 자동 조준되는) 75밀리 고사포
sky·tel [skaitél] *n.* 전세 비행기·자가용 비행기를 위한 작은 호텔
ský tràin 공중 열차 《한 대 이상의 글라이더와 그것(들)을 끄는 비행기》
sky·troop·er [skáitrù:pər] *n.* 공수병, 낙하산병 (paratrooper)
sky·troops [-trù:ps] *n. pl.* 공수 부대(paratroops)
ský trùck 《구어》 화물 수송기
sky·walk [-wɔ̀:k] *n.* (빌딩 사이의) 고가(高架) 통로 (skybridge)
sky·ward [skáiwərd] *ad.* 하늘쪽으로; 위로
— *a.* 하늘로 향한
sky·wards [skáiwərdz] *ad.* =SKYWARD
sky·watch [-wɑ̀tʃ, -wɔ̀:tʃ] *n.* 방공 경계
ský wàve 〚통신〛 공간[상공]파(波)(cf. GROUND WAVE)
sky·way [skáiwèi] *n.* **1** 《구어》 항공로 **2** 《미》 (도시의) 고가식 고속도로
sky·writ·er [-ràitər] *n.* 공중 광고 문자를 쓰는 비행사 **ský·wrìte** *vt., vi.*
sky·writ·ing [-ràitiŋ] *n.* Ⓤ (비행기에 의한) 공중 문자[광고] (쓰기)
sl. slightly; slow **s.l.** salvage loss; *sine loco* 《L=without place》 장소의 기재 없음 《문헌학에서》
SL source language **S.L.** sea level; Serjeant-at-Law; south latitude **SLA** Special Libraries Association; Symbionese Liberation Army
∗**slab**[1] [slǽb] *n.* **1** 석판(石板): a marble ~ 대리석판 **2** (재목의) 죽데기, 널빤지 **3** (빵·과자 등의) 넓적하고 두꺼운 조각: a ~ of bread 두툼한 빵 조각 / ~ chocolate 판(板) 초콜릿 **4** 《야구속어》 투수판(plate) **5** 〚인쇄〛 잉크 개는 판 **6** [the ~] 《영·구어》 (돌로 만든) 시체 안치대, 수술대 **7** 《미·속어》 간선도로 《트럭 운전수 사이에서》
— *vt.* (**~bed**; **~·bing**) **1** 〈목재를〉 널빤지로 켜다; 〈통나무에서〉 죽데기를 잘라내다 **2** 두꺼운 판자로 만들다; 두꺼운 널빤지로 덮다[받치다]
slab[2] *a.* 《영·고어》 **1** 끈적끈적한, 녹진녹진한, 걸쭉한 **2** 감상적인, 과장된 표현이 많은
slab·ber [slǽbər] *v., n.* =SLOBBER
slab-sid·ed [slǽbsàidid] *a.* 《구어》 **1** 측면이 평평한 **2** 길쭉한; 호리호리한: ~ statue 길쭉한 동상
slab·stone [-stòun] *n.* 판석(板石)
∗**slack**[1] [slǽk] *a.* **1** 〈로프·새끼 등이〉 늘어진, 느슨한 (loose), 〈말고삐 등이〉 느스러진; 〈규율 등이〉 해이한: ~ muscles 늘어진 근육 **2** 힘이 없는, 맥이 빠진; 〈걸음 등이〉 굼뜬: feel ~ 노곤하다 **3** 되는대로의, 부주의한(careless), 태만한 《*in*》; 흘게 늦은: a ~ official 태만한 관리 **4** 꾸물거리는; 〈흐름 등이〉 느린; 〈날씨가〉 흐릿한 **5** 활발치 못한, 침체한, 불경기의, 시세가 없는: a ~ season (장사의) 불경기 **6** 〚음성〛 이완음(弛緩音)의, 개구음(開口音)의(open, wide)(cf. TENSE): ~ vowels 이완 모음 **7** 충분히 말려[구워]지지 않은 〈빵 등〉 **8** 〈석회가〉 소화(消和)된: ~ lime 소석회
be ~ in [***about***] ***doing*** …하는 것이 느리다 ***keep a ~ hand*** [***rein***] 고삐를 늦추어 두다; 관대하게 다루다
— *ad.* **1** 느슨하게; 느리게; 미적지근하게; 되는대로; 완만하게 **2** 활발치 못하게, 저조하게 **3** 불충분하게
— *n.* **1** 느슨함, 늘어짐, 처짐 **2** [보통 the ~] (새끼·돛 등의) 처진 부분 **3** (거래의) 불경기, 한산(한 때) **4** 한가로운 휴식: have a good ~ 편히 쉬어 피로를 풀다 **5** 게조(憩潮), 조수의 정체; 바람의 잔잔함, 무풍 **6** [*pl.*] ⇨ slacks **7** 〚운율〛 시각(詩脚)의 약음절 **8** 《영·방언》 건방짐; 건방진 이야기 **9** 《속어》 매춘부, 창부
cut [***give***] a person ***some ~*** 《구어》 (…에게) 여유를 주다, 기회를 주다 ***take up*** [***take in, pull in***] ***the ~*** (밧줄의) 느슨함을 죄다 《*on, in*》; (조직 등의) 기강을 바로잡다, 쇄신하다
— *vt.* **1** 〈의무 등을〉 게을리하다, 방치해 두다: (~+목+부) ~ *up* one's effort 노력을 태만히 하다 **2** 〈끈·밧줄·속도 등을〉 늦추다; 약화시키다, 저하시키다, 완화시키다 《*off, up*》: (~+목+부) ~ *off* a rope 밧줄을 늦추다 **3** 〚화학〛 〈생석회를〉 소화(消和)하다(slake)
— *vi.* **1** 게을리하다; 아무렇게나 하다, 날리다 《*at*》: (~+전+명) ~ *at* one's work 일을 날려서 하다 **2** 〈속력이〉 늦어지다, 약해지다, 활발치 못하게 되다 **3** 느즈러지다, 처지다 **4** 〈석회가〉 소화하다
~ off 힘을 빼다; 일손을 놓다 ***~ up*** 속력을 늦추다; 〈노력을〉 게을리하다
slack[2] *n.* 〚광물〛 분탄(粉炭), 지스러기탄
slack-baked [slǽkbéikt] *a.* 설구워진; 미숙한; 덜 된[발육한]
∗**slack·en** [slǽkən] *vt.* **1** 늦추다, 늘어지다; 완화시키다 《*off, away*》 **2** 〈노력·속도 등을〉 감소시키다, 약화시키다 《*up*》: ~ (*up*) speed for a curve 커브길에서 속도를 줄이다 **3** 〈일·노력을〉 게을리하다, 아무렇게나 하다
— *vi.* **1** 〈로프 등이〉 느슨해지다 《*off, away*》 **2** 늘어지다, 게으름 피우다 《*off, up*》 **3** 〈속도가〉 늦어지다; 〈장사의〉 활기가 떨어지다; 〈바람·전투 등이〉 소강상태가 되다 《*off, up*》
slack·er [slǽkər] *n.* **1** 게으름뱅이, 일을 날리는 사람; 책임 회피자 **2** 병역 기피자
slack-jawed [-dʒɔ̀:d] *a.* (놀라움·당혹으로) 입을 딱 벌린
slack·ly [slǽkli] *ad.* =SLACK[1]
slack·ness [slǽknis] *n.* Ⓤ 느슨함; 태만
slacks [slǽks] *n. pl.* 느슨한 바지 《평상복·운동복》 (⇨ trousers [유의어])
sláck sùit 슬랙스와 재킷[스포츠 셔츠] 한 벌 《여자용은 pants suit라고도 함》
sláck tìme (탈것·식당 등의) 한가한 시간
sláck wáter[**tíde**] **1** 게조(憩潮) 《조수가 정지 상태에 있는 시기》 **2** 괸 물
slag [slǽg] *n.* Ⓤ **1** 광재(鑛滓), 용재(鎔滓), 슬래그 **2** 화산암재(岩滓) **3** 《영·속어》 갈보 — *vt., vi.* (**~ged**; **~·ging**) 슬래그가 되다; 슬래그가 생기다
slág cemènt 슬래그[고로(高爐)] 시멘트
slag·gy [slǽgi] *a.* (**-gi·er**; **-gi·est**) **1** 슬래그 (slag) 모양의 **2** 《영·속어》 〈사람·물건이〉 불결한
slag·heap [slǽghì:p] *n.* 광재 더미 ***on the ~*** 이제는 아무 쓸모가 없어져서
slág wóol 광재면(鑛滓綿), 슬래그 울
‡**slain** [sléin] *v.* SLAY의 과거분사
slain·te (**mhath**) [slɑ́:nʃə(-vɑ́:)] *int.* 《스코》 건강을 축하하여, 건배(cheers)
slake [sléik] *vt.* **1** 〈기갈(飢渴)·욕망 등을〉 만족시키다, 〈노여움 등을〉 누그러지게 하다: ~ one's thirst 갈증을 풀다 **2** 차게 하다, 식히다 **3** …을 활발치 못하게 하다, 약화시키다 **4** 〈불을〉 끄다 **5** 〈석회를〉 소화(消和)하다 — *vi.* **1** 〈석회가〉 소화되다; 〈불이〉 꺼지다 **2** 《드물게》 느즈러지다 **~·a·ble, slák·a·ble** *a.*
sláked líme [sléikt-] 소석회(消石灰)(slack lime) (cf. QUICKLIME)
sla·lom [slɑ́:ləm, -loum | -ləm] [Norw. 「비탈길」의 뜻에서] *n.* Ⓤ [보통 the ~] 〚스키〛 회전 활강(滑降), 회전 경기; 지그재그 코스로 달리는 자동차 경주

— *vi.* 회전 경기를 하다 **~·er** *n.* **~·ist** *n.*

*****slam**[1] [slǽm] *v.* (**~med**; **~·ming**) *vt.* **1** 〈문 등을〉 탕[쾅] 닫다 (*down, on*): (~+목+부) ~ *down* the lid of the box 상자 뚜껑을 쾅 닫다 **2** 털썩 내려놓다 (*down, on*): (~+목+전+명) He ~*med* his books *on* the desk. 그는 책을 책상 위에 털썩 내려놓았다. **3** 〈브레이크 등을〉 세차게 밟다[밀어붙이다] (*on*) **4** (속어) 내동댕이치다, 쳐서 맞히다(hit) **5** (미·구어) 혹평하다, 깎아내리다 **6** 〖야구〗 〈홈런을〉 때리다 **7** (속어) …에 간단히 이기다 **8** (미·속어) (여자와) 성교하다 **9** (미·속어) 〈술을〉 꿀꺽꿀꺽 마시다

— *vi.* **1** 〈문 등이〉 쾅 닫히다 **2** 소리내어 (…에 세게) 부딪다 **3** (…을) 세게 밟다 (*down, on*)

~ at gate (속어) 문전에서 구걸을 하다 **~ off** (속어) 뻗다 **~ the door in** a person**'s face** …의 면전에서 문을 닫다, 문전 퇴짜를 놓다; 〈회담[신청]을〉 딱 잘라 거절하다

— *n.* **1** 쾅[탕, 철썩] (하는 소리): with a ~ 쾅[탕] 하고; 사정없이 **2** (미·구어) 혹평 **3** (미·속어) 성교

slam[2] *vt.* (**~med**; **~·ming**) (카드놀이에서) …에 전승하다 — *n.* 전승

slam[3] *n.* [the ~] (미·속어) 교도소(slammer)

slam-bang [slǽmbǽŋ] (속어) *ad.* 쿵[쾅] 하고; 앞뒤 살피지 않고, 무모하게(recklessly); 철저히 — *a.* **1** 쿵쾅거리는; 저돌적인; 철저한 **2** 〈영화·연극·소설 등이〉 스릴 만점의 — *vt.* 공격하다

slám dùnk **1** 〖농구〗 슬램 덩크 (강렬하고 극적인 덩크 슛) **2** 〖조정〗 다른 배에 아주 접근한 위치에서의 방향 전환 **3** 수직 강하식 착륙 **4** 〖증권〗 반드시 오르는 신발행 주(株)

slam-dunk [-dʌ̀ŋk] *vt., vi.* 〖농구〗 슬램 덩크[덩크 슛]하다

slam·mer [slǽmər] *n.* (미·속어) **1** [보통 the ~] 교도소(jail, prison) **2** 문, 문간 **3** 테킬라 슬래머 (칵테일의 일종) (=tequila ~)

slam·min [slǽmin] *a., ad.* (미·속어) 멋진, 멋지게, 근사한[하게], 최고의[로]: have a ~ time 신나게 즐기다

s.l.a.n., SLAN *sine loco, anno, vel nomine* (L=without place, year, or name)

*****slan·der** [slǽndər | slɑ́:n-] *n.* UC **1** 중상, 욕설 **2** 〖법〗 구두(口頭) 명예 훼손(cf. LIBEL); 허위 선전 **~ *of goods*** 상품 비훼 **~ *of title*** 권리 비훼

— *vt.* 중상하다, …의 명예를 훼손하다; 허위 선전하다 **~·er** *n.* ▷ slánderous *a.*

slan·der·ous [slǽndərəs | slɑ́:n-] *a.* 중상적인, 비방적인, 입이 험한: a ~ tongue 독설, 험구 **~·ly** *ad.* **~·ness** *n.*

‡**slang** [slǽŋ] *n.* U **1** 속어, 슬랭 (구어에서는 보통 말로 통용되나 아직 정통어(법)으로 인정되지 않은 말): "Cop" is ~ for "policeman." cop은 policeman의 속어이다. **2** (특정 계급·직업·사회의) 통용어; (도둑 등의) 은어, 변말, 암호말: college[students'] ~ 학생 은어 **3** 술어, 전문어: doctors' ~ 의사 용어

— *a.* A 속어의, 속어적인: ~ expression 속어 표현

— *vt., vi.* 속어를 쓰다; (영·구어) 야비한 말로 욕하다[꾸짖다, 험담하다] ▷ slángy *a.*

sláng·ing màtch [slǽŋiŋ-] *a.* (주로 영) 입씨름, 욕설전

slan·guage [slǽŋgwidʒ] [*slang*+lan*guage*] *n.* U 속어적인 말투[문장]

sláng wòrd (낱낱의) 속어

slang·y [slǽŋi] *a.* (**slang·i·er**; **-i·est**) **1** 속어적인, 상말의 **2** 속어를 쓰는: ~ speech 속어를 많이 사용하는 말투 **3** 〈태도·복장 등이〉 야한, 상스러운 **sláng·i·ly** *ad.* **sláng·i·ness** *n.*

slank [slǽŋk] *v.* (고어) SLINK[1]의 과거

‡**slant** [slǽnt | slɑ́:nt] [Scand. 「미끄러지다(slide)」의 뜻에서] *a.* 비스듬한, 기울어진, 경사진: a ~ edge 〖기하〗 빗모서리 / a ~ height 〖기하〗 (각뿔의) 경사면의 높이

— *n.* **1** 경사, 기울기 **2** 비탈; 사면(斜面); 〖인쇄〗 사선(diagonal) **3** (마음 등의) 경향, 편향; (신문·잡지 등의) 집필 경향 **4** (미) 관점, 견지; 견해, 의견; 태도, 양상 **5** (미·구어) 곁눈 (*at*): take a ~ *at* a person 사람을 곁눈으로 보다 **6** (영·방언) 빈정댐 **7** (속어) 계제, 기회 **8** (미·속어) (경멸) 아시아[동양] 사람

***on the* [*a*] ~** 경사져서

— *vt.* **1** 기울게 하다, 경사지게 하다(slope), 기대게 하다 **2** 경향을 띠게 하다 **3** 〈기사 등을〉 특정한 독자에게 맞도록 쓰다; 왜곡하다: (~+목+전+명) ~ a story *for* children 이야기를 어린이용으로 고쳐 쓰다

— *vi.* **1** 기울다, 경사지다, 비탈이 되다 (*on, upon, against*): (~+전+명) ~ *to* the right 오른쪽으로 기울다 **2** 경향이 있다 (*toward*): (~+전+명) He ~*s toward* working hard. 그는 열심히 일하는 편이다. **3** 비스듬히게 기디, 빗니기디; 구부리지다

slánt·y *a.*

slant·ed [slǽntid | slɑ́:n-] *a.* **1** 사선의, 비스듬한: ~ eyes 눈꼬리가 치켜 올라간 눈 **2** 편향된, 기울어진 (*towards*)

slant-eyed [slǽntàid | slɑ́:nt-] *a.* **1** 눈초리가 올라간 **2** (경멸) 아시아[동양]계의

slant·in·dic·u·lar, slant·en- [slæ̀ntəndíkjulər | slɑ̀:nt-] *a.* (익살) 좀 기울어진, 다소 경사진

slant·ing [slǽntiŋ | slɑ́:n-] *a.* 기울어진, 비스듬한

slant·ing·ly [slǽntiŋli | slɑ́:n-] *ad.* 기울어져, 비스듬하게

slánt rhỳme 〖운율〗 불완전운(韻) (강세 있는 음절의 모음 또는 자음의 어느 쪽이든가 동일한 압운; eyes, light 등)

slant·ways [slǽntwèiz | slɑ́:nt-] *ad.* =SLANTWISE

slant·wise [slǽntwàiz | slɑ́:nt-] *ad., a.* 기울어져서[진], 비스듬히[한]

‡**slap** [slǽp] [의성어] *n.* **1** 찰싹 (때림), 손바닥[넓적한 것]으로 때림 **2** 찰싹 (때리는) 소리; (기계 등의) 덜거덕 (소리) **3** 거절; 모욕: 비난 **4** 타격(blow) **5** (영·연극속어) 분장 **6** 식사 (***a bit of***) **~ *and tickle*** (영·구어) (남녀간의) 시시덕거림 ***a* ~ *in* [*across*] *the face*** (1) 뺨을 찰싹 때림 (2) 퇴짜놓음, 거절, 모욕 ***a* ~ *on the back*** 칭찬[격려]의 말 ***a* ~ *on the wrist*** (구어) 가벼운 벌, 가벼운 경고 ***at a* ~** 갑자기, 돌연 ***have a* ~ *at*** …와 싸우다, 혹평하다; …을 (얻으려) 시도하다

— *v.* (**~ped**; **~·ping**) *vt.* **1** 찰싹 때리다 (*in, on, across*)(⇨ pat[1] 유의어): (~+목) (~+목+전+명) ~ a person's face = ~ a person *in*[*on*] the face …의 뺨을 찰싹 때리다 **2** 〈물건을〉 털썩[탁] 놓다; 세게 내던지다 (*down*): (~+목+부) (~+목+전+명) ~ a book *down on* the desk 책을 책상 위에 탁 놓다 **3** (구어) 재빨리[아무렇게나] 놓다[바르다] (*on*): (~+목+전+명) ~ butter *on* bread 빵에 버터를 처덕처덕 바르다 **4** (구어) 〈사람을〉 비판하다 **5** (구어) 〈세금·추징금 따위를〉 추가하다; 〈벌금을〉 부과하다

— *vi.* **1** (손바닥으로) 때리다 **2** 찰싹하고 소리를 내다

~ around* [*about*]** (구어) …을 자주 두들겨 패다, 마구 때리다 ***~ on 후딱[홱] 입다[쓰다] **~** a person ***on the back*** (친근하게) …의 등을 가볍게 두드리다

— *ad.* **1** 홱, 찰싹 **2** (구어) 불쑥, 갑자기, 난데없이 **3** (구어) 똑바로(directly), 정면으로(straight): run ~ into …와 정면 충돌하다 / pay ~ down 깨끗이 갚아 버리다 **4** (구어) 딱, 꼭: ~ on time 딱 정각에 **5** =SLAM-BANG **6** (방언) 완전히

slap-bang [slǽpbǽŋ] *ad.* **1** (구어) 퉁탕하고, 떠들썩하게; 세차게 **2** 황급히; 갑자기; 당장에 **3** 정면으로 — *a.* =SLAPDASH

thesaurus **slant** *n.* **1** 경사 slope, tilt, leaning, inclination, listing **2** 편향 bias, prejudice, twist
slap *v.* smack, strike, hit, whack, spank

slap·dash [-dǽʃ] *ad.* 물불을 가리지 않고, 무턱대고, 함부로; 바로, 정통으로 **—** *a.* 물불을 가리지 않는, 저돌적인; 되는대로의, 엉성한: ~ construction 날림 공사 **—** *n.* Ⓤ **1** 물불을 가리지 않음, 저돌적인 행동; 날림일 **2** 〖건축〗 초벌칠하기(roughcast)
— *vt.* 되는대로 하다; 〖건축〗 초벽칠하다
slap·down [-dàun] *ad.* 완전히, 전혀 **—** *n.* 《미·속어》 곤혹
slap·hap·py [-hǽpi] *a.* (**-pi·er**; **-pi·est**) 《구어》 **1** (얻어맞고) 비틀거리는; 판단력을 잃은: a ~ boxer 맞아서 비틀거리는 권투 선수 **2** 열중한, 미친 듯한, 경박한 **3** 좋아서 어쩔 줄 모르는, 낙천적인 **4** 《영》 되는대로의; 날림의
slap·head [-hèd] *n.* 《속어》 대머리, 머리를 민 사람
slap·jack [-dʒæ̀k] *n.* 《미》 **1** 일종의 튀김 과자 **2** Ⓤ 슬랩잭 《어린이의 간단한 카드놀이》
Slapp, SLAPP [slǽp] [*s*trategic *l*awsuits *a*gainst *p*ublic *p*articipation] *n.*, *vt.* 환경[소비자] 보호 운동가에 대한 전략적 소송(을 제기하다)
slap·per [slǽpər] *n.* **1** 찰싹 치는 사람 **2** 《영·속어》 성적으로 문란한 여자
slap·ping [slǽpiŋ] *a.* 《속어》 **1** 몹시 빠른, 나는 듯한 **2** 〈말·사람이〉 큼직한 **3** 굉장한, 훌륭한
sláp shòt 〖아이스하키〗 슬랩 숏 《스틱을 조금 흔들어 퍽을 강하게 침》
slap·stick [slǽpstìk] *n.* **1** 끝이 갈라진 막대기 《광대극·팬터마임용; 때리면 소리는 크지만 아프지는 않음》 **2** Ⓤ 법석떠는 희극, 저속한 익살극
— *a.* Ⓐ 법석떠는
slap-up [-ʌ̀p] *a.* Ⓐ 《영·구어》 〈식사 등이〉 일류의, 훌륭한, 품위 있는, 뛰어난
***slash** [slǽʃ] *vt.* **1** 깊이 베다, 썩 베다, 내리 베다 **2** 〈사람을〉 채찍으로 갈기다, 〈채찍을〉 휘두르다 《*with*》 **3** 《미》 대폭적으로 인하[삭감]하다 **4** 〈서적 등을〉 삭제하다, 대대적으로 개정하다 **5** 〈의복의 일부분을〉 속옷이 보이게 길게 터놓다(⇨ slashed) **6** 혹평하다; 헐뜯다 **7** 〖군사〗 (방어용 울을 만들기 위하여) 〈수목을〉 베다
— *vi.* **1** 닥치는 대로 마구 베다, 난도질하다, 마구 채찍질하다 《*at*》 **2** 돌진하다 《*through*》; 〈비 등이〉 요란스럽게 들이치다 《*against*》
— *n.* **1** 일격, 썩 벰, 한 번 채찍으로 침 **2** 깊은 상처, 벤 상처 **3** 삭감, 인하 **4** (속옷을 드러내기 위한) 의복의 터진 곳 **5** 〖인쇄〗 사선(斜線)《/》(=∠ **màrk**) **6 a** (수목 벌채·화재·바람으로 인해) 잘린 나뭇가지 등이 흩어져 있는 빈 터[땅] **b** (빈 터에) 흩어져 있는 잘린 나뭇가지 **7** [a ~] 《영·속어》 방뇨(放尿) **8** 〖군사〗 방어용 울짱
slash-and-burn [slǽʃən*d*bə́:rn] *a.* (일시적인 경작을 위해) 나무를 벌채하여 태우는
slashed [slǽʃt] *a.* (안감[속옷]을 보이기 위해) 길게 튼
slash·er [slǽʃər] *n.* **1** slash하는 사람[것] **2** (부도덕·폭력 행위 등을 묘사한) 공포 영화[비디오](=∠ **mòvie**[**film**])
slash·ing [slǽʃiŋ] *a.* **1** 마구 베는 **2** 날카로운, 격렬한, 가차없는 **3** 《구어》 훌륭한, 굉장한
slásh pócket (허리에서 아래로 손이 쉽게 들어갈 수 있도록) 옆으로 비스듬히 튼 주머니
slat[1] [slǽt] *n.* **1** (지붕 이는) 얇은 널빤지, 널조각, (블라인드 등의) 얇고 긴 널빤지 **2** 판석(板石), 얇은 돌; 슬레이트 조각 **3** [*pl.*] 《속어》 궁둥이; 갈빗대 **4** 《속어》 스키
slat[2] *vt.*, *vi.* (**~·ted**; **~·ting**) 소리를 내며 부딪치다, 요란스럽게 두드리다[치다], 세차게 던지다; (돛줄이 돛대에) 펄럭펄럭 부딪치다 **—** *n.* 강타
S. lat., S. Lat south latitude
‡**slate**[1] [sléit] [OF 「나무 끄트러기」의 뜻에서] *n.* **1** (점판암) 슬레이트 **2** Ⓤ 점판암(粘板岩) **3** 석판; Ⓤ 석판색 **4** 《미》 (지명) 후보자 명부; [집합적] 전(全) 후보자; (시합 따위의) 예정표 **5** 점자(點字)용 필기구 ***a clean*** **~** (오점이 없는) 깨끗한 경력 ***clean the*** **~** (1) =wipe the SLATE clean (2) 의무를 깨끗이 마치다 ***have a*** **~** ***loose*** [***missing***] 《영·속어》 머리가 약간 돌다 ***wipe the*** **~** ***clean*** 과거를 청산하다, 깨끗이 잊어버리다
— *a.* Ⓐ **1** 석판질의, 석판 같은 **2** 석판색의
— *vt.* **1** 〈지붕을〉 슬레이트로 이다 **2** 《미》 후보자 명부에 등록하다, 후보로 세우다 **3** [종종 수동형으로] 《미》 예정하다, 계획하다: (~+목+전+명) The conference *was* ~*d for* the next week. 회의는 다음 주로 예정되었다. // (~+목+***to*** do) The delegation *is* ~*d to* arrive next week. 대표단은 내주에 도착할 예정이다. **~·like** *a.* ▷ sláty *a.*
slate[2] *vt.* 《영·구어》 혹평하다; 심히 꾸짖다 《*for*》
sláte blàck 자주색이 도는 검정색
sláte blúe 검은 회색이 도는 청색
sláte clùb 《영》 저축회, 친목회 《크리스마스 같은 때를 위하여 돈을 조금씩 부어 나가는》
slate-col·ored [-kʌ̀lərd] *a.* 슬레이트 빛깔의, 석판색의, 충충한 회색의
slat·ed [sléitid] *a.* 슬레이트로 덮인
slate-grey [sléitgréi] *a.* 청회색의
sláte pèncil 석필
slat·er[1] [sléitər] *n.* **1** 슬레이트공(工), 지붕 이는 사람; (짐승 날가죽의) 살을 발라내는 기구[기계] **2** 《방언》 〖동물〗 쥐며느리(wood louse)
slater[2] *n.* 《영·구어》 혹평하는 사람
slath·er [slǽðər] 《미·구어》 *n.* [종종 *pl.*] 대량, 다수, 듬뿍: ~*s* of money 큰돈 **—** *vt.* **1** 듬뿍 바르다 《*with, on*》: ~ butter *on* toast 토스트에 버터를 듬뿍 바르다 **2** 넉넉히 쓰다, 낭비하다 《*on*》
slat·ing[1] [sléitiŋ] *n.* Ⓤ 슬레이트로 지붕 이기; 지붕 이는 슬레이트
slating[2] *n.* 《구어》 혹평; 비난
slat·ted [slǽtid] *a.* [보통 Ⓐ] 슬레이트로 된, 얇고 가는 판으로 만든
slat·tern [slǽtərn] *n.* 단정치 못한 여자, 헤픈 여자(slut), 매춘부(harlot)
slat·tern·ly [slǽtərnli] *a.* 단정치 못한, 방종한 **—** *ad.* 단정치 못하게, 칠칠치 못하게 **-li·ness** *n.*
slat·ting [slǽtiŋ] *n.* **1** 작은 조각널; [집합적] 미늘널 **2** 조각널의 원목
slat·y, slat·ey [sléiti] *a.* (**slat·i·er**; **-i·est**) **1** 슬레이트의, 석판 모양의 **2** 석판색[쥐빛]의
***slaugh·ter** [slɔ́:tər] [ON 「도살육(屠殺肉)」의 뜻에서] *n.* Ⓤ **1** (가축의) 도살 **2** 학살, 살육; 대량 학살: the ~ of war 전쟁에 의한 대량 살인 **3** ⓊⒸ 《구어》 완패(完敗), 궤멸
— *vt.* **1** 〈가축을〉 도살하다 **2** 학살하다, 대량으로 죽이다 **3** 《구어》 대승리를 거두다, 완패시키다, 쳐부수다 **~·er** *n.* 도살자; 살육자 ▷ sláughterous *a.*
slaugh·tered [slɔ́:tə:rd] *a.* 《미·속어》 취한
slaugh·ter·house [slɔ́:tərhàus] *n.* (*pl.* **-hous·es** [-hàuziz]) **1** 도살장 **2** 《비유》 아수라장
slaugh·ter·man [-mən] *n.* 도살자, 도축자
slaugh·ter·ous [slɔ́:tərəs] *a.* 살육을 좋아하는, 살생(을 즐겨)하는, 살벌[잔인]한; 파괴적인 **~·ly** *ad.*
Slav [slɑ́:v, slǽv | slɑ́:v] *n.* 슬라브 사람; [the ~s] 슬라브 족 《Russians, Bulgarians, Czechs, Poles 등》; Ⓤ 슬라브 말 **—** *a.* 슬라브 족[말]의
Slav. Slavic; Slavonic
‡**slave** [sléiv] [L 「슬라브 사람(Slav)」의 뜻에서; 중세에 많은 슬라브 사람들이 노예가 된 데서] *n.* **1** 노예: trade in ~*s* 노예 매매 **2 a** (…에) 사로잡힌[빠진] 사람 《*of, to*》: a ~ *of* [*to*] drink =a ~ *to* the bottle 술의 노예 / a ~ *to* fashion 유행의 노예 **b** (주의 등에) 헌신하는 사람 《좋은 의미》 《*to*》: a ~ *to* duty 의무를 위하여 헌신적으로 일하는 사람 **3** 노예같이 일하는 사람 **4** 남에게 의존[예속]하는 사람 **5** 〖곤충〗 노예개미(=∠ **ànt**)(cf. SLAVE-MAKING ANT) **6** 〖기

---

slash *v.* cut, gash, lacerate, hack, rip, slit, score
slaughter *n.* butchery, killing, massacre, murder, slaying, extermination, annihilation

계〗 종속 장치 ***make a ~ of*** …을 혹사하다
—*a.* Ⓐ **1** 노예의, 노예적인; 노예제의: ~ question 노예 문제 **2** 원격 조정의
—*vi.* **1** 노예처럼 일하다, 뼈 빠지게 일하다 《*at, over*》: 《~+副》 I had to ~ (*away*) for a living. 생계를 위해 뼈 빠지게 일하지 않으면 안 되었다. **2** 노예 매매를 하다
—*vt.* **1** 〖기계〗 종속 장치로서 작동시키다 **2** 노예처럼 시키다, 몹시 부려먹다 **~·like** *a.*
sláve ànt 노예 개미 《다른 개미 집단에서 잡혀 와 노예로 일하는 개미》
sláve bàngle (금·은·유리의 여성용) 팔찌
slave-born [sléivbɔ̀:rn] *a.* 노예로 태어난
sláve bràcelet 발목 고리[사슬] 《장식용》
sláve clòck 자시계(子時計)(cf. MASTER CLOCK)
Sláve Còast [the ~] 노예 해안 《서아프리카 Guinea만 북쪽 해안; 16-19세기의 노예 무역 중심지》
slave-drive [-dràiv] *vt.* (노예처럼) 혹사하다
sláve drìver **1** 노예 감독자 **2** (구어) (고용인을) 혹사하는 주인; 학생에게 엄한 교사
slave-grown [-gròun] *a.* 노예를 부려서 재배한 〈작물 등〉
slave·hold·er [-hòuldər] *n.* 노예 소유자
slave·hold·ing [-hòuldiŋ] *n.* Ⓤ, *a.* 노예 소유(의)
sláve hùnter (노예로 팔기 위하여) 흑인을 모으는 사람, 노예 사냥꾼
sláve hùnting (아프리카의) 노예 사냥
sláve lábor **1** [집합적] (특히 정치범·포로 등의) 강제 노동자 **2** 노예가 하는 일 **3** 강제적인 노동, 수지가 안 맞는 일
sláve machìne 종속 VTR 《마스터 VTR에 연결해서 녹화하는》
sláve-mak·ing ànt [-mèikiŋ-] 〖곤충〗 (다른 종류의 개미를 노예로 삼는) 노예사역(使役) 개미(cf. SLAVE 5)
sláve màrket 노예 시장; (미·속어) 직업 소개소
slav·er[1] [sléivər] [slave에서] *n.* **1** 노예 상인[매매자]; 노예 소유자 **2** 노예선
sla·ver[2] [slǽvər, sléiv-] *n.* Ⓤ **1** 군침 **2** 비굴한 아첨 **3** (구어) 헛소리 —*vi.* **1** 군침을 흘리다 《*over*》 **2** 비굴하게 아첨하다, 간살부리다 **3** 몹시 탐내다, 갈망하다 《*over, after*》 —*vt.* **1** (고어) 침으로 더럽히다 **2** …에게 아첨하다 **~·er** *n.*
‡**slav·er·y**[1] [sléivəri] *n.* Ⓤ **1 노예의 신세,** 노예의 몸: be sold into ~ 노예로 팔리다 **2 노예 제도,** 노예 소유 **3** 예속, 굴종 **4** (정욕·식욕 등의) 예속, 포로, 심취 《*to*》: ~ *to* the habit 습관의 노예 **5** 천한 일, 힘드는 일, 고역(苦役)
sla·ver·y[2] [slǽvəri, sléi-] *a.* (고어) 군침 흘리는 [투성이의]
sláve shìp 〖역사〗 노예(무역)선
sláve stàte **1** [S- S-] 〖미국사〗 노예주(州) 《남북 전쟁 이전에 노예 제도가 합법화되었던 남부의 주; cf. FREE STATE》 **2** 전체주의적 통치하의 나라
sláve stàtion 〖통신〗 종국(從局)
sláve tràde 〖역사〗 노예 매매
sláve tràffic 노예 매매: white ~ (백인) 여자를 매춘부로 파는 일(cf. WHITE SLAVE)
slav·ey [sléivi] *n.* (영·구어) (하숙집 등의) 하녀
Slav·ic [slɑ́:vik, slǽ-] *n.*, *a.* **1** 슬라브 인[족](의) **2** Ⓤ 슬라브 말(의)
Slav·i·cist [slɑ́:vəsist, slǽ-], **Slav·ist** [slɑ́:vist, slǽ-] *n.* 슬라브어[문학, 문화] 전문[연구]가
slav·ish [sléiviʃ] *a.* **1** 노예의; 노예 같은: ~ subjection 노예적인 굴종 **2** 노예 근성의, 비열한, 비굴한: a ~ vice 비열한 악덕 **3** 독창성이 없는, 맹목적으로 모방한 **~·ly** *ad.* **~·ness** *n.*
Slav·ism [slɑ́:vizm, slǽ-] *n.* Ⓤ **1** 슬라브 사람의 기풍[특성] **2** Ⓒ 슬라브 말투 **3** 슬라브 민족 통일주의
Slavo- [slɑ́:vou, -və] 《연결형》 「Slav」의 뜻
slav·oc·ra·cy [sleivɑ́krəsi | -vɔ́-] *n.* ⓊⒸ 〖미국사〗 (남북 전쟁 이전의) 노예 소유자[노예 제도 지지자]의 지배력[단체]
Sla·vo·ni·an [sləvóuniən] *a.* **1** (원래 중유럽에 있던 나라) 슬라보니아(Slavonia)의; 슬라보니아 사람의 **2** =SLAVIC —*n.* **1** 슬라보니아 사람 **2** 슬라브 사람
Sla·von·ic [sləvɑ́nik | -vɔ́-] *a.* **1** 슬라브 사람[말]의 **2** 슬라보니아 지방[주민]의 —*n.* Ⓤ 슬라브 말; 슬라브 사람
Slav·o·phile [slɑ́:vəfàil, slǽ-], **-phil** [-fil] *n.*, *a.* 슬라브 사람 숭배[심취](의)
Slav·o·phobe [slɑ́:vəfòub, slǽv-] *n.*, *a.* 슬라브 사람 혐오[공포증](의) **Slàv·o·phó·bi·a** *n.*
slaw [slɔ́:] *n.* Ⓤ (미·캐나다) =COLESLAW
‡**slay** [sléi] [OE 「치다(strike)」의 뜻에서] *vt.* (**slew** [slú:]; **slain** [sléin]) **1** 살해하다, 죽이다(kill) ★ (미)에서는 보통 신문 등의 저널리즘 용어로 사용하며, (영)에서는 주로 (문어·익살)로 씀. **2** 근절하다; 소멸시키다 **3** (미·속어) 강한 인상[영향]을 주다; 몹시 웃기다, 포복절도하게 만들다 **~·er** *n.* 살해자
SLBM submarine-launched ballistic missile 잠수함 발사 단도 미사일 **SLCM** submarine[sea]-launched cruise missile 잠수함[해상] 발사 순항 미사일 **SLD** Social and Liberal Democrats (영) 사회 자유 민주당 **sld.** sailed; sealed; sold; solid
sleave [slí:v] *n.* Ⓤ **1** 얽힌 물건; 엉크러진 실 **2** 풀솜 —*vt.* 얽힌 것을 풀다
sléave sìlk (폐어) =FLOSS SILK
sleaze [slí:z] *n.* Ⓤ (구어) **1** (속어) 상스러운 사람; 인색한 놈, 비열한 놈 **2** 저속, 천박, 값쌈, 추잡함
sléaze fàctor (특히 정치적) 추문, 스캔들
sleaze·mon·ger [slí:zmʌ̀ŋgər] *n.* (미·속어) 저속한 오락물 제작자
slea·zo [slí:zou] *a.* (구어) =SLEAZY
sleaz·oid [slí:zɔid] *a.* (속어) =SLEAZY
—*n.* 저속한[몹쓸] 놈
slea·zy, slee·zy [slí:zi, sléi-] *a.* (**-zi·er**; **-zi·est**) **1** (구어) 〈행실 등이〉 너저분한, 타락한 **2** 〈집이〉 초라한; 값싼, 보잘것없는: a ~ hotel 누추한 호텔 **3** 〈천이〉 얄팍한(flimsy) **-zi·ly** *ad.* **-zi·ness** *n.*
sleb [sléb] *n.* (속어) 잘 차려 입은 유명 인사
*__sled__ [sléd] *n.* **1** 썰매(sledge); (미) (어린이용) 작은 썰매((영) sledge) **2** (미국의 면작(綿作) 지대에서 사용하는) 면화 따는 기계(=**cótton ~**) **3** (고어) =SLEIGH 1 **4** (미·속어) 대형차
—*v.* (**~·ded**; **~·ding**) *vt.* 썰매로 운반하다; 기계로 〈면화를〉 따다
—*vi.* 썰매를 타다, 썰매로 가다
sled·der [slédər] *n.* 썰매 타는[로 나르는] 사람; 썰매를 끄는 말[동물]
sled·ding [slédiŋ] *n.* Ⓤ **1** 썰매타기, 썰매로 나르기; (썰매타기에 알맞은) 눈의 상태 **2** (미) (일 등의) 진행 상태 **3** (기계에 의한) 목화 따기 ***hard***[***rough, tough***] **~** (미·구어) 곤란한 일, 불리한 상황
death
sléd[**slédge**] **dòg** 썰매 끄는 개
*__sledge__[1] [sléd3] *n.* **1** (미) (말·개가 끄는 운반용) 썰매 **2** (영) (어린이용) 작은 썰매((미) sled)
—*vi.* 썰매로 가다[를 타다]
—*vt.* 썰매로 운반하다
sledge[2] *n.*, *v.* =SLEDGEHAMMER
sledge·ham·mer [slédʒhæ̀mər] *n.* (두 손으로 휘두르는 대장간의) 큰 쇠망치[해머], 모루채; (비유) 강타 ***take a ~ to crack***[***break***] ***a walnut***[***nut***] (구어) 닭을 잡기 위해 소 잡는 칼을 휘두르다, 작은 일을 하는 데 큰 도구를 쓰다 —*a.* Ⓐ 강력한(powerful), 압도적인: a ~ blow 대[치명적] 타격
—*vt.*, *vi.* 큰 쇠망치로 치다
sledg·ing [slédʒiŋ] *n.* Ⓤ **1** (영) =SLEDDING **2** 〖크리켓〗 (상대팀의 기를 죽이기 위한) 욕설, 험담

thesaurus **slavery**[1] *n.* enslavement, bondage, servitude, subjugation (opp. *freedom, liberty*)

*__sleek__ [slíːk] [slick의 변형] *a.* **1** 매끄러운(smooth), 윤나는(glossy) 〈모발 등〉 **2** 산뜻한, 맵시 낸 〈옷차림 등〉; 날씬한; 유선형의: a ~ sports car 유선형의 스포츠 카 **3** 말주변이 좋은; 대인 관계가 부드러운
— *vt.* 매끄럽게 하다, 광택을 내다; 매만지다 《*down*》
— *vi.* 몸맵시를 가다듬다, 모양을 내다; 미끄러지다
~·**er** *n.* ~·**ly** *ad.* ~·**ness** *n.*

sleek·it [slíːkit] *a.* 《스코》 **1** = SLEEK **2** = CRAFTY

sleek·y [slíːki] *a.* **1** 매끄러운, 반질반질한 **2** 약삭빠른, 말재주가 있는; 교활한

‡**sleep** [slíːp] *v.* (**slept** [slépt]) *vi.* **1** 잠자다: ~ well[badly] 잘 자다[자지 못하다] **2** 유숙하다, 숙박하다; 이성과 잠자리를 같이하다 《*together*》 **3** 〖식물〗 (식물이 밤에 꽃잎·잎 따위를 닫고) 수면 운동을 하다 **4 a** 활동하지 않다, 고요히[조용히] 있다: The sea was ~*ing.* 바다는 잠자듯 고요했다. **b** 멍하니 있다, 태평하게 있다 **c** 감각이 없어지다 **5** 죽어 (파묻혀) 있다, 영면(永眠)하다 **6** 〈팽이가〉 조는 듯이 잠잠히 돌다
— *vt.* **1** [동족 목적어와 함께] 자다: ~ a sound *sleep* 숙면하다 **2** 재우다 **3** …만큼의 침실이 있다; 숙박시키다: The hotel ~*s* 300 guests. 그 호텔은 300인의 숙박 설비가 있다. **4** 잠을 자며 〈때를〉 보내다 《*away, out*》 **5** 〈두통 등을〉 잠으로써 고치다[없애다] 《*away, off*》
~ around 《구어》 《보통》 〈여자가〉 여러 남자와 관계하다 ***~ away*** 자서 〈시간을〉 보내다; 잠자서 고치다[없애다] ***~ in*** 〈고용인이〉 입주하다; 늦잠 자다; [주로 수동형으로] 잠자리에 들다: His bed *was* not *slept in* last night. 어젯밤 그의 침대는 비어 있었다. ***~ (it) off*** 〈두통 등을〉 잠자서 고치다[없애다] ***~ like a top[log]*** 푹 자다 ***~ on[upon, over]*** a question 《구어》 (문제를) 하룻밤 자며 생각하다 ***~ out*** 외박하다; 〈고용인이〉 (입주하지 않고) 통근하다 ***~ rough*** 《미·속어》 아무데서나[야외에서] 자다 ***~ one's last sleep*** 죽다 ***~ the clock round*** 12시간 동안 죽 자다 ***~ the sleep of the just*** 《익살》 푹 자다 ***~ through*** 한 번도 깨지 않고 자다 ***~ over*** 《구어》 (남의 집에) 묵다 ***~ together[with]*** …와 성 관계를 갖다
— *n.* ⓊⒸ **1** 수면; 졸음: a sound ~ 숙면 **2** [a ~] 수면 기간[량]: *a* short[*an* eight-hour] ~ 짧은[8시간의] 수면 / talk in one's ~ 잠꼬대를 하다 **3** (식물의) 수면; (동물의) 동면(冬眠) **4** 정지, 활동 중지, 휴식 (상태): winter ~ 동면 **5** Ⓤ 영면, 죽음(death): one's last[long] ~ 죽음, 영면 **6** 《구어》 눈곱 **7** (시간의 단위로서) 하룻밤; 1박; 《미·속어》 1년의 형기(刑期)
be able to do ***... in one's ~*** 《구어》 자면서도 …을 할 수 있다, 아주 간단히 …을 할 수 있다 ***fall on ~*** 《고어》 잠자다; 죽다 ***get to ~*** [보통 부정·의문문에서] 잠들다 ***go to ~*** (1) 잠들다: After showing the conductor my ticket, I *went* back *to* ~. 차장에게 표를 보여준 후, 나는 다시 잠이 들었다. (2) 《구어》 〈손·발 등이〉 저리다 ***lose ~ over[about]*** [보통 부정문에서] 《구어》 …에 대해 잠이 안 올 정도로 걱정하다 ***send[put] ... to ~*** …을 재우다; 마취시키다; 《완곡》 〈동물 등을〉 안락사시키다 ~·**like** *a.*

sléep àpnea 〖의학〗 수면성 무호흡 《호흡기 계통의 장애·신경성 변조에 의함; 죽기도 함》

sleep-a·way [slíːpəwèi] *a.* 집에서 떨어진 숙박지의

sleep·coat [slíːpkòut] *n.* 슬리프코트 《무릎 길이의 파자마 윗도리 비슷한 남자 잠옷》

*__sleep·er__ [slíːpər] *n.* **1** 자는 사람; 잠꾸러기; 동면 동물: a light[heavy] ~ 잠귀 밝은[어두운] 사람 **2** (건축용으로) 땅위에 눕혀 놓은 목재 **3** 《미》 침대차(sleeping car) **4** 《미·구어》 예상 외로 성공한 사람[것] **5** 잘 팔리지 않는 상품 **6** [보통 *pl.*] 《미》 (어린이용) 잠옷(sleeping suit), (젖먹이용) 침낭 **7** 《영》 침목(枕木)(《미》 tie) **8** 〖볼링〗 다른 핀에 가려서 보이지 않는 핀 **9** = SLEEPER AGENT **10** 《미·속어》 야경(夜警); 수면제; 따분한 수업 **11** = SAND *n.* 6

sléeper àgent 슬리퍼 에이전트 《긴급 사태 발생에 대기하고 있는 정보 요원》

sléeper cèll 잠복 요원 《미국연방수사국(FBI) 요원의 활약을 그린 미국 인기 드라마의 제목》

sleep·fest [slíːpfèst] *n.* 《미·속어》 (지루하여) 잠이 오는 강연[행사]

sleep·i·ly [slíːpili] *ad.* 졸리는 듯이

sleep-in [slíːpìn] *a.* 〈고용인 등이〉 입주하는
— *n.* **1** 입주 고용원(opp. *sleep-out*) **2** 철야 농성

sleep·i·ness [slíːpinis] *n.* Ⓤ 졸음, 졸림: shake off ~ 졸음을 쫓아버리다

‡**sleep·ing** [slíːpiŋ] *a.* **1** 자는, 자고 있는 **2** 활동하지 않는, 쉬고 있는 **3** 숙박 설비를 갖춘 **4** 숙박[수면]용의: a ~ jacket 숙박용 재킷 **5** 〈손·발이〉 저리는
— *n.* Ⓤ **1** 수면 **2** 불활동; 휴지(dormancy)

sléeping bàg 슬리핑백, 침낭 《야영용》

Sléeping Béauty [the ~] 잠자는 미녀 《늙은 마녀의 마술로 백년 동안 잠잔 아름다운 공주》

sléeping càr (열차의) 침대차(sleeper)

sléeping càrriage 《영》 = SLEEPING CAR

sléeping dóg **1** 자고 있는 개: Let ~*s* lie. 《속담》 잠자는 개는 그대로 두어라, 긁어 부스럼 만들지 마라. **2** 《비유》 싫은[불쾌한] 일[추억] ***wake a ~*** 일을 시끄럽게 만들다

sléeping dràught 《영》 (물약) 수면제

sléeping pártner 《영》 = SILENT PARTNER

sléeping pìll (알약으로 된) 수면제

sléeping polícemen 《영》 (주택가 등의 속도 제한을 위한) 도로상의 돌출 부분, 과속 방지 턱

sléeping pòrch 외기(外氣)를 쐬며 잘 수 있는 베란다[방]

sléeping sìckness 〖병리〗 **1** 수면병 《열대 아프리카의 전염병》 **2** 기면성(嗜眠性) 뇌염

sléeping sùit 어린아이용 잠옷 《위아래가 붙은》

sléeping tàblet = SLEEPING PILL

sleep-learn·ing [slíːplə̀ːrniŋ] *n.* Ⓤ (녹음 교재에 의한) 수면 학습

sleep·less [slíːplis] *a.* **1** 잠 못 이루는, 불면증의: a ~ night 잠 못 이루는 밤 **2** 방심하지 않는, 끊임없는 〈경계〉 **3** 《시어》 가만 있지 않는, 항상 활동하고 있는 ~·**ly** *ad.* ~·**ness** *n.*

sléep mòde 〖컴퓨터〗 대기 상태 《일정 시간 이상 사용되지 않은 컴퓨터가 작동을 멈춘 절전 상태》

sleep-out [slíːpàut] *a.* 〈고용인 등이〉 통근하는
— *n.* **1** 통근하는 고용원(opp. *sleep-in*) **2** 야외에서 자는 일 **3** 《호주》 침실로도 쓸 수 있는 베란다

sleep-o·ver [-òuvər] *n.* **1** 외박; 외박하는 사람 **2** = PAJAMA PARTY

sléep shàde 안면용(安眠用) 눈가리개

sléep sòfa 침대 겸용 소파(sofa bed)

sleep·suit [-sjuːt] *n.* 《영》 유아용 잠옷 《팔다리 및 위아래 전체가 이어진》

sleep-teach·ing [-tìːtʃiŋ] *n.* 수면 교수법(cf. SLEEP-LEARNING)

sléep-wáke cỳcle [-wéik-] 〖생리〗 수면 각성 사이클[주기]

sléep·wàlk [-wɔ̀ːk] *vi.* **1** 잠자면서 걸어 다니다 **2** 《구어》 느릿느릿[활기 없이] 다니다
— *n.* 자면서 돌아다니기, 몽유병

sleep·walk·er [-wɔ̀ːkər] *n.* 몽유병자

sleep·walk·ing [-wɔ̀ːkiŋ] *n.* Ⓤ 몽유병(somnambulism) — *a.* 몽유병의

sleep·wear [-wɛ̀ər] *n.* Ⓤ [집합적] 잠옷류(類)

‡**sleep·y** [slíːpi] *a.* (**sleep·i·er**; **-i·est**) **1** 졸리는, 졸음이 오는; 졸리는 듯한; 잠결의 **2** 잠자는 듯한, 활기 없는, 멍한: a ~ gesture 활기 없는 몸짓 **3** 〈움직임·흐름이〉 느린 **4** 조용한, 죽은 듯한: ~ village 조용한 마을 **5** 졸음이 오는 듯한; 최면의, 기면성(嗜眠性)의: ~ sickness 《영》 수면병, 기면성 뇌염 **6** 〈과일 따위가〉 너무 익어 속이 썩기 시작한

---

slay *v.* murder, kill, slaughter, assassinate
sleepy *a.* drowsy, tired, somnolent, languid

*__sleep·y·head__ [slí:pihèd] *n.* 잠꾸러기, 잠보

Sléepy Hóllow chàir ⦅미⦆ (19세기 중기의 등판이 높고 시트가 깊은) 안락의자

*__sleet__ [slí:t] *n.* Ⓤ 진눈깨비; ⦅미⦆ 우빙(雨氷)(glaze); 도로의 살얼음
— *vi.* [it을 주어로 하여] 진눈깨비가 오다, 진눈깨비처럼 내리다: *It* ~*ed* last night. 어젯밤에는 진눈깨비가 내렸다. ▷ sléety *a.*

sleet·y [slí:ti] *a.* (**sleet·i·er**; **-i·est**) 진눈깨비의[같은], 진눈깨비가 오는 **sléet·i·ness** *n.*

‡**sleeve** [slí:v] *n.* **1** (옷의) 소매(자락): Every man has a fool in his ~. ⦅속담⦆ 약점이 없는 사람은 없다. **2** (레코드의) 커버, 재킷(⦅미⦆ jacket) **3** 〚기계〛 슬리브관(管), 수관(袖管) ⦅긴 축(軸) 등을 끼우는 관⦆ **4** =SLEEVELET **5** =SLEEVE TARGET
be in one's shirt ~s 재킷을 입지 않고 있다 ***hang on*** a person***'s ~s*** …에게 의지하다, …이 시키는 대로 하다 ***have a plan*** [***a card, something***] ***up*** one***'s ~*** 유사시의 계획[최후 수단, 비법]이 있다 ***laugh*** [***smile***] ***in*** [***up***] one***'s ~*** 뒤에서[숨어서] 웃다 ***mandarin ~*** (팔꿈치에서 넓게 퍼진) 중국식 소매 ***put the ~ on*** a person ⦅미·속어⦆ …을 체포하다, (대질시켜) …을 확인하다, 친구를 불러세우고 돈을 조르다[빚 독촉하다] ***roll*** [***turn***] ***up*** one***'s ~s*** (일·싸움 등을 하려고) 소매를 걷어붙이다; 일에 착수하다 ***wear*** one***'s heart on*** [***upon***] one***'s ~*** 감정을 감추지 않고 드러내다, 생각하는 바를 숨김없이 말하다
— *vt.* **1** (옷에) 소매를 달다 **2** 〚기계〛 …에 슬리브를 끼우다, 슬리브로 연결하다 **~·like** *a.*

sleeve·board [slí:vbɔ̀:rd] *n.* 소매 다림질판

sléeve bùtton 커프스 단추

sleeved [slí:vd] *a.* **1** 소매 달린 **2** [보통 복합어를 이루어] …한 소매가 달린: half-[long-, short-] ~ 반[긴, 짧은] 소매의

sleeve-fish [slí:vfìʃ] *n.* 〚동물〛 오징어(squid)

sleeve·less [slí:vlis] *a.* 소매 없는

sleeve·let [slí:vlit] *n.* 소매 커버

sléeve lìnk (줄로 연결한) 커프스 단추

sléeve nòte [보통 **~s**] ⦅영⦆ 레코드 재킷의 해설 (⦅미⦆ liner note)

sléeve nùt 〚기계〛 슬리브 너트 ⦅관 등의 결합용⦆

sléeve tàrget 〚군사〛 (비행기가 달고 나는 대공 사격 연습용) 기류(旗旒) 표적

sléeve vàlve 〚기계〛 슬리브 판 ⦅내연 기관의 원통형 흡배판(吸排瓣)⦆

slee·zy [slí:zi(:)] *a.* ⦅미·속어⦆ =SLEAZY

‡**sleigh** [sléi] [Du. 「썰매」의 뜻에서] *n.* **1** (대개는 말이 끄는) 썰매(sledge) **2** (포가(砲架)의) 활동부(滑動部)
— *vi.* 썰매를 타다[로 가다]
— *vt.* 썰매로 운반하다
~·er *n.*

sleigh *n.* 1

sléigh bèd (19세기에 많이 사용된) 머리·다리 부분의 판자가 바깥 쪽으로 말린 침대

sléigh bèll 썰매의 방울

sleigh·ing [sléiiŋ] *n.* Ⓤ **1** 썰매타기, 썰매 여행 **2** 썰매가 달리는 상태; 썰매가 달리는 눈의 상태

sleigh·ride [sléiràid] ⦅미·속어⦆ *n.* **1** (1회분의) 코카인(cf. SNOW[1] 4) **2** 부[권력, 성공]를 나누어 가짐[가질 기회]; 인생의 좋은 시절 **3** 남에게 이용당함: be taken for a ~ 남에게 속아 넘어가다
— *vt.* 코카인을 마시다[맞다]

sleight [sláit] [ON 「교활한」의 뜻에서] *n.* ⓊⒸ **1** 숙련; 날랜 솜씨; 교묘한 수완 **2** 요술; 속임수, 술책(artifice), 책략 ***~ of hand*** 재빠른 손재주; 요술(jugglery); 속임수, 책략

sléight of móuth ⦅구어⦆ 교묘한 말재주(로 속이기)

‡**slen·der** [sléndər] *a.* (**~·er**; **~·est**) **1** 호리호리한, 가느다란(slim), 날씬한(opp. *solid*, *robust*)(⇨ thin 유의어) **2** 미덥지 않은; 가냘픈, 연약한; 〈희망 등이〉 박약한 **3** 모자라는, 〈수입 등이〉 얼마 안 되는, 소액의; 〈식사 등이〉 빈약한: a ~ income 얼마 안 되는 수입 **4** 〚음성〛 협음(狹音)의 **~·ly** *ad.* **~·ness** *n.*

slen·der·ize [sléndəraiz] *vt.* **1** 가늘게 하다; 가늘게[가냘퍼] 보이도록 하다 **2** [~ one*self*로] 〈몸을〉 날씬하게 하다 — *vi.* 가늘어지다, 날씬해지다

slénder lóris 〚동물〛 로리스[늘보원숭이]의 일종 ⦅스리랑카산(產)⦆

‡**slept** [slépt] *v.* SLEEP의 과거·과거분사

sleuth [slú:θ] *n.* **1** ⦅구어⦆ 형사, 탐정 **2** =BLOODHOUND 1 — *vt.*, *vi.* ⦅구어⦆ …의 뒤를 쫓다, 추적[추격]하다

sleuth·hound [slú:θhàund] *n.* **1** 경찰견, 수색견(bloodhound) **2** ⦅미·구어⦆ 탐정, 형사

sleuth·ing [slú:θiŋ] *n.* Ⓤ (범죄·의문의 사건 등의) 추적, 조사

Ś lèvel [Scholarship *level*] ⦅영⦆ S급 (시험) ⦅대학 입학 자격 고사(G.C.E.)의 최상급 수준; 대학 장학금 과정⦆

*__slew__[1] [slú:] *v.* SLAY의 과거

slew[2] *v.*, *n.* =SLUE[1]

slew[3] *n.* Ⓤ 진창, 수렁, 소(沼)

slew[4] *n.* [a ~ 또는 *pl.*] ⦅미·구어⦆ 많음, 다수, 다량(lot) ***a ~ of*** 많은

slew[5] *vi.* ⦅미·구어⦆ 취할 때까지 마시다

slewed [slú:d] *a.* Ⓟ ⦅속어⦆ 술 취한

slew·foot [slú:fùt] *n.* ⦅미·속어⦆ 형사, 탐정; 서투른[얼빠진] 녀석[선수]

sley, slay [sléi] *n.* (베틀의) 바디

‡**slice** [sláis] [OF 「얇게[가늘게] 짜개진 것」의 뜻에서] *n.* **1** 얇게 썬 조각; 한 조각, (현미경 검사용 암석 등의) 얇은 조각: a ~ of bread 빵 한 조각 **2** 일부분, 몫 ⦅*of*⦆: a ~ *of* profits 이익의 일부분 **3** 날이 얇은 식칼; (식탁용) 생선 나이프(=fish ~) **4** 〚골프〛 (오른손잡이의) 우곡구(右曲球) **5** ⦅영⦆ 과세 소득의 계층 구분 ***a real ~*** ⦅미·속어⦆ 재수없는 날, 지겨운 하루 ***a ~ of life*** (책·영화·연극에서) 실생활을 보여주는 묘사[장면](cf. SLICE-OF-LIFE) ***cut a ~*** (***off the joint***) (남자가) 성교하다 ***~ and dime film*** ⦅미·속어⦆ (특히 사람을 난도질하는) 공포 영화
— *vt.* **1** 얇게 베다[썰다]; 잘라내다 ⦅*off*⦆, 분할하다 ⦅*up*⦆; 깎아[긁어] 내다 ⦅*off*⦆: ~ an apple 사과를 얇게 썰다 // (~+목+부) ~ *off* a piece of meat 고기를 한 조각 잘라내다 // (~+목+전+명) ~ a cake *in* two 케이크를 두 조각으로 나누다 **2** (칼로) 베다 **3** 〈하늘·물 등을〉 가르듯이 달리다 ⦅*through*⦆; (골프채로 오른쪽에서 왼쪽으로) 〈공을 베듯이〉 치다: (~+목+전+명) The ship ~*d* (her way *through*) the waves. 배는 파도를 헤치고 나아갔다.
— *vi.* **1** 베다 ⦅*into*⦆ **2** (골프에서) 공을 깎아치다
any way you ~ it ⦅미·구어⦆ 어느모로 보나
~·a·ble *a.*

slíce bàr 부지깽이 ⦅용광로 등에 쓰이는⦆

slíced bréad [sláist-] 얇게 자른 빵, 식빵: a loaf of ~ 식빵 한 덩어리 ***the best thing since ~*** ⦅구어⦆ 아주 훌륭한[홍미로운] 것

slice-of-life [sláisəvláif] *a.* 생활의 한 단면을 정확하게 묘사한, 인생의 실제 모습을 엿보게 하는

slic·er [sláisər] *n.* **1** (빵·베이컨 등을) 얇게 써는 기구, 슬라이서: a cheese ~ 치즈 슬라이서 **2** 얇게 베는 사람

*__slick__ [slík] *a.* **1** 매끈매끈한; 미끄러운 **2** 말재주 있는, 요령 있는, 주변이 좋은 〈태도〉: a ~ salesman 말주변이 능한 판매원 **3** 능숙한, 교묘한; 교활한; 빈틈없는: a ~ excuse 교활한 변명 **4** Ⓐ 고급 광택지를 사용한 〈잡지〉 **5** ⦅속어⦆ 멋진(smart), 호화로운; 일류의 **6** 신품과 다름없는 〈중고 자동차〉

thesaurus **slender** *a.* slim, thin, slight, lean
slight *a.* **1** 근소한 small, little, tiny, minute, sub-

— *n.* **1** 매끈매끈한 부분; 수면의 유막(油膜)(=oil ~) **2** [보통 *pl.*] 《미·구어》 (고급 광택지로 만든) 대중 잡지(cf. PULP 3) **3** 날이 넓은 대패 **4** 《미·속어》 겉만 번지르르한 중고차 **5** 《미·속어》 사기꾼

— *ad.* **1** 매끈하게: go ~ 거침없이 돌아가다, 탈없이 움직이다 **2** 정확히, 똑바로(directly), 정면으로 (straight): run ~ *into* …와 정면으로 충돌하다 **3** 교묘하게, 솜씨 있게(cleverly)

— *vt.* **1** 매끈하게 하다, 잘 미끄러지게 하다 **2** 《미·구어》 말끔하게 하다, 가지런하게 하다 《*up, off*》: be ~*ed* up for a date 데이트 가려고 말쑥하게 차려입다 **3** 향상시키다, 〈솜씨를〉 닦다 《*up, off*》 **~ *down*** (머리를 기름 등으로) 곱게 매만지다 **~·ly** *ad.* **~·ness** *n.*

slíck chíck 《미·속어》 멋진[매끈한] 아가씨

slick-ear [slíkìər] *n.* 귀표(earmark)가 없는 가축

slicked-up [slíktʌ̀p] *a.* 《속어》 깨끗이 정돈된, 깔끔하게 한, 멋을 부린

slick·ens [slíkənz] *n. pl.* **1** 유적(流積) 실트(silt)층(層) **2** 〖야금〗 (쇄광기에서 나는) 광석 가루

slick·en·side [slíkənsàid] *n.* [보통 *pl.*] 〖지질〗 단층 거울면[마찰면]

slick·er [slíkər] *n.* **1** 《미》 길고 헐거운 비옷 **2** 《구어》 야바위꾼, 사기꾼 **3** 〈옷차림·태도가〉 매끈한 도시 사람(=city ~)

slick·um [slíkəm] *n.* 《속어》 머릿기름, 포마드

***slid** [slíd] *v.* SLIDE의 과거·과거분사

‡slide [sláid] *v.* (**slid** [slíd]; **slid,** 《고어》 **slid·den** [slídn]) *vi.* **1** 미끄러지다 《*on, upon, over*》(⇨ slip[1] 유의어); 살금살금 걷다, 남몰래 움직이다; 〈피스톤 등이〉 미끄러져 움직이다 《*up, down*》: (~+전+명) ~ *down* the slope of a hill 언덕의 비탈길을 미끄러져 내려가다/~ *into* a room 살며시 방에 들어가다 **2** 활주하다, 얼음을 지치다; 〖야구〗 슬라이딩하다; 〖음악〗 (어떤 음에서 다른 음으로) 부드럽게 옮아가다: (~+전+명) ~ *on* ice 얼음을 지치다/The runner *slid into* second base. 주자는 2루에 슬라이딩해 들어갔다. **3** 〈시간 등이〉 미끄러지듯이 지나가다, 모르는 사이에 진전되다: (~+부) The years *slid past*[*away*]. 어느덧 세월이 흘렀다. **4** (죄·나쁜 버릇 등에) 빠지다; (서서히) 이동하다: (~+전+명) ~ *into*[*to*] bad habits 나쁜 습관에 빠지다/~ *from* grave *to* gay 엄숙함에서 쾌활함으로 어느덧 (분위기가) 바뀌다 **5** 〈가치·주가가〉 내리다

— *vt.* **1** 미끄러지게 하다, 활주시키다 《*down, on, upon, up*》: (~+목+전+명) ~ a glass *across* the table 유리잔이 테이블 위를 가로질러 미끄러져 가게 하다 **2** 살짝 넣다, 미끄러져 들어가게 하다, 술술 움직이다, 살그머니 들여보내다 《*into*》: (~+목+전+명) ~ a letter *into* a person's hand 편지를 손에 슬쩍 쥐어 주다 ***let …*** **~** 《구어》 …을 상관하지 않다, 되는대로 맡겨 두다 **~ *away*** 슬며시 떠나가다; 〈시간이〉 어느덧 지나가다 **~ *by*** (1) 스쳐 지나가다 (2) 꾀를 피우다 **~ *over***[***around***] a delicate subject (어려운 문제를) 회피하다, 어물쩍 넘어가다

— *n.* **1** 미끄러짐, 한 번 미끄러지기, 미끄럼 타기, 활주 **2** 활주장; 활주대; (어린이용의) 미끄럼틀: a ski ~ 스키 활주장 **3** 떨어지기, 하락, 저하 **4** 사태, 산사태, 눈사태 **5** (음정을 바꾸기 위하여 폈다 오그렸다 하는 트롬본의) U형 관(管) **6** 굴림통; 미끄러져 떨어지게 하는 장치, 활송(滑送) 장치 **7** 〖기계〗 활판(滑瓣) (=~ valve); (환등용) 슬라이드(=lantern ~); (현미경의) 슬라이드 《유리로 된》; (대포의) 미끄럼판 **8** 〖야구〗 슬라이드 **9** (여성용의) 헤어클립

slíde bàr 〖기계〗 미끄럼 막대(guide bar)

slíde fàstener 지퍼(zipper)

slide·film [sláidfìlm] *n.* =FILMSTRIP

slíde knòt (올가미 따위의) 미끄럼 매듭

slíde projèctor 슬라이드 영사기

tle **2** 하찮은 minor, unimportant, petty, insignificant, negligible, trivial, trifling, paltry, meager

slid·er [sláidər] *n.* **1** 미끄러지는 것[사람] **2** 〖기계〗 활자(滑子), 활동부(滑動部) **3** 〖야구〗 슬라이더 《내각[외각]으로 흘러가는 공》

slíde ràil 가동(可動) 레일; 천차대(遷車臺)

slíde rùle 계산자

slide·show [sláidʃòu], **slíde shòw** *n.* 슬라이드 쇼 **1** 여러 슬라이드 필름을 차례로 보여 주는 것 **2** 〖컴퓨터〗 여러 이미지를 모니터 상에 순차적으로 보여주는 소프트웨어의 일종

slíde vàlve 〖기계〗 활판(滑瓣)

slide·way [sláidwèi] *n.* 활주로, 활송로(滑送路), 활사면(滑斜面)

slid·ing [sláidiŋ] *a.* **1** 미끄러져 움직이는; 이동하는(movable) **2** 변화하는(varying) **3** 《폐어》 일시적인, 불안정한; 불확실한 — *n.* **1** 미끄러짐; 이동 **2** 〖야구〗 슬라이딩

slíding dóor 미닫이 문

slíding kéel =CENTERBOARD

slíding róof (자동차 등의) 개폐식 지붕[천장]

slíding rúle 《고어》 =SLIDE RULE

slíding scále **1** 〖경제〗 슬라이딩 스케일, 신축법(伸縮法), 순응률(順應率) 《임금·물가·세금 등이 경제 상태에 따라 오르내리는 방식; cf. ESCALATOR CLAUSE》 **2** = SLIDE RULE

slíding séat (노젓기를 자유롭게 하기 위해) 미끄러져 움직이는 자리 《경주용 보트의》

slíding tíme =FLEXTIME

sli·er [sláiər] *a.* SLY의 비교급

sli·est [sláiist] *a.* SLY의 최상급

sligh [slái] *vt.* 《미·속어》 〈천막 등을〉 철거하다

‡slight [sláit] *a.* **1** 근소한, 약간의, 적은: a ~ increase 근소한 증가 **2** [최상급으로; 부정문에서] 조금도 (…않다): There is *not the* ~*est* doubt about it. 거기에는 조금도 의심스러운 점이 없다. **3** 대단치 않은, 하찮은, 시시한, 보잘것없는; 가벼운, 경미한: a ~ wound 가벼운 상처 **4** 가느다란, 호리호리한, 가냘픈(opp. *solid*)(⇨ thin 유의어); 취약한, 박약한: a ~ fabric 취약한 조직 ***make ~ of*** …을 얕보다, 경시하다 ***not … in the ~est*** = ***not in the ~est …*** 조금도 …아니다: You have*n't* changed *in the* ~*est*. 너는 조금도 변하지 않았다.

— *vt.* **1** 경시하다, 무시하다(disregard); 모욕하다: I felt ~*ed*. 나는 무시당한 느낌이 들었다. **2** 〈일 등을〉 등한히[아무렇게나] 하다

— *n.* 경멸(contempt), 얕봄, 멸시, 무례, 모욕(affront), 냉담 《*to, upon*》 ***put a ~ upon*** a person …을 얕보다[모욕하다]

slight·ing [sláitiŋ] *a.* 깔보는, 경멸하는, 대수롭지 않게 여기는, 실례되는

slight·ing·ly [sláitiŋli] *ad.* 얕보아, 경멸하여

***slight·ly** [sláitli] *ad.* **1** 약간, 조금; 가볍게: know a person ~ …을 조금 알고 있다/I am ~ ill. 약간 몸이 편찮다./It is ~ better. 좀 낫다. **2** 약하게, 가늘게, 호리호리하게, 가냘프게: He is very ~ built. 그는 몹시 가냘픈 체격이다. **3** 부주의하게; 경멸해서

slight·ness [sláitnis] *n.* Ⓤ **1** 조금, 미량 **2** 몸이 호리호리함 **3** 하찮음; 경미함; 실질이 없음

sli·ly [sláili] *ad.* =SLYLY

***slim** [slím] [Du. 「나쁜」의 뜻에서] *a.* (**~·mer**; **~·mest**) **1** 〈사람·체격 등이〉 호리호리한, 가냘픈, 가는(⇨ thin 유의어): a ~ waist 가냘픈 허리 **2** 〈가망 등이〉 아주 적은; 불충분한, 빈약한: a ~ chance 가망성 적은 기회/a ~ income 빈약한 수입 **3** 〈옷이〉 슬림 사이즈의 **4** 〈논의 등이〉 시시한, 천박한 **5** 〈통로 따위가〉 좁은 **6** 교활한

— *v.* (**~med**; **~·ming**) *vi.* (감식(減食)·운동 등으로) 감량하다; 가늘어지다

— *vt.* **1** 가늘게[마르게] 하다 **2** 억제하다: ~ inflation 인플레를 억제하다

~ *down* 살을 빼다, 마르다; …의 규모를 줄이다, (기업의) 경비를 절감하다 **~·ness** *n.*

slime [sláim] *n.* **1** ⓊⒸ 끈적끈적한[찐득찐득한] 것; Ⓤ 는지렁이; 진흙; (달팽이·물고기 등의) 점액(粘液) **2** 더러운[언짢은] 것, 악취 나는 것 **3** 이사(泥砂); [보통 *pl.*] 이광(泥鑛) 《아주 미세하게 분쇄한 광석》 **4** 《미·속어》 악의 세계, 암흑가, 인간 쓰레기들
— *vt.* **1** (진흙 등으로) 덮다, 바르다 **2** (물고기의) 점액을 제거하다 **3** 〈뱀이 먹이를〉 점액으로 뒤덮다 **4** 이사(泥沙)가 되게 바수다 — *vi.* **1** 진흙투성이가 되다; (진흙이 묻어) 끈적끈적해지다, 미끈미끈하게 되다 **2** 《영·속어》 미꾸라지처럼 미끈미끈 빠져나가다 《*through, away, past*》

slime·ball [sláimbɔ̀:l], **-bag** [-bæ̀g] *n.* 《속어》 불쾌한 녀석, 저질 인간

slíme mòld 〖식물〗 점균(粘菌)류, 변형균(變形菌)류

slíme pìt 역청갱(瀝靑坑), 역청 채굴장

slim·i·ly [sláimili] *ad.* 끈적끈적하게

slim-jim [slímdʒím, ∸∸] *a., n.* 《미·구어》 길쭉한 (것), 호리호리한 (사람)

slim·line [-làin] *a.* **1** 호리호리한[날씬한] 디자인의; 〈형광등이〉 가느다란 **2** 소규모의, 경제적인

slim·ly [slímli] *ad.* 가느다랗게; 날씬하게; 불충분하게; 교활하게

slim·mer *n.* 《영》 체중을 줄이려는 사람

slim·ming [slímiŋ] *n.* Ⓤ 슬리밍 《체중을 줄이기 위한 감식·식이 요법》

slim·mish [slímiʃ] *a.* 조금 호리호리한, 약간 가는, 조금 약한

slim·nas·tics [slìmnǽstiks] [*slim*+gym*nastics*] *n. pl.* [단수 취급] 감량[미용] 체조

slim·sy [slímzi], **slimp·sy** [slímpsi] *a.* (**-si·er**; **-si·est**) 《미·구어》 깨어지기 쉬운, 얄팍한, 취약한, 섬약(纖弱)한

slim·y [sláimi] *a.* (**slim·i·er**; **-i·est**) **1** 진흙투성이의, 진흙을 바른; 끈적끈적한, 점액성의: a ~ liquid 점액성 액체 **2** 불쾌한, 더러운, 치사한; 《영》 알랑대는, 비굴한 〈태도 등〉; 《구어》 비열한, 부정한(vile): a ~ traitor 비열한 배신자 **slím·i·ness** *n.*

∗**sling**[1] [slíŋ] *n.* **1 a** 투석기(投石器) 《옛날의 무기》 **b** (어린이 등의) 장난감 고무총(slingshot) **2** (투석기로) 돌을 쏨; 내던짐, 팔매질; 일격; 달아 올림 **3** 〖의학〗 어깨에 매는 붕대, 삼각건 **4** (총 등의) 걸빵, 멜빵 **5** = SLING(-BACK) PUMP **6** 〖항해〗 (물건을) 매다는 밧줄[사슬](= ∠ **chàin**)
— *vt.* (**slung** [slʌ́ŋ]) **1** 투석기로 쏘다; 〈돌 등을〉 (고무총 등으로) 내던지다: (~+목+전+명) ~ stones *at* a dog 개에게 돌을 던지다 **2** 〈…을〉 (어깨 위 등에) 던져 올리다, 걸치다; 〖의학〗 걸메는 붕대로 매달다; 〈칼 등을〉 차다, (멜빵·걸빵으로) 걸메다[걸머지다] 《*over*》; (밧줄·사슬 등으로) 달아 올리다: (~+목+전+명) ~ a rifle *over* one's shoulder 총을 어깨에 걸메다 **3** 《영·속어》 그만두다; 두다
~ ***hash*** 《미·속어》 싸구려 음식점에서 급사로 일하다 ~ ***ink*** 《구어》 〈매문가(賣文家)가〉 마구 갈겨쓰다; 신문 기자 노릇을 하다 ~ ***it*** 《미·속어》 수다 떨다, 잡담하다, 허풍 떨다, 아는 체 지껄이다 ~ ***off*** 《호주·구어》 비웃다, 조소하다 《*at*》 ~ ***out*** 《넵다》 내던지다 ~ one***self up*** 술술 올라가다 ~ one***'s hook*** 살그머니 도망치다

sling[2] *n.* ⓊⒸ 슬링 《진·브랜디·위스키 등에 과즙·설탕물·향료 등을 가미한 음료》

sling-back [slíŋbæ̀k] *n.* 슬링백, 슬링밴드 《발꿈치 부분이 끈으로 된 구두; 그 끈》

slíng(-back) púmp [보통 *pl.*] 슬링 펌프 《끈으로 뒤를 묶는 굽이 낮은 슬리퍼식 여자 구두》

sling-bag [-bæ̀g] *n.* 숄더 백

slíng càrt 〖군사〗 (대포 등을) 매달아 운반하는 차

slíng chàir 슬링 체어 《나무 또는 철제 골격에 캔버스 등을 댄 의자》

sling·er[1] [slíŋər] *n.* **1** 투석기 사용자 **2** 달아올리는 사람 **3** 《미·속어》 웨이터, 웨이트리스; 《미·속어》 떠버리, 허풍선이

slinger[2] *n.* **1** 하역 감독 **2** 〖기계〗 (베어링의) 기름막이

slínger rìng 〖항공〗 (프로펠러의) 결빙 방지 윤관(輪管)

sling·shot [slíŋʃɑ̀t | -ʃɔ̀t] *n.* 《미》 **1** 새총(《영》 catapult) **2** 슬링 쇼트 《자동차 경주에서 추월시 급속히 가속하는 주행 기술》; (뒷바퀴 뒤쪽에 운전석이 있는) 레이싱 카

slink[1] [slíŋk] *vi.* (**slunk** [slʌ́ŋk], 《고어》 **slank** [slǽŋk]; **slunk**) **1** 살금살금 걷다[도망가다], 가만가만 다니다 《*off, away, about, by*》 **2** 《구어》 〈여자가〉 간들간들 걷다

slink[2] *vt., vi.* (**~ed, slunk** [slʌ́ŋk]) 〈특히 암소가 새끼를〉 조산[유산]하다 — *a.* 〈송아지 등이〉 달이 차지 못한; 말라빠진 — *n.* 달이 차지 못한 새끼 《송아지 등》; Ⓤ 그 가죽[고기]

slink·y [slíŋki] *a.* (**slink·i·er**; **-i·est**) **1** 살금살금 움직이는; 남의 눈을 피하는(furtive), 내밀(內密)한(stealthy) **2 a** 〈동작·자태 등이〉 나긋나긋하고 우아한 **b** 〈여성복 등이〉 신체의 선을 살린, 날씬하게 드리워진 〈가운 등〉

‡**slip**[1] [slíp] *v., n.*

> 「살짝 빠져나가다[들어가다]」 동 자 **4** →「스르르 빠지다」
> →「미끄러지다」→「미끄럼」 명 **1** →「어쩌다가 실수하다」→「실수」 명 **3**
> →「급히 입다[벗다]」→(급히 입는 것)→「슬립」 명 **5**

— *v.* (**~ped**, 《고어》 **slipt** [slípt]; **~ped**; **~·ping**) *vi.* **1** 미끄러지다, 미끄러져 내려[들어]가다 《*down, off*[*into*]》, …에서 미끄러지다 《*over*》: (~+부) (~+전+명) ~ *along over* the snow 눈 위를 미끄러져 가다 / The book ~*ped off* my knees. 책이 내 무릎에서 미끄러져 떨어졌다.

> 유의어 **slip** 저절로[실수하여, 사고 때문에] 물건의 표면을 주르르 미끄러지다: *slip* on the ice and fall 빙판에서 미끄러져 넘어지다 **slide** 매끄러운 표면을 가볍게 죽 미끄러지다: *slide* downhill 비탈을 미끄러져 내려가다

2 미끄러져 넘어지다, 헛디디다, 발이 걸려 넘어지다 《*on*》; 〈비행기가〉 옆쪽으로 미끄러지다: (~+전+명) He ~*ped on* an orange peel. 그는 오렌지 껍질에 발이 미끄러졌다. **3** 스르르 빠지다, 벗겨지다 《*out of, down, through, up*》; 헐거워지다, 풀리다, 빗나가다: (~+전+명) ~ *through* one's fingers 손가락 사이로 스르르 빠져나가다 / The knife ~*ped from* my hands. 칼이 손에서 스르르 빠졌다. **4** 살짝[슬그머니, 가만가만] 움직이다; 살짝 들어서다[빠져나가다] 《*in, out*》; 슬쩍 지나쳐 가다 《*past*》; (기억·머리 등에서) 사라지다 《*from*》; 〈비밀·말 등이〉 (입에서) 새다 《*from*》: (~+부) ~ *out* for coffee 커피를 마시러 살짝 빠져나가다 // (~+전+명) ~ *from* one's memory 기억에서 사라지다 / The secret ~*ped from* his lips. 비밀이 그의 입에서 무심결에 새어나갔다. / He ~*ped into* the room. 그는 살짝 방으로 들어갔다. **5** 미끄러지듯[술술] 달리다; 〈시간이〉 어느덧 지나다 《*along, away, by*》; 〈기회 등이〉 사라지다, 없어지다 《*away, past, by*》: let an opportunity ~ 기회를 놓치다 // (~+전+명) ~ *through* the waves 파도를 헤치고 미끄러지듯이 달리다 // (~+부) Time [The hours] ~*ped by.* 어느덧 시간이 흘렀다. **6** 스르르[훌랑, 급히] 입다[벗다] 《*into, out of*》: (~+전+명) ~ *into*[*out of*] a dress 옷을 스르르[훌랑, 후딱] 입다[벗다] **7** 깜빡[무심결에] 실수하다[잘못하다] 《*up*》: (~+전+명) He often ~*s* (*up*) *in* his grammar. 그는 곧잘 문법상의 잘못을 저지른다. **8** 《구어》 〈질·양이〉 (표준치보다) 내리다, 하락하다; 〈체력·건강 따위가〉 약해지다, 나빠지다

— *vt.* **1** 미끄러지게 하다; 술술 끼우다, 스르르[훌랑, 후딱] 입다 《*on*》, 스르르[훌랑, 후딱] 벗다 《*off*》; 살짝 끼우다[벗기다]; 살짝 넣다[꺼내다] 《*into, out of*》: (~+목+전+명) He ~*ped* the bolt *through* the hole. 그는 그 구멍에 볼트를 끼웠다. // (~+목+부) She ~*ped* her skirt *on*[*off*]. 그녀는 스커트를 스르르[후딱, 급히] 입었다[벗었다]. **2** 풀어놓다, 놓아주다, 내어주다; 〈개 등을〉 풀어주다; 〈추적자 등을〉 따돌리다; 〈감옥 등에서〉 도망가다; 〖항해〗 〈닻줄을〉 풀다; 〈닻을〉 내리다; 〖철도〗 〈차량을〉 떼어서 뒤에 남겨놓다: (~+목+전+명) ~ a dog *from* the leash 개를 가죽끈에서 풀어 주다 **3** 〈개가 목걸이 등을〉 풀어헤치다, 끄르다 **4** (구속·걱정 따위로부터) 자유롭게 되다, 해방되다 **5** (기억에서) 사라지다; (주의에서) 벗어나다 **6** 〖원예〗 접붙이다 **7** 〈송아지 등을〉 조산(早産)하다, 유산(流産)하다

let **~** 풀어주다; 〈사람·기회를〉 놓치다; 〈비밀을〉 누설하다 ***let ~ the dogs of war*** (시어) 전단(戰端)을 열다, 싸움의 개를 풀어놓다 **~ *along*** (속어) 빨리 빨리 가다; 〈시간이〉 어느덧 지나가다 **~ *away*[*off*]** 인사도 없이 떠나가다, 살짝 가 버리다; 〈시간이〉 어느덧 지나가다 **~ *into*** 쑥 입다; (속어) 후려갈기다; 많이 먹다 ***S~ me five.*** (미·속어) 자, 악수하자. **~ *over*** (1) 깜빡 빠뜨리다[간과하다] (2) 〈길을〉 서둘러[빨리] 나아가다 **~** something[one] ***over on*** a person (미·구어) …을 속이다, 사기치다 **~** one***'s mind*** [***memory***] 잊어 버리다 **~ *through*** one***'s fingers*** …을 손에서 놓치다 **~ *up*** (1) 미끄러져 넘어지다, 발이 걸려 넘어지다, 헛디디다 (2) (구어) 틀리다; 실패하다 (3) (미) 도망치다, 뺑소니치다, 실종하다 (4) (호주·속어) 속이다, 야바위치다

— *n.* **1** 미끄럼; (비행기 등의) 측면 활공(滑空); (추진기의) 후류(後流)(slipstream) **2** 미끄러져 넘어짐, 헛디딤, 헛디뎌 넘어짐, 걸려 넘어짐: a ~ on the ice 얼음 위에서 미끄러져 넘어짐 **3** (가벼운) 실수(mistake), 실패; 실언, (글씨의) 잘못 씀(⇨ error 유의어): a ~ of memory 기억 착오 / There's many a ~ 'twixt [between] the cup and the lip. (속담) 잔을 입으로 가져가는 사이에도 실수는 얼마든지 있을 수 있다, 입에 든 떡도 넘어가야 제것이다. **4** (양·질·수준 따위의) 저하, 하락: a ~ in prices 물가 하락 **5 a** 여자의 속옷, 슬립(underwear) **b** [*pl.*] (영) 수영복 **c** (영·방언) (어린이의) 턱받이 **d** 상의 **e** 베갯잇 **f** 개를 매는 줄[사슬] **6** (건물 사이의) 좁은 길; (제방 사이의 정선(停船)용) 수면; 〖조선〗 조선대(臺), 선가(船架); (선가의) 사로(斜路) **7** 〖지질〗 (지층의) 어긋남, 작은 단층 **8** 〖크리켓〗 슬립 《타자편에서 보아 삼주문(三柱門)의 뒤 몇 야드 왼쪽의 위치》, 슬립에 서는 외야수: in the ~*s* 외야수가 되어 **9** [the ~s] (영) 〖극장〗 무대 장치를 내오는 무대의 옆쪽, 등장 전에 배우가 서는 곳 **10** 탈주(脫走) **11** (가축의) 유산(流産), 조산(早産)

a ~ of the pen [***tongue***] 잘못 씀[말함] ***a ~ of the press*** 〖인쇄〗 오식(誤植) ***give*** a person ***the ~*** (구어) …을 허탕치게 하다, 〈추적자 등을〉 따돌리다

~·less *a.* ▷ slíppery, slíppy *a.*; slíppage *n.*

slip² *n.* **1** 조각, 동강, 가늘고 긴 조각, 종잇 조각, 메모 용지, 전표, 표, 권(券) 《보통 장방형》 **2** 〖원예〗 접지(接枝), 꺾꽂이용 가지 **3** 자손; [보통 *sing.*] (드물게) 몸집이 작고 가냘픈 젊은이[소년] **4** (교회의) 신도 전용 좌석 **5** 〖인쇄〗 가조판의 교정쇄 ***a*** (***mere***) **~ *of a boy*** [***girl***] 키만 멀쑥한 사내[여자] 아이

slip³ *n.* Ⓤ 이장(泥漿), 슬립 《도자기 제조에 쓰이는 고체 입자의 현탁액(懸濁液)》

slíp càrriage[**còach**] (영) 〖철도〗 열차가 통과역에서 떼어 놓고 가는 객차

slip·case [slípkèis] *n.* **1** (책 보호용) 종이 케이스, 책갑((미) slipcover) **2** (레코드의) 커버, 재킷(jacket)

slip·cov·er [-kʌ̀vər] *n.* **1** (소파 등의) 커버, 덮개 **2** (미) =SLIPCASE 1

slíp fòrm 〖건축〗 슬립 폼 《콘크리트 형틀의 일종》

slip·horn [-hɔ̀ːrn] *n.* (구어) =TROMBONE

slíp jòint 〖건축〗 미끄럼 이음; 신축(伸縮) 이음

slip·knot [-nɑ̀t | -nɔ̀t] *n.* (잡아당기면 곧 풀어지는) 매듭

slíp nòose (당기면 쉽게 풀리는) 밧줄고리, 올가미 (running noose)

slip-on [-ɔ̀ːn | -ɔ̀n] *a.*, *n.* 손쉽게 착용하고 벗을 수 있는 (옷[장갑, 구두]); 머리로부터 내리 입는 (스웨터)

slip·o·ver [-òuvər] *a.*, *n.* =SLIP-ON

slip·page [slípidʒ] *n.* Ⓤ **1** 미끄러짐 **2** 저하[하락]의 정도 **3** (목표와의) 편차 **4** (계산·이론상 산출량과 실제 산출량과의) 차이; 생산상의 지체(遲滯)량; (목표 생산고와 실제 생산고와의) 차이 **5** 〖기계〗 (연동 장치의) 어긋나는 양; (송전 중 또는 전도계(傳導系)에서의 동력의) 손실(량); (펌프 등의) 누출(漏出), 샘

slípped dísk[**dísc**] [slípt-] 〖병리〗 추간판(椎間板) 헤르니아, 디스크(herniated disk)

‡slip·per [slípər] *n.* **1** [보통 *pl.*] (실내용의 가벼운) 슬리퍼, 덧신, 실내화: a pair of ~*s* 슬리퍼 한 켤레, 한 켤레의 슬리퍼 **2** 회전 제어 장치, (바퀴의) 굄목

— *vt.* **1** 슬리퍼로 때리다 **2** 〈발을〉 실내화에 집어 넣다

— *vi.* **1** 슬리퍼를 신고 걷다 **2** (미·속어) 개심(改心)하다 **~·lìke** *a.*

slípper chàir (침실용의 낮은) 소형 의자

slip·pered [slípərd] *a.* 슬리퍼를 신은; 편히 쉬는

slip·per-slop·per [slípərslɑ̀pər | -slɔ̀-] *a.* (방언) 헐렁한 슬리퍼를 신은; 감상적인

slípper sòck 슬리퍼 양말 《바닥에 가죽을 댄 방한용 양말》

slip·per·y** [slípəri] *a.* (**-per·i·er**; **-i·est**) **1** 〈길 등이〉 미끄러운 **2** 잡을 데가 없는, 매끌매끌한, 잘 빠져나가는 **3** 의미가 선명하지 않은, 애매한 **4** 뻔뻔스러운, 믿을 수 없는; 교활한(tricky): a ~ customer 믿을 수 없는 사람, 빤들빤들한 놈 **5** 불안정한, 변하기 쉬운: a ~ situation 불안정한 상태 ***a [***the***] **~ *slope*** (영·익살) 처음에는 잘 보이지만 나중에는 브레이크가 잘 듣지 않게 되는 위험한 코스, 위험한 비탈길

slíp·per·i·ly *ad.* **slíp·per·i·ness** *n.*

slíppery élm 〖식물〗 (북미 동부산(産)) 느릅나무의 일종; 그 속껍질 《진통제로 씀》

slíp pròof 〖인쇄〗 가조판 교정쇄

slip·py [slípi] *a.* (**-pi·er**; **-pi·est**) **1** =SLIPPERY **2** (영·구어) 재빠른; 민첩한, 눈치 빠른

Look [***Be***] **~!** 재빠르게[눈치 빠르게] 굴어라!

slip-re·sis·tant [slíprizístənt] *a.* 미끄럼 방지의, 방활(防滑)의: the ~ surface 방활 처리한 표면

slíp rìng 〖전자〗 집전(集電) 고리, 슬립링

slíp ròad, slip-road [-ròud] *n.* (영) 고속도로의 진입로, 램프(ramp)

slíp shèet (인쇄물 사이에 끼우는) 간지(間紙)

slip-sheet [-ʃìːt] *vt.*, *vi.* (미) 간지를 끼우다

slip·shod [-ʃɑ̀d | -ʃɔ̀d] *a.* **1** 뒷굽이 닳은 신을 신은 **2** 발을 질질 끌며 걷는 **3** 단정치 못한(slovenly), 아무렇게나 하는(loose); 초라한 **~·ness** *n.*

slip·slop [-slɑ̀p | -slɔ̀p] *a.* **1** 너절한, 쓸데없는; 감상적인 **2** 〈술·음식 등이〉 싱거운, 밍밍한

— *n.* Ⓤ **1** ⓊⒸ 밑도 끝도 없는 너절한 일[이야기]; 감상적인[시시한] 문장 **2** Ⓤ 말 등의 우스꽝스러운 오용(誤用)(malapropism) **3** Ⓤ (고어) 밍밍한 술; ⓊⒸ 싱거운 음식

— *vi.* (**~ped**; **~·ping**) **1** 〈슬리퍼를〉 요란하게 끌며 걸어다니다 **2** 너절한 문장을 쓰다

slip·sole [-sòul] *n.* (구두의) 얇은 깔창; 중창 《높이 조절이나 보온을 위해 깔창 밑에 넣는 두꺼운 가죽》

slip·stick [-stìk] *n.* (미·속어) **1** 계산자(slide rule) **2** 트롬본(trombone)

slíp stìtch 〖양재〗 슬립 스티치, 공그르기

slip·stream [-strìːm] *n.* **1** 〖항공〗 (프로펠러의) 후류(後流) 《프로펠러에 의해 뒤로 밀리는 기류》 **2** (자동차의) 슬립 스트림 《고속 주행 중의 경주 자동차의 뒤에 생기는 저압(低壓) 부분》

slipt [slípt] *v.* (고어) SLIP¹의 과거

slip·up [slípʌ̀p] *n.* (구어) (사소한) 잘못, 오류; 재난
slip·way [-wèi] *n.* [보통 *pl.*] (경사진) 조선대(造船臺), 선가(船架)
*__slit__ [slít] *v.* (~; ~·**ting**) *vt.* **1** (선을 따라) 베어[째어] 가르다 **2** (세로로) 가느다랗게 쪼개다[째다, 찢다]: (~+목+전+명) ~ wood *into* strips 나무를 몇 갈래로 가느다랗게 쪼개다
— *vi.* 가느다랗게 찢어지다[베어지다]: (~+전+명) Her dress ~ *down* the back. 그녀의 드레스는 등이 세로로 터져 있었다.
— *n.* **1** 길다랗게 베인 상처 **2** 긴 구멍[짬], 틈; (공중전화·자동 판매기 등의) 동전을 넣는 구멍(slot[1])
slit-eyed [slítàid] *a.* 눈이 가는
slith·er [slíðər] *vi.* 주르르 미끄러지다; 미끄러져 가다[내려가다] — *vt.* 주르르 미끄러지게 하다
— *n.* 주르르 미끄러짐
slith·er·y [slíðəri] *a.* 주르르 미끄러지는
slít pòcket 세로로 째진 호주머니
slít trènch = FOXHOLE
slit·ty [slíti] *a.* (경멸) (눈이) 가느다란
slit·ty-eyed [slìtiáid] *a.* (비어) 째진 눈의
sliv·er [slívər] *vt.* **1** 세로로 길게 베다[찢다], 가느다랗게 자르다 **2** 〈생선의〉 한 쪽을 도려내다 — *vi.* 찢어지다, 쪼개지다(split) — *n.* **1** 찢어진 조각(splinter), (나무·재목 등의) 가느다란 조각: a ~ of bacon 베이컨 조각 **2** (양모·솜 등의) 올이 굵은 섬유 **3** 잔 물고기의 한 쪽 조각 (낚시 미끼) ~·**like** *a.*
slíver buìlding 폭이 좁은 고층 빌딩
sliv·o·vitz, -witz, -vic [slívəvits, -wìts] *n.* [U] 슬리보비츠 (헝가리 및 발칸 제국의 플럼 브랜디)
SLMA Student Loan Marketing Association
Slo. Sligo 아일랜드의 주(州)
Sloane [slóun] *n.* (영·구어·경멸) 런던의 부유층 지역의 상류층 젊은 여성
slob [slάb | slɔ́b] *n.* **1** (구어) 지저분한 사람; 굼벵이 **2** [U] (아일) (물가의) 진흙(땅) ~·**ish** *a.* ~·**by** *a.*
slob·ber [slάbər | slɔ́b-] *vi.* **1** 군침을 흘리다 **2** (먹거나 마실 때) 액체를 입에서 흘리다; 군침을 흘리면서 키스하다 **3** 감상적으로 말하다; 우는 소리를 하다, 징징거리다 — *vt.* **1** 군침으로 적시다[더럽히다] **2** 군침투성이로 키스하다 **3** 감상적으로 말하다 **4** 〈일을〉 너절하게 하다 ~ ***over*** …을 지나치게 귀여워하다; 감상적으로 이야기하다 — *n.* **1** [U] (군)침 **2** [UC] 우는[징징거리는] 소리; 감상적인 이야기 **3** 군침투성이의 키스 ~·**er** *n.*
slob·ber·y [slάbəri | slɔ́b-] *a.* (-**ber·i·er**; -**i·est**) **1** 군침을 흘리는, 군침으로 젖은[더러워진] **2** 우는 소리를 하는, 징징거리는 **3** 진흙투성이의, 질벅질벅한: ~ farm 진흙투성이 농장 **4** 너절한
slób ìce (해상의) 유빙괴(流氷塊)
sloe [slóu] *n.* 『식물』 자두류(類) (의 열매)
sloe-eyed [slóuàid] *a.* **1** 푸른 빛이 도는 검은 눈의 **2** 눈꼬리가 올라간
slóe éyes 길고 가는 매력적인 검은 눈
slóe gín 슬로진 (sloe를 넣은 술)
sloe-worm [-wə̀:rm] *n.* (영) = SLOWWORM
slog [slάg | slɔ́g] *vt., vi.* (~**ged**; ~·**ging**) **1** 〈공 등을〉 강타하다: ~ at a ball 공을 강타하다 **2** 꾸준히 일하다[노력하다]: ~ *away*[*on*] 끊임없이 부지런히 일하다 **3** 무거운 걸음걸이로 걷다 ~ ***it out*** 끝까지 싸우다 — *n.* **1** 강행군 **2** 꾸준히 하는 지루하고 힘든 일(의 기간) **3** 강타
‡**slo·gan** [slóugən] [Gael. 「군대의 함성」의 뜻에서] *n.* **1** (처세·사업·단체 등의) 슬로건, 모토, 표어 **2** (스코) 함성
slo·gan·eer [slòugəníər] (미) *n.* (특히 정치적·상업적 목적의) 슬로건 작자[사용자]
— *vi.* 슬로건을 고안[사용]하다
slo·gan·eer·ing [slòugəníəriŋ] *n.* [U] (경멸) (정치인 등의) 슬로건[구호] 광고
slo·gan·ize [slóugənàiz] *vt.* …을 슬로건으로 하다[표현하다]; 슬로건으로 영향을 주다[설득하다]
slog·ger [slάgər | slɔ́-] *n.* **1** (권투·야구·크리켓 등의) 강타자 **2** 근면한 사람
sloid, slojd [slɔ́id] *n.* = SLOYD
sloke [slóuk] *n.* 해조 (파래·김 따위)
slo·mo, slo-mo [slóumóu] *n.* (미·구어) (영화·비디오의) 슬로 모션(slow motion), 고속도 촬영
sloop [slú:p] *n.* 『항해』 슬루프형의 범선, 외돛배 ~ ***of war*** (영) 슬루프형 포함(砲艦) (윗갑판에만 함포를 장비한 소형 군함)
sloop-rigged [slú:p-rìgd] *a.* 『항해』 〈범선이〉 슬루프형 범장(帆裝)의
sloot [slú:t] *n.* = SLUIT
slop[1] [slάp | slɔ́p] *v.* (~**ped**; ~·**ping**) *vt.* **1** 엎지르다; 〈진흙·물을〉 엎질러서 더럽히다; 엉망진창으로 만들다 (*with*): (~+목+전+명) ~ a floor *with* some paint 페인트를 엎질러 마루를 더럽히다 **2** 〈돼지 등에게〉 밥찌꺼기를 주다 **3** (미·속어) 게걸스럽게 먹다, 벌컥벌컥 마시다 **4** (미·캐나다·구어) 매우 감상적으로 되다 **5** (구어) 방황하다
— *vi.* **1** 엎질러지다, 넘쳐 쏟아지다 (*over, out*): (~+부) (~+전+명) The coffee has ~*ped* (*over*) *into* the saucer. 커피가 받침 접시에 엎질러졌다. **2** 〈진창 속 등을〉 절벅절벅 걷다: (~+부) (~+전+명) The boy ~*ped about in* the mud. 소년은 진창 속을 걸어다녔다.
~ ***around***[***about***] (구어) (1) (단정하지 못한 차림으로) 어슬렁거리며 돌아다니다, 빈둥거리다 (2) (물웅덩이 등에서) 걸어다니다 ~ ***out*** (영) 〈교도소의 죄수가〉 방의 구정물[오물]을 내다 버리다 ~ ***over*** (1) 〈액체가〉 엎질러지다, 넘치다 (2) (미·구어) 지나치게 감상에 흐르다[감정을 드러내다] (3) 한도를 지나치다
— *n.* **1 a** (액체의) 엎지른 것; 엎지른 물 **b** 진창물; (특히) 진창 **2** [*pl.*] 싸구려 요리[음식]; (부엌 등의) 구정물, 밥찌꺼기 (돼지 사료용) **3** (죽 등의) 반(半)유동식 **4** 술찌끼; (질 나쁜) 맥주, 술 **5** [*pl.*] (사람의) 분뇨, 똥오줌 **6** [U] (구어) 값싼 감상
empty the ~s 구정물을 빼다
slop[2] *n.* **1** [*pl.*] (선원 등에게 지급되는) 침구 **2** 헐렁한 작업복; [*pl.*] 수병용의 옷가지 **3** [*pl.*] 통이 넓은 (반)바지 **4** [*pl.*] 싸구려 기성복
slop[3] *n.* (영·속어) 순경, 경관 (police를 거꾸로 철자한 것)
slóp bòwl[(영) **bàsin**] 차 찌끼 쏟는 그릇 (찻잔이나 커피잔에 남은 찌꺼기·찻잎·간 커피 알갱이 등을 쏟는 그릇)
slóp chèst (해양속어) **1** (항해중에 선원에게 파는) 선원복, 담배, 부츠 **2** 선내 매점 **3** (고어) 그 물품을 넣은 상자
‡**slope** [slóup] [aslope의 두음 소실] *vt.* **1** 경사지게 하다, 비탈지게 하다(incline) (*up, down, off, away*) **2** 〈총 따위를〉 메다
— *vi.* **1** 경사지다, 비탈지다: (~+부) (~+전+명) The road ~*s upward* from the river. 길은 강에서부터 오르막으로 되어 있다. / The land ~*s to* [*toward*] the sea. 그 땅은 바다 쪽으로 경사져 있다. **2** 내려가다[오다] **3** (구어) 달아나다, 도망하다; (미·속어) 탈옥하다
~ ***about*** 어슬렁거리다, 배회하다 ***S~ arms*** [***swords***]***!*** 『군사』 어깨 총[칼]! ~ ***away***[***off***] (영·구어) 가버리다(go off); (일을 피하기 위해) 꽁무니를 빼다 ~ ***the standard*** 군기(軍旗)를 비스듬히 기울이다 (경례의 형식)
— *n.* **1** 비탈, 사면(斜面); 경사지; (대양을 향하여 경사진) 대륙 내의 지역 **2** [UC] 경사(도), 물매 **3** 『수학』 기울기; 『인쇄』 자체(字體)의 기울기 **4** 『군사』 어깨 총의 자세 **5** 경기 후퇴

— *a.* [보통 복합어를 이루어] 경사진, 비탈진: ~-sided 경사면이 있는

slope·head [slóuphèd] *n.* ((미·속어)) ((경멸)) 동양인, ((특히)) 베트남인

slop·er [slóupər] *n.* **1** 경사지게 하는 사람[것] **2** 『양재』 슬로퍼 ((기성복의 견본용 옷))

slop·ing [slóupiŋ] *a.* 경사진(inclined), 비탈진(slanting), 비스듬한(oblique) **~·ly** *ad.* **~·ness** *n.*

slo-pitch [slóupítʃ] *n.* 슬로피치 ((슬로볼만으로 던지는 소프트볼의 일종))

slóp jàr (부엌용) 구정물통; 침실용 변기

slop-o·ver [-òuvər] *n.* (액체를) 엎지르기; 흘린 양

slóp pàil (부엌·침실 등의) 개수통, 구정물통; (가축용) 유동식 운반통

slop·pi·ly [slápili | slɔ́-] *ad.* **1** 묽게 **2** 몹시 감상적으로 **3** 적당히 얼버무려, 어물어물 **4** 단정치 못하게

∗**slop·py** [slápi | slɔ́pi] *a.* (**-pi·er**; **-pi·est**) **1 a** 〈길 등이〉 **질퍽한**, 질척한, 여기저기 물이 많이 괸, 진흙을 튀기는 **b** 〈기후가〉 비가 잘 내리는 **c** 〈식탁 등이〉 (수프·물 등으로) 더러워진 **2** 묽고 싱거운 **3** ((구어)) 〈일·복장 등이〉 **너절한**; 적당히 얼버무린: ~ writing 조잡한 문장 **4** ((구어)) 나약하고 감상적인, 실없이 잘 우는, 잔 불평이 많은 **5** 〈의복이〉 몸에 맞지 않는

slóp·pi·ness *n.*

slóppy jóe **1** [종종 **S- J-**] ((구어)) (여성용) 헐렁한 스웨터 **2** 토마토 소스 등으로 맛을 낸, 빵에 얹어 먹는 다진 고기 **3** (액체의) 튀기는 소리

slop·sell·er [slápsèlər | slɔ́p-] *n.* (특히 싸구려의) 기성복 장수

slop·shop [-ʃàp | -ʃɔ̀p] *n.* 싸구려 기성복점

slóp sìnk (깊은) 구정물 수채통 ((구정물을 버리거나 대걸레를 빪))

slop·work [-wə̀:rk] *n.* Ⓤ **1** 싸구려 기성복 (만들기) **2** 날림 일; 되는 대로 하는 일

slosh [sláʃ | slɔ́ʃ] *n.* **1** =SLUSH 1 b **2** ((구어)) 밍밍한[묽은] 음료 **3** (액체의) 튀기는 소리

— *vt.* **1** 〈진흙·물을〉 튀기다 **2** ((구어)) 〈술 따위를〉 벌컥벌컥 마시다 **3** ((영·속어)) 세게 치다 **—** *vi.* **1** 물[진흙] 속을 허우적거리며 나아가다; 물을 튀기다; 〈액체가〉 출렁거리다 **2** ((미·속어)) 일없이 돌아다니다

sloshed [sláʃt | slɔ́ʃt] *a.* Ⓟ ((구어)) 술에 취하여

slosh·y [sláʃi | slɔ́ʃi] *a.* 눈이 녹기 시작한; 감상적인

∗**slot**[1] [slát | slɔ́t] *n.* **1 홈, 가늘고 긴 구멍**; (자동 판매기·공중 전화기 등의) 동전 넣는 구멍(slit) **2** ((구어)) **a** (예정된 일련의 또는 계속되는 것 중에서) 위치, 지위, 장소 **b** (텔레비전·라디오 등의) 시간대 **3** (일 따위의) 지위, 장소 **4** 『미식축구』 슬롯 ((공격측의 엔드와 태클 사이)) **5** (무대의) 마룻바닥의 구멍 뚜껑 **6** 편집 부장석[직, 지위] **7** 『조류』 익렬(翼裂)

— *vt.* (**~·ted**; **~·ting**) **1** 홈을 파다; 구멍을 뚫다 **2** (…을 일련의 것 속에) 넣다 ((*in*)); (단계적으로) 배열하다, 구분하다

slot[2] *n.* (*pl.* **~**) 발자취(trail), (특히 노루의) 냄새 자국 **—** *vt.* (**~·ted**; **~·ting**) …의 자국을 밟다, 추적하다

slot·back [slátbæ̀k | slɔ́t-] *n.* 『미식축구』 슬롯백 ((슬롯(slot) 바로 뒤에 위치한 하프백))

slót càr ((미)) 슬롯카 ((원격 조종으로 홈이 파진 궤도를 달리는 장난감 경주용 차))

∗**sloth** [slɔ́:θ | slóuθ] [OE slow의 명사형에서] *n.* **1** Ⓤ 나태, 게으름, 태만(laziness) **2** 『동물』 나무늘보 **3** 게으름뱅이 ▷ slóthful *a.*

sloth 2

slóth bèar 『동물』 (인도산(産)의) 곰의 일종

sloth·ful [slɔ́:θfəl | slóuθ-] *a.* 나태한, 게으른 ((*in*)); 느린, 굼뜬 **~·ly** *ad.* **~·ness** *n.*

∗**slót machìne** **1** ((영)) (동전 투입식의) **자동 판매기**(((미)) vending machine) **2** ((미)) 자동 도박기, 슬롯 머신(((영)) fruit machine)

slót màn (신문사의) 교열 부장(copyeditor)

slót ràcing ((미)) 슬롯카(slot car) 경주

slot·ted [slátid | slɔ́tid] *a.* 홈이 있는

slótted spóon 구멍이[틈새가] 있는 국자

slouch [sláutʃ] *n.* **1** [a ~] 앞으로 수그림, 수그려 걸음[앉음, 섬], 고개를 숙임; 힘들어 보이는 태도[걸음걸이] **2** [보통 부정문에서] ((구어)) 서투른 사람, 게으름뱅이, 시시한[쓸모없는, 변변치 못한] 사람[사물, 장소] **3** =SLOUCH HAT ***be no ~*** 꽤 잘하다[좋다]

— *vt.* **1** 〈어깨 등을〉 앞으로 구부리다 **2** 〈모자 챙의 한 쪽을〉 아래로 꺾다[처지게 하다](opp. *cock*), 〈모자를〉 깊숙이 눌러 쓰다 **—** *vi.* **1** 고개를 숙이다, 몸을 구부리다 **2** 몸을 구부리고 단정치 못하게 걷다[앉다, 서다] **3** 〈모자 챙이〉 축 늘어지다

~ about [***around***] 꾸부정하게 어슬렁거리다 ***~ along*** 단정치 못하게[꾸부정하게] 걷다 **~·er** *n.*

slóuch hát 챙이 처진 소프트 모자

slouch·y [sláutʃi] *a.* (**slouch·i·er**; **-i·est**) **1** 앞으로 꾸부정한 **2** 단정치 못한, 게으른

slóuch·i·ly *ad.* **slóuch·i·ness** *n.*

slough[1] [sláu] *n.* **1** 진창, 수렁, 소(沼), 진흙 구덩이; 진흙길 **2** [slú:] ((미·캐나다)) 늪지대, 저습지, 진구렁(slew, slue) **3** 빠져나오지 못할 곳, 심연(深淵), (타락의) 구렁 **4** ((미·속어)) 형사(刑事); 체포(逮捕)

the S~ of Despond (1) 실망의 수렁 ((John Bunyan의 *Pilgrim's Progress*에서)) (2) [the s~ of despond] 절망의 심연; 타락

— *vt.* **1** 수렁[진창]에 처넣다 **2** ((미·속어)) …에 가두어 넣다, 체포하다 ((*up*)) **—** *vi.* 진창[수렁] 속을 걷다

slough[2] *n.* **1 a** (뱀 등의) 허물, 탈피 **b** ((비유)) 버린 습관[편견] **2** 『병리』 썩은 살, 종기 딱지 **3** (카드놀이에서) 버린 패

— *vi.* **1** 〈뱀 따위가〉 허물 벗다, 탈피하다 ((*off*, *away*)); 〈살갗이〉 벗겨지다 ((*off*, *away*)): (~+副) The skin of my feet *~ed off*[*away*]. 내 발의 살갗이 벗어졌다. **2** 서서히 없어지다, 사라져 가다 **3** 『병리』 딱지가 벗겨지다, 떨어지다 **4** 〈흙·바위 등이〉 무너지다, 떨어지다 **5** (카드놀이에서) 패를 버리다

— *vt.* **1** 벗다, 갈아입다: A snake *~s* its skin. 뱀은 허물을 벗는다. **2** 〈편견 등을〉 버리다 ((*off*)): (~+目+副) He *~ed off* his prejudices. 그는 편견에서 벗어났다. **3** (카드놀이에서) 〈패를〉 버리다

~ over 하찮은 것으로 여기다, 경시하다, 얕보다; …을 속이다, 둘러대어 발뺌하다

slough·y[1] [sláui, slú:i] *a.* (**slough·i·er**; **-i·est**) 진창의, 진흙 수렁의; 진흙 구덩이가 많은, 질퍽거리는; 늪지[습지]의

slough·y[2] [slʌ́fi] *a.* **1** 허물과 같은, 종기 딱지의 **2** 벗겨지는, 벗어버리는

Slo·vak [slóuvɑ:k | -væk] *n.* **1** Slovakia 사람 **2** Ⓤ 슬로바키아 말 **—** *a.* 슬로바키아 사람[말]의

Slo·va·ki·a [slouvɑ́:kiə | -vǽ-] *n.* 슬로바키아 공화국 ((체코슬로바키아 연방 공화국에서 분리 독립(1993); 수도 Bratislava))

-ki·an *a.*, *n.* =SLOVAK

slov·en [slʌ́vən] *n.* 옷차림이 단정치 못한 사람, 게으른 사람, 부주의한 사람; (언행을) 되는 대로 하는 사람

Slo·vene [slouví:n, ⌐–] *n.* **1 a** [the ~s] 슬로베니아(Slovenia) 족 **b** 슬로베니아 사람 **2** Ⓤ 슬로베니아 말 **—** *a.* 슬로베니아의; 슬로베니아 사람[말]의

Slo·ve·ni·a [slouví:niə, -njə] *n.* 슬로베니아 공화국 ((옛 유고슬라비아에서 분리 독립(1991); 수도 Ljubljana [ljú:bljɑ:nɑ:]))

Slo·ve·ni·an [slouví:niən] *n.*, *a.* =SLOVENE

slov·en·li·ness [slʌ́vənlinis] *n.* Ⓤ 단정치 못함, 아무렇게나 함

∗**slov·en·ly** [slʌ́vənli] *a.* (**-li·er**; **-li·est**) **1** (옷차림이) **단정치 못한**, 꾀죄죄한; 게으른 **2** 부주의한, 되는 대로의, 소홀한(careless)

— *ad.* 단정치 못하게, 되는대로

‡slow [slóu] *a.* **1** [시간·속도] **a** 느린, 늦은, 느릿느릿한(opp. *fast, quick*): a ~ train 완행 열차 / *S*~ and [but] sure [steady] wins the race. ((속담)) 천천히[더디더라도] 착실히 하는 편이 결국 이긴다, 느릿느릿 걸어도 황소 걸음. **b** 〈일이〉 시간이 걸리는; 〈성장·변화 등이〉 장시간이 걸리는 **c** 지체하는, 서두르지 않는 〈여행 등〉; 〈당구대의 표면이〉 느리게 하는; 감광도가 낮은 〈감광 유제 등〉; 효과가 더딘, 늦게 도는 〈약 기운 등〉; 인화(引火)가 늦은 **d** 〈시계 등이〉 늦게 가는, 〈사람이〉 시간에 늦게 오는: (~+전+*-ing*) She is ~ *in* arriv*ing*. 그녀는 도착이 늦어지고 있다. **e** 감속하는; 서행의: a ~ road 서행 도로

> 유의어 **slow** 움직이는 속도가 느린: a *slow* procession of cars 느릿느릿 줄지어 움직이는 차들 **leisurely** 시간이 충분히 있어서 서두르지 않는: an unhurried and *leisurely* stroll 서두르지 않는 느긋한 산책

2 [성질·상태] **a** 둔한, 우둔한: (~+*to* do) (~+전+*-ing*) He is ~ *to* learn[*in* learn*ing*] his lessons. 그는 배우는 게 더디다[공부를 잘 못한다]. **b** 대범한, 잘 성내지 않는 **c** 좀처럼 …하지 않는, 마지못해 하는, 꽁무니 빼는 ((*to*)): (~+*to* do) She was ~ *to* come. 그녀는 좀처럼 오지 않았다. // (~+전+*-ing*) She has been ~ *in admitting* her mistake. 그녀는 좀처럼 자신의 잘못을 인정하려고 하지 않았다. **d** 활기가 없는; 〈난로 등이〉 화력이 약한 **e** 경기가 나쁜, 부진한 **f** 시간 가는 것이 더딘 ((재미가 없어서)), 재미없고 지루한 **~ *march*** 느린 행진(곡), 장송; 느린 걸음 **~ *music*** 비애곡 **~ *of speech* [*tongue*]** 입이 무거운
— *ad.* 느리게, 천천히 ***go*** **~** (1) 천천히 가다[하다] (2) 태업(怠業)하다 (3) 경계하다
— *vt.* 늦게 하다, 늦추다; 〈자동차 등의〉 속력을 떨어뜨리다[늦추다] ((*down, up*))
— *vi.* 속도가 떨어지다, 늦어지다; 활기가 없어지다 ((*up, down*))
~·ish *a.* **~·ness** *n.* ▷ slówly *ad.*

slów-beat gúy [slóubìːt-] ((미·속어)) 보기 싫은 녀석
slów búrn [종종 do a ~로] 서서히 타오르는 분노, 점점 더해 가는 노기[경멸감]
slow·coach [-kòutʃ] *n.* **1** ((영·구어)) 굼벵이(((미)) slowpoke) **2** 시대에 뒤떨어진 사람
slów cóoker (자기로 된) 전기 요리 냄비 ((저온으로 몇 시간 동안 데우는))
***slow·down** [slóudàun] *n.* **1** 감속(減速) **2** ((미)) 태업 **3** 경제 성장의 둔화, 경기 후퇴
slów drág (미·학생속어) 격식 차린[지루한] 댄스 파티
slów fire (시간을 제한하지 않는) 정밀 사격, 완사(緩射)
slów fòod 슬로 푸드 ((전통적인 조리법에 따라 노력을 기울여 요리한 음식[식사]))
slow-foot·ed [-fútid] *a.* 발걸음이 더딘, 느린, 천천히 진전하는 **~·ly** *ad.* **~·ness** *n.*
slów hándclap ((미)) 일제히 느릿느릿 치는 박수 ((불쾌·초조감 등을 나타냄))
slów inféction [의학] (잠복기가 긴) 슬로 바이러스 감염
slów láne (고속도로의) 저속용 차선
‡slow·ly [slóuli] *ad.* 천천히, 느릿느릿, 완만하게
slów márch [군사] 느린 행진; 장송 행진
slów mátch (폭발용의) 화승(火繩), 화약 심지, 도화삭[선]
slow-mo [slóumóu] *n.* ((구어)) = SLOW MOTION
slów mótion 고속도 촬영에 의한 움직임[동작] (opp. *fast motion*) ***in*** **~** 〈영화의 화면 등이〉 고속도 촬영에 의한, 슬로 모션으로
slow-mo·tion [-móuʃən] *a.* **1** 고속도 촬영의, 슬로 모션의: a ~ picture 슬로 모션 영화 **2** 〈행동 따위가〉 느린
slow-mov·ing [-múːviŋ] *a.* **1** 느리게 움직이는, 행동이 굼뜬 **2** 〈상품 등이〉 잘 팔리지 않는

slów néutron [물리] 저속(低速) 중성자
slow-pitch [-pítʃ] *n.* = SLO-PITCH
slow·poke [-pòuk] *n.* ((미·구어)) 굼벵이, 느림뱅이 (((영)) slowcoach)
slów reáctor 저속 중성자 원자로
slow-re·lease [-rilíːs] *a.* (약·비료 등의) 점진적 감소의
slów-scan télevision [-skæn-] 저속 주사(走査) 텔레비전
slów tìme ((구어)) 보통 (표준) 시간 ((서머 타임에 대한 표준시; cf. DAYLIGHTSAVING TIME)); [군사] (장례 행진 등의) 느린 보조 ((보통 1분에 65보))
slow-up [-ʌ̀p] *n.* (행동·진행의) 지체, 지연
slów vìrus 지발(遲發)(형)[슬로] 바이러스 ((체내에 장시간 존재하는 만성병 바이러스))
slów-wáve slèep [wéiv] [생리] 서파수면(徐波睡眠) ((1초간에 1에서 4의 피크의 뇌파 형태를 보이는 깊은 수면))
slow-wit·ted [-wítid] *a.* 이해가 느린, 우둔한 (dull-witted) **~·ly** *ad.* **~·ness** *n.*
slow·worm [-wə̀ːrm] *n.* [동물] 도마뱀의 일종 ((유럽산(産)))
sloyd [slɔ́id] *n.* Ⓤ (스웨덴에서 시작된) 공작[목공 기술] 교육(법)
s.l.p. *sine legitima prole* ((L = without lawful issue)) **S.L.P.** Socialist Labor Party **SLR** single-lens reflex camera **SLS** strained-layer-superlattice **SLSI** super large scale integration [전자] 초(超) 대규모 집적 회로
slub [slʌ́b] *n.* (초벌로) 꼰 털, 꼰 실, 시방사(始紡絲)
— *vt.* (**~bed**; **~·bing**) 〈양털·솜을〉 초벌 꼬다, 시방(始紡)하다 ***~bing machine*** 시방기
slub·ber[1] [slʌ́bər] *vt.* **1** 아무렇게나[되는대로, 경솔하게] 하다 ((*over*)) **2** ((영·방언)) 더럽히다
slubber[2] *n.* 시방기(始紡機)
sludge [slʌ́dʒ] *n.* Ⓤ **1** 진흙, 진창 **2 a** 반쯤 녹은 눈; [항해] 물에 뜬 작은 얼음덩이 **b** (하수 등의) 진창같이 된 찌끼 **3** (탱크·보일러 등의 바닥에 괴는) 침전물, 슬러지 **4** = SWARF
sludge·ball [slʌ́dʒbɔ̀ːl] *n.* ((미·속어)) 칠칠치 못한 놈, 몹쓸 놈
sludge·worm [-wə̀ːrm] *n.* 실지렁이의 일종 ((낚싯밥))
sludg·y [slʌ́dʒi] *a.* (**sludg·i·er**; **-i·est**) 진흙(투성이)의, 진창 같은, 질벅질벅한
slue[1] [slúː] *vt.* (수평으로) 돌리다(turn); 비틀다 (twist) ((*round, to*)) — *vi.* 돌다; 비틀어지다
— *n.* ⓊⒸ 회전(turn), 선회; 비틀림
slue[2] *n.* = SLOUGH[1] 2
slue[3] *n.* = SLEW[4]
sluff [slʌ́f] *n.* = SLOUGH[2]
slug[1] [slʌ́g] *n.* **1** [동물] 민달팽이 **2** ((속어)) 느릿느릿한 사람[동물, 차]; 게으름뱅이
— *v.* (**~ged**; **~·ging**) *vi.* **1** 게으름 피우다, 꾸물거리다: ~ in bed 잠자리에 누워 게으름 피우다 **2** ((영)) (마당 등에 있는) 민달팽이를 잡다[채집하다]
— *vt.* 〈시간을〉 빈둥빈둥 보내다
▷ slúggish *a.*
slug[2] **1** ((미)) (자동 판매기용의) 대용 주화 **2** 무거운 쇳덩어리 **3** (구식총의) 납 등으로 만든 총알; (공기총의) 산탄(霰彈) **4** [인쇄] 두꺼운 공목(空木)[인테르]; (라이노타이프의) 활자의 행 **5** ((구어)) (위스키 등의) 한 잔(a draft)
slug[3] *v.* (**~ged**; **~·ging**) *vt.* ((미·구어)) (주먹으로) …을 강타하다: 〈공을〉 세게 치다: 싸우다
— *vi.* ((미·구어)) **1** 강타하다 **2** (눈 속 등을) 곤란을 무릅쓰고 나아가다 **~ *it out*** 끝까지 맹렬하게 싸우다

thesaurus **slow** *a.* **1** 느린 unhurried, leisurely, ponderous, laggard, sluggish, deliberate **2** 지체하는 delayed, dilatory, unpunctual, tardy **3** 우둔한 retarded, dull, unintelligent, stupid, thick

— *n.* **1** 《미·구어》 강타(slog) **2** 《호주·구어》 터무니없는 가격
slug·a·bed [slʌ́gəbèd] *n.* 《고어》 늦잠꾸러기; 《일반적으로》 게으름뱅이
slug·fest [-fèst] *n.* 《미·구어》 **1** 치열한 권투 시합 **2** 《야구의》 심한 타격전, 난타전 **3** 논쟁
slug·gard [slʌ́gərd] *n.* 게으름뱅이, 건달
— *a.* 게으른, 굼뜬 **~·ness** *n.*
slug·gard·ly [slʌ́gərdli] *a.* 게으른, 귀찮아하는
slug·ger [slʌ́gər] *n.* 《미》 **1** 강타의 권투 선수; 〖야구〗 강타자 **2** 《속어》 《귀밑까지 난》 턱수염
slúg·ging àverage [slʌ́giŋ-] 〖야구〗 장타율 《누타수를 타수로 나눈 것》
slúgging màtch 〖야구〗 ＝SLUGFEST
***slug·gish** [slʌ́giʃ] *a.* **1 a** 《반응·동작이》 둔한; 활발하지 못한 **b** 부진한, 불경기의: a ~ market 불황 **2** 느린, 〈흐름 등이〉 완만한 **3** 게으름 피우는, 나태한
~·ly *ad.* **~·ness** *n.*
slúggish schizophrénia 나태 분열증 《종종 구소련에서 반체제 활동가에게 붙여지던 호칭》
slug-nut·ty [slʌ́gnʌ̀ti] *a.* 《미·속어》 《권투에서》 머리에 펀치를 맞고 멍해진
slug-out [-àut] *n.* 쓰러지느냐 쓰러뜨리느냐의 싸움, 끝장내는 승부
sluice [slúːs] 〔L 「차단하다」의 뜻에서〕 *n.* **1 a** 수문(水門), 보(洑), 수갑(水閘): open the ~ 수문을 열다 **b** 《인공적인》 물의 통로, 방수로, 《재목 등을 흘러가게 하는》 용수로 **c** 《수문에 막혀》 괸 물; 수문을 넘쳐 흐르는 물, 분류(奔流) **2** 《비유》 배출구, 근원, 근본 **3** 〖광산〗 세광통(洗鑛桶), 사금(砂金) 채취통
— *vt.* **1** 수문을 열어 《저수지 등의》 물을 방수하다, 물에 잠그다 《*out, down, with*》 **2** 홈통으로 〈물을〉 끌다 《*into, from, out of*》: (~+목+전+명) ~ water *into*[*from*] a stream 개천으로[에서] 물을 끌다 **3** 물을 끼얹어서 씻다; 사금을 채취하다 **4** 물을 줄기차게 흐르게 하다, 솟구쳐 내리게 하다 **5** 〈통나무 등을〉 수로(水路)로 떠내려 보내다 **6** 〈정보 따위를〉 흘리다, 퍼뜨리다 **—** *vi.* 〈물 등이〉 수문을 흘러내리다[나가다], 솟구쳐 흐르다, 분류(奔流)하다 **~·lìke** *a.*
slúice gàte 수문(의 아래위로 여닫는 문)
slúice vàlve 수문의 제수판(制水瓣)
sluice·way [slúːswèi] *n.* **1** 《수문이 있는》 방수로 **2** 인공 수로
sluic·y [slúːsi] *a.* 왈칵 쏟아져 내리는[나오는], 내뿜는, 분출하는
sluit [slúːt] *n.* 《남아공》 《호우로 인한》 도랑, 협곡
***slum**[1] [slʌm] *n.* **1** [종종 *pl.*] 빈민굴, 빈민가 **2** 《구어》 불결한[초라한] 주거 장소 **3** 《미·속어》 싸구려 물건; 맛없는 음식; 싸구려 경품
— *vi.* (**~med**; **~·ming**) 《호기심 또는 자선이나 연구를 위해》 빈민굴을 방문하다 ***go ~ming*** 《특히 호기심에서》 빈민가를 찾아가다 ***~ it*** 매우 싸게 먹히는 생활을 하다, 최소한의 생활비로 살다
slum[2] *n.* Ⓤ 이광(泥鑛); 윤활유를 사용할 때 생기는 찌끼
****slum·ber** [slʌ́mbər] 《문어·시어》 *vi.* **1** 자다(sleep), 편안히 자다; 선잠 자다: The baby ~*s* peacefully for hours. 아기는 몇 시간이고 편안히 잠잔다. **2** 〈화산 등이〉 활동을 쉬다
— *vt.* 잠자면서 〈시간·세월 등을〉 보내다, 〈일생을〉 하는 일 없이 보내다 《*away, out*》: (~+목+부) ~ *away* one's life 인생을 헛되이 보내다
— *n.* ⓒⓤ **1** [종종 *pl.*; 단수 취급] 잠; 선잠, 얕은 잠: sink into a ~ 잠들어 버리다 **2** 혼수[무기력] 상태, 침체 **~·er** *n.* 잠자는 사람; 게으른 잠꾸러기
▷ slúmberous *a.*

sluggish *a.* **1** 부진한, 불경기의 slow, slack, inactive, stagnant (opp. *active, busy, energetic*) **2** 나태한 inert, lifeless, apathetic, listless, lethargic, languid, torpid, indolent, lazy, drowsy, sleepy

slum·ber·land [slʌ́mbərlæ̀nd] *n.* ⓤⓒ 잠의 나라 《잠자는 사이에 다녀온다고 어린이에게 이야기로 들려주는 공상의 나라》
slum·ber·ous [slʌ́mbərəs], **slum·brous** [-brəs] *a.* 《문어》 **1** 잠이 오게 하는; 졸리는; 졸고 있는: a ~ pill 수면제 **2** 잠자는 듯한, 조용한; 나태한, 활동하지 않는, 활발하지 않은
slúmber pàrty 《미》 ＝PAJAMA PARTY
slum·ber-wear [slʌ́mbərwɛ̀ər] *n.* Ⓤ 잠옷 《파자마·나이트가운 등》
slúm clèarance 슬럼[빈민가] 철거 《정책》
slum·dwell·er [slʌ́mdwèlər] *n.* 슬럼[빈민가] 거주자
slum·gul·lion [slʌmgʌ́ljən, ⌐⌐-] *n.* **1** 묽게[싱겁게] 한 음료 **2** Ⓤ 슬럼걸리언 《스튜》 《고기 스튜》
slum·ism [slʌ́mizm] *n.* Ⓤ 슬럼화(化)
slum·lord [slʌ́mlɔ̀ːrd] *n.* 《미》 《욕심 많은》 빈민가의 집주인 《세 주고 딴 데서 사는》
slum·mer [slʌ́mər] *n.* **1** 빈민굴 방문자[구경꾼]; 빈민가의 교화[자선] 사업가 **2** 빈민가 주민, 영세민, 빈민
slum·my [slʌ́mi] *a.* (**-mi·er**; **-mi·est**) **1** 빈민가의, 슬럼의 **2** 불결한, 더러운
***slump** [slʌmp] *vi.* **1** 쿵 떨어지다 《*down*》; 쑥 빠지다 《*into*》; 폭 쓰러지다 《*down*》; 무너지듯이 앉다 **2 a** 〈물가 등이〉 폭락하다; 〈매상 등이〉 뚝 떨어지다: Prices ~*ed.* 물가가 급락했다. **b** 〈사업·인기 등이〉 갑자기 쇠퇴하다[시들해지다] **c** 〈기운 등이〉 갑자기 없어지다[떨어지다] **3** 〈몸이〉 구부정해지다
— *n.* **1** 쿵 떨어짐 **2 a** 좋지 못한 평, 인기의 폭락 **b** 《미》 《활동·원기의》 슬럼프, 부조(不調), 부진 **3 a** 《물가 등의》 폭락(sudden fall)(cf. BOOM[1]) **b** 불황, 불경기: a worldwide ~ 세계적인 불황 **4** 앞으로 굽은 자세 **5** 《산》사태
slumped [slʌmpt] *a.* [보통 Ⓟ] 《잠이 들어 또는 의식이 없어》 고꾸라진 《*against, over*》: The victim was ~ *over* the freezer. 그 희생자는 냉동고 쪽으로 고꾸라져 있었다.
slump·fla·tion [slʌmpfléiʃən] 〔*slump*+in*flation*〕 *n.* 슬럼프플레이션, 불황 속의 인플레이션
***slung** [slʌ́ŋ] *v.* SLING[1]의 과거·과거분사
slung·shot [slʌ́ŋʃɑ̀t | -ʃɔ̀t] *n.* 《미》 밧줄이나 가죽끈의 끝에 무거운 쇠뭉치를 매단 무기
slunk [slʌ́ŋk] *v.* SLINK[1, 2]의 과거·과거분사
slur [slə́ːr] *v.* (**~red**; **~·ring**) *vt.* **1** 경시하다, 간과하다; 〈사실·과실 등을〉 얼버무리다, 눈감아 주다 《*over*》: (~+목+부) ~ *over* duties 의무를 간과하다 **2** 말을 빨리 분명치 않게 하다, 〈두 음절을〉 연달아 발음하다 **3** 〈글자를〉 하나로 붙여서 쓰다 **4** 《고어》 중상하다 **5** 〖음악〗 〈음표를〉 잇대어 연주[노래]하다, 〈음표에〉 연결선을 긋다 **—** *vi.* **1** 연달아 발음하다[쓰다]; 똑똑치 않게 발음하다[쓰다] **2** 〖음악〗 연결선을 긋다, 달아 붙여 노래[연주]하다
— *n.* **1** Ⓤ 분명치 않게 연달아 발음함[씀]; Ⓒ 글씨[발음, 노래]의 또렷하지 못한 부분 **2** 중상, 비방, 비꼼; 치욕, 오점, 불명예 **3** 〖음악〗 연결(선), 슬러
put [***throw, cast***] ***a ~*** (***up***)***on*** ＝《미》 ***cast*** [***throw***] ***~s at*** …에게 치욕을 주다, 누명을 씌우다
slur·bi·a [slə́ːrbiə] *n.* Ⓤ 교외의 빈민촌 지구[주민]
slurbs [slə́ːrbz] 〔*sl*um+sub*urbs*〕 *n. pl.* 《미》 교외의 빈민촌
slurp [slə́ːrp] 《구어》 *vi., vt.* 후루룩 소리내어 마시다[먹다] **—** *n.* 소리내어 마시기[먹기]; 그 소리 《부드러운것을 먹거나 마실 때, 특히 개·고양이 등이 내는》
slur·ry [slə́ːri | slʌ́ri] *n.* (*pl.* **-ries**) 슬러리, 현탁액(懸濁液) 《시멘트·점토·석회 등과 물의 혼합물》
— *vt.* (**-ried**) …을 슬러리로 만들다
— *a.* 슬러리의, 슬러리 모양의
slur·vi·an [slə́ːrviən] *n.* [종종 **S~**] 발음이 분명치 않은 말
slush [slʌ́ʃ] *n.* Ⓤ **1 a** 녹기 시작한 눈 **b** 질벅한 길, 진창 **2** 《배의 조리장에서 나오는》 찌꺼기 **3** 윤활유[제]

4 《구어》 깊이 없는 감상적인 이야기[글, 영화]; 잔불평, 우는 소리, 실없는 군소리 **5** 《미·속어》 뇌물; 위조지폐 **6** 백연 석회 혼제(白鉛石灰混劑) 《녹슬지 않게 바르는 약》 **7** 《속어》 음식, 조잡한 《유동》 음식 **8** 《얼음을 부수어 섞은》 단 음료, 슬러시
— *vt.* **1** …에 진창눈을 뿌리다, 흙탕을 튀기다 **2** 윤활유를 바르다, 녹슬지 않는 약을 바르다 **3** 모르타르[시멘트]로 메우다 (*up*) **4** 〈갑판 등을〉 물로 씻다
— *vi.* 진창길을 지나가다

slúsh fùnd 선원들이 폐품을 팔아 마련한 용돈; 《정치 운동에 쓰는》 매수[부정] 자금

slúsh pìle 《구어》 《출판사에 출판을 의뢰해 온》 산더미같이 쌓인 원고

slúsh pùmp 《미·속어》 = TROMBONE

slush·y [slʌ́ʃi] *a.* (**slush·i·er**; **-i·est**) **1** 눈 녹은, 진흙탕의, 진창의 **2** 깊이가 없고 감상적인, 실없는, 시시한: ~ songs 감상적인 노래
slúsh·i·ly *ad.* **slúsh·i·ness** *n.*

slut [slʌ́t] *n.* **1** 단정치 못한 여자(cf. SLOVEN); 품행이 좋지 못한 여자; 매춘부 **2** 암캐(bitch) **3** 말괄량이(hussy) **~·ty** *a.*

slut·tish [slʌ́tiʃ] *a.* **1** 〈여성이〉 단정치 못한; 〈여성이〉 품행이 좋지 못한 **2** 더러운 **~·ly** *ad.* **~·ness** *n.*

‡**sly** [slái] *a.* (**sli·er, ~·er**; **sli·est, ~·est**) **1** 교활한, 음흉한: a ~ dog 교활한 녀석

> 유의어 **sly** 뒤에서 소곤소곤 흉계를 꾸미며 교활한 **cunning** 간사한 꾀로써 남을 속이거나 계략을 쓰거나 하는 것이 능한: a *cunning* villain 교활한 악당 **crafty** cunning보다 더욱 고도의 음모·책략 등을 지닌: a *crafty* rascal 간교한 악당

2 남의 눈을 속이는, 은밀한, 비밀의 **3** 익살맞은, 장난꾸러기의: ~ humor 익살맞은 유머 **4** 《호주》 밀매의; 불법의 ***on*** [***upon***] ***the ~*** 살짝, 남몰래

sly·boots [sláibùːts] *n. pl.* [단수 취급] 《구어》 **1** 장난꾸러기, 익살꾸러기 《특히 어린이·동물 등》 **2** 꾀보; 교활한 사람

sly·ly [sláili] *ad.* **1** 교활[음흉]하게 **2** 몰래, 은밀히 **3** 장난스럽게

sly·ness [sláinis] *n.* Ⓤ 교활함; 장난기

slype [sláip] *n.* 〖건축〗 《본당에서 별채로 가는》 복도

Sm 〖화학〗 samarium **SM** *Scientiae Magister* 《L = Master of Science》; sergeant major; service module; soldier's medal **sm.** small **S-M, SM** sadomasochism; sadomasochist; sadomasochistic **SMA** Standard Metropolitan Area 표준 도시 지역

⁎**smack**[1] [smǽk] [OE 「맛보다」의 뜻에서] *n.* **1** 《독특한》 맛, 풍미, 향기, 향기로운 맛 **2** [a ~ of …로] **a** 낌새, 기미, …의 티, …다운 데[점]: *a ~ of* irony in his tone 그의 어조의 빈정대는 투 **b** 조금, 소량
— *vi.* **1** 맛이 나다, 향기가 나다 (*of, like*): (~+전+명) This sugar *~s of* a certain bitter. 이 설탕은 어딘가 쓴맛이 난다. **2** (…의) 기미가 있다 (*of*): (~+전+명) His conduct *~s of* affectation. 그의 행동에는 뽐내는 기색이 있다.

⁎**smack**[2] [smǽk] [의성어] *vt.* **1** 찰싹 치다; 채찍 등으로 소리내다; 소리내어 놓다 **2** 쳐 날리다: (~+목+전+명) ~ a ball *over* a fence 울 너머로 공을 쳐 날리다 **3** 〈입술을〉 움직여 입맛을 다시다, 혀를 차다: (~+목+전+명) ~ one's lips *over* the soup 수프를 보고 입맛을 다시다 **4** …에 쪽 키스하다: (~+목+전+명) ~ a person *on* the cheek …의 볼에 쪽 키스하다 **5** 〈채찍을〉 휙휙 소리내다
— *vi.* **1** 입맛을 다시다, 혀를 차다 **2** 세게 치다[부딪치다], 찰싹 소리내다
~ down 《미·속어》 (1) 콧대를 꺾다 (2) 끌어 내리다, 실각시키다 ***~ up*** 《속어》 연거푸 치다, 두들겨 패다
— *n.* **1** 《매질할 때》 찰싹하는 소리; 찰싹 때리기 **2** 입맛 다심, 혀차기; 소리나는 키스 **3** 《구어》 시도 ***a ~ in the eye*** 《비유》 얼떨떨하게 하는 사실; 거절, 퇴짜; 낭패당함 ***have a ~ at*** …을 한번 해 보다
— *ad.* 《구어》 **1** 찰싹(with a smack) **2** 갑자기 **3** 정면으로(directly): run ~ into …와 정면충돌하다

smack[3] *n.* 《미서부》 《활어조(活魚槽)를 갖춘》 소형 어선

smack[4] *n.* 《미·속어》 헤로인

smack-dab [smǽkdǽb] *ad.* 《미·구어》 정면으로

smack·down [-dàun] *n.* 격렬한 대립; 결정적인 패배나 실패

smacked-out [smǽktàut] *a.* 《속어》 헤로인 중독의; 헤로인에 취한

smack·er [smǽkər] *n.* **1** [보통 *pl.*] **a** 《미·속어》 1달러 **b** 《영·속어》 1파운드 **2** 철썩 때리는 사람; 철썩 소리나는 타격 **3** 《속어》 소리나는 키스 **4** 입맛 다시는 사람 **5** 일품(逸品), 매우 훌륭한 물건

smack·er·oo [smæ̀kərúː] *n.* (*pl.* **~s**) 《속어》 **1** 1달러, 1파운드 **2** 해치움; 충돌, 강타

smack·head [smǽkhèd] *n.* 《미·속어》 헤로인 상용자

smack·ing [smǽkiŋ] *n.* ⓊⒸ **1** 입맛 다심, 혀차기 **2** 매질 — *a.* **1** 활기있는, 거센 〈바람 등〉 **2** [부사적으로; big, good 등을 수식하여] 월등하게, 별나게, 엄청나게: a ~ *big* boat 엄청나게 큰 배 **3** 입맛 다시는 **4** 큰 소리를 내는 〈키스 등〉

smacks·man [smǽksmən] *n.* (*pl.* **-men** [-mən]) 소형 어선의 선주(船主)[선원](cf. SMACK[3])

smack·y [smǽki] *a.* [주로 다음 성구로] ***play ~ lips*** [***mouth***] 《미·속어》 키스[네킹(necking)]하다

SMaj Sergeant Major

‡**small** [smɔ́ːl] *a.* **1 a** 〈형상·규모가〉 작은, 소형의: a ~ bottle of soda 소다수의 작은 병 / a ~ whiskey 보통 양의 절반의 위스키 **b** 〈집 등이〉 좁은, 작은: a ~ country 《면적이》 좁은 국가 **c** 〈허리·손목 등이〉 가는, 호리호리한: a ~ waist 가는 허리 **d** 적은, 얼마 되지 않는, 사람 수가 적은(opp. *numerous, large*): a ~ number 소수 / a ~ sum 소액 ★ little과는 달리 「귀여운」 등의 감정적인 뜻은 없음. **e** 소문자의 **2** 〈시간이〉 짧은 **3** Ⓐ [불가산 명사를 수식하여] 근소한, 거의 없는: a ~ possibility 희박한 가능성 **4** Ⓐ 소규모의 **5 a** 중대하지 않은, 하찮은, 변변찮은, 대단찮은 〈과오 등〉 **b** 평범한, 비천한 **c** 도량이 좁은, 인색한, 비열한 **6** 〈음성 등이〉 낮은, 작은 **7** 〈맥주가〉 약한, 묽은
and ~ blame to him 그것이 (그의) 잘못은 아니다 ***and ~ wonder*** 그것도 놀랄 일이 못 된다 ***feel ~*** 풀이 죽다, 맥이 풀리다, 부끄럽게 생각하다 ***look ~*** 움츠리다, 수줍어하다 ***no ~*** 결코 적지 않은, 대단한 ***on the ~ side*** 작은 편이어서
— *ad.* **1** 〈음성 등이〉 작게, 낮게: sing ~ 낮은 목소리로 노래하다; 죽는 소리를 하다, 기가 죽다 **2** 작게, 소규모로 **3** 경멸해서: think ~ of 업신여기다
— *n.* **1** [the ~] 작은[가는] 부분; 작은 물건; 《특히》 허리 부분 (*of*) **2** [보통 the ~ ; 집합적] 신분이 천한 사람 **3** [*pl.*] 반바지 **4** [*pl.*] 《영·구어》 자질구레한 세탁물 《속옷·손수건 등》; 자질구레한 의류 **5** [*pl.*] 《영》 규정 중량 이하의 소형 화물 ***~ and early*** 빨리 끝내는 작은 연회 ▷ smállish *a.*

smáll ád 《영》 《신문 등의》 3행 광고, 항목별 광고란(classified ad)

small·age [smɔ́ːlidʒ] *n.* 〖식물〗 《야생의》 셀러리

smáll ále 약하고 싼 에일

smáll árms 휴대용 무기 《소총·권총 등》

smáll béer **1** 약한[싱거운] 맥주 **2** 《구어》 변변치 않은 것[일, 사람] **smáll-béer** *a.*

small-bore [smɔ́ːlbɔ̀ːr] *a.* **1** 〈총이〉 22구경의 **2** 〈견해가〉 편협한: ~ officials 편협한 관리

smáll bréad 《미·속어》 약간의 돈, 푼돈

smáll búsiness 소(小)기업

thesaurus **small** *a.* **1** 작은 little, tiny, teeny, petite, minute **2** 근소한 minor, unimportant, trifling, trivial, insignificant, inconsequential

Smáll Búsiness Administràtion (미) [the ~] 중소기업청 (略 SBA)
smáll cálorie 〖물리〗 (열량의 단위로서의) 소칼로리
small-cap [-kǽp] [*small capital*] *a.*, *n.* 〖금융〗 소자본의 (회사의 주(株)), 소기업의 (주)(opp. *large-cap*)
smáll cápital[cáp] 〖인쇄〗 소형 대문자 (보기: SMALL; 略 sc, sm. cap.)
smáll cárd (카드놀이에서) 숫자가 작은 패
smáll chánge **1** 잔돈 **2** 하찮은 것[대화]
smáll círcle 〖기하〗 소원(小圓)
small-cláims còurt [-kléimz-] 〖법〗 소액 재판소 (소액 소송을 다루는 간이 재판소)
small·clothes [-klòuðz] *n. pl.* **1** (18세기에 유행한) 반바지(knee breeches) **2** 자질구레한 옷가지 (속옷·손수건·아동복 등)
smáll cráft advísory 〖기상〗 소형 선박을 위한 기상 주의보
smáll·est róom [smɔ́:list-] [the ~] (구어) 변소, 화장실
smáll fórtune (구어) 큰돈, 거금(巨金)
smáll frúit (미) 씨 없는 작은 과일 (딸기 등) ((영) soft fruit)
smáll frỳ [집합적] **1** 잔고기, 치어 **2** 중요하지 않은 [시시한] 사람[것]들 **3** 작은 기업, 소기업 **4** (익살) 어린 아이들
small-fry [smɔ́:lfrài] *a.* **1** 2류의, 중요하지 않은: a ~ politician 조무래기 정치인 **2** 아동(용)의, 어린애 같은: ~ sports 아동 스포츠
smáll gáme [집합적] (사냥에서) 작은 사냥감 (토끼·비둘기 등; cf. BIG GAME); (속어) 작은 목표
smáll gòods (호주) 가공 육류 식품 (소시지 등)
smáll góvernment 〖정치〗 작은 정부 (정부 기구를 축소해 재정 지출을 줄이는 정부)
small·hold·er [-hòuldər] *n.* (영) 소(小)자작농
small·hold·ing [-hòuldiŋ] *n.* (영) 소자작 농지 (보통 50에이커 미만)
smáll hóurs [the ~] 심야, 오밤중 (자정을 지나 새벽까지의 몇 시간)
smáll intéstine 〖해부〗 소장(小腸)
small·ish [smɔ́:liʃ] *a.* 좀 작은
smáll létter 소문자 (보기: a, *a*, b, *b*)
smáll líttle *a.* (남아공) 작은
smáll mércy 자그마한 양보[이득]
small-mind·ed [smɔ́:lmáindid] *a.* 도량이 좁은, 비열한, 좀스러운, 인색한 **~·ly** *ad.* **~·ness** *n.*
small·ness [smɔ́:lnis] *n.* Ⓤ 미소(微小); 왜소(矮小); 빈약; 옹졸
smáll óffice hóme óffice = SOHO
smáll píca 〖인쇄〗 소(小)파이카 (활자) (11포인트 활자; ⇨ type)
smáll potátoes (구어) 하찮은 것[사람]; 소액
*__small·pox__ [smɔ́:lpɑ̀ks | -pɔ̀ks] *n.* Ⓤ 〖병리〗 천연두, 마마
smáll prínt = FINE PRINT
small·sat [smɔ́:lsæ̀t] *n.* 소형 통신 위성
small-scale [-skéil] *a.* 소규모의: a ~ enterprise 소기업; 〈지도 등이〉 소축척의, 비율이 작은
smáll-scale integrátion [-skèil-] 〖전자〗 소규모 집적 회로(화) (略 SSI)
smáll scréen [the ~] (영·구어) 텔레비전
smáll slám = LITTLE SLAM
smáll stòres 〖미해군〗 보급장이 승무원에게 배급하는 잡품(雜品)
smáll stùff 〖항해〗 가는 밧줄류
small·sword [-sɔ̀:rd] *n.* 찌르는 검 (17-18세기에 결투·펜싱에서 찌르기용으로만 사용)
smáll tàlk 잡담, 한담(chitchat)

---

smart *a.* **1** 영리한 clever, bright, intelligent, gifted, sharp, shrewd, ingenious **2** 맵시 있는 fashionable, stylish, elegant, chic, trim, well-dressed

---

small-talk [-tɔ̀:k] *vi.* 잡담하다, 수다 떨다
smáll tíme (미·속어) 3류 보드빌 극장 (하루에 3회 이상 공연하는)
small-time [-táim] *a.* (구어) 3류의, 시시한, 하찮은, 중요치 않은(third-rate)(cf. BIG-TIME); 〖연극〗 출연료가 싼 **smáll-tím·er** *n.*
small-town [-táun] *a.* Ⓐ (미) **1** 소도시의 **2** 시골티 나는, 촌스러운; 소박한
small·wares [-wɛ̀ərz] *n. pl.* (영) 방물, 자질구레한 상품((미) notions)
smalt [smɔ́:lt] *n.* 화감청(華紺靑) (연한 남색 물감); 화감청색
sma·rag·dine [smərǽgdin] *a.* 에메랄드(색)의
—*n.* (드물게) 에메랄드
sma·rag·dite [smərǽgdait] *n.* 녹섬석(綠閃石)
smarm [smɑ́:rm] (구어) *vt.* **1** 지나치게 알랑거리다 **2** 〈머리 등을〉 매끄럽게 하다
—*n.* 아첨; 값싼 감상(感傷)
smarm·y [smɑ́:rmi] *a.* (**smarm·i·er**; **-i·est**) (구어) **1** 매끈한 **2** 침이 마르도록 아첨하는, 역겨운(fulsome) **smárm·i·ly** *ad.* **smárm·i·ness** *n.*
‡**smart** [smɑ́:rt] *a.*, *ad.*, *v.*, *n.*

> OE 「아픔을 느끼는」의 뜻에서
> 「쑤시는」 **7** → 「격렬한」 **6** → 「활발한」 **4**
> ┌(척척 해내는) → 「영리한」 **1**
> └(외모가 야무지게 생긴) → 「스마트한」 **2**

—*a.* **1** 눈치 빠른; 재치 있는, 영리한, 현명한; 조숙한(precocious); 건방진, 겉치레만의, 멋만의: a ~ student 영리한 학생 **2** 맵시 있는, 스마트한, 〈옷차림이〉 말쑥한, 단정한, 멋있는: a ~ car 맵시 좋은 차 **3** 세련된, 유행의: a ~ restaurant 고급 레스토랑 **4** 활발한 〈동작 등〉, 기민한 **5** 재빠른, 솜씨 좋은, 훌륭한: a ~ businessman 수완 있는 실업가 **6** 날카로운; 강한, 센; 지독한, 엄한, 격렬한, 맹렬한 **7** 쑤시는 **8** 방심할 수 없는, 무엇을 저지를지 모를, 간교한 **9** (속어) 상당한 〈금액·수·정도 등〉 **10** 〈무기 등이〉 컴퓨터화한, 유도식의 ***a ~ few*** 상당히 많은 (***as***) ***~ as a steel trap*** (미·구어) 굉장히 영리한 (***as***) ***~ as threepence*** 매우 영리한 ***look ~*** (1) 스마트해[멋져] 보이다 (2) [보통 명령법으로] (구어) 서두르다, 급히 하다, 활발하게[척척] 하다 ***make a ~ job of it*** 솜씨 있게 깨끗이 해치우다
—*ad.* = SMARTLY
—*vi.* **1** 아리다, 따끔따끔 쓰리다: The wound ~*s.* 상처가 쑤신다. **2** 괴로워하다, 상심하다; 양심에 찔리다: (~+전+명) I am still ~*ing from* the memory. 그 생각을 하면 아직도 가슴이 아프다. / ~ *under* the prickings of one's (own) conscience 양심의 가책에 고민하다 **3** 분개하다: (~+전+명) ~ *under* an injustice 부당한 처사에 분개하다 / He ~*ed from* the scolding. 그는 꾸중을 듣고 분개했다. **4** 벌을 받다: (~+전+명) ~ *for* one's impudence 건방지게 굴다가 벌을 받다[혼나다]
—*vt.* 아프게 하다; 괴롭히다
—*n.* **1** 쓰린 아픔, 고통, 동통(疼痛) **2** 고뇌, 상심, 비통; 분노, 분개 **3** [*pl.*] 재치, 지성 **4** [*pl.*] (구어) 멋쟁이, 스마트한 사람; (일반적으로) 양식(良識)
smárt·ing·ly *ad.* ▷ smárten *v.*
smárt àlec(k) (구어) 똑똑한[자신만만한] 체하는 사람, 건방진 놈, 자만심이 강한 사람
smart-al·ec(k) [-æ̀lik] *a.* = SMART-ALECKY
smart-al·eck·y [-æ̀liki] *a.* 잘난 체하는, 똑똑한 체하는, 자만심이 강한
smart-ass [-æ̀s] *n.* (미·속어) 수재, 수완가; 건방진 녀석, 우쭐하는 놈 **smárt-àss(ed)** *a.*
smárt bómb (미·군대속어) 스마트 폭탄 (레이저 광선에 의해 목표에 유도되는)
smárt búilding (미) 스마트 빌딩 (최첨단 인공 지능 시스템을 갖춘 빌딩)

smárt càrd (컴퓨터 칩이 내장되어 있는) 스마트 카드 《신용 카드 따위를 하나로 통합한 신분증》
smárt drúg 머리를 좋게 하는 약, 지능 향상약
smart·en [smɑ́:rtn] *vt.* **1** 스마트하게 만들다, 말쑥하게 하다; 멋내다, 멋부리다, 말쑥하게 차리다 《*up*》: (~+목+부) ~ *up* one's house[clothes] 집[옷]을 말쑥하게 하다 **2** 재빠르게 하다, 활발하게 하다 **3** 교육하다; 경험을 쌓게 하다 **—*vi.*** 말쑥해지다, 멋들어지게 되다; 활발해지다 《*up*》
smárt hòuse 자동화·전산화된 집 《난방 등이 집적회로(IC)에 의해 조종되는》
smart·ie [smɑ́:rti] *n.* = SMARTY
smart·ish [smɑ́rtiʃ | smɑ́:t-] *a.* **1** 영리한, 눈치 빠른(quick-witted) **2** 맵시 있는(fashionable) **3** 상당히 많은 **4** 건방진, 까부는(saucy, pert) **5** (특히 영·구어) 빠른, 신속한 **—*ad.*** (특히 영·구어) 빨리, 신속히. You'd better move ~. 빨리 움직이는게 좋을 거야.
smart·ly [smɑ́:rtli] *ad.* **1** 거세게; 엄하게, 가혹하게 **2** 재빨리, 날쌔게 **3** 현명[영리]하게 **4** 말쑥하게, 깨끗이
smárt móney [the ~] **1** (미) [집합적] (정보통의) 투자가들; 도박에서 빈틈없는 사람들 **2** (구어) 〔법〕 벌금, 배상금 **3** (미) (경험 있는 투자가 등의) 투자금 **4** 〔영국군〕 병역 면제금; 부상 수당
smart·ness [smɑ́:rtnis] *n.* Ⓤ **1** 세련됨, 멋 **2** 기민(機敏), 빈틈없고 재치 있음 **3** 쓰림, 맹렬함, 격통(激痛)
smart·phone [smɑ́:rtfòun] *n.* 〔통신〕 스마트폰 《휴대전화에 인터넷과 컴퓨터 지원 기능을 추가》
smárt quótes 〔컴퓨터〕 굽은 따옴표 (' ', " ")
smárt ròck 방어 로켓에서 발사되는 센서 부착 미사일 공격탄
smárt sèt 유행의 첨단을 걷는 사람들, 최상류 계급
smárt tèrminal 〔컴퓨터〕 스마트 단말기 《주컴퓨터의 개입 없이 자체적으로 어느 정도의 처리를 하는 단말기》
smart·weed [smɑ́:rtwì:d] *n.* 〔식물〕 버들여뀌 《여뀌과(科)》
smart·y [smɑ́:rti] (미·구어) *n.* (*pl.* **smart·ies**) = SMART ALEC(K)
—*a.* (**smart·i·er**; **-i·est**) = SMART-ALECKY
smart·y-pants [smɑ́:rtipæ̀nts], **-boots** [-bù:ts] *n.* [단수 취급] (미·구어) = SMART ALEC(K)
smárt·y-pànts *a.*
***smash** [smǽʃ] [smack+*mash*] *vt.* **1** 때려 부수다, 깨뜨리다, 분쇄하다 《*up*》: ~ a window 창을 부수다 // (~+목+전+명) ~ a mirror *into* pieces 거울을 박살내다 // (~+목+부) ~ *in* a door (밖에서) 문을 때려 부수어 (안에) 들어가다 / The children ~*ed down* the fence. 아이들이 울타리를 때려 부수었다. // (~+목+보) He ~*ed* the door open. 그는 문을 부수어 열었다. **2** 격파하다, 대패시키다: ~ an enemy 적을 격파하다 **3** 세게 때리다, 두들겨 패다; 충돌시키다, 내던지다 《*against*》: (~+목+전+명) They ~*ed* themselves *against* the wall. 그들은 벽을 들이받았다. **4** 〈칼·주먹 등을〉 세게 내려치다 《*down, into, on to*》 **5** 〈범죄 조직 따위를〉 괴멸시키다, 박멸하다 **6** 파산시키다 **7** 〔스포츠〕 스매시하다 《공을 위에서부터 세게 내리치다》 **8** 〔제본〕 〈철한 책의 등을〉 고르다
—*vi.* **1** 부서지다, 깨어지다, 산산조각이 나다 《*up*》: (~+전+명) The cup ~*ed on* the kitchen floor. 컵이 부엌 바닥에 떨어져 산산조각이 났다. **2** 세게 충돌하다 《*into, together*》; 맹렬히 돌진하다: (~+전+명) The motorboat ~*ed into* a rock. 그 모터보트는 바위에 세게 부딪쳤다. **3** 파산[도산]하다 《*up*》 **4** 〔스포츠〕 스매시하다
—*n.* **1** 분쇄; 부서지는 소리 **2** 강타; 〔스포츠〕 스매시 **3** (기차 등의) 충돌 (사고); 심한 붕괴; 추락 **4** 실패, 도산, 파산; 파멸(ruin) **5** (구어) 운수 대통, 큰 성공 (= ~ hit) **6** ⓊⒸ 스매시 《브랜디 등에 박하·설탕·얼음을 넣은 음료》 ***come*** [***go***] ***to*** ~ (구어) 납작하게 찌부러지다; 파산하다 ***play*** ~ (미) 파산하다, 몰락하다
—*ad.* 찰싹; 정면으로 〈부딪치다 등〉: run[go] ~ into …와 정면 충돌하다, 맞부딪치다
—*a.* (미) 굉장한, 운수 좋은, 크게 성공한
smash-and-grab [smǽʃən*d*grǽb] *a.* Ⓐ, *n.* (영) 가게의 진열창을 부수고 고가의 진열품을 빼앗아 가는 (강도)
smash·ball [-bɔ̀:l] *n.* 스매시볼 《두 사람 이상이 라켓으로 노바운드 스매시하는, 코트나 네트가 없는 테니스 비슷한 경기》
smashed [smǽʃt] *a.* (속어) 술 취한
smash·er [smǽʃər] *n.* **1** 분쇄자; 분쇄하는 것, 분쇄기 **2** (구어) 굉장한 것[사람] **3** 큰 타격, 강타; 붕괴, 추락 **4** 〔스포츠〕 스매시를 잘하는 선수 **5** 결정적인 비판[응답] **6** (속어) 위조지폐 사용자
smásh hít (책·흥행·배우 등의) 대성공, 큰 히트
smash·ing [smǽʃiŋ] *a.* **1** 분쇄하는; 맹렬한 〈타격 등〉 **2** (영·구어) 굉장한 〈승리 등〉 **~·ly** *ad.*
smash·up [smǽʃʌ̀p] *n.* **1** 분쇄; 충돌 (사고), 전복; 추락 **2** 실패, 파산; 재난(disaster); 파멸(catastrophe)
smat·ter [smǽtər] *vi., vt.* 〈학문을〉 겉핥다 《*in, at*》 **—*n.*** 겉핥음, 피상적 지식
~·er *n.* 수박 겉핥기로 아는 사람
smat·ter·ing [smǽtəriŋ] *n.* [보통 *sing.*] 겉핥기, 어설프게 아는 지식; 소량: have *a* ~ of …을 겉핥기로 알고 있다 **—*a.*** 겉핥기로 아는 **~·ly** *ad.*
smaze [sméiz] [*sm*oke+h*aze*] *n.* ⓊⒸ 스메이즈 《대기 중의 연기와 엷은 안개가 섞인 것; cf. SMOG》
sm. cap. small capital
***smear** [smíər] [OE 「기름을 바르다」의 뜻에서] *vt.* **1** 〈기름 등을〉 바르다, 칠하다; 〈연고 등을〉 도포하다; 더럽히다: (~+목+전+명) She ~*ed* her fingers *with* paints. = She ~*ed* paints *on* her fingers. 그녀는 그림물감으로 손가락을 더럽혔다. **2** 문질러 못 알아보게 하다, 선명치 않게 하다 **3** 〈명예·명성 등을〉 더럽히다, 해치다, 손상시키다 **4** (미·속어) 결정적으로 해치우다, 완패시키다; 〔권투〕 녹아웃시키다 **5** (미·속어) 매수하다, …에게 뇌물을 주다
—*vi.* 〈기름·잉크 등이〉 번지다, 희미하게 되다
—*n.* **1** 오점, 얼룩 **2** (도자기의) 유약 **3** 〔의학〕 도말(塗抹) (표본) **4** (구어) 명예 훼손, 중상, 비방
sméar campàign 비방 운동, 인신공격
smear·case, smier- [smíərkèis] *n.* (미중부) = COTTAGE CHEESE
smear-sheet [-ʃì:t] *n.* (구어) (스캔들·악랄한 풍자를 일삼는) 저속 신문[잡지]
sméar tèst 〔의학〕 (자궁암의) 스미어 테스트, 도말표본 검사(Pap test[smear])
sméar wòrd 명예를 훼손하는 말, 비방
smear·y [smíəri] *a.* (**smear·i·er**; **-i·est**) **1** 더럽혀진; 얼룩투성이의 **2** 끈적거리는, 눅진눅진한(sticky); 기름 밴(greasy)
smec·tic [sméktik] *a.* 〔물리〕 스멕틱의 《액정(液晶)의 길쭉한 분자가 장축(長軸)과 평행으로 조밀하게 배열된 분자층을 이루면서 장축 방향으로 적층(積層)한 상태; cf. NEMATIC》
smed·dum [smédəm] *n.* **1** 고운 분말 **2** 원기, 활력
smeg·ma [smégmə] *n.* Ⓤ 〔생리〕 피지(皮脂), 《특히》 치구(恥垢) 《성기의 때》
‡smell [smél] *v.* (**~ed, smelt** [smélt]) *vi.* **1** 냄새 맡다[맡아보다] 《*at, about*》; 냄새를 알다, 후각이 있다: I cannot ~ because I am stuffy. 나는 코가 막혀 냄새를 맡을 수 없다. // (~+전+명) ~ *at* a rose 장미꽃 향기를 맡다 **2** 조사하다 **3** 냄새가 풍기다, (좋은 또는 나쁜) 냄새가 나다 《*of, like*》: (~+보) ~ good [sweet] 좋은 냄새가 나다 / ~ damp 눅눅한 냄새가 나다 // (~+전+명) The garden ~*s of* lilacs. 뜰에는 라일락 꽃 향기가 풍긴다. / It ~*s like* violets. 그것은 제비꽃 같은 향기가 난다. / He ~*s of* wine. 그에게서 술 냄새가 난다. **4** 고약한 냄새가 나다, 냄새가 고약하다: This meat ~*s.* 이 고기는 고약한 냄새가 난다. **5** (…의) 냄새가 나다, (…의) 기미가 있다 《*of*》: (~+전+명) That man ~*s of* the rustic. 그 남자는 시

골뜨기 티가 난다. / The plan *~ed of* trickery. 그 계획은 어딘지 사기의 기미가 있었다.

—*vt.* **1** 냄새 맡다; 〈개가〉〈사냥감 등의〉 냄새를 맡아 내다; 〈사람이〉 찾아내다 **2** 향기[냄새]로 알다[알아내다]: Can a camel ~ water a mile off? 낙타는 1마일 떨어진 곳에서 물 냄새를 맡을 수 있을까? // (~+목+*-ing*) I ~ rags burn*ing*. 넝마 타는 냄새가 난다. **3** 〈음모 등을〉 눈치채다, 낌새채다: ~ danger 위험을 느끼다 **4** 〈장소 등을〉 냄새로 충만시키다 (*out*, (미) *up*) **5** (미·속어) 〈코카인 따위의 가루로 된 마약을〉 흡입하다, 맡다

~ a rat (구어) 눈치채다, 알아채다 ***~ of the lamp*** 〈문학·작품 등이〉 밤새도록 애쓴 흔적이 보이다 ***~ of the shop*** 상인 기질을 보이다, 상혼이 들여다 보이다; 〈말 등이〉 전문가 티가 나다 ***~ out*** 탐지하다; 찾아내다; 악취를 풍기다 ***~ powder*** 실전을 경험하다 ***~ round*** 이리저리 냄새 맡다, 뒤지고 다니다 ***~ up*** (미·속어) 악취를 내다

—*n.* **1** Ⓤ 후각 **2** Ⓤⓒ 냄새, 향기; 악취; 기미, 혐의: a sweet ~ 달콤한 향기

> 유의어 **smell** 「냄새」를 나타내는 가장 일반적인 말: a burnt *smell* 탄내 **odor** 「향기」의 뜻도 있으나 주로 불쾌한 냄새: the *odor* of human bodies 사람의 체취 **fragrance** 꽃·향수 등의 기분 좋은 냄새: the *fragrance* of roses 장미 향기 **scent** 희미한[약한] 냄새: the *scent* of apple blooms 사과꽃 향기 **stench** 강한 악취: a *stench* of uncollected refuse 수거하지 않은 쓰레기의 악취

3 [보통 *sing.*] 냄새 맡기: take *a* ~ at …을 냄새 맡아 보다 **4** (독특한) 분위기, 낌새

▷ smélly *a.*

smell·er [smélər] *n.* **1** 냄새 맡는 사람[것]; 냄새로 알아내는 사람 **2** (속어) 코; 후각 **3** (콧대를) 세게 치기 **4** 촉수(觸鬚), (특히) 고양이의 수염

smell·ie [sméli] *n.* 냄새를 풍기는 영화(cf. TALKIE)

sméll·ing bòttle [sméliŋ-] (옛날의) 냄새 맡는 약병, 정신 들게 하는 약병 (smelling salts가 든 작은 병)

smélling sàlts 냄새 맡고 정신 차리게 하는 약 (탄산암모니아 주제(主劑)로 옛날에 두통이나 뇌빈혈에 사용)

smell·y [sméli] *a.* (**smell·i·er**; **-i·est**) 냄새 나는; 고약한 냄새 나는

smelt[1] [smélt] *vt.* 〈광석을〉 (용해하여) 제련하다, 녹여서 분류하다; 〈금속을〉 용해하다 **—*vi.*** 용해하다

smelt[2] *n.* (*pl.* **~, ~s**) 〖어류〗 빙어 무리의 식용어

⁑**smelt**[3] [smélt] *v.* SMELL의 과거·과거분사

smelt·er [sméltər] *n.* **1** 제련업자, 제련공 **2** 제련소; 용해로: a copper ~ 구리 제련소

smelt·er·y [sméltəri] *n.* (*pl.* **-er·ies**) =SMELTER 2

Sme·ta·na [smétənə] *n.* 스메타나 **Bedrich ~** (1824-84) (체코의 작곡가)

smew [smjú:] *n.* 〖조류〗 흰비오리

smice [smáis] [*smoke*+*ice*] *n.* 연빙(煙氷) (연기와 가는 얼음이 섞인 대기; cf. SMAZE, SMOG)

smid·gen, -geon, -gin [smídʒən], **smidge** [smídʒ] *n.* (미·구어) 매우 적은 양, 미량 (*of*)

smi·lax [smáilæks] *n.* 〖식물〗 청미래덩굴속(屬)의 식물, (특히) 사르사파릴라(sarsaparilla)

⁑**smile** [smáil] *vi.* **1** (소리를 내지 않고) 웃다, 미소짓다, 방실 웃다; 생긋 웃다 (*at*, *on*, *upon*)(opp. *frown*)(⇨ laugh 유의어): She never *~s.* 그녀는 결코 웃지 않는다. // (~+전+명) The infant *~d at* [*on*] his mother. 아기는 엄마를 보고 방실거렸다. // (~+*to* do) He *~d to* see me. 그는 나를 보고 미소지었다. **2** 냉소하다, 비웃다 **3** 〈운수·기회가〉 열리다, 트이다 (*on*): (~+전+명) Fortune *~s on* us. 우리에게 행운이 웃음짓는다. **4** (문어) 〈풍경 등이〉 환하다, 산뜻하다: *smiling* flowers 환하게 피어 있는 꽃 ***come up smiling*** 굴하지 않고 다시 일어서다 ***I should ~!*** (미·구어) (1) 좋겠지요! (2) (반어) 그렇겠군, 웃기네!

—*vt.* **1** [동족 목적어와 함께] (…한) 웃음을 짓다: ~ a cynical *smile* 빈정대는 웃음을 짓다 **2** 미소로 표시하다: ~ one's consent[thanks] 미소로써 승낙[감사]의 뜻을 표시하다 / ~ goodby 웃으며 헤어지다 **3** 미소하며 …시키다: (~+목+부) ~ one's grief *away* 웃음으로써 슬픔을 잊다 // (~+목+전+명) She *~d* him *out of* his anger. 그녀는 웃음지어 그의 분노를 잊게 했다. / She *~d* him *into* good humor. 그녀는 미소로써 그의 기분을 풀어 주었다.

—*n.* **1** 미소, 방실거림; 생긋 웃음; 희색, 웃는 낯: a gentle ~ 상냥한 미소 **2** 냉소, 조소 **3** (문어) (자연 등의) 환한[청명한] 모양; (운명 등의) 은혜, 은총; 호의 **4** (속어) 위스키 한 잔 ***be all ~s*** 희색이 만면하다 ***with a ~*** 웃는 낯으로

~·less *a.* 웃지 않는; 진지한, 점잔빼는 **smíl·er** *n.*

smil·ey [smáili] *a.* 상냥한, 웃는 얼굴의

—*n.* 〖컴퓨터〗 스마일리, 얼굴 기호 (전자 우편 등에서 기호로 옆으로 본 얼굴을 나타낸 것; 예컨대 :-)은 기뻐서 웃는 얼굴 등)

smíley fàce[**bàdge**] (주로 노란 바탕에 검은 색의) 만화식의 웃는 얼굴 그림 (젊은 세대의 문화 상징으로 쓰이는)

⁎**smil·ing** [smáiliŋ] *a.* **1** 미소짓는, 방긋 웃는, 생긋 웃는 **2** 명랑한; 청명한 〈풍경 등〉

~·ly *ad.* 웃음지으면서

smirch [smə́:rtʃ] *vt.* 〈명성 등을〉 더럽히다, 손상하다

—*n.* (명성 등의) 흠, 오점(stain) (*on*, *upon*)

smirk [smə́:rk] *vi.* 능글능글[히죽히죽] 웃다 (*at*, *on*, *upon*) **—*n.*** 능글맞은 웃음

~·er *n.* **smírk·y** *a.*

⁑**smite** [smáit] *v.* (**smote** [smóut]; **smit·ten** [smítn], (고어) **smote**) *vt.* **1** (문어·익살) 치다, 세게 때리다(strike); 죽이다, 패배시키다(defeat): ~ the enemy 적을 쳐부수다 // (~+목+보) ~ a person dead …을 때려 죽이다 **2** 〈신 따위가〉 (사람에게) 벌을 내리다 **3** [보통 수동형으로] 〈병·재난 등이〉 엄습하다(⇨ smitten) **4** 〈양심 등이〉 찌르다: My conscience *~s* me. 나는 양심의 가책을 느낀다. **5** 〈미인이나 아름다운 사물이〉 매혹하다, 감동시키다 (*with*, *by*)

—*vi.* **1** 치다, 세게 때리다 (*at*), 두드리다; 맞부딪치다 (*on*, *upon*): (~+전+명) ~ *upon* a door 문을 쾅쾅 두드리다 // (~+부) His knees *smote together* in horror. 그는 공포로 무릎이 덜덜 떨렸다. **2** 〈향·소리 따위가〉 (코·귀를) 강렬히 때리다

—*n.* **1** 때림; 타격, 강타 **2** (구어) 시도, 기도: have a ~ at it 해보다 **3** 〖크리켓〗 강타 **4** (미·구어) 소량, 조금 (*of*): It didn't do a ~ *of* good. 조금도 소용이 없었다. **smít·er** *n.*

⁎**smith** [smíθ] *n.* **1** [보통 복합어를 이루어] 금속 세공인, (특히) 대장장이(blacksmith) **2** 제조인, 제작자; 장식공(cf. GOLDSMITH, TINSMITH, WHITESMITH)

—*vt.* 단조(鍛造)하다: ~ armor 갑옷을 단조하다

Smith [smíθ] *n.* 스미스 **Adam ~** (1723-90) (영국의 경제학자)

smith·er·eens [smìðərí:nz], **smith·ers** [smíðərz] *n. pl.* (구어) 산산조각, 작은 파편 ***smash*** [***blow***] ***... to ~*** (구어) …을 산산이 부수다

smith·er·y [smíθəri] *n.* (*pl.* **-er·ies**) **1** Ⓤ 대장장이의 직[기술, 일] **2** Ⓤ 금속 세공 **3** 대장간, 철공장

Smith·field [smíθfì:ld] *n.* 스미스필드 (London City의 한 지구; 육류 시장으로 유명)

Smith·só·ni·an Institútion [smiθsóuniən-] [the ~] 스미스소니언 협회 (과학 지식의 보급 향상을 위하여 1846년 Washington, D.C.에 창립된 학술 협회[국립 박물관])

smith·son·ite [smíθsənàit] *n.* 〖광물〗 능(菱)아연석; 이극석(異極石)

smith·y [smíθi | smíði] *n.* (*pl.* **smith·ies**) **1** 대장간 **2** 대장장이(blacksmith)

smit·ten [smítn] *v.* SMITE의 과거분사
— *a.* 세게 맞은; 고통받는, (병에) 걸린; 깊이 감동받은; 홀딱 반한: ~ with sorrow 슬픔으로 고통받는/He was completely ~ by her. 그는 그녀에게 완전히 반했다.

SMM *Sancta Mater Maria* (L =Holy Mother Mary); solar maximum mission 〖우주과학〗 (미국의) 태양 관측 위성 **SMO** Senior Medical Officer

*__smock__ [smák | smɔ́k] *n.* **1** (어린이·여성·화가 등의) **겉옷**, 작업복, 스목 **2** =SMOCK FROCK **3** 임신복 **4** (고어) 여성용 속옷, 《특히》 슈미즈
— *vt.* **1** 작업복[겉옷]을 입히다 **2** 〖복식〗 주름장식을 달다

smock *n.* 1

smóck fròck (유럽 농부들의 주름 장식이 있는) 작업복, 들일 옷

smock·ing [smákiŋ | smɔ́k-] *n.* Ⓤ (다이아몬드형(型) 등의) 주름 장식

‡**smog** [smág, smɔ́:g | smɔ́g] [*sm*oke+f*og*] *n.* ⓊⒸ **스모그, 연무**(煙霧)(cf. SMAZE)
— *vt.* (**~ged**; **~·ging**) 스모그로 덮다[싸다] **~·less** *a.*

smog·bound [smágbàund | smɔ́g-] *a.* 스모그가 낀, 연무(煙霧)에 싸인

smog-free [-frí:] *a.* 스모그가 발생하지 않는

smog·gy [smági, smɔ́:gi | smɔ́gi] *a.* (**-gi·er**; **-gi·est**) 스모그가 많은

smog·out [smágàut, smɔ́:g- | smɔ́g-] *n.* 스모그에 덮인 상태, 자욱한 스모그

smok·a·ble, smoke- [smóukəbl] *a.* 흡연에 적합한

‡**smoke** [smóuk] *n.* Ⓤ **1 연기**: give off ~ 연기를 내다/(There is) no ~ without fire. = Where there's ~, there's fire. 《속담》 아니 땐 굴뚝에 연기 날까. **2** 연기 같은 것; 안개; 물보라(spray), 김, 증기 **3** 실체(實體)가 없는 것, 허무(emptiness): The plan has ended in ~. 그 계획은 허무하게 끝났다. **4** 분명하지 않은 점; 명한 상태 **5** [a ~] (담배의) 한 대 (피우기), 한 대 피우는 시간; [보통 *pl.*] (구어) 엽궐련, 궐련 **6** (속어) 메탄올(과 물로 섞어 만든 술) **7** 잿빛, 엷은 청색 **8** 모깃불; 연기를 피우는 모닥불(smudge) **9** (미·야구속어) 투구 스피드; 강속구 **10** (미·속어) 흑인; 경찰 **11** [the ~] (구어) 도회, 대도시
blow ~ (속어) 마리화나를 피우다; (속어) 허풍을 떨다 ***end*** [***go***] ***up in ~*** (1) 〈집 등이〉 소실되다 (2) 〈희망·계획 등이〉 연기처럼 사라지다; 실패하다 ***from ~ into smother*** (고어) 갈수록 태산 ***have*** [***take***] ***a ~*** 담배 한 대 피우다 ***like ~*** = ***like a ~ on fire*** (속어) 어렵지 않게, 쉽게, 척척 ***the big*** [***great***] ***S~*** (익살) 런던
— *vi.* **1 연기를 내다**, 연기를 뿜다; 연기처럼 퍼지다[솟아오르다] **2** 연기가 나다, 내가 나다, 그을다: The stove ~*s* badly. 그 난로는 연기가 몹시 난다. **3** 김 오르다, 증발하다; 땀을 줄줄 흘리다; 〈칼이〉 연기처럼 피를 뿜다; 〈마차 등이〉 먼지를 피우며 달리다 **4 담배 피우다**: Do you mind my *smoking* in the room? 방에서 담배 피워도 괜찮겠습니까? **5** (고어) 눈치채다 **6** (학생속어) 얼굴을 붉히다; (속어) 화를 내다
— *vt.* **1** 〈담배·아편 등을〉 피우다: ~ a pipe 파이프 담배를 피우다 **2** 담배를 피워 …하게 하다: (~+목+보) ~ oneself sick[silly] 담배를 피워서 속이 메스꺼워지다 // (~+목+전+명) ~ oneself *into* composure 담배를 피워 기분을 가라앉히다 // (~+목+부) ~ one's time *away* 담배를 피우며 시간을 보내다 **3** 연기 피우다, 내 나게 하다, 그을게 하다, 연기로 검게 하다 **4** 연기로 소독하다 **5** 〈벌레를〉 그을려 죽이다, 연기를 피워 쫓아내다; 〈식물을〉 그을려 벌레를 없애다: (~+목+전+명) ~ mosquitoes *out of* the room 연기를 피워 모기를 방에서 몰아내다 **6** 훈제(燻製)하다 **7** 눈치채다, 알아내다(smell out) **8** (영·고어) 성가시게 하다, 지부럭거리다, 놀리다; 속이다
~ along 〈말·차·배·사람이〉 매우 빨리 나아가다 ***~ off*** (호주·속어) 급히 떠나다, 도망치다 ***~ out*** 〈구멍 등에〉 연기를 피워 몰아내다; 〈계획 등을〉 알아내다
~·like *a.* ▷ smóky, smókeless *a.*

smóke abàtement (도시의) 굴뚝 연기 규제

smóke alàrm 화재경보기

smóke and mírrors 사실을 왜곡시키는 것, 진실의 은폐; 마술같이 속이는 것

smóke bàll 1 〖군사〗 연막탄, 연탄(煙彈) **2** 〖야구〗 강속구

smóke bòmb 발연탄(發煙彈), 연막탄

smoke·box [smóukbàks | -bɔ̀ks] *n.* (증기 기관 따위의) 연실(煙室)

smóke chàmber (벽난로의) 연실(煙室)

smoke·chas·er [-tʃèisər] *n.* (가벼운 장비의) 산림 소방대원

smoke-con·sum·er [-kənsù:mər | -sjù:mə] *n.* 완전 연소 장치

smoked [smóukt] *a.* **1** 훈제한: ~ ham[cheese] 훈제 햄[치즈] **2** 그을린

smóke detèctor 연기 탐지기 《화재경보기》

smóked gláss 그을린 유리 《태양 관측용》

smoke-dried [smóukdràid] *a.* 훈제(燻製)한: ~ meat 훈제육

smoke-eat·er [-ì:tər] *n.* (속어) **1** 소방관(fire fighter) **2** 용접공

smóke-filled róom [-fild-] 〖정치〗 (정치적 협상이 이루어지는) 막후 협상실

smoke·free [-frí:] *a.* 금연의

smóke hèlmet (소방용) 가스 마스크, 방독면

smoke·house [-hàus] *n.* (*pl.* **-hous·es** [-hàuziz]) (고기·생선 등의) 훈제장[실]

smoke-in [-ìn] *n.* 흡연[마리화나 흡인] 집회 《사회적 승인을 요구하여 여는 집회》

smoke·jack [-dʒæ̀k] *n.* (고기 등을 굽는) 꼬치 돌리개 《부엌 굴뚝 안에 장치한 바퀴가 그 안의 상승 기류로 회전하여 아래의 꼬치를 돌림》

smóke jùmper (구어) (낙하산으로 강하하는) 삼림 소방대원

smoke·less [smóuklis] *a.* 연기 없는, 무연의: ~ coal 무연탄 **~·ly** *ad.* **~·ness** *n.*

smókeless pówder 무연 화약

smókeless tobácco 씹는 담배

smókeless zòne 무연 연료만 쓰도록 된 도시 내의 지역

smoke-oh [smóukòu] *n.* **1** (호주·속어) 담배 피우는 휴식 시간 **2** =SMOKING-CONCERT

smoke·out [-àut] *n.* **1** =COOKOUT **2** (영구 금연의 한 단계로서의) 1일 금연

smóke pollùtion 연기 오염[공해]

smóke pòt 발연통

smoke·proof [-prù:f] *a.* 〈문 등이〉 연기가 스며들지 않는

*__smok·er__ [smóukər] *n.* **1 흡연자**, 끽연자: a heavy ~ 심한 흡연자/the ~*'s* throat 지나친 흡연 때문에 생기는 인후병 **2** 끽연실; =SMOKING CAR **3** (양봉의) 훈연 상자 **4** (속어) =SMOKING-CONCERT **5** 훈제(燻製)업자 **6** (영) =SMOKING JACKET

smoke-ring [smóukrìŋ] *n.* (담배의) 연기 고리

smóke ròcket 스모크 로켓 《파이프 등의 새는 곳을 발견하기 위해 연기를 내는 장치》

smóke ròom =SMOKING ROOM

smóker's héart [the ~] 과도한 흡연으로 생기는 심장병(tobacco heart)

smóke scrèen 〖군사〗 **1** 연막: spread a ~ 연막을 치다 **2** 위장, 변장

thesaurus **smooth** *a.* **1 매끄러운** even, level, flat, plane, flush, unrough, unwrinkled **2 윤기 있는** glossy, shiny, sleek, silky, velvety, polished,

smoke·shade [smóukʃèid] *n.* 스모크셰이드 《대기 중의 입자 모양의 오염 물질; 그 계량 단위》

smóke shèll 발연[연막] 포탄(發煙砲彈)

smóke shòp 담배 가게; 마리화나 등을 파는 가게

smóke sìgnal [보통 *pl.*] **1** 연기 신호 **2** (행동이나 생각의) 기미, 낌새

smoke·stack [-stæ̀k] *n.* **1** 《구어》 (기관차의) 굴뚝 **2** (배·공장 등의) 굴뚝 **—** *a.* (철강·자동차 제조 등의) 기초 중공업에 관계되는[종사하는, 의존하는]

smoke-stone [-stòun] *n.* Ⓤ 〖광물〗 연수정(煙水晶)(cairngorm)

smóke trèe 〖식물〗 (유럽 남부·소아시아산(産)) 옻나뭇과의 관목 《꽃차례가 연기처럼 보임》

smóke tùnnel 〖항공〗 연기 풍동(風洞) 《연기를 이용하여 기류의 움직임을 알아냄》

smóke wàgon 열차, (증기 시대의) 기차

smok·ey [smóuki] *n.* [종종 **S~**] 《미·속어》 고속도로 순찰대원; 순찰차

smókey the Béar **1** (미국 산림청의) 산불 예방 캠페인에 등장하는 곰 캐릭터 **2** [Smokey Bear로도 써서] = SMOKEY

smok·i·ly [smóukili] *ad.* 연기가 나서; 연기처럼, 연기가 자욱하게

‡**smok·ing** [smóukiŋ] *n.* Ⓤ **1** 연기가 남, 그을림 **2** 발연(發煙); 발한(發汗) **3** 흡연, 끽연 ***No ~*** within these walls! (구내) 금연!

— *a.* **1** 내는, 그을리는 **2** 김[땀] 나는: a ~ horse 땀 흘리는 말 **3** 담배 피우는, 끽연용의 **4** 《비유》 준열한 **5** 《미·속어》 멋진, 굉장한

— *ad.* 김이 나도록: ~ hot food 따끈따끈한 음식 **~·ly** *ad.*

smóking càr[《영》 **càrriage**] 흡연차 《흡연 여행자들이 타는》

smóking compàrtment (기차의) 흡연[끽연]실

smok·ing-con·cert [smóukiŋkɑ̀nsəːrt | -kɔ̀n-] *n.* 《영》 **1** 담배를 피워도 되는 음악회 **2** (클럽 등에서의) 남자끼리의 가벼운 모임

smóking gún[**pístol**] (특히 범죄의) 결정적 증거

smóking jàcket 스모킹 재킷 《집에서 쉴 때 입는 남자용의 상의》

smóking mìxture 혼합 담배 《파이프용》

smóking ròom 흡연실

smok·ing-room [-rùːm] *a.* **1** 흡연실(에서)의[에 알맞은] **2** 야비한, 외설한: ~ talk 흡연실의 (여자가 끼지 않은) 잡담, 음담

smóking stànd 스탠드식 재떨이

smok·o [smóukou] *n.* (*pl.* **~s**) = SMOKE-OH

***smok·y, smok·ey** [smóuki] *a.* (**smok·i·er**; **-i·est**) **1** 연기 나는, 그을리는; 검은 연기 나는: a ~ torch 연기 나는 횃불 **2** 검은 연기투성이의, 연기 자욱한: a ~ room 연기가 자욱한 방 **3** 〈성질·외견이〉 연기와 같은, 연기 상태의, 연기 나는 듯한 **4** 연기빛의; 그을은; 흐린; 연기내가 나는: a ~ sky 흐린 하늘 **5** 〈색깔이〉 침침한, 거무칙칙한; 〈취미 등이〉 수수한

smók·i·ness *n.*

Smóky Móuntains [the ~] = GREAT SMOKY MOUNTAINS

smóky quártz 〖광물〗 연수정(煙水晶)

smóky tópaz 〖보석〗 연황옥 《보석용 연수정》

smol·der | **smoul·der** [smóuldər] *vt.* 그을려서 검게 하다 **—** *vi.* **1** 그을다, 연기 피우다, 연기만 피운 채 타 버리다 《*out*》 **2** 〈감정이〉 울적하다; 사무치다, 마음에 서리다: *~ing* discontent 마음 속에 쌓인 불평

— *n.* ⓊⒸ **1** 연기 남, 연기 **2** 연기 나는 불 **3** (감정의) 울적

smolt [smóult] *n.* 〖어류〗 2년생 연어 《이때 바다로 내려감》

burnished **3** (수면이) 고요한 calm, still, tranquil **4** 원활하게 움직이는 steady, regular, rhythmic, flowing, fluid **5** 순조로운 easy, effortless, simple

SMON [smɑ́n | smɔ́n] [*s*ubacute *m*yelo-*o*ptico-*n*europathy] *n.* Ⓤ 스몬병(病), 아(亞)급성 척수 시신경증(= **~ disèase**)

smooch[1] [smúːtʃ] *n., vi.* 《구어》 키스(하다); 애무(하다), 페팅(하다)(pet) **~·er** *n.* **smoo·chy**[1] *a.*

smooch[2] *vt.* 《미》 더럽히다, 얼룩지게 하다(smudge) **—** *n.* 얼룩, 더러움 **smóo·chy**[2] *a.*

smoo(d)ge [smúːdʒ] *vi.* 《호주·뉴질·구어》 **1** = SMOOCH[1] **2** 아부하다, 비위맞추다

‡**smooth** [smúːð] *a.* **1 a** 〈표면 등이〉 매끄러운(opp. *rough*), 반드러운: ~ skin 매끈한 피부 **b** 〈머리털 등이〉 매끄러운, 윤기 있는; 손질이 잘 된: ~ hair 매끄러운 머리카락 **2** 〈수면이〉 고요한, 평온한 **3** 〈몸에〉 털이 없는, 수염 없는; 〖동물·식물〗 매끈매끈한, 털 없는 **4** 〈물질 등이〉 골고루 잘 섞인[이겨진] **5** 〈도로 등이〉 평탄한 **6 a** 부드러운, 원활하게 움직이는, 삐걱거리지 않는, 유연한 **b** 〈사물이〉 잘 되어가는, 순조롭게 나가는 **7** 〈가장자리가〉 우툴두툴[까칠까칠]하지 않은, 매끈매끈한 **8** 〈감정·기질 등이〉 침착한, 조용한: a ~ temper 조용한 기질 **9** 〈말·문체 등이〉 유창한, 막히지 않는 **10** 말솜씨가 좋은; 남의 마음을 상하게 하지 않는, 서글서글한: ~ things 겉치레말 / a ~ face 겉으로는 서글서글한 얼굴 **11** 〈음식 등이〉 입에 맞는, 연한 **12** 〈소리 등이〉 듣기 좋은; 〈움직임이〉 경쾌한, 세련된 **13** 《속어》 매력적인, 멋진 ***in ~ water*** 평온하게, 순조롭게, 원활하게 ***make things ~*** 장애를 없애 일을 쉽게 만들다 ***reach***[***get to***] ***~ water*** 난관을 뚫고 나가다, 어려운 고비를 넘기다 ***~ chance*** (거친 바다에서) 파도가 일지 않는 구역

— *vt.* **1** 매끄럽게 하다, 평탄하게 하다, 고르다 《*down, out*》 **2** 〈천을〉 다리미로 펴다, 주름을 펴다; 쓰다듬다 《*away, out, down*》: ~ cloth with an iron 다리미로 천을 펴다 // (~+목+부) ~ *out* wrinkles from a coat 코트의 주름을 펴다 / ~ (*down*) one's hair 머리를 쓰다듬다 **3** 〈곤란 등을〉 없애다, 제거하다, 용이하게 하다, 치우다 《*away*》: (~+목+부) He *~ed away* all objections to the plan. 그는 계획에 대한 일체의 장애를 제거했다. **4** 유창하게 하다; 원활하게 하다 **5** 〈싸움·노여움을〉 가라앉히다, 〈표정을〉 부드럽게 하다 《*down*》: (~+목+부) ~ *down* quarrels 싸움을 가라앉히다 **6** 보기 좋게 하다; 변명하다; 〈잘못 등을〉 덮어 주다 《*over*》: (~+목+부) ~ *over* one's faults 과실을 얼버무리다

— *vi.* **1** 평탄하게 되다, 매끄럽게 되다 《*down*》 **2** 진정되다, 잔잔해지다, 원만하게 되어 가다 《*down*》: (~+부) His anger *~ed down.* 그의 노여움은 진정되었다. / Everything has *~ed down.* 모든 것이 순조롭게 되었다. ***~ over*** 〈과실을〉 얼버무려 넘기다; 〈난처한 입장을〉 원만하게 해결하다[수습하다]; 제거하다; 숨기다 ***~ the way*** 장애를 제거하다

— *n.* **1** 매끄럽게 함; 고르게 함; 다듬음, 다리미질, 매만짐: give a ~ to one's hair = give one's hair a ~ 머리를 매만지다 **2** 평면, 평지; 《미》 초원, 풀밭 **3** [the ~] 사물의 유쾌한 일면 ***take the rough with the ~*** 인생의 고락을 태연하게 받아들이다

— *ad.* = SMOOTHLY

smooth·bore [smúːðbɔ̀ːr] *a.* (총기가) 활강(滑腔)의 **—** *n.* 활강총[포(砲)] 《총신 안에 강선이 없는》

smóoth bréathing 〖음성〗 **1** 무기음표(無氣音標) 《(ʼ); 그리스어에서 어두의 모음 또는 r이 대기음(帶氣音)을 동반하지 않음을 나타냄》 **2** (ʼ)이 나타내는 무기음

smooth·en [smúːðən] *vt., vi.* 매끄럽게 하다[되다]

smooth·er [smúːðər] *n.* smooth하게 하는 사람[기구, 장치]

smooth-faced [smúːðféist] *a.* **1** 매끈한 얼굴의, 수염이 없는; 수염을 깨끗이 깎은 **2** 평평한; 매끈매끈한 **3** (겉보기에) 사람이 부드러운; 간살스러운; 앙큼한

smóoth hòund 〖어류〗 돔발상어의 일종 《유럽산(産)》

smooth·ie[1] [smúːði] *n.* 《구어》 = SMOOTHY

smoothie[2] *n.* 스무디 《과일·주스·우유·요구르트·아이스크림 등으로 만든 부드러운 음료》

smóoth·ing ìron [smúːðiŋ-] **1** 다리미, 인두 **2** (아스팔트 포장용) 스무더

smóothing plàne 끝마무리용 대패

‡**smooth·ly** [smúːðli] *ad.* **1** 매끄럽게; 술술, 원활하게: go on ~ 순조롭게 진행하다 **2** 유창하게, 언변 좋게 **3** 평온하게

smóoth múscle 〖해부〗 평활근(平滑筋)

smooth·ness [smúːðnis] *n.* Ⓤ **1** 반드러움, 평탄 **2** 평온, 평이 **3** 유창, 언변 좋음; 사교적임 **4** (음료의) 맛이 부드러움

smóoth óperator 《구어》 멋진 사람, 언변 좋은 사람

smooth-shav·en [smúːðʃéivən] *a.* 수염을 말끔히 깎은, 수염이 없는

smooth-spo·ken [-spóukən], **-tongued** [-tʌ́ŋd] *a.* **1** 언변이 좋은, 말이 유창한 **2** 감언이설의

smooth-talk [-tɔ̀ːk] *vt.* 그럴듯한 말로 구슬리다

smooth-talk·ing [-tɔ́ːkiŋ] *a.* 《경멸》 말솜씨가 번지르르한, 구변이 좋은

smooth-tongued [-tʌ́ŋd] *a.* 말솜씨가 좋은

smooth·y [smúːði] *n.* (*pl.* **smooth·ies**) **1** 《구어》 점잖은 사람; 《특히》 여자의 비위를 맞추는 남자; 언변 좋은 사람 **2** 《미·속어》 광택 고급지의 (대중) 잡지

SMOP 《컴퓨터속어》 Simple Matter of Programming

s'more [smɔ́ːr] [some more의 변형] *n.* 스모어 《캠프용 간식; 구운 마시멜로를 초콜릿과 함께 크래커 사이에 끼워 먹음》

smor·gas·bord [smɔ́ːrgəsbɔ̀ːrd] *n.* ⓊⒸ **1** 바이킹 요리 《서서 먹는 스칸디나비아식 요리의 일종; 가짓수가 많음》 **2** 잡동사니, 잡다함

smote [smóut] *v.* SMITE의 과거·과거분사

*__smoth·er__ [smʌ́ðər] *vt.* **1** 숨막히게 하다; 숨을 막다, 질식시키다(suffocate) 《*with*》: be *~ed with* smoke 연기로 숨이 막히다 **2** 〈불을〉 덮어 끄다, 〈불을〉 묻어 두다; 〈등불을〉 덮어 가리다 《*with*》: (~+目+前+名) ~ a fire *with* sand 모래를 끼얹어 불을 끄다 **3** (연기·안개 등으로) 덮어버리다; 휩싸다 《*in, with*》: (~+目+前+名) The town is *~ed in* fog. 그 도시는 안개로 덮여 있다. **4** 〈하품을〉 삼키다, 〈감정을〉 억누르다; 〈죄악을〉 은폐하다, 어물어물 덮어버리다 《*up*》: ~ a yawn 하품을 참다 / ~ one's grief 슬픔을 억누르다 // (~+目+副) ~ (*up*) a crime 범죄를 덮어버리다 **5** 묻어 버리다 《*in*》 **6** (키스·선물·친절 등으로) 숨막히게 하다; 압도하다; 꼼짝 못하게 하다 《*with*》: (~+目+前+名) She *~ed* the child *with* kisses. 그녀는 아이에게 숨막히도록 키스를 퍼부었다. **7** 〖요리〗 찌다, 쪄서 삶다; 넉넉하게 치다, 듬뿍 바르다 《*in, with*》 **8** 《미》 거뜬히 물리치다[정복하다]

— *vi.* **1** 숨막히다, 질식하다, 질식해 죽다 《*in*》 **2** 억제[은폐]되다

— *n.* ⓊⒸ **1** 연기 내는 것, 연기 내는 재[불]; 연기 냄 **2** [a ~] 짙은 연기[안개], 자욱한 먼지 **3** 혼란, 소동, 혼잡 ▷ smóthery *a.*

smoth·er·y [smʌ́ðəri] *a.* **1** 질식시키는, 숨막히는 **2** 연기[먼지]가 자욱한

smoul·der [smóuldər] *v., n.* 《영》 = SMOLDER

s.m.p. *sine mascula prole* (L = without male issue) **SMS** short message service 〖통신〗 단문(短文) 메시지 서비스(cf. TEXT MESSAGE); shuttle mission simulator; synchronous meteorological satellite 동기(同期) 유성 탐사 위성 **SMSA** Standard Metropolitan Statistical Area 《미》 표준 대도시 지구 《대도시와 일상 생활에서 관계를 지닌 지역 범위를 통계적으로 나타낸 것》 **SMSgt** senior master sergeant **SMTP** 〖컴퓨터〗 Simple Mail Transfer Protocol

smudge [smʌ́dʒ] *n.* **1** 더러움, 얼룩, 때 **2** (멀리 있는 물체 등의) 흐릿한 윤곽 **3** 짙은 연기 **4** 《미》 (해충 구제용 등의) 모닥불, 모깃불

— *vt.* **1** 더럽히다, 때 묻히다 **2** 흐리게 하다 **3** 모깃불을 놓다, 모닥불을 놓아 〈서리를〉 막다

— *vi.* **1** 더러워지다; 배다 **2** 선명치 않게 되다

smúdge pòt (과실수(樹)를 서리로부터 보호하는) 훈증 용기(容器) 《석유나 다른 연료를 사용함》

smudg·i·ly [smʌ́dʒili] *ad.* 더러워져서

smudg·i·ness [smʌ́dʒinis] *n.* Ⓤ **1** 더러움, 얼룩 **2** 선명치 않음

smudg·y [smʌ́dʒi] *a.* (**smudg·i·er**; **-i·est**) **1** 더러워진, 얼룩투성이의 **2** 그을은; 선명치 않은 **3** 연기 나는[내는]

smug [smʌ́g] *a.* (**~·ger**; **~·gest**) **1** 독선적인, 잘난 체하는, 점잖은 체하는, 새치름한 **2** 산뜻한, 말쑥하게 차린(spruce) — *n.* 《영·속어》 (사교나 운동은 하지 않고) 공부밖에 모르는 학생(dig); 상대하기 힘든 녀석 **~·ly** *ad.* **~·ness** *n.*

*__smug·gle__ [smʌ́gl] *vt.* **1** 밀수입[밀수출]하다, 밀수하다 《*in, out, through, over*》: ~ forbidden articles 금수품을 밀수하다 // (~+目+副) ~ *in*[*out*] jewels 보석을 밀수입[밀수출]하다 **2** 밀입국하다, 밀항하다; 은닉하다 《*away*》: (~+目+前+名) ~ oneself *into* a country 밀입국하다 **3** 몰래 갖고 들어오다 《*in*》, 몰래 갖고 나가다 《*out*》: (~+目+前+名) The man *~d* a revolver *into* the jail. 그 사나이는 몰래 권총을 교도소에 갖고 들어왔다.

— *vi.* 밀수입[밀수출]하다; 밀항하다

smug·gler [smʌ́glər] *n.* **1** 밀수입[밀수출]자, 밀수업자 **2** 밀수선

smug·gling [smʌ́gliŋ] *n.* Ⓤ 밀수입[출]: drug ~ 마약 밀매

smut [smʌ́t] *n.* **1** 검댕, 석탄 가루 **2** 더러움, 때, 얼룩 《*on*》 **3** Ⓤ 상소리; 음담(obscenity) **4** Ⓤ 〖식물〗 (보리 등의) 깜부깃병, 흑수병

— *v.* (**~·ted**; **~·ting**) *vt.* **1** (검댕·연기 등으로) 더럽히다, 검게 하다 **2** 〈보리 등을〉 흑수병에 걸리게 하다; 〈식물에서〉 깜부기를 제거하다 — *vi.* **1** 더러워지다, 검어지다 **2** 깜부기가 생기다

smutch [smʌ́tʃ] *v., n.* = SMUDGE **smútch·y** *a.*

smut·ti·ly [smʌ́tili] *ad.* **1** 더러워져서 **2** 외설하게, 추잡하게

smut·ti·ness [smʌ́tinis] *n.* Ⓤ **1** 더러움 **2** 외설; 야비 **3** 흑수병에 걸림

smut·ty [smʌ́ti] *a.* (**-ti·er**; **-ti·est**) **1** 더러워진, 검댕투성이의 **2** 음란한; 야비한 **3** 흑수병에 걸린

SMV slow-moving vehicle 저속차(低速車) **Sn** 〖화학〗 *stannum* (L = tin) **SN** serial number 일련번호; service number 군번 **s.n.** (처방전에서) *secundum naturam* (L = according to nature)

S/N 〖상업〗 shipping note; 〖전기〗 signal-to-noise ratio

snack [snǽk] [Du. 「씹다」의 뜻에서] *n.* **1** 간단한[가벼운] 식사, 간식, 스낵 **2** 한 입, 소량 **3** 몫 **4** 《호주·속어》 간단한 일 ***go ~(s)*** 몫으로 나누다

— *vi.* 《미》 가벼운 식사를 하다

snáck bàr[còunter] 《미》 간이식당(⇨ bar[1] 유의어)

snáck tàble (1인용) 소형 이동 식탁(TV table)

snaf·fle [snǽfl] *n.* (말에 물리는 작은) 재갈 ***ride*** a person ***in*** [***on, with***] ***the ~*** …을 수월하게 다루다

— *vt.* **1** 작은 재갈을 물리다, 작은 재갈로 억제하다; 제어하다(bridle) **2** 《영·속어》 훔치다 **3** 《영·속어》 공을 손쉽게 잡다

sna·fu [snæfúː, ⌐–] [*s*ituation *n*ormal *a*ll *f*ucked[*f*ouled] *u*p] 《속어》 *a.* **1** 혼란에 빠진, 손을 댈 수 없는 **2** 그릇된, 엉망인

— *n.* **1** 혼란 (상태) **2** (분명한) 잘못 — *vt.* **1** 혼란에 빠뜨리다 **2** 실수를 하다, 엉망으로 만들다

snag [snǽg] *n.* **1** (물속에 잠겨 배의 진행을 방해하는) 쓰러진[가라앉은] 나무 **2** (자르거나 부러진 가지 뒤에 남은) 가지 그루터기 **3** (양말 등의) 걸려서 찢어진 곳 **4** 《구어》 뜻하지 않은 장애[고장, 결점] **5** 덧니, 뻐드렁니, (부러지고) 남은 이뿌리 ***strike*** [***come up against***] ***a ~*** 암초[뜻하지 않은 장애]에 부딪치다

— *v.* (**~ged**; **~·ging**) *vt.* **1** [보통 수동형으로] 〈배

를〉 물속에 잠긴 나무[암초]에 걸리게 하다 **2** 《물속에》 잠긴》 나무를 제거하다 **3** 〈옷 등이〉 걸려서 찢어지다 **4** 방해하다 **5** 《미·구어》 재빨리 잡다
— *vi.* **1** 〈배가〉 쓰러진 나무에 걸려 꼼짝 못하다 **2** 장애가 되다; 얽히다, 《나뭇가지 등에》 걸리다

snag·gle [snǽgl] *n.* 잡동사니, 뒤죽박죽 그러모은 것 — *vi.* 뒤죽박죽이 되다, 엉망이 되다

snag·gle·tooth [snǽgltù:θ] *n.* (*pl.* **-teeth** [-tì:θ]) 덧니, 뻐드렁니

snag·gle·toothed [-tù:θt, -tù:ðd] *a.* 덧니의, 뻐드렁니가 난

snag·gy [snǽgi] *a.* (**-gi·er**; **-gi·est**) **1** 《물속에》 쓰러진[가라앉은] 나무가 많은 **2** 마디[옹이] 투성이의

***snail** [snéil] *n.* **1** 〖동물〗 **달팽이**: (as) slow as a ~ 느릿느릿한 **2** 느리광이(sluggish person), 게으름뱅이 **3** 〖기계〗 소용돌이 캠(cam), 와형 바퀴(= ~ whèel) 《시계 치는 수를 정하는 바퀴》
at a ~'s pace [***gallop***] 느릿느릿
— *vi.* 느리게 움직이다[행동하다, 가다] **~·lìke** *a.*

snail·er·y [snéiləri] *n.* (*pl.* **-er·ies**) 식용 달팽이 사육장

snáil fèver 〖병리〗 = SCHISTOSOMIASIS

snáil màil (e-mail에 비해 도착하는 데 시간이 걸리는) 기존의 보통 우편

snail-paced [snéilpèist], **-slow** [-slòu] *a.* 달팽이같이 느린

snake** [snéik] *n.* **1** 〖동물〗 **뱀** **2** 《비유》 뱀 같은 인간, 음흉[냉혹]한 사람, 악의가 있는 사람 **3** 하수관 청소용 와이어 **4** [*pl.*] 《구어》 알코올 중독 **5** 〖군사〗 《지뢰 파괴용 폭탄이 든》 긴 파이프 **6** [the ~] 공동 변동 환율제 ***raise [***wake***] ***~s*** 법석을 떨다 ***see ~s*** = ***have ~s in*** one***'s boots*** 《속어》 알코올 중독에 걸려 있다 ***~ in the grass*** 눈에 보이지 않는 위험; 숨은 적; 《보통 익살》 친한 체하지만 믿을 수 없는 사람 ***S~s!*** 제기랄! ***warm*** [***cherish, nourish***] ***a ~ in*** one***'s bosom*** 은혜를 원수로 보답받다, 믿는 도끼에 발등 찍히다
— *vi.* **1** 《뱀처럼》 꿈틀거리다 **2** 《속어》 말 없이[살며시] 가버리다 **3** 《미·속어》 나쁜 일을 꾸미다, 꾀하다 《교도소에서》
— *vt.* **1** 〈몸을〉 꿈틀거리다, 뒤틀다, 〈길을〉 꾸불꾸불 나아가다 **2** 《미》 잡아당기다, 끌다 **3** 묶다, 감다 **4** 와이어로 하수관을 청소하다
▷ snáky, snákelike *a.*

snake·bird [snéikbə̀:rd] *n.* 〖조류〗 가마우지

snake·bit [-bìt] *a.* 《미·속어》 아주 무기력하게 된

snake·bite [-bàit] *n.* **1** 뱀에 물린 상처 **2** 그 상처의 아픔[증상]

Snake·board [-bɔ̀:rd] *n.* = STREETBOARD

snáke chàrmer 뱀 부리는 사람

snáke dànce **1** 뱀춤 《아메리칸 인디언의 종교 의식》 **2** 《우승 축하·데모 등의》 지그재그 행진

snake-dance [-dæ̀ns | -dɑ̀:ns] *vi.* **1** 뱀춤을 추다 **2** 지그재그 행진[데모]을 하다

snáke dòctor 《미남부》 〖곤충〗 **1** = DRAGONFLY **2** = HELLGRAMMITE

snáke èyes 《주사위에서》 1의 눈이 2개 나오도록 던지기(cf. CRAPS)

snáke fèeder 《미중부》 〖곤충〗 잠자리

snáke fènce 《미》 지그재그 울타리 《통나무를 일정한 각도로 교차시켜 세운 것》

snake·head [-hèd] *n.* 〖식물〗 패모의 일종

snáke jùice 《방언》 독주, 하급 위스키

snake·like [snéiklàik] *a.* 뱀 같은, 뱀 비슷한

snáke òil **1** 《야바위 약장수가 파는》 만병통치약 **2** 헛소리, 허풍

snáke pìt **1** 《불결하고 환자를 거칠게 다루는》 정신병원 **2** 뱀을 넣어두는 우리[구덩이] **3** 《구어》 수라장; 지저분한 장소

snake·root [snéikrù:t] *n.* 뱀 물린 데 좋다는 각종 식물(의 뿌리) 《bugbane, senega root 등》

snákes and làdders 《영》 뱀과 사다리 《주사위 놀이의 일종》

snake's-head [snéikshèd] *n.* = SNAKEHEAD

snake·skin [snéikskìn] *n.* 뱀껍질; Ⓤ 뱀가죽

snake·stone [-stòun] *n.* **1** 〖고생물〗 암모나이트, 국석(菊石) **2** 뱀 물린 데 잘 듣는다는 돌

snake·weed [-wì:d] *n.* 〖식물〗 뱀꼬리 《여뀟과(科)》

snake·wood [-wùd] *n.* 〖식물〗 사문재(蛇紋材) 《브라질산(産) 뽕나뭇과(科)의 나무》

snak·y, snak·ey [snéiki] *a.* (**snak·i·er**; **-i·est**) **1** 뱀의; 뱀 모양의; 뱀이 많은: a ~ forest 뱀이 많은 숲 **2** 구불구불한 〈강·도로 등〉 **3** 음흉한, 교활한, 냉혹한 **4** 《호주·속어》 화난, 성미 급한

***snap** [snǽp] *v.* (**~ped**; **~·ping**) *vt.* **1** **홱 잡다**, 잡아채다, 긁어모으다 《*up*》; 앞을 다투어 빼앗다; 성급히 결정하다: (~+目+副) ~ *up* an offer 제의에 냉큼 응하다 **2** **짤깍[툭] 소리내다**, 쾅 닫다, 왈칵 열다, 탁[툭] 치다 《*down*》: (~+目+副) ~ *down* a lid 뚜껑을 탁 닫다 // (~+目+補) ~ a lid open 뚜껑을 탁 열다 **3** 날카롭게[느닷없이] 말하다, 투덜대다 《*out*》; 비난하다; 갑자기 가로막다 《*up*》: (~+目+副) He ~*ped out* a retort. 그는 날카롭게[서슴없이] 말대꾸하였다. **4** 딱하고 꺾다, 툭하고 끊다: (~+目+前+名) ~ a stick *in* two 막대기를 딱 하고 두 동강내다 // (~+目+副) ~ *off* a twig 잔가지를 툭 잘라내다 **5** **덥석 물다**, 꽉 물다 《*up*》; 깨물다, 물어뜯다, 물어채다: (~+目+副) The dog ~*ped up* a piece of meat. 개가 고깃점을 덥석 물었다. **6** 〈사진을〉 **찰깍하고 찍다**, 스냅 사진을 찍다; 휙 던지다, 재빨리 쏘다: ~ a picture of …의 스냅 사진을 찍다
— *vi.* **1** **찰깍[딱]하고 소리가 나다**, 철썩하고 울리다, 〈권총 등이〉 짤깍하고 소리나다, 불발(不發)이 되다: The wood ~*ped* as it burned. 나무가 타면서 탁탁 소리가 났다. // (~+補) The door ~*ped* open. 문이 덜컥 열렸다. **2** 짤깍[철썩, 덜컥] 닫히다 《*down, to*》: (~+前+名) The latch ~*ped into* its place. 빗장이 철컥하고 잠겼다. **3** 툭 끊어지다, 지끈 꺾어지다; 〈신경 등이〉 견딜 수 없게 되다, 지치다 《*off*》: (~+副) The mast ~*ped off*. 돛대가 뚝 부러졌다. **4** 〈눈이〉 번쩍 빛나다 **5** 민첩하게 움직이다 **6** 스냅 사진을 찍다 **7** 달려들다, 두말 않고 승낙하다 《*at*》: (~+前+名) She ~*ped at* the chance to go to America. 그녀는 미국에 갈 기회를 잽싸게 붙들었다. **8** 물다, 덥석 물다 《*at*》: (~+前+名) A fish ~*ped at* the bait. 물고기가 덥석 미끼를 물었다. **9** 딱딱거리다 《*at*》: ~ and snarl 입에 담을 수 없는 욕을 퍼붓다
~ back (1) 되튕기다 (2) 《구어》 〈건강이〉 회복되다 ***~ into it*** 《미·속어》 의욕적으로 시작하다, 본격적으로 시작하다 ***~ it up*** 《미·속어》 서두르다, 빨리하다 ***~ on*** 《속어》 자제심을 잃고 …에게 덤비다[…을 비난하다] ***~ out of it*** 《구어》 기운을 내다; 태도[습관]를 갑자기 바꾸다 ***~*** one***'s fingers at*** …을 경멸하다 ***~ short*** 지끈 꺾어지다, 툭 끊어지다; 고함쳐 가로막다 ***~ a*** person***'s nose*** [***head***] ***off*** …의 기를 꺾다; 난폭하게 …의 말을 가로막다; …에게 딱딱거리다 ***~ to it*** = SNAP into it. ***~ a*** person ***up*** …에게 딱딱거리다, 말참견하다
— *n.* **1** **툭[지끈, 철썩, 척] 소리냄**; 툭 끊어짐, 뚝 부러짐, 짤깍 깨짐, 덜컥 닫히는 소리: The lid closed with a ~. 뚜껑은 툭 소리를 내며 닫혔다. **2** 죔쇠, 채우는 쇠, **스냅** 《똑딱 단추》 **3** Ⓤ 정력, 기운, 활기; 씩씩함, 동작이 활발함: a style without much ~ 그리 날카롭지 못한 문체 **4** 잔소리, 꾸지람 **5** **덥석 물기**, 깨물기, 꽉 물기 《*at*》 **6** 《기후의》 급변, 격변; 《특히》 갑작스러운 추위: a cold ~ 갑자기 닥쳐온 추위 **7** **스냅 사진**(snapshot) **8** 《미·구어》 쉬운 일[과목], 편한 일: a soft ~ 쉬운 일 **9** 급히 먹는 식사 **10** 〖야구〗 빨리 던지기, 스냅 **11** Ⓤ 《영》 스냅 《일종의 카드놀이》 **12** 《영》 생강이 든 과자(gingersnap)
be a ~ 《속어》 식은 죽 먹기 ***in a ~*** 당장에, 곧 ***not care*** [***give***] ***a ~*** 조금도 상관치 않다[관심이 없

다]; …을 무시하다 **not worth a ~** 아무런 가치도 없는 **with a ~** 탁[툭, 찰싹] 하고
—*a.* **1** 〈채우는 쇠 등이〉 탁하고 잠기는 **2** 갑작스러운, 불시의: a ~ decision 즉석의 결정 **3** 《미·속어》 수월한 **4** 《스코》 성급한
—*ad.* 짤깍, 툭, 지끈
▷ snáppish, snáppy *a.*
SNAP [snǽp] [*s*ystems for *n*uclear *a*uxiliary *p*ower] *n.* 원자력 보조 전원(電源)
snap·back [snǽpbæ̀k] *n.* **1** 갑작스러운 반동, 빠른 회복 **2** 〖미식축구〗 스냅백
snáp bèan 1 《미》 꼬투리째 먹는 콩 **2** 〖식물〗 강낭콩, 깍지완두
snáp bòlt 자동 문빗장 《스프링 장치로 닫히는》
snap-brim [-brìm] *n.* 올리고 내리고 할 수 있는 모자 테; 테를 자유로 올리고 내리는 중절모(fedora)
snap·drag·on [-drǽgən] *n.* **1** 〖식물〗 금어초 **2** Ⓤ 건포도 집기 《불붙은 브랜디 접시 속에서 건포도를 꺼내는 크리스마스의 놀이》
snáp fàstener 〖복식〗 똑딱단추, 스냅
snáp hòok =SPRING HOOK
snáp lìnk 용수철 달린 사슬 고리
snáp lòck 용수철식 자물쇠
snap-on [-ɔ̀:n | -ɔ̀n] *a.* 스냅(으로 잠그는) 식의
snapped [snǽpt] *a.* 《미·속어》 술 취한 《*up*》; 체포된 《*up*》
snap·per [snǽpər] *n.* **1** (*pl.* **~, ~s**) 〖어류〗 도미의 일종 **2** 〖동물〗 =SNAPPING TURTLE **3** 《구어》 (노동자의) 직공장, 감독; 《영·속어》 검찰계 **4** 《미》 울화통 **5** 탁하고 소리나는 것, 딱딱거리는 사람 **6** 스냅, 똑딱단추 **7** [*pl.*] 《미·속어》 이빨 **8** =PUNCH LINE
snap·per-up [snǽpərʌ̀p] *n.* (*pl.* **snap·pers-**) (특매품 등에) 덤벼드는 사람
snap·ping [snǽpiŋ] *a.* **1** 딱 소리내는 **2** 달려들어 무는
snápping bèetle[**bùg**] =CLICK BEETLE
snápping tùrtle 〖동물〗 무는 거북 《북미산(産) 민물 거북; 60-90센티에 달하며 식용》
snap·pish [snǽpiʃ] *a.* **1** 꽉 무는 **2** 딱딱거리는, 무뚝뚝한, 화 잘 내는, 통명스런: a ~ reply 퉁명스러운 대답 **~·ly** *ad.* **~·ness** *n.*
snap·py [snǽpi] *a.* (**snap·pi·er**; **-pi·est**) **1** 팔팔한, 기운 찬, 기운 좋은, 활발한; 척척 해내는 **2** 〈성격이〉 성급한, 초조한; 〈행동이〉 즉석의, 재빠른 **3** =SNAPPISH **4** 탁탁 튀는 〈불 등〉 **5** 멋을 부린, 스마트한: a ~ dresser 멋진 복장을 한 사람 **6** 살을 에는 듯한 〈추위 등〉 **7** 푸석푸석한 〈치즈 등〉; 향기가 강한 〈차 등〉 **8** 〖사진〗 (음화(陰畫)·양화(陽畫)의) 콘트라스트가 뚜렷한 ***make it***[***look***] **~** 《구어》 〈말 등을〉 척척 하다; 서두르다 (hurry) **snáp·pi·ly** *ad.* **snáp·pi·ness** *n.*
snáp ròll 〖항공〗 (비행기의) 급횡전(急橫轉)
snap·shoot [snǽpʃù:t] *vt.* (**-shot** [-ʃɑ̀t | -ʃɔ̀t]) …의 스냅 사진을 찍다 **~·er** *n.*
snap·shot [-ʃɑ̀t | -ʃɔ̀t] *n.* **1** 스냅 사진, 속사(速寫): take a ~ of …을 속사하다, …의 스냅을 찍다 **2** 엿봄, 훔쳐보기; 단편, 짧은 묘사 **3** (사냥의) 속사(速射) —*vi.* (**~·ted**; **~·ting**) 스냅 사진을 찍다
snápshot dùmp 〖컴퓨터〗 스냅샷 덤프 《프로그램의 실행 중에 특정한 기억 장치의 내용·위치·시간에 수행된 레지스터 내용을 프린터 출력하기》
∗**snare** [snέər] *n.* **1** 덫, 올가미: set a ~ 덫을 놓다 **2** 함정, 유혹, 속임수; 실패의 원인 **3** [*pl.*] (북의) 향현(響弦) ***set***[***lay***] ***a ~*** 함정을 파놓다
—*vt.* **1** 덫으로 잡다, 올가미를 치다 **2** 함정에 빠뜨리다, 유혹하다, 꾀어들이다 **3** 약게 굴어 …을 손에 넣다 **snár·er** *n.*
snáre drùm (향현(響弦) 달린) 작은 북
snarf [snɑ́:rf] *vt.* **1** 《컴퓨터속어》 빼앗다, 잡아채다 《저작자의 허가 없이 다량의 데이터를 취득하다》 **2** 《구어》 (게걸스레) 먹다 **~ *down***[***up***] 《구어》 게걸스레 먹다, 처먹다

snark [snɑ́:rk] [*sn*ake[*sn*ail]+sh*ark*] *n.* **1** 스나크 《L. Carrol의 시 *The Hunting of the Snark* (1876)에 나오는 괴상한 동물》 **2** [**S~**] 스나크 《미국 최초의 대륙간 탄도탄》
snark·y [snɑ́:rki] *a.* (**snark·i·er**; **-i·est**) 무뚝뚝한, 퉁명스러운; 변덕스러운
∗**snarl**[1] [snɑ́:rl] *vi.* **1** 〈개 등이〉 으르렁거리다(⇨ bark[1] 유의어): (~+전+명) The dog *~ed at* me. 개가 나를 보고 으르렁거렸다. **2** 딱딱거리다, 호통치다 (*at*): (~+전+명) Don't ~ *at* me like that. 나한테 그렇게 딱딱거리지 마시오.
—*vt.* 무서운 어조로 말하다, 호통치다, 소리 지르며 말하다 《*out*》: (~+목 +부) He *~ed out* his anger. 그는 화가 나서 소리질렀다.
—*n.* **1** 으르렁거림(growl), 이빨을 드러내고 덤빔; 서로 으르렁거림 **2** 《속어》 욕설, 말다툼 **~·er**[1] *n.*
snarl[2] *n.* **1** (머리털 등의) 엉킴 **2** 혼란: a traffic ~ 교통마비, 교통 정체 **3** (나무의) 마디, 혹
—*vt., vi.* **1** 얽히게 하다[얽히다] 《*up*》 **2** [보통 수동형으로] 혼란하게 하다[되다] 《*up*》 **~·er**[2] *n.*
snárl·ing ìron [snɑ́:rliŋ-] 돋을치기 정 《용기의 안틀에 대고 무늬를 내는 공구》
snarl-up [snɑ́:rlʌ̀p] *n.* 《구어》 혼란, 혼잡, 《특히》 교통마비
snarl·y[1] [snɑ́:rli] *a.* (**snarl·i·er**; **-i·est**) 호통치는, 심술궂은
snarly[2] *a.* 뒤얽힌, 혼란한
‡**snatch** [snǽtʃ] *vt.* **1** 와락 붙잡다, 잡아채다, 잡아뺏다, 움켜쥐다, 강탈하다 《*up, down, away, off, from*》: The cat *~ed* the chicken and ran away. 고양이가 병아리를 잡아채어 도망쳤다. // (~+목+부) The boy *~ed* her purse *away.* 소년은 그녀의 지갑을 낚아채 갔다. / The wind *~ed* my hat *off.* 바람으로 내 모자가 날아갔다. // (~+목+전+명) The man *~ed* the paper bag *from*[*out of*] my hand. 그 남자가 내 손에서 봉지를 채 갔다. **2** (이 세상으로부터) 급히 빼앗아 가다, 자취를 없애다, 죽이다 《*away, from*》: (~+목+부) He was *~ed away* by premature death. 그는 갑자기 요절했다. **3** 뜻밖에 얻다, 운좋게[간신히] 얻다; 〈승리 등을〉 빼앗다: ~ a few hours of sleep 틈을 타서 서너 시간 자다 // (~+목+전+명) The young man *~ed* a kiss *from* the girl. 그 젊은이는 느닷없이 소녀에게 키스를 했다. **4** 얼른 잡다[먹다]: (~+목+부) He *~ed off* his hat and bowed. 그는 얼른 모자를 벗고 인사했다. **5** 간신히 구해내다 《*from*》 **6** 《미·속어》 체포하다, 유괴하다; 날치기하다 **7** 〖역도〗 단숨에 연속 동작으로 머리 위까지 들어올리다
—*vi.* 잡아채려 하다, 달려들다 《*at*》: (~+전+명) ~ *at* an offer 제의에 냉큼 응하다 / ~ *at* the chance of going abroad 해외에 나갈 기회를 냉큼 붙들다
—*n.* **1** 잡아챔, 잡아 뺏음, 강탈; 달려들기 **2** 조각; 단편, 조금, 한 조각; 한마디: short *~es* of song 단속적인 노래 **3** 급히 먹는 식사; 한 입(의 음식) **4** [보통 *pl.*] 한 차례의 노동, 잠시, 한바탕, 잠깐 《쉬기, 자기, 일하기 등》: get a ~ of sleep 한잠 자다 / work in[by] *~es* (생각난 것처럼) 이따금 일하다 **5** 《미·속어》 어린이 유괴, 납치; 《미·속어》 체포 **6** 〖역도〗 인상(引上) **7** 《비어》 성교, 질(膣), 여자
by ~es 이따금 생각난 듯이, 띄엄띄엄 ***make a ~ at*** …을 잡아채려고 하다, …에게 덤벼들다, …에게 달려들다 ***put the ~ on*** …에게 요구하다; 《미·속어》 …을 체포[유괴]하다; …을 훔치다 ▷ snátchy *a.*
snátch blòck 개폐(開閉) 도르래
snatch·er [snǽtʃər] *n.* **1** 날치기 《도둑》 **2** 유괴범; 묘 도굴꾼, 시체 도둑 **3** 《미·속어》 순경
snátch squàd 《영》 (폭동 주모자의) 색출 체포반
snatch·y [snǽtʃi] *a.* (**snatch·i·er**; **-i·est**) 이따금의; 가끔의, 단속적인, 불규칙한
snath [snǽθ], **snathe** [snéið] *n.* 《미》 큰 낫(scythe)의 긴 자루

snaved [snéivd] *a.* [다음 성구로] ~ *in* ((미·속어)) 마약으로 취한[흥분된]

snaz·zy [snǽzi] *a.* (**-zi·er**; **-zi·est**) ((미·속어)) **1** 멋진, 날씬한 **2** 호화로운, 매력적인

SNC Satellite News Channel **SNCC** Student National[((원래)) Nonviolent] Coordinating Committee ((미)) 학생 전국[비폭력] 조정 위원회 **SNCF** *Société Nationale des Chemins de Fer Français* 프랑스 국유 철도

*__sneak__ [sníːk] [OE 「기다」의 뜻에서] *v.* (**~ed,** ((방언)) **snuck** [snʌ́k]) *vi.* **1** 살금살금 들어오다[나가다] ((*in, out*)), 몰래 돌아다니다 ((*about, off, away, past, round*)), 살짝 달아나다 ((*about, off, away, round*)): (~+전+명) ~ *into*[*out of*] a room 살짝 방에 들어가다[방에서 나가다] // (~+부) ~ *off* around the corner 모퉁이를 돌아 살금살금 가버리다 **2** 숨다 ((*in, behind*)): (~+전+명) ~ *behind* the curtain 커튼 뒤에 숨다 **3** 굽실굽실하다, 알랑거리다 ((*to*)) **4** ((영·학생속어)) (선생에게) 고자질하다

—*vt.* **1** 몰래 움직이다, 슬쩍 넣다[집다]: (~+목+전+명) He *~ed* his hand *to* the pistol. 그는 몰래 손을 권총쪽으로 가져갔다. **2** ((구어)) 훔치다, 슬쩍하다

~ ***out of*** …을 교활하게 빠져나가다, …을 슬쩍 피하다 ~ ***up*** 몰래 다가가다 ((*on*))

—*n.* **1** 살금살금 몰래 함[하는 사람] **2** 남몰래 빠져나감 **3** ((영·학생속어)) 고자질하는 학생; ((속어)) 밀고자 **4** 좀도둑 **5** [[크리켓]] 땅볼 **6** = SNEAKER 3 **7** [[미식축구]] = QUARTERBACK SNEAK

—*a.* 남몰래 하는, 은밀한; 예고 없는, 불의의 ▷ snéaky *a.*

sneak·er [sníːkər] *n.* **1** 살금살금 하는 사람, 비열한 사람 **2** ((구어)) = SNEAK THIEF **3** [주로 *pl.*] ((미)) 고무창 운동화 **snéak·ered** *a.*

sneak·er·net [sníːkərnèt] *n.* ((컴퓨터속어)) 스니커넷 ((컴퓨터 간의 데이터 이동을 네트워크가 아닌 플로피 디스켓 등의 저장 매체로 하는 컴퓨터 이용법))

sneak·ing [sníːkiŋ] *a.* **1** 살금살금 걷는, 몰래 하는; 비열한 **2** 비밀의, 은근한 〈의혹·감정 등〉: a ~ suspicion 남몰래 지니고 있는 의심 **~·ly** *ad.*

snéak préview ((속어)) (관객의 반응을 알아내기 위해 제목을 알리지 않는) 영화 시사회 ((예고된 영화와 함께 상영)), 시연회

sneak-raid [sníːkrèid] *n.* 기습 공습 ((야간 또는 적의 방비가 허술한 때 하는))

snéak thìef (폭력을 쓰지 않는) 좀도둑, 빈집털이

sneak·y [sníːki] *a.* (**sneak·i·er**; **-i·est**) 몰래 하는, 비열한: a ~ attack 불의의 습격

snéak·i·ly *ad.* **snéak·i·ness** *n.*

snéaky péte ((미·속어)) 밀주, 싸구려 포도주[술]

*__sneer__ [sníər] *vi.* **1** 비웃다, 냉소하다, 조소하다, 코웃음치다 ((*at*)); 비꼬다 ((*at*)): (~+전+명) ~ *at* a person's clothes …의 옷을 비웃다 **2** 비웃듯이 말하다[쓰다]

—*vt.* **1** 비웃으며 말하다, 경멸하다: (~+목+부) ~ a person *down* …을 경멸해 버리다 **2** 비웃으며 …시키다: (~+목+전+명) ~ a person *into* anger …을 냉소하여 화나게 하다

—*n.* **1** 비웃음, 냉소 **2** 멸시, 경멸 ((*at*)) **3** 비웃는 말[태도] **~·er** *n.*

sneer·ing·ly [sníəriŋli] *ad.* 냉소하여

*__sneeze__ [sníːz] *vi.* **1** 재채기하다 **2** ((구어)) 깔보다 ((*at*)) **3** ((속어)) 유괴[체포]하다 ***nothing to ~ at*** 얕볼 것이 아니다, 무시 못하다 ***not to be ~d at*** 얕잡아 볼 수 없는, 무시할 수 없는, 상당한

—*n.* **1** 재채기 ((소리는 ahchoo, achoo, ((영)) atishoo)) **2** ((속어)) 유괴, 체포 **3** ((속어)) 코카인 ▷ snéezy *a.*

snéeze guàrd (뷔페식당·제과점 등의) 플라스틱[유리]제의 보호물 ((음식 등의 오염 방지를 위해 설치))

sneez·er [sníːzər] *n.* **1** 재채기하는 사람 **2** ((미·속어)) 코(nose) **3** 한 잔(의 술) **4** 비범한 사람 **5** ((속어)) 감옥, 교도소, 구치소(jail)

sneez·y [sníːzi] *a.* (**sneez·i·er**; **-i·est**) 재채기가 나는, 재채기를 일으키는

snell[1] [snél] *n.* (낚시를 매는) 목줄(leader) —*vt.* 〈낚시를〉 목줄에 달다

snell[2] *a.* ((스코)) **1** 힘찬, 생기있는: a ~ boy 생기있는 소년 **2** 재치있는: a ~ answer 재치있는 대답 **3** 엄한, 엄격한(severe)

SNG substitute[synthetic] natural gas 대체[합성] 천연가스

snib [sníb] ((스코)) *n.* (문의) 걸쇠(bolt, catch) —*vt.* (**~bed**; **~·bing**) 〈문 등에〉 걸쇠를 걸다

snick[1] [sník] *vt.* **1** 칼자국을 내다, 칼로 흠[금]을 내다; 잘라내다, 베다 **2** 강타하다; [[크리켓]] 공을 깎아치다 —*n.* **1** 새김눈 **2** [[크리켓]] 공을 깎아치기, 깎아친 공

snick[2] [의성어] *n., vt.* 째깍[짤깍] 하는 소리(를 내다)(click)

snick·er [sníkər] *n.* **1** ((미)) (남을 얕보는) 낄낄 웃음, 숨죽여 웃는 웃음(giggle) **2** ((영)) (말의) 울부짖음 —*vi.* **1** ((미)) 낄낄 웃다, 숨죽여 웃다(snigger) ((*at, over*)) **2** ((영)) 〈말이〉 울부짖다

snick·er·snee [sníkərsnìː] *n.* ((익살)) 큰 칼 ((무기))

snide [snáid] *n.* **1** 믿을 수 없는 사람 **2** 가짜 보석[돈] —*a.* **1** 악의에 찬, 비열한; 경멸적인; 비방하는 (derogatory): ~ remarks 욕설, 비방 **2** 가짜의 **3** 부정직한 **4** 교활한, 비열한 **~·ly** *ad.* **~·ness** *n.*

Sni·der [snáidər] [미국의 발명가 J. Snider의 이름에서] *n.* 스나이더식 후장총(後裝銃) ((1860-70년대의 영국군에서 사용))

snid·ey [snáidi] *a.* 나쁜, 비열한

‡**sniff** [sníf] [의성어] *vi.* **1** 코를 킁킁거리다, 냄새를 맡다 ((*at*)): (~+전+명) The dog *~ed at* the stranger. 개는 낯선 사람을 킁킁거리며 냄새 맡았다. **2** 코를 훌쩍거리다 **3** 콧방귀를 뀌다 ((*at*)): (~+전+명) I *~ed at* his proposal to show my disapproval. 그의 제안에 콧방귀를 뀌어 불찬성의 뜻을 표했다.

—*vt.* **1** …의 냄새를 맡다: (~+목+*-ing*) I can ~ something burn*ing*. 뭔가 탄내가 난다. **2** 〈위험 등을〉 낌새채다, 알아채다 ((*out*)): ~ danger 위험을 감지하다 / ~ a trick 계략을 알아채다 **3** 코로 들이쉬다 ((*up*)): ~ the sea air 바다 공기를 들이마시다 // (~+목+부) ~ *up* an opiate 마취제를 들이마시다 **4** ((속어)) 마약을 흡입하다 **5** 콧방귀를 뀌며 말하다, 비웃듯이 말하다 **6** 혐의를 두다, 적발하다

—*n.* **1** 킁킁거리며 냄새 맡음; 한 번 맡음, 한 번 들이쉼: give a ~ 냄새를 맡아보다 **2** 콧방귀 뀜, 놀려댐, 멸시 ▷ sníffy *a.*

sniff·er [snífər] *n.* **1** ((비어)) 시너[도료, 구두약]의 냄새를 맡는 사람 **2** ((냄새)) 탐지기 **3** ((구어)) 마약 냄새를 맡는 개, 마약견 **4** 마약을 코로 흡입하는 사람 **5** ((미·속어)) 손수건; 코

sníffer dòg ((영·구어)) 마약[폭발물] 탐지견

sniff·ish [snífiʃ] *a.* 콧대 높은; 교만한, 남을 깔보는

snif·fle [snífl] *vi.* **1** 코를 훌쩍거리다 **2** 코를 훌쩍거리며 말하다[울다] —*n.* [*pl.*] **1** 코를 훌쩍거림 **2** [the ~] 코감기, 고뿔 **3** 훌쩍거리며 욺 **sníf·fler** *n.*

snif·fy [snífi] *a.* (**-fi·er**; **-fi·est**) ((구어)) **1** 콧방귀 뀌는, 거만한 **2** ((영)) 구린, 냄새 나는

sníff·i·ly *ad.* **sníff·i·ness** *n.*

snif·ter [sníftər] *n.* **1** 브랜디 술잔 ((위가 좁고 서양배 모양으로 불룩함)) **2** ((구어)) (술) 한 모금, 한 잔 **3** ((속어)) 코카인 상용자

snift·ing vàlve [sníftiŋ-] (증기 기관의) 배기판, 배출 밸브

snig·ger [snígər] *vi., n.* ((영)) = SNICKER **~·er** *n.*

snig·gle [snígl] *vi., vt.* 구멍에 미끼를 넣어 〈뱀장어를〉 낚다 ((*for*)) —*n.* 구멍 낚시(용 바늘)

snig·let [sníglit] *n.* (교묘한) 신조어(新造語)

snip [sníp] [의성어] *v.* (**~ped**; **~·ping**) *vt.* **1** 싹독 자르다, 가위로 자르다 ((*off*)): ~ a paper 종이를 가위로 자르다 **2** 가위로 구멍을 내다 ((*in*)) **3** 잘라내다 ((*off, out of*)) —*vi.* 싹독 자르다 ((*at*))

— *n.* **1** 싹독 자름, 한 번 가위질함; 잘라 낸 자투리, 자른 자국 **2** 한 조각, 조금, 작은 토막, 단편 **3** (미·구어) 하찮은 사람; 건방진 사람[여자] **4** (영·구어) 싸게 산 물건 **5** 〖경마〗 (속어) 틀림없는 예상 **6** [*pl.*] (금속용) 손가위 **7** (영·구어) 재단사, 재봉사 **~·per** *n.*

snipe [snáip] *n.* **1** (*pl.* **~, ~s**) 〖조류〗 도요새 **2** 저격(狙擊) **3** (미·속어) 길에 버린 담배꽁초: a ~ shooter 담배꽁초 줍는 사람 **4** (미·군대속어) 항공 정비병 **5** 비열한 녀석 **6** (미·속어) 실재하지 않는 동물 **7** (미·속어) 철도 보선원

— *vi.* **1** 도요새 사냥을 하다 **2** 〖군사〗 (잠복처에서) 적을 저격하다 《*at*》 **3** 익명으로 비난 공격하다 **4** (미·속어) 훔치다 **—** *vt.* 저격하다, 저격하여 죽이다

snipe·fish [snáipfìsh] *n.* 〖어류〗 대주둥치

snip·er [snáipər] *n.* **1** 도요새 사냥꾼 **2** 저격병 **3** (온라인 경매에서) 마지막 순간까지 기다렸다가 최고가를 부르는 사람

snip·er·scope [snáipərskòup] *n.* (야간 저격용) 적외선 조준기

snip·ing [snáipiŋ] *n.* Ⓤ 〖컴퓨터〗 (온라인 경매에서) 마지막 순간까지 기다렸다가 최고가를 부르기

snip·pet [snípit] *n.* **1** 가위로 잘라낸 자투리, 단편, 작은 조각 **2** 단편(fragment), 조금, 약간 **3** (문장의) 부분적 인용, 발췌, 단장(斷章) **4** (구어) 시시한 인물

snip·pe·ty [snípəti] *a.* **1** 매우 작은(petty) **2** 조각으로 이루어진 **3** 매정한, 쌀쌀한

snip·py [snípi] *a.* (**-pi·er**; **-pi·est**) **1** (구어) 날카로운, 신랄한(snappish), 퉁명스러운(curt); 화 잘 내는, 성질이 급한; 거만한(haughty) **2** 단편적인; 주워 모은 **sníp·pi·ly** *ad.*

snip-snap [snípsnæ̀p] *n.* **1** 싹독싹독 《가위질하는 소리》 **2** 임기응변의 응답

— *ad.* **1** 싹독싹독 소리내어 **2** 임기응변으로

snit [snít] *n.* **1** 흥분, 초조 **2** 성격이 비뚤어진 아이 **3** 하찮은 사람 ***in a ~*** 애타는, 화난

snitch[1] [snítʃ] *vt.* (구어) 낚아채다(snatch), 훔치다(steal) **—** *n.* 절도

snitch[2] *vi.*, *vt.* (구어) 고자질하다(betray), 밀고하다 **—** *n.* **1** 밀고자(snitcher) **2** (영·익살) 코

snitch·y [snítʃi] *a.* (**snitch·i·er**; **-i·est**) (영·호주) 안달복달하는, 신경질적인

sniv·el [snívəl] *v.* (**~ed**; **~·ing** | **~led**; **~·ling**) *vi.* **1** 콧물을 흘리다, 코를 훌쩍이다 **2** 코를 훌쩍이며 울다, 코멘소리를 내다, 훌쩍훌쩍 울다 **3** 우는 소리로 뉘우치는[슬픈] 체하다 **—** *vt.* 훌쩍이며 말하다

— *n.* **1** Ⓤ 콧물 **2** [the ~s] 가벼운 코감기 **3** 우는 소리, 코멘소리; 짐짓 슬퍼하는[뉘우치는] 태도, 애처롭게 이야기하는 태도 **snív·el·(l)y** *a.*

sniv·el·er [snívələr] *n.* snivel하는 사람

sni·vel·ing [snívəliŋ] *a.* Ⓐ (경멸) 징징대는, 불평을 늘어놓는

SNO Senior Naval Officer

snob [snάb | snɔ́b] *n.* **1** 신사인 체하는 속물(俗物), 지위·재산 등을 숭배하는 사람, 윗사람에게 아첨하고 아랫사람에게 거만부리는 사람 **2** 학자인 체하는 사람, 통달한 체하는 사람 **3** (영) 파업 파괴자(scab) **4** (고어) 서민, 평민, 신분이 천한 사람

snób appèal[**vàlue**] (고가품·희귀품·외제품 따위처럼) 구매자의 속물 근성을 자극하는 요소

snob·ber·y [snάbəri | snɔ́b-] *n.* (*pl.* **-ber·ies**) Ⓤ **1** 속물 근성, 신사인 체함 **2** 윗사람에게 아첨하고 아랫사람에게 거만함, 지위·재산 숭배 **3** Ⓒ 속물적인 언동

***snob·bish** [snάbiʃ | snɔ́-] *a.* 속물의, 신사인 체하는 **~·ness** *n.*

snob·bish·ly [snάbiʃli | snɔ́-] *ad.* 속물 근성으로, 신사인 체하여, 윗사람에게 아첨하고 아랫사람에게 거만하여

snob·bism [snάbizm | snɔ́-] *n.* = SNOBBERY

snob·by [snάbi | snɔ́bi] *a.* (**-bi·er**; **-bi·est**) = SNOBBISH

snob·oc·ra·cy [snɑbάkrəsi | snɔbɔ́k-] *n.* Ⓤ 속물 사회[계급], 사이비 신사들

SNO·BOL [snóubɔ:l, -bɑl | -bɔl] [*Str*ing *O*riented Sym*bol*ic *L*anguage] *n.* 〖컴퓨터〗 스노볼 《문자열(文字列)을 다루기 위한 언어》

snób zòning (미) 택지 면적의 하한선 책정 《특히 교외 지역에서 저소득층의 부동산 취득을 막기 위하여 대지의 최저 면적을 정하는 일》

Sno-Cat [snóukæ̀t] *n.* 스노캣 《캐터필러가 달린 설상차(雪上車); 상표명》

snoek [snú:k] *n.* (남아공) = BARRACOUTA

sno·fa·ri [snoufά:ri] [*sno*w+sa*fari*] *n.* CU (극지 등의) 설원[빙원(氷原)] 탐험

snog [snάg | snɔ́g] (영·속어) *vi.* (**~ged**; **~·ging**) 키스하고 포옹하다 **—** *n.* 키스, 애무

snol·ly·gos·ter [snάligὰstər | snɔ́ligɔ̀s-] *n.* 지조 없고 교활한 사람, 악덕 정상배[변호사]

snood [snú:d] *n.* **1** 리본, 댕기 《옛 스코틀랜드·영국 북부에서 미혼 여성의 표시로 머리에 맨》 **2** (미) 헤어네트; 헤어네트식 모자, 그물 모자 **3** (낚시를 매는) 목줄

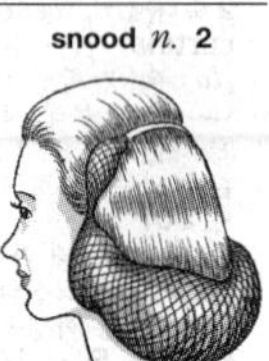

snood *n.* **2**

— *vt.* **1** 〈머리를〉 리본으로 매다 **2** 〈낚시를〉 목줄에 매다

snook[1] [snú:k, snúk | snú:k] *n.* (*pl.* **~, ~s**) 〖어류〗 농엇과(科) 물고기

snook[2] *n.* (영·속어) 엄지손가락을 코끝에 대고 다른 네 손가락을 펴 보이는 동작 《멸시의 표시》, 용용 ***cock*** [***cut, make***] ***a*** ~ [~***s***] (***at***) …에게 경멸의 동작을 하다, …을 업신여기다, 바보 취급하다 ***S~s!*** 시시해!

snook·er [snúkər, snú:- | snú:-] *n.* Ⓤ 스누커 《흰 공[수구] 하나로 21개의 공을 포켓에 떨어뜨리는 당구》 **—** *vt.* **1** [보통 수동형으로] (구어) 방해하다; 사기치다: *be ~ed* by a company 회사에 사기당하다 **2** snooker에서 상대방을 열세로 몰다

snoop [snú:p] (구어) *vi.* 기웃거리며 돌아다니다, 어정거리다 《*about, around*》; 꼬치꼬치 캐묻다(《영》 pry into) **—** *vt.* 꼬치꼬치 캐다 **—** *n.* = SNOOPER

snoop·er [snú:pər] *n.* (구어) **1** 기웃거리며 돌아다니는[어정거리는] 사람; 꼬치꼬치 캐는 사람, 귀찮게 참견하는 사람 **2** (고용된) 탐정, 검사관, 스파이

snoop·er·scope [snú:pərskòup] *n.* 〖미군〗 (적외선) 암시경(暗視鏡)

snoop·y [snú:pi] *a.* (**snoop·i·er**; **-i·est**) (구어) 기웃거리며 돌아다니는; 이것저것 캐묻는, 참견하기 좋아하는 **—** *n.* [**S~**] 스누피 《C. Schulz의 만화 *Peanuts*에 나오는 개》

snoot [snú:t] *n.* **1** (미·속어) 코 **2** (얕보는 듯한) 찌푸린 얼굴 **3** 속물; 거만한 사람 ***cock*** [***make***] ***a*** ~ [~***s***] ***at …*** = (영·구어) cock a SNOOK[2] at. ***have*** [***get***] ***a ~ full*** (속어) 싫증나다; 취하다

— *vt.* 멸시하다

snoot·ful [snú:tfùl] *n.* (구어) 취할 만한 양(의 술)

snoot·y [snú:ti] *a.* (**snoot·i·er**; **-i·est**) (미·속어) **1** 무뚝뚝한, 거만한, 남을 얕잡아보는 **2** 신사인 체하는, 속물 (근성)의 **3** 고급의, 일류의 **4** 성미 급한 **snóot·i·ly** *ad.* **snóot·i·ness** *n.*

snooze [snú:z] (구어) *vi.* (특히 낮에) 졸다

— *vt.* 빈둥빈둥 〈시간을〉 보내다 《*away*》

— *n.* 선잠, 앉아 졸기, 낮잠 **snóoz·er** *n.*

snóoze bùtton 알람 일시 정지 버튼 《누르면 얼마 후 다시 알람이 울리는 장치》

snop [snάp | snɔ́p] *n.* (미·속어) 마리화나

snopes [snóups] *n.* (미) (특히 남부의) 파렴치한 실업가[정치가]

***snore** [snɔ́:r] [의성어] *n.* **코골기**; 코고는 소리: a terrible ~ 심한 코골기

— *vi.* 코를 골다

— *vt.* **1** 코골며 〈시간을〉 보내다 《*away, out*》: (~+

목+부) ~ *away* the whole night 밤새도록 코를 골다 **2** [~ one*self*로] 코를 골아 …상태가 되게 하다: 《~+목+보》《~+목+전+명》 ~ *oneself* awake [*into* a nightmare] 자기의 코고는 소리에 잠이 깨다[가위눌리다]

snor·er [snɔ́:rər] *n.* 코고는 사람: a heavy ~ 몹시 코고는 사람

snor·kel [snɔ́:rkəl] [G 「코」의 뜻에서] *n.* **1** 스노클 《잠수함의 환기 장치》 **2** 잠수용 튜브 《호흡용》 **3** (소방차의) 소방용 수압 기중기

snorkel *n.* 2

—*vi.* **1** 〈잠수함이〉 스노클을 물 위에 내고 잠행하다 **2** (스노클을 쓰고) 수면을 헤엄치다

snor·kel·ing | **-kel·ling** [snɔ́:rkəliŋ] *n.* Ⓤ 스노클 잠수 《스포츠, 놀이》

***snort** [snɔ́:rt] *vi.* **1** 〈말이〉 콧김을 내뿜다 **2** (경멸·놀라움·불찬성 등으로) 콧방귀 뀌다[코웃음 치다] 《*at*》 **3** 큰소리로 웃다 **4** (속어) 마약을 흡입하다 **5** 〈증기 기관이〉 증기를 뿜다

—*vt.* **1** 씩씩거리며 말하다 **2** 호통치다; 코웃음치며[콧방귀 뀌며] 경멸[도전]의 뜻을 나타내다 《*out*》 **3** 〈마약을〉 코로 흡입하다: ~ cocaine 코카인을 흡입하다

—*n.* **1** 거센 콧김[바람]; 콧숨을 몰아쉼 **2** 〈술을〉 쭉 들이켜기 **3** (속어) 소량(少量); 가까운 거리 **4** (마약의) 흡입(吸入) **5** (영) = SNORKEL 1 **~·ing** *a.*

snort·er [snɔ́:rtər] *n.* **1** 콧김이 거센 사람[동물]; 《특히》 콧숨을 내뿜는 말[돼지] **2** (속어) 질풍, 돌풍 **3** (영·속어) 굉장한 것[재주, 기술, 인물], 거대[곤란, 위험]한 것 **4** (미·속어) 망나니, 억척꾸러기 **5** (속어) 쭉 들이켜기, 그 술(snort) **6** 마약을 코로 흡입하는 사람

snort·y [snɔ́:rti] *a.* (**snort·i·er**; **-i·est**) **1** 콧김이 거센 **2** 사람을 업신여기는 **3** 화를 잘 내는, 화난

snot [snɑ́t | snɔ́t] *n.* **1** Ⓤ (비어) 콧물, 코딱지 **2** (속어) 버릇없는 사람, 망나니

snot·nosed [snɑ́tnòuzd | snɔ́t-] *a.* (구어) 〈젊은 녀석이〉 염치없는, 건방진

snot-rag [snɑ́træ̀g | snɔ́t-] *n.* (속어) 손수건

snot·ty [snɑ́ti | snɔ́ti] *a.* (**-ti·er**; **-ti·est**) **1** (비어) 콧물을 흘리는; 지저분한(dirty) **2** (구어) 천한, 비열한, 한심스러운 **3** (구어) 버릇없는, 무엄한

—*n.* **1** (영·해군속어) = MIDSHIPMAN **2** (영·속어) 소인배 **snót·ti·ly** *ad.* **snót·ti·ness** *n.*

snout [snáut] *n.* **1** (돼지 등의) 코, 주둥이(⇨ nose 유의어) **2** (경멸) 사람의 코, 《특히》 주먹코, 보기 흉한 코 **3** (수도관 등의) 주둥이, 노즐; 뱃머리 **4** 낭떠러지의 돌출부 **5** (영·속어) 담배(tobacco); 밀고자

have got a ~ on (…에게) 한을 품다

—*vt.* **1** …에 노즐[주둥이]을 달다 **2** (호주·속어) …에 악감정을 품다; 괴롭히다

—*vi.* **1** 코[주둥이]로 파다 **2** (영·속어) 경찰의 하수인이 되다 **~·ed** *a.* **~·ish** *a.* **snóut·y** *a.*

snóut bèetle 〖곤충〗 바구밋과(科)의 곤충

‡snow[1] [snóu] *n.* **1** Ⓤ 눈: large flakes of ~ 함박눈 **2** 강설(snowfall); [*pl.*] 적설(積雪), 적설 지대, 설원: perpetual ~ 만년설 **3** (시어) 설백(雪白), 순백; [*pl.*] (노인의) 백발: the ~*s* of seventy years 70살 노인의 백발 **4** Ⓤ (속어) 분말 코카인, 헤로인 **5** (속어) 은화, 금 **6** 텔레비전 화면의 흰 반점 《전파가 약해서 생기는》 **7** 겨울, 해(year) 《인디언적 표현》

(***as***) ***pure*** [***clean***] ***as the driven ~*** [때로 반어적으로] (도덕적으로) 순수[결백]한, 고결한 ***many ~s ago*** (미) 여러 해 전에

—*vi.* **1** [it을 주어로 하여] 눈이 오다: *It* is ~*ing.* 눈이 오고 있다. **2** 눈처럼 내리다, 퍼붓다, 쏟아지다: 《~+부》 Congratulations came ~*ing in.* 축사가 답지했다. // 《~+전+명》 Dust ~*ed on* my head. 먼지가 내 머리 위로 쏟아졌다.

—*vt.* **1** 눈처럼 내리게 하다, 쏟아지게 하다: 《~+목+전+명》 The ground is ~*ed with* flowers. 낙화가 지면에 깔려 있다. **2** [보통 수동형으로] 눈으로 뒤덮다[싸다, 가두다] 《*in, up, under*》 **3** (속어) 압도하다 **4** (미·속어) (감언이설로) 설득하다, 속이다; 깜짝 놀라게 하다 **5** 눈처럼 하얗게 하다

be ~ed in [***up, over***] 눈에 갇히다 ***be ~ed under*** 눈에 묻히다; (미) 수량으로 압도당하다

~·less *a.* **~·like** *a.* ▷ snówy *a.*

snow[2] *n.* 스노 《작은 범선의 일종》

snów àpple 미국산(産) 붉은 사과(Fameuse)

***snow·ball** [snóubɔ̀:l] *n.* **1** 눈뭉치, 눈덩이: play at ~*s* 눈싸움하다 **2** (익살) 백발의 흑인 **3** (영) 스노볼 《속에 사과를 넣은 쌀로 만든 푸딩 요리》; 시럽으로 맛을 낸 셔벗의 일종 **4** (영) 눈덩이식 모금 《기부자가 다른 사람을 권유하고 그 사람이 또 다음 사람을 권유함》 **5** 〖식물〗 까마귀밥나무의 꽃

not stand [***have***] ***a ~'s chance in hell*** (구어) (성공 등의) 가망이 전연 없다

—*vt.* **1** …에 눈덩이를 집어던지다 **2** 눈덩이식으로 늘리다 **3** 〈상대를〉 압도하다

—*vi.* **1** 눈싸움을 하다 **2** (눈덩이처럼) 점점 커지다

snow·bank [-bæ̀ŋk] *n.* (산허리·계곡의) 눈더미 《휘몰아쳐 쌓인》

snów bànner 산꼭대기에서 휘날리는 설연(雪煙)

snow·belt [-bèlt] *n.* **1** 호설(豪雪) 지대 **2** [**S~**] 태평양에서 대서양에 이르는 미국의 북부 지역(Frostbelt)

snow·ber·ry [-bèri | -bəri] *n.* (*pl.* **-ries**) 〖식물〗 인동덩굴과(科)의 관목 《북미산(産)》

snow·bird [-bə̀:rd] *n.* **1** 〖조류〗 흰머리멧새 **2** (속어) 피한객(避寒客), 피한 노동자 **3** (미·속어) 코카인[헤로인] 상용자(cf. SNOW[1] *n.* 4) **4** (구어) 눈을 좋아하는 사람; 스키 애호가

snow·blade [-blèid] *n.* 스노블레이드 《폴(pole)을 사용하지 않는 길이가 짧은 스키》

snow-blind(**·ed**) [-blàind(id)] *a.* 설맹(雪盲)의

snów blìndness 설맹

snow·blink [-blìŋk] *n.* Ⓤ (눈 벌판·얼음판의) 햇볕의 반사 《지평선 근처의 하늘이 밝게 보임》

snow·blow·er [-blòuər] *n.* (도로 등의) 눈 치우는 차, 제설차 《공중으로 날려 길 한쪽에 쌓는》

snow·board [-bɔ̀:rd] *n.* 스노보드 《스키 모양으로 눈 위를 타는 폭 넓은 판》 **—*vi.*** 스노보드를 타다 **~·er** *n.* **~·ing** *n.* Ⓤ 〖스포츠〗 스노보딩

snow·board·cross [-krɔ̀:s] *n.* 〖스포츠〗 스노보드 크로스 《점프와 회전을 포함하는 스노보드 경기》

snów bòot (영) 눈장화

snow·bound [-bàund] *a.* 눈에 갇힌

snow·break [-brèik] *n.* **1** 눈막이, 방설림(防雪林) **2** 해설(解雪), 눈녹음(thaw) **3** (나무가) 눈의 무게 때문에 부러짐

snow-broth [-brɔ̀:θ | -brɔ̀θ] *n.* Ⓤ **1** 질퍽하게 녹은 눈 **2** 얼수록 차가운 액체

snów bùnny (미·속어) **1** 스키 초보자 《특히 여성》 **2** = SKI BUNNY

snów bùnting 〖조류〗 흰멧새

snów cànnon (영) 인공눈 뿌리개

snow·cap [-kæ̀p] *n.* 정상[나무꼭대기]의 눈

snow·capped [-kæ̀pt] *a.* 〈산 등이〉 꼭대기가 눈으로 덮인

snow-cat [-kæ̀t] *n.* = SNOWMOBILE

snów chàins 스노 체인 《눈 위에서 운전할 때 타이어에 부착하는》

snow-clad [-klæ̀d] *a.* 눈으로 덮인

snów còne 스노콘 《시럽으로 맛을 낸 셔벗의 일종》

snów còver **1** 잔설(殘雪) **2** 적설(積雪); 적설량 **3** 눈에 덮인 땅의 면적 《전체 면적의 %로 표시》

snow-cov·ered [-kʌ̀vərd] *a.* [보통 Ⓐ] 눈으로 덮인(snow-clad)

snów dày 폭설로 인한 휴일

snów dèvil 기둥처럼 말려 올라가는 눈, 눈회오리
Snow·don [snóudn] *n.* 스노든 산 《웨일스 북서부, Gwynedd 주에 있는 최고의 산(1,085 m)》
snow·drift [snóudrìft] *n.* (바람에 휘몰려 쌓인) 눈더미
snow·drop [-drɑ̀p | -drɔ̀p] *n.* **1** 〖식물〗 스노드롭, 아네모네 **2** 《미·군대속어》 헌병 《MP》
∗**snow·fall** [snóufɔ̀ːl] *n.* 강설; 강설량: heavy ~*s* 대설(大雪)
snów fènce (소규모의 눈사태를 막는) 방설책(柵)
snow·field [-fìːld] *n.* **1** 설원, 눈밭, 눈벌판 **2** (산악 지방·남북극의) 만년설
∗**snow·flake** [snóuflèik] *n.* **1** 눈송이 **2** 〖조류〗 = SNOW BUNTING **3** 〖식물〗 snowdrop류
snów gàuge 적설표(標), 설량계(雪量計)
snów gòggles 눈(雪) 안경, 스키용 안경
snów gòose 〖조류〗 흰기러기
snów gràins 싸락눈
snów gròuse 〖조류〗 뇌조(雷鳥)
snów gùn = SNOW CANNON
snów ìce 설빙(雪氷) 《눈이 얼음이 된 것》
snow·i·ness [snóuinis] *n.* Ⓤ **1** 눈이 많음 **2** 설백(雪白)
snów jòb 《미·속어》 감언이설하기, 아첨하여 속이기[설득하기]; 교묘한 거짓말
snów lèopard 〖동물〗 눈표범(ounce)
snów lìne [the ~] 설선(雪線) 《만년설의 최저 경계선》
snow·mak·er [snóumèikər] *n.* 인공설 제조기
∗**snow·man** [snóumæ̀n] *n.* (*pl.* **-men** [-mèn]) **1** 눈사람 **2** [**S~**] = ABOMINABLE SNOWMAN **3** 눈 연구가; 《미·속어》 사람을 잘 속이는 사람
snow·melt [-mèlt] *n.* **1** 해빙, 눈 녹음 **2** 눈 녹은 물; 그 양
snow·mo·bile [-məbìːl] *n.* 설상차(雪上車)
— *vi.* 설상차로 가다
-bìl·er, -bìl·ist *n.*

snowmobile

snow·mo·bil·ing [-məbìːliŋ] *n.* 《미》 설상차 운전[경주]
snow-on-the-moun·tain [-ɔːn-ðəmáuntin | -ɔn-] *n.* 〖식물〗 점나도나물의 일종
snow·pack [-pæ̀k] *n.* 눈덩이로 뒤덮인 들판 《여름에는 수원(水源)이 됨》
snów pèa 〖식물〗 깍지완두
snów pèllets 〖기상〗 싸락눈
snow·plow, -plough [-plàu] *n.* 눈 치는 넉가래, 제설기[차]
snów ròute 《미》 적설시 사용 통로
snow·scape [-skèip] *n.* 설경; 설경 사진
snow·shed [-ʃèd] *n.* 〖철도〗 (선로변의) 눈사태 방지 설비
snow·shoe [snóuʃùː] *n.* [보통 *pl.*] 설피(雪皮), 설상화(雪上靴)
— *vi.* 설피를 신고 걷다
snów·shò·er *n.*

snowshoes

snow-shov·el [-ʃʌ̀vəl] *n.* 눈 치는 가래[삽]
snow·slide [-slàid], **-slip** [-slìp] *n.* 눈사태
∗**snow·storm** [snóustɔ̀ːrm] *n.* **1** 눈보라 **2** 눈보라 같은 것 **3** 《미·속어》 코카인 파티, 마약에 의한 황홀한 상태
snow·suit [-sùːt | -sjùːt] *n.* 눈옷 《따뜻하게 안을 댄 방한복》
snów tìre (자동차의) 스노타이어
snów tràin 스키 열차 《스키[스케이트]장행》

Snów Whíte 백설공주 《Grimm 동화의 주인공》
∗**snow-white** [snóuhwáit] *a.* 눈같이 흰, 설백의, 순백의
‡**snow·y** [snóui] *a.* (**snow·i·er**; **-i·est**) **1** 눈이 많은, 눈이 내리는: a ~ country 설국(雪國) **2** 눈이 쌓인, 눈에 덮인: ~ fields 설원(雪原) **3** 눈의, 눈과 같은; 눈처럼 하얀; 순백의: ~ hair 백발 **4** 설백[순백]의, 깨끗한, 청정한(pure) **snów·i·ly** *ad.* 눈으로; 눈처럼
snówy ówl 〖조류〗 눈[흰]올빼미
SNP Scottish National Party 스코틀랜드 국민당
Snr. Senior **SNS** sympathetic nervous system; 〖인터넷〗 social networking services[site]
snub [snʌb] *vt.* (**~bed**; **~·bing**) **1** 윽박지르다, 타박주다, 야단치다, 기를 꺾다; 놀리다, 상대하지 않다, 냉대하다: (~+목+전+명) ~ a person *into* silence …을 윽박질러 침묵시키다 **2** 〈남의 발언 등을〉 갑자기 중지시키다, 〈신청 등을〉 매정하게 거절하다 **3** 《미》 담배를 비벼 끄다 **4** 〖항해〗 〈배 따위를〉 급히 멈추다; 〈밧줄을〉 팽팽하게 하다
— *a.* **1** 넓적코의, 들창코의 **2** 땅딸막한 **3** 무뚝뚝한 **4** 갑자기 멈추기 위한 〈밧줄〉 **—** *n.* **1** 호되게 꾸짖음, 톡 쏘아붙임; 푸대접, 놀림 **2** (풀려 나가는 밧줄이나 말 등을) 급히 멈춤 **3** 들창코 **~·ness** *n.*
snub·ber [snʌ́bər] *n.* **1** 타박 주는 사람; 호통치는 사람 **2** 《미》 (밧줄·배·말 등을) 급히 멈추는 장치 **3** (차의) 완충기(緩衝機) **4** 〖전기〗 진동 제어 장치
snúb·bing pòst [snʌ́biŋ-] 〖항해〗 (부두에 세운) 계선주(繫船柱) 《밧줄을 던져 배의 항진 타력(航進惰力)을 막음》
snub·by [snʌ́bi] *a.* (**-bi·er**; **-bi·est**) **1** 들창코의, 넓적코의, 들창코의 **2** 짧고 굵은, 땅딸막한 **3** 퉁명스러운, 무뚝뚝한 **snúb·bi·ness** *n.*
snub-nosed [snʌ́bnòuzd] *a.* **1** 들창코의, 넓적코의 **2** 끝이 뾰족하지 않은 **3** 〈권총 등이〉 총신이 짧은
snuck [snʌk] *v.* 《미·방언》 SNEAK의 과거·과거분사
∗**snuff**[1] [snʌf] *vi.* **1** 코로 들이쉬다; 〈개·말 등이〉 코를 실룩거리다, 킁킁대며 냄새를 맡다 《*at*》: (~+전+명) ~ *at* a flower 꽃냄새를 맡다 **2** 코담배를 맡다
— *vt.* **1** 〈바닷바람·담배 등을〉 코로 들이쉬다, 맡다 **2** 냄새를 맡아내다 **3** 낌새채다: (~+목+부) ~ (*up*) danger 위험을 알아차리다
— *n.* **1** Ⓤ 코로 들이쉬기 **2** 냄새, 향기 **3** 코담배: take (a) ~ 코담배를 맡다 ***beat to* ~** 때려눕히다 ***give* a person ~** …을 냉대하다 ***in high* ~** 의기양양하게 ***up to* ~** (1) 《영》 빈틈없는; 조심스러운 (2) 《구어》 순조롭게, 〈일이〉 좋은 상태로; 건강한 ▷ snúffy *a.*
∗**snuff**[2] [snʌf] *vt.* (양초 등의) 심지를 자르다; 〈촛불을〉 끄다
— *vi.* 꺼지다 《*out*》 **~ *it*** 《영·속어》 뒈지다, 죽다 **~ *out*** (1) 심지를 잘라 끄다 (2) 소멸시키다, 멸망시키다; 탄압하다 (3) 《속어》 뒈지다(die)
— *n.* **1** Ⓤ 양초[등잔]의 심지가 타서 까맣게 된 부분 **2** 남은 찌꺼기, 사소한 것
snuff[3] *n.* 《속어》 [종종 형용사적으로 쓰여] (외설·살인 등을 실제 촬영한) 불법 영화[비디오](cf. SLASHER 2)
snuff·box [snʌ́fbɑ̀ks | -bɔ̀ks] *n.* **1** 코담뱃갑 《휴대용》 **2** 〖식물〗 담배풀
snuff-col·ored [-kʌ̀lərd] *a.* 코담배색의, 황갈색의
snuff·er[1] [snʌ́fər] *n.* 코담배를 맡는 사람; 코를 킁킁거리는 사람[동물]
snuffer[2] *n.* 양초 심지를 자르는 사람; 촛불 끄는 기구; [*pl.*] 심지 자르는 가위
snúff fìlm[mòvie] 스너프 영화 《실제 살인을 촬영한 포르노 영화》; = SPLATTER FILM[MOVIE]
snuff·i·ness [snʌ́finis] *n.* Ⓤ **1** 코담배 냄새가 남; 우중충함 **2** 성 잘 냄, 성마름
snuf·fle [snʌ́fl] *vi.* **1** 코를 킁킁거리다, 코가 막히다, 콧물을 훌쩍거리다 **2** 콧소리로 말하다, 콧소리를 내다

thesaurus **snug** *a.* cozy, comfortable, homely, warm, homelike, sheltered, restful, easy, intimate

3 냄새를 맡다, 코를 실룩거리다 4 흐느껴 울다
—*vt.* 1 콧소리로 노래[말]하다 《*out*》 2 코로 맡다; 맡아 내다, 맡아보다
—*n.* 1 코를 킁킁거림; 코막힘 2 [the ~s] 코감기[카타르] 3 콧소리, 청승맞은 목소리: speak with ~ 콧소리로 말하다 **snúf·fler** *n.* **snúf·fly** *a.*

snuff·y [snʌ́fi] *a.* (**snuff·i·er**; **-i·est**) 1 코담배색의; 코담배를 상용하는 2 코담배 냄새나는; 우중충한 3 《속어》 화난, 성난; 거만한: a ~ boy 화난 소년

***snug** [snʌ́g] *a.* (**~·ger**; **~·gest**) 1 아늑한(cozy); 기분 좋은, 안락한, 기분 좋게 따스한 〈자리〉: a ~ house 아늑한 집 2 가지런히 정비된, 항해에 적당한, 고급의 〈배 등〉 3 아담한, 조촐하고 예쁜; 〈의복 등이〉 꼭 맞는: a ~ girl 아담한 소녀 / a ~ shirt 몸에 딱 맞는 셔츠 4 〈수입·식생활 등이〉 넉넉한 5 사적인; 숨은, 보이지 않는; 비밀의, 집안끼리의: lie ~ 숨어 있다 **(as) ~ as a bug in a rug** 마음 편하게, 포근하게, 아늑하게
—*n.* =SNUGGERY
—*v.* (**~ged**; **~·ging**) *vt.* 1 단정히 하다, 기분좋게 하다 2 딱 맞게 하다 3 〈밧줄·돛 등을〉 폭풍우에 대비하다 4 숨기다
—*vi.* 1 기분좋게 되다 2 잠자리에 들다, 취침하다
~ down 『항해』 악천후의 항행에 대비하다
—*ad.* 편안하게(snugly)

snug·ger·y, -ge·rie [snʌ́gəri] *n.* 1 아늑한[편안한] 장소[방], 《특히》 술집의 아늑한 방 2 살기 좋은 집 3 (여관의) 술 파는 곳 4 편안한 지위[직(職)]

snug·gies [snʌ́giz] *n. pl.* 뜨개질한 포근한 여성용 속옷[팬티]

snug·gle [snʌ́gl] *vi.* 달라붙다, 다가붙다 《*in, up, to*》: 《~+副》 《~+前+名》 ~ *down in* bed 기분좋게 침대에서 뒹굴다 / ~ *up to* a person …에게 바짝 다가붙다 —*vt.* 〈아이 등을〉 껴안다 《*to*》, 끌어안다: 《~+目+前+名》 ~ a baby *in* one's arms 팔로 아기를 껴안다 —*n.* 다가붙음

snug·gle-pup [-pʌ̀p] *n.* (십대 사이의) 연인

snug·ly [snʌ́gli] *ad.* 아늑하게, 포근하게, 편안하게; 아담하게

snug·ness [snʌ́gnis] *n.* Ⓤ 1 아늑[안락]함; 잘 정비됨; 꼭 맞음 2 집안끼리임

snurf·ing [snə́:rfiŋ] [*snow*+*surfing*] *n.* 스너핑, 스노서핑 《눈 위에서 특수 보트를 이용함》

sny [snái] *n.* 《미·캐나다》 (하천의) 수로, 지류

‡**so**[1] ⇨ so (p. 2384)

so[2] [sóu] *n.* 『음악』 제5음, 사음, G음(sol)

So. 『음악』 Sonata; South; Southern **s.o., so** seller's option; shipping order; 『야구』 strikeout(s) **S.O.** Signal Officer; Special Order; Staff officer; Standing order; Stationery Office; suboffice; symphony orchestra

‡**soak** [sóuk] *vt.* 1 적시다, 담그다 《*in*》: 《~+目+前+名》 ~ bread *in* milk 빵을 우유에 적시다 2 배어들게 하다, 푹 젖게 하다(⇨ soaked 1): The water ~*s* the earth. 물이 지면에 스며든다. 3 술을 진탕 마시다 (⇨ soaked 3) 4 빨아내다 《*out*》; 〈얼룩 등을〉 적셔서 빼다 《*out of*》: 《~+目+副》 ~ *out* dirt 물에 담그어 때를 빨아내다 // 《~+目+前+名》 ~ stains *out of* a shirt 셔츠를 물에 적셔 얼룩을 빼다 5 〈액체를〉 빨아들이다; 〈지식 등을〉 흡수하다; 이해하다 《*in, up*》; 즐기다: 《~+目+副》 ~ *up* information 지식을 흡수하다 / The sponge ~*ed up* the water. 스펀지가 물을 빨아들였다. 6 《미·속어》 엄청난 값을 부르다, 바가지씌우다 7 《미·속어》 호되게 때리다, 엄벌에 처하다 8 [~ one*self* 로] 전념하다, 몰두하다 《*in*》(⇨ soaked 2) 9 《속어》 전당잡히다(pawn)
—*vi.* 1 젖다, 잠기다 《*in*》; 흠뻑 젖다: 《~+前+名》 The clothes to be washed have been ~*ing in* water for an hour. 세탁물은 한 시간이나 물에 담겨져 있다. 2 스며들다[나오다] 《*in, into, through*》: 《~+前+名》 Water has ~*ed into*[*through*] the mat. 물이 매트에 스며들었다. 3 (마음에) 스며들다, 알게 되다 《*in, into*》: 《~+副》 The lesson didn't ~ *in.* 수업이 이해되지 않았다. 4 《구어》 술을 진탕 마시다
~ it 혼내다, 《미》 벌하다 《*to*》
—*n.* 1 Ⓤ 적심, 담금, 흠뻑 젖기, 배어들기, 침투(浸透) 2 침액(浸液), 담근 국물 3 Ⓤ 대주(大酒); 통음(痛飮), 주연(酒宴); Ⓒ 대주가, 술고래 4 호우(豪雨) 5 Ⓤ 《미·속어》 전당잡힘(pawn) 6 《속어》 강타(hard blow) **in ~** 전당잡혀

soak·age [sóukidʒ] *n.* Ⓤ 1 담그기, 적시기 2 스며들기[나오기]; 침투[삼출]액[량]

soaked [sóukt] *a.* 1 흠뻑 젖은; (가슴에) 스며든: be ~ to the skin 흠뻑 젖다 2 전념하는, 몰두하는 《*in*》: She is ~ *in* music. 그녀는 음악에 몰두하고 있다. 3 《속어》 잔뜩 취한

soak·er [sóukər] *n.* 1 잠그는[담그는] 사람[물건] 2 《미·속어》 술고래 3 [*pl.*; 단수 취급] (아기의) 기저귀 커버 4 호우(豪雨)

soak·ing [sóukiŋ] *a.* 흠뻑 젖는[적시는]: a ~ downpour 호우 —*ad.* 흠뻑 젖어서: get ~ wet 흠뻑 젖다 —*n.* ⓊⒸ 흠뻑 젖음

soak·ing·ly [sóukiŋli] *ad.* 서서히, 차츰; 흠뻑 젖어

***so-and-so** [sóuənsòu] *n.* (*pl.* **~s, ~'s**) 《구어》 1 아무개, 모(某): Mr. *S*~ 아무개씨, 모씨 2 무엇무엇, 이러저러, 여차여차, 운운(云云): say ~ 이러저러 말하다 3 《속어》 나쁜 놈, 싫은 놈: He really is a ~. 정말로 싫은 녀석이다.

‡**soap** [sóup] *n.* Ⓤ 1 비누: a cake[bar, cube, tablet] of ~ 비누 1개 / toilet[washing] ~ 화장[세탁] 비누 2 『화학』 지방산(脂肪酸)의 알칼리 금속염(金屬塩) 3 《미·속어》 돈(money), (특히 정치상의) 뇌물 4 =SOAP OPERA 5 《속어》 추종; 아첨 6 《호주·속어》 겁쟁이, 못난이 7 《속어》 자백약(自白藥)
hard ~ 고형(固形) 비누, 나트륨 비누 **no ~** 《미·구어》 (1) (제안 등을) 수락할 수 없음(not agreed) (2) 실패(failure), 효과 무; 알 수 없음(I don't know.) **soft ~** 연질 비누, 칼리 비누; 《속어》 아첨 **wash one's hands in invisible ~** 손을 비비다 《아첨하거나 난처한 경우에》
—*vt.* 1 비누로 문지르다[빨다], …에 비누칠하다: ~ oneself 비누로 몸을 씻다 2 《속어》 …에게 아첨하다 (flatter) 3 《미·캐나다》 매수하다 **~ out** 《속어》 〈크기·힘 등이〉 감소되다 **~ the ways** 일을 편하게 하다
~·like *a.* ▷ sóapy *a.*

soap·bark [sóupbɑ̀:rk] *n.* 1 『식물』 킬라하 《장미과(科)》 2 Ⓤ (비누 대용의) 킬라하 껍질

soap·ber·ry [-bèri, -bəri | -bèri] *n.* (*pl.* **-ries**) 『식물』 무환자나무속(屬)의 나무; 그 열매 《비누 대용》

soap-boil·er [-bɔ̀ilər] *n.* 비누 제조자

soap·box [-bɑ̀ks | -bɔ̀ks] *n.* 1 비누 상자 《포장용》 2 (가두연설의 연단으로 쓰는) 빈 궤짝, 약식 연단
get on[off] one's ~ 자기 의견을 주장하다[하지 않다]
—*a.* 1 비누 상자 모양의 2 가두연설의: a ~ orator 가두연설자 / ~ oratory 가두연설
—*vi.* 가두연설을 하다

Sóap Bòx Dérby 《미》 어린이용 조립 경주차 경주

soap·box·er [-bɑ̀ksər | -bɔ̀k-] *n.* 가두연설자

sóap bùbble 1 비눗방울 2 즐거우나 덧없는 일, 아름다우나 가공적인 일

sóap dìsh (욕실 등의) 비누 그릇

soap·er [sóupər] *n.* 1 비누 제조자; 비누 장수 2 =SOAP OPERA

sóap flàkes[chìps] 얇은 소형 비누 《선전용》

soap·grease [sóupgrì:s] *n.* 《방언》 돈(money)

soap·less [sóuplis] *a.* 1 비눗기 없는 2 세탁하지 않은, 때 묻은

sóapless sóap 합성 세제

sóap nùt soapberry의 열매

---

soak *v.* wet, drench, saturate, immerse, immerge, infuse, merge, moisten, souse (opp. *dry*)

SO

so는 보통 부사·접속사·대명사·감탄사 등으로 분류되지만 그 기본적인 용법은 어디까지나 부사 「그렇게」에 모두 포함된 것으로 생각할 수 있다. 그러므로 여기서는 부사 항목에 대명사적인 것(⇨ *ad.* 4)과 감탄사적인 것(⇨ *ad.* 8)을 포함시켰다.
부사로서의 용법은 크게 (1) 「양태」를 나타내어 「그렇게」의 뜻과, (2) 「정도」를 나타내어 「그만큼」의 뜻으로 나눌 수 있다.

‡**so** [sóu, sə] *ad., conj.*

기본적으로는 「그와 같이」의 뜻에서
① 그렇게; 그런 식으로 — 부 **A 1, 2, 4**
② 정말로, 실제로 — 부 **A 3 a**
③ …도 역시[또한] — 부 **A 3 b**
④ 그만큼; 대단히 — 부 **B 1**
⑤ 그래서, 그러므로 — 접 **1** 부 **A 7**

—*ad.* **A** [모양·상태] **1 그[이]와 같이,** 그런[이런] 식으로, 그[이]렇게: Hold the racket *so,* like this. (테니스 코치가 배우는 사람에게) 라켓을 이런 식으로 잡으시오, 이렇게 말이요. / You must not misbehave *so.* 그렇게 버릇없이 굴어서는 못쓴다.

2 a [앞에 나왔거나 또는 문맥상 자명한 사실을 받아] **그러하여,** 정말로: Do you say he is too busy? If *so,* we have to find another man. 그는 너무 바쁘단 말인가, 그렇다면 다른 남자를 찾아야 하겠다. / "Things will remain like this for some time." — "Quite[Just] *so.*" 얼마 동안 이런 사태가 계속될 것 같은데. — 정말 그래. **b** [just 등에 수식되어] **가지런히,** 반듯하게 정돈되어: Everything is *just so.* 모든 것이 반듯하게 정돈되어 있다. / His books are always (arranged) *exactly so.* 그의 책들은 언제나 가지런히 정돈되어 있다. **c** [앞에 나온 명사·형용사 등을 대신하여] **그렇게,** 그리: He became my close friend and remained *so.* 그는 나의 절친한 친구가 되었는데 그 후에도 내내 절친한 친구였다. ((so는 my close friend의 대용)) / Everybody calls Tom a genius, but he doesn't like to be *so* called. 누구나가 톰을 천재라고 말하는데, 톰은 그렇게 불리워지는 것을 싫어한다. ((so는 a genius의 대용)) / "Is he rich?" — "Yes, immensely *so.*" 그는 부자니? — 그럼, 굉장한 부자야. ((so는 rich의 대용))

3 [be, have, do 등의 (조)동사와 함께] **a** ['so + 주어 + (조)동사'의 어순으로, 선행의 진술에 대하여 동의·확인을 나타내어] **정말로,** 참으로, 실제: You said it was good, and *so* it *is*[íz]. 자네 말로 좋다고 하더니 참으로 좋군 그래. / "You look very happy." — "*So* I *am*[ǽm]." 매우 기쁜 것 같구나. — 정말 기뻐요[기쁘고말고]. / "Your little brother paints well." — "*So* he *does* [dʌ́z]." 자네 동생이 그림을 잘 그린다고. — 암, 잘 그리지. / "You promised to buy me a football!" — "*So* I did[díd]!" 축구공을 사 주겠다고 약속했잖아! — 아 그랬었군! ((잊고 있었다)) **b** ['so + (조)동사 + 주어'의 어순으로, 다른 주어에 딸린 긍정의 진술에 덧붙여] **…도 역시[또한]**: My father was a soldier, and *so am* I[ái]. 아버지는 군인이셨는데 나 역시 그렇다. / "I was in Paris last summer." — "*So was* I." 지난 여름에 나는 파리에 있었다. — 나도 그랬어. / Tom can speak French, and *so can* his brother. 톰은 프랑스어를 말할 수 있는데, 톰의 동생[형] 또한 말할 줄 안다. **c** [상대의 부정적인 말에 반박하여] ((구어·유아어)) 그렇게(하면서[했으면서]): "I didn't touch it." — "You did *so*!" 나는 그것에 손대지 않았다. — 손을 댔어[댔으면서도]!

4 [대명사적으로] **a** [동사 say, tell, think, hope, expect, suppose, believe, fear, hear 등의 목적어로서] **그렇게** ((★ 이 용법은 *that* 절의 대용임)): I think *so.* 그렇게 생각한다. / I don't *think so.* 그렇지는 않을 게다. / I *suppose so.* = *So* I *suppose.* 대개 그러리라 생각한다. / I *told* you *so.* 내가 그렇게 말하지 않았느냐. / You don't *say so*? 설마, 그럴 수가? ((놀람)) **b** [대동사 do의 목적어로서] **그렇게,** 그처럼, 그와 같이 ((USAGE do *so* 대신에 do it도 쓸 수 있지만 일반적으로 it은 so보다도 문맥상 더욱 명확한 의지적 행동을 나타내는 동사(⁺)를 가리키는 경우에 쓰임; 따라서 의지와는 상관 없는 경우에는 do *so*가 쓰이며, do it은 쓰이지 않음)): Whoever wants to play baseball can *do so.* = Whoever wants to *do so* can play baseball. 야구를 하고 싶은 사람은 누구든지 할 수 있다. **c** [like so로서] 이런 (식[방식]으로): Swing the bat *like so.* (야구) 배트를 이런 식으로 휘두르시오.

5 [As ... so ...의 형태로] **a …와 마찬가지로,** …인 것처럼: *As* the moon moves around the earth, *so* the earth moves around the sun. 달이 지구 둘레를 회전하는 것과 마찬가지로 지구는 태양 둘레를 회전한다. **b …와 동시에…,** …에 따라서…: *As* it became darker, *so* the wind blew harder. 주위가 어두워짐에 따라서 점점 바람이 세차게 불어왔다. ★ so를 사용치 않은 문보다 문어적임.

6 a [so ... that ...의 형태로; 양태·목적을 나타내어] **…하도록** (…하다): You must *so* instruct them *that* they will not repeat the mistake. 그들이 잘못을 되풀이하지 않도록 지도해야 한다. / They *so* arranged matters *that* one of them was always on duty. 그들은 항상 누군가 한 사람이 근무하고 있도록 배치했다. **b** [so ... as to do의 형태로] …하도록, …하게 되도록: The house is *so* designed *as to* be invisible from the road. 그 집은 도로에서 보이지 않도록 설계되어 있다.

7 [접속사적으로: and so의 형태로] **그 때문에,** 따라서, 그러므로(therefore): She is sick, *and so* cannot come to the party. 그녀는 아프다, 그래서 파티에 갈 수 없다. (((구어))에서는 흔히 and를 생략함)) / He was biased, *and so* unreliable. 그는 편견을 가졌는데 그 때문에 신뢰를 받지 못했다.

8 [감탄사적으로 문두에 쓰여] **a** [이야기를 꺼내는 서두로서] **그런 까닭으로,** 그래서: *So* you don't love me. 그런 까닭으로 나를 사랑하지 않는군요. **b** [발견의 놀람, 경멸·반항 등의 감정을 나타내어] **그랬군,** 역시, 뭐야, 정말로: *So,* that's who did it. 아, 그랬군, 저 사람이 그것을 했단 말이지. / *So,* I broke it. 정말로 내가 그걸 깼습니다. / *So* there! ⇨ there *int.*

—B [정도] **1 a 그[이]만큼,** 그[이]렇게, 이 정도로: Why are you *so* late? 왜 그렇게도 늦었니? / *So* long! ⇨ SO LONG / Don't be *so* worried. = Don't worry *so.* 그렇게 염려하지 마세요. / I have never seen *so* beautiful a sunset. 이제까지 이렇게 아름다운 석양을 본 적이 없다. ★ 부정관사 a의 위치에 주의; 이것은 ...*such a* beautiful sunset보다 문어적 / Ben can't understand that, he is *so* stupid. 벤은 그것을 이해 못한다, 그만큼 우둔하다. ((Ben is *so* stupid *that* he can't understand that.으로 바꿔 쓸 수 있음; ⇨ B 3 a)) **b** [일정한 한도를 가리켜] **최고로[기껏] 그[이] 정도까지는,** 그[이]만큼은: I can eat only *so* much and no more. 최고 이 정도까지는 먹을 수 있으나 그 이상은 무리다. **c** [강조적] ((구어)) **매우,** 대단히, 아주: That's *so* sweet of you! 참으로 친절하십니다! / (I'm) *so* sorry! 죄송합니다, 미안합니다; 매우 안됐습니다! / Thank you *so* much.

대단히 고맙습니다. / I enjoyed this book *so* much. 이 책 아주 재미있었어요.
2 [so … as …의 형태로] **a** [부정어의 뒤에서] …만큼(은)…, …와 같은 정도로 …(은 아니다): He is*n't so* bright *as* you. 그는 자네만큼 머리가 좋지 않네. ★ He is*n't as* bright *as* you. 처럼 not as … as …를 쓰는 경우도 있음 / It's *not so* cold *as* yesterday. 날씨가 어제만큼 춥지는 않다. / The girl *never* felt *so* happy *as* when she was alone. 그 소녀는 혼자 있을 때만큼 행복하게 느끼는 일은 없었다. **b** [높은 정도를 강조하여] …만큼[처럼] …(한): Do you know anyone *so* capable *as* John? 존만큼 유능한 사람을 아느냐?
3 [정도·결과] **a** [so … that …] …할 만큼 …하여; [나열된 어순으로 번역하여] 대단히 …해서 … 《특히 《구어》에서는 종종 that이 생략됨》: She gave *so* witty an answer *that* everyone burst out laughing. 그녀는 아주 재치있는 대답을 했기 때문에 모두 웃음을 터뜨렸다. / He was *so* exhausted (*that*) he could not speak. 그는 몹시 기진해 있어서 말을 할 수 없을 정도였다. **b** [so … as to do의 형태로] …할 만큼 …하여; [나열된 어순대로 번역하여] 매우 …해서 …하다, …하게도 …하다(cf. A 6 b): Nobody is *so* stupid *as to* believe that. 아무도 그것을 믿을 정도로 바보는 아니다. / He spoke *so* loudly *as to* be heard by everyone. 그는 모두에게 들릴 정도로 큰소리로 말했다. 《비교 He spoke loudly *so as to* be heard by everyone. 그는 모두에게 들릴 수 있도록 큰 소리로 말했다.》
and so ⇨ A 7
as …, so … ⇨ A 5
and so forth[***on***] ⇨ and
even so ⇨ even
ever so ⇨ ever
if so 만일 그렇다면(⇨ A 2 a)
in so far as… = INSOFAR as
just so ⇨ A 2 b
not so much … as … [나열된 어순대로 번역하여] …이라기보다는 오히려…: He is *not so much* a scholar *as* a writer. 그는 학자라기보다는 오히려 문인이다. / She did*n't so much* dislike me *as* hate me. 그녀는 나를 싫어했다기보다는 오히려 미워했다.
or so ⇨ or
Quite so. 정말 그렇군(⇨ A 2 a)
so and so = SO-AND-SO
so … as ⇨ B 2
so … as to (do) ⇨ A 6 b, B 3 b
so as to do[***so as not to***] ⇨ as *conj.*
so be it! 그렇다면 그렇게 하자! 《승낙·단념의 상투어》
so called ⇨ so-called
so far ⇨ far *ad.*
so far as … ⇨ far *ad.*
so far from do***ing …*** …하기는커녕 (오히려): *So far from* work*ing* as fast as my father, I could not even work half as fast. 아버지와 같은 속도로 일을 하기는커녕 아버지의 반 정도도 일할 수 없었다. 《비교 Far from do*ing*의 관용적 강조형》
so long as ⇨ long[1] *ad.*
so many ⇨ many *a.*
so much (1) ⇨ B 1 b. (2) [불가산 명사를 수식하여] 순전한, (단지) …일 따름의(nothing but): It is only *so much* rubbish. 그것은 단지 쓰레기일 따름이다. (3) [일정량[액]을 가리켜] 얼마의: at *so much* a week[a head] 1주일에[1인당] 얼마로 / *so much* brandy and *so much* water 브랜디 얼마에 물 얼마 (4) [the+비교급을 수식하여] 그만큼 더, 그럴수록 더욱[점점 더]: "It's begun to rain." — "*So much the better*[*worse*] (for us)!" 비가 오기 시작했어. — 그러면 그럴수록 더욱 좋지[나쁘지]!
so much as … [not, without와 함께, 또는 조건절에 쓰여] …조차도, …까지도(even): He can*not so much as* write his own name. 그는 자기의 이름조차도 쓰지 못한다. / He left us *without so much as* saying goodbye. 그는 잘 있으라는 인사조차 하지 않고 우리 곁을 떠나갔다. / If I *so much as* speak to another man, my husband makes the most frightful scenes. 내가 다른 남자와 이야기라도 하는 날이면 남편은 온통 큰 야단을 친다.
so much for … (1) …(의 일)은 이만[이것으로 끝]: *So much for* today. 오늘은 이만[이것으로] 끝. (2) …이란 그저 그 정도다 《언행 불일치 때에 쓰는 비꼬는 투의 말》: He arrived late again—*so much for* his punctuality! 그 사람 또 지각했군 — 그 녀석의 시간 엄수란 그저 그런거지[알만하지]!
so much so that … 아주 그러하므로 …하다
so so ⇨ so-so
so that (1) [목적의 부사절을 이끌어] …하기 위하여, …이 되도록 《★ 《구어》에서는 that이 종종 생략됨; cf. *conj.* 1》: He worked hard *so that* his family could live in comfort. 그는 가족이 편안히 살 수 있도록 열심히 일했다. ★ so that 절에서 조동사는 can[could] 이외에 may[might], will[would] 등이 쓰임. (2) [결과의 부사절을 이끌어] 그래서, 그러므로 《★ 《구어》에서는 that이 종종 생략됨》: I was excited, *so that* I couldn't get to sleep. 나는 흥분하고 있었으므로 잠들 수 없었다.
so … that ⇨ B 3 a
so then 그러므로, 그렇다면; 그렇다치고
so to say[***speak***] 말하자면, 이를테면: The dog is, *so to speak*, a member of the family. 개는, 말하자면 가족의 일원과 같은 것이다.
So what? ⇨ what *pron.*
— *conj.* **1** [등위접속사로서] 그래서, 그러므로, …이므로(cf. *ad.* A 7): It grew darker, *so* I went home. 날이 더욱 어두워져서 집으로 돌아갔다. / He checked carefully, *so* the mistakes were caught. 그가 잘 살펴보았기 때문에 잘못이 발견되었다.
2 [종위접속사로서] **a** …하기 위하여, …하도록, …할 수 있도록 《★ so that(cf. *ad.*)의 that이 생략된 형태》: Speak a little louder *so* we can all hear you. 모두가 들을 수 있도록 조금 더 크게 말해 주십시오. **b** [just so의 형태로] 《구어》 …하기만 하면, …인 한은: He doesn't particularly care, *just so* it's food. 음식이기만 하면 그는 까다로운 소리를 안 한다.
3 [문두에 놓아] 그러면, 그렇다면(then): *So* you have told a lie. 그러면 거짓말을 했단 말이지.

sóap òpera 연속(멜로) 드라마 《본래 비누 회사가 제공한, 가정주부를 위한 주간 연속 방송극》
sóap pòwder (영) 가루비누; 분말 세제
soap·stone [sóupstòun] *n.* ⓤⓒ 동석(凍石) 《비누 비슷한 부드러운 촉감의 활석(talc) 덩어리; 갈아서 욕조·테이블 널빤지 등으로 씀》
soap·suds [-sʌ̀dz] *n. pl.* [단수·복수 취급] 거품이 인 비눗물, 비누 거품
sóap wòrks 비누 공장
soap·wort [-wə̀ːrt, -wɔ̀ːrt | -wə̀ːt] *n.* 〖식물〗 비누풀
soap·y [sóupi] *a.* (**soap·i·er**; **-i·est**) **1** 비누를 함유한: ~ water 비눗물 **2** 비누투성이의 **3** 비누(질)의, 비누 같은; 미끈미끈한 《*with*》 **4** 《구어》 soap opera 같은 **5** 《속어》 알랑거리는, 아첨하는
sóap·i·ly *ad.* **sóap·i·ness** *n.*
‡**soar** [sɔ́ːr] *vi.* **1** 〈새·항공기 등이〉 높이 치솟다, 날아오르다; 하늘을 날다 **2** 〖항공〗 엔진을 끄고 같은 고도를 날다, 활공하다 **3** 〈산 등이〉 높이 솟다 **4** 〈희망·기운 등이〉 솟구치다, 치솟다: His hopes *~ed.* 그의 희망은 원대했다. **5** 〈온도 등이〉 급상승하다; 〈물가가〉 폭등하다
— *vt.* 《시어》 날아서 …에 이르다

—*n.* **1** 높이 날기, 비상(飛翔) **2** 〖항공〗 활공의 범위[한도, 고도]

soar·a·way [sɔ́:rəwei] *a.* Ⓐ 《영》 (특히 성공이) 아주 대단한; 급성장하는

soar·er [sɔ́:rər] *n.* 나는 것; 《특히》 고성능 글라이더

soar·ing [sɔ́:riŋ] *a.* 날아오르는; 원대한; 급상승하는 —*n.* Ⓤ 활상(滑翔), 글라이더 활공

‡**sob¹** [sɑ́b | sɔ́b] [의성어] *v.* (**~bed**; **~·bing**) *vi.* **1** 흐느껴 울다, 흐느끼다(⇨ cry 유의어) **2** 〈바람·파도가〉 쏴쏴 소리내다; 〈기관이〉 쉭쉭 소리내다 **3** 숨을 헐떡이다[가쁘게 쉬다]

—*vt.* **1** 흐느끼며 말하다 《*out*》: He ~*bed* his acceptance. 그는 울음으로 수락의 뜻을 표했다. // (~+목+부) She ~*bed out* an account of her sad life. 그녀는 자기의 슬픈 신세 타령을 흐느끼며 늘어놓았다. **2** [~ one*self*로] 흐느껴 울다가 …하나 《*to, into*》: (~+목+전+명) The poor boy ~*bed him-self to* sleep. 가엾은 그 소년은 울다가 잠이 들었다.

~ ***away*** 계속 흐느껴 울다 ~ one***'s eyes out*** 몹시 울어 눈이 붓다, 눈이 퉁퉁 붓도록 울다 ~ one***'s heart out*** 가슴이 메도록 흐느껴 울다

—*n.* **1** 흐느낌, 오열 **2** 흐느끼는 듯한 소리, 쏴쏴하는 소리 《바람 따위의》

sob² *n.* 《영·속어》 1파운드

s.o.b., SOB [ésòubí:] [son of a bitch] *n.* 《미·속어》 개새끼

sob·bing [sɑ́biŋ | sɔ́b-] *a.* 흐느껴 우는

so·be·it [soubí:it] *conj.* 《고어》 만일 …하다면(if it be so that); 만일 …이라면(provided)

‡**so·ber** [sóubər] [OF 「취하지 않은」의 뜻에서] *a.* (**~·er, more ~**; **~·est, most ~**) **1** 술 취하지 않은, 술 마시지 않은, 맑은 정신의(opp. *drunken*): I've never seen him ~. 술 취하지 않은 그의 모습을 한 번도 본 적이 없다. **2** 절제하는, 술을 잘 안 마시는 〈사람〉 **3** 침착한, 얌전한 **4** 〈태도·성격 등이〉 엄숙한; 근실한; 진실한(⇨ serious 유의어): a ~ occasion 엄숙한 행사 **5** 〈색깔·옷 등이〉 수수한, 소박한 **6** 〈사실 등이〉 과장이 없는, 있는 그대로의 **7** 〈판단·표현이〉 냉정한, 감정적이 아닌: ~ restraint 냉정한 자제 **8** 〈비평·생각 등이〉 온건한, 균형 있는, 분별있는

(***as***) ~ ***as a judge*** (***on Friday***) 매우 진지한 ***become*** ~ 술이 깨다

—*vt.* **1** 술을 깨게 하다 《*up*》 **2** 침착하게 하다, 진지하게 하다, 냉정하게 하다 《*down*》

—*vi.* **1** 술이 깨다 《*up*》 **2** 침착해지다, 진지[냉정]해지다 《*down*》 **~·ness** *n.* ▷ sobríety *n.*

so·ber·ing [sóubəriŋ] *a.* 〈사람을〉 정신차리게 하는, 냉정[진지]하게 만드는

so·ber·ly [sóubərli] *ad.* **1** 술 기운 없이, 술 취하지 않고 **2** 진지[침착]하게, 냉정히

so·ber-mind·ed [sóubərmáindid] *a.* 침착[냉정]한; 분별있는

so·ber·sides [-sàidz] *n. pl.* [단수 취급] 《속어》 **1** 진실[근엄]한 사람: a humorous ~ 진지하면서 우스개도 잘하는 사람 **2** 무뚝뚝한 사람

so·bri·e·ty [səbráiəti, sou-] *n.* Ⓤ **1** 술 취하지 않음; 절주, 금주; 맑은 정신: a ~ test 음주 측정[검사] **2** 절제 **3** 진지함; 침착; 온건; 합리성

sobríety chéckpoint 음주 운전 검문소 《통칭 drunk driver trap》

so·bri·quet [sóubrəkèi, -kèt, ⌐–⌐ | sóubrikèi] [F] *n.* 별명(nickname), 가명

sób sìster 《미》 **1** 감상적인 기사만 쓰는 (여)기자 **2** 감상적인 자선가(sentimental do-gooder)

sób stòry 《미·구어》 눈물을 자아내는 이야기[구실]; 신세 타령, 동정을 사려는 변명

sób stùff 《구어》 눈물 짜게 하는 것 《소설, 영화, 장면 등》

SOC social overhead capital **Soc.** socialist; society; sociology

so·ca [sóukə] [*so*ul+*ca*lypso] *n.* 소카 《소울과 칼립소가 융합된 음악의 일종》

so·cage, soc·cage [sɑ́kidʒ | sɔ́-] *n.* 《중세 영》 〖법〗 (특별한 봉사 또는 차지료 지불에 의한) 차지권(借地權) 부여[병역 면제]

so·cag·er [sɑ́kidʒər | sɔ́-] *n.* socage에 의한 토지 보유자

‡**so-called** [sóukɔ́:ld] *a.* 소위, 이른바 《불신·경멸의 뜻을 포함함; cf. WHAT is called》: the ~ developing nations 소위 개발 도상국들

***soc·cer** [sɑ́kər | sɔ́-] [*assoc*iation football+*-er*] *n.* Ⓤ 축구(association football; cf. RUGGER)

sóccer mòm 《미》 사커 엄마 《도시 교외에 살고, 학교에 다니는 아이가 있는 전형적인 중류 백인 어머니》

so·cia·bil·i·ty [sòuʃəbíləti] *n.* **1** Ⓤ 사교성; 교제하기 좋아함, 붙임성 있음, 교제에 능란함 **2** [*pl.*] 사교적 행사

***so·cia·ble** [sóuʃəbl] *a.* **1** 사교적인, 교제하기를 좋아하는: Our new neighbors are not very ~. 새로 이사온 옆집 사람들은 그렇게 사교적이지 않다. **2** 사교에 능한, 붙임성 있는 **3** 친목의 〈모임 등〉

just to be ~ like 《구어》 교제상, 사교상

—*n.* **1** 4륜 마차의 일종 《좌석이 마주 봄》; 2인승 3륜 자전거, 2인승 비행기; 2인용 S자형 의자 **2** 《미》 (특히 교회 등의) 친목회

~·ness *n.* **-bly** *ad.* 사교적으로, 허물 없이

‡**so·cial** [sóuʃəl] *a.* **1** 사회적인, 사회의, 사회에 관한: ~ climate 사회적 풍토[기후] / the ~ code [morality] 사회 도의[도덕] / ~ columns[pages] (신문의) 사회면 / ~ lag 사회적 지체 / ~ politics[problems] 사회 정책[문제] / ~ skill 사회적 기능 / ~ statistics 사회 통계학 **2 a** 〈모임 등이〉 사교적인, 친목의 **b** 〈사람·성격 등이〉 사귐성이 있는; 사근사근한 **c** 사교계의, 상류 사회의 **3** 사회 사업의, 사회 복지의, 사회 봉사를 하는 **4** 사회 생활을 영위하는 **5** 사회주의의 **6** 〖동물〗 군거(群居)하는; 〖식물〗 군생(群生)하는, 군락을 이루는: ~ insects 군거성 곤충 **7** 《드물게》 동맹국[도시]간의 〈전쟁 등〉

—*n.* 친목회, 사교 클럽: a church ~ 교회 간친회 **~·ness** *n.*

sócial accóunting 〖경제〗 사회 회계(national accounting)

sócial áction 〖사회〗 사회적 행위; 《특히》 사회 개혁을 목표로 하는 조직적 활동

sócial anthropólogy 문화[사회] 인류학

sócial assístance (정부의) 사회 복지

sócial áudit (기업에 대한) 사회 감사 《종업원 처우·환경 대책 등에 관한》(ethical audit)

sócial bòok·mark·ing [-bùkmɑ:rkiŋ] 〖컴퓨터·통신〗 소셜 북마킹 《사용자가 자신의 북마크를 온라인에 저장·분류·공유할 수 있는 서비스》

sócial cláss 〖사회〗 사회 계급[계층]

sócial clímber 《경멸》 입신 출세주의자, 《특히》 상류 계급에 끼고 싶어 하는 사람

sócial clímbing 입신 출세를 위한 노력

sócial cónscience 사회적 양심

sócial cóntract[**cómpact**] [the ~] **1** 사회 계약설, 민약설(民約說) 《Hobbes, Locke, Rousseau 등이 제창》 **2** 《영》 사회 계약 《임금 상승률에 관한 정부·노동자 간의 협정》

sócial contról 〖사회〗 사회 통제

Sócial Crédit 〖경제〗 사회 신용설 《C.H. Douglas의 학설》

sócial dáncing 사교춤

sócial Dárwinism 사회 다윈주의 《다윈의 생물 진화론을 사회 현상에 적용》 **sócial Dárwinist** *n.*

Sócial Demócracy [종종 **s- d-**] 사회 민주주의 **sócial democrátic** *a.*

thesaurus **sob¹** *v.* weep, cry, shed tears, howl, bawl, snivel, blubber, whimper, wail
sober *a.* **1** 맑은 정신의 abstinent, temperate, moderate **2** 엄숙한 serious, solemn, grave, earnest,

sócial démocrat **1** 사회 민주주의자 **2** [**S- D-**] 사회 민주당원
Sócial Democrátic párty [the ~] **1** 〖역사〗 독일 사회 민주당 **2** (유럽의) 사회 민주당; (미국의) 사회 노동당
sócial differentiátion 〖사회〗 사회 분화
sócial disèase (결핵과 같은) 사회 질병; 성병 (venereal disease)
sócial disorganizátion 〖사회〗 사회 해체
sócial dístance 〖사회〗 사회적 거리 《개인·집단간의 친근도》
sócial drínker 사교적 음주가 《사교적인 자리에서만 적당히 마시는 사람》
sócial dúmping 소셜 덤핑 《개발 도상국이 저임금·저원가로 생산하여 해외에 덤핑하기》
sócial dynámics [단수 취급] 사회 동역학
sócial ecólogy 사회 생태학
sócial enginéering 사회 공학 《시스템 공학과 사회 과학의 결합에 의한 응용 사회 과학》
sócial évil **1** 사회악 **2** [the ~] (고어) 매춘
sócial evolútion 〖사회〗 사회 진화
sócial exclúsion (영) 사회적 배제[배척] 《실직·범죄·주택난 등 복합적 문제에 시달리고 개선될 가망도 없는 상황》
sócial fùnd 사회 기금 《재정적·가정적 문제가 있는 사람들을 돕기 위한》
sócial héritage 〖사회〗 사회적 유산
sócial hóusing (영국의) 사회 주택 《지방 정부나 단체가 저렴한 가격으로 팔거나 빌려 주는》
sócial hýgiene 성(性) 위생
Sócial Impérialism 사회 제국주의 《중국·미국이 구소련을 비난할 때 쓰던 용어》
sócial índicator 〖사회〗 사회 지표
sócial insúrance 사회 보험
Sócial Insúrance nùmber (캐나다의) 사회 보험 번호 《신원 증명서에 해당; 略 SIN》
∗**so·cial·ism** [sóuʃəlìzm] *n.* Ⓤ **1 사회주의**: state ~ 국가 사회주의 **2** 사회주의 운동
sócial isolátion 〖사회〗 사회적 고립 《다른 사람과의 커뮤니케이션·협동의 상실》
so·cial·ist [sóuʃəlist] *n.* **1** 사회주의자 **2** [**S~**] (미) 사회당원 **3** (완곡) 공산주의자 —*a.* **1** 사회주의의 **2** [**S~**] 사회당(원)의
so·cial·is·tic [sòuʃəlístik] *a.* 사회주의(자)의, 사회주의적 **-ti·cal·ly** *ad.*
Sócialist Internátional [the ~] 사회주의 인터내셔널 《1951년 설립》
Sócialist párty **1** 《일반적으로》 사회주의 정당 **2** [the S- p-] (미국의) 사회당 《1901년에 Eugen V. Debs 지도하에 결성》 **3** (구어) 영국 노동당
sócialist réalism 사회주의 리얼리즘 《구소련의 문학·예술의 입장과 창작 방법》
so·cial·ite [sóuʃəlàit] *n.* (미·구어) 사교계 명사
so·ci·al·i·ty [sòuʃiǽləti] *n.* (*pl.* **-ties**) **1** Ⓤ 교제를 좋아함; 사교성 **2** Ⓤ (인간·동물 등의) 사회성, 집단성, 군거성(群居性) **3** 교제, 사교; 사교적 행위
∗**so·cial·i·za·tion** [sòuʃəlizéiʃən | -lai-] *n.* Ⓤ **1** 사회화 **2** 사회주의화
∗**so·cial·ize** [sóuʃəlàiz] *vt.* **1 사교적[사회적]으로 만들다**; 사회화하다 **2** (미) 사회주의화하다 **3** 〖교육〗 〈학습을〉 학생과 교사의 합동 작업으로 하다 **4** (미) 〈농업·산업 등을〉 국영화하다
—*vi.* **1** 사회적으로 활동하다 **2** (미·구어) …와 교제하다 《*with*》 **-iz·er** *n.*
só·cial·ized médicine [sóuʃəlàizd-] (미) 의료 사회화 제도

---

calm, composed, dignified **3** (색이) 수수한 dark, somber, restrained, austere, quiet, restrained
social *a.* **1** 사회의 community, civil, civic, public **2** 사교적인 friendly, cordial, companionable

so·cial·ly [sóuʃəli] *ad.* **1** 사회적으로 **2** 사교상, 사교적으로 **3** 허물없이, 터놓고
sócial márket ecònomy 사회적 시장 경제 《사회 보장 제도의 틀 안에서 행해지는 자유 시장 경제》
so·cial-mind·ed [sóuʃəlmáindid] *a.* 사회 (복지)에 관심이 있는: ~ activities 사회 봉사 활동
sócial mobílity 〖사회〗 사회적 유동[이동]성 《주소·직업 계층 등의 이동》
sócial nètworking 〖컴퓨터·통신〗 소셜 네트워킹 《인터넷 상에서 같은 취미나 생각을 가진 사람들끼리의 네트워크 형성》: ~ site 소셜 네트워킹 웹사이트
sócial órder 사회 체제[질서]
sócial órganism [the ~] 〖사회〗 사회 유기체 《사회를 생물 유기체에 비겨 붙인 이름》
sócial organizátion 〖사회〗 사회 조직
sócial óverhead càpital 사회 간접 자본 《略 SOC》
sócial pathólogy 사회 병리(학)
sócial psychólogy 사회 심리학
sócial réalism (미) 〖미술〗 사회 사실주의 《1930년대 미국에서 일어난 미술 운동; 사회·정치적인 풍자의 묘사를 특징으로 함》
sócial recèssion 〖경제〗 사회적 침체
Sócial Régister 사교계 명사 인명록 《상표명》
sócial sáfety nèt 사회 안전망 《최저 생활 보장 제도》
sócial scíence **1** 사회 과학 《경제학·사회학·정치학 등의 총칭; 그 한 부문》 **2** 사회학(sociology)
sócial scíentist 사회 과학자
sócial sécretary 사교·사무 담당 비서
sócial secúrity **1** [종종 **S- S-**] (미) 사회 보장(제도) **2** (영) 생활 보호(《미》 welfare)
Sócial Secúrity Àct (미) 사회 보장법
Sócial Secúrity Nùmber [때로 **s- s- n-**] (미) 사회 보장 번호 《略 SSN》
sócial seléction 〖사회〗 사회 도태
sócial sérvice **1** (교회·병원·자선 단체 등의) 사회 복지 사업 **2** [*pl.*] (영) 정부의 사회 복지 사업
sócial sèttlement 〖사회〗 = SETTLEMENT 3
sócial stùdies (학교 교과로서의) 사회
sócial tóurism (정부·회사가) 여비의 일부[전부]를 부담하는 여행; 그러한 것을 다루는 여행업
sócial wásp 군거(群居) 말벌 《호박벌·말벌 등 집단 생활을 하는》
sócial wélfare **1** 사회 복지 **2** = SOCIAL WORK
sócial wòrk 사회 (복지) 사업
sócial wòrker 사회 사업가
so·ci·e·tal [səsáiətl] *a.* 사회의; 사회 활동[관습]의 **~·ly** *ad.*
∗∗∗**so·ci·e·ty** [səsáiəti] *n.*, *a.*

> L 「친구」의 뜻에서 → 「친구와 사귐」
> → 「교제」 **4**
> → (사람들의 모임) → 「사회」 **2**
> → (목적이 있는 모임) 「협회」 **1**

—*n.* (*pl.* **-ties**) **1** (종교·자선·문화·정치 등 공통된 목적을 갖는) **회, 모임, 협회, 학회, 조합, 단체, 연구회**: a literary ~ 문학회 / a learned ~ 학회 **2 a** Ⓤ **사회** (집단); Ⓒ 지역 사회, 공동체: human ~ 인간 사회 / primitive ~ 원시 사회 **b** 사회적 생활양식; 사회 관습 **3** (국가 형태로 본) 사회, 국가 사회: American ~ 미국 사회 **4** Ⓤ **사교**, 교제, 세상, 항간: in ~ 사교계에서 **5** Ⓤ 사교계 (사람들); [종종 **S~**] 상류 사회 **6** 군집(community)
go into ~ 사교계에 나가다 ***move in ~*** 사교계에 드나들다 ***the S~ for the Propagation of the Gospel*** 복음 전도회 《略 S.P.G.》
—*a.* 사교계의, 상류 사회의: a ~ column (신문의) 사교란 / a ~ man[lady, woman] 사교계 인사[여성]
Socíety Íslands [the ~] 소시에테 제도 《남태평

양에 있는 프랑스령 제도; 최대의 섬은 Tahiti》
Society of Friends [the ~] 프렌드 교파《퀘이커 교파의 공식 명칭》
Society of Jésus [the ~] 예수회《1534년에 Ignatius de Loyola가 창시한 수도회; 略 S.J.》
socíety vèrse 사교 시(詩)《상류 사교계의 취미에 맞는 경쾌하고 우아한 시》
socio- [sóusiou, -siə, -ʃiə] 《연결형》「사회의(social); 사회학의(sociological)」의 뜻
so·ci·o·bi·o·log·i·cal [sòusiəbàiəládʒikəl | -lɔ́dʒi-] *a.* 사회 생물학상의
so·ci·o·bi·ol·o·gy [sòusiəbaiálədʒi | -ɔ́lə-] *n.* Ⓤ 사회 생물학 **-gist** *n.*
so·ci·o·cul·tur·al [sòusiəkʌ́ltʃərəl] *a.* 사회 문화적인 **~·ly** *ad.*
so·ci·o·e·col·o·gy [sòusiouikálədʒi | -kɔ́-] *n.* Ⓤ 사회 생태학
so·ci·o·ec·o·nom·ic [sòusiəèkənámik | -nɔ́-] *a.* 사회 경제적인: ~ status 사회 경제적 지위 **-i·cal·ly** *ad.*
so·ci·o·ec·o·nom·ics [sòusiouì:kənámiks | -nɔ́-] *n. pl.* [단수 취급] 사회 경제학(social economics)
so·ci·o·gram [sóusiəgræ̀m, -ʃiə-] *n.* 《사회》 소시오그램《조직내의 인간 관계를 계량 사회학적으로 나타낸 도식·도표》
sociol. sociological; sociologist; sociology
so·ci·o·lect [sóusiəlèkt, -ʃiə-] *n.* (여러 사회 계층이 쓰는) 다양한 언어; 사회적 방언(social dialect)
so·ci·o·lin·guis·tic [sòusiəliŋgwístik] *a.* 사회 언어학의, 언어의 사회적인 면에 관한
so·ci·o·lin·guis·tics [sòusiəliŋgwístiks] *n. pl.* [단수 취급] 《언어》 사회 언어학
so·ci·ol·o·gese [sòusiàlədʒí:z, -dʒí:s, -ʃi- | -ɔ̀lədʒí:z] *n.* (경멸) **1** 사회학(적) 용어 **2** 사회학자적 어법[문체]
so·ci·o·log·ic, -i·cal [sòusiəládʒik(əl), -ʃiə- | -lɔ́dʒ-] *a.* **1** 사회학의, 사회학적인, 사회학상의 **2** 사회적 측면을 다룬, 사회 환경[문화]론적인 **3** 사회의, 사회 문제[조직]의 **-i·cal·ly** *ad.*
***so·ci·ol·o·gy** [sòusiálədʒi, -ʃi- | -ɔ́l-] *n.* Ⓤ **1** 사회학 **2** 군집(群集) 생태학(synecology) **-gist** *n.*
so·ci·o·met·ric [sòusiəmétrik, -ʃiə-] *a.* 《심리》 소시오메트리의; 사회 관계를 측정하는
so·ci·om·e·try [sòusiámətri, -ʃi- | -ɔ́m-] *n.* Ⓤ 《심리》 소시오메트리, 계량 사회학《사회 관계의 측정·진단·변혁의 기법》
so·ci·o·path [sóusiəpæ̀θ, -ʃiə-] *n.* 《정신의학》 반(反)사회적 이상 성격자 **sò·ci·o·páth·ic** *a.*
so·ci·o·po·lit·i·cal [sòusiəpəlítikəl] *a.* 사회 정치적인
so·ci·o·psy·cho·log·i·cal [sòusiəsàikəládʒikəl | -lɔ́dʒ-] *a.* 사회 심리학적인
so·ci·o·re·li·gious [sòusiərilídʒəs] *a.* 사회 종교학적인, 사회적·종교적 두 요소의 결합에 관한
so·ci·o·tech·no·log·i·cal [sòusiətèknəládʒikəl | -lɔ́dʒi-] *a.* 사회 공학적인
‡**sock**[1] [sák | sɔ́k] [L 「뒤축이 낮은 구두」의 뜻에서] *n.* **1** (*pl.* **~s, sox** [sáks | sɔ́ks]) [보통 *pl.*] 짧은 양말(⇨ stocking [유의어]) **2** (구두 안에 까는) 가죽 바닥 **3** [보통 *pl.*] (고대 그리스·로마에서 희극 배우가 신던) 가벼운 신발 **4** 희극(cf. BUSKIN) **5** (속어) 돈주머니, 금고 ***knock*** [***beat, blow, rot***] a person***'s ~s off*** (구어) …을 기겁하게 하다; 기뻐 어쩔 줄 모르게 하다; …을 때려눕히다 ***Put*** [***Stuff***] ***a ~ in*** [***into***] ***it!*** (영·익살) 입 닥쳐! ***Pull your ~s up!*** = ***Pull up your ~s!*** (영·구어) 기운 내라; 정신 차리고 덤벼라!
— *vt.* **1** …에 양말을 신기다 **2** 〈장사·흥행 등이〉 수익을 가져오다 **~ *away*** (속어) 돈을 따로 떼어 두다
~·less *a.*
sock[2] (속어) *vt.* 때리다, 강타하다; 〈사람에게〉 (돌 등을) 던지다 《*with*》 **~ *in*** [보통 수동형으로] (속어) (안개 등으로) 공항[활주로]을 폐쇄시키다, 비행기의 착륙을 불가능하게 하다 **~ *it*** (***out***) (속어) 〈음악을〉 힘차게 연주하다 **~ *it to ...*** (속어) 마음껏 골탕 먹이다; …에 강한 충격[인상]을 주다; 거세게 비난하다; (속어) …을 기운나게 하다…을 명랑하게 만들다
— *n.* **1** 주먹으로[자갈로] 치기, 강타 **2** 강타력, 충격 **3** 《야구》 히트; (미) (흥행의) 성공 ***give*** a person ***~*** (***s***) …을 치다, 때리다
— *ad.* 바로, 정통으로(squarely, right)
sock[3] *n.* (영·학생속어) (Eton교의) 음식, 과자, 간식
sock·dol·a·ger, -dol·o·ger [sakdálədʒər | sɔkdɔ́-] *n.* (고어·속어) **1** 터무니없이 큰[무거운] 것 **2** 결정적 타격, 큰 타격; 결정적 의론[응답], 마지막 일격
sock·er[1] [sákər | sɔ́-] *n.* (영) = SOCCER
socker[2] *n.* (속어) 강타자
***sock·et** [sákit | sɔ́-] *n.* **1** 꽂는[끼우는] 구멍, 창붓구멍, 축(軸)받이 **2** (전구 등을 꽂는) 소켓, 벽소켓; (촛대의) 초꽂이 **3** 《해부》 와(窩), 강(腔): the ~ of the eye 눈구멍 **4** 《골프》 클럽의 힐
— *vt.* **1** …에 소켓을 달다; 소켓에 끼우다 **2** 《골프》 클럽의 힐로 치다
sócket òutlet 《전기》 (벽의) 콘센트
sócket wrènch 《기계》 소켓 렌치, 박스 스패너
sock·ing [sákiŋ | sɔ́k-] *a.* (영·고어·구어) [다음 성구로] **~ *great*** 아주 큰, 굉장한
sock·o [sákou | sɔ́-] (속어) *a.* 훌륭한, 압도적인, 대성공의, 인기 절정의: a ~ performance 훌륭한 연기 — *n.* (*pl.* **~s**) 대히트, 성공, 명중; 《복싱》 통쾌한 강타 — *vi.* 《복싱》 강타하다; 대성공을 거두다
sóck pùppet **1** 양말 인형《손에 입혀 손가락으로 조정》 **2** (인터넷속어) 가짜 온라인 신분
sóck suspènders (영) 양말 대님((미) garters)
so·cle [sákl, sóukl | sóukl] *n.* 《건축》 (기둥의) 받침돌, 주춧돌(plinth)
Soc·ra·tes [sákrətì:z | sɔ́k-] *n.* 소크라테스(470-399 B.C.)《고대 아테네의 철학자》
So·crat·ic [səkrǽtik, sou- | sɔ-] *a.* 소크라테스(철학)의, 소크라테스식 문답법의: ~ irony 소크라테스의 변증법《상대방에게 가르침을 청하는 체하면서 그의 잘못을 드러내게 유도함》
— *n.* 소크라테스 학도[문하]; 소크라테스파
Socrátic méthod [the ~] 소크라테스식 문답법
sod**[1] [sád | sɔ́d] *n.* Ⓤ **1** 잔디, 떼; 잔디밭(turf) **2** (시어) 땅 ***the old ~ (구어) 고향, 조국 ***under the ~*** 매장되어: put a person *under the ~* …을 죽이다
— *vt.* (**~·ded**; **~·ding**) …에 잔디[뗏장]를 입히다
sod[2] *v.* (고어) SEETHE의 과거
sod[3] [sodomite의 단축형] *n.* (영·속어·경멸) **1** 남색자(男色者); 동성애자 **2** 놈, 녀석; 개구쟁이
not give [***care***] ***a ~*** (속어) 전혀 개의치 않다
— *vt.* (**~·ded**; **~·ding**) [명령형으로 써서] 뒈져라 ***S~ it!*** (속어) 제기랄, 젠장, 쳇! ***S~ off!*** (영·속어) 나가, 꺼져!
‡**so·da** [sóudə] *n.* **1** Ⓤ 소다, 나트륨 화합물《특히 탄산소다, 중탄산소다(중조), 가성소다 등》 **2** Ⓤ (주로 미) 소다수, 사이다《가미한 탄산음료》(=~ pop) **3** 크림소다 **~·less** *a.*
sóda àsh 《화학》 소다회(灰)《공업용 탄산소다》
sóda bìscuit = SODA CRACKER
sóda brèad 소다빵
sóda cràcker 살짝 구운 비스킷
sóda fòuntain **1** (꼭지로 따르는) 소다수(水) 통 **2** 소다수 판매장[판매대]《아이스크림, 청량음료, 가벼운 식사도 파는》
sóda jèrk(**er**) (미·구어) soda fountain의 점원

thesaurus **soft** *a.* **1** (감촉이) 부드러운 smooth, velvety, cushiony, silky, furry **2** (목소리가) 부드러운 hushed, whispered, murmured, low, quiet, mellow, melodious **3** (색이) 수수한 dull, pale, light, pastel, subdued, restrained **4** (날씨가) 온화한

sóda làke 소다호(湖) 《나트륨염을 많이 포함한 호수》
sóda lìme 소다 석회
so·da·list [sóudəlist] *n.* 〖가톨릭〗 교우회 회원; 단체[조합]의 일원
so·dal·i·ty [soudǽləti, sə-] *n.* (*pl.* **-ties**) **1** 협회; 조합 **2** 〖가톨릭〗 교우회 **3** Ⓤ 우정
sód áll (영·속어·경멸) 아무 것도[아무도] …아니다, 전혀 …없다 《금기하는 표현》(none[nothing] at all)
sóda pòp (미·구어) (가미한) 소다수(水)
so·dar [sóudɑ:r] [*so*und *d*etecting *a*nd *r*anging] *n.* 〖기상〗 음파 기상 탐지기
sóda sìphon 소다 사이펀 《탄산수를 담을 수 있게 제작된 병》
sóda wàter (가미하지 않은) 소다수, 탄산수
sod·bust·er [sɑ́dbʌ̀stər | sɔ́d-] *n.* (미·경멸) 경작자, 땅을 가는 농부
sod·den[1] [sɑ́dn | sɔ́dn] *a.* **1** 물에 잠긴, 흠뻑 젖은 《*with*》 **2** 〈빵이〉 설구워진; 물에 불은 **3** 습한: ~ air 습한 공기 **4** 〈얼굴이〉 부은; 무표정한, 우둔한 **5** [복합어를 이루어] 술에 절은; (음주로) 멍청해진, 몽롱한 **6** 무기력한, 기운 없는 **7** (고어) 삶은
— *vt.* **1** 적시다, 담그다, 흠뻑 젖게 하다 《*with*》 **2** 술에 절게 하다 **3** 멍청하게 하다, 바보가 되게 하다
— *vi.* **1** 물에 잠기다, 물이 스며들다 《*into*》 **2** 말랑말랑해지다; (물에) 불다; 썩다 **~·ly** *ad.* **~·ness** *n.*
sodden[2] *v.* (고어) SEETHE의 과거분사
sod·ding [sɑ́diŋ | sɔ́-] *a.* (영·속어) 괘씸한; 심한, 꺼림칙한
sod·dy [sɑ́di | sɔ́di] *a.* (**-di·er**; **-di·est**) 떼의, 잔디의 — *n.* (*pl.* **-dies**) (미서부) 뗏집
so·dic [sóudik] *a.* 〖농업〗 나트륨을 포함한; 염분이 많은 〈토양 《등》〉
***so·di·um** [sóudiəm] *n.* Ⓤ 〖화학〗 **나트륨**, 소듐 《기호 Na, 원자번호 11》
sódium ázide 〖화학〗 아지드화(化) 나트륨
sódium bénzoate 〖화학〗 벤조산나트륨
sódium bicárbonate 〖화학〗 탄산수소나트륨, 중탄산나트륨
sódium borohýdride 〖화학〗 수소화붕소나트륨
sódium cárbonate 〖화학〗 탄산나트륨, (탄산)소다
sódium chlórate 〖화학〗 염소산나트륨
sódium chlóride 〖화학〗 염화나트륨, 소금
sódium cítrate 〖화학〗 구연산나트륨
sódium cýanide 〖화학〗 시안화나트륨
sódium dichrómate 〖화학〗 중크롬산나트륨
sódium flúoride 〖화학〗 플루오르화나트륨
sódium flu·o·ro·ác·e·tate [-flùərouǽsətèit] 〖화학〗 플루오르화아세트산나트륨
sódium hydróxide 〖화학〗 수산화나트륨, 가성 소다
sódium hypochlórite 〖화학〗 하이포아염소산나트륨
sódium hyposúlfite 〖화학〗 티오황산나트륨
sódium íodide 〖화학〗 요오드화나트륨
sódium metasílicate 〖화학〗 메타규산나트륨
sódium nítrate 〖화학〗 질산나트륨
sódium nítrite 〖화학〗 아질산나트륨
sódium óxide 〖화학〗 산화나트륨
sódium pùmp 〖생화학〗 나트륨 펌프 《세포막을 통하여 나트륨 이온을 운반하는 기구(機構)》
sódium salícylate 〖화학〗 살리실산나트륨
sódium sílicate 〖화학〗 규산나트륨
sódium súlfate 〖화학〗 황산나트륨
sódium thiosúlfate 〖화학〗 티오황산나트륨
sódium tri·pol·y·phós·phate [-tràipɑlifɑ́sfeit | -pɔlifɔ́s-] 〖화학〗 삼인산 나트륨

---

gentle, mild, moderate, light, calm, delicate **5** **싹싹한** sympathetic, kind, tender, affectionate, loving, warm, sweet, sentimental **6** **관대한** easygoing, tolerant, forgiving, forbearing, lenient, permissive, liberal, docile, tender-hearted

só·di·um-va·por làmp [sóudiəmvèipər-] 〖전기〗 나트륨등(燈) 《등황색 빛의 도로 조명용》
Sod·om [sɑ́dəm | sɔ́-] *n.* **1** 〖성서〗 소돔 《사해(死海) 남안의 옛 도시; 죄악이 많아 Gomorrah와 함께 신이 멸망시켰다고 전해짐; 창세기 18-19》 **2** 죄악[타락]의 장소; 범죄 도시
Sódom and Gomórrah 소돔과 고모라, (성적으로) 문란한 곳
Sod·om·ite [sɑ́dəmàit | sɔ́-] *n.* **1** 소돔 사람 **2** [**s~**] 남색자(男色者), 비역질하는 사람
sod·om·ize [sɑ́dəmàiz | sɔ́-] *vt.* …에게 비역을 하다; 동성[이성]에게 비역을 하다; 수간(獸姦)하다
sod·om·y [sɑ́dəmi | sɔ́-] *n.* Ⓤ 남색(男色), 비역; 수간(獸姦)
Sód's Láw (영·익살) 소드[머피]의 법칙 《어떤 일이 잘못될 가능성이 있으면 결국은 잘못되는 경향이 있다는》
sód wídow (미·속어) 미망인, 과부(cf. GRASS WIDOW)
so·ev·er [souévər] *ad.* (문어) **1** 설혹[아무리] …이라도, 어떠한 …라도: *how* wide ~(=*how* ~wide) the difference may be 차이가 아무리 클지라도 / Choose what thing ~ you please. 마음에 드는 걸로 아무거나 고르세요. **2** [부정어를 강조하여] 조금도, 전연(at all): He has *no* home ~. 그 사람은 집이라곤 없는 사람이다.
SOF sound on film
***so·fa** [sóufə] [Arab. 「긴 벤치」의 뜻에서] *n.* **소파**, (등과 팔을 기댈 수 있는 침대 모양의) 긴 의자
SOFA Status of Forces Agreement (한미) 주둔군 지위 협정
sófa bèd 침대 겸용 소파
so·far [sóufɑ:r] [*so*und *f*ixing *a*nd *r*anging] *n.* 수중 측음(測音) 장치 《조난자 구조용》(cf. SONAR)
sófa tàble (소파의 앞에 놓는) 소형 테이블
sof·fit [sɑ́fit | sɔ́-] *n.* 〖건축〗 **1** 아래 쪽[끝], 처마 안쪽 **2** (아치·계단 등의) 아래 면, 뒤쪽
So·fi, So·fism [sóufi(zm)] *n.* = SUFISM
So·fi·a [sóufiə, soufí:ə] *n.* 소피아 《Bulgaria의 수도》
S. of Sol. 〖성서〗 Song of Solomon
⁑**soft** [sɔ́:ft, sɑ́ft | sɔ́ft] *a.* **1** **부드러운**, 연한(opp. *hard, tough*); 흐늘흐늘한, 연약한 **2** 〈직물·가죽 등이〉 감촉이 좋은, 보들보들한; 매끄러운; 매끈매끈한(smooth): ~ skin 보들보들한 살결 / ~ hair 부드러운 머리털 **3** 〈잠 등이〉 기분 좋은, 아늑한, 쾌적한 **4 a** 〈목소리가〉 부드러운, 조용한, 낮은; 〈음악이〉 감미로운: speak in ~ tone 조용한 어조로 이야기하다 **b** 〖음성〗 연음(軟音)의 《gem의 *g* [dʒ], city의 *c* [s]》; 유성음의 《[b], [g], [d] 등》 **5 a** 〈색이〉 점잖은, 침침한, 수수한 **b** 〈윤곽·선 등이〉 순한; 부드러운: ~ outlines 부드러운 윤곽 **6** 〈날씨·기후·계절이〉 **온화한**, 따스한(mild); 상쾌한; 습하고 눅은, 습하고 따스한, 비가 내리는, 눈이 녹는: ~ breezes 미풍 **7** 〈기질·행동·태도·언어 등이〉 싹싹한, 인자한, 어진: a ~ heart 싹싹한[상냥한] 마음 / appeal to the ~*er* side of a person's character …의 자비심에 호소하다 **8** 〈말·시선·미소 등이〉 달콤한(amorous), 말솜씨가 좋은: ~ glances 추파 **9 a** 엄하지 않은, 관대한 〈판결 등〉: a ~ sentence 관대한 판결 **b** (적에 대해) 관대한, 융화적인 《*on*》 **c** 〈정책·정치 노선이〉 유연한; 비무력적인 **d** 〈충격이〉 가벼운 **10** 호의적인; 우직한, 속기 쉬운; (여자에게) 반한 **11 a** 나약한, 여자 같은(effeminate): ~(*er*) sex 여성 **b** 유장(悠長)한, 안일한 **12** (구어) 편한, 수월하게 돈벌이가 되는: a ~ job 한직 **13 a** 〈통화가〉 연화(軟貨)인 **b** 지폐인 **c** 대출 조건이 까다롭지 않은 **14** 〖상업〗 〈시장·시가 등이〉 약세의 **15** 〖사진〗 〈렌즈·초점이〉 흐릿한 **16** 〈착륙이〉 연착륙인 《기체와 내용물을 손상시키지 않는》 **17** 〈국회의원·유권자가〉 부동적인: ~ voters 부동표(浮動票) **18** (구어) 멍청한, 머리 나쁜: He is a bit ~ (in the head). 그는 머리가 좀 모자란다. **19** 〖화학〗 연성(軟性)의, 연수(軟水)의(opp.

hard): ~ metal 연질(軟質) 금속 **20 a** 《구어》 맛이 순한[부드러운], 〈음식이〉 소화가 잘 되는 **b** 《미·속어》 알코올 성분이 없는: ⇨ soft drink **21** 〈마약이〉 습관성이 약한
A ~ answer turneth away wrath. 『성서』 유순한 대답이 분노를 풀어준다. ***a ~ thing*** 수월한 돈벌이 ***be ~ on*** …에 반하다 ***go ~*** 연화(軟化)하다 ***have a ~ thing on*** 《구어》 누워서 떡 먹기다 ***S~ and fair goes far.*** 온유한 태도가 결국 이긴다.
— *n.* **1** 부드러운 것, 연한 부분 **2** 《구어》 바보, 멍청이 **3** [the ~] 돈
— *ad.* 상냥하게, 부드럽게, 싹싹하게, 평온하게
— *int.* 《고어》 조용히, 쉿, 서둘지 마라, 멈춰라
▷ sóften *v.*; sófty, sóftish *a.*; sóftly *ad.*
soft·back [sɔ́:ftbæ̀k] *n., a.* = PAPERBACK
soft·ball [-bɔ̀:l] *n.* Ⓤ 《미》 소프트볼 《10명이 하는 야구의 일종》; Ⓒ 그 공 **~·er** *n.*
soft-boiled [-bɔ́ild] *a.* **1** 반숙한 〈달걀 등〉 **2** 《구어》 감상적인, 눈물이 헤픈, 연약한
soft·bound [-bàund] *a.* 〈책의 제본이〉 페이퍼백(paperback)인(cf. HARDBOUND)
sóft céntre 《영》 **1** [보통 *pl.*] 안이 부드러운 초콜릿 **2** (강해 보이는 모습 속의) 연약함, 연약한 부분
soft-cen·tered [-séntərd] *a.* (초콜릿 따위의 속에) 크림 같은 것이 들어 있는; 〈사람이〉 온순한, 감상적인
sóft cháncre 『병리』 연성 하감(軟性下疳)(chancroid)
sóft cóal 역청탄(bituminous coal)
sóft commódities 소프트 상품 《곡물, 설탕 등 금속 이외의 상품》
sóft còpy 『컴퓨터』 소프트 카피 《인쇄지에 기록된 hard copy에 대하여 기록으로 남지 않는 디스플레이 장치로의 출력을 이름》
sóft córe 덜 노골적인 포르노
soft-core [-kɔ́:r] *a.* **1** (영화 등에서) 〈성 묘사가〉 덜 노골적인, 암시적인 **2** 쉬운: ~ math 쉬운 수학
sóft còrn 발가락 사이의 티눈
soft·cov·er [-kʌ̀vər] *a., n.* = PAPERBACK
sóft cúrrency 《미》 『경제』 연화(軟貨) 《달러로 바꿀 수 없는 통화; cf. HARD CURRENCY》
sóft detérgent 연성 세제 《생물 분해성 세제》
sóft dóck 『우주과학』 소프트 도킹, 연결합(軟結合) 《기계적 결합이 아닌 나일론끈 등에 의한 선체의 도킹》
sóft drínk 무(無)알코올성 음료, 탄산이 주입된 청량음료 《root beer, ginger ale 등》
soft·drug [-drʌ̀g] *n.* 중독성이 없는 환각제[마약] 《마리화나 등》
‡**soft·en** [sɔ́:fən, sɑ́- | sɔ́-] *vt.* **1** 부드럽게[연하게] 하다, 온화하게 하다: ~ water 물을 연수로 만들다 **2** 〈색·빛·소리·음성을〉 부드럽게 하다, 낮게 하다 **3** 〈마음을〉 누그러지게 하다, 완화시키다; 〈고통·분노 등을〉 덜다, 경감하다 **4** 연약[나약]하게 하다; 〈의욕 등을〉 꺾다; 〈물가·요구 등을〉 억제하다, 낮게 하다 **5** 〈적의 저항력을〉 (폭격 등으로) 약화시키다 《*up*》 **6** 『음성』 〈c, g를〉 연음화하다 《c를 [s]로, g를 [dʒ]로 발음》
— *vi.* **1** 부드러워지다 **2** 〈마음이〉 누그러지다, 나약해지다 **3** 연해져 …이 되다 《*into*》
~ into tears 감격하여 울다 ***~ up*** (1) (연속 폭격 등으로) 적의 저항력을 약화시키다 (2) (설득·선전 등으로) 태도를 부드럽게 하다 ▷ sóft *a.*
soft·en·er [sɔ́:fənər, sɑ́- | sɔ́-] *n.* **1** 부드럽게 하는 사람[것]; 온화하게 하는 하는 사람[것] **2** 『화학』 (경수를 연수로 만드는) 연화제[장치]
sóft énergy 소프트 에너지 《태양열·풍력 등을 이용해서 얻는 것》
soft·en·ing [sɔ́:fəniŋ, sɑ́- | sɔ́-] *n.* Ⓤ **1** 연화(軟化) **2** 연수법(軟水法) ***~ of the brain*** (1) 『병리』 뇌연화(증) (2) 《구어》 노망, 우둔
sóft érror 『컴퓨터』 소프트 오류 《프로그램이나 운영 체제를 중단시키는 오류이나, 컴퓨터를 끄고 다시 켜면 고칠 수 있는 것》
soft-finned [sɔ́:ftfínd, sɑ́ft- | sɔ́ft-] *a.* 지느러미가 부드러운
sóft fócus 『사진』 연초점(軟焦點), 연조(軟調)
sóft-fòcus *a.*
soft-foot·ed [-fútid] *a.* 조용히 걷는
sóft frúit 《영》 = SMALL FRUIT
sóft fúrnishings 《영》 실내 장식용 커튼[매트, 의자 커버 등]
sóft gòods 《영》 비내구재(非耐久財), 《특히》 섬유 제품 《직물, 카펫, 의복 등》
sóft háil 싸라기눈(graupel)
sóft hát 《미》 중절모자(felt hat)
soft·head [-hèd] *n.* 바보, 얼간이
soft·head·ed [-hédid] *a.* 저능한, 멍청한; 비현실적인, 비판력 없는 **~·ly** *ad.* **~·ness** *n.*
soft·heart·ed [-hɑ́:rtid] *a.* 마음씨 고운, 인정 많은, 자애로운, 동정심 있는 **~·ly** *ad.* **~·ness** *n.*
sóft hýphen 『컴퓨터』 소프트 하이픈 《워드 프로세싱에서 행 끝에서 단어가 끊길 때 사용되는 하이픈》 (cf. HARD HYPHEN)
soft·ie [sɔ́:fti, sɑ́fti | sɔ́fti] *n.* = SOFTY
soft·ish [sɔ́:ftiʃ, sɑ́f- | sɔ́f-] *a.* 다소 부드러운
soft-land [sɔ́:ftlæ̀nd | sɔ́ft-] *vi.* 〈우주선 등이〉 연착륙하다 — *vt.* 연착륙시키다 — *n.* 연착륙
soft-land·er [-læ̀ndər] *n.* 연착륙형 우주선
sóft lánding 1 《미》 『경제』 연착륙 《경기 후퇴, 실업 증가 등을 일으키지 않고 서서히 경제 성장률을 내리는 일》 **2** (우주선의) 연착륙(cf. HARD LANDING, SPLASHDOWN): a ~ on the moon 월면 연착륙
sóft léns 소프트 렌즈 《삼투성 플라스틱으로 만든 콘택트렌즈》
sóft líne (정치·자세 등의) 온건 노선
soft-lin·er [-láinər] *n.* 온건파(의 사람)
sóft lòan 『경제』 연화 차관(軟貨借款) 《dollar 등 국제 통화로 빌려주고 현지 통화로 상환받는 유리한 차관》
‡**soft·ly** [sɔ́:ftli, sɑ́ft- | sɔ́ft-] *ad.* **1** 부드럽게; 조용히, 살며시 **2** 살살 **3** 까다롭지 않게, 너그럽게, 관대하게
soft·ly-soft·ly [-sɑ́ftli | -sɔ́ftli] *a.* 《영·구어》 (방식이) 온건한, 유화적인
soft·ly-spok·en [-spóukən] *a.* = SOFT-SPOKE
sóft móney 지폐, 어음; 구매력[가치]이 떨어진 돈 (opp. *hard money*)
soft·ness [sɔ́:ftnis | sɔ́ft-] *n.* Ⓤ **1** 부드러움 **2** 싹싹함 **3** 관대함
sóft nóthings 남녀가 잠자리에서 주고받는 정담
sóft pálate 『해부』 연구개(軟口蓋)(velum)(opp. *hard palate*)
sóft pàste 연질 자기(軟質磁器)
sóft pàth 소프트 패스 《태양열·풍력 등 자연 에너지를 이용하는 방침》
sóft pédal 1 (피아노의) 약음 페달, 소프트 페달 **2** 《구어》 억제하는 것: put a ~ on a person's enthusiasm …의 열의에 찬물을 끼얹다 ***step on the ~*** 《구어》 완화시키다, 약화시키다
soft-ped·al [sɔ́:ftpédl | sɔ́ft-] *vi.* **1** 소프트 페달을 사용하다 **2** (…에 대해) 어조를 누그러뜨리다 《*on*》
— *vt.* **1** 〈피아노의〉 소리를 부드럽게 하다 **2** 《구어》 〈어조·음조 등을〉 부드럽게 하다(tone down)
sóft pórn 덜 노골적인 외설 영화
sóft róck 『음악』 소프트 록 《점잖은 로큰롤》
sóft róe (물고기 수컷의) 이리, 어백
sóft ròt 『식물병리』 (균류에 의한) 부패병
sóft sáwder 《속어》 아첨, 간살
sóft scíence 소프트 사이언스 《인간의 행동·제도·사회 등을 과학적으로 연구; 심리학·사회학·인류학·정치학 등》
sóft scùlpture 부드러운 조각 《천·플라스틱 등을 소재로 한 조각》
sóft séll [보통 the ~] 《미》 온건한 판매 방법 《암시·설득 등에 의한; opp. *hard sell*》
soft-shell [-ʃèl] *a.* **1** 〈게 등이〉 연갑(軟甲)의; (탈피

직후에) 껍질이 무른 **2** 〈주의·사상이〉 중도적인, 온건한
— *n.* 연갑 동물, (연갑의) 게, 자라; ＝SOFT-SHELL CLAM; 중도적인[온건한] 사람

sóft-shell clám 〖패류〗 다랑조개 《북미산 식용 조개》

soft-shelled [-ʃéld] *a.* ＝SOFT-SHELL

sóft-shelled túrtle 〖동물〗 자라

soft-shoe [-ʃúː] *a.* (금속 징을 박지 않은 신을 신고 추는) 탭댄스의

sóft shóulder 포장하지 않은 갓길

sóft skìll 대인 관계를 조화롭게 하는 부드러운 기술

sóft sóap **1** 연성 비누 **2** 《구어》 아첨(flattery); 교묘한 설득

soft-soap [-sóup] *vt.* 《구어》 알랑거려 목적을 달성하다, 아첨하다 **~·er** *n.*

sóft sólder 연랍(軟鑞) 《납땜용》

soft-spo·ken [-spóukən] *a.* 〈말씨가〉 부드러운, 상냥한

sóft spòt **1** (방어 등이) 허술한 곳, 약점 **2** 감수성; 《구어》 (…에 대한) 특별한 애착, 편애 《*for*》

sóft stéel 연강(軟鋼)

sóft súgar 그래뉴당(糖), 분말당

soft·tack [-tæ̀k] *n.* (hardtack과 대비해) 보통 빵

sóft tárget 〖군사〗 연목표(軟目標) 《방호 수단이 없어 비교적 파괴하기 쉬운 목표》

sóft technólogy 소프트 테크놀로지 《태양열 등 자연 에너지를 이용하는 과학 기술》

sóft tíssues 〖생물〗 연(軟)조직 《근육·힘줄·혈관 등》

soft-top [-tɑ̀p | -tɔ̀p] *n.* 지붕을 접을 수 있는 자동차·모터보트(convertible)(cf. HARDTOP)

sóft tóuch 《구어》 **1** 설득하기 쉬운 상대; 돈을 잘 꾸어 주는 사람 **2** 영향받기[속기] 쉬운 사람

sóft tóy 《영》 봉제 동물 인형(stuffed animal)

sóft underbélly 공격받기 쉬운 지점, 취약점; 급소, 약점

∗**soft·ware** [sɔ́ːftwὲər, sɑ́ft- | sɔ́ft-] *n.* Ⓤ 소프트웨어 《컴퓨터·어학 실습실·우주 로켓의 설계·설치·프로그래밍에 관한 시스템이나 서비스의 총칭; cf. HARDWARE》

sóftware ènginеer 소프트웨어 엔지니어, 컴퓨터 프로그램 제작자

sóftware hòuse 소프트웨어 (개발) 회사

sóftware pàckage 〖컴퓨터〗 소프트웨어 패키지 《특정한 작업을 수행하기 위해 작성된 프로그램으로, 제작 회사에 의해 상품화되어 낱개로 살 수 있는 것》

sóftware plàtform 〖컴퓨터〗 (작동 장치·데이터베이스 등) 소프트웨어의 중요 부분

sóftware ròt 《컴퓨터속어》 소프트웨어 부후증(腐朽症) 《이용 안되는 프로그램을 병에 비유한 말》

sóft whéat 연질 소맥

soft-wit·ted [-wítid] *a.* ＝SOFTHEADED

soft·wood [-wùd] *n.*, *a.* **1** Ⓤ 연한 나무(의); 침엽수 재목(의) 《pine, fir 등》 **2** 침엽수(의)

soft·y [sɔ́ːfti, sɑ́fti | sɔ́fti] *n.* (*pl.* **soft·ies**) 《구어》 잘 속는 사람, 바보, 멍청이(soft person); 유약한 사람, 감상적인 사람

sog·gy [sɑ́gi | sɔ́gi] *a.* (**-gi·er**; **-gi·est**) **1** 흠뻑 젖은(soaked), 물에 잠긴 **2** 〈빵 등이〉 설구워진 **3** 《구어》 기운 없는, 기력이 없는, 맥이 빠진
sóg·gi·ly *ad.* **sóg·gi·ness** *n.*

soh [sóu] *int.* 《고어》 ＝SO[1]

so-ho [souhóu] *int.* **1** 저기, 저것 봐 《사냥감을 발견했을 때》 **2** 우어 《마소를 멈출 때의 소리》

So·ho [sóuhou, ─́] *n.* 소호가(街) 《런던 중앙부 Oxford Street의 외국인이 경영하는 식당가》

So·Ho [sóuhou] *n.* 소호 《New York 시 Manhattan 남부의 지구; 패션·예술의 중심지》

SOHO [sóuhòu] [*S*mall *O*ffice *H*ome *O*ffice] *n.* 소호 《개인이 자기 집 또는 작은 사무실에서 인터넷을 활용하는 사업을 하는 소규모 업체》

soi-di·sant [swɑ̀ːdiːzɑ́ːŋ] [F] *a.* 자칭(自稱)의; 이른바; 가짜의

soi·gné [swɑːnjéi | ─́─] [F 「손질을 한」의 뜻에서] *a.* (*fem.* ***-gnée*** [~]) 정성[공] 들인 〈여자의 화장〉; 옷차림이 단정한

‡**soil**[1] [sɔ́il] [L 「좌석」의 뜻에서; 「지면」의 뜻의 라틴어 solum의 영향을 받음] *n.* **1** Ⓤ 흙, 땅, 표토, 지면, 토질: (a) rich[poor] ~ 기름진[메마른] 땅 **2** 경지, 경작지; [the ~] 대지, 지면; 농업(생활), 농경: a son of *the* ~ 농부 / the lord of the ~ 영주, 지주 / till *the* ~ 경작하다 **3** 《문어》 ⓊⒸ 국토, 나라: one's native [parent] ~ 모국, 고향 **4** 《비유》 ⓊⒸ (해악 등의) 온상, 생육지(生育地) 《*for*》 ***fall on good*** ~ 시의(時宜)를 얻다

∗**soil**[2] [sɔ́il] [L 「돼지」의 뜻에서] *vt.* **1** 더럽히다, 때 묻히다, 훼손하다 **2** 〈명예 등을〉 더럽히다, (도덕적으로) 타락하다 **3** 거름 주다 ~ one**'s *hands with*** …에 관계하여 이름을 더럽히다
— *vi.* **1** 더러워지다, 때가 묻다 **2** 《비유》 타락하다
— *n.* Ⓤ **1** 더럽힘, 더러워진 상태; 타락 **2** 오점; 때 **3** 오물(filth) **4** 똥오줌, 거름

soil[3] *vt.* (가축에게) 생초를 먹여 살찌게 하다

soil·age[1] [sɔ́ilidʒ] *n.* (사료용) 목초

soilage[2] *n.* Ⓤ 더럽힘; 더럽혀진 상태

sóil bànk 《미》 (잉여 농산물) 휴경 보조금 제도

soil·borne [sɔ́ilbɔ̀ːrn] *a.* 토양성에 의해 전달되는

soil-ce·ment [-simént] *n.* 〖토목〗 흙시멘트 《흙에 시멘트를 섞고 물기를 주어 굳힌 것》

sóil condìtioner 토양 개량약[제], 단립 형성(團粒形成) 촉진제

sóil conservàtion 토양 보존[개량] (사업)

sóil deplétion 토양의 소모[열화(劣化)]

sóil fertìlity 토양 비옥도

soil·less [sɔ́illis] *a.* 흙을 사용하지 않는: ~ agriculture 수경(水耕) 농업

sóil mechànics [단수 취급] 토질 역학

sóil pìpe (변소의) 하수관

sóil pollútion 토양 오염

sóil scìence 토양학(pedology)

sóil scìentist 토양학자

sóil sùrvey 토질 조사

soil·ure [sɔ́iljər] *n.* 《고어》 더럽힘; 오점

soi·ree, soi·rée [swɑːréi | ─́─] [F 「저녁때(의 파티)」의 뜻에서] *n.* (음악이나 담론의) 야회(夜會), …의 밤(cf. MATINEE 1)

soi·xante-neuf [swɑ̀ːsɑːntnə́ːf, -nʌ́f] [F＝sixty-nine] *n.* 《비어》 식스티나인 《성기를 서로 빨기》

so·journ [sóudʒəːrn | sɔ́dʒ-, sʌ́dʒ-] *vi.* 묵다, 체류하다 《*in, at*》; (…의 집에 일시) 체재하다 《*with, among*》: (~＋전＋명) We ~*ed at* the beach for a month. 우리는 한 달 동안 해변에 머물렀다.
— *n.* (일시적인) 체류, 체재, 묵음: a week's ~ in Paris 일주일 간의 파리 체류 **~·er** *n.*

soke [sóuk] *n.* 〖영국사〗 **1** Ⓤ 영주 재판권, 지방 재판[사법]권 **2** 지방 재판[사법] 관구

sol[1] [sóul | sɔ́l] *n.* 〖음악〗 솔, (전음계적 장음계의) 제5음, G음

sol[2] [sóul, sɑ́l | sóul] *n.* (*pl.* **~s, so·les** [sóuleis]) **1** 솔 《페루의 화폐 단위; ＝100 centavos; 기호 S, $, S/》 **2** 1솔 은화[지폐]

sol[3] [sɔ́ːl, sɑ́l | sɔ́l] *n.* 〖물리·화학〗 교질 용액 《액체와 콜로이드의 혼합물; cf. GEL》

sol[4] [sóul, sɑ́l | sóul] *n.* 솔 《프랑스의 옛 화폐 단위; ＝12 deniers, ＝1/20 livre》

Sol [sɑ́l | sɔ́l] *n.* **1** 〖로마신화〗 솔 《태양신, 그리스신화의 Helios에 해당; cf. APOLLO》 **2** 《문어·시어》 태양

-sol [sɔ̀ːl, sɑ̀l | sɔ̀l] 《연결형》 「…토(土)」의 뜻: spodo*sol*

sol. solicitor; soluble; solution **Sol.** Solicitor; Solomon

so·la[1] [sóulɑː | -lə] *n.* 〖식물〗 자귀풀 《인도산(産) 콩과(科)의 관목성 초본》

so·la[2] [sóulə] [L] *a.* SOLUS의 여성형

***sol·ace** [sáləs | sɔ́-] [L 「위로하다」의 뜻에서] *n.* **1** Ⓤ 위안, 위로(⇨ comfort 유의어): find[take] ~ in …을 위안으로 삼다 **2** [a ~] 위안이 되는 것 (*to*)
— *vt.* **1** 위안[위로]하다 **2** 〈고통·슬픔 등을〉 덜어주다 ~ one*self* **with** …으로 자위하다
— *vi.* (폐어) 위안을 얻다, 위안이 되다
~**·ment** *n.* = SOLACE **sól·ac·er** *n.*

so·lan·der [səlǽndər] [스웨덴의 박물학자 이름에서] *n.* (서류·식물 표본 등을 넣는) 책 모양의 상자(= ~ càse[bòx])

só·lan góose [sóulən-] 〔조류〕 흰부비새

so·la·num [souléinəm] *n.* 〔식물〕 가지속(屬)의 총칭

‡**so·lar** [sóulər] [L 「태양의」의 뜻에서] *a.* **1** 태양의, 태양에 관한: ~ spots 태양 흑점 **2** 태양의 작용에 의한 **3** 태양의 운행에 의하여 정해지는: a ~ calendar 태양력 **4** 태양 광선을 이용한
— *n.* 일광욕실; (중세 영국 주택의) 개인방, 2층 이상의 방; (구어) 태양 에너지
~**·ism** *n.* Ⓤ 태양 중심설[신화설] ~**·ist** *n.* 태양 중심론자 ▷ sún *n.*; sólarize *v.*

sólar báttery 태양 전지 《태양 에너지를 전기 에너지로 바꾸는 장치》

sólar céll 태양(광) 전지 《1개》

Sólar Chállenger (미) 솔라 챌린저 《태양 에너지를 이용한 경비행기 이름》

sólar colléctor 태양 에너지 수집기

sólar cónstant 태양 상수(常數) 《지표에 이르는 태양 에너지의 기준치》

sólar còoker (인도) 태양열 쿠커 《조리 기구》

sólar cýcle 〔천문〕 태양 순환기 《28년》; 태양 활동 주기 《약 11년》

sólar dáy 〔천문〕 태양일 《태양이 2회 동일 자오선을 통과하는 데 소요되는 시간》; 〔법〕 낮, 주간

sólar eclípse 〔천문〕 일식(日蝕)

sólar énergy 태양 에너지

sólar fláre 〔천문〕 태양 표면의 폭발

sólar fúrnace 태양로(爐)

sol·ar-heat [-hí:t] *vt.* 태양열로 난방하다

sólar hóuse 태양열 주택

sólar índex 태양열 지수 《하루의 일광량을 0에서 100까지의 숫자로 표시한 것》

so·lar·i·um [səlέəriəm, sou-] *n.* (*pl.* **-i·a** [-riə]) 일광욕실; 해시계(sundial)

so·lar·i·za·tion [sòulərizéiʃən | -rai-] *n.* Ⓤ 〔사진〕 (노출 과도에 의한) 반전(反轉) 현상

so·lar·ize [sóuləràiz] *vt.* **1** 〔사진〕 지나치게 노출시키다 **2** 〈건물을〉 태양 에너지를 이용하도록 개조하다 **3** 태양 광선에 쬐다, 감광시키다
— *vi.* 〔사진〕 지나치게 노출되다

Sólar Máximum Mìssion (미) 〔우주과학〕 솔라 맥시멈 미션 《1980년 발사된 태양의 불꽃 연구를 위한 인공위성; 애칭 Solar Max》

sólar mónth 태양월 《30일 10시간 29분 3.8초》

sólar mýth 태양 신화

sólar pánel 〔우주과학〕 태양 전지판

sólar párallax 〔천문〕 태양 시차(視差) 《태양에서 지구의 적도 반경을 본 각도》

sólar pléxus [the ~] 〔해부〕 (위(胃) 후부에 있는) 태양 신경총; (구어) 명치

sólar pónd 태양열 온수지(池) 《태양열 발전용 해수 집열지(集熱池)》

sólar pówer 태양열 발전

sólar pówer sátellite 태양열 발전 위성

sólar próminences 〔천문〕 태양의 홍염(紅焰)

sólar sáil 〔우주과학〕 솔라 세일 《우주선의 자세 안정이나 추진용으로 태양광의 압력을 이용하기 위한 돛》

sólar sált 천일염

sólar stíll 태양 증류기 《태양열로 바닷물·오염수를 식수로 바꾸는 장치》

sólar sỳstem [the ~] 〔천문〕 태양계

sóla tópee[tópi] 솔라 토피 《sola[1]의 속으로 만든 햇빛 가리는 모자》

sólar wínd 〔천문〕 태양풍(風)

sólar yéar 〔천문〕 태양년 《지구가 태양을 일주하는 시간의 길이; 365일 5시간 48분 46초; cf. LUNAR YEAR》

sol·ate [sáleit, sóu- | sɔ́-] *vi.* 〔화학〕 졸화(化)하다

sol·a·tion [saléiʃən, sɔ:- | sɔ-] *n.*

so·la·ti·um [souléiʃiəm] *n.* (*pl.* **-ti·a** [-ʃiə]) 위자료, 위문금; 배상금

‡**sold** [sóuld] *v.* SELL의 과거·과거분사

sol·dan [sáldən, sóul-, sóudn | sóuldən, sɔ́l-] *n.* **1** 이슬람 국가의 지배자 **2** (고어) (이슬람 국가의) 군주, 술탄(sultan); (특히) 이집트의 왕

sol·der [sádər | sɔ́l-] *n.* **1** Ⓤ 납과 주석의 합금, 땜납 **2** 접합물(接合物), 유대(bond) ***hard*[*soft*]** ~ 경[연]납(硬[軟]鑞)
— *vt.* **1** 납땜하다 **2** 결합하다 **3** 수선하다 (*up*)
sòl·der·a·bíl·i·ty *n.* ~**·er** *n.*

sól·der·ing ìron [sádəriŋ- | sɔ́l-] 납땜 인두

‡**sol·dier** [sóuldʒər] [OF 「돈을 받고 싸우는 사람」의 뜻에서] *n.* **1** 육군 군인, 군인 《장교에서 사병까지 전부》: ~*s* and sailors 육군과 해군 **2** 병사, 사병(opp. *officer*), 하사관(enlisted man) **3** (유능한) 장교, 명장, 지휘관, 용사 **4** (주의·주장을 위해 싸우는) 투사, 전사 **5** (속어) (범죄 조직의) 하부조원, 졸개 **6** 〔곤충〕 = SOLDIER ANT **7** (영·속어) 꾀부리는 사람; (항해속어) 요령 좋게 게으름 피우는 선원 **8** (속어) 훈제 청어
an old ~ (1) 노병; 그 분야의 경험자, 백전노장 (2) 빈 병 (3) 시가의 꽁초 ***a*** ~ ***of Christ*[*the Cross*]** 열성적인 기독교 전도자 ***come the old*** ~ ***over*** …에게 노련가인 듯이 지휘하다; …을 속이다 ***go*[*enlist*] *for a*** ~ 병역을 지원하다, 군인이 되다 ***play at*** **~*s*** 병정놀이를 하다
— *vi.* **1** 군인이 되다, 병역에 복무하다: go ~*ing* 군인이 되다 **2** (구어) 일에 꾀를 부리다; 꾀병 부리다(malinger) ~ ***on*** 군인으로서 근무하다; (영) (곤란 등에) 지지 않고 버티다 ~**·shìp** *n.* Ⓤ 군인의 신분; 군인 정신; 군사 과학 ▷ sóldiery *n.*

sóldier ánt 〔곤충〕 병정개미

sol·dier·ing [sóuldʒəriŋ] *n.* Ⓤ 군대 생활, 병역; (구어) 일에 꾀부리기

sol·dier·ly [sóuldʒərli], **-like** [-làik] *a.* **1** 〈복장·정신 등이〉 군인[무사]다운; 용감한 **2** 단정[늠름]한

sóldier of fórtune (돈과 모험을 목적으로 하는) 용병, 모험가

sóldiers' hòme 제대 군인 보호 구제 시설

Sóldier's Mèdal 〔미군〕 군인 훈장 《전투 이외의 영웅적 행위를 한 군인·군속에게 수여》

sóldier's wínd 〔항해〕 측풍(側風)

sol·dier·y [sóuldʒəri] *n.* **1** [집합적] 군인, 군대 **2** Ⓤ 군사 훈련[지식]

sol·do [sáldou | sɔ́l-] *n.* (*pl.* **-di** [-di:]) 솔도 《이탈리아의 동전; = $^1/_{20}$ lira》

sold-out [sóuldáut] *a.* 매진된

‡**sole**[1] [sóul] [L 「외톨이」의 뜻에서] *a.* **1** [보통 the ~] 단 하나의, 단 한 사람의(⇨ single 유의어): *the* ~ survivor 유일한 생존자 **2** 단독의, 독점적인, 도맡은: *the* ~ agent 독점 총대리인 / *the* ~ right to the estate 토지의 독점권 **3** 자동적으로 작용하는; 단독으로 움직이는: a ~ behavior 단독 행동 **4** 〔법〕 〈특히 여성이〉 미혼의, 독신의: feme ~ 독신녀 ~**·ness** *n.*

***sole**[2] [sóul] [L 「발바닥」의 뜻에서] *n.* **1** 발바닥, 말굽바닥 **2** (구두 등의) 바닥, 밑창; 〔기계〕 밑판(soleplate), 토대; 썰매의 밑면; 골프채의 밑바닥; 화로 받침판; 대패의 바닥; 보습의 밑바닥: a rubber ~ 고무창
— *vt.* [보통 수동형으로] 〈구두 등에〉 창을 대다

sole[3] *n.* 〔어류〕 서대기

thesaurus **solemn** *a.* **1** 엄숙한 serious, somber, unsmiling, pensive, thoughtful, grim **2** 중대한 grave, important, profound **3** 장엄한 dignified,

sol·e·cism [sɑ́ləsìzm, sóu-|sɔ́-] *n.* **1** 문법[어법] 위반; 파격(破格) **2** 예법에 어긋남 **3** 잘못, 부적당 **-cist** *n.* 문법 위반자; 버릇없는 사람

sol·e·cis·tic, -ti·cal [sɑ̀ləsístik(əl), sòu-|sɔ̀-] *a.* 문법 위반의; 파격의; 예의없는, 적당치 않은

sóle cústody 〖법〗 단독 친권《이혼한 부모 가운데 한 사람만이 아이를 보호하는 것》

soled [sóuld] *a.* [보통 복합어를 이루어] 「…바닥의」의 뜻: rubber-~ shoes 고무창 구두

sóle lèather (구두의) 튼튼한 창가죽

‡sole·ly [sóulli] *ad.* **1** **혼자서,** 단독으로: You are ~ responsible for it. 너의 단독 책임이다. **2** 다만, 단지, 오로지

‡sol·emn [sɑ́ləm|sɔ́-] [L 「매년 행하여지는 종교적 의식」의 뜻에서] *a.* **1** **엄숙한,** 진지한, 무게 있는, 근엄한, 장엄한, 장중한 : a ~ sight 장엄한 광경 / a ~ high mass 장중 미사 **2** 중대한, 귀중한 **3** 심각한 표정의, 점잔 빼는, 위엄을 부리는; 격식 차린: a ~ face 근엄한 얼굴 **4** 종교상의, 종교적 의식의, 신성한: a ~ holy day 종교상의 축일 **5** 〖법〗 정식의: a ~ oath 정식 선서 **~·ness** *n.*
▷ solémnity *n.*; sólemnize, solémnify *v.*

so·lem·ni·fy [səlémnəfài] *vt.* (**-fied**) …을 엄숙[장엄]하게 하다

***so·lem·ni·ty** [səlémnəti] *n.* (*pl.* **-ties**) Ⓤ **1** 장엄, 엄숙, 장중, 신성함 **2** 점잔 뺌, 위신을 세움 **3** 〖법〗 정식 **4** Ⓒ [종종 *pl.*] 장엄한 의식, 제전(祭典)
▷ sólemn *a.*

sol·em·ni·za·tion [sɑ̀ləmnizéiʃən|sɔ̀ləmnai-] *n.* Ⓤ 장엄화(化); 《특히》 결혼식을 올림

sol·em·nize [sɑ́ləmnàiz|sɔ́-] *vt.* **1** 〈식, 특히 결혼식을〉 올리다 **2** 식을 올려서 축하하다 **3** 장엄[엄숙]하게 하다; 진지하게 하다(dignify)

***sol·emn·ly** [sɑ́ləmli|sɔ́-] *ad.* **장엄하게;** 진지하게

sólemn máss [종종 **S- M-**] 〖가톨릭〗 장엄 미사

so·len [sóulin, -lən, -len] *n.* 〖패류〗 맛조개

so·le·noid [sóulənɔ̀id, sɑ́-|sóu-, sɔ́-] *n.* 〖전기〗 선륜통(線輪筒), 솔레노이드

So·lent [sóulənt] *n.* [the ~] 솔렌트《영국 본토와 Wight 섬 사이의 해협》

sole·plate [sóulplèit] *n.* 〖목공〗 기초판, 밑판; 다리미의 밑판

sole·print [sóulprìnt] *n.* 족형(足形); (병원에서 신생아를 식별하기 위한) 족문(足紋)

sol-fa [sòulfɑ́:, ∠∠|sɔ̀lfɑ́:] *n.* ⓊⒸ 〖음악〗 음계의 도레미파《do, re, mi, fa, sol, la, si》; 계명 창법: sing ~ 도레미파를[로] 노래하다
— *a.* 도레미파의, 음계 사용의
— *vi., vt.* 《미》 도레미파를 부르다, (가사 없이) 도레미파로 부르다 **~·ist** *n.* 도레미파 음계 사용자

sol·fège [sɑlféʒ, -fédʒ, soul-|sɔl-] *n.* =SOLFEGGIO

sol·feg·gio [sɑlfédʒou, -dʒiòu|sɔlfédʒiòu] *n.* (*pl.* **-gi** [-dʒi:], **~s**) 〖음악〗 도레미파 발성 연습

Sol. Gen. Solicitor General

so·li [sóuli:] *n.* SOLO의 복수

soli-[1] [sóulə] 《연결형》 「단일의(alone), 유일한(solitary)」의 뜻

soli-[2] 《연결형》 「태양(sun)」의 뜻

***so·lic·it** [səlísit] [L 「동요시키다」의 뜻에서] *vt.* **1** **간청하다,** 청구하다, 졸라대다, 탄원[요청, 신청, 청원]하다 《*of, from*》; …해 달라고 간청하다; 권유하다 《*for*》; 구걸하다: ~ votes 투표를 간청하다 // (~+목+전+명) ~ a person *for* money …에게 돈을 달라고 조르다 / ~ a person *for* help = ~ help *of* [*from*] a person …에게 도움을 간청하다 // (~+목+*to* do) ~ a person *to* do …에게 …해 달라고 간청하다 **2** 〈법관에게〉 뇌물을 써서 애걸하다; (못된 짓을 하게) 꼬드기다 《*to*》: ~ a person *to* evil …에게 악행을 부추기다 **3** 〈매춘부가〉 유혹하다
— *vi.* **1** 간청하다; 권유하다 《*for*》: (~+전+명) ~ *for* contributions 기부를 권유하다 / ~ *for* help 원조를 요청하다 **2** 〈매춘부가〉 손님을 끌다
▷ solícitous *a.*; solícitude, solicitátion *n.*

so·lic·i·tant [səlísətənt] *a., n.* 탄원하는 (사람)

so·lic·i·ta·tion [səlìsətéiʃən] *n.* ⓊⒸ 간원, 간청, 귀찮게 졸라댐, 애걸복걸; 권유; 유도; (매춘부의) 유혹; 〖법〗 교사죄

***so·lic·i·tor** [səlísətər] *n.* **1** **a** (자선 기부금 등의) **간청자,** 의뢰인, 권유자 **b** 《미》 주문받는 사람, 선거 운동원 **2** 《미》 (시·읍 등의) **법무관**(cf. ATTORNEY) **3** 《영》 **사무 변호사** 《barrister(법정 변호사)와 소송 의뢰인 사이에서 재판 사무를 취급하는 하급 변호사로서 법정에 나서지 않음》(⇨ lawyer 유의어) **~·ship** *n.*

solícitor géneral (*pl.* **solicitors general**) **1** 《영》 법무 차관(cf. ATTORNEY GENERAL) **2** [**S- G-**] 《미》 (연방 정부의) 법무 차관 《미국 연방 최고 법원에서 연방 정부의 대리인으로서 소송 수행을 담당》 **3** 《미》 (주·시·군 등의) 법무 장관

so·lic·i·tous [səlísətəs] *a.* **1** 걱정하는, 염려하는 《*about, for, of*》 **2** 열심인, 전념하는, 열심히 구하는, 노력하는 《*of*》: (~+*of*+명) be ~ *of* a person's help …의 도움을 구하다 // (~+*to* do) They were ~ *to* please. 그들은 남의 마음에 들려고 애쓰고 있었다. **3** 세심한, 정성스러운, 꼼꼼한 **~·ly** *ad.* **~·ness** *n.*

so·lic·i·tude [səlísətjù:d|-tjù:d] *n.* **1** Ⓤ 근심, 걱정, 염려 《*about*》 **2** Ⓤ 갈망, 열심, 애태움 《*for*》 **3** [*pl.*] 걱정거리

‡sol·id [sɑ́lid|sɔ́-] [L 「완전한」의 뜻에서] *a.* (**~·er**; **~·est**) **1** **고체의,** 고형체의; (물리학 등의) 고체[고형]에 관한: a ~ body 고체 / ~ food 고형식 / ~ particles suspended in a liquid 액체 안에 떠 있는 고체 입자 **2** 단단한; 속까지 단단한, 속이 꽉 찬, 충실한, 옹골진; 실속 있는 〈음식 등〉: ~ ground 굳은 땅 / a ~ tire 솔리드 타이어《속까지 고무인 타이어》/ a ~ meal 실속 있는 식사 **3** 〈안개·구름 등이〉 짙은, 두꺼운: ~ masses of cloud 뭉게 뭉게 솟은 두터운 구름 **4** 〖기하〗 입체의(cubic), 입방의, 3차원적인 **5** **견고한;** 〈몸이〉 튼튼한: a ~ building 견고한 건물 / a man of ~ build 체격이 단단한 사람 **6** **견실한;** 자산이 있는; 기초가 튼튼한 〈학문 등〉, 믿을 수 있는: ~ reasons 근거가 확실한 이유 / a ~ friend 믿을 수 있는 친구 **7** Ⓐ 《구어》 죽 계속되는, 연속된, 중단 없는 〈시간〉: twenty ~ years 연속 20년 / wait for one ~ hour 꼭 한 시간을 기다리다 **8** 〈복합어가〉 하이픈 없이 붙은: a ~ compound 하이픈 없이 한 단어로 철자가 이루어진 복합어 《anymore, barbershop 따위》 **9** 〖인쇄〗 행간을 떼지 않은, 빽빽이 짠 **10** 속까지 질이 같은, 순수한(genuine), 도금한 것이 아닌: ~ gold 순금 **11** 《미》 〈빛깔이〉 농담이 없는, 고른, 무늬가 없는: a ~ black dress 검정 일색의 드레스 **12** 단결한, 만장[거국]일치의: a ~ vote 만장일치의 투표 / a ~ combination 일치단결 **13** 《미·구어》 사이가 좋은, 친한 《*with*》 **14** [종종 good ~] 강한, 센, 철저한: a *good* ~ scolding 실컷 꾸지람을 하기[듣기] **15** 《속어》 〈대중음악·댄스·리듬 등이〉 최고인, 멋진, 훌륭한; 《속어》 몹시 어려운
be ~ with a person 《미·구어》 …의 총애를 받고 있다 ***go* [*be*] *~ for* [*in favor of*]** …에 찬성하여 일치단결하다[하고 있다]
— *n.* **1** 고체, 고형체(cf. LIQUID, GAS, FLUID); [보통 *pl.*] (액체 중의) 덩어리; [보통 *pl.*] 고형식(固形食) **2** 〖기하〗 입(방)체 **3** 〖문법〗 (하이픈 없는) 밀착 복합어 (= ∠ **cómpound**) **4** 《미·속어》 신뢰할 수 있는 친구
~ *of revolution* 〖수학〗 회전체; 〖기계〗 회전 입체
— *ad.* **1** 일치하여; 단결[결속]하여: vote ~ 만장일치로 투표하다 **2** 《미·구어》 완전히, 충분히
▷ solidárity, solídity *n.*; solídify *v.*

---

ceremonious, stately, majestic, impressive
solicit *v.* ask, beg, beseech, implore, entreat, petition, apply for, seek, plead for, crave

sólid ángle 〚기하〛 입체각
sol·i·da·rism [sɑ́lədərìzm | sɔ́-] *n.* Ⓤ **1** (‘개인은 만인을 위해, 만인은 개인을 위해’라는) 사회 연대(連帶) 주의 **2** =SOLIDARITY **-rist** *n.* 사회 연대주의자
sol·i·dar·i·ty [sɑ̀lədǽrəti | sɔ̀-] *n.* Ⓤ **1** 결속, 일치, 단결 **2** (이해·감정·목적 등의) 연대, 공동 일치, 연대 책임 **3** [**S~**] (폴란드의) 자유 노조
sol·i·da·rize [sɑ́lədəràiz | sɔ́-] *vi.* 단결하다, 결속하다
sol·i·dar·y [sɑ́lədèri | sɔ́lidəri] *a.* 공동 이익의, 연대 책임의 **sól·i·dàr·i·ly** *ad.*
sólid fúel (로켓의) 고체 연료; (석유·가스에 대하여) 고체 연료
sólid geólogy 입체 지질학
sólid geómetry 입체[공간] 기하학
so·lid·i·fi·ca·tion [səlìdəfikéiʃən] *n.* Ⓤ 단결; 응결
so·lid·i·fy [səlídəfài] *v.* (**-fied**) *vt.* **1** 응고[응결, 결정]시키다, 굳히다 **2** 단결[결속]시키다
— *vi.* **1** 굳어지다 **2** 단결하다
so·lid·i·ty [səlídəti] *n.* Ⓤ **1** 굳음, 고체성, 고형성 (cf. FLUIDITY) **2** 실질적임; 옹골짐, 속이 비지 않음: an argument with little ~ 내용이 없는 논쟁 **3** 견고; 신뢰성; 견실 **4** 입체성 **5** 《폐어》 체적, 용적 **6** 고체, 고형체
sol·id-look·ing [sɑ́lidlùːkiŋ] *a.* 착실하게 보이는, 실속 있는 외모의
sol·id·ly [sɑ́lidli | sɔ́-] *ad.* **1** 굳게; 견고하게; 속이 차서; 견실하게 **2** 단결하여, 만장일치로
sol·id·ness [sɑ́lidnis | sɔ́-] *n.* 굳음; 충실; 견실; 일치단결
sólid propéllant 고체 추진제(solid fuel)
sólid rócket bòoster 고체 연료 로켓 부스터
sólid solútion 고용체(固溶體) 《몇 가지 성분이 고르게 혼합되어 고체가 된 것; 유리·합금 등》
Sólid Sóuth [the ~] 《미》 전통적으로 민주당을 지지하는 남부의 여러 주
sol·id-state [sɑ́lidstéit | sɔ́-] *a.* **1** 〚전자〛 〈트랜지스터 등이〉 고체 소자(素子)[반도체]를 이용한, 고체 상태의 **2** 〚물리〛 고체 물리의
sólid-state electrónics 고체 전자 공학
sólid-state máser 〚전자〛 고체 메이저
sólid-state phýsics 고체 물리학
sólid-státe technòlogy 〚전자〛 고체 기술 《略 SST》
sol·id·un·gu·late [sɑ̀lədʌ́ŋgjulət, -lèit | sɔ̀-] *a.* 〚동물〛 발굽이 하나인, 단제(單蹄)의
— *n.* 단제 동물(soliped) 《말 따위》
sol·i·dus [sɑ́lədəs | sɔ́-] [본래 ʃ가 /로 되어 실링(shilling)의 기호로 쓰인 데서] *n.* (*pl.* **-di** [-dài]) **1** Constantine왕이 제정한 로마의 금화 《후세의 bezant》 **2** 실링(shilling)과 페니(penny) 사이에 긋는 사선(shilling mark) 《2/6는 2실링 6펜스》; 날짜나 분수를 표시하는 사선 《1/6은 《영》 6월 1일, 《미》 1월 6일; 또는 6분의 1》 **3** 비율을 나타내는 사선 《miles/day 등》
sol·i·fid·i·an [sɑ̀ləfídiən | sɔ̀l-] 〚신학〛 *n.* 유신론자(唯信論者) — *a.* 유신론(자)의
~·ìsm *n.* Ⓤ 〚신학〛 유신론
so·li·fluc·tion, -flux·ion [sòuləflʌ́kʃən, sɑ̀l- | sòul-, sɔ̀l-] *n.* 〚지질〛 토양류(流), 유토(流土) 《표토의 사면 이동》
so·lil·o·quist [səlíləkwist] *n.* 독백하는 사람
so·lil·o·quize [səlíləkwàiz] *vi.* 혼잣말을 하다; 〚연극〛 독백하다 **-quìz·er** *n.*
so·lil·o·quy [səlíləkwi] *n.* (*pl.* **-quies**) ⓊⒸ 혼잣말(하기); Ⓒ (연극 등의) 독백
sol·i·on [sɑ́làiən, -ɑn | sɔ́làiən, -ɔn] *n.* 〚전자〛 솔리온 《용액 중의 이온의 이동을 이용한 검출 증폭 전자 장치》
sol·i·ped [sɑ́ləpèd | sɔ́-] *a.*, *n.* 단제(單蹄)의 (동물)
sol·ip·sism [sɑ́lipsìzm | sɔ́-] *n.* Ⓤ 〚철학〛 유아론(唯我論) **sòl·ip·sís·mal** *a.* **-sist** *n.* 유아(唯我)주의자; 《구어》 자기 중심주의자
sol·i·taire [sɑ́lətɛ̀ər | sɔ̀litɛ́ə, ⌐—⌐] *n.* **1** Ⓤ 혼자 하는 여러 가지 놀이; 《미》 혼자 하는 카드놀이(《영》 patience); 혼자 두는 장기 **2** 한 알박이 보석, (대체로 다이아몬드의) 외알박이; 한 알의 보석을 박은 귀고리[커프스 단추 《등》]
‡**sol·i·tar·y** [sɑ́lətèri | sɔ́litəri] [L 「외톨이」의 뜻에서] *a.* **1** 혼자의, 혼자만의 〈산책 등〉; 단독의: a ~ cell 독방 / ~ imprisonment 독방 감금 / a ~ speck of cloud 따로 떨어진 구름 / a ~ traveler 혼자 여행하는 사람 **2** 외로운(lonely), 고독한 **3** 인적이 없는, 외딴; 고립된 〈집·마을 등〉: a ~ house 외딴 집 **4** [보통 부정문·의문문에서] 유일한, 단 하나의(sole): There is *not* a ~ exception. 단 하나의 예외도 없다. **5** 〚해부·식물〛 분리된, 방(房)을 이루지 않은, 단생(單生)의; 〚동물〛 군거하지 않는
— *n.* (*pl.* **-tar·ies**) 혼자 사는 사람, 독신자; 은자(隱者); Ⓤ 독방 감금 **-tàr·i·ly** *ad.* **-tàr·i·ness** *n.*
▷ sólitude *n.*
sólitary confínement 독방 감금
sólitary wáve 〚수학·물리〛 고립파(孤立波)
sol·i·ton [sɑ́litɑ̀n | sɔ́litɔ̀n] *n.* [보통 *pl.*] 〚물리〛 솔리톤 《입자처럼 작용하는 고립파》
‡**sol·i·tude** [sɑ́lətjùːd | sɔ́litjùːd] [L 「외톨이의」의 뜻에서] *n.* **1** Ⓤ 고독, 독거(獨居)(⇨ loneliness 유의어); 외로움: in ~ 혼자서, 외롭게 **2** 쓸쓸한 곳, 황야(荒野) ▷ sólitary, sóle *a.*
sol·i·tu·di·nar·i·an [sɑ̀lətjùːdənɛ́əriən | sɔ̀li-] *n.* 고독을 찾는 사람, 은둔자
sol·ler·et [sɑ́lərèt, ⌐—⌐ | sɔ̀-] *n.* (갑옷의) 쇠 구두
sol·lick·er [sɑ́likər | sɔ́-] *n.* 《영·호주·구어》 힘(force); 굉장히 큰 것
sol·mi·za·tion [sɑ̀lməzéiʃən, sòul- | sɔ̀l-] *n.* 〚음악〛 =SOL-FA
soln. solution
*****so·lo** [sóulou] *n.* (*pl.* **~s, -li** [-liː]) **1** 〚음악〛 독창(곡), 독주(곡)
관련 2중창[중주]에서 9중창[중주]까지는 다음과 같다: (2) DUET, (3) TRIO, (4) QUARTET, (5) QUINTET, (6) SESTET or SEXTET, (7) SEPTET, (8) OCTET, (9) NONET.
2 단독 연기; 단독 무용, 솔로; 〚항공〛 단독 비행 **3** 혼자서 활동[연기]하는 사람, 단독 연기[연주]자 **4** Ⓤ 〚카드〛 혼자서 몇 사람을 상대로 하는 게임(=**~ whíst**)
— *a.* **1** 〚음악〛 솔로의, 독창의, 독주의; 독연(獨演)의 **2** 단독의
— *ad.* 단독으로
— *vi.* 혼자서 하다; 단독 비행하다
sólo clìmbing 단독 등반 《암벽·산 등을 장비나 다른 사람의 도움 없이 홀로 오르는》
so·lo·ist [sóulouist] *n.* 독주자, 독창자
Sólo màn 〚인류〛 솔로인(人) 《인도네시아 자바 섬 Solo 강 근처에서 발견된 화석 인류》
*****Sol·o·mon** [sɑ́ləmən | sɔ́-] *n.* **1** 솔로몬 《기원전 10세기 이스라엘의 현왕(賢王)》 **2** 어진 사람, 현인(賢人) (**as**) ***wise as*** **~** 매우 현명한 ***be no*** **~** 바보이다 ***the Song of*** **~** ⇨ song
Sol·o·mon·ic [sɑ̀ləmɑ́nik | sɔ̀ləmɔ́-] *a.* **1** (히브리왕) 솔로몬의 **2** 현명한
Sólomon Íslands [the ~] 솔로몬 제도 《남태평양 New Guinea 섬 동쪽에 있는 섬들; 영연방 내의 독립국(1978); 수도 Honiara》
Sólomon's séal **1** 솔로몬의 봉인, 6각성형(六角星形) 《✡》 **2** 〚식물〛 둥굴레속(屬)의 식물 《죽대 등》

thesaurus **solitary** *a.* lonely, lonesome, friendless, companionless, lone, single, sole, alone, remote, isolated, secluded, desolate
solitude *n.* isolation, seclusion, retirement, loneliness, remoteness, privacy, desolation

sólo mótor cỳcle 단차(單車) 《사이드카가 없는 오토바이》

So·lon [sóulən | -lɔn] *n.* **1** 솔론(638?-558? B.C.) 《아테네의 입법가; 그리스 7현인(賢人)의 한 사람》 **2** [종종 **s~**] 현인, 철인, 명입법가; 《미》 입법부의 의원

sò lóng *int.* 《구어》 안녕(goodbye) 《친한 사이에서 쓰는 말》

sol·stice [sálstis, sóul- | sɔ́l-] *n.* **1** 〖천문〗 (태양의) 지점(至點) 《태양이 적도에서 북 또는 남으로 가장 멀어졌을 때》: the summer[winter] ~ 하지[동지] **2** 최고점, 극점; 분기점; 중대 국면

sol·sti·tial [salstíʃəl, soul- | sɔl-] *a.* 〖천문〗 지(至)의, 《특히》 하지의: a ~ point 지점

sol·u·bil·i·ty [sàljubíləti | sɔ̀-] *n.* Ⓤ **1** 녹음, 용해성, 가용성(可溶性), 용해도 **2** (문제·의문 등의) 해석[해결] 가능성

sol·u·bi·lize [sáljubəlàiz | sɔ́-] *vt.* 가용성으로 하다, 용해도를 높이다

*__sol·u·ble__ [sáljubl | sɔ́-] *a.* **1** 녹는, 가용성의, 용해할 수 있는 《*in*》; 녹기 쉬운: a ~ powder 가용성 분말/~ coffee 인스턴트 커피 **2** 〈문제 등이〉 해결할 수 있는, 설명할 수 있는
— *n.* 가용성 물질 **~·ness** *n.* **sól·u·bly** *ad.*

sóluble gláss 물유리(water glass)

sóluble RŃÁ 〖생화학〗 가용성 RNA

sóluble stárch 가용성 녹말

so·lu·nar [soulú:nər, sa- | sou-, sɔ-] *a.* 해와 달이 뜨고 지는 시각에 관한[을 기재한], 일[월]식에 관한

so·lus [sóuləs] [L =alone] *a.* (*fem.* **so·la** [-lə]) 혼자서 《주로 각본의 무대 지시 용어》: Enter the king ~. 임금 혼자 등장. / I found myself ~. 《익살》 나 혼자였다.

sol·ute [sálju:t, sóulu:t | sɔ́lju:t, ─́─] *n.* 〖화학〗 용질(溶質) 《용매(溶媒)(solvent)에 함유된 다른 성분; 해수 중의 소금 등》

‡**so·lu·tion** [səlú:ʃən] *n.* **1 a** Ⓤ (문제 등의) 해결, 해석, 설명: a problem capable of ~ 해결 가능한 문제 **b** 해결법[책]; 해법, 해식(解式); 해답 《*of*, *for*, *to*》: a ~ *for* a problem 문제의 해결법 **2** Ⓤ 녹임, 녹음, 용해 《*in*》 **3 a** ⓊⒸ 용액, 용해제: a strong [weak] ~ 진한[묽은] 용액 **b** Ⓤ [종종 rubber ~] 고무액 《고무 타이어 수리용》 **4** Ⓤ 분해, 해체, 분리; 붕해(崩解) **5 a** 〖의학〗 (병의) 소산(消散) **b** 〖약학〗 액제, 물약 **6** Ⓤ (채무 등의 상각(償却)에 의한) 해제
in **~** 녹아서, 용해 상태로; 〈생각 등이〉 정리되지 않고
~·al *a.* **~·ist** *n.* 해답자, (특히 신문·라디오 등의) 퀴즈 해답 전문가 ▷ sólve *v.*

solútion mìning 용해 채광법 《광물을 용해·여과시켜 채굴하는 방법》

solútion sèt 〖수학·논리〗 해(解)의 집합

So·lu·tre·an [səlú:triən] *n.*, *a.* 〖고고학〗 솔류트레 문화(의) 《유럽 후기 구석기 시대 중엽의 문화》: the ~ period 솔류트레 문화기

solv·a·bil·i·ty [sàlvəbíləti | sɔ̀l-] *n.* Ⓤ 해결의 가능성

solv·a·ble [sálvəbl | sɔ́l-] *a.* **1** 풀 수 있는; 해답[해결]할 수 있는 **2** 분해할 수 있는 **~·ness** *n.*

solv·ate [sálveit | sɔ́l-] 〖화학〗 *n.* 용매 화합물
— *vt.*, *vi.* 용매화하다[되다]

solv·a·tion [salvéiʃən | sɔl-] *n.* 〖화학〗 용매화

Sól·vay pròcess [sálvei- | sɔ́l-] [벨기에의 화학자 이름에서] 〖화학〗 솔베이법(法), 암모니아 소다법

‡**solve** [sálv | sɔ́lv] [L 「풀어버리다, 늦추다」의 뜻에서] *vt.* **1** 〈문제 등을〉 풀다, 해석하다; 설명[해답]하다; 〈어려운 일을〉 해결[타개]하다; 결말짓다: Nobody has ever ~*d* the mystery. 아무도 그 신비를 풀지 못했다. **2** 용해하다(melt) **3** 〈부채를〉 지불하다, 갚다 ▷ solútion *n.*

sol·ven·cy [sálvənsi | sɔ́l-] *n.* Ⓤ **1** 용해력(을 지닌 것) **2** 지불[변상] 능력, 자력(資力)

*__sol·vent__ [sálvənt | sɔ́l-] *a.* **1** 지불 능력이 있는 **2** 용해력이 있는, 녹이는 **3** 《비유》 〈미신·편견 등을〉 약화시키는, 마음을 부드럽게 하는
— *n.* **1** 용제, 용매 《*for*, *of*》: Water is a ~ *for* sugar. 물은 설탕의 용매이다. **2** 해결책[법] 《*for*, *of*》: find a ~ *for* unemployment problems 실업 문제 해결책을 찾아내다 **3** 약화시키는 것 《*of*》
~·less *a.* **~·ly** *ad.*

sólvent abùse 본드 흡입(glue sniffing)

solv·er [sálvər | sɔ́lvər] *n.* (문제 따위를) 푸는 사람, 해결사

sol·vol·y·sis [salválәsis | sɔlvɔ́l-] *n.* Ⓤ 〖화학〗 가용매(加溶媒) 분해, 용매화 분해

Sol·zhe·ni·tsyn [sòulʒəní:tsin, sɔ̀:l- | sɔ̀lʒənít-] *n.* 솔제니친 **Aleksandr Isayevich ~** (1918-) 《구 소련의 작가; 노벨 문학상(1970); 1974년 국외 추방, 미국으로 망명; 1994년 러시아로 돌아옴》

Som. Somaliland; Somerset(shire)

so·ma [sóumə] *n.* (*pl.* **~·ta** [-tə], **~s**) 〖생물〗 체세포(體細胞); (정신에 대해) 몸, 신체

So·ma·li [soumá:li, sə-] *n.* (*pl.* **~s, ~**) **1** 소말리족 《동아프리카의 한 종족; 흑인·아라비아인 기타의 혼혈》 **2** Ⓤ 소말리 말

So·ma·li·a [soumá:liə, -ljə] *n.* 소말리아 《아프리카 동부의 공화국; 수도 Mogadishu》 **-li·an** *a.*, *n.*

So·ma·li·land [soumá:lilæ̀nd, sə-] *n.* (Somalia를 포함한) 동아프리카의 해안 지역

so·mat·ic [soumǽtik, sə-] *a.* **1** 신체의, 육체의 **2** 〖해부·동물〗 체강(體腔)의: a ~ layer 체벽판/a ~ cavity 체강 **-i·cal·ly** *ad.*

somátic céll 〖생물〗 체(體)세포

somátic déath 〖의학〗 신체사(身體死)

somato- [soumǽtou-, -tə, sə-, sóumət-] 《연결형》 「신체」의 뜻

so·ma·tol·o·gy [sòumətálədʒi | -tɔ́-] *n.* Ⓤ **1** 〖인류〗 생체학, 인체(생리)학 **2** 자연 인류학(physical anthropology) **sò·ma·to·lóg·i·cal** *a.*

so·mat·o·me·din [səmæ̀təmí:dn, sòumətə-] *n.* 〖생화학〗 (성장 호르몬 등의 다른 호르몬의 활동을 신장시키는) 간장 호르몬

so·ma·tom·e·try [sòumətámətri | -tɔ́-] *n.* 인체[생체] 계측(計測)

so·mat·o·plasm [səmǽtəplæ̀zm, sóumətə-] *n.* 체세포 원형질; 체질

so·mat·o·pleure [səmǽtəplùər, sóumətə-] *n.* 〖발생〗 체벽엽(體壁葉)

so·mat·o·psy·chol·o·gy [sòumətəsaikálədʒi | -kɔ́-] *n.* Ⓤ 〖심리〗 신체 심리학

so·mat·o·sen·so·ry [səmæ̀təsénsəri] *a.* 체성(體性) 감각의, 체지각의 《눈·귀 등의 감각기 이외의 감각》

so·mat·o·stat·in [səmæ̀təstǽtn, sòumətə-] *n.* 〖발생〗 소마토스타틴 《성장 호르몬 방출 억제 인자》

so·mat·o·ther·a·py [səmæ̀təθérəpi] *n.* 〖정신의학〗 신체 요법

so·mat·o·ton·ic [səmæ̀tətánik, sòumətə- | -tɔ́-] *a.* 〖심리〗 신체형의 《근골이 발달한 사람에게 많은 활동적인 기질의》

so·mat·o·tróph·ic hórmone [səmæ̀tətráfik-, -tróuf-, sòumətə- | -trɔ́f-] 〖생화학〗 성장 호르몬

so·mat·o·tro·pin [səmæ̀tətróupin, sòumətə-], **-phin** [-fin] *n.* 〖생화학〗 성장 호르몬

so·mat·o·type [səmǽtətàip, sóumətə-] *n.* (사람의) 체형(體型), 체격

*__som·ber | -bre__ [sámbər | sɔ́m-] [L 「그늘 아래」의 뜻에서] *a.* **1** 어둠침침한(dark), 검은, 거무스름한, 흐린: a ~ sky 흐린 하늘 **2** 거무칙칙한, 수수한: a ~

---

solve *v.* answer, resolve, work out, figure out, fathom, decipher, clear up, unfold, disentangle
solvent *a.* creditworthy, debt-free
somber *a.* **1** 어두침침한 dark, dull **2** 침울한 gloomy, depressed, sad, melancholy, dismal, mournful

dress 칙칙한 색의 드레스 **3** 침울한, 우울한
~·ly *ad.* **~·ness** *n.*

som·bre·ro [sɑmbrέərou | sɔm-] [Sp. 「그늘」의 뜻에서] *n.* (*pl.* **~s**) 솜브레로 《중앙이 높고 챙이 넓은 모자, 맥고모자; 미국 남서부·멕시코 등지에서 사용》

sombrero

som·brous [sʌ́mbrəs | sɔ́m-] *a.* 《고어》 =SOMBER

‡**some** ⇨ some (p. 2397)

-some [səm] *suf.* **1** …에 적합한, …을 낳는, …을 가져오는, …하게 하는 **a** [명사에 붙여]: hand*some* **b** [형용사에 붙여]: blithe*some* **2** …하기 쉬운, …의 경향이 있는, …하는: tire*some* **3** [수사에 붙여] …의 무리의: two*some*

‡**some·bod·y** [sʌ́mbɑ̀di, -bʌ̀di, -bədi | -bədi] *pron.* 어떤 사람, 누군가: There's ~ on the phone for you. 전화 왔어요. / Will ~ please turn the light on? 누구 불 좀 켜 주시겠어요?
USAGE (1) someone보다 구어적; 보통 긍정문에 쓰며, 부정문·의문문에는 nobody, anybody를 씀 (2) 단수 취급으로, 보통 그것을 받는 인칭대명사는 he, his, him, she, her이지만 《구어》에서는 종종 they, their, them을 씀 (3) some people과 혼동하지 말 것
or ~ …이든지 그런 사람: We need a plumber *or* ~. 우리는 배관공이나 그런 사람이 필요하다. ***~ else*** 누군가 다른 사람: It's ~ *else's* hat. 누군가 다른 사람의 모자다.
— *n.* (*pl.* **-bod·ies**) 아무개라는 (훌륭한) 사람, 어엿한 사람, 상당한[대단한] 사람 《종종 부정관사를 생략하는 일도 있어 대명사로도 생각할 수 있음》: think one*self* to be (a) ~ 자기를 잘났다고 생각하다

∗**some·day** [sʌ́mdèi] *ad.* 언젠가, 훗날, 머지않아: *S*~ you'll understand. 언젠가는 이해할 게다.

some·deal [-dìːl] *ad.* 《고어》 =SOMEWHAT

‡**some·how** [sʌ́mhàu] *ad.* **1** 어떻게든지 해서, 그럭저럭, 아무튼 《종종 or other가 뒤에 옴》: I must get it finished ~ (*or other*). 나는 어떻게 해서든지 그것을 해치워야겠다. **2** 어쩐지, 웬일인지, 아무래도 《종종 or other가 뒤에 옴》: *S*~ I don't trust him. 어쩐지 그를 믿을 수 없다. / It got broken ~ *or other*. 어쩌다가 그것이 깨졌다.

‡**some·one** [sʌ́mwʌ̀n, -wən] *pron.* =SOMEBODY

∗**some·place** [sʌ́mplèis] *ad.* 《미·구어》 =SOMEWHERE

∗**som·er·sault** [sʌ́mərsɔ̀ːlt] *n.* **1** 공중제비, 재주넘기 **2** (의견·태도 등의) 백팔십도의 전향[전환] ***turn* [*make*] *a ~*** 공중제비하다 ***turn ~s for*** 무척 애쓰다
— *vi.* 공중제비[재주넘기]를 하다

som·er·set[1] [sʌ́mərsèt] *n., vi.* =SOMERSAULT

somerset[2] *n.* 《영》 서머셋 안장 《한쪽 다리가 없는 사람을 위한》

Som·er·set(·shire) [sʌ́mərset(ʃìər) | -sit(ʃə)] *n.* 서머셋 《잉글랜드 남서부의 주》 ***Somerset House*** Thames 강변에 있는 등기소·세무서 등이 있는 건물

‡**some·thing** [sʌ́mθiŋ] *pron.* **1** 무엇인가, 어떤 것, 어떤 일; 마실 것, 먹을 것 (USAGE 형용사는 뒤에 옴; 의문문·부정문에서는 보통 something을 쓰지 않고 anything을 쓰는데, 긍정의 대답을 기대하거나 상대방에게 무엇을 권할 때에는 something을 씀): ~ of the kind[sort] 뭔가 그런 것 / ~ to eat[drink] 먹을[마실] 것 / the four ~ train 4시 몇 분인가의 기차 / Here is ~ for you. 약소하지만 드리겠습니다. / He is[has] ~ in the customs. 그는 세관에서 무엇인가 하고 있다. / Is there ~ to eat? 뭐 먹을 게 있습니까? 《Is there anything to eat? 뭐 먹을 게 없습니까?》 **2** 어떤 진리, 다소의 가치[의의], (고려·주목·흥미에 해당하는) 무언가: There's ~ in[to] what he says. 그의 말에는 일리가 있다. **3** 얼마간[쯤], 어느 정도, 다소, 조금 《*of*》; [~ of a[an] …로 보어로 쓰여] 《구어》 상당한 …, 꽤 되는 …: There is ~ *of* uncertainty in it. 어딘지 좀 불확실한 데가 있다. / He is ~ *of* a musician. 그는 조금은 알려진 음악가이다.
have ~ about one 《구어》 (사람을) 끄는 무엇이 있다; …을 굉장히 좋아하다 ***it comes* [*we come*] *to ~* (*when* …)** 《구어》 …이라니 놀랄[이상한] 일이다 ***make ~ of*** …을 이용하다; …을 중요한 인물로 키우다 ***make ~ of it*** 《속어》 그 일로 해서 싸움을 하다 ***make ~ of*** one***self*** [one***'s life***] 성공하다, 출세하다 ***make ~ out of nothing*** 《속어》 트집을 잡다 ***or ~*** 《구어》 …인지 무엇인지, 뭐라더라: He is a lawyer *or* ~. 그는 변호사인가 무엇인가이다. / He turned dizzy *or* ~ and fell out. 그는 현기증인가 무엇인가가 나서 낙오했다. ***see ~ of*** …을 가끔 만나다, 간간이 사귀다 ***~ else*** (1) 어떤 다른 것: He gave them ~ *else*. 그는 그들에게 뭔가 다른 것을 주었다. (2) 《구어》 각별히 멋진 것[사람] ***~ else again*** 별개의 것 ***~ or other*** 뭔지, 뭔가, 아무개 ***~ tells me*** 《구어》 어쩐지 …이라고 나는 생각한다 《*that*》 ★ that은 생략하는 것이 보통임.
— *ad.* **1** 《고어》 얼마간, 다소, 조금: It cost ~ over $10. 10달러 좀 더 들었다. **2** 《구어》 꽤, 상당히: The engine sounds ~ awful. 이 엔진은 정말 요란한 소리를 낸다. ***~ like*** ⇨ like[1] *prep.*
— *n.* **1** 《구어》 중요한 것[사람]; 다행한 일: He thinks he is ~. 그는 자기를 상당한 사람이라고 생각하고 있다. **2** [a ~, ~s] 어떤 것: *an* indefinable ~ 무어라 형언하기 어려운 것 **3** 얼마의[꽤 되는] 돈 **4** 《완곡》 =DEVIL, DAMN(ED): What the ~(=devil) are you doing here? 도대체 여기서 무엇을 하고 있나? / You ~ villain! 이 대악당아! / [동사로 쓰여] I'll see you ~*ed*(=damned) first! 무슨 소리냐 이 망할 놈아!

some·thing-for-eve·ry·one [-fərévriwʌn] *a.* 전원에게 이익이나 혜택이 돌아가는

some·thingth [sʌ́mθiŋθ] *a.* 몇 번째인가의: in his seventy-~ year 일흔 몇 살인가에

‡**some·time** [sʌ́mtàim] *ad.* **1** (미래의) 언젠가, 머지않아, 훗날에 **2** 《고어》 (과거의) 어떤 때에, 이전에, 일찍이 **3** 《고어》 이따금 ***~ or other*** 머지않아, 조만간
— *a.* Ⓐ **1** 이전의(former): a ~ professor 전직 교수 **2** 《고어·미》 이따금의, 가끔 일어나는

‡**some·times** [sʌ́mtàimz] *ad.* **1** 때때로(occasionally), 때로는, 이따금, 간혹: excellent and ~ beautiful photographs 훌륭한, 때로는 아름다운 사진 / *S*~ I feel like quitting my job. 때때로 나는 직장을 그만둘 생각을 한다. / I walk to school ~. 나는 가끔은 걸어서 학교에 간다. / He comes to visit us ~. 그는 가끔 찾아온다. / *S*~ he drinks wine and ~ beer. 그는 와인을 마실 때도 있고 맥주를 마실 때도 있다. **2** 《폐어》 이전에, 일찍이 ***~ …, (and) ~ …* = *~ and at other times …*** 어떤 때는 …, 또 어떤 때는 …

some·way(s) [sʌ́mwèi(z)] *ad.* 《미·구어》 어떻게든지 해서, 무슨 수로든(in some way)

‡**some·what** [sʌ́m*h*wʌ̀t, -*h*wɑ̀t, -*h*wət | -wɔ̀t] *ad.* 얼마간, 약간, 다소, 좀: It's ~ different. 그건 다소 다르다. / He looked ~ annoyed. 그는 좀 화난 표정이었다. ***more than ~*** 《구어》 대단히, 매우
— *n.* 다소; 어느 정도
— *pron.* [~ of...로] 약간, 다소

some·when [-*h*wèn] *ad.* =SOMETIME

‡**some·where** [sʌ́m*h*wὲər] *ad.* **1** 어딘가에 〈있다〉, 어딘가로 〈가다〉: ~ around[about] here 이 근처 어디에 **2** [보통 전치사 앞에 써서] 〈수량·시간·나이 등이〉 약, 가량, 쯤: a woman ~ around[《영》 about] fifty 약 50세의 여자 ***get ~*** ⇨ get[1]. ***I'll see you ~ first!*** 《구어》 망할 녀석 같으니라고!, 딱 질색이다!

some

some은 구문상 many, few, much, little, all, no와 유사점이 있고, no를 제외한 이들 다섯 단어와는 형용사·명사의 용법을 아울러 가진 점에서도 공통적이다.
some은 부정(不定)의 수를 나타내는 말로서는 가장 중성적이다. many, few는 수를 나타내어 복수 취급하고, much, little은 양을 나타내어 단수 취급하나, all, some, no는 수·양을 다 나타낸다. 그러나 some은 「부분」의 뜻을 나타내는 점에서 all과 대립되고, 「있다」는 점에서 「전혀 없다」는 no와 대립한다. 또 「많다」고 명시하지 않는 점에서 many, much와, 「적다」고 못 박지 않는 점에서 few, little과도 대립한다.

‡**some** [səm; sʌ́m, sʌ̀m] *a., pron., ad.*

① 얼마간의 (사람, 것)	형 **1 a, 3 b** 대 **1**
② 어떤 (사람들, 것)	형 **3 a** 대 **2**
③ 상당한	형 **4**
④ 약	부 **1**

— *a.* Ⓐ **1** [səm] [복수형의 가산명사 또는 불가산명사와 함께, 약간의 수나 양을 나타내어] **a** [긍정문에서] **얼마간의,** 다소의, 조금의 《★ 의미가 약해서 우리말로 옮기지 않아도 좋은 경우가 있음, 따라서 복수형의 명사는 「a+단수형」에 대응하는 복수 표현이라고도 생각할 수 있음》: We have ~ new shirts in today. 오늘은 새 셔츠가 몇 벌 들어왔습니다. / I had ~ trouble in doing it. 그것을 하는 데는 약간의 어려움이 있었다. **b** [의문문에서] **얼마간의,** 조금[약간]의 (USAGE 일반적으로 부정문·의문문·조건절에는 any를 쓰지만, 의문문에서 권유를 나타내거나 yes의 답을 예기하는 경우 또는 조건절에서도 긍정적 기대나 예측을 내포하는 경우는 some을 씀》: Do you have ~ scratch paper? 메모지 좀 있습니까? / Wo*n't* you have ~ more tea? 차를 좀 더 드시겠습니까? / Did*n't* I give you ~ money? 내가 돈을 주지 않았던가? 《주었지요》 **c** [조건절에서] 얼마간의, 다소의: You'll die if you don't take ~ food soon. 곧 음식을 먹지 않으면 너는 죽게 될 것이다.
2 [sʌ́m] [복수형의 가산명사 또는 불가산명사와 함께, 전체 중의 일부를 나타내어] **사람[물건]에 따라** …(도 있다), …**중에는** …(도 있다) 《★ 종종 뒤에 대조적으로 (the) other(s), the rest 또는 some을 수반함》: *S*~ students study English and *others* (study) French. 영어를 공부하는 학생도 있지만 프랑스 어를 공부하는 학생도 있다. / *S*~ birds cannot fly. 새 중에는 날지 못하는 새도 있다.
3 [sʌ́m] [불명 또는 불특정의 것[사람]을 가리켜] **a** [단수형의 가산명사와 함께] **무슨,** 어떤, 어딘가의, 누군가의 《★ 종종 명사 뒤에 or other를 덧붙여서 뜻을 강조함》: at ~ beach 어딘가의 해안에서 / in ~ way (*or other*) 어떻게든 해서, 이럭저럭 해서 / for ~ reason 무슨 이유로, 어떤 까닭인지 / He went to ~ place in South America. 그는 남미 어딘가로 갔다. / He is always running after ~ woman *or other*, but soon grows tired of them. 그는 언제나 누군가 여자 꽁무니를 뒤쫓고 있지만 곧 싫증내 버린다. / Come back ~ *other* day. 언젠가 다른 날에 다시 와 주시오. **b** [복수형의 가산명사와 함께] (어떤) 몇 가진가의, 몇 명인가의: He's honest in ~ ways. 그는 어떤 면에서는 정직하다. / *S*~ people think they know everything. 자신이 모든 것을 안다고 생각하는 사람도 있다.(cf. 2)
4 [sʌ́m] 《구어》 **상당한,** 어지간한: an author of ~ repute 상당히 유명한 작가 / I stayed there for ~ days[time]. 여러 날 동안이나[꽤 오랫동안] 거기에 머물렀다. / The mountain is ~ distance away. 그 산은 상당히 먼 거리에 있다.
5 a 《구어》 **대단한,** 굉장한, 멋진: It was ~ concert! 대단한 성황을 이룬 음악회였다! / He is ~ musician. 그는 대단한 음악가이다. / You're ~ girl, Susan! 참으로 대단하구나, 수잔! **b** [some+명사를 문두에 놓아] 《구어·비꼼》 대단한 (…이다) 《전연 …아니다》: *S*~ friend you were! 너는 대단한 친구였지 《지독한 친구였다》! / *S*~ hopes! 《영·속어》 희망이 거의 없다! / "Can you finish it by Monday?" —"*S*~ chance!" 월요일까지는 끝나겠습니까? —그럴 가망이 전혀 없군요!
in ~ way or other ⇨ 3
~ day 언젠가 (후에), 훗날(someday)
~ more 조금 더(⇨ more)
~ one (1) 어느 하나(의), 누군가 한 사람(의) (2) = SOMEONE
~ ... or other [***another***] 뭔가[누구인가, 어딘가, 언제인가]의: in ~ book *or other* 뭔가의 책
~ other time [***day***] 언젠가 다시
~ time (1) 잠시 (동안) (2) 언젠가, 머지않아 (3) 꽤 오랫동안
~ time or other = SOME time (2)

— *pron.* 《USAGE (1) 용법은 형용사의 경우에 준함 (2) 가산명사를 나타내는 경우는 복수 취급, 불가산명사를 나타낼 경우는 단수 취급》 **1** [sʌ́m] **다소,** 얼마간: "Do you have any medicine for her?" —"Yes, there's ~." 그녀에게 줄 약이 아직 있습니까? —예, 남아 있습니다. / "Are there any eggs?" —"Yes, there are ~." 아직 달걀이 남아 있습니까? —예, 남아 있습니다. / *S*~ of the milk was spilled. 우유가 조금 엎질러졌다. / May I give you ~? 조금 드릴까요?
2 [sʌ́m] [복수 취급] **어떤 사람들,** 어떤 것: 사람[물건]에 의하면, …한 사람[것](도 있다) 《★ 종종 뒤에 대조적으로 others 또는 some을 씀》: *S*~ suggest that violence is endemic to American society, *others* say the Vietnam War eroded respect for authority. 폭력은 미국 사회의 체질적인 것은 아닐까라고 말하는 사람도 있고, 베트남 전쟁이 권위에 대한 경의를 좀먹었다고 말하는 사람도 있다. / *S*~ are good, and ~ are bad, and *others* are indifferent. 좋은 것도 있고 나쁜 것도 있으며 또 이도저도 아닌 것도 있다. / Not all labor is hard; ~ is pleasant. 노동이라고 해서 모두가 고된 것만은 아니다; 즐거운 것도 있다.
and then ~ 《미·구어》 …에다 더하여, 게다가 듬뿍: He paid a thousand dollars *and then* ~. 그는 천 달러가 넘는 돈을 선뜻 지불했다.
~ of these days 《구어》 가까운 장래에, 근일간에: He will be home ~ *of these days.* 그는 근일간에 돌아올 것이다.

— *ad.* **1** [sʌ̀m] [수사 앞에서] 약, 대략 《about 쪽이 더 구어적임》: ~ fifty books 약 50권의 서적 / *S*~ 50 were present. 약 50명이 참석했다.
2 [sʌ́m] 《구어》 **얼마간,** 다소는, 조금은(somewhat): She is ~ better today. 그녀는 오늘은 다소 몸이 나아졌다.
3 [sʌ́m] 《미·구어》 **상당히,** 꽤, 대단히: That's going ~! 제법 잘 한다, 대단하군! / You'll have to study ~ to catch up with the others. 다른 애들을 좇아가려면 꽤 공부해야 할거야.
~ few ⇨ few *a.*
~ little ⇨ little *a.*

or ~ …인지 어딘지에[로]
—*n.* 어떤 장소, 모처(某處): from ~ 어디로부터인지 / He needed ~ to stay. 그는 어디 머무를 데가 필요했다.

some·wheres [-*h*wὲərz] *ad.* 《방언》 = SOMEWHERE

some·while [-*h*wàil] *ad.* 《고어》 **1** 때때로, 이따금; 잠시 **2** 언젠가; 이윽고 **3** 이전에, 일찍이

some·whith·er [-*h*wìðər] *ad.* 《고어》 어딘가로

some·why [-*h*wài] *ad.* 《드물게》 어떤 이유로

some·wise [-wàiz] *ad.* 《고어》 어떻게든 해서 (somehow)

so·mite [sóumait] *n.* 〖동물〗 체절(體節); 〖발생〗 원(原)체절 **so·mi·tal** [sóumitəl] *a.*

som·ma [sάmə | sɔ́mə] *n.* 〖지질〗 (분화구 주위의) 외륜산(外輪山)

som·me·lier [sʌ̀məljéi | sɔmélio] [F] *n.* 소믈리에 《(식당의) 포도주 담당 웨이터》

som·mer [sά:mər] *a.* 《남아공·속어》 그저(just), 단지(simply)

som·nam·bu·late [sɑmnǽmbjulèit, səm- | sɔm-] *vi.* 잠결에 걸어다니다, 몽유(夢遊)하다
-lant [-lənt] *a.* **-là·tor** *n.* **som·nàm·bu·lá·tion** *n.*

som·nam·bu·lism [sɑmnǽmbjulìzm, səm- | sɔm-] [L 「잠결에 걸어다니다」의 뜻에서] *n.* Ⓤ 잠결에 걸어다님, 몽유병(sleepwalking)
-list *n.* 몽유병자 **som·nàm·bu·lís·tic** *a.*

somni- [sάmnə | sɔ́m-] 《연결형》 「잠」의 뜻

som·ni·fa·cient [sɑ̀mnəféiʃənt | sɔ̀m-] *a.* 최면성의 —*n.* 수면제, 최면제

som·nif·er·ous [sɑmnífərəs | sɔm-], **som·nif·ic** [-nífik] *a.* 《드물게》 최면(催眠)의; 〈약·작용 등이〉 졸리게 하는 **~·ly** *ad.*

som·nil·o·quy [sɑmníləkwi | sɔm-], **-quence** [-kwəns] *n.* Ⓤ 잠꼬대(하는 버릇)

som·no·lence, -len·cy [sάmnələns(i) | sɔ́m-] *n.* Ⓤ (몹시) 졸림; 비몽사몽

som·no·lent [sάmnələnt | sɔ́m-] *a.* 《문어》 **1** 졸리는 **2** 졸리게 하는, 최면의 **~·ly** *ad.*

Som·nus [sάmnəs | sɔ́m-] *n.* 〖로마신화〗 잠의 신 《그리스 신화의 Hypnos에 해당》

Soms. Somerset(shire)

⁑**son** [sʌ́n] *n.* **1** 아들(opp. *daughter*), 자식; 사위, 양자: one's ~ and heir 대를 잇는 아들 **2** [보통 *pl.*] 자손 《남자》: the ~*s* of Abraham 아브라함의 자손, 유대인 **3** …나라 사람, 주민 《*of*》; (학교·교회·정당의) 일원 **4** 《비유》 …의 아들, 계승자; (특정 직업에) 종사하는 사람 《*of*》: a ~ *of* toil 노동자 / a ~ *of* the Muses 시인 / a true ~ *of* the soil 대지의 아들, 농부 **5** 《호칭》 [연하자에게] 자네, 젊은이, 친구: my ~ 여보게 젊은이 / old ~ 자네 **6** [the S~] (삼위일체의 제2위인) 아들, 예수 그리스도 ***a ~ of a bitch*** 《비어》 개새끼(cf. SOB) ***a ~ of Adam*** 사내(아이) ***a ~ of a gun*** 《속어》 못된 놈, 나쁜 놈; [친한 친구 사이의 인사] 이 녀석, 이 사람, 이 친구, 새끼 ***a ~ of man*** 사람의 자식, 인간(mortal) ***be one's father's ~*** 아버지를 빼쏘다 ***every mother's ~*** 누구나 다, 누구든지 다 ***the S~ of God*** = ***the S~*** (***of Man***) 인자(人子) 《성경에서 그리스도를 가리킴》, 그리스도, 구세주 ***the ~s of men*** 인류, 인간 **~·less** *a.*

so·nal [sóunl] *a.* 음(音)의, 음파[음속]의(sonic)

so·nance, -nan·cy [sóunəns(i)] *n.* Ⓤ 울림; 〖음성〗 유성(有聲); 음, 음조

so·nant [sóunənt] *a.* 〖음성〗 유성(음)의, 유성자의; 《드물게》 〈소리가〉 울리는 —*n.* 〖음성〗 유성음[자] 《b, d, g 등》 **so·nan·tal** [sounǽntl] *a.*

so·nar [sóunɑ:r] [*so*und *na*vigation *r*anging] *n.* 소나, 수중 음파 탐지기, 잠수함 탐지기

so·nar·man [sóunɑ:rmən] *n.* (*pl.* **-men** [-mən, -mèn]) 〖미해군〗 수측원(水測員)

*__so·na·ta__ [sənά:tə] *n.* 〖음악〗 소나타, 주명곡(奏鳴曲)

sonáta fòrm 〖음악〗 소나타 형식

son·a·ti·na [sɑ̀nətí:nə | sɔ̀-] *n.* (*pl.* **~s, -ne** [-nei]) 〖음악〗 소나티네, 소(小)주명곡

son·dage [sɑndά:ʒ | sɔn-] [F] *n.* 〖고고학〗 시추(試錐)

sonde [sάnd | sɔ́nd] [F = sounding line] *n.* 존데 《상층 대기의 상태를 관찰·조사하는 데 쓰이는 측정 기구》

sone [sóun] *n.* 손 《감각상의 소리 크기의 단위》

son et lu·mière [sɔ́:ŋ-ei-lumiέər] [F = sound and light] 송에뤼미에르 《사적(史跡) 등에서 밤에, 조명과 녹음된 음악과 설명을 곁들여 그 사건을 재현하는 행사》

⁑**song** [sɔ́:ŋ, sάŋ | sɔ́ŋ] *n.* **1** ⒸⓊ 노래, 가곡, 노랫소리, 성악; Ⓒ 새[벌레]의 노랫소리, 지저귀는 소리; ⒸⓊ 단가(短歌): sing a ~ 노래를 부르다 / No ~, no supper. 《속담》 일하지 않는 자는 먹지를 말라. **2** Ⓤ 시가, 시문(詩文); Ⓒ 서정시: renowned in ~ 시가로 이름난 **3** (주전자 등의) 물 끓는 소리, (시냇물의) 졸졸 흐르는 소리 **4** 무가치한[하찮은] 것 **5** 《속어》 고백 ***break*** [***burst forth***] ***into ~*** 노래하기 시작하다 ***for a ~*** = ***for an old*** [***a mere***] ***~*** 《구어》 아주 헐값으로, 싸구려로 《팔다·사다》 ***nothing to make a ~ about*** 《영·구어》 아무 짝에도 쓸모없는 것 ***not worth an old ~*** 무가치한 ***on ~*** 《구어》 상승세인, 호조인, 잘하고 있는 ***sing the same ~*** 같은 짓을 되풀이하다 ***~ and dance*** 노래와 춤; 《구어》 재미있으나 믿어지지 않는 이야기[설명] ***the S~ of S~s*** [***Solomon***] (구약 성서의) 아가(雅歌) **~·lìke** *a.*

Song [sɔ́:ŋ, sú:ŋ] *n.* 송(나라) 《중국의 왕조》

song·bird [sɔ́:ŋbə̀:rd, sάŋ- | sɔ́ŋ-] *n.* **1** 지저귀는 새, 명금(鳴禽) **2** 《속어》 여자 가수

song·book [-bùk] *n.* 가요집, 노래책

sóng cỳcle 〖음악〗 연작(連作) 가곡

song·fest [-fèst] *n.* 《미·구어》 노래회, 합창회 《유행가·민요의》

sóng fòrm 〖음악〗 가곡 형식

song·ful [sɔ́:ŋfəl, sάŋ- | sɔ́ŋ-] *a.* **1** 가락이 좋은 (melodious): a ~ tune 아름다운 가락 **2** 노래가 많은 **~·ly** *ad.* **~·ness** *n.*

song·less [sɔ́:ŋlis, sάŋ- | sɔ́ŋ-] *a.* 노래가 없는; 〈새 등이〉 지저귀지 못하는

Song of Sol. 〖성서〗 Song of Solomon

song-plug·ging [sɔ́:ŋplʌ̀giŋ, sάŋ- | sɔ́ŋ-] *n.* (레코드나 라디오에 의한) 신곡 선전

song·smith [-smìθ] *n.* 작곡가

sóng spàrrow 〖조류〗 (북미산) 멧종다리, 노래참새

*__song·ster__ [sɔ́:ŋstər, sάŋ- | sɔ́ŋ-] *n.* **1** 《미》 (실력이 뛰어난) 가수 **2** 시인, 작사가 **3** 지저귀는 새(songbird) **4** 《미》 (팝송의) 가요집(songbook)

song·stress [sɔ́:ŋstris, sάŋ- | sɔ́ŋ-] *n.* 여자 가수; 여류 시인[작사가]; 지저귀는 암새

sóng thrùsh 〖조류〗 노래지빠귀

song·writ·er [sɔ́:ŋràitər, sάŋ- | sɔ́ŋ-] *n.* (가요곡의) 작사[작곡]가, 작사 작곡가

song·writ·ing [sɔ́:ŋràitiŋ] *n.* Ⓤ (곡의) 작사, 작곡

son·ic [sάnik | sɔ́n-] *a.* **1** 음의, 소리의, 음파의 **2** 음속(音速)의(cf. SUBSONIC, SUPERSONIC, TRANSONIC) **són·i·cal·ly** *ad.*

sónic altímeter 〖물리〗 (비행기의) 음향 고도계

son·i·cate [sάnikèit | sɔ́n-] *vt.* 〈세포·바이러스 등에〉 초음파를 쬐어 분해하다, 초음파 처리하다 **-cà·tor** *n.*

son·i·ca·tion [sɑ̀nikéiʃən | sɔ̀-] *n.* Ⓤ 초음파 분해[처리]

sónic báng 〖항공〗 = SONIC BOOM

sónic bárrier [the ~] 〖물리〗 음속 장벽 《속력이 음속에 가까운 경우에 공기 저항으로 나타나는 비행 장벽》

sónic bóom 〖항공〗 소닉 붐 《항공기가 음속을 넘을 때 나는 폭발음》

sónic dépth finder 음파 측심기(測深機)

thesaurus **soothe** *v.* **1** 달래다 quiet, calm down, pacify, settle, hush, lull, tranquilize, mol-

sónic guíde 시각 장애인 인도용 초음파 송수신 장치
sónic míne = ACOUSTIC MINE
son·ics [sániks | sɔ́n-] *n. pl.* **1** [단수 취급] 소닉스 《음파의 응용을 다루는 공학의 한 분야》 **2** 음향 공학
sónic spèed 음속
so·nif·er·ous [sənífərəs, sou- | sɔ-] *a.* 음을 내는, 음을 전하는
son-in-law [sʌ́ninlɔ̀:] *n.* (*pl.* **sons-**) 사위, 양자
∗**son·net** [sánit | sɔ́-] *n.* 〖운율〗 **소네트**, 14행시; 단시(短詩) **~·like** *a.*
son·net·eer [sɑ̀nətíər | sɔ̀-] *n.* **1** 소네트 시인 **2** 《경멸》 엉터리 시인 **—** *vi., vt.* 소네트를[로] 짓다; 소네트로 칭송하다
son·net·ize [sánətàiz | sɔ́-] *vi.* 소네트를 짓다[쓰다] **—** *vt.* …에 대해 소네트를 쓰다
sónnet sèquence (종종 통일된 주제를 가진) 연작 소네트(집)
son·ny [sʌ́ni] *n.* (*pl.* **-nies**) 《구어》 애야, 얘, 아가 《소년에 대한 친근한 호칭》
son·o·bu·oy [sánoubù:i | sɔ́noubɔ̀i] *n.* 자동 전파 발신 부표(浮標) 《수중의 소리를 탐지하여 무선 신호를 보내주는 부표》
son·o·chem·is·try [sɑ̀noukémistri | sɔ̀-] *n.* Ⓤ 〖화학〗 음향 화학
son·o·gram [sánəgræ̀m, sóu- | sóu-, sɔ́-] *n.* 〖의학〗 초음파를 이용한 검사도(圖)
son·o·graph [sánəgræ̀f, -grɑ̀:f | sóunəgrɑ̀:f, -græ̀f, sɔ́-] *n.* 〖의학〗 초음파 검사기[장치]
so·nog·ra·phy [sənágrəfi | sóunəg-] *n.* Ⓤ 〖의학〗 초음파 검사(법)(ultrasound)
so·nom·e·ter [sənámətər | -nɔ́-] *n.* 현(弦)의 진동수 측정기; 〖의학〗 청력계(聽力計)
son·o·ra·di·og·ra·phy [sɑ̀nəreidiágrəfi | sɔ̀nəreidiɔ́g-] *n.* Ⓤ 초음파 X선 사진술 《의료 진단·비파괴 검사용》
so·no·rant [sənɔ́:rənt, sou- | sɔ́nə-, sóunə-] *n.* 〖음성〗 공명음(共鳴音) 《[l] [r] [m] [n] 등》
so·no·rif·ic [sɑ̀nərífik | sɔ̀-] *a.* 음향(音響)을 내는
so·nor·i·ty [sənɔ́:rəti, -nár- | -nɔ́r-] *n.* (*pl.* **-ties**) ⓊⒸ **1** 울려 퍼짐; 반향(反響) **2** 〖음성〗 (소리의) 들림(의 정도)
∗**so·no·rous** [sənɔ́:rəs, sánə- | sɔ́nə-, sənɔ́:-] *a.* **1** **울리는**, 울려 퍼지는, 낭랑한; 〈악기 등이〉 울려 퍼지는 소리를 내는: a ~ church bell 울려 퍼지는 교회의 종 **2** 〈소리가〉 큰, 반향하는 **3** 〈문체·연설 등이〉 격조 높은, 당당한 **~·ly** *ad.* **~·ness** *n.*
son·ship [sʌ́nʃip] *n.* 자식임, 자식의 신분[관계]: adapt one's ~ 자식[양자]으로 삼다
son·sy, -sie [sánsi | sɔ́n-] *a.* (**-si·er**; **-si·est**) 《스코·아일·방언》 **1** 행운의 **2** 토실토실하고 귀여운 (buxom) **3** 쾌활한; 건강한, 강건한
soo·ey [sú:i] *int.* 돼지를 부를 때 내는 소리
sook [súk] *n.* 《호주·뉴질》 겁쟁이, 못난이, 비겁한 사람
‡**soon** [sú:n] [OE 「곧」의 뜻에서] *ad.* **1** **곧**, 이내, 잠시 후, 머지않아: He will come ~. 곧 올 게다. / She left ~ after ten. 그녀는 10시 좀 지나 집을 나섰다.

> 유의어 **soon** 얼마 안 있어 **presently** soon과 같은 뜻이지만 좀 딱딱한 말이다: They will be here *presently*. 그들은 곧 이리 올 것이다. **shortly** soon이나 presently보다 시간이 짧음을 나타낸다: *shortly* after his arrival in Seoul 서울에 도착하여 곧 **immediately** 시간적인 간격을 두지 않고 지금 곧: come home *immediately* 곧바로 귀가하다

2 (예정보다) 일찍, 일찌감치(⇨ early 유의어): You needn't leave so ~. 그렇게 일찍 떠날 필요가 없어. / You spoke too ~. 말이 좀 빨랐어. **3** 빨리, 수월하게, 얼른: I want to be out of here the *~est* I can. 가능한 빨리 이 곳을 나가고 싶다. / (The) least said, (the) *~est* mended. 《속담》 말이 적으면 화근도 적다. **4** 기꺼이, 자진하여, 차라리
as* [*so*] ~ *as …하자마자 ***as ~ …*** (***as …***) (…하기보다) 오히려: He could *as* ~ write an epic *as* drive a car. 그가 자동차 운전을 할 줄 안다면 서사시를 쓰겠다. 《운전은 어림도 없다》 ***as ~ as not*** 오히려 기꺼이 ***as ~ as possible* [*maybe*]** 될 수 있는 대로 빨리, 한시 바삐 ***at the ~est*** 아무리 빨라도 ***had ~er*** do ***than …*** = ***had as ~*** do ***as …*** = would SOONer do than. ***just as ~*** 차라리, 기꺼이 ***none too ~*** 마침 제때에 ***No ~er said than done.*** 《속어》 말하기가 바쁘게 실행되었다[하였다]. ***no ~er … than*** …하자마자: He had *no ~er*[*No ~er* had he] arrived *than* he fell ill. 그는 도착하자마자 병이 났다. ***~er or later*** 조만간 ***~er than*** …보다는 차라리(rather than): *S~er than* take a bus, I'd walk. 버스를 타느니 차라리 걷겠다. ***~er than you think*** 《구어》 예상외로 빨리 ***S~ got* [*gotten*], *~ gone* [*spent*].** 쉽게 얻은 것은 쉽게 없어진다. ***The ~er, the better.*** 이르면 이를수록 좋다. ***would ~er*** do ***than …*** = ***would as ~*** do ***as …*** …하느니 보다는 차라리 …하고 싶다: I *would ~er* die *than* do it. 그것을 할 바엔 차라리 죽는 것이 낫다. / I *would* just *as* ~ stay at home (*as* go). 나는 (가느니보다는) 차라리 집에 있고 싶다.
soon·er [sú:nər] *n.* **1** 〖미국사〗 선점(先占) 이주민 《정부의 이주령 발령 전에 서부 현지에 가서 선취권을 획득한 사람》 **2** [**S~**] Oklahoma 주민의 속칭 **3** 《미·속어》 (부정(不正)한 이득에) 선수치는 사람
Sóoner Stàte [the ~] 미국 Oklahoma 주의 속칭
soon·ish [sú:niʃ] *ad.* 《구어·방언》 별로 시간을 안 들이고, 꽤 빨리
∗**soot** [sút, sú:t | sút] *n.* Ⓤ **그을음**, 매연(煤煙) **—** *vt.* 그을음투성이로 하다 **~·less** *a.* **~·like** *a.*
soot·er·kin [sútərkin] *n.* 《영》 **1** (상상적인) 후산(後産), 핏덩이 《네덜란드 여성이 분만 후에 나온다고 믿었던》 **2** 네덜란드 사람 **3** 실패로 돌아가는 계획; 불완전한 것
sooth [sú:θ] *n.* Ⓤ 《고어·시어》 진실, 사실, 현실 ***for ~*** = FORSOOTH. ***in*** (***good, very***) ***~*** 정말, 참으로 ***~ to say*** 《고어》 사실인즉, 사실은 **—** *a.* **1** 누그러뜨리는, 부드러운 **2** 진실의, 실제의 **~·ly** *ad.* 진실로
‡**soothe** [sú:ð] *vt.* **1** **달래다**, 어르다; 위로하다: He tried to ~ the crying child. 그는 우는 아이를 달래려고 해보았다. **2** 〈신경·감정을〉 진정시키다, 〈고통 등을〉 덜어주다: I tried to ~ her nerves[anger]. 나는 그녀의 신경질[화]을 가라앉혀 보려고 했다. **3** 《고어》 〈허영심을〉 만족시키다 **—** *vi.* 안심시키다, 달래다, 가라앉히다
sooth·er [sú:ðər] *n.* **1** 달래는 사람; 아부하는[알랑거리는] 사람 **2** (유아용) 고무 젖꼭지(pacifier)
sooth·fast [sú:θfæ̀st | -fɑ̀:st] *a.* 《고어》 **1** 진실에 근거한, 진실의, 정말의 **2** 정직한, 성실한; 충실한
sooth·ing [sú:ðiŋ] *a.* 달래는, 위로하는, 누그러뜨리는, 진정하는: in a ~ voice 달래는 듯한 목소리로 **~·ly** *ad.* **~·ness** *n.*
sooth·say [sú:θsèi] *vi.* (**-said** [-sèd]) 예언하다, 점치다 **—** *n.* 예언; 전조
sooth·say·er [-sèiər] *n.* 《고어》 점쟁이, 역술가; 예언자
sooth·say·ing [-sèiiŋ] *n.* Ⓤ 점, 예언
∗**soot·y** [súti, sú:ti | súti] *a.* (**soot·i·er**; **-i·est**) **1** 그을음의, 그을음 같은; 그을은, 그을음투성이의, 그을음으로 더러워진: a ~ chimney 그을음으로 검게 된 굴뚝 **2** 그을음 빛깔의, 거무스름한 **sóot·i·ly** *ad.* 그을음투성이로[가 되어] **sóot·i·ness** *n.* Ⓤ 그을음투성이

---

lify (opp. *agitate, disturb*) **2** (고통 등을) 덜어주다 ease, alleviate, assuage, moderate, temper, soften

임 ▷ sóot *n.*
sóoty móld 〖식물병리〗 그을음병[병균]
sop [sáp | sɔ́p] *n.* **1** [종종 *pl.*] (우유·수프·포도주 등에 적신) 빵 조각 **2** 흠뻑 젖은 것[사람] **3** 비위 맞추기 위한 선물, 미끼, 뇌물; 양보 **4** 《구어》 바보, 뱅충이, 겁쟁이, 나약한 사람 ***give*** [***throw***] ***a ~ to Cerberus*** 지옥을 지키는 개에게 미끼를 주고 지옥으로 들어가다; 뇌물로 매수하다
— *v.* (**~ped**; **~·ping**) *vt.* **1** 〈빵 조각을〉 적시다 《*in*》: (~+목+전+명) ~ bread *in* milk 빵을 우유에 적시다 **2** 빨아들이다, 빨아들여 없애다 《*up, with*》: (~+목+부) ~ *up* the water with a cloth 걸레로 물을 빨아들여 닦다 **3** 매수하다, 뇌물을 쓰다 **4** 흠뻑 적시다: (~+목+부) (~+목+전+명) be *~ped through*[*to* the skin] 흠뻑[축축이] 젖다
— *vi.* **1** 젖다, (액체가) 스며들다, 배나, 스며 퍼지다; 흠뻑 젖다 **2** 《속어》 〈맥주 등을〉 마시다
▷ sóppy *a.*
SOP standing[standard] operating procedure 〖군사〗 예규(例規), 관리 운용 절차; Study Organization Plan 〖컴퓨터〗 시스템 실계법의 하나 **sop.** soprano
so·pai·pil·la [sòupaipí:ə] *n.* (기름에 튀긴) 이스트 반죽의 페이스트리(pastry)
so·per [sóupər] *n.* 《미·속어》 =SOPOR[2]
soph [sáf | sɔ́f] *n.* 《미·구어》 2학년생(sophomore)
— *a.* 《미·속어》 미숙한, 유치한
soph. sophister; sophomore
So·phi·a [soufí:ə, -fáiə, sóufiə | səfáiə] *n.* 여자 이름 《애칭 Sophy, Sophie》
soph·ism [sáfizm | sɔ́-] *n.* **1** Ⓤ 고대 그리스의 궤변학파 철학 **2** ⓊⒸ 궤변, 억지 이론, 견강부회(牽强附會); Ⓤ 궤변법
soph·ist [sáfist | sɔ́-] *n.* **1** [종종 **S~**] (고대 그리스의) 철학·수사학의 교사; 학자 **2** 궤변가
soph·ist·er [sáfistər | sɔ́-] *n.* **1** 궤변가 **2** (특히 영국 대학에서) 2학년생, 3학년생
so·phis·tic, -ti·cal [səfístik(əl)] *a.* **1** 〈이론 등이〉 궤변의, 견강부회의 **2** 〈사람이〉 궤변을 부리는
-ti·cal·ly *ad.*
so·phis·ti·cate [səfístəkət, -kèit] *vt.* **1** 궤변으로 속이다 **2** 〈사람을〉 순진성을 잃게 하다; 약아빠지게 만들다 **3** 《드물게》 〈술·담배 등에〉 섞음질하다; 〈원문에〉 함부로 손을 대다 **4** 〈기계 등을〉 복잡하게 하다, 고급화하다, 정교하게 하다 — *vi.* 궤변을 부리다, 억지로 둘러대다, 견강부회하다
— *n.* **1** 닳고닳은 사람; 세련된 사람 **2** 도시적인 세련
***so·phis·ti·cat·ed** [səfístəkèitid] *a.* **1** 순진[소박]하지 않은; 세련된, 교양 있는; 세상에 밝은, 박식한, 노련한; 약아빠진 **2** 〈기계·기술 등이〉 정교한, 복잡한, 고도로 발달한: a highly ~ technique 매우 정교한 기술 **3** 〈문체 등이〉 기교적인, 멋부린, 세련된 **4** 〈작품 등이〉 지식인 취향의, 고급스러운, 고상한 **5** 현혹시키는; 섞음질한 **~·ly** *ad.*
so·phis·ti·ca·tion [səfìstəkéiʃən] *n.* Ⓤ **1** (고도의) 지적[도회적] 교양[세련] **2** 궤변을 부림; 견강부회; 억지 이론 **3** 섞음질; 불순 **4** 순진성 상실, 세상 물정에 익숙함, 닳고닳음 **5** (기계 등의) 복잡화, 정교화
soph·ist·ry [sáfəstri | sɔ́-] *n.* (*pl.* **-ries**) **1** Ⓤ (특히 고대 그리스의) 궤변법 **2** Ⓒ [보통 *pl.*] 궤변, 견강부회, 억지 이론
Soph·o·cles [sáfəklì:z | sɔ́-] *n.* 소포클레스 (495?-406? B.C.) 《고대 그리스의 비극 시인》
***soph·o·more** [sáfəmɔ̀:r | sɔ́-] [Gk 「현명한(sopho)」과 「어리석은(more)」으로 만든 말] *n.* 《미》 **1** (4년제 대학·고교의) **2학년생**(cf. FRESHMAN, JUNIOR, SENIOR) **2** 〈경험 등이〉 2년째 되는 사람: a ~ in Congress 당선 2년째의 국회의원
~ *slump* 2년차 증후군
— *a.* Ⓐ (대학·고교의) 2학년생의; 미숙한, 유치한
soph·o·mor·ic [sàfəmɔ́:rik, -má- | sɔ̀fəmɔ́-] *a.* 《미》 **1** (대학·고교의) 2년생의 **2** 아는 체하는; 건방진, 미숙한 **-i·cal·ly** *ad.*
so·phros·y·ne [səfrásəni | -rɔ́-] *n.* 온건, 온화; 신중, 사려 분별
So·phy, So·phie [sóufi, sáfi | sóufi] *n.* 여자 이름 《Sophia의 애칭》
-sophy [səfi] 《연결형》 「학(學), …지식 (체계)」의 뜻
so·por[1] [sóupər] *n.* 〖병리〗 깊은 잠, 혼수
sopor[2] *n.* 《속어》 최면제
sop·o·rif·er·ous [sàpərífərəs, sòu- | sɔ̀-] *a.* 최면의 **~·ly** *ad.* **~·ness** *n.*
sop·o·rif·ic [sàpərífik, sòu- | sɔ̀-, sòu-] *a.* 잠이 오게 하는, 최면의; 졸리는
— *n.* 최면제, 마취제 **-i·cal·ly** *ad.*
sop·ping [sápiŋ | sɔ́-] 《구어》 *a.* 흠뻑 젖은: ~ clothes 흠뻑 젖은 옷
— *ad.* 흠뻑: ~ wet 흠뻑 젖은
sop·py [sápi | sɔ́pi] *a.* (**-pi·er**; **-pi·est**) **1** 흠뻑 젖은(soaked), 축축한, 질벅질벅한 **2** 〈날씨가〉 비 오는(rainy), 축축한, 궂은: ~ weather 우천 **3** 《영·구어》 나약한, 감상적인; 눈물이 많은(mawkish); (여자의) 비위 맞추는, 친절하게 구는
be ~ on 《영·구어》 …에게 홀딱 반하다
so·pra·ni·no [sòuprəní:nou | sɔ̀p-] *n.* (*pl.* **~s**) 소프라노보다 음역이 높은 악기 《색소폰, 리코더 등》
***so·pran·o** [səprǽnou, -rá:n- | -rá:n-] [It. 「위의」의 뜻에서] *n.* (*pl.* **~s, -ni** [-ni:]) 〖음악〗 **1 소프라노**, 최고 음역 《여성·어린아이의 최고음》(⇨ bass[1] 관련); 소프라노 음성: sing ~ 소프라노 (가수)이다 / sing in ~ 소프라노로 노래하다 **2** 소프라노 가수 **3** 소프라노 악기; 소프라노 악기 연주자
— *a.* 소프라노의: a ~ voice 소프라노 목소리
sopráno recòrder 《미》 일반 사이즈의 리코더 《높은 음을 내는》 (《영》 descant recorder)
SOR 〖물리〗 synchrotron orbital radiation
so·ra [sɔ́:rə] *n.* 〖조류〗 (북미산(産)) 쇠뜸부기의 일종 (=**~ ràil**)
sorb [sɔ́:rb] *vt.* 〖화학〗 흡수[흡착]하다
~·a·ble *a.* **sòrb·a·bíl·i·ty** *n.*
sor·bate [sɔ́:rbeit, -bət] *n.* 〖화학〗 소르베이트 《흡수된 물질》
sor·be·fa·cient [sɔ̀:rbəféiʃənt] 〖의학〗 *a.* 흡수 촉진성의 — *n.* 흡수 촉진제
sor·bent [sɔ́:rbənt] *n.* 〖화학〗 흡수제, 흡착제
sor·bet [sɔ́:rbət, sɔ:rbéi] *n.* =SHERBET 1
sór·bic ácid [sɔ́:rbik-] 〖화학〗 소르브산 《방부제》
sor·bi·tol [sɔ́:rbətɔ̀:l, -tàl | -tɔ̀l] *n.* 〖화학〗 소르비톨 《마가목 등의 과즙에 함유됨; 당뇨병 환자의 설탕 대용품》
Sor·bonne [sɔ:rbán, -bʌ́n | -bɔ́n] *n.* [the ~] 소르본 대학 《옛 파리 대학의 신학부; 현재 파리 대학의 문학부·이학부》
sor·bose [sɔ́:rbous] *n.* 〖생화학〗 소르보스 《비타민 C 합성용 단당(單糖)》
sor·cer·er [sɔ́:rsərər] *n.* (*fem.* **-ess** [-ris]) 마법사, 마술사 《악령의 힘을 빌리는》
sor·cer·ess [sɔ́:rsəris] *n.* 여자 마법사[마술사]
sor·cer·ous [sɔ́:rsərəs] *a.* 마술을 쓰는, 마술의
sor·cer·y [sɔ́:rsəri] *n.* Ⓤ (악령의 힘을 빌려 행하는) 마법, 마술, 요술, 무술(巫術)
***sor·did** [sɔ́:rdid] [L 「더러운」의 뜻에서] *a.* **1** 〈환경 등이〉 더러운, 지저분한 **2** 〖동물·식물〗 칙칙한 빛깔의, 흙빛의 **3** 〈동기·행위·인물 등이〉 더러운, 욕심 많은, 인색한, 야비한: ~ methods 야비한 방법
~·ly *ad.* **~·ness** *n.*

thesaurus **sophisticated** *a.* **1** 세련된 suave, urbane, cultured, cultivated, polished, refined, elegant, stylish **2** 정교한, 복잡한 advanced, complicated, elaborate, complex, intricate
sore *a.* painful, aching, hurting, smarting, sting-

sor·di·no [sɔːrdíːnou] *n.* (*pl.* **-ni** [-niː]) 〖음악〗 약음기(弱音器)(mute); (피아노의) 지음기(止音器)

‡**sore** [sɔ́ːr] *a.* **1 a** 〈염증·상처 등이〉 (조금만 닿아도) 아픈, 쓰린, 쑤시는; 피부가 쓸려 벗겨진, 상처난, 문드러진, 염증을 일으킨: feel ~ 아프다 **b** (남의) 감정을 해치는, 마음을 아프게 하는: a ~ subject 기분을 상하게 하는 화제 **2 슬픔에 잠긴,** 슬퍼하는, 비통한(sad): with a ~ heart 슬픔에 잠겨; 마음이 아픈 **3** (미·구어) 민감한, 성마른; 화난, 속상한: feel ~ 기분이 상하다 (*about*) / get ~ 화를 내다 (*on, over, at*) **4** (고어·시어) 견딜 수 없는, 괴로운; 대단한, 심한: in ~ need 몹시 곤궁하여

a sight for ~ eyes ⇨ sight *n.* ***a ~ spot*** [***point, place***] 아픈 데, 급소, 약점 ***like*** [(***as***) ***cross***] ***as a bear with a ~ head*** ⇨ bear[1] *n.* ***touch*** a person ***on a ~ place*** [***spot***] = ***touch a ~ point with*** a person …의 아픈 데[약점]를 건드리다

—*n.* **1** 닿으면 아픈 데, 쓰리고 아픈 곳, 벗겨진 피부; 문드러진 곳, 상처; 종기 **2** 묵은 상처; 속상하게 하는 문제[추억]; 깊은 원한

—*ad.* (고어·시어) 몹시, 격렬하게, 심하게

—*vt.* (드물게) 괴롭히다, 성가시게 굴다 (*up*)

sore·head [sɔ́ːrhèd] (미·구어) *n.* 성난[분해하는] 사람; 성 잘 내는 사람

***sore·ly** [sɔ́ːrli] *ad.* **1 쓰려,** 아파서 **2** 심하게, 몹시: I missed him ~. 그를 몹시 그리워했다.

sore·ness [sɔ́ːrnis] *n.* Ⓤ **1** 쓰림, 아픔 **2** 비탄, 화가 남; 악감정, 불화: There was some ~ between them. 그들 사이에는 다소간의 불화가 있었다.

sóre thróat 〖병리〗 인후(咽喉)염, 인두염

sor·ghum [sɔ́ːrgəm] *n.* ⓊⒸ 〖식물〗 사탕수수(= sweet ~); Ⓤ (미) 사탕수수 시럽; 매우 감상적인 것

sor·go, -gho [sɔ́ːrgou] *n.* (*pl.* **~s**) 〖식물〗 사탕수수

so·ri [sɔ́ːrai] *n.* SORUS의 복수

sor·i·cine [sɔ́ːrəsàin, -sin, sɑ́- | sɔ́-] 〖동물〗 *a.* 뒤쥐의[같은] **—*n.*** 뒤쥐

so·ri·tes [souráitiːz | sɔ-] *n.* (*pl.* **~**) 〖논리〗 **1** 연쇄[삼단] 논법 **2** 궤변 (논법)

So·rop·ti·mist [sərɑ́ptəmist | -rɔ́p-] *n.* 국제 직업 여성회(Soroptimist Club) 회원

so·ro·ral [sərɔ́ːrəl] *a.* 자매의[와 같은]

so·ro·rate [sɔ́ːrərèit] *n.* 〖인류〗 (아내의 사후에) 처형[처제]과의 결혼

so·ror·i·cide [sərɔ́ːrəsàid, -rɑ́r- | -rɔ́r-] *n.* Ⓤ 언니[여동생] 살해 (행위); Ⓒ 그 범인

so·ror·i·ty [sərɔ́ːrəti, -rɑ́r- | -rɔ́r-] *n.* (*pl.* **-ties**) (교회 등의) 여성회; (미) 여성 클럽, (특히 대학의) 여학생 클럽(cf. FRATERNITY)

sorórity hòuse (미) 여대생 클럽 회관

so·ro·sis[1] [səróusis] *n.* (*pl.* **-ses** [-siːz]) 〖식물〗 상과(桑果) (오디·파인애플 등)

sorosis[2] *n.* (미) 여성 클럽[조직]

sorp·tion [sɔ́ːrpʃən] *n.* ⓊⒸ 〖물리·화학〗 수착(收着) (흡수(absorption), 흡착(adsorption)에 의한 물질의 결합 상태) **sórp·tive** *a.*

sor·ra [sɔ́ːrə, sɑ́rə | sɔ́rə] *ad.* (스코·아일) = NOT, NEVER(cf. SORROW *n.* 5)

sor·rel[1] [sɔ́ːrəl, sɑ́r- | sɔ́r-] *a.* 밤색의
—*n.* Ⓤ 밤색; 〖동물〗 Ⓒ 구렁말, 자류마(紫騮馬)

sorrel[2] *n.* 〖식물〗 수영, 참소리쟁이, 괭이밥

sor·ri·ly [sɑ́rəli, sɔ́ːr- | sɔ́r-] *ad.* 슬퍼하여; 불쌍히 여겨; 서투르게

‡**sor·row** [sɑ́rou, sɔ́ːr- | sɔ́r-] *n.* Ⓤ **1 슬픔,** 비애, 비통; 애도, 비탄 (*over, at, for*): feel great ~ *for* …을 크게 슬퍼하다 / to a person's ~ 슬프게도

> 유의어 **sorrow** 가까운 사람을 잃거나, 불행한 일에 대한 슬픔을 나타내는 일반적인 말이다: in *sorrow* and in joy 슬플 때나 기쁠 때나 **grief** 어떤 특정한 불행에 의한 아주 강한 슬픔: suffer *grief* at the loss of one's sister 누이의 죽음을 당하여 비탄에 잠기다 **sadness** 어떤 원인에 의하든가 또는 별일 없이 침울하고 슬픈 기분: An old lady lived in *sadness.* 한 노부인이 슬프게 살고 있었다.

2 후회, 유감 (*for*): express one's ~ *for* …에 대해 유감의 뜻을 표하다 **3** ⓊⒸ [종종 *pl.*] **a** 불행; 불운의 원인: the joys and ~*s* of life 인생의 고락 / He is a ~ to his parents. 그는 부모의 골칫거리이다. **b** 고생, 고난 **4** 아쉬움, 이별의 슬픔, 석별의 아쉬움, 애석: the ~ of parting 석별의 아쉬움 **5** [(the) ~; 부사적] (스코·아일) 결코 …않다(not, never): ~ a bit 조금도 …않다 ***drown*** one***'s ~s*** (속어) 술로 슬픔을 달래다 ***more in ~ than in anger*** 화가 나서라기보다는 슬퍼서 ***the Man of S~s*** 그리스도, 예수

—*vi.* 슬퍼하다, 가엾게 여기다, 애석하게 생각하다, 유감으로 여기다 (*at, for, over*); 비탄하다, 애도하다 (*after, for*) **~·er** *n.* **~·less** *a.*
▷ sórrowful *a.*

‡**sor·row·ful** [sɑ́rəfəl, sɔ́ːr- | sɔ́r-] *a.* **1 슬퍼하는,** 비탄에 잠긴; 애도하는: a ~ widow 비탄에 잠긴 미망인 **2** 슬픔에 젖은, 수심을 띤 **3** 슬프게 하는, 슬픈(sad), 비참한: a ~ sight 슬픈 광경 **4** 후회하는, 애석해하는, 유감으로 여기는 **~·ly** *ad.* **~·ness** *n.*

sor·row-strick·en [sɑ́roustrìkən | sɔ́r-] *a.* 슬픔에 잠긴

‡**sor·ry** [sɑ́ri, sɔ́ːri | sɔ́ri] [OE 「〈마음이〉 아픈」의 뜻에서] *a.* (**-ri·er**; **-ri·est**) **1** Ⓟ **슬픈,** 가엾은, 딱한 (*for*): I'm ~ *for* him, but it's his own fault. 그가 안됐지만 자업자득이다. // (~+***to*** do) (~+***that*** 절) I am ~ *to* hear it. 그것 참 딱한 이야기로군. / We are ~ *that* you are sick. 편찮으시다니 안됐습니다. **2** Ⓟ **유감스러운,** 섭섭한, 아쉬운: I am ~ *about* it. 그것은 유감이다. / I am ~ *for* you. 정말 안됐습니다. // (~+***to*** do) (~+***that*** 절) I am ~ *to* say (*that*) I cannot come to the party. 유감스럽게도 그 파티에 갈 수가 없습니다. / I am ~ (*that*) you cannot stay longer. 더 오래 못 계신다니 서운합니다. **3** Ⓟ 미안하게 생각하는, 후회하는 (*for*): (I am) so ~. 실례했습니다, 미안합니다. / I am ~ *for* it. 미안합니다. // (~+***to*** do) I am ~ *to* trouble you. 폐를 끼쳐서 미안합니다. // (~+***that*** 절) I am ~ *that* I have not written to you for a long time. 오랫동안 편지를 드리지 못하여 죄송합니다. **4** Ⓐ 형편없는, 초라한, 치사한, 시시한; 지독한, 심한: a ~ fellow 못된 녀석, 건달 / a ~ state of affairs 곤란한 상태 ***~ for*** one***self*** (구어) 낙심[낙담]하여

—*int.* (I'm sorry.의 줄임꼴에서) **1** [사과의 뜻] 죄송합니다: Did I step on your toe? *S~!* 제가 발을 밟았나요? 죄송해요! **2** [아쉬움의 뜻] 미안합니다, 섭섭합니다: *S~,* we're closed. 미안하지만 영업이 끝났습니다. **3** [되물을 때] 미안하지만 다시 말씀해 주세요; 네: "I'm hungry."—"*S~?*"—"I said, I'm hungry." 배고파. — 뭐랬지? — 배고프다구.

sór·ri·ness *n.* ▷ sórrily *ad.*

‡**sort** [sɔ́ːrt] [L 「운명」의 뜻에서] *n.* **1 종류**(kind), 부류 (*of*): develop a new ~ *of* painting 새로운 종류의 화법을 개발하다 / this ~ *of* house = a house *of* this ~ 이런 종류의 집 / these ~*s of* trees = trees of these ~*s* 이런 종류의 나무 / What ~ *of* (a) book do you want? 어떤 책이 필요한가? / all ~*s* and conditions *of* men 각계 각층의 사람들 / That's the ~ *of* thing I want. 그러한 것이 필요하다. **2** (구어) 성격, 성품; 품질; (…한) 종류의 것[사람]: He is a good[bad] ~. 그는 좋은[나쁜] 사람이다. / He is

---

ing, burning, irritated, bruised, wounded, injured
sorrowful *a.* sad, heartbroken, wretched, miserable, depressed, mournful, melancholy
sort *n.* kind, type, variety, class, category, style, group, set, genre, family, breed, brand

not my ~. 그는 내 타입이 아니다. **3** 《고어》 방법, 방식, 정도 **4** 〖인쇄〗 활자 한 벌 **5** 《호주·속어》 여자, 미인; 여자 친구 **6** 〖컴퓨터〗 정렬
after*[*in*] *a* ~** 일종의, 얼마간, 약간 ***a good*[*bad*] ~ (*of a fellow*)** ⇨ *n.* 2 ***all of a* ~** 비슷비슷한 ***all* ~(*s*) *of 온갖 종류의 ***a* ~ *of*** 일종의…, …와 비슷한 것: *a* ~ *of* politician 그런대로 정치가라고 할 수 있는 사람(cf. of a SORT) ***in some* ~** 《문어》 어느 정도까지 ***It takes all* ~*s to make a world.*** 모든 종류의 사람이 모여 세상을 이룬다. ***nothing of the* ~** [강한 부정] 그런 것이 아니다; 천만에, 당치도 않다 ***of a* ~** 엉터리의, (그 종류로서는) 나쁜: a politician *of a* ~ 정치꾼(cf. a SORT of) ***of* ~** 《구어》 어떤 종류의; 빈약한, 시시한 ***of* ~*s*** 〈목록 등이〉 정리되어 있지 않은; 《속어》 = of a SORT. ***of the* ~*s*** 그 정도의, 그런 ***out of* ~*s*** 활기가 없는, 풀죽은, 기분이 언짢은; 〖인쇄〗 활자가 고르지 않은 **~ *of* = ~ *o'* = ~*er* = *sorta*** [부사적으로, 주로 형용사·동사 앞에서 그것을 수식] 《구어》 다소, 얼마간, 말하자면: ~ *of* angry 다소 노하여 / I ~ *of* expected it. 다소 예상하고 있었다. ***That's your* ~.** 자네가 한다는 식은 그것이군; 그렇게 하면 된다.
— *vt.* **1** 분류하다 《*over, out*》; 가려내다, 추려내다 《*out*》; (우체국에서) 〈우편물을〉 배달구별로 나누다: ~ letters 편지를 분류하다 / ~ eggs by grade 달걀을 등급별로 나누다 // 《~ +목+부》 She ~*ed out* her books in the bookshelves. 그녀는 서가의 책들을 분류했다. **2** 〖컴퓨터〗 〈데이터 항목을〉 지정된 순서로 가지런히 하다 **3** 《영·구어》 잘 정리하다, 잘 해결하다
— *vi.* **1** 《고어》 조화되다, 어울리다, 일치하다 《*with*》: 《~+부》 《~+전+명》 Such conduct ~*s ill*[*well*] *with* his position. 그런 행위는 그의 지위에 어울리지 않는다[어울린다]. **2** 《영·방언·고어》 (같은 부류의 사람과) 사귀다 《*with*》
~ *out* 가려내다, 선별하다, 분류[구분]하다; 해결하다, 이해하다 **~ one*self out*** 《영》 〈사람·사태 등이〉 정상 상태로 되다, 진정되다 **~ *through*** 자세히 살펴보다
~·a·ble *a.*
sort·a [sɔ́:rtə] *ad.* 《속어》 = SORT of
sórt còde 《영》 은행 인식 번호(《미》 routing number)
sort·ed [sɔ́:rtid] *a.* **1** 〖지질〗 분급(分級)한 **2** 《영·속어》 [종종 well-~로] 〈사람이〉 유복한, 더할 나위 없는 **3** Ⓟ 《영·구어》 잘 정리된; 《영·구어》 (필요한 것을) 갖춘 ***be* ~ *for*** …을 마련하고[갖추고] 있다
sort·er[1] [sɔ́:rtər] *n.* **1** 가려내는 사람; 선별기(機) **2** 〖컴퓨터〗 분류기, 정렬기
sorter[2] *ad.* 《속어》 = SORT of
sor·tes [sɔ́:rti:z] *n. pl.* (성서 등을) 임의로 펴서 나온 페이지의 한 구절로 치는 점
sor·tie [sɔ́:rti] [F = going-out] *n.* **1 a** 〖군사〗 (포위된 진지로부터 밖으로의) 돌격, 출격; (군용기의) 단기(單機) 출격: make a ~ 출격하다 **b** 돌격대 **2** 《구어》 (낯선 고장으로의) 짧은 여행
— *vi.* 돌격[출격]하다
sórtie làb[**càn, mòdule**] = SPACE LAB
sor·ti·lege [sɔ́:rtəlidʒ] *n.* Ⓤ **1** 추첨, 제비뽑기, 제비 점치기 **2** 마법, 마술
sort·ing [sɔ́:rtiŋ] *n.* 구분, 분류; 〖지질〗 분급, 분급 과정[작용]
sórting òffice 《영》 (배달 전의) 우편 분류실
sórting yàrd 〖철도〗 조차장(《미》 switchyard)
sor·ti·tion [sɔ:rtíʃən] *n.* Ⓤ 추첨, 추첨 분배
sórt kèy 〖컴퓨터〗 정렬키
sort-out [sɔ́:rtàut] *n.* 《영·구어》 정리, 정돈
so·rus [sɔ́:rəs] *n.* (*pl.* **-ri** [-rai]) 〖식물〗 (양치류의) 포자낭군(胞子囊群)
‡SOS [ésòués] [위급할 때에 가장 타전하기 쉬운 모스 부호의 순서(··· ––– ···); Save Our Souls[Ship]의 약어는 아님] *n.* (*pl.* **~'s**) 조난[위급] 신호; 위급 호출 《무전용》; 《구어》 (방송 등에서 구원·응답을 구하는) 긴급 호출, 구조 요청: send[pick up] an ~ (call) 조난 신호를 송신[수신]하다
so's [sóuz] 《속어》 = so that
so·sa·tie [səsɑ́:ti] *n.* 《남아공》 사사티 《카레로 양념한 고기를 꼬치에 꿰어서 구운 요리》
so-so [sóusòu] *a.* 《구어》 대수로운 것이 아닌, 좋지도 나쁘지도 않은 — *ad.* 그저 그 정도로
sos·te·nu·to [sɑ̀stənú:tou, sòus- | sɔ̀s-] [It. 「지속된」의 뜻에서] 〖음악〗 *ad.* 소스테누토로, 〈음을〉 연장[계속]하여 — *a.* 소스테누토의
— *n.* 소스테누토 악절
sostenúto pèdal 〖음악〗 (그랜드 피아노의) 소스테누토 페달
sot [sɑ́t | sɔ́t] *n.* 술고래, 주정뱅이(drunkard)
so·te·ri·ol·o·gy [sətìəriɑ́lədʒi | -ɔ́l-] *n.* Ⓤ 〖신학〗 구원론 《예수 그리스도에 의한 구원의 교리》
So·thic [sóuθik, sɑ́- | sóu-, sɔ́-] *a.* 천랑성(Dog Star)의
Sóthic cýcle (고대 이집트력에서) 천랑성 주기
Sóthic yéar (고대 이집트력에서) 천랑성년(年), 시리우스년 《천랑성(Sirius)이 일출 직전에 동쪽 하늘에 떠오르는 때를 주기로 하여 365 1/4일에 해당》
So·this [sóuθis] *n.* (고대 이집트에서) 천랑성, 시리우스(Sirius)
sots [sɑ́ts | sɔ́ts] [Russ. *sots*ialist] *n.* 〖미술〗 소츠 《구소련에서 사회주의 리얼리즘을 풍자하는 반체제적 예술 양식》
sot·ted [sɑ́tid | sɔ́-] *a.* 고주망태가 된, 술고래의
sot·tish [sɑ́tiʃ | sɔ́-] *a.* 술고래의, 주정뱅이의; 바보의 **~·ly** *ad.* **~·ness** *n.*
sot·to vo·ce [sɑ́tou-vóutʃi | sɔ́-] [It. = under the voice] *ad.* 낮은 소리로; 《비유》 방백(傍白)으로
sot-weed [sɑ́twì:d | sɔ́t-] *n.* 《구어》 담배
sou [sú:] [F] *n.* (*pl.* **~s** [-z]) 수 《1/20 프랑의 동전》; 보잘것없는 돈 ***not have a* ~** 한 푼도 없다
sou·bise [su:bí:z] [F] *n.* ⓊⒸ 수비즈(= ~ **sàuce**) 《고기 요리용 양파 소스》
sou·brette [su:brét] [F] *n.* 〖연극〗 몸종, 계집종, 시녀 《말괄량이로 교태를 부림; cf. INGÉNUE》; 그 역의 여배우; 《일반적으로》 말괄량이
sou·bri·quet [sú:brəkèi, -kèt, ⌐-⌐ | sú:brikèi] *n.* = SOBRIQUET
sou·car [saukɑ́:r] *n.* (인도의) 은행가, 사채업자
sou·chong [sù:ʃɑ́ŋ, -tʃɑ́ŋ | -tʃɔ́ŋ, -ʃɔ́ŋ] [Chin.] *n.* Ⓤ 소종(小種) 《여린 싹으로 만드는 고급 홍차》
Sou·da·nese [sù:dəní:z, -ní:s | -ní:z] *a., n.* (*pl.* ~) = SUDANESE
souf·fle [sú:fl] *n.* 〖병리〗 (청진할 때 들리는 각 기관의) 잡음
souf·flé [su:fléi, ⌐-| ⌐-] [F = blown up] *n.* ⓊⒸ 수플레 《달걀의 흰자 위에 우유를 섞어 거품내어 구운 요리》 — *a.* **1** 수플레 요리의 **2** 구워서 부풀린
— *vt.* 요리하여 부풀리다; 수플레 요리를 하다
sough [sáu, sʌ́f] *vi.* 〈바람이〉 휘 불다, 쏴 불다, 살랑거리다 — *n.* 바람 부는 소리, 휘, 쏴, 산들거림
~·ful·ly *ad.* **~·less** *a.*
‡sought [sɔ́:t] *v.* SEEK의 과거·과거분사
sought-af·ter [sɔ́:tæ̀ftər | -ɑ̀:f-] *a.* 수요가 있는; 인기 있는(popular)
souk, suk, suq [sú:k] *n.* (북아프리카·중동의) 야외 시장, 수크
sou·kous [sú:ku:s] *n.* (팝 음악의) 춤의 한 형식 《카리브 리듬으로 전기 기타와 보컬 그룹이 하는》
‡soul [sóul] *n.* **1** ⓊⒸ **a** 영혼, 혼; 죽은 자의 영혼, 넋, 망령(opp. *body, flesh*): the transmigration of ~*s* 영혼의 전생, 윤회 / the abode of the departed ~*s* 육체를 떠난 영혼의 안식처, 천국 **b** 정

thesaurus **sound**[2] *a.* **1** 건강한 healthy, undamaged, uninjured, physically fit, in good condition **2** 견고한 solid, substantial, sturdy, well-construct-

신, 마음 **2** Ⓤ **정, 감정**; 정기, 생기, 기백, 열정; 정감, 감각: a man with more ~ than brains 이지적이기보다는 정이 깊은 사람/He has no ~. 그는 정[기백]이 없다./His picture lacks ~. 그의 그림에는 기백이 없다. **3** [수사 또는 부정어와 함께] 《문어》 사람, 인명, …한 인간: an honest ~ 정직한 사람/*Not* a ~ was to be seen. 사람이라곤 그림자도 보이지 않았다./The ship sank with 300 ~*s* on board. 그 배는 300명을 태운 채 침몰했다./Don't tell a ~. 아무한테도 말하지 마시오. **4 a** 수뇌자, 중심인물, 지도자(leader): the ~ of the movement 그 운동의 중심 인물 **b** 《사물의》 정수, 핵심, 생명: Brevity is the ~ of wit. 간결은 기지의 정수, 말은 간결이 생명. 《Shakespeare의 *Hamlet*에서》 **5** [the ~] 《정신의 구현이라고 본》 인물; 《어떤 덕(德)의》 권화(權化), 화신, 전형, 귀감: *the* great ~*s* of antiquity 옛날의 큰 인물들/*the* ~ of honesty 정직의 화신 《신처럼 정직함》 **6** Ⓤ **a** 《미·구어》 흑인 의식, 흑인혼; 박력, 열정 **b** =SOUL FOOD **c** =SOUL MUSIC **7** [**S~**] 〔크리스천 사이언스〕 신(God)

Be a good ~ and do it. 너 착하지, 자 그렇게 해요. ***cannot call*** one***'s ~*** one***'s own*** 《구어》 완전히 남에게 좌지우지되고 있다 ***commend*** one***'s ~ to God*** 〈임종하는 사람이〉 영혼을 신에게 맡기다; 사후의 명복을 빌다 ***for the ~ of me*** = ***for my ~*** = ***to save my ~*** 아무리 하여도, 도저히 〈생각나지 않다 《등》〉 ***have a ~ above*** …을 떳떳하다고 여기지 않다 ***have no ~*** 혼[생명]이 없다 《예술가로서 또는 작품에》 ***in my ~ of ~s*** 마음속 깊이 ***keep body and ~ together*** ⇨ body. ***Poor ~!*** 가엾어라! ***possess*** one***'s ~ in patience*** 꾹 참다 ***search*** one***'s ~*** 《구어》 반성하다 ***sell*** one***'s ~*** 《돈·권력을 위해》 양심에 부끄러운 짓을 하다, 혼을 팔다 《*for*》 ***the life and ~ of*** the party 《그 파티》의 중심인물 ***upon***[***on, by***] ***my ~*** 맹세코 ***with*** (***all***) one***'s heart and ~*** 온 정성을 다하여

— *a.* 《미·구어》 흑인 본래의, 흑인다운; 흑인의; 흑인을 위한

sóul bròther 《미·흑인속어》 흑인 남성, 동포

sóul calýpso 《칼립소(calypso)와 소울 음악에서 파생한》 카리브(Caribbean) 춤의 일종

Sóul Cíty 《미·흑인속어》 =HARLEM 1

soul-de·stroy·ing [sóuldistrɔ̀iiŋ] *a.* 못 견디게 단조로운

souled [sóuld] *a.* [보통 복합어를 이루어] 정신을 가진; 정신[마음]이 …한: high-~ 고결한

sóul fòod 《미·구어》 흑인 특유의 음식 《특히 미국 남부의》

soul·ful [sóulfəl] *a.* 감정[정신]이 충만한, 감동적인, 숭고한; 정성을 기울인, 활기에 찬 **~·ly** *ad.* **~·ness** *n.*

sóul kìss 혀로 하는 키스(deep kiss, French kiss)

soul·less [sóullis] *a.* **1** 영혼이 없는; 정신이 들어 있지 않은 **2** 무정한; 비열한 **3** 활동[생기, 기백, 기력]이 없는 **~·ly** *ad.* **~·ness** *n.*

sóul màte 애인, 정부(情夫·情婦); 《특히 이성의》 마음이 통하는 친구; 동조자

sóul mùsic 소울 뮤직 《1950년대 후반에 발달한 흑인 음악으로 리듬 앤드 블루스와 가스펠이 섞인 음악 형식》

sóul pàtch 아랫입술 밑에 조그맣게 기르는 수염

sóul ròck 솔 록 《soul music의 영향을 받은 rock》

soul-search·ing [sóulsə̀ːrtʃiŋ] *n.* Ⓤ 《진리·진상 등의》 탐구, 규명; 자기반성, 자기 성찰

— *a.* 자기 성찰의

sóul sìster 《미·흑인속어》 흑인 여성

soul-stir·ring [-stə̀ːriŋ] *a.* =EXCITING

‡**sound**[1] [sáund] *n.* **1** ⓊⒸ **소리, 음, 음향, 울림; 음성, 어음**(語音)(speech sound): a vowel ~ 모음/a dull ~ 둔한 소리/the ~ of laughter 웃는 소리

> 유의어 **sound** 「소리」를 뜻하는 가장 일반적인 말: the *sound* of flowing water 흐르는 물소리 **noise** 들어서 불쾌한 소음이나 잡음: the *noise* of shouting 고함지르는 시끄러운 소리 **tone** 음질·고저·강약 등의 면에서 본 음(音): *tones* of a flute 플루트 소리

2 음파 **3** Ⓤ 소음, 잡음, 떠들썩한 소리, 법석: all kinds of ~*s* 여러 가지 소리 **4** Ⓤ 들리는 범위 **5** 《영화 등의》 음성, 녹음된 음; 사운드 《특정한 개인·그룹·지역의 특징적인 음악 형태》 **6** ⓊⒸ 〔음성〕 음, 음성 **7** ⓊⒸ 가락, 음조(音調) **8** [a ~, the ~] 《목소리·말의》 인상, 느낌, 뜻, 들림새, 어감 **9** 《고어》 소식, 기별, 소문 ***catch the ~ of*** …을 대충 알다, 짐작하다 ***like***[***be fond of***] ***the ~ of*** one***'s voice*** 자기만 수다스럽게 지껄이다 ***much ~ but little sense*** 공연한 법석 ***within ~ of*** …이 들리는 곳에

— *a.* 소리의[에 관한], 음성의, 사운드의

— *vi.* **1** 소리가 나다; 울리다, …한 소리가 나다, …으로 발음되다: The bell ~*s.* 종이 울린다.// (~+보) The music ~*s* sweet. 아름다운 음악이다. **2** …하게 들리다, 느껴지다; 생각되다 《*like*》: strange as it may ~ 묘하게 들릴지 모르지만// (~+보) That excuse ~*s* very hollow. 그 변명은 속이 뻔히 보인다./That ~*s like* a good idea. 그것 좋은 생각 같다./ C.E Her voice *sounded* more *serious* [seriously(×)] than ever. 그녀의 목소리가 전에 없이 심각하게 들렸다. **3** 《구어》 큰 소리로 말하다; 불평하다; 항의하다 **4** 〔법〕 …에 관계되다 《*in*》: (~+전+명) His action ~*s in* contract. 그의 소송은 계약에 관한 것이다. **5** 소리로 전해지다; 소식이 전해지다, 퍼지다, 알려지다

— *vt.* **1 a** 소리내다; 〈나팔 등을〉 불다 **b** 《종·나팔·북 등으로》 알리다, 신호하다, 〈경보 등을〉 발하다 **2** [보통 수동형으로] 〈글자를〉 발음하다 **3** 〈벽·선로·바퀴 등을〉 두드려 조사하다; 《문어》 〈가슴을〉 타진[청진]하다 **4** 〈소문 등을〉 퍼뜨리다; 찬양하다 **~ off** 《구어》 (1) 큰 소리로 말하다 (2) 〈자기 의견을 거리낌없이 발표하다, 선전하다 《*about, on*》 (3) 《군대에서》 행진 중에 「하나, 둘, 셋, 넷」하고 보조를 맞추다 **~ out** (남의) 생각을 타진하다, 의중을 떠보다 **~·a·ble** *a.*

‡**sound**[2] [sáund] 〔OE gesund의 ge-가 소실한 것〕 *a.* **1** 〈신체·정신이〉 **건전한**, 건강한, 정상적인: a man of ~ body 몸이 튼튼한 사람/~ common sense 건전한 양식/A ~ mind in a ~ body. 《속담》 건강한 신체에 건전한 정신. **2 온전한**, 상하지 않는, 흠이 없는: ~ teeth 충치가 없는 이 **3** 〈건물 등이〉 **견고한**, 안전한 **4** 〈행위·행동 등이〉 사려 분별 있는; 착실한, 바른: ~ evaluations 바른 평가/a ~ judgement 타당한 판단 **5** 〈재정 상태 등이〉 **견실한**, 안전한, 자산[신용, 지불 능력]이 있는 **6** 〈수면이〉 충분한; 깊은; 〈타격 등이〉 호된, 흡족할 정도의: a ~ sleep 숙면 **7** 잘하는; 논리적으로 옳은; 정통의 〈교리 등〉: a ~ opinion 옳은 의견 **8** 〔법〕 유효한

(***as***) ***~ as a bell*** 아주 건강하여 (***as***) ***~ as a top*** 푹 잠들어 ***safe and ~*** ⇨ safe

— *ad.* 깊이, 푹: sleep ~ 숙면하다/~ asleep 깊이 잠들어 ▷ sóundly *ad.*

‡**sound**[3] [sáund] 〔ME 「꿰뚫다」의 뜻에서〕 *vt.* **1** 〈깊이를〉 **재다**, …의 밑을 조사하다 《측연(測鉛)·측간(測竿)으로》: ~ (the depth of) a lake 호수의 깊이를 재다 **2** 〔의학〕 소식자(probe)를 넣어 조사하다 **3** [종종 ~ out] 〈남의 생각 등을〉 타진하다 《*on, about, as to*》: ~ a person's opinions …의 의견을 타진하다// (~+목+부) They tried to ~ me *out.* 그들은 나의 속을 떠보려고 했다.// (~+목+전+명) We must ~ him *about* his willingness to help us. 그가 우리를 도울 의향이 있는지 타진해

---

ed **3 사려 분별 있는** reliable, fair, sensible, intelligent, wise, shrewd, perceptive **4 (재정 상태가) 견실한** solvent, creditworthy, secure, solid

보아야 한다.
—vi. **1** 수심을 재다 **2** 바닥에 닿다 **3** 〈고래 등이〉 물속으로 잠수하다 **4** 가능성을 타진하다
—n. 〖의학〗 (외과용) 소식자(消息子), 탐침(探針)
sound[4] [ME「해협」의 뜻에서] n. **1** 해협, 좁은 해협 **2** 하구(河口), 후미, 작은 만(灣) **3** (물고기의) 부레(air bladder)
sóund absòrption 흡음(吸音)
sound-a·like [sáundəlàik] n. (목소리·노래 등이) 유명인과 비슷한 사람; 비슷한 이름의 사람[것]
sound-and-light [-ən*d*láit] a. 소리와 빛(과 녹음)을 사용한 〈디스코〉
sóund àrchives (방송국의) 녹음테이프 보관소
sóund bàrrier [the ~] =SONIC BARRIER
sóund bìte (뉴스·당의 정치적 선전물에 쓰이는) 인터뷰, 연설 등의 핵심적 내용
sound·board [-bɔ̀:rd] n. =SOUNDING BOARD
sóund bòw [-bòu] 종의 추가 부딪히는 부분
sóund bòx (악기의) 공명 부분; (축음기의) 재생 장치《픽업의 운모판(雲母板)의 부분》
sóund bròadcasting (텔레비전과 구별하여) 라디오 방송
sóund càmera 〖영화〗 동시 녹음 촬영기
sóund càrd 〖컴퓨터〗 사운드 카드《음성 입출력용 확장 카드》
sóund chànge 〖음성〗 음[음소(音素)] 변화
sóund chèck 사운드 체크《연주 전의 음향 조절》
sóund effècts 음향 효과
sóund enginéer (방송·녹음의) 음향 조정 기사
sound·er[1] [sáundər] n. **1** 울리는 것, 소리내는 것 **2** 〖통신〗 전음(電音) 발신기, 음향기
sounder[2] n. 측심기(測深機), 물 깊이를 재는 사람; 〖의학〗 소식자, 탐침
sounder[3] n. (고어) 산돼지 떼; 산돼지 새끼
sóund fìeld 〖물리〗 음장(音場)
sóund fìlm 발성 영화 (필름)(talkie)
sound·head [sáundhèd] n. (영사기의) 발성부
sóund hòle 〖음악〗 (현악기의) 울림 구멍, (바이올린 등의) f자 구멍
sound·ing[1] [sáundiŋ] a. **1** 소리나는; 낭랑하게 울리는, 울려 퍼지는 **2** 잘난 체 떠들어대는; 떠벌리는, 과장된, 허풍떠는: a ~ title 요란스러운 직함 / ~ oratory 호언장담하는 웅변 **~·ness** n.
sounding[2] n. **1** 수심 측량 **2** 수심 **3** [*pl.*] 측연이 미치는 측정 범위; 깊이 180m 미만의 바다: come into ~*s* 깊이를 잴 수 있는 수역에 도달하다 **4** 〖기상〗 고층 기상 탐측 **5** (신중한) 조사
in [***on***] **~*s*** 〈배가〉 측연이 미치는 곳에 ***off*** [***out of***] **~*s*** 〈배가〉 측연이 미치지 않는 곳에 ***take ~s*** 서서히 사태를 살피다
sóunding ballòon 〖기상〗 기상 관측 기구
sóunding bòard **1** (악기의) 공명판; 반향판《연단 위에 비치하여 음향을 잘 전하게 함》 **2** 홍보 담당자[수단]
sóunding lèad [-lèd] 측연(測鉛)(plumb)
sóunding lìne 측연선(線)(plumb line)
sound·ing·ly [sáundiŋli] ad. 울려 퍼지며; 당당하게, 인상적으로
sóunding ròcket (대기 상층부의) 탐사[관측] 로켓
sound·less[1] [sáundlis] a. 소리 없는, 소리를 내지 않는, 조용한(silent) **~·ly** ad. **~·ness** n.
soundless[2] a. (시어) 〈바다 등이〉 깊이를 잴 수 없는, 한없이 깊은(fathomless) **~·ly** ad.
sound·ly [sáundli] ad. **1** 확실[안전]하게, 온전하게 **2** 푹 〈자다〉 **3** 건전하게 **4** 호되게 〈치다 등〉
sound·man [sáundmæ̀n] (*pl.* **-men** [-mən]) n. **1** 음향 효과 담당자 **2** (방송·녹음의) 음향 기술자
sóund mìxer 음량·음색 조절기[조절 기사]
sóund mòtion pìcture 발성 영화(sound film)
sóund-múl·ti·plex sỳstem [-mʌ́ltəplèks-] 〖방송〗 음성 다중 방식
sound·ness [sáundnis] n. ⓤ 건강; 건실, 건전; 온당, 온건
sóund pollùtion 소음 공해(noise pollution)
sóund pòst 〖음악〗 (바이올린 등 악기의) 앞판과 뒤판 사이의 버팀대, 향주(響柱)
sóund prèssure 〖물리〗 (순간) 음압(音壓)
sound·proof [sáundprù:f] a. 방음의, 방음 장치가 된: a ~ door 방음문 —vt. …에 방음 장치를 하다 **~·ing** n.
sóundpróof brá (미·속어) 패드를 넣은 브래지어
sóund rànging 음원(音源) 탐지법
sóund recòrding 녹음
sound·scape [-skèip] n. 음경(音景), 음악적 파노라마
sóund scùlpture 소리나는 조각《좋은 소리가 나는 금속 박대 등을 씀》
sóund shèet (미·속어) 소노 시트《얇은 플라스틱 음반; 광고·판매용》
sóund shìft 〖언어〗 음운 추이(音韻推移), 음변화
sóund spèctrogram 음향 분석도《음의 주파수·강도·지속 시간·공명 등의 시간적 비교를 그래프로 나타낸 것》
sóund spèctrograph 음향 분석기
sound·stage [-stèidʒ] n. 영화 촬영을 위한 방음 스튜디오
sóund sỳmbolism 〖언어〗 음 상징《단어의 음성적 특징과 의미 사이에 보여지는 상관》
sóund sỳstem 사운드 시스템《사운드를 증폭하는 음향 장치》
sóund tràck 사운드 트랙, (필름 가장자리의) 녹음대(帶); (판매용의) 영화 음악[대사]
sóund trùck (확성기를 장치한) 선전 트럭
sóund wàve 〖물리〗 음파
‡**soup** [sú:p] n. ⓤ **1** 수프: eat ~ (스푼으로) 수프를 먹다 / onion ~ 양파 수프 / drink ~ (스푼을 쓰지 않고 그릇에서 직접) 수프를 마시다 **2** (미·속어) 니트로글리세린《금고 파괴용》 **3** (속어) (엔진 등의) 마력, 속력; (경주말에 먹이는) 흥분제; (비행기·자동차의) 강화 연료 **4** (속어) 짙은 안개[구름] **5** (사진속어) 현상액 ***from ~ to nuts*** (미·구어) 처음부터 끝까지, 몽땅, 모두; (식사코스에서) 수프에서 디저트까지 ***in the ~*** (구어) 곤경에 빠져, 난처하게 되어
—vt. **1** [보통 수동형으로] (구어) 〈사람을〉 궁지에 빠뜨리다 **2** (속어) (차의 엔진 등을 개조하여) 마력[성능]을 높이다《*up*》; 더 활기를 띠게 하다; 〈이야기 등을〉 한층 자극적으로[다채롭게, 재미있게] 하다《*up*》
~·less a. **~·like** a. ▷ sóupy a.
sóup and físh (구어) 남자 야회복(夜會服)
soup·bone [sú:pbòun] n. 수프용 뼈《소의 사골 등》; (야구속어) (투수의) 주로 쓰는 팔
soup·çon [su:psɔ́:ŋ, ⌐-|⌐-] [F =suspicion] n. [a ~] 조금, 소량, 기미(氣味)《*of*》
soup du jour [sù:p-də-ʒúər] [F] (식당의) 특정한 날에 나오는 수프
souped-up [sú:ptʌ́p] a. (속어) **1** 〈확성기·마이크 등이〉 고성능화한; 〈엔진·자동차 등이〉 마력을 올린 **2** 자극적인, 재미있게 한
sóup hòuse (미·속어) 싸구려 식당
sóup jòb (미·속어) (마력·스피드를 높인) 개조한 차
sóup jòckey (미·속어) 웨이터, 웨이트리스
sóup kìtchen (빈민을 위한) 무료 식당, 수프 접대소《이 표를 soup ticket이라 함》
sóup plàte (우묵한) 수프 접시
soup·spoon [sú:pspù:n] n. 수프용 큰 스푼
soup·y [sú:pi] a. (**soup·i·er**; **-i·est**) **1** 수프 같은 **2** 〈안개 등이〉 짙은 **3** (미·구어) 감상적인
‡**sour** [sáuər] a. **1** 신, 시큼한: a ~ apple 신[덜 익은] 사과 **2** 시어진 〈우유 등〉; 신내가 나는: ~ milk

thesaurus **sour** a. **1** 신 acid, acetic, tart, bitter, sharp, vinegary, unpleasant, distasteful **2** 심

신 우유 **3 a** 심술궂은, 〈마음이〉 비뚤어진 **b** 불쾌해진, 앵돌아진 **c** 음산한; 냉습한, 으스스 추운 〈날씨 등〉 **4** 〖농업〗 〈땅이〉 불모(不毛)의, 산성인 **5** 《구어》 좋지 않은, 나쁜 **6** 〈가솔린 등이〉 황화물이 섞인
(***as***) **~ *as vinegar*** 몹시 못마땅한 듯한 ***be ~ on*** 《미·구어》 …을 못마땅해하다, 싫어하다 ***for ~ apples*** 《미》 서투르게, 보기 흉하게 ***go*** [***turn***] **~** 〈음식물 등이〉 시어지다; 《구어》 일이 못 쓰게 되다, 표준 이하가 되다; 흥미를 잃다 《*on*》
— *vt.* **1** 시게 하다 **2** 〈과일 등을〉 썩게 하다 **3** 불쾌하게 만들다, 〈성미를〉 까다롭게 만들다
— *vi.* **1** 시어지다 **2** 불쾌해지다, 〈성미가〉 까다로워지다 **3** 〈땅이〉 산성화하다 **~ *on*** 《미》 …을 싫어하다
— *n.* **1** 신 것 **2** [the ~] 싫은 것, 쓰디쓴 것 **3** ⓊⒸ 《미》 사워 《칵테일》
take the sweet with the ~ 인생을 낙관적으로 받아들이다, 낙천가이다 **~·ness** *n.*

sóur báll **1** 사워 볼 《새콤한 알사탕》 **2** 《구어》 꽤 까다로운 사람, 불평가

‡**source** [sɔ́:rs] [OF 「발생하다」의 뜻에서] *n.* **1** 원천(spring), 수원(지): the ~*s* of the Nile 나일 강의 수원 **2** 근원, 근본, 원인 《*of*》: the ~ *of* revenue [wealth] 재원(財源)[부원(富源)] **3** 출처, 근거; 출전(出典); 정보원(源): a news ~ 뉴스의 출처/a reliable ~ 믿을 만한 소식통/historical ~*s* 사료(史料) **4** 《상환·배당금 등의》 지급인 **5** 제조업자, 공급자
at **~** 원점에 있어서
— *vt.* 〈인용문의〉 출처를 명시하다
~·ful *a.* **~·less** *a.*

sóurce bòok 원본, 원전(原典); 사료집(史料集); 《연구용의》 자료집

sóurce còde 〖컴퓨터〗 원시 코드, 소스 코드 《실행 전에 컴파일러나 어셈블러를 써서 기계어로 변환하는 바탕이 되는 프로그램》

sóurce dàta 〖컴퓨터〗 소스 데이터

sóurce dìsk 〖컴퓨터〗 소스 디스크 《복사될 파일이나 프로그램을 갖고 있는 디스크》

sóurce dòcument 〖컴퓨터〗 원문서

sóurce fòllower 〖전자〗 소스 폴로어 《전기당 효과 트랜지스터의 전력 증폭 회로》

sóurce lànguage 〖언어〗 기점(起點) 언어 《번역되기 전의 원문 언어》; 〖컴퓨터〗 원시[기본] 언어

sóurce matèrial 《연구·조사 등의》 원(原)자료 《일기·기록 등》

sóurce prògram 〖컴퓨터〗 원시 프로그램

sóur crèam 산패유(酸敗乳) 《유산 발효시킨 생크림; 빵·과자에 씀》

sour·dine [suərdí:n] [F] *n.* 〖음악〗 소음기(消音器)

sour·dough [sáuərdòu] *n.* 《미》 **1** Ⓤ 《다음에 쓰려고 남기는》 발효한 빵반죽; 그것으로 구운 빵 **2** 《알래스카·캐나다의》, 탐광 개척자

sour-faced [sàuərféist] *a.* Ⓐ 언짢은[불쾌한] 표정의

sóur grápes [포도를 따려던 여우가 손이 미치지 않자 이 포도는 신 것이라고 오기를 부려 떠났다는 「이솝 이야기」에서] [단수 취급] 지기 싫어함, 오기

sóur gùm 〖식물〗 = TUPELO

sour·ish [sáuəriʃ] *a.* 조금 신, 시큼한

sour·ly [sáuərli] *ad.* 시게; 까다롭게, 불쾌하게, 심술궂게

sóur másh 《미》 사워 매시 《위스키 등의 증류에 쓰는 산성 맥아즙》

sóur órange 〖식물〗 광귤나무; 광귤 《열매》

sour·puss [sáuərpùs] *n.* 《구어》 항상 상을 찌푸리고 있는 사람, 흥을 깨는 사람, 불평꾼

sóur sált 산미염(酸味鹽), 결정(結晶) 시트르산

sour·sop [-sɑ̀p | -sɔ̀p] *n.* 〖식물〗 가시여지 《열대 아메리칸산(産)》; 그 열매

술궂은 disagreeable, bad-tempered, ill-tempered, irritable, cross, crabbed, touchy, grumpy

sou·sa·phone [sú:zəfòun, -sə- | -zə-] *n.* 수자폰 《tuba 종류의 대형 관악기》

sousaphone

sous-chef [sú:ʃèf] [F] *n.* 조리장의 부책임자

souse [sáus] *n.* Ⓤ **1** 간국, 간물 **2** 소금에 절인 것 《돼지의 머리·발·귀, 또는 청어 등의》 **3** Ⓒ 흠뻑 젖음; 물에 담금; 첨벙 《물 소리》 **4** Ⓒ 《속어》 술꾼, 술고래
— *vt.* **1** 흠뻑 적시다: 《~+목+전+명》 be ~*d to* the skin 흠뻑 젖다 **2** 담그다, 잠기게 하다, 《물에》 집어 넣다 《*in, into*》; 〈물 등을〉 끼얹다: 《~+목+전+명》 ~ a thing *in* water 물건을 물에 담그다/~ liquid *over* a thing 물건에 액체를 끼얹다 **3** 소금에 절이다 **4** 《속어》 술에 취하게 하다(⇨ soused 2) — *vi.* **1** 《물 등에》 뛰어들다 **2** 흠뻑 젖다 **3** 《속어》 술에 취하다
— *ad.* 첨벙; 곤두박이로

soused [sáust] *a.* **1** 소금에 절인[간한]: ~ herrings 간청어 **2** 《속어》 술 취한: get ~ 술 취하다

sóuse pòt 《속어》 술주정꾼

sou·tache [su:tǽʃ] [F] *n.* 《명주·털 등의》 장식용 합사(合絲)

sou·tane [su:tɑ́:n, -tǽn] *n.* 〖가톨릭〗 《신부가 입는 검은》 평상복, 수단

sou·te·neur [sù:tənə́:r] [F] *n.* 뚜쟁이(pimp)

sou·ter·rain [sù:tərèin, ⌒⌒´] [F] *n.* 〖고고학〗 지하실, 지하도

‡**south** [sáuθ] *n.* **1** [the ~] Ⓤ 남(쪽); Ⓒ 남방, 남부 《略 S, S.》: to *the* ~ of …의 남쪽으로 **2** [the ~] 남부 지방 《*of*》; [the S~] 《미》 남부(의 여러 주), 《남북 전쟁 당시의》 남부 연방 **3** [the S~] 남반구, 《특히》 남극 지방, 《자석의》 남극 **4** [the S~] 《아시아·아프리카·중남미 등의》 개발도상국 **5** 《시어》 남풍, 마파람(=~ **wínd**)
— *a.* Ⓐ **1** 남쪽의, 남쪽에 있는; 남향의: the ~ side 남측/a ~ gate 남문 **2** [**S~**] 남부의, 남국의; 남부 주민[종교]의 **3** 〈바람이〉 남쪽에서 부는
— *ad.* 남쪽에, 남쪽으로; 〈바람이〉 남쪽에서
down ~ 《구어》 남(쪽)으로, 남쪽에(서); 잉글랜드로[에서] ***go ~*** (1) 남쪽으로 가다 (2) 《미·속어》 〈주가 등이〉 폭락하다 (3) 《미·속어》 모습을 숨기다[감추다] ***~ of*** …의 남쪽(방향)에
— [sáuð] *vi.* **1** 남쪽으로 향하다; 남쪽으로 방향[침로(針路)]을 잡다 **2** 〖천문〗 〈달 등이〉 자오선을 통과하다 ▷ sóuthern, sóutherly *a.*

Sòuth África 남아프리카 공화국 《공식명 Republic of ~; 아프리카 남단부의 나라; 수도 《행정》 Pretoria, 《입법》 Cape Town, 《사법》 Bloemfontein》

Sòuth Áfrican *a., n.* 남아프리카(공화국)의; 남아프리카 공화국 사람

Sòuth Áfrican Dútch = AFRIKAANS 《略 SAfrD》; [집합적] 보어인(the Boers)

‡**Sóuth América** 남아메리카, 남미 《대륙》

Sóuth Américan *a., n.* 남아메리카의 (사람)

Sóuth Américan trypanosomíasis 〖병리〗 = CHAGAS' DISEASE

South·amp·ton [sauθhǽmptən] *n.* 사우샘프턴 《영국 남부 해안의 항구 도시》

Sóuth Austrália 사우스오스트레일리아 《호주 남부의 주(州)》

Sóuth Austrálian *a., n.* 사우스오스트레일리아 주의 (사람)

south·bound [sáuθbàund] *a.* 남행의

sóuth by éast 남미동(南微東) 《略 SbE》

sóuth by wést 남미서(南微西) 《略 SbW》

Sóuth Carolína [Charles I[II]의 이름에서; 그것에 South를 붙인 것] 사우스캐롤라이나 《미국 남동부의 주; 略 S.C., SC》

Sóuth Carolínian *a.*, *n.* 사우스캐롤라이나 주의 (사람)
Sóuth Chína Séa [the ~] 남중국해
Sóuth Dakóta [북미 인디언 말 「동맹」의 뜻에 South를 붙인 것] 사우스다코타 《미국 중북부의 주; 주도 Pierre; 속칭 the Coyote[Sunshine] State; 略 S.Dak., SD, 〖우편〗 SD》
Sóuth Dakótan *a.*, *n.* 사우스다코타 주의 (사람)
South·down [-dàun] *a.* (잉글랜드 남부) South Downs의 **—** *n.* (양의) 사우스다운종(種)
Sóuth Dówns [the ~] 사우스다운스 《잉글랜드 남동부에서 동서로 뻗은 초지성 구릉지》
‡**south·east** [sàuθíːst; 〖항해〗 sàuíːst] *n.* **1** Ⓤ [the ~] 남동 《略 SE》 **2 a** [the ~] 남동 지방(의 나라) **b** [the S~] 미국 남동부 지방; 영국 남동부
— *a.* Ⓐ **1** 남동의[에 있는]; 남동부의; 남동으로 향하는 **2** 〈바람이〉 남동으로부터의[부는]
— *ad.* 남동으로 (향하여); 남동부에[로]; 〈바람이〉 남동으로부터
▷ southéastern *a.*; southéastward *ad.*
Sóutheast Ásia 동남아시아
Sóutheast Ásia Tréaty Organizàtion [the ~] 동남아시아 조약 기구(1955-77) 《略 SEATO》
southéast by éast 남동미동(南東微東) 《略 SEbE》
southéast by sóuth 남동미남(南東微南) 《略 SEbS》
south·east·er [sàuθíːstər; 〖항해〗 sàuíːstər] *n.* 남동풍, 남동의 강풍[폭풍]
south·east·er·ly [-íːstərli] *ad.*, *a.* 남동으로(의); 〈바람이〉 남동으로부터(의)
— *n.* (*pl.* **-lies**) 남동풍
*__south·east·ern__ [sàuθíːstərn; 〖항해〗 sàuíːstərn] *a.* **1** 남동의, 남동에 있는; 남동으로의 **2** 〈바람이〉 남동으로부터의 **3** [**S~**] 《미》 미국 남동부(특유)의
~·er *n.* **~·mòst** *a.* ▷ southéast *n.*
south·east·ward [sàuθíːstwərd; 〖항해〗 sàuíːst-] *n.* [the ~] 남동(쪽) **—** *ad.* 남동(쪽)에[으로]
— *a.* 남동으로의; 남동에 있는; 남동으로 이동하는
~·ly *ad.*, *a.* = SOUTHEASTERLY
south·east·wards [sàuθíːstwərdz; 〖항해〗 sàuíːst-] *ad.* = SOUTHEASTWARD
south·er [sáuðər] *n.* (강한) 남풍
south·er·ly [sʌ́ðərli] *a.* 남쪽(에)의; 〈바람이〉 남쪽으로부터의[부는]: a gentle ~ breeze 남쪽에서 부는 미풍 **—** *ad.* 남쪽에[으로]; 남쪽으로부터
— *n.* (*pl.* **-lies**) 남풍
‡**south·ern** [sʌ́ðərn] [south(남)와 -ern (「…쪽의」란 뜻의 접미사)에서] *a.* **1** 남쪽의, 남쪽에 있는; 남향의; 남국의; 〈바람이〉 남쪽으로부터 부는: a strong ~ wind 강한 남풍 **2** [**S~**] 《미》 **a** 남부 (여러 주)의: the *S~* States 남부 제주 **b** 남부 (지방) 사투리의
— *n.* [보통 **S~**] **1** = SOUTHERNER **2** Ⓤ 《미》 남부 (지방) 사투리(= **~ díalect**)
▷ sóuth *n.*; sóutherly *ad.*
Sóuthern Álps [the ~] 남알프스 《뉴질랜드 South 섬의 산맥》
sóuthern bélle 《미·고어》 젊고 매력적인 미 남부 여성
Sóuthern blót 〖유전〗 서던 법(法)(Southern method) 《제한 효소에서 분해한 DNA 단편에서 특정의 염기 배열을 가진 단편을 검출하는 방법》
Sóuthern Cóne [the~] '남쪽의 원뿔' 《남미의 5개국 브라질·파라과이·우루과이·아르헨티나·칠레를 칭하는 말》
Sóuthern Cróss [the ~] 〖천문〗 남십자성
Sóuthern dráwl (미국) 남부의 끄는 말투 《특히 모음을 느릿하게 끄는》
Sóuthern Énglish **1** 남부 영어 《잉글랜드 남부의 교양 있는 사람들이 사용하는 영어》 **2** 미국 남부 사투리 (Southern)
South·ern·er [sʌ́ðərnər] *n.* **1** [**s~**] 남국의 사람, 남쪽 사람 **2** 《미》 남부 (여러 주)의 사람
Sóuthern Físh [the ~] 〖천문〗 남쪽 물고기자리
Sóuth·ern-fríed chícken [sʌ́ðərnfràid-] 《미》 남부식 프라이드 치킨 《밀가루·계란·빵가루를 묻혀 튀김》
Sóuthern Hémisphere [the ~] 남반구(南半球); 〖천문〗 (하늘의) 남반구
South·ern·ism [sʌ́ðərnìzm] *n.* (미국의) 남부 어법, 남부 사투리; 남부 기질
sóuthern líghts [the ~] 남극광(aurora australis)(cf. NORTHERN LIGHTS)
south·ern·most [sʌ́ðərnmòust] [southern의 최상급에서] *a.* 극남(極南)의, 최남(最南)의
sóuthern péa 〖식물〗 광저기(cowpea)
Sóuthern Rhodésia 남로디지아 《1923-65년간의 Zimbabwe의 명칭》
Sóuthern strátegy [the ~] 《미》 〖정치〗 남부 전략 《선거에서 남부의 백인표를 얻으면 전국을 제압한다는 선거 전략》
south·ern·wood [sʌ́ðərnwùd] *n.* 〖식물〗 개사철쑥 《남유럽산(産) 국화과(科)》
Sóuthern Yémen = SOUTH YEMEN
Sou·they [sáuði, sʌ́ði] *n.* 사우디 **Robert ~** (1774-1843) 《영국의 시인, 전기 작가; 계관 시인》
Sóuth Frígid Zòne [the ~] 남한대(南寒帶)
Sóuth Gla·mór·gan [-gləmɔ́ːrgən] 사우스글러모건 《영국 웨일스 남부의 구주(舊州)》
south·ing [sáuðiŋ] *n.* ⓊⒸ **1** 〖천문〗 남중(南中), 정중(正中), 자오선 통과 **2** 〖항해〗 남항 행정(南航行程), 남거(南距) 《남항(南航)에서 이루어지는 위도의 차이》 **3** 남향, 남진(南進)
Sóuth Ísland [the ~] 남섬 《뉴질랜드 최대의 섬》
Sóuth Koréa 남한, 대한민국 《공식명 Republic of Korea; 수도 Seoul》
Sóuth Koréan *a.*, *n.* 남한의 (사람)
south·land [sáuθlənd, -lǽnd] *n.* **1** 남부 지역; (한 나라의) 남부 지방 **2** [the S~] 미국의 남부
south·most [sáuθmòust] *a.* = SOUTHERNMOST
sóuth nóde 〖점성〗 달의 하강 교점(交點)
south·paw [sáuθpɔ̀ː] [미국의 야구장은 투수의 왼손(left paw)이 남향이 되는 곳이 많았기 때문이라 함] 《구어》 *n.* (야구의) 좌완 투수; 왼손잡이 선수, 《특히》 왼손잡이 권투 선수 **—** *a.* 왼손잡이의
*__Sóuth Póle__ **1** [the ~] (지구의) 남극 **2** [the s- p-] **a** (하늘의) 남극 **b** (자석의) 남극, S극
South·ron [sʌ́ðrən] *n.*, *a.* **1** [**s~**] 《미》 남부 사람(의) **2** 《스코》 잉글랜드 사람(의)
Sóuth Sèa Ìslands [the ~] (남태평양의) 남양 제도 **Sóuth Sèa Íslander** 남양 제도 사람
Sóuth Séas [the ~] 남양; 남태평양
south-south·east [sáuθsàuθíːst; 〖항해〗 sáusàuíːst] *a.* 남남동의, 남남동으로[에서]의
— *ad.* 남남동으로[에서]
— *n.* Ⓤ [the ~] 남남동 《略 SSE》: to *the* ~ of …의 남남동 방향으로
south-south·west [sáuθsàuθwést; 〖항해〗 sáusàuwést] *a.* 남남서의, 남남서로부터의[나아가는]
— *ad.* 남남서로[에서]: sailing ~ 남남서로 항행 중
— *n.* Ⓤ [the ~] 남남서 《略 SSW》
Sóuth Vietnám (통일 전의) 월남
*__south·ward__ [sáuθwərd; 〖항해〗 sʌ́ðərd] *ad.* 남쪽으로[에]
— *a.* 남쪽(으로)의; 남쪽을 향한
— *n.* Ⓤ [the ~] 남쪽, 남부 ▷ sóuth *n.*
south·ward·ly [sáuθwərdli; 〖항해〗 sʌ́ðərd-] *a.* 남향의; 〈바람이〉 남에서 부는
— *ad.* = SOUTHWARD

thesaurus **sovereign** *a.* **1** 군주의 ruling, kingly, queenly, princely, royal, regal, majestic, noble **2** 독

∗south·wards [sáuθwərdz; 〚항해〛 sʌ́ðərdz] *ad.* = SOUTHWARD

South·wark [sʌ́ðərk] *n.* 서더크 《Thames강 남안의 London 자치구》

∗south·west [sàuθwést; 〚항해〛 sauwést] *n.* **1** Ⓤ [the ~] 남서 《略 SW, S.W.》 **2 a** [the ~] 남서부[지방] **b** [the S~] 《미》 남서 지방 **3** 《시어》 남서풍
— *a.* Ⓐ **남서(로)의,** 남서에 있는; 남서부의; 〈바람이〉 남서로부터의
— *ad.* **남서로,** 남서부로[에]
▷ southwéstern, southwésterly *a.*

southwést by sóuth 남서미(微)남 《略 SWbS, S.W.bS.》

southwést by wést 남서미(微)서 《略 SWbW, S.W.bW.》

south·west·er [sàuθwéstər; 〚항해〛 sàuwéstər] *n.* **1** 남서풍, 남서의 폭풍[강풍] **2** = SOU'WESTER 2

south·west·er·ly [sàuθwéstərli; 〚항해〛 sàu-wést-] *ad., a.* 남서로[의], 남서로부터(의)

∗south·west·ern [sàuθwéstərn; 〚항해〛 sàuwést-] *a.* **1 남서의,** 남서에 있는; 남서로(부터)의 **2** [**S~**] 《미》 남서 지방(특유)의 **~·er** *n.* ▷ southwést *n.*

south·west·ward [sàuθwéstwərd; 〚항해〛 sàuwést-] *ad.* 남서(쪽)에[으로]
— *a.* **1** 남서로의; 남서에 있는 **2** 〈바람이〉 남서에서의
— *n.* [the ~] 남서 **~·ly** *a., ad.* = SOUTHWESTERLY

south·west·wards [sàuθwéstwərdz; 〚항해〛 sàuwést-] *ad.* = SOUTHWESTWARD

Sóuth Yémen 남예멘 《1990년 North Yemen과 통합, (the Republic of) Yemen이 됨》

Sóuth Yórkshire 사우스요크셔 《잉글랜드 북부의 metropolitan county》

∗sou·ve·nir [sù:vəníər, ∠-∠] [F 「추억이 되는 것」의 뜻에서] *n.* **기념품,** 토산품, 선물 《*of*》; 추억의 유품(遺品): keep as[for] a ~ 기념품으로 갖고 있다

souvenír shèet 기념 우표 시트

sou·vla·ki(·a) [su:vlɑ́:ki(ə)] [Gk] *n.* 〚요리〛 수블라키 《어린 양고기의 꼬치구이 요리》

sou'·west·er [sàuwéstər] *n.* **1** 폭풍우용 모자 《뒤챙이 넓은 방수모》 **2** = SOUTHWESTER 1

sou'wester 1

sov. sovereign(s)

‡sov·er·eign [sɑ́vərən, sʌ́v-| sɔ́v-] [OF soverain(군주)에서; reign과의 연상에서 g가 삽입됐음] *n.* **1 주권자,** 원수(元首), 군주(monarch), 국왕 **2** 독립국, 주권국 **3** 옛 영국의 1파운드 금화 《略 sov.》
— *a.* **1** 주권을 가진, 군주의: ~ authority 주권 / a ~ prince 군주, 원수 **2** 독립의, 자주의: a ~ state 독립국 / a ~ dominion (영국의) 자치령 **3** 최상[최고]의; 탁월한: the ~ good 〚윤리〛 지상선(至上善) **4** 〈약이〉 특효가 있는: a ~ remedy 영약(靈藥)
~·ly *ad.* 극히; 주로; 특히; 유효하게; 군주로서
▷ sóvereignty *n.*

sov·er·eign·tist [sɑ́vərəntist, sʌ́v-| sɔ́v-] *n.* 《캐나다의》 주권 연합(sovereignty association) 지지자

∗sov·er·eign·ty [sɑ́vərənti, sʌ́v-| sɔ́v-] *n.* (*pl.* **-ties**) **1** Ⓤ **주권,** 통치권 **2** 독립국; 자치 공동체 **3** (권력 등의) 최고, 최상; 탁월

∗so·vi·et [sóuvièt, -viit, sòuviét | sóuviət] [Russ. 「회의」의 뜻에서] *n.* **1** [the S~] **소비에트,** (구)**소련** (the Soviet Union); [the Soviets] 소련 정부[국민] **2** (소련의) 회의, 노농(勞農) 평의회
— *a.* **1** 소비에트의; 노동 회의의 지배를 받는; 노동 사회주의적인 **2** [**S~**] 소련(정부[국민])의

립의 self-ruling, self-governing, independent, autonomous **3** 최상의 supreme, absolute, dominant

the Union of S~ Socialist Republics ⇨ Soviet Union ▷ Sóvietize *v.*

Sóviet Céntral Ásia 소비에트 중앙아시아 《구소련의 5공화국을 포함》

So·vi·et·ism [sóuviitìzm] *n.* Ⓤ [종종 **s~**] 소비에트식의 정치 조직[기구], 공산주의, 노동 사회주의; 소비에트식 정치 실천 원리 **-ist** *n.* 그 주의자

so·vi·et·ize [sóuviitàiz] *vt.* 노농화(勞農化)하다, 소비에트[공산주의]화하다 **sò·vi·et·i·zá·tion** *n.*

So·vi·et·ol·o·gy [sòuviitɑ́lədʒi | -tɔ́l-] *n.* = KREMLINOLOGY **-gist** *n.*

Sóviet Rússia 1 구소련 《통칭》 **2** 러시아 소비에트 연방 사회주의 공화국(Russian Soviet Federated Socialist Republic)

∗Sóviet Únion [the ~] **소비에트 연방** 《공식명 the Union of Soviet Socialist Republics 소비에트 사회주의 공화국 연방; 1991년 해체; 수도 Moscow; 略 USSR》

sov·khoz [sɑfkɔ́:z, -kɔ́:s | sɔfkɔ́z] [Russ.] *n.* (*pl.* **-kho·zy** [-kɔ́:zi | -kɔ́zi], **~·es**) 소포즈 《구소련 국영 농장》

sov·ran [sɑ́vrən, sʌ́v-| sɔ́v-] *n., a.* 《시어》 = SOVEREIGN

Sov. Un. Soviet Union

‡sow¹ [sóu] *v.* (**~ed**; **sown**[sóun], **~ed**) *vt.* **1** 〈씨를〉 **뿌리다;** 〈작물의〉 씨를 뿌리다, 〈밭에〉 씨를 뿌리다: (~+목+전+명) ~ the field *with* barley = ~ barley *in* the field 밭에 보리 씨를 뿌리다 **2** 〈분쟁의 씨 등을〉 뿌리다; 〈소문 등을〉 유포하다: ~ the seeds of hatred 증오의 씨를 뿌리다 **3** 〚군사〛 〈지뢰를〉 파묻다
— *vi.* **1** 씨를 뿌리다, 파종하다: As a man ~*s*, so shall he reap. 《속담》 자기가 뿌린 씨는 자기가 거둔다; 인과응보. **2** 원인을 뿌리다
~ ***one's wild oats*** ⇨ wild oat. ~ ***the wind and reap the whirlwind*** 악행에 대하여 그 몇 배나 되는 응보를 받다

sow² [sáu] *n.* **1** (성숙한) 암퇘지(⇨ pig 관련): You cannot make a silk purse out of a ~'s ear. 《속담》 돼지의 귀로 비단 지갑을 만들 순 없다, 콩 심은 데 콩 나고 팥 심은 데 팥 난다. **2** 〚야금〛 선철(銑鐵)이 흐르는 길, 큰 주형(鑄型), 큰 주철 **3** 〚곤충〛 = SOW BUG **4** 《미·속어》 뚱뚱하고 칠칠치 못한 여자, 추녀(醜女) (***as***) ***drunk as a ~*** 곤드레만드레가 되어 ***have*** [***take, get***] ***the wrong ~ by the ear*** 엉뚱한 것을 붙잡다; 엉뚱한 사람을 나무라다 **~·like** *a.*

so·war [souwɑ́:r, -wɔ́:r] *n.* (인도의) 원주민 기병

sow·back [sáubæ̀k] *n.* 길게 뻗은 낮은 언덕

sow·bel·ly [sáubèli] *n.* 《구어》 소금에 절인 돼지고기[베이컨]

sow·bread [sáubrèd] *n.* ⒸⓊ 〚식물〛 족두리꽃 《cyclamen의 일종》

sów bùg [sáu-] 〚곤충〛 쥐며느리

sow·er [sóuər] *n.* **1** 씨 뿌리는 사람, 파종기(機) **2** (소문·분쟁의 씨를) 뿌리는 사람, (싸움을) 조장하는 사람, 선동자

So·we·to [səwí:tou, -wéi-] [*So*uth *We*stern *To*wnship] *n.* 소웨토 《남아프리카 공화국 Johannesburg 남서부의 흑인 거주 구역》

∗sown [sóun] *v.* sow¹의 과거분사
— *a.* 〈보석 등을〉 아로새긴, 수놓은 《*with*》

sów thìstle [sáu-] 〚식물〛 방가지똥 《국화과(科)》

sox [sɑks | sɔks] [socks의 변형] *n. pl.* 《미·구어》 양말 《★ sock의 복수형으로 상업 통신문에서 쓰임》

soy [sɔ́i] [Jap.] *n.* Ⓤ 간장(=~ sauce); Ⓒ 〚식물〛 콩, 대두(soybean)

soy·a [sɔ́iə] *n.* 《영》 콩(《미》 soy); 콩으로 만든 음식

sóya bèan 《영》 = SOYBEAN

soy·bean [sɔ́ibì:n] *n.* 〚식물〛 콩, 대두: ~ sprouts 콩나물

sóybean[**sóya**] **mìlk** 두유(豆乳)

sóybean òil 대두유(油), 콩기름
soy·milk [-mìlk] *n.* 두유
sóy sàuce 간장
So·yuz [sɔ́:ju:z | sɔiú:z] *n.* 소유즈 《구소련의 우주 정류장 조립을 목적으로 발사한 우주선》
so·zin [sóuzin] *n.* 〖생화학〗 소진 《동물체 안에 존재하는 항병성(抗病性) 단백질》
soz·zle [sázl | sɔ́zl] *vt.* 《미》 철벙철벙 씻다
—*vi.* 《속어》 **1** 통음하다, 만취하다 **2** 빈둥거리다
soz·zled [sázld | sɔ́z-] *a.* 《속어》 만취한(drunk)
SP shore patrol 〖미해군〗 헌병; sine prole; Socialist Party; starting price; Submarine Patrol
sp. special; species; specific; specimen; spelling; spirit **Sp.** Spain; Spaniard; Spanish
spa [spá:] [광천으로 유명한 벨기에의 휴양지 이름에서] *n.* **1** 광천(鑛泉), 온천(장) **2** 고급 유양시(의 호텔) **3** 체육 설비[사우나]를 갖춘 시설, 헬스 센터 **4** 《미동부》 =SODA FOUNTAIN
Spa [spá:] *n.* 스파 《벨기에의 휴양지; 광천수 샘으로 유명》
‡**space** [spéis] *n., a., v.*

> 「(두 가지 사항의) 시간적인 간격」 **4** →(공간적인 거리)→「공간」 **1 a** —[→「여지」 **2 b** —[→「지면」 **2 c** / →「구역」 **2 c**] / →「우주」 **1 b**]

—*n.* **1** Ⓤ **a** 공간: vanish into ~ 허공으로 사라지다 / time and ~ 시간과 공간 **b** (지구 대기권 밖의) 우주(=outer ~): launch a spaceship into ~ 우주로 우주선을 발사하다 **2** ⓊⒸ **a** 장소, 간격, 거리: trees separated by equal ~*s* 같은 간격으로 심어져 있는 나무들 / take up ~ 장소를 차지하다 **b** 여지: open ~*s* 빈터 **c** Ⓒ 구역, 영역; ⓊⒸ 여백, 지면, 스페이스: blank ~*s* 여백 / sell ~ for a paper 신문의 지면을 팔다 **3** (열차·비행기의) 좌석, 객실 **4** [a ~] (때의) 동안, 시간, 간격: for *a* ~ 잠시 동안 / for *a* ~ of four years 4년 동안 **5** Ⓤ (라디오·TV에서) 스폰서[후원자]에게 파는 시간 **6** ⓊⒸ 〖음악〗 보선(譜線)의 사이, 선간 **7** ⓊⒸ 〖인쇄〗 행간(行間), 공목(空木), 스페이스 **8** 〖컴퓨터〗 스페이스
look [***stare, gaze***] ***into*** ~ (생각에 잠겨) 허공을 멍하니 바라보다
—*a.* Ⓐ 우주의; 공간의; 우주 탐사[개발]용의: a ~ mission 우주 비행 임무
—*vt.* **1** …의 공간[장소]을 정하다; 구분하다 **2** …에 일정한 간격[거리]을 두다 《*out*》 **3** 〖인쇄〗 …의 행간[어간, 자간]을 띄우다; 〈행간 등〉…에 사이를 두다 《*out*》 **4** 《미·구어》 멍하게 하다; 잊어버리다
—*vi.* 행간[어간, 자간]을 띄우다; 《미·구어》 멍해지다; 멍청하게 있다; 공상에 빠지다 《*out*》
▷ spácious, spátial *a.*
spáce àge [종종 **S- A-**] 우주 시대
space-age [spéisèidʒ] *a.* **1** 우주 시대의 **2** 최신 기술을 사용하는, 최첨단 디자인의 **3** 미래 지향의, 최신의, 초현대적인, 진보적인
spáce bàndit 《속어》 =PRESS AGENT
spáce bàr[**kèy**] 스페이스 바[키] 《어간을 띄우는 타이프라이터[컴퓨터]의 가로 긴 키》
spáce biòlogy 우주 생물학
spáce blànket 알루미늄 코팅을 한 플라스틱 시트
space·borne [-bɔ̀:rn] *a.* 지구 궤도를 도는; 우주로 운반되는, 우주를 경유하는
space·bound [-bàund] *a.* 우주행(行)의
spáce cadèt 《미·속어》 멍청한 사람, 얼간이; 마약으로 황홀해져 있는 사람
spáce càpsule 우주 캡슐 《우주 비행 동안 사람이나 생물이 일정 기간 동안 생활 할 수 있도록 한》
spáce càrrier 우주 공간 수송 장치
spáce chàracter 〖컴퓨터〗 간격 문자 《space bar에 의해 입력되는 문자 사이의 공백》
spáce chàrge 〖전기〗 공간 하전(荷電)
spáce còlony 우주 식민지, 우주섬 《인류를 이주시키기 위한 대형 인공위성》
*****space·craft** [spéiskræ̀ft | -krɑ̀:ft] *n.* (*pl.* ~) 우주선(spaceship): a manned[an automatic] ~ 유인[무인] 우주선
spaced [spéist] *a.* 《속어》 =SPACED-OUT
spaced-out [spéistáut] *a.* 《속어》 **1** (마약·술·피로 등으로) 멍해진 **2** 매우 이상한, 기묘한
spáce engineèring 우주 공학
spáce exploràtion 우주 탐험
space·far·ing [spéisfɛ̀əriŋ] *a.* 우주여행의
—*n.* 우주여행
spáce fiction 우주(여행) 소설, (공상) 우주 소설
space·flight [-flàit] *n.* 우주 비행: a manned ~ 유인 우주 비행
spáce fòod 우주식(食)
spáce gùn (우주 유영(遊泳)용) 우주총
spáce hèater (이동식) 실내 난로
spáce hèating 한정된 장소만의 난방
spáce jùnk (우주선에서 버린) 우주 폐품[쓰레기]
spáce làb [*space laboratory*] 우주 실험실
spáce làttice (결정(結晶)의) 공간 격자(空間格子)
spáce làw 우주법 《일정한 규약에 의거하여 우주 공간의 활용을 규제하는 법》
space·less [spéislis] *a.* 《문어》 **1** (공간적으로) 한계가 없는, 무한한 **2** 공간[스페이스]을 차지하지 않는; 〈장소 등이〉 여지가 없는
‡**space·man** [spéismæ̀n, -mən] *n.* (*pl.* **-men** [-mèn, -mən]) **1** 우주 비행사, 우주 과학[기술]자 **2** (다른 혹성에서 온) 우주인, 지구 외의 생물
space·man·ship [spéismənʃip] *n.* 우주 비행술; 우주 정책; 우주 개발
spáce màrk 〖인쇄〗 간격 기호 《#》
spáce mèdicine 우주 의학
spáce òpera 《미》 우주여행이나 외계인을 소재로 한 라디오·텔레비전 드라마[영화]
spáce óptics 우주 광학
space-out [-àut] *n.* 《속어》 멍해진 사람
space·plane [-plèin] *n.* 우주 비행기[연락선, 버스], 스페이스 셔틀
spáce plàtform =SPACE STATION
space·port [-pɔ̀:rt] *n.* 우주 공항, 우주선 기지
spáce pròbe 우주 탐색기[탐사용 로켓]
spac·er [spéisər] *n.* 간격을 띄우는 것[장치, 사람]; 스페이스 바; 〖전기〗 역전류기(逆電流器)
spáce ràce 우주 (개발) 경쟁 《미국과 구소련 사이의》
spáce ràte 활자의 분량에 따라 지불되는 원고료의 기준 단위
spáce ròcket 우주선 발사 로켓
space-sav·ing [spéissèiviŋ] *a.* 공간 절약의, 공간을 적게 차지하는, 소형의
—*n.* 공간[스페이스] 절약
spáce scìence 우주 과학
‡**space·ship** [spéisʃip] *n.* 우주선
Spáceship Éarth (인류를 태운 자원이 유한한) 우주선 지구 《지구를 우주선에 비유한 말》
space·shot [-ʃàt | -ʃɔ̀t] *n.* 로켓·우주선 등의 발사 《대기권 밖으로 발사》
spáce shùttle 《미》 우주 왕복선[연락선]
space·sick [-sìk] *a.* 우주 멀미를 하는
spáce sìckness 우주 멀미, 우주병
spáce spectróscopy 우주 분광학
‡**spáce stàtion** 우주 정류장
spáce súit 우주복; 〖항공〗 =G-SUIT
spáce technòlogy 우주 공학[기술]
Spáce Tèlescope [종종 **s- t-**] 《미》 (우주 궤도에 띄우는) 우주 망원경

thesaurus **space** *n.* room, expanse, extent, capacity, area, amplitude, scope, margin, gap

spáce thùnder 우주뢰(雷)《지구 자장(磁場)의 호(弧)를 따라 우주를 향해 발생함》
space-time [-táim] *n.* Ⓤ 시공(時空); =SPACE-TIME CONTINUUM **—** *a.* 시공의; 4차원의: a ~ point 시공점
spáce-tíme contìnuum 시공(時空) 연속체《제 4차원》
‡**spáce tràvel(ing)** 우주여행
spáce tràveler 우주여행자
spáce tùg 궤도간 운송기, 스페이스 터그《우주선과 우주 정류장 사이의 연락·운반용 로켓》
spáce vèhicle 우주선(spacecraft)
spáce wàlk 우주 산책[유영]
space·walk [-wɔ̀:k] *vi.* 우주 유영하다 **~·er** *n.* **~·ing** *n.*
space·ward [spéiswərd] *ad.* 우주로, 우주를 향하여
spáce wàrp 공간 왜곡(歪曲)《공상 과학 소설에 등장하는 가상 현상으로 별 사이의 여행을 가능하게 함》
spáce wèapon 우주 무기
space·wom·an [spéiswùmən] *n.* (*pl.* **-wom·en** [-wìmin]) 여자 우주 비행사
space·wor·thy [-wə̀:rði] *a.* 우주 항행에 견디는
spáce wrìter (신문 등 일정 지면의) 원고량에 따라 고료를 받고 쓰는 사람
spac·ey [spéisi] *a.* 《속어》 =SPACY
spa·cial [spéiʃəl] *a.* =SPATIAL
spac·ing [spéisiŋ] *n.* Ⓤ 간격을 띄움; 〖인쇄〗 자간[행간]의 벌어진 정도; 어간(語間), 행간, 자간; 간격; 공간적 배치
*__spa·cious__ [spéiʃəs] *a.* **1** 넓은, 훤히 트인 **2** 거대한, 광활한, 광대한 **3** 견해[시야]가 넓은, 광범위한, 포괄적인 **~·ly** *ad.* **~·ness** *n.*
spac·y [spéisi] *a.* (**spac·i·er**; **-i·est**) 《속어》 = SPACED-OUT
SPADATS space detection and tracking system 《미》 우주 탐지 추적 시스템
‡**spade**[1] [spéid] *n.* **1** 가래, 삽

> [유의어] **spade** 보통 폭이 넓은 날이 있는 삽 모양의 농기구로서, 발로 밀어서 흙을 파는 데 쓴다. **shovel** 석탄·모래 따위를 퍼서 옮기는 데 쓴다.

2 (흙 등의) 한 삽의 분량 **3** 끌《고래를 자르는》
call a ~ a ~ 꾸미지 않고 똑바로 말하다, 사실대로 말하다(speak plainly), 까놓고 말하다 ***in ~s*** 《구어》 극단적으로, 결정적으로; 솔직히
—*vt.* **1** 삽으로 파다: 《~+목+부》 ~ *up* the garden 뜰을 삽으로 파다 **2**〈고래를〉끌로 잘라내다
—*vi.* 삽으로 파다 **~·lìke** *a.* **spád·er** *n.*
*__spade__[2] [spéid] [It. 「칼」의 뜻에서] *n.* **1** 〖카드〗 스페이드; [*pl.*; 단수·복수 취급] 스페이드 한 벌 **2** 《미·속어·경멸》 흑인《남자》
spáde fòot (가구의) 아래로 점점 가늘어지게 한 사각형의 다리
spade·ful [spéidfùl] *n.* 한 삽[가래]의 분량
spade·work [spéidwə̀:rk] *n.* Ⓤ 삽[가래]질; 힘드는 예비 작업, 기초적인 준비[연구]
spadg·er [spǽdʒər] *n.* 《영·구어》 참새; 소년(boy) **—***vi.* 참새를 잡다
spa·dix [spéidiks] *n.* (*pl.* **-di·ces** [speidáisi:z, spéidəsì:z]) 〖식물〗 꽃차례, 육수 화서(肉穗花序)
*__spa·ghet·ti__ [spəgéti] [It. 「끈」의 뜻에서] *n.* **1** Ⓤ 스파게티《이탈리아의 국수 (요리); cf. MACARONI》 **2** 〖전기〗 (나선(裸線)을 덮는) 절연 튜브 **3** 《미·속어》 소방 호스(fire hose)
spaghétti bàngbang 《미·속어》 총질하는 암흑가[마피아]를 다룬 영화

---

spacious *a.* commodious, capacious, roomy, large, big, ample, sizable, extensive, broad

spaghétti bolognése 스파게티 볼로네제《다진 고기·토마토 등으로 만든 소스가 곁들여진 스파게티》
spaghétti júnction 《영》 복잡하게 교차된 인터체인지
spaghétti stràp (여성복의) 가느다란 어깨끈
spaghétti wéstern 《구어》 이탈리아판 서부 영화
spa·hi, -hee [spɑ́:hi:] *n.* 〖역사〗 비정규 터키 기병《14세기의》; 알제리의 원주민 기병《프랑스군 소속》
‡**Spain** [spéin] *n.* 스페인, 에스파냐《유럽 남서부 Iberia 반도의 대부분을 차지하는 왕국; 수도 Madrid》
a castle in ~ 공중누각, 공상
▷ Spániard *n.*; Spánish *a.*
spake [spéik] *v.* 《고어·방언》 SPEAK의 과거
spall [spɔ́:l] *vt., vi.* (광석 등을) 부스러뜨리다, 쪼개다, 깨다 **—***n.* (광석 등의) 깨어진 조각, 파편
spall·a·tion [spɔ:léiʃən] *n.* Ⓤ 〖물리〗 파쇄(破碎)《고속도 입자로 원자핵에 충격을 가했을 때 핵이 3개 이상의 부분으로 부서지는 현상》
spal·peen [spælpí:n, ⌐—] *n.* 《아일》 밥벌레, 식충이; 깡패, 망나니, 건달; 애송이, 소년
spam [spǽm] *n.* 《미·속어》 〖컴퓨터〗 스팸 메일《통신이나 인터넷을 통해 무차별적으로 대량 살포되는 광고성 전자 메일》
Spam [spǽm] [*sp*iced h*am*] *n.* 스팸《돼지고기 통조림; 상표명》
spam·ming [spǽmiŋ] *n.* Ⓤ 《구어》 스팸 메일 발송하기
Sp. Am. Spanish America; Spanish American
‡**span**[1] [spǽn] *n.* **1** 한 뼘《엄지손가락과 새끼손가락을 잔뜩 벌린 거리; 보통 23cm》; 짧은 거리 **2** 〖항공〗 날개 길이[폭]; 〖토목·건축〗 경간(徑間)《홍예의 지주(支柱) 상호간 또는 교각(橋脚) 사이의 거리》 **3** 전폭(全幅), 전장(全長), 지름: the whole ~ of …의 전폭[전체] **4** (특정한 길이의) 기간, (사람의 일생 등의) 짧은 기간; (사람의) 생존 기간: the ~ of life 사람의 일생 / a ~ of more than two billion years 20억 년 이상이나 되는 기간 / His life had almost completed its ~. 그의 수명은 거의 다되었었다. **5** 〖컴퓨터〗 범위《어떤 값의 최대와 최소의 차》
—*v.* (**~ned**; **~·ning**) *vt.* **1** 뼘으로 재다, 눈대중하다: ~ a distance 거리를 눈대중하다 **2**〈강 등에〉(다리를) 놓다(bridge), …의 양 끝을 연결하다《*with*》; 〈다리 등이〉〈강 등에〉 걸리다; …에 걸치다: The bridge ~*s* the river. 다리가 강에 놓여 있다. // 《~+목+전+명》 ~ a river *with* a bridge 강에 다리를 놓다 **3 a**〈눈길이〉닿다 **b**〈세월이〉걸치다; 〈기억·상상 등이〉…에 이르다 **4**〈빈 곳을〉채우다 **5** 확실히 파악하다
—*vi.* 《미》 〈자벌레가〉 조금씩 기어가다; 자벌레처럼 줄었다 늘어났다 하며 나아가다
span[2] *n.* **1** 〖항해〗 스팬《양 끝을 매어 중간이 V자형으로 처진 밧줄》 **2** 《미》 한 멍에에 매인 한 쌍의 소[말, 나귀] **—***vt.* (**~ned**; **~·ning**) 밧줄로 매다[묶다]
span[3] [spick-and-*span*] *a.* 아주 새로운; 새로 맞춘
span[4] *v.* 《고어·방언》 SPIN의 과거
Span. Spaniard; Spanish
span·cel [spǽnsəl] *n.* (말·소 등의) 양 뒷다리를 당겨 묶는 로프
span·dex [spǽndeks] *n.* Ⓤ 스판덱스《고무같이 신축성 있는 합성 섬유; 수영복 등에 씀》
span·drel, -dril [spǽndrəl] *n.* 〖건축〗 공복(拱腹)《인접한 아치가 천장·기둥과 이루는 세모꼴 면》
span·dy [spǽndi] 《미·구어》 *a.* 훌륭한, 굉장한, 멋진 **—***ad.* 아주, 완전히
spang[1] [spǽŋ] *ad.* 《미·구어》 완전히(completely); 바로(directly); 정통으로, 정확히
spang[2] 《미·구어·스코》 *vt., vi.* 던지다, 되튀다 **—***n.* 던지기, 도약; 충격, 반동
*__span·gle__ [spǽŋgl] *n.* **1** 번쩍번쩍하는 금[은, 주석]박(箔)《특히 연극의 의상 등에 붙이는》 **2** 번쩍번쩍 빛나는 것《별·서리·운모 등》

—*vt.* **1** …에 (번쩍이는 금속물을) 붙이다 《*with*》 **2** …에 (번쩍이는 것을) 박아 넣다 《*with*》: grass *~d with* dewdrops 이슬로 반짝이는 풀 / The sky was *~d with* stars. 하늘엔 별들이 반짝이고 있었다. **3** 번쩍번쩍 빛나게 하다

—*vi.* 빛나다

spán·gled gláss [spǽŋgld-] 스팽글드 글라스 《유리층에 운모 박편을 넣어 색유리를 씌운 공예 유리》

Spang·lish [spǽŋgliʃ] [*Sp*anish+Eng*lish*] *n.* Ⓤ 스페인식 영어 《미국 서부와 중남미에서 쓰임》

‡**Span·iard** [spǽnjərd] *n.* **스페인 사람**
▷ Spáin *n.*; Spánish *a.*

***span·iel** [spǽnjəl] *n.* **1** 스패니얼 《귀가 축 처지고 털이 긴 애완용 개》 **2** 비굴한 사람, 추종자: a tame ~ 남의 말에 무조건 추종하는 사람, 아첨꾼 **~·like** *a.*

‡**Span·ish** [spǽniʃ] *a.* **스페인(사람)의, 스페인 말의,** 스페인 풍의
—*n.* **1** Ⓤ **스페인 말** **2** [the ~; 집합적] 스페인 사람 ***walk*** **~** ⇨ walk
▷ Spáin, Spániard *n.*

Spánish América (브라질을 제외한 스페인 말을 쓰는) 중남미; (미국의) 스페인계 지역

Spánish Américan (스페인 말이 쓰이는) 중남미 여러 나라의 주민; 스페인계 미국 사람

Span·ish-Amer·i·can [spǽniʃəmérikən] *a.* **1** 스페인과 미국(간)의 **2** 중남미(주민)의

Spánish-Américan Wár [the ~] 〖역사〗 아메리카·에스파냐 전쟁, 미서(美西) 전쟁(1898)

Spánish Armáda [the ~] = INVINCIBLE ARMADA

Spánish bayonét 〖식물〗 유카의 일종

Spánish bláck 스페니시 블랙 《흑색 그림물감》

Spánish brówn 스페니시 브라운 《적갈색 그림물감》

Spánish cédar 〖식물〗 스페인삼나무; 그 목재

Spánish chéstnut 〖식물〗 유럽밤나무(marron)

Spánish Cívil Wár [the ~] 스페인 내란[시민 전쟁](1936-39)

Spánish flý 〖곤충〗 청가뢰; 〖약학〗 = CANTHARIDES 1

Spánish influénza[flú] 〖병리〗 스페인 독감

Spánish Inquisítion [the ~] 〖가톨릭〗 스페인의 이단 심문[종교 재판](1478-1834)

Spánish Máin [the ~] **1** 남미 북안(北岸) 지방 《특히 파나마 지협에서 Orinoco 하구(河口) 사이의 지역》 **2** 카리브 해 《스페인의 무역선인 galleon선의 통로로 해적이 출몰했음》

Spánish móss 〖식물〗 소나무겨우살이의 일종 (long moss)

Spánish ómelet 스페인풍 오믈렛 《양파, 피망, 토마토로 만든 소스가 곁들여짐》

Spánish ónion 〖식물〗 스페인양파 《생채용; 크고 단맛이 남》

Spánish ríce 스페인식 솥밥 《토마토·양파·피망 등이 섞임》

Span·ish-walk [-wɔ́:k] *vt.* 《미·속어》 쫓아내다

***spank**[1] [spǽŋk] [의성어] *vt.* **1** (손바닥·슬리퍼 등으로) 〈엉덩이 등을〉 **찰싹 때리다**: ~ a naughty child 버릇없는 아이를 찰싹 때리다 **2** 《속어》 (게임 등에서) 패배시키다
—*vi.* 찰싹 맞다[떨어지다]
—*n.* 찰싹 때리기; 《영·속어》 구타

spank[2] [spanking[1]의 역성(逆成)] *vi.* 〈말·배·자동차 등이〉 질주하다 《*along*》

spank·er [spǽŋkər] *n.* **1** 〖항해〗 후장 종범(後檣縱帆) **2** 《구어》 아주 굉장한 것(stunner), 훌륭한 사람 **3** 《구어》 기운찬 사람[동물], 《특히》 준마(駿馬)

spank·ing[1] [spǽŋkiŋ] 《구어》 *a.* Ⓐ **1** 기운찬, 활발한, 활개치는, 질주하는 〈걸음걸이 등〉; 강한, 센 〈바람 등〉 **2** 훌륭한; 기막히게 좋은, 굉장한
—*ad.* [clean, new 앞에 쓰여] 《구어》 매우, 아주: a ~ *new* dress 아주 새로운 드레스 **~·ly** *ad.*

spanking[2] *n.* ⓊⒸ (볼기짝을) 찰싹 때리기 《체벌》 ***take a ~*** 《속어》 패배당하다, 응보를 받다

span·less [spǽnlis] *a.* 잴[측정할] 수 없는

span·ner[1] [spǽnər] *n.* 《영》 스패너(《미》 wrench) ***throw a ~ in***[***into***] ***the works*** 《영·구어》 (일의 진행에 고의로) 방해를 놓다, 훼방놓다

spanner[2] *n.* **1** 뼘으로 치수를 재는 사람 **2** 〖곤충〗 = SPANWORM

span-new [spǽnnjú: | -njú:] *a.* 갓 만든, 아주 새 것인(brand-new)

spán ròof (양쪽 다 사면인) 박공지붕

Span·sule [spǽnsəl, -sju:l | -sju:l] *n.* 스팬슐 《시간을 두고 조금씩 녹는 캡슐 약; 상표명》

span·worm [spǽnwə̀:rm] *n.* 《미》 〖곤충〗 자벌레

spar[1] [spɑ́:r] *n.* 〖항해〗 원재(圓材) 《돛대·활대 등》; 〖항공〗 익형(翼桁), 가로날개뼈대 **—*vt.*** (**~red**; **~·ring**) 〈배·항공기에〉 원재[익형]를 대다 **~·like** *a.*

spar[2] *vi.* (**~red**; **~·ring**) **1** 〖권투〗 스파링하다; (가볍게) 치고 덤비다 《*at, with*》 **2** 〈싸움닭이〉 (발톱으로) 서로 차다 **3** 말다툼하다, 승강이하다 《*at, with, over*》: 《~+전+명》 ~ *at* each other 서로 말다툼하다 **—*n.*** **1** 〖권투〗 스파링; 권투 연습 시합 **2** 승강이, 말다툼 **3** 투계, 닭싸움

spar[3] *n.* ⓊⒸ 〖광물〗 스파, 섬광석(閃光石)(편상(片狀)의 결이 있는 광석의 총칭): calcareous [Iceland] ~ 방해석(方解石) / Derbyshire ~ 형석(螢石)(fluorspar) **~·like** *a.*

SPAR, Spar [spɑ́:r] [예비대의 표어 *S*emper *Par*atus (L = always ready)에서] *n.* 《미》 (제 2 차 대전시의) 연안 경비대 여자 예비 대원

spar·a·ble [spǽrəbl] *n.* 못대가리가 없는 작은 못 《구두 제조용》

spár bùoy 〖항해〗 원주(圓柱) 부표

spár dèck 〖항해〗 경(輕)갑판 《경갑판선의 상갑판》

‡**spare** [spέər] *v., n., a.*

> OE 「삼가다」의 뜻에서
> →(힘의 행사를 삼가다) 「용서하다」 타 **1,** 자 **2**
> →(예비로 두다) 「할애하다」 타 **3**
> →(사용을 삼가다) 「아끼다」 타 **5,** 자 **1**
> →(예비의) 「여분의」 형 **1**

—*vt.* **1 용서하다,** 벌주지 않다, 《특히》 목숨을 살려주다: I hope to see you again if I am *~d.* (하느님의 가호로) 목숨이 붙어 있으면 다시 뵙기를 바랍니다. // 《~+목+목》 Please ~ him his life. 부디 그의 목숨을 살려 주십시오. **2** 〈…에게〉 〈고생 등을〉 **시키지 않다,** 면하게 하다, 〈사람이〉 …당하지 않게 하다: *S*~ his blushes. 그에게 창피를 주지 마라. // 《~+목+목》 I will ~ you the trouble. 자네에게 수고를 끼치지 않겠네. **3** 〈남에게〉 〈시간·돈 등을〉 **할애하다,** 내주다: have no time to ~ …할 틈이 없다 // 《~+목+전+명》 I cannot ~ time *for* it. 그것에 시간을 낼 수 없다. // 《~+목+목》 Can you ~ me a few minutes? = Can you ~ a few minutes *for* me? 2, 3분만 시간을 내주시겠습니까? **4** …없이 지내다: I can't ~ him[the car] today. 오늘은 그[차]가 꼭 필요하다. / I can ~ you tomorrow. 내일은 당신에게 수고를 끼치지 않아도 된다. **5** 〈돈·노력을〉 **아껴서 안 쓰다,** 아끼다, 절약하다: ~ no expense 비용을 아끼지 않다 / He *~s* no pains to please her. 그는 그녀를 즐겁게 하기 위해서는 어떤 수고도 아끼지 않는다. / *S*~ the rod and spoil the child. 《속담》 매질을 아끼면 자식을 망친다, 귀엽거든 매를 아끼지 마라.
—*vi.* **1** 절약하다, 아끼다 **2** 《드물게》 (사람에게) 위해를 가하지 않다; 벌하지 않다; 관대하게 다루다
don't ~ the horses 전속력으로 나아가다

thesaurus **spare** *a.* **1** 여분의 extra, additional, reserve, surplus **2** 여가의 free, leisure, unoccupied **3** 아끼는 sparing, economical, frugal

enough and to ~ ⇨ enough *pron.* ~ one***self*** 수고를 아끼다; 슬슬 하다, 몸을 사리다; 손해 입지 않도록 꾀부리다 ***to ~*** 남아돌 만큼의: money[time] *to* ~ 여분의 돈[시간]

—*n.* **1** 예비품, 비상용품, 준비품; [*pl.*] (영) (기계 등의) 예비 부품; 스페어 타이어[키] **2** 〖볼링〗 공을 두 번 굴려 핀 10개를 전부 넘어뜨리기; 그로 인한 득점 ***make ~*** 절약하다 ***without ~*** 가차없이

—*a.* **1** Ⓐ **예비의**, 여분의, 보결의, 따로 간직한: a ~ man 보결 선수/a ~ room (영) 손님용의 예비 침실; (미) 객실/~ time[half-hour] 여가[30분의 짬]/~ cash 여분의 현금 **2 결핍된**; 검소한, 아끼는, 인색한: a ~ meal of bread and soup 빵과 수프의 검소한 식사 **3** 여윈, 마른, 홀쭉한(lean): a man of ~ build 마른 체격의 사람

be going ~ 입수[이용]할 수 있다, 비어 있다 ***go ~*** (영·구어) 몹시 걱정하다[당황하다], 몹시 화내다

~·a·ble *a.* ▷ spárely *ad.*; spáreness *n.*

spare·ly [spέərli] *ad.* 인색하게; 모자라게; 여위어

spare·ness [spέərnis] *n.* Ⓤ 결핍; 깡마름; 수고를 아낌, 게으름을 피움

spáre pàrt 예비 부품(部品)

spáre-part súrgery [spέərpὰːrt-] 장기(臟器) 이식 수술

spar·er [spέərər] *n.* spare하는 사람[물건]; 파괴를 완화시키는 것

spare·ribs [spέərrìbz] *n. pl.* (고기가 거의 붙어 있지 않은) 돼지 갈비

spare-time [-tàim] *a.* 여가의

spáre tíre[(영) **týre**] **1** 스페어타이어(자동차 타이어의 펑크에 대비한) **2** (구어·익살) 허리 둘레의 군살 **3** (속어) (게임에 끼지 못하고) 남은 한 사람; (속어) 귀찮은 녀석, 불필요한 사람; (속어) 촌놈

sparge [spάːrdʒ] *vt., vi.* 뿌리다, 살포하다

— *n.* 살포, 뿌리기

spar·ing [spέəriŋ] *a.* **1** 아끼며 사용하는, 절약하는; 인색한 **2** 관대한 **3** 빈약한, 부족한 **4** 자제력이 있는 ***be ~ of*** one***self*** 수고를 아끼다, 꾀부리다

~·ly *ad.* 절약하여; 부족하여; 관대하게; 〈언행 등을〉 삼가서; 드물게 **~·ness** *n.*

⁑**spark**[1] [spάːrk] *n.* **1 불꽃**, 불티, 불똥; 섬광, (보석의) 광채; (보석 등의) 자잘한 조각 **2** 〖전기〗 전기 불꽃, (방전할 때의) 스파크; (내연 기관의) 점화 장치 **3** [a ~; 보통 부정문에서] 흔적, 기미, 조금 (*of*): She did*n't* show *a* ~ *of* interest. 그녀는 조그마한 관심도 보이지 않았다. **4** 활기, 생기[생명](를 발산하는 것); (재능 등의) 번득임: the ~ of life 생명의 불, 생기, 활기 **5** [*pl.*; 단수 취급] (속어) (배·비행기의) 무선 전신 기사

as the ~s fly upward 〖성서〗 틀림없이, 확실히 (욥기 5:7) ***bright ~*** (영·구어) 머리 좋은 놈, 재미있는 녀석; (반어) 둔한 놈 ***make the ~s fly*** 야단을 치다; 격한 논쟁을[반대를] 일으키다 ***strike a ~ from flint*** (부싯돌로) 쳐서 불을 내다 ***strike ~s out of*** a person 사람의 재능·재기(才氣) 등을 발휘시키다 ***the vital ~*** 생기, 활기

—*vi.* **1** 불꽃[불똥]이 튀다; 〖전기〗 스파크하다; 점화하다 **2** 재기 발랄하다

—*vt.* **1** 스파크로 발화시키다 **2** (미) …의 도화선[발단]이 되다, 야기하다, 유발하다: ~ a chain reaction 연쇄 반응을 일으키다 **3** 자극[고무]하여 …시키다 (*to, into*) ***~ off*** (영) …의 발단이 되다, …을 유발하다(⇨ *vt.* 2) **~·like** *a.*

▷ spárkless *a.*

spark[2] *n.* 건강하고 명랑한 남자, 멋진 젊은이; 애인 (남자); 구혼자; 미인 **—***vi., vt.* (구어) 구애[구혼]하다: ~ it 구혼[구애]하다

---

spark[1] *n.* **1 불꽃** flicker, flash, flare **2 기미** glimmer, trace, hint, suggestion **3 활기** sparkle, vivacity, liveliness, animation, energy

---

spárk arrèster (기관차 등의) 불티막이; 〖전기〗 스파크 방지 장치

spárk chàmber 〖물리〗 방전 상자 (하전(荷電) 입자가 튀는 것을 관찰하는 장치)

spárk còil 〖전기〗 점화 코일

spárk dischàrge 〖전기〗 불꽃 방전(放電)

spark·er[1] [spάːrkər] *n.* 불꽃을 내는 것; 절연 검사기(絕緣檢査器); 작은 불꽃; 점화기(igniter)

sparker[2] *n.* 연인, 애인 (남자)

spárk eròsion (금속의) 방전 가공

spárk gàp 불꽃 갭, 불꽃 거리 (방전의 최대 간격); 그 장치

spárk gènerator 불꽃식 발전기

spárk·ing plùg [spάːrkiŋ-] (영) =SPARK PLUG

spark·ish [spάːrkiʃ] *a.* 멋부리는, 멋진; 미남[멋쟁이]인 체 뽐내는, 우쭐대는

⁑**spar·kle** [spάːrkl] *n.* **1 불꽃**, 불티, 섬광(閃光) **2** (보석 등의) **번쩍임**, 광채, 광택: the ~ of a diamond 다이아몬드의 광채 **3** 재기; 생기, 쾌활 **4** 거품 (포도주 등의)

—*vi.* **1 불꽃을 튀기다 2** 〈보석·재주 등이〉 번쩍이다, 번득이다, 〈생기[원기]가〉 넘치다 (*with*); 〈눈 등이〉 빛나다 **3** 〈포도주 등이〉 거품이 일다

—*vt.* 〈불꽃 등을〉 발하다; 번쩍이게 하다; 불꽃으로 비추다

spar·kler [spάːrklər] *n.* **1** 빛나는 것[사람], 미인, 재사(才士), 재원(才媛); 불꽃 **2** [*pl.*] (구어) 보석, (속어) 다이아몬드 **3** [*pl.*] (구어) 번쩍이는 눈 **4** 거품 이는 것; 발포(發泡) 포도주(sparkling wine)

spark·less [spάːrklis] *a.* 불꽃이 일지 않는, 스파크가 일어나지 않는 **~·ly** *ad.*

spark·let [spάːrklit] *n.* **1** 작은 불꽃 **2** 번쩍이는 작은 장식 (여성복 등의)

⁎**spar·kling** [spάːrkliŋ] *a.* **1 불꽃을 튀기는**, 반짝거리는; 빛나는 〈별 (등)〉 **2** 활기에 넘친(lively), 번득이는 〈재치 (등)〉 **3** 발포성의 〈포도주〉(opp. *still*)

~·ly *ad.* **~·ness** *n.*

spárkling wáter 소다수(soda water)

spárkling wíne 발포(포도)주 (알코올 성분 12%)

spárk plùg 1 (내연 기관의) 점화전 **2** (구어) 지도자, 중심인물; 격려[고무]하는 사람

spark·plug [spάːrkplʌ̀g] *vt.* (**~ged**; **~·ging**) (구어) 〈동료 등을〉 분발시키다, 촉구하다, 〈일 등에서〉 주역[지도적 역할]을 맡아 하다

spárk transmìtter 불꽃식 송신기

spark·y [spάːrki] *a.* (**spark·i·er**; **-i·est**) **1** 불꽃을 발하는 **2** 활발한, 발랄한, 생생한 **—***n.* 전기 기사

spar·ring [spάːriŋ] *n.* **1** Ⓤ 〖권투〗 스파링: ~ partner (권투 선수의) 연습 상대 **2** 말다툼, 논쟁

⁑**spar·row** [spǽrou] *n.* **1** 〖조류〗 **참새**: the house [English] ~ (보통의) 참새 **2** [**S~**] 〖미공군·해군〗 스패로 (공대공 미사일) **~·less** *a.* **~·like** *a.*

spar·row·grass [spǽrougræ̀s | -grὰːs] *n.* (구어·방언) 아스파라거스(asparagus)

spárrow hàwk 〖조류〗 새매

spar·ry [spάːri] *a.* (**-ri·er**; **-ri·est**) 〖광물〗 스파(spar)(모양)의

⁎**sparse** [spάːrs] [L 「흩뿌린」의 뜻에서] *a.* **1** 〈인구 등이〉 **희박한**, 성긴, 드문드문한(opp. *dense*): a ~ population 희박한 인구 **2** 〈털·식생(植生)이〉 드문드문 난, 산재하는: a ~ beard 엉성하게 난 턱수염 **3** 부족한, 빈약한 **~·ly** *ad.* **~·ness** *n.*

spar·si·ty [spάːrsəti] *n.* Ⓤ 희박, 성김, 희소

⁎**Spar·ta** [spάːrtə] *n.* **스파르타** (고대 그리스의 도시 국가; 병사에 대한 엄격한 훈련은 「스파르타식 훈련」으로 유명) ▷ Spártan *a.*

Spar·ta·cist [spάːrtəsist] *n.* 스파르타쿠스 당원

Spar·ta·cus [spάːrtəkəs] *n.* 스파르타쿠스(?-71 B.C.) (트라키아 출신의 노예 검투사(劍鬪士); 로마에 대하여 반란을 일으켰으나 패함)

Spártacus Párty[**Léague**] 스파르타쿠스당

《1918년 Liebknecht가 Spartacus라는 별명으로 독일에서 결성한 급진 사회당》

***Spar·tan** [spɑ́ːrtn] *a.* **1** (고대) 스파르타(사람)의 **2** [**S~**] 스파르타식의; 엄격하고 간소한, 용맹한: a ~ lunch (과일 샐러드와 우유 정도의) 간소한 점심
— *n.* 스파르타 사람; 용맹스러운 사람 **~·ly** *ad.*

Spar·tan·ism [spɑ́ːrtnìzm] *n.* Ⓤ 스파르타주의[정신, 기질]

spar·te·ine [spɑ́ːrtiìːn, -tiin] *n.* Ⓤ 〖화학〗 스파르테인《유독 알칼로이드로 한때 강심제로 사용》

spar·ver [spɑ́ːrvər] *n.* **1** 침대의 텐트 모양 커튼[천개] **2** 텐트 모양의 커튼이 붙은 침대

spasm [spǽzm] [Gk 「당기다」의 뜻에서] *n.* **1** 〖의학〗 경련(痙攣): a ~ of the stomach 위경련 **2** 발작, 충동(적 행동) 《*of*》: have a ~ *of* industry [temper] 갑자기 생각난 듯이 열심히 하나[역정을 내다]

spas·mod·ic, -i·cal [spæzmɑ́dik(əl) | -mɔ́-] *a.* **1** 〖의학〗 경련(성)의 **2** 발작적인, 도발적인; 간헐적인, 산발적인 **-i·cal·ly** *ad.*

spas·mo·lyt·ic [spæ̀zməlítik] 〖의학〗 *a.* 진경성(鎭痙性)의 — *n.* 진경약

spas·tic [spǽstik] *a.* **1** 〖병리〗 경련(성)의; 경련성 마비의; 돌발적인(spasmodic) **2** (미·속어) (10대들 사이의) 바보의, 서투른 **3** (미·속어) 과잉 반응하는
— *n.* **1** 경련 환자 **2** (미·속어) (10대들 사이의) 바보, 서투른 사람

spás·ti·cal·ly *ad.* **spas·tic·i·ty** [spæstísəti] *n.*

spástic parálysis 〖병리〗 경련성 마비

spat[1] [spǽt] *n., vi.* (**~·ted**; **~·ting**) (미·구어) 승강이질[말다툼](하다); 손바닥으로 때리기[때리다]

***spat**[2] [spǽt] *v.* SPIT[1]의 과거·과거분사

spat[3] [*spat*terdash] *n.* **1** [보통 *pl.*] 스팻《발목 조금 위까지 미치는 짧은 각반》 **2** 굵은 빗방울; (물·진창 등의) 튄 물 **3** (미·구어) 약간, 소량

spat[4] *n.* (*pl.* **~, ~s**) 굴[조개]의 알(spawn); Ⓤ [집합적] 새끼 굴 — *vt., vi.* (**~·ted**; **~·ting**) 〈굴이〉 산란하다

spatch·cock [spǽtʃkɑ̀k | -kɔ̀k] *n.* 즉석 새고기 요리 — *vt.* **1** 〈갓 잡은 새를〉 즉석 요리하다 **2** (구어) 〈나중에 생각난 글 등을〉 삽입하다, 써넣다 《*in, into*》

spate [spéit] *n.* **1** (말문·감정 등이) 터져 나옴, 내뿜음 《*of*》; 많음, 다수, 대량 《*of*》 **2** (영) 큰물, 홍수, (집중) 호우 ***in full*** ~ (영) 홍수가 져서; 활기[힘]가 넘쳐, 열을 올려 ***in*** ~ 홍수가 져서, 범람하여

spathe [spéið] *n.* 〖식물〗 불염포(佛焰苞)《넓은 잎 모양의 포》

spath·ic [spǽθik] *a.* 〖광물〗 섬광석(閃光石) (모양)의

***spa·tial, -cial** [spéiʃəl] *a.* **1** 공간(space)의, 공간적인; 장소의; 우주의 **2** 공간에 존재하는 **~·ly** *ad.*

spa·ti·al·i·ty [spèiʃiǽləti] *n.* Ⓤ 공간성, 넓이(cf. TEMPORALITY)

spa·ti·og·ra·phy [spèiʃiɑ́grəfi | -ɔ́g-] *n.* Ⓤ 우주 지리학, 우주 공간학

spa·ti·o·per·cep·tu·al [spèiʃioupərsépt∫uəl] *a.* 공간 지각(知覺)[인지(認知)]의

spa·ti·o·tem·po·ral [spèiʃioutémpərəl] *a.* 공간과 시간상의, 시공(時空)의, 시공적인 **~·ly** *ad.*

***spat·ter** [spǽtər] *vt.* **1** 〈물·진탕 등을〉 튀기다, 물장구치다, 흩뿌리다, 끼얹어 더럽히다 《*on, over, with*》: (~+目+前+名) ~ the ground *with* water 지면에 물을 튀기다 / The car *~ed* my new coat *with* mud. = The car *~ed* mud *on* my new coat. 자동차가 나의 새 코트에 진탕을 튀겼다. **2** 〈욕·비방·탄알 등을〉 퍼붓다 《*with*》: (~+目+前+名) ~ a person *with* slander …을 중상하다
— *vi.* **1** 튀다, 흩어져 떨어지다; 〈빗물 등이〉 후두두 떨어지다: (~+前+名) The raindrops were *~ing on* the doorsteps. 빗방울이 현관 층대 위에 후두두 떨어지고 있었다. **2** 〈총탄 등이〉 비처럼 날아오다 **3** 침을 튀기며 말하다
— *n.* **1** 튐, 튄 것 《*of*》 **2** 먼 데서의 총소리[빗소리], 후드득거리는 소리 **3** [a ~] 소량, 조금 《*of*》
~·ing·ly *ad.*

spat·ter·dash [spǽtərdæ̀ʃ] *n.* [보통 *pl.*] 가죽 각반, 가죽 장화《승마용 등》

spat·ter·dock [-dɑ̀k | -dɔ̀k] *n.* 〖식물〗 황수련(黃睡蓮) 《북미 원산》

spátter glàss 스패터 글라스《여러 가지 색이 섞인 유리; 장식용》

spat·u·la [spǽtʃulə] *n.* 주걱; 〖의학〗 압설기(壓舌器) **-lar** *a.*

spat·u·late [spǽtʃulət | -lèit] *a.* 〖동물·식물〗 주걱 모양의

spav·in [spǽvin] *n.* 〖수의학〗 (말의) 비절내종(飛節內腫); 그 혹

spav·ined [spǽvind] *a.* **1** 〈말이〉 비절내종에 걸린 **2** 절름발이의, 불구의

***spawn** [spɔ́ːn] *n.* ⓊⒸ **1** [집합적] 〖동물〗 (물고기·개구리·조개·새우 등의) 알, 어란(⇨ roe[1] 유의어); 알에서 깨나온 새끼 **2** 〖식물〗 균사(菌絲) **3** [집합적] (보통 경멸) (우글우글한) 애새끼, 자식들, (…헐통의) 지손; (사상 등의) 산물, 소산, 결과 《*of*》
— *vt.* **1** 〈물고기·개구리 등이〉 〈알을〉 낳다, 슬다, 산란하다 **2** (경멸) 〈사람이〉 〈자식을〉 수두룩이 낳다
— *vi.* 〈물고기·개구리 등이〉 알을 낳다, 산란하다
~·er *n.*

spawn·ing [spɔ́ːniŋ] *n.* Ⓤ (물고기 등의) 산란: ~ time of salmon 연어의 산란기

spay[1] [spéi] *vt.* (동물의) 난소(卵巢)를 제거하다

spay[2] *n.* 세 살 된 붉은 수사슴

spaz [spǽz] (속어) *n.* 바보, 과장되게 떠들어대는 사람; 발작, 울컥함 — *vi.* [다음 성구로] ~ ***around*** (미) 빈둥거리다 ~ ***down*** (미) 자리잡다 ~ ***out*** (미) 경련하다, 몹시 흥분하다

spa·za [spɑ́ːzə] *n.* (남아공) 구멍가게

SPC Society for the Prevention of Crime; South Pacific Commission 남태평양 위원회 **SPCA** Society for the Prevention of Cruelty to Animals 《현재는 R.S.P.C.A.》 **SPCC** Society for the Prevention of Cruelty to Children 《현재는 N.S.P.C.C.》 **SPCK** Society for Promoting Christian Knowledge **SPD** *Sozialdemokratische Partei Deutschlands* (독일의) 사회 민주당 **SPD, spd** steamer pays dues **SPE** (영) Society for Pure English

‡speak [spíːk] *v.* (**spoke** [spóuk], (고어) **spake** [spéik]; **spo·ken** [spóukən], (고어) **spoke**) *vi.* **1** 말을 하다, 지껄이다(⇨ talk 유의어): ~ in undertones 작은 소리로 말하다 / ~ clear(ly) 분명히 말하다 / This baby cannot ~ yet. 이 아기는 아직 말을 하지 못한다. **2** 담화(談話)를 하다, 이야기를 하다 《*with, to*》: This is Jones *~ing*. [전화에서] 존스입니다. // (~+前+名) The woman *~ing with* him is my mother. 그와 이야기하고 있는 부인은 저의 어머니이십니다. / What is he *~ing about*? 그는 무슨 이야기를 하고 있는 거냐? **3** 연설을 하다, 강연을 하다 《*on, upon, about*》: (~+前+名) ~ *at* a meeting 집회에서 연설하다 **4** 〈책·신문 등이〉 표명하다 《*of*》; 〈행동·표정 등이〉 의사[감정 등]를 나타내다: (~+前+名) This poem *~s of* memories of his childhood. 이 시는 그의 유년 시절의 추억을 말하고 있다. // Actions ~ louder than words. 행동은 말보다 더 분명히 의미를 전달한다. **5** 〈악기·총포·바람 등이〉 소리나다, 울리다: The cannon *spoke*. 대포가 울렸다. **6** (영) 〈개가〉 (명령을 받아서) 짖다 《*for*》: (~+前+名) The dog *spoke for* candy. 개가 과자를 달라고 짖었다. **7** 증언하다 **8** 구혼하다 《*to*》
— *vt.* **1** 말하다; 〈사실·사상 등을〉 이야기하다, 전하다: ~ one's mind 심중을 털어놓고 이야기하다 **2** 나

thesaurus **special** *a.* exceptional, remarkable, unusual, rare, extraordinary, distinctive, singu-

타내다, 증명하다: (~+목+보) His action ~*s* him generous[a rogue]. 그의 행동으로 그가 관대하다는 것[악인임]을 알 수 있다. **3** 〈어떤 말을〉 쓰다(use) **4** 《고어》 …에게 말을 걸다 **5** 〈의견 등을〉 (문서로) 성명하다, 낭독하다 **6** 〖항해〗 (해상에서) 통화(通話)하다, 통신하다 **7** 〖컴퓨터〗 〈데이터·정보를〉 음성으로 표시하다

as they [***men***] **~** 이른바, 소위 ***as we* ~** 《구어》 바로 지금; 곧 ***generally*** [***honestly, roughly, strictly***] **~*ing*** [보통 문두에서] 일반적으로[정직하게, 대충, 엄밀히] 말하면 ***not to* ~ *of*** …은 말할 것도 없이 ***so to* ~** 《구어》 말하자면: He is, *so to* ~, a grown-up baby. 그는 말하자면 어른이 된 아기다. **~ *about*** …에 관해서 말하다[소문 이야기를 하다] **~ *against*** …에 반대하다 **~ *aside*** 옆을 보고 (작은 소리로) 말하다; 〈배우가〉 방백(傍白)을 하다 **~ *at*** 비꼬아서 말하다 **~ *for*** …을 대변[대표]하다; 변호하다; 증명하다; 표시하다; 주문하다, 신청하다, 예약하다 **~ *for itself*** [***themselves***] 스스로 명백해지다 **~ *for oneself*** 자신을 위해 변호하다, 자기 생각[의견]을 말하다: **~ *from experience*** 체험을 이야기하다 **~ *highly of*** ⇨ highly. **~*ing of*** …에 관해서 말한다면, …의 이야기라면 **~ *of*** …에 관하여 말하다, …을 평하다(⇨ not to SPEAK of.) **~ *on*** 이야기를 계속하다; …에 관해서 강연하다 **~ *out*** [***up***] 용기를 내어 말해버리다, 터놓고 말하다, 거리낌없이 말하다; 큰 소리로 이야기하다 **~ *out of turn*** 《미·구어》 경솔한 말을 하다 **~ one*'s mind*** 자기 생각을 분명히 말하다 **~ *to*** …에게 말을 걸다, …와 이야기하다; …에 언급하다; …에게 충고하다; 꾸짖다; 확증하다 **~ *together*** (…에 대해) 상담[협의]하다 《*about*》 **~ *up for*** 《미·구어》 변호하다 **~ *well for*** …의 유력한 증명이 되다, …을 위해 유리하다 **~ *well*** [***ill***] ***of*** …을 좋게[나쁘게] 말하다 **~ *with*** …와 이야기하다, …와 상의하다 ***to* ~ *of*** [부정문에서] 이렇다[언급] 할 (만한): He's saved a little money but *nothing to* ~ *of*. 그는 약간의 돈을 모았지만 이렇다 할 만한 액수는 아니다.

▷ spéech *n.*

speak·a·ble [spíːkəbl] *a.* 이야기해도 좋은; 이야기하기에 알맞은

speak·eas·y [spíːkìːzi] *n.* (*pl.* **-eas·ies**) 《미·속어》 주류 밀매점 《금주법 철폐 전의》, 무허가 술집

‡**speak·er** [spíːkər] *n.* **1** 이야기하는[말하는] 사람; 화자(話者) **2** 연설자, 변사; 《특히》 웅변가 **3** [보통 the S~] (하원, 기타 의회의) 의장: Mr. *S*~! 《호칭》 의장! / the *S*~ of the House 《미》 = the *S*~ of Parliament 《영》 하원 의장 **4** 스피커, 확성기: speak over the ~ system 스피커를 사용하여 말하다

~·shìp *n.* Ⓤ 의장의 직[임기]

speak·er·phone [spíːkərfòun] *n.* 스피커폰 《마이크와 스피커가 부착되어 있는 전화기》

‡**speak·ing** [spíːkiŋ] *a.* **1** 말하는, 이야기하는, 말을 할 정도의; 말하기에 알맞은: a ~ acquaintance 만나면 말을 건넬 정도의 (깊지 않은) 사이[지인] **2** 말이라도 할 것 같은, 박진감 넘치는; 의미심장한; 실증적인, 생생한 〈보기 등〉 **3** 표정이 풍부한, 사람을 감동시키는, 생기 있는 〈눈 등〉

be not on* ~ *terms with a person (…와) 만나도 말을 건넬 정도의 사이가 아니다; 사이가 나쁘다 ***have a* ~ *knowledge of*** English 말을 할 수 있을 정도의 (영어) 실력을 가지고 있다

—*n.* Ⓤ **1** 말하기, 이야기하기; 담화, 연설 **2** [*pl.*] 구전(口傳) 문학(opp. *writings*) **3** 정치 집회

at the [***this***] ***present* ~** 《미》 현재로는 ***in a manner of* ~** 《고어》 말하자면 **~ *in tongues*** 방언 《종교적 황홀 상태에서 나오는 뜻을 알 수 없는 기도의 말》 **~·ly** *ad.* **~·ness** *n.*

spéaking clóck [the ~] 《영》 전화 시각 안내

spéaking trùmpet 확성기, 메가폰

lar, notable, outstanding, unique, specific, particular, especial (opp. *ordinary, usual, general*)

spéaking tùbe (건물·배 등의) 전성관(傳聲管)

‡**spear¹** [spíər] *n.* **1** 창, 투창(⇨ lance 유의어) **2** (물고기를 찌르는) 작살 **3** 《고어》 창병(槍兵) **4** 광선(beam)

—*vt.* 창으로 찌르다; 〈물고기 등을〉 작살로 찌르다[잡다]; 《미·속어》 입수하다, 붙잡다

—*vi.* 창처럼 꽂히다 **~·er** *n.*

spear² *n.* (식물의) 싹; 어린 가지[잎, 뿌리]

—*vi.* 싹트다(sprout, shoot), 쑥쑥 자라다

spear·car·ri·er [spíərkæ̀riər] *n.* **1** (연극·오페라 등의) 단역, 엑스트라; (단체·정당 등의) 말단, 부하 **2** (정당·운동 등의) 선두에 서는 사람; 기수

spear·fish [-fìʃ] *n.* (*pl.* **~, ~·es**) 〖어류〗 청새치

—*vi.* 작살로 물고기를 잡다

spear·gun [-gʌ̀n] *n.* 작살총, 수중총

spear·head [-hèd] *n.* 창끝; 선봉, 돌격대의 선두, 공격의 최전선, 앞장(서는 사람·물건)

—*vt.* 〈공격·사업의〉 선두에 서다, 앞장서다

spear·ing [spíəriŋ] *n.* **1** 〖아이스하키〗 스틱 끝으로 상대를 찌르기 《반칙》 **2** 〖미식축구〗 상대방이 멈춘 후 헬멧으로 박치기하기 《반칙》

spear·man [spíərmən] *n.* (*pl.* **-men** [-mən, -mèn]) 창병(槍兵); 창 쓰는 사람

spear·mint [-mìnt] [꽃 모양이 창 비슷한 데서] *n.* 녹양박하 《광대나물과(科)》

spéar sìde [the ~] 부계(父系), 남계(男系)(cf. DISTAFF SIDE, SPINDLE SIDE): an uncle on *the* ~ 아버지 쪽의 아저씨, 친아저씨

spec¹ [spék] [*spec*ulation] *n.* ⓊⒸ 《구어》 투기 (사업) ***on* ~** 《구어》 투기(적으)로: do a thing *on* ~ …을 투기적으로 하다

spec² [*spec*tacle] *n.* 《미·속어》 (서커스의) 개막 퍼레이드; 호화판 TV 쇼

spec³ [*specs²*] *vt.* (**~ced, ~'d** [-t]) 명세서를 쓰다

spec. special; specifical(ly); specification

spéc bòok 스펙 북 《아트 디렉터 지망생 등이 평가받기 위해 만든 자신의 작품집》

spec·cy [spéki] *a.* = SPECKY

‡**spe·cial** [spéʃəl] [especial의 두음 소실(頭音消失)] *a.* **1** 특별한, 특수한(opp. *general*), 각별한(⇨ particular 유의어): a ~ agency 특별 대리점 / a ~ case 특별한 경우, 특례 **2** 독특한, 고유의; 전용의: a ~ flavor 독특한 향기 / a ~ talent 독특한 재능 / one's ~ car 전용차 **3** 전문[전공]의(specialized): a ~ hospital 전문 병원 / ~ anatomy 해부학 각론 **4** 특별용의; 임시의: a ~ train 임시 열차 **5** (양·정도가) 별난, 각별한, 유다른, 예외적인, 파격적인; 매우 친한: a ~ friend 막역한 친구

—*n.* **1** 특별한 사람[것], 임시의 사람[것]; 특파원, 특사(特使); 《영》 = SPECIAL CONSTABLE **2** 특별 시험; 특별[임시] 열차[버스 《등》]; 특별 통신, 특전(特電), 호외, 임시 증간호; 〖영화〗 특작(特作); (라디오·TV의) 특별 프로 **3** 《미》 특가[임시] 매출; 특별 할인품, 특매품; (식당 등의) 특별 메뉴, 봉사품: a ~ on salmon 연어 특별 요리 **4** 특별상

▷ spécially *ad.*; spécialty *n.*; spécialize *v.*

spécial accóunt 특별 회계

spécial áct 특별법 《특정한 사람 또는 지역에 적용되는 법률》

spécial ágent (FBI의) 특별 수사관, (IRS의) 국세 사찰관; 특별 대리인

Spécial Áir Sèrvice 《영》 공군 특수 부대

spécial área 《영》 특별 지역 《구호 대상 지역이나 특별 개발 지구》

spécial asséssment 《미》 특별 과세 《사유 재산의 가치가 높아지는 도로·하수도 등의 공공 사업의 재원을 확보하기 위해 사유 재산에 부과되는 세금》

Spécial Brànch 《영》 (런던 시경의) 공안부

spécial cháracter 〖컴퓨터〗 특수 문자

spécial cónstable 《영》 (긴급시에 치안 판사가 임명하는) 임시[특별] 경관

spécial cóurt-màrtial 〖미군〗 특별 군법 회의

spécial delívery ⦅미⦆ 속달, 지급(至急)편(⦅영⦆ express delivery)
spécial devélopment àrea (영국의) 특별 개발 지역(special area)
spécial dívidend 특별 배당
spécial dráwing rìghts (국제 통화 기금의) 특별 인출권 ⦅略 SDR(s)⦆
spécial edítion (마감 후의 뉴스를 넣은) 특별판; ⦅영⦆ (최종판 직전의) 특별 석간
spécial educátion 특수 교육 ⦅장애인·학습 지진아나 재능을 가진 아동을 위한 교육⦆
spécial effécts 〖영화·TV〗 특수 효과
Spécial Fórces 〖미군〗 특수 부대
spécial hándling ⦅미⦆ (우편물의) 특별 취급
spécial ínterest 특별 이익 단체 ⦅법률상 특별한 이익을 갖고 있거나 추구하려는 단체·법인·개인⦆
spe·cial·ism [spéʃəlìzm] *n.* UC (학문·연구·직업 등의) 전공, 전문
⁎**spe·cial·ist** [spéʃəlist] *n.* **1 전문가**; 전문의(醫) ⦅*in*⦆(cf. GENERAL PRACTITIONER): an eye ~ 안과(眼科) 전문의/a ~ *in* diseases of the heart 심장병 전문의/a ~ *in* education 교육 전문가 **2** 〖미육군〗 특기[기술]병
— *a.* Ⓐ 전문(가)의, 전문적인(specialistic): ~ knowledge 전문 지식
spe·cial·is·tic [spèʃəlístik] *a.* 전문(가)의; 전문적인
⁎**spe·ci·al·i·ty** [spèʃiǽləti] *n.* (*pl.* **-ties**) ⦅영⦆ = SPECIALTY
spe·cial·i·za·tion [spèʃəlizéiʃən | -lai-] *n.* UC **1** 특수[전문]화; (의미의) 한정; 전문 과목[분야] **2** 〖생물〗 분화(한 기관[조직])
⁑**spe·cial·ize** [spéʃəlàiz] *vt.* **1 특수화하다**; 〈연구 등을〉 **전문화하다**; 전공하다 **2** 〈의미·진술을〉 한정하다 **3** 〖생물〗 분화[진화]시키다: (~+목+전+명) A rooster's spurs are toes ~ *for* fighting. 수탉의 며느리발톱은 싸움에 필요해서 발달한 발가락이다. **4** 상세히 설명하다 **5** 〈증권·어음 등의〉 지급인[지급액]을 지정하다[한정하다]
— *vi.* **1 전공하다**; **전문으로 삼다**, 〈가게·회사 등이〉 전문적으로 다루다 ⦅*in*⦆: (~+전+명) ~ *in* chemistry 화학을 전공하다/~ *in* the manufacture of hats 모자 제조를 전문으로 하다 **2** 상세하게 기술하다 **3** 〖생물〗 분화[특수화]하다
▷ spécial *a.*; specializátion *n.*
spe·cial·ized [spéʃəlàizd] *a.* 전문의; 〖생물〗 분화[특수화]된: ~ knowledge 전문 지식
spécial júry 〖법〗 특별 배심
spécial lícense 〖영국법〗 (Canterbury 대주교에 의한) 결혼 특별 허가증
⁑**spe·cial·ly** [spéʃəli] *ad.* **1 특(별)히**, 각별히; 일부러, 모처럼(⇨ especially 유의어) **2** 임시로 **3** 특별한 방법으로, 특제로
Spécial Méssage (대통령의) 특별 교서
spécial néeds *pl.* ⦅영⦆ (신체적·정신적 문제를 가진 사람에게 필요한) 특별한 도움
spécial óffer 파격 세일 제품[제의]
spe·cia·log(ue) [spéʃəlɑ̀g | -lɔ̀g] *n.* 잡지 형태의 전문 분야 상품 안내서
Spécial Olýmpics [the ~] 특별 올림픽 ⦅1968년 창설된 심신 장애자 국제 스포츠 대회로서 4년마다 개최; 신체 장애자 올림픽은 Paralympic Games⦆
spécial pártner 유한 (책임) 사원
spécial pléader 특별 변호인
spécial pléading 1 〖법〗 특별 변론 ⦅상대방의 진술을 무효화하는 새로운 사실이나 이유를 진술⦆ **2** ⦅구어⦆ 일방적인 진술
spécial prívilege (법에 의한) 특권, 특전(特典)
spécial prósecutor 특별 검사
spécial púrpose compúter 특수 목적 컴퓨터 ⦅한정된 분야의 문제만을 처리⦆
spécial relatívity 〖물리〗 특수 상대성 원리 ⦅기본적으로는 Einstein에 의해 정식화된 원리; 등속도(等速度) 운동을 취급하는 특수 상대성 이론⦆
spécial schòol ⦅영⦆ (장애인을 위한) 특수 학교
spécial séssion 1 (통상 회기 이외에 열리는) 특별 회의 **2** 〖영국법〗 치안 판사 재판소 특별 법정
spécial situátion 〖증권〗 특수 상황 ⦅예외적 사유로 주가의 대폭 등귀가 예상되는 상황⦆
spécial sórt ⦅영⦆ 〖인쇄〗 특수 활자
spécial stáff 〖군사〗 특별 참모
spécial stùdent ⦅미⦆ (대학의) 청강생
spécial théory of relatívity 〖물리〗 = SPECIAL RELATIVITY
⁎**spe·cial·ty** [spéʃəlti] *n.* (*pl.* **-ties**) **1 전문**, 전공; 장기(長技) **2** 특질, 특성, 특수성, 특별 사항 **3** (상점 등의) 명물, 특산품; 특제품, 특선품 **4** 신제품, 새 고안품, 신형(新型) **5** 〖법〗 날인(捺印) 증서, 날인 계약; 날인하지 않은 양도 증서 ★ 영국에서는 5 이외는 speciality가 쓰임. ***make a ~ of*** …을 전문으로 하다
▷ spécial *a.*
spe·ci·a·tion [spì:ʃiéiʃən, -si- | -ʃi-] *n.* Ⓤ 〖생물〗 종 형성(種形成), 종 분화(種分化)
spe·cie [spí:ʃi:, -si: | -ʃi] *n.* Ⓤ ⦅문어⦆ 정금(正金), 정화(正貨)(opp. *paper money*): a ~ bank 정금 은행/a ~ payment 정화 지불/~ shipment[point] 정화 현송(現送)[현송점] ***in ~*** 본질적으로는; 정금으로; 〖법〗 규정된 대로
⁑**spe·cies** [spí:ʃi:z, -si:z | -ʃi:z] [L 「보이는 것, 모양」의 뜻에서] *n.* (*pl.* **~**) **1 a** 〖생물〗 (분류상의) 종(種) (cf. CLASSIFICATION 1): birds of many ~ 많은 종의 새 **b** ⦅구어⦆ 종류 ⦅*of*⦆: I felt a ~ *of* shame. 일종의 수치심 같은 것을 느꼈다. **c** 인종; [the ~, our ~] 인류: a study of *the* ~ 인류 연구 **2** 〖논리〗 종(種)(개념), 부(部) **3** 〖가톨릭〗 미사용의 빵과 포도주 **4** 〖법〗 형식, 체제 ***The Origin of S~*** 「종의 기원」 ⦅Darwin의 저서⦆
— *a.* 〖원예〗 야생종의: a ~ rose 야생종의 장미
▷ specífic *a.*
spécies bàrrier [the ~] 〖생물〗 종(種)의 장벽 ⦅동·식물의 질병이 종을 넘어 옮지 않는다는 시스템⦆: cross[jump] the ~ 〈병이〉 종의 장벽을 넘다
spe·cies·ism [spí:ʃi:zìzm, -si:- | -ʃi:-] *n.* 종(種) 차별, 종 편견 ⦅애완동물과 실험동물에 대한 태도의 차이 등⦆
specif. specific; specifically
⁎**spe·cif·ic** [spisífik] *a.* **1** 〈목적·관계·설명 등이〉 **분명히 나타난**, 명확한, 뚜렷한, 구체적인; 특정한(opp. *general*, *generic*)(⇨ particular 유의어): with no ~ aim 이렇다 할 분명한 목적도 없이/to be ~ 확실히 말하면 **2** 〖의학〗 〈약이〉 특효가 있는; 〈증세·치료가〉 특수한, 특이한: a ~ medicine 특효약/a ~ remedy 특수 치료 **3** Ⓟ 〈성질·특성 등이〉 특유한, 독특한 ⦅*to*⦆: a style ~ *to* that school of painters 그 파의 화가들에게 특유한 화풍 **4** 특정의, 일정의; 특별의, 특수한, 특정 의미[목적]를 가진: a ~ sum of money 일정 금액 **5** 〖생물〗 종(種)의; 그 종에 특유한 **6** 〖물리〗 비(比)의; 〖상업〗 종량(從量)의
— *n.* **1** 특성, 특질 **2** [보통 *pl.*] 명세, 세부; 상세, 상론(詳論); [*pl.*] 명세서 **3** 특별[특정]한 것; 특효약 ⦅*for*, *against*⦆ ▷ spécies *n.*; spécify *v.*
⁎**spe·cif·i·cal·ly** [spisífikəli] *ad.* **명확하게**; 특히; 보다 명확히[엄밀히] 말하면; 종(種)적으로 보아
spec·i·fi·ca·tion [spèsəfikéiʃən] *n.* **1** UC 상술(詳述); 열거(列擧) **2** 명세 (사항); [*pl.*] 명세서, 설계서, 설명서 **3** 〖법〗 (특허 출원 때의) 발명 명세서; 〖민법〗 가공(품)

thesaurus **specific** *a.* **1 명확한** unambiguous, exact, precise, explicit, express **2 특수한** particular, specified, fixed, set, determined, distinct
spectacle *n.* **1 광경** sight, vision, scene, picture **2 구경거리** display, show, exhibition, parade

specific cáuse (어떤 병의) 특이한 원인
specific cháracter 〖생물〗 (종(種)의 구별이 되는) 특이성, 특징
specific dúty 〖상업〗 종량세(從量稅)
specific grávity 〖물리〗 비중 《略 sp. gr.》
specific héat 〖물리〗 비열 《略 s.h.》
specific ímpulse 〖항공〗 (로켓 추진의) 비추력(比推力)
spec·i·fic·i·ty [spèsəfísəti] *n.* Ⓤⓒ 특수성, 전문성; 〖생화학·약학〗 특이성
specific náme 〖생물〗 종명(種名)
specific perfórmance 〖법〗 특정 이행
specific resístance 〖전기〗 비(比)[고유] 저항, 저항률
*__spec·i·fy__ [spésəfài] *vt.* (**-fied**) **1** 일일이 열거하다, 명기하다, 상술(詳述)하다 **2** 조건으로서 지정하다 **3** 명세서[설계서]에 기입하다 **-fi·a·ble** *a.*
▷ specífic *a.*; specificátion *n.*
‡**spec·i·men** [spésəmən] 〖L 「특징 있는 표지」의 뜻에서〗 *n.* **1** 견본; 예, 실례: a ~ page 견본쇄(刷) **2** (동물·식물·광물 등의) 표본: stuffed ~*s* 박제(剝製)/~*s* in spirits 알코올에 담근 표본 **3** 《구어·경멸》 별난 사람, 기인(奇人): What a ~! 참 별난 사람 다 보겠네!
spécimen plànt 희귀 식물, 진귀한 식물
spe·ci·ol·o·gy [spìːʃiάlədʒi | -ɔ́l-] *n.* Ⓤ 종족학(種族學)
spe·ci·os·i·ty [spìːʃiάsəti | -ɔ́s-] *n.* **1** Ⓤ 허울만 좋음; 그럴듯함 **2** Ⓤⓒ 《폐어》 아름다움
spe·cious [spíːʃəs] *a.* 외양만 좋은; 그럴듯한; 탈을 쓴, 눈가림한: ~ pretexts 그럴듯한 구실
~·ly *ad.* **~·ness** *n.*
*__speck__[1] [spék] *n.* **1** 작은 얼룩[흠], 작은 반점(斑點); (과실의) 멍, 작은 흠 **2** 《비유》 오점 **3** 잔 알맹이, 아주 작은 조각 《*of*》; [보통 부정문에서] 조금, 소량 《*of*》 ***not a ~*** 《미》 전혀 …아닌
— *vt.* [보통 과거분사로] …에 얼룩[오점, 흠, 점]을 묻히다[찍다]
specked [-t] *a.* 반점[흠집]이 생긴 **~·less** *a.*
speck[2] *n.* Ⓤ (물개·고래 등의) 지방; 비곗살
*__speck·le__ [spékl] *n.* 작은 반점, 얼룩, 반문
— *vt.* [보통 과거분사로] 작은 반점을 찍다, 얼룩지게 하다; 점점이 산재하게 하다 《*with*》 **~·less** *a.*
speck·led [spékld] *a.* 얼룩덜룩한, 반점이 있는
spéckled tróut 〖어류〗 민물송어(brook trout); 무지개송어(rainbow trout)
speck·y [spéki] *a.* 《영·속어》 안경을 낀
specs[1] [spéks] [*spec*tacles] *n. pl.* 《구어》 안경
specs[2] [*spec*ifications] *n. pl.* 《구어》 명세서, 시방서
‡**spec·ta·cle** [spéktəkl] 〖L 「보는 것」의 뜻에서〗 *n.* **1 a** 광경, 볼 만한 것, 장관(壯觀)(sight) **b** (호화로운) 구경거리; 쇼 **c** 보기에도 딱한[지겨운] 광경, 참상 **2** [*pl.*] 안경: a pair of ~*s* 안경 하나/a girl in ~*s* 안경을 쓴 아가씨 **3** [*pl.*] 《영》 (크리켓에서) 타자의 두 차례의 무득점 ***make a ~ of oneself*** 남의 웃음거리가 될 행동[옷차림]을 하다, 창피한 꼴을 보이다 ***see*** [***behold, look at***] ***... through rose-colored ~s*** …을 낙관적으로 보다
— *n.* 장시간의 호화 (TV) 쇼, 초(超)대작 **~·ly** *ad.*
▷ spéctacle *n.*
spec·tate [spékteit] *vi.* (운동 경기 따위를) 구경하다, 관전하다: 《~+전+명》 ~ *at* the fight 시합을 관전하다
‡**spec·ta·tor** [spékteitər, ─ ⸗ ─ | ─ ⸗ ─] *n.* (*fem.* **-tress** [-tris]) 구경꾼, 관객; 방관자, 목격자
spec·ta·to·ri·al [spèktətɔ́ːriəl] *a.*
spec·ta·tor·i·tis [spektèitəráitis] *n.* Ⓤ 방관자증(症) 《자신은 아무 것도 하지 않고 다른 사람들이 하는 것을 지켜보기만 하는 것》
spéctator spòrt 많은 관객을 동원하는 스포츠
*__spec·ter__ | **-tre** [spéktər] 〖L 「보이는 것」의 뜻에서〗 *n.* **1** 유령, 망령(ghost), 귀신, 요괴(妖怪) **2** 무서운 것 ***~ of the Brocken*** = BROCKEN SPECTER
▷ spéctral *a.*
spec·ti·no·my·cin [spèktənoumáisn | -sin] *n.* Ⓤ 〖약학〗 스펙티노마이신 《임질 항균약》
*__spec·tra__ [spéktrə] *n.* SPECTRUM의 복수
*__spec·tral__ [spéktrəl] *a.* **1** 유령의[같은]; 괴기한; 공허한 **2** 〖광학〗 스펙트럼의: ~ analysis 분광(分光) 분석/~ colors 분광색 《무지개색》/a ~ apparatus 분광기 **spec·trál·i·ty** *n.* **~·ness** *n.*
spéctral líne 〖광학〗 스펙트럼선(線)
spec·tral·ly [spéktrəli] *ad.* **1** 유령처럼; 무시무시하게 **2** 〖광학〗 스펙트럼으로
spéctral overcrówding 〖통신〗 전파 할당 주파수의 과밀 사용 상태
spéctral séries 〖물리〗 스펙트럼 계열
spéctral týpe 〖천문〗 (별의) 스펙트럼형(型)
spéctra yéllow 선황색(鮮黃色)(Hansa yellow)
spec·tre [spéktər] *n.* 《영》 =SPECTER
spectro- [spéktrou, -trə] 《연결형》 「스펙트럼의」의 뜻
spec·tro·bo·lom·e·ter [spèktroubouláмətər | -lɔ́-] *n.* 〖물리〗 스펙트로볼로미터 《스펙트럼의 복사(輻射) 에너지 분포 측정용》
spec·tro·chem·i·cal [spèktroukémikəl] *a.* 분광 화학의, 분광 화학을 응용한
spec·tro·chem·is·try [spèktroukémistri] *n.* Ⓤ 〖물리〗 분광(分光) 화학
spec·tro·col·or·im·e·ter [spèktroukʌ̀lərímitər] *n.* 분광 비색계(比色計)
spec·tro·flu·o·rim·e·ter [spèktroufluərímətər] *n.* 분광 형광계
spec·tro·gram [spéktrəgræ̀m] *n.* 분광[스펙트럼] 사진
spec·tro·graph [spéktrəgræ̀f | -grɑ̀ːf] *n.* 분광기, 분광 사진기; 분광 사진
spec·tro·he·li·o·gram [spèktrəhíːliəgræ̀m] *n.* 〖물리〗 단광(單光) 태양 사진
spec·tro·he·li·o·graph [spèktrəhíːliəgræ̀f | -grɑ̀ːf] *n.* 단광 태양 사진기 **-hè·li·o·gráph·ic** *a.*
spec·tro·he·li·o·scope [spèktrəhíːliəskòup] *n.* 〖물리〗 단광 태양(망원)경
spec·trol·o·gy [spektrάlədʒi | -trɔ́-] *n.* Ⓤ **1** 스펙트럼 분석학 **2** 유령 연구 **spèc·tro·lóg·i·cal** *a.*
spec·trom·e·ter [spektrάmətər | -trɔ́-] *n.* 〖광학〗 분광계 **spèc·tro·mét·ric** *a.* **-try** *n.*
spec·tro·pho·tom·e·ter [spèktrəfoutάmətər | -tɔ́-] *n.* 분광 광도계(光度計)[측광기(測光器)]
spec·tro·po·lar·im·e·ter [spèktroupòulərímitər] *n.* 〖광학〗 분광 편광계
spec·tro·scope [spéktrəskòup] *n.* 〖광학〗 분광기
spèc·tro·scóp·ic, -i·cal [spèktrəskάpik(əl) | -skɔ́-] *a.*
spectroscópic análysis 〖천문〗 분광 분석, 스펙트럼 분석
spectroscópic bínary 〖천문〗 분광 연성(連星)
spec·tros·co·py [spektrάskəpi, spéktrəskòu- | spektrɔ́skə-] *n.* Ⓤ **1** 분광학 **2** 분광기 사용(법)

---

spectacular *a.* striking, impressive, magnificent, splendid, eye-catching, breathtaking, stunning, dazzling, dramatic, sensational
spectator *n.* watcher, beholder, viewer, observer, onlooker, witness, eyewitness, bystander

spec·trum** [spéktrəm] [L 「눈에 보이는 것」의 뜻에서] *n.* (*pl.* **-tra** [-trə], **~s**) **1** 〖물리〗 **스펙트럼,** 분광《광선이 프리즘에 의하여 분산되었을 때 나타남》 **2** (변동하는 것의) 연속체; 범위《*of*》 **3** (눈의) 잔상(殘像) ***a wide ~ of 광범위한, 가지각색의

spéctrum análysis 스펙트럼 분석; 음향 스펙트럼 분석

spec·u·la [spékjulə] *n.* SPECULUM의 복수

spec·u·lar [spékjulər] *a.* **1** 거울 같은, 비추는, 반사하는, 반영하는: a ~ surface 반사면 **2** 〖광학〗 정(正)반사성의 **~·ly** *ad.*

***spec·u·late** [spékjulèit] [L 「보다」의 뜻에서] *vi.* **1** 사색하다, 깊이 생각하다(meditate), 사색적으로 서술하다《*about, on, upon*》; 추측[추론]하다《*about, on, as to*》: (~+전+명) ~ *on* the origin of the universe 우주의 기원에 관해서 추측하다 / ~ *about* the meaning of life 인생의 의미에 대해 깊이 사색하다 / The philosopher ~*d about* time and space. 그 철학자는 시간과 공간에 관해서 사색했다. **2** (주식·토지 등에) **투기하다**; 투기 매매하다《*in, on*》: (~+전+명) ~ *in* shares[stocks] 증권[주식]에 손대다 / ~ *on* a rise[fall] 등귀[하락]를 예상하고 투기하다
— *vt.* (폐어) 추측하다
▷ speculátion *n.*; spéculative *a.*

‡spec·u·la·tion [spèkjuléiʃən] *n.* **1** UC **a** 사색, 심사숙고, 성찰, 고찰《*on, about, upon*》 **b** U 공리(空理), 공론 **c** 추측, 추론, 억측《*on, about*》: a report based *on* ~ rather than facts 사실보다는 추측에 근거한 보고 **2** (사색에 의한) 결론, 견해, 의견 **3** UC **투기,** 투기 매매 ***on ~*** 투기적으로, 요행수를 노리고(on spec) ▷ spéculate *v.*

***spec·u·la·tive** [spékjulèitiv, -lət- | -lət-] *a.* **1** 사색적인, 명상적인; 이론적인, 사변적인; 추론적인: ~ geometry 이론 기하학 **2** 투기적인, 투기 매매의: a ~ stock 투기주 / ~ ventures 투기 사업 **3** 위험한, 확실치 않은 **~·ly** *ad.* **~·ness** *n.*
▷ spéculate *v.*; speculátion *n.*

spéculative philósophy 〖철학〗 사변(思辨) 철학

***spec·u·la·tor** [spékjulèitər] *n.* **1** 사색가, 이론가; 공론가(空論家) **2** 투기꾼《*in*》: a ~ *in* real estate 부동산 투기꾼 **3** 입장권 매점자, 암표 상인

spec·u·lum [spékjuləm] *n.* (*pl.* **-la** [-lə], **~s**) **1** (반사·망원경 등의) 금속경(金屬鏡), 반사경 **2** 〖의학〗 검경(檢鏡)《입·코·자궁·질(膣) 등의》: an eye ~ 검안경 **3** 〖조류〗 (날개의) 익경(翼鏡)

‡sped [spéd] *v.* SPEED의 과거·과거분사

‡speech [spíːtʃ] *n.* (cf. SPEAK) U **1** 말, 《일반적으로》 언어 **2 a** C 담화, 회화 **b** 말하기, 발언: freedom of ~ 언론의 자유 **c** 말하는 능력 **d** 말투, 말씨 **e** 소리, (오르간 등의) 음색(音色) **3** C **a** 연설, …사(辭): a farewell ~ 고별사 / make[deliver] a ~ 연설하다 / deliver an opening[a closing] ~ 개회[폐회]사를 하다

> 유의어 **speech** 청중을 상대로 행하는 이야기·연설 **address** 중요한 문제에 대해 충분히 준비하여 행하는 공식적인 연설: the President's *address* on the national economy 국가 경제에 관한 대통령의 연설 **talk** 비공식적인 장소에서 격식 차리지 않은 이야기: have a pleasant *talk* with a person 아무와 즐거운 이야기를 나누다

b (연극에서 한 번에 하는 긴) 대사 **c** 국어; 방언 **4** 스피치 연구[학]《구두 전달·음성 등의 이론·실천 연구》 **5** 〖문법〗 화법: direct[indirect] ~ 직접[간접] 화법
figure of ~ ⇨ figure of speech. ***have ~ of*** [***with***] a person …와 담화하다 ***lose*** [***find***] ***one's ~*** 말을 제대로 할 수 없게[있게] 되다 ***part of ~*** ⇨ part of speech. ***slow of ~*** 말을 더듬는 ***the King's*** [***Queen's***] ***~*** = ***a ~ from the throne*** (영) 의회의 개원[폐원]식의 국왕 연설
▷ spéak, spéechify *v.*

spéech àct 〖언어〗 언어 행위[행동]

spéech bùbble (만화의) 대화 풍선《대화용 문장이 들어가는 둥근 선》

spéech clìnic 언어 장애 교정소

spéech commùnity 〖언어〗 언어 공동체[사회]

spéech corrèction 언어 교정

spéech dày (영) (학교의) 종업식날《상품 수여·내빈 연설 등이 있음》

spéech dèfect[**disòrder**] 언어 장애

speech·i·fi·ca·tion [spìːtʃəfikéiʃən] *n.* U 연설; 훈시

speech·i·fy [spíːtʃəfài] *vi.* (**-fied**) 연설하다, 장황하게 늘어놓다 **-i·fi·er** *n.* 변사, 연설가

speech·i·fy·ing [spíːtʃifaiŋ] *n.* U (구어·경멸) 장황하게 설교하기, 장광설을 늘어놓음

spéech ìsland 〖언어〗 언어의 섬《한 언어 지역내에 고립된 소(小) 언어 지역》

***speech·less** [spíːtʃlis] *a.* **1** (충격 등으로) **말문이 막힌,** 아연한《*with, from*》 **2** 말을 못하는, 청각 장애의(dumb) **3** 말하지 않는, 잠자코 있는 **4** Ⓐ 이루 형언할 수 없는 **~·ly** *ad.* **~·ness** *n.*

speech·mak·er [spíːtʃmèikər] *n.* 연설자, 강연자, 변사 **spéech·màk·ing** *n.*

spéech màrk [보통 *pl.*] = QUOTATION MARK

spéech òrgan 〖음성〗 발음 기관

speech·read·ing [-rìːdiŋ] *n.* U (청각 장애인의) 독순술(讀脣術), 시화(視話)

spéech recognìtion 〖컴퓨터〗 음성 인식

spéech sòund 〖음성〗 **1** 언어음(言語音)《보통의 음(音)·기침·재채기 등과 구별하여》 **2** 단음(單音)《모음과 자음으로 분류됨》

spéech sỳnthesis 〖전자〗 음성 합성《사람의 말을 컴퓨터로 합성하여 스피커로 내는 일》

spéech thèrapy 언어 요법, 언어 (장애) 치료

spéech tràining 화술 훈련

speech·way [spíːtʃwèi] *n.* (특정 집단 또는 지역의 사람들이 공통으로 가진) 언어의 표현형[스타일, 특징]

speech·writ·er [spíːtʃràitər] *n.* 연설문[연설 원고] 작성자《특히 정치가를 위한》

‡speed [spíːd] [OE 「성공하다」의 뜻에서] *n.* **1** UC 속력, 속도: the ~ of light 광속 **2** U (동작·행동의) 빠름, 신속: a horse of ~ 빨리 달리는 말 / the age of ~ 스피드 시대 **3** UC (미) (자동차의) 변속 기어: shift to low ~ 저속(低速)으로 바꾸다 **4** 〖사진〗 감도, 감광도(= film ~), 노출 시간 **5** U (속어) 각성제《암페타민 등》 **6** (구어) 능력[성격]에 알맞은 것[일], 취미 **7** U (고어) 성공, 행운
(***at***) ***full*** [***top***] ~ 전속력으로 ***at*** (***high***) ~ 속력을 내어, 급속히 ***bring up to ~*** (속어) (회의 등을 하기 전에) 예비 지식을 주다 ***Full ~ ahead!*** 전속력으로 전진[척척 (일)해라]! ***God send*** [***give***] ***you good ~.*** (고어) 성공을 빕니다. ***make ~*** 서두르다 ***up to ~*** (1) 예상된 정도로[수준으로] (2) (구어) 최신 정보에 정통한《*on*》 ***wish good ~*** (고어) 행운을 빌다 ***with*** (***all***) ~ 전속력으로, 급히
— *v.* (**sped** [spéd], **~·ed**) *vi.* **1** 급속하게 진행[작용, 발생]하다 **2 a** 급히 가다, 서두르다《*along*》; 질주하다: (~+전+명) The yellow car *sped along*[*down*] the street. 노란색 차가 거리를 질주했다. **b** 속도를 더하다《*up*》; 〈자동차가〉 위반 속도를 내다 **3** (고어) 〈사람이〉 번영하다
— *vt.* **1** 서두르게 하다; 빨리 가게 하다[보내다]; 촉진하다, 추진하다 **2** 〈기관·기계 등의〉 속력을 더하다; 능률을 올리다《*up*》: (~+목+부) ~ *up* an engine 엔진 회전을 빠르게 하다 / Everything is getting ~*ed up.* 모든 것이 속도[능률]를 더해 가고 있다. **3** (고어) 성공시키다; 도중의 안전을 빌다: God ~ you! 성공을 빕니다! ***~ by*** 빨리 지나가다 ▷ spéedy *a.*

thesaurus **speculation** *n.* conjecture, theorizing, hypothesizing, supposition, guessing, surmis-

speed·ball[1] [spíːdbɔ̀ːl] *n.* Ⓤ (미) 스피드볼 《축구 비슷한 경기로 손을 쓸 수 있음》

speedball[2] *n.* (미·속어) 스피드볼 《코카인에 헤로인·모르핀 또는 암페타민을 섞은 마약 (주사)》
— *vi.* (미·속어) 스피드볼을 맞다

speed·boat [-bòut] *n.* 쾌속정, 고속 모터보트

spéed bràke 〖항공〗 스피드 브레이크 《비행중이나 착륙시 감속하기 위한 보조 날개》

spéed brèaker (인도) = SPEED BUMP

spéed bùmp (주택 지구·학교 주변의) 과속 방지턱

spéed càmera (영) 과속 감시 카메라

spéed còp (속어) 자동차 속도위반 단속 경관

spéed còunter (엔진 등의) 회전 계수기(計數器)

spéed dàting 즉석 만남 《남녀 만남을 위해 마련한 모임에서 여러 상대를 선보기》

spéed dèmon (구어) 스피드광(狂)

spéed dìal[dìaling] (전화의) 단축 다이얼[번호]

speed·er [spíːdər] *n.* 고속 운전자; 속도 위반자; 속도 조절[가감] 장치

spéed frèak (미·속어) 각성제 상용자, 히로뽕 중독자; (익살) 스피드광(狂)

spéed gèar 변속 장치

spéed gùn 속도 측정기 《자동차의 속도위반이나 야구공의 속도 측정용》

spéed hùmp (영) 도로의 과속 방지 턱((미) speed bump) 《★ (영·구어)로 sleeping policeman 이라고도 함》

*__speed·i·ly__ [spíːdili] *ad.* 빨리, 급히, 곧, 신속히

spéed ìndicator 속도계(計)

speed·i·ness [spíːdinis] *n.* Ⓤ 빠름, 신속

speed·ing [spíːdiŋ] *n.* Ⓤ 고속 진행, 지나친 고속 운전; (자동차의) 속도위반: a $50 fine for ~ 속도위반에 대한 50달러의 벌금 — *a.* 고속으로 움직이는

spéed lìght[flàsh] 〖사진〗 전자 섬광등

spéed lìmit (자동차 등의) 제한 속도; 최고 속도

spéed mèrchant (속어) **1** (자동차 등의) 속도광(狂) **2** 발이 빠른 선수

speed·o [spíːdou] *n.* (*pl.* **~s**) (구어) = SPEEDOMETER; (미·속어) 마약 중독자

speed·om·e·ter [spiːdɑ́mətər, spid- | spidɔ́m-, spiːd-] *n.* (자동차 등의) 속도계; 주행 기록계

speed-read [spíːdrìːd] *vt.* (**speed-read** [-rèd]) 속독하다

speed-read·ing [-rìːdiŋ] *n.* Ⓤ 속독(법)

spéed shòp (구어) 스피드 숍 《개조한 고속 자동차용 부품 판매점》

spéed skàting 스피드 스케이팅 《경기》

spéed spràyer 고속 분무기

speed·ster [spíːdstər] *n.* **1** (구어) 고속 운전자; 속도 위반자 **2** 고속으로 달리는 자동차[열차]

spéed tràp (교통 경찰·레이더 장치 등이 있는) 과속 차량 감시 구간[적발 장치]

*__speed·up__ [spíːdʌ̀p] *n.* ⓊⒸ **1** (기계·생산 등의) 능률 촉진 **2** 속력 증가; (열차 등의) 운전 시간 단축

speed·walk [-wɔ̀ːk] *n.* (에스컬레이터식의) 움직이는 보도(步道)

speed·way [-wèi] *n.* **1 a** 스피드웨이 《자동차·오토바이 등의 경주장》 **b** 스피드웨이에서의 경주 **2** (미) 고속도로(expressway)

speed·well [-wèl] *n.* 〖식물〗 꼬리풀속(屬)의 식물

speed·writ·ing [-ràitiŋ] *n.* Ⓤ 속기(술)

‡**speed·y** [spíːdi] *a.* (**speed·i·er**; **-i·est**) **1** 빠른; 신속한, 민첩한(⇨ quick [유의어]) **2** 즉시의, 즉석의, 지체하지 않는: a ~ answer 즉답
— *n.* (속어) 배달인, 메신저; 속달 우편물
▷ spéed *n.*

speiss [spáis] [G] *n.* Ⓤ 〖야금〗 비피(砒鈹) 《어떤 금속 광석을 정련할 때 생기는 비소 화합물》

---

ing, reflection, musing, meditation, cogitation
speedy *a.* rapid, swift, quick, fast, fleet, agile

spe·l(a)e·an [spilíːən] *a.* 동굴의[같은]; 혈거(穴居)의, 동굴에 사는

spe·l(a)e·ol·o·gy [spìːliɑ́lədʒi | -ɔ́l-] *n.* Ⓤ 동굴학; 동굴 탐험 **-gist** *n.* 동굴학자

‡**spell**[1] [spél] [OE 「말하다」의 뜻에서] *v.* (**spelt** [spélt], **~ed** [spéld, spélt]) *vt.* **1** 철자하다, 〈낱말을〉 맞춤법에 따라 쓰다, 철자를 말하다 **2** …의 철자이다, …이라고 읽다: O-n-e ~*s* 'one.' 오·엔·이로 철자하여 one(이란 낱말)이 된다. **3** (구어) 〈결과를〉 가져오다, 초래하다; …을 의미하다: Failure ~*s* death. 실패하면 죽는다. **4** 고찰하다(consider) 《*over*》
— *vi.* **1** 철자하다, 바르게 쓰다[읽다] **2** (시어) 고찰[검토]하다, 연구하다
~ backward 거꾸로 철자하다; 곡해하다 ***~ out*** (1) 한 자 한 자 읽어가다[철자하다] (2) 생략하지 않고 다 쓰다 (3) 자세히[명쾌하게] 말하다[설명하다]
~·a·ble *a.*

‡**spell**[2] [spél] [OE 「말」의 뜻에서] *n.* **1** 주문(呪文), 주술; 마력(魔力), 마법 **2** 매력
cast [***lay, put***] ***a ~ on*** [***upon, over***] …에 마법을 걸다, …을 마력으로 호리다 ***under a ~*** 주문에 묶여; 매혹되어
— *vt.* (드물게) 주문으로 얽어매다; 호리다, 매혹하다

*__spell__[3] [spél] [OE 「교대하다」의 뜻에서] *n.* **1** 한 차례의 일; (일 등의) 차례, 순번, 교대; (교대) 근무 시간: have[take] a ~ 교대하다 **2** (날씨 등이 계속되는) 기간; 잠깐; (미) (병의) 발작: a ~ of fine weather 한동안의 좋은 날씨/a ~ ago 좀 전에 **3** (스코·호주) 휴게[휴식] 시간
by ~s 가끔, 때때로 (***for***) ***a ~*** 잠시 ***give*** a person ***a ~*** …을 교대하여 쉬게 하다 ***~ and*** [***for***] ***~*** 교대(로); 끊임없이 ***S~ oh!*** [***ho!***] (일을) 쉬어!
— *vt.* (미) …와 교대하다, 교대하여 일하다; (호주·뉴질) 〈말 등에〉 휴식 시간을 주다

spell·bind [spélbàind] *vt.* (**-bound** [-bàund]) 주문으로 얽매다, 마법[마술]을 걸다; 매혹하다
~·ing·ly *ad.*

spell·bind·er [-bàindər] *n.* (미) 웅변가, 《특히》 청중을 매료하는 정치가[연설가]

spell·bind·ing [-bàindiŋ] *a.* 매료시키는, 매혹적인, 시선을 사로잡는: a ~ performance 매료시키는 공연

spell·bound [-bàund] *a.* **1** 주문에 얽매인, 마법에 걸린 **2** 홀린, 매혹된

spell-check [-tʃèk] *vt.* (전자 문서의) 철자법을 검사하다 **spéll·check** *n.*

spéll[spélling] chècker 〖컴퓨터〗 전자 문서 내의 철자법을 검사하는 프로그램

spell·down [-dàun] *n.* (틀린 사람은 탈락하는) 철자 알아맞히기 시합

spell·er [spélər] *n.* **1** 철자하는 사람: a good ~ 철자를 틀리지 않는 사람 **2** 철자 교과서(spelling book)

‡**spell·ing** [spéliŋ] *n.* ⓊⒸ **1** 철자법, 정자(正字)법(orthography) **2** (말의) 철자, 스펠링 **3** 철자하기, 철자 능력 ***American ~*** 미국식 철자

spélling bèe = SPELLDOWN

spélling bòok 철자 교본[교과서]

spélling màtch (미) 철자 경기

spélling pronunciàtion 철자 발음 《waistcoat의 전통적인 발음인 [wéskət]라고 하지 않고 철자대로 [wéistkòut]라고 발음하는 것》

spélling refòrm 철자 개혁 《영어의 낱말을 발음에 가깝게 고치려는 시도》

spelt[1] [spélt] *v.* SPELL[1]의 과거·과거분사

spelt[2] *n.* Ⓤ 〖식물〗 스펠트밀 《가축 사료》

spel·ter [spéltər] *n.* 〖야금〗 (납땜) 아연봉

spe·lunk [spilʌ́ŋk] *vi.* 동굴을 탐험하다

spe·lunk·er [spilʌ́ŋkər] *n.* (아마추어) 동굴 탐험가 **spe·lúnk·ing** *n.* Ⓤ 동굴 탐험

spence, spense [spéns] *n.* **1** (영·방언) 식품 저장실; 찬장, 그릇장 **2** (스코) (부엌에 가까운) 안방

spen·cer[1] [spénsər] *n.* 짧은 외투[상의]; (여자용) 짧은 재킷

spencer[1]

spencer[2] *n.* 〖항해〗 큰 사행(斜桁) 돛

Spen·cer [spénsər] *n.* 스펜서 **1 Herbert ~** (1820-1903) 《영국의 철학자》 **2 Platt Rogers ~** (1800?-64) 《미국의 서예가·교사》

Spen·ce·ri·an [spensíəriən] *a.* **1** 스펜서(H. Spencer)의, 스펜서 철학의 **2** 스펜서(P. Spencer체(體)의 《둥글게 오른쪽으로 기운 서체가 특징》 **—***n.* 스펜서파의 철학자 **~·ìsm, Spen·cer·ism** [spénsər-ìzm] *n.* Ⓤ 스펜서 철학, 종합 철학

‡**spend** [spénd] *v.* (**spent** [spént]) *vt.* **1** 〈돈을〉 쓰다, 소비하다 《*on, upon, in, for*》: I *spent* ten dollars at the store. 그 가게에서 10달러를 썼다. / Ill gotten [got], ill *spent.* 《속담》 부정하게 번 돈은 오래가지 않는다. // 《~+목+전+명》 ~ a lot of money *on* books 책 사는 데 많은 돈을 쓰다 **2 a** 〈정력·노력 등을〉 들이다, 소비하다, 다 써버리다 《*on*》: ~ all one's energies 정력을 다 써버리다 **b** 낭비하다 **3** 〈때를〉 보내다, 지내다 《*on, in*》; 〈시간을〉 들이다: 《~+목+전+명》 ~ the weekend *in* the country 시골에서 주말을 보내다 / I *spent* ten minutes *on* the first problem. 첫 문제에 10분을 소비했다. // 《~+목+**-ing**》 I ~ my evenings watch*ing* television. 저녁에는 텔레비전을 보면서 지낸다. **4** [보통 과거분사 또는 ~ one*self* 로] 지치게 하다, 약하게 하다: ~ *oneself* 지쳐버리다 / The storm has *spent itself.* 폭풍이 가라앉았다. **5** 〖항해〗 〈배가〉 〈돛대를〉 잃다

—*vi.* **1** 낭비하다; 돈을 쓰다[들이다] **2** 〈물고기가〉 산란하다 **3** 《폐어》 써 없애다, 바닥이 나다

~ and be spent 〖성서〗 물건을 허비할 뿐더러 몸까지 망치다 ***~ one's breath*** [***words***] 충고하여도 보람이 없다 ***The night is far spent.*** 《고어》 밤이 이슥하다[깊었다].

—*n.* 지출(액); 비용 **~·a·ble** *a.* **~·er** *n.*

spend·all [-ɔ̀:l] *n.* 낭비가

spend·ing [spéndiŋ] *n.* ⓊⒸ 지출(expenditure); 소비(opp. *income*)

spénding mòney 용돈(pocket money)

spend·thrift [spéndθrìft] *a.* 돈을 헤프게 쓰는, 낭비하는, 낭비벽의 **—***n.* 돈을 헤프게 쓰는 사람, 낭비가; (주색으로) 재산을 탕진하는 사람; 방탕아

Speng·ler [spéŋglər, ʃpéŋ-] *n.* 슈펭글러 **Oswald ~** (1880-1936) 《독일의 철학자·역사가》

Spens. Spenser

Spen·ser [spénsər] *n.* 스펜서 **Edmund ~** (1552?-99) 《영국의 시인; 略 Spens.》

Spen·se·ri·an [spensíəriən] *a.* 스펜서(풍)의 **—***n.* = SPENSERIAN STANZA

Spensérian stánza 〖시학〗 스펜서 연(聯) 《스펜서가 *The Faerie Queene*(1590-96)에 사용한 시형》

‡**spent** [spént] *v.* SPEND의 과거·과거분사 **—***a.* **1** 지쳐버린, 녹초가 된: a ~ horse 지친 말 **2** 〈탄환 등을〉 다 써버린; 사용된, 소비된 **3** 〈물고기·곤충이〉 산란한

sperm[1] [spɔ́:rm] [Gk 「종자」의 뜻에서] *n.* (*pl.* **~, ~s**) **1** Ⓤ 정액(精液)(semen) **2** 정충, 정자

sperm[2] *n.* **1** 〖동물〗 향유고래 **2** Ⓤ 경랍(鯨蠟), 고래 기름

-sperm [spɔ̀:rm] 《연결형》 「…의 종(을 가진 것)」의 뜻

sper·ma·cet·i [spɔ̀:rməsí:ti, -séti] *n.* Ⓤ 경뇌(鯨腦), 경랍(鯨蠟)

sper·ma·ry [spɔ́:rməri] *n.* (*pl.* **-ries**) 〖해부〗 정자선(精子腺), 정낭(精囊), 고환(睾丸)

spermat- [spə:rmǽt, spɔ́:rmət | spɔ́:mət], **spermato-** [spə:rmǽtou, spɔ́:rmət- | spɔ́:mət-] 《연결형》 「종자; 정자(精子)」의 뜻 《모음 앞에서는 spermat-》: *spermato*zoon, *spermat*id

sper·ma·the·ca [spɔ̀:rməθí:kə] *n.* (*pl.* **-cae** [-si]) 〖동물〗 정낭, 수정낭

sper·mat·ic [spə:rmǽtik] *a.* 정액(精液)의; 고환의; 생식의

spermátic córd[**funículus**] 〖동물〗 정삭(精索), 정사(精絲)

spermátic flúid 〖생리〗 정액

spermátic sác 〖동물〗 정낭(精囊)

sper·ma·tid [spɔ́:rmətid] *n.* 〖동물〗 정세포

sper·mat·o·blast [spə:rmǽtəblæ̀st, spɔ́:rmət- | spɔ́:mət-] *n.* 〖동물〗 정자를 만드는 세포, 정세포

sper·mat·o·cyte [spə:rmǽtəsàit, spɔ́:rmət- | spɔ́:mət-] *n.* 〖생물〗 정모(精母) 세포

sper·mat·o·go·ni·um [spə:rmæ̀təgóuniəm, spɔ̀:rmət- | spɔ̀:mət-] *n.* 〖생물〗 정원(精原) 세포

sper·mat·o·phore [spə:rmǽtəfɔ̀:r, spɔ́:rmət- | spɔ́:mət-] *n.* 〖동물〗 정협(精莢), 정포(精包)

sper·mat·o·phyte [spə:rmǽtəfàit, spɔ́:rmət- | spɔ́:mət-] *n.* 〖식물〗 종자식물

sper·ma·tor·rh(o)e·a [spɔ̀:rmətərí:ə, spə:r-mæ̀t- | spɔ̀:mət-] *n.* ⓊⒸ 〖병리〗 정액루(精液漏)

sper·ma·to·zo·id [spɔ̀:rmətəzóuid, spə:rmæ̀t- | spɔ̀:mət-] *n.* 〖식물〗 정자(精子)

sper·ma·to·zo·on [spɔ̀:rmətəzóuən, spə:r-mæ̀t- | spɔ̀:mətəzóuɔn] *n.* (*pl.* **-zo·a** [-zóuə]) ⓊⒸ 〖동물〗 정자, 정충

spérm bàndit 임신과 출산을 목적으로 섹스를 하는 여성들

spérm bànk 정자은행

spérm cèll 〖동물〗 정자(精子)

sper·mic [spɔ́:rmik] *a.* = SPERMATIC

sper·mi·cide [spɔ́:rməsàid] *n.* (피임용) 살정자제(殺精子劑)

sper·mi·o·gen·e·sis [spɔ̀:rmioudʒénəsis] *n.* 〖생물〗 정자 형성

spérm nùcleus 〖생물〗 정핵(精核), 웅핵(雄核)

spermo- [spɔ́:rmou, -mə] 《연결형》 「종자(seed), 배아, 정자(semen)」의 뜻

spérm òil 〖화학〗 경유(鯨油), 향유고래 기름

sper·mo·phile [spɔ́:rməfàil, -fil | -fàil] *n.* 〖동물〗 얼룩다람쥐(ground squirrel)

sper·mous [spɔ́:rməs] *a.* 정자의[같은]

spérm whàle 〖동물〗 향유고래

spew [spjú:] *vt.* **1** 〈먹은 것을〉 토하다, 게우다 **2** 〈연기 등을〉 내뿜다, 분출하다 《*out*》 **3** 〈노여움 등을〉 털어놓다 **—***vi.* **1** 토하다(vomit) **2** 뿜어 나오다 **~·er** *n.*

SPF sun protection factor 자외선 차단 지수

SPG Society for the Propagation of the Gospel (영) 복음 전도 협회 **sp. gr.** specific gravity

sphac·e·late [sfǽsəlèit] *vt., vi.* 〖병리〗 탈저(脫疽)[회저]에 걸리(게 하)다

sphag·num [sfǽgnəm] *n.* (*pl.* **-na** [-nə]) ⓊⒸ 〖식물〗 물이끼 무리 **-nous** *a.* 물이끼의[가 많은]

sphal·er·ite [sfǽləràit, sféil-] *n.* Ⓤ 〖광물〗 섬아연석(閃亞鉛石)

sphen- [sfí:n], **spheno-** [sfí:nou, -nə] 《연결형》 「쐐기」의 뜻 《모음 앞에서는 sphen-》: *spheno*gram

sphe·nic [sfí:nik] *a.* 쐐기 모양의

sphe·no·gram [sfí:nəgræ̀m] *n.* 설형(楔形) 문자

sphe·noid [sfí:nɔid] *a.* 쐐기 꼴(뼈)의 **—***n.* 〖해부〗 설상골(楔狀骨)(= **~ bòne**); 〖광물〗 설형정(楔形晶)

spher·al [sfíərəl] *a.* **1** 구(球)의, 구 모양의; 완벽한 **2** 대칭적인, 균형 잡힌

‡**sphere** [sfíər] [Gk 「구, 공」의 뜻에서] *n.* **1** 〖기하〗 구체(球體), 구(球); 구형, 구면 **2** 〖천문〗 천구(天球), 천체(天體); 혹성, 별; 지구의(地球儀), 천체의 **3 a** (존재·활동의) 범위, 분야 《*of*》; 영역, 권(圈): one's ~ *of*

thesaurus **spend** *v.* **1** (돈을) 쓰다 pay out, expend, disburse **2** (노력 등을) 들이다 use, employ,

influence …의 세력권 **b** 본분, 본령(本領): remain in one's (proper) ~ 본분을 지키다 **4** 지위, 신분, 계급(class, rank) **5** 《시어》 하늘, 창공, 천공
be in [***out of***] one***'s ~*** 자기의 영역 내[밖]에 있다
music [***harmony***] ***of the ~s*** 천체의 음악 《천체의 운행에 의하여 생긴다고 Pythagoras가 상상했던》
— *vt.* 《시어·고어》 **1** 구(球)[천구] 안에 두다 **2** 구 모양으로 만들다; 둘러싸다, 에워싸다
-sphere [sfìər] 《연결형》 「구(球)」의 뜻: atmos*phere*
spher·ic [sférik, sfíərik | sfér-] *a.* 구(球)의, 구체(球體)의; 구 모양의; 구면(球面)의
spher·i·cal [sférikəl, sfíər- | sfér-] *a.* **1** 구형의, 둥근; 구체(球體)의: a ~ cluster 구 모양의 성단 **2** 천체의, 천구에 관한 **~·ly** *ad.* **~·ness** *n.*
sphérical aberrátion (렌즈·거울 등의) 구면 수차(球面收差)
sphérical ángle 〖기하〗 구면각(球面角)
sphérical astrónomy 구면(球面) 천문학
sphérical coórdinates 〖수학〗 구(면) 좌표
sphérical geómetry 구면 기하학
sphérical léns 구면 렌즈
sphérical pólygon 〖기하〗 구면 다각형
sphérical sáiling 구면 항법(航法)
sphérical tríangle 〖기하〗 구면 삼각형
sphérical trigonómetry 구면 삼각법
sphe·ric·i·ty [sfirísəti] *n.* Ⓤ 구형, 구면; 구형도(球形度)
spher·ics[1] [sfériks, sfíər- | sfér-] *n. pl.* [단수 취급] 전자 기상학
spherics[2] *n. pl.* [단수 취급] **1** 구면 기하학 **2** 구면 삼각법
sphe·roid [sfíərɔid, sfér-] *n.* 〖기하〗 회전 타원체[면], 장구(長球), 편구(偏球)
sphe·roi·dal [sfiərɔ́idl] *a.* **sphe·rói·dal·ly** *ad.*
sphe·roi·dic·i·ty [sfìərɔidísəti, sfèr-] *n.* Ⓤ 회전 타원형(임)
sphe·rom·e·ter [sfiərɑ́mətər | -rɔ́m-] *n.* 구면계(球面計), 도호기(度弧器)
sphe·ro·plast [sfíərəplæ̀st, sfér-] *n.* 〖세균〗 스페로플라스트 《세포벽을 거의 다 제거한 균세포》
spher·ule [sférjuːl, sfíər- | sféruːl] *n.* 소구(체)
sphér·u·lar *a.*
spher·u·lite [sférjulàit, sfíər- | sférə-] *n.* 〖지질〗 구과(球顆) **sphèr·u·lít·ic** *a.*
spher·y [sfíəri] *a.* (**spher·i·er**; **-i·est**) 천구(天球)의; 구(球) 모양의; 천체의, 천체 같은, 별 같은
sphinc·ter [sfíŋktər] *n.* 〖해부〗 괄약근(括約筋)
~·al [-tərəl] *a.*
‡**sphinx** [sfíŋks] *n.* (*pl.* **~·es, sphin·ges** [sfíndʒiːz]) **1** [the S~] 〖그리스신화〗 **스핑크스** 《상반신은 여자이고 하반신은 날개가 돋친 사자의 모습을 한 괴물; 지나가는 사람에게 수수께끼를 내고 풀지 못하면 죽였다고 함》 **2 a** 스핑크스상(像) **b** [the S~] 대(大)스핑크스상 《이집트의 Giza 부근에 있음》 **3** 수수께끼의 인물, 불가해한 사람 **4** 〖곤충〗 박각시나방(=**~ mòth**)
~·lìke *a.*
sphra·gis·tic [sfrədʒístik] *a.* 인장(印章)(학)의, 인장에 관한
sphra·gis·tics [sfrədʒístiks] *n. pl.* [단수 취급] 인장학(印章學)
sphyg·mic [sfígmik] *a.* 〖생리·의학〗 맥박의
sphygmo- [sfígmou, -mə] 《연결형》 「맥박」의 뜻
sphyg·mo·gram [sfígməgræ̀m] *n.* 〖의학〗 맥파 기록도, 맥박 곡선
sphyg·mo·graph [sfígməgræ̀f | -grɑ̀ːf] *n.* 〖의학〗 맥파계(脈波計), 맥박 기록기
sphyg·mog·ra·phy [sfigmɑ́grəfi | -mɔ́g-] *n.* Ⓤ 〖의학〗 맥파 기록법 **sphỳg·mo·gráph·ic** *a.*
sphyg·mo·ma·nom·e·ter [sfìgmoumənɑ́mətər | -nɔ́m-] *n.* 혈압계, 맥압계
sphyg·mom·e·ter [sfigmɑ́mətər | -mɔ́m-] *n.* 맥박계 **sphyg·mo·met·ric** [sfìgməmétrik] *a.*
sphyg·mus [sfígməs] *n.* 〖생리〗 맥박, 고동
SPI surface position indicator 〖우주과학〗 지표면 위치 지시계
spic [spík] *n.* =SPIK
spi·ca [spáikə] *n.* (*pl.* **-cae** [-siː], **~s**) **1** 〖식물〗 수상 화서 **2** 〖의학〗 스파이커 붕대, 나선상 붕대 **3** [**S~**] 〖천문〗 스피카 《처녀자리의 일등성》
spi·cate, -cat·ed [spáikeit(id)] *a.* 〖식물〗 이삭 모양의, 수상(穗狀)의; 수상 화서(花序)의
spic·ca·to [spikɑ́ːtou] [It.] *a., ad.* 〖음악〗 스피카토의[로] 《활을 튀기며 연주하는 악보의 표시》
‡**spice** [spáis] [L 「상품, 《특히》 향료와 약」의 뜻에서] *n.* ⓊⒸ **1** 양념; [집합적] 향신료, 양념류(類): a fragrant ~ 향이 진한 향신료 **2** [흔히 a ~] 기미, 기색 《*of*》; 《비유》 풍미, 정취(情趣), 묘미 《*in*》
— *vt.* **1** 향신료를 넣다, 양념을 하다 《*with*》: (~+목+전+명) ~ food *with* ginger 음식에 생강을 넣다 **2** 흥취를 더하다 《*up, with*》: (~+목+전+명) He ~*d* his conversation *with* humorous anecdotes. 재미있는 일화를 넣어 그의 이야기에 흥취를 더했다. **spíc·er** *n.* ▷ spícy *a.*
spice·ber·ry [spáisbèri, -bəri | -bəri] *n.* (*pl.* **-ries**) 〖식물〗 **1** (북미산(産)) 철쭉과(科)의 상록수 **2** (북미산(産)) 털조장나무의 일종
spíce bòx 향신료(香辛料) 그릇, 양념 그릇
spice·bush [-bùʃ] *n.* 〖식물〗 (북미산(産)) 털조장나무의 일종
Spíce Íslands [the ~] 향료(香料) 제도 《Moluccas의 옛 이름》
spic·er·y [spáisəri] *n.* (*pl.* **-er·ies**) Ⓤ **1** [집합적] 양념류, 향신료 **2** 방향; 얼얼한 맛 **3** [*pl.*] 《고어》 향신료 저장소
spice·wood [spáiswùd] *n.* =SPICEBUSH
spice·y [spáisi] *a.* =SPICY
spick [spík] *n.* =SPIK
spick-and-span [spíkənspǽn] *a.* **1** 깔끔한, 말쑥한 **2** 아주 새로운, 〈옷이〉 갓 맞춘
— *ad.* 깔끔하게, 말쑥하게
spic·u·la [spíkjulə] *n.* (*pl.* **-lae** [-lìː]) =SPICULE
spic·u·late [spíkjulèit, -lət] *a.* 침골(針骨) 모양의; 뾰족한; 침골이 있는, 침골로 덮인
spìc·u·lá·tion *n.*
spic·ule [spíkjuːl | spík-, spáik-] *n.* **1** 침상체(針狀體) **2** 〖동물〗 (해면(海綿) 등의) 침골(針骨) **3** 〖식물〗 작은 수상화(穗狀花)
spic·u·lum [spíkjuləm] *n.* (*pl.* **-la** [-lə]) 〖동물〗 침상부(針狀部); (선충류의) 교미침
spic·y [spáisi] *a.* (**spic·i·er**; **-i·est**) **1** 양념을 넣은; 향긋한: a ~ salad dressing 향료를 넣은 샐러드 드레싱 **2** 짜릿한, 통쾌한, 흥취 있는 **3** 《구어》 외설한, 음란한: ~ conversation 음담(淫談) **4** 《구어》 생기 있는, 팔딱팔딱하는 **5** 〈비평 등이〉 신랄한
spíc·i·ly *ad.* **spíc·i·ness** *n.*
‡**spi·der** [spáidər] [OE 「실을 잣다」의 뜻에서] *n.* **1** 〖동물〗 거미 **2** 삼발이 **3** 《미》 (철제) 프라이팬 《원래 발이 달려 있었음》 **4** 타인을 계략에 말리게 하는 악인 **5** 생사(生絲) 제조자[노동자] **6** 〖컴퓨터〗 스파이더, 인터넷 자동 검색 프로그램 **~·ish** *a.* **~·less** *a.* **~·lìke** *a.*
spíder cràb 〖동물〗 거미게
spíder hòle 〖군사〗 (저격병의) 잠복호(壕)
spíder lìnes 〖광학〗 십자선(十字線)
spi·der·man [spáidərmæ̀n] *n.* (*pl.* **-men** [-mèn]) 《영》 (고층 건물 건축 현장 등의) 고소(高所) 작업원; =STEEPLEJACK
spíder mònkey 〖동물〗 거미원숭이 《열대 아메리카산(産)》

devote **3** (시간을) 들이다 occupy, fill, take up, pass **4** 지치게 하다 consume, exhaust, deplete

spíder wèb 거미줄[집]
spi·der·web [-wèb] *vt.* 거미줄[집]로 덮다, 거미줄 모양의 그물로 덮다
spi·der·wort [-wə̀:rt, -wɔ̀:rt] *n.* 〖식물〗 자주달개비
spi·der·y [spáidəri] *a.* **1** 거미 같은; (거미발같이) 가늘고 긴; 거미집 같은: ~ handwriting 가늘고 긴 서체 **2** 거미가 많은
spie·gel·ei·sen [spí:gəlàizn] [G] *n.* Ⓤ 경철(鏡鐵) 《다량의 망간을 함유한 선철(銑鐵)》
spiel [spí:l, ʃpí:l] 《미·구어》 *n.* **1** 과장되게 떠벌림; 손님 끄는 선전의 말 **2** 사기, 부정직한 상술
— *vt., vi.* **1** 과장되게 떠벌리다 《*away*》; 손님 끄는 말을 하다 **2** 교묘한 말로 꾀다[속이다] **3** 음악을 연주하다 **~·er** *n.*
spi·er [spáiər] *n.* 정찰[감시]하는 사람, 스파이
spiff [spíf] *vt.* 《구어》 말쑥하게 하다; 멋부리다 《*up*》 **~ed out** 《구어》 멋부린, 모양을 낸
spiff·ing [spífiŋ] *a.* 《영·속어》 =SPIFFY
spiff·y [spífi] *a.* (**spiff·i·er**; **-i·est**) 《구어》 깔끔한, 단정한, 멋진(smart); 훌륭한
spíff·i·ly *ad.* **spíff·i·ness** *n.*
spif·li·cate, spif·fli- [spífləkèit] *vt.* 《영·속어》 폭력으로[거칠게] 해치우다; 때리다
spig·ot [spígət] *n.* (통 등의) 마개(《영》 tap); (수도·통 등의) 주둥이, 물고동, 꼭지; (파이프의) 끼워 넣는 부분
spik [spík], **spig** [spíg] *n.* 《미·속어·경멸》 스페인계 미국인
spike¹ [spáik] *n.* **1** (굵은 목재를 고정시키는) 대못; (철도·침목 용의) 대못; (담장 등의) 담장못 **2** (경기용 구둣바닥의) 스파이크 **3** (대포의) 화문전(火門栓) **4** 《영·속어·경멸》 국교회파 사람 **5** (그래프 등의) 곡선의 뾰족한 끝; 급격한 상승[돌출], 피크 **6** 〖배구〗 스파이크 **7** 어린 고등어 《길이 6인치(약 15cm) 이하의》
hang up one***'s ~s*** 《미·속어》 프로 스포츠계에서 은퇴하다 ***have*** [***get***] ***the ~*** 화를 내다, 노하다
— *vt.* **1** 큰 못으로 박다; 못[말뚝]을 박다 **2** 담장 못을 박다 **3** (대포의) 화문(火門)을 막아서 사용하지 못하게 하다 **4** (야구 등에서) 스파이크로 〈선수를〉 부상시키다 **5** 《미·구어》 〈음료에〉 술을 타다; 〈음료에〉 화학 약품[독극물 등]을 타다 **6** 〖배구〗 〈공을〉 스파이크하다 **7** 《미》 〈계획 등을〉 망쳐놓다, 좌절시키다
~ a person***'s guns*** …의 계획을 선수를 써서 좌절시키다 **~·like** *a.* **spík·er** *n.* ▷ spíky *a.*
spike² *n.* **1** (보리 등의) 이삭(ear) **2** 〖식물〗 수상 화서(穗狀花序), 수상 꽃차례
spiked [spáikt] *a.* **1** (신발 등에) 스파이크가 붙은 **2** 《속어》 음료수에 술을 탄 **3** 《속어》 머리칼이 위로 선
spíke héel 《미》 (여성화(靴)의) 끝이 뾰족하고 높은 굽
spike·let [spáiklit] *n.* 〖식물〗 (볏과(科) 식물의) 작은 수상화(穗狀花)
spike·nard [spáiknərd, -nɑ:rd | -nɑ:d] *n.* Ⓤ 〖식물〗 감송(甘松); 감송향; 땅두릅나무 《아메리카산》
spik·y [spáiki] *a.* (**spik·i·er**; **-i·est**) **1** 대못 같은, 끝이 뾰족한; 못투성이의 **2** 《영·구어》 성마른, 깐깐한 **3** 《영·속어》 비타협적인, 완고한
spík·i·ly *ad.* **spík·i·ness** *n.*
spile¹ [spáil] *n.* **1** 말뚝못, 쐐기못(pile) 《가옥의 토대로 박는》 **2** 마개(spigot); (술통 등의) 바람 구멍(spilehole) **3** 《미》 삽관(插管) 《사탕단풍의 즙을 받기 위한 것》 — *vt.* **1** 〈통에〉 구멍을 내다; 〈나무에〉 삽관을 꽂다 **2** 말뚝못을 박다 **3** 〈나무에서〉 즙을 받다
spile² *vt., vi.* 《방언》 =SPOIL 《spoil의 시각 사투리(eye dialect)》
spile·hole [spáilhòul] *n.* (통의) 바람 구멍(vent)
spil·i·kin [spílikin] *n.* =SPILLIKIN
spil·ing [spáiliŋ] *n.* Ⓤ [집합적] 말뚝, 마개(spiles)
‡**spill¹** [spíl] [OE 「부수다, 헛되게 하다」의 뜻에서] *v.* (**~ed** [spíld, -t], **spilt** [spílt]) *vt.* **1 a** 〈액체·가루 등을〉 엎지르다, 흘뜨리다: without *~ing* a drop 한 방울도 흘리지 않고 / ~ milk[salt] 우유[소금]를 엎지르다 **b** 〈피를〉 흘리다(shed): ~ the blood of a person …을 죽이다 **2** 〖항해〗 〈돛에서〉 바람이 빠지게 하다: ~ a sail 돛에서 바람을 빼다 **3** 《구어》 〈말·차 등이〉 〈사람을〉 떨어뜨리다, 내동댕이치다 《*from*》: 《~+목+전+명》 He was *~ed from* the horse. 그는 말이 내동댕이쳐서 떨어졌다. **4** 《구어》 〈비밀 등을〉 누설하다; 고자질하다, 말을 퍼뜨리다 **5** 《고어》 **a** 죽이다; 파괴하다 **b** 낭비하다
— *vi.* **1** 엎질러지다 《*from*》: 《~+전+명》 Milk *spilt from* the glass. 유리컵에서 우유가 엎질러졌다. **2** 〈액체·사람이〉 넘치다 《*over*》 **3** 《구어》 비밀을 누설하다, 고자질하다 **4** (말·차 등에서) 떨어지다
~ money 《속어》 (노름 등에서) 돈을 잃다 ***~ out*** (1) (그릇에서) 흐르다, 엎질러지다; 흘리다, 엎지르다 (2) 〈비밀 등을〉 폭로하다 ***~ over*** 〈비밀을〉 누설하다; 넘쳐 흐르다; 〈인구 등이〉 넘치다 ***~ the beans*** [***soup, works***] = ***~ it*** 《속어》 비밀을 누설하다
— *n.* **1 a** 엎지름, 엎질러짐; 유출: the ~ of the urban population (out) into the suburbs 도시 인구의 교외로의 유출 **b** 엎지른[엎질러진] 양 **2** 《구어》 (탈것에서) 내던져짐, 떨어짐 **3** 흘린 흔적, 얼룩, 더러움 **4** 《미·속어·경멸》 흑인, 푸에르토리코인 **~·a·ble** *a.*
spill² *n.* **1** (나무 등의) 얇은 조각, 파편 **2** (점화용) 불쏘시개, 심지 **3** (통 등의) 나무 마개(spile)
spill·age [spílidʒ] *n.* **1** 흘림, 엎지름; 흘린[엎지른] 것[양] **2** (기름 등의) 유출
spill·back [spílbæ̀k] *n.* (교차로 입구의) 차량 혼잡
spil·li·kin [spílikin] *n.* **1** [*pl.*; 단수 취급] =JACKSTRAW 1 **2** =JACKSTRAW 2
spill·o·ver [spílòuvər] *n.* **1** 넘쳐흐름, 넘쳐남, 유출; 넘친[흘린] 것; 과잉 인구 **2** 부작용, 여파(aftermath) **3** [a ~] 과잉, 풍부 《*of*》 **4** 〖경제〗 일출(溢出) 효과 《공공 지출에 의한 간접 영향》
spill-pipe [-pàip] *n.* 〖항해〗 쇄관(鎖管)
spill·proof [-prù:f] *a.* 〈그릇 등이〉 (밀폐식이어서) 내용물이 흐르지 않는
spill·way [-wèi] *n.* (저수지·댐 등의) 방수로, 여수로(餘水路)
***spilt** [spílt] *v.* SPILL¹의 과거·과거분사
spilth [spílθ] *n.* ⓊⒸ 엎질러진 것; 흘려 버려진 것, 찌꺼기; 나머지, 잉여
spim [spím] [*sp*am via *i*nstant *m*essaging] *n.* 《속어》 스핌 《인스턴트 메신저(IM)를 통해 무작위로 보내지는 메시지》(cf. SPAM)
‡**spin** [spín] *v.* (**spun** [spʌ́n], 《고어》 **span** [spǽn]; **spun**; **~·ning**) *vt.* **1 a** 〈면·양털 등을〉 잣다; 〈실을〉 잣다 《*into, out of*》: 《~+목+전+명》 ~ cotton *into* yarn = ~ yarn *out of* cotton 솜을 자아 실을 만들다 **b** 〈섬유 유리·금 등을〉 실 모양으로 가공하다 ★ 보통 과거분사로 형용사적으로 사용. **2** 〈거미·누에 등이〉 〈실을〉 내다, 자아내다: A spider *~s* a web. 거미가 거미줄을 친다. / Silkworms ~ cocoons. 누에는 고치를 짓는다. **3** 〈팽이 등을〉 돌리다; (선반(旋盤) 등으로) 회전시켜 만들다; 맴돌리다: ~ a coin (내기 등으로) 동전을 던져 돌리다 **4** (장황하게) 이야기하다(tell); 오래[질질] 끌다 《*out*》: He *spun* a tale of bygone days. 그는 지난날의 일을 장황하게 늘어놓았다. // 《~+목+부》 She *spun* the project *out* for over five months. 그녀는 그 계획을 5개월 이상이나 질질 끌었다. **5** 〈차바퀴 등을〉 공전시키다, 겉돌게 하다 **6** 〈세탁물을〉 (탈수기로) 원심 탈수하다; 〈세탁물을〉 원심 탈수하여 …하게 하다 **7** 《영》 낙제시키다(flunk)
— *vi.* **1 a** 〈팽이 등이〉 뱅뱅 돌다(⇨ turn 유의어) **b** 《비유》 〈사람이〉 획 돌아 방향을 바꾸다: The top is *~ning*. 팽이가 돌고 있다. // 《~+부》 The wheels began *~ning round*. 차바퀴가 빙빙 돌기 시작했다. **2** 잣다; 〈거미·누에가〉 실을 내다, 고치를 치다, 줄을 치다 **3** 질주하다: 《~+부》 The car was *~ning along* at a good speed. 차가 빠른 속도로 질주하고 있었다. **4** 현기증이 나다 **5** 〈차바퀴가〉 공전하다, 겉돌다, 헛돌다 **6** 《영·속어》 시험에 떨어지다 **7** 〖항공〗 나선(螺旋)

꼴로 강하하다 ***send*** a person[thing] ***~ning*** …을 (쳐서) 넘어뜨리다[구르게 하다] ***~ a yarn*** 긴 이야기를 늘어놓다 ***~ off*** (1) 〈글 등을〉 단숨에 써버리다 (2) 부수적으로 생산하다 (3) (원심력으로) 분리[제거]하다 (4) (손실 없이) 〈새로운 회사·자산 등을〉 분리 신설하다: ~ *off* its Singapore subsidiary 싱가포르 자회사를 분리 독립시키다 ***~ out*** (1) 〈이야기·토론 등을〉 질질 끌다(⇨ *vt.* 4) (2) 〈세월을〉 보내다, 허송세월하다 (3) 〈금전 등을〉 오래 쓰도록 조금씩 내놓다 ***~ one's wheels*** (비유) 헛수고하다

— *n.* **1** (빠른) 회전; 회전 운동: the ~ of the earth 지구의 자전 **2** (구어) 질주, (자전거·배·마차 등의) 한바탕 달리기 **3** 〖항공〗 나선 강하 **4** (구어) (가격 등의) 급락 **5** (미·속어) 특정 견해, 편견; 정보 조작 ***go for a ~*** (자동차·자전거를) 타러 가다 ***go into a*** (***flat***) ***~*** 〈비행기가〉 나선 강하 상태가 되다; 〈사람이〉 자제심을 잃다 ***in a*** (***flat***) ***~*** (구어) 〈마음 등이〉 혼란스러워서; 현기증이 나서

~·na·bíl·i·ty *n.* **spin·na·ble** *a.*

spin- [spain], **spino-** [spáinou, -nə] (연결형) 「등뼈; 가시」의 뜻 (모음 앞에서는 spin-)

spi·na bif·i·da [spáinə-báifidə, -bíf-] 〖병리〗 척추 피열(脊椎披裂)

spi·na·ceous [spinéiʃəs] *a.* 시금치의[같은]

***spin·ach** [spínitʃ | -idʒ, -itʃ] *n.* **1** 시금치 **2** (미·구어) 필요 없는 것, 군더더기 **3** (미·속어) 돈

spi·nal [spáinl] *a.* **1** 〖해부〗 척골(脊骨)(spine)의, 척추의, 척수의: the ~ column 〖해부〗 척추 / the ~ cord 척수 **2** 가시의, 바늘의, 가시 모양 돌기(突起)의

spínal anesthésia 〖의학〗 척수 마취

spínal canàl 척추관(vertebral canal)

spínal tàp 〖의학〗 = LUMBAR PUNCTURE

spín càsting 〖낚시〗 제물낚시(로 하는 던질낚시)질 **spín càster** *n.*

spín contròl (미·속어) (매스컴에 대한) 정보 조작

spin·dle** [spíndl] *n.* [OE 「잣는 도구」의 뜻에서] **1** 물렛가락, 방추(紡錘) **2** 축, 굴대 **3** 방적사의 단위 (무명실은 15,120야드(13,826m), 삼실은 14,400야드(13,267m)) **4** (미) 탁상용 서류꽂이(=~ file) ***live [***dead***] ~ 도는[돌지 않는] 축

— *vi.* 가늘고 길게 되다, 길쭉하게 되다

— *vt.* 방추형으로[가느다랗게] 하다; …에 spindle을 달다; (미) 서류꽂이에 꽂다 **spín·dler** *n.*

spíndle fíle (송곳 모양의 탁상용) 서류꽂이

spin·dle-leg·ged [spíndllègid] *a.* 다리가 가늘고 긴

spin·dle·legs [-lègz] *n. pl.* **1** [복수 취급] 가늘고 긴 다리 **2** [단수·복수 취급] (구어) 다리가 가늘고 긴 사람

spin·dle-shanked [-ʃæŋkt] *a.* = SPINDLE-LEGGED

spin·dle·shanks [-ʃæŋks] *n. pl.* = SPINDLE-LEGS

spíndle sìde [the ~] 모계(母系)(distaff side)

spíndle trèe 〖식물〗 화살나뭇속(屬)의 나무

spin·dling [spíndliŋ] *a., n.* 가늘고 긴 (사람·물건), 홀쭉한 (사람)

spin·dly [spíndli] *a.* (**-dli·er**; **-dli·est**) 가늘고 긴, 호리호리한; 허약한

spín dòctor (미·속어) 보도 대책 보좌관[조언자] (뉴스 등에 당파적 입장·정책 등을 전하는 사람)

spin·down [spíndàun] *n.* **1** 〖천문〗 스핀다운 (천체의 자전 속도의 감소) **2** 〖물리〗 스핀다운 (소립자의 스핀으로 spinup과 역(逆)의 축(軸) 벡터를 갖기)

spin-dri·er, -dry·er [-dràiər] *n.* (원심 분리식) 탈수기 (특히 세탁기의)

spin·drift [-drift] *n.* Ⓤ 〖항해〗 물보라, 물안개 (물결 칠 때의); 모래 먼지, 눈보라

spin-dry [-drái] *vt.* (**-dried**) 〈세탁물을〉 원심(遠心) 탈수(脫水)하다

***spine** [spáin] [L 「가시」의 뜻에서] *n.* **1** 등뼈, 척추, 척추(골) **2** 책의 등 (책명·저자명 등을 쓰는) **3** 바늘, 가시(thorn), 가시 모양의 돌기 **4** (땅·바위 등의) 돌기 **5** 기개, 기골, 근성 **spíned** [-d] *a.* **~·like** *a.*

spine-bash·er [spáinbæ̀ʃər] *n.* (호주·속어) 게으름뱅이, 건달, 놈팡이 **spíne-bàsh·ing** *n.* 그럭저럭 살아감, 빈둥거리며 지냄

spine-chill·er [-tʃìlər] *n.* 등골이 오싹해지는 소설[영화]

spine·chill·ing [-tʃìliŋ] *a.* 〈소설·영화 따위가〉 등골이 오싹해지는 **spíne·chìll·er** *n.*

spi·nel, -nelle [spinél, spínl | spinél] *n.* Ⓤ 〖광물〗 첨정석(尖晶石), 스피넬

spine·less [spáinlis] *a.* **1** 〈동물이〉 척추가 없는, 등뼈가 없는 **2** 기골이 없는, 맹충맞은, 결단력이 없는(irresolute) **3** 가시가 없는 **~·ly** *ad.* **~·ness** *n.*

spinél rùby 〖광물〗 홍첨정석(紅尖晶石)

spi·nes·cent [spainésnt] *a.* **1** 〖식물〗 가시 모양의, 가시가 있는 **2** 〖동물〗 가시 모양의; 〈털 등이〉 빳빳한 **spi·nés·cence** *n.*

spine-shat·ter·ing [spáinʃæ̀təriŋ] *a.* 골수에 사무치는

spin·et [spínit | spinét] *n.* **1** 스피넷 (16-18세기의 소형 쳄발로(cembalo)) **2** 소형 업라이트 피아노

spine-tin·gling [spáintìŋgliŋ] *a.* 등골이 오싹해지는, 스릴 넘치는

spin-flip [spínflìp] *n.* 〖물리〗 스핀 반전(反轉) (원자핵·소립자 등의 스핀 방향의 역전 현상)

spín-flip láser 〖물리〗 스핀플립 레이저 (전자의 스핀 반전(反轉)을 할 때 방출되는 빛을 발진(發振)시키는 반도체 레이저)

spi·nif·er·ous [spainífərəs] *a.* 가시가 있는[많은]

spi·ni·fex [spínəfèks, spái-] *n.* 〖식물〗 볏과(科) 스피니펙스속(屬)의 각종 다년초 (호주산(産))

spi·ni·form [spáinəfɔ̀:rm] *a.* 가시 모양의

spin·na·ker [spínəkər] *n.* 〖항해〗 큰 삼각돛 (경조용 요트의 큰 돛대에 다는): a ~ boom 스피니커 받침 기둥

***spin·ner** [spínər] *n.* **1** 실 잣는 사람, 방적공, 방적업자; 방적기 **2** 〖낚시〗 스피너 (수중에서 회전하는 작은 금속 조각이 달린 가짜 미끼) **3** 〖미식축구〗 공을 가진 선수가 상대방이 공격 방향을 모르게 하기 위해 재빨리 회전하는 트릭 플레이 **4** 〖서핑〗 스피너 (직진하는 서프보드에서 1회전하기); 〖동물〗 = SPINNERET **5** 〖크리켓〗 회전공; 회전공을 던지는 투수 **6** (영·구어) 〖조류〗 쏙독새(nightjar) **7** (미·속어) 트럭 운전수; 디스크자키 **8** 탈수기

spin·ner·et(**te**) [spínərèt, ∠-∠] *n.* 〖동물〗 (거미·누에 등의) 방적 돌기 (실이 나오는 구멍)

spin·ner·y [spínəri] *n.* (*pl.* **-ner·ies**) 방적 공장

spin·ney [spíni] *n.* (*pl.* **~s**) (영) 잡목림, 덤불

‡**spin·ning** [spíniŋ] *n.* Ⓤ **방적**, 방적업; 급회전

— *a.* 방적(업)의; 급회전의 **~·ly** *ad.* ▷ spín *v.*

spínning fràme 정방기(精紡機)

spínning jènny 다축(多軸) 방적기 (초기의 방적기)

spínning machìne 방적기

spínning mìll 방적 공장(spinnery)

spínning rèel 스피닝 릴 (스피닝 로드에 붙은 낚시용 릴)

spínning ròd 스피닝 로드 (스피닝 릴을 붙여서 사용하는 탄력성이 좋은 낚싯대)

spínning tòp (장난감) 팽이

spínning whèel 물레 (발로 밟거나 손으로 돌려서 실을 잣는 데 씀)

spino- [spáinou, -nə] (연결형) = SPIN-

spin-off [spínɔ̀:f | -ɔ̀f] *n.* **1** 〖경영〗 스핀오프 (주식회사 조직의 재편성 방법으로 모회사에서 분리·독립한 자회사의 주식을 모회사의 주주에게 배분하는 것); 계열사, 자회사 **2** (산업·기술 개발 등의) 부산물, 파급 효과, 부작용 **3** 〖TV〗 속편, 시리즈 프로 **4** (속어) 정신장애, 노이로제

spin·or [spínər] *n.* 〖수학·물리〗 스피너 (2[4]차원 공간에서 복소수를 성분으로 하는 벡터)

spi·nose [spáinous, ‒∸] *a.* 〖생물〗 가시가 있는(spiny), 가시가 많은; 가시 모양의 **~·ly** *ad.*

spi·nos·i·ty [spainɑ́səti | -nɔ́s-] *n.* ⓊⒸ **1** 가시가 있음[많음]; 가시 돋친 것[부분]; 가시 돋침; 계열사, 자회사 **2** 가시 돋친[신랄한] 평

spi·nous [spáinəs] *a.* **1** 〈동식물 등이〉 가시가 있는 **2** 가시 모양의, 뾰족한 **3** 《비유》 다루기 어려운[힘든]

spin·out [spínàut] *n.* 스핀아웃 《차가 고속으로 커브를 돌 때 도로에서 튀어 나가는 현상》

Spi·no·za [spinóuzə] *n.* 스피노자 **Baruch** ~ (1632-77) 《네덜란드의 철학자》

Spi·no·zism [spinóuzizm] *n.* Ⓤ 스피노자 철학[주의] **-zist** *n.*

spín stabilizàtion 〖항공〗 스핀 안정화 《로켓 등을 회전시켜 방향의 안정성을 부여하는 일》

***spin·ster** [spínstər] *n.* **1 a** 〖법〗 미혼 여성(cf. BACHELOR) **b** 《경멸》 (과년한) 노처녀(old maid) **2** 실 잣는 여자 **~·hòod** *n.* Ⓤ (여자의) 독신, 미혼 **~·ish** *a.* **~·lìke** *a.*

spin·thar·i·scope [spinθǽrəskòup] *n.* 〖물리〗 스핀서리스코프 《알파 입자가 형광판에 부딪쳐서 생기는 불꽃을 관찰하는 확대경》

spín the bóttle 병돌리기 게임

spín the plátter 접시돌리기 게임

spin·to [spíntou] [It.] *a.* 〖음악〗 스핀토의, 〈목소리가〉 극적이고 서정적인

spi·nule [spáinju:l, spín-] *n.* 〖동물·식물〗 작은 가시

spi·nu·lose [spínjulòus, spái-], **-lous** [-ləs] *a.* 작은 가시로 덮인; 작은 가시 모양의

spin·up [spínʌ̀p] *n.* 〖천문〗 스핀업 《항성·행성 등의 자전 각속도의 증대》; 〖물리〗 스핀업 《소립자의 스핀으로 spindown과 역(逆)의 축(軸) 벡터를 갖는 일》

spín wàve 〖물리〗 스핀파(波) 《자성체 안에서 스핀 정렬(整列)이 흩어짐으로써 전달되는 파》

spin·y [spáini] *a.* (**spin·i·er**; **-i·est**) **1** 가시가 있는; 가시투성이의 **2** 〈문제 등이〉 곤란한, 번거로운

spíny ánteater 〖동물〗 바늘두더지(echidna)

spín·y-head·ed wórm [spáinihèdid-] 〖동물〗 구두충(鉤頭蟲)

spíny lóbster 〖동물〗 대하(大蝦), 왕새우

spíny rát 〖동물〗 고슴도치(hedgehog)

spir- [spaiər], **spiro-** [spáiərou] 《연결형》 「나선; 소용돌이」의 뜻 《모음 앞에서는 spir-》

spi·ra·cle [spáiərəkl, spír-] *n.* 공기 구멍(air hole); 〖동물〗 (곤충 등의) 숨구멍, 기문(氣門), 기공(氣孔); (고래 등의) 분수공(孔)

spi·rae·a [spairí:ə | -ríə, -rí:ə] *n.* = SPIREA

‡spi·ral [spáiərəl] *a.* **1** 나선형의, 소용돌이꼴의, 나선 장치의: a ~ balance[staircase] 나선 저울[층계] / a ~ pattern 나선형 도안 **2** 〖기하〗 나선의 **3** 〈책 등이〉 나선철로 제본된

— *n.* **1** 〖기하〗 소용돌이선(線), 나선(螺線) **2** 나선형의 것; 나선 용수철; 고둥 **3** 〖항공〗 나선 비행, 나선 강하 **4** 〖경제〗 (물가·임금 등이) 연쇄적 변동, 악순환: an inflationary ~ 악성 인플레이션 **5** 〖미식축구〗 공중에서 공이 멋지게 회전하면서 날아가는 킥[패스]

— *v.* (**~ed**; **~·ing** | **~led**; **~·ling**) *vi.* **1** 나선형을 그리다; 소용돌이 꼴로 나아가다; 〈연기·증기가〉 나선형으로 오르다 **2** 나선형으로 상승[강하]하다

— *vt.* …을 나선형으로 하다, 소용돌이 모양으로 나아가게 하다 **~·ly** *ad.* ▷ spíre² *n.*

spíral bínding 〖제본〗 (책·공책의) 나선철(綴)

spi·ral-bound [-bàund] *a.* 나선철 제본의

spíral cléavage 〖생물〗 나선 난할(卵割)(cf. RADIAL CLEAVAGE)

spíral gálaxy[nébula] 〖천문〗 나선 성운(星雲)

spíral spríng 나선형 용수철

spíral stáirs[stáircase] 나선형 계단

spi·rant [spáiərənt] *n.*, *a.* 〖음성〗 마찰음(의) (fricative) 《[f, v, θ, ð], 때로는 [w, j]》

‡spire¹ [spáiər] [OE 「줄기, 대」의 뜻에서] *n.* **1** 뾰족탑, 첨탑(尖塔); 탑의 뾰족한 꼭대기, 뾰족한 지붕: a church ~ 교회의 첨탑 **2 a** 끝이 가늘고 뾰족한 것 **b** (산 등의) 뾰족한 꼭대기 **3** 가는 줄기[잎, 싹] **4** (행복 등의) 절정(summit), 극치

— *vi.* **1** 돌출하다, 치솟다 **2** 싹트다

— *vt.* …에 첨탑을 달다; 싹트게 하다

spíred¹ [-d] *a.* ▷ spíry *a.*

spire² *n.* **1** 소용돌이, 나선(의 한 바퀴) **2** 나탑(螺塔) 《나사조개의 윗부분》 **spíred²** *a.*

spi·re·a [spairí:ə | -ríə, -rí:ə] *n.* 〖식물〗 조팝나뭇속(屬)의 각종 관목

spi·reme [spáiəri:m] *n.* 〖생물〗 (염색체의) 핵사(核絲)

spi·ril·lum [spairíləm] *n.* (*pl.* **-ril·la** [-lə]) 〖세균〗 나선균, 나균(螺菌)

‡spir·it [spírit] *n.*, *a.*, *v.*

> 「생명, 마음, 정신」 **1**에서
> (사람의) → 「혼」 → 「영혼」 **2 b**
> (사람의) → (정신 상태) → 「활기」 **3**, 「기분」 **6 a**
> (물건의) → (표현 등의 정신) → 「참뜻」 **8 b**
> (물건의) → (물질의 정(精)) → 「알코올」 **9**

— *n.* **1** Ⓤ (육체·물질에 대하여) **정신**, 마음: the world of ~ 정신 세계 / the poor in ~ 마음이 가난한 사람들 **2 a** 영, 신령; [the (Holy) S~] 신, 성령 **b** (육체를 떠난) **영혼**; 망령, 유령 **c** (천사·악마 등의) 초자연적 존재: evil ~*s* 악령 **3** Ⓤ **원기**, 활기, 용기; 기백, 의기: people of ~ 활동가, 용감한 사람들, 쉽게 굴복하지 않는 사람들 / with some ~ 다소 활기를 띠고 **4** Ⓤ **a** (인간의 마음의 기능으로서의) 정신, 혼 **b** (단체·학교 등에 대한) 열렬한 충성심 **5** [수식어와 함께] (…한 성격[기질]의) 사람, 인물; 활동가, 정력가 **6 a** [*pl.*] 기분, 마음, 기염: (in) high[great] ~*s* 썩 좋은 기분(으로) / (in) low[poor] ~*s* 기가 죽음[죽어], 맥이 빠짐[빠져] **b** Ⓤ 기질 **7** [보통 the ~] Ⓤ **시대 정신**, 사조: *the* ~ of the age[times] 시대 정신 **8** Ⓤ **a** [보통 수식어와 함께] 심적 태도, 의도 **b** [보통 the ~] (법 등의) 정신, 진의, 참뜻: *the* ~ of the law 법의 정신 **9** [종종 *pl.*] 주정, 알코올; [*pl.*] 화주(火酒), 독한 술 **10** 〖약학〗 주정제(酒精劑), 엑스(essence)

as* [*when, if*] *the* ~ *moves one 마음이 내키는 대로, 마음 내키면 ***break* one's *~s*** …의 기운을 꺾다 ***from a ~ of contradiction*** 트집 잡느라고 ***give up the ~*** 죽다 ***in ~*** 마음 속으로 ***in ~s*** 활기 있게; 의기양양하게 ***in the ~ of chivalry* [*the drama*]** 옛 기사식으로[연극조로] ***keep up* one's *~s*** 사기를 잃지 않게 하다 ***out of ~s*** 기가 죽어, 맥없이 ***raise* a person's *~*** …의 사기를 북돋아주다 ***say in a kind ~*** 친절한 마음으로 말하다 ***~(s) and water*** 물을 탄 화주 ***~s of salt*** 염산 ***~(s) of wine*** 순(純)주정 ***take in a wrong ~*** 나쁘게 해석하다, 성내다

— *a.* **1** 알코올(연소)에 의한 **2** 심령의; 강신술의

— *vt.* **1** …의 기운을 북돋우다, 고무하다 《*up*》: 《~+목+부》 ~ *up* a person …을 기운나게 하다 // 《~+목+전+명》 ~ a person *with* whisky …을 위스키로 기운나게 하다 **2** [보통 수동형으로] 채가다, 유괴하다; (몰래) 데리고 나가다 《*away, off*; *from*》: 《~+목+부》 The child was *~ed away from* the house. 그 아이는 집에서 유괴되었다.

▷ spíritual *a.*

spírit blúe 〖염색〗 아닐린청(靑)

spírit dúplicator 스피릿 복사기 《화상 전사(畫像轉寫)에 알코올을 사용함》

thesaurus **spiritual** *a.* **1** 정신적인 nonmaterial, incorporeal, ethereal, unworldly **2** 종교적인 religious, sacred, divine, holy, churchly, devotional

***spir·it·ed** [spíritid] *a.* **1** 힘찬, 생기있는, 용기있는; 활발한, 맹렬한: a ~ discussion 활발한 토론 **2** [복합어를 이루어] …한 정신을 가진; 기운[기분]이 …한: high-~ 기운찬, 기세가 충천한 / low-~ 풀이 죽은 **~·ly** *ad.* **~·ness** *n.*

spírit gùm (가짜 수염 등을 달 때 쓰는) 고무풀

spir·it·ism [spíritìzm] *n.* Ⓤ 강신술(降神術), 심령술 **-ist** *n.* 강신술을 믿는[행하는] 사람

spir·it·is·tic [spìritístik] *a.* 심령(현상)의; 심령(현상)을 믿는

spírit làmp 알코올램프

spir·it·less [spíritlis] *a.* **1** 기운 없는, 풀죽은; 마음내키지 않는, 열의가 없는 **2** 정신이 없는 **~·ly** *ad.*

spírit lèvel 알코올 수준기(水準器)

spir·i·to·so [spìrətóusou] [It.] *a.*, *ad.* 〖음악〗 기운찬[차게], 활발한[하게]

spírit ràpper 강신술사(師)

spírit ràpping 강신술(降神術) 《탁자 따위를 똑똑 두드려 영혼과 강신술사가 대화하는 것》

‡spir·i·tu·al [spíritʃuəl] *a.* **1** 정신(상)의, 정신적인: one's ~ presence 정신적 존재 / our ~ fatherland 우리의 정신적 조국 **2 a** 영적인, 영혼의, 혼백의 **b** 성령의, 신의 **c** 숭고한, 고상한 **3** 종교상의, 종교적인(opp. *secular*); 교회의, 교회법상의: ~ songs 성가, 찬송가 / ~ courts 종교 재판소

one***'s ~ home*** 정신적인[마음의, 영혼의] 고향

— *n.* **1** [*pl.*] 교회 관계의 사항 **2** (흑인) 영가(靈歌) **3** 정신[종교]적인 일[것] **4** [the ~] 정신계

~·ly *ad.* **~·ness** *n.*

▷ spírit, spirituálity *n.*; spíritualize *v.*

spir·i·tu·al·ism [spíritʃuəlìzm] *n.* Ⓤ **1 a** 강신(降神)술, 심령술 **b** 정신주의, 정신지상주의 **2** 〖철학〗 유심론(唯心論), 관념론(opp. *materialism*)

spìr·i·tu·al·ís·tic *a.*

spir·i·tu·al·ist [spíritʃuəlist] *n.* **1** 강신술사, 무당 **2** 정신주의자; 유심론자

spir·i·tu·al·i·ty [spìritʃuǽləti] *n.* (*pl.* **-ties**) ⓊⒸ **1** 영성(靈性), 정신적임, 영적임; 숭고(崇高)(opp. *materiality*, *sensuality*); 영적인 것, 영(혼), 정령 **2** [보통 *pl.*] 교회[성직자]의 직무[수입, 재산]

spir·i·tu·al·i·za·tion [spìritʃuəlizéiʃən | -lai-] *n.* Ⓤ 영화(靈化), 정화(淨化)

spir·i·tu·al·ize [spíritʃuəlàiz] *vt.* **1** 정신적[영적]으로 하다; 고상하게 하다; 영화(靈化)[정화]하다 **2** 정신적인 의미로 생각[해석]하다(cf. LITERALIZE) **3** …에 영성을 부여하다

spir·i·tu·al·ized [spíritʃuəlàizd] *a.* 《문어》 영적으로 이루어진, 영적인, 영화(靈化)된

spir·i·tu·al·ty [spíritʃuəlti] *n.* 《고어》 **1** [집합적] 성직자 **2** = SPIRITUALITY

spi·ri·tu·el(le) [spìritʃuél] [F] *a.* 〈태도·용모 등이〉 고상하고 세련된, 품위 있는, 재치 있는

spir·i·tu·ous [spíritʃuəs] *a.* **1** 다량의 알코올을 함유한 **2** 〈알코올 음료가〉 증류한 **3** 《고어》 원기 있는, 생기 있는(animated) **~·ly** *ad.* **~·ness** *n.*

spiro-[1] [spáiərou, -rə] 《연결형》 「호흡」의 뜻: *spirometer*

spiro-[2] 《연결형》 = SPIR-

spi·ro·ch(a)ete [spáiərəkìːt] *n.* 〖세균〗 스피로헤타 《나선 모양의 세균; 재귀열(再歸熱)·매독의 병원》

spi·ro·graph [spáiərəgræ̀f, -grɑ̀ːf | -grɑ̀ːf, -græ̀f] *n.* 호흡 운동 기록기

spi·ro·gy·ra [spàiərədʒáiərə] *n.* 〖식물〗 해캄속(屬)의 녹조류

spi·roid [spáiərɔid] *a.* 나선형을 한, 나선 모양의

spi·rom·e·ter [spaiərɑ́mətər | -rɔ́m-] *n.* 폐활량계(肺活量計)

---

spite *n.* maliciousness, ill-will, malevolence, venom, malignancy, hostility, evil, resentfulness, rancor (opp. *benevolence*, *goodwill*)

---

spi·ro·plas·ma [spáiərəplæ̀zmə] *n.* 〖생물〗 스피로플라스마 《나선형으로서 세포벽이 없는 미생물》

spirt [spəːrt] *v.*, *n.* = SPURT

spir·y[1] [spáiəri] *a.* (**spir·i·er**; **-i·est**) 기다랗고 뾰족한; 첨탑이 많은; 첨탑 모양의

spiry[2] *a.* 나선 모양의

‡spit[1] [spít] *v.* (**spat** [spǽt], ~; **~·ting**) *vt.* **1** 〈침을〉 뱉다, 〈음식물·피를〉 토하다, 〈포화(砲火) 등을〉 내뿜다: ~ saliva 침을 뱉다 // (~+목+부) ~ (*out*) blood 피를 토하다 **2** 발화시키다: ~ a fuse 도화선에 불을 붙이다 **3** 〈욕설·폭언 등을〉 내뱉다, 내뱉듯이 말하다 《*out*》: (~+목+부) (~+목+전+명) ~ (*out*) curses *at* a person …에게 폭언을 퍼붓다 // ~ one's words *at* …을 향해 내뱉듯이 말하다

— *vi.* **1** 침을 뱉다[내뱉다] 《*at*, *in*, *on*, *upon*》: (~+전+명) ~ *in* a person's face …의 얼굴에 침을 뱉다 **2** 〈성난 고양이가〉 으르렁거리다(⇨ cat 관련) 《*at*》 **3** 〈비·눈이〉 후두두 떨어지다 **4** 〈양초 등이〉 지글지글 타다; 〈끓는 물·기름 등이〉 지글지글 소리내다; 스파크가 있다, 불꽃이 일다

~ at[***on***] …에 침을 뱉다; …을 멸시하다 ***~ it out*** 《구어》 (1) 내뱉듯이 말하다 (2) [명령형으로] 빨리 말해!, 고백해! (3) 좀 더 큰 소리로 말[노래]하다 ***~ up*** 〈음식물을〉 토하다

— *n.* **1** Ⓤ 침 **2** 침뱉기[뱉는 소리] **3** (성난 고양이 등이) 입김을 내뿜음, 그 소리 **4** Ⓤ (곤충이 내뿜는) 거품; 〖곤충〗 거품벌레 **5** 후두두 뿌리는 비[눈] **6** 《구어》 빼닮은 것(spitting image) ***a ~ and a drag***[***draw***] 《영·속어》 몰래 담배 피우기 ***be the very***[***the dead***] ***~ of*** his father (아버지)를 꼭[빼]닮다 ***~ and image*** 빼닮음 ***~ and polish*** (1) (군대 등에서의) 닦는 작업 (2) (지나칠 정도의) 청결 정돈

spit[2] *n.* **1** (고기 굽는) 불꼬챙이, 쇠꼬챙이 **2** 갑(岬), 곶(串), 사취(砂嘴), 모래톱 — *vt.* (**~·ted**; **~·ting**) 〈고기를〉 불꼬챙이에 꿰다; 막대기에 꿰다 《청어를 말릴 때》; (검 등으로) 찌르다(pierce)

spit[3] *n.* 가래[보습](spade)의 날만큼의 깊이, 한 삽

spit·al [spítl] *n.* 《고어》 **1** 병원 《특히 나병 환자 병원》 **2** (간선 도로 등에 있는) 피난소

spit·ball [spítbɔ̀ːl] *n.* 《미》 **1** 종이를 씹어 뭉친 것 **2** 〖야구〗 스피트볼, 타구(唾球) 《공에 침을 발라 커브시키는 반칙구》 **3** 《속어》 가벼운 비난

spitch·cock [spítʃkɑ̀k | -kɔ̀k] *n.* 뱀장어구이[프라이] — *vt.* **1** 〈뱀장어 등을〉 토막내어 굽다[프라이하다] **2** 학대하다, 엄하게 다루다

spít cùrl 이마[뺨]에 납작하게 붙인 곱슬머리

‡spite [spáit] [despite의 두음 소실(頭音消失)] *n.* ⓊⒸ 악의, 심술; 앙심, 원한(grudge): have a ~ against …에 대하여 원한을 품다 ***from***[***in, out of***] ***~*** 악의로, 분풀이로 ***in ~ of*** = 《드물게》 ***~ of*** …에도 불구하고, …을 무릅쓰고; 《고어》 …을 무시하고 ***in ~ of*** one***self*** 저도 모르게, 무심코

— *vt.* **1** 짓궂게 굴다, 심술부리다, 괴롭히다: ~ one's suitors 구혼자들을 애태우다 **2** 《고어》 화나게 하다(offend), 짜증나게 하다(vex) ***to ~*** …을 괴롭히기 위해, 앙심에서 **~·less** *a.* ▷ spíteful *a.*

spite·ful [spáitfəl] *a.* 짓궂은, 악의에 찬, 앙심을 품은 **~·ly** *ad.* **~·ness** *n.*

spit·fire [spítfàiər] *n.* **1** 성마른 사람, 《특히》 성마른 여자 **2** 불을 뿜는 것 《화산·대포 등》 **3** [**S~**] 스피트파이어 《제2차 세계 대전 때의 영국 전투기》

spit-roast [-ròust] *vt.* 〈고기를〉 쇠꼬챙이로 꿰어 굽다

spít shìne (구두 등이 침을 발라 닦아서) 번쩍번쩍함

spit·ter [spítər] *n.* **1** 침을 뱉는 사람[동물] **2** 〖야구〗 = SPITBALL

spít·ting dìstance [spítiŋ-] 짧은 거리, 손이 닿는 거리

spítting ímage [보통 the ~] 《구어》 빼닮음, 빼닮은 것

spit·tle [spítl] *n.* Ⓤ (특히 내뱉은) 침, 타액

spit·toon [spitú:n] *n.* 타구(唾具)
spitz [spíts] [G「입이 뾰족한 개」의 뜻에서] *n.* 스피츠《희고 입이 뾰족한 포메라니아종의 작은 개》
spit·zen·burg, -berg [spítsənbə̀:rg] *n.* (미국산(産)) 사과《여름에 익는 적색·황색 등 수종》
spiv [spív] *n.* 《영·속어》 (일정한 직업 없이) 잔꾀로 살아가는 사람, 건달; 암거래 상인
spiv·(v)er·y [spívəri] *n.* 《영·속어》 건달 생활, 기생적(寄生的) 생활
splake [spléik] *n.* 호수산(産) 송어(lake trout)와 하천산(産) 송어(brook trout)의 잡종 송어
splanch·nic [splǽŋknik] *a.* 내장(內臟)의; 내장 신경의[에 관한]
splanch·nol·o·gy [splæŋknɑ́lədʒi | -nɔ́l-] *n.* Ⓤ 내장학(內臟學)
‡**splash** [splǽʃ] *vt.* **1** 〈물·흙탕 등을〉 (사람·물건에) 튀기다, 더럽히다《*about, on, over*》, 〈물·흙탕 등을〉 튀기다 《*with*》, 튀겨 더럽히다 《*with*》: (~+목+(부)) Don't ~ water (*about*). (주위에) 물을 튀기지 마라. // (~+목+전+명) ~ a page *with* ink = ~ ink *on* a page 페이지에 잉크를 튀기다 / ~ one's face *with* water 물을 튀겨 얼굴을 적시다[씻다] **2** 〈물·흙탕 등이〉 …에 튀다 **3** 철벅이며 헤엄치다; 철벅철벅 소리내며 …하다: ~ one's way 철벅철벅 소리내며 가다 // (~+목+전+명) They *~ed* their way *up* the brook. 그들은 철벅철벅 소리내며 개울을 거슬러 올라갔다. **4** 〈벽지 등을〉 얼룩무늬로 하다 **5** 《구어》 〈뉴스 등을〉 화려하게 다루다 **6** 《영·구어》 〈돈을〉 뿌리다 《*about, out, on*》 **7** 〈적기 등을〉 격추하다
— *vi.* **1** 〈물 등이〉 튀다, 〈사람이〉 물을 튀기다: This tap *~es.* 이 수도꼭지는 물을 튀긴다. // (~+(부)) (~+전+명) The mud *~ed up to* the windshield. 흙탕이 차의 앞유리창까지 튀었다. **2** 풍덩 떨어지다 《*into*》; 풍덩 소리내다, 철벅철벅 소리내며 나아가다 《*across, along, through*》: (~+전+명) He *~ed into* the water. 그는 물속으로 첨벙 떨어졌다. / They *~ed across* the stream. 그들은 철벅철벅 개울을 건너갔다. **3** 《영·속어》 돈을 뿌리다
~ *down* 〈우주선이〉 착수(着水)하다 **~ *one's boots*** 《속어》 = have a SPLASH. **~ *one's money about* [*around*]** 《속어》 돈을 뿌리다[헤프게 쓰다]
— *n.* **1** 튀김, 튀기기, 물장구 침 **2** 물 튀기는 소리, 철벅철벅하는 소리: jump into the pool with a ~ 풍덩하고 수영장으로 뛰어들다 **3** (잉크 등의) 튄 물, 얼룩 **4** 《미·속어》 물, 한 잔의 물, 술; 《영·구어》 (위스키 등에 타는) 소량의 소다수; 차(tea): a Scotch and ~ 소다수 탄 스카치 **5** 《속어》 대성공
***have a* ~** 《영·속어》 〈남자가〉 소변보다 ***make* [*cause*] *a* ~** 《구어》 (일시적으로) 평판이 자자해지다, 많은 사람들의 이목을 끌다
— *ad.* 텀벙[철벅]하고 ▷ spláshy *a.*
splash·back [splǽʃbæ̀k] *n.* 싱크대[가스레인지 등]의 물튀김막이 판[벽]
splash·board [-bɔ̀:rd] *n.* **1** (자동차의) 흙받기 **2** 싱크대의 물튀김막이 **3** 【항해】 (배의) 방파판(板) **4** (저수지 등의) 수량 조절용 수문
splash·down [-dàun] *n.* (우주선 등의) 착수(着水); 착수 지점[시각]
splash·er [splǽʃər] *n.* 튀기는 사람[것]; (자동차의) 흙받기; (세면대 뒤의) 물튀김막이
spláshj eròsion 빗물에 의한 침식
splásh guàrd = SPLASHBOARD
splásh héadline 《영》 (신문의) 화려하고 큰 표제
splásh lubricàtion 【기계】 비말(飛沫) 주유(注油)법
splash·y [splǽʃi] *a.* (**splash·i·er**; **-i·est**) **1** 튀는, 철벅철벅하는; 흙탕물이 튀는, 질퍽질퍽한 **2** 튄 흙[얼룩]투성이의 **3** 허세 부리는, 과시하는 **4** 《미·구어》 평판이 자자한, 화려한 **splásh·i·ly** *ad.* **-i·ness** *n.*
splat[1] [splǽt] *n.* (의자의 등 가운데에 세로로 댄) 판자
splat[2] *n., ad.* 철벅, 철썩《물 등이 튀거나 젖은 것이 표면에 부딪치는 소리》
splat·ter [splǽtər] *vt.* **1** 〈물·흙탕 등을〉 튀기다 **2** 튀겨서 더럽히다 **—** *vi.* 〈물·흙탕 등이〉 튀다; 물보라 치며 떨어지다 ***get ~ed*** 《영·속어》 크게 패하다
— *n.* (물·흙탕의) 튀기기; 철벅철벅 소리
splat·ter·dash [splǽtərdæ̀ʃ] *n.* 와글와글, 야단법석
splátter fílm[mòvie] 유혈이 낭자한 영화
splay [spléi] *vt.* **1** 넓히다, 〈팔·다리를〉 벌리다 《*out*》 **2** 【건축】 〈창·문설주를〉 비스듬히 밖으로 넓히다, 물매 내다; 〈창틀을〉 밖으로 물매 내다 **3** 【수의학】 탈구(脫臼)시키다 **4** 〈통 등을〉 나팔꽃 모양으로 위를 벌려 만들다
— *vi.* **1** 바깥쪽으로 비스듬히 벌어지다 **2** 넓어지다, 바깥쪽으로 퍼지다 《*out*》
— *a.* **1** 바깥쪽으로 벌어진 **2** 보기 흉한, 모양 없는 **3** 비스듬한 **—** *n.* 【건축】 물매 내기; (총안(銃眼)의) 나팔꽃 모양의 바라짐
splay·foot [spléifùt] *n.* (*pl.* **-feet** [-fì:t]) 편평족(扁平足), 평발; 《특히》 밭장다리의 편평족
— *a.* 편평족의; 보기 흉한 **~·ed** [-id] *a.*
spleef [splí:f] *n.* 《미·속어》 마리화나 (담배)(spliff)
spleen [splí:n] *n.* **1** 【해부】 비장(脾臟), 지라 **2** Ⓤ 울화, 분통; 심술; 원한, 앙심(grudge): a fit of (the) ~ 홧김 **3** Ⓤ 의기소침; 《고어》 우울 ***vent one's ~ on*** …에게 울분을 터뜨리다, 화풀이하다
spleen·ful [splí:nfəl] *a.* 기분이 언짢은, 성마른; 심술궂은: with ~ rashness 몹시 성급하게
spleen·ish [splí:niʃ] *a.* = SPLEENFUL
spleen·wort [splí:nwə̀:rt, -wɔ̀:rt | -wə̀:t] *n.* 【식물】 차꼬리고사리속(屬) 《옛날의 우울증 약》
spleen·y [splí:ni] *a.* (**spleen·i·er**; **-i·est**) = SPLEENFUL
splen- [spli:n, splen | spli:n], **spleno-** [splí:nou, -nə, splén- | splí:n-] 《연결형》 「비장(脾臟)(spleen); 비장과 …과의(of spleen and …)」의 뜻 《모음 앞에서는 splen-》
splen·dent [spléndənt] *a.* 《고어》 번쩍이는, 빛나는; 화려한; 훌륭한; 저명한 **~·ly** *ad.*
‡**splen·did** [spléndid] [L 「빛나는」의 뜻에서] *a.* **1** 화려한, 훌륭한, 장려한; 당당한: ~ costumes 화려한 의상 **2** 《구어》 멋진; 눈부신, 뛰어난, 장한; 〈궁리·생각 등이〉 근사한, 더할 나위 없는: ~ talents 뛰어난 재능 **3** 〈색채 등이〉 빛나는
~·ly *ad.* **~·ness** *n.* ▷ spléndor *n.*
splen·dif·er·ous [splendífərəs] *a.* 《구어·익살》 대단한, 훌륭한; 찬란한, 화려한 **~·ly** *ad.* **~·ness** *n.*
‡**splen·dor** | **-dour** [spléndər] *n.* Ⓤ **1** 훌륭함, 장려(壯麗), 화려함: the ~ of one's attire …의 호화로운 의상 **2** (명성 등의) 현저, 탁월; 영예, 영광: a painter in all one's ~ 탁월한 화가 **3** 빛남, 광휘, 광채(brilliance) ***in* ~** 화려하게
▷ spléndid, spléndorous *a.*
splen·dor·ous [spléndərəs], **-drous** [-drəs] *a.* 찬란한, 빛나는, 장려(壯麗)한
sple·nec·to·my [splinéktəmi] *n.* (*pl.* **-mies**) ⓊⒸ 【외과】 비장(脾臟) 절제(술)
sple·net·ic [splinétik] *a.* **1** 비장(脾臟)의, 지라의 **2** 기분이 언짢은, 성마른, 심술궂은; 《폐어》 우울증의
— *n.* **1** 비장병 환자 **2** 성마른 사람, 까다로운 사람 **3** 비장병 약 **-i·cal·ly** *ad.*
splen·ic, -i·cal [splínik(əl), splé:n-] *a.* 【해부·의학】 지라의, 비장의: ~ nerves 비장 신경
splénic féver 【병리·수의학】 비탈저(脾脫疽), 탄저병; 【수의학】 = TEXAS FEVER
sple·ni·tis [spli:náitis] *n.* Ⓤ 【병리】 비장염
sple·ni·us [splí:niəs] *n.* (*pl.* **-ni·i** [-niài]) 【해부】 (목의) 판상근(板狀筋) 《목을 뒤로 젖히는 근육》

thesaurus **splendid** *a.* **1** 화려한 gorgeous, magnificent, imposing, superb, luxurious, deluxe, lavish, ornate, brilliant **2** 뛰어난 distinguished, impressive, glorious, eminent, remarkable

spleno- [splíːnou, -nə, splén- | splíːn-] 《연결형》 = SPLEN-

sple·no·meg·a·ly [splìːnəmégəli, splèn- | splìːn-] *n.* Ⓤ 〖병리〗 비장 비대증

spleu·chan [splúːxən] *n.* 《스코·아일》 (특히 담배나 돈을 넣어 가지고 다니기 위한) 작은 주머니

splib [splíb] *n.* 《미·속어·경멸》 흑인 《특히 남자》

splice [spláis] *vt.* **1** (밧줄의 두 끝을 풀어) 꼬아 잇다, 잇대다 **2** 〈재목 등을〉 맞대어 잇다, 겹쳐 잇다 《*together, to, onto*》 **3** 〖유전〗 〈DNA와 RNA의 절편을〉 접합하다, 〈변형시킨 유전자 등을〉 삽입하다 **4** [보통 수동형으로] 《구어》 결혼시키다: get ~*d* 결혼하다

splice *n.* 1

~ the main brace ⇨ main brace

— *n.* **1** 접착(接着), 꼬아 잇기, 이어 맞추기 **2** (재목·궤조(軌條) 등의) 겹쳐 잇기, 중접(重接) **3** 이은 것, 접목(接木) **4** 《속어》 결혼 ***sit on the ~*** 《영·속어》 (크리켓에서) 신중하게 방어 태세로 싸우다 **~·a·ble** *a.*

splic·er [spláisər] *n.* 스플라이서 《필름·테이프를 잇는 기구》

spliff [splíf] *n.* 《미·속어》 마리화나 (담배)

spline [spláin] *n.* **1** (금속·나무 등의) 가늘고 긴 박판(薄板) **2** 운형(雲形)자 **3** 〖기계〗 키(key), 비녀장; 제동(制動) 쐐기 **4** 각전(角栓)

— *vt.* 〖기계〗 …에 키를 달다, 키홈을 내다

splint [splínt] *n.* **1** 〖의학〗 부목(副木): be set in ~*s* 부목을 대다 **2** (상자를 짤 때 쓰는) 얇은 널조각 **3** (성냥)개비 **4** (갑옷의) 미늘; 〖해부〗 비골(腓骨)

— *vt.* …에 부목을 대다

splínt bòne 〖해부〗 비골(腓骨)

***splin·ter** [splíntər] *n.* **1** (나무·돌의) 쪼개진[부서진] 조각, 동강, 토막 **2** (나무·대나무 등의) 가시 **3** (포탄의) 파편

— *a.* 〈정당 등이〉 분리된, 분열한; 분파의

— *vt.* (잘게) 쪼개다, 찢다; 분열시키다

— *vi.* **1** (잘게) 쪼개지다, 찢어지다 **2** 〈조직 등이〉 분열하다 《*off*》

▷ splintery *a.*

splínter bàr (마차 등의) 스프링을 받치는 가로장; 《영》 = WHIPPLETREE

splínter gròup[pàrty] 〖정치〗 분파(分派), 분열 그룹

splin·ter·less [splíntərlis] *a.* 잘 깨지지 않는; 〈유리 따위가〉 깨져도 사방으로 튀지 않는

splin·ter·proof [splíntərprùːf] *a.* (포탄 등의) 파편을 막는 — *n.* (포탄 등의) 파편 방어 장치

splin·ter·y [splíntəri] *a.* (잘게) 찢어[쪼개]지기 쉬운; 파편의[같은]; 〈광석 등이〉 깔쭉깔쭉한

‡split [splít] *v.* (~; **~·ting**) *vt.* **1** 쪼개다, 찢다, 째다, 세로로 쪼개다: ~ wood 나무를 쪼개다 // (~+목+부) ~ a tire open 타이어를 찢어서 벌리다 // (~+목+전+명) ~ a log *into* two 통나무를 둘로 쪼개다 / ~ a piece *from* a rock 바위에서 한 조각을 쪼개 내다 **2** 분열[분리]시키다 《*up*; *in, into*》; 이간시키다: (~+목+부) ~ (*up*) a party 당을 분열시키다 // (~+목+전+명) The issue ~ the class *into*[*in*] three. 그 문제로 학급은 셋으로 분열되었다. **3** 《구어》 〈이익·비용 등을〉 나누다, 분배하다(divide); 한몫 끼다(share); 분할하다 《*up, between*》: ~ one's vote [《미》 ticket] (서로 반대당의 후보에게) 각각 투표하다, 투표를 분할하다 // (~+목+전+명) Let's ~ the cost *between* us two[*among* us three]. 비용은 우리 둘[셋]이 분담하자. **4** 〖물리〗 〈분자·원자를〉 분열시키다 **5** 〈두꺼운 것·껍질 등을〉 얇게 뜨다 **6** 〖문법〗 〈부정사를〉 분리하다 **7** 《영·속어》 〈정보·기밀 등을〉 누설하다 **8** 《미·구어》 〈위스키 등을〉 (물·소다수 등으로) 묽게 하다 **9** 《속어》 〈모임·장소 등을〉 (급히) 떠나다

— *vi.* **1** (세로로) 쪼개지다, 찢어지다, 갈라지다 《*up; in, into*》: (~+부) The tree ~ (*up*) by thunder. 나무가 벼락을 맞아 쪼개졌다. // (~+전+명) The raft ~ *on* a reef[*in* two]. 뗏목은 암초에 걸려[둘로] 쪼개졌다. // (~+부) The tire will ~ open. 타이어가 찢어지겠다. **2** 〈당 등이〉 분열하다 《*up*》; …에서 분리하다 《*away, off*》; 사이가 나빠지다; 이혼하다, 헤어지다 《*in, into, on,* (드물게) *with*》: (~+부) (~+전+명) They ~ *off*. 그들은 갈라섰다. / The party ~ *up on*[*over*] the question. 당은 그 문제로 분열되었다. **3** 〈배 등이〉 (바위에 부딪혀) 난파하다, 부서지다: (~+전+명) ~ *on* a rock 좌초하다 **4 a** 《구어》 나누어 갖다 《*with*》 **b** 《미》 〈주식이〉 분할되다 **5** 투표를 분할하다 **6** 《구어》 [진행형으로] 〈머리가〉 쪼개지듯이 아프다 **7** 《영·속어》 (공범자 등을) 밀고하다 《*on*》: (~+전+명) ~ *on* a person …을 고자질하다 **8** 《속어》 급히 가다[떠나다]

~ across 둘로 갈라지다, 쪼개지다 ***~ hairs*** [***straws, words***] 지나치게 세밀하게 구별하다; 사소한 것을 크게 떠들어대다 ***~ off***[***away***] 쪼개(지)다, 찢(어지)다; 분열[분리]하다[시키다] ***~ on*** a person …을 (…에게) 밀고하다 《*to*》 ***~ one's sides*** [*one-self*] 포복절도하다 ***~ up*** (1) 분열시키다, 분할하다 (2) 분열하다; 이혼하다

— *a.* **1** (특히 세로로 또는 나뭇결처럼) 갈라진, 쪼개진; 분리한, 분열된 **2** 갈라서 만든, 발라내어 말린[소금에 절인] 〈생선 《등》〉

— *n.* **1** 쪼개짐, 쪼갬, 갈라짐, 가름 **2** 쪼개진[갈라진] 금[틈], 균열 **3** 파편, 조각, 동강, 토막; 얇은 나무판 **4** 분열, 불화; 분파, 파당 **5** 쪼갠 버들가지 《광주리 제조용》 **6** 스플릿 《세로로 반분한 바나나에 아이스크림을 곁들인 것》 **7** 《구어》 반 잔; (술 등의) 반 병 **8** 《구어》 (이익 등의) 몫 **9** [보통 the ~s; 단수 취급] 일직선으로 두 다리를 펴고 앉는 곡예 연기 **10** 《미》 주식의 분할 **11** 〖볼링〗 스플릿 《핀이 스페어(spare)로 하기 어려운 간격으로 늘어서 있음; cf. SPARE》

run like ~ 《미》 전속력으로 달리다

splít bàr 〖컴퓨터〗 스플릿 바 《윈도의 분할선》

splít bráin 〖병리〗 분단뇌(分斷腦), 분할뇌(分割腦) 《좌우의 뇌반구(腦半球)가 별개로 작용하며 두 가지 일을 동시에 할 수 있음》 **splít-bráin** *a.*

splít clòth 〖외과〗 묶는 끝이 여러 가닥 있는 붕대 《특히 머리와 얼굴에 감는 것》

splít decísion 〖권투〗 레퍼리와 심판의 전원 일치에 이르지 못한 판정

splít énd **1** 〖미식축구〗 스플릿 엔드 《포메이션에서 몇 야드 뒤로 퍼져 있는 공격측의 끝 선수》 **2** 끝이 갈라진 머리털

splít-fín·gered fástball [-fìŋgərd-] 〖야구〗 스플릿 핑거 《속구와 같이 팔을 휘둘러 던지는 포크볼 비슷한 변화구》

splít infínitive 〖문법〗 분리 부정사 《'to'-infinitive 사이에 부사(구)가 끼어 있는 형태: He wants *to* really *understand.*》

split-lev·el [splítlévəl] *a.* 〖건축〗 〈주택·방이〉 난평면(亂平面)의 — *n.* 난평면의 주택 《1층과 2층 사이에 인접하는 중간 2층이 있음》

splít mínd 정신 분열증(schizophrenia)

splít páge (신문의) 제2부의 제1 페이지; 뒷판의 고쳐 짠 페이지

splít péa 스플릿 피 《껍질을 벗겨 말린 완두콩; 수프용》

splít personálity 〖심리〗 이중(二重)[다중(多重)] 인격(multiple personality); 《구어》 정신 분열증(schizophrenia)

split-per·son·ál·i·ty disorder [-pəːrsənǽləti-] = MULTIPLE-PERSONALITY DISORDER

splít púlley 〖기계〗 분할 피대 바퀴(parting pulley)

---

split *v.* **1** 쪼개다 break, chop, cut, hew, cleave, rip, tear, slash, slit, splinter, snap **2** 분리시키다 divide, separate, sever, partition **3** 분배하다 share, distribute, allot, allocate, apportion

splít ríng 분할 링[고리] ((이중으로 감은 쇠고리; 사이에 열쇠 등을 끼움))
splít scréen (**techníque**) **1** 〖영화·TV〗 분할 스크린 (기법) ((두 개 이상의 화상(畫像)을 동시에 나열하는 일)) **2** 〖컴퓨터〗 분할 표시
splít sécond [a ~] 1초의 몇 분의 1의 시간, 순간
split-sec·ond [-sékənd] *a.* 일순간의, 순간적인; 아주 정확한
splít shíft 분할 근무 ((휴식[식사] 시간을 길게 잡아 일정 노동 시간을 둘 이상으로 분할하는 근무 형태))
splít shót[**stróke**] 〖크로케〗 스플릿 숏 ((상접한 두 개의 공을 각각 딴 방향으로 흩뜨려 치기))
splits·ville [splítsvil] *n.* Ⓤ (속어) 별거 상태
split·ter [splítər] *n.* **1** 쪼개는[가르는] 사람[도구] **2** 분열파의 사람 **3** = HAIRSPLITTER **4** (생물 분류상의) 세분파(細分派) 학자 **5** (영·속어) 굉장한 사냥
splít tícket (미) **1** 분할 투표 ((반대당의 후보자에게 투표하는 연기(連記) 투표; cf. STRAIGHT TICKET)): vote the ~ 분할 투표하다 **2** 분할 후보자 명단
split·ting [splítiŋ] *a.* **1** (구어) 머리가 쪼개질 것 같은 〈두통 ((등))〉; 귀청이 터질 것 같은 〈소음〉: have a ~ headache 머리가 쪼개질 듯이 아프다 **2** 나는 듯한, 재빠른 **3** (구어) 포복절도할, 우습기 짝이 없는(side-splitting) **—***n.* [*pl.*] 파편, 조각; 〖정신분석〗 분열
split·tism [splítizm] *n.* (공산 국가 내의) 분열 경향, 분파주의
split-up [splítʌp] *n.* **1** 분리, 분열, 해체, 분해; 결렬 **2** (미·속어) 이혼, 별거; 주식 분할; 회사 분할
splít wéek (연극속어) (전반과 후반을) 배우가 두 극장에 겹치기로 출연하는 주(週)
splít whéel = SPLIT PULLEY
splodge [splɑ́dʒ | splɔ́dʒ] *n.*, *vt.* (영) = SPLOTCH
splore [splɔ́ːr] *n.* (스코) **1** 들떠서 소란스러움; 대주연(大酒宴) **2** 소동, 혼란
splosh [splɑ́ʃ | splɔ́ʃ] *n.* **1** (구어) 내쏟은[끼얹은] 물(의 좍 소리)(splash) **2** Ⓤ (속어) 돈
splotch [splɑ́tʃ | splɔ́tʃ] *n.* (미) 큰 얼룩점, 반점; 흠점, 얼룩 **—***vt.* 얼룩지게 하다; 더러워지게 하다
splotch·y [splɑ́tʃi | splɔ́tʃi] *a.* (**splotch·i·er**; **-i·est**) 흠점[얼룩]이 있는, 더럽혀진
splurge [splə́ːrdʒ] (구어) *n.* ⓊⒸ **1** 과시, 자기 선전 **2** 물 쓰듯 돈 쓰기, 산재(散財)
—*vi.* **1** 돈을 물 쓰듯 하다 **2** 과시하다, 자랑하다
—*vt.* 〈돈을〉 펑펑 쓰다, 물 쓰듯 하다
splut·ter [splʌ́tər] *n.*, *v.* = SPUTTER
Spode [spóud] *n.* Ⓤ [때로 **s~**] 스포드 도자기 (= **~ chìna**) ((영국의 도예가 J. Spode 및 그의 회사가 만든))
spod·o·sol [spɑ́dəsɔ̀ːl, -sɑ̀l | spɔ́dəsɔ̀l] *n.* 스포드졸 ((북미 및 유라시아의 한랭 습윤 지역의 비옥도가 낮은 산성 토양))
spod·u·mene [spɑ́dʒumìːn | spɔ́dju-] *n.* Ⓤ 〖광물〗 리티아 휘석 ((리튬의 중요 광석))
‡**spoil** [spɔ́il] *v.*, *n.*

(벗겨내다) ─┬→ (해를 가하다) → 「망치다」 타 **1**
　　　　　　└→ 「약탈품」 명 **1**

—*v.* (**~ed, spoilt** [spɔ́ilt]) *vt.* **1** 망치다, 상하게 하다, 못 쓰게 만들다; 〈음식물을〉 썩히다: ~ eggs 계란을 썩히다 / The heavy rain *~ed* the crops. 큰 비가 농작물을 망쳐 버렸다. **2** 〈흥미·식욕 등을〉 깨다: ~ one's appetite 식욕을 감퇴시키다 / He *spoilt* the fun of the company by his stinging irony. 그는 신랄하게 비꼼으로써 좌중의 흥을 깨뜨렸다. **3** 〈남의〉 성격[성질]을 버리다(ruin); 응석 받다, ((특히)) 못되게[버릇없게] 만들다: a *spoilt* child 버릇없는 아이 // (~+목+전+명) ~ a person *with* praise …을 칭찬하여 우쭐거리게 하다 **4** 〈호텔 등이〉 〈손님에게〉 대대적으로 서비스하다; (…으로는) 〈남이〉 만족하지 못하게 하다 ((*for*)): (~+목+전+명) This hotel will ~ you *for* cheaper ones. 이 호텔에 묵으면 싼 호텔로는 만족하지 못하게 될 것이다. **5** (고어) 약탈하다: (~+목+전+명) ~ a person *of* a thing …에게서 물건을 빼앗다 ★ 이 경우의 과거·과거분사는 spoiled.
—*vi.* **1** 상하다, 못쓰게 되다, 버리다; 〈음식물이〉 부패하다(⇨ decay 유의어) **2** 〖스포츠〗 상대의 공격을 무위로 돌리다 **3** (고어) 약탈하다, 강탈하다
be ~ed for choice = be SPOILT for choice ***be ~ing for*** a fight (구어) (싸움 등을) 하고 싶어 못 견디다; 간절히 바라다, 갈망하다 **~** a person***'s beauty***[***face***] ***for*** him[her] …의 얼굴을 때려서 (멍들게 하여) 엉망으로 만들다 **~ *the Egyptians*** 가차없이 적의 물건을 빼앗다
—*n.* Ⓤ **1** [*pl.*] 전리품, 노획품, 약탈품; 점령지 **2** [*pl.*] (미) 관직, 이권 ((선거에 이긴 정당이 차지할 수 있는)): the *~s* of office 공직의 정치적 이권 **3** (문어) 약탈, 겁탈, 노략질 **4** (약탈 등의) 목적물 **5** (제조 과정에서 나온) 불량품 **6** (발굴·채굴·준설을 할 때의) 폐기물; 발굴[준설(浚渫) 등]에 따라 버리는 흙[폐물]
~·a·ble *a.* ▷ spóilage *n.*
spoil·age [spɔ́ilidʒ] *n.* Ⓤ **1** 손상, 망치기 **2** 손상물[량] **3** (음식물의) 부패, 변질 **4** 〖인쇄〗 파지
spoil·er [spɔ́ilər] *n.* **1** 망쳐 버리는 사람[물건]; 응석받아 버릇없게 만드는 사람 **2** 약탈[강탈]자 **3** 〖항공〗 **a** 스포일러, 공기 제동판(制動板) ((항공기를 감속시켜 하강 선회 능률을 높임)) **b** (자동차의) 스포일러 ((특히 경주차의 차체가 고속 주행시 떠오르는 것을 막는 장치)) **4** (미) 방해 입후보자 **5** 〖전자〗 (CD, DAT 등의) 불법적 녹음과 잡음을 방지하는 전자 장치(= **~ sìgnal**)
spóiler pàrty (미) 방해 정당 ((두 개의 정당 중에서 한 정당을 선거에서 방해하기 위해 결성된 정당))
spóil gròund 〖항해〗 준설 토사를 버리는 지정 해역
spóiling tàctics *pl.* (영) 방해 전술[행동]
spoils·man [spɔ́ilzmən] *n.* (*pl.* **-men** [-mən, -mèn]) (미) 엽관자(獵官者), 이권 운동자
spoil·sport [spɔ́ilspɔ̀ːrt] *n.* (구어) 남의 흥을 깨뜨리는 사람
spóils sỳstem [the ~] (미) 엽관제(獵官制) ((집권당이 보수로서 관직·이권을 당원에게 배분하는 일))
spoilt [spɔ́ilt] *v.* SPOIL의 과거·과거분사
—*a.* 응석받이로 자라 못쓰게 된 〈아이〉 ***be ~ for choice*** (영) 너무 많아 선택이 어렵다
spoke[1] [spóuk] *n.* **1** (차바퀴의) 살, 스포크; 스포크 모양의 것 **2** 〖항해〗 타륜(舵輪)의 손잡이 **3** 제동자(制動子)(drag); (자동차의) 바퀴 멈춤 대 **4** (사닥다리의) 단(段), 가로장(rung)
put a ~ in a person***'s wheel*** …의 계획 등을 훼방놓다, …을 방해하다
—*vt.* **1** 〈차바퀴에〉 살을 달다 **2** 제동자로 바퀴를 멈추다 **~·less** *a.*
‡**spoke**[2] [spóuk] *v.* **1** SPEAK의 과거 **2** (고어) SPEAK의 과거분사
‡**spo·ken** [spóukən] *v.* SPEAK의 과거분사
—*a.* **1** 구두의, 입으로 말하는(oral; opp. *written*) **2** 말[담화]에 사용되는, 구어의(colloquial; opp. *literary*): ~ language 구어 **3** [복합어를 이루어] 말씨가 …한: fair-~ 말재주가 좋은 **~ *for*** (1) 이미 예약된[소유된]: Are these seats ~ *for?* 이 자리들은 예약석인가요? (2) (고어) 결혼한, 데이트 상대가 있는
spóken wórd [the ~] 음성 언어
spoke·shave [spóukʃèiv] *n.* 바퀴살 대패, 복도(輻刀) ((바퀴살 등을 깎는))
***spokes·man** [spóuksmən] *n.* (*pl.* **-men** [-mən]) **1** 대변인, 대표자 **2** 연설가 **~·shìp** *n.*
spokes·per·son [-pə̀ːrsn] *n.* 대변인, 대표자(cf. SPOKESMAN) ((★ 성차별이 없는 말))

thesaurus **spoil** *v.* **1** 망치다 damage, impair, mar, blemish, deface, injure, harm, ruin, destroy, wreck **2** 상하다 go bad, turn, rot, decompose, decay, go sour, become rotten

spokes·wom·an [-wùmən] *n.* (*pl.* **-wom·en** [-wìmin]) 여성 대변인[연설가]

spoke·wise [spóukwàiz] *ad.* 복사상(輻射狀)으로, 방사상으로

spo·li·ate [spóulièit] *vt.*, *vi.* 약탈하다, 강탈하다; 파괴하다 **-à·tor** *n.*

spo·li·a·tion [spòuliéiʃən] *n.* Ⓤ **1** (특히 교전국의 중립국 선박에 대한) 약탈, 노획 **2** 횡령; 강탈 **3** 〖법〗 (어음·유서 등의) 문서 변조[파기]

spon·da·ic, -i·cal [spandéiik(əl) | spɔn-] *a.* 〖운율〗 강강(强强)[양양(揚揚)]격(格)의

spon·dee [spándi: | spɔ́n-] *n.* 〖운율〗 강강[양양]격 (∸∸)

spon·du·licks, -lix [spandú:liks | spɔn-] *n. pl.* (미·고어·속어) 돈, 자금; 현금(cash)

spon·dy·li·tis [spɑ̀ndəláitis | spɔ̀n-] *n.* Ⓤ 〖병리〗 척추염(脊椎炎)

‡**sponge** [spʌndʒ] *n.* **1** CU 스펀지, 해면 (해면동물의 섬유 조직) **2** 해면 같은 물건, 흡수물 **a** 효모로 부풀린 반죽빵 **b** =SPONGE CAKE **c** 세간(洗桿), 소간(掃桿) (발사 후에 포강(砲腔)을 청소하는) **d** CU 〖의학〗 외과용 살균 거즈 **3** 〖동물〗 해면동물 **4** (구어) 식객, 기식자(sponger); (구어) 술고래

have a ~ down (고어) 축인 해면으로 몸을 씻다 ***pass the ~ over*** (고어) (노여움·원한 등을) 깨끗이 잊다, 없던 것으로 하다 ***throw*** [***chuck, toss***] ***up*** [***in***] ***the ~*** (구어) (1) 〖권투〗 패배의 표시로 스펀지를 던지다 (2) 패배를 자인하다, 항복하다

— *vt.* **1** 해면으로 닦다 (*down, off, over, with*): ~ the baby's face 갓난아기의 얼굴을 스펀지로 닦다 // (~+목+부) ~ *down*[*out*] the dirt 해면으로 때를 닦아[지워] 없애다 **2** (해면으로) 빨아들이다 (*up, with*): (~+목+부) ~ *up* spilled ink 엎질러진 잉크를 스펀지로 빨아들이다 **3** (구어) 들러붙어 살다, 빌붙다: ~ a dinner (빌붙어) 성찬을 얻어먹다

— *vi.* **1** 〈해면 등이〉 액체를 흡수하다 **2** 해면을 채집하다 **3** (구어·경멸) …에게 의지하다; 식객 노릇을 하다, 기식하다; 폐를 끼치다; 들러붙어 먹다, 빌붙다 (*on*): (~+전+명) He tried to ~ *on* his uncle for living expenses. 그는 생활비를 숙부에게 의존하려 했다. **~ off** (구어) 염치없이 붙어살다

~·lìke *a.* **spóng·ing·ly** *ad.* ▷ spóngy *a.*

spónge bàg (영) (휴대용) 세면도구[화장품] 주머니

spónge bàth 젖은 스펀지로 씻는 간단한 목욕

spónge càke[**bìscuit**] 스펀지 케이크 (쇼트닝을 넣지 않고 달걀을 많이 사용한 케이크); 카스텔라

spónge clòth 1 스펀지 클로스 (표면이 주름잡힌 거칠게 짠 천) **2** 라티네천

sponge-down [spʌ́ndʒdàun] *n.* (영) =SPONGE BATH

spónge finger (영) 손가락 모양의 작은 스펀지 케익(ladyfinger)

spónge gòurd[**cùcumber**] 〖식물〗 수세미외; 수세미외 제품

spónge ìron 〖야금〗 해면철(海綿鐵)

spónge pùdding (영) 스펀지 푸딩

spong·er [spʌ́ndʒər] *n.* **1** 해면으로 닦는 사람[것] **2** 해면 세탁기 (천 등을 빠는) **3** 해면 채취선(船)[자] **4** (구어·경멸) 식객(食客), 기식자(parasite) (*on*)

spónge rúbber 스펀지 고무(foam rubber) (가공 고무; 요·방석용)

spónge trèe 〖식물〗 스펀지나무 (미국 동부, 열대 지방산(産); 아카시아속(屬)의 관목)

spon·gi·form [spʌ́ndʒəfɔ̀:rm] *a.* 해면[스펀지] 모양의

spon·gin [spʌ́ndʒin] *n.* 해면질

spong·i·ness [spʌ́ndʒinis] *n.* Ⓤ 해면질

spóng·ing hòuse [spʌ́ndʒiŋ-] 〖영국법〗 채무자 구류소

*__spong·y__ [spʌ́ndʒi] *a.* (**spong·i·er**; **-i·est**) **1** 해면질의, 해면[스펀지] 모양의 **2** 작은 구멍이 많은; 폭신폭신한; (해면과 같은) 흡수성의 **3** 〈태도 등이〉 믿을 수 없는 **spóng·i·ly** *ad.* ▷ spónge *n.*

spon·sion [spánʃən | spɔ́n-] *n.* UC **1** (남을 위한) 보증 **2** 〖국제법〗 (권한 외의) 보증

spon·son [spánsən | spɔ́n-] *n.* 〖항해〗 **1** (뱃전 밖으로의) 돌출판 **2** (군함의) 뱃전 밖으로 내민 포문(砲門); 탱크의 측면 포탑(砲塔)

‡**spon·sor** [spánsər | spɔ́n-] [L 「약속하다」의 뜻에서] *n.* **1** 보증인(surety) **2** 〖종교〗 대부(godfather), 교모(godmother); (진수식의) 명명자: stand ~ to a person …의 대부[대모]가 되다 **3** 후원자(supporter); 발기인, 주창자(promoter) **4** (상업 방송의) 스폰서, 광고주 (*for, to*): a ~ program 상업 방송 프로그램 (스폰서가 제공하는 프로그램)

— *vt.* **1** 후원하다; …의 보증인이 되다; 지지하다, 발기[주창]하다 **2** 〈상업 방송의〉 광고주가 되다, 스폰서가 되다 **~·shìp** *n.* Ⓤ 대부모[보증인, 스폰서]임; 발기, 후원 ▷ sponsórial *a.*

spon·so·ri·al [spansɔ́:riəl | spɔn-] *a.* 보증인의; 후원자의, 스폰서의; 명명자의

spon·ta·ne·i·ty [spɑ̀ntəní:əti, -néiə- | spɔ̀n-] *n.* Ⓤ **1** 자발성(自發性) **2** Ⓒ 자발 행동[활동]; 자연 발생 **3** 천연성, 자연스러움

*__spon·ta·ne·ous__ [spantéiniəs | spɔn-] [L 「자유 의사로」의 뜻에서] *a.* **1** 자발적인, 임의의 **2** 〈충동·운동·활동 등이〉 자연히 일어나는, 자연적인, 무의식적인: ~ declaration 〖법〗 무의식의 발언 **3** 〈사람이〉 충동적인 행동을 하는 **4** 〈문체 등이〉 자연스러운, 거침이 없는, 유려한 **5** 〈자연 현상 등이〉 내재하는 힘[원인]에서 생기는, 자연발생적인 **6** 〈식물·과실 등이〉 야생의, 자생(自生)의 **7** 〖의학〗 자발적인, 자연의; 특발(特發)(성)의: a ~ cure 자연 치유

~·ly *ad.* **~·ness** *n.* ▷ spontanéity *n.*

spontáneous abórtion 자연 유산

spontáneous combústion 자연 발화[연소]

spontáneous emíssion 〖물리〗 자연 방출 (정상 상태의 원자가 외부 자극에 의하지 않고 전자파(電磁波)를 방출하는 일)

spontáneous generátion 〖생물〗 자연 발생(abiogenesis)

spon·toon [spantú:n | spɔn-] *n.* **1** 단창(短槍) (16-18세기 보병의 하급 장교가 사용함; half-pike라고도 함) **2** (경관의) 곤봉, 경찰봉

spoof [spú:f] *n.* (구어) **1** (장난으로) 속이기(trick), 속임수 **2** (악의 없는) 놀림; 경쾌한 풍자, 패러디

— *vt.* 속여 넘기다, 농으로 속이다(joke)

— *a.* 거짓[속임수, 가짜]의(faked)

spook [spú:k] *n.* **1** (구어) 유령, 도깨비(ghost) **2** (속어) 기인(奇人), 괴짜 **3** (속어) 대필자(代筆者) **4** (미·속어) 스파이, (CIA의) 비밀 공작원 **5** (속어·경멸) 흑인, 검둥이(negro) — *vt.* **1** 〈장소·사람을〉 유령이 되어 찾아가다 **2** (구어) 떨리게 하다, 위협하다 **3** (속어) 대작하다(ghostwrite) **~·er·y** *n.*

spooked [spú:kt] *a.* 겁먹은; 안달이 난

spóok fàctory (미·속어) 스파이 공장 (미국의 CIA)

spook·ish [spú:kiʃ] *a.* (구어) 유령[도깨비] 같은(ghostly), 귀신이 나오는(haunted), 으스스한, 무시무시한(eerie)

spook·y [spú:ki] *a.* (**spook·i·er**; **-i·est**) **1** = SPOOKISH **2** 〈사람·말 등이〉 잘 놀라는, 겁많은, 무서워하는 **3** 신경질적인 **4** (미·속어) 스파이의 **spóok·i·ly** *ad.* **spóok·i·ness** *n.*

*__spool__ [spú:l] *n.* **1** 실감개(bobbin), 실패 **2** (필름·녹음테이프·타이프라이터의) 릴, 스풀 **3** 한 번 감은 양

— *vt.*, *vi.* 실패에 감다 **~·er** *n.*

---

spokesman *n.* negotiator, mediator, representative, spokesperson, mouthpiece, voice

spontaneous *a.* voluntary, unforced, unplanned, instinctive, impulsive, unforced, natural

SPOOL [spúːl] [simultaneous *p*eripheral *o*peration *o*n-*l*ine] *n.* 〚컴퓨터〛 스풀 《주 프로그램 처리와 입출력이 동시에 이루어지는 것으로 다중 프로그래밍의 한정된 형태》

‡**spoon** [spúːn] [OE「평평한 나뭇조각」의 뜻에서; 「스푼」의 뜻은 14세기부터] *n.* **1** 숟가락, 스푼; 한 숟가락의 양(spoonful) **2** 숟가락 모양의 물건 **a** 〚항해〛 숟가락 모양의 노 《물 젓는 부분이 스푼 모양으로 굽은》 **b** 〚골프〛 스푼(number three wood) 《숟가락 모양의 타구봉(打球棒); 3번 우드》 **c** ＝SPOON BAIT **3** 《속어》 바보(simpleton) **4** 《속어》 여자에게 약한 사람, 여자의 말이라면 오금을 못 펴는 남자

be born with a silver [***gold***] ***~ in*** one***'s mouth*** 부유한 집안에 태어나다 ***be ~s on*** …에게 반해 있다 ***make a ~ or spoil a horn*** 성패를 운에 맡기고 한번 해보다 ***on the ~*** (여자에게) 치근거려, 구애(求愛)하여

— *vt.* **1** 숟가락으로 뜨다 《*up, out*》 **2** 〚크리켓〛 〈공을〉 떠[퍼] 올리듯이 치다 **3** 《구어》 〈여자를〉 애무하다 — *vi.* **1** 공을 떠[퍼] 올리듯이 치다 **2** 후림낚시로 낚다 **3** 《구어》 〈남녀가〉 서로 애무하다 《*with*》; 《속어》 난봉피우다, 여자에게 무르다 **~·lìke** *a.*

spóon bàit 뮘낚시 《물고기를 유인하기 위하여 낚싯줄에 달아서 회전시키는 숟가락 모양의 쇠붙이 조각》

spoon·bill [spúːnbìl] *n.* 〚조류〛 저어새; 넓적부리(shovelbill)

spóon brèad 《미》 옥수수 가루에 우유·계란을 넣은 부드러운 빵 《스푼으로 먹음》

spoon·drift [-drìft] *n.* ＝SPINDRIFT

spoon·er·ism [spúːnərìzm] *n.* ⓊⒸ 두음(頭音) 전환 《머리글자를 바꿔 놓기; 예: a *cr*ushing *bl*ow를 a *bl*ushing *cr*ow라고 하는 경우 등》

spoon-fed [spúːnfèd] *a.* **1** 〈어린애·병자 등이〉 숟가락으로 받아먹는 **2** 《구어》 **a** 응석부리게 한, 과보호의 **b** 보호받는 〈산업 등〉

spoon-feed [-fìːd] *vt.* (**-fed** [-fèd]) **1** 숟가락으로 떠먹이다 **2** 《구어》 **a** 응석부리게 하다, 과보호하다 **b** 〈산업 등을〉 지나치게 보호하다 **3** 〈학생에게〉 알아듣게 차근차근 가르치다

spoon·ful [spúːnfùl] *n.* (*pl.* **~s, spoons·ful**) **1** 숟가락 하나 가득, 한 숟가락 《*of*》 **2** (…의) 소량 《*of*》

spóon mèat (어린아이·병자용의) 유동식(流動食)

spoon-net [spúːnnèt] *n.* (국자 같은) 손그물

spoon·y, spoon·ey [spúːni] 《구어》 *n.* (*pl.* **spoon·ies**) (여자에게) 치근덕거리는 사람; 얼간이

— *a.* (**spoon·i·er; -i·est**) 바보 같은, 어리석은; 정에 약한 **spóon·i·ly** *ad.* **spóon·i·ness** *n.*

spoor [spúər, spɔ́ːr] *n.* (야수의) 냄새 자취, 발자국 — *vt., vi.* (…의) 뒤를 밟다, 추적하다

spo·rad·ic, -i·cal [spərǽdik(əl)] *a.* **1** 때때로 일어나는(occasional) **2 a** 〈사건·범죄 등이〉 우발적인, 단발성의 **b** 〈식물 등이〉 산재하는, 드문드문한 **3** 〚의학〛 산발성(散發性)의, 돌발성의 **-i·cal·ly** *ad.*

spo·ran·gi·um [spərǽndʒiəm] *n.* (*pl.* **-gi·a** [-dʒiə]) 〚식물〛 아포낭(芽胞囊), 포자낭(胞子囊), 홀씨주머니 **-gi·al** *a.*

spore [spɔ́ːr] *n.* 〚생물〛 **1** 아포(芽胞), 포자(胞子), 홀씨 **2** 배종(胚種)(germ), 종자(seed), 인자(因子), 생식 세포 **spó·ral** *a.* **spó·roid** *a.*

spori- [spɔ́ːri, -rə] 《연결형》 sporo-의 변형: *spori*ferous

spo·rif·er·ous [spəríf(ə)rəs] *a.* 포자가 생기는

Spork [spɔ́ːrk] [*sp*oon+f*ork*] *n.* 포크 겸용 스푼 《상표명》

sporo- [spɔ́ːrou, -rə] 《연결형》 「포자(spore)」의 뜻: *sporo*phyte 《spor-, spori-라고도 함》

spo·ro·cyte [spɔ́ːrəsàit] *n.* 〚생물〛 포자 모세포

spo·ro·gen·e·sis [spɔ̀ːrədʒénəsis] *n.* 〚생물〛 **1** 포자 형성 **2** 포자 생식

spo·rog·e·nous [spɔ̀ːrɑ́dʒənəs | -rɔ́dʒ-] *a.*

spo·ro·go·ni·um [spɔ̀ːrəgóuniəm] (*pl.* **-ni·a** [-niə]) *n.* 〚식물〛 (이끼류 등의) 포자낭

spo·rog·o·ny [spərɑ́gəni | -rɔ́-] *n.* Ⓤ 〚생물〛 포자 생식, 전파(傳播) 생식

spo·ro·phore [spɔ́ːrəfɔ̀ːr] *n.* 〚식물〛 홀씨자루, 담포자체(擔胞子體) 《포자를 달고 있는 영양체》

spo·ro·phyl(l) [spɔ́ːrəfìl] *n.* 〚식물〛 포자엽(胞子葉), 아포엽(芽胞葉)

spo·ro·phyte [spɔ́ːrəfàit] *n.* 〚식물〛 아포체(芽胞體), 포자체(胞子體) **spò·ro·phýt·ic** *a.*

spo·ro·zo·ite [spɔ̀ːrəzóuait] *n.* (포자충의) 종충(種蟲)

spo·ro·zo·an [spɔ̀ːrəzóuən] *n.* 포자충(胞子蟲) — *a.* 포자충에 속하는

spor·ran [spɑ́rən, spɔ́ː- | spɔ́-] *n.* (차고 다니는) 가죽 주머니 《스코틀랜드 고지 사람이 정식으로 짧은 스커트(kilt) 앞에 차는》

‡**sport** [spɔ́ːrt] *n., a., v.*

> 본래는 「기분 전환」의 뜻에서→「재미」 **3**→「농담」 **4**→(옥외의 즐거움) 「스포츠」 **1**

— *n.* **1** Ⓤ 스포츠, 운동, 경기 《★ 사냥·낚시·경마 등도 포함됨》: The magazine is about ~. 스포츠에 관한 잡지이다. **2** [*pl.*] 《영》 (학교 등의) 운동회, 경기회 **3** Ⓤ 위안, 오락, 재미(fun), 취미: What ~! 참 재미있구나! **4** ⓊⒸ 농담, 희롱, 야유; Ⓒ 웃음거리 **5** [the ~] 농락당하는 것, 장난감 취급 받는 것 **6 a** 《구어》 운동가《sportsman만큼 실제 기술이 못한》, 수렵가(狩獵家) **b** [종종 old ~] 《익살》 재미있는 녀석, 유쾌한 친구 《호칭》 **c** 《구어》 노름꾼, 도박을 좋아하는 사람 **d** 야한 놈; 플레이보이 **7** 〚동물〛 변종; 〚식물〛 가지 변이(變異) 《흰 꽃이 피는 식물에 붉은 꽃가지가 돋아나는 것 등》; 〚생물〛 (동식물의) 돌연변이(mutation) **8** (실패나 피할 수 없는 일 등을) 깨끗이 받아들이는 사람 **9** [보통 *pl.*] 《미》 (신문의) 스포츠란

a ~ of terms [***wit, words***] 재담 ***Be a ~.*** 스포츠맨답게 해라. ***become the ~ of fortune*** 운명에 희롱당하다 ***have good ~*** (사냥에서) 많이 잡다 ***in*** [***for***] ***~*** 농담으로, 장난삼아 ***make ~ of*** a person …을 조롱하다, 놀려대다 ***spoil the ~*** 흥을 깨뜨리다(cf. SPOILSPORT)

— *a.* Ⓐ ＝SPORTS

— *vi.* **1** 놀다, 즐기다 **2** 스포츠를 하다 **3** 《문어》 〈어린이·동물이〉 장난하다, 까불다; 농락하다, 희롱하다 《*with*》: (~+전+명) The strong wind is *~ing with* the flag. 기가 강풍에 펄럭이고 있다. **4** 〚생물〛 돌연변이를 일으키다

— *vt.* **1** 《구어》 자랑삼아 보이다, 뽐내다; 〈새 모자 등을〉 쓰고 몸치장하다: ~ a ring 반지를 자랑삼아 보이다 **2** 〚생물〛 돌연변이를 일으키게 하다 **3** 〈시간·돈 등을〉 낭비하다, 쓸데없이 쓰다 《*away*》: (~+목+부) ~ one's time *away* 시간을 낭비하다

~ one***'s door*** [***oak, timber***] 《영·대학속어》 문을 닫다[잠그다], 방문객을 거절하다 **~·less** *a.*

▷ spórtive, spórty, spórtful *a.*

sport. sporting

sport·er [spɔ́ːrtər] *n.* **1** 스포츠맨 **2** 화려한 낭비가 **3** 스포츠용 기구[동물], 수렵용 기구[엽총, 사냥개]

spórt fish 스포츠로서의 낚싯감이 되는 큰 물고기 (cf. GAME FISH)

sport·ful [spɔ́ːrtfəl] *a.* **1** 장난치는; 농담의 **2** 명랑한, 들뜬 **~·ly** *ad.* **~·ness** *n.*

spor·tif [spɔ́ːrtif] *a.* 스포츠를 좋아하는, 〈옷이〉 스포티한, 캐주얼의

***sport·ing** [spɔ́ːrtiŋ, spɔ́ərt- | spɔ́ːt-] *a.* **1** 스포츠를 좋아하는 **2 a** 운동[사냥]을 즐기는 **b** 운동[경기]용의, 스포츠[수렵]의[에 관한]: ~ goods 운동 기구 / the ~ world 스포츠계 **c** 운동가다운, 정정당당한 **3** 《구어》 모험적인, 투기(投機)적인, 도박적인 **4** 〚생물〛 돌연변이를 하는

— *n.* Ⓤ 스포츠; 수렵 **~·ly** *ad.*

spórting blóod 모험심

spórting chánce 승산이 반반인 기회

spórting gìrl[**làdy, wòman**] 《구어》 매춘부

spórting gùn 엽총, 스포츠 총

spórting hòuse **1** 《미·고어》 매춘굴(brothel) **2** 《고어》 도박장

spor·tive [spɔ́:rtiv] *a.* **1** 놀기 좋아하는; 장난 잘하는; 명랑한 **2** 스포츠에 관한, 스포츠적인 **3** 〖생물〗 변종의 **~·ly** *ad.* **~·ness** *n.*

***sports** [spɔ́:rts] *a.* Ⓐ **1** 스포츠의[에 관한] **2 a** 스포츠용의: ~ shoes 운동화 **b** 〈복장 등이〉 스포츠에 적합한, 평상복용의

spórts bár 스포츠 바 《텔레비전으로 스포츠 중계를 관람하는 술집》

spórt(s) càr 경주용 자동차, 스포츠카

sports·cast [spɔ́:rtskæ̀st] *n.* 《미》 스포츠 방송[뉴스] **~·er** *n.* 《미》 스포츠 방송 아나운서

spórts cènter 스포츠 센터

spórts clìmbing 인공 암벽 등반

spórts còat 《미·호주》 =SPORTS JACKET

spórts dày 《학교 등의》 체육회 날

sports·dom [spɔ́:rtsdəm] *n.* 스포츠계(界)

spórts èditor 《신문사의》 스포츠난 편집자[부장]

spórts jàcket 스포츠 재킷

***sports·man** [spɔ́:rtsmən] *n.* (*pl.* **-men** [-mən]) **1** 운동가, 스포츠맨 《수렵·낚시 등의 야외 운동을 좋아하는 사람; 우리말의 「스포츠맨」은 athlete에 상당하는 경우가 많음》 **2** 운동가[경기자] 정신을 가진 사람, 정정당당하게 행동하는 사람 **3** 《고어》 경마꾼; 노름꾼

sports·man·like [spɔ́:rtsmənlàik] *a.* 운동가[스포츠맨]다운, 경기 정신에 투철한, 정정당당한

sports·man·ly [spɔ́:rtsmənli] *a.* =SPORTSMANLIKE **-li·ness** *n.*

***sports·man·ship** [spɔ́:rtsmənʃìp] *n.* Ⓤ **1** 운동가[스포츠맨] 정신[기질]; 운동[경기] 정신; 정정당당하게 행동함(fair play) **2** 운동가로서의 실력; 사냥[낚시질 등] 솜씨[기량]

spórts mèdicine 스포츠 의학

spórts pàge 《신문의》 스포츠 면(面)

sports·per·son [spɔ́:rtspə̀:rsn] *n.* 스포츠하는 사람

spórts shirt 스포츠 셔츠

sports·wear [spɔ́:rtswɛ̀ər] *n.* Ⓤ 운동복; 캐주얼 웨어

sports·wom·an [-wùmən] *n.* (*pl.* **-wom·en** [-wìmin]) 여자 운동[경기]가

sports·writ·er [-ràitər] *n.* 《특히 신문의》 스포츠 담당 기자 **spórts·wrìt·ing** *n.*

spórt utìlity vèhicle 스포츠 범용(汎用)차 《트럭 차대의 튼튼한 사륜 구동차; 略 SUV》

sport·y [spɔ́:rti] *a.* (**sport·i·er**; **-i·est**) 《구어》 **1** 화려한(flashy), 사치한(showy); 사치를 좇는, 방종한 **2** 운동가다운(sportsmanlike) **3** 〈태도가〉 민첩한 **4** 〈복장이〉 산뜻한, 말쑥한 **spórt·i·ly** *ad.* **spórt·i·ness** *n.*

spor·u·late [spɔ́:rjulèit, spɑ́r- | spɔ́r-] 〖생물〗 *vi.* 포자(胞子)를 형성하다 ― *vt.* 포자로 변태(變態)시키다 **spòr·u·lá·tion** *n.* Ⓤ 포자 형성

spor·ule [spɔ́:rju:l, spɑ́r- | spɔ́r-] *n.* 〖생물〗 소아포(小芽胞), 소포자(小胞子)

***spot** [spɑ́t | spɔ́t] *n.* **1 a** 반점(斑點), 얼룩점, 얼룩; 《피부의》 점 **b** 《태양의》 흑점 **2 a** 《특정》 **장소**, 지점 **b** [a ~] 《감정·기분 등의》 점, 자리, 부위: *a* weak ~ 《비판·반대에 대해》 약한 점 **c** 《구어》 현장 **3** [보통 *pl.*] 《구어》 행락지, 관광지: a popular beauty ~ 관광 명소 **4** 〖의학〗 사마귀, 발진(發疹), 종기, 여드름 **5 a** 《순번 등의》 순위, 위치; 《방송의》 나올 차례 **b** 《방송 프로그램 중의》 특별 코너 **c** 《구어》 직위, 지위 **6 a** 《잉크 등의》 얼룩, 때 **b** 《비유》 오점, 《인격의》 흠, 오명, 치욕: a character without ~ 하나도 흠잡을 데가 없는 성격 **7** [수사와 함께 써서] 《미·속어》 《소액의》 달러 지폐: a five ~ 5달러 지폐 **8** 《구어》 = SPOT ANNOUNCEMENT **9** 우승할 것으로 점찍음, 점을 찍은 말[경쟁자]: He is a safe ~ for the hurdles. 허들에서는 그가 이길 것이 확실하다. **10** 〖당구〗 스폿 《당구대의 공을 놓는 곳》; 흑점이 있는 흰 공 **11** [*pl.*] 〖상업〗 현금 매물(賣物), 현물(spot goods): the ~*s* market 현물 시장 / merchandise on ~ 현물 **12** [a ~] 《영·구어》 조금, 소량, 티, 기미; 한잔(의 술) **13** 스포트(라이트)(spotlight)(cf. FLOODLIGHT) **14** 《카드패의》 점[도형] **15** 《미·속어》 형기: a three ~ 3년형 **16** 《특히 영》 〖수학〗 소수점(decimal point)

a solar* ~ = *a* ~ *in the sun (1) 〖천문〗 태양의 흑점 (2) 《비유》 옥에 티 ***a tender* ~** 《비유》 약점, 찔리는 점: touch *the* (*tender*) ~ 급소를 찌르다, 성공하다, 생각대로 되다 ***be on the* ~** 현장에 있다; 준비가 되어 있다; 《경기하는 데》 몸의 상태가 좋다 ***change* one*'s* ~*s*** [보통 부정문·의문문에서] 타고난 성질을 바꾸다; 완전히 변하다 ***have a soft* ~ *for*** 《구어》 《행실이 바르지 못해도》 …을 좋아하다 ***hit the high* ~*s*** 《미·구어》 요점만 다루다[말하다] ***hit the* ~** 《미·구어》 말할 나위 없다, 만족스럽다 ***in a* (*bad* [*tight*]) ~** 《구어》 매우 곤란[난처]하여, 나쁜 상태에 있어 ***in* ~*s*** 여기저기에; 때때로; 어떤 점에서; 어느 정도까지 ***knock* (*the*) ~*s off* [*out of*]** 《영·속어》 …을 완전히 지우다[패배시키다], …보다 월등히 낫다 ***on* [*upon*] *the* ~** (1) 《구어》 즉석에서, 당장 (2) 현장에서 (3) 즉각적인 대답[대응]을 강요당하여 (4) 〖상업〗 현물로(의), 현금으로(의) (5) 《속어》 곤경에 처해서 ***put* a person *on the* ~** 《미·속어》 …을 암살하기로 결정하다, …의 목숨을 노리다

― *a.* Ⓐ **1 a** 당장[즉석]의: a ~ answer 즉답 **b** 현금 지불의, 현물의: ~ delivery 현장 인도(引渡) / a ~ firm 현금 거래 회사 / a ~ transaction 현금 거래 / ~ wheat 밀의 현물 **2** 〖통신〗 현지의: ~ broadcasting 현지 방송 **3** 〖라디오·TV〗 프로 사이에 삽입되는 〈광고·뉴스 등〉

― *ad.* 《영·구어》 꼭, 딱, 정확히

― *v.* (**~·ted**; **~·ting**) *vt.* **1** 더럽히다; 때를 묻히다, 점을 찍다; 얼룩덜룩하게 하다 (*with*): The paint ~*ted* my dress. 페인트로 나는 옷을 더럽혔다. // (~+목+전+명) ~ the wall *with* ink 벽을 잉크로 더럽히다 **2** 《비유》 욕되게 하다, 〈명예·명성 등을〉 손상하다 **3** …에서 얼룩[때]을 빼다[없애다] (*up, out*) **4** 《구어》 발견하다, 분별[분간]하다; 〈우승자 등을〉 점찍다, 알아맞히다 (*as*): (~+목+전+명) I ~*ted* him *in* the crowd. 군중 속에서 그를 발견했다. // (~+목+***as*** 보) I ~*ted* him *as* an Englishman. 나는 그가 영국인임을 알아챘다. **5** 〖군사〗 《특히 비행기에서》 〈적진을〉 탐지하다; 〈탄착(彈着)을〉 관측하다 **6** 배치하다 **7** 《구어》 〈경기 상대에게〉 〈점수를〉 핸디로서 주다

― *vi.* **1** 더럽혀지다, 얼룩[오점]이 생기다: (~+부) White shirts ~ *easily.* 흰 셔츠는 더러움을 잘 탄다. **2** [it을 주어로 하여] 《영·구어》 〈빗방울이〉 똑똑 떨어지다: *It* is beginning to ~. = *It* is ~*ting with* rain. 빗방울이 똑똑 떨어지기[비가 똑똑 내리기] 시작하고 있다. **3** 〖스포츠〗 《미식축구에서》 〈심판이〉 볼을 놓다; 경기 보도원 노릇을 하다 ▷ spótty *a.*

spót annòuncement 〖라디오·TV〗 《프로 사이사이에 끼워넣는》 짧은 광고[뉴스 《등》]

spót bàll 〖당구〗 공 놓는 점에 있는 공; 흑점이 있는 흰 공

spót càsh 〖상업〗 현금 《지불》

spót chèck 무작위[임의] 추출 검사; 불시 점검

spot-check [spɑ́ttʃèk | spɔ́t-] *vt.* 무작위 추출 검사[조사]하다

spót ecònomy 현물 경제 《상품의 인도와 대금 지불을 현장에서 하는 경제 조직》

spót fùnd 〖증권〗 스폿 펀드 《주식형 수익 증권》

spót hèight 독립 표고(標高)

spót kìck 《구어》 〖축구〗 =PENALTY KICK

***spot·less** [spɑ́tlis | spɔ́t-] *a.* **1** 오점이 없는 **2** 흠[티]없는, 무구(無垢)한; 결백한, 순결한 **~·ly** *ad.* **~·ness** *n.*

spot·light** [spátlàit | spɔ́t-] *n.* **1** 스포트라이트, (무대 위의 한 인물·한 곳에 투사하는) 집중 광선 **2** (자동차 등의) 조사등(照射燈) ((좁은 범위를 강렬하게 비추는)) **3** [the ~] (비유) (세상의) 주시, 주목 ***come into the ~ 세상[세인]의 주목을 받다[모으다]
— *vt.* **1** 스포트라이트로 비추다; …에 스포트라이트를 향하게 하다 **2** (비유) 특히 눈에 띄게 하다, …에 주의를 환기하다
spót màrket 현물 시장 ((곡물·금·원유 등 상품에 대해 거래와 대금 지불을 행하는 시장))
spót néws (최신의) 속보 뉴스, 긴급[임시] 뉴스
spot-on [-ɔ́:n | -ɔ́n] *a., ad.* (영·구어) 정확한[히], 꼭 맞는[맞게]
spót price 〖경제〗 현물 가격
spót stàrter 〖야구〗 임시 선발(先發) 투수
spót strìke (노조의 한 시부의) 섬 파업
spot·ted [spátid | spɔ́t-] *a.* **1** 오점[티, 흠]이 있는, 때 묻은, 더러워진 **2** 반점이 있는, 얼룩덜룩한 **3** 〈명예 등이〉 더럽혀진, 손상된 **~·ly** *ad.* **~·ness** *n.*
spótted díck (영) 건포도가 든 수에트(suet) 푸딩
spótted dóg 얼룩개; (영) = SPOTTED DICK
spótted féver 〖병리〗 **1** 반점열 ((피부에 반점이 생기는 급성 전염성 열병의 총칭)) **2** = TICK FEVER
spótted hyéna 〖동물〗 점박이하이에나(laughing hyena)
spot·ter [spátər | spɔ́t-] *n.* **1** 얼룩[반점]을 찍는 것[사람] **2** (미·구어) (종업원의 부정에 대한) 감시자 **3** 〖군사〗 탄착(彈着) 관측병, 감적수(監的手) **4** 민간 대공 감시원 **5** 얼룩빼는 사람; 중계 방송 아나운서의 조수 **6** 〖체조〗 (선수 부상을 방지하기 위한) 경기 보조원
spót tèst 현장 테스트(cf. CHECKUP); 개략 견본 조사, 표본 추출 조사(spot check)
spot·ty [spáti | spɔ́ti] *a.* (**-ti·er**; **-ti·est**) **1** 반점이 많은, 얼룩덜룩한; 오점투성이의 **2** 여드름이 있는 **3** 〈연기·연주 등이〉 한결같지 않은; 불규칙한
spót·ti·ly *ad.* **spót·ti·ness** *n.*
spot-weld [spátwèld | spɔ́t-] *vt.* 점(點)용접[스폿 용접]하다
— *n.* 스폿 용접에 의한 접합부(接合部)
spót wèlding 점(點)용접, 스폿 용접
spou·sal [spáuzəl] *n.* Ⓤ 결혼; [종종 *pl.*] (고어) 결혼식(nuptials) — *a.* 결혼의(matrimonial), 혼례의(nuptial) **~·ly** *ad.*
***spouse** [spáus, spáuz] *n.* **배우자**, 남편, 아내
— *vt.* [spáuz, spáus] (폐어) …와 결혼하다; 결혼시키다 **~·hood** *n.* **~·less** *a.*
▷ spóusal *n., a.*
***spout** [spáut] *vt.* **1** 〈물·증기 등을〉 **내뿜다**, 분출하다 ((*out*)): A whale ~*s* water. 고래는 물을 내뿜는다. // (~+목+부) ~ *out* flames 화염을 내뿜다 **2** (구어) 거침없이 말하다, 청산유수조로 말하다; 읊다, 낭독하다 **3** …에 주둥이[홈통, 파이프]를 달다
— *vi.* **1** 분출하다, 용솟음쳐 나오다 ((*from, out of*)); 〈고래가〉 물을 뿜다(blow): (~+부) A fountain is ~*ing out.* 분수가 물을 뿜고 있다. // (~+전+명) Blood ~*ed from* the wound. 상처에서 피가 솟아나왔다. **2** (구어) 입심 좋게 지껄여대다, 연설조로 말하다, 막힘 없이 말하다; 낭송하다
~ off [***about***] (구어) 막힘 없이 지껄여대다
— *n.* **1** (주전자 등의) 주둥이, 입; 홈통, 배수구(waterspout); 관(管), 대롱 **2** (고래의) 분수 구멍(= ∼ **hòle**) **3** 분수, 분류; 용솟음, 분출 **4** 소용돌이꼴의 물기둥 **5** (전당포의) 전당물 운반용 엘리베이터; 전당포(pawnshop) ***up the ~*** ((영·속어)) (1) 전당 잡혀서 (2) 〈사람이〉 곤경에 빠져, 궁색하여, 절망적인 (3) 임신하여 **~·less** *a.* **~·lìke** *a.*
spóut cùp (빨아 마시게 되어 있는) 젖병식 컵
spp. species **SPQR** *Senatus Populusque Romanus* ((L = the Senate and the People of Rome)); small profits and quick returns 박리다매 **SPR** Society for Psychical Research

sprad·dle [sprǽdl] *vt.* **1** 〈두 다리를〉 벌리다(straddle) **2** = SPRAWL — *vi.* 두 다리를 벌리고 걷다
sprag [sprǽg] *n.* **1** (수레의 후퇴 방지용) 바퀴 받침 **2** (탄광 안의) 지주(支柱), 굄목
***sprain** [spréin] *vt.* 〈발목·손목 등을〉 삐다: ~ one's ankle 발목을 삐다
— *n.* 삠, 접질림, 염좌(捻挫)
‡**sprang** [sprǽŋ] *v.* SPRING의 과거
sprat [sprǽt] *n.* **1** 〖어류〗 청어속(屬)의 작은 물고기 **2** 어린애; 하찮은 놈 ***throw*** [***fling away***] ***a ~ to catch a herring*** [***mackerel, whale***] 새우로 도미를 낚다, 적은 밑천으로 큰 것을 바라다
sprát dày (영) 스프랫 데이 ((11월 9일; 이날부터 청어잡이 계절에 접어듦))
sprat·tle [sprǽtl] *n.* (스코) 투쟁, 격투
sprát weather (영) 11-12월의 음침한 날씨
spraun·cy [sprɔ́:nsi] *a.* (영·속어) 멋진, 끝내주는
***sprawl** [sprɔ́:l] *vi.* **1 a** 팔다리를 펴다[뻗다], (큰 대자로) 몸을 쭉 펴고 눕다[앉다]: (~+전+명) ~ *on* the sand 모래 위에 팔다리를 쭉 펴고 드러눕다 **b** 허우적거리다, 기어다니다: (~+부) Two figures ~*ed out.* 사람 두 명이 기어나왔다. **c** 벌렁 자빠져 꼴사납게 큰 대자가 되다 **2** 〈육지·덩굴·필적·건물 등이〉 볼품없이 뻗어 있다; 내뻗다, 꿈틀거리다 **3** 〈도시 등이〉 꼴사납게[불규칙하게] 뻗어나다 ((*out*)); 〈군대가〉 불규칙하게 산개(散開)하다: (~+부) The city is ~*ing out into* the suburbs. 그 도시는 교외로 제멋대로 뻗어나가고 있다.
— *vt.* **1** 〈팔다리 등을〉 쭉 펴다[뻗다] **2** 큰 대자로 나가자빠지게 하다; 드러눕게 하다 **3** 모양 없이 퍼지게 하다 ***send*** a person ***~ing*** …을 때려눕히다
— *n.* **1** 큰대 자로 뻗고 누움; 드러누움; 허우적거림: lie in a (long) ~ 큰 대자로 눕다 **2** 불규칙하게 뻗음[넓어짐]; (도시 등의) 스프롤 현상 **~·er** *n.*
sprawled [sprɔ́:ld] *a.* (팔다리를) 쭉 편, 대자로 뻗은
sprawl·ing [sprɔ́:liŋ] *a.* **1** 팔다리를 흉하게 쭉 뻗은 **2** 〈도시·가로 등이〉 불규칙하게 넓어지는[뻗는] **3** 〈글씨가〉 아무렇게 휘갈긴, 기어가는 듯한
sprawl·y [sprɔ́:li] *a.* 불규칙하게 뻗은
***spray**[1] [spréi] *n.* **1 작은 가지** ((특히 끝이 갈라져 꽃이나 잎이 붙어 있는))(⇨ branch 유의어) **2** (보석 등의) 가지 모양의 장식[무늬], 꽃무늬 **~·lìke** *a.*
‡**spray**[2] [spréi] *n.* **1 a 물보라**, 튀는 물방울, 내뿜는 물살, 물안개 **b** (한 번 내뿜은) 스프레이, (소독액[방취제]의) 분무(噴霧)(jet); 물보라 모양의 것: a ~ of bullets 빗발 같은 탄환 **2** ⓊⒸ 스프레이액 **3** 분무기, 향수 뿌리개, 흡입기
— *vt.* **1** …에 물보라를 일으키다, 물안개를 날리다 **2** …에 흡입액을 뿌리다; 소독액[방취제]을 뿌리다 ((*on*)): ~ mosquitoes[fruit trees] 모기[과일 나무]에 약제를 뿌리다 // (~+목+전+명) ~ an insecticide *on* plants = ~ plants *with* an insecticide 식물에 살충제를 뿌리다 **3** (비유) (…을) …에 끼얹다 ((*with*)); (…에) …을 퍼붓다 ((*on*)): ~ curses *on* a person 사람에게 저주를 퍼붓다
— *vi.* 물을 뿌리다; 물이 뿜어 나오다
spráy càn 스프레이 통; 에어로졸 통
spray·er [spréiər] *n.* **1** 물안개[물보라]를 내뿜는 사람[것] **2** 분무기, 흡입기; 분유기(噴油器)
spráy gùn (페인트·살충제 등의) 분무기(squirt gun) ((총 모양을 닮음))
spráy hèad = SPRAY NOZZLE
spráy hìtter 〖야구〗 스프레이 히터 ((좌우 어느 방향으로나 잘 치는 능란한 타자))
spráy nòzzle 분무기 노즐
spray-on [spréiɔn] *a.* Ⓐ (영) 분무기로 뿌리는, 분무식의

thesaurus **spread** *v.* **1** 펴다 extend, stretch, open out, unfurl, unroll **2** 유포시키다 disseminate,

spray-paint [spréipèint] *vt.* 분무기로 도장(塗裝)하다 **spráy pàint** *n.*

spráy plàne 농약 살포 비행기

spráy tànk (분무기 등의) 압축 공기 탱크

‡spread [spréd] *v.* (**spread**) *vt.* **1 a** 펴다, 펼치다, 뻗다, 벌리다 《*out*》: The eagle ~ its wings. 독수리가 날개를 폈다. // (~+목+부) The tree ~ its branches *abroad.* 나무는 가지를 넓게 뻗어 있었다. / *S*~ *out* the map. 지도를 펴시오. // (~+목+전+명) ~ a carpet *on* the floor = ~ the floor *with* a carpet 마루에 양탄자를 깔다 **b** 〈담요·식탁보 등을〉 (펴서 …을) 덮다, (…에) 펴다 《*on, over, with*》: She ~ the table *with* a cloth. =She ~ a cloth *on* [*over*] the table. 그녀는 식탁에 식탁보를 폈다. **2** 〈연구·일·지불 등을〉 (…의 시간에 걸쳐) 연장하다, 끌다 《*over*》: (~+목+부) (~+목+전+명) He ~ his payment *over*[*for*] six months. 그는 6개월에 걸쳐서 지불했다. **3** 《문어》 〈식탁에〉 음식을 늘어놓다, 내놓다 《*on, with*》, 준비하다; 〈물건 등을〉 펴서 보이다, 진열하다: (~+목+전+명) ~ dishes *on* the table = ~ the table (*with* dishes) 식탁에 요리를 차리다, 식사 준비를 하다 **4** 뿌리다, 흩다, 살포하다 《*over, on*》: (~+목(+부)) ~ straw (*around*) 짚을 (주위에) 흩뿌리다 // (~+목+전+명) ~ manure *over* the field 밭에 비료를 뿌리다 **5** 〈소식·소문을〉 퍼뜨리다, 유포시키다; 공표하다(publish), 〈지식 등을〉 보급시키다; 〈빛·소리·향기 등을〉 발산하다, 풍기다: (~+목+전+명) ~ scientific knowledge *among* the public 대중에게 과학적 지식을 보급시키다 **6** 〈병·불평 등을〉 퍼지게 하다, 만연시키다: (~+목+전+명) The epidemic has been ~ *to* neighboring villages. 전염병은 인근 마을들로 퍼져 나갔다. **7** 〈페인트·버터 등을〉 (얇게) 바르다, 칠하다, 덮다 《*on*》: (~+목+보) ~ plaster thick 회반죽을 두껍게 칠하다 // (~+목+전+명) ~ butter *on* bread = ~ bread *with* butter 빵에 버터를 바르다 **8** 〈활동·관심 등을〉 (…에) 펼치다 《*over*》 **9** 〈일·돈 등을〉 분배하다, 분담하다 **10** 《미》 기록[기입]하다 **11** 전개시키다

— *vi.* **1** 펼쳐지다, 뻗다, 미치다(expand); 전개되다 《*out, over, along, around*》: (~+부) The desert ~*s* (*out*) for miles and miles. 사막은 몇 마일이고 뻗어 있다. // (~+전+명) A broad plain ~ *before* us. 눈앞에 넓은 평원이 펼쳐졌다. **2** 〈인구·동식물 등이〉 분포하다 **3** (시간적으로) 걸치다 **4** 〈풍경·장면 등이〉 펼쳐지다, 전개되다 《*out*》 **5** 퍼지다, 유포되다, 만연하다: (~+부) The news ~ *fast.* 그 소식은 급속히 퍼졌다. **6** 〈관심 등이〉 (…에) 미치다, 이르다 《*over*》; 〈웃음·감정 등이〉 〈얼굴에〉 번지다 **7** 〈페인트·버터 등이〉 칠해지다, 발라지다: (~+부) The butter won't ~ *easily.* 버터가 (굳어서) 잘 발라지지 않는다.

~ a thing[a person] ***apart*** 간격을 넓히다, 떼어 놓다 **~ *it on thick*** 《구어》 과장하다, 허풍 치다 **~ *on the records*** 《미》 기록에 남기다 **~ *out*** 〈가지 등이〉 활짝 퍼지다; 전개되다, 퍼지다; 《미·구어》 (사업 등의) 범위를 넓히다 **~ *over*** 퍼지다; 오래 끌다 **~ one*self*** (1) 뻗어나다, 퍼지다 (2) 《미》 크게 노력하다, 분발하다; 발전하다 (3) 《속어》 도량이 큼[대범스러움]을 나타내다; 허풍 떨다 (4) 팔다리를 쭉 뻗고[큰 대자로] 드러눕다 (5) 장황하게 이야기하다[쓰다] **~ one*self* (*too*) *thin*(*ly*)** 《미》 동시에 이것저것 손대다, 한꺼번에 너무 많이 하려고 하다

— *n.* **1** [보통 *sing.*] 퍼짐, 폭, 넓이(extent) **2** [a ~; the ~] 확장, 유포, 보급, 유행; (병의) 만연 **3** 전개; 범위 **4** 《구어》 식사, 맛있는 음식, 진수성찬, 연회; 빵에 바르는 것 《잼·버터 등》; 펴는 것 《시트 등》 **5** 〖상업〗 (원가와 매가(賣價)와의) 차이, 구전(口錢) **6** 늘어남, 전성(展性) **7** (신문·잡지 등의 여러 면[난]에 걸친) 특집 기사[광고] **8** 《미·구어》 대농장, 목장 (ranch); 그 땅, 토지 ***develop a middle-age*** ~ 중년이 되어 군살이 찌다

— *a.* 퍼져 있는, 평면의

spréad béaver 《비어》 (포르노 사진 등에서) 여성의 벌린 음부

spréad bétting 스프레드 베팅 《스포츠 경기에서의 득점 수 알아맞히기 도박의 한 형식》

spréad cíty 《미》 무질서하게 개발[확산]된 도시

spréad éagle **1** (문장(紋章)에서) 날개를 편 독수리 **2** 《미》 광신적 애국자, 애국적인 호언장담 **3** 〖스케이트〗 가로 일직선형 《두 손을 좌우로 벌린 활주 자세; 프리스케이팅 기법의 하나》 **4** 등을 갈라서 구운 새

spread eagle 1

spread-ea·gle [spréd-ì:gl] *a.* Ⓐ **1** 날개를 편 독수리 같은 **2** 《주로 미》 자만적인 애국주의의, 광신적인 애국심의 — *vt.* **1** 사지를 벌려서 묶다 **2** 큰 대자로 드러눕다 **3** 완패시키다 — *vi.* 큰 대자가 되다, 팔다리를 벌리고 서다[나아가다]; 〖스케이트〗 양손을 벌리고 활주하다

spread-ea·gle·ism [-í:glizm] *n.* Ⓤ (미국인의) 과장된 애국주의, 거창한 미국 자랑 **-ist** *n.*

spréad énd = SPLIT END

spread·er [sprédər] *n.* **1** 퍼뜨리는[퍼지는] 사람[것] **2 a** 버터 나이프 **b** 전파자[기]; 연전기(延展機) 《삼·명주용》 **c** 세움대 《안테나의》 **d** (종자·비료 등의) 살포기 **e** (살충제 등에 첨가해 사용하는) 전착제(展着劑) **3** 〖항해〗 버팀목 《두 아딧줄 등의 간격을 유지하는》

spréad formàtion 〖미식축구〗 스프레드 포메이션 《센터로부터 떨어져 자리 잡은 back으로 공을 건넴으로써 경기가 시작되는 공격 대형》

spread·head [sprédhèd] *n.* 신문의 큰 표제

spread-o·ver [-òuvər] *n.* 펼치기, 뻗기; 《영》 노동 시간 신축제(制)(= ∠ **sýstem**)

spread·sheet [-ʃì:t] *n.* **1** 〖회계〗 메트릭스 정산표 **2** 〖컴퓨터〗 스프레드시트, 표 계산 《데이터를 가로 세로의 표 모양으로 나열해 놓은 것; 그 표에 입력하고 데이터를 처리할 수 있는 프로그램》

spréadsheet prògram 〖컴퓨터〗 스프레드시트 프로그램

spreathed [sprí:ðd] *a.* 《영·남서부》 〈살갗이〉 튼, 아픈, 따끔따끔한, 얼얼한

Sprech·ge·sang [ʃprékgəzæ̀ŋ] [G] *n.* 〖음악〗 슈프레히게장 《노래와 이야기의 두 가지 성격을 띤 성악 형식》

spree [sprí:] *n.* **1** 흥겹게 법석댐, 신나게 떠들어댐; 흥청거림 **2** 탐닉, 몰두함 **3** 활발한 활동 (기간)

be on the ~ 마시고 떠들어대다 ***go on*** [***have***] ***a*** ~ 실컷 마시다

— *vi.* (술 마시고) 흥청거리다, 신나게 떠들어대다

***sprig** [spríg] *n.* **1** 잔가지, 어린 가지 **2** (옷감·도기·벽지(壁紙) 등의) 잔가지 모양의 무늬 **3** 《구어·익살》 자식, 자손(offspring), …의 출신 《*of*》; 《경멸》 꼬마, 젊은이(young man) **4** 대가리 없는 작은 못[핀]

— *vt.* (**~ged**; **~·ging**) **1** 작은 가지로 장식하다, 잔가지 모양의 무늬를 넣다 **2** 잔가지를 자르다 **3** 대가리 없는 작은 못을 박다 《*on, down*》

spríg·gy *a.* 잔[어린]가지가 많은

***spright·ly** [spráitli] *a.* (**-li·er**; **-li·est**) 기운찬, 원기왕성한, 쾌활한; 명랑한

— *ad.* 《폐어》 기운차게, 활발하게; 명랑하게

spríght·li·ness *n.*

‡spring [spríŋ] [OE 「갑자기 움직이다」의 뜻에서] *v.* (**sprang** [sprǽŋ], **sprung** [sprʌ́ŋ]; **sprung**) *vi.* **1** (용수철처럼 갑자기 빨리) 튀다, 뛰어오르다, 도약하다 《*at, on*》; (침대·의자 등에서) 벌떡 일어서다 《*from, out of*》: (~+부) ~ *up* 뛰어오르다 // (~+전+명) ~ *to* one's feet (앉은 자세에서) 벌떡 일어

---

transmit, circulate, make known, broadcast, publicize, propagate **3** 바르다 cover, coat, layer

서다 / ~ *at*[*upon*] a person …에게 달려들다 / ~ *to* attention 벌떡 차려 자세를 취하다 **2** 〈용수철이나 탄력 있는 것이〉 통겨지다, 튀어 돌아오다, 벌떡 …하다: 《~+보》 The doors ~ open[close]. 문이 홱 열리다[닫히다]. // 《~+부》 The lid *sprang to.* 뚜껑이 탁 닫혔다. / The branch *sprang back.* 가지가 되튕겨졌다. **3** 단번에[갑자기] …하다: 《~+전+명》 ~ *into* fame 일약 유명해지다 **4 a** 〈물·눈물 등이〉 솟아나오다 《*from*》, 솟아오르다, 용솟음치다: 《~+부》 Water suddenly *sprang up.* 물이 갑자기 솟아나왔다. // 《~+전+명》 The tears of joy *sprang into*[*from*] her eyes. 그녀의 눈에 기쁨의 눈물이 솟았다. **b** 〈사람이〉 (…의) 출신이다 《*of*, *from*》: 《~+전+명》 He ~*s of*[*from*] royal stock. 그는 왕족 출신이다. **5** 〈식물이〉 나다, 싹이 트다 《*up*》: 《~+부》 The rice is beginning to ~ *up.* 벼가 패기 시작한다. // 《~+전+명》 ~ *from* seeds 씨에서 싹이 트다 **6** (갑자기) 나타나다, 일어나다, 발생하다 《*up*》: 《~+부》 A wind *sprang up.* 바람이 일었다. // 《~+전+명》 courage ~*ing from* conviction 확신에서 우러나는 용기 **7** 마음에 떠오르다 《*up*》: 《~+부》 A doubt *sprang up* in his mind. 그의 마음 속에 의심이 떠올랐다. **8** 〈재목·판자 등이〉 굽다, 휘어지다, 쪼개지다 **9** 〈탑 등이〉 우뚝 솟다, 솟아오르다; 〖건축〗 〈홍예받이가〉 쌓여 나가다, 내밀다

— *vt.* **1** 뛰게 하다; 뛰어오르게 하다; 〈말 등을〉 내닫게 하다 **2** 갑자기 내놓다, 말을 불쑥 꺼내다 《*on*》: 《~+목+전+명》 He *sprang* a new proposal *on* them. 그는 갑자기 그들에게 새로운 제안을 내놓았다. **3 a** (용수철 장치로) 되튀게 하다, 〈덫 등을〉 튀기다 **b** [주로 수동형으로] 용수철을 달다 **4** 〈지뢰 등을〉 폭발시키다 **5** 〖건축〗 〈홍예받이를〉 쌓다; 〈재목 등을〉 휘게 하다, 구부리다; 찢다, 쪼개다 **6** 〈새 등을〉 날아오르게 하다 **7** (속어) 〈사람을〉 교도소에서 석방시키다; 탈옥시키다 《*out*》

~ a butt 〖항해〗 (심한 동요 때문에 배의) 외판(外板)의 접합부(接合部) 사이가 느슨해지다 ***~ a leak*** 〈지붕·배에〉 물구멍이 생기다, 물이 새기 시작하다 ***~ a surprise on*** a person 갑자기 …을 놀라게 하다 ***~ a trap*** 속이다, 개시하다 ***~ at the chance*** 흔쾌히 기회를 잡다 ***~ for*** (미·속어) 한턱내다 ***~ forth*** 뛰어나오다; 갑자기 나오다 ***~ into action*** 즉각 행동을 개시하다 ***~ over*** …을 뛰어넘다 ***~ the*** [***her***] ***luff*** (영) 키를 늦춰서 이물을 바람 불어오는 쪽으로 돌리다 ***~ to life*** 갑자기 활발해지다 ***~ with*** (구어) …와 함께 나타나다; …을 소개하다[알리다]

「튀다」 → (튀어나옴)
┌(발생)─┬(원천) → 「샘」 **7 a**
│　　　　└(발생기, 시초) → (연초) → 「봄」 **6 a**
│　　　　　┌「탄력」 **3, 4** → 「활력」 **4**
└「도약」 **1** ─┼「원기」 **4**
　　　　　└「용수철」 **2** → (동기) → 「원동력」 **5**

— *n.* **1** 뜀, 뛰어오름, 튐, 도약, 비약, 약동 **2** 용수철, 태엽, 스프링 **3** ⓊⒸ 튀어 돌아옴, 반동; 탄성, 탄력 **4** ⓊⒸ (마음의) 탄력, 원기, 활력, 유연성 **5** 동기, 원동력 **6 a** 봄 《영국에서는 대체로 2·3·4월; 미국에서는 3·4·5월》: in ~ 봄에(는) / in the ~ of 1963 1963년의 봄에 **b** [때로 *pl.*] 대조(大潮)(의 시기) **7 a** [종종 *pl.*] 샘, 수원지, 원천: a hot ~ 온천 **b** 발생, 본원, 근원 **8 a** 〖기계〗 휜 것, 비뚤어진 것 **b** 휨, 비뚤어짐, 뒤틀림 **c** 쪼개진[갈라진] 틈 **9** 〖항해〗 새는 구멍 **10** [a ~] (발걸음의) 경쾌함 ★보통 다음 구에서: He has *a* ~ to his step. 그는 경쾌하게[가볍게] 걷는다.

— *a.* Ⓐ **1** 용수철의, 용수철이 있는, 스프링을 장치한 **2** 봄의; 봄철용의 〈모자 등〉: a ~ overcoat 스프링코트 **3** 근원의, 근원에서 나오는

▷ spríngy *a.*

spring·al(d) [spríŋəl(d)] *n.* 소년, 젊은이(youth)

spríng bálance 용수철 저울

spríng béam 〖항해〗 (외륜선의) 외륜 이음보

spríng béauty 〖식물〗 클레이토니아 《야생초》

spríng béd 용수철 달린 침대

spring·board [spríŋbɔ̀:rd] *n.* **1** 〖경기〗 스프링보드 《수영·체조의 도약판》 **2** (비유) (…에의) 계기를 주는 것, 도약대, 출발점, 입각점 《*to*, *for*》

spring·bok [-bɑ̀k | -bɔ̀k], **-buck** [-bʌ̀k] *n.* (*pl.* **~, ~s**) **1** 〖동물〗 영양(羚羊)의 일종 《남아프리카산(産)》 **2** [**S~s**] 남아프리카 사람들(부대); 《특히》 남아프리카 사람의 럭비[크리켓] 팀

spríng bòlt 용수철 달린 빗장

spríng brèak (학교의) 봄 방학

spríng cárriage 용수철 달린 차량

spríng càrt 용수철 (달린) 짐수레

spríng chícken **1** 햇병아리, 영계 《튀김용》 **2** (구어) 젊은이, 풋내기, 《특히》 숫처녀 ***be no ~*** 〖익살〗 이젠 어리지 않다, 다 컸다

spring-clean [-klí:n] *vt.* …의 (봄철) 대청소를 하다 **~·ing** *n.* Ⓤ (봄에 하는) 대청소

springe [sprínd ʒ] *n.* (새 등을 잡는) 덫 — *vt.* 덫에 걸리게 하다 — *vi.* 덫을 놓다

spring·er [spríŋər] *n.* **1** 뛰는 사람[것]; 튀는 사람[것] **2** = SPRINGER SPANIEL **3** 〖건축〗 아치의 기공석(起拱石) **4** 〖동물〗 영양(springbok); 물돼지, 범고래(grampus) **5** 출산이 가까운 소 **6** (영·속어) 해군의 체조 교관

spríñger spániel 스프링어 스패니얼 《사냥감을 몰아내는 스패니얼종의 사냥개》

spríng féver 초봄의 나른함[우울증]

Spring·field [spríŋfì:ld] *n.* **1** 스프링필드 《(1) Illinois 주 주도 (2) Massachusetts 주 남서부의 도시 (3) Missouri 주 서남부의 도시 (4) Oregon 주 서부의 도시》 **2** 스프링필드 총(銃)(= **~ rìfle**)

spríng gréens 어린 양배추 잎

spríng gùn 용수철 총[포(砲)]

spring·halt [spríŋhɔ̀:lt] *n.* 〖수의학〗 = STRINGHALT

spring·head [-hèd] *n.* **1** 수원, 원천 **2** (비유) 근원, 원천(source)

spríng hòok (스프링으로 채우는) 용수철 후크; 용수철 낚시 《고기가 물면 스프링이 튀어서 걸림》

spring·house [-hàus] *n.* (*pl.* **-hous·es** [-hàuziz]) (미) (샘·시내 위에 지은) 육류(肉類) 등의 저장소

spring·ing [spríŋiŋ] *n.* **1** 도약 **2** (자동차 등의) 스프링 (장치)

spríñging bów [-bóu] 〖음악〗 (현악기의) 튕김[스피카토] 주법(奏法)(cf. SPICCATO)

spring·less [spríŋlis] *a.* **1** 용수철이 없는; 탄력[탄성]이 없는 **2** (비유) 기백이 없는; 활력이 없는

spring·let [spríŋlit] *n.* 작은 샘

spring·like [spríŋlàik] *a.* **1** 봄과 같은(vernal) **2** 용수철 같은[모양의]

spring-load·ed [-lóudid] *a.* 〖기계〗 (부품이) 스프링으로 고정되어 있는

spríng lòck 용수철 자물쇠(snap lock)

spríng màttress 용수철이 든 매트리스

spríng ónion 〖식물〗 (결구(結球) 전의) 봄양파(scallion)

spríng ròll 스프링롤 《잘게 썬 재료를 밀전병으로 말아 기름에 튀긴 중국 요리》((미) egg roll, (영) pancake roll)

spríng scàle (미) 용수철 저울

spring·tail [spríŋtèil] *n.* 〖곤충〗 톡토기

spríng tíde **1** (그믐날과 보름날에 일어나는) 대조(大潮), 한사리 **2** (비유) 분류(奔流), 노도, 홍수; 고조(高潮) 《*of*》

spring·tide [-tàid] *n.* = SPRINGTIME

⁑**spring·time** [spríŋtàim] *n.* Ⓤ **1** 봄, 봄철, 춘계 **2** (문어) 청춘; 초기

spríng tráining (프로 야구팀의) 봄철 훈련

spring·wa·ter [-wɔ̀:tər] *n.* 용천(湧泉), 용수(湧水), 샘물

spring·wood [-wùd] *n.* (재목의) 춘재(春材)

spring·y [spríŋi] *a.* (**spring·i·er**; **-i·est**) **1** 탄력[탄성]이 있는; 용수철 같은 **2** 경쾌한, 걸음이 빠른 **3** 〈땅이〉 샘물이 많은; 질척질척한

spríng·i·ly *ad.* **spríng·i·ness** *n.* Ⓤ 탄력성

‡sprin·kle [spríŋkl] *vt.* **1** 〈액체·분말 등을〉 (…에) (흩)뿌리다(scatter), 끼얹다, 붓다 《*on, with*》: (~+목+전+명) ~ water *on* the street = ~ the street *with* water 도로에 물을 뿌리다 **2** (…에) 산재[점재]시키다 《*over*》: villages ~*d over* the plain 평원에 산재해 있는 촌락 **3** 〖그리스도교〗 물을 뿌려 정화하다; 물을 뿌려 세례(洗禮)를 베풀다 **4 a** 〈꽃 등에〉 물을 주다, 살짝 적시다: ~ a lawn 잔디에 물을 주다[뿌리다] **b** (다림질하기 전에) …에 물을 뿜다

— *vi.* **1** 〈액체·분말 등이〉 뿌려지다 **2** 산재하다 **3** [it을 주어로 하여] 비가 후두두 내리다

— *n.* **1** [a ~] 소량, 소수, 조금 《*of*》 **2** 후두두 내리는 비: a brief ~ 잠깐 동안 내린 비 / **3** [보통 *pl.*] (미) (쿠키 등에) 잘게 뿌려진 초콜릿·설탕 (《영》 hundreds and thousands)

sprin·kler [spríŋklər] *n.* **1** (물 등을) 뿌리는 사람[물건] **2** 살수차; 살수 장치, 스프링클러

sprín·klered *a.* 스프링클러[자동 소화] 장치를 설치한

sprínkler sỳstem (화재 방지·잔디밭 등에 살수하기 위한) 스프링클러[자동 소화] 장치

∗sprin·kling [spríŋkliŋ] *n.* **1** Ⓤ 흩뿌리기, 살포 **2** (비 등이) 후두두[부슬부슬] 내림 **3** [a ~] 소량, 소수; 드문드문 (오기) 《*of*》: *a* ~ *of* visitors 드문드문 오는 방문객들 ***not a*** ~ ***of*** sympathy 조금도 (동정심이) 없는

sprínkling càn 물뿌리개(watering pot)

∗sprint [sprínt] [ON 「달리다」의 뜻에서] *n.* **1** 단거리 경주, 스프린트 **2** (골 직전의) 전력 질주

— *vt., vi.* (특히 단거리를) 전속력으로 달리다, 전력 질주하다 **~·er** *n.* 단거리 주자, 스프린터

sprínt càr 중형의 경주용 자동차

sprínt ràce 단거리 경주

sprit [sprít] *n.* 〖항해〗 사형(斜桁), 스프리트 《네모꼴 돛에 활대가 비껴 질려 있는》

sprite [spráit] *n.* 요정(妖精)(fairy), 작은 요정(elf); 귀신(goblin); 《고어》 영혼

sprit·sail [sprítsèil, 〖항해〗 -səl] *n.* 〖항해〗 사형범(斜桁帆)

spritz [spríts, ʃpríts] 《구어》 *n.* 분출(噴出), 즉흥(의 재미있는 언변); 후두두 내리는 비 — *vt.* 분출시키다

spritz·er [sprítsər, ʃprít-] *n.* 백포도주와 소다수의 혼합 음료

spritz·y [sprítsi, ʃprítsi] *a.* 《구어》 가벼운, 경쾌한

sprock·et [sprɑ́kit | sprɔ́-] *n.* **1** 〖기계〗 **a** 사슬톱니; 사슬바퀴 **b** (자전거 등의) 쇠사슬을 물고 도는 톱니바퀴(= ∠ **whèel**) **2** 〖영화·사진〗 스프로켓 《필름의 구멍(perforation)이 걸리는 톱니바퀴》

sprog [sprɔ́:g, sprɑ́g | sprɔ́g] *n.* 《영·속어》 **1** 어린이, 애송이 **2** (공군의) 신병(recruit); 항공 정비병 **3** (교도소의) 신참자

∗sprout [spráut] *n.* **1** (식물의) 눈, (새)싹(shoot), 움 **2** [*pl.*] 〖식물〗 싹양배추(=Brussels ~s) **3** 《구어》 젊은이, 청년; 자손 ***put through a course of*** **~*s*** 《미》 맹훈련하다, 혼내주다

— *vi.* **1** 싹트다; 나기 시작하다, 발생하다: (~+부) The new leaves have ~*ed up.* 새잎이 나왔다. **2** 급속히 성장하다 《*up*》

— *vt.* **1** 〈싹을〉 나게 하다, …에 싹이 돋아나게 하다: The warm weather ~*ed* seeds. 따뜻한 날씨로 씨앗은 싹이 텄다. **2** 《미》 〈감자 등의〉 싹을 따다 **3** 내밀게 하다, 〈뿔을〉 내다, 〈수염을〉 기르다

sprout·ling [spráutliŋ] *n.* 작은 (새)싹

spruce¹ [sprú:s] *a.* 조촐한, 말쑥한; 단정한, 맵시 있는, 멋진

— *vt.* **1** 말쑥하게 꾸미다 **2** [~ one*self* 로] 몸치장시키다 《*up*》: (~+목+부) ~ one*self up* for dinner 만찬에 참석하기 위하여 말쑥이 차려입다

— *vi.* 모양내다, 몸치장하다 《*up*》

~·ly *ad.* **~·ness** *n.*

∗spruce² [sprú:s] *n.* 〖식물〗 가문비나무, 전나무(= ∠ **fir**)

sprúce bèer 가문비나무 술 《전나무의 가지나 잎을 넣은 당밀을 발효시켜 만든 음료》

sprúce gùm 스프루스 검 《spruce에서 추출한 추잉껌의 재료》

sprue¹ [sprú:] *n.* (쇳물을 붓는) 큰 국자꼴의 주둥이, 귀때, 탕구(湯口)

sprue² *n.* Ⓤ 〖병리〗 스프루 《구강염과 설사를 일으키는 열대 지방의 병》

spruik [sprú:k] *vi.* 《호주·속어》 열변을 토하다, 장광설을 늘어놓다 **~·er** *n.* 웅변가, 선동자; 세일즈맨

spruit [sprú:t] *n.* (아프리카 남부의) 개천, 세류(細流)

‡sprung [sprʌ́ŋ] *v.* SPRING의 과거·과거분사

— *a.* 《구어》 (술이) 취한, 거나한(tipsy)

sprúng rhỳthm 〖운율〗 도약률(跳躍律) 《강세 하나에 약음절 넷이 따르고 주로 두운(頭韻), 중간운, 어구의 반복으로 리듬을 갖춤》

spry [sprái] *a.* (**~·er, spri·er**; **~·est, spri·est**) 활발한, 재빠른, 원기 왕성한(energetic); (나이에 비해) 빈틈없는 **~·ly** *ad.* **~·ness** *n.*

SPS service propulsion system (service module의) 주 추진 장치 **s.p.s.** *sine prole superstite* (L=without surviving issue) 살아 남은 자손 없이

spt seaport; support

SPUC [spʌ́k] [*S*ociety for the *P*rotection of the *U*nborn *C*hild] *n.* 태아 보호 협회

spud [spʌ́d] *n.* **1** 《구어》 감자(potato) **2** (김매는 데 쓰는) 작은 가래[삽], 괭이, 호미 **3** 짧고 굵은 삽입[돌기]물 **4** 《미·속어》 보드카(에 취한 사람)

— *vt.* (**~·ded**; **~·ding**) 작은 가래로 파다; 〈유전 등을〉 본격적으로 채굴하기 시작하다 《*in*》

spud·der [spʌ́dər] *n.* **1** (나무 껍질을 벗기는 데에 쓰는) 끌 모양의 도구 **2** (유정(油井)의) 개갱(開坑) 작업원; (우물을 파기 시작할 때 사용하는) 착암기

spud·dle [spʌ́dl] *vi.* 《고어》 조금 파다, 파헤치다

spud·dy [spʌ́di] *a.* (**-di·er**; **-di·est**) 땅딸막한, 뭉뚝한

spudge [spʌ́dʒ] *vi.* 《미·속어》 활기있게 돌아다니다[일하다], 활발하게 움직이다 《*around*》

spue [spjú:] *v.* 《고어》 =SPEW

spume [spjú:m] 《문어》 *n.* ⓊⒸ (특히 바다의) 거품, 포말(泡沫) — *vi.* 거품이 일다 — *vt.* (거품처럼) 분출하다 《*forth*》

spu·mes·cent [spju:mésnt] *a.* 거품 모양의, 거품이 이는 **spu·més·cence** *n.*

spu·mo·ni [spumóuni], **-ne** [-ni, -nei] [It.] *n.* Ⓤ 이탈리아식 아이스크림 《여러 가지 종류의 과일을 층 지어 넣은 것》

spu·mous [spjú:məs] *a.* =SPUMY

spum·y [spjú:mi] *a.* (**spum·i·er**; **-i·est**) 거품의, 거품 모양의, 거품이 이는

‡spun [spʌ́n] *v.* SPIN의 과거·과거분사

— *a.* **1** 자은 〈실〉: ~ gold[silver] 금[은]실 / ~ silk 견방사(絹紡絲) 《풀솜을 자은 것》; 견방사 직물 / ~ yarn 꼰 실; 〖항해〗 꼰 밧줄, 스펀얀 **2** 잡아 늘인 《*out*》 **3** 《영·속어》 지칠 대로 지친(tired out)

spun·bond·ed [spʌ́nbɑ̀ndid | -bɔ̀n-] *a.* 스펀본디드의 《화학 섬유를 방사(紡絲)하면서 만들어진 부직포(不織布)에 대한 말》 **spún-bònd·ing** *n.* 스펀법

spún glàss 실 유리, 유리 섬유(fiberglass)

spunk [spʌ́ŋk] *n.* Ⓤ **1** 《구어》 용기, 기력, 활기, 원기 **2** 부싯깃(tinder) **3** 《영·속어》 정액 **4** 《호주·구어》 이성에게 매력적인 사람 《특히 남자》 **5** 《스코》 불꽃

(spark) ***get** one**'s** ~ **up*** 《구어》 (1) 기운을 내다, 용기를 내다 (2) 화내다 ***~ of fire*** 작은 불, 불꽃

spunk·ie [spʌ́ŋki] *n.* 《스코》 **1** 도깨비불 **2** 독한 술 **3** 《구어》 혈기 왕성한 사람, 성질이 급한 사람

spunk·y [spʌ́ŋki] *a.* (**spunk·i·er**; **-i·est**) 《구어》 **1** 원기 왕성한(spirited), 용감한, 건강한(plucky) **2** 성급한, 성마른, 화를 잘 내는

spúnk·i·ly *ad.* **spúnk·i·ness** *n.*

spún ráyon 스펀레이온, 인견사; 스펀레이온 천

spún súgar 《미》 솜사탕, 캐러멜

‡spur [spə́ːr] *n.* **1** 박차 **2** 《문어·비유》 **자극**, 격려, 고무; 동기, 유인 《*to, for*》 **3** 박차 모양의 (돌기한) 것; 〖동물〗 가시, 바늘; (바위·산 등의) 돌출부, 지맥(支脈); (닭 등의) 며느리발톱, 쇠발톱 《투계(鬪鷄)의 며느리발톱에 다는》, (곤충 다리의) 발톱; (등산용) 아이젠 **4** (철도의) 지선(支線)

on** [**upon**] **the** ~* 전속력으로, 매우 급히 ***on** [**upon**] **the ~ of the moment 순간적인 충동으로, 일시적 기분으로; 당장, 별안간 ***put** [**set**] **~s to*** …에 박차를 가하다; 격려하다 ***win** [**get, gain**] one**'s ~s*** 훈작사(勳爵士)(knight)의 작위를 받다; 공훈을 세우다, 출세하다 ***with whip and ~*** = ***with ~ and yard*** 급히, 곧, 당장(at once)

— *v.* (**~red**; **~·ring**) *vt.* **1** …에 **박차를 가하다** 《*on*》: (~+목+부) The rider *~red* his horse (*on*). 기수는 말에 박차를 가했다[가하여 달리게 했다]. **2 몰아대다**, 격려하다, 자극하다 《*on, to, into*》: (~+목+부) (~+목+전+명) Ambition *~red* him *on to* success. 그는 야심에 자극되어 성공했다. // (~+목+***to*** do) What *~red* him *to* join the party? 그는 어떤 자극 때문에 그 당에 들어가게 되었느냐? **3** [보통 과거분사로] 박차를 달다; 〈투계 등이〉 (쇠)며느리발톱으로 부상시키다 **4** 〈경제·생산 따위를〉 활성화하다

— *vi.* (말에) 박차를 가해 달리게 하다, 급히 몰고 가다, 서두르다: (~+부) The knight *~red on*[*forward*] to the castle. 기사는 말을 몰고 성으로 급히 달려갔다. **~·less** *a.* **~·lìke** *a.* **~·rer** *n.*

spurge [spə́ːrdʒ] *n.* 〖식물〗 등대풀속(屬)의 식물

spúr gèar 〖기계〗 평(平)톱니바퀴(spur wheel)

spúr gèaring 〖기계〗 평톱니바퀴 장치

***spu·ri·ous** [spjúəriəs] *a.* **1 a** 가짜의, 위조의(counterfeit; opp. *genuine*) **b** 〈논리·결론 등이〉 비논리적인, 그럴싸한, 겉치레의 **2** 《드물게》 사생아의, 서출의 **3** 〖생물〗 의사(擬似)의, 가(假)…

~·ly *ad.* 부정하게; 가짜로 **~·ness** *n.*

***spurn** [spə́ːrn] *vt.* **1 쫓아내다**[**버리다**]: (~+목+전+명) He *~ed* the beggar *from* his door. 그는 거지를 문간에서 쫓아버렸다. **2** 일축하다, 퇴짜놓다; 경멸하다: ~ a person's offer …의 제의를 일축하다 **3** 《고어》 (발길로) 차다(kick)

— *vi.* 상대하지 않다, 콧방귀 뀌다, 얕보다; 경멸하다 《*at, against*》

— *n.* **1** 일축, 거절 **2** 《고어》 차버림 **~·er** *n.*

spur-of-the-mo·ment [spə́ːrəvðəmóumənt] *a.* Ⓐ 즉석의, 충동적인: a ~ decision 충동적으로 내린 결단

spurred [spə́ːrd] *a.* **1** 박차를 단, 쇠발톱이 있는 **2** 독촉을 받은, 다그쳐진

spur·rey, spur·ry [spə́ːri, spʌ́ri | spʌ́ri] *n.* (*pl.* **~s**; **-ries**) 〖식물〗 양별꽃 《석죽과(科)》

spur·ri·er [spə́ːriər, spʌ́- | spʌ́-] *n.* 박차 제조자

***spurt** [spə́ːrt] *vi.* **1 쏟아져 나오다**, 용솟음치다, 분출하다(gush out) 《*out, from*》: (~+부) (~+전+명) Blood *~ed* (*out*) *from* the wound. 상처에서 피가 솟아나왔다. **2** 싹이 트다, 자라다 **3** (전력을 다하여 최후의) 분투를 하다, (경기의 끝판에서) 전속력을 내서 달리다(sprint)

— *vt.* **내뿜다**, 분출시키다 《*out, from*》: (~+목+부) ~ *up* water very high 아주 높이 물을 내뿜다

— *n.* **1** 용솟음, 분출; (감정 등의) 격발(激發) 《*of*》 **2** (가격의) 급등 (기간); (매상 등의) 급성장 **3** (경주 끝판에서의) 역주(力走), 스퍼트, 역영(力泳) 《등》; 분발 **4** 일순(一瞬), 순간(moment, spirt)

in ~s 이따금, 생각난 듯이, 불규칙적으로 ***make a ~*** 역주하다 ***put on a ~*** (최후의) 분투를 하다

spúr tràck 〖철도〗 (한 쪽만이 본선에 연결된) 지선(支線), 짧은 지선

spúr whèel 〖기계〗 = SPUR GEAR

Sput·nik [spútnik, spʌ́t-] [Russ. = fellow traveler] *n.* [종종 **s~**] 스푸트니크 《세계 최초의 구소련 인공위성; 제1호 발사는 1957년 10월 4일》

***sput·ter** [spʌ́tər] *vi.* **1** (입자·불꽃 등이 튀기어) **푸푸**[**지글지글, 탁탁**] **소리를 내다**; 그러한 소리를 내며 꺼지다: (~+부) The candle *~ed out.* 촛불이 바지지 소리를 내며 꺼졌다. **2** 침을 튀기며 입을 놀리다, 흥분하여 발하다; 입심 좋게 지껄여대다 **3** 〈기계·기관총 등이〉 심한 (발사)음을 내다

— *vt.* **1** 〈입속의 음식이나 침 등을〉 튀기다 **2** 푸푸[탁탁] 소리나게 하다 **3** 빠른 말로 지껄여대다: (~+목+부) ~ *out* a story 서둘러 이야기하다

— *n.* **1** 푸푸[지글지글, 탁탁] 소리 **2** 뜻 모를[빠른, 침을 튀기며 하는] 말: keep up a continual ~ 다급하게 지껄여대다 **3** 입에서 튀어나오는 것 《침·음식물 등》 **~·er** *n.* **~·ing·ly** *ad.*

spu·tum [spjúːtəm] *n.* (*pl.* **spu·ta** [-tə], **~s**) ⓊⒸ **1** 침, 타액(spittle, saliva) **2** 〖의학〗 담, 가래(expectoration)

‡spy [spái] *n.* (*pl.* **spies**) **1 스파이**, 간첩, (군사) 탐정 **2** 스파이 행위 **3** [one's ~] 개인적[사적, 비공식]인 정보원 ***be a ~ on*** …을 정찰하다

— *v.* (**spied**, **~·ing**) *vt.* **1** 염탐하다; 몰래 조사하다 《*out*》: (~+목+부) ~ *out* a secret 비밀을 염탐하여 캐내다 **2** (찾다가) 알아내다, 찾아내다, 발견하다: (~+목+***-ing***) He *spied* a stranger enter*ing* the yard. 그는 낯선 사람이 구내에 들어서는 것을 알아차렸다.

— *vi.* **1** 스파이짓을 하다, 염탐하다, 몰래 조사하다; 감시하다 《*on, upon*》: (~+전+명) ~ *for* the enemy 적의 스파이 노릇을 하다 / ~ *into* a person's actions …의 행동을 몰래 조사하다 / ~ *on* a person …을 감시하다 **2** 조사하여 찾아내다 《*out*》

spy·dom [spáidəm] *n.* 스파이계(界)

spy·glass [spáiglæ̀s | -glɑ̀ːs] *n.* (휴대용) 작은 망원경, 쌍안경

spy·hole [-hòul] *n.* = PEEPHOLE

spy-in-the-sky [-inðəskái] *n.* 정찰 위성

spy·mas·ter [-mæ̀stər | -mɑ̀ːs-] *n.* 간첩단의 단장[우두머리]

spý plàne 정찰기(機)

spý sàtellite 정찰 위성

spy·ship [-ʃìp] *n.* 정찰선

spy·ware [-wɛ̀ər] *n.* Ⓤ 〖컴퓨터〗 스파이웨어 《인터넷 사용자가 어느 사이트에 액세스하는지 염탐하는 소프트웨어》

SQ 〖국제항공〗 Singapore Airlines; survival quotient 장수 지수 **sq.** sequence; *sequens* 《L = the following (one)》; *sequentia* 《L = the following ones》; square **Sq.** Squadron; Square 《가구(街區) 이름》 **sq. ft.** square foot[feet] **sq. in.** square inch(es) **sq. mi.** square mile(s) **sqn** squadron **Sqn Ldr** Squadron Leader **sqq.** *sequentes, sequentia* 《L = the following ones》

squab [skwɑ́b | skwɔ́b] *a.* **1** 땅딸막한 **2** 〈새가〉 갓 부화된; 아직 털이 나지 않은 — *n.* (*pl.* **~s**) **1** (특히 아직 털이 나지 않은) 비둘기 새끼, 새 새끼 **2** 땅딸막한 사람 **3** 폭신하고 두꺼운 쿠션; 소파(sofa)

— *ad.* 털썩(plump)

squab·ble [skwɑ́bl | skwɔ́bl] *vi.* (사소한 일로) 승강이하다, 말다툼하다(wrangle) 《*about*》

— *vt.* 〖인쇄〗 〈짜 놓은 활자를〉 뒤섞어 버리다

— *n.* (시시한) 싸움, 말다툼 **squáb·bler** *n.*

squab·by [skwɑ́bi | skwɔ́bi] *a.* (**-bi·er**; **-bi·est**) 땅딸막한(squat)

squáb pìe 비둘기 파이 《양고기·양파·사과로 만든 파이》

∗**squad** [skwɑ́d | skwɔ́d] *n.* [집합적] **1** 〖미군〗 **분대** 《병사 10명과 하사관 2명으로 편성됨; ⇨ army 관련》; 〖영국군〗 반(班); (경찰의) 분대, 반, 계: ~ drill 분대 교련 **2** (같은 일에 종사하는 적은 인원의) 대(隊), 단, 팀: a cheerleading ~ 응원단 / a relief ~ 구조대
—*vt.* (**~·ded**; **~·ding**) 분대에 편제[편입]하다

Squad. Squadron

squád càr 《미》 (무선 통신 설비를 갖춘) 경찰 순찰차(cruise[patrol, police] car)

squad·der [skwɑ́dər | skwɔ́-] *n.* 대원(隊員)

squad·die, -dy [skwɑ́di | skwɔ́di] *n.* 《영·구어》 **1** 분대원, 반원(班員) 《squad의 일원》 **2** 신병, 병사

squad·rol [skwɑ́droul | skwɔ́d-] *n.* 《미》 (경찰의) 구급차 겸용 순찰차

∗**squad·ron** [skwɑ́drən | skwɔ́d-] *n.* [집합적] **1** 〖미공군〗 **비행(대)대** 《2개 이상의 중대(flight)로 편성》; 〖영국공군〗 비행 중대 《10-18대로 편성; 略 squad.》 **2** 〖육군〗 기병[기갑] 대대(cf. BATTALION) **3** 〖해군〗 소함대, 전대(戰隊) 《함대(fleet)의 일부》 **4** 단체, 조(組)(group)

squádron lèader 〖영국공군〗 비행 중대장, 공군 소령

squád ròom **1** 〖군사〗 분대원의 침실[막사] **2** (경찰서의) 경찰관 집합실

squail [skwéil] *n.* 《영》 **1** 작은 원판 《공기놀이에서 의》 **2** [*pl.*; 단수 취급] 일종의 공기놀이

squa·lene [skwéili:n] *n.* 〖생화학〗 스쿠알렌 《상어의 간유(肝油)에서 얻어지는 액체 화합물; 약품 제조용》

squal·id [skwɑ́lid, skwɔ́:- | skwɔ́-] *a.* **1** 누추한, 지저분한, 궁상스러운, 때 묻은; 황폐한 **2** 〈싸움 등이〉 비열한, 치사스러운 **~·ly** *ad.* **~·ness** *n.*

squa·lid·i·ty [skwɑlídəti | skwɔ-] *n.* Ⓤ 지저분함, 누추함; 비열함, 치사함

∗**squall¹** [skwɔ́:l] *n.* **1** **돌풍**, 스콜 《단시간의 국부적 돌풍; 보통 비·눈·진눈깨비 등을 수반》 **2** [*pl.*] 소동(trouble), 싸움(squabble) ***black*** **~** 먹구름 일며 닥치는 질풍 ***look out for ~s*** 위험[말썽]을 경계하다 ***white*** **~** 구름 없이 닥치는 질풍 《맑은 날의》
—*vi.* [보통 it을 주어로] 돌풍이 불다
~·ish *a.* ▷ squálly *a.*

squall² *vi.*, *vt.* 비명을 지르다, 큰 소리로 외치다, 울부짖다 《*out*》 —*n.* (아이들의) 꽥꽥 우는 소리, 울부짖는 소리(scream), 고함 **~·er** *n.*

squall·y [skwɔ́:li] *a.* (**squall·i·er**; **-i·est**) **1** 일진 광풍의, 돌풍이 일듯한(gusty) **2** 《미·구어》 험악한, 형세가 고약한

squa·loid [skwéilɔid] *a.* 상어의, 상어 비슷한

squal·or [skwɑ́lər, skwɔ́:- | skwɔ́-] *n.* Ⓤ **1** 더러움, 너저분함(filth) **2** 치사함

squa·ma [skwéimə] *n.* (*pl.* **-mae** [-mi:]) 〖동물〗 비늘, 비늘 모양의 것; 〖식물〗 인편(鱗片)

squa·mate [skwéimeit] *a.* 비늘이 있는

squa·mo·sal [skwəmóusəl] *a.* **1** 〖동물·해부〗 측두린(부)의 **2** = SQUAMOUS
—*n.* (두골 측면의) 측두린(부)

squa·mous [skwéiməs], **-mose** [-mous] *a.* 비늘로 덮인; 비늘이 있는; 비늘 모양의
~·ly *ad.* **~·ness** *n.*

squámous céll 〖생물〗 편평상피(扁平上皮) 세포

squan·der [skwɑ́ndər | skwɔ́n-] *vt.* **1** 〈시간·돈 등을〉 낭비하다, 탕진하다, 함부로 쓰다 《*away*》 **2** 산재(散財)시키다 **3** 〈기회 따위를〉 놓치다
—*vi.* 낭비하다; 산재하다, 흩어지다; 유랑하다
—*n.* 낭비, 함부로 씀, 산재
~·er *n.* **~·ing·ly** *ad.*

squan·der·ma·ni·a [skwɑ̀ndərméiniə | skwɔ̀n-] *n.* Ⓤ (특히 재정상의) 낭비

⁑**square** [skwέər] *n.*, *a.*, *v.*, *ad.*

> L 「네모로 만들다」의 뜻에서
> 「정사각형」 **1**
> →(정사각형) →「광장」 **2** / →「한 구획」 **5 a**
> →「평방」 **4** → 「제곱」 **4**

—*n.* **1** **정사각형**; 네모진 물건[면] **2** (시가지의 네모난) **광장**(廣場)(cf. CIRCUS) **3** (체스판 등의) 칸, 눈 **4** [the ~] 〖수학〗 제곱, 평방 **5 a** 《미》 (시가지의) 한 구획, 가구(街區)(block of buildings) **b** 《미》 가구의 한 변의 거리 **c** 스퀘어 《도시에서, 작은 공원의 주위에 (고급) 주택 등이 사각형으로 들어선 지역》 **6** 〖군사〗 방진(方陣)(barrack square) **7** 스퀘어, 100평방 피트 《바닥·지붕·타일 등을 재는 단위》 **8** (목수용의) 쇠자, 직각자: a T[an L] ~ 티[엘] 자 《尺》 **9** [*pl.*] 《미·구어》 (양적·질적으로) 흡족한[푸짐한] 식사(= ~ meal) **10** 《미》 (신문 광고란 등의) 한 칸 **11** 마약에 반대하는 사람 **12** 《미·속어》 권투장, 링(ring) **13** 《속어·경멸》 구식 사람, 고지식한 사람; 잘 속는 사람
break no ~(s) 《영》 대단하지[나쁘지] 않다, 문제가 되지 않다 ***by the ~*** 《폐어》 정확하게, 정밀하게 (exactly) ***on the ~*** (1) 꼼꼼하게; 《구어》 정직하게; 공정하게; 정확한 (2) 동등하게, 동격으로 《*with*》 (3) 직각을 이루어; 정연하게 (4) 프리메이슨(Freemason) 회원으로 ***out of ~*** (1) 직각이 아닌 (2) 난잡한; 부정한[하게]
—*a.* **1** **정사각형의**, 사각의 **2** 직각을 이루는, 직각의 《*with, to*》 **3** 동등한, 비등한, 동점의; 곧은, 수평의, 평행의 《*with*》 **4** 정돈된, 정연한; 〈모순 등이〉 명백한 **5** 《구어》 **공명정대한**, 정정당당한, 공평한; 정직한 《*with*》 **6** Ⓐ 《구어》 〈식사가〉 실속이 있는, 충분한 **7** 〈어깨·턱 등이〉 네모진, 떡 벌어진 **8** 대차(貸借)가 없는, 계산이 끝난 **9** Ⓐ 〖수학〗 평방의, 제곱의 《略 sq.》 **10** 절대적인, 딱 자르는 〈거절 등〉 **11** 〖항해〗 가로의, 〈활대가〉 용골과 직각을 이루는 **12** 〖카드·댄스〗 짝지은 두 사람[쌍]씩 서로 마주보고 하는
all ~ (1) (골프 등에서) 실력이 비등한 (2) 완전히 준비가 된 (3) 대차(貸借) 없는, 청산한 ***call it ~*** 피장파장이라고 보다, 비등하다고 보다 ***get*** one***'s accounts ~*** (***with*** a person) (…와) 대차(貸借)를 청산하다 ***get ~ with*** (1) …와 피장파장이[동등하게] 되다 (2) …와 대차 관계를 청산하다, 셈을 치르다 (3) …에게 보복하다 ***get things ~*** 《구어》 정돈하다, 바로잡다; 이해하다 **~ *to the wood*** 매우 미성숙한
—*vt.* **1** **정사각형으로 하다**[만들다] 《*off*》 **2** 네모[직각]로 하다; 〈어깨·팔꿈치 등을〉 펴다 **3** 〖수학〗 제곱하다; …의 면적을 구하다 **4** 〈목재 등을〉 직각으로 하다 《*with*》 **5** 〈시합을〉 동점으로 만들다 **6** 《구어》 부합[적응]시키다, 일치시키다 《*with, to*》: (~+목+전+명) ~ one's actions *by* the opinion of others 타인의 의견에 따라 자기의 행위를 조절하다 / ~ one's theories *with* facts 자기의 이론을 사실에 부합시키다 **7** 《구어》 〈빚 등을〉 청산하다; 보복하다: (~+목+부) ~ (*up*) a bill 셈을 치르다 // (~+목+전+명) I have ~*d* accounts *with* him. 그에게 빚을 갚았다; 그에게 앙갚음을 했다. **8** 〖항해〗 〈활대를〉 용골과 직각되게 하다; 〈항로 등을〉 정하다 **9** 《고어·속어》 매수하다
—*vi.* **1** 직각을 이루다 《*with*》 **2** 《구어》 일치하다, 조화되다 《*with*》: (~+전+명) His statement does not ~ *with* the facts. 그의 진술은 사실과 일치하지 않는다. **3** 《구어》 결제하다, 정산하다 《*up, for*》: (~+부) Have we ~*d up* yet? 이젠 정산이 끝난 거냐? **4** 〖권투〗 시합 자세를 취하다, 시합 자세로 전진하다 **5** 〖스포츠〗 동점이 되다 **6** 정직하게 말하다 《*with*》
~ away (1) 《구어》 반듯하게[정연하게] 정리하다, 치우다 (2) 《미·구어》 (…의) 준비를 하다 (3) 〖항해〗 순풍을 받다 ***~ off*** (1) 네모[직각]로 하다 (2) 《미》 싸움의 자세를 취하다, 수세(守勢)[공세]를 취하다 **~** one***'s elbows*** [***shoulders***] 떡 버티다, 어깨를 펴다 《싸움

의 자세나 뽐내는 태도 등》 ~ one*self* 〈과거의 잘못 등의〉 책임을 지다; 청산하다 《*with*, *for*》 ~ ***the circle*** 원을 네모로 만들다; 불가능한 일을 하려고 하다 ~ ***up to*** difficulties[problems] (난관[문제])에 정면으로 대들다

— *ad.* **1** 직각으로; 사각으로 **2** 정면으로, 똑바로, 정통으로: look a person ~ in the face …의 얼굴을 똑바로 쳐다보다/hit a person ~ in the mouth …의 입을 정통으로 쥐어박다 **3** (구어) 공평하게, 정정당당히 **4** 솔직히, 정직하게 **5** (미·구어) 전적으로, 완전히(exactly) ***play*** ~ 공명정대하게[정정당당히] 하다

squár·a·ble *a.* **~·like** *a.*

squáre ápple (미·속어) 착실한 사람

squáre báck 〖제본〗 모둥, 각진 등

square·bash [skwέərbæ̀ʃ] *vi.* (영·군대속어) 군사 교련을 하다[에 참가하다]

square·bash·ing [-bæ̀ʃiŋ] *n.* Ⓤ (영·군대속어) 군사 교련

squáre brácket 〖인쇄〗 꺾쇠괄호 《[ ]》

squáre bróad (미·속어) (매춘부가 아닌) 여염집 여자

square-built [-bílt] *a.* 어깨가 떡 벌어진, 모난, 옆으로 퍼진

squáre cáp 대학모, 각모(角帽)

squared [skwέərd] *a.* 모눈의, 사각형으로 나뉜[표시된]: ~ paper 모눈종이

squáre dànce 스퀘어 댄스 《한 쌍씩 짝을 지어 네 쌍이 마주 보고 추는 춤》

squàred círcle (구어) 권투 시합장, 링

squáre déal **1** 공정한 거래[대우] **2** 〖카드〗 패를 공정하게 도르기 **3** [**S- D-**] 〖미국사〗 공평 정책 《Theodore Roosevelt 대통령의 공약(1901-04)》

square·dom [skwέərdəm] *n.* (영·속어) 고지식한 상태[패거리]

squàred páper 그래프 용지, 모눈종이, 방안지

squàred ríng (구어) 권투 시합장, 링

square-eyes [skwέəràiz] *n.* (영·속어) 텔레비전에 열중하는 사람

square·face [-fèis] *n.* Ⓤ (영·속어) 진(gin); 싸구려 독주

square-faced [-fèist] *a.* 모난 얼굴의

squáre fóot 평방 피트 《略 sq. ft., ft^2》

square·head [-hèd] *n.* (속어) **1** (경멸) 스칸디나비아 사람(Scandinavian); 독일 사람 **2** 얼간이

squáre ínch 평방 인치

squáre Jóhn [때로 **s- j-**] (미·속어) 정직한 사람, 선량한 시민

squáre knòt (미) 옭매듭((영) reef knot)

squáre-law detéctor [-lɔ̀:-] 〖전자〗 자승(自乘) 검파기

squáre lèg 〖크리켓〗 타자의 좌측, wicket 정면 부근의 야수 (위치)

*****square·ly** [skwέərli] *ad.* **1** 직각으로; 네모지게 **2** 정면으로, 바로: face a problem ~ 문제에 정면으로 맞서다 **3** 공평하게, 공명정대하게; 정정당당히, 정직하게 **4** 거리낌없이, 딱 잘라서 **5** (속어) (식사 등) 잔뜩, 배불리, 충분히

squáre mátrix 〖수학〗 정방 행렬(正方行列)

squáre méal (양적으로나 질적으로나) 충실한 식사, 실속 있는 식사

squáre méasure 〖수학〗 평방적(積); 면적 《144 sq. in. = 1 sq. ft. / 9 sq. ft. = 1sq. yd. / 640 acres = 1 sq. mi.》

squáre méter 제곱 미터 《略 m^2》

squáre míle 제곱 마일

square·ness [skwέərnis] *n.* Ⓤ **1** 네모짐, 방형(方形); 직각도 **2** 공정, 정직

squáre número 〖수학〗 평방수 《1, 4, 9 등》

squáre óne 출발점, 시작: from ~ 처음부터 ***back at*** [***to***] ***the*** ~ 〈조사·실험 등이〉 처음으로 되돌아가서

squáre óut 〖미식축구〗 스퀘어 아웃 《패스의 일종》

squáre pég (영·속어) (환경·일 등에) 맞지 않는 사람[물건], 부적응자

squáre piáno 직사각형 피아노

square-rigged [skwέər-rígd] *a.* 〖항해〗 가로돛 장치 [의장(艤裝)]의, 가로돛식의

square-rig·ger [-rígər] *n.* 가로돛 범선

square-rigger

squáre róot 〖수학〗 제곱근 《기호 r, √‾》

squáre sàil 〖항해〗 가로돛

squáre shóoter (미·구어·비꼼) 정직한 사람, 공정[충직]한 사람

square-shoul·dered [-ʃóuldərd] *a.* 어깨가 떡 벌어진, 어깻죽지가 올라간

squares·ville [skwέərzvil] *n.* Ⓤ (속어) 인습적인 [구식의] 사회 — *a.* 시대에 뒤진, 구식의, 인습적인

square-toed [skwέərtóud] *a.* **1** 〈구두 등의〉 코가 네모진 **2** 〈관습·사고방식 등이〉 구식인 **~·ness** *n.*

square-toes [-tòuz] *n. pl.* [단수 취급] 꼼꼼한 사람, 결벽가(潔癖家), 구식 사람

squáre wàve 〖물리〗 구형파(矩形波), 네모파

squáre yárd 제곱 야드

squar·ish [skwέəriʃ] *a.* 네모진, 모난 **~·ly** *ad.* **~·ness** *n.*

squar·son [skwɑ́:rsn] [*squ*ire+*par*son] *n.* (영국 국교회의) 지주(地主) 겸 목사

*****squash**[1] [skwɑ́ʃ, skwɔ́:ʃ | skwɔ́ʃ] *vt.* **1** 짓누르다; 눌러 찌그러뜨리다(crush); 짜다, 납작하게 만들다 **2** (좁은 곳에) 밀어 넣다, 쑤셔 넣다 《*into*》: (~+목+전+명) ~ too many people *into* a bus 버스에 승객을 잔뜩 밀어 넣다 **3** 〈반란 등을〉 진압하다; (구어) 〈사람을〉 끽소리 못하게 하다

— *vi.* **1** 찌부러지다, 납작해지다 **2** 철썩 떨어지다; 철썩거리다 **3** 헤치고[밀치고] 들어가다[나아가다] 《*in*, *into*》: (~+전+명) ~ *into* a crowded bus 만원 버스에 억지로 밀치고 들어가다 ***S~ that*** (***melon***)***!*** (미·속어) 이제 됐어, 걱정하지마! ~ ***up*** (…에) 밀착하다[되다], (…에) 바짝 밀어붙이다 《*against*》

— *n.* **1** 찌그러진 물건, 물렁물렁한 덩어리 **2** 철썩, 털썩 《무겁고 물렁한 물건이 떨어지거나 찌부러지는 소리》 **3** [a ~] 혼잡; 군중(crowd) **4** (영) 스쿼시, 과즙 음료: lemon ~ 레몬 스쿼시 **5 a** = SQUASH RACQUETS **b** = SQUASH TENNIS **~·er** *n.*

squash[2] *n.* (*pl.* **~·es**, ~) **1** 〖식물〗 호박 《덩굴식물 및 열매》 **2** (미·속어) 얼굴, 낯짝, 《특히》 보기 싫은 얼굴

squásh bùg 〖곤충〗 호박노린재 《호박의 덩굴을 해치는 악취 나는 벌레》

squásh hát 챙 넓은 소프트 모자 《접을 수 있는》

squásh ràcquets[**ràckets**] [단수 취급] 스쿼시 《사방이 벽으로 둘러싸인 코트에서 자루가 긴 라켓과 고무공으로 하는 구기로 단식과 복식이 있음》

squásh tènnis 스쿼시 테니스 《스쿼시와 비슷하지만 공이 더 크고 라켓은 테니스 라켓과 비슷한 것으로 하는 단식용 구기》

squash·y [skwɑ́ʃi, skwɔ́:ʃi | skwɔ́ʃi] *a.* (**squash·i·er**; **-i·est**) **1** 찌부러지기 쉬운 **2** 질퍽질퍽한 〈땅 등〉 (muddy) **3** 모양이 찌부러진, 뭉크러진 **squásh·i·ly** *ad.* **squásh·i·ness** *n.*

*****squat** [skwɑ́t | skwɔ́t] *v.* (**~·ted**, ~; **~·ting**) *vi.* **1** 웅크리다, 쪼그리고 앉다(crouch) 《*down*》; (구어) (책상다리를 하고) 앉다 《*down*》 **2** (남의 땅 또는 공유지에) 무단으로 정착하다, 미개간지에 정착하다 **3** 〈동물이〉 땅에 엎드리다, 몸을 감추다(cower)

— *vt.* **1** [~ one*self* 로] 쪼그려 앉히다 《*down*》: She ~*ted herself down.* 그녀는 쪼그리고 앉았다. **2** 〈남의 땅·건물에〉 불법 거주하다, 불법 점유하다

—*a.* (**~·ter**; **~·test**) **1** Ⓟ 쪼그리고 앉은 **2** 땅딸막한(crouching)
—*n.* **1** [a ~] 쪼그리고 앉은 자세 **2** 불법 점거 건조물[가옥] **3** (속어) 돈 ***not ... ~*** 조금도 …가 아닌
~·ly *ad.* **~·ness** *n.* ▷ squátty *a.*

squat·ter [skwɑ́tər | skwɔ́t-] *n.* **1** 쪼그리고 앉는 사람[동물] **2** (공유지·미개간지의) 불법 점거자, 무단 입주자 **3** (소유권 획득을 목적으로 하는) 공유지 정착자 **4** (호주) 목장 차용인; 목양(牧羊)업자

squátter's ríght 〖법〗 (토지) 점유자의 권리

squát thrùst 스쿼트 《두 손을 바닥에 대고 무릎을 굽혀 두 다리를 함께 앞뒤로 빠르게 이동시키는 운동》

squat·toc·ra·cy [skwɑtɑ́krəsi | skwɔtɔ́k-] *n.* [집합적] (호주) 재력있는 목축업자

squat·ty [skwɑ́ti | skwɔ́ti] *a.* (**-ti·er**; **-ti·est**) 땅딸막한, 뭉뚝한 **squát·ti·ly** *ad.*

squaw [skwɔ́ː] [북미 인디언 말 「여자」의 뜻에서] *n.* **1** (종종 경멸) (북미 인디언의) 여자(cf. BRAVE *n.* 2) **2** (속어·경멸) 여자, 아내; 못생긴 매춘부

squaw·fish [skwɔ́ːfìʃ] *n.* (*pl.* **~**, **~·es**) 〖어류〗 잉엇과(科)의 큰 식용 민물고기 《북미 서해안산(産)》

squawk [skwɔ́ːk] [의성어] *vi.* **1** 〈오리·갈매기 등이〉 거억거억 울다 **2** (구어) (큰소리로) 자꾸만 불평을 말하다[항의하다] 《*about*》 **3** (미·암흑가속어) 고자질하다 **—***vt.* 큰소리로 투덜거리다; (미·속어) 밀고하다
—*n.* **1** (오리·갈매기 등의) 거억거억 우는 소리 **2** (속어) 떠들썩한 불평 **~·er** *n.*

squáwk bòx (구어) **1** (인터폰 등의) 스피커 **2** 선내[기내, 사내] 통화 장치

squawk·y [skwɔ́ːki] *a.* 귀에 거슬리는, 소리가 불쾌한

squáw màn (경멸) 북미 인디언의 여자(squaw)를 아내로 삼은 백인

squáw wínter (미) (Indian summer 이전의) 쌀쌀한 가을 날씨

***squeak** [skwíːk] [의성어] *vi.* **1 a** 〈쥐 등이〉 찍찍 울다 **b** 찍찍 소리를 내다, 끽끽거리며 말하다 **c** 삐걱거리다, 끽끽거리다 **d** 〈어린아이 등이〉 앙앙 울다 **2** (속어) (벌을 모면하기 위해) 밀고하다, 고자질하다 (squeal) 《*on*》; (구어) 가까스로[간신히] 성공하다, 합격하다, 이기다
—*vt.* 끽끽 소리로 말하다 《*out*》
~ by [***through***] 간신히 성공하다
—*n.* **1** 쥐 우는 소리, 찍찍; 삐걱거리는 소리, 끽끽; 앙앙 **2** (구어) 아슬아슬하게 피함[달아남], 위기일발; 위기일발의 성공; (최후의) 기회: He had a ~ of it. 그는 간신히 성공했다 ***a narrow*** [***close, near***] ***~*** 위기일발, 간신히 얻은 성공

squeak·er [skwíːkər] *n.* **1** 끽끽 소리내는 물건 **2** 새새끼, 비둘기 새끼 **3** (속어) 밀고자, 배신자 **4** (구어) (경기·선거 등에서의) 신승(辛勝); 대접전; 가까스로 이긴 선거 《등》 **5** (구어) 위기, 위험한 상황

squeak·y [skwíːki] *a.* (**squeak·i·er**; **-i·est**) 찍찍[끽끽] 소리내는, 앙앙 우는; 삐걱거리는
squéak·i·ly *ad.* **squéak·i·ness** *n.*

squéaky-bùm tìme [-bʌ̀m-] 긴장이 최고조에 달하는 대회의 결승전

squeak·y-clean [skwíːkiklíːn] *a.* (구어) **1** 청결한, 깨끗한 **2** 청렴한, 결백한, 고결한, 건전한

***squeal** [skwíːl] [의성어] *vi.* **1** 깩깩거리다, 깩깩 울다; 비명을 지르다 **2** (영·구어) (맹렬히) 반대하다, 항의하다 《*against*》 **3** (속어) 밀고하다 《*on*》
—*vt.* **1** 깩깩거리며 말하다 **2** 〈문·타이어 등이〉 끼익하고 소리를 내다 **3** (속어) 밀고하다; 배신하다
make a person **~** (속어) …을 협박[갈취]하다
—*n.* **1** (어린아이·돼지 등의) 비명, 깩깩[꽥]하는 소리 《squeak보다 높은 소리》 **2** (속어) (경찰에의) 항의, 불평; 밀고, 배신

squeal·er [skwíːlər] *n.* **1** 깩깩[끽끽] 우는 새 **2** (속어) 밀고자, 고자질쟁이; 불평꾼

squéaler's márk (미·속어) (밀고의 보복으로 생긴) 얼굴의 흉터

squeam·ish [skwíːmiʃ] *a.* **1** 꾀까다로운(fastidious), 신경질의, 잔소리 심한 **2** 잘 토하는, 메스꺼운 **3** (별것도 아닌 일에도) 충격을 받는; (도덕적으로) 지나치게 결벽한; 얌전한 **~·ly** *ad.* **~·ness** *n.*

squee·gee [skwíːdʒiː, ─́] *n.* **1** (짤막한 손잡이가 있는) 고무 걸레 《창문 등의 물기를 닦는》 **2** 〖사진〗 고무 롤러 《건판막(乾板膜)이나 인화막에서 여분의 물기를 없애는 도구》 **—***vt.* (**~d**; **~·ing**) 고무 걸레[롤러]질하다

squéegee màn[**òperator**] (미) (신호 대기 중인 차의) 앞유리를 닦아 주고 돈을 요구하는 사람

squéegee mèrchant (영) = SQUEEGEE MAN

squeez·a·ble [skwíːzəbl] *a.* **1** 짤 수 있는 **2** 갈취할 수 있는; 압박에 못 이기는; 무기력한 **-bíl·i·ty** *n.*

⁑**squeeze** [skwíːz] *vt.* **1** 압착하다, 죄다, 짜내다 《*into, from, out of*》: (~+목+부) ~ the water *out* 물을 짜내다 // (~+목+전+명) ~ juice *from* [*out of*] an orange 오렌지에서 과즙을 짜내다 // (~+목+보) ~ a lemon dry 레몬을 바짝[물기 없게] 짜다 **2** (무슨 의미가 있는 듯이) 꽉 쥐다[죄다], 굳게 악수하다, 꼭 껴안다(hug); 〈총의 방아쇠를〉 힘을 들여 잡아당기다: ~ a person's hand …의 손을 꽉 쥐다 / ~ a kitten 새끼 고양이를 꼭 껴안다 **3** (구어) 압박하다, 착취하다, 강제하다, 억지로 내게 하다 《*from, out of*》; 입을 떼게 하다 《*out*》: (~+목+전+명) ~ a confession *from* a person …을 억지로 자백시키다 **4** 밀어[쑤셔] 넣다 《*into*》: (~+목+전+명) ~ clothes *into* a small bag 작은 가방에 옷가지를 쑤셔 넣다 / ~ oneself *into* …에 억지로 밀치고 들어가다 **5** 〖야구〗 〈3루 주자를〉 스퀴즈로 득점시키다 《*in*》; 〈득점을〉 스퀴즈로 올리다 《*in*》 **6** 〈석판 인쇄 등을〉 찍어내다, 본을 뜨다
—*vi.* **1** 압착되다, 짜지다: (~+부) Oranges ~ *easily.* 오렌지는 쉽게 짜진다. **2** 헤치고 나아가다; 밀고 들어가다, 비집고 들다 《*in, through, out of*》: (~+전+명) ~ *through* a crowd 군중을 헤치고 나아가다 // (~+부) Can I ~ *in*? 좀 비집고 들어가도 될까요? **3** 〈선로 등이〉 합쳐지다, 합류하다
~ off (구어) 방아쇠를 당겨 〈탄환을〉 쏘다, 발사[발포]하다 ***~ out*** 짜내다; 〈사람을〉 〈회사 등에서〉 밀어내다; 계략을 써서 파산[폐업]시키다 ***~ one's way through*** …을 비집고[헤치며] 나아가다 ***~ through*** [***by***] 간신히 통과하다; (구어) 가까스로 승리[성공]하다 ***~ to death*** 압살(壓殺)하다, 눌러 죽이다 ***~ up*** 〈승객들을〉 밀어 넣다, 〈승객 등이〉 밀려들다
—*n.* **1** 압착; 짜냄; (소량의) 짠 즙 **2** 굳은 악수; (영) 끌어 안음 **3** 밀침, 혼잡 **4** (석판 인쇄 등의) 눌러 찍음, 형(型)을 뜸 **5** UC (구어) 강요, 갈취, 착취; 부정 수수료 **6** (구어) 진퇴양난, 곤경 **7** (경제적인) 압박, 긴축; (정부의) 금융 긴축 **8** 〖야구〗 스퀴즈 플레이(=~ play) ***put the ~ on*** (구어) …에 압력을 가하다

squéeze bòttle 눌러 짜내는 플라스틱 병

squeeze·box [skwíːzbɑ̀ks | -bɔ̀ks] *n.* (구어) = CONCERTINA, ACCORDION

squéeze bùnt 〖야구〗 스퀴즈 번트

squéezed órange [skwíːzd-] 이용 가치가 없어진 것[사람]

squéeze plày **1** 〖야구〗 스퀴즈 플레이 **2** 〖카드〗 상수 카드로 상대편의 중요한 카드를 내놓게 하기

squeez·er [skwíːzər] *n.* **1** 압착기 **2** 착취자 **3** 오른편 위 구석에 끝수가 적힌 카드 패

squeg [skwég] *vi.* (**~ged**; **~·ging**) 〖전자〗 (과도한 귀환 때문에) 〈회로가〉 불규칙하게 발진(發振)하다

squeg·ger [skwégər] *n.* 〖전자〗 단속(斷續) 발진기

squelch [skwéltʃ] [의성어] *vt.* **1** 짓누르다, 찌그러뜨리다; 진압하다 **2** (구어) 찍소리 못하게 하다 **3** 〈물·진흙 등을〉 철벅철벅 소리나게 하다 **—***vi.* **1** 철벅철벅 소리를 내다; 철벅거리며 걷다 **2** 찌부러지다, 쑥 들어가다 **—***n.* **1** 철벅철벅함[하는 소리] **2** 찌부러뜨림; 진압 **3** (구어) 찍소리 못하게 함[하는 말] **4** 〖전자〗 스켈치 회로(= **~ cìrcuit**) 《자동 잡음 방지 회로》 **~·ing·ly** *ad.*

squelch·er [skwéltʃər] *n.* 남을 찍소리 못하게 하는 주장, 통렬한 역습

squuff [skʌ́f] *vi.* 《미·속어》 배불리 먹다, 포식하다

squib [skwíb] *n.* **1** 《영》 폭죽(firecracker) **2** 도화 폭관(導火爆管), 작은 불꽃놀이 **3** 풍자(문), 풍자적인 이야기; 토막 뉴스 ***a damp*** **~** ⇨ damp squib
—*v.* (**~bed**; **~·bing**) *vi.* **1** 폭죽 《등》 소리가 나다; 폭죽을 터뜨리다 **2** 풍자문을 쓰다
—*vt.* **1** 풍자하다 **2** 〈폭죽을〉 올리다[터뜨리다]

squíb kìck 〖미식축구〗 =ONSIDE KICK

squid[1] [skwíd] *n.* (*pl.* **~**, **~s**) **1** 〖동물〗 오징어; Ⓤ 오징어 살 **2** 미끼용 오징어; 오징어 모양의 모조 낚시
—*vi.* (**~·ded**; **~·ding**) **1** 오징어를 낚다; 오징어 미끼로 낚다 **2** (낙하산이 풍압으로) 오징어 모양이 되다

squid[2] *n.* 대(對)잠수함 박격포

squid[3] *n.* [종종 **S~**] 〖물리〗 초(超)전도 양자 간섭계

squidg·y [skwídʒi] *a.* (**squidg·i·er**; **-i·est**) 《영·구어》 〈땅 등이〉 질척한

squiff [skwíf] *vi.* 《속어》 마구 먹다

squiffed [skwíft] *a.* 《속어》 얼근히 취한

squif·fer [skwífər] *n.* 《영·속어》 손풍금

squif·fy [skwífi] *a.* (**-fi·er**; **-fi·est**) 《영·속어》 = SQUIFFED

squig·gle [skwígl] *n.* (글자·선의) 짧고 불규칙한 곡선; 갈겨쓰기(scribble) —*vi.* 비틀리다; 갈겨쓰다 —*vt.* 비틀다; 휼려[갈겨] 쓰다 **-gly** *a.* 구불구불한

squil·gee [skwíldʒiː, ─́] *n.*, *vt.* (**~d**; **~·ing**) = SQUEEGEE

squill [skwíl] *n.* 〖식물〗 **1** 해총(海葱) 《나릿과(科); 뿌리는 거담제》 **2** 실라(scilla) **~·lìke** *a.*

squil·la [skwílə] *n.* (*pl.* **~s**, **~**, **-lae** [-liː, -lai]) 〖동물〗 갯가재

squil·li·on [skwíliən] *n.*, *a.* 《속어》 셀 수 없을 정도로 큰 수(의); 큰 돈(의)

squinch[1] [skwíntʃ] *n.* 〖건축〗 든모 홍예

squinch[2] *vt.* **1** 〈눈을〉 가늘게 뜨다; 〈얼굴을〉 찌푸리다 **2** 압착하다 —*vi.* **1** 눈을 가늘게 뜨다 **2** 움츠리다, 꽁무니빼다

***squint** [skwínt] *a.* **1** 사팔눈의, 사시(斜視)의 **2** 곁눈질하는; 눈을 가늘게 뜨고 보는
—*n.* **1** 사팔눈, 사시(strabismus): have a bad [fearful] ~ 심한 사팔뜨기다 **2** 《구어》 곁눈질, 흘긋 봄; 일별(一瞥): Let's have a ~ at it. 그것을 잠깐 보자. **3** 성벽(性癖), 경향, 편향 《*to*, *toward*(*s*)》 **4** 간접적 언급
—*vi.* **1** 사팔눈이다 **2** 곁눈질을 하다, 실눈으로 보다 《*at*, *through*》 **3** 잠깐 보다, 일별하다 《*at*》 **4** 경향이 있다, 기울다; 빗나가다 《*toward*, *at*》: (~+전+명) Your remarks ~ *toward* socialism. 당신의 비평에는 사회주의적인 경향이 있다.
—*vt.* 사팔뜨기가 되게 하다; 〈눈을〉 가늘게 뜨다, 곁눈질하다 **~·er** *n.* 사팔뜨기 **~·ing·ly** *ad.*

squint-eyed [skwíntàid] *a.* **1** 사팔눈의 **2** 곁눈질하는 **3** 〈태도·성질 등이〉 악의적인, 편견을 가진

‡**squire** [skwáiər] [esquire의 두음 소실(頭音消失)] *n.* **1** 《영》 (knight의 아래·gentleman의 위인) 시골의 대(大)지주(에 대한 칭호), 시골 신사 **2** 〖역사〗 기사(騎士)의 종자(esquire) **3** (고관 등의) 종자 **4** 《미》 치안 판사 및 지방 판사에 대한 경칭 **5** 《드물게》 숙녀를 에스코트하는 사람, 여자의 비위를 잘 맞추는 사람
—*vt.*, *vi.* 〈숙녀를〉 에스코트하다 **~·lìke** *a.* **~·shìp** *n.* squire의 신분[위신, 영지(領地)]; 지주 계급

squir(e)·arch [skwáiərɑːrk] *n.* 《영》 지주 계급

squir(e)·ar·chy [skwáiərɑːrki] *n.* (*pl.* **-chies**) [the ~] 지주 계급, 지주들; Ⓤ 지주 정치

squire·dom [skwáiərdəm] *n.* squire의 신분[영지, 위신]; 지주 계급

squi·reen [skwaiəríːn] *n.* 《아일》 소(小)지주

squire·ling [skwáiərliŋ], **-let** [-lit] *n.* 소지주, 젊은 지주

squirm [skwə́ːrm] *vi.* **1** (벌레 같이) 꿈틀거리다, 옴죽거리다 **2** 몸부림치다; 우물쭈물하다, 어색해하다
—*n.* 어색해함; 몸부림 **squírm·y** *a.*

‡**squir·rel** [skwə́ːrəl, skwʌ́r- | skwír-] *n.* (*pl.* **~s**, [집합적] **~**) 〖동물〗 다람쥐; Ⓤ 다람쥐의 털가죽
—*vt.* (**~ed**; **~·ing** | **~led**; **~·ling**) 〈돈·귀금속 등을〉 저장하다, 숨기다 《*away*》 **~ *out of ...*** 《미·구어》 〈싫은 상황으로부터〉 겨우 벗어나다

squírrel càge **1** (쳇바퀴 달린) 다람쥐장 **2** 다람쥐장 모양의 선풍기 **3** 《구어》 헛된 되풀이, 단조롭고 내용 없는 생활[일]

squírrel còrn 〖식물〗 미국금낭화

squir·rel·ly, -rel·y [skwə́ːrəli, skwʌ́r- | skwír-] *a.* 기묘한, 미친(짓의); 신경과민의

squírrel rìfle[gùn] 22구경 소총

squirt [skwə́ːrt] *vt.* 〈액체를〉 뿜게 하다, 분출시키다, 뿜어내다. (~+목+전+명) ~ water *from* a water pistol 물총으로 물을 내뿜다
—*vi.* **1** 분출하다, 뿜어 나오다; 물을 내뿜다: (~+전+명) Water ~*ed from* the hose. 호스에서 물이 쏟아져 나왔다. **2** (…에) 주사하다 《*at*》
—*n.* **1** 분출, 뿜어 나옴; 분수 **2** 《구어》 건방진 벼락부자, 잘난 체하는 젊은이; 《구어》 꼬마; 《속어》 구두쇠; 《미·속어》 25센트 **3** 주사기; 물총(=~ gun); 소화기(消火器) ***have a*** **~** 《속어》 오줌누다
~·er *n.* (액체) 분출[분사] 장치

squírt gùn (총 모양의) 분사기(spray gun); 물총(water pistol)

squírt·ing cúcumber [skwə́ːrtiŋ-] 〖식물〗 오이의 일종 《열매가 터져서 씨가 나옴》

squish [skwíʃ] [squash의 변형] *vt.* 《구어》 찌그러뜨리다, 짜다(squeeze) —*vi.* 철벅철벅 소리를 내다
—*n.* 철벅거리는 소리; 《속어》 =MARMALADE

squish·y [skwíʃi] *a.* (**squish·i·er**; **-i·est**) 흐늘흐늘한, 질퍽한; 감상적인 **squísh·i·ness** *n.*

squit [skwít] *n.* 《영·속어》 **1** 보잘것없는 놈 **2** 어리석은 일, 난센스, 허튼소리 **3** [*pl.*] 《영·속어》 설사

squit·ters [skwítərz] *n. pl.* 《영·속어》 설사

squiz [skwíz] *n.* (*pl.* **~·zes**) 《호주·속어》 (호기심으로) 힐끗 봄

squush [skwʌ́ʃ, skwúʃ] *v.*, *n.* =SQUISH

sq yd square yard(s) **sr** steradian(s) **Sr** Seaman recruit; Senior; Señor; Sir; 〖가톨릭〗 Sister; 〖화학〗 strontium **S-R** stimulus-response **Sra** Senhora; Señora **SRAM** short-range attack missile 단거리 공격 미사일 **SRAMS** static random access memory chips **SRB** solid rocket booster **SRBM** short-range ballistic missile 단거리 탄도 미사일 **SRC** 《영》 Science Research Council

Ś-R connèction [èsɑ́ːr-] [*s*timulus-*r*esponse *connection*] 〖심리〗 자극-반응 결합, S-R설(說)

S. Res. Senate resolution

sri, shri [sríː, ʃríː] *n.* **1** 스리 《힌두교의 신·지존자(至尊者)·성전(聖典)에 붙이는 존칭》 **2** …님, …선생님 《Mr., Sir에 해당함》

SRI *Sacrum Romanum Imperium* 《L =Holy Roman Empire》

Sri Lan·ka [srìː-lɑ́ːŋkə, -lǽŋkə, ʃrìː-] 스리랑카 《인도 남동방의 Ceylon섬으로 된 공화국; 수도 Colombo; 옛 이름 Ceylon》 **Srì Lán·kan** *a.*, *n.*

Sri·ma·ti [sríːməti] *n.* 《인도》 …님, …선생님 《여성에 대한 존칭; cf. SRI》

SRN State Registered Nurse **sRNA** soluble RNA 가용성 RNA **SRO** standing room only 《입석(立席) 이외는 만원》 **Srta** Señorita **SRU** Scottish Rugby Union **ss** 〖야구〗 shortstop **SS** *Schutzstaffel* 《G = elite guard》 (히틀러의) 친위대; screw steamer; Secretary of State; Silver Star 《은성 훈장》; steamship; Straits Settlements; Sunday School **ss.** scilicet; sections; *semis* 《L = one half》; subsection **SS.** Saints

S$ Singapore dollar(s) **SSA** Social Security Act[Administration] 사회 보장법[보장국] **SSAFA** Soldiers', Sailors' and Airmen's Families Association **SSB** 〖통신〗 single sideband (transmission); Social Security Board

SSBN [èsèsbìːén] [*SS*(=submarine)+*b*allistic+*n*uclear] *n.* 〖미해군〗 탄도 미사일 탑재 원자력 잠수함

SSC (스코) Solicitor to the Supreme Court **SScD** Doctor of Social Science **SS.D** *Sanctissimus Dominus* (《L=Most Holy Lord, the Pope》) **SSE** south-southeast **S.Sgt** Staff Sergeant **SSI** small-scale integration[integrator] 〖전자〗 소규모 집적 회로; (미) Supplemental Security Income (for the Aged, Blind, and Disabled) (고령자 및 장애자를 위한) 보조적 보장 소득 **SSJE** Society of St. John the Evangelist

Ś slèep [synchronized *sleep*] 〖생리〗 S수면, 동기성(同期性) 수면

SSM staff sergeant major; surface-to-surface missile

SSN [èsèsén] [*SS*(=submarine)+*n*uclear] *n.* 〖미해군〗 원자력 잠수함

SSN severely subnormal 〖심리〗 지능이 매우 낮은; social security number (미국의) 사회 보장 번호 **ssp** subspecies **SSR** Soviet Socialist Republic(cf. USSR) **SSRC** Social Science Research Council **SSS** (미) Selective Service System **SST** supersonic transport 초음속 여객기

S-state [ésstèit] *n.* 〖물리〗 S상태 《궤도각 운동량이 0인 양자의 역학적 상태》

SS-20 [ésèstwénti] *n.* 〖군사〗 구소련의 중거리 탄도 미사일 《2단식 탄도 미사일로 최대 사정 5,000 km》

SSU Ship Salvage Unit 〖군사〗 해군 해난 구조대 **SSW** south-southwest **St** 〖기상〗 stratus **ST** single throw; summer time **st.** stanza; stere; 〖인쇄〗 stet; stone 《중량의 단위》; street; strophe; 〖크리켓〗 stumped

‡**St.** [sèint | sənt] *n.* (*pl.* **SS., Sts.**) 성(聖)…, 세인트(Saint)… **a** [성인(聖人)·대(大)천사·사도 이름 등에 붙임]: *St.* Paul 성 바울 **b** [교회·학교 이름 등에 붙임]: *St.* Peter's **c** [도회지 이름·사람 이름]: *St.* Andrews **d** [saint 이외의 것에 붙여서 교회 이름]: *St.* Saviour's ★ 이 사전에서 St.의 복합어는 (1) 성인의 경우는 St.를 뺀 인명항에 (2) 그밖의 경우는 St.(=saint) ~ 어순으로 표제어로 처리하였음.

St. Saturday; statute(s); Strait; Street **s.t.** short ton

-st[1] [st] *suf.* ⇨ -(e)st

-st[2] 숫자 1에 붙여 서수를 나타냄: 1*st*, 41*st*

sta. station; stationary

‡**stab** [stǽb] *v.* (**~bed**; **~·bing**) *vt.* **1 찌르다,** 찔러 죽이다 《*with, by*》: (~+목+전+명) ~ a person *with* a dagger=~ a dagger *into* a person …을 단도로 찌르다 / ~ a person *to* death …을 찔러 죽이다 / ~ a piece of chicken with one's fork 포크로 닭고기 한 조각을 찍다

> 유의어 **stab** 뾰족한 것으로 찌르다 **pierce** 뾰족한 것으로 꿰찌르다, 또는 구멍을 내다: get[have] one's ears *pierced* (귀고리를 꿰도록) 귀에 구멍을 뚫다

2 (손가락 등으로) (…을) 향하여 가르키다 《*at, in*》 **3** 〈명성·양심 등을〉 몹시 해치다, 중상하다: Remorse ~*bed* her. 그녀는 양심의 가책을 받았다. // (~+목+전+명) He was ~*bed to* the heart by his son's misconduct. 그는 아들의 비행 때문에 가슴을 도려내는 느낌이었다. **4** 〖석공〗 〈벽돌벽의〉 면을 거칠게 하여 도벽 재료와 잘 붙게 하다 **5** 〖제본〗 〈접장 등에〉 구멍을 뚫다 **~** a person ***in the back*** 비열하게 …의 등을 찌르다; …을 중상하다, 배신하다

— *vi.* **1 찌르다,** 찌르려고 대들다 《*at, into*》: (~+전+명) The thief ~*bed at* him. 도둑은 그를 보고 찔렀다. **2** 찌르듯이 아프다 《*at*》 **3** (명성에) 상처 입다

— *n.* **1** 찌름; 자상(刺傷), 찔린 상처 **2** 쑤시고 아픔, 동통 **3** (구어) (…에 대한) 첫 시도, 도전; 기도(企圖) ***a ~ in the back*** (특히 믿는 사람에게서의) 중상 모략, 배신 ***have*** [***make, give, take***] ***a ~ at*** …을 시도해 보다

Sta·bat Ma·ter [stáːbɑːt-máːtər, stéibæt-méitər] [L=the mother was standing] 슬픈 성모 《그리스도가 십자가에 못 박혔을 때의 성모의 슬픔을 노래한 성가》; 그 곡

stab·ber [stǽbər] *n.* 찌르는 사람[물건]; 송곳; 단도; 자객

stab·bing [stǽbiŋ] *a.* **1** 찌르는 듯한, 통렬한 〈아픔〉 **2** 〈언동 등이〉 마음에 상처 입히는

stáb cùlture 〖세균〗 천자(穿刺) 배양

Sta·bex [stéibeks] [*stab*ilize *ex*ports] *n.* 수출 수입(收入) 안정 보상 제도 《개발도상국에 대하여 EEC가 보상하는》

sta·bile[1] [stéibil, -bail | -bail, -bil] *a.* **1** 안정된, 정착한, 고정된 **2** 〖의학〗 내열성(耐熱性)의; (전기 요법에서) 전극(電極)을 환부에 고정해 두는

sta·bile[2] [stéibiːl | -bail] *n.* 〖미술〗 스태빌 《금속판·철선·목재 등으로 만드는, 정지된 추상 조각[구조물]》

‡**sta·bil·i·ty** [stəbíləti] *n.* (*pl.* **-ties**) UC **1 안정,** 확고; 안정성 **2** (사람·마음 등의) 착실(성), 부동(성) (steadfastness) **3** 〖기계〗 안정, (특히 비행기·선박의) 복원력(復原力), 안정성 ▷ stáble, stábile *a.*

∗**sta·bi·li·za·tion** [stèibəlizéiʃən | -lai-] *n.* U **안정**(화); (물가·통화·정치 등의) 안정

∗**sta·bi·lize** [stéibəlàiz] *vt.* **안정시키다,** 고정시키다; 〈선박·항공기 등에〉 안정 장치를 하다; 변동하지 않도록 하다

— *vi.* 안정[고정]되다

sta·bi·liz·er [stéibəlàizər] *n.* 안정시키는 사람[것, 수단]; (선박·항공기의) 안정 장치; (화약 등의) 안정제 《자연 분해를 방지함》; (식품·화합물 등의) 안정제 《변질 등의 방지용 첨가물》

‡**sta·ble**[1] [stéibl] *n.* **1 마구간,** (때로) 외양간, (어떤 마구간에 속하는) 경마 말, …소유의 말 **2** (구어) **a** [집합적] 동일 조직에서 같은 일을 하는 사람들; 동일 회사에서 생산된 제품 **b** (권투 선수 등의) 양성소, 체육관 ***go out of the ~*** 〈말이〉 경주에 나가다 ***lock*** [***shut***] ***the ~ door when*** [***after***] ***the steed is stolen*** ⇨ lock[1]

— *vt.* 마구간에 넣다

— *vi.* 마구간(같은 곳)에서 살다 **~·like** *a.*

‡**sta·ble**[2] [stéibl] [L 「서다(stand)」의 뜻에서] *a.* (**-bler**; **-blest**) **1 안정된;** 견실한, 동요하지 않는, 고정된 **2** 지속성[영구성]이 있는 **3** 〖기계〗 안정된, 복원력(復原力)이 있는, 복원율이 큰; 〖화학〗 (분해·변화하지 않는) 안정성의 **4** 착실한, 결심이 굳은 **~·ness** *n.* =STABILITY **stá·bly** *ad.*

sta·ble·boy [stéiblbɔ̀i], **-lad** [-læ̀d] *n.* 소년 마부 《여성형은 stablegirl》

sta·ble-call [-kɔ̀ːl] *n.* 〖군사〗 말손질(하라는) 신호

sta·ble-com·pan·ion [-kəmpǽnjən] *n.* (구어) 같은 체육관[클럽]의 (권투) 선수

stáble dòor (영) =DUTCH DOOR 1

stáble equilíbrium 〖기계〗 안정 균형

sta·ble·man [-mən, -mæ̀n] *n.* (*pl.* **-men** [-mən, -mèn]) 마부(groom)

sta·ble·mate [-mèit] *n.* **1** 같은 마구간의 말 **2** 동창, 동아리, 친구; =STABLE-COMPANION

stáble pùsh (미) 〖경마〗 내부 정보

sta·bler [stéiblər] *n.* 마구간지기

sta·bling [stéibliŋ] *n.* U **1** 마구간에 넣음 **2** 마구간 설비; [집합적] 마구간(stables)

stab·lish [stǽbliʃ] *vt.* (고어) =ESTABLISH

stacc. 〖음악〗 staccato

stac·ca·to [stəkɑ́:tou] [It.] *a.* 〖음악〗 스타카토의, 단주(斷奏)의, 단음적(斷音的)인 《略 stacc.》: a ~ mark 단음 기호(cf. LEGATO) **—** *ad.* 스타카토로, 단주로, 단음적으로; 띄엄띄엄 **—** *n.* (*pl.* **~s, -ti** [-ti:]) 스타카토, 단주(cf. ACCELERANDO)

***stack** [stæk] *n.* **1** 더미, 퇴적(堆積), 쌓아 올림 **2** 낟가리, 쌓은 짚[건초] 더미 **3** [a ~; *pl.*] 많음, 다량 《*of*》 **4** [보통 *pl.*] (도서관의) 서가, 서고 **5 a** 한 곳에 모여 솟은 일군(一群)의 굴뚝 **b** (단독의) 기차[기선]의 굴뚝(smoke stack): a factory ~ 공장의 굴뚝 **6** 한 가리 《장작을 재는 단위, 108 세제곱 피트》 **7** [a ~ of arms] 걸어총 **8** 〖컴퓨터〗 스택 《일시 기억용 장치》 **9** 〖항공〗 (착륙 차례를 기다리며) 선회하는 비행기들 **10** (속어) 마약 중독자 **11** (영·속어) 머리, 능력
***blow** one**'s ~** (미·속어) 미치다; 발끈 화를 내다
— *vt.* **1** 〈낟가리 등을〉 쌓다, 쌓아 올리다 《*up*》; 〈총을〉 걸다 **2** (미) 〖카드〗 〈패를〉 속임수로 섞어 맞추다 **3** 〈착륙하려는 비행기를〉 선회 대기시키다 《*up*》 **4** 〈사람·차를〉 정체시키다 《*up*》
— *vi.* **1** (산더미같이) 쌓이다 《*up*》 **2** 열[무리]을 이루다 《*up*》 **3** 〈비행기가〉 (착륙 전에) 선회 대피하다
have the cards ~ed against one 매우 불리하다 ***S~ arms!*** 걸어총! ***~ the cards*** [***deck***] 카드 패를 속임수를 써서 맞추다; 부정하게 미리 준비해 놓다 **~ *up*** (1) (미·속어) 〈이야기가〉 이치에 맞다 (2) (미·구어) 해 나가다, 지내다 (3) 매점(買占)하다 《*with*》 (4) 〈자동차 따위가〉 정체하다; 〈교통을〉 정체시키다; 〈비행기를〉 선회 대기시키다 (5) (미·구어) 총계 …이 되다 《*to*》; 결과로서 …이 되다 (6) (미·구어) 필적하다, 못하지 않다 《*against*, *with*》 (7) 〈형세가〉 진행되다 **~·a·ble** *a.*

stacked [stækt] *a.* (미·속어) 〈여성이〉 매력적인 몸매의, 유방이 큰

stácked[(미) **stáck**] **héel** 스택 힐 《빛깔이 서로 다른 층을 교대로 겹친 구두 뒤축》

stack·ing [stǽkiŋ] *n.* 〖항공〗 선회 대피 《착륙 전의 2-3대의 비행기가 고도차를 유지한 선회》

stácking chàir 스태킹 체어 《플라스틱을 틀에 넣어 만든 의자; 쌓아 올려서 앉음》

stáck ròom (도서관의) 서고(書庫)

stack·up [stǽkʌ̀p] *n.* 〖항공〗 =STACKING

stac·te [stǽkti] *n.* Ⓤ (옛 유대인이 향료 재료로 쓴) 소합향(蘇合香)

stac·tom·e·ter [stæktɑ́mətər | -tɔ́m-] *n.* 적량계(滴量計)

stad·dle [stǽdl] *n.* **1** (마른 풀 등의) 퇴적의 밑부분 **2** 퇴적을 놓은 토대 **3** 작은[어린] 나무

sta·di·a[1] [stéidiə] *n.* 시거 측량(視距測量); 시거의(視距儀)

stadia[2] *n.* STADIUM의 복수

sta·dim·e·ter [stədímətər] *n.* 측거의(測距儀)

sta·di·om·e·ter [stèidiɑ́mətər | -ɔ́m-] *n.* 스타디오미터 《곡선 등의 길이를 재는 도구》

‡sta·di·um [stéidiəm] *n.* (*pl.* **~s, -di·a** [-diə]) **1** (관람석으로 둘러싸인) **경기장**, 스타디움, 육상 경기장, 야구장 **2** 〖고대 그리스〗 **a** 도보 경주장 **b** 길이의 단위 《약 185 m, 원래 올림피아 경기장의 길이》 **3** 〖의학〗 병의 제 …기(stage) 《병의 진행 단계》

stadt·hold·er [stǽthòuldər] *n.* 〖역사〗 (네덜란드의) 주(州)지사, 총독 **~·ate** *n.* **~·shìp** *n.*

‡staff[1] [stæf, stɑ́:f | stɑ́:f] *n.* (*pl.* **~s, staves** [stéivz]) ★ 복수형은 5~10은 staves 또는 staffs, 나머지는 staffs. **1 직원**, 부[국]직원, 사무국 직원; (학교의) 교직원; 간부 **2** 〖군사〗 참모, 막료(幕僚) **3** 전문적 입장에서 조언·권고를 주는 부문 **4** (철도의) 통과 표지 《단선 철도에서 충돌 등을 방지하기 위하여》 **5** 〖음악〗 보표(譜表) **6** 유도[도입] 소식자 《외과용》 **7** (무기 또는 보행용) 지팡이, 막대기 **8** (관직·권위를 나타내는) 권표(權標), 지휘봉 **9** (고어) (창 등의) 자루, 대 **10** 준척(準尺) 《측량용》, 측량 막대기 **11** (비유) 의지, 뒷받침 ***be on the ~*** 직원[부원, 간부]이다 《*of*》 ***general ~*** 참모(부) 《略 GS》 ***the ~ of life*** 주식(主食), 《특히》 빵, 생명의 양식: Bread is *the ~ of life.* (속담) 빵은 생명의 양식이다. ***the teaching ~*** 교수진용 《*of*》
— *vt.* …에 직원[부원]을 두다; …의 직원으로서 근무하다 **~ *up*** …의 인원을 늘리다 **~ed** [-t] *a.* **~·less** *a.*

staff[2] *n.* Ⓤ 삼 부스러기 등을 섞은 석고 《일시적 건조물에 사용함》

staf·fage [stəfɑ́:ʒ] *n.* (풍경화 따위의) 점경 인물(點景人物)

stáff assocìation 직원 조합

stáff còllege 〖영국군〗 참모 대학

staff·er [stǽfər, stɑ́:f- | stɑ́:f-] *n.* (미·구어) 직원, 부원, 국원 《관청·편집부·군대 등의》; 편집부원, 기자 《신문·잡지 등의》

staff·man [stǽfmæ̀n, stɑ́:f- | stɑ́:f-] *n.* (*pl.* **-men** [-mèn]) =STAFFER; (영) 측량 막대를 잡는 사람

stáff notàtion 〖음악〗 기보법(記譜法)

stáff nùrse (영) 주임[책임] 간호사 《sister의 바로 아래 직급》

stáff òfficer 〖군사〗 참모 장교, 막료(幕僚)

Staf·ford·shire [stǽfərdʃìər, -ʃər] *n.* 스태퍼드셔 《잉글랜드 중부의 주》

stáff organizàtion 〖경영〗 스태프 조직 《라인 부문을 보좌·촉진하는 업무를 담당하는》

staff·room [-rù(:)m] *n.* (영) (학교의) 교직원실

Staffs. Staffordshire

stáff sèction 〖군사〗 참모부

stáff sérgeant 〖미육군〗 하사

***stag** [stæg] *n.* (*pl.* **~s,** [집합적] **~**) **1 수사슴** 《특히 다섯 살 이하의; cf. HIND[2]》 **2** 수컷 동물; 악대소[돼지] **3** (영) 〖증권〗 권리주 매매인[상] 《새로운 주를 사서 이익이 나면 곧 팔아버리는 사람》 **4** (구어) (무도회·연회에) 여자 동반 없이 가는 사람; (구어) 남자만의 모임(=~ party) **5** (영) 밀고자: turn ~ 밀고하다
— *a.* Ⓐ **1** 남자만의, 여성을 뺀 〈연회〉 **2** 남성용 포르노의 〈잡지 《등》〉
— *ad.* (구어) 남자만으로; 여성을 동반하지 않고
go ~ (구어) 여성 동반 없이 가다
— *v.* (**~ged**; **~·ging**) *vi.* **1** (미·구어) 〈남자가〉 (무도회 등에) 여성 동반자 없이 출석하다 **2** (영) 〖증권〗 매매 차액의 이익만을 위하여 신주(新株)에 응모하다 **3** (영) 밀고하다
— *vt.* **1** (영) 염탐하다, 감시하다 **2** (미) 〈의류를〉 짧게 자르다; 〈특히 바지를〉 무릎께에서 잘라내다
~·lìke *a.*

stág bèetle [뿔이 사슴뿔같이 생긴 데서] 〖곤충〗 사슴벌레

‡stage [stéidʒ] *n.*, *v.*

> L 「서는 장소」의 뜻에서
> 「단(段)」 → 「무대」 **2** → 「연극」 **3** / (활동의) 「무대」 **5**
> 「단(段)」 → 「단계」 **1**

— *n.* **1 단계**, 정도, (발달 등의) 기(期), 시기(period), (과정·발전·연속에서의) 국면(phase), 위치(position) **2** (극장의) 무대, 스테이지 **3** [the ~] 연극, 극, 희곡; 배우업(業), 연극 관계의 직업 **4** 〖영화〗 =SOUNDSTAGE **5** 활동 무대, 활동 범위, (사건·전쟁 등의) 장소 《*for*, *of*》 **6 a** (역마차의) 역(驛), 휴식처 **b** 여정(旅程) **c** (구어) 역마차(stagecoach) **7** 선창, 부두 **8** (건축용) 비계(scaffold) **9** (다단식 로켓의) 단(段)
be on the ~ 〈사람이〉 배우이다 ***bring on*** [***to***] ***the ~*** 〈극을〉 상연하다; 〈극중 인물을〉 무대에서 연기

thesaurus **stack** *n.* heap, pile, mass, collection, hoard, accumulation, stock, store, mound
staff[1] *n.* **1** 직원 employees, workers, personnel **2** 지팡이 rod, pole, walking stick, cane

하다 travel ***by long***[***short, easy***] ***~s*** 급히[천천히, 편안히] (여행하다) ***by ~s*** 차츰, 서서히 ***go on***[***take to***] ***the ~*** 배우가 되다 ***hold the ~*** 주목의 대상이다 ***quit the ~*** 무대에서 은퇴하다; (정계 등에서) 은퇴하다; 죽다 ***set the ~ for*** …의 무대 장치를 하다; …의 사전 준비를 하다

—*vt.* **1** 상연하다; 각색하다; 극화하다, 연출하다 **2** 〈극적·공공적 효과를 겨냥한 활동을〉 기획[조직]하다; 〈동맹 파업·정치 운동 등을〉 꾀하다, 계획하다: They *~d* a protest march. 그들은 항의 시위를 벌였다. **3** 〈로켓을〉 다단(발사)식으로 하다

—*vi.* **1** 역마차로 여행하다 **2** 상연에 적합하다; 연극이 되다: 《~+副》 ~ *well*[*badly*] 연극이 잘 되다[되지 않다] **~·a·ble** *a.* ▷ stágy *a.*

stáge bòx 무대 옆 특별 관람석

stáge bùsiness 〖연극〗 몸짓, 동작

stage·coach [stéidʒkòutʃ] *n.* 역마차

~·man *n.* 역마차의 마부

stage·craft [-kræ̀ft | -krɑ̀:ft] *n.* Ⓤ 극작법; 연출법; 각색법

staged [stéidʒd] *a.* **1** 상연용으로 각색된; 연출된, 무대에 올려진 **2** 일부러 꾸민 **3** 단계적으로 생기는

stáge dirèction 〖연극〗 **1** 무대 지시(서) **2** 무대 감독[연출] 기술

stáge dirèctor 1 연출가 **2** = STAGE MANAGER

stage-diving [stéidʒdàiviŋ] *n.* 〈로커가〉 (공연 도중에) 무대 아래로 뛰어내리기 **stáge-dìver** *n.*

stáge dóor (무대) 분장실 입구; 무대 출입구

stáge-door Jóhnny [-dɔ̀:r-] 《구어》 여배우[쇼걸]를 사귀려고 극장에 자주 다니는 남자

stáge effèct 무대 효과

stáge fèver 연극열, 배우열

stáge frìght 무대 공포증, 무대에서 주눅듦 《무대를 처음 밟는 사람의》

stage·hand [-hæ̀nd] *n.* (극장의) 무대 담당원 《조명 담당·소품 담당 등》

stáge léft 〖연극〗 (관객을 향해서) 무대 왼쪽(left stage; opp. *stage right*)

stage-man·age [-mæ̀nidʒ] *vt.* …의 무대 감독을 하다; 극적 효과를 내도록 연출하다; 뒤에서 조종하다

stáge mànagement 무대 연출

stáge mànager 무대 감독

stáge nàme 예명(藝名), (배우의) 무대명

stáge plày 무대 연기

stag·er [stéidʒər] *n.* **1** [특히 an old ~] 노련가, 경험가 **2** 《고어》 배우

stáge ríght 〖연극〗 **1** 흥행권, 상연권 **2** (관객을 향하여) 무대 오른쪽(opp. *stage left*)

stáge sèt 무대 장치

stage·struck [stéidʒstrʌ̀k] *a.* 배우열에 들뜬, 무대 생활을 동경하는; 연극광의

stáge whìsper 〖연극〗 (관객에게 들리도록) 크게 말하는 방백(傍白); (제삼자에게) 들으라는 듯이 하는 혼잣말 **stage-whis·per** [-*h*wìspər] *vi.*

stage·wise [stéidʒwàiz] *a.* 연극적으로 효과적인[적절한] —*ad.* 연극적인 관점에서

stage·y [stéidʒi] *a.* (**stage·i·er**; **-i·est**) = STAGY

stág fìlm 《영》 = STAG MOVIE

stag·flat·ing [stǽgflèitiŋ] *a.* 경기 침체하의 인플레이션의

stag·fla·tion [stæ̀gfléiʃən] [*stag*nant+in*flation*] *n.* Ⓤ 〖경제〗 경기 침체하의 인플레이션

stag·fla·tion·ary [stæ̀gfléiʃənèri | -ʃənəri] *a.* = STAGFLATING

‡**stag·ger** [stǽgər] *vi.* **1** 비틀거리다, 갈지자걸음을 걷다: 《~+前+名》 ~ *to* one's feet 휘청거리며 일어서다 / ~ *across* the street 비틀비틀 길을 건너다 **2** 〈사람(의 마음)이〉 동요하다, 주저하다, 망설이다: 《~+前+名》 ~ *at* the news 그 소식에 마음이 흔들리다 **3** (싸움·토론 따위에서) 동요하다, 무너지다 **4** 〈배 등이〉 심하게 흔들리다, 진동하다

—*vt.* **1** 비틀거리게 하다, 흔들거리게 하다 **2** 〈결심 등을〉 흔들리게 하다, 동요시키다; 자신을 잃게 하다 **3** 《구어》 깜짝 놀라게 하다, 망연자실하게 하다 **4** 〈바퀴의 살 등을〉 서로 엇걸리게 하다 **5** 〈휴가·혼잡 시간을〉 서로 교체적으로 하다, 시차제를 두다

—*n.* **1** [보통 a ~] 비틀거림, 흔들거림 **2 a** [*pl.*; 단수 취급] (특히 말·양의) 선회병(旋回病)(= **blínd stággers**) **b** [*pl.*] 현기증(giddiness) **3** 〖기계〗 (차바퀴 살·비행기 날개 등에서의) 파상(波狀) 배치, 엇걸림

stag·gered [stǽgərd] *a.* Ⓟ **1** 무척 놀란, 혼비백산한, 충격 받은 《*at*, *by*, *to* do》 **2** 시차제의: ~ working hours 시차제 근무 시간

stággered hóurs 시차 출근, 출근 시차제

stag·ger·er [stǽgərər] *n.* **1** 비틀거리는 사람 **2** 《구어》 깜짝 놀라게 하는 것; 큰 사건, 난문제

***stag·ger·ing** [stǽgəriŋ] *a.* **1** 비틀거리는, 비틀거리게 하는: a ~ blow 강한 일격 **2** 망설이는; 혼비백산케 하는, 압도[경이]적인: a ~ piece of news 망연자실케 하는 소식 **~·ly** *ad.*

stag·horn [stǽghɔ̀:rn] *n.* **1** 수사슴의 뿔 **2** 〖식물〗 석송 《석송과(科)》 **3** 일종의 큰 산호

stag·hound [-hàund] *n.* 사슴 사냥개

stag·ing [stéidʒiŋ] *n.* **1** Ⓤ 각색, 상연 **2** 비계(scaffolding) **3** Ⓤ 역마차 여행 **4** Ⓤ 역마차 사업 **5** Ⓤ (로켓의) 다단화

stáging àrea 〖군사〗 (새로운 작전[임무]에 앞서서 체제를 정비하는) 부대 집합지, 숙영지; 《비유》 중요한 준비 단계

stáging pòst 《영》 **1** (비행기의) 정기 기항지; = STAGING AREA **2** 중요한 준비 단계

Stag·i·rite [stǽdʒəràit] *n.* (고대 그리스 Macedonia의 도시) Stagira 사람; [the ~] 아리스토텔레스(Aristotle)의 속칭

stág lìne 《구어》 (댄스 파티에) 여성을 동반하지 않은 남자들

stág mòvie 《미》 남성용 영화 《도색·괴기 영화》

***stag·nant** [stǽgnənt] *a.* **1** 〈물·공기 등이〉 흐르지 않는, 괴어 있는; 정체된; 썩은 **2** 활기 없는, 침체해 있는, 불경기의 **3** 발달[진보, 성장] 없는 **stág·nan·cy, -nance** *n.* 침체; 불황 **~·ly** *ad.* ▷ stágnate *v.*

stag·nate [stǽgneit | -´] *vi.* **1** 〈액체가〉 흐르지 않다, 괴다; 썩다, 상하다 **2** 〈생활·활기·일·사람이〉 침체[정체]하다 —*vt.* 괴게 하다, 침체시키다; 부진하게[활기없게] 하다 **stág·na·tò·ry** *a.*

stag·na·tion [stægnéiʃən] *n.* Ⓤ 굄, 침체, 정체; 부진, 불경기(⇨ depression 유의어)

stág nìght 《영》 남성의 결혼 전야; (결혼 전야의) 총각파티(《미》 bachelor party; cf. HEN PARTY)

stág pàrty 《구어》 **1** 남자만의 모임 **2** 《특히》 남자를 위한 행사(opp. *hen party*)

stag·y [stéidʒi] *a.* (**stag·i·er**; **-i·est**) **1** 무대의 **2** 연극과 같은, 떠벌린, 과장된(bombastic)

stág·i·ly *ad.* **stág·i·ness** *n.*

staid [stéid] *v.* 《고어》 STAY[1]의 과거·과거분사

—*a.* 침착한, 성실한, 착실한; 확정된, 안정된, 불변의 **~·ly** *ad.* **~·ness** *n.*

‡**stain** [stéin] *n.* **1** 얼룩, 때, 녹(⇨ blot[1] 유의어) **2** 오점, 흠 《*on*, *upon*》: a ~ *on* one's reputation 명성의 오점 **3** Ⓤ 착색; ⓊⒸ 착색제 《목재 등의》, 염료 《현미경 검사용》

—*vt.* **1** 더럽히다(soil), 얼룩지게 하다 《*with*》: 《~+目+前+名》 hands *~ed with* blood 피로 더러워진 손 / ~ one's fingers *with* ink 잉크로 손가락을 더럽히다 **2** 〈명성·인격을〉 더럽히다, 훼손하다: ~ one's reputation 명성을 더럽히다 **3** 〈유리·재목·벽지 등에〉 착색하다, 물들게 하다: 《~+目+補》 His

---

stagger *v.* totter, waver, reel, vacillate

stagnant *a.* inert, idle, dead, inactive

stain *n.* **1** 얼룩 mark, spot, blemish, smear **2** 오점 damage, injury, taint, blot, stigma, slur

teeth are ~*ed* yellow. (담뱃진으로) 그의 이빨은 누렇게 있다.
— *vi.* 더러워지다, 얼룩지다; 녹슬다
~·a·ble *a.* 착색할 수 있는 ~·er *n.* 염색공, 착색 재료
stain·a·bil·i·ty [stèinəbíləti] *n.* Ⓤ 염색성 《세포(요소)가 색소로 염색되는 성질》
stained [stéind] *a.* [보통 복합어로 쓰여] 얼룩진: paint-~ jacket 페인트 얼룩이 진 재킷
stáined gláss 스테인드글라스, 착색 유리
*__stain·less__ [stéinlis] *a.* **1** 때 끼지 않은, 얼룩지지 않은; 녹슬지 않는, 스테인리스의[로 만든] **2** 흠 없는; 깨끗한, 결백한
— *n.* Ⓤ [집합적] 스테인리스제 식기류 ~·ly *ad.*
stáinless stéel 스테인리스 (강철)
‡**stair** [stέər] *n.* **1** [보통 *pl.*] 계단, 층계 **2** (계단의) 한 단 **3** (성도로서의) 단계(stairway)
above ~s 위층에서; 주인[가족] 방에서 ***a flight*** [***pair***] ***of ~s*** 한 줄로 이어진 계단: He lives up *two*[*three*] *pair of ~s.* 그는 2[3]층에 산다. ***below ~s*** 아래층에서, 지하실에서; 하인 방에서 ***down ~s*** 아래층에서[으로] ***up ~s*** 위층에서[으로]
— *a.* Ⓐ 계단(용)의 ~·less *a.* ~·like *a.*
stáir càrpet 계단용 양탄자[카펫]
*__stair·case__ [stέərkèis] *n.* (난간·층계참을 포함한 한 줄의) 계단, 층계; (건물의) 계단 부분: a corkscrew ~ 나선식 계단
stair·foot [-fùt] *n.* 계단 밑
stair·head [-hèd] *n.* 계단 꼭대기
stair·lift [-lìft] *n.* (노약자·장애인 등 거동이 불편한 사람들을 위한) 좌석형 승강기
stáir ròd (계단의) 양탄자 누르개 《금속 막대》
stair·step [-stèp] *n.* (계단의) 한 단; 상하 일정한 차이가 있는 사람들[것] 중의 하나
*__stair·way__ [stέərwèi] *n.* (통로로서의) 계단, 층계
stair·well [-wèl] *n.* 〖건축〗 계단통 《계단을 포함한 수직 공간》
staithe [stéið], **staith** [stéiθ] *n.* 《영·방언》 석탄 하역 부두
‡**stake** [stéik] *n.*, *v.*

「말뚝」 **1**	┌(죄인을 묶는 기둥) → 「화형」 **2 b** └(말뚝 위에 놓인 것) → 「건 돈」 **4 b** 「이해관계」 **5**

— *n.* **1** 말뚝; 막대기 **2 a** 화형주(火刑柱): burn at the ~ 화형에 처하다 **b** [the ~] 화형 **3** (땜장이의) 작은 모루(small anvil) **4 a** 내기(wager) **b** [종종 *pl.*] (경마 등의) 건 돈, 상금 **c** [*pl.*; 단수 취급] 내기 경마 **5** 이해관계: have a ~ in a company 회사에 이해관계가 있다 **6** 《미·구어》 = GRUBSTAKE
at ~ 내기에 걸려서; 위태로워(risked); 관련이 되어(concerned): My honor is *at* ~. 나의 명예에 관한 문제다. 《내버려 둘 수 없다》 ***drive ~s*** 《구어》 말뚝을 박아 불하 신청지를 확보하다; 《구어》 천막을 치다, 처소를 정하다 ***go to the ~*** 《주로 영》 (자신의 의견·신념을 위해서라면) 어떠한 시련[고통]도 감수하다, 결사적인 각오로 임하다 《*for*, *over*》 ***play for high ~s*** 큰 도박을 하다 ***pull up*** (one'*s*) ***~s*** 《미·구어》 가버리다; 이사가다, 직장을 옮기다
— *vt.* **1** 말뚝에 매다: ~ a horse 말을 말뚝에 매다 **2** 막대기로 찌르다 **3** 말뚝으로 둘러치다; 말뚝을 박아 구분하다 《*out*, *off*》: 《~+목+부》 ~ *off*[*out*] a boundary 말뚝을 박아 경계를 구획하다 **4** 〈돈·생명 등을〉 걸다 《*on*》: 《~+목+전+명》 ~ money *on* a race 경마에 돈을 걸다 / I ~ my reputation *on* his honesty. 나의 명예를 걸고 그의 정직함을 보증한다. **5** 《미·구어》 **a** 〈사람에게〉 주다, 제공하다 《*to*》: 《~+목+전+명》 ~ a person *to* food …에게 음식을 주다 **b** = GRUBSTAKE **6** 〈토지·이익·명예 등의〉 배당을 소유[요구, 확보]하다 《*out*, *off*》 ~ ***out*** 《구어》 〈혐의자를〉 감시하다; 감시원을 배치하다 ~ (***out***) one'***s*** [***a***] ***claim to*** [***on***] …에 대한 권리를 주장하다[명확히 하다]; 《미·구어》 …을 자기 것이라고 하다
stáke bòat (출발선(線)·결승선에 두는) 고정 보트; (다른 배를 매기 위해) 닻으로 고정시킨 배
stake·hold·er [stéikhòuldər] *n.* 건 돈을 맡는 제삼자; 투자자; 이해관계자, 책임자
stákeholder ecònomy 《영》 (이익과 책임이 따르는) 이해관계자 경제
stáke hòrse 내기 경마에 출장하는 말
stake·out [-àut] *n.* 《미·속어》 (경찰의) 감시; 감시 장소; 감시인
stáke(s) ràce 〖경마〗 내기 경마, 상금이 딸린 경마, 특별 경주 《출마 등록료의 총액을 3착까지의 말에 배분하는 레이스》
Sta·kha·nov·ism [stəkɑ́:nəvìzm, stɑ:hɑ́:nɑ- | stækǽnə-] [구소련의 탄광 노동자 Stakhanov에서] *n.* Ⓤ 스타하노프 운동 《구소련에서 생산성 향상 운동으로 개인의 업적 평가를 도입》
Sta·kha·nov·ite [stəkɑ́:nəvàit, -kǽn- | stækǽn-] *a.*, *n.* 스타하노프 운동에 의하여 상금을 받은 (노동자)
sta·lac·tic [stəlǽktik] *a.* = STALACTITIC
sta·lac·ti·form [stəlǽktəfɔ̀:rm] *a.* 종유석 모양의, 종유석을 닮은
sta·lac·tite [stəlǽktait, stǽləktàit | stǽləktàit] *n.* Ⓤ 〖지질〗 종유석(鍾乳石)
stal·ac·tit·ic [stæ̀ləktítik] *a.* 종유석의[같은]; 종유석으로 뒤덮인
sta·lag [stǽləg] [G] *n.* (독일의) 포로수용소 《제2차 세계 대전 때 독일이 운영한 사병용 포로수용소》
sta·lag·mite [stəlǽgmait, stǽləgmàit | stǽləgmàit] *n.* 〖지질〗 석순(石筍) **stàl·ag·mít·ic** *a.*
stal·ag·mom·e·ter [stæ̀ləgmɑ́mətər | -mɔ́m-] *n.* 〖물리〗 적수계(滴數計) 《표면 장력을 비교 측정함》
*__stale__[1] [stéil] [OF 「움직이지 않게 되다」의 뜻에서] *a.* (stal·er; stal·est) **1** 〈음식 등이〉 싱싱하지 못한, 한물간(opp. *fresh*); 〈술 등이〉 김빠진; 〈고기·계란 등이〉 썩어가는; 〈빵 등이〉 곰팡내 나는(musty), 딱딱해진 **2** 〈공기가〉 퀴퀴한 **3** 〈생각·표현 등이〉 신선미가 없는, 진부한(trite) **4** (피로 등으로) 생기가 없는
— *vt.*, *vi.* 김빠지(게 하)다, 상하(게 하)다; 시시하(게 하)다 ~·ly *ad.* ~·ness *n.* Ⓤ 부패; 진부
stale[2] *n.* Ⓤ (가축, 특히 마소의) 오줌
— *vi.* 〈가축, 특히 마소가〉 오줌 누다
*__stale·mate__ [stéilmèit] *n.* **1** 〖체스〗 (쌍방이) 수가 막힘 《승부가 결정되지 못함, 잘못하면 장군이 됨》, 막다른 수 **2** 막다름, 궁지
— *vt.* **1** 〖체스〗 수가 막히게 하다; 꼼짝 못하게 하다 **2** 《비유》 막다르게 하다
Sta·lin [stɑ́:lin, -li:n, stǽl-] *n.* 스탈린 **Joseph V.** ~ (1879-1953) 《구소련 정치 지도자》
Sta·lin·ism [stɑ́:lənìzm] *n.* Ⓤ 스탈린주의
-ist *n.*, *a.* 스탈린주의자(의)
Sta·lin·ite [stɑ́:lənait] *n.*, *a.* 스탈린 지지자(의)
*__stalk__[1] [stɔ́:k] *n.* **1** 〖식물〗 줄기, 대; 잎자루, 꽃자루, 화경(花梗) **2** 〖동물〗 (어떤 기관을 지탱해 주는) 길고 가느다란 대, 자루눈, 우축(羽軸) **3** 가느다란 버팀대; 〖건축〗 줄기 모양의 장식; (술잔의) 긴 굽; (공장의) 높은 굴뚝
~·less *a.* ~·lèt *n.* ~·lìke *a.*
▷ stálky *a.*
*__stalk__[2] [stɔ́:k] [OE 「살금살금 걷다」의 뜻에서] *vt.* **1** 〈사냥감·사람 등에〉 몰래 접근하다; 가만히 뒤를 밟다; 〈이성에게〉 집요하게 추근대다 **2** 〈병·재해 등이〉 〈어떤 지방에〉 만연하다, 퍼지다: Disease ~*ed* the land. 질병이 나라를 휩쓸었다.
— *vi.* **1** 젠체하며 걷다, 으스대며 걷다, 활보하다: 《~+부》 ~ *out* of a room 젠체하며 방에서 걸어나가다 **2** 〈병·재해 등이〉 (…에) 만연하다, 퍼지다 《*through*》 **3** (적·먹이 등에) 몰래 접근하다
— *n.* **1** 사냥감에 가만히 접근함, 몰래 추적함 **2** 활보
~·a·ble *a.*

stalk·er [stɔ́:kər] *n.* **1** 스토커 ((좋아하는 사람을 따라다니며 귀찮게 하거나 괴롭히는 사람)) **2** 살그머니 다가가는 사람, ((특히)) 밀렵자

stalk·ing [stɔ́:kiŋ] *n.* Ⓤ 스토킹 ((타인을 오랜 기간 따라다니거나 지켜보며 괴롭히는 범죄 행위))

stalk·ing-horse [stɔ́:kiŋhɔ̀:rs] *n.* **1** 위장 말 ((사냥꾼이 짐승에 접근할 때 쓰는 말처럼 만든 물건)) **2** 위장(mask); 구실(pretence), 핑계; 〖정치〗 위장 후보자 ((유력한 후보자를 은폐키 위한))

stalk·y [stɔ́:ki] *a.* (**stalk·i·er**; **-i·est**) 줄기가 있는[많은]; 줄기 같은; 가늘고 긴

stálk·i·ly *ad.* **stálk·i·ness** *n.*

‡**stall**[1] [stɔ́:l] [OE 「서 있는 곳」의 뜻에서] *n.* **1** 마구간, 마구간[외양간]의 한 칸(stable) **2 a** 매점(stand), 노점; 상품 진열대; = BOOKSTALL **b** 칸막이한 작은 방 **3** ((영)) [*pl.*] (극장의) 1층 정면의 특별석(((미)) orchestra) **4** 성직자석, (교회의) 성가대석 **5** (교회의) 회중석(pew) **6** 〖광산〗 채탄장, 채굴장; 〖야금〗 배소실(焙燒室) **7** 〖항공〗 실속(失速) ((비행기 조종에 필요한 속도를 잃음)) **8** 골무(fingerstall) ***set out** one's* **~** ((영·구어)) 실력[능력]을 나타내다

— *a.* Ⓐ ((영)) 무대 앞 일등석의

— *vt.* **1** 마구간[외양간]에 넣다[넣어 두다] **2** 마구간[외양간]에 칸막이를 하다 **3** (진흙·눈에 빠져) 꼼짝 못하게 하다 **4** 〖항공〗 〈비행기를〉 실속(失速)시키다; 〈엔진·차를〉 움직이지 않게 하다, 멎게 하다

— *vi.* **1** 진흙[눈]에 빠져 꼼짝 못하다; ((미)) 〈말·차가〉 (눈 속에서) 꼼짝 못하다 **2** 〖항공〗 〈비행기가〉 속도를 잃다 ((*out*)); 〈엔진·발동기가〉 멎다, 꺼지다 **3** 〈가축 등이〉 마구간[외양간]에 들어가 있다

stall[2] *n.* ((구어)) **1** (지연시키는) 구실, 핑계, 발뺌; 시간 벌기(전술); ((속어)) 꾸며낸 알리바이 **2** ((속어)) (소매치기의) 바람잡이; (범죄 등을) 돕는 자, 망보는 사람

— *vi.* **1** 교묘하게 (시간을) 벌다, 핑계대다 ((*for*)) **2** 소매치기의 한짝이 되다 **—** *vt.* 교묘한 구실로 지연시키다, 발뺌하다 ((*off*)) **~ for time** 시간을 벌다

stall·age [stɔ́:lidʒ] *n.* Ⓤ 〖영국법〗 매점(賣店) 영업권[지대(地代)]

stall-feed [stɔ́:lfì:d] *vt.* (**-fed** [-fèd]) 마구간[외양간]에 넣어 사육하다[살찌게 하다]

stall·hold·er [-hòuldər] *n.* ((영)) 시장의 판매대 주인, 노점상

stal·lion [stǽljən] *n.* 종마(種馬)(⇨ horse 관련)

***stal·wart** [stɔ́:lwərt] *a.* **1** 건장한, 튼튼한 **2** 매우 충실한, (특히 정치적으로) 신념이 굳은, 애당심이 강한

— *n.* **1** 신체 건장한 사람 **2** (정치적으로) 신념이 굳은 사람, 타협하지 않는 당원 **~·ly** *ad.* **~·ness** *n.*

stal·worth [stɔ́:lwərθ] *a.* ((고어)) = STALWART

***sta·men** [stéimən | -men] *n.* (*pl.* **~s, stam·i·na** [stǽmənə]) 〖식물〗 수술, 웅예

▷ stáminal[1], stáminate *a.*

stam·i·na[1] [stǽmənə] [L 「실」의 뜻에서; 운명의 여신(Fates)이 잣는 사람의 수명인 실의 뜻에서] *n.* Ⓤ 지구력, 체력, 정력, 끈기

stamina[2] *n.* stamen의 복수

stam·i·nal[1] [stǽmənl] *a.* 〖식물〗 수술의

staminal[2] *a.* STAMINA[1]의

stam·i·nate [stǽmənət, -nèit] *a.* 〖식물〗 수술[수술만]이 있는(opp. *pistillate*)

‡**stam·mer** [stǽmər] *vi.* 말을 더듬다: ~ bad [slightly] 심하게[약간] 말을 더듬다. // (~+전+명) He ~*ed over* a few words. 몇 마디 더듬더듬 말했다.

> 유의어 **stammer** 흥분·당혹·공포 등 때문에 말을 더듬다: I often *stammer* when I talk to her. 그녀와 이야기할 때면 나는 종종 말을 더듬는다. **stutter** 습관적으로 말을 더듬다: *stutter* out a protest 더듬으며 항의하다

— *vt.* 더듬으며 말하다 ((*out*)): (~+목+부) ~ *out* an excuse[apology] 더듬거리며 변명[사과]하다

— *n.* 말더듬음, 웅얼거림 **~·er** *n.* 말더듬이

stam·mer·ing [stǽməriŋ] *a.* 말을 더듬는, 더듬으며 말하는 **~·ly** *ad.* 말을 더듬으면서

‡**stamp** [stǽmp] *v., n.*

> OE 「짓밟다」의 뜻에서
> →(강하게 자국을 남기다), 「흔적」
> ┌→「도장(을 찍다)」→「우표(를 붙이다)」
> └→「특징」, 「명심시키다」

— *vt.* **1** 짓밟다; 밟다, 〈발을〉 구르다: ~ the floor 방바닥을 쾅쾅 밟다 / ~ one's foot in[with] anger 화가 나서 발을 동동 구르다 // (~+목+부) ~ a flower *down* 꽃을 밟아 뭉개다 // (~+목+보) ~ the grass flat 풀을 납작하게 짓밟다 **2** ((구어)) 〈반란 등을〉 진압하다; 〈병·범죄 따위를〉 근절시키다 ((*out*)) **3 a** 날인하다, …에 도장[스탬프]을 찍다; 〈도장·검인·고무인 따위를〉 찍다 ((*with*)): (~+목+전+명) ~ the date *on* a document = ~ a document *with* the date 서류에 스탬프로 날짜를 찍다 **b** 〈물건 등에〉 〈무늬·기호 등을〉 각인하다 **c** 인쇄하다 **4** 명심시키다 ((*on, upon*)); (마음에) 새기게 하다 ((*with*)): (~+목+전+명) The scene is ~*ed on* my memory. 그 광경은 나의 기억에 깊이 새겨져 있다. **5** 〈봉투 등에〉 우표[인지]를 붙이다: ~ a letter 편지에 우표를 붙이다 **6** …의 본성을 나타내다 ((*as*)); …임을 드러내다[밝히다]: (~+목+**as** 보) This alone ~*s* him *as* a swindler. 이것만으로도 그가 사기꾼임을 알 수 있다. **7** 틀로 찍어내다, 타출(打出)하다 ((*out*)) **8** 〈광석 등을〉 분쇄하다 ((*to, into*))

— *vi.* **1** 짓밟다, (짓밟듯이) 밟다 ((*on*)): (~+전+명) ~ *on* an insect 벌레를 짓밟다 / ~ *on* the accelerator 액셀러레이터를 콱 밟다 **2** 발을 구르다; 발을 쾅쾅 구르며 걷다: (~+부) (~+전+명) He ~*ed downstairs*[*about* the classroom]. 그는 발을 쿵쿵거리며 2층에서 내려왔다[교실을 걸어다녔다].

~ out (1) 〈불을〉 밟아 끄다 (2) ⇨ *vt.* 7 (3) 진압하다, 박멸하다; 〈감정 등을〉 억누르다

— *n.* **1** 우표, 인지 **2** 타출기(打出機), 압단기(壓斷機); 〖야금〗 쇄광기(碎鑛機) **3** 스탬프, 날인기, 소인(消印); 도장, 각인(刻印), 검인 **4** ((비유)) (지워지지 않는) 흔적; 특질, 특징 **5** [보통 a ~; the ~] 성격(character); 종류(kind), 형(type) **6** 짓밟기, 발을 구르기; 발을 구르는 소리 ***of the same* ~** 같은 종류의

~·a·ble *a.* **~·less** *a.*

Stámp Àct [the ~] 〖미국사〗 인지 조례 ((1765년 영국 의회가 아메리카 식민지에 부과한 최초의 직접세))

stámp àlbum 우표첩[앨범]

stámp collècting 우표 수집

stámp collèctor 우표 수집가

stámp dùty 인지세(稅)(stamp tax)

stámped addrèssed énvelope [stǽmpt-ədrest-] ((영)) (회신용으로) 우표를 붙이고 주소를 적은 봉투 ((略 SAE))

***stam·pede** [stæmpí:d] *n.* **1** (가축 등이) 놀라서 우르르 달아남; (군중 등이) 앞을 다투어 달아남, 궤멸(潰滅), 궤주(潰走) **2** ((미)) 우르르 몰려옴, 쇄도, 집결 **3** ((미서부·캐나다)) 로데오(가 개최되는 축제)

— *vi.* **1** 우르르 달아나다, 앞을 다투어 달아나다 ((*from*)) **2** ((미)) 쇄도하다

— *vt.* **1** 〈가축 등을〉 우 달아나게 하다 **2** 쇄도하게 하다 **3** (충동적인 행동을) 취하게 하다 ((*into*)): (~+목+전+**-ing**) A rumor of a shortage ~*d* people *into* lay*ing* in supplies. 품귀의 소문을 듣자 사람들은 충동적으로 물건을 사재기 했다. **stam·péd·er** *n.*

stamp·er [stǽmpər] *n.* 스탬프[도장]를 찍는 사람, (우체국의) 소인 찍는 사람; 자동 날인기; (쇄광기의) 방앗공이(pestle)

stámp·ing gròund [stǽmpiŋ-] ((구어)) (동물·사람이) 늘 다니는[모이는] 곳

stámp machìne 우표 자동 판매기

stámp[stámping] mìll 〖야금〗 쇄광기(碎鑛機)
stámp nòte (세관의) 관세납부필증
stámp òffice 《영》 인지국(印紙局)
stámp pàper 수입 인지를 붙인 서류[증서]
stámp tàx 인지세
***stance** [stæns | stæns, stɑ́:ns] *n.* **1** 〖야구·골프〗 (공을 칠 때의) **발의 위치,** 스탠스, 선 자세: the batting ~ 공 치는 자세 / an open[a closed] ~ 오른손 타자가 왼발[왼손 타자가 오른발]을 뒤로 당기는[앞으로 내는] 자세 **2** (정신적·감정적) 태도, 입장: take an antiwar ~ 반전 태도를 취하다 **3** 〖등산〗 (록클라이밍의) 발판
stanch[1] [stɔ́:ntʃ, stǽntʃ, stɑ́:ntʃ | stɑ́:ntʃ] *vt.* **1** 〈출혈을〉 멈추게 하다, 〈상처를〉 지혈시키다 **2** 억제하다, 없애다 **—** *vi.* 출혈이 멎다 **~ out** (속어) 발을 내디디다, 시작하다 **—** *n.* (배가 얕은 여울을 지나갈 수 있도록) 수위를 높이기 위한 수문 **~·er** *n.* **~·less** *a.*
stanch[2] *a.* = STAUNCH[2]
stan·chion [stǽnʃən, -tʃən | stɑ́:n-] *n.* **1** 기둥, 지주, (문)설주 **2** (소를 매는) 칸막이 기둥
— *vt.* **1** 〈가축을〉 칸막이 기둥에 매다 **2** 〈외양간에〉 간살 기둥을 지르다; 기둥으로 받치다
‡**stand** [stǽnd] *v., n.*

> 기본적으로는 「서다」의 뜻.
> ① 서 있다, …에 있다 — 자 **1, 7**
> ② 일어서다; 일으키다 — 자 **2** 타 **1**
> ③ (어떤 상태에) 있다; (높이가) …이다 — 자 **4 a, c**
> ④ 참다 — 타 **2**

— *v.* (**stood** [stúd]) *vi.* **1 서다,** 서 있다; 〈물건이〉 세워져 있다: He was too weak to ~. 그는 몸이 너무 약해서 서 있을 수가 없었다. // (~+보) ~ straight 똑바로 서다 / ~ still 가만히 서 있다 // (~+*-ing*) They *stood* wav*ing* their hands as the President passed. 대통령이 지나갈 동안 그들은 손을 흔들며 서 있었다. // (~+전+명) a ladder ~*ing against* the wall 벽에 기대 세운 사닥다리 / The egg will not ~ *on* either edge. 달걀은 어느 한쪽 끝으로도 서지 않는다. **2 일어서다,** 기립하다 《*up*》: *S*~ and fight! 일어나 싸워라! // (~+부) Please ~ *up.* 기립해 주십시오. **3 a 멈추**어 서다, 움직이지 않다: *S*~ or I fire. 멈춰 서지 않으면 쏜다. **b** 〈물 등이〉 괴어 있다, 흐르지 않다: The water appears to ~ here. 여기는 물이 괴어 있는 것 같다. **c** 〈눈물·땀 등이〉 괴다 《*in*》: (~+전+명) Tears *stood in* her eyes. 그녀의 눈에 눈물이 글썽했다. / Sweat *stood on* his forehead. 그의 이마에 땀이 배어 있었다. **4 a** [보어·부사(구)와 함께] (어떤 상태·관계·입장에) 있다: (~+보) ~ a person's friend …의 친구이다 / ~ first in one's class 반에서 일등이다 / The door *stood* open. 문이 열려 있었다. // (~+*done*) He *stood* accus*ed* of having betrayed his friend. 그는 친구를 배신했다고 비난받았다. // (~+전+명) ~ *at* bay 궁지에 빠져 있다 / ~ *under* heavy obligation 중대한 의무를 지고 있다 **b** 〈어떤 태도를〉 취하다: (~+부) He *stood aloof* from their arguments. 그는 그들의 논쟁에 가담하지 않고 있었다. // (~+전+명) How does he ~ *on* the problem? 그 문제에 대해 그는 어떤 태도를 취하고 있는가? **c** 〈높이·값·정도가〉 …**이다**: (~+보) How many feet do you ~? 키는 몇 피트입니까? / Pork has *stood* 20% higher than last month. 돼지고기는 지난 달보다 값이 20퍼센트 올랐다. // (~+전+명) The thermometer ~*s at* 25℃. 온도계는 섭씨 25도를 가리키고 있다. **5** 〈사람이〉 (의견·주의·주장 등이) 확실히 서 있다 **6** 〈사람이〉 (…에 찬성[반대]의) 태도를 취하다 《*for, against*》: (~+전+명) ~ *for*[*against*] rearmament 재무장에 찬성[반대]하다 **7** …**에 있다,** 위치하다: (~+전+명) Westminster Abbey ~*s on* the Thames. 웨스트민스터 성당은 템스 강변에 있다. / The village ~*s against* the hill. 마을은 언덕에 면해 있다. **8** 〈기계·차 등이〉 정지[정차]하고 있다, 〈물건이〉 사용되고 있지 않다, 방치되고 있다 **9 a** 오래가다, 변하지 않다, 존속[지탱]하다: Will these colors ~? 이 빛깔들은 바래지 않을까요? // (~+보) The house will ~ another century. 그 집은 앞으로 1세기는 갈 것이다. **b** 〈법률·이론 등이〉 유효하다, 변경되지 않고 있다, 실시 중이다: The order given three days ago still ~*s.* 3일 전에 내린 명령은 아직 효력이 있다. **10** 《영》 입후보하다, 출마하다 《*for*》(《미》 run): (~+전+명) ~ *for* Parliament 국회의원에 입후보하다 **11** 〖항해〗 〈배가〉 어느 방향으로 꾸준히 항행하다, 직행하다 **12** 〈사냥개가〉 짐승의 소재를 가리키다 **13** 종마(種馬)로서 쓸모가 있다, 발정하고 있다 **14** 〖크리켓〗 심판을 맡아보다
— *vt.* **1 세우다,** 일으키다 《*up*》, 기대어 세우다 《*against*》; 놓다, 얹다: (~+목+전+명) I will ~ you *in* the corner. 너를 구석에 벌세워 놓겠다. / ~ a pole *in* the ground 땅에 장대를 세우다 / ~ a ladder *against* the fence 사닥다리를 담에 기대어 세우다 // (~+목+부) *S*~ it *up* again. 그것을 다시 세우시오. **2** [보통 부정문·의문문에서] **참다,** 견디다, 배겨내다(⇨ endure 유의어); (사용에) 견디다: I can*not* ~ this hot weather. 이 무더위는 배겨낼 수가 없다. / Can you ~ the pain? 고통을 참을 수 있겠느냐? // (~+*-ing*) He can*'t* ~ be*ing* kept waiting. 그는 기다리게 되는 걸 참지 못한다. / This cloth will *not* ~ wash*ing*. 이 천은 빨지 못한다. **3** 〈공격 등에〉 대항[저항]하다(face) **4** 고집하다, 물러서지 않다: ~ one's ground 자기 주장을 고집하다, 버티다 **5** 〈검사·재판 등을〉 받다: ~ trial 재판을 받다 / It failed to ~ the test. 그것은 검사에 불합격되었다. **6** 《미·구어》 …의 비용을 지불하다 《*to*》, 한턱내다(treat) 《*for*》: ~ treat 한턱 내다 // (~+목+목) I will ~ you a drink. 너에게 한잔 사겠다. **7** 〈사람에게〉 (비용이 얼마) 들다 《*in*》: (~+목+전+명) This coat *stood* me (*in*) £20. 이 웃옷은 20파운드 들었다. // (~+목+목) It *stood* me 20,000 won. 그것에 2만 원이 들었다. **8** …의 임무를 다하다; 〈일·임무에〉 참가하다
as matters [***affairs***] **~** = ***as it ~s*** 현재 상태로는; 그대로(는) ***as the case ~s*** 경우가 이렇기 때문에 ***from where I ~*** 내가 본 바로는, 내 견해로는 ***It ~s to reason that …*** ⇨ reason. ***know where*** one ***~s*** (다른 사람들의 의견으로) 자신의 입장을 알다 **~ *a chance*** [***show***] (성공·생존의) 조짐이 보이다 《*of*》 **~ *against*** (1) 기대다 (2) …옆에 위치하다 (3) 반대하다 **~ *alone*** 고립하다; 뛰어나다 ***S~ and deliver!*** 잔소리 말고 빨리 있는 대로 다 내놔! 《강도가 협박하는 말》 **~ *around*** 아무 일도 않고 우두커니 서 있다 **~ *aside*** 비켜 서다; 방관하다, 가담하지 않다; 《영》 〈입후보를〉 사퇴하다 **~ *at*** (1) 거리끼다; 망설이다 (2) 〈금액·득점 등이〉 …에 이르다 (3) 〈물의 깊이가〉 …이다; 〈온도계의 눈금이〉 …이다 ***S~ at ease!*** 〖군사〗 쉬어! **~ *away*** 떨어져 있다, 가까이 가지 않다 **~ *back*** = STAND away; 뒤로 물러서다, 꽁무니빼다; 떨어진 곳에 있다 《*from*》 **~ *behind*** (1) 〈급사가〉 뒤에 서다 (2) 지지하다, 후원하다 **~ *between*** …사이에 서다; 방해하다 **~ *by*** (1) 곁에 있다; 방관하다(cf. BYSTANDER) (2) 대기[준비]하다; 〖라디오〗 다음 방송을 기다리다 (3) 돕다, 편들다 (4) 〈약속 등을〉 지키다 (5) 〖항해〗 구조하기 위하여 가까이 대기하다; 〖항해〗 준비하다 《기관을 멈추기 위해서; cf. STANDBY》 **~ *clear*** 멀리하다 《*from, of*》 **~ *convicted of*** …죄의 선고를 받다 **~ *corrected*** ⇨ correct. **~ *down*** (1) (법정의) 증인석에서 물러가다 (2) (다른 후보에 양보하고) 물러나다 (3) 《영》 〈병사가〉 비번이 되다; 군대를 해산(解散)하다[시키다] ***S~ easy!*** ⇨

thesaurus **standard** *n.* yardstick, benchmark, gauge, measure, criterion, norm, example, rule,

easy *ad.* ~ ***fire*** 적의 포화[비평]에 맞서다 ~ ***for*** (1) …을 나타내다, 표상(表象)하다, 의미하다; 대리[대표]하다 (2) 〈주의·사람 등을〉 지지하다, …의 편을 들다 (3) 《영》 …의 후보로 나서다 (4) …이 되다: This will ~ *for* example. 이것은 예가 된다. (5) 〖항해〗 …으로 향해 항해하다 (6) [부정문에서] 《구어》 …을 참다, …에 견디다; 묵종하다 ~ ***forth*** (1) 나아가다 (2) 눈에 띄다 ~ ***from under*** 《미·속어》 〈위험 등에서〉 자기 몸을 보호하다, 안전한 장소로 가다 ~ ***good*** (1) 유효하다 (2) 통용되다, 성립되다 ~ ***high in the opinion of*** = STAND well with. ~ ***in*** (1) 〈내기 등에〉 가담하다 (2) 대역[대리]을 맡아보다 《*for*》 (3) 《고어》 돈이 들다 ~ ***in need of*** help (도움)이 필요하다 ~ ***in*** a person***'s way*** …을 못하도록 막다 ~ ***in with*** (1) 《미·구어》 …와 사이가 좋다, 친하다 (2) 비용을 서로 부담하다 ~ ***off*** (1) 멀리 서 있다, 피하다; (…와) 사귀지 않다; 〈요청 등을〉 모르는 체하다 (2) 멀리하다, 경원하다, 격퇴하다; 응하지 않다 (3) 《영》 (불경기로) 일시 해고하다 (4) 〈배가〉 (뭍에서) 멀어져 가다 《*from*》 (5) 가다 멈추다 ~ ***off and on*** 〖항해〗 육지에서 가까워졌다 멀어졌다 하면서 (한 목표를 놓치지 않게) 항해하다 ~ ***on*** (1) …의 위에 서다; …을 바탕으로 하다; …에 의존하다 (2) 〈의식 등을〉 굳게 지키다, …에 까다롭다; …을 주장[고집]하다; 《고어》 …을 기다리다 (3) 〖항해〗 일정한 항로를 직행하다 (4) [명령문에서] …을 신뢰하다, 맡기다 ~ ***on*** one***'s head*** (1) 물구나무서다 (2) 〈논의 등을〉 뒤집어엎다 ~ ***or fall*** 부침[생사, 운명]을 같이하다, 일치단결하다 《*with, together, by*》 ~ ***out*** (1) 돌출하다, 튀어나오다 (2) 눈에 띄다, 두드러지다 《*from, among*》 (3) 〖항해〗 (해안에서) 떨어진 침로를 잡다 (4) (남은 항복해도) 끝까지 버티다 《*against, for*》 (5) 개입하지 않다: ~ *out of* war 전쟁에 가담하지 않다 ~ ***outside*** (1) 바깥에 있다 (2) (어떤 상태·관계·입장에) 있다 (3) [~ *outside* ...] …의 밖에 있다; 〈문제 등이〉 〈능력·범위를〉 넘다 ~ ***out to sea*** [***due north***] 〖항해〗 난바다[정북(正北)] 쪽으로 타고 나가다 ~ ***over*** (1) 곁에서 지켜보다[감독하다] (2) 《호주·뉴질·속어》 …을 협박하다, 돈을 뜯어내다 (3) 연기되다[하다] (4) 어느 항을 떠나 다른 곳으로 이동하다 ~ ***pat*** 〖카드〗 처음 패로 끝까지 버티다; 《미·구어》 〈계획·결심 따위를〉 끝까지 지키다 ~ one***'s colors*** 끝까지 버티다, 고집하다 ~ one***'s ground*** 견지하다, 고수하다 ~ ***still*** (1) 가만히 있다 (2) 현상을 유지하다 ~ ***to*** (1) 〈조건·약속 등을〉 지키다 (2) 〈진술 등의〉 진실을 고집하다, 주장하다; 〈사람·주장 등을〉 지지하다; 〈노력·일 등을〉 쉬지 않고 계속하다 (3) 적의 공격에 대비하여 대기하다 ~ ***together*** (1) 나란히 서다; 단결하다 (2) 〈의견 등이〉 일치하다 ~ ***to win*** [***lose***] 형세가 이길[질] 것 같다 ~ ***under*** 받다, 짊어지다; 견디다, 참다 ~ ***up*** (1) 일어서다 (2) 지탱하다, 지속하다; 견디다, 내구력이 있다; 여전히 효력이 있다; 〈이야기 등이〉 신뢰받다 (3) 반항하다, 대항하다 《*against*》 ~ a person ***up*** (1) 세우다 (2) 《구어》 약속에 대오지 않다, 데이트에서 바람맞히다 (3) …을 얕잡아 보다 ~ ***up for*** 옹호[변호]하다, 두둔하다, 편들다; 《미》 (결혼식에서 신랑·신부의) 들러리를 서다 ~ ***up for*** one***self*** 자립하다, 남에게 좌우되지 않다 ~ ***up in*** 《구어》 (1) …을 몸에 지니다 (2) …을 몸에 지닌 채 출석하다 ~ ***upon*** one***'s rights*** 권리를 주장[고집]하다 ~ ***up to*** (1) …에 용감히 대항하다 (2) …에 견디다 (3) 《미》 〈의무·약속 등을〉 훌륭하게 수행하다 ~ ***up under*** 〈중량·억압 등을〉 견디며 꿋꿋이 서 있다 ~ ***up with*** 《미·구어》 (신랑·신부의) 들러리를 서다 ~ ***well with*** …에게 인기[평판]가 좋다 ~ ***with*** (1) …와 일치하다 (2) 지지하다, 찬성하다 (3) …을 주장하다

— *n.* **1 정지**; 섬, 서 있음, 기립; 막다름 **2 저항**, 반항 **3 처지**, 입장, 견해, 태도 **4** 근거; 주장 **5 위치**, 장소 **6** 《미》 (법정의) 증인석(《영》 witness-box) **7** [보통 the ~s] 자리, 관람석; 음악당; 연단 **8 스탠드**, 노점; (역·길거리 등의 신문 잡지) 매점 **9** 대(臺), 작은 탁자; …걸이, …(얹음)대, …칸막이: a music ~ 악보대 **10** 《미》 영업소[지]; (사업용의) 장소, 위치 **11** (택시 등의) 주차장, 손님의 대기소, 버스 정류소 **12** 《미》 밭에 서 있는 농작물, 베지 않은 농작물, 유망한 농작물; 입목(立木) **13** (순회 공연 중인 흥행단의) 숙박지, 흥행지 **14** 《미》 점수, 성적 **15** 《구어》 (하룻밤의) 정사(情事); (하룻밤의 관계를 가진) 상대(cf. ONE-NIGHT STAND 2)

be at a ~ 꼼짝 않고 서 있다, 몹시 난처한 처지에 있다, 어쩔 줄을 모르다 ***bring*** [***put***] ***to a*** ~ 정지시키다; 막다르게 하다 ***come to a*** ~ 정지하다; 막다르다 ***make a*** ~ 멈추다; 저항하다 ***take a firm*** [***strong, militant***] ~ 단호한[강경한, 전투적인] 태도를 취하다 ***take*** one***'s*** ~ ***on*** …의 입장을 취하다, …을 주장하다 ***take the*** ~ 《미》 증인대에 서다

stand-a·lone [stǽndəlòun] *a.* 〖컴퓨터〗 (다른 장치가 필요없이) 그 자체만으로 작동하는, 독립형의; 〈회사가〉 (대기업에 속하지 않고) 독립한

⁑**stand·ard** [stǽndərd] [OF 「서 있는 지점, 집결 지점」의 뜻에서] *n.* **1** [종종 *pl.*] **표준**, 기준, 규격; 도덕적 규범, 모범 **2** (쇠고기 등급의) 보통 **3** (도량형의) 원기(原器), 기준 단위 **4** 본위(本位) 《화폐 제도의 가치 기준》: the gold[silver] ~ 금[은]본위제 **5** 《영》 (초등학교의) 학년, 학급(grade) **6** 《미·구어》 표준 연주 곡목, 스탠더드 넘버 **7** 기(旗), (왕실의) 기, 군기(軍旗), 《특히》 기병 연대기(⇨ flag[1] 유의어); (문장(紋章)의) 군기 문양 **8** 곧은 버팀 기둥, 지주(支柱), 전주(電柱) 《등》 **9** 램프대, 촛대; 기둥 뿌리; 잔의 굽; 굽 높은 큰 잔 **10** 〖원예〗 (관목을 잇는) 접본(接本), 대목, (곧은) 나무[자연목] **11** 〖식물〗 기판(旗瓣); 아이리스 꽃의 (직립한 세 개의) 속꽃잎 중의 하나 ***join the*** ~ ***of*** …의 깃발 아래로 모여들다 ***Labor S~s Law*** 근로 기준법 ***march under the*** ~ ***of*** …의 군에 참가하다 ***raise the*** ~ ***of revolt*** [***free trade***] 반기(叛旗)[자유 무역의 기치]를 들다 ***S~ and Poor's*** (***stock***) ***index*** 〖경제〗 스탠더드앤드푸어사(社)의 주가 지수 ***tabular*** [***multiple***] ~ 평균 물가 표준 ***up to*** [***below***] ***the*** ~ 표준에 달하여[미달하여], 합격[불합격]하여

— *a.* **1 표준의**; 〈언어·발음 등이〉 표준어의 **2** 권위 있는, 정평이 있는; 일류의, 탁월한 **3** 보통의, 무난한; 관례적인 **4** 〈식육 등의 품질이〉 중(中) 이하의; 〈상품의 수량이〉 가장 적은 **5** 수동(식)의, 자동이 아닌 **6** 표준 규격의; 공인된 ▷ stándardize *v.*

stándard átmosphere 표준 대기

stand·ard-bear·er [stǽndərdbὲərər] *n.* **1** 〖군사〗 기수(旗手) **2** (정당·운동 등의) 주창[창도]자

stándard bréad 《영》 표준 빵 《밀가루가 80% 함유된》

stand·ard·bred [-brèd] *n.* [종종 **S~**] 《미》 마차 경주용 말 《미국에서 육성된 trotter와 pacer용 품종의 말》

stándard céll 〖전기〗 표준 전지

stándard cóst 〖회계〗 표준 원가(cf. ACTUAL COST)

stándard dedúction 《미》 기본 공제

stándard deviátion 〖통계〗 표준 편차

Stándard Énglish 표준 영어

stándard érror 〖통계〗 표준 오차

stándard fúnction 〖컴퓨터〗 표준 함수

stándard gàuge[**gàge**] (철도 레일의) 표준 궤간(軌間) 《약 1.435 m》

Stándard Gráde (스코) 표준 등급 시험 《스코틀랜드에서 16세에 치르는 과목별 시험의 일종》

stand·ard·i·za·tion [stæ̀ndərdizéiʃən | -daiz-] *n.* Ⓤ **1** 표준화, 규격화 **2** 통일, 획일

***stand·ard·ize** [stǽndərdàiz] *vt.* **1 표준에 맞추다**; 표준[규격]화하다, 획일화하다 **2** 표준으로 삼다 **3** 〖화학〗 표준에 따라 시험하다; (정량 분석을 위해) (용액의) 농도를 정하다 **-ìz·er** *n.*

stándard làmp 《영》 = FLOOR LAMP

stándard léngth 〖어류〗 표준 몸길이 《코끝부터

principle, level, grade, quality, evaluation — *a.* usual, ordinary, normal, average, regular, fixed

등뼈끝까지))
stándard móney 〔경제〕 본위 화폐
stándard of líving 생활 수준
stándard óperating procèdure 〔군사〕 관리 운용 규정, 작전 규정 ((略 SOP))
stándard stár 〔천문〕 표준성 ((다른 별의 위치 등을 정하는 데 기준이 되는 별))
stándard tìme **1** 표준시(cf. LOCAL TIME) ★ 미국의 표준시는 각기 1시간 차이를 두고 다음 7종이 있음 ((괄호 안의 숫자는 경도)): Eastern time(75°), Central time(90°), Mountain time(105°), Pacific time(120°), Yukon time(135°), Alaska time(150°), Bering time(165°) **2** 〔경영〕 표준 (작업) 시간
stand·a·way [stǽndəwèi] *a.* 〈여성복의 일부나 칼라가〉 높게 선, 밖으로 뻗은: a ~ collar 높게 선 칼라
*__stand·by__ [stǽndbài] *n.* (*pl.* **~s**) **1** 의지할 만한 사람[것] **2** (비상시의) 교대 요원; 비상용 물자; 대역(代役) **3** 찬성자, 원조자, 편 **4** 〔항해〕 대기[준비]의 구령[신호]; 구급용 배 **5** 〔무선〕 대기(待機); 〔라디오·TV〕 예비 프로 **6** (항공기의) 공석 대기 손님
on **~** 대기하고 있는, 공석 대기의
— *a.* 긴급시에 당장 쓸 수 있는; 대역의; 대기의; 〈비행기 등이〉 공석 대기의: the ~ order 대기 명령/a ~ player 대기 선수
— *ad.* 공석 대기로, 대기해서, 대역으로: fly ~ to Italy 공석 대기로 이탈리아행 비행기를 타다
stándby pàssenger 공석 대기 손님 ((예약 취소로 생긴 좌석을 기다려 타는 손님))
stándby (pòwer) sỳstem 예비 발전 장치
stándby time (사람·기계의) 대기 시간
stánd càmera 삼각대 달린 카메라
stand-down [-dàun] *n.* 휴지(休止), 중지, (일시적) 활동 중지; 〔군사〕 작전 중지; 일시 해고
stand·ee [stændíː] *n.* ((구어)) **1** (극장 등의) 입석 관객 **2** (열차 등의) 입석객 **3** 입석객을 위한 버스[열차]
stand·er-by [stǽndərbái] *n.* (*pl.* **stand·ers-**) 방관자, 구경꾼(bystander)
stand·fast [stǽndfæ̀st | -fɑ̀ːst] *n.* 고정[안정]된 위치, 튼튼한[흔들리지 않는] 위치
*__stand-in__ [stǽndìn] *n.* **1** (영화 배우의) 대역; ((일반적으로)) (…의) 대리인, 대신하는 사람, 바꿔 놓은 사람, 대용물 ((*for*)) **2** ((미·속어)) 우선적인[유리한] 입장
‡__stand·ing__ [stǽndiŋ] *a.* Ⓐ **1 a** 서 있는, 선 채로의 **b** 〈밀 등이〉 베지 않은, 벌채하지 않은 **c** 선 채로[서서] 하는: a ~ jump 서서 하는 점프 **2** 멎어 있는, 움직이지 않는; 〈물 등이〉 괴어 있는: ~ water 고여 있는 물 **3** 상비의, 〈위원 등이〉 상임의; 영구[지속]적인, 일시적이 아닌 **4 a** 불변의; 〈규칙 등이〉 계속 효력을 갖는, 〈유행을〉 따르지 않는; 〈색·광택이〉 바래지 않는: a ~ rule 불변의 법칙 **b** 〈주문 등이〉 정해진, 판에 박은, 〈요리 등이〉 언제나 나오는, 습관적인: ~ customers 단골 고객/a ~ excuse 늘 하는 변명 **5** 〔인쇄〕 〈활자 등이〉 짜 놓은 **6** 〔항해〕 (어떤 장소·위치에) 고정된
all **~** 〔항해〕 돛을 내릴 틈도 없이, 허를 찔리어; 모든 것을 갖추고, 만반의 준비가 되어
— *n.* **1** UC (훌륭한) 신분, 지위; 격식; 명성, 명망: people of high[good] ~ 신분이 높은[명망 있는] 사람들 **2** Ⓤ 계속 (기간), 존속 (기간), 지속 (기간): a custom of long ~ 오랜 관습 **3** [종종 *pl.*] 〔미식축구〕 순위표, 랭킹 **4** UC 서 있음, 기립 **5** 서 있는 장소[위치], 입석 **6** 〔법〕 당사자 적격, 원고 적격(原告適格): ~ to sue 원고 적격 ***No ~.*** ((게시)) (자동차의) 정차 금지.
stánding ármy 상비군
stánding (bróad) jùmp 제자리 멀리뛰기
stánding commìttee 상임 위원회
stánding cróp **1** 〔농업〕 자라고 있는 농작물 **2** 〔생물〕 (단위 면적 내에서 한 시점의 생물의) 현존량
stánding óperating procèdure = STANDARD OPERATING PROCEDURE
stánding órder **1** [보통 **~s**] (취소·변경 때까지의) 정기 구독 **2** [the ~s] (의회의) 의사(議事) 규정 **3** 〔군사〕 복무 규정 **4** ((영)) 은행에 대한 정기적 지급 명령, 자동 대체(banker's order)
stánding ovátion 기립 박수[갈채]: receive a ~ 우레와 같은 기립 박수로 환영받다
stánding ròom **1** (기차·전차 등의) 서 있을 만한 여지 **2** (극장·경기장 등의) 입석: ~ only 입석 외 만원 ((略 SRO))
stánding rúle 〔군사〕 = STANDING ORDER 3
stánding stárt 〔육상〕 **1** 도움닫기가 없는 스타트 **2** 직립 자세에서의 스타트
stánding stòne 〔고고학〕 선돌(menhir)
stánding vòte 기립 투표
stánding wáve 〔물리〕 정상파(定常波)
stand·ish [stǽndiʃ] *n.* ((고어)) 잉크병, 잉크 스탠드
stand·off [stǽndɔ̀ːf | -ɔ̀f] *a.* ((미)) **1** 떨어져 있는, 고립하여 있는; 서먹한, 냉담한 **2** 〔군사〕 〈미사일 등이〉 원격의 **—** *n.* **1** Ⓤ ((미)) 떨어져 있음; 고립 **2** Ⓤ ((미)) 삼가함, 서먹함; 냉담 **3** ((미)) 균형 상태; 벌충; 동점, (경기의) 무승부 **4** 〔럭비〕 = STANDOFF HALF **5** 사다리 끝의 버팀 **6** 〔전기〕 격리 절연기 **7** ((영)) 휴시 **8** ((미)) 막힘, 막다름; 교착 상태
stándoff hálf 〔럭비〕 스탠드오프 하프 ((스크럼 뒤에서 하프로부터 패스를 받는 하프백))
stand·off·ish [stǽndɔ́ːfiʃ | -ɔ́f-] *a.* **1** 쌀쌀한, 냉담한, 삼가는(reserved) **2** 무뚝뚝한; 거만한
~·ly *ad.* **~·ness** *n.*
stánd òil 스탠드유, 농화유(濃化油) ((아마인유를 가열한 것; 페인트·인쇄 잉크용))
stand·out [stǽndàut] *n.* ((미·구어)) **1** 뛰어난[탁월한] 사람[물건], 이채로운 사람[물건] **2** 타협할 줄 모르는 사람, 순응하지 않는 사람 **—** *a.* 뛰어난, 탁월한
stand·o·ver [-òuvər] *n.* ((호주·구어)) 공갈, 협박
stand·pat [-pæ̀t] *a.* 현상 유지를 주장하는; 집요하게 보수적인 **—** *n.* = STANDPATTER
stand·pat·ter [-pæ̀tər] *n.* ((미·구어)) 현상 유지론자, 비개혁파 사람, 보수주의자
stand·pipe [-pàip] *n.* **1** 수직관, 직립관 **2** 배수[저수, 급수]탑
‡__stand·point__ [stǽndpɔ̀int] *n.* 견지, 관점, 견해, 시점; 보기 위해 서 있는 장소
*__stand·still__ [stǽndstìl] *n.* CU **1** 정지, 휴지, 멈춤: cardiac ~ 심장의 정지 **2** 답보 (상태), 정돈(停頓)
at a ~ 정돈 상태에 있는 ***come*** [***be brought***] ***to a ~*** 멎다, 멈추다, 막히다
stand-to [-tùː] *n.* 〔영국군〕 대기, 경계 태세: be on ~ 대기하고 있다
stand-up [-ʌ̀p] *a.* Ⓐ **1** 서 있는, 곧은, 〈칼라 등이〉 바로 선: a ~ collar 선 칼라 **2** 〈식사 등을〉 선 채로 먹는; 선 채로 하는; 서서 하도록 설계된: a ~ meal 서서 먹는 식사 **3** 〈싸움이〉 당당한, 정정당당한; 〈권투 등이〉 요란하게 치고받는; 대담한 태세의 **4** 〈희극 배우가〉 혼자 연기하는, 입담을 주로 하는 **—** *n.* 혼자서 재담[농담]하는 코미디언[코미디]
stand-up·per [-ʌ́pər] *n.* (TV의) 현장 리포터에 의한 보도[인터뷰]
Stán·ford-Bi·nét tèst [stǽnfərdbinéi-] 〔심리〕 스탠퍼드 비네식 지능 검사법 ((미국 Stanford 대학에서 Binet-Simon test를 개량한 것))
stan·hope [stǽnhòup, stǽnəp | stǽnəp] [이 마차를 처음 만들게 한 영국의 목사 F. Stanhope의 이름에서] *n.* 포장 없는 2륜[4륜] 경마차
Stan·i·slav·ski [stænəslɑ́ːvski, -slɑ́ːf- | -slǽv-] *n.* 스타니슬라프스키 **Konstantin ~** (1863-1938) ((러시아의 연출가·배우))
stank[1] [stæŋk] *v.* STINK의 과거
stank[2] *n.* **1** ((영)) 작은 댐, (내의) 보, 둑 **2** ((북잉글)) 못, 웅덩이 **3** ((영·방언)) 도랑, 하수구
— *vt.* ((영)) (진흙으로) 〈둑 등의〉 누수를 막다

thesaurus **standpoint** *n.* point of view, viewpoint, opinion, perspective, angle, slant

Stan·ley [stǽnli] *n.* **1** 남자 이름 **2** 스탠리 **Sir Henry M.** ~ (1841-1904) 《영국의 아프리카 탐험가》 **3 Mount** ~ 스탠리 산 《아프리카의 우간다와 자이르 국경에 있는 산》
Stánley Cúp 〖아이스하키〗 스탠리컵 《미국·캐나다의 내셔널 하키 리그의 챔피언에게 수여되는 트로피》
Stánley Gíb·bons [-gíbənz] 영국의 우표 거래 상사·출판사
Stánley knìfe (영) 스탠리 칼 《교체 가능한 삼각형의 날카로운 칼날이 있음; 상표명》
stann- [stæn] 《연결형》 「주석」의 뜻
stan·na·ry [stǽnəri] *n.* (*pl.* **-ries**) (영) **1** 주석 광업지 **2** 주석 광(산)(tin mine)
stan·nate [stǽneit] *n.* 〖화학〗 주석산염
stan·nic [stǽnik] *a.* 〖화학〗 주석을 포함한, (제2) 주석의: ~ acid 주석산/~ salt 제2 주석염
stan·nif·er·ous [stəníf∂rəs] *a.* 주석을 함유한
stan·nite [stǽnait] *n.* **1** 〖광물〗 황석석(石) **2** 〖화학〗 아주석산염
stan·nous [stǽnəs] *a.* 〖화학〗 주석을 함유한, (제1) 주석의
stánnous flúoride 〖화학〗 불화[플루오르화] 제1 주석
stan·num [stǽnəm] *n.* Ⓤ 〖화학〗 주석(tin) 《금속 원소; 기호 Sn, 번호 50》
***stan·za** [stǽnzə] [It. 「멈추는 곳」의 뜻에서] *n.* **1** 〖운율〗 절(節), 연(聯) 《보통 일정한 운율을 지닌 4행 이상으로 된 시의 단위; 略 st.》 **2** (권투속어) 라운드; 〖야구〗 이닝; 〖미식축구〗 쿼터 **stan·za·ic** [stænzéiik] *a.*
sta·pe·dec·to·my [stèipidéktəmi] *n.* (*pl.* **-mies**) 〖해부〗 중이(中耳) 등골 절제술
sta·pe·li·a [stəpí:liə] *n.* 〖식물〗 스타펠리아 《박주가릿과 스타펠리아속(屬) 다육식물의 총칭; 악취를 풍김》
sta·pes [stéipi:z] *n.* (*pl.* ~, **-pe·des** [stəpí:di:z]) 〖해부〗 (중이(中耳)의) 등골(鐙骨)
staph [stǽf] *n.* (구어) = STAPHYLOCOCCUS
staphylo- [stǽfəlou, -lə] 《연결형》 「포도송이, 목젖」의 뜻
staph·y·lo·coc·cus [stæ̀fələkɑ́kəs | -kɔ́k-] *n.* (*pl.* **-coc·ci** [-kɑ́ksai | -kɔ́k-]) 〖세균〗 포도(상) 구균 **-coc·cal** [-kɑ́kəl | kɔ́k-], **-coc·cic** [-kɑ́ksik | -kɔ́k-] *a.*
***sta·ple**[1] [stéipl] [OF 「시장」의 뜻에서] *n.* **1** [보통 *pl.*] 주요 산물; 중요 상품 **2** (유행·계절 등에 관계 없는) 기본 식료품 《설탕·소금 등》 **3** 요소, 주성분 《*of*》 **4** 요강, 주요한 테마 **5** Ⓤ 원료, 재료 《섬유 제품의》; 짧은 섬유; (섬유의 품질·길이 등의) 표준 **6** (고어) 상업 중심지 **7** 〖영국사〗 (중세 말기의) 특정 시장 《왕이 특정 상업 단체에 수출품 구입 독점권을 부여한 장소》
— *a.* 기본적인, 주요한, 중요한; 대량 생산의, 잘 팔리는; 주로 생산[수출]되는; 주로 이용되는
— *vt.* 〈양모 따위를〉 분류하다, 선별하다
staple[2] [ON 「고정시키다」의 뜻에서] *n.* **1** U자못, 꺾쇠 **2** 제본못, (스테이플러) 알
— *vt.* **1** U자못을 박다, 꺾쇠로 고정시키다 **2** 제본못으로 철하다, 스테이플러로 매다
stáple díet 1 (…로 이루어진) 주식 《*of*》: a ~ *of* meat and bread 고기와 빵으로 된 주식 **2** 흔히 쓰이는 것, 단골 메뉴
stáple fíber 짧은 섬유 《방적하기에 알맞게 재단한 면·양모·아마 등》
stáple gùn = STAPLER[1]
sta·ple·punc·ture [stéiplpʌ̀ŋktʃər] *n.* Ⓤ 〖의학〗 스테이플 침(針)요법 《외이(外耳)에 침을 꽂아 식욕·약물 장애를 줄이는 요법》
sta·pler[1] [stéiplər] *n.* 제본기(機), 스테이플러, 찍개 《서류 따위를 철하는 도구》
stapler[2] *n.* **1** 양모 선별공 **2** 양모 중매인

standstill *n.* halt, stop, pause, cessation, stand
staple[1] *a.* chief, primary, main, principal

stáple remòver 스테이플 제거기
stá·pling machìne [stéipliŋ-] = STAPLER[1]
‡**star** [stɑ́:r] *n.* **1** 별; 《일반적으로》 항성(恒星), 천체: falling ~ 유성(流星)/this ~ 지구 **2 a** 〖점성〗 운성(運星); [종종 *pl.*] 운, 운수 **b** 성공, 행운: Your ~ will rise next year. 내년에는 행운이 찾아올 거야. **3 a** 별 모양의 것 **b** 성장(星章); 성형(星形) 훈장: the *S*~ of India 인도성(星) 훈장 **c** 〖인쇄〗 별표 (asterisk) 《*》 **4** (미) 주(州)를 나타내는 별 **5** (운동 경기 등의) 대가 **6** 스타, 인기 배우[가수]; 인기 있는 사람 **7** (말의 얼굴에 있는) 흰 털, 흰 점 **8** [the ~s] 도저히 이룰 수 없는 목표 **9** = STARFISH
a guiding ~ [***light***] 남의 모범(이 되는 사람) ***curse*** one***'s ~s*** 운명을 저주하다 ***get ~s in*** one***'s eyes*** 눈을 반짝이다, 행복한 기분이 들다; 의기양양해지다 ***My ~s!*** (구어) 뭐라고, 어머나! 《가벼운 놀라움을 나타냄》 ***reach for the ~s*** (미·구어) 이룰 수 없는 일을 바라다 ***see ~s*** (구어) 눈에서 불꽃이 튀다, 눈앞이 아찔해지다 ***~s in*** one***'s eyes*** 의기양양, 우쭐한 기분 ***thank*** one***'s*** (***lucky***) ***~s*** 행운을 감사하다 ***the S~ of Bethlehem*** 베들레헴의 별 《예수의 탄생 때 나타난》 ***the ~ of day*** [***noon***] 태양 ***the S~s and Bars*** [단수 취급] 〖미국사〗 (남북 전쟁 때의) 남부 연맹기 ***the S~s and Stripes*** [단수·복수 취급] 성조기(Star-Spangled Banner) 《미국 국기; ★ 현재의 주(州)를 나타내는 50개의 별과 독립 당시의 13주를 나타내는 13개의 줄로 이루어짐》 ***trust*** one***'s ~*** 자기의 성공을 믿다
— *a.* Ⓐ **1** 별의 **2** 초월한, 우수한, 빼어난; 현저한, 눈에 띄는, 두드러지는; 스타의, 인기 배우의, 주역의: a ~ reporter 인기 기자/a ~ athlete 인기 선수
a ~ turn 관중을 끌기 위한 여흥 프로
— *v.* (**~red**; **~·ring**) *vt.* **1** [특히 과거분사로] 별로 장식하다, 별(장식)을 달다[점점이 박다] 《*with*》: (~+목+전+명) a crown *~red with* diamonds 다이아몬드로 장식된 왕관 **2** 별표를 붙이다 **3** 스타[주역]로 하다; 주역을 시키다 ~ ***it*** 주연하다
— *vi.* **1** 별처럼 빛나다 **2** 뛰어나다, 두드러지다; 스타가 되다, 주연하다 《*in, on*》: (~+전+명) He *~red in* the new play. 그는 새 연극에서 주연했다.
stár ànise 〖식물〗 붓순나무, 팔각; 그 열매
star·board [stɑ́:rbərd, -bɔ̀:rd] *n.* Ⓤ 우현(右舷) 《이물을 향해서 우측》; (항공기의) 우측 《기수를 향해; 야간에 녹색 등을 켬; opp. *port*[3]; cf. LARBOARD》
— *a.* 우현의, 우측에 있는 — *ad.* 우현으로, 우측으로
— *vt.* 〈키를〉 우현으로 돌리다: *S~!* (구령) 우현으로, 키를 우로! 《옛날에는 「키를 좌로」의 뜻》
star·burst [-bə̀:rst] *n.* 폭발하는 별빛[별 모양]
starch** [stɑ́:rtʃ] [OE 「단단하게 하다」의 뜻에서] *n.* Ⓤ **1** 녹말, 전분(澱粉) **2** (세탁용) 풀 **3** [*pl.*] (미) 전분 식품; 죽(粥) **4** (구어) 품질이 나쁜[불순물이 섞인] 약 **5** 거북스러움, (태도 등의) 고지식함, 꼼꼼함, 형식[예의 범절]에 치우침 **6** (미·구어) 용기; 정력, 활력, 지구력 ***take the ~ out of (1) 거만한 콧대를 꺾다 (2) 피곤하게 하다, 무기력하게 만들다 (3) 딱딱함을 없애다, 〈분위기를〉 부드럽게 하다
— *a.* 거북스러운, 딱딱한, 어색한
— *vt.* **1** …에 풀을 먹이다 **2** 거북하게 하다, 딱딱하게 하다 **~·er** *n.* **~·less** *a.* **~·lìke** *a.* ▷ stárchy *a.*
Stár Chàmber [Westminster Palace의 천장에 별 모양의 장식이 있는 방의 명칭에서] **1** [the ~] 〖영국사〗 성실청(星室廳) 법원, 성법원(星法院) 《1641년 폐지된 형사 법원; 배심원을 두지 않고 전횡·불공평하기로 유명》 **2** [**s- c-**] 불공평한 법원[위원회]
stár chàrt 〖천문〗 별자리표, 성도(星圖)
stárch blòcker 녹말 소화 효소 저해제 《인체의 녹말 소화 작용에 영향을 주어 체중을 감소하는 데 쓰이는 물질로 미국의 FDA에서 사용을 금지함》
starched [stɑ́:rtʃt] *a.* 풀을 먹인; 위엄을 부리는; (미·속어) 술에 취한
stárch gùm 호정(dextrin)

starch-re·duced [stɑ́ːrtʃridjùːst | -djùːst] *a.* 녹말을 줄인 〈빵〉

starch·y [stɑ́ːrtʃi] *a.* (**starch·i·er**; **-i·est**) **1** 녹말(질)의 **2** 풀을 먹인, 빳빳한, 굳어진 **3** 거북스러운, 고지식한, 격식을 차리는 **4** 《미·속어》 술 취한
stárch·i·ly *ad.* **stárch·i·ness** *n.*

stár clòud 〖천문〗 항성운(cf. NEBULA)

stár clùster 〖천문〗 성단(星團)

star-crossed [stɑ́ːrkrɔ̀ːst | -krɔ̀st] *a.* 《문어》 별자리가 사나운, 박복한, 불행한

star·dom [stɑ́ːrdəm] *n.* **1** Ⓤ 주역[스타]의 지위[신분]: achieve ~ 스타의 위치에 오르다 **2** [집합적] 《영화 등의》 스타들; 스타계

stár drift 〖천문〗 성류(星流) 《일부 항성에서 볼 수 있는 외관상의 완만한 이동》

star·dust [stɑ́ːrdʌst] *n.* Ⓤ **1** 〖천문〗 소성단(小星團); 우주진(宇宙塵) **2** 《구어》 황홀함; 청순하고 로맨틱하며 신비한 감정; 넋을 잃게 하는 매력

***stare** [stɛ́ər] *vi.* **1** 응시하다, (눈을 둥그렇게 뜨고) 빤히 보다, 말똥말똥 쳐다보다, 노려보다 (*at, upon, with*)(⇨ look 유의어): (~+부) ~ *vacantly* 어안이 벙벙하다 // (~+전+명) ~ *with*[*in*] surprise 놀라서 눈을 동그랗게 뜨다 / She ~*d at* me. 그녀는 나를 빤히 쳐다봤다. **2** 〈빛깔이〉 유난히 눈에 띄다 (*out*) **3** 〈털이〉 곤두서다, 쭈뼛 서다
—*vt.* 응시하다, 뚫어지게 보다, 노려보아 …시키다: (~+목+부) He ~*d* them dumb. 그는 그들을 노려보아 조용히 시켰다. ***make*** a person ~ …을 놀라게 하다 ~ a person ***down*** [***out***] …을 노려보아 눈길을 피하게 하다 ~ a person ***in the face*** …의 얼굴을 빤히 들여다보다; 〈죽음·멸망 등이〉 눈앞에 닥치다; 〈사실이〉 …에게 있어 명백하다 ~ a person ***into ...*** 물끄러미 바라보아 …시키다 ~ a person ***out of countenance*** …을 노려보아 무안하게 하다 ~ a person ***up and down*** …을 위아래로 훑어보다
—*n.* 빤히 봄, 응시: give a person a cold ~ …을 차가운 눈으로 빤히 보다 **stár·er** *n.*

sta·re de·ci·sis [stɛ́əri-disáisis] 〖법〗 선례 구속성의 원리 《하나의 판결이 정립된 후에 동일 또는 유사한 사건에서 선례로써 판단을 구속하는 원리》

sta·rets [stɑ́ːrjits, -jəts] *n.* (*pl.* **star·tsy** [stɑ́ːrtsi]) 《동방 교회의》 교리 강사

star·fish [stɑ́ːrfiʃ] *n.* (*pl.* **~, ~·es**) 〖동물〗 불가사리

star·flow·er [-flàuər] *n.* 〖식물〗 **1** 취란화속(屬) 식물 **2** 별 모양의 꽃이 피는 식물

stár frùit 괭이밥 나무 열매 (carambola)

star·gaze [-gèiz] *vi.* **1** 별을 쳐다보다; 별을 관찰하다 **2** 공상에 잠기다 **3** 스타를 쫓아다니다

star·gaz·er [-gèizər] *n.* **1** 《익살》 점성가, 천문학자 **2** 몽상가, 공상가; 이상가(理想家) **3** 《미·캐나다·속어》 영화 배우·스타를 쫓아다니는 열성팬

star·gaz·ing [-gèiziŋ] *n.* Ⓤ **1** 《익살》 점성학, 천문학 **2** 꿈결 같음, 방심 상태 **3** 스타를 쫓아다님

***star·ing** [stɛ́əriŋ] *a.* **1** 노려보는 **2** 〈빛깔이〉 요란한, 야한; 눈에 띄는 **3** 〈머리털 등이〉 곤두선
—*ad.* 완전히, 아주 ***stark, ~ mad*** 《익살》 아주 미친 **~·ly** *ad.* 노려보고; 눈에 띄게

***stark** [stɑ́ːrk] [OE 「강한」의 뜻에서] *a.* **1** 〈경치 등이〉 황량한; 〈방 등이〉 장식이 없는, 휑한 **2** 〈묘사 등이〉 있는 그대로의, 적나라한; 뚜렷한, 두드러진: a ~ contrast 현저한 대조 **3** Ⓐ 순전한, 순수한, 완전한 **4** 윤곽이 확실한 **5** 〈훈련 등이〉 엄한, 융통성이 없는; 명백한, 움직일 수 없는, 어쩔 수 없는 **6** 〈시체가〉 굳어진, 빳빳해진 **7** 《시어》 힘찬, 단단한; 굳게 결심한, 단호한, 준엄한 **8** 다 벗은(stark-naked)
~ and stiff 《시체 등이》 빳빳하게 굳어진[굳어져]
—*ad.* 전혀, 아주, 완전히; 《스코》 단호하게; 강력하게; 힘세게 **~·ly** *ad.* **~·ness** *n.*

Stárk effèct [독일의 물리학자 이름에서] 〖물리〗 슈타르크 효과 《광원이 전장(電場)에 놓이면 스펙트럼선이 분기(分岐)함》

stark·ers [stɑ́ːrkərz] *a.* 《영·속어》 홀랑 벗은; 완전히 미친

stark-nak·ed [stɑ́ːrknéikid] *a.* 벌거벗은, 전라(全裸)의, 알몸의

star·less [stɑ́ːrlis] *a.* 별(빛)이 없는
~·ly *ad.* **~·ness** *n.*

star·let [stɑ́ːrlit] *n.* **1** 작은 별 **2** 《미·구어》 인기 상승의 젊은 여배우, 병아리 스타

***star·light** [stɑ́ːrlàit] *n.* Ⓤ 별빛
—*a.* 별빛의, 별빛이 밝은: a ~ night 별이 총총한 밤

star·like [stɑ́ːrlàik] *a.* 별 같은, 반짝이는; 별 모양의

star·ling[1] [stɑ́ːrliŋ] *n.* 〖조류〗 찌르레기

starling[2] *n.* 〖토목〗 (교각(橋脚)의) 물막이 말뚝 《물의 압력을 약화시키기 위한》

star·lit [stɑ́ːrlit] *a.* 별빛이, 별빛이 밝은

stár màp 〖천문〗 별자리표, 성도(星圖)

stár nètwork 〖전자〗 성형(星形) 회로

star·nose [stɑ́ːrnòuz] *n.* 〖동물〗 = STAR-NOSED MOLE

stár-nosed móle [-nòuzd-] 〖동물〗 별코두더지 《북미 원산》

star-of-Beth·le·hem [stɑ́ːrəvbéθlihèm] *n.* (*pl.* **~, stars-**) 〖식물〗 베들레헴의 별 《별 모양의 흰 꽃이 피는 나릿과(科)의 구근 식물》

Stár of Dávid [the ~] 다윗의 별, 6각성형(六角星形) 《✡; 유대교의 상징》(cf. SOLOMON'S SEAL)

star·quake [stɑ́ːrkwèik] *n.* 〖천문〗 성진(星震) 《별의 모양, 물질 분포의 급격한 변동》

starred [stɑ́ːrd] *a.* **1** 별이 총총한; 별밤의 **2** 스타[인기 배우]로서 이름난, 〈배우가〉 주연인 **3** 별표가 있는; 별로 장식한: a five-[four-]~ general 《미》 5성[4성] 장군 《육군 원수[대장]》 **4** 〖언어〗 〈어형·구조가〉 별표(*)가 있는; 비문법적인, 용인 불가능한 **5** …한 운명을 지닌: ill-~ 불운한

stár ròute 《미》 (두 지역 사이를 특정 계약자가 나르는) 국간(局間) 우편물 운송 루트

***star·ry** [stɑ́ːri] *a.* (**-ri·er**; **-ri·est**) **1** 별이 많은, 별이 총총한, 별이 반짝이는 〈하늘 등〉 **2** 별의, 별에서 나오는; 별[항성]의 성질을 가진, 별[항성]로 이루어진: ~ light 별빛 / ~ worlds 별 세계 **3** 별 모양의; 별 모양을 장식한 **4** 빤짝빤짝 빛나는, 별같이 빛나는 〈눈 등〉 **5** 비현실적인, 공상적인; 스타를 동경하는
stár·ri·ly *ad.* **-ri·ness** *n.*

star·ry-eyed [stɑ́ːriàid] *a.* 《구어》 **1** 몽상적인, 비실제적인 **2** 이상[몽상]에 찬 눈빛의

stár sápphire 〖광물〗 성채 청옥(星彩靑玉), 스타사파이어

stár shèll 조명탄, 예광탄(曳光彈)

star·ship [stɑ́ːrʃip] *n.* (항성간) 우주선

stár shòwer 〖천문〗 유성우(流星雨)

stár sìgn 〖점성〗 궁(宮), …좌(座)(sign): What's your ~? 무슨 별자리 태생입니까?

star-span·gled [stɑ́ːrspæ̀ŋgld] *a.* **1** 별로 아로새긴; 별 모양의 장식을 한 **2** 스타[유명인]들이 많이 출연[참석]한 **3** 미국(인)의, 미국(인)다운[특유의]; (미국에 대해) 매우 애국적인

Stár-Spangled Bánner [the ~] **1** 성조기(Stars and Stripes) **2** 미국 국가(國歌) 《제목》

stár strèam 〖천문〗 = STAR DRIFT

star-struck [-strʌ̀k] *a.* 《구어》 스타를 동경하는

star-stud·ded [-stʌ̀did] *a.* **1** 별이 가득한; 별빛이 찬란한 **2** 인기 배우[유명인]들이 대거 출연[참석]한: a ~ Hollywood movie 유명한 배우들이 출연한 할리우드 영화

stár sỳstem [the ~] **1** 〖영화·연극〗 스타 시스템 《인기 스타를 써서 관객을 동원하는 방식》; 스타 만들기 **2** 정계에서 유명인을 쓰는 것

thesaurus **stare** *v.* gaze, gape, look, watch
stark *a.* **1** 황량한 desolate, barren, arid, vacant, empty, forsaken, bleak, dreary **2** 적나라한 sharp,

‡start [stɑ́ːrt] *v., n.*

「갑자기 움직이다」의 뜻에서
「움직이기 시작하다」 **5** ─┬「출발하다」 **1**
　　　　　　　　　　　└「시작하다」 **4**

— *vi.* **1** 출발하다, 떠나다(leave): (~+부) I'm ~*ing tomorrow.* 내일 출발한다. // (~+전+명) The express ~*ed from* London on time. 급행열차는 정시에 런던을 출발했다. / He ~*ed on* a journey. 그는 여행을 떠났다. **2** 〈사물·활동·상태 등이〉 시작하다, …에서 시작되다 《*with, from, at*》: (~+전+명) The meeting ~*s at* ten. 회의는 열 시에 시작한다. / The dictionary ~*s with* the letter A. 사전은 A자로 시작한다. **3** 〈사물이〉 갑자기 나타나다, 출현하다 《*up*》; 〈전쟁·사고 등이〉 일어나다, 시작하다, 발생하다 《*off, up, from, with, as*》: (~+부) (~+전+명) The war ~*ed off with* a tiny accident. 전쟁은 조그만 사건에서 시작되었다. **4** 〈일 등을〉 시작하다, 착수하다 《*on, in, out, off*》: (~+전+명) ~ *on* an enterprise 사업에 착수하다 **5** 〈기계가〉 움직이다, 시동하다: (~+부) The engine ~*ed* at last. 마침내 엔진이 걸렸다. **6** (놀람·공포로) 움찔하다, 깜짝 놀라다 《*at*》: (~+전+명) He ~*ed at* the sight of a snake. 그는 뱀을 보고 움찔했다. **7** 뛰어나가다 《*forward, out*》, 뛰어 비키다 《*aside, away*》, 뛰어 물러나다 《*back*》, 뛰어오르다 《*up*》: (~+전+명) I ~*ed to* my feet. 나는 벌떡 일어섰다. // (~+부) He ~*ed aside*[*back*]. 그는 옆으로[뒤로] 휙 비켰다. **8** 〈눈이〉 튀어나오다; 〈눈물·피 등이〉 뿜어 나오다, 갑자기 나오다: (~+전+명) eyes seeming to ~ *from* their socket 튀어나올 듯한 눈 / Tears ~*ed from* her eyes. 그녀의 눈에서 눈물이 주르르 흘러 나왔다. **9** 〈선재(船材)·못 등이〉 헐거워지다, 꾸부러지다, 빗나가다, 휘다 **10** 〈사람·말 등이〉 (경기에) 참가하다, 출장하다; 〖야구〗 〈투수가〉 선발로 출전하다 **11** 〈병, 특히 감기가〉 걸리(기 시작하)다

— *vt.* **1** 〈일·식사 등을〉 시작하다, …에 착수하다: ~ dinner 식사를 시작하다 / ~ a conversation 대화를 시작하다 // (~+**-ing**) (~+**to** do) She ~*ed* cry*ing* [*to* cry]. 그녀는 울기 시작했다. **2** 〈사업 등을〉 일으키다; 설립하다: ~ a new business 새로운 사업을 시작하다 **3** 〈기계를〉 움직이게 하다, 시동시키다; 〈일을〉 일으키다: ~ a fire 화재를 일으키다 / ~ the revolution 혁명을 일으키다 // (~+목+부) I could not ~ (*up*) the engine. 엔진을 시동시킬 수가 없었다. **4** 여행을 떠나 보내다; 〈상점 등을〉 열게 하다, 시작하게 하다, …에게 길을 열어 주다: (~+목+전+명) ~ a person *in* life …을 인생 행로에 나서게 하다 / He ~*ed* his son *in* business. 그는 아들에게 장사를 시작하도록 했다. // (~+목+**-ing**) This ~*ed* me think*ing*. 이것 때문에 나는 생각하기 시작했다. **5** 〈불평 등을〉 말하다, 꺼내다; 〈칭찬·춤 등을〉 앞장서서 하다, 선도(先導)하다 **6** 〈사람·사물을〉 쓰기 시작하다; 〈묘목·병아리 등을〉 기르기 시작하다 **7** (경주에서) 〈주자에게〉 출발 신호를 하다, 출장시키다 **8** 〈선재(船材)·못 등을〉 헐겁게 하다, 휘게 하다, 빗나가게 하다, 꾸부리다; 〈닻을〉 빼내다; 〈못 등을〉 (우선) 살짝 박다 **9** 〈짐승을〉 몰아내다 **10** 〈술 등을〉 (통에서) 따라내다 《*from*》; 〈용기를〉 비우다 **11** (고어) 깜짝 놀라게 하다

Don't (***you***) ***~!*** (구어) 불평하지 마, 투덜대지 마! ***get ~ed*** (구어) (일 등을) 시작하다 ***~ after*** …을 쫓다 ***~ against*** …에 대항하여 입후보하다 ***~*** (***all***) ***over again*** = (미) ***~*** (***all***) ***over*** = (영) ***~*** (***all***) ***again*** 처음부터 다시 하다 ***~ for*** …을 향해 출발하다 ***~ from scratch*** ⇨ scratch. ***~ in*** (속어) (1) 시작하다 《*to* do, *on* do*ing*》 (2) (미·구어) …을 비난하다, …에게 잔소리하다 ***~ off*** (1) 출발하다 (2) 일을 착수케 하다 ***~ off with*** …으로부터 시작하다 ***~ on*** (영·구어) (1) …에게 싸움을 걸다 (2) (…로) 활동을 시작하다; (…에) 착수하다 ***~ out*** (1) 튀어나오다 (2) …에 착수하다; …을 시작하다 《*to* do》 (3) 일에 착수하게 하다 ***~ over*** 다시 시작하다 ***~ something*** (구어) 소란을 일으키다 ***~ up*** (1) (*vi.*) 놀라 벌떡 일어나다 (2) 갑자기 나타나다 (3) 일을 시작하다 (4) (*vt.*) 〈자동차를〉 움직이게 하다 ***to ~ with*** 우선, 첫째로, 맨 먼저(to begin with); 처음에

— *n.* **1 a** (여행 등의) 출발; (경주의) 출발, 스타트; 출발 신호; 출발점: get ready for the ~ 출발 준비를 하다 **b** 선발(권), 우선(권), 전진 위치, 유리한 조건 (cf. HANDICAP) **c** 유리, 편익(便益), 기선(機先) **2** (사업 등의) 착수, 개시 **3** 벌떡 일어남, 펄쩍 뛰어 비킴; 깜짝 놀람, 움찔함

at the ~ 처음에는 ***for a ~*** (구어) 먼저, 우선, 시작으로 ***from ~ to finish*** 시종일관, 철두철미 ***get a ~*** 깜짝 놀라다 ***get off to a good***[***poor***] ***~ in life*** 재수 좋은[나쁜] 첫걸음을 세상에 내딛다 ***get the ~ of*** …의 기선을 잡다 ***give*** a person ***a ~*** (1) 깜짝 놀라게 하다 (2) 취업시키다 ***give*** a person ***a ~ in life*** …을 세상에 내보내다, …에게 장사를 시작하게 하다 ***make a*** (***brand-***)***new ~*** 새로 시작하다 ***make a ~ on*** 〈일을〉 시작하다 ***with a ~*** 깜짝 놀라서

START [stɑ́ːrt] [*St*rategic *A*rms *R*eduction *T*alks] *n.* 전략 무기 제한 회담

∗start·er [stɑ́ːrtər] *n.* **1** (경주·경마 등의) 출발 신호원 **2 a** 경주에 나가는 사람[말] **b** 〖야구〗 선발 투수 **3** 시작하는 사람, 출발하는 사람; 제일보 **4** 〖기계〗 기동 장치, 시동기 **5** (치즈·초 제조용) 발효제[균] **6** 〖화학〗 (화학 반응의) 유발제 **7** 〖농업〗 (발효 촉진을 위한) 어린 동물용 사료; (작물의) 뿌리를 굳히는 비료 **8** (구어) (식사에서) 처음 나오는 요리 **9** 〖전기〗 (형광등의) 발광 유발 장치, 점등관 ***as***[***for***] ***a ~*** 맨 처음에 ***for ~s*** 우선, 첫째로 ***under ~'s orders*** 〈경주마 등이〉 출발 신호를 기다려

stárter càstle 작은 부지에 크고 화려하게 지은 저택(McMansion)

start·ing [stɑ́ːrtiŋ] *n.* 출발, 개시

stárting blòck 〖경기〗 출발대(臺)

starting block

stárting gàte (경마 등의) 출발문

stárting grìd (자동차 경주의) 스타팅 그리드

stárting lìne 스타트 라인, 출발선

stárting pìstol (경주 등에서) 출발 신호용 총

stárting pìtcher 〖야구〗 선발 투수

‡stárting pòint 출발점, 기점

stárting pòst (경마 등의) 출발점, 기점, 원점

stárting prìce (영) (경마 등에서) 출발 직전에 거는 돈의 비율

stárting sàlary 초봉(初俸)

stárting stàlls (영) 〖경마〗 = STARTING GATE

‡star·tle [stɑ́ːrtl] *vt.* **1** 깜짝 놀라게 하다, 펄쩍 뛰게 하다(⇨ startled; ⇨ surprise 유의어): The noise ~*d* me. 그 소리에 깜짝 놀랐다. **2** …을 자극하여 …시키다, 놀래어 …하게 하다 《*into, out of*》: (~+목+전+명) The noise ~*d* me *out of* my sleep. 그 소리에 놀라 잠이 깼다.

— *vi.* 뛰어 일어나다, 뛰어오르다, 움찔하다, 깜짝 놀라다 《*at*》: (~+전+명) She ~*d at* the sound. 그녀는 그 소리에 깜짝 놀랐다.

— *n.* **1** 깜짝 놀람 **2** 깜짝 놀라게 하는 것: The news gave us a great ~. 그 소식을 듣고 우리는 깜짝 놀랐다. **~·ment** *n.*

star·tled [stɑ́ːrtld] *a.* 놀란 《*at, by*》: (~+**to** do) I was ~ *to* see him. 나는 그를 보고 깜짝 놀랐다.

---

obvious, evident, clear, clear-cut

startle *v.* disturb, agitate, perturb, unsettle, scare, frighten, alarm, surprise, astonish, shock

star·tler [stɑ́ːrtlər] *n.* **1** 놀라게 하는 사람[것] **2** 놀라운 사실[진술]

*__star·tling__ [stɑ́ːrtliŋ] *a.* **깜짝 놀라게 하는,** 놀라운(surprising): a ~ surprise 펄쩍 뛸 만큼의 놀람
~·ness *n.*

star·tling·ly [stɑ́ːrtliŋli] *ad.* 놀랍도록, 놀랄 만큼

stár trèkker [미국 TV 공상 과학 시리즈인 *Star Trek*에서] 우주 공상 과학극(劇)

start-up [stɑ́ːrtʌ̀p] *n.* (조업) 개시, 시동
— *a.* 창업할 시의, 개업용의, 신투자를 할 때의

stárt-up cómpany 신생 기업

stártup dìsk 〖컴퓨터〗 시동 디스크

stár túrn (쇼·연극·영화 따위의) 주요[인기] 프로[공연]; 특별 출연, 주역[인기] 배우[연주자, 가수]

*__star·va·tion__ [stɑːrvéiʃən] *n.* Ⓤ **기아, 아사**(餓死) (상태); 궁핍; 결핍: die of ~ 아사하다
— *a.* Ⓐ 박봉의; 기아의; 단식의: ~ cure[policy] 단식 요법[군량 단절 공격]
▷ stárve *v.*

starvátion wàges 기아 임금 《입에 풀칠도 안 되는 박봉》

‡**starve** [stɑ́ːrv] [OE 「죽다」의 뜻에서] *vi.* **1 굶어 죽다 2 굶주리다;** 《구어》 몹시 배고프다 **3** 단식하다 **4** 갈망하다 《*for*》: (~+전+명) be ~*ing for* knowledge 지식욕에 불타고 있다 / The poor child ~*d for* domestic affection. 그 가엾은 아이는 가정적인 애정에 굶주려 있었다.
— *vt.* **1** 〈사람·동물을〉 **굶기다;** 굶겨 죽이다(⇨ starved 1): ~ a person (to death) …을 굶겨 죽이다 **2** 굶겨서 …시키다 《*into*》: (~+목+전+명) (~+목+부) ~ the enemy *into* surrender = ~ the enemy *out* 군량 전술로 적을 항복시키다 **3** …의 부족[결핍]을 느끼게 하다 《*of*》(⇨ starved 2); …에게 갈망하게 하다 《*for, of*》 **4** 〈감정·지성을〉 쇠약하게 하다
***~ down*[*out*]** 식량 공세로 항복시키다
▷ starvátion *n.*

starved [stɑ́ːrvd] *a.* **1** 굶주린, 허기진; 굶어 죽는: a ~ cat 굶주린 고양이 **2** (…이) 결핍된, 부족한 《*of*》: (~+***of***+명) The engine was ~ *of* fuel. 엔진은 연료가 부족했다.

starve·ling [stɑ́ːrvliŋ] *n.* 《고어》 (굶주려) 야윈[영양실조가 된] 사람[동물]; 시들어 버린 식물
— *a.* **1** 굶주린; 야윈; 영양실조의; 기아 상태의 **2** 빈약한, 열등한 **3** 절망[갈망]하고 있는 **4** 매우 가난한, 극빈한 **5** 아사[기아]를 일으키는; 기아를 연상시키는

Stár Wárs 별들의 전쟁, 스타워즈 계획 《미국의 전략 방위 구상(SDI)의 속칭》

Stár Wárs prògram = STRATEGIC DEFENSE INITIATIVE

stash[1] [stǽʃ] *vt.* **1** 《구어》 〈물건을〉 살며시 치우다, 감추다 《*away*》 **2** 《영》 그만두다, 끝내다 《*up*》
— *n.* 《미·구어》 **1** 은닉처; 집 **2** 은닉한 것

stash[2] *n.* Ⓤ 《미·속어》 코밑수염, 콧수염(mustache)

Sta·si, STASI [ʃtɑ́ːzi] *n.* (구독일 민주 공화국[동독]의 1989-1990까지의) 비밀경찰

sta·sis [stéisis, stǽs- | stéi-] *n.* (*pl.* **-ses** [-siːz]) ⓊⒸ **1** (세력 등의) 균형 상태 **2** 정지, 정체; 〖문학〗 이야기 전개에 진전이 없는 상태 **3** 〖병리〗 울혈(鬱血), 혈류 정지

-stasis [stéisis, stǽs-, stəs-] 《연결형》 「정지·안정 상태」의 뜻

stat[1] [stǽt] *n.* = THERMOSTAT; = PHOTOSTAT

stat[2] *n.* 《구어》 통계량; [*pl.*] 통계(학)

stat[3] [L = immediately] *int.* 《병원속어》 곧, 급히, 서둘러라

-stat [stæ̀t] 《연결형》 「안전장치; 반사 장치; 발육 억제제」의 뜻

stat. statics; stationery; statistical; statistics; statuary; statue; statute(s)

sta·tant [stéitnt] *a.* (문장(紋章)에서) 〈동물이〉 네 발로 서 있는

‡**state** [stéit] *n., v., a.*

> L 「서 있는 (위치)」의 뜻에서 → 「입장」 →
> 「상태」 **1** → (통치 상태) → 「국가」 **5** / 「주」 **7**
> → ((높은) 지위) → 「위엄」 **4**
> → (사물을 어떤 상태에 두다) → (명확하게 하다) → 「진술하다」 동 **1**

— *n.* **1** [*sing.*] **상태, 형세, 형편, 사정:** a ~ of affairs 정세, 사태 / a ~ of war 전쟁 상태 / the married[single] ~ 결혼[독신] 상태 / be in a solid ~ 고체 상태 / a steady ~ 안정 상태[단계]

> 유의어 **state** 「상태」를 나타내는 가장 일반적인 말로서, 사람·사물과 그것을 둘러싼 상황과의 있는 그대로의 상태: the *state* of the world 세계 정세 **condition** 어떤 상태나 사정을 만들어 낸 원인이나 환경과 그 사람·사물과의 관련을 강조한다: poor living *conditions* 가난한 생활 상태 **situation** 사람·사물과 그것을 둘러싼 상황과의 상호 관계를 중시한다: He was master of the *situation.* 그는 상황을 좌지우지했다.

2 [보통 a ~] (정신적인) 상태; 《구어》 긴장[흥분] 상태, 신경과민 상태; 《고어》 (병의) 위기, 고비: an excited ~ 흥분 상태 **3** 계급, 신분, 지위; 《특히》 높은 지위: persons of every ~ of life 모든 신분의 사람들 **4** Ⓤ (부자에게 걸맞는) 호사한 생활; 위엄, 위풍당당함, 공식(公式); 훌륭함, 장엄; 특권 계층 사람들; 지배층, 의회: live[travel] in ~ 사치스런 생활[여행]을 하다 **5** [종종 **S~**] **국가,** 나라(⇨ country 유의어); 국토, 영토: a welfare ~ 복지 국가 **6** (종종 church에 대하여) **정부:** separation of church and ~ 교회와 국가의 분리, 정교(政敎) 분리 **7** 주(州); [보통 **S~**] 《미》 주 **8** [the S~s] 《구어》 미국 《미국인이 국외에서 씀》 **9** Ⓤ **a** (한 나라의) **국사**(國事), **국정 b** [**S~**] 《미·구어》 (미국의) 국무부 **10** 〖영국군〗 군사 보고서; 《고어》 계산서, 회계 보고서(account)

***be in a* ~** (1) 보기 흉한 꼴을 하고 있다 (2) 흥분하다
in great*[*easy*] ~** 위풍있는[허물없는] 태도로 ***in quite a* ~** 몹시 흥분하여 ***in* ~** 정식으로, 당당하게, 성장(盛裝)하고 〈입궐하다 등〉 ***keep* (one's) ~** 점잔 빼다 ***lie in* ~** (매장 전에) 〈왕·대통령 등의 유해가〉 정장(正裝)하여 안치되다 ***lose a* ~** 《미·구어》 (선거에 져서) 주(州)를 잃다 ***of* ~** 호화로운; 공식의 ***~ of life 계급, 직업 ***the ~ of play*** (1) (스포츠의) 득점, 스코어 (2) (시합의) 형세 (3) 《구어》 [의문문에서] 현 단계의 상황, 진행 상황 ***the Secretary of S~*** 《미》 국무 장관 《외무 장관에 해당함》; 《영》 국무 대신 ***the ~ of the art*** 어떤 시점에서의 기술적 수준(cf. STATE-OF-THE-ART) ***the S~ of the Midnight Sun*** Alaska 주의 속칭 ***the S~ of the Union Message*[*Address*]** 《미》 대통령의 일반 교서(敎書), 연두 교서 ***the S~ of the World Message*** 《미》 (의회에 대한) 대통령의 외교 교서 ***visit of* ~** 공식 방문(state visit)

— *vt.* **1** 〖법〗 (공식으로) **진술하다,** 표명하다, (분명히) 말하다; 확언[언명]하다: as ~*d* above 위에서 말한 바와 같이 / ~ one's position 입장을 표명하다 // (~+***that*** 절) The witness ~*d that* he had seen the man enter the building. 증인은 그 남자가 건물로 들어가는 것을 보았다고 진술했다. // (~+***wh.*** 절) You should have ~*d how* much it would cost. 비용이 얼마나 들지를 말했어야 했다. **2** 〈문제·사실 등을〉 (문서로) 명확히 제시하다; …라는 것을 나타내다: ~ a problem 문제를 명확히 제시하다 **3** 〈날짜·

thesaurus **state** *n.* **1** 상태 condition, circumstance, situation, position **2** 국가 country, nation, land, kingdom, republic **3** 정부 government, par-

가격 등을〉 미리 정하다, 지정하다(⇨ stated 1) **4** 〖수학〗 부호[대수식]로 나타내다 **5** 〖음악〗 (곡을 명시하기 위해) 〈주선율 등을〉 연주하다
—*a.* **1** 국가의, 국사에 관한; 정부의: a ~ criminal 국사범 **2** [**S~**] 《미》 주의, 주립의, 주가 관리하는: a ~ highway 주도(州道) **3** 의식용의, 공식의; 〈마차 등이〉 훌륭한, (공식에 맞게) 성장(盛裝)한: a ~ apartment (궁전 등의) 의식용 방, 큰 홀; 화려한 방 / a ~ dinner 공식 만찬 **stát(e)·a·ble** *a.*
▷ státement *n.*; státely *a.*
státe áid 《미》 주정부 보조(금); 국고 보조(금)
státe attórney 《미》 주(지방) 검사
státe bánk 국영 은행; 《미》 주립 은행
státe bírd 《미》 주조(州鳥) 《주의 상징새》
státe cáll 《구어》 =STATE VISIT
státe cápitalism 국가 자본주의
státe chàmber 의전실(儀典室)
state·craft [stéitkræ̀ft | -krɑ̀ːft] *n.* Ⓤ 치국책(治國策), 외교술, 정치술; 《고어》 정치적 수완
stat·ed [stéitid] *a.* Ⓐ **1** 정해진, 정기의: at ~ intervals 정기적으로, 일정 기간을 두고 **2** 공식의, 공인된; 명백히 규정된 **3** (분명히) 진술된, 확언된
~·ly *ad.* 정기적으로
Státe Depàrtment [the ~] 《미》 국무부(the Department of State)
Státe Enrólled Núrse 《영》 국가 등록 간호사 《State Registered Nurse보다 아래; 略 SEN》
státe fáir 《미》 (농·축산물 등의) 주(州) 박람회
státe flówer 《미》 (주를 상징하는) 주화(州花)
státe fúneral 국장(國葬)
státe guést 국빈
state·hood [stéithùd] *n.* Ⓤ **1** 국가로서의 지위 **2** [종종 **S~**] 《미》 주(州)로서의 지위
state·house [-hàus] *n.* (*pl.* **-hous·es** [-hàuziz]) [종종 **S- H-**] 《미》 주의회 의사당
state·less [stéitlis] *a.* **1** 나라[국적]가 없는[를 상실한]; 시민권이 없는: a ~ refugee 국적 없는 난민 **2** 위엄을 잃은 **3** 〖금융〗 발행국 이외의 은행에 예금된 통화의[에 관한] **4** 〈사회 등이〉 국가 통치권[지배권]이 없는: a ~ space 지배·피지배가 없는 공간 **~·ness** *n.*
state·let [stéitlit] *n.* 소(小)국가(small state)
státe líne (미국의) 주(州) 경계선
state·li·ness [stéitlinis] *n.* Ⓤ 장중, 위엄
‡**state·ly** [stéitli] *a.* (**-li·er**; **-li·est**) **1** 위풍당당한, 위엄 있는, 장엄한, 품위 있는, 우람한(⇨ grand 유의어) **2** 뽐내는, 거만한
—*ad.* 당당하게, 장중하게, 위엄 있게
stately hóme 《영》 (유서 있는 시골의) 대저택 《유료로 일반에게 공개되어 있는 것이 많음》
státe médicine 의료의 국가 관리
‡**state·ment** [stéitmənt] *n.* **1** Ⓤ **말함**, 말해진 것; 표현[진술]법, 말하는 방식 **2** ⓊⒸ (문서·구두에 의한) **진술**, 신고, 성명; 하나의 의견[주장], (진술·성명서 중의) 한마디[절]; Ⓒ **성명서**: make a ~ 성명을 발표하다 / I disagree with the last ~ of it. 나는 그 중 마지막 문구에 동의하지 않는다. **3** 〖회계〗 계산서, 대차표, 일람표, (사업) 보고(서): the new consolidated monthly ~ 새로 통합된 월 명세표 **4** 〖문법〗 진술문, 서술문, 평서문 **5** 〖음악〗 (주제의) 제시 **6** (생각·상황·기분 등의) 간접적[비언어적] 전달(법); (예술 작품에서) 주제의 표현, (태도 등에 담긴) 주장: clothes that are ~*s* of the owner's position 소유자의 지위를 나타내는 옷들 **7** 〖컴퓨터〗 문(文), 명령문 **8** 〖법〗 공식 항변[변호] ***make a ~ to the effect that ...*** …라는 뜻의 진술을 하다 ***S~ for Human Environmental Quality*** 인간 환경 선언 《1970년의 유엔 공해 방지 선언》 ***the ~ of claim*** 〖법〗 원고의 첫 진술

liament, administration —*v.* express, utter, say, tell, declare, affirm, assert, announce, disclose, pronounce, proclaim, present

Stát·en Ísland [stǽtn-] 스태튼 섬 《미국 New York만 입구 서쪽의 섬》
state-o [stéitóu] *n.* (*pl.* **~s**) 《미·속어》 주 교도소의 죄수복
státe of siége 계엄 (상태)
state-of-the-art [stéitəvðiɑ́ːrt] *a.* 《구어》 최첨단 기술을 사용한, 최고 기술 수준의, 최신식의
state-owned [stéitòund] *a.* 국유의
státe páper 정부[국가] (관계) 문서
státe políce 《미》 주립 경찰
státe príson 국사범 교도소; 《미》 주 교도소
státe prísoner 국사범
stat·er[1] [stéitər] *n.* 진술자, 말하는 사람, 성명자
sta·ter[2] [stéitər] *n.* 〖고대 그리스〗 스타테르 《화폐 단위; 스타테르 금화·은화 등》
Státe Régistered Núrse 《영》 국가 공인 간호사 《略 SRN》
státe relígion 국교(國敎)
state·room [stéitrùːm] *n.* **1** 《미》 (배·기차의) 전용실, 특등실 **2** (궁중의) 큰 홀, 의전실
state-run [-rʌ̀n] *a.* 국영의
státe's attórney =STATE ATTORNEY
státe schóol [종종 **S- S-**] 《영》 공립 학교
státe's évidence 《미》 **1** 공범자의 증언 《감형을 받는 대가로 다른 공범자에게 불리한 증언을 하는 것》 **2** 공범 증언자 **3** (형사 재판에서) 국가가 제출하는 증거 ***turn ~*** 공범자에게 불리한 증언을 하다
Státes Géneral [the ~] **1** (상·하 양원으로 이루어진) 네덜란드 국회; 전국 회의 《16-18세기 네덜란드 공화국의 국가 최고 기관》 **2** 〖역사〗 프랑스의 3부회 《승려·귀족·제3 신분으로 이루어진 프랑스 혁명까지의 신분제 의회》
state·side [stéitsàid] *a.*, *ad.* [종종 **S~**] 《미·구어》 (국외에서 보아) 미국의[에, 으로]
state·sid·er [-sàidər] *n.* 미국 본토에 사는 사람
‡**states·man** [stéitsmən] *n.* (*pl.* **-men** [-mən]) **1** (특히 지도적인) **정치가**

> 유의어 **statesman, politician** 다 같이 정치가를 뜻하지만, 전자는 총명하고 식견이 있는 훌륭한 정치가를 뜻하는 경우가 있음에 대해, 후자는 자기의 이익 또는 당파 중심으로 술책을 쓴다는 경멸의 뜻으로 쓰이는 일도 있다. 이 경우 merely[rather] a *politician*으로 되는 수가 많다.

2 《북잉글》 소지주 **~·lìke, ~·ly** *a.* 정치가다운 **~·shìp** *n.* Ⓤ 정치적 수완[능력, 자격, 방식]; 공무 처리에 있어서의 식견[수완]
státe sócialism 국가 사회주의
státe sócialist 국가 사회주의자
Státes of the Chúrch [the ~] =PAPAL STATES
states·per·son [-pə̀ːrsn] *n.* 정치가 《statesman, stateswoman을 피한 말》
státes' rígher 《미》 주권론자(州權論者) 《주에 대한 연방 정부의 지나친 간섭을 반대하는 사람》
státes'[státe] ríghts [종종 **S- r-, S- R-**] 《미》 **1** 주권(州權) 《연방 정부에 위임하지 않는》 **2** 주권 확대론
states·wom·an [-wùmən] *n.* (*pl.* **-wom·en** [-wìmin]) 여성 정치가
státe trée 《미》 (주를 상징하는) 주목(州木)
státe tríal 국사범 재판; 헌법 문제에 대한 재판
státe tróoper 《미》 주 경찰관
státe univérsity 《미》 주립 대학교
státe vísit (국가 원수급의) 공식 방문
state·wide [stéitwáid] *a.*, *ad.* [종종 **S~**] 《미》 주 전체의[에]
***stat·ic** [stǽtik] *a.* **1** **정적(靜的)**인, 고정된, 정지의 (opp. *dynamic*, *kinetic*) **2** 변화가 없는; 움직임[활기, 발전]이 없는 **3** 〖전기〗 정전기의; 공전(空電)의 **4**

〖물리〗 정지된, 정적인《힘만 작용하고 운동이 없음》 **5** 〖컴퓨터〗 정적(靜的)인, 고정된 상태의

— *n.* Ⓤ **1**〖전기〗 정전기, 공전(空電); (공전에 의한) 전파 방해; (수신기의) 잡음 **2**《구어》 맹렬한 반대[비난]; 이의(異議) ***give*** a person **~** 《구어·비유》 …을 맹렬히 비난하다

-static [stǽtik] 《연결형》 -stasis에 대응하는 형용사를 만듦

stat·i·cal [stǽtikəl] *a.* =STATIC **~·ly** *ad.*

státic clíng (정전기에 의한) 달라 붙음, 말려 올라감

státic electrícity 〖전기〗 정전기(靜電氣)

státic lìne 〖군사〗 자동 열림줄《낙하산을 싼 주머니와 비행기를 연결하는 줄; 자동적으로 낙하산이 열리게 함》

státic mémory 〖컴퓨터〗 정적(靜的) 기억 장치

státic RÁM [*static* *r*andom-*a*ccess *m*emory] 〖전자〗 스태틱 램《전원만 끄지 않으면 기억한 정보가 지워지지 않는 기억 장치》

stat·ics [stǽtiks] *n. pl.* [단수 취급] **1**〖물리〗 정역학(靜力學) **2**〖경제〗 정태(靜態) 이론

státic tésting (로켓·미사일·엔진 등의) 정지 시험, 지상 시험

stat·in [stǽtn] *n.* 〖의학〗 스타틴《콜레스테롤 저하제》

⁑**sta·tion** [stéiʃən] [L 「서다」의 뜻에서] *n.* **1 위치,** 소재, 장소; 담당 일터, 부서 **2** (철도의) **정거장,** 역 (=railway **~**; 《미》 depot); (대합실이나 개찰구가 있는) 버스 등의 발착소; 역사(驛舍), 역 건물 **3** (관청·시설 등의) **서**(署), 본부, 국(局), 소(所); 《미》 우체국(의 분국): a police **~** 경찰서/a broadcasting **~** 방송국/a power **~** 발전소 **4 a** 사업소: a filling [gas] **~** 주유소 **b** 관측소, 연구소: a weather **~** 기상대 **5** ⓊⒸ 신분, 지위; 고위; (직제의) 계급, …직, 직업: people of (high) **~** 명사들 **6** 방송국, 방송실, 스튜디오; 방송 관련 개인[단체]; (방송용의) 전파 주파수; (수신) 시설; 《구어》 (텔레비전) 채널 **7**〖군사〗 정위치, 경비 구역, 부서; (군 등의) 기지, 주둔지, 근거지; 요항(要港): a duty **~** 근무 기지/defense **~***s* 경계 배치 **8**〖광산〗 광장, 쌓아두는 곳 **9**〖동물·식물〗 서식지; 산지 **10**《호주》 (건물·토지를 포함한) 목장, 농장 **11**〖측량〗 측점(測點), 삼각점 **12**〖가톨릭〗 십자가 행로의 14처의 하나(cf. the STATIONS OF THE CROSS) **13**《고어》 정지 상태; 자세 **14**〖조선〗 단면도 (cross section) **15**〖종교〗 금육재(禁肉齋), 단식재《그리스정교는 수요일·금요일, 가톨릭에서는 금요일에 행했음》 **16**《미·구어》〖야구〗 루(base)

above one***'s*** **~** 자신의 지위[신분]를 잊고서 ***in*** [***out of***] **~** 〈배가〉 제 위치에서[를 떠나서] ***of good*** [***lowly***] **~** 좋은[낮은] 신분의 ***take up*** one***'s*** **~** 부서에 자리잡다

— *vt.* **1** 부서에 배치하다, 주재[주둔]시키다 《*at, on*》: (~+目+前+名) The police were **~***ed inside* the gate. 경찰이 대문 안에 배치되었다. **2** [~ one*self* 로] 위치를 잡다, 서다 **~·al** *n.*

▷ státionary *a.*

státion àgent 《미》 (철도의) 역장

⁎**sta·tion·ar·y** [stéiʃənèri | -ʃənəri] *a.* **1 움직이지 않는,** 정지한, 멈추어 있는 **2** 고정시켜 놓은, 설치해 놓은 **3 주둔한,** 상비의 〈군대 등〉 **4** 변화 없는, 꼼짝도 않는, 정체(停滯)된; 정착한, 증감[변동]이 없는 〈인구 등〉, 불변의 〈온도 등〉 **5**〖천문〗 〈행성이〉 얼핏 보아 경도에 변화가 없는, 정지된

— *n.* (*pl.* **-ar·ies**) **1** 움직이지 않는 사람[것] **2** [*pl.*] 주둔군, 상비군 ▷ státion *n.*

státionary áir 〖의학〗 (기능적) 잔류 공기《통상 호흡 때 폐 속에 남아 있는 공기》

státionary bíke[**bícycle**] 페달밟기 운동 기구《자전거 모양의 고정된 실내 운동 기구》

státionary éngine (건물 내의) 정치(定置) 기관

státionary enginéer 정치 기관[기계] 기사

státionary frónt 〖기상〗 정체 전선

státionary órbit (인공위성의) 정지 궤도

státionary póint 〖수학〗 정류점(停留點)

státionary státe 〖물리〗 (원자의) 정상 상태

státionary wáve[**vibrátion**] 〖물리〗 정상파(定常波)(standing wave)

státion brèak 〖라디오·TV〗 스테이션 브레이크《프로그램 사이의, 방송국 이름을 알리기 위한 짧은 시간》

státion càlendar 《영》 =STATION INDICATOR

sta·tion·er [stéiʃənər] *n.* 문방구상(인); 《고어》 서적상, 출판업자

Státioners' Háll [the ~] 《영》 서적 출판업 조합 사무소《1911년까지 출판 서적은 모두 여기에 신고해야 했음》 ***Entered at the*** **~** 판권(版權) 등록필

⁎**sta·tion·er·y** [stéiʃənèri | -ʃənəri] *n.* Ⓤ **1** [집합적] **문방구**《펜·잉크·종이 등》: a **~** store 문방구점 **2 편지지**

Státionery Òffice 《영》 정부 (간행물) 출판국《정식명 Her[His] Majesty's Stationery Office; 略 HMSO》

státion hòspital 〖군사〗 위수(衛戍)[기지] 병원

státion hòuse 1《미》 경찰서(police station) **2** 소방서(fire station) **3** (시골의) 역사(station)

státion ìndicator 《영》 (플랫폼에 있는) 기차 시간 게시판

státion kèeping (함대 등에서 각 함선의) 정위치를 유지함

sta·tion·mas·ter [stéiʃənmæ̀stər | -mɑ̀ːs-] *n.* 철도 역장(station agent[manager])

státion pòinter 〖측량〗 3각 분도기(three-arm protractor)

státion pòle[**stàff**] 〖측량〗 폴, 표주(標柱)

státion sèrgeant 《영》 지방 경찰서장

státions of the cróss [보통 the ~; 종종 S- of the C-] 〖교회〗 십자가의 길《그리스도의 수난을 나타내는 14처의 그림[조각]; 그 앞에서 드리는 기도》

sta·tion-to-sta·tion [stéiʃəntəstéiʃən] *a., ad.* (장거리 전화에서) 번호 통화제의[로]《전화를 건 상대방 번호에서 누가 나오든 바로 요금 계산이 시작됨; cf. PERSON-TO-PERSON》: call a person **~** 번호 통화제로 …에게 전화하다

státion wàgon 《미》 스테이션왜건 (《영》 estate car)《접거나 뗄 수 있는 좌석이 있고 뒷문으로 짐을 실을 수 있는 자동차》

station wagon

stat·ism [stéitizm] *n.* Ⓤ **1** 국가주권주의 **2** (경제·행정의) 국가 통제(주의), 국가주의

stat·ist [stéitist] *n.* **1** =STATISTICIAN **2** 국가 통제주의자

sta·tis·tic [stətístik] *n.* 통계치[량]

— *a.* 《드물게》 =STATISTICAL

⁎**sta·tis·ti·cal** [stətístikəl] *a.* **통계적인,** 통계학상의, 통계에 근거한: **~** analysis 통계 분석 **~·ly** *ad.*

▷ statístics *n.*

statístical mechánics 〖물리〗 통계 역학

statístical phýsics 〖물리〗 통계 물리학

stat·is·ti·cian [stæ̀tistíʃən] *n.* 통계학자, 통계(전문)가

⁑**sta·tis·tics** [stətístiks] *n. pl.* **1** [복수 취급] **통계,** 통계표, 통계 자료 **2** [단수 취급] **통계학**: mathematical **~** 수리 통계학 ▷ statístical *a.*

sta·tive [stéitiv] 〖문법〗 *a.* 〈동사가〉 상태를 나타내는《like, want, believe 등》 — *n.* 상태 동사

stato- [stǽtou, -tə] 《연결형》 「휴지(休止), 평형(balance)」의 뜻

stat·o·blast [stǽtəblæ̀st] *n.* 〖동물〗 (이끼벌레의) 휴지눈, 월동눈

thesaurus **status** *n.* rank, grade, position
stay¹ *v.* remain, wait, continue, linger, pause,

stat·o·cyst [stǽtəsìst] *n.* **1** 〖동물〗 (무척추동물의) 평형포(平衡胞), 이포(耳胞) **2** 〖식물〗 감수립(感受粒)을 가진 세포

stat·o·lith [stǽtəlìθ] *n.* **1** 〖동물〗 평형석, 이석(耳石) **2** 〖식물〗 감수립, 평형립 《전분립 등; 굴지 반응과 관련이 있다고 추측됨》 **stàt·o·líth·ic** *a.*

sta·tor [stéitər] *n.* **1** 〖전기〗 고정자(固定子)(cf. ROTOR): a ~ armature 고정 전기자 **2** 〖항공〗 에어포일(airfoil) 고정 날개

stat·o·scope [stǽtəskòup] *n.* **1** 미동 기압계(微動氣壓計) **2** 〖항공〗 (항공기의) 승강계

stats [stǽts] *n. pl.* 《구어》 통계(statistics)

stát shèet 《미》 통계 자료표 《주로 스포츠 경기의 결과를 숫자로 상세하게 기록한 문서》

stat·u·ar·y [stǽtʃuèri | -tjuəri] *n.* (*pl.* **-ar·ies**) **1** Ⓤ [집합적] 조상(彫像), 소상(塑像); 조상[소상]군(群); 조각(sculpture) **2** Ⓤ 조소술(彫塑術) **3** 《드물게》 조각가 **—** *a.* 조소의: the ~ art 조소술

‡**stat·ue** [stǽtʃuː] 〖L 「서다」의 뜻에서〗 *n.* **상**(像), 조각상, 소상(塑像): plan a ~ in one's honor …의 명예를 기리려고 조각상 설립을 계획하다 ▷ státuary *a.*

stat·ued [stǽtʃuːd] *a.* 조각상으로 장식한, 조각한

Státue of Líberty 1 [the ~] 자유의 여신상 《뉴욕 만 어귀 Liberty Island에 있음; 왼손의 판에 'Liberty Enlightening the World'라고 새겨져 있음》 **2** 〖미식축구〗 자유의 여신 플레이 《쿼터백이 패스하는 척하며 손을 높이 들어 뒷선수에게 전달하는 것》

stat·u·esque [stæ̀tʃuésk] *a.* **1** 조각상 같은, 조각상을 연상시키는, 움직이지 않는 **2** 위엄 있는; 윤곽이 고른, 우아한, 당당한 **~·ly** *ad.* **~·ness** *n.*

stat·u·ette [stæ̀tʃuét] *n.* 작은 조각상

‡**stat·ure** [stǽtʃər] 〖L 「서 있는 자세」의 뜻에서〗 *n.* Ⓤ **1** 키, 신장(height); 사물의 높이: small in ~ 몸집이 작은, 작달막한 **2** (정신적) 성장(도), 진보, 발달; (도달한) 재능; 달성, 위업: moral ~ 도덕 수준

*****sta·tus** [stéitəs, stǽt-] 〖L 「서 있는 상태」의 뜻에서〗 *n.* ⓊⒸ **1** 지위, 신분; 높은 지위, 위신; 〖법〗 (법률상의) 신분 **2** 사정, 사태, 현상 **3** 〖컴퓨터〗 상태 《CPU나 입출력 장치 등 주변 장치의 동작 상태》
— *a.* 높은 지위[신분]를 주는[상징하는]

státus bàr 〖컴퓨터〗 상태 표시줄 《컴퓨터 화면 하단의》

státus in quó [-in-kwóu] = STATUS QUO

státus lìne 〖컴퓨터〗 상태 표시 행(行)

státus offènder 《미》 우범 소년[소녀] 《가출이나 무단결석 때문에 법원의 감독 하에 있는》

státus quó [-kwóu] 〖L = the state in which (something is)〗 [the ~] 그대로의 상태, 현상(現狀); 현상 유지

státus quó án·te [-ǽnti] 〖L〗 [the ~] 이전의 상태, 구태(舊態)

sta·tus-quo·ite [stéitəskwóuàit] *n.* 현상 유지론자, 체제 지지자

státus règister 〖컴퓨터〗 상태 레지스터

státus sèeker 출세주의자, 엽관 운동자

státus sỳmbol 지위의 상징 《사회적 지위를 나타내는 소유물이나 습관》

sta·tu·sy [stéitəsi] *a.* 권위 있는

stat·u·ta·ble [stǽtʃutəbl] *a.* **1** 성문율의; 법령의; 법령에 의한[근거한] **2** 법에 저촉되는, 법적으로 벌을 받아야 할, 법정(法定)의: the ~ age of a voter 법정 선거 연령 **~·ness** *n.* **-bly** *ad.* 법령에 근거하여, 법률상으로

*****stat·ute** [stǽtʃuːt, -tʃut | -tʃuːt, -tjuːt] 〖L 「제정된」의 뜻에서〗 *n.* ⓊⒸ **1** 〖법〗 성문율(成文律); 법령, 법규(law) **2** 〖국제법〗 (조약 등의) 부속 문서 **3** 규칙, 정관(定款) 《*of*》 ***private*** [***public***] **~** 사법[공법] ***~s at large*** 법령집 ▷ státutory *a.*

státute bòok 법령집, 법령 전서

státute làw 성문법, 제정법

státute mìle 법정 마일 《5,280피트》

státute of limitátions 〖법〗 출소 기한법 《소송의 제기가 가능한 기한을 정한 법》

stat·u·to·ry [stǽtʃutɔ̀ːri | -təri] *a.* 법정의, 법령의 [에 의한], 제정법을 따르는; 제정법에 규정된: ~ authority 법에 의해 규정된 권한 / a ~ tariff 법정 세율 **-ri·ly** *ad.*

státutory hóliday 《캐나다》 법정 공휴일

státutory ínstrument 〖영국법〗 행정 명령

státutory láw 성문법, 제정법

státutory offénse[**críme**] 〖법〗 (제정법에 규정한) 법정 범죄; 《특히》 = STATUTORY RAPE

státutory rápe 〖미국법〗 제정법상의[법정] 강간 《승낙 연령(age of consent) 미만의 소녀와의 성교》

*****staunch**[1] [stɔ́ːntʃ] *v., n.* = STANCH[1]

*****staunch**[2] [stɔ́ːntʃ, stάːntʃ] *a.* **1** 견고한, 튼튼한: a ~ little table 작고 견고한 탁자 **2** 든든한, 믿음직한, 충실한, 건실한: a ~ defense of the government 충실한 정부 옹호 **3** 방수의(watertight)
~·ly *ad.* **~·ness** *n.*

stau·ro·lite [stɔ́ːrəlàit] *n.* 십자석(十字石)
stau·ro·lit·ic [stɔ̀ːrəlítik] *a.*

stau·ro·scope [stɔ́ːrəskòup] *n.* 십자경(十字鏡) 《결정체의 편광 방위(偏光方位) 측정 기구》

*****stave** [stéiv] *n.* **1** 통널, 통판 **2** (수레바퀴의) 살; 막대기, 빗장, 장대 **3** (사닥다리의) 디딤대, (의자 다리의) 가로대(rung) **4** 〖음악〗 보표(譜表) **5** (시의) 1절, 연(聯)(stanza); (한 행 중의) 두운음(頭韻音)
— *v.* (**~d, stove** [stóuv]) *vt.* **1** 〈통·보트 등에〉 구멍을 내다, 〈상자·모자 등을〉 찌그러뜨리다 《*in*》; 〈통 속의 내용물을〉 통을 부수고 쏟아내다 **2** 부수다, 산산조각을 내다 **3** 통널을 붙이다; 〈계단에〉 디딤대를 붙이다, 〈의자에〉 가로대를 붙이다 **4** (몽둥이로) 두들기다, 때리다 **5** 〈납 등을〉 세게 쳐서 고정시키다 **6** 《스코》 〈손가락 등을〉 삐다, 염좌하다
— *vi.* **1** 〈보트 등이〉 구멍이 뚫리다 **2** 《미》 몹시 부딪치다, 부서지다; 돌진하다, 서두르다 **~ *off*** 〈위험·파멸 등을〉 저지하다, 피하다; 연기하다, 미루다; (몽둥이로) 내쫓다

stav·er [stéivər] *n.* 《미·속어》 활동[정력]가

stáve rhỳme 〖운율〗 두운(頭韻), 두성(頭聲)

staves [stéivz] *n.* STAFF, STAVE의 복수

staves·a·cre [stéivzèikər] *n.* 〖식물〗 참제비고깔의 일종; 그 씨 《살충제·최토제 등에 씀》

‡**stay**[1] [stéi] *v.* (**~ed,** 《고어》 **staid** [stéid]) *vi.* **1** 머무르다, 가만히 있다, 있다: I am busy; I can't ~. 바빠서 이러고 있을 수 없다. // (~+㊜) *S~ there!* 꼼짝 마라! // (~+㊝+㊔) I *~ed at* home[*in* bed] all day. 나는 하루 종일 집에[자리에 누워] 있었다. **2** 체류하다, …에 묵다[숙박하다] 《*at, in, with*》: (~+㊜) There he *~ed overnight.* 거기서 그는 일박하였다. // (~+㊝+㊔) I am *~ing with* my uncle. 나는 삼촌 댁에 묵고 있다. / A young man was *~ing at* the hotel[*in* the city]. 한 젊은이가 그 호텔에 묵고[그 도시에 체류하고] 있었다. **3** (어떤 상태에) 머무르다, …인 채로 있다: (~+㊙) ~ young 언제까지나 젊다 / if the weather *~s* fine 날씨가 계속 좋으면 **4** (경기 등에서) 배기다, 오래 견디다, 지속하다; 뒤지지 않다 **5** 〖카드〗 (포커에서) 내려가지 않고 남다 **6** [종종 명령형으로] 《고어》 기다리다; 멈추다; 간격을 두다, 잠시 중단하다; 꾸물대다
— *vt.* **1** 멈추게 하다; 억제하다, 막아내다; 《고어》 〈감정·싸움 등을〉 진정시키다, 진압하다: ~ a person's hand 치려는 손을 막다 / ~ the spread of a disease 병의 만연을 저지하다 **2** 연기하다, 유예하다: ~ a punishment 형의 집행을 유예하다 **3** 일시적으로 〈욕망을〉 만족시키다, 〈허기를〉 (일시) 때우다: ~ one's hunger[thirst] 공복을 채우다[갈증을 풀다] **4** 〈식사 등을〉 기다리며 남아 있다, …까지 있다 **5** 〈일정

rest, delay, tarry (opp. *leave, depart*) **—** *n.* visit, stop, sojourn, stopover, holiday, vacation

기간을〉 체류하다 **6** 《구어》 오래 견디다, 지속하다: ~ the course 끝까지 달리다 **7** 《고어》 기다리다
come to ~ = ***be here***[***have come***] ***to ~*** 《구어》 정착하다, 확고한 지위를 얻게 되다 **~ *around*** 《미·구어》 근처에 있다 **~ *away*** (***from***) (1) (…에서) 떨어져 있다; [명령형·경고] 간섭하지 않다 (2) (…을) 비워두다; (…을) 결석하다 **~ *back*** 들어앉아 있다, 나서지 않다 **~ *behind*** 뒤에 남다 **~ *down*** (1) 〈핸들·스위치 등이〉 내려진 채로 있다 (2) 〈음식·약 등이〉 위속에 내려가 있다 (3) 유급하다 (4) 낮은 자세를 유지하다 **~ *in*** (1) (장소에) 머무르다 (2) 집에 있다, 외출하지 않다 (3) (벌로서 학교에) 남아 있다 (4) 제자리에 들어맞아 있다 **~ *off*** (1) 〈음식 등을〉 삼가다; …을 멀리하다 (2) 〈학교 등에〉 출석하지 않고 있다 **~ *on*** 계속 머무르다, 유임하다; 〈뚜껑 등이〉 제위치에 놓여 있다; 〈선풍기·라디오 등이〉 켜져 있다 **~ *out*** (1) 밖에 있다, 집으로 돌아가지 않다 (2) 동맹 파업을 계속하다 (3) (남의 일에) 간섭하지 않다, (사건·계임 등에) 손대지 않다 《*of*》 (4) …가 끝날 때까지 있다; 남보다 오래 머무르다[버티다] **~ *over*** 《구어》 (…에서) 하룻밤을 보내다, 외박하다 《*at, in*》 **~ *put*** 《구어》 제자리에 머무르다, 그대로 있다 **~ *up*** 일어나[자지 않고] 있다; 그대로 있다: ~ *up* till late[all night] 밤늦게까지[밤새도록] 일어나 있다 **~ *with*** (1) (손님으로서) 머무르다 (2) 뒤지지 않고 따라가다 (3) 《미·구어》 …와 결혼하다 (4) 《미·구어》 〈음식이〉 든든하다 (5) 계속 사용하다 (6) 〈남의 이야기를〉 계속 듣다
— *n.* **1 머무름,** 체류; 체류 기간: make a long ~ 오래 체류하다 **2** 《고어·문어》 억제(restraint); 장애 **3** ⓊⒸ 〖법〗 연기, 유예, 중지: a ~ of execution 집행 유예 **4** Ⓤ 《구어》 내구[지구]력, 끈기(staying power)

stay[2] *n.* **1** 지주(支柱)(prop) **2** 《문어》 지지물, 의지, 믿고 의지하는 대상 **3** (코르셋·칼라 등의 보강에 사용되는) 망; [*pl.*; 종종 a pair of ~s로] (옛날의) 코르셋(corset) — *vt.* **1** 지주로 받치다 **2** 《고어·문어》 떠받치다, 안정시키다; (정신적으로) 격려하다; 지지하다 **3** 기초로 하다: The building ~*s* concrete blocks. 그 건물은 콘크리트 벽을 기초로 하고 있다. **4** 고정하다, (지지물 위에) 두다

stay[3] *n.* **1** 〖항해〗 지삭(支索) 《마스트를 고정시키는 굵은 밧줄》 **2** 버팀줄 《전주·안테나 등의》 ***in ~s*** 〖항해〗 이물이 바람 부는 쪽으로 돌려 있는 ***miss***[***lose***] ***~s*** (배를 바람 부는 쪽으로) 돌리지 못하다
— *vt.* **1** 지삭(支索)으로 고정시키다 **2** 〈배를〉 바람 불어오는 쪽으로 돌리다

stay-at-home [stéiəthòum] 《구어》 *a.* 집에만 틀어박혀 있는, 외출을 싫어하는, 자택에서 보내는 시간의
— *n.* **1** 집에만 틀어박혀 있는 사람; 거주지를 떠나지 않는 사람 **2** [보통 *pl.*] 《속어》 (선거의) 기권자

stáy bàr[**ròd**] (건물·기계의) 받침대

stay·ca·tion [steikéiʃən] *n.* (여행 대신) 집(근처)에서 보내는 휴가

stáy-down strìke [-dàun-] (광부의) 갱내 농성 파업(cf. SIT-DOWN STRIKE)

stay·er[1] [stéiər] *n.* **1** 체류자, 머무르는 사람 **2** 끈기 있는 사람[동물]; 〖경마〗 장거리 말 **3** 억제하는 사람[것]

stayer[2] *n.* 지지자, 옹호자

stáy·ing pòwer [stéiiŋ-] 지구력, 내구력, 내구성

stáy-in strìke [stéiìn-] 《영》 = SIT-DOWN STRIKE

stay·lace [stéilèis] *n.* 코르셋의 끈

stay·less [stéilis] *a.* 코르셋을 입지 않은

stay·mak·er [stéimèikər] *n.* 코르셋 제조자

stay·o·ver [-òuvər] *n.* 체류, 체재

stay·sail [-sèil, 〖항해〗 -səl] *n.* 〖항해〗 지삭(支索)에 치는 삼각돛

S.T.B. *Sacrae Theologiae Baccalaureus* 《L = Bachelor of Sacred Theology》; *Scientiae Theologiae Baccalaureus* 《L = Bachelor of Theology》

stbd. starboard **STC** Samuel Taylor Coleridge; Senior Training Corps 《영》 고급 장교 양성단(cf. OTC, CCF) **STD** sexually transmitted disease 성병; subscriber trunk dialling **std.** standard; started **S.T.D.** *Sacrae Theologiae Doctor* 《L = Doctor of Sacred Theology》 **Ste., Ste** *Sainte* 《F = (fem.) Saint》

‡**stead** [stéd] [OE 「장소」의 뜻에서] *n.* Ⓤ **1 대신,** 대리 **2** 《고어》 도움, 이익, 위함, 유용, 쓸모 **3** Ⓒ 《폐어》 장소, 위치, 소재지 ***in*** a person***'s ~*** = ***in the ~ of*** a person …의 대신에 ***in ~ of*** = INSTEAD of. ***stand*** a person ***in good ~*** 《고어》 …에게 크게 도움이 되다
— *vt.* …에게 도움이 되다, 유용[유리]하다
▷ instéad *ad.*; stéadfast, stéady *a.*

*__stead·fast__ [stédfæ̀st | -fɑ̀:st] *a.* **1** 고정된, 흔들리지 않는 **2** 〈신념 등이〉 **확고한, 부동의,** 단호한, 불변의 **3** 〈제도 등이〉 확립된 **4** 〈장소·위치가〉 고정된, 움직이지 못하는 **~·ly** *ad.* **~·ness** *n.*

Stéadfastness and Confrontátion Frònt 아랍 강경 대결 전선

‡**stead·i·ly** [stédili] *ad.* **착실하게,** 견실하게; 척척; 끊임없이 ▷ stéady *a.*

stead·i·ness [stédinis] *n.* Ⓤ 견실[착실]함; 끈기; 불변

stead·ing [stédiŋ] *n.* 《스코》 **1** 소농장(farmstead) **2** 농장의 부속 건물 《마구간·광 등》 **3** (건물의) 부지

‡**stead·y** [stédi] *a., n., v., int., ad.*

> stead(장소)+-y[3]로 (한 곳에 고정되어 있는)→「안정된」 **1** →「착실한」 **3** →「한결같은」 **2**

— *a.* (**stead·i·er**; **-i·est**) **1 확고한,** 안정된(stable); 흔들리지 않는, 비틀거리지 않는; 떨지 않는: a ~ faith 확고한 신념 **2 한결같은,** 고른, 규칙적인; 불변의, 끊임없는, 꾸준하게 나아가는: a ~ job 일정한 직업 **3** 〈성격이〉 **견실한,** 착실한, 진지한, 믿을 만한 **4** 침착한, 의젓한, 차분한; 절제 있는: ~ nerves 침착한 정신 상태 **5** 〖물리〗 불변의, 정상(定常)의 **6** 〖항해〗 방향[침로, 진로]이 변하지 않는 ***a ~ hand*** (1) 떨리지 않는 손; 단호한 지도 (2) 견실한 사람 ***go ~*** 《구어》 (정해진 이성과) 교제하다, (…와) 서로 사랑하는 사이가 되다 《*with*》(opp. *play the* FIELD) ***Keep her ~!*** 〖항해〗 배의 진로를 그대로 (유지해라)! ***play ~*** 서두르지 않다 ***S~!*** (1) 침착해라, 서두르지 마라; 조심해라! (2) 〖항해〗 (뱃머리를) 그대로!
— *n.* (*pl.* **stead·ies**) **1** 〖기계〗 대(臺), 받침(rest, support) **2** 《구어》 정해진 짝[애인]; 《구어》 단골손님
— *v.* (**stead·ied**) *vt.* **1** 확고하게 하다, 공고히 하다, 흔들리지 않게 하다, 안정[고정]시키다; 한결같이 하다: ~ a ladder 사닥다리를 고정하다 **2** 〈사람의 마음을〉 진정시키다; 착실하게 하다 **3** 〖항해〗 항로를 벗어나지 않게 하다
— *vi.* **1** 〈사람이〉 침착해지다: (~+副) He will ~ *down* when he gets old. 그는 나이가 들면 침착해질 것이다. **2** 안정되다
— *int.* [종종 ~ on으로] 《구어》 조심해, 침착하게 해; 〖항해〗 진로를 그대로
— *ad.* 흔들리지 않게, 확고하게, 단단히; 방향을 바꾸지 않고; 《구어》 부단히, 착실하게 ▷ stéad *n.*

stead·y-go·ing [stédigóuiŋ] *a.* 견실한, 꾸준히 나아가는; 〈말 등이〉 보조가 일정한

stéady mótion 〖물리〗 정상(定常) 운동 《액체의 속도가 장소에 상관없이 일정한》

stead·y-state [-stéit] *a.* **1** 정상적(定常的)인, (상대적으로) 평형 상태를 유지하는 **2** 〖물리〗 정상 상태의 **3** 〖천문〗 정상 우주론의 **4** 〈경제 등이〉 비교적 안정된, 안정된 상태의

stéady státe thèory[**mòdel**] [the ~] 〖천문〗 정상(定常) 우주론 《우주는 팽창과 더불어 물질을 형성하

thesaurus **steady** *a.* **1 확고한** firm, fixed, stable, secure, immovable, steadfast **2 규칙적인** uniform, even, regular, rhythmic **3 불변의** constant,

여 밀도 등은 시간이 지나도 변함없다고 하는 설; cf. BIG BANG THEORY》

‡**steak** [stéik] *n.* UC **1** (요리용 쇠고기·생선의) 두껍게 썬 고기; 《특히》 비프스테이크(beefsteak) **2** 스테이크용 고기: Hamburg ~ 햄버그스테이크 **3** 《영》 잘게 썬 쇠고기

stéak hòuse 《미》 비프스테이크 전문 식당

stéak knìfe 스테이크용 나이프 《경우에 따라 톱니가 있는》

stéak sèt 스테이크용 포크와 나이프 세트

stéak tártar(e) = TARTAR STEAK

‡**steal** [stíːl] *v.* (**stole** [stóul]; **sto·len** [stóulən]) *vt.* **1 훔치다** 《*from*》: He had his watch *stolen.* 그는 시계를 도둑맞았다. // 《~+목+전+명》 ~ a book *from* the shelf 선반에서 책을 훔치다

> 유의어 **steal** 남의 것을 몰래 훔치다: *steal* away all the money 돈을 몽땅 훔쳐 가다 **rob** 위협·폭력을 써서 빼앗다: The gang *robbed* the bank. 그 갱단은 은행을 털었다. **pilfer** 사소한 것을 좀도둑질하다: *pilfer* from one's employer 고용주에게서 좀도둑질하다

2 몰래 가지다, 슬쩍 하다; 교묘히 손에 넣다: ~ a kiss from a girl 소녀에게 몰래[갑자기] 입 맞추다 // 《~+목+전+명》 ~ a glance *at* a person …을 몰래 훔쳐보다 **3** 〈생각·저작·언어 등을〉 도용하다, 무단 차용하다: He *stole* my idea. 그는 나의 아이디어를 무단으로 차용했다. **4** 〈물건을〉 몰래 이동시키다[나르다]; 몰래 들여오다[넣다]; 밀수하다 **5** 〖야구〗 도루하다 **6** 〈쇼 등을〉 혼자 독차지하다, 〈마음·이목 등을〉 교묘하게 획득하다[얻어내다]: ~ (*away*) a person's heart 모르는 사이에 교묘히 …의 애정을 차지하다 **7** 〈점수 등을〉 교묘하게[우연으로, 행운으로] 얻다

— *vi.* **1 도둑질하다**: Thou shalt not ~. 〖성서〗 도둑질하지 말라. 《출애굽기 20: 15》 **2** 몰래 가다[오다] 《*along, by, up, through*》, 몰래 들어가다 《*in, into*》, 몰래 빠져나오다 《*out, out of*》; 몰래 다가가다: The years *stole by.* 어느덧 세월이 흘렀다. // 《~+전+명》 ~ *into* the house 집으로 몰래 들어가다 / She *stole* softly *out of* the room. 그녀는 살그머니 방에서 빠져나왔다. **3** 〈기분·잠 등이〉 어느새 엄습하다 《*upon, over*》; 〈날짜가〉 어느새 지나가다 《*by, on, away*》 **4** 〖야구〗 도루하다

~ a march on ⇨ march[1]. ***~ away*** (1) 몰래 떠나다 (2) 살며시 훔치다 ***~ in*** (1) 살며시 들어가다 (2) 밀수입하다 ***~ off*** 가지고 도망치다 ***~ over*** [***on***] 〈기분·감정 등이〉 모르는 사이에 스며들다 ***~ a person's thunder*** ⇨ thunder. ***~ one's way*** 몰래 오다[가다] ***~ upon*** 살며시[어느덧] 다가오다

— *n.* **1** 《구어》 = STEALING **2** [a ~] 《미·구어》 횡재; 공짜나 다름없이 산 물건: It's *a* ~. 횡재했구나; 공짜나 마찬가지구나. **3** 〖야구〗 도루 **4** 아주 편한 일[직업] **~·a·ble** *a.* ▷ stéalth *n.*; stéalthy *a.*

steal·age [stíːlidʒ] *n.* **1** 훔치기 **2** 도난 피해

steal·er [stíːlər] *n.* 훔치는 사람, 도둑: a base ~ 〖야구〗 도루자

∗**steal·ing** [stíːliŋ] *n.* **1** U **훔침**, 절도 **2** [보통 *pl.*] 훔친 물건, 장물(贓物)(stolen goods)

— *a.* (슬쩍) 훔치는, 도벽이 있는; 《고어》 살그머니 하는 **~·ly** *ad.*

∗**stealth** [stélθ] *n.* **1** U **몰래 하기**, 비밀, 내밀 **2** 몰래 사라짐[들어옴] **3** 《폐어》 훔침; 훔친 물건 **4** [S~] 〖미공군〗 스텔스 계획 《적의 레이더나 탐지 센서에 항공기나 무기가 쉽게 발견되지 않도록 한 군사 기술 부문》 ***by ~*** 살그머니, 몰래 **~·ful** *a.* **~·less** *a.* ▷ stéal *v.*; stéalthy *a.*

---

unchanging, continuous, ceaseless, perpetual

steal *v.* take, appropriate, misappropriate, pocket, shoplift, pilfer, filch, embezzle, pinch

---

stéalth àircraft 〖항공〗 스텔스 항공기 《레이더에 잘 포착되지 않게 만든 것》

stéalth bòmber 〖군사〗 스텔스 폭격기

stealth·i·ly [stélθili] *ad.* 몰래, 은밀히

stealth·i·ness [stélθinis] *n.* U 몰래 함, 은밀, 남의 눈을 피함

stéalth tàx 《영·구어》 모르는 사이에 떼이는 세금 《소득세 등 직접세가 아니고 물품세 등의 간접세》

∗**stealth·y** [stélθi] *a.* (**stealth·i·er**; **-i·est**) 몰래 하는(sly), 남의 눈을 피하는, 비밀의: ~ footsteps 까치발, 살금살금

‡**steam** [stíːm] *n.* U **1** (수)**증기**, 스팀; 증기력 **2** 김; 증발기(氣), 발산기; 안개; 증발[발산]물: a ~ of perfume 향수의 향기 **3** 《구어》 **a** 힘, 원기, 활력; 추진력 **b** 울분 **4** 《미·속어》 밀매 위스키; 《호주·뉴질·속어》 싸구려 포도주 **5** 라디오(= ~ radio) ***at full ~*** 전속력으로 ***by ~*** 기선으로(cf. by LAND, by AIR, by WATER, etc.) ***Full ~ ahead!*** (1) 전속력으로 전진! 《선장의 명령》 (2) 전력을 다해 하라! ***get up ~*** (1) 증기를 일으키다 (2) 분발하다 (3) 화내다 ***keep up the ~*** 기운을 내다, 열심히 하다 ***let*** [***blow***] ***off ~*** (1) 여분의 증기를 빼다 (2) 《구어》 울분을 토하다 ***like ~*** 《호주》 맹렬히(furiously) ***lose ~*** 열기가 식다 ***put on*** [***work off***] ***~*** 분발하다, 기운을 내다 ***run out of ~*** 《구어》 힘이 빠지다, 피곤해하다, 지치다; 〈공격·운동·경제가〉 활력을 잃다, 정체되다 ***set ... in ~*** 〈기계 등을〉 작동시키다 ***under one's own ~*** 자기 힘으로, 스스로 ***under ~*** (1) 증기의 힘으로 (2) 기운을 내어 (3) 〈기선이〉 항해 중에 ***work up ~*** 증기를 내뿜다; 《구어》 원기를 내다, 활기를 되찾다

— *vi.* **1** 증기가 발생하다, 김을 내다: 《~+부》 This boiler *~s well.* 이 보일러는 증기가 잘 나온다. **2** 증발하다, 발산하다, 땀이 나다: 《~+부》 ~ *away*[*up*] 증발해 버리다 // 《~+전+명》 The heat is *~ing out of* the woods. 열기가 숲에서 발산하고 있다. **3** 김으로 덮이다[흐려지다] 《*up*》: 《~+부》 The windowpane *~ed up.* 유리창이 김으로 흐려졌다. **4** 증기로 나아가다: 《~+부》 The ship is *~ing in.* 기선이 들어오고 있다. // 《~+전+명》 The ship *~ed down* the river. 기선이 강을 따라 내려갔다. **5** 《구어》 (…의 일로) 화내다, 발끈하다, 성나서 씩씩거리다 《*about, over*》 **6** 《구어》 빠른 속도로 움직이다, 기세좋게 나아가다; 열심히 일하다

— *vt.* **1** 〈식품 등을〉 찌다(⇨ cook 유의어) **2** …에 김을 쐬다: 《~+목+보》 ~ open an envelope 증기를 쐬어 봉투를 열다 **3** 증발[발산]시키다: 《~+목+부》 ~ *up* liquid 액체를 증발시키다 **4** 〈유리 등을〉 (증기로) 흐려지게 하다 《*up*》: 《~+목+부》 My glasses have become *~ed up.* 안경이 흐려졌다. **5** 《구어》 흥분시키다, 화나게 하다 《*up*》: 《~+목+부》 He got *~ed up* about the remark. 그는 그 말에 화를 냈다. **6** 〈의복에〉 증기 다림질을 하다 《*out*》 **7** 〈범선 등을〉 증기의 힘으로 나아가게 하다

~ along [***ahead***] 진행이 순조롭다, 착착 잘 되어 가다 ***~ away*** 증발하다; 〈일이〉 진척되다 ***~ in*** 싸움에 끼다 ***~ it*** 범선으로 가다 ***~ of*** = ***~ open*** (우표 등에) 증기를 쐬워 떼내다 ***~ ... over*** = ***~ over ...*** (1) (김으로) 흐려지다[덮이다] (2) 발끈하다, 성내다 ***~ up*** (1) 〈유리창을〉 (김으로) 흐려지게 하다; 〈유리창이〉 (김으로) 흐려지다 (2) …에게 (…하도록) 자극을 주다, 격려하다 《*to* do》 (3) …을 화나게 하다, 흥분시키다 (4) 《영》 〈분만 전의 가축에게〉 먹이를 많이 주다 (5)(술을 많이 마셔) 취하다 **~·less** *a.* ▷ stéamy *a.*

stéam bàth 증기 목욕(탕), 한증탕

stéam bèer 스팀 맥주 《미국 서부에서 제조되는 거품이 많은 맥주》

‡**steam·boat** [stíːmbòut] *n.* (주로 하천·연안용 등의) 기선

stéam bòiler 기관(汽罐), 증기 보일러

stéam càbinet = STEAM ROOM

stéam chèst[bòx] (증기 기관의) 증기실
stéam còal 기관[보일러]용 석탄
stéam còlor 증기열에 의한 고착 날염(捺染)
stéam cỳlinder 증기 실린더, 기통(氣筒)
stéam distillàtion 증기 증류
steamed-up [stíːmdʌ̀p] *a.* (구어) 화난, 몹시 흥분한
*__stéam èngine__ 증기 기관(차) ***like a ~*** 원기 왕성하게
‡**steam·er** [stíːmər] *n.* **1** 기선; 증기로 움직이는 것; 증기 기관(차): by ~ 기선으로 **2** 찜통, 시루; 찌는 사람 **3** 〖패류〗 다랑조개(soft-shell clam) **4** [보통 *pl.*] (영·속어) (집단으로 습격하는) 강도
— *vi.* 기선으로 여행하다
stéamer bàsket (여객선 여행자에게 주는) 선물 바구니
steamer chàir =DECK CHAIR
stéamer rùg (미) 갑판 의자용 무릎 덮개
stéamer trùnk (배의 침대 밑에 들어가도록 만든) 판판하고 납작한 트렁크
stéam fiddle (미·서커스속어) 증기 오르간(calliope)
steam·fit·ter [stíːmfìtər] *n.* 증기 파이프 시설공[수리공]
stéam gàuge 증기 압력계
stéam hàmmer 증기 해머
stéam héat 기열(汽熱); 증기열(량)
steam-heat·ed [-híːtid] *a.* 증기 난방의
stéam héater 증기 난방 장치
stéam héating 증기 난방 (설비)
steam·ing [stíːmiŋ] *a., ad.* **1** 김이 푹푹 나는[날 만큼]: a cup of ~ coffee 김이 나는 따끈한 커피 / ~ hot 푹푹 찌게 더운 **2** (속어) 벌컥 화를 낸[내어] **3** (구어) 취한[하게] **4** (영·속어) 어마어마한
— *n.* Ⓤ **1** (일정 시간 안에) 기선이 항해하는 거리: a distance of one hour's ~ 기선으로 1시간 거리 **2** 김을 쐼 **3** 증기 다림질 **4** (영·속어) (공공장소에서) 강도짓을 하고 무리지어 잽싸게 사라지는 것
stéam ìron 증기 다리미
stéam jàcket 증기 재킷 《기관의 실린더 벽을 2중으로 만들어 증기를 넣어 내부를 가열하기 위한 구조》
steam-launch [stíːmlɔ̀ːntʃ] *n.* 증기 기동선
stéam locomòtive 증기 기관차
stéam nàvvy (영) 증기 삽
stéam òrgan 증기 오르간
stéam pìpe 증기관, 스팀 파이프
stéam pòint (물의) 비등점
stéam pòrt 기문(汽門), 증기구(蒸氣口)
stéam pòwer 증기력
stéam prèssure 기압(汽壓), 증기 압력
stéam pùmp 증기 양수기
stéam rádio (영·구어) 라디오 (방송) 《텔레비전과 구별하여 구식이라는 생각에서》
steam·roll·er [-ròulər] *n.* **1** 증기 롤러, 《특히》 도로용 롤러; 롤러가 장착된 각종 차량 **2** (무자비한) 압박 수단, 강압 — [종종 steamroll로] *vt.* **1** 증기 롤러로 고르다[누르다] **2** (구어) (압력으로) 압도하다, 억지로 관철시키다 — *vi.* 강압적으로 밀고 나가다
— *a.* 증기 롤러 같은; 강압적인: ~ methods 강압적인 방법
stéam ròom 한증실, 증기 욕실
‡**steam·ship** [stíːmʃìp] *n.* (대형) 기선, 상선(商船) 《略 SS》
stéam shòvel (미) 증기 삽
stéam tàble 스팀 테이블 《요리를 그릇째 두는 스팀이 통하는 금속제 보온대》
steam·tight [-tàit] *a.* 증기가 새지 않는 **~·ness** *n.*
stéam tràin 증기 기관차
stéam tùg 증기 예인선(曳引船)
stéam tùrbine 증기 터빈
stéam whìstle 기적(汽笛)
steam·y [stíːmi] *a.* (**steam·i·er**; **-i·est**) **1** 증기의, 증기로 된, 증기 같은(vaporous), 김이 자욱한; 증기를 내는; 기체상의 **2** 안개가 짙은(misty), 축축한(moist) **3** (구어) 에로틱한, 성적(性的)인 **4** 고온 다습한: a ~ climate 고온 다습한 기후 — *n.* (미·속어) 도색 영화 **stéam·i·ly** *ad.* **stéam·i·ness** *n.*
ste·ap·sin [stiǽpsin] *n.* Ⓤ 〖생화학〗 스테압신 《췌액 중의 지방 분해 효소》
ste·a·rate [stíːərèit, stíə- | stíə-] *n.* 〖화학〗 스테아르산염, 경지산염(硬脂酸塩)
ste·ar·ic [stiǽrik, stíə- | stiǽ-] *a.* 〖화학〗 스테아르산의; 우지(牛脂)의, 양지(羊脂)의, 지방의
steáric ácid 〖화학〗 스테아르산
ste·a·rin [stíːərin, stíə- | stíə-] *n.* Ⓤ 〖화학〗 스테아린, 경지(硬脂) 스테아르산 《양초 제조용》
ste·a·tite [stíːətàit | stíə-] *n.* Ⓤ 〖광물〗 동석(凍石) 《soapstone의 일종》; 스테아타이트 《활석을 주석으로 하는 고주파 절연용 자기》 **tit·ic** [-títik-] *a.*
steato- [stíətou, -tə, stiǽt- | stíət-] 《연결형》 「지방, 동물 지방」의 뜻
ste·a·tol·y·sis [stìətɑ́ləsis | -tɔ́-] *n.* 〖생리〗 (소화 과정에서의) 지방 융해; 〖화학〗 지방의 가수분해
ste·at·o·py·gi·a [stiæ̀təpáidʒiə, stìːə- | stìə-] *n.* 둔부(臀部) 지방 축적 《엉덩이 등에 과도한 지방이 축적된 상태》 **-gous, -gic** *a.*
ste·at·or·rhe·a [stiæ̀tərí:ə, stìːə- | stìə-] *n.* 〖병리〗 지방 변증(便症), 지방성 하리(下痢)
sted·fast [stédfæ̀st | -fəst] *a.* =STEADFAST
*__steed__ [stíːd] *n.* (고어·문어) (특히 승마용) 말, 군마(軍馬); 건강한 말, 준마 **~·like** *a.*
steek [stíːk] *n.* 한 땀, 한 코(stitch)
‡**steel** [stíːl] *n.* **1** Ⓤ 강철; 강철 제품 **2** 코르셋의 버팀테 **3** 부시, 쇠숫돌 《연필을 갈거나, 부엌칼의 날을 세우는》 **4** [*pl.*] 철강주(株); 철강 산업, 제강업 **5** (문어) 검(劍), 칼 **6** Ⓤ 강철 같은 성질, 견고함; 비정(非情)
a grip of ~ 꽉 잡아 쥠 ***a heart of ~*** 냉혹한 마음 ***cold ~*** 도검(刀劍), 총검 ***draw** one's **~*** (미) 권총을 뽑아들다 ***foe worthy of** one's **~*** 상대할 만한 적수, 호적수 ***hard*** [***soft***] ***~*** 경[연]강(鋼)
— *a.* 강철로 된; 강철 같은; 단단한, 무감각한; 불굴의, 강인한: a ~ cap 철모
— *vt.* **1** …에 강철을 입히다, 강철의 날을 붙이다; (강철처럼) 단단하게 하다, 강철처럼 만들다 **2** [~ one's heart 또는 ~ one*self*로] (…에 대해) 냉혹하게 마음먹다, 〈마음 등을〉 굳게 가지다(harden) 《*against, for*》: (~+목+전+명) I ~*ed* my heart[myself] *against* their sufferings. 나는 마음을 냉혹하게 먹고 그들의 참상에 눈을 감았다. **~·less** *a.* **~·like** *a.*
stéel bánd [집합적] 〖음악〗 스틸 밴드 《카리브 해 Trinidad 섬 주민 특유의 드럼통을 이용한 타악기 밴드》
stéel blúe 강청색(鋼青色)
steel-blue [stíːlblúː] *a.* 강청색의
steel-clad [-klǽd] *a.* 투구·갑옷을 입은
stéel-col·lar wórker [-kɑ̀lər- | -kɔ̀-] 산업용 로봇
stéel drúm 스틸 드럼 《steel band의 타악기》
stéel engràving 〖인쇄〗 강판(鋼版) 조각(술); 강판 인화
stéel gráy 철회색 《푸르스름한 금속성 회색》
stéel guitár 〖음악〗 스틸 기타, 하와이안 기타 (Hawaiian guitar)
steel·head [-hèd] *n.* 〖어류〗 무지개송어
steel·ie [stíːli] *n.* 강철 구슬
steel·i·ness [stíːlinis] *n.* Ⓤ **1** 강철 같음, 단단함 **2** 완고함
steel·mak·er [stíːlmèikər] *n.* 제강업자
steel·mak·ing [-mèikiŋ] *n.* 제강
stéel mìll 제강(製鋼) 공장
stéel plàte 판금(板金)

thesaurus **steep**[1] *a.* **1** 가파른 sheer, abrupt, sudden, sharp, vertical, rapid (opp. *gradual*) **2** (값이) 엄청난 high, costly, expensive

stéel tráp 강철제의 올가미[덫] ***have a mind like a*** ~ 매사에 이해가 빠르다
steel-trap [-træ̀p] *a.* 날카로운, 기민한; 이해가 빠른
stéel wóol 강철 솜, 강모(鋼毛) 《연마용》
steel·work [-wə̀ːrk] *n.* Ⓤ **1** [집합적] 강철 제품, 강철 공작물 **2** (건물·다리 따위의) 강철[골조] 작업
steel·work·er [-wə̀ːrkər] *n.* 제강소 직공
steel·works [-wə̀ːrks] *n. pl.* [단수·복수 취급] 제강소, 제강 공장
steel·y [stíːli] *a.* (**steel·i·er**; **-i·est**) **1** 강철의, 강철로 된; 단단한, 견고한 **2** 무정한, 냉혹한; 완고한, 몹시 엄격한: a ~ wind 매섭게 차가운 바람 / ~ eyes 차가운 눈빛 **3** 강철색의, 강청색의
steel·yard [stíːljɑ̀ːrd] *n.* 대저울

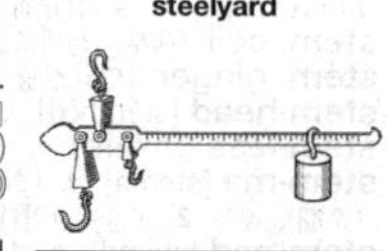

steen·bok [stíːnbɑ̀k, stéin- | -bɔ̀k] *n.* (*pl.* **~s,** [집합적] ~) 〖동물〗 스틴복 《작은 영양(羚羊)의 일종; 아프리카산(産)》 (steinbok)
‡steep¹ [stíːp] *a.* **1** 가파른, 경사가 급한, 물매가 싼, 험(준)한: The hill is too ~ for me to cycle up. 언덕은 내가 자전거를 타고 올라가기에는 너무 가파르다. **2** (구어) **a** 〈세금·요구 등이〉 터무니없는, 엄청난 **b** 〈이야기 등이〉 과장된, 극단적인; 〈일 등이〉 심하게 힘든
— *n.* 가파른 비탈; 낭떠러지, 단애(斷崖)
‡steep² [stíːp] *vt.* **1** (액체에) 적시다, 담그다(soak) 《*in*》; 함빡 젖게 하다; 깊이 배어들게 하다 《*with*》: (~+목+전+명) ~ seeds *in* water before sowing 종자를 뿌리기 전에 물에 담그다 **2** 깊이 스며들게 하다; 열중[몰두]시키다; (나쁜 일에) 완전히 빠지다 《*in*》(⇨ steeped 2) **3** 〈안개·연기 등이〉 …에 자욱하다, 뒤덮다, 둘러싸다; 〈빛 등이〉 …에 넘쳐 흐르다 《*in*》(⇨ steeped 2) **~ one*self in*** …에 몰두하다, 열중하다
— *vi.* **1** (물 등에) 잠기다 《*in*》 **2** 〈성분이〉 스며 나오다
— *n.* ⓊⒸ **1** 적심, 담금, 잠김: be in ~ 잠겨[담겨져] 있다 **2** (씨를) 담그는 액체[용기]
steeped [stíːpt] *a.* **1** 액체에 담근[적신] **2** 깊이 스며든; 뒤덮인, 둘러싸인 《*in*》: ~ *in* crime 악에 물든 / a castle ~ *in* mystery 신비에 싸인 성(城)
steep·en [stíːpən] *vt., vi.* 가파르게 하다[되다], 급경사로 하다[되다]: The mountain ~*s* to the top. 그 산은 위로 갈수록 가파르다.
steep·er [stíːpər] *n.* 적시는[담그는] 사람[그릇]
steep·ish [stíːpiʃ] *a.* 약간 험한[가파른]; 약간 부당한, 좀 지나친
***stee·ple** [stíːpl] *n.* (교회 등의) 뾰족탑, 첨탑; (일반적인) 첨탑 건물

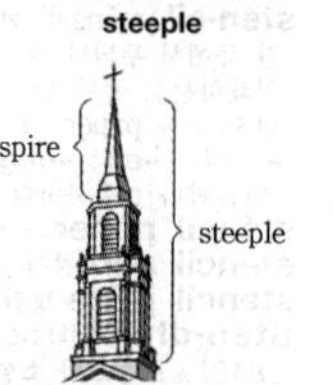

stee·ple·bush [stíːplbùʃ] *n.* 〖식물〗 조팝나무류의 관목
stee·ple·chase [-tʃèis] [옛날에 이 경기를 교회의 첨탑(steeple)을 목표로 삼고 행한 데서] *n.* **1** 장애물 경마 **2** 〖경기〗 장애물 경주, 크로스컨트리 경주
— *vi.* 장애물 경주에서 달리다[말을 타다]
stee·ple·chas·er [-tʃèisər] *n.* 장애물 경마에 출전하는 기수[말]
stee·ple-crowned [-kràund] *a.* 〈모자 등이〉 꼭대기가 높고 뾰족한
stee·pled [stíːpld] *a.* 뾰족탑이 있는, 뾰족탑 모양의
stee·ple·jack [stíːpldʒæ̀k] *n.* 뾰족탑[연돌] 수리공

steep² *v.* soak, saturate, submerge, immerse, drench, souse, wet, through, bathe, damp
steer¹ *v.* guide, navigate, drive, pilot, beacon

stee·ple·top [-tɑ̀p | -tɔ̀p] *n.* 첨탑 꼭대기
steep·ly [stíːpli] *ad.* 가파르게
steep·ness [stíːpnis] *n.* Ⓤ **1** 가파름, 험준함 **2** 엄청남
steep·y [stíːpi] *a.* (**steep·i·er**; **-i·est**) (고어·시어) = STEEP¹
‡steer¹ [stíər] *vt.* **1** …의 키를 잡다, 조종하다; (어떤 방향으로) 돌리다 《*for, toward*》: (~+목+부) ~ a ship *westward* 배를 서쪽으로 돌리다 // (~+목+전+명) ~ an automobile *toward* the beach 자동차를 해변 쪽으로 몰다 **2** 〈어떤 진로를〉 나아가게 하다, 이끌다 《*to, for*》; …을 안내하다, 인도하다 《*through*》: (~+목+전+명) ~ one's way *to* …으로 나아가다, 향하다 / ~ a team *to* victory 팀을 승리로 이끌다 / She ~*ed* herself *around* the corner. 그녀는 모퉁이를 돌아갔다. **3** (구어) 〈손님을〉 끌다
— *vi.* **1** (어떤 방향으로) 향하다, 나아가다 《*for, to*》; 키를 잡다, 조종하다: (~+전+명) ~ *for* a harbor 배를 항구로 몰고 가다 / Where are you ~*ing for?* (구어) 어디로 가는 길입니까? **2** (어떤 방침에 따라) 처신하다, 행동하다: (~+전+명) ~ *between* two extremes 중용의 길을 택하다 **3** [well 등의 부사와 함께] 〈배·비행기 등이〉 키가 듣다, 조종되다: (~+부) This boat ~*s easily*[*badly*]. 이 보트는 조종하기 쉽다[어렵다]. **4** (구어) 손님을 끌다; 야바위꾼[한통속]이 되다
~ by[**past**] …의 곁을 지나가다, 비켜 가다, 피하다 **~ *clear of*** …을 피하다, …에 관계하지 않다 **~ a person *in the right direction*** …을 바르게 인도하다
— *n.* (미·구어) 조언, 충고, 지시; 정보; (도박장 등에) 손님을 끌고 오는 사람 ▷ stéerage *n.*
steer² *n.* **1** 수송아지; 《특히》 거세한 황소 **2** (미) 《일반적으로》 비육우
steer·a·ble [stíərəbl] *a.* 〈탈것 등이〉 조종 가능한; 〈안테나 등이〉 가동되는
steer·age [stíəridʒ] *n.* **1** Ⓤ 조타(操舵), 조종; 키의 성능, 조타성; 조타 장치 **2** (고어) 3등 선실; 하급 선객; (군함의) 하급 사관실 **3** 선미(船尾), 고물(stern)
— *ad.* 3등 선실로: go[travel] ~ 3등 선객이 되다, 3등으로 가다
stéerage pàssenger 〖항해〗 3등 선객(cf. DECK PASSENGER)
steer·age·way [stíəridʒwèi] *n.* Ⓤ 〖항해〗 타효(舵效) 속력 《키 조종에 필요한 최저 진항(進航) 속도》
steer·er [stíərər] *n.* **1** 키잡이 **2** (구어) (사기·도박 등의) 바람잡이
steer·ing [stíəriŋ] *n.* Ⓤ **1** 조타(操舵)(하는 사람); 조종(하는 사람) **2** (미) 부동산업자가 흑인 손님에게 백인 지역의 물건을 고의로 알리지 않는 것
stéering còlumn 스티어링 칼럼 《핸들과 스티어링 기어를 연결하는 장치》
stéering committee (미) (의회의) 조정 위원회
stéering gèar (배·자동차 등의) 조타 장치
stéering whèel **1** 〖항해〗 타륜(舵輪) **2** (자동차의) 핸들: turn the ~ right 핸들을 오른쪽으로 돌리다

> 유의어 우리말의 「핸들」은 자전거의 경우는 **handlebar**(**s**), 자동차는 (**steering**) **wheel**이라고 한다.

steers·man [stíərzmən] *n.* (*pl.* **-men** [-mən, -mèn]) 타수(舵手), 키잡이; (기계·자동차의) 운전자
steeve¹ [stíːv] *n.* Ⓤ 〖항해〗 앙각(仰角) 《제1 사장과 수평면과의 각도》 — *vt., vi.* 기울(이)다; 앙각을 내다[가지다]
steeve² *n., vt.* 〖항해〗 기중장(起重檣)(으로 짐을 싣다)
steg·a·nog·ra·phy [stègənɑ́ːgrəfi] *n.* **1** (고어) = CRYPTOGRAPHY **2** 〖컴퓨터〗 스테가노그라피 《전달하려는 기밀 정보를 이미지 파일이나 MP3파일 등에 암호화해 숨기는 기술》 **-graph·ic** *a.*
steg·o·don [stégədɑ̀n | -dɔ̀n] *n.* 〖고생물〗 스테고돈

《동아시아·아프리카에 분포되어 있는 대형 화석 코끼리》
steg·o·my·ia [stègəmáiə] *n.* 〖곤충〗 이집트모기 《황열병(the yellow fever)을 매개함》
steg·o·sau·rus [stègəsɔ́ːrəs] *n.* (*pl.* **-ri** [-rai]) 〖고생물〗 검룡(劍龍) 《dinosaur의 일종》
stein [stáin] [G 「돌(stone)」의 뜻에서] *n.* (오지로 만든) 손잡이가 달린 맥주 컵 《약 1pint(약 0.5*l*)들이》; 그 한잔
Stein·beck [stáinbek] *n.* 스타인벡 **John** (**Ernst**) ~ (1902-68) 《미국의 소설가; 노벨 문학상 수상(1962)》
stein·bok, -bock [stáinbɑ̀k | -bɔ̀k] *n.* (*pl.* **~s,** [집합적] **~**) 〖동물〗 **1** ＝STEENBOK **2** ＝IBEX
stein·kern [ʃtáinkὲərn, -kəːrn, stáin-] *n.* 〖고고학〗 인상화석(印象化石) 《두개골·연체 동물의 껍질 등의 유곽이 화석화된 것》
Stein·way [stáinwèi] *n.* 스타인웨이 **1 Henry Engelhard** ~ (1797-1871) 《독일 태생의 미국 피아노 제조자》 **2** 1이 창업한 피아노 회사; 그 피아노
ste·la [stíːlə] *n.* (*pl.* **-lae** [-liː], **-lai** [-lai]) **1** 〖고고학〗 기념 석주(石柱), 석비(石碑) **2** 〖건축〗 (건물 정면의) 현판
Stel·a·zine [stéləzìːn] *n.* 〖약학〗 ＝TRIFLUOPERAZINE
ste·le[1] [stíːli, stíːl] *n.* 〖식물〗 중심주(中心柱)
ste·le[2] [stíːli] *n.* ＝STELA
Stel·la [stélə] *n.* 여자 이름
stel·lar [stélər] [L 「별」의 뜻에서] *a.* **1** 별의, 항성의; 별로 이루어진; 별이 많은(starry): a ~ night 별이 총총한 밤 **2** 별 같은, 별 모양의 **3** (미) 화려한, 일류의, 우수한; 주요한; 스타의 ***go*** **~** 《영·구어》 〈악단·배우 등이〉 스타가 되다, 유명해지다
stel·lar·a·tor [stélərèitər] *n.* 〖물리〗 스텔러레이터 《핵융합 반응 연구용 실험 장치》
stéllar evolútion 〖천문〗 항성 진화
stéllar wínd [-wínd] 〖천문〗 항성풍(恒星風)
stel·late [stélət, -leit], **-lat·ed** [-leitid] *a.* **1** 별 모양의, 별 같은(star-shaped) **2** 방사상(狀)의(radiating) **3** 〖식물〗 〈잎이〉 윤생(輪生)의
stel·len·bosch [stélənbɑ̀ʃ | -bɔ̀ʃ] [좌천지로서 남아프리카 Cape 주의 도시 Stellenbosch 기지가 종종 이용된 데서] *vt.* 《영·군대속어》 〈사관을〉 좌천시키다
Stél·ler's jáy [stélərz-] 스텔라 까마귀 《북미 서부산(産)의 까마귓과(科) 새》
Stéller's séa lìon 〖동물〗 바다 사자 《북태평양산》
stel·lif·er·ous [stelífərəs] *a.* 별이 있는; 별이 많은; 별표가 붙은
stel·li·form [stéləfɔ̀ːrm] *a.* **1** 별 모양의 **2** 방사상의
stel·li·fy [stéləfài] *vt.* **1** 별이 되게 하다 **2** 스타에 끼이게 하다 **3** …에게 하늘의 영광을 주다, 찬양하다
Stel·lite [stélait] *n.* Ⓤ 스텔라이트 《코발트·크롬·탄소·텅스텐·몰리브덴의 합금; 칼날·의료 기구 등에 사용; 상표명》
stel·lu·lar [stéljulər] *a.* **1** 별 무늬의; 작은 별 모양의 **2** 작은 방사상의
⁑**stem**[1] [stém] *n.* **1** (초목의) 줄기, 대 **2** 잎자루, 꽃자루, 열매 꼭지; (꺾은) 꽃가지 **3** 줄기[대] 같은 것; 잔의 굽; (시계의) 용두의 축; (도구의) 자루; 담배설대; (온도계의) 유리관; (새의) 깃대; (병의) 봉 **4** 〖성서〗 종족, 계통, 혈통, 가계 **5** 〖언어〗 어간(cf. ROOT, BASE) **6** 〖음악〗 음표의 세로줄 **7** 〖항해〗 이물, 선수재(船首材) **8** 〖인쇄〗 (활자의) 굵은 세로줄 **9** [*pl.*] 《속어》 (사람의) 다리; 《미·속어》 (도시의) 넓은 거리; (철도의) 주요 간선 **10** 《미·속어》 아편[코카인] 파이프 **11** 《미·속어》 음경 **12** 《미·속어》 구걸, 동냥
from* ~ *to stern (1) 이물에서 고물까지, 배 전체에 (2) 철저히, 구석구석까지 ***give the* ~** 〖항해〗 (다른 배에) 돌진하다 ***main* ~** 《미·속어》 중심가, 번화가 **~ *on*** 〖항해〗 뱃머리를 돌려 **~ *to* ~** 〖항해〗 〈두 척의 배가〉 뱃머리를 맞대고 ***work the* ~** 《미·속어》 구걸하다
— *v.* (**~med**; **~·ming**) *vt.* 〈잎·열매에서〉 줄기를 제거하다; 〈조화 등에〉 줄기를 달다
— *vi.* **1** 〈사건·감정 등이〉 (…에서) 생기다, 일어나다, 유래하다, 시작하다 (*from, in, out of*): (~+전+명) 'Yankee' ~*s from* the Dutch word 'Jan Kees'. Yankee라는 말은 네덜란드 말인 Jan Kees에서 생겼다[에서 유래한다]. **2** 《미·속어》 동냥[구걸]하다
stem[2] *v.* (**~med**; **~·ming**) *vt.* **1** 막다, 저지하다 **2** 〈강·흐름 등을〉 막다 **3** 〖스키〗 제어 회전하다 **4** 〈구멍·틈 등을〉 봉하다, 메꾸다 **5** 〈출혈을〉 멈추게 하다
— *vi.* **1** 〖스키〗 제어하다 **2** 자제하다, 참다; 멈추다; 저지당하다; 출혈이 멎다 — *n.* **1** 〖스키〗 제어 회전 **2** 저지, 장애; (물줄기를) 막는 것, 댐
stem[3] *vt.* (**~med**; **~·ming**) **1** 〈흐름·바람 등에〉 거슬러서 나아가다 **2** 〈반대·저항 등에〉 거슬러서 진행시키다
STEM [stém] [*s*canning *t*ransmission *e*lectron *m*icroscope] *n.* 주사(走査) 투과 전자 현미경
stém cèll 〖해부〗 간세포(幹細胞), 줄기 세포
stém gínger 《영》 설탕 조림 생강
stem·head [stémhèd] *n.* 뱃머리, 이물
stem·less [stémlis] *a.* 줄기[대]가 없는
stem·ma [stémə] *n.* (*pl.* **~·ta** [-tə], **~s**) **1** 계도(系圖), 계통 **2** 〖곤충〗 단안(單眼); 촉각 기부(觸角基部)
stemmed [stémd] *a.* **1** [복합어를 이루어] …의 줄기가 달린: a long-~ lily 줄기가 긴 백합 **2** 줄기나 꼭지를 떼어낸
stem·mer [stémər] *n.* 담배 따위의 줄기 따는 사람; 담배 제경기(除莖機); (노상의) 걸인
stem·mer·y [stéməri] *n.* 담배 줄기 제거 공장
stem·my [stémi] *a.* (**-mi·er**; **-mi·est**) 줄기가 많은[섞인], 줄기투성이의
stem·ple [stémpl], **-pel** [-pəl] *n.* 〖광산〗 수갱(竪坑)의 비계용 목재
stém rùst 〖식물〗 (보리류의) 검은 녹병(균)
stém tùrn 〖스키〗 제동 회전, 스템턴
stem·ware [stémwὲər] *n.* Ⓤ [집합적] 굽 달린 유리잔류(類)
stem·wind·er [-wáindər] *n.* **1** 《미》 용두로 태엽을 감는 시계, 용두 태엽 시계(《영》 keyless watch) **2** 《고어》 일(류)급 인사[물건]; 《고어·속어》 감동을 주는 웅변가 **3** (특히 정치 연설에서) 감동적인[열렬한] 연설
stem·wind·ing [-wáindiŋ] *a.* **1** 용두로 태엽을 감는 **2** 《미》 매우 훌륭한, 일류의 **3** 《미·구어》 〈연설 등이〉 설득력이 있는
Sten [stén] *n.* ＝STEN GUN
sten. stenographer; stenography
stench [sténtʃ] *n.* ⓊⒸ 불쾌한 냄새, 악취(⇨ smell 유의어); 악취를 냄, 악취를 내는 것
stench·ful [sténtʃfəl] *a.* 악취가 가득 찬
sténch tràp (하수관의) 방취판(防臭瓣)
sten·cil [sténsəl] *n.* **1** 틀판, 형판(型板) 《종이·금속판 등에서 무늬나 글자를 오려내어 그 위에 잉크를 발라 인쇄하는》; 틀판으로 찍은 모양[기호, 문자] **2** 등사판 원지(＝~ paper) **3** 스텐실 인쇄(법)
— *vt.* (**~ed**; **~·ing** | **~led**; **~·ling**) 스텐실을 대고 찍다[박다]; 등사하다 **~·(l)er** *n.* 형판공(型版工)
sténcil pàper ＝STENCIL 2
sténcil pèn 철필 《등사판용》
sténcil plàte 형판(stencil)
Sten·dhal [stendɑ́ːl, stæn-] *n.* 스탕달(1783-1842) 《프랑스의 소설가; 본명 Marie Henri Beyle》
Stén gùn (영국의) 스텐 경기관총
sten·o [sténou] *n.* (*pl.* **~s**) 《미·구어》 **1** ＝STENOGRAPHER **2** ＝STENOGRAPHY
sten·o·bath·ic [stènəbǽθik] *a.* 〖생태〗 협심도성(狹深度性)의 《제한된 깊이의 좁은 범위에서만 사는 해양·담수 생물에 대해 말함》
sten·o·chro·my [sténəkròumi] *n.* Ⓤ 〖인쇄〗 스테노크로미, 다색(多色) 인쇄법
sten·o·graph [sténəgrӕf | -grɑ̀ːf] *n.* **1** 속기 문자; 속기물 **2** 속기 타이프라이터
— *vt.* 속기하다
***ste·nog·ra·pher** [stənɑ́grəfər | -nɔ́g-], **-phist**

[-fist] *n.* 《미》 속기사(速記士)(《영》 shorthand typist)
sten·o·graph·ic [stènəgrǽfik] *a.* 속기(술)의: take ~ notes of …을 속기하다 **-i·cal·ly** *ad.*
***ste·nog·ra·phy** [stənάgrəfi | -nɔ́-] *n.* Ⓤ **속기**; 속기술[법] ▷ stenográphic *a.*
ste·nosed [stinóust, -nóuzd] *a.* 〖의학〗 협착된[에 걸린]
ste·no·sis [stinóusis] *n.* Ⓤ 〖병리〗 협착(증)
ste·not·ic [stinάtik | -nɔ́-] *a.*
sten·o·type [sténətàip] *n.* **1** 속기(速記) 타이프라이터 **2** (스테노타이프용) 문자 **—***vt.* 스테노타이프로 기록하다
sten·o·typ·ist [sténətàipist] *n.* (스테노타이프에 의한) 속기 타자수[타이피스트]
sten·o·typ·y [sténətàipi] *n.* Ⓤ 스테노타이프 속기(술) 《보통의 알파벳 사용》
stent [stént] *n.* 〖의학〗 (혈관에 넣는) 스텐트 《협착 방지용 튜브》
Sten·tor [sténtɔːr] *n.* **1** 스텐터 《Homer의 *Iliad*에 나오는 50명과 맞먹는 큰 목소리를 가진 전령(傳令)》 **2** [**s~**] 목소리가 큰 사람 **3** [**s~**] 나팔벌레 《Stentor속(屬)의 원생동물》
sten·to·ri·an [stentɔ́ːriən] *a.* 음성이 큰: a ~ voice 몹시 큰 목소리 **~·ly** *ad.*
sten·tor·phone [sténtərfòun] *n.* 〖음악〗 스텐터폰 《음량이 큰 flue stop의 일종》
‡**step** [stép] *n.*, *v.*

「걸음」 **1** →「걸음걸이」 **2** →「발소리」 **4**, →「발자국」 **5**
　　　→「진일보」 **6 a** →(목적으로의 한 걸음)
　　　→「수단」 **6 b**
　　　→(걷는 곳)→「단」 **8**→「계단」 **8**
　　　→「단계」 **6 a**

— *n.* **1 걸음**, 보(步); [*pl.*] (걷는) 방향 **2** [CU] **걸음걸이**, 걸음새, 보조(步調); 발과 몸의 놀림새, (댄스의) 스텝 **3 한 걸음**, 1보의 간격, 보폭 《약 1야드》, 보정(步程); 한달음질, 가까운 거리 **4 발소리 5** 발자국, 발자취; 《비유》 모범, 본; [*pl.*] 간 길, 행로: retrace one's ~*s* 온 길을 돌아가다 **6 a** (어떤 과정의) 단계, 진일보, 진보, 전진, 진척: 7 ~*s* to survive 생존을 위한 7단계 **b 수단**, 조치, 방법: (~+***to*** do) We must take ~*s to* avoid the repetition of this offense. 이 범죄가 되풀이되지 않도록 조치를 강구해야 한다. **7** (군대의) 계급; 승진, 승급 **8** (계단의) 디딤대, **단**(段); (기차·마차 등의) 승강단; 발판, 디딤판; [*pl.*] **계단**, 층층대, 사닥다리(=a pair of ~*s*) **9** 〖음악〗 음정; 〖기계〗 축받이; 〖목공〗 궤방; 〖항해〗 장좌(檣座) **10** (온도계의) 눈금 **11** 〖컴퓨터〗 스텝 《컴퓨터에서의 하나의 명령 또는 일련의 명령을 실행시키는 것》
a ~ in the right direction (어떤 목적에) 적절한 방책[조치] ***bend*** one***'s ~s*** 《문어》 (…으로) 나아가다 《*toward*》 ***be*** [***keep, stay***] ***one*** [***a***] ***~ ahead*** (…보다) 한 발 앞서 있다, 조금 낫다; 앞서 피해 있다 《*of*》 ***break ~*** (1) 보조를 흐트러뜨리다 (2) 사이가 갈라지다, 규칙을 깨다 ***Change ~!*** 발 바꿔! ***fall into ~*** (…와) 보조를 맞추어 가다; (…의) 방식을 받아들이다 《*with*》 ***follow*** (***in***) a person***'s ~s*** 남이 하는 대로 하다 ***get*** one***'s ~*** (특히 군대에서) 진급하다 ***half*** [***whole***] ***~*** 반[온]음 ***in*** [***into***] ***~*** 보조를 맞추어; 일치[조화]하여 ***keep ~ with*** [***to***] …와 보조를 맞추다; 〈시류를〉 알고 있다, 뒤지지 않다 ***Mind the ~.*** 《구어》 발밑을 조심하시오. ***miss*** one***'s ~*** 발을 헛디디다 ***out of ~*** 발을 맞추지 않고; 조화되지 않아 ***pick*** one***'s ~s*** 주의 깊게 나아가다 ***~ by ~*** 한 걸음 한 걸음; 착실히 ***~ for ~*** 같은 보조로, 보조를 맞추어 ***take ~s*** 조치를 취하다, 방도를 간구하다 ***tread in the ~s of*** …의 뒤를 따라가다; …을 모범으로 삼다, 모방하다 ***watch*** [《영》 ***mind***] one***'s ~*** 발밑을 조심하다; 《구어》 조심하다, 신중히 행동하다

— *v.* (**~ped,** 《고어》 **stept** [stépt]; **~·ping**) *vi.* **1 한 걸음 내디디다 2** (짧은 거리를) **걷다**, 발[걸음]을 옮기다; 가다, 나아가다: Please ~ this way. 이쪽으로 오시오. // (~+전+명) ~ *across* a street 가로를 횡단하다 / ~ *into* a boat 배에 올라타다 // (~+부) ~ *along* 성큼성큼 나아가다 / ~ *forward* 앞으로 나아가다 **3** 《구어》 (댄스에서) 스텝을 밟다; 《드물게》 (음악에 맞춰) 춤을 추다 《*to*》: (~+전+명) She ~*ped to* the music. 그녀는 음악에 맞추어 스텝을 밟았다. **4** 《구어》 빨리 걷다, 뛰다, 서두르다 《*along*》 **5** (어떤 상태로) 되다, (어떤 지위를) 차지하다, (…에) 참여하다, (…을) 쉽게 얻다 《*into*》: (~+전+명) ~ *into* journalism 언론계에 발을 들여놓다 / ~ *into* an estate [a fortune] 재산을 이어받다 **6** (…을) 밟다 《*on, upon*》: (~+전+명) ~ *on* a snake 뱀을 짓밟다 / ~ *on* the brake (차의) 브레이크를 밟다 / Don't ~ *on* the grass! 잔디를 밟지 마세요!
— *vt.* **1** 걷다, 내디디다, 걸어 나아가다[지나가다, 가로지르다]; 〈발을〉 들여놓다: ~ two paces 2보 전진하다 // (~+목+전+명) ~ foot *on*[*in*] the enemy's soil 적의 땅에 발을 들여놓다 **2** 〈댄스의〉 스텝을 밟다, 춤추다 **3** 계단 모양으로 만들다; 단계로 나누다: ~ tests 단계로 나누어 테스트하다 / He ~*ped* the hillside leading to the orchard. 그는 과수원으로 통하는 언덕 사면에 층층대를 만들었다. **4** 〈거리·지면을〉 걸음짐작하다 《*off, out*》: ~ the distance 거리를 걸음짐작하다 **5** 〖기계〗 단을 새기다; 축받이에 끼워 넣다; 〖항해〗 〈돛대를〉 장좌(檣座)에 세우다
~ along 떠나다, 출발하다 ***~ aside*** 옆으로 비키다[피하다]; 남에게 양보하다; 탈선하다 ***~ back*** (1) 뒤로 물러나다 (2) 뒷걸음질 치다 (3) 거리를 두다 ***~ down*** 차 따위에서 내리다; 〈전압을〉 낮추다; 은퇴[사직]하다 ***~ forth*** [***forward***] (한 발) 앞으로 나가다; 〈증인 등이〉 출두하다 ***~ high*** 〈말이〉 발을 높이 들다 ***~ in*** (1) 《구어》 (딛고) 들어가다; 《명령》 들어오시오 (2) 간섭하다; 참가하다 ***~ in for*** …대신에 의무를 다하다 ***~ inside*** (잠깐) 들어가다, 들르다 ***~ into*** a person***'s shoes*** …의 후임으로 들어앉다 ***~ it*** 《구어》 춤추다; 걷다, 도보로 가다 ***~ lively*** 서두르다 ***~ off*** (1) 내리다 (2) 〖군사〗 행군하기 시작하다 (3) 걸음짐작하다 (4) 실책을 저지르다 (5) 《속어》 결혼하다 (6) 《폐어》 죽다 ***~ on*** [***upon***] (1) …을 밟다, 발을 걸다 (2) 억누르다 (3) 《구어》 〈남의 감정을〉 해치다 (4) 꾸짖다 ***~ on it*** [***the gas***] (1) 《구어》 (자동차의) 액셀러레이터를 밟다; 속도를 내다; 서두르다 (2) 《구어》 가만히[묵묵히] 있다 (3) 《미·군대속어》 대실패를 하다[저지르다] ***~ out*** (1) 집[방]을 나오다[나가다] (2) 걸음을 빨리 하다 (3) 《미·구어》 사직하다, 은퇴하다 (4) 《미·구어》 놀러 나가다, 데이트하러 가다; 《미·구어》 …을 배신하다, …에게 부정을 저지르다 (5) 《미·속어》 죽다 (6) [진행형으로] 《구어》 〈인생을〉 즐기다 (7) 《영·구어》 서두르다 (8) 《영·공군속어》 (고장난 비행기에서) 낙하산으로 내려오다 ***~ out of line*** 남과 다른 행동을 취하다; 예상 밖의 행동을 취하다 ***~ out on*** 〈남편 또는 아내를〉 배반하다, …에게 부정을 저지르다 ***~ outside*** 외출하다 ***~ over*** 가로지르다; 〈장애·금기를〉 넘다; 저지르다 ***~ up*** (1) 올라가다 (2) 접근하다 (3) …에게 구애하다, 구혼하다 (4) 《구어》 〈전압 따위를〉 높이다, 증대시키다 (5) 빠르게 하다, 촉진하다 ***~ upstairs*** 위층에 올라가다 ***Will you ~ inside?*** 어서 들어오십시오.
step- [stép] *pref.* 「의붓…; 계(繼)…」의 뜻
stép àerobics 스텝 에어로빅스 《발판에 오르내리면서 상체도 움직이는 에어로빅》
step·broth·er [stépbrʌ̀ðər] *n.* 의붓형제 《혈연 관계는 없음; cf. HALF BROTHER》
step-by-step [stépbəstép, -bai-] *a.* 한 걸음 한 걸음의, 단계적인, 점진적인
stép chànge 《영》 큰 변화, 약진
step·child [stéptʃàild] *n.* (*pl.* **-chil·dren** [-tʃìldrən]) 의붓자식; (의붓자식처럼) 냉대받는 사람[조직, 자회사, 기획]

step·dame [stépdèim] *n.* 《고어》 = STEPMOTHER
stép dànce 스텝 댄스 《자세보다 스텝에 중점을 두는 댄스; tap dance 등》
step·daugh·ter [stépdɔ̀:tər] *n.* 의붓딸
step-down [stépdàun] *a.* **1** 단계적으로 감소하는, 체감하는: a ~ gear 감속 기어 **2** 〖전기〗 전압을 낮추는(opp. *step-up*): a ~ transformer 점감(漸減) 변압기 —*n.* 감소
step·fam·i·ly [stépfæ̀məli] *n.* 복합[혼성] 가족 《이혼·재혼 등으로 혈연이 없는 가족이 포함되는 가족》
step·fa·ther [stépfɑ̀:ðər] *n.* 의붓아버지, 계부
stép fàult 〖지질〗 계단 단층
step·ford [stépfɔ:rd] [책·영화 제목인 *The Stepford Wives*에서] *a.* (로봇처럼 한 사람에게) 순종하는, 따르는
Stépford wífe (사회 규범이나 남편에 잘 따르는) 순응적인 여성[아내]
stép fùnction 〖수학〗 계단 함수
Steph·a·na [stéfənə, stefɑ́:-] *n.* 여자 이름
Steph·a·nie [stéfəni] *n.* 여자 이름
steph·a·no·tis [stèfənóutis] *n.* 〖식물〗 박주가릿과(科)의 덩굴 식물 《마다가스카르 섬·동남아시아산(産)》
Ste·phen [stí:vən] *n.* 남자 이름 《애칭 Steve》
Ste·phen·son [stí:vənsn] *n.* 스티븐슨 **George** ~ (1781-1848) 《영국의 기사(技師); 증기 기관차 발명자》
step-in [stépìn] *a.* 〈옷·신발 등이〉 발을 꿰어 입는 —*n.* **1** [*pl.*] 팬티 **2** 발을 꿰어 입는 옷
Step·in·fetch·it [stépənfétʃit] [미국의 흑인 보드빌 연예인 Stepin Fetchit의 이름에서] *n.* 《미》 아첨하는[비굴한] 흑인 하인
step·lad·der [stéplæ̀dər] *n.* 발판 사닥다리, 접사다리
*__step·moth·er__ [stépmʌ̀ðər] *n.* 의붓어머니, 계모; 《비유》 엄하고 냉정한 어머니 **~·li·ness** *n.* **~·ly** *a.* 의붓어머니의[같은], 무정한
step·ney [stépni] *n.* 《영》 (옛 자동차의) 예비 바퀴
step-off [-ɔ̀:f, -ɑ̀f | -ɔ̀f] *n.* 해안선에서 바다가 급격히 깊어지는 장소; 급격한 전락
step·par·ent [stéppɛ̀ərənt] *n.* 의붓부모, 계부[모] **~·ing** *n.* 의붓부모가 되는 것
steppe [stép] [Russ.] *n.* **1** 스텝 《나무가 없는, 특히 시베리아의 대초원》(cf. PRAIRIE, SAVANNA(H)) **2** [the S~(s)] (유럽 남동부·아시아 남서부 등의) 대초원 지대
stepped [stépt] *a.* 계단이 있는; 계단 모양의
stepped-up [stéptʌ́p] *a.* **1** 속력을 증가한 **2** 강화[증강, 증대, 증가]된
step·per [stépər] *n.* **1** 걸어서 나아가는 사람[동물]; 《특히》 앞다리를 들고 걷는 말; [보통 형용사와 함께] …한 걸음걸이의 사람[동물] **2** 《구어》 댄서 **3** 《미·학생속어》 사교를 좋아하는 사람
stép·ping-óff plàce [stépiŋɔ́:f- | -ɔ́f-] **1** 밖으로 향하는 교통의 기점 **2** 미지의 땅으로의 출발점
step·ping-stone [-stòun] *n.* **1** 디딤돌, 징검돌, 섬돌, 댓돌 **2** (승진·개선 등의) 수단, 방법, 발판 《*to*》 **3** (여행 등의) 휴식지; 기항지
stép ròcket 다단식(多段式) 로켓
step·sis·ter [stépsìstər] *n.* 의붓자매
step·son [stépsʌ̀n] *n.* 의붓아들
step·stool [stépstù:l] *n.* 계단식 걸상
stept [stépt] *v.* 《시어》 STEP의 과거·과거분사
step·toe [stéptòu] *n.* 용암에 둘러싸여 고립된 언덕·산 등
stép tùrn 〖스키〗 스텝턴 《한쪽 스키를 들어 회전할 방향으로 옮긴 후 다른 스키를 들어 평행하게 놓아 회전하는 방법》
step-up [stépʌ̀p] *a.* **1** 단계적으로 증대하는[강화하는] **2** 〖전기〗 점차적으로 전압을 높이는: a ~ transformer 점증(漸增) 변압기 —*n.* 점진적 증가[증대] (increase, rise)
step·way [-wèi] *n.* (연속된) 계단
step·wise [stépwàiz] *ad.* **1** 한 걸음[일단]씩; 계단식으로 **2** 〖음악〗 한 음에서 다음 음으로 순차적으로 이행해서: ascend ~ 순차적으로 높아지다
ster. stereotype; sterling
-ster [stər] *suf.* 「…하는[만드는] 사람; …을 다루는 사람; …인 사람; …에 관계가 있는 사람」 등의 뜻: rhyme*ster*; young*ster*
ste·ra·di·an [stəréidiən] *n.* 〖기하〗 입체 호도법
ster·co·ra·ceous [stə̀:rkəréiʃəs] *a.* 〖생리〗 대변(모양)의; 숙변성의
stere [stíər] [F] *n.* 세제곱미터, 스테르 《略 ST》
*__ster·e·o__ [stériòu, stíər-] [*stereo*phonic] *n.* (*pl.* **~s**) **1** 실체[입체]경(鏡)(stereoscope); 입체 사진(술) **2** Ⓤ 입체 음향 **3** 스테레오 재생 장치 《전축·테이프·레코드 등》 **4** 〖인쇄〗 스테레오판(版), 연판(鉛版) ***in*** ~ 스테레오로
—*a.* **1** = STEREOSCOPIC **2** = STEREOPHONIC **3** = STEREOTYPIC; = STEREOTYPED
stereo- [stériòu, -riə, stíər-] 《연결형》 「굳은(hard); 고체의; 입체의」의 뜻
ster·e·o·bate [stériəbèit, stíər-] *n.* 〖건축〗 **1** 건물을 지탱하는 기초[토대] **2** 스테레오 바테스, 기단(基壇) 《고대 신전의 단을 이루는 석조 받침》
stéreo càmera 입체 사진 촬영용 카메라
ster·e·o·chem·is·try [stèriəkémistri, stìə-] *n.* Ⓤ 입체 화학 **-chém·i·cal** *a.*
ster·e·o·gram [stériəgræ̀m, stíə-] *n.* **1** (물체의 실체적 인상을 그대로 표현한) 실체화(畫), 입체화, 실체 도표 **2** = STEREOGRAPH
ster·e·o·graph [stériəgræ̀f | -grɑ̀:f] *n.* 실체화(畫), 입체도, (특히) 입체경(stereoscope)에 사용하는) 입체 사진 —*vt.* …의 스테레오 그래프를 만들다
stereográphic projéction 〖지도〗 스테레오 투영법, 평사(平射) 도법
ster·e·og·ra·phy [stèriɑ́grəfi, stìər- | -ɔ́g-] *n.* Ⓤ **1** 입체[실체] 화법 《입체 기하학의 한 분야》 **2** 입체 사진술 **ster·e·o·graph·ic** [stèriəgræ̀fik] *a.*
ster·e·o·i·so·mer [stèriəáisəmər] *n.* 〖화학〗 입체 이성체(異性體) **-i·so·mer·ic** [-àisəmérik] *a.*
ster·e·o·i·som·er·ism [stèriəaisɑ́mərìzm | -sɔ́-] *n.* Ⓤ 〖화학〗 입체 이성(異性)
ster·e·ol·o·gy [stèriɑ́lədʒi, stìə- | -ɔ́l-] *n.* 입체학 **stèr·e·o·lóg·i·cal** *a.* **stèr·e·o·lóg·i·cal·ly** *ad.*
ster·e·om·e·ter [stèriɑ́mətər, stìə- | -ɔ́mə-] *n.* 입체 용적계; 체적계; 비중계
ster·e·om·e·try [stèriɑ́mətri, stìə- | -ɔ́mə-] *n.* Ⓤ 체적 측정(법), 구적법(求積法)(cf. PLANIMETRY)
ster·e·o·mi·cro·scope [stèriəmáikrəskoup, stìə-] *n.* 입체 현미경
ster·e·o·phone [stériəfòun, stíə-] *n.* 스테레오폰 《스테레오용 헤드폰》
ster·e·o·phon·ic [stèriəfɑ́nik, stìə- | -fɔ́-] *a.* 입체 음향(효과)의, 스테레오의(opp. *monophonic*): a ~ broadcast 입체[스테레오] 방송
stereophónic sóund 입체음
ster·e·oph·o·ny [stèriɑ́fəni, stìə- | -ɔ́fə-] *n.* Ⓤ 입체 음향 (효과)
ster·e·o·pho·tog·ra·phy [stèriəfətɑ́grəfi | -tɔ́g-] *n.* Ⓤ 입체 사진술 **-phò·to·gráph·ic** *a.*
ster·e·op·sis [stèriɑ́psis, stìə- | -ɔ́p-] *n.* 입체(경) 영상; 입체[실체]시(視)
ster·e·op·ti·con [stèriɑ́ptikən, -kɑ̀n, stìə- | -ɔ́ptikən] *n.* 〖광학〗 실체[입체] 환등기
ster·e·o·reg·u·lar [stèriərégjulər, stìə-] *a.* 〖화학〗 입체 규칙성의
ster·e·o·scope [stériəskòup, stíə-] *n.* 입체경, 실체경, 쌍안 사진경

thesaurus **sterile** *a.* **1** 불모의 unproductive, unfruitful, unyielding, arid, dry **2** 불임의 infertile, barren, unprolific, infecund **3** 무익한 useless,

ster·e·o·scop·ic [stèrioskápik, stìə- | -skɔ́-] *a.* stereoscope의; 입체적[실체적]인, 입체감을 주는 **-i·cal·ly** *ad.*

ster·e·os·co·py [stèriáskəpi, stìə- | -ɔ́s-] *n.* Ⓤ **1** 실체[입체]경학(鏡學)[연구], 실체[입체]경 제조법[사용법] **2** 입체 영상

ster·e·o·spe·cif·ic [stèriouspəsífik, stìə-] *a.* 〖화학〗 입체 특이성의 《입체적으로 규칙성이 있는》 **-i·cal·ly** *ad.* **-spèc·i·fíc·i·ty** *n.*

ster·e·o·tape [stériətèip, stíə-] *n.* 스테레오[입체] 녹음테이프

ster·e·o·tax·ic [stèriətǽksik, stìə-] *a.* 〖해부〗 정위(定位) 방법의[에 의한] 《뇌 수술이나 연구를 위해 뇌를 3차원적으로 검사하는 방법이나 장치》

ster·e·o·tax·is [stèriətǽksis, stìə-] *n.* 〖생물〗 주촉성(走觸性), 접촉 주성(走性) 《물체와의 접촉에 따른 자극에 의해 그 물체쪽으로 가까워지거나 멀어지려고 하는 성질》 **stèr·e·o·tác·tic** *a.*

ster·e·ot·o·my [stèriátəmi, stìə- | -ɔ́t-] *n.* 스테레오토미 《돌 등의 고형 물질을 특정 모양으로 절단하는 기술》

***ster·e·o·type** [stériətàip, stíə-] *n.* **1** 〖인쇄〗 연판(鉛版), 스테레오판(版); Ⓤ 연판 제조; 연판 인쇄 **2** 정형(定型), 전형; 관례, 선례; 상투적인 문구, 상투 수단; 평범한 생각 **3** 〖사회〗 고정관념: the ethnic ~ 민족 고유의 고정관념

— *vt.* **1** 연판으로 하다, 연판으로 인쇄하다 **2** 정형[유형]화하다, 판에 박다; 〈언어·행위 등을〉 틀에 박히게 반복하다 **-tỳp·er** *n.*

ster·e·o·typed [stériətàipt, stíə-] *a.* **1** 연판으로 뜬; 연판으로 인쇄한 **2** 판에 박은, 진부한: ~ phrases 판에 박은[진부한] 문구

ster·e·o·typ·ic, -i·cal [stèriətípik(əl), stìə-] *a.* **1** 연판의; 연판 인쇄의 **2** 판에 박은, 진부한

ster·e·o·typ·y [stériətàipi, stíə-] *n.* **1** Ⓤ 연판 인쇄술, 연판 제조법 **2** 〖정신의학〗 상동증(常同症) 《같은 행동·말을 무의미하게 끊임없이 반복하는 증세》

ster·e·o·vi·sion [stériəvìʒən] *n.* 입체시(立體視) 《3차원의 시각》, 입체적으로 봄[보임]

ster·ic, -i·cal [stérik(əl), stíərik-] *a.* 〖화학〗 (분자 중의) 원자의 공간적[입체적] 배치에 관한, 입체의

ster·i·lant [stérələnt] *n.* **1** 멸균[살균]제, 소독약, 《특히》 제초제 **2** 멸균기

***ster·ile** [stéril | -rail] [L 「불모(不毛)의」의 뜻에서] *a.* **1** 〈땅이〉 **불모의,** 메마른; 흉작의(opp. *fertile*): ~ soil 메마른 토양 / a ~ year 흉년 **2** 〈사람·동물이〉 불임(不姙)의, 생산 못하는; 단종(斷種)한 **3** 살균한, 무균의(aseptic); 미생물이 없는 **4** 〖식물〗 중성의; 열매를 맺지 않는 **5** 무효의, 무익한, (결과를) 낳지 않는 《*of*》 **6** 〈강연이〉 빈약한, 흥미 없는; 〈문체 등이〉 박력 없는; 〈사상 등이〉 독창성 없는 **7** (미·구어) 〈전화 따위가〉 안전[기밀] 유지 장치[조치]를 취한

~·ly *ad.* **~·ness** *n.* ▷ sterílity *n.*

ste·ril·i·ty [stəríləti] *n.* Ⓤ **1** 불임(증) **2** 불모 **3** 무효, 무결과 **4** (내용의) 빈약, (사상·창작력의) 빈곤, 무미건조; 무취미 **5** 〖식물〗 중성(中性)

ster·i·li·za·tion [stèrəlizéiʃən | -lai-] *n.* Ⓤ **1** 불임케함, 단종(斷種) (수술): a ~ operation 불임 수술 **2** 불모로 만듦 **3** 살균, 멸균, 소독

ster·i·lize [stérəlàiz] *vt.* **1** 살균[멸균, 소독]하다 **2** 불임케 하다, 단종하다 **3** 〈땅을〉 불모로 하다, 메마르게 하다 **4** 〈사상·내용 등을〉 빈약하게 하다; 〈계획·노력 등을〉 무효가 되게 하다, 무익하게 하다; 흥미 없게 하다, 무미건조하게 하다: a *~d* lecture 내용 없는 강의 **5** (미·구어) 〈전화 등에〉 안전[기밀] 유지 조치를 취하다; 〈기밀 자료에서〉 기밀 부분을 떼어내다[제거하다] **6** (구어) 격리[보호, 방어]하다

---

futile, worthless, vain, ineffectual, abortive

stern[1] *a.* strict, harsh, hard, severe, rigorous, rigid, demanding, cruel, relentless, despotic

ster·i·lized [stérəlàizd] *a.* **1** 살균[소독]한; 단종한 **2** 금속 탐지 검사를 받은 사람 외에는 탑승 금지의(sterile)

ster·i·liz·er [stérəlàizər] *n.* **1** 불모로[불임케] 하는 것; 빈약하게 하는 것 **2** 멸균[소독]자; 살균 장치[제], 소독기

***ster·ling** [stə́:rliŋ] [OE 「작은 별」의 뜻에서; 은화에 작은 별이 새겨진 것이 있는 데서] *a.* **1** (영) **영화(英貨)의,** 파운드의 《略 S., stg.》: five pounds ~ 영화 5파운드 **2** 〈금·은이〉 법정 순도의 **3** 진정한, 순수한; 훌륭한, 확실한; 믿음직한; 〈책 등이〉 권위 있는: a ~ fellow 믿을 수 있는 사나이 / ~ worth 진가 **4** (호주) 영국 태생의

— *n.* Ⓤ **1** 영국 화폐(English money); 영국의 페니 은화 **2** (법정) 순은(純銀)(= ~ silver) 《은 함유율이 92.5% 이상》 **3** 순은 제품[식기류] **4** Ⓒ 〖호주사〗 영국 본토 태생의 사람 **~·ly** *ad.* **~·ness** *n.*

stérling bálance 〖경제〗 (영국 이외의 파운드 사용국의) 파운드 잔고

stérling blòc[àrea] [the ~] 파운드 (통용) 지역

stérling sìlver (법정) 순은(純銀)

‡stern[1] [stə́:rn] *a.* **1 엄격한, 단호한**(⇨ strict 유의어); 가혹한, 용서 없는: ~ discipline 엄격한 훈련 **2** 〈사정·처지 등이〉 피할 수 없는, 괴로운(hard), 가차없는(inexorable): ~ necessity 불가피한 필요 **3** 〈외모·표정 등이〉 붙임성이 없는, 무서운; 험한 **4** 〈기후·장소 등이〉 황량한 **5** 〈사물이〉 간소한, 실용 본위의 ***the ~er sex*** 남성(cf. WEAKER SEX) **~·ly** *ad.* **~·ness** *n.*

‡stern[2] [stə́:rn] *n.* **1** 〖항해〗 **고물,** 선미(船尾) **2** 《일반적으로》 뒷부분; (구어·익살) 엉덩이, (특히 여우 사냥개의) 꼬리; (문장(紋章)의) 이리 꼬리

down by the ~ 〖항해〗 고물이 물속에 가라앉아서

S~ all! = S~ hard! 〖항해〗 뒤로! 《뒤로 젓게 하는 구령》 ***~ on*** 고물을 이쪽으로 돌려서

ster·na [stə́:rnə] *n.* STERNUM의 복수

ster·nal [stə́:rnl] *a.* 〖해부〗 흉골[가슴뼈]의; 〖곤충〗 복판[흉판]의

stérnal ríb 〖해부〗 흉골, 늑골(true rib)

stérn chàse 〖항해〗 선미 추격

stérn chàser 함미포(艦尾砲)

Sterne [stə́:rn] *n.* 스턴 **Laurence** ~ (1713-68) 《영국의 성직자·소설가》

stérn fàst 〖항해〗 선미 계삭(繫索)

stern·fore·most [stə̀:rnfɔ́:rmoust] *ad.* **1** 〖항해〗 고물을 앞으로 하여, 후진하여 **2** 서투르게; 간신히

stern·most [stə́:rnmòust] *a.* 〖항해〗 **1** 선미에 가장 가까운 **2** 최후의, 후미의

Ster·no [stə́:rnou] *n.* 스터노 《깡통에 든 고체 알코올 연료; 상표명》

stern·post [stə́:rnpòust] *n.* 〖항해〗 선미재(船尾材)

stérn shèets 〖항해〗 (보트 등 갑판이 없는 배의) 선미 상판(床板), 정미좌(艇尾座)

stern·son [stə́:rnsən] *n.* (목조선의) 곡재(曲材)(knee)

ster·num [stə́:rnəm] [Gk 「가슴」의 뜻에서] *n.* (*pl.* **~s, -na** [-nə]) **1** 〖해부〗 흉골(胸骨) **2** 〖동물〗 (곤충·갑각류의) 흉판(胸板), 복판(腹板)

ster·nu·ta·tion [stə̀:rnjutéiʃən] *n.* Ⓤ 재채기하기; Ⓒ 재채기

ster·nu·ta·tive [stə:rnjú:tətiv | -njú:-] *a.* = STERNUTATORY

ster·nu·ta·tor [stə́:rnjutèitər] *n.* (화학전에서) 재채기 유발약[가스]

ster·nu·ta·to·ry [stə:rnjú:tətɔ̀:ri | -njú:tətəri] *a.* 재채기 나게 하는, 재채기 유발성의 — *n.* (*pl.* **-ries**) 재채기를 유발하는 물질[약]

stern·ward [stə́:rnwərd] *a.* 고물의, 후부의, 뒤쪽의 — *ad.* 고물로, 후부에, 뒤쪽으로

stern·wards [stə́:rnwərdz] *ad.* = STERNWARD

stern·way [stə́:rnwèi] *n.* Ⓤ 〖항해〗 (배의) 후진, 후퇴

stern·wheel [-*h*wì:l] *n.* 〖항해〗 선미 외륜(船尾外輪) 《선미에 있는 추진용 바퀴》

stern·wheel·er [stə́:rnhwì:lər] *n.* 〖항해〗 선미 외륜(外輪) 기선

sternwheeler

ste·roid [stíərɔid, sté-] *n.* 〖생화학〗 스테로이드 《스테린·담즙산·호르몬 등 지방 용해성 화합물의 총칭》 **—** *a.* 스테로이드(성)의
ste·rói·dal *a.*

ste·roi·do·gen·e·sis [stiərɔ̀idədʒénəsis, ste-] *n.* 〖생화학〗 스테로이드 합성[생성]

ste·rol [stíərɔ:l, -ral, sté- | -rɔl] *n.* 〖생화학〗 스테롤

ster·tor [stə́:rtər] *n.* 〖병리〗 (뇌졸중 환자 등의) 코 골기

ster·to·rous [stə́:rtərəs] *a.* 《문어》 코 고는; 숨결이 식식거리는; 천식의 **~·ly** *ad.* **~·ness** *n.*

stet [stét] [L = let it stand] *vi., vt.* (**~·ted**; **~·ting**) 〖인쇄〗 살리다, 되살리다 《지운 어구 밑에 점선을 찍어 이를 나타냄; cf. DELE》

ste·thom·e·ter [steθɑ́mətər | -θɔ́-] *n.* 호흡 운동 측정기, 측흉기(測胸器)

steth·o·scope [stéθəskòup] *n., vt.* 〖의학〗 청진기(로 진찰하다)

steth·o·scop·ic, -i·cal [stèθəskɑ́pik(əl) | -skɔ́-] *a.* 청진(기)의; 청진(기)에 의한

ste·thos·co·py [steθɑ́skəpi | -θɔ́s-] *n.* Ⓤ 청진(법)

Stet·son [stétsən] *n.* 스테트슨 《챙이 넓고 운두가 높은 카우보이의 모자; 상표명》

Steve [stí:v] *n.* 남자 이름 《Stephen, Steven의 애칭》

ste·ve·dore [stí:vədɔ̀:r] *n.* **1** 항만[부두] 노동자, 하역 인부 **2** 하역 회사 **—** *vt.* 하역 인부로서 〈짐을〉 싣다[부리다], 〈배의〉 짐을 싣다[부리다] **—** *vi.* 하역 인부로서 일하다; 배의 짐을 싣다[부리다]

Ste·ven [stí:vən] *n.* 남자 이름 《애칭 Steve》

Ste·ven·graph [stí:vəngræ̀f | -grɑ̀:f] [영국의 직물 기술자 T. Stevens의 이름에서] *n.* 스티븐그래프 《비단에 짜 넣은 다채로운 그림》

Ste·ven·son [stí:vənsn] *n.* 스티븐슨 **Robert Louis ~** (1850-94) 《스코틀랜드 태생의 소설가·수필가·시인》

***stew**[1] [stjú: | stjú:] *vt.* **1** 뭉근한[약한] 불로 끓이다, 스튜 요리로 하다(⇨ cook 유의어): The tea is *~ed.* 차가 달았다. **2** 《미·구어》 애타게 하다, 마음 졸이게 하다 《*up*》: (~+목+전+명) ~ oneself *into* an illness 속을 태워 병이 나다 // (~+목+부) He is *~ed up* with anxiety. 그는 근심으로 애태우고 있다. **3** 《고어》 덥고 통기가 안 되는 곳에 가두다, 푹푹 찌게 만들다 《*up*》 **4** 《고어》 …에 배어들게[스며들게] 하다 **5** 〈녹차 등을〉 쓰게 만들다 **6** 《폐어》 …으로 (인해) 비지땀을 흘리다

— *vi.* **1** 뭉근한 불에 끓다 **2** 무더워서 땀투성이가 되다; 《구어》 (닫힌 방에서) 후덥지근해서 불쾌해지다 **3** 《미·구어》 (…로) 애태우다, 조바심하다(fret) 《*about, over*》: (~+전+명) ~ *over* a matter 어떤 문제로 마음 졸이다 **4** 《영·속어》 기를 쓰고 공부하다(swot) **5** 〈녹차 등이〉 쓰게 되다 ***~ in*** one***'s juice*** [***grease***] 자업자득으로 고생하다

— *n.* **1** ⓊⒸ **스튜**(요리): (an) Irish ~ 양고기·감자·양파로 만드는 스튜 **2** [a ~] 《구어》 애태움, 근심, 초조 **3** 잡다하게 뒤섞은 것, 뒤범벅 **4** 붐빔, 혼잡; 과열된[땀 범벅의] 상태 **5** 《고어》 한증탕 **6** 《고어》 매춘부; 매음굴 **7** [*pl.*] 홍등가; 슬럼가; 《속어》 취객, 술주정꾼; 주연, 술잔치; 소동 ***cut into ~ meat*** 칼로 짓이겨 다지다 ***get*** [***go***] ***into a ~*** 《구어》 흥분하다, 안절부절못하다; 초조해지다 ***in a ~*** 《구어》 안절부절못하여, 속이 타서; 화가 나서

stew[2] *n.* **1** 《영》 양어장(fishpond) **2** 굴 양식장

stew[3] *n.* 《속어》 = STEWARD; STEWARDESS

***stew·ard** [stjú:ərd | stjú:əd] *n.* **1** (가사 일체를 관리하는) **집사**(執事), 청지기 **2** 재산 관리인 **3** (클럽·레스토랑 등의) 급사장 **4** (대형 선박의) 스튜어드 《승무원의 식사 등을 관리》 **5** (여객기·기선 등의) 스튜어드, 남자 객실 승무원 **6** (조합·단체 등의) 사무장, 지배인(manager) **7** 용도계(用度係), 조달계 **8** (전람회·무도회·경마 등의) 안내원, 간사 **9** 〖미해군〗 주계 사관 《사관 식당을 관리하는 하급 사관》

— *vi., vt.* steward의 일을 보다

***stew·ard·ess** [stjú:ərdis | stjú:əd-] *n.* (여객기의) **스튜어디스**, (기선·열차 등의) 여승무원, 여자 객실 승무원(hostess) **~·shìp** *n.*

stew·ard·ship [stjú:ərdʃìp | stjú:əd-] *n.* Ⓤ **1** steward의 직[지위] **2** (한 개인으로서의 사회적·종교적인) 책무(責務)

Stew·art [stjú:ərt | stjú:ət] *n.* 남자 이름

stew·build·er [stjú:bìldər | stjú:-] *n.* 《미·속어》 요리사

stew·bum [-bʌ̀m] *n.* 《속어》 술꾼, 주정뱅이; 부랑자

stewed [stjú:d | stjú:d] *a.* **1** 약한 불로 끓인, 스튜 요리로 한: ~ beef 쇠고기 스튜 **2** 《영》 〈차가〉 너무 진한 **3** 《구어》 초조한; 술 취한(drunk) **4** 《미·속어》 곤란한 ***~ to the gills*** 《미·속어》 몹시 취한

stew·ie [stjú:i | stjú:i] *n.* 《미·속어》 싸구려 술을 마시는 술꾼

stew·pan [stjú:pæ̀n | stjú:-] *n.* (긴 자루가 달린 얕은) 스튜 냄비(saucepan)

stew·pot [-pɑ̀t | -pɔ̀t] *n.* (손잡이가 둘 달린 깊은) 스튜 냄비, 스튜 통

St. Ex. Stock Exchange **stg.** staging; standing; sterling **stge.** storage **Sth.** south

sthe·ni·a [sθənáiə, sθí:niə] *n.* 〖병리〗 강장(强壯), 항진(亢進)

sthen·ic [sθénik] *a.* **1** 건장한, 정력적인 **2** 〖의학〗 〈심장·동맥 등이〉 병적으로 활발한, 항진성(亢進性)의

Sthptn. Southampton

STI sexually transmitted infection 성접촉성 감염

stib·i·al [stíbiəl] *a.* 〖화학〗 안티몬의, 안티몬 같은

stib·ine [stíbi:n, -bin | -bain] *n.* 〖화학〗 수소화안티몬 《무색의 약간 수용성인 유독 기체》

stib·i·um [stíbiəm] *n.* Ⓤ 〖화학〗 안티몬(antimony) 《기호 Sb, 번호 51》

stib·nite [stíbnait] *n.* 휘안석(輝安石) 《안티몬의 주요한 광석광물》

stich [stík] *n.* (시의) 행(行)

sti·chom·e·try [stikɑ́mətri | -kɔ́-] *n.* 행 나누기, 행분법

sti·cho·myth·i·a [stìkəmíθiə] *n.* 격행 대화(隔行對話) 《고대 그리스 극에서 두 사람이 한 행씩 시를 교환하며 대화하는 형식》

‡**stick**[1] [stík] *n.* **1** 막대기, 나무토막, 나뭇가지(⇨ bar[1] 유의어) **2** 곤봉, 방망이 **3** [the ~] 채찍질; 《영·구어》 벌, 매; 《비유》 압력, 협박; 《구어》 혹평, 매도 **4** 지팡이, 단장 **5** (막대 모양의 초콜릿 사탕 등의) 한 자루 《*of*》 **6** 막대 모양의 물건; 성냥개비; 전신주; 전신 기사가 쓰는 연필; 촛대 **7 a** 〖음악〗 지휘봉; 북채; 〖인쇄〗 (식자용) 스틱; 〖곤충〗 대벌레(= ~ insect) **b** 자루, 채 **8** (야구의) 배트; (당구의) 큐; (골프의) 클럽; (하키의) 스틱; (경주의) 바통 《등》 **9** 〖항공〗 조종간(操縱桿); 《구어》 (자동차의) 변속 지렛대 **10** 《익살》 〖항해〗 돛대(의 일부); (돛의) 활대(yard) **11** [보통 *pl.*] 《구어》 (가구의) 한 점: a few *~s* of furniture 얼마 안 되는 가구 **12** [the ~s] 《구어》 삼림지; 미개한 오지; (도시에서 먼) 두메산골 **13** 〖군사〗 일련 연속 투하 폭탄(cf. SALVO[1]) **14** (홍차 등에 넣는) 브랜디 **15** 《속어》 피스톨(= shooting ~) **16** 《속어》 (마리화나를 넣은) 담배 **17** 《속어》 경찰봉[막대기] **18** 《구어》 얼간이, 바보 ***at the ~'s end*** 얼마간의 거리를 두고, 멀리 ***be***

thesaurus **stick**[1] *n.* piece of wood, branch, twig, switch, cane, pole, post, stake, birch, rod

(*as*) ***cross as two ~s*** 몹시 성미가 까다롭다 ***beat*** a person ***all to ~s*** 《미·구어》 완전히 무찌르다, 톡톡히 혼내주다 ***be on the ~*** 《속어》 기민[유능]하다, 활동적이다 ***carry*** [***wield***] ***a*** [***the***] ***big ~*** (외교 등에서) 실력 행사로 나가다; 강경책을 쓰다 ***carry the ~*** 《미·속어》 부랑[방랑] 생활을 하다 ***cut*** one***'s ~*** 《구어》 도망치다, 달아나다 ***eat ~*** (막대기 등으로) 맞다, 두들겨 맞다 ***get*** [***have***] ***hold of the wrong end of the ~*** 오해[착각]하다 ***get on the ~*** 《구어》 일을 시작하다 ***get the ~*** (1) =eat STICK (2) 비판[혹평]을 받다 ***give*** a person (***the***) ***~*** …을 벌주다, 단단히 혼내다 ***go to ~s*** (***and staves***) 산산이 흩어지다, 와해되다 ***have*** [***get***] ***the right*** [***wrong***] ***end of the ~*** (매매·경쟁에서) 유리[불리]한 입장에 서다 ***hold ~s*** [***a ~***] ***to*** = ***hold ~s with*** …와 막상막하의 승부를 겨루다 ***in a cleft ~*** 진퇴양난이 되어 ***keep … at the ~'s end*** …을 경원하다, 쌀쌀하게 대하다 ***more … than*** one ***can shake a ~ at*** 《미·구어》 셀 수 없을 만큼 많은 ***pull up ~s*** 《영·구어》 이사하다 ***shake a ~ at*** 《미·구어》 …을 알아차리다, …에 눈뜨다, …가 눈에 들어오다 ***the wrong*** [***short, dirty***] ***end of the ~*** 불리한 입장; 그릇된 해석[보고] ***to ~s*** (***and staves***) 산산이, 산산조각으로; 완전히; 철저하게; 파멸하여, 황폐해져서 ***up ~s*** 《영·구어》 떠나다, 이사가다 ***up the ~*** 《속어》 상식을 벗어난; 미친; 임신한 ***want the ~*** 매를 맞을 필요가 있다 ***wield a big ~ over*** …에게 강권을 휘두르다 ***with a ~ in it*** 《미·속어》 (커피 등에) 브랜디를 약간 넣은

—*vt.* 〈식물 등을〉 막대기로 버티다, 받쳐주다; 〈활자를〉 스틱에 짜다; 〈재목을〉 쌓아 올리다; 스틱으로 치다

‡stick² [stík] *v.*, *n.*

> 「꿰찌르다」(stitch와 같은 어원)에서 →「찔러 넣다; 꽂다」 **2** →「(떨어지지 않게) 붙이다」 **5**

—*v.* (**stuck** [stʌ́k]) *vt.* **1** (날카로운 것으로) **찌르다, 꿰찌르다** 《*with, on*》; 관통시키다 《*through*》; 찔러 죽이다(stab): 《~+목+전+명》 ~ a beefsteak *with* a fork = ~ a fork *into* a beefsteak 비프스테이크를 포크로 찍다 // 《~+목+부》 His chest was *stuck through* with a dagger. 그의 가슴이 단도에 찔려 있었다. **2 찔러 넣다,** 꽂다(insert), 끼우다, 찔러 박다(thrust); 주사를 놓다; (핀 등으로) 고정시키다: 《~+목+전+명》 ~ a flower *in* a buttonhole 단추 구멍에 꽃을 꽂다 / ~ one's pipe *between* one's teeth 파이프를 입에 물다 **3** 〈몸의 일부를〉 **내밀다** 《*out of, into*》: 《~+목+전+명》 ~ one's arms *out of* one's sleeves 소맷자락에서 팔을 내밀다 **4** 《구어》 (어떤 장소에) 아무렇게 놓다: 《~+목+전+명》 ~ papers *in* a drawer 서류를 서랍에 넣다 **5** (풀 등으로) **붙이다,** 고착시키다(fasten): 《~+목+전+명》 ~ a stamp *on* a letter 편지에 우표를 붙이다 // 《~+목+부》 The two notes are *stuck together*. 두 장의 지폐가 들러붙어 있다. **6 a** [주로 수동형으로] 끼어들게 하다, 옴쭉 못하게 하다: 《~+전+명》 A cart *is stuck in* the mud. 짐마차가 진창 속에 빠져 있다. **b** 《구어》 난처하게 하다, 당혹하게[어쩔 줄 모르게] 하다: 《~+목+전+명》 ~ a person *with* questions 질문으로 …을 난처하게 하다 **7** 〈못을〉 (쳐서 박기 전에 일부 꽂아) 세워두다 **8** [부정문에서] 《영·구어》 참다(endure): 《~+목+부》 I can*not* ~ it *out* any longer. 더 이상 참을 수 없다. **9** (싫은 것을) …에게 강요하다 《*with, for*》; 《속어》 속이다(cheat), 사기치다: 《~+목+전+명》 ~ a person *for* money …에게서 돈을 속여 빼앗다 **10** (…에) 열중하게 하다, 반하게 하다 《*on*》 **11** 《미·속어》 〈남자가〉 성교하다

—*vi.* **1 찔리다,** 꽂히다, (…에) 꽂혀 있다 《*in*》: 《~+전+명》 A needle ~*s in* my shirt. 바늘이 내 셔츠에 꽂혀 있다. **2** (…에) **달라붙다**[붙어 있다], 고착되다 《*on, to*》: 《~+전+명》 A stamp ~*s to* an envelope. 우표는 봉투에 들러붙으면 안 떨어진다. **3 고수**[**고집**]**하다,** 집착하다; (경기·추적 등에서) (…에) 딱 붙어서[따라서] 가다 《*with, to*》; (약속 등을) 충실히 지키다 《*by, with, to*》; 엉기다, 늘어붙다 《*to, at*》: 《~+전+명》 ~ *to* one's promise 약속을 꼭 지키다 **4** (장소·지위 등에) 언제까지나 머무르다, 남아 있다; 〈기억이〉 사라지지 않다 《*in*》; 〈악평 등이〉 좀처럼 없어지지 않다 《*to, on*》: 《~+전+명》 one's childhood memories ~*ing in* one's mind 언제까지나 마음속에 남아 있는 어린 시절의 추억 // 《~+부》 You ~ *indoors* too much. 당신은 너무 집안에만 틀어박혀 있다. **5** (…에) 당혹[당황]하다, 난처하여 어쩔 줄 모르다, 주저하다(hesitate) 《*at*》: 《~+전+명》 He *stuck at* nothing. 그는 어떤 일에도 주저하지 않았다. **6** (일·공부 등에) 전념하다, 부단히 노력하다 《*at, to, into*》 **7 박히다,** 끼다, 못 움직이게 되다, 교착되다: 《~+전+명》 ~ *in* the mud 진창 속에 박혀 움직이지 못하다 **8** 삐죽 나오다(protrude), 튀어나오다 《*up, out*》: 《~+부》 His hair ~*s up*. 그의 머리털이 서 있다. // 《~+전+명》 Her arms *stuck out of* her sleeves. 그녀의 팔이 소맷자락에서 삐죽 나와 있었다. **9** 《영·속어》 (…을) 참다, 견디어내다 《*at*》

be stuck for …이 부족하다 ***be stuck on*** 《구어》 …에 열중하다, …에 반해 있다 ***be*** [***get***] ***stuck with*** 싫은 일을 강요당하다; 《속어》 …으로부터 손을 떼지 못하다 ***~ around*** [***about***] 《구어》 가까이에 있다; 옆에서 떠나지 않고 기다리다 ***~ at*** (1) …을 꾸준히 하다, …을 물고 늘어지다 (2) …에 주저하다 (3) 차질을 가져오다, 벽에 부딪치다 ***~ by*** …에 충실하다; 굳게 지키다 ***~ down*** (1) 《구어》 〈이름 등을〉 적다 (2) 《구어》 내려 놓다 (3) 붙이다 ***~ fast*** 달라붙다; 막다르게 되다 ***~ in*** 문장 속에 〈사실을〉 삽입하다; 틀어박히다 ***~ in*** a person***'s craw*** [***crop***] …을 화나게[괴롭게] 하다; 〈먹은 것이〉 소화가 안 되다, 막히다 ***~ in*** one***'s throat*** 목에 걸리다, 목메어 말이 안 나오다 ***~ it*** (1) 확실히 착지하다 (2) 《구어》 참다; 분발하다, 잘 해내다 ***~ it on*** 《속어》 엄청난 값을 매기다; 과장해서 말하다 ***~ it*** (***out***) 《구어》 참다; 끝까지 버티다 ***~ it to*** 《속어》 …을 가혹[부당]하게 다루다; …에게 까탈을 부리다, 불만을 토로하다 ***~ on*** …을 붙이다; 떨어지지 않다; 떨어지지 않고 말에 올라타 있다 ***~ out*** (1) 돌출하다; 불쑥 나오다; 《구어》 눈에 띄다, 명료하다 (2) 〈강제·설득 등을〉 좀체로 듣지 않다; 끝까지 저항하다[참고 견디다] (3) 스트라이크를 속행하다[계속하다] ***~ out a mile*** 《구어》 일목요연하다 ***~ out for*** 〈임금 인상 등을〉 끝까지 요구하다 ***~ pigs*** 말 위에서 창으로 멧돼지를 찔러 죽이다 《놀이》 ***~*** one***'s neck*** [***chin***] ***out*** 《구어》 위험한 지경을 자초하다 ***~ to*** …에 달라붙다; …에 집착하다; 〈친구·결심·약속 등에〉 충실하다 ***~ together*** (1) 〈물건이〉 딱 늘어붙다 (2) 일심동체가 되다, 이해를 같이하다 ***S~ to it!*** 기운을 내라!, 버티어라! ***~ to*** one***'s last*** 《구어》 최선을 다하다; 가능한 범위 내에서 일을 행하다 ***~ to*** one***'s word*** 약속을 지키다 ***~ up*** (1) 튀어나와 있다 (2) 내밀다 (3) 〈강도가〉 손들게 하다 (4) 《속어》 …을 흉기로 위협하다, 강탈하다 ***~ up for*** 《구어》 …을 지지[변호]하다, …에게 유리하게 말하다 ***~ up to*** (1) 《구어》 …에 저항하다, …에게 굴하지 않다 (2) 〈여자에게〉 구애하다 ***~ with*** 《구어》 (1) 끝까지 충실하다 (2) …에서 떨어지지 않다 (3) 〈결심 등을〉 지키다, 바꾸지 않다 (4) 〈남의 이야기를〉 계속해서 듣다 (5) …을 지지하다

—*n.* **1** 한 번 찌름 **2** 《구어》 점착력[성]; 풀 **3** 막다름, 정지: in a ~ 진퇴양난에 빠져 **4** 《고어》 연기시킴; 장애물

stick·a·bil·i·ty [stìkəbíləti] *n.* 인내력, 참을성

stick-at-it-ive [stìkǽtitiv] *a.* 《구어》 =STICK-TO-IT-IVE **~·ness** *n.*

---

stick² *v.* **1** 찌르다 thrust, push, insert, jab, poke **2** 붙이다 glue, tape, fasten, attach, fix, pin, tack

stick-at-noth·ing [stìkətnʌ́θiŋ] *a.* ⦅구어⦆ 무슨 일에나 서슴지 않는; 단호한
stick·ball [stíkbɔ̀:l] *n.* Ⓤ ⦅미⦆ 스틱볼 ⦅어린이들이 막대기와 고무공으로 하는 야구 놀이⦆
stick·er [stíkər] *n.* **1** 찌르는 사람[연장] **2** 붙이는 사람[것]; 광고 붙이는 사람(billposter); 풀 묻은 라벨, 스티커; (자동차의) 주차 위반 딱지; 접착제, 점착성 물질 **3** 주저하는[꺼리는] 사람 **4** (…에) 고집[집착]하는 사람; 충실한 사람; 끈기 있는 사람 ⦅*to*⦆; 끈질긴 손님; 〖크리켓〗 오래 끄는[신중한] 타자(打者) **5** 당황케 하는 사람[물건], 난문제 (제출자); ⦅미·속어⦆ 수수께끼(puzzle) **6** (흉기로서의) 칼; (도살장의) 백정 **7** 밤송이, 가시 **8** 팔리지 않는 상품 **9** (풍금 등의) 스티커 ⦅왕복하는 두 개의 지렛대를 연결하는 목간(木桿)⦆ **10** 목공기의 몰드를 자르는 기계 **11** 〖농업〗 고착제 ⦅살충제 등의 효과를 지속시킴⦆
stícker prìce (자동차 등의) 생산자 표시 가격, 희망 소매 가격
stícker shòck ⦅미⦆ 예상보다 비싼 가격에 놀람 ⦅특히 자동차⦆
stíck figure[dràwing] 봉선화(棒線畫) ⦅머리 부분은 원, 사지와 체구는 직선으로 나타낸 인체[동물] 그림⦆
stick·ful [stíkfùl] *n.* (*pl.* **~s**) 〖인쇄〗 식자기에 들어갈 만한 최대한의 활자
stick·han·dler [stíkhæ̀ndlər] *n.* 하키 선수
stick·i·ly [stíkili] *ad.* 끈적거리게
stick·ing [stíkiŋ] *n.* **1** 끈적거림, 들러붙음 **2** 〖목공〗 개탕대패로 깎기
stícking plàce **1** 발판, 발붙일 장소 **2** 나사가 맞는 곳, 걸리는 곳 **3** (도살 때의) 동물의 목의 급소 ***screw** one**'s courage to the*** ~ 단행할 결심을 하다 ⦅Shakespeare의 *Macbeth* 중에서⦆
stícking plàster 반창고
stícking pòint **1** = STICKING PLACE 1 **2** 문제가 되는 것, 걸리는 점
stíck insect 〖곤충〗 대벌레(walking stick)
stick-in-the-mud [stíkinðəmʌ̀d] *a.* **1** 구폐(舊弊)의, 인습적인 **2** 굼뜬, 미련한
— *n.* 시대에 뒤진 사람; 굼뜬 사람 ***Mr.*** [***Mrs.***] ***S~*** ⦅속어⦆ 아무개 씨[부인](What's-His-[Her-]Name) ⦅이름을 잊었을 때 대신 씀⦆
stick·jaw [-dʒɔ̀:] *n.* ⦅영·구어⦆ 입안에 붙어 씹기 거북한 캔디[껌, 푸딩 등]
stick·le [stíkl] *vi.* **1** 완고하게 주장하다, 사소한 일에 구애되다 **2** 이의(異議)를 제기하다; 주저하다, 망설이다, 난색을 표하다 ⦅*at, about*⦆
stick·le·back [stíklbæ̀k] *n.* (*pl.* **~s,** [집합적] ~) 〖어류〗 큰가시고기
stick·ler [stíklər] *n.* **1** 잔소리꾼; (의식·예절에) 꼼꼼한[까다로운] 사람, 완고한 사람 ⦅*for*⦆ **2** ⦅미·구어⦆ 난문제
stick·man [stíkmæ̀n, -mən] *n.* (*pl.* **-men** [-mèn, -mən]) **1** 도박판의 시중꾼 **2** (하키 등의) 스틱 사용 경기의 선수, 타자; 고수(鼓手), (악단의) 드럼 연주자 **3** 순찰 경찰관 **4** 마리화나 흡연자
stick-on [-ɔ̀:n | -ɔ̀n] *a.* (뒤에 풀[접착제]을 묻혀) 들러붙는, 접착식의
stick·out [-àut] *a., n.* ⦅구어⦆ 뛰어난 (인물)
stick·pin [-pìn] *n.* ⦅미⦆ 장식핀, ⦅특히⦆ 넥타이 핀
stíck shìft ⦅미⦆ (자동차의) 수동 변속 레버
stick·tight [-tàit] *n.* 〖식물〗 미국도깨비바늘 ⦅의복에 붙는 열매를 가진 식물의 총칭⦆
stick-to-it-ism [stiktú:itìzm] *n.* ⦅미·구어⦆ 「분발하기, 끝까지 견디기」 주의
stick-to-it-ive [stìktú:itiv] *a.* ⦅미·구어⦆ 끈덕진, 끈기 있는; 완고한 **~·ly** *ad.* **~·ness** *n.*
stick·um [stíkəm] *n.* **1** ⦅구어⦆ 점착물, 접착제 **2** ⦅속어⦆ 포마드
stick·up [stíkʌ̀p] *a.* 〈칼라가〉 서 있는, 세운 깃의
— *n.* 세운 깃[칼라]; ⦅미·구어⦆ 권총 강도
stíckup màn ⦅미·구어⦆ 권총 강도, 노상강도

stick·wa·ter [-wɔ̀:tər] *n.* (생선을 증기 가공할 때 생기는) 악취 나는 점성 폐액(廢液) ⦅사료 등의 원료⦆
stick·work [-wə̀:rk] *n.* Ⓤ **1** (하키 등의) 스틱 쓰는 솜씨; (북의) 북채 다루는 솜씨 **2** 〖야구〗 타력
***stick·y** [stíki] *a.* (**stick·i·er**; **-i·est**) **1** 끈적거리는, 들러붙는; 〈도로 등이〉 질척질척한 **2** 무더운, 후텁지근한 **3** 이의를 말하는, 망설이는 **4** ⦅구어⦆ 어려운, 하기 힘든, 난처한 **5** ⦅구어⦆ 꾀까다로운, 관대하지 않은 **6** ⦅미·구어⦆ 매우 감상적인, 달콤한 **7** 〈물건이〉 잘 팔리지 않는; 〈가격 등이〉 변동이 없는; 작동이 잘 안 되는 **8** ⦅컴퓨터속어⦆ 흥미로워서 눈을 떼지 못하는 〈사이트〉
stick·y·beak [stíkibì:k] ⦅호주·뉴질·구어⦆ *vt.* 꼬치꼬치 캐다, 참견하다
— *n.* 꼬치꼬치 캐기[참견하기] 좋아하는 사람
stícky bómb 〖군사〗 점착(粘着) 폭탄 ⦅그리스나 타르 같은 점착성 물질로 덮여 있으며 장갑차 등 목표물에 부착되면 폭발함⦆
stícky énd 〖유전〗 (DNA·RNA의) 점착성 말단(末端)
stick·y-fin·gered [-fíŋgərd] *a.* ⦅미·속어⦆ **1** 손버릇이 나쁜, 도벽이 있는 **2** 인색한
stícky fíngers ⦅구어⦆ 도벽, 좀도둑질
stícky tàpe ⦅영⦆ 접착테이프
stícky wícket **1** 〖크리켓〗 경기하기 어렵게 질척해진 경기장 상태 **2** ⦅영·구어⦆ 난처한 처지
stic·tion [stíkʃən] *n.* 〖공학〗 (가동 부품 간의) 정지 마찰
***stiff** [stíf] *a.* **1** 뻣뻣한, 딱딱한, 경직된, 굳은

> 유의어 **stiff** 딱딱해서 구부러지거나 펴지지 않는: as *stiff* as a poker 부지깽이처럼 딱딱한, 너무 딱딱한 **rigid** 딱딱해서 억지로 구부리면 부러지는: *rigid* arms 굳어진 팔

2 술술 움직이지 않는, 빡빡한, 뻐근한 〈목·어깨 등〉 **3** ⦅미·속어⦆ 죽은 **4** 〈바람·물살 등이〉 거센, 강한; 〈편치 등이〉 강력한: a ~ wind 강풍 **5** 〈술 등이〉 독한 **6** 〈동작·태도 등이〉 딱딱한, 단호한; 〈문체 등이〉 부자연스러운; 〈저항 등이〉 맹렬한, 강경한 **7** 긴장된; 〈줄 따위가〉 팽팽한, 빳빳한 **8** 당치 않은; 〈조건·벌 따위가〉 엄한; 〈경쟁이〉 심한 **9** 〈일 등이〉 어려운, 쓰라린; 힘이 드는 **10** ⦅구어⦆ 〈물가가〉 매우 비싼; 엄청난 **11** 〈젤리 등이〉 비교적 굳은; 조밀한, 밀도가 높은; 되게 갠, 걸쭉한 **12** 〖항해〗 〈배가〉 쉽게 기울지 않는, 안정된 **13** ⦅미·속어⦆ 취한(drunk) **14** [목적 보어로서] 심하게
a ~ one [***'un***] (1) 몸이 말을 듣지 않는 늙은 선수 (2) 독한 술 한 잔 (3) ⦅속어⦆ 시체 (***as***) ~ ***as a crutch*** ⦅호주⦆ 한 푼도 없는, 빈털터리의 ***keep a ~ face***[***lip***] 점잔을 빼다; 당황하지 않다, 동하지 않다 ***keep***[***carry, have***] ***a ~ upper lip*** (곤경에서) 버티어 나가다, 감내하다, 동하지 않다 ***scare*** a person ~ …을 몹시 놀래주다 ~ ***with*** ⦅구어⦆ …이 풍부한
— *ad.* 딱딱하게; 강경하게; 매우, 완전히
— *n.* ⦅속어⦆ **1** 시체 **2** ⦅미⦆ 융통성 없는 사람, 딱딱한 사람 **3** ⦅미⦆ 술주정꾼 **4** ⦅비어⦆ 녀석, 새끼; 부랑자; (육체) 노동자 **5** 유통 지폐; 금전; 약속 어음; 위조지폐; Ⓒ 위조 어음 **6** 〖경마〗 틀림없이 지는 말 **7** 편지; ⦅특히⦆ 밀서 **8** 딱딱한 칼라[페티코트] **9** ⦅속어⦆ 흥행 안 된 레코드판[출판물] ▷ stíffen *v.*
stiff-arm [stífɑ̀:rm] 〖미식축구〗 *vt.* 〈상대방을〉 밀어내다, 물리치다 — *n.* 들이받음, 밀어냄(straight-arm)
stíff cárd ⦅미·속어⦆ 정식 초대장
***stiff·en** [stífən] *vi.* **1 a** 〈바람·물살 등이〉 세어지다; 강화되다: (~+전+명) The breeze ~*ed to* a gale. 산들바람이 강풍으로 세어졌다. **b** 딱딱해지다,

> **thesaurus** **stiff** *a.* **1** 뻣뻣한 rigid, inflexible, unyielding, inelastic, firm, hard **2** (근육 등이) 뻐근한 tight, tense, rheumatic **3** 거센 strong, powerful, vigorous **4** (태도 등이) 딱딱한 formal, unrelaxed, cold **5** 엄한 severe, harsh, stringent, heavy

뻣뻣해지다 ((*up*)) **c** 〈풀 등이〉 굳어지다, 걸쭉해지다 **2** 고집이 세어[완고해]지다 **3** 〈태도가〉 딱딱해지다, 어색해지다 **4** 〈물가가〉 오르다, 〈금리가〉 점등(漸騰) 기미를 띠다, 〈시세가〉 강세(强勢)를 보이다

— *vt.* **1** 강화하다, 강력하게 하다 **2** (…로) **딱딱하게** 하다, 뻣뻣하게 하다, 굳어지게 하다, 경직시키다 ((*with*)): (~+목+전+명) ~ cloth *with* starch 천을 풀을 먹여 빳빳하게 하다 **3** 〈풀 등을〉 되게 개다, 걸쭉하게 하다 **4** 완고하게 하다, 〈태도 등을〉 거북하게 취하다, 딱딱하게 하다: ~ one's attitude 딱딱한 태도를 취하다 **5** 가격을 높이다[올리다]; 〈요구 등을〉 어렵게 하다 **6** 〖권투〗 〈상대를〉 녹아웃시키다 **7** 〈손·발 등을〉 마비시키다 **8** 〖전기〗 감응(感應)을 높이다 **9** 〖군사〗 보강하다

stiff·en·er [stífənər] *n.* **1** 딱딱하게[굳어지게] 하는 것[사람]; 단단하게 하는 것[사람] **2** (옷깃·책표지 등의) 심 **3** (속어) 음료에 타는 위스키 **4** (결심 등을) 강화하는 것; 강장제, 자극제 **5** (권투속어) 녹아웃 펀치 **6** 〖화학〗 경화제(硬化劑) **7** 〖토목〗 보강재

stiff·en·ing [stífəniŋ] *n.* **1** 딱딱하게[빳빳하게] 하기 **2** = STIFFENER

stiff-heart·ed [stífhɑ́:rtid] *a.* (고어) 고집 센, 완고한

stiff·ish [stífiʃ] *a.* 좀 딱딱한[빳빳한]

*__stiff·ly__ [stífli] *ad.* **딱딱하게**; 완고하게

stíff néck **1** (류머티즘이거나 잘못 자서) 뻣뻣한 목 **2** 완고한 사람, 다루기 힘든 사람

stiff-necked [stífnékt] *a.* **1** 목이 뻣뻣해진[굳어진], 목이 아파 돌아가지 않는 **2** 완고한, 고집 센, 융통성이 없는: a ~ attitude 완고한 태도

stiff·ness [stífnis] *n.* Ⓤ 단단함; 딱딱함, 빳빳함; 완고함

stif·fy [stífi] *n.* **1** (정식) 초대장 ((종이가 딱딱한 데서)) **2** (비어) (음경의) 발기(erection)

*__sti·fle__[1] [stáifl] *vt.* **1** (…로) **…의 숨을 막다**, 질식(사)시키다(suffocate) ((*by, with*)); 숨 막히게 하다: (~+목+전+명) ~ a person *with* smoke 연기로 …을 질식시키다

> 유의어 **stifle** 신선한 공기가 없어서 숨 막히게 하다 **suffocate** 산소 부족으로 호흡을 할 수 없게 하다: The heat *suffocated* her. 더위 때문에 그녀는 숨이 막힐 것 같았다.

2 〈불평·감정 등을〉 억누르다, 억제하다(suppress), 〈하품 등을〉 꾹 참다, 감추다; 〈자유 등을〉 억압하다; 〈반란 등을〉 진압하다; 〈소문 등을〉 억눌러 없애다: ~ free expression 표현의 자유를 억압하다 / ~ one's anger 화를 억누르다 **3** 〈불 등을〉 끄다(extinguish); 〈소리 등을〉 들리지 않게 하다

— *vi.* **1** 숨막히다; 질식(사)하다 **2** 그을다, 연기나다

stí·fler *n.*

stifle[2] *n.* **1** 〖수의학〗 (말·개 등의) 뒷무릎 관절(=~ jòint); (사람의) 무릎 관절 **2** Ⓤ 슬개골병(膝蓋骨病), 무릎 관절병

sti·fling [stáifliŋ] *a.* **1** 〈공기 등이〉 숨 막힐 듯한, 답답한 **2** 〈예절 등이〉 딱딱하고 거북한 **~·ly** *ad.*

*__stig·ma__ [stígmə] [Gk =mark] *n.* (*pl.* **~s, ~·ta** [-tə, stigmɑ́:tə]) **1** **오명,** 치욕, 오점: the ~ of treachery 배반자의 오명 **2** 〖의학〗 (병의) 증후, 증상; (피부의) 붉은 반점 **3** 〖해부·동물〗 반점(斑點), 흉터; (곤충류·거미류의) 기공(氣孔), 기문(氣門) **4** 〖식물〗 주두(柱頭) **5** [**stigmata**로] 〖가톨릭〗 성흔(聖痕) ((St. Francis of Assisi를 비롯한 성도들의 신체에 나타났다고 하는 십자가에 못박힌 그리스도의 상처와 같은 모양의 것)) **6** (고어) (노예·죄수 등에게 찍은) 낙인

stíg·mal *a.*

stig·mas·ter·ol [stigmǽstərɔ̀:l, -ròul | -rɔ̀l] *n.* 〖생화학〗 스티그마스테롤 ((콩 등에서 얻어지는 스테로이드 호르몬 합성의 원료))

stig·mat·ic [stigmǽtik] *a.* **1** 불명예스러운, 오명의, 치욕스러운; 낙인이 찍힌; 보기 흉한 **2** stigma가 있는 — *n.* 〖가톨릭〗 성흔(聖痕)이 있는 사람

stig·mat·i·cal [stigmǽtikəl] *a.* = STIGMATIC

stig·ma·tism [stígmətìzm] *n.* Ⓤ **1** 〖광학〗 (렌즈의) 무비점 수차(無非點收差) **2** 〖병리〗 홍반(紅斑) 출현 **3** 〖안과〗 정시(正視) **4** 〖가톨릭〗 성흔 발현

stig·ma·ti·za·tion [stìgmətizéiʃən | -tai-] *n.* Ⓤ **1** 오명 씌우기; 비난 **2** 낙인 찍기 **3** 홍반 출현(出現); 성흔이 나타나기

stig·ma·tize [stígmətàiz] *vt.* **1** …에게 오명을 씌우다; 비난하다: (~+목+**as** 보) ~ a person *as* a liar …을 거짓말쟁이라고 비난하다 **2** (고어) 〈노예 등에게〉 낙인을 찍다 **3** …에 홍반(紅斑)이 생기게 하다; …에 성흔(聖痕)이 생기게 하다

stil·bes·trol [stilbéstrɔ:l, -troul, -trɑl | -trɔl] *n.* **1** 〖약학〗 = DIETHYLSTILBESTROL **2** 〖생화학〗 스틸베스트롤 ((합성 발정 호르몬 물질))

*__stile__[1] [stáil] *n.* **1** 밟고 넘는 계단 ((울타리·담을 사람만 넘고 가축은 다니지 못하게 하는)) **2** 회전문(turnstile) **3** (고어) 장애물, 장벽(barrier)

stile[1] 1

stile[2] *n.* 〖건축〗 (창틀·문틀의) 선틀

sti·let·to [stilétou] *n.* (*pl.* **~(e)s**) **1** (끝이 뾰족한) 양날 단도, 송곳칼 **2** (자수에서) 구멍 냄, 구멍 내는 바늘 **3** (영·구어) = STILETTO HEEL; [보통 *pl.*] (영) 스틸레토힐의 구두

— *vt.* 단검으로 찌르다[죽이다]

stilétto héel = SPIKE HEEL

***__still__[1] [stíl] *a., ad., v., n.*

> 「조용한」, 「정지한」 형에서 (상태가 변함 없이) → (여전히) → 「지금까지도」 부로 되었음.

— *a.* **1** **조용한,** 고요한(quiet); 소리 없는, 묵묵한(⇨ silent 유의어): The night was very ~. 밤은 아주 고요했다. **2 a 정지(靜止)한,** 움직이지 않는: sit ~ 가만히 앉아 있다 **b** 〈물 등이〉 흐르지 않는; 바람 없는, 잔잔한: The air was ~. 바람 한 점 없었다. / *S*~ waters run deep. (속담) 잔잔한 물이 깊다. **3** 〈목소리가〉 낮은, 상냥한(soft); 평온한, 평화로운: Peace, and be ~. 조용히 하고 마음을 진정시켜요. **4** 〈술이〉 거품이 안 나는(opp. *sparkling*); 〈주스 등이〉 탄산 성분이 들어가지 않은: a ~ drink 탄산 성분이 없는 음료 **5** (영화에 대하여) 스틸 사진(용)의: a ~ picture 스틸 사진 **6** (폐어) 사산(死産)의

a* [*the*] ~ *small voice 〖성서〗 세미(細微)한 소리, 고요한 가는 목소리 ((신·양심의 소리)) ***(as) ~ as death* [*the grave, a stone*]** 쥐 죽은 듯 조용한[히], 매우 잠잠한[히] ***as ~ as ~*** (구어) 아주 조용한[히] ***stand ~*** 가만히 서 있다; 활동하지 않다, 정체되어 있다

— *ad.* **1** **아직**(도), 상금(尙今), 지금까지도, 여전히: He is ~ angry. 그는 아직도 화나 있다.

> 유의어 **still** 앞의 동작이나 상태가 그때 여전히 계속되고 있는 경우에 쓰인다: Are you *still* here? 너 아직도 여기 있니? **yet** 동작이나 상태가 이미 끝났는가, 아직 끝나지 않았는가를 말할 경우에 쓰인다: She is not here *yet.* 그녀는 아직 오지 않았다.

2 [비교급을 강조하여] 한층, 더욱 (더): That's ~

---

stigma *n.* shame, disgrace, dishonor, stain, taint
still[1] *a.* **1** 조용한 quiet, silent, hushed, soundless, noiseless, undisturbed **2** 정지한 motionless, unmoving, unstirring, lifeless, static **3** 평온한 calm, mild, tranquil, peaceful, serene

better. 그쪽이 더욱 좋다. **3** 그럼에도 불구하고, 그래도 (역시), 더욱 ★ 거의 접속사처럼 쓰임: He has his faults. *S*~, I love him. 그는 결점이 있지만 그래도 나는 그를 좋아한다. **4** [another, other와 함께] 게다가, 그 위에: I've found ~ *another* mistake. 게다가 또 하나 잘못을 발견했다. **5** 《고어》 언제나, 끊임없이(ever, always)

~ *and all* 《미·구어》 그럼에도 불구하고, 그래도 역시 **~ *less*** [부정을 받아서] 하물며, 더욱이: If you do*n't* know, ~ *less* do I. 자네가 모른다면 더욱이 나 같은 사람이야 알 턱이 없다. **~ *more*** 더욱 더; [긍정을 받아서] 더욱이, 하물며, 더더군다나: He grew ~ *more* depressed. 그는 더욱 더 침울해졌다.

— *vt.* 《문어》 **1** 고요[잔잔]하게 하다, 가라앉히다, 진정케 하다; 〈우는 아이를〉 달래다 **2** 〈식욕·양심 등을〉 달래다, 완화하다, 가라앉히다; 〈소리 등을〉 멎게 하다, 입 다물게 하다

— *vi.* 조용해지다; 〈바람이〉 자다

— *n.* **1** [the ~] 《시어》 고요, 정적, 침묵: *the* ~ of the night 밤의 고요 **2** 〖영화〗 보통 사진 《movies에 대하여》; 스틸 《광고용으로 영화의 한 장면을 사진으로 찍은 것》 **3** 《구어》 정물화(靜物畫) **4** =STILL ALARM

still² [distill의 두음 소실(頭音消失)] *n.* 증류기(蒸留器), 증류소; 《미·속어》 열 교환기 — *vt.* 증류하다, 《특히》 〈위스키·진 등을〉 밀조하다

still·age [stílidʒ] *n.* (통 등을 얹는) 낮은 받침대

still alàrm 《미》 (전화 등에 의한) 화재 경보

still bànk (동물·배 모양 등의) 저금통

still·birth [stílbə̀ːrθ] *n.* Ⓤⓒ 사산(死産); ⓒ 사산아

still·born [-bɔ̀ːrn] *a.* 사산의; 처음부터 실패작인: a ~ plan 처음부터 실패작인 계획 — *n.* 사산아

still fràme (영화·TV의) 정지 화상

still hùnt **1** (사냥감·적 등에게) 몰래 다가감 **2** 《미·구어》 (정치적인) 이면[비밀] 공작

still-hunt [-hʌ̀nt] *vt., vi.* (사냥감 등에게) 몰래 다가가다, 몰래 추적하다

stil·li·cide [stíləsàid] *n.* 〖법〗 적하권(滴下權) 《지붕의 빗물을 남의 땅에 떨어뜨릴 수 있는 권리》

stil·lion [stíljən] *n.* 《미·속어》 엄청나게 큰 수(數)

still life 정물(靜物); 정물화(畫)

still-life [stílláif] *a.* 정물(화)의

still·man [-mən] *n.* (*pl.* **-men** [-mən, -mèn]) 증류주 제조자; (석유 정제의) 증류 장치 기사

***still·ness** [stílnis] *n.* Ⓤ 고요; 평온, 침묵; 부동, 정지; ⓒ 소리 없는 곳, 조용한 환경

still·room [stílrùːm] *n.* 《영》 **1** (증류주의) 증류실 **2** (대저택의) 식료품 저장실

Stíll·son wrènch [stílsən-] [고안자 이름에서] 파이프렌치 《L자형 스패너; 상표명》

still wáter (흐름이) 잔잔한 물

stil·ly [stíli] *a.* (**-li·er**; **-li·est**) 《시어》 조용한 — [stílli] *ad.* 《고어·문어》 조용히, 고요히, 잠잠히, 침착하게

stilt [stílt] *n.* **1** [보통 *pl.*] 대말, 죽마(竹馬) **2** 각주(角柱) **3** (건조물의) 지주(支柱) **4** (*pl.* **~s,** [집합적] ~) 〖조류〗 장다리물떼새 ***on ~s*** 죽마를 타고; 호언장담하여, 과장하여

stilt·ed [stíltid] *a.* **1** 형식적인, 과장한, 뽐내는: a ~ writing style 과장된 문체 **2** 〖건축〗 내림다리의: a ~ arch 위로 받쳐 올린 아치 **3** 죽마를 탄 **~·ly** *ad.* **~·ness** *n.*

Stil·ton [stíltn] [Cambridgeshire의 마을 이름에서] *n.* Ⓤ 스틸턴 치즈(=~ **chéese**) 《영국산(産) 고급 치즈; 상표명》

stime [stáim] *n.* 《스코·아일》 일견(glimpse); 미량, 한 방울

***stim·u·lant** [stímjulənt] *n.* Ⓤⓒ **1** 〖의학〗 흥분제: a local ~ 국소성 흥분제 **2** 흥분성 음료, 《특히》 커피, 차, 주류(酒類): take ~*s* 술을 마시다 **3** 자극(물); 격려 — *a.* **1** 〖의학〗 흥분성의 **2** 자극하는(stimulating), 격려하는 ▷ stímulate *v.*

‡stim·u·late [stímjulèit] *vt.* **1** 자극하다; 활기 띠게 하다, 격려[고무]하다, 격려하여 (행위 등을) 시키다 《*into, to*》; 자극하여 (…)하게 하다 《*to* do》: 《~+목+*to* do》 Praise ~*s* students *to* work hard. 칭찬은 학생들을 자극하여 열심히 공부하게 한다. **2** 〖의학〗 〈기관 등을〉 자극하다, 흥분시키다(excite) **3** (술·커피 등으로) …의 기운을 북돋우다

— *vi.* 자극[격려]이 되다

▷ stimulátion, stímulus *n.*; stímulative *a.*

stim·u·lat·ing [stímjulèitiŋ] *a.* 자극하는, 활기를 띠게 하는; 격려하는 **~·ly** *ad.*

***stim·u·la·tion** [stìmjuléiʃən] *n.* Ⓤ 자극, 흥분; 고무, 격려

stim·u·la·tive [stímjulèitiv | -lə-] *a.* 자극적인, 흥분시키는, 고무하는 — *n.* 자극물 **~·ly** *ad.* **~·ness** *n.*

stim·u·la·tor [stímjulèitər] *n.* 자극하는 사람[것]

stim·u·li [stímjulài] *n.* STIMULUS의 복수

stim·u·lus** [stímjuləs] [L 「찌르는 막대」의 뜻에서] *n.* (*pl.* **-li** [-lài]) **1** Ⓤⓒ 자극, 격려, 고무; ⓒ 자극물; 경기 부양(책): give a ~ to …에게 자극을 주다 **2** 흥분제 **3** 〖생리〗 자극 **4** 〖식물〗 쐐기털; 〖곤충〗 침 ***under the ~ of …에 자극받아 ▷ stímulate *v.*

sti·my [stáimi] *n.* (*pl.* **-mies**) =STYMIE

‡sting [stíŋ] *v.* (**stung** [stʌ́ŋ]) *vt.* **1** (바늘·가시 등으로) 찌르다(prick), (독침 등으로) 쏘다: 《~+목+전+명》 A bee *stung* my arm. = A bee *stung* me *on* the arm. 벌이 내 팔을 쏘았다. **2** 〈혀 등을〉 자극하다; 얼얼[따끔따끔]하게 하다; 쿡쿡 쑤시게 하다 **3** 〈비난·경멸 등이〉 괴롭히다, 고민케 하다; 〈자존심 등을〉 상하게 하다: ~ a person's pride …의 자존심을 해치다 / He was *stung* by remorse. 그는 양심의 가책으로 고통을 받았다. **4** 자극하다, 자극하여 (…)시키다 《*into, to*》: 《~+목+전+명》 Their words *stung* him *to* action. 그들의 말에 자극받아 그는 행동을 취하였다. **5** [주로 수동형으로] 《속어》 기만하다, 바가지 씌우다; (…을) 속여 빼앗다 《*for*》: He *got stung* on the deal. 그 거래에서 그는 속았다. / I was *stung for* a fiver. 속아서 5달러 빼앗겼다.

— *vi.* **1** 찌르다, 찌르는 힘이 있다; 쏘다; 가시[침]가 있다 **2** 괴롭히다, 고통을 주다 **3** 얼얼하다; 톡 쏘는 맛이 있다, 자극적인 향기가 나다: Ginger ~*s.* 생강은 매운 맛이 난다. **4** 고뇌하다, 안달하다

— *n.* **1** 찌름, 쏨; 찔린 상처 **2** 찔린 아픔, 찌르는 듯한 아픔, 격통: the ~ of conscience 양심의 가책 **3** 신랄함, 비꼼; 자극, 상쾌함: the ~ of a person's tongue 독설 **4** 〖식물〗 쐐기털, 가시 **5** 〖동물〗 침, 독아(毒牙) **6** 《속어》 사기; 《특히》 신용 사기; 계획 범행 **7** 《구어》 함정 수사: work a ~ 함정 수사를 하다 **8** 《속어》 강한 술 ***have a ~ in the* [*its*] *tail*** (말·편지 등의) 뒷맛이 나쁘다 ***have no ~ in it*** 자극이 없다; 〈물 등이〉 맛이 없다

sting·a·ree [stíŋəriː, ⌐⌐] *n.* =STINGRAY

sting·er [stíŋər] *n.* **1** 찌르는[쏘는] 것; 《특히》 쏘는 동[식]물; 〖동물〗 침; 〖식물〗 쐐기털 **2** 《구어》 가시 돋친 말, 비꼼, 빈정댐; 통격(痛擊) **3** [**S~**] 〖미군〗 스팅어 미사일 《휴대형 지대공 미사일》 **4** 《속어》 어려운 문제, 장해(障害)

sting·ing [stíŋiŋ] *a.* **1** 찌르는, 쏘는 **2** 찌르는 듯이 아픈, 얼얼한; 괴롭히는; 통렬한, 신랄한: a ~ rebuke 신랄한 비난 **~·ly** *ad.*

stínging hàir 〖식물〗 쐐기털(sting), 가시

stínging néttle 〖식물〗 쐐기풀

sting·less [stíŋlis] *a.* 침[가시]이 없는

stin·go [stíŋgou] *n.* Ⓤ 《영·속어》 **1** 독한 맥주 **2** 열심, 기력, 원기

thesaurus **stimulate** *v.* encourage, prompt, activate, excite, kindle, incite, spur on, stir up, instigate, foment, fan, whip up

sting *v.* prick, wound, injure, hurt

stíng operàtion (미) (FBI 등의) 함정 수사
sting·ray [stíŋrèi] *n.* 〖어류〗 가오리
stin·gy[1] [stíndʒi] *a.* (**-gi·er**; **-gi·est**) **1** 인색한, 너무 아끼는, 깍쟁이의: be ~ with …을 너무 아끼다 **2** 적은, 부족한, 근소한: a ~ income 적은 수입
stín·gi·ly *ad.* 인색하게 **stín·gi·ness** *n.*
sting·y[2] [stíŋi] *a.* (**sting·i·er**; **-i·est**) 쏘는, 날카로운
∗**stink** [stíŋk] *v.* (**stank** [stǽŋk], **stunk** [stʌ́ŋk]; **stunk**) *vi.* **1** 악취를 풍기다, (…의) 고약한 냄새가 나다 《*of*》: This ham ~*s.* 이 햄에서 고약한 냄새가 난다. // (~+전+명) He ~*s of* wine. 그에게서 독한 술 냄새가 난다. **2** 평판이 나쁘다; 불쾌하다 **3** (구어) 아무 쓸모없다, 질이 나쁘다; (속어) (…이) 형편없이 서투르다 《*at*》: (~+전+명) He ~*s at* tennis. 그는 테니스가 형편없이 서투르다. **4** (속어) (…을) 굉장히 많이 갖고 있다 《*of, with*》: (~+전+명) ~ *of* money 돈을 굉장히 많이 가지고 있다 ***~ in the nostrils of*** a person = ***~ in*** a person***'s nostrils*** …에게 혐오감을 주다, 미움을 받다
— *vt.* **1** 〈장소를〉 악취로 채우다 《*up, out*》 **2** 악취를 풍기게 하다 《*up*》; 악취로 괴롭히다; 냄새를 피워 내쫓다 《*out*》: (~+목+부) ~ *out* a fox 연기를 피워 여우를 굴에서 내몰다
— *n.* **1** 악취, 코를 찌르는 냄새(stench) **2** (구어) 소동, 말썽 **3** [*pl.*; 단수 취급] (영·속어) 화학, 자연 과학 ***like ~*** (속어) 필사적으로, 맹렬히 ***raise*** [***create, kick up, make***] ***a ~*** (속어) (불평·비평 등으로) 말썽을 일으키다, 야단법석을 떨다 《*about*》
stink·ard [stíŋkərd] *n.* **1** 악취를 풍기는 사람[동물]; 치사한 녀석 **2** 〖동물〗 =TELEDU
stink·a·roo, -er·oo [stìŋkərú:, ╭—╮] *a., n.* (속어) 시시한[지루한] (행사); 불쾌한[천한] (것)
stink·ball [stíŋkbɔ̀:l] *n.* =STINK BOMB
stínk bòmb 악취탄 《폭발하면서 악취를 풍김》
stink·bug [-bʌ̀g] *n.* 악취를 풍기는 벌레; 〖곤충〗 방귀벌레, 노린잿과(科)의 곤충
stink·er [stíŋkər] *n.* **1** 냄새 나는 사람[것]; 〖조류〗 왕바다제비 무리 **2** (구어) 불쾌한 사람[것, 편지, 비평 《등》]; 저속한 영화[연극] **3** (구어) 고약한[어려운] 문제 **4** (영·속어) 싼 담배
stink·ing [stíŋkiŋ] *a.* Ⓐ **1** 악취가 나는, 코를 찌르는 **2** (속어) 곤드레만드레 취한 **3** (속어) 많은 돈을 가진 **4** (속어) 치사한, 비열한; (속어) 지독한
cry ~ fish ⇨ cry
— *ad.* (속어) 지독히, 엄청나게: ~ rich 엄청나게 돈이 많은
stínking Róger 악취를 풍기는 식물의 총칭
stínking smút (밀의) 깜부깃병(bunt)
stink·o [stíŋkou] *a.* (속어) 술 취한(drunk); 악취가 나는
stink·pot [stíŋkpɑ̀t | -pɔ̀t] *n.* **1** 악취 풍기는 것을 넣는 용기; 변기(便器); 악취탄 《옛날 해전에 썼음》 **2** (속어) 역겨운 놈
stink·stone [-stòun] *n.* 취석(臭石) 《깨거나 문지르면 석유 냄새가 나는 각종 돌》
stínk tràp 방취판(防臭瓣)
stink·weed [-wì:d] *n.* 악취가 나는 풀
stink·wood [-wùd] *n.* 취목(臭木)
stink·y [stíŋki] *a.* **1** 악취가 나는 **2** (구어) 비열한; 불쾌한
∗**stint**[1] [stínt] *vt.* **1** 〈돈·음식 등을〉 절약하다, 아끼다, 바싹 줄이다; 〈사람에게〉 (…을) 내주기 싫어하다[아까워하다] 《*of, in*》; 제한하다: (~+목+전+명) ~ oneself *in* sleep 수면을 줄이다 / She ~*s* her children *in*[*of*] food. 그녀는 아이들의 음식을 바싹 줄이고 있다. **2** (고어) 그만두다, 중지하다 **3** 〈사람에게〉 일을 할당[분배]하다
— *vi.* **1** (…을) 절약[검약]하다 《*on*》 **2** (고어) 그만두다, 중지하다
— *n.* **1** 할당된 일[기간], 일정 기간의 노동: do a ~ in the service (일정 기간) 병역에 복무하다 **2** Ⓤ 주기[쓰기] 아까워함, 제한, 절약 **3** 정량, 정액; 한정: exceed one's ~ 정량을 초과하다 **4** (폐어) 중지, 휴지 ***without*** [***with no***] **~** 무제한으로, 아낌없이 **~·er** *n.*
stint[2] *n.* 〖조류〗 작은 도요새
stipe [stáip] *n.* **1** 〖식물〗 줄기, (버섯) 자루, 균병(菌柄); (양치류의) 잎자루 **2** 〖동물〗 =STIPES
sti·pel [stáipəl] *n.* 〖식물〗 작은 턱잎
sti·pend [stáipend] *n.* (목사 등의) 봉급(cf. SALARY, WAGE 1); 장학금; 연금 **~·less** *a.*
sti·pen·di·ar·y [staipéndièri | -diəri] *a.* 봉급을 받는, 유급의 — *n.* (*pl.* **-ar·ies**) 유급자; (영) 유급 판사, 유급 목사; 장학생
sti·pes [stáipi:z] *n.* (*pl.* **stip·i·tes** [stípətì:z]) 〖동물〗 접교절(蝶咬節); 안병(眼柄)
stip·ple [stípl] *n.* ⓊⒸ 점각(點刻)(법), 점묘(點描)(법); Ⓒ 점각에 의한 효과[작품] — *vt., vi.* 점각[점묘]하다 **stíp·pler** *n.* **stíp·pling** *n.*
stip·u·lar [stípjulər], **-lar·y** [-lèri | -ləri] *a.* 〖식물〗 턱잎(모양)의; 턱잎이 있는
∗**stip·u·late**[1] [stípjulèit] *vt.* **1** 〈계약서·조항 등이〉 규정하다, 명기(明記)하다, 명문화하다; 조건으로서 요구하다: (~+***that*** 절) It was ~*d* in writing *that* the delivery (should) be effected this month. 인도는 이 달에 마친다는 것이 계약서에 명기되어 있었다. ★ (구어)에서는 흔히 should가 생략됨. **2** 약정[계약]하다: The material is not of the ~*d* quality. 그 재료는 계약대로의 품질이 아니다. **3** 〖법〗 (소송 수속으로서) …에 합의하다
— *vi.* **1** (계약의) 조건으로서 요구하다 《*for*》: (~+전+명) The contracts ~*s for* the use of the best materials. 계약에는 최고의 재료를 사용하도록 정해져 있다. **2** 〖법〗 합의를 맺다
stip·u·late[2] [stípjulət, -lèit] *a.* 〖식물〗 턱잎[탁엽(托葉)]이 있는
stip·u·la·tion [stìpjuléiʃən] *n.* **1** 조항, 조건 **2** ⓊⒸ 약정, 계약; 규정, 명문화 ***on*** [***under***] ***the ~ that*** …이라는 조건으로(on condition that …)
stip·u·la·tor [stípjulèitər] *n.* 약정[계약]자
stip·ule [stípju:l] *n.* 〖식물〗 턱잎, 탁엽(托葉)
‡**stir**[1] [stə́:r] *v.* (**~red**; **~·ring**) *vt.* **1** 휘젓다, 뒤섞다: (~+목+전+명) ~ one's milk *with* a spoon 스푼으로 우유를 휘젓다 / ~ vinegar *into* salad oil 식초를 샐러드 오일에 넣어 저어서 섞다 **2** 움직이다, 흔들다, 살랑거리게 하다; 옮기다: do not ~ a finger 손가락 하나 까딱 않다 **3** 흥분[감동]시키다 《*up*》; 자극[선동]하다 《*up*》: (~+목+부) ~ *up* one's imagination 상상력을 자극하다 // (~+목+부) (~+목+전+명) ~ *up* the people *to* revolution 국민에게 혁명을 선동하다 **4** 각성시키다, 분발[분기]시키다(rouse) **5** 〈감정을〉 일으키다 **6** (고어) 〈사람을〉 괴롭히다
— *vi.* **1** (살짝) 움직이다 **2** 움직이기 시작하다, 꼼짝하다 **3** 일어나 있다, 활동하고 있다: Nobody is ~*ring* yet. 아무도 일어나 있지 않다. **4** (활발하게) 걸어 다니다; 활발하게 되다 **5** 감동하다 **6** 발동하다; 〈소문 등이〉 퍼지다, 유포되다; 유통하다 **7** 〈가루 등이〉 섞이다: (~+부) The mixture ~*s well.* 그 혼합제는 잘 섞인다.
not ~ an eyelid 꼼짝 않다 **~** one***self*** 몸을 움직이다; 분발하다, 힘내다 **~ *the*** [a person***'s***] ***blood*** ⇨ blood. **~ *the great deeps*** 큰 소동을 일으키다 **~ *up*** 골고루 뒤섞다; 뒤흔들다, 휘젓다; 일으키다, 야기시키다; 분기시키다; 선동하다(⇨ *vt.* 3): He wants ~*ring up.* 그는 (게으른 사람이라) 활기를 불어넣어 줄 필요가 있다. ***S~ your stumps.*** (구어) 빨리 해라, 서둘러라.

stir[1] *v.* **1** 뒤섞다 mix, blend, beat, whip **2** 움직이다 move, quiver, tremble, twitch, disturb, agitate, rustle **3** 각성시키다 stimulate, excite, rouse, awaken, waken, kindle, inspire, quicken, electrify

— *n.* [CU] **1** 움직임; 휘젓기, 뒤섞음; 휘젓는 소리, 움직이는 소리 **2** [보통 a ~] 혼란, 동요; 야단법석 **3** 평판 **4** [보통 a ~] 감동, 자극 **5** 활동, 활약 **6** 《고어》 반란, 소동 ***make a* (*great*) ~** 크게 평판이 나다 ***Not a* ~** is heard. 바스락 소리도 안 난다.
~·less *a.* 움직이지[꼼짝] 않는, 조용한
stir² *n.* [CU] 《속어》 교도소(prison)
stir·a·bout [stə́:rəbàut] *n.* **1** [U] 《영》 오트밀[옥수수] 죽 **2** 법석 **3** 바쁘게 쏘다니는 사람
stir-cra·zy [stə́:rkrèizi] *a.* 《미·속어》 (오랜 감옥살이로) 머리가 살짝 돈
stir-fry [-frài] *vt., n.* (중국 요리 등에서) 프라이팬을 흔들면서 센 불로 볶다[볶은 요리]
stirk [stə́:rk] *n.* 《영》 한 살짜리 암[수]소; 얼간이
stir·pi·cul·ture [stə́:rpəkʌ̀ltʃər] *n.* [U] 우량종 양식[육성]
stirps [stə́:rps] *n.* (*pl.* **stir·pes** [stə́:rpi:z]) 혈통, 일족, 가계(家系); 《법》 조상; 《생물》 품종, 종족
stir·rer [stə́:rər] *n.* 활동가; 젓는 사람, 교반기(攪拌器); 선동자
***stir·ring** [stə́:riŋ] *a.* **1 감동시키는,** 고무하는; 장쾌한; 흥분시키는: ~ music 감동적인 음악 **2** 활발한, 활약하는, 바쁜(busy); 붐비는, 번화한: ~ times 소란한 시대 **~·ly** *ad.*
***stir·rup** [stə́:rəp, stí- | stírəp] *n.* **1 등자**(鐙子), 등자쇠 **2** 등자 가죽끈 **3** 《항해》 등삭(鐙索); 《해부》 = STIRRUP BONE
stírrup bòne 《해부》 등골(鐙骨)(stapes)
stírrup cùp (옛날 말 타고 떠나는 사람에게 권한) 이별의 술; 《일반적으로》 이별의 잔
stírrup lèather[stràp] (등자를 매다는) 등자 가죽끈, 등자 띠
stírrup pànts 고리 바지
stírrup pùmp 소화용의 소형 수동 펌프
stír wìse *a.* 《미·속어》 교도소 생활에 익숙해진
:stitch [stítʃ] [OE 「찌르다」의 뜻에서] *n.* **1 한 바늘,** 한 땀, 한 코, 한 뜸: A ~ in time saves nine. 《속담》 제때의 한 바늘은 후에 아홉 바늘을 덕본다; 오늘의 한 땀, 내일의 열 땀. **2 a** 한 바늘[땀]의 실, 바늘땀, 솔기 **b** 《외과》 (상처를 꿰매는) 한 바늘 **3** 바늘 자리, 꿰매[짜]는 법, 감치는 법: a buttonhole ~ 버튼홀 스티치 **4** [보통 부정문에서] 헝겊, 천; 의류의 일부분 **5** [a ~; 부정문으로] 《구어》 (…의) 아주 조금 (*of*): He would*n't* do *a* ~ *of* work. 그는 조금도 일하려 들지 않는다. **6** [a ~] (달리기 이후 옆구리의) 격통, 쑤심 **7** 《제본》 철(綴) **8** [a ~] 《미·속어》 재미있는 사람[것]; [the ~es] 배를 움켜쥘 만큼 우스움
be in ~es 배꼽을 쥐고[배가 아프도록] 웃다 ***drop a ~*** (편물에서) 한 코 빠뜨리다 ***have not a dry ~ on*** one 함빡 젖다 ***keep*** a person ***in ~es*** 《미·구어》 …을 계속하여 웃기다 ***put a ~[some ~es] in*** …을 한 바늘[몇 바늘] 꿰매다 ***without a ~ of clothing*** 몸에 실오라기 하나 걸치지 않고
— *vt.* **1** 꿰매다; 감치다 (*up*): (~+목+부) ~ *up* a rent 해진 곳을 꿰매다 **2** …에 수를 놓다, 수놓아 꾸미다 **3** 《제본》 철(綴)하다, 매다 (*up, together*)
— *vi.* 꿰매다; 바느질하다, 뜨개질하다 **~·er** *n.*
stitch·er·y [stítʃəri] *n.* 꿰매기, 뜨개질, 바느질(needlework); 꿰매기[뜨개질] 장식
stitch·ing [stítʃiŋ] *n.* 바느질; 꿰매기
stitch-up [-ʌ̀p] *n.* 《영·구어》 속임수; 모함, 날조
stitch·work [-wə̀:rk] *n.* 자수, 바느질
stitch·wort [-wə̀:rt] *n.* 《식물》 별꽃
stith·y [stíði, -θi | -ði] *n.* (*pl.* **stith·ies**) 모루(anvil); 《고어·시어》 대장간의 일터
sti·ver [stáivər] *n.* **1** 네덜란드의 옛 니켈화 **2** 아주 조금 ***not worth a ~*** 한 푼의 가치도 없는
S.T.L. *Sacrae Theologiae Licentiatus* 《L= Licentiate of Sacred Theology》 **S.T.M.** *Sacrae Theologiae Magister* 《L =Master of Sacred Theology》; *Scientiae Theologiae Magister* 《L =Master of Theology》
sto·a [stóuə] *n.* (*pl.* **sto·ae** [-i:], **~s**) **1** 《고대그리스》 주랑(柱廊), 보랑(步廊) **2** [the S~] 스토아 철학(파)
stoat¹ [stóut] *n.* 《동물》 (특히 여름철에) 털이 갈색이 된 때의 흰담비
stoat² *vt.* (실땀이 보이지 않게 째진 데·가장자리를) 꿰매다, 공그르다
stoc·ca·do [stəkɑ́:dou] *n.* 《고어》 (칼 따위로) 푹 찌름
sto·chas·tic [stəkǽstik] *a.* 《통계》 추계학(推計學)의, 확률(론)적인 **-ti·cal·ly** *ad.*
sto·chas·tics [stəkǽstiks] *n.* 추측(推測) 통계학, 추계학(推計學)
:stock [stɑ́k | stɔ́k] *n., a., v.*

「줄기, 그루터기」 **5 a**
→(발생의 근원이 되는 것)→「선조」, 「가계」 **6 a**
→「대목」 **5 b** →조선대 **11** / →차꼬(대) **12**
→(기초, 근본)
↓
(자본) →「사들인 물건」, 「저장품」 **1 a**→ / (상품으로서의) 「가축」 **2** / →「주식」 **3 b**

— *n.* **1 a** [UC] **재고품,** 사들인 물건, 저장품 **b** [CU] 저장, 비축: lay in a ~ of flour 밀가루를 사들이다 **c** 축적, 비축, (지식 등의) 온축: have a good ~ of information 풍부한 정보를 갖고 있다, 소식통이다 **2** [U] [집합적] **가축**: fat ~ 식육용 가축 **3 a** 자본금 **b** [UC] 《미》 **주식,** 주(《영》 share): railway ~ 철도주 **c** [CU] 공채 증서, 국고 채권; 《영》 공채, 국채 **4** 《문어》 (사람의) 인기, 평판, 신용, 지위 **5 a** (나무) 줄기, 그루터기; 뿌리줄기, 땅속줄기 **b** (접목의) 대목(臺木), 접본(接本); (접순을 얻는) 모주(母株)(=~ plant); (기구·기계 등의) 대목(臺木), (총의) 개머리판, (대패의) 몸, (쟁기의) 손잡이 **6** [UC] **a** 혈통, 가계, 문벌; 《법》 선조: of Irish[farming] ~ 아일랜드계[농민 출신]의 / He comes of (a) good ~. 그는 좋은 가문의 출신이다. **b** 《인류》 인종, 종족; 《언어》 어계, 어족(語族) **c** 《동물》 군체, 군서(群棲) **7** [U] **a** (…의) 원료, 근원 (*for*); 제지 원료 **b** (고기·생선 등의) 삶은 국물, 수프 재료, 곰국 **8 a** (예전에 특히 군복에 사용하던 가죽제 등의) 목도리 **b** 여자 옷의 세운 깃 **9** …거리, …감: a laughing ~ 웃음거리 **10** [UC] 《식물》 비단향꽃무 《지중해산(産) 관상식물》 **11** [*pl.*] 조선대[가](造船臺[架]) **12** [*pl.*] 《역사》 차꼬(대) **13** [*pl.*] 고급 벽돌
have*[*keep*] *in ~ 재고품이 있다 ***have money in the ~s*** 국채에 투자해 두다 ***off the ~s*** 〈배가〉 진수하여; 완성되어 ***on the ~s*** 〈배가〉 건조 중인; 계획 중인: I've got a couple of books *on the ~s.* 계획[집필] 중인 책이 두 권 있다. ***ordinary*[《미》 *common*] *~*** 보통주 ***out of ~*** 매진[품절]되어 ***put ~ in*** =take STOCK in (2). ***sit in the ~s*** 차꼬가 채워져 수치를 당하다 ***~s and share broker*** 공채 주식 중매인 ***~s and stones*** 목석 같은 사람; 무정한 사람 ***take ~*** 재고 조사를 하다 ***take ~ in*** (1) 〈회사의〉 주를 사다 (2) …에 관계하다, 관심을 가지다; …을 중히 여기다, 신용하다 ***take ~ of*** …을 평가[감정]하다; 《구어》 호기심을 가지고 〈사람을〉 꼬치꼬치 캐다, 자세히 뜯어보다
— *a.* [A] **1** 수중에 있는, 재고의; 재고 관리의; 주요한: ~ articles 재고품 **2** 표준의; 흔한, 보통의, 상투적인: a ~ size in shoes 표준 사이즈의 구두 / a ~ phrase 흔해빠진 문구 **3** 《미》 주(식)의: a ~ report 주식 기사 **4** 가축 사육의 **5** 《영》 공채[국채]의 **6** 《구어》 가축 운송용 차량의

thesaurus **stock** *n.* **1** 재고품 supply, goods, merchandise, commodity **2** 저장, 비축 store, supply, stockpile, reserve, accumulation, pile, heap,

—vt. **1** 〈상점 등에〉 (물품을) **들여놓다,** 사들이다, 재고품으로 쌓아 두다 《*with*》; 〈상품 등을〉 비축하다, 저장하다: 《~+목+전+명》 The store is well *~ed with* excellent goods. 저 상점에는 좋은 물품이 풍부하게 갖추어져 있다. **2** 〈물건을〉 보관하다, 두다; 〈마음·기억에〉 (지식 등을) 쌓아 두다, 공급하다 《*with*》 **3** 〈농장에〉 (가축을) 넣다; 〈토지에〉 공급하다; 〈못·강 등에〉 (물고기를) 방류하다, 〈밭 등에〉 (씨를) 뿌리다 《*with*》: 《~+목+전+명》 ~ a river *with* carp 강에 잉어를 방류하다 **4** …에 자루[받침나무, 개머리판]를 달다 **5** 〖역사〗 차꼬를 채워 망신 주다
—vi. **1** 들여놓다, (팔기 위해 상품을) 사들이다, 사재다, 비축하다 《*up*》: ~ *up* on food 식품을 사재다 **2** 〖식물〗 어린 가지가 돋아나다, 움이 트다(tiller)
~ in on (미) (상품을) 사들이다, 팔려고 구입하다
▷ stócky *a.*

stóck accòunt (영) 〖회계〗 재고품 계정
*****stock·ade*** [stakéid | stɔ-] *n.* **1** 방책(防柵) **2** (말뚝을 둘러친) 울 **3** 〖미군〗 영창
—vt. 방책을 치다
stóck àgent (호주·뉴질) 목축 상인; 목축용품 상점
stock·a·teer [stὰkətíər | stɔ̀-] *n.* (속어) 엉터리 증권 브로커
stóck bòok 재고품 대장; 주식 대장
stock·breed·er [stákbrì:dər | stɔ́k-] *n.* 목축업자
stock·breed·ing [-brì:diŋ] *n.* Ⓤ 목축; 축산
stock·brok·er [-bròukər] *n.* 주식 중매인(cf. STOCKJOBBER)
stock·brok·er·age [-bròukəridʒ] *n.* =STOCKBROKING
stóckbroker bèlt (영·구어) (도시, 특히 런던 교외의) 고급 주택지((미) exurbia)
stock·brok·ing [-bròukiŋ] *n.* Ⓤ 주식 중매(仲買)(업), 증권업
stóck càr **1** (주문차가 아닌) 일반 시판차; 스톡카 《승용차를 개조한 경주용 차》 **2** (미) 〖철도〗 가축 (운반)차((영) cattle truck)
stock-car racing [stákkὰ:r- | stɔ́k-] (영) 스톡카 경주 《서로 충돌하며 달리는 자동차 경주》((미) demolition derby)
stóck certìficate (미) 주권(株券); (영) 공채 증서
stóck còmpany (미) **1** 주식회사((영) joint-stock company) **2** 〖연극〗 레퍼토리 극단 《극장을 소유하고, 전속 배우와 일정한 공연물을 갖고 있는 극단》
stóck cùbe 고형(固形) 수프
stóck dìvidend 〖금융〗 주식 배당
stóck dòve 들비둘기 《유럽산(産)》
stóck exchànge [the ~] **1** 주식 거래(액); [종종 **S- E-**] 주식[증권] 거래소 **2** 주식 중매인 조합
stóck fàrm 목축장
stóck fàrmer 목축업자
stóck fàrming 목축업
stock·fish [-fìʃ] *n.* (*pl.* **~·es,** [집합적] ~) (간하지 않은) 건어 《건대구 등》
stock·hold·er [-hòuldər] *n.* (주로 미) 주주(株主)((영) shareholder) ***~ of record*** 등록 주주
Stock·holm [stákhoulm | stɔ́khoum] *n.* 스톡홀름 《Sweden의 수도》
Stóckholm sỳndrome [1973년 Stockholm의 은행 강도 사건에서] 〖정신의학〗 스톡홀름 증후군 《인질이 범인에게 정신적으로 동화되어 호감과 지지를 나타내는 심리 현상》
Stóckholm tár[**pítch**] 스톡홀름 타르 《수지제(樹脂製) 타르; 조선용(造船用)》
stóck hòrse (미·호주) (소떼를 지키는) 목동의 말
stock·i·net(te) [stὰkənét | stɔ̀k-] *n.* Ⓤ (영) 메리야스 (짜기) 《속옷과 유아용 의복에 이용》

load, hoard **3** 가축 livestock, cattle, cows, herd, sheep, flock **4** 자본금 capital, funds, assets **5** 주식 shares, investment, holding, money

*****stock·ing*** [stákiŋ | stɔ́k-] *n.* **1** [보통 *pl.*] **긴 양말, 스타킹** 《보통 무릎 위까지 오는 것》: a pair of ~*s* 스타킹 한 켤레

> 유의어 **stockings** 보통 무릎 위까지 오는 다리에 착 달라붙는 긴 것 **socks** 짧은 양말

2 (말 등의 다른 부분과 털빛이 다른) 다리 ***in*** one***'s*** **~**[**~*ed***] ***feet*** (신발을 신지 않고) 양말만 신은 **~·less** *a.*
stócking càp 스타킹 캡 《겨울 스포츠용으로 쓰는 술이 달린 원뿔꼴 털실 모자》
stock·inged [stákiŋd | stɔ́k-] *a.* 양말을 신은: in one's ~ feet (구두를 벗고) 양말만 신고
stócking filler (영) =STOCKING STUFFER
stócking fràme[**lòom, machìne**] 양말[메리야스] 짜는 기계
stócking másk (강도 등이 쓰는) 나일론 스타킹 복면
stócking stùffer (미) 양말에 담은 자그마한 크리스마스 선물
stock-in-trade [stákintréid | stɔ́k-] *n.* [집합적] **1** 재고품; 장사 밑천 **2** 상투 수단
stock·ish [stákiʃ | stɔ́-] *a.* 나무토막 같은; 어리석은, 둔한 **~·ly** *ad.* **~·ness** *n.*
stock·ist [stákist | stɔ́-] *n.* (영) (특정 상품을) 사들이는 업자
stock·job·ber [stákdʒὰbər | stɔ́kdʒɔ̀-] *n.* (미·경멸) 주식 투기꾼; (영) (중매인 상대의) 주식 매매업자
stock·job·bing [-dʒὰbiŋ | -dʒɔ̀-] *n.* Ⓤ 주식 매매(업); 투기
stock·keep·er [-kì:pər] *n.* 가축 사육자, 목동; 재고품 관리원
stóck lìst (미) 공채[주식] 시세표
stock·man [-mən] *n.* (*pl.* **-men** [-mən, -mèn]) (미·호주) 목축업자; 목동(herdsman); (미·캐나다) 재고품[창고] 관리원
*****stóck màrket*** **1** 증권 시장[거래소]; 주식 매매; (미) 주가, 주식 시세 **2** 가축 시장
stóck òption (증자주(增資株)에 대한 회사 임원·종업원의) 스톡 옵션, 주식 매입 선택권
stock·out [-àut] *n.* 재고가 없음[없는 상태]
stóck pàrking 주식 파킹 《소유자를 감추기 위해 남[기관]의 명의로 맡기기》
stock·pile [-pàil] *n.* (만일에 대비한) 비축(량), 사재기 **—vt., vi.** (대량으로) 비축하다
stóck plànt (접순[가지]을 얻는) 모주(母株)
stock·pot [-pὰt | -pɔ̀t] *n.* 수프용 냄비
stock·proof [-prù:f] *a.* 〈울타리 등이〉 가축이 통과하지 못하는
stóck ràising 목축(업); 축산(업)
stock·rid·er [-ràidər] *n.* (호주) 승마 목동
stock·room [-rù:m] *n.* (물자·상품 등의) 저장실; 상품 전시장[실]
stock-route [-rù:t] *n.* (호주·뉴질) (남의 땅 안의) 가축 이동용 도로
stóck splìt 주식 분할 《주주에게 신주를 발행하기; 액면은 감소됨》
stock-still [-stíl] *a.* 움직이지 않는, 꼼짝 않고 있는
stock·tak·ing [-tèikiŋ] *n.* Ⓤ **1** 재고 조사 **2** (사업 등의) 실적 평가, 현황 파악
stóck tìcker 주식 시세 표시기(ticker)
stock·whip [-hwìp] *n.* (영·호주) 승마 목동용 채찍 **—vt.** 〈가축을〉 목동용 채찍으로 몰다
stock·y [stáki | stɔ́ki] *a.* (**stock·i·er**; **-i·est**) **1** 땅딸막한, 단단한(sturdy) **2** 〖식물〗 튼튼한 줄기의 **stóck·i·ly** *ad.* **stóck·i·ness** *n.*
stock·yard [stákjὰ:rd | stɔ́k-] *n.* (도살장·시장에 보내기 전의 일시적인) 가축 수용소; 가축 사육장
stodge [stádʒ | stɔ́dʒ] *n.* (구어) **1** Ⓤ (지나치게) 기름진 음식 **2** 읽기[이해하기] 어려운 것, 재미없는 작품[사람] **—vt., vi.** 게걸스럽게 먹다, 마구 퍼먹다; 터벅터벅 걷다

stodg·y [stádʒi | stɔ́dʒi] *a.* (**stodg·i·er**; **-i·est**) **1** 〈책·문체 등이〉 싫증나는; 흥미 없는, 답답한(dull); 진부한; 〈복장이〉 촌스러운 **2** 소화가 잘 안 되는(heavy): ~ bread 소화가 잘 안 되는 빵 **3** 《구어》 〈사람이〉 땅딸막한; 터벅터벅 걷는 **4** 〈부대 등이〉 가득 찬
stódg·i·ly *ad.* **stódg·i·ness** *n.*

stoep [stú:p] *n.* 《남아공》 (집 앞의) 툇마루 모양의 베란다

sto·gy, sto·gie [stóugi] *n.* (*pl.* **-gies**) 《미·구어》 **1** 길쭉하고 값싼 엽궐련 **2** 투박하고 싼 구두

Sto·ic [stóuik] [Gk 'stoa'(＝porch)의 뜻에서; 그리스 철학자 Zeno가 아테네의 stoa poikilé (＝painted porch)에서 가르친 데서] *a.* **1** 스토아 철학(파)의 **2** [**s~**] 극기의, 금욕의; 냉정한(impassive)
— *n.* **1** 스토아 철학자 **2** [**s~**] 극기[금욕]주의자

sto·i·cal [stóuikəl] *a.* ＝STOIC

sto·i·cal·ly [stóuikəli] *ad.* 금욕적으로, 냉정하게

stoi·chi·ol·o·gy [stɔ̀ikiálədʒi | -ɔ́l-] *n.* Ⓤ 요소학(要素學), 《특히》 세포 조직[생리]학

stoi·chi·o·met·ric, -ri·cal [stɔ̀ikaiəmétrik(əl)] *a.* 〖화학〗 화학량론의; 화학량석인 **-ri·cal·ly** *ad.*

stoi·chi·om·e·try [stɔ̀ikiámətri | -kiɔ́-] *n.* Ⓤ 화학량론(化學量論)

Sto·i·cism [stóuəsìzm] *n.* Ⓤ **1** 스토아 철학[주의] **2** [**s~**] 극기, 금욕; 냉정, 태연

stoke[1] [stóuk] *vt.* **1** 〈기관차·화로 등에〉 불을 때다, 연료를 지피다 《*up*》: ~ the boiler 보일러에 불을 때다 **2** 〈사람에게〉 음식을 배불리 먹이다 — *vi.* **1** 화부 일을 하다, 불을 때다 《*up*》 **2** 《구어》 음식을 배불리 먹다, 급히 먹다 《*up*》

stoke[2] *n.* ＝STOKES

stoked [stóukt] *a.* 《속어》 **1** (…에) 열광한, 기뻐 날뛰는 《*on*》 **2** (마약으로) 취한 **3** 흥분한, 기분이 들뜬 **4** [~ out으로] 지칠 대로 지친

stoke·hold [stóukhòuld] *n.* (기선의) 기관실, 화부실; (배의) 보일러실

stoke·hole [-hòul] *n.* (기관의) 화구(火口); ＝STOKEHOLD

stok·er [stóukər] *n.* **1** (특히 기관차·기선의) 화부 **2** 급탄기(給炭機), 스토커 **3** 《영》 (기관차의) 기관 조수

stokes [stóuks] [영국의 물리학자 이름에서] *n.* 〖물리〗 스토크스 《운동 점성률(粘性率)의 단위; 略 St》

sto·ke·si·a [stoukí:ʒiə, stóuksiə] *n.* 〖식물〗 스토케시아속(屬)의 다년초 《북미 원산의 국화과(科)》

stok·vel [stá:kfel] *n.* 《남아공》 계원(契員)

STOL [éstɔ̀:l] [*s*hort *t*akeoff and *l*anding] *n.* 〖항공〗 스톨 《단거리 이착륙》; 단거리 이착륙기

‡**stole**[1] [stóul] *v.* STEAL의 과거

stole[2] *n.* **1** 〖가톨릭〗 영대(領帶) 《늘어뜨리는 형겊》 **2** 〖고대로마〗 여자용 헐렁한 겉옷 **3** (모피 등으로 만든 여자용) 어깨걸이

stole[2] 3

‡**sto·len** [stóulən] *v.* STEAL의 과거분사
— *a.* Ⓐ **1** 훔친: ~ goods 장물 / a ~ base 〖야구〗 도루(盜壘) **2** 은밀한: a ~ marriage 은밀한 결혼

stol·id [stálid | stɔ́-] *a.* (**~·er**; **~·est**) 멍청한, 무신경의, 둔감한(dull) **~·ly** *ad.* **~·ness** *n.*

sto·lid·i·ty [stəlídəti] *n.* Ⓤ 둔감(鈍感), 무신경

stol·len [stóulən] *n.* 견과와 과일이 든 달콤한 빵

sto·lon [stóulən] *n.* 〖식물〗 기는 줄기[가지]; 〖동물〗 주근(走根), 눈줄기

STOL·port [stóulpɔ̀:rt] *n.* 단거리 이착륙기(STOL)용 공항

sto·ma [stóumə] *n.* (*pl.* **~·ta** [-tə], **~s**) 〖동물〗 작은 구멍, 기문(氣門); 〖식물〗 기공(氣孔)

‡**stom·ach** [stʌ́mək] [Gk 「입」의 뜻에서] *n.* **1** 위(胃): be sick to[at] one's ~ 속이 메슥거리다 **2** 위부(胃部), 복부, 배, 아랫배: lie at full length on one's ~ 길게 엎드리고 있다 **3 a** (…에 대한) 식욕(appetite) 《*for*》: I have good[no] ~ *for* sweets. 단것을 먹고 싶다[싶지 않다]. **b** [보통 부정문으로] (…할) 욕망, 기호(嗜好), 기분, 마음 《*for*》 **4** 《폐어》 원기, 활기; 용기 ***have no ~ for*** (1) ⇨ *n.* 3 (2) …은 마음 내키지 않다 ***lie* (*heavy*) *on* one's ~** 〈음식이〉 위에 부담을 주다 ***on a full*[*an empty*] ~** 배가 부를[고플] 때에 ***settle the ~*** 구토증을 가라앉히다 ***stay* one's ~** 허기를 채우다 ***turn* a person's ~** …의 기분을 상하게 하다
— *vt.* [보통 부정문·의문문에서] **1** 먹다, 집어삼키다, 억지로 (뱃속에) 넘기다; 소화하다, 맛보다 **2** 〈모욕 등을〉 참다(bear) **3** 《폐어》 불쾌히 여기다

***stom·ach·ache** [stʌ́məkèik] *n.* ⓊⒸ 위통(胃痛), 복통: have a ~ 위가 아프다 / suffer from ~ 복통을 앓다

stómach crámps [단수 취급] 위경련

stom·ach·er [stʌ́məkər] *n.* 〖역사〗 여자의 가슴옷 《15-16세기의 유행복으로, 종종 보석·자수 장식이 있었음》

stomacher

stom·ach·ful [stʌ́məkfùl] *n.* (…의) 한 배 가득함, (…의) 가득한 분량, 충분 《*of*》
— *a.* 《폐어》 고집 센; 괴팍한

sto·mach·ic [stoumǽkik] *a.* 위의; 위에 좋은
— *n.* 건위제(健胃劑)

sto·mach·i·cal [stoumǽkikəl] *a.* ＝STOMACHIC **~·ly** *ad.*

stómach pùmp 〖의학〗 위 펌프, 위 세척기

stómach ròbber 《미·속어》 벌목 현장의 요리 당번

stom·ach-stag·gers [stʌ́məkstæ̀gərz] *n. pl.* 〖수의학〗 (말의) 위경련

stómach swèetbread 송아지의 췌장

stómach tòoth 《구어》 (유아의) 아래 송곳니

stómach ùpset 소화 불량(증)(indigestion)

stómach wòrm 〖동물〗 모양선충(毛樣線蟲), 《특히》 염전위충(捻轉胃蟲) 《양·소 등에 기생하는》

stom·ach·y [stʌ́məki] *a.* 배불뚝이의; 기운찬; 《영·방언》 성 잘 내는

stom·a·tal [stámətl, stóu- | stóu-, stɔ́-] *a.* 기문(氣門)[기공(氣孔)]의[에 관한, 을 이루는]

sto·mate [stóumeit] *a.* 작은 구멍[엽공(葉孔), 기공(氣孔)]이 있는 — *n.* ＝STOMA

sto·mat·ic [stoumǽtik] *a.* **1** 입의 **2** ＝STOMATAL

sto·ma·ti·tis [stòumətáitis, stɑ̀- | stòu-, stɔ̀-] *n.* Ⓤ 〖병리〗 구내염(口內炎)

stomato- [stóumətou, -tə, stám-, stoumǽtə | stóum-, stɔ́m-] 《연결형》 「입, 기공(氣孔)」의 뜻

sto·ma·tol·o·gy [stòumətálədʒi, stɑ̀- | stòumətɔ́l-, stɔ̀-] *n.* Ⓤ 〖의학〗 구강 의학(口腔醫學)

sto·mat·o·plas·ty [stoumǽtəplæ̀sti, stóumət- | stóumət-, stɔ́-] *n.* 구부 형성술(口部形成術)

sto·mat·o·scope [stoumǽtəskòup, stóumət-] *n.* 〖의학〗 구내경(口內鏡)

sto·ma·tot·o·my [stòumətátəmi, stɑ̀m- | stòumətɔ́t-, stɔ̀m-] *n.* 〖외과〗 자궁구(子宮口) 절개(술)(術)

stom·a·tous [stámətəs, stóum- | stɔ́m-, stóum-] *a.* ＝STOMATE

-stome [stòum] 《연결형》 「입을 닮은 기관」의 뜻

-stomous [stəməs] 《연결형》 「…의 입을 가진」의 뜻

stomp [stámp | stɔ́mp] *n.* **1** 발을 세게 구르는 재즈 춤(곡) **2** 발구르기(stamp) — *vt., vi.* 《구어》 짓밟다; 육중하게 걷다; 스톰프춤을 추다 **~·er** *n.*

stomp·ers [stámpərz | stɔ́mp-] *n. pl.* 《재즈속어》 구두

stom·pie [stá:mpi:] *n.* 《남아공·속어》 피다만 담배,

담배꽁초

stómp·ing gròund [stóumpiŋ-] =STAMPING GROUND

‡**stone** [stóun] *n.* **1** Ⓤ 석재(石材), 돌: a house made of ~ 돌집 **2** ⓊⒸ 돌, 돌멩이

> [유의어] **stone** rock의 조각으로서 그다지 크지 않은 돌: throw *stones* 돌을 던지다 **rock** 지구의 표면을 형성하고 있는 큰 암석. 《미》에서는 rock을 돌의 뜻으로도 쓴다: a huge *rock* 큰 바위 **gravel** stone보다 작은 돌[자갈]로서 길에 깔기도 한다: a *gravel* road 자갈길 **pebble** 물의 작용으로 둥글게 된 조약돌: shore *pebbles* 물가의 조약돌

3 보석(precious stone), 구슬, 다이아몬드 **4** (*pl.* ~) 《영》 스톤 《★ 1스톤은 보통 14파운드 =6.350 kg, 단 고기는 8, 치즈는 16, 건초는 22, 양털은 24 파운드; 略 st.; 특히 체중을 표시하는 데 씀》: a man of 12 *st.* 체중 12스톤의 사람 **5** 우박, 싸락눈(hailstone) **6 a** 맷돌 **b** 숫돌 **c** 묘석(墓石), 기념비, 비석 **d** 〚인쇄〛 정판석, 정지반(整紙盤) **7** 〚식물〛 핵, 씨 **8** 〚의학〛 결석(結石); 결석병 **9** (curling 놀이에 쓰는) 둥근 돌; (바둑)돌 **10** [보통 *pl.*] 《비어》 고환, 불알(testicles)

age of ~ 석기 시대 (***as***) ***cold***[***hard***] ***as*** (***a***) ~ 돌같이 차디찬[딱딱한, 무정한] ***at a ~'s throw***[***cast***] ⇨ stone's throw. ***break ~s*** (자갈로 쓸) 돌을 깨다; 《비유》 밑바닥 생활을 하다 ***carved***[***etched***] ***in ~*** 《미·구어》 불변의, 영원한 ***cast***[***throw***] ***~s***[***a ~***] (…을) 비난하다 《*at*》 ***cast the first ~*** 앞장서서 비난하다 ***give a ~ and a beating to*** …에 낙승하다 《원래 경마 용어》 ***give*** a person ***a ~ for bread*** 〚성서〛 빵을 달라는 자에게 돌을 주다, 농락하다 ***harden into ~*** 석화(石化)하다 ***heart of ~*** 무정, 잔인 ***leave no ~s unturned*** ⇨ leave[1]. ***mark*** (***a day***) ***with a white ~*** 대서특필하다 ***rolling ~*** ⇨ rolling stone. ***sermons in ~s*** 돌의[돌이 주는] 교훈 ***set a ~ rolling*** 엄청난 결과를 초래할 짓을 시작하다 ***~ of Sisyphus*** 헛수고 ***S~s***[***The ~s***] ***will cry out.*** 〚성서〛 돌들이 소리지르리라, 악한 일은 반드시 드러난다.

— *a.* Ⓐ **1** 돌의, 석조의, 석제의; 석기(石器)제의: a ~ building 석조 건축물 **2** [**S~**] 석기 시대의 **3** 《미·속어》 완전한, 순전한

— *ad.* 아주, 완전히: ~ dead 완전히 죽어 있는

— *vt.* **1** …에 돌을 던지다; 돌을 던져 죽이다: ~ him to death 돌을 던져 그를 죽이다 **2** …에 돌을 쌓다[깔다] **3** 돌로 광을 내다, 돌로 깎다 **4** 《영》 〈과일의〉 씨를 빼다 **5** 《폐어》 무감각[둔감, 비정, 냉혹]하게 하다 ***~ me***[***the crows***]***!*** 《영·고어》 와, 놀랍다! 믿을 수 없다 《놀람·충격·분노의 표현》

stóne áddict 중증의 마약 중독자

Stóne Àge [the ~] 석기 시대

stóne áx **1** (석공이 쓰는) 돌 깨는 도끼 **2** 〚고고학〛 돌도끼

stone-blind [stóunbláind] *a.* 아주 눈이 먼(cf. GRAVEL-[SAND-]BLIND)

stone·boat [-bòut] *n.* 《미》 돌덩이를 나르는 썰매

stone·break·er [-brèikər] *n.* (도로에 까는) 돌을 깨는 사람; 쇄석기(碎石機)

stone-broke [-bróuk] *a.* Ⓟ 《속어》 한 푼도 없는, 빈털털이의, 파산한, 망한

stóne brùise 돌에 의한 발바닥의 타박상; (단단한 것과의 충돌로 인한) 타이어 외피의 손상

stone-cast [-kæ̀st | -kɑ̀:st] *n.* =STONE'S THROW

stone·chat [-tʃæ̀t] *n.* 〚조류〛 검은딱새

stóne chína (백색) 경질 도기(陶器)

stóne cìrcle 〚고고학〛 환상 열석(環狀列石)

stóne còal 무연탄(anthracite)

stone-cold [-kóuld] *a.* 아주 찬; 죽은 — *ad.* 아주, 완전히: ~ sober 맨 정신의

stone·crop [-krɑ̀p | -krɔ̀p] *n.* 〚식물〛 꿩의비름 《돌나물과(科)》

stóne cúrlew 〚조류〛 물떼새의 일종

stone·cut·ter [-kʌ̀tər] *n.* 석수(石手), 돌 뜨는 사람; 채석기

stoned [stóund] *a.* **1** Ⓟ 《속어》 (술·마약 등에) 취한: ~ to the eyes 완전히 취한 **2** (과일 따위의) 씨를 발라낸[뺀]

stone-dead [stóundéd] *a.* 완전히 죽은

stone-deaf [-déf] *a.* 아주 귀가 먹은

stone-faced [-fèist] *a.* (돌처럼) 무표정한, 감정을 전혀 드러내지 않는

stóne fènce 《미·속어》 위스키와 사과술 등을 섞은 술; 《미》 돌담(stone wall)

stóne frùit 핵과(核果) 《매실·복숭아 등》

stone-ground [-gráund] *a.* 맷돌에 간

Stone·henge [stóunhèndʒ] *n.* 〚고고학〛 스톤헨지 《영국 Wiltshire의 Salisbury 평원의 거대한 돌기둥; 석기 시대 후기의 유적》

stone-horse [stóunhɔ̀:rs] *n.* 《방언》 종마(種馬)

stone·less [stóunlis] *a.* 돌[보석]이 없는; 〈과일이〉 핵[알맹이]이 없는

stone·man [stóunmən] *n.* (*pl.* **-men** [-mən, -mèn]) **1** 〚인쇄〛 정판공 **2** =STONEMASON

stóne màrten 〚동물〛 흰가슴담비; 그 털가죽

stone·ma·son [-mèisn] *n.* 석수, 채석공

~·ry *n.* Ⓤ 석수직; 석공술; 석조 공사[건축]

stóne pìne 〚식물〛 남유럽 및 지중해 연안의 소나무의 일종 《꼭대기가 우산 모양임》

stone-pit [-pìt] *n.* 채석장(quarry)

stóne plòver =STONE CURLEW

stóne sàw 돌(켜는) 톱

stóne's thrów[**cást**] [a ~] 돌을 던지면 닿을 만한 거리 《50-150 야드》, 근거리: at *a* ~ 아주 가까운 거리에

stóne wáll 돌담, 돌벽; 넘을 수 없는 큰 장벽; 방해 행위; 완고한 생각

stone·wall [-wɔ̀:l] *vt., vi.* 《미·구어》 의도적으로 피하다; 〚크리켓〛 (아웃이 되지 않도록) 신중하게 공을 치다; 《영》 〈의사(議事)를〉 방해하다(《미》 filibuster)

— *a.* 돌담의, 돌담처럼 견고한; 완고한, 고집 센

~·ing *n.* Ⓤ 《영》 의사 방해

stone·wall·er [-wɔ̀:lər] *n.* **1** 〚크리켓〛 신중한 타자 **2** 《주로 영》 (의사(議事)) 방해자

stone·ware [-wɛ̀ər] *n.* Ⓤ 석기(石器)

stone·washed [-wɑ̀:ʃt | -wɔ̀ʃt] *a.* (낡은 느낌을 주기 위해 청바지 따위를) 돌과 함께 특수 세탁한

stone·work [-wə̀:rk] *n.* **1** Ⓤ 석조(건축)물; 돌[보석] 세공: a piece of ~ 돌 세공품 **2** [*pl.*] 석재(石材) 공장 **~·er** *n.*

stone·wort [-wə̀:rt] *n.* 〚식물〛 차축조 《민물 녹조》

stonk [stɑ́ŋk | stɔ́ŋk] *n., vt.* 《영·속어》 맹폭격(하다)

stonk·er [stɑ́ŋkər | stɔ́ŋk-] *vt.* 《호주·속어》 때려 누이다, 해치우다; 꺾다(baffle); 좌절시키다

stonk·ered [stɑ́ŋkərd | stɔ́ŋk-] *a.* 《호주·속어》 몹시 지친; 때려 눕혀진; 곤드레만드레가 된

stonk·ing [stɑ́ŋkiŋ | stɔ́ŋkiŋ] *a.* [보통 Ⓐ] 《영·속어》 굉장한, 대단한 — *ad.* 매우, 몹시(extremely)

***ston·y, ston·ey** [stóuni] *a.* (**ston·i·er**; **-i·est**) **1** 돌의, 돌이 많은: a ~ pass 돌이 많은 길 **2** 돌처럼 단단한: ~ seeds 돌처럼 단단한 씨앗 **3** 냉혹한, 잔인한, 지독한 **4 a** 부동의(motionless); 무표정한: a ~ face 무표정한 얼굴 **b** 〈공포·슬픔 등이〉 섬뜩하게 하는, 얼어붙게 하는: ~ fear 섬뜩한 공포 **5** 〈과실이〉 씨가 있는 **6** 《영·속어》 =STONE-BROKE

stón·i·ly *ad.* **stón·i·ness** *n.* ▷ stóne *n.*

ston·y-broke [stóunibróuk] *a.* Ⓟ 《영·속어》 =STONE-BROKE

ston·y-faced [-féist] *a.* 딱딱하고 무표정한 얼굴을 한

ston·y·heart·ed [-hɑ́:rtid] *a.* 냉혹한, 무정한

‡**stood** [stúd] *v.* STAND의 과거·과거분사

stooge [stúːdʒ] *n.* **1** 《구어》 어릿광대의 조롱을 받는 상대역, 당하는 조연역 **2** 괴뢰, 앞잡이; 《속어》 《경찰 등의》 끄나풀, 정보원; 꼭두각시 **3** 《영·속어》 비행 연습생 **—** *vi.* 《구어》 (…의) 조연역을 하다 《*for*》; 《영·속어》 비행기로 날아다니다, 《정처없이》 돌아다니다 《*around, about*》

stook [stú(ː)k] *n., vt.* =SHOCK[2]

‡**stool** [stúːl] *n.* **1** (등이 없는) **걸상**; 《바 등의》 1인용 높은 걸상 **2** 발판(대); 무릎 기대는 대 **3** 등걸, 《움이 돋은》 뿌리; 밑동[등걸]에서 돋은 움; 접본(椄本) **4** 후림새의 홰; 《미》 후림새, 앞잡이 **5 a** 변기, 변소: have a ~ 변소에 가다 **b** [종종 *pl.*] 변통(便通) **c** Ⓤ 대변 **6** 《미》 창문턱 **7** Ⓤ 권좌, 권위

fall (to the ground) between two ~s 이럴까 저럴까 망설이다가 모두 실패하다, 두 마리를 쫓다가 한 마리도 잡지 못하다 ***go to ~*** 대변보다 ***the ~ of repentance*** =CUTTY STOOL

— *vi.* **1** 싹이 트다, 싹을 내밀다 **2** 《미·속어》 《경찰의》 끄나풀이 되다, 미끼 노릇을 하다, (…을) 밀고하다 《*on*》 **3** 《고어》 대변보다, 변소에 가다

— *vt.* 《미》 〈들새 등을〉 후림새로 꾀다 **~·like** *a.*

stool·ball [stúːlbɔ̀ːl] *n.* Ⓤ 크리켓의 일종 《옛날의 여자 경기, 영국 Sussex에 남아 있음》

stool·ie [stúːli] *n.* 《미·속어》 =STOOL PIGEON 3

stóol pìgeon **1** 후림비둘기 **2** 《미·속어》 《야바위의》 한통속 **3** 《속어》 《경찰의》 앞잡이, 정보원, 밀고자(《영》 nark)

‡**stoop**[1] [stúːp] *vi.* **1 웅크리다**, 상체를 굽히다[구부리다] 《*down*》: (~+副) He *~ed down* suddenly. 그는 갑자기 웅크렸다. // (~+前+名) She *~ed over* the journals on the stand. 그녀는 진열대의 잡지 위로 몸을 굽혔다. // (~+*to* do) ~ *to* pick up a coin 동전을 줍기 위해 몸을 구부리다 **2** 허리가 굽다, 새우등이다; 구부정하게 서다[걷다]: ~ from age 나이를 먹어 허리가 구부러지다 / ~ in walking 구부정하게 걷다 **3** 〈나무 등이〉 구부러지다(bend), 기울다 **4** (…할) 만큼 비열[치사]해지다, 자신을 낮추어[수치를 무릅쓰고] (…을) 하다; 굴복하다 《*to, to* do》: (~+前+名) ~ *to* begging 부끄러움을 참고 구걸을 하다 // (~+*to* do) ~ *to* conquer 수치를 무릅쓰고 목적을 달성하다 **5** 〈매 등이〉 급강하하여 (…에) 덮치다 《*on, upon, at*》

— *vt.* **1** 〈머리·고개·등 등을〉 숙이다, 굽히다: ~ oneself 몸을 웅크리다 **2** 《고어》 굴복시키다

— *n.* [보통 a ~] 앞으로 굽힘, 새우등, 구부정함; 굴종, 낮춤; 《고어》 《매의》 습격

stoop[2] *n.* 《미·캐나다》 현관 입구의 층층대, 작은 현관(porch)

stoop[2]

stoop[3] *n.* =STOUP

stóop cròp 몸을 구부린 자세로 경작[수확]하는 작물 《채소 등》

stooped [stuːpt] *a.* 구부정한, 새우등의: a man with ~ shoulders 어깨가 구부정한 남자

stóop làbor 몸을 구부리고 하는 노동(자)

‡**stop** [stáp | stɔ́p] *v., n.*

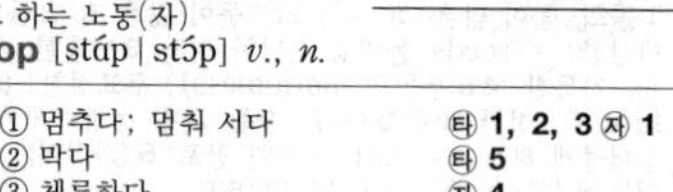

① 멈추다; 멈춰 서다	타 **1, 2, 3** 자 **1**
② 막다	타 **5**
③ 체류하다	자 **4**

— *v.* (**~ped**; **~·ping**) *vt.* **1** (스스로) **멈추다**, 중단하다(discontinue); 그만두다: ~ complaints 불평을 그치다 // (~+*-ing*) ~ work*ing* 일을 멈추다 / He *~ped* talk*ing*. 그는 이야기를 중단했다. **2 멈추게[그만두게] 하다**, 중단시키다; 방해하다, 저지하다(hinder) 《*from*》: The policeman *~ped* the fight. 경찰관은 싸움을 중지시켰다. // (~+目+前+名) ~ a person *from* folly …의 어리석은 짓을 그만두게 하다 / ~ a person *from* doing something =~ a person's doing something …에게 어떤 일을 하지 못하게 하다 **3** 〈움직이는 것을〉 **세우다**, 멈추게 하다, 정지시키다: ~ a train[machine] 열차[기계]를 세우다 **4 a** 〈지불 등을〉 중단하다, 보류하다; 은행에 〈(수표)의 지불을〉 정지시키다: ~ payment 지불을 정지시키다 / ~ supply of water 급수를 중단하다 **b** 《구어》 《봉급 등에서》 〈비용 등을〉 공제하다: (~+目+前+名) The cost was *~ped from*[*out of*] his wages. 그 비용은 그의 급료에서 공제되었다. **5** 〈구멍 등을〉 막다, 메우다, 채우다; 〈길 등을〉 폐쇄하다(block) 《*up*》; 〈유출물을〉 막다: ~ a decayed tooth 충치의 구멍을 메우다 // (~+目+前+名) ~ a bottle *with* a cork 병을 코르크 마개로 막다 **6** 〈눈·코·입 등을〉 막다: ~ one's ears to …을 들으려 하지 않다, …에 대해 귀를 막다 **7** 〖경기〗 〈공격 등을〉 막다, 받아넘기다(ward off), 격퇴시키다(defeat); 〖권투〗 녹아웃시키다 **8** 〖카드〗 《브리지에서》 …에게 스톱을 걸다 **9** 〖음악〗 〈관악기의 구멍·현악기의 현을〉 손가락으로 누르다 **10** 《주로 영》 〖문법〗 …에 구두점을 찍다(punctuate)

— *vi.* **1** 〈움직이는 것이〉 **멈추다**, 서다, 정지하다; 〈하고 있는 것을〉 그만두다: Let's ~ and have a smoke. 일을 멈추고 담배 한 대 피우자. // (~+*to* do) ~ *to* talk 이야기를 하기 위해 멈춰 서다, 멈춰 서서 이야기하다 ★ stop+to 부정사는 「…하기 위해 멈추다, 멈추고 …하다」의 뜻. 이 to 부정사는 「목적」을 나타내는 부사적 용법이며, stop의 목적어가 아님 // (~+前+名) The train *~s at* every station. 그 열차는 역마다 정차한다.

> 유의어 **stop** 동작·행동 등이 멈추다의 뜻의 가장 일반적인 말이다: *stop* for a moment in one's walk 산책하다가 잠시 멈추어 서다 **cease** 그때까지 계속되고 있던 상태나 운동이 완전히 끝나다: At last the war was *ceased*. 드디어 전쟁이 끝났다. **pause** 운동·행동이 일시 중지 또는 쉬었다가 다시 개시하다: He *paused* for her answer. 그는 그녀의 대답을 기다렸다.

2 〈비·눈 등이〉 **그치다**: The rain has *~ped*. 비가 그쳤다. **3** 〈연속물 등이〉 끝나다(finish), 완결되다 **4** 《구어》 **a** 숙박하다, 묵다; 머무르다(stay) 《*at, in, by*》: (~+前+名) ~ *at* home 집에 있다 / ~ *at* a hotel[*with* a friend] 호텔[친구 집]에 묵다 / ~ *in* bed 잠자리에 있다 **b** 잠깐 들르다; 뒤에 남다 《*to, for*》: (~+前+名) Will you ~ *for* a cup of coffee? 잠깐 들러서[더 남아서] 커피 한 잔 하시지 않겠어요? **5** 〈관(管) 등이〉 막히다

~ a bullet*[*shell, packet*]** 《군대속어》 총탄에 맞아 죽다[부상당하다] ***~ a gap 부족을 메우다, 일시적으로 쓸모 있다 ***~ around*** 《미·구어》 《잠깐》 들르다 ***~ at nothing*** 《구어》 무엇이든 다 하려들다 ***~ behind*** 《모임 등이 끝난 뒤》 남아 있다 ***~ by*** =***~ in*** 《미》 들르다, 방문하다 ***~ check*** 은행에 수표의 지불을 정지시키다 ***~ dead*** 〈사람·기계가〉 딱[갑자기] 멈추다 ***~ down*** 〖사진〗 〈렌즈의〉 조리개를 조르다 ***~ in*** (1) =*vi.* 4 a (2) 잠깐 들르다 (3) 《영·구어》 《벌로》 학교[집]에 남다 ***~ off*** 《여행 중》 (…에) 도중하차하다, 도중에 들르다 《*at, in*》 ***~ out*** (1) 차단하다 (2) 〈사진판 등에〉 고정약을 칠하다 (3) 《영·구어》 외박하다(《미》 stay out) (4) 《미》 《다른 일을 하기 위해》 일시 휴학하다 (5) 〈주식을〉 지정가로 팔다 ***~ over*** 《미》 도중하차를 하다(stop off); 《영·구어》 여행 목적지에서 잠깐 묵다[체류하다] ***~ round*** =STOP by. ***~ a person's breath*** …을 질식시켜 죽이다 ***~ oneself*** 자제하다; 《드물게》 걸음을 멈추다 ***~ short*** (1) 갑자기 중단시키다 (2) =STOP dead (3) 갑자기 그만두다[끝나다] ***~ short at*[*of* doing]** …까지[…하기까지]에는 이르지 않다 ***~ one's jaw*** 수다를 그치다 ***~ a***

person**'s mouth** …을 입다물게 하다, 입막음을 하다 **~ the show** (**cold**) 매우 인기를 끌다 《몇 번이나 앙코르에 응하여 다음 프로가 늦어지다》 **~ the way** 진행을 방해하다 **S~ thief!** 도둑 잡아라! 《추격자의 외치는 소리》 **~ to look at a fence** 장애[곤란]에 부닥쳐서 머뭇거리다 **~ to think**[**consider**] [보통 부정문에서] 곰곰이 생각하다 **~ up** 〈구멍 등을〉 막다; 《영·구어》 자지 않고 일어나 있다

—*n.* **1 a** 멈춤, 중지, 휴지; 정지, 종말, 끝: without ~ 멈추지 않고 **b** 정차, 착륙 **2** 정류소, 정거장, 착륙장: the last ~ 종점 **3 a** 봉쇄, 틀어막음 **b** 방해, 훼방; 방해물 **4** 〖기계〗 조정 장치, 멈추는 쐐기, 멈추개 **5** (수표의) 지불 정지 통지 **6** 〖음악〗 손가락으로 (관[현] 악기의) 구멍[현]을 누르기[누르는 장치]; 손가락으로 음조를 바꿈; (풍금의) 음전; (육현금(六弦琴)의) 금주(琴柱) **7** 〖펜싱〗 받아 막기 **8** 〖항해〗 지삭(止索), 괄삭(括索) **9** 〖음성〗 폐쇄음 《[p, b, t, d, k, g] 등; cf. PLOSIVE》 **10** 〖광학·사진〗 조리개(의 눈금) **11** 〖건축〗 (문의) 원산, 멈춤턱; (서랍 등의) 멈추개 **12** 《영》 구조(句調), 어조, 가락 **13** 《영》 구두점, 《특히》 마침표 (=full ~) **14** [**~s**; 단수 취급] 스톱을 거는 카드놀이 **be at a ~** 정지 중이다, 나아가지 않다 **bring** [**come**] **to a ~** 멈추다[멎다]: The noise *came to a* ~. 소음이 멎었다. **come to a full ~** 문장이 끝나다 **pull out all the ~s** 가능한 모든 노력을 다하다 **put**[**give**] **a ~ to** …을 멈추다, 중지시키다, 끝나게 하다 **~ and frisk** 《미》 (경찰관의) 정지 신체 수색권 ▷ stóppage *n.*

stop-ac·tion [stápæ̀kʃən | stɔ́p-] *a.* 순간 정지의

stop-and-go [-əngóu] *a.* 자주 멎었다 가는, 가다가 쉬곤 하는; 〈교통이〉 신호 규제의

stóp bàth 〖사진〗 (현상) 정지욕(停止浴)

stop·cock [-kɑ̀k | -kɔ̀k] *n.* 콕 마개[꼭지]

stóp drìll 스톱 드릴 《일정 한도 이상은 들어가지 않게 멈추개가 있는》

stope [stóup] *n., vt., vi.* 채굴장(에서 채광하다)

stóp èlement 〖컴퓨터〗 정지 요소 《비동기(非同期)식 직렬 전송에서 한 문자의 끝에 놓이는 요소》

stop·er [stóupər] *n.* 착암기, 스토퍼

stop·gap [stápgæ̀p | stɔ́p-] *n.* **1** 구멍 마개, 구멍 메우개 **2** 빈 데 메워 넣기, 임시변통

—*a.* Ⓐ 임시변통의, 미봉책의

stop-go [-góu] *n., a.* 《영》 Ⓤ 〈진보·활동 등이〉 단속적인; 경제의 긴축과 확대를 교대로 실시하는 정책(의); 교대적 경제 조정책(의)

stóp knòb (풍금의) 음전(音栓) (손잡이)

stop·light [-làit] *n.* (교통의) 정지 신호, 붉은 등; (자동차 꽁무니의) 정지등

stóp-loss sélling [-lɔ̀:s-] 〖증권〗 포기 투매

stop-off [-ɔ̀:f | -ɔ̀f] *n.* =STOPOVER

stóp òrder (중매인에 대한) 주식의 지정가 매매의 주문[지시]; 지불 정지 지시

stop-out [-àut] *n.* 《미·속어》 (대학의) 자진[일시] 휴학(생)

stop·o·ver [-òuvər] *n.* 《미》 휴게(지), 단기 체류(지); 도중하차(지); 잠깐 들르는 곳

stop·pa·ble [stápəbl | stɔ́p-] *a.* 막을 수 있는

stop·page [stápidʒ | stɔ́p-] *n.* ⓊⒸ **1** 멈춤, 막음; 정지, 두절, 차단 **2** 휴업, 동맹 파업 **3** 《영》 지불 정지, 차감 지불 **4** 〖스포츠〗 =STOPPAGE TIME **5** (신체의) 기능 장애; 고장

stóppage tìme 〖스포츠〗 연장 시간 《경기 도중 발생한 시간 낭비를 보충하기 위한》(cf. INJURY TIME)

stóp páyment 〖금융〗 (수표의) 지불 정지 지시

stop·per [stápər | stɔ́p-] *n.* **1** 멈추는 사람, 방해자[물], (기계 등의) 정지 장치 **2** (병·통 등의) 마개, 틀어막는 것(plug) **3** 사람의 주의[관심]를 끄는 것 **4** 〖야구〗 구원 투수 **5** 〖항해〗 지삭(止索); 바퀴 멈추개 **6** 파이프에 담배를 담는 기구 **put a ~**[(**the**) **~s**] **on** 《구어》 …을 멈추게 하다, …에 마개를 하다; …을 꼼짝도 못하게 누르다

—*vt.* **1** 마개를 하다[막다] **2** 〖항해〗 지삭을 걸다[으로 누르다] **~·less** *a.*

stop·ping [stápiŋ | stɔ́p-] *n.* ⓊⒸ **1** 멈추게 함, 정지, 중지 **2** 메워서 채움, 충전; (이를 메우는) 충전재 **3** 구두점을 찍음 **4** 〖음악〗 손가락으로 현을 누름 **5** 〖광산〗 차단벽

—*a.* 멎는, 정차하는; 막는: a ~ train 완행 열차

stóp plàte (차량의) 축받이

stop·ple [stápl | stɔ́pl] *n., vt.* 마개(를 끼우다)

stóp prèss [종종 the ~] 《영》 〖신문〗 윤전기를 멈추고 삽입한 최신 뉴스; 마감 후의 중대 기사

stop-press [stáppres | stɔ́p-] *a.* 《영》 〖신문〗 윤전기를 멈추고 삽입한; 최신의

stóp sìgn 《미》 일단 정지 표지

stop-start [-stá:rt] *a.* =STOP-AND-GO

stóp strèet (우선 도로(through street)로 진입하기 전의) 일단 정지 도로

stopt [stápt | stɔ́pt] *v.* 《시어》 STOP의 과거·과거분사

stóp vàlve (액체의) 저지판(阻止瓣), 폐쇄판

stóp vòlley 〖테니스〗 스톱 발리 《공을 상대편의 네트 가까이에 살짝 떨어뜨림》

stop·watch [stápwɑ̀tʃ | stɔ́pwɔ̀tʃ] *n.* 스톱워치

stor. storage

stor·a·ble [stɔ́:rəbl] *a.* 저장할 수 있는

✱**stor·age** [stɔ́:ridʒ] *n.* **1** Ⓤ **a** 저장: in cold ~ 냉장되어 **b** 보관, 《특히》 창고 보관 **c** ⓊⒸ (창고 등의) 수용력; 저장[보관]량 **2** 저장소, 창고: in ~ 입고 중 **3** ⓊⒸ 〖컴퓨터〗 기억 장치(memory) **4** Ⓤ 보관료 **5** Ⓤ 〖전기〗 축전 **6** 〖도서관〗 보존 서고(書庫) ▷ stóre *v.*

stórage bàttery 축전지(storage cell)

stórage capàcity 〖컴퓨터〗 기억 용량

stórage cèll 1 =STORAGE BATTERY **2** 〖컴퓨터〗 기억 소자(素子)

stórage devìce 《영》 〖컴퓨터〗 기억 장치(《미》 memory)

stórage hèater 《영》 축열(蓄熱) 히터

stórage òrgan 〖식물〗 저장 기관

stórage rìng 〖물리〗 스토리지[축적] 링 《고에너지 하전 입자를 저장하는 장치》

stórage tànk 저장 탱크

stórage wàll 수납벽

sto·rax [stɔ́:ræks] *n.* Ⓤ 때죽나무의 수지(樹脂); 소합향(蘇合香); Ⓒ 〖식물〗 때죽나무

storch [stɔ́:rtʃ] *n.* 《속어》 보통 사람[남자]; 봉(sucker)

⁑**store** [stɔ́:r] *n., a., v.*

「축적」→「상품 재고가 있는 곳」→「상점」

—*n.* **1 a** 《미》 가게, 상점, 점포(《영》 shop); 식료품점: a candy ~ 과자점 **b** [보통 *pl.*; 단수·복수 취급] 《영》 백화점(《미》 department store); [*pl.*; 단수 취급] (보통) 잡화점: I get most things at the *~s.* 대개의 물건은 백화점에서 구입한다. **2** [보통 *pl.*] (식품 등의) 저장, 비축, 준비, 장만 **3** [*pl.*] 용품, 비품 **4** (지식 등의) 축적: a ~ of information 정보의 축적 **5** 《영》 창고, 저장소: a ~ for meat 고기 저장소 **6** [a ~] (고어) 다량, 다수(의…) 《*of*》: have *a* great ~ *of* knowledge 풍부한 지식을 가지다 **7** [보통 *pl.*] 《영》 살찌우기 위해 사들인 여윈 소(=**~ càttle**) **8** 〖컴퓨터〗 기억 장치(memory) **a great ~ of** 많은 **in ~** 저장하여, 준비하여(opp. *out of store*); 〈장래·운명 등이〉 (…에게) 닥치려 하고, 기다리고 《*for*》: Who knows what the future may hold *in* ~? 앞으로 무슨 일이 있을지 아무도 모른다. / I have a surprise *in* ~ *for* you. 너를 놀래 줄 것이 하나 있다. **mind the ~** (구어) 일에 전념하다 **out of ~** 저장[준비]하지 않고(opp. *in store*) **set no** (**great**) **~ by** …을 경시하다, 업신여기다 **set**[**lay, put**] **~ by**[**on**] (구어) …을 중요시하다(value)

—*a.* Ⓐ **1** 축적된; 저장용의 **2** 《미》 기성품의, 만들어

파는: ~ clothes 기성복 **3** ((영)) 목축의, 축산의
— *vt.* **1** 〈장소 따위에〉 (…을) 공급하다, 비축하다 ((*with*)): (~+목+전+명) ~ the mind *with* knowledge 머리 속에 지식을 주입하다 **2** (…에 대비하여) 저장하다, 쌓아 두다, 축적하다 ((*for, against; away, up*)): (~+목+부) (~+목+전+명) ~ (*up* [*away*]) food *for* the winter 월동 준비로 식량을 저장하다 / ~ (*up*) something in one's memory …을 그대로 기억해 두다 **3** 창고에 보관하다; 〈창고·용기 등이〉 넣을[들어갈] 여지가 있다: The warehouse ~*s* 50 tons of rice. 그 창고에는 쌀이 50톤 들어간다. **4** 〖전기〗 축전하다(accumulate); 〖컴퓨터〗 기억장치에 기억시키다
— *vi.* 저장해 두다; 〈식품 등이〉 저장할 수 있다: (~+부) This food ~*s well.* 이 식품은 잘 저장해 둘 수 있나. ~ ***up on*** 비축하다
▷ stórage *n.*

store-bought [stɔ́ːrbɔ̀ːt] *a.* Ⓐ 상점에서 산, 기성품의(((영)) shop-bought)

stóre brànd 자가 브랜드 상품

store-brand [-brӕ̀nd] *a.* ((미)) =OWN-BRAND

stóre càrd (백화점 등의) 상점 카드 ((상품 값을 나중에 지불하는))(cf. CREDIT CARD)

stóre detèctive (대형 상점의) 매장 감시원

store·front [-frʌ̀nt] *n., a.* (거리에 면한) 상점 정면(의), 점두(店頭)(의): a ~ sign 상점 정면의 간판

***store·house** [stɔ́ːrhàus] *n.* (*pl.* **-hous·es** [-hàuziz]) **창고**; (지식 등의) 보고(寶庫): a ~ of information 정보의 보고

***store·keep·er** [stɔ́ːrkìːpər] *n.* **1** ((미)) 가게 주인 (((영)) shopkeeper) **2** (특히 군수품의) 창고 관리인; 〖미해군〗 보급계원

store·man [-mӕ̀n] *n.* 창고[재고] 관리인

store·room [-rùːm] *n.* 저장실, 광

store·ship [stɔ́ːrʃìp] *n.* 군수 물자 수송선

stóres lèdger (제조 공장 등의) 재고장(在庫帳)

store·wide [stɔ́ːrwàid] *a.* 〈세일 등이〉 점포 전체의, 전관(全館)의

store·win·dow [-wìndou] *n.* ((미)) =SHOPWINDOW

‡**sto·rey** [stɔ́ːri] *n.* ((영)) =STORY[2]

sto·ried[1] | **sto·reyed** [stɔ́ːrid] *a.* [종종 복합어를 이루어] …층의: a two-[three-]~ house 2층[3층] 집

storied[2] *a.* Ⓐ 이야기[역사, 전설]로 유명한; 역사상의 그림[조각]으로 꾸민

sto·ri·ette, -ry- [stɔ̀ːriét] *n.* 극히 짧은 소설[이야기]

sto·ri·ol·o·gy [stɔ̀ːriɑ́lədʒi | -ɔ́l-] *n.* Ⓤ 민화[전설] 연구

stork** [stɔ́ːrk] *n.* **황새 *a visit from the ~ 아기의 출생 ((황새가 갓난아기를 날라온다는 말에서)) ***King S~*** 폭군 ((Aesop 이야기에서)) **~·lìke** *a.*

storked [stɔ́ːrkt] *a.* ((미·속어)) 임신한

stork's-bill [stɔ́ːrksbìl] *n.* 〖식물〗 양아욱, 제라늄; 국화쥐소니

‡**storm** [stɔ́ːrm] *n.* **1 폭풍**(우): After a ~ (comes) a calm. ((속담)) 폭풍이 지나가면 고요가 온다.

> 유의어 **storm** 보통 비·천둥을 동반한 폭풍(우): a heavy *storm* 대폭풍우 **typhoon** 태평양 서부에서 발생하는 것: A *typhoon* is approaching Jeju-do. 태풍이 제주도에 다가오고 있다. **hurricane** 멕시코 만에서 발생하는 것: Mexico was struck by a *hurricane.* 멕시코가 허리케인의 엄습을 받았다. **cyclone** 인도양 방면에 발생하는 것: a tropical *cyclone* 열대성 저기압

2 큰 비[눈, 천둥, 우박]; 거친 날씨 **3** 〖항해·기상〗 폭풍(⇨ 1 유의어) **4** ⒸⓊ 〖군사〗 강습, 급습 **5** [보통 a ~] (탄알·비난 등의) 빗발, (…의) 연발, 쇄도; (박수의) 우레 ((*of*)): *a ~ of* bullets[arrows] 빗발치는 탄환[화살] / *a ~ of* applause 우레와 같은 박수 **6** 소동, 파란 **7** [보통 a ~] (감정 등의) 격발, 폭발 ((*of*)) **8** [*pl.*] =STORM WINDOW

a ~ in a teacup [***teapot, puddle***] 집안 싸움, 작은 파란, 헛소동 ***blow up a ~*** ((재즈속어)) 신나게 연주하다; ((미·속어)) 격노하다; ((미·속어)) 큰 소동을 일으키다 ***bring a ~ about*** one***'s ears*** (온당치 못한 언행으로) 떠들썩한 비난의 대상이 되다 ***in a ~*** ((미·속어)) 흥분하여, 혼란하여 ***ride*** [***breast***] ***the ~*** 어려운 사태에 용감히 맞서다 ***take … by ~*** 〖군사〗 강습하여 빼앗다; 〈청중 등을〉 황홀케 하다, 무아경으로 하다, 매료하다: Their new song *took* Paris *by* ~. 그들의 신곡은 파리를 매료시켰다. ***the ~ and stress*** 질풍노도의 시대 ((18세기 후반의 독일 문학자들의 낭만주의 운동(Sturm und Drang)); 동요, 동란 ***up a ~*** ((구어)) 극도로, 잔뜩
— *vi.* **1** 〈날씨가〉 사나워지다, 폭풍이 분다: It ~s. 폭풍우가 일어난다. **2** (…에) 격노하다, 마구 고함치다, 호통치다 ((*at*)): (~+전+명) ~ angrily *at* a person 화가 나서 …에게 호통치다 **3** 돌격[돌진]하다, 미친 듯 날뛰다; 난폭하게 (…)하다: (~+부) ~ *out*[*in*] (성내어·난폭하게) 뛰어 나가다[들다] / ~ *upward* 〈비행기 등이〉 (힘차게) 날아 오르다 // (~+전+명) ~ *against* a fort 요새로 돌격하다 / ~ *into* an office 사무실로 난입하다 / The mob ~*ed through* the streets. 폭도들이 거리를 날뛰며 지나갔다. **4** ((미·속어)) (차로) 속력을 내서 달리다
— *vt.* **1** (질문 등을) …에게 퍼붓다 (~+목+전+명) ~ a person *with* questions …에게 질문을 퍼붓다 **2** …이라고 고함치다: "Get out!" he ~*ed.* 「나가라!」고 그는 소리질렀다. **3** 습격[강습]하다; 〈군중 등이〉 쇄도하다 ~ one***'s way into*** 〈군중 등이〉 …으로 쇄도[난입]하다 **~·less** *a.* **~·lìke** *a.*
▷ stórmy *a.*

storm-beat·en [stɔ́ːrmbìːtn] *a.* 폭풍우의 피해를 입은

storm-belt [-bèlt] *n.* 폭풍(우)대(帶)

stórm bòat 상륙 돌격용 주정(舟艇)

storm·bound [-bàund] *a.* 폭풍우를 만나 오도 가도 못하는; 폭풍우에 고립된

stórm cèllar ((미)) 폭풍 대피용 지하실

stórm cènter **1** 폭풍의 중심 **2** 소동의 중심인물[문제], 논의의 핵심

stórm clòud 폭풍우가 될 구름; [보통 *pl.*] 동란의 전조

storm·cock [-kɑ̀k | -kɔ̀k] *n.* ((영)) 개똥지빠귀

stórm còllar (윗도리의) 높은 깃[칼라]

storm-cone [-kòun] *n.* ((영)) 폭풍(우) 경보구(球); 폭풍우의 경보 원뿔 표지

stórm dòor (눈·바람막이) 덧문; 방풍문

stórm dràin 빗물 배수관

stórm drùm ((영)) 원통형 폭풍(우) 경보 표지

storm·er [stɔ́ːrmər] *n.* 마구 날뛰는[호통치는] 사람; 급습자, 돌격대원

storm·ing [stɔ́ːrmiŋ] *a.* ((영·속어)) 힘찬, 활기 있는, 빠른; 기술이 뛰어난; 맹렬한

stórming pàrty 〖군사〗 습격대, 돌격대

stórm làntern[**làmp**] ((영)) (휴대용) 방풍(防風) 랜턴

stórm pètrel **1** 〖조류〗 쇠바다제비(stormy petrel) **2** 불안을 불러일으키는 사람

storm·proof [stɔ́ːrmprùːf] *a.* 폭풍(우)에 견디는, 내풍(耐風)의

stórm sàsh =STORM WINDOW

stórm sìgnal 폭풍 신호

stórm sùrge 〖기상〗 폭풍 해일

storm-tossed [-tɔ̀ːst | -tɔ̀st] *a.* **1** 폭풍에 휘둘리는[흔들리는] **2** 마음이 크게 동요하는

> **thesaurus** **storm** *n.* **1** 폭풍(우) gale, cyclone, hurricane, squall, tempest, cloudburst **2** 급습 raid, offensive, onslaught, assault, attack **3** 격발 outburst, outcry, commotion, furor, clamour

stórm tràck 폭풍의 진로
stórm tròoper (특히 나치스의) 돌격대원
stórm tròops 〖군사〗 (나치스의) 돌격대
stórm wàrning 〖기상〗 폭풍우 경보
stórm wíndow (눈·바람막이) 덧창문, 방풍창
‡**storm·y** [stɔ́:rmi] *a.* (**storm·i·er**; **-i·est**) **1 a** 폭풍(우)의, 모진 비바람의 **b** 폭풍우를 가져오는, 폭풍우가 올 듯한 **2** 노발대발하는, 사납게 날뛰는, 격렬한, 논쟁적인: a ~ life 파란만장한 생애 / ~ passions 격정 **3** 〖병리〗 급성 발작의 **stórm·i·ly** *ad.* **stórm·i·ness** *n.*
stórmy pétrel 1 〖조류〗 =STORM PETREL **2** 분쟁을 일으키는[좋아하는] 사람
Stor·ting, -thing [stɔ́:rtiŋ] *n.* 노르웨이의 국회
‡**sto·ry**[1] [stɔ́:ri] *n.*, *v.*

> history의 두음(頭音) 소실에서 (옛날 이야기)→《일반적으로》「이야기」로 되었음.

—*n.* (*pl.* **-ries**) **1** 이야기(tale); 동화(fairy tale): a ghost ~ 유령 이야기 / a nursery ~ 옛날 이야기, 동화 **2** 소설(⇨ fiction 유의어), 《특히》 단편 소설: a detective ~ 탐정 소설 **3** (소설·시·극 등의) 줄거리, 구상, 스토리: a novel with little ~ 줄거리 다운 줄거리가 없는 소설 **4** 경력, 신상 얘기, 내력, 일화: a woman with a ~ (좋지 않은) 과거가 있는 여자 **5** (보고하는) 이야기, 설명; 소문; 진술, 말: She tells a very different ~. 그녀의 이야기로는 아주 딴판이다. **6** 〖신문〗 기사; 기삿거리, 기사감 **7** 《유아어·구어》 거짓말, 꾸며낸 말 **8** 《고어》 역사, 연혁 **9** 구전(口傳), 전설: famous in ~ 전설로 유명한
as the ~ goes 소문에 의하면 ***But that is another ~.*** 하지만 그것은 여담이다[딴 얘기이다], 《이제 본론으로 돌아가자》 ***in one ~*** 모두 하나같이 말이 맞아 ***It is another ~ now.*** 지금은 사정이 딴판이다. ***Oh, you ~!*** 《유아어》 야아 거짓말쟁이! ***tell*** one***'s*** [***its***] ***own ~*** 신상 이야기를 하다; 그것만으로 뚜렷하다 ***tell stories*** 지어낸 이야기를 하다, 거짓말을 하다 ***That's the ~ of my life.*** 내 인생이 그렇다. 《자기 연민의 말》 ***the*** (***same***) ***old ~*** 흔히 있는 이야기 ***The ~ goes that ...*** …라는 이야기이다: *The ~ goes that* his wife ran away with another man. 그의 아내가 다른 남자와 눈이 맞아 달아났다는 이야기다. ***the whole ~*** 일의 자초지종 ***to make*** [***cut***] ***a long ~ short*** = ***to make short of a long ~*** 요약하여 말하자면 ***What's the ~?*** 지금 상황[사정]은 어떤가?
—*v.* (**-ried**) *vt.* 이야기[역사적 그림]로 꾸미다; 《고어》 이야기하다
—*vi.* 이야기를 하다; 거짓말을 하다
‡**sto·ry**[2] | **sto·rey** [stɔ́:ri] *n.* (*pl.* **-ries** | **~s**) **1** (건물의) 층: a house of one ~ 단층집 / the second ~ 2층(cf. FLOOR) **2** [집합적] 같은 층의 방
the upper ~ (1) 위층 (2) 《속어》 머리: He is wrong in *the upper* ~. 그는 머리가 이상하다.
stóry àrt 스토리 아트 《언어적 요소와 시각적 요소를 결합시킨 예술 형태》
sto·ry·board [stɔ́:ribɔ̀:rd] *n.* 스토리 보드 《(텔레비전) 영화의 주요 장면을 간단히 그린 일련의 그림을 붙인 패널》
sto·ry·book [-bùk] *n.* 이야기책, 동화책
—*a.* Ⓐ 옛날 이야기의; (옛날 얘기같이) 행복하게 살게 되는[끝나는]: a ~ ending 해피 엔드
stóry èditor 영화·텔레비전의 내용·형식에 대한 조언을 하는 편집인
stóry lìne (소설 등의) 줄거리, 구상(plot)
stóry stòck 《미·속어》 〖증권〗 화제주(話題株)

> **stout** *a.* **1** 뚱뚱한 fat, plump, tubby, obese, rotund, big, heavy, overweight, bulky **2** 용감한 brave, courageous, stouthearted, valiant, gallant, valorous **3** 튼튼한 strong, substantial, solid

sto·ry·tell·er [-tèlər] *n.* **1** 만담[야담]가 **2** (단편) 소설 작가(storywriter) **3** 이야기 잘하는 사람 **4** 《유아어·구어》 거짓말쟁이(liar)
sto·ry·tell·ing [-tèliŋ] *a.* 이야기를 하는; 《구어》 거짓말을 하는 **—***n.* Ⓤ 이야기하기; 《구어》 거짓말하기
sto·ry·writ·er [-ràitər] *n.* 소설가, 작가
stoss [stóus | stɔ́s] *a.* 〖지질〗 상류측에 인접한
sto·tin·ka [stɔ:tíŋkɑ:, -kə] *n.* (*pl.* **-ki** [-ki]) 불가리아의 경화 《$^1/_{100}$ lev에 상당함》
stoup [stú:p] *n.* (성당 입구의) 성수(聖水) 그릇; 대접, 큰 컵[잔]; 잔에 가득한 양
stoush [stáuʃ] 《호주·구어》 *n.* 서로 치고받기, 싸움; 말다툼(brawl) **—***vt.* …와 치고받다, 싸우다
‡**stout** [stáut] *a.* **1** 뚱뚱한, 살찐, 풍채가 당당한(⇨ fat 유의어): a ~, middle-aged gentleman 뚱뚱한 중년 신사 **2** 용감한; 단호한, 완강한: ~ resistance 완강한 저항 **3** 〈배(船) 등이〉 튼튼한, 〈천이〉 질긴, 견고한 **4** 〈식사 따위가〉 실속 있는 **5** 〈술 등이〉 독한
a ~ heart 용기 ***~ fellow*** 《구어》 용감한 투사; 《영·구어》 대단한 사람
—*n.* **1** Ⓤ 스타우트 《독한 흑맥주》 **2** 뚱뚱보; 비만형의 의복 **~·ly** *ad.* 용감히, 결연히; 완강히 **~·ness** *n.*
stout·en [stáutn] *vt.*, *vi.* 튼튼하게 하다[되다]
stout·heart·ed [stáuthɑ́:rtid] *a.* 《문어》 용감한, 대담한 **~·ly** *ad.* **~·ness** *n.*
stout·ish [stáutiʃ] *a.* 살찐 편인, 뚱뚱한 편인
‡**stove**[1] [stóuv] [MDu. 「난방된 방」의 뜻에서] *n.* **1** 스토브, 난로 **2** (요리용) 화로, 레인지(=cooking ~) **3** 《영》 〖원예〗 온실
—*vt.* 난로로 데우다; 《영》 〈식물을〉 온실에서 재배하다; 《영·속어》 …로부터 해충을 제거하다
stove[2] *v.* STAVE의 과거·과거분사
stóve còal 스토브용 (무연)탄
stoved [stóuvd] *a.* Ⓐ 《스코》 삶은, 오래 끓인
stóve enàmel 내화(耐火) 에나멜
stóve léague 《속어》 시즌이 끝난 후 다음 시즌에 대한 이야기를 나누는 야구 팬들
stove·pipe [stóuvpàip] *n.* **1** 스토브의 연통 **2** 《미·구어》 (높은) 실크 해트(=~ **hát**) **3** [*pl.*] 《구어》 직선형으로 홀쭉한 바지(=~ **tròusers**[**pànts**])
stóve plànt 온실 식물
sto·ver [stóuvər] *n.* Ⓤ 여물, 마초
stove·top [stóuvtɑ̀:p] *n.* (요리용) 오븐의 위쪽; 오븐 위쪽의 시렁
sto·vies [stóuviz] *n. pl.* (스코틀랜드의) 양파를 넣은 감자 요리
stow [stóu] *vt.* **1** 〖항해〗 (화물칸 등에) 〈짐을〉 실어 넣다; 〈물건을〉 싣다, 집어넣다 《*away*; *in*, *into*》: (~+목+전+명) ~ goods *in* a hold = ~ a hold *with* goods 화물칸에 화물을 싣다[집어넣다] / ~ books *into* a box 상자에 책을 집어넣다 / ~ a letter *away in* a drawer 편지를 서랍 속에 넣다 **2** 〈장소·그릇 등을〉 가득 채우다, 채워 넣다; 〈장소·그릇 등이〉 …을 넣을 여지가 있다 **3** [보통 명령형으로] 〈법석·농담 따위를〉 그만두다 **4** 〈음식을〉 먹어치우다 《*away*》
—*vi.* 채워 넣다, 싣다
~ away 집어넣다; 치우다, 감추다; 《속어》 마구 먹다[마시다]; 밀항하다 ***S~ it!*** 《속어》 그만둬, 입 닥쳐! ***S~ the gab!*** 《속어》 입 닥쳐! **~·a·ble** *a.*
stow·age [stóuidʒ] *n.* **1** Ⓤ 싣기, 실어 넣음; 싣는 법 **2** 적재 장소, 수용 능력 **3** 적재물, 적하(積荷): ~ survey 적재 조사 **4** Ⓤ 적하료
stow·a·way [stóuəwèi] *n.* 밀항자; 무임승차자, 무임 승선자
Stowe [stóu] *n.* 스토 **Harriet Beecher ~** (1811-96) 《미국의 여류 작가》
stoz·zled [stɑ́zld | stɔ́zld] *a.* 《미·속어》 술에 취한
STP Scientifically Treated Petroleum 휘발유 첨가제 《상표명》; Serenity, Tranquility, and Peace LSD 비슷한 합성 환각제 **stp.** stamped **STP** standard temperature and pressure **str.** strait;

streamer; 〖음악〗 string(s) **S.T.R.** submarine thermal reactor

stra·bis·mal [strəbízməl], **-mic** [-mik] *a.* 사팔눈의, 사시의

stra·bis·mus [strəbízməs] *n.* Ⓤ 〖안과〗 사팔눈, 사시(斜視)

stra·bot·o·my [strəbátəmi | -bɔ́t-] *n.* (*pl.* **-mies**) ⓊⒸ 〖외과〗 사팔눈 수술

STRAC Strategic Army Corps 〖미육군〗 전략 기동 군단

strack [strǽk] *a.* 《미·군대속어》 군인답게 복장을 엄수하는

Strad [strǽd] *n.* 《구어》 =STRADIVARIUS

strad·dle [strǽdl] *vi.* **1** 두 발을 벌리다, 두 발로 버티다, 두 다리를 벌리고 서다[걷다, 앉다] **2** 불규칙하게 뻗시나 **3** 기회를 엿보다; 찬반을 분명히 하지 않다 **4** 양다리를 걸쳐 거래하다 《한쪽에서 사고 다른 쪽으로 파는 형태의 거래》 **—*vt.*** 다리를 벌리고 걷다[서다, 앉다]; (걸터) 타다; 〈다리를〉 벌리다; 기회를 엿보다; 《미·구어》 …에 대한 찬부를 분명히 하지 않다; 〖카드〗 〈걸기를〉 갑절로 하다; 〖군사〗 협차하다 《사격 측정을 위해 목표 앞뒤에 시험 발사를 함》

~ *the fence* 형세를 관망하다

—*n.* **1** 두 다리로 버팀, (두 다리로) 걸침[걸치는 거리] **2** 《미·구어》 양다리 걸치기, 태도 불명; 기회주의 **3** 〖상업〗 선택권이 딸린 거래 **4** 〖카드〗 갑절 걸기(double blind) **strád·dler** *n.*

Strad·i·var·i·us [strӕ̀dəvέəriəs] *n.* 스트라디바리우스 《이탈리아 사람 A. Stradivari (1644?-1737)가 제작한 바이올린 등의 현악기》

strafe [stréif, strɑ́:f] *vt.* **1** 〈지상 부대 등을〉 기총[지상] 소사하다, 맹폭격[포격]하다 **2** 《속어》 벌주다, 몹시 꾸짖다 **3** 학대하다; 매질하다

—*n.* **1** 기총 소사, 맹폭격 **2** 《속어》 처벌, 견책

stráf·er *n.*

strag·gle [strǽgl] *vi.* **1** (길·진로에서) 벗어나다 **2 a** 뿔뿔이[흩어져] 가다: (~+副) They *~d off.* 그들은 뿔뿔이 갔다. // (~+前+名) The girls *~d along* the country road. 소녀들은 삼삼오오 시골길을 걸어갔다. **b** 일행에서 탈락하다, 낙오하다 **3** 〈길 등이〉 구불구불 뻗어가다: (~+前+名) The brook *~s along* the mountainside. 시냇물이 산허리를 굽이굽이 흐르고 있다. **4** 산재하다: (~+前+名) Houses *~ at* the foot of the mountain. 인가가 산기슭에 산재해 있다. **5** 무질서하게 퍼지다, 〈머리털이〉 헝클어지다 《*over*》; 〈복장 등이〉 단정치 못하다: (~+前+名) ivies *straggling over* the fences 담장 위에 멋대로 뻗어 있는 담쟁이덩굴

strag·gler [strǽglər] *n.* **1** 낙오자, (일행에서) 떨어진 사람; 패잔병; 귀함(歸艦) 지각자; 부랑인 **2** 멋대로 뻗는 가지 **3** 미조(迷鳥) 《폭풍 등 때문에 잘못 닿은 철새》

strag·gling [strǽgliŋ] *a.* 낙오한; 일행에서 떨어진; 〈행렬 등이〉 흩어져 나아가는; 〈마을·집 등이〉 흩어져 있는; 〈머리털이〉 헝클어진; 〈가지 등이〉 멋대로 뻗는 **~·ly** *ad.*

strag·gly [strǽgli] *a.* =STRAGGLING

‡**straight** [stréit] [ME 「잡아 늘린」의 뜻에서] *a.* **1** 곧은, 일직선의: a ~ road 직선 도로 **2** 똑바로 선, 수직의: a ~ back (구부정하지 않고) 꼿꼿한 등 **3** 〈머리털 등이〉 곱슬곱슬하지 않은: ~ hair 곧은 털 **4** (다른 사물과) 일직선을 이루는, 평행하는 **5 a** (목적을 향해) 곧장 나아가는, 직진하는; 정연한, 조리가 선: ~ thinking 조리가 선 사고방식 **b** 직접의, 솔직한, 숨김없는: ~ speech 직언 **6** 정직한, 공명정대한; 정숙한: ~ dealings 공정한 거래 **7** 《구어》 〈보고·정보 등이〉 신뢰할 수 있는, 확실한: a ~ report 믿을 수 있는 보고 **8 a** 정돈된, 정리된: put[set] one's affairs ~ 신변의 일들을 정리하다 **b** 틀림없는, 바른: set[put] the record ~ 기록을 바로잡다 **c** 청산이 끝난, 대차(貸借)가 없는 **9** 《미》 철저한: a ~ Republican 철두철미한 공화당원 **10** 수정하지 않은, 변경하지 않은 **11** 《속어》 정상의; 동성애자가 아닌; 마약을 사용하지 않는 **12** 《미》 〈위스키 등이〉 순수한, 물 따위를 타지 않은: ~ whiskey =whiskey ~ 스트레이트 위스키 **13** Ⓐ 정극(正劇)인 〈극〉; 솔직한, 진지한 〈극·연기〉 **14** 〈뉴스 등이〉 객관적인, 논평 없는 **15** Ⓐ 연속된, 끊임없는: for seven ~ days 연달아 7일간 **16** 〖카드〗 다섯 장이 연달은 **17** 〈얼굴이〉 진지한, 정색의 **18** [감탄사로 써서] 《비어》 옳아, 틀림없다(truly)

get something **~** 《미·구어》 이해하다 ***keep*** one***'s face* ~ = *keep a* ~ *face*** (일부러) 웃지 않다, 정색을 하다 ***keep* ~** 착실하게 하다, 정직하게 하다; 〈여자가〉 정조를 지키다 ***make* ~** 똑바로 하다, 정돈하다 ***put*** [***set***] ***...* ~** …을 정돈하다; …의 오해를 풀다; …을 정정하다, 바로잡다

—*ad.* **1** 똑바로, 일직선으로: keep ~ on 똑바로 나아가다[계속하다] **2** 수평으로, 같은 높이로 **3** 똑바로 서서, 수직으로 **4** 직접으로, 빗나가지 않고: go ~ to London 런던으로 직행하다 **5** 《구어》 솔직하게, 기탄없이; 사실 그대로, 객관적으로 **6** 《구어》 바르게, 정직하게 **7** 연달아서, 끊임없이: work ~ through Sunday 일요일도 쉬지 않고 일하다 **8** 정리하여, 정연하게: set a room ~ 방을 정리하다 **9** 《미·구어》 균일가로

go* ~** 《구어》 정직하게 살다; (마음을 바로잡고) 착실해지다, 갱생하다 ***hit* ~ *from the shoulder 〖권투〗 정면으로 때리다; 당당하게 맞서다[비평하다] ***play it* ~** 정직하게 하다, 속이지[농담하지] 않고 하다 ***ride* ~** 장애물을 넘어 말을 달리다 ***run* ~** 똑바로 달리다; 그릇된 일을 안하다 ***shoot*** [***hit***] **~** 명중시키다 ***~ away* = *~ off*** 《구어》 곧장, 척척 ***~ out*** 솔직하게 ***~ up*** [질문·대답에 써서] 《영·속어》 정말(로)

—*n.* **1** [the ~] 반듯함, 똑바름, 수평; 수직; 일직선: be out of the ~ 구부러져 있다 **2** [보통 the ~] 곧은 부분, (경기장 등의) 결승점 가까이의 직선 코스 **3** 《미·속어》 동성애가 아닌 사람; 마약을 쓰지 않는 사람 **4** 카드의 다섯 장 연달음 **5** [the ~] 《미·속어》 진리, 진상 ***on the* ~** 똑바로; 《속어》 정직하게 ***the ~ and narrow*** 옳은 행동; 단정한 품행

~·ly *ad.* **~·ness** *n.* ▷ stráighten *v.*

stráight Á *n., a.* 〈성적이〉 전과목 수(秀)(의), 올 A(의)

straight-a·head [stréitəhèd] *a.* 《미》 〈연주가〉 꾸밈 없는; 정통파의; 표준의, 보통의; 틀에 박힌

stráight àngle 평각(平角), 2직각 《180°; cf. RIGHT ANGLE》

straight-arm [-ɑ̀:rm] *vt., n.* 〖미식축구〗 팔을 쭉 뻗어 〈적을〉 밀어내다[냄]

stráight árrow 《미·구어》 고지식[정직]한 사람, 착실[고결]한 사람

straight-ar·row [-ǽrou] *a.* 고지식한, 견실한

straight·a·way [-əwèi] *a.* 일직선의; 즉시의

—*n.* (길·경주로의) 직선 (코스)

—*ad.* 《영》 즉시, 곧바로(right away)

straight·bred [-brèd] *n., a.* 순종(의)

stráight cháin 〖화학〗 직쇄(直鎖) 《원자의 결합이 일직선 상태인 연쇄》

stráight chàir 등받이가 높고 수직인 딱딱한 의자

straight-cut [-kʌ́t] *a.* 〈담배가〉 잎을 세로로 자른

straight·edge [-èdʒ] *n.* 직선 자

‡**straight·en** [stréitn] *vt.* **1** 똑바르게 하다, 곧게 하다 《*out*》: (~+目+副) ~ oneself *out* 몸을 꼿꼿이 세우다 **2** 정리[정돈]하다; 청산하다, 해결하다 《*out, up*》: (~+目+副) ~ *out* difficulties 어려운 일들을 해결하다 / *S~* (*up*) your room. 네 방을 말쑥하게 정돈해 놓아라. **3** 바른 사람이 되게 하다, 갱생시키다 《*out*》 **4** 《영·속어》 〈경찰관에게〉 뇌물을 쓰다 **5** 《속어》 …에게 마약을 주다

—*vi.* **1** 몸을 똑바르게 하다 《*up*》 **2** 정돈[정리]되다 《*out, up*》 **3** 〖항공〗 비행 자세가 수평이 되다

~ *out* 《미·구어》 해결하다; 똑바르게 하다[되다]; 분명히 하다, 정리하다 **~ *one's face*** 정색을 하다, 진

지한 태도를 취하다 **~ up** 똑바로 서다, 기립하다; 착실하게 살아가다 ▷ stráight *a.*
stráight éye 물건이 똑바르게 되어 있는지 분별하는 능력
stráight fáce (웃음을 참은) 무표정한 얼굴; 정색
straight-faced [stréitféist] *a.* 무표정한, 감정을 얼굴에 드러내지 않는
-fac·ed·ly [-féisədli, -féistli] *ad.*
stráight fíght 《영》 〖정치〗 두 후보자[당파]간의 결전
stráight flúsh 〖카드〗 같은 종류의 패 다섯 장 연속
∗**straight·for·ward** [strèitfɔ́ːrwərd] *a.* **1** 똑바른; 정직한, 솔직한; 직접의: a ~ gaze 직시(直視) **2** 〈일 등이〉 수월한, 간단한
—*ad.* 똑바로; 솔직히, 정직하게
~·ly *ad.* **~·ness** *n.*
straight·for·wards [strèitfɔ́ːrwərdz] *ad.* = STRAIGHTFORWARD
straight-from-the-shoul·der [strèitfrəmðəʃóuldər] *a.* 〈표현이〉 솔직한, 단도직입적인
stráight góods 《미·속어》 진실, 사실
stráight gráin 세로 나뭇결(cf. CROSS-GRAIN)
straight-grained [-gréind] *a.* 세로로 나뭇결이 있는
straight·jack·et [-dʒæ̀kit] *n.* = STRAITJACKET
straight-jet [-dʒèt] *a.* 〖항공〗 (프로펠러 없는) 순제트 분사식의
stráight jòb 《미·속어》 보통의 트럭
straight-laced [-léist] *a.* = STRAITLACED
stráight lífe insùrance 종신 생명 보험
straight-line [-láin] *a.* **1** 직선의; 〖기계〗 〈기계의 운전 부분이〉 일직선으로 배열된, 〈기계 장치가〉 직선 운동의 **2** 〖회계〗 (기(期)마다 같은 액수를 상각하는) 정액(定額) 방식의
stráight màn (희극 배우를 돕는) 조연역
stráight màtter 〖인쇄〗 본문 조판; (광고를 제외한) 본문 원고
straight-out [-áut] *a.* 《미·구어》 **1** 완전한, 철저한: a ~ Democrat 철저한 민주 당원 **2** 솔직한, 기탄없는, 단도직입적인
stráight pláy (음악 등이 없는) 대화극
stráight rázor (칼집에 접어 넣는) 면도칼
stráight shóoter 정직[고지식]한 사람, 견실[공정]한 사람
stráight tícket 《미》 〖정치〗 동일 정당의 후보자에게만 투표한 연기(連記) 투표; 그 용지
stráight tíme 규정 노동 시간; 규정 노동 시간에 대한 임금, 기본급
stráight típ (경마·투기 등에서) 믿을 만한 소식통에서 나온 정보
straight-to-vid·e·o [-təvídiou] *n.* (영화로 상연되는 일이 없는) 비디오 가게용 비디오
straight-up [-ʌ̀p] *a.* 《구어》 정직한, 성실한; 《미·구어》 〈위스키·칵테일 등이〉 얼음 없이 나오는
∗**straight·way** [stréitwèi] *ad.* 《고어》 즉시, 즉각, 당장에(at once); 일직선으로, 똑바로
stráight wín 〖스포츠〗 연승(連勝)
‡**strain**[1] [stréin] [L 「팽팽히 잡아당기다」의 뜻에서] *vt.* **1** 잡아당기다, 팽팽하게 하다: ~ a wire 철사를 잡아당기다 **2** 긴장시키다; 〈신체의 일부를〉 힘껏 작용시키다; 〈눈을〉 크게 뜨다, 〈귀를〉 기울이다: ~ one's ear(s) 열심히 귀를 기울이다 **3 a** (너무 써서) 상하게 하다, 무리를 하다: ~ one's eyes by reading too much 지나친 독서로 눈을 상하다 **b** (무리하여) 〈발·등 등을〉 아프게 하다, 〈힘줄을〉 결리게 하다, 삐다 ★ '발목·관절을 삐다'에는 sprain을 씀. **4** 〖기계〗 뒤틀게 하다, 변형시키다 **5** 〈법·의미를〉 왜곡하다, 곡해하다, 견강부회하다: ~ the meaning of a word 낱말의 뜻을 곡해[왜곡]하다 / ~ the truth 진실을 왜곡하다 **6** 〈권력 등을〉 남용하다, 기화로 삼다: ~ a person's good temper 사람 좋은 것을 이용하다 **7** 거르다; 걸러내다 《*out*, *off*, *through*》: ~ gravy 고깃국물을 거르다 // (~+목+전+명) ~ water *through* sand 모래로 물을 거르다 **8** 꼭 껴안다(hug): She ~*ed* her child close to her breast. 그녀는 아이를 품에 꼭 껴안았다. **9** 《폐어》 〈행위 등을〉 강요하다(constrain)
—*vi.* **1** (…을) 잡아당기다 《*at*》; 긴장하다 **2** (…을 얻으려고) 힘껏 노력하다, 애쓰다 《*after*, *for*, *to* do》: (~+전+명) ~ *after* happiness 행복을 얻으려고 노력하다 **3** 힘껏 참다 《*under*》, 용을 쓰다, (…에 대항하여) 힘을 넣다 《*against*》 **4** (…에) 거세게 반발하다, 저항하다 《*at*》 **5** 뒤틀리다, 변형되다 **6** 걸러지다, 여과하다(filter), 스며 나오다(ooze): (~+전+명) Hot springs ~ *through* the sandy soil. 온천물이 모래 흙에서 스며 나온다. **7** (…을) 주저하다, 주춤하다 《*at*》
~ after …에 열중하다, …을 얻으려고 애쓰다 **~ a point** 월권 행위를 하다; 지나친 양보를 하다; 제멋대로 해석하다 **~ at** …을 잡아당기다; …에 힘껏 노력하다; 악착같이 일하다 **~ courtesy** 예절에 구애되다 **~ every nerve** 전력을 쏟다 **~ one*self*** 무리를 하다[하여 건강을 해치다], 과로하다; 힘껏 노력하다 **~** a person **to** one**'s bosom** [**heart**] …을 꼭 껴안다
—*n.* **1** ⓊⒸ 팽팽함, 긴장 **2** ⓊⒸ (심신의) 긴장; 피로, 피곤, 과로; Ⓒ 큰 부담 《*on*》 **3** (무리한 사용으로 발·등 등을) 접질림, 삠 **4** ⓊⒸ 〖물리〗 스트레인, (응력) 변형((應力)變形) **5** 크게 애씀, 노력, 분투 **6** 유창한 변설
at full ~ = ***on the ~*** 긴장하여 ***stand the ~*** (큰) 부담에 견디다 ***under the ~*** 긴장[과로]한 탓으로
strain[2] *n.* **1** 종족, 혈통, 가계(家系); 〖생물〗 계통: of a good ~ 혈통이 좋은 **2** 변종(變種), 품종(品種) **3** [a ~] (성격의) 특징, 기질, 경향, 기미(氣味); (유전적) 소질 《*of*》 **4** 어조, 어투, 말투: in a solemn ~ 엄숙한 어조로 **5** [종종 *pl.*] 《문어》 곡, 선율; 시, 노래
strained [stréind] *a.* **1** 팽팽한, 긴장한 **2** 부자연스러운, 억지의: a ~ laugh 억지웃음 **3** 접질린, 삔 **4** 지른, 걸러낸
strain·er [stréinər] *n.* **1** 잡아당기는 사람; 긴장한 사람 **2** 거르는 사람; 거르는 기구 《여과기·체 등》
stráin gàuge 변형계 **1** 〖기계〗 기계·구조물의 재료의 변형을 측정하는 기구 **2** 〖지질〗 지구물리학적으로 쓰이는 측정 기구
stráin hàrdening 〖야금〗 변형 경화
stráin·ing pìece [stréiniŋ-] 이중 대들보
strain·me·ter [stréinmìːtər] *n.* = STRAIN GAUGE
‡**strait** [stréit] *n.*, *a.*

> OF 「좁은 곳」의 뜻에서
> ┌→「해협」 **1**
> └→(답답한 곳)→「곤경」 **2**

—*n.* **1 a** 해협 ★ 지명에 붙을 때는 종종 *pl.*: the *S*~(*s*) of Dover 도버 해협 / the Bering *S*~ 베링 해협 **b** [the S~s] (원래는) Gibraltar 해협; (지금은) Malacca 해협 **2** [*pl.*] 곤경, 궁핍, 난국, 곤란: be in great ~*s* 몹시 고생하다, 곤경에 빠져 있다 **3** 《고어》 좁은 통로[장소] ***in dire ~s*** 곤경에 빠져
—*a.* 《고어》 **1** 좁은, 갑갑한 **2** 엄중[엄격]한, 까다로운 **3** 《폐어》 곤란한, 궁핍한 ***the ~ gate*** 〖성서〗 좁은 문 《마태복음 7: 14》 **~·ly** *ad.* **~·ness** *n.*
▷ stráiten *v.*
strait·en [stréitn] *vt.* **1** [보통 수동형으로] (특히 재정적으로) 곤란받게 하다, 난처하게 하다; 고생시키다 (⇨ straitened) **2** 《고어》 제한하다; 좁히다
strait·ened [stréitnd] *a.* Ⓐ 《문어》 (전보다) 궁핍한, (돈에) 쪼들리는: be ~ for[in] money 돈이 없어서 곤란에 쪼들리다 / His family was living in ~ circumstances. 그의 가족은 궁핍한 환경 속에서 살고 있었다.
strait·jack·et [stréitdʒæ̀kit] *n.* (미친 사람·광포한 죄수에게 입히는) 구속복; 엄중한 속박[단속]
—*vt.* …에게 구속복을 입히다; 구속하다
strait·laced [-léist] *a.* 엄격한, 딱딱한
Stráits Séttlements [the ~] (옛 영국령) 동남아시아의 해협 식민지

strait-waist·coat [stréitwéistkòut] *n.* 《영》 = STRAITJACKET
strake [stréik] *n.* 〖항해〗 뱃전판(의 폭); (수레의) 바퀴쇠
stra·min·e·ous [strəmíniəs] *a.* 짚 빛의, 담황색의; 《고어》 짚의, 짚 같은
stra·mo·ni·um [strəmóuniəm] *n.* 〖식물〗 가시독말풀 《그 말린 잎과 열매는 진통·천식약》
strand[1] [strǽnd] *vt.* **1** 좌초시키다 **2** [보통 수동형으로] 오도 가도 못하게 하다; 〈사람을〉 무일푼이 되게 하다: (~+목+보) He *was* ~*ed* penniless. 그는 무일푼이 되었다. **3** 〖야구〗 〈주자를〉 잔루시키다
— *vi.* 좌초하다; 오도 가도 못하게 되다
— *n.* 《시어》 물가, 해변
strand[2] *n.* **1** (새끼의) 가닥, 외가닥으로 꼰 끈; (머리털의) 술 **2** 요소, 성분 — *vt.* (새끼의) 꼰 가닥을 끊다; 꼬다
Strand [strǽnd] *n.* [the ~] (London의) 스트랜드가(街)
strand·ed [strǽndid] *a.* [보통 복합어를 이루어] 몇 가닥[종류]의 밧줄을 하나로 꼰: a five-~ rope 다섯 가닥으로 꼰 밧줄 **~·ness** *n.*
strand·er [strǽndər] *n.* 새끼 꼬는 기계
stránd lìne 해안선, 연안선
‡strange [stréindʒ] *a.*, *ad.*

L 「바깥의」의 뜻에서
(외국의)→(미지의)→「이상한」→「보지도 듣지도 못한」

— *a.* **1** 이상한, 야릇한, 묘한, 색다른, 별스러운; 예상 밖의: a ~ accident 이상한 사건

유의어 **strange** 이상하고 기묘함을 나타내는 가장 일반적인 말이다: a *strange* experience 이상한 경험 **odd** 보통 것과 다르므로 기묘하게 느껴지는: an *odd* custom 기묘한 습관 **queer** 표준·규준에서 벗어나서 색다른: *queer* in the head 머리가 이상한 **curious** 사람의 호기심을 유발할 정도로 별난: a *curious* fellow 별난 녀석

2 〈사람·장소가〉 모르는, 미지의, 낯선, 눈[귀]에 선: a ~ face 낯선 얼굴 **3** (…에) 익숙하지 못한, 생소한, 미숙한 《*to, at*》: I am quite ~ here[*to* this place]. 여기는 처음 와 보는 곳이다. **4** 서먹서먹한, 마음을 터놓지 않는 **5** 《고어》 외국의, 이국(異國)의: ~ religions 외래 종교 **6** 〖물리〗 〈소립자가〉 다른 성질을 갖는
It feels ~. 몸이 좀 이상하다; 생소한 느낌이 든다. ***make*** one***self ~*** 모르는 사람인 체하다; 모르는 체하다 ***~ as it may sound*** 이상하게 들리겠지만 ***~ to say***[***tell***] 이상한 이야기지만
— *ad.* 《구어》 이상하게, 묘하게; 서먹하게: act ~ 이상한 행동을 하다 / ~-clad 이상한 옷차림의
▷ strángely *ad.*
stránge bìrd 《구어》 괴짜, 기인
Strange·love [stréindʒlʌ̀v] [영화 주인공 이름에서] *n.* [종종 Dr. ~] 전면 핵전쟁 추진론자
‡strange·ly [stréindʒli] *ad.* 이상하게, 기묘하게도, 색다르게; 서먹서먹하게; [문장 전체를 수식하여] 이상하게도: *S*~ (enough), crickets do not fly. 이상하게도 귀뚜라미는 날지 않는다.
strange·ness [stréindʒnis] *n.* **1** 이상함 **2** 〖물리〗 스트레인지니스 《소립자 상태를 규정하는 양자수(量子數)》
stránge párticle 〖물리〗 스트레인지 입자 《스트레인지니스가 0이 아닌 입자》
stránge quárk 〖물리〗 스트레인지 쿼크 《전하 $-1/3$, strangeness −1을 갖는 쿼크》
‡stran·ger [stréindʒər] *n.* **1** 낯선 사람, 모르는 사람, 남: an utter ~ 생판 모르는 사람 / He is a ~ to me. 나는 그를 모른다. **2 a** (장소 등에) 생소한 사람 《*to*》 **b** (…에) 익숙지 못한 사람, (…의) 생무지, 문외한, 무경험자 《*to*》 **c** 신참자 **3 a** 손님, 방문자 **b** 《고어·문어》 외국인 **4** 〖법〗 제삼자
be no ~ to …을 (잘) 알고 있다 ***I spy***[***see***] ***~s.*** 《영》 (하원에서) 방청 금지를 요구합니다. ***make a***[***no***] ***~ of*** …을 쌀쌀하게[따뜻이] 대하다 ***the little ~*** 갓난아이 ***You are quite a ~.*** 정말 오래간만이다.
stránger ràpe 낯선 사람에 의한 강간
strángers' gállery [the ~] (의회의) 방청석
stránge wóman 〖성서〗 창녀 《잠언 5 : 3》
***stran·gle** [strǽŋgl] *vt.* **1** 목졸라 죽이다, 질식시키다(choke, suffocate); 〈칼라 등이〉 〈목을〉 조르다, 죄다: (~+목+전+명) ~ a person *to* death …을 교살하다 // This collar is almost *strangling* me. 이 칼라는 너무 낀다. **2** 억제[억압]하다(suppress), 〈의안 등을〉 묵살하다, 〈하품 등을〉 참다: ~ a yawn 하품을 참다
— *vi.* 질식(사)하다 **strán·gler** *n.* **strán·gling·ly** *ad.*
stran·gled [strǽŋgld] *a.* (소리·외침 등이) 숨이 막히는[가쁜]: a ~ cry 숨 가쁜 비명
stran·gle·hold [strǽŋglhòuld] *n.* **1** 〖레슬링〗 목 조르기 《반칙》 **2** 활동[발전]을 저해하는 것; 완전한 지배
stran·gles [strǽŋglz] *n. pl.* [보통 단수 취급] 〖수의학〗 (말 등의) 선역(腺疫), 전염성 카타르; 디스템퍼(distemper)
stran·gu·late [strǽŋgjulèit] *vt.* = STRANGLE; 〖병리〗 〈혈행(血行)을〉 괄약(括約)하다
— *vi.* 〖병리〗 〈혈행이〉 괄약되다
stran·gu·lat·ed [strǽŋgjulèitid] *a.* **1** 〖의학〗 (몸이) 꽉 조인, 압착된 **2** 《문어》 (목소리가) 숨이 가쁜[막히는]: He gave a ~ squawk. 그는 꽥 하고 숨막히는 소리를 질렀다.
stran·gu·la·tion [stræ̀ŋgjuléiʃən] *n.* Ⓤ 교살; 질식(사); 〖병리〗 감돈(嵌頓), 괄약, 협착(狹窄)
stran·gu·ry [strǽŋgjuri] *n.* Ⓤ 〖병리〗 유통성(有痛性) 배뇨 곤란
‡strap [strǽp] *n.* **1 a** 가죽끈, 혁대 **b** (전차 등의) 가죽 손잡이 **2** 가죽숫돌(razor strop) **3** (손목시계의) 가죽 줄 **4** [the ~] (가죽끈으로의) 징계, 채찍질 **5** 견장(肩章) **6** 〖기계〗 쇠띠, 피대 **7** 〖식물〗 소설편(小舌片) **8** (미·속어) (공부는 안하고) 운동만 열심히 하는 학생 **9** (영·속어) 신용
on (***the***) ***~*** (영·속어) 외상으로(on credit)
— *vt.* (**~ped**; **~·ping**) **1** 가죽끈으로 잡아 매다 《*up, in*》, …에 가죽끈을 달다 《*on, to, with*》: (~+목+부) (~+목+전+명) ~ oneself *in with* a seat belt 좌석 벨트로 몸을 고정시키다, 안전벨트를 매다 **2** 가죽끈으로 벌주다[때리다] **3** 가죽숫돌로 〈칼을〉 갈다 **4** 《영》 〖외과〗 …에 반창고를 붙이다 《*up*》(《미》 tape) **5** 《영·구어》 …이 부족하여 곤란하게 하다 **~·lìke** *a.*
strap·hang [-hæ̀ŋ] *vi.* 손잡이끈을 잡다, (버스·지하철 따위로) 통근하다 **stráp·hàng·ing** *n.*
strap·hang·er [-hæ̀ŋər] *n.* 《구어》 (전차 등에서) 손잡이끈을 잡고 선 사람
strap·less [strǽplis] *a.* 〈드레스 등이〉 어깨끈이 없는
strap·line [-làin] *n.* (신문 등의) 소제목, 소표제
strap-oil [-ɔ̀il] *n.* 《속어》 채찍질, 매질
strap-on [-ɔ̀:n | -ɔ̀n] *a.* (우주선 외부에) 부착하는
— *n.* 부착식 보조 로켓 엔진
strap·pa·do [strəpéidou, -pɑ́:-] *n.* (*pl.* **~**(**e**)**s**) ⓊⒸ 매다는 형벌 《죄인을 묶어 매달아 올렸다 갑자기 떨어뜨리는》; 그 형틀
strapped [strǽpt] *a.* **1** 《구어》 〈사람·단체가〉 (돈 등으로) 곤궁한, 한 푼 없는 《*for*》 **2** 가죽끈으로 맨 **3** (미·속어) 총을 지닌
strap·per [strǽpər] *n.* **1** 가죽끈으로 매는 사람[것]; 마부 **2** 《구어》 크고 건장한 사람
strap·ping [strǽpiŋ] *n.* Ⓤ **1** 가죽끈 재료; 가죽끈; ⓊⒸ 가죽끈으로 때리기 **2** 〖의학〗 반창고; 띠 모양의 고약 — *a.* Ⓐ 《구어》 키가 크고 건장한; 〈거짓말 등이〉 엄청난
strap·py [strǽpi] *a.* (**-pi·er**, **-pi·est**) 《구어》 (신발·옷 따위에) 가죽끈이 달린

strap·work [strǽpwə̀ːrk] *n.* 〖건축〗 띠무늬, 띠장식; 끈 모양의 세공

strass [strǽs] *n.* Ⓤ (모조 보석 제조용) 납유리

*__stra·ta__ [stréitə, strǽtə | strɑ́ː-] *n.* STRATUM의 복수

*__strat·a·gem__ [strǽtədʒəm] [Gk 「군대를 인솔하다」의 뜻에서] *n.* ⓊⒸ 전략, 군략(軍略); 책략, 술책(cf. TACTICS) ▷ stratégic, stratégical *a.*

stra·tal [stréitl | strɑ́ːtl] *a.* 층의, 지층의

*__stra·te·gic__ [strətíːdʒik] *a.* 전략의, 전략상의, 전략적인; 전략상 중요한[필요한], 계략의: a ~ base [point] 전략 기지[거점] / ~ bombing 전략 폭격 / ~ materials 전략 물자 / a ~ retreat 전략적 후퇴

stra·te·gi·cal [strətíːdʒikəl] *a.* = STRATEGIC **~·ly** *ad.*

Stratégic Áir Commànd 《미》 전략 공군 사령부 《略 SAC》

Stratégic Árms Limitátion Tàlks [the ~] 전략 무기 제한 회담 《略 SALT》

Stratégic Árms Redúction Tàlks [the ~] 전략 무기 감축 협상 《略 START》

Stratégic Defénse Initiative [the ~] 전략 방위 구상 《미국의 우주 방위 전략; 속칭 스타워즈 계획(Star Wars Program); 略 SDI》

stratégic mánagement 〖경영〗 전략적 경영

stra·te·gics [strətíːdʒiks] *n. pl.* [단수 취급] = STRATEGY 1

stratégic tríad 〖미군〗 핵전략 삼위일체 《육지의 대륙간 탄도탄(ICBM), 바다의 잠수함 발사 탄도탄(SLBM) 및 하늘의 전략 폭격기》

strat·e·gist [strǽtədʒist] *n.* 전략[전술]가; 책사, 모사

strat·e·gize [strǽtədʒàiz] *vi.* 《미》 전략[작전]을 짜다, 빈틈없이 계획하다

*__strat·e·gy__ [strǽtədʒi] [Gk 「(군대를 이끄는) 장군임」의 뜻에서] *n.* (*pl.* **-gies**) **1** 전략, 전술, 병법(strategics)

> 유의어 **strategy** 전체의 작전 계획: a military *strategy* 군사 전략 **tactics** 개개의 전투 용병: the *tactics* of surrounding enemy 적을 포위하는 전술

2 (목적 달성을 위한) 계략, 술수; 계획, 방책, 방법 《*for, of*》

Strat·ford-on-A·von [strǽtfərdɑnéivən | -ɔn-] *n.* 스트래트퍼드 온 에이븐 《영국 Warwickshire주의 남서부에 위치한 도시; Shakespeare의 출생지이자 매장지》

strath [strǽθ] *n.* 《스코》 큰 골짜기

Strath·clyde [stræθkláid] *n.* 스트래스클라이드 《1975년 신설된 스코틀랜드 남서부의 주; 주도 Glasgow》

strath·spey [stræθspéi, ㅅ-] *n.* 스코틀랜드의 쾌활한 춤; 그 곡

stra·ti [stréitai] *n.* STRATUS의 복수

strat·i·fi·ca·tion [strӕtəfikéiʃən] *n.* ⓊⒸ **1** 〖지질〗 성층(成層), 층리(層理) **2** 〖사회〗 사회 성층; 계층화, 계급화 **~·al** [-ʃənl] *a.*

stratificátional grámmar 〖언어〗 성층(成層) 문법

strát·i·fied chàrge éngine [strǽtəfàid-] 성층 연소(成層燃燒) 엔진

strátified sámple 〖통계〗 층화(層化) 추출 표본

strat·i·form [strǽtəfɔ̀ːrm] *a.* 층을 이룬, 층상(層狀)의; 〖지질〗 성층의, 층리의

strat·i·fy [strǽtəfài] *v.* (**-fied**) *vt.* **1** …에 층을 형성시키다, 층상(層狀)으로 하다: *stratified* rock 성층암, 수성암 **2** 〈종자를〉 흙의 층 사이에 놓다 **3** 〖사회〗 〈사회 등을〉 계층화하다, 계급으로 나누다 — *vi.* **1** 층을 이루다 **2** 〖사회〗 〈사회 등이〉 계층화되다, 계급으로 나누어지다 **3** 〖지질〗 층을 형성하다, 층리를 이루다

stra·tig·ra·phy [strətígrəfi] *n.* Ⓤ 〖지질〗 층위(層位); 층위학

strato- [strǽtou, -tə, stréit-] 《연결형》 「층운(層雲); 성층권」의 뜻

stra·to·cir·rus [strèitousírəs] *n.* (*pl.* **-ri** [-rai]) 권층운(卷層雲)

stra·toc·ra·cy [strətɑ́krəsi | -tɔ́k-] *n.* Ⓤ 군정, 군인 정치, 무단(武斷) 정치

Strat·o·cruis·er [strǽtoukrùːzər] *n.* 성층권용 비행기 《미국 Boeing 회사제; 상표명》

stra·to·cu·mu·lus [strèitoukjúːmjuləs, strӕt-] *n.* (*pl.* **-li** [-lài]) 층적운(層積雲) 《略 Sc》

strat·o·pause [strǽtəpɔ̀ːz] *n.* 〖기상〗 성층권 계면(界面) 《성층권과 전리층 사이》

strat·o·plane [strǽtəplèin] *n.* 성층권 비행기

strat·o·sphere [strǽtəsfìər] *n.* [the ~] **1** 〖기상〗 성층권(isothermal region) 《대류권(troposphere) 위의 대기층》 **2** 고도로 추상적[실험적]인 영역: *the* ~ of modern art 모던 아트라는 가장 추상적인 분야 **3** (물가 등의) 천정, 상한(上限); (계급 등의) 최상층

strat·o·spher·ic, -i·cal [strӕtəsfíərik(əl) | -sfér-] *a.* 성층권의: a ~ flying 성층권 비행

strat·o·vi·sion [strǽtəvìʒən] *n.* Ⓤ 성층권 텔레비전[FM] (중계) 방송

*__stra·tum__ [stréitəm, strǽt- | strɑ́ːt-] [L 「펴진 것」의 뜻에서] *n.* (*pl.* **-ta** [-tə], **~s**) **1** 〖지질〗 지층; 층 **2** 〖사회〗 층, 계급

stra·tus [stréitəs, strǽt- | stréit-] *n.* (*pl.* **-ti** [-tai]) 〖기상〗 층운(層雲)

Strauss [stráus] *n.* 슈트라우스 **Johann ~** (1825-99) 《오스트리아의 작곡가》

stra·vage, -vaig [strəvéig] *vi.* **1** 《주로 스코》 정처없이 거닐다, 빈들빈들 돌아다니다(roam) **2** 산책하다(saunter, stroll)

Stra·vin·sky [strəvínski] *n.* 스트라빈스키 **Igor Fëdorovich** (1882-1971) 《러시아 태생의 미국 작곡가》 **-ski·an** *a.*

‡**straw** [strɔ́ː] *n.* **1 a** Ⓤ [집합적] 짚, 밀짚 **b** 짚 한 오라기 **c** (음료를 마시는) 스트로, 빨대 **2** 밀짚모자(=~ hat): a man in white ~ 흰 밀짚모자를 쓴 사람 **3** 하찮은 것; 조금 **4** 담황색

a man of ~ 짚으로 만든 인형, 허수아비; 재산 없는 사람; 간판으로 내세운 사람; 가공인물, 가상의 적 ***a ~ in the wind*** 바람 부는 방향[여론, 대세]을 나타내는 것 ***as a last ~*** 잇단 불행 끝에 ***A ~ shows which way the wind blows.*** 한 잎의 낙엽으로 가을이 왔음을 안다. ***catch*** [***clutch, grasp***] ***at a ~*** [***~s***] 지푸라기라도 잡으려 하다 ***do not care a ~*** [***two ~s, three ~s***] 조금도 개의치 않다 ***draw ~s*** 짚(으로 하는) 제비를 뽑다 ***in the ~*** (1) 《고어》 산욕(産褥)에 누워 있는 (2) 아직 타작하지 않은 ***make bricks without ~*** ⇨ brick. ***not worth a ~*** 한 푼의 가치도 없는 ***out of ~*** 《고어》 해산이 끝나서 ***the last ~*** (그것 때문에 갑자기 견디지 못하게 되는) 최후의 매우 작은 부담: It's *the last* ~ that breaks the camel's back. 《속담》 작은 짐이라도 한도를 넘으면 낙타 등을 부러뜨린다. ***throw ~s against the wind*** 불가능한 일을 시도하다

— *a.* Ⓐ **1** 짚의, 짚으로 만든; 짚 빛의, 담황색의 **2** 《미》 가치 없는; 가짜의: a ~ bid 공입찰

~·less *a.* **~·like** *a.* ▷ stráwy *a.*

*__straw·ber·ry__ [strɔ́ːbèri, -bəri | -bəri] *n.* (*pl.* **-ries**) 〖식물〗 딸기, 양딸기 《식물 또는 열매》; Ⓤ 딸기색 ***crushed ~*** 흐린 진홍색

stráwberry blónde 불그스름한 금발 머리의 여자

stráwberry jàr 옆면에 재배용 식물을 꽂는 포켓 모양의 구멍이 있는 대형 도기 화분

stráwberry léaves [모자에 딸기잎 장식을 단 데서] [the ~] 《영》 (duke, marquis, earl 등의) 고위 귀족의 지위[신분]

stráwberry màrk 〖병리〗 딸기 모양의 혈관종(腫)
stráwberry róan 흰 털이 섞인 붉은 말
straw·board [strɔ́:bɔ̀:rd] *n.* Ⓤ 마분지
stráw bòss 《미·구어》 감독 조수; 실권 없는 상사
stráw càt 《미·속어》 수확기의 뜨내기 노동자
stráw còlor (밀)짚 빛, 담황색
straw-col·ored [-kʌ̀lərd] *a.* 짚 빛[담황색]의
straw·flow·er [-flàuər] *n.* 〖식물〗 건조화, 《특히》 깔깔이국화
stráw hàt 밀짚모자, 맥고모자
straw·hat [-hæ̀t] 《미》 *n.* 지방 순회 하기(夏期) 극장(= ~ **thèater**) — *a.* 하기 극장의
stráw mán **1** (허수아비 등의) 밀짚 인형 **2** 위증자(僞證者) **3** 하찮은 사람[물건, 논의]
stráw plàit (엮은) 납작한 밀짚 끈 《맥고모자 등의 재료》
stráw vòte[pòll] 《미》 비공식 여론 조사
stráw wédding 고혼식(藁婚式) 《결혼 2주년 기념》
straw·worm [-wə̀:rm] *n.* = JOINTWORM
straw·y [strɔ́:i] *a.* (**straw·i·er**; **-i·est**) 짚의, 짚 같은, 짚으로 만든; 짚으로 인; 하찮은

‡**stray** [stréi] [L 「밖으로 방황해 나오다」의 뜻에서] *vi.* **1** 길을 잃다, 옆길로 빗나가다, 일행에서 처지다[탈락하다]; 헤매다, 방황하다(wander) 《*away, off; from*》: (~+副) (~+前+名) The puppy has ~*ed off from* the kennel. 강아지가 개집에서 나가 길을 잃었다. **2** (옳은 길에서) 빗나가다(deviate), 나쁜 길에 빠지다, 타락하다 《*from*》 **3** 〈생각·논의 등이〉 (…에서) 탈선하다, 빗나가다 **4** 〈손·눈 등이〉 무의식적으로 움직이다 **5** 〈머리카락이〉 헝클어지다
~ *apart* 서로를 못 찾고 헤매다, 서로 헤어지다
— *a.* Ⓐ **1 a** 길 잃은, 헤매는, 방황하는: a ~ sheep 길 잃은 양 **b** 벗어난, 빗나간: a ~ bullet 유탄(流彈) **c** 〈머리카락이〉 헝클어진 **2** 산재하는; 가끔 일어나는, 홀연히 나타나는
— *n.* **1** 길 잃은 사람[가축] **2** 미아(迷兒); 부랑인 **3** [*pl.*] 상속자가 없기 때문에 국가에 귀속되는 유산 **4** [*pl.*] 〖통신〗 공전(空電)(atmospherics)
waifs and ~s ⇨ waif. **~·er** *n.*

‡**streak** [strí:k] [OE 「선(線)」의 뜻에서] *n.* **1** 줄, 줄무늬, 선 **2** (비계 등의 얇은) 층, 광맥; 〖광물〗 조흔(條痕) **3** [보통 a ~] 경향, 기미, (…한) 느낌 **4** 《구어》 잠시, (단)시간(spell); 연속(series): be on a winning [losing] ~ 연전연승[연패]하다 **5** 번개, 광선: ~*s* of lightning 번갯불 **6** 《미·구어》 스트리킹(streaking): do a ~ 스트리킹하다 **7** 《구어》 깡마른 사람
There is ***a yellow ~*** in him. (그에게는) 비겁[나약]한 점(이 있다.) ***have a ~ of*** …의 기미가 있다; 잠깐 …이 계속되다 ***like a ~ (of lightning)*** 번개같이, 전광석화처럼; 《미·속어》 전속력으로 ***make a ~ for*** …을 향하여 서두르다
— *vt.* **1** [보통 수동형으로] 줄무늬를 넣다, 줄을 긋다: (~+名+前+名) a necktie ~*ed with* blue 푸른 줄무늬가 있는 넥타이 **2** (공공장소에서) 스트리킹하다
— *vi.* **1** 줄(무늬)지다 **2** 번개처럼 달리다, 질주하다 **3** 《구어》 스트리킹하다, 벌거벗고 대중 앞을 달리다
~·like *a.*
stréak càmera 스트리크 카메라 《고속 현상 촬영용》
streaked [strí:kt] *a.* 줄(무늬)가 있는; 《미·구어》 불안한; (병·걱정 등으로) 괴로워하는, 건강을 해친 ▷ stréaky *a.*
streak·er [strí:kər] *n.* 스트리커 《벌거벗고 대중 앞을 달리는 사람》
streak·ing [strí:kiŋ] *n.* Ⓤ 스트리킹 **1** 알몸으로 대중 앞을 달리기 **2** (표백제 등에 의한) 모발 탈색
stréak plàte 〖광물〗 조흔판(條痕板)
streak·y [strí:ki] *a.* (**streak·i·er**; **-i·est**) **1** 줄(무늬) 있는, 줄무늬진; 〈베이컨 등이〉 (지방)층이 있는 **2** 한결같지 않은; 성마른, 신경질적인
stréak·i·ly *ad.* **stréak·i·ness** *n.*

‡**stream** [strí:m] *n.* **1** 흐름, 내, 시내, 개울(⇨ river[1] 유의어) **2** 유출, 분류(奔流) **3** [the ~] **a** 흐름의 방향, 추세, 풍조: *the* ~ of opinion 여론의 동향 **b** 경향 **4** (사람·사물의) (잇단) 흐름, 사람[물건]의 물결 《*of*》; 연속, 계속: an endless ~ *of* cars 끝없이 이어지는 자동차의 물결 **5** 《영》 〖교육〗 능력별 학급[코스] **6** 《영》 (도로의) 차로(lane)
down (the) ~ 흐름을 따라, 하류로 ***go with [against] the ~*** 흐름[시류]을 따르다[거스르다] ***in a ~*** = ***in ~s*** 속속, 계속하여 ***in the ~*** 흐름의 한가운데에; 시대 조류에 밝은 ***on ~*** 〈공장 등이〉 생산하고 있는, 조업 중인 ***~ of consciousness*** 〖심리〗 의식의 흐름 ***the ~ of times*** 시대의 조류, 시류, 풍조 ***up (the) ~*** 상류로
— *vi.* **1** 흐르다, 흘러가다, 흘러나오다(pour out): (~+前+名) A brook ~*s by* our house. 시내가 우리집 옆을 흐른다. **2** 〈눈물 등이〉 흘러내리다 《*down*》: (~+副) (~+前+名) A flood of tears ~*ed down* from her eyes. 눈물이 그녀의 눈에서 넘쳐흘렀다. **3** 〈빛 등이〉 비치다, 흐르다 **4** 잇달아 나오다, 끊임없이 계속되다: (~+前+名) Workmen ~*ed from* the factory. 노동자들이 줄줄이 공장에서 나왔다. **5** 〈깃발 등이〉 펄럭거리다; 〈머리카락 등이〉 치렁치렁 늘어지다, 나부끼다: (~+前+名) Her long hair ~*ed over* her shoulders. 그녀의 긴 머리카락이 어깨에 치렁치렁 늘어져 있었다.
— *vt.* **1** 흘리다, 흘러나오게 하다, 유출시키다: His eyes ~*ed* tears. 그의 눈에서 눈물이 흘러나왔다. **2** 〈깃발 등을〉 나부끼게 하다 **3** (…의) 흐름으로 덮다, 넘쳐 흐르게 하다 《*with*》: (~+名+前+名) I was much ~*ed with* perspiration. 나는 땀을 흠뻑 흘렸다. **4** 《영》 〈학생을〉 능력별로 편성하다 **5** 〖광산〗 세광(洗鑛)하다 **6** 〖컴퓨터〗 〈영상·음악 파일를〉 인터넷에서 다운로드와 동시에 재생하다
~·ing *n.* Ⓤ 〖컴퓨터〗 스트리밍 (방식) **~·less** *a.* **~·like** *a.* ▷ stréamy *a.*
stream·bed [strí:mbèd] *n.* 하상(河床), 강바닥
***stream·er** [strí:mər] *n.* **1 a** 흐르는 것 **b** 기(旗)드림 **2** 펄럭이는 장식, 장식 리본 **3** (기선이 출발할 때 사용하는) 테이프 **4** 가늘고 긴 나뭇가지 **5** (북극광 등의) 사광(射光), 유광(流光); [*pl.*] (일식(日蝕) 때 보이는) 코로나의 광휘 **6** 《미》 신문의 상부 전단 표제(banner)
stream·flow [strí:mflòu] *n.* 하천을 흐르는 물; 그 유량[속도]
stream·ing [strí:miŋ] *n.* **1** Ⓤ 흐름 **2** 〖생물〗 (세포 내의) 원형질 유동 **3** 《영》 〖교육〗 능력별 학급 편성 (《미》 tracking)
stream·let [strí:mlit] *n.* 작은 개천[시내], 개울
stream·line [strí:mlàin] *n.* 유선(流線); 유선형
— *a.* Ⓐ 유선형의 — *vt.* 유선형으로 만들다; 능률적으로 하다, 합리화하다
***stream·lined** [strí:mlàind] *a.* **1** 유선형의(streamline), 날씬한: a ~ racing car 유선형의 경주용 자동차 **2** 능률적인; 간결한 **3** 최신식의, 현대적인: a ~ kitchen 최신식 부엌
stréamline flów 층(層)흐름, 층류(層流) 《액체가 일정한 속도이거나 규칙적으로 변하면서 흐르는 안정된 액체의 흐름》
stream·lin·er [-làinər] *n.* 유선형 열차[버스]
stream-of-con·scious·ness [-ʌvkɑ́nʃəsnis | -kɔ́n-] *a.* 〈소설이〉 의식의 흐름의 기법을 사용한
stream·side [-sàid] *n.* 강기슭, 강가
stréam wàlker 하천 감시자 《환경 보호주의자》
stream·way [-wèi] *n.* (강의) 유상(流床); (강의) 주류
stream·y [strí:mi] *a.* (**stream·i·er**; **-i·est**) 《시어》 시내[개울]가 많은; 시내처럼 흐르는; 빛을 발하는
stréam·i·ness *n.*

‡**street** [strí:t] [L 「포장된 (도로)」의 뜻에서] *n.* **1 a**

thesaurus **strength** *n.* **1** 힘 power, might, force, vigor **2** (정신적인) 힘 fortitude, courage, bravery **3** 강점 advantage, asset, strong point

거리, 가로(街路), 시가 **b** …가(街), …로(路) ★ 보통 St.라 쓰고, 문장의 강세는 없음: Oxford *St.* 옥스퍼드가 **c** (보도와 구별한) 차도, 도로, 길거리: Don't play in the ~. 차도에서 놀아서는 안 된다.

> [유의어] **street** 거리 양쪽에 건물이 줄지어 서 있는 도로: a shopping *street* 상점가 **road** 도시와 도시를 연결하는 (차의 통행을 위한) 도로: a main *road* 간선 도로 **avenue** 넓은 street로서 대개는 가로수가 있는 거리: Fifth *Avenue* is one of New York City's most famous streets. 5번가는 뉴욕 시에서 가장 유명한 거리 중의 하나이다. **boulevard** 도시의 넓은 가로수 길로서 중앙 안전지대가 있는 경우도 있음: Hollywood *Boulevard* is lined with palm trees. 할리우드 대로에는 야자수들이 늘어서 있다.

2 [the ~] 큰 거리, 번화가; (상업 등의) 중심 지구 **3** [the ~; 집합적] 거리의 사람들 **4** [the S~] **a** 《영·구어》 = FLEET STREET, LOMBARD STREET; 《미·구어》 = WALL STREET **b** 《미·구어》 (극장·오락 시설이 많은) 환락가, 유흥가 **5** 《폐어》 가도(街道)
be on the ~s 집이 없다; 매춘부 생활을 하다 ***high ~*** = 《미》 ***main ~*** 큰 거리, 번화가 ***live in the ~*** 외출을 자주 하다 ***live*** [***go***] ***on the ~s*** 매춘부 생활을 하다[하게 되다] ***not in the same ~ with*** 《구어》 …와 비교할 바가 못 되는 ***on*** [《영》 ***in***] ***the ~*** [***~s***] (1) 거리에서 (2) 실직하여; 부랑 생활을 하여 (3) 《미·속어》 출옥하여, 자유의 몸이 되어 (4) 주식 거래를 거래 시간 후에 매매하는 ***~s ahead of*** 《영·구어》 …보다 훨씬 뛰어난[우수한] ***~s paved with gold*** 금으로 포장된 거리 《돈 벌기 쉬워 보이는 곳》 ***the man in*** [《미》 ***on***] ***the ~*** 보통 사람; 아마추어(opp. *expert*) ***up*** [***down***] one***'s ~*** 《구어》 제 취미[능력]에 맞아 ***walk the ~s*** = be on the STREETS. ***woman of the ~s*** 밤거리의 여인, 매춘부
— *a.* Ⓐ **1** 거리[가로]의: a ~ map[plan] 시가도(市街圖) **2** 〈옷이〉 외출용의; 거리에 어울리는
~·er *n.* 《미·속어》 노숙자, 집 없는 사람

stréet acàdemy 《미》 (빈민가에 설립한) 고등학교 중퇴자를 위한 학교
stréet àrab [종종 **S- A-**] 집 없는 아이, 부랑아
stréet bànd 가두 악대(German band)
street·board [-bɔ̀ːrd] *n.* 스트리트보드 《길거리에서 타는 보드》(Snakeboard) **~·ing** *n.*
stréet bròker (주식의) 장외(場外) 거래인
‡**street·car** [stríːtkɑ̀ːr] *n.* 《미》 시내 전차(《영》 tram)
street-cast·ing [-kæ̀stiŋ] *n.* 《미·속어》 배우[모델]로 아마추어를 기용하는 일
stréet Chrìstian 《미》 거리의[방랑] 그리스도교인 《1960년대에 교회보다는 사회적·공동체적 활동에 신앙 생활의 중심을 둠》
stréet clèaner 거리 청소부
stréet clùb 《미》 한 가구(街區) 내의 선도(善導)를 받는 소년들
stréet crèd 《구어》 (도시의) 신세대답다고 인정받기 《★ 간혹 street credibility라고도 함》
stréet crìes 《영》 행상인의 외침 소리
stréet dòor 길에 면하여 난 문, 정문 ★ 길에 접해 있지 않은 정문은 front door.
stréet drèss 간이 나들이옷
stréet fùrniture 거리의 시설물 《지붕 있는 버스 정류소·가로등·휴지통 등》; 《미·속어》 (아직 쓸 수 있는) 길에 버려진 가구
stréet gìrl 밤거리의 여자, 매춘부
stréet làmp[**lìght**] 가로등
street-length [-lèŋkθ] *a.* 〈스커트가〉 거리에서 입기 알맞은 길이의
stréet lìfe 거리의 생활 《도시 빈민들이 모여 사는 생활》
stréet mìnistry 가두 전도
stréet musìcian 거리의 악사
stréet nàme 증권업자 명의(로 된 증권); (마약의) 속칭, 통칭(通稱)
stréet òrderly 《영》 거리 청소부(scavenger)
stréet òrgan = BARREL ORGAN
stréet pèople **1** 거리에서 지내는 사람들 《부랑자·노숙자 등》 **2** 대도시의 가두 생활자 《노점 상인·거리 악사 등》 **3** (주택 밀집지·빈민가의) 주민
stréet pìano = BARREL ORGAN
stréet rádical 가두 운동가 《데모 등에 호소하는 반체제 운동가》
stréet ràilway 시내 전차[버스] 회사[노선]
street·scape [-skèip] *n.* 가두 풍경(화); 가로 상태
street-smart [-smɑ̀ːrt] *a.* 《미·속어》 = STREETWISE
street-smarts [-smɑ̀ːrts] *n. pl.* 《미·구어》 거리에서 지내는 요령[지혜] 《현금 대신에 수표를 가지거나 우범 지대를 알아 놓는 등》
stréet swèeper 가로 미화원[기]
stréet tàx (깡패 등에게 뜯기는) 자릿세
stréet thèater 가두(街頭) 연극(의 장소)
stréet tìme 《미·속어》 바깥 세상에 있는 기간 《집행[판결] 유예 기간》
stréet tràder 가두 판매 상인, 노점상
stréet ùrchin = STREET ARAB
stréet vàlue 시가, 암거래 가격, (마약 등의) 최종 소비자 가격
street·walk·er [-wɔ̀ːkər] *n.* 매춘부
street·wise [stríːtwàiz] *a.* 《미》 세상 물정에 밝은, 도시 서민 생활에 정통한
street·work·er [-wə̀ːrkər] *n.* 《미·캐나다》 가두 소년 선도원
‡**strength** [stréŋkθ] *n.* Ⓤ **1** 힘(force), 세기; 체력 (⇨ power [유의어]): (~+*to* do) I don't have the ~ *to* lift this box. 나는 이 상자를 들어 올릴 힘이 없다. **2** (정신적인) 힘, 지력, 능력; 도의심: an iron ~ 철과 같은 정신력 **3** 강점, 장점: His ~ lies in his honesty. 그의 장점은 정직한 점이다. **4** 세력, 권력, 위력; 근원이 되는 힘: economic ~ 경제력 **5** 정원, 인원(수); 병력, 군인 수, 함선 수: What is your ~? 네 편은 몇 사람인가? **6** (이론 등의) 설득력, 효과; (감정의) 강렬함; (예술 작품의) 표현력 **7** Ⓒ 힘이 되는 것, 의지(support) **8** 저항력, 난공불락, 내구력 **9** 강도(强度); 농도, 깊이 **10** (주식·상품 시세의) 강세 **11** 의미, 요점; 사실, 실상
at full ~ 전원 빠짐없이, 총력으로 《군대에서》 ***below*** [***up to***] ***~*** 정원 미달의[에 달한] ***effective ~*** 정원(定員) ***from ~*** 강한 위치[처지]에서 ***from ~ to ~*** 더욱더 유명[강력]하게 ***Give me ~!*** [어리석음 등이 지겨워서] 《구어》 손들었어, 이제 그만 해 줘! ***in full*** [***great***] ***~*** 전원[다수]이 모여서 ***on the ~*** 《영·구어》 병적에 편입되어 ***on the ~ of*** …을 의지하여, …의 원조를 받아; …을 믿고
▷ stróng *a.*; stréngthen *v.*
‡**strength·en** [stréŋkθən] *vt.* 강하게 하다, 튼튼하게 하다, 증강하다, 강화하다; 증원(增員)하다: ~ one's body 몸을 튼튼하게 하다
— *vi.* 강해지다, 강화되다, 튼튼해지다, 증강되다
~ a person***'s hand***(***s***) 《구어》 …의 입장을 유리하게 하다 **~·er** *n.* ▷ stréngth *n.*
***stren·u·ous** [strénjuəs] *a.* **1** 분투적인, 불요불굴의, 굽히지 않는: ~ opposition 맹렬한 반대 **2** 분투를 요하는; 격렬한: make ~ efforts 분투하다, 힘껏 노력하다 **3** 〈사람·지력 따위가〉 활발한; 정력적인: a ~ imagination 활발한 상상력 / a ~ person 정력적인 사람 **~·ly** *ad.* **~·ness** *n.*
strep [strép] *n., a.* 《구어》 연쇄상 구균(streptococcus)(의)

---

strengthen *v.* intensify, harden, reinforce, support
strenuous *a.* arduous, laborious, demanding, difficult, hard, tough, heavy, weighty, tiring

Streph·on [stréfɑn] [Sir P. Sidney의 작품 중의 양치기 이름에서] *n.* 사랑에 고민하는 남자
~ and Chloe [-klóui] 사랑하는 남녀
strep·i·to·so [strèpətóusou] [It.] *a., ad.* 〖음악〗 시끄러운, 시끄럽게; 강렬한, 강렬히
strep·o·gen·in [strèpədʒénin] *n.* 〖생화학〗 스트레포제닌 《세균·생쥐의 성장 촉진 펩티드》
strép thròat 〖병리〗 패혈성 인두염
strepto- [stréptou, -tə] 《연결형》 「꼬인(twisted); 연쇄 구균」의 뜻
strep·to·ba·cil·lus [strèptoubəsíləs | -tə-] *n.* (*pl.* **-cil·li** [-sílai]) 〖세균〗 연쇄 간균
strep·to·coc·cal [strèptəkɑ́kəl | -kɔ́k-], **-coc·cic** [-kɑ́ksik | -kɔ́k-] *a.* 연쇄상 구균의
strep·to·coc·cus [strèptəkɑ́kəs | -kɔ́k-] *n.* (*pl.* **-coc·ci** [-kɑ́ksai | -kɔ́k-]) 연쇄상 구균(球菌)
strep·to·my·cin [strèptəmáisn | -sin] *n.* 〖약학〗 Ⓤ 스트렙토마이신 《결핵 치료용 항생 물질》
strep·to·thri·cin [strèptəθráisn] *n.* Ⓤ 스트렙토스리신 《항생 물질의 일종》
‡**stress** [strés] [distress의 두음 소실(頭音消失)] *n.* **1** ⓊⒸ 강조, 역설, 힘, 무게, 중점 **2** ⓊⒸ 〖음성〗 강세, 악센트(cf. ACCENT, INTONATION) **3** ⓊⒸ 〖물리〗 압력, 중압; 〖기계〗 응력(應力) **4** Ⓤ **a** 압박, 강제, 강압: under ~ of weather[poverty] 험악한 날씨 때문에[가난에 몰려서] **b** 긴박, 긴급; 긴장: in times of ~ 비상시에 **5** ⓊⒸ (정신적) 압박감, 스트레스, 정신적 중압: the ~ of city life 도시 생활의 스트레스 **6** Ⓤ 《고어》 노력, 분투 ***lay*** [***put, place***] (***a***) ***~ on*** …을 역설[강조]하다 ***no ~*** 《미·구어》 문제 없는
— *vt.* **1** 강조하다 **2** 〖음성〗 강세[악센트]를 붙이다(accent) **3** 〖기계〗 압력[응력]을 가하다 **4** 〈사람을〉 괴롭히다, 신경질나게 하다
▷ stréssful *a.*
-stress [stris] 《연결형》 -STER의 여성형: song*stress*
stréss àccent 〖음성〗 강세 악센트
stréss disèase 스트레스병(病)
stressed [strést] *a.* **1** 스트레스를 받는, 스트레스가 쌓인 **2** 〖음성〗 (음절이) 강세를 가진, 악센트가 있는
stressed-out [-áut] *a.* 스트레스로 지친, 스트레스가 쌓인
stréss fràcture 〖병리〗 피로 골절
stress·ful [strésfəl] *a.* 긴장[스트레스]이 많은
~·ly *ad.*
stress·less [stréslis] *a.* 강세[악센트]가 없는; 압력[긴장]이 없는 **~·ness** *n.*
stréss màrk 〖음성〗 강세[악센트] 기호
stres·sor [strésər, -sɔːr] *n.* 스트레스 요인
stréss tèst[**tèsting**] 〖의학〗 스트레스 테스트 《스트레스 상황에서의 심장 기능 검사》
stress-timed [-tàimd] *a.* 〖음성〗 (언어가) 강세에 의한 박자[리듬]가 있는(cf. SYLLABLE-TIMED)
‡**stretch** [strétʃ] *vt.* **1 a** 잡아 늘이다, 잡아당기다, 팽팽히 치다, 펴다; 〈양탄자 등을〉 깔다; 〈파이프라인 등을〉 부설하다: ~ the wings 날개를 펴다 // (~+목+보) He *~ed* the rope tight. 그는 밧줄을 팽팽히 잡아당겼다. // (~+목+전+명) ~ a rope *between* two trees 두 나무 사이에 밧줄을 팽팽히 치다 **b** 내뻗치다, 쭉 펴다, 내밀다, 〈입 등을〉 크게 벌리다: (~+목+부) (~+목+전+명) She *~ed out* her hand *for* the hat. 그녀는 모자를 집으려고 손을 내밀었다. **2** 큰 대자로 뻗게 하다, 벌떡 뒤로 자빠뜨리다 《*out, down*》 **3** 극도로 긴장시키다; 힘껏 사용하다: ~ every nerve 온 신경을 긴장시키다 / ~ one's patience 꾹 참다 **4** 억지 해석하다; 확대하다, 이용하다, 남용[악용]하다; 《구어》 과장하다: ~ the truth 진실을 왜곡하다 **5** 〈술·음식 등을〉 다른 것과 섞어서 양을 늘리다 《*with, by*》; 〈식량·돈 등을〉 오래 지탱하게 하다 《*out*》 **6** 〈프로그램·논쟁 등을〉 오래 끌게 하다, 연장하다 《*out*》 **7** 《속어》 교살하다, 교수형으로 하다; 《영·속어》 죽이다
— *vi.* **1** (팔다리 등을) 뻗다, 기지개를 켜다; (…을 잡으려고) 손을 내밀다 《*out, for*》: (~+부) (~+전+명) ~ *out for* a book 손을 내밀어 책을 집으려고 하다 // (~+부) ~ *out* on a bed 침대에 팔다리를 펴고 눕다 **2** 늘어나다, 신축성이 있다: (~+부) Rubber *~es easily.* 고무는 잘 늘어난다. **3 a** 〈토지 등이〉 (…에) 퍼지다(spread), 뻗어나다, 이르다 《*across, to*》: (~+전+명) The forest *~ed for* miles. 삼림은 여러 마일이나 뻗어 있었다. **b** 〈시간·기억 등이〉 (…에) 이어지다, 미치다, 걸치다 《*over, into*》: an experiment *~ing over* years 여러 해에 걸친 실험 **4** 《구어》 과장하다 **5** 힘차게 나아가다; 〈배가〉 돛을 펴고 달리다 **6** 《고어·속어》 교수형에 처해지다
~ a point ⇨ point. ***~ it a bit*** 《구어》 규칙 등을 자기에게 편리하도록 해석하다, 왜곡하다 ***~ out*** (1) 팔다리를 뻗다; (…을 잡으려고) 손을 뻗다 《*for*》 (2) 큰 걸음으로 걷기 시작하다; 힘껏 노를 젓다 ***~ one's credit*** 신용을 지나치게 이용하다 ***~ oneself*** 기지개를 켜다; 큰 대자로 눕다 《*out*》; 있는 힘을 다하다 ***~ one's legs*** ⇨ leg.
— *n.* **1** 뻗침, 팽팽하게 폄; 확장; Ⓤ 늘어나는 성질, 신축성 **2** Ⓤ 긴장, 전력 발휘, 무리하게 씀 **3** 과장; 남용; 확대 해석 **4** 범위, 한도, 한계 **5** 단숨, 한 번 계속되는 일[노력, 시간]: for a ~ of five years 5년간 죽[계속] **6** 《속어》 징역, 금고; 《특히》 1년간의 징역 **7** 〖항해〗 도중에서 돛의 넓이를 바꾸지 않고 달리는 거리; 일범 주정(一帆走程) **8** [보통 a ~, the ~] 《미》 〖경마〗 경마장의 직선 코스, 《특히》 최후의 직선 코스(=home ~; cf. BACKSTRETCH); (야구·선거 등의) 막바지의 분전 ***at a ~*** 단숨에 ***at full ~*** (시설 등을) 최대한 활용하여 ***bring ... to the ~*** …을 팽팽하게 펼치다 ***by any ~ of the imagination*** [부정문에서] 아무리 상상의 나래를 펴도 ***by a ~ of authority*** [***language***] 권력을 남용하여[말을 억지로 해석하여] ***for a long ~ of time*** 장시간에 걸쳐서 ***on the*** (***full***) ***~*** 긴장하여
— *a.* Ⓐ 신축성 있는 〈직물 《등》〉
~·a·ble *a.* ▷ strétchy *a.*
***stretch·er** [strétʃər] *n.* **1** 들것: on a ~ 들것에 실려 **2** 뻗치는[펴는, 넓히는] 사람; 펴는 도구, 신장구(伸張具); 장갑 펴는 기구; 구두[모자] 골 **3** 캔버스[화포]틀 **4** (벽돌 또는 석재의) 긴 쪽 **5** (보트의) 발받침; (우산의) 살 **6** 〖낚시〗 깃털낚시 **7** 《고어·구어》 허풍, 과장; 《익살》 거짓말(lie)
stretch·er-bear·er [strétʃərbɛ̀ərər] *n.* 들것을 드는 사람
strétcher pàrty 들것 작업대, 위생반
strétch lìmo 《미·속어》 차체가 긴 호화 리무진
strétch màrks (경산부(經産婦)의 복부의) 임신선
stretch-out [strétʃàut] *n.* 《미》 (임금 인상이 따르지 않는) 노동 강화; 지연 (작전), 생산 지연
strétch rèflex 〖생리〗 신전(伸展)[신장] 반사
strétch rùnner 마지막 스퍼트에 강한 주자; 〖경마〗 홈스트레치에서 잘 달리는 말
stretch·y [strétʃi] *a.* (**stretch·i·er**; **-i·est**) **1** 펴지는, 탄력 있는 **2** 늘어나는, 신축성 있는 **3** 〈돼지가〉 몸통이 긴
***strew** [strúː] *vt.* (**~ed**; **strewn** [strúːn], **~ed**) **1** 〈모래·꽃·씨 등을〉 (…에) 뿌리다, 흩뿌리다; 끼얹다 《*on, over*》: (~+목+전+명) ~ sand *on* a slippery road 미끄러운 길에 모래를 뿌리다 **2** 〈장소 따위에〉 (…을) 온통 뒤덮다, 흩뿌려 덮다 《*with*》: (~+목+전+명) His desk is *strewn with* journals. 그의 책상 위는 신문 잡지로 어수선하게 뒤덮여 있다. **3** 〈소문 등을〉 퍼뜨리다

thesaurus **stress** *n.* **1** 강조 emphasis, priority, importance, weight, significance, value, worth **2** 압박 pressure, strain, tension, worry, anxiety
stretch *v.* **1** 늘이다, 펴다 lengthen, expand, draw out, pull out **2** 내뻗다 reach out, hold out, prof-

strewn [strú:n] *vt.* STREW의 과거분사

'strewth [strú:θ] *int.* ='STRUTH

stri·a [stráiə] *n.* (*pl.* **stri·ae** [-i:]) 〖생물·지질〗 선, 줄(자국), 줄무늬, (가는) 홈

stri·ate [stráieit] *vt.* …에 줄[줄무늬, 홈]을 넣다
— [stráiət, -eit] *a.* =STRIATED

stri·at·ed [stráieitid] *a.* 줄[줄무늬, 홈]이 있는; 선[실] 모양의

stri·a·tion [straiéiʃən] *n.* **1** Ⓤ 줄지음, 줄넣음; 줄 모양; 찰흔(擦痕) **2** 가는 홈, 줄무늬

strib [stríb] *n.* 《미·속어》 교도관, 간수

strick [strík] *n.* 빗질한 아마[삼] 다발

‡**strick·en** [stríkən] *v.* 《고어》 STRIKE의 과거분사
— *a.* 《문어》 **1** Ⓐ (탄환 등에) 맞은, 상처받은, 부상당한 **2** 비탄에 잠긴, 짓눌린; (병에) 걸린, 고통받는 (*with*): terror-~ 공포에 사로잡힌 **3** 〈내용물이〉 두량(斗量)에 꼭 차는 **4** 무능하게 된, 움직이지 않게 된
~ in years (고어) 연로한, 늙은 **~·ly** *ad.*

strícken fíeld 《문어》 전쟁터(battleground)

strick·le [stríkl] *n.* **1** (되·말의) 평미레(cf. STRIKE *vt.* 11 a) **2** 주형(鑄型) 고르개 **3** 고형(固形) 구두약 **4** 긴 숫돌

‡**strict** [stríkt] [L 「세게 당기다」의 뜻에서] *a.* **1** 엄한, 엄격한, 꼼꼼한: ~ rules 엄한 규칙

> 유의어 **strict** 규율 등을 엄정하게 지키는: *strict* discipline 엄한 규율 **severe** 정해진 것을 엄격히 지키고 관용없이 타협을 허용하지 않는: a *severe* examination 엄정한 검사 **stern** 태도 등이 엄격하여 인정사정이 없는: a *stern* coach 엄격한 코치

2 엄밀한, 정밀한, 세밀한: a ~ interpretation of a law 법률의 엄밀한 해석 **3** 완전한(absolute), 순전한: in ~ secrecy 극비로 **4** 〖식물〗 수직의 **5** 《고어》 긴장한, 팽팽한 ***in the ~ sense*** 엄밀히 말하면
~·ness *n.* ▷ stríction *n.*; stríctly *ad.*

stric·tion [stríkʃən] *n.* Ⓤ 죄기, 압축

‡**strict·ly** [stríktli] *ad.* **1** 엄격히, 엄밀히, 정확히; [문장 전체를 수식하여] 엄밀히 말하자면: Going out is ~ prohibited. 외출은 엄금이다. **2** 순전히, 완전히, 단연코: He acted ~ on his own. 그는 순전히 자기 의사로 행동했다. ~ ***speaking*** = ***speaking*** ~ 엄밀히 말하자면

stric·ture [stríktʃər] *n.* **1** [보통 *pl.*] (…에 대한) 비난, 혹평, 탄핵 (*on, upon*) **2** 〖병리〗 협착(狹窄)(constriction) **3** 제한, 한정, 구속 ***pass ~s on*** …을 비난[탄핵]하다

‡**stride** [stráid] *v.* (**strode** [stróud]; **strid·den** [strídn], 《고어》 **strid** [stríd]) *vi.* **1** 큰 걸음으로 걷다: (~+副) ~ *away* 큰 걸음으로 성큼성큼 가버리다 **2** (…을) 성큼 넘어서다 (*over, across*): (~+前+名) ~ *across* a stream 시내를 건너뛰다 **3** 《고어·시어》 발을 벌리고 서다, 걸터서다
— *vt.* **1** 큰 걸음으로 걷다: ~ a street 거리를 활보하다 **2** 〈도랑 등을〉 넘다, 넘어서다 **3** 《고어·시어》 〈물건에〉 걸터앉다, 걸터서다
— *n.* **1** 큰 걸음, 활보 **2** (가로·세로의) 한 걸음의 폭, 보폭; (걷는) 보조 **3** (넘는) 한 걸음 **4** [*pl.*] 진보, 발전 **5** [*pl.*] 《영·호주·구어》 남자 바지
at* [*in*] *a ~ 한 걸음에 ***hit* [*get into, strike*] *one's ~*** (1) 본래의 컨디션을 되찾다 (2) 제 가락이 나다, 본 궤도에 오르다 ***lengthen* [*shorten*] (*one's*) *~*** 속도를 내다[늦추다] ***make great* [*rapid*] *~s*** 장족의 진보를 하다 ***put* a person *off* [*out of*] *his* [*her*] *~*** …을 제 컨디션이 나지 않게 하다 ***take a ditch in one's ~*** 도랑을 건너[넘어]서다 ***take ... in* (*one's*) *~*** 쉽게 〈장애물 등을〉 뛰어넘다[뚫고 나가다]; 냉철하게 …을 처리하다 ***with big ~*** 황새걸음으로

stri·dence, -den·cy [stráidns(i)] *n.* Ⓤ 삐걱거림, 귀에 거슬림

stri·dent [stráidnt] *a.* 귀에 거슬리는, 소리가 불쾌한 **~·ly** *ad.* 귀에 거슬리게

stri·dor [stráidər] *n.* 〖병리〗 천명(喘鳴) 《호흡 기관의 협착이 원인》; 《문어》 삐걱거리는 소리; 귀에 거슬리는 소리

strid·u·lant [strídʒulənt | -dju-] *a.* =STRIDULOUS

strid·u·late [strídʒulèit | -dju-] *vi.* 〈매미·귀뚜라미 등이〉 울다

strid·u·la·tion [strìdʒuléiʃən | -dju-] *n.* ⓊⒸ 마찰음; 마찰 발음 (작용); (곤충의) 울음 소리

strid·u·lous [strídʒuləs | -dju-] *a.* 삑삑 소리내는; 〖병리〗 천명(喘鳴)의 **~·ly** *ad.* **~·ness** *n.*

‡**strife** [stráif] *n.* ⓊⒸ 투쟁, 다툼, 싸움; 경쟁(contest); 《영》 쟁의(strike): a party ~ 파벌 경쟁 / cause ~ 싸움을 일으키다 ***be at ~*** (…와) 사이가 나쁘다 (*with*) **~·ful** *a.* **~·less** *a.* ▷ strive *v.*

strig·il [strídʒəl] *n.* **1** 〖고대그리스·로마〗 (목욕탕의) 몸을 긁는[때를 미는] 도구 **2** 〖건축〗 (고대 로마의) S자형 홈조각 장식

stri·gose [stráigous, strigóus | stráigous] *a.* 〖생물〗 〈잎·줄기·곤충 등이〉 강모(剛毛)가 있는

strik·a·ble [stráikəbl] *a.* 파업의 원인이 될 만한

‡**strike** [stráik] *v.* (**struck** [strʌ́k]; **struck,** 《고어·문어》 **strick·en** [stríkən]) *vt.* **1** 치다, 때리다(hit): (~+目+補) ~ a person dead …을 때려 죽이다 // (~+目+目) ~ a person a blow …을 한 대 치다, …에게 일격을 가하다 // (~+目+前+名) He *struck* me *on* the head. 그는 내 머리를 때렸다.

> 유의어 **strike** 「치다」를 뜻하는 가장 일반적인 말이다: *strike* a child 아이를 때리다 **hit** strike와 같은 뜻이지만 좀 구어적인 말투이다: *hit* a baseball 야구공을 치다 **knock** 주먹이나 딱딱한 것으로 두드리다[치다]: *knock* a person down …을 때려눕히다 **beat** 되풀이하여 계속적으로 치다: *beat* a rug 깔개를 두드리다 **punch**[2] 주먹으로 치다: *punch* a person on the nose …의 코를 주먹으로 치다

2 공격하다(attack): ~ the fort 요새를 공격하다 **3** 찌르다, 꿰찌르다(thrust): (~+目+前+名) ~ a person *to* the heart *with* a jackknife = ~ a jackknife *into* a person's heart 잭나이프로 …의 심장을 푹 찌르다 **4** (부싯돌로 쳐서·마찰하여) …에 불을 붙이다, 불(꽃)이 일어나게 하다: ~ a light [match] 불을 붙이다[성냥을 긋다] **5** 〈광선 등이〉 …에 미치다, 비추다; 〈소리가〉 〈귀를〉 때리다: The searchlight *struck* the wreck. 서치라이트가 난파선을 비추었다. **6** …에 충돌하다, 맞부딪치다, 들이받다; 떨어져서 …에 맞다, 쳐 맞히다: ~ a mine 〖군사〗 기뢰에 부딪치다 / The lightning *struck* the barn. 벼락이 헛간에 떨어졌다. // (~+目+前+名) I *struck* my head *against* the lintel. 나는 상인방에 머리를 부딪쳤다. **7** 〈생각이〉 …의 마음에 떠오르다, 생각나다(occur): A bright idea *struck* me. 멋진 생각이 떠올랐다. **8** …에게 (…의) 인상을 주다(impress), 느끼게 하다 (*as*); 〈주의를〉 끌다; 감동시키다: At first sight he was *struck* by her beauty. 첫눈에 그는 그녀의 아름다움에 매혹되었다. / "How did he ~ you?" — "He *struck* me as a swindler." 그 사람 인상이 어땠어? — 사기꾼 같았어. **9** …와 우연히 마주치다[만나다](come upon); 〈광맥 등을〉 발견하다(find): ~ an amusing book 재미있는 책을 발견하다 **10** 〈식물이〉 〈뿌리를〉 뻗다, 내리다, 박다 **11 a** 〈되를〉 평미레(strickle)로 밀다 **b** 〈평균을〉 내다; 결산하다, 계산하다: ~ a balance 결산하다 **12** 〈무대 장치·

fer, offer **3** 늘어나다 get larger, enlarge **4** 이르다 extend, spread, unfold, cover, range
strife *n.* conflict, friction, discord, disagreement, dispute, argument, quarreling, contention, controversy, hostility, animosity (opp. *peace, harmony*)

소도구 등을〉 철거하다; 〈천막을〉 걷어 치우다; 〈구조물을〉 분해하다, 해체하다: ~ camp 캠프를 철수하다 **13** 〚항해〛 〈돛·기 등을〉 내리다(lower down) **14** 〈물고기를〉 낚다, 낚시에 걸리게 잡아채다; 〈고래에〉 작살을 쳐박다(harpoon); 〈물고기가〉 〈미끼를〉 물다 **15** 〈글자 등을〉 지우다, 삭제하다(delete) 《*off*, *out*》 **16** 〈화폐·메달을〉 주조(鑄造)하다(mint), 두들겨 만들어 내다: ~ a medal 메달을 주조하다 **17** 〈시계·종이 시각을〉 치다, 쳐서 알리다: The clock[It] has *struck* three. 시계가 3시를 쳤다. **18** 〈병·죽음이〉 갑자기 덮치다 《*down*》; 〈충격이〉 …에게 타격을 주다; 갑자기 …하게 하다: 《~+목+전+명》 be *stricken* (*down*) *with* cholera 콜레라로 쓰러지다 // 《~+목+보》 We were *struck* speechless by the news. 우리는 그 소식을 듣고 말문이 막혀 멍해졌다. **19** 〈어떤 활동을〉 갑자기 시작하다, 〈어떤 태도를〉 취하다, 별안간 취하다: ~ a polite attitude 갑자기 공손한 태도로 나오다 **20** 〈공포·추위 등을〉 스며들게 하다: 《~+목+전+명》 The scene *struck* terror *into* his heart. 그 광경으로 그의 심장이 얼어붙도록 오싹해졌다. **21** 〈악기 등을〉 소리내다, 타다, 뜯다, 연주하다 《*up*》: ~ the harp 하프를 뜯다 **22** 〈계약 등을〉 체결하다, 〈조약 등을〉 승인하다, 비준하다(ratify) **23** 〈일을〉 그만두다(stop); 파업으로 〈작업을〉 일시 중지하다; (공장에 대해) 파업에 들어가다: ~ work 파업에 들어가다 **24** 〈금을〉 긋다(draw); 〈목수가〉 먹줄을 튕기다 **25** 〈술통 등에〉 주둥이를 내다 **26** 《구어》 〈남에게〉 (…을) 맹렬히 울며 호소하다, 조르다 《*for*》

— *vi.* **1** (…을) **치다,** 때리다; 공격[습격]하다 《*at*》: 《~+전+명》 ~ *at* the enemy 적을 공격하다 **2** 두드리다; 〈심장이〉 뛰다 **3** (…에) **부딪치다,** 충돌하다(collide) 《*against*》; 〈배가〉 (바위 따위에) 좌초하다 《*on, upon*》: 《~+전+명》 The ship *struck on* a rock. 그 배는 암초에 좌초했다. **4** 〈빛이〉 닿다, 꿰뚫다; 〈추위가〉 (…을) 스며들다 《*through, into, to*》; 〈벼락이〉 떨어지다; 〈소리가〉 귀를 때리다: 《~+전+명》 The cold *struck to* the marrow. 추위가 골수까지 스며들었다. **5** 감동을 주다: 《~+전+명》 His words *struck on* my mind. 그의 말은 내 마음에 감동을 주었다. **6** 문득 (…을) 생각해 내다; 뜻밖에 만나다 《*on, upon*》: 《~+전+명》 I *struck on* a happy thought. 멋진 생각이 떠올랐다. **7** (…이라고) 느껴지다: 《~+보》 The wind *struck* cold. 바람이 살을 에듯 차가웠다. **8** 〈시계·종이〉 시각을 치다; 〈때가〉 오다: His hour has *struck.* 그의 임종이 왔다[수명이 다했다]. **9** 발화하다, 불이 붙다[켜지다] **10** (노·손발 등으로) 물을 세차게 밀어 젓히다 **11** 악기를 소리내다, 타다 **12** 〈식물이〉 뿌리를 내리다, 뿌리박다(take root); 〈씨가〉 발아하다 **13** (…으로) **향하다,** 가다, 나아가다 《*for, into, to*》: 《~+전+명》 ~ *for* home 집으로 향하다 / ~ *into* a harbor 입항하다 **14** 〚미육군〛 (장교 등의) 당번병이 되다; 〚미해군〛 (진급을 위해) 훈련하다 **15** 노력하다; (…을 위해) 싸우다(fight): 《~+전+명》 ~ *for* freedom[peace] 자유[평화]를 위해 싸우다 **16** (…을 요구하여, …에 반대하여) 파업을 하다 《*for, against*》: 《~+전+명》 They *struck for* higher pay. 그들은 임금 인상을 요구하며 파업을 했다. **17** 〚항해〛 (경의·항복의 표시로) 기를 내리다, 항복의 백기를 달다 **18** 〈물고기가〉 미끼를 물다 **19** 〈굴 등의 조가비가〉 착 달라붙다, 밀착하다 **20** 〚연극〛 (공연 후에) 무대 장치를 걷어 치우다, 철거하다

be struck with …에게 반하다; 강한 인상[깊은 감명]을 받다 ***It ~s me that ...*** 내게는 …이라는 생각이 든다 ***~ a balance*** 균형잡히게[조화를 이루게] 하다 ***~ a bargain*** [***deal***] 타협[협상]하다 ***~ a blow for*** …을 위하여 전력을 다하다 ***~ a line*** [***path***] 진로를 잡다 ~ a person ***all of a heap*** …을 아연케 만들다 ***~ a note of*** …이란 독특한 인상을 주다; …한 어조로 말하다 ***~ a pose*** (그림·사진의) 포즈를 취하다 ~ a person ***as*** …을 …같이[으로] 여기게 하다 ***~ aside*** 〈창끝·논봉(論鋒)을〉 받아넘기다 ***~ at*** …에게 치고 덤비다, 겨누어 치다 ***~ at the root of*** …을 뿌리째 흔들려고 하다; …이 파멸될 듯하다 ***~ back*** 되치다; 〚기계〛 불길이 역류(逆流)하다 ~ a person ***blind*** 일격으로 …을 눈멀게 하다 ***~ down*** 때려눕히다; 죽이다; 〈병이〉 들다; 〈생선을〉 통에 쟁이다; 〈태양이〉 내리쬐다 ***~ dumb*** 놀라게 하다(amaze) ***~ fear into*** a person(***'s heart***) …에게 공포심을 불어 넣다 ***~ for*** 《구어》 …을 초래할 짓을 하다 ***~ gold*** 금덩이를 발견하다, (…으로) 많은 돈을 벌게 되다, 성공하다 《*with*》 ***~ hands*** 《고어》 약정을 정하다 ***~ home*** 〈못을〉 깊이 때려 박다; 치명상을 입히다; 급소(急所)를 찌르다; 감명시키다 ***~ in*** 갑자기 입을 열다; 별안간 뛰어들다; 방해하다; 〈통풍(痛風) 등이〉 내공(內攻)하다 ***~ into*** 느닷없이 …에 들어가다; 〈뜀박질 등을〉 갑자기 시작하다; 처박다, 찌르다 ***~ it lucky*** 뜻밖에 행운을 빈나다 ***~ it rich*** 《미》 = STRIKE oil. ***S~ me dead if ...*** 《속어》 …이라면 내 목을 내놓겠다 ***~ off*** 옆길로 빠지다, 떨어져 나가다; 〈목 등을〉 잘라버리다; 삭제하다; 제하다; 〈이자를〉 할인하다; 인쇄하다; 즉석에서 그리다[쓰다]; 뛰어나다 ***~ oil*** 풍부한 광맥[유전]을 발견하다; 《비유》 뜻밖의 횡재를 하다 ***~ out*** (힘차게) 나아가다; 새로운 길을 개척하다; (…에게) 주먹을 휘두르다, 치려고 덤비다 《*at*》; 〚권투〛 (…에게) 스트레이트로 치다 《*at*》; 〚수영〛 손발로 물을 헤치며 헤엄치다; 〚스케이트〛 (한쪽으로 향해) 발을 움직이다; 〚야구〛 삼진(三振)하다[시키다]; 《미·구어》 실패하다; (부싯돌 등으로 불꽃을) 쳐서 내다; 〈학설을〉 발견하다; 〈계획을〉 안출하다; 삭제하다 ***~ the track*** 길로 들어서다[나오다] ***~ through*** 말소[삭제]하다; 꿰뚫다 ***~ together*** 충돌하다[시키다] ***~ twelve*** 전력을 다하다, 대성공하다 ***~ up*** 〈적의 칼 등을〉 쳐 올리다; 뛰어오르다; 〈곡을〉 노래[연주]하기 시작하다; 〈대화를〉 (…와) 하기 시작하다, 〈교제·거래·협정을〉 맺다 《*with*》; 천막을 치다; 《미》 [주로 수동형으로] (…로) 난처해지다, 마음에 들다, 반하다 《*with, on*》 ***~ upon*** an idea[a plan] (어떤 생각[계획]이) 떠오르다 ***~ up the heels of*** …을 걸어 넘어뜨리다

— *n.* **1** 치기, 타격, 구타; (…에 대한) 공격 《*on, against*》 **2** 동맹 파업, 스트라이크, (노동) 쟁의: a general ~ 총파업 / go (out) on (a) ~ 동맹 파업에 들어가다 / be (out) on (a) ~ 동맹 파업 중이다 **3** 〚군사〛 계획 공격, 《특히》 집중 공격, 공습 (편대) **4** 《주로 미》 (유전·금광 등의) 발견, (사업의) 대성공: a lucky ~ 큰 횡재 **5** 〚야구〛 스트라이크(opp. *ball*): three ~*s* 삼진(三振) **6** 〚볼링〛 스트라이크 《제1투로 핀을 전부 쓰러뜨림》 **7** 시계 치는 소리 **8** (물고기가) 미끼에 걸림 **9** 《미》 공갈 **10** 1회분의 주조량(鑄造量) **11** 〚지질〛 주향(走向) **12** 평미레(strickle)

have two ~s against [***on***] ***one*** 스트라이크 두 개를 빼앗기고 있다; 《미·구어》 불리한 입장에 있다 ***on ~*** 〚크리켓〛 타석에 서서, 공격하여 ***~ of day*** 《문어》 새벽 ***take ~*** 〚크리켓〛 〈타자가〉 타석에 서다

▷ stróke *n.*

stríke bènefit (노조에서 주는) 파업 수당

strike·bound [stráikbàund] *a.* 파업 때문에 정지된; 파업에 시달리는: a ~ factory 파업으로 폐쇄된 공장

strike·break·er [-brèikər] *n.* 파업 방해자(scab, 《영》 blackleg)

strike·break·ing [-brèikiŋ] *n.* Ⓤ 파업 파괴 (행위)

stríke fàult 〚지질〛 주향(走向) 단층

stríke fòrce 1 (군대의) 타격 부대 **2** (경찰 등의) 특별 임무를 부여받은 반[팀, 그룹]

stríke fùnd 파업 자금

strike·less [stráiklis] *a.* 스트라이크가 없는

stríke mèasure (계량할 때의) 평미레질

strike-off [-ɔ̀ːf | -ɔ̀f] *n.* 〚인쇄〛 교정쇄(刷), 시험쇄; 〚건축〛 마감 손질용 흙손[자]

thesaurus **striking** *a.* **1** 현저한 noticeable, obvious, conspicuous, evident, visible, distinct,

strike·out [-àut] *n.* 〖야구〗 삼진(三振); 《미·구어》 실패

strike·o·ver [-òuvər] *n.* 타이프 칠 때 오자(誤字) 위에 겹쳐 치는 것

stríke pày = STRIKE BENEFIT

strik·er [stráikər] *n.* **1** 치는 사람[것] **2** 동맹 파업자 **3** 《미》 잡역부; 대장장이의 조수 **4** 자명종 **5** 《총의》 공이 **6** 〖미육군〗 《장교의》 당번(병) **7** 《포경선의》 작살 사수(射手) **8** 작살 **9** 〖크리켓〗 타자; 〖축구〗 스트라이커 《공격을 하는 포워드 중의 1명》 **10** 망치

stríke ràte 〖스포츠〗 성공률

stríke zòne 〖야구〗 스트라이크 존 《타격수의 무릎에서 겨드랑이까지의 지역》

‡**strik·ing** [stráikiŋ] *a.* **1** 현저한, 두드러진: ~ contrast 현저한 차이 **2** 이목[주의]을 끄는; 인상적인: She has a ~ figure. 그녀는 멋진 몸매를 가지고 있다. **3** 치는, 공격의; 〈시계가〉 시간을 울리는 **4** 파업 중인 **~·ly** *ad.* 두드러지게, 눈에 띄게

stríking cìrcle 〖하키〗 스크라이킹 서클 《볼을 쳐서 득점할 수 있는 골문 앞의 반원》

stríking dìstance 타격 가능 거리[범위], 공격 유효 거리 ***within*** **~** 아주 가까운 곳에

stríking fòrce 〖군사〗 《즉각 출격이 가능한》 타격 부대(strike force)

stríking prìce 〖금융〗 《옵션 계약이 가능한》 계약 가격, 권리 행사 가격

Strim·mer [strímər] *n.* 《영》 스트리머 《풀 베는 소형 기계; 상표명》

strine [stráin] [때로 **S~**] 《구어》 *n.* Ⓤ 오스트레일리아 영어 **—** *a.* 오스트레일리아의

‡**string** [stríŋ] *n.* **1** Ⓤ Ⓒ **a** 끈, 줄, 실: a piece of ~ 실 한 오라기 **b** 끈[실] 모양의 것; 《꼭두각시의》 끈 **2** [a ~] 일련(一連)(의…), 끈으로 꿴 것, 염주처럼 꿴 것, 한 줄 《*of*》: *a* ~ *of* pearls 꿴 진주 한 줄 **3 a** [a ~] 《사람·차 등의》 한 줄, 일렬, 일대(一隊) 《*of*》: *a* ~ *of* cars waiting at a red light 정지 신호로 대기 중인 자동차의 열 **b** [a ~] 《질문·거짓말 등의》 연속, 연발: *a* ~ of questions 일련의 질문들 **c** [집합적] 《조교(調教) 중인》 경주마 《특정 마주(馬主) 소속의》; 《마소의》 무리, 떼 **4** 〖컴퓨터〗 문자열(文字列) 《일련의 문자들이 모여서 하나의 데이터로 취급되는 것》 **5** 《활의》 시위; 《악기의》 현(絃): touch the ~*s* 현악기를 연주하다 / touch a ~ in a person's heart 《비유》 …의 심금을 울리다, …을 감동시키다 **6** [the ~s] 《오케스트라의》 현악기 《연주자들》 **7 a** 〖식물〗 덩굴손 **b** 섬유 **c** 《고어》 《동물의》 건(腱), 근(筋) **8** [보통 *pl.*] 《구어》 부대조건, 단서 **9** 수단, 방책; 안(案): another [a second] ~ to one's bow 《구어》 제2의 수단[방법], 다른 수단 / pull every ~ 전력을 다하다 **10** 《기량에 따라 나눈 경기자·운동 선수 등의》 급(級), 조(組): the first[second] ~ 1군, 1급[2군, 2급] / a second-~ player 보결 선수 **11** 《미》 〖당구〗 득점 《계산기》; 순서 결정 **12** 《노출이 심한》 스트링 비키니 **13** 《미·속어》 속임수, 사기, 거짓말

by the ~ rather than the bow 단도직입적으로 ***harp on one***[***the same***] **~** 같은 짓을 되풀이하다 ***have***[***keep***] a person ***on a***[***the***] **~** = 《미》 ***have a ~ on*** a person …을 조종하다 ***have another ~***[***more ~s, more than one ~***] ***to*** one***'s bow*** 제2의 방책[수단]을 가지고 있다; 만일에 사태에 대비하고 있다; 기략이 풍부하다 ***no ~s attached*** 부대조건 없음 ***on a***[***the***] **~** 《속어》 《마음대로》 조종당하여, 의존하여 ***play second ~*** (1) 보결 노릇하다 (2) = play second FIDDLE. ***pull ~s***[***wires***] 《구어》 몰래 영향력을 행사하다 ***pull the***[one***'s***] ***~s*** 연줄을 이용하다

— *v.* (**strung** [strʌ́ŋ]) *vt.* **1** 실에 꿰다, 연달아 꿰다 (thread on): ~ beads 구슬[염주알]을 실에 꿰다 **2** …에 끈[실]을 달다, 〈활에〉 시위를 매다 **3** 《실·끈으로》 묶다, 매달다; 매단 것으로 장식하다: ~ a packet of books 책꾸러미를 끈으로 묶다 // 《~+목+전+명》 the rigging *strung with* fish 물고기를 매단 삭구(索具) **4** 〈물건·어구 등을〉 나열하다, 한 줄로 세우다, 배열하다 《*out*》; 〈사실 등을〉 서로 연결하여 맞추다 《*together*》 **5** 〖음악〗 〈악기·활의〉 현[시위]을 팽팽히 하다; 조율하다 《*up*》: 《~+목+부》 ~ (*up*) a violin 바이올린의 가락을 조정하다 **6** 펼치다, 펴다(stretch), 잡아 늘이다(extend) 《*out*》: 《~+목+부》 ~ *out* one's life 수명을 연장하다 **7** [~ one*self* 로] 〈신경·정신·근육·다른 사람 등을〉 긴장시키다, 흥분시키다 《*up*》(⇨ strung *a.* 2): 《~+목+부》 ~ *oneself up* to the highest pitch 극도로 긴장하다 // 《~+목+***to*** do》 ~ *oneself up to* do = be *strung up to* do 긴장하여[정신 차려] …하다 **8** 〈콩 등의〉 덩굴손[섬유]을 없애다 **9** 《구어》 〈사람을〉 교수형에 처하다 《*up*》 **10** 《구어》 속이다(fool)

— *vi.* **1** 줄줄이 이어지다, 줄서다; 줄지어 나아가다 《*out, away, off, in*》 **2** 실같이 되다, 〈아교 등이〉 실처럼 늘어나다 **3** 〖당구〗 《공을 쳐서》 순서를 정하다

be strung out 《속어》 마약 중독이 되다; 《정신적으로》 혼란스러워하다, 짜증나다 **~ *along*** 《구어》 (1) 〈사람을〉 기다리게 해두다; 〈사람을〉 속이다 (2) …에 동조(同調)하다, (…을) 따라가다 《*with*》 **~ *on*** 《영·구어》 《시간을 벌기 위해》 속이다 **~ *out*** 한 줄로 세우다[서다]; 산개(散開)하다, 뻗치다, 미치다; 《미·구어》 〈말 따위를〉 질질 끌다 **~ *up*** …을 교수형에 처하다

~·less *a.* **~·like** *a.* ▷ stríngy *a.*

stríng álphabet 《맹인용》 끈 문자

stríng bàg 망태기

stríng bánd 현악단(弦樂團)

stríng bàss [-bèis] 〖음악〗 콘트라베이스(double bass)

stríng bèan **1** 《미》 깍지째 먹는 콩 《강낭콩·완두 등》; 그 깍지 **2** 《구어》 키 크고 깡마른 사람

string·board [-bɔ̀ːrd] *n.* 〖건축〗 《계단 양 옆의》 치장 판자, 계단 옆판

stríng correspòndent 현지 고용[파트타임] 통신원

string·course [-kɔ̀ːrs] *n.* 〖건축〗 《바람벽의》 돌림띠

stríng devèlopment = RIBBON DEVELOPMENT

stringed [stríŋd] *a.* **1** 현이 있는; 《고어》 현으로 소리나는: a ~ instrument 현악기 / ~ melodies 현으로 연주되는 선율 **2** [복합어를 이루어] …의 줄이 있는: four-~ 4현의

strin·gen·cy [stríndʒənsi] *n.* Ⓤ Ⓒ **1** 《규칙 등의》 엄중함; 가혹함 **2** 《상황(商況) 등의》 절박, 자금 핍박 **3** 《학설 등의》 설득력(cogency), 박력

strin·gen·do [strindʒéndou] [It] *a., ad.* 〖음악〗 점점 빠른[빠르게]

strin·gent [stríndʒənt] *a.* **1** 〈규칙 등이〉 엄중한, 엄격한: ~ laws 엄한 법률 **2** 강제적인; 〈사태 등이〉 긴박한: ~ necessity 긴급한 필요성 **3** 〈금융계가〉 자금이 핍박한(tight) **4** 〈학설 등이〉 설득력이 있는: ~ arguments 설득력 있는 의론(議論) **~·ly** *ad.*

string·er [stríŋər] *n.* **1** 활 시위 만드는 장인; 《악기의》 현 만드는 사람; 기술자 **2** 가로보, 수평재(水平材); = STRINGBOARD **3** 〖토목〗 세로로 깐 침목(sleeper); 《배의》 종재(縱材) **4** 〖항공〗 종통재(縱通材) **5** [*pl.*] 《속어》 수갑 **6** 비상근 통신원, 《일반적으로》 특파원 **7** [복합어를 이루어] 능력별로 랭크된 사람: a second-~ 2군[보결] 선수

string·halt [stríŋhɔ̀ːlt] *n.* Ⓤ 〖수의학〗 《말의》 절름병

string·ing [stríŋiŋ] *n.* 《라켓의》 거트

stríng lìne 〖건축〗 《벽돌 쌓기에서》 수평을 보기 위해 치는 실

stríng órchestra 현악 합주단

string·piece [stríŋpìːs] *n.* 〖건축〗 들보

stríng plàyer 현악기 주자

string-pull·ing [-pùliŋ] *n.* 《구어》 배후 조종[공작]

---

prominent, remarkable, amazing (opp. *ordinary*) **2** 인상적인 impressive, splendid, marvelous

stríng quartét 현악 4중주 곡[단]
stríng tìe 가늘고 짧은 넥타이 《보통 나비매듭으로 맴》

string tie

stríng vàriable 〖컴퓨터〗 문자열(列) 변수
stríng vèst 메시(mesh) 천으로 만든 조끼
string·y [stríŋi] *a.* (**string·i·er**; **-i·est**) **1** 실[끈, 근(筋)] 같은 **2** 섬유질의; 〈고기 등이〉 힘줄투성이의 **3** 〈사람이〉 힘줄이 불거진, 근골이 단단한 **4** 〈액체가〉 실처럼 늘어나는, 끈적끈적한 점질(粘質)의 **5** 현악기 같은 음색의
stríng·i·ness *n.*
‡**strip**[1] [stríp] *v.* (**~ped**; **~·ping**) *vt.* **1** 〈과일·수목 등의〉 (껍질 등을) 벗기다, 떼어버리다 《*of*》: (~+목+전+명) ~ a tree *of* its bark = ~ the bark *from* a tree 나무의 껍질을 벗기다 ★ of와 from 용법에 주의 // (~+목+보) ~ a person naked …을 발가벗기다 // (~+목+부) ~ *off* one's clothes 옷을 벗다 **2** 〈허세·구실 등을〉 없애다, 폭로하다 《*away*》 **3** 〈장소에서〉 (…을) 제거하다, 비우다(empty) 《*of*》: (~+목+전+명) ~ a room *of* its furniture 방에서 가구를 모두 치우다 **4** 〈배의〉 의장(艤裝)을 풀다; 〈차 등을〉 해체하다; 〈엔진 등을〉 분해하다 《*down*》; (화물 수송에서) 〈컨테이너를〉 풀다 **5** 〈물건을〉 (…에게서) 빼앗다, 약탈[박탈]하다, 제거하다 《*of*》: ~ a person *of* his[her] money …의 돈을 빼앗다

> 유의어 **strip** 사람이나 물건으로부터 무언가를 완전히 빼앗아 버림. **deprive** 소유물을 전력을 다해 빼앗음 또 당연히 주어야 할 것을 주지 않음 **divest** 권리·특전·권력 등을 박탈함

6 〈벽 등에서〉 니스·페인트 등을 벗겨내다 《*down*》 **7** 〈나사의〉 날[톱니바퀴]을 닳게 하다 《*down*》 **8** 〈젖소의 젖을〉 다 짜내다
— *vi.* **1** 〈나무·과일 등의 껍질이〉 벗겨지다(peel): Bananas ~ easily. 바나나 껍질은 까기 쉽다. **2** 옷을 벗다; 알몸이 되다 **3** 스트립쇼를 하다 **4** 〈나사·톱니바퀴의 이가〉 닳다, 마멸되다
~ down 《구어》 〈사람을〉 호되게 꾸짖다 ***~ off*** 《구어》 〈변명 등을〉 뻔히 들여다보다, 파헤치다
— *n.* 《구어》 스트립쇼
strip[2] *n.* **1 a** (천·널빤지 등의) 가늘고 긴 조각, 한 조각 **b** 좁고 긴 땅 **2** (비행기의) 가설 활주로 **3** (신문 등의) 연재 만화(comic strip) **4** 《구어》 (축구 선수의) 유니폼 **5** 석 장 (이상) 붙어 있는 우표 **6** [때로 **S~**] (양쪽에 상점·주유소·음식점·술집 등이 늘어서 있는) 거리; [**S~**] 《속어》 (특히 카지노가 모여 있는 Las Vegas의) 큰 거리
leave a ~ 《미·속어》 (급정지하여) 노면에 타이어 자국을 남기다 ***lose a ~*** 《구어》 꾸중 듣다, 질타당하다 ***tear*** a person ***off a ~*** = ***tear a ~ off*** a person 《구어》 …을 호되게 꾸짖다
— *vt.* 가늘고 길게 자르다[찢다]
stríp àrtist 스트리퍼(stripteaser)
stríp cartóon = COMIC STRIP
stríp céll 《미·속어》 (교도소의) 빈 독방
stríp chàrt 스트립 차트 《긴 띠 모양의 용지를 사용하는 장기간 기록도[기록 장치]》
stríp cìty 《미》 (두 도시 사이를 잇는) 대상(帶狀) 시가지, 대상 도시
stríp clùb[**jòint**] 스트립 클럽[극장] 《스트립쇼를 하는》
strip-crop·ping [strípkrὰpiŋ | -krɔ̀p-] *n.* Ⓤ 〖농업〗 (산허리 농토의) 대상(帶狀) 재배 《등고선을 따라 띠 모양으로 각 작물을 심기》
‡**stripe** [stráip] *n.* **1** 줄무늬, 줄 **2** 〖군사〗 수장(袖章); 《구어》 공적, 계급; 해군 사관: get one's ~*s* 승진하다 / lose one's ~*s* 계급을 강등당하다 **3** 《미》 (인물 등의) 형(型), 종류: a person of a different ~ 다른 타입의 사람 **4** [*pl.*] 《미》 죄수복: wear the ~*s* 교도소에 들어가다 **5** [*pl.*; 단수 취급] 《영·구어》 호랑이(tiger) **6** 채찍질, 매질, 채찍 자국
— *vt.* 줄무늬를 넣다; 채찍질하다
~·less *a.* ▷ strípy *a.*
striped [stráipt] *a.* 줄무늬[줄]가 있는
stríped báss [-bǽs] 〖어류〗 줄무늬농어 《북미산(産)》
stríped múscle 가로무늬근, 횡문근
striped-pants [-pǽnts] *a.* 《구어》 외교단의; 외교적인; 의례적인, 형식에 치우친
strip·er [stráipər] *n.* **1** 《군대속어》 계급[복무 연수]을 나타내는 수장(袖章)을 단 군인: a five ~ 5년병 **2** 〖어류〗 줄무늬농어(striped bass)
stríp fàrm 대상(帶狀) 재배 농장
strip·film [strípfìlm] *n.* = FILMSTRIP
strip·ing [stráipiŋ] *n.* 줄무늬를 붙임; 붙인 줄무늬; 줄무늬 디자인
stríp jòint 스트립쇼 극장
strip-leaf [stríplì:f] *n.* 줄기를 빼낸 담뱃잎
strip·light [stríplàit] *n.* 〖연극〗 스트립라이트 《여러 개의 전구를 나란히 늘어놓은 무대 조명용 라이트》
stríp lìghting 관상(管狀) 형광등에 의한 조명
strip·ling [strípliŋ] *n.* 풋내기, 애송이
stríp màll 스트립 몰 《상점이 한 줄로 늘어서고, 그 앞에 1열 주차장이 있는 쇼핑센터》
stríp màp 진로(進路)[도로] 요도(要圖) 《도로에 접한 지구(地區)의 시가·다리·교차로 등을 기입한 것》
stríp mìne 노천광(露天鑛)
strip-mine [strípmàin] *vt.* 노천 채굴하다
stríp mìner 노천 채굴 광부
stríp mìning 《미》 〖광산〗 노천굴(露天掘)
strip·pa·ble [strípəbl] *a.* 노천 채굴할 수 있는
stripped-down [stríptdáun] *a.* 〈자동차 등이〉 불필요한 장비를 모두 제거한
strip·per [strípər] *n.* **1** 껍질 벗기는 사람[도구]; 탈곡기; 옷 벗기는 사람 **2** 《구어》 스트리퍼(stripteaser) **3** 털 벗기는 빗 **4** 《영·방언》 젖이 마른 소 **5** 생산량이 격감한 유정(油井)
strip·per·gram [strípərgræ̀m] *n.* 《영》 (생일인 사람을 찾아와) 스트립쇼를 하며 전달하는 메시지; (직업으로) 그러한 스트립쇼를 하는 사람
stríp plànting = STRIP-CROPPING
stríp pòker 질 때마다 옷을 하나씩 벗는 포커
stríp sèarch 《속어》 = SKIN SEARCH
strip-search [strípsə̀:rtʃ] *vt.* 〈사람을〉 발가벗기고 조사하다 《특히 마약·무기 소지·밀수품 등을 찾기 위한》
stríp shòw 스트립쇼
stript [strípt] *v.* STRIP의 과거·과거분사
strip·tease [strípti:z] *n.* 스트립쇼 — *vi.* 스트립쇼를 하다
strip·teas·er [-tì:zər] *n.* 스트리퍼 《스트립쇼에 출연하는 사람》
strip·y [stráipi] *a.* (**strip·i·er**; **-i·est**) 줄무늬 있는
‡**strive** [stráiv] *vi.* (**strove** [stróuv]; **striv·en** [strívən]) **1** 노력하다, 힘쓰다, 얻으려고 애쓰다: (~+***to*** do) He always ~*s to* be ahead of others in his class. 그는 학급에서 남보다 앞서려고 언제나 노력하고 있다. // (~+전+명) ~ *for* independence 독립을 이루려고 노력하다 / ~ *after* an ideal 이상을 실현하려고 노력하다 / ~ *for* success 성공하기 위해 노력하다 **2** (…와) 싸우다, 항쟁하다, 분투하다

> **thesaurus** **strive** *v.* try, attempt, endeavor, make an effort, labor, toil, struggle, strain
> **stroke**[1] *n.* blow, slap, smack, thump, thwack, punch, cuff, box, knock, rap, smite, buffet
> **strong** *a.* **1** 힘센 powerful, mighty, muscular, sturdy, robust, vigorous, tough **2** (물건이) 튼튼한

(struggle) 《*with, against*》: 《~+전+명》 ~ *against* fate[destiny] 운명과 싸우다 **3** 《폐어》 (…와) 경쟁하다, 겨루다(rival) 《*with*》 **~ *an effect*** 인상적으로 보이기 위해 애쓰다 ▷ strífe *n.*

*****striv·en** [strívən] *v.* STRIVE의 과거분사

strobe [stróub] *n.* 〖사진〗 **1** 《구어》 =STROBE LIGHT **2** =STROBOSCOPE

stróbe lìght 〖사진〗 (스트로보의) 플래시 라이트, 섬광(閃光) 전구(flash lamp)

strob·i·la·ceous [stràbəléiʃəs | strɔ̀b-] *a.* 〖식물〗 구과(毬果)의, 구과 같은, 구과를 맺는

stro·bile [stróubail | -bil] *n.* 〖식물〗 구과

strob·ing [stróubiŋ] *n.* Ⓤ (TV 화면에서) 깜박거리는 섬광 효과

stro·bo·scope [stróubəskòup] *n.* **1** 물체의 고속 회전[진동] 상태를 관찰[촬영]하는 장치 **2** 〖사진〗 스트로보, 섬광(閃光) 촬영 장치 **strò·bo·scóp·ic** *a.*

stro·bo·tron [stróubətràn, strábə- | stróubətrɔ̀n, strɔ́bə-] *n.* 〖전기〗 스트로보 방전관(放電管)

*****strode** [stróud] *v.* STRIDE의 과거

stro·ga·noff [strɔ́:gənɔ̀:f, stróu-] *n.* 〖요리〗 스트로가노프 《사워크림 소스를 넣고 조린 고기 요리》

‡**stroke**[1] [stróuk] *n.* **1** 타격(blow), 치기, 일격; 한 번 찌르기[치기]; (새의) 한 번 날개 치기; (손·연장의) 한 번 놀리기: a ~ of lightning 낙뢰/a finishing ~ 최후의 일격; 끝마무리/Little ~*s* fell great oaks. 《속담》 열 번 찍어 안 넘어가는 나무 없다. **2** (시계·종 등의) 치는 소리, 울림 **3** (심장의) 고동; 맥박 **4** (뇌졸중 등의) 발작 **5** [a ~] (행운 등의) 우연히 찾아듦, 뜻밖의 행운: *a* ~ of luck 뜻밖의 행운, 요행수 **6** (크리켓·골프·테니스 등의) 타구, 스트로크, 타법(打法): finish six ~*s* under par 6타 언더 파로 (경기를) 끝내다. **7** 〖기계〗 (피스톤의) 스트로크, 행정(行程) **8** (수영의) 손발을 한 번 놀리기; 수영법 **9** (보트 등의) 한 번 젓기; 젓는 법; 정조(수) **10 a** (붓의) 일필(一筆), 붓의 놀림, 필법; 한 획(劃), 자획 **b** 한 칼, 한 번 새김 **c** (타자기의) 한 번 치기 **11** (문학 작품의) 필치(筆致) **12** [a ~] **a** 한바탕 일하기 **b** 노력, 분투: *a* bold ~ for liberty 자유를 추구하는 대담한 노력 **13** (…의) 솜씨, 수완; 업적, 공로, 성공, 위업 《*of*》: a ~ *of* genius 천재적 솜씨

a ~ above …보다 한 수 위인 ***at a*** [***one, a single***] ***~*** (1) 일격에 (2) 단숨에, 일거에 ***keep ~*** 박자를 맞춰서 노를 젓다 ***on the ~ of*** five (5시)를 치니까[막 치려는데]: I arrived home *on the ~ of* midnight. 딱 자정에 집에 도착했다. ***pull a ~*** 비열한 수단을 취하다 ***put*** a person ***off his*** [***her***] ***~*** 《영·구어》 …의 일을 그르치다[망치다]

—*vt.* **1** 〈t자 등의〉 짧은 선을 긋다: ~ out 줄을 그어 지우다 **2** 〈보트를〉 정조(整調)로 젓다 **3** 〖당구〗 〈공을〉 치다 ▷ stríke *v.*

stroke[2] *vt.* **1** 쓰다듬다, 어루만지다: 《~+목+부》 ~ *down* one's hair 머리를 쓰다듬다 **2** 《미·캐나다·구어》 달래다, 어르다, 구슬리다: 《~+목+부》 ~ a person *down* …을 달래다 **3** 〈소에게서〉 젖을 짜다 **4** 〖석공〗 …에 홈을 만들다[파다] **5** 〖재봉〗 주름을 펴다 **6** 《미·속어》 …와 성관계하다

~ a person[a person***'s hair***] ***up*** [***the wrong way***] …을 화나게 하다, 흥분시키다

—*n.* 한 번 쓰다듬기, 어루만짐; 달램; 칭찬의 말

stróke bòok 《속어》 포르노 잡지[서적]

stróke hòuse 《미·속어》 포르노 극장

stróke òar 정조수(整調手)가 젓는 노; 정조수

stróke plày 〖골프〗 =MEDAL PLAY

‡**stroll** [stróul] *vi.* **1** 한가로이[이리저리, 어슬렁어슬렁] 거닐다(ramble), 산책하다: 《~+부》 ~ *about* in the suburbs 교외를 이리저리 거닐다 // 《~+전+명》 ~ *along* the beach 바닷가를 산책하다 **2** 방랑하다, (정처없이) 떠돌다(wander) **3** 순회공연하다

—*vt.* 《미》 〈거리 등을〉 한가히 거닐다: ~ the countryside 시골길을 거닐다

S~ on! 《속어》 [놀람·실망 등을 나타내어] 어머!

—*n.* 이리저리 거닐기, 산책: go for[have, take] a ~ 산책하다, 어슬렁거리며 거닐다

stroller 4

stroll·er [stróulər] *n.* **1** 한가히 거니는 사람, 산책자 **2** 방랑자(vagrant) **3** 순회공연자 **4** 《미》 (접을 수 있는) 유모차(《영》 pushchair)

stroll·ing [stróuliŋ] *a.* Ⓐ 〈배우 등이〉 순회 공연하는, 떠돌아다니는

strólling pláyers *pl.* (옛날의) 유랑[순회] 극단

stro·ma [stróumə] *n.* (*pl.* **~·ta** [-tə]) **1** 〖해부〗 (적혈구 등의) 기질(基質), 간질(間質) **2** 〖식물〗 자좌(子座); 엽록체(葉綠體)

stro·mat·o·lite [stroumǽtəlàit] *n.* 〖지질〗 스트로마톨라이트 《녹조류(綠藻類) 활동에 의해 생긴 박편상 석회암》 **stro·màt·o·lít·ic** *a.*

‡**strong** [strɔ́:ŋ, stráŋ | strɔ́ŋ] *a.* (**~·er**; **~·est**) **1** 힘센, 〈체력·근력이〉 강한; 튼튼한, 강건한; 〈수단·의견 등이〉 강경한, 강력한: ~ muscles 강한 근육/the *~er* sex 남성(opp. *weaker sex*) 《~+***to*** do》 He was ~ *to* suffer the hardships. 그는 그 고난을 견뎌낼 만큼 강했다.

> 유의어 **strong** 「힘센」의 뜻의 가장 일반적인 말: have a *strong* constitution 강한 체격을 가지고 있다 **robust** 정신적 또는 육체적으로 씩씩하고 힘이 넘치는: a *robust* physique 건강한 몸매 **tough** 외부로부터의 힘에 저항할 수 있을 정도로 강건한: a *tough* guy 강인한 녀석 **powerful** 힘이 넘쳐 있다는 뜻을 지니며, 사회적인 지위·권력 등을 나타내기도 함: a *powerful* engine 강력한 엔진

2 a 〈물건이〉 튼튼한, 단단한; 〈음식이〉 질긴, 소화하기 어려운: ~ cloth 튼튼한 천 **b** 〈기초·성채 등이〉 튼튼한, 견고한 **3 a** 〈정신력·기억력 등이〉 강한, 〈의지가〉 강고한: a ~ will 강고한 의지 **b** 〈신념 등이〉 굳은, 단호한; 〈습관·편견 등이〉 뿌리 깊은 **4** 자신 있는; (…을) 잘하는, 능한 《*in, on*》: He's ~ *in* mathematics. 그는 수학을 잘한다. **5** 권력[세력]이 있는: a ~ nation 강대국 **6 a** 〈작품·문체 등이〉 힘찬, 박력 있는 **b** 〈말 등이〉 격한, 심한, 난폭한 **7** 〈논의·증거 등이〉 유력한, 설득력 있는: ~ arguments 설득력 있는 논의 **8** 〈목소리 등이〉 큰 **9** 〈경제력 등이〉 강한; 안정된; 〈카드의 패 등이〉 센, 좋은: a ~ hand in trumps 트럼프의 좋은 패 **10 a** 〈감정 등이〉 격한 **b** 〈활동·노력 등이〉 정력적인, 맹렬한: ~ efforts 맹렬한 노력 **11** 〈바람·타격 등이〉 강한, 거센: ~ winds 강풍 **12** 〈인상·비교·대조 등이〉 현저한, 확실한, 눈에 띄는: a ~ contrast 선명한 대조 **13** 〈냄새·빛·소리 등이〉 강렬한 **14 a** 〈차 등이〉 진한; 〈술이〉 독한; 알코올을 함유한; 〈약 등이〉 효력이 강한 **b** 〈음식·입김 등이〉 악취 나는 **15 a** 다수의, 우세한 **b** [수사 뒤에서] 인원[병력]이 …인, …의 인원[병력]을 가진: Marines 20,000 ~ 총 2만 명의 해병대원/a four-~ family 《영》 4인 가족 **16** 〖상업〗 강세의, 오름세의 **17** 〖문법〗 강변화의, 불규칙 변화의: ~ verbs 강변화 동사 《*sing, sang, sung* 등》 **18** 〖음성〗 강세가 있는 **19** 〈렌즈 등이〉 도수가 강한: a ~ microscope 고배율 현미경

(***as***) ***~ as a horse*** [***an ox, a bull, a bear***] 매

---

solid, durable **3** 단호한 firm, resolute, determined, strong-minded, mighty, influential **4** 설득력 있는 cogent, potent, weighty, compelling, convincing, valid **5** 맹렬한 keen, eager, deep, acute, passionate, fervent, intense **6** 현저한 marked, distinct, definite, obvious, evident, remarkable

우 강건한 ***be a bit*** ~ 《영·구어》 너무 심하다, 말이 지나치다 ***be*** ~ ***for*** 《미·구어》 …을 편애[중시]하다 ***be*** ~ ***on***[***at***] …을 좋아하다; 소중히 여기다 ***by***[***with***] ***a***[***the***] ~ ***hand*** 우격다짐으로, 억지로 ***have a*** ~ ***head*** 주량이 세다
— *ad.* 세게, 힘차게, 맹렬히, 터무니없이
come[***go***] ***it*** ~ 《영·구어》 깊은 생각 없이 하다[말하다], 극단적으로 치닫다; 과장하다 ***come on*** ~ 《속어》 격하게[대담하게, 요란하게] 행동하다 ***come out*** ~ 과장하다; 역설하다 ***put it*** ~ 나쁘게 말하다, 과장하다 (***still***) ***going*** ~ 《구어》 (아직도) 원기 왕성한, 정정한 ~**·ness** *n.*
▷ stréngth *n.*; stróngly *ad.*

stróng árm 힘, 폭력; (하수인으로서) 폭력을 휘두르는 사람

strong-arm [strɔ́:ŋɑ̀:rm | strɔ́ŋɑ̀:m] 《구어》 *a.* Ⓐ 힘이 센; 완력[폭력]을 쓰는, 우격다짐의 — *vt.* …에 폭력[완력]을 쓰다; 폭력으로 빼앗다, 강탈하다

strong·box [-bɑ̀ks | -bɔ̀ks] *n.* 금고, 돈궤

stróng bréeze 〖기상〗 된바람, 웅풍(雄風) 《시속 25-31 마일》

stróng drínk 주류(酒類); (양조주에 대하여) 증류주

stróng fórce 〖물리〗 = STRONG INTERACTION

stróng fòrm 〖문법〗 (발음의) 강형(强形)(opp. *weak form*; ⇨ 문법 부록 (28))

stróng gále 〖기상〗 큰센바람, 대강풍 《시속 47-54 마일》

strong-head·ed [-hédid] *a.* 완고한(head-strong), 고집 센(stubborn)

strong·heart·ed [-hɑ́:rtid] *a.* 용감한(brave)

***strong·hold** [strɔ́:ŋhòuld | strɔ́ŋ-] *n.* **1** 성채(城砦), 요새(fortress); 근거지 **2** (사상·신앙 등의) 본거지, 거점 《*of*》: That campus was a ~ *of* liberalism. 저 학교는 자유주의의 본거지이다.

stróng interáction 〖물리〗 (소립자(素粒子) 간의) 강한 상호 작용(strong force)(cf. WEAK INTERACTION)

strong·ish [strɔ́:ŋiʃ, strɑ́ŋ- | strɔ́ŋ-] *a.* 튼튼해 보이는, 힘이 센 듯한, 상당히 강한

stróng lànguage 심한 말, 격한[난폭한] 말; 《완곡》 악담, 욕지거리

‡**strong·ly** [strɔ́:ŋli, strɑ́ŋ- | strɔ́ŋ-] *ad.* **1** 튼튼하게 **2** 강하게, 강경히 **3** 맹렬히; 열심히

strong·man [-mæ̀n] *n.* (*pl.* **-men** [-mèn]) **1** 장사 **2** (힘으로 지배하는) 정치적 리더, 독재자 **3** (기구·조직 내의) 실력자

stróng méat **1** 딱딱한[질긴] 고기 **2** 공포심·분노·반발 등을 불러일으키는 것, 소름끼치는 것 **3** 〖성서〗 어려운 교리

strong-mind·ed [-máindid] *a.* **1** (특히 유혹에 대하여) 마음이 단단한; 자주적인 **2** 결연한, 과단성 있는 **3** 〈여자가〉 남자 못지않은, 기승스러운
~**·ly** *ad.* ~**·ness** *n.*

strong·point [-pɔ̀int] *n.* 〖군사〗 방위 거점; (사람의) 장점, 강점

strong·room [-rù(:)m] *n.* (화재·도난 방지 설비가 되어 있는) 금고실, 귀중품 보관실; 중증 정신병 환자실

stróng sáfety (미식축구의) 스트롱 세이프티 《수비의 최후방에 위치》

stróng sìde 〖미식축구〗 스트롱 사이드 《포메이션에서 선수가 많은 쪽; tight end가 있는 쪽》

stróng sùit **1** 〖카드〗 높은 끗수의 패 **2** 장점, 장기

strong-willed [-wíld] *a.* 의지가 굳은; 완고한

stron·ti·um [strɑ́nʃiəm, -tiəm | strɔ́n-] *n.* Ⓤ 〖화학〗 스트론튬 《금속 원소, 기호 Sr, 번호 38》

stróntium 90 [-náinti] 〖화학〗 스트론튬 90 《스트론튬의 방사성 동위 원소; 기호 ^{90}Sr》

strop [strɑ́p | strɔ́p] *n.* **1** 가죽숫돌, 혁지(革砥) 《면도칼의 날을 세우는》 **2** 〖항해〗 (도르래의) 고리줄; (밧줄의) 삭환(索環) — *vt.* (**~ped**; **~·ping**) 가죽숫돌에 갈다

stro·phan·thin [stroufǽnθin] *n.* Ⓤ 〖약학〗 스트로판틴 《유독성 배당체(配糖體); 강심제》

stro·phe [stróufi] *n.* **1** (고대 그리스 합창 무용대의) 좌측 전회(轉回); (그때 부르는) 합창가(cf. ANTISTROPHE) **2** (시의) 절 **stró·phic** *a.*

strop·per [strɑ́pər | strɔ́p-] *n.* 가죽숫돌로 가는 사람; 양날 면도칼을 가는 기계

strop·py [strɑ́pi | strɔ́pi] *a.* (**-pi·er**; **-pi·est**) 《영·속어》 반항적인, 다루기 어려운; 불평을 늘어놓는; 골사나운

stroud [stráud] *n.* (원래 영국인이 북미 인디언과 물물 교환한) 거친 모직물[모포, 의복]

***strove** [stróuv] *v.* STRIVE의 과거

strow [stróu] *vt.* (**~ed**; **strown** [stróun], **~ed**) 《고어》 = STREW

stroy [strɔ́i] *vt.* 《고어》 파괴하다(destroy)

‡**struck** [strʌ́k] *v.* STRIKE의 과거·과거분사
— *a.* Ⓐ 《미》 동맹 파업으로 폐쇄 중인: a ~ factory 동맹 파업 중인 공장

strúck júry 〖미국법〗 특별 배심(special jury) 《쌍방의 변호사가 특별 협정에 따라 48명의 배심원 중에서 뽑은 12명》

***struc·tur·al** [strʌ́ktʃərəl] *a.* **1** 구조(상)의, 조직(상)의 **2** 〖생물〗 형태적인(morphological) **3** 〖화학〗 (화학) 구조의 **4** 정치[경제] 조직에 의한 **5** 구조 언어학의; 구조를 연구하는 **6** 지질 구조의; 건축(용)의
~**·ly** *ad.* ▷ strúcture *n.*

strúctural anthropólogy 구조 인류학

strúctural engineer 구조 공학자 《큰 건물이나 다리 등을 건설할 수 있도록 디자인하는》

strúctural engineéring 구조 공학

strúctural fórmula 〖화학〗 구조식

strúctural gène 〖유전〗 구조 유전자

strúctural geólogy 구조 지질학

strúctural íron 〖건축〗 (구조용) 철재

struc·tur·al·ism [strʌ́tʃərəlìzm] *n.* Ⓤ **1** 구조주의(構造主義) **2** = STRUCTURAL ANTHROPOLOGY **3** = STRUCTURAL LINGUISTICS **4** = STRUCTURAL PSYCHOLOGY

struc·tur·al·ist [strʌ́tʃərəlist] *n.*, *a.* 구조(주의) 언어학자(의), 구조주의 비평가(의)

struc·tur·al·ize [strʌ́ktʃərəlàiz] *vt.* 구조화(化)하다, 구조식으로 하다

strúctural linguístics 구조 언어학

strúctural psychólogy 구조 심리학

strúctural recéssion 〖경제〗 구조적 불황

strúctural stéel 구조용 강재

strúctural unemplóyment (경제 구조의 변화로 인한) 구조적 실업, 비자발적 실업

‡**struc·ture** [strʌ́ktʃər] [L 「조립하다」의 뜻에서] *n.* **1** ⓊⒸ 구조, 기구, 조직, 구성, 조립: the ~ of a government 정치 기구 **2** 건물, 건조물 **3** 체계(system): the ~ of modern science 현대 과학의 체계 **4** (문학·지질·화학·사회·언어) 구조
— *vt.* 〈생각·계획 등을〉 구성하다, 조직화하다
strúc·tured [-d] *a.* ~**·less** *a.* ▷ strúctural *a.*

strúctured prógramming 〖컴퓨터〗 구조화(化) 프로그래밍 《프로그램 작성 기법의 하나》

struc·tur·ism [strʌ́ktʃərìzm] *n.* Ⓤ 〖미술〗 구조주의 《기본적인 기하학적 형태[구조]를 중시하는 미술》
-ist *n.*

struc·tur·ize [strʌ́ktʃəràiz] *vt.* 〈복잡한 것을〉 조직[구조]화하다, 조직적으로 배열하다

stru·del [strú:dl] [G 「소용돌이」의 뜻에서] *n.* 과일·치즈 등을 밀가루 반죽으로 얇게 싸서 화덕에 구운 과자

‡**strug·gle** [strʌ́gl] *vi.* **1** 발버둥치다, 몸부림치다: (~+***to*** do) ~ *to* escape 도망치려고 몸부림치다 **2** (…와) 싸우다; 격투하다 《*against*, *with*》: (~+

thesaurus **structure** *n.* **1** 구조 construction, form, configuration, conformation, shape, con-

전+명) ~ *against* fearful odds 강적과 씨름하다 **3** (…하려고) **분투[고투]하다**, 전력을 다해서 하다, 애쓰다, 고심하다(strive) (*for, to* do, *with*): (~+*to* do) ~ *to* calm oneself 냉정히 하려고 애쓰다 // (~+전+명) ~ *for* a living 생계를 위해 악전고투하다 / ~ *with* an important problem 중대 문제와 씨름하다 **4** 밀어 헤치고[고생하며] 나아가다; 고생 끝에 (…의 상태로) 되다 (*along, in, through, up*): (~+전+명) ~ *through* a crowd 군중 속을 밀어 헤치고 나아가다 / ~ *to* one's feet 겨우 일어서다

— *vt.* 노력하여 해내다[처리하다]; 〈길을〉 애써서 나아가다: (~+목+전+명) ~ *through* the snow 눈 속을 애써서 나아가다 // (~+목+*to* do) ~ oneself *to* do 노력하여[애써서] …하다

— *n.* **1 발버둥질**, 몸부림 **2 노력**, 악전고투(⇨ quarrel[1] 유의어): the ~ for existence[life] 생존 경쟁 **3** 투쟁, 싸움, 전투; 격투 (*for, with*): a terrific ~ *for* power 치열한 권력 투쟁 / a ~ *with* disease 투병

> 유의어 **struggle** 격렬한 움직임이나 활동을 함 **brush** 단시간의 우발적이고 격렬한 전투 **clash** 대립하는 집단·운동·이해관계의 정면 격돌

strug·gler [strʌ́glər] *n.* 발버둥이 치는 사람; 노력가, 분투하는 사람

strug·gling [strʌ́gliŋ] *a.* 발버둥이 치는; 기를 쓰는, 분투하는 **~·ly** *ad.*

strum [strʌ́m] *v.* (**~med**; **~·ming**) *vt.* 〈현악기를〉 가볍게[손끝으로] 타다; 〈곡을〉 타다, 퉁기다

— *vi.* (현악기를) 가볍게 연주하다 (*on*): (~+전+명) ~ *on* a guitar 기타를 가볍게 타다

— *n.* (현악기를) 가볍게 타기; 그 소리

stru·ma [strúːmə] *n.* (*pl.* **-mae** [-miː]) 〖병리〗 연주창, 갑상선종(甲狀腺腫); 〖식물〗 혹 모양의 돌기

stru·mose [strúːmous] *a.*

strum·pet [strʌ́mpit] *n.* (문어·고어) 매춘부; (미·속어) 단정치 못한 여자, 매력 없는 여자

∗**strung** [strʌ́ŋ] *v.* STRING의 과거·과거분사

— *a.* **1** 〈악기 등이〉 현을 팽팽하게 맨 **2** [보통 highly ~로] (영) 〈사람이〉 극도로 예민해진[긴장한], 신경질적인 **~ out** (구어) (1) 한 줄로 늘어선[배열된] (2) (속어) 마약으로 취한[뻗은] (*on*) (3) 몸이 쇠약하여, 피로하여 **~ up** (영·속어) 극도로 긴장한, 신경과민의; 아주 훌륭한

∗**strut**[1] [strʌ́t] *v.* (**~·ted**; **~·ting**) *vi.* **1 점잔 빼며** [거들먹거리며] **걷다**, 활보하다; 〈공작·칠면조 등이〉 날개를 펴고 걷다: (~+부) ~ *about*[*along*] 어깨를 으쓱거리며 걷다

> 유의어 **strut** 보란 듯이 과시하며 걷는 것 **swagger** 위압적으로 바람을 가르듯 걷는 것

2 팽창하다, 붓다

— *vt.* 〈옷 등을〉 뽐내며 자랑해 보이다, 과시하다 **~ one's stuff** (미·속어) (복장·솜씨 등에서) 과시하다

— *n.* 점잔빼는 걸음걸이, 활보 **~·ter** *n.*

strut[2] *n.* 지주(支柱), 버팀목, 받침대(prop)

— *vt.* (**~·ted**; **~·ting**) 지주[버팀목]로 받치다

'struth [strúːθ] [God's *truth*] *int.* (구어) 이크, 깜짝이야 (놀라는 소리)

stru·thi·ous [strúːθiəs] *a.* 타조의, 타조 같은; 주조류(走鳥類)의

strut·ting [strʌ́tiŋ] *a.* 점잔 빼며[으스대며] 걷는; 거드름 부리는, 젠체하는

strych·nine [stríknin, -niːn, -nain | -niːn] *n.* Ⓤ 〖약학〗 스트리키니네 (신경 흥분제)

strych·nin·ism [stríkninìzm] *n.* Ⓤ 〖병리〗 스트리키니네 중독

stitution, organization, system, frame **2** 건물 building, complex, erection, construction

STS Serologic Test for Syphilis; Space Transportation System 〖우주과학〗 우주 수송 시스템 **Sts.** Saints **S.T.S.** Scottish Text Society

Stu·art [stjúːərt | stjú-] *n.* **1** 남자 이름 **2** 스튜어트 왕가의 사람 ***the ~s = the House of ~*** 스튜어트 왕가 (1371-1603년간 Scotland를, 1603-1714년간 Scotland와 England를 통치; James Ⅰ, Charles Ⅰ & Ⅱ, James Ⅱ, Mary, Anne)

∗**stub** [stʌ́b] *n.* **1** (나무의) **그루터기**(stump); (넘어진 나무 등의) 뿌리, 잘린 나머지; (부러진 이 등의) 남은 뿌리; 수염 깎은 자국 **2** (연필·담배 등의) 토막, 동강, 꽁초; 짧은 개꼬리 **3** (수표책 등의) 보관용 부본 **4** (입장권 등의) 반쪽 **5** 짧은 돌출부 **6** (끝이 잘린 듯한 형태의) 굵은 펜

— *vt.* (**~bed**; **~·bing**) **1** 〈발끝을〉 (그루터기·돌 등에) 채다 (*against, on*): I *~bed* my toe *against* the step. 계단에 발가락을 부딪혔다. **2** 〈담배를〉 끝을 비벼 끄다 (*out*) **3** 〈그루터기·뿌리를〉 뽑다 (*up*)

▷ stúbby *a.*

stub·bed [stʌ́bid, stʌ́bd | stʌ́bd] *a.* 그루터기 같은, 뭉뚝한; 그루터기 투성이의; 〈발가락이〉 (물체에 부딪혀) 다친; 〈담배가〉 비벼 꺼진 **~·ness** *n.*

stub·ble [stʌ́bl] *n.* **1** [보통 *pl.*] (밀 등의) 그루터기; [집합적] 그루터기만 남은 밭 **2** Ⓤ 그루터기 모양의 것; (송송 난) 짧은 수염 **stúb·bly** *a.*

‡**stub·born** [stʌ́bərn] *a.* **1** 완고한, 고집 센

> 유의어 **stubborn** 타고난 성질 등이 고집이 세어 자기 생각을 바꾸지 않는: *stubborn* disposition 고집 센 기질 **obstinate** 남의 충고에 귀를 기울이지 않고, 설령 잘못되어 있어도 완고하게 자기 생각을 바꾸지 않는: I never saw anyone so *obstinate.* 저렇게 고집 센 사람은 본 적이 없다. **dogged** 어떠한 상황에도 기죽지 않고 굴하지 않는 **persistent** 오래 버티는; 의지가 굳은, 참을성 있는

2 〈행동 방침·태도 등이〉 완강한, 굽히지 않는: a ~ resistance 완강한 저항 **3** 〈문제 등이〉 다루기 힘드는; 〈통증·병이〉 좀처럼 낫지 않는: ~ facts 굽힐 수 없는 엄연한 사실 / a ~ pain 좀처럼 가시지 않는 통증 **4** 〈돌·목재 등이〉 단단한; 〈금속 등이〉 잘 녹지 않는

~·ly *ad.* 완고[완강]하게 **~·ness** *n.* Ⓤ 완고, 완강

stub·by [stʌ́bi] *a.* (**-bi·er**; **-bi·est**) **1** 그루터기 같은, 갓 베어낸 **2** 〈모습 등이〉 뭉뚝한, 땅딸막한: ~ fingers 짧고 굵은 손가락 **3** 그루터기[뿌리] 투성이의 **4** 〈머리털·수염 등이〉 짧고 뻣뻣한

stúb nàil 굵고 짧은 못; 편자의 낡은 못

stuc·co [stʌ́kou] [It.] *n.* (*pl.* **~(e)s**) ⓊⒸ 치장 벽토 (세공) — *vt.* 치장 벽토를 바르다 **~·er** *n.*

stuc·co·work [stʌ́kouwə̀ːrk] *n.* 치장 벽토 세공 **~·er** *n.* 벽토 치장공

‡**stuck** [stʌ́k] *v.* STICK의 과거·과거분사

— *a.* (속어) (…에) 열중한; (…에) 반한 (*on*) ***get ~ in*** (영·속어) 맹렬히 식사[일]를 시작하다, 분발하다 ***get ~ into*** (속어) …에 전념하다; …을 혼내주다

— *n.* [다음 성구로] ***in*[*out of*] ~** (구어) 곤경에 빠져[을 벗어나]

stuck-up [stʌ́kʌ́p] *a.* (구어) 거드름부리는, 점잔빼는, 거만한

∗**stud**[1] [stʌ́d] [OE 「지주(支柱)」의 뜻에서] *n.* **1** 못, (특히 대가리가 큰) 장식 못[징] **2** (와이셔츠 등의) 장식 단추, 칼라 단추((미) collar button) **3** 〖건축〗 (벽의) 간주(間柱) **4** 〖기계〗 스터드, 박아넣는 볼트 **5 a** (스노타이어의) 징, 스파이크 **b** (구획하기 위해) 노면(路面)에 박는 대갈못

— *vt.* (**~·ded**; **~·ding**) **1** …에 장식 단추를 달다; 장식 못[징]을 박다: (~+목+전+명) The gate is *~ded with* big bosses. 그 대문에는 큰 장식 못이 박혀 있다. **2** [보통 과거분사로] …에 (…을) 온통 박다, 흩뿌리다 (*with*): (~+목+전+명) a crown *~ded with* diamonds 다이아몬드가 여기저기 박혀 있는 왕

관 **3** …에 점재[산재]해 있다, 흩뿌리다: Numerous islands ~ the bay. 수많은 섬들이 그 만에 산재해 있다. / ~ raisins over a cake 케이크 위에 건포도를 흩뿌리다 **4** 〖건축〗 …에 간주(間柱)를 세우다, 간주로 받치다

stud[2] *n.* **1** (미) 종마(種馬)(studhorse) **2** 말 번식장, 종마 사육장(= ~ farm) **3** [집합적] (사냥·경마·번식용으로 기르는) 전용마(專用馬)의 떼, 말 떼 **4** 번식용 수컷 **5** 《속어》 정력이 절륜한 남자; 멋진 남자 **6** 《미·속어》 마약

stud. student

stud·book [stʌ́dbùk] *n.* (말·개 등의) 혈통 대장(臺帳)

stud·ded [stʌ́did] *a.* **1** 금속 조각이 박힌, 금속 조각을 붙여 장식한 **2** (…로) 촘촘히 박힌, 잔뜩 붙인 《*with*》(cf. STAR-STUDDED): ~ *with* stars 별이 가득한 하늘

stud·ding [stʌ́diŋ] *n.* [집합적] 간주(間柱); Ⓤ 간주 재목

stud·ding·sail [stʌ́diŋsèil, 〖항해〗 stʌ́nsəl] *n.* 〖항해〗 스턴슬, 보조돛

‡**stu·dent** [stjú:dnt | stjú:-] [study에서] *n.* **1** 학생 《미국에서는 중·고등학교 학생 이상, 영국에서는 대학생; cf. SCHOLAR, PUPIL》: a high school ~ (미) 고등학생 **2** 연구가, 학자 **3 a** (대학·연구소 등의) 연구생 **b** (영) (Oxford 대학 Christ Church 등의) 장학생(fellow)

stu·dent-ac·tiv·ist [stjú:dntǽktəvist | stjú:-] *n.* 학생 활동가, 운동권 학생

stúdent bódy [집합적] (대학 등의) 학생 총수, 전학생

stúdent cóuncil 학생 자치 위원회

stúdent góvernment 학생 자치(회)

stúdent intérpreter (영사관의) 견습 통역관; (외무부의) 외국어 연수생

stúdent làmp (높이와 각도를 조절할 수 있는) 독서용 전기스탠드

stúdent lóan 학생 융자, 학자금 대출

stúdent núrse 간호 실습생

stúdent pówer 학생 자치회에 의한 대학[학교] 관리

stu·dent·ship [stjú:dntʃip | stjú:-] *n.* Ⓤ **1** 학생임, 학생의 신분 **2** (영) (대학의) 장학금(scholarship)

stúdent téacher 교육 실습생, 교생(intern)

stúdent téaching 교육 실습, 교생 실습

stúdent[(영) **stúdents'**] **únion** (미) **1** 학생 회관 《과외 활동용 휴게실·오락실·클럽실 등이 있음》 **2** (대학의) 학우회, 학생 자치회

stúd fàrm 종마 사육장

stud·horse [stʌ́dhɔ̀:rs] *n.* (번식용) 종마(stallion)

***stud·ied** [stʌ́did] *a.* **1** 《문어》 고의의, 부자연스러운 **2** Ⓐ 《문어》 (발언 전에) 심사숙고한 **3** 《고어》 (…에) 박학한, 정통한 《*in*》 **~·ly** *ad.* **~·ness** *n.*

‡**stu·di·o** [stjú:diòu | stjú:-] [It. =study] *n.* (*pl.* **~s**) **1** (화가·조각가·사진가 등의) 작업장, 아틀리에, 스튜디오 **2** (음악·무용·연기 등의) 연습실: a dance ~ 댄스 교실 **3** [종종 *pl.*] 영화 촬영소 **4** 방송실, 스튜디오; (레코드) 녹음실

stúdio apàrtment (미) 부엌·목욕실이 한 방에 딸린 아파트, 1실형 주거; (스튜디오처럼) 천장이 높고 창문이 큰 아파트

stúdio àudience [집합적] (라디오·TV의) 방송 프로 참가자[방청객]

stúdio còuch (등받이·팔걸이가 없는) 침대 겸용 소파

stu·di·ous [stjú:diəs | stjú:-] *a.* **1** 면학에 힘쓰는, 공부하기 좋아하는 **2** 학문적인, 학습상의 **3** 몹시 (…)하고 싶어하는 《*of doing*》; 열심인, 애쓰는: ~ care 열심히 보살핌 // (~+*to* do) That shopman is ~ *to* please his customers. 저 점원은 손님들의 마음에 들려고 무척 애쓰고 있다. **4 a** 신중한, 세심한 **b** 《드물게》 고의의, 부자연스러운 **5** 《문어·고어》 〈장소가〉 면학에 적당한 **~·ly** *ad.* **~·ness** *n.*

stud·ly [stʌ́dli] *a.* (**-li·er, -li·est**) 《미·속어》 사내다운, 씩씩한(hunky); 멋진; 근육질의

stúd màre 번식용 암말

stud-muffin [stʌ́dmʌ̀fin] *n.* 《미·속어》 성적으로 매력 있는 남자

stúd póker 〖카드〗 스터드 포커 《첫 한 장은 엎어 주고 나머지 4장은 한 장씩 젖혀서 나누어 주며 돈을 거는 것》

‡**stud·y** [stʌ́di] [L 「애쓰다」의 뜻에서] *n.* (*pl.* **stud·ies**) **1** Ⓤ 공부, 면학, 학습: ~ skills 공부 기술 **2** (특정 분야의 학문·과학·예술의) 연구 《*of, in*》; [종종 *pl.*] (개인) 연구 (활동), 학문 《*of*》: make a ~ *of* …을 연구하다; …을 얻으려고 마음먹다 / pursue one's *studies* 자신의 연구에 힘쓰다 **3** [a ~] **a** 연구[주목]할 가치가 있는 것, 볼 만한 것 **b** 견본, 전형 **4** [보통 *pl.*] **a** 연구 과목[대상], 연구 분야, 학문 **b** 학교 교육, 학업 **5** (문제·현상 등의) 세심한 검토, 조사 **6** (…의) 연구 업적, 연구 논문, 연구 《*of, in*》 **7** (꾸준한) 노력, 수고 **8** 노력[배려]의 대상[목표] **9** 깊은 생각, 심사숙고; 방심(한 상태): He was lost in ~. 그는 생각에 몰두했다. **10** 서재, (개인의) 연구실, 사무실 **11** 〖음악〗 연습곡(étude) **12** (문학·예술 등의) 스케치, 습작, 시작(試作) **13** [형용사를 동반하여] 대사를 외는 것이 (…한) 사람[배우]: a slow[quick] ~ 대사를 더디게[빨리] 외는 배우 ***be in a brown ~*** (구어) 생각에 깊이 잠겨 있다

— *v.* (**stud·ied**) *vt.* **1** 연구하다; 배우다, 공부하다, 학습하다(⇨ learn 유의어): ~ economics 경제학을 공부하다 **2** (면밀히) 조사하다, 검토하다

> 유의어 **study** 세부를 통해 전체를 파악하기 위해 정신을 집중하다 **consider** 가벼운 생각부터 깊은 명상까지 포함하는 넓은 의미 **reflect** 과거를 회상하며 조용히 생각하다 **weigh** 저울에 재듯 신중하고 공정하게 판단하다

3 관찰하다, 자세히 보다, 살피다 **4** 〈책 등을〉 숙독[정독]하다 **5** 〈대사 등을〉 외다, 암송하다 **6 a** …하려고 마음먹다, 목적하다 **b** 〈남의 희망·감정·이익 등을〉 고려하다, …을 위하여 애쓰다

— *vi.* **1** (…을 위해) 공부하다, 학습하다; 연구하다; 조사하다 《*for*》: ~ *for* the bar[church, ministry] 변호사[목사]가 되기 위하여 공부하다 **2** 힘쓰다, (…하려고) 애쓰다(endeavor): (~+*to be* 보) (~+*to* do) ~ *to be* wise[*to* do right] 현명해지려고[옳은 일을 하려고] 애쓰다 **3** (방언) (…에 대해) 숙고하다 《*about, on*》; 명상하다

~ out 연구해 내다; 안출[고안]하다; 밝히다, 풀다 ***~ up*** (시험 등을 위해) …을 공부하다 ***~ up on*** (미·구어) 〈사물을〉 잘[상세히] 관찰[조사, 검토]하다

stúd·i·a·ble *a.* **stúd·i·er** *n.* ▷ stúdious *a.*

stúdy bèdroom (영) (침대와 책상이 있는) 학생 공부방

stúdy gròup (정기적으로 모여 하는) 연구회

stúdy hàll (미) **1** (학교의) 자습실 **2** (자습실에서의) 자습[학습] 시간: have ~ 자습하다

‡**stuff** [stʌ́f] *n.* **1** 물질, 성분: synthetic ~ 합성 물질 **2** ⓊⒸ 재료, 원료, 자료 **3** Ⓤ 물건, 사물: nasty ~ 싫은[더러운] 물건 **4 a** (구어) 재산, 가진 물건, 소지품 **b** 가재도구, 가구, 비품 **5** (구어) 음식물, 음료; [the ~; good ~] 위스키 **6** (주로 영) **a** 직물, 포목 **b** (silk, cotton 등에 대하여) 모직물, 나사(羅紗) **7** [the ~] (성격 상의) 소질; (문예 작품 등의) 본질, 특성: This shows what ~ he is made of. 이것으로도 그의 인물을 알 수 있다. **8** (구어) 행동 방식, 말투: kid ~ 어린아이 같은 행동 **9 a** 폐물, 잡동사니, 쓰레기, 시시한 물건 **b** (구어) 쓸데없는 소리, 허튼소리, 어리석은 생각 **10** (미) 〖야구〗 (투수의) 제구력, 구종(球種), 커브 **11** (구어) (문학·미술·연극·음악 등의) 작품, 연주, 연기; (코미디언의) 개그; (신문·잡지의) 기사, 소재: poor ~ 졸작(拙作) **12** (구어) 일의 내용, 영역, 요령;

전문 지식: know one's ~ 유능하다, 능수능란하다 **13** (발포된) 탄환, 포탄, 방사물 **14** Ⓤ 《속어》 약, 마약 **15** Ⓤ [the ~] 《구어》 금전, 현금; Ⓤ 《속어》 장물 **16** 여자 성기; (성적 대상으로서의) 젊은 여자

and all that ~ 《구어》 그 밖에 여러 가지 ***... and ~*** 《구어》 …같은 (시시한) 것 ***Do your ~.*** 《미》 네 특기를 발휘해 보라; 네 일을 척척 하여라. ***hot ~*** ⇨ hot stuff. ***no ~*** 《미·속어》 정말이야 ***S~ (and nonsense)!*** 쓸데없는 소리! ***That's the ~!*** 《구어》 당연한 조치다, 그래야 마땅하다; 맞다, 좋아!

— *vt.* **1** …에 (…을) 채우다, (…로) 채워 넣다(pack, cram) 《*with*》; 〈솜[털, 짚]을〉 (…에) 넣다, 속을 채우다 《*into*》: (~+목+전+명) ~ a pillow *with* feathers = ~ feathers *into* a pillow 베개에 깃털을 넣다 **2** 〈구멍·귀·틈 등을〉 (…로) 메워 막다(block) 《*up, with*》; 〈물건을〉 (용기 등에) 밀어[쑤셔] 넣다(thrust), 메우다 《*into*》: (~+목+전+명) ~ one's ears *with* cotton 귀에 솜을 틀어막다 / ~ a newspaper *into* one's pocket 호주머니에 신문을 쑤셔넣다 **3** [보통 수동형으로] 〈코를〉 막히게 하다, 〈머리를〉 무겁게 하다 《*up*》: My nose[head] *is ~ed up* from a cold. 감기로 코가 막혔다[머리가 무겁다]. **4** 〈새·짐승을〉 속을 채워 박제로 하다 (⇨ stuffed) **5** 〈칠면조 등에〉 (…로) 소를 넣다 《*with*》: (~+목+전+명) ~ a turkey *with* forcemeat 칠면조의 뱃속에 가늘게 썬어 양념한 고기를 넣다 **6** 《구어》 〈사람·뱃속에〉 (음식을) 채워넣다, [~ one*self* 로] 〈사람이〉 (음식을) 잔뜩 먹다 《*with, on*》: ~ *oneself* 과식하다 / ~ a child *with* cake 아이에게 케이크를 잔뜩 먹이다 **7** [보통 수동형으로] 〈차·방 등을〉 (사람으로) 가득 채우다; 〈집·방 등을〉 (가구 등으로) 가득 채우다 《*with*》 **8** 《종종 경멸》 〈지식·생각 등을〉 〈머리에〉 주입하다 《*with*》; 《속어》 속이다(deceive); 《속어》 …에게 장물을 강매하다: (~+목+전+명) ~ one's head[mind] *with* useless knowledge 쓸데없는 지식을 머리에 채워넣다 **9** 《미》 〈투표함에〉 부정 투표하다: ~ a ballot box 투표함에 부정표를 넣다 **10** 《영·비어》 〈여자와〉 성교하다

— *vi.* **1** 잔뜩[게걸스럽게] 먹다(gorge) **2** 〖농구〗 덩크슛으로 결판을 내다 ***Get ~ed!*** 《속어》 [혐오감·경멸 등을 나타내어] 알았어, 그만해, 저리 가! ***S~ a sock in it!*** 입 닥쳐! ▷ stúffy *a.*

stuffed [stʌ́ft] *a.* **1** 속을 채운; (칠면조 등에) 소를 넣은; 박제한: a ~ fox[bird] 박제한 여우[새] **2** 〈코가〉 막힌 《*up*》

stúffed ánimal 1 《특히 미》 봉제 동물 인형(soft toy) **2** 박제된 동물

stúffed shírt 《미·속어》 젠체하는 사람; 유력자, 명사; 부자

stuff·er [stʌ́fər] *n.* **1** 채우는 사람[것] **2** (청구서·은행 계산서 등에 끼워 우송하는) 선전[고지(告知), 독촉]물

stúff gòwn 《영》 (하급 법원 변호사가 입는) 나사(羅紗) 가운; 하급 법원 변호사(cf. SILK GOWN)

stuff·ing [stʌ́fiŋ] *n.* Ⓤ **1** 채움 **2** (이불·소파·인형·베개 등을) 채우는 물건 《깃털·털·솜·짚 등》 **3** (요리할 새 따위에 채워 넣는 빵 부스러기 등의) 소 **4** 《구어》 내장, 창자 **5** (신문 등의) 빈 자리 메우는 기사

knock[beat] the ~ out of a person 《구어》 …을 꼼짝 못하게 하다, 혼내 주다

stúffing and strípping 〖해운〗 컨테이너 화물의 하역 작업

stúffing bòx 〖기계〗 패킹 상자

stúff shòt 〖농구〗 = DUNK SHOT

stuff·y [stʌ́fi] *a.* (**stuff·i·er**; **-i·est**) **1** 〈방 등이〉 통풍(通風)이 잘 안 되는, 숨 막히는; 무더운 **2** 〈공기 등이〉 탁한, 냄새나는: ~ odor 곰팡내 **3** 〈코가〉 막힌, 〈머리가〉 무거운 **4** 재미없는, 지루한 **5** 거드름 피우는, 거만한, 독선적인 **6** 《비꼼》 〈생각 등이〉 케케묵은, 구식의, 고풍의 **7** 《구어》 〈사람이〉 골난, 부루퉁한

stúff·i·ly *ad.* **stúff·i·ness** *n.*

stug·gy [stʌ́gi] *a.* (**-gi·er**; **-gi·est**) 《영·방언》 땅딸막한(stocky)

Stu·ka [stú:kə] [G] *n.* (제2차 대전 때의) 독일의 급강하 폭격기

stull [stʌ́l] *n.* 〖광산〗 (갱도 안의) 지주(支柱)(timber prop); (갱벽을 받치는) 횡목, 가로장

stul·ti·fy [stʌ́ltəfài] *vt.* (**-fied**) **1 a** 바보처럼 보이게 하다 **b** [~ one*self* 로] 자기의 어리석음을 드러내다, 망신하다 **2** 망쳐 놓다, 무의미하게 하다; 무효화하다 **3** 〖법〗 (정신 이상으로) 법률상 무능력하다고 주장하다 **stùl·ti·fi·cá·tion** *n.*

stul·ti·fy·ing [stʌ́ltəfàiiŋ] *a.* 《문어》 무능력하게 만드는, 좌절하게 하는, (생각을) 무디게 하는 **~·ly** *ad.*

stum [stʌ́m] *n.* Ⓤ 미발효의 포도액(을 섞어 재발효시킨 포도주); 《마약속어》 마리화나 — *vt.* (**~med**; **~·ming**) (포도액을 섞어서) 〈포도주의〉 발효를 촉진하다

‡**stum·ble** [stʌ́mbl] *vi.* **1** 발부리가 걸리다, (…에) 채어 비틀거리다 《*on, over*》: (~+전+명) ~ *over* [*on*] a stone 돌에 발부리를 채다 **2** 비틀거리며 걷다 《*along, down, about*》: (~+부) The old man *~d along.* 그 노인은 비틀거리며 걸어갔다. **3** 실수하다; (도덕상으로) 죄를 짓다 **4** 말을 더듬다, 더듬거리다; 〈대답이〉 막히다 《*along, at, over*》 **5** (…을) 우연히 마주치다[발견하다] 《*on, upon, across*》: (~+전+명) He *~d across* an old friend. 그는 우연히 옛 친구를 만났다. / I *~d upon* a rare book at a secondhand bookstore. 나는 헌책방에서 보기 드문 책을 우연히 발견했다.

— *vt.* **1** 발부리가 걸리게 하다 **2** 난처[당황]하게 하다, 주저하게 하다

— *n.* **1** 비트적거림, 비틀거림; [*pl.*] 보행 불능: take a bad ~ 크게 비틀거리다 **2** (도덕상의) 죄, 실수, 과실(blunder) **3** 실패, 실책 **4** [*pl.*] 《마약속어》 진정제; 술 **stúm·bler** *n.*

stum·ble·bum [stʌ́mblbʌ̀m] *n.* 《구어》 서투른 권투 선수; 《미·구어》 무능한 사람; 《미》 낙오자

stúm·bling blòck [stʌ́mbliŋ-] **1** 방해물, 장애물 **2** 고민거리

stum·bling·ly [stʌ́mbliŋli] *ad.* 비틀비틀; 더듬더듬; 주저하며; 어리둥절하며

stu·mer [stjú:mər | stjú:-] *n.* 《영·속어》 가짜; 위조 수표, 위조지폐; 무가치한 물건[사람], 실패작, 실패자; 바보 ***come a ~*** 《호주·속어》 (경마 등으로) 파산하다 ***run a ~*** 《호주·속어》 부정한 경쟁을 하다

‡**stump** [stʌ́mp] *n.* **1** (나무의) 그루터기; (식물·야채 등의 잎을 따낸) 밑동 줄기, 꼭지 **2** (손발의) 잘리고 남은 부분, 기부(基部) **3** (부러진) 이 뿌리 **4** 엽궐련의 꽁초; (연필의) 동강 **5** [보통 *pl.*] 짧게 깎은 머리털(stub) **6** 의족(義足) **7** [보통 *pl.*] 《구어》 다리(legs) **8** 땅딸보 **9** (의족을 단 듯한) 무거운 발걸음[발소리] **10** 《미·구어》 정치 연설대[장](cf. STUMP ORATORY, STUMP SPEECH); (연단(演壇) 대용의) 그루터기 **11** 〖미술〗 찰필(擦筆) **12** (크리켓의) 기둥 **13** 《미·구어》 도전(challenge)

beyond the black ~ 저 멀리 오지로 ***fool around the ~*** 《구어》 꾸물대다; 넌지시 떠보다 ***run against a ~*** 《구어》 난관에 봉착하다 ***stir one's ~s*** 《구어》 손발을 움직이다, 걷다; 움직이기 시작하다, 일하기 시작하다, 서두르다 ***take[go on] the ~*** 유세하며 다니다 ***up a ~*** 《미·구어》 대답할 말이 막혀, 어찌할 바를 몰라 ***up[draw] ~s*** 《영·구어》 떠나다 ***wear ... to the ~s*** …을 닳도록 쓰다, 고갈시키다 ***Your head is full of ~ water.*** 《미·속어》 너는 골 빈 녀석이다.

— *vt.* **1** 〈나무를〉 베어서 그루터기로 하다, 짧게 자르다 **2** 〈땅에서〉 나무를 뿌리째 뽑다; [주로 수동형으로] 무일푼으로 만들다 **3** 〈발부리를〉 (돌 따위에) 차이다(stub): ~ one's toe against …에 발끝을 차이다 **4** 《구어》 〈질문 등이〉 〈사람을〉 괴롭히다, 난처하게 하다: That *~s* me. 그건 골치로군. **5** 《미·구어》 …에게 도전하다, 과감히 해보다 《*to* do》 **6** 유세하다, 연설하며 다니다: ~ the country[a constituency] 국내[선거구]를 유세하다 **7** 〖크리켓〗 기둥을 넘어뜨려 〈타자를〉

아웃시키다 **8** 〖미술〗 찰필로 흐리게 하다
— *vi.* **1** (의족으로 걷듯이) 뚜벅뚜벅 걷다, 무거운 발걸음으로 걷다: (~+副) ~ *along* 터벅터벅 걸어가다 **2** 유세하며 다니다; 선거 운동하다(electioneer)
~ ***for*** (미·속어) …을 적극적으로 지지하다 ~ ***it*** (속어) 걸어가다, 도망치다; (미·구어) 유세하다 ~ ***up*** (영·구어) 〈돈을〉 (마지못해) 지불하다, 내다
▷ stúmpy *a.*

stump·age [stʌ́mpidʒ] *n.* Ⓤ (미) (시장 가치가 있는) 입목(立木); 입목 값; 입목 벌채권

stump·er [stʌ́mpər] *n.* **1** (구어) 어려운 질문[문제], 당황케 하는 것 **2** 〖크리켓〗 = WICKETKEEPER **3** (미·구어) 선거[가두] 연설가

stump-jump·er [-dʒʌ̀mpər] *n.* (미·속어) 시골뜨기

stúmp òrator 가두 정치 연설가; 민중 선동가

stúmp òratory (미·구어) = STUMP SPEECH

stúmp spèaker (미·구어) 가두 연설가

stúmp spèech (미·구어) 가두[정치] 연설

stúmp wòrk 스텀프 워크 《복잡한 소재를 도드라지게 놓은 자수(刺繡)의 한 형태》

stump·y [stʌ́mpi] *a.* (**stump·i·er**; **-i·est**) **1** 그루터기 같은 **2** 땅딸막한, 몽똑한(stubby) **3** 그루터기 투성이의 **stúmp·i·ly** *ad.*

***stun** [stʌ́n] *vt.* (**~ned**; **~·ning**) **1** 〈사람을〉 기절시키다, 인사불성에 빠지게 하다: be *~ned* by the fall 쓰러져 인사불성이 되다 **2** (놀람·기쁨으로) 어리벙벙하게 하다, 아연하게 하다, 대경실색케 하다: be *~ned* into silence 놀라서 할 말을 잃다 **3** 〈소음이〉 〈귀를〉 먹먹하게 하다
— *n.* 기절시킴, 놀라게 함

Stun·dism [stúndizm, ʃtún-] *n.* Ⓤ 〖그리스도교〗 슈툰데파(派) 《1860년경 남러시아 농민의 반정교(反正教)의 일파》 **-dist** *n.*

***stung** [stʌ́ŋ] *v.* STING의 과거·과거분사
— *a.* (속어) **1** 사기당한 **2** 술 취한(drunk)

stún gàs 최루[착란] 가스 《폭동 진압용》

stún grenàde 섬광 수류탄 《강렬한 섬광과 폭음으로 감각을 마비시키는 수류탄》

stún gùn 스턴 총(銃) 《(1) 폭동 진압용의 작은 모래 주머니를 발사하는 총 (2) 작은 화살을 발사하여 전기 쇼크로 마비시키는 총》

stunk [stʌ́ŋk] *v.* STINK의 과거·과거분사

stun·ner [stʌ́nər] *n.* **1** 기절시키는 사람[물건, 일격] **2** (구어) 멋진[근사한] 사람[것]; 절세미인

***stun·ning** [stʌ́niŋ] *a.* **1** 아연하게 하는; 기절시키는; 귀를 먹먹하게 하는 **2** (구어) 놀랄 만큼 멋진[매력적인]; 탁월한: She is absolutely ~. 그녀는 참으로 매력적이다. **~·ly** *ad.*

stun·sail, stun·s'l [stʌ́nsəl] *n.* = STUDDINGSAIL

stunt¹ [stʌ́nt] *vt.* 〈식물·지능 등의〉 발육을 방해하다; 〈증가·진보를〉 저해하다 — *n.* 발육 저지

***stunt²** [stʌ́nt] *n.* **1** 묘기, 곡예, 아슬아슬한 재주 **2** 이목을 끄는 행동 **3** 고등[곡예] 비행
pull a ~ (때로 어리석은) 책략을 쓰다
— *vi.* 아슬아슬한 재주를 부리다; 곡예 비행을 하다
— *vt.* 〈비행기로〉 곡예 비행을 하다

stunt·ed [stʌ́ntid] *a.* 무리하게 발육[성장]을 정지시킨; 발육이 멎은, 왜소한

stúnt màn 〖영화〗 (위험한 장면의) 대역(代役), 스턴트맨

stúnt wòman STUNT MAN의 여성형

stu·pa [stú:pə] [Skt.] *n.* 〖불교〗 사리탑

stupe¹ [stjú:p | stjú:p] *n.* 더운 찜질 — *vt.* 더운 찜질하다, 온습포하다(foment)

stupe² *n.* (속어) 얼간이, 바보

stu·pe·fa·cient [stjù:pəféiʃənt | stjù:-] *a.* 무감각하게 하는, 마취시키는 — *n.* 마취제

stu·pe·fac·tion [stjù:pəfǽkʃən | stjù:-] *n.* Ⓤ **1** 마취(시킴), 마비 **2** 망연(茫然); 깜짝 놀람

stu·pe·fac·tive [stjù:pəfǽktiv | stjù:-] *a.* (고어) = STUPEFACIENT

***stu·pe·fy** [stjú:pəfài | stjú:-] *vt.* (**-fied**) **1** 마비시키다; 무감각하게 하다 **2** [종종 수동형으로] (충격·감동 등으로) 멍하게 하다 《*with, by*》 **3** [종종 수동형으로] 깜짝 놀라게 하다 《*at, by*》 ▷ stupefáction *n.*

stu·pe·fy·ing [stjú:pəfàiiŋ | stjú:-] *a.* 깜짝 놀라게 하는 **~·ly** *ad.*

***stu·pen·dous** [stju:péndəs | stju:-] *a.* 엄청난; 굉장한; 거대한 **~·ly** *ad.* **~·ness** *n.*

‡stu·pid [stjú:pid | stjú:-] [L 「기절한」의 뜻에서] *a.* (**~·er**; **~·est**) **1** 〈사람·언동이〉 어리석은, 생각 없는, 우둔한(⇨ foolish [유의어]) **2** 시시한, 재미없는, 지루한: a ~ party 지루한 파티 **3** 짜증나게 하는; 화나게 하는 **4** 무감각한, 마비된: ~ from fatigue 피곤해서 머리가 멍한 **5** (미·속어) (랩음악에서) 멋진, 굉장한
— *n.* (구어) 바보, 멍청이 **~·ly** *ad.* **~·ness** *n.*
▷ stúpefy *v.*; stupídity, stúpor *n.*

stu·pid-ass [-æ̀s] *a.* (미·속어) 바보 같은, 어리석은

***stu·pid·i·ty** [stju:pídəti | stju:-] *n.* (*pl.* **-ties**) **1** Ⓤ 어리석음, 우둔 **2** [종종 *pl.*] 어리석은 언동
▷ stúpid *a.*

stu·por [stjú:pər | stjú:-] *n.* ⓊⒸ **1** 무감각; 마비, 혼수(昏睡), 인사불성 **2** 망연자실 **~·ous** *a.*

***stur·dy¹** [stə́:rdi] *a.* (**-di·er**; **-di·est**) **1** 〈몸이〉 억센, 튼튼한(stout); 힘센, 기운찬 **2** 〈물건이〉 튼튼한 **3** 〈저항·용기 등이〉 완강한, 불굴의; 〈성격 등이〉 건전한 **4** 〈식물 등이〉 튼튼하게 잘 자라는, 내한성(耐寒性)의
stúr·di·ly *ad.* **stúr·di·ness** *n.*

sturdy² *n.* Ⓤ 〖수의학〗 (양의) 어지럼병

stur·geon [stə́:rdʒən] *n.* (*pl.* **~s,** [집합적] ~) 〖어류〗 철갑상어

Sturm und Drang [ʃtúərm-unt-drɑ́:ŋ] [G] *n.* [the ~] 〖문학〗 질풍노도 《18세기 말 독일 낭만주의 문학 운동》

sturt [stə́:rt] *n.* (스코) 논쟁, 격론

stut·ter [stʌ́tər] *vi.* 말을 더듬다; 더듬거리며 말하다 (⇨ stammer [유의어]) — *vt.* 더듬거리며 말하다 《*out*》
— *n.* **1** 말더듬기 《버릇》 **2** 〖통신〗 스터터 《팩시밀리 신호의 진폭이 갑자기 변할 때 발생하는 선》

stut·ter·er [stʌ́tərər] *n.* 말더듬이

stut·ter·ing·ly [stʌ́təriŋli] *ad.* 말을 더듬거리며

STV subscription television 《유료 TV 서비스》

STX 〖통신〗 start of text

sty¹, stye¹ [stái] *n.* (*pl.* **sties**) **1** 돼지우리(pigsty) **2** 더러운 집[방] **3** 악의 소굴; 매춘굴 — *vt.* 돼지우리에 넣다 — *vi.* 더러운 집에서 자다[살다]

sty², stye² *n.* (*pl.* **sties**; **~s**) 〖병리〗 다래끼: have a ~ in one's eye 눈에 다래끼가 나다

Styg·i·an [stídʒiən] *a.* **1** (그리스 신화의) 삼도천(三途川)(Styx)의 **2** [종종 **s~**] (문어) 음침한, 캄캄한: ~ gloom[darkness] 캄캄한 어둠 **3** [종종 **s~**] (문어) 지옥의 **4** 죽음의, 죽음 같은 **5** (문어) 〈서약 등이〉 구속력 강한, 절대적인

styl- [stail], **stylo-** [stáilou, -lə] 《연결형》 「기둥; 관(管)」의 뜻

sty·lar [stáilər] *a.* 철필 모양의(styliform); 펜[연필] 모양의

‡style¹ [stáil] *n., v.*

> L 「철필(stylus)」의 뜻에서
> →「쓰기」→「쓰는 식」→「문체」→「양식」이 되었음.

— *n.* **1** (물건 등의) 종류, 형, 풍채, 모양 **2** (행동 등의 독특한) 방법, 스타일; (테니스·권투 등의) 하는 방법 **3** 생활양식; 상류 생활; 우아, 사치: live in good[grand] ~ 호화스럽게 살다 **4** ⓊⒸ (복장 등의) 스타일, 유행(형)(fashion); 고상, 품격, 품위: the latest Paris ~ 최신 파리 스타일/dress in good ~ 품위

thesaurus **stunning** *a.* impressive, imposing, remarkable, extraordinary, incredible, amazing, astonishing, marvelous, splendid

있는 옷을 입다 **5** ⓒⓤ **a** (시대·개인 특유의) 문체 **b** 말씨, 사상의 표현법 **c** 미문체에 특유한 표현법 **6** (문예·건축 등에 있어서의 시대·유파 등의) 양식, …풍, …식, …체(體), …류(流); ⓤⓒ 유파 **7** (정식) 칭호, 직함, 상호(商號); 이름: under the ~ of …의 명의[명칭, 칭호]로 **8 a** 첨필(尖筆), 철필 **b** (시어) 붓, 펜, 연필 **c** 조각칼, 도필(刀筆) **d** 식각(蝕刻)용 바늘 **9** 해시계의 바늘 **10** 역법(曆法) **11** ⓤⓒ 〖인쇄〗 인쇄하는 방법, 체재 **12** 〖해부〗 필상 돌기(筆狀突起) **13** 〖식물〗 암술대, 화주(花柱) ***in ~*** 화려하게, 당당하게 ***out of ~*** 유행에 뒤떨어진[뒤져] ***put on ~*** (미·속어) 잘난 체하다 ***sense of ~*** 스타일 감각 ***the Old*** [***New***] ***S~*** ⇨ Old Style, New Style
— *vt.* **1** …에게 칭호를 주다, …이라 명명하다[칭하다, 부르다](call): (~+목+보) ~ oneself a countess 백작 부인이라고 자칭하다 / The Crown Prince is ~*d* His or Your Highness. 황태자는 전하라고 호칭된다. **2** 〈옷 등을〉 특정[유행] 스타일에 맞추어 짓다: ~ an evening dress 유행 스타일의 이브닝 드레스를 짓다 **3** 〈원고 등을〉 일정한 스타일에 맞추다
— *vi.* 조각칼로 장식품을 만들다
~·less *a.* **~·less·ness** *n.* **~·like** *a.* ▷ stýlish *a.*
style² *n.* = STILE²
-style¹ [stàil] 《연결형》 「…한 스타일의[로]」의 뜻: American-~ 아메리카 스타일의[로]
-style² 《연결형》 「…기능이 있는」의 뜻
style·book [stáilbùk] *n.* **1** 스타일북 《복장의 유행형을 도시(圖示)한 책》 **2** 〖인쇄〗 철자·약자·구두점 등의 규칙을 쓴 편람(便覽)
styl·er [stáilər] *n.* 헤어디자이너; (드물게) 디자이너 (stylist)
stýle shèet 〖컴퓨터〗 서식(書式) 시트 《전자 문서의 자형(字型)·색 등을 포함한 레이아웃의 규격 파일》
sty·let [stáilit] *n.* **1** = STILETTO **2** 〖의학〗 탐침 (probe); (주삿바늘 등을 뚫는) 가는 철사
sty·li [stáilai] *n.* STYLUS의 복수
sty·li·form [stáiləfɔ̀:rm] *a.* 철필[바늘] 모양의
styl·ing¹ [stáiliŋ] *n.* 스타일에 맞춰 장식하기; 문장의 문체 다듬기; 머리 세팅
styling², sty·lin' [stáilin] *a.* Ⓟ (미·속어) 멋진, 근사한, 여봐란듯이 뽐내는
styl·ish [stáiliʃ] *a.* 유행의, 현대식인; 멋진, 맵시 있는 **~·ly** *ad.* **~·ness** *n.*
styl·ist [stáilist] *n.* **1** 문장가, 명문가 **2** (복장·실내 장식 등의) 디자이너, 의장(意匠) 설계자[연구자] **3** 특정 양식의 창시자
sty·lis·tic, -ti·cal [stailístik(əl)] *a.* 문체[양식]의; 문체에 유의할 **-ti·cal·ly** *ad.*
sty·lis·tics [stailístiks] *n. pl.* [단수 취급] 문체론
sty·lite [stáilait] *n.* 〖그리스도교〗 (중세의) 주상(柱上) 고행자
styl·ize [stáilaiz] *vt.* 〈표현·수법 등을〉 일정한 양식에 일치시키다, 양식화하다; 틀[인습]에 박히게 하다
styl·ized [stáilaizd] *a.* 양식화된, 정형화된
sty·lo [stáilou] *n.* (*pl.* **~s**) (구어) = STYLOGRAPH
stylo-¹ [stáilou, -lə] 《연결형》 「철필, 첨필」의 뜻
stylo-² 《연결형》 「주(柱)…, 관(管)…」의 뜻
sty·lo·bate [stáiləbèit] *n.* 〖건축〗 토대의 단단한 겉면, (둥근 기둥을 세우는) 대좌(臺座)
sty·lo·graph [stáiləgræ̀f, -grɑ̀:f | -grɑ̀:f, -græ̀f] *n.* 첨필형 만년필, 철필 **~·ic** *a.* 첨필(서법)의
sty·log·ra·phy [stailɑ́grəfi | -lɔ́g-] *n.* 첨필 화법
sty·loid [stáilɔid] *a.* 〖해부〗 첨필(尖筆)[송곳] 모양의, 줄기 모양의, 막대 모양의
stýloid pròcess 줄기 모양의 돌기
Sty·lo·phone [stáiləfoun] *n.* 스타이로폰 《소형 전자 키보드 악기의 일종; 상표명》

---

stupid *a.* unintelligent, foolish, mindless, brainless, dull, slow, dumb, silly, idiotic, absurd, ridiculous (opp. *sensible, prudent, intelligent*)

sty·lo·sta·tis·tics [stàiloustətístiks] *n. pl.* [단수 취급] 〖언어〗 문체 통계학, 계량 문체론
sty·lus [stáiləs] *n.* (*pl.* **-li** [-lai], **~·es**) **1** 첨필(尖筆), 철필 **2** (축음기의) 바늘; 해시계의 바늘 **3** 〖해부〗 필상 돌기(筆狀突起) **4** (지진계·심전도 등의) 자동 기록계
sty·mie, sty·my [stáimi] *n.* (*pl.* **-mies**) **1** 〖골프〗 타자의 공과 홀과의 사이에 상대방의 공이 있는 상태; 그 상대의 공, 방해구(妨害球) **2** 곤경, 난처한 상태
— *vt.* 방해하다
styp·sis [stípsis] *n.* 〖의학〗 수렴[지혈]제에 의한 처치
styp·tic [stíptik] *a.* 수렴성의; 〈약물이〉 출혈을 멈추는 — *n.* 수렴제; 지혈제
stýptic péncil (연필 모양의) 지혈약(止血藥)
sty·rax [stáiræks] *n.* 〖식물〗 때죽나무
sty·rene [stáiəri:n, stíər- | stáiər-] *n.* Ⓤ 〖화학〗 스티렌 《합성수지·합성 고무 원료》
stý·rene-bu·ta·dí·ene rùbber [-bjù:tədáiin-] 스티렌부타디인 고무 《대표적 합성 고무; 略 SBR》
stýrene rèsin 스티렌 수지(樹脂)
Sty·ro·foam [stáiərəfòum] *n.* 스티로폼 《발포(發泡) 폴리스티렌; 상표명》
Styx [stíks] *n.* [the ~] 〖그리스신화〗 삼도천(三途川) 《저승에 있는 강》 (**as**) ***black as the ~*** 캄캄한 ***cross the ~*** 죽다
su·a·ble [sú:əbl | *sj*ú:-] *a.* 소송의 대상이 될 수 있는, 고소할 만한
sua·sion [swéiʒən] *n.* Ⓤ (드물게) 권고, 설득 (persuasion): moral ~ 도의적[양심에 호소하는] 권고
sua·sive [swéisiv] *a.* 타이르는, 설득하는; 말주변이 좋은 **~·ly** *ad.* **~·ness** *n.*
suave [swɑ́:v] *a.* **1** 기분 좋은, 유쾌한; 〈사람·태도·말씨 등이〉 부드러운, 상냥한 **2** 〈포도주·약 등이〉 순한, 자극성이 없는 **~·ly** *ad.* **~·ness** *n.*
sua·vi·ter in mo·do, for·ti·ter in re [swǽvitər-in-móudou-fɔ́:rtitər-in-rí:, swɑ́:v-] [L] 태도는 온건하게, 행동은 단호하게(gently in manner, firmly in action)
suav·i·ty [swɑ́:vəti, swǽ-] *n.* (*pl.* **-ties**) **1** 유화, 온화, 상냥 **2** [*pl.*] 상냥한 태도[말씨], 예의 **3** 입맛이 순함
sub¹ [sʌ́b] (구어) *n.* **1** 대리인; 《특히》 보결 선수 (substitute); 속관(屬官) **2** 잠수함(submarine) **3** (클럽 등의) 회비(subscription) **4** (영·구어) (급료의) 가불 **5** 편집 차장(subeditor) **6** (구어) = SUBSTITUTE TEACHER — *a.* 하위의, 종속적인, 보조적인
— *v.* (**~bed**; **~·bing**) *vi.* **1** (…의) 대리를 하다, 대행하다 《*for*》 **2** (영·구어) (급료의) 가불을 주다[받다] 《*on*》, (급료 따위를) 선불하다
— *vt.* **1** (영·구어) 〈급료의 가불을〉 주다[받다] **2** 〈신문·잡지의〉 부주필을 하다(subedit)
sub² [L] *prep.* …의 아래에(under)
sub- [sʌb, səb] *pref.* 「아래; 하위; 버금; 부(副), 아(亞); 조금, 반」의 뜻(opp. *super-*) ★ c 앞에서 suc-; f 앞에서 suf-; g 앞에서 sug-; m 앞에서 때로 sum-; p 앞에서 sup-; r 앞에서 sur-; c, p, t 앞에서 때로 sus-를 씀.
sub. subaltern; subeditor; subject; submarine; subordinate(d); subscription; substitute(s); suburb(an); subway
sub·ac·id [sʌbǽsid] *a.* **1** 조금 신, 약산성의 **2** 〈말·의견 등이〉 조금 신랄한(slightly sharp)
~·ly *ad.* **~·ness** *n.*
sub·a·cute [sʌ̀bəkjú:t] *a.* **1** 〈각도 등이〉 약간 날카로운 **2** 〈병 등이〉 아급성(亞急性)의
sub·a·dult [sʌ̀bədʌ́lt] *a., n.* 성장기가 거의 끝난 (사람·동물)
sub·aer·i·al [sʌbέəriəl] *a.* 지면[지표]의(cf. AERIAL, SUBTERRANEAN) **~·ly** *ad.*
sub·a·gen·cy [sʌbéidʒənsi] *n.* 부(副)대리점; 보조기관
sub·a·gent [sʌbéidʒənt] *n.* 부(副)대리인

su·bah·dar, -ba- [sù:bədɑ́:r | ⌐⌐] *n.* 《인도》 **1** (인도인 용병의) 중대장 **2** 지방 총독, 지사
sub·al·pine [sʌbǽlpain] *a.* 알프스 산록의; 아고산대(亞高山帶)의
sub·al·tern [sʌbɔ́:ltərn | sʌ́bltən] *n.* **1** 지위[신분]가 낮은 사람 **2** 〖영국군〗 중위, 소위 **3** 〖논리〗 특칭 명제
— *a.* **1** 차위의, 속관(屬官)의, 부하의; 〖영국군〗 중위의, 소위의 **2** 〖논리〗 〈명제가〉 특칭의
sub·al·ter·nate [sʌbɔ́:ltərnət, -ǽl- | -ɔ́:l-] *a.* **1** 하위(下位)의, 차위(次位)의, 부(副)의(subordinate) **2** 〖식물〗 〈잎이〉 준(準)[아(亞)]호성(互性)의
— *n.* 〖논리〗 (일반적 명제에 대해) 특칭 명제(subaltern) **~·ly** *ad.*
sub·ant·arc·tic [sʌ̀bæntɑ́:rktik] *a.* 아남극(亞南極)의, 남극에 가까운(subpolar)
sub·ap·i·cal [sʌbǽpikəl] *a.* 〖해부〗 apex 밑에 있는
sub·aq·ua [sʌ̀bǽkwə] *a.* 수중의, 잠수의; 수중 스포츠의: ~ swimming 잠수 영법(泳法)
sub·a·quat·ic [sʌ̀bəkwǽtik] *a.* 〖동물·식물〗 반수생(半水生)의; = SUBAQUEOUS
sub·a·que·ous [sʌbéikwiəs] *a.* 물속에 있는, 수중(용)의, 수중에서 일어나는
sub·arc·tic [sʌbɑ́:rktik] *a.* 아(亞)북극의, 북극에 가까운
sub·ar·e·a [sʌ́bɛ̀əriə] *n.* 지역[분야, 연구] 등의 하위 구분
sub·ar·id [sʌbǽrid] *a.* 아(亞)건조의
sub·as·sem·bly [sʌ̀bəsémbli] *n.* 《미》 (기계·전자기기 등의) 하위 부품(의 조립)
sub·as·tral [sʌbǽstrəl] *a.* 《드물게》 별 아래의, 지상의(terrestrial)
sub·as·trin·gent [sʌ̀bəstríndʒənt] *a.* 약(弱) 수렴성의
sub·at·mos·pher·ic [sʌ̀bætməsférik] *a.* 〈온도 등이〉 대기중보다 낮은
sub·at·om [sʌbǽtəm] *n.* 〖물리〗 아원자(亞原子) 《양자(proton), 전자(electron) 등의 원자 구성 요소》
sub·a·tom·ic [sʌ̀bətɑ́mik | -tɔ́m-] *a.*
sub·au·di·ble [sʌbɔ́:dəbl] *a.* 〈주파수 등이〉 가청치(可聽値) 이하의
sub·au·di·tion [sʌ̀bɔ:díʃən] *n.* **1** Ⓤ 언외(言外)의 [함축된] 뜻을 알아챔 **2** 보충된 의미; Ⓒ 언외(言外)의 뜻
sub·av·er·age [sʌbǽvəridʒ] *a.* 표준 미달의
sub·base [sʌ́bbèis] *n.* 〖건축〗 (원주 토대의) 기부(基部)(cf. SURBASE); 〖토목〗 (도로의) 보조 기층, (하층) 노반(路盤)
sub·base·ment [sʌ́bbèismənt] *n.* 〖건축〗 지하 2층
sub·bass [sʌ́bbèis] *n.* 〖음악〗 오르간의 최저음(最低音)의 음전(音栓)
sub·branch [sʌ́bbræ̀ntʃ | -brɑ̀:ntʃ] *n.* **1** (지점의 하위) 출장소, 지소, 분점 **2** 잔가지
sub·breed [sʌ́bbrì:d] *n.* 아(亞)품종
sub·cab·i·net [sʌbkǽbənit] *a.* (미국 정부에서) 각료급에 버금가는, 대통령의 (비공식) 고문단의: ~ appointments 차관급 인사(人事)
sub·car·ri·er [sʌbkǽriər] *n.* 〖통신〗 부반송파(副搬送波)
sub·cat·e·go·ry [sʌbkǽtəgɔ̀:ri | -gəri] *n.* (*pl.* **-ries**) 하위 범주[구분]
sub·ce·les·tial [sʌ̀bsiléstʃəl | -təl] *a.* **1** 하늘 아래의, 지상의(terrestrial) **2** 속세의, 현세의
— *n.* 지상의 생물
sub·cel·lar [sʌ́bsèlər] *n.* 지하실의 지하 2층
sub·cel·lu·lar [sʌbséljulər] *a.* 〖생물〗 세포 이하의
sub·cen·ter [sʌ́bsèntər] *n.* 부(副)도심
sub·cen·tral [sʌbséntrəl] *a.* 중심 밑의, 중심에 가까운 **~·ly** *ad.*
sub·chas·er [sʌ́btʃèisər] *n.* 구잠정(驅潛艇)(submarine chaser)
sub·class [sʌ́bklæ̀s | -klɑ̀:s] *n.* 〖생물〗 아강(亞綱); class의 하위 분류; 〖수학〗 부분 집합
— *vt.* 아강으로 분류하다
sub·clas·si·fy [sʌbklǽsəfài] *vt.* (**-fied**) 하위 분류[구분]하다
sub·clause [sʌ́bklɔ̀:z] *n.* 〖법〗 하위 조항; 〖문법〗 종속절(subordinate clause)
sub·cla·vi·an [sʌbkléiviən] 〖해부〗 *a.* 〈동맥·정맥 등이〉 쇄골(clavicle) 밑의; 쇄골하(下) 동맥[정맥]의
— *n.* 쇄골 하부, 쇄골하 동맥[정맥]
subclávian ártery 〖해부〗 쇄골하 동맥
subclávian véin 〖해부〗 쇄골하 정맥
sub·cli·max [sʌbkláimæks] *n.* 〖생태〗 아극상(亞極相), 아(亞)안정기
sub·clin·i·cal [sʌbklínikəl] *a.* 〖의학〗 준(準)임상적인, 무증상(無症狀)의, 잠재성의: a ~ infection 무증상 간염 **~·ly** *ad.*
sub·com·mis·sion·er [sʌ̀bkəmíʃənər] *n.* 분과 위원회 위원; 부위원
sub·com·mit·tee [sʌ́bkəmìti] *n.* 분과 위원회, 소위원회
sub·com·mu·ni·ty [sʌ̀bkəmjú:nəti] *n.* (대도시권에서 볼 수 있는) 소사회(小社會)
sub·com·pact [sʌbkɑ́mpækt | -kɔ́m-] *n.* compact보다 소형의 자동차
— *a.* 〈자동차가〉 compact보다 소형의
sub·com·po·nent [sʌ̀bkəmpóunənt] *n.* 서브 컴포넌트 《부품의 일부이면서 부품의 특성을 가진 부분》
sub·con·scious [sʌbkɑ́nʃəs | -kɔ́n-] *a.* 잠재의식의, 어렴풋이 의식하는 **—** *n.* [the ~] 잠재의식
~·ly *ad.* **~·ness** *n.*
sub·con·ti·nent [sʌbkɑ́ntənənt | -kɔ́n-] *n.* 아대륙(亞大陸) 《인도·그린란드 등》
sub·con·tract [sʌbkɑ́ntrækt, ⌐⌐] *n.* 하청 계약, 하청부 **—** [sʌ̀bkəntrǽkt] *vi., vt.* 하청하다, 하도급을 맡다[맡기다] **-trac·tor** *n.* 하청인, 하청업자
sub·con·tra·ri·e·ty [sʌ̀bkɑntrəráiəti | -kɔn-] *n.* 〖논리〗 소상반(小相反)
sub·con·tra·ry [sʌbkɑ́ntreri | -kɔ́ntrəri] 〖논리〗 *a.* 소반대(小反對)(의) **—** *n.* (*pl.* **-ries**) 소반대; 소반대 명제
sub·cor·tex [sʌbkɔ́:rteks] *n.* (*pl.* **-ti·ces** [-tisì:z]) 〖해부〗 피질(皮質) 하부(下部) 《대뇌의 피질 하부분의 총칭》
sub·cor·ti·cal [sʌbkɔ́:rtikəl] *a.* 〖해부〗 피질(皮質) 하부의
sub·crit·i·cal [sʌbkrítikəl] *a.* **1** 〖물리〗 (특히 방사성 물질의 질량에 대해) 임계치 이하인 **2** 결정적으로 중요하지 않은
sub·crust·al [sʌbkrʌ́stl] *a.* 〖지질〗 지각 밑의
sub·cult [sʌbkʌ́lt] *n.* 이(異)문화 집단(subculture)
sub·cul·ture [sʌbkʌ́ltʃər] *vt.* 〖세균〗 새 배양기에서 배양하다, 2차 배양하다
— [⌐⌐] *n.* ⓊⒸ **1** 〖세균〗 2차 배양, 조직 배양의 이식(移植) **2** (한 사회[문화]의) 하위 문화 (집단); (히피 등의) 신문화, 이(異)문화 (집단)
sub·cur·rent [sʌ́bkə̀:rənt | -kʌ̀-] *n.* (사상 등의) 표면에 나타나지 않는 흐름, 저류(底流)
sub·cu·ta·ne·ous [sʌ̀bkju:téiniəs] *a.* **1** 〖해부〗 피하(皮下)의 **2** 〈주사 등이〉 피하에 하는: a ~ injection 피하 주사 **3** 〈기생충 등이〉 피하에 사는 **~·ly** *ad.*
sub·cu·tis [sʌbkjú:tis] *n.* 〖해부〗 피하 조직
sub·dea·con [sʌbdí:kən, ⌐⌐] *n.* (가톨릭에서) 차부제(次副祭), 부보제(副補祭); (개신교의) 부집사
~·ate [-ət, -èit] *n.* ⓊⒸ 그 직[지위]
sub·dean [sʌbdí:n] *n.* 〖영국국교〗 부감독보(副監督補), 부주교보(副主敎補)
sub·deb [sʌ́bdèb] *n.* 《미·구어》 = SUBDEBUTANTE
sub·deb·u·tante [sʌbdébjutɑ̀:nt] *n.* 《미》 곧 사교계에 나갈 처녀, 15-16세의 처녀

thesaurus **subdue** *v.* **1** 정복하다 conquer, vanquish, overpower, overwhelm, master, subju-

sub·dec·a·nal [sʌbdékənl | -dikéi-] *a.* 부감독[부주교]보(subdean)의

sub·dér·mal ìmplant [sʌbdə́:rməl-] 〖의학〗 피하 이식(皮下移植)

sub·di·rec·to·ry [sʌ̀bdiréktəri] *n.* 〖컴퓨터〗 서브디렉토리 《다른 디렉토리 아래에 있는 자료방》

sub·di·vide [sʌ̀bdiváid, ⌐-⌐] *vt.* **1** 다시 나누다 **2** (부분으로) 나누다 《*into*》; 《미·캐나다》 〈토지를〉 구획하다 **—** *vi.* 세분되다 **-vid·a·ble** [-váidəbl] *a.*

sub·di·vis·i·ble [sʌ̀bdivízəbl] *a.* 재분할[세분]할 수 있는

sub·di·vi·sion [sʌ́bdivìʒən] *n.* **1** Ⓤ 다시 나눔, 잘게 나눔, 세분; 《미》 구획[필지] 분할 **2 a** 일부(분), 일구분 **b** 《미》 분양지

sub·do·main [sʌ̀bdouméin] *n.* 〖컴퓨터〗 서브도메인

sub·dom·i·nant [sʌbdɑ́mənənt | -dɔ́-] *n., a.* 〖음악〗 하속음(下屬音)(의)

sub·du·a·ble [səbdjú:əbl | -djú:-] *a.* 정복할 수 있는; 억제할 수 있는; 완화할 수 있는

sub·du·al [səbdjú:əl | -djú:-] *n.* Ⓤ 정복; 억제; 완화 ▷ subdúe *v.*

sub·duct [səbdʌ́kt] *vt.* 《드물게》 제거하다(remove); 감하다, 빼다(subtract)

sub·duc·tion [səbdʌ́kʃən] *n.* Ⓤ 제거; 삭감

***sub·due** [səbdjú: | -djú:] *vt.* **1** 〈적국 등을〉 정복하다(conquer), 진압하다; 압도[위압]하다 **2** (실득·협박 등으로) 복종시키다 **3** 〈감정을〉 억누르다, 억제하다 **4** 〈자연을〉 정복하다; 〈토지를〉 개간하다 **5** 〈빛깔·소리·태도·통증 등을〉 누그러지게 하다, 완화하다, 약화시키다, 경감하다(⇨ subdued 2, 3) ▷ subdúal *n.*

sub·dued [səbdjú:d | -djú:d] *a.* **1** (무력으로) 정복된; 억제된 **2** 〈사람·성격·태도 등이〉 조용한, 가라앉은, 차분한: ~ manners 조용한 태도 **3** 완화된, 낮아진, 약해진, 낮춘: a ~ color[tone, effect] 부드러운 색[가락, 효과] / ~ light 부드러운 빛

sub·du·ral [sʌbdjúərəl | -djúə-] *a.* 〖해부〗 경막하(硬膜下)의

sub·ed·it [sʌbédit] *vt.* 〈신문·잡지 등의〉 부주필 일을 하다, …의 편집을 돕다; 《영》 〈원고를〉 정리 편집하다

sub·ed·i·tor [sʌbédətər] *n.* 부주필, 편집 차장; 《영》 원고 정리부원, 편집부원 **~·shìp** *n.*

sub·em·ployed [sʌ̀bimplɔ́id] *a.* 불완전[저소득] 고용 상태의

sub·em·ploy·ment [sʌ̀bimplɔ́imənt] *n.* Ⓤ 불완전[저소득] 고용; 반실업(半失業)

sub·en·try [sʌ́bèntri] *n.* (*pl.* **-tries**) 큰 표제어 속의 작은 표제어

sub·e·qual [sʌbí:kwəl] *a.* 거의 같은

sub·e·qua·to·ri·al [sʌ̀bi:kwətɔ́:riəl] *a.* 아(亞)적도대(특유)의

su·be·re·ous [su:bíəriəs | sju:-], **su·ber·ose** [sú:bəròus | sjú:-] *a.* 〖식물〗 코르크(질)의

su·ber·in [sú:bərin, su:bérin | sjú:bər-] *n.* 〖생화학〗 코르크질

su·ber·ize [sú:bəràiz | sjú:-] *vt.* 〖식물〗 코르크질로 바꾸다 **-ized** *a.* **sù·ber·i·zá·tion** *n.* 코르크화

sub·fam·i·ly [sʌbfǽməli, ⌐⌐-- | ⌐⌐--] *n.* 〖생물〗 아과(亞科); 〖언어〗 어파 《어족의 하위 구분》

sub·field [sʌ́bfì:ld] *n.* 〖수학〗 부분체(部分體); (학문 등의) 하위 분야, 서브필드

sub fi·nem [sʌ̀b-fáinəm] [L = toward the end] *ad.* (장(章) 등의) 말미에 《略 S.F.》

sub-fired [sʌ́bfàiərd] *a.* 〈미사일 등이〉 잠수함에서 발사되는

sub·fix [sʌ́bfiks] *n.* 하부(下付) 기호(subscript)

sub·floor [sʌ́bflɔ̀:r] *n.* 마루 밑에 깐 거친 마루

sub·form [sʌ́bfɔ̀:rm] *n.* 종속적[2차적] 형태

sub·freez·ing [sʌbfrí:ziŋ] *a.* 빙점하의

---

gate, crush, quash, quell **2** 억제하다 control, restrain, inhibit, repress, suppress, hold back

sub·fusc [sʌbfʌ́sk | ⌐-, -⌐] *a.* 거무스레한, 암갈색의, 칙칙한; 음침한 **—** *n.* 거무스름한 색의 옷; (옥스퍼드 대학의) 식복(式服)

sub·fus·cous [sʌbfʌ́skəs] *a.* 거무스름한, 어두운

sub·gen·re [sʌ́bʒɑ̀:nrə] *n.* 하위 장르

sub·ge·nus [sʌbdʒí:nəs] *n.* (*pl.* **-gen·e·ra** [-dʒénərə], **~·es**) 〖생물〗 아속(亞屬)

sub·gla·cial [sʌbgléiʃəl] *a.* 빙하 밑의, 빙하 바닥에 있던 **~·ly** *ad.*

sub·gov·ern·ment [sʌbgʌ́vərnmənt] *n.* 제2의 정부 《정부에 대하여 큰 영향력을 가진 비공식 모임 등》

sub·grade [sʌ́bgrèid] *n.* 2차적 등급; 〖토목〗 지반, (도로의) 노반(路盤) **—** *a.* 노반의

sub·group [sʌ́bgrù:p] *n.* 하위 집단, 소군(小群); 〖화학〗 아족; 〖수학〗 부분군

sub·gum [sʌbgʌ́m] *a.* (중국 요리의) 야채·채 썬 고기 등을 섞어 만든

sub·head [sʌ́bhèd] *n.* **1** 작은 표제, 표제의 소(小)구분, 부제(副題) **2** 《미》 부교장, 교감

sub·head·ing [sʌ́bhèdiŋ] *n.* 작은 표제

sub·hu·man [sʌbhjú:mən] *a.* **1** 〈동물 등이〉 인간에 가까운, 유인(類人)의 **2** 인간 이하의

sub·in·ci·sion [sʌ̀binsíʒən] *n.* 요도 절개

sub·in·dex [sʌbíndeks] *n.* (*pl.* **-di·ces** [-dəsì:z]) 부(副)색인; 〖수학〗 부지수(副指數)

sub·in·feu·date [sʌ̀binfjú:deit] *vt., vi.* 〈봉건 영주가〉 (신하에게) 영지[보유권]를 재분봉(再分封)하다

sub·in·ter·val [sʌbíntərvəl] *n.* 〖수학〗 부분 구간

sub·ir·ri·gate [sʌbírəgèit] *vt.* (관(管) 등으로) …의 지하 관개를 하다 **sùb·ir·ri·gá·tion** *n.*

su·bi·to [sú:bitòu] [It.] *ad.* 〖음악〗 갑자기, 돌연

subj. subject; subjective(ly); subjunctive

sub·ja·cent [sʌbdʒéisnt] *a.* 아래의[에 있는]; 기초[토대]를 이루는

***sub·ject** [sʌ́bdʒikt] *n., a., v.*

> L 「아래에 던져진 것」의 뜻에서
> ─┬→(군주의 지배를 받는 사람) 「백성」 **7**
> └→(사고(思考)의 작용을 받는 것)
> 「주제(主題)」 **1** ─┬→「학과」 **2**
> └→「주어」 **8**

— *n.* **1** (토론·연구·이야기 등의) 주제(主題), 당면 과제, 문제; 연제(演題)

> 유의어 **subject** 토론·저작·미술 등에서 다루어진 제목이나 주제: the *subject* for discussion 논제(論題) **topic** 특히 어떤 작품이나 토론의 일부에서 다루어진 제목이나 화제로서, 일반적으로 subject보다는 소규모의 것: The *topic* is treated in this section. 그 화제는 이 항에서 다루어져 있다. **theme** 저작·연설 등의 기본이 되는 개념: the *theme* of a novel 소설의 주제

2 (학교의) 학과, (시험) 과목 **3** 《문어》 (…의) 동기, 주인(主因), 기인(起因) 《*for, of*》: a ~ *for* complaint 불평의 원인 **4** (행위·감정의) 대상, (…을) 받는 사람, 표적 《*for, of*》: a ~ *of* debate[investigation] 논의[조사]의 대상 **5** 〖음악〗 테마, 악제(樂題), 주제 **6** 〖미술〗 제재(題材); 화제(畫題); (사진의) 피사체 **7** 백성, 국민; 신하, 부하; 피지배자 **8** 〖문법〗 주어, 주부(cf. PREDICATE; ⇨ 문법 해설 (29)) **9 a** (의학·심리학 등의) 피실험자, 환자, 실험 재료; (최면술 등의) 피술자(被術者) **b** 해부용 시체(cadaver) **10** [수식어와 함께] (육체적·정신적으로) …성(性)[질(質)]인 사람: a sensitive ~ 민감한 사람 **11** 〖논리〗 주위(主位), 주사(主辭), 주어 **12** 〖철학〗 주체, 주관, 자아(opp. *object*) **13** 실체, 물자체(物自體) ***on the ~ of*** …이라는 제목으로, …에 관하여

— *a.* **1** Ⓟ (…의) 영향을 받는[받기 쉬운], (…에) 의존하는; (피해 등을) 입기 쉬운 《*to*》: The prices are

~ *to* change. 가격은 바뀌는 수가 있습니다. / He is ~ *to* colds. 그는 감기에 잘 걸린다. **2** (문어) Ⓐ (군주·국가 등의) **지배를 받는,** 복종하는; 종속하는, 속국[속령]의 《*to*》 **3** Ⓟ (…을) 겪는, 당하는; (…할) 수밖에 없는 《*to*》: All beings are ~ *to* death. 사람은 누구나 죽는다. **4 a** Ⓟ (동의·비준 등을) **조건으로 하는,** 필요로 하는, (승인 등을) 받아야 하는 《*to*》: The plan is ~ *to* your approval. 이 계획은 귀하의 승인을 요합니다. **b** [부사적으로] (…을 얻을 것을) 조건으로 하여, 조건부로 《*to*》, (…을) 가정(假定)하여 《*to*》: *S~ to* your consent, I will try again. 승낙해 주신다면 한 번 더 해보겠습니다.

— [səbdʒékt] *vt.* **1** (…에) **복종[종속]시키다,** 〈사람·정신 등을〉 지배하다 《*to*》: (~+목+전+명) ~ a nation *to* one's rule 국민을 자기 통치하에 복종시키다 **2** (…에) 제시하다, 위임하다 《*to*》: (~+목+전+명) ~ new policies *to* public discussion 새로운 정책을 대중의 토의에 부치다 **3 a** [종종 ~ one*self*로, 또는 수동형으로] …에게 (싫은 일을) 당하게 하다, 겪게 하다 《*to*》: (~+목+전+명) ~ one*self to* ridicule 조소를 받다 / *be* ~*ed to* severe criticism 혹평을 받다 **b** 〈물건을〉 (…에) 대다, 쬐다 《*to*》: ~ metal *to* intense heat 금속을 고열에 쬐다

▷ subjéction *n.*; subjéctive *a.*

súbject càtalog (도서관의) 주제별 분류 목록

súbject còmplement 〖문법〗 주격 보어(subjective complement)

sub·ject-head·ing [sʌ́bdʒikthèdiŋ] *n.* (카탈로그·색인 등의) 건명(件名) 목록

sub·jec·ti·fy [səbdʒéktəfài] *vt.* (**-fied**) 주관적으로 하다; 주관적으로 해석하다

***sub·jec·tion** [səbdʒékʃən] *n.* Ⓤ **1 정복**; (…에의) 복종 《*to*》 **2** (…에) 좌우됨, 의존함, 종속 《*to*》 **~·al** *a.*

***sub·jec·tive** [səbdʒéktiv] *a.* **1 주관의,** 주관적인; 상상의(opp. *objective*): a ~ decision 주관적인 결정 **2** 개인의, 개인적인; 개성적인: a ~ evaluation 개인적인 평가 / ~ experience 개인적 경험 **3** 자아가 강한, 자기중심의 **4** 〖철학〗 주체의, 주관의 **5** (일반적·보편적 경험과 구별하여) 특정 정신 상태의 **6** 본래적인, 본질적인 **7** 〖문법〗 주격의: the ~ case 주격 / the ~ complement 주격 보어 《보기: He lies *dead.*》 / the ~ genitive 주격 속격(屬格) 《보기: the *doctor's* arrival》 **8** (폐어) 피지배자의, 신민(臣民)의

— *n.* **1** [the ~] 주관 **2** 〖문법〗 주격(nominative)

~·ly *ad.* **~·ness** *n.*

subjéctive idéalism 〖철학〗 주관적 관념론

sub·jec·tiv·ism [səbdʒéktivìzm] *n.* Ⓤ 주관론, 주관주의, 주관적 논법(論法)(opp. *objectivism*)

-ist *n.* 주관론자

sub·jec·ti·vis·tic [səbdʒèktivístik] *a.* 주관론[주관주의]적인

sub·jec·tiv·i·ty [sʌ̀bdʒektívəti] *n.* Ⓤ **1** 주관적임, 주관성(性)(opp. *objectivity*) **2** 주관(주의)

súbject màtter 1 (저작 등의 형식·문체 등에 대해) 내용; (연구의) 주제, 제목 **2** (행위·작용의) 대상, 피작용물 **3** 소재, 재료

sub·ject-ob·ject [sʌ́bdʒiktάbdʒikt | -ɔ́b-] *n.* 〖철학〗 주관적 객관 《지식의 주체이면서 동시에 그 객체이기도 한 「자아(自我)(ego)」》

sub·join [səbdʒɔ́in, sʌb- | sʌb-] *vt.* (…에) 〈어구 등을〉 추가[보충, 증보]하다(append) 《*to*》

sub·join·der [səbdʒɔ́indər, sʌb- | sʌb-] *n.* (드물게) 추가의 말[문서]; 부언, 부기

sub·joint [sʌ́bdʒɔ̀int] *n.* 〖동물〗 (절지동물 등의) 부(副)관절

sub ju·di·ce [sʌb-dʒú:disì: | -si] [L = under judgment] *a.* Ⓟ 〖법〗 심리 중, 미결(未決)의

sub·ju·gate [sʌ́bdʒugèit] *vt.* 정복하다, 복종시키다, 종속시키다(subdue) **sùb·ju·gá·tion** *n.* **-gà·tor** *n.*

sub·junc·tion [səbdʒʌ́ŋkʃən] *n.* **1** Ⓤ 첨가, 증보 **2** 추가[첨가]물

‡**sub·junc·tive** [səbdʒʌ́ŋktiv] [L 「접속하는」의 뜻에서] 〖문법〗 *a.* 가정법의(cf. INDICATIVE; ⇨ 문법 해설 (30)) ***the ~ mood*** 가정법; 가정법의 동사 《if he go의 *go*》

— *n.* **1** [the ~] 가정법 **2** 가정법의 동사 **~·ly** *ad.*

sub·king·dom [sʌbkíŋdəm, ⌐⌐–] *n.* 〖생물〗 아계(亞界)

sub·lan·guage [sʌ́blæ̀ŋgwidʒ] *n.* (어떤 그룹·계급에서만 통용되는) 2차 언어, 특수 용어 《은어·전문어 등》

sub·late [sʌ́bleit] *vt.* 〖논리〗 부인[부정]하다(cf. POSIT); 〖철학〗 (변증법에서) 지양(止揚)하다

sub·lá·tion *n.*

sub·lease [sʌ́blì:s] *n.* 전대(轉貸), (빌린 것을) 다시 빌려줌 — [–⌐] *vt.* 전대하다, 다시 빌려 주다

sub·les·see [sʌ̀blesí:] *n.* 전차인(轉借人)

sub·les·sor [sʌblésɔ:r] *n.* 전대인(轉貸人)

sub·let [sʌblét] *vt.* (~; **~·ting**) **1** 전대하다 **2** 〈일 등을〉 하청주다

sub·le·thal [sʌblí:θəl] *a.* 거의 치사량에 가까운: a ~ dose of poison 치사량에 가까운 독약

sub·li·brar·i·an [sʌ̀blaibréəriən] *n.* 사서보(司書補), 도서관 부(副)관장

sub·lieu·ten·ant [sʌ̀blu:ténənt] *n.* 《영》 해군 중위(cf. LIEUTENANT)

sub·li·mate [sʌ́bləmət, -mèit] *a.* Ⓐ **1** 승화(昇華)한 **2** 고상하게 된, 순화(純化)된, 이상화된

— *n.* 〖화학〗 승화물; Ⓤ 승홍(昇汞)

— [-mèit] *vt.* **1** 〖심리〗 〈성(性) 충동 등을〉 (…로) 승화시키다, 전화(轉化)하다 《*into, to*》 **2** 〖화학〗 〈고체를〉 승화시키다 **3** 고상하게 하다; 순화하다

sùb·li·má·tion *n.* Ⓤ 승화, 순화

‡**sub·lime** [səbláim] [L 「창문·문짝의 상인방 아래까지 닿는」의 뜻에서] *a.* (**-lim·er**; **-lim·est**) **1** 장엄[숭고, 웅대]한: ~ scenery 웅대한 경치 **2** 최고의, 탁월한, 고상한, 고귀한 **3** 멋진: a ~ dinner 멋진 저녁 식사 **4** 엄청난, 터무니없는, 심한 **5** (고어) **a** 거만한, 거드름 피우는 **b** 득의양양한, 우쭐대는

— *n.* [the ~] 장엄, 숭고; (…의) 절정, 지고, 극치 《*of*》 ***the S~ Porte*** 터키 정부 ***There is but one step from the ~ to the ridiculous.*** 숭고함과 우스꽝스러움은 종이 한 장의 차이이다. 《나폴레옹 1세가 한 말》

— *vt., vi.* **1** 〖화학〗 승화시키다[하다] **2** 고상하게 하다[되다], 정화하다[되다]

~·ly *ad.* **~·ness** *n.* ▷ sublímity *n.*

sub·lim·er [səbláimər] *n.* 승화자[기(器)]

sub·lim·i·nal [sʌblímənl] *a.* 〖심리〗 의식되지 않는; 잠재의식의[에 강한 인상을 주는], 식역하(識閾下)의: ~ advertising 《TV》 식역하(識閾下) 광고 《사람의 잠재의식에 남도록 되풀이해서 하는 광고》 / ~ learning 〖심리〗 역하(閾下) 학습, 잠재 학습

— *n.* = SUBLIMINAL SELF **~·ly** *ad.*

sublíminal sélf [the ~] 〖심리〗 식역하의 자아(自我), 잠재 자아

sub·lim·it [sʌ́blìmit] *n.* (최대 한도 이하의) 2차 한도, 부차(副次) 제한

sub·lim·i·ty [səblímәti] *n.* (*pl.* **-ties**) **1** Ⓤ 장엄, 숭고, 웅장, 웅대, 고상 **2** 장엄한 것, 숭고한 인물[것] **3** 절정, 극치

sub·line [sʌ́blàin] *n.* 한 종족 내의 동일 계통[혈통]의 하위 구분

sub·lin·gual [sʌblíŋgwəl] 〖해부〗 *a.* 혀 밑의: the ~ gland[artery] 설하선(舌下腺)[동맥]

— *n.* 설하선[동맥]

sub·lit·er·ate [sʌblítərət] *a.* (읽기·쓰기의) 충분한 소양이 없는

thesaurus **subjective** *a.* personal, individual, biased, prejudiced (opp. *objective, impartial*)
sublime *a.* noble, exalted, lofty, majestic, imposing, glorious, supreme, grand, virtuous, great

sub·lit·to·ral [sʌblítərəl] *a.* 〖생태〗 해안[연안]에 가까운 수중에 있는, 저조선(低潮線)부터 대륙붕 사이의, 아연안(亞沿岸)[아조간(亞潮間)](대(帶))의
— *n.* 아조간대

sub·lu·nar·y [sʌ́blunèri, sʌblú:nəri | sʌblú:-nəri], **-nar** [-nər] *a.* **1** 달 아래의; 달의 궤도에 있는; 달 영향하의 **2** 지구 특유의; 지구(상)의 **3** 현세의, 이 세상의(cf. SUPERLUNARY, TRANSLUNARY)

sub·lux·a·tion [sʌ̀blʌkséiʃən] *n.* 〖의학〗 아탈구(亞脫臼), 불완전 탈구, 염좌(sprain)

sub·ma·chíne gùn [sʌ̀bməʃí:n-] 소형 경기관총, 기관 단총 《(반)자동식》

sub·man [sʌ́bmæ̀n] *n.* (*pl.* **-men** [-mèn]) 인간적 기능 발달이 매우 낮은 사람

sub·man·dib·u·lar [sʌ̀bmændíbjulər] *n.*, *a.* = SUBMAXILLARY

sub·mar·gin·al [sʌbmɑ́:rdʒinl] *a.* **1** 〖생물〗 가장자리에 가까운, 아연(亞緣)의 **2** 한계 이하의 **3** 〈농지가〉 경작(耕作) 한계 이하의, 불모의

‡**sub·ma·rine** [sʌ̀bmərí:n, ⌐–⌐] *a.* **1** 해저(海底)의, 해저에서 나는[서식하는], 바다 속의; 바다 속에서 쓰는: a ~ boat 잠수함 / a ~ cable[volcano] 해저 전선[화산] / a ~ depot ship 잠수 모함 **2** 잠수함의
— *n.* **1** 잠수함 **2** 해저 식물[동물] **3** 《야구속어》 드롭(drop ball); 싱커(sinker) **4** 《미·속어》 = SUBMARINE SANDWICH
— *vt.* 잠수함으로 습격[격침]하다; 《미·속어》 몰래 파괴[방해]하다
— *vi.* 〈잠수함 등이〉 물속에서 행동하다; 물속에서 헤엄치다, 잠수하다

sub·ma·rine-based [sʌ́bməri:nbèist] *a.* 〈미사일 등이〉 잠수함에서 발사되는

súbmarine chàser[hùnter] 구잠정(驅潛艇)

sub·ma·rine-launched [-lɔ́:ntʃt] *a.* 잠수함에서 발사되는

súbmarine pèn 잠수함 대피소

sub·ma·rin·er [sʌ̀bmərí:nər, səbmǽrənər | sʌbmǽrin-] *n.* 잠수함 승무원

súbmarine sàndwich 《미·구어》 = HERO SANDWICH

sub·mas·ter [sʌ̀bmǽstər | -mɑ́:s-] *n.* 《영》 부교장, 교감

sub·max·il·la [sʌ̀bmæksílə] *n.* (*pl.* **-lae** [-li]) 〖해부·동물〗 하악(下顎), 하악골

sub·max·il·lar·y [sʌbmǽksəlèri, sʌ̀bmæksí-ləri | sʌ̀bmæksíləri] *n.*, *a.* 〖해부〗 하악(下顎)(의); 하악선(腺)(의)

sub·me·di·ant [sʌ̀bmǽdiənt] *n.*, *a.* 〖음악〗 하중음(下中音)(의)

sub·men·u [sʌbmènju:] *n.* 〖컴퓨터〗 서브메뉴 《메뉴 중에서 어떤 항목을 선택했을 때 표시되는 하위 메뉴》

*****sub·merge** [səbmə́:rdʒ] *vt.* **1** 물에 잠그다; 물속에 넣다[가라앉히다] **2** (…으로) 덮어[싸서] 가리다 **3** 〈남을〉 (일·사색 등에) 몰두시키다
— *vi.* **1** 물속에 잠기다, 침몰하다 **2** 〈잠수함 등이〉 잠수[잠항]하다 **3** 보이지 않게 하다
▷ submérgence, submérsion *n.*

sub·merged [sʌbmə́:rdʒd] *a.* **1 a** 수몰[침수]된, 수중(에서)의 **b** 〖생물〗 액내(液內)(에서)의 **c** 〖식물〗 침수생(沈水生)의, 물속에서 자라는[사는] **2** 감추어진, 숨겨진, 미지의 **3** 최저 생활을 하는, 극빈의, 빈궁한
the ~ tenth 최하층 계급, 극빈자[영세인]층

sub·mer·gence [səbmə́:rdʒəns] *n.* Ⓤ 물속으로 잠김, 잠수; 침수; 침몰

sub·mer·gi·ble [səbmə́:rdʒəbl] *a.*, *n.* = SUBMERSIBLE

---

submit *v.* **1** 제출[제안]하다 put forward, present, proffer, advance, propose, suggest, introduce, move **2** 복종[굴복]하다 give in, yield, accept, accede, comply, conform, surrender, bend, bow

sub·merse [səbmə́:rs] *vt.* = SUBMERGE

sub·mersed [səbmə́:rst] *a.* 물속에 잠긴(submerged); 〖식물〗 침수생(沈水生)의

sub·mers·i·ble [səbmə́:rsəbl] *a.* **1** 물속에 잠길 수 있는 **2** 수중 작동 가능한, 수중용의 **3** 잠항(潛航)할 수 있는 — *n.* 잠수함; (과학 측정용의) 잠수정

sub·mer·sion [səbmə́:rʒən, -ʃən | -ʃən] *n.* = SUBMERGENCE

sub·me·tal·lic [sʌ̀bmitǽlik] *a.* 반(半)[불완전]금속의, 아(亞)금속의

sub·mi·cron [sʌbmáikrɑn | -krɔn] *a.* 〖전자〗 〈특히 직경이〉 1미크론 미만의, 초미세한

sub·mi·cro·scop·ic [sʌ̀bmaikrəskɑ́pik | -skɔ́-] *a.* 〈물체가〉 초현미경적인; 극미소 물체의
-i·cal·ly *ad.*

sub·mil·li·me·ter [sʌbmíləmì:tər] *a.* 〈파장 등이〉 1밀리미터 이하의

sub·min·i·a·ture [sʌbmíniətʃùər] *a.* 〈카메라·전기 부품 등이〉 초소형(超小型)의: a ~ camera 초소형 카메라

sub·min·i·a·tur·ize [sʌbmíniətʃəràiz | -nə-] *vt.* 초소형으로 설계[제작]하다

sub·miss [səbmís] *a.* 《고어》 **1** = SUBMISSIVE **2** 작은 목소리의

*****sub·mis·sion** [səbmíʃən] *n.* **1** Ⓤ 복종, 항복, (…에의) 굴복 《*to*》: in ~ *to* …에 복종하여 **2** Ⓤ 순종 《*to*》; 공손, 온순; 유화(柔和), 온화: with all due ~ 공손히, 정중히 **3** ⓊⒸ 〖법〗 중재 부탁(서); 부탁, 기탁(寄託), 의뢰 **4** ⓊⒸ 《문어》 (의견의) 개진, 제안
▷ submít *v.*

sub·mis·sive [səbmísiv] *a.* 복종하는, 순종하는 (obedient), 유순한(yielding) **~·ly** *ad.* **~·ness** *n.*

submíssive déath 굴복사, 절망사, 각오사 《막다른 불리한 상황에 처하게 된 인간이나 동물이 택하는 죽음》

‡**sub·mit** [səbmít] 〚L 「밑에 놓다」의 뜻에서〛 *v.* (**~·ted**; **~·ting**) *vt.* **1** (…에) 복종[종속]시키다, 따르게 하다 《*to*》 **2** [~ one*self* 로] (…을) 감수(甘受)하다 《*to*》: (~+목+전+명) ~ one*self to* insult 모욕을 달게 받다 **3** 〈계획·서류 등을〉 (의회·법정 등에) 제출[제시]하다(refer); 기탁(寄託)하다; 맡기다 《*to*》: Students are required to ~ a term paper. 학생들은 리포트를 제출할 필요가 있다. // (~+목+전+명) ~ a case *to* a court 법원에 소송을 제기하다 **4** 〈변호사 등이〉 의견으로서 말하다[아뢰다], 제안하다(suggest): (~+***that*** 절) I ~ *that* you are mistaken. 실례지만 당신이 잘못 생각하고 있다고 말씀드리고자 합니다. / I ~ *that* full proof should be required. 완전한 증거가 필요하다고 생각합니다.
— *vi.* **1** (적 등에) 복종[굴복, 항복]하다 《*to*》: (~+전+명) ~ *to* authority 권위에 복종하다 **2** (의견 등에) 따르다; (특히 불쾌한 일을) 감수하다; (조치·치료 등을) 받다 《*to*》: (~+전+명) ~ *to* one's fate 운명을 달게 받다 / He has *~ted to* an operation. 그는 수술을 받기로 했다. **~·tal** *n.*
▷ submíssion *n.*; submíssive *a.*

sub mo·do [sʌ̀b-móudou] 〚L = under a qualification〛 *ad.* 일정한 조건[제한]하에

sub·mon·tane [sʌbmɑ́ntein | -mɔ́n-] *a.* 산기슭의, 산 밑의

sub·mul·ti·ple [sʌbmʌ́ltəpl] *n.*, *a.* 〖수학〗 약수(約數)(의)

sub·nar·cot·ic [sʌ̀bnɑ:rkɑ́tik | -kɔ́-] *a.* 준마취성의; 〈마취약의 양이〉 완전 마취에는 불충분한

sub·nor·mal [sʌbnɔ́:rməl] *a.* 표준[보통, 정상] 이하의; 《특히》 저능의 — *n.* **1** 정상 이하의 사람; 《특히》 저능아 **2** 〖기하〗 차(次)법선

sub·note·book [sʌbnóutbuk] *n.* 〖컴퓨터〗 서브노트북 컴퓨터

sub·nu·cle·ar [sʌbnjú:kliər | -njú:-] *a.* 원자핵 속의, 원자핵보다 작은, 소립자의

subnúclear párticle 〖물리〗 소립자(素粒子)

sub·nu·cle·on [sʌbnjú:kliɑ̀n | -njú:kliɔ̀n] *n.* 〖물리〗 (가설상의) 핵자 구성소(核子構成素)

sub·o·ce·an·ic [sʌ̀bouʃiǽnik] *a.* 해저의[에 있는]: ~ plants 해저 식물

sub·op·ti·mal [sʌbɑ́ptəməl] *a.* 차선(次善)의

sub·op·ti·mize [sʌbɑ́ptəmàiz | -ɔ́p-] *vi., vt.* 차선(次善)의 상태로 하다, 부분적으로 최선의 상태로 하다 **sub·òp·ti·mi·zá·tion** *n.*

sub·or·bit·al [sʌbɔ́:rbitl] *a.* **1** 〖해부〗 안와하(眼窩下)의 **2** 〈인공위성 등이〉 지구 등을 완전히 일주하지 않는, 궤도에 오르지 않은

sub·or·der [sʌ́bɔ̀:rdər] *n.* 〖생물〗 아목(亞目)

sub·or·di·nal [sʌbɔ́:rdənl] *a.*

***sub·or·di·nate** [səbɔ́:rdənət] [「아래로 명령하다」의 뜻에서] *a.* **1** 〈계급·지위가〉 (…보다) 하급의, 하위의 《*to*》 **2** 중요도가 낮은, 부차[보조]적인 **3** (상위자의) 지배하에 있는, 부하의, 하급자의 《*to*》: a ~ state 속국 **4** 아첨하는, 비굴한 **5** (…에) 의존적[부수적]인 《*to*》 **6** 〖문법〗 종속의

— *n.* **1** 종속자, 하급자, 부하; 종속하는 것 **2** 〖문법〗 종속절, 종속어(구)

— [-nèit] *vt.* **1** (…보다) 아래에 두다, (…의) 다음으로 하다 《*to*》 **2** (…보다) 경시하다, 중요시하지 않다 《*to*》: (~+目+전+명) ~ work *to* pleasure 일보다 쾌락을 중요시하다 **3** (…로) 종속[복종]시키다 《*to*》: (~+目+전+명) ~ furies *to* reason 이성으로 격분을 억제하다

~**·ly** *ad.* ~**·ness** *n.* ▷ subordinátion *n.*

subórdinate cláuse 〖문법〗 종속절 《I'll go *if it is fine.*; opp. *coordinate clause*》

subórdinate conjúnction 종속[종위] 접속사 《as, if, that 등; opp. *coordinate conjunction*》

sub·or·di·nat·ed [səbɔ́:rdənèitid] *a.* 〖금융〗 후순위의 《채권》

sub·or·di·na·tion [səbɔ̀:rdənéiʃən] *n.* Ⓤ **1** 예속시킴, 종속시키기, 하위; 경시 **2** (권위 등에 대한) 복종, 종속, 순종 **3** 〖문법〗 종속 관계 ***in*** ~ ***to*** …에 종속[예속]하여

sub·or·di·na·tion·ism [səbɔ̀:rdənéiʃənìzm] *n.* Ⓤ 〖신학〗 성자(聖子) 종속설, (삼위일체의) 제1위 우위설 **-ist** *n.*

sub·or·di·na·tive [səbɔ́:rdənèitiv, -dənə- | -dənə-] *a.* **1** 종속적인, 종속 관계를 나타내는; 하위의 **2** 〖문법〗 =SUBORDINATE **3** 〖언어〗 내심(內心) 구조의(opp. *coordinative*)

sub·or·di·na·tor [səbɔ́:rdənèitər] *n.* 종속시키는 것[사람]; 《특히》 종속 접속사

sub·orn [səbɔ́:rn | səb-, sʌb-] *vt.* **1** 매수하다, 나쁜 일을 하게 하다 **2** 〖법〗 (뇌물 등으로) 허위 맹세[위증]시키다 ~**·er** *n.*

sub·or·na·tion [sʌ̀bɔ:rnéiʃən] *n.* Ⓤ 〖법〗 허위 맹세[위증]시킴; 매수: ~ of perjury 허위 맹세[위증] 교사죄

sub·ox·ide [sʌbɑ́ksaid | -ɔ́k-] *n.* 〖화학〗 하급[차(次), 아(亞)] 산화물

sub·par [sʌ́bpɑ́:r] *a., ad.* 표준[평균] 이하의[로]

subpar. subparagraph

sub·phy·lum [sʌbfáiləm] *n.* (*pl.* **-la** [-lə]) 〖생물〗 (생물 분류학상의) 아문(亞門)

sub·plot [sʌ́bplɑ̀t | -plɔ̀t] *n.* (희곡·소설 등의) 부차적인 줄거리(cf. MAIN[1] plot)

sub·poe·na, -pe- [səbpí:nə] *n.* 〖법〗 (증인 등에 대한) 소환장, (불응시 벌칙이 부기된) 소환 영장 《*to*》

— *vt.* (**~ed**) 〖법〗 소환하다, 소환장을 발부하다

sub·po·lar [sʌbpóulər] *a.* 극(極)[극지]에 가까운, 아극(亞極)(지대)의

sub·pop·u·la·tion [sʌbpɑ̀pjuléiʃən | -pɔ̀p-] *n.* **1** 〖통계〗 부분 모(母)집단 **2** 〖생태〗 (혼계(混系) 중의) 특정 생물형군, 부차 집단 **3** 소집단, 일부의 사람들

sub-póst òffice [sʌ̀bpóust-] *n.* (영) 간이 우체국 《상점에서 일반 우편 업무를 처리하는 작은 우체국》

sub·po·ten·cy [sʌbpóutənsi] *n.* 〖생물〗 유전 형질 전달 능력의 감소

sub·po·tent [sʌbpóutənt] *a.* 보통 효력보다 약한; 〖생물〗 유전 형질 전달 능력이 약한

sub·pre·fect [sʌbprí:fekt] *n.* 부지사, 지사 대리; (프랑스의) 군수; 경찰서장 대리

sub·prime [sʌbpráim] *a.* 최고급 다음가는; 최우대 대출 금리보다 낮은

sub·prin·ci·pal [sʌbprínsəpəl, ´-´--] *n.* **1** 부교장, 부사장, 부회장, 장관 대리, 교장 대리 **2** 〖목공〗 보조 받침대[버팀목] **3** 〖음악〗 (오르간의) 서브프린스펄 《저음을 내는 개구 음전(開口音栓)의 하나》

sub·pri·or [sʌ́bpràiər] *n.* 부(副)수도원장

sub·prob·lem [sʌ́bprɑ̀bləm | -prɔ̀b-] *n.* (보다 포괄적인 문제에 포함되는) 하위 문제

sub·pro·fes·sion·al [sʌ̀bprəféʃənl] *a., n.* 준(準)전문직의 (사람)

sub·pro·gram [sʌ́bpròugræm] *n.* 〖컴퓨터〗 부(副)프로그램 《프로그램 중에서 독립해서 번역할 수 있는 부분》

sub·re·gion [sʌ́brì:dʒən] *n.* 〖생물〗 (동물 분포구의) 아구(亞區); (어떤 지역 내의) 소구역

sub·rep·tion [səbrépʃən] *n.* Ⓤ **1** 〖교회법〗 (교황청에 대한) 허위 진술 **2** (목적 달성을 위한) 사실의 은폐, 허위 진술(에 의한 추론)

sub·rep·ti·tious [sʌ̀breptíʃəs] *a.*

sub·ro·gate [sʌ́brəgèit] *vt.* **1** 대리[대신]하다 (substitute) **2** 〖법〗 (권리 등에 대해) 대위(代位)하다, 대위 변제(辨濟)하다

sub·ro·ga·tion [sʌ̀brəgéiʃən] *n.* Ⓤ 대리; 〖법〗 대위(代位), 대위 변제

sub ro·sa [sʌb-róuzə] [L =under the rose] *ad.* 남몰래, 비밀히(privately)

sub·rou·tine [sʌ́bru:tì:n] *n.* 〖컴퓨터〗 서브루틴 《특정 또는 다수 프로그램에서 되풀이해서 사용되는 독립된 명령군》

sub-Sa·ha·ran [sʌ̀bsəhέərən | -hɑ́:r-] *a.* 사하라 사막 이남의(below Sahara)

sub·sam·ple [sʌ́bsæ̀mpl | -sɑ̀:m-] *n.* 부표본

— [-´-] *vt.* …의 부표본을 만들다

sub·sat·el·lite [sʌ́bsæ̀təlait] *n.* 자위성(子衛星); (궤도를 돌고 있는 보다 큰 인공위성에서 발사되는) 소형 인공위성

‡**sub·scribe** [səbskráib] [L 「아래에 쓰다」의 뜻에서] *vt.* **1** 〈어떤 금액을〉 (…에) 기부할 것을 약속[서약]하다, 기부하다(contribute); 출자하다 《*to*》: (~+目+전+명) ~ a large sum *to* charities 자선 사업에 큰 금액을 기부하다 **2** …에 서명하여 동의[증명]하다: ~ a contract 계약서에 서명하다 **3** 〈성명 등을〉 (문서의 끝에) 써넣다, 서명하다 《*to*》: (~+目+전+명) President ~*d* his name *to* the document. 대통령은 그 문서에 서명했다.

— *vi.* **1** (서명하여) (…에) 기부를 약속하다, 기부를 하다 《*to, for*》; (주식 등을) 청약하다 《*for*》: (~+전+명) ~ *for* ten dollars 10달러를 기부하다 / ~ *to* charities 자선 사업에 기부하다 **2** (의견 등에) (서명하여) 동의[찬성, 증명]하다 《*to*》: (~+전+명) ~ *to* a person's opinion …의 의견에 찬동하다 / I will not ~ *to* popular fallacies. 세상의 잘못된 생각에 동참할 생각은 없다. **3** (문서 등에) 서명[기명]하다 《*to*》: (~+전+명) ~ *to* a document 문서에 서명하다 **4** (신문·잡지 등을) 예약 구독하다 《*to, for*》: (~+전+명) ~ *to*[*for*] a magazine 잡지를 예약 구독하다 ▷ súbscript *a.*; subscríption *n.*

***sub·scrib·er** [səbskráibər] *n.* **1** 기부자 **2** (신문·잡지의) 예약 구독자 《*to*》 **3 a** (주식·서적 등의) 신청자, 응모자, 예약자 《*for, to*》 **b** (전화의) 가입자 **4** 기명자, 서명자 ~**·shìp** *n.*

subscríber trúnk dìalling (영) 가입자 시외 다이얼 방식, 다이얼 즉시 통화((미) direct distance dialing) 《略 STD》

sub·script [sʌ́bskript] *a.* 아래에 기입한: an iota ~ 아래에 적은 이오타(ι) 《그리스 문자의 α, η, ω 아래에 쓰는 ι》 **—** *n.* 아래에 적은 문자[숫자, 기호] 《H_2SO_4의 2, 4 등》

∗**sub·scrip·tion** [səbskrípʃən] *n.* UC **1** 기부 (신청); 기부금: make[take up] a ~ 《미》 기부금을 거두다 **2** 출자(금); 기금(fund) **3 a** (정기 간행물의) 예약 구독(의 유효 기간); 예약(대)금 《*to*》: by ~ 예약으로 **b** (예약) 신청, 응모 **c** (전화·유선 방송 등의) 가입 **4** 서명, 기명 **5** 서명 승낙, 동의 **6** 예약 출판; 《미》 권유 판매 ▷ subscríbe *v.*; súbscript *a.*

subscríption àgency 〖출판〗 예약 구독 판매 대리점

subscríption bòok 예약자 명부; 예약 출판 도서

subscríption còncert 《미》 예약제 음악회

subscríption edìtion (서적의) 예약(한정)판(版)

subscríption lìbrary 회원제 대출 도서관

subscríption télevision[TV] (사설 회원제) 유료 텔레비전 (방송)(pay television)

sub·sea [sʌbsíː] *a.* 바다 속의

subsec. subsection

sub·sec·tion [sʌ́bsèkʃən, ㅡㅅㅡ] *n.* UC 일부, 소구분; 세분(細分); C 관(款), 분과, 계(係)

sub·se·quence[1] [sʌ́bsikwəns] *n.* **1** U 다음(임), 후(임), 이어서 일어남 **2** C 이어서 일어나는 것, 결과

sub·se·quence[2] [sʌbsíːkwəns] *n.* 〖수학〗 부분열(部分列)

∗**sub·se·quent** [sʌ́bsikwənt] [L 「아래에 계속하는」의 뜻에서] *a.* **1** A 다음의, 그 후의; 버금가는 **2** P 《문어》 뒤의; 뒤이은; 이후의 《*to*》 **~·ness** *n.*

sub·se·quent·ly [sʌ́bsikwəntli] *ad.* 그 후에, 다음에, 이어서 《*to*》; 그 결과로서

sub·serve [səbsə́ːrv] *vt.* **1** 거들다, 돕다, 보조하다; 촉진하다; 〈목적 등에〉 쓰이다, 도움이 되다 **2** 《폐어》 모시다, 섬기다

sub·ser·vi·ent [səbsə́ːrviənt] *a.* **1** (…에) 보조[부차]적인 《*to*》; (목적 달성 등에) 도움이 되는, 공헌하는 《*to*》 **2** 비굴한, 아첨하는

-vi·ence, -vi·en·cy *n.* **~·ly** *ad.*

sub·set [sʌ́bsèt] *n.* **1** 작은 당[파, 조(組)] **2** 〖수학〗 부분 집합

∗**sub·side** [səbsáid] [L 「아래로 앉다」의 뜻에서] *vi.* **1** 〈폭풍·파도 등이〉 가라앉다, 진정되다; 〈홍수·종기 등이〉 빠지다, 감퇴하다; 〈논쟁자 등이〉 침묵하다 **2** 〈땅·건물이〉 푹 꺼지다, 내려앉다, 함몰하다; 〈배가〉 가라앉다 **3** 〈앙금 등이〉 침전되다 **4** 〈사람이〉 (소파 등에) 털썩 앉다, 주저앉다 《*into*》: (~+전+명) ~ *into* a chair 의자에 주저앉다 **sub·síd·er** *n.* ▷ subsídence *n.*

sub·sid·ence [səbsáidns, sʌ́bsi-] *n.* UC **1** 진정(鎭靜), 감퇴; 강하(降下), 함몰; 가라앉음, 침전 **2** 침전물

sub·sid·i·ar·i·ty [səbsìdiǽrəti] *n.* 보조적[부차적, 종속적]인 것; 보완 원칙, 보완성

∗**sub·sid·i·ar·y** [səbsídièri | -əri] *a.* **1** 보조의, 보조적인: ~ business 부업 **2** (…에) 종속적인, 보완(補完)하는 《*to*》: ~ issues 부차적 문제들 **3** 보조금의[에 의한]; 딴 나라의 용병(傭兵)이 된 **4** (과반수의 주(株)를 가진) 모회사(母會社)에 의하여 지탱되는

— *n.* (*pl.* **-ar·ies**) **1** 보조자[물]; 부속물, 부차물, 부가물 **2** 〖음악〗 부주제(主題), 제2주제, 종속 악절 **3** = SUBSIDIARY COMPANY

subsídiary còin 보조 화폐, 보조화(貨) 《특히 은화》

subsídiary cómpany 종속 회사, 자회사

subsídiary ríghts 〖출판〗 부차권(副次權) 《원저작물의 출판권 이외의 권리》

sub·si·dize [sʌ́bsədàiz] *vt.* **1** 보조[장려]금을 지급하다 **2** 증회(贈賄)하다, 매수하다(bribe) **3** (보수를 주고) 〈용병 등의〉 도움을 얻다

sub·si·dy [sʌ́bsədi] *n.* (*pl.* **-dies**) **1** (국가의) 보조금, 장려금 **2** (국가간의 군사적 원조·중립에 대한) 보상금 **3** (옛 영국의) 특별 징수세 **4** 교부금; 기부금

súbsidy pùblishing 보조금에 의한 출판 《학술서·연구서 등을 원조하여 출판하기》

∗**sub·sist** [səbsíst] [L 「아래에 서다」의 뜻에서] *vi.* **1** 존재[존속]하다; 남아 있다; (…에) 있다 《*in*》 **2** 〈사람·동물이〉 (…로) 생존하다(exist), 생활하다, 먹고살다, 살아나가다 《*on, upon, by*》: (~+전+명) ~ *upon* scanty food 근소한 식량으로 살아나가다 / ~ *by* begging 구걸을 하여 연명하다 / ~ *by* the pen 글로 먹고살다 **3** 〖철학〗 시간을 초월하여[추상적으로] 존재하다, 독자적으로 존립하다, 자존하다

— *vt.* 《폐어》 …에게 식량을 주다, 급양하다(feed)

▷ subsístence *n.*; subsístent *a.*

∗**sub·sis·tence** [səbsístəns] *n.* UC **1** 생존 **2** 존재, 실재(實在)(existence) **3** 부양, 사육 **4** (수입·식량 부족 때의) 생활; 생계(生計)(livelihood) **5** 생활 수단, 생활의 양식 **6** 〖철학〗 자체적 존립, 자존; 초(超) 시간적 존재

subsístence allòwance[mòney] **1** 특별 수당 **2** (출장) 수당 **3** 취직 준비금 **4** (군대의) 식비 수당

subsístence cròp 자급[자가]용 농작물

subsístence fàrmer 자급자족 농민

subsístence fàrming[àgriculture] 자급 농업; 영세 농업

subsístence hòmestead 《미》 자경 자급(自耕自給) 농장 《실업자를 위하여 공장 지대 부근에 건설된》

subsístence lèvel 최저 생활 수준, 생존 수준

subsístence wàges (최저 한도의) 생활 유지 임금

sub·sis·tent [səbsístənt] *a.* **1** 존립[존재]하는 **2** 실재의; 타고난, 고유의(inherent): ~ qualities of character 타고난 성격 **—** *n.* **1** 실재하는 것 **2** 〖철학〗 (추상 개념으로서의) 존재물

sub·so·cial [sʌbsóuʃəl] *a.* 명확한 사회 구조가 아닌

sub·soil [sʌ́bsɔ̀il] *n.* U 하층토(下層土), 심토(心土), 밑흙 **—** *vt.* …의 밑흙을 파 일구다 **~·er** *n.*

sub·so·lar [sʌbsóulər] *a.* 태양 직하(直下)의, 《특히》 두 회귀선 사이의

subsólar póint (지구상의) 태양 직하점

sub·son·ic [sʌbsɑ́nik | -sɔ́n-] *a.* 아음속(亞音速)의, 음속 이하의 《시속 700-750마일보다 느린》 (opp. *supersonic*)

sub·space [sʌ́bspèis] *n.* 〖수학〗 부분 공간

sub·spe·cial·ty [sʌbspéʃəlti, ㅅㅅㅡㅡ] *n.* 하위 전문 분야, 부(副)전공

sub spe·ci·e ae·ter·ni·ta·tis [sʌ̀b-spékièi-aitɛ̀ərnətɑ́ːtis] [NL = under the aspect of eternity] *ad.* 〖철학〗 영원한 상(相)에 있어서 《스피노자의 말로서 만물의 본질을 「영원한 진리」라고 봄》

sub·spe·cies [sʌ́bspìːsiːz, ㅡㅅㅡ | ㅅㅅㅡ] *n.* (*pl.* ~) 〖생물〗 아종(亞種), 변종(變種)

subst. substantive; substitute

⁑**sub·stance** [sʌ́bstəns] *n.* U **1** UC 물질(material); 재질, 재료

> 유의어 **substance** 물질을 구성하는 실질적 내용의 질: a sticky *substance* 끈끈한 물질 **matter** 어떤 공간을 차지하는 물체: solid[gaseous] *matter* 고체[기체]

2 [the ~] (이야기·강연 등의) 요지, 대의(purport) **3** 실질, 내용, 실속, 알맹이: claims lacking in ~ 실속 없는 요구 **4** 고체[실재]성 **5** (피륙 등의) 감: This cloth lacks ~. 이 옷감은 얇다. **6** 〖철학〗 실체, 본체, 본질 **7** 자산, 재산: a man of ~ 자산가 **8** [the ~] 태반(太半)(majority) **9** 〖신학〗 실체

a man [***woman***] ***of*** **~** 자산가, 재력가 ***in*** **~** (1) 실질적으로는, 대체로 (2) 실제로, 사실상 **~·less** *a.*

▷ substántial *a.*; substántiate *v.*

súbstance abùse 〖병리〗 약물 남용

súbstance abùser *n.*

súbstance P 〖생화학〗 P물질 《아픔의 감각을 일으킨다고 여겨지고 있는 화학 물질》

sub·stand·ard [səbstǽndərd] *a.* **1** 표준[수준] 이하의 **2** 〖언어〗 비표준어인

‡**sub·stan·tial** [səbstǽnʃəl] *a.* **1** 상당한 (양의), 많은: ~ amount of time 상당한 시간 **2** Ⓐ (가공이 아니라) 실체의, 실재하는, 참다운 **3** 튼튼한, 견고한; 〈학자 등이〉 실력 있는 **4** 〈식사 등이〉 실속[내용]이 있는 **5** 근본의, 기본적인: two stories in ~ agreement 기본적으로 일치하고 있는 두 이야기 **6** 자산 있는, 유복한; (금전상의) 신용이 있는 **7** 물질의, 물질적인 **8** 중요한; 본질적인 **9** 〖철학〗 실체의, 본질의
— *n.* [보통 *pl.*] 실체[실질]적인 것; 실질적[중요한] 가치가 있는 것, 본질, 요점; 식사 중의 주요리
~·ìsm *n.* Ⓤ 〖철학〗 실체론(實體論) ~·ist *n.* 실체론자
▷ súbstance *n.*; substántiate *v.*

sub·stan·ti·al·i·ty [səbstæ̀nʃiǽləti] *n.* Ⓤ **1** 실재성, 실질성; 실체이[실속] 있음 **2** 본체, 실질; 견고

sub·stan·tial·ize [səbstǽnʃəlàiz] *vt.* **1** 실체로 하다, 실체화하다; 실재시키다, 실재화하다 **2** 실현하다, 실지로 나타내다

*sub·stan·tial·ly** [səbstǽnʃəli] *ad.* **1** 실질상; 대체로, 요점은 **2** 충분히; 든든히: Our budget has been reduced ~. 우리 예산이 상당히 감소되었다.

sub·stan·ti·ate [səbstǽnʃièit] *vt.* **1** 실체[구체]화하다, 구현시키다 **2** 실증[입증]하다(prove): ~ a charge 용의점을 입증하다 **sub·stàn·ti·á·tion** *n.* Ⓤ 실증, 입증; 실체화; 증거

sub·stan·ti·val [sʌ̀bstəntáivəl] *a.* 〖문법〗 명사의, 실명사(實名詞)의 ~·ly *ad.*

sub·stan·tive [sʌ́bstəntiv] *n.* 〖문법〗 명사; 명사상당어[구] — *a.* **1** 〖문법〗 명사의[로 쓰인]; 〈동사가〉 존재를 나타내는: a ~ clause 명사절/a ~ adjective 명사적 형용사/"To be" is a ~ verb. be동사는 존재를 나타내는 동사이다. **2** 독립의, 자립의: a ~ nation 독립 국가 **3** 현실의, 실제의 **4** 상당히 다량[다수]의 **5** 내용 있는, 중요한, 가치 있는: ~ issues 중요한 문제들 **6** 〖법〗 실체법(상)의(opp. *adjective*): a ~ law 실체법(實體法) **7** 〈염료가〉 (매염제를 쓰지 않아도) 직접 섬유에 착색되는 **8** [(영) səstǽntiv] 〖군사〗 〈계급·지위가〉 종신의, 영속하는
noun ~ 실명사 ((명사의 구칭(舊稱)으로 noun adjective(형용사의 구칭)과 구별함))
~·ly *ad.* 독립하여; 사실상; 실명사로서 ~·ness *n.*

súbstantive ránk 〖군사〗 본봉(本俸)을 받는 관등(官等)

súbstantive ríght 〖법〗 실체적 권리 ((생명·자유·재산·명예 등의 권리))

súbstantive vérb 존재 동사 ((be 동사를 말함))

sub·sta·tion [sʌ́bstèiʃən] *n.* **1** (우체국·방송국의) 지국, 분국 **2** 변전소, 변압소

sub·stit·u·ent [sʌbstítʃuənt | -tju-] *n.* 〖화학〗 (원자·원자군(群)의) 치환분(置換分), 치환기(基)
— *a.* 치환되는; 치환 가능한

‡**sub·sti·tute** [sʌ́bstətjù:t | -tjù:t] [L 「아래에 두다」의 뜻에서] *vt.* **1** (…에게) 대리를 시키다, 대신으로 쓰다, 대용하다 ((*for*)): (~+목+전+명) ~ nylon *for* silk = ~ silk *by*[*with*] nylon 명주 대신에 나일론을 쓰다 **2** …와 바꾸다, …의 대신을 하다 **3** 〖화학〗 〈원소 등을〉 (다른 원소 등으로) 치환(置換)하다 ((*for*))
— *vi.* **1** 대신하다, 대리하다, 대용하다: (~+전+명) He ~*d for* the manager who was in hospital. 그는 입원 중인 지배인의 대리 근무를 하였다. **2** 〖화학〗 치환하다
— *n.* **1** (…의) 대리인, 보결(자); 보결 선수 ((*for*)); (연극의) 대역(代役) ((*for*)); 대용(식)품 ((*for*)): There's no ~ *for* parents. 부모를 대신할 만한 자는 없다. **2** 용병 **3** 〖문법〗 대용어 ((대명사나 He writes better than I *do*.의 do))
— *a.* 대리[대용]의: ~ food 대용식
▷ substitútion *n.*; súbstitutive *a.*

súbstitute téacher ((미)) 대체[대리] 교사 (((영)) supply teacher, ((구어)) sub)

*sub·sti·tu·tion** [sʌ̀bstətjú:ʃən | -tjú:-] *n.* ⓊⒸ **1** 대리, 대용 **2** 대리인, 대용품 **3** 〖상업〗 (부정한) 바꿔침, 보완적 대체 **4** 〖화학〗 치환 **5** 〖수학〗 대입 **6** 〖문법〗 대용, 대입 ~·al *a.* ~·àr·y *a.* 대리의, 대용의; 치환의
▷ súbstitute *v.*

substitútion cìpher 환자식(換字式) 암호(법) ((문자의 치환(置換) 기호))

substitútion reàction 〖화학〗 치환 반응

sub·sti·tu·tive [sʌ́bstətjù:tiv | -tjù:-] *a.* **1** 대용[대리]이 되는 **2** 치환의 ~·ly *ad.*

sub·strate [sʌ́bstreit] *n.* **1** = SUBSTRATUM **2** 〖생화학〗 기질(基質) ((효소의 작용으로 화학 반응을 일으키는 물질)) **3** 〖전자〗 회로 기판, 기판

sub·strat·o·sphere [sʌbstrǽtəsfìər] *n.* 아성층권(亞成層圈) ((성층권 밑, 해발 3.5마일 이상의 공간))

sub·stra·tum [sʌ́bstrèitəm, -stræ̀t-, ─́─] *n.* (*pl.* -ta [-tə], ~s) **1** 하층(下層) **2** 〖생물〗 기저(基底) **3** 밑흙, 하층토(subsoil) **4** 토대, 근본

sub·struc·tion [sʌbstrʌ́kʃən] *n.* (건물·댐 등의) 기초 (공사), 토대; 교각 ~·al *a.*

sub·struc·ture [sʌbstrʌ́ktʃər, ─́─ | ─́─] *n.* **1** (건조물 등의) 기초 (공사) **2** 하부 구조, 토대, 기초(foundation) **sub·strúc·tur·al** *a.*

sub·sume [səbsú:m | -sjú:m] *vt.* 〖논리〗 〈판례·사례 등을〉 (규칙·범주 등에) 포섭[포함]하다; ((일반적으로)) 포함하다

sub·sump·tion [səbsʌ́mpʃən] *n* Ⓤ 〖논리〗 포섭 (관계); (삼단 논법의) 소전제; 포용, 포함

sub·sur·face [sʌbsə́:rfəs, ─́─] *a.* 표면 아래의; 지표 밑의, 수면 밑의

sub·sys·tem [sʌ́bsìstəm, ─́─] *n.* 하부[하위] 조직

sub·tan·gent [sʌbtǽndʒənt] *n.* 〖기하〗 (X축상의) 접선영(接線影)

sub·teen [sʌ̀btí:n] ((미·캐나다·구어)) *n.* = SUBTEENAGER — *a.* subteenager(용)의

sub·teen·ag·er [sʌ̀btí:néidʒər] *n.* ((구어)) 13세 미만의 어린이

sub·tem·per·ate [sʌbtémpərət] *a.* 아[차]온대(亞[次]溫帶)의

sub·ten·an·cy [sʌbténənsi] *n.* Ⓤ (가옥·토지의) 빌린 것을 또 빌림, 전차(轉借) -ant [-ənt] *n.* 전차인(人)

sub·tend [səbténd, sʌb- | səb-] *vt.* **1** …의 범위[한계, 경계]를 정하다 **2** 〖기하〗 〈현(弦)·삼각형의 변이〉 〈호(弧)·각(角)에〉 대(對)하다 **3** 〖식물〗 〈잎 등을〉 엽액(葉腋)에 끼다

sub·tense [səbténs, sʌb- | səb-] *n.* 〖기하〗 현(弦), 대변(對邊)

sub·ten·ure [sʌbténjər] *n.* 전차인의 보유권, 전차권(의 내용[조건, 기간])

subter- [sʌ́btər] ((연결형)) 「아래의, 이하의」의 뜻

sub·ter·fuge [sʌ́btərfjù:dʒ] *n.* Ⓤ 구실, 핑계; 속임, 협잡

sub·ter·mi·nal [sʌbtə́:rmənl] *a.* 끝[종점]에 가까운 (곳의)

sub·ter·nat·u·ral [sʌ̀btərnǽtʃərəl] *a.* ((드물게)) 아주 자연스럽다고는 할 수 없는, 좀 부자연스러운

sub·ter·rane, -rain [sʌ́btərèin, ─́─], **-rene** [-ri:n, ─́─] *n.* 동굴(cave), 지하동(地下洞)(subterranean room)

sub·ter·ra·ne·an [sʌ̀btəréiniən] *a.* **1** 지하의: a ~ railway 지하 철도 **2** 숨은, 비밀의: ~ works 비밀공작 — *n.* **1** 지하에서 사는[를 파는, 에서 일하는] 사람 **2** 지하 동굴, 지하실 ~·ly *ad.*

sub·ter·ra·neous [sʌ̀btəréiniəs] *a.* = SUBTERRANEAN

sub·ter·res·tri·al [sʌ̀btəréstriəl | -ti-] *a.* 지하의

thesaurus **substantial** *a.* **1** 상당한 sizable, considerable, significant, large, ample **2** 실재하는 real, true, material, actual, concrete **3** 중요한 meaningful, important, major, valuable

sub·text [sʌ́btèkst] *n.* 문학 작품의 배후에 숨은 의미; 언외(言外)의 뜻

sub·tile [sʌ́tl, sʌ́btəl | sʌ́tl] *a.* = SUBTLE

sub·til·i·sin [sʌbtíləsin] *n.* 〖생화학〗 서브틸리신 《진정(眞正) 세균의 일종으로부터 얻어지는 세포외 단백질 분해 효소》

sub·til·i·ty [sʌbtíləti] *n.* = SUBTLETY

sub·til·ize [sʌ́təlàiz, sʌ́btəl-] *vt.* **1** 정묘하게 하다(refine), 미묘하게 하다; 〈인격 등을〉 고상하게 하다 **2** 〈감각 등을〉 예민하게 하다(make acute) **3** 세밀하게 구별 짓다; 세밀하게 논하다 **4** 엷게 하다, 희박하게 하다 — *vi.* 세밀하게 구별 짓다; 자세히 논하다

sub·til·ty [sʌ́tlti, sʌ́btəl- | sʌ́tl-] *n.* (고어) = SUBTLETY

sub·ti·tle [sʌ́btàitl] *n.* **1** 작은 표제, (책 등의 설명적인) 부제(副題) **2** [*pl.*] (영화의) 설명 자막
— *vt.* 〈책 등에〉 부제를 달다; 〈영화에〉 자막을 달다

‡**sub·tle** [sʌ́tl] [L 「훌륭히 직조된」의 뜻에서] *a.* (**-tler**; **-tlest**) **1** (지각할 수 없을 정도로) 미묘한; 포착하기 어려운; 불가사의한; 이해하기 어려운; 미세한 **2** 〈지각·감각 등이〉 민감한, 섬세한 **3** 〈미소 등이〉 신비적인, 어렴풋한 **4** 〈용액 등이〉 묽은; 〈기체 등이〉 엷게 퍼지는, 희박한 **5** (고어) 교활한, 음흉한; 마음 놓을 수 없는 **6** 〈약·독 등이〉 모르는 사이에 작용하는; 〈병 등이〉 잠재성의 **7** 솜씨 좋은, 정교한
súb·tly, ~·ly [sʌ́tli] *ad.* ▷ súbtlety *n.*

súbtle bódy 신비체(神秘體) 《오감으로는 식별할 수 없는 초감각적 세계에 존재하는 몸(body)의 총칭》

sub·tle·ty [sʌ́tlti] *n.* (*pl.* **-ties**) Ⓤ **1** 희박 **2** 미묘, 신비, 불가사의(不可思議); 난해(難解) **3** 예민, 민감 **4** [종종 *pl.*] 세밀한 구분; 미묘한 점 **5** 교묘, 정묘

sub·ton·ic [sʌbtɑ́nik | -tɔ́n-] *n.* 〖음악〗 도음(導音), 이끎음, 제7음(leading tone)

sub·to·pi·a [sʌbtóupiə] [*sub*urbs+*utopia*] *n.* 《영·경멸》 (공업화·도시화한) 교외 주택지; (매력 없는) 교외

sub·top·ic [sʌ́btɑ̀pik | -tɔ̀p-] *n.* (논제의 일부를 이루는) 부차적인 논제

sub·tor·rid [sʌbtɔ́:rid | -tɔ́r-] *a.* = SUBTROPICAL

sub·to·tal [sʌ́btòutl] *n.* 소계(小計) — *a.* 완전에 가까운, 거의 전면적인 — *vt., vi.* 소계를 내다

***sub·tract** [səbtrǽkt] [L 「아래로부터 끌다」의 뜻에서] *vt.* (…에서) 빼다, 덜다, 공제(控除)하다 《*from*》 (opp. *add*): ~ 2 *from* 5 5에서 2를 빼다

> 유의어 **subtract** 전체[큰 부분]에서 일부[작은 부분]를 제거하는 것. 주로 수적으로 쓰이며 비유로도 쓰임. **deduct** 총액을 줄이기 위해 빼는 것. 주로 양적으로 쓰임. 보통 구체적·실제적인 경우에 사용됨.

— *vi.* 뺄셈을 하다 ▷ subtráction *n.*

sub·tract·er [səbtrǽktər] *n.* **1** 빼는 사람, 공제자 **2** (폐어) 〖수학〗 감수(減數)(subtrahend)

***sub·trac·tion** [səbtrǽkʃən] *n.* ⓊⒸ **1** 빼냄, 삭감, 공제 **2** 〖수학〗 감법(減法), 뺄셈 《기호 −》

sub·trac·tive [səbtrǽktiv] *a.* **1** 감하는, 빼는, 공제하는, 더는 **2** 〖수학〗 마이너스[빼기] 부호가 달린, 마이너스의

sub·tra·hend [sʌ́btrəhènd] *n.* 〖수학〗 빼는 수, 감수(減數)(opp. *minuend*)

sub·treas·ur·y [sʌbtréʒəri, ⌐⌐—] *n.* (*pl.* **-ur·ies**) **1** (국고의) 분고(分庫) **2** (옛 미국의) 재무성 분국(分局) 《9개 있었음》

sub·tribe [sʌ́btràib] *n.* 〖생물〗 아족(亞族)

sub·trop·i·cal [sʌbtrɑ́pikəl | -trɔ́p-], **-trop·ic** [-pik] *a.* 아열대의; 아열대성의(subtorrid)

---

subtle *a.* **1** 미묘한 elusive, delicate, faint, understated **2** 미세한 fine, slight, minute, tenuous **3** 민감한 perceptive, discerning, sensitive, penetrating, astute, keen, acute, shrewd, sagacious

subtrópical hígh[anticýclone] 〖기상〗 아열대 고기압

sub·trop·ics [sʌbtrɑ́piks | -trɔ́p-] *n. pl.* [the ~] 아열대 지방

sub·type [sʌ́btàip] *n.* **1** 아류형(亞類型) **2** (일반형에 포함되어 있는) 특수형 **sub·týpi·cal** *a.*

su·bu·late [sú:bjulət, -lèit] *a.* 〖동물·식물〗 송곳 모양의

sub·u·nit [sʌ́bjù:nit] *n.* **1** 부차적 단위 **2** 〖생화학〗 아단위(亞單位), 서브유니트 《생체 입자[고분자]를 이루는 기본 단위》

‡**sub·urb** [sʌ́bə:rb] [L 「도시 근처에」의 뜻에서] *n.* **1** (주택지로서의) 교외, 시외: in a ~ of Seoul 서울 교외에 **2** [the ~s] (상점가·상업 지구와 구별하여 도시의) 근교, 교외 《특히 주택 지구》 **3** [*pl.*] 부근, 주변(periphery) ▷ subúrban *a.*

***sub·ur·ban** [səbə́:rbən] *a.* **1** Ⓐ 교외의[에 사는], 시외의[에 있는] **2** 도시 근교 특유의; 편협한
— *n.* **1** 교외 거주자(suburbanite) **2** 짧은 코트 **3** = STATION WAGON ▷ súburb *n.*

sub·ur·ban·ite [səbə́:rbənàit] *n.* 교외 거주자

sub·ur·ban·i·ty [sʌ̀bə:rbǽnəti] *n.* 교외[도시 근교]의 특징[성격, 분위기]

sub·ur·ban·ize [səbə́:rbənàiz] *vt.* 〈지역을〉 교외(주택)화하다

sub·ur·bi·a [səbə́:rbiə] *n.* Ⓤ (종종 경멸) **1** [집합적] **a** 교외 (주민) **b** [**S~**] 《영》 《특히》 런던의 교외(거주자) **2** 교외풍의 생활 양식[습관, 풍속]

sub·ur·bi·car·i·an [səbə̀:rbəkέəriən] *a.* **1** 근교 주택 지구의; 《특히》 로마 근교의 **2** 로마에 인접한 교구의

sub·va·ri·e·ty [sʌ́bvəráiəti] *n.* 〖생물〗 (분류학상의) 아변종(亞變種)

sub·vene [səbví:n] *vi.* 도움이 되다

sub·ven·tion [səbvénʃən] *n.* **1** (특별 용도의) 조성금(助成金), 보조금, 보호금 **2** 구원, 지원; 재정적 원조 **~·àr·y** *a.*

sub ver·bo [sʌb-və́:rbou] [L = under the word] …이라는 단어 아래에, …이라는 단어를 보라 《略 s.v.》

sub·ver·sion [səbvə́:rʒən, -ʃən | -ʃən] *n.* Ⓤ 전복, 파괴, 멸망

sub·ver·sive [səbvə́:rsiv] *a.* (…을) 파괴하는, 전복하는, 타도하는, 멸망시키는 《*of*》: be ~ *of* social order 사회 질서를 파괴하다
— *n.* 파괴 활동 분자, 위험인물, (정부 등의) 전복 계획자 **~·ly** *ad.* **~·ness** *n.*

sub·vert [səbvə́:rt] [L 「아래로부터 뒤엎다」의 뜻에서] *vt.* **1** 〈체제·권위 등을〉 전복시키다, 파괴하다, 타도하다; 멸망시키다 **2** 〈주의·도덕·충성심·성격 등을〉 차츰 잃게 하다; 〈정신·사상 등을〉 타락시키다, 부패시키다 **~·er** *n.*

sub·vi·ral [sʌbváirəl] *a.* 〈단백질 등이〉 바이러스의 일부분을 이루는 구조의[에 의한]

sub·vo·cal [sʌbvóukəl] *a.* 목소리를 거의 내지 않는

sub vo·ce [sʌb-vóusi] [L] = SUB VERBO

***sub·way** [sʌ́bwèi] *n.* **1** 《영》 지하도(《미》 underpass, underground) 《특히 가로 횡단용》; (수도·전기선 등의) 지하도 **2** 《미》 지하철(《영》 underground, tube)

sub·woof·er [sʌ́bwùfər] *n.* 〖음향〗 서브우퍼 《125Hz 이하의 초저음을 재생하는 스피커》

sub·ze·ro [sʌbzí:rou | -zíə-] *a.* **1** (화씨) 영하의, 영도 이하의: ~ temperature 영하의 기온 **2** 영하의 기온용의

suc- [sək, sʌk] *pref.* = SUB- 《c로 시작하는 말 앞에》

suc·cade [səkéid, sʌ-] *n.* 설탕에 절인 과일

suc·ce·da·ne·ous [sʌ̀ksədéiniəs] *a.* 대용물의; 대용의

suc·ce·da·ne·um [sʌ̀ksədéiniəm] *n.* (*pl.* **~s, -ne·a** [-niə]) (드물게) 대용물, 대리인(substitute); 대용약

suc·ce·dent [səksíːdnt] *a.* 다음에 이어지는
‡**suc·ceed** [səksíːd] *v.*

> L「다음에 가다」의 뜻에서
> 「(뒤에) 계속되다」 ⓔ **1**
> ─┌「…의 뒤를 잇다, 상속하다」 ⓐ **5,** ⓔ **2**
> └(사물이 잘 풀려 나가다)→「성공하다」 ⓐ **1**

— *vi.* **1** (…에) 성공하다(opp. *fail*) ((*in*)): (~+전+명) ~ *in* solving a problem 문제 해결에 성공하다 **2** 〈계획 등이〉 잘 되다, 성공하다, 성과를 거두다

> 유의어 **succeed** 목적을 달성하고 좋은 결과를 얻다 **flourish** 성장이나 번영이 절정기 혹은 그에 가까움을 암시 **prosper** 물질적인 면에서 성공하다 **thrive** 일정 조건하에서 힘차고 눈에 띄게 성장·발전하다

3 〈식물이〉 번성하다, 생장하다 **4** 입신[출세]하다; 번창하다 ((*in, as*)) **5** 뒤를 잇다, 후임자가 되다, (지위·재산 등을) 계승[상속]하다 ((*to*)): (~+전+명) He *~ed to* his father's estate. 그는 아버지의 재산을 상속했다. **6** 계속해서 일어나다, 이어지다: Read the page that *~s.* 다음 페이지를 읽어라.
— *vt.* **1** …에 계속되다, 잇따르다, …의 뒤에 오다, 따르다(cf. PRECEDE): A silence *~ed* his words. 그의 말이 끝나자 침묵이 이어졌다. **2** …의 후임이 되다, 뒤를 이어 (…로) 되다, 대신하다 ((*as*)): (~+목+***as*** 보) Elizabeth *~ed* Mary *as* Queen. 엘리자베스가 메리의 뒤를 이어 여왕이 되었다. **~ one*self*** ((미)) 재선되다, 유임하다 **~·a·ble** *a.* ▷ succéss, succéssion *n.*; succéssful, succéssive *a.*
suc·ceed·er [səksíːdər] *n.* ((고어)) = SUCCESSOR
suc·ceed·ing [səksíːdiŋ] *a.* 계속해서 일어나는, 계속되는, 다음의(following): the ~ chapter 다음 장(章) **~·ly** *ad.*
suc·cen·tor [sәkséntər] *n.* (교회의) 성가 대장 대리(precentor's deputy), (성가대의) 선창자 대리; (성가대의) 저음 주창자(主唱者)
suc·cès de scan·dale [səksè-də-skɑːndɑ́ːl] [F =success from scandal] (보통 나쁜 의미에서) 문제작; (심한) 악평, 악명
suc·cès d'es·time [-destíːm] [F =success from esteem] (배우·작가에 대한) 비평가의 (의례적인) 찬사
suc·cès fou [-fúː] [F =mad[wild] success] 엄청난[굉장한] 대성공
‡**suc·cess** [səksés] *n.* **1** Ⓤ 성공; 달성(opp. *failure*); 합격 ((*in*)): drink ~ to …의 성공을 축하해서 축배를 들다 / make a ~ of …을 잘 해내다 / score a ~ 성공하다 / Nothing succeeds like ~. ((속담)) 한 가지가 잘되면 만사가 잘된다. **2** Ⓤ 입신, 출세(cf. FAILURE) **3** (파티·연극 등의) 대성공: The evening was a ~. 그날 밤의 모임[야회(夜會)]은 대성공이었다. **4** [보통 보어로서] **a** 성공자, 성공한 것: He was a ~ as an actor. 그는 배우로서 성공한 사람이었다. **b** (특히 벼락공부의) 수험 합격자 **5** Ⓤ ((폐어)) 결과, 성과: good ~ 잘됨, 성공 / bad[ill] ~ 잘못됨, 실패
▷ succéed *v.*; succéssful *a.*
‡**suc·cess·ful** [səksésfəl] *a.* **1** (…에) 성공한; 좋은 결과의, 잘된; (시험에) 합격한; 〈흥행 등이〉 대성공의, 〈모임 등이〉 성대한 ((*in*)): a ~ candidate 당선자 / be ~ *in* …에 성공하다, 합격하다 **2** 입신[출세]한, 명성[지위]을 얻은 **~·ness** *n.*
‡**suc·cess·ful·ly** [səksésfəli] *ad.* 성공적으로, 용케, 잘, 훌륭하게; 운 좋게(도): I ~ completed a master's degree. 나는 석사 과정을 성공적으로 마쳤다.
‡**suc·ces·sion** [səkséʃən] *n.* **1** ⓊⒸ 연속, 계속: in ~ 연속하여[한], 잇달아서[잇단] **2** [보통 a ~] 연속하는 것[사람], 연속물 **3** Ⓤ (지위·신분·재산 등의) 계승, 상속 ((*to*)); Ⓤ 계승[상속]권; 왕위 계승권; Ⓒ [집합적] 상속자들, 자손(posterity) ((*to*)): by ~ 세습에 의해서 / in ~ *to* …을 계승[상속]하여 / the law of ~ 상속법 **4** Ⓤ 상속 순위 **5** ⦗생태⦘ 천이(遷移)
▷ succéed *v.*; succéssive, succéssional *a.*
suc·ces·sion·al [səkséʃənl] *a.* **1** 연속적인, 잇달은 **2** 계승의, 상속 (순위)의 **~·ly** *ad.*
succéssion dùty[tàx] ((영)) 상속세(((미)) inheritance tax)
succéssion plànning 승계 계획 ((회사의 고위 인사 이직에 대비한 인력 훈련 계획))
Succéssion Státes [the ~] 후계 국가들 ((오스트리아·헝가리 제국의 분열에 의하여 탄생한 나라들; 구 체코슬로바키아·유고슬라비아 등))
‡**suc·ces·sive** [səksésiv] *a.* **1** 연속하는, 계속적인: It rained (for) three ~ days(=three days *~ly*). 3일 계속해서 비가 왔다.

> 유의어 **successive** 계속적으로, 잇따라의 뜻으로서, 시간적으로 일정한 간격이 아니라도 되며, 이질적인 것의 계속도 된다: *successive* disasters (여러 가지 형태로) 잇따라 찾아드는 재난 **consecutive** 연속적으로 연달아의 뜻으로서 동질의 것이 일정한 순서로 계속됨을 말한다: The team won three *consecutive* victories. 그 팀은 연속 3회 우승했다.

2 (순서가) 다음의: the second ~ day 그 이튿째 **3** 상속의, 계승의 **~·ly** *ad.* **~·ness** *n.*
▷ succéed *v.*; succéssion *n.*
‡**suc·ces·sor** [səksésər] *n.* **1** (…의) 후임자, 상속자, 후계자, 계승자, 후배 ((*to, as*)): the ~ *to* the throne 왕위 계승자 **2** 뒤에 오는 것, (…에) 대신하는 것, 후진 ((*to*)) **~·al** *a.*
succéss stòry 성공담, (입신) 출세 이야기
suc·cinct [sʌksíŋkt] *a.* **1** 〈말 등이〉 간결한, 간명한; 〈작가가〉 말의 간결함을 특징으로 하는 **2** 좁은 장소에 압축한 **3** ((고어)) 〈옷이〉 몸에 꼭 맞는; (띠 등으로) 걷어올린(tucked up) **~·ly** *ad.* **~·ness** *n.*
suc·cin·ic [səksínik] *a.* **1** 호박(琥珀)(amber)의 **2** ⦗화학⦘ 호박산(酸)의
succínic ácid ⦗화학⦘ 호박산(琥珀酸), 숙신산 ((주로 도료·염료·향수 제조용))
*****suc·cor | suc·cour** [sʌ́kər] ((문어)) *n.* **1** Ⓤ (위급한 때의) 구조, 원조 **2** 구조자 **3** [*pl.*] ((고어)) 군사 원조; ((특히)) 원군
— *vt.* 원조하다, 구조하다
~·a·ble *a.* **~·er** *n.* **~·less** *a.*
suc·cor·ance [sʌ́kərəns] *n.* Ⓤ 의존(dependence); 양육 의존 **-ant** [-ənt] *a.*
suc·co·ry [sʌ́kəri] *n.* (*pl.* **-ries**) ⦗식물⦘ =CHICORY
suc·cose [sʌ́kous] *a.* 즙[수분]이 많은(juicy)
suc·co·tash [sʌ́kətæ̀ʃ] *n.* ⓊⒸ ((미)) 강낭콩과 옥수수[귀리와 보리]를 끓인 콩요리
Suc·coth [súkəθ, -kouθ] *n.* =SUKKOTH
suc·cu·ba [sʌ́kjubə] *n.* (*pl.* **-bae** [-bìː]) = SUCCUBUS
suc·cu·bus [sʌ́kjubəs] *n.* (*pl.* **-bi** [-bài]) **1** (잠자는 남자와 정을 통한다는) 마녀, 여자 몽마(夢魔)(cf. INCUBUS) **2** 악령(惡靈), 귀신 **3** 매춘부
suc·cu·lence, -len·cy [sʌ́kjuləns(i)] *n.* **1** Ⓤ 다즙, 다육(多肉) **2** 다육 식물 **3** 흥미진진함
suc·cu·lent [sʌ́kjulənt] *a.* **1** 〈과일 등이〉 즙이 많은, 물기가 많은, 액(液)이 많은(juicy) **2** 바람직한, 좋은 **3** 신선한; 흥미진진한 **4** ⦗식물⦘ (선인장같이) 다육 다즙(多汁) 조직의 **—** *n.* ⦗식물⦘ 다육 다즙 식물 ((선인장 등)) **~·ly** *ad.*

thesaurus **success** *n.* accomplishment, achievement, attainment, fulfillment, victory, triumph, prosperity, affluence, wealth, fame, eminence

*__suc·cumb__ [səkʌ́m] [L 「아래에 눕다」의 뜻에서] *vi.* **1** (유혹 등에) 굴복하다, 압도당하다, 굽히다, 지다(give way) ((*to*)): (~+전+명) ~ *to*[*before*] temptation 유혹에 굴복하다[지다] / ~ *under* misfortunes 불운에 울다 **2** (병·부상·노령 등으로) 쓰러지다, 죽다(die) ((*to*)): (~+전+명) ~ *to* pneumonia 폐렴으로 쓰러지다 **~·er** *n.*

suc·cur·sal [səkə́ːrsəl | sʌk-] *a.* 〈교회·은행 등이〉 종속적인, 산하(傘下)의, 부속의 **—** *n.* 산하의 시설

suc·cuss [səkʌ́s] *vt.* (드물게) 심하게[마구] 흔들다; 〖의학〗 〈환자의 상반신을〉 심하게 흔들어 흉부의 공동(空洞)을 살피다, 진탕 청진(震盪聽診)하다

‡**such** ⇨ such (p. 2504)

such-and-such [sʌ́tʃəndsʌ̀tʃ] *a., n.* 이러이러한 (것[사람]), 여차여차한 (것[사람])

such·like [sʌ́tʃlàik] (구어) *a.* Ⓐ 이와 같은, 이런 종류의 **—** *pron.* [복수 취급] 이러한[그러한] 것: artists and ~ 예술가 등등

such·ness [sʌ́tʃnis] *n.* 기본적 성질, 본질, 특질

‡**suck** [sʌ́k] *vt.* **1** 〈액체·젖 등을〉 (입으로) 빨다; (미·속어) 〈술을〉 마시다 ((*up*)): ~ the breast 젖을 빨다 // (~+목+전+명) ~ lemonade through a straw 빨대로 레모네이드를 빨아 마시다 **2** 〈물·공기 등을〉 빨아들이다, 흡수하다 ((*in, off, up*)); 〈말을〉 삼키다; 〈소용돌이 등이〉 〈배를〉 휩쓸어 넣다 ((*in, down*)): (~+목+전+명) ~ the poison *from*[*out of*] a wound 상처에서 독을 빨아내다 // (~+목+부) ~ *out* blood 피를 빨아내다 / The whirlpool ~*ed down* the wreck. 소용돌이가 난파선을 삼켜버렸다. **3** 빨아[흡수하여] (…상태로) 하다: (~+목+보) The child ~*ed* the pineapple dry. 그 아이는 즙이 없어질 때까지 파인애플을 빨았다. **4** 빨아 먹다, 핥다, 입에 물다; (비어) 성기를 핥다: ~ one's finger 손가락을 빨다 **5** (…에서) 〈지식 등을〉 흡수하다 ((*in*)); 〈이익 등을〉 얻다, 착취하다 ((*from, out of*)): (~+목+부) ~ (*in*) knowledge 지식을 흡수하다 **6** (구어) 〈남을〉 (속이거나 강제로 …에) 끌어넣다 ((*in, into*))

— *vi.* **1 a** (…을) 빨다; 젖을 빨다 **b** (…을) 들이마시다, 홀짝거리다 ((*at*)) **2** (파이프 등을) 빨다; 〈파도 등이〉 (…을) 핥듯이 씻다 ((*away, at*)): (~+전+명) ~ *at* a cigar 엽궐련을 빨다 **3** 〈펌프가〉 빨아들이는 소리를 내다, (고장으로 소리만 내고) 물을 빨아올리지 않다 **4** (미·구어) 아첨하다: ~ around (미·속어) (남에게 빌붙으려고) 따라다니다, 얼씬거리다 **5** (미·속어) 〈품질 등이〉 떨어지다; 불쾌하다; 싫증이 나다

be ~ed in (구어) 속다, 이용당하다 ***~ at*** …을 빨다, 마시다 ***~ dry*** 남김없이 빨다(⇨ *vt.* 3) ***~ face*** (미·속어) 키스하다 ***~ in*** 〈학식 등을〉 흡수하다; 〈소용돌이 등이〉 휩쓸어 넣다; (속어) [보통 수동형으로] 속이다 ***~ in***[***up***] ***at*** (학생속어) …에게 아첨하다 ***~ it and see*** [명령형으로] 그런 바보 같은 건 묻지 마 ***~ it easy*** (미·속어) 여유롭게 지내다 ***~ it up*** (미·속어) 본격적으로 나서다; 참다 ~ a person***'s brains*** …에게서 지식[지혜]을 흡수하다[빌리다] ***~ the blood of*** …의 피를 빨다, 고혈을 짜다 ***~ up to*** (구어) …을 감언이설로 속이려고 하다, …에게 아첨하다 ***~ wind*** (미·속어) 실패하다

— *n.* **1** UC 젖을 빨기; 빨아들임; (소용돌이의) 감아들임, 휩쓸어 넣음 **2** 한 번 빨기[핥기, 홀짝거리기], 한 입, (술 등의) 한 잔 ((*of*)): take a ~ at …을 한 모금 마시다 **3** (미·구어) (강한) 술; [*pl.*] (구어) 과자(sweets) **4** (영·속어) 실망, 대실패 **5** [*pl.*] (영·속어) 사기 ***a child at ~*** 젖먹이 ***give ~ to*** …에게 젖을 먹이다 ***What a ~!*** = ***S~s*** (***to you***)! 무슨 꼴이람, 꼴 좋다! ▷ súction *n.*

súcked órange [sʌ́kt-] (이렇다 할 것이 남아 있지 않은) 찌꺼기

(opp. *failure, disaster, poverty*)
succor *n.* aid, help, assistance, relief, support
succumb *v.* give in, give way, yield, submit

*__suck·er__ [sʌ́kər] *n.* **1** 빠는 사람[것], 흡수자 **2** (구어) (…에) 속기 쉬운 사람, 어리석은[마음 약한] 사람; (…에) 열중하는 사람 ((*for*)) **3** 젖먹이, 돼지[고래]의 젖먹이 **4** 〖동물〗 빨판, 흡반 **5** 빨판[흡반]을 가진 어류, 유반류(有盤類) ((빨판상어 등)); 〖어류〗 = SUCKERFISH **6** 〖기계〗 (펌프의) 흡입반, 흡입관(管) **7** (미·구어) 막대기 캔디[사탕] **8** (속어) 놈, 녀석

make a ~ out of (구어) …을 완전히 속이다

— *vt.* **1** 〖농업〗 곁눈[포기]을 이식하다 **2** (미·속어) 속이다, 사기치다; 놀리다

— *vi.* 〖농업〗 움이 트다, 곁눈이 나다

súcker bàit (미·속어) 남을 속이기 위한 미끼

suck·er·fish [sʌ́kərfìʃ] *n.* 〖어류〗 서커 ((미국산(産) 민물고기)); 빨판상어(remora)

súcker lìst (미·구어) 구매자[기증자]가 되어 줄 만한 인물들의 리스트

súcker plày **1** (속어) 바보스런 움직임 **2** 〖미식축구〗 트릭[속임수] 플레이; 속임수(쓰기)

súcker pùnch (미·속어) 느닷없이 치기, 불시의 공격 **súcker-pùnch** *vt.*

Súcker Stàte [the ~] 미국 Illinois 주의 속칭

suck-in [sʌ́kin] *n.* (영·구어) 속임수에 넘어가기, 사기당하기

suck·ing [sʌ́kiŋ] *a.* **1** 빨아들이는 **2** 젖내 나는, 아직 젖 떨어지지 않은 **3** 미숙한, 풋내기의

súcking dìsc 〖동물〗 빨판, 흡반

súcking lòuse 〖곤충〗 = LOUSE 1

súcking pìg 젖먹이 돼지 ((특히 통째로 굽는 요리용))

suck·le [sʌ́kl] *vt.* **1** 젖을 먹이다 **2** 기르다, 보육(保育)하다(foster) **3** 영양으로서 섭취하다

— *vi.* 젖을 먹다[빨다]

suck·ler [sʌ́klər] *n.* **1** 포유동물 **2** = SUCKLING

suck·ling [sʌ́kliŋ] *n.* **1** 젖먹이; 젖먹이 짐승, 어린 짐승 **2** 풋내기, 생무지

súckling pìg 젖먹이 새끼 돼지

suck·up [sʌ́kʌ̀p] *n.* (속어) 아첨쟁이(toady)

Su·cre [súːkrei] [Sp.] *n.* **1** 수크레 ((볼리비아의 헌법상의 수도)) **2** [**s~**] 수크레 ((에콰도르의 화폐 단위; 기호 S, S/; = 100 centavos))

su·crose [súːkrous | sjúː-] *n.* Ⓤ 〖화학〗 수크로오스, 자당(蔗糖)

suc·tion [sʌ́kʃən] *n.* Ⓤ **1** 빨기, 빨아 올림, 빨아들임: a ~ chamber (펌프의) 흡입실 **2** 흡인력 **3** Ⓒ 흡입관(管), 흡수관(= **~ pìpe**) **4** (영·속어) 음주 **5** 유인(誘引) 통풍

súction mèthod 〖의학〗 흡인법

súction pùmp 빨펌프

súction stòp 〖음성〗 흡착음, 혀 차는 소리(click)

suc·to·ri·al [sʌktɔ́ːriəl] *a.* **1** 흡입(吸入)의; 빨기에 적당한 **2** 〖동물〗 피·즙을 빨아먹고 사는, 흡착성의 **3** 빨판[흡반(吸盤)]을 가진

suc·to·ri·an [sʌktɔ́ːriən] *n.* **1** 빨판을 가진 동물 **2** 흡관충(吸管蟲) ((흡관충목(目)의 원생동물))

— *a.* 흡관충목(目)의[에 속하는]

sud [sʌ́d] [*s*udden *u*nexpected *d*eath] *n.* 돌연사

Su·dan [suːdǽn, -dɑ́ːn | -dɑ́ːn, -dǽn] *n.* [the ~] **1** 수단 ((아프리카 북부 사하라 사막 이남의 대서양에서 홍해에 이르는 광대한 지역)) **2** 수단 ((아프리카 북동부의 공화국; 수도 Khartoum))

Su·da·nese [sùːdəníːz, -níːs | -níːz] *a.* 수단(사람)의 **—** *n.* (*pl.* ~) 수단 사람

Sudán gràss (미) 〖식물〗 수수류(類)의 목초

Su·dan·ic [suːdǽnik] *a.* 수단(사람[언어])의

su·dar·i·um [suːdέəriəm | sjuː-] *n.* (*pl.* **-i·a** [-iə]) **1 a** (고대 로마의 상류 인사가 쓴) 손수건 **b** 성 베로니카의 수건 ((성 베로니카가 형장에 끌려 가는 그리스도의 얼굴을 닦아 주었더니 그 얼굴 모습이 손수건에 나타났다고 함)) **c** 그리스도의 얼굴이 그려진 천 **2** = SUDATORIUM

su·da·to·ri·um [sùːdətɔ́ːriəm | sjùː-] *n.* (*pl.* **-ri·a** [-riə]) 한증(汗蒸)(막); (특히, 고대 로마의) 증기탕

such

such는 형용사·대명사로서 앞서 한 말을 받아 「그러한 (것·사람)」의 뜻을 나타낸다. 형용사 용법에는 ① 지시적 용법 ② 《구어》에서 강의적 용법 ③ such (...) as, such ... that으로 상관적 용법이 있다. 또한 그 위치에 각별한 주의를 요한다.

(1) 단수형의 가산명사를 한정하는 경우에는 부정관사 앞에 오며, 다른 형용사와 함께 쓰일 때는 그 형용사는 such a(n)과 명사와의 사이에 놓인다. 즉, 「such+a(n)+(형용사+)명사」의 어순이 된다.

(2) all, another, other, each, any, many, no, some 등 또는 수사와 같이 쓸 때는 그 뒤에 온다. 즉, 「all [another, ...]+such+명사」의 어순이 된다. 단, 뒤에 오는 명사가 단수형의 가산명사일 때에도 부정관사는 사용하지 않는다.

(3) 대명사의 another, others의 경우와, 《고어》 소유격의 경우는 그 앞에 온다.

‡**such** [sətʃ, 《강하게》 sʌ́tʃ] *a., ad., pron.*

① 그러한	형 **1 a**
② [부사적으로] 그 정도로, 그렇게	형 **3 a**
③ 그와 같은 것[사람]	대 **2 a**

— *a.* **1** Ⓐ [종류·범위] **a** 이[그]와 같은, 이러한, 그러한, 저러한: all ~ men 그러한[이러한] 사람들 모두 / any[some] ~ man[thing] 누군가 그런 사람[뭔가 그러한 것] / There are few ~ men. 그런 사람들은 거의 없다. / *S*~ a man is very dangerous. 그런[이런] 사람은 아주 위험하다. / I was not accustomed to ~ a practice. 나는 그러한 습관에 익숙하지 않았다. / No ~ place exists. 그런 장소는 존재하지 않는다. **b** [such (...) as로] …와 같은(cf. AS): *S*~ poets *as* Shakespeare are rare. = Poets ~ *as* Shakespeare are rare. 셰익스피어와 같은 시인은 드물다. / We can't trust ~ a man *as* he. 우리는 그와 같은 사람은 신용할 수 없다. **c** [such (...) as 《관계대명사》로] …할 정도의, …같은 일을 할: She is not a student ~ *as* would cut her classes. 그녀는 수업을 빼먹고 할 그런 학생은 아니다. **d** [such (...) as to do로] 《문어》 …할 만큼[정도]의, …하기에 충분한: His stupidity was ~ *as to* fill us with despair. 그의 미련함은 우리를 절망케 할 정도였다.

2 그와 같은, 그와 비슷한: tea, coffee and ~ commodities 차, 커피, 그 밖의 비슷한 것들

3 a [정도] ['형용사+명사' 앞에서; 부사적으로] **그[이] 정도의**, 그렇게, 이렇게, 이와 같이, 이처럼; 대단히, 매우: You can't master English in ~ a short time. 그렇게 단기간으로는 영어를 익힐 수가 없다. / I had ~ a pleasant time. 대단히 즐거웠다. / It was ~ a lovely day. 참으로 좋은 날씨였다. **b** [명사 앞에 직접 사용하여; 강의(强意)적으로] 《구어》 대단한, 굉장한, 지독한, 터무니없는, 엄청난: We had ~ fun at the party. 우리는 파티에서 아주 신나게 놀았다. / He is ~ a liar. 그는 굉장한 거짓말쟁이다. / Did you ever see ~ weather? 이렇게 좋은[지독한] 날씨를 지금까지 본 일이 있느냐? **c** [such (...) that으로] 대단히[너무나] …하여서[하므로] ★ 《구어》에서는 종종 that이 생략됨: She had ~ a fright *that* she fainted. 그녀는 얼마나 무서웠던지 졸도해 버렸다. ★ She was so frightened *that* she fainted.로 바꿔 쓸 수 있으며, 이것이 더 구어적임. / He was ~ a good runner *that* I couldn't catch him. 그가 너무 빨리 달려 나는 따라잡을 수가 없었다. / It gave him ~ a shock *that* his face turned white. 그는 그것에 충격을 받은 나머지 그의 얼굴은 하얗게 질렸다. **d** [such를 보어로 하여, such (...) that으로] 《문어》 굉장하여서, 대단히 …하여서: His anger was ~ *that* he lost control of himself. 그의 노여움은 너무나 격렬하여서 이성을 잃고 말았다. ★ He got so angry that ...로 바꿔 쓸 수 있음, 이것이 더 구어적임. / *S*~ was his influence *that* everybody feared him. 그의 세력은 강대해서 모두가 그를 두려워했다. **e** [such ... as로] …만큼 심한[지독한] …: I never had ~ bad headaches *as* I do now. 지금과 같은심한 두통은 아직 겪어 본 일이 없다.

4 [상황·정세·사정 등에 대해] 앞에 서술한, 이러[그러]한: *S*~ is the case. 사정은 위에서 말한 대로이다. / *S*~ is the world. 세상이란 그런 것이다. 《이 such는 대명사로도 볼 수 있음 ⇨ *pron.* 1 b》

ever **~** 《구어》 대단히, 실로, 매우: *ever* ~ a nice boy 대단히 훌륭한 소년

no **~** ***thing*** (1) 그런 일은 …아니다: I shall do *no* ~ *thing.* 그런 일은 하지 않는다. (2) [감탄사적으로] 당치도 않다, 전혀 다르다(quite the contrary)

~ ***and*** **~** 《구어》 이러이러한, 여차여차한: ~ *and* ~ a street 이러이러한 거리 / the payment of ~ *and* ~ sums to ~ *and* ~ persons 이러이러한 사람에게 여차여차한 금액의 지불

~ ***another*** **[*****other*****]** 이런[그런] 다른 것[사람]: She will not easily get ~ *another.* 그녀가 그러한 것을 하나 더 구하기는 쉽지 않을 게다.

~ ***a one*** 《문어》 이러한[그러한] 사람[것]; 《고어》 어떤 사람, 아무개

~ ***as*** (1) ⇨ *a.* 1 b, c (2) 예컨대, 이를테면: Birds of prey, ~ *as* the eagle and the hawk, don't lay many eggs. 맹금, 이를테면 독수리와 매는 많은 알을 낳지 않는다.

~ ***as it is*** **[*****they are*****]** 이런 것이지만, …이라고 할 정도의 것은 아니지만, 변변치 못하지만: You can use my car, ~ *as it is.* 변변치 못한 차이지만 제 차를 쓰십시오. / The food, ~ *as it was,* satisfied our hunger. 음식은 변변치 못했지만 우리의 허기를 채워 주었다.

~ ... ***but*** **(*****that*** **[*****what*****])** …않을 만큼의(=... that ... not): He is not ~ a coward *but* he can do that. 그는 그것을 못할 만큼 겁쟁이는 아니다.

~ ..., ~ ... 그 …에 그 …: *S*~ master, ~ servant. 《속담》 그 주인에 그 머슴.

There is **~** ***a thing as*** **...** …와 같은 일이 있으니까 (조심해라): *There is* ~ *a thing as* a letter miscarrying. 편지가 도착하지 않는 것과 같은 일도 있으니까 말이다.

— *ad.* 매우, 아주: ~ nice people 매우 친절한 사람들

— *pron.* [단수·복수 취급] **1 a** **이러한[그러한] 일[것, 사람]**: another ~ 하나 더 그러한 것[사람] / kings, princes and ~ 왕후 귀족 등 명사들 / ⇨ as SUCH (1) **b** [앞서 나온 명사에 대신하여, 또 기술(旣述) 내용을 가리키는 보어로서] **그러한 사람[것]**: *S*~ is life[the world]! 인생[세상]이란 그런 거다! / *S*~ was not my intention. 그러한 것이 나의 의도는 아니었다. / *S*~ were the results. 결과는 그러한 것이었다. / ~ being the case 이러한[그러한] 사정이므로 《이 such는 형용사로도 볼 수 있음 ⇨ *a.* 4》

2 a [such as로서] (…하는) **것 같은 것[사람]**, 그와 같은 것[사람]: 《고어·시어》 …하는 사람들: ~ *as* dwell in tents 천막 생활을 하는 사람들 / *S*~ *as* are rich will not want for friends. 돈이 많은 사람은 친구를 필요로 하지 않는다. / Lend money only

to ~ *as* will repay it. 돈은 갚아 줄 만한 사람에게 만 빌려 주어라. / *S*~ of us *as* know her will deeply regret her death. 우리들 중에서 그녀를 알고 있는 사람은 그녀의 죽음을 깊이 애도할 것이다. ★ Those of us who know her ...의 구문이 구어적임. **b** [such that으로서] (…와) **같은** (종류, 성질의) **것**: His behavior was ~ *that* everyone disliked him. 그의 행동은 모두가 싫어하는 그런 것이었다. / The facts are ~ *that* the project has had to be postponed. 진상은 그 기획을 연기하지 않을 수 없게 되었다는 것이다.
... and ~ …따위, …등등: Wine, beer, *and* ~ 포도주나 맥주 따위
as ~ (1) 그러한 것[사람]으로서, 그와 같은 자격[입장]으로, 그것 나름으로: A commercial is a kind of lie; so you should take it *as* ~. 상업 광고는 일종의 거짓말이니까 그런 것이다 하고 받아들여야 해. (2) 있는 그대로의; 그 자체(로는)(in itself): Technology, *as* ~, is neither good nor bad. 과학 기술이란 그 자체로는 좋지도 나쁘지도 않다.
~ and ~ (구어) 이러이러한 것[사람], 여차여차한 것[사람]: Suppose you go to the shop and ask for ~ *and* ~. 가령 그 상점에 가서 여차여차한 것을 찾는다고 치자.

su·da·to·ry [sú:dətɔ̀:ri | sjú:dətəri] *a.* **1** 땀 나게 하는; 발한(發汗)을 촉진하는 **2** 증기탕의 **—*n.*** (*pl.* **-ries**) 〖의학〗 발한제(發汗劑); = SUDATORIUM

sudd [sʌ́d] *n.* 부유 초목(浮游草木) 《나일강 상류 White Nile의 항행 방해물》

‡**sud·den** [sʌ́dn] [L 「살짝 가다[오다]」의 뜻에서] *a.* **1** 돌연한, 뜻밖의, 갑작스러운, 불시의, 별안간의

> 유의어 **sudden** 예측되고 있었다 해도 갑자기 일어나는 것 **unexpected** 예상 못했기 때문에 준비가 안 된 것을 강조 **abrupt** 아무 전조없는 급작스런 변화를 의미하며 결과는 종종 불쾌·불리·경악을 초래

2 (영·고어) 성급한(impetuous, rash)
—*n.* [다음 성구로] (***all***) ***of a ~*** = ***on a ~*** 갑자기, 뜻밖에, 돌연히 ▷ súddenly *ad.*

súdden déath **1** 급사 **2** (동전 던지기 등의) 단판 승부 **3** 〖스포츠〗 (동점인 경우의) 연장 시합에서의 1회[1점] 승부

súdden ínfant déath sỳndrome 〖병리〗 유아 돌연사 증후군 (略 SIDS) ★ crib death, (주로 영) cot death라고도 함.

‡**sud·den·ly** [sʌ́dnli] *ad.* **갑자기**, 별안간, 돌연히

sud·den·ness [sʌ́dnnis] *n.* Ⓤ 돌연함, 갑작스러움; 급격함: with ~ 갑자기(suddenly)

su·do·ku, Su Do·Ku [su:dóuku:] [Jap] *n.* 스도쿠 《숫자 퍼즐 게임의 명칭; 상표명》

su·dor [sú:dɔ:r | sjú:-] *n.* 땀; 발한(發汗)

su·dor·if·er·ous [sù:dəríf*ə*rəs | sjù:-] *a.* 땀을 내는, 발한하는

su·dor·if·ic [sù:dərífik | sjù:-] *a.* 땀 나게 하는, 발한성의 **—*n.*** 발한제

su·dor·ip·a·rous [sù:dəríp*ə*rəs | sjù:-] *a.* 발한(發汗)하는, 땀을 내는[분비하는]

Su·dra [sú:drə | sjú:-] *n.* (인도) 수드라 《카스트 제도에서 제일 낮은 계급으로 농경·도축(屠畜) 등을 생업으로 함》

suds [sʌ́dz] *n. pl.* [단수·복수 취급] **1** 비눗물; 비누 거품(lather) 《보통 soapsuds라고 함》 **2** (미·속어) 맥주 ***bust*** (***some***) ***~*** (미·구어) 맥주를 마시다; 식기를 씻다 ***in*** [***into***] ***the ~*** (속어) 난처하여 ***suck*** (***some***) ***~*** (미·속어) 맥주를 마시다
—*vt.* 비누로 씻다 (*out*) **—*vi.*** 거품이 일다; 맥주를 마시다 **~·less** *a.*

suds·er [sʌ́dzər] *n.* (미·구어) **1** = SOAP OPERA **2** 눈물을 자아내는 영화[연극]

suds·y [sʌ́dzi] *a.* (**suds·i·er**; **-i·est**) (비누) 거품이 인, 거품투성이의, 거품 같은

***sue** [sú: | sjú:] *vt.* **1** (…로) **고소하다**, 〈남을〉 상대로 (…의) 소송을 제기하다 (*for*): (~+목+전+명) ~ a person *for* damages …을 상대로 손해 배상 소송을 제기하다 **2** (폐어) …에게 (…을) 간청하다 (*for*) **3** (고어) …에게 구혼하다; 구애하다(woo)
~ out 〈영장·사면 등을〉 청원하여 얻다
—*vi.* **1** (…을 얻으려고) 소송을 제기하다, 고소하다 (*for, to*): (~+전+명) ~ *for* a divorce 이혼 소송을 제기하다 **2** (…을) 간청[간원]하다, 청하다, 구하다 (*for*): ~ *for* peace 화평을 청하다 **3** (고어) (여자에게) 구혼하다 **sú·er** *n.*

Sue [sú: | sjú:] *n.* 여자 이름 《Susan, Susanna, Susannah의 애칭》

suede, suède [swéid] [F =Swedish (glove)] *n.* Ⓤ 스웨이드 《무두질한 새끼 염소·송아지 등의 가죽》; 스웨이드 가죽 비슷하게 만든 천(= **~ clòth**)
—*vt.* 스웨이드 가공 처리하다
—*vi.* 가죽에 털을 세우다

suede·head [swéidhèd] *n.* (영) 스웨이드 헤드 《머리가 조금 자란 skinhead》; 단발족 《머리를 바싹 깎은 노동 계급 출신의 젊은이》

sue·dette [sweidét] *n.* 인조[모조] 스웨이드

su·et [sú:it | sjú:-] *n.* Ⓤ 소[양] 기름 《콩팥·허리통의 굳은 지방; 요리 및 수지(tallow) 제조용》

su·et·y [sú:iti | sjú:-] *a.* 기름의[같은], 지방이 많은

Su·ez [su:éz, ∠- | sú:iz] *n.* 수에즈 《이집트 북동부의 항구 도시; 수에즈 운하 남단》 ***the Gulf of ~*** 수에즈 만 ***the Isthmus of ~*** 수에즈 지협 《아프리카와 아시아를 연결》

Súez Canál [the ~] 수에즈 운하 《1869년 완성》

suf- [səf, sʌf] *pref.* = SUB- 《f로 시작하는 말 앞에 올 때의 변형》

suf., suff. sufficient; suffix **Suff.** Suffolk; suffragan

‡**suf·fer** [sʌ́fər] [L 「아래에서 참다」의 뜻에서] *vt.* **1** 〈고통·상해·손해·슬픔 등을〉 **경험하다**, 겪다, 입다, 받다, 당하다: ~ great losses 큰 손해를 입다 / ~ death 죽다 / ~ change 변화를 겪다 // (~+목+전+명) He *~ed* the capital punishment *for* his murder. 그는 살인죄로 극형에 처해졌다. **2** [주로 부정문에서] (문어) **견디다**, 참다(⇨ endure 유의어): I can*not* ~ his insolence. 나는 그의 무례함을 참을 수 없다. **3** (고어) …에게 (…할 것을) 허용[방임, 묵인]하다(allow), (묵묵히) (…하게) 내버려 두다 (*to* do): (~+목+***to*** do) He *~ed* his son *to* go abroad. 그는 아들이 외국에 가는 것을 허용했다. ***not ~ fools gladly*** 어리석은 짓을 용서하지 않다
—*vi.* **1 a** (…로) **괴로워하다**, 고민하다, 고생하다, 고통을 겪다 (*from, for, with*) **b** (…을) 앓다, 병들다 (*from, with*): (~+전+명) ~ *from* a bad headache 심한 두통을 앓다 / ~ *with* a bad cold 심한 감기에 걸리다 **c** (…로) 다치다, 상하다, 상처 입다, 손해를 입다; 나빠지다 (*from, with*): (~+전+명) She *~ed* *from* her beauty. 그녀는 아름다움 때문에 재난을 입었다. **2** (…으로) 벌을 받다; 〈기결수가〉 사형에 처해지다; 순교[순사]하다: (~+전+명) ~ *for* impudence 건방져서 벌을 받다 / ~ *for* high treason 반역죄로 사형에 처해지다 **3** 방치되다
▷ súfferance *n.*

thesaurus **suddenly** *ad.* abruptly, all at once, unexpectedly, instantaneously, all of a sudden
sue *v.* charge, prosecute, summon, indict
suffer *v.* **1** 경험하다 experience, undergo, sustain, encounter, meet **2** 견디다 put up with, tolerate, bear, stand, abide, endure, stomach

suf·fer·a·ble [sʌ́fərəbl] *a.* 견딜 수 있는, 참을 수 있는; 허용할 수 있는 **~·ness** *n.*

suf·fer·ance [sʌ́fərəns] *n.* Ⓤ **1** 묵인; (특히, 악·불법에 대한) 용인, 관용 **2** (고통·고난 등의) 인내력 **3** 《고어》 인종(忍從); 고난, 고통 ***be beyond ~*** 참을 수 없다 ***on*** [***by, through***] ***~*** 묵인되어, 관대히 보아주어, 눈감아 주어

‡**suf·fer·er** [sʌ́fərər] *n.* **1** 고통받는 사람, 수난자, 이재민, 피해자; 순교자 **2** 환자

‡**suf·fer·ing** [sʌ́fəriŋ] *n.* **1** Ⓤ 고통, 괴로움, 고난, 고생 **2** [종종 *pl.*] 재해, 재난, 수난; 손해: the *~s* of the slaves 노예들의 수난 **~·ly** *ad.*

‡**suf·fice** [səfáis, -fáiz | -fáis] 《문어》 *vt.* 〈음식 등이〉 〈사람을〉 만족시키다(satisfy), …의 필요를 충족시키다, …에 충분[흡족]하다
— *vi.* (필요 목적 등에) 족하다, 충분하다 《*for*》: 《~+전+명》 Fifty dollars will ~ *for* the purpose. 그 목적을 위해서는 50달러면 족할 것입니다. ***S~ it*** (***to say***) ***that*** …이라고 말하면 충분하다, (지금은) …이라고만 말해 두자
▷ sufficient *a.*; sufficiency *n.*

suf·fi·cien·cy [səfíʃənsi] *n.* Ⓤ **1** 충분, 족함, 충족; 넉넉함(enough) **2** [a ~] 충분한 수량[자력(資力)](의…) 《*of*》: *a* ~ *of* food 충분한 음식 **3** 《고어》 충분한 자격, 능력(能力) ▷ sufficient *a.*

‡**suf·fi·cient** [səfíʃənt] *a.* **1** (사람·일에) 충분한, 흡족한 《*for*》, (…하기에) 족한 《*to* do》(⇨ enough 유의어): 《~+*to* do》 This is ~ *to* show that his argument is out of place. 이것만으로도 그의 말이 핵심에서 벗어나 있음을 증명하기에 족하다. **2** 〖논리〗 〈조건이〉 충분한 **3** 《고어》 충분한 능력[자격]이 있는 ***Not ~!*** 〖은행〗 자금 부족! 《부도 수표에 쓰는 말; 略 NS, NSF》 ***S~ unto the day is the evil thereof.*** 〖성서〗 한 날 괴로움은 그 날에 족하니라.
— *n.* Ⓤ 《구어》 충분(한 수량): Have you had ~? 충분히 먹었느냐? ▷ sufficiency *n.*; suffice *v.*

sufficient condition 〖논리·철학〗 충분조건

‡**suf·fi·cient·ly** [səfíʃəntli] *ad.* 충분히, (…하기에) 충분할 만큼 《*to* do》

‡**suf·fix** [sʌ́fiks] *n.* **1** 〖문법〗 접미사 《-er, -less, -able 등》 **2** 추가[첨가]물 **3** 〖수학〗 첨자(添字), 첨수(添數)(subindex)
— *v.* [sʌ́fiks, səfíks] *vt.* 접미사로서 붙이다; …의 끝에 붙이다 — *vi.* 접미사를 붙이다

***suf·fo·cate** [sʌ́fəkèit] [L 「목구멍 밑에」의 뜻에서] *vt.* **1** …의 숨을 막다, 질식(사)시키다(⇨ stifle 유의어) **2** …의 호흡을 곤란케 하다, 숨이 막히게 하다: She was *~d* by[with] grief. 그녀는 슬픔으로 목이 메었다. **3** (공기를 막아) 〈불 등을〉 끄다; 〈충동 등을〉 억누르다, 억압[진압]하다; 발달을 막다[저지하다]: students *~d* by rigid discipline 엄격한 규율에 억눌린 학생들
— *vi.* **1** 질식(사)하다 **2** 숨 막히다, 목메다, 헐떡이다, 숨차다, 숨쉬기 어렵다: The child was *suffocating* in water. 그 아이는 물속에서 질식할 것만 같았다. **3** 〈성장·발달이〉 방해[저지]되다
-cà·tive *a.* ▷ suffocátion *n.*

suf·fo·cat·ing [sʌ́fəkèitiŋ] *a.* **1** 숨 막히게 하는, 질식시키는 **2** 억누르는, 구속하는

suf·fo·cat·ing·ly [sʌ́fəkèitiŋli] *ad.* 질식하도록, 숨 막힐 듯이

suf·fo·ca·tion [sʌ̀fəkéiʃən] *n.* Ⓤ 질식(시킴)

Suf·folk [sʌ́fək] *n.* **1** 서퍽 《영국 동부의 주》 **2** 〖축산〗 서퍽종(種)의 양[말, 돼지 《등》]

Súffolk pùnch 서퍽 말 《다리가 짧고 튼튼한 말; 마차 또는 농경용》

suf·fra·gan [sʌ́frəgən] *a.* 〖가톨릭·영국국교〗 속교구(屬敎區) 주교의, 부감독의; 부속 사교구의, 부감독구의: a ~ bishop = a bishop ~ 속교구 주교 / a ~ see 속교구 주교의 관할구
— *n.* 속교구 주교, 부주교, 부감독

***suf·frage** [sʌ́fridʒ] *n.* **1** 투표, 《특히》 선거; Ⓤ (투표가 나타내는) 찬의(贊意), 찬성, 동의 **2** Ⓤ 선거권, 참정권, 투표권: manhood ~ 성년 남자 선거[참정]권 / universal[popular] ~ 보통 선거권 **3** 〖교회〗 기도(prayer); [보통 *pl.*] 〖영국국교〗 (기도서 중의) 대도(代禱); 응도(應禱)(cf. LITANY 1)

suf·fra·gette [sʌ̀frədʒét] *n.* (특히 20세기초 영국의) 여성 참정권론자

suf·fra·gist [sʌ́frədʒist] *n.* 참정권 확장론자; 《특히》 여성 참정권론자: a universal[woman] ~ 보통 선거권[여성 참정권]론자

suf·fu·mi·gate [səfjú:məgèit] *vt.* 밑으로부터 그을리다; 밑에서 …에 증기[연기]를 쬐다, 훈증(燻蒸)하다

suf·fuse [səfjú:z] *vt.* [종종 수동형으로] (액체·습기·색·빛·눈물 등으로) 뒤덮다, 채우다, 가득하게 하다 (cover) 《*with, by*》

suf·fu·sion [səfjú:ʒən] *n.* Ⓤ **1** 뒤덮음, 충만, 가득함 **2** (얼굴 등이) 확 달아오름, 홍조(紅潮)

Su·fi [sú:fi] *n.* 수피교도 《이슬람교의 신비주의자》
— *a.* 수피교(도)의 **Sú·fic** *a.*

Su·fism [sú:fizm] *n.* Ⓤ 수피교(敎); 수피교의 교의(敎義)

su·fur·ia [su:fú:riə] *n.* (동아프리카의) 요리용 냄비, 솥

sug- [səg, sʌg] *pref.* = SUB- 《g 앞에 올 때의 변형》

‡**sug·ar** [ʃúgər] *n.* Ⓤ **1 a** 설탕: a lump of ~ (각)설탕 한 개 / block[cube, cut, lump] ~ 각설탕 **b** Ⓒ 설탕 한 개[숟가락]: How many *~s* in your tea? 홍차에 설탕을 얼마나 넣을까요? **2** 〖화학〗 당(糖), 당류: ~ of milk 유당(乳糖) **3** 겉치레 말, 감언(甘言), 달콤한 말 **4** 《속어》 뇌물, 돈 **5** [감탄사로서] 《구어》 (초조·실망 등을 나타내어) 제기랄, 빌어먹을 **6** [때로 **S~**] 《미·구어》 여보, 당신(darling) 《호칭》 **7** 《속어》 (분말로 된) 마약 《헤로인, 모르핀》; LSD ***be not made of ~ or salt*** 물에 젖어도 녹지 않다, 비가 와도 상관없다 ***~ of lead*** 〖화학〗 아세트산납, 연당(鉛糖)
— *vt.* **1 a** 설탕을 넣다, 설탕을 쳐 달게 하다 **b** 설탕을 입히다[뿌리다] **2** 《구어》 아첨하다; 매수하다 **3** 겉꾸미다, 얼버무리다 **4** [수동형으로] 저주하다: Liars be *~ed!* 거짓말쟁이는 뒈져라! / Well, I'*m ~ed!* 제기랄!
— *vi.* **1** 설탕이 되다, 당화하다 **2** 《미》 단풍당(糖)을 만들다 **3** 《영·속어》 꾀부리다, 일을 게을리하다 ***~ off*** 《미》 〖제당〗 당밀이 되도록 고다 ***~ the pill*** ⇨ pill[1]

súgar àpple = SWEETSOP

súgar bèet 〖식물〗 사탕무, 첨채(甜菜)

sug·ar·ber·ry [ʃúgərbèri | -bəri] *n.* (*pl.* **-ries**) 미국 남부산(産) 팽나무의 일종; 그 열매

súgar bòwl [《영》 **bàsin**] (식탁용) 설탕 그릇

Súgar Bòwl [the ~] 슈거볼 《(1) 미국 Louisiana 주 New Orleans에 있는 미식축구 경기장 (2) 그 곳에서 매년 1월 1일에 거행되는 초청 대학 팀의 미식축구 경기》

sug·ar·bush [ʃúgərbùʃ] *n.* 사탕단풍의 숲

súgar cándy 1 《미》 고급 캔디; 《영》 얼음 사탕 **2** 무른 사람; 감미로운[유쾌한] 것

sug·ar·cane [-kèin] *n.* Ⓤ 〖식물〗 사탕수수

sug·ar·coat [-kòut] *vt.* **1** 〈알약 등에〉 당의(糖衣)를 입히다; 먹기 좋게 하다 **2** 〈불쾌한 것을〉 보기 좋게 꾸미다, 겉을 잘 꾸미다; 〈나쁜 소식을〉 좋게 전하다
~·ed *a.*

sug·ar·coat·ing [-kòutiŋ] *n.* Ⓤ 당의; 먹기[보기] 좋게 함

súgar còrn 《미》 사탕옥수수(sweet corn)

súgar cùbe 《특히 미》 (커피 등에 넣는) 각설탕

sug·ar-cured [-kjùərd] *a.* 〈햄·베이컨이〉 설탕·소금·질산염 등의 피클로 저장 처리된

súgar dàddy 《구어》 (선물 등을 주어) 젊은 여자를 유혹하는 중년 남자

thesaurus **sufficient** *a.* adequate, ample, enough, plenty of (opp. *insufficient, sparse*)
suffocate *v.* stifle, smother, asphyxiate, choke

súgar diabètes 당뇨병
sug·ared [ʃúgərd] *a.* **1** 설탕으로 달게 한, 설탕을 친; 달콤한; 당의의 **2** 〈말이〉 달콤한, 감미로운, 기분을 맞춰 주는
sug·ar-free [ʃúgərfríː] *a.* 설탕이 들어 있지 않은, 무가당의
súgar gùm 〚식물〛 유칼립투스나무의 일종 《오스트레일리아산(産)》
sug·ar·head [-hèd] *n.* 《미·속어》 밀조 위스키
Súgar Hìll [때로 **s- h-**] 《미·흑인속어》 슈거 힐 《(1) 흑인의 사창가[매음굴] (2) New York 시의 Harlem 가(街)가 내려다 보이는 부유층 거주 지구》
sug·ar·house [-hàus] *n.* (*pl.* **-hous·es** [-hàuziz]) 제당소(製糖所); 단풍당(糖) 제조소
sug·ar·ing [ʃúgəriŋ] *n.* Ⓤ **1** 슈거링 《설탕과 물을 섞은 재료를 이용한 체모 제거법》 **2** 단풍당(糖) 제조
sug·ar·less [ʃúgərlis] *a.* **1** 설탕이 들어 있지 않은, 무가당의 **2** 〈식품이〉 (설탕 대신) 인공 감미료를 넣은
sug·ar·loaf [-lòuf] *n.* **1** 원뿔꼴 설탕덩이, 막대 설탕 《옛 가정용》 **2** 원뿔꼴 모자
sug·ar-loaf [-lòuf] *a.* 원뿔꼴의
súgar lùmp 《영》 각설탕(《미》 sugar cube)
súgar màple 〚식물〛 사탕단풍 《북미산(産)》
súgar mìll 사탕수수 압착기
súgar òrchard 《미농부》 = SUGARBUSH
súgar pèa = SNOW PEA
súgar pìne 〚식물〛 사탕소나무 《오엽송의 일종; 미국 북서부산(産)》
sug·ar·plum [-plʌ̀m] *n.* **1** 《고어》 봉봉(bonbon), 캔디 **2** 감언(甘言); 뇌물 **3** 〚식물〛 = JUNEBERRY
súgar refiner 제당업자
súgar refinery 제당소, 설탕 정제소
súgar repòrt 《미·학생·군대속어》 애인의 편지 《여자가 남자에게 보내는》
súgar snàp (péa), súgar pèa 깍지째 먹는 콩의 일종
súgar sòap 흑설탕 비누 《알칼리 비누로 도장면(塗裝面)의 세정에 씀》
Súgar Státe [the ~] 미국 Louisiana 주의 속칭
sug·ar-tit, -teat [-tìt] *n.* (유아용) 설탕 젖꼭지 《설탕을 천에 싸서 빨리는 젖꼭지》
súgar tòngs 각설탕 집게 《식탁용》
sug·ar·y [ʃúgəri] *a.* **1** 설탕의[같은], 설탕으로 된; 단 **2** 아첨하는, 알랑거리는 **3** 〈말 등이〉 달콤한; 〈음악 등이〉 감미로운 **súg·ar·i·ness** *n.*
‡**sug·gest** [səgdʒést | sədʒést] [L 「아래로 꺼내다」의 뜻에서] *vt.* **1** 암시하다, 시사하다, 완곡하게 말하다, 넌지시 비치다(imply): 《~+***that*** 절》 Her words ~ *that* she loves him. 그녀의 말은 그를 사랑하고 있음을 시사하고 있다. / Your question ~*s that* you doubt my sincerity. 당신의 질문은 내 성실성을 의심하고 있음을 암시하고 있다.

> 유의어 **suggest** 상대방의 마음에 의식적 또는 무의식적으로 깨닫게 하다: The name doesn't *suggest* anything to me. 그 이름을 들어도 아무 생각도 나지 않는다. **hint** 상대방에게 꽤 분명한 계기를 만들어 주어 자신의 의향을 알도록 하다: *hint* that one would like a certain present 이러한 선물을 받았으면 하고 비치다 **insinuate** 불유쾌한 일이나, 맞대놓고 말할 수 없는 것을 넌지시 말하다: *insinuate* something against a person's reputation …의 평판을 해칠 만한 말을 교묘히 비치다

2 〈사물이〉 생각나게 하다, 연상시키다: Her eyes ~ a cat. 그녀의 눈을 보면 고양이를 연상하게 된다. / This music ~*s* a still night. 이 음악은 조용한 밤을 연상시킨다. // 《~+목+전+명》 What does the shape ~ *to* you? 그 형태는 당신에게 무엇을 연상시킵니까? **3** 제의[제창, 제안]하다, 말을 꺼내다, 권하다, 건의하다(propose): 《~+목+전+명》 ~ some idea *to* a person …에게 어떤 생각을 말하다 // 《~+(전+명)+***that*** 절》 It is ~*ed that* he should go[(미) he go] at once. 그는 곧 가야 한다고 말을 꺼냈다. / My family doctor ~*s* (*to* me) *that* I (should) take a walk every day. 우리집 주치의는 나에게 매일 산책을 하라고 권한다. // 《~+***wh.*** 절》 《~+***wh. to*** do》 He ~*ed which* way I should take. = He ~*ed which* way *to* take. 그는 어느 방법을 택해야 할지를 나에게 가르쳐 주었다. // 《~+***-ing***》 Father ~*ed going* on a picnic. 아버지는 피크닉을 가면 어떻겠느냐고 말씀하셨다. ★ *suggest* me to go는 잘못된 형식으로 봄.

> 유의어 **suggest** 상대방에게 고려해 줄 수 없느냐고 소극적으로 제안하다: He *suggested* a drink. 그는 한잔하지 않겠느냐고 제의했다. **propose** 적극적으로 제안하다: *propose* an alternative plan 대안을 제안하다

4 (최면술로) …라는 암시를 주다, 암시하다 ~ ***itself to*** a person 〈생각이〉 …의 머리에 떠오르다
▷ suggéstion *n.*; suggéstive, suggéstible *a.*
sug·gest·i·bil·i·ty [səgdʒèstəbíləti | sədʒès-] *n.* Ⓤ 암시할 수 있음; 피(被)암시성, 암시 감응성(感應性)
sug·gest·i·ble [səgdʒéstəbl | sədʒés-] *a.* **1** 암시[제안]할 수 있는 **2** (최면술·광고 등의) 암시에 걸리기 쉬운, 영향을 받기 쉬운
sug·ges·ti·o fal·si [səgdʒéstʃiòu-fɔ́ːlsai | sədʒésti-] [L] 〚법〛 허위의 암시[진술]
‡**sug·ges·tion** [səgdʒéstʃən | sədʒés-] *n.* **1** Ⓤ 암시, 시사, 넌지시 비춤, 힌트: full of ~ 암시가 많은 **2** 연상 (작용); Ⓤ 생각나게 함, 생각남, 착상; 훈수: by ~ 연상하여 **3** 제안, 제언: make[offer] a ~ 제안하다 **4** Ⓤ (최면술의) 암시; Ⓒ 암시된 사물 **5** (…의) 투, 기미, 티, 기색 (*of*): blue with a ~ *of* green 녹색기가 도는 청색 / a ~ *of* tears in his eyes 그의 눈에 도는 눈물의 기미 ▷ suggést *v.*; suggéstive *a.*
sug·ges·tion-box [səgdʒéstʃənbɑ̀ks | sədʒéstʃənbɔ̀ks] *n.* 투서함, 제안함
***sug·ges·tive** [səgdʒéstiv | sədʒés-] *a.* **1** (…을) 암시[시사]하는, 넌지시 비추는 (*of*): a ~ critical essay 시사적인 비평 **2** (…을) 생각나게 하는, 연상시키는 (*of*): music ~ *of* a tempest 폭풍우를 연상케 하는 음악 **3** (최면술적) 암시의 **4** 도발적인, 외설한, 선정적인: ~ remarks 외설적인 말
~·ly *ad.* **~·ness** *n.*
▷ suggést *v.*; suggéstion *n.*
sug·gest·ol·o·gy [sʌ̀gdʒestɑ́lədʒi | sʌ̀dʒestɔ́-] *n.* (교육·심리 요법에서의) 암시학
sug·ges·to·pae·di·a [səgdʒèstəpíːdiə | sədʒès-] *n.* 암시학 적용[응용](법)
su·i·cid·al [sùːəsáidl | sjùː-] *a.* **1 a** 자살의; 자살적인: a ~ explosion 자폭 **b** 〈사람이〉 자포자기한 **2** 〈행동이〉 자멸적인(self-destructive): a ~ policy 자멸적 정책 **~·ly** *ad.*
‡**su·i·cide** [súːəsàid | sjúː-] [L 「자기를 죽이다」의 뜻에서] *n.* **1** ⓊⒸ **자살**, 자해: commit ~ 자살하다 **2** [비유적으로] Ⓤ 자살 행위, 자멸: political ~ 정치적 자살 행위 **3** 자살자
— *vi.* 자살하다
— *vt.* [~ one*self* 로] 〈자기를〉 죽이다
▷ suicídal *a.*
súicide blònde 《속어》 금발로 염색한 여자
súicide càrgo[lòad] 《미·속어》 위험한 짐 《폭발물·극약 등》
súicide machìne 자살 방조 장치 《말기 증상의 환자가 자살할 수 있도록 고안된 장치》

---

suggestion *n.* **1** 암시 insinuation, hint, implication, intimation, clue, cue, allusion **2** 제안 proposal, plan, submission, recommendation

súicide pàct (두 사람 이상의) 정사(情死)[동반 자살] (약속)
súicide sèat (구어) (자동차의) 조수석
súicide squàd 〖군사〗 특공대, 결사대; 〖미식축구〗 특별 선수 그룹 《주전 선수를 대신해서 부상의 위험성이 높은 kickoff에 등장함》
súicide squèeze 〖야구〗 자살 스퀴즈, 스퀴즈 플레이 《타자가 번트로 아웃이 되는 사이에 제3루의 주자가 달려나가 홈인함》
su·i·ci·do·gen·ic [sù:əsaidədʒénik | sjù:-] *a.* 자살로 이어지는, 자살 유발성의
su·i·cid·ol·o·gy [sù:əsaidɑ́lədʒi | sjù:isaidɔ́-] *n.* Ⓤ 자살학, 자살 연구
su·i ge·ne·ris [sú:i-dʒénəris, sú:ai-] [L] *a.* 독자적인, 독특한, 특수한
su·i ju·ris [-dʒúəris] [L=of one's own right] *a.* 〖법〗 성년에 달한, 제구실하는, 능력이 있는
‡**suit** [sú:t | sjú:t] *n., v.*

> 원뜻은 「뒤따르다, 쫓다」의 뜻; pursue와 같은 어원; suite와 자매어
> ┌(뒤따르는 것)→「한 벌(의 것)」 명 **1**
> ├(쫓는 것)→(정의를 추구하는 것)→「소송」 명 **2**
> └(맞추다)→「어울리다, 잘 맞다」→「적합하다」
> →「(형편이) 알맞다」 동

— *n.* **1 a** 슈트 《coat, trousers 및 때로는 vest》, 신사복 한 벌; 여성복 한 벌, 슈트 《jacket, skirt 및 때로는 blouse》; [수식어와 함께] …옷[복(服)] **b** 마구(馬具) 한 벌 《*of*》 **c** 갑옷 한 벌 **2** 소송(lawsuit); (속어) 경영 간부, 중역; 고급 관료 **3** 〖카드〗 짝패 한 벌 《hearts, diamonds, clubs, spades로 각 13매》; 같은 짝패; 같은 편이 가지고 있는 패 **4** ⓊⒸ 청원, 탄원, 간원, 요청; Ⓤ (문어) 구혼(wooing), 구애 **5** 〖항해〗 돛 한 벌(set) **6** (미) =SUITE **7** (속어) 간부, 중역; 고급 관료; (지적) 직업인
bring* (*a*) ~ *against …을 상대로 소송을 일으키다 ***dress*** ~ (남자의) 야회복 ***follow*** ~ 카드놀이에서 남이 낸 패와 같은 짝패를 내다; 남이 하는 대로 따라 하다, 선례에 따르다 ***have a*** ~ ***to*** …에게 청이 있다 ***in* one's *birthday*** ~ 벌거벗고 ***make*** ~ 간청하다 ***in* [*out of*] ~ *with*** …와 조화하여[하지 않아] ***press* [*push*] one's** ~ 거듭 탄원[청혼]하다
— *vt.* **1** (…에) 적응시키다 《*to*》; …에 어울리게[적합하게] 하다 《*to, for*》(⇨ suited 1): (~+목+전+명) ~ the action *to* the word (문어) 언행을 일치시키다; (특히 협박 등에서) 말한 바를 곧 실행하다 / ~ one's speech *to* the audience 청중에게 적합한 연설을 하다 / ~ the punishment *to* the crime 죄에 어울리는 처벌을 하다 **2** 〈의복 등이〉 어울리다(become), …에 잘 맞다: Do these shoes ~ you fine? 이 구두는 당신에게 잘 맞습니까? / Blue ~*s* you very well. 푸른색은 당신에게 잘 어울린다. **3 a** 〈형편이〉 …에(게) 알맞다, 편리하다, 형편이 좋다: The five o'clock train ~*s* me fine. 다섯 시 열차면 내게 편리하다. **b** …의 마음에 들다; 만족시키다(satisfy): No book ~*s* all tastes. 모든 사람의 마음에 드는 책은 없다. / The arrangements ~ me. 그 합의는 마음에 든다. **4** 〈기후·음식 등이〉 〈목적·기호·조건 등에〉 맞다, 적합하다: The climate ~*s* me very well. 날씨가 나에게 아주 잘 맞는다. **5** [ill, little 등의 부사와 함께] 어울리다: It *ill* ~*s* you to criticize me. 당신은 나를 비판할 입장이 못 된다. **6** (고어) 옷을 입히다
— *vi.* **1** (…에) (알)맞다, 적합하다, 어울리다 《*with, to*》: (~+전+명) The job ~*s with* his abilities. 그 일은 그의 재능에 알맞다. **2** 〈일이〉 형편에 알맞다: That date will ~. 그 날이면 형편에 맞겠다.
~ a person ***down to the ground*** …에게 적격이다, 안성맞춤이다 ~ one***self*** 마음대로 하다: *S*~ *yourself*. 마음대로 하시오, 싫으면 그만두시오. ~ ***up*** (미) 제복을 입다, 방구(防具)를 몸에 달다

‡**suit·a·ble** [sú:təbl | sjú:-] *a.* (…에) 적당한, 상당한, 적절한, 어울리는, 알맞은 《*to, for*》(⇨ fit[1] 유의어)
sùit·a·bíl·i·ty *n.* **~·ness** *n.* **-bly** *ad.*
∗**suit·case** [sú:tkèis | sjú:-] *n.* 슈트케이스, 여행 가방 《옷 한 벌 넣을 만한 크기; 보통 트렁크라고 부르는 것》(⇨ bag[1] 유의어)
súitcase fàrmer 1년의 태반을 다른 지역에서 생활하는 건조지의 농업 종사자, 계절 농업 종사자
∗**suite** [swí:t] [suit와 같은 어원] *n.* **1 a** (물건의) 한 벌, 한 줄, 한 조 《*of*》 **b** 스위트룸 《호텔의 침실·욕실·거실 등이 이어진 한 벌의 방》: a hotel ~ 호텔의 스위트룸 **c** [swí:t, (미) sú:t] 한 벌의 가구 **2** [집합적] 일행, 수행원, 종자(從者): in the ~ of …을 수행하여 **3** 〖음악〗 조곡(組曲) 《원래는 갖가지 무도곡을 섞어 맞춘 것》; 모음곡
suit·ed [sú:tid | sjú:-] *a.* **1** (…에) 적당한, 적합한, 알맞은, 어울리는 《*to, for*》; (…와) 일치한, 조화된 《*to*》: soil ~ *to* (the cultivation of) oranges 오렌지 (재배)에 적합한 흙 / Democracy is not ~ *for*[*to*] barbarians. 민주주의는 미개인에게는 적합하지 않다. **2** [복합어를 이루어] …의 슈트를 입은: gray-~ 회색 슈트를 입은
suit·ing [sú:tiŋ | sjú:-] *n.* Ⓤ (남성) 양복지
∗**suit·or** [sú:tər | sjú:-] *n.* **1** 〖법〗 소송인, 기소자, 원고(plaintiff) **2** (문어) 구혼자 《남자》(wooer) **3** 청원인(petitioner), 탄원자 **4** (구어) 기업의 예상 고객; 기업 주식의 매입자[단체]
suk [sú:k] *n.* (아랍 나라들의) 시장, 정기시
Su·kar·no [su:kɑ́:rnou] *n.* 수카르노 **Achmed** ~ (1901-70) 《인도네시아의 정치가·초대 대통령(1945-67)》
suk·kah [súkə] *n.* 유대교의 Sukkoth 축제 때 식당 등으로 쓰이는 임시 초막(草幕)
Suk·koth [súkəs, su:kóus] *n.* 초막절, 장막절 《유대교 축제; 수확을 축하하고 이집트 탈출 후 유대인이 황야를 헤매며 천막 생활을 기념함》
su·kú·ma wí·ki [sukú:mə-wì:ki] *n.* 〖요리〗 수쿠마 위키 《소고기·케일 등이 들어간 동아프리카 스튜의 일종》
sul·cate [sʌ́lkeit] *a.* 〈식물의 줄기가〉 홈이 있는; 〈발굽 따위가〉 갈라진
sul·cus [sʌ́lkəs] *n.* (*pl.* **-ci** [-sai]) 홈, 구(溝) (groove), 세로 홈; 〖해부〗 (특히 대뇌의) 열구(裂溝)
sulf- [sʌlf] 《연결형》 =SULFO-
sul·fa, -pha [sʌ́lfə] *a.* 술파닐아미드의; 술파제의[로 된], 술파제를 함유한 — *n.* 술파제(=~ drug) 《sulfanilamide의 간략형; 술폰아미드계의 합성약으로 세균성 질환에 특효가 있음》
sul·fa·di·a·zine [sʌ̀lfədáiəzì:n] *n.* Ⓤ 〖약학〗 술파다이아진 《포도상균·임균(淋菌) 질환 특효약》
súlfa drùg 〖약학〗 술파제
sul·fa·gua·ni·dine [sʌ̀lfəgwɑ́:nədì:n] *n.* Ⓤ 〖약학〗 술파구아니딘 《장(腸)질환 치료·예방약》
sul·fám·ic ácid [sʌlfǽmik-] 〖화학〗 술팜산(酸) 《금속 표면의 세척·유기 합성에 사용》
sul·fa·nil·a·mide, -pha- [sʌ̀lfəníləmàid, -mid] *n.* Ⓤ 〖약학〗 술파닐아미드 《화농성 질환 특효약》
sul·fa·níl·ic ácid [sʌ̀lfənílik-] 〖화학〗 술파닐산 《염료 제조의 중간체 물감·의약품용》
sul·fa·pyr·i·dine [sʌ̀lfəpírədì:n] *n.* Ⓤ 〖약학〗 술파피리딘 《항피부염제》
sul·fate, -phate [sʌ́lfeit] *n.* 〖화학〗 황산염: calcium ~ 황산칼슘, 석고(石膏)(gypsum) / magnesium ~ 황산마그네슘, 사리염(舍利鹽) / ~ of potash 황산 칼리 / ~ of soda=sodium ~ 황산소다
— *vt.* 황산(염)으로 처리하다[과 화합시키다]; 〖전기〗 〈축전지의 연판에〉 황산염 화합물을 침적시키다

thesaurus **suit** *n.* **1** 옷 한 벌 set of clothes, outfit, costume, ensemble **2** 소송 lawsuit, court case, action, proceedings, prosecution **3** 청원 petition, appeal, request, plea, entreaty

— *vi.* 황산화하다 **sul·fá·tion** *n.* 황산화
sul·fa·thi·a·zole [sʌ̀lfəθáiəzoul] *n.* Ⓤ 〖약학〗 술파디아졸《폐렴 및 화농성 질환 특효약》
sul·fide, -phide [sʌ́lfaid] *n.* 〖화학〗 황화물: ~ of copper 황화동(銅) / ~ of iron 황철석(黃鐵石) / ~ of mercury 황화수은, 진사(辰砂)(cinnabar)
sul·fite, -phite [sʌ́lfait] *n.* 〖화학〗 아(亞)황산염(화합물)
sulfo-, sulpho- [sʌ́lfou, -fə] 《연결형》「유황」의 뜻《모음 앞에서는 sulf-, sulph-》
sul·fo·nal [sʌ́lfənæ̀l] *n.* 〖약학〗 술포날《최면제·마취제》
sul·fon·a·mide [sʌlfάnəmàid, sʌ̀lfənǽmaid, -mid | sʌlfɔ́nə-] *n.* ⓊⒸ 〖약학〗 술폰아미드《항균 작용이 있음》
sul·fo·nate, -pho- [sʌ́lfənèit] 〖화학〗 *n.* 술폰산염 — *vt.* 술폰화(化)하다
sul·fone [sʌ́lfoun] *n.* 〖화학〗 술폰《술포닐기(基)가 2개의 탄소와 결합한 유기 화합물의 총칭》
sul·fon·ic [sʌlfάnik | -fɔ́n-] *a.* 술폰기(基)의[를 함유한, 에서 유도된]
sulfónic ácid 〖화학〗 술폰산
sul·fon·meth·ane [sʌ̀lfounméθein] *n.* Ⓤ 〖약학〗 술폰메탄《최면제·진정제》
sul·fo·nyl·u·re·a [sʌ̀lfəniljuəríːə, -ljúəriə] *n.* 〖약학〗 술포닐 요소(尿素)《혈당 강하 작용이 있는 당뇨병의 경구약(經口藥)》
‡sul·fur, -phur [sʌ́lfər] *n.* Ⓤ **1** (유)황《비금속 원소; 기호 S, 원자 번호 16》: flowers of ~ 유황화(華) / milk of ~ 유황유(乳) / a roll[stick] of ~ 막대기 (유)황 **2** 훙분[격노]한 말투 **3** Ⓒ 노랑나비(=~ **bútterfly**) USAGE sulfur와 sulphur 철자의 사용: (미)에서는 기술(technical) 용어로 sulfur가 주로 쓰이되, 일반 용어로는 둘 다 사용함. (영)에서는 주로 sulphur가 많이 쓰임.
~ and molasses (미) 유황 당수(糖水)((영) brimstone and treacle)《어린이의 해독제》
— *a.* 유황의[같은]; 유황을 함유한; 유황빛의
— *vt.* 유황으로 처리하다[그슬리다]
▷ súlfurate, súlfuret, súlfurize *v.*; sulfúreous, sulfúric, súlfurous, súlfury *a.*
sul·fu·rate, -phu- [sʌ́lfjurèit | -fju-] *vt.* 유황과 화합시키다, 황화하다; 유황으로 그을리다[표백하다], 훈증하다; 유황으로 처리하다
sul·fu·ra·tion, -phu- [sʌ̀lfjuréiʃən] *n.* Ⓤ 유황과의 화합, 황화(黃化); 유황 훈증[표백]
sul·fu·ra·tor, -phu- [sʌ́lfjurèitər | -fju-] *n.* 유황 훈증기[표백기]; 유황 분무기
súlfur dióxide 이산화황, 이산화유황, 아황산가스, 무수(無水) 아황산가스
sul·fu·re·ous, -phu- [sʌlfjúəriəs] *a.* 유황(질)의, 유황 모양의, 유황 냄새 나는, 유황을 함유한; 유황색의 **~·ly** *ad.* **~·ness** *n.*
sul·fu·ret [sʌ́lfjurèt] *n.* 〖화학〗 황화물
— *vt.* (**~ed**; **~·ing** | **~·ted**; **~·ting**) 황화하다, 유황으로 처리하다
***sul·fu·ric, -phu-** [sʌlfjúərik] *a.* 〖화학〗 유황의, 6가의 유황을 함유한, 유황을 많이 함유한, 유황을 사용한: ~ anhydride 무수(無水) 황산
sulfúric ácid 〖화학〗 황산
sul·fu·rize, -phu- [sʌ́lfjuràiz | -fju-] *vt.* = SULFURATE
sul·fur·ous, -phu- [sʌ́lfərəs, sʌlfjúə- | sʌ́lfə-] *a.* **1** 〖화학〗 유황의[과 같은]; 《특히》 4가의 황을 함유한 **2** 유황색의, 황색의 **3** = SULPHUROUS
~·ly *ad.* **~·ness** *n.*

suitable *a.* convenient, acceptable, satisfactory, appropriate, fitting, proper (opp. *unfit, inapt*)
sullen *a.* unresponsive, uncommunicative, unsociable, sulky, glum, gloomy, dismal, grumpy

súlfurous ácid 아황산《유기 합성용, 표백제》
súlfur spring 유황천(泉)
sul·fur·y [sʌ́lfəri] *a.* 유황의[같은], 유황질의
sulk [sʌlk] *n.* [the ~s] 샐쭉함, 부루퉁함, 앵돌아짐 ***have*** [***be in***] (***a fit of***) ***the ~s*** 부루퉁해[샐쭉해] 있다 — *vi.* 샐쭉해지다, 부루퉁해지다, 앵돌아지다, 골나다
***sulk·y**[1] [sʌ́lki] *a.* (**sulk·i·er**; **-i·est**) **1 a** 샐쭉한, 뚱한, 부루퉁한, 골난, 기분이 언짢은: in a ~ mood 뚱한 기분으로 **b** 잘 토라지는 **2** 〈날씨 등이〉 음산한, 음울한, 음침한: ~ weather 음산한 날씨
súlk·i·ly *ad.* **súlk·i·ness** ▷ súlk *n.*, *v.*
sulky[2] *n.* (*pl.* **sulk·ies**) 말 한 필이 끄는 1인승 2륜 마차
sul·lage [sʌ́lidʒ] *n.* Ⓤ 쓰레기, 찌꺼기; 침전물; 쇠똥, 광재(鑛滓)
***sul·len** [sʌ́lən] *a.* **1** 부루퉁한, 샐쭉한, 골난; 기분이 언짢은, 골나서 말을 하지 않는, 무뚝뚝한 **2** 〈날씨 등이〉 음침한(gloomy), 음울한; 〈색·소리 등이〉 가라앉은, 맑지 못한 **3** 굼뜬, 느릿한; 완만한
— *n.* [the ~s] 《방언·고어》 샐쭉함, 부루퉁함, 언짢음, 우울 **~·ly** *ad.* **~·ness** *n.*
Sul·li·van [sʌ́ləvən] *n.* 설리번 **Anne** ~ (1866-1936)《미국의 교육가로 Helen Keller의 선생》
Súllivan Prínciples [미국의 침례 교회 목사의 이름에서] [the ~] 설리번 원칙《남아프리카 공화국의 미국 기업이 채택하고 있는 비(非)인종 차별적 고용 원칙》
sul·ly [sʌ́li] *vt.* (**-lied**) **1** 더럽히다; 변색시키다 **2** 〈명성·품성·공적 등을〉 더럽히다, 훼손하다 — *vi.* 《폐어》 더러워지다, 오손되다 — *n.* 《폐어》 더러움, 오점
sulph- [sʌlf] 《연결형》 = SULF-
sulpho- [sʌ́lfou] 《연결형》 = SULFO-
sul·phur [sʌ́lfər] *n.* **1** 《주로 영》 = SULFUR **2** 레몬색; 녹색이 조금 섞인 노란색
sul·phur·ous [sʌ́lfərəs, sʌlfjúə- | sʌ́lfə-] *a.* **1** 지옥불의; 지옥 같은 **2** 열렬한, 격한, 흥분한 **3** 〈말·표현이〉 모험적인
***sul·tan** [sʌ́ltən] [Arab. 「지배자」의 뜻에서] *n.* **1 a** 술탄, 이슬람교국 군주 **b** [the S~] (1922년 이전의) 터키 황제; 전제 군주, 폭군 **2** 〖조류〗 뜸부기의 일종 **3** 터키종의 (흰) 닭 **4** 〖식물〗 수레국화의 일종
sweet ~ 보랏빛 수레국화 **~·ship** *n.*
sul·tan·a [sʌltǽnə, -tάːnə | -tάːnə] *n.* **1** 이슬람교국 왕비[공주, 왕의 자매, 대비] **2** 술탄의 후궁 **3** (유럽계의) 씨 없는 건포도
sul·tan·ate [sʌ́ltənèit, -nət] *n.* ⓊⒸ **1** 술탄의 지위[통치] **2** 술탄의 영지[나라]
sul·tan·ess [sʌ́ltənis] *n.* 《고어》 = SULTANA 1
***sul·try** [sʌ́ltri] *a.* (**-tri·er**; **-tri·est**) **1** 무더운, 찌는 듯이 더운, 후텁지근한, 몹시 뜨거운: a ~ day 후텁지근한 날 **2** 〈말 등이〉 음란한, 외설한; 〈여배우·음악이〉 관능적인, 정열적인: ~ eyes 정열적인 눈 **3** 타는 듯이 뜨거운: ~ sun 타는 듯한 태양 **4** 《속어》 〈기질·언어 등이〉 난폭한, 거친, 흥분한(hectic)
súl·tri·ly *ad.* **súl·tri·ness** *n.* Ⓤ 무더위
‡sum [sʌ́m] [L 「최고」의 뜻에서] *n.* **1** [the ~] **a** (수·양의) 총계, 합계; 총액, 총수, 총량《*of*》: *The ~ of* 6 and 8 is 14. 6과 8의 합계는 14이다. **b** 총체, 전체《*of*》: *the ~ of* one's knowledge 지식의 전부

> 유의어 **sum, total** 일련의 숫자 총계를 직접적으로 보여주는 경우가 많다: The *sum* of 4 and 7 is 11. 4와 7의 합은 11이다. / cost a *total* of $200 총액 200달러가 들다 **amount** 결과로서의 집합체를 강조: pay the full *amount* of the expenses 경비의 전액을 지불하다 **quantity** 물질·액체 등의 양: a given *quantity* 일정량

2 [the ~] 개요, 개략, 대의, 대요; 요점, 요약: *the ~ of* his opinions 그의 의견의 요점 **3** [종종 *pl.*] 금액: a good[round] ~ 꽤 많은 돈, 목돈 / lend small

~*s* 적은 돈을 빌리다 **4** [종종 *pl.*] 산수 문제; 계산, (학교의) 산수 **5** 〖수학〗 합집합 **6** 《고어》 절정, 정점, 극치(summit)
a large*[*small*] ~ *of 다액[소액]의 ***do a ~*** 계산하다 ***in ~*** 요컨대, 결국 ***the ~ and substance*** 요점 ***the ~ and total*** 전체, 전부 ***the ~ of things*** 공공복지; 삼라만상, 우주
— *v.* (**~med**; **~·ming**) *vt.* [종종 ~ up] **1** 총계[합계]하다: 《~+목+부》 She *~med up* bills at the grocery store. 그녀는 식료품 가게로부터의 청구서를 합계했다. **2** …의 개요를 말하다, 요약하다, 개괄하다: 《~+목+부》 The judge *~med up* the whole to the jury. 재판관은 전체의 요점을 배심원들에게 말해 주었다. **3** 〈사람·사태의〉 대세를 판단하다, 재빨리 이해[판단, 평가]하다 《*up*》; 《~+목+부》 I *~med up* the girl in a moment. 나는 그 소녀의 인품을 곧 알아차렸다.
— *vi.* **1** 요약하다, 개설(槪說)하다, 〈판사가〉 (원고·피고의 말을 들은 후) 요점을 개괄하여 말하다: 《~+부》 The judge *~med up.* 판사는 증언을 개괄했다. **2** 〈숫자 등이〉 합계 (…이) 되다; 계산을 하다: 《~+전+명》 The expense *~med into*[*to*] $1,000. 비용은 합계 천 달러였다. ***to ~ up*** 요약하면, 결론으로서
~·less *a.* 무수한, 한없는 ▷ summátion *n.*
SUM surface-to-underwater missile
sum- [səm, sʌm] *pref.* =SUB- 《m 앞에 올 때의 변형》
su·mac(h) [sú:mæk, ʃú:-] *n.* **1** 〖식물〗 옻나무, 북나무 **2** Ⓤ 슈맥 《북나무 잎을 말려서 만든 가루; 무두질 및 물감용》
Su·ma·tra [sumá:trə] *n.* **1** 수마트라 섬 《인도네시아 제2의 큰 섬》 **2** [종종 **s~**] 말라카 해협의 돌풍
-tran *a.*, *n.* 수마트라 섬의 (사람)
sum·bitch [sʌ́mbìtʃ] *n.*, *int.* 《미·속어》 =son of a BITCH
Su·mer [sú:mər] *n.* 수메르 《고대 바빌로니아의 남부 지방; 세계 최고(最古)의 문명 발상지》
Su·me·ri·an [su:míəriən, -mɛ́ə- | sju:-] *a.* 수메르(사람[말])의 — *n.* 수메르 사람; Ⓤ 수메르 말
Su·me·rol·o·gy [sù:mərɑ́lədʒi | -rɔ́-] *n.* 수메르학 《수메르인의 역사·언어·문화 연구》 **-gist** *n.*
sum·ma [súmə, sʌ́mə] *n.* (*pl.* **-mae** [súmai, sʌ́mi:], **~s**) **1** (어떤 분야·주제에 관한) 종합 연구서, 전집 **2** 백과전서, 백과 전집
sum·ma cum lau·de [súmə-kum-láudei, -də, sʌ́mə-kʌm-lɔ́:di] [L = with highest praise] *ad.*, *a.* 최우등으로[의]
***sum·ma·rize** [sʌ́məràiz] *vt.* 요약하다, 간략하게 [요약하여] 말하다, 개괄하다 **sùm·ma·ri·zá·tion** [-rizéiʃən] *n.* Ⓤ 요약, 개괄 ▷ súmmary *n.*
‡sum·ma·ry [sʌ́məri] *n.* (*pl.* **-ries**) 요약, 개요, 대략; 적요(서), 대요, 일람
— *a.* **1** 요약한, 개략의; 간략한, 간결한(brief): a ~ review 간략한 비평 **2 a** 약식의, 즉석의, 재빠른: be treated with ~ dispatch 재빨리 대접받다 **b** 〖법〗 즉결의, 정식 절차를 생략한: ~ jurisdiction 즉결 심판권 / ~ justice 즉결 심판 **sum·mar·i·ly** [səmérəli | sʌ́mər-] *ad.* 약식으로, 즉결로; 즉석에서 ▷ súmmarize *v.*
súmmary cóurt 즉결 심판소 《略 S.C.》
súmmary cóurt-martial 〖미군〗 (장교인 판사 1명에 의한) 약식 군사 법원
súmmary offénse 약식 기소 범죄, 경범죄
súmmary procéeding 〖법〗 약식 수속
sum·mat [sʌ́mət] *n.*, *ad.* 《방언》 =SOMEWHAT
— *pron.* 《영·구어》 =SOMETHING
sum·mate [sʌ́meit] *vt.* 합계하다, 더하다
sum·ma·tion [səméiʃən, sʌm-] *n.* **1 a** Ⓤ 합계하기, 덧셈, 가법 **b** 합계 **2** 요약, 개설 **3** 《미》 (변호인의) 최종 변론 **4** 〖생리〗 (자극의) 가중(加重)
sum·ma·tive [sʌ́mətiv] *a.* 부가[누적]적인

‡sum·mer¹ [sʌ́mər] *n.* **1** 여름, 여름철 《《영》 5월-7월, 《미》 6월-8월; 천문학에서는 6월 21일-9월 21일》; 여름 같은 철[계절], 더운 시기: regions of everlasting ~ 상하(常夏) 지대 **2** [the ~] 《문어》 (인생의) 한창때, 전성기, 절정, 완숙기: *the* ~ of (one's) life 장년기 **3** [*pl.*] 《시어·고어》 나이, 연령, …살: twenty ~*s* 스무살 / a girl of fifteen ~*s* 방년 15세의 소녀
— *a.* **1** 여름의, 하계의; 여름철에 알맞은: ~ sports 하계 스포츠 **2** (여름처럼) 쾌적한, 상태가 좋은
— *vi.* (…에서) 여름을 지내다, 피서하다 《*at*, *in*》
— *vt.* 《드물게》 〈가축을〉 여름 동안 방목하다
~ and winter 꼬박 한 해를 보내다, 일년 내내 살다; …에게 같은 태도를 취하다; …에게 충실하다
▷ súmmerlike, súmmerly, súmmery *a.*
summer² *n.* 〖건축〗 대들보; 상인방(lintel); 받침돌, 주춧돌
súmmer càmp 《미》 (어린이를 위한) 하계 휴양 캠프, 여름 학교
súmmer complàint (어린이들의) 여름 설사
súmmer cýpress 〖식물〗 댑싸리 《유럽 원산의 명아주과(科)의 일년초》
Súmmer Gámes 하계 올림픽 《4년마다 여름에 열리며 수영·다이빙·트랙경기·권투·농구를 포함함》
sum·mer·house [sʌ́mərhàus] *n.* (*pl.* **-houses** [-hàuziz]) **1** 피서용 별장 **2** (정원·공원 등의) 정자
súmmer lìghtning (여름밤의) 소리 없는 번개, 마른 번개(heat lightning)
sum·mer·like [sʌ́mərlàik] *a.* 여름의, 여름 같은; 여름에 알맞은
sum·mer·ly [sʌ́mərli] *a.* 여름의, 여름다운
súmmer pèrson 《미》 피서객, 여름 휴가자
súmmer púdding 《영》 서머 푸딩 《삶은 과일 등을 속에 넣은 빵 또는 카스텔라》
sum·mer·sault [sʌ́mərsɔ̀:lt], **-set** [-sèt] *n.*, *vi.* =SOMERSAULT
súmmer sáusage 서머 소시지 《냉장할 필요 없는 건조시킨 훈제 소시지》
súmmer schòol 하기 강좌[강습회], 여름 학교
súmmer sólstice [the ~] 〖천문〗 하지(夏至)(점) 《6월 21일; cf. WINTER SOLSTICE》
súmmer squásh 《미》 〖식물〗 호박의 일종
súmmer stóck (레퍼터리 극단(repertory company)에 의한) 연극·뮤지컬 등의 상연 《휴양지에서 하계에 열림》
súmmer stùdent 《캐나다》 여름방학 동안 일하는 대학생
súmmer théater **1** 여름 극장 《휴양지에서 하계에 연극·뮤지컬 등을 매주 다른 프로로 상연함》 **2** = SUMMER STOCK
súmmer tìme 《영》 **1** 서머 타임, 일광 절약 시간 《여름에 시계를 1시간 빠르게 함; 略 S.T.》(《미》 daylight saving time) **2** 서머 타임 기간
double ~ 《영》 2중 서머 타임 《2시간 빠르게 함》
***sum·mer·time** [sʌ́mərtàim], **-tide** [-tàid] *n.* Ⓤ [종종 the ~] 여름철
sum·mer-weight [-wèit] *a.* 〈옷·신발 등이〉 여름용의, 가벼운
sum·mer·wood [-wùd] *n.* 만재(晩材), 하재(夏材) 《목재의 일생 중 후기에 생기는 나이테의 부분》
sum·mer·y [sʌ́məri] *a.* (종종 **-mer·i·er**; **-i·est**) 여름의[같은], 여름다운, 하절용의: a ~ dress 여름 옷
sum·ming-up [sʌ́miŋʌ́p] *n.* (*pl.* **sum·mings-**) **1** 요약, 개괄, 적요; 약술(略述) **2** 〖법〗 (판사가 배심원에게 하는) 사건 요지의 진술
‡sum·mit [sʌ́mit] [L 「최고」의 뜻에서] *n.* **1** (산의) 정상, 꼭대기, 최고점(⇨ top¹ 유의어) **2** [the ~] 절정, 극점, 극치, 극한: *the* ~ of one's ambition 야

thesaurus **summary** *n.* abstract, abridgment, outline, sketch, review — *a.* abridged, abbreviated, shortened, condensed, short, brief, concise

망의 정점 **3** 〖수학〗 (뿔체 등의) 정점, 꼭짓점, 모서리 **4** [the ~] (국가의) 정상급, 수뇌급: negotiation at *the* ~ 수뇌 협상 **5** 수뇌[정상] 회담(= ~ meeting)
— *a.* 수뇌급의, 정상급의, 수뇌 회담의
— *vi.* 정상 회담에 참가하다 **~·al** *a.* **~·less** *a.*

sum·mit·eer [sʌ̀mitíər] *n.* 《구어》 정상 회담 참가자 《대통령·수상 등》

sum·mit-lev·el [sʌ́mitlèvəl] *n.* (도로·철도 등의) 최고 지점

súmmit mèeting[**tàlk, cònference**] 수뇌[정상] 회담

sum·mit·ry [sʌ́mitri] *n.* (*pl.* **-ries**) ⓊⒸ 정상 회담 (방식[운영])

‡**sum·mon** [sʌ́mən] [L 「아래로 (살짝) 상기시키다」의 뜻에서] *vt.* **1** 〈증인 등을〉 (…에) 소환하다, 호출하다(call) 《*to*》; (법원에의) 출두를 명하다 《*to, into*》: ~ a witness 목격자에게 출두를 명하다 **2** 〈의회 등을〉 소집하다: ~ parliament 의회를 소집하다 **3** …에게 (의무·일 등을) 명하다, (…할 것을) 요구하다 《*to, to do*》 **4** 〈용기 등을〉 내다, 불러일으키다 《*up*》: ~ *up* one's courage[spirit] 용기를 내다 **~·a·ble** *a.*
▷ súmmons *n.*

sum·mon·er [sʌ́mənər] *n.* **1** 소환자 **2** 《고어》 (법정의) 소환 담당자

sum·mons [sʌ́mənz] *n.* (*pl.* **~·es**) **1** 소환, 호출 **2** (의회 등에의) 소집(장) **3** 〖법〗 (법원에의) 출두 명령, 소환장; 〖군사〗 항복 권고: a ~ to surrender 항복 권고 — *vt.* 〈사람을〉 법정에 소환하다, 호출하다; 소환장을 송달하다 ▷ súmmon *v.*

sum·mum bo·num [súməm-bóunəm] [L] [the ~] 최고선(善)(highest good)

su·mo [súːmou] [Jap.] *n.* 스모 《일본의 씨름》(= **~ wréstling**) **~·ist** *n.*

sump [sʌ́mp] *n.* **1** (물 등의 액체를 모으는) 구멍, 우물, 집수공(孔), 구정물 모으는 웅덩이 **2** 〖광물〗 (갱저(坑底)의) 물웅덩이, 집수갱 **3** (자동차 엔진 바닥의) 기름통

súmp pùmp (물웅덩이[기름통]의 물[기름]을 퍼올리는) 배출 펌프

sump·ter [sʌ́mptər] *n.* 《고어》 역마(役馬), 하마(荷馬), 짐 나르는 짐승

sump·tion [sʌ́mpʃən] *n.* 가정, 억측; 〖논리〗 대전제

sump·tu·ar·y [sʌ́mptʃuèri | -tʃuəri] *a.* 비용 절감의, 출비를 규제하는, 사치 규제의; 〈법·세 등이〉 (도덕적·종교적) 윤리 규제의

súmptuary láw 〖법〗 윤리 규제 법령; (개인 소비를 제한하는) 사치 금지법[령]

***sump·tu·ous** [sʌ́mptʃuəs] *a.* **1** 값비싼, 고가의(costly) **2** 호화스러운(luxurious), 화려한; 사치스러운: a ~ feast 호화스러운 연회 **3** 풍만한
~·ly *ad.* **~·ness** *n.*

súm tótal **1** [the ~] 총계, 총액, 총수, 총량 《*of*》 **2** 요지, 골자; 전체: *the* ~ of our knowledge 우리 지식의 요지

sum-up [sʌ́mʌ̀p] *n.* Ⓤ 요약, 적요

‡**sun** [sʌ́n] *n.* **1** [the ~] 태양, 해 **2** Ⓤ [또는 the ~] 햇빛, 일광, 햇볕(sunshine): bathe in *the* ~ 일광욕을 하다 / be exposed to *the* ~ 햇빛에 노출되다 **3** 스스로 빛을 내는 천체, 항성(cf. PLANET) **4** 《고어·시어》 해(年); 날(day) **5** 《문어》 **a** 기후, 풍토 **b** 영광, 광휘; 전성; 권세 **6** 《고어》 해돋이; 일몰
against the ~ 해가 도는 방향과 반대로, 서에서 동으로, 왼편으로 돌아 ***from ~ to ~*** 해가 떠서 질 때까지, 하루 종일: travel *from* ~ *to* ~ 해가 떠서 질 때까지의 여행 ***hail***[***adore***] ***the rising ~*** 신흥 세력에 아첨하다 ***have been in the ~*** 《속어》 술 취해 있다 ***have the ~ in*** one***'s eyes*** 눈에 해가 비치다; 《속어》 술 취해 있다 ***His***[***Its***] ***~ is set.*** 한창때가 지났다. ***hold a candle to the ~*** 쓸데없는 짓을 하다 ***in the ~*** 양지에; 걱정[고생] 없이; 뭇사람이 보는 곳에 ***Let not the ~ go down upon your wrath.*** 〖성서〗 해가 지도록 분을 품지 말라. 《에베소서 4:26》 ***see the ~*** 출생하다, 태어나다; 살아 있다 ***shoot the ~*** 〖항해〗 (육분의로) 위도를 재다 one***'s*** [***a***] ***place in the ~*** 햇빛 비치는 장소; 마땅히 받아야 할 몫; 순탄한 환경; 유리한 지위; 주목, 인식 ***take the ~*** 양지에서 햇볕을 쬐다, 일광욕하다; 〖항해〗 = shoot the SUN. ***the ~ drawing water*** = ***the ~'s eyelashes***[***backstays***] 구름 사이로 새어 나오는 햇빛에 공중의 잔 먼지가 비쳐 보이는 현상 ***the S~ of Righteousness*** 〖성서〗 정의의 태양, 그리스도(Christ) ***under the ~*** (1) 이 세상에서(의), 지상에 (2) [의문사를 강조하여] 도대체(on earth) ***with the ~*** 해돋이에; 일몰에; 〖항해〗 태양의 움직임과 같은 방향으로; 오른쪽으로 돌아: get up[go to bed] *with the* ~ 일찍 일어나다[자다]
— *v.* (**~ned**; **~·ning**) *vt.* 햇볕에 쬐다[말리다] ~ one***self*** 일광욕하다
— *vi.* 일광욕하다, 햇볕을 쬐다
▷ súnny, súnless *a.*

***Sun.** Sunday

sún-and-plán·et gèar[sʌ́nəndplǽnit-] 〖기계〗 유성 톱니바퀴 장치

sún-and-plánet mòtion 〖기계〗 (차동(差動) 톱니바퀴 장치의) 유성 운동

sun·back [sʌ́nbæ̀k] *a.* 〈옷이〉 등이 깊게 파인

sun·bake [-bèik] *n.* 《호주·구어》 일광욕 (시간)
— *vi.* 일광욕을 하다

sun·baked [-bèikt] *a.* **1** 햇볕에 구운, 햇볕에 말린 **2** 햇볕이 강한

sun·bath [-bæ̀θ | -bɑ̀ːθ] *n.* 일광욕; 태양등욕

sun·bathe [-bèið] *vi.* 일광욕을 하다

‡**sun·beam** [sʌ́nbìːm] *n.* 태양 광선; 햇살, 일광

sún bèd 일광욕용 침대; (태양등과 한 벌이 된) 선베드

Sun·belt, Sún Bèlt [-bèlt] *n.* [the ~] 선벨트, 태양 지대 《미국 Virginia 주에서 California 주 남부에 이르는 온난 지대로, 강우량이 적음》

sun·bird [-bɔ̀ːrd] *n.* 〖조류〗 **1** 태양새 《참새목》 **2** 아메리카지느러미발 《남미산(産)》; 아프리카지느러미발 《아프리카산(産)》

sun·blind [-blàind] *n.* 《영》 차양, 블라인드, 《특히》 창 밖에 치는 스크제 차양

sun·block [-blɑ̀k | -blɔ̀k] *n.* 자외선 방지 (크림[로션])

sunbonnet

sun·bon·net [-bɑ̀nit | -bɔ̀n-] *n.* (여자·갓난아이의) 햇볕 가리는 모자

sun·bow [-bòu] *n.* 태양 광선으로 생기는 무지개 《폭포·분수 등에 생김》

***sun·burn** [sʌ́nbɔ̀ːrn] *n.* ⓊⒸ (따갑고 물집이 생길 정도로) 햇볕에 탐
— *vt., vi.* (**-burnt** [-bɔ̀ːrnt], 《미》 **~ed**) 햇볕에 타(게 하)다: I ~ easily. 나는 햇볕에 잘 탄다.

sun·burnt [-bɔ̀ːrnt], 《미》 **-burned** [-bɔ̀ːrnd] *a.* 〈피부가〉 햇볕에 탄[그을린]

sun·burst [-bɔ̀ːrst] *n.* **1** (구름 사이로 새어나오는) 강렬한 햇살 **2** 햇살 모양의 불꽃 **3** 햇살 모양의 보석[브로치] — *a.* 〈옷단·주름이〉 허리가 가늘고 옷자락 쪽이 방사상으로 퍼진: ~ pleats 방사상으로 퍼진 주름

sun·choke [-tʃòuk] *n.* = JERUSALEM ARTICHOKE

sun-cream [-krìːm] *n.* ⓊⒸ 자외선 차단 크림

sun-cured [-kjùərd] *a.* 〈고기·과일 등이〉 햇볕에 말려 건조시킨

Sund. Sunday

---

summit *n.* top, peak, crest, height, pinnacle
summon *v.* **1** 소환하다 send for, call for, bid **2** 소집하다 order, call, convene, assemble, rally

sun·dae [sʌ́ndei, -di] [Sunday] *n.* 선디《과일·과즙 등을 얹은 아이스크림》
Sún Dày 태양의 날《태양 에너지 개발 촉진의 날; 5월 3일》
‡**Sun·day** [sʌ́ndei, -di] [Gk 「태양의 날」의 뜻에서] *n.* 일요일, (그리스도교의) 안식일, 주일
a month* [*week*] *of ~s 오랫동안; [보통 부정문에서] 오랫동안[전혀] …하지 않은 ***last ~ = on ~ last*** 지난 주의 일요일(에) ***look two ways to find ~*** 《속어》 사팔눈이다; 곁눈질하다 ***Low ~*** 부활절 다음의 일요일 ***Mid-Lent* [*Refreshment, Mothering*] *~*** 말미 얻은[고향 찾아가는] 일요일《사순절의 넷째 일요일》 ***next ~ = on ~ next*** 내주의 일요일(에) ***Palm ~*** 성지(聖枝) 주일《부활절 전의 일요일》 ***Show ~*** (Oxford 대학의) 기념 축전 전의 일요일
— *a.* **1 a** 일요일의, 휴일의; 주일의 **b** 일요일에 하는, 일요일만의; 아마추어의 **2** 나들이의, 나들이옷의
— *ad.* 《구어》 일요일에
Súnday bést[**clóthes**] 《구어》 나들이옷
Súnday dríver 《구어》 초보 운전자, 일요 운전사《운전이 서투르고 신중함》
Sun·day-go-to-meet·ing [sʌ́ndigòutəmíːtiŋ] *a.* 《구어》 나들이용의, 최상의, 가장 좋은: ~ clothes 가장 좋은 옷
Súnday létter = DOMINICAL LETTER
Súnday páinter 일요[아마추어] 화가
Súnday púnch 《미·구어》 (권투의) 강타, 녹아웃 펀치; 결정적 타격
Sun·days [sʌ́ndeiz, -diz] *ad.* 《미》 일요일에, 일요일마다(on Sundays)
Súnday sáint 《속어》 일요일에만 신자인 체하는 사람, 일요 성인(聖人); 위선자
Súnday schòol 주일 학교; [집합적] 주일 학교의 교사[학생]
sun·deck [sʌ́ndèk] *n.* **1** (여객선 등의) 상갑판 **2** 《호주》 일광욕용 베란다[옥상]
sun·der [sʌ́ndər] *vt.* 《문어》 (둘로) 가르다; 떼다, 끊다, 찢다, 자르다 — *vi.* (…와) 끊어지다, (…에서) 분리되다《*from*》
— *n.* [다음 성구로] ***in ~*** 《시어》 산산이, 떨어져서, 따로따로: break[cut, tear] *in* ~ 산산이 부수다
~·**ance** *n.* 분리, 분할, 절단
sun·dew [sʌ́ndjùː | -djùː] *n.* 〘식물〙 끈끈이주걱《식충 식물》
sun·di·al [sʌ́ndàiəl] *n.* 해시계

sundial

sún dìsk **1** 태양면(面) **2** (고대 이집트인의 종교적 상징으로서의) 양원(陽圓)
sun·dog [-dɔ̀ːg, -dɑ̀g | -dɔ̀g] *n.* 환일(幻日)(parhelion); (지평선 부근에 나타나는) 작은 무지개
sun·down [-dàun] *n.* Ⓤ 해넘이, 일몰(sunset)(opp. *sunrise*) — *vi.* (환경에 익숙지 못해) 밤에 환각을 체험[경험]하다
sun·down·er [-dàunər] *n.* **1** 《호주·속어》 부랑자(tramp, hobo) **2** 《영·구어》 (특히, 남아프리카에서) 해질녘의 한 잔 술 **3** 《미·해군속어》 엄격한 해군 사관
sun·drenched [-drèntʃt] *a.* 《구어》 햇볕이 강한, 햇볕이 내리쬐는 ★ 주로 선전문에 쓰이는 과장 표현
sun·dress [-drès] *n.* (팔·어깨·등을 노출시키는) 여름용 드레스
sun-dried [-dràid] *a.* 〈벽돌·도기·포도 등이〉 햇볕에 말린
sun·dries [sʌ́ndriz] *n. pl.* **1** 잡동사니; 잡화 **2** 잡건(雜件) **3** 잡비 **4** 〘부기〙 제계정(諸計定)
***sun·dry** [sʌ́ndri] *a.* 가지가지의, 잡다한(various): ~ goods 잡화
— *n.* [다음 성구로] ***all and ~*** 누구 할 것 없이, (각자) 모두, 저마다: give free samples to *all and* ~ 무료 견본을 모두에게 나누어 주다
sún·dri·ly *ad.* **sún·dri·ness** *n.*
súndry shòp (말레이시아의) 중국 식료품 판매점
sun·fast [-fæ̀st | -fɑ̀ːst] *a.* 《미》 〈염료 등이〉 햇볕에 날지 않는, 햇빛에 색이 바래지 않는
SUNFED Special United Nations Fund for Economic Development 국제 연합 경제 개발 특별 기금
sun·fish [-fìʃ] *n.* (*pl.* **~·es,** [집합적] **~**) 〘어류〙 개복치; 납작한 민물고기《북미산(産)》
sun·flow·er [-flàuər] *n.* 〘식물〙 해바라기《Kansas 주의 주화(州花)》
Súnflower Státe [the ~] 미국 Kansas 주의 속칭
‡**sung** [sʌŋ] *v.* SING의 과거·과거분사
sún gèar 〘기계〙 태양 톱니바퀴《유성(遊星) 톱니바퀴 장치의 중심에 있는 톱니바퀴》
sun·glass [sʌ́nglæ̀s | -glɑ̀ːs] *n.* **1** 태양열 집열 렌즈, 화경(火鏡)《볼록 렌즈》(burning glass) **2** [*pl.*] 색안경, 선글라스
sun·glow [-glòu] *n.* 아침[저녁]놀; 햇무리, 태양 백광(corona)
sún gòd 태양신, 해의 신《Apolon, Helios 등》
sún grèbe 지느러미발이 있는 새《두루미목(目) 뜸부깃과(科)》
sún hàt (챙이 넓은) 햇볕 가리는 모자
sún hèlmet (예전에 백인이 열대 지방에서 썼던) 햇볕 가리는 헬멧
‡**sunk** [sʌŋk] *v.* SINK의 과거·과거분사
— *a.* **1** = SUNKEN **2** Ⓟ 《구어》 패배한 **3** Ⓟ 〈사람이〉 (생각 등에) 잠겨; (절망 등에) 빠져
Now we're ~. 《속어》 이젠 끝장이다.
***sunk·en** [sʌ́ŋkən] *v.* SINK의 과거분사
— *a.* **1** 〈눈 등이〉 움푹 들어간; 〈볼 등이〉 홀쭉한, 살 빠진: ~ cheeks 홀쭉한 볼 **2** 침몰한, 침하한, 가라앉은, 물속의, 물밑의; 내려앉은; 파묻힌, 땅속의: a ~ living room 바닥이 주위보다 낮은 거실
súnken gárden 침상원(沈床園)《지면보다 한 층 낮은 정원》
súnken ròck[**rèef**] 암초
súnk fénce 은장(隱墻)《정원의 경관을 해치지 않도록 경계 도랑을 파서 만든 울타리》
sun-kissed [-kìst] *a.* [보통 Ⓐ] 햇볕에 탄[데워진]
sún làmp **1** 〘의학〙 = SUNLAMP **2** 〘영화〙 포물면(抛物面)거울이 있는 큰 전등《영화 촬영용》
sun·lamp [sʌ́nlæ̀mp] *n.* 〘의학〙 태양등《피부병 치료·미용용 자외선 발생 장치》
sun·less [sʌ́nlis] *a.* **1** 해가 비추지 않는; 햇볕이 들지 않는 **2** 어두운, 음침한, 쓸쓸한
‡**sun·light** [sʌ́nlàit] *n.* Ⓤ 햇빛, 일광; 햇빛이 비치는 장소[시간] ***an artificial ~*** 태양등
sun·lit [sʌ́nlìt] *a.* 햇빛을 받은, 햇볕에 쬐인, 밝은
sún lòunge 《영》 일광욕실(《미》 sun parlor) ★ sunroom이라고도 함.
sun·lounger [-làundʒər] *n.* 《영》 일광욕용 긴 의자
sunn [sʌn] *n.* 〘식물〙 활나물속(屬)의 초본《동인도산(産)》; 그 섬유(= ~ hèmp)
Sun·ni [súni] *n.* 수니파(派)《이슬람교의 2대 종파의 하나; cf. SHI'A》; 수니파의 교도(Sunnite)
— *a.* 수니파의 **Sún·nism** *n.* 수니파의 교의(教義)
sun·nies [sʌ́niz] [*pl.*] *n.* 《호주·뉴질·구어》 선글라스
Sun·nite [súnait] *n.* 수니파의 교도
‡**sun·ny** [sʌ́ni] *a.* (**-ni·er**; **-ni·est**) **1** 양지바른, 햇볕이 잘 드는; 햇빛 밝은, 햇빛이 찬란한(opp. *somber*): a ~ room 햇빛이 잘 드는 방 **2 a** 태양의[같은] **b** 〈하늘이〉 구름 한 점 없는, 맑게 갠 **3** 명랑한, 쾌활한, 밝은: a ~ disposition 쾌활한 성격
sún·ni·ly *ad.* **sún·ni·ness** *n.* ▷ sún *n.*
sunn·ya·see [sʌnjɑ́ːsi] *n.* = SANNYASI(N)
súnny sìde **1** 햇빛이 드는 쪽 **2** 밝은[좋은] 면 **3** 《미·속어》 (…연령보다) 젊은 연령: on the ~ of

thirty 30세 전 ***look on the ~ of things*** 매사를 낙관하다
sún·ny-side úp [sʌ́nisàid-] *a.* 《미》 〈달걀이〉 한쪽만 프라이한
sún pàrlor 《미》 일광욕실(《영》 sun lounge) ★ sunroom이라고도 함.
sún pòrch 유리를 두른 일광욕실[베란다]
sun·proof [sʌ́nprùːf] *a.* 햇빛을 통과시키지 않는; 내광성(耐光性)의, 변색되지 않는(sunfast)
sún protèction fàctor 자외선 차단 지수 《화장품의 피부 보호 효과를 나타내는 지수》
sun·ray [-rèi] *n.* 태양 광선; (의료용의) 인공 태양 광선
:sun·rise [sʌ́nràiz] *n.* Ⓤ **1** 해돋이, 일출; 해 뜨는 시각, 동틀 녘(cf. SUNDOWN, SUNSET) **2** 아침놀 **3** (사물의) 시초, 시작, 초기: at ~ of the 20th century 20세기 초에
súnrise ìndustry 기술 집약형 신흥 산업
sun·roof [-rùːf] *n.* (자동차의) 선루프 《지붕의 개폐식 채광창(sunshine roof)》
sun·room [-rùːm] *n.* 일광욕실(sun parlor)
sun·scald [-skɔ̀ːld] *n.* 햇빛에 타서 검게 되는 것 《열·습기·강한 일광에 의해서 나뭇잎, 수피(樹皮) 또는 내부 조직에 생기는 검버섯》
sun·screen [-skrìːn] *n.* 햇볕 타기 방지제(cf. SPF) **~·ing** *a.*
sun·seek·er [-sìːkər] *n.* **1** 피한객(避寒客) **2** 〖우주과학〗 태양 추적 장치, 향일(向日) 장치
:sun·set [sʌ́nsèt] *n.* Ⓤ **1 a** 해넘이, 일몰; 해질녘(cf. SUNRISE): at[after] ~ 일몰시[후]에 **b** 저녁놀이 진 하늘, 저녁놀 빛 **2** 마지막, 끝, 종국, 최종 단계; 만년, 말기: the ~ of an empire 제국의 말로
— *a.* 쇠퇴하는, 사양의
súnset cláuse 〖법〗 일몰 조항 《일정 기간이 지나면 법률이나 규제의 효력이 없어지도록 하는 제도》
súnset ìndustry 사양 산업
súnset làw 《미》 선세트법(法), 행정 개혁 촉진법 《정부 기관[사업]의 존속 여부에 대한 정기적 검토를 의무화시킨 법률》
súnset províision = SUNSET CLAUSE
Súnset Státe [the ~] 미국 Oregon 주의 속칭
sun·shade [-ʃèid] *n.* **1** (여자용) 양산(parasol) **2** 햇볕 가리는 것 《가게 등의 차양(awning), 여성 모자의 챙, 렌즈 후드 등》; [*pl.*] 《속어》 선글라스
:sun·shine [sʌ́nʃàin] *n.* Ⓤ **1** [종종 the ~] (강한) 햇빛, (태양의) 직사광선, 일광 **2** [the ~] 양지; 맑은 날씨 **3** 쾌활, 명랑; 쾌활[행복]하게 하는 것[사람] **4** 《영·구어》 날씨 좋군요, 안녕하세요 **5** 《미·속어》 환각제 LSD의 노란[오렌지]색 정제 **6** 《미·속어·경멸》 흑인 ***a ray of ~*** (1) (불행[지루]할 때의) 기쁨, 즐거움 (2) 《구어》 쾌활한 사람 ▷ súnshiny *a.*
súnshine làw 《미》 선샤인법, 의사(議事) 공개법 《Florida 주(= Sunshine State)에서 최초로 시행》
súnshine recòrder 자기 일조 시간계(自記日照時間計)
súnshine ròof = SUNROOF
Súnshine Státe [the ~] 미국 Florida[New Mexico, South Dakota] 주의 속칭
sun·shin·y [-ʃàini] *a.* **1** 햇볕이 잘 드는, 양지바른; 청명한 **2** 밝은, 명랑한, 쾌활한
sun·spot [-spɑ̀t | -spɔ̀t] *n.* **1** 〖천문〗 태양 흑점 **2** 〖의학〗 주근깨 **3** 《영·구어》 따뜻한 기후의 휴양지, 휴일에 일광욕하러 사람들이 모이는 곳
sun·stone [-stòun] *n.* Ⓤ **1** 〖광물〗 일장석(日長石) **2** = AVENTURINE
sun·stroke [-stròuk] *n.* Ⓤ 〖병리〗 일사병, 열사병 (cf. HEAT EXHAUSTION)
sun·struck [-strʌ̀k] *a.* 일사병에 걸린; 강한 햇빛을 받은
sun·suit [-sùːt | -sjùːt] *n.* (일광욕·놀이 등을 위한) 여성·어린이용 옷

sun·tan [-tæ̀n] *n.* **1** Ⓤ (피부의) 햇볕에 탐, 볕에 그을음 《sunburn처럼 피부에 물집이 생길 정도는 아님》 **2** Ⓤ 밝은 갈색; 볕에 그을린 빛 **3** 《미·흑인속어》 흑인의 엷은 갈색 피부 **4** [*pl.*] 밝은 갈색 여름 군복
— *vt., vi.* = TAN **sún·tànned** *a.*
sún tràp (바람막이한 정원·테라스 등의) 양지바른 곳
sun·up [-ʌ̀p] *n.* 《미》 = SUNRISE
sún vìsor (자동차 등의 직사광선을 피하는) 차광판, 선바이저
sun·ward [sʌ́nwərd] *a.* 태양쪽의, 태양을 향한
— *ad.* 태양쪽으로, 태양을 향하여
sun·wards [sʌ́nwərdz] *ad.* = SUNWARD
Sun Wen [sún-wén] 쑨원(孫文) (1866-1925) 《중국의 정치가·혁명가》
sun·wise [sʌ́nwàiz] *ad.* 태양의 운행과 같은 방향으로, 우회전으로, 시계 방향으로(clockwise)
sún wòrship 태양(신) 숭배
sun-wor·ship·per [-wɔ̀ːrʃipər] *n.* 《구어》 일광욕으로 피부를 그을리기 좋아하는 사람
Sun Yat-sen [sún-jɑ̀ːtsén] 쑨이셴(孫逸仙)(Sun Wen)
sup[1] [sʌ́p] *vi.* (**~ped**; **~·ping**) 《고어》 **1** 저녁밥(supper)을 먹다 **2** (…을) 저녁밥으로 먹다 《*on, off*》 ***~ out*** 외식하다
***sup**[2] [sʌ́p] *v.* (**~ped**; **~·ping**) *vt.* **1** 〈음식·음료를〉 조금씩 먹다[마시다]; 홀짝홀짝 마시다(sip), 홀짝이다 **2** 《스코》 마시다
— *vi.* 조금씩 먹다[마시다], 홀짝이다; 숟가락으로 조금씩 떠 먹다: He needs a long spoon that ~*s* with the devil. 《속담》 악인을 대할 때는 방심해서는 안 된다.
— *n.* [보통 a ~] (음식·음료 등의) 한 입, 한 모금, 한 번 마시기 《*of*》
sup- [səp, sʌp] *pref.* = SUB- 《p 앞에 올 때의 변형》
sup. superior; superlative; supine; supplement; supply; *supra* 《L = above》; supreme
Sup. Ct. Superior Court; Supreme Court
supe [súːp | sjúːp] *n.* 《구어》 **1** 〖연극〗 엑스트라, 단역(supernumerary) **2** = SUPERINTENDENT
su·per [súːpər | sjúː-] 《구어》 *n.* **1** = SUPERINTENDENT **2** 〖영화〗 특작품; 〖상업〗 특제품; 특대품, 특등품 **3** 《미》 슈퍼마켓 **4** (제본용의) 성긴 면포, 한랭사(寒冷紗) — *a.* 《속어》 **1** 극상의, 극도의, 최고급의, 훌륭한, 초대형의: a ~ gentleman 최고의 신사 / ~ haste 몹시 서두름 **2** 특대의, 특등품의(excellent) **3** 표면상의(superficial), 평방의
super- [súːpər | sjúː-] *pref.* 「이상; 과도, 극도; 초월」의 뜻(opp. *sub-*) ★ 형용사·명사·동사에 붙임.
super. superficial; superfine; superintendent; superior; supernumerary
su·per·a·ble [súːpərəbl | sjúː-] *a.* 타파[극복]할 수 있는, 이길 수 있는
su·per·a·bound [sùːpərəbáund | sjùː-] *vi.* (…이) 너무 많다; 남아돌다 《*in, with*》
su·per·a·bun·dant [-bʌ́ndənt] *a.* 너무 많은, 남아도는, 과잉의, 과다의
-dance [-dəns] *n.* **~·ly** *ad.*
su·per·ác·ti·nide sèries [-ǽktənàid-] 슈퍼악티니드 계열 《초(超)악티니드 계열보다 큰 원자 번호를 가진 초중원소(超重元素)가 만드는 계열》
su·per·add [-ǽd] *vt.* 더 부가[첨가]하다, 덧붙이다
su·per·ad·di·tion [-ədíʃən] *n.* Ⓤ 추가, 부가, 첨가; Ⓒ 부가[첨가]물
su·per·al·loy [-ǽlɔi] *n.* 초합금 《산화·고온·고압에 견딤》
su·per·an·nu·ate [-ǽnjuèit] *vt.* **1** 노쇠[병약]하여 퇴직시키다, 연금을 주어서 퇴직시키다 **2** 〈물건을〉 오래되어 정리하다 — *vi.* 노령으로 퇴직하다; 시대에 뒤떨어지다, 노후하다, 구식이 되다 **-àt·ed** *a.*
su·per·an·nu·a·tion [-æ̀njuéiʃən] *n.* **1** Ⓤ 노후; 노쇠; 노년 퇴직[퇴역] **2** 노령 퇴직 수당[연금]

*__su·perb__ [su:pə́:rb, sə- | sjú:-] *a.* **1** 최고[최상]의, 훌륭한, 멋진, 뛰어난, 특히 우수한 **2** 〈건물 등이〉 당당한, 장려한; 화려한, 눈부신 **~·ly** *ad.* **~·ness** *n.*

__su·per·ba·by__ [sú:pərbèibi | sjú:-] *n.* 슈퍼베이비 《영재 교육을 받는 유아》; [**S~**] 젖먹이 슈퍼맨

__su·per·ba·za(a)r__ [-bəzɑ́:r] *n.* 《인도》 (특히 정부가 설립한 협동 조합 방식의) 슈퍼마켓

__su·per·block__ [-blɑ̀k | -blɔ̀k] *n.* 초가구(超街區), 슈퍼블록 《교통을 차단한 주택·상업 지구》

__su·per·bolt__ [-bòult] *n.* 〖기상〗 초전광 《10^{13}와트의 광에너지를 방출하는 번개》

__su·per·bomb__ [-bɑ̀m | -bɔ̀m] *n.* 초강력 폭탄 《수소 폭탄 등》 **~·er** *n.* superbomb을 탑재한 폭격기

__Súper Bówl__ [the ~] 슈퍼볼 《미국 프로 미식축구의 챔피언 결정전》

__su·per-bug__ [-bʌ̀g] *n.* 슈퍼버그 《석유를 대량으로 급속히 먹어치우는 박테리아》

__su·per·cal·en·der__ [-kǽləndər] *n.* 슈퍼캘린더 《증기와 압력을 이용해 종이 등에 고도의 광택과 매끄러움을 주는 기계》 **—** *vt.* 〈종이를〉 슈퍼캘린더 처리하다

__su·per·cal·en·dered__ [sù:pərkǽlindərd | sjù:-] *a.* 〈종이 등이〉 특별한 윤이 나는, 잘 손질한

__su·per·car·go__ [sú:pərkɑ̀:rgou | sjú:-] *n.* (*pl.* ~(**e**)**s**) 화물 관리인 《화주를 대표하여 상선에 승선함》

__su·per·car·ri·er__ [-kæ̀riər] *n.* (원자력 등에 의한) 초대형 항공모함

__su·per·cat__ [-kæ̀t] *n.* 《영·익살》 슈퍼고양이 《국영기업을 불하받고 막대한 이윤을 올리는 회사 경영자; 신문용어》

__su·per·cen·ter__ [-sèntər] *n.* (교외의) 대형쇼핑 센터

__su·per·charge__ [-tʃɑ̀:rdʒ] *vt.* 〈엔진 등에〉 과급(過給)하다, 여압(與壓)하다; 〈감정·긴장·에너지 등을〉 지나치게 들이다 **—** *n.* 과급

-chàrged *a.* **-chàrg·er** *n.* (엔진의) 과급기

__su·per·chic__ [-ʃi:k] *a.* 최고급의

__su·per·chip__ [-tʃip] *n.* 〖컴퓨터〗 슈퍼칩, 초(超) LSI 《대규모 집적 회로》

__su·per·church__ [-tʃə̀:rtʃ] *n.* 거대 교회 《여러 파의 통합 교회》

__su·per·cil·i·ar·y__ [sù:pərsílièri | sjù:pərsíliəri] *a.* 눈썹의; 눈 위에 있는

__su·per·cil·i·ous__ [sù:pərsíliəs | sjù:-] *a.* 사람을 내려다보는[얕보는], 거만한, 건방진, 젠체하는, 거드름 피우는 **~·ly** *ad.* **~·ness** *n.*

__su·per·cit·y__ [sú:pərsìti | sjú:-] *n.* (*pl.* **-cit·ies**) 거대 도시, 대도시권(圈)(megalopolis)

__su·per·class__ [-klæ̀s | -klɑ̀:s] *n.* 〖생물〗 (분류학상의) 상강(上綱); 아문(亞門)

__su·per·clu·ster__ [-klʌ̀stər] *n.* 〖천문〗 초은하(超銀河) 집단(super galaxy)

__su·per·coil__ [-kɔ̀il] *n.* 〖생화학〗 =SUPERHELIX

__su·per·col·lid·er__ [-kəlàidər] *n.* 슈퍼컬라이더 《초대형 입자 가속기》

__su·per·co·los·sal__ [sù:pərkəlɑ́səl | sjù:pəkəlɔ́-] *a.* 엄청나게 큰, 초대작의

__su·per·co·lum·ni·a·tion__ [-kəlʌ̀mniéiʃən] *n.* Ⓤ 중열주(重列柱)(식 건축)

__su·per·com·put·er__ [sú:pərkəmpjù:tər, ⌐–⌐⌐– | sjú:-] *n.* 슈퍼컴퓨터, 초고속 전자 계산기

sú·per·com·pùt·ing *n.* 슈퍼컴퓨터에 의한 연산

__su·per·con·duct__ [sù:pərkɑ́ndʌkt | sjù:pərkɔ́n-] *vi.* 초전도하다

__su·per·con·duc·tiv·i·ty__ [-kɑ̀ndʌktívəti | -kɔ̀n-] *n.* Ⓤ 〖물리〗 초전도(성)

__su·per·con·duc·tor__ [-kəndʌ́ktər] *n.* 초전도체

__su·per·con·scious__ [-kɑ́nʃəs | -kɔ́n-] *a.* 〖심리〗 인간의 의식을 초월한, 초의식의 **~·ly** *ad.* **~·ness** *n.*

__su·per·con·ti·nent__ [sú:pərkɑ̀ntənənt | sjú:pər-kɔ̀n-] *n.* 〖지리〗 초대륙 《현재의 대륙이 모두 합쳐져 있었다는 태곳적의 대륙》

__su·per·cool__ [sù:pərkú:l | sjù:-] *vt.* 〈액체를〉 응고시키지 않고 응고점 이하로 냉각하다, 과냉각하다 **—** *vi.* 과냉각되다

__su·per·crat__ [sú:pərkræ̀t | sjú:-] *n.* 《구어》 (각료급의) 고급 관료, 고관

__su·per·crit·i·cal__ [sù:pərkrítikəl | sjù:-] *a.* 〖물리〗 (핵반응 물질 농도 등의) 임계(臨界) 초과의, 초임계(超臨界)의 **~·ly** *ad.* **~·ness** *n.*

__supercrítical wíng__ 〖항공〗 초임계익(翼), 천음속익(遷音速翼) 《기류가 날개 위를 초음속으로 흘러 충격타 발생을 제거하게 한 날개》

__su·per·cur·rent__ [sú:pərkə̀:rənt | sjú:pərkʌ̀-] *n.* 〖전기〗 초전도(超傳導) 전류

__su·per·dom·i·nant__ [sù:pərdɑ́mənənt | sjù:pər-dɔ́-] *n.* 〖음악〗 하중음(下中音) 《음계의 제6음》

__su·per·dread·nought__ [-drédnɔ̀:t] *n.* 초노급(선)함(超弩級(戰)艦)

__su·per-du·per__ [-djú:pər | -djú:-] *a.* 《속어》 **1** 아주 훌륭한, 월등히 좋은 **2** 초대형의, 거대한, 극상의

__su·per·e·go__ [sù:pərí:gou | sjù:-] *n.* (*pl.* **~s**) 〖정신분석〗 초자아(超自我), 상위(上位) 자아 《자아를 감시하는 무의식적 양심》

__su·per·el·e·va·tion__ [-èləvéiʃən] *n.* ⓊⒸ **1** (철도·고속도로 등의 커브길에서 바깥쪽을 높인) 경사(면) **2** 추가적으로 높임

__su·per·em·i·nent__ [-émənənt] *a.* **1** 탁월한, 뛰어난, 출중한, 빼어난 **2** 고위의, 고관의 **~·ly** *ad.*

__su·per·er·o·gate__ [-érəgèit] *vi.* 과도하게[직무 이상으로] 일하다; 과도하게 일하여 보충하다

__su·per·er·o·ga·tion__ [-èrəgéiʃən] *n.* Ⓤ 직무 이상으로 일하기, 여분의 노력; 〖신학〗 공덕(功德), 적선

__su·per·e·rog·a·to·ry__ [-ərɑ́gətɔ̀:ri | -erɔ́gətəri] *a.* **1** 직무 이상으로 일하는 **2** 여분의(superfluous), 필요 이상의

__su·per·ette__ [sù:pərét | sjù:-] *n.* 《미》 소형 슈퍼마켓

__su·per·ex·cel·lent__ [sù:pəréksələnt | sjù:-] *a.* 극히 우수한, 탁월한, 무상(無上)의, 절묘한 **-lence** *n.*

__su·per·ex·press__ [-iksprés] *a.* 초특급의 **—** *n.* 초특급 열차

__su·per·fam·i·ly__ [sú:pərfæ̀məli | sjú:-] *n.* (*pl.* **-lies**) 〖생물〗 (분류상의) 상과(上科), 초과(超科)

__su·per·fat·ted__ [sù:pərfǽtid | sjù:-] *a.* 〈비누가〉 지방 과다 함유의

__su·per·fect·a__ [-féktə] *n.* Ⓤ 《미》 〖경마〗 초연승 단식(超連勝單式) 《1착에서 4착까지를 맞히는 내기》

__su·per·fe·cun·da·tion__ [-fèkəndéiʃən | sjù:-] *n.* Ⓤ 과(過)임신, (동기(同期)) 복(複)임신

__su·per·fe·male__ [-fí:meil] *n.* =METAFEMALE

__su·per·fe·ta·tion__ [-fitéiʃən] *n.* Ⓤ **1** 과(過)수태, 과(過)수정, 이기 복임신(異期複妊娠) **2** 과잉 산출[축적], 누적

‡__su·per·fi·cial__ [sù:pərfíʃəl | sjù:-] *a.* **1** 표면(상)의, 외면의, 외견상의, 외부의, 겉면의: a ~ resemblance 외견상의 유사 **2** 면적의, 평방의: ~ measurement 면적 측정 **3** 〈상처 등이〉 얕은, 표면에 있는; 피상적인, 천박한: a ~ wound 외상 / a ~ writer 천박한 작가 **4** 실질적이지 않은, 하찮은, 무의미한 **~·ly** *ad.* 표면[피상]적으로, 천박하게 ▷ superficiálity, superfícies *n.*

__su·per·fi·ci·al·i·ty__ [sù:pərfìʃiǽləti | sjù:-] *n.* **1** Ⓤ 천박, 피상 **2** 천박한 사물

__su·per·fi·ci·es__ [sù:pərfíʃiì:z, -ʃi:z | sjù:-] *n.* (*pl.* ~) **1** 표면, 외면 **2** (본질에 대하여) 외관, 외모 **3** 면적 **4** 〖로마법〗 지상권(地上權)

__su·per·fine__ [sù:pərfáin | sjù:-] *a.* **1** 〈물건 등이〉 최고급의, 극상의, 특급의 **2** 〈구분 등이〉 지나치게 세밀한; 〈설탕 등이〉 지나치게 고운; 지나치게 꼼꼼한: ~ sugar 정선 제당(精選製糖)

thesaurus **superficial** *a.* **1** 표면상의 surface, exterior, outer, outside, outward **2** 천박한 shallow, frivolous, silly (opp. *deep, profound*)
superior *a.* better, greater, more advanced,

su·per·fix [sú:pərfìks | sjú:-] *n.* 〖음성〗 상피(上被) 《합성어 등에 공통으로 나타나는 강세형; 합성 명사의 ´ ` 등》

su·per·flu·id [sù:pərflú:id | sjù:-] *n.*, *a.* 〖물리〗 초유동체(超流動體)(의)

su·per·flu·i·ty [-flú:əti] *n.* (*pl.* **-ties**) **1** Ⓤ.Ⓒ 여분, 과분; (…의) 과다, 과잉 《*of*》 **2** [보통 *pl.*] 남아도는 것, 없어도 되는 것; 사치스러운 생활, 사치품

***su·per·flu·ous** [su:pə́:rfluəs | sju:-] [L 「넘치다」의 뜻에서] *a.* **1** 여분의, 과잉의(excessive); 남아도는, 필요 이상의(redundant): ~ wealth 남아도는 부 **2** 불필요한, 무용의; 부적절한 **~·ly** *ad.* **~·ness** *n.*

su·per·food [sú:pərfù:d | sjú:-] *n.* 슈퍼푸드 《건강 증진과 질병 예방에 좋은 음식》

Su·per·fort [sú:pərfɔ̀:rt | sjú:-] *n.* 〖미군〗 초(超) 공중 요새 《4발 중폭격기 B-29; 나중의 B-50》

Su·per·for·tress [sú:pərfɔ̀:rtris] *n.* = SUPERFORT

su·per·freeze [sù:pərfrí:z | sjù:-] *vt.* 극히 낮은 온도로 냉각하다

su·per·fund [sú:pərfʌ̀nd | sjú:-] *n.* 슈퍼 펀드 《공해 방지 사업을 위한 대형 자금》

su·per·gene [-dʒì:n] *n.* 〖유전〗 초유전자

su·per·gi·ant [-dʒàiənt] *n.* 거대한 물체; 〖천문〗 초거성(超巨星)

súper gìant slálom 〖스키〗 슈퍼 대회전(= **súper Ǵ**) 《대회전(大回轉)보다 기문(旗門) 간격이 좁고 활강에 비해 짧은 코스에서 행함》

su·per·glue [-glù:] *n.* 강력 순간 접착제 **—** *vt.* 강력 순간 접착제로 붙이다

su·per·gov·ern·ment [-gʌ̀vərnmənt] *n.* 연방 정부 (조직); 강력한 정부

su·per·graph·ics [sù:pərgrǽfiks | sjù:-] *n. pl.* [단수·복수 취급] (기하학적 도형의 디자인 등의) 대담한 색깔의 대형 그래픽아트

su·per·grass [sú:pərgræ̀s | sjú:pərgrɑ̀s] *n.* 《영·구어》 밀고자, 중대 정보 제공자

su·per·grav·i·ty [sù:pərgrǽvəti | sjù:-] *n.* 〖물리〗 초중력

su·per·group [sú:pərgrù:p | sjú:-] *n.* 〖음악〗 슈퍼그룹 《해체한 몇몇 그룹의 우수 멤버들로 재편성된 록밴드》

su·per·hawk [-hɔ̀:k] *n.* (핵전쟁도 불사하는) 초강경파 사람

su·per·heat [sù:pərhí:t | sjù:-] *vt.* 〈액체를〉 끓이지 않고 비등점 이상으로 가열하다, 과열하다
— [´-`] *n.* Ⓤ 과열 (상태) **~·er** *n.* 과열기[장치]

su·per·heat·ed [-hí:tid] *a.* 〖물리〗 **1** 〈액체를〉 비등점[100도] 이상 가열한 **2** 〈기체를〉 포화점 이상 가열한

su·per·heav·y [-hévi] 〖물리〗 *a.* **1** 초중(超重)의 《이제까지의 것보다 큰 원자 번호·원자 질량을 갖는》: ~ nuclei 초중 원자핵 **2** 초중 원소의
— *n.* (*pl.* **-ies**) 초중 원소

súper héavyweight (레슬링·복싱 따위의) 슈퍼 헤비급 (선수)

su·per·he·lix [sú:pərhì:liks | sjú:-] *n.* 〖생화학〗 초헬릭스 《DNA 등의 나선 구조를 가진 두 사슬이 다시 꼬인 것》

su·per·he·ro [-hì:rou | -hìərou] *n.* 초영웅, 초인; 초일류의 탤런트[스포츠 선수]; 만화 등에서 초인적 능력으로 악과 싸우는 가공의 영웅

su·per·het·er·o·dyne [sù:pərhétərədàin | sjù:-] 〖통신〗 *n.* 슈퍼헤테로다인 수신 장치, 고감도 수신 장치 **—** *a.* 슈퍼헤테로다인(장치)의

sú·per·high fréquency [sú:pərhài- | sjú:-] 〖통신〗 센티미터파(波), 초고주파 《주파수 3-30 gigahertz; 略 SHF》

su·per·high·way [sù:pərhàiwèi | sjù:-] *n.* 《미》 (다차선의) 고속도로 《expressway, turnpike 등》

su·per·hu·man [-hjú:mən] *a.* **1** 초인적인: a ~ being 초인간적 존재, 신 **2** 사람의 짓이 아닌; 신기(神技)의: a ~ effort 초인적 노력

su·per·im·pose [sù:pərimpóuz | sjù:-] *vt.* **1** (…의 위에) 얹다, 포개 놓다 《*on, upon, over*》 **2** 첨가하다, 덧붙이다, 보충하다 《*on, upon*》 **3** 〖영화·TV〗 이중 인화(印畫)하다 《두 화상을 겹쳐 인화하여 새 화면을 만들기》 **-im·po·si·tion** [-ìmpəzíʃən] *n.*

su·per·in·cum·bent [-inkʌ́mbənt] *a.* (다른 것의) 위에 있는; 〈압력 등이〉 위로부터의

su·per·in·duce [-indjú:s] *vt.* **1** 덧붙이다, 첨가하다 **2** (어떤 지위를 차지하고 있는 사람 위에) 〈다른 사람을〉 앉히다 **3** (고어) 〈서자를〉 (적자 대신) 상속인으로 하다 **-in·dúc·tion** *n.*

su·per·in·fec·tion [sú:pərinfèkʃən | sjú:-] *n.* 〖병리〗 중복 감염

***su·per·in·tend** [sù:pərinténd | sjù:-] *vt.* 〈일·종업원 등을〉 감독하다(supervise), 관리[지배, 지휘]하다
— *vi.* 감독[관리]하다

su·per·in·tend·ence [-inténdəns] *n.* Ⓤ 감독, 관리: under the ~ of …의 감독하에

su·per·in·tend·en·cy [-inténdənsi] *n.* (*pl.* **-cies**) **1** Ⓤ 감독권, 감독자의 지위[직무, 임기] **2** 감독 지역[구역], 담당 구역 **3** = SUPERINTENDENCE

***su·per·in·tend·ent** [sù:pərinténdənt | sjù:-] *n.* **1** 감독, 관리자, 지배인 **2** (관리) 국장, 처장; 《미》 교장, (지방 교육 위원회의) 교육감 **3** 〖그리스도교〗 감독 **4** 《미》 경찰 본부장; 《영》 총경 《inspector의 상위》 **5** 《미》 (아파트 등의) 관리인
the ~ of schools 교육감
— *a.* 감독[지배, 관리]하는

‡su·pe·ri·or [səpíəriər, su- | sju:-] *a.* (opp. *inferior*) **1** (지력·능력 등이) 뛰어난(excellent), 보다 나은, 발군의 **2** (질·정도 등이) 우수한, 고급의, 상질의, 양질의; (질적으로) (…보다) 나은 《*to*》 **3** (수·양적으로) 우세한, 다수의: escape by ~ speed 상대방보다 빠른 속력으로 달아나다 **4** (지위·순위·중요성 등이) 상위의, 상급의, 상관의, 고위의; (…보다) 위의, 중요한 《*to*》 **5** 거만한, 잘난 체하는: with a ~ air 오만하게 **6** Ⓟ (유혹·장애 등에) 초연한, 굴하지 않는, 좌우되지 않는 《*to*》: be ~ *to* temptation 유혹에 굴하지 않다 **7** 〈장소·위치가〉 위의, 상부의, 위쪽의: ~ ground 더 높은 지점 **8** 〖식물〗 〈꽃받침이〉 씨방 위에 있는, 〈씨방이〉 꽃받침이 안 붙은; 〖해부〗 다른 기관 위에 붙은, 상위의 **9** 〖인쇄〗 〈글자가〉 어깨에 붙은, 위에 붙은, 어깨 글자의: a ~ figure[letter] 어깨 숫자[문자] 《shock², Xⁿ의 ², ⁿ 등》 **10** 〖천문〗 외측의, 〈행성이〉 지구 궤도의, 바깥쪽에 궤도를 가진
— *n.* **1** 우수한 사람, 우월한 사람 **2** 윗사람, 선배; 상관, 상사 **3** [**S~**; 종종 the Father[Mother, Lady] S~] 수도원장[수녀원장] **4** 〖인쇄〗 어깨 글자[숫자]

Su·pe·ri·or [səpíəriər, su- | sju:-] *n.* **Lake ~** 슈피리어 호 《북미에 있는 세계 최대의 담수호》

supérior cóurt 《미》 상급 법원; 《영》 고등[항소] 법원

su·pe·ri·or·ess [səpíəriərəs | sju:-] *n.* 수녀원장

supérior góods 〖경제〗 상급재 《소비자의 소득이 증가할수록 수요가 늘어나는 상품》(cf. INFERIOR GOODS)

***su·pe·ri·or·i·ty** [səpìəriɔ́:rəti, -ɑ́rə-, su- | sju:-pìəriɔ́-] *n.* Ⓤ (…에 대한) 우월, 탁월, 우세, 우위, 우수 《*over, to*》(opp. *inferiority*) ▷ supérior *a.*

superiórity còmplex 우월 콤플렉스, 우월감

su·pe·ri·or·ly [supíəriərli | sju:-] *ad.* **1** 빼어나서, 우세하게, 탁월하여 **2** 위에, 상부에, 높이 **3** 건방지게, 거만하게

supérior plánet 〖천문〗 외행성 《지구보다 궤도가 바깥쪽에 있는 행성》

---

higher, surpassing, good-quality, first-rate, fine (opp. *inferior, low*) **—** *n.* boss, manager, chief, supervisor (opp. *inferior, subordinate*)
superiority *n.* dominance, supremacy, advantage

su·per·ja·cent [sù:pərdʒéisnt | sjù:-] *a.* (어떤 것의) 위(쪽)에 있는

su·per·jet [sú:pərdʒèt | sjú:-] *n.* 초음속[점보] 제트기

superl. superlative

∗**su·per·la·tive** [səpə́:rlətiv, su- | sju:-] *a.* **1** 최고(도)의; 최상의; 비길 데 없는 **2** 〖문법〗 최상급의: the ~ degree 최상급 **3** 과도한, 과장된, 떠벌린 —*n.* **1 a** [the ~] 〖문법〗 최상급 **b** 최상급의 단어[어형] **2** [보통 *pl.*] 최상급의 말; 과장된 표현: full of ~*s* 〈말 등이〉 몹시 과장된 **3** 극치, 완벽 **4** [보통 the ~] 최고의 사람[것]; (…의) 전형 ***speak*** [***talk***] ***in*** **~*s*** 과장하여 말하다; 굉장히 칭찬하다 ***the absolute*** **~** 〖문법〗 절대 최상급 ★ 다른 것과 비교해서가 아니라 막연히 정도가 (가장) 높음을 나타냄: my *dearest* mother 내가 가장 좋아하는 어머니
~·ly *ad.* **~·ness** *n.*

su·per·lin·er [sú:pərlàinər | sjú:-] *n.* 초대형 쾌속 호화 여객선; 호화 급행 열차

su·per·lu·na·ry [sù:pərlú:nəri | sjù:-], **-nar** [-nər] *a.* 달 위에 있는; 하늘의; 이 세상 것이 아닌 (cf. SUBLUNARY)

su·per·ma·jor·i·ty [sú:pərmədʒɔ̀:rəti | sjú:pər-mədʒɔ̀-] *n.* (법안 채택 등에서의) 압도적 다수

su·per·male [-mèil] *n.* = METAMALE

su·per·man [-mæ̀n] *n.* (*pl.* **-men** [-mèn]) **1** 초인(超人), 슈퍼맨 **2** 《구어》 초인적인 힘을 지닌 사람; [**S~**] 슈퍼맨 《Jerry Siegel과 Joe Shuster의 만화 주인공》

sú·per·mán·y·time théory [-ménitàim-] 〖물리〗 초다시간(超多時間) 이론 《상대론적으로 장(場)의 양자론을 정식화한 이론》

∗**su·per·mar·ket** [sú:pərmɑ̀:rkit | sjú:-] *n.* 슈퍼마켓; 종합 회사: a financial ~ 종합적 금융회사

su·per·max [sú:pərmæ̀ks | sjú:-] *n.* (미) 슈퍼맥스 교도소 《가장 엄격한 제약을 받는 곳이며 주로 흉악범을 수용》

su·per·me·di·al [sù:pərmí:diəl | sjù:-] *a.* 중(中) 이상의; 중심보다 위인

su·per·mi·cro·scope [sú:pərmàikrəskòup | sjú:-] *n.* 초고성능 전자 현미경 《전자 현미경의 일종》

su·per·mod·el [sú:pərmɑ̀dl | sjú:pəmɔ̀dl] *n.* 슈퍼모델 《정상급의 모델》

su·per·mol·e·cule [-mɑ̀likju:l | -mɔ̀-] *n.* 〖화학〗 초분자

su·per·mun·dane [sù:pərmʌndéin | sjù:-] *a.* 속세를 초월한, 초현세적인

su·per·nac·u·lum [-nǽkjuləm] *ad.* (영) 최후의 한 방울까지 —*n.* 최상의 것[술]

su·per·nal [supə́:rnl | sju:-] *a.* **1** (문어) 하늘의, 천상의, 신의(divine) **2** 이 세상 것이 아닌, 숭고한, 고귀한, 높은 **~·ly** *ad.*

su·per·na·tant [sù:pərnéitnt | sjù:-] *a.* 표면에 뜨는; 〖화학〗 상청액(上清液)의 —*n.* 표면에 뜨는 물질; 〖화학〗 상청액

su·per·na·tion·al [-nǽʃənl] *a.* 초국가적인, 국제적인 **~·ism** *n.* **~·ist** *n.* **~·ly** *ad.*

∗**su·per·nat·u·ral** [sù:pərnǽtʃərəl | sjù:-] *a.* 초자연의; 불가사의한, 신비적인, 이상한 —*n.* [the ~] 초자연적 존재[현상, 것], 기적 **~·ism** *n.* 초자연성[력], 초자연주의[신앙] **~·ist** *n.* 초자연론자 **~·ly** *ad.* 초자연적으로, 불가사의하게

supernátural vírtue *n.* = THEOLOGICAL VIRTUE

su·per·nor·mal [-nɔ́:rml] *a.* 통상적[보통]이 아닌, 평균을 초월한, 비범한; 인지(人知)로 헤아릴 수 없는

su·per·no·va [-nóuvə] *n.* (*pl.* **-vae** [-vi:], **~s**) 〖천문〗 초신성(超新星) 《변광성(變光星)의 일종》

su·per·nu·mer·ar·y [-njú:mərèri | -rəri] *a.* **1** 규정수 이상의, 정원 외의; 여분의, 잉여의, 남는 **2** 보조[대리] 요원의 **3** 〖생물〗 〈구조·기관 등이〉 정상 수 이상의, 과잉의 —*n.* (*pl.* **-ar·ies**) **1 a** 정원 외의 사람; 임시 고용인 **b** 남는 것, 과잉물 **2** (대사 없는) 단역 배우, 엑스트라

su·per·nu·tri·tion [-nju:tríʃən] *n.* Ⓤ 영양 과다

su·per·or·der [sú:pərɔ̀:rdər | sjú:-] *n.* 〖생물〗 (분류상의) 상목(上目) 《강(綱)의 아래》

su·per·or·di·nate [sù:pərɔ́:rdənət | sjù:-] *a.* 〈지위 등이〉 상위의, 높은, 고위의, 고관의; 〖논리〗 〈개념이〉 상위의, 포괄한 —*n.* 상위의 사람[것]; 상위어(上位語) — [-dənèit] *vt.* 승진[승격, 승급]시키다

su·per·or·gan·ic [-ɔ:rgǽnik] *a.* 〖사회·인류〗 초유기체의, 초개인의, 형이상의 《개인을 초월한 사회의 문화적 통합 원리에 의지하는 경우에 대해 이름》

su·per·ov·u·late [-ɑ́vjuleit | -ɔ́vju-] *vi., vt.* 과잉 배란(排卵)하다[시키다]

su·per·par·ti·cle [-pɑ́:rtikl] *n.* 초소립자

su·per·pa·tri·ot [-péitriət] *n.* 광신적 애국자

su·per·phos·phate [-fɑ́sfeit | -fɔ́s-] *n.* 〖화학〗 과인산염; 과인산 비료: ~ of lime 과인산 석회

su·per·phy·lum [sú:pərfàiləm | sjú:-] *n.* (*pl.* **-la** [-lə]) 〖생물〗 상문(上門) 《생물 분류 구별의 하나》

su·per·phys·i·cal [sù:pərfízikəl | sjù:-] *a.* 초물질적인, 물리학적으로 설명할 수 없는

su·per·plas·tic·i·ty [-plæstísəti] *n.* (합금의) 초(가)소성 **-plas·tic** [-plǽstik] *a.* 초(가)소성 (재료)의

su·per·port [sú:pərpɔ̀:rt | sjú:-] *n.* 초대형 항구 《초대형 선박의 정박을 위해 해상에 건설된》

su·per·pose [sù:pərpóuz | sjù:-] *vt.* (…의 위에) 놓다, 겹쳐 놓다, 포개다 《*on, upon*》
-po·si·tion [-pəzíʃən] *n.*

su·per·po·tent [-póutənt] *a.* 특히 강력한, 〈약품 등이〉 초효력의 **-ten·cy** [-tənsi] *n.*

su·per·pow·er [sú:pərpàuər | sjú:-] *n.* **1** Ⓤ 막강[강대]한 힘 **2** 초강대국; 강력한 국제 (관리) 기구 **3** Ⓤ 〖전기〗 초출력 《특히 큰 규모의 기계 출력 또는 전력》 **~ed** *a.*

su·per·race [-rèis] *n.* (타민족보다 뛰어나다고 생각하는) 우수 민족

súper rát (독물에 대해 유전적 면역성을 획득한) 슈퍼 쥐

su·per·re·al·ism [sù:pərrí:əlìzm | sjù:-] *n.* = SURREALISM

su·per·sat·u·rate [-sǽtʃərèit] *vt.* 과포화시키다
-sàt·u·rá·tion *n.*

súper sáver **1** [**S- S-**] (미) 초할인 국내 항공 운임 《30일 전 구입, 7일 이상 여행이 조건》 **2** (식품 시장의) 특별 할인 상품

su·per·scribe [sú:pərskràib, ᐟ—ᐟ | sjú:-] *vt.* 〈이름 등을〉 위[겉]에 쓰다[새기다]; 〈편지 겉봉에〉 수취인 주소·성명을 쓰다

su·per·script [-skrìpt] *a.* 〖인쇄〗 위에 쓴 —*n.* 어깨 글자[기호, 숫자] 《보기: $a^3 \times b^n$의 ^{3}, ^{n} 등》

su·per·scrip·tion [sù:pərskrípʃən | sjù:-] *n.* 위에 쓴 글자, 표서(表書); 표제(表題), 제목(heading); (편지의) 수취인 주소·성명(address)

su·per·se·cret [-sí:krit] *a.* 초극비의(top secret)

∗**su·per·sede, -cede** [sù:pərsí:d | sjù:-] [L 「위에 앉다」의 뜻에서] *vt.* **1** [종종 수동형으로] 대신[대리]하다, …의 지위를 빼앗다, 대체하다(displace): The radio has *been* ~*d* by the TV. 라디오는 텔레비전으로 대체되었다. **2** 〈사람을〉 바꾸다, 경질[면직]하다, (…와) 교체하다 《*with, by*》: (~+목+전+명) ~ Mr. A *with* Mr. B A씨 대신에 B씨를 취임시키다 **3** [종종 수동형으로] 필요없게 하다, 폐기하다; 〈물건을〉 (…와) 대체하다 《*with, by*》

su·per·se·de·as [sù:pərsí:diəs, -diæ̀s | sjù:-] [L] *n.* (*pl.* ~) 〖법〗 소송 정지 영장

su·per·se·dure [-sí:dʒər] *n.* Ⓤ 대신 들어서기; 대체, 경질; 《특히》 신구 여왕벌의 교체

su·per·sen·si·ble [-sénsəbl] *a.* 오감(五感)으로 지각할 수 없는; 초감각적인

su·per·sen·si·tive [-sénsətiv] *a.* **1** 〈기구·재료가〉 너무 예민한, 지나치게 민감한 **2** 〖사진〗 고감도의 **~·ly** *ad.* **-sèn·si·tív·i·ty** *n.*

su·per·sen·so·ry [-sénsəri] *a.* **1** =SUPERSENSIBLE **2** 감각 기관과는 무관한

su·per·sen·su·al [-sénʃuəl] *a.* **1** 오감을 초월한, 초감각의, 정신적인, 관념적인, 영적인 **2** 극히 관능적인

su·per·ser·vice·a·ble [-sə́:rvisəbl] *a.* 서비스가 지나친; 참견하기 좋아하는

su·per·ses·sion [-séʃən] *n.* Ⓤ 대신 들어서기; 대체, 교체; 경질, 면직; 폐기, 폐지

su·per·sex [sú:pərsèks | sjú:-] *n.* 〖유전〗 초성(超性) 《성지수(性指數)가 정상과 달라 생식 능력이 없음》

su·per·ship [-ʃip] *n.* 초대형선[탱커]

su·per·size [-sàiz] *a.* Ⓐ (미) 〈음식·음료가〉 초대형의, 대짜의 **—** *vt.* (미) 〈음식·음료를〉 대짜로 내놓다

su·per·son·ic [-sánik | -sɔ́-] *a.* **1** 초음속의(opp. *subsonic*), 초음속을 내는: ~ speed 초음속/a ~ plane 초음속기 **2** 〖물리〗 초음파의 《주파수가 가청 극한인 20,000 헤르츠 이상》: ~ waves 초음파
— *n.* **1** 초음속, 초음파 **2** 초음속 (항공)기

su·per·son·ics [-sániks | -sɔ́-] *n. pl.* [단수 취급] 초음속학; 초음파학

supersónic tránsport 초음속 여객기 《略 SST》

su·per·sound [sú:pərsàund | sjú:-] *n.* =ULTRASOUND

su·per·space [-spèis] *n.* 〖수학〗 초공간 《물리적으로 가능한 모든 3차원 공간을 점으로 나타낸 수학적 공간》

su·per·speed [-spì:d] *a.* 초고속의, 《특히》 초음속의

su·per·star [-stɑ̀:r] *n.* **1** (스포츠·예능의) 슈퍼스타, 초대(超大)스타 **2** 〖천문〗 초거성(超巨星)

su·per·state [-stèit] *n.* 강력한 중앙 집권 국가; 전체주의 국가; 초강대국(superpower)

‡**su·per·sti·tion** [sù:pərstíʃən | sjù:-] [L 「사물의 위에 서는 것」의 뜻에서] *n.* **1** 미신; 미신적 습관[행위] **2** (미지의 것·신비적인 것에 대한) 공포, 두려움 **3** 맹신, 불합리한 고정관념 **4** (드물게) 우상 숭배, 사교(邪敎)

***su·per·sti·tious** [sù:pərstíʃəs | sjù:-] *a.* **1** 미신의, 미신적인: ~ fears 미신적 공포/~ tales 미신 이야기 **2** 미신에 사로잡힌 **~·ly** *ad.* **~·ness** *n.*

su·per·store [sú:pərstɔ̀:r | sjú:-] *n.* (영) (교외의) 대형 백화점[슈퍼마켓]

su·per·stra·tum [-strèitəm | -strɑ̀:-] *n.* (*pl.* **-ta** [-tə], **~s**) 〖지질〗 상층; 〖언어〗 상층 (언어)

sú·per·string thèory [-strìŋ-] 〖물리〗 초현(超弦) 이론 《중력·전자력·약력(弱力)·강력(强力) 등 소립자간에 움직이는 근본적인 4개의 힘을 초현(superstring)에 의해 통일적으로 기술하고자 한 이론의 하나》

su·per·struct [sù:pərstrʌ́kt | sjù:-] *vt.* 토대[건축물] 위에 세우다

su·per·struc·ture [sú:pərstrʌ̀ktʃər | sjú:-] *n.* **1 a** (배의 갑판 위의) 상부 구조물 《중갑판 이상의》, 선루(船樓) **b** (토대 위의) 건축, 건물(cf. SUBSTRUCTURE) **2 a** (사회·사상 등의) 상층, 상부 구조 **b** (마르크스주의에서의) 상부 구조 《하부 구조인 경제 구조 위에 형성되는 정치·법률·문화 등》

su·per·sub·ma·rine [sù:pərsʌ́bməri:n | sjù:-] *n.* 초대형 잠수함

su·per·sub·tle [-sʌ́tl] *a.* 지나치게 미세한

su·per·tank·er [sú:pərtæ̀ŋkər | sjú:-] *n.* (75,000톤 이상의) 초대형 유조선

su·per·tax [-tæ̀ks] *n.* ⓊⒸ **1** (영) 부가세 **2** = SURTAX

su·per·ti·tle [-tàitl] *n.* (오페라 상연시) 원본 해석의 영사막 처리 《원문을 번역하여 무대 위쪽의 영사막에 비추어 주는》

su·per·ton·ic [sù:pərtánik | sjù:pərtɔ́-] *n.* 〖음악〗 상주음(上主音)(의 건[현]) 《음계의 제2음》

su·per·trans·u·ran·ic [-trænsjurǽnik] *n., a.* 〖물리·화학〗 초초(超超) 우라늄 원소(의)

Súper Túesday (구어) 슈퍼 화요일, 결전의 화요일 《미국의 여러 주(州)가 동시에 예비 선거를 치르는 3월 첫째 주 화요일》

súper ùser 〖컴퓨터〗 슈퍼 유저 《UNIX 체제에서의 특권적 사용자》

su·per·vene [sù:pərví:n | sjù:-] *vi.* (…에) 잇달아 일어나다, 병발하다, 부수하다 《*on, upon*》; 결과로서 일어나다(ensue)

su·per·ven·tion [-vénʃən] *n.* ⓊⒸ 속발, 병발; 추가, 부가

su·per·vil·lain [sú:pərvìlən | sjú:-] *n.* (특히 가공할 힘을 가진) 슈퍼 악당(cf. SUPERHERO)

***su·per·vise** [sú:pərvàiz | sjú:-] [L 「위에서 보다」의 뜻에서] *vt.* 〈사람·일 등을〉 감독하다, 관리[통제]하다, 지휘하다; 지시[지도]하다
— *vi.* 감독하다, 관리하다 ▷ supervísion *n.*

***su·per·vi·sion** [sù:pərvíʒən | sjù:-] *n.* **1** Ⓤ 감독, 관리, 지휘, 감시, 통제: under the ~ of …의 감독하에 **2** (영) (대학에서) 지도 교수에 의한 개인 지도

súpervision òrder 〖법〗 (영국 법원이 지방 정부 또는 보호 관찰관에게 주는) 아동 감독 명령

***su·per·vi·sor** [sú:pərvàizər | sjú:-] *n.* **1** 감독자; 지휘자, 통제자, 관리인(superintendent) **2** (미) (민선(民選)의) 군[시] 행정 집행관; (공립 학교의) 지도 주임 **3** 현장 주임 **4** 〖컴퓨터〗 슈퍼바이저 《운영 체제(OS)의 중심 부분에서 하드웨어의 능력을 최대한 활용할 수 있도록 체계를 감시·제어하는 프로그램》

su·per·vi·so·ry [sù:pərváizəri | sjù:-] *a.* 감독(상)의, 관리(상)의

su·per·wa·ter [sú:pərwɔ̀:tər | sjú:-] *n.* =POLYWATER

su·per·weap·on [-wèpən] *n.* 초강력 무기

su·per·wom·an [-wùmən] *n.* (*pl.* **-wom·en** [-wìmin]) 뛰어난[초인적] 여성

su·pi·nate [sú:pənèit | sjú:-] *vt.* 손바닥[발바닥]을 위로 향하게 하다, 외전(外轉)하다 **—** *vi.* 손바닥[발바닥]이 위를 향하다, 외전하다

su·pi·na·tion [sù:pənéiʃən | sjù:-] *n.* (손·발의) 외전(外轉) (운동)

su·pi·na·tor [sú:pənèitər | sjú:-] *n.* 〖해부〗 회외근(回外筋) 《팔을 바깥쪽으로 회전시키는 운동에 쓰이는 근육》

su·pine[1] [su:páin | sju:-] *a.* **1** 반듯이 드러누운(cf. PRONE 2); 손바닥을 위로 향한 **2** 게으른(indolent), 무기력한, 나태한, 활발치 못한 **~·ly** *ad.* **~·ness** *n.*

su·pine[2] [sú:pain | sjú:-] *n.* **1** 〖라틴문법〗 (과거분사의 어간에서 만든) 동사상(動詞狀) 명사 **2** 〖영문법〗 to 부정사

supp., suppl. supplement(ary)

‡**sup·per** [sʌ́pər] *n.* **1** ⓊⒸ 저녁 식사, (가벼운) 만찬, 《특히》 야식: have[take] ~ (after the theater) (연극 관람 후) 저녁 식사를 하다/share a ~ with …와 저녁 식사를 같이하다 ★ 보통 dinner를 낮에 먹었을 경우나 저녁에 dinner를 먹은 후 연극 관람을 한 다음 등의 야식을 말함. **2** 만찬회[파티], 저녁 식사 때: a church ~ 교회의 만찬회
sing for** one's* ~ 응분의 답례를 하다 ***the Last S~ 최후의 만찬 《그리스도가 십자가에 못 박히기 전날 밤에 제자들과 같이 한》 ***the Lord's S~*** 성찬, 성만찬식(the (Holy) Eucharist, Holy Communion)

súpper clùb (미) (식사·음료를 제공하는) 고급 나이트클럽

sup·per·less [sʌ́pərlis] *a.* 저녁 식사를 하지 않은: go to bed ~ 저녁을 먹지 않고 잠자리에 들다

sup·per·time [sʌ́pərtàim] *n.* Ⓤ 저녁 식사 시간 《보통 오후 5-7시 사이》

***sup·plant** [səplǽnt, -plɑ́:nt | -plɑ́:nt] *vt.* **1** (책략·강압적 수단으로) 대신 들어앉다, 찬탈하다, 탈취하다 **2** 〈사물에〉 대신하다, 〈물건을〉 대체하다 **~·er** *n.*

sup·ple [sʌ́pl] *a.* (**-pler**; **-plest**) **1** 나긋나긋한, 유연한: ~ movements 유연한 움직임 **2 a** 〈머리·정신 등이〉 유연성 있는, 순응성 있는 **b** 〈사람이〉 유순한, 순

종적인; 《특히》 비위 맞추는, 빌붙는
—*vt., vi.* **1** 나긋나긋하게 하다[되다] **2** 유순하게 하다[되다] **~·ness** *n.*

sup·ple·jack [sʌ́pldʒæ̀k] *n.* **1** 〖식물〗 청사조(靑蛇條)류의 덩굴 식물 **2** 1로 만든 질기고 잘 휘는 지팡이

sup·ple·ly [sʌ́pli] *ad.* = SUPPLY²

‡**sup·ple·ment** [sʌ́pləmənt] *n.* **1** 추가, 보충 **2** (책·서류 등의) 보유(補遺), 증보(增補), 부록 《*to*》

> 유의어 **supplement** 내용을 새롭게 하거나 불충분한 곳을 보완하거나 틀린 것을 정정하거나 하기 위해 나중에 첨가한 부분: A yearly *supplement* is issued. 매년 보유편이 발행된다. **appendix** 부록으로서 첨가한 부분: In the *appendix* are fifty charts. 부록에 50개의 도표가 있다.

3 〖기하〗 보각(補角), 보호(補弧)(cf. COMPLEMENT)
— [sʌ́pləmènt] *vt.* 보충하다, 메우다, 추가하다; 보족하다, 증보하다; 보유[부록]를 달다 **~·er** *n.*
▷ suppleméntary, suppleméntal *a.*

sup·ple·men·tal [sʌ̀pləméntl] *a.* **1** = SUPPLEMENTARY **2** 〖법〗 (답변서·선서 진술서 등의) 추보(追補)의 **—** *n.* 추가[보족](되는 것)

***sup·ple·men·ta·ry** [sʌ̀pləméntəri] *a.* 보충하는, 추가의; 보유의; 부록[증보]의
— *n.* 추가된 것[사람]

suppleméntary ángle 〖수학〗 보각

suppleméntary bénefit 《영》 (국가의) 추가 급부 《사회 보장 제도에 의한 소액 급부》

suppleméntary stóry (신문의) 보족 기사

sup·ple·men·ta·tion [sʌ̀pləmentéiʃən, -mən- | -men-] *n.* 보충함; 보충됨; 보충하는 것

sup·ple·tion [səplíːʃən] *n.* Ⓤ 〖문법〗 보충법 《어형 변화가 없는 형(形)을 다른 어원의 말로 보충하기: go, *went*, gone; good, *better*, *best* 등의 이탤릭체 부분》

sup·ple·to·ry [sʌ́plətɔ̀ːri | -təri] *a.* 보충의, 보유의

sup·pli·ance¹ [səpláiəns] *n.* 공급, 보충

sup·pli·ance² [sʌ́pliəns] *n.* Ⓤ 탄원, 간청, 애원: in ~ for …을 간청하여

sup·pli·an·cy [sʌ́pliənsi] *n.* (*pl.* **-cies**) = SUPPLIANCE²

***sup·pli·ant** [sʌ́pliənt] *a.* **1** 탄원하는, 애원하는, 간청하는(entreating) **2** 〈말·동작이〉 간절히 부탁하는, 매달리다시피 하는
— *n.* 탄원자, 애원자 **~·ly** *ad.* **~·ness** *n.*
▷ súppliance² *n.*; súpplicate *v.*

sup·pli·cant [sʌ́plikənt] *a.* 탄원[애원]하는
— *n.* 탄원자 **~·ly** *ad.*

***sup·pli·cate** [sʌ́pləkèit] *vt.* 〈사람·신에게〉 (…을) 간청하다, 간절히 원하다, 애원[탄원]하다, 기원하다 《*for*, *to* do》: 《~+목+전+명》 ~ God *for* mercy 신의 자비를 빌다 // 《~+목+*to* do》 The traitors ~*d* the king *to* spare their lives. 반역자들은 왕에게 구명을 탄원했다.
— *vi.* (…을) 탄원하다, 애원하다 《*for*》: 《~+전+명》 ~ *to* a person *for* mercy …에게 자비를 탄원하다 / ~ *for* pardon 용서를 빌다
▷ súppliant, súpplicant, súpplicatory *a.*; supplicátion *n.*

sup·pli·cat·ing [sʌ́pləkèitiŋ] *a.* 간청하는

***sup·pli·ca·tion** [sʌ̀pləkéiʃən] *n.* Ⓤ 탄원, 애원, 간청; 기원

sup·pli·ca·tor [sʌ́pləkèitər] *n.* 탄원자

sup·pli·ca·to·ry [sʌ́plikətɔ̀ːri | -təri] *a.* 탄원의, 간청하는; 기원하는

sup·pli·er [səpláiər] *n.* 공급[보충]하는 사람[것]; 원료 공급국[지]; 부품[제품] 제조업자

‡**sup·ply¹** [səplái] [L 「충분히 채우다」의 뜻에서] *v.* (**-plied**) *vt.* **1** 〈사람·시설 등에〉 (필요품 등을) 공급하다, 주다 《*with*》; (사람·시설 등에) 〈필요품 등을〉 공급하다, 주다 《*to*, *for*》(⇨ provide 유의어): 《~+목+목》 Cows ~ us milk. 암소는 우리에게 우유를 공급한다. // 《~+목+전+명》 ~ sufferers *with* clothing = ~ clothing *for* sufferers 이재민에게 의류를 공급하다 / ~ ammunition *to* a garrison 수비대에 탄약을 지급하다 / The city *supplies* books *for* the children. = The city *supplies* the children *with* books. 시(市)에서는 아이들에게 책을 공급한다. **2** 보충하다, 채우다; 〈필요를〉 충족하다, 〈수요에〉 응하다: ~ the need of money 금전의 필요를 충족시키다 **3** 〈지위 등을〉 대신하여 차지하다, …의 대리[보결]로 일하다 ~ ***the place of*** …을 대신하다
— *vi.* 대리를 맡아보다, 대리하다
— *n.* (*pl.* **-plies**) **1** Ⓤ (수요에 대한) 공급, 지급, 보급 **2 a** [종종 *pl.*] 공급품, 지급물, 준비품; 공급[지급]량: the city's water ~ 시당국의 물 공급량 **b** [보통 a ~] (비축물 등의) 양(量), 재고품, 비축물자 《*of*》: *a* large ~ *of* swimwear 수영복의 많은 재고 **3** [*pl.*] (군대·탐험대 등의 일정 기간의) 양식, 군량, 필수품, 보급품 《옷·식량·연료·비누 등》; 병참(兵站); 군수(軍需) **4** [*pl.*] (의회의 승인을 얻은) 세출, 국비 **5** [*pl.*] (개인의) 지출, 부양을 위한 송금 **6** Ⓤ 보결, (특히 목사·교사의) 대리 ***in short ~*** 재고가 부족하여, 불충분하여 ***on ~*** 임시 고용인[대리]으로서 ***~ and demand*** = ***demand and ~*** 〖경제〗 수요와 공급 ***the Committee of S~*** 《영》 하원 예산[세출 조사] 위원회 ***the Ministry of S~*** 《영》 군수성
— *a.* Ⓐ **1** 공급용의 **2** (군대의) 보급(계)의 **3** 대리의

sup·ply² [sʌ́pli] *ad.* 나긋나긋하게, 유연하게; 온순하게, 유순하게

supplý chàin [səplái-] 공급망 《제품이 공급자에서 생산자·도매업자·소매 상인·소비자에게 이동되는 일련의 과정》

supplý dày 《영》 정부의 (통상 이외의) 세출안을 하원에 상정하는 날

supplý lìne 공급선, 군대 물자 운송 경로

sup·ply-side [səpláisàid] *a.* 〖경제〗 공급측 중시의 《경제의 안정 회복과 인플레 억제를 위해 감세나 기업의 투자 확대 촉진법을 만들어 재(財)·서비스의 공급을 증가시킬 필요가 있다는 이론》

supplý-side económics 공급측 (중시)의 경제(이론[학])

sup·ply-sid·er [-sàidər] *n.* 공급측 중시의 경제 이론을 주장하는 미국의 경제학의 한 파

supplý tèacher [səplái-] 《영》 (출산 휴가 때 등의) 임시[대용] 교원(《미》 substitute teacher)

‡**sup·port** [səpɔ́ːrt] *vt., n., a.*

> 원래는 「나르다」의 뜻. 무게 등을 「지탱하다」에서 「받치다」가 되었음.
> 「받치다」 →(물리적으로) 「받치다」; 「받침」 동 **1** 명 **1**
> →(정신적으로) 「지지하다」; 「지지」 동 **6 b** 명 **2**
> →(경제적으로 떠받치다) 「부양하다」; 「부양」 동 **5** 명 **4**

— *vt.* **1** 받치다; (내려앉지 않게) (…로) 지탱하다, 버티다 《*with*》: ~ a load of more than 50 kilos 50킬로그램 이상의 무게를 지탱하다 // 《~+목+전+명》 The old man ~*ed* himself *with* a stick. 노인은 지팡이에 몸을 의지했다. **2** 〈생명·기력 등을〉 유지하다, 지속시키다 **3** 〈남을〉 (정신적으로) 떠받치다, 힘을 북돋우다, 격려하다, 응원하다: 《~+목+전+명》 I was

thesaurus **supply¹** *v.* provide, give, furnish, contribute, donate, grant, come up with, equip, outfit, fulfill, satisfy, meet
support *v.* **1** 받치다 bear, carry, hold up **2** 격려하다 comfort, help, sustain, encourage, hearten **3** 부양하다 provide for, maintain, sustain, take care of, look after **4** 원조하다 back, contribute

~*ed by* the hope for the future. 나는 미래에 대한 희망으로 용기를 냈다. **4** [보통 cannot과 함께] 참다, 〈고통·곤란에〉 견디다 **5** **부양하다,** 기르다, 먹여 살리다: ~ a family 가족을 부양하다 **6 a** 〈시설 등을〉 재정적으로 원조하다 **b** 〈사람·주의·정책 등을〉 **지지하다,** 원조[후원]하다, 지원하다, 옹호하다: ~ a political party 정당을 지지하다 **c** 〖군사〗 〈다른 부대를〉 지원하다, 엄호하다 **7** 〈진술 등을〉 입증하다, 뒷받침하다, 확인하다 **8** 〖연극〗 **a** 〈배역 등을〉 충분히 해내다 **b** 조연하다, 조역을 하다 **9** 〖음악〗 반주하다 **10** 부축하다, 보좌하다 **11** 〖컴퓨터〗 〈본체가〉 〈관련된 기구·기능을〉 지원하다, 제공하다 **~ one*self*** 자활하다

— *n.* **1** Ⓤ **받침,** 떠받침, 지탱; 유지 **2** Ⓤ 지지, 원조, 후원; 찬성; 고무 **3** 지지자, 후원자; 지지물, 지주, 토대; 의지가 되는 것; 확증, 증언, 증거 **4** Ⓤ (가족의) **부양,** 양육; 생활비; Ⓒ 생활 부양자: The pension was her only ~. 연금이 그녀의 유일한 생활비이다. **5** (연극 등의) 조연자, 보조역, 보좌; ⓊⒸ 〖음악〗 반주(부) **6** 〖군사〗 [종종 troops in ~] 예비대, 지원군 **7** 〖의학〗 걸어 매는 붕대 **8** 〖컴퓨터〗 지원 《컴퓨터 사용시 쓸 수 있는 소프트웨어나 주변 장치》 **9** 〖증권〗 = SUPPORT LEVEL ***give ~ to*** …을 지지[후원]하다 ***in ~ of*** …을 지지하여, 찬성하여: speak *in ~ of* …을 옹호하다, …의 찬조 연설을 하다

— *a.* 〈양말이〉 유연성 있는 소재로 된

▷ suppórtless *a.*

sup·port·a·ble [səpɔ́:rtəbl] *a.* **1** 지탱할 수 있는, 지지[찬성]할 수 있는, 지원[후원]할 수 있는 **2** [보통 부정문에서] 참을 수 있는 **3** 부양할 수 있는
sup·pòrt·a·bíl·i·ty *n.* **-bly** *ad.*

suppórt àrea 〖군사〗 전선 보급 기지

sup·pórt·ed wórk [səpɔ́:rtid-] 《미》 정부 후원 직업 훈련 계획 《생활 보조금을 받으며 훈련받음》

***sup·port·er** [səpɔ́:rtər] *n.* **1** **지지자, 후원자,** 원조자, 뒷바라지꾼, 보좌역; 찬성자; 자기편, 한편 **2** 부양자 **3** 지지물, 지주, 버팀; (운동용의) 서포터; 가터 **4** 〖외과〗 걸어 매는 붕대 **5** (문장(紋章)의) 좌우 양편에 서거나 그것을 받드는 한 쌍의 동물 중의 하나 **6** 〖연극〗 조연자

suppórt gròup 지원[지지] 그룹 《알코올 중독·범죄 피해자 등 서로 도움을 주는 모임》; 친목회; 상조회

suppórt hòse 〖의학〗 탄성 스타킹 《다리 보호용의 신축성 있는 스타킹》

sup·port·ing [səpɔ́:rtiŋ] *a.* Ⓐ **1** 받치는, 지지하는, 원조[후원]하는 **2** 조연하는: a ~ actor 조연 배우

sup·port·ive [səpɔ́:rtiv] *a.* **1** Ⓐ 받치는, 지탱하는 **2** 부양하는; (아픈 사람이나 어려운 사람 등에게) 따뜻하게 대하는, 협력적인, 격려하는 《*of*》 **3** 보조적인, 보완적인 **4** 〖의학〗 신체의 생리적 밸런스를 유지하는 데 도움이 되는 **~·ness** *n.*

suppórtive thérapy[tréatment] 〖의학〗 지지(支持) 요법 《체력적·정신적으로 환자를 떠받쳐 주는》

sup·port·less [səpɔ́:rtlis] *a.* 후원[후원자]이 없는; 받침이 없는

suppórt lèvel 〖증권〗 저항선(resistance line) 《하락 시세에서 그 이하로 값이 떨어지면 매입이 늘기 때문에 더 내려가지 않는 가격 수준》

suppórt mìssion 지원 임무 《어느 부대의 임무 달성을 위해 다른 부대가 하는 지원 행동》

suppórt prìce (농가 등에 대한 정부 보조금의) 최저 보장 가격

suppos. 〖처방〗 suppository

sup·pos·al [səpóuzəl] *n.* = SUPPOSITION

to, fund, finance **5** 입증하다 back up, confirm, validate, authenticate, endorse, ratify

suppose *v.* assume, presume, expect, imagine, believe, think, suspect, guess

suppress *v.* **1** 진압하다 conquer, vanquish, crush, quell, extinguish **2** 억제하다 restrain, control **3** 감추다 conceal, hide, smother

‡**sup·pose** [səpóuz] [L 「아래에 두다」의 뜻에서] *vt.* **1** 가정하다, 상상[상정]하다: 《~+*that* 절》 Let us ~ *that* he is innocent. 그가 결백하다고 가정해 보자. / *S*~ you won a million dollars in the lottery. 복권 추첨에서 백만 달러에 당첨되었다고 상상해 보라. **2** [명령형으로] **만약 …이면**(cf. SUPPOSING), …하면 어떨까: *S*~ we (=Let's) go for a walk. 산책하러 가면 어떻겠니. / *S*~ we wait until tomorrow. 내일까지 기다리면 어떨까. // 《~+*that* 절》 *S*~ *that* he refuses, what shall we do? 만일 그가 거절한다면 어떻게 하겠는가? **3** **추측하다,** 추정하다, 생각하다, 헤아리다(⇨ imagine 유의어): 《~+목+*to* do》 Nobody ~*d* him *to* have done such a thing. 그가 그런 일을 했으리라고는 아무도 생각하지 않았다. // 《~+목+(*to be*) 보》 I never ~*d* him (*to be*) a novelist. 나는 그가 소설가라고는 꿈에도 생각지 않았다. // 《~+(*that*) 절》 I ~ (*that*) you are right. 네가 옳을 거야. // I ~ so. 아마 그렇겠지. / I ~ not. 그렇지는 않을 거야. **4 a** (조건으로) …(의 가정)을 필요로 하다, 전제로 하다, 함축하다: Purpose ~*s* foresight. 목적은 선견을 전제로 한다. **b** (관습상·의무상) 〈사람이〉 …할 것으로 기대하다(⇨ supposed 2): What do you ~ he will do? 당신은 그가 무엇을 할 것이라고 생각하시나요? **5** [부정문에서] 《구어》 〈남에게〉 …해도 좋다고 인정하다 ***be ~d to*** do (1) (관습·법·의무로) …하기로 되어 있다 (2) [부정문에서] …해서는 안 된다 ***I ~*** …이겠지요: You are Mr. Smith, *I* ~. 당신은 스미스 씨지요.

— *vi.* 가정[상상, 추측, 생각]하다

sup·pós·a·ble *a.* 상상[가정]할 수 있는

▷ supposítion, suppósal *n.*

***sup·posed** [səpóuzd, -póuzid] *a.* **1** Ⓐ **상상된,** 가정의, 생각되고 있던, 소문이 난: the ~ site of an ancient temple 고대 사원이 있었다고 여겨지는 장소 / ~ gains 가상의 수익 / a ~ case 가정된 사건 **2** Ⓟ 《구어》 (…하기로) 되어 있는: 《~+*to* do》 You are ~ *to* be here at eight every day. 너는 매일 8시에 출근하기로 되어 있다. / Everybody is ~ *to* know the law. 법률은 누구나 알고 있을 의무가 있다. 《몰랐다고 하여 벌을 면할 수는 없다》 / We are not ~ *to* smoke in the classroom. 교실에서는 담배를 피우지 않기로 되어 있다. 《흡연은 금지되어 있다》 / She was ~ *to* meet me here. 그녀는 여기서 나를 만나기로 했다.

sup·pos·ed·ly [səpóuzidli] *ad.* [문장 전체를 수식하여] 생각건대, 추측건대, 아마도(presumably), …으로 상상되어

***sup·pos·ing** [səpóuziŋ] *conj.* 만약 …이라면(if): *S*~ it were true, what would happen? 정말이라면 어떻게 될 것인가?

***sup·po·si·tion** [sʌ̀pəzíʃən] *n.* **1** Ⓤ **상상,** 상정, 추정, 추측, 억측 **2** 가정, 가설(assumption): on the ~ that …으로 가정하고, …이라고 간주하고 **3** 모조[위조]품 **~·al** *a.* **~·al·ly** *ad.*

▷ suppóse *v.*; supposítious, suppósitive *a.*

sup·po·si·tious [sʌ̀pəzíʃəs] *a.* = SUPPOSITITIOUS

sup·pos·i·ti·tious [səpɑ̀zətíʃəs | -pɔ̀-] *a.* **1** 거짓의, 가짜의, 위조의(spurious) **2** 가정의, 가상의(suppositional), 상상상(上)의 **~·ly** *ad.* **~·ness** *n.*

sup·pos·i·tive [səpɑ́zətiv | -pɔ́-] *a.* **1** 가정의, 추정의 **2** 가짜의, 위조의 **3** 〖문법〗 가정을 나타내는

— *n.* 〖문법〗 가정을 나타내는 말 《if, providing, supposing 등》 **~·ly** *ad.*

sup·pos·i·to·ry [səpɑ́zətɔ̀:ri | -pɔ́zətəri] *n.* (*pl.* **-ries**) 좌약(座藥), 좌제(座劑)

‡**sup·press** [səprés] [L 「내리누르다」의 뜻에서] *vt.* **1** 〈반란·폭동 등을〉 **억압[진압]하다,** 가라앉히다 **2 a** 억제하다, 〈신음·하품·감정을〉 억누르다, 참다: ~ one's laughter 웃음을 참다 **b** 〈이름을〉 발표하지 않다 **3** 〈책 등을〉 발매 금지하다 **4** 〈책의 일부를〉 삭제[커트]하다 **5** 〈증거·사실 등을〉 은폐하다, 감추다 **6** 〈출혈·배설 등

을〉 막다, 멈추게 하다 **7** 〖전기〗 〈회로 내의 불필요한 진동 신호 중의 특정 주파수(대)를〉 억제하다 **8** 〈돌연변이 등의〉 유전적 발생을 억제하다
▷ suppréssion *n.*; suppréssive *a.*
sup·pres·sant [səprésənt] *n.* 〖약학〗 억제제[약], 반응 억제제[물질]: a cough ~ 기침 억제제
sup·press·er [səprésər] *n.* =SUPPRESSOR
sup·press·i·ble [səprésəbl] *a.* **1** 억제[억압]할 수 있는 **2** 감출 수 있는 **3** 금지[삭제]할 수 있는
***sup·pres·sion** [səpréʃən] *n.* Ⓤ **1** (반란 등의) 억압, 진압, 탄압 **2** (감정 등의) 억제 **3** (출혈·유출 등을) 막음 **4** (사실 등의) 은폐, 감추기 **5** (출판·발매의) 금지; 일부 삭제 **6** 〖정신의학〗 (충동 따위의) 억제
▷ suppréss *v.*; suppréssive *a.*
sup·pres·si·o ver·i [səpréʃiòu-víərai] [L = suppression of the truth] 〖법〗 진실의 은폐
sup·pres·sive [səprésiv] *a.* **1** 억압[억제]하는, 진압하는, 억누르는 **2** 〈약이〉 대증(對症) 요법의, 증상을 억제하는 **3** 은폐하는; 공표를 금지하는
~·ly *ad.* ~·ness *n.* ▷ suppréss *v.*
sup·pres·sor [səprésər] *n.* **1** 억압[탄압]자, 억제자 **2 a** (성명·증거·사실 등을) 숨기는 사람 **b** 발행 금지자 **3** 〖라디오·TV〗 혼신[잡음] 방지 장치, 차단 장치, 억제기 **4** 〖생물〗 억제 유전자 **5** 대증 요법의 약물[주사]
suppréssor grìd 〖전자〗 억제 격자
suppréssor T cèll 〖생물〗 억제 T세포 《B세포와 다른 T세포의 활동을 억제하는》
sup·pu·rate [sʌ́pjurèit] *vi.* 〈상처가〉 곪다, 화농하다(fester) **sùp·pu·rá·tion** *n.* Ⓤ 화농; 고름(pus)
sup·pu·ra·tive [sʌ́pjuərèitiv] *a.* 화농하는[시키는], 화농성의 —*n.* 화농 촉진제
supr. superior; supreme
su·pra [sú:prə | sjú:-] [L] *ad.* 위에; (책·논문에서) 앞에(above)(opp. *infra*)
su·pra- [sú:prə | sjú:-] *pref.* 「위의, 위에; 앞에」의 뜻
su·pra·cel·lu·lar [sù:prəséljulər | sjù:-] *a.* 〖생물〗 세포보다 큰, 세포 이상의
su·pra·gen·ic [-dʒénik] *a.* 유전자(의 수준)을 넘어선, 초유전자적인
su·pra·le·gal [-lí:gəl] *a.* 초법규적인(extralegal)
su·pra·lim·i·nal [-límənəl] *a.* 〖심리〗 식역상(識閾上)의, 의식 내의, 자극역[변별역]을 초월한
su·pra·mo·lec·u·lar [-məlékjulər] *a.* 〖물리〗 초분자의 《분자보다 훨씬 복잡한; 많은 분자로 된》
su·pra·mun·dane [-mʌndéin] *a.* 이 세상 밖의, 초현세적인, 영계(靈界)의
su·pra·na·tion·al [-nǽʃənl] *a.* 초국가적인
~·ism *n.* ~·ist *n.*
su·pra·nat·u·ral [-nǽtʃərəl] *a.* 초자연적인(supernatural) ~·ism *n.* ~·ist *n.*
su·pra·or·bit·al [-ɔ́:rbitl] *a.* 안와(眼窩) 위의[에 위치하는]
su·pra·par·ti·san [-pɑ́:rtizən | -pɑ̀:tizǽn] *a.* 초당파적인
su·pra·pro·test [-próutest] *n.* 〖법〗 (어음의) 참가[명예] 인수(引受)
su·pra·ra·tion·al [-rǽʃənl] *a.* 이성을 초월한, 이성으로는 이해할 수 없는
su·pra·ren·al [-rí:nəl] 〖해부〗 *a.* 신장 위의; 부신(副腎)의 —*n.* 신상체(腎上體), 《특히》 부신(= ∠ glànd)
su·pra·seg·men·tal [-segméntəl] *a.* **1** 구분을 넘은; 구분에 부가한 **2** 〖언어〗 초분절적인: ~ phoneme 〖음성〗 초분절 음소
—*n.* 구분을 넘은 특성; 초분절소성(素性)
su·pra·thér·mal íon detèctor [-θə́:rməl-] 〖우주과학〗 초열(超熱) 이온 검출 장치 《태양풍 에너지 측정을 위해 월면(月面)에 설치》
su·pra·vi·tal [-váitl] *a.* 〖의학〗 초생체(超生體)의 《생체에서 떼어낸 살아 있는 조직 등》
su·prem·a·cist [səprémәsist, su- | sju-] *n.* [수식어와 함께] (특정 집단[민족]의 우수성을 주장하는) 지상주의자: a white ~ 백인 지상주의자
***su·prem·a·cy** [səpréməsi, su- | sju-] *n.* (*pl.* **-cies**) ⓊⒸ **1** 최고, 지고(至高), 최고위, 최상; 지상; 우월, 우위 **2** 주권, 대권; 패권, 지배권, 지상권
the Act of S~ 〖영국사〗 국왕 지상법 《영국 국왕을 국교 주권자로 하여 로마 교황의 주권을 부인한 Henry 8세 치하의 법령》 ▷ supréme *a.*
su·prem·a·tism [səprémətìzm, su- | sju-] *n.* 〖미술〗 절대[지상]주의 《1910년대 러시아의 예술 운동》 **-tist** *n.*, *a.*
‡**su·preme** [səprí:m, su- | sju-] [L 「상위의」의 뜻의 최상급에서] *a.* **1** 〈정도·품질 등이〉 최고의, 최상의, 최우수의 **2** [종종 **S~**] 〈지위·권력 등이〉 최고위의, 최고 권위의 **3** 극도의, 다시없는, 대단한, 최대의: ~ folly 극도의 어리석음 **4** Ⓐ 최종의, 최후의, 궁극의
at the ~ moment [***hour***] 가장 중요한[마지막] 고비에 ***make the ~ sacrifice*** (특히 전쟁에서) 생명을 바치다, 죽다
—*n.* **1** 최고의 것; 최고[지상]의 상태 **2** [the S~] =the SUPREME BEING **3** [the ~] 최고도, 절정(height) ~·ly *ad.* ~·ness *n.*
▷ suprémacy *n.*
su·prême [səprí:m, -préim, su- | sju-] *n.* **1** 슈프레임 소스 《닭의 육수로 만든 화이트소스》 **2** 1을 더한 요리, 특히 닭의 뼈 없는 가슴살
Supréme Béing [the ~] 하느님, 신(God)
supréme commánder 〖미군〗 최고 사령관
Supréme Cóurt [the ~] 《미》 (국가 또는 주(州)의) 최고 법원, 대법원; 연방 대법원; [**s- c-**] (몇몇 주의) 제1심 법원, 지방 법원
supréme góod [the ~] 지상선(至上善)
supréme sácrifice [the ~] 최고의 희생 《전쟁·대의(大義)를 위해 목숨을 바침》
Supréme Sóviet [the ~] 최고 소비에트[회의] 《구소련의 최고 권력·입법 기관이며 연방 회의(the Soviet of the Union)와 민족 회의(the Soviet of Nationalities)로 구성》
su·pre·mo [səprí:mou, su- | sju-] *n.* (*pl.* **~s**) 《영》 최고 지도자[지배자, 권위자, 책임자, 지휘관], 총통; 《특히》 군사 독재자
su·pre·mum [səprí:məm, su- | sju-] *n.* 〖수학〗 상한(上限), 최소 상계(上界)(least upper bound)
Supt., supt. superintendent **supvr.** supervisor **sur.** surface
sur-[1] [sər, sʌr, sə:r] *pref.* =SUB- 《r 앞에 올 때의 변형》
sur-[2] *pref.* =SUPER-
sur. surface; surplus
su·ra(h[1]**)** [súərə] *n.* 〖이슬람교〗 Koran의 장(章)
su·rah[2] [súərə | sjúərə] *n.* Ⓤ 능직 비단, 능견(綾絹)
Su·ra·kar·ta [sùərəkɑ́:rtə] *n.* 수라카르타 《인도네시아 Java섬 중부의 도시; 전통 문화 중심지의 하나》
su·ral [súərəl | sjúə-] *a.* 〖해부〗 장딴지의
su·rat [suərǽt, súərət] *n.* (인도 봄베이 지방산(産)의) 무명, 목화
sur·base [sə́:rbèis] *n.* 〖건축〗 (징두리 판벽 등의) 두겁, 갓; (원기둥 등의 기초의) 정부(頂部)
sur·based [sə́:rbèist] *a.* 정부(頂部)가 달린; 우묵하게 들어간
sur·cease [sə:rsí:s] *n.* (일시적) 정지, 끝남, 그침
—*vi.* 〈활동이〉 그치다, 멈추다; 끝나다 —*vt.* 《고어》 끊다, 그만두다, 중지하다
sur·charge [sə́:rtʃɑ̀:rdʒ] *n.* **1** 과도한 부담[적재], 과중(過重) **2** 터무니없이 비싼 대금 청구, 폭리(extra charge) **3** 과도 충전 **4** 우표의 가격[날짜] 정정용 도장 **5** 특별[부가] 요금, 할증금 **6** 부족세(稅); (과세 재산의

thesaurus **sure** *a.* **1** 확신하는 certain, definite, positive, assured, convinced, confident **2** 틀림없는

부정 신고에 대한) 추징금 부과, 부가 벌금, 할증금; (부당 지출의) 배상액 — [-ˊ, ˊˋ] vt. **1** 너무 많이 싣다(overload) **2** 과도하게 충전하다 **3** …에게 (…의) 특별[부가] 요금을 과하다; (부정 신고의) 가중 벌금을 징수하다 《*on, for*》 **4** 폭리를 취하다 **5** 가격[날짜] 정정인을 찍다 **6** 〈마음에〉 (…의) 부담을 지우다 《*with*》

sur·cin·gle [sə́ːrsiŋgl] *n.* **1** (말의) 뱃대끈 **2** (제의(祭衣)의) 띠 — *vt.* 끈을 걸다, 뱃대끈으로 잡아매다; 두르다(surround)

sur·coat [sə́ːrkòut] *n.* **1** 〖역사〗 (중세 기사가 갑옷 위에 입는) 겉옷 **2** 여성용 겉옷 《15-16세기경》

sur·cu·lose [sə́ːrkjulòus] *a.* 〖식물〗 흡지(吸枝)를 지닌

surd [sə́ːrd] *a.* **1** 무리한, 불합리한 **2** 〖수학〗 부진근(不盡根)의, 무리수의(irrational)(opp. *rational*) **3** 〖음성〗 무성(음)의(voiceless) — *n.* **1** 〖수학〗 부진근수, 무리수 **2** 〖음성〗 무성음(opp. *sonant*) 《[p, f, s] 등; opp. [b, d, g] 등》 **3** 이치로는 명쾌하게 결론지을 수 없는 성질 **4** (미·속어) 얼간이, 멍청이

‡**sure** [ʃúər, ʃə́ːr | ʃúə, ʃɔ́ː] *a.* Ⓟ **1 확신하는**, 확실한(certain), **틀림없는**: (~+전+*-ing*) (~+*that* 절) I am ~ *of* his liv*ing*[~ *that* he will live] to eighty. 틀림없이 그는 80세까지 살 것이다. // (~+*wh.* 절·구) None of the doctors were ~ *what* the trouble was 그 병이 무엇인지 확실히 아는 의사는 아무도 없었다. / I am not ~ *where* to put the key. 열쇠를 어디에 두면 좋을지 모르겠다.

> 유의어 **sure, certain** 거의 같은 뜻이나 전자는 주로 주관적·직관적 판단에 의한 경우, 후자는 객관적 사실·증거에 의한 경우에 쓰는 일이 많다.

2 Ⓟ 꼭 …하는, 틀림없이[반드시] …하는: (~+*to* do) He is ~ *to* come. 그는 꼭 온다. / It is ~ *to* happen. 반드시 일어난다. **3** Ⓐ **a** 확실한, 믿을 수 있는, 신뢰할 수 있는: a ~ victory 확실한 승리 / a ~ messenger 신뢰할 수 있는 사람 / a ~ cure 확실한 요법 **b** 안전한, 든든한(firm)

be ~ to*[*and*]** do [명령형으로] (구어) 반드시[틀림없이] …하여라: *Be* ~ *to* close the windows. 반드시 창문을 닫아라. ***be ~ of …에 확신을 가지다, …을 믿다: *be* ~ *of* a person's honesty …의 정직을 의심치 않다 ***be ~ of oneself*** 자신이 있다 ***feel ~ (of*[*that …*]**) = be SURE (of[that …]). ***for ~*** 확실히, 틀림없이(for certain): It's going to be a good day, *for* ~. 틀림없이 기분 좋은 날이 될 것이다. ***make ~*** 확인하다; 확신하다; 꼭 …하다, 대책을 강구하다 ***make ~ of*** …을 확인하다; 손에 넣다; 다짐받다 ***to be ~*** 확실히, 물론; [뒤에 but을 동반하여 양보구를 나타내어] 과연, 정말; [well 등과 함께 써서 감탄사적으로 놀람을 나타내어] 놀라겠는걸, 저런: Well, *to be* ~! = Well, I'm ~! 이런 원!

— *ad.* (구어) **1** (미) 확실히((영) certainly), 틀림없이, 꼭(surely, undoubtedly): Korean is difficult. — It ~ is. 한국어는 어렵군. — 확실히 그래. **2** [의뢰·질문의 대답에 써서] 좋고말고, 물론: Are you coming? — *S*~! 올 것입니까? — 가고말고! **3** [Thank you.에 대해서] (미·속어) 천만의 말씀, 뭘요

as ~ as …와 마찬가지로 틀림없이 ***(as) ~ as eggs is*[*are*] *eggs*** (구어) 틀림없이 ***(as) ~ as nails*[*fate, death, a gun*]** (구어) 확실히, 틀림없이 ***~ enough*** (구어) 과연; 반드시, 정말로

~·ness *n.* Ⓤ 확실함; 안전함

▷ assúre, ensúre *v.*; súrely *ad.*

sure-e·nough [ʃúərinʌ́f] *a.* (고어) 진짜의; 현실[실제]의; 순수한(genuine)

sure·fire [ʃúərfàiər] *a.* Ⓐ (구어) 틀림없는(reliable), 확실한; 틀림없이 성공할, 실패 없는

sure·foot·ed [-fútid] *a.* **1** 발을 단단히 디디고 선, 발걸음이 흔들리지 않는, 엎어지지 않는 **2** 틀림없는, 확실한: a ~ pursuit of success 성공을 목표로 한 확실한 추구 **~·ly** *ad.*

sure-hand·ed [-hǽndid] *a.* **1** 솜씨 좋게 하는, 손재주가 있는 **2** 〈작품 등이〉 솜씨 있게 완성된[처리된] **3** 〈사람이〉 노련한 **~·ly** *ad.* **~·ness** *n.*

‡**sure·ly** [ʃúərli, ʃə́ːr- | ʃúəli, ʃɔ́ː-] *ad.* **1 확실히**, 틀림없이, 반드시: *S*~ you are mistaken. 확실히 네가 틀렸다. **2** 꼭, 정말로 **3** [주로 부정 문장의 첫머리 또는 끝에 써서] 설마; 결코, 기필코 **4** [강한 긍정의 대답에 써서] (미·구어) 예, 물론, 그럼요 **5** 안전하게, 틀림없이 ***as ~ as*** …와 마찬가지로 틀림없이 ***slowly but ~*** 천천히 그러나 틀림없이, 더디지만 확실하게

súre thíng (구어) **1** [a ~] (성공·승리 등이) 확실한 것 **2** (미) [부사적으로] 꼭, 반드시, 확실히; [감탄사적으로] 물론이죠, 그럼요

*__sure·ty__ [ʃúərəti, ʃúərti | ʃúəti, ʃúərəti] *n.* (*pl.* **-ties**) **1** ⒸⓊ **보증**, 담보, 저당 **2** 인수인, (보석) 보증인, 채무 보증인 **3** Ⓤ (고어) 확실(성) ***of*[*for*] *a ~*** (고어) 확실히, 틀림없이 ***stand*[*go*] *~ for*** …의 보증인이 되다

súrety bònd 계약 관계[이행]의 증거가 되는 보증서

sure·ty·ship [ʃúərətiʃip | ʃúəti-] *n.* Ⓤ 〖법〗 (보증인·채무자·채권자 삼자간의) 보증 계약 (관계)

*__surf__ [sə́ːrf] *n.* **1** (해안·바위 등에) **밀려드는 파도**, 밀려와 부서지는 파도(⇨ wave 유의어) **2** (밀려드는) 파도의 거품[물보라]

— *vi.* 파도타기(놀이)를 하다, 서핑을 하다; 〖컴퓨터〗 인터넷 상의 정보를 찾아 다니다

— *vt.* 〈큰 파도를〉 서프보드로 타다; (달리는 열차에 장난삼아) 뛰어올라 타다

~·er *n.* **~·like** *a.* ▷ súrfy *a.*

surf·a·ble [sə́ːrfəbl] *a.* 〈파도·해안이〉 서핑[파도타기]에 알맞은

‡**sur·face** [sə́ːrfis] *n.* **1 표면**, 수면, 겉, 외면; 외부, 지(표)면, 표층: the ~ of the earth 지표면 **2** 〖기하〗 면; 평면: the six ~*s* of a cube 입방체의 6개의 면 **3** [the ~] 겉보기, 외관, 외양; (사람의) 첫인상 **4** 육상[수상] 수송 **5** 〖항공〗 날개의 면(airfoil)

below*[*beneath*] *the ~ 내면은[에], 속으로(는): look *below*[*beneath*] *the* ~ of things 사물의 내면을 (들여다)보다 ***get below the ~*** 이면[심중]을 살피다 ***on the ~*** 외관상 ***scratch the ~ of*** …을 겉핥기하다 《문제의 핵심까지 파 내려가지 않다》

— *a.* Ⓐ **1** 표면만의, 외관의, 외면의, 피상적인 **2 a** 지상[길바닥]의; 갱외의 **b** 수상의 **c** (항공편에 대하여) 육상[해상] 우편의, 선박의 **3** 표면의

— *vt.* **1** 〈종이 등에〉 얇은 표지를 달다, 표면을 달다; 〈길바닥을〉 포장하다: (~+목+전+명) ~ a road *with* gravel 도로를 자갈로 포장하다 **2** 〈잠수함을〉 부상(浮上)시키다 **3** (미·구어) 세간에 공표하다 **4** 표면화시키다, 드러내다

— *vi.* **1** 지표(가까이)에서 채광[일]하다, (광석의) 표면 퇴적물을 씻다 **2** 〈잠수함·고래·잠수부 등이〉 떠오르다, 부상하다 **3** 〈문제·화제 등이〉 표면화하다, 겉으로 드러나다, 나타나다: New evidence has ~*d*. 새로운 증거가 나타났다. **4** (구어·익살) 〈사람이〉 일어나다; (오랜만에) 〈사람 등이〉 모습을 나타내다; 〈분실된 것 등이〉 나타나다, 발견되다 **~·less** *a.*

sur·face-ac·tive [sə́ːrfisǽktiv] *a.* 〖화학〗 계면활성(界面活性)의

súrface bóundary làyer 〖기상〗 표면 경계층, 접지(接地)층[기층] 《지구 표면 약 1km의 대기층》

súrface bùrst (폭탄의) 지표[수표]면 폭발

súrface càr (미) (고가·지하 철도에 대하여) 노면(路面) 전차

súrface còlor (보석 등의) 표면색

súrface cràft (잠수함에 대하여) 수상선

súrface dénsity 〖물리〗 면[표면] 밀도

súrface drèssing 간이 포장에 의한 도로의 보수(재료)

---

guaranteed, inevitable, undoubted, absolute

surface *n.* exterior, outside, top, facade

súr·face-ef·féct shìp [sə́ːrfisifékt-] 《미》 수상용 호버크라프트(hovercraft)
súrface fríction dràg 〖항공〗 표면 마찰 항력(抗力)
súrface íntegral 〖수학〗 면(面)적분
súrface màil 선박 우편; (육상) 수송 우편물
sur·face·man [-mən] *n.* (*pl.* **-men** [-mən, -mèn]) 보선공(保線工); 도로 공사자; 갱외(坑外) 작업부; 지상병(兵)
súrface nòise (음반의 마찰에 의한) 표면 잡음
súrface prìnting 철판(凸版) 인쇄; 평판(平版) 인쇄
súrface ríghts 지상권(地上權)
sur·face-rip·ened [-ráipənd] *a.* 〈치즈가〉 표면 숙성된
súrface sòil 표층토, 표토
súrface strùcture 〖언어〗 표층 구조(cf. DEEP STRUCTURE)
súrface ténsion 〖물리〗 표면 장력
sur·face-to-air [-tuɛ́ər] *a.* Ⓐ 〈미사일·통신 등이〉 지대공(地對空)의, 함(艦)대공의: a ~ missile 지대공 미사일 《略 SAM》 **—** *ad.* 지상에서 하늘로, 지대공으로
sur·face-to-sur·face [-təsə́ːrfis] *a.* Ⓐ 〈미사일 등이〉 지대지(地對地)의: a ~ missile 지대지 미사일 《略 SSM》 **—** *ad.* 지상에서 지상으로, 지대지로
sur·face-to-un·der·wa·ter [-tuʌ́ndərwɔ̀ːtər] *a.* Ⓐ 〈미사일·통신 등이〉 지대 수중(地對水中)의 **—** *ad.* 지상[함상]에서 수중으로
súrface wàter 지표수; (바다·호수 등의) 표층수
súrface wàve (지진에 의해 지구 표면에 퍼지는) 표면파
sur·fac·ing [sə́ːrfisiŋ] *n.* **1** 면(面)의 마무리 재료 **2** (수면으로의) 부상 **3** 지표에서의 채광 (작업)
sur·fac·tant [sərfǽktənt] *n.* 〖화학〗 계면[표면] 활성제(surface-active agent)
súrf and túrf 〖요리〗 새우 요리와 비프스테이크가 한 코스인 요리
surf·board [sə́ːrfbɔ̀ːrd] *n.* 파도타기 널, 서프보드 (cf. SURFRIDING) **—** *vi.* 파도타기를 하다
surf·boat [-bòut] *n.* 서프보트 《거친 파도에 견디는 보트; 특히 부력이 크고 튼튼한 구명 작업용》
súrf bùnny 《미·속어》 = BEACH BUNNY
surf-cast [-kæ̀st] *vi.* 던질낚시를 하다
súrf càster 〖낚시〗 (해안에서의) 던질낚시꾼
súrf càsting 〖낚시〗 (해안에서의) 던질낚시
súrf dùck 〖조류〗 검둥오리
∗**sur·feit** [sə́ːrfit] 〖L 「지나치게 하다」의 뜻에서〗 *n.* ⓊⒸ [보통 a ~] **1** 폭식, 폭음 **2** 과도, 과다(excess); (…의) 범람, 홍수 《*of*》: *a* ~ *of* advice 넌더리날 정도의 충고 **3** 포만, 식상함, 물림(satiety); (과식에 의한) 불쾌한 포만감
***to* (*a*) ~** 물릴 정도로, 넌더리날 만큼
— *vi.* (…을) 너무 먹다[마시다], 과식[과음]하다 《*of, on, upon*》; (…에) 물리다, 식상하다 《*with*》; 몰두하다, 빠지다
— *vt.* **1** (…로) 너무 먹이다[마시게 하다], 물리게 하다, 포식[과식]시키다 《*with*》 **2** [~ *oneself* 로] (…을) 너무 먹다[마시다]; (…에) 물리다, 넌더리나다 《*with*》: (~+목+전+명) ~ *oneself with* sweets 단 것을 물리도록 많이 먹다 **~·er** *n.*
sur·fer [sə́ːrfər] 《구어》 인터넷을 즐기는[하는] 사람 (cf. SILVER SURFER) (=Net ~)
súrfer's knót[**knób**] 파도타기하는 사람의 못[군은살] 《파도타기 널과의 접촉으로 무릎이나 발등에 생기는 못》
surf·fish [sə́ːrffiʃ] *n.* 〖어류〗 망성어(望星魚); 동갈민어류의 바닷물고기(croaker)
sur·fi·cial [sərfíʃəl] *a.* 표면의, 지표의: a ~ geologic deposit 지표 퇴적물
surf·ie [sə́ːrfi] *n.* 《호주·속어》 (특히 인기있는) 파도타기꾼, 파도타기광
surf·ing [sə́ːrfiŋ] *n.* **1** =SURFRIDING **2** 인터넷 검색하기, TV 채널 돌리기
súrf lifesàver 《호주·뉴질》 =LIFEGUARD 1
surf·man [sə́ːrfmən] *n.* (*pl.* **-men** [-mən, -mèn]) **1** surfboat를 잘 조정하는 사람 **2** (미국 연안 경비대의) 구조대원
súrf 'n' túrf [sə̀ːrf-ən-tə́ːrf] 《미》 해산물과 고기가 함께 나오는 요리의 일종
surf·perch [-pə̀ːrtʃ] *n.* =SURFFISH
surf·rid·ing [-ràidiŋ] *n.* Ⓤ 파도타기(놀이)(surfing): enjoy ~ 파도타기를 즐기다 **súrf·rìd·er** *n.*
surf·y [sə́ːrfi] *a.* (**surf·i·er**; **-i·est**) **1** 밀려드는 파도가 많은, 파도가 거센; 부딪쳐 부서지는 물결의 **2** 밀려드는 파도의[같은] ▷ súrf *n.*
surg. surgeon; surgery; surgical
∗**surge** [sə́ːrdʒ] 〖L 「일어나다」의 뜻에서〗 *vi.* **1** 〈군중·감정 등이〉 **파도처럼 밀려오다,** 쇄도하다, 밀어닥치다, 들끓다; 〈바다 등이〉 물결치다, 넘실거리다: *surging* crowds 밀려오는 인파 // (~+전+명) An angry crowd ~*d into* the theater. 성난 군중이 극장 안으로 밀려왔다. / Blood ~*d to* his face. 그의 얼굴에 피가 스며들었다. **2** 〈배가〉 파도에 흔들거리다; 〈감정 등이〉 끓어오르다, 소용돌이치다 《*up*》 **3** 〖전기〗 〈전류·전압 등이〉 갑자기 증대하다 **4** 〖항해〗 〈밧줄 등이〉 갑자기 느슨해지다; 〖기계〗 〈기계가〉 불규칙하게 회전하다; 〈자동차 바퀴가〉 헛돌다 **5** 〈물가가〉 급등하다, 급격히 오르다: (~+부) Lately prices are *surging up.* 최근에 물가가 계속 치솟고 있다.
— *vt.* **1** 물결치게 하다 **2** 〖항해〗 〈밧줄을〉 갑자기 느슨하게 하다(slacken)
— *n.* **1** 큰 파도, 놀(billow) **2** [보통 a ~] **a** (군중 등의) (파도 같은) 쇄도, 돌진 《*of*》; 파동, 굽이치는 것: *a* ~ *of* crowd 군중의 쇄도 **b** (감정의) 동요, 고조 《*of*》: *a* ~ *of* energy 힘의 폭발 **3** 〖전기〗 서지 《전압·전류의 급증[급변]》 **4** (물가 등의) 급상승, 앙등 **5** 〖기상〗 서지 《급격한 기압의 변화》; =STORM SURGE **6** 로프의 느슨해짐; 〖기계〗 엔진의 불규칙한 움직임 **~·less** *a.* ▷ súrgy *a.*
∗**sur·geon** [sə́ːrdʒən] *n.* **1** 외과의(醫)(cf. PHYSICIAN) **2** 군의(관); 선의(船醫) ▷ súrgical *a.*
sur·geon·fish [sə́ːrdʒənfiʃ] *n.* (*pl.* **~·es,** [집합적] ~) 〖어류〗 검은쥐치 《지느러미에 유독 가시가 있음》
súrgeon géneral (*pl.* **surgeons general**) **1** 〖군사〗 의무감(醫務監) **2** [**S- G-**] 《미》 공중 위생국장 《略 Surg. Gen.》
súrgeon's knót 외과 의사가 상처 봉합 등에 쓰는 매듭법
∗**sur·ger·y** [sə́ːrdʒəri] *n.* (*pl.* **-ger·ies**) **1** Ⓤ 외과; (외과) 수술; 외과적 처치: plastic ~ 성형외과 **2** 《미》 수술실 **3** 《영》 **a** (외과) 의원 《진찰실과 약국을 갖춘》, (의원의) 진찰실 **b** 진료 시간 **4** 《영·구어》 (의원·변호사의) 상담 시간; 상담실 ▷ súrgical *a.*
Surg. Gen. Surgeon General
∗**sur·gi·cal** [sə́ːrdʒikəl] *a.* **1** 외과(술)의, 외과적인; 외과의의 **2** 수술의; 수술상의; 〈열 따위가〉 수술에 기인하는; 외과용의 **3** 아주 정확한: a ~ air strike 정확하고 신속한 공중 습격 **~·ly** *ad.* 외과적으로 ▷ súrgeon, súrgery *n.*
súrgical bóot[**shóe**] 〖외과〗 (발 치료용의) 교정화, 정형 외과용 신발
súrgical néedle 외과용 봉합 바늘
súrgical spírit 《영》 외과 소독용 알코올
súrgical stríke 〖군사〗 국부 공격 《특정 목표에 대해서만 하는 신속·정확한 공격》
sur·gi·cen·ter [sə́ːrdʒəsèntər] *n.* 《미》 (입원할 필요가 없는 작은 수술을 하는) 간이 외과 센터
surg·y [sə́ːrdʒi] *a.* 밀려드는 파도가 많은; 거친 파도의, 물결이 높은
su·ri·cate [súərəkèit | sjúə-] *n.* 〖동물〗 수리카타 《사향고양잇과(科); 아프리카 남부산(産)》

thesaurus **surfeit** *v.* overfeed, overfill, gorge, glut, cram, stuff, satiate

Su·ri·nam [súərənɑ̀:m, -næ̀m | sùərinǽm], **-na·me** [sùərənɑ́:mə] *n.* 수리남 《남미 북동부의 공화국; 수도 Paramaribo》

sur·loin [sə́:rlɔin] *n.* = SIRLOIN

∗**sur·ly** [sə́:rli] *a.* (**-li·er**; **-li·est**) **1** (심술궂게) 뿌루퉁한; 무뚝뚝한; 퉁명스러운; 적의를 지닌: a ~ old lion 몹시 흥분해 있는 늙은 사자 **2** 〈날씨가〉 고약한, 험악한: a ~ sky 험악한 하늘

súr·li·ly *ad.* **súr·li·ness** *n.*

∗**sur·mise** [sərmáiz, sə́:rmàiz | sə:máiz] [L 「위로 던지다」의 뜻에서] 《문어》 *n.* [CU] 짐작, 추측, 예측

— [sərmáiz | sə:-] *vt.* 짐작[추측]하다(guess); …이라고 생각하다(suspect): (~+***that*** 절) I ~*d* from his looks *that* he was very poor then. 그의 모습으로 보아 그 당시 그는 몹시 가난했던 것으로 생각되었다.

— *vi.* 추측하다 **sur·mís·a·ble** *a.* **sur·mìsed·ly** [-máizdli] *ad.* **sur·mís·er** *n.*

∗**sur·mount** [sərmáunt | sə:-] *vt.* **1** 〈산·언덕 등을〉 오르다; 타고 넘다, 넘어서다(climb over) **2** 〈곤란·장애를〉 극복하다(overcome), 타파하다: ~ difficulties 어려움을 극복하다 **3** [주로 수동형으로] …위에 (…을) 놓다, …에 얹다(cap) 《*by, with*》: peaks ~*ed with* snow 눈 덮인 산봉우리들 **~·a·ble** *a.*

sur·mul·let [sərmʌ́lit | sə:-] *n.* = RED MULLET

∗**sur·name** [sə́:rnèim] *n.* **1** 성(姓)(family name) **2** 《고어》 별명, 다른 이름(cf. NAME)

— *vt.* **1** 별명을 짓다[붙이다]: (~+목+보) King Richard was ~*d* "the Lionhearted." 리처드 왕은 '사자왕'이라는 별명으로 불리었다. **2** …에게 성을 붙이다; 성으로 부르다

‡**sur·pass** [sərpǽs, -pɑ́:s | səpɑ́:s] *vt.* **1** …보다 낫다, 능가하다, 뛰어나다: (~+목+전+명) He ~*es* me *in* knowledge. 그는 지식에 있어서 나보다 낫다. **2** 〈범위·한계점을〉 넘다, 초월하다; 너무 …하여 (이루 말) 할 수 없다: ~ description 말로 할 수 없이 뛰어나다

sur·pass·ing [sərpǽsiŋ, -pɑ́:- | səpɑ́:-] *a.* 빼어난, 뛰어난; 우수[탁월]한; 비상한, 놀랄 만한: a woman of ~ beauty 뛰어난 미인 — *ad.* 《고어·시어》 뛰어나게, 탁월하여 **~·ly** *ad.*

sur·plice [sə́:rplis] *n.* **1** 〘가톨릭·영국국교〙 중백의(中白衣), 소(小)백의 《의식 때 성직자·성가대원 등이 입는》 **2** 앞으로 비스듬히 겹쳐 입는 옷

— *a.* 앞으로 비스듬히 겹친

súr·pliced [-t] *a.* 중[소]백의를 입은

sur·plice-fee [sə́:rplisfì:] *n.* 〘영국국교〙 (결혼식·장례식 등에서의) 성직자에 대한 사례금

‡**sur·plus** [sə́:rplʌs, -pləs | -pləs] *n.* **1** 나머지, 잔여(殘餘); 과잉: in ~ 여분으로, 남아서 / a ~ of crude oil 잉여 원유 **2** 〘회계〙 잉여금, 흑자; 《미》 잉여 농산물 **3** 잉여 인원

— *a.* Ⓐ 나머지의, 잔여의, 여분의, 과잉의; 《미》 잉여의 〈농산물 따위〉: a ~ population 과잉 인구 / ~ wheat 잉여 밀

— *vt.* (잉여물로) 취급[처리]하다

sur·plus·age [sə́:rplʌsidʒ, -plə- | -plə-] *n.* [UC] **1** 나머지, 여분(의 양), 잉여, 과잉 **2** 쓸데없는 문구[사항]

súrplus válue 〘경제〙 잉여 가치

sur·print [sə́:rprìnt] *vt.* = OVERPRINT

sur·pris·al [sərpráizəl] *n.* Ⓤ 놀람; 기습; 놀라게 하는 일[물건]

‡**sur·prise** [sərpráiz] *vt., n.*

> 「불시에 치다」→「갑자기 놀라게 하다」→「놀라게 하다」가 되었음.

— *vt.* **1** (…로) 놀라게 하다, 경악하게 하다(shock), 의외로 생각게 하다 《*with, by*》(⇨ surprised): His strange question ~*d* all of us. 그의 별난 질문에 우리는 모두 놀랐다.

> [유의어] **surprise** 예기치 않은 일로 또는 허를 찔러 상대방을 놀라게 하다의 뜻으로서, 가장 일반적인 말이다: be *surprised* at receiving a telegram 전보를 받고서 놀라다 **astonish** surprise보다 뜻이 강하며, 믿을 수 없는 일로 사람을 놀라게 하다: be *astonished* at a person's behavior …의 행동에 놀라다 **amaze** 상대방이 당황하거나 어찌할 바를 모를 정도로 놀라움을 주다: be *amazed* at his rapid progress in English 그의 빠른 영어 숙달에 놀라다 **astound** 사람을 어처구니없어할 정도로 놀라게 하다: be *astounded* by a sudden calamity 졸지의 재난에 망연자실하다 **startle** 별안간 펄쩍 뛸 정도의 놀라움을 주다: I was *startled* by the noise. 그 소리에 깜짝 놀랐다.

2 허를 찔러 …에게 (…)시키다, 놀래 주어 (…)하게 하다 《*into*》: (~+목+전+명) ~ someone *into* telling the truth …의 허를 찔러 사실을 말하게 하다 / He ~*d* me *into* consent. 그는 나를 놀라게 하여 동의시켰다. **3 a** 불시에 치다, 기습하여 점령하다; 방심한 데를 습격하다: Our army ~*d* the enemy's camp. 아군은 적의 야영지를 기습 공격했다. **b** 현행범으로 체포하다, 현장을 잡다: (~+목+전+명) A detective ~*d* him *in* the act. 형사는 현행범으로 그를 체포했다. **4** 알아채다, 눈치채다

— *n.* Ⓤ **1** 놀람, 경악 **2** 불시에 치기, 기습 **3** Ⓒ 놀랄 만한 사건[보도]; 뜻밖의 일[선물]

in ~ 놀라서 ***S~, ~!*** (1) 《구어》 (남의 주의를 끌어) 놀랐는걸! (2) 《비꼼》 당연한 일이지만, 아니나 다를까! ***take by*** ~ (1) 〈남을〉 불시에 치다[습격하다, 기습하다], 허를 찌르다 (2) 〈요새·도시 등을〉 기습하여 함락시키다 (3) 놀라게 하다 ***to*** one***'s*** ~ 놀랍게도

sur·prís·er *n.* ▷ surprísal *n.*

surprise attàck 〘군사〙 기습

‡**sur·prised** [sərpráizd] *a.* 놀란: a ~ look 놀란 표정 / I am ~ at[by] you. 네게 놀랐다. / I was ~ to hear of his failure. 그가 실패했다는 말을 듣고 놀랐다. / He was ~ that his father had sold the farm. 그는 부친이 농장을 팔아버린 데에 놀랐다. / You'll be ~ how beautiful she is. 그녀가 아주 미인이어서 깜짝 놀랄 거야. ***I shouldn't*** [***wouldn't***] ***be ~ if*** [***to learn***] ***...*** …에도 별로 놀라지 않을 것이다, 당연하다고 생각할 것이다

sur·pris·ed·ly [sərpráizidli, -zdli] *ad.* 놀라서

surprise pàcket [**pàckage**] 《영》 깜짝 과자 봉지 《속에서 동전 등이 튀어나와 여는 사람이 놀라도록 하는; 종종 비유적으로 사용》

surprise pàrty **1** 《미》 깜짝 파티 《본인은 모르게 준비하여 깜짝 놀라게 하는 파티》 **2** 기습 부대

surprise vìsit 불시의 방문; 임검

‡**sur·pris·ing** [sərpráiziŋ] *a.* **1** 놀라운, 의외의; 눈부신 **2** 불시의, 불의의 **~·ness** *n.*

∗**sur·pris·ing·ly** [sərpráiziŋli] *ad.* **1** 놀랄 만큼; 의외로; 대단히 **2** [문장 전체를 수식하여] 놀랍게도: *S*~, we won. 놀랍게도 우리가 이겼다.

sur·re·al [sərí:əl, -rí:l | -ríəl] *a.* **1** 초현실주의의[적인](surrealistic) **2** 환각적인, 환상적인, 비현실의

— *n.* [the ~] 초현실적인 것[분위기], 기상천외(한 것) **~·ly** *ad.*

sur·re·al·ism [sərí:əlìzm | -ríə-] *n.* Ⓤ 초현실주의 **-ist** *n., a.* 초현실주의자(의)

sur·re·al·is·tic [sərì:əlístik | -rìə-] *a.* 초현실(주의)적인: the moon's ~ landscape 달의 초현실적인 풍경 **-ti·cal·ly** *ad.*

sur·re·but [sə̀:rribʌ́t | sʌ̀r-] *vi.* (**~·ted**; **~·ting**) 〘법〙 〈원고가〉 (피고의 세 번째 답변에 대해) 네 번째 답변을 하다 **~·ter** *n.* (원고의) 네 번째 답변

---

surplus *n.* remainder, excess, residue, surfeit (opp. *dearth, lack, shortage*)

sur·re·but·tal [sə̀ːrribʌ́tl | sʌ̀r-] *n.* 〖법〗 재항변, 재반론《피고의 반론에 항변하기 위한 증거 제출》

sur·re·join [sə̀ːrridʒɔ́in | sʌ̀r-] *vi.* 〖법〗 〈원고가〉 (피고의 두 번째 답변에 대해) 세 번째 답변을 하다 **~·der** *n.* (원고의) 세 번째 답변

‡sur·ren·der [səréndər] [L 「위로 주다」의 뜻에서] *vt.* **1 a 넘겨 주다,** 내어지다; 〈토지·가옥 등을〉 인도하다, 명도[양도]하다; 〈성 등을〉 (…에게) 내주다 《*to*》(⇨ yield 유의어): (~+목+전+명) We must not ~ our town *to* the enemy. 우리 읍을 적에게 넘겨 줘서는 안 된다. **b** [~ one*self* 로] (적 등에게) 항복하다; (경찰 등에) 자수하다 《*to*》 **c** 〈표 등을〉 건네주다; 〈자리 등을〉 양보하다 《*to*》 **2** (문어) 〈자유·희망·신념·주의·직무 등을〉 (깨끗이) 포기하다, 버리다 **3** (불입한 보험료의 일부 반환을 받고) 〈보험을〉 해약하다 **4** [~ one*self* 로] (습관·감정·감화 등에) 빠지다, 잠기다; (…에게) 항복[자수]하다 《*to*》: (~+목+전+명) ~ *oneself to* despair[grief, sleep] 자포자기[슬픔, 잠]에 빠지다
— *vi.* **1** (…에게) **항복[함락]하다**; (경찰 등에) 자수하다: (~+전+명) ~ *to* the enemy 적에게 항복하다 / He ~*ed* voluntarily *to* the police. 그는 자진해서 경찰에 자수했다. **2** (습관·감정 등에) 빠지다, 굴하다, 몸을 내맡기다 《*to*》
— *n.* UC **1 a 인도,** 명도; 양도: ~ of a fugitive 〖국제법〗 탈주범의 인도 **b** (신념·주의 등의) 포기 **2 a** 항복, 함락: (an) unconditioned ~ 무조건 항복 **b** 자수 **3** 보험 해약; 양도 계약서, 해약 증서 **~·er** *n.*

surrénder vàlue 〖보험〗 중도 해약 반환금

sur·rep·ti·tious [sə̀ːrəptíʃəs | sʌ̀r-] *a.* **1** 비밀의, 내밀의, 몰래 하는, 은밀한 **2** 부정의, 무허가의, 가짜의: a ~ glance 훔쳐 보기 **~·ly** *ad.* 몰래, 남모르게; 부정하게 **~·ness** *n.*

sur·rey [sə́ːri, sʌ́ri | sʌ́ri] *n.* (미) **1** 서리형 마차《두 좌석의 4인승 4륜 마차》 **2** 서리형 마차를 닮은 초기의 자동차

surrey 1

Sur·rey [sə́ːri, sʌ́ri | sʌ́ri] *n.* 서리《잉글랜드 남동부의 주》

sur·ro·ga·cy [sə́ːrəgəsi, sʌ́r- | sʌ́r-] *n.* 남을 위해서 아이를 갖는 것《스스로의 수정란 혹은 타인의 수정란에 의함》(surrogate motherhood)

sur·ro·gate [sə́ːrəgèit, -gət, sʌ́- | sʌ́rəgət] *n.* **1** 〖영국국교〗 (banns 없이 결혼 허가를 주는) 주교 대리; 종교 재판소 판사 대리 **2** (미) 유언 검인(檢認) 판사 **3** 대리, 대행자(deputy) **4** 〖정신의학〗 대리인《무의식 속에서 부모를 대신하는 권위자》 **5** = SURROGATE MOTHER — *a.* Ⓐ 대리의; 대용의
— [sə́ːrəgèit, sʌ́- | sʌ́-] *vt.* **1** …의 대리 노릇을 하다; …의 대리로 임명하다; 자기 후임으로 지명하다; 대용하다 **2** 〖법〗 = SUBROGATE **~·ship** *n.*

súrrogate móther 대리모(母)《다른 부부를 위해 자궁을 빌려주고 아기를 낳는 여성》

súrrogate mòtherhood 대리모 노릇, 대리모임

‡sur·round [səráund] [L 「위에 물이 넘치다」의 뜻에서] *vt.* **1 둘러싸다, 에워싸다;** 〖군사〗 포위하다 《*with, by*》: be ~*ed by* admirers 찬미자에게 둘러싸이다 **2 둘러막다,** 두르다 《*with, by*》
— *n.* **1** 둘러싸는 것; 환경, 주위, 분위기 **2** (영) **a** 가장자리 장식 **b** 벽과 양탄자 사이의 공간(에 까는 깔개) **3** (주로 영) 포위 사냥법[장소]

‡sur·round·ing [səráundiŋ] *a.* Ⓐ **주위의,** 주변의, 부근의, 근처의; 둘러싸는
— *n.* **1** [*pl.*] **주변**(의 상황), 처지, **환경,** 주위(⇨ environment 유의어), 주위의 모든 사물: home ~*s* 가정환경 / picturesque ~*s* 그림같이 아름다운 주위의 경치 / work under healthy ~*s* 위생적인 환경에서 일하다 **2** 둘러싸기, 포위 **3** [때로 *pl.*] 주위의 사람들, 측근, 수행원

sur·round-sound [səráundsàund] *n.* (영) 서라운드 사운드《콘서트 홀에서 듣고 있는 것 처럼 들리는 재생음》

surróund thèater 원형 극장

sur·sum cor·da [súərsum-kɔ́ːrdɑː, sə́ːrsəm-kɔ́ːrdə | sə́ːsəm-kɔ́ːdə] [L = lift up your hearts] **1** [종종 **S- C-**] 〖가톨릭〗 마음을 드높이 주를 향하여《미사 서창(序唱)의 문구》 **2** 용기를 불러일으키는 말

sur·tax [sə́ːrtæ̀ks] *n.* UC (관세 등의) 부가세; (특히 소득세) 누진 부가세
— *vt.* 부가세를 과[징수]하다

sur·ti·tle [sə́ːrtàitl] *n.* (오페라 공연시) 가극의 가사나 내용을 무대 위의 스크린에 띄우는 자막(cf. SUPERTITLE) — *vt.* (연극의) 설명 자막을 띄우다

sur·tout [sərtúː, -túːt | sə́ːtuː] [F] *n.* **1** (몸에 꼭 끼는) 남자용 외투, 《특히》 프록코트 **2** 후드 달린 여성용 망토 — *a.* (문장(紋章)에서) 〈방패 무늬가〉 다른 무늬 위에 겹치는

surv. survey(ing); surveyor

sur·veil, -veille [sərvéil | səː-] *vt.* 감시[감독]하다

sur·veil·lance [sərvéiləns, -ljəns | səːvéiləns] *n.* Ⓤ 감시, 망보기, 감독: under ~ 감시 하에

sur·veil·lant [sərvéilənt, -ljənt | səːvéilənt] *n.* 감시자, 감독자; 감시, 사찰, 정찰 — *a.* 감시[감독]하는

‡sur·vey [sərvéi] *vt.* **1** (총괄적으로) **바라보다,** 둘러보다, 내려다보다, 전망하다; 〈사람 등을〉 이리저리 뜯어보다 **2** 개관(槪觀)[개설(槪說)]하다; 살펴보다: ~ a situation 상황을 살펴보다 **3** 〈건물 등을〉 검사하다, **조사하다,** 사정(査定)하다: ~ TV viewers TV 시청자를 조사하다 **4** 〈토지 등을〉 측량하다
— *vi.* 측량을 하다
— [sə́ːrvei, sərvéi] *n.* **1** (총괄적으로) 바라다봄, 휘둘러봄 **2 개관,** 통람(通覽): a ~ of Italian painting 이탈리아 회화 개론 **3 측량,** 실지 답사 **4** (정부의) 측량부[국] **5** 측량[실측]도(圖) **6 a** (건물 등의) 검사, 조사 **b** 조사표, 조사서; 표본 조사 ***make*[*do, carry out, conduct*] *a* ~** 검사[측량]하다; 개관하다 **~·a·ble** *a.*

súrvey còurse 개설(槪說) 강의

sur·vey·ing [sərvéiiŋ] *n.* Ⓤ 측량(술)

***sur·vey·or** [sərvéiər] *n.* **1 측량자,** 측량 기사 **2** 감시인, 감독자 **3 a** (미) 조세 사정(査定)관 **b** (영) (신축 건물의) 검사관 **4** (미) (세관의) 수입품 검사관 **5** (선적 화물의) 검사원 **6** [**S~**] 미국의 달 연착륙 계획에 의한 인공위성 **~·ship** *n.* Ⓤ 측량자[감시인]의 직[지위, 신분]

survéyor géneral (*pl.* **surveyors general, surveyor generals**) (미) 공유[국유]지 감독관; 검사 주임

survéyor's chàin 〖측량〗 측쇄(測鎖)《거리 측정용 쇠사슬》

survéyor's còmpass[dìal] 측량 컴퍼스

survéyor's lèvel (측량용) 수준의(水準儀)

survéyor's mèasure (측쇄(測鎖)에 의한) 측량 단위

súrvey rèsearch 〖마케팅〗 서베이 리서치《일정한 대상이나 집단에 직접·간접으로 인터뷰하여 시장 정보를 입수하는 연구 방법》

sur·viv·a·ble [sərváivəbl] *a.* 살아남을 수 있는, 생존 가능한; 〈일이〉 존속할 수 있는 **sur·viv·a·bíl·i·ty** *n.*

thesaurus **surround** *v.* encircle, encompass, ring, girdle, gird, confine, fence in
survey *v.* observe, view, examine, inspect
survive *v.* live on, continue, remain, last, persist, endure, exist, outlive, outlast
suspect *v.* **1** 짐작하다 feel, surmise, guess, con-

∗**sur·viv·al** [sərváivəl] *n.* **1** Ⓤ **생존, 살아남음,** 잔존 **2** 생존자, 잔존자[물]; (특히 고대의) 유물, 유풍: ~*s* of medieval customs 중세의 유풍 ***the ~ of the fittest*** 〖생물〗 적자생존
— *a.* 생존을 위한; 〈식량·의류 등이〉 긴급용[비상시용]의: ~ techniques 살아남기 위한 기술

survíval bàg 서바이벌 백 《등산가 등이 조난당했을 때 몸을 감싸는 비닐로 만든 큰 자루》

survíval cùrve 생존율 곡선 《유방암 환자 등 특정 인들의 일정 기간 이상의 생존율을 표시하는 곡선》

survíval gàme 서바이벌 게임, 모의 전투 게임

survíval guìlt 생존자의 자책[죄악감] 《전쟁이나 재해에서 살아남은 사람이 희생자에 대해 가지는 죄의식》

sur·viv·al·ism [sərváivəlìzm] *n.* **1** 생존주의 《대피 시설이나 비축 식량 등으로 전쟁 등에서 살아남기를 으뜸가는 목표로 삼는 주의》 **2** (취미·스포츠 등으로) 야외 생존 연습 **-ist** *n., a.* 생존주의자(의)

survíval kìt 〖군사〗 생존 장비, 비상용 구명대[상자] 《조난을 대비한 약품·식량 등을 넣은 용기》

‡**sur·vive** [sərváiv] 〖L 「넘어서 살다」의 뜻에서〗 *vt.* **1 살아남다,** …보다 오래 살다, …후까지 생존하다: ~ one's children 자식들보다 오래 살다 **2** …에도 불구하고 살아 있다, …에서 살아나다: ~ all perils 온갖 위험 에도 불구하고 아직 살아 있다 / ~ a shipwreck 난파를 당하고서도 살아남다 **3** 〈고뇌·역경 등을〉 견디다, 헤어나다: She ~*d* two divorces. 그녀는 두 번의 이혼을 이겨냈다. ~ *one's usefulness* 오래 살아서 무용지물이 되다
— *vi.* 생존하다, 살아남다; 잔존하다; (불행 등에) 아랑곳하지 않다 ▷ survíval *n.*

∗**sur·vi·vor** [sərváivər] *n.* **1 살아남은 사람,** 생존자, 구조된 사람; 유족 **2** 잔존물, 유물 **3** 역경에 지지 않는 사람

survívor guìlt = SURVIVAL GUILT

Survívor's Bénefit (미) (순직 경관의) 유족 급부금

sur·vi·vor·ship [sərváivərʃìp] *n.* Ⓤ **1** 〖법〗 생존자권 《공유 재산의 권리를 생존자가 취득하는 권리》 **2** 생존, 잔존, 존속

survívor sỳndrome 〖정신의학〗 생존자 증후군 《재난의 생존자에게 나타나는 죽음의 공포·우울증 등의 증상》

sus, suss [sʌ́s] *n., vt.* (영·속어) = SUSPECT
~ *out* 정찰하다, 조사하다; 알아내다

sus- [səs, sʌs] *pref.* = SUB- 《c, p, t로 시작하는 라틴어 및 그 파생어 앞에서》

Su·san [sú:zn], **Su·san·nah** [su:zǽnə] *n.* 여자 이름 《애칭 Sue, Sukey, Suky, Susie, Susy》

Su·san·na [su:zǽnə] *n.* **1** = SUSAN **2** 〖성서〗 수산나 《Joachim의 아내로 「수산나 이야기」에 나오는 정숙한 여자》; 수산나 이야기 《구약성서 외경의 한 책》

sus·cep·tance [səséptəns] *n.* 〖전기〗 admittance의 허수부(虛數部)

sus·cep·ti·bil·i·ty [səsèptəbíləti] *n.* (*pl.* **-ties**) Ⓤ **1 a** 느끼기 쉬움, 민감, 감수성 《*to*》 **b** (병 등에) 감염하기[걸리기] 쉬움 《*to*》 **2** [*pl.*] (상하기 쉬운) 감정: wound[offend] national *susceptibilities* 국민 감정을 상하게 하다 **3** Ⓤ 〖전기〗 자화율(磁化率), 대자율(帶磁率)(= magnetic ~)

∗**sus·cep·ti·ble** [səséptəbl] 〖L 「받아들일 수 있는」의 뜻에서〗 *a.* **1** Ⓟ (…의) **여지가 있는,** (…을) 받아들이는, 허락하는 《*of, to*》: facts not ~ *of* proof 입증하지 못할 사실 / ~ *to* various interpretations 여러 가지 해석이 가능한 **2** 느끼기 쉬운, (…에) 민감한, 다정다감한 《*to*》; 사랑에 빠지기 쉬운 **3** Ⓟ (…의) 영향을 받기 쉬운, 감염되기 쉬운 《*to*》: ~ *to* colds 감기에 걸리기 쉬운 / ~ *to* flattery 아부에 약한 **-bly** *ad.*

sus·cep·tive [səséptiv] *a.* **1** 감수성이 강한, 민감한(receptive) **2** (…을) 받는, 받기 쉬운, 용인하는, (…이) 가능한(susceptible) 《*to*》
sùs·cep·tív·i·ty *n.*

su·shi [sú:ʃi] *n.* Ⓤ 스시 《밥 위에 생선회가 얹혀 나오는 일본 요리》: a ~ bar 스시 바[식당]

Su·sie [sú:zi] *n.* 여자 이름 《Susan(nah)의 애칭》

‡**sus·pect** [səspékt] 〖L 「아래로(부터) 보다」의 뜻에서〗 *vt.* **1 짐작하다,** (어렴풋이) 알아채다, 낌새채다(⇨ doubt 유의어) **2** …이 아닌가 하고 생각하다: (~+목+***to be*** 보) I ~ him *to be* a liar. 나는 그가 거짓말쟁이가 아닌가 생각된다. // (~+(***that***) 절) I ~ (*that*) we will have snow before night. 밤이 되기 전에 눈이 내리지 않을까 생각된다. **3** 아마 …이라고 생각하다[여기다], 추측하다 **4 의심을 두다,** 의심쩍게 여기다, 혐의를 걸다: I ~ his motives. 그의 동기를 의심한다. // (~+목+전+명) We have ~*ed* him *of* murder. 우리는 그에게 살인 혐의를 두어 왔다. // (~+목+***as*** 보) ~ a person *as* the theft …에게 도둑의 혐의를 걸다
— *vi.* 의심을 두다[품다], 수상쩍어하다 ***be ~ed of*** …의 혐의를 받다

USAGE **suspect**는 if[whether]절을 목적어로 하지 않는다. **doubt**는 주로 부정문에서 that절을 목적어로 하는데 그 때의 뜻은 '그러리라는 것을 의심치 않다[확신하다]'이다: I don't *doubt that* he is coming. 그가 오리라는 것을 의심치 않는다. ★ doubt는 긍정문에서 if[whether]절을 목적어로 가짐.

— [sʌ́spekt, səspékt | sʌ́spekt] *a.* 의심스러운, 혐의를 받은, 수상한
— [sʌ́spekt] *n.* **용의자,** 요주의 인물, 수상쩍은 사람
▷ suspícion *n.*; suspícious *a.*

‡**sus·pend** [səspénd] *v.*

> 원래는 「매달다」의 뜻이며, 「공중에 떠 있게 하다」 →(비유적으로) 「일시적으로 중지하다」가 되었음.

— *vt.* **1 a 매달다,** 걸다, 달다: (~+목+전+명) ~ a ball *by* a thread 공을 실로 매달다 **b** [보통 수동형으로] 〈먼지·미립자 등을〉 (공중·수중에) 떠 있게 하다, 부유(浮遊)시키다: dust ~*ed* in the air 공기 중에 떠도는 먼지 **2 a** 〈활동·지불·영업 등을〉 (일시) **중지하다;** 통하지 않게 하다: ~ payment 지불을 중지하다 / ~ ferry service 페리 운행을 중단하다 **b** 〈판단·결정·형벌 등을〉 잠시 보류하다, 일시 정지시키다, 연기하다(⇨ delay 유의어): ~ one's judgment 판결을 보류하다 / ~ a sentence for robbery 도둑의 형 집행을 연기하다 / decide to ~ a previously announced plan 이전에 발표했던 계획을 유보하기로 결정하다 **3** 〈선수를〉 출전 정지시키다; 정직(停職)시키다, 〈학생을〉 정학시키다 **4** …의 마음을 들뜨게 하다, …의 속을 태우다, 불안하게 하다 **5** 〖음악〗 길게 늘이다
— *vi.* **1** (일시) 정지하다, 중지되다 **2** 지불을 정지하다, 업무를 정지하다, 〈은행·회사 등이〉 부채를 갚지 못하게 되다 **3** (…에) 매달리다; (공중에) 뜨다 《*from*》
▷ suspénsion, suspénse *n.*; suspénsive, suspénsory *a.*

sus·pénd·ed animátion [səspéndid-] 〖의학〗 생명 활동의 중단, 가사(假死) 상태; 인사 불성

suspénded séntence 〖법〗 집행 유예

suspénded sólids 현탁(懸濁) 물질, 부유(浮遊) 고형물 《물을 오염시키는 고형물; 불용성으로 직경 2mm 이하; 略 SS》

∗**sus·pend·er** [səspéndər] *n.* **1** 매다는 **사람[물건]** **2** [*pl.*] (영) 양말 대님((미) garters) **3** [*pl.*] (미) (바지의) 멜빵((영) braces) **4** (조교(吊橋)의) 매다는 줄

suspénder bèlt (영) = GARTER BELT

∗**sus·pense** [səspéns] *n.* Ⓤ **1** 미결, 미정 (상태) **2** 불안, 걱정; 어중간함, 모호함, 이도저도 아님; 허공에

---

jecture, speculate, suppose, believe, think **2** 의심을 두다 doubt, distrust, mistrust
suspend *v.* **1** 매달다 hang, swing, dangle, sling **2** 중지하다, 보류하다 adjourn, interrupt, cease, discontinue, break off, postpone, delay, defer, pigeonhole (opp. *continue, resume*)

떠 있는 상태 **3** (영화·소설 등의) **서스펜스**, 지속적 긴장감, 손에 땀을 쥐는[조마조마한] 상태 **4** 〖법〗 (권리 등의) 정지; (역할·특권 등의) 일시적 정지
be [***keep***] ***in*** ~ (어떻게 되나 하고) 걱정하다[시키다], 마음을 졸이다[졸이게 하다] ***hold ... in*** ~ (1) …을 미결(정)인 채로 두다 (2) (알고 싶은 것을 알리지 않아) …을 애태우게 하다 **~·ful** *a.* ▷ suspénd *v.*

suspénse accòunt 〖부기〗 가(假)계정, 미결산[미결제] 계정

sus·pen·si·ble [səspénsəbl] *a.* 매달 수 있는; 부동성(浮動性)의; 중지[보류]할 수 있는

***sus·pen·sion** [səspénʃən] *n.* Ⓤ **1** 매달(리)기, 걸치기, 부유(浮遊), 부표(浮漂) **2** 미결(정), 어중간함 **3** Ⓒ 매다는 지주(支柱); 매단 것 **4** 〖물리〗 [종종 in ~] (고체 인자의) 부유 (상태) **5** 〖화학〗 현탁(懸濁) (물질); Ⓒ (액체[기체] 속의) 부유물 **6** 정직, 정학, 정권(停權); 중지, 정지, 보류, 선고[처형] 중지 **7** 지불 정지, 파산 **8** Ⓒ (옛 문서의 첫글자를 따서 만든) 약어 **9** Ⓒ (자동차 등의) 완충 장치; 버팀대 **10** 〖가톨릭〗 성직 정지 **11** 〖음악〗 걸림음, 계류음(繫留音) **12** 〖수사학〗 현연법(懸延法) 《이야기의 주요 부분을 뒤로 돌리는》
▷ suspénd *v.*; suspénsory *a.*

suspénsion brìdge 현수교, 조교

suspénsion pòints[**pèriods**] 〖인쇄〗 생략 부호 《문장 속의 생략을 나타내는 3점(…); 문미에서는 보통 4점(....)임》

sus·pen·sive [səspénsiv] *a.* **1** 미결정의; 불안한; 확실치 못한 **2** 〈영화·소설 등이〉 서스펜스에 넘치는 **3** (일시적으로) 중지하는, 휴지하는 **~·ly** *ad.*

suspénsive véto 정지권(停止權)

sus·pen·soid [səspénsɔid] *n.* 〖물리·화학〗 현탁질(懸濁質)

sus·pen·sor [səspénsər] *n.* **1** =SUSPENSORY **2** 〖식물〗 배병(胚柄), 배자루

sus·pen·so·ry [səspénsəri] *a.* **1** 매다는, 매달아 늘어뜨린, 현수(懸垂)의 **2** 정지의, 중지의
— *n.* (*pl.* **-ries**) **1** 〖해부〗 현수근(筋), (눈의) 현수인대(靭帶) **2** 〖의학〗 걸어매는 붕대

suspénsory lígament 〖해부〗 현수 인대

sus. per coll. [sʌ́s-pər-kɑ́l | -kɔ́l] [*suspensio* [*suspendatur*] *per collum* 《L =let him be hanged by the neck》] 〖영국법〗 교수형 (선고서)

‡**sus·pi·cion** [səspíʃən] *n.* **1** ⓊⒸ **혐의**, 용의, 의심: above[under] ~ 혐의가 없는[있는] **2** 미심스런[수상쩍은] 생각 **3** ⓊⒸ [보통 a ~] (막연한) 느낌; 어렴풋이 알아챔, 눈치챔: have *a* ~ of[that ...] …을[이라는 것을] 알아채다 **4** [보통 a ~] 미소량(의…), 조금, (…의) 기미 《*of*》: *a* ~ *of* a smile 희미한 웃음
have **~*s*** [***a*** ~] ***about ...*** = ***attach*** ~ ***to ...*** = ***hold ... in*** ~ = ***cast*** ~ ***on*** …에 혐의를 두다 ***not the shadow*** [***ghost***] ***of a*** ~ 의심할 여지조차 없는 ***on*** ~ ***of*** …의 혐의로
— *vt.* (방언) 혐의를 두다, 의심하다(suspect)
▷ suspéct *v.*; suspícious *a.*

sus·pi·cion·al [səspíʃənl] *a.* (병적으로) 의심 많은

‡**sus·pi·cious** [səspíʃəs] *a.* **1** (…을) **의심하는**; 의심 많은, 신용하지 않는 《*of*》: be ~ *of* strangers 이방인들을 의심하다 **2 혐의를 일으키는**, 의심스러운, 수상쩍은

> 유의어 **suspicious** 남에게서 혐의를 받을 만한의 뜻으로서 보통 나쁜 뜻으로 쓰인다: *suspicious* behavior 수상한 행동 **doubtful** 의문의 여지가 있는: a *doubtful* story 의심스러운 이야기

3 의심을 나타내고 있는, 의심[의혹]의: a ~ glance 의심의 눈초리 **~·ly** *ad.* **~·ness** *n.*
▷ suspéct *v.*; suspícion *n.*

sus·pire [səspáiər] (고어·시어) *vi.* 한숨짓다(sigh); 호흡하다 — *vt.* 탄식하며 말하다

sùs·pi·rá·tion *n.* 한숨, 긴 탄식

suss, sus [sʌ́s] [suspect에서] *vi.* (영·속어) 알아내다, 깨닫다, 이해하다; 조사하다, (면밀히) 검토하다 《*out*》: ~ *out* the possibility 가능성을 검토하다

Suss. Sussex

sussed [sʌ́st] *a.* (영·속어) (주위 상황을) 훤히 알고 있는, 정통한, 잘 적응한

Sus·sex [sʌ́siks] *n.* **1** 서섹스 주 《잉글랜드 남동부의 주; East Sussex와 West Sussex로 분할됨》 **2** 앵글로·색슨의 7왕국(heptarchy)의 하나 **3** (닭 및 식육우(牛)의) 서섹스종(種)

Sússex spániel 영국 스패니얼견(犬)의 일종 《수렵용으로 다리가 짧고 털은 갈색이 도는 금색》

sus·so [sʌ́sou] *n.* (*pl.* **~s**) (호주·속어) (정부의) 실업자 생활 보조금, 실업 수당; 그 수급자(受給者)

‡**sus·tain** [səstéin] [L 「아래로 떠받치다」의 뜻에서] *vt.* **1 떠받치다**, 지탱하다 **2** 〈피해·손실·충격 등을〉 **받다**, 입다; 경험하다 **3** 〈무게·압력·고난 등을〉 **견디다**, 굽히지 않다; 〈중책 등을〉 맡다 **4** 〈생명을〉 **유지하다**, 〈가족 등을〉 부양하다; 기르다 **5** 〈주장·이의 등을〉 정당하다고 인정하다, 승인하다, 지지하다: The judge *~ed* the lawyer's objection. 재판관은 변호사의 이의가 정당하다고 인정했다. // (~+목+전+명) The court *~ed* him *in* his claim. 법정은 그의 주장을 인정했다. **6** 〈진술·학설·예언·주의 등을〉 뒷받침하다, 확증하다, 입증하다 **7** 〈맡은 역을〉 훌륭히 해내다 **8** 〈활동·흥미·노력 등을〉 계속하다, **지속하다**; 〈생활·시설 등을〉 유지하다; 〈음조를〉 한결같이 유지하다: ~ a conversation 대화를 계속하다 / *~ed* efforts 부단한 노력 **9** 격려[고무]하다, 기운내게 하다
▷ sústenance, sustentátion *n.*

sus·tain·a·ble [səstéinəbl] *a.* **1** 지탱[지지]할 수 있는 **2** 지속[유지]할 수 있는 **3** 견딜 수 있는 **4** 입증[확인]할 수 있는 **5** 〖환경〗 〈자원 등이〉 자연 환경 파괴 없이 무한정 유지되는; 고갈됨 없이 이용할 수 있는; 〈개발 등이〉 야생 동물을 절멸시키지 않는

sustáinable devélopment 환경 친화적 개발

sus·tained [səstéind] *a.* 지속된, 한결같은, 일관된
-tain·ed·ly [-téinidli] *ad.*

sus·tained-re·lease [səstéindrilí:s] *a.* = SLOW-RELEASE

sustáined yíeld 수확량 유지 《수확시에 줄어든 삼림·물고기 등의 생물 자원이 다음 수확 전에 불어나도록 관리하기》

sus·tain·er [səstéinər] *n.* **1** sustain하는 사람[것] **2** (미) =SUSTAINING PROGRAM **3** 〖로켓〗 지속(持續) 비행(용 로켓 엔진)

sus·tain·ing [səstéiniŋ] *a.* **1** 떠받치는, 지탱하는; 유지하는 **2** 〈음식물 등이〉 몸에 기운을 주는, 몸을 보하는 **3** 〈TV·라디오 프로그램이〉 자체 프로의

sustáining prògram (미) 자체[자주적] 프로그램 《방송국 자체의 비상업적 프로그램》

***sus·te·nance** [sʌ́stənəns] *n.* Ⓤ **1 생계**, 생활, 살림, 생계의 수단 **2** 생명을 유지하는 것, 양식, 음식; 영양(물), 자양(물)(nourishment) **3** 지지, 유지, 지탱; 내구(耐久), 지속

sus·ten·ta·tion [sʌ̀stəntéiʃən] *n.* **1** 지탱, 유지; 생명[기운]의 유지, 부지 **2** 생계 유지, 부양 **3** ⓊⒸ 음식; 자양, 영양(sustenance)

sustentátion fùnd 〖개신교〗 전도사 생계 부조 기금

sus·ten·tion [səsténʃən] *n.* =SUSTENTATION

su·sur·ra·tion [sù:səréiʃən | sjù:-] *n.* ⓊⒸ (문어) 속삭임; 살랑거림

su·sur·rous [susə́:rəs | sju:sʌ́r-] *a.* (문어) 속삭임이 가득한; 살랑거리는

su·sur·rus [susə́:rəs | sju:sʌ́rəs] *n.* (*pl.* **~·es**) 우아하게 속삭이는 소리 **-rant** *a.* 속삭이는

Su·sy [sú:zi] *n.* 여자 이름 《Susan, Susanna(h)의 애칭》

thesaurus **suspicious** *a.* doubtful, unsure, wary, skeptical, distrustful, mistrustful

sut·ler [sʌ́tlər] *n.* (군대의) 종군(從軍) 매점의 상인
su·tra [sú:trə] *n.* [종종 **S~**] 〖힌두교·불교〗 경전, 경문, 수트라
sut·tee [sʌtí:, ⌐─] [Skt. 「충실한 아내」의 뜻에서] *n.* 〖힌두교〗 **1** Ⓤ 아내의 순사(殉死) 《옛날 인도에서 아내가 남편의 시체와 함께 산 채로 화장되던 풍습》 **2** 남편에게 순사하는 아내
su·ture [sú:tʃər | sjú:-] *n.* **1** 꿰맨 줄, 솔기 **2** 〖해부〗 봉합선 《특히 두개골의》; 〖생물〗 봉합(선) **3** 〖외과〗 꿰맴; 봉합술; 꿰맴줄; 봉합사 **4** 꿰매어 맞춤, 접합함
— *vt.* 〈상처를〉 봉합하다 **sú·tur·al** *a.*
SUV sport utility vehicle
Su·va [sú:və] *n.* 수바 《Fiji의 수도》
su·ze·rain [sú:zərin, -rèin | sjú:-] *n.* **1** (봉건) 영주, 종주(宗主) **2** (속국에 대한) 종주국
— *a.* 종주권을 가진
~·ty *n.* Ⓤ 종주권; 영주의 지위[권력]
s.v. sailing vessel; *sub verbo*[*voce*] 《L = under the word》 **S.V.** *Sancta Virgo* 《L = Holy Virgin》; *Sanctitas Vestra* 《L = Your Holiness》
sva·ra·bhak·ti [sfɑ̀:rəbɑ́:kti, svɑ̀:- | svʌ̀rəbʌ́k-] *n.* 〖언어〗 (산스크리트 어의) 모음 삽입 《특히 r [l]과 직후의 자음 사이에 모음이 삽입되는 일》
svc(e). service
svelte [svélt, sfélt] *a.* **1** 날씬한, 미끈한, 몸매 좋은 **2** 세련된, 점잖은, 온화한
Sven·ga·li [svengɑ́:li, sfen-] *n.* 남을 완전히 지배하는 사람 《주로 이기적·나쁜 동기로 위압하는》
SV40 Simian Virus 40 시미안(simian) 바이러스 40 《원숭이의 발암 바이러스》 **svgs.** savings
SVÓ lànguage 〖언어〗 SVO 언어 《기본 어순이 주어·동사·목적어의 언어; 영어·중국어 등》
sw, sw. switch **SW, S.W.** shortwave; southwest; southwestern **Sw.** Sweden; Swedish **S.W.** South Wales **S.W.A.** South West Africa
swab [swɑ́b | swɔ́b] *vt.* (**~bed**; **~·bing**) **1** 〈물 등을〉 걸레질하다 《*up*》; (자루걸레로) 청소하다, 훔치다 《*down*》: ~ *up* water 물을 훔치다[닦다] **2** 〖의학〗 〈목구멍 등에〉 (약 등을) 면봉으로 바르다 《*with*》
— *n.* **1** 자루걸레(mop) 《갑판용》 **2** 〖의학〗 약솜, 면봉; 스웝 《면봉으로 모은 세균 검사용의 분비물》 **3** 총구[포구] 청소기 **4** (속어) 손재주 없는 사람, 얼간이 **5** (미·속어) 선원(sailor), 하급 선원; 《특히》 미 해군의 수병
swab·ber [swɑ́bər | swɔ́-] *n.* **1** 자루걸레(질하는 선원) **2** = SWAB *n.* 4
swab·by, -bie [swɑ́bi | swɔ́bi] *n.* (미·속어) = SWAB *n.* 5
Swa·bi·an [swéibiən] *a.* (독일의) 스와비아[슈바벤](사람)의 **—** *n.* 스와비아 사람[사투리]
swacked [swǽkt] *a.* (속어) (술·마약에) 취한
swad·dle [swɑ́dl | swɔ́dl] *vt.* 〈특히 젖먹이를〉 포대기[강보]로 싸다[두르다, 감다]; 헝겊[붕대]으로 둘둘 두르다[감다] **—** *n.* (갓난아이를 감싸는) 포대기, 강보
swád·dling clòthes[**bànds**] [swɑ́dliŋ- | swɔ́dl-] **1** (옛날에 갓난아이를 감싸던) 가늘고 긴 천, 강보, 포대기; 배내옷; 기저귀 **2** 유아기, 요람기, 초기 **3** (미성년자 등에 대한) 자유를 속박하는 것[힘], 엄한 감시
swad·dy [swɑ́di | swɔ́di] *n.* (영·속어) 군인, 병사
Swa·de·shi [swədéiʃi] *n.* (인도) 스와데시, 외래품 배척 운동 《특히 영국 물품에 대한》, 국산품 애용 운동 《swaraj의 한 수단으로서의》
swag[1] [swǽg] *n.* **1** 꽃다발, 꽃장식 **2** 흔들리기; 축 늘어지기 **3** 저습 지대 **—** *v.* (**~ged**; **~·ging**) *vi.* 흔들리다; 기울다; 축 늘어지다 **—** *vt.* 늘어뜨리다, 흔들다; 꽃으로 장식하다
swag[2] *n.* **1** Ⓤ (속어) **a** 약탈품(booty); 장물; 부정 이득 **b** 돈; 귀중품 **2** (호주·구어) (방랑자[광부, 황무지 여행자 등]가 휴대하는) 짐보따리
— *v.* (**~ged**; **~·ging**) (호주·구어) *vi.* 짐보따리를 들고 여행[방랑]하다 **—** *vt.* 짐보따리를 들고 걷다[방랑하다]; (속어) 낚아채다
swage [swéidʒ] *n.* (대장간에서 쓰이는) 쇠붙이의 틀, 형철(型鐵) **—** *vt.* 형철에 얹거나 넣어 두들겨 구부리다[만들다]
swáge blòck 〖기계〗 (대장간에서 쓰이는) 벌집틀, 이형공대(異形孔臺)
***swag·ger** [swǽgər] *vi.* **1** 뽐내며 걷다, 오만한 태도로 걷다, 거드럭거리다, 활보하다 《*about, in, out,* etc.》: (~+副) (~+前+名) He *~ed about*[*into* the room]. 그는 으스대며 돌아다녔다[방으로 들어왔다]. **2** 으스대다, 허풍떨다, (몹시) 자랑하다: (~+前+名) He *~s about* his boldness. 그는 자신의 대담성에 대해 허풍을 떤다.
— *vt.* (드물게) 위협하여 (…)시키다 《*into*》, 위협하여 (…을) 못하게 하다, 빼앗다 《*out of*》: (~+目+前+名) ~ a person *out of* opposition …을 위협하여 반대하지 못하게 하다
— *n.* **1** 뽐내는 걸음, 거드럭거림, 활보 **2** 허풍침; 뻐겨댐, 허세 부림
— *a.* (영·구어) 멋진, 날씬한, 스마트한 **~·er** *n.*
swágger càne (영) = SWAGGER STICK
swágger còat 스왜거 코트 《어깨를 세우고 등 쪽에 플레어가 있는 여성 코트》
swag·ger·ing [swǽgəriŋ] *a.* 뽐내며 걷는; 뻐기는 **~·ly** *ad.*
swágger stìck (군인의 산책용) 지팡이, 단장
swag·gie [swǽgi] *n.* (호주·구어) = SWAGMAN
swag·man [swǽgmən] *n.* (*pl.* **-men** [-mən]) (호주·구어) 방랑자 《휴대품을 보따리로 만들어 들고 다니는 뜨내기 노동자》
Swa·hi·li [swɑ:hí:li] *n.* (*pl.* **~, ~s**) **1** 스와힐리 사람 《아프리카의 Zanzibar와 부근의 연안에 사는 Bantu 족 사람》 **2** Ⓤ 스와힐리 어(語) 《동아프리카·콩고의 공용어》
swain [swéin] *n.* (시어·고어) **1** 시골 젊은이 **2 a** 시골 멋쟁이(country gallant) **b** (익살) 구혼자; 애인
SWAK, S.W.A.K. sealed with a kiss 키스로 봉함 《연애 편지 등의 끝[봉투]에 쓰는 말》
swale [swéil] *n.* (미) 풀이 무성한 습지대, 저지(低地)
‡**swal·low**[1] [swɑ́lou | swɔ́-] [OE 「먹다, 마시다」의 뜻에서] *vt.* **1** (꿀떡) 삼키다, (꿀꺽) 들이켜다 《*down, up, in*》 **2** 싸다, 덮다, 가리다 《*up*》: (~+目+副) (~+目+前+名) Her figure was *~ed up in* the mist. 그녀의 모습은 안개 속으로 사라져 버렸다. **3** 〈이익·수익 등을〉 다 없애다, 다 써버리다, 낭비하다 《*up*》 **4** (구어) 〈남의 이야기 등을〉 곧이곧대로 듣다, 무턱대고 받아들이다 **5** 〈모욕 등을〉 감수[감내]하다, 견디다; 〈노여움·웃음 등을〉 억누르다, 참다 **6** 〈앞서 한 말 등을〉 취소하다, 철회하다: ~ one's words 한 말을 취소하다
— *vi.* **1** 삼키다, 들이켜다 **2** (긴장하여) 침을 꿀꺽 삼키다: I ~ *ed* hard. 침을 꿀꺽 삼켰다. **~ *the bait*** 미끼를 삼키다, 함정에 빠지다 **~ ... *whole*** 〈음식 등을〉 통째로 삼키다; 〈남의 이야기 등을〉 곧이곧대로 듣다
— *n.* **1** 삼킴, 마심, 들이켬; (영·구어) 술을 한 잔 들이켬 **2** 한 모금[입]; 한 모금[입]의 분량(mouthful): take a ~ of water 물을 한 모금 마시다 **3** (드물게) 식도(食道), 목구멍 **4** (물 등을) 빨아들이는 구멍; 수채 구멍이, 오물[폐물] 구덩이 ***at*** [***in***] ***one*** ~ 한 입에, 단숨에 **~·a·ble** *a.* **~·er** *n.*
‡**swal·low**[2] [swɑ́lou | swɔ́-] *n.* 〖조류〗 제비: One ~ does not make a summer. (속담) 제비 한 마리가 왔다고 여름이 되는 것은 아니다. 《하나를 가지고 속단하지 마라.》
swállow dìve (영) = SWAN DIVE
swállow hòle (주로 영) 〖지리〗 (석회암 지대에 절구 모양으로) 패인 땅(sinkhole)

---

swallow[1] *v.* **1** 들이켜다 gulp, swill, swig **2** 견디다 tolerate, endure, bear, stand, put up with

swal·low·tail [swɑ́loutèil | swɔ́-] *n.* **1** 제비 꼬리 (모양의 것) **2** 〖곤충〗 호랑나비 **3** 〖목공〗 주먹걸이 장부 **4** 〖항해〗 (요트·상선 등의) 삼각기(旗)의 꼬리

swal·low-tailed [-tèild] *a.* 제비 꼬리의, 제비 꼬리 모양의

swallow-tailed coat

swállow-tailed cóat 연미복(tailcoat)

ˈswam [swǽm] *v.* SWIM의 과거

swa·mi, swa·my [swɑ́:mi] *n.* **1** 스와미 《힌두교의 학자·종교가에 대한 존칭》 **2** 힌두교단의 정식 구성원 **3** 학자, 현자(pundit)

ˈswamp [swɑmp | swɔ́mp] *n.* UC 늪, 소택(지), 습지
— *vt.* **1** 늪에 빠지게 하다, 수렁에 처박다 **2** 〈물이〉 휩쓸다, 침수시키다; 〖항해〗 (물을 넣어) 〈배를〉 침몰시키다: (~+목+전+명) Some houses were *~ed in* the stream by the storm. 어떤 집들은 폭풍우로 물에 잠겨 버렸다. **3** [종종 수동형으로] (…로) 궁지에 빠뜨리다; …에게 (편지·일·곤란 등이) 홍수처럼 밀어닥치다, 쇄도하다, 꼼짝달싹 못하게 하다 《*with, in*》: *be ~ed with* invitations 사방에서 오는 초대로 정신을 못 차리다 / *be ~ed with* work 일이 밀어닥쳐 정신이 없다 **4** (미) 〈방해물 등을〉 제거하다 《*out*》; (벌목 운반 때) 가지를 치다; 〈길 등을〉 내다 《*out*》 **5** (미·속어) 체포하다
— *vi.* **1** 〈배 등이〉 침수되다, 가라앉다 **2** 늪에 빠지다; 궁지에 빠지다 **~·ish** *a.* ▷ swámpy *a.*

swámp bòat (소택지용의) 에어보트(airboat)

swámp bùggy (미) 스웜프 버기 《소택지용의 자동차 또는 프로펠러선(airboat)》

swamp·er [swɑ́mpər | swɔ́m-] *n.* (미) **1** (구어) 소택지 주민 **2** 허드렛일꾼, 잡역부, 하인, 조수 **3** (미·속어) 트럭 운전 조수

swámp féver 〖병리〗 말라리아; 감염성 빈혈; 렙토스피라증(leptospirosis)

swamp·land [swɑ́mplæ̀nd | swɔ́mp-] *n.* U 늪, 습지, 소택지

swamp·y [swɑ́mpi | swɔ́mpi] *a.* (**swamp·i·er**; **-i·est**) 늪이 많은; 늪 같은; 습지가 있는; 질퍽질퍽한

ˈswan¹ [swɑ́n | swɔ́n] *n.* **1** 〖조류〗 백조, 고니 **2** 가수, 시인; 훌륭한[아름다운] 사람[것]; 완전무결한 사람[것] **3** [the S~] 〖천문〗 백조자리(Cygnus) ***black ~*** (오스트레일리아산(産)의) 검은고니, 흑조; 아주 드문[진귀한] 일[것] ***the*** (***sweet***) ***S~ of Avon*** Shakespeare의 별칭
— *vi.* (**~ned**; **~·ning**) (영·구어) 정처 없이 가다[헤매다]; (남의 돈으로) 마음 내키는 대로 살다; 여행하다; 어슬렁어슬렁 걷다 **~·lìke** *a.*

swan² *vi.* (**~ned**; **~·ning**) (미중부·남부) 맹세하다(swear), 단언하다(declare) 《주로 놀람·안달 등을 나타냄》: I ~! 꼭 그렇다, 정말이다!

swán bòat (유원지 등의) 백조형 보트

swán dìve (미) 스완 다이브 《양팔을 벌렸다가 입수할 때는 머리 위로 뻗는 다이빙 법》(《영》 swallow dive)

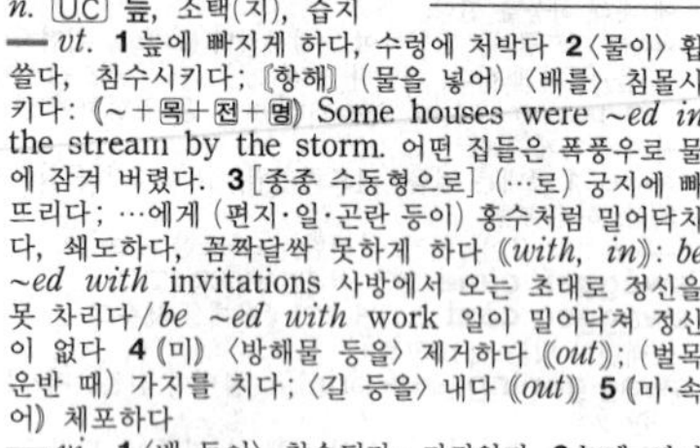
swan dive

swan-dive [swɑ́ndàiv | swɔ́n-] *vi.* **1** swan dive를 하다 **2** 갑자기 떨어지다

swang [swǽŋ] *v.* SWING의 과거

swan·herd [swɑ́nhə̀:rd | swɔ́n-] *n.* 백조를 지키는 사람

swank [swǽŋk] *n.* U **1** 건방짐, 거만(swagger); 허풍, 허세 **2** 멋짐, 우아, 스마트함(elegance); 모양냄, 멋 부림, 화려함 **3** [*pl.*] (미·속어) 외출복, 멋쟁이 옷 **4** C 젠체하는 사람; 허세 부리는 사람
— *vi.* **1** 허세 부리다; 점잔 빼다; 뽐내다 **2** (구어) 으스대며 걷다 — *vt.* **1** 멋 부리다; 모양내어 꾸미다 **2** 〈손님 등을〉 푸대접하다, 냉대하다
— *a.* (미) **1** 화려한; 멋진, 스마트한 **2** 〈호텔·상점 등이〉 호화로운, 일류의 **~·er** *n.*

swank·pot [swǽŋkpɑ̀t | -pɔ̀t] *n.* (영·속어) 젠체하는 사람, 허세 부리는 사람

swank·y [swǽŋki] *a.* (**swank·i·er**; **-i·est**) (구어) **1** 스마트한, 멋진, 화사한 **2** 허세 부리는, 젠체하는, 뽐내는, 거만한 **swánk·i·ly** *ad.* **swánk·i·ness** *n.*

swan·ner·y [swɑ́nəri | swɔ́-] *n.* (*pl.* **-ner·ies**) 백조 사육장

swans·down [swɑ́nzdàun | swɔ́nz-] *n.* U **1** 백조의 솜털 《분첩이나 옷의 가장자리 장식용》 **2** 면(綿) 플란넬의 일종

swán shòt 백조 사냥용 총알 《보통보다 큰 산탄》

swan·skin [swɑ́nskìn | swɔ́n-] *n.* U **1** (깃털이 붙은) 백조 가죽 **2** 스완 스킨 《부드러운 보풀이 인 플란넬 모양의 직물》

swán sòng **1** 백조의 노래 《백조가 죽을 때 부른다는 아름다운 노래》 **2** (시인·작곡가 등의) 마지막 작품[작곡]; 절필(絶筆), 최후의 업적

swan-up·ping [-ʌ̀piŋ] *n.* U (영) 백조 조사(調査) 《백조 부리에 임자 표지를 새기는 Thames 강의 연례 행사》

swap [swɑ́p | swɔ́p] *v.* (**~ped**; **~·ping**) (구어) *vt.* **1** 〈물건을〉 (물건과) 바꾸다, 교환[교역]하다 《*for*》; (남과) 바꾸다 《*with*》: (~+목+전+명) I *~ped* my watch *for* his dictionary. 내 시계를 그의 사전과 바꿨다. // Never ~ horses while crossing the stream. (속담) 강을 건너는 동안에는 말을 바꾸지 마라, 위기가 지날 때까지는 (지도자나 제도를 바꾸지 말고) 현상을 유지하라. **2** (속어) 〈배우자를〉 교환하다 **3** 〖컴퓨터〗 (주기억 장치와 보조 기억 장치의) 〈데이터를〉 교환하다
— *vi.* **1** 교환하다 **2** (속어) 부부를 교환하다
— *n.* **1** [보통 a ~] 교환, 교환품; 교환물: He got the radio in *a* ~. 그는 교환으로 라디오를 얻었다. **2** (통화·금리 등의) 상환 거래 **3** (속어) 부부 교환

swáp agrèement 〖경제〗 스왑 협정 《각국의 중앙 은행끼리 자국 통화를 서로 융통하는 협정》

swáp file 〖컴퓨터〗 스왑[교체] 파일

swáp mèet (미) (싼 물건·불필요한 물건·중고품 등의) 교환[판매] 모임[시장]

SWAPO, Swa·po [swɑ́:pou] [*S*outh *W*est *A*frican *P*eople's *O*rganization] *n.* 남서 아프리카 인민 기구, 스와포 《나미비아의 독립을 도모하는 흑인의 해방 조직》

swáp shòp 중고품 가게

swap·tion [swɑ́pʃən | swɔ́p-] [*swap*+*option*] *n.* 〖금융〗 금리·통화 스왑 거래 옵션 《고정 금리 채무와 변동 금리 채무를 교환하는 선택권》

swa·raj [swərɑ́:dʒ] *n.* U (인도) 자치, 독립, 스와라지 **~·ism** *n.* **~·ist** *n.* 독립주의자, 독립 운동가

sward [swɔ́:rd] *n.* U (문어) 잔디(밭), 뗏장(turf), 풀밭 — *vt.*, *vi.* 잔디[뗏장]로 덮다[덮이다]

sware [swέər] *v.* (고어) SWEAR의 과거

swarf [swɔ́:rf] *n.* U [집합적] (나무·금속 등의) 잘라낸[깎은] 토막, 절삭 지스러기

ˈswarm¹ [swɔ́:rm] *n.* [집합적] **1** (벌·개미 등의) 무리, 떼 《*of*》(⇨ group 유의어); (특히 분봉하는) 벌떼 **2** [종종 *pl.*] (사람·동물의) 떼, 무리, 대군(大群), 군중; 많음, 다수 《*of*》
— *vi.* **1 a** 떼를 짓다, (…에) 들끓다, 많이 모여들다 《*round, about, over*》: (~+부) Tramps ~ *about* in the park. 부랑자들이 공원에 운집해 있다. // (~+전+명) The crowds *~ed over* the baseball ground. 군중이 야구장에 가득찼다. **b** 떼를 지어 이주[이동, 집합]하다: 〈벌 등이〉 분봉하다 《*off*》 **2** 〈장소

가〉 (사람·동물 등으로) 빽빽이 차다, 꽉 차다 《*with*》: 《~+전+명》 Every place *~ed with* people on Sunday. 일요일에는 어디를 가나 사람들로 붐볐다. / a beach *~ing with* children 아이들로 가득 찬 해변 **—** *vt.* 〈사람·벌레 등이〉 …에 떼지어 몰려들다

swarm² *vt., vi.* 《고어》 〈나무 등에〉 기어오르다 (shin) 《*up*》

swarm·er [swɔ́ːrmər] *n.* **1** 우글우글 떼짓는 사람[것]; 무리 중의 한 사람[마리] **2** 분봉 직전의 꿀벌 떼 **3** 〖생물〗 = SWARM SPORE

swárm spòre[cèll] 〖균류〗 유주자(遊走子), 운동성 홀씨(zoospore)

swart [swɔ́ːrt] *a.* = SWARTHY **~·ness** *n.*

swart ge·vaar [swɔ́ːrt-xəfɑ́ːr] 《남아공》 흑화(黑禍) 《다수파의 흑인에 대해 백인층이 가진다는 공포감》

swarth [swɔ́ːrθ] *n.* **1** 《방언》 건초용 작물 **2** 풀밭, 뗏장(sward) **—** *a.* = SWARTHY

***swarth·y** [swɔ́ːrði, -θi] *a.* (**swarth·i·er**; **-i·est**) 〈얼굴이〉 거무스레한, 가무잡잡한
swárth·i·ly *ad.* **swárth·i·ness** *n.*

swash [swɑ́ʃ, swɔ́ːʃ | swɔ́ʃ] 〖의성어〗 *vi.* **1** 풍덩 소리나다 **2** 물을 튀기다 **3** (세차게) 부딪치다, 돌진하다 **4** 뻐겨대다, 거드럭대다, 허세 부리다 **—** *vt.* 물이 튀게 하다, 물장구치다; 〈물결 등이〉 치다, 부딪치다
a ~ing blow 강타
— *n.* **1** 세차게 부딪침[치는 소리], 거세게 흐르는 물(소리) **2** 강어귀의 여울; 물의 튐, 분류(奔流) **3** 뻐김, 으스댐(swagger), 허세 (부림) **4** 강타 **5** 《미》 모래톱의 가운데[모래톱과 물 사이]의 수로

swash·buck·le [swɑ́ʃbʌ̀kl, swɔ́ːʃ- | swɔ́ʃ-] *vi.* 허세 부리다

swash·buck·ler [-bʌ̀klər] *n.* 뻐기는[허세 부리는] 사람(을 다룬 소설·극); 깡패(bully); 무모한 사람

swash·buck·ling [-bʌ̀kliŋ] *n.* Ⓤ 뻐김, 허세 부림; 무모한 모험 **—** *a.* 뻐기는, 허세 부리는; 무모한; 깡패의[같은]; 〈영화가〉 모험과 스릴에 찬

swásh lètter 선단(先端) 장식이 있는 이탤릭체 대문자 활자

swásh plàte 〖기계〗 (회전) 경사판; (헬리콥터의) 요동판

swas·ti·ka [swɑ́stikə | swɔ́s-] 〖Skt. 「행운」의 뜻에서〗 *n.* **1** 만(卍)자(gammadion) 《십자가의 변형》 **2** 만자 십자장 《나치스 독일의 표장(標章)》

swat¹ [swɑ́t | swɔ́t] 《미·구어》 *vt., vi.* (**~·ted**; **~·ting**) 〈파리 등을〉 찰싹 치다; 〖야구〗 장타를 치다
— *n.* **1** 찰싹 때림 **2** 파리채((fly)swatter) **3** 〖야구〗 장타, 강타, 홈런

swat² *v., n.* 《영·속어》 = SWOT¹

SWAT, S.W.A.T. [swɑ́t | swɔ́t] 〖*S*pecial *W*eapons *a*nd *T*actics or *S*pecial *W*eapons *A*ttack *T*eam〗 *n.* 《미》 (FBI의) 특수 공격대, 특별 기동대

swatch [swɑ́tʃ | swɔ́tʃ] *n.* **1** 천 조각, 자투리 **2** (천·가죽 등의 작게 자른) 견본

swath [swɑ́θ, swɔ́ːθ | swɔ́θ] *n.* (*pl.* **~s** [-ðz, -θs]) **1 a** 낫을 휘둘러 한 줄로 베어나간 자리 《목초·보리 등의》, 한 번 낫질한 자취 **b** 그렇게 한 번 벤 목초[보리 《등》] **2** 베어 나간 넓이, 한 번 낫질한 넓이, 베어낸 한 구획 **3** 넓은 길, 긴 행렬; 띠 모양을 이루는 것[장소](strip, belt) **4** 〖항해〗 물결의 폭 ***cut a ~ through*** (1) 풀을 베어 길을 내다 (2) 마구 쓰러뜨리다, 마구 파괴하다 ***cut a*** (***wide***[***big***]) ***~*** 화려하게 행동하다; 으스대다, 주의를 끌다; 여지없이 파괴하다

swathe¹ [swɑ́ð, swéið | swéið] *vt.* **1** 〈사람·물건을〉 (붕대·천 등으로) 감다, 싸다 《*in, with*》 **2** (…에) 싸다 《*in*》: with the head *~d in* a shawl 숄로 머리를 감싸고 **—** *n.* 붕대(bandage), 감싸는 천(wrapping) **swáth·er** *n.*

swathe² *n.* = SWATH

swats [swǽts] *n. pl.* 《스코》 달고 신선한 맥주

swat-stick [swɑ́tstìk | swɔ́t-] *n.* 《야구속어》 배트, 방망이

swat·ter [swɑ́tər | swɔ́-] *n.* **1** 찰싹 때리는 사람[것] **2** 파리채(flyswatter) **3** 〖야구〗 강타자

Ś wàve 〖지질〗 (지진의) S파, 횡파(橫波), 제2파(secondary wave)

‡**sway** [swéi] *vt.* **1 a** 〈폭풍이〉 〈큰 나무 등을〉 (전후좌우로) (뒤)흔들다, 동요시키다 **b** [~ one*self* 로] 몸을 흔들다 **2** 기울게 하다 **3** 〈남의 의견·결심 등을〉 좌우하다, 마음대로 하다; 〈목적·진로 등을〉 빗나가게 하다 **4** 지배하다, 지휘하다, 조종하다 **~ *the scepter*** 왕권[주권]을 행사하다, 군림하다, 지배하다
— *vi.* **1 a** 흔들리다, 동요하다, 들썩들썩하다(⇨ swing 유의어): 《~+전+명》 The grass is *~ing in* the breeze. 풀이 산들바람에 나부끼고 있다. **b** (…에 맞추어) 몸[머리]을 움직이다[흔들다] 《*to*》 **2** 〈차·건물 등이〉 (어떤 방향으로) 기울다 《*to*》 **3** 〈의견·기분이〉 동요하다, 흔들리다 **4** 지배하다, 권력을 휘두르다
— *n.* **1** ⓊⒸ 동요, 흔들림 **2** 좌우함; 세력, 지배력, 영향(력) **3** Ⓤ 《고어》 지배(권), 통치(권)
hold ~ (***over …***) (…을) 지배하다 ***own love's ~*** 반했다고 고백하다 ***under the ~ of*** …의 통치[세력] 하에 **~·a·ble** *a.* **~·er** *n.*

sway·back [swéibæ̀k] *n.* Ⓤ 〖수의학〗 (말의) 척주 만곡증; 굽은 등; 〖병리〗 척주 전만(前彎)증
— *a.* = SWAYBACKED

sway·backed [-bæ̀kt] *a.* 〈말이〉 척주가 구부러진

swayed [swéid] *a.* = SWAYBACKED

Swa·zi [swɑ́ːzi] *n.* 스와지 족(族); 그 언어

Swa·zi·land [swɑ́ːzilæ̀nd] *n.* 스와질란드 《아프리카 남동부의 왕국; 수도 Mbabane》

swbd. switchboard **SWbS** southwest by south 남서미남(微南) **SWbW** southwest by west 남서미서

sweal [swíːl] 《영·방언》 *vi.* 타다, 그을리다; 〈초가〉 녹다 **—** *vt.* 태우다, 그을다; 〈초를〉 녹이다

‡**swear** [swέər] 〖OE 「말하다, 대답하다」의 뜻에서〗 *v.* (**swore** [swɔ́ːr]; **sworn** [swɔ́ːrn]) *vi.* **1** (…에 걸고) 맹세하다, 선서하다, 엄숙히 선언하다: 《~+전+명》 ~ *by*[*before, to*] God 신에게 걸고 맹세하다 / ~ *on* the Bible[one's sword] 성경에 손을 얹고[칼에 걸고] 선서하다

> 유의어 **swear** 하느님·성서 그밖에 신성한 것을 두고 맹세하다. 혹은 굳은 약속을 할 경우에도 쓰인다: *swear* to its truth 그것이 진실임을 맹세하다 **vow** 무언가를 실행할 것을 맹세하다: *vow* obedience 복종을 맹세하다

2 (…에게) 욕을 하다 《*at*》, 신의 이름을 더럽히다, 불경한[벌받을] 말을 하다: ~ like a pirate[trooper] 욕을 마구 퍼붓다 // 《~+전+명》 He *swore at* his children. 그는 아이들에게 욕을 퍼부었다. ★ 놀람이나 경멸을 나타낼 때 By God!, Jesus Christ!, Damn it! 등을 말함; 교회에서 금지하였으나 대용어로서 golly, gum, gosh; Goodness gracious; Heavens; gee; darn 등 여러 가지 변형이 있음. **3** (…을) 맹세하고 말[진술]하다, 선서하고 증언하다; (…라고) 단언하다 《*to*》: 《~+전+명》 ~ *against*[*in favor of*] the accused 피고에게 불리한[유리한] 증언을 하다 / ~ *to* its truth 그것이 진실이라고 단언하다
— *vt.* **1 a** 맹세하다, 선서하다; …할 것을 맹세하다: 《~+***that*** 절》 He *swore that* he would be revenged on her. 그는 그녀에 대한 복수를 맹세했다. // 《~+***to*** do》 She *swore to* tell the truth. 그녀는 진실을 말할 것을 맹세했다. **b** 《구어》 (…라고) 단언하다, 주장하다 ★ 보통 that을 생략함. **2** 증언하다: He *swore* it on the witness stand. 그는 증인석에서 그 일을 증언했다. **3** 맹세코 약속하다; 맹세하고 말하다; …에게 (…을) 맹세시키다 《*to*》: 《~+목+전+명》 As he knows our secrets, he should be *sworn to* secrecy. 그가 우리의 비밀을 알고 있으므로 비밀을 지킬 것을 맹세시켜야 한다. **4** (선서하여) 고발

하다: (~+목+전+명) ~ treason *against* a person …을 반역죄로 고발하다 **5** [~ one*self*로] 욕을 퍼부어[악담하여] (…의 상태로) 되다
enough to ~ by (구어) 아주 조금 ***I'll be sworn.*** (고어) 틀림없다, 맹세한다. ***~ an oath*** 맹세하다, 선서하다; 욕을 퍼붓다, 저주하다 ***~ at*** …을 욕하다; (구어) 〈빛깔·복장 등이〉 …와 조금도 조화하지 않다 ***~ away*** 맹세코 빼앗다 ***~ black is white*** 억지를 쓰다, 우겨대다 ***~ by*** …을 두고 맹세하다; (구어) …을 크게 장려하다; 깊이 신뢰하다; 확실히 알고 있다, 단정하다 ***~ for*** …을 보증하다 ***~ in*** 선서 취임을 시키다; 선서시키다 ***~ off*** 〈술 등을〉 맹세하고 끊다; 끊겠다고 맹세하다 ***~ on one's sword***[***the Book***] 칼을 두고[성서에 손을 얹고] 맹세하다 ***~ out*** 맹세코 〈술 등을〉 끊다; (미) 선서하여 〈구속 영장을〉 발부받다 ***~ the peace against*** (…에게 위해를 입을 염려가 있음을 선서하고) …로부터의 보호를 신청하다 ***~ to*** …을[라고] 단언[확언]하다 ~ a person ***to secrecy*** …에게 비밀을 지킬 것을 맹세시키다(⇨ *vt.* 3)
— *n.* **1** 맹세, 선서, 서약 **2** (영·구어) 저주(의 말), 욕, 욕설, 악담(swearword)

swear·er [swέərər] *n.* **1** 선서[맹세]하는 사람 **2** 욕[저주]하는 사람

swear·ing [swέəriŋ] *n.* Ⓤ 욕, 욕설

swear·ing-in [swέəriŋín] *n.* (선서) 취임(식)

swear·word [swέərwə̀:rd] *n.* 불경스러운[천벌 받을] 말, 욕, 악담, 저주

‡**sweat** [swét] *n.* **1 a** Ⓤ 땀: a face wet with ~ 땀으로 젖은 얼굴 **b** [a ~] 땀 흘림, 발한 **c** [종종 *pl.*] (운동 후·병 등으로 인한) 심한 땀: a cold ~ 식은땀 / night ~*s* (잠자며 흘리는) 식은땀, 도한(盜汗) **2** [a ~] 고역, 힘드는 일 **3** [a ~] (구어) 불안, 걱정 **4** (속어) 문제, 곤란 **5** ⓊⒸ (유리 등의 표면에 생기는) 수증기, 물방울, 습기 **6** [보통 an old ~] (영·구어) 노병 ***all of a ~*** (1) 땀투성이가 되어 (2) (구어) 몹시 걱정하여[두려워하여] ***be in a ~*** 땀을 흘리다; (구어) 걱정[안달]하다 ***by***[***in***] ***the ~ of one's brow*** 이마에 땀 흘리며, 정직하게 일하여 ***no ~*** (속어) (1) 간단한 일 (2) 간단히, 수월하게 (3) [감탄사적] 문제없다, 아무렇지도 않다
— *v.* (**~, ~·ed**) *vi.* **1** 땀 흘리다, 땀 나다 **2** 습기가 차다, 물방울이 생기다 **3** 〈옷을〉 땀으로 적시다 **4** 〈분비물이〉 스며나오다 **5** (구어) 땀 흘리며 일하다, 노동하다 (*at*); 싼 임금으로 장시간 일하다, 착취당하다: (~+전+명) She is always ~*ing at* her job. 그녀는 언제나 열심히 일하고 있다. **6** (식은땀이 날 정도로) 몹시 고생하다, 혼나다; 걱정하다
— *vt.* **1** 〈땀 등을〉 흘리다, 〈지방·수분 등을〉 분비하다 **2** (약으로) 땀을 내다, 취한(取汗)하다; 땀을 내어 〈감기 등을〉 고치다 (*out*); 땀을 내어 〈체중을〉 줄이다 (*off*): (~+목+부) ~ *out* a cold 땀을 내어 감기를 낫게 하다 **3** (미) 〈옷을〉 땀으로 적시다 **4** 노력에 의해 〈결과·승진 등을〉 얻다 **5** 〈노동자를〉 혹사하다, 착취하다 **6** (미·구어) …에 세심하게 주의를 기울이다 **7** 〈금화를〉 자루에 넣고 마찰시켜 가루를 취하다 **8** (구어) (심문하여) 〈자백을〉 강요하다; 고문하다 **9** 〖야금〗 부분용해로 굳히다; 가열하여 가용물(可溶物)을 제거하다 **10** (미·속어) 〈돈을〉 (…에게서) 우려내다, 빼앗다, 강탈하다, 사취하다 (*out of, from*) **11** (속어) 전당 잡히다(pawn)
make a person ***~*** 〈의견·판단을〉 초조하게 기다리게 하다 ***~ away***[***off***] 땀을 내어 없애다[체중을 줄이다]: ~ *away*[*off*] two pounds in a Turkish bath 터키탕에서 땀을 내어 체중을 2파운드 줄이다 ***~ blood*** (구어) 피땀 흘려 일하다; 몹시 걱정하다 ***~ down*** 몹시 압축하다 ***~ for it*** 후회하다 ***~ it*** (미·구어) (1) 걱정하다, 고민하다 (2) =SWEAT it out. ***~ it out*** (1) (구어) 격렬한 운동을 하다 (2) (구어) 불쾌한 일을 끝까지 참다 (3) (미·속어) 고문하다 ***~ like a pig*** (구어) 땀을 몹시 흘리다 ***~ on*** (속어) 잔뜩 기대하다, 가슴 설레이며 기다리다 ***~ out*** (1) 땀을 내어 〈감기 등을〉 고치다 (2) (속어) …을 끝까지 참다 (3) (미·속어) …을 초조하게 기다리다 ***~ with fear***[***emotion***] 너무 무서워서[극도로 감동하여] (식은)땀을 흘리다 ▷ swéaty *a.*

sweat·band [swétbæ̀nd] *n.* **1** (모자 안쪽에 댄) 속테 **2** (이마·손목 등의) 땀받이 띠

sweat·box [-bɑ̀ks | -bɔ̀ks] *n.* **1** (구어) 발한(發汗) 치료실[법]; 사우나실 **2** (미·구어) 죄수 징계실, 심문실 **3** (잎담배 등의) 건조 상자 **4** 돼지의 사육 우리

sweat·ed [swétid] *a.* Ⓐ 착취[저임금] (노동)의; 착취 노동으로 생산된

swéated lábour (영) 착취[저임금] 노동(자)

swéat èquity (미) 노동 제공형 가옥 소유 제도 ((황폐한 건물에 입주자의 노동력을 부가시켜 일정 기간의 염가 임대 후에 최종적으로 소유권을 부여하는 정책))

‡**sweat·er** [swétər] *n.* **1** 스웨터; (운동 경기용의) 두꺼운 털 셔츠 **2** 땀 흘리는 사람; 발한제(劑) **3** 노동 착취자

swéater gìrl (구어) 젖가슴이 풍만한 소녀[여배우, 모델], ((특히)) 꼭 끼는 스웨터를 입고 젖가슴을 강조하는 아가씨

swéat glànd 〖해부〗 한선(汗腺), 땀샘

sweat·ing [swétiŋ] *n.* Ⓤ 발한; 고역; 착취당함; (미) 고문: after a little ~ 조금만 고문하면

sweat·ing-bath [swétiŋbæ̀θ | -bɑ̀:θ] *n.* 한증탕

sweat·ing-room [-rù:m] *n.* **1** 터키탕의 한증막 [발한실] **2** 치즈 건조실

swéating sỳstem 노동 착취 제도(cf. SWEATER 3)

sweat·pants [swétpæ̀nts] *n. pl.* 스웨트 팬츠 ((운동선수가 보온을 위해 경기 전후에 입는 헐렁한 바지))

sweat·shirt [-ʃə̀:rt] *n.* 스웨트 셔츠 ((운동선수가 보온을 위해 경기 전후에 입는 헐렁한 스웨터))

sweat·shop [-ʃɑ̀p | -ʃɔ̀p] *n.* 노동 착취 공장

swéat sòcks (땀 흡수용) 두꺼운 면 양말 ((운동·스포츠 활동시에 착용하는))

swéat sùit sweatpants와 sweatshirt로 된 운동복

sweat·y [swéti] *a.* (**sweat·i·er**; **-i·est**) **1** 〈사람·몸·옷 등이〉 땀이 나는, 땀투성이의 **2** 〈기후 등이〉 땀이 나는, 몹시 더운 **3** 힘드는(laborious)
swéat·i·ly *ad.* **swéat·i·ness** *n.*

Swed. Sweden; Swedish

***Swede** [swí:d] *n.* **1** 스웨덴 사람 **2** [**s~**] 〖식물〗 스웨덴 순무 **3** (영·속어) 촌사람, 촌놈 ▷ Swédish *a.*

***Swe·den** [swí:dn] *n.* 스웨덴 ((스칸디나비아 반도의 동쪽을 차지하는 왕국; 수도 Stockholm))
▷ Swédish *a.*

Swe·den·bor·gi·an [swì:dnbɔ́:rdʒiən, -giən] *a., n.* 스베덴보리 ((스웨덴의 종교적 신비 철학자 (1688-1772)))의 (신봉자)

***Swed·ish** [swí:diʃ] *a.* **1** 스웨덴(사람)의: 스웨덴식의 **2** 스웨덴 말의
— *n.* **1** Ⓤ 스웨덴 말 **2** [the ~; 복수 취급] 스웨덴 사람 ▷ Swéden, Swéde *n.*

Swédish gymnástics 스웨덴 체조

Swédish masságe 스웨덴 마사지

Swédish móvements 스웨덴식 운동

Swédish túrnip 〖식물〗 =RUTABAGA

swee·ny [swí:ni] *n.* Ⓤ 〖수의학〗 (특히 말 어깨의) 근육 위축증

‡**sweep** [swí:p] *v.* (**swept** [swépt]) *vt.* **1** 청소하다, 소제하다, 〈먼지 등을〉 털다 (*off*), 쓸어버리다 (*away, up*): (~+목+부) ~ *up* a room 방을 청소하다 // (~+목+보) ~ a room clean 방을 깨끗이 청소하다 // (~+목+전+명) She *swept* the dirt *off* the floor. 그녀는 마루에 있는 먼지를 깨끗이 쓸어버렸다. **2** 〈급류·눈사태 등이〉 쓸어 내리다, 씻어 내리다 (*along, down*); 휩쓸어 가다 (*away*); 날려버리다, 흩날려보내다 (*off*); 일소[소탕]하다 (*away*); 〈질병·소란·홍분 등이〉 〈장소를〉 휩쓸다; 전멸시키다; 〈화염 등이〉 삼켜 버리다; 소사(掃射)하다; 소해(掃海)

하다; 〈강·바다·우물 등의 밑바닥을〉 치다, 준설하다: (~+목+부) She had her hat *swept off* by the wind. 그녀는 바람에 모자를 날려버렸다. (~+목+전+명) The snow was *swept into* drifts by the wind. 눈이 바람에 흩날려 쌓였다. **3** (내)쫓다, 내몰다; 〈폭풍이〉 휘몰아치다 **4** 급히 지나가다 **5** 휙 어루만지다, 쓱 털다; 〈옷자락 등이〉 …에 살짝 끌리다 **6** 〈빛·시선 등이〉 〈장소를〉 **휙 지나가다,** 휙 둘러보다; 내다보다 **7** 〈현악기를〉 켜다[타다]; 〈화필을〉 휘두르다: ~ the guitar 기타를 치다 **8** 〈시리즈전 등에서〉 연승[전승]하다; 〈선거 등에〉 압도적으로 이기다 **9** 〖항해〗 〈거룻배 등을〉 큰 노로 젓다 **10** 품위 있게 〈절을〉 하다: (~+목+목) She *swept* the king a curtsy. 그녀는 왕에게 무릎을 굽혀 품위 있게 절하였다.

—*vi.* **1 청소하다,** 쓸다 **2** 〈폭풍(우)·노도·전염병 등이〉 **엄습하다,** 휘몰아치다; 〈사람·차 등이〉 휙 지나가다; 〈감정이〉 엄습하다, 치밀어 오르다: (~+부) (~+전+명) The cavalry *swept down on* the enemy. 기병대는 적군을 급습하였다. / A deadly fear *swept over* me. 심한 공포감이 나를 엄습했다. **3** 휙 날아가 버리다: (~+부) A flock of birds *swept by.* 한 떼의 새들이 휙 날아갔다. **4** 〈정장한 여성 등이〉 옷자락을 끌며 걷다; 당당히[의젓이] 나아가다[들어가다]: (~+부) (~+전+명) The lady *swept in*[*into* the room, *out of* the room]. 그 부인은 의젓하게 들어왔다[방으로 들어왔다, 방에서 나갔다]. **5** 이르다, 미치다; 〈시선이〉 닿다, 바라보다; 퍼지다; 〈산이〉 기슭이 넓게 퍼지다, 〈섬이〉 길게 뻗다: (~+보) The bride's dress ~*s* long. 신부의 드레스가 길게 늘어져 있다. // (~+부) The land *swept away* to the east. 그 땅은 멀리 동쪽으로 뻗쳐 있었다.

be swept along in the crowd 인파에 밀리다 **~** a person ***off his***[***her***] ***feet*** (1) 〈파도 등이〉 …의 발을 쓸다, 벌렁 넘어지게 하다 (2) …을 열중[열광]케 하다 **~ *aside*** 홱 뿌리치다[물리치다]; 〈반대·비판 등을〉 일축하다 **~ *away*** (1) 쓸어내다, 파괴하다, 완전히 없애 버리다 (2) …의 마음을 사로잡다, …에게 큰 감동을 주다 **~ *everything***[***all, the world***] ***before*** one 거침없이 나아가다, 파죽지세로 나아가다 **~** one***'s audience along with*** one 청중의 인기를 독차지하다 **~ *the board***[***table***] 노름에 이겨 판돈을 쓸어가다; 상(賞)을 독차지하다, 모든 경기에 이기다 **~ *the deck*** 〈파도가〉 갑판을 씻다; 갑판 위를 소사(掃射)하다; 노름에 이겨 판돈을 휩쓸어 가다 **~ *the seas*** 바다를 횡단하다; 소해(掃海)하다; 해상의 적을 일소하다 **~ *... under***[***beneath***] ***the carpet***[***rug***] (영·구어) 〈실패·좋지 못한 것[일]을〉 감추다, 비밀로 하다 **~ *up*** 청소하다, 쓸어모으다; (영·구어) …을 휙 낚아채다 ***swept and garnished*** 〖성서〗 소제되고 수리되어 《너무 한가한 곳엔 악마가 들기 쉽다》; 면목을 일신하여

—*n.* **1 청소,** 쓸기: give the house a good ~ 집을 깨끗이 청소하다 **2** 일소, 전폐 **3** (문명 등의 급속한) 진보, 발전 **4** [a ~, the ~] (손·칼·노 등을) 홱 움직임, 한 번 휘두름; 휘둘러 봄; 휩쓸기; 소사(掃射): a ~ of a scythe 큰 낫으로 한 번 후려 베기 **5** [보통 a ~, the ~] (토지의) 뻗침, 드넓은 일대; (미치는) 범위; 시야: within *the* ~ of the eye 눈이 미치는 범위 안에, 시계 내에 **6** 길고 완만한 곡선, 만곡; 굽은 길, (특히 대문에서 현관까지의) 차가 들어가는 길 **7** [보통 *pl.*] 쓸어 모은 것 《특히 귀금속 공장의 귀금속 부스러기 등》 **8** 굴뚝 청소부; 청소부 **9** =SWEEPSTAKES **10** 〖항해〗 자루가 긴 노, 큰 노 《큰 거룻배 또는 바람이 없을 때에 범선에서 서서 젓는》 **11** 방아두레박(의 장대) **12** 풍차 날개 **13** [보통 clean ~] (경기 등에서의) 전승; (선거에서의) 대승, 압승 **14** 〖물리〗 불가역적으로 열평형에 이르는 과정 **15** (속어) 악당 **16** 〖전자〗 편향 전류, 편향 전압 **17** (미) (라디오·텔레비전의) 인기도 측정 조사; [the ~s] 이 조사가 실시되는 시기

(***as***) ***black as a ~*** 시꺼먼, 더러운 ***at one ~*** 단번에, 단숨에 ***beyond the ~ of*** …이 미치지 않는 곳에 ***make a clean ~ of*** …을 전폐하다; 〈고물 등을〉 일소[모조리 처분]하다; 〈인원 등을〉 대대적으로 정리하다; 〈경기 등에〉 압승[완승]하다

sweep·back [swíːpbæ̀k] *n.* 〖항공〗 (날개의) 후퇴각

∗**sweep·er** [swíːpər] *n.* **1 청소부 2 a** (수동) 청소기 **b** =CARPET SWEEPER **3** (빌딩 등의) 관리인 **4** 소해정 **5** 〖축구〗 스위퍼 《골키퍼 앞에 위치하는 선수》

swéep hànd =SWEEP-SECOND

∗**sweep·ing** [swíːpiŋ] *a.* **1 일소하는,** 소탕하는; 휩쓸어 가는: a ~ storm 맹렬한 폭풍 **2 a** 포괄적인, 대강의: ~ generalizations 대체적인 총괄 **b** 광범위한, 전면적인: ~ changes 전면적인 변경 **3** 널리 바라볼 수 있는 **4** 철저한, 완전한: a ~ victory 완전한 승리

—*n.* **1** Ⓤ 청소; 일소; 소탕; 휩쓸기 **2** [*pl.*] 쓸어 모은 것, 쓰레기 **~·ly** *ad.* **~·ness** *n.*

swéep nèt 후릿그물; 포충망(捕蟲網)

sweeps [swíːps] *n. pl.* [단수·복수 취급] (속어) =SWEEPSTAKES

sweep-sec·ond [swíːpsèkənd] *n.* (시계의 시침·분침과 동심(同心)인) 초침

sweep·stakes [-stèiks] *n. pl.* [단수·복수 취급] **1** 스테이크 경마 《혼자 또는 몇 사람이 판돈 전부를 독차지할 수 있도록 꾸민 내기 경마》; 그와 같은 도박; 그 상금 **2** (상금을 건) 경주, 경쟁; 복권

swéep tìcket sweepstakes의 마권

‡**sweet** [swíːt] *a.* **1** 단, **감미로운,** 설탕을 넣은: ~ stuff 단것 《과자류》 **2** 〈물이〉 단물인, 센물이 아닌 (opp. *dry*) **3** 〈버터 등이〉 짜지 않은; 〈술이〉 단맛이 도는(opp. *dry*) **4** 〈요리가〉 맛있는, 맛좋은 **5** 〈소리·목소리가〉 듣기 좋은, 감미로운, 음악적인: a ~ singer 목소리가 좋은 가수; 종교 시인 **6** 냄새가 좋은: It smells ~. 좋은 냄새가 난다. **7** 기분 좋은, 즐거운: ~ love 달콤한 사랑 **8** 〈공기가〉 신선한(fresh) **9** 친절한, 상냥한; 마음씨 고운, 얌전한: It's very ~ of you to do that. 그렇게 해 줘서 참 고마워요. **10** [특히 여성 용어로] (구어) 고운, 예쁜, 귀여운, 사랑스러운, 매혹적인(fetching): ~ seventeen[sixteen] 꽃다운 나이 **11** [반어적] 〈일격 등이〉 지독한, 호된 **12 a** 기분 좋게[쾌적하게] 나아가는: ~ going 기분 좋은 자동차[쾌적한 도로] 여행 **b** 쉽게 조작할 수 있는: a ~ ship 조종하기 쉬운 배 **13** 감상적인; 비현실적인 **14** 〖농업〗 〈땅이〉 산성이 아닌, 농경에 알맞은 **15** 잘하는, 익숙한 **16** (미·속어) 여성적인

at one***'s own ~ will*** 제멋대로 ***be ~ on***[***upon***] (구어) …에게 반하다 ***clean and ~*** 깔끔한, 산뜻한 ***give*** a person ***a ~ one*** (속어) 호되게 한 대 때리다 ***keep*** a person **~** …에게 아첨하다 **~ *and twenty*** 20세의 미인 **~ *hour of prayer*** 조용히 기도 드릴 때 《성가의 구절》 **~ *one*** (호칭) =DARLING (cf. SWEET *a.* 10)

—*ad.* =SWEETLY

—*n.* **1** Ⓤ 단맛(sweetness) **2 a** [종종 *pl.*] **단것 b** (영) 사탕과자, 캔디((미) candy) 《드롭스·봉봉 등》 **3** (영) (단것이 나오는) 디저트 《식후의 푸딩·아이스크림·젤리 등》: the ~ course = DESSERT **4** [the ~s] 유쾌, 쾌락 **5** [my ~로 호칭에도 써서; 종종 ~est] 사랑하는 사람, 애인, 그리운 사람 **6** [보통 *pl.*] (시어) 방향(芳香) **7** (미·구어) 고구마 ***the ~ and bitter***[***~s and bitters***] ***of life*** 인생의 고락 ▷ swéeten *v.*

swéet alýssum 〖식물〗 향기알리섬 《원예 식물》

sweet-and-sour [swíːtənsáuər] *a.* 〈요리·소스 등이〉 새콤달콤한

swéet básil 〖식물〗 나륵풀 《향미료·약용》

swéet báy 〖식물〗 월계수

sweet·bread [-brèd] *n.* (주로 송아지의) 췌장 또는 흉선(胸腺) (식용)

sweet·bri·er, -bri·ar [swíːtbràiər] *n.* 〖식물〗 들장미의 일종 《유럽에 흔함》

swéet chéstnut =SPANISH CHESTNUT

swéet cícely 〖식물〗 미나릿과(科) 식물의 총칭

swéet cíder 발효가 덜 된 사과술

swéet clóver 〖식물〗 전동싸리
swéet còrn ⦅미⦆ 사탕옥수수; (요리용의 덜 익은) 옥수수(green corn)
swéet crúde 유황분이 적은 원유
*__sweet·en__ [swíːtn] *vt.* **1** (설탕을 넣어) 〈음식을〉 달게 하다 **2** 〈노여움·슬픔 등을〉 누그러뜨리다 **3** 유쾌하게 하다, 기분 좋게 하다, 편하게 하다 **4** (물·우유 따위로) 〈요리의〉 짠맛을 줄이다 **5** 〈소리·가락·냄새·공기 등을〉 달콤하게[감미롭게] 하다, 상쾌하게 하다 **6** 깨끗이 하다, 소독하다 **7** 〖화학〗 〈위·흙 따위의〉 산성을 약하게 하다; 〈액을〉 중화하다 **8** 〖구어〗 〈담보물·재산 등〉의 가치를 늘리다 **9** ⦅구어⦆ (포커에서) 〈판돈을〉 늘리다 **10** ⦅속어⦆ 뇌물을 주다
— *vi.* **1** 달게 되다, 맛이 좋아지다 **2** 향기로워지다; 소리가 감미롭게 되다; 가락이 좋아지다, 아름다워지다 **3** 유쾌해지다, 즐거워지다 ▷ swéet *a.*
sweet·en·er [swíːtnər] *n.* **1** 감미료 **2** ⦅구어⦆ 뇌물(bribe) **3** ⦅미·구어⦆ 기분을 풀어[달래어] 주는 것
sweet·en·ing [swíːtniŋ] *n.* **1** 감미료 **2** Ⓤ 달게 함
Swéet FÁ[Fánny Àdams] ⦅영·속어⦆ 영, 제로 (nothing at all)
swéet férn 〖식물〗 소귀나뭇과(科)의 관목 ⦅북미산(産); 잎은 양치(羊齒) 모양이고 향기가 있음⦆
sweet·fish [swíːtfìʃ] *n.* 〖어류〗 은어
swéet flág 〖식물〗 창포의 일종
swéet gále 〖식물〗 들버드나무 ⦅소귀나뭇과(科)의 낙엽 관목⦆
swéet gúm 〖식물〗 소합향의 일종 ⦅북미산(産)⦆; 그 나무에서 나는 향기 좋은 액체 수지(樹脂)
‡**sweet·heart** [swíːthὰːrt] *n.* **1** 애인 ⦅종종 여자⦆ **2** 여보, 당신(darling) ⦅호칭⦆: Goodbye, ~! 자기야, 안녕! **3** ⦅구어⦆ 기분 좋은 사람, 멋진 사람[것] **4** ⦅구어⦆ 애착 가는[애용하는] 물건
— *vi.* ⦅구어⦆ 연애하다, 구애[구혼]하다: go *~ing* 결혼을 신청하다
— *vt.* 애인[연인]으로 삼다; 구애하다(court, woo)
swéetheart còntract[agrèement, dèal] ⦅미·속어⦆ 결탁 임금 협정[협약] ⦅낮은 임금을 주도록 회사와 노조 간부가 결탁하는 협약⦆
swéetheart nèckline (목 부분이 하트 모양으로 파진) 여성복
sweet·ie [swíːti] *n.* **1** ⦅구어⦆ =SWEETHEART **2** [보통 *pl.*] ⦅영·구어·유아어⦆ =SWEETMEAT
sweet·ie·wife [swíːtiwàif] *n.* ⦅스코·방언⦆ **1** 수다스러운 여자 **2** 캔디 파는 여자
sweet·ing [swíːtiŋ] *n.* **1** 단 사과 **2** ⦅고어⦆ 애인(sweetheart)
sweet·ish [swíːtiʃ] *a.* **1** 좀 단맛이 있는 **2** 지나치게 단 **~·ly** *ad.* **~·ness** *n.*
‡**sweet·ly** [swíːtli] *ad.* **1 a** 달게, 감미롭게, 달콤하게 **b** 향기롭게 **c** 가락이 나서, 장단이 맞아 **2** 상냥하게, 싹싹하게, 친절하게 **3** 아름답게, 귀엽게 **4 a** 〈칼 등이〉 잘 들어 **b** 기분 좋게, 거침없이, 술술 ***pay[cost]* ~** 대단히 비싸다; 비싼 대가를 치르다
swéet máma ⦅미·속어⦆ 스위트 마마 ⦅관능적이고 돈 잘 쓰는 여자 애인⦆
sweet·man [swíːtmæ̀n] *n.* (*pl.* **-men** [-mèn]) **1** ⦅미·속어⦆ (멋있고 돈 잘 쓰는) 남자 애인 **2** ⦅카리브⦆ (여자가 먹여 살리는) 정부(情夫)
swéet márjoram =MARJORAM
sweet·meat [-mìːt] *n.* [보통 *pl.*] **1** 사탕과자(⦅미⦆ candy) ⦅설탕·초콜릿 등으로 만든 드롭스·봉봉·캐러멜⦆ **2** (과일의) 설탕절임 **3** ⦅미·속어⦆ 여자
‡**sweet·ness** [swíːtnis] *n.* Ⓤ **1** 단맛; 신선함; 방향(芳香) **2** (목소리의) 아름다움, 감미로움 **3** 유쾌; 친절, 부드러움 **4** 사랑스러움
(***all***) **~ *and light***; (평소와 달리) 매우 상냥하고 즐거운; 〈상황이〉 순조로운, 유쾌한
swéet nóthings ⦅구어⦆ 사랑의 속삭임, 밀어
swéet òil 올리브기름, 평지씨 기름 ⦅식용⦆
swéet pápa ⦅미·속어⦆ 스위트 파파 ⦅젊은 여성에게 돈 잘 쓰는 중년 플레이보이⦆
swéet pèa 〖식물〗 스위트피 ⦅콩과(科)의 원예 식물⦆; ⦅미·속어⦆ 애인
swéet pépper =GREEN PEPPER
swéet potàto 〖식물〗 고구마; ⦅미·구어⦆ =OCARINA
sweet·root [swíːtrùːt] *n.* 감초(licorice)
sweet-scent·ed [-sèntid] *a.* 냄새가 좋은, 향기가 있는, 향기로운(fragrant)
sweet·shop [-ʃɑ̀p | -ʃɔ̀p] *n.* ⦅영⦆ 과자점(⦅미⦆ candy store)
sweet·sop [-sɑ̀p | -sɔ̀p] *n.* 〖식물〗 번려지(蕃荔枝) ⦅열대 아메리카산(産)⦆; 그 열매
swéet sórghum =SORGO
swéet spòt 〖스포츠〗 (클럽·라켓·배트 등의) 공이 맞으면 가장 잘 날아가는 부분
swéet tàlk ⦅미·구어⦆ 감언, 아첨(cajolery)
sweet-talk [-tɔ̀ːk] *vt., vi.* ⦅미·구어⦆ 달콤한 말을 하다; 아첨하다
sweet-tem·pered [-témpərd] *a.* 마음씨가 고운, 상냥한; 호감을 주는 **~·ness** *n.*
swéet tòoth **1** [a ~] 단것[과자]을 좋아함: have *a* ~ 단것을 좋아하다 **2** ⦅미·속어⦆ 마약 중독
swéet víolet 〖식물〗 향기제비꽃
swèet wílliam [종종 **s- W-**] 〖식물〗 왕수염패랭이꽃 ⦅석죽과(科)⦆
swèet wílliam cátchfly 〖식물〗 끈끈이대나물
sweet·y [swíːti] *n.* (*pl.* **sweet·ies**) ⦅영⦆ =SWEETMEAT
‡**swell** [swél] *v.* (**~ed**; **swol·len** [swóulən], ⦅고어⦆ **swoln** [swóuln], ⦅드물게⦆ **~ed**) *vi.* **1** 부풀다, 붓다, 팽창하다(⇨ expand 유의어); 〈손·발 등이〉 부어오르다 (*up, out*); 〈돛 등이〉 부풀다: (~+㉾) All the sails *~ed out* in the strong wind. 돛이 강풍을 받아 모두 부풀었다. **2** 〈수량·강도·힘 등이〉 증가하다; 〈물이〉 붇다; 〈조수가〉 밀려오다; 〈바닷물이〉 파도치다 **3** 〈물건 모양이〉 부풀어 오르다, 불룩해지다; 〈땅이〉 솟다, 융기하다: (~+㉿+㊔) The ground *~s into* an eminence. 땅이 솟아 언덕을 이루고 있다. **4** 〈소리가〉 높아지다: (~+㉿+㊔) The murmur *~ed into* a roar. 속삭임이 고함소리로 변했다. **5** 〈감정이〉 복받쳐 오르다, 〈가슴이〉 벅차다; 화내다 (*up*): (~+㉿+㊔) He felt his heart *~ing with* indignation. 그는 가슴에 분노가 치미는 것을 느꼈다. **6** ⦅구어⦆ 의기양양해지다, 뽐내다
— *vt.* **1** 부풀게 하다; 붓게 하다; 〈돛 등을〉 부풀리다 **2** 〈소리 등을〉 높이다, 세게 하다 **3** 〈수량 등을〉 증가시키다, 늘리다, 불리다 (*with*): (~+㊙+㉾) New notes and additions of all kinds *~ed* the book *out* to monstrous size. 갖가지 새로운 주석과 추가 등으로 책의 부피는 엄청나게 늘어났다. **4** [종종 수동형으로] 〈마음·사람 등을〉 (감정으로) 벅차게 하다 (*out, with*); 의기양양하게 하다, 뽐내게 하다 (*with*): My heart *was swollen with* pride. 나는 긍지로 가슴이 뿌듯해졌다.
~ *a note* 억양을 붙여 연주[노래]하다 **~ *like a turkey cock*** (칠면조처럼) 뽐내다, 거만하게 행동하다 **~ *the chorus of admiration*** 숭배자의 한 사람이 되다 **~ *the ranks of*** …에 끼다, 가담하다
— *n.* **1** CU 팽창; 부풀기, 부음, 부어오름; 증가, 증대: a ~ in population 인구 증가 **2** (파도의) 굽이침, 큰 물결(⇨ wave 유의어); (땅의) 융기, 언덕, 구릉; (가슴의) 융기, 융기부 **3 a** (소리의) 높아짐; 〖음악〗 (음의) 억양, 증감; 그 기호 ⦅<, >⦆ **b** (오르간의) 증음기 **c** (감정의) 높아짐 **4** ⦅구어⦆ 멋쟁이; 명사, 거물; ⦅속어⦆ (…의) 명인, 명수, 수완가 (*at, in*)
— *a.* **1** ⦅미·구어⦆ 멋진 (옷을 입은), 멋있는; 훌륭한 (wonderful): a ~ girl 멋쟁이 여자 / a ~ time 몹

thesaurus **swell** *v.* **1** 부풀다 expand, bulge, distend, inflate, dilate, blow up, puff up, balloon, tumefy (opp. *shrink, contract*) **2** 증가하다 increase,

시 즐거운 한때/Have a ~ time! 맘껏 즐겨라! **2** ((고어)) 상류의, 최고급의(distinguished); (사회적으로) 저명한 **3** ((미·구어)) 일류의, 굉장한, 대단한: a ~ hotel 일류 호텔/a ~ speech 명연설

—*ad.* ((미·속어)) 훌륭하게; 멋지게; 유쾌하게

swéll bòx (오르간의) 증음기통, 증음 상자

swell·dom [swéldəm] *n.* Ⓤ ((구어)) 상류 사회, 멋쟁이들

swélled héad [swéld-] ((구어)) 자만, 자부; = SWELLHEAD

swélled-héad·ed *a.* **swélled-héad·ed·ness** *n.*

swell·el·e·gant [swélèligənt] *a.* ((미·속어)) 아주 훌륭한, 최고로 좋은

swell·fish [swélfiʃ] *n.* (*pl.* **~·es,** [집합적] **~**) 〚어류〛 복어(puffer)

swell·head [-hèd] *n.* 자만하는[뽐내는] 사람

swéll·héad·ed *a.* **swéll·héad·ed·ness** *n.*

∗**swell·ing** [swéliŋ] *n.* **1** 팽창; 부풀어 오름 **2** (몸의) 부은 데, 혹, 종기; 돌출부, 융기부, 부푼 부분 **3** (땅의) 융기; 낮은 산 **4** Ⓤ Ⓒ 증대; (강물의) 증수; (파도의) 너울거림

—*a.* 〈지형이〉 융기한; 부푼; 〈소리·감정 따위가〉 높아진; 과장된; 거만한: ~ oratory 과장된 연설

swell·ish [swéliʃ] *a.* ((구어)) 멋진, 멋 부린

swéll mób [집합적] ((영·속어)) 신사 차림의 범죄자[소매치기] 집단

swéll òrgan 〚음악〛 스웰 오르간 ((증음기(增音器)가 달린 오르간))

swel·ter [swéltər] *vi.* 더위에 지치다, 더위먹다, 땀투성이가 되다 —*n.* 찌는 듯한 더위, 혹서; 흥분 (상태): in a ~ 땀투성이가 되어; 흥분하여

swel·ter·ing [swéltəriŋ] *a.* **1** 더위 먹은, 더위에 지친: ~ animals 더위에 지친 동물들 **2** 무더운: a ~ day 무더운 날 **3** [부사적으로] ((구어)) 찌는 듯이: It's ~ hot. 찌는 듯이 덥군요. **~·ly** *ad.*

‡**swept** [swépt] *v.* SWEEP의 과거·과거분사

swept-back [swéptbæ̀k] *a.* **1** 〚항공〛 〈날개가〉 후퇴각을 가진; 〈비행기·미사일 등이〉 후퇴익(翼)을 가진 **2** 〈머리가〉 올백의

swépt-báck wíng 〚항공〛 후퇴익

swept-up [-ʌ̀p] *a.* = UPSWEPT

swept·wing [-wìŋ] *a.* 〚항공〛 = SWEPT-BACK 1

∗**swerve** [swə́ːrv] *vi.* **1** (…에서) 빗나가다, 벗어나다 ((*from*)): (~+전+명) The bullet ~*d from* the mark. 총알이 표적을 빗나갔다. **2** 정도를 벗어나다, (…에서) 일탈하다 ((*from*)); (~+전+명) He never ~*s* an inch *from* his duty. 그는 본분을 벗어나는 일이 결코 없다.

—*vt.* (…에서) 빗나가게 하다, 벗어나게 하다; 〈공을〉 커브시키다 ((*from*))

—*n.* **1** 빗나감, 벗어남; 헛디딤; 굽음, 비뚤어짐 **2** 〚크리켓〛 곡구(曲球); 〚야구〛 커브 **~·less** *a.*

S.W.G. standard wire gauge

swid·den [swídn] *n.* (경작을 위해 초목을 태워 만든) 작은 대지, 화전(火田)

‡**swift** [swíft] *a.* **1** 빠른, 신속한(opp. *slow*)(⇨ quick 유의어): a ~ ship 쾌속선 **2** 조속한; 즉석에서의: a ~ response 즉답(卽答) **3** Ⓟ 곧 (…)하는, (…)하기 쉬운: (~+*to* do) He was ~ *to* hear, slow to speak. 그는 남의 말을 듣는 데는 빨랐으나 말은 느린 편이었다. **4** 눈 깜짝할 사이의; 짧은: ~ years 눈 깜짝할 사이에 지나가는 세월 **5** ((미·속어)) 방탕한 **6** ((영·속어)) 〈경관이〉 뇌물을 받는 **7** ((속어)) 기민한, 영리한 ***be ~ of foot*** 걸음이 빠르다

—*ad.* 재빨리, 신속히

—*n.* **1** 〚조류〛 칼새; 관칼새 **2** 〚곤충〛 박쥐나방(=∠ **móth**) **3** 도롱뇽, 작고 민첩한 도마뱀의 일종 **4** 자동 실감개, 자동 물레 **5** ((속어)) 작업이 민첩한 식자공 **6** [the ~] 발 빠른 사람 **7** ((미·속어)) 속도(speed)

Swift [swíft] *n.* 스위프트 **Jonathan** ~ (1667-1745) ((아일랜드 태생의 영국의 풍자 소설가; *Gulliver's Travels*의 작가))

SWIFT [swíft] [*S*ociety for *W*orldwide *I*nterbank *F*inancial *T*elecommunication] *n.* 국제 은행 간 통신 협회

swift-foot·ed [swíftfútid] *a.* 걸음이 빠른, 날듯이 달리는

swift-hand·ed [-hǽndid] *a.* 손을 잽싸게 놀리는; 〈행동이〉 민첩한

swift·ie, swift·y [swífti] *n.* ((호주·속어)) 책략, 계략; 속임수

‡**swift·ly** [swíftli] *ad.* 신속히, 빨리, 즉시, 즉석에서

swift·ness [swíftnis] *n.* Ⓤ 신속, 빠름

swift-winged [swíftwíŋd] *a.* 빨리 나는

swig [swíg] ((속어)) *vt., vi.* (**~ged**; **~·ging**) 〈술 등을〉 마구 들이켜다(drink greedily) —*n.* 쭉쭉 들이켬, 통음 ***take a ~*** (…을) 꿀꺽꿀꺽 마시다 ((*at*))

swill [swíl] *vt.* **1** 꿀꺽꿀꺽 마시다: (~+목+전+명) ~ oneself *with* wine 술을 실컷 마시다 **2** 〈동물에게〉 남은 음식을 주다 **3** 헹구다(rinse), 씻어 내다: (~+목+부) She ~*ed out* dirty cups. 그녀는 더러워진 잔들을 씻어 냈다. —*vi.* 단숨에 들이켜다, 폭음하다 —*n.* **1** Ⓤ (돼지에게 주는) 부엌 구정물, 밥찌끼 **2** (액체·급류 등의) 흐르는 소리, 콸콸, 솰솰 **3** 통음, 쭉쭉 들이켬 **4** 나쁜[값싼] 술 **5** [a ~] 씻어 냄

swill·er [swílər] *n.* ((구어)) 주호(酒豪)

swill-up [swílʌ̀p] *n.* ((미·속어)) 술잔치, 흥청망청 마시기

‡**swim** [swím] *v.* (**swam** [swǽm], ((고어)) **swum** [swʌ́m]; **swum**; **~·ming**) *vi.* **1** 헤엄치다, 수영하다: (~+부) ~ *about* in the sea 바다를 헤엄쳐 다니다// (~+전+명) ~ *on* one's back 배영하다/~ *across* the lake 호수를 헤엄쳐 건너다/ⒸⒺ ~ *in* [on(×)] a river 강에서 헤엄치다/ⒸⒺ go ~*ming* [go to ~] *in*[to(×)] the sea 바다로 수영하러 가다 **2** 뜨다, 떠내려가다, 표류하다: (~+전+명) The fat is ~*ming on* the soup. 기름기가 수프 표면에 떠 있다. **3** (헤엄치듯) 나아가다, 미끄러지듯 움직이다: (~+전+명) ~ *into* the room 방에 쑥 들어가다 **4** (…에) 젖다, 잠기다 ((*in*)) **5** (…이) 넘치다 ((*with, in*)): with her eyes ~*ming with* tears 눈에 눈물이 글썽하여 **6** 현기증이 나다; 빙빙 도는 것처럼 보이다: My mind *swam.* 머리가 어찔어찔했다.

—*vt.* **1** 헤엄쳐 건너다: ~ a lake 호수를 헤엄쳐 건너다 **2** 〈수영 경기에〉 참가하다; …와 경영(競泳)하다 **3** 〈말·개 등을〉 헤엄치게 하다 **4** 〈배 등을〉 띄우다; 〈씨·알 등을〉 물에 띄우다, 적시다

sink or ~ 흥하느냐 망하느냐, 죽느냐 사느냐 ***~ to the bottom*** = ***~ like a stone*** 헤엄을 전혀 못 치다, 맥주병이다 ***~ with***[***against***] ***the tide***[***current, stream***] 시류에 순응[역행]하다

—*n.* **1** 수영; 수영 시간[거리]: go for a ~ 수영하러 가다 **2** 미끄러지듯 움직임 **3** ((미)) 물고기의 부레 **4** [the ~] 일의 경과, 진행, 대세; (유행·여론의) 경향 **5** (물고기가 많은) 깊은 못(deep pool) **6** 현기증

in the ~ 사정[최신 유행]에 밝아 **~·ma·ble** *a.*

swím blàdder (물고기의) 부레(bladder)

swím fìn (잠수용) 발갈퀴(flipper)

swím màsk 잠수 마스크[안경]

swím mèet ((구어)) 수영 대회

‡**swim·mer** [swímər] *n.* 헤엄치는 사람[동물]: a poor[good] ~ 헤엄을 못[잘] 치는 사람[짐승]

swim·mer·et [swímərèt] *n.* 〚동물〛 (갑각류의) 헤엄다리, 유영각(遊泳脚)

‡**swim·ming** [swímiŋ] *n.* **1** Ⓤ 수영, 경영(競泳); 〚동물〛 유영(遊泳) **2** [a ~] 현기증: have *a* ~ in the head 현기증이 나다

—*a.* **1** 헤엄치는; 〈새 등이〉 유영성(遊泳性)의: a ~

---

grow larger, rise, mount, escalate, accelerate

swift *a.* fast, rapid, quick, speedy, fleet, brisk, express, sudden, abrupt, hasty, hurried

bird 유영성 새 **2** 수영용의 **3** 물[땀, 침]이 넘치는: ~ eyes 눈물이 글썽한 눈 **4** 〈동작 등이〉 미끄러지듯 움직이는, 흐르는 듯한 **5** 현기증이 나는

swímming bàth 《영》 (보통 실내의) 수영장

swímming bèll 〔동물〕 (해파리 등의) 갓, 영종(泳鐘) 《종 모양의 헤엄치는 기관》

swímming bèlt 허리에 매는 부대(浮袋) 《수영 연습용》

swímming blàdder = SWIM BLADDER

swímming càp 《영》 수영모(bathing cap)

swímming còstume 《영》 수영복

swímming cráb 〔동물〕 꽃게

swímming gàla 수영 경기 대회

swímming hàt = SWIMMING CAP

swímming hòle (강의) 수영할 수 있는 깊은 곳

swim·ming·ly [swímiŋli] *ad.* 술술, 거침없이: go [get] on ~ 척척 일이 잘 되어 가다

swímming pòol 《미》 수영장

swímming pòol reáctor 수영장형 원자로 《경수(輕水) 감속형 원자로의 일종》

swímming stòne 부석(浮石)(floatstone)

swímming sùit = SWIMSUIT

swímming trùnks 수영 팬츠

swim·suit [swímsù:t | -sjù:t] *n.* 수영복(bathing suit), (특히 여성용의) 어깨끈 없는 수영복(maillot) 《몸에 꼭 끼는 원피스형》

swim·wear [-wὲər] *n.* 수영복, 해변복

Swin·burne [swínbərn] *n.* 스윈번 **Algernon Charles ~** (1837-1909) 《영국의 시인·평론가》

***swin·dle** [swíndl] *vt.* 〈돈을〉 **사취하다**; 〈남을〉 속이다: (~+목+전+명) ~ a person *out of* his[her] money …에게서 돈을 사취하다

— *vi.* 사취하다, 사기하다

— *n.* **1** 사취, 사기, 기만, 속임수 **2** 협잡; 엉터리, 가짜, 겉보기와 다른 사람[것] **~·a·ble** *a.*

swin·dler [swíndlər] *n.* 사기꾼, 협잡꾼

swíndle shèet 《구어》 (종업원이 써내는) 출금(出金) 청구 전표, 소요 경비

swine** [swáin] *n.* (*pl.* ~) **1** [집합적] 《문어》 **돼지** ★ 단수에는 보통 pig나 hog를 씀. **2** 비열한 놈, 욕심쟁이, 색골, 호색한 ***You ~! 이 자식! ▷ swínish *a.*

swíne fèver 〔수의학〕 돼지 콜레라(hog cholera); = SWINE PLAGUE

swíne flú 〔수의학〕 돼지 인플루엔자

swine·herd [swáinhə̀:rd] *n.* 양돈업자

swíne plàgue 〔수의학〕 돈역(豚疫) 《돼지의 패혈증》

swine·pox [-pɑ̀ks | -pɔ̀ks] *n.* 〔수의학〕 돈두(豚痘)

swin·er·y [swáinəri] *n.* 양돈장, 돼지우리; [집합적] 돼지; Ⓤ 불결(한 상태·행위)

‡**swing** [swíŋ] *v.* (**swung** [swʌ́ŋ], 《드물게》 **swang** [swǽŋ]; **swung**) *vi.* **1** 흔들리다, 진동하다; …의 사이를 오락가락하다: (~+전+명) The door *swung in* the wind. 문이 바람에 흔들렸다.

> 유의어 **swing** 매달린 것이 일정한 점을 축으로 앞뒤로 또는 뱅글뱅글 규칙적으로 움직이다: *swing* like a pendulum 진자처럼 흔들리다 **sway** 다른 것에 붙어 있건 붙어 있지 않건 상관없이 외부의 힘으로 불안정하게 흔들리다: Young trees *sway* in the breeze. 어린 나무들이 미풍에 흔들린다. **rock**[2] 천천히 규칙적으로 전후좌우로 흔들리거나 또는 심하게 진동하다: A cradle *rocks.* 요람이 흔들린다.

2 (…에) 매달리다 《*from, on*》: (~+전+명) A lamp *swung from* the ceiling. 램프가 천장에 매달려 있었다. **3** 그네 타다 **4** (한 점을 축으로 하여) 빙 돌다 《*around*》, 커브하다, 회전하다; 〈문이〉 돌쩌귀로 움직이다, 문이 앞뒤로 흔들리다: (~+보) The door *swung* open[back]. 문이 휙 열렸다[닫혔다]. // (~+전+명) The ship ~*s at* anchor. 배가 닻을 내리고 (바람이나 조수를 따라) 빙빙 돌고 있다. **5** (몸을 좌우로 흔들며) 기세좋게 가다[오다, 뛰다], 활개치며 걷다 《*along*》: (~+부) (~+전+명) The guardsmen came ~*ing along*[*down* the road]. 위병들은 기운차게 다가왔다[길을 걸어왔다]. **6** (팔을 휘둘러) 치다, 스윙하다; 〈밴드 등이〉 스윙(swing music)을 연주하다; 스윙 춤을 추다 **7** (…에서 …로) 주의[관심]를 돌리다, 의견[입장]을 바꾸다 《*from*; *to*》 **8** 《속어》 유행의 첨단을 가다, 쾌락 추구에 열중하다 **9** 《속어》 부부 교환[그룹 섹스]을 하다; 프리섹스를 하다 **10** 《구어》 (…의 죄로) 교수형을 당하다 《*for*》: ~ *for* murder 살인죄로 교수형을 당하다 **11** 〔크리켓〕 〈공이〉 커브하다

— *vt.* **1 a** 흔들다, 뒤흔들다 **b** 〈막대 등을〉 휘두르다 **2** (그네 등에서) 앞뒤로 흔들다, 흔들리게 하다 **3** 〈어린이 등을〉 흔들어 (휙) 들어올리다: (~+목+전+명) He *swung* the bag *onto* his back. 그는 자루를 등에 휙 둘러멨다. **4** 빙그르르[휙] 돌리다, 회전시키다: (~+목+보) ~ a door open 문을 홱 열어젖히다 **5** …의 방향을 바꾸다: (~+목+전+명) He *swung* the car *around* the corner. 그는 모퉁이에서 자동차를 홱 돌렸다. **6** 《구어》 〈여론을〉 좌우하다, 잘 처리하다; 잘 해내다 **7** 매달다; 《속어》 교수형에 처하다 **8** 〈주의·관심 등을〉 돌리다, 바꾸다 **9** 《구어》 스윙식으로 춤을 추다[노래하다, 연주하다] ***no* [*not enough*] *room to ~ a cat*** (***in***) 매우 비좁은 **~ (*a*)*round the circle*** 《미》 선거구 내를 유세하다 **~ *back*** (…으로) 되돌아가다 《*to*》 **~ *both ways*** 《미·속어》 양성(兩性)에 성욕을 느끼다 **~ *by*** 《미·속어》 잠깐 들르다 **~ *for it*** 교수형에 처해지다 **~ *the lead*** [led] 《영·속어》 꾀병을 부리다, 일에 꾀를 부리다 **~ *to*** 〈문이〉 휙 닫히다

— *n.* **1** ⓒⓤ 흔듦 **2** (경기·여론 등의) 변동, 동요; 변경 **3** ⓒⓤ 흔들림, 진동 범위, 진폭; 정세(情勢) **4** ⓒⓤ (골프·테니스·야구 등에서) **휘두름**, 휘두르는 법, 스윙; 곡선 운동: a long[short] ~ 롱[쇼트] 스윙 **5** 《미·캐나다》 짧은 여행 **6** 경쾌한 동작; 활기차게 걸음: walk with a ~ 몸을 흔들며 걷다 **7** (무기를) 휘두름 **8** ⓒⓤ 음률, 율동, 가락; 스윙 음악(=~ music) **9** 《구어》 휴식 시간 **10** Ⓤ 《미·구어》 행동의 자유, 자유 활동 범위: let it have its ~ =give full[free] ~ to it …의 마음대로 활동시키다 **11** 활발한 활동; (일 등의) 진행, 되어 감 **12** 그네; 그네 뛰기: have[sit in] a ~ 그네를 뛰다 ***get into***[***in***] ***the ~ of*** 《구어》 …에 익숙해지다 ***go with a ~*** 잘 되어 가다, 척척 진행되다; 《구어》 〈모임 등이〉 성황을 이루다 ***in full ~*** 한창 (진행 중인); 신바람이 나서 ***lose on the ~s what*** one ***makes on the roundabouts*** 한쪽에서 따고 다른 데서 잃다, 도로아미타불이 되다 ***~s and roundabouts*** 《영·구어》 한쪽의 손해와 다른 쪽의 이득이 맞먹는 상태, 득실이 반반인 상태

— *a.* 스윙(음악)의; 흔들리는; 회전하는; 결정적인; 교대[교체]의 **swíng·y** *a.*

swíng accòunt 진자 계정(振子計定) 《상호간에 차관·신용 대부를 일정 한도까지 공여하는》

swing·back [swíŋbæ̀k] *n.* (주로 정치적 의미에서, 이전의 의견 등으로) 원상 복귀, 환원 《*to*》: ~ *to* isolationism 고립주의로의 환원

swing·boat [-bòut] *n.* (유원지 등의 마주 앉아 타는) 배 모양의 큰 그네

swíng brìdge 선개교(旋開橋), 회선교(回旋橋)

swing·by [-bài] *n.* 〔우주과학〕 (우주선의) 행성 궤도 근접 통과 《궤도 변경을 할 때의 행성의 중력장(場)을 이용하는 비행》

swíng dóor = SWINGING DOOR

swinge[1] [swíndʒ] *vt.* 《고어·방언》 매질하다, 채찍질하다; 징벌하다

swinge[2] *vt.* 《방언》 = SINGE

swinge·ing [swíndʒiŋ] *a.* Ⓐ 《영·구어》 **1** 강한 〈타

thesaurus **swindle** *v.* defraud, cheat, trick, fleece, deceive, scam, rook, exploit, dupe

격〉 **2** 굉장히 큰; 굉장한: ~ damages 막대한 피해 **—** *ad.* 《속어》 아주, 굉장히 **~·ly** *ad.*

swing·er[1] [swíŋər] *n.* **1** 흔드는 사람 **2** 《속어》 유행의 첨단을 가는 사람 **3** 쾌락 추구자; 부부 교환 행위를 하는 사람 **4** 《속어》 (사회 집단의) 지도자

swing·er[2] [swíndʒər] *n.* 매질하는 사람; 《구어》 거대한 것; 허풍선이

***swing·ing**[1] [swíŋiŋ] *a.* **1** 흔들리는, 진동하는 **2** 활개 젓는; 〈걸음 등이〉 기운찬, 활발한 **3** 〈노래 등이〉 음률적이고 생동하는, 경쾌한 **4** 《속어》 훌륭한, 일류의; 유행의 첨단을 가는 **5** 성적으로 자유분방한

swing·ing[2] [swíndʒiŋ] *a., ad.* = SWINGEING

swínging dóor [swíŋiŋ-] (안팎으로 저절로 여닫히는) 자동식 문, 스윙도어

swing·ing·ly [swíŋiŋli] *ad.* 흔들려, 진동하여; 기운차게; 경쾌하게

swínging vóter 《선거의》 부동층(浮動層) (투표자)

swin·gle[1] [swíŋgl] *n.* 삼 두들기는 막대; 도리깻열 **—** *vt.* 〈삼을〉 막대[도리깨]로 치다

swingle[2] *n.* 《미·캐나다·속어》 (독신의) 플레이보이[걸]

swin·gle·tree [-trì:] *n.* 《영》 = WHIPPLETREE

swing·man [swíŋmæ̀n] *n.* (*pl.* **-men** [-mèn]) **1** 다른 포지션도 잘할 수 있는 선수, 《특히》 공수 양면에 강한 농구 선수 **2** 《미》 이동 중인 소를 감시하는 카우보이 **3** 스윙 음악가 **4** 《속어》 결정표를 던지는 사람 **5** 《미·속어》 마약 판매자[중개자]

swíng mùsic 스윙 음악

swing·o·ver [-òuvər] *n.* **1** (여론 등의) 180도 전환 **2** 〖라디오·TV〗 (방송을 스튜디오로부터 스튜디오로 또는 중계 현장으로부터 스튜디오로) 옮기기

swíng ròom 《미·속어》 (공장 안 등의) 휴게실

swíng sèt 그네와 미끄럼틀이 달린 기구

swíng shìft 《미·구어》 오후 교대 《보통 16-24시》; [집합적] 오후 교대 작업반(班)

swíng stàte 《미》 〖정치〗 부동주(州) 《선거에서 어느 후보도 우세를 점하지 못하고 있는 접전 주》

swíng stràtegy 〖미군〗 스윙 전략 《분쟁이 일어났을 때 다른 지역의 병력을 분쟁 지역으로 돌리는 전략》

swíng vòte = FLOATING VOTE

swíng vòter = FLOATING VOTER

swing-wing [-wìŋ] *n.* 〖항공〗 가변(可變) 후퇴익(식 항공기) **—** *a.* 〈비행기가〉 가변 후퇴익의[에 관한]

swin·ish [swáiniʃ] *a.* 돼지 같은; 더러운, 추잡한; 호색의 **~·ly** *ad.* **~·ness** *n.*

swink [swíŋk] *vi.* (**swank** [swæ̃ŋk], **swonk** [swɑ́ŋk | swɔ́ŋk]; **swonk·en** [swɑ́ŋkən | swɔ́ŋk-]) 《고어》 땀 흘려 일하다 **—** *n.* Ⓤ 《고어》 노고, 노동

swipe [swáip] *n.* **1** 《구어》 (배트·클럽 등에 의한) 강타, 맹타 **2** 비난; 신랄한 비평 **3** 《경마장》 마부 **4** 〈술을〉 벌떡벌떡 들이켜기; [*pl.*] 《영》 약한[김빠진, 맛없는] 맥주; 《미·속어》 자가제(自家製)의 저질 위스키[포도주] **5** (방아두레박의) 장대 ***take a ~ at*** 《구어》 …을 겨누어 배트를 휘두르다

— *vt.* **1** 강타하다 **2** 《구어》 들치기하다, 훔치다

— *vi.* **1** (…을) 힘껏 치다 《*at*》 **2** 벌떡벌떡 들이켜다 **3** 〈신용 카드 등을〉 판독기에 넣다, 판독기로 읽다

swípe càrd (판독기에 swipe시키는) 자기(磁氣) 카드

swipes [swáips] *n. pl.* 《영·구어》 싱거운 싸구려 맥주; 《일반적으로》 맥주(beer)

***swirl** [swə́:rl] *vi.* **1** 〈흐름·눈·바람·먼지 등이〉 소용돌이치다, 빙빙 돌다: (~+부) The dust is ~*ing about.* 먼지가 소용돌이치고 있다. // (~+전+명) The stream ~*s over* the rocks. 시냇물이 소용돌이치며 바위 위를 흐르고 있다. **2** 〈머리가〉 어찔어찔하다, 〈눈이〉 빙빙 돌다: My head was ~*ing.* 머리가 어찔어찔했다.

— *vt.* 소용돌이치게 하다, 소용돌이에 휩쓸어 나르다

— *n.* **1** 소용돌이; (물·눈 등의) 소용돌이치는 모양 **2** 컬 머리(curl); 말아 올린 머리; 머리 장식 **3** 혼란

swing *v.* hang, dangle, sway, oscillate, wag
swirl *v.* whirl, eddy, circulate, revolve, spin

swirl·y [swə́:rli] *a.* (**swirl·i·er**; **-i·est**) **1** 소용돌이치는, 소용돌이꼴의; 소용돌이가 많은 **2** 꼬인, 뒤얽힌 (tangled)

swish [swíʃ] *vt.* **1** 〈지팡이·꼬리 등을〉 휘두르다, 휙 소리내다 **2** 〈물 등을〉 튀기다, 물장구치다 **3** 〈풀 등을 지팡이로〉 쳐서 베다 《*off*》: ~ *off* the tops of plants 나무 끝을 베어 버리다 **4** 채찍질하다

— *vi.* **1** (지팡이를 휘둘러) 휙 소리내다; (새가 공중을 날 때) 휙하고 소리내다; (낫으로 풀을 벨 때) 싹뚝 소리 나다 **2** 《미·속어》 〈남자가〉 여자처럼 행동하다[걷다]

— *n.* **1** (지팡이·채찍 등의) 휙 소리; (물 등의) 쏴하는 소리 **2** 《영》 (채찍 등의) 한 번 휘두름, 일격 **3** 《미·속어》 동성애자, 호모 **—** *a.* 《영·구어》 날씬한, 맵시 있는; 호화로운 **~·er** *n.* **~·ing·ly** *ad.*

swish·y [swíʃi] *a.* **1** 휙 소리가 나는 **2** 《속어》 〈남자가〉 여자 같은

‡**Swiss** [swís] *a.* **1** 스위스(Switzerland)의; 스위스 사람의; 스위스식[풍, 제]의 **2** 《미·속어》 중립의

— *n.* (*pl.* ~) **1** 스위스 사람; [the ~; 집합적] 스위스 국민 **2** [때로 **s~**] 비치는 면직물의 일종 **3** = SWISS CHEESE **~·er** *n.* 스위스 사람 ▷ Swítzerland *n.*

Swíss ármy knífe 맥가이버 칼 《다용도의 날과 도구로 이루어진 접이식 소형 칼; 상표명》

swíss bàll 스위스 볼 《고무 재질로 되어 다양한 운동을 할 수 있는 볼; 상표명》

Swíss chàrd 〖식물〗 근대 《식용》

Swíss chéese 담황색[흰색] 치즈 《단단하고 큰 구멍이 많음》

Swíss Confederátion [the ~] 스위스 연방

Swíss Frénch 스위스에서 쓰는 프랑스어

Swíss Gérman 스위스에서 쓰는 독일어

Swíss Guárd 스위스 출신 호위병 《로마 교황청의》

Swíss mílk 연유(condensed milk)

Swíss róll 잼이 든 롤빵

Swíss stéak 스위스 스테이크 《쇠고기를 밀가루에 묻혀 양파·토마토 등과 함께 익힌 요리》

Swit. Switzerland

‡**switch** [swítʃ] *n.* **1** 〖전기〗 **스위치,** 개폐기; 스위치의 개폐 (조작); 전화 교환대: turn off[on] the ~ 스위치를 끄다[켜다] **2** (예기치 않은) 전환, 변경: a ~ of plans 계획의 변경 **3** 《미》 〖철도〗 전철기(轉轍機), 포인트(《영》 points, shunt) **4** 《미》 **회초리**(《영》 cane); 회초리 모양의 것; (나무에서 잘라낸) 낭창낭창한 가지 **5** (여자의 머리 모양을 만들 때 쓰는) 다리꼭지 **6** (가스 등의) 꼭지, 마개 **7** (소·사자 등의 꼬리 끝에 있는) 술 모양의 털 **8** 〖농구〗 스위치 《마크할 상대를 서로 교환하는 일》 **9** 〖컴퓨터〗 스위치 《프로그래밍 기법의 하나로, 처리의 분기(分岐)를 판단하기 위해 설정하는 항목》 **10** 《속어》 부부 교환(swap) ***asleep at the ~*** 《미·속어》 방심하고; 의무를 게을리하여 ***pull a ~*** 갑작스러운[예기치 않은] 변경으로 놀라게 하다[속이다]

— *vt.* **1** 〖전기〗 …의 **스위치를 넣다,** 켜다 《*on*》; 〈전등 등을〉 스위치로 끄다 《*off*》 **2** 《미》 〖철도〗 전철(轉轍)하다 **3** 〈전화를〉 연결하다 《*on*》; 끊다, 절단하다 《*off*》 **4** 《미》 (벌로서) 회초리로 때리다 《*with*》: (~+목+전+명) The man ~*ed* the slave *with* a birch. 그 사람은 자작나무 회초리로 노예를 때렸다. **5** 〈마소가〉 〈꼬리를〉 흔들다, 치다; 휘두르다: The cow was ~*ing* its tail. 소가 꼬리를 흔들고 있었다. **6** 《미》 교환하다; 〈열차 따위를〉 갈아타다(《영》 swap) **7** 〈생각·화제·장소 등을〉 바꾸다, 돌리다: ~ ideas [seats] 아이디어[자리]를 바꾸다 // (~+목+전+명) ~ the talk *to* another subject 이야기를 다른 화제로 돌리다 **8** 〖야구〗 〈선수를〉 교체하다 **9** 〈말을〉 딴 이름으로 경마에 내놓다 **10** (카드놀이에서) 으뜸패를 써서 딴 짝패(suit)로 바꾸다 **11** 홱 잡아채다: (~+목+전+명) He ~*ed* the letter *out of* my hand. 그는 내 손에서 편지를 홱 낚아챘다.

— *vi.* **1** 〖전기〗 스위치를 돌리다 《*on, off*》 **2** 전환하다, 교환하다; 《미》 〖철도〗 전철하다(《영》 shunt) **3** 회초리로 때리다 **4** 《미·속어》 통보하다

~ (*a*)**round** (가구·직원 등의) 배치를 바꾸다 ~ **off** 《미·구어》 〈남에게〉 흥미를 주지 못하다; 〈사람이〉 흥미를 잃다, 이야기를 듣지 않게 되다 ~ **on** 《미·구어》 〈눈물 등을〉 흘리다; 흥분시키다; 첨단을 걷게 하다; 《속어》 마약 주사를 맞다, 마약에 취하다 ~ **over** (1) 〈소속을〉 바꾸다 (2) 〈텔레비전 채널 등을〉 바꾸다
~·a·ble *a.* **~·er** *n.* **~·like** *a.*

switch·back [swítʃbæ̀k] *n.* 지그재그형 산악 도로 [철도]; 〖철도〗 스위치백, 전향선(轉向線); 《영》 = ROLLER COASTER 1

switch·blade [-blèid] *n.* 《미》 칼날이 튀어나오는 나이프(《영》 flick-knife)(= ∠ **knífe**)

***switch·board** [swítʃbɔ̀:rd] *n.* 〖전기〗 배전반; 《전화》 교환대; (극장의) 전기실: a ~ operator 전화 교환원

swítch bòx 〖전기〗 배전 상자

swítched-més·sage nètwork [swítʃt-mésidʒ-] 〖통신〗 전문(電文) 교환망 《동일 무선망 내의 사용자간에 전문을 주고받는 체제》

switched-on [-ɔ́:n | -ɔ́n] *a.* 《구어》 = TURNED-ON

swítch èngine 〖철도〗 (역·조차장(操車場)의) 전철용(轉轍用) 기관차

switch·er·oo [swìtʃərú:, ∠-∠] *n.* (*pl.* **~s**) 《미·속어》 (태도 등의) 예기치 못한 변화

switch·gear [swítʃgìər] *n.* Ⓤ 〖전기〗 (고압용) 개폐기[장치]

switch·girl [-gə̀:rl] *n.* 《호주·구어》 전화 교환원

switch-hit [-hít] *vi.* 〖야구〗 양쪽 타석에서 번갈아 치다

switch-hit·ter [-hítər] *n.* **1** 〖야구〗 스위치히터 《좌우 어느 쪽 타석에서도 칠 수 있는 타자》 **2** 《속어》 양성애(兩性愛)인 사람(bisexual) **3** 《구어》 두 가지 일을 잘 처리하는 사람

switch·ing [swítʃiŋ] *n.* Ⓤ 〖컴퓨터〗 스위칭, 전환; 〖증권〗 전환 매입 《어떤 증권을 팔아 얻은 자금으로 다른 증권을 사기》

switch·man [-mən] *n.* (*pl.* **-men** [-mən, -mèn]) 《미》 (철도의) 전철원(《영》 pointsman); 조차계(操車係)

switch-off [-ɔ̀:f | -ɔ̀f] *n.* (전등·동력 등의) 스위치를 끄기

switch-on [-ɑ̀n | -ɔ̀n] *n.* (전등·동력 등의) 스위치를 켜기

switch·o·ver [-òuvər] *n.* 바꿔 넣기; 배치 전환; 전환

swítch plàte (배전 상자의) 스위치판

swítch sèlling 《영》 (싼 물건으로 유인하여) 비싼 물건을 파는 후림 판매

switch-sig·nal [-sìgnəl] *n.* 전철(轉轍) 신호

swítch tòwer (철도의) 신호소

swítch tràde 스위치 무역 《삼각 무역의 일종》

switch·yard [-jɑ̀:rd] *n.* 《미》 (철도의) 조차장(《영》 marshalling yard)

swith·er [swíðər] 《스코》 *vi.* 의심하다, 망설이다
— *n.* Ⓤ 의심; 주저; 곤혹

Switz. Switzerland

Switz·er [swítsər] *n.* **1** 《고어》 스위스 사람 **2** [*pl.*] = SWISS GUARD

‡Switz·er·land [swítsərlənd] *n.* 스위스 《유럽 중부 알프스 산지에 있는 연방 공화국; 수도 Bern》 ▷ Swíss *a.*

swiv·el [swívəl] *n.* **1** 〖기계〗 회전 이음쇠, 회전 고리[축받이] **2** (회전의자 등의) 받침 **3** 선회포(旋回砲)(=~ gun) **4** 선개교(旋開橋)(=~ bridge) **5** 스위블 《댄스의 일종》
— *v.* (**~ed**; **~·ing** | **~led**; **~·ling**) *vt.* 회전 고리를 달다[에 잇다, 로 받치다]; 선회시키다 **—** *vi.* 선회[회전]하다 **~·like** *a.*

swivel *n.* **1**

swível brìdge 선개교(swing bridge)

swível chàir 회전의자

swível gùn 선회포(砲)

swível pìn (자동차의) 킹핀(kingpin)

swiv·et [swívit] *n.* 《구어》 초조, 흥분, 동요, 곤혹

swizz [swíz] *n.* (*pl.* **swiz·zes**) 《영·속어》 사기, 속임; 실망

swiz·zle [swízl] *n.* ⓊⒸ **1** 혼합주, 칵테일 **2** 《영·속어》 = SWIZZ **—** *vi.* 《미·속어》 술을 벌컥벌컥 마시다
— *vt.* 휘젓다

swízzle stìck 칵테일용 휘젓는 막대

swob [swɑ́b | swɔ́b] *vt.*, *n.* = SWAB

‡swol·len [swóulən], 《고어》 **swoln** [swóuln] *v.* SWELL의 과거분사
— *a.* **1** 부푼, 팽창한; 부은; 물이 불은: a ~ river 물이 불은 강 / a ~ ankle 부은 발목 **2** 과장된(pompous); 신이 난, 뽐내는; 가슴이 벅찬; 자만하는: one's ~ heart 벅찬 가슴 / He has a ~ opinion of himself. 그는 자기가 잘난 줄 안다.
~·ly *ad.* **~·ness** *n.*

swóllen héad = SWELLED HEAD

swoln [swóuln] *v.*, *a.* 《고어》 = SWOLLEN

***swoon** [swú:n] *vi.* **1** 기절하다, 졸도하다; 황홀해지다 **2** 쇠퇴하다, 약해지다 **3** 〈소리 등이〉 사라지다
— *n.* 졸도, 기절 《★ 현재는 faint가 일반적임》; 무감각; (소리 따위가) 서서히 사라짐 **be in** [**fall into**] **a** ~ 기절해 있다[하다] **~·er** *n.* **~·ing·ly** *ad.*

swoon·y [swú:ni] *a.*, *n.* 《속어》 매력적인, 귀여운 (사내아이)

***swoop** [swú:p] *vi.* **1** 〈매 등이〉 (공중으로부터) 내리덮치다, 달려들다, 덤벼들다; (포획물·장소를) 급습하다 《*down, on, upon*》: (~+뭇) (~+전+명) An eagle *~ed down on* its prey. 독수리 한 마리가 먹이를 향해 내리덮쳤다. **2** 〈군대·폭격기 등이〉 급습하다 《*down, on, upon*》: (~(+뭇)+전+명) The bombers *~ed* (*down*) *on* the air base. 폭격기가 그 공군 기지를 급습했다. **3** 급강하하다: The elevator *~ed* down the sixty stories. 엘리베이터는 60층을 단숨에 내려갔다.
— *vt.* 《구어》 재빠르게 잡아채다(snatch) 《*up, away, off*》
— *n.* (독수리 등의) 급습, 급강하; 잡아챔
at [**in**] **one fell** ~ = **at a single** ~ 일거에, 단번에 **with a** ~ 일격에

swoosh [swúʃ] *n.* 휙[쉭] 하는 소리 **—** *vi.*, *vt.* 휙[쉭] 소리를 내다; 쏴 하고 용솟음치다; 쉭 하고 분사하다[이동시키다], 쉭 하고 발사하다

swop [swɑ́p | swɔ́p] *vt.*, *n.* = SWAP

‡sword [sɔ́:rd] *n.* **1** 검(劍), 칼 **2** [the ~] 무력, 군사력, 전쟁, 살육: ~ and purse 무력과 재력 **3** 《군대속어》 총검 **at the point of the** ~ 칼을 들이대어, 무력으로 **be at ~s' points** (**with each other**) (서로) 사이가 아주 나쁘다 **court** [**dress**] ~ 예복에 착용하는 칼 **cross** [**measure**] **~s with** …와 싸우다; …와 논쟁하다 **draw the** ~ 칼을 뽑다, 싸움을 시작하다, 전쟁을 일으키다 **fire and** ~ 살육 **put to the** ~ 〈특히 승자가〉 칼로 죽이다; (특히 전쟁에서) 대학살을 하다 **put up** [**sheathe**] **the** ~ 칼을 칼집에 꽂다; 강화(講和)하다 **The pen is mightier than the ~.** ⇨ pen[1]. **the ~ of justice** 사법권 **the ~ of State** [**honour**] 《영》 보검(寶劍) 《즉위식 때 왕 앞에서 받드는 칼》 **the ~ of the Spirit** 하느님의 말씀, 성령의 검 **throw** one**'s ~ into the scale** 무력으로 목적을 관철하려 들다 **wear the** ~ 병사(兵士)이다 **with a stretch of the** ~ 단칼에
~·less *a.* **~·like** *a.*

swórd àrm (칼을 쓰는) 오른팔

swórd bàyonet 총검

sword-bear·er [sɔ́:rdbɛ̀ərər] *n.* 《영》 (의식 때) 군주·고관의 칼을 받드는 사람; 칼 찬 사람

swórd bèlt 검대(劍帶)

sword·bill [-bìl] *n.* 〖조류〗 벌새의 일종 《남미산(産)》

swórd càne 속에 칼을 장치한 지팡이(sword stick)
sword·craft [-kræ̀ft | -krɑ̀:ft] *n.* 검술; 《드물게》 용병술; 전력(戰力)
sword-cut [-kʌ̀t] *n.* 칼에 벤 상처; 칼자국
swórd dànce 칼춤, 검무(劍舞)
sword·fish [-fìʃ] *n.* (*pl.* **~·es,** [집합적] ~) **1** 〖어류〗 황새치 **2** [the S~] 〖천문〗 황새치자리(Dorado)

swordfish 1

sword-flag [-flæ̀g] *n.* 〖식물〗 노랑창포
swórd gràss 〖식물〗 칼 모양의 잎이 있는 풀
sword-guard [-gɑ̀:rd] *n.* (칼의) 날밑
swórd hànd (칼을 쓰는) 오른손 (opp. *bow hand*)
swórd knòt 칼자루의 장식끈, 칼끈
sword-law [-lɔ̀:] *n.* 무단(武斷) 정치; 군정; 계엄령(martial law)
swórd lìly 〖식물〗 글라디올러스
sword·man [-mən] *n.* (*pl.* **-men** [-mən]) = SWORDSMAN
swórd of Dámocles [종종 S~, the ~] ⇨ Damocles
sword·play [-plèi] *n.* Ⓤ **1** 검술, 펜싱 **2** 불꽃 튀기는 격론, 재치있는 응구첩대 **~·er** *n.*
sword·proof [sɔ́:rdprù:f] *a.* 칼이 뚫지 못하는
swords·man [sɔ́:rdzmən] *n.* (*pl.* **-men** [-mən]) **1** 검객, 검술가: be a good[bad] ~ 검술을 잘[못]하다 **2** 군인, 병사; 무사 **~·shìp** *n.* Ⓤ 검술, 검도
swórd stìck 속에 칼이 든 지팡이
sword·tail [sɔ́:rdtèil] *n.* 〖어류〗 검상꼬리송사리 《남미산(産)》
⁎**swore** [swɔ́:r] *n.* SWEAR의 과거
⁎**sworn** [swɔ́:rn] *v.* SWEAR의 과거분사
—*a.* 맹세한, 선서한, 언약한(pledged); 공공연한: ~ brothers 의형제 / ~ enemies[foes] 천천지원수 / ~ friends 변치 않기로 약속한 친구
swot[1] [swɑ́t | swɔ́t] 《영·속어》 *vi., vt.* (**~·ted**; **~·ting**) 기를 쓰고 공부하다 **~ *at*** a subject = ~ a subject ***up*** (어떤 과목)을 기를 쓰고 공부하다
— *n.* **1** 기를 쓰고 공부함; 힘드는 일: It's too much ~. 너무 힘이 든다. / What a ~! 어휴, 힘들어! **2** 열심히 공부하는 사람; 공붓벌레
swot[2] *vi., vt., n.* = SWAT[1]
SWOT [swɑ́t | swɔ́t] [*s*trengths, *w*eaknesses, *o*pportunities, *t*hreats] *n.* 〖마케팅〗 스와트 《신상품의 강점·약점·기회·위협》
SWÓT anàlysis 스와트 분석 《기업이나 기관의 문제점에 대한 강점·약점·기회와 위협을 찾아내어 전략을 수립하는》
swound [swáund, swú:nd] *vi., n.* 《고어》 = SWOON
'swounds [*z*wáundz, zwú:ndz] *int.* 《고어》 제기랄, 빌어먹을(zounds)
Swtz. Switzerland
⁑**swum** [swʌ́m] *v.* SWIM의 과거분사; 《고어》 SWIM의 과거
⁑**swung** [swʌ́ŋ] *v.* SWING의 과거·과거분사
swúng dàsh 물결표, 스윙 대시 《~》
swy [swái] 《호주》 두 개의 동전을 던져 어느 면이 나오는지 맞히는 놀이
S.Y., SY steam yacht
sy- [si, sə] *pref.* = SYN- 《s 앞에 올 때의 변형》
Syb·a·ris [síbəris] *n.* 시바리스 《남부 이탈리아의 고대 그리스 도시》
Syb·a·rite [síbəràit] *n.* **1** [**s~**] 사치와 향락을 일삼는 무리 **2** Sybaris 사람 — *a.* [**s~**] = SYBARITIC 2 **-rit·ìsm** *n.*
Syb·a·rit·ic [sìbərítik] *a.* **1** Sybaris 사람의 **2** [**s~**] 사치[주색]에 빠진 **-i·cal·ly** *ad.*
syb·il [síbəl] *n.* = SIBYL
Syb·il [síbəl] *n.* 여자 이름
syc·a·mine [síkəmin, -màin] *n.* 〖성서〗 뽕나무의 일종(mulberry)
⁎**syc·a·more** [síkəmɔ̀:r] *n.* 〖식물〗 **1** 무화과 무리 《시리아·이집트산(産)》 **2** 《영》 큰단풍나무(= **~ máple**); Ⓤ 그 단단한 재목 **3** 《미》 플라타너스의 일종
syce [sáis] *n.* = SICE[2]
sy·cee [saisí:] *n.* 〖중국사〗 은괴(銀塊), 말굽은(= **~ sílver**) 《칭량(稱量) 화폐》
syc·o·phan·cy [síkəfənsi, sáik-] *n.* Ⓤ **1** 사대주의 **2** 아첨, 아부 **3** 중상; 밀고
syc·o·phant [síkəfənt, sáik-] *n.* 추종자; 사대주의자; 아첨꾼, 알랑쇠
syc·o·phan·tic [sìkəfǽntik, sàik-] *a.* 아첨하는, 알랑거리는; 중상적인 **-ti·cal·ly** *ad.*
sy·co·sis [saikóusis] *n.* Ⓤ 〖병리〗 모창(毛瘡)
Syd·en·ham's chorea [sídənəmz-, sáidnhæ̀mz-] [영국 의사 이름에서] 〖의학〗 시드넘 무도병(舞蹈病) 《소무도병》
⁎**Syd·ney** [sídni] *n.* 시드니 《오스트레일리아 동해안의 항구 도시; New South Wales주의 주도》
Syd·ney·sid·er [sídnisàidər] *n.* 시드니 사람
sy·e·nite [sáiənàit] *n.* Ⓤ 〖광물〗 섬장암(閃長岩)
sỳ·e·nit·ic [-nítik] *a.*
syl., syll. syllable(s); syllabus
syl- [sil, səl] *pref.* = SYN- 《l 앞에 올 때의 변형》
sy·li, si·ly [sí:li] *n.* (*pl.* **~s**) 실리 《기니(Guinea)의 화폐 단위》
syl·la·bar·i·um [sìləbέəriəm] *n.* (*pl.* **-i·a** [-iə]) = SYLLABARY
syl·la·bar·y [síləbèri | -bəri] *n.* (*pl.* **-bar·ies**) 자음표(字音表), 음절표; 음절 문자표 《한국의 가나다 음표 등》
syl·la·bi [síləbài] *n.* SYLLABUS의 복수
syl·lab·ic [silǽbik] *a.* **1** 음절의, 철자의 **2** 음절을 나타내는 **3** 각 음절을 발음하는, 발음이 매우 분명한 **4** 〖음성〗 음절을 이루는, 음절적인 — *n.* **1** 음절을 나타내는 문자 **2** 음절 주음(主音) **-i·cal·ly** *ad.*
syl·lab·i·cate [silǽbəkèit] *vt.* = SYLLABIFY
syl·lab·i·ca·tion [silæ̀bəkéiʃən] *n.* Ⓤ 음절로 나눔, 분철법 ▷ syllábicate *v.*; syllábic *a.*
syl·lab·i·fi·ca·tion [silæ̀bəfikéiʃən] *n.* = SYLLABICATION
syl·lab·i·fy [silǽbəfài] *vt.* (**-fied**) 음절로 나누다, 분철하다
syl·la·bism [síləbìzm] *n.* 음절 문자의 사용[발달]; 분철(syllabication)
syl·la·bize [síləbàiz] *vt.* = SYLLABIFY
⁑**syl·la·ble** [síləbl] *n.* **1** 〖음성〗 음절, 실러블 **2** [a ~; 보통 부정문에서] 말 한 마디, 일언반구: *Not a* ~! 한 마디도 하지 마라! **3** 〖음악〗 음계명 ***in words of one*** **~** 쉬운 말로 하면
—*vt.* 음절마다 발음하다; 똑똑히 발음하다; 〈단어·시행을〉 음절로 나누다
—*vi.* 《시어》 말하다
▷ syllábic *a.*; syllábicate *v.*
syl·la·bled [síləbld] *a.* [보통 복합어를 이루어] …철자[음절]의: a three-~ word 3음절어
syl·la·ble-timed [-tàimd] *a.* 〖음성〗 (언어가) 음절박자가 있는(cf. STRESS-TIMED)
syl·la·bub [síləbʌ̀b] *n.* **1** 밀크주(酒) 《포도주·사과주 등에 우유를 탄 음료》 **2** 젤라틴·포도주 등을 크림·밀크와 휘저은 디저트용 크림 **3** (겉만 번지르르한) 실질이 없는 것; 화려하나 내용이 없는 것
syl·la·bus [síləbəs] *n.* (*pl.* **-bi** [-bài], **~·es**) **1** (강의의) 요강, 요목, 대요, 개략; 《영》 시간표 **2** 교수 요목 **3** 〖가톨릭〗 교서(敎書) 요목 **4** [종종 S~ of Errors] (교황 Pius IX(1864년)와 Pius X(1907년)

가 지적한) 실라부스, 유설표(謬說表) 《전자는 80개조, 후자는 65개조》

syl·lep·sis [silépsis] *n.* (*pl.* **-ses** [-si:z]) 〔수사학〕 일필쌍서법(一筆雙敍法), 겸용법(兼用法); 〔문법〕 = ZEUGMA

syl·lep·tic [siléptik] *a.* syllepsis의

syl·lo·gism [sílədʒìzm] *n.* 〔논리〕 삼단 논법; 연역(법)(cf. INDUCTION)

syl·lo·gis·tic, -ti·cal [sìlədʒístik(əl)] *a.* 삼단 논법의, 삼단 논법적인 **-ti·cal·ly** *ad.*

syl·lo·gize [sílədʒàiz] *vi.* 삼단 논법을 쓰다, 추론하다 —*vt.* 〈사실·논의를〉 삼단 논법으로 추론하다, 삼단 논법으로 논하다

sylph [sílf] *n.* **1** 가냘프고 아름다운 소녀 **2** 공기의 요정 《공중에 산다고 하는》(⇨ nymph 관련) **3** 〔조류〕 벌새의 일종 **~·ic** *a.*

sylph·id [sílfid] *n.* 작은[어린] 공기의 요정

sylph·like [sílflàik] *a.* 공기의 요정 같은; 가냘픈, 날씬하고 우아한

syl·va [sílvə] *n.* = SILVA

syl·van, sil·van [sílvən] *a.* **1** 삼림의[이 있는]; 숲의, 나무의 **2** 목재로 만들어진 **3** 전원의, 목가적인 —*n.* 삼림 지대에 사는 사람; 숲의 정(精); 숲속의 짐승

syl·vat·ic [silvǽtik] *a.* **1** = SYLVAN **2** 〈병이〉 야생 조수(鳥獸)에 발생하는

Syl·ves·ter [silvéstər] *n.* 남자 이름

Syl·vi·a [sílviə] *n.* 여자 이름

syl·vi·cul·ture [sílvəkʌ̀ltʃər] *n.* Ⓤ 임학(林學)(cf. ARBORICULTURE)

syl·vite [sílvait], **syl·vine** [-vin] *n.* Ⓤ 칼리 암염(岩鹽)

sym. symbol; symmetrical; symphony; symptom

sym- [sim, səm] *pref.* = SYN- 《b, m, p 앞에서》

Sym·bi·o·nése Liberátion Ármy [sìmbiəní:z-] 심바이어니즈 해방군 《1970년대 초에 미국 California 주를 중심으로 활동하던 좌익 과격파 조직》

sym·bi·ont [símbiὰnt, -bai- | -ɔ̀nt] *n.* 〔생태〕 공생자(共生者)

sym·bi·o·sis [sìmbióusis, -bai-] *n.* (*pl.* **-ses** [-si:z]) ⓊⒸ **1** 〔생물〕 공생(共生), 공동 생활(opp. *parasitism*) **2** 〔정신의학〕 공생 관계; 협력 관계

sym·bi·ot·ic [sìmbiάtik, -bai- | -ɔ́t-] *a.* **-ót·i·cal·ly** *ad.*

‡**sym·bol** [símbəl] *n.* **1** 상징, 표상(表象), 심벌: The cross is the ~ of Christianity. 십자가는 그리스도교의 상징이다. **2** 기호, 표, 부호: a phonetic ~ 발음 기호/the chemical ~ 화학 기호 **3** 신조(信條)(creed) **4** 〔정신의학〕 상징 《억압된 무의식의 욕망을 나타내는 행위[것]》 **5** 〔컴퓨터〕 심벌 《대응 기호·도형》 —*v.* (**~ed**; **~·ing** | **~led**; **~·ling**) *vt., vi.* = SYMBOLIZE ▷ symbólic *a.*; sýmbolize *v.*

*****sym·bol·ic, -i·cal** [simbάlik(əl) | -bɔ́l-] *a.* **1** 상징적인, 표상[상징]하는(opp. *presentative*): be ~ of …을 상징하다, 나타내다 **2** 기호의, 기호적인, 부호의, 기호를 쓰는 **3** 상징주의적인 **-i·cal·ly** *ad.*

symbólic lánguage 기호 언어

symbólic lógic 기호 논리학(mathematical logic)

sym·bol·ics [simbάliks | -bɔ́l-] *n. pl.* [단수 취급] 〔그리스도교〕 신조론[학], 종교적 상징론; 〔인류〕 의식(儀式)[상징] 연구

sym·bol·ism [símbəlìzm] *n.* Ⓤ **1** 상징화, 상징적인 표현 **2** 상징적인 뜻, 상징성 **3** [종종 **S~**] 〔문학·미술〕 상징주의, 심벌리즘; 상징파 **4** 기호 사용; 기호성; Ⓒ 기호 체계 **5** 〔언어〕 표상, 상징 **6** 〔종교〕 상징설 **-ist** *n.* 〔문학·미술〕 상징주의자; 기호학자; 기호 사용자

sym·bol·is·tic [sìmbəlístik] *a.* 상징주의(자)의; 상징적인

sym·bol·i·za·tion [sìmbəlizéiʃən | -lai-] *n.* Ⓤ 상징화, 기호로 나타냄, 기호를 사용함

*****sym·bol·ize** [símbəlàiz] *vt.* **1** 상징하다, …의 부호[표상]이다: A lily ~*s* purity. 백합은 순결을 상징한다. **2** 부호[기호]로 나타내다; 상징[표상]화하다: ~ speech sounds 언어음을 기호화하다 **3** 상징으로 보다[해석하다], 상징의 정신을 내포하게 하다 —*vi.* 상징을 사용하다 **-ìz·er** *n.* ▷ symbolizátion, sýmbol *n.*; symbólic *a.*

sym·bol·o·gy [simbάlədʒi | -bɔ́l-] *n.* Ⓤ 상징학; 기호론; 상징[기호]의 사용

sym·met·al·lism [simmétəlìzm] *n.* Ⓤ 〔경제〕 (화폐의) 복(複)본위제(cf. BIMETALLISM)

*****sym·met·ri·cal, -ric** [simétrik(əl)] *a.* **1** (좌우) 대칭적인, 상칭적인; 〈몸·전체 등이〉 균형이 잡힌, 조화된(balanced) **2** 〔논리·수학〕 대칭의; 〔식물〕 상칭의; 〔화학〕 대칭의; 〔병리〕 〈발진 등이〉 대칭성의 **~·ness** *n.* ▷ sýmmetry *n.*; sýmmetrize *v.*

sym·met·ri·cal·ly [simétrikəli] *ad.* 대칭적[상칭적]으로, 균형이 잡혀

symmétric gróup 〔수학〕 대칭군(群)

sym·me·trize [símətràiz] *vt.* 대칭적으로 하다; 균형 잡히게 하다, 조화시키다 **sỳm·me·tri·zá·tion** *n.*

*****sym·me·try** [símətri] [L 「같은 척도」의 뜻에서] *n.* Ⓤ **1** (좌우의) 대칭, 균형(balance) **2** 조화(cf. CONTRAST); 균형미, 조화미; 균정(均整)(미) **3** 〔식물〕 상칭; 〔수학·물리〕 대칭(성)

sym·pa·thec·to·my [sìmpəθéktəmi] *n.* 〔의학〕 교감 신경 절제(술) **-mìzed** *a.*

‡**sym·pa·thet·ic** [sìmpəθétik] *a.* **1** 동정심 있는, 동정적인, 인정 있는: ~ words 동정적인 말 **2** 마음에 드는, 서로 마음이 통하는, 성미에 맞는: a ~ environment 마음에 드는 환경 **3** (계획·제안·생각 따위에) 호의적인, 찬성하는 《*to, toward*》 **4** Ⓐ 〔생리〕 교감(交感) 신경(계)의 **5** (독자에게) 호소하는, 동감[공감]시키는 《*to*》 **6** Ⓐ 〔물리〕 (진동이) 공명하는 —*n.* **1** 〔해부〕 교감 신경(계) **2** (최면술 등에) 걸리기 쉬운 사람 ▷ sýmpathy *n.*

sym·pa·thet·i·cal·ly [sìmpəθétikəli] *ad.* 동정[공감, 공명]하여, 호의적으로; 교감하여

sympathétic cóntact 〔사회〕 공감 접촉 《개인과 접촉할 때, 개인이 속한 사회 집단의 속성보다는 개인적 특성에 기초한 접촉》

sympathétic ínk 은현(隱顯) 잉크(invisible ink) 《불에 쬐면 글자가 나타나는》

sympathétic mágic 공감 주술(呪術) 《어떤 사물·사건 등이 공감 작용에 의하여 떨어진 곳의 사물·사건에 영향을 미칠 수 있다는 신앙을 바탕으로 함》

sympathétic nérve 교감 신경

sympathétic nérvous sỳstem 〔해부·생리〕 교감 신경계

sympathétic stríke 동정 파업 《불만은 없으나 다른 파업 단체에 단결력을 과시하기 위한》

sympathétic vibrátion 〔물리〕 공명

‡**sym·pa·thize** [símpəθàiz] *vi.* **1** (사람·생각 등에) 공명하다, 동감하다, 찬성[동의]하다 《*with*》: (~+전+명) His parents didn't ~ *with* his hope to become a journalist. 그의 양친은 저널리스트가 되고 싶어하는 아들의 희망에 동의하지 않았다. **2** (…에) 동정하다, (슬픔·즐거움을) (…와) 같이하다: (~+전+명) ~ *with* a person …에게 동정하다/~ *with* a person in his[her] grief …와 슬픔을 같이하다 **3** (…을) 위문[위로]하다, 조상(弔喪)하다 《*with*》 **4** (…와) 일치하다, 감응하다, 융합하다 《*with*》 **5** 교감하다, 공감하다 《*with*》 ▷ sýmpathy *n.*; sympathétic *a.*

sym·pa·thiz·er [símpəθàizər] *n.* 동정자; 지지자, 공명자, 동조자

sym·pa·tho·lyt·ic [sìmpəθoulítik] *a.* 〔약학〕 교

thesaurus **symbol** *n.* emblem, token, sign, representative, figure, badge, image, mark
sympathy *n.* **1** 공감, 찬성 affinity, empathy, favor, approval, support **2** 동정, 인정 compassion,

감 신경 파괴[차단]의 **—n.** 교감 신경 차단제

sym·pa·tho·mi·met·ic [sìmpəθoumimétik, -maim-] 〖약학〗 *a.* 〈약 등이〉 교감 신경 흥분 작용의 **—n.** 교감 신경 흥분제

⁑**sym·pa·thy** [símpəθi] [Gk 「기분을 같이하다」의 뜻에서] *n.* (*pl.* **-thies**) **1** Ⓤ **공감**, 동감, 호감, 공명, 찬성 **2** (취미·성격·의견 따위의) 일치 **3** ⓊⒸ **동정**(심), 인정, 연민(⇨ pity 유의어): excite (a person's) ~ (…의) 동정을 불러일으키다 / My *sympathies* are with you. = You have my *sympathies.* 당신에게 동정의 마음을 보냅니다. **4** **조위**, 조문(弔問); 위문: a letter of ~ 조문장 **5** 감응(성) **6** Ⓤ (…와의) 조화, 융화 《*with*》 **7** Ⓤ 〖생리〗 교감, 공감 **8** Ⓤ 〖물리〗 공진(共振), 공명 ***express* ~ *for*** …을 위문하다, 조의를 표하다 ***feel*[*have*] ~ *for*** …을 동정하다 ***in*[*out of*] ~ *with*** …에 찬성하여[하지 않는]; …와 일치하여 ▷ sýmpathize *v.*; sympathétic *a.*

sýmpathy strìke = SYMPATHETIC STRIKE

sym·pat·ric [simpǽtrik, -péit-] *a.* 〖생물〗 동지역성(同地域性)의

sym·pet·al·ous [simpétələs] *a.* 〖식물〗 합판(合瓣)의

sym·phi·ly [símfəli] *n.* 〖생태〗 우호(友好) 공생

sym·phon·ic [simfánik | -fɔ́n-] *a.* 〖음악〗 교향악의; 〈음이〉 조화를 이루는 **-i·cal·ly** *ad.*

symphónic póem 교향시

symphónic súite 교향 모음곡

sym·pho·ni·ous [simfóuniəs] *a.* (문어) 협화음의; 〈음이〉 조화를 이루는, 화성의 **~·ly** *ad.*

sym·pho·nist [símfənist] *n.* **1** 교향곡 작곡가 **2** 교향악 단원

sym·pho·nize [símfənàiz] *vt., vi.* 화음을 이루어 함께 연주하다[소리내다]; 조화시키다[하다]

⁑**sym·pho·ny** [símfəni] [Gk 「소리의 일치」의 뜻에서] *n.* (*pl.* **-nies**) **1** 〖음악〗 **교향곡**, 심포니 **2** (미) = SYMPHONY ORCHESTRA **3** (교향악단의) 연주회 **4** 〖미술〗 색채의 조화; Ⓤ 《일반적으로》 조화(harmony) **5** (고어·시어) 조화음, 협화음 ▷ symphónic *a.*; sýmphonize *v.*

sýmphony òrchestra 교향악단

sym·phy·sis [símfəsis] *n.* (*pl.* **-ses** [-sì:z]) 〖식물〗 합생(合生); 〖해부〗 결합; 결합선(線)

sym·po·si·ac [simpóuziæ̀k] *a.* symposium의[에 적당한] **—n.** (고어) = SYMPOSIUM

sym·po·si·arch [simpóuziɑ̀:rk] *n.* symposium의 주재자; (드물게) 연회의 사회자

sym·po·si·ast [simpóuziæ̀st, -ziəst | -ziæ̀st] *n.* 연회 출석자; 토론회 참가자

sym·po·si·um [simpóuziəm] [Gk 「함께 마시다」의 뜻에서] *n.* (*pl.* **-si·a** [-ziə], **~s**) **1** (특정 문제에 대하여 자유롭게 의견을 교환하는) 토론회, 심포지엄 (cf. PANEL DISCUSSION) **2** (어떤 문제에 대하여 여러 전문가들이 기고한) 논문집, 논총(論叢) **3** (고대 그리스의) 주연, 향연

⁑**symp·tom** [símptəm] [Gk 「함께 떨어지다」의 뜻에서] *n.* **1** [보통 a ~] **징후**, 징조; (…의) 전조, 조짐 《*of*》 **2** 〖의학〗 증후(症候), 증상: allergic ~*s* 알레르기 증상 **~·less** *a.* ▷ symptomátic *a.*

symp·to·mat·ic, -i·cal [sìmptəmǽtik(əl)] *a.* **1** 징후적인, 조짐의, 전조가 되는 **2** Ⓟ (…을) 나타내는 (indicative) 《*of*》 **3** 증상에 따른 **-i·cal·ly** *ad.*

symp·tom·a·tol·o·gy [sìmptəmətálədʒi | -tɔ́l-] *n.* Ⓤ 〖의학〗 징후학, 증후학; (환자 또는 병의) 종합적 증상 **-to·màt·o·lóg·i·cal, -ic** *a.* **-to·màt·o·lóg·i·cal·ly** *ad.*

symp·tom·ize [símptəmàiz] *vt.* …의 조짐[징후]이다; 징후로서 …을 나타내다

---

pity, condolence, solace, comfort, caring, concern, warmth, kindness, charity

symptom *n.* sign, indication, signal, warning, mark, token, evidence, demonstration, display

---

syn. synonym; synonymous; synonymy

syn- [sin, sən] *pref.* 「함께, 동시에, 비슷한」의 뜻 《그리스 말 또는 같은 계통의 말에 붙음》 ★ l 앞에서는 *syl-*; b, m, p 앞에서는 *sym-*; r 앞에서는 *syr-*; s 앞에서는 *sys-, sy-.*

syn·aer·e·sis [sinérəsis, -níər- | -níər-] *n.* = SYNERESIS

syn·aes·the·sia [sìnəsθí:ʒə, -ziə] = SYNESTHESIA

syn·a·gog·i·cal [sìnəgádʒikəl | -gɔ́dʒ-], **-gog·al** [sínəgàgəl, -gɔ̀:g- | -gɔ̀g-] *a.* 유대 교회당의, 유대 교회의; 유대교도 집단의

syn·a·gogue, -gog [sínəgàg, -gɔ̀:g- | -gɔ̀g] *n.* **1** 시나고그, 유대 교회[회당] **2** 유대교도의 집단; 유대인회 **3** 유대교 ▷ synagógical, sýnagogal *a.*

syn·a·loe·pha, -le- [sìnəlí:fə] *n.* Ⓤ 〖문법〗 (다음 어두(語頭) 모음 앞에서) 어미 모음의 탈락 《보기: *th'* (= the) omnipotent》

Syn·a·non [sínənən, -nàn | -nən] *n.* (미) 마약 상습자의 갱생 지도를 하는 사설 단체

syn·apse [sínæps, ─´ | sái-] *n.* **1** 〖생물〗 = SYNAPSIS 1 **2** 〖해부〗 시냅스 《신경 세포의 연접부》

syn·ap·sis [sinǽpsis] *n.* (*pl.* **-ses** [-si:z]) **1** Ⓤ 〖생물〗 (염색체) 접합, 시냅시스 《세포의 감수 분열 초기에 있는 상동(相同) 염색체의 병렬 접착》 **2** = SYNAPSE 2

syn·ap·to·né·mal cómplex [sinæ̀ptəní:məl-] 〖생물〗 합사기(合絲期) 복합체 《염색체 연접 사이에 생기는 단백 구조》

syn·ap·to·some [sinǽptəsòum] *n.* 〖생리〗 시냅토솜 《신경 세포에서 추출되어 신경 말단을 형성하는 것으로 여겨지는 구조물》 **syn·àp·to·só·mal** *a.*

syn·ar·thro·sis [sìnɑ:rθróusis] *n.* (*pl.* **-ses** [-si:z]) 〖해부〗 부동(不動) 결합; 〖병리〗 관절 유합(증)

syn·as·try [sinǽstri, sínəs-] *n.* 〖점성〗 상성(相性), 합성(合性)

sync, synch [síŋk] (구어) *n.* **1** 〖영화·TV〗 동시성(synchronization); 동시 진행 **2** 협조 관계: be in ~ with …와 협조 관계에 있다 ***in*[*out of*] ~** 동조하여[하지 않고] **—*vi., vt.*** = SYNCHRONIZE

syn·carp [sínkɑ:rp] *n.* 〖식물〗 집합과(集合果), 다화과(多花果), 복화과(複花果)

syn·car·pous [sinkɑ́:rpəs] *a.* 〖식물〗 합성 심피(心皮)를 가진; syncarp의 **sýn·car·py** *n.*

syn·chon·dro·sis [sìŋkəndróusis] (*pl.* **-ses** [-si:z]) *n.* 〖해부〗 연골 결합

syn·chro [síŋkrou, sín-] 〖전기〗 *n.* (*pl.* **~s**) 싱크로 《회전·병진의 변위를 멀리 전달하는 장치》 **—*a.*** 동시 작동[조정(調整)]의

syn·chro·cy·clo·tron [sìŋkrousáiklətrɑ̀n | -trɔ̀n] *n.* 〖물리〗 싱크로사이클로트론 《가변(可變) 주파수 사이클로트론》

syn·chro·flash [síŋkrəflæ̀ʃ] *a.* 〖사진〗 싱크로 촬영으로 찍은, 동시 섬광의 《셔터와 섬광 방전등의 발광을 동조(同調)시켜 촬영》

syn·chro·mesh [síŋkrəmèʃ] [*synchro*nized *mesh*] *n., a.* 〖자동차〗 기어가 동시에 서로 맞물리는 장치(의): a ~ gearbox 동시 기어

syn·chro·nal [síŋkrənl] *a.* = SYNCHRONOUS

syn·chron·ic, -i·cal [sinkránik(əl), siŋ- | -krɔ́n-] *a.* **1** 〖언어〗 공시적(共時的)인 《어떤 언어 현상을 한 시대에 한정하여 연구하는》(opp. *diachronic*): ~ linguistics 공시 언어학 **2** = SYNCHRONOUS **3** 〖생물〗 〈분류 단위가〉 동시대의 **-i·cal·ly** *ad.*

syn·chro·nic·i·ty [sìŋkrənísəti] *n.* 〖심리〗 동시 발생, 동시성(synchronism)

syn·chro·nism [síŋkrənìzm] *n.* Ⓤ **1** 동시 발생, 동시성, 동기(同期) **2** (역사적 사건의) 연대별 배열; Ⓒ 대조 역사 연표 **3** 〖언어〗 공시적 기술[연구법] **4** 〖물리〗 동기(성) **5** 〖심리〗 공시성, 동시성 **6** 〖영화〗 영상과 발

성의 일치 **sỳn·chro·nís·tic** *a.*

***syn·chro·nize** [síŋkrənàiz] *vi.* **1** 동시에 일어나다; (…와) 동시성을 가지다 (*with*): (~+전+명) One event ~*s with* another. 한 사건이 다른 사건과 동시에 발생한다. **2** 〈몇 개의 시계가〉 표준 시각[일정한 시각]을 표시하다, 같은 시간을 표시하다 **3** 〖영화〗 영상과 발성이 일치하다, 동조하다

— *vt.* **1** 동시에 일어나게 하다, 동시성을 가지게 하다 **2** 〈시계 등의〉 시간을 맞추다: *S*~ your watches. 너희들 시계의 시간을 맞춰라. **3** 〖영화〗 동조시키다, 〈음성을〉 화면과 일치시키다: (~+목+전+명) The sound track of a film should be ~*d with* the scenes. 필름 녹음대(帶)의 발성은 화면과 일치되어야 한다. **4** 〖사진〗 〈셔터를〉 (플래시와) 동조시키다

sỳn·chro·ni·zá·tion *n.*

syn·chro·nized shífting [síŋkrənàizd-] (자동차의) 동기 변속

sýnchronized sléep 〖생리〗 동기(同期)성 수면 《꿈을 거의 꾸지 않는 규칙적인 수면》

sýnchronized swímming 수중 발레, 싱크로나이즈드 스위밍

syn·chro·niz·er [síŋkrənàizər] *n.* 〖전기〗 동기 장치; 〖사진〗 동시 발광 장치, 싱크로 장치

syn·chro·nous [síŋkrənəs] *a.* 동시(성)의; 동시에 일어나는; 동일한 속도로 진행하는; 〖물리·전기〗 동기의, 동위상(同位相)의 **~·ly** *ad.* **~·ness** *n.*

sýnchronous compúter 동기(同期) 컴퓨터

sýnchronous convérter 동기[회전] 변류기

sýnchronous mótor 〖전기〗 동기 전동기

sýnchronous órbit 〖항공〗 동기(同期) 궤도

sýnchronous sátellite 〖우주과학〗 동기 위성 《궤도 주기가 지구의 자전과 같음》

sýnchronous transmíssion 〖컴퓨터〗 동기(同期) 전송

syn·chro·ny [síŋkrəni] *n.* **1** = SYNCHRONISM 1 **2** 〖언어〗 공시상[태](共時相[態]); 공시적 연구, 공시 언어학(opp. *diachrony*)

syn·chro·scope [síŋkrəskòup] *n.* 〖전기〗 동기 검정기(同期檢定器)

syn·chro·tron [síŋkrətrɑ̀n | -trɔ̀n] *n.* 〖물리〗 싱크로트론 《cyclotron을 개량한 전자 가속 장치》

sýnchrotron radiàtion 〖물리〗 싱크로트론 방사[복사](광)

syn·cli·nal [sinkláinl | siŋ-] *a.* **1** (중심축에서 만나도록) 양쪽에서 서로 경사진 **2** 〖지질〗 향사상(向斜狀)의 (opp. *anticlinal*) — *n.* = SYNCLINE

syn·cline [sínklain | síŋ-] *n.* 〖지질〗 향사(向斜)

Syn·com [sínkɑ̀m | -kɔ̀m] [*syn*chronous *com*munications satellite] *n.* 신콤 위성 《전파 중계용 정지(靜止) 위성》

syn·co·pate [síŋkəpèit, sín- | síŋ-] *vt.* **1** 〖음악〗 당김음을 두다 **2** 〖문법〗 어중음(語中音)을 생략하다 《every를 ev'ry로 하는 것 등》; 중략(中略)하다

syn·co·pat·ed [síŋkəpèitid, sín- | síŋ-] *a.* **1** 당김음으로 된 **2** 중략된, 생략된

syn·co·pa·tion [sìŋkəpéiʃən, sìn- | sìŋ-] *n.* **1** Ⓤ 〖문법〗 중략 **2** ⓊⒸ 〖음악〗 당김음

sýn·co·pà·tive *a.*

syn·co·pe [síŋkəpì:, sín- | -pi] *n.* Ⓤ **1** 〖문법〗 어중음(語中音) 소실, 중략; Ⓒ 중략어(cf. APOCOPE) **2** 〖병리〗 졸도, 기절 **3** 〖음악〗 당김법

syn·cret·ic [sinkrétik, siŋ-] *a.* 혼합주의의; 〖언어〗 다른 격(格)의 기능을 흡수한

syn·cre·tism [síŋkrətìzm, sín-] *n.* Ⓤ 〖철학·종교〗 제설(諸說) 혼합주의; 〖언어〗 융합(融合)

-tist *n.* **sỳn·cre·tís·tic** *a.*

syn·cre·tize [síŋkritàiz, sín-] *vi.* 융화하다, 단결하다; 여러 파의 합병에 찬성하다; 〈여러 파가〉 합병하다 — *vt.* 〈여러 파를〉 융화 통일시키려고 노력하다

syn·crude [sínkrù:d] *n.* (석탄에서 얻을 수 있는) 합성 원유

sýnc sìgnal 〖전자〗 동기(同期) 신호

synd. syndicate; syndicated

syn·dac·tyl, -tyle [sindǽktl | -til] *a.* 합지(合指)의 — *n.* 합지동물

syn·des·mo·sis [sìndezmóusis, -des-] *n.* (*pl.* **-ses** [-si:z]) 〖해부〗 인대(靭帶) 결합

-mot·ic [-mɑ́tik | -mɔ́t-] *a.*

syn·det [síndet] [*syn*thetic+*det*ergent] *n.* 합성 세제

syn·det·ic, -i·cal [sindétik(əl)] *a.* 〖문법〗 접속하는, 접속사를 사용하는; 연결하는 **-i·cal·ly** *ad.*

syn·dic [síndik] *n.* **1** 《영》 (대학 등의) 평의원, 이사; (Cambridge 대학 등의) 특별 평의원 **2** 지방 행정장관(civil magistrate)

syn·di·cal [síndikəl] *a.* **1** 직업 조합의 **2** syndicalism의 **3** syndic의; syndic의 권력을 집행하는 위원회의

syn·di·cal·ism [síndikəlìzm] *n.* Ⓤ 신디칼리즘, 노동조합 지상(至上) 운동 《총파업·사보타주 등의 직접 행동으로 생산과 분배를 노동조합의 수중에 넣으려는》

-ist *n.* 그 주의자

***syn·di·cate** [síndikət] *n.* **1** 신디케이트, 기업 합동, 기업 조합[연합] **2** 채권[증권, 주식] 인수 조합[은행단] **3** 신문[잡지]용 기사[사진, 만화] 배급 기업 **4** (수렵[어업]권 등의) 권리 임대 연합 **5** 《미》 조직 폭력단 **6** (Cambridge 대학 등의) 이사회

— *v.* [-kèit] *vi.* 신디케이트를 만들다

— *vt.* **1** 신디케이트 조직으로 하다 **2** 신문 협회를 통하여 발행[배급]하다, 〈기사 등을〉 동시에 많은 신문·잡지에 배급하다 **3** 《미》 〈방송을〉 독립국에 직접 판매하다 **4** …에 (투기적 사업·융자 따위를 서로 분담하는) 인수단을 결성하다 **-cà·tor** *n.*

▷ syndicátion *n.*

sýndicate lóan 〖금융〗 협조 융자, 신디케이트 론 《두 개 이상의 금융 기관이 같은 조건으로 기업에 대규모 자금을 빌려주는 것》

syn·di·ca·tion [sìndəkéiʃən] *n.* Ⓤ 신디케이트 조직

***syn·drome** [síndroum, -drəm] *n.* **1** 〖병리〗 증후군 **2** (예견할 수 있는) 행동 양식 **syn·dróm·ic** *a.*

syne [sáin] *ad., prep., conj.* 《스코》 전에, 이전에 (since)(cf. AULD LANG SYNE)

syn·ec·do·che [sinékdəki] *n.* Ⓤ 〖수사학〗 제유(법)(提喩(法)) 《일부로써 전체를, 또는 전체로써 일부를 나타내는 비유적 표현법: sail이 ship, a creature가 a man을 나타내는 등》(cf. METONYMY)

sỳn·ec·dóch·ic, -i·cal *a.* **sỳn·ec·dóch·i·cal·ly** *ad.*

syn·e·col·o·gy [sìnikɑ́lədʒi | -kɔ́l-] *n.* Ⓤ 군집[군락(群落)] 생태학 **syn·ec·o·log·i·cal** [sìnikəlɑ́dʒikəl | -lɔ́dʒ-] *a.*

syn·ec·tics [sinéktiks] *n. pl.* [단수 취급] 창조 공학, 시넥틱스 《창조적 문제 해법》

syn·er·e·sis [sinérəsis, -níər- | -níər-] *n.* (*pl.* **-ses** [-sì:z]) **1** 〖문법〗 합음(合音) 《2모음 또는 2음절을 하나로 줄임》 **2** 시네레시스 《겔(gel)이 내부의 액체를 방출하여 부피를 감소시키는 현상》

syn·er·ga·my [sinə́:rgəmi] *n.* Ⓤ 공동 결혼, 코뮌식 결혼 《공동체적 복수 결혼제》

syn·er·get·ic [sìnərdʒétik] *a.* 공동의, 공동[상승] 작용성의

syn·er·gic [sinə́:rdʒik] *a.* 함께 일하는, 공동 작용의 **-gi·cal·ly** *ad.*

synérgic cúrve 〖항공〗 연료 경제 곡선 《최소의 에너지로 로켓 등에 대해 소정의 위치·속도를 주는 궤도》

syn·er·gism [sínərdʒìzm, sinə́:rdʒizm] *n.* Ⓤ **1** 〖신학〗 신인(神人) 협력설 **2** (약 등의) 공동[상승] 작용 **3** 〖생태〗 상조(相助) 작용 **4** (근육 등의) 공동(共動)

syn·er·gist [sínərdʒist, sinə́:r-] *n.* 〖생리·의학〗 공력근[기관]; 〖화학·약학〗 공력제, 상승제; 〖신학〗 신인(神人) 협력설 신봉자

syn·er·gis·tic, -ti·cal [sìnərdʒístik(əl)] *a.* **1** 〈약·근육 등이〉 공동성의; 〈반응·효과 등이〉 상승적인; 상조적인: a ~ effect 상승 효과 **2** 〖신학〗 신인(神人)

협력설의 **-ti·cal·ly** *ad.*

syn·er·gy [sínərdʒi] *n.* Ⓤ **1** (효과·기능·작용 따위의) 협력 작용, 협동(synergism) **2** (둘 이상의 근육·신경 따위의) 공력(共力) 작용 **3** (둘 이상의 자극물·약품 따위의) 공동[상승] 작용 **4** 〚사회〛 (사회 내 특정 집단[개인]의) 공동 작업

syn·e·sis [sínəsis] *n.* Ⓤ 〚수사학〛 의미에 의한 문법 무시; 〚문법〛 의미 구문 《these *sort* of things, either of them *are*》

syn·es·the·sia [sìnəsθí:ʒə, -ʒiə, -ziə] *n.* Ⓤ 〚생리〛 공감; 〚심리〛 공감각 《하나의 감각이 다른 감각을 작용케 하는 일》 **-thet·ic** [-θétik] *a.* 공감각의

syn·fu·el [sínfjù:əl] [*syn*thetic *fuel*] *n.* 《미》 합성 연료 《합성 원유·가스 등》

syn·ga·my [síŋgəmi] *n.* 〚생물〛 배우자 합체; 유성(有性) 생식 **syn·gam·ic** [singǽmik] *a.*

syn·gas [síngæ̀s] *n.* (석탄에서 나오는) 합성 가스

Synge [síŋ] *n.* 싱 **John Millington** ~ (1871-1909) 《아일랜드의 시인·극작가》

syn·ge·ne·ic [sìndʒəní:ik] *a.* 〚생물·의학〛 공통 유전자의, 동계(同系)의, 친연성(親緣性)의, 선천성의

syn·gen·e·sis [sindʒénəsis] *n.* 〚생물〛 유성 생식; 〚지질〛 동생(同生) 《광상(鑛床)이 모암(母岩)과 동시에 생성하는 일》

syn·i·ze·sis [sìnəzí:sis] *n.* **1** 〚음성〛 합음, 모음 융합 **2** 〚생물〛 수축기(收縮期)

syn·kar·y·on [sinkǽriɑ̀n, -riən | -riɔ̀n] *n.* 〚생물〛 융합핵

syn·met·al [sínmètl] *n.* 합성 금속

syn·od [sínəd] *n.* **1** 교회 회의, 종교 회의 **2** (장로 교회에서) 노회(Presbytery)와 전국 총회(General Assembly)의 중간 조직 **3** 《일반적으로》 회의: a general ~ 총회 **4** 《고어》 〚천문〛 합(合), 상합(相合) **~·al** *a.*

syn·od·ic, -i·cal [sinɑ́dik(əl) | -nɔ́d-] *a.* **1** (종교) 회의의 **2** 《고어》 〚천문〛 합(合)의, 상합(相合)의

synódic(al) mónth 삭망월(朔望月)(lunar month) 《음력 초하루부터 새달 초하루까지》

synódic períod 〚천문〛 (두 행성 간의) 회합 주기

‡**syn·o·nym** [sínənìm] *n.* **1** 동의어, 유의어(類義語) 《*for, of*》(opp. *antonym*); 유사어 **2** (다른 나라 말의) 해당어 **3** 《구어》 유사물 **4** 별명, 별칭; 〚동물·식물〛 (분류상의) 이명(異名) **sỳn·o·ným·ic, -i·cal** *a.* ▷ synónymous *a.*; synónymize *v.*

syn·o·nym·i·ty [sìnənímәti] *n.* Ⓤ 같은 뜻, 유의(성)(類義(性))

syn·on·y·mize [sinɑ́nəmàiz | -nɔ́n-] *vt.* **1** …의 유의어를 나타내다; 〈어떤 낱말의〉 유의어를 분석하다; (사전 등에) 유의어의 분석 해설을 싣다 **2** 별칭[이칭]을 주다 **—** *vi.* 유의어를 사용하다

syn·on·y·mous [sinɑ́nəməs | -nɔ́n-] *a.* (…와) 동의어의, 같은 뜻의, 같은 것을 나타내는[의미하는] 《*with*》 **~·ly** *ad.* **~·ness** *n.*

syn·on·y·my [sinɑ́nəmi | -nɔ́n-] *n.* (*pl.* **-mies**) **1** Ⓤ 같은 뜻(synonymity); 유의[동의]성 **2** Ⓤ 유의어 연구 **3** (강조하기 위해) 유의어를 겹쳐 쓰기 《보기: in any *shape* or *form*》 **4** 유의어집(集)

synop. synopsis

syn·op·sis [sinɑ́psis | -nɔ́p-] *n.* (*pl.* **-ses** [-si:z]) 개요, 강령, 대의(summary); 일람(표); (소설·영화 따위의) 대강의 줄거리

syn·op·size [sinɑ́psaiz | -nɔ́p-] *vt.* 《미》 요약하다, …의 개요를 만들다

syn·op·tic [sinɑ́ptik | -nɔ́p-] *a.* **1** 개요의, 대의의 **2** [종종 **S~**] 공관(共觀) 복음서의 **3** 〚기상〛 종관(綜觀)적인 **4** 같은 관점의 여러 현상을 고찰하는 ***the ~ Gospels*** 공관 복음서 《마태·마가·누가의 3복음서》 **—** *n.* [종종 **S~**] 공관 복음서(의 저자) **-ti·cal·ly** *ad.*

syn·op·ti·cal [sinɑ́ptikəl | -nɔ́p-] *a.* = SYNOPTIC

synóptic chárt 기상(氣象)(일람)도

synóptic meteorólogy 〚기상〛 종관 기상학

syn·op·tist [sinɑ́ptist | -nɔ́p-] *n.* [종종 **S~**] 공관 복음서의 저자

syn·os·to·sis [sìnɑstóusis | -nɔs-], **syn·os·te·o·sis** [sinɑ̀stióusis | -nɔ̀s-] *n.* (*pl.* **-ses** [-si:z]) 〚해부〛 골격 유착, 골유합(증)(骨癒合)(症)

syn·o·vi·a [sinóuviə] *n.* Ⓤ 〚생리〛 (관절) 활액

syn·o·vi·al [sinóuviəl] *a.* 〚해부〛 활액(滑液)의, 활액을 분비하는

syn·o·vi·tis [sìnəváitis] *n.* Ⓤ 〚병리〛 활액막염(滑液膜炎)

syn·tac·tic, -i·cal [sintǽktik(əl)] *a.* **1** 〚언어〛 syntax(상)의 **2** syntactics(상)의 **-ti·cal·ly** *ad.*

syntáctic fóam 〚화학〛 유리 기포(氣泡) 강화 플라스틱

*__syn·tac·tics__ [sintǽktiks] *n. pl.* [단수 취급] 〚언어〛 (논리적) 구문론, 통어론; (기호론의 한 분야로서의) 구문론

syn·tagm [síntæm] *n.* = SYNTAGMA

syn·tag·ma [sintǽgmə] *n.* (*pl.* **~s, ~·ta** [-tə]) 〚언어〛 신태그마 《발화(發話) 중에서 통합적 관계를 가진 어구》 **syn·tag·mat·ic** [sìntægmǽtik] *a.*

syn·tal·i·ty [sintǽləti] *n.* 〚심리〛 신탤리티 《각 집단이 가진 행동 특성》

‡**syn·tax** [síntæks] [Gk 「같이 배열하다」의 뜻에서] *n.* Ⓤ **1** 〚언어〛 구문론[법], 통사론[법], 신택스, 문장론 (cf. MORPHOLOGY) **2** 〚논리〛 (기호 체계를 연구하는) 논리적 통사법 **3** 체계, 통계적 배열, 구성 ▷ syntáctic *a.*

syn·tech·nic [sintéknik] *a.* 〚생물〛 유사 환경에 있음으로 해서 유연(類緣) 관계가 없는 생물이 서로 닮아가는

syn·te·ny [síntəni] *n.* 〚유전〛 신터니 《복수의 유전자가 동일 염색체 위에 있는 일》

synth [sinθ] *n.* 《구어》 = SYNTHESIZER

syn·thase [sínθeis | -θeiz] *n.* 〚생화학〛 신타아제 《역방향으로 리아제 반응을 하는 효소》

*__syn·the·sis__ [sínθəsis] *n.* (*pl.* **-ses** [-sì:z]) Ⓤ **1** 종합, 통합, 조성(組成); Ⓒ 종합[통합]체(opp. *analysis*) **2** 〚화학〛 합성, 인조 **3** 〚언어〛 말의 합성, 복합[파생]어 만들기 **4** 〚의료·외과〛 접골, 복위(復位) **5** (제어 따위의) 시스템 설계[합성] **-sist** *n.*

sýnthesis gàs = SYNGAS

syn·the·size [sínθəsàiz] *vt.* **1** 종합하다; 종합적으로 다루다 **2** 〚화학〛 합성하다 **—** *vi.* 종합하다

syn·the·siz·er [sínθəsàizər] *n.* **1** 합성하는 사람[것] **2** 신시사이저 《음(音)의 합성 장치[악기]》

syn·thes·pi·an [sinθèspiən] [*syn*thetic *thespian*] *n.* 신세스피언 《3-D 만화 영화나 게임에 등장하는 가상의 캐릭터》

*__syn·thet·ic__ [sinθétik] *a.* **1** 종합의, 통합적인 **2 a** 〚화학〛 합성의; 인조의: ~ dyes 합성 염료 **b** 《구어》 진짜가 아닌; 대용의(substitute): ~ flight training 모의 비행 훈련 **—** *n.* 합성물[품], 《특히》 합성[화학] 섬유 ▷ sýnthesis *n.*; sýnthesize *v.*

syn·thet·i·cal·ly [sinθétikəli] *ad.* 종합하여, 종합적으로, 합성적으로

syn·thét·ic-áp·er·ture ràdar [sinθétikǽpərtʃùər-] 〚전자〛 합성 개구(開口) 레이더 《비행기·인공위성 등에 탑재하여 지표를 관찰하거나 사진을 찍는 고분해(高分解) 능력 레이더》

synthétic blóod 〚의학〛 합성 혈액

synthétic detérgent 합성 세제

synthétic equípment 비행사의 지상 훈련 설비

synthétic fíber 합성 섬유

synthétic fúel 합성 연료 《석탄 혹은 혈암유(頁岩油)·역청암(tar sand) 등에서 추출》

synthétic geómetry 종합 기하학

synthétic lánguage 〚언어〛 종합적언어

synthétic músic 전자 음악, 합성 음악

synthétic philósophy 〚철학〛 (Herbert Spen-

cer의) 종합 철학
synthétic résin 합성수지
synthétic rúbber 합성 고무, 인조 고무
syn·thet·ics [sinθétiks] *n. pl.* [단수 취급] 합성 화학; 합성 화학 산업
synthétic spéech 〖컴퓨터〗 합성 음성
syn·the·tism [sínθətìzm] *n.* 〖미술〗 생테티슴, 종합주의
syn·the·tize [sínθətàiz] *vt.* =SYNTHESIZE
synth·pop [sínθpɑ̀p | -pɔ̀p] *n.* synthesizer로 연주하는 팝 음악
syn·ton·ic [sintɑ́nik | -tɔ́n-], **syn·to·nous** [síntənəs] *a.* 〖전기〗 동조(同調)의, 합조(合調)의; 〖심리〗 (환경에 대해) 동조성을 가지는, 동조적인
syn·to·nize [síntənàiz] *vt.* 〖전기〗 동조시키다
syn·to·ny [síntəni] *n.* Ⓤ 〖전기〗 동조
syph·i·lis [sífəlis] [신을 모독한 벌로 이 병에 걸린 양치기의 이름에서] *n.* Ⓤ 〖병리〗 매독
syph·i·lit·ic [sìfəlítik] *a.* 매독(성)의, 매독에 걸린
— *n.* 매독 환자 **sỳph·i·lít·i·cal·ly** *ad.*
syph·i·lize [sífəlàiz] *vt.* 매독에 걸리게 하다; …에게 매독을 감염시키다
syph·i·lol·o·gy [sìfəlɑ́lədʒi | -lɔ́l-] *n.* Ⓤ 매독학
-gist *n.*
sy·phon [sáifən] *n., v.* =SIPHON
Syr. Syria(n); Syriac
Syr·a·cuse [sírəkjù:s, -kjù:z] *n.* **1** 시러큐스 《미국 New York주 중부의 도시》 **2** [《영》 sáiərəkjù:z] 시라쿠사 《이탈리아 Sicily섬 남동부의 항구 도시, 고대 카르타고 사람이 기원전 734년에 건설; 이탈리아 이름은 Siracusa》
Syr Dar·ya [síər-dɑ́:rjə] [the ~] 시르 다리야 《톈산(天山) 산맥에서 서쪽으로 흘러 Aral해로 나가는 중앙아시아 최대의 강》
sy·ren [sáiərən] *n., a.* 《영》 =SIREN
Syr·ette [sirét] *n.* 시레트 《응급 주사기; 상표명》
*__Syr·i·a__ [síriə] *n.* **1** 시리아 《지중해 동해안 소아시아의 공화국; 공식명 Syrian Arab Republic; 수도 Damascus》 **2** 시리아(1922-44) 《현재의 시리아·레바논을 포함한 프랑스의 옛 위임 통치령》 **3** 시리아 왕국 (B.C. 64-A.D. 636) 《현재의 시리아·레바논·이스라엘 부근의 고대 왕국》
▷ Sýrian *a.*
Syr·i·ac [síriæ̀k] *n.* Ⓤ, *a.* (고대) 시리아 말(의)
Syr·i·a·cism [síriəsìzm] *n.* (고대) 시리아 어법
Syr·i·an [síriən] *a.* 시리아(사람)의
— *n.* 시리아 사람
sy·rin·ga [səríŋgə] *n.* 〖식물〗 고광나무속(屬)의 관목
sy·ringe [səríndʒ, síríndʒ | síríndʒ] *n.* **1** 세척기; 관장기(灌腸器) **2** 주사기: a hypodermic ~ 피하 주사기 **3** 수동 펌프, 물총
— *vt.* …에 주사를 놓다; 씻다, 세척하다; 〈화초에〉 엽면(葉面) 살수하다
sy·rin·ge·al [sirínd3iəl] *a.* syrinx의
sy·ringe·ful [sirínd3fùl] *n.* 주사기에 가득한 분량, 1회의 주사[세척]량
syr·in·gi·tis [sìrindʒáitis] *n.* 이관염(耳管炎)
sy·rin·go·my·e·li·a [siriŋgoumaií:liə] *n.* 〖병리〗 척수 공동증(空洞症) **-my·el·ic** [-maiélik] *a.*
syr·inx [síriŋks] *n.* (*pl.* **sy·rin·ges** [səríndʒi:z], **~·es**) **1** (새의) 울대 **2** [**S~**] 〖그리스신화〗 목신(牧神) 판(PAN)의 피리(panpipe) **3** 〖해부〗 유스타키오관(管) (Eustachian tube)
Syro- [sáirou, -rə, sír-] 《연결형》 「시리아」의 뜻: *Syro*-Phoenician
syr·phid [sə́:rfid] 〖곤충〗 *a.* 꽃등엣과(科)의
— *n.* 꽃등에(=**∠ flỳ**)
syr·tic [sə́:rtik] *a.* 표사(漂沙)의
‡**syr·up** [sírəp, sə́:r- | sír-] [Arab. 「마실 것」의 뜻에서] *n.* Ⓤ **1** 시럽; 시럽제(劑) 《약용·조미용》; 단(單)시럽 《조제용》 **2** 당밀, 꿀: golden ~ 노란 당밀 **3** (문학 작품에서의) 감상(感傷) **4** 《미·속어》 헤로인
— *vt.* 시럽으로 씌우다[달게 하다]
▷ sýrupy *a.*
syr·up·y [sírəpi, sə́:r- | sír-] *a.* **1** 시럽의[같은], (단) 시럽제 같은; 당밀성의; 끈적끈적한 **2** 감상적인: a ~ poem 감상적인 시
sys- [sis, səs] *pref.* syn- 《s 앞에 올 때》
sys·gen [sísdʒèn] [*sys*tem *gen*eration] *n.* 〖컴퓨터〗 시스템 생성
sys·op [sísɑ̀p | -ɔ̀p] [*sys*tem *op*erator] *n.* 《구어》 시솝, 시스템 운영 관리자 《주로 컴퓨터를 이용한 전자 게시판의 운영 관리자》
sys·sar·co·sis [sìsɑ:rkóusis] *n.* (*pl.* **-ses** [-si:z]) ⓊⒸ 〖해부〗 근골(筋骨) 연결
syst. system
sys·tal·tic [sistɔ́:ltik, -tǽl- | -tǽl-] *a.* 〖생리〗 번갈아 수축 팽창하는; 심장 수축의
‡**sys·tem** [sístəm] *n.*

> Gk 「하나로 결합하다」, 「하나로 결합하여 생긴 전체」의 뜻에서 → 「체계」 **1 a**
> → (체계를 이루고 있는 것) → 「조직」 **7**
> → (체계적인 방법) → 「방식」 **2**

1 a (통일된) **체계**, 조직, 계(系); (통신·수송 등의) 조직망, 시스템; 통일성: a ~ of government 정치 조직 / the feudal ~ 봉건 제도 / an educational ~ 교육 제도 / a communication ~ 통신망 / a railroad ~ 철도망 **b** [the ~] (지배) 체제: upset *the* ~ 체제를 뒤엎다 **c** (학문·사상의) 체계, 학설, 가설: the Ptolemaic ~ 톨레미(Ptolemy)의 천동설 **2 방식**, 방법; 질서; 순서, 규칙: a sales ~ 판매 방법 / the decimal ~ 십진법 **3** [the ~] 세계, 우주 **4** 성격, 인격 **5** 분류(법): the Linnaean ~ of plants 린네(Linnaeus)의 식물 분류법 **6** 〖천문〗 계(系), 계통: the solar ~ 태양계 / a mountain ~ 산계 / a river ~ 하천계 **7** 〖생물〗 **조직**, 계통, 계(系), 기관: the nervous ~ 신경 계통 **8** [the ~] 신체, 전신: an ingredient toxic to *the* ~ 신체에 유해한 성분 **9 a** 복합적인 기계 장치, (오디오 등의) 시스템: a brake ~ (자동차의) 브레이크 장치 / a ventilation ~ 환기 장치 **b** [종종 *pl.*] 〖컴퓨터〗 시스템 《프로그램의 조직화된 모임》 **10** 〖화학·물리·결정〗 계(系) ***All ~s (are) go!*** 발사 준비 완료!; 《구어》 모든 준비 완료! ***get … out of*** one***'s ~*** 〈근심·걱정 등을〉 버리다
▷ systemátic, systémic *a.*; sýstematize *v.*
sýstem admìnistrator 시스템 관리자
‡**sys·tem·at·ic, -i·cal** [sìstəmǽtik(əl)] *a.* **1** 조직적인, **계통적인**; 규칙적인, 질서 정연한: ~ habits 규칙적인 습관 **2** 계획적인, 고의의: a ~ liar 고의로 거짓말하는 사람 **3** 〖생물〗 분류법의: ~ botany[zoology] 식물[동물] 분류학 **4** 우주의, 우주적인(cosmical)
-i·cal·ly *ad.* **-át·ic·ness** *n.*
▷ sýstem *n.*; sýstematize, sýstemize *v.*
systemátic érror 〖통계〗 정오차(定誤差), 계통 오차
systemátic phóneme 〖언어〗 체계적 음소
sys·tem·at·ics [sìstəmǽtiks] *n. pl.* [단수 취급] 분류학, 계통학; 〖생물〗 계통 분류학; 분류법
systemátic theólogy 〖신학〗 조직 신학
sys·tem·a·tism [sístəmətìzm] *n.* Ⓤ 조직[계통]화; 조직[계통]주의
-tist *n.* 조직[계통]주의자; 분류학자
sys·tem·a·ti·za·tion [sìstəmətizéiʃən | -tai-] *n.* Ⓤ 조직화, 계통화, 체계화; 분류
sys·tem·a·tize [sístəmətàiz] *vt.* 조직화하다, 계통[순서]을 세우다, 분류하다
sys·tem·a·tiz·er [sístəmətàizər] *n.* 조직[체계화]하는 사람, 분류자
sys·tem·a·tol·o·gy [sìstəmətɑ́lədʒi | -tɔ́l-] *n.* Ⓤ 체계학, 계통학
sýstem bùilding 〖건축〗 조립식 공법

sýstem dìsk 〖컴퓨터〗 시스템 디스크 《기본 운영 체제가 저장되어 있는 디스크》
sys·temed [sístəmd] *a.* 조직화[계통화]된, 체계화된
sýstem fàilure 〖컴퓨터〗 시스템 장애
sýstem file 〖컴퓨터〗 시스템 파일 《OS가 작동하는 데 필요한 프로그램 또는 데이터가 수록된 파일》
sýstem hòuse 시스템 하우스 《시스템 설계, 소프트웨어 및 하드웨어의 개발·판매도 겸하는 기업》
sys·tem·ic [sistémik] *a.* **1** 조직[계통, 체계]의 **2** 〖생리〗 온몸의, 전신의; (특정한) 계(系)의 **3** 침투성의 — *n.* = SYSTEMIC INSECTICIDE **-i·cal·ly** *ad.*
systémic circulátion 〖해부〗 체순환, 대순환
systémic insécticide 침투 살충제
sys·te·mic·i·ty [sìstəmísəti] *n.* 체계성, 계통성, 조직성
systémic linguístics [단수 취급] 체계 문법
systémic lúpus er·y·the·ma·tó·sus [-èrəθì:mətóusəs] 〖의학〗 전신 홍반성 루프스[낭창(狼瘡)]
sys·tem·i·za·tion [sìstimizéiʃən | -mai-] *n.* = SYSTEMATIZATION
sys·tem·ize [sístəmàiz] *vt.* = SYSTEMATIZE
sys·tem·iz·er [sístəmàizər] *n.* = SYSTEMATIZER
sys·tem·less [sístəmlis] *a.* 조직[체계]이 없는; 순서가 없는; 분류되어 있지 않은
sýstem[sýstems] prògram 〖컴퓨터〗 시스템 프로그램 《운영 체제·컴파일러·유틸리티 프로그램과 같이 시스템의 효율적인 관리를 위한 프로그램의 총칭》
sýstems anàlysis 시스템 분석 《능률·정확도를 높이는 과학적·수학적 분석》 **sýstems ànalyst**
sýstems desìgn 시스템 설계
sýstems engineèr 〖컴퓨터〗 시스템 엔지니어
sýstems engineèring 시스템[조직] 공학, 공학
sýstems òperator 〖컴퓨터〗 시스템 운영자
sýstems sòftware 〖컴퓨터〗 시스템 소프트웨어 《운영 체제와 유틸리티 프로그램의 총칭》
sýstem ùnit 〖컴퓨터〗 (키보드와 모니터를 제외한) 본체
sys·tem·wide [sístəmwàid] *a.* 전조직[계열, 체계]에 미치는[걸치는]
sys·to·le [sístəlì:, -li | -li] *n.* [U.C] 〖병리〗 심장 수축(cf. DIASTOLE) **sys·tol·ic** [sistɑ́lik | -tɔ́l-] *a.*
systólic préssure 수축기압(收縮期壓) 《최고 혈압》
Sys·tox [sístɑks | -tɔks] *n.* 시스톡스 《살충제 demeton의 상표명》
sys·tyle [sístail] *a.* 〖건축〗 기둥 사이가 약간 좁은
syz·y·get·ic [sìzədʒétik] *a.* 삭망(朔望)에 관한
syz·y·gy [sízədʒi] *n.* (*pl.* **-gies**) **1** 〖천문〗 삭망(朔望) **2** 〖생물〗 연접(連接)

T t

t, T [tíː] *n.* (*pl.* **t's, ts, T's, Ts** [-z]) **1** 티《영어 알파벳의 제20자》; t[T]의 음 **2** T자 형의 물건: *T*-bandage[-pipe, -square] T자 형 붕대[관(管), 자] **3** 20번째의 것《J를 세지 않을 때는 19번째》
cross the [one's] ***t's*** t자의 가로줄을 긋다; 어떤 점을 강조하다; (언행에) 세심한 주의를 하다 ***marked with a T*** (영) (죄수의 엄지손가락에) T자의 낙인이 찍힌; 도둑(T＝thief)으로 알려진 ***to a T*** 정확히, 꼭 들어맞게, 완전히
t' [t] **1** (고어) to의 생략《모음으로 시작하는 동사의 부정형에 붙을 때》: *t'*attempt＝to attempt **2** the의 생략: *t'*boy＝the boy
't [t] (고어·시어) it의 단축형: *'t*is[tiz]＝it is / see*'t*＝see it
T- trainer 〚군사〛 연습기《T-10식으로 숫자를 붙임》
-t [t] *suf.* -ED처럼 동사의 과거·과거분사를 만듦: learn*t*, spoil*t*
t. tackle; taken (from); 〚상업〛 tare; target; teaspoon; telephone; temperature; tempo; *tempore* (L＝in the time (of)); tenor; tense; tension; territory; time; tome; ton(s); town; township; transit; transitive; troy **T.** tablespoon(s); tablespoonful; tenor; (surface) tension; territory; Testament; Thursday; true; Tuesday; Turkish (pounds)
ta [tɑ́ː] [thank (you)에서] *int.*, *n.* (영·유아어·구어) 고맙습니다: *Ta* muchly. 대단히 고맙습니다. / Say *ta.* 고맙다고 말해라.
Ta 〚화학〛 tantalum **TA** 〚컴퓨터〛 transaction; transactional analysis; transit authority **T.A.** teaching assistant; telegraphic address; Territorial Army **TAA** Technical Assistance Administration (유엔) 기술 원조국
Taal [tɑ́ːl] *n.* [the ~] 탈 말《남아프리카의 네덜란드계 사투리; AFRIKAANS의 옛 이름》
Ta·a·nith Es·ther [tɑ́ːnìt-éstər, -nis-] 〚유대교〛 단식일《Adar의 달(그레고리력(曆) 2-3월)의 13일》
taa·rab [tɑ́ːrʌb] *n.* Ⓤ (동아프리카의) 대중음악의 하나《아라비아와 인도 음악에 영향을 받음》
tab¹ [tǽb] *n.* **1** 고름, 드리운 고리끈《옷 등에 매다는 장식》; 줄, 손잡이 끈, 구두끈; 구두끈 끝의 마구리쇠 **2** 꼬리표, 짐표(tag, label) **3** (카드·서류·파일 등에 붙은) 색인표 **4** (구어) 회계, 계산; 계산서, 청구서 **5** 탭《미국의 몇몇 주에서 자동차 번호판의 왼쪽에 다는 연도 표시 라벨》 **6** 〚컴퓨터〛 탭(＝~ stop); 탭 키(＝~ key) **7** ＝TABLEAU CURTAIN **8** 〚항공〛 탭《보조익·방향타 등에 붙어 있는 작은 가동 날개》 **9** (모자의) 귀덮개 **10** 〚영국군〛 참모 장교의 붉은 금장(襟章)
keep (***a***) **~**[**~s**] ***on*** (구어) …을 계산하다; …을 감시하다; …을 주의하다 ***pick up the ~*** (미·구어) (…의) 셈을 치르다, 값을 지불하다 (*for*) ***put the ~ on*** (미) …을 칭찬하다 ***raise the ~ for*** (구어) …의 부담을 증대시키다 ***throw up a ~*** (미·구어) 빚을 자꾸 지다
— *vt.* (**~bed**; **~·bing**) **1** tab을 달다; tab으로 장식하다 **2** 지명[지정]하다, 선출하다 **3** (구어) …의 일람표를 만들다; 기록하다
tab² *n.* **1** (구어) ＝TABLOID 1 **2** (속어) (의약품의) 정제(錠劑); LSD 정제
TAB tax anticipation bills (미) 납세 국채; Technical Assistance Board (유엔 산하의) 기술 원조 평의회; temporarily able-bodied **tab.** table(s); 〚처방〛 tablet **T.A.B.** typhoid-paratyphoid A and B vaccine
tab·a·nid [tǽbənid, təbéinid, -bǽnid | tǽbənid] 〚곤충〛 *a.* 소등에의, 등에의; 등엣과(科)의
— *n.* 소등에, 등에《등엣과(科)에 속하는 등에의 총칭》
tab·ard [tǽbərd] *n.* **1** 소매 없는 느슨한 상의《15세기경 소작 농부가 입던》 **2** 전령사(傳令使)가 입던 문장(紋章) 관복 **3** 〚역사〛 문장(紋章) 박은 겉옷《중세 기사가 갑옷 위에 입던》
Ta·bas·co [təbǽskou] [메시코 남동부의 주(州) 이름에서] *n.* 타바스코 소스《고추 소스; 상표명》
tab·bou·leh [təbúːlə, -li] *n.* 타불러《중동식 야채 샐러드》
tab·by¹ [tǽbi] *n.* (*pl.* **-bies**) **1** 얼룩 고양이(＝~ **càt**)(⇨ cat 관련); 《특히》 암고양이 **2** 심술궂고 수다스러운 여자; (영) 노처녀 **3** Ⓤ 줄[물결]무늬 비단
— *a.* **1** 얼룩무늬가 있는 **2** 물결무늬가 있는
— *vt.* 물결[줄]무늬를 넣다
tabby² *n.* Ⓤ 태비《석회·자갈·조개 껍질·물을 똑같은 비율로 섞은 콘크리트의 일종》
táb chàracter 〚컴퓨터〛 탭 문자《커서·인자(印字) 위치 등을 다음 tab stop까지 이동시키는 문자》
tab·e·fac·tion [tæ̀bəfǽkʃən] *n.* 〚의학〛 여윔; 소모증
*__tab·er·nac·le__ [tǽbərnæ̀kl] [L＝tent] *n.* **1** [종종 T~] 〚성서〛 (고대 유대의) 장막, 이동 신전(神殿) **2** 유대 신전; 예배당, (비국교파의) 교회당 **3** 〚교회〛 (성체를 넣는) 성궤 **4** 〚건축〛 닫집 달린 벽감(壁龕)《성체 등을 안치》 **5** 가건물, 막사, 거처 **6** (영혼의 임시 거처로서의) 육체 ***the Feast of T~s*** 〚유대교〛 초막절《조상의 광야 방랑을 기념하는 가을의 수확제》
— *vi.* **1** 임시로 살다 **2** 〈영혼이〉 육체에 깃들다
— *vt.* (고어) 성실(聖室)에 모시다(enshrine)
▷ tabernácular *a.*
tábernacle wòrk 〚건축〛 닫집 장치
tab·er·nac·u·lar [tæ̀bərnǽkjulər] *a.* **1** 천개(天蓋)가 있는 **2** (경멸) (비국교파의) 비밀 집회에서 쓰는 용어 같은
ta·bes [téibiːz] *n.* (*pl.* ~) 〚의학〛 **1** 쇠약, 소모 **2** 척수로(脊髓癆)(＝~ **dor·sál·is** [dɔːrsǽlis])
ta·bes·cent [təbésnt] *a.* **1** 소모성의 **2** 여위는, 쇠약해지는
ta·bet·ic [təbétik] *a.*, *n.* 〚의학〛 척수로증의 (환자)
tab·id [tǽbid] *a.* (고어) ＝TABETIC
tab·i·net [tǽbənèt] *n.* Ⓤ 태비넷《물결무늬의 견모 직물(絹毛織物)》
táb kèy 〚컴퓨터〛 탭키《tab character를 입력하기 위한 키》
ta·bla [tɑ́ːblə, tʌ́b-] *n.* 타블라《인도 음악의 한 쌍의 작은 북》
tab·la·ture [tǽblətʃər, -tʃùər] *n.* **1** 〚음악〛 태블러처 악보 **2** (고어) 문자[그림, 무늬]가 새겨진 평판[평면]; 명판(tablet); 《일반적으로》 그림 **3** 의식에 떠올리는 그림, 심상(心像)
‡**ta·ble** [téibl] *n.*, *a.*, *vt.*

> L 「널빤지」의 뜻에서
> 「널빤지」 **7 b** ─(널빤지 모양의 것) → 「일람표」 **6**
> ─(위에 널빤지를 붙인 것) → 「탁자」, 「식탁」 **1 a, 2** → 「음식」 **3**

— *n.* **1 a** 테이블, 탁자 **b** 작업대, 놀이대; 수공대(手工臺), 수술대, 필기용 테이블: a green ~ 도박대《녹

색의 책상보를 씌운 데서》 **2** **식탁**: at (《미》 the) ~ 식사 중 / clear the ~ 식탁을 치우다 / lay[set, spread] the ~ 식탁[밥상]을 차리다 / sit (down) at ~ 식탁에 앉다 **3** 먹을 것, 맛 좋은 음식, 요리: go to the ~ 《방언》 성찬을 받다 / keep an open ~ (식탁을 개방하여) 손님을 환영하다 / keep[set] a good ~ 언제나 잘 먹다, 호식하다 / serve ~*s* 빈민에게 음식을 나누어 주다 / the Lord's ~ = the holy ~ 성찬대(聖餐臺) / the pleasures of the ~ 먹는 낙, 식도락 **4** (식사·회의의) 테이블에 둘러앉은 사람들; 위원회: keep the ~ amused 좌석을 즐겁게 하다, 좌흥을 깨지 않게 돌보다 / set[keep] the ~ in a roar 식탁에 앉은 사람들을 크게 웃기다 **5 a** 평면; 평원, 평지 **b** 대지(臺地), 고원 **c** 지하수면 **6** **일람표**, 목록; 산술 제표 《구구표·도량형표 등》: a ~ of interest 이자표 / a ~ of weights and measures 도량형표 / a ~ of contents 목차, 차례 / a ~ of descent 계보(系譜), 족보 / learn the ~*s* 구구표 등을 외다 **7 a** 판(版), 목판, 금속판 **b** 《고어》 평판(平板), 널빤지, 얇은 층(層) **c** 화판(畫板), 서판(書板), 화판 그림, 명각문(銘刻文); [*pl.*] 법전(法典): the Twelve *T*~*s* (로마법의 근본이 되는) 12동판법 《451 B.C. 공포》 **d** (주사위판 등의) 면(面) **e** 〖건축〗 직사각형의 면, 액판(額板); 배경 평면, 투시면 **f** 위쪽을 평평하게 깎은 금강석[보석] **8** 손바닥 《수상(手相)에서 특히 운명 등을 나타내는 부분》 **9** 〖해부〗 두개골판(板) **10** 〖컴퓨터〗 테이블 《일련의 자료를 한 라벨로 나타낸 자료의 묶음》

drink** a person **under the ~ ⇨ drink. ***get round the*** ~ (대립하는) 양측이[을] 타협의 자리에 앉다[앉히다] ***lay on***[***upon***] ***the*** ~ 〈의안(議案) 등의〉 심의를 보류하다, 무기 연기하다 ***lie on the*** ~ 〈의안 등이〉 무기 연기되다, 심의가 보류되다 ***on the*** ~ 〈의안 등이〉 검토 중인; 분명히 보이는 곳에 ***turn the ~s*** 형세를 역전시키다; 역습하다 《*on, upon*》 ***under the*** ~ (1) 몹시 취해서 (2) 남몰래; 뇌물로서 ***upon the*** ~ (1) 심의[검토] 중인 (2) 널리 알려진 ***wait*** (***on***) ~ = ***wait ~s*** 《미》 식당에서 서빙 일을 하다

— *a.* Ⓐ **1** 테이블의, 식탁의, 탁상용의: a ~ lamp 탁상 전기 스탠드 **2** 식탁용의; 식사의: ⇨ ~ salt

— *vt.* **1** 탁상에 놓다 **2** 《미》 표[리스트, 목록]로 만들다 **3 a** 《미》 심의를 보류하다 **b** 전시하다; 제의하다, 토의에 부치다; 《영》 〈의안을〉 상정(上程)하다 **4** 〖항해〗 〈돛에〉 가선을 둘러 보강하다 **5** 〈재목 등을〉 장부촉 이음하다 **6** 식사를 대접하다 ▷ tábulate *v.*; tábular *a.*

tab·leau [tæblóu, ㅅ-|ㅅ-] [F = picture] *n.* (*pl.* **~x** [-z], **~s**) **1** 회화 **2** 인상적인 정경, 극적 장면; 회화적인[그림 같은] 묘사 **3** = TABLEAU VIVANT **4** 예술적 배열 ***T~!*** 그 상황을 상상해 보아라!

tabléau cùrtain 〖연극〗 중앙에서 비스듬히 위로 여닫는 막

ta·bleau vi·vant [tɑblóu-vi:vɑ́:ŋ] [F = living picture] (*pl.* ***ta·bleaux vi·vants*** [~]) 활인화(活人畫) 《살아 있는 사람이 분장하여 정지된 모습으로 명화나 역사적 장면 등을 연출하기》

táble bèer (보통의) 순한 맥주

táble bòard **1** 식탁판 **2** 《미》 식사; (하숙은 하지 않고) 식사만 제공받기 **3** 게임대(臺), 도박대

táble bòok **1** 계산표(책) **2** (응접실의) 탁상 장식용 서적 **3** 《고어》 수첩

***ta·ble·cloth** [téiblklɔ̀:θ|-klɔ̀θ] *n.* (*pl.* **~s**) **식탁보**

táble cùt 테이블컷 《보석의 위아래 각을 깎아 평평하게 하는 컷 양식》 **tá·ble-cùt** *a.*

táble dàncing (나이트클럽 따위의) 테이블 위에서 추는 춤

ta·ble d'hôte [tɑ́:bl-dóut, tǽbl-|tɑ́:bl-] [F = host's table] (*pl.* **ta·bles d'hôte** [tɑ́:blz-, tǽblz-|tɑ́:blz-]) (호텔·레스토랑의) 정식(定食)(cf. À LA CARTE)

táble fòotball 《영》 = FOOSBALL

ta·ble·ful [téiblful] *n.* **1** 한 식탁의 분량 **2** 한 식탁에 둘러앉을 수 있는 사람 수

ta·ble-hop [téiblhɑ̀p|-hɔ̀p] *vi.* 《구어》 (식당·나이트클럽 등에서) 자리를 옮기며 지껄이다

ta·ble-knife [-nàif] *n.* 식탁용 나이프

táble làmp 탁상 (전기) 스탠드

ta·ble·land [-lǽnd] *n.* [종종 *pl.*; 단수 취급] 대지(臺地)(plateau), 고원

táble lìcence 《영》 (식사와 함께 낼 경우에 한한) 주류 판매 허가(증)

ta·ble-lift·ing [-lìftiŋ] *n.* = TABLE TURNING

táble lìnen 식탁용 흰 천 《식탁보·냅킨 등》

táble mànners 테이블 매너, 식사 예절

táble màt (식탁에서 뜨거운 접시 등의 밑에 까는) 깔개

ta·ble·mate [-mèit] *n.* 함께 식사하는 사람

táble mòney **1** 교제비 《영국 고급 장교가 받는 수당》 **2** (클럽의) 식당 사용료 **3** (레스토랑의) 봉사료

ta·ble·mount [-màunt] *n.* 〖지질〗 = GUYOT

táble mòuntain (정상이 평탄한) 탁상 산지(卓狀山地)

táble nàpkin (식탁용) 냅킨

táble of organizátion 〖군사〗 (부대의) 편성표

táble ràpping = SPIRIT RAPPING

táble sàlt 식탁용 소금

táble sètters 〖야구〗 1번과 2번 타자

‡**ta·ble·spoon** [téiblspù:n] *n.* **1** **식탁용 스푼**, 큰 스푼 《수프용》 **2** 테이블스푼 《음식 조리시 계량의 단위; 약 15 ml; 略 T., tbs., tbsp.》

***ta·ble·spoon·ful** [téiblspu:nfùl] *n.* **1** **큰 스푼 하나 가득**(의 분량) **2** = TABLESPOON 2

táble sùgar 그래뉴당(糖); 《일반적으로》 설탕

‡**tab·let** [tǽblit] *n.* **1** (금속·돌·나무의) **판**, **현판**(懸板), 편액(扁額), 장식 액자, 작은 패(牌): a memorial ~ 기념비, 위패(位牌) **2** [*pl.*] 떼어서 쓰는 편지지, 메모장 **3** **서판**(書板), (고대 로마 등의) 간책(簡冊) 《초 등을 바른 얇은 나무판의 묶음》 **4 a** 〖약학〗 **정제**(⇨ medicine 관련) **b** 소형 비누; 정제 모양의 과자: a ~ of soap 비누 한 개 **5** 〖건축〗 갓돌 **6** 〖철도〗 타블렛, 운행표 《기관사에게 주는》 **7** 〖컴퓨터〗 (마우스를 놓고 움직일 수 있게 만든) 직사각형 판 ***Keep taking the ~s!*** 《영·구어》 진정해!

— *vt.* **1** 서판[장식 액자]을 달다 **2** 메모장에 적다 **3** 정제[작은 조각]로 하다

táble tàlk 식탁에서의 잡담[좌담]

táb·let(-arm) chàir [tǽblit(ɑ̀:rm)-] 타블렛 체어 《우측 팔걸이 끝이 넓어서 필기대 구실을 하는 의자》

táble tènnis 탁구, 핑퐁(ping-pong)

ta·ble·top [téibltɑ̀p|-tɔ̀p] *n.* **1** 테이블 표면 **2** (테이블 위에 놓은) 정물 사진 — *a.* Ⓐ 탁상용의

ta·ble·top·per [-tɑ̀pər|-tɔ̀pə] *n.* 《영·속어》 〖스포츠〗 (축구 등의) 수위(首位) 팀

táblet PC 〖컴퓨터〗 태블릿 피시 《펜으로 문자나 그림을 입력할 수 있으며, 무선 LAN을 통해 어디서나 인터넷 접속이 가능한 모바일 PC》

táble trìpod (영화·텔레비전 카메라용의) 낮은 삼각대[다리]

táble tùrning[**tìlting, tìpping**] (강령술에서) 몇 사람이 손을 대면 신령의 힘으로 테이블이 저절로 움직이는 현상

ta·ble·ware [-wὲər] *n.* Ⓤ 식탁용 식기류 《접시·나이프·포크·스푼 등》

táble wàter 식탁용 광천수

táble wìne 식탁용 포도주

tab-lift·er [tǽblìftər] *n.* 《미·속어》 나이트클럽의 손님

ta·bling [téibliŋ] *n.* Ⓤ **1** 식탁보, 냅킨 **2** 〖건축〗 갓돌 **3** 〖목공〗 맞물리기 **4** 〖항해〗 (돛의) 가장자리에 두르는 천

tab·loid [tǽblɔid] *n.* **1** 타블로이드판 신문 《보통 신문의 절반 크기》 **2** 개요, 요약 **3** [**T~**] 정제, 알약(tablet) 《상표명》 — *a.* Ⓐ **1** 타블로이드 신문의 **2** 선정적인: ~ journalism 선정적인 신문 **3** 요약한, 압축한: in ~ form 요약되어

tábloid plày 촌극(寸劇)

*__ta·boo__ [təbúː, tæ-] 〔Tongan 「금기(禁忌)」의 뜻에서〕 *n.* (*pl.* **~s**) **1** ⓊⒸ (종교상의) **금기**(禁忌), 터부, 금단, 꺼림; Ⓒ 꺼리는 말, 금기하는 말: put[place] a ~ on = put under ~ 엄금하다, 터부로 하다 **2** 접근[사용, 교제] 금지; 추방(ostracism) **3** ⓊⒸ 《일반적으로》 금제(禁制), 금령(禁令)
— *a.* 금기의, 금제의: ~ subject 금기의 주제
— *vt.* **1** 금제[금기]하다, 금단하다: a ~*ed* word 금기어, 비어(卑語) **2** 피하다, 추방하다

tabóo wòrd 저속어, 금기어, 비어

ta·bou·leh [təbúːlə, -li], **-li** [-li] *n.* = TABBOULEH

ta·bo(u)r [téibər] *n.* (피리를 불면서 한 손으로 치는) 작은 북, 테이버 — *vt., vi.* 테이버를 치다

tab·o(u)·ret [tǽbərit, tæ̀bərét, -réi | tǽbərit] *n.* **1** (화분 등을 얹는) 낮은 대(臺); (원통 모양의) 작은 탁자 **2** 자수(刺繡)틀 **3** 작은 북

táb stòp 탭 《문서를 타이핑할 때 행 등의 시작 위치를 미리 정해 두는 표시》

ta·bu [təbúː, tæ-] *n., a., vt.* = TABOO

ta·bu·la [tǽbjulə] 〔L = board〕 *n.* (*pl.* **-lae** [-lìː]) **1** 필기판 **2** 〔해부·동물〕 골판(骨板), 상판(床板)

tab·u·lar [tǽbjulər] *a.* **1** 표의, 표로 만든; 표에 의한, 표에서 계산한: the ~ difference 〔수학〕 표차(表差) / in ~ form 표로 되어, 표로 만들어 **2** 표에 의해 확인된 **3** 반반한 판자 모양의, 평평한 **~·ly** *ad.* 평판 모양으로; 일람표로 하여

tabula ra·sa [-ráːsə, -zə, -réi-] 〔L〕 (*pl.* **tabulae ra·sae** [tǽbjuliːráːsiː, -ziː, -réi-]) **1** 글자가 적혀 있지 않은[지워진] 서판(書板), 백패(白牌) **2** (Locke의 철학에서 정신의) 백지 (상태)

tábular stándard 〔경제〕 계표[계수] 본위, 물가지수 본위

tab·u·late [tǽbjulèit] *vt.* **1** 표로 만들다, 일람표로 만들다 **2** 평면으로 하다
— [-lət, -lèit] *a.* 평면으로 된, 얇고 판판한

tab·u·la·tion [tæ̀bjuléiʃən] *n.* Ⓤ 도표 작성; 표, 목록

tab·u·la·tor [tǽbjulèitər] *n.* **1** 도표 작성자 **2** (타자기의) 도표 작성 장치 **3** 〔컴퓨터〕 도표 작성용 컴퓨터 《자료를 입력하면 자동으로 도표화됨》

ta·bun [táːbun] *n.* [종종 **T~**] 〔화학〕 독가스의 일종

TAC Tactical Air Command (미) 전술 공군 사령부

tac·a·ma·hac [tǽkəməhæ̀k] *n.* **1** Ⓤ 방향성 수지(樹脂)의 일종 **2** 〔식물〕 그 수지를 내는 나무

TACAMO [tækǽmou] 〔*ta*ke *c*harge *a*nd *mo*ve out〕 *n.* 미 해군의 공중 통신 중계기의 총칭

TACAN [tǽkæn] 〔*ta*ctical *a*ir *n*avigation system〕 *n.* 타칸 《항공기용 항법 원조 시스템》

ta·cet [táːket, tǽsit, téisit] 〔L〕 *vi.* 〔음악〕 휴지(休止)하라

tach[1] [tǽk] *n.* (구어) = TACHOMETER

tach[2], **tache** [tǽtʃ | tǽʃ, táːʃ] *n.* (고어) 고리, 죔쇠

tách·i·na flỳ [tǽkənə-] 〔곤충〕 기생파리 《유충은 모충(毛蟲)이나 투구풍뎅이 등에 기생함》

tach·ism [tǽʃizm] *n.* = TACHISME

ta·chisme [tǽʃizm] 〔F〕 *n.* Ⓤ 태시즘 《그림물감을 흘리거나 뿌리는 추상화법》

ta·chis·to·scope [təkístəskòup] *n.* 〔심리〕 순간 노출기 《그림·문자 등 시각적 자극을 주는 장치》

tach·o [tǽkou] *n.* (*pl.* **~s**) (구어) = TACHOMETER

tacho- [tǽkə] 《연결형》 「속도」의 뜻

tach·o·gram [tǽkəgræ̀m] *n.* 태코그램 《태코그래프의 기록》

tach·o·graph [tǽkəgræ̀f, -grɑ̀ːf | -grɑ̀ːf] *n.* 자기(自記) (회전) 속도계, 태코그래프

ta·chom·e·ter [tækámətər, tə- | tækɔ́m-] *n.* **1** (자동차 엔진 등의) 회전 속도계 **2** 유속계(流速計), 혈류 속도계

tachy- [tǽki] 《연결형》 「빠른」의 뜻

tach·y·ar·rhyth·mi·a [tæ̀kiəríðmiə] *n.* 〔의학〕 빈박성 부정맥(頻拍性不整脈) 《심박동 수가 매분 100을 넘는 심장 율동 장애》

tach·y·car·di·a [tæ̀kikáːrdiə] *n.* Ⓤ 〔병리〕 심박 급속증(心拍急速症), 심계 항진

ta·chyg·ra·phy [tækígrəfi, tə- | tæ-] *n.* Ⓤ 속기법; (특히 고대 그리스·로마 시대의) 속기술
-pher *n.* **tàch·y·gráph·ic, -i·cal** *a.*

ta·chym·e·ter [tækímətər, tə- | tæ-] *n.* **1** 〔측량〕 시거의(視距儀) **2** 속도계 **ta·chým·e·try** *n.*

tach·y·on [tǽkiɑ̀n | -ɔ̀n] *n.* 〔물리〕 타키온 《광속(光速)보다 빠르다고 여겨지는 가설적 소립자(素粒子)》
tàch·y·ón·ic *a.*

tach·y·phy·lax·is [tæ̀kəfilǽksis] *n.* (*pl.* **-lax·es** [-lǽksiːz]) 〔의학〕 속성 내성(耐性) 《생리적 유효 성분의 빈복 투여에 의해서 반응이 차차 약해지는 일》

tach·yp·n(o)e·a [tæ̀kipníːə] *n.* Ⓤ 〔의학〕 빈호흡(頻呼吸)

ta·chys·ter·ol [tækístəròul, -rɑ̀l | -rɔ̀l] *n.* 〔생화학〕 태키스테롤 《에르고스테린에 자외선을 쐬어 생성되는 물질》

tac·it [tǽsit] 〔L 「말이 없는」의 뜻에서〕 *a.* **1** 말로 나타내지 않은, 무언의; 잠잠한 〈관중〉, 조용한 〈방〉: a ~ prayer 묵도 **2** 암묵의 〈양해 등〉: a ~ agreement [understanding] 묵계(默契) / ~ approval[consent] 묵인[묵낙] / ~ law 관습법 **3** 〔법〕 묵시의 《계약은 없으나 법의 발동으로 생기는》 ***a ~ partner*** (경영 실무에 참가하지 않는) 공동 출자자
~·ly *ad.* **~·ness** *n.*

tac·i·turn [tǽsətə̀ːrn] *a.* 말 없는, 말이 적은, 과묵한, 무뚝뚝한 **~·ly** *ad.*

tac·i·tur·ni·ty [tæ̀sətə́ːrnəti] *n.* Ⓤ 말 없음, 과묵

Tac·i·tus [tǽsətəs] *n.* 타키투스 **Publius Cornelius** ~ (55?-120?) 《로마의 역사가》

*__tack__[1] [tǽk] *n.* **1** **납작못**, 압정 **2** 〔복식〕 시침, 시침질, 가봉 **3** 〔항해〕 돛의 아랫모서리 밧줄; (바람과 돛의 조정으로 정해지는) 배의 침로(針路); 바람을 받는 돛의 위치; 맞바람에 의한 갈지자 몰기; (동일 침로의) 1항정(航程): sail on the port[starboard] ~ 〔항해〕 바람을 좌현[우현]에 받고 범주(帆走)하다 **4** 점성(粘性), 끈기 《니스·덜 마른 인쇄 잉크·페인트 등의》 **5** 방침, 정책: try another ~ 방침을 바꾸다 **6** (육상에서의) 지그재그 진로(의 1구간) **7** [집합적] 마구(馬具) **8** 부가(附加), 부가물; 〔의회〕 부가 조항 **9** (방언) 지속성, 내구력 **10** (미·속어) (남학교의) 지도 교사, 학생 부장
(as) sharp as a ~ (1) 옷차림이 매우 단정한 (2) 머리가 아주 좋은, 이해가 매우 빠른 ***be on the right*** [***wrong***] ***~*** 침로[방침]가 옳다[틀리다] ***come*** [***get***] ***down to brass ~s*** ⇨ brass tacks. ***Go sit on a ~!*** (속어) [보통 명령문] 잔소리 말고 꺼져! ***hold ~ with*** 〈배의〉 진로를 유지하다; …을 따라가다 ***spit ~s*** (미·속어) 몹시 흥분하다, 화내다 ***~ and ~*** 〔항해〕 바람 방향에 따라 침로를 계속 바꾸며, 심한 지그재그 항법으로
— *vt.* **1** 압정으로 고정시키다 《*down, up, together*》: (~+목+부) ~ a carpet *down* 깔개를 압정으로 고정시키다 // (~+목+전+명) ~ a bulletin *on* the board 게시판에 고시를 압정으로 고정시키다 **2** 시침질하다, 가봉하다 《*on, onto, together*》: (~+목+부) ~ *up* a coat 상의를 가봉하다 // (~+목+전+명) She ~*ed* a ribbon *onto* her hat. 그녀는 모자에 리본을 꿰매 달았다. **3** 부가하다, 덧붙이다 《*to, on, onto*》; 결합하다(combine): (~+목+전+명) ~ an amendment *to* the bill 그 법안에 수정안을 부가하다 **4** 〔항해〕 맞바람을 받으며 갈지자로 몰다 **5** …의 방침[정책]을 바꾸다 **6** 〈말에〉 마구를 달다
— *vi.* **1** 〔항해〕 〈배가〉 바람을 빗받아 갈지자형으로 나아가다; 침로를 그때그때 바꾸다 《*about*》: (~+부)

thesaurus **taboo** *n.* prohibition, proscription, veto, interdiction, interdict, ban
tactful *a.* diplomatic, politic, discreet, sensitive,

《~+전+명》 The boat *~ed about against* the wind. 배가 바람을 안고 갈지자형으로 나아갔다. **2** 지그재그로 걷다 **3** 방침[정책]을 바꾸다 **4** 친하게 지내다, 따르다 《*on, to*》 **5** 말에 마구를 달다 《*up*》 ▷ tácky *a.*
tack² *n.* Ⓤ 《속어》 **1** 음식물, 《특히》 딱딱한 비스킷[빵] **2** 시시한 것, 보잘것없는 작품 ***hard*** [***soft***] **~** 딱딱한[말랑말랑한] 빵, 맛없는[맛 좋은] 음식 ***on the ~*** 《속어》 술을 끊고
tack³ *n.* 《속어》 싸구려; 쓰레기, 찌꺼기
tack·board [tǽkbɔ̀ːrd] *n.* 게시판
táck clàw 압정뽑이
tack-driv·er [-dràivər] *n.* 압정을 박는 자동 기구
tack·er [tǽkər] *n.* **1** 압정을 박는 사람[기구] **2** 시침질하는 사람 **3** 《영·방언》 아이
táck hàmmer 압정을 박는 망치
tack·head [tǽkhèd] *n.* 《미·속어》 바보, 멍청이
tack·ie, tak·kie [tǽkiː] *n.* 《남아공》 **1** 고무창 운동화(sneaker) **2** 《구어》 타이어
tack·ing [tǽkiŋ] *n.* Ⓤ **1** 압정 박기; 시침질; 고정시킨 접합물(接合物) **2** 〖항해〗 맞바람 받아 침로 바꾸기, 지그재그로 바람을 안고 가기 **3** 〖미국법〗 (저당권의) 결합, 부가; (법안에의) 조항 부가
‡**tack·le** [tǽkl] *n.* **1** Ⓤ **연장**, 도구, 기구, 장치; 낚시도구; 마구(馬具): writing ~ 필기 도구 **2** 고패, 녹로(轆轤) **3** [téikl] 〖항해〗 삭구; ⓊⒸ (돛을 다루기 위한) 도르래 장치: a different ~ 차동(差動) 도르래 / a single[compound] ~ 단식[복식] 도르래 **4** 〖럭비·축구〗 태클 **5** 〖미식축구〗 end와 guard 사이의 전위
— *vt.* **1** 〈일 등에〉 부딪치다, 〈문제 등을〉 다루다; 부지런히 시작하다 《*to*》: ~ a problem 문제를 다루다 / It took four fire engines to ~ the blaze. ~ 불을 끄기 위해 4대의 소방차가 출발했다. **2** (문제 등으로) …와 논쟁하다 《*about, on, over*》: 《~+목+전+명》 ~ a person *on* some subject 어떤 문제로 …와 논쟁하다, …에게 분명히 이야기하다 **3** 〈말에〉 마구를 달다(harness) 《*up*》: 《~+목+부》 ~ a horse *up* for plowing 경작하려고 말에 마구를 달다 **4** 〖럭비·축구〗 태클하다 **5** …에 **달려들다**, 붙잡다, 드잡이하다 **6** 도르래로 고정시키다, …에 도르래를 달다
— *vi.* **1** 〖럭비·축구〗 태클하다 **2** (문제 등을) 다루다, 손대다 ***~ to*** 《구어》 열심히 …하다 **táck·ler** *n.*
táckle bòx 낚시 도구 상자
tack·ling [tǽkliŋ] *n.* Ⓤ **1** 붙잡고 방해함, (축구에서) 태클 동작 **2** 고패[도르래] 장치; 밧줄
táckling bàg (미식축구·럭비 등의) 태클 연습용 백
táck ròom (마구간에 딸린) 마구실
tack·y¹ [tǽki] *a.* (**tack·i·er**; **-i·est**) 진득진득한, 점착성의 〈아교·니스 등〉
tacky² *a.* (**tack·i·er**; **-i·est**) 《미·구어》 **1** 초라한, 볼품 없는 **2** 일부러 이상한 옷차림을 한 **3** 《속어》 불쾌한
tac·ma·hack [tǽkməhæ̀k] *n.* = TACAMAHAC
ta·co [tɑ́ːkou] [Sp.] *n.* (*pl.* **~s**) 타코 《저민 고기 등을 tortilla로 싼 것; 멕시코 요리》
TACOMSAT, TACSAT tactical communications satellite 《미》 전술용 통신 위성, 타콤새트
tac·o·nite [tǽkənàit] *n.* 〖암석〗 타코나이트암(岩) 《미국산(産) 규질암의 일종》
*__tact__ [tǽkt] [L 「촉감」의 뜻에서] *n.* Ⓤ **1** (남의 마음을 잘 알고 대처하는) **재치**, 기지, 빈틈없음; 재주, 꾀(바름), 요령 **2** 날카로운 감각, 미적 센스, 심미안 **3** 감촉; 《고어》 촉각 **4** 〖음악〗 박자(beat) ***with ~*** 빈틈없이, 잘 ▷ táctful, táctless, táctile, táctual *a.*
*__tact·ful__ [tǽktfəl] *a.* **1 재치 있는**, 빈틈없는, 약삭빠른 **2** 감각이 세련된 **3** (기술적으로) 적절한 **~·ly** *ad.* **~·ness** *n.*
tac·tic [tǽktik] *n.* = TACTICS — *a.* = TACTICAL
-tactic [tǽktik] 《연결형》 「(특정한) 배열을 갖는」의 뜻

---

thoughtful, considerate, delicate, subtle, skillful, adroit, perceptive, prudent (opp. *tactless*)
tactics *n.* strategy, campaign, plans, maneuvers

tac·ti·cal [tǽktikəl] *a.* **1** 전술적인, 전술상의, 용병(用兵)상의(cf. STRATEGIC): a ~ point 전술상의 요지 / ~ error 전술상의 잘못 **2** 책략[술책]에 능한, 수완이 좋은 **3** (선거에서 지지당(黨)이나 후보가 없을 경우) 선출의 상대를 바꾸는 **~·ly** *ad.*
Táctical Áir Commànd 《미》 전술 공군 사령부 《略 TAC》
táctical núclear wéapon 전술 핵무기 《略 TNW》
táctical únit 〖군사〗 전술 부대[단위]
táctical vóting 전술적 투표 《어느 후보를 떨어뜨리기 위해 다른 후보에게 투표하는 것》
tac·ti·cian [tæktíʃən] *n.* 전술가; 모사꾼, 책략가
*__tac·tics__ [tǽktiks] [Gk 「정연하게 나열하다」의 뜻에서] *n. pl.* **1** [단수 취급] **전술**(학), 병법, 용병(⇨ strategy 유의어): Strategy wins wars, ~ wins battles. 전략은 전쟁의 승리를 가져오고, 전술은 전투의 승리를 가져온다. **2** [복수 취급] 작전 행동 **3** [단수 취급] 술책, 책략: change one's ~ 작전을 바꾸다 **4** [단수 취급] 〖언어〗 배열론, 통합론 ***grand*** [***minor***] **~** 고등[국지] 전술
tac·tile [tǽktil, -tail, -tl | -tail] [L 「닿는」의 뜻에서] *a.* **1** 촉각의(tactual); 촉각을 가지고 있는: the ~ organ 촉각 기관 / ~ impression[sensation] 촉감 **2** 촉각으로 알 수 있는 **3** 〖회화·조각〗 실체(實體)의 질감(質感)을 나타내는
táctile córpuscle 〖생물〗 촉각 소체(小體), 촉소체
tac·til·i·ty [tæktíləti] *n.* Ⓤ 감촉성, 촉감
tac·tion [tǽkʃən] *n.* 접촉
tact·less [tǽktlis] *a.* 재치[요령] 없는, 무뚝뚝한 **~·ly** *ad.* **~·ness** *n.*
tac·tu·al [tǽktʃuəl] *a.* 촉각의, 촉각에 의한, 접촉에 의한 **~·ly** *ad.* 촉각으로
TACV tracked air cushion vehicle 공기 부상식 초고속 철도
tad¹ [tǽd] *n.* 《미·구어》 사내아이; 꼬마, 소년
tad² *n.* [a ~] 《미·구어》 약간(a bit), 조금, 소량
Tad [tǽd] *n.* 남자 이름 《Theodore의 애칭》
ta-da(h) [tədɑ́ː] *int.* 나오신다, 기대하시라 《사람·물건을 처음 소개할 때 앞세우는 소리》
*__tad·pole__ [tǽdpòul] [toad(두꺼비)+poll(머리)에서] *n.* **1** 〖동물〗 **올챙이** **2** [**T~**] 미국 Mississippi주 사람 《속칭》
tádpole gàlaxy 〖천문〗 태드폴 은하(銀河) 《올챙이 모양의 외관을 가진 전파 은하》
Ta·dzhik, Ta·jik [tɑːdʒík, -dʒíːk | tɑ́ːdʒik, tɑːdʒíːk] *n.* (*pl.* **~s**, [집합적] **~**) 타지키스탄 사람
Ta·dzhik·i·stan [tədʒíkəstæ̀n, -stɑ̀ːn, tɑː- | tɑːdʒìkistɑ́ːn] *n.* 타지키스탄 (공화국) 《아프가니스탄 북방에 위치하는 독립국가 연합 가맹국의 하나》
Tae-Bo [taibóu] [*T*ae*kwondo*+*Bo*xing] *n.* Ⓤ 타이보 《태권도와 권투의 동작을 결합시킨 체조》
tae·di·um vi·tae [tíːdiəm-váiti] [L] 생(生)의 권태, 염세(厭世)
tae kwon do, tae·kwon·do [tái-kwɑ́n-dóu | -kwɔ́n-] (한국의) 태권도
tael [téil] *n.* **1** 양(兩) 《중국 등의 형량(衡量) 단위; 보통 37.7 그램》 **2** 〖역사〗 양 《중국의 옛 화폐 단위; 은 1/3 온스》
ta'en [téin] *v.* 《고어·시어》 = TAKEN
tae·ni·a [tíːniə] *n.* (*pl.* **~s, -ni·ae** [-niìː]) **1** 〖역사〗 (고대 그리스·로마의) 머리 장식용 띠[끈] **2** 〖건축〗 (도리아식 건축에서) 기둥 상부의 띠 모양의 도래 《frieze 아래의》 **3** 〖해부〗 끈 모양의 기관(器官); 〖동물〗 촌충
tae·ni·a·cide [tíːniəsàid] *n.* 〖약학〗 촌충 구충제
tae·ni·a·fuge [tíːniəfjùːdʒ] 〖약학〗 *n.* 촌충 구제약 — *a.* 촌충을 구제하는
tae·ni·a·sis [tiːnáiəsis] *n.* 〖병리〗 촌충 기생
tae·ni·oid [tíːniɔ̀id] *a.* 끈 모양의; 촌충 모양의
T.A.F. Tactical Air Force 전술 공군
TAFE [téif] [*T*echnical *a*nd *F*urther *E*ducation]

n. 《호주》 주립 기술 전문 대학

taf·fa·rel, taf·fe·rel [tǽfərəl, -rèl] *n.* 《고어》 〖항해〗 = TAFFRAIL

taf·fe·ta [tǽfitə] *n.* Ⓤ, *a.* 태피터(의), 호박단(의), 약간 단단한 평직(平織) 명주(의)

taf·fi·a [tǽfiə] *n.* = TAFIA

taff·rail [tǽfrèil, -rəl] *n.* 〖항해〗 **1** 고물[선미]의 난간 **2** 고물의 상부(上部)

taf·fy [tǽfi] *n.* (*pl.* **-fies**) **1** 《미·스코》 태피(《영》 toffee) 《설탕·버터·땅콩을 섞어서 만든 캔디》 **2** Ⓤ 《미·구어》 비위 맞춤, 아첨

Taf·fy [tǽfi] *n.* **1** 남자 이름 **2** 《구어》 웨일스 사람 (Welshman)

táffy pùll 태피를 만드는 모임

taf·i·a [tǽfiə] *n.* Ⓤ 테피아 술 《럼주의 일종; 서인도산》

Taft [tæft | tæft, tɑ́:ft] *n.* 태프트 **William Howard ~** (1857-1930) 《미국 제27대 대통령》

Táft-Hárt·ley Àct [-hɑ́:rtli-] = LABOR-MANAGEMENT RELATIONS ACT

‡**tag**[1] [tǽg] *n.* **1** 《미》 꼬리표, 정가표; 부전(附箋); 물표; 번호표: a baggage claim ~ 수하물 보관표 **2** 늘어진 끝[장식] 《의복·리본 등의》 **3** (상의를 걸기 위한) 깃의 고리 **4** 끈 끝의 마구리쇠(tab); (장화의) 손잡이 가죽 **5** 《미·구어》 (자동차의) 번호판 **6** (진행·진전 등의) 최종 단계, 말미 **7** 〖연극〗 끝맺음 말 **8** 〖컴퓨터〗 (정보의 처음과 끝을 나타내는) 표시 문자, 표시어(sentinel) **9** 상투적 인용구; 이야기 끝의 교훈; (시·노래의) 후렴 **10** 부가 어구, 반복 어구 **11** (집단·개인·조직 등의 성질을 나타내는) 형용(구), 별명, 낙인 **12** 교통 위반 딱지 **13** 털의 엉킨 뭉치; (양의) 곱슬곱슬한 털, 엉클어진 털 **14** (털빛이 다른) 꼬리(의 끝) **15** 《미·속어》 체포 영장 **16** 《폐어》 하층민, 어중이떠중이 ***keep a ~ on*** 《영·구어》 …을 감시하다, …에게 눈을 떼지 않다 ***~ and rag*** = ***~, rag, and bobtail*** = TAGRAG 1

— *v.* (**~ged**; **~·ging**) *vt.* **1** 느림 장식[쇠붙이, 손잡이, 꼬리표]을 달다: (~+목+전+명) ~ one's trunk *with* one's name 트렁크에 이름표를 달다 **2** 〈동물에〉 표지를 달다 **3** 《구어》 〈자동차에〉 교통 위반 딱지를 붙이다; 〈운전사에게〉 교통 위반 딱지를 건네주다 **4** 부가하다, 덧붙이다 《*to, onto*》; 〈시·문장 등을〉 연결하다 《*together*》: (~+목+전+명) ~ a title *to* one's name 이름에 직함을 덧붙이다 // (~+목+부) ~ old articles *together* 묵은 논문을 모아 엮다 **5** …에 별명을 붙이다, 낙인을 찍다 《*as*》 **6** 책임을 지우다 《*with*》 **7** 값을 매기다: (~+목+전+명) He *~ged* it *at* 50,000 won. 그는 그것에 5만 원의 값을 매겼다. **8** 《구어》 쫓아다니다: (~+목+부) The boy *~ged* his brother *around.* 소년은 형의 꽁무니를 따라다녔다. **9** 〈양의〉 곱슬털을 깎다 **10** 인용구로 맺다; 압운(押韻)하다: (~+목+전+명) ~ one's speech *with* a quotation 연설을 인용구로 맺다

— *vi.* 《구어》 쫓아다니다, 붙어다니다 《*at, after, along*》: (~+전+명) ~ *after* a person = ~ *at* a person's heels …의 뒤를 쫓아다니다 // (~+부) ~ *along*[*after*] 뒤에 따라오다, 붙어다니다

tag[2] *n.* Ⓤ **1** 술래잡기: play ~ 술래잡기하다 ★ 술래는 it 또는 tagger. **2** 〖야구〗 터치아웃

— *a.* (프로 레슬링에서) 태그 방식의

— *vt.* (**~ged**; **~·ging**) **1** 〈술래잡기에서 술래가〉 붙잡다 **2** 〖야구〗 **a** 〈주자를〉 터치아웃시키다 《*out*》, 〈베이스·주자에〉 터치하다; 〈베이스를〉 밟다 **b** 강타하다, 안타를 날리다 ~ ***up*** 〖야구〗 (타자의 플라이가 잡혔을 때) 주자가 되돌아와서 베이스를 밟다

tag[3] *n.* (사람이나 물건에 부착하여 그 행방을 추적하는) 전자 추적 장치 — *vt.* (**~ged**; **~·ging**) 〈사람·물건에〉 전자 추적 장치를 부착하다

tag[4] *n.* (낙서가에 의한) 낙서 《낙서가의 서명이 있는》 — *vt.* (**~ged**; **~·ging**) 〈장소·물건에〉 낙서로 장식하다; 〈공공장소에〉 낙서를 남기다

TAG the adjutant general

Ta·ga·log [təgɑ́:ləg, -lɔ:g, tɑ:- | təgɑ́:lɔg] *n.* (*pl.* **~, ~s**) **1** 타갈로그 사람 《필리핀 루손 섬 중부의 원주민》 **2** Ⓤ 타갈로그 말

tag·a·long [tǽgəlɔ̀:ŋ | -lɔ̀ŋ] *n.* **1** 언제나 남을 따라다니는 사람 **2** 트럭의 트레일러

— *a.* 《속어》 남의 뒤를 따라다니는

ta·ga·ri [təgɑ́:ri] *n.* 타가리 《그리스의 숄더백》

tag·board [tǽgbɔ̀:rd] *n.* (짐표·포스터용의) 두꺼운 종이

tág dày [기부자의 옷깃에 tag(작은 표)를 달아준 데서] 《미》 (자선 사업 기부금) 가두 모금일(cf. FLAG DAY)

tág énd **1** 마지막 부분[대목], 끝토막, 자투리 **2** [the ~] 종말, 말기

tágged átom [tǽgd-] 〖물리〗 표지(標識)(가 붙은) 원자 《방사성 원자핵을 가진 원자; 특유한 방사능에 의하여 식별할 수 있음》

tag·ger[1] [tǽgər] *n.* **1** tag을 붙이는 사람[도구] **2** [*pl.*] 얇은 양철: black ~*s* 주석을 입히지 않은 얇은 철판

tagger[2] *n.* (술래잡기의) 술래(it)

tag·ging[1] [tǽgiŋ] *n.* 〖수산업〗 표지 방류(標識放流) 《산 물고기에 표지를 하여 방류하는 일》

tagging[2] *n.* Ⓤ 《미》 벽·열차 등에 이름[별명]을 낙서하기

ta·glia·tel·le [tɑ̀:ljɑ:téli] *n.* 탈리아텔리 《가늘고 납작한 모양의 파스타》

tág lìne **1** (극·이야기·연설 등의) 끝맺음말, 결구, 결언 **2** 표어, 슬로건

tag·ma [tǽgmə] *n.* (*pl.* **-ma·ta** [-tə]) 〖동물〗 (절지동물의) 체절(體節), 몸마디 《곤충의 두부·흉부·복부 따위》

tág màtch = TAG TEAM WRESTLING

tag·meme [tǽgmi:m] *n.* 〖언어〗 문법소(文法素) 《뜻을 갖는 문법의 최소 단위》

tag·me·mic [tægmí:mik] *a.* 〖언어〗 **1** 문법소의 **2** 문법소론의

tagmémic grámmar 〖언어〗 문법소 문법 《K.L. Pike 등이 제창한 미국의 언어 이론》

tag·me·mics [tægmí:miks] *n.* 〖언어〗 문법소론(文法素論) 《문법 분석의 기본 단위를 tagmeme으로 하고, 그 연쇄가 갖가지 구조를 만든다는 이론》

Ta·gore [təgɔ́:r, tɑ́:gɔ:r] *n.* 타고르 **Sir Rabindranath ~** (1861-1941) 《인도의 시인; 1913년 노벨 문학상 수상》

tág quèstion 〖문법〗 부가의문(문)

tag·rag [tǽgræ̀g] *n.* **1** 하층민, 어중이떠중이 **2** Ⓤ 넝마 ~ ***and bobtail*** 하층민

tág sàle = GARAGE SALE

tág tèam (프로 레슬링에서) 태그 팀 《2인조 팀》

tág tèam wréstling (프로 레슬링에서) 태그 레슬링 《두 사람씩 짝이 되는》

tág wrèstling (2인 이상의 팀으로 하는) 태그 레슬링

tah-dah [tədɑ́:, tɑ:-] *int.* 자 보시오!

ta·hi·ni [təhí:ni, tɑ:-], **ta·hi·na** [-hí:nə] *n.* 타히니 《참깨를 갈아서 갠 반죽; 요리의 양념으로 씀》

Ta·hi·ti [təhí:ti, tɑ:-] *n.* 타히티 섬 《남태평양의 프랑스령 Society 군도의 주도(主島)》

Ta·hi·tian [təhí:ʃən, -tiən, tɑ:-] *a.* 타히티 섬[사람, 말]의 — *n.* **1** 타히티 섬 사람 **2** Ⓤ 타히티 말

Ta·hoe [tɑ́:hou] *n.* **Lake ~** 타호 호(湖) 《미국 California 주 동부와 Nevada 주 서부에 걸친 Sierra Nevada 산맥 속의 호수》

Tai [tái, tɑ́:i] *n., a.* = THAI

Tai·bei [tàibéi] *n.* = TAIPEI

t'ai chi ch'uan [tái-dʒì:-tʃwɑ́:n, -tʃí:-] [Chin.] (중국 무술의) 태극권 ★ t'ai chi라고도 함.

tai·ga [táigə, taigɑ́:] [Russ.] *n.* (시베리아 등의) 침엽수림 지대

‡**tail**[1] [téil] *n.* **1** (동물의) 꼬리 **2** 꼬리 모양의 물건 **a** (양복의) 자락; [*pl.*] 여성복의 긴 자락; [*pl.*] 《구어》

thesaurus **tag**[1] *v.* **1** 꼬리표를 달다 label, mark, put a ticket on **2** 별명을 붙이다 name, call, nick-

연미복, 모닝코트: the ~ of a shirt 와이셔츠의 자락 **b** 연(kite)의 꼬리; 〖천문〗 혜성의 꼬리 **c** 〖인쇄〗 테일 《g, y 등 문자의 기준선 아래로 내려서 쓰는 부분》 **d** 〖음악〗 음표의 꼬리 **e** 땋아 늘인 머리, 변발 **3** 끝; 말단, 후부: the ~ of the eye 눈초리 / with[out of] the ~ of the eye 곁눈으로 **4** 아랫사람, 말단; 서투른 선수 《*of*》; [*pl.*] 나머지, 찌끼 **5** [보통 *pl.*; 단수 취급] 화폐의 뒷면(opp. *head*): play (at) heads and ~*s* 돈을 던져 앞면인지 뒷면인지 알아맞히기를 하다 **6** (차례를 기다리는 사람 등의) 열, 행렬 **7** 종자(從者), 수행원; 《군대속어》 (각 부대의) 비전투원, 군속들 **8** 《속어》 미행자; 탐정; 첩보원 **9** (강의) 하류: the ~ of a stream 물줄기의 끝[웅덩이] **10** 〖건축〗 (기왓장·슬레이트 등의) 노출된 끝 부분 **11** 〖기계〗 미부(尾部); 〖항공〗 (비행기의) 기미(機尾) **12** 《구어》 사람이나 동물이 도망간 흔적 **13 a** 《속어》 엉덩이; 《속어》 (성교 대상으로서의) 여자; 여성의 외음부 **b** 《비어》 성교 **14** 〖인쇄〗 (페이지의) 밑 여백; (책의) 밑 부분, 바탕

at [***in***] ***the ~ of*** …의 맨 뒤에; 뒤를 따라서 ***close on*** a person***'s ~*** …의 바로 뒤를 쫓아서 ***drag*** one***'s ~*** 《속어》 풀이 죽다 ***drag ~*** 《속어》 느릿느릿 움직이다 ***fan*** one***'s ~*** 뛰어가다 ***get off*** one***'s ~*** 《미·속어》 일에 착수하다 ***get*** one***'s ~ down*** [***up***] 풀이 죽다[기운이 나다] ***get*** one***'s ~ in a gate*** 《미·속어》 궁지에 몰리다 ***go into ~s*** (아이가 자라서) 연미복 등을 입게 되다 ***have … by the ~*** 《미·속어》 …을 자기 것으로 하다; …을 장악하다 ***keep*** one***'s ~ up*** 건강하다 ***keep the ~ in waters*** 《속어》 번창하다 ***on*** a person***'s ~*** …을 미행하여, 바싹 붙어서 ***pound*** one***'s ~*** 《미·속어》 열심히 일하다 ~(***s***) ***up*** 기분이 좋아서; 《비유》 싸울 태세로 ***the ~ wagging the dog*** [보통 it is (a case of) 뒤에 서] 주객전도[하극상(下剋上)](의 상태) ***turn ~*** (***and run***) 겁이 나서 달아나다; 등지다 ***twist the ~ of*** …에게 짓궂게 굴다 ***with the*** [one***'s***] ***~ between the*** [one***'s***] ***legs*** 겁이 나서; 기가 죽어서, 꽁무니를 빼고 ***work*** one***'s ~ off*** 열심히 일하다

— *a.* 꼬리 부분의, 맨 끝의; 뒤에서 오는

— *vt.* **1** 꼬리를 달다 **2** 〈행렬·수행단 등의〉 뒤에 서다, 꼴찌가 되다 **3** 첨부하다, 덧붙이다, 잇다 《*on*; *to*》: (~+목+부) ~ one folly *on to* another 어리석은 짓을 거듭하다 // (~+목+전+명) ~ two coaches *on* a train 열차 후부에 객차 2량을 연결하다 **4** 〈말·개 등의〉 꼬리[끝]를 자르다 **5** 《구어》 뒤따르다, 미행하다 **6** 《호주》 〈양·소떼를〉 지키다 **7** 〈개 등의〉 꼬리를 잡아당기다[잡다]

— *vi.* **1** 꼬리가 되다, 꼬리처럼 늘어지다, 꼬리를 끌다; 따라가다; 줄을 짓다; 《영》 〈교통이〉 정체되다 《*back*》: (~+전+명) They ~*ed after* the procession. 그들은 행렬의 뒤를 따라갔다. **2** 〖항해〗 (특정한 방향으로) 고물을 돌리다; (암초 등에) 고물이 얹히다 《*around*》: (~+전+명) ~ *to* the tide[*up* and *down* the stream] 〈정박중인 배가〉 조류를 따라 아래위로 흔들리다 **3** 〈물고기가〉 꼬리를 수면에 나타내다 **4** 뒤에 처지다, 낙오되다; 점점 가늘어지다[없어지다] 《*away, down, off, out*》: (~+부) The sound ~*ed away.* 소리는 점점 사라져갔다. **5** 뒤를 쫓다, 미행하다: (~+전+명) ~ *after* a pickpocket 소매치기를 뒤쫓다

~ *after* …을 따라가다, 미행하다(⇨ *vi.* 5) **~ *away*** = TAIL[1] off. **~ *in*** [***on***] 〖건축〗 (재목의 한쪽 끝을 벽·들보 등에) 끼워 넣다 **~ *off*** [***out***] (1) 〈소리 등이〉 점차 사라지다, 가늘어지게 하다 (2) 뒤따르다 (3) 낙오되다 (4) 《구어》 도망치다, 퇴거하다 **~·like** *a.* ▷ táilless *a.*

tail[2] *n.* Ⓤ 〖법〗 계사 한정(繼嗣限定) 《일정한 사람에게 재산 소유권을 한정함》, 상속(인) 한정; 한사(限嗣) 부동산: an estate in ~ 한사 상속 재산 / an heir in ~ 한사 상속인 — *a.* 한사의, 상속 한정의

---

name, title, dub, term, christen, style **3** 쫓아다니다 accompany, follow, trail behind

tail·back [téilbæ̀k] *n.* 〖럭비〗 후위(後衛)

táil bày 〖건축〗 대들보와 벽 사이의 구획

tail·board [-bɔ̀:rd] *n.* (특히 짐마차·트럭 따위의) 후미판 《떼었다 붙일 수 있는》

tail·bone [-bòun] *n.* 〖해부〗 미저골(coccyx)

tail·coat [-kòut] *n.* 연미복(燕尾服)

táil còne 〖항공〗 테일 콘 《기체 꼬리 부분의 원뿔형 구조물》

tail-down [-dàun] *a., ad.* 〖항공〗 비행기의 미부(尾部)를 내리는[내리고]

tailed [téild] *a.* **1** 꼬리가 잘린 **2** [보통 복합어를 이루어] …한 꼬리가 있는, 꼬리가 …한: long-~ 꼬리가 긴

táil énd [보통 the ~] **1** 후미, 말단, 끄트머리 《공초 등》; 《구어》 궁둥이, 둔부 **2** 최종 단계, 말기; 끝부분: *the* ~ of a lecture 강연의 마지막 부분

táil-end Chárlie [téilènd-] 《영·속어》 맨 뒤에 선 사람

tail·end·er [-èndər] *n.* 《구어》 (사람·팀 등의) 꼴찌, 최하위

tail·er [téilər] *n.* tail[1]하는 사람[것], 《특히》 미행자

tai·le·ron [téilərɑ̀n | -rɔ̀n] [*tail*+*aileron*(보조익)] *n.* 〖항공〗 테일러론 《피치와 롤을 제어하기 위한 수평미익(尾翼)》

táil fàn 〖동물〗 (게·가재 등의) 부채 모양의 꼬리, 미선(尾扇)

táil fin **1** 꼬리지느러미 **2** 비행기의 수직 안정판; 잠수함의 수평타(舵)

tail·first [téilfə́:rst] *ad.* 꼬리[꼬리 부분]를 앞으로 하고, 뒷걸음질하여

tail·gate [-gèit] *n.* **1** 《주로 미》 (트럭·왜건 등의) 뒷문 **2** 《주로 영》 (운하의) 아랫문 — *vi., vt.* **1** 앞차 뒤를 바싹 따라가다, 앞차에 바싹 대어 차를 몰다 **2** 왜건 등의 뒷문을 내려 음식을 차려 놓고 먹다

táilgate pàrty **1** 스테이션 왜건(station wagon) 등의 뒤판을 펼쳐 음식을 차린 간단한 야외 파티 **2** 〖재즈〗 《속어》 초기의 New Orleans 재즈 스타일의 재즈

táilgate pìcnic 테일게이트 피크닉 《왜건 등의 뒷문에 음식을 펴 놓고 먹는 야외 파티》

tail·gat·er [téilgèitər] *n.* 앞 차에 바싹 붙어서 운전하는 사람

tail·gat·ing [-gèitiŋ] *n.* 《미》 (미식축구의 팬 또는 응원하는 학생 등이) 시합 전후에 경기장 밖에서 가지는 야외 파티

táil gròup 〖항공〗 = TAIL UNIT

táil gùn 〖항공〗 비행기의 미포(尾砲)

tail-heav·y [-hèvi] *a.* 〖항공〗 〈비행기가〉 꼬리가 무거운

tail·ing [téiliŋ] *n.* Ⓤ **1** 벽돌 등의 벽에 박혀 있는 부분 **2** [보통 *pl.*] 체질하고 남은 자갈; 선광(選鑛) 부스러기; [*pl.*] 찌끼, 부스러기; (물건의) 마지막 부분 (last part) **3** 《구어》 미행

táil làmp 《미》 = TAILLIGHT

tail·less [téillis] *a.* 꼬리가 없는, 미부(尾部)가 없는

táilless áirplane 〖항공〗 무미익기(無尾翼機)

tail·leur [tɑ:jə́:r] *n.* 타이외르 《신사복식 여성복》

tail·light [téillàit] *n.* (열차·자동차 등의) 테일라이트, 미등(尾燈)(cf. HEADLIGHT)

táil màrgin (책의) 페이지 아래쪽의 여백

‡tai·lor [téilər] [L 「자르다, 재단하다」의 뜻에서] *n.* 재단사, 재봉사 《주로 신사복을 주문받아 만드는; cf. DRESSMAKER》: a ~[(영) ~'s] shop 맞춤 양복점 / Nine ~*s* make[go to] a man. 《속담》 재봉사는 아홉 사람이 한 사람 구실을 한다. 《재봉사의 연약함을 이르는 말》 / The ~ makes the man. 《속담》 옷이 날개다. ***ride like a ~*** 승마가 서투르다 ***sit ~ fashion*** 책상다리를 하고 앉다

— *vt.* **1** 〈양복을〉 짓다: He is well ~*ed.* (그의 옷은) 잘 지어졌다. **2** 〈방법·계획·각본 등을〉 (용도·목적에) 맞추다, (남에게) 맞게 하다 《*to, for*》: (~+목+전+명) He ~*ed* his lecture *to*[*for*] his audience. 그는 강연의 수준을 청중에 맞추었다. / ~ one's

actions *to* those of another 자신의 행동을 타인에게 맞추다
—*vi.* 양복을 짓다; 양복점을 경영하다

tai·lor·a·ble [téilərəbl] *a.* **1** 옷으로 만들 수 있는 **2** (특정한 목적에) 적용[적응]시킬 수 있는
tài·lor·a·bíl·i·ty *n.*

tai·lor·bird [téilərbə̀:rd] *n.* 〖조류〗 재봉새 《인도·아프리카산(産); 잎을 꿰매듯 둥지를 지음》

tai·lored [téilərd] *a.* = TAILOR-MADE

tai·lor·ess [téiləris] *n.* TAILOR의 여성형

tai·lor·ing [téiləriŋ] *n.* [U] **1** 양복점 경영, 재단업 **2** 양복 짓는 솜씨[기술]; 사용 목적에 알맞게 만듦

tai·lor-made [téilərméid] *a.* **1** 〈특히 여성복이〉 양장점에서 지은; 몸에 꼭 맞는; 남성복같이 만든 **2** 〈사람이〉 단정한, 야무지게 생긴 **3** (특정 기호·목적·요구 등에) 맞춘, 특제의 《*for*》
—*n.* [보통 *pl.*] 맞춤옷, 주문복

tai·lor-make [-méik] *vt.* 〈특정 기호·목적·요구 등에〉 맞추다

táilor's chàir (다리가 없는) 재봉사용 의자

táilor's chàlk 재단 초크

táilor's clìppings 양복감 견본

tail·piece [téilpì:s] *n.* **1** 꼬리의 한 부분[조각]; 꼬리 부분(의 부속물) **2** (현악기 하부의) 줄걸이 **3** 〖인쇄〗 장말(章末)[권말] 여백에 넣는 장식 컷(cf. HEADPIECE) **4** 〖건축〗 토막 귀틀

tail·pipe [-pàip] *n.* **1** (펌프의) 흡입관 **2** (자동차 등의) 배기관; 〖항공〗 (제트 엔진의) 미관(尾管)

táil-pipe búrner 〖항공〗 = AFTERBURNER

táil plàne 〖항공〗 수평 꼬리 날개[미익(尾翼)]

tail·race [-rèis] *n.* **1** (발전소·물방아의) 방수로(放水路) **2** 〖광산〗 광석 부스러기를 흘려 보내는 도랑

táil ròtor 〖항공〗 (헬리콥터의) 꼬리 회전 날개

tails [téilz] *a., ad.* 〈던진 동전이〉 뒷면이 나온[나와서]

tail·shaft [téilʃæ̀ft] *n.* 〖항해〗 프로펠러축(軸)

táil skìd 〖항공〗 비행기 꼬리의 활주부(滑走部) 《기체를 안정시키는 착륙 장치》

táil slìde 〖항공〗 후미 활공 《비행기가 뒤쪽으로 활공하는 일》

tail·spin [téilspìn] *n.* **1** 〖항공〗 나선형 급강하 **2** 낭패, 허탈, 의기소침 **3** 《구어》 경제 혼란, 불경기

táil ùnit 〖항공〗 미익(尾翼)(tail group)

tail·wa·ter [-wɔ̀:tər, -wɑ̀t- | -wɔ̀:tə] *n.* **1** (물방아의) 방수로의 물 **2** (댐 등의) 방수된 물

táil whèel (비행기 등의) 뒷바퀴, 미륜(尾輪)

tail·wind [-wìnd] *n.* (비행기·배의) 뒤에서 부는 바람, 순풍(opp. *head wind*)

tain [téin] *n.* [U] **1** 엷은 주석판 **2** (거울 뒷면의) 주석 박(箔)

***taint** [téint] [OF 「색을 칠하다」의 뜻에서] *n.* **1** 더러움, 얼룩, 오점(stain) **2** [U] **감염**, 병독; 부패, 타락; 폐해: moral ~ 도덕적 부패 **3** 수치, 불명예, 오명(汚名); 상처, 손상 《*of*》: a ~ on one's name 불명예 / free from all ~*s* 아무런 오점도 없는, 결백한 **4** 기미, 기색, 흔적 《*of*》: a ~ *of* insanity 광기
—*vt.* **1** 더럽히다, 오염시키다; 감염시키다 **2** 〈마음 등을〉 해치다, 해독을 끼치다 《*with*》, 부패[타락]시키다 《*with*》 **3** 〈명예·평판 등을〉 더럽히다, 상처 입히다
—*vi.* **1** 더러워지다, 오염되다; 감염되다, 해독을 입다 **2** 썩다; 타락하다

'taint [téint] 《방언·속어》 it isn't[hasn't]의 단축형

taint·ed [téintid] *a.* 더럽혀진, 썩은; 부패한: ~ money 검은돈 / a ~ family 혈통이 나쁜 집안

taint·less [téintlis] *a.* 더러워지지 않은; 부패하지 않은; 순결한; 깨끗한

tai·pan [táipæn] *n.* 〖동물〗 타이판 《오스트레일리아 북부·태평양 제도산 코브라과(科)의 맹독이 있는 큰 뱀》

Tai·pei, Tai·peh [tàipéi, -béi | -péi] *n.* 타이베이, 대북(臺北)

Tai·ping [táipíŋ] 〖역사〗 *n.* (중국의) 태평천국 농민 혁명 참가자, 장발적(長髮賊) —*a.* 태평천국의, 장발적의: the ~ Rebellion 태평천국의 난(1850-64)

Tai·wan [tàiwɑ́:n] *n.* 타이완, 대만(臺灣)(Formosa) 《중국 대륙의 남동안에서 떨어져 있는 섬; 국민당 정부가 통치함; 수도 Taipei》

Tai·wan·ese [tàiwɑ:ní:z, -ní:s | -ní:z] *a.* 타이완 (사람)의 —*n.* **1** 타이완 사람 **2** [U] 타이완 말

Táiwan Stráit [the ~] 대만 해협

taj [tɑ́:ʒ, tɑ́:dʒ] *n.* 이슬람교권에서 남자가 쓰는 높은 원뿔형의 테가 없는 모자

Ta·jik·i·stan [tədʒíkəstæ̀n] *n.* 타지키스탄 《구소련의 붕괴 후 독립한 중앙 아시아의 공화국; 수도 Dushanbe》

Taj Ma·hal [tɑ́:ʒ-məhɑ́:l, tɑ́:dʒ- | tɑ́:dʒ-] [the ~] 타지마할 《인도 Agra에 있는 순백 대리석의 영묘》

ta·ka [tɑ́:kə] *n.* (*pl.* **~, ~s**) 타카 《방글라데시의 화폐 단위》

ta·ka·he [təkái, -kɑ́:i | tɑ́:kəhì:] *n.* 〖조류〗 (뉴질랜드산(産)) 타케이히, 노토르니스

‡take [téik] *v., n.*

기본적으로는 「(물건을 손에) 쥐다, 잡다」의 뜻에서

① 잡다; 얻다; 받다; 선택하다	**1, 4, 6, 8**
② 가지고 가다; 데리고 가다	**10**
③ 사용하다, 이용하다	**31**
④ 필요로 하다	**14**
⑤ 떠맡다	**17**
⑥ 받아들이다	**19**
⑦ 먹다, 마시다	**22**
⑧ 〈사진을〉 찍다; 조사하다	**25, 26**
⑨ …하다	**21**
⑩ …이라고 여기다	**15**

—*v.* (**took** [túk]; **tak·en** [téikən]) *vt.* **1** (손 등으로) **잡다**(seize), **움켜잡다**(grasp); 쥐다, 껴안다(embrace): (~+목+전+명) ~ a person *by* the hand …의 손을 잡다 / ~ a person *in* one's arms …을 두팔로 껴안다 // (~+목+부) ~ something *up* with one's fingers 손가락으로 물건을 집어 올리다

유의어 **take** 물건을 잡다를 뜻하는 가장 일반적인 말이다 **seize** 별안간 힘주어 잡다: *seize* a weapon 무기를 휙 잡다 **grasp** 단단히 잡다: *grasp* a person's hand in welcome 환영의 뜻으로 남의 손을 꼭 잡다

2 (덫·미끼 등으로) **잡다**; 포획하다; 체포하다; 포로로 잡다; 〈게임에서 상대편의 패나 말을〉 따다: (~+목+보) be *taken* prisoner[captive] 포로가 되다 // (~+목+전+명) ~ a rabbit *in* a trap 토끼를 덫으로 잡다 **3 점령하다**, **탈취하다**, **빼앗다**; 〈상선을〉 나포하다: (~+목+전+명) ~ a bag *from* a person's hand 가방을 …의 손에서 탈취하다 **4** 〈상 등을〉 **획득하다**, 얻다, 벌다, 손에 넣다, 취득하다; 받아들이다, 승낙하다: ~ a degree 학위를 취득하다 // (~+목+부) I will not ~ a penny[cent] *less.* 한 푼도 감할[밑져 팔] 수 없습니다. // (~+목+전+명) What will you ~ *for* this watch? 이 시계는 얼마입니까? **5 사다**; 〈좌석 등을〉 예약하다; 〈신문 등을〉 **구독하다**; 〈집 등을〉 (계약하여) 빌리다: ~ lodgings 하숙하다 / ~ a house 집을 빌리다 / What paper do you ~? 어떤 신문을 구독하고 있습니까? // (~+목+전+명) ~ a box *at* a theater 극장의 지정석을 예약하다 **6** 〈주는 것을〉 **받다**, 수납하다(accept); 〈대가·보수 등을〉 얻다; 〈시합 등에〉 이기다: (~+목+전+명) He *took* money *from* the man. 그는 그 사람에게서 돈을 받았다. **7 a** 〈사람을〉 **채용하다**: (~+목+전+명) ~ a person *into* a firm …을 사원으로 채용하다 **b** 〈제자를〉 받다, 〈하숙인을〉 두다; 입회시키다 《*to, into*》: ~

thesaurus **taint** *n.* **1** 더러움, 감염 contamination, pollution, adulteration, infection, contagion **2** 오명

lodgers 하숙인을 두다 // ⦅~+목+전+명⦆ We *took* him *into* our plans. 우리는 그를 계획에 가담시켰다. **c** 〈아내를〉 얻다, 맞아들이다: ~ a wife 아내를 맞다 **8 a** 취하다, 선택하다(select), 골라서 사다: ~ measures 수단을 강구하다 / ~ size nine shoes 9호 신발을 사다 **b** 〈길·진로를〉 잡다, 가다 **9 a** 제거하다, 없애다 ⟪*away*; *from*⟫: ⦅~+목+부⦆ *T*~ this chair *away.* 이 의자를 치우시오. // ⦅~+목+전+명⦆ ~ eggs *from* a bird's nest 새 둥지에서 알을 꺼내다 **b** 빼다, 감하다 ⟪*away*; *from*⟫: ⦅~+목+전+명⦆ ~ 4 *from* 6 6에서 4를 빼다 **c** [주로 수동형으로] 생명을 빼앗다: ~ the life of …을 죽이다 / He *was taken* in his prime. 그는 한창 나이에 죽었다. **10 a** 가지고 가다, 운반하다, 휴대하다(⇨ bring 유의어): ⦅~+목+전+명⦆ *T*~ your umbrella *with* you. 우산을 가지고 가시오. // ⦅~+목+목⦆ He *took* her some flowers. 그는 그녀에게 꽃을 갖다 주었다. **b** 데리고 가다, 태우고 가다: ⦅~+목+전+명⦆ ~ one's little brother *to* a zoo 동생을 동물원에 데리고 가다 // ⦅~+목+부⦆ He *took* me *home* in his car. 그는 나를 자동차로 집까지 데려다 주었다. **11** 〈차를〉 타다, 타고 가다; 〈탈것이〉 사람을 나르다: ⦅~+목+전+명⦆ ~ (a) train *to* Paris 기차로 파리에 가다 **12 a** 가다, 이르다; 올라가다: ~ a corner[slope] 모퉁이를 돌다[언덕을 올라가다] **b** 넘다, 뛰어넘다, 건너다: ~ the fence 〈말이〉 울타리를 뛰어넘다 **c** 도망쳐 들어가다, 숨다 **13** (도중에) 들르다, 방문하다: ⦅~+목+전+명⦆ ~ a place[person] *in*[*on*] one's way 가는 길에 …에[…에게] 들르다 **14** [보통 it을 주어로 하여] 〈시간·노력 등을〉 요하다, 걸리다, 들다; 필요로 하다: ⦅~+목+목⦆ *It took* him two hours to finish his homework. 그는 숙제를 마치는 데 두 시간이 걸렸다. // *It* ~*s* a lot of[some] doing. 여간 힘드는 일이 아니다. **15 a** 〈언어·행동을〉 해석하다, 이해하다, 받아들이다: ⦅~+목+부⦆ ~ something *well*[*in good part*] 선의로 해석하다 / ~ something *ill*[*amiss, in ill part*] 악의로 해석하다, 화내다 **b** …이라고 생각하다, 여기다, 간주하다, 믿다: ⦅~+목+*as* 보⦆ He *took* my remark *as* an insult. 그는 내 말을 모욕으로 받아들였다. // ⦅~+목+보⦆ *T*~ things[it] easy. 서두르지 마라. // ⦅~+목+*to be* 보⦆ I ~ this *to be* ironical. 나는 이것을 아이러니컬하다고 생각한다. // ⦅~+목+전+명⦆ ~ a person *at* his[her] word …이 말하는 대로 믿다 **c** …한 마음[태도]을 가지다: ~ a rosy[gloomy] view 낙관적[비관적] 견해를 가지다 // ⦅~+목+전+명⦆ ~ liberties *with* a person …에게 스스럼없이 대하다 **16 a** 〈모양·성질 등을〉 가지다: Water ~*s* the shape of the vessel containing it. 물은 담은 그릇의 모양대로 된다. **b** 칭하다, 일컫다, 이름을 이어받다 **17 a** 〈책임 등을〉 지다, 떠맡다, 맡다: ~ a class 반을 담임하다 / ~ the blame 잘못의 책임을 지다 **b** 〈소임·직무 등을〉 맡다, 행하다, 역할을 하다 **c** 〈관직·지위 등에〉 앉다, 취임하다: ~ the throne[crown] 왕위에 오르다 **d** 〈맹세를〉 하다 **18 a** 〈어떤 장소·위치에〉 몸을 두다, 자리잡다: ~ the place of a person = ~ a person's place …을 대신하다, …와 교대하다, …의 뒤를 잇다 / ~ a seat 자리에 앉다 / Is this seat *taken*? 자리가 비었습니까? **b** 〈선두에〉 서다, 〈지휘권 등을〉 장악하다 **19 a** 〈충고 등을〉 받아들이다, …에 따르다: ~ a person's advice …의 충고에 따르다 **b** 〈비난 등을〉 감수하다, 참고 견디다 **c** 〈신청·내기 등에〉 응하다: ~ a dare 도전에 응하다 **20** 〈감정·생각 등을〉 일으키다, 느끼다, 경험하다 ⟪*in*⟫; 〈어떤 입장을〉 취하다, …측에 서다; …을 논거로 삼다: She *took* the side of the speaker. 그녀는 그 연사를 지지했다. // ⦅~+목+전+명⦆ ~ delight *in* one's work 자기 일에 즐거움을 느끼다 **21** 〈행동 등을〉 취하다, 하다; 〈주의력을〉 발휘하다: ~ prudence 신중을 기하다 **22 a** 〈음식을〉 먹다; 마시다; 복용하다: ~ medicine 약을 복용하다 **b** 빨아들이다, 들이마시다; 냄새맡다: ~ a deep breath 심호흡하다 **c** 〈설탕·우유 등을〉 넣다 **23 a** 〈기원·명칭·성질 등을〉 얻다, 따오다 ⟪*from*⟫: ⦅~+목+전+명⦆ ~ its name *from* the inventor 발명자의 이름을 따다 **b** …에서 생기다[일어나다], 유래하다 **c** 인용하다 ⟪*from*⟫: ⦅~+목+전+명⦆ ~ a line *from* Milton 밀턴에서 한 행을 인용하다 **24** 〈휴가·오락 등을〉 갖다, 즐기다: ~ a rest 휴식을 취하다 / ~ a day off 하루 쉬다 **25** 〈복제 등을〉 만들다, 〈기록 등을〉 적다, 〈사진을〉 찍다, 〈초상화를〉 그리다: ~ a copy 사본을 만들다 / ~ a person 인물을 그리다[찍다] / ~ a tape of a broadcast 방송을 테이프에 녹음하다 // ⦅~+목+전+명⦆ ~ a speech *in* shorthand 연설을 속기로 기록하다 **26** 〈체온을〉 재다, 확인하다; 〈조사·측정·관찰 등을〉 하다: ~ (the) measurements 치수를 재다 / ~ a poll 여론 조사를 하다 **27 a** 〈병이〉 침범하다, 〈병에〉 걸리다, 감염하다: ⦅~+목+보⦆ be *taken* ill 병이 나다 // ⦅~+목+전+명⦆ be *taken with*[*of*] a disease = be *taken with* sickness 병에 걸리다 **b** 〈발작 등을〉 일으키다, …으로 되다 **c** 〈불이〉 붙다, 옮다: ~ fire 불이 붙다, 발끈 화를 내다 **28 a** 영향[작용]을 받다, 효력이 있다; 〈물감 등을〉 흡수하다, 물들다: ~ ink 잉크가 묻다[배다] **b** 〈윤기를〉 내다: ~ a high polish 광이 잘 나다 **29** 〈타격이〉 가해지다 ⟪*over*⟫; (정신적으로) 엄습하다, 덮치다 **30** 〈이목·마음을〉 끌다; 황홀하게 하다, 어리둥절하게 하다: ~ a person's eye 이목을 끌다 // ⦅~+목+전+명⦆ She *was* much *taken with* the child. 그녀는 그 어린애가 무척 마음에 들었다. **31** 사용하다(use), 이용하다; 〈기회를〉 포착하다, 틈타다: ⦅~+목+전+명⦆ ~ advantage *of* …을 이용하다, 기회로 삼다 **32** 〖문법〗 〈어미·목적어·악센트 등을〉 가지다, 취하다: ~ '-s' in the plural 복수형에서 어미에 -s가 붙다 / a verb that always ~*s* an object 항상 목적어를 취하는 동사 **33** 〖음악〗 연주하다, 타다, 켜다, 노래하다 **34** 〈물고기가〉 입질하다 **35** 〈남자가 여자와〉 성교하다 **36** (속어) 사람을 속이다 **37** 배우다; 〈과목·수업 등을〉 듣다; 〈시험 등을〉 치다

— *vi.* **1** 〈고리 등이〉 걸리다, 〈자물쇠가〉 채워지다, 〈톱니가〉 서로 맞물리다 **2** 뿌리박다, 〈접목(接木)이〉 붙다; 〈씨가〉 싹트다; 〈약 등이〉 듣다, 〈종두(種痘) 등이〉 잘 되다; 불이 붙다; 〈잉크 등이〉 (종이에) 묻다; 〈물감 등이〉 스며들다, 염색되다: ⦅~+부⦆ This ink ~*s well* on the paper. 이 잉크는 그 종이에 잘 묻는다. **3 a** 인기를 끌다, 환영받다, 평판이 좋다 ⟪*with*⟫: The novel did not ~. 그 소설은 인기가 없었다. **b** 〈계획 등이〉 성공하다 **4** 걸려들다; 〈물고기·새가〉 (미끼·낚시·올가미 등에) 걸리다, 잡히다 **5 a** 취하다, 얻다; 획득하다 **b** 받다; 〖법〗 재산·소유권을 취득[상속]하다 **6** 〈효과·가치 등이〉 감소되다, 〈명성 등이〉 손상받다 ⟪*from*⟫: ~ *from* his credit 그의 신용을 떨어뜨리다 **7** (연구 등에) 몰두하다, 전념하다 ⟪*to*⟫ **8** 가다, 나아가다 ⟪*across, to*⟫: ⦅~+전+명⦆ ~ *down* the hill on a run 단숨에 언덕을 뛰어 내려가다 / ~ *to* the wood 숲으로 가다 **9** (미·방언) 〈병이〉 들다: ⦅~+보⦆ ~ ill = be taken ILL, fall ILL. **10** [양태 부사와 함께 쓰여] (속어) 사진에 찍히다: ⦅~+부⦆ She ~*s well.* 그녀는 사진이 잘 나온다. **11** 분리할 수 있다; 휴대할 수 있다 ⟪*apart*⟫ **12** (미) 〈얼음이〉 얼다 **13** (미·방언) [~ and ...로] (자진하여) …하다 ★ 강의어로 또는 용어적(冗語的)으로 씀: I'll ~ *and* bounce a rock off on your head. 돌로 네 머리를 치겠다. **14 a** 좋아하다, 정들다 ⟪*to*⟫ **b** …하게 되다, 시작하다, 습관이 붙다, 습관에 젖다 ⟪*to*⟫ **c** 종사하다 ⟪*to*⟫

be taken up with …에 끌리다, 열중하다 ***cannot ~ it with*** one 저승까지 가져갈 수 없다, 죽으면 쓸 수 없다 ***have what it ~s*** 성공에 필요한 자질이 갖추어져 있다 ***It ~s one to know one.*** 그렇게 말하는 너야말로 그렇다. ***~ aback*** 허를 찌르다, 깜짝 놀라게 하다 ***~ … about*** …을 데리고[안내하며] 돌아

stain, smear, blot, blemish, stigma, dishonor, shame **3** 기미 trace, touch, hint, suggestion

다니다 ~ ***after*** 닮다; 흉내내다 ~ ***against*** ⦅영⦆ 반항하다, 반감을 갖다 ~ ***along with*** …을 같이 데리고 가다; 휴대하다 ~ ***apart*** (1)〈기계 따위를〉 분해하다 (2) ⦅구어⦆ 〈남의 작품 따위를〉 혹평하다 ~ ***arms*** 무기를 들다 ~ a person ***around*** …을 언제나 데리고 다니다 ~ ***... as it***[***they***] ***comes***[***come***] …을 있는 그대로 받아들이다, (…란 그저 그런 것)이라고 여기다 ~ ***away*** 가져가다; 덜다; 식탁을 치우다; 가버리다 ~ ***away from*** 〈성공·평판 등을〉 손상하다, 흠내다, …의 효과를 줄이다 ~ ***back*** 도로 찾다; 철회하다; 회상시키다; 되돌아가다 ~ (a thing) ***between*** one***'s knees*** (…을) 무릎 사이에 끼우다 ~ ***captive*** 포로로 하다; 매혹하다, 사랑의 포로로 만들다 ~ ***coolly*** 침착하다 ~ ***down*** 내리다, 오목 들어가게 하다; 무너뜨리다, 헐다; 〈땋은 머리를〉 풀다; 베어 넘어뜨리다, 〖인쇄〗 해판(解版)하다; 〈기계 등을〉 분해하다; 욕설을 퍼붓다; (애써) 삼키다; 적바림하다; 적어 놓다 ~ ***five***[***ten***] 5분[10분] 동안 휴식하다 ~ ***for*** …이라고 생각하다; …으로 잘못 알다 ~ ***... for granted***(***that ...***) ⇨ grant. ~ the Great War ***for instance*** (1차 세계 대전)을 보기로 들다 ~ ***in*** (1) 섭취하다, 흡수하다, 마시다; 〈배가 짐을〉 싣다; (수입으로서) 얻다; 수용하다 (2) 숙박시키다; 〈하숙인을〉 두다 (3) 〈세탁·바느질 등을〉 삯을 받고 맡다 (4) ⦅영⦆ 〈신문 등을〉 받아 보다 (5) ⦅영⦆ 〈여성을〉 도와서 집·방 등으로 안내하다 (6) 〈토론·강연 등을〉 이해하다; 〈거짓을〉 참으로 여기다 (7) 〈옷 등을〉 줄이다 (8) 〈돛을〉 말아 올리다 (furl) (9) 포괄(包括)하다 (10) 〖증권〗 주를 팔아 배당금을 얻다 (11) ⦅미⦆ 구경하다; 방문하다 (12) ⦅구어⦆ 속이다 ~ a baby ***in charge*** (어린아이를) 맡아 돌보다, 맡아 기르다 ~ ***into*** one***'s mind***[***head***] 기억해 두다 ⦅*that* ..., *to* do⦆ ~ ***it*** ⦅구어⦆ 벌을 받다; ⦅미·구어⦆ 참다, 견디다 ***T~ it away!*** ⦅미·속어⦆ 〈노래·연주를〉 시작하시오! ~ ***it from me*** 내 말을 믿어주게, 정말이야(believe me) ~ ***it***[***things***] ***hard*** (사물에) 몹시 신경을 쓰다; 마음에 뼈저리게 느끼다 ~ ***it on***[***upon***] one***self to*** do …할 것을 떠맡다 ~ ***it on the lam*** ⦅미·속어⦆ 달아나다, 도망치다 ~ ***it or leave it*** 무조건 승낙하거나 거부하거나 하다 ~ ***it out in*** ⦅구어⦆ 〈물품 등을〉 (손해 배상으로서) 현금 대신 받다 ~ ***it out in trade*** ⦅속어⦆ 〈빚을〉 섹스로 갚다 ~ ***it out of*** a person …에게 분풀이하다, 앙갚음하다; …을 지치게 하다, 기운을 빼다 ~ ***it out on*** a person ⦅미·구어⦆ …에게 분풀이를 하다, 보복하다 ~ ***it*** (***that***) ***...*** …이라고 생각하다, 가정하다 ~ ***kindly to*** 자연히 …을 좋아하다, 정들다 ~ ***... lying down*** 순순히 〈벌 등을〉 받다 ***taken with*** ⦅미·구어⦆ 매혹되어, 마음이 사로잡혀 ~ ***off*** (1) 〈모자·구두 등을〉 벗다 (2) 제거하다; 제쳐놓다; 떼내다 (3) 데리고 가다 (4) 〈값 등을〉 깎다; 〈체중을〉 줄이다 (5) ⦅구어⦆ 〈…의 버릇을〉 흉내내다 (6) 다 마시다 (7) 날다, 날아가다; 〖항공〗 이륙하다, 이수(離水)하다 ⦅*at, from*⦆ (8) 〈경기 등이〉 상승하기 시작하다 (9) 〈조수 등이〉 빠지다, 썰물이 되다; 〈바람 등이〉 자다 (10) 〈병 등이〉 생명을 빼앗다; 떠나가다 (11) 〈강 등이〉 갈라지다 (12) 박아내다, 찍어내다, 〈전신을〉 수신기에서 받다 (13) 물러가다 ~ ***on*** (1) 고용하다 (2) 〈일·책임 등을〉 떠맡다 (3) 말다툼하다, 대전[대결]하다 (4) 흉내내다, …인 체하다 (5) 〈살이〉 오르다, 〈몸이〉 좋아지다 (6) 감염하다 (7) ⦅속어⦆ 인기를 얻다 (8) ⦅미·구어⦆ 뻐기다, 으스대다 (9) ⦅구어⦆ 흥분하다; 떠들어대다: Don't ~ *on* so! 그렇게 조바심 내지 마라! ~ ***or leave*** (1) (그때의) 자기 판단[기분]으로 채택·거부를 결정하다 (2) 다소의 차이는 있는 것으로 치고: $1000, ~ *or leave* a few dollars 몇 달러의 차이는 있겠지만 1000달러 ~ ***out*** 꺼내다, 끄집어내다; (산책 등에) 데리고 나가다, 〈경기·시합 등에〉 불러내다; 〈얼룩을〉 빼다; 〈전매권·면허 등을〉 취득하다; 〈책 등을〉 대출하다; 베끼다; 발췌하다; ⦅미⦆ 〈여성을〉 식당[무도실]에 안내하다 ~ a person ***out of*** him***self*** 근심을 잊게 하다 ~ ***over*** 인계받다, 대신하다, 떠맡다, 접수하다 ~ ***pattern from*** a person …을 본받다 ~ a person***'s arm*** …의 손을 잡고 이끌다[부축하다] ~ one***'s course*** 자연히 되어가다 ~ one***self away***[***off***] 물러가다 ~ one***'s life in*** one***'s hands*** 목숨을 내걸고 모험하다 ~ one***'s life upon*** a thing 어떤 일에 목숨을 내걸고 덤비다 ~ one***'s own course*** 자기가 생각한 대로 하다, 독자적인 방침을 취하다 ~ one***'s time*** ⇨ time. ~[***want***] ***some***[***a lot of***] do***ing*** ⦅구어⦆ ⇨ *vt.* 14. ~ ***that*** ⇨ that. ~ ***that from*** a person ⦅미·구어⦆ (모욕 등을 당하고) 반항하지 않다, 가만히 있다 ~ ***through*** 통과시키다; 실현[달성]시키다 ~ ***to*** …의 뒤를 보살피다, …에 가다; …에 전념하다; …에 정들다, …이 마음에 들다; …에 적응하다 ~ ***together*** 하나로 합쳐서 생각하다: *Taken together*, there cannot be more than a dozen. 모두 합쳐도 한 다스 이상 있을 리 없다. ~ ***too much*** 술을 너무 마시다, 술주정을 부리다 ~ a person ***to*** one***'s arms***[***heart, breast***] …을 껴안다; …을 자기편으로 끌어들이다 ~ ***to the air with*** a speech (강연)을 방송하다 ~ ***up*** (1) 들어[집어] 올리다, 손에 집어들다, 주워 올리다 (2) 체포하다, 구인하다 (3) 〈차에〉 태우다, 〈손님을〉 태우다, 〈배가 짐을〉 싣다 (4) 흡수하다 (5) 〈고체를〉 녹이다 (6) 〈시간·장소 등을〉 차지하다, 잡다 (7) 〈마음·주의 등을〉 끌다, 집중시키다 (8) 〈일·연구 등을〉 시작하다, 종사하다, 취임하다 (9) 〈문제 등을〉 과제로 삼다, 처리하다 (10) 〈끊어진 이야기의〉 뒤를 잇다 (11) 〈채권 모집·도전·주문 등에〉 응하다 (12) 〈빚을〉 청산하다(pay off) (13) 〈집·숙소를〉 정하다 (14) ⦅미·스코⦆ 충돌하다 (15) 〈테이프 등을〉 감다 ~ ***up for*** ⦅미⦆ …의 편을 들다 ~ a person ***up on*** (1) (동의하지 않는 점을 따져) …에게 질문하다, 심문하다 (2) …의 요청에 따라 (제안·초대 등을) 받아들이다[수락하다] ~ ***upon***[***on***] one***self*** 〈책임 등을〉 지다, 떠맡다; 결단을 내려 …하다 ⦅*to* do⦆ ~ ***up with*** (1) 〈학대 등을〉 참다 (2) ⦅구어⦆ …와 사귀다, 교제하다, …와 친해지다 (3) 동숙(同宿)하다 (4) 〈학설 등에〉 동조하다 (5) 흥미를 갖다, 열중하다 ~ ***with*** (1) ⦅스코⦆ 좋아하다(like) (2) 참다 (3) 인정하다(admit) ***You may ~ it from me.*** = ***T~ my word for it.*** 내 말이니 믿어도 좋다.

— *n.* **1** 잡음 **2** ⦅주로 영⦆ (임대차 계약에 의한) 토지 대차 **3** 포획량 ⦅짐승·물고기 등⦆; 잡힌 것, 포획, 수확; ⦅구어⦆ 매출액, (입장료의) 판매액: a great ~ of fish 풍어(豊漁) **4** ⦅속어⦆ 몫, 수익률; 개인 소득 **5 a** 〖인쇄〗 〈식자공이〉 1회에 짜는 원고 **b** (신문 기자의) 취재 **6** 〖영화〗 1회분의 촬영, 한 장면; (1회분의) 녹음 **7** ⦅구어⦆ (시각적·심적) 반응, 호응 **8** ⦅구어⦆ 견해; 해석 **9** 종두가 접종됨 ***cut a ~*** ⦅미·속어⦆ 녹음하다; 정확히 설명하다 ***do a double ~*** ⇨ DOUBLE TAKE. ***get a big ~*** ⦅미·속어⦆ 많이 훔치다 ***on the ~*** ⦅미·속어⦆ 뇌물의 기회를 노리고

take-a·long [téikəlɔ̀ːŋ | -əlɔ̀ŋ] *a.* 휴대용의, 여행자용의: a ~ hair drier 휴대용 헤어드라이어

take·a·way [-əwèi] *a.*, *n.* ⦅영⦆ = TAKEOUT

take·back [téikbæ̀k] *n.* 취소[철회]된 것; (노동조합의 계약으로) 삭감된 수당 — *a.* 취소[철회]된

take-charge [-tʃɑ́ːrdʒ] *a.* 관리 능력 있는, 지도자로서의 자질을 가진, 보스의 기질이 있는

take·down [-dàun] *a.* 분해식(分解式)의

— *n.* **1** ⓊⒸ (기계 등의) 분해 **2** 조립식 기계[총] **3** ⦅구어⦆ 굴욕 **4** (레슬링의) 테이크다운 ⦅서 있는 상대를 매트에 쓰러뜨리는 일련의 기술⦆

take-home [-hòum] *a.* 학생이 집에서 하는, 숙제용의

táke-home pày[**wàges**] (세금을 뺀) 실수입, 실수령 급료

táke-home sàle ⦅영⦆ = OFF-SALE

thesaurus **takeoff** *n.* liftoff, departure, ascent
tale *n.* **1** 이야기 story, narrative, anecdote, legend, fable, myth, allegory, epic, parable **2** 소문

take-in [-ìn] *n.* **1** 《구어》 속임수, 사기(fraud); 가짜 **2** 《영·속어》 (만찬회 등에서) 여성을 식당에 안내하는 남자
take-it-or-leave-it [-itɔ:rlí:vit] *a.* 받아들이느냐 거절하느냐 양자택일의, 교섭의 여지가 없는
take-it-with-you [-itwíθju:] *a.* 휴대용의, 들고 다닐 수 있는
‡**tak·en** [téikən] *v.* TAKE의 과거분사
take-no-pris·on·ers [-nouprízənərz] *a.* 단호한
take·off [téikɔ̀:f | -ɔ̀f] *n.* **1** 출발(점); 도약 (지점); 도약 때의 발의 자세; 〚항공〛 이륙 (지점), 이수(離水) (지점) **2** 제거, 분리 **3** 《구어》 흉내, 모방; 패러디; 희극 **4** 결점 **5** 방수로(放水路) **6** 《구어》 (급속한 경제 성장의) 출발점, 초기 단계 **7** (건축 자재의) 견적 (조사)
take-one [-wʌ̀n] *n.* 한 장씩 떼어내는 엽서[신청서]
táke-one ád 《미》 〚광고〛 한 장씩 떼어 가는 광고지
take·out [-àut] 《미》 *n.* (사서 식당에서 먹지 않고) 가지고 가는 음식(을 파는 가게)(《영》 takeaway) **—** *a.* Ⓐ 가지고 가는 음식을 전문으로 파는
take·o·ver [-òuvər] *n.* **1** 인계, 인수: a hostile ~ 적대적 인수 **2** (권위·지배 등의) 탈취: the military ~ 군사 혁명, 쿠데타 **3** 경영권 취득
tákeover bíd 《영》 〚증권〛 (매수(買收)를 노리는 기업 주식의) 공개 매입
tákeover zóne (육상 경기의 릴레이에서) 배턴을 주고받는 구역
tak·er [téikər] *n.* **1** 잡는 사람, 포획자; 받는 사람, 수취인; 구독자 **2** 마시는 사람, 소비자 **3** (광구(鑛區)의) 조차자(租借者) **4** 내기에 응하는 사람
take-up [téikʌ̀p] *n.* **1** 팽팽하게 침, 죔 **2** (천·종이 등을) 감아 올리는 장치, 죄는 도구, 실 조이개 **3** 〚영화〛 (필름) 감는 장치 **4** (옷의) 수축
táke-up rèel 〚영화〛 테이크업 릴 《영사를 마친 필름을 감는 릴》
ta·kin [tá:kin, -ki:n] *n.* 〚동물〛 타킨 《티벳산(産) 영양(羚羊)의 일종》
∗**tak·ing** [téikiŋ] *a.* **1** 매력 있는, 애교 있는(attractive); 흥미[관심]를 끄는 **2** 《구어》 전염성의 **—** *n.* **1** ⓊⒸ 취득, 획득, 체포 **2** 어획량; [*pl.*] 소득, 매출액 **3** 《구어》 (병의) 발작 **4** 《고어》 동요[흥분] 상태; 비탄, 고뇌: in a ~ 난처한 입장에서; 걱정을 하여 ***for the*** **~** (손에) 쥐기만 하면, (원한다면) 마음대로 **~·ly** *ad.* 애교 있게; 전염적으로
táking lèns 〚사진〛 (양안 리플렉스 카메라의) 촬영용 렌즈
tak·ing-off [téikiŋɔ́:f | -ɔ́f] *n.* **1** 제거, 치우기 **2** 〚항공〛 이륙, 이수(離水), 이함(離艦), 출발 **3** 《속어》 흉내
Ta·kla·ma·kan [tà:kləməká:n] *n.* 타클라마칸 《중국 신장(新疆) 웨이우얼 자치구 중부의 톈산(天山) 산맥과 쿤룬(崑崙) 산맥 사이에 있는 사막》
tak·y [téiki] *a.* 《구어》 매력적인, 마음이 끌리는
ta·la [tá:lə] *n.* 탈라 《서(西)사모아의 화폐 단위》
ta·lar·i·a [təlɛ́əriə] [L] *n. pl.* 〚그리스·로마신화〛 날개 달린 샌들 《특히 Hermes[Mercury]의》
Tá·la·ud Íslands [tá:lɑ:ù:d-] [the ~] 탈라우드 제도 《인도네시아의 Celebes섬 북동쪽에 있는 섬들》
Tal·bot [tɔ́:lbət, tǽl- | tɔ́:l-] *n.* 탤벗 《귀가 늘어진 사냥개의 일종》
talc [tǽlk] *n.* Ⓤ **1** 〚광물〛 활석(滑石) **2** (광택용) 운모 **3** = TALCUM POWDER **—** *vt.* (~(**k**)**ed** [-t]; **~(k)·ing**) 활석으로 문지르다
talc·ose [tǽlkous, ⌐⌐ | ⌐⌐], **talc·ous** [tǽlkəs] *a.* 활석의[을 함유한]
tálc pòwder = TALCUM POWDER
tal·cum [tǽlkəm] *n.* = TALC
tálcum pòwder **1** 활석 가루 **2** 탤컴파우더 《활석 가루에 붕산말(硼酸末)·향료 등을 섞은 화장품》

talk, rumor, gossip, hearsay
talent *n.* gift, aptitude, ability, capacity, faculty, aptness, endowment, strong point, genius

‡**tale** [téil] *n.* **1** (사실·전설·가공의) 이야기, 설화: a ~ of adventure 모험 이야기 / A ~ never loses in the telling. 《속담》 이야기는 되풀이하면 커지는 법이다. **2** 허위, 꾸민 이야기, 거짓말 **3** [*pl.*] 객담; (남의 비밀 등의) 소문; 험담: tell ~*s* upon a person 남의 험담을 하다 / If all ~*s* be true ... 세상의 소문이 모두 사실이라면… **4** ⓊⒸ 《고어》 계산; 총액: The shepherd tells his ~. 양치기가 양의 숫자를 센다. / The ~ is complete. 숫자가 맞다. **5** 《폐어》 담화 ***an old wives'*** **~** 《구어》 미신 ***a ~ of a roasted horse*** 꾸민 이야기 ***a ~ of a tub*** 터무니없는 이야기 《Swift의 풍자 소설 *A Tale of a Tub*에서》 ***a ~ of nought*** 시시한 일 ***by ~*** 《고어》 수량으로 ***His ~ is***[***has been***] ***told.*** 그는 이제 틀렸다. 《운수가 찼다》 ***tell all ~s*** 허풍 떨다 ***tell a ~*** 이야기를 하다; 시사적이다 ***tell*** one***'s***[***its***] ***own ~*** 자명하다; 설명할 나위 없이 명백하다 ***tell*** one***'s ~*** 자기의 할 말을 하다, 〈심부름꾼이〉 말을 전하다 ***tell***[***bring, carry***] ***~s*** 고자질하다 ***tell the ~*** 《속어》 터무니없는 이야기를 하다; (동정을 사려고) 우는 소리를 하다 ***tell the ~ of*** (1) …의 이야기를 하다 (2) 〈양치기가 양의〉 숫자를 세다 ***Thereby hangs a ~.*** 거기에는 좀 까닭이 있다. ▷ téll *v.*
tale·bear·er [téilbɛ̀ərər] *n.* 고자쟁이; 소문을 퍼뜨리는 사람
tale·bear·ing [-bɛ̀əriŋ] *n.* Ⓤ 고자질; 소문을 퍼뜨리기 **—** *a.* 고자질하는
‡**tal·ent** [tǽlənt] [GK 「탤런트(화폐)의 뜻에서; 「재능」의 뜻은 성서 마태복음 25: 14-30에 있는 「재능에 따라 탤런트를 나누어 주었다」는 데서] *n.* **1** ⓊⒸ (특수한) 재능, 소질; 수완 (*for*); 《일반적으로》 재능(⇨ ability 유의어): a man of ~ 재사, 재주꾼 / have a ~ *for* music 음악에 소질이 있다 / hide one's ~ in a napkin 〚성서〛 자기의 재능을 썩히다 **2** 재능 있는 사람; [집합적] 인재; 《구어》 매력적인 이성; 《미·속어》 남자 친구 **3** [집합적] (연예계의) 탤런트, 연기자: a TV ~ 텔레비전 탤런트 **4** 〚역사〛 탤런트 《고대 그리스·로마·히브리의 무게 또는 화폐의 이름; 때와 곳에 따라 다름》 **5** 《폐어》 경향, 성향 **6** [the ~; 집합적] 《속어》 (경마에서) 자기 마음대로 거는 사람들
tálent còntest = TALENT SHOW
tal·ent·ed [tǽləntid] *a.* 재능이 있는, 유능한
tal·ent·less [tǽləntlis] *a.* 무능한
tálent mòney 〚야구·크리켓〛 (프로 선수의) 우수 성적 특별 상금
tálent scòut[**spòtter**] (스포츠·실업·연예계의) 신인 발굴 담당자
tálent shòw 탤런트 쇼 《아마추어 연예인들이 연예계 진출을 위해 하는 공연》
ta·ler [tá:lər] *n.* (*pl.* **~, ~s**) 탈러 《독일의 옛 3마르크 은화》
tales [téilz, téili:z | téili:z] *n. pl.* 〚법〛 **1** [복수 취급] 보결 배심원 **2** [단수 취급] 보결 배심원 소집 명령
tales·man [téilzmən, téili:z- | téili:z-] *n.* (*pl.* **-men** [-mən, -mèn]) 〚법〛 보결 배심원 《tales의 일원》
tale-tell·er [téiltèlər] *n.* **1** 고자쟁이 **2** 소문 퍼뜨리는 사람, 거짓말쟁이 **3** 이야기꾼
tale-tell·ing [-tèliŋ] *a., n.* Ⓤ 남의 비밀을 퍼뜨리는 (일)
ta·li [téilai] *n.* TALUS'의 복수
Ta·li·ban, -baan [tǽlibæ̀n | tá:ləbà:n] *n.* 탈레반 《1994년 아프가니스탄 남부에서 결성된 무장 이슬람 정치 단체》 **-ban·i·za·tion** *n.* 탈레반화, 이슬람 극단주의화
tal·i·on [tǽliən] *n.* Ⓤ 〚법〛 동해(同害) 복수법 《눈에는 눈, 이에는 이로 갚는 복수법》
tal·i·ped [tǽləpèd] *a.* 〈발이〉 굽은; 발이 내반슬(內反膝)인(clubfooted) **—** *n.* 발이 내반슬인 사람[짐승]
tal·i·pes [tǽləpì:z] *n.* Ⓤ 기형족, 내반슬
tal·i·pot [tǽləpɑ̀t | -pɔ̀t] *n.* 〚식물〛 (인도 남부에서 나는) 탈리폿야자

tal·is·man [tǽlismən, -liz-] *n.* (*pl.* **~s**) **1** 부적 **2** 신비한 힘이 있는 것

tal·is·man·ic [tæ̀lismǽnik, -liz-] *a.* **1** 부적의, 귀신을 쫓는 **2** 마력 있는, 신비한

‡**talk** [tɔ́:k] *vi.* **1** 말하다, 이야기하다 《*to, with, at*》: 《~+전+명》 ~ *over* a cup of coffee 커피를 마시면서 이야기하다

> 유의어 **speak**와 거의 같은 뜻이지만 **talk**는 (마음을 터놓은) 소수의 사람들의 대화에 쓰인다

2 서로 이야기하다, 상의하다, 의논하다 《*to, with*》: 《~+전+명》 ~ *with* a person …와 의논하다 **3** 남의 이야기를 하다, 험담하다: ~ behind a person's back 남의 험담을 하다 / be[get oneself] ~*ed* about 소문의 대상이 되다 / People will ~. 세상이란 말이 많은 법; 말썽을 일으킬 것이다. **4** 수다를 떨다, 잡담하다: He ~*s* too much. 그는 말이 너무 많다. **5** (…에 관해) 연설[강연, 강의]을 하다 《*on, about*》 **6** 《구어》 비밀을 지껄이다, 자기도 모르게 입 밖으로 내다 **7** (말 이외의 방법으로) 의사를 통하다, 신호를 하다; 〖무전〗 통신하다: 《~+전+명》 ~ *by* signs 손짓으로 이야기하다 **8** 〈물건이〉 말하는 것 같은 소리를 내다: The kettle is ~*ing* on the stove. 주전자가 난로 위에서 쉿쉿 소리를 내고 있다. **9** 효력을 발휘하다; 설득력이 있다: Money ~*s*. 돈이면 다 된다.

— *vt.* **1** 말하다, 이야기하다: ~ rubbish[nonsense] 쓸데없는 이야기를 하다 **2** 〈외국어 등을〉 말하다, 사용하다: ~ sailor 뱃사람 말을 하다 / They ~ French together. 그들은 서로 프랑스 어로 말한다. **3** 담론하다, 논하다 《*over*》: ~ politics 정치를 논하다 **4** 이야기[설득]하여 (…)하다[시키다] 《*into*》: 《~+목+보》 She ~*ed* herself hoarse. 그녀는 말을 많이 해서 목이 쉬었다. // 《~+목+부》 ~ one's fears *away* 이야기를 하여 두려움을 쫓다 // 《~+목+전+명》 ~ a child *to* sleep 이야기를 해주어 어린이를 재우다 **5** 이야기하며 〈시간을〉 보내다 《*away*》: 《~+목+부》 ~ *away* an evening 이야기하면서 저녁을 보내다 **6** (무전으로) 교신하다

in ~ing about ... …하면: *In ~ing about* wine, she is an expert. 포도주하면 그녀가 전문가이다. ***Look who's ~ing!*** 《미·구어》 (자기도 그러면서) 잘도 그런 말을 하는군! ***Now you're ~ing.*** 《구어》 그렇다면 이야기가 통한다[이야기를 알겠다]. ***~ about*** (1) …에 관해 이야기[의논]하다 (2) …할까 하고 말하다: He is ~*ing about* moving to another city. 그는 다른 도시로 이사갈까 하고 말하고 있다. (3) [명령문으로] 《구어》 …이란 바로 이걸 말하는 거다: He fell 15 feet and only sprained his ankle. *T~ing about* luck! 그는 15피트 되는 곳에서 떨어졌지만 발목을 삐었을 뿐이다. 행운이란 바로 그걸 말하는 거야! (4) 《반어》 …이라니 (어림도 없는 소리다): *T~ about* a wonderful holiday! All our money was stolen! 신나는 휴가라고! (어림없는 소리 마), 돈을 모두 도둑맞았단 말야! ***~ against*** a person …의 욕을 하다 ***~ against time*** 시간을 보내기 위해 지껄이다 ***~ a good game*** = ***~ a great ball game*** 《미·구어》 겉발림 뿐인 그럴듯한 말을 하다 ***~ a horse's***[***donkey's***] ***hind leg***(***s***) ***off*** = ***~ the bark off a tree*** 《미》 쉴새없이 지껄이다 ***~*** (***a***)***round*** (핵심을 피하고) 쓸데없는 말을 하다, 진지하게 이야기하지 않다 ~ a person ***around*** 설득하다, 설득하여 …시키다 《*to*》 ***~ at*** a person …에게 빗대어 말하다 ***~ away*** (1) 떠들어서 …을 얼버무리다 (2) (밤새도록) 이야기하며 보내다 ***~ baby*** 갓난아기 말투로 말하다 《*to*》 ***~ back*** 말대꾸하다 ***~ big***[***tall***] 《속어》 허풍치다 ***~ business*** 진지하게 이야기하다 ***~*** (***cold***) ***turkey*** 《미》 사실 그대로 말하다 ***~ down*** (1) 말로 누르다 (2) 〖항공〗 무전으로 착륙을 지시하다, 무전으로 유도하다 ***~ down to*** 어조를 낮추어 말하다 ***~ from the point*** 탈선하다 ***~ Greek***[***Hebrew, gibberish***] 잠꼬대 같은 말을 하다 ***~ one's head***[***arm, ear***] ***off*** 《속어》 쉴새없이 지껄이다 ***~ing***[***speaking***] ***of*** …으로 말하자면, 말이 났으니 말이지 ~ a person ***into***[***out of***] do***ing ...*** …을 설득하여 …시키다[…을 단념시키다] ***~ of*** …에 관해 말하다; …할 생각이 있다고 말하다 《do*ing*》 ***~ out*** 〈문제를〉 철저하게 논하다; 《영》 〈의안을〉 폐회 시간까지 토의를 끌어 폐기시키다 ***~ out of breath*** 너무 지껄여 숨이 차다 ***~ over*** …에 관해 의논하다; …을 설득하다 ***~ over*** a person***'s head*** 남이 이해하기 힘든 말로 하다 ***~ scandal*** 험담하다 ***~ sense*** 이치에 닿는 말을 하다 ***~ shop*** [주로 부정적 의미로] (때와 장소를 가리지 않고) 전문적[직업적]인 이야기를 하다 ***~*** one***'s way out of*** 《구어》 〈곤경 등을〉 교묘한 말로[변명으로] 모면하다 ~ a person ***through*** 〈영화[연극] 감독이〉 (배우에게) 연기를 지도하다 ***~ till*** one ***is blue in the face*** 피곤해질 때까지 지껄이다 ***~ to*** (1) …에게 말을 걸다 (2) 《구어》 책망하다, 타이르다 ***~ to death*** 《속어》 쉴새없이 지껄이다 ***~ together*** 의논하다 ***~ to*** one***self*** 혼잣말을 하다(cf. SAY to oneself) ***~ tough*** 《구어》 (요구 등을) 강한 말로 주장하다 《*on*》 ***~ up*** (1) 큰소리로 뚜렷하게 말하다 (2) 흥미를 끌도록 말하다 (3) 《미》 〈사물을〉 칭찬하다 (4) 〈법안 등을〉 지지[추진]하다 ~ a person ***up to*** 이야기하여 …시키다, 설득시키다 ***You can ~.*** 《구어》 자네라면 그렇게 말할 수 있어, 그건 걱정없어. ***You can't ~.*** 《구어》 자네도 큰소리 칠 순 없지.

— *n.* **1** ⓒⓤ 이야기, 담화, 좌담(⇨ speech 유의어) 《*about*》 **2** (형식을 가리지 않는) 강연, 강화(講話); 〖라디오〗 회화체의 간단한 이야기 **3** (정식) 회담, 회의, 협의: peace ~*s* 평화 회담 **4** ⓤⓒ 소문, 풍설; 이야깃거리, 화제 **5** ⓤ 객담, 쓸데없는 이야기, 빈말: be all ~ 말로만 지껄이고 아무 일도 안하다 **6** ⓤⓒ 말투, 어조: baby ~ 아기말, 유아어 **7** 언어; 방언; 은어, 특수 용어 **8** ⓤ 사람의 말과 같은 소리[울음소리]

end in ~ 말로만 끝나고 아무 결실도 못 보다 ***give a ~*** 이야기를 들려주다, 강화(講話)하다 ***have a*** (***long, friendly***) ***~*** (…와) (오래, 친밀하게) 이야기하다 《*with*》 ***make ~*** (1) 시간을 보내기 위해 지껄이다 (2) 소문을 내다 ***small ~*** 잡담 ***tall***[***big***] ***~*** 허풍 ***That's the ~.*** 《미》 경청, 조용히 들어. ***the ~ of the town*** ⇨ town.

▷ tálkative, tálky *a.*

talk·a·thon [tɔ́:kəθɑ̀n | -θɔ̀n] [*talk*+mara*thon*] *n.* **1** 장황한 연설, (의사 방해를 위한) 지연 연설 **2** (라디오·TV 방송국의 전화에 의한) 후보자와의 장시간에 걸친 일문일답 《선거 운동의 한 방법》

***talk·a·tive** [tɔ́:kətiv] *a.* 이야기하기 좋아하는, 말이 많은, 수다스러운

> 유의어 **talkative** 종종 의미도 없이 떠드는 사람에게 쓰이며 그다지 바람직한 뜻은 아님 **garrulous** 개인적이고 사소한 일에 대해 집요하게 이야기하는 **loquacious** 사교상 쉴새없이 장황하게 이야기하는

~**·ly** *ad.* ~**·ness** *n.* ▷ tálk *v.*

talk-back [tɔ́:kbæ̀k] *n.* 토크백 **1** 〖라디오·TV〗 스튜디오와 조정실 사이에서 이용하는 지시·응답 통합 시스템 **2** (시청자 등의) 반응, 응답

tálk between shíps 〖항해〗 선박간의 통화 《略 TBS》

talk·ee-talk·ee [tɔ́:kitɔ́:ki] *n.* ⓤ **1** 아리송한 어법 **2** (흑인 등의) 서투른 영어 **3** 《경멸》 수다, 다변

talk·er [tɔ́:kər] *n.* **1** 이야기하는 사람: a good ~ 좌담을 잘하는 사람 **2** 말이 많은 사람, 공론가 **3** 연설[강연]자, 좌담가

talk·fest [tɔ́:kfest] *n.* (형식에 구애되지 않는) 간담회, 토론회

‡**talk·ie** [tɔ́:ki] *n.* **1** 《구어》 발성 영화(talking film), 토키(cf. SOUND FILM, silent FILM) **2** 《미·속어》 (제2차 대전 때의) 휴대용 무선 전화

talk-in [tɔ́:kìn] *n.* **1** 항의 집회 **2** 마음을 터놓은 회담[강연] **3** 토론, 회의

‡**talk·ing** [tɔ́:kiŋ] *a.* **1** 말하는 **2** 수다스러운, 말 많은 **3** 표정이 풍부한: ~ eyes 말하는 듯한 눈
— *n.* Ⓤ 담화, 토론, 회화; 수다 ***give*** a person ***a*** (***good***) ***~ to*** (미·구어) 책하다, 질타하다

tálking bóok 말하는 책 《맹인용 레코드[테이프]》

tálking drúm (서아프리카의) 통신용 북

tálking fílm[**pícture**] = TALKIE 1

tálking héad (텔레비전·영화에서) 화면에 등장하는 해설자[내레이터]

tálking machìne (고어) 축음기(phonograph)

tálking pàper 입장 표명서(position paper)

tálking pícture[**fílm, móvie**] 발성 영화, 토키(talkie)

tálking pòint **1** 논의[제안]를 뒷받침하는 논지[사실, 정세] **2** 화제(topic)

tálking shòp (경멸) 잡담 장소 《의회 등》

talk·ing-to [tɔ́:kiŋtù:] *n.* (*pl.* **~s, talk·ings-to**) (구어) 꾸지람, 잔소리

tálk jòckey (미) (전화로 청취자가 참가하는 라디오 프로의) 사회자 《略 t.j., T.J.》

tálk mòde (미·속어) 〖컴퓨터〗 (단말의) 통신 가능한 상태, 대화 모드

tálk ràdio 청취자와의 전화 대화 및 잡담만으로 구성되는 라디오 프로그램

tálk shòw (미) (텔레비전·라디오에서) 유명 인사 인터뷰 프로

talk-talk [tɔ́:ktɔ̀:k] *n.* (미·속어) 수다, 쓸데없는 이야기

tálk tìme (휴대 전화의) 통화 시간; 통화 가능 시간 《전지 성능에 대한》

talk·y [tɔ́:ki] *a.* (**talk·i·er**; **-i·est**) **1** 수다스러운 **2** 〈극·소설 등이〉 쓸데없는 대화가 많은: a ~ play that bored the audience 관객을 지겹게 만든 장황한 연극 **tálk·i·ness** *n.*

‡**tall** [tɔ́:l] *a.* **1 a** 키가 큰(opp. *short*), 〈건물·나무 등이〉 높은: a ~ woman 키가 큰 여자 / a ~ tree 높은 나무 **b** 높이[키]가 …인: He is six feet ~. 그는 키가 6피트이다. / How ~ is that building? 저 건물은 높이가 어떻게 됩니까? ★ 이 경우 (영)에서는 high를 쓰는 것이 보통. **c** (보통보다) 긴 〈양말 등〉 **2** (구어) 〈수량이〉 많은, 엄청난, 터무니없는: a ~ price 터무니없는 가격 **3** (구어) 거창한; 믿을 수 없는, 과장된: ~ talk 호언장담, 허풍 / a ~ story 허풍 a ~ order 엄청난[터무니없는] 요구 **4** (고어) 훌륭한 **5** (폐어) 용감한, 씩씩한
— *ad.* (구어) 거창하게; 의기양양하게
stand ~ (미·군대속어) 준비가 되어 있다 ***talk ~*** 호언장담하다, 큰소리치다 ***walk ~*** 뻐기며 걷다
— *n.* (차량과 교량 사이 등의) 공간; 자동차 높이의 최고 제한 ▷ tállish *a.*; tállness *n.*

tal·lage [tǽlidʒ] *n.* Ⓤ 〖역사〗 (영주에게 납부한) 토지 사용료, 지대(地代)
— *vt.* 토지 사용료를 부과하다

Tal·la·has·see [tæ̀ləhǽsi] *n.* 탤러해시 《미국 Florida 주의 주도(州都)》

tall·boy [tɔ́:lbɔ̀i] *n.* **1** (영) (다리가 달린) 2층 장롱 ((미) highboy) 《침실용》 **2** 굴뚝 꼭대기의 높은 통풍관 **3** 굽이 높은 컵

táll-case clóck [-kèis-] 톨케이스 시계 《키가 6피트 이상 되고 추로 움직이는 벽시계; long-case clock이라고도 함》

táll cópy 〖제본〗 상하의 여백을 보통 책보다 많이 두고 재단한 책

táll drínk 톨 드링크 《알코올 음료에 소다·과즙·얼음 등을 넣어 운두가 높은 잔에 마시는 칵테일》

táll hát 실크 해트(top hat)

Tal·lin(**n**) [tɑ́:lin, tǽlin] *n.* 탈린 《에스토니아(Estonia) 공화국의 수도·항구 도시》

tall·ish [tɔ́:liʃ] *a.* 〈키가〉 좀[약간] 큰, 키가 큰 편인

tal·lith, -lis, -lit [tɑ́:lis, tɑ:lít] *n.* (*pl.* **-li·thim, -li·sim, -li·tim** [-lí:si:m, -léi-, -tí:m]; **-liths**) 탈리스 《유대인 남자가 아침 기도 때 어깨에 걸치는 숄》

tallith

tall·ness [tɔ́:lnis] *n.* Ⓤ 높음, 높이

táll òil [tɑ́:l-, tɔ́:l-] 〖화학〗 톨유(油)

táll órder 어려운 주문, 무리한 요구

***tal·low** [tǽlou] *n.* **1** Ⓤ 수지(獸脂), 짐승 기름, 우지(牛脂): beef[mutton] ~ 소[양]기름 / a ~ candle 수지 양초 **2** 상온에서 고체인 지방의 총칭
— *vt.* 수지를 바르다; 〈양을〉 (수지를 얻기 위해) 살찌게 하다(fatten)
— *vi.* 수지가 생기다
▷ tállowy *a.*

tal·low-chan·dler [tǽloutʃǽndlər | -tʃɑ́:n-] *n.* 수지 양초 제조[판매]인

tal·low-faced [-fèist] *a.* 창백한[든] 얼굴[안색]의

tal·low·y [tǽloui] *a.* **1** 수지 (모양)의; 수지를 바른, 기름기 있는; 살찐 〈짐승〉 **2** 창백한

táll póppy (호주·구어) 봉급을 많이 받는 사람; 걸출한 인물

táll póppy sỳndrome (호주·구어) '키 큰 양귀비 (꺾기)' 증후군 《성공한 사람을 깎아 내리려는 성향》

táll shíp 대형 범선

táll stóry[**tále**] 과장된 이야기, 허풍

tal·ly [tǽli] *n.* (*pl.* **-lies**) **1** 계정(計定), 계산; (경기의) 득점: make[earn] a ~ in a game 경기에서 득점하다 **2** 부신(符信), 부절(符節), 신표(信標) 《나무에 금액을 새기고 그것을 둘로 갈라 후일의 증거로 쌍방이 하나씩 가진 것》 **3** 계정[계산]을 기록한 것, 계산서 《정부(正副) 두 통으로 된》 **4** (기록된) 항목, 품목, 조항 **5** 계수의 표시 《卌 또는 卌; 우리나라의 「正」자에 해당》 **6** (물품 수수(授受) 계산의) 단위수 《1다스·한 단 등》; (계수 단위의) 정(整), 최후의 수 《20을 단위로 하여 둘씩 셀 경우 … 16, 18, *tally*라고 하면 tally는 20을 말함》 **7** 계인(契印); 짐표, 꼬리표 **8** 부합물(符合物), 짝의 한 쪽 (*of*); 부합, 일치: strike ~ 부합하다 ***by the ~*** 일정한 단위로 ***live*** (***on***) ***~*** = ***live ~ with*** a woman (속어) (여자와) 동거하다
— *v.* (**-lied**) *vt.* **1** 〈부신·부절 등에〉 새기다(score) **2** 〈득점 등을〉 기록하다 **3** (짐을 싣고 부릴 때) 수를 조사하다 **4** 명찰을 붙이다 **5** 부합[일치]하다
— *vi.* **1** 계산서[기록]를 작성하다 **2** (경기에서) 득점하다 **3** 〈이야기 등이〉 부합되다, 일치하다(accord) (*with*): (~+전+명) His story *tallies with* Tom's. 그의 이야기는 톰의 이야기와 부합한다.
~ ***up***[***out***] …을 총계하다 ***~ up to*** …의 가치[액수, 상태]에 이르다

tálly bòard 계산판(板)

tálly càrd = TALLY SHEET

tálly clèrk **1** 할부 판매인(tallyman) **2** (하역 등의) 계수 담당 **3** (미) (선거의) 계표원

tal·ly·ho [tæ̀lihóu] *int.* 쉭쉭 《여우 사냥 등에서 사냥개를 부추기는 소리》 — *n.* (*pl.* **~s**) **1** 쉭쉭(하는 소리) **2** [스—스] (영) 우편 마차; 대형 4륜 마차
— *vt., vi.* 쉭쉭 하고 소리치다

tal·ly·man [tǽlimən] *n.* (*pl.* **-men** [-mən, -mèn]) **1** (영) 할부 판매인 **2** 수를 세는 사람, (하역 등의) 계수 담당, 검수계 **3** (속어) 내연의 남편

tálly shèet 점수[계수] 기입 용지; (미) (선거의) 투표수 기록 용지

tal·ly·shop [-ʃɑ̀p | -ʃɔ̀p] *n.* (영) 할부 판매점

tálly sỳstem[**tràde**] (영) 할부 판매법

tál·mi gòld [tǽlmi-] 금을 엷게 입힌 놋쇠 《장식품 등에 사용》

Tal·mud [tɑ́:lmud, -məd, tǽl- | tǽlmud] *n.* [the ~] 탈무드 《유대교의 율법과 그 해설》

Tal·mu·dic, -i·cal [tɑ:lmjú:dik(əl), -múd-, -mʌ́d-, tæl- | tælmúd-] *a.* 탈무드의[와 같은]

Tal·mud·ist [tɑ́:lmudist, -məd-, tǽl-|tǽl-mud-] *n.* 탈무드 편집자[연구가, 신봉자]

Tálmud Tórah [-tɔ́:rə] [Heb.] (유대교의) 교구(敎區) 부속학교

tal·on [tǽlən] *n.* **1** (특히 사나운 금수의) 발톱, 갈고리 발톱(⇨ nail 유의어); [보통 *pl.*] (사람의) 움켜쥐려는 손[손가락]; 마수(魔手) **2** (자물쇠 볼트의) 돌출부 《열쇠가 걸리는 부분》; 〖건축〗 S자형 쇠시리; 칼코등이 밑 **3** 〖카드〗 도르고 남은 패 **4** 〖상업〗 (채권의) 이자 교환권(coupon) **tál·oned** *a.*

Ta·los [téilɑs|-lɔs] *n.* **1** 〖그리스신화〗 탈로스 《(1) Daedalus의 조카; 발명의 재능을 시기한 Daedalus에게 살해됨 (2) Crete 섬을 지키게 하기 위하여 Hephaestus가 만든 청동 인간》 **2** 〖미군〗 탈로스 《지대공 유도 미사일》

tal. qual. *talis qualis* 《L = such as it is》

ta·luk [tɑ́:luk, ⌐⌐] *n.* (인도의) 세습지, 유산; 징세(徵稅) 지구

ta·lus[1] [téiləs] *n.* (*pl.* **-li** [-lai]) 〖해부〗 거골(距骨), 복사뼈

ta·lus[2] [téiləs, tǽləs] *n.* (*pl.* **~·es**) **1** 〖축성〗 (성벽의) 사면(斜面) **2** 〖지질〗 애추(崖錐) 《낭떠러지 아래로 부스러져 떨어진 돌더미의 사면》 **3** 〖건축〗 물매

tam [tǽm] *n.* = TAM-O'-SHANTER

TAM television audience measurement TV 시청자수 (측정) **Tam.** Tamil

tam·a·ble [téiməbl] *a.* 길들일 수 있는

ta·ma·le [təmɑ́:li] *n.* Ⓤ 타말레 《옥수수 가루·다진 고기·고추로 만드는 멕시코 요리의 일종》

ta·man·du·a [təmǽnduə, təmæ̀nduɑ́:|tæ̀mən-dúə] *n.* 〖동물〗 작은개미핥기 《열대 아메리카산》

tam·a·rack [tǽmərӕk] *n.* 〖식물〗 아메리카 낙엽송; Ⓤ 그 재목

ta·ma·rau [tɑ̀:mərɑ́u, tæ̀mə-|tæ̀mə-] *n.* (*pl.* **~s**) 〖동물〗 타마라우, 민도로물소 《필리핀 제도 중의 Mindoro 섬산(産)의 작은 물소》

tam·a·rin [tǽmərin, -rӕn|-rin] *n.* 〖동물〗 타마린 《남미산(産), 비단털원숭잇과(科)》

tam·a·rind [tǽmərind] *n.* 〖식물〗 타마린드 《콩과(科)의 상록 교목》; 그 열매 《청량음료·약용·조미용》

tam·a·risk [tǽmərisk] *n.* 〖식물〗 위성류(渭城柳), 능수버들

ta·ma·ru·go [tɑ̀:mɑ:rú:gou] *n.* (*pl.* **~s**) 〖식물〗 타마루고 《칠레의 사막에서 자라는 콩과(科)의 관목》

ta·ma·sha [təmɑ́:ʃə] *n.* (말레이 제도에서의) 구경거리, 흥행; 행사, 식전

tam·ba·la [tɑ:mbɑ́:lə] *n.* (*pl.* **~, ~s**) 탐발라 《아프리카 말라위의 화폐 단위; = 1/1000 kwacha》

tam·bour [tǽmbuər, ⌐⌐|⌐⌐] *n.* **1** (특히 소리가 낮은) 북(drum) **2** 북치는 사람, 고수 **3** (둥근) 자수틀; (그것으로 만든) 자수 **4** (캐비닛 등의) 쇠사슬 문 **5** 〖건축〗 (원기둥의) 호박 주춧돌
— *vt., vi.* (자수틀로) 수놓다, 장식하다 **~·er** *n.*

tàmbour clòck 둥근 탁상시계 《받침대가 좌우로 뻗은》

tam·bou·rin [tǽmburin, -bərin] *n.* **1** 탕부랭 《Provence 지방의 가늘고 긴 북》 **2** 탕부랭 무용[무곡]

tam·bou·rine [tæ̀mbərí:n] *n.* 〖음악〗 탬버린 《둥근 테에 방울을 단 북》

tam·bu·rit·za [tæmbúəritsə, tæ̀mbərítsə] *n.* 〖음악〗 탐부리차 《유고슬라비아의 기타 모양의 현악기》

Tam·bur·laine [tǽmbərlèin] *n.* = TAMERLANE

‡**tame** [téim] *a.* **1** 〈짐승 등이〉 **길든**, 길러서 길들인 (opp. *wild*); (사람을) 두려워하지 않는: Dogs are ~ animals. 개는 길들여진 동물이다. **2** 순종하는, 유순한, 온순한; 무기력한, 비굴한 〈복종〉 **3** (구어) 시시한, 생기 없는, 맥빠진, 따분한, 단조로운 〈서술〉, 야취(野趣) 없는 〈경치〉: a very ~ party 매우 지루한 파티 **4** 별것 아닌, 실력 없는 **5** 〈천연자원·동력원 따위가〉 관리된, 제어된 **6** (미) 재배된; 경작된 (**as**) **~ as a cat** 아주 얌전한
— *vt.* **1** 길들이다

> 유의어 **tame** 야생의 거친 동물을 훈련시켜 인간과 함께 살 수 있도록 하다: *tame* a wild animal 야생 동물을 길들이다 **domesticate** 동물을 기르고 길들여서 인간과 함께 살며 인간의 도움이 되도록 하다: Cats were *domesticated* by the Egyptians. 고양이는 이집트인에 의해 길들여졌다.

2 복종시키다, 굴복시키다; 〈용기·열정 등을〉 억누르다, 꺾다; 나약하게 하다: ~ a person's spirit …의 용기를 꺾다 **3** 〈색채 등을〉 부드럽게 하다, 엷게 하다 《*down*》; 재미없게 하다 **4** 〈자연·자원 등을〉 이용할 수 있게 하다 **5** 〈토지를〉 경작하다; 〈식물을〉 재배하다
— *vi.* 길들다; 유순해지다
~·ly *ad.* **~·ness** *n.*

tame·a·ble [téiməbl] *a.* = TAMABLE

táme cát **1** 집고양이 **2** 인기 있는 호인

tame·less [téimlis] *a.* 길들지 않은; 길들이기 어려운; 야생의 **~·ly** *ad.*

tam·er [téimər] *n.* (야수 등을) 길들이는 사람, 조련사

Tam·er·lane [tǽmərlèin] *n.* 타메를란 《TIMOUR의 별칭; 쌍각(雙脚)[절름발이]의 티무르라는 뜻》

Ta·mi·flu [tɑ́:miflù:] *n.* 타미플루 《조류 인플루엔자 치료제》

Tam·il [tǽmil, tʌ́m-, tɑ́:m-|tǽm-] *n.* (*pl.* **~, ~s**) **1** 타밀 사람 《남부 인도·스리랑카에 사는 인종》 **2** Ⓤ 타밀 말 **3** 타밀 문자 — *a.* 타밀 사람[말]의

Támil Tígers [the ~] 타밀 타이거즈 《스리랑카 북부·동부 주를 통합한 타밀 국가의 건설을 목표로 하는 과격파 조직》

tam·is [tǽmi, -is] *n.* (*pl.* **~·es** [-iz, -əsiz]) 거르는 천, 여과포[주머니]

Tamm [tɑ́:m, tǽm] *n.* 탐 **Igor Evgenievich ~** (1896-1971) 《구소련의 물리학자; 노벨 물리학상》

Tam·ma·ny [tǽməni] *n.* 태머니파(派) 《New York 시의 Tammany Hall을 본거지로 하는 민주당의 단체; 종종 New York 시정(市政)상의 부패·보스 정치의 비유로 쓰임》 — *n.* = TAMMANY HALL

Támmany Háll [the ~] 태머니홀 《태머니파의 본거지가 된 New York 시 Manhattan의 회관》

Támmany Society [the ~] 태머니 협회 《1789년 New York 시에 설립된 자선 공제 조합; 후에 중산 계급의 이익을 대표하는 민주당 중추 기구가 됨》

tam·my [tǽmi] *n.* (영) **1** = TAM-O'-SHANTER **2** (구어) 스코틀랜드 사람

Tam·my [tǽmi] *n.* 여자 이름

tam-o'-shan·ter [tǽməʃæ̀ntər, ⌐⌐⌐|⌐⌐⌐] [R. Burns가 지은 시의 주인공 이름에서; 그가 항상 쓰고 있던 모자에서] *n.* (스코틀랜드 농민의) 큼직한 베레모

tam-o'-shanter

ta·mox·i·fen [təmɑ́ksəfən|-mɔ́k-] *n.* 〖약학〗 타목시펜 《항(抗)종양약; 유방암 치료제》

tamp [tǽmp] *vt.* **1** 〈흙·담배 등을〉 쟁이다; 〈길 등을〉 다져서 굳히다 《*down*》: (~+목+전+명) ~ tobacco *into* a pipe 파이프에 담배를 쟁이다 **2** 〖광산〗 〈발파공을〉 (진흙 등으로) 틀어막다 《*with*》

tam·pax [tǽmpæks] *n.* (*pl.* **~**) CU 탬팩스 《여성 생리용 탐폰; 상표명》

tam·per[1] [tǽmpər] *vi.* **1** 쓸데없는 참견을 하다, 간섭하다 《*with*》 **2** 손대다; (원문의 글귀 등을) 함부로 변경하다 《*with*》: (~+전+명) ~ *with* official records 공식 기록을 변조하다 **3** 뇌물을 주다, 매수하

thesaurus **tame** *a.* **1** 길든 domesticated, not wild, gentle **2** 유순한 subdued, submissive, docile, compliant, meek, obedient, manageable

다; 부정 수단을 쓰다 《*with*》: (~+전+명) ~ *with* a jury 배심원을 매수하다 **4** (독극물 테러 등의 목적으로) 식품[약품] 등의 포장을 만지작거리다

tamper² *n.* **1** tamp하는 사람 **2** 메워 넣는 막대, 달구대; 콘크리트 다지는 기계

tam·per-ev·i·dent [tǽmpərévidənt] *a.* 손댄 흔적이 분명한, 개봉한 흔적이 보이는

tam·per-in·dic·a·tive [-indíkətiv] *a.* =TAMPER-EVIDENT

tam·per·proof [tǽmpərprùːf] *a.* 변조를 방지할 수 있게 되어 있는, 〈계기(計器) 등이〉 부정 조작할 수 없는

tam·per-re·sis·tant [-rizìstənt] *a.* 〈포장 등이〉 손을 타기 어렵게 되어 있는

tam·per-sen·si·tive [-sénsətiv] *a.* 손을 타기 쉽게 되어 있는; 독극물 혼입 등이 쉬운

tamp·ing [tǽmpiŋ] *n.* Ⓤ **1** 틀어막음, 충전 **2** 충전(充塡) 재료

tam·pi·on [tǽmpiən] *n.* **1** (총구(銃口)·포구(砲口) 등의) 나무 마개 **2** (오르간 음관의) 상단 마개

tam·pon [tǽmpɑn | -pɔn] *n.* **1** 〖외과〗 탐폰, 지혈(止血)용 솜뭉치 **2** (급히 이어지는 음을 연주하기 위한) 양끝에 머리가 있는 북채 **—***vt.* 탐폰으로 틀어막다

tam·pon·ade [tæ̀mpənéid] *n.* Ⓤ 〖의학〗 탐폰 삽입(법)

tam-tam [tʌ́mtʌ̀m, tǽmtæ̀m] *n.* **1** 징(gong) **2** =TOM-TOM

‡tan [tǽn] *v.* (**~ned**; **~·ning**) *vt.* **1** 〈가죽을〉 무두질하다: *~ned* leather 무두질한 가죽 **2** 햇볕에 태우다: ~ the skin 피부를 그을리다 **3** (구어) 때리다 **4** 〈콜라겐 등의 단백질을〉 표피로 바꾸다 **5** 〈그물 등에〉 타닌을 먹이다 ~ a person**'s *hide*** (미·구어) …을 후려갈기다

—*vi.* 햇볕에 타다: ~ easily 햇볕에 쉽게 타다

—*n.* Ⓤ **1** 햇볕에 그을음 **2** 황갈색 **3** 탠 껍질 《오크(oak)의 껍질 등; 가죽 무두질용》 **4** 탠 껍질의 찌끼 《도로·마당 등에 깖》 **5** [*pl.*] 황갈색 구두 **6** [the ~] (속어) 곡마단 ***kiss the ~*** (속어) 말에서 떨어지다

—*a.* (**~·ner**; **~·nest**) 황갈색의 ▷ tánnage *n.*

tan, tan. 〖수학〗 tangent

Ta·nach [tɑːnɑ́ːx] *n.* 유대교 성경 《Law, Prophets, Hagiographa로 구성》

tan·a·ger [tǽnədʒər] *n.* 〖조류〗 (중·남미산의) 풍금조

Ta·na·na·rive [tənæ̀nəríːv, ⌐⌐⌐] *n.* 타나나리브 《Antananarivo의 별칭》

tan·bark [tǽnbɑ̀ːrk] *n.* Ⓤ 탠 껍질 《가죽 무두질용》

T. & A.V.R. Territorial and Army Volunteer Reserve (영) 국방 의용 예비군 **T & E, T and E, t and e** tired and emotional (영·속어) 취한; travel and entertainment

tan·dem [tǽndəm] *ad.* **1** 〈두 마리의 말이〉 앞뒤로 나란히 서서; 〈자전거의 좌석이〉 둘 이상 앞뒤로 나란히: drive[ride] ~ 〈두 마리의 말을〉 앞뒤로 매어 몰다 **2** 〖전기〗 직렬로 **—***a.* **1** 앞뒤로 좌석이 나란히 있는 **2** 〈두 사람 이상이〉 협동하고 있는; 연계한

—*n.* **1** 앞뒤로 연결한 두 필의 말; 그 마차 **2** =TANDEM BICYCLE **3** 텐덤 트레일러 《두 대의 트레일러를 연결한 트랙터》(=∠ **tràilor**; double trailor truck) **4** 직렬식 기관 **5** (두 사람 이상의) 협력 관계, 협동 ***in ~*** (1) 앞뒤로 일렬이 되어 (2) (…와) 제휴하여 《*with*》

tandem bicycle

tándem accélerator 탠덤형 가속 장치

tándem bícycle (좌석과 페달이 세로로 나란한) 2인승 자전거

tangible *a.* **1** 만져서 알 수 있는 touchable, palpable, tactile, visible **2** 명백한 definite, clear, distinct **3** 실재하는 real, actual, solid, substantial

tan·door [tɑːndúər] *n.* (*pl.* **-door·i** [-dúəri]) 탄두르 《숯불을 밑바닥에 놓는 원통형의 인도 토제(土製) 화덕》

tan·door·i [tɑːndúəri] *a.* 탄두르로 조리한

tang¹ [tǽŋ] *n.* **1** (마늘 등의) 강한 맛, 짜릿한 맛 **2** 특성, 특질 **3** (해초 등의) 톡 쏘는 냄새 **4** (…의) 기미, 풍미 《*of*》 **5** 슴베 《호미·칼 등이 자루 속에 박힌 부분》

—*vt.* **1** 슴베를 박다 **2** 짜릿하게 하다

tang² *n.* **1** (금속의) 꽝 하고 울리는 소리 **2** (팽팽한 줄이) 핑 하고 내는 소리

—*vt.*, *vi.* 꽝[핑] 하고 울리게 하다[울리다]

Tang, T'ang [tɑ́ːŋ | tǽŋ] *n.* 〖역사〗 당(唐)나라, 당조(唐朝)(618-907)

tan·ga [tǽŋgə] *n.* 짧은 끈 모양의 비키니

Tan·gan·yi·ka [tæ̀ŋgənjíːkə, -gəníː-, tæ̀ŋ- | tæ̀ŋ-] *n.* 탕가니카 《아프리카 중동부의 공화국이었으나 1964년 Zanzibar와 합병, Tanzania가 되었음; cf. TANZANIA》

tan·ge·lo [tǽndʒəlòu] *n.* (*pl.* **~s**) 〖식물〗 탄젤로 《귤과 그레이프프루트의 교배종》

tan·gen·cy [tǽndʒənsi] *n.* Ⓤ 접촉

tan·gent [tǽndʒənt] [L 「닿는」의 뜻에서] *a.* **1** (한 점에서) 접하는 《*to*》 **2** 〖수학〗 정접(正接)하는, 접선의 《*to*》 **3** 본래의 목적에서 벗어난

—*n.* **1** 〖수학〗 =TANGENT LINE; 탄젠트, 정접 《略 tan》 **2** (도로·선로의) 직선 구간

fly*[*go*] *off at*[*in, upon*] *a ~ (행동·생각 등이) 갑자기 옆으로 빗나가다

tángent bàlance 탄젠트 저울

tángent galvanómeter 〖전기〗 탄젠트 검류계

tan·gen·tial [tændʒénʃəl] *a.* **1** 〖수학〗 접선[정접]의, 접선에 따라 작용하는 〈힘·운동 등〉; 접하는: ~ coordinates 접선 좌표 **2** 거의 관계가 없는 **3** 〈이야기 등이〉 벗어나는, 옆길로 새는 **4** 〈사람이〉 빗나가는, 탈선하는 **~·ly** *ad.*

tángent lìne 〖수학〗 접선(接線)(tangent)

tángent sìght 소화기(小火器)의 탄젠트 눈금자, 표척(表尺)

tan·ge·rine [tæ̀ndʒəríːn, ⌐⌐⌐] [원산지인 아프리카 북서부의 Tangier에서] *a.* **1** [**T~**] (모로코의) Tangier의 **2** 탕헤르 오렌지색의

—*n.* **1** [**T~**] Tangier 사람 **2** 〖식물〗 탕헤르 오렌지(나무) **3** 진한 등색(橙色)

tan·gi [tǽŋi] *n.* (뉴질) (마오리 족의) 장례(葬禮), 애도가(歌)

tan·gi·bil·i·ty [tæ̀ndʒəbíləti] *n.* Ⓤ **1** 만져서 알 수 있음 **2** 명백, 확실

***tan·gi·ble** [tǽndʒəbl] [L 「닿는」의 뜻에서] *a.* **1** 만져서 알 수 있는, 실체적인; 유형의(corporeal): ~ evidence 물증 / ~ assets 유형(有形) 재산 **2** 〈사실·근거 등이〉 명백한, 확실한: There are no ~ grounds for suspicion. 의심할 만한 확실한 근거는 하나도 없다. **3** 실재하는, 현실의

—*n.* **1** 실체적인 것 **2** [*pl.*] 유형 자산

~·ness *n.* **~bly** *ad.*

Tan·gier [tændʒíər] *n.* 탕헤르 《아프리카 북서부 끝에 있는 모로코의 항구 도시》

***tan·gle¹** [tǽŋgl] *vt.* **1** 얽히게 하다, 엉키게 하다: (~+목+전+명) The hedge is *~d with* morning glories. 그 울타리에는 나팔꽃이 휘감겨 있다. / Her legs got *~d*. 그녀의 다리가 엉켰다. **2** 분규를 일으키다, 혼란시키다(complicate) **3** 올가미에 걸리게 하다(entrap); 빠뜨리다, 말려들게 하다: ~ oneself in one's own share 자업자득이다

—*vi.* **1** 엉키다, 얽히다; 분규가 일어나다, 혼란해지다 **2** (구어) 싸우다, 말다툼하다 《*with*》 ***~ assholes*** (미·속어) 서로 충돌하다, 싸우다

—*n.* **1** (머리카락 등의) 얽힘, 엉킴 **2** 혼란, 분규 **3** (구어) 싸움, 말다툼 ***in a ~*** 뒤얽혀, 혼란하여

~·ment *n.* ▷ tángly *a.*; entángle *v.*

tangle² *n.* 다시마류(類)

tan·gled [tǽŋgld] *a.* **1** 얽힌, 헝클어진 **2** 분규의, 혼란을 일으킨

tan·gle·foot [tǽŋglfùt] *n.* (*pl.* **~s**) **1** Ⓤ 《미·속어》 독한 술, 《특히》 싸구려 위스키 **2** 〖식물〗 국화과(科)의 잡초의 일종(= **héath àster**)

tan·gly [tǽŋgli] *a.* (**-gli·er**; **-gli·est**) 뒤얽힌, 헝클어진; 혼란된

tan·go [tǽŋgou] *n.* (*pl.* **~s**) 탱고; 그 무곡(舞曲) **—** *vi.* 탱고를 추다 ***It takes two to ~.*** 《미·속어》 (싸움·연애 등에 대해) 혼자할 수 있는 것이 아니다; (정치에서) 서로 양보하지 않으면 아무것도 할 수 없다

tan·gram [tǽŋgrəm, -græm] *n.* 지혜 놀이판 《세모꼴·네모꼴 등 7장의 판으로 된 중국 장난감》

Tan·guy [tɑːŋgíː] *n.* 탕기 **Yves ~** (1900-55) 《프랑스의 초현실주의 화가》

tang·y [tǽŋi] *a.* (**tang·i·er**; **-i·est**) 〈맛이〉 짜릿한, 〈냄새가〉 톡 쏘는

tan·ist [tǽnist, θɔ́ːn-] *n.* (고대 아일랜드인 및 켈트인의) 족장 후계자 **tán·ist·ry** *n.*

‡**tank** [tǽŋk] *n.* **1** (물·기름·가스 등의) **탱크**, 물통, 유조: ~*s* for storing oil 석유 저장 탱크 **2** 《인도》 저수지; 《미·영·방언》 못, 호수 **3** 〖군사〗 **전차**, 탱크: a male[female] ~ 중[경]전차 **4** 《미·속어》 감방; 위(胃); 소도시 **5** = TANK TOP ***go in the ~*** 《미·속어》 시합을 포기하다
— *vt.* 탱크에 저장하다; 탱크 속에서 처리하다
— *vi.* 《구어》 탱크처럼 움직이다
~ *up* (1) 《구어》 〈기름을〉 탱크에 가득 채우다 (2) 《속어》 진탕 마시다[먹다] 《*on*》; 《특히》 술을 진탕 마시다

tank·age [tǽŋkidʒ] *n.* Ⓤ **1** 탱크 사용료 **2** 탱크 설비; 탱크 저장(량) **3** 탱크 찌끼 《지스러기 고기·내장 등을 탱크에 넣어 지방을 채취하고 남은 찌끼; 비료용》

tan·kard [tǽŋkərd] *n.* (손잡이가 달린) 큰 잔; 그 한 잔의 양[음료]

tankards

tank·a·to·ri·um [tæ̀ŋkətɔ́ːriəm] *n.* 탱크 요법 진료소 《따뜻한 소금물을 반쯤 채운 탱크 속에 환자를 넣고 치료하는 정신과 시설》

tank·bust·er [tǽŋkbʌ̀stər] *n.* 《속어》 대(對)전차포 탑재기(機)

tánk càr 〖철도〗 수[유]조차(水[油]槽車)

tánk destròyer 전차 공격차

tánk dràma 수난(水難) 구조 장면에 탱크 물을 써서 인기를 끌려는 신파극

tanked [tǽŋkt] *a.* Ⓟ [보통 ~ up으로] 《속어》 만취한 ***get ~ up*** 《속어》 만취하다

tánk èngine 〖철도〗 = TANK LOCOMOTIVE

tank·er [tǽŋkər] *n.* **1** 탱커, 유조선(tankship); 유조차, 탱크 트레일러 **2** 급유(비행)기 **3** 〖미군〗 전차[장갑차] 대원

tánker wàr 탱커 전쟁 《이란·이라크 전쟁에서 상대방의 원유 수출 저지를 노린 양국의 탱커 공격; 이란·이라크 전쟁 자체를 가리키기도 함》

tánk fàrm 석유 탱크 집합 지역

tánk fàrming 수경법(水耕法)(hydroponics)

tánk fight 《미·속어》 승부를 미리 짜고 하는 권투 시합

tank·ful [tǽŋkful] *n.* (*pl.* **~s**) 탱크 한 대분

Tan·kie, Tank·y [tǽŋki] *n.* 《영·속어》 (구소련의 정책을 무조건 지지하는) 강경파 공산주의자

tan·ki·ni [tæŋkíːni] *n.* 탱크톱으로 된 비키니

tánk locomòtive 〖철도〗 (연료와 물을 적재한) 탱크 기관차

tank·man [tǽŋkmən] *n.* (*pl.* **-men** [-mən, -mèn]) **1** (공장[수족관]의) 탱크 담당자 **2** 〖미군〗 = TANKER 3

tank·ship [tǽŋkʃìp] *n.* = TANKER 1

tánk stàtion 《미》 급수역(給水驛)

tánk sùit (어깨끈이 달린) 원피스형 수영복

tánk tòp (소매 없는 러닝셔츠식의) 여자용 윗옷

tank top

tánk tòwn 《미》 **1** 급수역 **2** 작은 도시

tánk tràiler 탱크 트레일러 《석유·가스 수송용》

tánk tràp 대전차 장애물 《전차호 등》

tánk trèad 《미》 (중장비의 바퀴에 장착하는) 금속 벨트(《영》 Caterpillar track)

tánk trùck 유조[수조] 트럭

tan·na·ble [tǽnəbl] *a.* 무두질할 수 있는

tan·nage [tǽnidʒ] *n.* Ⓤ 무두질 (tanning)

tan·nate [tǽneit] *n.* 〖화학〗 타닌산염(鹽)

tanned [tǽnd] *a.* **1** 무두질한 **2** 햇볕에 탄

Tan·nen·baum [tǽnənbàum] [G] *n.* 크리스마스 트리 《전나무》

tan·ner[1] [tǽnər] *n.* 가죽을 무두질하는 사람

tanner[2] *n.* 《영·속어》 6펜스 《구제도하에서의 은화》

tanner[3] *a.* TAN의 비교급

tan·ner·y [tǽnəri] *n.* (*pl.* **-ner·ies**) **1** 무두질 공장 **2** Ⓤ 무두질(법)

Tann·häu·ser [tǽnhɔ̀izər, -hàu-] *n.* **1** 탄호이저 《13세기 독일의 서정 시인》 **2** 탄호이저 《Tannhäuser를 주제로 한 Wagner의 가극》

tan·nic [tǽnik] *a.* 〖화학〗 타닌성(性)의; 타닌에서 얻은

tánnic ácid 〖화학〗 타닌산(酸)

tan·nie [tʌ́ni] *n.* 《남아공·구어》 **1** 아주머니 《손위 여성을 친근하게 부르는 호칭》 **2** 《때로 경멸》 구태의연한[구식의] 여자

tan·nif·er·ous [tæníf*ə*rəs] *a.* 타닌산을 함유한[배출하는]

tan·nin [tǽnin] *n.* Ⓤ 〖화학〗 타닌산(tannic acid)

tan·ning [tǽniŋ] *n.* Ⓤ **1** 제혁법(製革法), 무두질(하는 법) **2** 햇볕에 탐 **3** ⓊⒸ 《구어》 매질

tánning bèd 일광욕용 베드

tan·nish [tǽniʃ] *a.* 황갈색을 띤

Tan·noy [tǽnɔi] *n.* 태노이 《스피커 장치; 상표명》; [**t~**] 《영》 (극장 등의) 확성기 시스템

Ta·no·an [tɑ́ːnouən] *n.* 타노 어족(語族) 《미국 New Mexico 주 중부에 사는 아메리칸 인디언의 한 어족》; 타노 어(語) **—** *a.* 타노 어족의; 타노 어의

tan·sy [tǽnzi] *n.* (*pl.* **-sies**) 〖식물〗 쑥국화; Ⓤ 그 잎 《약용·조리용》

tánsy rágwort 〖식물〗 유럽산(産) 국화과(科)의 다년초 《yellowweed라고도 함》

tan·ta·late [tǽntəlèit] *n.* 〖화학〗 탄탈산염

tan·tal·ic [tæntǽlik] *a.* 〖화학〗 탄탈의

tan·ta·li·za·tion [tæ̀ntəlizéiʃən | -lai-] *n.* Ⓤ 감질나게 함

tan·ta·lize [tǽntəlàiz] [Tantalus에서] *vt.* (보여서) 감질나게[애타게] 하다

tan·ta·liz·ing [tǽntəlàiziŋ] *a.* 애타게 하는, 감질나게 하는: a ~ taste of success 성공할 듯하면서 좀처럼 잘 안 되는 초조한 기분 **~·ly** *ad.*

tan·ta·lum [tǽntələm] *n.* Ⓤ 〖화학〗 탄탈 《희유 원소; 백금 대용품; 기호 Ta, 번호 73》

Tan·ta·lus [tǽntələs] *n.* **1** 〖그리스신화〗 탄탈루스 《Zeus의 아들; 신들의 비밀을 누설한 벌로 지옥의 물에 턱까지 잠겨 목이 말라 물을 마시려 하면 물이 빠졌다 함》 **2** [**t~**] 《영》 술병 진열대 《열쇠 없이는 병을 꺼낼 수 없음》

tan·ta·mount [tǽntəmàunt] *a.* Ⓟ 〈가치·힘·효과·의의 등이〉 동등한, 같은 《*to*》

tan·ta·ra [tǽntərə, tæntǽrə, -tɑ́ːrə] *n.* 나팔[뿔나팔] 등의 소리, 트럼펫[호른]의 취주

thesaurus **tangled** *a.* **1** 얽힌 twisted, knotty, matted, messy, entangled **2** 혼란을 일으킨 con-

tan·tiv·y [tæntívi] *n.* (*pl.* **-tiv·ies**) 질주, 돌진; (사냥에서) '질주하라'는 소리
— *a., ad.* 질주하는[하여]: ride ~ 질주하다

tan·to [tá:ntou | tǽn-] [It.] *ad.* 〚음악〛 지나치게, 너무, 그렇게: allegro non ~ 너무 빠르지 않게

tan·to·ny [tǽntəni] *n.* (한배 중) 가장 작은 돼지 새끼(=∠ pìg)

tan·tra [tʌ́ntrə, tǽn-] *n.* [종종 **T~**] 탄트라 《힌두교·불교의 경전》 **tán·tric** *a.*

tan·trum [tǽntrəm] *n.* [종종 *pl.*] 《구어》 언짢은 기분, 짜증, 화 ***be in*** one***'s ~s*** 기분이 나쁘다 ***go*** [***fly, get***] ***into*** one***'s ~s*** 불끈 화를 내다

tan·yard [tǽnjɑ̀:rd] *n.* 무두질 공장

Tan·za·ni·a [tæ̀nzəní:ə] *n.* 탄자니아 《아프리카 중동부의 공화국; 수도 Dodoma》

Tan·za·ni·an [tæ̀nzəní:ən] *a.* 탄자니아의
— *n.* 탄자니아 사람

tan·za·nite [tǽnzənàit] *n.* 〚광물〛 탄자나이트 《탄자니아 북부에서 채굴되는 zoisite의 변종으로서 짙은 감색》

Tao [táu, dáu] *n.* [때로 **t~**] **1** (도교의) 도(道) **2** (유교의) 도(道)

taoi·seach [tí:ʃəx] *n.* (아일랜드 공화국의) 수상

Tao·ism [táuizm, dáu-] [Chin. 「도(道)」의 뜻에서] *n.* Ⓤ 도교(道敎) 《노자(Lao-tzu)의 가르침》, 노장(老莊) 철학

Tao·ist [táuist, dáu-] *n.* 도교 신자, 노장 철학 신봉자 — *a.* 도교의; 도교 신자의 **Tao·ís·tic** *a.*

Taos [táus] *n.* 타오스 족(族) 《미국 뉴멕시코 주의 푸에블로 인디언의 한 부족》

‡**tap**[1] [tǽp] *v.* (**~ped**; **~·ping**) *vt.* **1 가볍게 두드리다**(⇨ PAT[1] 유의어): (~+목+전+명) ~ a person *on* the shoulder …의 어깨를 툭툭 치다 **2** 두드려서 만들다, 두드려서 …하다: ~ time 톡톡 치며 박자를 맞추다 // (~+목+부) ~ *out* a novel on a typewriter 타이프라이터로 소설을 쓰다 // (~+목+전+명) ~ ashes *out of* a pipe 파이프의 재를 털다 / ~ a nail *into* a wall 벽에 못을 두드려 박다 **3** 《미》 〈구두에〉 창을 덧대다 **4** 《미》 회원으로서 선출하다 《*to, for*》 ~ ***up*** 문을 두드려 깨우다
— *vi.* **1** 가볍게 때리다[두드리다], 톡톡 치다; 타진하다: (~+전+명) ~ *on*[*at*] the door 문을 톡톡 두드리다 **2** 또박또박 걷다 《*away, off*》 **3** 탭 댄스를 추다
— *n.* **1 가볍게 두드림 2** 톡톡 치는 소리 **3** (탭 댄스용 구두의) 징 **4** 탭 댄스 **5** 《미》 (구두 바닥의) 창갈이 가죽 **6** 〚미군〛 소등(消燈) 신호 《나팔·북 등》

‡**tap**[2] [tǽp] *n.* **1** 《영》 (수도 등의) **꼭지**, 콕(《미》 faucet); (통의) 마개: turn the ~ on[off] 꼭지를 틀어서 따르다[잠그다] **2** (꼭지에서 따른) 술 **3** 《고어》 (술의) 품질, 맛; 《일반적으로》 특질: an excellent ~ 좋은 술 **4** 《영》 술집(taproom) **5** 암나사를 깎는 틀 **6** 〚의학〛 천자(穿刺) **7** (지관을 끼워 넣기 위한) 파이프 구멍 **8** 〚전기〛 도선(導線)의 분기(分岐), 탭; 전신[전화]이 통하는 장소 **9** 도청 (장치)
on ~ (1) 〈술통 등이〉 꼭지가 붙어서 (2) 〈술이〉 언제든지 나오도록 준비되어 (3) 《영》 〈국고 채권을〉 언제든지 살 수 있는 ***turn on the*** ~ 《구어》 울기 시작하다
— *vt.* (**~ped**; **~·ping**) **1** 구멍을 뚫어 …의 즙[액]을 받다; (줄기에 금을 그어) …의 수액을 받다 **2** 〈통에〉 따르는 꼭지를 달다; 〈통의〉 물구멍을 뚫다; 꼭지에서 술을 따르다 **3** 〈지식의 원천 등을〉 열다; 〈토지·광산 등을〉 개발하다; 〈한 지방에〉 판로를 열다: ~ one's resources 가지고 있는 것을 이용하다 **4** 〈새 학설을〉 제창하다; 〈이야기 등을〉 시작하다 **5** 도청하다: ~ a telephone 전화를 도청하다 **6** 〚기계〛 암나사 홈을 파다 **7** 〈본관에서〉 수도[가스]를 끌다; 〈전류를〉 연결하다 **8** 《구어》 〈남에게 물건을〉 청하다, 졸라대다(solicit): (~+목+전+명) ~ a person *for* a tip …에게 팁을 요구하다 ~ ***into*** 《구어》 …에게 접근하다, 친해지다; …을 활용하다 ~ ***off*** 〈액체나 녹은 금속 등을〉 (통·용광로 등에서) 꺼내다 《*from*》 ~ ***out*** 《미·속어》 (노름에서) 가진 돈을 몽땅 날리다 ~ ***the admiral*** 《항해속어》 통의 술을 훔치다
— *a.* 〈채권이〉 발행 기간[총액]에 제한이 없는

ta·pa [tá:pə, tǽpə] *n.* Ⓤ 타파천(=∠ clòth) 《남태평양 제도에서 꾸지나무 껍질로 만든 종이 같은 천》

ta·pas[1] [tǽpəs, -pæs] [Sp.] *n. pl.* 타파스 《음료를 곁들인 소량의 전채 요리》

ta·pas[2] [tʌ́pəs] [Skt.] *n.* 〚힌두교〛 고행(苦行) 《고도의 정신력을 얻기 위해 심신을 단련하는 것》

táp bèll 탭벨 《엘리베이터의 신호벨》

táp bòlt 탭볼트 《금속의 구멍에 비틀어 박는 볼트》

táp bònd 《미》 (유휴 자본의 흡수를 목적으로 발행하는) 국채

táp dànce 탭 댄스

tap-dance [tǽpdæ̀ns | -dɑ̀:ns] *vi.* 탭 댄스를 추다

táp dàncer 탭 댄서

táp dàncing = TAP DANCE

‡**tape** [téip] *n.* ⓊⒸ **1 납작한 끈** 《짐 꾸리는 데 쓰는》 **2** 종이 테이프; 금속 테이프 **3** (접착용) 테이프 **4** (전기 절연용) **테이프**(insulating tape) **5** (기계의) 피대(皮帶), 벨트 **6** = TAPE MEASURE **7** 〚경기〛 (결승선에 있는) 테이프: breast the ~ 테이프를 끊다, 1착이 되다 **8** 녹음[비디오]테이프; 테이프 녹음[녹화]: a ~ of a speech 강연 녹음테이프 **9** Ⓤ 천공 테이프 《컴퓨터용·전신 수신용》 **10** Ⓒ = TAPEWORM ***on*** ~ 테이프에 녹음되어 ***run the*** ~ ***over*** 《영·속어》 (의학적으로) …을 검사하다
— *vt.* **1** 납작한 끈으로 묶다; 〚제본〛 끈으로 엮다; 납작한 끈을 달다; (절연용) 테이프를 감다 **2** 줄자로 재다 **3** 《미》 …에 반창고를 붙이다 《*up*》(《영》 strap) **4** 테이프에 녹음[녹화]하다
— *vi.* 테이프에 녹음[녹화]하다 ***have*** [***get***] ***...*** ***~d*** 《영·구어》 …을 꿰뚫어보다, 완전히 이해[파악]하고 있다
— *a.* 테이프에 녹음한

tápe dèck 테이프 덱 《전력 증폭기와 스피커가 들어 있지 않은 테이프 리코더》; 테이프 플레이어

tape-de·lay [téipdilèi] *n.* 테이프 딜레이, 녹음 시차(時差); 라이브(live) 이중 녹음

tápe drìve 〚컴퓨터〛 테이프 드라이브 《자기(磁氣) 테이프로 데이터를 판독하거나 기록하는 프로그램 제어 장치》

tape·line [-làin] *n.* = TAPE MEASURE

tápe machìne = TICKER 2

tape·man [téipmən] *n.* 〚측량〛 테이프 담당원, 테이프를 치는[읽는] 사람

tápe mèasure 줄자(tapeline) 《천 또는 금속으로 만든》

tápe mèasure jòb 《미·속어》 〚야구〛 특대(特大) 홈런

tápe plàyer 테이프 재생 장치 《녹음테이프 재생용의 소형 전기 장치》

***ta·per**[1] [téipər] *vi.* **1 끝이 점점 가늘어지다,** 뾰족해지다 《*off, down, away*》 **2** 점점 적어[작아]지다, 차츰 줄다: (~+부) Foreign aids are *~ing off*. 외국 원조는 점점 줄고 있다.
— *vt.* **1** 점점 가늘게 하다, 뾰족하게 하다 《*off*》 **2** 점점 작아[적어]지게 하다 《*off*》 ~ ***off*** 《구어》 〈음주 습관 등을〉 차차 버리다
— *n.* **1** 작은 초, 가느다란 초 **2** 뾰족해짐 **3** 점점 감소함, 가늘어짐 **4** 《시어·문어》 약한 빛을 내는 것
— *a.* 《주로 시어·문어》 = TAPERING: a ~ finger 끝이 뾰족한 손가락

tap·er[2] [téipər] *n.* **1** 테이프 녹음[녹화, 편집]자 **2** 테이프를 거는 사람[기계]

tápe rèader 〚컴퓨터〛 테이프 판독기

tape-re·cord [téiprikɔ̀:rd] *vt.* 테이프에 녹음하다

‡**tápe recòrder** 테이프 리코더, 녹음기

tápe recòrding 테이프 녹음

---

fused, chaotic, complicated, jumbled, mixed-up
tape *v.* bind, tie, fasten, stick, secure, seal

tápe rèel 〖컴퓨터〗 테이프 릴《자기(磁氣) 테이프를 감아 둘 수 있는 기구와 그 테이프》

ta·per·ing [téipəriŋ] *a.* 끝이 뾰족해진[가늘어진]; 점점 적어지는, 체감의 **~·ly** *ad.*

tápering àuger 테이퍼링 나사 송곳

ta·per·stick [téipərstìk] *n.* 촛대

tape·script [téipskrìpt] *n.* 녹음 대본

tap·es·tried [tǽpəstrid] *a.* tapestry로 꾸민

*__tap·es·try__ [tǽpəstri] *n.* (*pl.* **-tries**) UC 태피스트리, 벽걸이 융단
— *vt.* (**-tried**) 태피스트리로 장식하다; 태피스트리에 짜 넣다; 태피스트리처럼 묘사하다

tápe trànsport 테이프 구동(驅動), 테이프 전송

ta·pe·tum [təpíːtəm] *n.* (*pl.* **-ta** [-tə]) **1** 〖식물〗 융단층, 아포(芽胞)[포자] 낭막 **2** 〖해부〗 벽판(壁板), 내면층, 피막(皮膜), 막층(膜層)

tápe ùnit 〖컴퓨터〗 테이프 장치

tape·worm [téipwə̀ːrm] *n.* 〖동물〗 촌충

taph·e·pho·bi·a [tæ̀fəfóubiə] *n.* 〖정신의학〗 생매장 공포증

tap·hole [tǽphòul] *n.* 〖야금〗 쇳물 빼는 구멍

ta·phon·o·my [təfɑ́nəmi | -fɔ́n-] *n.* 〖지질〗 화석 생성(론)

tap·house [tǽphàus] *n.* (*pl.* **-hous·es** [-hàuziz]) 《영》 생맥주집

tap-in [tǽpìn] *n.* 〖농구〗 탭인《공중 볼을 쳐서 바스켓에 집어넣는 골(goal)》

tap·i·o·ca [tæ̀pióukə] *n.* U 타피오카《cassava 뿌리로 만든 식용 전분》

ta·pir [téipər, təpíər | téipə, -piə] *n.* (*pl.* **~, ~s**) 〖동물〗 맥(貘)《말레이·중남미산(産)》

tapir

tap·is [tǽpiː, tǽpis, tæpíː | tǽpiː] [F] *n.* (*pl.* **~**) 태피스트리(의 식탁보) ***on the ~*** 심의 중

táp ìssue = TAP BOND

ta·pote·ment [təpóutmənt] *n.* U 〖의학〗 가볍게 두드리는 안마법

táp pànts 탭 팬츠《탭 댄스용 바지 비슷한 옛날의 여성용 헐거운 팬츠》

tap-pen·al·ty [tæ̀ppénəlti] *n.* 〖럭비〗 탭페널티《상대편이 반칙할 때 공을 발로 가볍게 건드리고 곧 잡는 프리킥 상황》

tap·per[1] [tǽpər] *n.* **1** 두드리는 사람; 구두 수선공 **2** 《영·방언》 딱따구리 **3** 《벨 등의》 타구(打具), 딸딸이; 《전신기의》 전건(電鍵), 키 **4** = TAP DANCER

tapper[2] *n.* tap[2]하는 사람[것]; 수액(樹液) 채취자[기]; 암나사 깎는 사람[기계]

tap·pet [tǽpit] *n.* 〖기계〗 태핏, 철자(凸子)

tap·ping [tǽpiŋ] *n.* U tap[1,2]하기; 〖외과〗 복수(腹水) 빼내기; 암나사 깎기; 《통신의》 도청

tap·pit-hen [tǽpithèn] *n.* 《스코》 **1** 볏이 있는 암탉 **2** 《뚜껑 한 가운데에 집게가 달린》 큰 컵

táp ràte 《영》 《국채 등의》 시세

tap·room [tǽprùːm] *n.* 《영》 술집(bar)

tap·root [-rùːt] *n.* 〖식물〗 직근(直根), 곧은뿌리, 주근(主根)

taps [tǽps] *n. pl.* [보통 단수·복수 취급] 〖미군〗 소등 나팔[북]; 《군대장·위령제의》 영결 나팔

TAPS [tǽps] Trans-Alaska Pipeline System 알래스카 횡단 석유 수송관망(網)

tap·sal-tee·rie [tǽpsəltíːri], **tap·sie-** [tǽpsi-] *ad., a., n., vt.* = TOPSY-TURVY

tap·ster [tǽpstər] *n.* 《술집의》 급사

tap-tap [tǽptǽp] *n.* 똑똑《두드리는 소리》

táp wàter 수도꼭지에서 받은 맹물

ta·que·ri·a [tæ̀kəríːə] [Sp.] *n.* 《미남서부》 《타코(taco) 전문의》 멕시코 식당

‡**tar**[1] [tɑ́ːr] *n.* U **1** 타르《석탄·목재를 건류하여 얻은 검은색의 기름 같은 액체》 **2** 《구어》 《도로 포장용》 콜타르 피치; 그것으로 포장된 도로 **3** 《연기 속의》 진: cigarette ~ 담뱃진 **4** 《구어》 아편 ***beat*** [***knock, whale***] ***the ~ out of*** 《구어》 …을 사정없이 때리다[두들기다] ***lose the sheep for a half pennyworth of ~*** 작은 경비를 아까워하다가 큰 일을 놓치다 ***lose*** [***spoil***] ***the ship for a ha'p'orth of ~*** ⇨ ship
— *vt.* (**~red**; **~·ring**) **1** 타르를 바르다 **2** 오명을 씌우다 ***be ~red with the same brush*** [***stick***] 다른 사람과 같은 결점을 지니고 있다 ***~ and feather*** a person …의 온몸에 타르를 바르고 그 위에 새 털을 씌우다《일종의 사형(私刑)》 ▷ tárry[1] *a.*

tar[2] [*tar*paulin] *n.* 《구어》 선원, 뱃사람

tar·a·did·dle [tæ̀rədídl | ⌐-⌐-] *n.* UC 《구어》 거짓말

ta·ra·ma·sa·la·ta, -mo- [tɑ̀ːrəmɑːsəlɑ́ːtə | tæ̀rəmə-] *n.* 〖요리〗 타라마살라타《어란(魚卵)으로 만든 그리스식 오르되브르》

ta·ran·tass, -tas [tɑ̀ːrəntɑ́ːs] [Russ.] *n.* 《러시아의》 대형 4륜 마차

tar·an·tel·la [tæ̀rəntélə], **-telle** [-tél] *n.* 《나폴리의》 타란텔라 춤; 그 곡

tar·ant·ism [tǽrəntìzm] *n.* U 〖병리〗 무도병(舞蹈病)《tarantula에 물리면 발병한다는 병》

ta·ran·tu·la [tərǽntʃulə | -tju-, -tʃu-] *n.* (*pl.* **~s, -lae** [-lìː]) 〖동물〗 타란툴라거미《이탈리아의 Taranto 지방산(産) 독거미》

tar·a·tan·ta·ra [tæ̀rətǽntərə] *n.* = TANTARA

ta·rax·a·cum [tərǽksəkəm] *n.* 〖식물〗 민들레 무리; U 〖약학〗 그 뿌리에서 만든 약제

tár bàby 《미·구어》 깊이 간여하다가 손을 뗄 수 없게 된 일; 진퇴양난의 수렁

tar·boosh [tɑːrbúːʃ] *n.* 터키 모자《이슬람교도의 차양 없고 술 달린 남자용 모자》

tar·brush [tɑ́ːrbrʌ̀ʃ] *n.* **1** 타르솔 **2** 《속어·경멸》 흑인의 혈통 ***have a touch*** [***lick, dash***] ***of the ~*** 《경멸》 《혈통에》 흑인의 피가 섞여 있다

tar·di·grade [tɑ́ːrdəgrèid] *a.* **1** 〈걸음·움직임이〉 느린, 굼뜬(slow) **2** 〖동물〗 완보류(緩步類)의
— *n.* 완보류의 동물

tar·dive [tɑ́ːrdiv] *a.* 만기(晩期)의, 늦게 발생하는, 지발성(遲發性)의

tárdive dyskinésia 〖병리〗 지발성(遲發性) 안면 마비

tar·do [tɑ́ːrdou] [It.] *a.* 〖음악〗 느린

*__tar·dy__ [tɑ́ːrdi] *a.* (**-di·er**; **-di·est**) **1** 더딘, 느린; 늦은, 뒤늦은: ~ reform[amendment] 뒤늦은 개심/be ~ at school 학교 공부가 뒤처지다 **2** 《미》 《모임에》 지각한(late) 《*at, for*》: be ~ *for* school 학교를 지각하다 **3** 내키지 않는, 마지못해 하는 《*in*》: a ~ response 마지못해 하는 대답 ***make a ~ appearance*** 늦게 나타나다
— *n.* 지각 **tár·di·ly** *ad.* **tár·di·ness** *n.*

tar·dy·on [tɑ́ːrdiɑ̀n | -ɔ̀n] *n.* 〖물리〗 타디온 입자(粒子)《광속보다 느린 소립자》

tare[1] [tέər] *n.* 〖식물〗 살갈퀴덩굴(vetch); [*pl.*] 〖성서〗 가라지, 독초; 해독

tare[2] *n.* U **1** 포장 재료[용기]의 중량 **2** 《짐·승객 등을 제외한》 차체(車體) 중량 **3** 〖화학〗 《무게를 달 때의》 용기의 중량 ***~ and tret*** 용기 중량 계산법
— *vt.* …의 용기의 무게를 달다[공제하다]

tare[3] *n.* TEAR[2]의 과거·과거분사

targe [tɑ́ːrdʒ] *n.* 《고어》 작은 원형 방패

‡**tar·get** [tɑ́ːrgit] *n.* **1** 과녁, 표적; 《공격》 목표: a ~ ship 표적함(艦)/hit the ~ 명중하다 **2** 《정치 운동·선전 활동 등의》 목표 《*for*》; 《비난·주목의》 대상, 《웃음》거리 《*for*》 **3** 《모금·생산 등의》 목표액 **4** 〖철도〗 전철기의 원형 신호기 **5** 〖측량〗 목표판(板) 《놋쇠의 원판》 **6** 《고대·중세의 보병이 갖는》 작은 방패 **7** 〖요리〗

thesaurus **target** *n.* **1** 과녁, 표적 mark, bull's eye, prey, game, victim **2** 목표 objective, goal,

새끼양의 목[가슴]살 8 〖전자〗 (촬상관의) 타깃, (X선관의) 타깃 ***off*** ~ 표적이 틀린, 적절치 못한, 부정확한 ***on*** ~ 과녁을 겨냥하여; (목적·용도에) 적확한, 정곡을 찌르는; 궤도에 오른
— *a.* 표적[대상]이 되는, 목표의
— *vt.* **1** 목표로 삼다[정하다] **2** …을 목표로 향하다 **3** (미) 〖철도〗 원판 신호기로 표시하다 ~ (***in***) ***on*** …을 표적으로 사용하다; 목표로 설정하다
Tárget Á (미·속어) (Washington, D.C.의) 미국 국방성
tar·get·a·ble [tá:rgitəbl] *a.* 목표를 정할 수 있는
tárget càrd (사격의) 득점 기록 카드
tárget dàte (사업 수행의) 목표 마감일 《*for*》
tar·get·eer [tà:rgitíər] *n.* 칼과 둥근 방패로 무장한 병사
tárget figure 목표액
tar·get·ing [tá:rgitiŋ] *n.* 〖약학〗 약물 표적화 《환부에 약물을 유효하게 도달시켜 약효의 지속·증강을 꾀하는 일》
tárget lànguage 대상 언어, 목표 언어 《학습·번역 등의 대상이 되는 외국어》
tárget màrket 표적 시장 《마케팅 계획 충족에 요하는 일정한 고객군(群)》
tárget pràctice 사격 연습
tár·get-prac·tice projéctile [tá:rgitpræktis-] 〖군사〗 연습탄 《사격 연습용으로 사용하는 탄알》
tárget rifle 사격(연습)용 라이플총
tárget zòne 타깃 존 《국제 통화 안정을 위한 목표로 설정된 외환 시세 변동폭》
Tar·gum [tá:rgum] *n.* (*pl.* **~s, -gu·mim** [tà:rgu:mí:m]) 탈굼 《아람 어(Aramaic)로 번역된 구약 성서》 **Tar·gúm·ic** *a.*
Tar·heel [tá:rhì:l] *n.* (미) North Carolina 주 주민의 별명
Tárheel Stàte [the ~] 미국 North Carolina 주의 속칭
‡**tar·iff** [tǽrif] [Arab. 「통지」의 뜻에서] *n.* **1** 관세; 관세표, 세율표; (전화 따위의) 요금제(制): ~ rates 관세율 / the ~ system 관세 제도 **2** [the ~] 관세법 **3** 세율 《*on*》 **4** (철도·전신 등의) 운임[요금]표; (호텔·식당 등의) 요금표 **5** (미·구어) 계산서, 요금
— *vt.* **1** 관세를 부과하다 **2** …의 요금을 정하다
táriff bàrrier[wàll] 관세 장벽
táriff refòrm 관세 개정 《영국에서는 자유 무역 반대자의, 미국에서는 보호 무역 반대론자의 정책》
Ta·rim [tɑ:rí:m] *n.* [the ~] 타림 강 《중국 신장(新疆) 위구르 자치구에 있는 강》
Tarím Básin [the ~] 타림 분지(分地) 《중국 신장(新疆) 위구르 자치구 남부의 건조한 분지》
tar·la·tan [tá:rlətən] *n.* Ⓤ 얇은 모슬린 《무용복용》
tar·mac [tá:rmæk] [*tarmac*adam] *n.* **1** [**T~**] (영) 타맥 《포장용 아스팔트 응고제; 상표명》 **2** 타맥 포장도로[활주로, (공항) 에이프런] — *a.* 타맥의
— *vt.* (**-macked**; **-mack·ing**) 〈활주로 등을〉 타맥으로 포장하다
tar·mac·ad·am [tá:rməkǽdəm, ⌐—⌐—] *n.* Ⓤ 타르머캐덤 《쇄석과 타르를 섞어 굳힌 포장 재료》; Ⓒ 그 포장도로
tarn¹ [tá:rn] *n.* (산 속의) 작은 호수
tarn² *n.* 〖조류〗 = TERN¹
tar·na·tion [tɑ:rnéiʃən] *n.* (미·속어) = DAMNATION
tar·nish [tá:rniʃ] *vt.* **1** 〈윤이 나는 것을〉 흐리게 하다, 녹슬게 하다, 변색시키다: The paint was ~*ed.* 페인트 색이 바랬다. **2** 〈명예 등을〉 더럽히다
— *vi.* 흐려지다, 더러워지다
— *n.* **1** Ⓤ 흐림, 퇴색, 변색 **2** ⓊⒸ 오점, 흠 **3** (물건·가치·평가 등의) 저하 **~·a·ble** *a.* **~ed** [-t] *a.*

tárnished plánt bùg 장님노린재과(科)의 곤충
ta·ro [tá:rou, téər-, tǽr- | tá:r-] *n.* (*pl.* **~s**) 〖식물〗 타로토란 《남양산(産)》
ta·rot [tǽrou, —⌐ | ⌐—] [F] *n.* Ⓤ 〖카드〗 타로 카드 《22매 한 벌》
tarp [tá:rp] *n.* (미·구어) = TARPAULIN
tar·pan [tɑ:rpǽn] *n.* 〖동물〗 타팬(= **Tártar hórse**) 《중앙아시아 초원 지대의 발이 빠른 소형의 야생마; 19세기에 멸종》
tár pàper 타르 종이, 루핑
tar·pau·lin [tɑ:rpɔ́:lin, tá:rpə- | tɑ:pɔ́:-] *n.* Ⓤ 타르 칠한 방수천[돛베]; Ⓒ 방수 외투, 방수모
tar·pon [tá:rpən] *n.* (*pl.* **~, ~s**) 〖어류〗 타폰 《북미 남해산의 큰 고기》
tar·ra·did·dle [tǽrədìdl | ⌐—⌐—] *n.* = TARADIDDLE
tar·ra·gon [tǽrəgɑ̀n, -gən | -gən] *n.* 〖식물〗 개사철쑥; Ⓤ 그 잎 《조미료》
tar·ra·go·na [tæ̀rəgóunə] [스페인의 원산지 이름에서] *n.* Ⓤ 단맛이 도는 포도주
tarred [tá:rd] *a.* 타르를 칠한
tar·ry¹ [tá:ri] *a.* (**-ri·er**; **-ri·est**) 타르의, 타르질(質)의; 타르를 칠한, 타르로 더러워진
tar·ry**² [tǽri] [ME 「늦어지다」의 뜻에서] *v.* (**-ried**) *vi.* (문어) **1** 체재하다, 머무르다 《*at, in*》 **2** 늦어지다, 늑장부리다 **3** (…을) 기다리다 《*for*》: Time and tide ~ *for* no man. (속담) 세월은 사람을 기다려 주지 않는다. ~ ***long at one***'s wine*** 오래도록 술을 마시다
— *vt.* (고어) 기다리다
— *n.* (*pl.* **-ries**) Ⓤ (고어) 체재 **tár·ri·er** *n.*
tar·sal [tá:rsəl] 〖해부〗 *a.* 발목뼈의; 안검연골(眼瞼軟骨)의 — *n.* 발목뼈
tár sànd 〖지질〗 역청(瀝青) 사(암)
tar·si·a [tá:rsiə, tɑ:rsí:ə] *n.* Ⓤ (이탈리아의) 쪽나무 세공(細工), 쪽모이
tar·si·er [tá:rsiər, -sièi | -siə] *n.* 〖동물〗 안경원숭이 《동남아시아산(産)》
tarso- [tá:rsou, -sə] 《연결형》 tarsus의 뜻 《모음 앞에서는 tars-》
tar·so·met·a·tar·sus [tà:rsoumètətá:rsəs] *n.* (*pl.* **-si** [-sai, -si:]) 〖조류〗 부척골(跗蹠骨)
tar·sus [tá:rsəs] *n.* (*pl.* **-si** [-sai, -si:]) **1** 〖해부〗 족근(足根)(골); 〖조류〗 부척골(跗蹠骨); 〖곤충〗 부절(跗節) **2** 안검연골(眼瞼軟骨)
***tart**¹ [tá:rt] *a.* **1** 〈맛이〉 시큼한(sour); 자극적인 **2** 〈대답·태도 등이〉 신랄한, 톡 쏘는 **~·ly** *ad.* **~·ness** *n.*
tart² [F, L 「토르테(둥근 빵)」의 뜻에서] *n.* **1** 타르트, 파이 《(미)에서는 과일 등을 얹은 작은 파이; (영)에서는 속에 싼 것》: an apple ~ 사과 타르트 **2** (속어) 바람난 여자; 매춘부 — *vt.* (영·속어) 야하게 꾸며대다 《*up*》 ~ one***self*** 야하게 치장하다 《*up*》
tar·tan¹ [tá:rtn] *n.* **1** ⓊⒸ (스코틀랜드 고지 사람의) 격자무늬 모직물; 격자무늬 **2** 스코틀랜드 고지 사람[연대 병사] — *a.* 타탄의, 체크무늬 직물로 만든
tartan² *n.* (지중해의) 삼각형 외돛 범선
tártan tràck 타탄 트랙 《아스팔트 위에 합성수지를 깐 전천후 경주로》
Tártan Túrf [tá:rtn-] (특히 경기장용) 인공 잔디 《상표명》(cf. ASTROTURF)
tar·tar [tá:rtər] *n.* Ⓤ **1** 주석(酒石) 《포도주 양조통 바닥에 침전하는 물질; 주석산의 원료》 **2** 치석(齒石) ***cream of*** ~ 주석영(酒石英)
Tar·tar [tá:rtər] *n.* **1** 타타르 족[사람], 달단(韃靼) 사람; Ⓤ 타타르 말 **2** [종종 **t~**] 포악한 인간; 사나운 여자 **3** 타터 《미해군의 함대공 미사일》 ***a young*** ~ 애먹이는 난폭한 아이 ***catch a*** ~ 억척꾸러기 상대를 만나다, 애먹다 — *a.* 타타르 사람[식]의; 억척스러운
Tar·tar·e·an [tɑ:rtéəriən] *a.* 지옥의(infernal)
tártar emétic 토주석(吐酒石)
tár·tare sàuce [tá:rtər-] = TARTAR SAUCE

---

object, aim, end, intention, desired result
tariff *n.* tax, duty, toll, excise, levy, impost

Tar·tar·i·an [tɑːrtέəriən] *a.* 타타르 (사람)의

tar·tar·ic [tɑːrtǽrik, -tάːr- | -tǽr-] *a.* 〖화학〗 주석(酒石)의

tartáric ácid 〖화학〗 타르타르산

tar·tar·ize [tάːrtəràiz] *vt.* 〖화학〗 …에 주석(酒石)을 주입하다; 주석으로 처리하다

tar·tar·ous [tάːrtərəs] *a.* 주석을 함유한, 주석의[같은], 주석으로 된

tártar sàuce 타르타르소스 《생선 요리용의 마요네즈 소스》

tártar stèak 타르타르스테이크 《저민 쇠고기를 소금과 후추로 간하여 날로 먹는 요리》

Tar·ta·rus [tάːrtərəs] *n.* 〖그리스신화〗 타르타로스 《지옥 아래의 밑바닥 없는 못》; 지옥

Tar·ta·ry [tάːrtəri] *n.* 타타르 (지방) 《동부 유럽에서 서부 아시아 일대》

tart·ish [tάːrtiʃ] *a.* 약간 시큼한; 조금 신랄한 **~·ly** *ad.*

tart·let [tάːrtlit] *n.* 《영》 작은 파이(tart)

tar·trate [tάːrtreit] *n.* 〖화학〗 타르타르산염

tar·trat·ed [tάːrtreitid] *a.* 〖화학〗 주석산염으로 만들어진; 주석산(酸)과 화합한

Tar·tuffe [tɑːrtúf, -túːf] *n.* **1** 타르튀프 《프랑스의 극작가 Molière 작의 희극 제목; 그 주인공》 **2** [종종 **t~**] 위선자

Tar·tuf·fer·y [tɑːrtúfəri, -túːf-] *n.* 타르튀프(Tartuffe) 같은 사람[행동, 성격]; 위선적 신앙, 가짜 신앙심

tart·y[1] [tάːrti] *a.* (**tart·i·er**; **-i·est**) 시큼한

tarty[2] *a.* **1** 매춘부의[같은] **2** 싸구려로 요란하게 꾸민

Tar·zan [tάːrzn, -zæn] *n.* 타잔 《Edgar Rice Burroughs 작(作) 정글 이야기의 주인공》; [종종 **t~**] 초인간적인 체력과 민첩성을 가진 남자

TAS true airspeed **Tas.** Tasmania(n)

Ta·sa·day [tάːsədài] *n.* (*pl.* **~, ~s**) 타사다이 족 《Mindanao 섬의 동굴에 사는 부족》; Ⓤ 타사다이 말

Ta·ser [téizər] [*T*ele-*A*ctive *S*hock *E*lectronic *R*epulsion] *n.* 테이저 총 《사람을 일시 마비시키는 전기 화살을 발사; 상표명》 **—** *vt.* 테이저 총으로 쏘다

Ta·shi La·ma [tάːʃi-lάːmə] = PANCHEN LAMA

Tash·kent [tɑːʃként, tæʃ- | tæʃ-] *n.* 타슈켄트 《Uzbekistan 공화국의 수도》

ta·sim·e·ter [təsímətər] *n.* 미압계(微壓計) 《전기 저항을 이용하여 온도 또는 습도의 변화에 의한 물질의 변화를 측정함》

‡task [tǽsk, tάːsk | tάːsk] *n.* **1** 직무, 과제, 과업: He has done his ~. 그는 자기 일을 해냈다. **2** 힘든 일, 노역(勞役); 《일반적으로》 일 **3** 〖컴퓨터〗 태스크 《컴퓨터로 처리되는 일의 최소 단위》 ***be at*** one***'s* ~** 일을 하고 있다 ***set*** a person ***to a* ~** …에게 일을 과하다 ***take*** [***call, bring***] a person ***to* ~** (***for* …**) (…이라는 이유로) …을 꾸짖다, 책망하다

— *vt.* 《문어》 **1** 혹사하다, 괴롭히다: ~ one's brain 머리를 쥐어짜다 **2** …에게 일을 과하다[할당하다] **~** one***'s energies*** 전력을 기울이다

tásk fòrce **1** 〖미군〗 (특수 임무를 띤) 기동 부대 **2** 특별 전문 위원회, 프로젝트 팀, 특별 조사단, 대책 본부 **3** 《영》 특별 수사대

tásk mànagement 〖컴퓨터〗 태스크 관리 《태스크 실행을 관리하는 제어 프로그램(control program)》

task·mas·ter [tǽskmæ̀stər | tάːskmὰːs-] *n.* (*fem.* **-mis·tress** [-mìstris]) **1** 일을 할당하는 사람, 공사 감독, 십장 **2** 엄격한 주인[선생]

tásk wàge 청부 임금

task·work [-wə̀ːrk] *n.* **1** Ⓤ 고된[혹독한] 일 **2** 《드물게》 = PIECEWORK

Tasm. Tasmania

Tas·man [tǽzmən] *n.* 타스만 **Abel Janszoon ~** (1602?-59) 《네덜란드의 항해가·탐험가; Tasmania, New Zealand 등을 발견》

Tas·ma·ni·a [tæzméiniə, -njə] *n.* 태즈메이니아 《오스트레일리아 남동의 섬; 수도 Hobart; 略 Tasm.》

Tas·ma·ni·an [tæzméiniən] *a.*, *n.* 태즈메이니아의 (사람[말])

Tasmánian dévil 〖동물〗 (태즈메이니아산) 주머니곰

Tasmánian wólf 〖동물〗 (태즈메이니아산(産)) 주머니늑대

Tásman Séa [the ~] 태즈먼 해(海) 《오스트레일리아 남동부와 뉴질랜드 사이의 바다》

Tass, TASS [tǽs, tάːs | tǽs] [Russ. *T*elegrafnoe *A*genstvo *S*ovetskogo *S*oyuza(= Telegraph Agency of the Soviet Union)] *n.* (구소련의) 타스 통신사

tasse [tǽs] *n.* = TASSET

***tas·sel** [tǽsəl] *n.* (장식) 술 《우승기·어린이 모자의 술 등》; 〖식물〗 (옥수수의) 수염; (책의) 서표끈

— *v.* (**~ed**; **~·ing** | **~led**; **~·ling**) *vt.* 장식 술을 달다; 〈옥수수의〉 수염을 뜯다

— *vi.* 〈옥수수가〉 수염이 생기다

tas·seled | **-selled** [tǽsəld] *a.* 술이 달린

tas·set [tǽsit] *n.* (갑옷의) 허리에서 넓적다리까지 늘이는 방호구

Tas·sie, -sy [tǽzi] *n.* 《호주·속어》 = TASMANIA; 그 주민

Tas·so [tǽsou] *n.* 타소 **Torquato ~** (1544-95) 《이탈리아의 시인》

tast·a·ble [téistəbl] *a.* = TASTEABLE

‡taste [téist] [L 「만지다」의 뜻에서] *n.* **1** [the ~, one's ~] 미각, 맛, 미감(味感), 풍미 《*of*》(⇨ flavor 유의어): an unpleasant ~ 좋지 않은 맛 / It is bitter[sweet] to *the* ~. 맛이 쓰다[달다]. **2** 시식, 맛보기 **3** [a ~] (시식하는 음식 등의) 소량, 한 입, 한 모금 《*of*》: Give him *a* ~ *of* brandy. 그에게 브랜디를 한 모금 주시오. **4** ⓊⒸ 취미, 기호, 애호 《*for*》: a matter of ~ 취미의 문제 / *T~s* differ. = There is no accounting for ~s. 《속담》 십인십색. **5** Ⓤ 심미안, 감식력, 풍류(風流) 《*in*》; (장식·말씨 등의) 멋, 아취; 조심, 신중: have a good ~ *in* music 음악에 훌륭한 센스를 가지다 / a man of ~ 심미안이 있는 사람, 풍류인 **6** (한 시대·개인의) 미적 관념[가치관]: a sample of Victorian ~ 빅토리아 시대 미의식의 견본 **7** (첫)경험, 맛; 기미, 기색(touch) 《*of*》: a ~ *of* success 성공의 맛 / The wind had a ~ *of* rain in it. 바람은 비를 머금고 있었다.

be in good [***bad, poor***] **~** (복장·미술품 등이) 취미가 좋다[나쁘다]; (행위·발언 등이) 품위가 있다[없다] ***give*** a person ***a ~ of*** …에게 …을 경험시키다 ***have a*** (***small***) **~ *of*** …을 (조금) 맛보다 ***have a ~ for*** …의 취미를 가지다 ***have no ~*** 맛이 없다; 취미[기호]를 가지지 않다 ***in bad*** [***good***] **~** 아취[멋] 없는[있는] ***leave a bad*** [***nasty***] **~ *in the mouth*** 뒷맛이 나쁘다; 나쁜 인상을 남기다 ***out of ~*** 정취가 없는, 멋없는 ***to*** one***'s ~*** 마음에 들어 ***to ~*** 각자 기호에 따라 ***to the*** [***a***] ***king's*** [***queen's***] **~** 완전히, 극히 만족스럽게

— *vt.* **1** 〈음식을〉 맛보다, 시식하다: ~ tea 차의 맛을 보다 **2** (한 입) 먹다, 마시다: I have not ~*d* food today. 오늘은 아직 음식을 맛도 못 보았다. **3** …의 맛이 나다: I ~ garlic in it. 그것은 마늘 맛이 난다. **4** 경험하다, 맛보다, 겪다(experience): ~ the bitterness of defeat 패배의 고배를 맛보다 **5** 《고어》 냄새로 감지하다(smell); 즐기다; 좋아하다(like)

— *vi.* **1** 맛을 보다, 음미하다 《*of*》; 《문어》 겪다, 경험하다 《*of*》: (~+전+명) ~ *of* the joys of life 인생의 기쁨을 맛보다 **2** 조금 먹다[마시다] 《*of*》: (~+전+명) ~ *of* whiskey 위스키를 조금 마시다 **3** 맛을 알다 **4** 〈음식이〉 (…한) 맛이 나다: (~+보) ~ sour 맛이 시다 // (~+전+명) The soup ~*s of* onion. 그 수프는 양파 맛이 난다. **5** (…의) 기미가 있

thesaurus **task** *n.* job, duty, chore, charge, assignment, commission, mission, engagement
taste *n.* **1** 맛 flavor, savor, relish, tang **2** 한 입 bit, morsel, bite, mouthful, spoonful, sample, sip

다 《*of*》 ▷ tásteful, tásty *a.*
taste·a·ble [téistəbl] *a.* 맛볼 수 있는; 맛있는
táste bùd 〖해부〗 미뢰(味蕾)
taste·ful [téistfəl] *a.* **1** 풍류[멋]를 아는, 심미안이 있는, 안식이 높은 **2** 취미가 고상한, 아취 있는, 세련된 **~·ly** *ad.* **~·ness** *n.*
taste·less [téistlis] *a.* 맛없는; 무미건조한, 살풍경한; 멋없는, 몰취미의, 품위 없는 **~·ly** *ad.* **~·ness** *n.*
taste·mak·er [téistmèikər] *n.* 인기[유행]를 만드는[퍼뜨리는] 사람[것]
tast·er [téistər] *n.* **1** 맛보는 사람; 맛을 감별하는 사람; 〖역사〗 독의 유무를 맛보는 사람 **2** 검미기(檢味器); 맛보기 위한 소량의 음식물 **3** 《구어》 《출판사의》 원고 심사원
tast·ing [téistiŋ] *n.* 시음회, 시식회
tast·y [téisti] *a.* (**tast·i·er**; **-i·est**) 《구어》 **1** 맛좋은, 감칠맛이 있는, 맛이 잘 든: CE The food was excellent and very *tasty*[tasteful(×)]. 음식은 훌륭했고 아주 맛있었다. **2** 멋있는, 세련된, 고상한; 〈가십이〉 〈아슬아슬하게〉 재미있는
tást·i·ly *ad.* **tást·i·ness** *n.*
tat[1] [tǽt] *vt., vi.* (**~·ted**; **~·ting**) 태팅(tatting)을 하다
tat[2] *n.* 가볍게 때림 ***tit for ~*** 맞받아 서로 응수하기, 오는 말에 가는 말
tat[3] *n.* 《속어》 (4, 5, 6의 세 끝수만 있는) 주사위; 부정한 주사위
tat[4] [Hind.] *n.* **1** 올이 굵은 삼베 **2** 《인도》 조랑말
tat[5] *n.* 《영·속어》 싸구려 (물건); 넝마
TAT thematic apperception test
ta-ta [tɑːtɑ́ː | tætɑ́ː] 《영·유아어·구어》 *int.* 안녕, 바이바이(good-bye) **—** *n.* [보통 다음 성구로]
go ~'s [*~s*] = ***go for a ~*** 걸음마하다, 산책 가다
ta·ta·ki [tətɑ́ːki] [Jap.] *n.* 다타키 《살짝 그을리거나 생으로 된 일본의 고기 혹은 생선》
ta·ta·mi [tətɑ́ːmi, tǽtəmi] [Jap.] *n.* 다다미 《마루방에 까는 일본식 돗자리》
Ta·tar [tɑ́ːtər] *n., a.* 타타르 사람(의); Ⓤ 타타르 말(의)
Ta·tar·i·an [tɑːtɛ́əriən], **Ta·tar·ic** [-tǽrik] *a.* = TARTAR
Tátar Repúblic [the ~] 타타르 공화국 《구소련의 자치 공화국; 수도 Kazan》
Tátar Stráit [the ~] 타타르 해협 《아시아 대륙과 사할린 사이의 해협》
Ta·ta·ry [tɑ́ːtəri] *n.* = TARTARY
Táte Gállery [téit-] [기증자 이름에서] [the ~] 테이트 미술관 《London에 있는 국립 미술관》
ta·ter, 'ta- [téitər] *n.* 《방언》 감자(potato)
Ta·tra [tɑ́ːtrə] *n.* 타트라 《체코제 자동차》
Tátra Móuntains [the ~] 타트라 산맥 《슬로바키아 북부와 폴란드 남부에 걸쳐 있는 산맥》
tat·ter** [tǽtər] *n.* **1** [주로 *pl.*] (헝겊·종이 등의) 찢어진 조각, 넝마, 나부랭이 **2** [보통 *pl.*] 낡은[해진] 옷, 누더기 **3** 《고어》 = TATTERDEMALION **4** 태팅(tatting)을 하는 사람 ***in (***rags and***) ***~s*** 누더기가 되어; 누더기를 입고 ***tear ... to ~s*** 갈가리 찢다; 〈이론 등을〉 철저히 논파(論破)하다
— *vt., vi.* 갈가리 찢다[찢어지다], 해지(게 하)다
tat·ter·de·mal·ion [tæ̀tərdiméiljən, -mǽl-] *n.* 누더기 옷을 입은 사람
tat·tered [tǽtərd] *a.* 〈옷 등이〉 해진; 누더기를 두른
tat·ter·sall [tǽtərsɔ̀ːl, -səl] *n.* Ⓤ 태터솔 무늬(=~ **chèck**), 격자무늬(의 모직물)
tat·tie [tǽti] *n.* = TATTY[2]
tat·ting [tǽtiŋ] *n.* Ⓤ 태팅 《레이스식의 뜨개질 수예》; 태팅으로 만든 레이스

3 기호 liking, love, fondness, fancy, desire, preference, inclination **—** *v.* **1** 맛보다 sample, test, try, nibble, sip **2** 먹다 eat, consume, devour
taunt[1] *v.* jeer, sneer, gibe, insult, tease

tat·tle [tǽtl] *vi.* **1** 고자질하다, 비밀을 누설하다 《*on*》 **2** 잡담하다, 수다 떨다 《*about, over*》
— *vt.* 함부로 지껄이다, 〈비밀 등을〉 누설하다
— *n.* Ⓤ 고자질, 비밀 누설; 잡담
tat·tler [tǽtlər] *n.* **1** 수다쟁이 **2** 〖조류〗 흰꼬리도요
tat·tle·tale [tǽtltèil] *n.* 수다쟁이, 고자쟁이(talebearer) **—** *a.* 고자질하는, 비밀을 폭로하는(telltale)
táttletale gráy 회색이 도는 흰색
tat·too[1] [tætúː | tæ-, tə-] *n.* (*pl.* **~s**) **1** 〖군사〗 귀영 나팔[북] 《보통 오후 10시의》; 폐문 시간 **2** 《경고하는》 북 소리, 고동(鼓動); 둥둥[톡톡] 치는 소리 《*on*》 **3** 《영》 군악 연주회 《보통 야간의》 ***beat the devil's ~*** 손가락으로 탁자 등을 톡톡 치다, 발을 굴러 마룻바닥을 울리다 《흥분·초조 등의 표시》
— *vt. vi.* 톡톡 두드리다
tattoo[2] *n.* (*pl.* **~s**) 문신(文身)
— *vt.* 문신하다: ~ a person's arm …의 팔에 문신을 하다 // (~+목+전+명) ~ a rose *on* one's arm 팔에 장미를 문신하다 **~·er, ~·ist** *n.* 문신쟁이
tat·too[3] [tǽtuː] *n.* 《인도》 조랑말(pony)
tat·ty[1] [tǽti] *a.* (**-ti·er**; **-ti·est**) **1** 《영》 초라한, 넝마의; 싸구려의 **2** 지저분한, 칠칠치 못한
tatty[2] *n.* (*pl.* **-ties**) 《인도》 가마니발 《냉기를 얻기 위하여 적셔서 창이나 문에 거는》
Ta·tum [téitəm] *n.* 테이텀 **1 Art ~** (1905-56) 《미국의 재즈 피아니스트》 **2 Edward Lawrie ~** (1909-75) 《미국의 생화학자; 노벨 생리·의학상 수상(1958)》
tau [táu, tɔ́ː] *n.* **1** 타우 《그리스 알파벳의 제19자; T, τ =영어의 T, t》 **2** T자형, T표: a ~ cross T형 십자 **3** 〖물리〗 = TAU LEPTON
‡**taught** [tɔ́ːt] *v.* TEACH의 과거·과거분사
táu lèpton 〖물리〗 타우 중성 미자(微子) 《가상적인 것》
***taunt**[1] [tɔ́ːnt, tɑ́ːnt | tɔ́ːnt] *vt.* **1** 조롱하다, 비아냥거리다 《*for, with, about*》: ~ a person *with* cowardice = ~ a person *for* being a coward 사람을 겁쟁이라고 놀리다 **2** 비아냥거려 도발하다, 놀려서 …하게 하다 《*into*》
— *n.* [종종 *pl.*] 조롱, 심한 빈정댐; 조롱거리 《*to*》
~·ing·ly *ad.*
taunt[2] *a.* 《영》 〖항해〗 〈돛대가〉 높고 잘 정비된
Taun·ton [tɔ́ːntn, tɑ́ːn- | tɔ́ːn-] *n.* 톤턴 《잉글랜드 Somerset 주의 주도》
táu pàrticle 〖물리〗 타우 입자
taupe [tóup] *n.* Ⓤ, *a.* 짙은 회갈색(의)
tau·rine[1] [tɔ́ːrain, -rin] *a.* 황소 같은; 〖천문〗 황소자리의
tau·rine[2] [tɔ́ːriːn, -rin] *n.* 〖화학〗 타우린 《동물의 담즙에서 얻어지는 중성의 결정 물질》
tau·ro·chó·lic ácid [tɔ̀ːrəkóulik-] 〖화학〗 타우로콜린산(酸) 《복합 담즙산의 일종》
tau·rom·a·chy [tɔːrɑ́məki | -rɔ́m-] *n.* Ⓤ 《문어》 투우(술)
Tau·rus [tɔ́ːrəs] *n.* 〖천문〗 황소자리; 〖점성술〗 금우궁(金牛宮) (태생의 사람)
taut [tɔ́ːt] [OF 「잡아당기다」의 뜻에서] *a.* **1** 〈밧줄·돛이〉 팽팽하게 친, 켕긴 **2** 〈신경 등이〉 긴장된(tense) **3** 〈배 등이〉 완전히 정비된; 〈말 등이〉 간결한 **4** 〈사람이〉 엄격한 **~·ly** *ad.* **~·ness** *n.*
taut- [tɔːt], **tauto-** [tɔ́ːtou, -tə] 《연결형》 「같은」의 뜻 《모음 앞에서는 taut-》
taut·en [tɔ́ːtn] *vt., vi.* 〖항해〗 (밧줄 등을) 팽팽하게 치다
tau·tog [tɔːtɑ́g, -tɔ́ːg | -tɔ́g] *n.* 〖어류〗 혹도미 무리 《북미 대서양 연안산》
tau·to·log·i·cal [tɔ̀ːtəlɑ́dʒikəl | -lɔ́dʒ-], **-ic** [-dʒik] *a.* 동의어[유의어(類意語)] 중복의, 중언부언하는 **-i·cal·ly** *ad.*
tau·tol·o·gism [tɔːtɑ́lədʒìzm | -tɔ́l-] *n.* 동의어[유의어] 반복 (사용); 그 예(例)
tau·tol·o·gist [tɔːtɑ́lədʒist | -tɔ́l-] *n.* 같은 말[동의어]을 되풀이하는 사람, 중언부언하는 사람

tau·tol·o·gize [tɔːtάlədʒàiz | -tɔ́l-] *vi.* 동의어[유의어]를 되풀이하다; 되풀이해서 말하다
tau·tol·o·gous [tɔːtάləgəs | -tɔ́l-] *a.* = TAUTOLOGICAL
tau·tol·o·gy [tɔːtάlədʒi | -tɔ́l-] *n.* (*pl.* **-gies**) ⓊⒸ **1** 〖수사학〗 동의어[유의어] 반복 《보기: speak all *at once together*》; 중복어 **2** 반복 《동작 등의》 **3** 〖논리〗 동어 반복; 항진식(恒眞式)
tau·to·mer [tɔ́ːtəmər] *n.* 〖화학〗 호변체(互變體)
tau·to·mer·ic [tɔ̀ːtəmérik] *a.*
tau·tom·er·ism [tɔːtάmərìzm | -tɔ́m-] *n.* Ⓤ 〖화학〗 호변 이성(互變異性), 토토메리 현상
tau·tom·er·ize [tɔːtάməràiz | -tɔ́m-] *vt., vi.* 호변 이성(互變異性)하(게 되)다
tau·to·nym [tɔ́ːtənim] *n.* 〖생물〗 반복명(反復名) 《종(種)의 학명(學名)에 있어서, 속명(屬名)과 종소명(種小名)이 같은 것을 말함》
*__tav·ern__ [tǽvərn] [L 「오두막집」의 뜻에서] *n.* **1** (미) (선)술집((영) public house) **2** (고어) 여인숙(inn)
ta·ver·na [təvə́ːrnə, -vɛ́ər-] *n.* 타베르나 《그리스 지방의 자그마한 음식점》
taw¹ [tɔ́ː] *n.* 구슬치기를 시작하는 기선(基線); [종종 *pl.*] 구슬치기 ***come*** [***bring***] ***to*** ~ (경기의) 출발점에 서다[서게 하다]
taw² *vt.* 〈생가죽을〉 백반과 소금물로 무두질하다
taw·dry [tɔ́ːdri] *a.* (**-dri·er**; **-dri·est**) 번지르르한, 야한; 천박한; 값싼 — *n.* (*pl.* **-dries**) 번지르르한 싸구려 물건 《의복·장식 등》
táw·dri·ly *ad.* **táw·dri·ness** *n.*
taw·ie [tɔ́ːi] *a.* (스코) (온)순한, 다루기 쉬운
*__taw·ny__ [tɔ́ːni] *a.* (**-ni·er**; **-ni·est**) 황갈색의: a lion's ~ fur 사자의 황갈색 털; (미·속어) 최고의 — *n.* Ⓤ 황갈색; Ⓒ 황갈색의 사람[물건]
táw·ni·ly *ad.* **táw·ni·ness** *n.*
táwny ówl 〖동물〗 숲 올빼미
taw·pie, taw·py [tɔ́ːpi] *a., n.* (스코) 어리석은[경솔한] (젊은이[여자])
taws [tɔ́ːz, tάːz | tɔ́ːz] *n.* (*pl.* ~) [단수·복수 취급] (스코) 가죽 채찍 《아이들을 벌주는》; 징계 — *vt.* 가죽 채찍으로 때리다
‡**tax** [tǽks] [L 「만져서 (평가하다)」의 뜻에서] *n.* **1** ⓊⒸ 세, 세금, 조세: income ~ 소득세 / national ~es 국세 / land ~ 토지세 / business ~ 영업세 / lay [levy] a ~ on …에 과세하다 / How much income ~ do you pay? 소득세는 얼마나 내십니까? **2** 무거운 부담, 무리한 요구, 가혹한 의무 《*on*》: a ~ *on* one's health 건강에 무리한 부담 **3** (미) 회비, 분담금 ($1500) ***after*** ~ 세금 공제하고 (1500달러) ***free of*** ~ 세금 면제로
— *vt.* **1** 세금을 부과하다, 과세하다: ~ a person's property …의 재산에 과세하다 **2** 무거운 부담을 지우다, 혹사하다: ~ one's eyes 눈을 혹사하다 / ~ one's resources …의 재산에 무거운 부담을 지우다 **3** 비난하다, 책망하다 《*with, for*》: (~+목+전+명) ~ a person *with* laziness 게으르다고 …을 비난하다 **4** (미·구어) 〈대금을 …에게〉 청구하다 **5** 〖법〗 〈소송 비용을〉 사정하다 **6** (속어) 강도짓하다 **~·er** *n.*
▷ taxátion *n.*
tax- [tæks], **taxo-** [tǽksou, -sə], **taxi-** [tǽksi, -sə] 《연결형》 「배열; 차례」의 뜻 《모음 앞에서는 tax-》
tax·a [tǽksə] *n.* TAXON의 복수
tax·a·ble [tǽksəbl] *a.* 과세해야 할, 세금이 붙는 — *n.* [보통 *pl.*] 과세 대상 **tàx·a·bíl·i·ty** *n.*
tax-and-spend [tǽksəndspénd] *n.* (정부의 지출을 위한) 증세(增稅) 정책 — *a.* 증세책의, 증세책을 지지하는
‡**tax·a·tion** [tækséiʃən] *n.* Ⓤ **1** 과세, 징세; 세제(稅制): a ~ office 세무서 / ~ at (the) source 원천 과세 / progressive ~ 누진 과세 **2** (세금의) 사정액, 과세액; 과세율 **3** 전조세(全租稅); 세수(稅收) **4** 〖법〗 소송 비용 사정 ***be subject to*** ~ 과세 대상이다
táx avòidance (합법적인) 과세 회피, 절세(節稅)
táx bàse 과세 기준
táx bràcket[(영) **bànd**] 세율 계층 《과세 소득 기준의 세율 계층 구분》
táx brèak 세금 우대 (조치), 세제상 특전
táx bùrden 조세 부담
táx collèction 세금 징수
táx collèctor 세금 징수원[공무원]
táx crèdit 세금 공제
táx cùt 감세(減稅)
táx dày 납세일
tax-de·duct·i·ble [tǽksdidʌ̀ktəbl] *a.* 소득에서 공제할 수 있는
táx dedùction 세금[소득] 공제(액)
tax-de·ferred [-difə́ːrd] *a.* 과세 유예의
táx dìsc (영) = TAX TOKEN
táx dòdge (구어) (합법 또는 불법적인) 탈세
táx dòdger 탈세자
tax-dodg·ing [-dὰdʒiŋ | -dɔ̀dʒ-] *a.* 탈세하는 — *n.* Ⓤ 탈세 (행위)
táx dùplicate 부동산 평가 증명서; 세무 등본
táxed càrt [tǽkst-] 〖영국사〗 농·상업용 2륜차 《처음에는 소액의 세금을 징수하였으나 후에 면세됨》
tax·eme [tǽksiːm] *n.* 〖문법〗 문법 특성소(特性素)
táx evàsion (허위 신고에 의한) 탈세
tax-ex·empt [tǽksigzèmpt] *a.* **1** 면세의, 비과세의 **2** 〈배당금 등이〉 세금을 공제한 — *n.* (구어) 면세 증권
táx èxile[**expàtriate**] (탈세를 위한) 국외 이주자
tax-farm·er [-fὰːrmər] *n.* (영) 세금 징수 청부인
tax·fla·tion [tæksfléiʃən] *n.* 높은 세율이 주요 원인이 되어서 일어나는 인플레이션
tax-free [tǽksfríː] *a.* 면세의, 비과세의 — *ad.* 면세로
tax·gath·er·er [-gæ̀ðərər] *n.* (고어) = TAX COLLECTOR
táx hàven 세금 피난지[국] 《저과세·비과세 등 세제상의 특전이 많은 지역[나라]》
táx hòliday (구어) 면세[감세] 기간
tax·i [tǽksi] [*taxi*cab, *taxi*meter cab] *n.* (*pl.* ~(e)s) **1** 택시(taxicab): take a ~ 택시를 타다 / go by ~ 택시로 가다 **2** (택시처럼) 전세 영업하는 배[비행기] — *v.* (**tax·ied**; **~·ing, tax·y·ing**) *vi.* **1** 택시로 가다 **2** 〖항공〗 〈비행기가〉 지상[수면]에서 자력으로 이동하다 — *vt.* **1** 택시로 나르다[보내다] **2** 〈비행기를〉 지상[수면]에서 이동케 하다
tax·i·cab [tǽksikæ̀b] *n.* = TAXI 1
táxi dàncer (댄스홀 등의) 직업 댄서
tax·i·der·mic [tæ̀ksidə́ːrmik], **-mal** [-məl] *a.* 박제(剝製)(술)의
tax·i·der·mist [tǽksidə̀ːrmist] *n.* 박제사
tax·i·der·my [tǽksidə̀ːrmi] *n.* Ⓤ 박제술
táxi drìver 택시 운전사
táxi fàre 택시 요금
Tax·i·la [tǽksələ] *n.* 택실라 《파키스탄의 라왈핀디(Rawalpindi) 부근의 불교 유적》
táxi lìght 〖항공〗 유도등
tax·i·man [tǽksimən] *n.* (*pl.* **-men** [-mən]) (영) = TAXI DRIVER
tax·i·me·ter [-mìːtər] *n.* 택시미터, 자동 요금 표시기
tax·ing [tǽksiŋ] *a.* 〈일 등이〉 부담스러운, 고생스러운, 귀찮은 **~·ly** *ad.*
tax·ing-mas·ter [tǽksiŋmæ̀stər | -mὰːs-] *n.* (영) 소송 비용을 부과하는 관리
táx inspèctor (영) 세금 사정관
tax·i·plane [tǽksiplèin] *n.* (미) (단거리) 전세 비행기, 항공 택시
táxi rànk (영) = TAXI STAND
tax·is [tǽksis] *n.* (*pl.* **tax·es** [-siːz]) ⓊⒸ **1** 순

서, 배열 **2** 〚외과〛 (탈장 등의) 정복술(整腹術) **3** 〚생물〛 주성(走性) **4** 〚문법〛 배치, 순서 **5** (고대 그리스 군대의) 분대(分隊)
-taxis [tǽksis] 《연결형》 「배열; 차례; 주성(走性)」의 뜻: hypo*taxis*
táxi squàd 《미》 연습 상대로 고용된 미식축구팀
táxi stànd 《미》 택시 승차장
táxi strìp = TAXIWAY
tax·i·way [tǽksiwèi] *n.* 〚항공〛 유도로(誘導路)
tax·less [tǽkslis] *a.* = TAX-FREE
táx lòss 세금 공제를 위해 설정하는 자본 손실
tax·man [tǽksmæ̀n] *n.* (*pl.* **-men** [-mèn]) 세금 징수원(tax collector)
tax·mo·bile [-moubì:l] *n.* 《미》 순회 세무 서비스차
taxo- [tǽksou, -sə] 《연결형》 「순서, 배열」의 뜻
tax·ol [tǽksɔ:l] *n.* 택솔 《주목(朱木)에서 채취하는 항암제》
tax·ol·o·gy [tæksɑ́lədʒi | -sɔ́l-] *n.* 분류학
tax·on [tǽksɑn | -sɔn] *n.* (*pl.* **tax·a** [tǽksə], **~s**) 〚생물〛 분류군(群); 유명(類名)
taxon. taxonomic; taxonomy
tax·on·o·mist [tæksɑ́nəmist | -sɔ́n-] *n.* 분류학자
tax·on·o·my [tæksɑ́nəmi | -sɔ́n-] *n.* Ⓤ 분류(classification), 분류학[법] **tax·o·nom·ic** [tæ̀ksənɑ́mik | -nɔ́m-] *a.*
tax·paid [tǽkspéid] *a.* (징수된) 세금에서 봉급이 지급되는: ~ teachers 국공립 학교 교사들
*****tax·pay·er** [tǽkspèiər] *n.* 납세자
táx ràte 세율
táx relíef 세금의 경감[면제]
táx rebàte 세금 환급(還給)
táx refòrm 세제 개혁
táx retùrn 납세 신고서
táx rèvenue 세수(입)
táx revòlt 《미》 납세자 반란 《재산세 인하 운동》
táx sàle 세금 체납 처분 공매
táx sèlling 세금 대책으로서의 증권 매도 《소득세 신고용으로 손익을 명확히 하기 위하여 연도말에 증권을 일제히 매각하는 일》
táx shèlter 《미》 절세 수단 《투자·지불 급여 등》; = TAX HAVEN
táx stàmp (상품 등의) 납세필 인지
táx title (세법상의) 공매 재산 매수인의 권원(權原)
táx tòken 《영》 (자동차세) 납세필증(tax disc)
táx yèar 과세 연도(financial year)
tay·ber·ry [téibèri] *n.* 테이베리 《blackberry와 raspberry의 잡종으로 검붉은 색임》
Tay·lor [téilər] *n.* 테일러 **1 Frederick Winslow ~** (1856-1915) 《미국의 발명가·기술자》 **2 Zachary ~** (1784-1850) 《미국의 제12대 대통령》
Tay·lor·ism [téilərìzm] *n.* 테일러리즘, 과학적 경영 관리법 《미국의 기사(技師) Frederick W. Taylor가 고안했음》
Táylor('s) sèries 〚수학〛 테일러 급수 《함수를 나타내는 급수의 하나》
Tay-Sachs [téisǽks] [발견자인 영국인과 미국인 이름에서] *n.* 테이색스병 《흑내장성(黑內障性) 백치》 (= **∠ disèase**) **—** *a.* 테이색스병의
Tay·side [téisàid] *n.* 테이사이드 《1975년에 신설된 스코틀랜드 중동부의 주》
taz·za [tɑ́:tsə, tǽtsə] [It.] *n.* (*pl.* **~s, taz·ze** [-tse]) 높은 굽이 달린 큰 접시
Tb 〚화학〛 terbium **Tb, TB** terabyte **TB** 《구어》 = TUBERCULOSIS **TB, T.B., t.b.** torpedo boat; treasury bill; tubercle bacillus; tuberculosis **t.b.** trial balance 〚부기〛 시산표 **TBA, t.b.a.** to be announced
T-bar [tí:bɑ̀:r] *n.* T자형 완목(腕木); T자형 스키 리프트(= **∠ lìft**)
TBC to be confirmed **TBD.** to be determined **T.B.D.** torpedo-boat destroyer
Tbi·li·si [təbəlí:si] *n.* 트빌리시 《구소련 그루지야(Gruziya) 공화국의 수도》
T-bill [tí:bìl] *n.* 《미·구어》 = TREASURY BILL
T-bond [-bɑ̀nd | -bɔ̀nd] *n.* 《미·구어》 = TREASURY BOND
T-bone [-bòun] *n.* 티본스테이크 《소의 허리 부분의 뼈가 붙은 T자형 스테이크》 (= **∠ stéak**)
TBS 《미》 Turner Broadcasting System 《CNN의 모(母)회사》 **T.B.S.** 〚항해〛 talk between ships **tbs(p).** tablespoon(s) **Tc** 〚화학〛 technetium **TC** Trusteeship Council (유엔) 신탁 통치 이사회 **tc.** tierce(s) **T.C.,TC** Tank Corps; Teachers College; temporary constable; Town Council(lor); traveler's check **TCBM** transcontinental ballistic missile **T.C.D.** Trinity College, Dublin **TCDD** tetrachlorodibenzo-p-dioxin
T cèll T세포 《흉선(胸腺) 의존성의 임파구》
Tchai·kov·sky [tʃaikɔ́:fski, -kɑ́f-, tʃəi- | -kɔ́f-] *n.* 차이코프스키 **Peter Ilyich ~** (1840-93) 《러시아의 작곡가》
tchick [tʃík] *int., n.* 이런 쯧쯧 《말을 몰 때 혀 차는 소리》 **—** *vi.* 쯧쯧하고 혀를 차다
tchotch·ke [tʃɑ́:tʃkə] *n.* 《구어》 조그만 장난감, 골동품, 장식 소품
tchr. teacher **TCP/IP** Transmission Control Protocol / Internet Protocol 전송 제어 규약 / 인터넷 규약 《인터넷 접속 표준 통신 규약》 **TD** tank destroyer; 《아일》 *Teachta Dála* 아일랜드 공화당의 당원 《Gaelic = member of the Dáil》; touchdown(s) **T.D.** Traffic Director; Treasury Department **T/D** time deposit **T.D.N.** total digestible nutrients
T-dress [tí:drès] *n.* 티드레스 《긴 티셔츠 같은 원피스》
TDRS tracking and data relay satellite 추적 데이터 중계 위성 **TDY** temporary duty
te [téi | tí:] *n.* 〚음악〛 음계의 제7음(ti)
Te 〚화학〛 tellurium **TE, T.E.** table of equipment 장비표; trailing edge
‡**tea** [tí:] [Chin. 「차(茶)」의 뜻에서] *n.* **1** ⓊⒸ (음료로서의) 차, 홍차 ★ 그냥 tea라고 하면 「홍차」를 가리키며, 구태여 black tea라고 말하는 일은 드묾; Ⓒ 차 한 잔: Two ~*s*, please. 홍차 두 잔 주세요. / the first infusion of ~ 처음 우러나는 차 **2** 찻잎; Ⓤ (가공한) 차: Chinese ~ 중국차 **3** 〚식물〛 차나무(tea plant) **4** [the ~] 차 도구(tea-things): lay *the* ~ 차를 준비하다 **5** Ⓤ (차같이) 달여낸 즙: beef ~ 비프티 《진한 쇠고기 수프》 **6** ⓊⒸ 《영》 티 《점심과 저녁 중간에 드는 가벼운 식사, afternoon[five o'clock] tea라고도 함; 보통 음료로서 홍차를 씀》 **7** 오후의 초대, 다과회 **8** Ⓤ 《속어》 마리화나
coarse **~** 엽차 ***cold*** **~** 냉차; 《속어》 술 ***dust*** **~** 가루차 ***early*** **~** 조반 전의 간단한 식사 ***go to*** **~** ***with*** …의 집 다과회에 초대되어 가다 ***have*** [***take***] **~** 차를 마시다 ***make*** (***the***) **~** 차를 끓이다[달이다] ***not for all the*** **~** ***in China*** 《구어》 (뭘 준다 해도) 절대로 …하지 않는 one***'s cup of*** **~** (1) 《구어》 기호에 맞는 것, 좋아하는 것, 취미 (2) 《영》 운 (3) 수상한 것[사람] ***take*** **~** ***with*** 《영·속어》 …와 교제하다 **~** ***of heaven*** 감차(甘茶) ***That's another cup of*** **~.** 《구어》 그건 별개 문제다, 전혀 다른 이야기이다. ***wet the*** **~** 《영·속어》 차를 끓이다
— *vi., vt.* (**~ed, ~'d**) 차를 마시다, 가벼운 식사를 하다; …에게 차를 대접하다 **~*ed*** [***teed***] ***up*** 《미·속어》 마리화나에 취하여
téa and sỳmpathy 《구어》 불행한 사람에 대한 따뜻한 응대
téa bàg (1인분의) 차 봉지 《천 또는 종이로 만든》
téa bàll 차 거르는 기구 《구멍이 송송 난 금속 그릇》
téa bàsket 《영》 도시락용 바구니
tea·ber·ry [tí:bèri, -bəri | -bəri] *n.* (*pl.* **-ries**) 〚식물〛 = CHECKERBERRY

téa bìscuit 쿠키, 크래커《차 마실 때 먹는》
tea·board [-bɔ̀:rd] *n.* 찻쟁반, 차반(茶盤)
téa brèak 《영》 차 마시는 휴게 시간(cf. COFFEE BREAK)
téa càddy 차통, 다관(茶罐)
téa càke 《영》 차 마실 때 먹는 과자; 《미》 쿠키
téa càrt 《미》 = TEA WAGON
téa cèremony 다도(茶道)
‡**teach** [tí:tʃ] *v.* (**taught** [tɔ́:t]) *vt.* **1** 〈학과 등을〉 가르치다, 교수하다: He *~es* a large class. 그는 인원이 많은 학급을 가르치고 있다. // (~+목+목) (~+목+전+명) ~ a person English = ~ English *to* a person …에게 영어를 가르치다 // (~+목+**that** 절) I was *taught that* two sides of a triangle are greater than the third. 나는 삼각형의 두 변은 다른 한 변보다 크다고 배웠다.

> 유의어 **teach** 「가르치다」를 뜻하는 가장 일반적인 말이다: He *taught* her how to swim. 그는 그녀에게 수영을 가르쳤다. **educate** 학교와 같은 정식 교육 기관에서 가르치다: He was *educated* at Oxford. 그는 옥스퍼드 대학에서 교육을 받았다. **instruct** 어떤 특수한 분야에 대해 조직적인 방법으로 계통을 세워서 가르치다: She *instructs* in mathematics. 그녀는 수학을 가르친다.

2 훈련하다, 길들이다: (~+목+**to** do) ~ a dog *to* sit up and beg 개에게 앉아서 앞발을 드는 것을 가르치다 // (~(+목)+**-ing**) He *taught* (me) *swimming.* 그는 (내게) 수영을 가르쳤다. // (~+목+**wh. to** do) ~ a person *how to* drive a car …에게 자동차 운전법을 가르치다 **3** 〈사실·경험 등이〉 …에게 (…을) 가르치다, 깨닫게 하다: (~+목+목) The sufferings *taught* them the worth of liberty. 그 고난이 그들에게 자유의 가치를 가르쳐 주었다. // (~+목+**to** do): This will ~ you *to* speak the truth. 이젠 거짓말하면 안 된다는 것을 알겠지. 《벌을 주면서 하는 말》 // (~+목+**that** 절) Experience *~es* us *that* our powers are limited. 경험은 인간의 힘에 한계가 있음을 깨닫게 해 준다. **4** 《구어》 《협박조로》 깨닫게 하다, 혼내 주다: (~+목+목) ~ a person manners …을 혼내 주다
— *vi.* 교사 노릇을 하다; (…에서) 가르치다 《*at*》: (~+전+명) He *~es for* a living. 그는 교원 생활을 하고 있다. / He *~es at* high school. 그는 고등학교 교사이다.
I will ~ you to do 《구어》 …하면 혼내 줄 테다 **~ *school*** 《미》 교편을 잡다 **~ *oneself*** 독학하다 **~ *the young idea how to shoot*** 《익살》 젊은이의 마음의 싹을 트게 하다, 단단히 버릇을 가르치다 ***T~ your granny*** [***grandmother***] ***to suck eggs!*** = ***T~ a dog to bark.*** 부처님한테 설법을 하는군.
teach·a·ble [tí:tʃəbl] *a.* **1** 가르침을 받을 만한, 잘 알아듣는; 온순한, 말을 잘 듣는 **2** 〈학과·재주 등이〉 가르치기 쉬운 **tèach·a·bíl·i·ty** *n.* Ⓤ 교육용으로 알맞음; 학습 능력 **~·ness** *n.* **-bly** *ad.*
‡**teach·er** [tí:tʃər] *n.* 선생, 가르치는 사람, 교사 ★ 특히 미국의 초등 교육에서는 여교사가 많으므로 she로 받는 일이 많음. ***be*** one***'s own ~*** 독습[독학]하다 **~·shìp** *n.* Ⓤ 교사의 신분, 교직
téacher búrnout 교사 피로 현상
téachers còllege 《미》 (4년제) 교육[사범] 대학
téacher's pét 선생 마음에 든 학생; 권위자의 환심을 산 사람
téacher tráining 교사 양성[연수]
téa chèst 차 상자
teach-in [tí:tʃìn] *n.* 《구어》 (정치·사회 문제에 관한 대학에서의) 성토 대회, 토론회
‡**teach·ing** [tí:tʃiŋ] *n.* **1** Ⓤ 가르치기, 교습, 교수, 수업; 교직: take up[go into] ~ 교원이 되다 **2** [종종 *pl.*] 가르침, 교훈, 교의(教義); 학설: the *~s* of Christ 그리스도의 가르침
téaching àid 교구, 보조 교재
teáching assìstant **1** 보조 교사, 교사 보조원 **2** 《미》 (대학원생이 학부 학생을 지도하는) 강의 조교 《★ 《영》에서는 teaching fellow라고도 함; 略 TA》
téaching fèllow 장학금 받는 대학원생 조교
téaching fèllowship 대학원 장학금 《연구[교직] 조교 근무의 대가로 공납금 면제》
téaching hòspital 《영》 의과 대학 부속 병원
téaching machìne 교육 기기, 자동 학습기
téaching práctice = PRACTICE TEACHING
téaching professor 교육 전문 교수(cf. RESEARCH PROFESSOR)
teach·ware [tí:tʃwɛ̀ər] *n.* 시청각 교재, 교구
téa clòth 차 탁자용 식탁보; 찻그릇 행주
téa còzy 다구(茶具) 커버 《보온용》
***tea·cup** [tí:kʌ̀p] *n.* **1** 찻잔 **2** = TEACUPFUL
storm in a ~ ⇨ storm
tea·cup·ful [-kʌpfùl] *n.* 찻잔 한 잔(의 양) 《*of*》
téa dànce 《미》 (오후의) 다과회의 댄스 파티; 오후의 댄스 파티
téa fìght 《구어》 = TEA PARTY 2
téa gàrden 다원(茶園); 찻집이 있는 공원
téa gòwn (여성의) 다회복(茶會服)
Teague [tí:g] *n.* 《경멸》 아일랜드 사람
téa hòund 다과회에 자주 나오는 사람; 나약한 남자
tea·house [tí:hàus] *n.* (*pl.* **-hous·es** [-hàuziz]) (동양의) 찻집, 다방
teak [tí:k] *n.* 〖식물〗 티크나무 《동인도산(産)》; Ⓤ 티크 재목
tea·ket·tle [tí:kètl] *n.* 찻주전자, 차탕관; 《미·속어》 작은 상업 라디오 방송국
teak·wood [tí:kwùd] *n.* Ⓤ 티크재(材)
teal [tí:l] *n.* (*pl.* **~s,** [집합적] **~**) 〖조류〗 물오리, 검둥오리 무리
téal blúe 암회색[암녹색]을 띤 청색
tea-leaf [tí:lì:f] *n.* **1** 찻잎; [*pl.*] 차 찌끼 **2** 《영·속어》 도둑(thief)
tea·light [tí:làit] *n.* 장식용 소형 양초
‡**team** [tí:m] *n.* **1** 〖경기〗 팀, 조(組) **2** (협동하여 일하는) 그룹, 반(班), 한 조의 직공들; 《속어》 (범죄) 조직: a ~ of advisers 고문단 **3** 한 조의 짐승 《수레·썰매 등을 끄는 두 마리 이상의 마소》; 한 조의 소[말 《등》]를 맨 수레[썰매] **4** 《고어》 (특히 오리·돼지의) 한 어미의 배에서 나온 새끼 ***a whole*** [***full***] **~** 《구어》 능력 있는 사람 ***be on a ~*** 팀에 속해 있다
— *vt.* **1** 〈마소 등을〉 한 수레에 이어 매다; 《미》 한데 맨 짐승으로 〈짐을〉 나르다 **2** 《구어》 〈일을〉 도급 주다; 한 조(組)로 하다
— *vi.* 조[팀]가 되다, 협력하다 《*up, together*》; 《미》 한데 맨 짐승을 부리다
~ *up with* …와 협력하다
— *a.* 《미·속어》 동(同) 그룹임을 복장으로 나타낸
téam fòul 〖농구〗 팀 파울 《개인 파울을 합계한 팀 전체의》
téam hàndball 팀 핸드볼 《축구에서 발달한 7인제 핸드볼》
team·mate [tí:mmèit] *n.* 같은 팀의 사람
téam pláy 팀 전체의 (조직적) 플레이; 공동 동작, 협력 **téam pláyer** *n.*
téam spírit **1** 단체[협동] 정신 **2** [**T- S-**] 〖군사〗 팀 스피리트 《1976년부터 매년 실시되는 한미 합동 군사 훈련》
team·ster [tí:mstər] *n.* **1** 한데 맨 짐승을 부리는 사람; 팀의 지도자 **2** 《미》 트럭 운전사 **3** Teamsters Union의 조합원
Téamsters Únion [the ~] 전미(全美) 트럭 운전사 조합

thesaurus **teach** *v.* instruct, educate, school, tutor, coach, train, drill, enlighten, edify

téam téaching 팀 교습《두 사람 이상이 협력·분담하여 행하는 학습 지도법》
team·work [tíːmwə̀ːrk] *n.* Ⓤ 팀워크, 협동 작업
téa pàrty **1** (오후의) 다과회, 티 파티 **2** 소란, 분쟁
téa plànt 〖식물〗 차나무
téa plànter 차(나무) 재배자
tea·pot [tíːpɑ̀t | -pɔ̀t] *n.* 찻주전자 ***tempest* [*storm*] *in a* ~** ⇨ tempest.
tea·poy [-pɔi] *n.* (차 마시는) 작은 탁자
‡**tear**[1] [tíər] *n.* **1** [보통 *pl.*] 눈물(teardrop): A ~ trickled down her cheek. 눈물이 (한 방울) 그녀의 볼을 흘러내렸다. **2** 물[이슬]방울, 투명한 작은 덩이 《나무진 등》 **3** [*pl.*] 비애, 비탄
bored to ~s (하품으로 눈물이 나도록) 몹시 지루한 ***bring ~s to*** a person***'s eyes*** …의 눈물을 짓게 하다 ***burst into ~s*** 와락 울음을 터뜨리다 ***draw ~s* (*from*)** (…의) 눈물을 흘리게 하다 ***dry*** one***'s ~s*** 눈물을 닦다 ***in ~s*** 눈물을 흘리며, 울면서 one***'s eyes swim with ~s*** 눈에 눈물이 글썽거리다 ***shed* (*bitter*) *~s*** (피)눈물을 흘리다 ***~s of strong wine*** 독한 술을 반쯤 부은 컵 안에 생기는 물방울 ***squeeze out a ~*** 억지 눈물을 짜내다 ***with ~s in*** one***'s eyes* [*voice*]** 눈물을 글썽거리며[눈물로 목이 메어] ***without ~s*** 눈물 없는; 〈입문서 등이〉 수월하게 공부할 수 있는
— *vi.* 〈눈이〉 눈물을 짓다[흘리다]
▷ téarful, téary *a.*
‡**tear**[2] [tέər] *v.* (**tore** [tɔ́ːr]; **torn** [tɔ́ːrn]) *vt.* **1** 찢다, 째다, 잡아 찢다 《*in*》; 《~+목+전+명》 ~ a letter *in*[*to*] pieces 편지를 갈가리 찢다 // 《~+목+보》 ~ a letter open 편지 겉봉을 찢어서 열다 // 《~+목+부》 ~ *up* a letter 편지를 찢다 **2** 잡아채다, 벗기다, 쥐어뜯다 《*away, down, from, off, out, up*》: 《~+목+부》 ~ *down* a placard 플래카드를 잡아떼다 / ~ *off* a cover 커버를 잡아채어 벗기다 // 《~+목+전+명》 ~ a page *from* a book 책의 페이지를 한 장 잡아뜯다 / ~ a book *from* a person's hands …의 손에서 책을 나꿔채다 **3** [보통 과거분사로] 〈마음을〉 괴롭히다: a heart *torn* by grief 비탄에 잠긴 마음 **4** [보통 과거분사로] 〈나라 등을〉 분열시키다 《*up, apart*》: a country *torn* by civil war 내란으로 분열된 나라 **5** 〈폭발 등이〉 〈장소·집 등을〉 파괴하다; 〈피부 등을〉 할퀴다, 상하게 하다 **6** 잡아당겨 (찢어지게) 만들다, 찢어서 〈구멍을〉 내다: 《~+목+전+명》 The nail *tore* a hole *in* her new dress. 그녀의 새옷은 못에 걸려 찢어졌다. / He *tore* his hands *on* barbed wire. 그는 철조망에 걸려 손이 째졌다. **7** 〈눈·주위·사람 등을〉 (…에서) 무리하게 떼다; (…에서)(무리하게) 떠나다 《*from*》: 《~+목+전+명》 ~ one's eyes *from* …로부터 일부러 눈을 돌리다
— *vi.* **1** 째지다, 찢어지다: Lace ~*s* easily. 레이스는 쉽게 찢어진다. **2** 쥐어뜯다 《*at*》: 《~+전+명》 He *tore at* the wrappings of the package. 그는 소포의 포장지를 잡아뜯었다. **3** 날뛰다, 내닫다 《*about, down, along*》: 《~+부》 ~ *about* 날뛰고 다니다 // 《~+전+명》 He came ~*ing along* the street. 그는 거리를 쏜살같이 달려왔다. **4** 맹렬히 공격하다; 비난하다, 혹평하다 《*into*》
be torn between (상반되는 양자) 사이에서 갈팡질팡하다 **~ *... across*** …을 (둘로) 잡아찢다 **~ *... apart*** 〈집 등을〉 허물다, 해체하다; 〈장소를〉 마구 뒤지다; 〈일이〉 …을 분열시키다, 교란시키다; 《구어》 혹평하다, 꾸짖다 **~ *a strip off*** a person 《구어》 …을 엄하게 꾸짖다 **~ *at*** …을 덥석 물다; 괴롭히다; 《미·속어》 공격하다 **~ *down*** 〈건물 등을〉 헐다; 해체하다; 비난하다, 헐뜯다 **~ *in* [*to*] *pieces*** ⇨ *vt.* 1 **~ *into*** 《구어》 마구 덤벼들다 **~ *it*** 《영·속어》 계획[목적, 희망 (등)]을 망쳐 놓다 **~ *loose*** 〈물건이〉 떨어져 나가다; 〈사람이〉 자유로워지다 **~ *off*** (1) ⇨ *vt.* 2 (2) 〈옷을〉 급히 벗다 (3) 《구어》 〈일 등을〉 재빨리 해치우다[끝내다] (4) 서둘러 떠나다 **~ *round* [*around*]** 법석을 떨며 돌아다니다 **~** one***self away* (*from*** a person) 석별(惜別)하다; 〈싫은 사람을〉 뿌리치고 떠나다 **~** one***'s hair*** 머리카락을 쥐어뜯다 《노여움·슬픔 때문에》 **~** one***'s way*** 저돌적으로 나아가다 **~ *up*** 뿌리째 뽑다; 잡아 벗기다; 갈가리 찢다; 〈협정 등을〉 파기하다 ***That's torn it!*** = That's done it! (⇨ do[1])
— *n.* **1** 찢음, 쥐어뜯음 **2** 째진 틈, 해진 곳, 터진 데 《*in*》 **3** 광포(狂暴), 격분; 돌진(rush); 《미·속어》 야단법석: be[go] on a ~ 야단법석을 떨다, 주연으로 흥청거리다 ***at* [*in*] *a* ~** 쏜살같이, 황급히 ***full* ~** 쏜살같이, 전속력으로 **~ *and wear*** = ***wear and* ~** 마손(磨損), (심신의) 소모
tear·a·way [tέərəwèi] *n.* 《영》 돌진하는[무모한] 젊은이; 망나니
téar bòmb[grenàde] [tíər-] 최루탄
tear·down [tέərdàun] *n.* 분해, 해체
tear·drop [tíərdrɑ̀p | -drɔ̀p] *n.* 눈물, 눈물 방울
téar dùct [tíər-] 〖해부〗 누관(淚管)
tear·er [tέərər] *n.* **1** 찢는 사람 **2** 《미·구어》 사납게 날뛰는 것, 《특히》 폭풍우
*****tear·ful** [tíərfəl] *a.* **1** 눈물 어린; 곧잘 우는 **2** 슬픈(sad): ~ news 슬픈 소식, 비보 **~·ly** *ad.* **~·ness** *n.*
téar gàs [tíər-] 최루 가스
tear·gas [tíərgæ̀s] *vt.* 최루탄으로 공격[진압]하다
tear·ing [tέəriŋ] *a.* (잡아) 찢는, 쥐어뜯는; 《구어》 사납게 날뛰는, 맹렬한(violent)
— *ad.* 맹렬히, 냅다, 미친 듯이
tear·jerk·er [tíərdʒə̀ːrkər] *n.* 《구어》 눈물을 흘리게 하는 신파조 영화[연극]
tear·less [tíərlis] *a.* 눈물 없는, 눈물을 흘리지 않는, 무정한 **~·ly** *ad.* **~·ness** *n.*
tear-off [tέərɔ̀ːf | -ɔ̀f] *a., n.* (절취선이 있어) 떼어낼 수 있는 (부분)
tea·room [tíːrùːm] *n.* 다방, 찻집; 《미·속어》 동성애 행위가 행해지는 공중변소
téa ròse 〖식물〗 월계화 《장미과(科)》
téar shèet [tέər-] 뜯어낼 수 있는 페이지 《잡지·신문 등에서 오려 내어 광고주에게 보내는》
téar shèll [tíər-] = TEAR BOMB
tear-stained [tíərstèind] *a.* 눈물에 젖은, 눈물 어린
téar strìp [tέər-] (깡통·담배갑 둘레의) 따개띠
téar-tape pàckaging [tέərtèip-] 개봉 테이프식 포장
tear·y [tíəri] *a.* (**tear·i·er**; **-i·est**) 눈물의[같은]; 눈물이 글썽한
tear·y-eyed [-àid] *a.* 눈물이 글썽거리는
‡**tease** [tíːz] [OE 「잡아떼다」의 뜻에서] *vt.* **1** (짓궂게) 괴롭히다, 곯리다, 집적거리다, 희롱하다, 놀리다 《*about*》; 조르다, 졸라대다 《*for*》: 《~+목+전+명》 She ~*d* John *about* his curly hair. 그녀는 존의 곱슬머리를 놀려댔다. / ~ a person *for* a thing …에게 물건을 달라고 조르다 // 《~+목+*to* do》 The child ~*d* his mother *to* buy him a bicycle. 아이는 어머니에게 자전거를 사달라고 졸라댔다. **2** 〈양털·삼 등을〉 빗기다 《*out*》 **3** 〈모직물의〉 보풀을 세우다(teasel) **4** 〈조직·표본을〉 (현미경으로 보기 위해) 얇게 자르다 **5** 《미》 〈머리털을〉 거꾸로 빗어 세우다(《영》 backcomb) **~ *up*** …을 손질하다
— *vi.* 집적거리다, 곯리다, 희롱하다; 졸라대다 《*for*》: 《~+전+명》 ~ *for* candy 캔디를 달라고 졸라대다
— *n.* **1** 곯리기; 곯림당함 **2** 곯리는 사람, 귀찮은 놈 **3** 남자를 (성적으로) 애태우는 여자
tea·sel [tíːzəl] *n.* 〖식물〗 산토끼꽃 《그 열매로 모직물의 잔털을 세움》
— *vt.* (**~ed**; **~·ing** | **~led**; **~·ling**) 보풀을 세우다
teas·er [tíːzər] *n.* **1** 괴롭히는[곯리는] 사람; 《구어》

---

tease *v.* torment, provoke, pest, bother, worry, vex, irritate, annoy, mock, ridicule

어려운 일[문제] **2** 〖연극〗 무대 상부에 드리운 좁고 긴 막 **3** (보너스·경품 등으로) 살 마음이 내키게 하는 광고 **4** 〖상업〗 = TEASER CAMPAIGN **5** 남자를 애타게 하는 여자 **6** 소모기(梳毛機)

téaser campàign[àd] 〖상업〗 선전 내용을 수수께끼처럼 제시하는 일련의 광고 선전 《소비자의 호기심을 자극하는 수법》

téa sèrvice[sèt] 찻그릇 (한 벌)

téa shòp **1** 《영》 다방 **2** 차를 파는 가게

teas·ing [tíːziŋ] *a.* 짓궂게 괴롭히는, 들볶는; 귀찮은, 성가신 **~·ly** *ad.*

‡tea·spoon [tíːspùːn] *n.* **1** 찻숟가락(cf. TABLESPOON) **2** = TEASPOONFUL

∗tea·spoon·ful [tíːspuːnfùl] *n.* (*pl.* **~s, tea·spoons·ful**) 찻숟가락으로 하나(의 양) 《식탁 숟가락의 약 1/3, 略 tsp》 (*of*); 약간, 소량

tea-stick [-stìk] *n.* 《미·속어》 마리화나 담배

téa stràiner 차 여과기

teat [tíːt, tít | tíːt] *n.* (동물의) 젖꼭지(cf. NIPPLE); 《영》 (젖병의) 고무 젖꼭지(《미》 nipple)

téa tàble 차 탁자

tea-things [tíːθìŋz] *n. pl.* = TEA SERVICE

tea·time [-tàim] *n.* ⓤ (오후의) 차 마시는 시간

téa tòwel 《영》 = DISH TOWEL

téa trày 찻쟁반

téa trèe = TEA PLANT

téa tròlley 《영》 = TEA WAGON

tea-urn [-ə̀ːrn] *n.* (많은 차를 끓이기 위한) 차 탕관

téa wàgon (바퀴가 달린) 차 도구 운반대

tea·zel [tíːzəl], **tea·zle** [tíːzl] *n., vt.* = TEASEL

teb·i·bit [tébibìt] *n.* 〖컴퓨터〗 테비비트(terabit) 《2^{40}bits; 略 Tib, Tibit》

teb·i·byte [tébibàit] *n.* 〖컴퓨터〗 테비바이트(terabyte) 《2^{40}bytes; 略 TiB》

tec[1] [ték] [de*tec*tive] *n.* 《속어》 탐정, 형사

tec. technical

tech, tec[2] [ték] [*tech*nical college] *n.* 《구어》 공업 전문 학교, 공과 대학

tech. technical(ly); technician; technological; technology

teched [tétʃt] *a.* 머리가 조금 돈

tech·ie [téki] *n.* 《구어》 기술, (특히 컴퓨터·전자 분야) 전문가[연구가], 전문 기술 수습생; (무대 장치의) 기술 담당

tech·int [tékint] [*tech*nical *int*elligence] *n.* 기술 정보 (수집)

tech·ne·ti·um [tekníːʃiəm, -ʃəm] *n.* ⓤ 〖화학〗 테크네튬 《금속 원소; 기호 Tc, 번호 43》

tech·ne·tron·ic [tèknətránik | -trɔ́n-] *a.* 과학 기술과 전자 공학의, 정보화 시대의 《사회의》

∗tech·nic [téknik] *a.* = TECHNICAL

— *n.* **1** = TECHNIQUE **2** [*pl.*] 전문적인[학술적] 방법[법칙], 전문적 사항(technicality); 술어(述語) **3** [보통 *pl.*] 공예(학), 과학 기술

‡tech·ni·cal [téknikəl] *a.* **1** 기술[기법]의, 과학 기술의, 기술적인: a ~ adviser 기술 고문 / ~ skill 기교 / ~ knowledge 과학 기술 지식 **2** 전문(적)인: ~ terms 전문 용어, 술어 **3** 〈사람이〉 숙달한, 정통한; 좋은 기량을 갖춘 **4** 공업의, 공예의: a ~ school 공업 학교 **5** 법적으로[규칙상] 성립되는; 엄밀한 법 해석에 의한: a ~ defeat 엄밀한 의미에서의 패배 **6** 〖증권〗 인위적인, 조작적인 ▷ techníque, technicálity *n.*

téchnical cóllege 《영》 공업[실업] 전문 대학

téchnical fóul 〖농구〗 테크니컬 파울 《상대편 선수와의 몸 접촉에 의하지 않은 파울; cf. PERSONAL FOUL》

téchnical hítch (기계 고장으로 인한) 일시 정지

tech·ni·cal·i·ty [tèknikǽləti] *n.* (*pl.* **-ties**) **1** ⓤ 전문적 성질 **2** 전문적 사항[방법, 절차]; 전문어

téchnical knóckout 〖권투〗 테크니컬 녹아웃 《略 TKO, T.K.O.》

∗tech·ni·cal·ly [téknikəli] *ad.* 전문적으로(는), 기술적으로; 법적으로

téchnical schòol 《영》 = SECONDARY TECHNICAL SCHOOL

téchnical sérgeant 〖미공군〗 2등 중사 《staff sergeant의 위, master sergeant의 아래 하사관; 略 tech. sgt.》

téchnical suppórt 〖컴퓨터〗 기술 지원 《교육·수리·정기 점검 등》

∗tech·ni·cian [tekníʃən] *n.* **1** 기술자; 전문가; 기교가 《회화·음악 등의》 **2** 〖미군〗 (옛) 기술 하사관 《현재는 specialist라고 한다》

tech·ni·cism [téknəsìzm], **tech·nism** [téknəzm] *n.* 기술 (지상)주의

tech·ni·cist [téknəsist] *n.* = TECHNICIAN

Tech·ni·col·or [téknikʌ̀lər] *n.* 테크니컬러 《천연색 영화(법)의 일종; 상표명》

tech·nics [tékniks] *n.* = TECHNIC 2, 3

tech·ni·fy [téknəfài] *vt., vi.* 기술화하다, 기술을 혁신하다, 고도로 기술화하다

tech·ni·kon [téknikàn | -kɔ̀n] *n.* 《남아공·구어》 (실용 학문을 가르치는) 전문대학(교) (《구어》 tech)

‡tech·nique [tekníːk] *n.* **1** ⓤⓒ (예술·스포츠 등의) 기법, 수법, 기교; 화법(畵法), (음악) 연주법; 방법, 기술 **2** ⓤ (전문) 기술 **3** 《구어》 사람을 끄는 솜씨

tech·no [téknou] 〖음악〗 *a.* (신시사이저·음향 효과·전자 음향 등을 합성한) 팝 음악의, (팝 음악이) 합성음을 사용한 **—** *n.* (기술적 음향과 춤곡이 합성된) 팝 음악의 하나(technopop, technorock)

techno- [téknou, -nə] 《연결형》 「기술; 기교; 공예」의 뜻

tech·no·bab·ble [téknoubæ̀bl] *n.* ⓤ 《구어·경멸》 (일반인이 이해하기 어려운) 컴퓨터[기술] 전문 용어

tech·no·ban·dit [téknəbæ̀ndit] *n.* 과학 기술 유출범[도둑]

tech·no·cen·tered [tèknouséntərd] *a.* 과학 기술 중심주의의 **~·ness** *n.*

tech·no·cen·trism [tèknəséntrizm] *n.* 기술 지상주의

tech·noc·ra·cy [teknákrəsi | -nɔ́k-] *n.* **1** ⓤⓒ 기술자 지배, 테크노크라시 《전문 기술인에게 일국의 산업 자원의 지배·통제를 맡기자는 방식》 **2** 기술주의 국가

tech·no·crat [téknəkræ̀t] *n.* **1** technocracy 주장[신봉]자 **2** 기술자 출신의 고급 관료, (경영·관리직에 있는) 전문 기술자 **tèch·no·crát·ic** *a.*

tech·no·fear [téknoufìər] *n.* 과학 기술 공포증

tech·nog·ra·phy [teknágrəfi | -nɔ́g-] *n.* ⓤ 과학사(史)[지(誌)], 기술사(史)[지(誌)]

tech·no·klutz [téknouklʌ̀ts] *n.* 《속어》 컴맹

technol. technological(ly); technology

∗tech·no·log·ic, -i·cal [tèknəládʒik(əl) | -lɔ́dʒ-] *a.* **1** 과학 기술의: *technological* innovation 기술 혁신 **2** 〖경제〗 (생산) 기술 혁신으로 인한: *technological* unemployment 기술 혁신이 초래한 실업 **-i·cal·ly** *ad.*

∗tech·nol·o·gist [teknálədʒist | -nɔ́l-] *n.* 과학 기술자, 공학자

tech·nol·o·gize [teknálədʒàiz | -nɔ́l-] *vt.* 기술 혁신하다: ~*d* society 기술화[공업화] 사회

∗tech·nol·o·gy [teknálədʒi | -nɔ́l-] *n.* ⓤ **1** 과학 기술, 생산[공업] 기술; 공학 **2** (과학 기술의) 전문어, 술어 **3** 과학 기술상의 과정; 응용 과학 **4** (어떤 문명의) 기술 체계 ▷ technológical *a.*

technólogy assèssment 기술 개발의 사전 평가 《사회적 영향에 대한》

technólogy pùll 기술 혁신에 따르는 문제의 전통적 해결에 대한 재검토 요청

technólogy schòol 실업[기술] 학교 ★ 의학 분

thesaurus **technical** *a.* mechanical, practical, scientific, nontheoretical, specialist, specialized
technique *n.* method, procedure, manner, way,

야도 포함됨.
technólogy trànsfer (특히 선진국에서 개발 도상국에의) 기술 이전
tech·no·ma·ni·a [tèknəméiniə] *n.* Ⓤ 과학 기술 편중주의
tech·no·peas·ant [téknoupèznt] *n.* (미·구어) 기술[컴퓨터]에 약한 사람
tech·no·phile [téknəfàil] *n.* 기술을 좋아하는 사람
tech·no·phobe [téknəfòub] *n.* 과학 기술을 겁내는 사람
tech·no·pho·bi·a [tèknəfóubiə] *n.* Ⓤ 과학 기술 공포증
tech·nop·o·lis [teknápəlis | -nɔ́p-] *n.* Ⓤ 기술 지배 사회
tech·no·pol·i·tan [tèknəpálətn | -pɔ́l-] *a.* 기술 지배 사회의
tech·no·pop [téknoupàp | -pɔ̀p] *n.* [때로 **T~**] 〖음악〗 테크노 팝 《synthesizer에 의한 전자음을 기초로 한 팝록 음악》
tech·no·pre·neur [tèknəprənə́:r] [*techno-*+ entre*preneur*] *n.* 첨단 기술 산업 기업가
tech·no·sphere [téknəsfiər] *n.* 인류의 과학 기술적 행동
tech·no·stress [téknoustrès] *n.* 〖심리〗 테크노 스트레스 《고도 과학화 사회의 적응에 실패했을 때 생기는 증상》
tech·no·struc·ture [téknoustrʌ̀ktʃər] *n.* 〖경영〗 기술 구조 《전문 지식을 가진 사람들로 구성된 의사 결정 조직》
tech·scam [tékskæ̀m] *n.* (첨단 기술 정보를 입수하려는) 스파이 행위에 대한 함정 수사
tech. sgt. technical sergeant
téch suppòrt (속어) = TECHNICAL SUPPORT
tech·y [tétʃi] *a.* (**tech·i·er**; **-i·est**) = TETCHY
tec·tol·o·gy [tektálədʒi | -tɔ́l-] *n.* Ⓤ 〖생물〗 조직 형태학
tec·ton·ic [tektánik | -tɔ́n-] *a.* 건축의, 축조(築造)의; 〖지질〗 구조(상)의: ~ geology 구조 지질학
tectónic plàte **1** 〖지질〗 텍토닉 플레이트 《판상(板狀)을 이루어 움직이고 있는 지각의 표층》 **2** (여론의) 바탕, 토대
tec·ton·ics [tektániks | -tɔ́n-] *n. pl.* [단수 취급] 구축[구조]학; 구조 지질학
tec·to·nism [téktənìzm] *n.* 〖지질〗 지각 변동(diastrophism)
tec·to·no·mag·net·ism [tèktənoumǽgnətìzm] *n.* 〖지질〗 지각 자기(磁氣) 《지각 변형에 기인하는 지구 자장의 이상》
ted [téd] *vt.* (**~·ded**; **~·ding**) 〈풀을〉 널어서 말리다
Ted [téd] *n.* **1** 남자 이름 《Theodore, Edward의 애칭》 **2** [종종 **t~**] (영·구어) = TEDDY BOY
ted·der [tédər] *n.* 풀을 말리는 사람[기계]
ted·dy [tédi] *n.* (*pl.* **-dies**) **1** [보통 *pl.*] 테디 《슈미즈와 팬티로 된 여성용 내의》 **2** = TEDDY BEAR
Ted·dy [tédi] *n.* 남자 이름 《Theodore, Edward의 애칭》
téddy bèar (봉제) 장난감 곰 《Theodore Roosevelt 대통령이 새끼 곰을 살려주는 만화에서 힌트를 얻어 만들어졌음》
Téddy bòy [종종 **t- b-**] (Edward 7세 시대의 복장을 애용하는) 영국의 반항적인 청소년
Téddy gìrl [종종 **t- g-**] Teddy boy의 여자 친구; 반항적 소녀
Te De·um [téi-déium, -déiəm, tì:-dí:əm | tì:-dí:əm] [L 'thee, God, (we praise)'의 뜻에서] 〖가톨릭〗 테데움, 찬미의 노래; 그 곡; 테데움을 노래하는 감사 예배 ***sing*** **~** (승리를 축하하여) 테데움을 노래하다, 환희하다
‡te·di·ous [tí:diəs, -dʒəs | -diəs] *a.* **1** 지루한, 지겨운, 진저리나는: a ~ discourse 따분한 이야기 **2** 장황한 **~·ly** *ad.* **~·ness** *n.* ▷ tédium *n.*
te·di·um [tí:diəm] *n.* Ⓤ 지겨움, 권태, 지루함
tee[1] [tí:] *n.* T자; T자 꼴의 물건; T자관(管); T셔츠 ***to a*** **~** 정확히, 꼭 맞게
tee[2] *n.* **1** 갓 모양의 표적, (탑 꼭대기에 씌우는) 탑관(塔冠) **2** 목표 《curling, quoits 등에서》; 〖골프〗 티 《공을 올려 놓는 자리》 ***dead from the*** **~** 친 공이 겨냥이 틀리지 않고
— *vt.* 〖골프〗 〈공을〉 티 위에 올려 놓다 《*off*》
— *vi.* 〖골프〗 티에서 제1구를 치다 《*off*》; 시작하다, 개시하다 《*with*》 **~ off** (1) 〖골프〗 티에서 공을 치다 (2) (속어) 엄하게 꾸짖다, 화내다 《*on*》 (3) 〖야구〗 (특히) 장타를 마구 날리다, 난타하다 (4) (구어) 시작하다 (5) [보통 수동형으로] (속어) 짜증나게 하다 **~ up** 〖골프〗 (공을) 티 위에 올려 놓다; …을 준비하다
tee-hee [ti:hí:] *int., n.* 히히(하는 소리)
— *vi.* 히히 웃다
tée·ing gròund [tí:iŋ-] 〖골프〗 초타(初打) 구역
teel [tí:l] *n.* 〖식물〗 참깨; 참기름
***teem**[1] [tí:m] [OE 「아이를 만들다」의 뜻에서] *vi.* **1** 충만하다, 풍부하다, 비옥하다 《*with*》; (문어) 가득 차다, 많이 있다(abound): (~+전+명) Fish ~ *in* these waters. =These waters ~ *with* fish. 이 근해에는 어류가 풍부하다. / The book ~*s with* blunders. 그 책은 오류투성이이다. **2** (폐어) 임신하다; 아이를 낳다
teem[2] *vt.* 〈그릇을〉 비우다(empty); 〖야금〗 〈녹은 강철을〉 도가니에서 따르다 **—** *vi.* 〈비가〉 억수같이 쏟아지다 《*down*》: It is ~*ing* with rain. = The rain is ~*ing down.* 비가 억수같이 내린다.
teem·ful [tí:mfəl] *a.* 풍부한, 수확이 풍성한 **~·ness** *n.*
teem·ing [tí:miŋ] *a.* **1** 풍부한, 우글우글한 《*with*》 **2** 새끼가 많은, 다산의; 〈토지가〉 비옥한 **~·ly** *ad.* **~·ness** *n.*
teen[1] [tí:n] *n.* Ⓤ (고어) 비탄(grief); 불행
teen[2] *n.* = TEENAGER(cf. TEENS)
— *a.* Ⓐ 10대의(teenage)
***-teen** [tí:n, tì:n] *suf.* 「10…」의 뜻 《13-19의 수에서》
teen·age(d) [tí:nèidʒ(d)] *a.* 10대의
***teen·ag·er** [tí:nèidʒər], **teen·er** [tí:nər], **teen·ster** [-stər] *n.* 10대의 소년[소녀], 틴에이저
teen·pix [tí:npìks] [pix는 *pic*tures의 변형] *n. pl.* 10대를 위한 영화(kid's movie)
téen póp 〖음악〗 틴팝 《10대 취향의 팝 뮤직》
teens** [tí:nz] *n. pl.* **1 a** [one's ~] 10대 《보통 13-19세를 이름》 **b** (각 세기의) 제 13-19년 **2** 10대의 소년 소녀 ***early[***late***] **~** 10대 초반[종반] ***in*** one***'s last*** **~** 19세 때에 ***in***[***out of***] one***'s*** **~** 10대에[를 지나서]
teen·sy [tí:nsi], **teent·sy** [tí:ntsi] *a.* (구어) =TINY
teen·sy-ween·sy, teen·sie-ween·sie [tí:nsiwí:nsi], **teent·sy-weent·sy** [tí:ntsiwí:ntsi] *a.* (구어) = TINY
tee·ny[1] [tí:ni] *a.* (**-ni·er**; **-ni·est**) (구어) = TINY
teeny[2] *n.* (구어) = TEENAGER
tee·ny·bop·per [tí:nibàpər | -bɔ̀p-] *n.* (구어) 10대의 소녀; 히피(hippie)의 흉내를 내거나 일시적인 유행[록음악]에 열중하는 틴에이저
tee·ny-wee·ny, tee·nie-wee·nie [-wí:ni] *a.* (구어) = TINY
tee·pee [tí:pi:] *n.* = TEPEE
tée shìrt = T-SHIRT
tee·ter [tí:tər] *n.* = SEESAW
— *vi.* **1** (미) 시소를 타다 **2** 동요하다, 흔들리다; 망설이다 《*between, on*》: (~+전+명) ~ *between* two choices 어느 쪽을 선택할 것인지 망설이다
~ ***on the brink*** 위험이 다가오고 있다

mode, means, skill, proficiency, expertise, craft
tedious *a.* wearying, tiresome, tiring, fatiguing, dull, boring, uninteresting, monotonous, routine

tee·ter·board [tíːtərbɔ̀ːrd] *n.* **1** =SEESAW **2** 티터보드 《널뛰기식으로 한쪽 끝에 뛰어내리면 다른쪽 끝의 사람이 튀어 오르는 널》
tee·ter-tot·ter [-tɑ̀tər | -tɔ̀t-] *n.* 《미》 =SEESAW
‡teeth [tíːθ] *n.* TOOTH의 복수
teethe [tíːð] *vi.* 〈이가〉 나다; 〈아기가〉 이가 나다
teeth·er [tíːðər] *n.* (이가 날 무렵의 유아용의) 깨물고 노는 장난감
teeth·ing [tíːðiŋ] *n.* Ⓤ 이[젖니]가 남; 이가 나는 시기
téething rìng 고리 모양의 물리개 《이가 날 무렵의 어린애에게 물려주는 장난감》
téething tróubles **1** 생치(生齒) 곤란 《젖니가 나올 때의 불쾌감 등》 **2** (기업의) 초창기의 어려움[고생]
teeth·ridge [tíːθrìdʒ] *n.* 〖음성〗 치경, 잇몸
tee·to·tal [tiːtóutl, ⌐⌐-|-⌐-] [total (abstinence)에서; 강조하려고 어두에 t를 덧붙인 것] *a.* **1** 절대 금주(주의)의: ~ drink 알코올을 함유하지 않은 음료/a ~ pledge 절대 금주 서약/a ~ society 금주회 **2** 《미·구어》 절대로 …인, 정말인, 완전한(absolute) — *vi.* 절대 금주를 실행하다
~·ism *n.* Ⓤ 절대 금주주의 **~·ist, ~·(l)er** *n.* **~·ly** *ad.*
tee·to·tum [tiːtóutəm] *n.* 손가락으로 돌리는 팽이; 네모 팽이: like a ~ 빙글빙글 돌며
tee·vee [tíːvíː] [TV] *n.* =TELEVISION
te·fil·lin [təfílin] *n. pl.* [때로 단수 취급] 〖유대교〗 성구상(聖句箱) 《아침 기도 때 몸에 걸침》
TEFL [téfl] teaching English as a foreign language 외국어로서의 영어 교수(법)
Tef·lon [téflɑn | -lɔn] *n.* **1** 테플론 《열에 강한 합성수지; 상표명》 **2** [형용사적으로 쓰여] (정치가가 스캔들·편향적 비평 등을) 무시하는: a ~ politician 비판 등을 무시하는 정치가
teg [tég] *n.* 두 살 난 암사슴; 두 살 난 양(의 털)
t.e.g. top edge gilt 〖제본〗 천금(天金)
teg·men [tégmən] *n.* (*pl.* **-mi·na** [-mənə]) 외피; 〖식물〗 내종피(內種皮)
Te·gu·ci·gal·pa [tegùːsigǽlpə] *n.* 테구시갈파 《Honduras 공화국의 수도》
teg·u·lar [tégjulər] *a.* **1** 기와의[같은], 기와 모양의; 미늘단 **2** 〖곤충〗 어깨판의 **~·ly** *ad.*
teg·u·ment [tégjumənt] *n.* 외피(外皮), 피막(被膜)
teg·u·men·tal [tègjuméntl], **-men·ta·ry** [-méntəri] *a.* 외피(外皮)의
te-hee [tiːhíː] *n., int., vi.* = TEE-HEE
Teh·ran, Te·he·ran [terǽn, -rɑ́ːn, tèhə-, tèiə- | tɛərɑ́ːn] *n.* 테헤란 《이란의 수도》
teil [tíːl] *n.* 〖식물〗 보리수(linden)
tek·tite [téktait] *n.* 〖광물〗 텍타이트 《흑요석 비슷한 유리질 물질》
TEL tetraethyl lead **tel.** telegram; telegraph; telegraphic; telephone
tel- [tel], **tele-** [télə] 《연결형》 「원거리의; 텔레비전의[에 의한]」의 뜻 《모음 앞에서는 tel-》
tel·aes·the·sia [tèləsθíːʒə, -ʒiə, -ziə] *n.* = TELESTHESIA
tel·a·mon [téləmən, -mɑ̀n | -mən, -mɔ̀n] *n.* (*pl.* **-mo·nes** [tèləmóuniːz]) 〖건축〗 남상주(男像柱)
tel·an·gi·ec·ta·sia [telæ̀ndʒiektéiʒə, tə-, -ʒiə] *n.* (*pl.* **~s**) =TELANGIECTASIS
tel·an·gi·ec·ta·sis [telæ̀ndʒiéktəsis, tə-] *n.* (*pl.* **-ses** [-sìːz]) 〖병리〗 모세관 확장증
tel·au·to·gram [telɔ́ːtəgræ̀m] *n.* 전송(電送) 서화(書畫)[사진]
Tel·Au·to·graph [telɔ́ːtəgræ̀f, -grɑ̀ːf] *n.* (사진·서화의) 전송기(電送機) 《상표명》
Tel A·viv [tèl-əvíːv] 텔아비브 《이스라엘 최대의 도시; 공식명 Tel Aviv-Jaffa》
tel·co [télkòu] [*tel*ephone *co*mpany] *n.* 전화 회사 《회사명 등으로서》
tel·e [téli] *n.* 《구어》 =TELEVISION

tele- [télə] 《연결형》 =TEL-
tel·e·ad [téləæ̀d] *n.* (전화로 신청하는) 신문 광고
tel·e·ar·chics [tèliɑ́ːrkiks] *n.* 〖항공〗 (무전에 의한) 항공기의 원격 조종법
tel·e·bank·ing [téləbæ̀ŋkiŋ] *n.* 텔레뱅킹 《컴퓨터나 전화 등을 이용한 은행 거래》
tel·e·cam·e·ra [télikæ̀mərə] *n.* 텔레비전 카메라; 망원 카메라
***tel·e·cast** [télikæ̀st, -kɑ̀ːst | -kɑ̀ːst] *n.* ⓊⒸ 텔레비전 방송: a ~ station 텔레비전 방송국
— *vt., vi.* (**~, ~·ed**) 텔레비전 방송을 하다
~·er *n.* 텔레비전 방송자
tel·e·cin·e [téləsìni, ⌐-⌐-] *n.* 텔레비전 영화
tel·e·com [télikɑ̀m | -kɔ̀m] *n.* 전기 통신
tel·e·com·mu·ni·cate [tèləkəmjúːnəkèit] *vt., vi.* 〈데이터·음향·영상 등을〉 원격 통신으로 전달하다, 전송하다 **-cà·tor** *n.*
tel·e·com·mu·ni·ca·tion [tèləkəmjùːnikéiʃən] *n.* Ⓤ (원거리) 전기 통신; [*pl.*; 단수 취급] 전기 통신공학; 〖컴퓨터〗 전자 통신 《통신선을 이용하여 한 장소에서 다른 장소로 자료를 전송하는 것》: We are in constant ~ with London. 우리는 런던과 일정한 원거리 통신을 하고 있다.
telecommunicátions sàtellite 통신 위성(cf. TELSTAR)
tel·e·com·mute [téləkəmjùːt] *vi.* (컴퓨터 단말기를 집에 두고) 재택근무하다
tél·e·com·mùt·er *n.* **-mùt·ing** *n.*
tel·e·com·pu·ni·ca·tions [tèləkəmpjùːnəkéiʃənz] *n. pl.* [단수 취급] 〖전자〗 텔레컴퓨니케이션 《전기 통신과 컴퓨터가 융합한 새로운 정보 처리의 공학·기술·산업 (분야)》
tel·e·com·put·er [télikəmpjùːtər] *n.* 텔레컴퓨터 《컴퓨터·TV·전화기의 기능이 함께 작동되는 기기》
tel·e·com·put·ing [télikəmpjùːtiŋ] *n.* 〖컴퓨터〗 =TELEPROCESSING
tel·e·con·fer·ence [téləkɑ̀nfərəns | -kɔ̀n-] *n.* (인터넷·텔레비전·전화를 이용한) 원격지간 회의
— *vi.* 원격지간 회의에 참가하다 **-enc·ing** *n.*
tel·e·con·sul·ta·tion [tèləkɑ̀nsəltéiʃən | -kɔ̀n-] *n.* 원거리 상담 《전화·텔레비전 등을 이용한 의료 상담》
tel·e·con·trol [tèləkəntróul] *n.* Ⓤ 전파[전선, 음파]에 의한 원격(遠隔) 조작, 리모트 컨트롤
Tel·e·cop·i·er [télikɑ̀piər | -kɔ̀p-] *n.* 전화 복사기 《문자나 도형을 전화로 전송하고 복사하는 텔레팩시밀리; 상표명》
tel·e·cot·tage [téləkɑ̀tidʒ | -kɔ̀t-] *n.* 텔레카티지, 지역 원격 근무 센터 《지방에서 재택근무를 할 수 있도록 컴퓨터·통신 기기를 갖춘 건물》
tel·e·course [téləkɔ̀ːrs] *n.* 《미》 텔레비전 강좌 《대학 등의 텔레비전에 의한》
tel·e·di·ag·no·sis [tèlədaiəgnóusis] *n.* Ⓤ (텔레비전이나 전자 기기에 의한) 원격 진단, 텔레비전 진단
tel·e·dra·ma [télədrɑ̀ːmə] *n.* =TELEPLAY
tel·e·du [télədùː] *n.* 〖동물〗 말레이오소리 《Java 및 Sumatra 산(産)》
tel·e·fac·sim·i·le [tèləfæksíməli] *n.* ⒸⓊ 전화 전송(기), 텔레팩시밀리 《인쇄물을 원격지에 전송하는 방법》
tel·e·fer·ic [tèləférik] *n., a.* 공중 케이블(의)
tel·e·film [téləfìlm] *n.* 텔레비전 영화
teleg. telegram; telegraph(y)
tel·e·gen·ic [tèlədʒénik] *a.* 텔레비전 방송에 알맞은, 텔레비전 방송용의, 텔레비전에 잘 영사되는
tel·eg·no·sis [tèlənóusis, -lignóu-] *n.* 천리안, 투시력; (초능력에 의한) 원격지의 사실을 인식하는 일
te·leg·o·ny [təlégəni] *n.* Ⓤ 〖생물〗 선부(先夫) 유전, 감응 유전
‡tel·e·gram [téligræ̀m] *n.* 전보, 전신, 전문(電文): send a ~ 전보를 치다
by* ~** 전보로 **~ *in cipher*[*plain language*]** 암호[보통말] 전보 **~ *to follow 추미(追尾) 전보 《수취인

의 거처를 따라 송달되는 특별 전보》
— *vt.*, *vi.* (**~med**; **~·ming**) = TELEGRAPH

‡tel·e·graph [téligræ̀f, -grɑ̀:f | -grɑ̀:f, -græ̀f] *n.* **1 전신**, 전보: a ~ corps 전신대(隊)/a ~ office [station] 전신국/a ~ slip[form, 《미》 blank] 전보 용지 **2** [**T~**] …통신 《신문명》: the Daily *T~* (런던의) 데일리 텔레그래프 **3** 전신기; 신호기 **4** 《드물게》 (경마 등의) 속보 게시판(= **~ bòard**) ***by*** **~** 전신[전보]으로 ***duplex*** [***quadruple***] **~** 2중[4중] 전신기
— *vt.* **1** …에게 **전보를 치다**, 전신으로 알리다, 타전하다, 전송하다: 《~+목+전+명》 ~ one's departure *to* one's friends 친구에게 전보로 출발을 알리다 // 《~+목+목》 He *~ed* us the news. 그는 뉴스를 타전해 왔다. // 《~+목+***that*** 절》 The office *~ed* me *that* they had not received my application. 사무국은 내 원서를 받지 못했다고 전보로 알려왔다. // 《~+목+***to*** do》 Father *~ed* me *to* return at once. 아버지는 내게 곧 돌아오라고 전보를 치셨다. **2** 전보로 〈돈 등을〉 부치다; 전신 주문으로 〈선물 등을〉 보내다: She *~ed* thirty dollars. 그녀는 전신환으로 30달러를 부쳤다. **3** (표정·몸짓 등으로) 〈의도 등을〉 넌지시 알리다, 느끼게 하다: 《~+목+전+명》 He *~ed* his distress *with* his eyebrows. 그는 상을 찌푸려 고민을 알렸다. **4** 〈득점 등을〉 속보 게시판에 표시하다
— *vi.* **1** 전보[전신]를 치다, 타전하다: 《~+전+명》 She *~ed to* her daughter. 그녀는 딸에게 전보를 쳤다. // 《~+전+명+***to*** do》 He *~ed to* me *to* come up at once. 그는 내게 곧 오라고 전보를 보냈다. **2** 신호하다 《*to*》

te·leg·ra·pher [təlégrəfər] *n.* 전신 기사

tel·e·graph·ese [tèligræfí:z, -fí:s, ⌐--⌐ | tèligrɑ:fí:z] *n.* Ⓤ 전문체(電文體); 극단적으로 간결한 문체[말투]; 과장된 문체

tel·e·graph·ic [tèligræ̀fik] *a.* **1** 전신기의 **2** 전송(電送)의, 전신[전보]의; 신호의: a ~ address (전보의) 수취인 약호, 전신 약호/a ~ code 전신 부호/~ instructions 훈령 전보/~ instruments 전신기/a ~ message 전보, 전문/a ~ picture 전송 사진 **3** 전문체의, 간결한: ~ speech 간결한 이야기
-i·cal·ly *ad.*

telegráphic tránsfer 《영》 전신환(《미》 cable transfer) 《略 TT》

te·leg·ra·phist [təlégrəfist] *n.* 전신 기사

télegraph kèy 전건(電鍵)

télegraph lìne 전신선

télegraph mòney òrder 전신환

te·leg·ra·phone [təlégrəfòun] *n.* (구식의) 전자(電磁)식 녹음 (재생)기; 전화 녹음기

télegraph plànt 〖식물〗 도둑놈의갈고리속(屬)

télegraph pòle[**pòst**] 전신주, 전주

télegraph wìre 전신선, 전선

***te·leg·ra·phy** [təlégrəfi] *n.* Ⓤ **전신**(술); 전신법; 전신: wireless ~ 무선 전신(술)

Tel·e·gu [téligù:] *n.* = TELUGU

tel·e·guide [téləgàid] *vt.* 〈미사일 등을〉 원격 유도하다

tel·e·ki·ne·sis [tèləkiní:sis] *n.* Ⓤ 〖심령〗 격동(隔動)(현상), 염동 작용(念動作用), 염력 **-ki·nét·ic** *a.*

tel·e·lec·ture [téləlèktʃər] *n.* 전화선에 이은 스피커; 그것을 이용해서 하는 강의, 전화 강의

Te·lem·a·chus [təléməkəs] *n.* 〖그리스신화〗 텔레마코스 《Odysseus와 Penelope의 아들》

tel·e·man [télimæ̀n] *n.* (*pl.* **-men** [-mèn]) 〖미해군〗 사무·암호·통신 임무를 맡은 상급 하사관

tel·e·mark [téləmɑ̀:rk] 〖스키〗 *n.* [종종 **T~**] 텔레마크 《회전법의 일종》 **—** *vi.* 텔레마크 회전을 하다

tel·e·mar·ket·ing [téləmɑ̀:rkətiŋ] *n.* Ⓤ 전화 판매, 전화 광고

te·le·mat·ics [tèləmǽtiks] *n.* = TÉLÉMATIQUE

té·lé·ma·tique [tèləmɑ:tí:k] [F] *n.* 텔레마티크 《전화와 컴퓨터를 조합한 정보 서비스 시스템》

tel·e·me·chan·ics [téləməkæ̀niks] *n. pl.* [단수 취급] (기계의) 원격[무전] 조종법

tel·e·med·i·cine [téləmèdəsin] *n.* 〖의학〗 (전화·텔레비전으로 환자가 받을 수 있는) 원격 의료

tel·e·mes·sage [téləmèsidʒ] *n.* 《영》 텔레메시지 《전화 전보; 상표명》

te·lem·e·ter [təlémətər, téləmì:tər] *n.* 측거기(測距機), 거리 측정기; 〖전기〗 원격 계측기(遠隔計測器) 《자동 계측 전송 장치》; (로켓 등의) 자동 계측 전송 장치 **—** *vt.*, *vi.* 〈측정치를〉 원격 계측기로 송신[기록]하다 **~·ing** *n.* Ⓤ 원격 측정

te·lem·e·try [təlémətri] *n.* Ⓤ 원격 측정법; [집합적] 원격 계측기로 얻은 자료

tel·e·met·ric [tèləmétrik] *a.*

tel·e·mo·tor [téləmòutər] *n.* 〖항해〗 텔레모터, 원격 조타(操舵) 장치

tel·en·ceph·a·lon [tèlenséfəlɑ̀n | -lɔ̀n] *n.* (*pl.* **~s**, **-la** [-lə]) 〖해부〗 종뇌(終腦), 단뇌(端腦) 《전뇌(前腦)의 전반부; endbrain이라고도 함》
-ce·phal·ic [-səfǽlik] *a.*

tel·e·news [télənjù:z | -njù:z] *n.* 텔레비전 뉴스

teleo- [téliou, -liə, tí:l-] 《연결형》 tele-의 변형: *teleo*logy

tel·e·o·log·ic, **-i·cal** [tèliəlɑ́dʒik(əl), tì:l- | -lɔ́dʒ-] *a.* 목적론(적)의, 목적관의 **-i·cal·ly** *ad.*

tel·e·ol·o·gy [tèliɑ́lədʒi, tì:l- | -ɔ́l-] *n.* 〖철학〗 목적론; (목적론의) 목적 **-gist** *n.*

tel·e·on·o·my [tèliɑ́nəmi, tì:l- | -ɔ́n-] *n.* Ⓤ 목적론적 법칙 《생물에 있어서의 구조·기능의 존재는 그것이 진화하면서 남길 가치를 가지고 있음》; 종합적 목적에 지배되는 사회 조직[집단]

tel·e·no·vela [tèlənouvélə] *n.* 남미의 멜로 드라마

tel·e·op·er·ate [tèliɑ́pəreit | -ɔ́p-] *vt.* 〈기계 등을〉 원격 조종하다

tel·e·op·er·a·tor [tèliɑ́pərèitər | -ɔ́p-] *n.* 원격 조작 장치[로봇]

tel·e·or·der·ing [téliɔ̀:rdəriŋ] *n.* 서적 판매상이 직접 출판업자에게 주문하는 것

tel·e·o·sau·rus [tèliəsɔ́:rəs] *n.* 〖고생물〗 완룡속(完龍屬) 《중생대의 파충류》

tel·e·ost [téliɑ̀st, tí:l- | -ɔ̀st] *n.*, *a.* 〖어류〗 경골(硬骨) 어류(의)

tel·e·pa·per [téləpèipər] *n.* 텔레비전 신문

tel·e·path [téləpæ̀θ] *n.* 텔레파시 능력자
— *vi.* = TELEPATHIZE

tel·e·path·ic [tèləpǽθik] *a.* 텔레파시의, 정신 감응적인; 정신 감응력이 있는: ~ clairvoyance 텔레파시에 의한 투시 **-i·cal·ly** *ad.*

te·lep·a·thist [təlépəθist] *n.* 텔레파시 연구가; 텔레파시 능력자

te·lep·a·thize [təlépəθàiz] *vt.* 텔레파시로 전하다[교신하다] **—** *vi.* 정신 감응술을 쓰다

te·lep·a·thy [təlépəθi] *n.* Ⓤ 〖심령〗 정신 감응(感應), 텔레파시

tel·e·pay·ment [tèləpéimənt] *n.* 텔레페이먼트 《videotex 서비스를 이용한 지불》

‡tel·e·phone [téləfòun] *n.* **전화**; **전화기**; 수화기; [the ~] 전화 (통신) 조직: a public ~ 공중전화/call a person *on the* ~ …에게 전화하다/call a person *to* the ~ …을 전화기로 불러내다 ***be wanted on the*** **~** (…에게) 전화가 와 있다 ***by*** **~** 전화로 ***on the*** **~** 전화기에 나와; 전화를 연결하여 ***speak to*** a person ***over***[***on***] ***the*** **~** …와 전화로 말하다
— *a.* Ⓐ 전화의[에 관한]: a ~ operator 전화 교환수/a ~ message 통화/a ~ set 전화기/a ~ subscriber 전화 가입자
— *vt.* **1 전화를 걸다**, 전화로 불러내다: ~ a person by long distance …에게 장거리 전화를 걸다 // 《~+목+전+명》 《~+목+목》 ~ a message *to* a person = ~ a person a message 전화로 …에게 전하다 // 《~+목+***to*** do》 I *~d* him *to* come at

once. 그에게 곧 오라고 전화했다. // (~+목+*that* 절) He ~*d* me *that* he would come to see me. 그는 나를 만나러 오겠다고 전화했다. **2** 전화로 신청하여 〈…에게 축전 등을〉 보내다: (~+목+목) (~+목+전+명) ~ a person a congratulatory telegram = ~ a congratulatory telegram *to* a person 전화국에 전화 신청을 해서 …에게 축전을 치다
— *vi.* **1** 전화를 걸다, 전화로 이야기하다: (~+전+명) ~ *to* one's friend 친구에게 전화를 걸다 // (~+*to* do) I ~*d to* say that I wanted to see him. 나는 전화를 걸어 그를 만나고 싶다고 말했다. **2** 전화로 부르다 (*for*): (~+전+명) ~ *for* a taxi[doctor] 전화로 택시[의사]를 부르다 ~ *in* 〈뉴스 등을〉 전화로 보내다 ▷ telephónic *a.*

télephone ánswering machine = ANSWERING MACHINE

télephone bànk (자원 봉사자들이 모금 등을 호소하기 위해 마련한) 전화의 열(列); 전화 작전부

télephone bànking = TELEBANKING

télephone bòok **1** 전화번호부 **2** (개인의) 전화번호부

télephone bòoth[(영) **bòx**] 공중전화 박스

télephone cònferencing 전화 회의(하기)

télephone dirèctory = TELEPHONE BOOK 1

tel·e·phon·ee [tèləfouníː] *n.* 전화 받는 사람, 수화자

télephone exchànge 전화 교환국[대]

télephone kìosk (영) = TELEPHONE BOOTH

télephone nùmber 전화번호

télephone pòle (전화선용) 전신주

tel·e·phon·er [téləfòunər] *n.* 전화 거는 사람

télephone recèiver (전화) 수화기

télephone tàg (상대방의 부재로) 연락을 취할 수 없는 상태

télephone tàpping 전화 도청(하기)

tel·e·phon·ic [tèləfánik | -fɔ́n-] *a.* 전화(기)의, 전화에 의한 **-i·cal·ly** *ad.*

te·leph·o·nist [təléfənist, téləfòu- | təléfə-] *n.* (영) 전화 교환수

tel·e·pho·ni·tis [tèləfənáitis] *n.* Ⓤ 전화광(狂), 전화 중독

te·leph·o·ny [təléfəni] *n.* Ⓤ 전화 통화법[술]; 전화 통신: wireless ~ 무선 전화

Tel·e·phote [téləfòut] *n.* 사진 전송기; 망원 사진기

tel·e·pho·to [téləfòutou] *n.* (*pl.* **~s**) **1** 망원 사진(望遠寫眞); 전송 사진 **2** 〖사진〗 = TELEPHOTO LENS **3** [**T~**] 텔레포토 (전송 사진[장치]; 상표명)
— *a.* Ⓐ 망원 사진의, 전송 사진의

tel·e·pho·to·graph [tèləfóutəgræ̀f | -grɑ̀ːf] *n.* 망원 사진; 전송 사진 — *vt., vi.* 망원 렌즈로 촬영하다; (사진을) 전송하다

tel·e·pho·tog·ra·phy [tèləfətágrəfi | -tɔ́g-] *n.* Ⓤ 망원 사진술; 사진 전송술
-phò·to·gráph·ic [-fòutəgrǽfik] *a.*

télephoto léns 〖사진〗 망원 렌즈

tel·e·plasm [téləplæ̀zm] *n.* 〖심령〗 텔레플래즘 (영매가 telekinesis를 일으킬 때 몸에서 방사되는 영기(靈氣))

tel·e·play [téləplèi] *n.* 텔레비전 드라마

tel·e·port[1] [téləpɔ̀ːrt] *vt.* 〖심령〗 〈물건·사람을〉 염력(念力)으로 움직이다[옮기다, 이동시키다]

teleport[2] *n.* 텔레포트 (통신 위성을 통해서 송수신하는 지상 센터)

te·le·pres·ence [téliprèzns] *n.* 원격 현장감[현존] (가상공간에서 다른 장소를 신체적으로 경험하는 것)

tel·e·print·er [téləprìntər] *n.* = TELETYPEWRITER

tel·e·pro·cess·ing [téləprásesiŋ | -próu-] *n.* 〖컴퓨터〗 텔레프로세싱 (통신 회선을 통해 행하는 데이터 처리)

Tel·e·Promp·Ter [téləprɑ̀mptər | -prɔ̀mp-] *n.* 텔레프롬프터 (테이프가 돌면서 출연자에게 대사 등을 보이게 하는 장치; 상표명)

tel·e·ran [téləræ̀n] [*tele*vision *ra*dar *na*vigation] *n.* ⓊⒸ 전파 탐지기 항공술 (레이더 정보를 텔레비전으로 항공기에 전하는 방식)

tel·e·re·cord [télərikɔ̀ːrd] *vt.* 〖TV〗 녹화하다

tel·e·re·cord·ing [télərikɔ̀ːrdiŋ] *n.* 〖TV〗 녹화(錄畵); 녹화 프로그램

tel·er·gy [télərdʒi] *n.* Ⓤ 〖심리〗 원격 정신 작용

tel·e·sales [téləsèilz] *n. pl.* [단수 취급] (전화에 의한) 판매·광고 활동

tel·e·scam [téləskæ̀m] *n.* 전화 판매 사기

*__tel·e·scope__ [téləskòup] *n.* **1** 망원경, 원통형 확대 광학 기계 (기관지경, 방광경 등): a sighting ~ (총포의) 조준(照準) 망원경 / a binocular ~ 쌍안경 **2** [**T~**] 〖천문〗 망원경자리(Telescopium) (궁수(弓手)자리 남쪽의 작은 별자리)
— *a.* Ⓐ 끼워넣는 식의
— *vt.* **1** (망원경의 통처럼) 끼워넣다; 〈열차 등이〉 충돌하여 포개지게 하다, 겹쌓이게 되다 **2** 짧게 하다, 압축[단축]하다 (*into*)
— *vi.* **1** 끼워지다, 신축하다; (충돌로) 박혀들다, 포개어지다 **2** 짧아지다, 단축되다
▷ telescópic *a.*

télescope bàg (고리짝식) 여행용 가방

télescope èyes 튀어나온 눈, 통방울 눈

tél·e·scope-èyed *a.*

télescope sìght (총포의) 광학식 조준경

télescope wòrd = PORTMANTEAU 2

tel·e·scop·ic [tèləskápik | -skɔ́p-] *a.* **1** 망원경의; 망원경으로 본 〈경치 등〉: a ~ lens 망원 렌즈 / a ~ view of the moon 망원경으로 본 달의 경치 **2** 육안으로는 보이지 않는, 망원경 아니면 안 보이는: a ~ object 망원경으로 보이는 물체 **3** 멀리까지 잘 보는, 통찰력 있는: a ~ eye 멀리까지 볼 수 있는 눈 **4** 포개어 끼우는 식의, 끼워 넣을 수 있는, 신축자재의: a ~ tube 포개어 끼울 수 있는 관 **-i·cal·ly** *ad.*

telescópic sìght (총의) 망원 조준기

te·les·co·pist [təléskəpist] *n.* 망원경 사용자; 망원경으로 천체를 관측하는 사람

Tel·e·sco·pi·um [tèləskóupiəm] *n.* 〖천문〗 = TELESCOPE 2

te·les·co·py [təléskəpi] *n.* Ⓤ 망원경 사용법[관측술]; 망원경 제조법; 망원경에 의한 조사[연구]

tel·e·screen [téləskrìːn] *n.* (특히 대형) TV 스크린[수상면]

tel·e·script [téləskrìpt] *n.* 텔레비전 프로용 대본

tel·e·se·cu·ri·ty [tèləsikjúərəti] *n.* Ⓤ 전화 도청 방지

tel·e·seism [téləsàizm] *n.* Ⓤ 먼 곳에서 일어난 지진에 의한 미동(微動), 원지(遠地) 지진

tel·e·shop·ping [téləʃàpiŋ | -ʃɔ̀p-] *n.* Ⓤ 텔레쇼핑 (TV에 나온 물건을 보고 주문하기)

tel·e·sis [téləsis] *n.* (*pl.* **-ses** [-sìːz]) 〖사회〗 (지적 노력의 동원에 의한) 목적 달성; 지적으로 계획된 개발; (목적 달성을 위한 자연력·사회력의) 계획적 이용

tel·e·spec·tro·scope [tèləspéktrəskòup] *n.* 망원 분광기(分光器)

tel·e·ster·e·o·scope [tèləstériəskòup] *n.* 입체 망원경

tel·es·the·sia [tèləsθíːʒə, -ʒiə, -ziə] *n.* Ⓤ 〖심령〗 원격 투시 **-thét·ic** [-θétik] *a.*

te·les·tich [təléstik, téləstìk] *n.* 〖운율〗 각 행의 마지막 문자를 늘어놓으면 어떤 어구가 되는 유희(遊戱)시

tel·e·tex [télətèks] *n.* 〖통신〗 텔레텍스 (종래의 telex를 고속·고성능화한 것)

tel·e·text [télətèkst] *n.* 텔레텍스트, 문자 다중 방송 (문자 다중 방송의 국제적 통일 호칭)

tel·e·ther·a·py [tèləθérəpi] *n.* 〖의학〗 원격 치료법 (방사선원(放射線源) 등을 몸에서 격리시켜 실시하는 의료 방법); 전화 치료법

tel·e·ther·mom·e·ter [tèləθərmámətər | -mɔ́m-] *n.* 원격 자기(自記) 온도계

tel·e·thon [téləθɑ̀n | -θɔ̀n] [*tele*vision+mara*thon*] *n.* 장시간 텔레비전 방송《모금 운동 등을 위한》
tel·e·tran·scrip·tion [tèlətrænskrípʃən] *n.* Ⓤ TV 프로의 녹화
tel·e·type [télətàip] *n.* **1** [**T~**] 텔레타이프 《teletypewriter의 상표명》 **2** Ⓤ 텔레타이프 통신(문)
— *vt., vi.* 텔레타이프로 송신하다
tel·e·typ·er [télətàipər] *n.* = TELETYPIST
Tel·e·type·set·ter [tèlətáipsètər, ∠-∠∠-] *n.* 전송식 식자기《상표명》
tel·e·type·writ·er [tèlətáipràitər] *n.* 텔레타이프라이터, 전신 타자기
tel·e·typ·ist [télətàipist] *n.* 텔레타이프 타자수
tel·e·van·ge·list [tèləvǽndʒəlist] *n.* (텔레비전이나 mass media를 이용하는) 복음 설교자[전도사], 텔레비전 전도사
tel·e·view [télǝvjùː] *vt.* 텔레비전으로 보다
— *vi.* 텔레비전을 보다 **~·er** *n.* 텔레비전 시청자
tel·e·vise [téləvàiz] [television에서의 역성(逆成)] *vt.* 텔레비전으로 방송[수상(受像)]하다, 방영하다
— *vi.* 텔레비전 방송을 하다
‡**tel·e·vi·sion** [téləvìʒən] *n.* **1** Ⓤ **텔레비전**; 텔레비전 영상 《略 TV》: I saw the Olympics on (the) ~. 올림픽 경기를 텔레비전으로 보았다. **2** 텔레비전 수상기(= ~ **sèt**); 텔레비전 방송 기술 **3** Ⓤ 텔레비전 (방송) 산업; 텔레비전 관계(의 일): He is in ~. 그는 텔레비전 관계 일을 하고 있다.
the two-way **~** 대향(對向) 텔레비전 《송상(送像)과 수상(受像)을 동시에 행하는 방식》
— *a.* Ⓐ 텔레비전의[에 의한]: a ~ camera 텔레비전 카메라 / ~ commercials 텔레비전의 광고 방송
tèl·e·ví·sion·al *a.* **tel·e·vi·sion·ar·y** [tèləvíʒənèri] *a.*
▷ télevise *v.*
tel·e·vi·sion·ese [tèləvìʒəníːz] *n.* Ⓤ 텔레비전 용어
télevision shòpping = TELESHOPPING
télevision stàtion 텔레비전 방송국
télevision tùbe 수상관(picture tube)
tel·e·vi·sor [téləvàizər] *n.* 텔레비전 송신[수신] 장치; 텔레비전 수상기 사용자; 텔레비전 방송자
tel·e·vi·su·al [tèləvíʒuəl] *a.* **1** 텔레비전 (방송)의 **2** = TELEGENIC
tel·e·vox [téləvɑ̀ks | -vɔ̀ks] *n.* (발성 장치를 가진) 기계 인간(robot)
tel·e·work·ing [téləwə̀ːrkiŋ] *n.* 재택근무(telecommuting)
tel·e·writ·er [téləràitər] *n.* 전기 사자기(寫字機), 인자(印字) 전신기
tel·ex [téleks] [*tel*eprinter *ex*change] *n.* **1** Ⓤ 텔렉스, (국제) 가입 전신《가입 전신·전화로 접속하여 텔레타이프로 외국과 교신하는 방식; 상표명》; 텔레타이프; 그 통신문 **2** 텔렉스 통신
— *vt.* 텔렉스로 송신하다; …와 텔렉스로 교신하다
— *vi.* 텔렉스를 치다
tel·fer [télfər] *n., vt.* = TELPHER
tel·ic [télik, tíːl-] *a.* 〖문법〗 목적을 나타내는; 목적[의도] 있는
te·li·o·spore [tíːliəspɔ̀ːr, tél-] *n.* (균류의) 동포자(冬胞子)
te·li·um [tíːliəm, tél-] *n.* (*pl.* **-li·a** [-liə]) (곰팡이 균류의) 동포자층(冬胞子層) **té·li·al** [-liəl] *a.*
‡**tell**[1] [tél] *v.* (**told** [tóuld]) *vt.* **1 a 말하다**, 이야기하다: ~ the truth 사실대로 말하다 // (~+목+목) He *told* me a story. 그는 내게 이야기를 들려주었다. // (~+목+전+명) He *told* us *about* his wonderful experiences in England. 그는 영국에서의 놀라운 경험에 대하여 우리에게 이야기해 주었다. // (~+목+***that*** 절) She *told* me *that* she had been to America. 그녀는 미국에 가 본 적이 있다고 내게 말했다. **b** 〈감정 등을〉 말로 나타내다, 표현하다: (~+***wh.*** 절) I cannot ~ *how* glad I was. 내가 얼마나 기뻤던가를 말로 표현할 수 없다. **c 알리다**, 고하다, 전하다, 전달하다, 가르쳐 주다 《*of, about, how*》: (~+목+목) *T~* me your name. 이름을 말씀해 주세요. // (~+목+전+명) We will ~ him *of*[*about*] the news. 그에게 이 뉴스를 알려 주자. // (~+목+***that*** 절) I was *told that* you were coming. 네가 온다는 말을 들었다. // (~+***wh.*** 절) Don't ~ *where* I am. 내 주소를 말하지 마라. // (~+목+***wh.*** 절) *T~* me *when* you will leave Paris. 언제 파리를 떠날지 알려 주십시오. // (~+목+***wh. to*** do) Our teacher will ~ us *what to* do. 어떻게 할지 선생님이 가르쳐 주실 것이다.

> 유의어 **tell** 「알리다」를 뜻하는 가장 일반적인 말 **inform** tell보다 격식 차린 말: He *informed* his parents of his arrival. 그는 부모님께 도착을 알렸다. **relate** 자기가 보거나 경험한 것을 순서 있게 말하다: *relate* one's adventures 모험담을 말하다 **report** 자기가 조사한 것을 남에게 알리다: *report* what one has seen and heard 보고 들었던 것을 보고하다

2 〈비밀 등을〉 누설하다, 말하다, 털어놓고 이야기하다: (~+목+목) ~ a person a secret …에게 비밀을 누설하다 **3 분부하다**, 명하다, 말하다, 주의하다, 충고하다: (~+목+***to*** do) *T~* them *to* be quiet. 그들에게 조용히 하라고 말해 주시오. / *T~* her *to* stop. 멈추라고 그녀에게 말하시오. **4** 〈사물이〉 나타내다, 표시하다, 증거가 되다; 스스로 말하다; 〈시계가 시간을〉 알리다: Her face *told* her grief. 그녀의 얼굴은 슬픔을 나타내고 있었다. / This signpost ~*s* the way to New York. 이 표지판에는 뉴욕으로 가는 길이 표시되어 있다. **5** [보통 can 등과 함께] **a 알다**, 납득하다, 확실히 말하다: (~+***wh.*** 절) I *can*'t ~ *what*'s the matter with him. 그가 어떻게 된 것인지 나는 알 수 없다. / There is no ~*ing where* he has gone. 그가 어디로 가버렸는지 알 수 없다. / I *can*'t ~ just *when* I'll be done. 언제 다 될 것인지 확실히 말할 수 없다. // (~+***wh. to*** do) I *can*'t ~ *what to* do. 어떻게 해야 할지 모르겠다. **b 분간하다**, 구별[식별]하다 《*from, between*》: (~+목+전+명) ~ the good *from* the bad 선악을 식별하다 / I *cannot* ~ him *from* his brother. 그와 그의 형을 분간할 수 없다. // (~+목+부) It is difficult to ~ them *apart*. 그것들을 구별한다는 것은 어려운 일이다. **6** 《구어》 단언하다, 장담하다: It's there, I ~ you. 거기에 있다니까. **7** 《고어》 〈수를〉 세다, 셈하다: ~ one's beads 염주를 세다
— *vi.* **1 a 말하다, 이야기하다**, 진술하다, 알리다; 예언하다 《*of, about*》: (~+전+명) ~ *of* one's experiences 경험을 말하다 **b** 〈사물이〉 나타내다, 말하다, 흔적을 나타내다 《*of*》: (~+전+명) His hands ~ *of* labor. 그의 손이 노동한 것을 나타내고 있다. **2** 고자질하다, 일러바치다, 밀고하다; 명확히 말하다, 단언하다; 입 밖에 내다; 《영·방언》 잡담하다, 지껄이다: Will you hate me if I ~? 만약 내가 폭로하면 나를 싫어하겠니? // (~+전+명) Don't ~ *on* me. 나에 관해서 고자질하지 마라. **3 효력[효과]이 있다**; 〈포탄 등이〉 명중하다; 지장을 주다, 악영향이 있다 《*on, upon*》; (불리하게) 작용하다: It is the man behind the gun that ~*s*. 총보다도 그것을 사용하는 사람이 문제다. / Every shot *told*. 백발백중했다. // (~+전+명) The strain is beginning to ~ *on* him. 과로가 그의 건강을 해치기 시작하고 있다. / Everything *told against* him. 만사가 그에게 불리했다. **4** 〈정신 상태 등이〉 눈에 띄다, 두드러지다: Her nervousness began to ~ as soon as she entered the room. 방에 들어가자마자 그녀의 신경질이 드러나기 시작했다. **5** [보통 can 등과 함께] 알다, 분간[식별]하다: (~+전+명) You *can*'t always ~ *from* appearance. 겉보기만으로 반드시 알 수 있는

것은 아니다. **6** (고어) 세다; 투표를 세다
all told 전부 합하여, 모두 해서 ***Don't ~ me*** (...)! 설마(…라는 말은 아니겠지), 바보 같은 소리 마라! ***Do ~!*** (구어) 무엇이라구, 설마! ***hear ~*** (***of***) (…라는) 소문을 듣다 ***I cannot ~.*** 나는 모르겠다. ***I*** (***can***) ***~ you.*** = ***Let me ~ you.*** 실제로, 정말로.(⇨ *vt.* 6): It isn't easy, *I can ~ you.* 정말이지 쉬운 건 아니야. ***I'm ~ing you!*** (구어) [앞의 말을 강조하여] 정말이야!; [뒤의 말을 강조하여] 내 말을 잘 들어 보시오! ***I told you so!*** = ***Did I not ~ you so?*** 그렇게 말하지 않던, 그것 봐! ***I will ~ you.*** 전말을 이야기하지요[들어 보십시오]. ***I will ~ you what.*** 저, 하고 싶은 얘기가 있어요. ***Nobody can ~.*** 아무도 모른다. ***~ against*** …에 불리하게 작용하다, …의 성공의 방해가 되다 ***~ apart*** 구별하다 ***~ a tale*** 이야기를 하다, 무슨 사연이 있다 ***~ a thing or two*** (미·속어) 나무라다, 꾸짖다 ***~ away***[***out***] (방언) 주문을 외워서 〈병 등을〉 떼어 버리다 ***~ for***[***against***] …에게 유리[불리]하다(⇨ *vi.* 3) ***~*** a person ***good-bye*** (미) …에게 작별 인사를 하다 ***~ it like***[***how***] ***it is*** (미·속어) 꾸밈없이 그대로 말하다, 솔직하게 말하다, 입바른 소리를 하다 ***~ its own tale*** 자명하다, 스스로 드러나다 ***T~ me about it!*** (구어) 내 말이 그 말이다, 그러게 말이야! ***T~ me another!*** (구어) 그 말을 누가 믿는담, 그 말 농담이겠지! ***~ off*** (1) 세어서 가르다 (2) 〖군사〗 번호를 붙이다 (3) [종종 수동형으로] 일을 할당하다 《*for, to* do》 (4) (구어) 잔소리하다, 야단치다, 책망하다 《*for*》 (5) [종종 수동형으로] 〖군사〗 〈병사에게〉 명령하다 ***~ on*** (1) …에 (잘) 듣다, 즉효가 있다, 영향을 미치다; 절실히 느끼다: His age is beginning to *~ on* him. 그도 나이에는 어쩔 수 없게 되었다. (2) (구어) 고자질하다 ***~ over*** 〈돈을〉 여러 번 세다, 〈이야기를〉 몇 번이고 되풀이하다 ***~*** one***'s prayers*** 기도하다 ***~ tales*** (***out of school***) 비밀을 누설하다, 고자질하다 ***~ the tale*** (속어) (동정을 얻기 위하여) 처량한 말을 하다 ***~ the world*** (미) 공언하다 ***~*** a person ***what*** *he*[*she*] ***can do with*** = ***~*** a person ***where to put***[***stick***] (미·구어) (화가 나서) …에게 …을 거부[거절]하다 ***~*** a person ***where to go***[***get off***] (미·구어) …을 책망하다, 꾸짖다 ***Who can ~?*** 누가 알겠는가? 아무도 모른다. ***There is no ~ing*** …은 모른다, 알 수 없다 (***There's*** ***no way to ~.*** (구어) 아무도 모른다. ***Time will ~.*** 때가 되면 알게 될 것이다. ***You never can ~.*** 아무도 알 수 없어요. ***You're ~ing me!*** (구어) (말하지 않아도) 다 알고 있어; 정말 그렇군; 설마!

tell² *n.* 고대 건축의 잔존물이 누적되어 생기는 언덕 《아라비아어권에서는 지명의 일부로 종종 사용됨》

Tell [tél] *n.* 텔 **William ~** 《스위스의 전설적인 용사》

tell·a·ble [téləbl] *a.* 이야기할 수 있는; 말 상대가 되는, 말할 가치가 있는

tell-all [télɔ́:l] *a.* 모든 것을 털어 놓은

***tell·er** [télər] *n.* **1** 말하는 사람, 이야기하는 사람 **2** 세는 사람; (은행의) 금전 출납계(원); 투표 집계원
deposit ~ 예금계 ***paying ~*** 지출계 ***receiving ~*** 수납계

Tel·ler [télər] *n.* 텔러 **Edward ~** (1908-) 《헝가리 태생의 미국 물리학자; 수소 폭탄 개발을 지휘함》

tell·er·ship [télərʃìp] *n.* teller의 직위

tell·ing [téliŋ] *a.* **1** 효과적인, 유효한; 현저한, 뚜렷한, 인상적인; 강력한: a ~ blow 따끔한 일격 **2** 감정[속사정]을 (저도 모르게) 나타내는, 드러내는; 명확히 하는: a ~ analysis 명확히 하는 분석 ***with ~ effect*** 잘 들어, 매우 효과가 있어
— *n.* 말[이야기]함; 셈함 ***take a ~*** (속어) 충고를 듣다 ***That's ~(s).*** = ***That would be ~.*** 그런 말을 하면 비밀이 탄로난다. ***There is no ~*** what may happen. (무슨 일이 일어날지) 무어라고 말할 수 없다, 아무도 모른다, 예언할 수 없다.
~·ly *ad.* 효과적으로, 강력하게(forcefully)

tell·ing-off [tèliŋɔ́:f] *n.* (구어) 꾸짖음, 질책

tell·tale [téltèil] *n.* **1** 남의 말하기 좋아하는 사람; 고자질하는 사람, 고자쟁이, 밀고자 **2** 비밀[속사정 《등》]을 폭로하는 것, 증거, 징후, 암시 **3** 〖기계〗 자동 표시기, 지수(指數)기, 등록기; 출퇴근 시각 표시 시계(time clock) **4** 〖음악〗 (오르간의) 풍압(風壓) 표시기 **5** 〖항해〗 타각(舵角) 표시기; 달아맨 나침의(羅針儀) **6** 〖철도〗 경렴(警簾) 《터널 등의 접근을 알리는 위험 표지》
— *a.* **1** 고자질하는; 비밀을 폭로하는; 감추려 해도 드러나는(betraying), 보면 금세 그것임을 알 수 있는: a ~ blush 마음을 감추지 못하여 얼굴이 붉어짐 **2** (자동적으로) 점검 기록[경고, 예고]하는 〈장치 등〉: a ~ clock 자명종의 일종

tel·lu·rate [téljurèit] *n.* 〖화학〗 텔루르산염

tel·lu·ri·an [telúəriən] *a., n.* 지구[지상]의 (주민), 지구인(의)

tel·lu·ric [telúərik] *a.* **1** 지구의; 땅에서 생기는 **2** 〖화학〗 텔루르의[를 함유하는]

tellúric ácid 〖화학〗 텔루르산(酸)

tellúric líne 〖천문〗 지구 (대기)선

tel·lu·ride [téljuràid, -rid] *n.* 〖화학〗 텔루르 화합물

tel·lu·ri·on [təlúəriɑ̀n | -riɔ̀n] *n.* 지동의(地動儀) 《지구의 자전·공전의 모습을 나타내는 장치》

tel·lu·ri·um [telúəriəm] *n.* Ⓤ 〖화학〗 텔루르 《비금속 원소; 기호 Te, 번호 52》

tel·lu·rite [téljəràit | -ljuər-] 〖화학〗 아텔루루산염; 텔루르석(石)

tel·lu·rize [téljuràiz] *vt.* 〖화학〗 텔루르화하다, 텔루르로 처리하다

tel·lu·rom·e·ter [tèljurɑ́mətər | -rɔ́m-] *n.* 텔루로미터 《초단파 거리 측정 장치》

tel·lu·rous [téljurəs, telúər-] *a.* 〖화학〗 4가의 텔루르를 함유하는; 아(亞)텔루르의

tel·ly [téli] *n.* (*pl.* **-lies**) (영·구어) 텔레비전 (수상기)

TELNET, Tel·net [télnet] [*tel*etype+*net*work] *n.* 〖컴퓨터〗 텔넷 《인터넷상의 다른 컴퓨터에 로그인하기 위해 사용하는 프로토콜, 또는 그 소프트웨어》

telo- [télou, -lə, tí:l-] 《연결형》 = TELE-

tel·o·cen·tric [tèləséntrik] *n.* 단부(端部)[말단] 동원체형(動原體型) 《동원체가 염색체의 말단에 있음》

tel·o·dy·nam·ic [tèloudainǽmik] *a.* 동력 원거리 전송의

tel·o·hol·ic [tèləhɔ́:lik] *n.* 텔레비전 중독자

tel·o·lec·i·thal [tèloulésəθəl, tì:l-] *a.* 〖발생〗 〈난(卵)이〉 단황(端黃)의, 편황(偏黃)의

tel·ome [téloum, tí:l-] *n.* 〖식물〗 텔롬 《유관속(維管束) 식물의 구조 단위》

tel·o·mere [téləmìər, tí:l-] *n.* 〖생물〗 (염색체의 팔의 말단에 있는) 말단 소립(小粒)

tel·o·phase [téləfèiz] *n.* (유사 핵분열의) 말기(末期)

te·los [télɑs, tí:l- | -lɔs] *n.* (*pl.* **-loi** [-lɔi]) (특히 아리스토텔레스의 철학에서) 목적인(目的因)

tel·o·tax·is [tèlətǽksis, tì:l-] *n.* 〖생물〗 목표 주성(走性) 《카메라 눈을 갖고 있는 각 동물이 하나의 자극원을 향하여 정위(定位)·전진하는 주광성(走光性)의 일종》

tel·o·type [télətàip, tí:l-] *n.* 인자(印字) 전신기; 인자 전보 《전문》

tel·pher [télfər] *n.* 텔퍼 《공중 케이블카》; 텔퍼 운반 장치 — *vt.* 텔퍼로 운반하다

tel·pher·age [télfəridʒ] *n.* ⓊⒸ 텔퍼 운반 장치

tel·son [télsən] *n.* 〖동물〗 꼬리마디

Tel·star [télstɑ̀:r] *n.* 텔스타 《1962년 미국이 쏘아 올린 상업용 통신 위성》

Tel·u·gu [téləgù:] *n.* 텔루구 어(語) 《인도 남동부에서 쓰이는 드라비다 어족의 언어》; 텔루구 족(의 한 사람)

thesaurus **temper** *n.* **1** 기질 temperament, disposition, nature, humor, character **2** 화 ill humor, anger, annoyance, fury, rage, irritation, resentment, surliness **3** 침착 composure, self-control, coolness, calmness, tranquillity

te·maz·e·pam [təmǽzipæm] *n.* Ⓤ 〖의학〗 신경 안정제의 하나

tem·blor [témblər, -blɔːr] [Sp.] *n.* (*pl.* **~s, -blo·res** [temblɔ́ːres]) ((미)) 지진(地震)

tem·er·ar·i·ous [tèmərέəriəs] *a.* 무모한, 무턱대고 하는, 무분별한, 대담무쌍한(cf. RASH[1], RECKLESS) **~·ly** *ad.* **~·ness** *n.*

te·mer·i·ty [təmérəti] *n.* Ⓤ ((문어)) 무모(한 행위), 만용

Tém·in énzyme [témin-] 〖생화학〗 테민 효소 ((RNA에서 DNA를 만드는 역전사(逆轉寫) 효소))

Tem·in·ism [témənìzm] *n.* Ⓤ 〖생화학〗 테민 이론 ((역전사(逆轉寫) 이론))

temp [témp] [*temp*orary] *n.* ((구어)) 임시 직원; ((특히)) 임시 고용 비서 **—***vi.* 임시 직원으로 일하다

temp. temperature; temporal; temporary; *tempore* ((L = in the time[period] of))

tem·peh [témpei] *n.* 템페 ((콩을 거미줄곰팡이속(屬)의 균에서 발효시켜 만든 인도네시아의 음식))

‡**tem·per** [témpər] *n.*, *v.*

> L 「섞다, 조합하다」의 뜻에서→(마음의 조화)→「기질」 **1 a**→(일시적인 정신 상태)→「기분」 **1 b**→(특히 나쁜 상태)→「울화」 **1 c**

—*n.* **1 a** 기질(disposition), 천성, 성질: an even [equal] ~ 침착한 성질 **b** 기분, 심정(⇨ mood[1] 유의어) **c** ⒸⓊ 화, 성마름, 노여움: a hot[quick, short] ~ 성마름, 급한 성미/show ~ 노기를 나타내다 **2** Ⓤ (도전을 받았을 때의) 침착, 냉정, 평정; 참기, 인내; 풍조, 추세 **3** Ⓤ (강철 등의) 불림, 불린 정도, 경도(硬度), 탄성, (칼·검 등의) 담금질[불림]의 정도, 단련도(度); (진흙 등의) 반죽의 정도 **4** ((고어)) (여러 성질의) 균형, 조화; Ⓤ 중용, 중도; 타협 **5** Ⓤ 주석과 구리의 합금 ((백랍(白鑞) 제조용)) **6** ((고어)) (물질의) 구성, 조성 **7** 가변(加變) 첨가제; (강철의) 함탄(含炭)율

get*[*fly*] *into a* ~** 성내다, 울화통을 터뜨리다 ***get out of* ~ = *lose* one's ~** 울화통을 터뜨리다, 화내다; 참을성을 잃다 ***have a* ~** 성미가 급하다 ***in a bad*[*good*] ~** 기분이 언짢아[좋아] ***in a fit of* ~** 홧김에 ***in a* ~** 불끈 화내어 ***keep*[*control*] one's ~** 화를 참다 ***put* a person *out of* ~** …을 화나게 하다 ***recover* one's ~** 냉정을 되찾다 ***T~, t~! 좀 침착해라! 그렇게 화내지 마라!

—*vt.* **1** 완화하다, 부드럽게 하다, 진정시키다, 조절하다, 경감하다: ((~+목+전+명)) ~ justice *with* mercy 공정과 자비를 아울러 행하다 // God ~*s* the wind to the shorn lamb. ((속담)) 하느님도 약자에게는 가벼운 시련을 내리신다. **2** 섞다, 알맞게 뒤섞다, 조합하다; 조화시키다, 조절하다 ((*to, with*)): ((~+목+전+명)) ~ strong drink *with* water 독한 술에 물을 타다 **3** 〈점토 등을〉 반죽하다, 개다; 〈강철 등을〉 불리다, 달구어 단련하다; 〈칼 등을〉 담금질하다 **4** 〖음악〗 〈악기를〉 조율하다, 〈목소리를〉 조절하다

—*vi.* **1** 알맞은 정도가 되다 **2** 누그러지다, 유연해지다, 부드러워지다 **3** 〈강철 등이〉 불리어지다, 알맞게 달구어지다, 강화되다

tem·per·a [témpərə] *n.* ⓊⒸ 〖회화〗 **1** 템페라 그림물감 **2** 템페라 화법

*****tem·per·a·ment** [témpərəmənt, -pərmənt | -pərə-] [L 「섞다」의 뜻에서] *n.* ⓊⒸ **1** 기질, 성질, 성미(⇨ character 유의어); 체질: choleric[melancholic, phlegmatic, sanguine] ~ 담즙[우울, 점액, 다혈]질 **2** 격한 성미, 흥분하기 쉬운 기질 **3** 〖음악〗 평균율 **4** 조절, 타협, 중용

tem·per·a·men·tal [tèmpərəméntl, -pərmén- | -pərə-] *a.* **1** 기분의; 기질상의, 타고난; 개성이 강한: ~ differences 기질의 차이 **2** 신경질적인; 변덕스러운, 성마른 **~·ly** *ad.*

*****tem·per·ance** [témpərəns] *n.* Ⓤ **1** 절제, 삼감, 절도; 자제(自制), 극기, 중용 **2** 절주, 금주(주의): ~ drink 알코올 성분이 없는 음료/~ hotel 술을 팔지 않는 호텔/~ movement[society] 금주 운동[금주회] ▷ témperate *a.*

‡**tem·per·ate** [témpərət] [L 「조절된」의 뜻에서] *a.* **1 a** 〈사람·행동 등이〉 절제하는, 삼가는, 절도 있는, 자제하는(⇨ moderate 유의어): a man of ~ habits 절제할 줄 아는 사람 **b** 절주[금주]의 **2** 중용을 지키는, 온건한, 적당한, 알맞은 **3** 〈기후·지역 등이〉 온화한, 온난한, 온대성의 **~·ly** *ad.* 적당하게 **~·ness** *n.* ▷ témperance *n.*

Témperate Zòne [the ~] 온대(cf. FRIGID ZONE, TORRID ZONE): the north[south] ~ 북[남] 온대

‡**tem·per·a·ture** [témpərətʃər, -tʃùər, -pərtʃər | -pərətʃə] *n.* ⓊⒸ **1** (온도계로 잰) 온도: atmospheric ~ 기온/effective ~ 유효 온도 **2 a** 체온 **b** ((구어)) (평열 이상의) 열, 고열, 발열 상태: running a ~ 열이 있는 ***have a* ~** 〈환자가〉 열이 있다 ***take* a person's ~** …의 체온을 재다

témperature cùrve (환자의) 체온 곡선

témperature gràdient 〖기상〗 기온 경도(傾度), 온도 기울기

tém·per·a·ture-hu·míd·i·ty índex [-hjuːmídəti-] 온습지수 ((discomfort index(불쾌지수)라고도 함; 略 T.H.I.))

témperature invèrsion 〖기상〗 기온 역전

témperature scàle 온도 눈금

témperature sensàtion (피부의) 온도 감각

tem·pered [témpərd] *a.* **1** 조절된, 완화된 **2** 〈강철이〉 불린, 달구어 단련한: ~ steel 단강(鍛鋼) **3** [보통 복합어를 이루어] (…한) 기질의: hot-~ 성미가 급한, 성마른/a good-~ child 착한 아이 **4** 〖음악〗 평균율의

tem·per·some [témpərsəm] *a.* 화 잘내는, 성마른

témper tàntrum 울화통, 짜증

‡**tem·pest** [témpist] *n.* **1** ((문어)) 폭풍우, 폭설 **2** 대소동, 야단법석, 격동, 동란 **~ *in a teapot*** ((미·구어)) 사소한 일로 인한 큰 소동 **~ *of weeping*** 울고불고하는 소란

—*vt.* 몹시 사나워지게 하다; 소란을 일으키다 ▷ tempéstuous *a.*

tem·pest-swept [témpistswèpt] *a.* (불운·불행 등에) 시달린, 번롱된

tem·pest-tossed [-tɔ́ːst | -tɔ́st] *a.* ((문어)) 폭풍우에 시달린; 세파에 시달린

tem·pes·tu·ous [tempéstʃuəs] *a.* ((문어)) **1** 폭풍우[폭설]의(stormy) **2** 격렬한(turbulent), 광포한(violent), 동란의, 소란스러운 **~·ly** *ad.* **~·ness** *n.* ▷ témpest *n.*

tem·pi [témpiː] *n.* TEMPO의 복수

Tem·plar [témplər] *n.* **1** 〖역사〗 템플 기사단원(騎士團員) **2** [종종 **t~**] (영국의 법학원 Inner Temple, Middle Temple에 사무소를 가지고 있는) 법률가, 변호사, 법학생 **3** ((미)) 프리메이슨단(Freemasons)의 일원 ((Knight Templar라고 자칭)) **4** 미국의 금주회(禁酒會)(Good[Free] ~s)의 일원

Knights* ~*s 템플 기사단 ((Knights of the Temple이라고도 하며, 1118년경 예루살렘의 성묘(聖墓)와 참례자 보호를 위해 조직))

tem·plate [témplət] *n.* **1** 본뜨는 공구(工具), 형판(型板) **2** 〖건축〗 보받이, 도리받이 **3** 조선대(造船臺)의 쐐기; (반)투명의 피복지(彼覆紙) **4** 〖생화학〗 (핵산의) 주형(鑄型) **5** 〖컴퓨터〗 보기판, 템플릿 ((키보드 위에 놓고 각 키에 할당된 명령의 내용을 보이는 시트))

‡**tem·ple**[1] [témpl] [L 「성별(聖別)된 장소」의 뜻에서] *n.* **1 a** (불교·힌두교·유대교 등의) 신전(神殿), 성당;

---

temperate *a.* moderate, self-restrained, self-controlled, austere, abstinent, sober, mild, gentle

tempest *n.* storm, gale, hurricane, squall, cyclone, tornado, typhoon, whirlwind, uproar

temple[1] *n.* holy place, church, mosque, shrine

절, 사원; (그리스도교의) 교회당; (프랑스 개신교의) 교회당; (모르몬교의) 예배당 **b** [종종 the T~] 예루살렘의 여호와 성전 **2** 성령의 전(殿) 《그리스도의 육신》 **3** 전당(殿堂) **4** [the T~] 〖역사〗 템플 기사단의 성당; [**T~**] 템플 법학원 ***the ~ of the Holy Ghost*** 성령의 전(殿)

***tem·ple²** [témpl] *n.* **1** 〖해부〗 관자놀이 **2** (미) 안경다리

temple³ *n.* (베틀의) 쳇발

Témple Bár 템플 바 《London의 서쪽 끝에 있던 문; 죄인의 목을 매달던 곳; 1879년에 교외로 이전》

tem·plet [témplət] *n.* =TEMPLATE

tem·po [témpou] [It. 「시간」의 뜻에서] *n.* (*pl.* **~s, -pi** [-pi:]) 〖음악〗 속도, 빠르기; 박자; (활동·운동 등의) 속도, 템포: the ~ of city life 도시 생활의 템포

tem·po·ral¹** [témpərəl] [L 「시간의」의 뜻에서] *a.* **1** 시간의(opp. *spatial*) **2** 일시적인(temporary), 잠시의 **3 a** 현세의, 속세의, 속계의: ~ prosperity 현세의 번영/~ joys 현세의 기쁨 **b** (성직자·교회에 대하여) 성직이 아닌: ~ peers=lords ~ (영) 성직을 갖고 있지 않은 상원 의원(opp. *Lord Spiritual*)/~ power (성직자, 특히 교황의) 세속적 권력 **4** 〖문법〗 때를 나타내는, 시제의: a ~ clause[conjunction] 때를 나타내는 절[접속사]/a ~ adverb 때를 나타내는 부사 **—*n. [보통 *pl.*] 세속적인 것[일], 세사(世事), 속사(俗事); 일시적인 것; 세속적인 권력[재산] **~·ly** *ad.*
▷ temporálity *n.*

temporal² [temple²의 형용사형] 〖해부〗 *a.* 관자놀이의, 측두(側頭)의 **—*n.*** =TEMPORAL BONE

témporal bóne [보통 the ~] 측두골, 관자놀이뼈

tem·po·ral·i·ty [tèmpərǽləti] *n.* (*pl.* **-ties**) **1** [보통 *pl.*] 세속적 소유물 《특히 교회·성직자의 수입·재산》; 세속적[정치적] 권력[권위] **2** [보통 *pl.*] 속사(俗事); 속인, 속계(俗界) **3** 〖법〗 일시적 소유[수입] **4** Ⓤ (영원에 대하여) 일시적임, 일시성, 덧없음(opp. *perpetuity*)

tem·po·ral·ize [témpərəlàiz] *vt.* **1** 시간적으로 한정하다 **2** 세속화하다

témporal lóbe (대뇌의) 측두엽(側頭葉)

témporal summátion 〖심리〗 시간적 가중(加重)

tem·po·ral·ty [témpərəlti] *n.* **1** [the ~; 집합적] 속인(the laity) **2** (교회 성직자들의) 세속적 소유물

***tem·po·rar·i·ly** [tèmpərérəli, ∠-∽-｜témpərərəli] *ad.* 일시적으로, 임시로: ~ out of stock 일시적으로 품절된

temporárily áble-bodied pèrson (장애인이 아닌) 건강한 사람 《건강은 일시적인 것일 뿐이라는 의미에서》

⁑**tem·po·rar·y** [témpərèri｜-rəri] [L 「일시적으로 계속되는」의 뜻에서] *a.* **1** 일시적인, 잠시의, 순간의, 덧없는 **2** 임시의, 당장의, 임시변통의(opp. *permanent*)(⇨ momentary 유의어)
—*n.* (*pl.* **-rar·ies**) 임시변통한 것; 임시 고용인
-ràr·i·ness *n.* ▷ témporize *v.*

témporary dúty 〖군사〗 (원대에서 떠난) 일시 파견 근무, 임시 근무

témporary file 〖컴퓨터〗 임시 파일

témporary stórage 〖컴퓨터〗 임시 기억 장소

tem·po·ri·za·tion [tèmpərizéiʃən｜-rai-] *n.* Ⓤ 타협; 미봉(彌縫), 임시변통; 형세 관망

tem·po·rize [témpəràiz] *vi.* **1 a** 일시적 미봉책을 쓰다, 임시변통하다 **b** 우물쭈물하다, 시간을 벌다 **2** 형세를 관망하다; 세상 풍조에 따르다, 시세에 영합(迎合)하다; 타협하다 《*with, between*》

tem·po·riz·er [témpəràizər] *n.* 시세에 영합하는 사람, 기회주의자

tem·po·riz·ing [témpəràiziŋ] *n.* =TEMPORIZATION **—*a.*** 임시변통의, 타협적인; 기회주의적인, 영합적인 **~·ly** *ad.*

temporo- [témpərou, -rə] 《연결형》 「관자놀이, 측두(側頭)」의 뜻

tem·po·ro·man·dib·u·lar [tèmpəroumændíbjulər] *a.* 〖해부〗 악(顎)관절의, 턱관절의

temporomandíbular jóint sỳndrome 〖병리〗 악(顎)관절증

témpo tùrn 〖스키〗 템포 턴 《속도를 줄이지 않고 큰 반원을 그리며 스키의 뒤끝을 흔들듯이 돌아가는 평행 회전》

⁑**tempt** [témpt] [L 「시험하다」의 뜻에서] *vt.* **1** 유혹하다, 꾀다, 부추기다, 마음을 끌다: The offer ~*s* me. 그 제안에 마음이 끌린다.//(~+목+*to* do) The sight ~*ed* him *to* steal[theft]. 그것을 보자 그는 훔치고 싶은 생각이 났다. **2** (…할) 생각이 나게 하다; 〈식욕 등을〉 돋우다: (~+목+*to* do) I am[feel] ~*ed to* say …이라고 말하고 싶다 **3** (고어) 〖성서〗 시험하다, 해보다(test); (문어) 위험을 무릅쓰다: ~ one's fate 자신의 운명을 시험하다
Nothing would [***will***] ~ a person ***to*** do 어떤 일이 있어도 …하지 않다 ~ ***God*** [***fate, Providence***] 신의 뜻을 거역하다, 신을 시험하다; 무모한 짓을 하다: It is ~*ing Providence* to go in that old boat. 저런 낡은 배로 간다는 것은 무모한 짓이다.
▷ temptátion *n.*

tempt·a·ble [témptəbl] *a.* 유혹할 수 있는, 유혹받기 쉬운

⁑**temp·ta·tion** [temptéiʃən] *n.* **1** Ⓤ 유혹, 유혹함[됨]: (~+*to* do) The ~ *to* move in the other direction was alluring. 다른 방향으로 가볼까 하는 유혹이 생겼다. **2** 유혹물, 유혹의 마수, 마음을 끄는 것 **3** [the T~] 〖성서〗 (그리스도가 사탄에게서 받은) 광야의 시험 《마태복음 4》 ***fall into*** ~ 유혹에 빠지다 ***lead*** a person ***into*** ~ …을 유혹에 빠뜨리다

tempt·er [témptər] *n.* **1** 유혹자[물] **2** [the T~] 악마, 사탄

tempt·ing [témptiŋ] *a.* 유혹하는, 부추기는, 황홀하게 하는; 마음[구미]이 당기는, 매력적인 **~·ly** *ad.*

tempt·ress [témptris] *n.* 유혹하는 여자, 요부

tem·pu·ra [témpurə, tempú:rə] *n.* [Jap.] 튀김

tem·pus fu·git [témpəs-fjú:dʒit] [L =time flies] 세월은 유수와 같다

te·mu·lent [témjulənt] *a.* (미·구어) 술에 취한

⁑**ten** [tén] *a.* 10의; 10개[사람]의; 《막연히》 많은 ***I'd ~ times rather*** do …하는 편이 훨씬 낫다 ~ ***times as big*** 열 배나[훨씬] 큰
—*pron.* [복수 취급] 10개[사람]
—*n.* **1** 10, 10개, 10사람 **2** 10의 기호[숫자] 《X, 10》 **3** 10개 한벌, 10인조 **4** 10점짜리 카드 패; 10달러 지폐; 10시, 10분; 열 살; 10에이커의 토지; 10음절의 한 행(行); 열 번째의 것[사람]; (사이즈의) 10번 **5** 〖수학〗 10자리, 10자릿수 **6** 10명이 젓는 보트 **7** 〖광고〗 (라디오·TV의) 10초 스폿 **8** (미·구어) 최고의 것[미인], 10점 만점
~ ***out of*** ~ (영·익살) 10점 만점 《*for*》 **~*s of thousands*** 몇 만이나 ~ ***to one*** 십중팔구

ten. tenement; tenor; 〖음악〗 tenuto

ten·a·ble [ténəbl] *a.* **1** 〈요새 등이〉 공격에 견딜 수 있는 **2** Ⓟ 〈지위·관직 등을〉 유지[계속]할 수 있는 **3** 〈이론 등이〉 주장할 수 있는, 변호할 수 있는, 조리 있는, 지지할 수 있는 **~·ness** *n.* **tèn·a·bíl·i·ty** *n.* **-bly** *ad.*

ten·ace [ténèis] *n.* 〖카드〗 2장의 끗수 높은 패를 맞추기 《Ace나 Queen의》

te·na·cious [tənéiʃəs] [L 「단단히 보유한」의 뜻에서] *a.* **1** (의견·주의 등을) 고집하는 **2** 끈기 있는; 꼭 쥐고 놓지 않는, 들러붙어 떨어지지 않는 《*of*》: ~ *of* life 좀처럼 죽지 않는/a ~ grip 꼭 쥐기/be ~ *of*

thesaurus

temporary *a.* **1** 일시적인 brief, passing, momentary, transient, transitory, fugitive **2** 임시의 short-term, impermanent, interim

tempt *v.* lure, allure, entice, attract, captivate, beguile, seduce, induce, urge, influence, inveigle

tenant *n.* occupier, resident, inhabitant, renter

tendency *n.* inclination, disposition, proneness,

old habits 오래된 습관을 고수하다 **3** 참을성 있는, 집요한, 완강한 《*in*》 **4** 〈기억력이〉 좋은, 좀처럼 잊지 않는: a ~ memory 강한 기억력 **~·ly** *ad.* **~·ness** *n.*

te·nac·i·ty [tənǽsəti] *n.* Ⓤ **1** 고집 **2** 끈기; 강인함; 완강, 불굴, 집요 **3** 점착력, 점성 **4** 뛰어난 기억력

te·nac·u·lum [tənǽkjuləm] *n.* (*pl.* **-la** [-lə]) 〖외과〗 지지(支持) 고리; 〖곤충〗 간직 틀

ten·an·cy [ténənsi] *n.* **1** Ⓤ 차용, 임차(賃借) (tenure) **2** 차용 기간, 소작 연한; 차용권: Your ~ will automatically continue. 임대 기간이 자동 연장될 것이다. **3** 차지(借地), 소작지, 셋집; (지위·신분·직 등의) 보유, 재임

ténancy in cómmon 〖법〗 공유 재산권

‡ten·ant [ténənt] *n.* **1** (토지·가옥 등의) **차용자**, 소작인, 차가인(借家人): The landlord sent his ~ a reminder. 집주인은 세입자에게 독촉장을 보냈다. **2** 거주자, 주민 《*of*》 **3** 〖법〗 부동산 보유자[점유자] ***~s of the woods***[***trees***] 조류(鳥類)

— *vt.* [보통 수동형으로] 〈토지·가옥을〉 임차하다, 점유하다, (임차하여) 거주하다 《*in*》

— *vi.* 살다, 거주하다 《*in*》

ten·ant·a·ble [ténəntəbl] *a.* 〈토지·가옥 등이〉 임차할 수 있는, 거주할 수 있는

ténant fàrmer 소작인, 소작농

ténant fàrming 소작농 《농사》

ten·ant·less [ténəntlis] *a.* 빌려 쓰는 사람[거주자]이 없는, 빈 땅[집]의

ténant rìght (영) (토지·가옥 등의) 차용권, 차지권, 소작권

ten·ant·ry [ténəntri] *n.* Ⓤ **1** 차지인[소작인, 차가인]의 지위[신분]; 토지[가옥]의 임차 **2** [집합적] 전(全)차지인, 소작인, 차가인

ten·bag·ger [ténbæ̀gər] *n.* (구어) (산 값에) 10배나 오른 주식

tén-cént stòre [-sént-] (미) =FIVE-AND-TEN

tench [téntʃ] *n.* (*pl.* **~·es,** ~) 〖어류〗 잉어의 일종 《유럽산》

Tén Commándments [the ~] 〖성서〗 십계명

‡tend[1] [ténd] [L 「넓히다, 침로를 향하다」의 뜻에서] *vi.* **1** (…하는) **경향이 있다** 《*to, toward*》; (…하기) 쉽다: (~+전+명) He ~*s toward* selfishness. 그는 이기적인 경향이 있다. // (~+***to*** do) Fruits ~ *to* decay. 과일은 썩기 쉽다. / The particles ~ *to* unite. 분자는 결합하는 경향이 있다. **2** 〈길·태도·가격 등이〉 (…으로) **향하다**, 가다, 도달하다 《*to, toward, upward, downward*》: (~+전+명) The road ~*s to* the south here. 길은 여기서 남쪽으로 향한다. **3** 도움이 되다, 이바지하다, 공헌하다: (~+***to*** do) (~+전+명) ~ *to* improve[*to* the improvement of] working conditions 노동 조건의 개선에 이바지하다 ▷ téndency *n.*

‡tend[2] [ténd] [attend의 두음 소실(頭音消失)] *vt.* **1 a** 〈환자·어린아이들을〉 **돌보다**, 간호하다: ~ the sick 환자들을 간호하다 **b** 〈기계·식물 등을〉 손질하다, 기르다, 재배하다 **2 a** 〈가축 등을〉 지키다 **b** 〈가게를〉 보다, 관리하다 **c** 〖항해〗 〈정박선을〉 망보다 《닻줄이 얽히지 않도록》

— *vi.* **1** (문어) 시중들다, 돌보다 《*on*》: (~+전+명) She ~*ed on* the patient. 그녀는 환자를 돌보았다. **2** (미) 주의하다, 배려하다 《*to*》 **~ *on***[***upon***] 시중들다; 돌보다 ▷ téndance *n.*

ten·dance [téndəns] *n.* **1** Ⓤ 시중, 돌보기, 간호 (care) **2** [집합적] (고어) 종자(從者), 하인

---

bent, liability, movement, course, bias, trend

tender[1] *a.* **1** (고기 등이) 부드러운 soft, juicy, not tough **2** 허약한, 섬세한 breakable, fragile, frail, delicate, sensitive, feeble **3** 다정한 compassionate, kind, warm, caring, humane, gentle, generous, emotional, sympathetic, susceptible, sentimental **4** 애정 어린 fond, loving, affectionate, amorous

‡ten·den·cy [téndənsi] *n.* (*pl.* **-cies**) **1** **경향**, 풍조, 추세 《*to, toward*》: (~+***to*** do) Juvenile crimes show a ~ *to* increase. 소년 범죄는 증가하는 경향을 보이고 있다. **2** 성향, 성벽(性癖), 버릇 《*to, toward*》 **3** (작품·발언 등의) 특정한 경향, 의도, 관점, 취향, 취지

▷ ténd[1] *v.*; tendéntious, tendéncious *a.*

ten·den·tious, -cious [tendénʃəs] *a.* 〈문서·발언 등이〉 특정 입장을 옹호하는 경향[목적]이 있는, 선전적인, 편향적인: a ~ novel 편향 소설

~·ly *ad.* **~·ness** *n.*

‡ten·der[1] [téndər] [L 「부드러운」의 뜻에서] *a.* (**~·er**; **~·est**) **1** 〈고기 등이〉 **부드러운**, 씹기 쉬운, 연한(soft): a ~ steak 연한 스테이크 **2** 〈빛깔·빛·음조 등이〉 부드러운, 연한, 약한: ~ green 신록(新綠) **3** 허약한, 무른; 섬세한; (추위·더위에) 약한, 상하기 쉬운, 부서지기 쉬운 **4** 어린, 미숙한(immature): children of ~ age 순진한 어린아이들 **5** (…에게) **다정한**, 상냥한; 친절한, 동정심 많은, 애정어린, 잘 배려된: the ~ emotions 애정, 동정심 / the ~ passion(s)[sentiment(s)] 애정; 연애 / a ~ glance 애정어린 눈길 **6** 만지면 아픈; 예민한, 민감한, 상처받기 쉬운, 감수성이 강한: My bruise is still ~. 타박상이 만지면 아직도 아프다. / a ~ conscience 민감한 양심 **7** 〈문제 등이〉 미묘한, 다루기 어려운, 까다로운: a ~ subject 미묘한 문제 **8** Ⓟ 걱정하는, 아끼는, 마음을 쓰는, 조심하는 《*of*》; (…하지) 않을까 염려하는, 두려워하는 《*of*》 **9** 〖항해〗 〈범선이〉 항해중에 기울기 쉬운 ***be ~ of doing*** …하지 않도록 주의하다 ***grow ~ of*** a person …가 마음에 들게 되다, 좋아지다 **~ *age*** 어린 나이, 세상 물정 모르는 나이

— *vt.* 부드럽게 하다; 소중히 하다

▷ ténderize *v.*

tend·er[2] [téndər] [tend[2]에서] *n.* **1** 돌보는 사람, 간호인; 지키는 사람, 망꾼, 감독, 감시인: a bar*tender* 바텐더 **2 a** (큰 배의) 부속선, 보급선, 거룻배; 〖군사〗 보급 정비함 **b** (기관차의) 급수차, 급탄차; 급수기(給水器) — *vt.* 거룻배에 싣다

ten·der**[3] [téndər] [tend[1]와 같은 어원] *vt.* **1 제출하다**; 제공하다, 제안하다, 신청하다; 〈알현(謁見) 등을〉 허락하다: ~ one's resignation 사표를 제출하다 **2** 〈돈을〉 지불하다, (채무 변제로서) 〈돈·물품을〉 제공하다 **~ *a person a reception …의 환영회를 열다 **~ one's *services*** 지원하다 **~ one's *thanks***[***apologies***] 사례[사죄]하다

— *vi.* (공사 등에) 입찰하다 《*for*》

— *n.* **1 a** 제출, 제안 **b** 제공물, 변제금 **2** 입찰 견적서, 입찰(入札) 《*for*》 **3** 〖법〗 법화(法貨) (=legal ~) **4** Ⓤ 변제의 제공; 배상금 **5** 〖증권〗 (어떤 회사의 지배권 장악을 위한) 주식 매입[매점, 공개 매입]

ten·der·a·ble [téndərəbl] *a.* 지불[변제]에 제공되어 얻는

ten·der-eyed [téndəráid] *a.* 눈매가 부드러운; 시력이 약한

ten·der·foot [téndərfùt] *n.* (*pl.* **~s, -feet** [-fìːt]) **1** (미) (개척지 등의) 신참자 **2** 초심자, 풋내기; (보이[걸]스카우트의) 신입 대원

ten·der·heart·ed [-hɑ́ːrtid] *a.* 다정한, 다감한, 상냥한, 정에 약한, 동정심 있는, 인정 많은

~·ly *ad.* **~·ness** *n.*

ten·der·ize [téndəràiz] *vt.* 〈고기 등을〉 연하게 하다 **-ìz·er** *n.* 식육 연화제

ten·der·loin [téndərlɔ̀in] *n.* **1** ⓊⒸ (소·돼지의) 허리의 연한 고기, 안심 **2** [때로 **T~**] (미) (뉴욕의) 환락가

‡ten·der·ly [téndərli] *ad.* **상냥하게**, 친절하게; 유약하게; 상하기 쉽게, 예민하게

ten·der-mind·ed [téndərmáindid] *a.* 마음이 약한; 이상주의적인, 관념론적인

‡ten·der·ness [téndərnis] *n.* Ⓤ **유연함**; 마음이 무름; 민감; 친절; [때로 a ~] 다정, 애정

ténder òffer 〖증권〗 공개 매입

ten·der·om·e·ter [tèndərάmətər | -rɔ́m-] *n.* (과일·야채의) 성숙도 측정기
ten·di·ni·tis [tèndənáitis] *n.* 〖병리〗 건염(腱炎)
ten·di·nous [téndənəs] *a.* 건(腱)의[같은], 힘줄의, 건질(腱質)의: ~ tissue 건 조직
ten·don [téndən] *n.* 〖해부〗 건(腱), 힘줄
ten·do·ni·tis [tèndənáitis] *n.* = TENDINITIS
ten·dril [téndril] *n.* 〖식물〗 덩굴손 (모양의 것)
ten·dril·lar [téndrələr] *a.* 덩굴손 모양의; 덩굴손이 있는
-tene [tì:n] 《연결형》 〖생물〗 「…개[형]의 염색체를 가진」의 뜻
Ten·e·brae [ténəbrèi | -brì:] *n. pl.* 〖가톨릭〗 테니브리 《부활절 전주의 최후의 3일간 행하는 그리스도 수난 기념의 조과(朝課) 및 찬미가》
ten·e·brif·ic [tènəbrífik] *a.* 어둡게 하는; 어두운, 음울한
te·neb·ri·o·nid [tənébriənid] *a., n.* 〖곤충〗 거저릿과(科)의 (딱정벌레)
ten·e·brism [ténəbrìzm] *n.* [때로 **T~**] 〖미술〗 명암 대비 화법
ten·e·brous [ténəbrəs], **-brose** [-bròus] *a.* 어두운, 음침한, 우울한
ten-eight·y, 1080 [ténéiti] *n.* 플루오르 아세트산나트륨 《쥐약의 일종》
*****ten·e·ment** [ténəmənt] *n.* **1** 주택, 건물, 집 **2** = TENEMENT HOUSE **3** 〖법〗 보유 재산; 차지(借地), 차가(借家) **4** [*pl.*] (부동산에 대한) 자유 보유권; 영속적 재산 ***~ of clay = the soul's ~*** (시어) 육체
ten·e·ment·al [tènəméntl] *a.* 보유물의, 주택의; 차지[차가]인이 보유하는
ténement hòuse (도시 빈민가의) 아파트, 공동주택
te·nes·mus [tinézməs, -nés-] *n.* Ⓤ 〖병리〗 이급후중(裏急後重) 《배설 후에 남는 불쾌한 동통》
ten·et [ténit | tén-, tí:n-] *n.* (특히 집단이 신봉하는) 주의(主義), 교의(敎義)(doctrine)
ten·fold [ténfòuld] *a.* **1** 10배[겹]의 **2** 10부분[요소]이 있는 — [스스] *ad.* 10배[겹]로
ten-four, 10-4 [ténfɔ́:r] *int.* (미·속어) (특히 무선 통신에서) 알았다, 오케이, 오버
1040 fòrm [tènfɔ́:rti-] 1040양식 《개인 소득세[납세] 신고 양식》
tén-gál·lon hát [-gǽlən-] (미) (카우보이의) 챙 넓은 모자
10-gauge [téngèidʒ] *n.* 10번 산탄총(散彈銃)(의 탄환)
ten·ge [téŋgei] *n.* (*pl.* ~) 카자흐스탄의 화폐 단위
Teng Hsiao-ping [dʌ́ŋ-ʃjàupíŋ, téŋ-sjàupíŋ] = DENG XIAOPING
te·ni·a [tí:niə] *n.* (*pl.* **-ni·ae** [-niì:]) = TAENIA
te·ni·a·fuge [tí:niəfjù:dʒ] *n., a.* = TAENIAFUGE
tén-mín·ute màn [ténmínit-] (미·속어) 정력적인 사람, 구변 좋은 사람
Tenn. Tennessee
ten·ner [ténər] *n.* **1** (영·구어) 10파운드 지폐(cf. FIVER) **2** (미·구어) 10달러 지폐 **3** (미·속어) 10년형(기)
Ten·nes·se·an, -see·an [tènəsí:ən] *a., n.* 테네시 주의 (주민)
*****Ten·nes·see** [tènəsí:] *n.* **1** 테네시 주 《미국 남동부의 주(州); 略 Tenn.》 **2** [the ~] 테네시 강 《Tennessee주 북동부에서 발원, 오하이오 강으로 흘러듦》
Ténnessee Válley Authòrity [the ~] 테네시 강 유역 개발 공사 《略 TVA》
Ténnessee wálking hòrse (미) 테네시 워킹 호스 종(種)(의 말) 《승마용·마차용 말; Tennessee walker라고도 함》
ten·nies [téni:z] *n. pl.* [복수 취급] (구어) 테니스화(tennis shoes)
‡**ten·nis** [ténis] [F 「잡다(take)」의 뜻에서] *n.* Ⓤ 테니스, 정구: ~ flannels 플란넬로 만든 테니스복
ténnis àrm 테니스 등의 과도한 운동으로 생기는 팔의 통증[염증]
ténnis bàll 테니스공
ténnis còurt 테니스 코트
ténnis èlbow 테니스 등이 원인으로 일어나는 팔꿈치의 통증[염증]
ténnis ràcket 테니스 라켓
ténnis shòe 테니스화; (미·속어) 트럭 타이어
ten·nist [ténist] *n.* 테니스 치는 사람, 테니스 선수
ténnis tòe 테니스 토 《급격한 정지 등으로 생기는 테니스 선수 등의 발끝의 통증》
Ten·ny·son [ténəsən] *n.* 테니슨 **Alfred, Lord ~** (1809-92) 《영국의 계관 시인》
Ten·ny·so·ni·an [tènəsóuniən] *a.* 테니슨의, 테니슨풍(風)의 — *n.* 테니슨 학자[연구자, 애호가]
teno- [ténou, -nə] 《연결형》 「건(腱)」의 뜻
ten·on [ténən] 〖목공〗 *n.* 장부(cf. MORTISE) — *vt., vi.* 장부를 만들다; 장부로 잇다
ténon sàw 날이 가는 잔톱
*****ten·or** [ténər] [L 「유지함, 진로」의 뜻에서] *n.* **1** [보통 *pl.*] (문어) (인생의) **방침**, 방향, 경향, 진로, 행로 《*of*》: the even ~ *of* (one's) life 평탄한 인생의 행로 **2** 취지, 대의; 성격, 성질; 상태 **3 a** Ⓤ 〖음악〗 **테너**, 테너음(⇨ bass[1] 관련) **b** 테너 가수; 테너 성부(聲部); 테너 악기 《viola 등》 **4** 〖법〗 (문서 등의) 사본, 등본 — *a.* 테너의; 테너 음역을 가진
ten·or·ist [ténərist] *n.* 테너 가수[악기 연주자]
ten·or·less [ténərlis] *a.* 방침[취지]이 없는
te·nor·rha·phy [tənɔ́:rəfi, -nάr- | -nɔ́r-] *n.* (*pl.* **-phies**) 〖외과〗 건(腱)봉합(술)
ten·o·syn·o·vi·tis [tènousìnəváitis] *n.* 〖병리〗 건초염(腱鞘炎)
te·not·o·my [tənάtəmi | -nɔ́t-] *n.* (*pl.* **-mies**) UC 〖외과〗 건절제술(腱切除術)
tén pénce (**píece**), **10p** 10펜스 《영국의 화폐》
ten·pen·ny [ténpèni, -pəni | -pəni] *a.* (영) 10펜스의; (미) 10센트의
ténpenny náil (미) 3인치 길이의 못
ten-per·cent·er [-pərséntər] *n.* (속어) (작가·연예인의) 대리인, 에이전트 《인세·출연료의 10%를 받는 데서》
ten·pin [ténpìn] *n.* **1** [*pl.*] (미) = TENPIN BOWLING **2** Ⓒ 십주희용 핀
ténpin bówling 텐핀즈, 십주희(十柱戱) 《볼링의 일종》(《미》 tenpins)(cf. SKITTLE)
ten·pound·er [-páundər] *n.* **1** 10파운드 무게의 물건 《탄환·물고기 등》; 10파운드 포(砲) **2** 10파운드 값의 물건; 10파운드 지폐 **3** 〖영국사〗 1년에 10파운드의 땅세[집세]를 바치고 선거권을 얻는 사람 **4** 〖어류〗 청어 비슷한 은빛의 큰 물고기(lady fish)
TENS [ténz] [*t*ranscutaneous *e*lectrical *n*erve *s*timulator] *n.* 〖의학〗 텐스, 경피(經皮) 신경 전기 자극 치료(기) 《전류로 피부의 말초 감각 신경을 자극하여 통증을 치료하는 방법[기계]》
*****tense**[1] [téns] [L 「잡아늘여진」의 뜻에서] *a.* (opp. *lax*) **1 a** 〈줄 등이〉 **팽팽한**, 켕긴 **b** 〈신경·감정이〉 긴장[절박]한; 〈상황 등이〉 긴박한, 조마조마하게 하는; 〈사람이〉 긴장한: a ~ person 긴장하고 있는 사람 / a ~ moment 긴장의 순간 / a ~ situation 긴박한 상황 **2** (긴장하여) 부자연스러운, 딱딱한 **3** 〖음성〗 혀의 근육이 긴장된 《주로 모음에 대해서 쓰임》
— *vt.* 〈사람·근육·신경 등을〉 긴장시키다, 팽팽하게 하다 《*up*》(⇨ tensed)
— *vi.* 팽팽해지다; 긴장하다 《*up*》
~·ly *ad.* **~·ness** *n.* ▷ ténsity, ténsion *n.*
‡**tense**[2] [téns] [L 「시간」의 뜻에서] *n.* UC 〖문법〗 (동사의) **시제**(時制)(⇨ 문법 해설 (31)): the present [past, future] ~ 현재[과거, 미래] 시제 / the per-

thesaurus **tense**[1] *a.* **1** 팽팽한 rigid, tight, strained (opp. *slack*) **2** 긴장한 nervous, agitated, anxious, uneasy, worried (opp. *calm, relaxed*)

fect[imperfect] ~ 완료[미완료] 시제
tensed [tenst] *a.* Ⓟ 정신적으로 긴장한, 신경이 곤두선 ((*up*))
ten·si·bil·i·ty [tènsəbíləti] *n.* Ⓤ 신장성(伸長性)
ten·si·ble [ténsəbl] *a.* 잡아늘일 수 있는
ten·sile [ténsəl, -sil | -sail] *a.* **1** 잡아늘일 수 있는, 신장성 있는 **2** Ⓐ 긴장의, 신장의; 장력(張力)의
ténsile stréngth 〖물리〗 인장(引張) 강도, 항장력(抗張力)
ten·sil·i·ty [tensíləti] *n.* Ⓤ 장력; 신장성(伸長性)
ten·sim·e·ter [tensímətər] *n.* 가스[증기] 압력계
ten·si·om·e·ter [tènsiámətər | -ɔ́m-] *n.* 장력계(張力計); (액체의) 표면 장력계; (토양의) 수분(水分) 장력을 측정하는 계기
ten·si·om·e·try [tènsiámətri | -ɔ́m-] *n.* Ⓤ 장력학(張力學) **ten·si·o·met·ric** [tènsiəmétrik] *a.*
*∗***ten·sion** [ténʃən] *n.* Ⓤ **1 a** (정신적) **긴장**(strain), 불안, 흥분: a headache caused by ~ 긴장으로 인한 두통 **b** (정세·관계 등의) 긴박, 긴장 상태 **2** 긴장; 팽팽함; 켕김; 신장(伸張): ~ of the muscles 근육의 긴장 **3 a** 〖물리〗 (탄력체의) 장력(張力), 응력(應力); (기체의) 팽창력; ((고어)) 압력: vapor ~ 증기압(蒸氣壓), 증기 장력 **b** 전압: a high ~ current 고압 전류 / a ~ fuse 전압 퓨즈 **4** (직기·재봉틀 등의 실의 켕김을 조절하는) 인장 장치
— *vt.* 팽팽하게 하다, 긴장시키다 **~·er** *n.* **~·less** *a.*
ten·sion·al [ténʃənl] *a.* 긴장(성)의
ten·sioned [ténʃənd] *a.* 긴장된
ten·si·ty [ténsəti] *n.* Ⓤ 긴장 (상태), 긴장도
ten·sive [ténsiv] *a.* 긴장의, 긴장을 불러일으키는
ten·som·e·ter [tensámətər | -sɔ́m-] *n.* = TENSIOMETER
ten·son [tensóun, -sən] *n.* 논쟁시, 경시(競詩) ((두 troubadours가 동일 형식으로 번갈아 다투어 노래한 시))
ten·sor [ténsər, -sɔːr] *n.* 〖해부〗 장근(張筋); 〖수학〗 텐서
ténsor lìght[làmp] 텐서 라이트 ((조명 위치를 임의로 바꿀 수 있는 탁상 램프))
ten-speed [ténspìːd] *n.* 10단 변속의 자전거
— *a.* 10단 변속의
tén(')s plàce (아라비아 숫자의) 10의 자리
ten-spot [-spàt | -spɔ̀t] *n.* (카드의) 10점 패; ((미·구어)) 10달러 지폐; ((미·속어)) 10년의 형
ten-strike [-stràik] *n.* ((미)) **1** (tenpins에서) 핀 10개를 전부 넘어뜨리기 **2** ((구어)) 대성공, 대히트
*‡***tent¹** [tent] [L 「친, 쳐진」의 뜻에서] *n.* **1 텐트**, 천막: a bell ~ 종[원뿔] 모양의 텐트 **2** 텐트 모양의 물건; (중환자용) 산소 텐트 **3** 집, 주거, 주택 **4** 〖사진〗 휴대 암실 ***have*** [***pitch***] one**'s** ~ 살 곳이 생기다, 거처를 정하다 ***pitch*** [***strike***] ***a*** ~ 텐트를 치다[걷다]
— *vt.* 텐트로 덮다; 텐트에서 재우다
— *vi.* 텐트에서 자다, 야영(野營)하다, 텐트 생활을 하다
~·less *a.* **~·lìke** *a.*
tent² 〖외과〗 *n.* 상처 구멍에 넣는 거즈심
— *vt.* 거즈심을 넣어 〈상처 구멍을〉 벌려 두다
tent³ *n.* Ⓤ 진홍색의 포도주 ((성찬(聖餐)용; 주로 스페인산(産)))
ten·ta·cle [téntəkl] *n.* **1** 〖동물〗 촉수(觸手), 촉각, 더듬이 **2** 〖식물〗 촉사(觸絲), 촉모(觸毛), 섬모
ten·ta·cled [téntəkld] *a.* 촉수[촉각]가 있는
ten·tac·u·lar [tentǽkjulər] *a.* tentacle의[같은]
tent·age [téntidʒ] *n.* [집합적] 천막, 텐트(tents)
*∗***ten·ta·tive** [téntətiv] [L 「시험하다」의 뜻에서] *a.* **1 시험적인**, 시험삼아 하는, 임시의: a ~ plan 시안(試案) / a ~ theory 가설(假說) **2** 주저하는, 자신없는; 불확실한, 모호한: a ~ smile 망설이는 듯한 미소
— *n.* 시험, 시도; 시안, 가설 **~·ly** *ad.* **~·ness** *n.*

tension *n.* **1** (정신적) **긴장** strain, stress, pressure, anxiety, disquiet **2** (관계 등의) **긴장 상태** unease, hostility **3** **팽팽함** tightness, tautness, rigidity

tént bèd 천막형 닫집이 달린 침대
tént càterpillar 〖곤충〗 천막벌레나방의 유충
tént còat[drèss] 텐트 코트[드레스] ((어깨에서부터 옷자락에 걸쳐서 3각형으로 퍼진 코트[드레스]))
tent·ed [téntid] *a.* 천막을 친, 천막으로 덮인; 천막을 숙사로 하는; 천막 모양의
ten·ter¹ [téntər] *n.* 직물을 펴서 말리는 틀
— *vt.* 〈직물을〉 틀에 걸어 펴다 — *vi.* 〈직물이〉 틀에 걸 수 있다
tent·er² [téntər] *n.* ((영)) (특히 공장의) 기계 감시원; 숙련공 보조원[조수]
ten·ter·hook [téntərhùk] *n.* (직물을 펴서 말리는 틀의) 갈고리(못) ***be on ~s*** [***tenters***] 조바심하다, 안달하다
tént flỳ 천막 덮개 ((비·햇볕을 막음)); (천막 입구의) 드림
*‡***tenth** [tenθ] [ten(10)+-th¹] *a.* **제10의, 열 번째의**; 10분의 1의: a ~ part 10분의 1
— *ad.* 열 번째로
— *n.* **1** [보통 the ~] 제10, 10번째 **2** 10분의 1 **3** 〖음악〗 제10도 (음정), 제10음 **4** 〖항공〗 (시계(視界)의) 운량(雲量) 단위 기수(基數) ((1에서 10까지의 숫자로 농도를 나타냄)) **5** 〖영국사〗 십분의 일의 세(稅)
— *pron.* [the ~] 열 번째의 사람[것]
tenth-rate [ténθréit] *a.* 최저(질)의
tent·mak·er [téntmèikər] *n.* 텐트 만드는 사람
ten·to·ri·um [tentɔ́ːriəm] *n.* (*pl.* **-ri·a** [-riə]) **1** 〖해부〗 천막 ((대뇌를 덮고 있는 막의 하나)) **2** 〖동물〗 막상골(幕狀骨) ((곤충 머리 안쪽의 내골격))
tént pèg[pìn] 천막 말뚝[쐐기못]
tént pègging 천막 말뚝 뽑기 ((전속력으로 달리는 말 위에서 창으로 말뚝을 찔러 뽑는 인도의 기마술))
tént shòw 텐트 흥행, 서커스
tént stìtch 〖복식〗 텐트 스티치 ((짧게 비스듬히 누비는 스티치))
tént tràiler 텐트 트레일러 ((자동차가 끄는 텐트 운반용 2륜 트레일러))
tent·y [ténti] *a.* ((스코)) 주의 깊은, 신중한
ten·u·is [ténjuis] *n.* (*pl.* **-u·es** [-njuìːz]) 〖음성〗 무성 폐쇄음(閉鎖音)
te·nu·i·ty [tənjúːəti, te- | -njúː-] *n.* Ⓤ ((문어)) **1 a** 얇음, 가늚 **b** (기체 등의) 희박 **2** 빈약, 박약
ten·u·ous [ténjuəs] *a.* **1 a** 얇은, 가는 **b** 〈공기 등이〉 희박한 **2** 박약한, 빈약한; 중요치 않은, 보잘것없는 **~·ly** *ad.* **~·ness** *n.*
ten·ure [ténjər, -njuər] [L 「보유하다」의 뜻에서] *n.* **1** ⓊⒸ (부동산·지위·직분 등의) 보유; Ⓒ 보유 기간; Ⓤ 보유권(權), 보유 조건[형태]: one's ~ of life 수명(壽命) / ~ for life 종신 토지 보유권 **2** ((미)) (재직 기간 후에 주어지는) 신분 보장(권), 재임 자격; Ⓤ (대학교수 등의) 종신(終身) 재직권: during one's ~ of office 재직 기간 중에 ***feudal*** ~ 봉건적 토지 보유(권) ***hold*** one**'s** ***life on a precarious*** ~ 내일을 기약할 수 없는 목숨이다 ***military*** ~ 병역을 조건으로 하는 토지 소유권 ***On what ~?*** 어떤 조건으로?
— *vt.* ((주로 미)) 종신 재직권을 주다
ten·ured [ténjərd, -njuərd] *a.* 보유권이 있는; 〈특히 대학 교수가〉 종신적 지위가 있는, 종신 재직권을 가진
ten·ure-track [ténjərtræ̀k, -njuər-] *a.* 〈대학 교수가〉 종신적 지위를 인정받게 될 교직 신분의
te·nu·to [tənúːtou | -njúː-] [It.] 〖음악〗 *a.*, *ad.* 테누토, 음을 지속한[하여], 음을 제 길이대로 충분히 연주하는 ((음표 위에 약어 ten. 또는 수평선을 붙여 표시함)) (opp. *staccato*) — *n.* (*pl.* **~s, -ti** [-tiː]) 테누토 기호
ten·zon [ténzən] *n.* ((시어)) = TENSON
te·o·cal·li [tìːəkǽli, tèiəkáːli] [Sp.] *n.* 구상(丘上) 신전 ((고대 멕시코·중앙아메리카에 Aztec 원주민이 쌓은 제단))
te·pa [tíːpə] *n.* Ⓤ 〖화학〗 테파 ((곤충 불임제·암 억제제·섬유의 방염제(防炎劑)용))
te·pal [tíːpəl, tép-] *n.* 〖식물〗 화피(花被) 조각

tép·a·ry bèan [tépəri-] 〖식물〗 미국 남서부·중미산 강낭콩속(屬)의 덩굴 식물

te·pee [tí:pi:] *n.* (모피·천으로 된 북미 원주민의) 원뿔형 천막집

tepee

tep·e·fy [tépəfài] *vt., vi.* (-fied) 미지근하게 하다; 미지근해지다 **tèp·e·fác·tion** *n.*

teph·ra [téfrə] *n.* 테프라 《분화시에 방출되어 공중을 날아 퇴적한 화산재》

teph·rite [téfrait] *n.* Ⓤ 테프라이트 《회색 현무암》

teph·ro·chro·nol·o·gy [tèfroukrənɑ́lədʒi | -nɔ́l-] *n.* 〖지질〗 테프라 연대학 《지층 화산재(tephra)를 분석하여 과거의 분화 시기를 추정하는 연구》

tep·id [tépid] *a.* **1** 〈특히 액체가〉 미지근한: ~ water 미지근한 물 **2** 〈대우 등이〉 열의가 없는, 미온적인; 〈관계 등이〉 식은 **~·ly** *ad.* **~·ness** *n.*

tep·i·dar·i·um [tèpədɛ́əriəm] *n.* (고대 로마 목욕탕의) 미온(微溫) 욕실

te·pid·i·ty [tipídəti] *n.* Ⓤ **1** 미지근함, 미온 **2** 열의가 없음(tepidness)

TEPP tetraethyl pyrophosphate 《살충제》

te·qui·la [təkí:lə] [Sp.] *n.* Ⓤ 테킬라 《멕시코산(産)의 증류주》; 〖식물〗 테킬라용설 《멕시코산》

tequíla slámmer 테킬라 슬래머 《테킬라·레모네이드를 섞은 칵테일》

tequíla súnrise 테킬라 선라이즈 《테킬라·오렌지주스·그라나딘을 섞은 칵테일》

ter [tɛ́ər] *n.* = TERR

ter [tə́:r] [L] *ad.* (음악·처방에서) 3회, 세 번

ter- [tə́:r] 《연결형》 「3; 3회; 3배」의 뜻: *ter*diurnal 하루 세 번의

ter. terrace; territory; territorial

tera- [térə] 《연결형》 「10의 12제곱」의 뜻 《기호 T》

ter·a·bit [térəbìt] *n.* 〖컴퓨터〗 테라비트 《10^{12}bits 또는 2^{40}bits(tebibit); 略 Tb, Tbit》

ter·a·byte [térəbàit] *n.* 〖컴퓨터〗 테라바이트 《10^{12} bytes; 略 Tb, TB》

ter·a·cy·cle [térəsàikl] *n.* 테라사이클 《10^{12} cycles》

ter·a·flop [térəflɑ̀p | -flɔ̀p] *a.* 1초에 1조(兆)회 연산할 수 있는

ter·a·hertz [térəhə̀:rts] *n.* 테라헤르츠 《10^{12} hertz; 略 THz》

te·rai [tərái] *n.* 타라이 모자 《아열대 지방에서 쓰는 챙 넓은 펠트 모자》

ter·a·phim [térəfìm] *n. pl.* (*sing.* **ter·aph** [térəf]) [종종 단수 취급] (고대 히브리인들의) 가신상(家神像), 드라빔 《창세기 31: 19-30》

ter·a·tism [térətìzm] *n.* Ⓤ 기형; 괴기 취미, 괴물 숭배

terato- [térətou, -tə] 《연결형》 「괴물·기형」의 뜻

te·rat·o·gen [tərǽtədʒən, -dʒèn, térət-] *n.* (태아기의) 기형(畸形) 발생 물질

ter·a·to·gen·e·sis [tèrətədʒénəsis] *n.* 〖생물·의학〗 기형 발생[생성]

ter·a·to·ge·net·ic [tèrətədʒənétik], **-gen·ic** [-dʒénik] *a.* 〖생물·의학〗 기형을 발생[생성]하는

ter·a·toid [térətɔ̀id] *a.* 〖생물·의학〗 기형 비슷한, 기형종(腫)의

ter·a·to·log·ic, -i·cal [tèrətəlɑ́dʒik(əl) | -lɔ́dʒ-] *a.* 기형학(畸形學)상의

ter·a·tol·o·gy [tèrətɑ́lədʒi | -tɔ́l-] *n.* Ⓤ 기형학; 괴이(怪異) 연극; 괴기담(집)(怪奇談(集)) **-gist** *n.* (생물의) 기형학 전공자

ter·a·to·ma [tèrətóumə] *n.* (*pl.* **~s, ~·ta** [-tə]) 〖병리〗 기형종(腫)

ter·a·volt [térəvòult] *n.* 〖물리〗 테라볼트 《(1) = 10^{12} volts; (2) = 10^{12} electron volts》

ter·a·watt [térəwɑ̀t | -wɔ̀t] *n.* 〖전기·물리〗 테라와트 《= 10^{12} watts》

ter·bi·um [tə́:rbiəm] *n.* Ⓤ 〖화학〗 테르븀 《희금속 원소; 기호 Tb, 번호 65》

terce [tə́:rs] *n.* 〖가톨릭〗 제3 시과(課) 《오전 9시의 성무(聖務)》

ter·cel [tə́:rsəl] *n.* (매사냥에 사용하는) 수매

ter·cen·ten·ar·y [tə̀:rsenténəri, tə:rséntənèri | tə̀:sentí:nəri] *a.* 300년(간)의 **—** *n.* (*pl.* **-ar·ies**) **1** 300년 **2** 300년제(祭)(cf. CENTENARY)

ter·cen·ten·ni·al [tə̀:rsenténiəl] *a., n.* = TERCENTENARY

ter·cet [tə́:rsit, tə:rsét] *n.* 〖음악〗 셋잇단음표; 〖운율〗 삼행 연구(triplet)

Ter·com [tɛ́ərkɑ̀m | -kɔ̀m] [*ter*rain *con*tour *m*atching] *n.* 지형 확인 유도 방식 《목표까지의 지형을 미사일의 컴퓨터가 기억하여 순항 미사일을 유도하는 방식》

ter·e·bene [térəbì:n] *n.* Ⓤ 〖화학〗 테레빈 《도료·방부제용》

te·réb·ic ácid [tərébik-, -rí:b- | te-] 〖화학〗 테레빈산(酸)

ter·e·binth [térəbìnθ] *n.* 〖식물〗 테레빈 나무 ***oil of ~*** 테레빈유(油)

ter·e·bin·thine [tèrəbínθin, -θain | -θain] *a.* 테레빈(성)의, 테레빈 나무의

te·re·do [tərí:dou] *n.* (*pl.* **~s, -di·nes** [-dənì:z]) 〖패류〗 좀조개

Ter·ence [térəns] *n.* 남자 이름

ter·eph·thal·ate [tèrefθǽleit, -lət, təréfθəlèit] *n.* 〖화학〗 테레프탈염산

ter·eph·thál·ic ácid [tèrefθǽlik-] 〖화학〗 테레프탈산 《폴리에스테르 섬유나 합성수지의 중요 원료》

Te·re·sa [tərí:sə, -zə, -réi- | -zə] *n.* **1** 여자 이름 (cf. THERESA) **2** 마더 테레사 **Mother ~** (1910-97) 《알바니아 태생의 가톨릭 수녀로 빈민 구제에 헌신함; 노벨 평화상 수상(1979)》

te·rete [tərí:t, téri:t] *a.* 얇고 매끄러운 원통형의

ter·gal [tə́:rgəl] *a.* 등 (부분)의(dorsal)

ter·gi·ver·sate [tə́:rdʒivərsèit] *vi.* 변절[전향, 탈당]하다; 얼버무리다, 속이다, 핑계대다 **-sà·tor** *n.*

ter·gi·ver·sa·tion [tə̀:rdʒivərséiʃən] *n.* UC 핑계, 속임; 변절

ter·gum [tə́:rgəm] *n.* (*pl.* **-ga** [-gə]) 〖동물〗 (절지(節肢)동물의) 배판(背板)

ter·i·yak·i [tèrijɑ́:ki] *n.* UC (일본의) 데리야키 요리 《고기나 생선에 단 소스를 넣은》

⁑**term** [tə́:rm] *n., vt.*

> L 「한계, 마지막」의 뜻에서
> →(시간적인 한계)
> → 「기한」 **1 a** → 「학기」 **1 b** / → 「기간, 임기」 **1 a**
> →(한정)(한정하는 것) → 「조건」 **3 a**
> ↓
> (상호 한정) → 「관계, 친한 사이」 **2**
> ↓
> (상호 한정의 한쪽) 「항」 **5** → 「전문 용어」 **4 a** → 「말씨」 **4 c**

— *n.* **1** CU **a** (일정한) 기간, 기한; 임기: a one year ~ of office 일 년 임기 **b** 학기; 형기 **c** (법원·의회 등의) 개정[개회] 기간, 회기 **d** (집세·임금 등의 지불) 기일; 출산 예정일: children born at full ~ 달이 차서 난 아이들 **e** 〖법〗 (권리의) 존속 기간; 정기 부동산권; 부동산권 보유 기간, 임대차의 기간 **2** [*pl.*] 교제 관계; (친한) 사이: on good ~*s* with a person …와 친한 사이로 **3 a** [*pl.*] (지불·요금 등의) 조

thesaurus **term** *n.* **1** 기간 period, time, spell, interval, stretch, span, duration **2** 용어 word, expression, phrase, name, title, denomination

건, 조항 ⟪*of*⟫; 요구액, 가격, 요금, 수수료, 임금 ⟪*for*⟫: *T~s*, two guineas a week. 요금은 1주일에 2기니. / reasonable *~s* 타당한 조건 / the *~s* of a treaty 조약의 조항 **b** [*pl.*] 협약, 약정, 협정, 동의, 타협 **4 a** 말, 어(語); ⟪특히⟫ 술어, 용어, 전문어: scientific *~s* 과학 용어 / the ~ atom in physics 물리학의 원자 용어 **b** 〖논리〗 명사(名辭) **c** [*pl.*] 말씨, 말투, 어구, 표현 ⟪*of*⟫ **5** 〖수학〗 항(項); 〖기하〗 한계점[선, 면] **6** (고어) 한계, 경계; (특히 시간의) 종말, 종극(終極) **7** 〖건축〗 (고대 로마 시대의) 경계주(境界柱) ⟪경계의 신 Terminus의 상(像)을 새긴 것⟫
be in ~s 교섭[상담, 담판] 중이다 ***bring to ~*** 분만일이 되다 ***bring*** a person ***to ~s*** 항복[승복]시키다, 따르게 하다 ***come to ~s with*** (1) …와 타협이 이루어지다, 타협하다, 상담이 매듭지어지다 (2) …에 굴복하다, 〈사태 등을〉 감수하다, 길이 들다, 익숙해지다 (3) 화해하다 ***eat*** one***'s ~s*** ⇨ eat. ***fill*** one***'s ~ of life*** 천명을 다하다 ***for ~s of*** (one***'s***) ***life*** 일생, 평생 ***in any ~*** 어떻게 해서든지 ***in plain*** [***set***] ***~s*** 평이한[판에 박은] 말로 ***in ~s of*** (1) …의 말로; …특유의 표현으로; 〖수학〗 …항[식]으로 (2) …에 의하여, …으로 환산하여 (3) …에 관하여, …의 점에서 (보면) ***keep a ~*** 1학기 동안 출석하다 ***keep ~s*** (…와) 담판[교섭]을 계속하다 ⟪*with*⟫ ***make ~s*** 타결되다, 타협이 이루어지다 ⟪*with*⟫ ***not on any ~s*** = ***upon no ~s*** (어떠한 조건으로도) 결코 …않다 ***on bad*** [***good, speaking, visiting***] ***~s*** (…와) 나쁜[좋은, 말을 건넬 정도의, 서로 왕래하는] 사이로 ⟪*with*⟫ ***on equal*** [***even***] ***~s*** (…와) 대등하게, 동등하게 ⟪*with*⟫ ***on*** one***'s own ~s*** …이 바라는 조건으로 ***set ~s*** 조건을 붙이다[정하다] ***T~s cash.*** 현금 지불. ***~s of reference*** (영) 위탁 사항 ***~s of trade*** (영) 무역 조건 ⟪수입과 수출의 교환 비율⟫
— *vt.* 이름 짓다, 칭하다, 부르다(call, name)
be ~ed out of office (미) 임기가 끝나 공직에서 물러나다 ~ one***self ...*** …라고 자칭하다

term. terminal; termination

ter·ma·gan·cy [tə́ːrməgənsi] *n.* Ⓤ (여자의) 억척스러움, 괄괄함, 입정사나움, 잔소리가 심함

ter·ma·gant [tə́ːrməgənt] *n.* **1** 괄괄한 여자, 입정사나운 여자, 잔소리가 심한 여자 **2** [**T~**] (중세 종교극에 나오는) 사나운 이슬람교도의 신 **—** *a.* 〈여자가〉 입정사나운, 잔소리가 심한; 괄괄한, 사나운 **~·ly** *ad.*

térm dày 지불 기일, 만기일, 계산 날

term·er [tə́ːrmər] *n.* (교도소) 복역자; (장관·의원 등의) 임기 중인 사람: a first ~ 초범 복역자

ter·mi·na·ble [tə́ːrmənəbl] *a.* **1** 종지시킬 수 있는, 끝마칠 수 있는 **2** 〈계약 등이〉 기한이 있는 **~·ness** *n.* Ⓤ 유기(有期), 유한(有限)

∗**ter·mi·nal** [tə́ːrmənl] *a.* **1** 끝의, 종말의; 종점의, 종착역의; 〈연속물 등이〉 최종회의; 최종적인, 궁극적인; 경계의: a ~ station 종착역 **2** 〖식물〗 정생(頂生)의; 〖동물·해부〗 말단의: a ~ bud 꼭지눈 **3** 정기의, 일정 기간 중의; 매학기의: ~ payments 정기 지불 **4** 〈병 등이〉 말기의, 말기 증상의, 불치의, 가망이 없는; 치명적인, 손을 쓸 수 없는, 구제 불능의: a ~ disease 불치병 **5** 〖논리〗 명사(名辭)의
— *n.* **1** 말단, 맨끝; 어미(의 음절·문자) **2 a** (철도·비행기·버스 등의) 종점, 기점(起點); 종착역, 시발역; 종점 도시((영) terminus) **b** (공항의) 터미널; (공항에서 떨어진 시내의) 항공 여객용 버스 발착장; 화물의 집하(集荷)·발송역 **3** 〖전기〗 전극(電極), (전지의) 단자(端子) **4** 〖컴퓨터〗 단말기, 터미널 **5** 〖생리〗 신경 종말 **6** 〖건축〗 끝머리 장식; 경계상(像) **7** 학기 시험 **8** [주로 *pl.*] 하역 요금 **~·ly** *ad.* 종말에, 말단에; 정기적으로, 기(期)마다; 학기말에

términal adápter 〖컴퓨터〗 터미널 어댑터 ⟪ISDN에서 기존 단말기를 그대로 이용할 수 있도록 하기 위한 단말기 정합 장치; 略 TA⟫

términal emulátion 〖컴퓨터〗 단말기 에뮬레이션

términal equípment 단말 장치

términal fígure 〖건축〗 경계주(境界柱), 경계상(境界像)

términal identificátion 〖컴퓨터〗 단말 장치 식별 기구

términal ínterface 〖컴퓨터〗 단말기 인터페이스

términal júncture 〖언어〗 말미 연접(末尾連接)

términal léave 〖군사〗 (제대 직전의) 제대 휴가

términal márket (도시의) 농산물 중앙 도매 시장

términal moráine 〖지질〗 말단 퇴석(堆石), 종퇴석

términal séquencer 〖우주과학〗 터미널 시퀀서 ⟪로켓 발사시 초 읽기의 최종 단계를 제어하는 전자 장치⟫

términal velócity 〖물리〗 종단(終端) 속도; 〖로켓·탄도〗 최종 속도

términal vóltage 극전압(極電壓)

‡**ter·mi·nate** [tə́ːrmənèit] [L 「…에 한계를 두다」의 뜻에서] *vt.* **1 a** 〈행동·상태 등을〉 끝내다, 종결시키다, 마무리하다 **b** …의 끝을 이루다 **2** 한정하다; …의 경계를 짓다, 차단하다; 해고하다
— *vi.* **1** 〈행동·상태 등이〉 끝나다, 그치다, 종결하다 ⟪*at, in, with*⟫ **2** 다하다; 기한이 다하다 **3** 〈어미·노력 등이〉 (…으로) 끝나다 ⟪*in*⟫ **4** 〈열차·버스 등이〉 (…에서) 종점이 되다 ▷ términus, terminátion *n.*; términal, términative *a.*

tér·mi·nat·ing décimal [tə́ːrmənèitiŋ-] 〖수학〗 유한 소수

∗**ter·mi·na·tion** [tə̀ːrmənéiʃən] *n.* ⓊⒸ **1** 종료, 종지, 종결; 끝, 최후 **2** 결말, 결과 **3** 종점, 말단; 한계; (계약 등의) 만기, 만료 **4** Ⓒ 〖문법〗 어미(語尾); 접미사(suffix) **5** [*pl.*] 바지 **6** (주로 미) 해고, 면직; 〖전기〗 종단(終端) ***bring to a ~*** 종결 짓다 ***~ with extreme prejudice*** (미·속어) 암살, 살인 **~·al** *a.* 〖문법〗 어미의 ▷ términate *v.*; términative *a.*

ter·mi·na·tive [tə́ːrmənèitiv | -nə-] *a.* **1** 종결시키는, 끝내는, 종국의, 결정적인(conclusive); 〈병 등이〉 말기의 **2** 〖문법〗 〈접미사 등이〉 방향[목적지]을 가리키는; 동작의 완료를 표시하는

ter·mi·na·tor [tə́ːrmənèitər] *n.* **1** 끝내는 사람[것] **2** 〖천문〗 (달·별의) 명암 경계선 **3** 〖컴퓨터〗 종료기(終了器); 〖생화학〗 (DNA상의) 종결 부위

ter·mi·na·to·ry [tə́ːrmənətɔ̀ːri | -təri] *a.* 말단의; 말단[한계]을 이루는

ter·mi·ni [tə́ːrmənài] *n.* TERMINUS의 복수

ter·mi·nism [tə́ːrmənìzm] *n.* Ⓤ **1** 〖신학〗 은혜 유한설 ⟪하느님이 정한 회개의 시기를 지나면 구원받을 기회를 잃는다는⟫ **2** 〖철학〗 (Occam파의) 명사론(名辭論), 유명론(唯名論) **-nist** *n.*

ter·mi·no·log·i·cal [tə̀ːrmənəlɑ́dʒikəl | -lɔ́dʒ-] *a.* **1** 술어학(상)의 **2** 술어의, 용어상의: ~ inexactitude (익살) 허위, 거짓말 **~·ly** *ad.*

ter·mi·nol·o·gy [tə̀ːrmənɑ́lədʒi | -nɔ́l-] *n.* Ⓤ **1** 술어학; (특수한) 용어법[론] **2** [집합적] 술어, (전문) 용어: technical ~ 전문어 **-gist** *n.*

térm insùrance 〖보험〗 정기 보험 ⟪계약 기간 내의 사망에 대하여서만 보험금을 지불하는⟫

∗**ter·mi·nus** [tə́ːrmənəs] *n.* (*pl.* **-ni** [-nài], **~·es**) **1** (철도·버스 등의) 종점; 종착역, 터미널; 시발역; 종점 도시 **2** 말단, 종단; 목표, 목적지, 종착지; 경계, 한계 **3** 〖건축〗 경계주(境界柱), 경계석 **4** [**T~**] 〖로마신화〗 경계신(境界神) ▷ términal *a.*; términate *v.*

ter·mi·nus ad quem [tə́ːrmənəs-æd-kwém] [L] (토론·정책 등의) 도달점, 목적점, 목표; 최종 기한

ter·mi·nus a quo [-ei-kwóu] [L] (토론·정책 등의) 출발점, 기점, 원점

ter·mi·tar·i·um [tə̀ːrmətέəriəm] *n.* (*pl.* **-i·a** [-iə]) (열대의) 흰개미의 집, 개미탑

ter·mi·tar·y [tə́ːrmətèri | -təri] *n.* (*pl.* **-tar·ies**) = TERMITARIUM

---

terminate *v.* close, end, conclude, finish, stop, wind up, discontinue, cease, cancel, expire, result (opp. *begin, start, commence, initiate*)

ter·mite [tə́:*r*mait] *n.* 〔곤충〕 흰개미

term·less [tə́:*r*mlis] *a.* **1** 무한의, 기한 없는, 무제한의, 끝[한]이 없는 **2** 무조건의(unconditional) **3** 《고어》 형언할 수 없는

term·ly [tə́:*r*mli] *a.*, *ad.* 《고어》 정기적인[으로]

ter·mor [tə́:*r*mə*r*] *n.* 〔법〕 정기 부동산권자, 종신 토지 보유자

térm páper 《미》 학기말 리포트[논문]

térm pòlicy 〔보험〕 장기 보험 《화재 보험 등의 계약 기간이 1년 이상인》

term·time [tə́:*r*mtàim] *n.* Ⓤ 학기 《기간》; 법정 개정 기간

tern[1] [tə́:*r*n] *n.* 〔조류〕 제비갈매기 《갈매깃과(科)의 해조(海鳥)》

tern[2] *n.* **1** 세 개 한 세트[벌] **2** 셋을 갖추면 낭선되는 제비; 그 상품 **—** *a.* =TERNATE

tern[3] [in*tern*] *n.* 《미·속어》 실습생, 인턴

ter·nal [tə́:*r*nl] *a.* 셋으로 이루는, 세 겹의, 세 개 한 벌[조]의

ter·na·ry [tə́:*r*nəri] *a.* 셋으로 이루어지는, 세 겹의, 세 번째의, 세 개 한 벌의; 〔수학〕 3진(進)의, 3변수의, 3을 기수(基數)로 하는; 〔화학·야금〕 3원(元)의; 제3위의: the ~ scale 3진 기수법(記數法) / ~ alloy(s) 3원 합금 **—** *n.* (*pl.* **-ries**) 세 개 한 조[벌]

térnary físsion 〔물리〕 3체(體) 핵분열

térnary fórm 〔음악〕 세도막 형식

ter·nate [tə́:*r*nət, -neit] *a.* 셋으로 이루어진, 세 개 한 벌의; 〔식물〕 세 갈래의, 세 잎의: a ~ leaf 세 갈래난 잎 **~·ly** *ad.*

terne [tə́:*r*n] *n.* 턴메탈(=**~ mètal**) 《주석과 납의 합금; terneplate용》

terne·plate [tə́:*r*nplèit] *n.* 턴플레이트 《턴메탈을 씌운 연강판(軟鋼板)》

ter·ni·on [tə́:*r*niən] *n.* 세 개 한 조[벌]

ter·o·tech·nol·o·gy [tèrouteknɑ́lədʒi | -nɔ́l-] *n.* Ⓤ 보전(保全) 공학, 종합 설비 공학, 설비 진단 공학 《기계·플랜트·장치 등 설비 일반의 운전·유지를 연구하는 공학의 한 분야》

ter·pene [tə́:*r*pi:n] *n.* Ⓤ 〔화학〕 테르펜

ter·pe·noid [tə́:*r*pənɔ̀id, tə:*r*pí:nɔid] *n.*, *a.* 〔화학〕 테르펜 (모양의)

ter·pin·e·ol [tə:*r*píniɔ̀:l, -ɑ̀l | -ɔ̀l] *n.* 〔화학〕 테르피네올 《주로 향료 제조에 사용》

ter·pol·y·mer [tə*r*pɑ́ləmə*r* | -pɔ́l-] *n.* 〔화학〕 3량체(量體)

Terp·sich·o·re [tə:*r*psíkəri:] *n.* 〔그리스신화〕 테르프시코레 《노래와 춤의 여신; Muses의 하나》

terp·si·cho·re·an [tə̀:*r*psikərí:ən, -kɔ́:riən] *a.* **1** 《문어》 무도의, 춤의 **2** [**T~**] Terpsichore의 **—** *n.* 《익살》 무희, 댄서

terr [tέə*r*] *n.* 《남아공·경멸》 흑인 게릴라

terr. terrace; territory; territorial

ter·ra [térə] [L =earth] *n.* 흙, 땅; 대지, 육지; 지구

‡**ter·race** [térəs] [OF 「쌓아올린 땅」의 뜻에서] *n.* **1** 대지(臺地); 단지(段地) 《경사면을 계단 모양으로 깎은》; 언덕; 〔지질〕 단구(段丘) **2** 《정원 등에 있는》 테라스, 단(壇) **3** 《영》 높은 지대에 있는 일련의 집[거리] 《종종 T~로 지명의 일부에 쓰임》 **4** 《도로의》 중앙 분리대(median strip); 《거리 중앙의》 녹지대 **5** 《지붕 있는》 작은 발코니; 거의 물매가 없는 지붕 **6** [보통 *pl.*] 《축구장의 층으로 된》 입석
— *vt.* 계단식 단[대지]을 만들다; 축대를 만들다; …에 발코니[테라스]를 달다

ter·raced [térəst] *a.* 계단식 단으로 된

térrace(d) hòuse 《영》 테라스 하우스 《연립 주택 (《미》 row house) 중의 한 채; 도로보다 높게 지음》

térraced róof 《특히 인도 등지의》 평지붕

ter·rac·ing [térəsiŋ] *n.* 단지(段地) 형성; 단구[대지] 구조; 《경사지의》 계단, 계단식 밭[논]

tér·ra cót·ta [térə-kɑ́tə | -kɔ́tə] [It. =baked earth] **1** 테라코타 《붉은 진흙의 설구이》; 테라코타 건축재[세공품, 상(像), 기와 《등》]: a ~ pipe 토관(土管) **2** 적갈색 **tér·ra-cót·ta** *a.*

térra fír·ma [-fə́:*r*mə] [L =solid earth] 《물·공기에 대하여》 대지(大地), 육지, 건조한 토지

ter·ra·form [térəfɔ̀:*r*m] *vt.* 〈천체를〉 지구 모양으로 변화시키다, 지구인이 살 수 있도록 하다

ter·rain [təréin, térein] *n.* **1** 지역, 지대; 〔군사〕 지형, 지세 **2** 〔지질〕 =TERRANE **3** 영역, 범위, 분야

ter·ra in·cog·ni·ta [térə-inkɑ́gnitə, -ìnkɑgní:- | -inkɔ́gnitə] [L] 미지의 나라[땅, 세계]; 미개척의 영역

tér·rain-fol·low·ing ràdar [téreinfɑ̀louiŋ- | -fɔ̀l-] 〔항공〕 지형 추적 레이더 《비행하는 아래 지형에 따라 비행기·미사일이 고도가 자동적으로 소설되는 레이더 장치》

terráin pàrk 터레인 파크 《특히 스노보딩을 위해 설계된 특정 구역》

Ter·ra·my·cin [tèrəmáisn | -sin] *n.* 〔약학〕 테라마이신 《일종의 항생 물질; 상표명》

Ter·ran [térən] *n.* 지구인 《SF 용어》

ter·rane [təréin, térein] *n.* 〔지질〕 지층, 암층(岩層), 암군(岩群); 지역

ter·ra·pin [térəpin] *n.* (*pl.* **~, ~s**) 〔동물〕 후미거북 《북미산(産) 식용 거북》

ter·ra·que·ous [teréikwiəs, -rǽk-] *a.* 수륙(水陸)의, 육지와 물로 된

ter·rar·i·um [tərέəriəm, te-] *n.* (*pl.* **~s, -i·a** [-iə]) **1** 육생(陸生) 동물 사육장 **2** 실내 재배용 유리 용기, 테라륨

tér·ra rós·sa [térə-rɑ́sə | -rɔ́sə] [It. =red earth] 테라 로사(red ocher)

ter·raz·zo [tərǽzou, -rɑ́:z-, -rɑ́:ts- | terǽtsou] [It.] *n.* Ⓤ 테라초 《대리석을 골재로 한 콘크리트》

ter·rene [terí:n, tə-, téri:n] *a.* **1** 지구의; 토지의; 흙의 **2** 현세의, 속세의(earthly) **—** *n.* 대륙, 육지

ter·re·plein [tέə*r*plèin, térə- | tέəplèin] *n.* 〔축성〕 누도(壘道) 《누벽(壘壁) 위의 대포를 놓는 평지》; 꼭대기가 판판한 둑

***ter·res·tri·al** [təréstriəl] *a.* **1** 지구(상)의(cf. CELESTIAL): ~ heat 지열(地熱) **2** 육지의, 육상의, 육지로 된(cf. AQUATIC) **3** 〔생물〕 육생(陸生)의: ~ animals 육생 동물 **4** 지상의, 현세의, 속세의: ~ aims[interests] 지상적 목표[관심], 명리심(名利心) **5** 흙의, 토질(土質)의 **6** 〔천문〕 〈행성이〉 지구형의
— *n.* 지구상의 생물; 인간 **~·ly** *ad.*

terréstrial glóbe[**báll, sphére**] [the ~] 지구; 지구의(地球儀)

terréstrial guídance 《미사일·로켓의》 지구 기준 유도 《지자기·중력 등의 세기·방향에 의거해서 하는 미사일·로켓의 유도》

terréstrial mágnetism 지자기(地磁氣)

terréstrial plánet 지구형 행성(inner planet)

terréstrial télescope 지상 망원경

ter·ret [térit] *n.* 《안장의》 고삐 꿰는 고리; 목줄 매는 고리

‡**ter·ri·ble** [térəbl] *a.* **1** 무서운, 가공할, 소름끼치는, 무시무시한: a ~ crash of thunder 무시무시한 천둥소리 **2** 호된, 가혹한, 엄한, 대단한: ~ sufferings 혹독한 고난 **3** 《구어》 지독한, 터무니없는, 서투른: ~ coffee 지독히도 맛없는 커피
a ~ man to drink 《속어》 술고래 ***in a ~ hurry*** 몹시 서둘러서 **~ *in anger*** 성나면 무서운
— *ad.* 《구어》 몹시, 지독히, 굉장히: I was in a ~ bad way. 무척 곤란하였다.

thesaurus **terrible** *a.* **1** 무서운 dreadful, terrifying, frightening, horrible, hideous, appalling, gruesome, awful **2** 호된 extreme, severe, harsh, unbearable, intolerable **3** 지독한 nasty, foul, offensive, revolting, loathsome, hateful, unpleasant, disagreeable **4** 서투른 bad, poor, incompetent

— *n.* [주로 *pl.*] 무서운 사람 **~·ness** *n.*
▷ térror *n.*; térribly *ad.*

‡**ter·ri·bly** [térəbli] *ad.* **1** 무섭게, 무시무시하게(horribly): They were ~ shocked. 그들은 무서운 충격을 받았다. **2** (구어) **지독하게**, 몹시(extremely), 굉장히: He is ~ tired. 그는 몹시 지쳐 있다. / I'm ~ sorry. 대단히 죄송합니다.

ter·ric·o·lous [teríkələs] *a.* 〖생물〗 = TERRESTRIAL 3

ter·ri·er[1] [tériər] *n.* **1** 테리어 《사냥용·애완용 개》 **2** [**T~**] (영·속어) 국방 의용군 군인; [the T~] 〖미군〗 지대공(地對空) 미사일

terrier[2] *n.* 〖법〗 토지 대장

*__ter·rif·ic__ [tərífik] *a.* **1** (구어) **굉장한**, 빼어난, 지독한, 엄청난(excessive): at ~ speed 맹렬한 속력으로 **2** 훌륭한, 아주 멋진, 아주 좋은: a ~ party 아주 신나는 파티 / That's a ~ idea! 아주 좋은 생각이야! **3** 무서운, 무시무시한, 소름이 끼치는
-i·cal·ly *ad.* (구어) 굉장히, 지독히, 몹시, 대단히
▷ térror *n.*; térrify *v.*

ter·ri·fied [térəfàid] *a.* 무서워하는, 겁먹은, 겁에 질린 《*at, of*》: give a ~ cry 겁에 질린 비명을 지르다 / She was ~ *at* the occurrence. 그녀는 그 사건을 무서워했다. // (~+*that* 절) I was ~ *that* they would attack us again. 그들이 다시 공격해 오지 않을까 하고 무서워했다. ***be ~ out of*** one***'s senses*** [***wits***] 놀라서 혼비백산하다

‡**ter·ri·fy** [térəfài] *vt.* (**-fied**) 무섭게[겁나게] 하다, 놀래다; 위협하여 …시키다(⇨ terrified; ⇨ frighten 유의어): The prospect of nuclear war *terrifies* everyone. 누구나 핵전쟁을 예상하면 공포에 떤다.
~ a person ***into*** do***ing*** 사람을 위협하여 …시키다 ***You ~ me!*** 아이 깜짝이야!
▷ térror *n.*; terrífic *a.*

ter·ri·fy·ing [térəfàiiŋ] *a.* 겁나게 하는, 놀라게 하는; 무서운 **~·ly** *ad.*

ter·rig·e·nous [terídʒənəs] *a.* 지상에[땅에서] 생긴(earthborn); 〖지질〗 〈해저 퇴적물이〉 육성(陸成)의, 육원(陸源)의

ter·rine [təríːn, te-] [F] *n.* (요리를 담은 채 파는) 질그릇 단지, 단지에 담은 음식물

*__ter·ri·to·ri·al__ [tèrətɔ́ːriəl] *a.* **1** **영토의**; 토지의; 사유지의: ~ principle 속지(屬地)주의 **2** 특정 영역[관할구]의, 담당 구역의; 〈동물이〉 세력 권세의 습성을 갖는 **3** 지방의, 지역적인 **4** [**T~**] Ⓐ (미·캐나다) 준주(準州)의; 〖군사〗 지방 수비의; (영) 국방 의용군의
— *n.* [종종 **T~**] 지방 수비병; (영) 국방 의용군 사병
~·ly *ad.* 영토적으로; 지역적으로

territórial áir 영공(領空)

Territórial Ármy[**Fórce**] (영) [the ~] 국방 의용군

territórial cóurt (미국의) 준주(準州) 법원

territórial impérative 〖생태〗 세력권 의식, 텃세

ter·ri·to·ri·al·ism [tèrətɔ́ːriəlìzm] *n.* Ⓤ **1** 지주제도, 지방주의; 지방 수비군[국방 의용군] 제도 **2** 〖그리스도교〗 (교회 제도의) 국교주의, 영주 지상주의 《최고의 교회권을 속권(俗權)에 귀속하려는 교회 정책》 **3** [종종 **T~**] 유대인 자치 구역 획득 운동[주의] **-ist** *n.*

ter·ri·to·ri·al·i·ty [tèrətɔ̀ːriǽləti] *n.* Ⓤ 영토권, 토지 소유; 영토임; 영토의 지위; 세력권 의식, 텃세; 〖생태〗 세력권[텃세권] 제도

ter·ri·to·ri·al·ize [tèrətɔ́ːriəlàiz] *vt.* **1** 영토로 삼다, 영토화하다; …의 영토를 넓히다 **2** 지방화하다
tèr·ri·tò·ri·al·i·zá·tion *n.*

---

terrific *a.* **1** 엄청난 tremendous, huge, intense, extreme, excessive **2** 훌륭한 excellent, superb, remarkable, magnificent, wonderful, great
terrify *v.* frighten, scare, horrify, alarm, shock
terror *n.* fright, fear, dread, alarm, intimidation, panic, dismay, shock, horror

territórial séas [the ~] 영해(領海)

territórial wáters [the ~] 영해, 영수(領水)

‡**ter·ri·to·ry** [térətɔ̀ːri | -təri] [L 「토지, 지방」의 뜻에서] *n.* (*pl.* **-ries**) **1** Ⓤ,Ⓒ **영토** 《영해도 포함함》, 영지, 판도; (본토에서 떨어져 있는) 속령, 보호[자치]령 **2** Ⓤ,Ⓒ 땅, 지방, 지역; (과학·예술 등의) 영역, 분야 《*of*》: the ~ *of* social history 사회사의 영역 **3** Ⓒ,Ⓤ (외판원 등의) 판매[담당] 구역, 세력 범위; (경찰 등의) 관할 구역; (들새·동물 등의) 텃세권, 세력권, 기반; Ⓒ (각 팀에 속하는) 경기장의 수비 구역 **4** [**T~**] (미·캐나다·호주) 준주(準州) 《아직 state의 자격을 얻지 못한 지역》 ***go***[***come***] ***with the ~*** 〈일·상황 등이〉 담당 범위에 속하다, 해당 업종에서 당연한[늘 있는] 일이다 ***leased ~*** 조차지(租借地)
▷ territórial *a.*

‡**ter·ror** [térər] [L 「큰 공포」의 뜻에서] *n.* **1** Ⓤ,Ⓒ (심한) **공포**, 무서움, 두려움(⇨ fear 유의어); Ⓒ 공포의 근원[대상], 놀라운 일, 무서운 사람[것] **2** (구어) 몹시 들볶아대는 것, 대단한 골칫거리; 지긋지긋한 녀석: a holy[perfect] ~ 정말 다루기 힘든 놈 **3** 테러, 테러 계획, 테러 집단 **4** 공포 정치(terrorism); [the T~] (프랑스의) 공포 시대(= the Reign of T~)
be a ~ 골치 아픈 짓을 하다, 들볶다 ***be a ~ to*** …의 간담을 서늘케 하다 ***have a holy ~ of*** …을 몹시 두려워하다[겁내다] ***have***[***hold***] ***no ~s***[***fears***] ***for*** a person 〈어떤 일이〉 …을 조금도 두렵게 하지 않다 ***in ~*** 깜짝 놀라서, 혼비백산하여 ***in the ~ of*** one***'s life*** 자기가 죽지나 않을까 두려워하여 ***novel***[***romance***] ***of ~*** 공포 소설 ***strike ~ into*** a person***'s heart*** …을 공포에 몰아넣다 ***the King of Terrors*** ⇨ king. ***the Red T~*** (혁명파의) 적색 테러, 공포 정치 ***the White T~*** 백색 테러 《혁명파에 대한 반혁명파의 보복》
▷ térrible, terrífic *a.*; térrify, térrorize *v.*

térror alért (미) 테러 경보 (체제) 《위험도에 따라 다섯 단계로 나뉨》

ter·ror·ism [térərìzm] *n.* Ⓤ **1** 테러리즘, 테러 행위[수단] **2** 공포 (상태); 공포 정치

ter·ror·ist [térərist] *n.* 공포 정치가, 폭력 (혁명)주의자, 테러리스트 — *a.* = TERRORISTIC

ter·ror·is·tic [tèrərístik] *a.* 폭력주의의, 테러의

ter·ror·i·za·tion [tèrərizéiʃən | -rai-] *n.* Ⓤ (공포 수단에 의한) 위협, 탄압

ter·ror·ize [térəràiz] *vt.* **1** 무서워하게 하다, 공포의 도가니로 몰아넣다, 위협[탄압]하다; 두렵게 해서 (…)시키다 《*into*》 **2** 공포 정책으로 지배하다, 테러 수단을 쓰다

ter·ror-strick·en [térərstrìkən], **-struck** [-strʌ̀k] *a.* 공포에 사로잡힌, 벌벌 떠는, 겁에 질린

ter·ry [téri] *n.* (*pl.* **-ries**) **1** 테리 직물 《한 면[양면]에 고리 모양의 보풀이 있는 직물, 특히 수건감》(= ∠ **clòth**) **2** (벨벳·양탄자 등의) 고리 모양의 보풀: ~ velvet 보풀을 자르지 않은 벨벳

Ter·ry [téri] *n.* **1** 남자 이름 《Terence의 애칭》 **2** 여자 이름 《Teresa, Theresa의 애칭》

terse [təːrs] *a.* **1** 〈문체·표현이〉 간결한, 간명한, 짧고 힘찬 **2** 〈대답 등이〉 퉁명스러운; 무뚝뚝한, 쌀쌀한
~·ly *ad.* **~·ness** *n.*

ter·tial [tə́ːrʃəl] 〖조류〗 *n.*, *a.* 셋째 날개깃(의)

ter·tian [tə́ːrʃən] *a.* 〖의학〗 사흘마다[하루 걸러] 일어나는, 격일의; 〖음악〗 3도의
— *n.* Ⓤ 〖의학〗 3일열(熱), 격일열

ter·ti·ar·y [tə́ːrʃièri, -ʃəri | -ʃəri] [L 「제3의」의 뜻에서] *a.* **1** 제3의, 제3위의; 〖화학〗 제3(차)의, 제3급의; 〖의학〗 제3기의 〈매독〉 **2** [**T~**] 〖지질〗 제3기(紀)[계]의 **3** 〖언어〗 제3 강세의: a ~ stress 제3 강세
— *n.* **1** [the T~] 〖지질〗 제3기(층); 〖조류〗 셋째 날개깃 **2** [*pl.*] 〖의학〗 제3기 매독(의 징후) **3** 〖회화〗 제3색 《제2색의 혼색에 의한》(= ∠ **cólor**) **4** 〖문법〗 3차어(구), 부사적 수식어(구)(cf. PRIMARY, SECONDARY) **5** 〖가톨릭〗 제3 회원 《속적(俗籍)에 있는 수도회원》

tértiary cóllege ⦅영⦆ 고등 전문학교 ((중등학교에 이어지는 국립 직업 전문학교의 총칭))
tértiary cólor 제3색 ((2종류의 등화색(等和色)을 혼합해서 만든))
tértiary consúmer 〖생태〗 3차 소비자 ((소형 육식 동물을 잡아먹는 대형 육식 동물))
tértiary educátion ⦅영⦆ 제3차 교육 ((중등학교에 이어지는 대학 및 직업 교육 과정의 총칭))
tértiary índustry 〖경제〗 제3차 산업 ((서비스업))
tértiary recóvery (유전·가스전으로부터의) 3차 채수(採收)
tértiary sýphilis 〖병리〗 제3기 매독
ter·ti·um quid [tə́:rʃiəm-kwíd, -tiəm-] [L= third something] 제3의 것, (양자의) 중간치, 중간물; 이도저도 아닌 것
ter·ti·us [tə́:rʃiəs] *a.* 제3의; (학교에서 이름이 같은 3명의 학생 중) 가장 나이 어린, 최연소의
tértius gáu·dens [-gɔ́:dənz, -gáudeins] 어부지리를 얻는 제3자
ter·va·lent [tə:rvéilənt] *a.* 〖화학〗 3가의(trivalent); 3개의 다른 원자가를 가진
Ter·y·lene [térəlì:n] *n.* ⦅영⦆ 테릴렌 ((polyester계 합성 섬유의 일종; 상표명))
ter·za ri·ma [tέərtsə-rí:mə] [It. =third rhyme] 〖운율〗 3운구법(韻句法) ((단테가 신곡에 쓴 시형식))
ter·zet·to [tεərtsétou | tə:-, tεə-] [It.] *n.* (*pl.* **-ti** [-ti:], **~s**) 〖음악〗 3중창(곡); 3중주(곡)
TESL [tésl] teaching English as a second language 제2언어로서의 영어 교수(법)
tes·la [téslə] *n.* 〖물리〗 테슬라 ((자속(磁束) 밀도의 계량 단위; =1Wb/m²; 略 T))
Tésla còil 〖전기〗 테슬라 코일 ((고주파 교류를 일으키는 감응 코일의 일종))
TESOL [tí:sɔ:l, tésəl | tí:sɔl] Teachers of English to Speakers of Other Languages ((미국에서 1966년에 결성)); teaching English to speakers of other languages 외국어로서의 영어 교수법
Tess [tés] *n.* 여자 이름 ((Theresa의 애칭))
Tes·sa [tésə] *n.* 여자 이름
Tessa, TESSA tax exempt special savings account
tes·sel·lar [tésələr] *a.* 모자이크 세공[모양]의
tes·sel·late [tésəlèit] *vt.* 〈방바닥·포장도로 등을〉 바둑판 모양[모자이크식]으로 만들다[꾸미다]
— [-lət, -lèit] *a.* =TESSELLATED
tes·sel·lat·ed [tésəlèitid] *a.* 모자이크(식)의, 바둑판[격자] 모양의
tes·sel·la·tion [tèsəléiʃən] *n.* Ⓤ 모자이크 세공, 모자이크식 포장
tes·ser·a [tésərə] *n.* (*pl.* **-ser·ae** [-rì:]) (모자이크용) 각석(角石), 모난 유리[기와, 상아 ((등))]; (고대 로마에서 표·패·주사위로 사용한) 뼈[상아, 나무]
tes·ser·act [tésərækt] *n.* 〖수학〗 4차원 정육면체
tes·ser·al [tésərəl] *a.* 모자이크의, 모자이크 같은; 〖결정〗 등축 정계(等軸晶系)의
tes·si·tu·ra [tèsətúərə] [It.] *n.* (*pl.* **~s, -re** [-ri]) 〖음악〗 성역(聲域), 음역
‡**test**[1] [tést] [L 「질그릇 단지」의 뜻에서; 금속 시험에 이 단지를 사용한 데서] *n.* **1 테스트, 시험,** 고사(考査), 실험, 검사: a blood ~ 혈액 검사 / a nuclear ~ 핵실험 **2 시험하는 것,** 시금석; 시험의 수단[방법], 시험물: Wealth, no less than poverty, is a ~ of character. 부는 빈곤에 못지않게 인격의 시금석이 된다. **3** 〖화학〗 시험, 분석, 감식(鑑識); 시약(試藥); 〖야금〗 분석용 접시, 시험용 골회(骨灰) 접시, 정련용 노상(爐床); 〖수학〗 검정 **4** =TEST MATCH **5** (판단·평가의) 기준, 표준 **6** 시험 결과, 평가 **7** [**T~**] 〖영국사〗 (Test Act에 의한) 취임 선서
an oral ~ 구두 시험 ***a strength*** ~ 강도 시험 ***be on*** ~ 시험 중이다 ***give a*** ~ (…의) 시험을 하다 ((*in*)) ***put to the*** ~ 시험[음미]하다 ***stand***[***bear, pass***] ***the*** ~ 시험[검사]에 합격하다 ***take the T~*** 〖영국사〗 (심사법(Test Act)에 따라) 취임 선서하다
—*vt.* **1** 시험하다; 검사하다, 조사하다 ((*on, for*)); 실험하다: ~ nuclear weapons 핵무기를 실험하다 / I got my eyes ~*ed.* 시력 검사를 받았다. / She was ~*ed for* cancer. 그녀는 암 검사를 받았다. **2** …의 가치·진위 등을 판단하다 **3** ⦅영⦆ 〈금·은 등을〉 정련(精鍊)하다 **4** 〖화학〗 분석[시험, 감식]하다 ((*for*)) **5** …에 큰 부담이 되다: Her constant rudeness ~*s* my patience. 그녀가 항상 버릇없이 굴어서 내 참을성에 한계가 오고 있다.
—*vi.* **1** 테스트를 받다; 평가를 얻다, 시험[검사, 테스트] 결과는 …이다 **2** 테스트하다, 검사하다 ((*for*)) · (~+전+명) ~ *for* allergies 알레르기 검사를 하다
~ ***negative***[***positive***] (…에 대해) 음성[양성] 반응을 보이다 ((*for*)) ~ ***out*** 〈이론 등을〉 실지로 시험해 보다 ~ ***the water***(***s***) (구어·비유) 탐색해 보다, 사람들의 반응을 조심스럽게 살피다
test[2] *n.* 〖동물〗 겉껍질, 외각(shell); 〖식물〗 =TESTA
Test. Testament(ary)
tes·ta [téstə] *n.* (*pl.* **-tae** [-ti:]) 〖식물〗 (외)종피(種皮), 종각(種殼)
test·a·ble[1] [téstəbl] *a.* 시험[검사, 분석]할 수 있는; 정련할 수 있는 **tèst·a·bíl·i·ty** *n.*
testable[2] *a.* 〖법〗 유언 능력이 있는; 유언으로 양도할 수 있는
tes·ta·cean [testéiʃən] *a., n.* 유각(有殼) 아메바류(Testacea)의 (동물)
tes·ta·ceous [testéiʃəs] *a.* 겉껍질이 있는, 겉껍질(모양)의; 〖동물·식물〗 적갈색의
Tést Àct 〖영국사〗 심사법(審査法) ((공직 취임 때 국교 신봉의 선서를 규정; 1673-1828))
tes·ta·cy [téstəsi] *n.* Ⓤ 〖법〗 유언이 있음
*__tes·ta·ment__ [téstəmənt] [L 「입증」의 뜻에서] *n.* **1** 〖법〗 **유언(장), 유서** ((보통 one's last will and ~ 라고 씀)) **2** [the T~] **성서**; (구어) 신약 성서; 〖성서〗 계약, 성약 ((신과 사람 사이의)) **3** 증거, 입증하는 것 ((*to*)); (신앙) 고백, 신조[신앙] 표명
make one***'s*** ~ 유서를 작성하다 ***military*** ~ 군인 유언 ((구두의)) ***the Old***[***New***] ***T~*** 구약[신약] 성서
▷ testaméntal, testaméntary, téstate *a.*
tes·ta·men·tal [tèstəméntl] *a.* 유언의
tes·ta·men·ta·ry [tèstəméntəri] *a.* **1** 유언의; 유언에 의한[으로 지정한] **2** 구약[신약] 성서의
tes·ta·mur [testéimər] *n.* (영국 대학의) 시험 합격증
tes·tate [tésteit, -tət] *a., n.* 유효한 유언을 남기고 죽은 (사람) ***die*** ~ 유언을 남기고 죽다
tes·ta·tion [testéiʃən] *n.* Ⓤ 〖법〗 유언에 의한 유산 처리, 유증(遺贈); 입증, 증언, 증명
tes·ta·tor [tésteitər, ─ ́─ | ─ ́─] *n.* 유언자
tes·ta·trix [testéitriks, ́─ ─ | ─ ́─] *n.* (*pl.* **-tri·ces** [-trəsì:z, tèstətráisi:z]) 여자 유언자
tes·ta·tum [testéitəm] *n.* 〖법〗 (날인 증서 등의) 본문
tést bàn (대기권 내의) 핵실험 금지 협정
tést bèd (항공기 엔진 등의) 시험대
tést blànk 시험지
tést càrd ⦅영⦆ =TEST PATTERN
tést càse 1 판례가 될 소송 사건, 시소(試訴) ((그 결정이 다른 유사한 사건에도 영향을 미치는 것)) **2** 시험적 사례, 테스트 케이스, 선례가 되는 사례
test·cross [téstkrɔ̀:s | -krɔ̀s] *n., vt.* 〖생물〗 검정 교잡(檢定交雜)(하다)
test·deck [téstdèk] *n.* 〖컴퓨터〗 테스트덱 ((컴퓨터를 이용한 일종의 검사 프로그램))
tést drìve 시운전, 시승(試乘)

thesaurus **test**[1] *n.* examination, check, assessment, evaluation, appraisal, investigation, inspection, analysis, scrutiny, study, tryout

test-drive [-dràiv] *vt.* 《미·구어》 〈차를〉 시운전하다 **tést-drìv·er** *n.*

test·ed [téstid] *a.* 시험을 거친, 경험이 풍부한; 시험[검사]필의

test·ee [testí:] *n.* 수험자

test·er[1] [téstər] *n.* **1** 시험[검사]자, 음미자, 분석자 **2** 시험 기구[장치]

tes·ter[2] [téstər, tí:s- | tés-] *n.* (침대·제단 위의) 닫집(canopy)

tes·ter[3] [téstər] *n.* **1** 《영》 Henry 8세가 발행한 shilling 은화 **2** 《고어·익살》 6펜스 은화

tes·tes [tésti:z] *n.* TESTIS의 복수

test-fire [téstfàiər] *vt.* 〈로켓 등을〉 시험 발사하다

tést flìght 시험 비행

test-fly [-flài] *vt.* (**-flew**; **-flown**) …의 시험 비행을 하다

tést glàss 〖화학〗 시험용 유리컵

tes·ti·cle [téstikl] *n.* 〖해부·동물〗 고환, 정소(精巢)

tes·tic·u·lar [testíkjulər] *a.* **1** 〖해부·동물〗 고환의 **2** 〖식물〗 = TESTICULATE

testícular feminizátion 정소성(精巢性)[고환성(睾丸性)] 여성화(증) 《발생 단계에 있어서의 고환의 미발달로 남성이 여성의 외모로 태어나는 일》

tes·tic·u·late [testíkjulət] *a.* 〖식물〗 고환 모양의

tes·ti·fi·ca·tion [tèstəfikéiʃən] *n.* Ⓤ 입증; 증언; 증거(evidence)

*__tes·ti·fy__ [téstəfài] [L 「증언하다」의 뜻에서] *v.* (**-fied**) *vi.* **1** 증명[입증]하다 《*to*》: 《~+전+명》 ~ *to* a person's ability …의 능력을 증명하다 **2** 〖법〗 (선서) 증언하다, 증인이 되다: 《~+전+명》 ~ *against* [*for*] a person …에게 불리[유리]한 증언을 하다 **3** 〈언동·사실이〉 (…의) 증거가 되다, (…)임을 나타내다; 엄숙히 선언하다: 《~+전+명》 This incident *testified to* his incompetency. 이 사건으로 그의 무능을 알게 되었다.

— *vt.* **1** 증명하다, 입증하다; (법정에서) 증언하다: 《~+*that* 절》 He *testified that* he had not been there. 그는 그곳에 있지 않았다고 증언했다. **2** 〈사물이〉 …의 증거가 되다: Her tears ~ her sorrow. 눈물이 그녀의 슬픔을 잘 말해 주고 있다. // 《~+*that* 절》 The color of his face *testified that* he was drunk. 얼굴빛으로 그가 취해 있음을 알 수 있었다. **3** 《고어》 〈신념 등을〉 공언하다, 표명하다; 공공연히 고백[승인]하다 **-fi·er** *n.* 입증자, 증명[증언]자

tes·ti·ly·ing [téstəlàiiŋ] [*testi*fying+*lying*] *n.* Ⓤ (특히 경찰관이 법정에서) 허위 증언하기

tes·ti·mo·ni·al [tèstəmóuniəl] *n.* **1** (인물·자격 등의) 증명서; 추천장 **2** 감사장, 표창장, 상장, 상금; 공로 표창의 선물, 기념품 **3** 증거 《*to*》

— *a.* **1** 증명(서)의 **2** 감사의, 표창의

tes·ti·mo·ni·al·ize [tèstəmóuniəlàiz] *vt.* …에게 감사장[표창장]을 주다; …에게 추천장을 쓰다

‡**tes·ti·mo·ny** [téstəmòuni | -məni] [L 「증거」의 뜻에서] *n.* (*pl.* **-nies**) **1** Ⓤ (법정에서의) (선서) 증언, 공술서(供述書) 《*to, of*》(⇨ proof 유의어); 증거 《*to, against*》: give ~ in court 법정에서 증언하다 **2** Ⓤ 증명, 언명, 입증, 고증(考證) 《*of*》 **3** (신앙 등의) 고백, 선언 **4** [the ~] 〖성서〗 십계명; 증거판 《십계명을 쓴 돌판》 **5** [보통 *pl.*] 하느님의 가르침[계명] **6** 《고어》 항의 《*against*》 ***bear*** ~ 증언[입증]하다 《*to*》; 항의하다 《*against*》 ***call*** a person ***in*** ~ …을 증인으로 세우다; (하느님에게) 굽어살펴 주시기를 빌다 ***in*** ~ ***of*** …의 증거로서 ***produce*** ~ ***to*** [***of***] …의 증거를 제출하다 ▷ testimónial *a.*

test·ing [téstiŋ] *a.* 최대한의 능력[노력]이 요구되는, 극히 어려운; 시험[실험](용)의

— *n.* 테스트(하기), 시험, 실험 **~·ly** *ad.*

---

testimony *n.* statement, declaration, assertion, affirmation, allegation, evidence, attestation, proof, verification, demonstration, corroboration

tésting gròund **1** (새로운 방법을 적용해 보는) 시험대, 시험 무대 **2** (기계 등의) 실험장, 시험장

tésting machìne 재료 시험기 《강도 시험 장치》

tes·tis [téstis] *n.* (*pl.* **-tes** [-ti:z]) = TESTICLE

tést màrket 테스트 마켓, 시험 시장, 시험 판매

test-mar·ket [téstmɑ̀:rkit] *vt.* 시험 판매하다

tést màrketing 테스트 마케팅 《어떤 제품을 일정 지역에서 시험적으로 판매하는 일》

tést màtch (크리켓 등의) 국제 우승 결승전

tést mèal (위액 검사를 위한) 시험식(食)

tést mèssage 테스트 메시지

tést òbject (현미경의) 배율 시험 물체; 피험 물체

tes·ton [téstən, -tɑn, testú:n | téstən, testú:n], **tes·toon** [testú:n] *n.* 테스톤 은화 **1** 16세기 프랑스 은화 **2** = TESTER[3] 1

tes·tos·ter·one [testɑ́stəròun | -tɔ́s-] *n.* Ⓤ 〖화학〗 테스토스테론 《남성 호르몬의 일종》

tést pàper **1** 〖화학〗 시험지 《리트머스 시험지 등》 **2** 시험 문제지; 시험 답안지

tést pàttern 〖TV〗 테스트 패턴 《수상 조정(受像調整)용 도형(圖形)》

tést pìece (콩쿠르 등의) 과제곡[작품], 지정곡

tést pìlot 시험 조종사, 테스트 파일럿

tést plàte (편광 현미경용) 검광판(檢光板)

tést prògram 〖컴퓨터〗 테스트 프로그램 《부호화가 끝난 프로그램을 시험하기 위한》

tést rùn 시운전

tést tùbe 시험관

test-tube [ésttjù:b | -tjù:b] *a.* 시험관 안에서 만들어낸; 체외 인공 수정(受精)의

tést-tube báby 시험관 아기, 인공[체외] 수정아

tést tỳpe 시력 검사표의 글자; [*pl.*] 시력 검사표

tes·tu·di·nal [testjú:dnəl | -tjú:-] *a.* 거북의[같은]; 귀갑(龜甲)의

tes·tu·di·nate [testjú:dənət, -nèit | -tjú:-] *a.* 귀갑 모양의(arched), 거북등 같은 아치형의

— *n.* 거북목(目)의 동물

tes·tu·do [testjú:dou | -tjú:-] *n.* (*pl.* **~s, -di·nes** [-dənì:z]) **1** 귀갑(龜甲) 모양의 큰 방패 《고대 로마에서 성벽을 공격할 때 병사를 보호한 것》 **2** 〖의학〗 귀갑대(龜甲帶)

testudos 1

tést wòrking (기계의) 시운전

tes·ty [tésti] *a.* (**-tier**; **-ti·est**) **1** 성미 급한, 성마른, 성 잘내는 **2** 퉁명스러운, 분개한 〈언동〉: a ~ reply 퉁명스러운 대답 **tés·ti·ly** *ad.* **tés·ti·ness** *n.*

Tet [tét] *n.* (베트남의) 신년제

te·tan·ic [tətǽnik, te-] *a.* 〖병리〗 파상풍(성)의; 강직 경련(성)의 — *n.* 강직(强直) 경련 유기제(誘起劑) 《스트리키니네 등》

tet·a·nize [tétənàiz] *vt.* 〖생리〗 〈근육에〉 강직 경련을 일으키게 하다 **tèt·a·ni·zá·tion** *n.*

tet·a·nus [tétənəs] *n.* Ⓤ **1** 〖병리〗 파상풍; 파상풍균 **2** 〖생리〗 (근육의) 강직 경련

tet·a·ny [tétəni] *n.* Ⓤ 〖병리〗 테타니 《근육 강직성 경련》

tetched [tétʃt] *a.* = TECHED

tetch·y [tétʃi] *a.* (**tetch·i·er**; **-i·est**) 성 잘 내는, 까다로운 **tétch·i·ly** *ad.* **tétch·i·ness** *n.*

tête-à-tête [téitətéit, tétətét] [F = head to head] *a.*, *ad.* 단 둘의[둘이서], 마주 앉은[앉아서], 은밀한[하게], 남몰래, 내밀한[히]: sit ~ 마주 앉다

— *n.* **1** 대담(對談), 비밀 이야기, 밀담; 터놓고 하는 이야기 **2** S자꼴의 2인용 의자 ***have a*** ~ (단 둘이서) 마주 앉아 이야기하다 《*with*》

tête-bêche [tetbéʃ] *a.* 〈두 장짜리 우표가〉 한 쪽이 반대 방향으로 인쇄되어 있는

teth [tét, tés] *n.* 히브리어 알파벳 아홉째 글자《로마자의 T, t에 해당》

teth·er [téðər] *n.* **1** (소·말 등을 매어 두는) 밧줄[사슬] **2** (능력·재력·인내 등의) 한계, 범위, 극한 ***at the end of*** one***'s ~*** 온갖 방책이 다하여, 막다른 지경에 이르러; 참을 수 없게 되어 ***be beyond*** one***'s ~*** 힘이 미치지 않다; 권한 밖이다 ***the matrimonial ~*** 부부의 인연
— *vt.* 밧줄[사슬]로 잡아매다, 매어 두다; 속박하다, 구속하다

teth·er·ball [téðərbɔ̀:l] *n.* 테더볼《기둥에 매단 공을 라켓으로 치고받는 게임》; 그 공

Te·thys [tí:θis] *n.* **1** 〖그리스신화〗 테티스《Uranus와 Gaea의 딸로서 Oceanus의 아내; cf. OCEANID》 **2** 〖천문〗 테티스《토성의 제3 위성》 **3** [the ~] 테티스해《옛 지중해》

tet·ra [tétrə] *n.* (*pl.* **~s,** ~) 〖어류〗 테트라《남미 원산의 작고 빛나는 열대 담수어》

tetra- [tétrə], **tetr-** [tétr-] 《연결형》「4」의 뜻《모음 앞에서는 tetr-》

tet·ra·ba·sic [tètrəbéisik] *a.* 〖화학〗 4염기성의

tet·ra·brach [tétrəbræ̀k] *n.* 〖운율〗 4단 음절격《4개의 짧은 음절로 된 각운·낱말》

tet·ra·caine [tétrəkèin] *n.* 〖약학〗 테트라카인《국부 마취제》

tet·ra·chlo·ride [tètrəklɔ́:raid] *n.* 〖화학〗 4염화물

tet·ra·chlo·ro·di·ben·zo-p-di·ox·in [tètrəklɔ̀:roudaibénzopí:daiɑ́ksin | -ɔ́ks-] *n.* 고엽제·제초제에 함유된 잔류성의 발암성 다이옥신《베트남 전쟁에서 미군이 개발; 略 TCDD》

tet·ra·chlo·ro·eth·yl·ene [tètrəklɔ̀:rouéθəlì:n] *n.* 〖화학〗 4염화에틸렌《세척제, 고무나 타르의 용제》

tet·ra·chord [tétrəkɔ̀:rd] *n.* 〖음악〗 4도 음계, 완전 4도; 고대의 4현금의 일종

tet·ra·cy·cline [tètrəsáikli:n, -klin, -klain] *n.* Ⓤ 〖약학〗 테트라시클린《항생제의 일종》

tet·rad [tétræd] *n.* **1** 4(개); 4개 한 벌 **2** 〖화학〗 4가 원소; 〖생물〗 4분자《감수 분열로 생기는 4세포; cf. DYAD》; 4분 염색체

tet·ra·dac·tyl [tètrədǽktil] 〖동물〗 *n.* 네발짐승
— *a.* = TETRADACTYLOUS

tet·ra·dac·ty·lous [tètrədǽktiləs] *a.* 〖동물〗 네 발을 가진

tet·ra·drach·ma [tètrədrǽkmə] *n.* (고대 그리스의) 4드라크마 은화

tet·ra·dy·na·mous [tètrədáinəməs] *a.* 〖식물〗 4개의 긴 수술의《6개의 수술을 가진 꽃 중에》

tet·ra·eth·yl·lead [tètrəèθəlléd] *n.* 〖화학〗 테트라에틸납《휘발유 첨가제》

tet·ra·gon [tétrəgɑ̀n | -gən] *n.* 〖수학〗 네모꼴, 4각형, 4변형: a regular ~ 정4각형

te·trag·o·nal [tetrǽgənl] *a.* 〖수학〗 4각형의; 〖결정〗 정방 정계(正方晶系)의 **~·ly** *ad.*

tet·ra·gram [tétrəgræ̀m] *n.* 4자로 된 말; [**T~**] = TETRAGRAMMATON

tet·ra·gram·ma·ton [tètrəgrǽmətɑ̀n | -tn] *n.* [종종 **T~**] 야훼의 4자음 문자《히브리어에서 「하느님」을 나타내는 4자; YHWH, YHVH 등》

tet·ra·he·dral [tètrəhí:drəl] *a.* 4면이 있는, 4면(체)의 **~·ly** *ad.*

tet·ra·he·drite [tètrəhí:drait] *n.* 4면 동광(銅鑛)

tet·ra·he·dron [tètrəhí:drən] *n.* (*pl.* **~s, -dra** [-drə]) 〖수학〗 4면체

tet·ra·hy·dro·can·nab·i·nol [tètrəhàidrəkənǽbənɔ̀:l | -nɔ̀l] *n.* Ⓤ 〖약학〗 테트라히드로칸나비놀《마리화나의 주성분; 略 THC》

tet·ra·hy·dro·fu·ran [tètrəhàidrəfjúræn] *n.* Ⓤ 〖화학〗 테트라히드로푸란《용제(溶劑)·나일론 등의 합성 원료》

te·tral·o·gy [tetrǽlədʒi, -trɑ́:l- | -trǽl-] *n.* (*pl.* **-gies**) (고대 그리스의) 4부극《비극 3부와 풍자극 1부로 성립》; (극·소설 등의) 4부작

te·tram·er·ous [tetrǽmərəs] *a.* 4부분으로 이루어진; 〈꽃이〉 4개의, 4열의

te·tram·e·ter [tetrǽmətər] 〖운율〗 *n.* 4보격(四步格)(의 시)《4시각(詩脚)의 시행》 — *a.* 4보격의

tet·ra·meth·yl·lead [tètrəmèθəlléd] *n.* 〖화학〗 사(四)메틸납, 테트라메틸납《무색 유독의 유상액(油狀液)》

Tétra Pàk [tétrə-pæ̀k] 테트라팩《우유·음료수 등의 두꺼운 종이 포장 용기; 상표명》

tet·ra·pet·al·ous [tètrəpétələs] *a.* 〖식물〗 꽃잎이 넷인, 4화판(花瓣)의

tet·ra·ploid [tétrəplɔ̀id] 〖생물〗 *a.* 〈염색체가〉 4배성의 — *n.* 4배체(倍體) **-plòi·dy** *n.*

tet·ra·pod [tétrəpɑ̀d | -pɔ̀d] *n.* 〖동물〗 사지(四肢) 동물; (탁자·의자 등의) 네 다리; 테트라포드《호안(護岸)용 4각(脚) 블록》

te·trarch [tétrɑ:rk, tí:-] *n.* 〖고대로마〗 1주(州)의 4분의 1의 영주(領主); (속령(屬領)의) 영주[소왕(小王)]; (4두 정치 등의) 네 명의 공동 통치자 중 한 사람
te·trár·chic *a.*

te·trar·chy [tétrɑ:rki, tí:-] *n.* (*pl.* **-chies**) Ⓤ tetrarch의 직[영지]; 4두(頭) 정치; Ⓒ 네 개의 행정구로 분할된 나라

tet·ra·spore [tétrəspɔ̀:r] *n.* 〖식물〗 4분 포자
tèt·ra·spór·ic *a.*

tet·ra·stich [tétrəstìk, tetrǽstik] *n.* 〖운율〗 4행시, 4행절

te·tras·ti·chous [titrǽstikəs] *a.* 〖식물〗 〈꽃이〉 4열의; 〈이삭 등이〉 4열의 꽃이 있는

tet·ra·style [tétrəstàil] 〖건축〗 *a., n.* 4주(柱)식의 (건물)

tet·ra·syl·la·ble [tétrəsìləbl, ㅅㅡㅅㅡ] *n.* 4음절의 단어[시행] **tet·ra·syl·lab·ic** [tètrəsilǽbik] *a.*

tet·rath·lon [tetrǽθlən, -lɑn | -lən, -lɔn] *n.* 4종 경기《특히 승마·사격·수영·경주》

tet·ra·va·lent [tètrəvéilənt, tetrǽvə-] *a.* 〖화학·생물〗 4가(價)의; 4원자의[로 된]

Te·traz·zi·ni [tètrəzí:ni] *a.* [종종 **t~**] 테트라치니의《파스타·버섯·크림소스를 섞은 것 위에 파머산 치즈를 갈아 얹고 오븐에 조리한 이탈리아 요리》

tet·rode [tétroud] *n.* 〖전자〗 4극 (진공)관

te·tro·do·tox·in [tetròudətɑ́ksin | -tɔ́ks-] *n.* 〖생화학〗 테트로도톡신《복어의 독 성분》

tet·rose [tétrous, -rouz] *n.* 〖화학〗 테트로오스, 4탄당

te·trox·ide [tetrɑ́ksaid, -sid | -trɔ́ks-] *n.* 〖화학〗 4산화물(酸化物)

tet·ter [tétər] *n.* ⓊⒸ 〖병리〗 피진(皮疹): moist [humid] ~ 습진 **tét·tered** [-d] *a.* 피진이 생긴

Teut. Teuton(ic)

Teu·ton [tjú:tn | tjú:-] *n.* **1** 튜턴 사람《게르만 민족의 하나; 지금은 독일·네덜란드·스칸디나비아 등 북유럽 민족》 **2** 독일 사람

Teu·ton·ic [tju:tɑ́nik | tju:tɔ́n-] *a.* **1** 튜턴[게르만] 사람[민족, 말]의 **2** 독일 (민족)의
— *n.* Ⓤ 튜턴 말[사람, 민족], 게르만 말[사람, 민족]
-i·cal·ly *ad.* **-i·cìsm** *n.* = TEUTONISM

Teutónic Órder [the ~] 독일 기사단

Teu·ton·ism [tjú:tənìzm | tjú:-] *n.* Ⓤ 튜턴[독일] 주의[정신]; 튜턴 (말)풍 **-ist** *n.*

Teu·ton·i·za·tion [tjù:tənizéiʃən | tjù:tənai-] *n.* Ⓤ (문화 등의) 튜턴[독일]화

Teu·ton·ize [tjú:tənàiz | tjú:-] *vt., vi.* 〈문화 등을〉 튜턴화하다, 튜턴식으로 하다

TEV Today's English Version 현대 영역 성서

TEWT [tjú:t | tjú:t] [*T*actical *E*xercise *W*ithout *T*roops] *n.* 〖영국군〗 (사령부·참모들만으로 하는) 모의전

Tex. Texan; Texas

Tex·an [téksən] *a., n.* 텍사스 주의 (사람)

Téxan[Téxas] bórder [the ~] 《미·속어》 미국과 멕시코 사이의 국경

∗**Tex·as** [téksəs] [N-Am.-Ind. 「동료」의 뜻에서] *n.* **1** 텍사스 《미국 남서부의 주; 주도 Austin; 略 Tex.》 **2** [t~] 《미》 (미시시피 강의 증기선의) 최상층의 갑판실 《고급 선원용》

Téxas féver 텍사스 열(熱) 《진드기에 의하여 소 등에 전염됨》

Téxas hóld'em [-hóuldəm] 〔게임〕 텍사스홀덤 《2장의 카드를 받고 5장을 공유하는 카드 게임의 일종》

Téxas léaguer 〔야구〕 텍사스 리거 《내야수와 외야수 사이에 떨어지는 안타(安打)》

Téxas lónghorn 《미남서부》 텍사스 롱혼 《멸종 직전의 긴 뿔 육우》

Téxas ptérosaur 〔고생물〕 텍사스 익룡(翼龍) 《1975년 Texas 주 Big Bend 국립공원에서 화석이 발견되었음》

Téxas Ránger [the ~] 텍사스 (주) 기마 경관

Téxas tówer 〔미군〕 텍사스 타워 《바다에 세운 조기 경보용 레이더 탑의 속칭》

Tex-Mex [téksméks] 《미》 *a.* 〈문화·요리 등이〉 텍사스·멕시코 절충의
— *n.* Ⓤ 영어 요소가 섞인 멕시코의 스페인어

‡**text** [tékst] *n. vt.*

L「짜인 것」의 뜻에서 「연마한 글」→「원문」→「본문」

— *n.* **1** Ⓤ 본문; ⓊⒸ 원문: the full ~ of the speech 연설의 전문 **2** (요약·번역에 대하여) 원본 《*of*》: the original ~ 원문, 원전 **3** 판본; 교정본 **4** (토론 등의) 제목, 주제 **5** (노래 등의) 가사; 인쇄된 악보 **6** 《미》 = TEXTBOOK **7** 성경의 원구, 성구(聖句) **8** 〔인쇄〕 = BLACK LETTER **9** = TEXT HAND **10** [*pl.*] (연구용) 지정 도서[연구서] **11** 출전; 정보원(源) **12** 〔컴퓨터〕 텍스트 《문자로 된 데이터》
church ~ 예스러운 흑체(黑體) 문자 《비명용(碑銘用)》 ***go by the*** ~ 정석대로 하다 ***golden*** ~ 교훈책 《주일 학교의 암기용》 ***set*** ~ 《영》 시험 지정 도서[문학 작품] ***stick to*** one**'*s*** ~ 〈화제 등이〉 본론을 벗어나지 않다
— *vt., vi.* …에게 문자 메시지를 보내다(text message) ▷ téxtual *a.*

‡**text·book** [tékstbùk] *n.* 교과서(course book); 교본: an English ~ 영어 교과서
— *a.* 교과서의; 표준의

text·book·ish [-bùkiʃ] *a.* 교과서식의

téxt edìtion 교과서판(版)(cf. TRADE EDITION)

téxt èditor 〔컴퓨터〕 문서 편집기 《단말기의 표시 화면을 써서 직접 프로그램이나 문장을 편집하는 작업; 텍스트 입력 외에 삽입·삭제·복사·이동 등의 기능을 가짐》

text·er [tékstər] *n.* 《특히 영》 문자 메시지를 보내는 사람

téxt hànd (선이 굵은) 해서체(楷書體) 문자

∗**tex·tile** [tékstail, -til | -tail] [L 「짜인」의 뜻에서] *a.* Ⓐ **1** 직물의; 방직의: the ~ industry 섬유 산업 **2** 짤 수 있는, 짜인: a ~ fabric 직물
— *n.* ⓊⒸ 직물, 피륙; 직물 원료

text·ing [tékstiŋ] *n.* Ⓤ 휴대 전화를 이용한 문자 메시지 주고받기

téxt mèssage (휴대 전화로 주고 받는) 문자 메시지 — *vt.* = TEXT

téxt méssaging = TEXTING

téxt procèssing 컴퓨터로 텍스트를 작성·편집·저장·인쇄하기

text-to-speech [téksttəspíːtʃ] *a.* 텍스트를 음성으로 변환한, 맹인용 녹음 테이프의

tex·tu·al [tékstʃuəl] *a.* **1** 본문의, 원문(상)의 **2** (성서의) 본문에 의거한: a ~ interpretation of the Bible 성경 원전에 따른 해석 **3** 원문대로의, 문자 그대로의 **4** 교과서의 **~·ìsm** *n.* Ⓤ (성경의) 원문 고집[존중]; 원문 연구[비판] **~·ist** *n.* (성경의) 원문주의자[연구가] **~·ly** *ad.* 원문[문자]대로

téxtual críticism 원문 비평; 작품 분석 비평

tex·tu·ar·y [tékstʃuèri | -əri] *a.* = TEXTUAL
— *n.* (*pl.* **-ar·ies**) 성서 본문에 정통한 사람; (특히 성서의) 원문주의자

tex·tur·al [tékstʃərəl] *a.* 조직상의; 피륙의 **~·ly** *ad.*

∗**tex·ture** [tékstʃər] [L 「직물」의 뜻에서] *n.* ⓊⒸ **1** 직물 **2** 직조법, 짜임새; 피륙의 바탕, 감 **3** (피부·목재·암석 등의) 결, 감촉; (음식의) 씹히는 느낌 **4** 조직, 구성, 구조; (문장의) 짜임새: the ~ of a society 사회 구조 **5** 기질, 성격, 본질 **6** 〔미술〕 질감[색조] (묘사)
— *vt.* 직조하다, 〈무늬를〉 짜넣다 **~·less** *a.*

tex·tured [tékstʃərd] *a.* [보통 복합어를 이루어] 직물의 짜임이 …한: rough-[soft-]~ (직물의) 감촉이 거친[부드러운]

téxtured végetable prótein 식물성 단백질 《콩에서 채취한 고기 대용품》

tex·tur·ize [tékstʃəràiz] *vt.* 〈목재·바위 등에〉 특정한 결을 내다

tex·tus re·cep·tus [tékstəs-riséptəs] [L] 공인 본문 《성서 연구에서 일반적으로 원전으로 받아들여지는 그리스어 원전 등》

T.F. tank forces; task force; Territorial Force 《영》 국토 의용군

T formàtion 〔미식축구〕 T자형 공격 대형

TFR 〔군사〕 terrain-following radar **tfr.** 〔금융〕 transfer **TFT** thin film transistor 〔전자〕 박막 트랜지스터 **TFTR** Tokamak Fusion Test Reactor 〔원자〕 토카막형 핵융합 시험로 《1982년 미국 프린스턴 대학에 세워진 것》 **TG** transformational grammar **T.G.** 〔생물〕 type genus **TGIF, T.G.I.F.** thank God it's Friday 《구어》 고마워라 금요일이다 《주말의 해방감을 나타냄》

T-group [tíːgrùːp] [*T*raining *group*] *n.* 〔심리〕 인간 관계 개선 훈련 집단

tgt. target **TGV** *train à grande vitesse* (프랑스 국철의) 초고속 열차 **T.G.W.U.** Transport and General Workers' Union 《영》 운수 노동조합

-th[1] [θ] *suf.* 4(four) 이상의 기수의 접미사로서 서수 및 분모를 나타냄 《그러나 -ty로 끝나는 수사에 붙을 때에는 *-eth*》: the fif*th* 제5(의) / three-fif*ths* 5분의 3 / the thirti*eth* 제30(의)

-th[2] *suf.* 형용사·동사로부터 추상 명사를 만듦: tru*th*, heigh*t* 《th가 t로 변한 것》, grow*th*

-th[3] *suf.* 《고어》 동사의 3인칭·단수·서술[직설]법 현재형을 만듦 《 = ~s, ~es》: do*th*(= does), ha*th* (= has), hope*th*(= hopes)

Th 〔화학〕 thorium **Th.** Theodore; Thomas; Thursday **T.H.** Territory of Hawaii

Thack·er·ay [θǽkəri] *n.* 새커리 **William Makepeace** ~ (1811-63) 《영국의 소설가》

Thad·de·us [θǽdiəs, θædíː-] *n.* **1** 남자 이름 《애칭 Tad, Thad(dy) [θǽd(i)]》 **2** 〔성서〕 다대오 《12사도의 한 사람인 Saint Judas의 별칭》

Thai [tái] *n.* (*pl.* **~, ~s**) **1** 타이 사람; [the ~(s)] 타이 국민 **2** Ⓤ 타이 말, 샴 말
— *a.* 타이 말[사람]의, 샴의

Thai·land [táilæ̀nd, -lənd] *n.* 타이, 태국 《동남아시아의 왕국; 구칭 Siam; 수도 Bangkok》

Thai·land·er [táilæ̀ndər, -lənd-] *n.* 타이 사람

Thái stìck 《속어》 타이 스틱 《아시아산(産)의 독한 마리화나를 말아 놓은 가느다란 막대기》

tha·lam·ic [θəlǽmik] *a.* 〔해부〕 시상(視床)의

thal·a·mus [θǽləməs] *n.* (*pl.* **-mi** [-mài]) 〔해부〕 시상(視床); 〔식물〕 화탁(花托), 꽃턱; 〔고대그리스〕 내실(內室) ***optic*** ~ 〔해부〕 시(視)신경상(床)

thal·as·se·mi·a [θæ̀ləsíːmiə] *n.* 〔병리〕 지중해 빈혈, 탈라세미아 《지중해 연안 여러 나라에서 흔히 볼 수 있는 유전성의 용혈성 빈혈》 **-sé·mic** *a.*

tha·las·sic [θəlǽsik] *a.* 바다의, 해양의; 심해의; (대양·외양에 대하여) 연안[내해, 후미]의; 바다에 사는, 바다에서 나는

tha·las·so·chem·is·try [θəlæ̀səkémistri] *n.* Ⓤ 해양 화학
thal·as·soc·ra·cy [θæ̀ləsɑ́krəsi | -sɔ́k-] *n.* Ⓤ 제해권(制海權)
tha·las·so·crat [θəlǽsəkræ̀t] *n.* 제해권을 쥔 자
thal·as·sog·ra·phy [θæ̀ləsɑ́grəfi | -sɔ́g-] *n.* Ⓤ (연안) 해양학
tha·las·so·ther·a·py [θəlǽsəθèrəpi] *n.* 〖의학〗 해수 요법(海水療法), 해조(海藻) 요법
tha·ler [tɑ́:lər] *n.* (*pl.* **~, ~s**) = TALER
Tha·les [θéili:z] *n.* 탈레스(640?-546? B.C.) 《그리스의 철학자; 7현인의 한 사람》
thal·i [tɑ́:li] *n.* 《인도》 **1** 커다란 금속제 접시 **2** (1에 담아내는) 탈리 식사 메뉴
Tha·li·a [θəláiə, θéiliə] *n.* 〖그리스신화〗 탈리아 **1** 목가·희극의 여신 **2** 미의 3여신 Graces의 하나
Tha·li·an [θəláiən] *a.* Thalia의; 희극의
tha·lid·o·mide [θəlídəmàid, θæ-] *n.* Ⓤ 〖약학〗 탈리도마이드 수면제
thalídomide bàby (임산부의 탈리도마이드 복용으로 인한) 기형아
thal·lic [θǽlik] *a.* 〖화학〗 탈륨의, 《특히》 3가(價)의 탈륨을 함유한
thal·li·um [θǽliəm] *n.* Ⓤ 〖화학〗 탈륨 《납 비슷한 백색 희금속 원소; 기호 Tl; 번호 81》
thal·loid [θǽlɔid] *a.* 〖식물〗 엽상체의[같은], 엽상체로 된
thal·lo·phyte [θǽləfàit] *n.* 엽상(葉狀) 식물 《이끼·버섯·말류 등》 **thal·lo·phyt·ic** [θæ̀ləfítik] *a.*
thal·lous [θǽləs] *a.* 탈륨의, (1가의) 탈륨을 함유한
thal·lus [θǽləs] *n.* (*pl.* **~·es, -li** [-lai]) 〖식물〗 엽상체(葉狀體)
thal·weg [tɑ́:lveg, -veik] [G] *n.* **1** 〖지리〗 요선(凹線), 골짜기선 **2** 〖국제법〗 항행 수로의 중앙선 《국경선》
*__Thames__ [témz] *n.* [the ~] 템스 강 《London 시내를 지나 북해로 흐름》 ★ London에서는 흔히 the River라고 부름. ***set the ~ on fire*** ⇨ fire. ***the ~ Embankment*** 템스 강의 북쪽 강둑(길) 《산책로》
‡**than** ⇨ than (p. 2589)
than·age [θéinidʒ] *n.* ⓊⒸ 〖영국사〗 thane의 신분[영지]
thanat- [θǽnət], **thanato-** [θǽnətou, -tə] 《연결형》 「죽음」의 뜻 《모음 앞에서는 thanat-》
than·a·toid [θǽnətɔ̀id] *a.* **1** 죽은 듯한, 가사(假死)(상태)의 **2** 치명적인
than·a·tol·o·gist [θæ̀nətɑ́lədʒist | -tɔ́l-] *n.* **1** 사망학자 **2** = UNDERTAKER 2
than·a·tol·o·gy [θæ̀nətɑ́lədʒi | -tɔ́l-] *n.* Ⓤ 사망학(死亡學), 사망론(死亡論) **-to·lóg·i·cal** *a.*
than·a·to·pho·bi·a [θæ̀nətəfóubiə] *n.* Ⓤ 〖정신의학〗 사망 공포(증)
than·a·top·sis [θæ̀nətɑ́psis | -tɔ́p-] *n.* Ⓤ 죽음에 관한 고찰, 사관(死觀)
Than·a·tos [θǽnətɑ̀s, -tous | -tɔ̀s] *n.* **1** 〖그리스신화〗 타나토스 《죽음의 의인(擬人)》 **2** [보통 **t~**] 죽음의 본능[충동]
thane [θéin] *n.* **1** 〖영국사〗 (앵글로색슨 시대의) 종사(從士) 《태수(earl)와 일반 자유민 중간 계층》 **2** (스코틀랜드의) 토반, 호족, 귀족
~·dom *n.* 호족령 **~·hòod, ~·shìp** *n.* Ⓤ 호족의 신분[지위]; [집합적] 호족 계급
thang [θǽŋ] *n.* 《미·구어·방언》 = THING
‡**thank** [θǽŋk] [OE 「남에게 마음씀」의 뜻에서] *vt.* **1** 감사하다, 사의를 표하다 (*for*): ~ one's (lucky) stars 행운에 감사하다 // (~+목+전+명) *T~ you for* your letter. 편지 감사합니다. **2** [미래의 일에 써서] 미리 감사하다, 부탁하다: (~+목+전+명) *T~* you *for* that ball. 그 공을 좀 집어 주세요.
have a person ***to ~*** (…은) …의 탓이다 (*for*): I *have* him *to ~ for* the flu. 내가 독감에 걸린 것은 그의 탓이다. ***I will ~ you to*** do (1) 아무쪼록 …하여 주십시오: *I will ~ you to* shut the door. 그 문 좀 닫아 주시오. (2) [반어적·비꼼] …하면 어때: *I will ~ you to* be a little more polite. 좀 더 점잖게 굴면 어때. / *I will ~ you to* mind your own business. 남의 일에 참견하지 않았으면 좋겠다. ***No, ~ you.*** 아닙니다, 괜찮습니다. 《사절의 말》(opp. *Yes, please.*) ***T~ God*** [***Heaven, goodness***]***!*** = ***Heaven*** [***God***] ***be ~ed!*** 아아, 고마워라! ***T~ing you in anticipation.*** 이만 부탁드리면서. 《의뢰하는 편지의 끝맺음 말》 ***T~ you for nothing.*** 그저 고맙네. 《감사할 만한 일을 해준 것이 아니라고 비꼬는 말》 ***T~ you*** (***very much***). = 《드물게》 ***I ~ you.*** 고맙습니다. ***You may ~ yourself for that.*** = ***You have*** (***only***) ***yourself to ~ for that.*** 그것은 네 자신의 탓이다, 자업자득이다.
— *n.* [보통 *pl.*] 감사, 사의, 치사; [감탄사적] 《구어》 고맙습니다 ***A thousand ~s.*** = ***Many*** [《고어》 ***Much***] ***~s.*** = (***Please accept***) ***my best ~s.*** 정말 감사합니다. ***bow*** [***smile***] one***'s ~s*** 절을 하고[미소를 지으며] 사의를 표하다 ***express*** [***extend***] one***'s ~s*** 감사하다는 인사를 하다 ***give*** [***return***] ***~s to*** …에게 사의를 표하다; (축배에 대하여) 답사를 하다; (식전·식후에) 감사의 기도를 올리다 ***No, ~s.*** 《구어》 아닙니다, 괜찮습니다. ***No ~s!*** 그만두어라, 귀찮아! ***no*** [***small***] ***~s to*** …의 덕택은 아니지만(not owing to) ***owe*** a person ***~s*** …에게 감사하지 않으면 안 되다 ***Small*** [《비꼼》 ***Much***] ***~s I get for it.*** 고맙다는 말을 듣기는커녕. ***T~ for me.*** 《구어》 고맙습니다. ***T~s a lot.*** 《구어》 정말 고맙소. ***T~s be to God!*** 아, 고마워, 잘됐어! ***T~s, but no ~s!*** 고맙기는 하지만 사양하겠소! ***~s to*** …의 덕택으로, …때문에(owing to) ★ 나쁜 일에도 씀. ***T~s*** (***very much***). 《구어》 (참으로) 고맙소. **~·er** *n.*
▷ thánkful, thánkless *a.*
‡**thank·ful** [θǽŋkfəl] *a.* **1** Ⓟ 감사하는, 고맙게 여기는 (*to* a person, *for* a thing) (⇨ grateful 유의어); 매우 기쁜 (*that* ...): (~+***to*** do) (~+***that*** 절) I am ~ *to* have[~ *that* I have] been rescued from the sinking boat. 가라앉는 보트에서 구출된 데 대하여 감사를 드립니다. **2** 감사의, 사은(謝恩)의 〈기도 등〉 **~·ness** *n.* Ⓤ 감사, 사은
thank·ful·ly [θǽŋkfəli] *ad.* 감사하여; [문장 전체를 수식하여] 고맙게도: *T~*, it has stopped snowing. 다행히도 눈이 멎었다.
*__thank·less__ [θǽŋklis] *a.* **1** 감사할 줄 모르는, 고마워하지 않는, 은혜를 모르는: a ~ child 감사할 줄 모르는 아이 **2** 고맙게 여겨질 것 같지 않은; 〈일이〉 감사를 받지 못하는: a ~ task[job] 생색[보람] 없는 일 **~·ly** *ad.* **~·ness** *n.*
thánk òffering (신에게) 감사하여 바치는 물건; 〖성서〗 사은제(謝恩祭): harvest ~ 추수 감사제
thanks·giv·er [θǽŋksgìvər] *n.* 감사하는 사람
‡**thanks·giv·ing** [θæ̀ŋksgíviŋ | ⌐-⌐] *n.* **1** Ⓤ 《특히》 하느님에 대한 감사; Ⓒ 감사의 기도 **2** 감사식(式); 감사제(祭) **3** [**T~**] = THANKSGIVING DAY
Thanksgíving Dày 추수 감사절 《미국은 11월의 넷째 목요일; 캐나다는 10월의 둘째 월요일》
thank·wor·thy [θǽŋkwə̀:rði] *a.* 감사해야 할, 고마운
thank-you [-jù:] *a.* Ⓐ 감사를 나타내는, 사은(謝恩)의: a ~ note 감사장 — *n.* 감사의 말
thank-you-ma'am [-jumæ̀m] *n.* 《미·구어》 **1** (차가 흔들리는) 도로의 요철(凹凸) 《승객이 머리를 숙이는 자세가 되는 데서》 **2** (배수를 위해) 도로를 비스듬히 가로지른 작은 도랑
thar [tɑ́:r] *n.* 〖동물〗 영양(羚羊)의 일종
‡**that** ⇨ that (p. 2590)
that-a-way [ðǽtəwèi] *a.* 《미·속어》 임신한

thesaurus **thankful** *a.* grateful, appreciative, pleased, relieved, indebted, obliged

than

than은 「…보다(도)」의 뜻을 나타내는 말이므로 앞뒤에 각각 비교의 대상이 놓이는데 than 뒤에서는 주절과 공통되는 부분은 생략되기 일쑤이다: She is smaller *than* I (am). 그러나 《구어》에서는 She is smaller *than* me.도 쓰는데 이때의 than은 전치사로 볼 수 있다.
한편 다음 경우에는 주격이냐 목적격이냐에 따라 뜻이 달라진다:(a) He likes me better *than* she (does) (＝*than she* likes me). (b) He likes me better *than* her (＝*than* he likes *her*). 《구어》에서는 (b)로 (a)의 뜻 (＝than she likes me)을 나타내기도 한다.
than은 원래 비교의 기능을 하는 말이므로 형용사·부사의 비교급이 앞에 놓이며, 그렇지 못할 경우에는 그에 준하는 rather, other, otherwise, else, 《미》 different 등의 말이 반드시 오는 데에 유의해야 한다.

‡than [ðǽn, ðən, ən, ðen] *conj.* **1** [형용사·부사의 비교급과 함께] [비교의 대상이 되는 부사절을 이끌어] …**보다(도)** ★ than 이하의 절에서는 주절과 공통적인 부분이 생략되는 일이 많음: He is older ~ I (am). 그는 나보다 나이가 많다. ★ 《구어》에서는 He is older ~ me.라고 하는데, 이때의 than은 전치사 (⇨ *prep.* 1 a) / I like you better ~ he (does). 그보다 내가 더 너를 좋아한다. ★ does는 대동사이며 likes you의 뜻 / I like you better ~ him. 나는 그 이보다 너쪽을 더 좋아한다. ★ ~ him은 ~ I like him의 I like가 생략된 형태; *prep.* 1과는 다름 / He is more intelligent ~ clever. 그는 영리하다기보다 지적인 사람이다. / He is no happier ~ (he was) before. 그는 그전과 다름없이 조금도 행복하지 않다. / I suppose the winters are colder ~ they used to be. 옛날보다 겨울이 더 추워졌다고 나는 생각한다. / She arrived earlier ~ the others. 그녀는 다른 사람들보다 일찍 도착했다. / Foreign cars are becoming more popular ~ they were. 외제차들이 이전보다 더욱 인기를 끌고 있다. / I am wiser ~ to believe that. 그것을 믿을 만큼 어리석지는 않다. / Easier said ~ done. ⇨ easy *ad.*
2 [관계대명사적으로] …보다(도) ★ 목적어·주어·보어의 역할을 겸한 용법: There is more money ~ is needed. 필요 이상의 돈이 있다. / He required more ~ could be anticipated. 그는 예상했던 것보다 많은 것을 요구했다. / Her assistance was more valuable ~ had been supposed. 그녀의 도움은 생각되었던 것보다 귀중한 것이었다.
3 [rather, sooner 등과 함께] …**하느니보다** (**오히려**), …할 바에는 (차라리): I would *rather*[*sooner*] die ~ disgrace myself. 수모를 당하느니보다 차라리 죽는 편이 낫겠다. / I prefer to stay *rather* ~ (to) go. 가느니보다 머물러 있는 게 낫겠다. 《I would rather stay ~ go.로 고쳐 쓸 수 있음》
4 a [other, otherwise, else 등과 함께; 종종 부정문에서] …**밖에는**, …이외에는: I have *no other* friend ~ you. 친구라고는 자네밖에 없다. / He was *no*[*none*] *other* ~ the king. 그는 다름아닌 왕이었다. / I could *not* do *otherwise* ~ run away. 달아나는 수밖에 다른 도리가 없었다. / He did *nothing else* ~ laugh. 그는 다만 웃기만 할 뿐이었다. **b** [different, differently와 함께] 《미·구어》 …와는(다른 [다르게]): She is very *different* ~ she used to be. 그녀는 그전과는 상당히 다르다. / He solved the problem *differently* ~ I did. 그는 나와는 다른 방법으로 그 문제를 풀었다.
5 [Hardly[Scarcely, Barely]+had+주어+*p.p.*의 형태로] 《구어》 =when ★ no sooner ... than의 혼동으로 인한 오용에서: *Hardly* had he come home ~ she started complaining. 그가 귀가하자마자 그녀는 바가지를 긁기 시작했다.
6 …이외는: We had no choice ~ to come back. 돌아올 수 밖에 없었다. 《이 표현에서는 than보다 but을 쓰는 것이 일반적임》
no sooner ... ~ ... ⇨ soon.
— *prep.* **1 a** [목적격의 인칭대명사와 함께] 《구어》 …**보다(도)**(⇨ *conj.* 1): He is taller ~ me. 그는 나보다 키가 크다. / She is more intelligent ~ us all. 그녀는 우리 모두보다도 총명하다. **b** [ever, before, usual 등의 앞에서] …보다(도): I left home earlier ~ *usual.* 나는 여느 때보다 일찍 집을 떠났다. / The park has become cleaner ~ *before.* 그 공원은 그 전보다 깨끗해졌다.
2 [different, differently 뒤에서] 《미·구어》 …와는 (다른[다르게]): His way of thinking is *different* ~ ours. 그의 사고 방식은 우리와는 다르다.
3 [관계대명사 whom, which 앞에서] 《문어》 …보다: Professor Jones is a scholar ~ *whom* there is no better authority on the subject. 그 문제에 관해 존스 교수 이상 가는 권위자인 학자는 없다.
***more ... ~ ever*[*usual*]** 여느 때보다 더

that·a·way [ðǽtəwèi] *ad.* 《방언》 그쪽 방향으로; 저렇게, 그런 식으로

∗thatch [θǽtʃ] [OE 「(지붕을) 이다」의 뜻에서] *n.* **1** Ⓤ (지붕의) **이엉**, 지붕을 이는 재료: a ~ raincoat 도롱이 **2 풀**[**갈, 짚**] **지붕 3** 《속어·익살》 숱 많은 머리털
— *vt., vi.* (지붕·집을) 이엉으로 이다: a *~ed* roof 초가지붕 **~·er** *n.* 개초장이 **~·ing** *n.*

Thatch·er [θǽtʃər] *n.* 대처 **Margaret** (**Hilda**) ~ (1925-) 《영국의 정치가; 수상(1979-90); 별명 the Iron Lady (철의 여인)》
~·ìsm *n.* 대처주의 **~·ìte** *n.* 대처주의자[신봉자]

‡that's [ðǽts, ðəts] that is[has]의 단축형

thaumato- [θɔ́ːmətou, -tə] 《연결형》 「기적, 경이」의 뜻

thau·ma·tol·o·gy [θɔ̀ːmətɑ́lədʒi | -tɔ́l-] *n.* 기적학, 기적론

thaw *v.* defrost, unfreeze, melt, soften, liquefy (opp. *freeze, chill, solidify*)

thau·ma·trope [θɔ́ːmətròup] *n.* 회전 그림판 《원반의 한 면에 새장을, 다른 면에 새를 그려서 돌리면 새가 새장 속에 있는것처럼 보임》

thau·ma·turge [θɔ́ːmətə̀ːrdʒ], **-tur·gist** [-tə̀ːrdʒist] *n.* 마술[마법]사(magician)

thau·ma·tur·gy [θɔ́ːmətə̀ːrdʒi] *n.* Ⓤ 마술, 마법
thàu·ma·túr·gic *a.*

∗thaw [θɔ́ː] *vi.* **1** 〈눈·얼음 등이〉 **녹다**(melt); [it을 주어로 하여] 눈[얼음]이 녹는 날씨가 되다: *It ~s* in March here. 이곳은 3월에 해동한다. / The snow is *~ing.* 눈이 녹고 있다. **2** 〈냉동식품 등이〉 녹다 (defrost); 〈얼었던 몸·손발이〉 차츰 따뜻해지다: (~+㊊) They sat by the fire and *~ed out.* 그들은 불가에 앉아 몸을 녹였다. **3** 〈태도·감정·긴장 등이〉 누그러지다, 풀리다: She began to ~ as we talked. 이야기를 나누는 동안에 그녀도 마음을 열기 시작했다. **4** 유동적[활동적]이 되다
— *vt.* **1** 녹이다 《*out*》; 〈냉동식품을〉 해동하다 **2** 〈언 몸 등을〉 따뜻하게 하다 《*out*》 **3** 〈태도·감정·긴장 등을〉

that

that은 지시대명사·형용사·부사로서 지시사의 기능을, 접속사·관계대명사로서 연결사의 기능을 가진다. 지시사로서 that은 this에 비해 장소·시간적으로 좀 떨어져 있거나 비교적 먼 것을 가리킨다.
(1) 지시사로서 that은 this와 대조적으로 쓰는 용법 이외에 명사의 반복을 피하여 그 대신에 쓰는 용법이 있다: The climate is like *that* of Italy. 기후는 이탈리아의 그것과 비슷하다.
(2) 관계대명사 that은 사람·사물 양 쪽에 다 쓰며 특히 선행사가 다른 어구로 한정되어 있을 경우에 쓴다. 전치사 다음에 놓지 않는 것이 원칙이며 비제한적 용법으로 쓰는 일은 드물다. 한편 관계부사적으로 쓰는 that은 종종 생략한다.
(3) 접속사로서 (a) 명사절을 이끈다. (b) 그 밖의 절을 이끈다.

‡that [ðǽt] *a., pron., ad., conj.*

기본적으로는 「그것」의 뜻.
《지시사로서》
① 저것, 그것 **A** 대 **1, 2 a**
② 저, 그 형 **1, 2**
③ 그만큼, 그렇게 부 **1**
《접속사로서》
① [명사절을 이끌어] …이라는 것 **B** 접 **1**
② [부사절을 이끌어] …하므로; …하도록; …때문에 접 **2**
③ [it is[was] ... that의 형태로] 부사 (어구)를 강조하여 접 **3**
《관계사로서》
① [관계대명사로서] **C** 대 **1**
② [관계부사적으로] 대 **2**
③ [it is[was] ... that의 형태]로 명사 (어구)를 강조하여 대 **3**

A (opp. *this*) **—** *a.* 《지시형용사》 (*pl.* **those**) **1 a** [떨어져 있는 것[사람]을 가리켜] **저, 그**: You see ~ dog. (가리키면서) 저 개가 보이지요. / ~ lady over there 저쪽의 저 여인 / What is ~ loud noise? 저 시끄러운 소리는 뭐야? **b** [먼 때·곳을 가리켜] **저, 저쪽의, 그**: at ~ time 그때(에) / in ~ country 그 나라에서는 / ~ day[night, morning] 그날[그날 밤, 그날 아침] 《★ 종종 부사적으로도 씀》 **c** [this와 상관적으로] **저**: He went to *this* doctor and ~. 그는 여기저기의 의사에게 진찰을 받았다. / *This* watch is better than ~ one. 이 시계가 저것보다 낫다.
2 a [대화자끼리 이미 알고 있는 것[사람, 양]을 가리켜] **저, 그**: ~ car of yours 당신의 저 차 《★ 보통 your that car 또는 that your car라고는 하지 않음》 / *T~* hundred dollars helped me greatly. 그 백 달러는 크게 도움이 되었다. 《★ dollars는 복수이지만 한 단위의 금액이기 때문에 단수형 that을 썼음》 **b** [칭찬·경멸 등의 감정을 담아서] **그, 저, 예(例)의**: ~ dear (of my wife) 나의 사랑하는 아내 / Here comes ~ smile! 또 그 (얄궂은) 웃음을 짓는군! / We're getting tired of ~ Bill. 저 빌은 이제 지긋지긋하다. **c** [관계사절에 의한 한정을 미리 지시하여] **그** 《★ 우리말로는 강하게 번역할 필요가 없음》: Have you listened to ~ tape (which) I gave you? 내가 준 테이프 들어 봤니?
~ there 《속어》 저, 그(that)
— *pron.* 《지시대명사》 (*pl.* **those**) **1 a** [this와 대조적으로 저쪽에 떨어져 있는 것을 가리켜] **그것, 저것** 《★ this와는 달리 that은 보통 지적해서 사람에 쓰지 않음; cf. *that* man》: This is better than ~. 이것은 저것보다 좋다. / *T~* is the man I wanted to see. 저쪽이 내가 만나고 싶어하는 사람이다. / *This* is my sister and ~ is my cousin. 이쪽이 나의 누이이고 저쪽이 나의 사촌이다. / *T~* was the best time. 그때가 가장 좋았다. / "Is ~ Mary?"—"Yes, speaking." 《영》 [전화에서] 메리입니까? — 예, 그렇습니다. 《★ that의 서먹서먹함을 피하여 this를 쓰는 경향이 있음: Is *this* Mary?》 **b** [앞서 언급하였거나 서로 양해되어 있는 사물을 가리켜] **그 일, 그것**: All ~ is nonsense. 그런 것은 모두 허튼소리다. / After ~ things changed. 그 후 사정이 달라졌다. / *T~*'s what I want to say. 내가 말하려는 것이 바로 그것이다. / *T~*'ll be[*T~* comes to] ten dollars. 10달러 되겠습니다. 《★ 상인이 대금을 청구할 때 등에 하는 말》 / *T~* will do. 그것이면 된다; 그만하면 됐다. **c** [저편에 있는, 또는 화제에 오른 사람을 가리켜] **저 사람, 그 사람; 거기 있는 사람**: *T~*'s Alice. 저이는 앨리스다. / Who's ~? 거기 누구니? / *T~*'s a good boy. [시키는 대로 한 아이를 보고] 착한 아이구나.
2 a [앞서 말한 명사의 반복을 피하기 위해] (…의) **그것** 《★ one과는 달라서 the+명사(복수형은 those)의 대용이며 (다음 용례에서는 those=fashions) 대개 전치사구가 따름》: This year's fashions are quite different from *those of* last year. 올해의 유행은 작년의 것과는 전혀 다르다. **b** [앞의 진술(의 일부)을 강조적으로 되풀이하여] **그렇고말고**: "Is Michael capable?"—"He's ~." 마이클은 유능한가? — 그렇고말고. 《★ Yes, he is.나 So he is.보다 강조적》 / ⇨ and THAT
3 [관계대명사 which의 선행사로] (…하는 바의) **것, 일** 《★ that which는 what으로 바꾸어 쓸 수 있음; 단 there is 구문에서는 that과 which가 분리되는 수가 있음》: *T~ which* is bought cheaply is the dearest. 《속담》 싸구려를 사면 돈만 버린다. 《싼 것이 비지떡》 / There is ~ about him *which* mystifies one. 그에게는 무언가 사람을 미혹하는 부분이 있다.
4 [this와 상관적으로] **전자**(the former): Dogs are more faithful animals than cats; *these* attach themselves to places, and *those* to persons. 개는 고양이보다 충실한 동물이다. 후자는 장소에 애착을 갖고 전자는 사람에게 애착을 갖는다. / Work and play are both good for the health; *this* gives us rest, and ~ gives us energy. 일과 놀이는 다 같이 건강에 유익하다; 후자는 휴식을 주고 전자는 활력을 준다.
and all ~ ⇨ all *a.*
and ~ (1) [앞 문장 전체를 받아서] 그것도: She forgets things, *and* ~ very often. 그녀는 사물을 잊어버린다, 그것도 번번히 말이야. (2) 《영·속어》 = and ALL that
at ~ (1) 그대로, 그 정도로: We left it *at* ~. 우리는 그것을 그 정도로 해 두었다. (2) 《미·구어》 여러모로 생각해 봐도, 그럼에도 불구하고: You may be right, *at* ~. 생각해 보니 자네 말이 옳은 것 같다. (3) 게다가, 더구나, 그것도: She broke a dish, and the finest one *at* ~. 그녀는 접시를 깼다, 그것도 제일 좋은 것을. (4) = with THAT
be ~ as it may 그것은 별것 아니지만, 어쨌든
Come*[*Get*] *out of ~! 《속어》 비켜라; 그만둬; 꺼져버려!
for all ~ …에도 불구하고
(*Is*) *~ so?* 그래요, 정말인가요?
It is ~. [상대방의 말에 맞장구쳐서] 정말로 그렇습니다.
like ~ (1) 그처럼, 그와 같이, 저런 식으로: Don't talk *like* ~. 그런 식으로 말하지 마라. (2) 《구어》 문제없이, 수월하게: He did the job just *like* ~. 그는 아주 간단하게 그 일을 해치웠다.

not care [***give***] ***~ for ...*** 《구어》 …따위는 (딱 손가락을 울리면서) 요만큼도 상관않다
Take ~! 《구어》 맛 좀 봐라, 이거나 먹어라! 《때리면서 하는 소리》
~ being so 그런 까닭으로
T~ does it! 《구어》 이젠 글렀어[망했다]; 이젠 충분하다, 더는 못참겠다[못하겠다]!
~ is (***to say***) 즉 말하자면
T~'s all. 그것이 전부다; 그뿐이야.
T~'s ... for you. 《구어》 …이란 그런 것이다.
T~'s it. 《구어》 (그래) 그것이다, 그렇다; 그것이 전부다(That's all.); 그것이 문제다.
T~'s right [***so***]. 《구어》 그래 맞았어, 그렇소.
~'s ~ 《구어》 그것으로 끝났다[결정났다]: I won't go and *~'s ~*. 안 간다면 안 가는 줄 알아라. / He said we couldn't do it, so *~'s ~*. 하지 못한다고 그가 말했으니까 그것으로 끝장이다.
~'s what it is 바로 그렇다
T~ will do. 그것으로 되겠다[쓸 만하다]; 이제 그만하시오, 그만하면 됐어.
this and (***...***) ***~*** ⇨ this *pron.*
this, ~ and the other ⇨ this *pron.*
upon ~ 그러자 (곧)
with ~ 그렇게 말하고; 그리하여, 그리고 나서: "May you be very happy!" he said, and *with* ~ he left. 그는 「행복을 빕니다!」라고 말했다, 그리고 나서 떠났다.

— [ðǽt] *ad.* 《지시부사》 **1** 《구어》 [수량·정도를 나타내는 말을 한정하여] **그만큼**, 그렇게(so), 그 정도로: Are you sure she's ~ young? 정말 그녀가 그렇게 젊다는 거냐? / He only knows ~ much. 그는 그 정도밖에 모른다. / My arm doesn't reach ~ far. 내 팔은 그렇게 멀리까지 닿지 않는다.
2 [종종 all that으로; 대개 부정문에서] 《구어》 그다지 (…않다), 그렇게까지 (…않다): She is*n't all* ~ rich. 그녀는 그렇게 부자는 아니다. / The novel was*n't all* ~ good. 그 소설은 그렇게까지 우수한 것은 아니었다.
~ much 그만큼, 그 정도(의)(⇨ *ad.* 1); [부정문에서] 그다지: I do*n't* like tennis ~ *much*. 나는 테니스를 그다지 좋아하지 않는다.

—B [ðət] *conj.* **1** [명사절을 이끌어] **a** [주절을 이끌어] …**이라는[하다는] 것은**: *T~* Father did not scold me surprised me. 나는 아버지께서 나를 꾸중하시지 않는 것에 놀랐다. / *It*'s true ~ we were a little late. 우리가 조금 늦은 것은 사실이다. 《★ 종종 that절은 선행하는 it으로서 대표됨; 그 경우에 that이 생략되기도 함》: *It*'s certain (~) she's rich. 그녀가 부자인 것은 틀림없다. **b** [보어절을 이끌어] …**하다는[이라는] 것인** 《★ 종종 that이 생략되기도 함》: The trouble is (~) we are short of money. 난처한 것은 우리가 돈이 모자란다는 것이다. / The plain fact is, he has been cheating us. 분명한 사실은 그가 우리를 속이고 있었다는 것이다. **c** [목적절을 이끌어] …**하다는[이라는] 것을** 《★ 비교적 평이한 짧은 문장에서는 that이 생략됨》: I heard (~) you've been abroad. 네가 외국에 갔다온 것을 들었다. / She warned me ~ I should be more careful. 그녀는 내가 더 조심해야 한다고 경고했다. **d** [동격절을 이끌어] …**이라는**, …하다는 《★ that을 생략하는 일은 없음》: There was no hope ~ she would recover her health. 그녀가 건강을 회복하리라는 희망은 전혀 없었다. / The actress hid the fact ~ she was married. 그 여배우는 결혼한 사실을 숨기고 있었다. **e** [형용사·자동사 등에 이어지는 절을 이끌어] …**이라는[하다는] 것을** 《★ 문법적으로는 부사절로도 간주되지만, 의미상으로 타동사 상당 어구로 간주하여 명사절로 침》: I am afraid (~) she will not come. 그녀는 오지 않으리라고 생각한다. / I am very happy (~) you have agreed to my proposal. 당신이 내 제의에 동의해 주어서 나는 매우 기쁩니다. / I'm sorry ~ your father is sick. 춘부장께서 아프시다니 안됐습니다.
2 [부사절을 이끌어] **a** [so[such] ... that의 형태로 정도·결과를 나타내어] (너무) …**하므로**, …**할 만큼** 《★ 《구어》에서는 that을 생략함》: The meeting became *so* disorderly ~ the speaker had to shout into the microphone. 회의는 매우 무질서해져서 연설자는 마이크를 향해 큰 소리를 내야 했다. / He is not *so* poor ~ he cannot buy it. 그는 그것을 사지 못할 만큼 가난하지는 않다. / There was *such* a crowd (~) we could hardly move. 사람이 엄청 많아서 우리는 거의 움직이지 못했다. **b** [(so) that, in order that의 형태로 목적을 나타내어] …**하도록**, …하기 위해 《★ that절 안에서 may[might]를 쓰는 것은 격식 차린 표현이며, can, will[could, would]이 쓰임; 또한 《구어》에서는 that이 흔히 생략됨》: Turn it *so* ~ I *can* see it. 내가 볼 수 있도록 그것을 돌려주시오. / He took a taxi *so* ~ he wouldn't be late. 그는 지각하지 않기 위해 택시를 탔다. / Come early *in order* ~ you may see him. 그를 만날 수 있도록 일찍 오시오. **c** [원인·이유] …**이므로**, …때문에: I'm glad (~) you (should) like it. 네가 마음에 든다니 기쁘다. / If I complain it is ~ I want to get justice. 내가 불평하는 것은 정당하게 대우 받기를 원하기 때문이다. / Not ~ I object. 그렇다고 해서 내가 반대하려는 것은 아니다. **d** [that절 안에 종종 should를 써서 판단의 기준을 나타내어] …**이다니**, …**하다니**: You are crazy ~ you *should* lend money to him. 그에게 돈을 꾸어주다니 너 미쳤구나. / Who is he, ~ he *should* come at such an hour? 이런 시간에 오다니 그는 도대체 어떤 사람이냐? 《무엄하게도》 **e** [대개 부정어 뒤에서 제한하는 절을 이끌어] (…하는) **한에는**, (…하는) 바로는 《★ 이 용법의 that은 그 자체는 관계대명사이며, 뒤의 타동사나 전치사의 목적어 구실을 함》: There is no one like him ~ I can see. 내가 보는 한에는 그이 같은 사람은 없다. / *No* one knows anything about it, ~ I can find. 내가 아는 한 아무도 그 일을 모른다. / "Is she married? — *Not* ~ I know (of)." 그녀는 결혼했나? — 내가 아는 바로는 안했어.
3 [It is[was] ... that ...의 형태로 부사(구)를 강조하여] …**한[인] 것은** 《★ 부사 어구의 강조 구문의 경우이며, 명사 어구의 강조 구문은 관계대명사(⇨ C 3)》: *It was* on Monday ~ it happened. 그것이 일어난 것은 월요일이었다. / *It was* not until he was fifty ~ he started to write. 그는 50세가 되어서야 비로소 글을 쓰기 시작했다.
4 [감탄문을 이루어] **a** [that절 안에 should를 써서 놀람·분개를 나타내어] …**하다니**: *T~* he *should* behave like this! 그가 이 따위 짓을 하다니! / *T~* he *should* betray us! 그가 우리를 배신하다니! **b** [that절 안에 가정법 과거형을 써서 소원을 나타내어] 《문어》 …한다면 좋을 텐데: Oh, ~ I *were* in England now. 아, 지금 잉글랜드에 있다면 좋을 텐데. / Would (~) we *were* there! 그곳에 있기만 한다면 (좋으련만)!
but ~ ... ⇨ but *conj.* B 2 b, 3; *prep.* 2
in ~ ... ⇨ in *prep.*
not ~ ... ⇨ *conj.* 2 c, e
now ~ ... ⇨ now *conj.*

—C [ðət] *pron.* 《관계사》 **1** [사람·사물을 나타내어 선행사를 받아서 대개 제한 용법으로] (…하는[인]) **바의** 《USAGE 선행사가 사물·사람을 나타낼 경우에, 최상급 형용사, all the, the only, the same, the very 등의 제한적인 어구를 포함하고 있을 때, 또 선행사가 의문대명사나 all, much, little, everything, nothing 등일 때에 흔히 쓰이는데, 단 절대적인 것은 아님; 사람의 경우에는 who, 사물의 경우는 which도 씀》 **a** [주어]: He is *the* great*est* novelist ~ has ever lived. 그는 전대미문의 대소설가다. / *the first* man ~ came here 여기에 맨 먼저 온 사람 / I know *the very* person ~ will do the job

quickly. 나는 그 일을 신속하게 할 안성맞춤인 사람을 알고 있다. / He will do *anything* ~ you ask him to. 그는 당신이 해 달라고 하는 일은 무엇이든지 할 것이다. / This is *all* ~ matters. 관계가 있는 것은[중대한 것은] 다만 이것뿐이다. **b** [보어]: She is not the woman ~ her mother was. 그녀는 옛날의 그녀 어머니 같은 여인이 아니다. / Fool ~ I am! 나는 정말 바보로구나! **c** [타동사·전치사의 목적어로서] 《★ that은 흔히 생략됨; 전치사는 관계사절 안의 동사 뒤에 놓임》: This is the watch (~) I bought yesterday. 이것은 어제 내가 산 시계이다. / Is this the farm (~) they spoke of? 이것이 그들이 말한 농장입니까?
2 [때·방법·이유 등을 나타내는 명사를 선행사로 하여 관계부사적으로] (…하는, …인) **바의** 《★ 종종 that은 생략됨》: The last time (~) I saw her, she was quite well. 그녀는 내가 전번에 만났을 때 아주 건강했다. / It was snowing (on) the day (~) he started. 그가 출발한 날은 눈이 오고 있었다. / This is the reason ~ he came. 이것이 그가 온 이유이다. / Nobody likes the way (~) you behave. 자네의 행동 방식은 아무도 좋아하지 않는다. 《★ the way 다음의 that은 보통 생략됨》
3 [It is[was] ... that ...의 형태로 명사 (어구)를 강조하여] …**하는 것은** 《★ 명사 어구의 강조 구문인 경우이며, 부사 어구의 강조 구문은 접속사(⇨ B 3); 《구어》에서 that은 흔히 생략됨》: *It was* on this very spot ~ I first met my wife. 내가 처음으로 아내를 만난 곳은 바로 이 장소이다. / *It is* you ~ are to blame. 나쁜 것은 너(희들) 쪽이다. / *It's* you (~) I rely upon. 내가 의지하고 있는 쪽은 당신이오. / What kind of work *is it* (~) you want? 당신이 원하는 것은 어떤 일입니까? / Where exactly *was it* ~ they met? 그들이 만난 곳이 정확히 어디입니까?
***~ is* [*~ was, ~ is to be*]** 현재의[과거의, 장래의]…: Do you know Mrs. Brown — Miss Hart ~ *was*? 브라운 부인을 아십니까? — 그전의 하트 양 말입니다. / Miss Hart, Mrs. Brown ~ *is to be* 앞으로 브라운 부인이 될 하트 양

풀리게 하다, 누그러뜨리다 《*out*》
— *n.* ⓊⒸ **1** 해동; 해빙; 온난; 해빙기 **2** 마음을 터놓음, 마음의 풀림; (국제 관계의) 해빙, 긴장 완화
~·less *a.* ▷ tháwy *a.*

thaw·y [θɔ́:i] *a.* (**thaw·i·er**; **-i·est**) 눈[서리]이 녹는

Th.B. *Theologicae Baccalaureus* 《L =Bachelor of Theology》 신학사

THC tetrahydrocannabinol

Th.D. *Theologicae Doctor* 《L =Doctor of Theology》 신학 박사

‡**the** ⇨ the (p. 2594)

the·an·dric [θiǽndrik] *a.* 신인(神人)의; (그리스도처럼) 신인 양성(神人兩性)을 가진

the·an·throp·ic, -i·cal [θì:ænθrɑ́pik(əl) | -θrɔ́p-] *a.* 신인 양성을 갖춘

the·an·thro·pism [θiǽnθrəpìzm] *n.* Ⓤ 〖신학〗 신인(神人) 일체(설), 그리스도 신인설; 신에게 인성을 부여하기

the·ar·chy [θí:ɑ:rki] *n.* ⓊⒸ 신정(神政); 신정국(國); 신들의 계통[계급, 서열]

theat. theater; theatrical

‡**the·a·ter | the·a·tre** [θí:ətər, θíə- | θíə-] [Gk 「보는 장소」의 뜻에서] *n.* **1 극장** 《《미》에서는 -ter가 많이 쓰이나, 극장 이름에는 《미》에서도 -tre가 혼합》: a movie ~ 영화관

> **유의어** 연극을 공연하고 영화를 상영하는 곳은 **theater**이지만, 오페라 극장은 **opera house**라고 한다.

2 [the ~; 집합적] (연극·영화의) 관객: *The* ~ wept. 관객은 울었다. **3** [the ~] **연극**, 극문학; [집합적] 희곡(戲曲); 연극계; 극단; 극작품: *the* modern ~ 근대극 / Goethe's ~ 괴테의 희곡 **4** 계단식 강당[교실](=lecture ~); 《영》 수술실(=operating ~) **5** 극적 효과 **6** (활동 등의) **현장**(scene), 장면, 활동 무대; 전역(戰域): the European ~ of World War II 제2차 세계 대전의 유럽 전역 ***be* [*make*] *good* ~** 〈연극이〉 상연할 가치가 있다, 볼 만하다 ***do a ~*** **=** ***go to the ~*** 연극 구경을 가다 ***patent ~*** 《영》 칙허(勅許) 극장 ▷ theátrical, theátric *a.*

théater ármaments 〖군사〗 전역(戰域) 무기 《전술 무기보다 크고 전략 무기보다 작은》

théater commànder 〖군사〗 전역 사령관

the·a·ter·go·er [θí:ətərgòuər] *n.* 극장에 자주 가는 사람

the·a·ter·go·ing [-gòuiŋ] *n.* Ⓤ 연극 구경, 관극(觀劇) **—** *a.* 연극 구경 가는

the·a·ter-in-the-round [-inðəráund] *n.* (*pl.* **the·a·ters-**) 원형 극장

théater núclear fórce 〖군사〗 전역(戰域) 핵전력 《중거리 핵미사일 및 중거리 폭격기》

théater núclear wéapon 〖군사〗 전역 핵무기 《중거리·준중거리 탄도탄을 중심으로 한》

théatre nùrse 《영》 =SCRUB NURSE

théater of crúelty [the ~] 잔혹극

théater of fáct [the ~] 사실 연극

théater of operátions [the ~] 전투 지역

théater of the absúrd [the ~] 부조리극

théater of wár [the ~] 교전권(圈)

the·at·ric [θiǽtrik] *a.* =THEATRICAL

***the·at·ri·cal** [θiǽtrikəl] *a.* **1 극장의 2** 연극의, 연극적인: ~ effect 극적 효과 **3** 〈말과 행동이〉 연극조의, 과장된, 일부러 꾸미는: a ~ display of grief 비탄에 찬 과장된 모습
— *n.* [*pl.*] **1** 연극, 연예; 《특히》 아마추어 연극 **2** 연극 기법; 연극 배우 **3** 연극적 행동, 일부러 꾸미는 짓 ***private* [*amateur*] *~s*** 아마추어 연극 **~·ism** *n.* Ⓤ (무대) 연출법; 연극조 **~·ly** *ad.*

the·at·ri·cal·i·ty [θiæ̀trəkǽləti] *n.* Ⓤ 연극적임, 부자연스러움

the·at·ri·cal·ize [θiǽtrikəlàiz] *vt.* 과장하여[연극조로] 하다; (드물게) 극화[각색]하다(dramatize)
the·àt·ri·cal·i·zá·tion *n.*

the·at·rics [θiǽtriks] *n. pl.* **1** [단수 취급] 연극법, 연출법 **2** [복수 취급] 연극조의 언동

The·ban [θí:bən] *a., n.* Thebes의 (사람)

the·be [tébe] *n.* (*pl.* **~**) 테베 《보츠와나의 화폐 단위; =1/100 pula》

Thebes [θí:bz] *n.* 테베 **1** 고대 그리스의 도시 **2** 고대 이집트의 수도

the·ca [θí:kə] *n.* (*pl.* **-cae** [-si:]) 〖식물〗 (이끼 식물의) 홀씨주머니, 포자낭(胞子囊), (선류(蘚類)의) 삭(蒴); (속씨 식물의) 꽃가루주머니; 〖동물·해부〗 포막(包膜); 〖동물〗 (갯나리의) 관부(冠部)
thé·cal *a.* **the·cate** [θí:kət, -keit] *a.*

thé dan·sant [téi-dɑ:nsɑ́:ŋ] [F] (*pl.* **thés dan·sants** [~]) (오후의) 다과회 겸 무도회

‡**thee** [ðí:] *pron.* [thou의 목적격] 《고어·시어》 너를[에게] ★ 퀘이커교도는 Thee has(=You have)와 같이 주어로 씀. ***Get ~*(=thyself) *gone!*** 가라!

thee·lin [θí:lin] *n.* 〖생화학〗 =ESTRONE

‡**theft** [θéft] *n.* **1** Ⓤ **훔침**, 도둑질, 절도 《*of*》; 절도죄: commit a ~ 도둑질을 하다 **2** 훔친 물건 **3** 〖야구〗 도루(stolen base) ▷ thíeve *v.*

theft·proof [θéftprù:f] *a.* 도난 방지의

thesaurus **theft** *n.* robbery, stealing, thieving, thievery, burglary, shoplifting, swindling, fraud

thegn [θéin] *n.* ＝THANE
the·ine [θíːi(ː)n] *n.* Ⓤ 〖화학〗 테인, 카페인, 다소(茶素)
‡their [ðέər, ðər] *pron.* **1** [THEY의 소유격; cf. THEIRS] **그들의,** 저 사람들의; 그것들의 **2** [부정(不定)의 단수 (대)명사를 받아서] ＝HIS, HER: No man in ~ senses would do it. 제정신으로 그것을 할 사람은 없을 것이다.
‡theirs [ðέərz] *pron.* [THEY의 소유대명사] **그들의 것**(their own) ***of*** **~** 그들의: this plan *of* ~ 그들의 이 계획 ★ their는 a, an, this, that, no 등과 나란히 명사 앞에 놓을 수 없으므로 their를 of theirs로 하여 명사 뒤에 놓음.
the·ism[1] [θíːizm] *n.* Ⓤ 유신론(有神論); 일신교
theism[2] *n.* Ⓤ 〖의학〗 차중독(茶中毒)
the·ist [θíːist] *n.* 유신론자, 일신론자
the·is·tic, -ti·cal [θiːístik(əl)] *a.* 유신론(자)의; 일신교의 **-ti·cal·ly** *ad.*
the·li·tis [θiláitis] *n.* 〖의학〗 유두염
Thel·ma [θélmə] *n.* 여자 이름
T hèlper cèll ＝HELPER T CELL
‡them [ðém, ðəm, əm, m] *pron.* **1** [THEY의 목적격] **그들을[에게]; 그것들을[에게]** **2** [부정(不定)의 단수 (대)명사를 받아서] ＝HIM, HER: Nobody has so much to worry ~ as he has. 그이만큼 근심 많은 사람은 없다. **3** (구어) [주격 보어로서 또는 than이나 as 뒤에서] ＝THEY: That's ~. 그놈들이다. / We are as efficient *as* ~. 우리도 그들만큼 유능하다. **4** (속어) [지시형용사적으로] 그것들(those): some of ~ apples 그 사과들 중 얼마 **5** (고어) ＝THEMSELVES ***T~'s my sentiments.*** 그게 내 생각[의견]이다.
the·ma [θíːmə] *n.* (*pl.* **~·ta** [-tə]) ＝THEME
the·mat·ic [θimǽtik, θiː-] *a.* 주제[논제]의; 〖문법〗 어간의; 〖음악〗 주제의 **—***n.* 어간 형성 모음 **-i·cal·ly** *ad.*
thematic róle 〖언어〗 의미역(役) 《명사구가 동사와의 관계에서 갖는 기능》
Themátic Appercéption Tèst 〖심리〗 주제(主題) 통각 검사 《略 TAT》
‡theme [θíːm] [Gk 「놓다, 두다」의 뜻에서] *n.* **1 주제,** 제목, 테마(⇨ subject 유의어); 화제, 논지(論旨): the main ~ of discussions 토론의 주제 **2** (과제의) 작문 **3** 〖음악〗 주제, 테마; 주제[테마] 음악 **4** 〖문법〗 어간, 어근
—*a.* 〈레스토랑·공원 등이〉 특정한 장소[시대]의 분위기를 살린
—*vt.* [주로 수동형으로] …을 주제로 다루다 (⇨ themed) **~·less** *a.* ▷ themátic *a.*
them·ed [θíːmd] *a.* **1** [보통 Ⓐ] 테마화한, …을 특정 주제로 다룬 **2** [복합어를 이루어] …주제의: a colonial-~ tourist attraction 식민지 시대를 주제로 한 관광 명소
théme pàrk 테마 유원지 《야생 동물·해양 생물·동화의 나라 등의 테마로 통일한 유원지》
théme sòng[tùne, mùsic] 주제가[곡]; 〖라디오·TV〗 주제 음악(signature)
The·mis [θíːmis] *n.* 〖그리스신화〗 테미스 《법률·질서·정의의 여신》
The·mis·to·cles [θəmístəklìːz] *n.* 테미스토클레스 (527?-460? B.C.) 《그리스 Athens의 장군·정치가》
them·self [ðəmsélf] *pron.* (구어) 그 사람 자신 《성별이 확실하지 않은 경우에 himself나 herself 대신에 쓰는말; 비표준어로 치는 사람이 많음》
‡them·selves [ðəmsélvz, ðèm-] *pron. pl.* [THEY의 재귀형] **1 a** [강조적, 보통 they와 동격으로 써서] **그들[그것들] 자신(이)**: They did it ~. ＝ They ~ did it. 그들은 자기들이 그것을 했다. **b** [특히 독립 구문의 주어 관계를 나타내어]: *T~* happy, they made the others happy, too. 그들은 행복했으므로 다른 사람들까지도 행복하게 해주었다. **c** [they, them의 대용; and ~로]: Their parents *and* ~ went there. 그들의 부모와 그들 (자신)이 그곳에 갔다. **d** [they, them의 대용; as, like, than 뒤에서]: We can do it better *than* ~. 우리는 그들보다 잘할 수 있다. **2 a** [재귀용법으로] 그들[그것들] 자신을: They killed ~. 자살하였다. **b** [일반 동사의 목적어]: They made ~ a new club. 그들은 자기들을 위해 새 클럽을 만들었다. **c** [전치사의 목적어]: They must take care *of* ~. 그들은 그들 스스로를 돌보아야 한다. **3** 평소[여느 때]의 그들[그것들], 정상적인 그들[그것들]: They are not ~ today. 그들은 오늘 좀 이상하다. ★ 보통 be의 보어로 씀. ***in*** **~** 본래(는)
‡then [ðén] *ad., conj., n., a.*

① 그때(의)	부 **1** 명 형
② 그 다음에	부 **2**
③ 그렇다면	부 **5**

—*ad.* **1** (cf. NOW) **그때에;** 그때는 《★ 과거에도 미래에도 쓰임》: Prices were lower ~. 그 당시에는 물가가 쌌다. / Things will be different ~. 그때에는 사정이 달라질 것이다. **2 그 다음에,** 그리고 나서, 그 후에, 그래서: First came Tom, (and) ~ Jim. 먼저 톰이 오고 그 다음에 짐이 왔다. **3** 동시에: At first the water seemed blue, ~ gray. 바다가 푸른색으로 보이는가 싶더니 회색으로 보였다. **4 게다가,** 그 위에(besides): I like my job, and ~ it pays well. 나는 내 일을 좋아하고 게다가 벌이도 좋다. **5 그렇다면,** 그러면: If you are ill, ~ you must stay in bed. 몸이 아프다면 누워 있어야 된다.
and **~** 그 다음에(⇨ *ad.* 2); 게다가(⇨ *ad.* 4) ***and ~ some*** 게다가 또, 그 위에 잔뜩 ***but ~ …*** 그러나 또 한편으로는, 그래도… ***even ~*** 그렇다 해도 (***every***) ***now and ~*** 가끔, 때때로 ***now ~*** 자 그래서, 그런데요 《항의·경고》 ***now … ~ …*** 때로는… 또 때로는… ***~ again*** 그러나 또, 반면에 ***~ and not till ~*** 그때 비로소 ***~ and there*** ＝ ***there and ~*** (구어) 그 당장에서; 즉시 ***well ~*** 그렇다면, 그럼 ***What ~?*** 그러면[그렇다면] 어떻게 되지?
—*conj.* 게다가, 그 외에 또한(besides)
—*n.* Ⓤ 그때: my happy ~ 즐거웠던 그 당시 ***before ~*** 그 전에 ***by ~*** 그때까지, 그때까지에는 ***since ~*** ＝ ***from ~ onward*** 그때부터 ***till ~*** ＝ ***up to ~*** 그때까지
—*a.* Ⓐ 그때의, 그 당시의(cf. PRESENT[1]): the ~ king 당시의 국왕
the·nar [θíːnɑːr] 〖해부〗 *n.* **1** 무지구(拇指球) 《엄지 손가락 밑부분의 볼록한 부분》 **2** 손바닥, 발바닥
—*a.* **1** 무지구(拇指球)의 **2** 손바닥의, 발바닥의
‡thence [ðéns] *ad.* (문어) **1 그곳에서부터,** 거기서: from ~ 거기서부터 **2** 그때부터, 그때 이래 **3** 그런고로, 그래서, 그 이유로
thence·forth [ðènsfɔ́ːrθ, ⌐⌐ | ⌐⌐] *ad.* 그때 이래; (드물게) 거기서부터: from ~ 거기서부터
thence·for·ward(s) [-fɔ́ːrwərd(z)] *ad.* ＝THENCEFORTH
theo- [θíːou, θíːə] 《연결형》 「신(神)」의 뜻
the·o·bro·mine [θìːəbróumiːn, -min] *n.* 테오브로민 《이뇨제·혈관 확장제용》
the·o·cen·tric [θìːəséntrik | θìə-] *a.* 신(神)을 중심으로 하는 **thè·o·cen·tríc·i·ty** *n.* **-trism** *n.*
the·oc·ra·cy [θiɑ́krəsi | -ɔ́k-] *n.* (*pl.* **-cies**) **1** Ⓤ 신정(神政) 《신탁(神託)에 의한 정치》; [the T~] 제정 일치제(祭政一致制) 《고대 유대의》 **2** 신정국(國)
the·oc·ra·sy [θiɑ́krəsi | -ɔ́k-] *n.* Ⓤ 신인(神人) 융합; 제신(諸神) 혼합 숭배
the·o·crat [θíːəkræ̀t] *n.* 신권(神權) 정치가; 신정(神政)주의자
the·o·crat·ic, -i·cal [θìːəkrǽtik(əl)] *a.* 신정(주의)의 **-i·cal·ly** *ad.*

theme *n.* topic, subject, matter, thesis, argument, idea, keynote, subject matter

the

부정관사 a, an은 명사를 구체화하고는 있지만 특정짓지는 않는 데 반해서 정관사 the는 고유명사 이외의 모든 명사의 단수형과 복수형에 쓰여 그 명사를 특정한 것으로 한정하는 것이 기본적 용법이다. 다시 말해, 부정관사는 상대에게 미지의 것을 비쳐주지만 정관사는 상대에게 기지의 사물임을 일러준다: I keep a dog. *The* dog is white. 나는 개를 키우고 있는데 그 개는 희다.
이 밖에 the에는 어떤 종류 일반에 걸친 총칭적 용법도 있다: *The* horse is a useful animal. 말은 유용한 동물이다.
또한 추상적인 용법도 주의해야 한다: *The* pen is mightier than *the* sword. 문(文)은 무(武)보다 강하다.

‡the [ðə(자음 앞), ði(모음 앞), ð, ðíː] *def. art., ad.*

원래는 that가 약해진 것으로서 기본적으로는 「그」의 뜻
① 그 **A 1, 2**
② …이라는 것 **B 1 a**
③ …의 사람들 **B 2 b**

— *def. art.* (cf. A², AN) **A** [한정 용법] 그, 문제의 《★ 굳이 번역하지 않아도 되는 경우가 많음》
1 a [앞서 나온 명사, 또는 문맥상 전후 관계로 보아 가리키는 것이 정해진 가산명사에 붙여]: She was wearing *a* hat. *T*~ hat was bright red but rather old. 그녀는 모자를 쓰고 있었다. 그 모자는 선홍색이었으나 좀 오래된 것이었다. / Planning *a* trip is as much fun as ~ trip itself. 여행 계획은 여행 그 자체만큼 즐거운 것이다. **b** [앞서 나온 명사, 또는 문맥상 전후 관계로 보아 가리키는 것이 정해진 불가산명사에 붙여]: Turn ~ light off, please. 불을 좀 꺼주세요. / Please pass me ~ salt and ~ pepper. 소금하고 후추 좀 건네 주세요. **c** [한정 어구가 따르는 가산 또는 불가산명사에 붙여]: ~ girl in blue 푸른색 옷을 입은 소녀 / ~ fire of love 사랑의 불길 **d** [형용사의 최상급 또는 서수로 수식된 명사에 붙여]: ~ bigg*est* cities in the world 세계에서 가장 큰 도시들 / ~ eigh*th* chapter of the book 그 책의 제8장(章) / Winter is ~ *best* season for skiing. 겨울은 스키타기에 가장 좋은 계절이다. 《★ 명사가 생략되어 있는 것이 자명한 서술 용법의 형용사의 최상급에도 the를 붙임》 **e** [of로써 최상급의 뜻이 명확히 한정된 부사의 최상급에도 종종 붙여]: I like John (~) *best of* all. 모든 사람 중에서 존을 제일 좋아한다. **f** [하늘·바다·바람·날씨 등을 뜻하는 명사가 주어로서 형용사 없이 쓰여]: How beautiful ~ sea is tonight in ~ moonlight! 달빛에 비친 오늘 밤의 바다는 얼마나 아름다운가! / *T*~ wind was cold. 바람은 차가웠다. 《★ A cold wind was blowing. 찬바람이 불고 있었다.》 **g** [특히 부정문·의문문에서 대개 한정구가 따르는 불가산명사에 붙여]: I have*n't* got ~ time *to* answer these letters. 이들 편지에 회답을 쓸 겨를이 없다. / She did*n't* have ~ courage *to* leave. 그녀는 떠날 만큼의 용기가 없었다. **h** [사람의 몸[옷]의 일부를 가리켜]: He looked me straight in ~ eye. 그는 내 눈을 똑바로 보았다. / I have a pain in ~ knee. 무릎이 아프다. / He pulled me by ~ sleeve. 그는 내 소매를 잡아당겼다. **i** [때를 나타내는 명사에 붙여]: the painters of ~ time 그 당시의 화가들 / in ~ year 2002 2002년에 **j** [하루의 시간 구분을 나타내는 명사에 붙여]: in ~ morning 아침[오전]에 **k** [-ties로 끝나는 복수형 수사에 붙여]: in ~ nine*ties* 90년대에 / Your grade was in ~ nine*ties.* 자네의 점수는 90점대다.
2 [지칭하기만 하면 상대방이 알아듣는 명사에 붙여] **a** [유일무이한 명사에 붙여] 《★ 형용사가 있을 경우는 부정관사가 붙기도 함; 보기: a new moon; 대문자로 시작되는 천체의 고전어명에는 the를 붙이지 않음; 보기: Mars, Venus》: ~ Almighty 전능하신 신 / ~ sun 해, 태양 / ~ moon 달 / ~ earth 지구 《★ 행성의 이름으로서는 Earth》 / ~ world 세계 / ~ sky 하늘 / ~ sea 바다 / ~ Bible 성서 / ~ Devil 마왕 **b** [특정한 사람·토지·시기 등을 나타내는 명사에 붙여]: ~ East 동양; 《미》 동부 지방 / ~ West 서양; 《미》 서부 지방 / ~ River Thames 《영》 템스 강 / ~ Channel 영국 해협 / ~ Middle Ages 중세 / In 1860, Lincoln became President. 1860년 링컨은 대통령이 되었다. 《★ 지위·직책을 나타내는 명사가 보어·동격으로 사용된 경우 사람보다 신분·자격의 뜻이 부각되어 종종 관사 없이 쓰임》 **c** [특정한 개인의 가족의 일원을 나타내는 명사에 붙여] 《★ 가족의 일원을 나타내는 낱말이 그 가족끼리 사용되는 경우에는 고유명사 취급을 하여 관사 없음; 보기: *Father* is out, but *Mother* is in. 아버지는 외출하셨지만 어머니는 집에 계십니다.》: I have to consult ~ wife. 집사람하고 의논해 봐야겠어. / *T*~ children have gone to play with their friends. 아이들은 친구들과 놀러 나갔다. **d** [계절·방위 등을 나타내는 명사에 붙여] 《★ 봄·여름·가을·겨울에는 대개 관사를 붙이지 않으나, the를 붙이는 일도 있음; 보기: Spring has come. 봄이 찾아왔다. / in (~) spring 봄에는》: The sun rises in ~ east and sets in ~ west. 해는 동쪽에서 뜨고 서쪽으로 진다. / *T*~ rainy season has set in. 장마철이 시작되었다.
3 [특정한 고유명사에 붙여] **a** [특히 복수형의 산·섬·나라 등의 이름에 붙여]: ~ Rocky Mountains 로키 산맥 / ~ Hawaiian Islands 하와이 제도 / ~ Alps 알프스 산맥 / ~ Philippines 필리핀 (군도) / ~ Netherlands 네덜란드 / ~ United States (of America) 《미》합중국, 미국 《★ 약어에도 the를 씀; 보기: ~ U.S.》 / ~ Americas 남북 아메리카 **b** [특히 기술적(記述的)이라고 느껴지는 단수형의 도시·산 등의 이름에 붙여서]: *T*~ Hague 헤이그, 하그 《네덜란드어 'the garden'의 뜻에서》 / ~ Sudan 수단 《아랍어 「검은」 (사람의 나라)의 뜻에서》 / ~ Jungfrau 융프라우 산 《독일어 「처녀」의 뜻에서》 **c** [강·해협·운하·사막 등의 이름에 붙여]: ~ Mediterranean (Sea) 지중해 / ~ Sahara (Desert) 사하라 사막 / ~ Suez Canal 수에즈 운하 / ~ Atlantic (Ocean) 대서양 / ~ Yangtze 양쯔강 **d** [특정한 거리·다리 이름에 붙여] 《일반적으로는 관사 없음》: ~ Oxford Road (London에서 Oxford까지 가는) 옥스퍼드 대로 《런던 시내의 Oxford Street에는 관사 없음》 / ~ Brooklyn Bridge (뉴욕의) 브루클린 다리 **e** [함선 이름에 붙여] 《선박명은 보통 이탤릭체로 씀; 그 이름 앞에 S.S. (=steamship) 등이 붙을 때는 정관사가 종종 생략됨; 보기: S.S. *Queen Mary* 기선 퀸메리 호》: ~ *Queen Mary* 퀸메리 호 / ~ *Titanic* 타이타닉 호 **f** [관공서·공공 시설·건조물 이름에 붙여] 《★ 예외도 많으므로 주의를 요함; 보기: Buckingham Palace, Harvard University; 역·공항·항구 이름에는 관사 없음; 보기: Heathrow Airport, Waterloo Station》: ~ Capitol 미국 국회의사당 / ~ Lincoln Memorial 링컨 기념관 / ~ White House (미국의) 백악관 / ~ Alhambra 알함브라 궁전 / ~ British Museum 대영(大英) 박물관 / *T*~ University of London 런던 대학 **g** [책·신문·잡지 이름에 붙여] 《★ (1)

책 등의 표제는 보통 이탤릭체로 씀 (2) 인명이 책명으로 된 것은 관사 없음; 보기: *Hamlet*》: *T~ Washington Post* 워싱턴 포스트지 / *T~ Oxford English Dictionary* 옥스퍼드 영어 사전 《略 ~ OED》/ *T~ Economist* 이코노미스트지(誌) **h** [... language의 형태로 국어명에 붙여]: ~ English *language* 《★ 보통은 단지 Ⓤ로 English를 씀》 **i** [칭호·작위(爵位) 등의 앞에 붙여] 《★ 단, 그 직후에 성이나 이름이 올 때는 관사 없음》 현재의…, 당신의…: ~ King 왕 《비교 King Edward 에드워드 왕》/ ~ Queen 여왕 《비교 Queen Elizabeth 엘리자베스 여왕》/ ~ President 대통령 《비교 President Clinton 클린턴 대통령》 **j** [스코틀랜드·아일랜드 등지에서 족장(族長)의 성 앞에 붙여]: ~ Mackintosh 매킨토시가(家) **k** [동격 명사 또는 '형용사+인명' 앞, 또는 인명에 따르는 동격 명사 또는 형용사 앞에 붙여] 《★ 인명 앞에 놓여 그것을 수식하는 형용사가 good, great, old, young, poor 등과 같이 감정적인 낱말인 경우는 관사 없음; 보기: Little Emily, Old Jolyon》: ~ poet Byron 시인 바이런 / ~ ambitious Napoleon 야심만만한 나폴레옹 / William ~ Conqueror 정복왕 윌리엄 / Alfred ~ Great 앨프레드 대왕

4 [ðíː] [강조적으로] 출중한, 무쌍의, 최고의, 초일류급의 《인쇄에서는 보통 이탤릭체》: That's ~ hotel in Seoul. 그 호텔은 서울에서 초일류급 호텔이다. / Written one hundred years ago, this is still ~ Egyptian travel book. 백 년 전에 쓰여졌지만 이 책은 여전히 최고의 이집트 여행기이다.

— **B** [총칭 용법] **1 a** [단수형의 가산명사에 붙여, 그 종류에 속하는 것 전체를 가리켜] …이라는 것: *T~* gentleman is just as well as firm. 신사라는 것은 굳셀 뿐만 아니라 공정한 마음의 소지자다. / *T~* dog is a faithful animal. 개는 충실한 동물이다. 《★ 같은 뜻으로 A dog is a faithful animal., Dogs are faithful animals.라고 표현되는데, 마지막 표현이 가장 구어적임; man과 woman은 child, boy, girl 등과 대조적으로 사용되는 경우 이외는 대표 단수에 the를 붙이지 않음; 보기: *Man* is mortal. 사람은 죽게 마련이다.》 **b** [단수형의 가산명사 앞에 붙여, 그것으로 상징되는 특색·성질·직업·능력 등을 나타내어] ~ brute in man 인간의 야수성 / ~ poet in him 그의 시심(詩心) / ~ stage 무대, 연극(계) / ~ beggar 거지 근성 / ~ pulpit 종교계 / *T~* pen is mightier than ~ sword. 《속담》 ⇨ pen[1] / He chose ~ bar for his profession. 그는 변호사를 직업으로 선택했다. **c** [국민·계급·가족의 성 등을 나타내는 복수명사 또는 집합명사에 붙여]: ~ Liberals = ~ Liberal Party 자유당 / ~ Morgans 모건 씨네(의 사람들) / ~ aristocracy 귀족 (계급)

2 [형용사·분사 앞에 붙여] **a** [추상명사 대용으로서; 단수 취급]: ~ beautiful 미(美) / ~ sublime 숭고(함) **b** [보통명사 대용으로; 대개 복수 취급] …한 사람(들): ~ poor 가난한 사람들, 빈민 / ~ deceased 고인 / ~ dead and wounded 사상자

3 [탄주·취미 등의 대상으로서의 악기명에 붙여] 《★ 보통 play, like의 목적어로 씀; 목적어가 스포츠인 경우는 관사 없음》: play ~ piano 피아노를 치다 / I like ~ guitar better than ~ violin. 바이올린보다 기타를 더 좋아한다.

4 a [특히 복수형의 병명(病名)에 붙여]: She's got (~) mumps[measles]. 그녀는 항아리손님[홍역]에 걸려 있다. **b** [신경 이상 등을 나타내는 복수형 명사에 붙여] 《구어》: He's got ~ creeps[fidgets, jitters, blues]. 그는 오싹해지고[안절부절못하고, 불안에 떨고, 침울해] 있다.

5 [비율을 나타내는 계량 단위명에 붙여; 보통 by the, to the의 형태로; cf. A[2] 3]: *by* ~ dozen[hundred, thousand, *etc.*] 수십[백, 천 《등》] 단위로 셀 만큼, 수많이 / a dollar *by* ~ day 하루에 (대해) 1달러 《★ a dollar a[per] day쪽이 일반적임》/ 17 oz. *to* ~ dollar 1달러에 (대해) 17온스 / This car does 30 miles *to* ~ gallon. 이 차는 1갤런당[의 휘발유로] 30마일을 달린다. / ⇨ to the HOUR

— [ðə (자음 앞), ði (모음 앞)] *ad.* **1** [형용사·부사의 비교급 앞에 붙여] **그만큼**, 도리어 더: I like him all ~ *better* for his faults. 그에게 결점이 있기 때문에 도리어 좋아한다. / The dark made the house look all ~ eeri*er*. 어둠이 그 집을 더욱 무시무시하게 보이게 했다. / She looks (all) ~ *worse* for her dieting. 그녀는 식사 조절을 함으로써 오히려 안색이 나빠졌다.

2 [상관적으로 형용사·부사의 비교급 앞에 붙여 비례적 관계를 나타내어] …**하면 할수록** (**그만큼 더**) 《★ 앞의 the는 관계부사, 뒤의 the는 지시부사》: *T~ more,* ~ merri*er*. 많으면 많을수록 흥겹다. / *T~* soon*er* you start, ~ soon*er* you will be back. 출발이 빠르면 빠를수록 그만큼 빨리 돌아올 것이다. / *T~* high*er* prices rose, ~ *more* money the workers asked for. 물가가 오르면 오를수록 노동자들의 임금 요구도 증대했다.

***so much ~ better*[*worse*]** 그럴수록 더욱 좋은[나쁜]

the·od·i·cy [θiάdəsi | -ɔ́d-] *n.* Ⓤ 《신학》 신정론(神正論) 《악의 존재를 신의 섭리로 봄》

the·od·o·lite [θiάdəlàit | -ɔ́d-] *n.* 《측량》 경위의(經緯儀)

The·o·do·ra [θìːədɔ́ːrə] *n.* 여자 이름 《애칭 Dora》

The·o·dore [θíːədɔ̀ːr] *n.* 남자 이름 《애칭 Tad, Ted, Teddy》

The·o·do·si·us [θìːədóuʃiəs, -ʃəs | -siəs] *n.* 남자 이름

the·og·o·ny [θiάgəni | -ɔ́g-] *n.* Ⓤ 신들의 기원; 신들의 계보, 신통 계보학(神統系譜學), 신통기(神統記)
the·o·gon·ic [θìːəgάnik | -gɔ́n-] *a.* **-nist** *n.*

theol. theologian; theological; theology

the·o·lo·gian [θìːəlóudʒən, -ʒiən] *n.* 신학자

***the·o·log·i·cal** [θìːəlάdʒikəl | θìəlɔ́dʒ-], **-log·ic** [-dʒik] *a.* **1** 신학(상)의; 신학적 (성질)인 **2** 성경에 입각한 **-i·cal·ly** *ad.* ▷ theólogy *n.*

theológical vírtue [the ~] 신학적 덕(德), 신의 은총으로 인간의 지성과 의지에 주입된 덕 《faith, hope, charity의 3덕; cf. NATURAL VIRTUE》 (supernatural virtue)

the·ol·o·gize [θiάlədʒàiz | -ɔ́l-] *vt.* 신학적으로 다루다 — *vi.* 신학 (문제)를 연구[논]하다 **-gìz·er** *n.*

the·o·logue, -log [θíːəlɔ̀ːg, -lὰg | -lɔ̀g] *n.* **1** 신학자 **2** 《구어》 신학생

***the·ol·o·gy** [θiάlədʒi | -ɔ́l-] *n.* **1** Ⓤ (그리스도교에서) 신학(divinity) **2** ⓊⒸ 종교 심리학; 신학 체계[이론] **3** 《가톨릭》 (신학교의) 신학 과정 **4** 신앙[종교]의 관념적 요소 ▷ theológical *a.*

the·om·a·chy [θiάməki | -ɔ́m-] *n.* **1** 신들의 전쟁[항쟁] **2** 《고어》 신(들)에 대한 반항[반역], 신(들)과의 싸움

the·o·ma·ni·a [θìːouméiniə, -njə] *n.* 종교광(宗教狂) 《자기를 신이라고 믿는 과대 망상》

the·o·mor·phic [θìːəmɔ́ːrfik] *a.* 신의 형태를 한, 신과 비슷한

the·on·o·my [θiάnəmi | -ɔ́n-] *n.* 신에 의한 통치[지배], 신정(神政)

the·op·a·thy [θiάpəθi | -ɔ́p-] *n.* (종교적 묵상에 의한) 신인 융합감(神人融合感)
the·o·pa·thet·ic [θìːoupəθétik] *a.*

the·oph·a·ny [θiάfəni | -ɔ́f-] *n.* (*pl.* **-nies**) Ⓤ 신의 출현[현현(顯現)] **the·o·phan·ic** [θìːəfǽnik] *a.*

the·o·pho·bi·a [θìːəfóubiə] *n.* 신(神)공포(증)

the·o·phor·ic [θìːəfɔ́ːrik, -fάr- | -fɔ́r-] *a.* 신의 이름을 받은

the·o·phyl·line [θìːəfíliːn, -lin] *n.* Ⓤ 〖약학〗 테오필린《찻잎에서 추출되는 알칼로이드; 근육 이완제·혈관 확장제용》
theor. theorem
the·or·bo [θiɔ́ːrbou] *n.* (*pl.* **~s**) 〖음악〗 테오르보《17세기 무렵 긴 경부(頸部)가 둘 있는 현악기》
the·o·rem [θíːərəm, θíə-|θíə-] *n.* **1** 〖수학·논리〗 정리(定理)(cf. AXIOM): a binomial ~ 이항 정리(二項定理) **2** (일반) 원리, 논리적 명제(命題); 법칙
the·o·re·mat·ic, -i·cal [θìːərəmǽtik(əl)] *a.* 정리의
theoret. theoretical(ly)
the·o·ret·ic [θìːərétik|θìə-] *a.* = THEORETICAL
*****the·o·ret·i·cal** [θìːərétikəl|θìə-] *a.* **1** 이론(상)의 (opp. *practical*); 학리적인, 순리적(純理的)인: ~ physics 이론 물리학 **2** 이론상으로만 존재하는, 가정적인 **3** 〈사람이〉 사색적인, 공론적인, 이론을 좋아하는 **~·ly** *ad.* ▷ théory *n.*
theorétical aríthmetic 〖수학〗 정수론(整數論)
the·o·re·ti·cian [θìːərətíʃən, θìə-|θìə-] *n.* 이론가
the·o·ret·ics [θìːərétiks|θìə-] *n. pl.* [단수 취급] (특정 예술·과학의) 이론
the·o·rist [θíːərist, θíə-|θíə-] *n.* **1** 이론[학설]을 세우는 사람 **2** 이론가; 공론가
the·o·ri·za·tion [θìːərizéiʃən|θìərai-] *n.* Ⓤ 이론 구성, 이론화
the·o·rize [θíːəràiz, θíə-|θíə-] *vi.* **1** 이론[학설]을 세우다 《*about, on*》 **2** 공론을 일삼다 **—** *vt.* **1** 〈…이라는 것을〉 이론상 상정하다 **2** 이론화하다
the·o·riz·er [θíːəràizər, θíə-|θíə-] *n.* 이론가
‡**the·o·ry** [θíːəri, θíə-|θíə-] [Gk 「봄, 성찰」의 뜻에서] *n.* (*pl.* **-ries**) **1** 학설, 설(說), 이론: the ~ of evolution 진화론/the ~ of knowledge 인식론 **2** Ⓤ **a** 이론, 학리(學理): the ~ and practice of music 음악의 이론과 실제 **b** [또는 a ~] 논의, 공론; 가설(opp. *practice*) **3** Ⓤ 〖수학〗 …론 **4** 규제, 준칙, 방법론; 법칙[원리]의 체계 **5** 의견, 지론(持論), 사견(individual view); (고어) 숙고 **~ *of numbers*** = ***number*** **~** 〖수학〗 정수론(整數論) ▷ theorétical *a.*
théory of gámes [the ~] = GAME THEORY
theos. theosophical; theosophy
the·o·soph·ic, -i·cal [θìːəsɑ́fik(əl)|-sɔ́f-] *a.* 신지학(神智學)상의 **-i·cal·ly** *ad.*
the·os·o·phist [θiɑ́səfist|-ɔ́s-] *n.* **1** 신지(神智)론자 **2** [보통 **T~**] 신지학회 회원
the·os·o·phize [θiɑ́səfàiz|-ɔ́s-] *vi.* 신지론적으로 생각하다
the·os·o·phy [θiɑ́səfi|-ɔ́s-] *n.* Ⓤ 신지학, 접신학(接神學); [때로 **T~**] 신지학회
the·o·ter·ror·ism [θìːoutérərizm] *n.* 종교적 목적의 테러
therap. therapeutics
ther·a·peu·tic, -ti·cal [θèrəpjúːtik(əl)] *a.* **1** 치료상[법, 학]의 **2** 건강 유지에 도움이 되는 **-ti·cal·ly** *ad.*
therapéutic abórtion 〖의학〗 치료적 유산《모체의 생명을 구하기 위한 것》
therapéutic índex 〖약학〗 치료 지수(指數)《약물의 최대 내용량(耐容量)의 최소 치료량에 대한 비(比)》
therapéutic régimen 〖의학〗 최적 치료 계획, 최적 투약 방식
ther·a·peu·tics [θèrəpjúːtiks] *n. pl.* [단수 취급] 치료학[술], 요법론
ther·a·peu·tist [θèrəpjúːtist] *n.* = THERAPIST
ther·a·pist [θérəpist] *n.* 치료학자; 치료 전문가, 요법사; 임상의(醫)
*****ther·a·py** [θérəpi] *n.* Ⓤ **1** [보통 복합어를 이루어] 요법, 치료(법): hydro*therapy* 물치료/radiation ~ 방사선 치료 **2** 치료력 **3** = PSYCHOTHERAPY
Ther·a·va·da [θèrəvɑ́ːdə] *n.* 〖불교〗 = HINAYANA
‡**there** ⇨ there (p. 2598)

there·a·bout(s) [ðɛ́ərəbàut(s), ˌ-ˈ] *ad.* **1** 그 부근[근처]에 **2** (시간·수량·정도 등에서) 그 당시, 그 무렵에; 대략, 그쯤: last September or ~ 작년 9월이나 그 무렵 **3** (고어) 그에 따라서
‡**there·af·ter** [ðɛ̀ərǽftər|-ɑ́ːf-] *ad.* **1** 그 후에, 그 이래: The flight to Seoul leaves shortly ~. 서울행 비행기는 그 직후에 출발합니다. **2** (고어) 그에 따라
there·a·gainst [-əgénst] *ad.* (고어) 그에 반(反)해서, 그렇기는 커녕 오히려, 반대로
there·a·mong [-əmʌ́ŋ] *ad.* 그것들 사이에서
there·a·nent [-ənént] *ad.* (스코) 그것에 대해서[관해서]
there·at [-ǽt] *ad.* (고어) **1** 그곳에(서); 그때 **2** 그 때문에
‡**there·by** [ðɛ̀ərbái, ˈˌ] *ad.* **1** 그것에 의하여, 그 때문에 **2** 그것에 관하여 **3** (고어) 그 근처에 **4** (스코) (수·양·정도 등에서) 그 정도 ***come*** **~** 그것을 손에 넣다 ***T~ hangs a tale.*** 거기에는 까닭이 있다.
there'd [ðɛ́ərd, ðərd] there had[would]의 단축형
there·for [ðɛ̀ərfɔ́ːr] *ad.* (고어) **1** 그것을 위해; 그 대신에 **2** 그 때문에, 그러므로
‡**there·fore** [ðɛ́ərfɔ̀ːr] *ad.* **1** 그러므로, 그것[이것]에 의하여; 그 결과 **2** (폐어) = THEREFOR 1
there·from [ðɛ̀ərfrʌ́m|-frɔ́m] *ad.* (고어) 거기서부터, 그것으로부터
*****there·in** [ðɛ̀ərín] *ad.* (문어) 그 가운데에, 거기에; 이[그] 점에 있어
there·in·af·ter [ðɛ̀ərinǽftər|-ɑ́ːf-] *ad.* (공식 서류 등에서) 후문(後文)에, 이하에
there·in·be·fore [-bifɔ́ːr] *ad.* (공식 서류 등에서) 전문(前文)에
there·in·to [ðɛ̀ərínt uː, ˌ-ˈ] *ad.* (고어) 그 안에; 그 점에
there'll [ðɛ́ərl, ðərl] there will[shall]의 단축형
ther·e·min [θérəmin] [러시아의 발명자 이름에서] *n.* 테레민《2개의 진공관에 의해서 맥놀이를 일어나게 하여 소리를 내는 전자 악기의 일종》
there·of [ðɛ̀ərʌ́v|-ɔ́v] *ad.* (문어) **1** 그것의; 그것에 대하여 **2** 그것으로부터
there·on [-ɔ́ːn|-ɔ́n] *ad.* (문어) **1** 그 위에 **2** 그 후 즉시(thereupon)
there·out [-áut] *ad.* (고어) 그것으로부터(from, out of that)
there're [ðɛ́ərə, ðərə] there are의 단축형
‡**there's** [ðɛ́ərz, ðərz] there is[has]의 단축형
The·re·sa [təríːsə|-zə] *n.* 여자 이름
there·through [ðɛ̀ərθrúː] *ad.* **1** 그것을 통해서 **2** 그 결과, 그 때문에
there·to [-túː] *ad.* (문어) **1** 그것에, 거기에 **2** 게다가 또
there·to·fore [ðɛ̀ərtəfɔ́ːr] *ad.* (고어) 그보다 먼저, 그 전에, 그때까지
there·un·der [ðɛ̀ərʌ́ndər] *ad.* (문어) **1** 〈연령·수량이〉 그 이하로 **2** 그 (권위[항목]의) 아래에
there·un·to [ðɛ̀ərʌntúː, ˌ-ˈ] *ad.* (고어) = THERETO
‡**there·up·on** [ðɛ́ərəpɑ̀n, ˌ-ˈ|ðɛ̀ərəpɔ́n] *ad.* (문어) **1** 거기서, 그래서, 그러자 곧; 그 결과 **2** = THEREON
‡**there·with** [ðɛ̀ərwíð, -wíθ] *ad.* (문어) **1** 그것과 함께(with that) **2** 게다가, 그 밖에(besides) **3** 그래서; 그래서 즉시(immediately after that)
there·with·al [ðɛ̀ərwiðɔ́ːl, -wiθ-, ˈ-ˌ] *ad.* (고어) = THEREWITH
the·ri·ac [θíəriæ̀k] *n.* Ⓤ **1** = THERIACA **2** 만병 통치약(cure-all)
the·ri·a·ca [θəráiəkə] *n.* Ⓤ 테리아카《수십 종의 약품에 벌꿀을 섞은 것으로서 항독제(抗毒劑)로 썼음》

thesaurus **theory** *n.* hypothesis, thesis, conjecture, supposition, speculation, guess, notion, assumption, opinion, view, philosophy

the·ri·an·throp·ic [θìəriænθrápik | -θrɔ́p-] *a.* 반인 반수(半人半獸)의; 반인 반수신(神) (숭배)의 **-an·thro·pism** [-ǽnθrəpìzm] *n.* 반인 반수신 숭배

the·ri·o·mor·phic [θìəriəmɔ́:rfik] *a.* 〈신이〉 짐승의 모습을 한

therm [θə́:rm] *n.* 〖물리〗 섬 《열량 단위; 1000킬로칼로리, 10만 Btu에 해당》

therm- [θə:rm], **thermo-** [θə́:rmou, -mə] 《연결형》 「열; 열전기」의 뜻 《모음 앞에서는 therm-》: *thermo*chemistry

therm. thermometer

-therm [θə:rm] 《연결형》 THERMO-의 이형(異形)

ther·mae [θə́:rmi:] *n. pl.* **1** 온천 **2** (고대 그리스·로마의) 공중목욕탕

*__ther·mal__ [θə́:rməl] *a.* **1** 열(熱)의, 온도의: ~ agitation 열운동 **2** 뜨거운, 더운 **3** 온천의, 온탕의; 온천이 나오는: ~ waters 온천 **4** (미) 〈내의가〉 보온이 잘 되는, 두꺼운 **5** (드물게) 열렬한, 정열적인
—*n.* 〖기상〗 상승 온난 기류 **~·ly** *ad.*

thérmal bárrier 〖항공·물리〗 열의 장벽 《초음속으로 나는 물체와 대기 사이의 마찰열이 항공기·로켓의 고속화에 장애가 됨》

thérmal bréeder 〖물리〗 열중성자 증식로

thérmal capácity 〖물리〗 열용량

thérmal conductívity 〖물리〗 열전도율

thérmal effíciency 열효율

thérmal equilíbrium 〖물리〗 열평형

thérmal ímaging 〖물리〗 (온도를 이용한) 열화상(畵像) 측정(술)

ther·mal·ing [θə́:rməliŋ] *n.* 〖스포츠〗 서멀링 《열상승 기류를 이용한 행글라이더 활공》

ther·mal·ize [θə́:rməlàiz] *vt.* 〖물리〗 (중성자를 감속시켜) 열중성자화하다 **thèr·mal·i·zá·tion** *n.*

thérmal néutron 〖물리〗 열중성자

thérmal pollútion (원자력 발전소의 폐기물 등에 의한) 열공해, 열오염

thérmal pówer generàtion 화력 발전

thérmal pówer stàtion 화력 발전소

thérmal prínter 〖컴퓨터〗 열전사(熱轉寫) 인쇄기 《감온지(感溫紙)에 열을 가하여 반응하게 함으로써 출력하는 프린터》

thérmal reáctor 〖물리〗 열중성자 증식로

thérmal shóck 〖물리〗 열충격 《물체에 가해진 급격한 온도 변화》

thérmal spríng 온천《지하수의 평균 온도보다 높음; hot spring은 온도가 더 높음》

thérmal tránsfer prìnting 열전사(熱轉寫) 인쇄(법) 《고체 컬러 잉크를 발열 저항체로 가열하여 보통 종이에 기록하는 방법》

thérmal ùnit 열량 단위, 열단위

ther·man·ti·dote [θə:rmǽntədout] *n.* 실내 냉각기 《인도 지방의 일종의 선풍기》

therme [θə́:rm] *n.* 〖물리〗 = THERM

therm·el [θə́:rmel] *n.* 열전(熱電) 온도계(thermoelectric thermometer)

therm·es·the·sia [θə̀:rmesθí:ʒiə | -ziə] *n.* 〖생리〗 온각(溫覺), 온도 감각

ther·mic [θə́:rmik] *a.* 열의; 열에 의한: ~ fever 열사병(熱射病) / ~ rays 열선 **thér·mi·cal·ly** *ad.*

Ther·mi·dor [θə́:rmədɔ̀:r] *n.* 테르미도르, 열월(熱月) 《프랑스 혁명력의 제11월; 7월 19일-8월 17일》

therm·i·on [θə́:rmàiən, -màiɑn, -miən | -miən] *n.* 〖물리〗 열(熱)이온 《백열체에서 발하는》

therm·i·on·ic [θə̀:rmaiánik, -miɑ́n- | -miɔ́n-] *a.* 열이온의, 열전자의: a ~ valve[(미) tube] 열이온관, 열전자관

thermiónic cúrrent 〖물리〗 열전자 전류

therapy *n.* treatment, remedy, cure
therefore *ad.* so, then, thus, accordingly, consequently, as a result, for that reason, and so

therm·i·on·ics [θə̀:rmaiániks, -mi- | -miɔ́n-] *n. pl.* [단수 취급] 〖물리〗 열이온학

therm·is·tor [θə:rmístər, θə́:rmistər] [*therm*+ trans*istor*] *n.* 서미스터 《온도에 따라 전기 저항치(値)가 달라지는 반도체 회로 소자(素子)》

Ther·mit [θə́:rmit] *n.* 테르밋 《thermite의 상표명》

ther·mite [θə́:rmait] *n.* Ⓤ 〖화학〗 테르밋 《약 3,000℃의 고온을 냄; 용접용·소이탄용》

thermo- [θə́:rmou, -mə] 《연결형》 = THERM-

ther·mo·bar·ic [θə̀:rməbǽrik] *a.* 〈무기가〉 열기압의 《폭발 때의 고열과 고압으로 사람의 폐와 기관을 손상하여 죽이는》

ther·mo·ba·rom·e·ter [θə̀:rməbərámətər | -rɔ́m-] *n.* 비점(沸點) 기압계; 온도 기압계

ther·mo·chem·is·try [θə̀:rməkémistri] *n.* Ⓤ 열화학 **-chém·i·cal** *a.* **-chém·ist** *n.*

ther·mo·cline [θə́:rməklàin] *n.* (호소(湖沼)의 수온이 급격히 변하는) 변온층, (수온) 약층(躍層)

ther·mo·co·ag·u·la·tion [θə̀:rməkouæ̀gjuléiʃən] *n.* 〖외과〗 (조직의) 열응고(법)

ther·mo·cou·ple [θə́:rməkʌ̀pl] *n.* 〖물리〗 열전대(熱電對), 열전쌍(雙); 열전지(熱電池)

ther·mo·du·ric [θə̀:rmədjúərik | -djúər-] *a.* 〈미생물이〉 고온에 견디는, 항열성(抗熱性)의

ther·mo·dy·nam·ic, -i·cal [θə̀:rmədainǽmik(əl)] *a.* **1** 열역학의 **2** 열량을 동력에 이용하는; 열발생의 **-i·cal·ly** *ad.*

thermodynámic equilíbrium 열역학적 평형

ther·mo·dy·nam·ics [θə̀:rmədainǽmiks] *n. pl.* [단수 취급] 열역학 **-i·cist** *n.*

thermodynámic témperature 〖물리〗 열역학적 온도

ther·mo·e·lec·tric [θə̀:rmouiléktrik] *a.* 열전기(熱電氣)의: a ~ current 열전류(熱電流) / a ~ pile 열전기 더미

ther·mo·e·lec·tri·cal [θə̀:rmouiléktrikəl] *a.* = THERMOELECTRIC

thermoeléctric effèct 〖물리〗 열전(熱電) 효과

ther·mo·e·lec·tric·i·ty [θə̀:rmouilektrísəti, -ì:lek-] *n.* Ⓤ 열전기

thermoeléctric thermómeter 열전 온도계

ther·mo·e·lec·tron [θə̀:rmouiléktrɑn | -trɔn] *n.* 〖전자〗 열전자

ther·mo·el·e·ment [θə̀:rmouéləmənt] *n.* 〖전기〗 (진공) 열전쌍, 열전 소자(熱電素子)

ther·mo·form [θə́:rməfɔ̀:rm] *n.* Ⓤ (플라스틱의) 열성형(熱成形) —*vt.* 열성형하다

ther·mo·gen·e·sis [θə̀:rmədʒénəsis] *n.* Ⓤ (동물 체내의 생리 작용에 의한) 열발생

ther·mo·gen·ic [θə̀:rmədʒénik], **-ge·net·ic** [-dʒənétik] *a.* 열발생의; 열을 내는, 《특히》 산열(産熱)(성)의

ther·mog·e·nous [θə:rmádʒənəs | -mɔ́dʒ-] *a.* = THERMOGENIC

ther·mo·gram [θə́:rməgræ̀m] *n.* **1** 온도 기록도 **2** (자기 온도계의) 사진 계측 기록 **3** 〖의학〗 열상

ther·mo·graph [θə́:rməgræ̀f | -grɑ̀:f] *n.* 온도 기록계(計), 자기 온도계

ther·mog·ra·phy [θə:rmágrəfi | -mɔ́g-] *n.* 〖의학〗 온도 기록(법), 피부 온도 측정 그래프 **-pher** *n.* **thèr·mo·gráph·ic** *a.* **thèr·mo·gráph·i·cal·ly** *ad.*

ther·mo·ha·line [θə̀:rməhéilain, -hǽl-] *a.* 열염(熱鹽)의 《해양에서의 온도와 염분에 의한 작용에 관한》

ther·mo·junc·tion [θə̀:rmoudʒʌ́ŋkʃən] *n.* 〖물리〗 (열전쌍(熱電雙)의) 열전접점(熱電接點)

ther·mo·la·bile [θə̀:rməléibil] *a.* 〖생화학〗 열불안정(성)의 **-la·bíl·i·ty** *n.*

ther·mol·o·gy [θə:rmálədʒi | -mɔ́l-] *n.* 열학(熱學)

ther·mo·lu·mi·nes·cence [θə̀:rməlù:mənésns] *n.* Ⓤ 〖광학〗 열(熱)루미네슨스, 열발광 **-cent** [-snt] *a.*

there

there는「거기, 저기, 저쪽」등 장소·방향을 나타내는 지시부사로서의 용법 외에 There is ...의 형태로 '존재'를 나타내는 용법이 있다. 이 경우 주어에는 a, no, some, many 등의 부정(不定)의 한정사가 붙는 경우가 많다. 일반적으로 the로 한정되는 명사는 진주어가 되지 않는다. 또 동사는 be 동사가 많지만, come, appear(출현), remain(상태), happen(발생), live(생활) 등 넓은 뜻으로의 '존재'를 나타내는 동사를 쓰는 경우도 적지 않다.
There is ...의 의문형은 Is there가 된다. 문법상 There+be의 be는 뒤따르는 주어와 수가 일치해야 되지만, 《구어》에서는 there is를 고정된 형식으로 보아 주어가 복수인 경우에도 there is를 쓰는 경우가 많다. 특히 명사를 열거할 때 최초의 명사가 단수인 경우는 그런 경향이 높다: *There's* a book and two pictures on the desk. 책상 위에 한 권의 책과 두 폭의 그림이 있다.
There is ...의 구문은 불특정한 것의 존재를 나타내고, 특정물의 존재를 나타낼 때는 쓰지 않는다: *There* is my[that] pen on the table.은 쓰지 않고 My[That] pen is on the table.이라고 한다.

‡there [ðέər, ðər] *ad.* **A 1** (opp. *here*) **a** [장소·방향] **그곳에[에서, 으로]**, 거기에[에서, 로]: I soon found a job ~. 나는 그곳에서 곧 일자리를 찾았다. / She lived ~ for the rest of her life. 그녀는 남은 여생을 그곳에서 살았다. / I'll be ~ in a minute. 곧 그리로 가겠습니다. **b** [방향의 부사와 함께] **거기에**, 그곳에, 저기에[로]: I see a bird *up* ~. 저 위쪽에 새가 보인다. / It seems to be cold *out* ~. 바깥은 추울 것 같다. **c** [전치사·타동사의 목적어로서; 명사적으로] **거기**, 저기: He's waiting not far *from* ~. 그는 거기서 별로 멀지 않은 곳에서 기다리고 있다. / I'll reach ~ tomorrow. 내일 그곳에 도착할 것이다. **d** [명사·대명사의 뒤에 두어; 종종 강조적으로] 《구어》 거기의[있는]: Stop! You ~! 이봐 자네, 서라! / That man ~ is my uncle. 저기 있는 저 사람은 내 아저씨입니다.
2 [There+동사+주어 《명사 (어구)》 / There+주어 《인칭대명사》+동사의 형태로] **a** [눈앞의 동작을 강조적으로 나타내어] **저기 봐**: *T~* goes our bus! 저봐 우리 버스가 간다! / *T~* goes Mary now! 저기 봐 메리가 간다! **b** [눈앞의 사물·사람에 주의를 환기하여] **이봐**, 저봐: *T~* goes the bell! = *T~*'s the bell ringing! 들어봐 종소리가 울린다! / *T~* is a nice car! 저봐 멋진 차로구나! / *T~* you go, saying such things again. 《구어》 여보게 이 사람아 또 그런 소리를 하네. / *T~* it is! 이거다, 여기 있다! / *T~* a (good) boy[girl]! = *T~*'s a dear! 《구어》 아이고 기특도 해라; 정말 착한 아이구나! 《잘 해주었다》; 너 착하지! 《해주라》
3 [담화·사건·동작 등에서] **그 점에서**, 거기서: He stopped ~ for applause. 그는 박수를 기대하고 거기서 이야기를 멈추었다. / *T~* you misunderstand me. 그 점에서 자네는 나를 오해하고 있다. / *T~* he paused. 거기서 그는 이야기를 멈추었다.
— **B** [존재를 나타내는 there is의 형태로] ★ there는 형식상 주어처럼 취급되지만, 동사 뒤에 일반적으로 불특정한 것이나 사람을 나타내는 진짜 주어가 이어짐; 「그곳에」란 뜻은 없고, 우리말로는 there is로 「…이 있다」의 뜻
1 [be를 술어동사로 하여]: *T~'s* a book on the desk. 책상 위에 책이 있다. 《비교 The book is on the desk. 그 책은 책상 위에 있다.》/ In that time ~ *were* no white people in this country. 그 당시 이 나라에는 백인은 없었다. / *T~ is* a man below wants to meet you. 당신을 만나고자 하는 사람이 아래쪽에 있습니다. / *T~ was* nothing wrong, *was* ~? 아무 별고도 없었던 거지? / *T~* can *be* no doubt about it. 그것에 관해서는 의심의 여지가 없다. / *T~* will *be* a hot meal ready. 더운 식사가 준비될 것이다. / God said, Let ~ *be* light: and ~ *was* light. 『성서』 하나님이 가라사대 빛이 있으라 하시매 빛이 있었다. 《창세기 1: 3》/ *T~'s* the[that] party. 그 파티에 관한 일이 있다. 《★ 때로 특정한 것이나 사람을 가리키는 명사 어구가 오는데, 새로운 화제로서 말을 꺼낼 경우에 쓰임》/ *T~'s* a bed, a table, and two chairs in this room. 이 방에는 침대 하나와 테이블 하나 그리고 의자 두 개가 있다. ★ 문법상 there+be의 be는 뒤의 주어와 수가 일치하는데, 《구어》에서는 there is가 고정된 형식처럼 간주되어 많이 쓰임
2 [술어동사에 seem (to be), appear (to be), come, live 등을 써서]: *T~ seems to be* some misunderstanding between us. 우리 사이에 오해가 있는 것 같다. / *T~ appears to have been* an accident. 무슨 사고가 있었던 것 같다. / *T~* never *arose* any problem. 어떤 문제도 일어나지 않았다. / *T~ came* into the room a beautiful lady. 아름다운 여인이 방 안으로 들어왔다. 《★ A beautiful lady came into the room.에 비해 특히 주어에 상대방의 주의를 끄는 표현법》/ Once upon a time ~ *lived* a very handsome prince. 옛날 옛날 아주 잘 생긴 왕자님이 살고 있었어요.
3 [준동사의 주어로]: I don't doubt your word about ~ *being* something wrong. 어딘가 잘못된 것이 있다는 너의 말을 의심치 않는다. / We don't want ~ *to be* another war. 또 전쟁이 일어나기를 우리는 바라지 않는다. / *T~ being* no objection, the meeting adjourned. 반대가 없었으므로 회의는 연기되었다. ★ there는 부사구문의 주어.
4 [there is no+do*ing*으로] …하기란 불가능하다: If war breaks out, *~'s no* know*ing* how many people will be killed. 만약에 전쟁이 일어난다면 얼마나 많은 사람이 죽을지 알 수가 없다. / *T~ is no* go*ing* back. 이제 되돌아갈 수는 없다.
all ~ [대개 부정·의문문에서] 《구어》 (정신·판단력이) 건전하여, 온전하여: I do*n't* think he's *all* ~. 그는 정신이 정상이 아닌 것 같아.
Are you ~? 여보세요 (들립니까)? 《전화에서 중단되거나 상대방이 듣고 있는지를 확인할 때》
be all ~ (1) [부정문·의문문에서] 제정신이다 (2) 빈틈이 없다
get ~ ⇨ get[1]
have been ~ (***before***) 《구어》 (실제로 경험했기 때문에) 잘 알고 있다
over ~ ⇨ over *ad.*
then and ~ ⇨ then *ad.*
~ and back 그곳을 왕복하는데: It will take you about an hour to drive ~ *and back.* 그곳을 차로 왕복하는 데 약 1시간 걸릴 것이다.
T~ he goes! 저봐, 그가 저런 짓[말]을 한다! (⇨ A 2 b)
T~ is no doing ⇨ B 4
T~ it goes! 저봐 떨어진다[깨진다, 사라진다 《등》]!
T~ it is. (1) ⇨ A 2 b (2) 《구어》 (유감스럽지만) 사정이 그러하다, 그런 형편이다.
~ or thereabout(s) 그 근방; 그 정도
T~'s a good boy[girl]! ⇨ A 2 b
T~'s ... for you. (1) 《구어》 저래서 …이라고 말할

수 있는 거야; 그것이 …이라는 것이다《어떤 자질이나 특징의 좋은 예를 보여줄 때》(2) [반어적으로] 그래서 참 …하기도 하겠구나《반대로 행동하여 실망하거나 화가 났을 때》
T~ we are. 《구어》 =THERE you are. (3)
T~ you are. (1) 자 어서 드세요[가지세요]. (2) 《구어》 거봐 내 말대로지, 거봐 그렇다니까. (3) 《구어》 (진상은) 그런 형편이다. 《어쩔 수 없다》
T~ you go again! 《구어》 또 시작이야《언제나 말하거나 하는 행동에 빈정거리며》
up ~ (1) ⇨ A 1 b. (2) 저쪽에서는; 천국에서
You have me ~! (1) 이거 손들었어! (2) 나는 모르겠어!
You ~! 이봐 자네! (⇨ A 1 d)
—*int.* **1** [승리·만족·반항 등을 나타내어] **거봐**, 자, 거보라니까: *T~*, now. I told you he would come. 거봐, 그가 올 거라고 내가 말했지. / *T~*, it's done! 자, 이제 끝났다!
2 [위로·격려·동정·단념 등을 나타내어] 그래그래, 오냐오냐: *T~! ~!* Don't cry! 그래그래, 그만 울어라! / *T~* now, have your dinner. 자자, 어서 식사를 드시죠.
3 [곤혹·비통을 나타내어] 거봐, 저런: *T~!* You've woken the baby! 저런, 애기를 깨워버렸잖아!
So ~! 《구어》 거봐, 자, 이제 알겠나!; 이젠 결정난 이야기야! (두말 하지 마)

thermoluminéscent [**thermoluminéscence**] **dáting** 열(熱)루미네슨스 연대 측정(법)
ther·mol·y·sin [θərmɑ́ləsin | -mɔ́l-] *n.* 〖생화학〗 서몰리신《호열성(好熱性) 세균에서 얻어지는 단백질 분해 효소》
ther·mol·y·sis [θərmɑ́ləsis | -mɔ́l-] *n.* Ⓤ 〖생리〗 체온 발산; 〖화학〗 열분해
ther·mo·mag·net·ic [θə̀ːrməmægnétik] *a.* 열자기(熱磁氣)의
ther·mo·mag·ne·tism [θə̀ːrməmǽgnətìzm] *n.* Ⓤ 열자기(熱磁氣)
‡**ther·mom·e·ter** [θərmɑ́mətər | -mɔ́m-] *n.* **1** 온도계: a clinical ~ 검온기(檢溫器), 체온계 / a maximum[minimum] ~ 최고[최저] 온도계 **2** 정도를 나타내는 것, 지표: a ~ of public opinion 여론의 지표 ▷ thermométric *a.*
ther·mo·met·ric, -ri·cal [θə̀ːrmәmétrik(əl)] *a.* 온도계상의; 온도 측정상의 **-ri·cal·ly** *ad.*
ther·mom·e·try [θərmɑ́mətri | -mɔ́m-] *n.* Ⓤ 온도 측정; 온도 측정학
ther·mo·nu·cle·ar [θə̀ːrmənjúːkliər | -njúː-] *a.* 〖물리〗 (고온에 의한) 원자핵 융합 반응(融合反應)의, 열핵의: a ~ bomb 수소 폭탄(hydrogen bomb) / ~ burning 열(원자)핵 연소 / a ~ explosion 열(원자)핵 폭발《수소 폭탄 등》/ a ~ reaction 열핵 반응 / ~ transformation 열(원자)핵 변환 / a ~ warhead 열원자 핵탄두 / a ~ weapon 열(원자)핵 무기
ther·mo·pe·ri·od·ic·i·ty [θə̀ːrməpìəriədísəti] *n.* 〖생물〗 온도 주기성, 온주성(溫週性) **-pé·ri·od·ism** *n.*
ther·mo·phile [θə́ːrməfàil] *n.* 내열성 세균, 호열성(好熱性) 생물[세균] —*a.* = THERMOPHILIC
ther·mo·phil·ic [θə̀ːrməfílik] *a.* 〖생물〗 〈세균이〉 호열성의《45°C-75°C에서 발육할 수 있음》: ~ bacteria 호열성 세균
ther·mo·pile [θə́ːrməpàil] *n.* 〖물리〗 열전퇴(熱電堆), 열전대열(熱電對列)
ther·mo·plas·tic [θə̀ːrməplǽstik] *a.* 열가소성(熱可塑性)의, 열점성(熱粘性)의(opp. *thermosetting*) —*n.* 열가소성 물질
Ther·mop·y·lae [θərmɑ́pəliː | -mɔ́p-] *n.* 테르모필레《480 B.C.에 스파르타의 장군 Leonidas가 인솔하는 그리스군이 페르시아군과 싸워 전멸한 그리스의 옛 싸움터》
ther·mo·re·cep·tor [θə̀ːrməriséptər] *n.* 〖생리〗 온도 수용기(受容器)
ther·mo·reg·u·late [θə̀ːrmərégjulèit] *vi., vt.* (…의) 체온을 조절하다
ther·mo·reg·u·la·tion [θə̀ːrmərègjuléiʃən] *n.* Ⓤ 체온[온도] 조절
ther·mo·reg·u·la·tor [θə̀ːrmərégjulèitər] *n.* 온도 조절기
ther·mo·reg·u·la·to·ry [θə̀ːrmərégjulətɔ̀ːri | -təri] *a.* 체온 조절(성)의
ther·mos [θə́ːrməs] *n.* 보온병; [**T~**] 서모스《상표명》
thérmos bòttle[**flàsk, jùg**] 보온병
ther·mo·scope [θə́ːrməskòup] *n.* 온도 표시기, 온도 측정기《2점간의 온도차를 보는 간단한 장치》
ther·mo·scop·ic, -i·cal [θə̀ːrməskɑ́pik(əl) | -skɔ́p-] *a.* 온도 표시기상의
ther·mo·set [θə́ːrməsèt] *n.* 열경화성 수지[플라스틱]
ther·mo·set·ting [θə́ːrməsètiŋ] *a.* 〈가소물(可塑物) 등이〉 열경화성(熱硬化性)의(opp. *thermoplastic*) —*n.* Ⓤ 열경화성
ther·mo·si·phon [θə̀ːrməsáifən] *n.* 〖물리〗 열 사이펀
ther·mo·sphere [θə́ːrməsfìər] *n.* [the ~] 열권(熱圈), 온도권(溫度圈)《지구 대기의 80 km 이상에서 고도에 따른 온도 상승 부분》
ther·mo·spher·ic [θə̀ːrməsférik] *a.*
ther·mo·sta·ble [θə̀ːrməstéibl] *a.* 〖생화학〗 내열(성)의, 열안정의 **-sta·bíl·i·ty** *n.*
ther·mo·stat [θə́ːrməstæ̀t] *n.* 서모스탯, 자동 온도 조절 장치
—*vt.* …에 자동 온도 조절 장치를 달다[로 조절하다]
ther·mo·stat·ic [θə̀ːrməstǽtik] *a.* 자동 온도 조절의 **-i·cal·ly** *ad.*
ther·mo·stat·ics [θə̀ːrməstǽtiks] *n. pl.* [단수 취급] 〖물리〗 열평형학(熱平衡學)
ther·mo·tax·is [θə̀ːrmətǽksis] *n.* **1** 〖생물〗 주열성(走熱性) **2** 〖생리〗 체온 조절
ther·mo·ther·a·py [θə̀ːrməθérəpi] *n.* Ⓤ 온열 요법, 열치료(법)
ther·mot·ro·pism [θərmɑ́trəpìzm | -mɔ́t-] *n.* Ⓤ 〖생물〗 온도 굴성(屈性), 굴열성(屈熱性) **thèr·mo·tróp·ic** *a.*
-thermy [θə̀ːrmi] 《연결형》「…열, 발열」의 뜻
the·roid [θíərɔid] *a.* 야수 같은, 야수성의
the·ro·pod [θíərəpɑ̀d | -pɔ̀d] *n.* 수각아목(獸脚亞目)의 공룡《육식성이며 두 발로 보행》
Thes. Thessalonians
the·sau·rus [θisɔ́ːrəs] [Gk 「보배, 보고」의 뜻에서] *n.* (*pl.* **~·es, -ri** [-rai]) **1** 지식의 보고(寶庫)《사서·백과사전 등》; (특히 유의어·반의어 등을 모은) 사전 **2** 보고; 창고 **3** 〖컴퓨터〗 시소러스《컴퓨터에 기억된 정보의 색인》 **the·sáu·ral** *a.*
‡**these** [ðiːz] *a.* [THIS의 복수; 지시형용사; cf. THOSE] **1** 이(것)들의 **2** 《구어》 어떤 (몇 사람[몇몇]의): There were ~ brothers called Tom and Jack. 톰과 잭이라는 이름의 (이들) 두 형제가 있었다.
(***in***) ***~ days*** 요즈음(은) ***one of ~ days*** 근일, 일간 ★ one of these는 종종 경멸의 뜻으로 쓰임: He's one of ~ artist chaps. 저 자는 3류 예술가다.
—*pron.* [지시대명사; cf. THOSE] 이들 (사람), 이것들: *T~* are mine. 이것들은 내 것이다.
The·seus [θíːsiəs, -sjuːs] *n.* 〖그리스신화〗 테세우스《괴물 Minotaur를 퇴치한 영웅》
*__the·sis__ [θíːsis] [Gk 「배열하기」의 뜻에서] *n.* (*pl.* **-ses** [-siːz]) **1** 논제, 제목 **2** 학위 논문, 졸업 논문; (학교의) 작문: a master's ~ 석사 논문 **3** 〖음악〗 센박, (지휘봉을 내리그으며 하는) 하박(下拍)(downbeat)《소절(小節)의 강부(强部)》 **4** 〖운율〗 (영시의) 약음부

(弱音部)(opp. *arsis*); (현대시의) 강성부(强聲部) **5** 〖논리·철학〗 (논증되어야 할) 명제(命題), 정립(定立)

thes·pi·an [θéspiən] *a.* [**T~**] 비극의(tragic); [종종 **T~**] 희곡의, 연극의: the ~ art 희곡
— *n.* 비극 배우

Thes·pis [θéspis] *n.* 테스피스 《기원전 6세기의 그리스의 비극 시인》

Thess. 〖성서〗 Thessalonians

Thes·sa·li·an [θeséiliən] *a.* 테살리아(Thessaly) (사람)의 **—** *n.* **1** 테살리아 사람 **2** Ⓤ 테살리아 말

Thes·sa·lo·ni·ans [θèsəlóuniənz] *n. pl.* [단수 취급] 〖성서〗 (신약 성서 중의) 데살로니가서(書)

Thes·sa·ly [θésəli] *n.* 테살리아 《그리스의 동부 지방》

the·ta [θéitə, θí:-] *n.* 세타 《그리스 자모의 여덟째 글자 ***θ***, θ; 영어의 th에 해당》

theta pinch 〖물리〗 세타 핀치 《핵융합 체어를 위한 플라스마의 압축 가열의 한 방식》

théta rhỳthm = THETA WAVE

théta ròle 〖언어〗 = THEMATIC ROLE

théta wàve 〖의학〗 세타파(波) 《4-7 Hz의 뇌파》

thet·ic, -i·cal [θétik(əl), θí:t-] *a.* **1** 독단적[단정적, 명령적]으로 말한 **2** 〖운율〗 약음부의 **-i·cal·ly** *ad.*

The·tis [θí:tis | θét-] *n.* 〖그리스신화〗 테티스 《Achilles의 어머니; 바다의 여신들(Nereids) 중의 하나》

the·ur·gy [θí:ə:rdʒi] *n.* ⓊⒸ 신이 이룩한 일(divine work), 기적; 마술(sorcery) **the·ur·gic, -gi·cal** [θiə́:rdʒik(əl)] *a.* 마법의 **-gist** *n.*

thew [θjú:] *n.* 〖문어〗 **1** [보통 *pl.*] 근육 **2** [*pl.*] 근력(筋力), 체력; 기력

‡**they** [ðéi] *pron.* [HE, SHE 또는 IT의 복수; 목적격 **them**; 소유격 **their**] **1** [3인칭 복수 주격] 그들, 그것들, 그들은[이], 저[사람]들 **2 a** [총칭적으로 일반 사람을 가리켜] 사람들, 세상 사람들, 세인 **b** [부정의 단수 (대)명사를 받아서; =he, she]: *Nobody* ever admits that ~ are to blame. 아무도 자신을 나쁘다고 하는 사람은 없다. **3** 당국자; (군·민간의) 높은 사람들, 권력자 **4** [관계사 who, that의 선행사로서] 〖고어〗 …하는 사람들: *T~* do least *who* talk most. 말 많은 사람은 실행이 적다. ★ 오늘날은 They who … 대신에 Those who …가 보통. ***T~ say* (*that*) …** …이라고들 한다

‡**they'd** [ðéid] they had[would]의 단축형

‡**they'll** [ðéil] they will[shall]의 단축형

‡**they're** [ðέər, ðər] they are의 단축형

‡**they've** [ðéiv] they have의 단축형

THF tetrahydrofuran; Trust Houses Forte Limited 《영국의 세계적인 호텔·관광·오락 그룹》

thi- [θai], **thio-** [θáiou, θáiə] 《연결형》 「유황」의 뜻 《모음 앞에서는 thi-》: *thi*amin

T.H.I. temperature-humidity index

thi·a·ben·da·zole [θàiəbéndəzòul] *n.* 〖약학〗 티아벤다졸 《구충제》

thi·a·mine, -min [θáiəmin, -mì:n] *n.* Ⓤ 〖생화학〗 티아민 《비타민 B_1과 같음》

thi·a·zide [θáiəzàid, -zid] *n.* 〖의학〗 티아지드 《특히 고혈압 환자용 이뇨제》

thi·a·zine [θáiəzì:n, -zin] *n.* 〖화학〗 티아진 《질소 원자 하나와 황원자 하나를 함유하는 6원자의 헤테로고리 화합물》

thi·a·zole [θáiəzòul] *n.* 〖화학〗 티아졸 《자극적인 냄새가 나는 무색의 휘발성 액체; 그 유도체》

Thi·bet [tibét] *n.* = TIBET

Thi·bet·an [tibétən] *a., n.* = TIBETAN

‡**thick** [θík] *a., n., ad.*

> 「두꺼운」 →(두툼한) → 「굵은」 **1**
> →(물건이 사이에 끼여 있는) → 「빽빽한」 **2**, 「진한」 **6**, 「짙은」 **5**

— *a.* **1** 두꺼운(opp. *thin*); 두께가 …인; 굵은, 뚱뚱한; 〈활자 등이〉 굵은: a ~ book 두꺼운 책 / a wall two feet ~ 2피트 두께의 벽 / a ~ line 굵은 선 **2** 빽빽한, 밀집한, 울창한(⇨ dense 유의어); 털이 많은 **3** 혼잡한, 붐비는; 아주 많은, (…로) 가득한 《*with*》: tables ~ *with* dust 먼지 가득한 테이블 **4** 〈목소리가〉 불명료한, 탁한; 〈사투리가〉 두드러진, 심한 **5** 〈안개·연기 등이〉 짙은, 자욱한; 음침한, 어둠침침한, 〈비·눈이〉 퍼붓는 **6** 〈액체 등이〉 진한, 걸쭉한; 흐린 **7** 〖구어〗 친밀한, 사이좋은(friendly) **8** 〖구어〗 머리가 둔한, 우둔한 **9** Ⓟ 〖영·구어〗 지나친, 견딜 수 없는 《*with*》
(*as*) *~ as thieves* 매우 사이가 좋은 (*as*) *~ as two short planks* 〖구어〗 매우 우둔한 ***get a ~ ear*** (맞아서) 귀가 붓다 ***give** a person **a ~ ear*** 귀가 부어 오르도록 …을 때리다 ***have a ~ head*** 머리가 나쁘다 ***lay it on ~*** 〖미·구어〗 지나치게 아양떨다[칭찬하다], 과장하다 ***That's rather ~.*** = ***This is a bit*** [***a little too***] ***~.*** 〖영·구어〗 이건 좀 지나치다. ***with honors ~ upon*** one 영광을 (한 몸)에 받고
— *n.* **1** [보통 the ~] (팔뚝·종아리·막대 등의) 가장 굵은[두꺼운] 부분 《*of*》 **2** [보통 the ~] (숲의) 가장 밀집한[우거진] 곳; 사람이 가장 많이 모이는 곳; 〈싸움 등이〉 가장 치열한 곳 **3** 〖속어〗 얼간이, 바보 **4** 〖영·속어〗 코코아(cocoa)
in the ~ of …의 한창때에 ***through ~ and thin*** 언제나 변함없이; 온갖 고난을 무릅쓰고
— *ad.* = THICKLY. ***Lay it on ~.*** ⇨ lay[1] *v.* ***~ and fast*** 끊임없이, 잇따라, 줄기차게, 세차게 ***The heart beats ~.*** 가슴이 두근거린다.
▷ thícken *v.*

thick-and-thin [θíkənd*θ*ín] *a.* 물불을 가리지 않는; 시종 변함 없는, 절조가 굳은

*__thick·en__ [θíkən] *vt.* **1** 두껍게 하다; 굵게 하다 **2** 진하게 하다; 걸쭉하게 하다 《*with*》: ~ the soup up *with* flour 밀가루를 넣어 수프를 걸쭉하게 하다 **3** 〈천의 올을〉 촘촘하게 하다 **4** 복잡하게 하다; 흐리게 하다 **5** 강하게 하다
— *vi.* **1** 두꺼워지다, 굵어지다 **2** 진해지다 **3** 복잡해지다; 밀집하다 **4** 불명료하게 되다; 흐려지다 **5** 올이 촘촘해지다 ***The plot ~s.*** 줄거리[이야기, 사건]가 점점 복잡해진다[흥미진진해진다]. ***~ed oil*** 농화유(濃化油)(stand oil) ▷ thíck *a.*

thick·en·er [θíkənər] *n.* **1** 두껍게[짙게, 굵게, 빽빽하게] 하는 것 **2** 침전[농축] 장치

thick·en·ing [θíkəniŋ] *n.* ⓊⒸ **1** 두껍게[굵게] 함[됨]; 굵게[두껍게] 된 부분 **2** 농(밀)화(濃(密)化) **3** (직물에) 풀먹이기 **4** 농후제[재료]

‡**thick·et** [θíkit] [OE = thick] *n.* 덤불, 잡목 숲(coppice); 얽힘, 엉킴 **thíck·et·y** *a.*

thíck fílm 〖전자〗 후막(厚膜) 《집중 회로를 만드는 데 쓰이는 두꺼운 두께(5 ㎛ 이상)의 회로 패턴》

thíck-film intégrated cìrcuit [θíkfilm-] 〖전자〗 후막(厚膜) 집적 회로

thick·head [-hèd] *n.* 얼간이, 멍청이

thick·head·ed [-hèdid] *a.* 머리가 둔한

thick·ish [θíkiʃ] *a.* 좀 두꺼운[굵은, 짙은]

*__thick·ly__ [θíkli] *ad.* **1** 두껍게; 진하게; 빽빽하게; 울창하게 **2** 많이; 빈번하게(frequently); 잔뜩 **3** 〈말 등이〉 불명료하게; 탁한 목소리로

*__thick·ness__ [θíknis] *n.* Ⓤ **1** 두께; 굵기; Ⓒ [the ~] 가장 두꺼운[굵은] 부분 **2** Ⓒ (일정한 두께를 가진 물건의) 한 장 **3** 농후(濃厚); 농도 **4** 치밀, 농밀(濃密); (올의) 촘촘함; 밀집(密集), 무성(茂盛) **5** 빈번 **6** 혼탁; 불명료 **7** 머리가 둔함, 우둔
— *vt.* 적당한 두께로 다듬다

thick·o [θíkou] *n.* (*pl.* **~s**) 〖속어〗 바보, 머리가 둔한 사람

thick·set [θìksét] *a.* **1** 농밀한, 무성한 **2** 땅딸막한 **3** 올이 촘촘한 **—** *n.* 덤불, 수풀(thicket); 우거진[빽빽하게 심은] 산울타리

thesaurus **thick** *a.* **1** 굵은 broad, wide, large, big, bulky, solid, fat **2** 빽빽한 dense, close-

thick-skinned [-skínd] *a.* **1** 피부[껍질]가 두꺼운 **2** (비난·모욕 등에 대해) 둔감한, 무신경한; 뻔뻔스러운 (opp. *thin-skinned*)

thick·skulled [-skʌ́ld] *a.* = THICKHEADED

thick-wit·ted [-wítid] *a.* 머리가 둔한, 아둔한 (thickheaded)

‡thief [θíːf] *n.* (*pl.* **thieves** [θíːvz]) 도둑, 절도: a petty ~ 좀도둑 / Set a ~ to catch a ~. 《속담》 도둑은 도둑이 잡게 해라, 독으로 독을 다스려라.

> 유의어 **thief** 보통 폭력에 의하지 않고 몰래 훔치는 도둑: a cow *thief* 소도둑 **robber** 남의 소유물을 빼앗는 강도로 폭력을 행사하는 경우가 많음: A *robber* held up a gas station. 강도가 주유소를 털었다. **burglar, housebreaker** 불법적으로 타인의 건물에 침입하는 강도: A *burglar* broke into the next house last night. 간밤에 강도가 옆집에 침입했다.

honor among thieves 도둑들간의 의리

▷ thíevish *a.*

thief·tak·er [θíːftèikər] *n.* 〖영국사〗 도둑 잡는 포리(捕吏)

thieve [θíːv] *vt.*, *vi* 훔치다(steal)

thieve·less [θíːvlis] *a.* 《스코》 **1** 〈태도가〉 냉담한 **2** 기운이 없는, 의지가 약한(thowless)

thiev·er·y [θíːvəri] *n.* (*pl.* **-er·ies**) ⓊⒸ **1** 도둑질 **2** 《고어》 훔친 물건, 장물

***thieves** [θíːvz] *n.* THIEF의 복수

thíeves' kìtchen 《영·속어》 도둑들의 소굴[집합소]; 범죄자의 정보 교환 장소

thíeves' Látin 도둑들의 은어

thiev·ing [θíːviŋ] *n.*, *a.* 도둑질(의)

thiev·ish [θíːviʃ] *a.* **1** 훔치는 버릇이 있는, 도둑의: have ~ habits 도벽이 있다 / ~ living 도둑 생활 **2** 도둑 같은, 남몰래 하는 **~·ly** *ad.* **~·ness** *n.*

‡thigh [θái] *n.* **1** 넓적다리, 허벅다리 **2** (동물의 뒷다리나 새의) 넓적다리 **3** = THIGHBONE **4** 〖곤충〗 퇴절(腿節) **5** 넓적다리를 닮은 것

thigh·bone [θáibòun] *n.* 대퇴골(femur)

thígh bòot (넓적다리까지 닿는) 긴 부츠

thigh-high [-hài] *n.* 넓적다리까지 오는 의복 《스타킹이나 부츠》 **—** *a.* 넓적다리까지 닿는

thigh-slap·per [θáislæ̀pər] *n.* 《구어》 굉장히 재미있는 농담[이야기, 사건]

thig·mo·tax·is [θìgmətǽksis] *n.* 〖생물〗 접촉 주성(接觸走性), 주촉성(走觸性)

thig·mot·ro·pism [θigmátrəpìzm | -mɔ́t-] *n.* 〖생물〗 접촉 굴성(屈性), 굴촉성(屈觸性)(stereotropism)

thill [θíl] *n.* 《고어》 (마차의) 끌채(shaft), 채

thill·er [θílər] *n.* (마차의) 끌채에 맨 말; 뒷말 (wheeler)

thim·ble [θímbl] *n.* **1** 골무 《재봉용》 **2** 〖항해〗 씩움고리 **3** 〖기계〗 씩움고리[통]

thim·ble·ber·ry [θímblbèri | -bəri] *n.* (*pl.* **-ries**) 〖식물〗 나무딸기의 일종 《미국산(産)》

thim·ble·ful [θímblfùl] *n.* 《구어》 (술 등의) 극소량, (아주) 조금 (*of*)

thim·ble·rig [θímblrìg] *n.* **1** Ⓤ 심블(thimble) 야바위 《세 개의 골무 모양의 컵을 엎어 놓고 콩[작은 구슬]이 어느 컵 밑에 있는지 맞히게 하는》 **2** 사기 도박사, 야바위꾼 **—** *vi.* (**~ged**; **~·ging**) 심블(thimble) 야바위를 하다; 속이다 **~·ger** *n.*

thim·ble·wit [-wìt] *n.* 《미》 얼간이, 팔푼이

Thim·bu [θimbúː, ⌐–], **-phu** [-púː, ⌐–] *n.* 팀부 《Bhutan의 수도》

thi·mer·o·sal [θaimə́ːrəsæ̀l, -mér-] *n.* 〖약학〗 티메로살 《혈청·살균 소독제》

---

packed, concentrated, crowded, condensed, compact **3** 자욱한 heavy, opaque, smoggy, murky

‡thin [θín] *a.* (**~·ner**; **~·nest**) **1** 얇은; 〈철사·몸·손가락 등이〉 가는, 가느다란(slender, slim)(opp. *thick*): ~ ice 얇은 얼음 / a ~ finger 가는 손가락 **2** 여윈, 수척한, 살이 없는: grow ~*ner* (전보다) 여위다

> 유의어 **thin** 「여윈」을 뜻하는 가장 일반적인 말인데 불건강하게 여위었음을 나타내는 경우도 있다: a *thin*, dirty little waif 여위고 더러운 떠돌이 아이 **slim, slender** 보기좋게 호리호리한, 날씬한: a *slim*[*slender*] girl 날씬하게 빠진 소녀 **lean** 지방질이 없이 깡마른: He looks *lean* but is healthy. 그는 말라 보이지만 건강하다. **slight** 야위어서 연약한: a *slight* figure 가냘픈 몸매

3 〈털이〉 드문드문한, 성긴; 사람 수가 적은: ~ hair 성긴 머리칼 / a ~ house 관객이 적은 극장 / The population is ~. 인구가 적다. **4** 〈공급 등이〉 부족한, 적은; 호주머니에 돈이 없는: The market is ~. 시장이 불경기다. **5** 〈액체·기체 등이〉 엷은, 희박한, 묽은, 멀건, 약한 **6** 내용이 없는, 천박한, 빈약한 〈말주변 등〉; 빤히 속이 보이는 〈변명 등〉: a ~ argument 설득력 없는 의논 **7** 〈음성 등이〉 가는, 힘없는: a ~ voice 가냘픈 목소리 **8** 공급이 적은 **9** 〈색채 등이〉 연한; 〈광선 등이〉 약한; 〖사진〗 명암이 뚜렷하지 않은 **10** 《구어》 불쾌한, 비참한

(as) ~ as a lath [***rake, stick***] 〈사람이〉 말라빠진, 깡마른 ***have a ~ time*** (***of it***) 불쾌한[싫은, 언짢은] 일을 당하다[느낌을 갖다] ***out of ~ air*** 무(無)에서(out of nothing); 아무런 근거도 없이 ***That's too ~.*** 《구어》 거짓말이 너무나도 빤히 들여다보인다. ***~ on top*** 《구어》 머리털이 성긴 ***vanish into ~ air*** 완전히 자취를 감추다

— *ad.* = THINLY

— *n.* 얇은[가는] 부분

— *v.* (**~ned**; **~·ning**) *vt.* 얇게[가늘게] 하다; 성기게[희박하게] 하다; 적어지게[약하게] 하다: 《~+목+전+명》 ~ wine *with* water 포도주에 물을 타서 희석하다 // 《~+목+부》 He ~*ned out* the flowers. 그는 꽃을 솎았다.

— *vi.* 가늘어지다, 엷어지다, 성기게[희박하게] 되다, 적어지다 《*away, down, out, off*》: 《~+부》 The crowd ~*ned away.* 군중은 차츰 적어졌다.

~ down 가늘게 하다; 가늘어지다, 여위다 ***~ out*** 솎다; 〈청중 등이〉 드문드문해지다

thin·clad [θínklæ̀d] *n.* (육상 경기의) 트랙 선수

thín díme 《미·속어》 단돈 10센트, 근소한 돈

***thine** [ðáin] *pron.* 《고어·시어》 **1** [thou의 소유대명사; 단수·복수 취급] 너의 것 **2** [모음 또는 h음으로 시작되는 명사 앞에서] = THY

thín fílm 박막(薄膜)

‡thing[1] [θíŋ] *n.* **1 a** (유형의) 것, 물건, 사물: all ~*s* 만물, 모든 것 / What's that ~ in your hand? 손에 쥔 것이 무엇이냐? / There is a name for every ~. 물건에는 모두 이름이 있다. **b** (생물과 대조하여) 무생물, 물체; [보통 *pl.*] 음식(물): sweet ~*s* 단것 / She doesn't eat fatty ~*s.* 그녀는 기름진 음식을 먹지 않는다. **2** [보통 형용사와 함께] **a** 생물, 동물: a living ~ 생물 / dumb ~*s* 말 못하는 짐승 **b** (감정적으로 본) 사람, 녀석 《주로 어린이나 여자에 대해서 경멸·비난·애정·칭찬 등의 뜻을 담아서》: a poor little ~ 불쌍한 아이[것] / Silly ~! 어리석은 녀석! **3** [*pl.*] **a** 소지품, 휴대품; 옷가지; 도구, 기구, 용품: outdoor ~*s* 외출복 / golf ~*s* 골프 용품 / I left my ~*s* in the subway. 지하철에서 내 소지품을 잊고 내렸다. **b** 〖법〗 재산, 물건(物件): ~*s* personal[real] 동[부동]산 / ~*s* mortgaged 저당물 **4** (무형의) 것, 일, 사건; 행위; 생각, 의견: I have many ~*s* to do. 할 일이 많다. / It's a strange ~ that he doesn't write to me. 그가 내게 편지를 주지 않는 것은 이상한 일이다. / say the right ~ 적절한 말을 하다 **5** [*pl.*] 사물; 사태, 형세, 사정: *T*~*s* went wrong right from the start. 시작하는 당초부터 일은 잘못 되었다. / *T*~*s* are getting better. 사태는 호전되고 있다. **6** [*pl.*] [형용사 앞에서] …적인 것, 풍물, 문물: ~*s* Korean[foreign] 한국[외국]의 풍물 **7** [the ~] **a** [be의 보어로] 안성맞춤인 것, 적절한[용인되는] 것; 유행(하는 것): A beer would be just *the* ~. 맥주야말로 지금 안성맞춤이다. / It's hardly *the* ~ to stare at people. 사람들을 빤히 쳐다보는 것은 예의가 아니다. / Surfing is quite *the* ~ there. 그곳에서는 서핑이 대유행이다. **b** [보통 the thing is …로] 중요한[필요한] 것, 당면 문제: *The* ~ now *is* to get well. 당면 문제는 건강을 회복하는 것이다. / Thank you for the invitation, but *the* ~ *is,* I'm busy. 초대해 주어서 감사합니다, 그러나 문제는 내가 바빠서 갈 틈이 없는 것입니다. **8** 《구어》 **a** [명사 뒤에 놓아] 문제, 화제: the politics ~ 정치 문제 **b** 가장 좋아하는[잘하는] 것: Basketball is not my ~. 농구는 좋아하지 않는다[잘하지 못한다]. **9** 《예술》 작품: a little ~ of mine 나의 하찮은 작품, 졸작(拙作)

... and ~s 《구어》 …등 ***as ~s are***[***go***] 지금 상태로는, 지금 형편으로는; 세상 통례로, 흔히 있는 일로 ***be a good*** (***that***) ***~*** 운좋게 …하다 ***be all ~s to all men*** 모든 사람의 마음에 들도록 애쓰다, 「팔방미인」이다 ***be no great ~s*** 《구어·방언》 〈사람·물건이〉 대단한 것이 아니다 ***do one's own ~*** 가장 좋아하는[잘하는] 짓[일]을 하다 ***do the handsome ~ by*** …을 관대[친절]하게 대하다 ***do ~s to*** …에 많은 영향을 끼치다 ***for one ~ ..., for another ~ ...*** 하나는 …, 또 하나는 …; 첫째는 …, 다음에는 … ***get a ~ out of*** …의 정보를 얻다; …을 감상할 수 있다 ***have a ~ about*** 《구어》 …을 몹시 싫어하다; …에 얽매이다 ***hear ~s*** 환청을 듣다 ***How are ~s?*** 형편이 어떻습니까? ***It's a good ~.*** 《구어》 다행이다. (***just***) ***one of those ~s*** 《구어》 어쩔 수 없는[피할 수 없는, 부득이한] 일 ***just the ~*** 바라던 대로의[안성맞춤의] 것 ***know***[***be up to***] ***a ~ or two*** 《구어》 빈틈없다, 약삭빠르다; 환히 알다 ***learn a ~ or two*** 다소 물정[사리]을 알다[배우다] ***make a good ~*** (***out***) ***of*** 《구어》 …으로 이익을 얻다 ***make a ~ of*** …을 크게 문제삼다[중대시하다], …을 가지고 요란하게 떠들어대다 ***not the ~*** 《미·구어》 에티켓[관례]에 어긋나는, 점잖지 못한(socially improper) ***of all ~s*** 무엇보다 먼저; 하필이면 ***one ~ ... another*** (~) …와 …은 별개이다[다르다] ***onto a good ~*** 유익한[순조로운] 상황인 ***Poor ~!*** 가엾어라! ***see ~s*** 허깨비를 보다, 착각을 일으키다 ***show*** a person ***a ~ or two*** …에게 세상 물정을 조금 가르치다 ***take ~s easy***[***as they are***] 일을 낙관하다[있는 그대로 생각하다] ***taking one ~ with another*** 이것저것[이리저리] 생각해 보고 ***talk of one ~ or another*** 잡담하다 ***tell*** a person ***a ~ or two*** …에게 잔소리를 하다 ***That's the very ~.*** 안성맞춤이다. (***the***) ***first ~*** 우선 먼저; 즉시 ***the good ~s of life*** 이 세상의 좋은 것들, 인생에 행복을 가져오는 것 (***the***) ***last ~*** [부사구] 《구어》 (취침 전) 최후에, 마지막으로 ***the latest ~*** in ties 최신 유행(의 넥타이) (***the***) ***next ~*** [부사구] 둘째로, 다음으로 ***the philosophy of ~s*** 사실의 철학 ***The ~ is ...*** 《구어》 요는, 실은, 문제는, 그 이유는 《이유·부가 설명·의견을 말하려고 할 때》 ***the very ~*** 안성맞춤인 것 ***with one ~ and another*** 《구어》 이런 저런 이유로 ***work ~s*** 《속어》 잘 해내다

thing² [θíŋ, tíŋ] *n.* [종종 **T~**] (스칸디나비아 제국의) 의회, 법정

thing·a·ma·bob [θíŋəməbὰb | -bɔ̀b] *n.* = THINGAMAJIG

thing·a·ma·jig, thing·u·ma·jig [θíŋəmədʒìg] *n.* 《구어》 뭐라던가 하는 것[사람]: Mr. *T*~ 아무개씨

thing-in-it·self [θìŋinitsélf] *n.* (*pl.* **things-in-them·selves**) (칸트 철학에서의) 물(物)자체(cf. NOUMENON)

thing·ism [θíŋizm] *n.* Ⓤ (문학·예술에서의) 사물(事物)주의 《물질이나 세부를 강조 또는 관심의 대상으로 함》

thing·ness [θíŋnis] *n.* (사물의) 객관적 실재성[사물성]

thing·um·bob [θíŋəmbὰb | -bɔ̀b], **thing·um·my** [-əmi] *n.* = THINGAMAJIG

thing·y [θíŋi] *a.* **1** 물건의, 물질적인 **2** 현실의, 실제적인 ── *n.* (*pl.* **thing·ies**) 뭐더라, 거시기 《이름을 모르거나 잊었을 때 쓰는 말》

‡**think** [θíŋk] *v.* (**thought** [θɔ́:t]) *vt.* **1** (…라고) **생각하다, 여기다**: 《~+(***that***) 절》 《~+목+(***to be***) 보》 I ~ it is true. = I ~ it (*to be*) true. 그것은 사실이라고 생각한다. // 《~+목+***to*** do》 I ~ it *to* correspond to facts. 그것은 사실과 일치한다고 생각한다. // 《~+***wh.*** 절》 *What* do you ~ has happened? 무슨 일이 일어났다고 생각합니까? ★ 구문이 복합된 의문문에 사용될 경우 do you think는 의문사 바로 뒤에 온다. // 《~+목+전+명》 He *thought* it *beneath* him to do such a thing. 그는 그런 짓을 한다는 것은 체면에 관계되는 것이라고 생각했다. ★ (1) I think에 계속되는 *that*-clause가 짧으면 that은 보통 생략함. (2) I ~ it will not rain.의 뜻으로는 보통 I don't ~ it will rain.이라고 함. **2 a** **숙고하다; 생각하고 있다,** 간주하다 **b** **생각나다** **3** …하려고 하다(intend) 《*to*》: ~ evil 나쁜 일을 꾀하다 // 《~+목+전+명》 ~ harm *to* a person …에게 해를 끼치려고 꾀하다 // 《~+(***that***) 절》 《~+***to*** do》 I ~ I will start today. = I ~ *to* start today. 오늘 출발할 작정이다. **4** 판단하다, 알다 《*who, where, how, whether,* etc.》 **5** **상상하다,** 마음에 그리다(imagine): 《~+***wh. to*** do》 He was ~*ing what to* do next. 그는 다음에 무엇을 할 것인가를 생각하고 있었다. // 《~+***wh.*** 절》 I can't ~ *how* you do it. 어떻게 해서 자네가 그것을 하려고 하는지 나는 알 수가 없네. **6** 예상[예기]하다(expect): 《~+***to*** do》 I didn't ~ *to* find you here. 여기서 자네를 만날 줄은 몰랐네. **7** 생각하여 …하다, 생각에 잠겨 …이 되다 《*into*》: 《~+목+전+명》 ~ oneself *into* a fever 생각에 잠겨 열을 내다 / ~ oneself *out of* a difficulty 궁리하여 곤란에서 빠져나오다 // 《~+목+보》 He will ~ himself silly. 그는 지나치게 생각하여 실수를 저지를 것이다. // 《~+목+부》 I can't ~ *away* the toothache. 뭘 생각해도 치통을 잊을 수가 없다. **8** 끝까지 생각하다 《*out, through*》; 생각해 내다 《*out, up*》: 《~+목+부》 ~ a problem *through* 문제를 끝까지 생각하다 / ~ *out* a solution 해결책을 생각해 내다

── *vi.* **1** **생각하다,** 사고[사색]하다 《*about, of*》: 《~+전+명》 I will ~ *about* it. 생각해 보지요. 《완곡한 거절의 문구》 / We are ~*ing of* going to Hawaii during the summer vacation. 여름 휴가에 하와이에 갈까 하고 생각 중이다. **2** 숙고[궁리, 분별]하다 《*about, of, on, over*》: Only[Just] ~! 좀 생각해 봐요! // 《~+전+명》 I'm ~*ing over* what you've said. 말씀하신 것을 심사숙고하고 있습니다. **3** 생각해 내다, 생각나다, 기억하다 《*of, on*》: 《~+전+명》 He *thought of* a good plan. 그는 좋은 계획이 생각났다. / I couldn't ~ *of* her name. 그녀의 이름이 생각나지 않았다. **4** 예상하다; 상상하다; [부정문에서] (…을) 생각하다, 몽상하다: 《~+전+명》 Just ~ *of* the fun! 그 재미를 생각 좀 해보게! / She could *never* ~ *of* that. 그녀는 그런 것은 상상도 못할 일이었다. **5** [양태 부사를 동반해서] (…에 관해) 평가하다 **6** (…을 …이라고) 생각하다, 간주하다(regard) 《*of*》: 《~+전+명》 I *thought of* it *as* impossible. 나는 그것이 불가능하다고 생각하였다.

come to ~ of it ⇨ come¹ ***give*** a person ***furiously to ~*** …에게 심각하게 생각케 하다 ***I don't ~.*** 《영·속어》 [비꼬는 말 등을 한 다음에] 그래, 정말 그렇다 (내 원 참). 《사실은 그 반대》 ***I ~*** …이라고 생각해요, …이겠지요 《말 중간 또는 끝에》 ***I ~ not.*** 그렇

지 않다고 생각한다. ***I thought as much.*** [상대방의 말을 받아] 그렇게 생각했어, 기대한[생각한] 대로야 **~ *about*** …에 관해 생각하다; 숙고하다 **~ *ahead*** 〈장래의 일을〉 내다보며 생각하다, 앞서 생각하다 **~ *a lot of*** 신용하다, 매우 좋아하다 **~ *aloud*** 말을 하면서 생각하다, 생각을 입밖에 내어 말하다, 엉겁결에 혼잣말을 하다 **~ *and* ~** 곰곰이 생각하다 **~ *away*** 〈신앙 등을〉 사색한 끝에 잃다; 〈치통(齒痛) 등을〉 딴 일을 생각하여 잊다(⇨ *vt.* 7) **~ *back*** 〈과거를〉 돌이켜 생각하다, 회상하다 **~ *better of*** 〈사람을〉 다시 보다; 다시 생각해 보고 그만두다 **~ *big*** [***positive***] 야심적[적극적]으로 생각하다 **~ *fit*** [***good, proper***] ***to*** do 〈어리석은[독단적인] 일 등을〉 하는 편이 (제딴에는) 좋다고[적당하다고] 생각하다 **~ *for*** [as 또는 than 뒤에서] 《고어》 예기하다 **~ *for*** one***self*** 자주적인 생각을 가지다, 자주성이 있다 **~ *from*** …와 의견이 맞지 않다, …와 생각을 달리하다 **~ *hard*** 골똘히 생각하다 **~ *highly of*** …을 존경[존중]하다 **~ *ill of*** …을 나쁘게 생각하다 **~ *lightly*** [***meanly, poorly***] ***of*** …을 얕보다 **~ *little of*** …을 대수롭지 않게 여기다, 경멸하다: ~ *little of* do*ing* …을 하는 것 쯤은 대수롭게 생각하지 않다 **~ *much of*** …을 중히 여기다 **~ *no end of*** …을 매우 존경하다, 높이 평가하다 **~ *no harm*** 나쁘다고는 생각지 않다 **~ *nothing of*** …을 아무렇지도 않게 생각하다, …하고도 태연하다 ***T~ nothing of it.*** [감사나 사과의 말을 들었을 때의 대답으로서] 괜찮습니다, 뭘요. **~ *of*** (1) 생각하다, 사색하다; 숙고하다; 생각해 내다, 생각나다 (2) 상상하다; 예상하다 (3) 간주하다 **~ *of*** do*ing* [진행형으로] …할까 생각하다; [부정문에서] …할 것을 예기하다 **~ *on*** one***'s feet*** 곧 결단을 내리다 **~ *on*** [***upon***] 《영》 생각해 내다, 기억하다; 《고어》 …을 생각하다; …의 생각이 나다 **~ *out*** 고안해 내다; 궁리해 내다; 숙고하여 해결하다 **~ *out loud*** = THINK aloud. **~ *over*** (a matter) = **~** (a matter) ***over*** 곰곰이 생각하다, 숙고하다 **~ *sense*** 사리에 맞는 생각을 하다(cf. TALK sense) **~ *shame*** 부끄럽게 생각하다 **~ *so*** 동감이다 **~ *the world of*** …을 매우 좋아하다 **~ *through*** 〈해결·결론에 이를 때까지〉 충분히 생각하다, 생각 끝에 해결하다 **~ *too meanly of*** one***self*** 지나치게 겸손하다 **~ *to*** one***self*** 혼잣말하다; 혼자[속으로] 생각하다 **~ *twice*** 재고하다; 망설이다, 주저하다(hesitate) **~ *up*** 〈새로운 계획·구실 등을〉 생각해 내다; 《구어》 발명하다 **~ *well*** [***ill***] ***of*** …을 좋게[나쁘게] 생각하다 **~ *with*** a person …와 같은 의견이다 ***To ~ that …!*** …이라니! (놀랍다, 슬프다, 한심하다): *To ~ that* he's single! 그가 총각이라니! ***What*** [***Who***] ***do you ~?*** 그게 무엇[누구]이라고 생각하니? 《뜻밖의 말을 꺼낼 때》

—*n.* [a ~] 《구어》 일고(一考)(함); 생각; 의견 ***have a ~*** 생각하다: *have a* hard ~ 골똘히 생각하다 / *have a* ~ about …에 관해 생각하다[숙고하다] ***You're got another ~ coming.*** 《구어》 잘못 생각하고 있다.

—*a.* 《구어》 사고(思考)의; 생각하게 하는

▷ thought *n.*

think·a·ble [θíŋkəbl] *a.* Ⓐ 생각[상상]할 수 있는; 믿을 수 있는 **~·ness** *n.* **-bly** *ad.*

think-box [θíŋkbɑ̀ks | -bɔ̀ks] *n.* 《속어》 머리, 두뇌

think·er** [θíŋkər] *n.* **사상가**, 생각하는 사람, 사색가 ***free ~ 자유 사상가

thínk fàctory = THINK TANK

think-in [θíŋkìn] *n.* 《구어》 회의, 심포지움

‡**think·ing** [θíŋkiŋ] *a.* Ⓐ **생각하는,** 사고력 있는; 사상이 있는: all ~ men 분별력 있는 사람들

—*n.* Ⓤ **1 생각함,** 궁리, 사고; 사색 **2** 생각, 의견, 판단 ***do a little hard ~*** 좀 더 생각해 보다 ***to my ~*** 내 생각으로는 **~·ly** *ad.* **~·ness** *n.*

thínking càp 숙고[전념]하는 정신 상태 ★ 주로 다음 성구로. ***put on*** one***'s ~*** 《구어》 골똘히[곰곰이] 생각하다, 숙고하다

thínking pàrt 〖연극〗 대사가 없는 역

thínk pìece 1 해설 기사 《개인적인 견해·분석이 나타난 신문·잡지의 기사》(cf. EDITORIAL; NEWS STORY) **2** 《속어》 두뇌

thínk tànk 1 두뇌 집단, 싱크 탱크 **2** 《속어》 두뇌, 머리(think-box) **thínk tànker** *n.* 싱크 탱크의 일원

thin·ly [θínli] *ad.* **1** 얇게, 가늘게; 얇게 옷을 입고 **2** 희박하게, 성기게: ~ populated 인구가 적은 **3** 여위어서; 약하게 **—*n.*** 《미·속어》 트랙 경기의 선수

thin·ner [θínər] *n.* **1** ⓊⒸ 희석제[액] **2** 얇게 하는 사람[것] **3** 제초하는[가지 치는] 사람

thin·ness [θínnis] *n.* Ⓤ 희박; 가늚; 수척함; 빈약; 박약

thin·nish [θíniʃ] *a.* 좀 얇은, 가느다란, 좀 성긴, 좀 약한, 여윈 편인

thin-skinned [θínskínd] *a.* **1** 가죽[피부]이 얇은 **2** 민감한, 신경과민의; 성마른

thio- [θáiou, θáiə] 《연결형》 = THI-

thi·o·a·cé·tic ácid [θàiouəsí:tik-] 〖화학〗 티오아세트산

thío ácid 〖화학〗 티오산

thi·o·cy·a·nate [θàiousáiənèit] *n.* 〖화학〗 티오시안산염

Thi·o·kol [θáiəkɔ̀:l, -kɑ̀l | -kɔ̀l] *n.* 티오콜 《인조 고무의 일종; 상표명》

thi·ol [θáiɔ:l, -ɑl | -ɔl] *n.* 〖화학〗 티올

thi·on·ic [θaiɑ́nik | -ɔ́n-] *a.* 〖화학〗 유황의, 티온산의

thi·o·nyl [θáiənil] *n.* 〖화학〗 티오닐

thi·o·pén·tal sódium [θàiəpéntl-, -tæl-, -tɔ:l-] 〖약학〗 티오펜탈(나트륨) 《마취제》

thi·o·pén·tone sódium [θàiəpéntoun-] 《영》 = THIOPENTAL SODIUM

thi·o·rid·a·zine [θàiərídəzì:n, -zin] *n.* 〖약학〗 티오리다진 《강력한 정신 안정제》

thi·o·sul·fate [θàiousʌ́lfeit] *n.* 〖화학〗 티오황산염; = SODIUM THIOSULFATE

thi·o·sul·fú·ric ácid [θàiousʌlfjúərik-] 〖화학〗 티오황산

thi·o·te·pa [θàiətí:pə] *n.* 〖화학〗 티오테파 《종양 치료제》

thi·o·ur·a·cil [θàiəjúərəsil] *n.* 〖약학〗 티오우라실 《항갑상선약》

thi·ram [θáiræm] *n.* 〖약학〗 타이람 《살균·소독약》

‡**third** [θə́:rd] *a.* **1** [보통 the ~] **제3의,** 세 번째의 ★ 생략형은 3rd, 3d.: *the* ~ floor 《미》 3층[《영》 4층] **2** 3분의 1의 **3** 〈순위·중요도 등이〉 3등의: win (the) ~ prize 3등상을 타다 ***finish ~*** 3등이 되다 ***in the ~ place*** = THIRDLY. ***T~ time lucky.*** = ***The ~ time is lucky*** [***does the trick, pays for all***]. 《속담》 세 번째에는 성공하는 법이다.

—*ad.* 제3으로, 세 번째로; 3등으로

—*n.* **1** 3분의 1; [*pl.*] 〖법〗 남편의 동산의 $^1/_3$ 《미망인에게 주어지는 몫》 **2** [the ~] **제3,** 제3위; 〈그 달의〉 제3일: Henry *the T~* 헨리 3세(Henry III) **3** 〈자동차의〉 제3속, 제3단 기어(= **~ géar**) **4** 《영》 (대학의 단위 시험의) 제3급 **5** 〖음악〗 제3도, 3도 음정 **6** 〖야구〗 3루(壘) **7** [*pl.*] 〖상업〗 3등품 **8** 〈시간·각도의〉 1초의 $^1/_{60}$

thírd àge [the ~] 노년기

thírd báse 〖야구〗 3루; 3루수의 수비 위치

thírd báseman 〖야구〗 3루수

third-best [θə́:rdbést] *a.* 세 번째로 좋은, 제3위의 (cf. SECOND-BEST)

thírd cláss 1 제3급; 3류 **2** 〈교통 기관의〉 3등 **3** 《미·캐나다》 (우편의) 제3종 《정기 간행물을 제외한 인쇄물 등》

third-class [-klǽs | -klɑ́:s] *a.* **1** 3등의, 3급의; 3류의, 저급의: ~ treatment 최하 취급 **2** 《미》 제3종의: ~ matter[mail] 제3종 우편물 **—*ad.*** **1** 3등으로: travel ~ 3등으로 여행하다 **2** 제3종 (우편)으로

Thírd Dáy 화요일 《퀘이커 교도의 용어》

thírd degrée [the ~] ⦅구어⦆ (경찰 등의 정신적[육체적]) 고문; 프리메이슨(Freemason)의 제3급
third-de·gree [-digrí:] *a.* **1** 〈화상이〉 제3도의 **2** 〈범죄가〉 제3급의: ~ arson 〖법〗 제3급 방화죄
— *vt.* ⦅구어⦆ 가혹하게 심문[고문]하다
thírd-degree búrn 〖병리〗 제3도 화상[열상] ⦅괴사(壞死)성 화상으로 가장 중증⦆
thírd diménsion **1** 제3차원 ⦅두께·깊이⦆ **2** 입체성; 현실성, 생채(生彩), 박진력[성]
thírd-di·mén·sion·al *a.*
thírd estáte [the ~; 종종 the T- E-] 제3 계급 ⦅귀족·성직자가 아닌 평민⦆
thírd éye 〖생물〗 송과안(松果眼)(pineal eye), 두정안(頭頂眼)(parietal eye); (초능력자의) 제3의 눈; (마약 등에 의해 얻어지는) 투시력, 심안(心眼)
thírd éyelid = NICTITATING MEMBRANE
thírd fínger 무명지, 약손가락(ring finger)
thírd fórce [the ~] 제3 세력 ⦅중립국 (블록); 대립하는 정치 세력의 중간에 있는 세력·국가 등⦆
3G [-dʒí:] *n.* 3세대 이동 통신 기술을 위한 국제 전기 통신 연합의 규격
third-gen·er·a·tion [-dʒènəréiʃən] *a.* **1** 〖통신〗 제3 세대의 ⦅3세대 이동 통신의 고속 데이터 전송 기술; 略 3G⦆ **2** (최첨단 기술에 대해) 제3 세대의
thírd generátion compúter 〖컴퓨터〗 제3 세대 컴퓨터 ⦅1964-71년의 IC메모리를 사용한 컴퓨터 시스템⦆
third·hand [-hǽnd] *a.* **1** 〈정보 등이〉 두 사람의 매개자를 거쳐 입수한 **2** 〈고서 등이〉 두 사람의 소유자를 거친 **3** 재(再)중고의 ⦅특히 상태가 심하게 나쁜⦆; 재중고품 장사를 하는
thírd hóuse ⦅미⦆ (의회의) 제3원(院) ⦅원외 단체의 속칭⦆
Thírd Internátional [the ~] 제3 인터내셔널 ⇨ international
thírd kíngdom 〖생물〗 제3 생물계 ⦅동물계도 식물계도 아닌 시원(始原) 생물(archaebacteria)⦆
thírd-lév·el cárrier [-lévəl-] ⦅미⦆ 소도시 사이의 단거리 운항을 하는 항공 회사
*__third·ly__ [θə́:rdli] *ad.* 제3으로, 세 번째로
thírd mán 〖크리켓〗 제3수 ⦅삼주문(三柱門)에서 비스듬히 후방에 있는 야수(野手)⦆; 그 위치
thírd márket [the ~] ⦅미⦆ 〖증권〗 제3 시장 ⦅상장주(上場株)의 장외 직접 거래 시장⦆
Thírd Órder [종종 t- o-] 〖가톨릭〗 제3회 ⦅속세에 있으며 수도회에 준하는 규칙에 따라 사는 사람들⦆
thírd párty **1** 〖법〗 (당사자 이외의) 제3자 **2** [the ~] 〖정치〗 제3당; 소수당
thírd-par·ty credibílity [θə́:rdpɑ̀:rti-] 〖광고〗 제3자에 의한 신뢰성 증명 ⦅이해 관계가 없는 제3자의 호의적인 발언에 의한⦆
thírd-party insúrance 제3자 보험 ⦅피보험자 이외의 제3자에게 일어난 상해를 처리하는 보험⦆
thírd pérson [the ~] **1** 〖문법〗 제3 인칭 **2** 제3자
thírd ráil 〖철도〗 (전차의 가공선(架空線) 대용의) 제3 궤조(軌條) ⦅송전용⦆
third-rate [-réit] *a.* 3등의, 3류의; 하등의, 열등한
third-rat·er [-réitər] *n.* 3류급 인사; 3등품
thírd réading (의회의) 제3 독회(讀會)
Thírd Réich [the ~] 제3 제국 ⦅Hitler 치하의 독일(1933-45)⦆
thírd sácker ⦅야구속어⦆ 3루수
thírd séctor 제3 부문 ⦅국민 경제 중 공공 및 민간 부문에 속하지 않는 부분⦆
thírd séx [the ~; 집합적] ⦅미·구어⦆ 제3의 성, 동성애(자)
thírd stréam 〖음악〗 서드스트림 ⦅클래식과 재즈의 요소를 융합한 음악⦆
third-stream [-strí:m] *a.* 서드스트림의, 재즈와 클래식을 혼합한
thírd véntricle 〖해부〗 제3 뇌실(腦室)

thírd wáy (정치 등의) 중도 노선
Thírd Wáve [the ~] 제3의 물결 ⦅전자 공학 혁명에 따른 고도 기술의 시대; 미국의 Alvin Toffler의 주장⦆
thírd whéel ⦅미·속어⦆ 쓸모없는 사람
Thírd Wórld [the ~; 종종 t- w-] **1** 제3 세계 ⦅특히 아프리카·아시아·중남미의 개발도상국⦆ **2** (한 국가·문화 내의) 소수 집단 **Thírd Wórlder** *n.*
‡**thirst** [θə́:rst] [OE 「바싹 마르다」의 뜻에서] *n.* **1** Ⓤ 갈증, 목마름 **2** 수분 부족, 탈수 상태 **3** [종종 a ~] 갈망, 열망 ⦅*for, after, of*⦆: *a* ~ *for* knowledge 지식욕 **4** ⦅구어⦆ 건조 지대, 사막
— *vi.* **1** ⦅고어⦆ 목마르다 ⦅*for*⦆ **2** 갈망하다 ⦅*for, after*⦆: (~+전+명) ~ *for* fame 명성을 갈망하다
~·er *n.* **~·ful** *a.* = THIRSTY **~·less** *a.*
thirst·i·ly [θə́:rstili] *ad.* **1** 목말라서, 목마르게 **2** 갈망하여, 열망하여
‡**thirst·y** [θə́:rsti] *a.* (**thirst·i·er**; **-i·est**) **1** 목마른 **2** ⦅구어⦆ 술을 좋아하는: a ~ soul 술을 좋아하는 사람, 술꾼 **3** 〈토지·초목 등이〉 물기 없는, 건조한, 메마른 **4** Ⓟ 갈망[열망]하는 ⦅*for*⦆ **5** ⦅구어⦆ 〈일·음식 등이〉 목마르게 하는, 목이 마르는 **6** 〈자동차·엔진 등이〉 연료 소비율이 높은 **thírst·i·ness** *n.*
‡**thir·teen** [θə̀:rtí:n] *a.* **1** Ⓐ 13의, 13개의, 13명의 **2** Ⓟ 13세의 ***the ~ superstition*** 13의 수를 불길하다고 생각하는 미신
— *n.* **1 a** (기수의) 13 **b** 13의 기호 ⦅13, xiii, XIII⦆ **2** 13세; 13달러[파운드, 센트, 펜스]
— *pron.* [복수 취급] 13개, 13명
‡**thir·teenth** [θə̀:rtí:nθ] *a.* **1** [보통 the ~] 제13의, 열세 번째의 **2** 13분의 1의
— *n.* **1** [보통 the ~] **a** (서수의) 제13 ⦅略 13th⦆ **b** (달의) 13일 **2** 13분의 1
— *pron.* 13번째의 사람[것]
‡**thir·ti·eth** [θə́:rtiiθ] *a.* **1** [보통 the ~] 제30의, 서른 번째의 **2** 30분의 1의
— *n.* **1** [보통 the ~] **a** (서수의) 제30 ⦅略 30th⦆ **b** (달의) 30일 **2** 30분의 1
— *pron.* [the ~] 서른 번째의 사람[것]
‡**thir·ty** [θə́:rti] *a.* **1** Ⓐ 30의, 30개[명]의 **2** Ⓟ 30세의
— *n.* **1 a** [보통 관사 없이] (기수의) 30 **b** 30의 기호 ⦅30, xxx, XXX⦆ **2 a** 30명, 30개 **b** [one's -ties] (연령의) 30대 **c** [the -ties] (세기의) 30년대 **d** 30세; 30달러[파운드, 센트, 펜스] **3** 〖테니스〗 서티 ⦅2점째의 득점⦆ **4** 30구경 총 **5** 〖라디오·TV〗 30초짜리 광고 **6** ⦅미⦆ 〖신문〗 (기사·원고의) 끝을 나타내는 기호 (cf. 30-DASH)
— *pron.* [복수 취급] 30개, 30명 **~·ish** *a.*
30-dash [θə́:rtidæʃ] *n.* 〖신문·인쇄〗 —30—, —XXX—, —O—의 기호 ⦅기자가 원고 끝에 써서 기사가 끝났음을 나타냄⦆
thir·ty-eight, .38 [-éit] *n.* (*pl.* **.38s, .38's**) 38구경 권총 ⦅보통 38로 적음⦆
35mm [θə̀:rtifáivmílimi:tər] *n.* 35밀리 필름 ⦅일반 필름 영화나 카메라에 쓰이는 필름의 사이즈⦆
thir·ty·fold [θə́:rtifòuld] *a., ad.* 30배의[로]
Thír·ty-nine Árticles [-náin-] [the ~] 영국 국교의 39개 신조 ⦅성직에 취임할 때 이에 동의한다는 뜻을 표명함⦆
thír·ty-séc·ond nòte [-sékənd-] 〖음악〗 32분 음표
thírty-sécond rèst 〖음악〗 32분 쉼표
thir·ty-thir·ty, .30-30 [θə́:rtiθə́:rti] *n.* (*pl.* **.30-30s, .30-30's**) 30 구경 30 약립(藥粒)의 라이플
thir·ty-three [-θrí:] *n.* 33회전반 ⦅33 1/3 회전의 레코드; 보통 33이라고 씀⦆

thesaurus **thirsty** *a.* **1** 목마른 having a thirst, parched, dehydrated **2** 건조한 dry, parched, droughty **3** 갈망하는 thirsting, avid, keen, eager, hungry, greedy, covetous, craving
thorn *n.* prickle, spike, barb, spine, bristle

thir·ty-two·mo [θə́:rtitú:mou] *n.* (*pl.* **~s**) 32절판(折判)(의 책[종이, 페이지]) ((32mo, 32°; cf. FOLIO, -MO))

Thírty Yéars'[Yéars] Wár [the ~] 30년 전쟁(1618-48) ((주로 독일 국내에서 일어난 신구 교도간의 종교 전쟁))

‡this ⇨ this (p. 2606)

This·be [θízbi] *n.* 〖그리스신화〗 티스베 ((Pyramus와 서로 사랑한 여자; Thisbe가 사자에게 잡혀먹힌 것으로 알고 자살한 Pyramus의 뒤를 따라 자살))

this·ness [ðísnis] *n.* Ⓤ 〖철학〗 개성(個性) 원리, 개별성의 특성(haecceity)

‡this·tle [θísl] *n.* 〖식물〗 엉겅퀴 ((스코틀랜드의 국화(國花))) ***grasp the ~ firmly*** 용기를 내어 난국에 대처하다 (***the Order of***) ***the T~*** (스코틀랜드의) 엉겅퀴 훈장[훈위] ((Garter 훈위(勳位) 다음 가는))

this·tle·down [θísldàun] *n.* Ⓤ 엉겅퀴의 관모(冠毛): (as) light as ~ 아주 가벼운

this·tly [θísli] *a.* (**this·tli·er**; **-tli·est**) **1** 엉겅퀴가 무성한 **2** 엉겅퀴 같은, 가시가 있는; 찌르는

this-world·li·ness [ðíswə́:rldlinis] *n.* 세속적인 것으로의 관심, 세속적 가치의 집착

this-world·ly [ðíswə́:rldli] *a.* 세속사에 대한 관심[집착]이 강한, 세속적인(opp. *otherworldly*)

***thith·er** [θíðər, ðíð- | ðíð-] *ad.* ((고어)) 저쪽으로, 그쪽에(there)(cf. THENCE)
—*a.* 저쪽의, 저편의

thith·er·to [θìðərtú:, ðìð-, ⌐—⌐ | ðìðətú:, ⌐—⌐] *ad.* (과거의) 그때까지(는)

thith·er·ward(s) [θíðərwərd(z), ðíð- | ðíð-] *ad.* ((고어)) = THITHER

thix·ot·ro·py [θiksátrəpi | -ɔ́t-] *n.* 〖화학〗 (겔의) 요변성(搖變性), 틱소트로피 ((흔들리면 겔(gel)에서 유동성의 졸(sol)로 변화하지만, 정지하면 다시 겔로 돌아가는 성질)) **thìx·o·tróp·ic** *a.*

Th.M. Master of Theology

tho(') [ðóu] *conj., ad.* = THOUGH

Tho. 〖성서〗 Thomas

thole[1] [θóul] *vt.* ((영·방언)) 참다, 견디다; …의 여지가 있다

thole[2] *n.* (배의 노를 꽂는) 놋좆

thole·pin [θóulpìn] *n.* = THOLE[2]

tho·los [θóulɑs, -lous | -lɔs] *n.* (*pl.* **-loi** [-lɔi]) **1** 〖건축〗 (고대 그리스·로마의) 원형 건축물 **2** 〖고고학〗 (Mycenae 시대의) 둥근 천장식 지하 분묘

Thom·as [tάməs | tɔ́m-] *n.* **1** 남자 이름 ((애칭 Tom, Tommy)) **2** [St. ~] 〖성서〗 (성)도마 ((그리스도의 12사도 중 한 사람)) **3** 영국 병사(= ~ **Átkins**)

Thómas Cùp 토머스 컵 ((남자 세계 배드민턴 선수권의 우승배))

Tho·mism [tóumizm] *n.* Ⓤ 토머스설(說) ((Thomas Aquinas의 신학·철학설))
Thó·mist *n., a.* **Tho·mís·tic** *a.*

Thómp·son séedless [tάmpsn- | tɔ́mp-] (캘리포니아산의) 씨 없는 포도 ((건포도용)); 그 포도나무

Thómpson submachíne gùn 톰슨식 소형 기관총(Tommy gun)

thong [θɔ́:ŋ, θάŋ | θɔ́ŋ] *n.* 가죽끈, 끈; ((호주)) 고무 슬리퍼 **—***vt.* 가죽끈을 달다[으로 때리다]
thónged [-d] *a.*

---

thorough *a.* **1** 철저한 in-depth, exhaustive, complete, comprehensive, full, intensive, extensive, widespread, detailed **2** 빈틈없는 meticulous, scrupulous, conscientious, punctilious, careful **3** 순전한 utter, sheer, downright, absolute, perfect

---

Thor [θɔ́:r] *n.* **1** 토르, 뇌신(雷神) ((북유럽 신화에서 천둥·전쟁·농업을 주관)) **2** 미국 최초의 중거리 탄도탄

tho·rac·ic [θɔ:rǽsik] *a.* 가슴[흉부]의 **-i·cal·ly** *ad.*

thorácic dúct 〖해부〗 흉관(胸管)

tho·ra·co·plas·ty [θɔ́:rəkouplæ̀sti] *n.* 〖외과〗 흉곽 성형술

tho·ra·cot·o·my [θɔ̀:rəkάtəmi | -kɔ́t-] *n.* 〖외과〗 개흉(開胸)(술)

tho·rax [θɔ́:ræks] *n.* (*pl.* **~·es, -ra·ces** [-rəsì:z]) **1** 〖해부·동물〗 흉부, 흉곽(胸廓), 흉강(胸腔) **2** 〖고대그리스〗 흉갑(胸甲), 가슴받이(breastplate)

Tho·reau [θəróu, θɔ́:rou | θɔ́:rou] *n.* 소로 **Henry David ~** (1817-62) ((미국의 초절(超絶)주의자·저술가; *Walden*(1854)의 저자))

tho·ri·a [θɔ́:riə] *n.* 〖화학〗 산화토륨

tho·ri·a·nite [θɔ́:riənàit] *n.* Ⓤ 〖광물〗 토리아나이트 ((방사성을 가진 광석))

tho·rite [θɔ́:rait] *n.* Ⓤ 〖광물〗 토라이트, 규(珪)토륨광(鑛)

tho·ri·um [θɔ́:riəm] *n.* Ⓤ 〖화학〗 토륨 ((방사성 금속 원소; 기호 Th, 번호 90))

thórium dióxide 〖화학〗 이산화토륨

thórium sèries 〖화학〗 토륨 계열

‡thorn [θɔ́:rn] *n.* **1** (식물의) 가시, 극침(棘針); 〖식물〗 가시가 있는 관목 ((hawthorn, whitethorn 등)): There is no rose without a ~. 가시 없는 장미는 없다. / Roses have ~*s*. ((속담)) 장미에는 가시가 있다. **2** (동물의) 가시털, 극모(棘毛) **3** 고통을 주는 것, 괴로움의 원인 **4** 고대 영어의 þ자 ((현대 영어의 th[θ, ð]에 해당; cf. EDH))
a ~ in one's side [***flesh***] 걱정[고통]의 원인, 불안의 씨 ***be*** [***sit, stand, walk***] ***on*** [***upon***] ***~s*** 늘 불안해하다, 안절부절못하다 **~·less** *a.* **~·like** *a.*
▷ thórny *a.*

thórn àpple 〖식물〗 **1** 산사나무의 열매, 아가위(haw) **2** 흰독말풀류(類)

thorn·back [θɔ́:rnbæ̀k] *n.* **1** 〖어류〗 홍어 **2** 〖동물〗 (영국산(産)) 거미게의 일종

thorn·bush [-bùʃ] *n.* 가시 돋친 관목; 가시나무 덤불

Thorn·dike [θɔ́:rndàik] *n.* 손다이크 **Edward Lee ~** (1874-1949) ((미국의 심리학자·사서 편찬자))

thorned [θɔ́:rnd] *a.* 가시가 있는[많은]; 가시나무가 무성한

thorn·y** [θɔ́:rni] *a.* (**thorn·i·er**; **-i·est**) **1** 가시가 많은, 가시가 돋친; 가시 같은, 가시처럼 날카로운 **2** 어려운, 곤란한, 골치 아픈; 고통스러운, 괴로운 ***tread a ~ path 가시밭길을 걷다
thórn·i·ness *n.* ▷ thórn *n.*

thor·o [θə́:rou, θʌ́r- | θʌ́rə] *a., ad., prep., n.* ((구어)) = THOROUGH

tho·ron [θɔ́:rɑn | -rɔn] *n.* Ⓤ 〖화학〗 토론 ((radon의 방사성 동위 원소; 기호 Tn, 번호 86))

‡thor·ough [θə́:rou, θʌ́r-, -rə | θʌ́rə] *a.* **1** 철저한, 완전한; 절대적인: a ~ reform 완전한 개혁 **2** 순전한, 전적인 **3** 면밀한, 빈틈없는 **4** 〈예술가 등이〉 충분히 숙달된: a ~ actor 타고난 배우
—*ad., prep.* ((고어·시어)) = THROUGH
—*n.* 철저한 정책[행동]; [**T~**] ((특히)) (영국의) 철저한 탄압 정책

thor·ough·bass [θə́:roubèis | θʌ́rə-] *n.* Ⓤ 〖음악〗 통주 저음(通奏低音)(법)(continuo)

***thor·ough·bred** [θə́:roubrèd | θʌ́rə-] *a.* **1 a** 〈동물, 특히 말이〉 순혈종(純血種)의(purebred) **b** [보통 **T~**] 서러브레드 종의 〈말〉 **2** 〈사람이〉 혈통이 좋은; 교양[본데] 있는, 기품 있는, 우아한 **3** 우수한, 일류의
—*n.* **1 a** 순혈종의 말[개] **b** [**T~**] 서러브레드 ((말)) **2 a** 지체 높은 사람, 교양이 있는 사람, 출신이 좋은 사람 **b** 최우수[일류의, 고급의] 차(車) ((등))

thor·ough·fare** [θə́:roufɛ̀ər | θʌ́rə-] *n.* **1** (빠져나갈 수 있는) 도로, 가도; 한길, 주요 도로 **2** ⓊⒸ 통행 ***No ~. ((게시)) 통행 금지.

this

this는 that과 비교하여 거리·심리적으로 말하는 사람에게 가까운 것, 또는 가깝다고 느껴지는 것에 쓴다. 이 원근의 대응은 here과 there, now와 then의 용법과 일치한다. 또한 말하는 사람이 염두에 두고 있는 생각, 그리고 은연중에 알고 있는 것에도 쓴다.
지시형용사 this를 소유격과 나란히 *this my* hat, *my this* hat 등으로는 쓰지 않고, *this* hat of *mine*[*yours, ours, his, hers, theirs*] 식으로 말한다. 복수형 these도 마찬가지이다.

‡this [ðís] *pron., a., ad.*

① 이것	대 **1 a, b**
② 이	형 **1 a, b**
③ 이 만큼, 이 정도(로)	부
④ 지금; 지금의	대 **2 a** 형 **3**

— *pron.* (*pl.* **these** [ðí:z]) **1 a** [가까운 것[사람]을 가리켜; 종종 사람을 소개할 때 써서] **이것**, 이분[사람]: *T~* is my cap. 이것은 내 모자다. / What's all ~? 도대체 이것은 무슨 일이냐? / *T~* is my wife. 이 사람은 내 처입니다. / Who is ~ speaking? [전화에서] 누구십니까? / Hello! *T~* is John Smith speaking. [전화에서] 여보세요, 저는 존 스미스입니다. / "Is ~ Mary?"—"Yes, ~ is she." [전화에서] 《미》 메리입니까?—예, 그렇습니다.(cf. THAT A *pron.* 1 a) **b** 이것, 이 사태: Take ~ with you. 이것을 갖고 가시오. **c** [that과 상관적으로 써서] **이쪽**, 후자(the latter): Of the two methods, ~ seems to be better than *that*. 두 가지 방법 중에서 이쪽[후자]이 그쪽보다 나을 것 같다.
2 a [때를 가리켜] **지금**, 현재, 이때, 이날, 오늘: *T~* is an era of mass communication. 현재는 매스컴의 시대다. **b** [장소를 가리켜] **이곳**, 여기: Get out of ~. 여기서 나가라; 이 일에서 손떼라. / *T~* is where I live. 이곳이 내가 사는 집입니다.
3 a [방금 말한 것을 가리켜] **이 말**, 이것, 이 일: Who told you ~? 누가 그 말을 자네한테 하던가? / The bus and the bicycle collided. I reported ~ immediately to the police. 버스와 자전거가 충돌했다. 나는 즉시 경찰에 이 일을 통보했다. **b** [지금부터 말하려거나 제시하려는 사물을 가리켜] **이런 일**, 다음의 것, 이런 상태: What I want to say is ~: Man is selfish by nature. 내가 말하려는 것은 이것이다. 즉 인간은 본성이 이기적이다. / Do it like ~. 이런 식으로 하시오. / *T~* is what you get for lying. 거짓말하면 이거다. 《거짓말한 아이 등을 때릴 시늉을 하면서 하는 말》
after ~ 이후는, 지금부터(는)
all ~ 이것은 모두, 이 모든 것
at ~ 이를 보고[듣고], 이에
before ~ 지금까지, 이전에
by ~ 이때까지; 지금쯤은
like ~ 이와 같이
long before ~ 이보다 훨씬 전에
~ and [***or***] ***that*** 이것저것, 이모저모: put ~ *and that* together 이모저모로 생각하다 / We all sat before the fireplace talking of ~ *and that*. 우리는 난로 앞에 앉아서 이런저런 이야기를 나누었다. / A lot of people simply must have the latest ~ *or that*. 최신 것이라면 무조건 이것저것 가지려는 사람이 많다.
~, that, and the other = THIS and that
What's all ~? ⇨ 1 a
with ~ 이렇게 말하면서[말하고]: *With* ~ she took up her sewing again. 이렇게 말하면서 그녀는 또 바느질감을 집어들었다.
— *a.* 《지시형용사》 (*pl.* **these** [ðí:z]) **1 a** [가까이 있는 것[사람]을 가리켜] **이**: ~ desk 이 책상 / ~ girl here 여기 있는 이 소녀 **b** [가까운 때[곳]를 가리켜] **이**, 이곳의, 여기의: ~ life 이승, 현세 / by ~ time 이때까지는; 지금쯤은 (벌써) / live in ~ country 이 나라에서 살다 **c** [that과 상관적으로] **이**: He went to ~ doctor *and that*. 그는 이곳저곳의 의사의 진찰을 받았다.
2 a [서로 이미 알고 있는 것[사람]을 가리켜] **이**: ~ broad land of ours 이 넓은 우리 나라 ★ 보통 our this broad land 또는 this our broad land라고 하지 않음. / Who's ~ Mrs. Green you've been talking about? 아까부터 말씀하시는 이 그린 부인이란 누굽니까? **b** [지금부터 말하거나 제시하려는 사물을 가리켜] **이**, 이런: Have you heard ~ story? (지금부터 말하려는) 이 이야기를 들은 적이 있습니까?
3 지금의, 현재의, 이, 금(今)… 《★ 종종 때를 나타내는 명사와 함께 부사구를 이룸》: ~ morning[afternoon, evening] 오늘 아침[오후, 저녁] / ~ week[month, year] 금주[이달, 금년] / ~ time tomorrow[yesterday] 내일[어제]의 이맘때 / ~[these] ten minutes 이 10분간
4 《구어》 어떤 (한 사람[하나]의): Yesterday I was arguing with ~ waiter, when ... 어제 어떤 웨이터하고 승강이를 하고 있었는데, 그때 …
for ~ once [***time***] 이번만은
~ (***...***) ***and that*** (***...***) ⇨ 1 c
~ day 오늘: to ~ *day* 오늘(날)까지
~ day week 《영》 내주의 오늘; 지난 주의 오늘
~ here 《속어》 이(this): ~ *here* pretty dress 이 예쁜 옷
~ time 이번에는, 이번만은
~ way and that ⇨ way
— [ðís] *ad.* **이만큼**, 이토록, 이 정도로(cf. THAT *ad.* 1): It was about ~ deep. 그것은 이 정도의 깊이였다. / Our bus doesn't run ~ late. 이렇게 늦게는 버스는 다니지 않는다. / I didn't expect it to be ~ complicated. 그것이 이토록 복잡하리라고는 예기치 못했다.
~ much 이만큼, 이 정도(는), 이것만큼: Can you spare me ~ *much*? 이만큼 가져도 좋습니까? / *T~ much* is certain. 이것만큼은 확실하다. ★ this much가 대명사적으로 주어로서 쓰였음.

***thor·ough·go·ing** [θə́:rougòuiŋ | θʌ́rə-] *a.* **1** 철저한 **2** Ⓐ 순전한
‡thor·ough·ly [θə́:rouli | θʌ́rə-] *ad.* **1 완전히**, 철저히(completely) **2** Ⓐ 순전히
thor·ough·ness [θə́:rounis | θʌ́rə-] *n.* Ⓤ 완전, 철저함; 순전함
thor·ough-paced [θə́:rəpèist | θʌ́rə-] *a.* **1** 〈말이〉 모든 보조(步調)에 익숙한 **2** Ⓐ 철저한, 완전한; 순전한: a ~ villain 대악인(大惡人)
thor·ough·wort [θə́:rəwə̀:rt | θʌ́rəwə̀:t] *n.* = BONESET
thorp(**e**) [θɔ́:rp] *n.* 《고어》 마을, 촌락
Thór's hámmer (북유럽 신화의) 뇌신 토르의 철퇴(鐵槌)[해머] 《던지면 적에게 맞고 되돌아옴》

thesaurus **thoughtful** *a.* prudent, careful, cautious, heedful, wary, considerate, caring, helpful, kind, compassionate, tender, charitable

Thos. Thomas

‡**those** [ðóuz] *a.* [THAT의 복수; 지시형용사; cf. THESE] **1** 그것들의 **2** [관계대명사에 의한 한정을 미리 지시하여] 그, 저 《우리말로는 번역하지 않는 편이 나음》: *T*~ books (which) you lent me were very useful. 당신이 나에게 빌려준 책은 매우 유익했습니다. — *pron.* [지시대명사; cf. THESE] **1** 그들, 그것들, 그 사람들 **2** [앞서 쓴 복수 명사의 반복을 피하기 위해] 그(것)들 **3 a** [수식어와 함께] (…한) 것[사람]들: ~ present 출석자들 **b** [관계대명사와 함께] (…한) 사람들 ***in ~ days*** 그 무렵[당시]에는(cf. in THESE days) ***one of ~ days*** 《미·구어》 재수 없는 날 (another day of trouble) ***There are ~ who say ...*** …이라고 말하는 사람도 있다

‡**thou**[1] [ðáu] *pron.* 《고어》 [제2인칭 단수 주격; 목적격 **thee** [ðíː]; 소유격 **thy** [ðái], **thine** [ðáin]; *pl.* **ye** [jíː], **you** [júː]] 당신은, 너는, 그대는

USAGE 지금은 Quaker 교도들 사이, 사투리 및 예스러운 글·시·기도문 등 외에는 전부 you를 쓴다; 이에 따르는 동사는 are가 art, have가 hast로 되는 것 외에는 -st, -est의 어미를 붙인다.

— *vi.* thou라는 대명사를 써서 말하다

— *vt.* thou라는 말을 써서 부르다

thou[2] [*thou*sand] *n.* (*pl.* **~, ~s**) 《속어》 1,000개 [파운드, 달러]

thou. thousand

‡**though** ⇨ though (p. 2608)

‡**thought** [θɔ́ːt] *v.* THINK의 과거·과거분사

— *n.* **1 a** ⓊⒸ 생각, 사고, 사색; 숙고: *T~s* from Carlyle 칼라일 언사록(言思錄) 《책 이름》 **b** (이성에 호소하여 떠오른) 생각; 생각해낸 것, 착상(⇨ idea 유의어): a happy[striking] ~ 묘안 **c** [a ~] 일고(一考) **d** Ⓤ 사고력; 추리력; 상상력 **e** ⓊⒸ (…할) 생각, 의향(意向); [보통 *pl.*] 의견, 견해, 판단, 소신 **f** 예상, 예기 **2** ⓊⒸ 고려, 배려(配慮); 염려; 걱정 **3** Ⓤ [보통 수식어와 함께] (시대·민족 등의) 사상, 사조(思潮): modern[Western, Greek] ~ 근대[서양, 그리스] 사상 **4** [a ~; 부사적으로] 조금, 약간 **5** 《고어》 곤란, 슬픔 ***after much*** [***serious***] ***~*** 잘 생각한 뒤에, 숙고한 후 ***A penny for your ~s.*** 무엇을 그렇게 멍하니 생각하고 있는가? ***at*** [***like***] ***a ~*** = (***as***) ***quick as ~*** 단숨에, 곧 ***at the*** (***very***) ***~ of*** [***that***] …이라고 생각만 해도 ***be lost in ~*** 생각에 잠겨 있다 ***give a*** (***passing***) ***~ to*** = ***bestow a ~ on*** …을 한 번 생각해 보다, …에 대해 일고하다 ***have ~***(***s***) ***of*** …에 대해 생각하다; (…할 것)을 예기하다 《do*ing*》 ***on second ~***(***s***) 다시 생각하여 보고, 재고(再考)하여 ***take ~ for*** …을 걱정하다, …에 마음을 쓰다, 염려하다 ***upon*** [***with***] ***a ~*** 즉시로 ***without a moment's ~*** 즉석에서 ***with the ~ of*** do***ing*** …하려고 생각하여 ***You are always in my ~s.*** 그대를 항상 생각하고 있다.

thóught contròl 사상 통제

thought·crime [-kràim] [George Orwell의 소설 *Nineteen Eighty-Four*에서] *n.* ⓊⒸ 사상 범죄

thóught disòrder 〖정신의학〗 사고(思考) 장애

thought·ed [θɔ́ːtid] *a.* [복합어로] …한 생각을 가진, 생각이 …한

thóught expèriment 〖물리〗 사고(思考) 실험

‡**thought·ful** [θɔ́ːtfəl] *a.* **1** 생각이 깊은, 사려 깊은 《*of*》; 사상이 풍부한 **2** 인정 있는, 동정심 있는; 친절한: a ~ gift 정성어린 선물 **3** 생각에 잠긴 ***How ~ of you!*** 정말로 당신은 인정이 많으시군요! **~·ness** *n.*

∗**thought·ful·ly** [θɔ́ːtfəli] *ad.* 생각이 깊게; 생각에 잠겨; 인정 있게, 친절히

thóught lèader 선구자적인 사상가, 이론가

---

thoughtless *a.* unthinking, heedless, careless, unmindful, absentminded, injudicious, foolish, imprudent, silly, stupid, reckless, negligent

∗**thought·less** [θɔ́ːtlis] *a.* **1** 생각이 없는, 경솔한, 부주의한: a ~ housing policy 경솔한 주택 정책/ be ~ of one's health 자신의 건강에 주의하지 않다 **2** 인정[사려] 없는; 불친절한 **3** 생각하는 능력이 없는, 둔한 **4** 《고어》 근심 없는 **~·ly** *ad.* **~·ness** *n.*

thought-out [θɔ́ːtáut] *a.* [보통 well 등의 부사와 함께] 여러 모로 깊이 생각한, 용의주도한 〈논법 등〉

thóught pàttern 사고[발상] 양식

thóught photògraphy 염사(念寫) 《관념이나 꿈을 사진으로 찍는 일》

thóught polìce 사상 경찰

thought-pro·vok·ing [-prəvòukiŋ] *a.* 생각하게 하는, 시사(示唆)하는 바가 많은

thought-read [-rìːd] *vt.* (**-read** [-rèd]) 표정[텔레파시]으로 (…의) 진의(眞意)를 읽다[알아차리다]

thought-read·er [-rìːdər] *n.* 독심술사(mind reader)

thought-read·ing [-rìːdiŋ] *n.* Ⓤ 독심술

thóught transfèrence 직각(直覺)적 사고(思考) 전달, 이심전심 《말·동작·표정 등을 쓰지 않고 사상을 남에게 전달하는 일》; 《특히》 = TELEPATHY

thóught wàve 심파(心波) 《사상의 감응 파동》

thought·way [-wèi] *n.* (특정 집단·시대·문화의 특정적인) 사고 방식[양식]

‡**thou·sand** [θáuzənd] *a.* **1** 천의, 천 개[명]의 **2** [보통 a ~] 수천의; 다수의, 무수한 (***a***) ***~ and one*** 수많은, 무수한 ***A ~ thanks*** [***pardons, apologies***]. 대단히 감사합니다[미안합니다, 죄송합니다]. ***a ~ times easier*** 훨씬 쉬운 ***The T~ and One Nights*** 천일야화(千一夜話) 《아라비안나이트》

— *n.* (*pl.* **~s** [-*dz*], [수사 또는 수를 나타내는 형용사와 함께 쓰일 때에는] **~**) **1 a** 천: a[《강조》 one] ~ 1,000/three ~ 3,000 **b** 천의 기호 《1000, M》 **2** [*pl.*] 다수, 무수, 수천 ***by the ~***(***s***) 1000의 단위로, 몇 천이나, 아주 많이 ***hundreds*** [***tens***] ***of ~s of*** 수천수만의 …, 수많은 … ***It is a ~ to one*** [《속어》 ***a ~ nuts to an orange pip***]. 거의 절대적이다. ***one in a ~*** 불세출의 영웅, 절세의 미인

— *pron.* [복수 취급] 천 개, 천 명: There are a [one] ~. 1000개[명]가 있다.

thou·sand·fold [θáuzəndfòuld] *a., ad.* 천 배의[로]

Thóusand Ísland dréssing 《미》 사우전드 아일랜드 드레싱 《마요네즈에 파슬리·피클·삶은 달걀·케첩 등을 가한 드레싱》

thou·sand-leg·ger [θáuzəndlègər] *n.* 〖동물〗 노래기

thóusands plàce (아라비아 숫자의 표기에서) 1000의 자리

thou·sandth [θáuzəndθ, -zən*t*θ] *a.* **1** [보통 the ~] 천 번째의 **2** 1000분의 1의

— *n.* (*pl.* **~s**) **1** [보통 the ~] 천 번째 《略 1000th》 **2** 천분의 1 — *pron.* 천 번째의 것[사람]

thow·less [θáulis] *a.* 《스코》 기운[활기] 없는, 의지가 약한

thp thrust horsepower **thr.** through

Thrace [θréis], **Thra·ce** [θréisi], **Thra·cia** [θréiʃə] *n.* 트라키아 《Balkan 반도의 에게 해 북동 해안 지방》

Thra·cian [θréiʃən] *n. a.* 트라키아 사람[말](의)

∗**thrall** [θrɔ́ːl] *n.* **1 a** 노예 **b** (악덕·악습 등의) 노예 《*of, to*》 **2** Ⓤ 노예 신세[상태], 속박 ***a ~ to*** vice (악덕)의 노예 ***in ~ to*** …에 얽매여

— *a.* 《고어》 노예가 된, 속박된

— *vt.* 《고어》 노예로 만들다

thrall·dom, thral- [θrɔ́ːldəm] *n.* Ⓤ 노예의 신분[상태]; 속박

∗**thrash** [θrǽʃ] *vt.* **1** (몽둥이·채찍 등으로) 마구 때리다, 채찍질하다 **2** 《구어》 〈경기에서 상대방을〉 격파하다, 이기다 **3** 〈배를〉 파도[바람]를 헤쳐[거슬러] 나아가게 하다 **4** 〈곡물을〉 (도리깨 등으로) 두드리다, 탈곡하다

— *vi.* **1** 뒹굴다, 몸부림치다: 《~+副》 ~ *about* in

though

though는 '양보'를 나타내는 종속접속사로서 although와 같은 뜻이지만 although보다 구어적이며, 또한 although와는 달리 however의 뜻의 부사로도 쓰인다. 《구어》에서는 tho, tho'로 쓰기도 한다. though의 용법에서 특히 다음과 같은 것에 주의해야 한다.

1 though가 들어 있는 복문을 but을 써서 중문으로 고칠 수가 있다: He didn't light the fire, *though* it was cold. → It was cold, *but* he didn't light the fire. 추웠지만 그는 불을 피우지 않았다.

2 though절의 주어가 주절의 주어와 같은 경우에는 '주어+be동사'는 종종 생략된다: *Though* (he was) very tired, he went on working. 그는 몹시 지쳐 있었지만 일을 계속했다.

3 보어의 형용사·명사·부사 등이 강조되어 though 앞에 오기도 하는데 이 용법은 문어적이다: Sick *though* he was(＝*Though* he was sick), he went to work as usual. 그는 아팠지만 평소대로 일하러 나갔다.

‡**though** [ðóu] *conj., ad.*

① …이지만	접 **1 a**
② 비록 …일지라도	접 **2**
③ …이기는 하지만	접 **1 b**
④ 그래도, 역시	부

— *conj.* **1 a** [종종 even ~로] …이지만, …(이긴) 하지만, …에도 불구하고(⇨ although USAGE): *T*~ he was young, he supported his family. ＝He supported his family, ~ he was young. 그는 어렸지만 그의 가족을 부양하고 있었다. ★ though절은 주절 앞이나 뒤에 모두 놓을 수 있음. / He answered firmly ~ pleasantly. 그는 명랑하기는 했으나 단호히 대답했다. / Millionaire ~ he was, he never let an opportunity slip. 그는 백만장자이면서도 돈벌이 기회는 절대로 놓치지 않았다. ★ 강조를 위해 a millionaire의 부정관사가 생략되었음. **b** [추가적으로 종속절을 이끌어] 하긴 …이지만: We managed to have a pretty good time, ~ the rain kept up for almost three weeks. 우리는 그런 대로 즐거운 시간을 보낼 수 있었다. 하긴 거의 3주일 동안 계속 비가 내렸지마는. **2** [종종 even ~로] 비록 …일지라도[하더라도](even if): It is worth attempting *even* ~ we fail. 비록 실패하더라도 해볼 가치는 있다.
as **~** ⇨ as *conj.*
What **~ …?** ⇨ what *pron.*
— *ad.* [문미·문중에 두어] 《구어》 그러나, 그래도, 그렇지만, 하긴, 역시(however, nevertheless): I missed the bus. Tom gave me a ride, ~. 나는 버스를 놓쳤어, 하지만 톰이 차에 태워 주었어. / After a while, ~, she heard the same voice calling her. 그러나 잠시 후에 그녀는 또 같은 목소리가 자기를 부르고 있는 것을 들었다. / I wish you had told me, ~. 그래도 내게 이야기해 주었으면 좋았을 텐데.

bed with pain 아파서 침대에서 뒹굴다[몸부림치다] // (~+전+명) The wind made the branches ~ *against* the window. 바람에 나뭇가지가 세차게 창문을 두드렸다. **2** 〈배가〉 파도[바람]를 헤치고[거슬러] 나아가다 **3** 탈곡하다, 도리깨질하다(thresh) **4** 《미·속어》 헛수고하다; 비난하다 **5** 《스케이트보드로》 공중회전하다; 묘기를 보이다
~ about (잠자리에서) 엎치락뒤치락하다 ***~ out*** 〈문제 등을〉 논의[토의] 끝에 해결하다, 충분히 검토하다; 논의[토의] 끝에 (진리·결론 등에) 도달하다; 《미·구어》 승부가 날 때까지 싸우다 ***~ over*** 되풀이하다 ***~ the life out of*** 《속어》 …을 때려 죽이다[눕히다]
— *n.* **1** 때림; 패배시킴, 이김 **2** 탈곡 **3** 〖수영〗 물장구치기 **4** 〖음악〗 (punk rock이 가미된 heavy metal 의) 록 음악의 한 형식(＝~ **mètal**)
thrash·er [θrǽʃər] *n.* **1** 채찍질하는 사람; 타작하는 사람, 탈곡기 **2** 〖어류〗 환도상어 **3** 〖조류〗 개똥지빠귀속(屬) 《북미산(産)》
thrash·ing [θrǽʃiŋ] *n.* **1** Ⓤ 타작, 탈곡, 도리깨질: a ~ floor 탈곡장 **2** UC 채찍질 **3** (경기 등에서의) 대패, 참패
thrásh mètal 스래시 메탈 《매우 빠르고 불협화음을 내는 헤비메탈의 일종》
thra·son·i·cal [θreisánikəl | -sɔ́n-] *a.* 자랑하는, 허풍치는 **~·ly** *ad.*
thraw [θrɔ́:, θrɑ́:] 《스코》 *vt.* **1** 비틀다 **2** 가로지르다, 방해하다 — *vi.* **1** 비틀리다 **2** 맞지 않다, 어긋나다 — *n.* **1** 비틀림 **2** 언짢음, 노여움
thra·wart [θrɑ́:wərt] *a.* 《스코》 **1** 고집이 센, 완고한 **2** 비틀어진, 찌그러진, 비뚤어진
thrawn [θrɔ́:n, θrɑ́:n] *a.* 《스코》 **1** 비틀어진, 굽은 **2** 성마른, 괴팍한 **~·ly** *ad.*
‡**thread** [θréd] *n.* **1** UC 실 **a** 바느질 실; 꼰실; 《영》 삼실; 《미》 무명실; 올실: a needle and ~ 실 꿴 바늘 **b** 선, 섬조(纖條), 가는 선: a ~ of light 한 줄기의 광명 **c** 〖광물〗 세맥(細脈); 실처럼 가느다란 것 《털·거미줄·물줄기·빛살·가늘게 잇닿는 소리 등》 **d** 나사산, 나삿니 **2 a** 연속, 계속; (이야기 등의) 줄거리, 맥락 **b** 특징, 요소 **c** [the ~, one's ~] 인간의 수명: *the* ~ of life 목숨 / cut *one's* mortal ~ 목숨을 끊다 **3** [*pl.*] 《미·속어》 의복, 옷 **4** 〖컴퓨터〗 스레드 《인터넷의 토론 그룹의 멤버들이 쓴 메시지가 일련으로 링크된 것》 ***be worn to a ~*** 올이 보이도록 닳아 해지다 ***gather up the ~s*** (1) 〈따로따로 취급한 문제·부분 등을〉 종합하다 (2) ＝pick up the THREADS of. ***hang by*** [***on, upon***] ***a ~*** 대단히 위태롭다 He ***has not a dry ~ on*** him. (그는) 온몸이 함빡 젖었다. ***lose*** [***miss***] ***the ~ of*** (이야기 등의) 줄거리를 알지 못하다, 갈피를 잡지 못하다 ***pick*** [***take***] ***up the ~s of*** 《구어》 (중단되었던 일·생활 등에) 다시 익숙해지다, …을 다시 시작하다 ***resume*** [***take up***] ***the ~ of a story*** 이야기의 실마리를 잇다 ***~ and thrum*** 전부, 모조리; 옥석혼효(玉石混淆)
— *vt.* **1** 〈바늘에〉 실을 꿰다 **2** 〈필름을〉 영사기에 끼워넣다 **3** 〈구슬 등을〉 실에 꿰다: (~+목+전+명) ~ beads *on* a string 염주알을 실에 꿰다 **4** 요리조리 헤치며 나아가다 《*through*》: (~+목+전+명) She ~*ed* her way *through* the crowd. 그녀는 군중 속을 요리조리 헤치며 나아갔다. **5** 〈볼트·구멍에〉 나사산을 내다 **6** 〈머리털에〉 (백발로) 줄무늬를 짓다: His black hair was ~*ed* with silver. 그의 검은 머리에는 몇 가닥의 은발이 섞여 있었다. **7** 〈기쁨·슬픔 등이〉 〈곡·이야기 등의〉 전체에 스며[꿰뚫고] 흐르다 ***~ out*** 〈길을〉 더듬어 가다
— *vi.* **1** 요리조리 누비듯 나아가다: (~+전+명) ~ *through* a narrow passage 좁은 통로를 빠져나가다

thesaurus **thread** *n.* **1** 실 yarn, cotton, filament, fiber **2** 선 strand, line, streak, strip, seam
threaten *v.* **1** 협박하다 menace, intimidate, bully,

2 〈시럽 등이〉 (스푼에서 떨어질 때) 실 모양으로 가늘게 늘어지다 **~·less** *a.* ▷ thréady *a.*

thread·bare [θrédbɛ̀ər] *a.* **1** 〈의복·천 등이〉 닳아서 올이 드러나 보이는, 나달나달 해진 **2** 〈사람이〉 누더기를 걸친, 초라한 **3** 빈약한, 부족한 **4** 〈의론·농담 등이〉 진부한, 시시한(well-worn) **~·ness** *n.*

thread·ed [θrédid] *a.* 실을 꿴, 실(모양으)로 장식한

thread·er [θrédər] *n.* **1** 실 꿰는 도구 **2** 〖기계〗 나사깎개 《기계》

thréad làce 아마사(亞麻絲)로 짠 레이스

thread·like [θrédlàik] *a.* 실 같은, 가늘고 긴

thréad màrk 지폐의 실오 무늬 《위조를 막기 위하여 지폐 속에 착색한 섬유를 넣은 실무늬》

thread-nee·dle [θrédnìːdl] *n.* Ⓤ 어린이 놀이의 일종 《한 줄로 손을 잡고 서서 끝의 아이가 다른 끝의 두 사람 사이를 차례로 빠져나감》

Threadnéedle Strèet 스레드니들가(街) 《런던의 은행가》 ***the Old Lady of ~*** 잉글랜드 은행 《속칭》

thréad pàper **1** 실꾸리 싸는 엷은 종이 **2** 홀쭉한 사람 **(as) *thin as ~*** 야윈

thréad vèin (특히 피부에 보이는) (정맥) 실핏줄

thread·worm [-wə̀ːrm] *n.* 선충(線蟲), 《특히》 요충(蟯蟲)

thread·y [θrédi] *a.* (**thread·i·er**; **-i·est**) **1 a** 실 같은, 가느다란 **b** 실의, 섬유질의 **2** 〈액체 등이〉 가는 실처럼 늘어지는, 진득진득한 **3** 〈맥박·목소리 등이〉 약한, 가냘픈, 힘없는 **thréad·i·ness** *n.*

threap [θríːp] 《스코》 *n.* **1** 논쟁 **2** 잔소리, 비난
— *vt.* **1** 꾸짖다, 비난하다 **2** 강하게 주장하다
— *vi.* 논쟁하다

‡**threat** [θrét] *n.* **1** 위협, 협박: make a ~ 으르다, 협박하다 **2** [a ~] 흉조(凶兆), 조짐, 징후 《*of*》: There is *a* ~ *of* rain. 비가 올 징후가 있다. **3** 《스포츠속어》 (위협을 주는) 강적
— *vt., vi.* 《고어》 = THREATEN

‡**threat·en** [θrétn] *vt.* **1** 위협[협박]하다: (~+목+전+명) He *~ed* me *with* death[*~ed to* kill me]. 그는 나를 죽인다고 협박하였다.

> 유의어 **threaten** 「위협하다」를 뜻하는 가장 넓은 뜻의 말이다 **intimidate** 위협함으로써 상대방의 언동을 속박하다: be not *intimidated* by the threat 협박에 굴하지 않다 **menace** 위협하는 사람이 가해할 가능성을 강조한다: *menace* a person with the immediate sack 당장 해고한다고 위협하다

2 〈위협·재앙 등이〉 …에게 임박하다; (…으로) 위협을 주다 《*with*》: a tribe *~ed with* extinction 멸종에 직면한 부족 **3** …할 우려가 있다, …할 것 같다, …의 징후를 보이다 《*to* do》: (~+*to* do) It *~s* (*to*) rain. 비가 쏟아질 것 같다.
— *vi.* **1** 위협[협박]하다 **2** 〈위험 등이〉 임박하다, …할 듯하다: A storm *~s.* 폭풍우가 올 것 같다. **~·er** *n.*

threat·ened [θrétnd] *a.* 〈야생 동물의 종(種)이〉 멸종할 위기에 직면한: ~ species 절멸 위기 종(種)

*__threat·en·ing__ [θrétəniŋ] *a.* **1** 위협[협박]적인: a ~ note 협박장 **2** 〈나쁜 일이〉 일어날 듯한, 임박한; 흉조의 **3** 〈날씨 등이〉 험악한: ~ clouds 한바탕 비를 뿌릴 것 같은 구름 **~·ly** *ad.*

‡**three** [θríː] *a.* **1** Ⓐ 셋의, 3개[인]의 **2** Ⓟ 세 살의
give a person ***~ times ~*** …에게 만세 삼창을 세 번 되풀이하다 ***the T~ Wise Men*** = MAGI 1 ***~ parts*** $^3/_4$; 십중팔구 거의
— *pron.* [복수 취급] 3개[명]
— *n.* **1 a** (기수의) 3, 셋 **b** 3의 기호 《3, iii, III》 **2** 3명, 3개; 3세, 3시; 3달러[파운드, 센트] **3** 3점 《주사위·카드 등》 **4** 세 개 한 벌[3명 한 조]의 것 **5** 《스케이트》 3자형 피겨 **6** 《미·속어》 코카인
the T~ in One = ***One in ~*** 〖그리스도교〗 삼위일체(the Trinity) **~ *foot ~*** 3피트 3인치 **~ *ten*** 《영·구어》 3파운드 10실링(£3 10s.)

pressurize **2** 위협을 주다 endanger, imperil, jeopardize, put at risk **3** 임박하다 impend, be imminent, hang over, loom, foreshadow

3-A, III-A [θríːéi] *n.* (미국의 선발 징병 분류에서) 심한 빈곤 또는 가족 부양으로 징병이 연기된 사람(을 나타내는 구분)

three-bag·ger [-bǽgər] *n.* 〖야구〗 = THREE-BASE HIT

thrée-ball mátch [-bɔ̀ːl-] 〖골프〗 스리볼 매치 《세 플레이어가 저마다 자기 볼을 가지고 함께 라운드하는》

thrée-base hít [-bèis-] 〖야구〗 3루타

thrée-card tríck [-kɑ̀ːrd-] 스리카드 트릭 《세 장의 카드를 엎어 놓고 퀸을 맞히게 하는 도박》

three-col·or [-kʌ̀lər] *a.* 3색의, 3색을 쓴; 〖인쇄〗 3색판의; 〖사진〗 3색 사진법의: ~ printing 3색판 인쇄

thrée-color photógraphy[**prócess**] 3색[천연색] 사진법

three-cor·nered [-kɔ́ːrnərd] *a.* **1** 세모의, 삼각의: a ~ hat 삼각 모자 **2** 〈경기 등이〉 세 사람의 선수로 된; 삼파전의; 삼각 관계의: a ~ relation 삼각 관계 **3** 고집스러운, 심술궂은

3-D, three-D [-díː] [*three-d*imensional] *n.* Ⓤ 3차원의 형태; 입체감; 입체 효과; 입체 사진[영화]
— *a.* = THREE-DIMENSIONAL

thrée-day evénting [-dèi-] = EVENTING

thrée-day méasles 〖의학〗 3일 홍역(rubella)

three-deck·er [-dékər] *n.* **1** (옛날의) 3층 갑판의 전함 《각 갑판에 대포를 비치》 **2** 3단으로 된 설교단; 3단으로 주름 잡은 스커트 **3** 3부로 된 것; 3부작 소설 **4** 3장 겹친 샌드위치 **5** 큰[중요한] 사람[것]

three-dig·it [-dídʒit] *a.* 세 자리의: ~ inflation 세 자리의 물가 상승 《100% 이상의 인플레이션》

three-di·men·sion·al [-diménʃənl] *a.* **1** 3차원의 **2** 〈사진·영화 등이〉 입체의

3-D[**thrée-Ď**] **TV** 〖전자〗 입체 텔레비전, 3차원 텔레비전

Thrée Estátes [the ~] **1** (중세 유럽의) 세 신분 《성직자·귀족·평민》 **2** 《영》 상원의 고위 성직 의원(Lords Spiritual)과 귀족 의원(Lords Temporal)과 하원 의원(Commons)의 세 계급

*__three·fold__[1] [θríːfòuld] *a.* **1** 3배의 **2** 3부분[요소]이 있는, 3중[겹]의: a ~ choice 삼자 택일
— *ad.* 3배, 3중으로

threefold[2] *n.* (무대 배경의) 삼면 장치

thrée fóurths 4분의 3

thrée-fóur (**tìme**) [θríːfɔ́ːr(-)] 〖음악〗 4분의 3박자(three-quarter time)

three-gait·ed [-géitid] *a.* 〈말이〉 (walk, trot, and canter의) 세 가지 보조(步調) 훈련을 받은

three-half·pence, -ha'pence [-héipəns] *n.* (*pl.* **~, -penc·es**) 1펜스 반($1^1/_2$d.)(cf. HALFPENNY)

three-hand(**·ed**) [-hǽnd(id)] *a.* 세 사람이 하는 〈놀이·경기 등〉

3HO [-éitʃóu] [*H*appy, *H*ealthy, *H*oly *O*rganization] *n.* 〖종교〗 시크교의 한 교파 《요가·채식주의를 받아들임》

thrée húndred hítter 〖야구〗 3할대 타자

three-lane [-lèin] *a.* 〈도로가〉 3차선의

three-leg·ged [-légid, -légd] *a.* 다리가 셋인, 3각의: a ~ race 〖경기〗 2인 3각 경주

thrée-let·ter mán [-lètər-] 《미·속어》 여자 같은 사내; 동성애자 《남성 동성애자를 지칭하는 단어(fag)가 3개의 문자로 이루어짐》

thrée-line whíp [-làin-] 《영》 (의회의) 긴급 등원(登院) 명령 《긴급함을 강조하기 위해 밑줄을 3개 그은 데서》; 《일반적으로》 긴급 요청서

3M [-ém] [*M*innesota *M*ining and *M*anufacturing Co.] 쓰리엠 《셀로판 테이프·자기 테이프로 유명한 미국 회사; 상표명》

thrée-mar·ti·ni lúnch [-mɑːrtìːni-] (회사 경비로 제공되는) 호화로운 점심 《martini를 세 잔이나 마시는 호화로운 점심이라는 뜻》
three-mast·er [-mǽstər | -mɑ́ːstə] *n.* 〚항해〛 세대박이 돛배, 《특히》 스쿠너(schooner)
Thrée Mìle Ísland 스리마일 섬 《Pennsylvania 주 Harrisburg에 가까운 Susquehanna 강에 있는 섬》
thrée-mile límit [-màil-] 〚국제법〛 해안에서 3마일 이내의 한계 《영해》
Thrée Nonnúclear Príncíples 비핵(非核) 3원칙 《핵무기를 「만들지 않는다」 「갖지 않는다」 「들여오지 않는다」라는 일본의 기본 방침》
three-pair [-pέər] *a.* 《영·고어》 4층의: ~ back[front] 4층의 뒷[앞]방
three-part [-pɑ̀ːrt] *a.* 3부의, 3부로 된
three-peat [-pìːt, ⌐⌐] *n., vt.* (스포츠의) 3연승[연패](하다)
three·pence [θrípəns, θrép-] *n.* (*pl.* **~, -penc·es**) 《영》 **1** 3펜스 경화 《1971년 폐지》 **2** Ⓤ 3펜스(의 금액) 《지금의 1 1/4 펜스》
three·pen·ny [θrípəni, θrép-] *a.* **1** 《영》 3펜스의 **2** 하찮은, 값싼 **—** *n.* 《영》 3펜스 경화(=~ bit[piece]) ★ three pennies는 1페니화(貨) 3개.
thréepenny bìt[pìece] 3펜스 은화
three-per·cent [θríːpərsént] *a.* **1** 3%의 **2** 3푼 이자의 **—** *n.* [*pl.*] **1** 3푼 이자의 공채[증권] **2** 《영》 정리(整理) 공채
three-phase [-fèiz] *a.* 〚전기〛 3상(相)의
three-piece [-píːs] *a.* 〈의복 등이〉 3개 한벌의, 스리피스의; 〈가구가〉 3개[점] 1세트의
three-ply [-plái] *a.* 세 겹의; 석 장 바른; 세 가닥으로 꼰 〈밧줄〉
thrée-point lánding [-pɔ̀int-] **1** 〚항공〛 3점 착륙 《세 개의 바퀴가 동시에 접지하는》 **2** 《구어》 (사업 등의) 만족스러운 결과, 성공
thrée-point túrn 《영》 3점 방향 전환 《좁은 길에서 전진·후진·전진으로 자동차 방향을 바꾸는 일》
three-quar·ter [-kwɔ́ːrtər] *a.* **1** 4분의 3의; 〈옷 등이〉 (보통의) 4분의 3 길이의, 7분(길이)의 **2** 〚사진〛 7분신(分身)의 《무릎 위까지》; 얼굴의 3/4을 나타내는 《full과 profile의 중간》 **—** *n.* **1** (사진 등의) 7분신(의 초상), 3/4이 나타난 얼굴 **2** 〚럭비〛 스리쿼터 백(=⌐ **báck**) 《halfback과 fullback의 중간 위치의 경기자》 ***to the extent of ~*** 거의, 대부분
thrée quárter bínding 4분의 3 가죽 장정
three-quar·ter-bound [θríːkwɔ́ːrtərbáund] *a.* 4분의 3 가죽 장정의
thrée quárters 4분의 3 《★《미》에서는 three fourths라고도 함》: ~ of an hour 45분
three-quar·ters [θríːkwɔ́ːrtərz] *a.* = THREE-QUARTER
thrée-quárter tìme 〚음악〛 4분의 3박자(three-four (time))
thrée-ring(ed) círcus [-rìŋ(d)-] **1** 세 장면을 동시에 진행하는 서커스 **2** 눈이 핑핑 도는 것, 매우 재미있는 것; 대활극
thrée R's [*r*eading, w*r*iting, and a*r*ithmetic] [the ~] **1** 읽기·쓰기·셈 **2** (각 영역의) 기본 기술
three·score [-skɔ́ːr] *n., a.* 60(의), 60세(의) ***~ (years) and ten*** 〚성서〛 (인생은) 70(세)
three-seat·er [-síːtər] *n.* 3인승 (자동차[비행기])
three·some [θríːsəm] *n.* **1** 3인조 **2** 〚골프〛 스리섬 《1명 대 2명으로 하는 경기》; 그 경기자들 **3** 세 사람이 벌이는 섹스 행각
— *a.* 3인조의, 3중의, 셋이서 하는
three-square [θríːskwέər] *a.* 〈줄·송곳 등이〉 정삼각형의 단면을 가지는
three-star [-stɑ̀ːr] *a.* 〈계급이〉 별이 셋인; 〈호텔·식당 등이〉 상급의, 별이 셋인
thrée-stríkes láw [-stráiks-] 삼진 아웃 법 《같은 죄를 세 번 저지른 자를 종신형에 처하도록 한 법률》
three-two [-tùː] *n.* 《미·속어》 알코올 농도 3.2%의 맥주
thrée únities [the ~] 〚연극〛 (때·장소·행동의) 3일치
three-val·ued [-vǽljuːd] *a.* 〚논리〛 삼치(三値)의 《진(眞)·위(僞)의 2치 이외에 제3의 진리치를 인정하는》
thrée vówels 《속어》 차용 증서 《IOU를 말함》
three-way [-wèi] *a.* 세 가지 모양의; 세 가지 방법의; 세 방향의; 세 가지로 작용하는; 3자간의
thrée-way búlb 밝기가 3단으로 되어 있는 전구, 3단 코일 (전)구
three-wheel·er [-*h*wíːlər] *n.* 3륜차; 3륜 오토바이; 사이드카
threm·ma·tol·o·gy [θrèmətɑ́lədʒi | -tɔ́l-] *n.* Ⓤ 〚동물·식물〛 양식(養殖)[육성]학, 사육학(飼育學), 번식학
thre·net·ic, -i·cal [θrinétik(əl)] *a.* 비탄의, 애도의(mournful); 비가[만가]의
thre·nod·ic [θrinɑ́dik | -nɔ́d-] *a.* 비가(悲歌)의, 애가의
thren·o·dist [θrénədist] *n.* 비가의 작자
thren·o·dy [θrénədi], **thre·node** [θríːnoud, θrén-] *n.* (*pl.* **-dies**; **~s**) 《문어》 비가(悲歌), 애가; 만가; 애도사 **thre·no·di·al** [θrinóudiəl] *a.*
thre·o·nine [θríːənìːn, -nin] *n.* Ⓤ 트레오닌 《필수 아미노산의 일종》
thresh [θréʃ] *vt.* **1** 〈곡식을〉 도리깨질하다, 타작하다 **2** 때리다(beat) **3** 〈동물이〉 〈꼬리를〉 흔들다 **4** 〈문제·안(案) 등을〉 철저히 검토하다 《*out, over*》
— *vi.* **1** 도리깨질하다, 타작하다; 때리다 **2** 뒹굴다
— *n.* 탈곡, 타작; 물장구질
thresh·er [θréʃər] *n.* **1** 탈곡기; 타작하는 사람 **2** 〚어류〛 환도상어의 일종
thrésh·ing flòor [θréʃiŋ-] 타작 마당, 탈곡장
thréshing machìne 탈곡기
‡**thresh·old** [θréʃ*h*ould] [OE 「밟는 것」의 뜻에서] *n.* **1** 문지방; 입구: on the ~ 문턱에서 / cross the ~ 문지방을 넘다, 집에 들어가다 **2** [보통 the ~] 발단, 시초 **3** 〚심리·생리〛 역(閾) 《자극에 대해 반응하기 시작하는 분계점》: the ~ of consciousness 〚심리〛 식역(識閾) 《의식 작용의 생기(生起)와 소실의 경계》 **4** 경계, 종점; (활주로의) 맨 끝 **5** 《영》 물가 상승분 지급 협약 ***at the ~ of*** …의 시초에 ***on the ~ of*** 바야흐로 …하려고 하여; = at the THRESHOLD of
thréshold fréquency 〚물리〛 한계 주파수
thréshold válue 〚생리〛 역가(閾價), 역치(閾値), 한계치
thréshold vòltage 〚전기〛 역치(閾値) 전압 《이 전압 이상에서 작동을 시작하는 반도체 소자·회로 등의 입력 전압》
‡**threw** [θrúː] *v.* THROW의 과거
‡**thrice** [θráis] *ad.* **1** 《문어》 세 번, 3배로(three times, threefold) **2** 몇 번이고; 크게, 매우: ~-blessed[-favored] 대단히 복받은, 몹시 행복한
***thrift** [θríft] [ON 「번영하다(thrive)」의 뜻에서] *n.* Ⓤ **1** 절약, 검약 **2** 저축 금융 기관 **3** Ⓒ 〚식물〛 아르메리아 《갯질경잇과(科)》 **4** (식물의) 번성, 무성, 성장 ▷ thríve *v.*; thrífty *a.*
thríft accòunt 《미》 = SAVINGS ACCOUNT
thríft institùtion 《미》 저축 기관 《저축 기관의 총칭》
thrift·less [θríftlis] *a.* 돈을 헤프게 쓰는, 낭비하는; 《고어》 무의미한 **~·ly** *ad.* **~·ness** *n.*
thríft shòp 《미》 중고품 할인 판매점
***thrift·y** [θrífti] *a.* (**thrift·i·er**; **-i·est**) **1** 검약하는, 아끼는(⇨ economical 유의어): a ~ wife 검소한 아내 **2** 《미》 번영하는 **3** 무성한, 잘 자라는
thríft·i·ly *ad.* **thríft·i·ness** *n.*
‡**thrill** [θríl] *n.* **1** ⓊⒸ (공포·쾌감 등으로 인한) 스릴,

thesaurus **thrifty** *a.* economical, careful, frugal, sparing (opp. *extravagant, wasteful*)
thrilling *a.* exciting, stirring, pleasing

전율, 오싹[자릿자릿, 두근두근]함 《*of*》: a ~ *of* terror[joy] 오싹하는 공포[자릿자릿한 기쁨] **2** 떨림, 진동; 떨리는 소리(tremor) 《*of*》 **3** 동계(動悸), 맥박; 〖의학〗 (청진기에 들리는) 이상 진동음 **4** 《속어》 =THRILLER ***Big ~!*** 《속어》 거 참 감격스럽군! 《상대방의 말만큼 감격스럽지 않은 경우에 쓰는 표현》 ***(the) ~s and spills*** 《구어》 (스포츠·사업 등의) 성공[실패]에 따르는 스릴

— *vt.* **1 감동[감격, 흥분]시키다**; 오싹하게[두근거리게] 하다, 전율하게 하다 《*with*》: His words ~*ed* the audience. 그의 얘기는 청중을 감동시켰다. // (~+목+전+명) The story ~*ed* him *with* horror. 그 이야기는 그를 공포로 오싹하게 했다. **2** 떨게[흔들리게] 하다

— *vi.* **1 오싹하다,** 감동[감격]하다, 소름이 끼치다 **2** 떨리다(vibrate): (~+전+명) Her voice ~*ed with* emotion. 그녀의 목소리는 감동으로 떨렸다.

thrilled [θrild] *a.* 흥분한, 감격한; 오싹한 《*about, at, with, to* do》: Tim was ~ *with* his birthday cake. 팀은 그의 생일 케이크에 감격했다. / I was ~ *to* be invited. 나는 초대 받아서 너무 기뻤다.

thrill·er [θrílər] *n.* **1** 스릴을 주는 것[사람], 오싹[자릿자릿]하게 하는 사람[것] **2** 《구어》 스릴이 있는 것, 스릴러, 《특히》 괴기 영화[극, 소설]

⁎**thrill·ing** [θríliŋ] *a.* **1 오싹[자릿자릿, 두근두근]하게 하는, 소름이 끼치는**; 피를 끓게 하는, 장렬한, 스릴 만점의: a ~ experience 짜릿한 경험 **2** 떨리는; 감격[흥분]시키는: a ~ voice 떨리는 목소리

~·ly *ad.* **~·ness** *n.*

thríll rìde 스릴 라이드 《놀이공원 등에 있는 스릴을 동반하는 탈 것》

thrip·pence [θrípəns] *n.* =THREEPENCE

thrips [θríps] *n.* (*pl.* ~) 〖곤충〗 삽주벌레 《식물의 해충》

⁎**thrive** [θráiv] *vi.* (**throve** [θróuv], 《미》 **~d**; **thriv·en** [θrívən], 《미》 **~d**) **1 번영하다,** 번성하다; 성공하다, 부자가 되다: Bank business is *thriving.* 은행업이 번창하고 있다. **2** 〈사람·동식물이〉 잘[튼튼하게] 자라다, 성장하다; **무성해지다** **3** (…을) 사는 보람으로 삼다 《*on*》 **thrív·er** *n.* ▷ thríft *n.*

⁎**thriv·en** [θrívən] *vi.* THRIVE의 과거분사

thriv·ing [θráiviŋ] *a.* **1** 번성[번영]하는, 번화한; 성대한: a ~ business 번창하는 장사 / a ~ town 번화한 도시 **2** 〈동식물이〉 잘 자라는, 무성한 **~·ly** *ad.*

thro, thro' [θrú:] *prep., ad., a.* 《고어》 = THROUGH

⁑**throat** [θróut] *n.* **1 목구멍,** 인후(咽喉); 목의 앞부분; 숨통, 기관: I have a sore ~. 목이 아프다. **2** 목구멍 모양의 물건; (기물 등의) 목, 주둥이 **3** 좁은 통로[입구, 출구]; 협류(峽流) **4** 목소리, 목청; 《특히》 새의 울음소리 ***A lump was (rising) in*** his ~. (그)는 북받치는 감정으로 목이 메었다. ***at the top of*** one***'s ~*** 목청껏, 목이 터져라고 ***be at each other's ~(s)*** 맹렬히 싸우다, 논쟁하다 ***clear*** one***'s ~*** (헛)기침하다 ***cut one another's ~s*** 서로가 서로의 목을 베다, 맹렬히 싸우다, 서로 다투어 파멸할 짓을 하다 ***cut*** one***'s (own) ~*** 자기 목을 찌르다; 자멸을 초래하다 ***cut the ~ of*** …의 목을 자르다; 〈계획 등을〉 못쓰게 만들다 ***full to the ~*** 목구멍까지 차도록, 배불리 ***give*** a person ***the lie in*** his ***~*** 거짓말임을 폭로하다 ***have a frog in*** one***'s ~*** 목이 쉬다 ***have the game by the ~*** 《호주·구어》 〈사태를〉 장악하다, 완전히 지배하다 ***jump down*** a person***'s ~*** …에게 갑자기 화를 내다, 호되게 혼내 주다 ***lie in*** one***'s ~*** 새빨간 거짓말을 하다 ***pour[send] down*** one***'s ~*** 꿀꺽 삼키다 ***spring[fly] at the ~ of*** 덤벼들어 …의 목을 조르려고 하다 ***stick in*** one***'s ~*** 〈뼈·가시 등이〉 목구멍에 걸리다; 마음에 들지 않다; 〈말 등이〉 잘 나오지 않다 ***take[seize]*** a person ***by the ~*** …의 목을 조르다 ***thrust[cram, force, push, ram,*** etc.***] ... down*** a person***'s ~*** …에게 〈의견 등을〉 강요하다, 억지로 인정시키다

— *vt.* 〖건축〗 …에 홈을 파다[만들다]; 목쉰 소리로 말[노래]하다 ▷ thróaty *a.*

throat·ed [θróutid] *a.* [보통 복합어를 이루어] …한 목을 가진, …한 소리가 나는: a white-~ bird 목이 하얀 새 / deep-~ 목소리가 굵은

throat·latch [θróutlæ̀tʃ], **-lash** [-læ̀ʃ] *n.* (말고삐의) 아래턱 끈

thróat mìcrophone 목에 대는 마이크 《목청에서 나오는 소리를 바로 전달함》

throat·y [θróuti] *a.* (**throat·i·er**; **-i·est**) **1** 목구멍 소리의 **2** 〈목소리가〉 목 안쪽에서 나오는, 묵직한, 목쉰(hoarse) **3** 〈소·개 등이〉 목살이 처진

thróat·i·ly *ad.* **thróat·i·ness** *n.*

⁎**throb** [θrάb | θrɔ́b] *vi.* (**~bed**; **~·bing**) **1** 〈심장이〉 **고동치다,** 맥이 뛰다, 두근[울렁]거리다: My heart ~*bed* with joy. 내 심장은 기쁨으로 두근거렸다. **2** 〈목소리 등이〉 떨리다; 〈악기 등이〉 진동하다 **3** 흥분하다, 감동하다: She ~*bed* at the sight. 그녀는 그 광경에 감동했다. **4** 율동적으로 뛰다; 〈배 등이〉 진동하다 **5** 〈상처·머리가〉 욱신욱신 쑤시다

— *n.* **1** 동계(動悸), 고동, 맥박: My heart gave a ~. 가슴이 덜컹했다. **2** 감동, 흥분 **3** (율동적인) 진동: the ~ of the engines 엔진의 진동 **~·ber** *n.*

throb·bing [θrάbiŋ | θrɔ́b-] *a.* 두근거리는, 고동치는; 약동하는 **~·ly** *ad.*

throe [θróu] *n.* **1** [보통 *pl.*] 《문어》 격통(激痛), 심한 고통 **2** [*pl.*] 진통(陣痛); 임종의 고통, 단말마 **3** [*pl.*] 고투, 격렬한 노력 **4** [*pl.*] 과도기[시련기]의 혼란[갈등] ***in the ~s of*** 한창 …할 때에

— *vi.* 고민하다; 몹시 괴로워하다

Throg·mór·ton Strèet [θrɑgmɔ́:rtn- | θrɔg-] **1** 스로그모턴가(街) 《London의 증권 거래소가 있는 곳》 **2** 영국 증권 시장[업계](cf. WALL STREET, LOMBARD STREET)

throm·bin [θrάmbin | θrɔ́m-] *n.* Ⓤ 〖생화학〗 트롬빈 《혈액 속에서 응혈 작용을 하는 효소》

thrombo- [θrάmbou, -bə | θrɔ́m-] 《연결형》 「혈전, 응고」의 뜻

throm·bo·cyte [θrάmbəsàit | θrɔ́m-] *n.* 〖해부〗 혈소판(血小板), 전구(栓球)

throm·bo·cyt·ic [θrὰmbəsítik | θrɔ̀m-] *a.*

throm·bo·cy·to·pe·ni·a [θrὰmbousàitəpí:niə | θrɔ̀m-] *n.* 〖병리〗 혈소판[전구(栓球)] 감소(증)

throm·bo·em·bo·lism [θrὰmbouémbəlìzm | θrɔ̀m-] *n.* 〖의학〗 혈전 색전증(血栓塞栓症)

-em·ból·ic *a.*

throm·bo·ki·nase [θrὰmbəkáineis | θrɔ̀m-] *n.* 〖생화학〗 트롬보키나아제 《혈액 응고에 관계하는 혈액 또는 조직 안의 인자》

throm·bol·y·sis [θrɑmbάləsis | θrɔmbɔ́l-] *n.* 〖의학〗 혈전 용해[붕괴]

throm·bo·lyt·ic [θrὰmbəlítik | θrɔ̀m-] *a.* 혈전(血栓)을 용해하는

throm·bo·phle·bi·tis [θrὰmbəflibáitis | θrɔ̀m-] *n.* 〖병리〗 혈전(성) 정맥염(血栓(性)靜脈炎)

throm·bo·plas·tic [θrὰmbəplǽstik | θrɔ̀m-] *a.* 〖생화학〗 응혈 촉진성의

throm·bo·plas·tin [θrὰmbəplǽstin | θrɔ̀m-] *n.* 〖생화학〗 트롬보플라스틴 《혈액 응고 촉진》

throm·bose [θrάmbouz | θrɔ́m-] 〖병리〗 *vi., vt.* 혈전증에 걸리(게 하)다

throm·bo·sis [θrɑmbóusis | θrɔm-] *n.* (*pl.* **-ses** [-si:z]) ⓊⒸ 〖병리〗 혈전증(血栓症)

throm·bot·ic [-bάtik | -bɔ́t-] *a.*

throm·bos·the·nin [θrɑmbάsθənin | θrɔmbɔ́s-] *n.* 〖생화학〗 트롬보스테닌 《혈소판(血小板)에 함유된 수축성 단백질》

---

thrive *v.* flourish, prosper, boom, burgeon, succeed, advance, get ahead, make progress
throb *v.* beat, pulse, pound, vibrate

throm·box·ane [θrɑmbɑ́ksein | θrɔmbɔ́ks-] *n.* 〖생화학〗 트롬복산 《혈소판에 함유되어 있는 혈액 응고에 관계되는 물질》

throm·bus [θrɑ́mbəs | θrɔ́m-] *n.* (*pl.* **-bi** [-bai]) 〖병리〗 혈전(血栓)

‡**throne** [θróun] [Gk 「높은 자리」의 뜻에서] *n.* **1** 왕좌, 옥좌; [the ~] 왕위, 왕권: lose *the* ~ 왕위를 잃다 **2** 군주 **3** [the ~] 주권자; 국왕, 황제: orders from *the* ~ 왕명 **4** 교황의 성좌(聖座), 주교좌(主教座); 하느님[그리스도]의 자리 **5** [*pl.*] 좌품(座品) 천사 《천사의 아홉 자리 중의 셋째 자리》 **6** 《구어》 변기 ***mount*** [***come to, ascend, sit on***] ***the*** ~ 즉위(卽位)하다, 왕위에 오르다 ***power behind the*** ~ 막후의 실력자; 흑막 ***speech from the*** ~ 《영》 의회 개[폐]원식의 칙유

—*vt.* 《분어》 왕위에 오르게 하다

—*vi.* 왕위에 앉다, 왕권을 쥐다 **~·less** *a.*

▷ enthróne, dethróne *v.*

thróne ròom (왕좌가 있는) 공식 알현실

‡**throng** [θrɔ́:ŋ, θrɑ́ŋ | θrɔ́ŋ] *n.* **1** 군중, 다수; 사람의 떼: a vulgar ~ 일반 대중 **2** 많은 것의 집합(collection), 가득참 《*of*》: a ~ *of* memories 여러 가지 추억들 **3** 《방언》 (일 등의) 중압(重壓), 압박

—*vi.* 떼를 지어 모이다, 우글거리다; 떼지어 이동하다, 밀어 닥치다: 〔~+전+명〕 ~ *into* a room 방안으로 우루루 들어가다

—*vt.* **1** …에 모여들다, 쇄도하다, 밀어 닥치다; 〈거리 등에〉 모여들게 하다 **2** 가득 메우다

thros·tle [θrɑ́sl | θrɔ́sl] *n.* **1** 〖조류〗 개똥지빠귀의 일종 **2** 《영》 소모(梳毛) 방적기

throt·tle [θrɑ́tl | θrɔ́tl] *n.* **1** 〖기계〗 (카뷰레터 등의) 조절판, 절기판 **2** 《방언》 목구멍, 목청; 기관(氣管) ***at full*** ~ = ***with the*** ~ ***against the stop*** 전속력으로 ***bend the*** ~ 《미·속어》 차를 빨리 달리다

—*vt.* **1** 목을 조르다, 질식시키다; 교살하다 **2** 누르다; 억압하다(suppress); 제압[압박]하다 **3** 〖기계〗 〈증기·유체 등의 흐름을〉 조절하다, 멈추게 하다; 감속하다 《*back, down*》; 〈로켓 엔진의〉 추력을 변화시키다

—*vi.* 질식하다; 감속하다 《*back, down*》 **-tler** *n.*

throt·tle·a·ble [θrɑ́tləbl | θrɔ́t-] *a.* 〈로켓 엔진이〉 (비행 중에) 추력을 바꿀 수 있는

throt·tle·hold [θrɑ́tlhòuld | θrɔ́t-] *n.* **1** 억압, 조르기 **2** (신문사 등의) 탄압

thróttle lèver 〖기계〗 절기판[조절판] 레버

thróttle vàlve 〖기계〗 절기판, 조절판

‡**through** ⇨ through (p. 2614)

thróugh brìdge 하로교(下路橋) 《주구(主構)의 아래쪽에 통로를 만든 다리》

through-com·posed [θrú:kəmpóuzd] *a.* 연작(連作)의: a ~ song 연작(連作) 가곡

thróugh-deck crùiser [-dèk-] (영국 해군의) 경중량 원자력 항공모함

through·ly [θrú:li] *ad.* 《고어》 = THOROUGHLY

‡**through·out** [θru:áut] *ad.* **1** [장소] 도처에, 온통, 완전히, 두루, 구석구석까지 **2** [시간] 처음부터 끝까지, 시종일관하여, 죽: read a book ~ 책을 처음부터 끝까지 죽 읽다 **3** 전부, 모조리: rotten ~ 완전히 썩은

—*prep.* **1** [장소] …의 구석구석까지, …의 도처에: search ~ the house 집안 구석구석을 찾다 **2** [시간] …동안, …내내: ~ one's life 일생을 통하여

through·put [θrú:pùt] *n.* (공장·전자 계산기·컴퓨터 등의 일정 시간 내의) 재료[작업] 처리량

thróugh stòne 〖건축〗 관석(貫石)(perpend) 《벽 양쪽으로 나온》

thróugh strèet **1** 우선 도로 《교차점에서 다른 도로의 교통에 우선하는 도로; cf. STOP STREET》 **2** 《도시의》 넓은 길

thróugh tràffic 통과 교통 《고속도로 본선(本線)상의 교통 등》

through·way [-wèi] *n.* **1** = THROUGH STREET **1** **2** 《미》 = EXPRESSWAY

throve [θróuv] *v.* THRIVE의 과거

‡**throw** [θróu] [OE 「(팔을) 비틀어서 (던지다)」의 뜻에서] *v.* (**threw** [θrú:]; **thrown** [θróun]) *vt.* **1** 던지다(cast), 팽개치다, 투척하다 《*at, after, in, into, on*》: ~ a fly 제물낚시를 던지다 // 〔~+목+전+명〕 ~ a bone *to* a dog 개에게 뼈를 던져 주다 // 〔~+목+목〕 *T*~ me a rope. 로프를 던져 주게.

> 유의어 **throw** 「(손과 팔을 사용하여) 던지다」를 뜻하는 가장 일반적인 말이다: *throw* a ball to him 그에게 공을 던지다 **fling** 손목을 움직여 획 내던지다: *fling* one's book on the table 테이블 위에 책을 내던지다 **toss** 위쪽을 향하여 가볍게 던지다: He *tossed* the ball to Ann. 그는 앤에게 공을 가볍게 띄워 주었다. **hurl** 힘을 들여 난폭하게 던지다: *hurl* stones at the police 경찰대를 보고 돌을 냅다 던지다 **pitch** 어떤 목표를 향하여 던지다: *pitch* a baseball 야구공을 던지다 **cast** 「가벼운 것을 던지다」의 뜻의 좀 격식 차린 말이다: *cast* a net 투망을 던지다

2 〈총알 등을〉 발사하다; 〈물 등을〉 분출시키다 《*on*》: 〔~+목+전+명〕 The pump trucks were ~*ing* water *on* the fire. 펌프차는 화재 현장에 물을 뿜고 있었다. **3** 〈시선·광선을〉 던지다, 〈의심 등을〉 두다; 〈타격을〉 가하다 《*at, on*》: 〔~+목+전+명〕 She *threw* a hasty glance *at* him. 그녀는 재빨리 그에게 시선을 던졌다. **4** 〈소리를〉 명확히 내다; 복화술을 사용해서 내다 **5** 〈몸의 일부를〉 (심하게) 움직이다; 〈몸을〉 던지다: 〔~+목+부〕 ~ *up* one's hand 손을 들어올리다 // 〔~+목+전+명〕 He *threw* himself *onto* the sofa. 그는 소파에 몸을 던졌다. **6** (어떤 상태에) 빠지게 하다, (…으로) 만들다, (…)화(化)하다 《*into*》: 〔~+목+전+명〕 ~ a person *into* prison …을 감옥에 넣다 **7** 〈다리 등을〉 (급히) 건설하다 **8** 바꾸다, 고치다, 번역하다 **9** 〈옷 등을〉 급히 입다[걸치다] 《*on, over*》; 벗어 던지다 《*off*》: 〔~+목+부〕 ~ *on*[*off*] one's coat 코트를 재빨리 입다[벗다] // 〔~+목+전+명〕 She *threw* a shawl *over* her shoulders and went out. 그녀는 어깨에 숄을 휙 걸치고 나갔다. **10** 〈말이〉 흔들어 떨어뜨리다; 〈상대를〉 던져 쓰러뜨리다 **11** 〈명주실을〉 꼬다; 비틀다; 회전시키다; 〈도자기를〉 녹로(轆轤)에 걸어서 만들다 **12** 《미》 〈경기 등에〉 일부러 지다, 져주다 **13** 《속어》 당황하게 하다, 어리둥절하게 하다, 이성을 잃게 하다: Don't let her (wild talk) ~ you. 그녀의 (터무니없는 말에) 현혹되지 마라. **14** 《구어》 〈모임을〉 개최하다: ~ a dance 댄스 파티를 열다 **15** 〈가축이 새끼를〉 낳다 **16** 〈스위치 등을〉 돌리다, 넣다, 끊다 **17** 〈카드 패를〉 내다; 〈주사위를〉 던지다; 주사위를 던져 〈…끗이〉 나오게 하다; 〈표를〉 던지다: ~ a vote 투표하다

—*vi.* **1** 미사일[탄환 등]을 발사하다; 던지다, 투구하다; 팽개치다, 투척하다 《*at*》 **2** 주사위를 던지다 **3** 〈가축이〉 새끼를 낳다 **4** (…에게) 몹시 대들다 《*at*》 **5** 〈용액이〉 찌꺼기가 나오다

~ ***about*** [***around***] (1) 뿌리다, 흩뜨리다 (2) 〈돈을〉 낭비하다 (3) 〖항해〗 급히 방향을 돌리다 ~ ***a fight*** (시합에서 협잡으로) 일부러 져주다 ~ ***a fit*** 《미·속어》 발작을 일으키다 ~ ***a kiss*** 키스를 보내다 ~ (***a***) ***light on*** …을 설명하다, 설명의 도움이 되다 ~ ***a scare into*** a person 《미》 …을 질겁하게 하다 ~ ***a veil over*** …을 감추다 ~ ***away*** [***aside***] (1) (쓸데없어서) 버리다, 낭비하다 《*on*》 (2) 〈기회·충고 등을〉 저버리다 (3) 〖카드〗 〈패를〉 버리다 ~ ***back*** (1) 되던지다; 반사하다; 되돌아가게 하다; 격퇴하다, 저지하다 (2) 지연시키다, 진보를 방해하다, 퇴보시키다 (3) 〈동·식물이〉 조상을 닮다 (4) 시대가 거슬러 올라가다 《*to*》

thesaurus **throng** *n.* crowd, horde, mob, mass, multitude, swarm, flock, pack, gathering

throw *v.* hurl, toss, cast, sling, pitch, launch,

(5)〈머리·어깨를〉 뒤로 젖히다 (6)〈커튼을〉 휙 당기다;〈침구 등을〉 걷어차다 ~ a person ***back at*** …에게 (좋지 않은 일)을 생각나게 하다 ~ a person ***back on***[보통 수동형으로] …을 (…에게) 의지하도록 하다 ~ ***by*** 버리다 ~ ***down*** (1) 내던지다, 넘어뜨리다 (2) 파괴하다 (3) 《미》 퇴짜놓다 (4) 《속어》 골탕먹이다, 꼼짝 못하게 하다 (5) 《미·구어》〈친구를〉 버리다 ~ ***down*** one***'s arms*** 무기를 내던지다, 항복하다 ~ ***down*** one***'s tools*** 동맹 파업하다 ~ ***for large stakes*** 큰 도박을 하다, 크게 투기하다 ~ ***good money after bad*** 잃은 돈을 건지려다 더 손해 보다 ~ ***in*** (1) 던져 넣다; 주입하다 (2)〈말·의견 등을〉 끼워 넣다, 참견하다 (3) = THROW into the bargain (4)〈클러치·기어 등을〉 넣다 (5) 《구어》 친구가 되다, 패거리에 가담하다 ~ ***in*** one***'s hand*** 싸움을 그만두다 ~[***toss***] ***in the towel***[***sponge***] (권투에서 패배의 승인으로서) 타월을 던져 넣다, 항복하다 ~ ***in with*** 《미》 …와 패거리가 되다, …와 짜다, …와 운명을 같이 하다 ~ ***into*** (1) (어떤 상태에) 빠뜨리다 (2) …에 노력을 기울이다, …에 투신하다 ~ ***into shape*** (1) 실현[구체화]시키다 (2) 마무리하다, 챙기다, 정리하다 ~ ***into the bargain*** 덤으로 주다 ~ ***it up against***[***at, to***] a person 《속어》 …에게 잔소리를 하다 ~ ***off*** (1) 던져 버리다, 내던지다 (2)〈구속·병 등을〉 뿌리치다 (3) 벗다, 벗어 던지다 (4) 벗어나다, 관계를 끊다, 떼어버리다, 버리다 (5) 《속어》〈술을〉 들이마시다 (6)〈폐물 등을〉 발산[배출]하다;〈감기 등을〉 고치다; 즉석에서 만들다, 휘갈겨 쓰다 (7) 사냥을 시작하다,〈사냥개가〉 뛰어 나가다, 짖기 시작하다 (8) 낳다 (9) 〖인쇄〗 찍어내다 (10) 욕하다, 중상하다 《*on*》 (11) 《호주·구어》 비웃다 《*at*》 (12)〈익살 등을〉 지껄이다 ~ ***on*** (1) 급히 입다 (2) (사냥개에게 짐승의) 자취를 쫓게 하다 ~ one***self at*** a person (1) 맹렬하게 돌진하다 (2) …의 사랑[우정]을 얻으려고 열을 올리다 ~ one***self***[one***'s daughter***] ***at the head of***〈여자가 남자에게〉 마음이 있다는 내색을 보이다[딸에게 그런 내색을 보이게 하다] ~ one***self down*** 쓰러지듯 드러눕다 ~ one***self into*** (1) …에 몸을 던지다 (2) …에 적극성을 띠다 ~ one***self into the arms of*** …의 팔에 몸을 던지다; …의 아내[첩]가 되다 ~ one***self on***[***upon***] (1) …에 의지하다; 운명을 …에 맡기다 (2) 공격하다 ~ one***'s eyes*** 흘긋 보다 《*at*》 ~ one***'s hat in the ring*** 출전할 내색을 보이다; 출전을 발표하다; (선거에) 출마하다 ~ one***'s soul***[***heart, spirit, efforts***] ***into*** …에 온 힘을 쏟다 ~[***toss, fling***] one***'s weight about***[***around***] 뽐내다, 권력을 휘두르다 ~ ***open*** (1)〈문 등을〉 휙 열어젖히다 (2) 공개하다 《*to*》 ~ ***open the door to*** …을 가능하게 하다 ~ ***out*** (1) 내던지다, 버리다, 처분하다, 뿌리째 뽑다 (2)〈눈·가지 등을〉 내밀다, 발아시키다 (3)〈빛 등을〉 방사하다 (4)〈집채를〉 증축하다 (5)〈의안을〉 부결하다 (6) 넌지시 비치다 (7) 당황케 하다 (8) 〖야구·크리켓〗 공을 던져 주자(走者)를 아웃시키다 (9) 앞지르다 (10)〈가슴을〉 펴다 (11) 〖군사〗 정찰병을 내보내다 (12) 제안하다 (13)〈클러치를〉 끊다, 떼다 ~ ***out of work*** 실직시키다 ~ ***over*** (1) 건너편으로 던지다 (2)〈애인·친구 등을〉 저버리다 (3) 퇴짜 놓다 (4)〈약속 등을〉 파기하다 ~ ***overboard*** ⇨ overboard. ~ ***together*** (1)〈작품 등을〉 그러모으다 (2)〈사람들을〉 우연히 만나게 하다 ~ ***up*** (1) 던져 올리다 (2) 세상에 내보내다, 배출하다 (3) 파기하다, 그만두다, 사직하다 (4)〈건물을〉 급히 짓다 (5) 《속어》 게우다 (6) 눈에 띄게 하다 (7)〈새가〉 새 깃이 나다 (8) 집요하게 비평하다 ~ ***up*** one***'s accounts*** 《속어》 토하다, 게워내다

— *n.* **1** 내던짐; 투구(投球); (탄환 등의) 발사; 〖레슬링〗 던져 넘김: a straight ~ 직구 **2** 던져서 닿는 거리, 투사 거리, 사정: at a stone's ~ 돌을 던지면 닿을 곳에 **3** 주사위를 던짐; 던져서 나온 주사위의 눈; 모험, 내기, 운을 시험하기: It's your ~. 이번에는 네가 던질 차례다. **4** 〖기계〗 동작 거리[반경], 행정(行程), 동정(動程): ~ of eccentric 편심(偏心) 거리 **5** [a ~] 《미·구어》 1개, 1회; (술) 한 잔, 한 모금: at $5 a ~ 1개[1회] 5달러로 **6** 숄, 스카프; 《미》 가벼운 모포 **7** 〖지질〗 (단층(斷層)의) 수직 낙차(落差) **8** 〖낚시〗 줄을 던지기 **9** (도공(陶工)의) 녹로

throw·a·way [θróuəwèi] *n.* **1** 광고, 전단, 선전용 팸플릿 **2** 넌지시 하는 대사[말] **3** 《미·속어》 할인 티켓; 《미·속어》 삼류 잡지

— *a.* Ⓐ **1** 넌지시 말한 **2** 쓰고 버리는〈종이컵 등〉

throw·back [-bæ̀k] *n.* **1** 되던짐 **2** 후퇴, 역전(reversion) **3** 잠복 유전, 격세 유전(atavism) **4** 〖영화〗 장면 전환(flashback) 《사건의 회상적 삽입》 **5** 구시대적인 사람[물건]

throw·down [-dàun] *n.* **1** 거절 **2** (레슬링 등의) 폴(fall); 패배(defeat) **3** 〖미식축구〗 스로다운 《심판이 공을 양 팀 사이에 떨어뜨려 게임을 재개시키는 일》

throw·er [θróuər] *n.* **1** 던지는 사람[것] **2** 명주실을 꼬는 사람 **3** (도자기의) 녹로공(工) **4** 폭뢰(爆雷) 발사 장치

throw-in [θróuìn] *n.* **1** 《속어》 덤, 공짜로 주는 것 **2** 던져진 공; 〖경기〗 스로인

throw-mon·ey [-mʌ̀ni] *n.* 《미·속어》 잔돈

‡**thrown** [θróun] *v.* THROW의 과거분사

— *a.* 꼰: ~ silk 꼰 명주실

***throw-off** [θróuɔ̀:f | -ɔ̀f] *n.* Ⓤ (사냥·경주 등의) 개시, 출발

throw-out [-àut] *n.* **1** 내던짐 **2** 내던져진 사람[물건] **3** 불합격품, 찌꺼기 **4** 《속어》 부상을 가장한 거지

thrów pìllow 장식용 쿠션

thrów rùg 작은 융단(scatter rug)

throw·ster [θróustər] *n.* 명주실 꼬는 직공

thrów wèight 〖군사〗 (핵 미사일의) 투사 중량 《무기로부터 일정 지역까지 투사할 수 있는 탄두 작약(炸藥)의 중량》

thru [θrú:] *prep., ad., a.* 《미·구어》 = THROUGH

thrum[1] [θrʌ́m] *vt., vi.* (**~med**; **~·ming**)〈현악기를〉 손가락으로 뜯다, 튕겨 소리내다 《*on*》;〈테이블 등을〉 똑똑 두드리다

— *n.* **1** (악기를) 손가락으로 뜯음 **2** 튕기는 소리

thrum[2] *n.* **1** (피륙의) 가장자리, 짜고 남은 날실[올], 실오라기 **2** (실의) 술 **3** [*pl.*] 실밥 **4** 〖항해〗 [*pl.*] 스럼, 밧줄 나부랭이

— *vt.* (**~med**; **~·ming**) **1**〈천의 가장자리에〉 (실의) 술을 달다 **2** 〖항해〗 (돛에) 스럼을 꿰매 붙이다

thrum·my [θrʌ́mi] *a.* (**-mi·er**; **-mi·est**) 부스러기 실의[로 만든]; (표면에) 보풀이 일어난

thrump [θrʌ́mp] [의성어] *n.* 윙윙, 쿵쿵, 쾅쾅

thru·out [θrù:áut] *ad., prep.* 《미》 = THROUGHOUT

thrup·pence [θrʌ́pəns] *n.* = THREEPENCE

thru·put [θrú:pùt] *n.* **1** = THROUGHPUT **2** 《미·속어》 해결 중에 있는 문제의 상태, 어느 시점의 상황

***thrush**[1] [θrʌ́ʃ] *n.* **1** 〖조류〗 개똥지빠귀 **2** 《미·속어》 여자 대중 가수 **~·lìke** *a.*

thrush[2] *n.* Ⓤ **1** 〖병리〗 아구창(鵝口瘡), 구강 칸디다증 **2** 〖수의학〗 제차부란(蹄叉腐爛) **3** 《영》 = YEAST INFECTION

‡**thrust** [θrʌ́st] [ON「밀다」의 뜻에서] *v.* (**thrust**) *vt.* **1** (와락) 밀다, (세게) 밀치다, 쑤셔 넣다, 떠밀다 《*into, forward*》(⇨ push 유의어); 들이박다, 헤치고 나아가다 《*into, through*》: (~+목+부) ~ a chair *forward* 의자를 앞으로 세게 밀치다 // (~+목+전+명) He ~ his way *through* the crowd. 그는 군중을 밀어젖히고 나아갔다. **2** 억지로 …시키다 《*into, on, upon*》; (…에서) 부당하게 내몰다, 추방하다 《*out of*》: (~+목+전+명) ~ something *on*[*upon*] a person 물건을 …에게 억지로 떠맡기다 / She ~ the work *upon* me. 그녀는 그 일을 내게 떠맡겼다. **3** (고어) 찌르다, 꿰찌르다 《*into, with, through*》:

propel, project, send, lob, shy (opp. *catch*)
thrust *v.* **1** 밀다 push, shove, ram, press **2** 억지로 시키다 force, impose, urge

through

through는 across, past 등과 같이 '통과·관통'을 나타내는 사용 빈도가 높은 전치사와 부사로 쓰인다.

형용사로는 한정적으로 쓰이는데, 부사 용법에서 be 동사와 결합하여 서술적으로 쓰이는 것은 형용사로도 볼 수 있다: Wait till I'*m through.* 내가 끝날 때까지 기다려 주세요. / I'*m through* with that fellow. 난 저 친구와는 관계를 끊었다.

《미·구어》에서는 thru를 쓰기도 한다.

‡**through** [θrúː] *prep., ad., a.*

기본적으로는 「통해서, 꿰뚫어서」의 뜻		
① (…을) 통하여	전 **1 a, b**	부 **1**
② (…을) 처음부터 끝까지	전 **3 a, b**	부 **5**
③ …까지	전 **3 c**	
④ …에 의해, …때문에	전 **5, 6**	
⑤ …을 끝내고, 끝나	전 **4 b**	부 **6**
⑥ 완전히	부 **3**	

— *prep.* **1** [관통·통과] **a** …을 통하여, …을 지나서, …을 꿰뚫어; 〈군중·물을〉 헤쳐: fly ~ the air 공중을 날아가다 / look ~ a telescope 망원경으로 보다 / pass ~ a tunnel 터널을 통과하다 / pass a comb [one's fingers] ~ one's hair 머리를 빗질하다[손가락으로 쓰다듬다] / drive a nail ~ a board 판자에 못을 박아넣다 / march ~ a city 시내를 행진하다 / look in ~ a hole in the wall 벽의 구멍으로 들여다보다 / He made his way ~ the crowd. 그는 군중 사이를 헤치면서 나아갔다. **b** 〈문·경로 등〉을 지나서, …을 통하여, …에서: go out ~ the door 문에서 나가다 / ~ a pipe 관을 통하여 / The cat jumped in ~ the open window. 고양이는 열린 창문을 통해 뛰어 들어왔다. **c** 〈신호 등〉을 돌파하여, 무시해서: drive ~ a red light 붉은 신호를 무시하고 차를 몰다 / Draw the line from A, ~ B, to C. 점 A에서 점 B를 통하고 점 C까지 선을 그리시오. **d** 〈머리 등〉을 지나; 〈거짓 등〉을 꿰뚫어보아: An idea flashed ~ his mind. 한 생각이 문뜩 그의 머리에 떠올랐다. / He saw ~ the trick. 그는 그 속임수를 간파했다.

2 [도처] **a** 〈장소〉를 두루, …을 여기저기: travel ~ the country 온 나라 안을 여행하다 **b** …사이를 (이리저리): The monkeys swung ~ the branches of the trees. 원숭이들이 나뭇가지들 사이를 몸을 날리며 다녔다. / He searched ~ his papers. 그는 서류를 뒤지면서 찾았다.

3 [처음부터 끝까지; 종종 강조적으로 all ~로] **a** 〈시간·기간〉 동안 내내[줄곧]: *all* ~ the year 1년 내내 / We walked ~ the night. 우리는 밤새도록 걸었다. / He lived in the house *all* ~ his life. 그는 평생 동안 죽 그 집에서 살았다. **b** …의 처음부터 끝까지: I had a hard time sitting ~ the concert. 연주회를 끝까지 앉아서 듣느라고 혼났다. **c** 《미》 [기간·범위] (…부터) …까지 (포함해서): from 1990 ~ 1999 1990년부터 1999년까지 / (from) Tuesday ~ Saturday 화요일부터 토요일까지

USAGE from Tuesday to[till] Saturday라 하면 Saturday가 포함되는지 분명하지 않으나, 위의 표현을 쓰면 Saturday가 포함된다는 것이 분명해짐; 《영》에서는 (from) Tuesday to Saturday inclusive를 씀

4 [경험 등의 완료] **a** …을 겪어; …을 다 써버려: go ~ war 전쟁을 겪다 / go ~ an experience[operation] 경험을 하다[수술을 받다] / go ~ college 대학(과정)을 수료하다 / I got ~ the examination. 난 시험에 합격했다. / He went[got] ~ a fortune in a year. 그는 1년에 큰 돈을 탕진했다. **b** [be ~ …로] …을 끝마치다; 〈시험〉에 합격하다: *be* ~ one's work 일을 끝마치다 / I *am* half ~ the book. 그 책을 반은 읽었다[썼다]. / *Is* he ~ his exam? 그는 시험에 합격했나요? / When will you *be* ~ school today? 오늘은 몇 시에 학교가 끝나니?

5 [수단·매체] …에 의하여, …을 통하여, …덕분에: talk ~ an interpreter 통역관을 통해서 이야기하다 / He got the new job ~ the influence of his father. 그는 아버지의 영향력으로 그 새 직장을 구했다. / We got the news ~ our friend. 우리는 친구를 통하여 그 소식을 들었다.

6 [원인] …으로 인하여, …때문에, …한 결과로: run away ~ fear 무서워서 달아나다 / She became a musician ~ her mother being one. 어머니가 음악가이기 때문에 그녀도 음악가가 되었다.

7 〈의회 등〉을 통과하여; 〈…의 소관 등〉을 떠나: They got the new tax bill ~ Parliament. 그들은 새로운 세제 법안을 의회에 통과시켰다. / The matter has already passed ~ my hands. 그 일건은 이미 내 소관에서 떠났다.

8 〈소음 등〉 속에서도; 〈지진 등〉에도 불구하고: I could hear her scream ~ the howling of the storm. 폭풍의 노호 속에서도 그녀의 비명 소리를 들을 수 있었다. / The building stood ~ the earthquake. 지진 속에서도 그 건물은 무너지지 않았다.

— *ad.* ★ be 동사와 결합한 경우는 형용사라고도 볼 수 있음. **1** 통과[관통]하여, 꿰뚫어; 돌파하여: The bullet hit the wall and went ~. 총탄은 벽을 꿰뚫었다.

2 〈목적지·장소까지〉 죽; 직행으로 《*to*》: This train goes ~ *to* Chicago. 이 열차는 시카고까지 (갈아 타지 않고) 직행한다. / Can you check my baggage straight ~? 이 수하물을 목적지까지 죽 맡아 주시겠습니까?

3 [특히 wet[soaked] ~로] 흠뻑, 흠씬, 완전히: I was *wet* ~. 흠뻑 젖었다. / He was *soaked* ~. 그는 흠뻑 젖어 있었다.

4 (어떤 시간) 동안 죽, 내내, 줄곧: We worked the whole night ~. 우리는 밤새도록 일을 했다. 《We worked all through the night.로 바꾸어 쓸 수 있음》

5 처음부터 끝까지: read a book ~ 책을 통독하다 / carry a matter ~ (중요한) 일을 끝까지 해내다

6 a (무사히) 끝나, 마치고: He barely managed to pull ~. 그는 간신히 (어려운) 고비를 극복할 수 있었다. / I'll be ~ in a few minutes. 조금만 있으면 마칩니다. **b** …이 끝나, 용무가 끝나; 관계가 끊어져, 그만두고 《*with*》: 《~+전+명》 When will you be ~ *with* your work? 당신의 일은 언제 끝나지요? / I'm ~ *with* Jane. 제인과의 관계는 끊어졌다. / He is ~ *with* alcohol. 그는 술을 끊었다. / Are you ~ *with* the disease? 병은 다 나았습니까? **c** 〈…하기를〉 끝내 《do*ing*》: I'm nearly ~ talk*ing* to Mr. Brown. 브라운 씨와의 이야기는 거의 끝나갑니다. **d** 〈사람이〉 쓸모없게 되어, 끝장나: As a boxer he is ~. 권투 선수로서는 그는 끝장났다.

7 a 《미》 (통화가) 끝나: Are you ~? [교환수가] 통화 끝났습니까? **b** 《영》 (전화가) 연결되어: Are you ~? 《영》 전화가 연결되었습니까? / You are ~. (상대방에게) 연결되었습니다. / I will put you ~ (*to* Mr. Hart). (하트 씨에게) 연결해 드리겠습니다.

8 직경이 (…인): The ball is 10 inches ~. 그 공은 직경 10인치이다.

all ~ ⇨ *prep.* 3 a

be ~ with ⇨ *ad.* 6 b
break ~ ⇨ break
get ~ ⇨ get[1]
go ~ with ⇨ go
see ~ ⇨ see[1]
~ and ~ 철저히, 철두철미: I got wet ~ *and* ~. 온 몸이 흠뻑 젖었다. / He is a trustworthy person ~ *and* ~. 그는 완전히[끝까지] 믿을 수 있는 사람이다.

— *a.* Ⓐ **1 a** 직행의, 직통의: a ~ passenger 직행 승객 / a ~ fare[ticket] 직행 운임[표] / a ~ train [flight] 직행 열차[항공편] **b** 〈도로가〉 직통의, 통과할 수 있는; 장애가 없는: a ~ road 직통 도로 / No ~ road.[=No thoroughfare] ((게시)) 통과 못함
2 끝에서 끝까지 통한, 관통한: a ~ beam 관통 들보 / ~ ventilation 관통 환기
3 〖토목〗 주도로의 아래에 또 통로가 있는, 하로(下路)의

(~+목+전+명) He ~ a knife *into* a watermelon. = He ~ a watermelon *with* a knife. 그는 과도로 수박을 찔렀다. // (~+목+부) ~ a person *through* …의 몸을 꿰찌르다 **4** [~ one*self* 로] 억지로 끼어들다, 주제넘게 나서다; 뛰어들다, (어떤 상태에) 파고들다 ((*on, upon, in, into*)): (~+목+전+명) ~ *oneself into* a conversation 대화에 끼어들다 / He ~ *himself into* the problem. 그는 그 문제에 파고들었다. // (~+목+부) ~ *oneself forward* 주제넘게 나서다 **5** 〈식물이〉 〈가지·뿌리를〉 퍼뜨리다; 〈연통 등을〉 내밀다 ((*up*)) **6** 〈말·질문 등을〉 옆에서 갑자기 끼어들다 ((*in*))
— *vi.* **1** 밀다, 밀치다, 떠밀다; 찌르다, 찌르려고 덤비다 ((*at*)) **2** 돌진하다, 밀어 제치고 나아가다 ((*through, past*)); 끼어들다 ((*into*)) **3** 〈나무 등이〉 자라다, 벌어지다[퍼지다], 튀어 나오다 ***be ~ into fame*** 갑자기 유명해지다 ***~ aside*** 밀어제치다 ***~ back*** 〖군사〗 후퇴시키다 ***~ … home*** …을 깊숙이 찌르다 ***~ in a word*** 옆에서 한마디 하다 ***~ on*** 급히 입다[몸에 차다] ~ (a thing) ***on*** [***upon***] a person …에게 억지로 떠맡기다, 떠맡겨 팔다 ***~ out*** 몰아내다, 내밀다 ***~ oneself into*** …에 끼어들다, …에 들이닥치다 ***~ oneself*** [***one's nose***] ***in*** …에 쓸데없이 참견하다 ***~ one's way*** 밀어제치고 나아가다
— *n.* **1** (와락) 밀침; 찌름(stab); 쥐어박음: a ~ with a sword 검으로 한 번 찌르기 **2** Ⓤ ((미)) (연설 등의) 요점, 진의, 취지 **3** (조직적인 군사) 공격, 습격, 공세; 날카로운 비판: a shrewd ~ (공격·비평 등의) 예봉(銳鋒) / the ~ and parry of A and B A와 B의 치열한 논쟁 **4** ⓊⒸ 〖광산〗 갱도 천장의 붕괴; Ⓤ 〖지질〗 지각(地殼)의 충상(衝上) **5** Ⓤ 〖기계〗 (프로펠러 등의) 추력(推力), 추진력, 박력, 정력 **6** (사람 집단의) 이동 **7** ((미·마약속어)) 암페타민 ***give a ~*** 일격을 가하다 ***make a ~ at*** 찌르려고 덤비다

thrúst chàmber (로켓 엔진의) 연소실

thrust·er, thrus·tor [θrʌ́stər] *n.* **1** 밀치는[찌르는] 사람 **2** (여우 사냥에서) 무턱 대고 선두에 나서는 사냥꾼; 주제넘게 나서는 사람 **3** 〖항공·우주과학〗 (우주선의) 자세[분사] 제어 로켓(reaction engine)

thrúst fàult 〖지질〗 충상(衝上) 단층

thrust·ful [θrʌ́stfəl] *a.* ((영)) 억지가 센; 공격적인, 적극적인 **~·ness** *n.*

thrúst hòe 괭이의 일종(scuffle hoe) ((흙을 밀면서 작업을 할 때 쓰는 괭이))

thrust·ing [θrʌ́stiŋ] *a.* 자기 주장이 강한; 공격적인; 몹시 뽐내는

thrúst revèrser 〖항공〗 역(逆)추진 장치

thrúst stàge 돌출(突出) 무대

thrúst véctor còntrol 〖로켓〗 추력(推力) 방향 제어 ((略 TVC))

thru·way [θrú:wèi] *n.* ((미)) (유료) 고속도로(expressway)

***thud** [θʌ́d] *n.* **1** 쿵, 털썩, 덜컥 ((무거운 물건이 떨어지는 소리)); 쿵하는 일격: with a ~ 쿵 하고 **2** ((미·속어)) (비행기의) 추락; ((미·군대속어)) F-105 선더치프(Thunderchief) 제트 전투기
— *v.* (**~·ded**; **~·ding**) *vi.* 쿵하고 떨어지다[울리다]
— *vt.* 쿵 하고 치다

thug [θʌ́g] *n.* **1** 자객; 흉한(兇漢), 폭력배 **2** [때로 **T~**] 〖역사〗 종교적 암살단원 ((13-19세기 인도의))
— *vi.* ((미)) 살인 청부업을 하다; 잔학 행위를 하다

~·gish *a.* 암살의, 살인의; 폭행의 **~·gism** *n.* Ⓤ 암살

thug·gee [θʌ́gi:, ─́] *n.* Ⓤ [때로 **T~**] 인도의 암살단원이 행한 약탈과 교살(絞殺); 폭력 행위[조직]

thug·ger·y [θʌ́gəri] *n.* Ⓤ **1** =THUGGEE **2** 잔인한 살인 강도

thúg mentálity (흉악범처럼) 난폭하고 저질의 정신 구조; 야만적인 사고방식

Thu·le [θjú:li] *n.* **1** 극북(極北)의 땅 ((Shetland 제도·아이슬란드·노르웨이 등을 가리키는 고대 그리스·로마어 이름)) **2** =ULTIMA THULE

thu·li·um [θjú:liəm | θjú:-] *n.* Ⓤ 〖화학〗 툴륨 ((희토류 원소; 기호 Tm, 번호 69))

‡**thumb** [θʌ́m] [OE 「부푼 (손가락)」의 뜻에서] *n.* **1** 엄지손가락; (장갑 등의) 엄지손가락 (부분) **2** (동물의) 제1지(指), 엄지(pollex) **3** 〖건축〗 =OVOLO **4** ((미·구어)) 히치하이크 **5** ((미·속어)) 마리화나 담배
a golden ~ = ***a ~ of gold*** = ***a miller's ~*** 돈이 열리는 나무, 달러 박스 ***a ~ in one's eye*** ((미·속어)) 골칫거리(인 사람) ***be all ~s*** ((구어)) 무디다, 서투르다, 손재주가 전혀 없다 ***bite one's ~s*** 초조하여[화가 나서] 엄지손가락을 깨물다 ***bite the ~ at*** …을 멸시하다, …을 도발적으로 모욕하다 ***by rule of ~*** 어림으로, 경험으로 ***count*** (one's) ***~s*** ((미·속어)) 졸며 시간을 보내다 (***as***) ***easy as kiss my ~*** ((구어)) 아주 손쉬운, 매우 간단한 ***get one's ~ out of*** a person's ***mouth*** …의 손아귀에서 벗어나다 ***on the ~*** ((속어)) 히치하이크하여 ***stick out like a sore ~*** ((구어)) 일목요연하다, 눈에 잘 띄다 ***T~s down!*** ((속어)) 안 되겠어, 돼먹지를 않았어! ***T~s up!*** ((속어)) 기운 내라, 잘한다! ***turn up*** [***down***] ***the ~*** 만족[불만]의 뜻을 나타내다, 칭찬하다[헐뜯다] ***twirl*** [***twiddle***] ***one's ~s*** 빈들빈들 지내다 ***under*** a person***'s ~*** ((구어)) …의 손아귀에 쥐여서, …이 시키는 대로
— *vt.* **1** 〈책을〉 엄지손가락으로 넘기다; 되풀이하여 읽다 **2** 〈책 등을〉 급히 읽어 넘기다, 훑어보다: (~+목+부) ~ a pamphlet *through* 팸플릿을 급히 훑어보다 **3** 엄지손가락으로 만지다[누르다, 조사하다]; 〈악기를〉 서투르게 연주하다, 〈일을〉 서투르게 하다 **4** ((구어)) 엄지손가락을 세워서 〈편승을〉 부탁하다(hitchhike), 〈가까이 오는 차에〉 히치하이크의 신호를 하다: (~+목+전+명) She ~*ed* her way *to* Chicago. 그녀는 시카고까지 히치하이크했다.
— *vi.* **1** 엄지손가락으로 책장을 넘기며 읽다; 서둘러서[대충] 훑어보다 **2** 편승을 부탁하다, 히치하이크하다 ***~ a ride*** ((미·구어)) 히치하이크하다 ***~ down*** 거절하다, 퇴짜놓다 ***~ one's nose*** 경멸[무시]하다 ((*at*)) ***~ through*** 〈책을〉 급히 훑어보다

thúmb drìve ((미)) =FLASH DRIVE

thumb·hole [θʌ́mhòul] *n.* **1** 엄지손가락을 넣는 구멍 **2** (관악기의) 엄지로 막는 구멍

thúmb ìndex 색인 홈, 반달 색인 ((사전 등을 펼쳐 보기 쉽도록 책장 가장자리를 반월형으로 잘라낸 홈))
thúmb-ìn·dex *vt.*

thumb·mark [-mɑ̀:rk] *n.* **1** 무인(拇印) **2** 엄지손가락 자국 ((책장에 묻은))

thumb·nail [-nèil] *n.* **1** 엄지손톱 **2** (그림 등의) 아주 작은[간단한] 것 **3** 〖인쇄〗 (작고 대충 만든) 견본 **4** 〖컴퓨터〗 섬네일 ((프린트하기 전에 미리 보는 축소 화상))
— *a.* Ⓐ 엄지손톱 만큼의, 아주 작은, 간결한
— *vt.* 간결하게 그리다; 약술(略述)하다

thúmbnail skétch (중요한 사항의) 간단한 설명
thúmb nùt 〖기계〗 (손가락으로 돌리게 된) 나비 모양의 암나사(wing nut)
thúmb piàno (엄지)손가락 피아노 《엄지손가락으로 퉁기는 아프리카의 소형 악기》
thúmb pòt 아주 작은 화분
thumb·print [-prìnt] *n.* **1** 엄지손가락의 지문; 무인(拇印) **2** 《비유》 (마음에 새겨진) 인상; 특질; 《미·연극속어》 (작품에 나타난 작가의) 특징, 개성
thumb·screw [-skrùː] *n.* **1** 엄지손가락 죄는 틀 《옛날의 고문 도구》 **2** 〖기계〗 (손가락으로 돌리게 된) 나비 모양의 수나사
thumbs-down [θʌ́mzdàun] *n.* 거절, 불찬성, 비난
thumb·stall [θʌ́mstɔ̀ːl] *n.* (가죽·고무로 만든) 엄지손가락 색(sack); 골무(thimble) 《구두 깁는 사람의》
thumb·suck [θʌ́msʌ̀k] *n.* UC 《남아공·구어·경멸》 추정, 추측
thumb·suck·er [-sʌ̀kər] *n.* **1** (정치부 기자가 쓰는, 종종 개인의 견해가 섞인) 분석 기사 **2** 엄지손가락을 빠는 버릇이 있는 유아; 《영·속어》 어리고 약한 아기; 무능한 사람
thumb·suck·ing [-sʌ̀kiŋ] *n.* 엄지손가락 빠는 버릇
thumbs-up [θʌ́mzʌ́p] *n.* 승인, 찬성, 격려
thumb·tack [θʌ́mtæ̀k] *n.* 《미》 압정(押釘), 제도핀 (《영》 drawing pin) — *vt.* 압정으로 고정시키다
Thum·mim [θʌ́mim, túmin] *n.* ⇨ Urim and Thummim
∗**thump** [θʌ́mp] [의성어] *n.* **1** (탁) 때림, 세게 쥐어박음, 강타; 탁[쿵]하는 소리: fall with a ~ 쿵[탁]하고 쓰러지다[떨어지다] **2** [*pl.*; 단수취급] 〖수의학〗 (새끼 돼지의) 딸꾹질 **3** [보통 **T~**] (영국 북동부 특히 Halifax의) 축제 **4** 〖전자〗 전화 회로의 방해음
— *vt.* **1** (주먹·막대기 등으로) 탁[딱, 쾅] 치다[때리다]; 부딪치다 《*at*》: (~+목+전+명) ~ a table *with* one's fist 테이블을 주먹으로 쾅 치다 **2** 《구어》 후려갈기다, 강타하다 **3** …에 크게 이기다, 완패시키다 **4** 〈악기·곡을〉 쾅쾅 치다 《*out*》: (~+목+부) (~+목+전+명) She *~ed out* a tune *on* the piano. 그녀는 피아노로 한 곡을 쾅쾅 쳤다. **~ *the* [*a*] *cushion* [*pulpit*]** 〈설교자가〉 설교단을 치며 역설하다
— *vi.* **1** 탁[쿵] 하고 치다[부딪치다, 떨어지다] **2** 쿵쿵거리며 걷다; 덜컹거리며 가다 **3** 〈심장·맥박 등이〉 두근거리다 **4** 강력히 지지[변호, 선전]하다
thump·er [θʌ́mpər] *n.* **1** 탁[쾅] 치는 사람[것] **2** 《구어》 거대한 것, 터무니없는 거짓말
thump·ing [θʌ́mpiŋ] *a.* Ⓐ **1** 탁[쾅] 치는; 〈심장이〉 두근거리는 **2** 《구어》 거대한, 굉장한; 터무니없는; 매우 즐거운[유쾌한]: a ~ lie 새빨간 거짓말 / a ~ victory 압승 / ~ good weather 매우 좋은 날씨
— *ad.* 《영·구어》 맹렬하게; 거대하게, 엄청나게, 터무니없이 **~·ly** *ad.*
‡**thun·der** [θʌ́ndər] *n.* **1** UC 우레, 우렛소리, 뇌성, 천둥: The ~ rolls. 천둥이 울린다.

> 유의어 **thunder** 우렛소리: a crash[peal, clap] of *thunder* 우렛소리 **lightning** 번개: be struck by *lightning* 벼락을 맞다 **thunderbolt** 천둥·번개를 동반한 번갯불, 벼락: That *thunderbolt* was close. 저 벼락은 가까웠다.

2 [보통 *pl.*] 뇌성 같은 소리[목소리, 울림], 고함: ~*s* of guns 대포의 울림 **3** [보통 *pl.*] 위협, 탄핵, 비난, 노호, 열변 **4** 《구어》 격렬한[위협적인] 비난 **5** [보통 *pl.*] 《고어·시어》 = THUNDERBOLT 1
(***By***) ***~!*** 제기랄!, 빌어먹을! ***in ~*** 《구어》 [의문문을 강조하여] 도대체, 대관절: What *in* ~ is that? 도대체 저건 뭐지? ***look like*** [***as black as***] ***~*** 《구어》 몹시 화가 난 표정을 하고 있다 ***steal*** [***run away with***] a person***'s ~*** 남의 생각[방법]을 가로채다; (앞질러 말해버림으로써) 선수를 쓰다, 기세를 꺾다 ***~ and lightning*** 천둥과 번개; (격렬한) 비난, 욕 ***~s of applause*** 우레 같은 박수갈채 ***~s of the Church*** 교회의 격노 《파문 등》
— *vi.* **1** [It을 주어로 하여] 천둥치다: *It ~ed* through the night. 밤새 천둥이 쳤다. **2** 큰소리를 내다; 울려퍼지다; 큰 소리를 내며 이동하다[가다, 지나가다]: (~+전+명) Someone is *~ing at* the door. 누군가 문을 탕탕 두드리고 있다. **3** 극구 비난하다, 탄핵하다; 고함치다, 소리지르다 《*against, at*》 **4** 《미·속어》 보기좋게 성공하다
— *vt.* **1** 〈명령·질문 등을〉 엄하게 말하다; 고함지르다, 큰소리로 말하다 《*out*》 **2** 큰소리를 내며[대단한 기세로] 치다; 〈예포를〉 발사하다 《*out*》: (~+목+부) ~ *out* a salute of twenty-one guns 21발의 예포를 발사하다 ***come ~ing on*** …을 일거에 괴멸시키다 ▷ thúnderous, thúndery *a.*
thun·der-and-light·ning [θʌ́ndərənd*l*áitniŋ] *a.* 〈옷이〉 아주 대조적인 색채의; 화사한 색채의
thun·der·a·tion [θʌ̀ndəréiʃən] *n.* [의문사를 강조하여] 도대체 — *int.* 《미·속어》 제기랄, 빌어먹을
thun·der·bird [θʌ́ndərbə̀ːrd] *n.* **1** 〖조류〗 천둥새 **2** [**T~**] 미국 Ford사의 승용차 이름 **3** [**T~s**] 미공군의 곡예 비행팀 **4** [**T~**] 영국의 이동식 지대공 미사일
thun·der·boat [-bòut] *n.* (모터보트 경주에서 배기량) 무제한급 수상 활주정
∗**thun·der·bolt** [θʌ́ndərbòult] *n.* **1** (천둥이 따르는) 번개, 벼락, 낙뢰(⇨ thunder 유의어) **2** 성미가 벼락 같은 사람, 전격적[파격적]인 사람; 격렬한 위협[비난 《등》] **3** 파괴적인[용서없는, 갑작스런] 것[일]; 의외의 나쁜 소식, 청천벽력
thun·der·box [-bɑ̀ks | -bɔ̀ks] *n.* 《속어》 (땅에 판 구멍에 설치하는) 상자형 변기; 휴대 변기
thun·der·clap [-klæ̀p] *n.* 뇌성, 벼락치는 소리; 벼락 같은 소리, 청천벽력
thun·der·cloud [-klàud] *n.* **1** [때로 *pl.*] 뇌운(雷雲) **2** 암운(暗雲), 위협을 느끼게 하는 것
thun·der·er [θʌ́ndərər] *n.* **1** 벼락 같은 소리를 지르는 사람, 고함치는 사람 **2** [the T~] 〖로마신화〗 뇌신(雷神)(Jupiter) **3** [the T~] 영국의 신문 *The Times*의 옛 별명
thun·der·head [θʌ́ndərhèd] *n.* 《미》 〖기상〗 적란운(積亂雲), 소나기구름
thun·der·ing [θʌ́ndəriŋ] *a.* Ⓐ **1** 우레[뇌성] 같은, 뇌성같이 울리는; 우렛소리가 나는; 뇌성을 동반한 **2** 《구어》 = THUMPING 2
— *ad.* 《영·구어》 매우, 엄청나게, 뛰어나게
— *n.* 우렛소리, 천둥(thunder) **~·ly** *ad.*
thun·der·less [θʌ́ndərlis] *a.* 천둥을 동반하지 않은
∗**thun·der·ous** [θʌ́ndərəs] *a.* **1** 우레같이 울리는, 벽력같이 고함 지르는 **2** = THUNDERY **3** 〈환영 등이〉 대단한: a ~ reception 대환영 **~·ly** *ad.*
thun·der·peal [θʌ́ndərpìːl] *n.* 천둥소리
thun·der·show·er [θʌ́ndərʃàuər] *n.* 번개가 따르는 소낙비, 뇌우(雷雨)
thun·der·squall [-skwɔ̀ːl] *n.* 천둥이 따르는 스콜
thun·der·stone [-stòun] *n.* 뇌석(雷石) 《번개의 화살이라고 흔히 여겼던 가늘고 긴 각종 고대 석기·화석·운석》
thun·der·storm [-stɔ̀ːrm] *n.* (강풍이 따르는) 뇌우: be caught in a ~ 뇌우를 만나다
thun·der·strike [-stràik] *vt.* **1** 《고어》 벼락치다, 낙뢰하다 **2** 깜짝 놀라게 하다(astonish)
thun·der·stroke [-stròuk] *n.* 낙뢰(落雷), 벼락
thun·der·struck [-strʌ̀k], **-strick·en** [-strìkən] *a.* Ⓟ 벼락맞은, 벼락이 떨어진; 깜짝 놀란, 기겁한
thúnder thìghs 《미·속어》 살찐 허벅 다리; 뚱뚱하고 박력있는 사람
thun·der·y [θʌ́ndəri] *a.* **1** 벼락이 떨어질 것 같은, 뇌성이 울리는 **2** 불온한, 불길한

> **thesaurus** **thus** *ad.* so, therefore, accordingly, hence, consequently, as a result, for that reason

thunk [θʌ́ŋk] *n.* 푹, 탁 《둔탁한 소리》
Thur. Thursday
thu·ri·ble [θjúərəbl | θjúər-] *n.* 〖가톨릭〗 향로(香爐)(censer)
thu·ri·fer [θjúərəfər | θjúər-] *n.* 〖가톨릭〗 (의식 때) 향로를 드는 복사(服事)
thu·rif·er·ous [θjuərífərəs | θjuər-] *a.* 유향(乳香)이 나는
thu·ri·fi·ca·tion [θjùərəfikéiʃən | θjùər-] *n.* Ⓤ 향을 피움, 분향(焚香)
Thurs. Thursday
‡**Thurs·day** [θə́:rzdei, -di] [ON 「Thor (천둥·날씨의 지배자)의 날」의 뜻에서] *n.* 목요일 《略 Thurs., Thur., Th.》
— *a.* Ⓐ 목요일의: on ~ afternoon 목요일 오후에
— *ad.* (구어) 목요일에(on Thursday)
Thurs·days [θə́:rzdeiz, -diz] *ad.* (미) 매주 목요일에, 목요일마다(on every Thursday)
Thur·ston [θə́:rstən] *n.* 남자 이름
‡**thus** [ðʌ́s] *ad.* (문어) **1** 이렇게, 이와 같이, 이리하여: Managed ~, the item will be accepted. 이같이 하면, 그도 받아들여질[성공할] 것이다. **2** 그러므로, 따라서, 요컨대: It ~ appears that ... 그러므로 …처럼 여겨진다 **3** [형용사·부사를 수식하여] 이 정도까지, 이 만큼까지 **4** 예를 들면, (그) 한 예로서(for example) *~ and ~* = (미) *~ and so* 이러이러하게, 이러저러하여 *~ far* 여태[지금]까지는(so far) 《흔히 동사의 완료형과 결합됨》 *~ much* 이것만은; 여기까지는: *T~ much* is certain. 이것만은 확실하다. ***Why ~ sad?*** 왜 이렇게 슬픈가?
thus·ly [ðʌ́sli] *ad.* (구어) = THUS
thus·ness [ðʌ́snis] *n.* Ⓤ (구어·익살) 이러함: Why this ~? 왜 이러한가; 왜 이 모양일까?
thwack [θwǽk] *n.* 찰싹 때림; 그 소리
— *vt.* 찰싹 때리다 **~·er** *n.*
thwaite [θwéit] *n.* (영·방언) (삼림을 개간해서 만든) 농경[목축]용 토지
*__thwart__ [θwɔ́:rt] [ON 「가로질러서」의 뜻에서] *vt.* **1** 훼방 놓다, 방해하다, 의표[허]를 찌르다, 좌절시키다 **2** (고어) 가로지르다, 가로질러 자라다
— *vi.* **1** 반대하다 **2** (고어) 비스듬히[가로질러] 가다
— *a.* (고어) 가로놓인, 가로지르는, 횡단의, 비스듬한; 비뚤어진, 뒤틀린; 불리한; 고집이 센, 완고한
— *n.* 〖항해〗 보트 젓는 사람의 좌석
— *prep., ad.* (고어) = ATHWART
~·er *n.* **~(·ed)·ly** *ad.*
thwart·ship [θwɔ́:rtʃìp] *a.* 〖항해〗 배를 가로지르는, 뱃전에서 뱃전에 이르는
thwart·ships [-ʃìps] *ad.* = ATHWARTSHIPS
thwart·wise [-wàiz] *a., ad.* 가로 지르는[지르듯이]
T.H.W.M. Trinity (House) High Water Mark
‡**thy** [ðái] *pron.* [THOU의 소유격 《모음 앞에서는 thine》] (고어·시어·방언) 그대의, 너의
thy·la·cine [θáiləsàin, -sin] *n.* 〖동물〗 태즈메이니아 늑대 《육식성의 유대(有袋) 동물》
thyme [táim, θáim | táim] *n.* 〖식물〗 백리향(百里香) 《광대나물과(科) 식물, 잎은 향미료》
thy·mec·to·my [θaiméktəmi] *n.* (*pl.* **-mies**) 〖외과〗 흉선(胸腺) 절제(술)
-thymia [θáimiə] 《연결형》 「(…의) 정신[의지] 상태, …기질」의 뜻
thym·ic[1] [táimik, θái- | tái-] *a.* 백리향의[에서 채취한]
thym·ic[2] [θáimik] *a.* 〖해부〗 흉선(胸腺)의
thy·mi·dine [θáimədi:n] *n.* 〖생화학〗 티미딘 《생물체 내에 존재하는 결정성 뉴클레오티드》
thy·mine [θáimi:n, -min] *n.* 〖생화학〗 티민 《DNA를 구성하는 염기(塩基)의 하나; 기호 T》

thwart *v.* frustrate, check, block, stop, prevent, defeat, impede, obstruct, hinder, hamper

thy·mo·cyte [θáiməsàit] *n.* 〖해부〗 흉선 세포
thy·mol [θáimoul, -mɔ:l | -mɔl] *n.* Ⓤ 〖화학〗 티몰 《항균제·방부제로 사용》
thy·mo·sin [θáiməsin] *n.* 〖생화학〗 티모신 《흉선에서 분비되는 호르몬》
thy·mus [θáiməs] *n.* (*pl.* **-mi** [-mai], **~·es**) 〖해부〗 흉선(胸腺), 가슴샘(= **~ glànd**)
thym·y [táimi, θáimi | táimi] *a.* (**thym·i·er**; **-i·est**) 백리향의, 백리향이 많은; 백리향 냄새가 나는
thy·ra·tron [θáiərətràn | -trɔ̀n] *n.* 〖전자〗 사이러트론 《열음극 격자 제어 방전관》
thy·ris·tor [θaiərístər] *n.* 〖전자〗 사이리스터 《전류 제어 기능을 지닌 반도체 소자(素子)》
thyro- [θáiərou, -rə] 《연결형》 「갑상선(thyroid)」의 뜻
thy·ro·cal·ci·to·nin [θàiəroukælsətóunin] *n.* 〖생화학〗 사이로칼시토닌 《갑상선에서 분비되는 칼시토닌》
thy·ro·glob·u·line [θàiərouglɑ́bjulin | -glɔ́b-] *n.* 〖생화학〗 사이로글로블린
thy·roid [θáiərɔid] *a.* 〖해부〗 **1** 갑상선의; 갑상 연골(軟骨)의, 결후(結喉)의 **2** 갑상 모양의, 입술 모양이 있는 — *n.* 〖해부〗 갑상선(= ~ gland); 갑상선 동맥[정맥, 신경]; 갑상 연골(= ~ cartilage); 갑상선제(劑)
thy·rói·dal *a.*
thýroid càncer 갑상선 암
thýroid càrtilage 〖해부〗 갑상 연골
thy·roid·ec·to·my [θàiərɔidéktəmi] *n.* 〖외과〗 갑상선 적출[절제](술)
thýroid glànd 〖해부〗 갑상선
thy·roid·i·tis [θàiərɔidáitis] *n.* 갑상선염(炎)
thý·roid-stim·u·lat·ing hòrmone [θáiərɔidstìmjuleitiŋ-] = THYROTROPIN
thy·ro·tox·i·co·sis [θàiəroutɑksikóusis | -tɔks-] *n.* 〖병리〗 = GRAVES' DISEASE
thy·ro·troph·ic [θàiərətrɑ́fik, -tróuf- | -trɔ́f-] *a.* 갑상선을 자극하는, 갑상선 자극성의
thy·ro·tro·pin [θàiərətróupin, θaiərɑ́trə- | θàiərətróupin], **-phin** [-fən] *n.* 〖생리〗 갑상선 자극 호르몬 《하수체 전엽 호르몬의 일종》
thy·ro·tró·pin-re·lèas·ing hòrmone [θàiərətróupinrilì:siŋ-] 〖생화학〗 갑상선 자극 호르몬 방출 호르몬 《略 TRH》
thy·rox·ine, -in [θaiərɑ́ksi:n, -sin | -rɔ́ks-] *n.* Ⓤ 〖생화학〗 티록신 《갑상선 호르몬의 하나》
thyrse [θə́:rs] *n.* 〖식물〗 밀추 화서(密錐花序) 《라일락처럼 밀집해서 분지한 화서》
thyr·sus [θə́:rsəs] [L =rod] *n.* (*pl.* **-si** [-sai]) **1** 〖그리스신화〗 술의 신 바커스의 지팡이 **2** 〖식물〗 = THYRSE
‡**thy·self** [ðaisélf] *pron.* [THOU[1]의 강조·재귀형] (고어) 그대 자신, 그대 자신을[이](yourself)
ti [tí:] *n.* (*pl.* **~s**) 〖음악〗 제7음, 나음
Ti 〖화학〗 titanium **TI** Texas Instruments Inc.
TIA transient ischemic attack
Tián·an·men Squáre [tjɑ́:nɑ̀:nmén-] (중국 베이징의) 톈안먼(天安門) 광장
Tian·jin [tjɑ̀:ndʒín] *n.* 톈진(天津) 《중국 허베이(河北)성의 도시》
ti·ar·a [tiǽrə, -ɑ́:rə, -ɛ́ərə | -ɑ́:rə] *n.* **1** 고대 페르시아인의 관(冠)[머리 장식, 터번] **2** (로마 교황의) 삼중관(三重冠), 교황관 **3** [the ~] 교황직; 교황의 직권 **4** (여성의) 보석 달린 머리 장식[관] 《예장용》

tiara 2

ti·ar·aed, ti·a·ra'd [tiǽrəd | -ɑ́:r-] *a.* tiara를 쓴
Tib, Tibit (문어) tebibit **TiB** (문어) tebibyte
Ti·ber [táibər] *n.* [the ~] 티베르 강 《이탈리아 중부를 흐르는 강》
Ti·be·ri·us [taibíəriəs] *n.* 티베리우스 **~ Claudius**

Nero Caesar (42 B.C.-A.D. 37) 《제2대 로마 황제(A.D. 14-37); Augustus의 사위》

Ti·bet, Thi·bet [tibét] *n.* 티베트 《수도 Lhasa》

Ti·bet·an [tibétn] *a.* 티베트의; 티베트 사람[말]의 —*n.* **1** 티베트 사람 **2** Ⓤ 티베트말

Tibétan térrier 티베탄 테리어 《티베트 원산의 털이 긴 테리어; 경비견·애완견》

tib·i·a [tíbiə] *n.* (*pl.* **-i·ae** [-biì:], **~s**) **1** 〖해부〗 경골(脛骨); (곤충의) 경절(脛節) **2** (고대 로마의) 피리의 일종 《동물의 경골로 만든》 **tíb·i·al** *a.*

tic [tík] *n.* ⓊⒸ **1** 〖병리〗 (무통의) 안면 경련 **2** 병적인 집착; 뿌리 깊은 개인적 특징

-tic [tik] *suf.* -ic의 다른 형태 《특히 -sis형 명사의 어간에 붙어 형용사를 만든다》

ti·cal [tikɑ́:l, -kɔ́:l, tí:kəl] *n.* (*pl.* **~s,** ~) **1** 티칼 《타이의 옛 형량(衡量); 약 14.2그램》 **2** 티칼 《타이의 옛 은화》 **3** = BAHT

tic dou·lou·reux [tík-dù:lərú:] [F] 〖병리〗 유통성(有痛性) 티크[안면 경련]

∗**tick**[1] [tík] [의성어] *n.* **1** 똑딱[재깍]거리는 소리 《시계 따위의》 **2** (영·구어) 짧은 시간, 순간 **3** 점(點), 점검(點檢)의 표시 《√》 **4** (미·속어) (상승이나 증가의) 눈금, 정도 **5** 〖승마〗 장애물에 가볍게 발을 접촉하는 것 (에 의한 감점) **6** 술래잡기 **7** (포유류·조류의 털의) 작은 유색 반점 ***Half a ~!*** 잠깐 기다려! ***in a ~*** = ***in two ~s*** = ***in half a ~*** (구어) 곧 ***to***[***on***] ***the ~*** 아주 정확하게, 정각에

—*vi.* **1** 〈시계 등이〉 똑딱[재깍]거리다; 〈시간이〉 똑딱거리며 지나가다 《*away, by, past*》: (~+副) The hours *~ed by.* 시간이 똑딱거리며 지나갔다. **2** (구어) 〈기계가〉 작동하다, 움직이다; 〈사물이〉 계획대로 진행되다 **3** 〈엔진 등이〉 공전(空轉)하다(idle) **4** (구어) 〈사람이〉 그럭저럭 해 나가다, (평온무사하게) 생활하고 있다 《*over*》: How are you *~ing over* these days? 요즘 어떻게 지내니? **5** (영·속어) (…에) 관해서 불평하다, 투덜대다

—*vt.* **1** 똑딱똑딱 소리내어 〈통신을〉 보내다[알리다]; 똑딱똑딱 〈때를〉 알리다 《*off, out, away*》: (~+目+副) ~ *away*[*off*] the time 〈시계가〉 똑딱거리며 시간을 가리키다 **2** (영) 〈점을〉 찍다, 점검표를 하다, 조사하다 《*off*》: (~+目+副) ~ *off* items in a list 표의 항목을 체크하다 **3** 〖승마〗 (장애 비월 경기에서) 〈말이〉 〈장애물에〉 가볍게 발을 부딪히다

~ away 〈시계·계기 등이〉 똑딱 소리를 계속내다 ***~ down*** 〈채권 등의 가격이〉 하락하다 ***~ off*** (1) 술술 열거하다, 거침없이 말하다 (2) (구어) 체크[점검]하다; 같은 것임을 확인하다 (3) 꾸짖다: get *~ed off* 혼나다 (4) (미·속어) 화나게 하다 (5) 〈시간을〉 알리다 (6) 〈미터기 등이〉 〈요금 따위를〉 알리다, 나타내다 ***~ out*** 〈전신기가 통신을〉 똑딱똑딱 쳐보내다 ***~ over*** (1) 〈내연 기관이〉 천천히 공전하다 (2) (영) 〈일 등이〉 평온하게[천천히] 진행되다 ***~ up*** 〈주가 등이〉 상승하다 ***What makes … ~?*** 무엇이 …을 그렇게 시키고[움직이고] 있는가?

tick[2] *n.* **1** 〖동물〗 진드기 **2** (영·구어) 싫은[귀찮은] 녀석 (***as***) ***full as a ~*** (속어) 몹시 취하여

tick[3] *n.* **1** (매트리스·베개의) 잇 **2** (구어) = TICKING[2]

tick[4] [*tick*et] *n.* Ⓤ (영·구어) 외상, 외상 매출, 신용 대부; 계산(서) ***buy***[***get***] ***… on ~*** …을 외상으로 사다 ***give … ~*** …을 외상으로 팔다 ***on***[***upon***] ***~*** 외상으로, 신용 거래로

tick[5] [*t*wo-*i*ncome *c*ouple with *k*ids] *n.* 아이가 있고 맞벌이 하는 부부(의 가정)(cf. DEWK, DINK)

tick·box [-bɑ̀ks | -bɔ̀ks] *n.* (영) = CHECKBOX

ticked [tíkt] *a.* **1** 〈털이〉 (두 가지 색 또는 그 이상의) 얼룩이 있는 **2** (속어) 화난, 노한

tick·er [tíkər] *n.* **1** 똑딱똑딱[재깍재깍] 소리내는 것; 조회[확인]하는 사람; 확인 날인하는 도구 **2** (미) 증권 시세 표시기, 티커; 전신 수신기 **3** = NEWS TICKER **4** (구어) (회중) 시계(watch) **5** (속어) 심장 **6** 희귀조 관찰 기록을 경쟁하는 조류 관찰자 **7** (미·호주·속어) 용기, 배짱, 담력

tícker tàpe (미) **1** 티커에서 자동적으로 나오는 테이프 《통신·증권 시세 등이 인쇄된》 **2** (환영의 뜻으로 빌딩의 창에서 뿌리는) 종이 테이프, 색종이 ***get ~ welcome*** ticker tape를 뿌리는 환영을 받다

tíck·er-tape paràde [tíkərtèip-] (미국 New York 시 전통의) 색종이 테이프가 뿌려지는 행진

‡**tick·et** [tíkit] [F 「붙이는 것」의 뜻에서] *n.* **1** 표, 입장권, 승차권: a concert ~ 음악회 입장권/a season ~ 정기권(定期券)

> 유의어 **ticket** 입장권·승차권 등의 표: a railroad *ticket* 철도 승차권, 기차표 **boarding card**[**pass**] 비행기의 탑승권

2 (구어) 호출장 《특히 교통 위반자에 대한》, (위반) 딱지: a parking ~ 주차 위반 딱지/a speeding ~ = a ~ for speeding 속도 위반 딱지 **3** 정가표, 정찰; 전당표: a price ~ 가격표/ **4** (미) (정당의) 공천 후보자 (명부); (공천 후보자 이름을 기입한) 투표용지; 정당의 강령(綱領), 정견, 주의: The whole Republican ~ was returned. 공화당 후보는 전원 당선되었다./on the Republican ~ 공화당 공천(公薦) 후보로 **5** (고급 선원·파일럿의) 자격 증명서; 허가서; 면허증 **6** [the ~] (구어) 적당한 것; 정당[당연]한 일; 진짜, 안성맞춤의 일; 필요한 것: "I've decided to apologize to Helen"—"That's *the* ~." 헬렌에게 사과하기로 했어.—잘 생각했어. **7** (영) 제대 명령, 제대 증명서; 가출옥 허가장(=~ of leave) **8** (속어·드물게) (대학의) 과정, 코스 **9** (영·방언) (방문용) 명함 **10** (속어) 트럼프 카드 **11** (영·속어) 체포[수색] 영장 **12** (창에 내붙인) 임대 광고 ***admit by ~ alone*** 표 가진 사람만 입장을 허가하다 ***be the ~*** (속어) 적당하다, 안성맞춤이다: That's *the* ~. 그래야지, 그렇고말고. ***get*** one***'s ~*** (군대속어) 제대하다 ***get*** one***'s ~ punched*** 죽다, 살해당하다 ***have*** (***got***) ***~s on*** one***self*** (호주·속어) 우쭐대다, 뽐내다 ***single***[***return***] ***~*** 편도[왕복]표 ***straight***[***mixed, scratch, split***] ***~*** (미) 전(全) 공천[혼합, 일부 삭제한, 비공천을 합친] 후보자 (명부) ***That's the*** (***proper***) ***~.*** (속어) 그게 제격이다; 그래야 마땅하다. ***vote a ~*** (미) 어떤 정당의 공천 후보자에게 투표하다 ***What's the ~?*** (속어) 어떻게 할 참인가, 어찌 하기로 했느냐? ***work*** one***'s ~*** (군대속어) (꾀병 등을 써서) 제대되다 ***write*** one***'s own ~*** (스스로) 장래의 방침을 세우다, 원하는 대로 직업 《등》을 선택하다

—*vt.* **1** 표[딱지]를 붙이다, 〈상품에〉 정가표를 달다; (…라고) 칭하다, 딱지 붙이다: (~+目+***as*** 補) ~ a person *as* a boaster …에게 허풍쟁이라는 딱지를 붙이다 **2** 차표를 팔다, 표를 발행하다 **3** …에 할당하다; 지명하다 《*for*》: These articles are *~ed for* export. 이 상품은 수출에 충당된다. **4** (미·구어) 〈차에〉 소환장[딱지]을 붙이다; …에게 소환장을 내다, 딱지를 떼다 《*for*》: be *~ed for* violent driving 난폭 운전으로 딱지를 떼이다/~ illegally parked cars 주차 위반 차에 딱지를 붙이다 **5** (속어) …에 표[초대장]를 보내다

tícket àgency 표 판매 대리점 《여행사·입장권 예매처 등》

tícket àgent 표 판매 대리업자

tícket bàrrier (영) 개찰구

tícket collèctor (역 등의) 집표(集票)원, 개표원

tícket dày (영) (런던 증권 거래소에서) 현물 인도 전날 《결제 처리 기간의 제2일째》

tick·et·ed [tíkitid] *a.* [보통 Ⓐ] 티켓[입장권]이 필요한: a ~ events 티켓이 필요한 행사 ***be ~ for*** (미) …의 목적을 위하여 지정[마련]되다

tick·et·ing [tíkitiŋ] *n.* Ⓤ (항공기·열차·음악회 등의) 매표 (시스템)

tícket nìght (2류 출연자를 위한) 자선 흥행 《출연자 각자의 표매출에 따라 수입을 배분》

tícket òffice 《미》 매표소(《영》 booking office)
tick·et-of-leave [tíkitʌvlí:v] *n.* (*pl.* **tickets-**) 《영》 (옛날의) 가출옥 허가(장): a ~ man 가출옥자
tícket pùnch (개찰용) 표 찍는 펀치
tícket scàlper 암표(暗票) 장수
tícket tòut 《영》 암표상
tick·et·y-boo [tíkitibú:] *a.* 《구어》 좋은, 이상 없는, 순조로운
tíck fèver 〖병리〗 진드기열 《진드기가 매개하는 로키산 홍반열 등》
tick·ing¹ [tíkiŋ] *n.* (시계 따위의) 똑딱[재깍]거림[소리]
ticking² *n.* (매트리스·베개 등의 커버나 실내 장식에 쓰이는) 아마포[무명베]
tícking óff 힐책(詰責), 주의
∗**tick·le** [tíkl] *vt.* **1** 간질이다: (~+목+전+명) ~ a person *under* the arms …의 겨드랑이를 간질이다 **2** 따끔거리다; 자극하다, 고무하다 **3** 기쁘게 하다, 만족시키다; 신나게 하다, 재미나게 하다, 웃기다: He was highly ~*d at* the idea. 그는 그 생각에 매우 만족했다. **4** (…을) 부추겨서 …하게 하다 《*into, into doing*》 **5** 〖낚시〗 〈송어 등을〉 손으로 움켜잡다 **6** 〈사물을〉 가볍게 건드리다; 가볍게[살짝] 움직이게 만들다; 〈현악기 등을〉 가볍게 켜다; 〈그림 등을〉 가벼운 터치로 그리다 **7** 채찍질하다, 치다, 두들기다 **8** 〈기억 등을〉 불러일으키다
— *vi.* **1** 간지럽다, 간질간질하다 **2** 간질이다; 간지러운 느낌을 주다: It ~*s* a little. 그것은 좀 간지러운 느낌을 준다.
be ~d pink [***silly, to death***] 《구어》 크게 기뻐하다, 포복절도하다 **~** a person ***in the palm*** (점쟁이 등)에게 돈을 주다, …에게 뇌물[팁]을 주다 **~ *into*** [***out of***] …에 야금야금 밀어넣다[밀어내다] **~** a person ***pink*** 《속어》 …을 매우 기쁘게 하다 **~** one***'s fancy*** …을 웃기다 **~** one***'s ribs*** …을 간지럽히다; …을 재미있게 해주다 **~ *the ivories*** 《익살》 피아노를 치다 **~ *the peter*** 《호주·뉴질·속어》 현금 상자[금고]를 털다; 횡령하다
— *n.* 간지럼, 간질임; 기쁘게 하는 것, 만족시키는 물건 ***slap and ~*** 《영·구어》 (남녀의) 노닥거림
▷ tícklish, tíckly *a.*
tick·ler [tíklər] *n.* **1** 간질이는 사람[것]; 추켜올리는 사람 **2** 《미》 비망록(= ∠ **file**), 수첩 **3** 《구어》 어려운 문제, 난처한 일 **4** 〖전기〗 재생 코일(= ∠ **còil**) **5** 《미》 〖회계〗 (은행 등의) 단식 계산서 **6** 《미·속어》 콧수염; 피아니스트; 《비유》 회상시켜 주는 물건
tick·lish [tíkliʃ] *a.* **1** 간지럼을 타는 **2** 신경질적인, 까다로운, 화 잘 내는; 다루기 힘든, 신중을 요하는 〈문제〉 **3** 〈날씨 등이〉 불안정한, 〈배가〉 잘 뒤집히는 **~·ly** *ad.* **~·ness** *n.*
tick·ly [tíkli] *a.* (**-li·er**; **-li·est**) = TICKLISH
tick·o·ver [tíkòuvər] *n.* 《영》 (엔진의) 공전(空轉), 무부하(無負荷) 운전(idle)
tick·seed [tíksì:d] *n.* 〖식물〗 **1** 씨가 옷에 붙는 식물의 총칭 **2** 기생초
tick·tac(k) [tíktæ̀k] [의성어] *n.* **1** 똑딱똑딱(소리) **2** 심장의 고동, 동계(動悸) **3** 《영·속어》 경마에서 물주끼리의 손짓 신호 — *vi.* 똑딱똑딱 소리나다; 무선으로 모스 부호 등을 타전하다
tick·tac(k)·toe, tick-tac(k)-toe [tìktæktóu], **tick·tack·too, tick-tack-too** [-tú:] *n.* Ⓤ 《미》 3목(三目) 놓기(《영》 noughts and crosses) 《OX를 5목처럼 세 개가 이어지도록 놓는 어린이 놀이》
tick·tick [tíktìk] *n.* **1** 똑딱똑딱 (하는 소리) **2** 《유아어》 시계
tic(k)·toc(k) [tíktɑ̀k | -tɔ̀k] [의성어] *n.* **1** (큰 시계의) 똑딱똑딱하는 소리; (반복적인) 똑딱 소리; 뚜벅뚜벅 (발소리) **2** 시계, 손목시계 **3** 《미·속어》 중대한 사건이 일어나기까지의 과정을 상세히 전하는 기사(記事) — *vi.* 똑딱똑딱 소리나다
tíck tréfoil 〖식물〗 콩과(科) 도둑놈의갈고리속(屬)의 총칭

tick·y-tack·(y) [tíkitæ̀k(i)] *n.* Ⓤ 《미》 **1** 흔히 있는 싸구려 재료 **2** 멋 없는 단조로운 획일성
— *a.* 초라한, 값싼; 획일적인, 조잡한
t.i.d., TID *ter in die* (처방전에서) 하루에 세 번 《L = three times a day》
∗**tid·al** [táidl] *a.* **1** 조수(潮水)의, 조수가 밀려드는, 조수의 영향을 받는, 간만(干滿)이 있는; 주기적인 **2** 밀물 때에만 운항할 수 있는: a ~ boat 밀물 때에 출범하는 배 **3** 시간[상황]에 따라 변하는 **~·ly** *ad.* ▷ tíde *n.*
tídal àir [**brèath**] 〖의학〗 (호흡할 때의) 1회 호흡량[배기량]
tídal bàsin (수문으로 조수를 조절하는) 조수 독(dock)
tídal cúrrent 조류(潮流)
tídal dàtum 조위(潮位) 기준면 《수심에 관한 기준면》
tídal flàt 조석평저(潮汐平底), 조습지(潮濕地) 《광대한 간석지 등》
tídal flòw (사람·자동차의) 시간에 따라 달라지는 흐름
tídal fríction 〖항해〗 조석(潮汐) 마찰 《조류와 해저의 마찰 현상》
tídal hárbor 밀물 때만 운항 가능한 항구
tídal pòwer generátion 〖전기〗 조력(潮力) 발전 《조수 간만의 차를 이용하는 발전》
tídal pówer plànt [**stàtion**] 조력 발전소
tídal ríver 감조(感潮) 하천
tídal wàve **1** 조석파(潮汐波); 해일(海溢): a ~ driven by an earthquake 지진에 의한 해일 **2** (인심의) 격동, 대변동, 큰 동요; 동향
tid·bit [tídbìt] *n.* 《미》 **1** 맛있는 가벼운 음식, (맛있는 것의) 한 입(《영》 titbit) **2** 재미있는 이야기, 토막 뉴스
tid·dler [tídlər] *n.* 《영·속어》 **1** 작은 물고기[생물] 《올챙이 등》 **2** 꼬마; 아주 작은 물건 **3** 반 페니 (동전)
tid·dly, -dley [tídli] *a.* 《영·속어》 **1** 거나하게 취한 **2** 《항해속어》 일류의, 고급의, 스마트한, 정장을 한 **3** 조그마한(tiny); 보잘것없는
tid·dly·winks [tídliwìŋks], **tid·dle·dy·winks** [tídldi-] *n. pl.* [단수 취급] 원반 튕기기 《어린이 놀이의 하나》
‡**tide¹** [táid] [OE 「때」의 뜻에서] *n.* **1** ⓊⒸ 조수, 조류; 간만: low[ebb] ~ 썰물 / high[flood] ~ 밀물 / the ebb and flow of the ~ 조수의 간만 **2** = FLOOD TIDE 1 **3** 흐름; 홍수; 바다; 해수: a ~ of blood 흘러나오는 피 **4** 흥망 성쇠 **5** [the ~] 풍조, 형세, 경향 **6** (행운 등의) 절정기; (병 등의) 최악기 **7** Ⓤ [복합어 이외에는 《고어》] 때, 철, 계절, (특히 종교상의) 절(節), 제(祭): noon*tide* 한낮 / spring*tide* 봄 / Christmas*tide* 크리스마스제 **8** 〖교회〗 …제(기); …(성)절; 교구의 축제일; (축일 아닌) 휴일, 휴가 **9** 《고어》 기운, 호기(好機) ***full ~ of pleasure*** 쾌락[환락]의 절정 ***go with the ~*** 세상 풍조를 따르다 ***spring*** [***neap***] **~** 한사리[조금] ***stem the*** (***rising***) **~** (…의) 흐름[경이]을 막다, 방지하다 ***take fortune at the ~*** = ***take the ~ at the flood*** 좋은 기회를 이용하다 ***The ~ is in*** [***out, down***]. 지금 밀물[썰물]이다. ***The ~ is making*** [***ebbing***]. = ***The ~ is on the flow*** [***on the ebb***]. 조수가 밀물[썰물]이다. ***The ~ turns.*** 형세가 일변한다. ***The ~ turns to*** [***against***] him. 형세가 (그에게) 유리[불리]해진다. ***the turn of the ~*** 조수의 변화; 형세의 일변 ***Time and ~ wait***(***s***) ***for no man.*** ⇨ time. ***turn the ~*** 형세를 일변시키다 ***work double ~s*** 밤낮으로 일하다
— *vi.* **1** 조수처럼 밀어닥치다; 조수를 타고 가다[흐르다] **2** 〈사람이〉 어떻게든 해 나가다, 살아남다
— *vt.* **1** 조수에 태워 나르다 **2** 〈곤란 등을〉 극복하다 《*over*》; 극복시키다, 넘기게 하다 《*over*》
~ one***'s way*** 조수를 타고 나아가다
▷ tídal *a.*; betíde *v.*
tide² *vi.* 《고어》 일어나다, 생기다(betide)
tide-bound [táidbàund] *a.* 〖항해〗 〈배가〉 썰물로 움직이지 못하는

tíde gàge[**règister**] 검조기(檢潮器)
tíde gàte 조수문《밀물 때에 열리고 썰물 때에 자동적으로 닫히는》
tide·land [-lӕnd] *n.* 《미》 개펄, 간석지; [*pl.*] 영해 내의 해저 지역
tide·less [táidlis] *a.* 조수의 간만이 없는
tide·line [-làin] *n.* 조수[밀물]선《밀물 때 조수가 닿는 지점》
tíde lòck 조수갑(閘)《조수의 간만이 있는 수면과 운하·독 등 수면을 조절하는 수문》
tide·mark [táidmɑ̀ːrk] *n.* **1** (사람·사물의) 최고[최저] 도달점[수위] **2** 만조시 최고 수위점; 간조시 최저 수위점 **3** 《영·구어》 (욕조의) 수위
tíde mìll 1 조력(潮力) 물레방아 **2** 조수 배출용 수차(水車)[물레방아]
tide·pool [-pùːl] *n.*, *vi.* 조수(潮水) 웅덩이(에서 자연 관찰[채집]을 하다)
tíde ràce 1 강한 조류 **2** 조로(潮路)
tíde rìp (조수의 충돌에 의한) 거센 파도, 격조(激潮)
tíde tàble 조수의 간만표
tide·wait·er [-wèitər] *n.* **1** (옛날의) 승선(乘船) 세관 관리인 **2** 기회주의자
tide·wa·ter [-wɔ̀ːtər] *n.* **1** Ⓤ 조수《밀물 때 지면을 덮는 물; 조수가 들어온 해안·하구의 물》 **2** 《미》 조수의 영향을 받는 해안 저지; [**T~**] Virginia 주의 동부 저지대
tíde wàve 조석파(潮汐波), 조파(潮波)
tide·way [-wèi] *n.* **1** 조로(潮路); 조류가 흐르는 길 **2** (수로를 지나는) 급한 조류
ti·dings** [táidiŋz] *n. pl.* [때로 단수 취급] 《문어》 기별, 소식, 뉴스, 보도, 정보 ***glad[***sad***] **~** 기쁜[슬픈] 소식 ***good***[***evil***] **~** 좋은[나쁜] 소식
tid·ol·o·gy [taidɑ́lədʒi | -ɔ́l-] *n.* Ⓤ 조수[조류]학(學)
‡ti·dy [táidi] *a.* (**-di·er**; **-di·est**) **1** 단정한, 말쑥한, 깔끔한, 잘 정돈된; 깨끗함을 좋아하는; 〈생각 등이〉 정연한 **2** 《구어》 상당한; 꽤 좋은; 만족스러운: a ~ income 상당한 수입 **3** 포동포동한, 건강하게 보이는; 기량이 좋은, 자세가 좋은; 몸의 상태가 좋은: I feel ~ today. 오늘 기분이 괜찮다.
— *n.* (*pl.* **-dies**) **1** 《미》 의자의 등 커버 **2** 잡동사니 그릇[주머니], 쓰레기통《개수대의》, 정리함 **3** 몸치장[정돈](하는 시간)
— *vt.* 〈복장 등을〉 정리하다, 바로하다; 깨끗이 치우다, 정돈하다《*away*, *out*, *up*》: I must ~ *up* my bedroom. 내 침실을 정돈해야 한다.
— *vi.* 치우다, 정돈하다《*up*》
~ *away* 〈책·옷 등을〉 정리[정돈]하다, 치우다 **~ *out*** (불필요한 것을 치워) 깨끗하게 하다 **~** (***up***) **one*self*** 몸단장하다 **tí·di·ly** *ad.* **tí·di·ness** *n.*
ti·dy·tips [táiditìps] *n. pl.* [단수·복수 취급] 《식물》 라이아《국화과(科); 미국 캘리포니아산(産)》
‡tie [tái] *v.*, *n.*

> OE「매다」의 뜻에서
> 「매다」 **1** →(서로 매어 주다)→(대등하다)→「동점이 되다」 **5**

— *v.* (**tied**; **ty·ing**) *vt.* **1 a** (끈·새끼 등으로) 묶다, 붙들어[잡아, 얽어]매다, 매달다《*to*》; 끈으로 매다: (~+목+부) ~ a person's hands *together* …의 양손을 묶다 // (~+목+전+명) ~ a dog *to* a tree with a leash 개를 개줄로 나무에 매다 **b** 〈끈·리본 등을〉 매다; 매어서 몸에 달다: ~ a bow 나비 매듭을 만들다 / He ~*d* his shoelaces. 그는 신발 끈을 묶었다. // (~+목+부) She ~*d* a bonnet *on*. 그녀는 모자를 쓰고 끈을 맸다. **2** 결합[접합]시키다; (…와) 잇다, 연결하다; [보통 수동형으로] (…에) 연결시키다, 관련시키다《*to*, *into*》; 《속어》 결혼시키다 **3** 《음악》 〈음표를〉 (붙임줄로) 연결하다; 《미》 (철도에) 침목을 깔다 **4** 속박하다, 구속하다, (어떤 상태에) 묶어두다《*down*》: (~+목+***to*** do) ~ a person *to* do something …을 어떤 일에 얽매이게 하다 / be ~*d to* eat 먹여야만 한다 // (~+목+전+명) He is ~*d to* the job. 그는 일에 얽매여 있다. **5** (경기·선거 등에서) 〈상대편과〉 동점이 되다《*in*》; 《속어》 …에 필적하다, 우수하다: (~+목+전+명) My dog ~*d* yours *in* the race. 그 경주에서 내 개는 자네 개와 동점이 되었네. **6** (해외 원조에서 자국 제품을 사도록) 조건을 붙이다
— *vi.* **1** [양태 부사를 수반해서] 매어지다, 묶이다; 단단하게 결합되다《*together*》: (~+부) This cord doesn't ~ *well*. 이 끈은 잘 매어지지 않는다 **2** 동점이 되다, 득점이 맞먹다《*with*》 **3** (…에) 귀착하다, 연결지어지다《*to*》
be ~d to[***for***] ***time*** 시간에 얽매이다, 시간 내에 해야[가야] 하다 ***fit to be ~d*** (1) 《속어》 몹시 화가 나서 (2) 《미·속어》 몹시, 매우 ***get ~d up*** 결혼하다 ***I am much ~d.*** 잠시도 틈이 없다. ***My tongue is ~d.*** 말할 수 없다. **~ *a can to***[***on***] …을 그만두다 **~ *a fly*** 제물낚시를 만들다 **~ *...* back** = **~ *back ...*** …을 움직이지 못하게 끈으로 고정시키다 **~ *down*** 일어서지 못하게 묶다; 구속하다, 제한하다 **~ *in*** (1) 묶다《*with*》 (2) 관계지우다《*with*, *to*》 (3) 〈사실과〉 일치시키다 **~ *into*** (1) 〈일 등에〉 적극적인 자세로 착수하다 (2) 게걸스럽게 먹다 (3) 《야구》 〈투수를〉 연타하다 (4) 《속어》 몹시 나무라다; 혹평하다 (5) 입수하다, 포획하다 **~ *it off*** 《미·속어》 〈일 등을〉 도중에서 일단락 짓다 **~ *it up*** 《미·속어》 일을 만족스럽게 끝내다; 문제를 해결하다 **~ *off*** (1) 〈혈관을〉 묶어 혈행을 멎게 하다 (2) 《미·속어》 말을 그만두다, 입다물다 **~ *on*** (1) 동여매다 (2) 《미·속어》 먹다 **~ *one***[***it***] ***on*** 《속어》 (얼근히) 취하다 **~ a person*'s tongue*** …의 입을 막다 **~ *the hands of*** …의 행동의 자유를 빼앗다 **~ *the knot*** 인연을 맺다; 결혼하다 **~ *to*** 《미·속어》 …을 의지하다; …와 제휴하다; …에 애착을 갖다 **~ *together*** (1) 서로 묶다 (2) 일치하다 **~ *up*** (1) 《미》 협동하다, 연합하다《*to*, *with*》 (*vt.*) (2) 단단히 묶다; 포장하다; 붕대로 감다; 구속하다 (3) 《미》 〈파업으로 교통 등을〉 통하지 않게 하다; 방해하다, 간섭하다 (4) (매매할 수 없게 유증물(遺贈物)에) 조건을 붙이다; (자본의) 유용을 못하게 예치하다 (5) 《미》 정박시키다 (6) 《구어》 결혼시키다 (7) 《속어》 멎게 하다 (8) 《구어》 〈계획 등을〉 완성시키다 (9) [보통 수동형으로] 《구어》 …에 종사시키다; …으로 바쁘게 만들다, …으로 꼼짝 못하다
— *n.* **1** 넥타이 **2** 끈, 줄; 매는[맨] 것; 매듭; 장식용 매듭 **3** [*pl.*] 《미》 끈 달린 얕은 구두; 작은 털가죽 목도리 **4** 《일반적으로》 이어주는[접합시키는] 것 **5** [*pl.*] 인연; 연줄, 유대; 기반; 의리; 속박, 의무, 구속: family ~*s* 가족간의 유대 **6** 《건축》 이음보; 《미》 (철도의) 침목(《영》 sleeper); 《음악》 붙임줄, 타이(⌒, ⌣) **7** 방해물, 발목을 묶는 것 **8** (경기·선거 등에서) 동점, 타이, 무승부; 토너먼트: a cup ~ 우승배 쟁탈전 **9** 《측량》 연결선《기준점과 관측점을 이어서 긋는 선》
count ~s = ***hit the ~*** 《미·속어》 선로를 따라 걷다 ***play***[***shoot***] ***off the ~*** 결승 시합을 하다 **~*s of blood*** 혈연 **~·less** *a.*
tie·back [táibӕk] *n.* (커튼 등을 한쪽으로 몰아서 묶는) 장식띠[고리]; [*pl.*] 그 장식띠가 달린 커튼
tíe bàr = TIE CLIP
tíe bèam 《건축》 이음가로장, 가로장
tie·break(**·er**) [-brèik(ər)] *n.* **1** 《경기》 동점 결승전, 연장전 **2** 동점 때 결말을 짓는 것《심지 뽑기 등》
tie-break·ing [táibréikiŋ] *a.* 《경기》 균형을 깨는: a ~ two-run homer 균형을 깬 투런 홈런
tíe clìp[**clàsp**] 넥타이핀

thesaurus **tidy** *a.* **1** 단정한 neat, trim, orderly, well-ordered, spruce, shipshape, clean **2** 정연한 organized, methodical, systematic
tie *v.* fasten, attach, fix, bind, secure, tether, join, connect, link, couple, rope, chain, knot
tight *a.* **1** 단단히 맨 fast, secure, fixed, clenched,

tied [táid] *a.* Ⓐ 《영》 고용 조건으로 임대한 〈집〉
tíed cóttage 《영》 임대 사택(社宅)
tíed garáge (한 회사의) 전용 차고
tíed hóuse 《영》 **1** 특약 주점 《특정 회사 술만 파는》 **2** = TIED COTTAGE
tíed lóan 〖금융〗 (국가간의) 타이드 론 《조건부 융자》
tie-down [táidàun] *n.* **1** 고정 용구, 고정끈 **2** 묶음; 고정, 설치
tie-dye [-dài] *n.* Ⓤ 홀치기 염색; Ⓒ 홀치기 염색을 한 옷[천] **—** *vt., vi.* (**~·ing**) 홀치기 염색으로 하다 **~·ing** *n.* 홀치기 염색
tie-in [-ìn] *a.* 《미》 끼워 파는 (판매 방식의), 끼워 파는 (물건의) **—** *n.* ⓊⒸ **1** 끼워 팔기; 끼워 파는 물건 **2** 관계, 관련; (비밀의) 결합; 연결 장치 **3 a** 제조원·소매점 등의 공동 광고[캠페인] **b** 영화·소설 등의 동시 발행[발매, 선전]
tíe lìne 1 〖통신〗 (PBX 방식에서 내선 사이의) 연락선 **2** 〖통신〗 전용선; 〖전기〗 연결[접속]선
tie-on [-ɔ̀ːn | -ɔ̀n] *a.* Ⓐ 끈으로 동여매는
tie·pin [-pìn] *n.* 넥타이핀
tier[1] [tíər] *n.* **1** [*pl.*] (계단식 관람석 등의) 층, 단, 줄: ~*s* of seats 계단식 좌석 **2** [*sing.*] 그 한 단, 한 줄 **3** 《미》 (지도상에서 가로로 이어진) 일련의 (州)[군(郡)] **4** 계층(stratum); 층(layer): the highest ~ 최고층 **5** 〖호주〗 산맥 **6** 〖항해〗 닻이나 밧줄을 겹겹이 쌓은 것[을 보관하는 곳] ***in ~s*** 층층이 되어 **—** *vt.* 층층으로 쌓다, 쌓아 올리다 《*up*》
ti·er[2] [táiər] [tie에서] *n.* **1** 매는 사람[것] **2** 《미》 앞치마, 두렁이, 어린이의 에이프런 **3** 〖항해〗 말아놓은 돛을 고정시키는 짧은 끈[줄]
tierce [tíərs] *n.* **1** 티어스 《옛 영국에서 술의 계량에 사용했던 용량 단위; 《미》 42 갤런에 상당》; 1티어스 들이 나무통 **2** 〖펜싱〗 (8가지 방어 자세의) 제3의 자세 **3** 〖음악〗 제3음, 3도(음정) **4** [《영》 tə́ːs, tíəs] 〖카드〗 계속되는 석 장 **5** 〖가톨릭〗 제3 시과(課) (terce) 《오전 9시의 기도》
tier·cel [tíərsəl] *n.* = TERCEL
tier·cet [tíərsit] *n.* = TERCET
tiered [tíərd] *a.* 층층의, 단(段)을 이룬: a ~ skirt 층이 진 스커트
tíered párking lòt 《미》 주차용 빌딩
Tier·ra del Fue·go [tiérə-dèl-fwéigou] *n.* 티에라 델 푸에고 제도 《남미 남단의 군도; 아르헨티나와 칠레의 공동 통치》
tiers état [tjɛ́ːrz-eitéi] [F = third estate] 서민, 평민
tíe sìlk 타이 실크 《넥타이·블라우스용의 부드럽고 탄성이 큰 견직물》
tíe tàck[**tàc**] (압정 모양의) 넥타이핀(tiepin)
***tie-up** [táiʌ̀p] *n.* **1** 《미》 정체(停滯); (불순한 날씨·사고 등에 의한) 불통, 휴업; 교통 체증; 긴박한 상황[일] **2** 《구어》 협력, 제휴; 관계, 연고, 관련 **3** 《미》 (보트의) 계류장 **4** 《미》 소 외양간
tiff[1] [tíf] [*tif*fin] *n., v.* 《인도》 = TIFFIN
tiff[2] *n.* **1** 《구어》 (애인·친구간의) 사소한 말다툼: I had a ~ with my mother this morning. 오늘 아침에 어머니와 사소한 말다툼을 했다. **2** 언짢음, 부아 **—** *vi.* 사소한 말다툼을 하다; 화를 내다
tiff[3] *n.* (특히 약한) 술; 술 한 잔
TIFF 〖컴퓨터〗 tag image file format
tif·fa·ny [tífəni] *n.* (*pl.* **-nies**) ⓊⒸ 티파니 《사(紗)의 일종》
tif·fin [tífin] *n.* Ⓤ 《영·구어》 점심 **—** *vi., vt.* 점심을 먹다; …에게 점심을 내다

clinched **2** 팽팽한 rigid, stiff, tense, stretched, strained **3** 다루기 어려운 problematic, difficult, hazardous, dangerous, perilous, tricky, worrying, delicate **4** (관리가) 엄격한 strict, rigorous, tough **5** 빽빽한 compact, compressed **6** 부족한 scarce, scant, limited, insufficient, inadequate

tig [tíg] *n.* 《영·구어》 **1** 술래잡기(tag) **2** 화가 나는 상태, 흥분 상태
‡**ti·ger** [táigər] *n.* (*pl.* **~s,** ~; *fem.* **-gress** [-gris]) **1** 〖동물〗 범, 호랑이 **2** 호랑이 같은[잔인한, 사나운] 남자; 〖경기〗 무서운 상대[강적](cf. RABBIT 3b); [the ~] 잔인함, 흉폭함, 용맹스러움 **3** 《미》 (정치 집회·경기 응원 등에서) 만세 3창 후에 붙이는 '타이거'라는 환호성; 갈채: three cheers and a ~ 만세 4창 **4** 《영·고어》 정해진 차림의 (소년) 마부 **5** = FARO **6** 《미·속어》 (포커에서) 최저의 수 **7** 《영·구어》 탁월한 운동 선수[등산가]; (경기의) 강적
American ~ = JAGUAR ***buck*** [***fight***] ***the ~*** 《미·속어》 faro를 하다, (faro나 roulette에서) 물주와 승부하다 ***have a ~ by the tail*** 예기치 않은 곤경에 처하다 ***park a ~*** 토하다 ***red ~*** = COUGAR ***ride the*** [***a***] ***~*** 위태로운 일을 하다 ***work like a ~*** 맹렬히 일하다 **~·like** *a.* ▷ tígerish *n.*
Tíger bàlm 타이거 밤, 호표 만금유(虎標萬金油) 《멘톨이 함유된 만능 고약; 상표명》
tíger bèetle 〖곤충〗 가뢰
tíger càt 〖동물〗 큰 살쾡이; (집에서 기르는) 얼룩 고양이
tíger ecónomy (동아시아의) 호랑이 경제, 신흥 중진국 《급격한 경제 성장을 이룩한 국가; 한국·싱가포르·대만 등》
ti·ger·eye [táigərài] *n.* = TIGER'S-EYE
ti·ger·ish [táigəriʃ] *a.* 범[호랑이] 같은; 사나운, 잔인한; 〈힘·노여움·식욕·정열 등이〉 굉장한, 격심한, 격렬한 **~·ly** *ad.* **~·ness** *n.*
tíger lìly 〖식물〗 참나리
tíger mosquìto 외줄모기 《뎅기열(dengue) 등의 전염병을 매개하는 아시아산(産) 모기》
tíger mòth 〖곤충〗 불나방
tíger sálamander 〖동물〗 북미에 널리 분포하는 도롱뇽의 일종
ti·ger's-eye [táigərzài] *n.* ⓊⒸ 〖광물〗 호안석(虎眼石) 《황갈색, 장식용》
ti·ger·wood [táigərwùd] *n.* Ⓤ 얼룩무늬가 든 아름다운 가구 용재 《남미산(産)》
‡**tight** [táit] *a.* **1** 단단한, 단단히 맨, 꽉 죄인: a ~ knot 단단한 매듭 / a ~ drawer 빡빡해서 열리지 않는 서랍 **2** 〈줄 등이〉 팽팽한; 〈얼굴·미소 등이〉 (긴장·공포 등으로) 굳은 **3 a** 〈위·가슴의 느낌이〉 답답한 **b** 〈옷 등이〉 꼭 끼는, 《특히》 째는: a ~ sweater 꼭 끼는 스웨터 **4** 다루기 어려운, 곤란한, 위험한: a ~ situation 힘든 상황 **5 a** 촘촘한 〈천 등〉; 〈목재가〉 갈라진 틈이 없는; 가득 찬 〈봉지 등〉; 꽉 짜인 〈스케줄 등〉 **b** 빈틈이 없는, 〈공기·물 등이〉 새어들지 않는; [보통 복합어를 이루어] (…이) 통하지 않는, 방(防)…의, 내(耐)…의: air*tight* 밀폐된 / water*tight* 방수의 / The seal on the jar is ~. 병은 완전히 밀봉되어 있다. **6** 〈문체 등이〉 간결한; 극단적으로 압축된 **7** 〈관리·단속 등이〉 엄격한 **8** 움쭉달싹할 수 없는, 빽빽한 **9** 《구어》 별로 이익이 남지 않는; 〈시합 등이〉 호각[접전]의, 비등한, 백중의: a ~ race 비등한 경주 **10** 《구어》 **a** (…와) 친한 《*with*》, 〈관계가〉 친밀한(familiar, intimate) **b** (…한 점에서) 단결[결속]한 《*in*》 **11** 《구어》 인색한 **12** 《방언》 아담한; 조촐한; 성실한: a ~ little girl 예쁘장한 소녀 **13** 〈상품이〉 손에 넣기 힘든, 물품 부족의; 돈이 잘 돌지 않는, 옹색한; 〈금융이〉 핍박한; 〈거래가〉 적은 **14** 《속어》 술취한(drunk) **15** 〈신문이〉 (지면이 부족할 만큼) 꽉 찬 **16** 《스코》 유능한 (competent); 솜씨가 있는(skillful), 잘하는 **17** 〈커브·회전 등이〉 급한, 빠듯한 **18** 《구어》 〈악단 등이〉 호흡이 잘맞는 **19** 〖미식축구〗 옆 선수와의 간격이 좁은
(***as***) ***~ as a drum*** 《속어》 몹시 취해서 ***get ~*** 술 취하다 ***in a ~ place*** [***corner, spot, squeeze***] 궁지에 빠져 ***It is a ~ fit.*** 옷이 꼭 낀다. ***keep a ~ rein*** [***hand***] ***on*** a person …에게 엄하게 굴다 ***perform on the ~ rope*** 〈곡예사가〉 줄타기를 하다 ***run a ~ board*** 《미·속어》 방송 시간을 최대한으로

사용하다 ***up*** ~ = UPTIGHT
— *ad.* 단단히, 꽉, 세게; 팽팽히; 《구어》 충분히, 푹 (soundly) ***sit*** ~ 《구어》 침착한 자세를 갖다; 사태를 정관(靜觀)하다; 의지를 관철하다 ***sleep*** ~ 푹 자다
— *n.* **1** 《미·속어》 궁지, 곤경 **2** 《럭비의》 스크럼

tight-arse [táitɑ̀:rs] *n.* 《영·속어》 = TIGHT-ASS

tight-ass [táitæ̀s] *n.* 《속어·비어》 **1** 융통성이 없는 사람 **2** 구두쇠; 인색함 — *a.* 융통성이 없는

tíght-àssed *a.* 융통성이 없는; 인색한

‡**tight·en** [táitn] *vt.* **1** 죄다, 죄이다, 단단하게[탱탱하게] 하다, 팽팽해지다 《*up*》: ~ a screw a little more 나사를 좀 더 죄다 **2** 〈통제·정책 등을〉 엄하게 하다, 강화하다 《*up*》
— *vi.* **1** 튼튼하게 조이다, 단단해지다, 팽팽해지다 《*up*》; 〈정세 등이〉 절박해지다, 궁해지다: Food ~*s* after the war. 전쟁 후에는 식량이 궁해진다. **2** 〈통제·정책 등이〉 엄해지다, 강화되다 《*up*》
~ one***'s belt*** 《익살》 허리띠를 졸라매다; 절약하다 ~ one***'s face*** 《미·속어》 《10대들 사이에서》 입 다물다, 조용히 하다 **~·er** *n.* ▷ tíght *a.*

tíght énd 〖미식축구〗 타이트 엔드 《태클에서 2야드 이내의 공격 엔드》

tight·fist·ed [táitfístid] *a.* 인색한, 구두쇠의

tight·fit·ting [-fítiŋ] *a.* 〈옷이〉 딱 맞는, 꼭 끼는; 꼭 끼어 갑갑한

tíght hèad 〖럭비〗 타이트 헤드 《스크럼 앞줄의 선수》

tight-knit [-nít] *a.* **1** 조밀하게 짠 **2** 정연하게 조직된, 빈틈없는 〈계획〉, 긴밀한 〈조직〉

tight-laced [-léist] *a.* **1** 《고어》 꼭 끼는 코르셋을 입은 **2** 틀에 박힌, 융통성 없는

tight-lipped [-lípt] *a.* 입을 굳게 다문; 말이 없는; 말없이 어려움을 이겨 나가는

‡**tight·ly** [táitli] *ad.* 단단히, 팽팽하게, 꽉

tíght móney 금융 긴축; 금융 핍박

tíght-mon·ey pólicy [táitmʌ̀ni-] 금융 긴축 정책

tight-mouthed [-máuðd] *a.* = TIGHT-LIPPED

tight·ness [táitnis] *n.* Ⓤ **1** 견고, 긴장 **2** 옹색함; 금융 핍박

tight·rope [táitròup] *n.* **1** 《줄타기하는》 팽팽한 줄: a ~ walker[dancer] 줄타기 곡예사 **2** 《비유》 위험이 내포된 상황 ***tread***[***walk***] (***on***) ***a*** ~ 줄타기를 하다; 《비유》 위험한[어려운] 상황에 있다
— *vi.* 줄타기를 하다; 줄타기하듯 걷다[나아가다]; 위험한 다리를 건너다

tights [táits] *n. pl.* **1** 《댄서·곡예사 등이 입는》 몸에 꽉 끼는 옷, 타이츠 **2** 《영》 = PANTY HOSE **3** [the ~] 《미·속어》 빈궁, 곤궁

tíght shíp 《구어》 《군함에서와 같은》 질서와 통제가 이루어진 기관[회사]

tíght spót 《구어》 난처한 입장[상황], 궁지: in a ~ 궁지에 몰려

tíght squéeze 《구어》 궁지, 곤경, 애로

tight·wad [táitwɑ̀d | -wɔ̀d] *n.* 《미·구어》 구두쇠

tight·wire [-wàiər] *n.* = TIGHTROPE 1

ti·glon [táiglən] *n.* = TIGON

ti·gon [táigən] [*tig*er+li*on*] *n.* 타이곤, 범사자 《수범과 암사자 사이에 난 튀기》

ti·gress [táigris] *n.* **1** 암범(cf. TIGER) **2** 호랑이 같은[잔인한, 사나운] 여자

Ti·gri·nya [tigrí:njə] *n.* Ⓤ 티그리냐 말 《에티오피아 북부, 셈계(系)의 언어》

Ti·gris [táigris] *n.* [the ~] 티그리스 강 《Mesopotamia의 강; Euphrates 강과 합쳐 페르시아만으로 흘러듦》

ti·grish [táigriʃ] *a.* = TIGERISH

T.I.H. Their Imperial Highnesses

tike [táik] *n.* = TYKE

ti·ki [tí:ki] *n.* **1** [T~] 〖폴리네시아신화〗 티키 《인류를 창조한 신》 **2** 티키의 상(像) 《나무·돌로 만들어 몸에 지님》

tik·ka [tíkə, tí:-] *n.* ⓊⒸ 《남아시아의》 소스에 넣은 매운 고기[야채] 요리: chicken-~ 닭 티카 요리

til[1] [tíl, tí:l], **teel** [tí:l] *n.* **1** 〖식물〗 참깨(sesame) **2** Ⓤ 참기름(= ~ òil)

'til, til[2] [tíl] *prep., conj.* = UNTIL

til·ak [tílək] *n.* (*pl.* ~, ~**s**) 남녀 힌두교도가 종교적 표시로서 얼굴에 붙이는 빨간 점

ti·la·pi·a [tilɑ́:piə, -léi-] *n.* 〖어류〗 틸라피아 《아프리카 동부·남부 원산의 민물고기》

til·bur·y [tílbèri, -bəri | -bəri] *n.* (*pl.* **-bur·ies**) 지붕이 없는 2륜마차 《19세기 초 영국에서 유행》

Til·da [tíldə] *n.* 여자 이름 《Matilda의 애칭》

til·de [tíldə] [Sp.] *n.* **1** 틸데 《[˜]; 스페인 어에서 n 위에 붙이는 기호(señor); 포르투갈 어에서 모음 위에 붙이는 비음화(鼻音化) 기호(pão)》 **2** 〖논리·수학〗 부정을 나타내는 기호 《~》 **3** 《생략을 나타내는》 대시 《~》

‡**tile** [táil] [L 「덮다」의 뜻에서] *n.* **1** 기와; 타일: a plain ~ 평기와 **2** 타일형의 것[건재] **3** 토관(土管), 하수관 **4** 《마작의》 패 **5** 《시어》 모자, 실크 해트
be (***out***) ***on the*** ~***s*** 《구어》 놀러다니다, 방탕하다 ***have a*** ~ ***loose*** 《속어》 정신이 좀 이상하다
— *vt.* **1** 기와를 이다, 타일로 덮다, 타일을 붙이다; 토관을 부설하다 **2** 비밀 지킬 것을 맹세케 하다; 〈회의 등을〉 극비로 하다; 〈문 등에〉 보초를 세우다

tile·fish [táilfìʃ] *n.* 옥돔의 일종; 옥돔과 어류의 총칭

til·er [táilər] *n.* **1** 기와 제조인; 기와 이는 사람, 타일 일하는 사람 **2** 《Freemason 등의》 집회소 문지기

til·er·y [táiləri] *n.* (*pl.* **-er·ies**) 기와[타일] 공장; 기와[타일]를 굽는 가마

til·ing [táiliŋ] *n.* Ⓤ **1** 기와 이기, 타일 깔기 **2** [집합적] 기와, 타일(tiles) **3** 기와 지붕, 타일을 깐 면

‡**till**[1] [tíl; 《약하게》 təl] *prep.* **1** …까지 《줄곧》; …이 되기까지, …에 이르기까지: ~ now[then] 지금[그때]까지 **2** [부정어의 뒤] …까지 (…않다), …이 되어서야 비로소 (…하다)(before): He did *not* come ~ ten o'clock. 그는 열 시까지 오지 않았다 **3** 《시간적으로》 …경, …근처에: come ~ 3 o'clock 3시경에 오다 / ~ evening 저녁 무렵, 저녁 때 가까이 **4** 《미 중부·남서부》 …(분)전(before, to): It's five ~ five. 5시 5분 전이다. **5** 《스코》 …에, …로(to, unto); …까지: give something ~ a person …에게 무엇을 건네다
~ ***the cows come home*** 오랫동안
— *conj.* **1** (…할 때)까지 《줄곧》 **2** [부정어의 뒤] …할 때까지는 (…않다): Do not start ~ I give the word. 내가 명령할 때까지 출발하지 마라. **3** [결과·정도] …하여 마침내 ★ until쪽이 다소 강조적이며 clause 또는 phrase가 주문(主文)에 선행할 때에 많이 씀. 《미》에서는 till보다 until쪽을 많이 씀. **4** 《방언》 …하는 사이에, …하는 동안에: Let's enjoy our life ~ we have money. 돈있을 때 즐기자. **5** 《스코》 [목적] …하기 위해서

till[2] [tíl] [ME 「꺼내다」의 뜻에서] *n.* 《상점 계산대의》 돈 서랍; 《캐비닛 속 등의》 귀중품 서랍, 《책상 위의》 서류 정리함
have one***'s fingers***[***hand***] ***in the*** ~ 《구어》 가게의 돈에 손대다[훔치다] ▷ tíllage *n.*

till[2]

till[3] *n.* Ⓤ **1** 〖지질〗 표석 점토(漂石粘土), 빙력토(氷礫土) **2** 《영》 경점토(硬粘土)

‡**till**[4] [OE 「노력하다」의 뜻에서] *vt.* **1** 갈다, 경작하다(cultivate) **2** 배양하다, 개발하다; 연구하다
— *vi.* 땅을 갈다

till·a·ble [tíləbl] *a.* 갈 수 있는, 경작에 알맞은

till·age [tílidʒ] *n.* Ⓤ 경작; 경작 기술; 경지, 경작지; 농작물, 경작물 ▷ till[4] *v.*

till·er[1] [tílər] [till[4]에서] *n.* **1** 경작자, 농부 **2** 경운기; 경작 도구

til·ler[2] [tílər] *n.* 〖항해〗 키 손잡이; 《일반적으로》 방향 제어 장치 ***at the*** ~ 키를 잡고, 지휘를 하여

tiller[3] *n.* **1** 어린나무 **2** 새싹, 곁눈
— *vi.* 〈식물이〉 곁눈을 내다

til·ler·man [tílərmən] *n.* (*pl.* **-men**[-mən, -mèn]) 조타수(操舵手)
till·ite [tílait] *n.* 빙력암(氷礫岩) 《단단하게 굳은 빙력토》
*__tilt__[1] [tílt] [OE 「불안정한」의 뜻에서] *n.* **1** 경사, 기울기(slant) **2** (중세의) 말타고 하는 창(槍) 시합; (창의) 찌르기 **3** 시합, 경기; 논쟁, 토론 **4** 〖낚시〗 (얼음) 낚시찌의 일종 **5** =TILT HAMMER **6** 틸트 《공중 사진에서 카메라 조준 방향 지표의 수직선이 이루는 각도》
(**at**) ***full*** **~** 전속력으로, 힘껏: come[run] *full* ~ against …에 전속력으로[힘껏] 부딪치다[들이받다] / run *full* ~ into[at] …에 쏜살같이 쳐들어 가다[덤벼들다] ***at*** **~** = ATILT. ***give a*** **~** = ***give it a*** **~** 기울이다 ***have a ~ at***[***against***] a person (주장·풍자 등으로) …을 공격하다 ***have a ~ to left***[***east***] 왼[동]쪽으로 기울어지다 ***on*** **~** 불안정한, 균형을 잃은 ***on the*** **~** 기울어져서
—*vt.* **1** 기울이다; 비스듬하게 하다 《*up*》; 〈목을〉 갸웃하다: 《~+목+부》 ~ a hat *sideways* 모자를 비스듬하게 쓰다 **2** 〈물건을〉 뒤엎다 《*over*》; 〈용기·마차 등을〉 기울여서 속을 비우다 《*out, up*》: ~ a jar 항아리를 기울여 속을 비우다 **3** 〈창을〉 겨누다; 찌르다 《*at*》; 돌격하다 《*against*》; 날카롭게 논쟁하다: 《~+목+전+명》 ~ a person *out of* his[her] saddle (창으로) 찔러 …을 말에서 떨어뜨리다 **4** 〈카메라를〉 상하로 움직이다, 수직으로 흔들다[기울이다] **5** 〈쇠 등을〉 동력 망치로 치다
—*vi.* **1** 기울다, 비스듬해지다: 《~+부》 The desk is apt to ~ *over.* 그 책상은 잘 기운다. **2** 마상(馬上) 창시합을 하다(joust); 《일반적으로》 시합을 하다; 창으로 찌르다 **3** 상하로 움직이다; 〈배가〉 위아래로 흔들리다(pitch) **4** 싸우다; (문장·연설 등으로) 공격하다, 비난하다, 항의하다; 풍자하다 《*at, with*》: 《~+전+명》 ~ *at* abuses 악폐를 공격하다 **5** 〈카메라가〉 상하로 움직이다 **6** 돌진하다(rush) **7** 〖지질〗 〈지층이〉 급각도로 솟아오르다 **~ *at windmills*** 가공의[환상적인] 적과 싸우다 《Don Quixote가 풍차(風車)를 거인으로 생각하고 싸운 데서》
~·a·ble *a.* **~·er** *n.*
tilt[2] *n.* 포장 《짐차·배·노점 등의》, 차일, 차양(awning)
—*vt.* …에 차일을 치다, 포장을 씌우다
tilth [tílθ] *n.* 경작; 경작지; (토지의) 경작 상태(tillage); (토양 등의) 경작 적성
tílt hàmmer 동력 망치
tilt·me·ter [tíltmìːtər] *n.* 〖측량〗 경사계(傾斜計) 《지구 표면의 경사를 측정하는 기구》
tilt-ro·tor [tíltròutər] *n.* 〖항공〗 틸트로터 《주익(主翼) 양끝에 장치한 엔진과 프로펠러를 위아래로 회전시켜 수직 이륙이나 고속 전진 비행이 가능한 비행기》
tílt-top tàble [tílttɑ̀p- | -tɔ̀p-] 위판을 수직으로 눕힐 수 있는 탁자
tilt·yard [-jɑ̀ːrd] *n.* (중세의) 마상(馬上) 창시합장
Tim [tím] *n.* 남자 이름 《Timothy의 애칭》
TIM Travel Information Manual **Tim.** 〖성서〗 Timothy **T.I.M.** Their Imperial Majesties
tim·bal [tímbəl] *n.* **1** 〖음악〗 =KETTLEDRUM **2** 〖곤충〗 (매미 등의) 진동막(振動膜)
tim·bale [tímbəl] [F] *n.* Ⓤ **1** 탱발 《닭[생선] 고기를 다져 틀에 넣어 구운 것》 **2** [*pl.*] 팀바레스 《봉고보다 큰 큰북》
‡**tim·ber**[1] [tímbər] [OE 「건물」의 뜻에서] *n.* **1** Ⓤ (건축용으로 제재한) 재목, 목재, 용재(用材)(《미》 lumber)

> 유의어 **timber** 각재(角材)·판재(板材) 등으로 가공한 재목: His house is built of *timber.* 그의 집은 목조이다. **wood** 잘라낸 나무의 껍질을 벗겨서 건축 그밖의 용도로 쓰게 한 재목: a table (made) of *wood* 목제 테이블

2 [집합적] (건축 용재로서의) 입목(立木)(=standing ~); 《미》 숲, 삼림(forest) **3** 들보감; [*pl.*] 〖항해〗 조선용 목재, 늑재(肋材) **4** Ⓤ 《미·구어》 인물, 사람됨, 소질 **5** 〖승마〗 목조 장애물 **6** 목재로 된 의족; 《속어》 다리(leg): break one's ~*s* 다리를 부러뜨리다 **7** 《크리켓속어》 =TIMBER YARD 2
(***Shiver***) ***my ~s!*** 《구어》 제기랄!, 빌어먹을!
—*vt.* **1** …에 재목을 공급하다 **2** 재목으로 짓다[버티다]: 《~+목+부》 ~ *up* a roof 목재로 지붕을 짓다
—*vi.* **1** 나무 벌채에 종사하다 **2** 받침목을 대다
—*int.* 나무가 쓰러진다 《벌채 때의 경고 소리》
timber[2] *n.* 모피의 한 묶음 《40매》
tim·bered [tímbərd] *a.* **1** 목조의, 목재를 쓴 **2** 수목이 울창한, 숲이 많은: ~ acres 삼림지 **3** [보통 복합어를 이루어] 구조가 …한, 체격이 …한
tim·ber-frame(**d**) [tímbərfrèim(d)] *a.* 〖건축〗 골조(骨組)가 나무로 된
tim·ber·head [-hèd] *n.* 팀버헤드 《뱃전에서 위로 내민 늑재(肋材)의 위 끝》
tim·ber-head·ed [-hèdid] *a.* 《속어》 멍청한, 투미한, 미련한
tímber hìtch 〖항해〗 비틀어 매기 《원재(圓材)에 밧줄 매는 법의 하나》
tim·ber·ing [tímbəriŋ] *n.* Ⓤ **1** [집합적] 건축 용재[목재] **2** 목조(timberwork) **3** (갱도 등의) 버팀; 지주
tim·ber·jack [tímbərdʒæ̀k] *n.* 나무꾼, 벌목꾼
tim·ber·land [-læ̀nd] *n.* Ⓤ 《미》 (목재용) 삼림지
tim·ber·line [-làin] *n.* 〖식물〗 (높은 산·극지의) 수목 한계선
tímber mìll 제재소
tímber tóe(**s**) 《구어》 **1** 나무 의족(義足) **2** 나무 의족을 한 사람
tímber wòlf 〖동물〗 얼룩이리 《북미산(産)》
tim·ber·work [-wə̀ːrk] *n.* **1** Ⓤ 나무짜기, 나무틀 **2** [*pl.*] 목재 공장, 제재소
tímber yàrd **1** 《영》 목재 저장소(《미》 lumberyard) **2** 《크리켓속어》 (타자쪽의) 삼주문(wicket)
hear a row in one***'s*** **~** 삼주문에 공이 맞다
tim·bre [tǽmbər, tím-] [F] *n.* ⓊⒸ 음색(音色), 음질; 특징, 특색
tim·brel [tímbrəl] *n.* =TAMBOURINE
Tim·buk·tu, -buc·too [tìmbʌktúː, ─́─|─̀─́] *n.* **1** 팀북투 《Africa 서부, Mali 중부에 있는 도시》 **2** 《일반적으로》 멀리 떨어진 곳, 원격지
‡**time** [táim] *n.* **1** Ⓤ 시간, 때; 때의 흐름, 세월: Father *T*~ 때의 신 《낫과 각루(hourglass)를 든 노인으로 표현됨》/ *T*~ is money. 《속담》 시간은 곧 돈이다. / *T*~ flies. 《속담》 세월은 유수와 같다. **2** [때로 **T~**] (시간·시각의 기준이 되는) 표준시: standard ~ 표준시 / mean ~ 평균시 **3 a** ⓊⒸ 동안(period) **b** Ⓤ 기간; 연기(年期) 《견습공·계시의》; 연기 임금 (계산서); (병역) 기간 **c** Ⓤ 《구어》 형기(刑期); 《미》 강제 노동의 기간 **4** 일생; 시절, 무렵: in my ~ 내 시절에는 **5** Ⓤ (특정한) 때, 시기: at some ~ 언젠가 **6** [종종 *pl.*] 시대, 연대; 최근; 당시; [the ~] 현대: keep up with ~'*s* 시대의 흐름에 뒤처지지 않도록 하다 **7** [종종 *pl.*] 세상 형편, 시대 풍조, 정세; 경기; 경험: have a hard ~ (of it) 혼나다 / hard ~*s* 불경기 **8** Ⓤ 근무[영업] 시간; (시간·일당 기준) 임금; 시간[일] 급(給): full ~ 종일 근무, 정규직 / part ~ 시간제 근무 **9** Ⓤ (필요한) 시간; 틈, 여가: 《~+***to*** do》 There is no ~ *to* lose. 꾸물거리고 있을 시간이 없다. // 《~+***for …***》 a ~ *for* sowing 씨를 뿌리는 시기 **10** ⓊⒸ 시각, 시, 시점: What ~ is it? 지금 몇 시지요? **11** Ⓤ 시절, 계절(season): Christmas ~ 크리스마스 때 **12** ⓊⒸ …할 때, 제때, 기일; 시기, 기회: 《~+***to*** do》 Now is the ~ *to* do. 바로 지금이 해야 할 때다. // 《~+***that*** 절》 It is ~ *that* we were going to bed. 이제 우리가 잘 시간입니다. **13** Ⓤ (정해진) 기일, 정각; 《영》 (술집의) 폐점 시간: payment ~ 지불 기일 / behind ~ 정각보다 늦게, 지각하여 **14** (어떤 기간의) 끝마침; 임신 기간; 분만기 **15** 죽을 때,

임종 **16** (반복되는 행위의) 경우, 때; 번, 회; 곱, 배(⇨ times): three ~*s* a day 하루에 세 번 **17** 〖연극〗 시(時)(의 일치) 《삼일치(三一致)의 법칙 중 하나》 **18** Ⓤ 〖음악〗 박자; 속도: beat ~ 박자를 맞추다 **19** Ⓤ 〖군사〗 행진 속도: double ~ 구보 / quick ~ 속보 / slow ~ 보통 걸음 **20** Ⓤ 〖경기〗 소요 시간; 타임! 《게임의 일시 중단》 **21** Ⓤ 〖문법〗 시제(tense)

against **~** (1) 정해진 시간 안에 끝내려고, 서둘러 (2) 시간을 벌기 위해 ***ahead of*** one***'s ~s*** (1) 때 아니게 (2) 시대에 앞서서, 진보적으로 ***ahead of ~*** (약속) 시간보다 빨리 ***all in good ~*** = in good TIME. ***all the ~*** 그 동안 줄곧, 시종; 《미》 언제나 (***and***) ***about ~***(***, too***) = not before TIME ***as ~s go*** 《속어》 이런 세태로는, 시국 형편상 ***at all ~s*** 늘, 언제나 ***at any ~*** 언제라도 ***at a ~*** 동시에; 단번에 ***at no ~*** 결코[한 번도] …않은 ***at one ~*** 한때, 일찍이; 동시에, 단번에 ***at other ~s*** (1) 평소에는 (2) 또 어떤 때에는 ***at the best of ~s*** 상태가 제일 좋은 때에 ***at the same ~*** (1) 동시에 (2) 그러나, 그렇기는 하나(however) ***at this ~ of*** (***the***) ***day*** 이 시간에, 이제 새삼스럽게 ***at ~s*** 때때로, 이따금 ***at your ~ of life*** 너의 나이 무렵에는 ***beat*** a person***'s ~*** 《미·속어》 …의 애인을 가로채다, 라이벌에 이기다 ***before*** one***'s ~*** 달 수를 채우지 않고 〈태어나다〉; 천명을 다 못하고 ***before the ~s*** 시대에 앞서서 ***behind the ~s*** 시대에 뒤떨어진; 구식의, 노후한 ***behind ~*** 지각하여 ***between ~s*** 때때로, 틈틈이 ***bide*** one***'s ~*** 시기[좋은 때]를 기다리다 ***buy ~*** (행동을 지연시켜) 시간을 벌다 ***by the ~*** (***that***) ***...*** …할 때까지에는 ***by this ~*** 이때까지; 지금쯤은 ***call the ~*** 〈심판이〉 타임을 선언하다 ***can tell the ~*** 시계를 볼 줄[지금 몇 시인지] 알다 ***come to ~*** (1) 의무를 다하다 (2) 《미·속어》 지다, 패배하다 ***do ~*** 《속어》 형기를 치르다 ***fall on hard ~s*** 불운한 꼴을 당하다 ***find ~*** 틈이 있다 ***for a ~*** 한동안은, 당분간; 임시로 ***for old ~s*** = ***for old ~s' sake*** 옛정을 생각해서 ***for the first ~*** 처음으로 ***for the second***[***last***] ***~*** 두 번째로[마지막으로] ***for*** (***the***) ***~ being*** = ***for the ~*** 당분간, 한동안 ***from ~ to ~*** 때때로, 이따금: We meet *from ~ to ~.* 우리는 이따금씩 만난다. ***gain ~*** 시간을 벌다; 여유를 얻다; 〈시계가〉 빠르다 ***get*** one***'s ~*** 《미·속어》 내쫓기다, 해고당하다 ***give ~*** 유예하다 ***good old ~s*** 그리운 옛날 ***half the ~*** 절반의 시간; 거의 언제나, 대개 ***have a good***[***bad***] ***~*** (***of it***) 유쾌하게 지내다, 재미 보다[혼나다] ***have a lot of ~ for*** 《구어》 〈사람·사물에〉 몰두하다, 열중하다 ***have an easy ~*** (***of it***) 《구어》 〈돈·직업 등을〉 고생 않고 손에 넣다 ***have a ~*** 《미·구어》 곤란을 겪다 ***Have I ~*** (***to***[***for***])***?*** …할 시간이 있을까, …의 시간 안에 갈[할] 수 있을까? ***have no ~ for*** (1) 멸시하다 (2) …에 상관하고 있을 시간이 없다 ***have no ~ to spare*** = ***be pressed for ~*** 시간이 급하다, 한시가 바쁘다 ***have*** one***self a ~*** 《미·구어》 유쾌하게 지내다 ***have the ~*** …할 시간이 있다; 시각을 알다: Do you *have the ~*? 몇 시입니까? ***have the ~ of*** one***'s life*** 《구어》 더할 수 없이 즐거운 때를 보내다 ***have ~ on*** one***'s hands*** 시간이 남아돌아 처치 곤란이다 ***Have you got the ~?*** 《미·구어》 지금 몇 시입니까? ***in bad ~*** 시간을 어기고 ***in due ~*** 때가 오면, 이윽고 ***in good ~*** 시간을 어기지 않고; 정각에; 이윽고, 이내, 곧 ***in*** (***less than***) ***no ~*** 곧, 바로 ***in next to no ~*** 눈 깜짝할 사이에 ***in*** one***'s own good ~*** 편리할 때에, 형편이 좋을 때에 ***in*** one***'s own ~*** 여가에; 서두르지 않고 ***in*** one***'s ~*** 살아 있을 동안에; …의 시대[시절]에는 ***in slow***[***true***] ***~*** 느린[바른] 박자[속도]로 ***in the course of ~*** 그러는 동안에, 시간이 흐르면 ***in the nick of ~*** ⇨ nick[1]. ***in ~*** (1) 때 맞추어, 이르게; 때가 이르면; 조만간; 장래에 (2) 꼭 좋은 때에 《*for*》 (3) 박자가 맞아 《*with*》 (4) [의문사를 강조하여] 《구어》 도대체: Why *in ~* don't you come? 도대체 왜 안 오는 거냐? ***in ~ to come*** 장차에는, 앞으로는 ***It is*** (***high***) ***~*** I were[was] going. 이제 (가야할) 시간이다. ★ It is[was] (high) time 다음에 계속되는 동사는 과거형. ***just in ~*** 겨우 시간에 맞춰 ***keep good***[***bad***] ***~*** 〈시계가〉 꼭 맞다[안 맞다], 정시를 가리키다[가리키지 않다] ***keep ~*** (1) (발로) 박자를 맞추다 《*with*》 (2) 시계가 정확하다, 〈시계가〉 시간을 기록하다: Does your watch *keep ~*? 네 시계는 정확하니? (3) 시간에 꼭 맞게 오다 ***kill ~*** 소일[소창]하다, 하는 일 없이 시간을 보내다 ***lose no ~ in*** (do***ing***) 때를 놓치지 않고 …하다 ***lose ~*** (1) 시간을 낭비하다 (2) 시계가 늦다 ***make a ~ over***[***about***] 《미·속어》 …으로 야단법석 떨다 ***make good***[***poor***] ***~*** 〈일·속도가〉 빠르다[더디다] ***make ~*** 급히 가다(go fast): *Make ~* not to miss the night train. 밤기차를 놓치지 않으려면 서둘러라. ***make ~ for*** …하는 시간을 마련하다 ***make ~ to*** do 시간을 내어 …하다 ***make ~ with*** 《미·속어》 …와 데이트하다, (여자와) 사이좋게 지내다 ***make up ~*** 보충 근무를 하다 ***many a ~*** (***and oft***) 《문어》 = ***many ~s*** 자주, 여러 번 ***mark ~*** (1) 〖군사〗 제자리걸음을 하다 (2) 한때 정체되다, 머뭇거리다, 무언가 하는 척하다 (3) (좋은 때가 올 때까지) 대기하다; 〈사태를〉 지켜보다 ***move***[***change***] ***with the ~s*** 시대의 흐름에 맞추어 사고방식을 바꾸다 ***near*** one***'s ~*** 임종[해산 날]이 다가오는[와] ***nine ~s out of ten*** = ***ninty-nine ~s out of a hundred*** 언제나, 십중팔구는 ***not before ~*** 거의 때를 놓친; 늦은 편으로, 겨우 ***not give*** a person ***the ~ of day*** ⇨ time of day. ***Now is the***[***your***] ***~.*** 지금이야말로 절호의 기회이다. ***of all ~*** 고금의, 전무후무한 ***of the ~*** 당시의, 《특히》 그 시절의 ***once upon a ~*** ⇨ once. ***one at a ~*** 차례로, 하나씩 ***on*** one***'s own ~*** 근무 시간 외에, 여가 시간에, 자기 시간에; 보수를 받지 않고 ***on ~*** (1) 시간에 맞게; 정각에 (2) 〖상업〗 후불(後拂)로, 분할 지불로 ***on ~ with another*** 앞뒤 시간을 맞추어 ***out of ~*** (1) 너무 늦어서 (2) 철 아닌, 시기를 놓친 (3) 박자가 틀리게, 엉뚱하게 ***pass the ~ of day*** ⇨ time of day. ***play for ~*** 시간을 벌다, 신중히 대처하다 ***serve*** (one***'s***) ***~*** ⇨ serve. ***some other ~*** 또 언젠가 one***'s ~ of life*** 나이, 연령 ***take all*** one***'s ~*** 몹시 애쓰게 하다; 할 수 있는 것은 …뿐이다: It *takes* me *all my ~* to serve this amount. 내가 할 수 있는 것은 이만큼을 주는 것 뿐이다. ***take a long ~*** 오래 걸리다 ***take*** one***'s*** (***own***) ***~*** 천천히 하다: *Take your ~.* 서두를 것 없어. ***take ~*** (1) 시간이 걸리다 (2) 천천히 하다 ***take ~ by the forelock*** 때[기회]를 놓치지 않다 ***take ~ in*** (do)***ing*** 시간을 들여 …하다 ***take ~ off***[***out***] (***to*** do[***for***]) …하기 위해 시간을 내다 ***take ~ to*** do = take TIME in (do)ing. ***tell*** (***the***) ***~*** 시계를 보고 시간을 알다 (***the***) ***first ~*** 처음 …했을 때에는 ***There is a ~ for everything.*** 무슨 일에나 때가 있는 법이다. ***There is no ~ like the present.*** 《구어》 지금이 (…하기에) 제일 좋다 (***the***) ***~ of day*** (1) 시각, 시간 (2) 그 때의 정세 (3) 《구어》 최소한의 주의 ***The ~ will come when ...*** 장차 …할 때가 올 것이다 ***This is no ~ for*** weeping. (울고 있을) 때가 아니다. ***Those were the ~s!*** 생각하면 참 통쾌한 시절이었다! ***~ about*** 차례대로, 번갈아가며 ***~ after ~*** = ***~ and again*** 몇 번이고, 재삼재사 ***T~ and tide wait***(***s***) ***for no man.*** 《속담》 세월은 사람을 기다리지 않는다. ***~ enough*** 아직 이른 《*for, to* do》 ***T~ heals all wounds.*** 시간이 약이다. ***~ immemorial***[***out of mind***] 태곳적부터, 아득한 옛날부터 ***T~ is up.*** 시간이 다 되었다. ***~ off***[***out***] 할 일 없는[한가한] 시간, (활동의) 잠시 중단, 휴지 ***~ of*** one***'s life*** [the ~] 《구어》 특히 유쾌한 때 ***~ on***

thesaurus **timeless** *a.* ageless, lasting, enduring
timely *a.* opportune, well-timed, at the right

one***'s hands*** 여가 (시간) ***~s out of***[***without***] ***number*** (이루 헤아릴 수 없이) 여러 번 ***~***(***s***) ***past*** = ***past ~s*** 과거(의 시대) ***T~ was when ...*** 《문어》 …하던 때도 있었다, …한 일이 있었다: *T~ was when* you could buy a cigar for a nickel. 시가 한 개비에 5센트 하던 때도 있었다. ***T~*** (***alone***) ***will tell*** (***if ...***) = ***Only ~ will tell*** (***if***) (…인지 어떤지는) 때가 오면 알 것이다 ***to ~*** (시간표의) 시간대로, 시간이 한정된 ***up to ~*** 《영》 시간에 맞게, 정시에 ***watch the ~*** (늦지 않기 위해) 시간을 확인하다 ***What a ~ you have been!*** 웬 시간이 그리 걸렸느냐! ***what ~*** 《고어·시어》 = WHEN, WHILE (*conj.*) ***with ~*** 시간과 더불어, 시간이 흐름에 따라 ***Your ~ has come.*** 드디어 너의 최후가 왔다.

— *a.* Ⓐ **1** 시간의; 시간을 기록하는 **2** 시한 장치의 〈폭탄 등〉 **3** 〖상업〗 분할 지불 방식의; 〈어음이〉 일람후 일정 기간 내에 지불되는

— *vt.* **1** 〈경주 등의〉 시간을 재다: ~ a race[runner] 레이스[러너]의 시간을 재다 **2** 시기에 맞추다, 좋은 시기에 하다; 시간을 지정하다: 《~+목+**to** do》 You should ~ your visit *to* fit his convenience. 그의 형편이 좋은 때에 시간을 맞추어 방문하도록 해야 한다. // 《~+목+부》 His visit was *well*[*ill*] *~d.* 그의 방문은 시기가 좋았다[나빴다]. **3** 〈시계의〉 시간을 맞추다[조절하다]; (시간적) 간격을 정하다; 〈열차 등의〉 시간을 정하다(schedule): 《~+목+전+명》 *T~* your watch *with* mine. 당신의 시계를 내 것에 맞추시오. / They *~d* their visit *at* once per a month. 그들은 한 달에 한 번씩 방문하기로 했다. // 《~+목+**to** do》 The train is *~d to* reach Busan at 2 : 30. 그 열차는 2시 30분에 부산에 도착할 예정이다. **4** 박자[템포, 리듬]를 맞추다[조절하다] 《*to, at*》: 《~+목+전+명》 ~ one's step *to* music 스텝을 음악에 맞추다 **5** 〈공 등을〉 알맞은 타이밍으로 치다

— *vi.* 박자가 맞다, 조화되다 《*with*》: 《~+전+명》 steps *timing with* music 음악과 박자가 맞는 스텝 ▷ tímely *a.*; betímes *ad.*

Time [táim] *n.* 타임 《미국의 시사 주간지; 1923년에 창간》

tíme and a hálf 50% 초과 근무 수당

tíme and mótion stùdy 시간 동작 연구 《작업 시간과 작업 동작과의 상관 관계 연구》

tíme bàll 보[표]시구(報[標]時球) 《영국에서는 오후 1시, 미국에서는 정오에 측후소에서 장대로부터 떨어뜨렸던 시보의 일종; 지금은 폐지》

tíme bàrgain 〖상업〗 정기 매매[거래]

tíme bàse 〖전자〗 시간축(軸)

tíme bèlt = TIME ZONE

tíme bìll **1** 《영》 = TIMETABLE **2** 〖금융〗 정기불 어음

time-bind·ing [táimbàindiŋ] *n.* Ⓤ (자손들에 대한) 인간의 경험 전달 (능력)

tíme bòmb **1** 시한폭탄 **2** (후일의) 위험을 내포한 정세 **3** 《마약속어》 종이 등에 싸서 마시는 마약

tíme bòok (노동자·작업원 등의) 노동 시간 기록부

tíme càpsule 타임 캡슐 《후세에 남길 자료를 넣어 지하 등에 묻어 두기 위한 용기》

time·card [-kɑ̀ːrd] *n.* **1** 근무[작업] 시간 기록표 **2** 열차 시간표

tíme chàrt **1** (세계 각지의) 표준시 일람도(一覽圖) **2** (어떤 시대에 관한) 대조 연표

tíme chàrter 〖상업〗 정기 용선 계약

tíme clòck 시간 기록 시계, 타임리코더; 〖생물〗 체내[생물] 시계

tíme còde 타임 코드 《디지털 방식으로 시간을 기록해 두는 비디오나 오디오 테이프 상의 트랙》

time-con·sum·ing [-kənsùːmiŋ | -sjùːm-] *a.* 시간이 걸리는, 시간을 낭비하는

timed [táimd] *a.* **1** 일정 시간 후 작동하도록 장치한; 시한의; 정기의: a ~ detonator 시한 기폭 장치 **2** [보통 복합어를 이루어] 때에 알맞은: an ill-~ arrival 좋지 못한 때의 도착

tíme depòsit 〖금융〗 정기 예금

tíme dìfference 시차(時差)

tíme dilàtion[**dilatàtion**] 〖물리〗 (상대성 원리에 의한) 시간 팽창, 시간 지체

tíme dìscount 〖금융〗 (어음의) 기한 할인

tíme dràft 〖금융〗 일람후 정기불 어음

time(**d**)**-re·lease** [táimdrilíːs] *a.* [보통 Ⓐ] 〖약학〗 지효성(持效性)의, 점진적으로 방출되는

time-ex·pired [táimikspàiərd] *a.* (복무·복역) 만기의: ~ soldiers 만기병; 제대 군인

tíme expòsure 〖사진〗 **1** 타임 노출 《순간 노출에 대하여 1초[1/2초]보다 긴》 **2** 타임 노출에 의한 사진

tíme fàctor 시간적 요인[제약]

tíme fràme (행동·계획에 관한) 시간의 틀

time·ful [táimfəl] *a.* 《고어》 시기[때]에 알맞은

tíme fùse 시한 신관(時限信管)

time-gap [táimgæ̀p] *n.* 시간의 공백

time-hon·ored [-ɑ̀nərd | -ɔ̀n-] *a.* 예로부터의, 유서(由緖) 깊은, 전통적인

tíme immemórial **1** 〖법〗 법률적 초(超)기억 시대 《Richard I세 치세의 시작(1189) 이전》 **2** 태고, 아득한 옛날: from ~ 태곳적부터

time·keep·er [-kìːpər] *n.* **1** 시간을 기록하는 사람; 작업 시간계; (경기 등의) 계시원(timer) **2** 시계: a good[bad] ~ 정확[부정확]한 시계 **3** 박자를 맞추는 사람 **tíme·kèep·ing** *n.* 계시(計時)

tíme kìller 심심풀이로 시간을 보내는 사람; 심심풀이가 되는 것, 소일거리, 오락: play gambling as a ~ 도박을 하며 시간을 보내다

tíme làg (관련된 두 가지 일 사이의) 시간상의 지체, 시차, 시간 지연; = CULTURAL LAG

time-lapse [-læ̀ps] *a.* 저속도 촬영의: ~ photography 저속도 촬영 사진

time·less [táimlis] *a.* 《문어》 **1** 영원한; 무한한 **2** 시간[시대]을 초월한 **3** 특정한 시간에 한정되지 않는; 《고어》 시기상조의 **~·ly** *ad.* **~·ness** *n.*

tíme lìmit 시한, 기한, 제한 시간

time·line [táimlàin] *n.* 우주 비행중의 스케줄

tíme lòan 〖금융〗 정기 대부(금)(cf. CALL LOAN)

tíme lòck 시한 자물쇠 《시간이 되어야 열림》

‡**time·ly** [táimli] *a.* (**-li·er**; **-li·est**) 때에 알맞은(opportune), 시기적절한, 적시의 〈충고 등〉; 시기[장소]에 알맞은[맞춘]: a ~ hit 〖야구〗 적시타

— *ad.* **1** 적시에, 때마침 **2** 《고어》 일찍이

tíme·li·ness *n.* 적시(適時), 시기적절함 ▷ tíme *n.*

tíme machìne 타임머신 《과거·미래를 여행할 수 있는 상상의 기계》

tíme mòney = TIME LOAN

time-mótion stùdy [-móuʃən-] = TIME AND MOTION STUDY

tíme nòte 〖금융〗 약속 어음

tíme of dáy [the ~] **1** (시계가 가리키는) 시각 **2** 《구어》 현대, 현재 **3** 실정, 진상; 정세, 사태

not give a person ***the ~*** 《구어》 …을 쳐다보지도 않다, 조금도 도와줄 기색이 없다 ***pass the ~*** 《구어》 (인사차) 짧은 말을 주고 받다

time-off [táimɔ̀ːf | -ɔ̀f] *n.* 일을 쉰 시간(수)

time·ous [táiməs] *a.* 《스코》 **1** 이른(early) **2** = TIMELY **~·ly** *ad.*

time-out [táimáut] *n.* 《미》 (작업 등의) 중간 휴식; 〖경기〗 타임아웃

time·piece [-pìːs] *n.* 계시기(計時器); 《고어》 시계

time-poor [-pùər] *a.* 《영》 (일에 쫓겨서) 자유 시간이 없는[모자라는]

time·proof [-prùːf] *a.* 내구성이 있는, 낡지 않는, 쇠퇴하지 않는

tim·er [táimər] *n.* **1** 시간 기록기; 시간[간격]을 조절하는 사람[것]; (경기 등의) 계시원 **2** 기초(記秒) 시계,

---

time, appropriate, convenient, seasonable, felicitous (opp. *ill-timed, inconvenient*)

스톱워치 **3** 시간제 노동자 **4** (내연 기관의) 점화 시기 조절 장치 **5** 타임스위치, 타이머, 시한 장치 ***old*** ~ 고참자
tíme recòrder 타임리코더(time clock)
tíme revérsal 〖물리〗 시간 반전(反轉)
tíme revérsal inváriance 〖물리〗 시간 반전 불변성
times [táimz] *prep.* 《구어》 곱하기: Five ~ two is[equals] ten. 5 곱하기 2는 10. **—** *n. pl.* (…)배: three ~ as long as …보다 3배가 더 긴
Times [táimz] *n.* [The ~] 타임스 《(1) London의 신문 이름, 세칭 「런던 타임스」, 1785년 창간 (2) *The New York* ~, 1851년 창간》 ***write to The*** ~ 타임스지(紙)에 기고하여 여론에 호소하다
time·sav·er [táimsèivər] *n.* 시간을 절약하는 것
time·sav·ing [-sèiviŋ] *a.* 시간 절약의
tíme scàle 시간의 척도
tíme sèries 〖통계〗 시계열(時系列)
tíme-sé·ries anàlysis [-síəri:z-] 〖마케팅〗 시계열 분석
time·serv·er [-sə̀:rvər] *n.* 시류에 편승하는 사람, 사대주의자, 기회주의자
time·serv·ing [-sə̀:rviŋ] *a.* 시류에 편승하는, 기회[편의]주의적인, 지조 없는 **—** *n.* Ⓤ 기회주의, 편의주의, 무절조
time-share [-ʃὲər] *vt.* 시분할(時分割)하다; 〈컴퓨터·프로그램을〉 시분할 방식으로 사용하다
— *n.* 《미》 휴가 시설의 공동 소유[임대]
time-shar·ing [-ʃὲəriŋ] *n.* Ⓤ **1** 〖컴퓨터〗 시분할(방식) 《하나의 컴퓨터를 멀리 떨어져 있는 많은 사용자가 동시에 이용하기》 **2** 《미》 (리조트 맨션 등 휴가 시설의) 공동 소유[임차] 《이용 기간만큼 비용을 분담》
tíme shèet 출퇴근 시간 기록 용지; 작업별 소요 시간 기록 용지; (급여 계산용) 개인별 취로 시간 집계 용지
tíme sìgnal 〖라디오·TV〗 시보(時報)
tíme sìgnature 〖음악〗 박자 기호
tíme spàce 시공(時空) 《4차원의 세계》
tíme spàn 기간, (특정한) 시간: over a long ~ 긴 기간에 걸쳐서
tíme spìrit 시대 정신
tímes sìgn 곱셈 기호(multiplication sign) 《×》
Tímes Squáre 타임스 광장 《New York 시의 중앙부; 부근에 극장이 많음》
tíme stàmp 타임 스탬프 《편지·문서의 발송·접수 날짜·시간을 기록》 **tíme-stàmp** *vt.*
tíme stùdy 시간 연구(time and motion study)
tíme swìtch 타임 스위치, 시한 스위치 《정한 시간에 자동적으로 작동함》
time-sym·met·ric [-simètrik] *a.* 〖물리〗 시간 대칭의 《팽창과 수축을 번갈아 되풀이하는 진동(振動) 우주 모델에 대해 말함》
time·ta·ble** [táimtèibl] *n.* **1** 시간[각]표 《기차·버스·학교 등의》 **2** (행사 등의) 예정표, 계획표 **3** 《영》 대학 요람(《미》 catalog); (수업의) 시간 할당(《미》 schedule) ***on ~ 시간표대로
— *vt.* 《영》 …의 시간표를 짜다; …의 시간을 예정하다 《*for*, *to* do》: ~ the event 행사의 예정표를 짜다 // (~+목+전+명) The meeting is ~*d for*[*to* begin] 5 o'clock. 그 모임은 5시로 예정되어 있다.
time-test·ed [-tèstid] *a.* 오랜 사용으로 보증이 된, 오랜 세월에 걸쳐 유효성이 증명된: a ~ therapy 오랜 사용으로 효과가 입증된 (치료) 요법
tíme tràvel (공상 과학 소설 등의) 시간 여행
tíme trìal 타임 트라이얼 《선수를 시차가 나게 출발시켜 개인 시간을 재는 레이스》
tíme utìlity 〖마케팅〗 시간 효용 《제품 구입자가 요구하는 상태로 함으로써 부가되는 가치》
tíme wàrp 1 〖물리〗 시간 왜곡 《시간의 변칙적인 흐름·정지》 **2** 《미·속어》 시간적 착각[혼란], 시대 착오
time-wast·ing [-wèistiŋ] *n.* Ⓤ **1** 시간 낭비 **2** 《영》 (스포츠에서의) 지연 행위 《경기 끝 무렵에 상대편 득점을 막기 위한》 **tíme-wàst·er** *n.*

time·work [-wə̀:rk] *n.* Ⓤ 시간급(給) 작업(cf. PIECEWORK) **~·er** *n.* 시간급 노동자
time·worn [-wɔ̀:rn] *a.* **1** 오래되어 낡은, 낡아빠진 **2** 케케묵은, 진부한: a ~ excuse 진부한 변명
tíme zòne (동일 표준시를 사용하는) (표준) 시간대(帶)
‡**tim·id** [tímid] [L 「무서워하다」의 뜻에서] *a.* **1** 겁 많은, 소심한, 내성적인; (…을) 두려워하는 《*of*, *about*, *with*》 **2** 〈언동 등이〉 자신이 없는, 머뭇거리는, 수줍어하는(⇨ shy[1] 유의어); 〈정책 등이〉 결단력이 부족한: a ~ manner 주저하는 태도 (***as***) ~ ***as a rabbit*** 매우 겁이 많은 **~·ly** *ad.* **~·ness** *n.*
▷ timídity *n.*
ti·mid·i·ty [timídəti] *n.* Ⓤ 겁 많음; 수줍음
***tim·ing** [táimiŋ] *n.* Ⓤ **1** 타이밍, 시기를 맞추기, 시간적 조절; (엔진·골프 스윙 등의) 속도 조절 **2** (스톱워치 등에 의한) 계시(計時) **3** 〖연극〗 타이밍 《연출 효과를 위해 여러 요소를 동시에 편성하는 것》 **4** (내연 기관의) 점화 시기 조정
ti·moc·ra·cy [taimɑ́krəsi | -mɔ́k-] *n.* (*pl.* **-cies**) 금권 정치; 명예 지상 정치 **ti·mo·crat·ic, -i·cal** [tàiməkrǽtik(əl)] *a.*
Ti·mor [tí:mɔ:r, ⎯́ | ⎯́] *n.* 티모르 섬 《인도네시아 남부에 있는 섬》
Ti·mo·rese [tì:mɔ:rí:z, -rí:s | -rí:z] *a.*, *n.* (*pl.* ~) 티모르의 (사람)
tim·or·ous [tímərəs] *a.* **1** 〈사람이〉 겁많은, 소심한: a ~ fool 겁쟁이 바보 **2** (…을) 무서워하는, 두려워하는 《*of*》: (~+***of***+명) be ~ *of* change 변화를 두려워하다 **3** 〈언동이〉 주저주저하는, 겁먹은
~·ly *ad.* **~·ness** *n.*
tim·o·thy [tíməθi] *n.* (*pl.* **-thies**) 〖식물〗 티모시, 큰조아재비 《볏과(科)의 목초(牧草)》(= ⎯́ **gràss**)
Tim·o·thy [tíməθi] *n.* **1** 남자 이름 《애칭 Tim》 **2** 〖성서〗 **a** 디모데 《사도 바울의 제자》 **b** 디모데서 《바울이 디모데에게 보낸 서한, 전서와 후서가 있음; 略 Tim.》
Ti·mour, -mur [timúər] *n.* 티무르 《1336-1405; 아시아 서쪽 절반을 정복한 몽고의 왕》
tim·ous [táiməs] *a.* 《스코》 = TIMEOUS
tim·pa·ni [tímpəni] *n. pl.* [단수·복수 취급] 팀파니 《두 개 이상의 kettledrums가 한 벌로 된 것》
tim·pa·nist [tímpənist] *n.* 팀파니 연주자
‡**tin** [tín] *n.* Ⓤ **1** 주석 《기호 Sn, 번호 50》; Ⓒ 주석 그릇, 주석 깡통 **2** 양철(tin plate); 속이 얇은 냄비; Ⓒ 《영》 (양철) 깡통, 통조림(《미》 can[2]) **3** Ⓒ 한 깡통, 깡통 하나 가득 **4** 《속어》 은화; (약간의) 돈, 현금 **5** 《미·속어》 경찰관(의 배지), 형사 **6** 《속어》 소량의 마약, 《특히》 2-5g의 코카인 **7** (양철 틀에 구운) 식빵 **8** [the T~s] 《영》 근위 기병대(the Household Cavalry)의 속칭 **9** [the ~] 《구어》 〖크리켓〗 (금속제) 득점 게시판
cry of ~ 합석을 휠 때 나는 소리 ***kick the*** ~ 《호주·구어》 기부하다 ***salt of*** ~ 제1염화석(鹽化錫)
— *a.* **1** 주석의; 주석[양철]으로 만든 **2** 〈사물·사람 등이〉 싸구려의, 볼품없는, 하찮은; 가짜의 **3** 〈결혼 기념일 등이〉 10회째의, 석혼식(錫婚式)의 ***put the*** ~ ***hat on*** 《영·속어》 = put the LID on
— *vt.* (**~ned**; **~·ning**) **1** 〖야금〗 주석을 입히다, 주석 도금하다; 주석판으로 덮다[씌우다] **2** 《영》 〈식품을〉 통조림으로 하다(《미》 can[2]) **~·like** *a.*
▷ tínny *a.*
TIN [tín] taxpayer identification number 납세자 인식 번호
Ti·na [tí:nə] *n.* 여자 이름
TINA [tí:nə] [*T*here *i*s *n*o *a*lternative.] *n.* 《구어》 티너 《Margaret Thatcher의 별명》
tin·a·mou [tínəmù:] *n.* 〖조류〗 티나무 《중남미산(産)의 메추라기 비슷한 새》

thesaurus **timid** *a.* **1** 겁 많은 fearful, afraid, frightened, scared, cowardly **2** 소심한 shy, diffident, bashful, shrinking, coy (opp. *bold*, *brazen*)

tin·cal [tíŋkɑːl, -kɔːl | -kəl] *n.* Ⓤ 〖광물〗 천연 붕사(硼砂)(native borax)
tín cán 1 (통조림)통; 《특히》 빈 깡통 2 《미·해군속어》 (고물) 구축함; 수중 폭뢰 3 《미·속어》 소형 자동차, 초기 포드 자동차
tín ców 《미·속어》 통조림 우유
tinct [tíŋkt] *vt.* 착색하다, 염색하다(imbue) —*n.* 빛깔, 색, 색조; 착색제 —*a.* 착색한, 물들인
tinct. tincture
tinc·to·ri·al [tiŋktɔ́ːriəl] *a.* 빛깔[색]의; 착색[염색]의 **~·ly** *ad.*
tinc·ture [tíŋktʃər] *n.* 1 Ⓤ 〖약학〗 팅크(제), 정기(丁幾): ~ of iodine 요오드팅크 2 [a ~] (요소·성질의) 아주 적은 주입[첨가] 3 [a ~] 기미, 약간 …한 점, 기, 티, 냄새 《*of*》; 겉바름, 허울: *a* faint ~ *of* tobacco 희미한 담배 냄새 / some ~ *of* education 겉핥기식의 교육 4 색, 색조; Ⓤ (문장(紋章)을 구성하는) 금속·채색·모피 등의 총칭 5 《구어》 (한 모금의) 술
—*vt.* 1 착색하다, 염색하다 《*with*》 2 …의 기미[색조, 냄새]를 띠게 하다, …의 맛[풍미]을 내다 《*with*》
tin·dal [tíndl] *n.* (인도인) 수부장(水夫長)
tin·der [tíndər] *n.* Ⓤ 부싯깃; 불이 붙기 쉬운 것 ***burn like*** ~ 맹렬히 타다
tin·der·box [tíndərbɑ̀ks | -bɔ̀ks] *n.* 1 부싯깃 통 2 《비유》 화재 위험이 많은 건물; (일촉즉발의) 위험한 장소[상태]; 성마른 사람
tin·der-dry [-drái] *a.* 바싹 마른
tin·der·y [tíndəri] *a.* 부싯깃 같은; 인화성의, 불타기 쉬운; 격하기 쉬운, 흥분하기 쉬운, 선동적인
tine [táin] *n.* (포크·사슴뿔 등의) 가지(prong), (빗의) 살 **tíned** *a.*
tin·e·a [tíniə] *n.* 〖병리〗 백선(白癬) **tín·e·al** *a.*
tínea crú·ris [-krúəris] 〖병리〗 =JOCK ITCH
tín éar 《속어》 1 음치(인 사람) 2 언어 감각이 둔한 사람 3 =CAULIFLOWER EAR
tín físh 《미·해군속어》 어뢰(torpedo); 잠수함
tin·foil [tínfɔ̀il] *n.* Ⓤ 석박(錫箔); 은종이; 알루미늄 박(箔) —*vt.* 석박[은종이]으로 싸다[포장하다]
ting[1] [tíŋ] *n., vt., vi.* =TINKLE
ting[2] *n.* =THING[2]
ting-a-ling [tíŋəlìŋ] *n.* (벨 등의) 딸랑딸랑, 따르릉
∗**tinge** [tíndʒ] [L 「물들이다」의 뜻에서] *n.* 1 엷은 색조(tincture) 2 [a ~] (…)티, 기미, 냄새 《*of*》
—*vt.* (**~d**; **~·ing, ting·ing**) 1 색조를 띠게 하다, (엷게) 물들이다; …한 맛[냄새]이 조금 나게 하다: (~+목+전+명) Autumn ~*s* the woods *with* a thousand beautiful varieties of color. 가을은 온갖 아름다운 빛깔로 숲을 물들인다. 2 [종종 수동형으로] 가미하다, …티가 나게 하다, 기미를 띠게 하다 《*with*》: Her memory *was* ~*d with* sorrow. 그녀의 추억은 슬픔을 띤 것이었다.
∗**tin·gle** [tíŋgl] *vi.* 1 〈몸·상처 등이〉 (추위·강타 등으로) 따끔따끔 아프다, 쑤시다, 얼얼하다, 아리다, 욱신거리다; 〈귀 등이〉 왱왱 울리다: (~+전+명) My fingers ~ *with* the cold. 손가락이 시려서 아리다. / The reply ~*d in* his ears. 그 대답에 그는 귀가 따가웠다. 2 (흥분 등으로) 들먹들먹하다, 울렁울렁하다, 설레다 《*with*》: (~+전+명) I was *tingling with* excitement. 나는 흥분하여 안절부절못하고 있었다. 3 〈방울 등이〉 딸랑딸랑 울리다
—*vt.* 얼얼하게[따끔거리게] 하다; 들뜨게[들먹거리게] 하다; 〈방울 등을〉 딸랑딸랑 울리다: (~+목+전+명) ~ a person *with* excitement …을 흥분으로 안절부절못하게 하다
—*n.* 1 얼얼함, 따끔거림; 욱신욱신함 2 좀이 쑤심; 흥분 3 (드물게) 딸랑딸랑 소리
tín·gler *n.* **tín·gly** *a.* ▷ atíngle *a.*

---

tinge *n.* 1 엷은 색조 color, tint, shade, tone, tincture, cast, stain 2 기미 hint, suggestion, trace
tingle *v.* prickle, tickle, itch, sting, quiver

tín gód 실력도 없이 뽐내는 사람, 허울 좋은 하늘타리, 빛 좋은 개살구: a little ~ 지위나 입장을 내세워 뽐내는 사람
tín hát 《군대속어》 (군인의) 철모, 헬멧; [종종 *pl.*] 《속어》 술고래
tin·horn [tínhɔ̀ːrn] 《미·속어》 *n.* 허세 부리는[실속 없는] 사람, 《특히》 허풍 떠는 도박꾼 —*a.* 허세 부리는, 허풍떠는, 허울만 좋은
∗**tin·ker** [tíŋkər] [OE 「딸랑딸랑」의 뜻에서] *n.* 1 (떠돌이) 땜장이 2 서투른 직공[수선공](bungler), 솜씨없는 사람 3 서투른 수선 4 《미》 무슨 일이나 닥치는 대로 하는 사람, 만물 수선공 5 《구어》 말 안 듣는 어린아이 6 〖어류〗 새끼 고등어 7 《스코》 집시; 부랑아; 걸인 ***have a ~ at***[***with***] …을 만지작거리다
—*vi.* 1 땜장이 노릇을 하다 2 어설프게 만지작거리다 《*away, at, with*》, 서투르게 수선하다 《*up*》; 《일반적으로》 서투르게 일하다; 지리하게 행하다[시간을 죽이다]: (~+전+명) ~ (*away*) *at*[*with*] a broken machine 고장난 기계를 만지작거리다
—*vt.* 〈냄비·솥 등을〉 수선하다, 수리하다; 서투르게 수선하다 《*up*》: (~+목+전+명) ~ an old car *into* shape 헌 차를 수리하여 모양을 갖추다 // (~+목+부) ~ *up* a broken radio 고장난 라디오를 임시변통으로 수리하다
~·er *n.* **~·ly** *a.* 땜장이의[같은]; 서투른, 엉터리의
tínker's cúrse[**cúss**] 《속어》 =TINKER'S DAMN
tínker's dámn[**dám**] 《속어》 쓸모없는[보잘것없는] 것 ***not care a*** ~ 조금도 개의치 않다
Tin·ker·toy [tíŋkərtɔ̀i] *n.* 팅커토이 《미국제 조립식 장난감; 상표명》
tín kìcker 항공 사고 조사원
∗**tin·kle** [tíŋkl] *n.* [보통 a ~, the ~] 1 딸랑딸랑, 따르릉 2 《영·구어》 전화 (호출)(telephone call) 3 (시·산문의) 동음[유사음] 반복, 듣기좋은 울림 4 《유아어》 쉬, 소변 5 《구어》 돈, 현금, 부(富) ***give*** a person ***a*** ~ 《영·구어》 …에게 전화를 걸다
—*vi.* 1 〈방울 등이〉 딸랑딸랑 울리다 2 〈피아노 따위를〉 서투르게 치다 3 《유아어》 쉬하다
—*vt.* 1 〈방울 등을〉 딸랑딸랑 울리다 2 〈시계 등이〉 〈시각을〉 울려서 알리다; 〈웃음 소리를〉 내다, 발하다
~ ***out*** 〈시계가〉 울려 (시간을) 알리다 **tín·kly** *a.*
tin·kle·box [-bɑ̀ks | -bɔ̀ks] *n.* 《미·구어》 피아노
tin·kler [tíŋklər] *n.* 딸랑딸랑 울리는 사람[것]; 《구어》 (작은) 방울
tin·kling [tíŋkliŋ] *n., a.* 딸랑딸랑 (울리는) **~·ly** *ad.*
tín lízzie [때로 T- L-] 《미·속어》 T형 포드 자동차 (1908-28)의 애칭; 《일반적으로》 소형 싸구려 자동차, 털털이 자동차[비행기]
tin·man [tínmən] *n.* (*pl.* **-men** [-mən, -mèn]) 1 =TINSMITH 2 3종 경기(triathlon)의 2군 선수 3 알루미늄제 우주복
tínman's sòlder 판금용 저온 땜납
tinned [tínd] *a.* 1 주석 도금을 한 2 《영》 통조림한 (《미》 canned) 3 《영》 〈음악이〉 (레코드·테이프 등에) 녹음된(canned)
tínned dóg[**méat**] 《호주·속어》 통조림 고기
tin·ner [tínər] *n.* 주석 광부; =TINSMITH; 《영》 =CANNER
tin·ni·tus [tínaitəs, tíni-] *n.* Ⓤ 〖병리〗 이명(耳鳴), 귀울음
tin·ny [tíni] *a.* (**-ni·er**; **-ni·est**) 1 주석의[같은]; 주석을 함유한, 주석이 많은 2 주석[함석] 같은 소리가 나는 3 《영》 깡통쇠 맛[냄새]이 나는 4 《속어》 부자의 5 〈소설·이야기 등이〉 내용이 없는, 무의미한
-ni·ly *ad.* **-ni·ness** *n.*
tín òpener 《영》 깡통따개(《미》 can opener)
tin-pan [tínpæ̀n] *a.* 시끄러운 소리를 내는, 양철 같은 소리를 내는
Tín Pàn Álley 1 (New York시의) 팝음악 관계자들이 모이는 지역 2 [집합적] 팝음악 관계자들, 가요계
tin-pan·ny [-pæ̀ni] *a.* =TIN-PAN

tín párachute 〖경영〗 틴 파라슈트 《기업 매수시 전 종업원에 보상금을 약속하는 계약》

tín pèst[plàgue] 흰 주석이 저온에서 회색 가루가 되는 일

tín plàte 양철(판), 주석 도금한 것

tin-plate [-plèit] *vt.* 〈철판 등에〉 주석 도금하다
tín-plàt·er *n.*

tin-pot [-pɑ́t | -pɔ̀t] *a.* Ⓐ 《구어》 값싼, 열등한; 보잘것없는

tín pyrítes 〖광물〗 황석석(黃錫石)

tin·sel [tínsəl] *n.* Ⓤ **1** 반짝거리는 금속 조각, 금은사(絲) 《의복 장식용》 **2** 싸고 야한 것, 허식(虛飾)
— *a.* **1** 번쩍거리는 **2** 겉만 번지르르한
— *vt.* (**~ed**; **~·ing** | **~led**; **~·ling**) 반짝거리는 것으로 꾸미다 《*with*》; 야하게 꾸미다 **~·ly** *a.*

tin·seled [tínsəld] *a.* 《속어》 위조[변조]한, 가짜의

tínsel tèeth 《미·속어》 치열 교정기를 부착한 이; [단수 취급] 치열 교정기를 부착한 사람의 별명

Tin·sel·town [tínsəltàun] *n.* [때로 **t~**] 《미》 겉치레의 도시 《Hollywood의 속칭》

tin·smith [tínsmìθ] *n.* 양철공; 주석 세공인

tín sóldier 《장난감》 양철 병정; 군대놀이하는 사람

tin·stone [-stòun] *n.* Ⓤ 〖광물〗 주석 광석(cassiterite)

‡tint [tínt] *n.* **1** 엷은 빛깔(⇨ color 유의어) **2** 색채의 배합, 색조(色調); 색의 농담: green of[with] a blue ~ 푸른빛 도는 초록빛 **3** 〖판화〗 선의 음영, 평행선으로 음영을 나타내기 **4** 머리 염색제; 머리 염색 **5** 성질; 기미 **6** [*pl.*] 《미·속어》 선글라스(sunglasses) **7** 〖인쇄〗 (위쪽에 삽화가 인쇄된) 엷은 바탕색(= ~ **blòck**)
autumnal ~s 가을 빛, 단풍 ***crossed[ruled] ~*** 교차[평행]선 음영 ***in all ~s of red*** 여러 가지 농담(濃淡)의 붉은 빛으로
— *vt.* **1** …에 (연하게) 색칠하다; 〖판화〗 음영(陰影)을 붙이다: *~ed* spectacles 색안경 **2** 〈머리를〉 염색하다 **~·er** *n.*

tin·tack [tíntæ̀k] *n.* **1** 《영》 주석 도금한 압정(押釘) **2** 해고

T-in·ter·sec·tion [tì:intərsékʃən] *n.* 《미》 T자 길(T-junction)

tint·ing [tíntiŋ] *n.* (판화·슬라이드·영화용 필름의) 착색(着色); 착색한 판화, 필름

tin·tin·nab·u·lar [tìntənǽbjulər], **-lar·y** [-lèri | -ləri], **-lous** [-ləs] *a.* 방울의[같은], 딸랑딸랑 울리는

tin·tin·nab·u·la·tion [tìntənæ̀bjuléiʃən] *n.* ⓊⒸ (방울의) 딸랑딸랑 (소리)

tin·tin·nab·u·lum [tìntənǽbjuləm] *n.* (*pl.* **-la** [-lə]) 작은 방울

tint·om·e·ter [tintɑ́mətər | -tɔ́m-] *n.* 색도계(色度計), 색조계(色調計)

tínt tòol 음영선(陰影線) 조각도(刀)

tin·type [tíntàip] *n.* 〖사진〗 =FERROTYPE 2

tin·ware [-wὲər] *n.* [집합적] 양철[주석] 제품

tín wédding 석혼식(錫婚式) 《결혼 10주년 기념》

tín whìstle =PENNYWHISTLE

tin·work [-wə̀:rk] *n.* Ⓤ 주석[양철] 제품[세공]

tin·works [-wə̀:rks] *n. pl.* [단수 취급] 주석 채굴장; 주석 정련소; 주석[양철] 세공 공장

‡ti·ny [táini] *a.* (**-ni·er**; **-ni·est**) 〈사람·물건 등이〉 작은, 조그마한, 소(小)…: a ~ little boy = a little ~ boy 조그마한 아이, 꼬마
— *n.* (*pl.* **-nies**) 조그마한 것; [보통 *pl.*] 유아, 조그마한 아이; [the -nies] 《영·속어》 하급생
tí·ni·ly *ad.* **tí·ni·ness** *n.*

tíny BÁSIC 컴퓨터 언어의 일종 《BASIC 기능을 축소 간략화하여 메모리 용량이 적어도 쓸 수 있게 한 것》

-tion [-ʃən] *suf.* [상태, 동작, 동작의 결과를 나타내는 명사 어미]: tempta*tion*; starva*tion*; rela*tion*

Ti·o Ta·co [tí:ou-tɑ́:kou] [Sp.] [때로 **t- t-**] 《미·속어·경멸》 백인 사회의 가치·문화를 받아들인 굴종적인 멕시코계(系) 미국인

-tious [-ʃəs] *suf.* [명사형 -tion의 형용사 어미] 「…한, …있는」의 뜻: ambi*tious*, ficti*tious*

‡tip¹ [típ] *n.* **1** 끝, 첨단(point): the ~*s* of the fingers 손가락 끝 **2** 첨단에 붙이는 물건: **a** (칼집·양산·단장 등의) 끝, 물미 **b** 낚싯대 끝 **c** (구두의) 콧등 가죽 **d** (장식용) 모피·깃털의 끝 **e** (비행기의) 날개 끝 (= wing ~); (프로펠러의) 끝 **f** 금박(金箔) 솔 **g** (담배의) 필터 **3** 꼭대기, 정상, 정점 **4** 〖제본〗 끼워 넣은 페이지쪽 **5** [*pl.*] 줄기의 최상부의 2-3잎으로 만든 담배의 등급 **6** 〖음성〗 혀끝 **7** [*pl.*] (차의) 새 눈; 엽차
at the ~s of one***'s fingers*** = ***at*** one***'s finger-~s*** …에 정통하여 ***from ~ to ~*** (새의) 날개 끝에서 끝까지 ***from ~ to toe*** 머리끝에서 발끝까지; 철두철미 ***on[at] the ~ of*** one***'s tongue*** (1) 하마터면 말이 나올 뻔하여 (2) 말이 입끝에서 뱅뱅 돌 뿐 생각이 안 나 ***the ~ of the iceberg*** 《구어》 빙산의 일각 ***to the ~s of*** one***'s fingers*** 철두철미, 모조리 ***walk on the ~s of*** one***'s toes*** 발끝으로 걷다
— *vt.* (**~ped**; **~·ping**) 끝을 붙이다; 끝에 씌우다; 끝을 장식하다; 끝을 이루다: (~+목+전+명) a church spire *~ped with* a weathercock 꼭대기에 바람개비가 달려 있는 교회의 뾰족탑

***tip²** [típ] *n.* **1** 팁, 사례금, 행하: leave a ~ 팁을 놓아 두다 / I gave her a five-dollar ~. 그녀에게 5달러의 팁을 주었다. **2** 《구어》 (도박·투기 등의) 비밀[내부] 정보, 귀띔; 《일반적으로》 정보, 예상 《*for, on*》: a straight ~ 《속어》 확실한 정보 / give a person a ~ on a horse …에게 경마의 정보를 제공하다 **3** 조언, 경고, 힌트; (…의) 비결, 비법 《*on*》: *~s on* painting 화법(畫法)상의 조언
miss one***'s ~*** 예상이 빗나가다; 실수[실패]하다
Take my ~. 내 말대로 해라.
— *v.* (**~ped**; **~·ping**) *vt.* **1** …에게 팁을 주다; …에게 …을 팁으로 주다: ~ a waiter 웨이터에게 팁을 주다 // (~+목+목) He *~ped* the waitress a dollar. 그는 웨이트리스에게 1달러의 팁을 주었다. **2** 《속어》 주다, 전하다(give); 〈…에게 눈짓을〉 보내다, 하다: ~ (a person) a signal (…에게) 슬쩍 신호를 보내다 **3** (특히 도박·투기에서) …에게 비밀 정보[조언, 경고]를 제공하다, 밀고하다: ~ the winner 이길 말을 알려주다 **4** 예상하다: (~+목+***to*** do) He *~ped* the horse *to* win the race. 그는 그 말이 경주에 이길 것으로 예상했었다.
— *vi.* **1** 팁을 주다: ~ lavishly 팁을 후하게 주다 **2** 《구어》 (경마·투기 등에서) 몰래 귀띔하다
~ off (1) 〈경찰 등에〉 비밀 정보를 누설하다, 밀고하다 (2) …에게 (절박한 위험·재난 등을) 경고하다 《*about*》

tip³ *n.* **1** 경타, 가볍게 치기(tap): He gave me a ~ on the shoulder. 그는 내 어깨를 툭 쳤다. **2** 〖야구·크리켓〗 팁 — *vt.* (**~ped**; **~·ping**) **1** 살짝 치다(tap) **2** 〖야구·크리켓〗 〈공을〉 팁하다

tip⁴ *v.* (**~ped**; **~·ping**) *vt.* **1** 〈물건을〉 기울이다; 뒤집어 엎다, 넘어뜨리다 **2** 《영》 (기울여) 〈내용물을〉 비우다, 버리다; 〈사람을〉 내쫓다: (~+목+부) ~ rubbish out (of a bucket) (버킷의) 쓰레기를 버리다 / No *Tipping*. 《영》 쓰레기를 버리지 마시오. (《미》 No Dumping). **3** 〈모자를〉 (인사하기 위해) 가볍게 손을 대다 — *vi.* **1** 기울다, 기울어지다 **2 a** 〈경첩 등이〉 위로 기울다 **b** 뒤집히다, 전복하다 《*over*》: (~+부) The boat *~ped over*. 배가 뒤집혔다. **3** 넘어지다, 자빠지다 《*over*》 ***~ over*** (1) 〈접시 등을〉 뒤집어 엎다 (2) 《미·속어》 〈은행 등을〉 습격하다; 〈경관이〉 급습하다 ***~*** one***'s hat*** 모자에 가볍게 손을 대고 인사하다 《*to*》
— *n.* **1** 기울임, 기움; 경사 **2** 《영》 쓰레기 버리는 곳(dump); 《구어》 지저분한 곳, 《특히》 어지럽혀진 방

thesaurus
tint *n.* shade, color, tone, tinge, cast
tiny *a.* minute, miniature, mini, microscopic, dwarfish, petite, small, little, insignificant, trifling, negligible (opp. *huge, enormous, gigantic*)
tip¹ *n.* point, peak, top, summit, apex, crown

TIP tax-based incomes policy 〖경제〗 세금 기준 소득 정책
típ and rún 〖크리켓〗 타봉에 공이 닿자마자 타자가 뛰는 방식
tip-and-run [típəndrʌ́n] *a.* **1** 〖크리켓〗 타봉에 공이 닿자마자 뛰는 **2** 《영·속어》 〈공격·전술 등이〉 전격적인: a ~ raid 기습
tip·cart [típkɑ̀ːrt] *n.* 덤프차
tip·cat [-kæ̀t] *n.* **1** Ⓤ 자치기 《양 끝이 뾰족한 나뭇조각을 막대기로 공중에 쳐 올려 멀리 보내는 아이들의 놀이》 **2** 그 나뭇조각(cat)
tip·ee [típiː] *n.* = TIPPEE
ti·pi [tíːpiː] *n.* (*pl.* **~s**) 《미》 = TEPEE
tip-in [típìn] *n.* 〖제본〗 = TIP[1] 4
Ti plásmid [*t*umor *i*nducing] 〖유전〗 티아이 플라스미드 《식물의 유전자 조작을 위한 대표적인 벡터(vector)로서 쓰이는 것》
tip-off [típɔ̀ːf | -ɔ̀f] *n.* 《구어》 **1** 비밀 정보; 주의, 경고(warning); 조언, 암시(hint) **2** 외부에 비밀 정보를 누설하는 사람
tip·off [típɔ̀ːf | -ɔ̀f] *n.* 〖농구〗 팁오프 《점프볼로 경기를 시작하기》
tip·pee [tipíː] *n.* 《미·속어》 티피 《주가(株價) 등의 내부 정보를 입수하는 사람》
tip·per[1] [típər] *n.* **1** 팁을 주는 사람 **2** 밀고자
tipper[2] *n.* 《영》 덤프차(《미》 dump truck); tipcart를 조작하는 사람[장치]
típper lòrry[trùck] 《영》 덤프차, 덤프트럭
tip·pet [típit] *n.* **1** (법관·성직자의) 어깨걸이 **2** (양 끝이 앞으로 늘어지는 여자의) 목도리, 어깨걸이 **3** (두건·소매 등의) 길고 가늘게 늘어뜨린 부분
Tipp-Ex [típèks] *n.* Ⓤ 《영》 티펙스 《수정액; 상표명》 **típ·pex** *vt.* 수정액으로 지우다 《*out*》
típ·ping pòint [típiŋ-] 티핑 포인트 《균형을 깨뜨리는 극적인 변화의 시작점》
tip·ple[1] [típl] *vi.*, *vt.* (독한 술을) 조금씩 습관적으로 마시다 **—** *n.* Ⓤ 《속어》 (특히 독한) 술, 알코올 음료
tipple[2] *n.* 《미》 (차를 기울여 짐을 부리는) 장치; 짐을 부리는 장소; 《특히》 석탄 선별장, 선탄장(選炭場)
— *vi.* [종종 it을 주어로 하여] 〈비가〉 세차게 내리다 《*down*》
tip·pler[1] [típlər] *n.* 술꾼, 술고래, 대주가; 《미·구어》 술집 주인
tippler[2] *n.* 석탄 선별 작업원
tip·py [típi] *a.* (**-pi·er**; **-pi·est**) 《구어》 엎어지기 쉬운, 기울어지기 쉬운, 불안정한
tip·py-toe [típitòu] *n.*, *vi.*, *a.* 《구어》 = TIPTOE
típ shèet (주식 시세·경마 등의) 예상표
tip·si·fy [típsəfài] *vt.* (**-fied**) 《구어》 (가볍게) 취하게 하다
tip·staff [típstæ̀f | -stɑ̀ːf] *n.* (*pl.* **~s, -staves** [-stæ̀vz | -stèivz]) **1** (옛날 집달리·순경 등이 사용하던 끝에 쇠붙이가 붙은) 지팡이 **2** 《고어》 법정 경리, 정리(廷吏), 순경
tip·ster [típstər] *n.* 《영·구어》 (경마·시세 등의) 정보 제공자, 조언자, 예상가
tip·stock [típstɑ̀k, -stɔ̀k] *n.* (총의) 개머리판의 끝부분
tip·sy [típsi] *a.* (**-si·er**; **-si·est**) **1** 《구어》 얼근히 취한, 취해서 비틀거리는: get ~ 얼근하게 취하다 / a ~ lurch 비틀걸음, 갈지자걸음 **2** 〈물건이〉 기운, 불안정한 **típ·si·ly** *ad.* **típ·si·ness** *n.*
típsy càke 《영》 와인에 적신 스펀지케이크
tip-tilt·ed [típtìltid] *a.* 〈코 등이〉 끝이 위를 향한, 들창코의

tip[2] *n.* hint, recommendation, piece of advice
tired[1] *a.* **1** 피곤한 fatigued, worn out, weary, exhausted, drained, enervated (opp. *energetic*, *lively*, *fresh*) **2** 지겨운 bored, irritated, annoyed **3** 진부한 stale, familiar, clichéd

‡tip·toe [típtòu] *n.* 발끝 ***on*** [***upon***] **~** (1) 발끝으로; 발소리를 죽이고: walk *on* ~ 발끝으로 걷다, 발소리를 죽이고 걷다 (2) 크게 기대하여: be *on* (the) ~ of expectation 학수고대하다 / be *on* ~ of excitement 몹시 흥분해 있다 (3) 몰래; 신중하게
— *vi.* 발끝으로 걷다 《*about*, *into*》; 발돋움하다
— *a.* 발끝으로 선[걷는], 발소리를 죽인; 발돋움하는, 야심적인; 흥분한; 크게 기대하는; 〈태도 등이〉 신중한: with a ~ step 발끝으로 걸어서
— *ad.* 발끝으로; 크게 기대하여; 신중하게
tip-top [-tɑ̀p | -tɔ̀p] *n.* [보통 the ~] **1** 정상, 꼭대기 **2** 《구어》 절정, 최고 **3** 《영·구어》 최고[최상층] 계급 ***at the ~ of*** **one*'s*** ***profession*** 한창 번성하여, 장사가 번창하여
— [⌐⌐, ⌐⌐] *a.* **1** 정상의, 절정의 **2** 《구어》 극상의, 최고의, 최고급의, 멋있는, 우수한, 훌륭한: a ~ lecture 훌륭한[멋진] 강의 **—** [⌐⌐] *ad.* 절정[정점]에; 《구어》 더할 나위 없이, 최고로 **~·per** *n.* 톱클래스의 사람[물건] **~·most** *a.* 《구어》 초일류[최고]의
típ trùck = TIPPER LORRY
tip-up [típʌ̀p] *a.* 〈극장 좌석 등이〉 세웠다 접었다 할 수 있는: ~ seats 세웠다 접었다 할 수 있는 의자
— *n.* (극장 등의) 접을 수 있는 좌석
TIR *Transport International Routier* 《F = international road transport》 국제 도로 수송
ti·rade [táireid, ⌐⌐ | ⌐⌐] *n.* **1** 긴 열변, 장광설; 격론, 긴 공격[탄핵] 연설 **2** 〖음악〗 티라드 《바로크 시대의 장식음의 일종》 **3** 《드물게》 (극·시 등에서) 단일 주제를 다루고 있는 한 절[구]
ti·rail·leur [tìraijə́r] [F] *n.* (*pl.* **~s** [-z]) 척후병(skirmisher); 저격병(sharpshooter)
‡tire[1] [táiər] *vt.* **1** 피곤하게 하다, 지치게 하다 《*out*》 (⇨ tired 1): (~+목+부) I walked so fast that I ~*d* her *out*. 내가 너무 빨리 걸어 그녀는 기진맥진했다. **2** 싫증나게[지겹게] 하다 《*with*》(⇨ tired 2) **3** 〈물건·토지 등을〉 (지나치게 써서) 소모시키다
— *vi.* **1** 피곤해지다, 지치다 《*with*》: (~+전+명) He soon ~*s* (*with* study). 그는 곧 (공부에) 지친다. **2** 싫증나다, 물리다 《*of*》: (~+전+*-ing*) You will never ~ *of* look*ing* at the garden. 이 정원은 아무리 보아도 싫증나지 않을 것이다.
~ ***down*** 사냥에서 〈짐승을〉 지칠 때까지 몰다 ~ ***for*** …을 기다리다 지치다 **~ *out*** = **~ *to death*** 녹초가 되게 하다 ▷ tíresome, tíreless *a.*
‡tire[2] | **tyre** [táiər] *n.* 《미》 **1** (고무로 만든) 타이어: a pneumatic ~ (공기를 넣는) 고무 타이어 / change a ~ 타이어를 교환하다 / inflate[pump up] a ~ 타이어에 공기를 넣다 **2** (짐마차 등의 차바퀴의) 바퀴 쇠
— *vt.* 타이어를 달다
tire[3] 《고어》 *n.* (여자의) 머리 장식, 머리쓰개
— *vt.* 〈머리에〉 장식을 하다
tíre chàin (미끄럼 방지용) 타이어 체인
‡tired[1] [táiərd] *a.* **1** 피곤한, 지친 《*from*, *with*》: (as) ~ as a dog 몹시 지친 / He was ~ (out) *from* overwork. 그는 과로로 지쳐 있었다. **2** Ⓟ 싫증난, 물린, 지겨운 《*of*, *of doing*》; 《구어》 참을 수 없는, 정나미가 떨어진: (~+전+*-ing*) be ~ *of* hear*ing* 듣는 데 신물나다 / ~ *of* life 세상이 싫어져서 **3 a** 〈농담 등이〉 진부한, 케케묵은 **b** 〈물건이〉 낡아빠진 ***make*** a person **~** …을 지치게 하다; 싫증나게 하다, 귀찮게 하다: You *make me* ~. 너에게는 정말 정나미가 떨어진다. ***sick and ~ of*** …에 아주 넌더리가 나서 **~ *blood*** 《미·속어》 무기력
~·ly *ad.* **~·ness** *n.* Ⓤ 피로; 권태
tired[2] *a.* [보통 복합어를 이루어] (…의) 타이어를 단: rubber-~ 고무 타이어를 단
Tíred Tím(othy) 게으름뱅이 《별명》
tíre ìron 타이어 레버 《한 끝이 편평한 타이어 착탈용 지레》
tire·kick·er [táiərkìkər] *n.* 《미·속어》 (물건은 사지 않고) 보고만 다니는 사람

*__tire·less__[1] [táiərlis] [TIRE[1]] *a.* **1** 〈사람이〉 **지칠 줄 모르는,** 정력적인; 근면한: a ~ worker 지칠 줄 모르는 노동자 **2** 〈행동 등이〉 피로의 기색을 보이지 않는, 꾸준한, 부단한 **~·ly** *ad.* **~·ness** *n.*

tireless[2] [TIRE[2]] *a.* 〈자동차가〉 타이어가 없는

tíre pàtch 《미·속어》 핫케이크

Ti·re·si·as [tairí:siəs | -æ̀s] *n.* 〖그리스신화〗 티레시아스 《Thebes의 장님 예언자》

*__tire·some__ [táiərsəm] *a.* **1 귀찮은,** 성가신: a ~ person 골치 아픈 사람 / How ~! 아이 속상해! **2** 지루한, 따분한, 진저리 나는: a ~ speech 지루한 연설 **~·ly** *ad.* **~·ness** *n.* ▷ tíre *v.*

tire·wom·an [táiərwùmən] *n.* (*pl.* **-wom·en** [-wìmin]) 《고어》 몸종, 시녀(lady's maid); (극장의) 의상 담당원 《여자》

tir·ing [táiəriŋ] *a.* **1** 〈일 등이〉 피로하게 하는, 힘드는 **2** 〈사람·이야기 등이〉 지루한

tíring ròom 《고어》 (극장의) 의상실, 분장실(dressing room)

ti·ro [táiərou] *n.* (*pl.* **~s**) = TYRO

Tir·ol [tiróul, tai-, táiroul | tiróul, tírəl] *n.* = TYROL

Ti·ro·le·an [tiróuliən, tai- | ti-] *n., a.* = TYROLEAN

Tir·o·lese [tìrəlí:z, -lí:s, tàir- | tìrəlí:z] *a., n.* (*pl.* ~) = TYROLESE

Ti·ros [táiərous] [*t*elevision *i*nfra*r*ed *o*bservational *s*atellite] *n.* 타이로스 《미국의 기상 관측 위성의 하나》

tir·ri·vee [tə́:rəvì:] *n.* 《스코》 감정의 격발; 격동

'tis [tíz, tìz] 《방언·구어》 it is의 단축형

ti·sane [tizǽn, -zɑ́:n] [F] *n.* (*pl.* **~s** [-z]) 약탕(藥湯)

tish [tíʃ] *vt.* 《미·속어》 …에 박엽지를 채우다; (큰 돈뭉치인 것처럼) 박엽지 뭉치를 지폐로 싸다; 부풀리다

Tish·ri [tíʃri, -rei] *n.* 티슈리 《유대력(曆)의 제1월; 그레고리력(曆)의 9-10월에 해당》

‡**tis·sue** [tíʃu:] [OF 「짠(것)」의 뜻에서] *n.* **1** ⓒⓤ 〖생물〗 **조직**: connective[muscular, nervous] ~ 결체(結締)[근육, 신경] 조직 **2** ⓒⓤ (얇은) **직물**; 《특히》 얇은 명주; 얇은 가제형의 종이, 종이 손수건 **3** (거짓말·어리석은 짓 등의) 투성이, 연속 (*of*): a ~ *of* falsehoods[lies] 거짓말투성이 **4 a** = TISSUE PAPER **b** 화장지, 휴지: toilet[bathroom] ~ 화장실 휴지 **5** ⓤ 〖사진〗 탄소 인화지 **6** (호주·뉴질·속어) 말아서 피는 담배용의 얇은 종이

— *vi.* **1** 〈화장·세안 크림 등을〉 화장지로 닦아내다 (*off*) **2** (드물게) 얇은 직물에 짜넣다 **tís·su·ey** *a.*

tíssue cùlture 조직 배양; 배양된 조직

tíssue flùid 〖생리·동물〗 조직액

tíssue pàper 박엽지(薄葉紙), 티슈 페이퍼 《포장·트레이싱·도판 덮개용》

tíssue tỳping[màtching] 〖의학〗 (장기 이식 전의) 조직 적합 검사

tis·su·lar [tíʃulər] *a.* 유기(有機) 조직의: ~ grafts 조직 이식

tit[1] [tít] *n.* **1** 〖조류〗 박샛과(科)의 새(titmouse); (여러 종류의) 작은 새 **2** 《고어》 작은[빈약한] 말 **3** 《속어·경멸》 계집애

tit[2] *n.* 《폐어》 경타(輕打)

tit[3] *n.* **1** 《구어》 젖꼭지(teat); [보통 *pl.*] 《비어》 젖통, 유방 **2** 《비어》 (섹스 상대로서의) 여자 **3** 《영·속어》 (기계적 조작) 단추, 《특히》 발포[폭탄 투하] 단추 **4** 《영·속어》 무능력자, 바보 같은 놈

get on a person***'s ~s*** 《영·속어》 …의 신경을 건드리다, …을 안달이 나게 하다 ***How are your ~s?*** = HOW are you? 《여자에 대한 버릇없는[허물없는] 인사》 ***look an absolute ~*** 《속어》 어쩔 수 없는 바보 같다 ***~ in a trance*** 《영·속어》 안절부절못하는 사람, 바쁘게 돌아다니는 사람 ***~s on a boar*[*bull*]** 《미·속어》 도움이 되지 않는 것 ***~s up*** 《영·속어》 거꾸로, 위를 보게[향하게] ***with ~s on*** 《미·속어》 분명히; 《미·속어》 기꺼이, 곧

tit. title **Tit.** 〖성서〗 Titus

*__Ti·tan__ [táitn] *n.* **1** 〖그리스신화〗 **타이탄** 《Uranus(하늘)와 Gaea(땅)와의 자식들 중의 하나》 **2** [the ~] 태양의 신 Helios **3** [**t~**] 거인, 천하장사; 거장, 거물 **4** 〖천문〗 토성의 제6 위성 **5** 타이탄 《미 공군의 대륙 간 탄도탄(ICBM)의 하나》 ***the weary ~*** (하늘을 두 어깨에 진) Atlas 신; 노대국(老大國) 《영국 등》

— *a.* [때로 **t~**] = TITANIC[2] ▷ Titánic *a.*

ti·ta·nate [táitənèit] *n.* 〖화학〗 티탄산염(酸塩)

títan cráne 《자동》 대형 기중기

Ti·tan·ess [táitənis] *n.* 타이탄 여신(女神); 힘이 장사인 여인, 덩치 큰 여자

ti·ta·ni·a [taitéiniə] *n.* 〖화학〗 = TITANIUM DIOXIDE

Ti·ta·ni·a [titéiniə, tai- | titɑ́:-] *n.* **1** 티타니아 《셰익스피어 작 *A Midsummer Night's Dream*에 등장하는 Oberon의 처로 요정국의 여왕》 **2** 〖천문〗 천왕성의 제3 위성

ti·tan·ic[1] [taitǽnik, ti-] *a.* 〖화학〗 티탄의, 《특히》 4가의 티탄을 함유한, 제 2티탄의

titanic[2] *a.* [**T~**] Titan의[같은]; [때로 **T~**] 거대한, 강력한 **-i·cal·ly** *ad.*

Ti·tan·ic [taitǽnik] *n.* [the ~] 타이타닉 호 《1912년 4월 New York 항을 향하여 처녀 항해 도중 Newfoundland 남방에서 빙산과 충돌, 침몰하여 1,500여명의 희생자를 낸 영국의 호화 여객선》

titánic ácid 티탄산(酸)

ti·ta·nif·er·ous [tàitənífərəs] *a.* 티탄을 함유한[생성하는]

Ti·tan·ism [táitənìzm] *n.* [때로 **t~**] (전통·인습 등에 대한) 반역심, 반항심

ti·ta·ni·um [taitéiniəm] *n.* 〖화학〗 티탄, 티타늄 《금속 원소; 기호 Ti, 번호 22》

titánium dióxide 〖화학〗 이산화(二酸化) 티탄

titánium whíte 티탄백 《백색 안료·그림 물감》

ti·tan·o·saur [taitǽnəsɔ̀:r, táitənə-] *n.* = TITANOSAURUS

Ti·tan·o·sau·rus [tàitənəsɔ́:rəs] *n.* 〖고생물〗 티타노사우루스 《남미 백악기의 용각류(龍脚類)의 공룡》

ti·tan·ous [taitǽnəs, ti-] *a.* 〖화학〗 티탄의, 《특히》 3가 티탄을 함유한, 제1티탄의

tit·bit [títbìt] *n.* 《영》 = TIDBIT

ti(t)ch [títʃ] *n.* 《영·구어》 난쟁이, 매우 작은 사람

titch·y [títʃi] *a.* 《영·구어》 아주 작은, 조그마한

ti·ter | ti·tre [táitər, tí:-] *n.* ⓤ 〖화학〗 **1** 역가(力價) **2** 적정 농도(滴定濃度)[량] **3** 타이터 《가수 분해한 지방산의 응고점》

tit·fer [títfər] *n.* 《영·속어》 모자(hat)

tít for tát 되갚음(으로), 앙갚음(으로), 오는 말에 가는 말: I answered his insult ~. 나는 그의 무례함에 무례함으로 답했다. **tít-for-tát** *a.*

*__tithe__ [táið] [OE 「10분의 1」의 뜻에서] *n.* **1** [때로 *pl.*] **십일조**(十一條), 10분의 1세(稅) **2** 10분의 1; 작은 부분; [a ~] [특히 부정문에서] 조금도 …않는: I can*not* remember *a* ~ of it. 조금도 생각이 안 난다.

— *vt.* 십일조를 부과하다[바치다, 징수하다]

~ mint and cummin 〖성서〗 박하와 회향의 십일조를 바치다; 사소한 것 때문에 큰 것을 잊어버리다

títh·a·ble *a.*

títhe bàrn 《영》 십일조 곡식을 저장하는 교회의 창고

tith·er [táiðər] *n.* **1** 십일조를 내는[지지하는] 사람 **2** 십일조 징집인

tith·ing [táiðiŋ] *n.* **1** ⓤ 십일조의 징수[납부] **2** 십일조 **3** 《영》 〖고대법〗 십호반(十戶班) 《열 집을 한 조로 한 민간 행정 단위》

Ti·tho·nus [tiθóunəs] *n.* 〖그리스신화〗 티토누스 《새벽의 여신 Eos의 애인; 만년에 매미가 됨》

thesaurus **tiresome** *a.* **1** 성가신 troublesome, irritating, annoying **2** 따분한 wearisome, tedious,

ti·tian [tíʃən] *n.* Ⓤ 금갈색(머리의 사람)
— *a.* 금갈색의: ~ hair 금갈색 머리
tit·il·late [títəlèit] *vt.* **1** 간질이다(tickle) **2** 〈미각·상상 등을〉 기분좋게 자극하다, 흥을 돋우다
tit·il·lat·ing [títəlèitiŋ] *a.* 흥을 돋우는, 기분 좋게 자극하는 **~·ly** *ad.*
tit·il·la·tion [tìtəléiʃən] *n.* Ⓤ **1** 간질임; 간지러움 **2** 기분 좋은 자극, 감흥
tit·i·vate [títəvèit] 《구어》 *vt.* [종종 ~ one*self* 로] 맵시내다, 몸치장하다, 장식하다 《*off, up*》: ~ *oneself* before a mirror 거울 앞에서 몸치장을 하다
— *vi.* 몸치장하다, 맵시내다 **tìt·i·vá·tion** *n.*
tit·lark [títlɑ̀ːrk] *n.* 〖조류〗 논종다리(pipit)
ti·tle** [táitl] [L 「명(銘)」의 뜻에서] *n.* **1 a** 표제; [보통 *pl.*] 〖영화·TV〗 자막(subtitles), 타이틀(credits); 제목, 제명, 책이름 **b** = TITLE PAGE; 〖제본〗 등에 책 이름을 쓴 부분 **c** 책, 출판물; 레코드: They published 50 ~*s* last year. 작년에 그들은 50가지를 출판했다. **2** ⒸⓊ (Mr., Dr., Lord 등의) 직함, 명칭, 칭호; 직위, 경칭; 《속어》 직함·관직 등 표면상의 칭호가 있는 사람, 귀족: the ~ of Lord Mayor 시장이라는 직함 **3** 〖스포츠〗 선수권, 타이틀: win a boxing ~ 권투 선수권을 따다 **4** ⓊⒸ **a** 확립[공인]된 (정당한) 권리, (주장할 수 있는) 자격, 근거 《*to, in, of*》 **b** 〖법〗 토지 재산 소유권; 권리 증서(=~ deed): 《~+*to* do》 You have no ~ *to* ask for our support. 너는 우리에게 원조를 청할 자격이 없다. **c** (법률 문서 등의) 편, 장; 소송의 원인[표제] **5** ⓊⒸ 〖교회〗 서품[성직 취임] 자격; 로마 교구의 성당 **6** 금의 순도 《캐럿(carat)으로 표시》 ***a man of **~** 작위·관직명·학위 등이 있는 사람, 귀족
— *vt.* **1** 〈책 등에〉 표제를 붙이다; 자기를 …이라고 부르다: 《~+목+목》 *titling* himself god 스스로를 신이라 칭하면서 **2** 칭호[작위 《등》]를 주다; 〈사람을〉 칭호[경칭]로 부르다 **3** 〖영화〗 〈필름에〉 설명 자막을 넣다
— *a.* **1** Ⓐ (책 등의) 제목과 같은; 선수권의: the ~ story in a collection 표제작, 작품집 제목과 같은 이야기 / a ~ bout 선수권 시합 **2** 〖영화·TV〗 자막[타이틀]의, 자막[타이틀]이 붙은 **~·less** *a.*
▷ entítle *v.*; títular *a.*
títle bàr 〖컴퓨터〗 제목 표시줄 《실행중의 파일 이름을 보여주는 윈도 상단의 바》
títle càtalog (도서관의) 서명 목록
ti·tled [táitld] *a.* 직함[칭호, 작위]이 있는: ~ members 유작 의원(有爵議員) / the ~ 귀족 사회
títle dèed 〖법〗 (부동산 등의) 권리 증서
ti·tle·hold·er [táitlhòuldər] *n.* **1** 칭호 소유자 **2** 선수권 보유자(champion)
títle insùrance 〖보험〗 부동산 물권 보험
títle màtch 선수권 시합, 타이틀 매치
títle pàge (책의) 표제지, 속표지
títle pìece (단편집·가곡집 등의) 표제작(품); 〖제본〗 제전(題箋) 《책의 표지에 붙이는 가죽이나 종이로 된 제목 라벨》
ti·tler [táitlər] *n.* 〖영화〗 타이틀 촬영 장치
títle ròle[pàrt] 주제역(主題役) 《희곡 *Macbeth* 중의 Macbeth역 등》
ti·tling [táitliŋ] *n.* ⓊⒸ (책등에) 금박으로 제목을 박기; 그 글자
ti·tlist [táitlist] *n.* 《미》 = TITLEHOLDER 2
tit·man [títmən] *n.* (*pl.* **-men** [-mən]) 한배의 돼지 중에서 가장 작은 것
tit·mouse [títmàus] *n.* (*pl.* **-mice** [-màis]) 〖조류〗 박샛과(科)의 여러 새
Ti·to [tíːtou] *n.* 티토 **Marshal ~** (1892-1980) 《유고슬라비아의 정치가; 대통령(1953-80)》
Ti·to·ism [tíːtouìzm] *n.* Ⓤ 티토주의 《국가주의적 공산주의》 **-ist** *n.* 티토주의자

boring, monotonous, dull, uninteresting
title *v.* entitle, name, call, label, tag, term

ti·trant [táitrənt] *n.* 〖화학〗 적정제(滴定劑)
ti·trate [táitreit] *vt., vi.* 〖화학〗 적정(滴定)하다
ti·tra·tion [taitréiʃən] *n.* ⓊⒸ 〖화학〗 적정
ti·tri·met·ric [tàitrəmétrik] *a.* 〖화학〗 적정(법)의[에 의한]
tits [títs] *a.* **1** 《미·속어》 훌륭한, 최고의, 멋진 **2** 《미·대학속어》 간단한, 쉬운(easy)
tits-and-ass [títsəndǽs] *a.* 《미·속어·비어》 누드 사진의
tít shòw 《영·속어》 젖가슴 쇼
tit-tat-toe [tìttættóu] *n.* = TICKTAC(K)TOE
tit·ter [títər] *vi.* (신경질적으로) 킥킥 웃다, 소리를 죽여 웃다 **—** *n.* 킥킥 웃음, 소리를 죽여 웃음; 《영·고어》 젊은 여자, 아가씨
tit·tie [títi] *n.* 《스코·구어》 = TITTY[1]
tit·ti·vate [títəvèit] *vt., vi.* = TITIVATE
tit·tle [títl] *n.* **1** (글자 위의) 작은 점, 점획(點劃) 《i의 (˙), éá의 (´) 등》 **2** [a ~, one ~; 보통 부정문에서] 조금도 (…않다), 털끝만큼도 (…않다) ***not one jot or one*** **~** 〖성서〗 일점 일획도 …않다 ***to a*** **~** 정확히, 어김없이, 딱 맞게
tit·tle·bat [títlbæ̀t] *n.* 《영·방언》 = STICKLEBACK
tit·tle-tat·tle [títltæ̀tl] *n.* Ⓤ 객소리, 잡담(gossip), 수다 **—** *vi.* 객소리[잡담]하다 **-tler** *n.*
tit·tup [títəp] 《영》 *vi.* (**~ed**; **~·ing** | **~ped**; **~·ping**) **1** 뛰어다니다, 뛰놀다, 뛰며 걷다 《*about, along*》 **2** 〈말·기수가〉 잦은 걸음으로 뛰다 **3** 〈보트가〉 흔들리다 **4** 《영·항해속어》 (술 마시기 위해) 동전을 던져 내기하다(toss) **—** *n.* **1** 뛰어다님, 뛰놀기 **2** 〈말이〉 잦은걸음으로 달리기 **3** 똑똑 《하이힐 소리》 **~·py** *a.*
tit·ty[1] [títi] *n.* (*pl.* **-ties**) 《스코·구어》 = SISTER
titty[2] *n.* (*pl.* **-ties**) **1** 《속어》 (여성의) 젖꼭지; 유방 **2** 《방언》 모유 **3** 《미·속어》 여자
tit·u·ba·tion [tìtʃubéiʃən] *n.* Ⓤ 〖병리〗 (소뇌 장애로 인한) 비틀걸음
tit·u·lar [títʃulər, -tju-] *a.* Ⓐ **1** 명의뿐인, 유명무실한(nominal): the ~ head of the company 회사의 명목상의 사장 **2** 정당한 권리를 가진[에 의한]; 〈사람·성도 등이〉 이름[표제]의 기원이 된 **3** 직함[칭호, 존칭]의 **4** 표제의, 제목의: ~ words 제사(題詞) **5** 〖가톨릭〗 〈교회당·성당이〉 성인(聖人)의 이름을 따온; 소멸된 교구의 칭호를 가진 **—** *n.* **1** 명의[직함]뿐인 사람, 명예직의 사람 **2** 직함[칭호]이 있는 사람 **3** 이름[표제]의 기원이 된 사람[물건] **~·ly** *ad.* **-lar·y** [-lèri | -ləri] *a., n.* ▷ títle *n.*
títular bíshop 〖가톨릭〗 (교구를 갖지 않은) 명의(名義) 사제
títular sáint 교회의 수호 성인
Ti·tus [táitəs] *n.* **1** 로마 황제(40?-81, 재위 79-81) **2** 〖성서〗 디도서(書) 《사도 바울이 Titus에게 보낸 편지; 略 Tit.》 **3** 남자 이름
Tiv [tiv] *n.* (*pl.* **~s, ~**) (나이지리아 남동부에 사는) 티브 족(의 사람); 티브 어(語)
TiVo [tíːvou] *n.* 〖상표〗 티보 《하드디스크에 텔레비전 프로그램을 자동으로 녹화할 수 있는 디지털 비디오 리코더; 상표명》
tizz [tíz] *n.* 《속어》 = TIZZY 1
tiz·zy [tízi] *n.* (*pl.* **-zies**) **1** 《속어》 흥분한 혼란 상태, 흥분(상태) **2** 《영·폐어》 6펜스 동전(sixpence)
tj., TJ [tìːdʒéi] *n.* = TALK JOCKEY
T-junc·tion [tíːdʒʌ̀ŋkʃən] *n.* T자 길; (파이프 등의) T자형 접합부
tk tank; truck **TKO** 〖권투〗 technical knockout **tkt** ticket **Tl** 〖화학〗 thallium **TL** total loss; trade last **T/L** time loan **TLC** tender loving care
TL dàting [*t*hermo*l*uminescent[*t*hermo*l*uminescence] *dating*] 〖고고학·지질〗 열(熱)루미네슨스 연대 측정(법)
Tlin·git [tlíŋgit] *n.* (*pl.* **~s,** [집합적] **~**) 틀링깃 족(族) 《알래스카 남동부의 해안 지대에 거주하는 아메리카 인디언》; 틀링깃 족의 사람[언어]

TLO 〖보험〗 total loss only **TLP** transient lunar phenomena **tlr** tailor; trailer **TLS** Times Literary Supplement
T lỳmphocyte 〖면역〗 T 임파구(淋巴球)
Tm 〖화학〗 thulium **TM** technical manual 〖군사〗 기술 교본; Their Majesties; trademark; transcendental meditation; trench mortar; true mean진평균
T-man [tí:mæ̀n] [*T*reasury+*man*] *n.* (*pl.* **-men** [-mèn]) **1** 《미·구어》 (미국 재무부의) 특별 세무 조사관; 연방 마약 조사단 **2** 《마약속어》 마리화나 흡연자
TMer [tì:émər] *n.* 《미》 초월 명상법의 신봉자[실천자]
tme·sis [*t*mí:sis] *n.* (*pl.* **-ses** [si:z]) 분어법(分語法), 합성어 분할 《복합어의 중간에 다른 말을 삽입함》
TMI Three Mile Island **TMJ** temporomandibular joint (syndrome) **TMO** telegraph money order 전신환 **TMV** tobacco mosaic virus
Tn 〖화학〗 thoron **TN** 〖우편〗 Tennessee; true north **tn** ton; town; train **TNB** trinitrobenzene **TNF** theater nuclear forces 〖군사〗 전역(戰域) 핵전력; tumor necrosis factor **tng** training
T-note [tí:nòut] *n.* 《구어》 = TREASURY NOTE
tnpk. turnpike **TNT** trinitrotoluene 강력 폭약
TNW tactical nuclear weapon
‡**to** ⇨ to (p. 2633)
TO table of organization 인원 편성표; telegraph office **TO, t.o.** turnover; turn over
toad** [tóud] *n.* **1** 〖동물〗 두꺼비 **2** 보기 싫은 놈[것], 경멸할 만한 인물, 어리석은 녀석, 무가치한 것 **3** 아첨쟁이 **4** = TOADFISH ***a ~ under the harrow 항상 압박[박해]당하는 사람 ***eat*** a person***'s ~s*** …에게 아첨하다 **~·ish** *a.* **~·like** *a.*
toad·eat·er [tóudì:tər] *n.* 아첨쟁이
toad·eat·ing [-ì:tiŋ] *a.* 아첨하는 **—***n.* 아첨, 아부
toad·fish [-fìʃ] *n.* (*pl.* **~, ~·es**) 아귓과(科)의 물고기; 복어
toad·flax [-flæ̀ks] *n.* 좁은잎해란초 《현삼과(科)의 다년초》
toad-in-the-hole [-inðəhóul] *n.* Ⓤ 《영·호주》 밀가루·우유·계란 반죽을 입혀 구운 고기요리
tóad spìt[spìttle] = CUCKOO-SPIT
toad·stone [-stòun] *n.* Ⓤ 두꺼비의 몸에서 생긴다고 믿었던 돌 《옛 사람의 부적》
toad·stool [-stù:l] *n.* 버섯, 《특히》 독버섯
toad·y [tóudi] *n.* (*pl.* **toad·ies**) = TOADEATER; 《호주·구어》 = TOADFISH **—***vt., vi.* (**toad·ied**) 아첨하다, 알랑거리다 **~·ish** *a.* 비굴한, 사대주의적인 **~·ism** *n.* Ⓤ 사대주의
to-and-fro [tú:ənfróu] *a.* 이리저리[앞뒤로] 움직이는, 동요하는 **—***n.* (*pl.* **~s**) 이리저리 움직임; 왕복 운동, 전후 운동; 요동, 동요; 언쟁, 논쟁
‡**toast**[1] [tóust] [L 「태우다, 말리다」의 뜻에서] *n.* Ⓤ 토스트, 구운 빵; 《고어·인도영어》 포도주 잔에 넣은 토스트 한 조각: two slices of ~ 토스트 두 조각/buttered[dry] ~ 버터를 바른[바르지 않은] 토스트 (***as***) ***warm as*** (***a***) ~ (불을 쬐어) 기분좋게 따뜻한 ***have*** a person ***on*** ~ …을 마음대로 다루다 ***~ and water*** 토스트를 담근 더운 물 《환자의 음식》
— *vt.* **1** 〈빵·치즈 등을〉 노르스름하게[먹음직하게] 굽다 **2** 〈손·발 등을〉 따뜻하게 하다: ~ oneself 불을 쬐다
— *vi.* **1** 〈빵·치즈 등이〉 노르스름하게 구워지다 **2** 〈손·발 등이〉 따뜻해지다
***toast**[2] [tóust] *n.* **1** 건배, 축배; 건배의 인사: propose a ~ to …를 위해 건배를 제안하다 **2** [the ~] 건배를 받는 사람; (절찬받는) 인기인, 인물; 평판이 난 미인: She was *the* ~ of the town. 그녀는 그 도시에 이름이 난 미인이었다.
— *vt.* …을 위해 축배를 들다, 건배하다; 〈사람·국기 등에〉 경의를 표하며 건배하다: ~ a person's health …의 건강을 위해 축배를 들다
— *vi.* 건배하다
toast·ed [tóustid] *a.* 《미·구어》 몹시 취한
toast·er [tóustər] *n.* **1** 빵 굽는 사람[기구], 토스터 **2** = TOASTMASTER
tóaster òven 오븐 토스터
toast·ie [tóusti] *n.* 《영》 토스트 샌드위치
tóast·ing fòrk [tóustiŋ-] 토스트 굽는 긴 포크
tóast lìst (연회 등에서) 건배 제창 및 연설자 명단
toast·mas·ter [tóustmæ̀stər | -mɑ̀:s-] *n.* (*fem.* **-mis·tress** [-mìstris]) **1** 연회의 사회자 **2** 건배를 제안하는 사람
tóast ràck 토스트를 세워 놓는 기구 《탁상용의 작은 대(臺)》
toast·y [tóusti] *a.* (**toast·i·er**; **-i·est**) 토스트의[같은]; 〈방 등이〉 따뜻하고 쾌적한
Tob. Tobias; Tobit
‡**to·bac·co** [təbǽkou] [서인도 제도어 「흡연용 파이프」의 뜻에서] *n.* (*pl.* **~(e)s**) **1** Ⓤ [종류를 말할 때는 Ⓒ] 담배 **2** Ⓤ 흡연: give up ~ 담배를 끊다 **3** Ⓤ 〖식물〗 담배(= **~ plànt**)
tobácco bùdworm 〖곤충〗 희새담배나방
tobácco hórnworm 〖곤충〗 일종의 박각시나방의 유충 《담배 잎의 해충》
tobácco júice 담배 때문에 갈색으로 변한 침
tobácco mosàic 담배 모자이크병(病)
tobácco mosàic vìrus 담배 모자이크병 바이러스 《略 TMV》
to·bac·co·nist [təbǽkənist] *n.* 《영》 담배 장수
to·bac·co·phobe [təbǽkoufòub] *n.* 혐연가(嫌煙家), 《특히》 혐연권(嫌煙權) 지지자
to·bac·co-pipe [-pàip] *n.* 곰방대, 담뱃대, (살담배) 파이프
to·bac·co-pouch [-pàutʃ] *n.* 담배 쌈지 《주로 살담배용》
tobácco róad [Erskine Caldwell의 동명소설에서] [보통 **T- R-**] 가난하고 초라한 지역
Tobácco Státe 미국 Kentucky 주의 별칭
tobácco stòpper 스토퍼 《파이프에 담배 채워 넣는 기구》
To·ba·go [təbéigou] *n.* 토바고 섬 《서인도 제도의 섬; Trinidad and Tobago의 일부》
To·ba·go·ni·an [tòubəgóuniən] *n.*
to-be [təbí:] *a.* [보통 복합어를 이루어; 명사 뒤에서] 장래의, 미래의, …이 되려고 하는: a bride-~ 신부될 사람 **—***n.* [the ~] 미래, 장래
To·bi·as [təbáiəs,] *n.* 남자 이름; = TOBIT
To·bit [tóubit] *n.* 〖성서〗 토비트서(書) 《외전(外典)(Apocrypha)의 한 책》; 토비트 《토비트서에 나오는 신앙심 깊은 유대인》
to·bog·gan [təbɑ́gən | -bɔ́g-] *n.* 터보건 《썰매》; (물가·사람의 운명 등의) 급락 ***on the ~*** 《미》 터보건을 타고; 《미·속어》 〈물가가〉 급락하여, 〈인생이〉 영락하여 **—***vi.* **1** 터보건[썰매]으로 미끄러져 내려가다 **2** 《미·구어》 〈물가·운세 등이〉 급락하다 **~·er** *n.* **~·ist** *n.*

toboggan

tobóggan chùte[slìde] 터보건 활강장(滑降場)
to·by[1] [tóubi] *n.* (*pl.* **-bies**) 《미·속어》 가느다란 값싼 엽궐련
toby[2] *n.* (*pl.* **-bies**) 《영·속어》 **1** 도로 **2** 노상 강도 (행위)
To·by [tóubi] *n.* (*pl.* **-bies**) **1** 남자 이름《Tobias의 애칭》 **2** 땅딸보 모양의 맥주잔(= **~ jùg**) 《모자 부분으로 마심》

Toby 2

tóby cóllar 폭넓고 주름진 칼라 《여자·어린이용》
toc·ca·ta [təkɑ́:tə] [It.] *n.* (*pl.* **-te** [-ti], **~s**) 〖음악〗 토카타 《피아노·풍금을 위한 화려하고 빠른 즉흥곡풍의 악곡》

to

전치사 to는 (1) 일반적 용법과 (2) 부정사와 결합한 to-infinitive의 용법이 있다.

1 일반적 용법에서의 to는 「…으로, …까지, …에」 등의 뜻으로 운동 또는 상태의 추이가 도달점이나 결과·한계를 가지는 것이 특징이다.

2 부정사와 결합해서 쓰는 to는 본래는 전치사이었으나 현재는 부정사를 나타내는 것으로서, 전치사로는 느껴지지 않는다. ⇨ *prep.* B USAGE
한편 to는 부사적 용법도 있다.

‡**to** [túː, 《약하게》 tu, tə] *prep., ad.*

기본적으로는 「…의 쪽으로」의 뜻	
① [방향·시간] …으로, …까지	전 **A 1, 7, 2**
② [행위·작용의 대상] …에 대하여, …에게	전 **A 8**
③ [도달점·결과·목적] …까지; …하게도; …을 위하여	전 **A 3, 6, 4**
④ [부속·관계] …의, …에(대한)	전 **A 15**
⑤ [적합·일치] …에 맞추어서	전 **A 11**
⑥ [비교·대비] …에 비하여; …에 대하여	전 **A 12**
★ to 부정사 용법 ⇨ 전 **B**	

— *prep.* **A 1** [방향; cf. FROM 2] **a** [도착의 뜻을 포함하여 그 방향을 나타내어; cf. FROM 1] …까지, …으로, …에(toward): the way *to* the station 역으로 가는 길/go *to* the office 회사에 출근하다/go *to* church 교회에 (예배 보러) 가다/He went *to* sea at the age of 17. 그는 17세에 이르러 선원이 되었다./The tree fell *to* the ground. 나무는 땅바닥에 쓰러졌다. **b** [도착의 뜻을 포함하지 않고 방향을 나타내어] …(쪽)으로: turn *to* the right 오른쪽으로 돌다, 우회전하다/point *to* the tower 탑을 가리키다/with one's back *to* the fire 등을 불쪽으로 돌리고 **c** [방위] …쪽에, …을 향해: from north *to* south 북에서 남으로/Their house is *to* the east of the park. 그들의 집은 공원 동쪽에 있다. 《★ The pond is *in* the east of the park. 그 못은 공원(내)의 동부에 있다.》

2 [시간] **a** [시간·기한의 끝; cf. FROM 2] …까지: stay *to* the end of May 5월 말까지 머무르다/put the meeting off *to* next Saturday 모임을 다음 토요일까지 연기하다/It's still about half an hour *to* departure. 출발까지는 아직 30분가량 남아 있다./We work from nine *to* five. 우리는 9시에서 5시까지 일한다. ★ 단순히 「5시까지 일하다」는 work to five가 아니고 work until[till] five로 씀. **b** (시각이) …(몇 분) 전(《미》 of, before): at (a) quarter *to* eight 8시 15분 전에/It's ten (minutes) *to* four. 지금 4시 10분 전이다./"What's the time?"—"Five *to*." 몇시냐? — 5분 전이다.

3 a [도달점] …까지, …에 이르도록: *to* this day 오늘에 이르기까지/from beginning *to* end 처음부터 끝까지/count from one *to* thirty 1에서 30까지 세다/be all wet *to* the skin 흠뻑 젖다 **b** [한도·정도·결과 등] …에 이르도록, …할 만큼: *to* that[this] extent 그[이] 정도로/*to* the minute 1분도 틀리지 않고/fight *to* a man 최후의 1인까지 싸우다/tear a letter *to* pieces 편지를 갈가리 찢다/*to* the best of my belief[knowledge] 내가 믿는[아는] 한에는/be starved[frozen] *to* death 굶어[얼어] 죽다/I was shocked *to* silence. 나는 놀라서 말도 못할 지경이었다./She grew *to* 5 feet. 그녀는 키가 5피트가 되도록 자랐다./He is British *to* the backbone. 그는 철두철미한 영국인이다.

4 [목적·의도] …을 위하여, …을 하려고: The police came *to* our aid. 경찰이 우리를 도우러 왔다./He was brought up *to* a musician. 그는 음악가가 되도록 키워졌다.

5 [운명·처지] …으로: be sentenced *to* jail 금고형에 처해지다/be born *to* the purple 고귀한 신분으로 태어나다

6 [결과·효과] **a** [보통 to a person's에 감정을 나타내는 명사와 함께] …하게도, …한 것으로는: *to* my surprise[joy, disappointment, sorrow] 놀랍게[기쁘게, 실망스럽게, 슬프게]도 **b** [결과·효과를 나타내는 구를 이끌어]: *to* one's cost 손해를 보고/*to* no purpose 헛되이/*to* the point[purpose] 적절히

7 [변화의 방향] …으로, …이 (되다), …쪽으로: He rose *to* fame. 그는 유명해졌다./Things went from bad *to* worse. 사태는 점점 악화되었다.

8 [행위·작용·권리의 대상] **a** …에 대하여, …에(게): claimants *to* an estate 부동산 소유권 주장자들/a title *to* the property 재산 소유권/appeal *to* public opinion 여론에 호소하다/appeal *to* a person for help 남에게 도와달라고 호소하다/Listen *to* me. 내 말을 들어보시오./I'd like to talk *to* you. 당신에게 하고 싶은 말이 있는데요./There can be no answer *to* this problem. 이 문제에 대해서 아무런 해답[해결책]이 없다. **b** [호의·경의의 대상] …을 위하여: *To* your success! 당신의 성공을 위하여!/Here's *to* you. [건배할 때에] 자네의 건강을 축하한다. **c** [간접 목적어에 상당하는 어구를 이끌어] …에게: I gave all of them *to* him. 나는 그것을 모두 그에게 주었다. 《I gave him all of them.으로 바꾸어 쓸 수 있음》 **d** …에게는, …에게 있어서는: That's very important *to* me. 그것은 내게 매우 중요하다.

9 [접촉·결합·부착·부가 《등》] …에, …에다(가); …위에, …에 더하여: Apply paint *to* the surface. 표면에 페인트를 칠하시오./He tied the flag *to* the stick. 그는 막대기에 기를 맸다./The new bridge will link the island *to* the mainland. 새 다리는 그 섬과 본토를 연결할 것이다./Add 25 *to* 36. 36에 25를 더하시오.

10 [집착·고수] …에: stick *to* facts 사실에 집착하다/adhere *to* the basic 기본을 고수하다

11 a [적합·일치] …에 맞추어, …대로(의): correspond *to* …에[와] 일치하다, 들어맞다/⇨ ACCORDING *to*/made *to* order 주문하여 맞춘/*to* one's taste[liking] 자기의 취미[기호]에 맞는/work *to* a plan 계획[도면]대로 일을 하다 **b** [호응] …에 답하여, …에 응(답)하여: rise *to* the occasion 임기응변의 조치를 취하다/The dog came *to* my whistle. 내 휘파람 소리에 개는 달려왔다./What will he say *to* that? 그는 그것에 대해 뭐라고 말할까? **c** [수반(隨伴)] …에 맞추어, …에 따라: The girls danced *to* lively music. 소녀들은 경쾌한 음악에 맞추어 춤을 추었다.

12 a [비교] …에 비하여, …보다: This car is inferior[superior] *to* that one. 이 차는 저 차에 비해 못하다[낫다]./Few children prefer working *to* playing. 노는 것보다 공부를 좋아하는 어린이는 거의 없다./The wine is second *to* none. 이 포도주는 최고급품이다./My work is nothing *to* what you've done. 내가 한 일은 당신이 한 일에 비하면 아무것도 아닙니다. **b** [대비(對比)] …에 대하여, …대, …당: 20 miles *to* the gallon (차의 연비가) 갤런당

20마일 / win by a score of three *to* one 3대 1의 점수로 이기다 / ⇨ TEN *to* one / There is a ratio of two girls *to* one boy in this class. 이 학급은 여학생 2명에 대하여 남학생 1명의 비율이다. / Let us oppose good nature *to* anger, and smiles *to* cross words. 노염에는 선량하게 대하고 불쾌한 말에는 미소로 대하자.
13 [대면·대립] …을 **마주보고**, …에 대하여: sit face *to* face[back *to* back] 서로 마주보고[등을 맞대고] 앉다 / fight hand *to* hand 백병전을 벌이다 / the house opposite *to* my house 우리 집 맞은편의 집
14 [원인] …의 탓으로: fall *to* the heavy blows of the opponent 상대의 강타로 쓰러지다
15 [부속·관련·관계] …**의**, …에 (대한): a key *to* the door 문의 열쇠 / He is father *to* the bride. 그는 신부의 아버지이다. / Good food and enough sleep are necessary *to* good health. 좋은 음식과 충분한 수면은 건강에 필수적이다.
16 《미·방언》 [장소] …에, …의 자리에(at, in): She lives *to* Brown's. 그녀는 브라운 네에 살고 있다.
17 〖수학〗 …제곱: Three *to* the second is 8. 2의 3제곱은 8이다.
(And) that is all there is to it 《미·구어》 그게 전부다; 그렇단다, 그렇다니까
— **B** [동사의 원형 앞에 붙여서 부정사(不定詞)를 이끌어] 《USAGE (1) 이 용법의 to는 원래 전치사지만, 현재에는 부정사를 나타내는 것으로서, 전치사로 느껴지지 않음. (2) 이 부정사는 전후 관계로 분명할 때는 생략되어 to만이 남아서 그 대용을 함: "Do you want to go?"—"I should like *to*(=to go)." (3) 부정형(否定形)은 to의 바로 앞에 부정어(not, never, *etc.*)를 두며, don't to do라고는 하지 않음: I'll ask him *not*[*never*] *to* say such a thing again. 그에게 그런 말을 두 번 다시는 하지 않도록 부탁하겠다. (4) 보통 to와 원형동사는 직결하는데, 때로는 의미 관계를 명확히 하기 위해 부사가 to와 원형동사 사이에 놓이는 일이 있음: There are enough nuclear weapons *to utterly* destroy all civilization. 모든 문명을 완전히 파괴할 만큼의 핵무기가 존재한다.》
1 [명사 용법] **a** …**하는 일**[**것**], …하기: *To say* is one thing, *to do* is quite another. 말하는 것과 실천하는 것은 별개이다. / *To err* is human, *to forgive* divine. 잘못은 인지상사요, 용서는 신의 본성이다. 《Pope의 말》 / It is hard *to criticize* the people one loves. 자기가 사랑하는 사람들을 비난하는 것은 어려운 일이다. **b** [목적어] Do you intend *to stay* longer? 당신은 더 오래 머무를 예정입니까? / I have forgotten *to post* your letters. 나는 네 편지 부치는 것을 잊었다. **c** [보어] To do good is *to be* happy. 선을 행하는 것은 행복을 이룸이다. / The difficult is *to know* what to do. 어려운 점은 무엇을 할 것인가를 아는 것이다.
2 [형용사 용법] **a** …**하기 위한**, …하는: water *to drink* 마실 물 / He had no friends *to support* him. 그에게는 자기를 지지해 줄 친구들이 없었다. **b** …할 만한: There's nothing *to see* in this gallery. 이 미술관에는 볼 만한 것이 아무것도 없다.
3 [부사 용법] **a** [목적] …**하기 위하여**, …하려고: We took a taxi *to get* there in time. 우리는 그곳에 제시간에 도착하려고 택시를 탔다 / I've come *to have* a talk with you. 나는 너와 이야기를 좀 하려고 왔다. **b** [정도의 기준] …**할 만큼**, …하기에: Do you know him well enough *to be* able to borrow money from him? 당신은 그에게서 돈을 꿀 수 있을 정도로 잘 아는 사이입니까? / She is old enough *to know* better. 그녀는 이제 철들 때가 되었다. **c** [원인·이유] …**하여**: I am sorry *to hear* that. 그 말을 듣고 보니 안됐다. / We were sorry not *to see* you at the meeting. 우리는 그 회의에서 당신을 만나보지 못해서 유감이었다. **d** [판단의 근거] …하다니: He must be out of his mind *to act* in that way. 그가 그런 식으로 행동하다니 제정신이 아님에 틀림없다. **e** [가정] …(하였다고)**하면**: *To hear* her sing, you might take her for a young girl. 그녀의 노래를 들으면 너는 그녀를 어린 소녀로 생각할지도 모른다. **f** [적응 범위를 한정하여] …**하기에**, …하는 데: I am free *to go* there. 나는 자유롭게 그곳에 갈 수 있다. / I'm ready *to help* them. 당장 그들을 도와줄 용의가 있다. **g** [결과] …**하게 되도록**, …해 보니: She lived *to be* ninety. 그녀는 아흔 살까지 살았다. / He awoke *to find* himself in a strange place. 깨어보니 그는 낯선 곳에 있었다. **h** [문장 전체를 수식하는 구를 이루어] …하(**자**)**면**, …해서: You are, so *to speak*, a fish out of water. 너는 말하자면 물을 떠난 물고기와 같은 처지이다. / *To* tell the truth, I don't like it. 사실을 말하자면 나는 그것이 마음에 안 든다.
4 [그 밖의 용법] **a** [be+*to* do로] ⇨ to do(cf. BE *auxil. v.* 3): She is *to be* married next month. 그녀는 다음 달에 결혼하게 되어 있다. **b** [연결사로서]: I seem *to hear* someone calling. 누군가가 나를 부르는 소리가 들리는 것 같다. **c** [+目+*to* do로]: He promised me *to come* early. 그는 일찍이 오겠다고 내게 약속했다. ★ 감각동사(see, hear, feel, etc.), 사역동사(let, make, bid, have) 및 종종 help, know, find 뒤에서 to 없는 부정사를 씀; 단 수동태 뒤에서는 to를 씀: I saw him *cross* the street. → He was seen *to cross* the street. **d** [의문사+*to* do로]: I don't know *how to do* it. 그것을 어떻게 하면 되는지 모른다.
— *ad.* ★ be 동사와 결합한 경우는 형용사라고도 볼 수 있음 **1** 원래 위치로, 있어야 할 곳에: put the horse *to* 말을 매어 두다 / come *to* 〖해양〗 (배가) 정박하다 **2** 〈문·창 등이〉 닫혀: He pushed the door *to*. 그는 문을 밀어서 닫았다. / I can't get the lid of my trunk quite *to*. 내 트렁크의 뚜껑이 제대로 닫히지 않는다. **3** [특정한 동사와 관용구를 이루어] (…에) 착수하여: ⇨ FALL to, SET to / We *turned to* with a will. 우리는 본격적으로 일에 착수했다. **4** 제정신으로 (돌아와): He didn't come *to* for some time. 그는 잠시 동안 의식이 돌아오지 않았다. / He brought her *to* by artificial respiration. 그는 인공호흡으로 그녀를 정신들게 했다. **5** 아주 가까이에: I saw him close *to*. 바로 눈 앞에서 그를 보았다. **6** 《미》 앞쪽으로 하여, 앞을 향하게(forward): He wore his cap wrong side *to*. 그는 모자를 뒤가 앞이 되게 쓰고 있었다.
to and fro 이리저리, 왔다갔다

To·char·i·an [toukέəriən, -kάːr- | tɔ-] *n.* Ⓤ 토카라 말 《인도·유럽 어족의 하나》; Ⓒ 토카라 사람 《기원 1000년 경에 절멸》 — *a.* 토카라 말[사람]의

toch·er [tάxər | tɔ́x-] 《스코·북잉글》 *n.* 신부(新婦)의 지참금(dowry)
— *vt.* …에게 지참금을 주다

to·co [tóukou] *n.* Ⓤ 《영·속어》 체벌(體罰), 징벌
catch [***give***] ~ 벌을 받다[주다], 매를 맞다[때리다]

to·col·o·gy [toukάlədʒi | -kɔ́l-] *n.* Ⓤ 산과학(obstetrics) **-gist** *n.*

to·coph·er·ol [toukάfərɔ̀ːl, -ràl | -kɔ́fərɔ̀l] *n.* Ⓤ 〖생화학〗 토코페롤 《비타민 E의 본체》

toc·sin [tάksin | tɔ́k-] *n.* 《문어》 (벨에 의한) 경보, 경종(소리)

tod[1] [tάd | tɔ́d] *n.* 《스코》 여우(fox); 교활한 사람

tod[2] *n.* 토드 《양털의 중량 단위; =28 pounds》; 짐, 화물(load)

tod[3] *n.* 《영·속어》 [다음 성구로] ***on*** one***'s*** ~ 혼자서, 홀로

TOD take-off distance 〖항공〗 이륙 활주 거리

to·day [tədéi] *ad.*, *n.* Ⓤ **1** 오늘, 금일: ~'*s* newspaper 오늘 신문 / *T*~ is my birthday. 오늘은 내 생일이다. **2** 현재(에는), 현대[최근](에는), 오늘날(은): the world of ~ 현대의 세계 **3** 《미·구어》 지금 곧, 금방, 즉시 ***a week ago*** ~ 전 주의 오늘 ***Here*** ~ (***and***) ***gone tomorrow*** ⇨ here
— *a.* 《구어》 현대[현재, 최근]의; 현대적인, 최신의 (up-to-date): the ~ style 최근 스타일

tod·dle [tádl | tɔ́dl] *vi.* **1** (걷기 시작한 어린이·노인처럼) 아장아장[뒤뚝뒤뚝] 걷다 **2** 《구어》 (지향없이) 걷다[가다] 《*round*, *to*》; 산책하다 **3** 《구어》 출발하다, 떠나다, 돌아가다 — *vt.* 아장아장[뒤뚝뒤뚝] 나아가다; 〈어떤 거리를〉 지향없이 가다 ~ one'***s way*** 아장아장 걸어가다 — *n.* **1** 아장아장[건들건들] 걷기; 위험한[위태로운] 발걸음; 《구어》 산책(stroll) **2** 《구어》 아장아장 걷는 아이

tod·dler [tádlər | tɔ́d-] *n.* 아장아장 걷는 아이, 유아; 비틀비틀[뒤뚝뒤뚝] 걷는 사람 **~·hòod** *n.* 아장아장 걷는 시기[상태]; 유아기

tod·dy [tádi | tɔ́di] *n.* (*pl.* **-dies**) ⓊⒸ **1** 야자의 수액(樹液); 야자주(酒) **2** 토디 《위스키에 뜨거운 물·설탕·레몬을 탄 음료》

tod·ger [tá:dʒər | tɔ́dʒ-] *n.* 《영·구어》 남성 성기

to-die-for [tudáifər] *a.* 《구어·익살》 몹시 갖고 싶은, 아주 매력적인

to-do [tədú:] *n.* (*pl.* **~s**) 《구어》 법석, 소동, 난리 (bustle, fuss)

to·dy [tóudi] *n.* (*pl.* **-dies**) 〖조류〗 벌잡이부채새류(類)의 일종 《서인도제도산(産)》

toe [tóu] *n.* **1** 발가락(cf. FINGER), 발끝; 《구어》 발: the little ~ 새끼발가락 / the big[great] ~ 엄지발가락 **2** 발가락에 해당하는 부분 《발굽의 앞부리 등》; (신·양말 등의) 앞부리; 편자의 앞부분 밑바닥에 박는 철편(鐵片); (모양·위치가) 발끝과 유사한 부분: the ~ of Italy 이탈리아 반도의 발끝 부분 **3 a** 부벽(扶壁) 등의 토대의 돌출부 **b** 연장의 아래끝[선단] **c** (골프채의) 선단, 끄트머리, 토 **d** 〖기계〗 축종(軸踵), 축지(軸趾) ***a ~ in the door*** 첫걸음, 발디딤 ***dig in*** one'***s ~s*** 《영》 단호한 태도를 취하다 ***dip*** one'***s*** ~(***s***) ***in***[***into***] 《구어》 〈새로운 일을〉 시도하다, 해 보다 ***from top to*** ~ ⇨ top¹. ***keep*** a person ***on his***[***her***] ***~s*** …을 방심하지 않도록 하다 ***kiss the pope's*** ~ 교황의 오른편 신발의 황금 십자가에 입맞추다 《알현(謁見)할 때의 보통 인사》 ***on*** one'***s ~s*** (1) 빈틈없는; 준비가 다 된, 대비하여 (2) 긴장하여, 주의하여 (3) 기운이 넘치는; 활발한, 민활한 ***stub*** one'***s*** ~ 실수를 하다, 실책을 하다 ***the light fantastic*** ~ 《익살》 춤 ***the***[one'***s***] ***~'s length*** 불과 얼마 안 되는 거리 ~ ***and heel*** 발끝과 뒤꿈치로 추는 춤 ***~s up*** 《영·속어》 죽어서 ***tread***[***step***] ***on*** a person'***s ~s*** (1) …의 발끝을 밟다 (2) …의 감정을 해치다 ***turn*** one'***s ~s out***[***in***] 팔자걸음[오리걸음]으로 걷다 ***turn up*** one'***s ~s*** (***to the daisies***) 《구어·익살》 죽다
— *vt.* **1** 발끝을 대다; 발끝으로 차다[밟다] **2** 〈신발·양말 등에〉 새 앞부리를 대다; 앞부리를 수선하다 《*off*》 **3** 〖골프〗 〈공을〉 골프채 끝으로 치다 **4** 〈차바퀴를〉 약간 위를 보게 달다 《*in*》, 약간 바깥쪽으로 달다 《*out*》; 〖목공〗 〈못을〉 비스듬히 박다; = TOENAIL
— *vi.* **1** 발끝으로 걷다[서다] **2 a** 발가락을 (안으로) 향하다 《*in*》; 발가락을 (밖으로) 향하다《*out*》 **b** 토 댄스의 스텝을 밟다
~ ***and heel*** (***in***) 춤추다 ~ ***in***[***out***] 오리걸음[팔자걸음]으로 걷다 ~ ***the line***[《미》 ***mark, scratch***] (경주 등에서) 출발선에 발끝을 대고 서다; 통제[명령, 당규(黨規)]에 복종하다, 습관[규칙 《등》]을 지키다

tóe bòx (구두 끝의 안쪽에 넣는) 앞심(心)

toe·cap [tóukæ̀p] *n.* (구두의) 콧등 가죽, 앞닫이

tóe cràck (말발굽의) 갈라진 틈

toe-curl·ing [-kə̀:rliŋ] *a.* 《구어》 당혹스러운, 황당한, 아주 부끄러운 **~·ly** *ad.*

toed [tóud] *a.* **1** [보통 복합어를 이루어] 발가락(끝)이 …한; 발가락이 있는: five-~ 발가락이 다섯 개가 있는 **2** 〖목공〗 〈못을〉 비스듬히 박아 놓은[고정시킨]

tóe dànce (발레 등에서 발끝으로 추는) 토 댄스

toe-dance [tóudæ̀ns | -dɑ̀:ns] *vi.* 토 댄스를 추다
tóe dàncer *n.*

TOEFL [tóufl] [*T*est *o*f *E*nglish as a *F*oreign *L*anguage] *n.* 토플 《주로 미국 유학을 희망하는 외국인 대상의 영어 학력 테스트; 상표명》

toe·hold [tóuhòuld] *n.* **1** 〖등산〗 발끝 디딜 홈 **2** 발붙일 곳, 발판, (조그마한) 거점: gain[get] a ~ in arts 예술계에서 발붙이다 **3** 〖레슬링〗 발비틀기
get[***have***] ***a*** ~ (파악·지배 등이) 불확실[위험]하다

TOEIC [tóuik] [*T*est *o*f *E*nglish for *I*nternational *C*ommunication] *n.* 토익 《영어에 의한 커뮤니케이션 능력을 측정하는 학력 테스트; 상표명》

toe-in [tóuìn] *n.* 토인 《자동차의 앞바퀴를 약간 안쪽으로 향하게 하기》

toe·less [tóulis] *a.* 발가락이 없는; 〈구두 등이〉 앞닫이가 없는

toe·nail [tóunèil] *n.* **1** 발톱(⇨ nail 유의어) **2** 〖목공〗 비스듬히 박은 못 **3** 《속어》 〖인쇄〗 둥근 괄호 ***throw up*** one'***s ~s*** = ***throw*** one'***s ~s up*** 《미·속어》 심하게 토하다
— *vt.* 〖목공〗 비스듬히 박은 못으로 고정시키다

toe·piece [-pì:s] *n.* = TOECAP

toe·plate [-plèit] *n.* 구두창 징

toe-rag [-ræ̀g] *n.* 《영·속어》 거지, 부랑자

toe·shoe [-ʃù:] *n.* [보통 *pl.*] 〖발레〗 토 댄스용 신

tóe sòck (엄지)발가락이 분리된 양말

toe-tap·ping [-tæ̀piŋ] *a.* 《구어》 (음악이) 흥겨워 발끝을 톡톡 치는

toe-to-toe [tóutətóu] *a.* 정면으로 맞선, 정면으로 반대하는 — *ad.* 정면으로 맞선 자세[태도]로: slug it out ~ 정면으로 맞서서 끝까지 싸우다

toe·y [tóui] *a.* 《호주·속어》 초조한, 신경질적인; 《드물게》 〈말이〉 달리고 싶어하는, 서두르는

toff [táf | tɔ́f] *n.* 《영·구어》 신사, 상류 계급의 사람; [the ~s] 상류 사회; 멋쟁이(dandy)

tof·fee, tof·fy [tɔ́:fi, táfi | tɔ́fi] *n.* 《영》 **1** = TAFFY **2** 《속어》 시시한 이야기, 허튼소리 ***can't do for*** ~ 《영·속어》 조금도[전혀] …할 수 없다

tóffee àpple 《영》 토피 애플 《꼬챙이에 꽂아 태피(taffee)용 시럽을 친 사과》(《미》 candy apple)

tof·fee-nosed [tɔ́:finòuzd | tɔ́fi-] *a.* 《영·속어》 콧대 높은, 거드름 부리는: a ~ girl 콧대 높은 소녀

toft [tɔ́:ft, táft | tɔ́ft] *n.* 《영·방언》 가옥과 대지 (homestead); 언덕(hillock)

to·fu [tóufu:] [Jap.] *n.* 두부(bean curd)

tog [tág | tɔ́g] 《구어》 *n.* 상의; 웃옷(coat); [보통 *pl.*] 옷, 의복: golf ~*s* 골프복
— *vt.*, *vi.* (**~ged**; **~·ging**) [보통 수동형으로] 차려입다, 성장(盛裝)하다 《*out*, *up*》

toga 1

to·ga [tóugə] *n.* (*pl.* **~s, -gae** [-dʒi:, -gi:]) **1** 고대 로마 시민의 긴 겉옷 **2** (교수·법관 등의) 예복[직복] **3** 《미》 상원 의원의 직(職)[지위]
tó·gaed *a.*

to·gate [tóugeit] *a.* = TOGATED 1

to·gat·ed [tóugeitid] *a.* **1** 토가(toga)를 입은; 위엄 있는 **2** 평화로운

to·geth·er [təgéðər] *ad.* **1 a** 같이, 함께, 동반해서: go about ~ 함께 다니다 **b** 공동으로, 연대하여, 힘을 합쳐서: undertake a task ~ 힘을 합쳐서 과업에 임하다 **c** 합쳐, 결합하여: sew pieces ~ 꿰매 붙이다 **d** 서로 **e** 접촉하여: The two cars skidded ~. 두 대의 차가 서로 미끄러져 충돌하였다. **f** 협력하여, 강조하여, 조화하여: bring strangers ~ 서로 모르는 사람을 소개하다[어울리게 하다] / These colors go well ~. 이 색들은 잘 어울린다. **2 a** 동시에, 일제히: Do not speak all ~. 모두가 동시에 말하지 마라. **b** 계속해서, 중단하지 않고: study for hours ~ 몇 시간이고 쉬지 않고 공부하다 **3** 전체적으로, 종합해서, 모두 해서 **4** 〈한가지 일이〉 확실하게, 어김없이, 긴밀하게, 일관되게: squeeze something ~ 어떤 것을 확실하게 짜다 ***all* ~** 다 함께; 전부, 합계 ***belong* ~** 합쳐서 전체를 이루다 ***call* ~** 불러 모으다 ***come* ~** 동시에 생기다; 함께 되다; 부딪치다 ***get* [*have, put*] *it* (*all*) ~** 《미·속어》 (1) (일 등을) 잘 해내다; 별일 없이 (그럭저럭) 지내다 (2) 기분을 가라앉히다; 생각을 정리하다 (3) 〈여성이〉 풍만한 체격을 가지고 있다 ***get* one*self* ~** 진정하다, 제정신을 차리다, 이성을 찾다 ***get* ~** 모이다; 모으다; 의논하다; 의견이 일치하다; 협조하다 ***live* ~** 함께 살다, 동거하다 ***put two and two* ~** 여러 가지 자료에 근거하여 결론을 내리다 **~ *with*** …와 함께; …와 더불어; …에 더하여; 또한, …외에도(as well as)

— *a.* Ⓐ **1** 《미·속어》 (정서적으로) 침착한, 냉정한 **2** 정보통의; 빈틈없는 **3** (어떤 용도에) 딱 맞는

▷ togétherness *n.*

to·geth·er·ness [təgéðərnis] *n.* Ⓤ 침착, 착실; 일체감, 연대감, 단결; 친목, 친교, 친근감, 단란함

tog·ger [tágər | tɔ́g-] *n.* 《속어》 = TORPID[2]

tog·ger·y [tágəri | tɔ́g-] *n.* Ⓤ 《구어》 의류, 군복; Ⓒ 《영》 양복점

tog·gle [tágl | tɔ́gl] *n.* **1** 〖항해〗 비녀장 《밧줄을 걸어매는》 **2** 〖기계〗 = TOGGLE JOINT **3** 막대 모양의 장식 단추

— *vt.* 비녀장으로 붙잡아매다; 《구어》 〈토글 스위치·다이얼 등을〉 돌리다, 움직이다

toggle 3

tóggle jòint 〖기계〗 토글 이음쇠 《압력을 옆으로 전하는 장치》

tóggle kèy 〖컴퓨터〗 토글 키

tóggle swìtch 〖전기〗 토글 스위치 《손잡이가 상하로 작동하는》

To·go [tóugou] *n.* 토고 《서부 아프리카의 공화국; 1960년 독립; 수도 Lomé》

To·go·land [tóugoulæ̀nd] *n.* 아프리카 서부의 구(舊) 영·불 위임 통치령 《현재 동부는 독립하여 Togo 공화국, 서부는 Ghana 공화국의 일부로 편입》

To·go·lese [tòugəlí:z, -lí:s, -gou- | -lí:z] *n.* (*pl.* ~) 토고 사람 — *a.* 토고 (사람)의

togue [tóug] *n.* (*pl.* **~s**, [집합적] ~) 《캐나다》 = LAKE TROUT

‡**toil**[1] [tɔ́il] *vi.* **1** 힘써 일하다, 수고하다, 고생하다 《*at, for*》: (~+전+명) ~ *at* a task 부지런히 일하다 **2** 애써 나아가다[걷다] 《*away, at, on, over, through*》: (~+부) ~ *along* 애써 나아가다 // (~+전+명) ~ *up* a steep hill 가파른 언덕을 애써 오르다

— *vt.* **1** 애써 이룩하다[손에 넣다, 달성하다] 《*out*》 **2** 〈토지를〉 경작하다(till)

~ and moil 부지런히[쉴 새 없이] 일하다

— *n.* Ⓤ 노고, 수고, 고생; 《문어》 (뼈빠지는) 일, 노역(⇨ work 유의어); 《고어》 투쟁, 싸움; 전투

▷ tóilful, tóilsome *a.*

toil[2] *n.* [보통 *pl.*] (짐승 잡는) 그물, 올가미; [보통 *pl.*] 《비유》 함정; (법률 등의) 그물, 법망 ***in the ~s*** 그물에 걸려; 매혹되어

toile [twá:l] [F] *n.* Ⓤ 얇은 리넨 천

toil·er [tɔ́ilər] *n.* 고생하는 사람; 임금 노동자

toil·et [tɔ́ilit] *n.* **1** 변소; 변기; 욕실, (욕조가 딸린) 화장실 **2** 화장, 몸단장: be busy at one's ~ 화장하느라 바쁘다 **3** 옷, 복장, 의상 **4** = TOILET SET; = DRESSING TABLE **5** ⓊⒸ 〖외과〗 (분만·수술 후의) 세척, 세정 **6** 《속어》 지저분한 곳 **7** 《미·속어》 2[3]류 나이트클럽 ***make* one's ~** 화장하다, 몸단장하다

— *a.* 화장의; 화장실용의

tóilet bàg 《영》 = TOILETRY BAG

tóilet bòwl (도기로 만든) 변기

tóilet clòth[còver] 화장대[경대] 보

tóilet pàper[tìssue] 뒤지, 휴지

tóilet pòwder 화장분 《목욕한 뒤에 사용》

tóilet ròll (화장실의) 두루마리 휴지

tóilet ròom **1** 화장실 **2** (사무실·역 등의) 공중변소 **3** 《미》 (변소가 붙은) 세면실, 욕실(浴室)

toi·let·ry [tɔ́ilitri] *n.* (*pl.* **-ries**) [보통 *pl.*] 화장품(류) 《비누·치약 등 세면용품 포함》

tóiletry bàg 《미》 세면도구를 넣는 방수 주머니 (《영》 sponge bag, washbag)

tóilet sèat (변기의) 변좌(便座)

tóilet sèt 화장용구 한 벌 《빗·솔·거울 등》; 세면 용기 한 벌 《주전자·대야 등》

tóilet sòap 화장 비누

tóilet tàble = DRESSING TABLE

toi·lette [twa:lét, tɔi- | twa:-] [F] *n.* (*pl.* **~s**) = TOILET 2, 3

toi·let-train [-trèin] *vt.* 〈어린아이에게〉 용변을 가리게 하다

tóilet tràining (어린아이의) 용변 교육

tóilet vìnegar 손씻는 물에 타는 향수초

tóilet wàter 화장수 《목욕·면도 후에 씀》; 《미·구어》 (생)맥주

toil·ful [tɔ́ilfəl] *a.* 힘드는, 고생스러운; 〈사람이〉 근면한, 일 잘하는 **~·ly** *ad.*

toil·less [tɔ́illis] *a.* 힘들지 않는, 수월한

toil·some [tɔ́ilsəm] *a.* 힘드는, 고생스러운, 고된 **~·ly** *ad.* **~·ness** *n.*

toil·worn [tɔ́ilwɔ̀:rn] *a.* 〈얼굴·손 등이〉 일[고생]에 지친, 고생한 흔적이 보이는; 고생으로 늙은: a ~ worker 지치도록 너무 일한 일꾼

to·ing and fro·ing [tú:iŋ-ən-fróuiŋ] 바삐 왔다 갔다함; 바쁘게 일하기; 《구어》 우왕좌왕

to·ka·mak [tóukəmæ̀k, tɑ́k- | tóuk-, tɔ́k-] [Russ.] *n.* 〖물리〗 토카막 《제어열 핵융합 반응 실험 장치의 일종》

To·kay [toukéi] [헝가리 북부의 지명에서] *n.* Ⓤ **1** 토케이 포도(주) 《황금색의 양질의 포도(주)》; 토케이 지방; (프랑스 알자스 지방의) 백포도주 **2** 〖원예〗 토케이 포도(나무)

toke[1] [tóuk] 《미·속어》 *n.* (마리화나) 담배 한 모금; 담배 — *vt.* 〈마리화나 담배를〉 피우다 — *vi.* 마리화나 담배를 피우다 《*up*》; 고순도의 코카인을 피우다

toke[2] 《미·속어》 *n.* **1** (카지노에서) 〈도박사가〉 딜러에게 주는 팁[행하] **2** (손님을 데려올 택시 기사에게 주는 상점 주인의) 팁

— *vt., vi.* (**~d**; **tok·ing**) 팁[행하]을 주다

‡**to·ken** [tóukən] *n.* **1** 표(mark), 증거, 상징 《*of*》; 특징 《*of*》; 《비유》 표시, 정표: a ~ *of* thanks 감사의 표시 / the ~*s of* a good horse 좋은 말의 특징 **2** 기념품, 유물 **3** 권위를 나타내는 것, 기장(記章), 표장(標章); 증거품 **4 a** (지하철·버스 요금 등의) 대용 화폐, 토큰; (게임기 등에 사용하는) 메달, 팁; (플라스틱제의) 식권 **b** 《영》 (상품) 교환권; 서적 구입권: a book ~ 도서 상품권 **5** 집단을 대표하는 것[생각, 사람], 견본; 암호, 군호, 신호(signal) **6** 이름뿐인 것[구성원, 피고용인] **7** 〖논리·언어〗 토큰, 생기형(生起型) 《특정 type이 반복 사용되는 예》 **8** 〖성서〗 징조; (신의 힘의) 현현(現顯) ***by the same ~ = by this* [*that*] ~** (1) 그 증거로는, 그 위에, 게다가(further-more) (2) 이것으로 보면, 그것으로 생각나는데 (3) 《미》

thesaurus **toil**[1] *n.* hard work, labor, slaving, striving, industry, effort, exertion, travail
toilet *n.* bathroom, lavatory, restroom, washroom
token *n.* **1** 상징 symbol, sign, emblem, badge, representation, indication, mark, expression, demonstration, index **2** 기념품 memento, souvenir, keepsake, remembrance, reminder, memo

같은 이유로 ***in*** [***as a***] ***~ of*** …의 표시[증거]로; …의 기념으로 ***more by ~*** 《고어》 더 한층, 점점 더
— *vi.* 나타내다, 상징[표상]하다
— *a.* Ⓐ **1** 표시가 되는: a ~ ring 약혼 반지 **2** 이름뿐인, 불과 얼마 안 되는, 최소한의, 조금: ~ resistance 변변찮은 저항 ▷ betóken *v.*
to·ken·ism [tóukənìzm] *n.* Ⓤ 명목주의, 명색만의 노력을 하기; 명목상의 인종 차별 폐지 **tò·ken·ís·tic** *a.*
tóken móney **1** 명목 화폐 《실질 가치가 명목 가치보다 떨어지는 보조 화폐》 **2** 《옛날 상인이 쓰던》 사제(私製) 대용 화폐
tóken páyment 《부채 잔액 지불을 보증하는》 내입금(內入金); 〖경제〗 《국채(國債)를 파기하지 않는 증거로 채권국에 지불하는》 일부 지불
tóken stríke 단시간의 한시적인 스트라이크
tóken vóte 《영》 《의회의》 가(假)지출 결의 《나중에 추가 예산으로 변경할 수 있음》
to·ko [tóukou] *n.* = TOCO
to·kol·o·gy [toukɑ́lədʒi | -kɔ́l-] *n.* = TOCOLOGY
to·ko·lo·she [tɑ̀kɑlɑ́ʃ | tɔ̀kɔlɔ́-], **tik·o·loshe** [tìkəlɑ́ʃ | -lɔ́:ʃ] *n.* 토콜로시 《반투(Bantu) 족의 민담에 나오는 악의를 가진 물의 정령》
Tok Pis·in [tɑ́:k-písin, tɔ́:k-] *n., a.* = NEO-MELANESIAN
To·ky·o [tóukiòu] *n.* 도쿄 《일본의 수도》
To·ky·o·ite [tóukiouàit] *n.* 도쿄 시민
Tókyo Róund [the ~] 도쿄 라운드 《1973-79년에 도쿄에서 열린 다국간 무역 협상》
to·la [tóulɑ:, -lə] *n.* (*pl.* **~s**) 톨라 《인도의 중량 단위; 금형(金衡)으로 180 grains; 11.6638 g》
tol·ar [tɑ́lɑ:r | tɔ́l-] *n.* 톨라 《슬로베니아의 화폐 단위; = 100 stotins》
to·laz·o·line [toulǽzəli:n, -lin] *n.* 〖약학〗 톨라졸린 《말초 혈관 확장제》
tol·booth [tóulbù:θ, -bù:ð | tóul-, tɔ́l-] *n.* (*pl.* **~s** [-bù:ðz, -bù:θs]) 《스코》 **1** 도시의 교도소 **2** 시[읍]의 공회당, 《특히》 사용세 징수소
tol·bu·ta·mide [tɑlbjú:təmàid | tɔl-] *n.* Ⓤ 〖약학〗 톨부타미드 《내복용 당뇨병 치료제》
⁑**told** [tóuld] *v.* TELL의 과거·과거분사
tole[1] [tóul] *n.* 톨 《바니시 또는 에나멜칠을 한 금속제 식기·쟁반·요리용 기구 등》
tole[2] *vt.* = TOLL[1] 4
tole[3] *n.* 《속어》 《길거리의》 싸움 소동
To·le·do [təlí:dou | təléidou] *n.* (*pl.* **~s**) 톨레도 검(劍) 《스페인의 Toledo에서 생산되는 질 좋은 칼》
tol·er·a·bil·i·ty [tɑ̀lərəbíləti | tɔ̀l-] *n.* Ⓤ 참을 수 있음; 《건강 상태가》 괜찮음
*__tol·er·a·ble__ [tɑ́lərəbl | tɔ́l-] *a.* **1** 참을 수 있는 (bearable), 허용할 수 있는 **2** 웬만한, 나쁘지 않은, 꽤 좋은(fairly good): He earns a ~ income. 그는 수입이 괜찮다. **3** 《구어》 꽤 건강한 **~·ness** *n.* **-bly** *ad.* ▷ tólerate *v.*
*__tol·er·ance__ [tɑ́lərəns | tɔ́l-] *n.* Ⓤ **1** 관용, 관대, 용인(容認); 아량, 포용력; 《편견에 치우침 없는》 공평함 **2** 참음, 인내(력), 내구력 **3** 《약물·독물에 대한》 내성, 항독성 《*for, to*》; 〖생태〗 내성: a ~ *to* antibiotics 항생 물질에 대한 내성 **4** 〖기계〗 공차(公差), 허용 오차 **5** 《화폐 주조의》 공차(公差) **6** 《식품의 유해 물질의》 최대 허용량 《ppm으로 나타냄》
tólerance lìmits 〖통계〗 공차[허용] 한계
*__tol·er·ant__ [tɑ́lərənt | tɔ́l-] *a.* **1** 관대한, 아량이 있는 **2** 〖의학〗 내성[내약성, 항독성]이 있는 ***be ~ of*** …을 견뎌 내다, …을 관용하다 **~·ly** *ad.*
▷ tólerance *n.*; tólerate *v.*

tolerance *n.* **1** 관용 liberation, forbearance, understanding, charity, indulgence **2** 인내 patience, endurance, sufferance, acceptance
tolerate *v.* **1** 허용하다 permit, allow, admit, sanction, warrant, recognize, acknowledge **2** 견디다 endure, suffer, bear, stand, accept, put up with
toll[1] *v.* sound, ring, peal, knell, clang

tólerant socíety = PERMISSIVE SOCIETY
*__tol·er·ate__ [tɑ́lərèit | tɔ́l-] [L 「참다」의 뜻에서] *vt.* **1** 〈이설·이단자 등을〉 관대하게 다루다, 묵인[허용]하다, 너그럽게 보아주다; 참다, 견디다: ~ a person's impudence 무례함을 용서하다 **2** 〖의학〗 〈약에〉 내성이 있다 **3** 《폐어》 〈고통·곤란을〉 겪다
-à·tive *a.* **-à·tor** *n.*
▷ tólerance, tolerátion *n.*; tólerant *a.*
tol·er·a·tion [tɑ̀ləréiʃən | tɔ̀l-] *n.* Ⓤ **1** 관용, 묵허, 묵인, 용인 **2** 《법률·정부에 의한》 신교(信敎)의 자유, 국교(國敎) 이외의 신앙의 자유 ***Act of T~*** 〖영국사〗 신교 자유령 《1689년》 **~·ism** *n.* **~·ist** *n.*
tol·i·dine [tɑ́lədi:n, -din | tɔ́l-] *n.* 〖화학〗 톨리딘 《벤지딘계(系) 염료의 중간체》
*__toll__[1] [tóul] *vt.* **1** 〈만종·조종 등을〉 울리다, 치다 《천천히 일정한 사이를 두고》 **2 a** 〈종·시계가〉 치다, 〈시각을〉 알리다 **b** 〈사람의 죽음 등을〉 종을 울려 알리다: ~ a person's death 종을 울려 …의 죽음을 알리다 **3** 〈사람을〉 종을 울려 부르다 《*in*》; 〈사람을〉 종을 울려 보내다 《*out*》: (~+목+부) ~ *in* people 종을 울려서 사람들을 모으다 **4** 〈사냥감을〉 꾀어들이다(tole); 유혹하다, 부추기다, 꼬드기다
— *vi.* 《종이 천천히 규칙적으로》 울리다; 종을 치다; 종으로 알리다 《*for*》
— *n.* 종을 울림; 《천천히 일정하게 울리는》 종소리
*__toll__[2] [tóul] [Gk 「세금」의 뜻에서] *n.* **1** 사용세, 요금 《통행세·나룻배 삯; 고속도로 통행료; 시장세, 텃세; 항만 하역료; 철도[운하] 운임 등》: tunnel ~*s* 터널 통행료 **2** [보통 a ~] 《문어·비유》 《사고·재해 등의》 희생, 대가; 사상자수: *a* heavy ~ of lives 수많은 사상자 **3** 《미》 전화 요금; 장거리 전화 **4** 《영》 사용세 징수권 **5** 《드물게》 세금, 조세, 관세 **6** 《방언》 《방앗간의》 빻는 삯(으로 떼는 곡물) ***take a*** [***its***] ***~*** 〈사물이〉 …에 손해를 끼치다; 〈인명 등을〉 잃게 하다
— *vt.* **1** 〈돈·물건을〉 요금으로 징수하다 **2** …에게 사용료[세]를 부과하다
— *vi.* 사용료[세]를 받다 ▷ tóllage *n.*
toll·age [tóulidʒ] *n.* Ⓤ 사용료, 통행세(toll); 세금(tax); 그 징수[지불]
tóll bàr 《통행료 징수소의》 차단봉(遮斷棒)
toll·booth [tóulbù:θ, -bù:ð | tóul-, tɔ́l-] *n.* (*pl.* **~s** [-bù:ðz, -bù:θs]) **1** 《스코》 = TOLBOOTH **2** 《유료 도로·다리의》 요금 징수소
tóll brìdge 통행세를 받는 다리, 유료교
tóll càll 《미》 장거리 전화, 시외 통화
tóll collèctor 《통행》 요금 징수원[기]
toll·er[1] [tóulər] *n.* 통행 요금 징수원[기]
toller[2] *n.* 종치는 사람; 종
tol·ley [tɑ́li | tɔ́li] *n.* 《영》 《구슬치기의》 유리 구슬
toll-free [tóulfrí:] *a.* **1** 《미》 무료 장거리 전화의 《요금은 수화자 부담》 **2** 무료의: a ~ highway 무료 고속도로 **—** *ad.* 전화 요금 무료로
tóll-frée númber 요금 수화자 부담의 전화 번호
*__toll·gate__ [tóulgèit] *n.* 《고속도로 등의》 통행료 징수소, 톨게이트
toll·house [-hàus] *n.* 통행료 징수(사무)소
tóllhouse cóokie 《미》 초콜릿 조각과 땅콩이 든 쿠키
tóll·ing dòg [tóuliŋ-] 오리 사냥에 쓰는 작은 개
toll·keep·er [tóulkì:pər] *n.* 통행료 징수인
tóll lìne 장거리 전화선
toll·man [tóulmən] *n.* (*pl.* **-men** [-mən, -mèn]) = TOLLKEEPER
tol-lol [tɑlɑ́l | tɔlɔ́l] *a.* 《속어》 웬만한, 괜찮은
tóll plàza 《유료 도로의》 요금 징수소
tóll ròad 유료 도로
tóll thòrough 《영》 《시가 징수하는 도로·다리 등의》 통행 요금, 통행세(toll)
tóll tràverse 《영》 사유지 통행료

toll·way [tóulwèi] *n.* = TOLL ROAD

tol·ly [táli | tɔ́li] *n.* (*pl.* **-lies**) ((영·속어)) 양초

Tol·stoy, -stoi [tóulstɔi, tál- | tɔ́l-] *n.* 톨스토이 **Leo[Lev] Nikolaevich ~** (1828-1910) ((러시아의 소설가·사회 비평가)) **~·an** *a.*, *n.* **~·ism** *n.* **~·ist** *n.*

Tol·tec [tóultek, tál- | tɔ́l-] *n.* (*pl.* **~s**, [집합적] **~**) 톨텍 사람 ((10세기경 Mexico에서 번영했던 인디언)) **—** *a.* 톨텍 사람[족]의

to·lu [tɔːlúː, tə- | tɔ-] *n.* (*pl.* **~s**) **1** Ⓤ 톨루발삼 ((발삼 나무에서 채취하는 방향(芳香) 수지))(=**~ bálsam**) **2** 콩과(科) 발삼속(屬)의 교목 ((남미산(産)))

tol·u·ate [táljuèit | tɔ́l-] *n.* 〖화학〗 톨루엔산염(酸鹽)[에스테르]

tol·u·ene [táljuìːn | tɔ́l-] *n.* Ⓤ 〖화학〗 톨루엔 ((염료·화약의 원료))

to·lú·ic ácid [təlúːik-] 〖화학〗 톨루엔산(酸)

to·lu·i·dine [təlúːədìːn, -din | tɔljúː-] *n.* 〖화학〗 톨루이딘 ((벤젠의 메틸아미노 유도체; 물감 제조용))

tolúidine blúe [종종 **T- B-**] 〖화학〗 톨루이딘 블루 ((흑색 분말의 핵(核) 염색용))

tol·u·ol [táljuòul, -ɔ̀ːl | tɔ́ljuɔ̀l] *n.* 〖화학〗 **1** = TOLUENE **2** 톨루올 ((공업용 톨루엔))

tol·u·yl [táljuəl | tɔ́l-] *n.* 〖화학〗 톨루일기(基)

tol·yl [tálil | tɔ́l-] *a.* 〖화학〗 톨릴기(基)를 함유한

tom [tám | tɔ́m] *n.* **1** (칠면조 같은 각종 동물의) 수컷 **2** 수고양이(tomcat) **3** ((호주·속어)) 여자, 아가씨

Tom [tám | tɔ́m] *n.* **1** 남자 이름 ((Thomas의 애칭)) **2** [종종 **t~**] ((미·속어·경멸)) 백인에게 굽실거리는 흑인 남자 **3** [때로 **t~**] ((영·속어)) 매춘부; ((호주·속어)) 여자, 여자 친구 **4** [때로 **t~**] ((영·속어)) 마약 주사 **5** ((호주·뉴질)) 임시로 하는 보조 일 ***Blind ~*** 술래잡기 ***Old ~*** ((속어)) 독한 진 ((술)) ***~ and Jerry*** ((미)) 럼에 달걀·우유 등을 섞은 음료 ***~, Dick, and Harry*** [종종 every 다음에서] ((속어)) 너 나 할 것 없이, 어중이떠중이 ***~ o'Bedlam*** 미치광이 (시늉을 하는) 거지
— *vi.* (**~med**; **~·ming**) [종종 **t~**] **1** ((미·속어·경멸)) 〈흑인이〉 백인에게 굽실거리다 **2** ((영·속어)) 매춘하다

tom·a·hawk [táməhɔ̀ːk | tɔ́m-] *n.* **1** (북미 원주민들이 사용하던) 작은 손도끼, 전부(戰斧); 도끼형의 각종 무기[도구]; (오스트레일리아 원주민의) 돌도끼 **2** [**T~**] 토마호크 ((미해군의 수상 및 수중 발사 순항 미사일)) ***bury*** [***lay aside***] ***the ~*** 화친하다 ***raise*** [***dig up, take up***] ***the ~*** 전쟁을 시작하다, 선전(宣戰)하다
— *vt.* **1** 도끼로 공격하다[죽이다] **2** 〈서적·저자(著者) 등을〉 혹평하다 **3** ((호주·속어)) 〈양을〉 거칠게 털을 깎(아 상처를 입히)다 **~·er** *n.*

tomahawk 1

to·mal·ley [tɑ́mæ̀li | tɔ́m-] *n.* (*pl.* **~s**) lobster의 간(肝) ((삶으면 녹색이 됨; 진미(珍味)))

to·man [təmɑ́ːn] *n.* 토만 ((페르시아의 화폐 단위[금화]))

Tóm and Jérry 따뜻한 달걀 술의 일종

to·ma·til·lo [tòumətíː*j*ou, -tíːljou] *n.* (*pl.* **~es, ~s**) 〖식물〗 멕시코·미국 남부 원산의 가짓과(科) 꽈리속(屬)의 1년초 ((자주색 열매는 식용))

‡**to·ma·to** [təméitou, -mɑ́ː- | -mɑ́ː-] *n.* (*pl.* **~es**) **1** 〖식물〗 토마토: a currant ~ 방울토마토 ((페루산(産))) **2** Ⓤ 토마토 색, 빨간색 **3** ((미·속어)) (매력적인) 여자, 소녀; 매춘부 **4** ((미·속어)) 얼굴; 머리 **5** ((속어)) 힘없는 권투 선수

tomáto àspic 토마토 주스가 든 젤리

tomáto càtsup[càtchup] 토마토케첩

‡**tomb** [túːm] *n.* **1** 무덤, 묘(墓)(⇨ grave[1] 유의어); (지하) 납골당: from the womb to the ~ 일생 동안, 태어나서 죽을 때까지 **2** 묘비, 묘석, 묘표(墓標) **3** [the ~] 죽음 **4** ((일반적으로)) 무덤같은 건물 ***The T~s*** ((미)) New York 시 교도소
— *vt.* ((드물게)) 매장하다
~·less *a.* **~·like** *a.* ▷ entómb *v.*

tom·bac, -bak [tɑ́mbæk | tɔ́m-] *n.* Ⓤ 구리와 아연의 합금 ((값싼 장신구 등에 사용))

tom·bo·la [tɑ́mbələ | tɔ́m-] *n.* ((영)) 복권의 일종

tom·bo·lo [tɑ́mbəlòu | tɔ́m-] *n.* (*pl.* **~s**) 육계사주(陸繫砂洲) ((섬과 다른 육지를 연결하는 모래톱))

tom·boy [tɑ́mbɔ̀i | tɔ́m-] *n.* 사내 같은 계집아이, 말괄량이 ((여자)) **~·ish** *a.* **~·ish·ly** *ad.* **~·ish·ness** *n.*

tomb·stone [túːmstòun] *n.* **1** 묘석, 묘비 **2** 툼스톤 광고, 묘비 광고 ((증권 인수업자가 신규 증권의 매각을 신문에 게재한 광고)) **3** [*pl.*] ((속어)) 이, 이빨

tómbstone àd = TOMBSTONE 2

tómbstone vòtes ((미·속어)) 사망자의 이름을 이용한 부정 투표

tom·cat [tɑ́mkæ̀t | tɔ́m-] *n.* **1** 수고양이(⇨ cat 관련) ((비·속어)) 여자 꽁무니를 좇아다니는 남자, 호색꾼 **2** [**T~**] 〖군사〗 미해군의 함상 전투기 F-14의 애칭 **—** *vi.* (**~·ted**; **~·ting**) ((속어)) 여자 꽁무니를 좇아다니다 ((*around*))

tom·cod [tɑ́mkɑ̀d | tɔ́mkɔ̀d] *n.* (*pl.* **~, ~s**) 〖어류〗 대구과(科)의 작은 물고기 ((북미대륙 양안(兩岸)산))

Tóm Cól·lins [-kɑ́linz | -kɔ́l-] 톰 콜린스 ((진에 레몬즙·소다수·얼음을 넣은 칵테일))

tome [tóum] *n.* ((익살)) (방대한 책의) 한 권; ((특히)) 크고 묵직한 책, 학술서: a history in 9 *~s* 9권으로 된 역사책

-tome [tòum] ((연결형)) 「체절, 부분; 절단 기구」의 뜻

to·men·tose [təméntous, tóuməntòus], **-tous** [-təs] *a.* 〖식물·곤충〗 면모(綿毛)[솜털, 융모]로 덮인; 가늘고 부드러운 털이 밀생한

to·men·tum [təméntəm] *n.* (*pl.* **-ta** [-tə]) **1** Ⓤ 〖식물·곤충〗 면모, 솜털, 융모 **2** 〖해부〗 (뇌피질 등의) 미세 혈관망

tom·fool [tɑ́mfúːl | tɔ́m-] *n.* 바보; [**T~**] 광대 **—** *a.* Ⓐ 어리석은, 우둔한 **—** *vi.* 멍텅구리[어릿광대] 짓을 하다 **~·ish** *a.*

tom·fool·er·y [tɑ̀mfúːləri | tɔ̀m-] *n.* (*pl.* **-er·ies**) **1** Ⓤ 멍텅구리짓, 광대짓 **2** [보통 *pl.*] 시시한 농담; 하찮은 것

tom·girl [tɑ́mgə̀ːrl | tɔ́m-] *n.* = TOMBOY

Tom·ism [tɑ́mizm | tɔ́m-] *n.* = UNCLE TOMISM

tom·my [tɑ́mi | tɔ́mi] *n.* (*pl.* **-mies**) **1** [때로 **T~**] ((영·문어)) = TOMMY ATKINS **2** Ⓤ 병사 양식용 검은 빵, ((영)) 노동자의 도시락; 품삯 대신에 노동자에게 주는 빵[음식]; 그런 제도 ((지금은 불법)) **3** 〖기계〗 나사돌리개(=**~ bár**) **4** = TOMMY-SHOP **5** ((영·방언)) 바보, 멍청이 **6** ((미·속어)) 남자 같은 여자 아이, 말괄량이(tomboy) **7** ((미·속어)) (경식당에서) 토마토 (한 쪽) ***soft ~*** 〖항해〗 연한[갓 구운] 빵(opp. *hardtack*)

Tom·my [tɑ́mi | tɔ́mi] *n.* 남자 이름 ((Thomas의 애칭))

Tómmy Átkins ((영)) **1** (구어) 영국 육군 병사 **2** (조직·단체의) 일반 회원

Tómmy còoker ((영)) (소형) 휴대용 석유 쿠커

Tómmy gùn **1** ((미)) = THOMPSON SUBMACHINE GUN **2** [보통 **t- g-**] = SUBMACHINE GUN **3** [**t- g-**] (마약속어) 주사기

tom·my-gun [tɑ́migʌ̀n | tɔ́mi-] *vt.* Tommy gun으로 쏘다

tom·my·rot [-rɑ̀t | -rɔ̀t] *n.* Ⓤ ((속어)) 되지 못한 소리[생각]

tom·my-shop [-ʃɑ̀p | -ʃɔ̀p] *n.* ((영)) 공장 안의 매점; 빵집

tom·nod·dy [tɑ́mnɑ̀di | tɔ́mnɔ̀di] *n.* 바보

tomo- [tóumou, -mə | tóum-, tɔ́m-] ((연결형)) 「절단(cut), 부분(section)」의 뜻

to·mo·gram [tóuməgræ̀m] *n.* 〖의학〗 (X선) 단층(斷層) 사진

to·mo·graph [tóuməgræ̀f, -grɑ̀ːf | -grɑ̀ːf, -græ̀f] *n.* 〖의학〗 (X선) 단층(斷層) 촬영기

to·mog·ra·phy [təmɑ́grəfi | -mɔ́g-] *n.* Ⓤ 〖의학〗 X선 단층 (사진) 촬영 (진단법)

to·mor·row [təmɔ́:rou, -mɑ́r- | -mɔ́r-] *ad.*, *n.* Ⓤ 내일, 명일(cf. TODAY); (가까운) 장래, 미래: Korea's ~ 한국의 장래 / I'm starting ~. 내일 떠날 예정이다. / People ~ will think differently. 장래의 사람들은 달리 생각할 것이다. / See you ~. 내일 또 만납시다. / *T*~ is[will be] Sunday. 내일은 일요일이다. / T~ is another day. ((속담)) 내일이 또 있다. ((오늘이 끝이 아니니까 낙심하지 마라)) / T~ never comes. ((속담)) 내일이란 결코 오지 않는다. ((오늘 해야 할 일은 오늘 하라)) ★ to-morrow라고도 씀.
like*[*as if*] *there's no ~ ((속어)) 내일 따위는 없는 것처럼; 장래를 전혀 생각지 않고 ***the day after ~*** ⇨ day. ***~ morning*[*afternoon, night*]** 내일 아침[오후, 밤] ***~ week*** 내주의 내일

tom·pi·on [tɑ́mpiən | tɔ́m-] *n.* = TAMPION

Tóm Shów ((미)) *Uncle Tom's Cabin* 극

Tóm Thúmb 엄지손가락 톰 ((영국 동화에 나오는 엄지만한 주인공)); 난쟁이(동물, 식물)

Tóm Tíd·dler's gròund [-tídlərz-] (어린이들의) 땅뺏기 놀이

tom·tit [tɑ́mtìt | tɔ́m-] *n.* ((영·방언)) = TITMOUSE; 동작이 빠른 작은 새

tom-tom [tɑ́mtɑ̀m | tɔ́mtɔ̀m] *n.* (인도·아프리카 등지의 통이 긴) 북; 덩덩 ((북소리)), 단조로운 리듬
—*vi.* 덩덩 북소리를 내다, 북소리로 신호하다
—*vt.* 북으로 연주하다

-tomy [-təmi] ((연결형)) 「분단; 〖외과〗 절제, 절개(술); 적출」의 뜻: dicho*tomy*, tonsillec*tomy*

ton[1] [tʌ́n] *n.* **1** [무게의 단위] 톤 ((=20 hundredweight)): **a** 영국 톤(=long ~) ((=2,240파운드, 1,016.1kg)) **b** 미국 톤(=short ~) ((=2,000파운드, 907.2kg)) **c** 미터 톤(=metric ~) ((=1,000 kg)) **2** [용적 단위] 용적 톤(=measurement ~) ((=40입방피트)) **3** [배의 크기·적재 능력의 단위] 톤: **a** 총(總)톤(=gross ~) ((=100입방 피트)) **b** 순(純)톤(=net ~) ((총톤에서 화물과 여객 적재에 이용될 수 없는 방의 용적을 뺌)) **c** 용적 톤 ((cf. 2; 순톤 산출용)) **d** 중량 톤(=deadweight ~) ((=2,240파운드; 화물선용)) **e** 배수(排水) 톤(=displacement ~) ((=2,240파운드; 군함용)) **4** [종종 *pl.*] ((구어)) 상당한 중량; 다량, 대량, 상당량, 다수 ((*of*)): I have a ~ *of* work to do today. 난 오늘 할 일이 많다. / That is ~*s* (=far) better. 그것이 훨씬 좋다. **5** [a ~, the ~] ((속어)) 시속 100마일의 속도: do *the* ~ on an automobile 자동차로 시속 100마일의 속도로 달리다 **6** ((영·크리켓 속어)) 100점의 득점; ((속어)) (게임에서) 100점의 득점 **7** ((영·속어)) 100파운드; 100년 ***like a ~ of bricks*** ⇨ brick ▷ tónnage *n.*

ton[2] [tɔ́:ŋ] [F] *n.* 활기, 생기; 스마트함; [the ~] 최신 유행; 유행의 첨단을 걷는 사람들(smart set) ***in the ~*** 유행하여

ton·al [tóunl] *a.* **1** 〖음악〗 음의, 음조의, 음색의 **2** 〖회화〗 색조(色調)의 **~·ly** *ad.*

to·nal·i·ty [tounǽləti] *n.* (*pl.* **-ties**) ⓊⒸ **1** 〖음악〗 음색, 음질, 음조; 주조(主調) **2** 〖회화〗 색조

to-name [tú:nèim] *n.* ((스코)) (주로 동성 동명인을 구별하기 위한) 별명, 첨가명(nickname)

ton·do [tɑ́ndou | tɔ́n-] [It.] *n.* (*pl.* **-di** [-di:]) 〖미술〗 원형(圓形) 그림[돋을새김]; 조각이 있는 둥근 금속판

tone [tóun] [Gk 「조음(調音)」의 뜻에서] *n.* **1** 음, 음조, 음성, 음질, 음색(⇨ sound[1] 유의어): heart ~*s* 〖의학〗 심음(心音) / ~*s* of a piano 피아노의 음색 / a high[low] ~ 높은[낮은] 음조 **2** 어조, 말투, 논조(論調): a ~ of command 명령조 / speak in a sad ~ 슬픈 어조로 말하다 / in an angry ~ 화난 어조로 **3** 〖회화〗 색조, 농담(濃淡), 명암; 〖예술〗 색조; 〖사진〗 (양화(陽畫)의) 색조 **4** (사상·감정 등의) 경향, 풍조; 시황(市況); (연설 등의) 품격, 격조, 기품; 기분, 기질, 성격: the ~ of the school[army] 교풍[군기] / the ~ of the market 시황 **5** 〖언어〗 음조, 성조(聲調), 음의 높고 낮음; (개인·민족·지역 특유의) 말하는[발음] 방식, 억양; ((드물게)) 음의 강약: the four ~*s* (중국어의) 사성(四聲) **6** Ⓤ 〖생리〗 (신체·기관·조직의) 활동할 수 있는 상태, (근육 등의) 긴장 (상태); 정상(正常): recover mental ~ 정신의 정상 상태를 되찾다 **7** 〖음악〗 악음(樂音); 전음정(全音程); (단조로운) 곡조; 교회 주법 ((그레고리안 성가 등을 부를 때의 9종의 주법 중 한 가지)) **8** 정상적인 정신 상태 **9** (전화의) 발신음, 신호음 **10** 〖무선〗 가청음 **11** 〖컴퓨터〗 (화상의) 명암 ***in a ~*** 일치하여 ***take a high ~*** 건방진 말투를 쓰다 ***the upper*[*lower, even*] *~*** 상[하, 평]성
—*vt.* **1** 가락을 붙이다 **2** 〖음악〗 〈악기의〉 음조를 맞추다, 조율하다 ((*to*)) **3** 〈색을〉 어떤 빛깔로 만들다; 〖사진〗 조색(調色)하다 **4** …의 성질[성격]을 바꾸다 **5** 〈신체·정신 등을〉 정상으로 돌리다
—*vi.* 조화된 색조를 띠다 ***~ down*** 〈어조·음조·색조 등을〉 부드럽게 하다; 부드러워지다 ***~ (in) with*** 혼합하다; 조화하다 ***~ up*** 〈어조·색조 등을〉 높이다, 강하게 하다; 높아지다, 강해지다; …에 활력을 주다; 〈근육 등을〉 강화하다; 튼튼히 하다 ▷ tónal *a.*

tóne àccent 〖음성〗 높이 악센트

tóne àrm (레코드 플레이어의) 음관(音管)

tóne blòck 〖음악〗 톤 블록 ((가느다란 홈이 있는 목편을 막대기로 쳐서 소리내는 타악기))

tóne còlor 〖음악〗 음색(timbre)

tóne contròl 음질[음색] 조절 (장치)

toned [tóund] *a.* **1** [보통 복합어를 이루어] …음조의: sweet-~ 아름다운 음조의 **2** 〈종이가〉 엷게 물들여진

tone-deaf [tóundèf] *a.* 음치의

tóne dèafness 음치

tóne dìaling 음성 다이얼 방식 ((누름단추를 눌러 고저가 다른 음성의 조합을 전자적으로 발생시키는 전화번호 호출 시스템))

tóned páper 엷은 호박색 종이

tóne gròup = TONE UNIT

tóne lànguage 〖언어〗 음조(音調) 언어 ((중국어·스웨덴어 등))

tone·less [tóunlis] *a.* 음[음조, 색조, 억양]이 없는; 단조로운 **~·ly** *ad.* **~·ness** *n.*

ton·eme [tóuni:m] *n.* 〖음성〗 음조소(音調素) ((보통 동일한 음조로 취급되는 일단(一團)의 유사한 음조; cf. PHONEME))

tone-on-tone [tòunɔntóun] *a.* (옷이나 디자인이) 같은 색의 여러 색조가 있는

tóne pòem 〖음악〗 음시(音詩) ((시적 이미지를 일으키는 음악 작품; 교향시))

tóne quàlity 음질

ton·er [tóunər] *n.* **1** 조음[조율, 조색]하는 사람[물건] **2** 〖사진·영화〗 조색액(調色液); (전자 복사의) 현상약 **3** 토너 ((그림 도구·안료의 질과 색을 테스트하는 사람)) **4** 수렴용 화장수

tóne ròw[**sèries**] 〖음악〗 = TWELVE-TONE ROW

to·net·ic [tounétik] *a.* 음조(音調)의; 억양의; 음조 언어의, 색조 언어의; 음성학적 연구의: ~ notation 음조 표기 **-i·cal·ly** *ad.*

to·net·ics [tounétiks] *n. pl.* [단수 취급] 음조학(音調學)

to·nette [tounét] *n.* 〖음악〗 토넷 ((1옥타브 강한 음역의 간단한 fipple flute; 주로 초등학교 교재용))

tóne ùnit 〖음성〗 음조 단위, 성조군

tong[1] [tɔ́:ŋ, tɑ́ŋ | tɔ́ŋ] [Chin. 「당(堂)」의 뜻에서] *n.* **1** (중국의) 당(黨), 협회, 결사, 조합 **2** ((미)) (재미 중국인의) 비밀 결사

tong[2] *vt.*, *vi.* 부젓가락으로 집다[모으다, 받치다]; 부젓가락을 쓰다 —*n.* [*pl.*] = TONGS

ton·ga [tɑ́ŋgə | tɔ́ŋ-] *n.* (인도의) 2륜 마차

Ton·ga [tɑ́ŋgə | tɔ́ŋ-] *n.* 통가 ((남태평양의 Fiji 동쪽의 섬들로 이루어진 왕국; 수도 Nukualofa))

Ton·gan [tɑ́ŋgən | tɔ́ŋ-] *n.*, *a.* 통가 제도[사람, 말](의)

Tong·king [tɑ̀ŋkíŋ | tɔ̀ŋ-] *n.* = TONKIN

tongs** [tɔ́:ŋz, táŋz | tɔ́ŋz] *n. pl.* [보통 a pair of ~] 부젓가락; …집게; (머리카락) 컬(curl)용 인두: sugar ~ 설탕 집게 ***hammer and ~ 맹렬히 ***I would not touch*** him[it] ***with a pair of ~.*** (그런 놈[것])은 집게로도 대기 싫다. ***take the ~ to*** …을 (때리거나 해서) 벌주다 ▷ tóng² *v.*

‡**tongue** [tʌ́ŋ] *n., v.*

> 「혀」 **1** 이 말을 하는 데 중요한 구실을 한다고 해서 「말」 **2 b** →「언어」 **2 d**의 뜻이 되었음.

—*n.* **1 a** 혀; (연체 동물의) 치설(齒舌)(radula) **b** Ⓤ,Ⓒ (소·양 등의 식용으로서의) 혓바닥(살): stewed ~ 텅스튜 / He stuck out his ~. 그는 혀를 내밀었다. 《메롱했다》 **2 a** (말하는 기관으로서의) 혀, 입, 말하는 능력, 언어 능력: His ~ failed him. 그는 말을 하지 못했다. **b** 말, 발언, 담화; (내용이 없이) 지껄임: a long ~ 수다 / Watch your ~. 말 조심하시오. **c** 말씨, 말투; 말주변: a flattering ~ 아첨 **d** 《문어》 언어, 국어; 외국어, 고전어; 방언(dialect): one's mother ~ 모국어 / confusions of ~*s* 〖성서〗 언어의 혼란 **e** 《고어》 (언어로 구별되는) 어떤 국어의 민족, 국민 **3 a** 바다·호수·하천이 합치는 곳에 있는 가늘고 긴 갑(岬); 좁은 후미 **b** 혀 모양의 물건; (구두의) 혀 **c** (종·방울의) 추 **d** (널름거리는) 불길 **e** 〖음악〗 관악기의 혀 **f** 〖기계〗 불쑥 나온 테두리(flange); (전철기(轉轍器)의) 레일 끝 **g** (칼 등의) 뿌리 부분 **h** (분도기 등의) 지침(指針) **i** (마차 등의) 채 **j** (공구(工具)의) 슴베 **k** (천칭(天秤)의) 지침; (브로치 등의) 바늘 **4** (술 등의) 나쁜 뒷맛 **5** 《미·속어》 변호사

all ~s 〖성서〗 (제 나라 말을 갖는) 모든 국민, 각국의 국민 ***at*** one***'s ~'s end*** = ***at the end of*** one***'s ~*** 상세하게 암기하고 있는, 언제든지 입에서 술술 나오는 ***bite*** one***'s ~ off*** 《구어》 실언을 후회하다 ***coated***[***dirty, furred***] ~ 〖병리〗 설태(舌苔) ***find*** one***'s ~*** 입을 열 수 있게 되다; 평정을 되찾다 ***get*** one***'s ~ (a)round*** 《구어》 발음하기 어려운 말[이름]을 바르게 발음하다 ***give*** a person ***the rough edge of*** one***'s ~*** …을 호되게 야단치다 ***give ~*** = ***throw*** (one***'s***) ~ 사냥개가 짖다 《특히 짐승의 냄새를 맡고》; 〈사람이〉 외치다, 고함지르다; 〈생각 등을〉 말하다, 입밖에 내다 ***have a long ~*** 수다를 떨다(⇨ *n.* 2 b) ***have a loose ~*** 수다스럽다, 입이 가볍다 ***have a ready***[***fluent***] ~ 능변이다 ***have a silver ~*** 웅변하다, 유창하게 말하다 ***have a spiteful***[***bitter***] ~ 입버릇이 나쁘다 ***hold*** one***'s ~*** [보통 명령형] 잠자코 있다, 하고 싶은 말을 참다 ***keep a civil ~ in*** one***'s head*** 말을 삼가다 ***keep*** one***'s ~ off*** …에 말참견을 안하다 ***lay*** (one***'s***) ***~ to*** …을 입밖에 내다, 표현하다, 말하다 Good brandy ***leaves no ~ in the morning.*** (좋은 브랜디)는 다음날 아침에 뒷맛이 개운하다 ***lose***[***find***] one***'s ~*** 말문이 막히다[겨우 열리다] ***on the tip of*** one***'s ~*** ⇨ tip¹. ***on the ~ of men*** 입에 올라 ***put out*** one***'s ~*** 혀를 내밀다 《경멸하거나 또는 진찰할 때》 ***set ~s wagging*** 뜬소문을 퍼뜨리다 ***slip of the ~*** 잘못 말함, 부주의한 발언, 실언 ***speak with a forked ~*** 일구이언하다, 거짓말하다 ***stick*** one***'s ~ in*** one***'s cheek*** 혀끝으로 뺨을 불룩하게 하다 《경멸의 표정》 ***tie*** a person***'s ~*** …을 입막음하다 ***trip***[***roll, slip***] ***of the ~*** 〈이름 등이〉 말하기 쉽다, 〈말이〉 술술 잘 나오다 ***wag*** one***'s ~*** 줄곧 재잘거리다 ***with*** one***'s ~ hanging out*** 《구어》 목이 말라; 《비유》 갈망하여 ***with*** (one***'s***) ***~ in*** (one***'s***) ***cheek*** 본심과는 반대로, 불성실하게; 아주 비꼬아서, 조소하여, 장난 삼아(⇨ tongue-in-cheek)

—*vt.* **1** 〈클라리넷·플루트 등의 관악기를〉 혀로 음정을 조절하며 불다 **2** 《고어》 말하다; 발음하다; 욕하다, 꾸짖다, 비난하다 **3** 〖목공〗 〈판자에〉 혀 모양의 가장자리를 만들다; 사개맞춤으로 잇다 **4** 《비어》 〈여자 성기 등을〉 …을 혀로 핥다

—*vi.* **1** (피리를 불 때) 혀로 음조를 조정하다[끊다] **2** 혀를 쓰다, 핥다; 《특히》 재잘거리다 **3** 〈개가〉 냄새를 맡고 짖다 **4** 〈불길이〉 넘실거리다; 혀처럼 나와 있다

tóngue-and-gróove jòint [tʌ́ŋəngrú:v-] 〖목공〗 사개 물림, 장부촉 이음

-tongued 《연결형》 「혀가 있는; 혀[언어]가 …한」의 뜻: double-~ 혀가 둘인

tóngue deprèssor[**blàde**] (의사가 구강이나 목구멍 검사 때 쓰는) 혀 누르는 기구

tongue·fish [tʌ́ŋfìʃ] *n.* 〖어류〗 양서대과의 바닷물고기, 참서대

tongue-in-cheek [-intʃí:k] *a.* 놀림조의, 성실치 못한; 비꼬는

tongue-lash [-læ̀ʃ] *vi., vt.* 《미·구어》 호되게 꾸짖다 **~·ing** *n.* 호된 꾸짖음

tongue·less [tʌ́ŋlis] *a.* 혀가 없는; 말을 안 하는, 벙어리의

tongue-tie [tʌ́ŋtài] *n.* Ⓤ 짧은 혀 《말을 잘 못함》; 혀짤배기 —*vt.* 혀가 잘 안 돌게 하다; 말을 못하게 하다

tongue-tied [-tàid] *a.* **1** 혀가 짧은 **2** (당황해서) 말문이 막힌 《*with*》; 말을 하지 않는 **3** 《미·구어》 술 취한

tóngue twìster 혀가 잘 돌아가지 않는 어구 《Shall she sell seashells on the seashore? 등》

tongue·y [tʌ́ŋi] *a.* **1** 《구어》 잘 지껄이는, 말하기를 좋아하는 **2** 설음(舌音)의(lingual)

tongu·ing [tʌ́ŋiŋ] *n.* **1** 꾸짖음 **2** 〖음악〗 혀끝을 놀려 (관악기를) 취주하는 단주(斷奏)(법)

To·ni [tóuni] *n.* 여자 이름 《Antoinette, Antonia의 애칭》

-tonia [tóuniə, -njə] 《연결형》 **1** 「… 근(육) 긴장, …신경의 긴장」의 뜻 **2** 《일반적으로》 긴장증

***ton·ic** [tánik | tɔ́n-] *n.* **1** 강장제: hair ~ 양모제 **2** 기운을 북돋우는[고무시키는, 격려하는] 것; 《미·구어》 술 **3** = TONIC WATER **4** 〖음악〗 주음(主音)(keynote) **5** 〖음성〗 주요한 양음(揚音) 악센트가 있는 음절

—*a.* **1** 〈의약·치료 등이〉 (육체나 기관을) 튼튼하게 하는; 원기를 돋우는: a ~ medicine 강장제 **2** 〖음악〗 《특히》 주음의; 음조의, 악센트의; 〖음성〗 강세가 있는 **3** 〖병리〗 강직성(强直性)의, 긴장성의 **tón·i·cal·ly** *ad.* ▷ tonícity *n.*

tónic áccent 강세 악센트

to·nic·i·ty [tounísəti] *n.* Ⓤ **1** (심신의) 강건, 강장 **2** 〖생리〗 (근육 등의) 긴장(성), 탄력성

tónic sol-fá 토닉 솔파 기보법(記譜法), 계이름부르기

tónic spásm 〖의학〗 긴장성 경련

tónic wàter 탄산음료(quinine water)

ton·i·fy [tánəfài | tɔ́n-] *vt.* (**-fied**) 유행시키다; 강화하다

‡**to·night** [tənáit] *n., ad.* 오늘밤(은)(cf. TODAY): ~*'s* television programs 오늘밤의 텔레비전 프로그램 / *T*~ I shall be free. 오늘밤은 시간이 있다. / This must be done before ~. 이것은 밤이 되기 전에 하지 않으면 안 된다. ★ tonight은 오늘 저녁(this evening)과 오늘 밤중까지 통용되는 말이다.

ton·ing [tóuniŋ] *n.* Ⓤ 가락을 맞춤; 〖사진〗 조색(調色); 《영》 (직물 등의) 색조(色調), 색상 **~ *bath*** 〖사진〗 조색욕(浴)

tóning tàbles 토닝 테이블 《누워서 팔·다리를 상하로 움직이는 운동 기구》

ton·ish [tániʃ | tɔ́n-] *a.* 유행의, 유행을 좇는, 현대적 감각의: a ~ singer 인기 가수

to·nite¹ [tóunait] *n.* Ⓤ 〖화학〗 뇌약(雷藥) 《강력 면화약(綿火藥)의 일종》

to·nite² [tənáit] *n., ad.* 《구어》 = TONIGHT

tonk¹ [táŋk | tɔ́ŋk] *n.* **1** 《호주·속어》 호모; 여자같은 남자 **2** 《미·속어》 = HONKY-TONK

tonk² *vt.* 《영·속어》 세게 때리다(hit hard)

thesaurus **too** *ad.* **1** 또한 as well, also, in addition, besides, furthermore, moreover **2** 너무나 excessively, overly, extremely, very, unduly

tón·ka bèan [tάŋkə- | tɔ́ŋ-] 〖식물〗 통카콩《열대 아메리카산(產); 향료 원료》

ton·kin [tὰnkín, tὰŋ- | tɔ̀nkíŋ, tɔ̀ŋ-] *n.* 통킹 참대《인도차이나산(產); 스키 지팡이·낚싯대로 씀》

Ton·kin [tὰnkín, tὰŋ- | tɔ̀nkíŋ, tɔ̀ŋ-] *n.* 인도차이나 북부의 옛 주《지금의 북부 Vietnam》

ton·let [tʌ́nlit] *n.* (중세 갑옷의) 쇠스커트

ton-mile [tʌ́nmáil] *n.* 톤마일《톤수와 마일수를 곱한 것; 철도·항공기의 수송량 단위》

tonn. tonnage

ton·nage** [tʌ́nidʒ] *n.* 《略 tonn.》 Ⓤ **1** (선박의) 용적 톤수(cf. DISPLACEMENT) **2** [the ~; 집합적] 선박, 선복(船腹); [a ~] (1국 또는 1항의) 선박 총 톤수 **3** (선박·적하(積荷)의) 톤세(稅) **4** (군함의) 배수 톤수 ***gross [***registered***] **~** 총[등록] 톤수 ***net*** **~** 순톤수 ▷ tón¹ *n.*

tonne [tʌn] *n.* = METRIC TON 《略 t.》

ton·neau [tʌnóu | tɔ́nou] [F] *n.* (*pl.* **~s, ~x** [-z]) **1** 자동차의 뒷 좌석(이 있는 차) **2** (드물게) (오픈카의) 뒷좌석

ton·ner [tʌ́nər] *n.* [보통 복합어를 이루어] …톤(급)의 배: a 10,000-~ 1만톤의 배

T-Ó nòise [*t*ake-*o*ff *noise*] 〖항공〗 이륙 소음치(値)《항공기 이륙시의 소음 측정치》

to·nom·e·ter [tounάmətər | -nɔ́m-] *n.* **1** 음 진동 측정기 **2** 〖의학〗 혈압계; 안압계 **3** 〖물리·화학〗 증기 압력계

to·no·plast [tάnəplæ̀st, tóun- | tɔ́n-, tóun-] *n.* 〖식물〗 토노플라스트《식물 세포내에서 액포와 세포질의 경계에 있는 막》

ton·sil [tάnsil | tɔ́n-] *n.* 〖해부〗 편도선
tóns·il·lar *a.*

ton·sil·lec·to·my [tὰnsəléktəmi | tɔ̀n-] *n.* (*pl.* **-mies**) ⓊⒸ 〖외과〗 편도(선) 절제[적출](술)

ton·sil·li·tis [tὰnsəláitis | tɔ̀n-] *n.* Ⓤ 〖병리〗 편도선염 **tòn·sil·lít·ic** *a.*

ton·sil·lot·o·my [tὰnsəlάtəmi | tɔ̀nsəlɔ́t-] *n.* (*pl.* **-mies**) 〖외과〗 편도 절제술

ton·so·ri·al [tɑnsɔ́:riəl | tɔn-] *a.* (종종 익살) 이발사의, 이발(술)의: a ~ artist[parlor] 이발사[소]

ton·sure [tάnʃər | tɔ́n-] *n.* **1** 체발(剃髮), 머리를 민 부분 **2** 〖가톨릭〗 체발식; 성직에 들어감, 출가(出家) **—** *vt.* 체발하다; …에게 체발식을 거행하다

tonsure 1

ton·tine [tάnti:n, ––́ | tɔ́nti:n, ––́] *n.* Ⓤ **1** [T~] 톤티(Tonti)식 연금 (제도)《출자자 중 사망자가 있을 때마다 배당을 늘려 맨 나중까지 생존한 자가 전액을 받음》 **2** [집합적] 톤티 연금 조합원

Ton·to [tάntou | tɔ́n-] *n.* (*pl.* **~, ~s**) (미) 톤토족(의 사람)《아파치 지족(支族)의 원주민》

ton-up [tʌ́nʌ̀p] *a.* Ⓐ (영·속어) (오토바이) 폭주족의: ~ boys 폭주족 젊은이들
— *n.* 폭주족의 일원(ton-up kid)

to·nus [tóunəs] *n.* Ⓤ 〖생리〗 (근육 조직의) 긴장(도)

ton·y [tóuni] *a.* (**ton·i·er**; **-i·est**) (미·구어) 멋진(stylish); 사치스러운; 유행의

To·ny¹ [tóuni] *n.* 남자 이름《Ant(h)ony의 애칭》

Tony² *n.* (*pl.* **~s**) (미) 토니상(賞)《연극계에서 매년 최우수자에게 수여》(= ⁓ **Awárd**)

‡too ⇨ too (p. 2642)

too·dle-oo [tù:dlú:] *int.* (구어·드물게) 안녕히

‡took [túk] *v.* TAKE의 과거

‡tool [tú:l] *n.* **1 a** 연장, 도구, 공구(工具)(⇨ instrument 유의어); 공작 기계(=machine ~): a multipurpose ~ 만능 공구/A bad workman (always) blames[quarrels with] his ~*s.* (속담) 서투른 일꾼이 연장만 나무란다. **b** 장사 도구: A scholar's books are ~*s.* 학자의 책은 직업 밑천이다. **2** (대패·송곳 등의) 날 부분: an edged ~ 날 있는 연장 **3** (목적을 위한) 수단, 방편: a ~ of communication 전달 수단/Words are the ~*s* of thought. 말은 사고 표현의 방식이다. **4** (책 표지의) 압형에 의한 무늬; 그 압형(기) **5** 앞잡이, 끄나풀(cat's-paw) 《*of*》: He is a ~ *of* the party boss. 그는 당수의 앞잡이이다. **6** (속어) 남근 **7** 〖컴퓨터〗 툴, 연장《문서·그림·동화상 등을 제작하기 위한 프로그램》 **8** (속어) 공부 벌레 ***down ~s*** ⇨ down¹ *v.* ***the ~s of the***[one'***s***] ***trade*** 장사 도구[밑천] ***throw down*** one'***s ~s*** ⇨ throw
— *vt.* **1 a** 〈물건을〉 연장으로 만들다[꾸미다]; 〖제본〗 〈표지를〉 압형하다: a huge Bible with a deeply ~*ed* cover 표지를 깊게 압형한 거대한 성경 **b** 〈돌을〉 정으로 다듬다 **2** 〈자동차·마차 등을〉 운전하다, 마구 몰다
— *vi.* **1** 연장을 사용하다, 연장으로 세공하다 **2** (구어) (마차·차로) 가다 《*along, around*》: (~+전+명) ~ *along* the freeway 차를 타고 고속도로를 달리다/~ *around* 여기저기 드라이브하다 **~ *up*** (1) (공장 등에) 기구[기계]를 설비하다 (2) (속어) 무장하다 **~·er** *n.* **~·less** *a.*

tool·bag [tú:lbæ̀g] *n.* 공구[도구] 가방; (미·속어) 음낭

tool·bar [-bὰ:r] *n.* 〖컴퓨터〗 툴바《자주 사용하는 기능을 시각적인 버튼으로 이용할 수 있도록 한 것을 한 곳에 모아 놓은 것》

tool·box [-bὰks | -bɔ̀ks] *n.* 연장통

tooled [tú:ld] *a.* 〈가죽이〉 연장으로 다룬[세공된]《특수한 문양 등을 장식하기 위한》

tóol engineèring 장비(裝備) 공학《기계의 설계·설치·능률을 연구하는 분야》 **tóol engineèr** *n.*

tool·head [-lhèd] *n.* 〖기계〗 툴헤드《공구를 원하는 위치로 이동시키는 기계의 한 부분》

tool·hold·er [-hòuldər] *n.* (선반 등의) 날[바이트] 고정기(器)[장치](tool post)

tool·house [-hàus] *n.* 공구실(toolshed)

tool·ing [tú:liŋ] *n.* Ⓤ **1** 공구 세공 **2** 〖석공〗 정 자국이 나란히 나게 하는 다듬질 **3** 〖제본〗 (표지의) 압형: a blind[gold] ~ 민[금박] 압형 **4** 〖기계〗 [집합적] (공장의) 공작 기계 일습

tool·kit [tú:lkìt] *n.* 〖컴퓨터〗 툴킷《프로그래머가 특정 머신이나 응용에 쓸 프로그램 작성에 사용할 수 있는 프로그램 또는 루틴의 세트》

tool·mak·er [-mèikər] *n.* 연장 제작공; 공구[공작 기계]의 제작·수리·조정 전문 기사 **tóol·màk·ing** *n.*

tóol pùsher (속어) 유정(油井)의 굴착 작업 감독자

tool·room [-rù:m] *n.* (기계 공장 등의) 연장실; 공구실

tool·shed [-ʃèd] *n.* (뒷마당의) 공구 창고

tóol sùbject 〖교육〗 방편 과목《문법·철자법처럼 그 자체가 목적이 아닌 과목》

toom [tú:m] *a.* (스코·북잉글) 내용이 없는, 텅빈

toon [tú:n] *n.* 〖식물〗 인도 마호가니

Tóo·ner·ville trólley [tú:nərvìl-] 황폐한 시대에 뒤떨어진 노면 전차[철도] 노선

toon·ie [tú:ni] *n.* (캐나다) 캐나다의 2달러 동전

toot¹ [tú:t] *vi.* **1** 〈사람이〉 나팔·피리 등을 불다; 경적을 울리다; (미·속어) 방귀를 뀌다 **2** 〈코끼리·나귀·산새 등이〉 울다 **3** 〈어린아이가〉 울어대다 **4** 자동차를 운전하다, 자동차로 가다 **5** (속어) 진실[사실]을 말하다 **6** (미·속어) 코카인을 흡입하다 **—** *vt.* **1** 〈나팔·피리 등을〉 불다, 울리다 **2** (미·속어) 〈코카인을〉 흡입하다
~ one'*s own horn* (미·구어) 허풍을 떨다, 제 자랑을 하다 **~ *the ringer*** [***dingdong***] (미·속어) 현관의 초인종을 울리다
— *n.* **1** (나팔·피리 등을) 불기, 부는 소리; 경적 **2** (미·속어) 코카인(의 흡입) **~·er** *n.*

---

tool *n.* **1** 도구 implement, instrument, utensil, device, apparatus, gadget, appliance, machine, contrivance **2** 앞잡이 puppet, minion, henchman

too

too는 원래 전치사 to의 강조형에서 온 말이다. too는 (1)「…도 또한, 게다가」의 뜻으로 쓰는 경우와 (2)「너무…」의 뜻으로 쓰는 두 경우가 있다.

1 (a) too는 also와 뜻이 같으나 too가 보다 구어적이며 감정적인 색채를 띤다. (b) too는 긍정문에 쓰며 부정문에는 (not...) either를 쓴다. (c) too는 보통 문미에 놓이나 뜻이 애매할 때는 수식하는 말의 직후에 놓이기도 한다.

2 형용사·전치사 앞에서「너무, 지나치게…」의 뜻을 나타낸다. 특히 too ... (for ...) to ...의 용법에 주의해야 한다.

‡**too** [tú:] *ad.* **1** [보통 문미(文尾) 또는 문중에 써서] **a** (…도) **또한**, 게다가: He is young, clever, and rich ~. 그는 젊고 영리한 데다가 부자이기도 하다. / I must go there. 나도 또한 그곳에 가야 한다. / I can play the piano(,) ~. = I, ~, can play the piano. [I에 강세를 둔 경우] 나도 (역시) 피아노를 칠 수 있다; [piano에 강세를 둔 경우] 나는 피아노도 칠 수 있다.

USAGE too는 긍정문에 쓰며, 부정문에는 either를 쓴다: I cannot play the piano, *either.* (나도 피아노를 못 친다; 나는 피아노도 치지 못 한다.) 단, 긍정의 뜻을 가진 부정 의문문이나, too가 부정어 앞에 있어 그 부정어의 영향 밖에 있을 때에는 too를 쓴다: Won't you come with me, ~? 당신도 나하고 같이 가지 않겠어요? / I, ~, haven't seen it before. 나도 여태까지 그걸 본 적이 없다.

b 게다가, 더욱이: It snowed last night, and in April ~! 어젯밤에 눈이 왔어, 그것도 4월인데도 말야. **2** [형용사·부사 앞에서] **a** (…하기에는) **너무나**, 지나치게 …한 《*for*》: ~ beautiful *for* words 형용할 수 없을 만큼 아름다운 / He was ~ young *for* that sort of work. 그는 그런 종류의 일을 하기에는 너무 어렸다. / It was ~ difficult a problem *for* me. 그것은 내게 너무 어려운 문제였다. ★ 'too+형용사+a+명사'의 어순에 주의할 것 **b** (…하기에는) **너무** (…하다), 너무 …하여 …할 수가 없다 《*to* do》 《★ only too ... to, too apt[likely, ready] to ... 등은 긍정의 뜻: ⇨ only TOO (2)》: He was ~ proud *to* apologize. 그는 사과하기에는 너무나 자존심이 강했다. / The news is ~ good *to* be true. 사실이라고 믿어지지 않을 정도로 좋은 소식이다. **c** 〈…이〉 (…하기에는) **너무** …**한**, 너무 …하여 …이 …할 수가 없다 《*for* ... *to* do》: This opportunity is ~ good *for* me *to* miss. 이번 기회는 나에게 너무나 좋은 것이어서 놓칠 수가 없다. 《This opportunity is so good that I cannot miss it.으로 고쳐 쓸 수 있음》 **3 너무** …**한**, 지나치게: The coffee is (a bit) ~ hot. 커피가 (좀) 너무 뜨겁다. / He arrives late ~ often. 그는 지각이 너무 잦다. / I hope you're not ~ (much) bothered by his criticism. 그의 비평에 너무 신경을 안 쓰길 바랍니다. ★ 동사적 뜻을 가진 분사 앞에서는 too 다음에 much를 덧붙이는 것이 보다 짜임새 있는 표현.

4 《미·구어》 [상대가 부정하는 말을 반박하여] 그런데, 실은(indeed): "I don't go there often."—"You do ~." 난 거기에 자주 안 가. —(무슨 소리) 잘만 가면서. **5** [형용사·부사 앞에서] 《구어》 대단히: That's ~ bad. 정말 안됐구나. / I'm not feeling ~ well today. 오늘은 기분이 별로 좋지 않다. / She wasn't ~ pleased with his behavior. 그녀는 그의 행동이 그다지 맘에 들지 않았다. / "How's everything?"—"Not ~ bad." "지내기가 어떠십니까?"—"별로 나쁘지 않습니다."

6 필요 이상으로, 여분으로: five minutes ~ late 5분이나 (더) 늦어 / two ~ many 2개 여분으로

all **~** 아쉽게도 너무 (…하다): It ended *all* ~ soon. 너무 빨리 끝났다.

but **~** =only TOO (1)

cannot ... **~** 아무리 …하여도 지나치지 않다: You *cannot* be ~ diligent[*cannot* work ~ hard]. 공부는 아무리 열심히 하더라도 지나치다는 법이 없다.

none **~** ⇨ none *ad.* 2

not **~** 《구어》 별로 …않다(⇨ 5)

only **~** (1) 유감이지만: It is *only* ~ true. 그것은 유감이지만 사실이다. (2) 더할 나위 없이, 기꺼이: I shall be *only* ~ pleased to come. 기꺼이 오겠습니다.

quite **~** 실로, 참으로: be *quite* ~ delightful 참으로 유쾌하다

~ *bad* ⇨ 5

~ *much* (***for*** one) 버거운 것, 도저히 감당할 수 없는 것: The book is ~ *much* (*for* me). 그 책은 (내게는) 버겁다.

~ *much of a good thing* 좋지만 도가 지나쳐서 귀찮은 것: One[You] can have ~ *much of a good thing.* 아무리 좋은 것이라도 지나치면 싫증 날 수가 있다.

T~ right! 《영·호주·속어》 완전히[정말로] 그렇다!

~ ~ 《구어》 아주 훌륭한; 너무나도 《흔히 비꼬는 표현으로 씀》: This is ~ ~. 이건 정말 멋지다; 이건 꼴불견이다.

toot² *n.* 《구어》 술잔치; 도취

toot³ *n.* 《호주·구어》 변소

‡**tooth** [tú:θ] *n.* (*pl.* **teeth** [tí:θ]) **1** 이: a front ~ 앞니 / a canine ~ 송곳니 / a decayed[bad] ~ 충치 / an incisor (~) 앞니 / a milk ~ 젖니 / a molar (~) 어금니 / a premolar (~) 앞어금니, 소구치 / a permanent ~ 영구치 / a wisdom ~ 사랑니 / a false[an artificial] ~ 의치 / crown[root, fang] of a ~ 치관[근](齒冠[根]) / have a ~ pulled (out) 이를 빼다 **2 a** 이 같이 생긴 것 《톱니바퀴·빗·갈퀴·톱·줄 등의》 **b** 『동물·식물』 치상(齒狀) 돌기 **c** [*pl.*] 로즈형(型) 《금강석 하면(下面)의 모서리》 **3** (세상사에 내재하는) 엄숙함, 격심함, 가혹함; 파괴적인 힘; [*pl.*] (달려들어 물어뜯는 듯한 느낌을 주는) 위력, 강제력: the sharp *teeth* of the wind 살을 에는 듯한 바람 **4** 식성; (음식에 대한) 취미, 기호: have a sweet[dainty] ~ 단것을 좋아하다[식성이 까다롭다] **5** 거칠거칠한 지면(紙面) **6** [*pl.*] 《항해속어》 (배의) 대포, 포열; 《미·속어》 탄환

armed to the teeth (…로) 완전 무장하여 《*with*》 (***as***) ***scarce as hen's teeth*** 《호주·구어》 부족한, 수가 극히 적은 ***bare*** one***'s teeth*** 〈동물이〉 화가 나서 이를 드러내다; (웃을 때) 이를 드러내다 ***between*** one***'s teeth*** 목소리를 죽여 ***cast***[***throw***] ***... in*** a person***'s teeth*** 〈행위 등에 대해〉 …을 책망하다, 비난하다 ***chop*** one***'s ~*** 《속어》 쓸데 없는 말을 지껄이다 ***cut a ~*** 이가 나다 ***cut*** one***'s teeth on*** …으로 경험을 쌓다, …에서 비로소 배우다 ***draw*** a person***'s teeth*** …의 불평[괴로움]의 원인을 없애다; …을 무해(無害)[무력]하게 만들다; …을 달래다 ***get***[***sink***] one***'s teeth into*** …에 열중하다 ***give teeth to*** = ***put teeth in***[***into***] …을 탄탄하게 하다; 〈법

등을〉 실시하다 ***grit*** one***'s teeth*** 이를 갈다《인내·결심을 나타낼 때에 쓰임》 ***have teeth*** 《영·구어》〈법·기관 등이〉 위력을 갖고 있다, 엄중한 조항을 포함하다, 엄하다 ***in spite of*** a person***'s teeth*** …의 반대를 무릅쓰고 ***in the***[a person***'s***] ***teeth*** 맞대놓고, 꺼리지 않고, 공공연하게 ***in the teeth of*** …임에도 불구하고, 거역하여, 맞대들어 ***kick ... in the teeth*** 《구어》 …에게 심한 짓을 하다 ***lie in***[***through***] one***'s teeth*** 새빨간 거짓말을 하다 ***long in the ~*** 나이 들어서 ***pull*** a person***'s teeth*** …의 무기를 빼앗다; …을 무해[무력]하게 하다 ***put teeth in***[***into***] …의 효력을 강화하다, 효과를 높이다 ***set***[***clench***] one***'s teeth*** 이를 악물다; 결심을 굳게 하다 ***set***[***put***] a person***'s teeth on edge*** (1) …에게 불쾌감을 갖게 하다 (2) …을 불쾌하게 하다, 초조하게 하다 ***show*** one***'s teeth*** (이를 드러내어) 적의를 보이다, 위협하다, 성내다; 거역하다 ***sink ~ into*** 《구어》 …을 먹다 ***to*** a person***'s teeth*** = ***to the teeth of*** a person 《고어》 맞대놓고, 대담하게 ***to the*** (***very***) ***teeth*** 빈틈없이, 완전히

— *vt.* **1** 이를 해넣다; 〈톱 등의〉 날을 세우다 **2** 물다(bite) **3** 〈…의〉 표면을 까칠까칠하게 하다

— *vi.* 〈톱니바퀴가〉 맞물리다 ▷ tóothy *a.*

‡**tooth·ache** [tú:θèik] *n.* ⓊⒸ 치통: have[get] (《미》 a) ~ 이가 아프다 **tóoth·àch·y** *a.*

tóoth and náil *ad.* 전력을 다하여, 필사적으로

***tooth·brush** [tú:θbrʌ̀ʃ] *n.* 칫솔

tooth·brush·ing [-brʌ̀ʃiŋ] *n.* 칫솔질

tóothbrush mustáche 칫솔 모양의 짧은 콧수염

tooth·comb [-kòum] *n.*, *vt.* 《영》 살이 가는 빗[참빗](으로 빗다) ***go through*** a thing ***with a ~*** (사물)을 면밀히 조사하다

tóoth decày 충치(dental caries)

toothed [tú:θt, tú:ðd | tú:θt] *a.* **1** [복합어를 이루어] 이가 …인: buck-~ 뻐드렁니의 **2** 이가 있는, 톱니 모양의 **3** (찬 바람 등으로) 살이 에이는 것 같은

tóoth extràction 발치(술)

tóoth fáiry (빠진) 이의 요정《아이의 빠진 젖니를 베개 밑에 넣어두면 요정이 이를 가져가는 대신 돈[선물]을 놓고 간다고 함》

tooth·ful [tú:θfùl] *n.* 《영·속어》 (브랜디 등의) 한 모금, 소량

tooth·ing [tú:θiŋ, tú:ð- | tú:θ-] *n.* Ⓤ **1** (의치 등의) 이를 해 넣기 **2** (톱니바퀴의) 맞물림 **3** 이, 톱니 **4** 〖건축〗 (건물의) 증축용 돌출부《이음매》

tooth·less [tú:θlis] *a.* **1** 이가 없는; (톱니 등의) 이가 빠진 **2** 강렬함[예리함]이 없는; 효과가 없는 **~·ly** *ad.* **~·ness** *n.*

tooth·let [tú:θlit] *n.* 작은 이; 작은 이 모양의 돌기

tooth·paste [tú:θpèist] *n.* Ⓤ (크림 모양의) 치약

tooth·pick [-pìk] *n.* **1** 이쑤시개 **2** [*pl.*] (나무 등의) 파편 **3** 《비유》 호리호리한 사람 **4** 《미·속어》 주머니칼 **5** 《미·흑인속어》 가늘고 긴 마리화나 담배

tóoth pòwder 치(마)분, 가루 치약

tooth·some [tú:θsəm] *a.* **1** 맛이 좋은 **2** 〈명성·권력 등이〉 만족스러운, 유쾌한 **3** 〈여성이〉 관능적인, 성적 매력이 있는 **~·ly** *ad.* **~·ness** *n.*

tooth·wort [tú:θwə̀:rt, -wɔ̀:rt | -wə̀:t] *n.* 〖식물〗 유럽산 개종용의 일종; 미나리냉잇속(屬)의 식물

tooth·y [tú:θi, tú:ð- | tú:θ-] *a.* (**tooth·i·er**; **-i·est**) **1** 이가 보이는 **2** 맛있는 **3** 〈종이가〉 거칠거칠한 **4** 《고어》 예리한, 신랄한 **tóoth·i·ly** *ad.*

too·tle [tú:tl] *vi.* **1** 〈피리 등을〉 느리게 불다, 삐삐 계속하여 불다 **2** 〈새 등이〉 짹짹 울다 **3** 재잘거리다 **4** 《영·구어》 한가로이 움직이다[가다, 운전하다] 《*along*, *around*》; 《구어》 떠나가다 《*along*, *off*》

— *n.* **1** 피리《등》을 부는 소리 **2** 잡담 **3** 《영·구어》 드라이브 **tóo·tler** *n.*

too-too [tú:tú:] 《구어》 *a.* 몹시 심한, 과격한

— *ad.* 아주 심하게, 몹시

toots [túts] *n.* 《미·속어》 색시, 아가씨《부르는 말》

toot·sie[1] [tútsi] *n.* 《속어》 **1** = TOOTS **2** 매춘부, 파티걸

toot·sy, toot·sie[2] [tútsi] *n.* (*pl.* **-sies**) 《유아어·익살》 발(foot)

toot·sy-woot·sy [tútsiwútsi] *n.* (*pl.* **-sies**) 《속어》 = TOOTSIE[1]

‡**top**[1] [tάp | tɔ́p] *n.* **1** [보통 the ~] **a** 꼭대기, 정상(頂上), (물건의) 가장 높은 곳 《*of*》; 머리; 정수리: *the ~ of* a mountain[tree] 산[나무]꼭대기

> 유의어 **top** 사물의 최고의 점 또는 부분의 뜻으로서 가장 일반적인 말이다: the *top* of a tree 나무 꼭대기 **peak** 산맥 또는 연속된 수치나 그래프의 최고점[치]: a mountain *peak* 산꼭대기 **summit** 산의 정상 또는 그것과 유사한 것으로서 도달하는 데에 노력이 필요한 것: reach the *summit* of Mt. Everest 에베레스트 산의 정상에 오르다

b (페이지·지도 등의) 상부, 상단, 상란: at *the ~* of a page 페이지 위쪽에 **c** [보통 *pl.*] (무·당근 등의) 땅 위에 내민 부분; 《영》 (비탈진 거리 등의) 상단(上端) **d** (식탁·방 등의) 상석, 상좌 **e** 윗면, 표면; 첨단: *the ~* of a table 테이블의 표면/*the ~* of the ground 지면, 지표 **f** (보석의) 꼭대기 **g** 참호 흉벽의 꼭대기 **h** (자동차 등의) 지붕; (마차의) 덮개; (서커스장의) 천막 **i** [*pl.*] 표면만 도금한 단추 **j** [*pl.*] (투피스·파자마의) 웃옷 **2 a** 장화[승마용·사냥용 구두]의 상부 **b** [*pl.*] = TOP BOOTS **c** = TOPSAIL **d** [종종 the ~s] 〖항해〗 (범선의) 장루(檣樓) **e** 〖제본〗 책의 꼭대기[윗부분]: the gilt ~ 도금한 책의 상변[윗부분] **f** (상자·병 등의) 마개, 뚜껑: put on a ~ 마개를 하다 **g** (귀고리의) 귓불에 다는 부분《장식 구슬은 drop》 **3 a** [보통 the ~] 수석, 일등, 최고위; 최고위의 사람; [*pl.*] 《영·속어》 귀족: He is at *the ~* of his class. 그는 반에서 수석이다. **b** 시간의 처음 **c** (보트 젓는 사람 가운데의) 톱 **d** 절정, 극치: talk at the ~ of one's voice 큰 소리를 지르며 얘기하다 **e** [보통 the ~s] 《구어》 (성질·능력·인기 등에서) 최고, 최고의 인물(best) **f** Ⓤ 《영》 〖자동차〗 톱기어(《미》 high): in ~ 톱으로, 전속력으로 **4 a** 앞 머리칼, (투구 등의) 털 술(장식) **b** 털[섬유]의 다발[뭉치] 《특히 1파운드 반의》 **5 a** 〖당구〗 밀어치기《앞 회전을 줌》 **b** [*pl.*] 〖카드〗 (브리지 놀이에서) 수중에 있는 으뜸패 **c** 〖야구〗 (한 회의) 초(初)(opp. *bottom*); (타순의) 최초의 3인, 상위타자 **d** 〖골프〗 공의 위쪽을 침; 위쪽 타격으로 인한 공의 회전 **6** 〖화학〗 혼합물 증류시 최초의 휘발 부분

at the ~ of one***'s voice***[***speed***] 목청껏 소리를 질러[전속력으로] ***blow*** one***'s ~*** 《구어》 ⇨ blow[1]. ***come out*** (***at the***) ***~*** 첫째가 되다 ***come out on ~*** 경기에서 이기다; 성공한 사람이 되다 ***come to the ~*** 나타나다; 빼어나다 ***from ~ to bottom***[***toe, tail***] 머리 끝부터 발 끝까지; 철두철미, 온통 ***get on ~ of*** …을 정복하다; …에게 지지 않게 되다 ***go over the ~*** 참호에서 나와 공세로 나가다; 단호한 수단을 쓰다 ***in ~*** 최고 속력으로 ***in ~ form*** 최상의 상태로 ***off*** one***'s ~*** 정신이 돌아, 흥분하여 ***off the ~*** 《미·속어》 총수입에서 ***off***[***out of***] ***the ~ of*** one***'s head*** 《구어》 즉석에서, 잘 생각하지 않고 ***on*** (***the***) ***~ of*** …의 위[상부]에; …에 더하여; 《구어》 완전히 장악[파악]한: *on ~ of* the stair 계단 꼭대기에/*on ~ of* everything else 또한 그 위에 ***on ~*** (1) 위에(above); 〈비행기 등이〉 구름 위에 (2) 성공하여, 이겨서, 우세한 (3) 《영·속어》 현행범으로 (체포된) ***on ~ of the world*** 《구어》 (1) 성공하여 (2) 최고의 기분으로, 쾌활하여 ***over the ~*** 〖군사〗 참호에서 뛰어나와 〈돌격하다〉; 《미·캐나다》 목표[한도] 이상으로; 허풍으로, 과장하여 ***reach***[***be at***] ***the ~ of the tree***[***ladder***] 최고의 지위에 오르다 ***sit on ~ of the world*** 《미·구어》 아주 의기양양하다 ***take it from the ~*** 《구어》 〈대사·연기·연주 등을〉 처음으로 돌아가서 되풀이하다 ***take the ~ of the table***

상좌에 앉다; 사회를 맡다 ***the big ~*** (미) 서커스의 큰 천막 ***the fighting[military] ~*** 전투 장루(檣樓) 《지휘·감시·사격용》 ***the ~ of the market*** 최고 가격 ***the ~ of the milk*** (구어) (프로 중의) 가장 좋은[재미있는] 것; 백미(白眉) ***The ~ of the morning (to you)!*** (아일) 안녕히 주무셨습니까! ***the ~ of the tide*** 만조(滿潮); 한창 때 ***the ~ of the year*** 연초 ***~ and bottom[tail]*** (1) [the ~] 전체, 전부; 결국(은): That's *the ~ and bottom* of it. 그것이 그 전부다. (2) 모조리, 완전히, 온통 ***~ and topgallant*** 〖항해〗 돛을 전부 달고; 전속력으로 ***~ of the line*** 무리 중에서 최고 ***~ of the pops*** (구어) 매상 최고의 팝스레코드(의); 대단히 인기 있는 ***~ or tail[bottom]*** [부정문에서] 조금도[전혀] (모르다 《등》) ***~s and bottoms*** 양극단; (미·속어) 암호 표시가 있는 부정 주사위 ***~ to bottom*** 곤두박이로, 거꾸로; =from TOP to bottom. ***to[at] the ~ of one's bent*** (영) 전력을 다하여, 힘껏 ***up ~*** (구어) 머리쪽[속]에서, 마음으로

— *a.* Ⓐ **1** 꼭대기의 **2** 최고의: ~ price(s) 최고 가격 **3** 수석의: the ~ boy of the class 반에서 수석인 소년 **4** 일류의, 주요한 **5** (영·구어) 아주 좋은
at ~ speed 전속력으로 ***the ~ rung*** (비유) 성공의 절정; 수위, 중요한 지위

— *v.* (**~ped**; **~·ping**) *vt.* **1 a** 꼭대기[표면]를 덮다 《*with*》; …에 씌우다: a mountain *~ped with* snow 눈덮인 산꼭대기 / a church *~ped by[with]* a steeple 뾰족탑이 있는 교회 **b** (속어) 마무리하다 《*up*》 **c** 〖염색〗 마지막으로 물들이다 **d** 〈지면에〉 시비(施肥)하다 《*with*》: (~+목+전+명) ~ soil *with* manure 땅에 비료를 주다 **2 a** …의 꼭대기[정상]에 오르다; 뛰어넘다 **b** …의 수위를 차지하다, 선두에 서다; 능가하다, 넘다: He *~s* the list. 그는 필두이다. **c** …보다 높다[뛰어나다]; (비유) …보다 빼어나다 **d** 높이가 …이다 **e** 〖골프·테니스〗 〈공의〉 윗부분을 치다 **f** 〖항해〗 (돛의 가름대 등의) 한쪽 끝을 올리다 **3** 〈식물·과일 등의〉 끝을 자르다 《요리하기 전에》 **4** 〖화학〗 〈혼합물의〉 가장 휘발하기 쉬운 부분만을 증류하다 **5** (속어) 교살(絞殺)하다, 죽이다: ~ oneself (목매어) 자살하다

— *vi.* **1** 높이[우뚝] 서다, 탁월하다 **2** 〖골프·테니스〗 공의 윗부분을 치다 ***~ and tail*** (영) (과일·야채 등의) 양쪽 끝을 잘라내다 ***~ off*** (1) 마무리하다, 끝내다 (2) (미) 〈건물의〉 완성을 축하하다 ***~ out*** 〈값·속도·생산량 등이〉 절정에 이르다 《*at*》 ***~ one's part*** 〖연극〗 맡은 역을 썩 잘하다; 임무를 훌륭히 수행하다 ***~ up*** 위까지 (가득) 채우다; (영) (…로) 잔을 가득 채우다 《*with*》; 〈배터리를〉 충전하다 ***to ~ (it) all*** 게다가; 결국은

‡**top²** [tɑ́p | tɔ́p] *n.* **1** 팽이 **2** (속어) 친구
an old ~ 어이, 자네, 동무 ***sleep like[as sound as] a ~*** 곤히 자다, 숙면하다 ***spin a ~*** 팽이를 돌리다 ***The ~ sleeps[is sleeping].*** 팽이가 잘 돌아 정지한 듯이 보인다.

TOP temporarily out of print 일시 절판(絕版)

top- [tɑp | tɔp], **topo-** [tɑ́pou, -pə | tɔ́p-] 《연결형》 「장소; 위치; 국소」의 뜻

to·parch [tóupɑːrk, tɑ́p- | tóup-, tɔ́p-] *n.* 소국(toparchy)의 군주[지배자]

to·par·chy [tóupɑːrki, tɑ́p- | tóup-, tɔ́p-] *n.* (몇 개 도시로 이루어지는) 소국가; 소지역

to·paz [tóupæz] *n.* ⓊⒸ **1** 〖광물〗 토파즈, 황옥(黃玉) **2** Ⓒ 〖조류〗 벌새의 일종 《남미산(産)》
false[common] ~ 황수정(黃水晶)

to·paz·o·lite [toupǽzəlàit] *n.* 황색[녹색, 연두색, 밀크색]의 석류석(石榴石)

tópaz quàrtz 황수정, 시트린(citrine)

tóp banána [셋이 출연하는 코미디에서 멋진 경구를 말한 배우에게 바나나를 주는 관례에서] (미·속어) (뮤지컬 등의) 주역 배우; (단체[조직]의) 제1인자, 중심인물

tóp bílling 주연 배우의 이름을 실은 광고면의 최상부; 대대적인 광고[선전, 취급 《등》]

tóp bòot [보통 *pl.*] 승마화의 일종 《상부에 밝은 색의 가죽을 사용》

tóp bráss [the ~] (구어) 고급 관료[장교]

top-cap [tɑ́pkæ̀p | tɔ́p-] *vt.* (**~ped**; **~·ping**) (재생 고무 등으로) 타이어의 표면을 갈아 붙이다
— *n.* 〖기계〗 축(軸)상자의 윗부분

top-class [-klǽs | -klɑ́ːs] *a.* 최고급의, 톱클래스의

top·coat [-kòut] *n.* **1** 가벼운 외투, 스프링코트(topper) **2** (페인트 등의) 마감칠; (사진 등의) 보호막

tóp còpy (사본에 대하여) 정본(正本), 원본

top·cross [-krɔ̀ːs] *n.* 〖유전〗 품종 계통간 교잡

tóp dóg (구어) **1** 이긴 쪽, 승자, 우세한 편(opp. *underdog*) **2** 최고 권력을 가진 사람[집단, 국가] **3** (미·속어) 두목(boss) **tóp-dòg** *a.*

tóp dóllar (구어) (지불할 수 있는) 최고 한도액

top-down [-dáun] *a.* **1** 말단까지 잘 조직화된, 통제가 잘 되어 있는; 상의하달 방식의 **2** 모든 것을 커버하는, 포괄적인 **3** 〖컴퓨터〗 톱다운 방식의, 하향식의 《구조적 계층을 위에서 아래로 구성해 가는 방식》

tóp-down devélopment 〖컴퓨터〗 하향식 개발

tóp-down prógramming 〖컴퓨터〗 하향식 프로그래밍

tóp dráwer **1** 맨 위 서랍 **2** [the ~] (구어) (사회·권위·우수성의) 최상층, 상류 계급: be[come] out of *the ~* 상류 계급 출신이다

top-draw·er [-drɔ́ːr] *a.* Ⓐ 〈중요성·특권 등이〉 가장 높은, 최고급의, 가장 중요한

top·dress [-drès] *vt.* 〈작물·밭 등에〉 거름을 주다, 시비(施肥)하다; 〈도로에〉 자갈을 깔다

top·dress·ing [-drèsiŋ] *n.* Ⓤⓒ 거름주기, 시비(施肥); 도로의 최상층 《자갈·쇄석(碎石) 등》; (비유) 피상적인 처리

tope¹ [tóup] *vi.*, *vt.* 술을 많이[습관적으로] 마시다

tope² *n.* 돔 같이 생긴 큰 불탑(佛塔), 묘당(廟堂)

tope³ *n.* (인도) (망고 등의) 숲, 삼림

tope⁴ *n.* 〖어류〗 작은 상어의 무리

to·pee [toupíː, ⌐– | tóupiː, -pi] *n.* (인도의 차양용) 헬멧 모자

To·pe·ka [təpíːkə] *n.* 토피카 《미국 Kansas주의 주도》

tóp elíminator (미·속어) 우승 후보 선수

tóp ènd (가느다란 쪽의) 끝

top-end [-ènd] *a.* Ⓐ 최고(급)의; 가장 비싼

top·er [tóupər] *n.* 술고래

tóp flíght [the ~] 최우수, 제1급, 최고위: students in *the ~* of their class 반에서 가장 우수한 학생들

top·flight [tɑ́pflàit | tɔ́p-] *a.* (구어) 일류의(first-rate), 〈지위가〉 최고의 **~·er** *n.*

Tóp 40 [-fɔ́ːrti] *n.*, *a.* [때로 **t~**] 일정 기간 중의 베스트셀러 레코드 40종(의)

tóp-fréez·er refrígerator [-fríːzər-] (상부에 냉동고가 달려 있는) 냉장고

top·full [tɑ́pfùl | tɔ́p-] *a.* (드물게) (그릇의 가장자리까지) 꽉 찬, 넘칠 정도의(brimful)

top·gal·lant [tɑ̀pgǽlənt | tɔ̀p-; 〖항해〗 təgǽlənt] *n.*, *a.* **1** 〖항해〗 윗 돛대[톱갤런트 마스트](의) 《아래로부터 3번째의 돛대(의)》; 이 돛대에 걸리는 돛(의) **2** (비유) 최고(의), 일류(의)

tóp géar (영) =HIGH GEAR

tóp gràfting 〖원예〗 고접목법(高接木法) 《나무 윗부분을 잇는 접목법》

top-gross·ing [-gròusiŋ] *a.* Ⓐ 최고의 수익을 내는: the ~ movie of 2006 2006년 최고 수익을 올린 영화

tóp gún (구어) 제1인자, 대가(大家) ★ 본래는 공군사관학교 최우수 졸업생을 이름.

top·hamp·er [-hæ̀mpər] *n.* **1** 〖항해〗 배 상부의 돛·밧줄; 갑판 위의 무거운 장비 《포탑·보트·닻 등》 **2** 《일반적으로》 방해물, 무의미한 어구

tóp hàt (남자의 예식(禮式)용) 실크해트, 중산모

top-hat [-hǽt] *a.* (구어) 최상 계급의, 상류 사회의

top-heav·y [-hèvi] *a.* **1** 머리가 큰; 불안정한 **2**

〈조직·구조가〉 상부의 비중이 큰, 관리직[임원]이 너무 많은 **3** 〖금융〗 자본이 과대한; 우선 배당 채권이 너무 많은

To·phet, -pheth [tóufit, -fet | -fet] *n.* 〖성서〗 도벳 (Jerusalem의 쓰레기 버리는 곳); Ⓤ 지옥(hell)

top-hole [tɑ́phóul | tɔ́p-] *a.* 《영·속어》 최고급의 (first-rate)

to·phus [tóufəs] *n.* (*pl.* **-phi** [-fai]) 〖병리〗 통풍결절(痛風結節); 〖지질〗 = TUFA

to·pi[1] [toupí:, tóupi | tóupi:, -pi] *n.* = TOPEE

to·pi[2] [tóupi] *n.* (*pl.* **~s**) 〖동물〗 토피 《아프리카 중동부의 사바나에 서식하는 영양》

to·pi·ar·y [tóupièri | -əri] 〖원예〗 *a.* 〈정원수 등이〉 장식적으로 다듬은: a ~ garden 장식 정원 **—***n.* (*pl.* **-ar·ies**) ⓊⒸ 장식적으로 다듬어 깎기[깎은 정원]

⁑**top·ic** [tɑ́pik | tɔ́p-] [Aristotle의 저서명 *Topiká* (「평범한 일들」의 뜻)에서] *n.* **1** 화제, 이야깃거리, 토픽, 논제; 주제, 제목(⇨ subject 유의어): current ~*s* 오늘의 화제, 시사 문제 / the ~ of the book [speech] 그 책[강연]의 주제 / discuss the ~*s* of the day 시사 문제를 논하다 / provide a ~ for discussion 토론의 제목을 제공하다 **2** 〖논리·수사학〗 토피카, 총론; 일반적 원칙[규범, 진리] ▷ tópical *a.*

*__top·i·cal__ [tɑ́pikəl | tɔ́p-] *a.* **1** 화제의, 논제의, 주제[제목]에 관한 **2** 〈형식 등이〉 원칙적인, 총론적인 **3** 시사 문제의, 시국적인: a ~ allusion 시사 문제에 대한 언급 **4** 장소의, 고장의(local) **5** 〖의학〗 〈마취제·요법 등이〉 국부[국소](성)의(local): a ~ anesthetic 국소 마취제 / a ~ remedy 국소 요법
—*n.* 〖우표〗 주제별 수집 **~·ly** *ad.*

top·i·cal·i·ty [tɑ̀pikǽləti | tɔ̀p-] *n.* (*pl.* **-ties**) **1** 일시적인 관심사, 화제 **2** 시사 문제

top·i·cal·ize [tɑ́pikəlàiz | tɔ́p-] *vt.* 〖언어〗 화제화[주제화]하다; 주제를 바꾸다; 주제로 나타내다

tópic gròup 〖컴퓨터〗 (인터넷의) 토픽 그룹 《게시판이나 뉴스 그룹 등을 통해 모여 토론함》

tópic séntence 주제문, (논문 등의 절·장 안에 나오는) 요지 설명문

tóp kìck 《미·속어》 **1** 〖군사〗 선임 하사관, 상사(first sergeant) **2** 지도자, 권력자, 보스(boss)

top·knot [tɑ́pnɑ̀t | tɔ́pnɔ̀t] *n.* **1** 나비 매듭의 리본 《17-18세기 여자의》 **2** (위로 돋아난) 다발, 술; 볏, 관모(冠毛), 도가머리; 상투 **3** 〖어류〗 넙치의 일종 **4** 《구어》 머리(head)

top·less [tɑ́plis | tɔ́p-] *a.* **1** 〈여성이〉 유방을 드러낸, 윗옷을 입지 않은; 〈옷이〉 토플리스의 **2** 〈산 등이〉 꼭대기가 안 보이는, 매우 높은; 한정이 없는: a ~ mountain 정상이 안 보일 만큼 높은 산
—*n.* (*pl.* **~·es**) 토플리스의 드레스[옷, 수영복]

tópless ràdio 《미》 라디오 프로의 섹스 상담

top-lev·el [tɑ́plévəl | tɔ́p-] *a.* 《구어》 최고 수준의; 최고 수뇌부의

tóp líght 〖항해〗 장루등(檣樓燈) 《기함(旗艦) 돛대 후부의 신호등》; 위쪽에서의 빛[조명]

top·line [-láin] *a.* (신문·광고 등의) 상단에 게재할 만한, 가장 중요한; 평판이 매우 높은, 톱레벨의

top·lin·er [-láinər] *n.* 《영》 제1인자, 거물, 주역; 인기 배우

top·loft·y [-lɔ́:fti | -lɔ́fti] *a.* 《구어》 거만한, 거드럭거리는(haughty)

top·man [-mən] *n.* (*pl.* **-men** [mən, -mèn]) **1** 〖항해〗 장루원(檣樓員) **2** = TOP SAWYER 1

tóp mánagement (기업의) 최고 경영 관리 조직[기능]; 최고 경영층 《사장·중역 등》

top·mast [-mæ̀st | -mɑ̀:st; 〖항해〗 -məst] *n.* 〖항해〗 중간 돛대 《아래 돛대 위에 잇댄 돛대》

top·min·now [-mìnou] *n.* (*pl.* **~s,** [집합적] **~**) 〖어류〗 톱미노 《수면을 헤엄치는 송사릿과(科) 작은 물고기의 총칭》

top·most [-mòust, -məst] *a.* Ⓐ 〈위치·지위 등이〉 최고의, 최상(급)의(highest)

top·notch [-nɑ́tʃ | -nɔ́tʃ] 《구어》 *n.* [the ~] (도달할 수 있는) 최고점, 최고도: in *the* ~ of perfection 완전무결의 **—***a.* 일류의, 최고의: a ~ job 일류 직업 / a ~ university 일류 대학 **~·er** *n.*

topo- [tɑ́pou, -pə | tɔ́p-] 《연결형》 = TOP-

top·o·cen·tric [tɑ̀pəséntrik | tɔ̀p-] *a.* 〖지리〗 지구 표면의 한 지점에서 측정[관찰]한; 원점이 되는 지표의 한 지점의

top-of-the-line [tɑ́pəvðəláin | tɔ́p-] *a.* 최고급품의, 최신식의, 최신예의

top-of-the-range [-réindʒ] *a.* 《영》 = TOP-OF-THE-LINE

topog. topographical; topography

top·o·graph [tɑ́pəgræ̀f | tɔ́pəgrɑ̀:f] *n.* 물체 표면의 정밀 사진

to·pog·ra·pher [təpɑ́grəfər | -pɔ́g-], **-phist** [-fist] *n.* **1** 지형학자, 지지(地誌)학자 **2** 지지 작가, 풍토기(風土記) 작가

top·o·graph·i·cal [tɑ̀pəgrǽfikəl | tɔ̀p-], **-graph·ic** [-grǽfik] *a.* **1** 지형학의 **2** 지지의, 지형상의 **3** 〖해부〗 국소 해부의 **-i·cal·ly** *ad.*

topográphic máp (보통 등고선에 의한) 지세도, 지형도

to·pog·ra·phy [təpɑ́grəfi | -pɔ́g-] *n.* (*pl.* **-phies**) **1** Ⓤ 지형학; 지형도 제작술; (비교적 작은 지역의 상세한) 지세도, 지형도 **2** 지지(地誌), (한 지방의) 지세(地勢) **3** Ⓤ 〖해부·동물〗 국소 해부학

top·o·log·i·cal [tɑ̀pəlɑ́dʒikəl | tɔ̀pəlɔ́dʒi-] *a.* topology의; 〖수학〗 위상적(位相的)인 **~·ly** *ad.*

topológical equívalence 〖수학〗 위상 동형(位相同形)

topológical gróup 〖수학〗 위상군(群)

topológical inváriant 〖수학〗 위상(位相) 불변

topológical psychólogy 〖심리〗 위상 심리학

topológical spáce 〖수학〗 위상 공간(位相空間) 《위상이 정해져 있는 공간》

to·pol·o·gy [təpɑ́lədʒi | -pɔ́l-] *n.* Ⓤ **1** 〖수학〗 위상(位相) 기하학 **2** 지세학(地勢學); 풍토지(風土誌) 연구 **3** 〖심리〗 위상(位相) 심리학 **4** 〖해부〗 국소 해부학

top·on·o·mas·tic [tɑ̀pənəmǽstik | tɔ̀p-] *a.* 지명(地名)의

top·o·nym [tɑ́pənìm | tɔ́p-] *n.* 지명(地名)(에서 나온 이름)

top·o·nym·ic, -i·cal [tɑ̀pənímik(əl) | tɔ̀p-] *a.* toponymy의

to·pon·y·my [təpɑ́nəmi | -pɔ́n-] *n.* Ⓤ **1** 지명 연구, (어떤 지역·언어의 연구 대상으로서의) 지명 **2** 〖해부〗 (인체의) 국소명(局所名), 국소 명명법

to·pos [tóupɑs | tɔ́p-] *n.* (*pl.* **-poi** [-pɔi]) 〖수사학〗 토포스 《늘 사용되는 주제·개념·표현》, 진부한 표현[생각]

top·per [tɑ́pər | tɔ́p-] *n.* **1** 상부에 있는 것, 상층 **2** 〖상업〗 겉보기 물건 《과실 등의 좋은 것으로 위에 쌓아 올린》 **3** 돌담 위의 큰 돌 **4** 《구어》 톱코트(topcoat) 《여자가 슈트 위에 걸치는》 **5** 《구어》 = TOP HAT **6** 《영·속어》 뛰어난[좋은] 것[사람]; 《구어》 (조크(joke) 등의) 걸작

top·ping [tɑ́piŋ | tɔ́p-] *n.* **1** 윗 부분을 다듬어 자름; 다듬어 잘라낸 상층; 〖석유〗 상압(常壓) 증류 **2** 꼭대기; 관모, 도가머리; 《익살》 머리 **3** 요리 위에 얹거나 치는 것 《소스·크림 등》; 〖건축〗 (콘크리트 표면의) 모르타르 마무리 **—***a.* **1** 보다 높은, 더 훌륭한 **2** 《영·속어》 최고의, 가장 좋은; 유쾌한; 《미·구어》 거만한

tópping óut 건축물의 1층 부분을 완성시키는 일 《한국에서의 상량식에 해당》: celebrate the ~ 상량식을 거행하다

top·ple [tɑ́pl | tɔ́pl] *v.* (**-pled**; **-pling**) *vi.* 넘어질 듯 근들거리다, 앞으로 비틀거리다, 넘어지다 《*down, over*》: (~+전+명) ~ *to* the ground 땅에 넘어지다 **—***vt.* 근들거리게 하다, 넘어뜨리다; (권좌 등에서) 끌어내리다, 몰락시키다 《*from*》: (~+목+전+명) The coup d'état ~*d* the dictator *from* his position. 쿠데타로 독재자는 자리에서 쫓겨났다. **~ *down*** 무너지다; 무너뜨리다 **~ *over*** 넘어지다; 넘어뜨리다

tóp quàrk 〚물리〛 톱쿼크 《양자(陽子)의 13배 질량을 갖는 쿼크》

top-rank·ing [tάpræ̀ŋkiŋ | tɔ́p-] *a.* Ⓐ 《미·구어》 고위층의; 일류의

top-rat·ed [-réitid] *a.* Ⓐ 가장 인기 있는: a ~ TV show 가장 인기 있는 텔레비전 쇼

tóp róund (소의) 허벅다리 고기(round)의 안쪽 부분(cf. BOTTOM ROUND)

tops [tάps | tɔ́ps] 《속어》 *a.* Ⓟ 〈능력·인기 등이〉 최고인, 제1인자인 **—***ad.* 최고로
—*n. pl.* [the ~] =TOP[1] *n.* 3 e

TOPS [tάps | tɔ́ps] [*t*hermoelectric *o*uter *p*lanet *s*pacecraft] *n.* 〚우주과학〛 열전기식 행성 탐색 우주선

top·sail [tάpsèil | tɔ́p-; 〚항해〛 -səl] *n.* 〚항해〛 중간 돛, 상장범(上檣帆), 제1 접장범(接檣帆)

tóp sáwyer **1** (둘이서 톱질할 때) 위쪽에 선 사람 **2** 《영·구어》 윗자리 사람

tóp sécret 최고 기밀 (문서[정보])

top-se·cret [tάpsí:krit | tɔ́p-] *a.* 〚정치·군사〛 최고 기밀의, 극비의, 극비 사항의, 국가 기밀의

top-seed·ed [-sí:did] *a.* 〚스포츠〛 제1[톱]시드의 《테니스·탁구 등의 토너먼트에서 첫 번째로 대진이 조정된 (선수)》

tóp sérgeant 《미·군대속어》 고참 상사

top-shelf [tὰpʃélf] *a.* Ⓐ **1** 《영》 〈잡지나 영화 따위가〉 춘화의, 도색적인(pornographic): ~ magazine 도색 잡지 **2** 《미》 최상의(excellent): It is a ~ law firm. 거기는 최고의 법률 사무소이다.

top·side [-sàid] *n.* **1** 위쪽, 상위(upper side): the ~ of the rock pile 《미·흑인속어》 고층 빌딩의 최상층 **2** [보통 *pl.*] 〚항해〛 건현(乾舷); (군함의) 상갑판 **3** Ⓤ 《영》 소의 옆구리 살 **4** 《미》 최고 권한이 있는 지위; [the ~; 집합적] 고위 간부 **—***a.* 위쪽의, 상갑판의; 최고 권한이 있는 지위의

top·sid·er [-sàidər] *n.* **1** (조직의) 상층부, 수뇌부 (의 사람); 상갑판 승무원[담당 장교] **2** [**T~**] 톱사이더 《캐주얼 구두; 상표명》

tops·man [tάpsmən | tɔ́ps-] *n.* (*pl.* **-men** [-mən, -mèn]) 《영》 =HANGMAN

top·soil [tάpsɔ̀il | tɔ́p-] *n.* Ⓤ (비옥한) 표토(表土)
—*vt.* 〈지면을〉 표토로 덮다

top·spin [-spìn] *n.* (테니스·당구 등에서 공이 진행 방향으로 회전하며 가도록) 빗겨 치기, 전진 회전, 톱스핀

top·stitch [-stìtʃ] *vt.* 〚복식〛 〈깃·소맷부리 등에〉 (겉에서부터) 장식 스티치[톱스티치]를 넣다

tóp stóry 최상층, 맨 위층; [the ~] 《미·속어》 머리

top·sy-tur·vy [tάpsitə́:rvi | tɔ́p-] *ad.* 거꾸로, 곤두박이로; 뒤죽박죽으로: fall ~ 곤두박이치다
—*a.* 〈영상·가치 등이〉 거꾸로의, 뒤죽박죽의; 〈방·상태 등이〉 혼란된: the ~ values of the younger generation 젊은 세대의 혼란스런 가치관 / Everything has turned ~. 모든 것이 뒤죽박죽이 되고 말았다. **—***n.* Ⓤ 곤두박이; 뒤죽박죽, 혼란 상태
—*vt.* (**-vied**) 거꾸로 하다; 뒤죽박죽[엉망진창]으로 하다 **-túr·vi·ly** *ad.* **-túr·vi·ness** *n.*

top·sy-tur·vy·dom [-dəm] *n.* Ⓤ 뒤죽박죽, 본말전도; 도착(倒錯)된 세계

tóp táble 《영》 (만찬 등의) 주빈석, 상석(《미》 head table)

tóp tén, tóp 10 **1** 톱 텐 《일정 기간 인기를 누린 상위 10위까지의 노래·음반·영화 따위》 **2** 《일반적으로》 상위 10걸(傑)(의 사람[것])

tóp tùrn 〚서핑〛 톱턴 《파도 상부에서 회전하는 터닝(turning) 기법의 하나》

top-up [-ʌ̀p] *n.* 《영》 **1** (소요량에 맞추기 위한) 보충, 충전; 추가 부담 **2** (음료수 등의) 리필, 보충, 다시 채우는 것: Would you like a ~? 리필하시겠어요?

tóp-up càrd (선불식) 이동 전화 충전 카드

TOPV trivalent oral polio vaccine

top·work [tάpwə̀:rk | tɔ́p-] *n.* 《영·속어》 유방, 젖(통이) **—***vt.* 〚원예〛 …에 접목(接木)하다

toque [tóuk] *n.* 챙 없는 둥글고 작은 모자, 《특히》 여자 모자

toque

tor [tɔ́:r] *n.* (뾰족한) 바위산, 험한 바위산 꼭대기

-tor [tər] *suf.* 「…하는 사람[것]」(⇨ -or[2])

To·rah, -ra [tɔ́:rə] *n.* [때로 **t~**] **1** 〚유대교〛 토라, 율법(律法) **2** 〚성서〛 [the ~] 모세 5경

to·ran [tɔ́:rən], **to·ra·na** [tɔ́:rənə] *n.* (인도 등지의) 절의 대문, 산문(山門)

torc [tɔ́:rk] *n.* =TORQUE 2

torch** [tɔ́:rtʃ] *n.* **1** 횃불 **2** 《영》 회중 전등(《미》 flashlight) **3** 《미》 (연관공·유리 세공인들이 쓰는) 토치 램프, 발염(發炎) 방사 장치 **4** (비유) 빛, 광명, 희망(의 빛): the ~ of learning 학문의 빛 / the ~ of civilization 문명의 불 **5** 《미·속어》 방화범; 《마약속어》 마리화나 담배 ***carry a* [*the*] *~ for (구어) (1) …에게 반해[사랑에 빠져] 있다, 《특히》 …에 대한 짝사랑으로 괴로워하다 (2) 〈예술 등의〉 혁명 운동에 가담하다, 〈대의 등을〉 실행하다 ***hand on the ~*** 지식·전통의 등불을 계승하여 후세에 전하다 ***put … to the ~*** …에 불을 붙이다 ***the ~ of Hymen*** 사랑의 불길
—*vt.* **1** 횃불로 비추다; 《미》 토치 램프로 물고기를 잡다 **2** 불을 지르다 **3** 《속어》 (보험금을 타려고) 방화하다

torch·bear·er [tɔ́:rtʃbɛ̀ərər] *n.* 횃불을 드는 사람; 계몽가, 문명의 선구자

tor·chère [tɔ:rʃɛ́ər] [F] *n.* (18세기에 쓰인) 굽 높은 촛대; =TORCHIERE

torch-fish·ing [tɔ́:rtʃfìʃiŋ] *n.* 밤에 횃불을 사용하여 물고기를 잡음

tor·chiere [tɔ:rtʃíər] *n.* (간접 조명용) 플로어 램프

torch·light [tɔ́:rtʃlàit] *n.* 횃불(의 빛)

tór·chon láce [tɔ́:rʃɑn- | -ʃən-, -ʃɔn-] 접시 닦는 행주, 거친 레이스의 일종

tórchon páper 토르숑 종이 《표면이 거친 수채화 용지》

tórch ràce (고대 그리스의) 횃불 계주(繼走)

tórch rèlay 성화(聖火) 릴레이 《올림픽 등의 개회식장에 릴레이로 성화를 운반하는 일》

tórch sìnger 《미》 토치송 가수

tórch sòng [carry a[the] torch for에서] 《미》 토치송 《실연·짝사랑 등을 읊은 감상적인 블루스곡》

torch·wood [tɔ́:rtʃwùd] *n.* Ⓤ 횃불용 나무

torch·y [tɔ́:rtʃi] *a.* (**torch·i·er**, **-i·est**) **1** 《미·속어》 짝사랑에 고민하는 **2** 토치송(torch song) (가수)의: a ~ voice 토치송을 부르는 듯한 목소리

***tore** [tɔ́:r] *v.* TEAR[2]의 과거

to·re·a·dor [tɔ́:riədɔ̀:r | tɔ́r-] [Sp.] *n.* (스페인의) 기마 투우사

tóreador pànts 투우복 모양의 여성용 바지

to·re·ro [təréərou | tɔ-] [Sp.] *n.* (*pl.* **~s** [-z]) (도보(徒步)) 투우사(cf. TOREADOR)

to·reu·tic [tərú:tik] *a.* 금속 공예의, 금속 세공의

to·reu·tics [tərú:tiks] *n. pl.* [단수 취급] 금속 공예, 금속 세공(술), 조금(彫金)(술)

to·ri [tɔ́:rai] *n.* TORUS의 복수

to·ric [tɔ́:rik, tάr- | tɔ́r-] *a.* **1** (안경용) 원환체(圓環體) 렌즈의 **2** 〚기하〛 원환체의

tóric léns 〚광학〛 원환체(圓環體) 렌즈 《난시 교정용》

***tor·ment** [tɔ́:rment] *n.* **1** ⓊⒸ 고통, 격통, 고뇌: be in ~ 고민하다 / suffer ~(*s*) 괴로워하다 **2** 괴롭힘, 고문; ⓊⒸ 귀찮은 것, 성가신 것, 괴로움의 근원, 골칫거리: He is a real ~ to me. 그는 내게 정말 귀찮은 존재다. **3** (고어) 고문; 고문 도구; 고문의 고통

thesaurus **torment** *n.* agony, suffering, torture, pain, anguish, misery, distress, affliction

— [-ˊ, ˊ-|-ˊ] *vt.* **1** (육체적·정신적으로) **괴롭히다**, 고문하다; 고통을 주다 《*by, with*》 ★ 종종 수동형으로 써서 「괴로워하다」의 뜻이 됨: be *~ed with* remorse[a violent headache] 양심의 가책[심한 두통]으로 괴로워하다 **2** (…로) **곤란하게 하다**, 못살게 굴다 《*with, by*》: 《~+목+전+명》 ~ a person *with* harsh noises 귀에 거슬리는 소리로 …을 괴롭히다/ Bob often *~s* his teachers *by* asking silly questions. 봅은 흔히 바보 같은 질문을 해서 선생님들을 괴롭힌다. **3** …의 의미를 보다 복잡하게 해석하다, 곡해하다

tor·men·til [tɔ́:rmentìl, -mən-|-mən-] *n.* 〖식물〗 양지꽃의 일종

tor·ment·ing·ly [tɔ:rméntiŋli] *ad.* 몹시 성가시게, 아주 귀찮게; 못견디게; 마음에 걸려

tor·men·tor, -ment·er [tɔ:rméntər, ˊ--|-ˊ-] *n.* **1** 괴롭히는 사람[물건] **2** (바퀴 달린) 써레 **3** 〖연극〗 무대 양 옆의 가림막 **4** 〖영화〗 반향 방지 장치[스크린] 《토키 촬영용》 **5** 〖항해〗 고기 집는 긴 포크 《배의 요리사가 씀》

tor·men·tress [tɔ:rméntris] *n.* 남을 괴롭히는 여자

‡**torn** [tɔ́:rn] *v.* TEAR²의 과거분사

tor·nad·ic [tɔ:rnǽdik, -néidik] *a.* 폭풍우의, 회오리바람 같은

tor·na·do [tɔ:rnéidou] [Sp. 「회전하다」의 뜻에서] *n.* (*pl.* **~(e)s**) **1** 〖기상〗 토네이도 《특히 서아프리카와 미국 Mississippi 강 유역에서 일어나며 무서운 파괴력을 가짐》 **2** (강렬한) 폭풍, 선풍 **3** [**T~**] 〖군사〗 영국·옛 서독·이탈리아가 공동 개발한 초음속 다목적 전투기 **4** (감정·활동 등의) 격발, 폭발; (갈채·비난·탄알 등의) 폭풍 **~·lìke** *a.*

to·roid [tɔ́:rɔid] *n.* 〖기하〗 환상면[체]

to·roi·dal [tɔ:rɔ́idl, ˊ--|-ˊ-] *a.* 〖기하〗 도넛형의, 환상면[체]의 **~·ly** *ad.*

To·ron·to [tərántou|-rɔ́n-] *n.* 토론토 《캐나다 남동부 Ontario 주의 주도》

to·rose [tɔ́:rous, -ˊ], **to·rous** [-rəs] *a.* 〖동물〗 혹 모양의 돌기로 덮인 표면을 가진; 〖식물〗 염주 모양의 마디가 많은

***tor·pe·do** [tɔ:rpí:dou] [L 「무감각; 시끈가오리」의 뜻에서] *n.* (*pl.* **~es**) **1 수뢰**, 어뢰, 부설 기뢰: a ~ release mechanism 어뢰 발사 장치 **2** (미) 지뢰(mine) **3** (미) 〖철도〗 신호 뇌관(雷管) **4** (미) (석유가 잘 나오게 하기 위한) 발파 **5** 딱총 《부딪쳐서 폭발시키는》 **6** 〖어류〗 시끈가오리 **7** (속어) (갱에게 고용된) 악한

— *vt.* **1** 수뢰[어뢰]로 파괴[공격]하다 **2** (미) 〈유정(油井)을〉 발파하다 **3** 〈정책·제도 등을〉 무효로 하다

torpédo bòat 수뢰정(水雷艇), 어뢰정

tor·pé·do-boat destròyer [tɔ:rpí:doubòut-] (대(對)어뢰정용) 구축함

torpédo bòmber[plàne] (어뢰 투하용의) 뇌격기(機)

torpédo jùice (미·군대속어) 하급 밀주; 자가제(自家製) 알코올 음료

torpédo nèt[nètting] 어뢰 방어망

torpédo tùbe 수뢰[어뢰] 발사관

Torp·ex [tɔ́:rpeks] [*tor*pedo+*ex*plosive] *n.* Ⓤ [때로 **t~**] 〖해군〗 토펙스 《폭뢰용 고성능 폭약》

tor·pid¹ [tɔ́:rpid] [L 「무감각해지다」의 뜻에서] *a.* (**~·er**; **~·est**) **1** 움직이지 않는, 활발치 못한, 느린; 둔한, 무신경한 **2** 〈동물이〉 휴면하는, 동면하는 **~·ly** *ad.* **~·ness** *n.* = TORPIDITY

torpid² *n.* 토피드 《사순절에 Oxford 대학의 경조에 쓰이는 8인승 보트》; [*pl.*] Oxford 대학의 춘계 보트레이스

tor·pid·i·ty [tɔ:rpídəti] *n.* Ⓤ 무기력; 무감각, 마비 상태; 휴면

tor·pi·fy [tɔ́:rpəfài] *vi., vt.* (**-fied**) 마비되다[시키다], 무감각하게 되다[하다]

tor·por [tɔ́:rpər] *n.* = TORPIDITY

tor·por·if·ic [tɔ̀:rpərífik] *a.* 감각을 둔하게 하는, 마비성의, 무감각[무기력]하게 하는

tor·quate [tɔ́:rkwət, -kweit] *a.* 〖동물〗 (목둘레에) 고리 모양의 깃털[빛깔](torques)이 있는

torque [tɔ́:rk] *n.* **1** Ⓤ 〖역학·기계〗 토크, 비트는 힘; 회전 우력(回轉偶力); 〖광학〗 (선광체(旋光體)를 통과하는) 편광면(偏光面) 회전 효과 **2** (고대의) 목걸이 **—** *vt.* …에 회전력을 주다; 회전시키다

tórque convèrter 〖기계〗 회전력 변환 장치, 《특히》 유체(流體) 변속기

tor·ques [tɔ́:rkwi:z] *n.* 〖동물〗 (목둘레에 있는) 고리 모양으로 빛깔이 변한 부분

torr [tɔ́:r] *n.* 〖물리〗 토르 《저압 기체의 압력 단위》

tor·re·fac·tion [tɔ̀:rəfǽkʃən, tàr-|tɔ̀r-] *n.* Ⓤ 건조(시킴); 그을림, 굽기

tor·re·fy [tɔ́:rəfài, tár-|tɔ́r-] *vt.* (**-fied**) (가열하여) 말리다, 그을리다; 굽다

‡**tor·rent** [tɔ́:rənt, tár-|tɔ́r-] *n.* **1 급류**: a ~ of lava 용암의 격류 **2** [보통 *pl.*] **억수**: *~s* of rain 억수 같은 비 **3** [때로 *pl.*] (말·질문 등의) 연발; (감정 등의) 격발: a ~ of questions 질문 공세 It rains ***in ~s.*** (비가) 억수로 (내린다). ***~ of abuse*** [***eloquence***] 마구 퍼붓는 욕설[도도한 웅변]

tor·ren·tial [tɔ:rénʃəl, tə-|tə-, tɔ-] *a.* **1** 급류의[같은]: a ~ rain 폭우/~ streams 격류 **2** 〈감정·변설 등이〉 심한, 맹렬한, 격한: ~ anger 격노 **~·ly** *ad.*

Tor·ri·cel·li [tɔ̀:rətʃéli|tɔ̀r-] *n.* 토리첼리 **Evangelista ~** (1608-47) 《이탈리아의 물리학자·수학자》

Tor·ri·cél·li·an expériment [tɔ̀:rətʃéliən-|tɔ̀r-] 〖물리〗 토리첼리의 실험 《기압계의 원리를 나타낸 수은관 실험》

Torricéllian vácuum 〖물리〗 토리첼리의 진공

***tor·rid** [tɔ́:rid, tár-|tɔ́r-] [L 「태우다, 말리다」의 뜻에서] *a.* (**~·er**; **~·est**) **1** (태양열로) **탄**, 바싹 마른: the ~ sands of the Sahara 타는 듯한 사하라 사막 **2** 〈기후 등이〉 타는 듯이 뜨거운, 염열(炎熱)의: ~ heat 염열 **3** 〈연애 편지 등이〉 열렬한, 정열적인: a ~ love letter 열렬한 연애 편지 **~·ly** *ad.* **~·ness** *n.*

tor·rid·i·ty [tɔ:rídəti, tɑ-|tɔ-] *n.* Ⓤ 염열

Tórrid Zòne [the ~] 열대(the tropics) 《남회귀선과 북회귀선 중간 지대》

tor·ri·fy [tɔ́:rəfài, tár-|tɔ́r-] *vt.* (**-fied**) = TORREFY

tor·sade [tɔ:rsá:d, -séid] *n.* 꼬아서 만든 끈[술]

tor·sel [tɔ́:rsəl] *n.* 〖건축〗 들보받이

tor·si [tɔ́:rsi:] *n.* TORSO의 복수

tor·sion [tɔ́:rʃən] *n.* Ⓤ **1** 비틀림, 비꼬임 **2** 〖기계〗 토션, 비트는 힘 **3** 〖수학〗 비틀림(률); 〖의학〗 염전(捻轉) **~·al** *a.* 비트는, 꼬이는

tórsion bàlance 〖기계〗 비틀림 저울

tórsion bàr 토션바 《비틀림에 대하여 복원력을 가진 스프링용 봉(棒)》

tor·so [tɔ́:rsou] *n.* (*pl.* **~s, -si**[-si:]) **1** 나체 흉상 《머리와 손발이 없는》 **2** (인체의) 몸통(trunk) **3** 미완성 작품

tórso mùrder 사지(四肢)를 절단하는 살인 (사건)

tort [tɔ́:rt] *n.* 〖법〗 불법 행위

torte [tɔ́:rt] [G] *n.* (*pl.* **tor·ten** [-tn], **~s**) 토르테 《밀가루에 계란·호도·과일 등을 넣어 구운 과자》

tor·tel·li·ni [tɔ̀:rtəlí:ni] *n.* 토르텔리니 《소를 넣은 초승달 모양의 껍질 양끝을 비틀어 붙여 고리 모양으로 만든 파스타(pasta) 및 그 요리》

tort·fea·sor [tɔ́:rtfí:zər, -zɔ:r, ˊˊ-] *n.* 〖법〗 불법 행위자

tor·ti·col·lis [tɔ̀:rtəkális|-kɔ́l-] *n.* Ⓤ 〖병리〗 사경(斜頸)(wryneck)

tor·tile [tɔ́:rtil, -tail|-tail] *a.* 비틀린; 〖식물〗 비틀려 감긴

tor·til·la [tɔ:rtí:ə] [Sp. 「케이크」의 뜻에서] *n.* 토르

— *v.* tease, irritate, annoy, harass, bother

torrent *n.* flood, current, deluge, stream

티야《멕시코 지방의 둥글고 얇게 구운 옥수수빵》

tortílla chìp 토르티야 칩《옥수수로 만든 작고 납작한 음식의 일종》

tor·tious [tɔ́ːrʃəs] *a.* 〖법〗 불법 행위의 **~·ly** *ad.*

*__tor·toise__ [tɔ́ːrtəs] *n.* **1** 남생이, 거북

> 유의어 **tortoise** 주로 육지·민물의 거북을 말하며, **turtle**[1]은 바다거북을 이른다.

2 = TESTUDO 1 ***hare and ~*** 토끼와 거북(의 경주)《참을성의 승리》

tórtoise bèetle 〖곤충〗 남생이잎벌레

tor·toise-core [tɔ́ːrtəskɔ̀ːr] *n.* 〖고고학〗 귀갑형 석핵(龜甲形石核)《아프리카·유라시아 중기 구석기 시대에 성행된 르발루아 기법(技法)에 의하여 박편(剝片)이 박리된 후에 남는 석핵》

tor·toise·shell [-ʃèl] *n.* Ⓤ 거북의 등딱지, 귀갑(龜甲), 별갑(鼈甲); 〖곤충〗 들신선나비(= ~ **bútterfly**); 〖동물〗 삼색얼룩고양이(= ~ **cát**)(⇨ cat[1] 관련)
— *a.* Ⓐ 별갑제(製)의; 별갑 비슷한 색[모양]의

tórtoiseshell túrtle 〖동물〗 대모(玳瑁)

tor·to·ni [tɔːrtóuni] [It.] *n.* 토르토니《버찌·아몬드를 넣은 아이스크림》

tor·tu·os·i·ty [tɔ̀ːrtʃuɑ́səti | -ɔ́s-] *n.* (*pl.* **-ties**) ⓊⒸ **1** 꼬부라짐, 비틀림; 비틀린 것 **2** 부정(不正)

tor·tu·ous [tɔ́ːrtʃuəs] *a.* **1** 구불구불한, 굽은; 비비 꼬인; 비틀린; 완곡한 **2** (비유) 복잡한, 우여곡절의 **3** 부정(不正)한 **~·ly** *ad.* **~·ness** *n.*

*__tor·ture__ [tɔ́ːrtʃər] [L 「비틀음」의 뜻에서] *n.* **1** Ⓤ 고문, 고문 방법, 가책: instruments of ~ 형구(刑具), 고문 도구 **2** ⓊⒸ 심한 고통, 고뇌: suffer ~(*s*) from a violent stomachache 격렬한 복통으로 고통받다 ***in ~*** 심한 고통을 받아 ***put to*** (***the***) ***~*** 고문하다
— *vt.* **1** 고문하다: (~+목+전+명) ~ a confession *from* a prisoner 고문으로 죄수를 자백시키다 **2** [종종 수동형으로] (몹시) 괴롭히다, 번민하게 하다 《*with, by*》: be ~*d by*[*with*] neuralgia 신경통으로 고생하다 **3** 〈뜰의 나무 등을〉 억지로 꼬부리다, 비틀다 《*into, out of*》 **4** 〈말·의미를〉 억지로 둘러대다, 곡해하다 《*out of, into*》: (~+목+전+명) ~ words *into* strange meaning 말을 이상한 뜻으로 해석하다, 곡해하다 **tór·tur·a·ble** *a.* **tór·tur·er** *n.*

tor·tured [tɔ́ːrtʃərd] *a.* 무척 고통받는, 고뇌하는; 고난을 당하는: a ~ mind 고뇌하는 마음

tor·tur·ous [tɔ́ːrtʃərəs] *a.* 고문의, 고통스러운; 일그러진: ~ memories of past injustice 과거의 부정에 대한 꺼림칙한 기억 **~·ly** *ad.*

tor·u·la [tɔ́ːrjulə, tɔ́ːrə-, tɑ́r- | tɔ́rju-] *n.* (*pl.* **-lae** [-lìː], **~s**) 〖식물〗 토룰라《효모균의 일종》

to·rus [tɔ́ːrəs] *n.* (*pl.* **-ri** [-rai]) 〖건축〗 큰 쇠시리; 〖해부〗 (근육의) 원형 융기(圓形隆起); 〖식물〗 꽃받침, 화탁(花托); 〖기하〗 원환체(圓環體)

*__To·ry__ [tɔ́ːri] *n.* (*pl.* **-ries**) **1** 〖영국사〗 (영국의) 토리당원《1688년 James Ⅱ를 옹호하고 혁명에 반대하였음; cf. WHIG》; [the Tories] 토리당(黨)《1679년 왕권 지지파에 의해 조직》; [종종 **t~**] 보수당원, 보수주의자 **2** 〖미국사〗 영국 지지자, 왕당파《독립 전쟁 때의 독립파에 대한》 **3** (아일랜드의) 노상 강도, 무법자《17세기에 재산을 몰수당한 사람들; 뒤에 왕당파라고 자칭하였음》 **4** 남자 또는 여자 이름
— *a.* 왕당(원)의; [때로 **t~**] 보수주의자의, 보수적인

-tory [tɔ̀ːri, təri | təri] *suf.* ⇨ -ory

To·ry·ism [tɔ́ːriìzm] *n.* [종종 **t~**] Ⓤ 왕당[보수]주의

to·sa [tóusə] *n.* 도사견《투견용의 크고 힘센 개》

Tos·ca [tɑ́skə | tɔ́s-] *n.* 토스카《Puccini의 가극 *Tosca*의 주인공; 인기 가수》

Tos·ca·ni·ni [tɑ̀skəníːni | tɔ̀s-] *n.* 토스카니니 **Arturo ~** (1867-1957)《이탈리아 태생의 미국 오케스트라 지휘자》

tosh [tɑʃ | tɔʃ] *n.* Ⓤ (영·구어) 쓸데없는 말, 허튼소리(bosh)

tosh·er [tɑ́ʃər | tɔ́ʃ-] *n.* (영·속어) 종합 대학에서 어느 단과 대학에도 속하지 않는 학생

*__toss__ [tɔ́ːs, tɑ́s | tɔ́s] *v.* (**~ed,** (시어) **tost** [tɔ́ːst, tɑ́st | tɔ́st]) *vt.* **1** (가볍게) 던지다, 치뜨리다(⇨ throw 유의어); 버리다, 내던지다; 〈공을〉 토스하다: ~ a ball 공을 토스하다 // (~+목+부) ~ a thing *away* [*down, off*] 물건을 내던져 버리다 // (~+목+목) (~+목+전+명) She ~*ed* the beggar a coin. = She ~*ed* a coin *to* the beggar. 그녀는 거지에게 동전을 던져 주었다. // (~+목+전+명) He ~*ed* a broken toy *into* the wastebasket. 그는 부서진 장난감을 휴지통에 버렸다. **2 a** 〈파도가 배를〉 몹시 동요시키다 《*about*》: (~+목+부) be ~*ed about* in the storms of life 세파에 시달리다 **b** [종종 수동형으로] …의 마음을 어지럽히다 **c** 〖야금〗 〈녹인 주석을〉 순화(純化)하다 **d** 〈샐러드를〉 (드레싱 등으로) 버무리다: I ~*ed* a salad for dinner. 저녁에 먹을 샐러드를 살살 섞었다. **3** 〈머리 등을〉 갑자기 쳐들다[젖히다]《항의·경멸·무관심의 표정》: (~+목+부) ~ one's head *back* [*up*] 고개를 새침하게 돌리다 **4** 〈황소가〉 뿔로 받아 올리다; 〈말이 기수를〉 흔들어 떨어뜨리다: (~+목+부) The horse ~*ed* the jockey *off*. 말이 기수를 흔들어 떨어뜨렸다. **5** 〈말 따위를〉 (불쑥) 던지다《*into*》; (미·속어) 〈문제·의제 등을〉 가볍게 논하다 **6** 〈차례 등을 정하기 위하여 동전을〉 공중에 던져 올리다《*for*》, 동전 던지기로 정하다(cf. HEAD or tail): (~+(부)+ ***wh. to*** do) ~ *up whether to* go or stay 가느냐 안 가느냐를 동전 던지기로 결정하다 // (~+목+전+명) I will ~ you *for* the armchair. 동전을 던져 누가 안락의자에 앉나 결정하자. **7** 〖야금〗 〈주석 광석을〉 흔들어 가려내다 **8** (미·속어) 〈남을〉 (마약 소지를 확인하기 위해) 검사하다 **9** 〖야구〗 〈투수가〉 〈시합에〉 등판하다 **10** (구어) 〈파티 등을〉 열다; 〈잔을〉 기울이다; 〈한 잔 술을〉 마시다
— *vi.* **1 a** (상하로) 동요하다 **b** 〈새 깃 등이〉 미풍에 흔들리다 **c** (배 위 등에서) 흔들리다: (~+전+명) a boat ~*ing on* the waves 파도에 흔들리는 배 **2** 뒹굴다, 뒤치락거리다: (~+부) (~+전+명) ~ *about on* one's bed 잠자리에서 자주 뒤척이다 **3** (구어) 동전 던지기를 하다《*up; for*》: (~+전+명) Let's ~ *up for* it. 그것은 동전 던지기로 결정하자.
~ around (가볍게) 논의하다, 의견을 주고받다 ***~ aside*** 내던지다 ***~ hay about*** 건초를 뒤집다 ***~ in*** (뉴질·속어) 체념하다; 끝마치다 ***~ a person in a blanket*** 〈여럿이〉 …을 담요에 태워 헹가래치다 ***~ it in*** (속어) 패배를 인정하다, 항복하다 ***~ off*** 단숨에 들이켜다; 손쉽게[재빨리] 해치우다; 〈말이 기수를〉 흔들어 떨어뜨리다 ***~ out*** 〈불필요한 것을〉 버리다, 〈받기를〉 거부하다 ***~ the oars*** ⇨ oar. ***~ up*** [보통 *vi.*] 동전 던지기를 하다; 서둘러 요리하다
— *n.* **1 a** 던져 올림; 위로 던짐 **b** (고어) 낙마(落馬) **c** (머리를) 갑자기 쳐들기 **2** (상하의) 동요; 마음의 동요, 흥분 **3** = TOSS-UP 1
argue the ~ (영·구어) 결정된 일에 계속 반론하다 ***full ~*** (속어) (크리켓 등에서) 공을 높다랗게 던지기 ***not give a ~*** (영·속어) …을 전혀 개의치 않다 《*about*》 ***take a ~*** 낙마하다 ***~ and catch*** (미) = PITCH-AND-TOSS ***win*** [***lose***] ***the ~*** 동전 던지기에서 이기다[지다]; 잘 되다[안 되다] **~·er** *n.*

tóss bòmbing 〖공군〗 투척(投擲) 폭격(법)

tóssed sálad [tɔ́ːst- | tɔ́st-] 〖요리〗 토스트 샐러드《드레싱으로 버무린 샐러드》

toss-off [tɔ́ːsɔ̀ːf | tɔ́sɔ̀f] *n.* (비어) 자위, 마스터베이션

toss·pot [-pɑ̀t | -pɔ̀t] *n.* **1** (미·영·고어) 대주가(大酒家), 술고래(drunkard) **2** (속어) 바보

thesaurus **torture** *n.* **1** 고문 persecution, pain, ill-treatment, abuse, suffering, punishment, torment **2** 심한 고통 anguish, agony, distress
toss *v.* **1** 던지다 throw, hurl, cast, sling, pitch, launch, project **2** 흔들리다 rock, roll, sway

toss·up [-ʌ̀p] *n.* **1** 동전 던지기(에 의한 결정[선택]) **2** [a ~] 반반의 가망성: It's quite *a* ~ whether he'll come or not. 그가 올지 안 올지는 반반이다.

tost [tɔ́:st, tɑ́st | tɔ́st] 《문어》 *v.* TOSS의 과거·과거분사 **—***a.* [복합어를 이루어] 몹시 시달리는: a storm-~ boat 폭풍에 시달린 배

tos·ta·da [toustɑ́:də] *n.* 토스타다 《토르티야(tortilla)를 파삭파삭하게 튀긴 것; tostado라고도 함》

tot[1] [tɑ́t | tɔ́t] *n.* **1** 어린아이, 유아, 꼬마: a tiny ~ 꼬마 **2** 《영·구어》 (독한 술) 한 잔, 한 모금 **3** 소량, 미량

tot[2] [total의 단축형] 《영·구어》 *n.* 덧셈; (덧셈의) 답, 합계 ***long ~s*** 큰 수의 계산
—*vt., vi.* (**~·ted**; **~·ting**) 더하다, 합계하다《*up*》; 〈수·비용이〉 합계 …이 되다 《*up, to*》

tot[3] *n.* 《영·속어》 쓰레기에서 회수한 인골(人骨)[귀중품]

tot. total **TOT** time on target

‡**to·tal** [tóutl] [L 「전체」의 뜻에서] *a.* **1** 전체의, 총계의, 총…(opp. *partial*)(⇨ whole 유의어): the ~ cost 전체 비용 / the ~ output 총생산고 / the ~ expenditure 총경비 / the sum ~ 총액 **2** Ⓐ 절대적인, 전적인, 완전한: ~ darkness 암흑 / a ~ failure 완패 / a ~ loss 전손(全損) / a ~ abstainer 절대 금주자 / He was a ~ failure. 그는 완전히 실패하였다. / I'm in ~ ignorance of the affair. 그 사건에 관해서 난 아무것도 모른다. **3** 총력을 기울인, 총력적인: ~ war[offensive] 총력전[총공세] **4** 전체를 통일한; 전체가 조화로운: ~ dressing 토탈 패션의 복장 **5** 전체주의적인: a ~ state 전체주의 국가
—*n.* **1** [종종 grand ~] 합계, 총계, 총액(⇨ sum 유의어): a ~ of $10,000 총액 1만 달러 / The ~ of our gains amounts to one million dollars. 이익의 총액은 100만 달러에 달한다. **2** 전부, 전체 **3** 《미·속어》 차의 잔해 ***in ~*** 전체로, 총계…
—*v.* (**~ed**; **~·ing** | **~led**; **~·ling**) *vt.* **1** 합계하다, 총계하다 **2** 총계가 …이 되다, …에 이르다[달하다]: The casualties ~*ed* 100. 사상자는 합계 100 명이었다. **3** (1) 《미·속어》 〈차·비행기 등을〉 완전히 파괴하다, 분쇄하다 《*out*》 (2) 《미·속어》 〈사람을〉 엉망진창으로 때려눕히다; 죽이다
—*vi.* 총계가 (…이) 되다 《*to*》: (~+전+명) ~ *to* large sums 총계하여 거액에 이르다
▷ totálity *n.*; tótalize *v.*

tótal ábstinence 절대 금주

tótal állergy sỳndrome 〖병리〗 종합 알레르기 증후군

tótal áudience (잡지의) 총독자수 《실제 구입한 독자수에 회람 독자(passalong readers)를 포함시킨 수》

tótal eclípse 〖천문〗 개기식(皆旣蝕)

tótal envíronment (관객을 포함한) 환경 예술[연극]; 환경 예술 작품

tótal fertílity ràte 〖통계〗 총출산율 《출산 가능 연령의 여성 1인당 출산한 아기의 수》

tótal héat 〖열역학〗 총열량(enthalpy)

tótal intérnal refléction 〖광학〗 전(全)반사

to·tal·ism [tóutəlìzm] *n.* =TOTALITARIANISM **-ist** *n.* **tò·tal·ís·tic** *a.*

to·tal·i·tar·i·an [toutæ̀lətɛ́əriən] *a.* 전체주의의, 일국 일당주의의: a ~ state 전체주의 국가
—*n.* 전체주의자 **~·ism** *n.* 전체주의

to·tal·i·ty [toutǽləti] *n.* (*pl.* **-ties**) **1** Ⓤ 완전 무결, 전체성, 완전(성) **2** 전체; 전액, 총액, 총량, 총계 《*of*》 **3** 〖천문〗 개기식(皆旣蝕)(의 시간)
in ~ 전체로, 총계로

to·tal·i·za·tor [tóutəlizèitər | -lai-] *n.* 총계액 계산기; 건 돈 표시기 《경마용》(par-mutuel machine)

---

total *a.* **1** 전체의 entire, complete, whole, full, comprehensive, combined, aggregate, integral, composite **2** 전적인 complete, thorough, utter, absolute, downright, outright, sheer
totally *ad.* completely, wholly, fully, absolutely

---

to·tal·ize [tóutəlàiz] *vt.* **1** 합계하다, 총계하다(add up) **2** 전체주의화하다 ***~d war*** 국가 총력전
tò·tal·i·zá·tion *n.* ▷ tótal *a., n.*

to·tal·iz·er [tóutəlàizər] *vt.* **1** 합계를 내는 사람; 가산[계산]기 **2** =TOTALIZATOR **3** (연료 등의) 총잔량 기록장치

*__to·tal·ly__ [tóutəli] *ad.* 전적으로, 아주: in a ~ different way 완전히 다른 방법으로

tótal márket potèntial 〖마케팅〗 (어떤 상품·서비스의) 기대되는 최대 판매액

tótal paréntal nutrítion 〖의학〗 종합 비경구(非經口) 영양 (수액) 《略 TPN》

tótal quálity contròl 〖경영〗 종합적 품질 관리 《略 TQC》

tótal quálity mànagement 〖경영〗 종합적 품질 관리 《略 TQM》

tótal recáll [the ~] 완전 기억 능력

tótal sýstem 〖컴퓨터〗 종합 체계[시스템]

tótal théater 〖연극〗 전체 연극 《배우의 몸을 중심으로 장치·조명·음악 등을 통틀어서 무대 표현을 최대한 활용하는 연극》

tótal utílity 〖경제〗 (제품·서비스 등의) 총효용

tote[1] [tóut] 《구어》 *vt.* **1** 나르다, 짊어지다 **2** 〈권총 등을〉 휴대하다 **3** (차·배 등으로) 수송하다 **4** 〈여성을〉 호위하다 **—***n.* **1** 운반; 하물, 짐 **2** =TOTE BAG

tote[2] 《구어》 *n.* **1** 합계, 총계 **2** =TOTALIZATOR
—*vt.* 합계하다 《*up*》

tóte bàg 《미》 여성용 대형 손가방 《주로 캔버스로 만들며 입구가 개방형》

tote bag

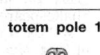

tóte bòard 《구어》 (경마장에서 어느 시점의 투표수나 배당금 등을 표시하는) 전광 게시판

to·tem [tóutəm] *n.* **1** 토템 《미개인, 특히 북아메리카 원주민들이 세습적으로 숭배하는 자연물[동물]》 **2** 토템상(像); 《일반적으로》 숭배되는 표상[상징] **3** 《영·구어》 계층; 서열

to·tem·ic [toutémik] *a.* 토템(신앙)의

to·tem·ism [tóutəmìzm] *n.* Ⓤ 토템 숭배[신앙]; 토템 조직[제도] **-ist** *n.* 토템 제도의 사회에 속하는 사람; 토템 연구가 **tò·tem·ís·tic** *a.*

tótem pòle **1** 토템 폴 《토템 상을 그리거나 새겨서 집 앞 등에 세우는 기둥》 **2** 계급 조직[제도]: the bureaucratic ~ 관료주의적 계급제

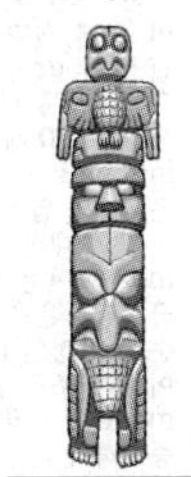
totem pole 1

tóte ròad 《미·구어》 (진지·개척지 등의 물자 수송용) 비포장도로

toth·er, t'oth·er [tʌ́ðər] *pron., a.* 《방언·고어》 다른 것(의)(the other)

to·ti·dem ver·bis [tɑ́tədèm-və́:rbis | tɔ́t-] [L] *ad.* 바로 그대로, 바로 그런 말로

to·ti·es quo·ti·es [tóutièis-kwóutièis, tóuʃiì:z-kwóuʃiì:z | tɔ́tiì:s-kwɔ́tiì:s] [L] *ad.* …할 때마다, 그 때마다 《*of*》; 되풀이하여

to·tip·o·tent [toutípətənt] *a.* 〖생물〗 〈배역(胚域)이〉 분화전능(分化全能)성의 **-ten·cy** *n.*

tót lòt 유아용 놀이터

to·to cae·lo [tóutou-sí:lou] [L] *ad.* 극도로, 아주; 하늘땅이 만큼: differ ~ = be ~ different 하늘과 땅의 차이가 있다 / disagree ~ 전혀 맞지 않다

Tót·ten·ham púdding [tɑ́tnəm- | tɔ́t-] 《영》 돼지 먹이 《부엌 음식 찌끼로 만듦》

*__tot·ter__[1] [tɑ́tər | tɔ́t-] *vi.* **1** 비틀거리다, 아장아장 걷다: ~ on one's feet 비틀거리면서 일어서다 **2** 〈건물 등이〉 흔들거리다; 〈국가·제도 등이〉 넘어질 것처럼 흔들리다
—*n.* 비틀거림, 기우뚱거림 **~·ing·ly** *ad.*

totter² *n.* 《영·속어》 넝마주이; 고물 장수; 도로 청소부
tot·ter·y [tɑ́təri | tɔ́t-] *a.* 비틀거리는, 불안정한
tot·ty, tot·tie [tɑ́ti | tɔ́ti] *n.* 《영·속어》 섹시한 여자
tou·can [túːkæn, -kɑːn, tuːkɑ́ːn | túːkən] *n.* 〖조류〗 큰부리새, 거취조(巨嘴鳥) 《열대 남미산(産)》
‡**touch** [tʌ́tʃ] *v.*, *n.*

「만지다」 **1** ┬→(가볍게 대다) ┬→「가볍게 치다」 **2**
  │   └→「손을 대다」 **5**
  ├→(…에 이르다) →「도달하다」 **6**
  └→(접촉하여 영향을 미치다) ┬→「감동시키다」 **4**
           └→「해치다」 **10**

—*vt.* **1 a** …에 (손·손가락 등으로) **대다**; 건드리다, 건드려 보다, 만지다; …의 (몸이 일부에) 대다 《*with, on*》: Don't ~ the exhibits. 진열품에 손을 대지 마시오. // (~+목+전+명) ~ … *with* one's hand [finger, foot] …을 손[손가락, 발]으로 건드리다 / He ~*ed* me *on* the shoulder[arm]. 그는 나의 어깨[팔]를 건드렸다. 《주의를 끌기 위하여》 **b** 〖역사〗 〈왕이〉 치료하기 위하여 손으로 만지다; 〖의학〗 〈의사가〉 〈환자를〉 촉진(觸診)하다: (~+목+전+명) ~ a person *for* the king's evil 연주창을 고치기 위해 …에게 손을 대다 **c** 만져서 (어떤 모양으로) 하다 《*into*》 **2** 가볍게 **누르다[치다]**, 〈초인종 등을〉 누르다 《*with, to*》; 《고어》 〈악기의 건을〉 치다, 〈악기를〉 연주하다, 켜다 《*on*》: (~+목+전+명) She ~*ed* her finger *to* the bell. 그녀는 초인종에 손가락을 댔다. **3 a** **접촉하다**, 닿다 **b** 〈두 물건을〉 접촉시키다 **c** 〖기하〗 〈직선이 원 등에〉 접하다 **d** 인접하다, …와 경계를 접하다: His farm ~*es* ours to the east. 그의 농장의 동쪽은 우리 농장과 경계를 접하고 있다. **4 a** **감동시키다**(⇨ touched 1); …의 급소를 찌르다: be ~*ed* with remorse 후회하다 / You ~ me there. 그런 말은 내 신경을 건드린다. **b** 미치게 하다(⇨ touched 2) **c** 성나게 하다 **5** [주로 부정문에서] 〈음식물에〉 **손을 대다**; 〈사업 등에〉 손을 대다; 간섭하다; 무단으로 사용하다: I *never* ~ liquor. 조금도 술을 입에 대지 않는다. **6 a** **도달하다**, 닿다; 〈배가〉 …에 기항하다, 들르다 **b** 언급하다: a pamphlet ~*ing* nearly every aspect of rural life 전원 생활의 거의 모든 면에 대해 쓰여 있는 소책자 **c** [보통 부정문에서] 필적(匹敵)하다, …못지 않다 《*for, in, at*》: a style that can*not* ~ that of Shakespeare 셰익스피어의 문체와는 전혀 비교가 되지 않는 문체 **7** 〈그림·문장에〉 가필[수정]하다; …에 빛깔이 돌게 하다, 의미를 가지게 하다 《*with*》: (~+목+전+명) gray ~*ed with* rose 장밋빛이 도는 회색 **8** 〖미식축구〗 터치다운하다(touchdown) **9** 취급하다, 사용하다 **10** 해치다, 상처를 입히다 **11** 작용하다: Nothing will ~ these stains. 어떤 것을 써도 이 때 자국은 지지 않는다. **12** 〈사람·이해(利害)에〉 관계하다, …에 중대한 관계가 있다: The abuse does not ~ me. 그 욕은 나에게는 아무렇지도 않다. **13** 《고어》 〖야금〗 〈금·은을〉 시금석(試金石)으로 시험하다; 〈금속에〉 순도 검정인(印)을 찍다 **14** 《속어》 …에게서 (돈을) 뜯어내다[조르다]: (~+목+전+명) ~ a person *for* money …에게서 돈을 뜯어내다 **15** 〈왕 등이〉 〈법안을〉 승인하다

—*vi.* **1 a** **접촉하다** **b** 맞닿다 **c** 〖기하〗 〈선이〉 접하다 **2** 〖역사〗 〈왕이〉 치료를 위해 환자에게 손을 대다; 〖의학〗 〈의사가〉 촉진(觸診)하다 **3** 《고어》 만지면 …한 촉감이 있다: ~ rough 껄껄하다 **4** 접근하다, 닿을 듯하다 《*at, to, on, upon*》: (~+전+명) His remarks ~ *on* blasphemy. 그가 하는 말은 신에 대한 불경에 가깝다. **5** 기항(寄港)하다 《*at*》: (~+전+명) ~ *at* a port 기항하다 **6** 언급하다, 논급하다, 간단히 말하다 《*on*》: (~+전+명) He ~*ed* briefly *on* his own travels. 그는 자기 자신의 여행에 관해 간단히 언급했다. **7** 〖항해〗 〈돛이〉 바람을 받아 흔들거리다

as ~ing …에 관하여 ***~ and go*** 간단히 논하고 넘어가다; 〖항해〗 〈배가〉 물밑을 살짝 스치고 지나가다; 가까스로 성공하다; 〖항공〗 (연료 보급 등을 위해) (단시간) 착륙하다; 〖항해〗 (단시간) 기항하다 ***~ at*** 〈배가〉 기항(寄港)하다 ***~ base*** (특히 프로젝트나 상호 관심사에 대해) 연락하다, 상의하다 ***~ bottom*** 〈발끝이〉 물밑에 닿다; 암초에 걸리다; 극도로 타락하다; 〈사실이〉 명백하게 되다 ***~ down*** 〈비행기가〉 착륙[착지]하다; 〖미식축구·럭비〗 터치다운하다(cf. TOUCHDOWN) **~ a person *for*** ⇨ *vt.* 14 ***~ home*** = ***~*** a person ***to the quick*** …의 약점[아픈 데]을 건드리다, 골나게 하다 ***~ in*** 〈그림의 세부(細部)를〉 가필(加筆)하다 ***~ it off to the nines*** 훌륭히 하다 **~ a person *nearly*** …와 밀접한 관계가 있다 ***~ off*** (1) 발사하다; 폭발시키다 (2) 〈큰 일을〉 유발하다; 시작하다, 야기하다 (3) (릴레이 경주에서) 〈다음 주자의 손에〉 터치하여 달리게 하다 (4) 《미》 〈특징을〉 정확히[교묘히] 그려내다 (5) 〈남을〉 앞지르다, 이기다: ~ a person *off* …보다 한 술 더 뜨다, 앞지르다 ***~ on*** [***upon***] 간단히 언급하다, 암시하다 ***~ out*** 〖야구〗 공을 사람의 몸에 대어 아웃시키다; 《속어》 행운을 만나다, 잘하다 ***~ pitch*** 나쁜 일에 관계하다, 좋지 못한 친구와 사귀다 **~ one*'s hat*** 모자에 손을 대고 인사하다 《*to*》 ***~ success*** 마침내 성공하다 ***~ the spot*** 《속어》 원하던 물건을 찾아내다; 효능이 있다, 효과를 내다 ***~ to*** …에 가까이 가다 ***~ up*** 조금 고치다, 수정(修正)하다(improve); 마무르다; 〈말을〉 가볍게 채찍질하다; 〈기억을〉 불러 일으키다; 가벼운 고통을 주다 ***~ wood*** (자기 자랑 등을 한 뒤 복수의 신(Nemesis)의 화를 피하려고 미신적으로) 가까이 있는 나무에 손을 대다

—*n.* **1** **만짐**, 손을 댐: get a ~ to …에 손대다 **2** [보통 a ~, the ~] **촉감**, 감촉: *a* velvety ~ 벨벳 같은 감촉 / *the* sense of ~ 촉각 **3** (의사의) 촉진(觸診) **4** 가필(加筆); 일필(一筆), 한 터치 **5** 필치, 운필(運筆), 솜씨; 예술적 기법; …(하는) 식: the Nelson ~ (난국에 처하는) 넬슨식의 솜씨 **6 a** 《고어》 시금석; 시험 **b** 〖야금〗 각인(刻印) 《금·은 등의 순도(純度) 시험을 끝낸》 **7** [보통 a ~] 〖음악〗 촉건법(觸鍵法), (현악기 등의) 탄주감(彈奏感); (건반·현의) 터치, 가락, 탄력: with *a* staccato ~ 스타카토로 **8** 〖음악〗 전조(轉調)[종소리의 변곡(變曲)의 한 부분(cf. CHANGE)] **9** 술래잡기(tag) **10** Ⓤ 〖축구·럭비〗 터치 《경기장의 touchline 밖의 부분》 **11** Ⓤ (정신적) 접촉, 교섭, 조화(調和) 《*with*》; 공감, 동정: close ~ 친밀한 관계, 긴밀한 연락 / be out of ~ *with* reality 현실을 모르다 **12** 〖물리〗 접촉 자화(磁化) **13** Ⓤ 짧은 언급, 암시 **14** 특성, 특색, 특질; 기미(氣味); 약간 《*of*》: a ~ *of* irony [bitterness] 빈정대는[신랄한] 기미 / ~*es of* humanity 인간미, 인간다움 / the ~ *of* the master 그 거장의 특징 **15** 《속어》 (얼마만큼의) 물건, …정도; [a ~; 부사적으로] 조금, 소량: *a* ~ of salt 약간의 소금 **16** (의심스런 수법에 의한) 매출액 **17** 《속어》 차용(借用); 《속어》 사취, 절취 **18** [a ~] (병 등의) 가벼운 증상: *a* ~ of the sun 가벼운 일사병, 더위 먹음

a near ~ 구사일생 ***at a ~*** 좀 닿기만 하여도 ***a ~ of nature*** 자연의 정감(情感); 인정미; 《속어》 동정을 이끌 만한 감정의 표시 ***be a soft ~*** 《구어》 마음이 여리다 ***bring*** [***put***] ***to the ~*** 시험하다 ***by ~*** 손으로 더듬어서 ***come in ~ with*** …와 접촉[교제]하다 ***get in ~ with*** …와 연락하다, 접촉하다 ***have a ~ of the tarbrush*** (피부 색에) 흑인의 피가 섞인 흔적이 있다 ***have the ~*** 재주[기교, 솜씨]가 있다 ***in ~*** 〖럭비〗 측선(側線) 밖에, 경기를 하지 않고 ***in ~ of*** = ***within ~ of*** …의 가까이에 ***in ~ with*** …에 접촉[동정, 일치]하여 ***Keep in ~.*** 《구어》 (1) (또) 연

thesaurus **touch** *v.* **1** 만지다 tap, press lightly, brush, feel, stroke, pat, caress, graze **2** 감동시키다 move, affect, influence **3** 접촉하다, 접하다 meet, come together, converge, adjoin, abut
touching *a.* moving, impressive, affecting, emotive, stirring, saddening, pitiful, pathetic
tough *a.* **1** 질긴 chewy, leathery **2** 단단한 strong,

락해요, 편지 주세요. (2) ⦅때로 비꼬아⦆ 그럼 또, 안녕. ***keep*** (***in***) ***~ with*** …와 접촉[연락]을 지속하다, 기맥을 통하다, (시류 등에) 뒤떨어지지 않다 ***lose*** one***'s ~*** 솜씨가 떨어지다 ***lose ~ with*** …와 접촉[연락]이 끊기다; (시류 등에) 뒤떨어지다 ***make a ~*** 빌리다 (borrow) ***out of ~ with*** …와 접촉하지 않고, …와 멀어져서 ***put the finishing*** [***final***] ***~es to*** 〈요리 준비 등의〉 마무리를 하다 ***put the ~ on*** ⦅구어⦆ …에게서 돈을 빌리려 하다 ***royal ~*** 왕의 손길이 닿음 (⇨ touch *vi.* 2; cf. KING'S EVIL) ***set in ~ with*** ⦅속어⦆ …와 접촉하다 ***to the ~*** 촉감이, 만져보니

touch·a·ble [tʌ́tʃəbl] *a.* 만질 수 있는, 만져 알 수 있는; 감동시킬 수 있는

Touch-a-Mat·ic [tʌ̀tʃəmǽtik] *n.* ⦅미⦆ 터처매틱 전화기 ⦅30개 이상의 전화번호를 미리 기억시켜 둘 수 있는 전화기; 상표명⦆

touch-and-go [tʌ́tʃəngóu] *a.* **1** 〈행동·상태 등이〉 위험한, 일촉즉발(一觸卽發)의, 아슬아슬한: a ~ business 위험한 일[짓] **2** 아무렇게나 하는, 되는대로의, 산만한: ~ sketches 대충 휘휘 그려낸 스케치

touch·back [tʌ́tʃbæ̀k] *n.* 〚미식축구〛 터치백 ⦅상대가 찬 공이 엔드라인을 넘거나, 수비측이 자기 진영의 엔드존 안에서 공을 데드(dead)하는 일⦆

tóuch dàncing 터치 댄싱(body dancing) ⦅왈츠·탱고처럼 상대방을 껴안고 추는 춤⦆

touch·down [-dàun] *n.* **1** 〚미식축구〛 터치다운 ⦅공을 가진 사람이 골라인을 넘거나 또는 엔드존으로 들어가는 일⦆; 그 득점 **2** 〚럭비〛 터치다운 ⦅상대방이 찬 공을 자기편의 본진(in-goal)에서 땅에 댐⦆ **3** 〚항공〛 착륙 (순간), 착지(着地): ~ point 착륙점 / ~ speed 착지 속도 / the aircraft's ~ 비행기의 착륙

tou·ché [tuːʃéi] [F = touched] *int.* **1** 〚펜싱〛 (한번) 찔렸다! **2** (토론 등에서) 손들었다!, 잘한다!
—*n.* **1** 〚펜싱〛 한 번 찌르기 **2** (의논 등에서) 급소를 찌르는 논법, 묘답(妙答)

touched [tʌ́tʃt] *a.* Ⓟ **1** 감동된 **2** ⦅구어⦆ (머리가) 좀 이상한, 노망한 ***~ in*** one***'s mind*** [***brain, wits***] ⦅속어⦆ 조금 정신이 이상한

touch·er [tʌ́tʃər] *n.* **1** 만지는 사람[물건] **2** ⦅영·속어⦆ 물품을 강요하는 사람, 돈을 우려내는 사람 **3** ⦅영·속어⦆ 위기일발 ***a near ~*** ⦅영·속어⦆ 위기일발 (***as***) ***near as a ~*** ⦅속어⦆ 거의, 아슬아슬하게

tóuch fóotball 터치풋볼 ⦅미식축구의 일종⦆

touch·hole [tʌ́tʃhòul] *n.* (구식 철포의) 화문(火門), 점화구

***touch·ing** [tʌ́tʃiŋ] *a.* **1** 감동시키는, 감동적인, 애처로운(pathetic), 측은한: a ~ story 감동적인 이야기 **2** 〈물건 등이〉 접촉한
—*prep.* ⦅문어⦆ [때로 as ~] …에 관하여(concerning) **~·ly** *ad.* **~·ness** *n.*

touch-in-goal [tʌ́tʃingóul] *n.* 〚럭비〛 터치인골 ⦅경기장 네 구석에 접하고, 골라인과 터치라인의 연장으로 둘러싸인 구역⦆

tóuch jùdge 〚럭비〛 선심(線審)

touch-last [-læ̀st | -lɑ̀ːst] *n.* ⦅영⦆ 술래잡기

touch·line [-làin] *n.* 〚축구·럭비〛 터치라인, 측선

touch-me-not [-minɑ̀t | -nɔ̀t] [그 삭과를 만지면 터져서 씨가 나오는 데서] *n.* **1** 〚식물〛 봉선화속(屬), ⦅특히⦆ 노랑물봉선화 **2** 거만한 사람, ⦅특히⦆ 쌀쌀한 여자

tóuch nèedle (금속 가공의) 시금침(試金針)

tóuch pàd 〚컴퓨터〛 터치 패드 ⦅프로그램 작동시 누르는 컴퓨터 장치⦆

tóuch pàper (불꽃 등의) 도화지(導火紙)

durable, resistant, resilient, sturdy, firm, solid, hard, rigid, stiff **3** 강인한 hardy, strong, sturdy, robust, stalwart, vigorous **4** 힘든 hard, difficult, arduous, heavy, laborious, stressful **5** 고달픈 harsh, austere, rugged, grim **6** 무법의 rough, rowdy, violent, wild, lawless, criminal **7** 가차없는 firm, strict, stern, severe, harsh

touch·point [-pɔ̀int] *n.* 접점(接點) ⦅특히 상품이나 서비스가 고객과 만나는⦆

touch·screen [-skrìːn] *n.* 〚컴퓨터〛 터치스크린, 촉감 디스플레이 스크린 ⦅손가락으로 스크린의 특정 부분을 만지면 프로그램에 의해 정해진 작동을 하게 됨; touch screen이라고도 함⦆

touch-sen·si·tive [-sénsətiv] *a.* 손가락 등을 대면 감응하는

touch·stone [-stòun] [이 돌로 금·은의 순도를 시험한 데서] *n.* 시금석; 표준, 기준

tóuch sỳstem [the ~] 키를 보지 않고 타자하는 방식(cf. HUNT AND PECK)

tóuch tàblet 〚컴퓨터〛 터치 태블릿 ⦅컴퓨터 스크린 위에서 그래픽스 이미지를 만들거나 수정할 수 있는 슬레이트 형의 입력 장치⦆

touch-tone [-tòun] *n.* **1** [때로 **T-** **T-**] 누름단추 방식 **2** 누름단추[푸시버튼]식 전화기 ⦅상표명⦆
— *a.* 〈전화 등이〉 누름단추[푸시 버튼]식의

touch-type [-tàip] *vi.* (키를 보지 않고) 타자하다
tóuch-tỳp·ist *n.* **tóuch-tỳp·ing** *n.*

touch-up [-ʌ̀p] *n.* (사진·그림 등의) 수정, 가필; (시공된 설비·건축물 등의) 조그마한 변경

touch·wood [-wùd] *n.* **1** Ⓤ 썩은 나무(⦅미⦆ punk) ⦅부싯깃으로 씀⦆ **2** = AMADOU

touch·y [tʌ́tʃi] *a.* (**touch·i·er**; **-i·est**) **1** 성 잘 내는; 과민한 **2** 〈문제 등이〉 다루기 어려운 **3** 〈불쏘시개·화학 약품 등이〉 타기 쉬운
tóuch·i·ly *ad.* **tóuch·i·ness** *n.*

touch·y-feel·y [tʌ́tʃifíːli] *a.* ⦅구어⦆ (끌어 안는 등 과장된) 신체 접촉으로 동정[애정]을 나타내는; ⦅구어·경멸⦆ (집단 정신 치료법에서) 스킨십 중심의, 스킨십을 특징으로 하는

‡tough [tʌ́f] *a.* **1** 질긴, 단단한(opp. *tender*, *soft*); 끈기 있는; 차진 〈흙〉; 꺾어지지 않는: material as ~ as metal and plastic 금속·플라스틱과 같은 정도의 단단한 물질 / ~ meat 질긴 고기 / ~ clay 차진 점토 **2** ⦅구어⦆ 튼튼한, 강인한(hardy); 불굴의; 완고한; 〈권투 선수 등이〉 터프한, 억센(⇨ strong 유의어): a ~ worker 튼튼한 일꾼 **3** 곤란한, 힘든: a ~ racket ⦅속어⦆ 곤란한 일 **4** ⦅미·구어⦆ 불쾌한, 〈운명 등이〉 사나운, 고달픈: ~ luck 불운 **5** 믿어지지 않는: a ~ story 믿을 수 없는 이야기 **6** ⦅미·속어⦆ 무법의, 맹렬한, 거센: a ~ customer 거센 사나이 **7** 혹심한, 모진, 가차없는, 무서운: a ~ teacher 무서운 선생님 **8** ⦅미·속어⦆ 〈언행이〉 멋진, 훌륭한
(***as***) ***~ as nails*** 〈사람이〉 완강한, 냉혹한 (***as***) ***~ as*** (***old***) ***boots*** [***leather***] 참을성 있는; 매우 질긴 ***get ~ with*** …에게 엄하게 굴다 ***Things are ~.*** 세상살이는 힘들다. ***T~!*** ⦅속어⦆ 설마!
—*n.* **1** ⦅구어⦆ 악한, 깡패, 부랑자(ruffian); ⦅특히⦆ 범인 **2** 완강[강경]한 사람
—*vt.* ⦅미·구어⦆ 참고 견디다 ⦅*out*⦆ ***~ it out*** 어려움을 참고 견디다 **~·ish** *a.* **~·ly** *ad.* **~·ness** *n.*
▷ tóughen *v.*

tóugh búck ⦅미·속어⦆ 고된 일(로 번 돈)

tóugh cát ⦅미·흑인속어⦆ (개성이 강하여) 여자에게 인기 있는 남자

tóugh cóokie ⦅미·속어⦆ 자신만만하고 능름한 사람

tough·en [tʌ́fən] *vt.*, *vi.* tough하게 하다[되다]; ⦅비유⦆ 강경해지다: Exercise *~ed* her muscles. 그녀는 운동을 해서 근육이 단단해졌다. **~·er** *n.*

tóugh gúy **1** ⦅구어⦆ 강인한[터프한] 사람, 완력이 센 사람 **2** ⦅미·속어⦆ 무법자, 깡패

tough·ie, tough·y [tʌ́fi] *n.* (*pl.* **tough·ies**) ⦅미·구어⦆ **1** 불량배, 깡패, 건달; 호전적인 사람 **2** 난문(難問), 어려운 문제[사태] **3** 비정한 내용의(hard-boiled) 책[영화]

tóugh lóve (친구나 가족의 마약 중독 등을 치료하기 위해) 엄한 태도를 취하는 것

tough-mind·ed [tʌ́fmáindid] *a.* 현실적인; 완고한, 의지가 강한 **~·ly** *ad.* **~·ness** *n.*

tóugh slédding 《구어》 어려운 시기
tough-talk [-tɔ̀:k] *vt.* 강하게 발언하다; 고자세로 말하다
tou·pee [tu:péi | ㅅ-] [F] *n.* (남자용) 부분 가발
‡**tour** [túər] [Gk 「회전하는 도구」의 뜻에서] *vt.* **1** 관광 여행하다, 유람(遊覽)하다, 여행하다 《*about, in, through, to*》: ~ Canada 캐나다를 여행하다 **2** 〈미술관 등을〉 견학하다: ~ the factory 공장을 견학하다 **3** 〈배우·극단 등이〉 순회하다 **4** 〈자동차가〉 느린 속력으로 달리다, 돌아다니다(cruise) **5** 여행 안내하다
—*vi.* **1** 관광 여행하다, 유람하다, 잠시 여행하다: ~ in Mexico 멕시코를 여행하다 **2** 걸어 돌아다니다
—*n.* **1** 관광 여행, 유람; (시찰·순유(巡遊) 등의) 짧은 여행(⇨ travel 유의어); (공장·시설·집 등의) 시찰, 견학: a cycling ~ 자전거 여행/a walking ~ 도보 여행/a sightseeing ~ 관광 여행/Can I give you a ~ of the house? 집 구경 시켜 드릴까요? **2** (극단의) 순회 공연; (스포츠팀의) 해외 원정, 투어; (정부 고관 등의) 역방(歷訪), 순회 방문 **3** (해외 등에서의) 근무 기간 《*in*》 **4** (공장의) 교대(기간)(shift): two ~*s* a day 하루 2교대 ***a ~ of inspection*** 시찰 여행, 견학 ***a ~ of the country*** = ***provincial ~*** 지방 순회 공연 ***go on a ~*** 여행을 떠나다, 유람 길에 오르다 ***knight's ~*** 기사의 순력(巡歷); (체스의) 나이트가 판 위를 일순하는 일 ***make a ~ of*** [***in, through***] ***the world*** [***country***] 세계[전국]를 유람[순회]하다 ***on ~*** 유람[순회] 중에[의]: actors *on* ~ 순회 중의 배우들 ***~ of duty*** 복무[임무, 재임] 기간
tou·ra·co [túərəkòu] *n.* (*pl.* **~s**) 〖조류〗 (아프리카산(産)) 관모가 크고 아름다운 새
tour·bil·lion, -bil·lon [tuərbíljən] *n.* **1** 회오리바람; (기체·액체의) 소용돌이 **2** 빙빙 돌며 하늘로 치솟는 불꽃[봉화]
tour de force [tùər-də-fɔ́:rs] [F =feat of strength] (*pl.* **tours de force** [tùərz-]) **1** (예술상의) 역작, 대걸작 **2** 힘으로 하는 재주, 묘기, 놀라운 솜씨 **3** (난국에 처했을 때의) 아주 교묘한 수완
Tour-de-France [tùər-də-frǽns, -frɑ́:ns | -frɑ́:ns] *n.* 투르드프랑스 《프랑스와 주변국을 주파하는 장거리 자전거 경주》
tour·er [túərər] *n.* 관광 여행하는 사람; 《영》 = TOURING CAR
Tou·rétte's sỳndrome [tuəréts-] 〖병리〗 투렛증후군 《목의 연축(攣縮)이나 성대 경련 등의 불수의 운동을 되풀이하는 신경학적 질환》
tóur·ing càr [túəriŋ-] 포장형 관광 자동차
tour·ism [túərizm] *n.* Ⓤ 관광 여행; 관광 사업; [집합적] 관광객; 관광 여행 추진[촉진]
‡**tour·ist** [túərist] *n.* **1** 관광객, 유람객, 여행자; (간이 여관 등의) 숙박자 **2** 원정 중의 운동 선수 **3** = TOURIST CLASS
—*a.* Ⓐ **1** 관광객의[을 위한, 에 적합한]: a ~ attraction 관광 명소/a ~ bureau 여행사 **2** tourist class의
—*ad.* (항공기·기선의) 투어리스트 클래스로: travel ~ 투어리스트 클래스로 여행하다
—*vi.* 여행하다
—*vt.* 여행으로 …을 방문하다
tour·is·ta [tuəríːstə] *n.* = TURISTA
tóurist àgency 여행 안내소, 관광 회사
tóurist càrd 여행자 카드 《여권·비자 대신에 발행되는 증명서》
tóurist clàss (정기 기선·항공기의) 투어리스트 클래스, 보통석 《일반 여행자가 이용하는 저렴한 등급; cf. FIRST CLASS, CABIN CLASS》
tóurist còurt 《미》 = MOTEL
tour·iste [tuəríːst] *n.* 《캐나다·속어》 (프랑스어권에서의) 캐나다 설사, 퀘벡 설사(cf. TURISTA)
tóurist hòme 민박 숙소
tour·is·tic [tuərístik] *a.* (관광) 여행의; (관광) 여행자의 **-ti·cal·ly** *ad.*
tóurist (informátion) òffice 관광 안내소
tour·is·try [túəristri] *n.* Ⓤ (관광) 여행, 유람; [집합적] (관광) 여행자, 관광단
tóurist tìcket 관광표, 유람표
tóurist tràp 《미·속어》 관광객에게 바가지 씌우는 곳 《음식점; 호텔·가게 등》
tour·ist·y [túəristi] *a.* 《구어·종종 경멸》 관광객풍의; 관광객용의; 관광객에게 인기 있는; 관광지화된: a ~ attitude 관광자풍의 태도
tour·ma·line [túərməlin, -lìːn], **-lin** [-lin] *n.* 전기석(電氣石)
∗**tour·na·ment** [túərnəmənt, tə́:r- | túən-, tɔ́:n-] *n.* **1** 토너먼트, 승자 진출전, 선수권 쟁탈전: a golf ~ 골프 선수권 대회 **2** (중세 기사의) 마상(馬上) 시합 (대회) ▷ tóurney *v.*
tour·ne·dos [túərnədòu, ㅅ-ㅅ | ㅅ-ㅅ] [F] *n.* (*pl.* ~) 투르느도 《소의 필레(filet)살의 가운데 부분을 이용한 스테이크》
tour·ney [túərni, tə́:r- | túəni, tɔ́:-] *n.* (*pl.* **~s**) = TOURNAMENT —*vi.* 마상 시합을 하다, 토너먼트에 참가하다 **~·er** *n.*
tour·ni·quet [tú:rnikit, túər- | túənikèi, tɔ́:n-] *n.* 〖의학〗 지혈대(止血帶)
tour·nure [túərnjuər, -ㅅ] [F] *n.* (스커트를 펴는) 허리 받침(bustle)
tóur òperator 패키지 투어 전문 여행업자
tou·sle [táuzl] *vt.* 마구 다루다, 〈머리카락을〉 헝클어뜨리다: ~*d* hair 헝클어진 머리
—*n.* ⓊⒸ 헝클어진 머리; 혼란, 난잡, 헝클어짐
tous·y [táuzi] *a.* (**tous·i·er**; **-i·est**) 《스코》 흐트러진; 임시변통의
tout [táut] 《구어》 *vi.* **1** 손님을 끌다, 강매하다, 귀찮게 권유하다 《*for*》: (~+전+명) ~ *for* orders 귀찮게 주문을 권유하다 **2** 《미》 (경마의) 예상꾼 노릇을 하다; 《영》 (경마말 등의) 정보를 염탐하다(spy) 《*round*》
—*vt.* **1** 지분지분하게 권하다; 몹시 칭찬하다, 크게 선전하다 **2** 《미》 〈말의 정보를〉 팔다; 《영》 〈경마말 등의〉 상태를 염탐하다 **3** 망을 보다, 정찰하다
~ about [***around***] 《구어》 〈수상쩍은 물건 등을〉 여기저기 팔아먹으려 하다
—*n.* **1** 경마말의 상태를 염탐함 **2** (경마의) 예상꾼: a race-course ~ 경마의 정보 제공자 **3** 《영》 암표 장수 **4** (도적의) 파수꾼 ***keep*** (***the***) ***~*** 《속어》 망을 보다
tout à fait [tù:t-ə-féi] [F =entirely] *ad.* 완전히, 아주, 몽땅
tout court [tú:-kúər] [F =quite short] *ad.* 짤막하게; 간단히; 존칭 없이
tout en·sem·ble [tú:t-ɑ:nsɑ́:mbl] [F =all together] *ad.* 모두 함께, 전부 —*n.* **1** 총체, 전체 **2** 전체적 효과
tout·er [táutər] *n.* 《구어》 = TOUT
tou·zle [táuzl] *vt., n.* = TOUSLE
to·va·rich, -rish [touvɑ́:riʃ] [Russ.] *n.* 동지; 친구
∗**tow**[1] [tóu] *vt.* **1** 〈차·배 등을〉 (밧줄[사슬]로) 잡아당기다(pull, draw) 《*with*》 **2** 끌다, 끌어당기다; 안[밖]으로 끌다 《*in*; *out*》: (~+목+전+명) My car broke down, and a truck ~*ed* it *to* the garage. 내 차가 고장나서 트럭이 정비소까지 견인해 갔다. **3** 〈사람·개 등을〉 (잡아) 끌고 가다 《*away, along*》
—*n.* **1** 밧줄로 끎; 끌려감 **2** 끌리는 배[차 《등》]; 끄는 밧줄 **3** 예인선, 견인차 **4** = SKI TOW
in ~ (1) 끌려서 《*of, by*》 (2) 지도[안내]되어; 맡아서 (3) 찬미자를 거느리고: a number of admirers *in* ~ 따라다니는 많은 숭배자 ***take*** [***have***] ***in ~*** 밧줄로 끌다; 보호하다, 지도하다; 거느리고 가다, 자기 마음대로 하다 ▷ tówage *n.*
tow[2] *n.* Ⓤ, *a.* 삼(麻) 부스러기(의), 거친 삼(의)
TOW [tóu] [*t*ube-launched, *o*ptically-guided, *w*ire-tracked missile] *n.* 〖미군〗 토 미사일(= ㅅ **mìssile**) 《대(對)전차 미사일》
tow·age [tóuidʒ] *n.* Ⓤ 배를 끎[끌기], 자동차 견인; 예선[견인]료(料), 끄는 삯

‡to·ward [tɔ́ːrd, təwɔ́ːrd | təwɔ́ːd, tɔ́ːd] *prep., a.*

> 기본적으로는 「…의 쪽으로」의 뜻.
> ① …쪽으로 《운동의 방향》 **1**
> ② …쪽에 《사물의 위치·방향》 **2**
> ③ …편에 《경향·결과》 **3**
> ④ …가까이 《시간·수량의 접근》 **4, 5**
> ⑤ …에 대하여 《관련》 **6**

— *prep.* **1** [운동의 방향] …쪽으로, …을 향하여: get ~ …에 가까워지다 / go ~ the river 강 쪽으로 가다 ★ to와 달라 목적점에 도착 여부가 분명치 않음. **2** [위치·방향] …쪽에 (있는), …의 편을 향하여 (있는): hills ~ the north 북쪽의 산들 **3** [경향·결과] …편에, …을 향하여; [감정·행위의 목적] …에 대하여: cruelty ~ animals 동물 학대 **4** [시간의 접근] …가까이, 무렵, …쯤: ~ noon 정오쯤 / ~ midnight 한밤중 무렵 **5** [수량의 접근] …에 가까이, …쯤 **6** [태도·관계] …에 대하여, …에 관하여: his attitude ~ women 여성에 대한 그의 태도 **7** [원조·공헌] …을 위하여: Here is a half crown ~ it. 그럼 반 크라운 기부하겠습니다. ***I look ~ you.*** 《익살》 건강을 축복합니다. 《축배 들 때의 말》

— [tɔ́ːrd | tóuəd] *a.* **1** 바야흐로 일어나려는, 임박해 오는(impending); 지금 진행 중인; 《드물게》 형편에 좋은, 상서로운 **2** 《폐어》 전도 유망한; 온순한(docile)

to·ward·ly [tɔ́ːrdli | tóuəd-] *a.* 《고어》 유망한; 온순한; 호의적인, 우호적인; 적절한

‡to·wards [tɔ́ːrdz, təwɔ́ːrdz | təwɔ́ːdz, tɔ́ːdz] *prep.* = TOWARD ★ 《영》에서는 산문·구어체에서 towards가 보통.

tow·a·way [tóuəwèi] *n., a.* 《미》 (주차 위반 차량의) 강제 견인(의); 강제 견인된 차(의)

tówaway zòne 《미》 주차 위반 차량 견인 구역 《위반차는 레커차로 견인됨》

tow·bar [-bɑ̀ːr] *n.* 견인봉, 토바 《자동차 견인용 철봉》 — *vt.* 〈자동차를〉 견인봉으로 잡아끌다

tow·boat [-bòut] *n.* **1** 끄는 배 《내륙 수로에서는 바지선(barge)을 밀기도 하고 현측(舷側)에 고정하여 예항하는 디젤선(船)》 **2** 예인선(tugboat)

tów càr 《미》 구난차, 레커차

‡tow·el [táuəl] *n.* **1** 타월, 수건 《손 등을 닦는》: a bath ~ 목욕용 타월 **2** 《영》 = SANITARY TOWEL
throw[***toss***] ***in the ~*** 〖권투〗 타월을 던지다 《패배의 인정》; 《구어》 항복하다, 포기하다

— *vt., vi.* (**~ed**; **~·ing** | **~led**; **~·ling**) **1** 타월로 닦다[훔치다, 말리다] 《*down, off*》 **2** 《영·호주·속어》 〈사람을〉 습격하다, 때리다(beat) ~ ***away at*** one's ***face*** 얼굴을 수건으로 부지런히 닦다 ~ ***off*** (목욕 후에) 타월로 몸을 닦다

tow·el·ette [tàuəlét] *n.* 작은 종이 수건, 물을 적신 냅킨

tówel hòrse = TOWEL RACK

tow·el·ing | **-el·ling** [táuəliŋ] *n.* 수건 천

tówel ràck (욕실·주방 등의) 수건걸이

tówel ràil (막대기 모양의) 수건걸이

‡tow·er[1] [táuər] *n.* **1 a** 탑, 누대(樓臺), 타워, 고층 빌딩: a bell ~ 종탑, 종루 / a lookout ~ 감시탑 / go up the Eiffel *T~* 에펠 탑에 오르다 **b** 성채 **c** 요새; 방어물, 옹호자; 안전한 장소 **2** 《미》 철도 신호탑: a signal ~ 신호탑 **3** (다친 새가) 일직선으로 날아오름
a keep ~ 성곽에서 가장 높은 망루 ***a ~ of strength*** 힘이 되는 사람, 옹호자 ***the T~*** (***of London***) 런던탑 ~ ***and town*** = ***town and ~*** 《시어》 인가(人家)가 있는 곳; 마을 ***~ of ivory*** 상아탑

— *vi.* **1** 솟다: (~+전+명) ~ ***against*** the sky 공중에 높이 솟다 **2** (…보다) 매우 높다; 〈사람·재능 등이〉 (…보다) 뛰어나다 《*over, above*》 **3** 〈다친 새가〉 곧추 올라가다 ~ ***above*** …보다 훨씬 높다; 빼어나다, (남보다 훨씬) 뛰어나다: ~ *above* one's contemporaries 동시대인보다 훨씬 뛰어나다

tow·er[2] [tóuər] [tow[1]에서] *n.* (배 등을) 끄는 사람[것]

tówer blòck 《영》 고층 빌딩

Tówer Brídge [the ~] 타워 브리지 《London의 Thames 강의 두 개의 탑 사이에 걸려 있는 개폐식(開閉式)의 다리》

tow·ered [táuərd] *a.* 탑이 있는

***tow·er·ing** [táuəriŋ] *a.* Ⓐ **1** 우뚝 솟은, 매우 높은(lofty): a ~ tree 높이 솟은 나무 / a ~ hotel 고층 호텔 **2** 지나친, 터무니없는; 〈야망 등이〉 큰: a ~ ambition 크나큰 야심 **3** 〈감정이〉 격렬한: in a ~ rage 격노하여 **4** 〈사람·재능·계획 등이〉 아주 훌륭한, 비범한 **~·ly** *ad.*

tow·er·man [táuərmən] *n.* (*pl.* **-men** [-mən, -mèn]) (철도의) 신호원; 항공 관제관

Tówer of Bábel [the ~] **1** 〖성서〗 바벨탑 **2** 《비유》 비실현적[실현 불가능한] 계획

tow·er·y [táuəri] *a.* (**-er·i·er**; **-i·est**) **1** = TOWERED **2** 탑 모양의, 우뚝 솟은

tow·head [tóuhèd] *n.* 《미》 아마(亞麻)색 머리털(의 사람) **~·ed** *a.*

tow·hee [táuhiː, tóuhiː] *n.* 〖조류〗 (북미산(産)) 방울새 비슷한 작은 새(= **~ búnting**)

tów·ing nèt [tóuiŋ-] (표본 채집용) 예망(曳網)

tówing pàth = TOWPATH

tow·line [tóulàin] *n.* = TOWROPE

‡town [táun] [OE 「울타리, 마을」의 뜻에서] *n.* **1 a** 읍, 시(cf. VILLAGE, CITY), 도회지; 자치시 **b** [관사 없이] [종종 **T~**] 《영》 《특히》 런던; (화제에 오른 부근의) 주요 도시 **c** (변두리에 대하여) 도심 지구, 번화가, 도시의 상업 지구, 중심지 (downtown): He has his office in ~. 그는 시내에 사무실을 갖고 있다.

> 유의어 공식적으로는 **city**라고 불리는 도시도 일상 회화에 있어서는 **town**이라고 하는 수가 있다. 이런 경향은 미국보다 영국에서 현저하다: Manchester is a smoky *town.* 맨체스터는 매연이 많은 도시다. 또한 영국에서는 정기적으로 market이 서는 곳이면 그곳이 village와 큰 차이 없는 작은 곳이라도 **town**[**market town**]이라고 한다.

2 [집합적; 단수 취급] **a** [the ~] 읍[시]민: *The* ~ is against more businesses being built near their houses. 읍민들은 주거지 근처에 상업용 건물들이 더 들어서는 데 반대한다. **b** (대학 도시의) 시민 《Oxford, Cambridge 대학에서 일반인에 대한 표현》: ~ and gown 일반 시민과 대학 관계의 사람들 **3** 〖역사〗 성시(城市) **4** 《미》 읍 《행정 구역》; 읍민
a man about ~ (특히 런던 사교계에 드나드는) 건달, 한량 ***a man of the ~*** 건달, 바람둥이 ***a woman***[***girl***] ***of the ~*** 매춘부, 밤거리의 여인 ***blow ~*** 《속어》 도망하다 ***camp*** (***up***) ***on the ~*** 도시의 멋진 생활을 하다; 매춘부[도둑]가 되다 ***carry a ~*** 마을을 노략질하다 ***come to ~*** 상경하다; 나타나다 ***go down ~*** 《미》 상가(商街)에 가다, 물건 사러 가다 ***go to ~*** 읍에 가다; 《구어》 끝까지[철저히, 척척] 하다; 돈을 크게 낭비하다 《*on, over*》, 흥청망청 놀다; 《구어》 대성공하다 ***hit ~*** 도시에 닿다 ***in ~*** 재경[상경]하여 ***on the ~*** 《미》 (1) 《구어》 (나이트클럽 등에서) 흥청거리며 노는 (2) 시·읍의 원조[생활 보호]를 받아서 ***out of ~*** 도시를 떠나, 시골에 가서 ***paint the ~ red*** ⇨ paint. ***the talk of the ~*** 마을의 소문[화제] ~ ***and country*** 도시와 시골

— *a.* Ⓐ 도시의, 읍의: ~ life 도시 생활

tówn càr 타운카 《유리문으로 앞뒤 자리를 칸막이한 문이 4개인 자동차》

tówn céntre 《영》 도심지, 번화가(cf. DOWNTOWN)

tówn clérk 읍사무소 서기

tówn cóuncil 《영》 읍[시]의회

tówn cóuncilor 읍[시]의회 의원

tówn críer 포고(布告)를 외치며 다니는 읍 직원

town·ee [tauníː] *n.* 《영·구어》 = TOWNIE

town·er [táunər] *n.* 《속어》 도시 사람
tow·net [tóunèt] *n.* = TOWING NET
tówn gàs 《영》 도시가스
tówn háll 시청(사), 읍사무소; 공회당
tówn hòuse **1** (시골에 본 저택을 가진 귀족 등의) 도시의 저택 **2** 《미·캐나다》 연립 주택(row house) 《한 벽으로 연결된 2-3층의 주택》 **3** 《영》 = TOWN HALL
town·ie [táuni] *n.* 《구어·때로 경멸》 도시[읍] 사람; (대학 도시에서 대학 관계자 이외의) 주민
town·i·fy [táunəfài] *vt.* (**-fied**) 도시식으로 하다, 도시화하다
town·ish [táuniʃ] *a.* 도시(식)의; 〈사람이〉 도시풍의; 도시 특유의
tówn mánager 《미》 읍장 《읍의회에서 임명받아 행정을 맡아봄》
tówn méeting 《미》 읍민회; (특히 뉴잉글랜드의) 읍 위원회
tówn plánning = CITY PLANNING
tówn plánner *n.*
town·scape [táunskèip] *n.* 도시 풍경화(법); 도시 풍경; (미관을 중시하는) 도시 조경(계획)
towns·folk [táunzfòuk] *n. pl.* = TOWNSPEOPLE
⁎**town·ship** [táunʃip] *n.* **1** 《미·캐나다》 군구(郡區) 《county 내의》: Princeton ~ 프린스턴 군구 **2** 《남아공》 옛 인종 차별 정책에 따른 흑인 거주 지역: the black ~ of Soweto 남아프리카 공화국 소웨토의 흑인 거주 지역 **3** 〖영국사〗 읍구(邑區), 지구(地區) 《큰 parish의 작은 구역》; [집합적] 그 주민 **4** 타운십 《미국의 측량 단위; 보통 36평방 마일》
town·site [-sàit] *n.* 《미·캐나다》 도시 계획 지역, 신도시 건설 부지
⁎**towns·man** [táunzmən] *n.* (*pl.* **-men** [-mən, -mèn]) **1** 도회지 사람 **2** (같은) 읍민, 시민
towns·peo·ple [-pì:pl] *n. pl.* [집합적] 도시 사람들[거주자], 읍민
towns·wom·an [-wùmən] *n.* (*pl.* **-wom·en** [-wìmin]) 도회지 여인; 같은 읍내의 여인
tówn tàlk 읍내의 소문, 도시의 화제
town·wear [táunwɛ̀ər] *n.* Ⓤ 나들이옷, 외출복 《일반적으로 색이 어둡고 점잖은 옷》
town·y [táuni] *n.* (*pl.* **town·ies**) 《미·구어》 = TOWNIE
tow·path [tóupæ̀θ | -pɑ̀:θ] *n.* (운하·강변을 낀) 배를 끄는 길
tow·rope [-ròup] *n.* (배·차를) 끄는[견인용] 밧줄
tow·sack [-sæ̀k] *n.* 《미중부·남부》 = GUNNYSACK
tow·ser [táuzər] *n.* **1** 몸집이 큰 개 **2** 《구어》 몸집이 크며 억센 사람, 《특히》 정력적으로 일하는 사람: a ~ for work 정력적인 일꾼
tów trùck 《미》 = WRECKER *n.* 3
tow·y [tóui] *a.* 삼[아마]의[같은]; 〈머리가〉 담황색의
tox·a·phene [tɑ́ksəfì:n | tɔ́k-] *n.* 〖화학〗 톡사펜 《살충제의 일종》
tox·e·mi·a | **-ae·mi·a** [taksí:miə | tɔk-] *n.* Ⓤ 〖병리〗 독혈증(症) **-mic** [-mik] *a.*
tox·ic [tɑ́ksik | tɔ́k-] *a.* 유독한(poisonous), 치명적인; 중독(성)의: ~ epilepsy 중독성 간질병 / ~ smoke 독가스 **—** *n.* 유독 화학 약품
toxic- [tɑ́ksik | tɔ́k-], **toxico-** [tɑ́ksikou, -kə | tɔ́k-] 《연결형》 「독」의 뜻 《모음 앞에서는 toxic-》
tox·i·cant [tɑ́ksikənt | tɔ́k-] *a.* 유독한(poisonous) **—** *n.* 독물(poison), 《특히》 살충제
tox·i·ca·tion [tɑ̀ksikéiʃən | tɔ̀k-] *n.* Ⓤ 중독
tóxic dèbt 독성 채무, 악성 채권
tox·ic·i·ty [taksísəti | tɔk-] *n.* (*pl.* **-ties**) Ⓤ (유)독성
tox·i·co·gen·ic [tɑ̀ksikoudʒénik | tɔ̀k-] *a.* 〖병리〗 독물 발생의; 독물로 형성된
tox·i·coid [tɑ́ksəkɔ̀id | tɔ́k-] *n.* 독성 화학 물질
tox·i·co·log·ic, -i·cal [tɑ̀ksikəlɑ́dʒik(əl) | tɔ̀ksikəlɔ́dʒ-] *a.* 독물학(상)의; 독소의 **-i·cal·ly** *ad.*
tox·i·col·o·gy [tɑ̀ksikɑ́lədʒi | tɔ̀ksikɔ́l-] *n.* Ⓤ 독물학, 중독학 **-gist** *n.* 독물학자
tox·i·co·sis [tɑ̀ksikóusis | tɔ̀k-] *n.* Ⓤ 〖병리〗 중독(증), 중독 상태
tóxic shóck sỳndrome 〖병리〗 독소[탐폰] 충격 증후군 《흡수력이 강한 탐폰을 사용했을 때 독소를 가진 세균이 급증하여 고열·위장 이상·발진·혈압 강하 등의 병세를 보이는 증상; 略 TSS》
tóxic wáste 유독성 폐기물
tox·i·gen·ic [tɑ̀ksidʒénik | tɔ̀k-] *a.* 〖의학〗 〈미생물이〉 독소를 생성하는, 독소 발생의
tox·i·ge·nic·i·ty [tɑ̀ksidʒənísəti | tɔ̀k-] *n.* Ⓤ 독소 생성성(性)
tox·in [tɑ́ksin | tɔ́k-] *n.* 독소
tox·in-an·ti·tox·in [-æ̀ntitɑ́ksin | -æ̀ntitɔ̀k-] *n.* 〖면역〗 독소 항독소 혼합 용액 《디프테리아 면역 접종용》
tox·i·pho·bi·a [tɑ̀ksəfóubiə | tɔ̀k-] *n.* Ⓤ 〖심리〗 독물 공포(증)
tox·o·ca·ri·a·sis [tɑ̀ksəkəráiəsis | tɔ̀k-] *n.* Ⓤ 〖병리〗 톡소카라증(症) 《개에 기생하는 Toxocara 회충에 의한 감염증》
tox·oid [tɑ́ksɔid | tɔ́k-] *n.* 〖의학〗 톡소이드, 변성 독소 《예방 주사에 쓰는 독소》
tox·oph·i·lite [taksɑ́fəlàit | tɔksɔ́f-] *n.* 궁술 애호가, 궁술가(archer), 궁술의 명수 **—** *a.* 궁술(가)의
tox·oph·i·ly [taksɑ́fəli | tɔksɔ́f-] *n.* (*pl.* **-lies**) ⓊⒸ 궁술 연구[연습]
tox·o·plas·mo·sis [tɑ̀ksouplæzmóusis | tɔ̀k-] *n.* Ⓤ 〖병리〗 주혈 원충병(住血原蟲病)
⁑**toy** [tɔ́i] [ME 「희롱」의 뜻에서] *n.* **1** 장난감, 완구 (plaything): play with a ~ 장난감을 갖고 놀다 / an educational ~ 교육 완구 **2** **a** 실용이 안 되는 물건 **b** 하찮은 것, 싸구려 물건; 작은[싸구려] 장신구; 작은 것[동물, 개] **3** 《비유》 노리갯감의 사람; 정부 **4** 소꿉장난 **5** 토이 모자 《주로 스코틀랜드 여성이 쓰는 술이 어깨까지 드리워지고 머리에 꼭 맞는 모자》 **6** 토이 곡(曲) 《특히 16-17세기의 잉글랜드에서 virginal 음악용으로 작곡된 간단하고 가벼운 곡》 ***make a ~ of*** …을 노리개로 삼다, 장난감으로 삼다
— *a.* Ⓐ 장난감(용)의; (크기가) 장난감 같은; 〈개 등이〉 소형의: a ~ car 장난감 자동차 / a ~ poodle 애완용 푸들(개) / a ~ drama 인형극
— *vi.* **1** 장난하다, 희롱하다 《*with*》; 가지고 놀다, 집적거리다 《*with*》: (~+전+명) Don't ~ *with* the cat's tail! 고양이 꼬리를 가지고 장난치지 마라. **2** 장난삼아 생각하다 《*with*》: (~+전+명) I'm *~ing with* the idea of buying a car. 자동차를 살까 하고 그냥 생각하고 있어.
tóy bòy 《영·구어》 (나이든 여성의) 젊은 연인 《남자》 (cf. BIMBO)
tóy dóg 애완용 작은 개
toy·et·ic [tɔiétik] *a.* 〈만화 영화 등의 캐릭터가〉 완구로 만들어져 팔리는, 장난감으로 팔리도록 고안된
to·yi-to·yi [tɔ́itɔ̀i] *n.* Ⓤ 《남아공》 토이토이 《다리를 들어 올리며 추는 저항의 춤이나 행진》
toy·man [tɔ́imən] *n.* (*pl.* **-men** [-mən]) 장난감 상인, 완구 제조인
Toyn·bee [tɔ́inbi] *n.* 토인비 **Arnold J**(**oseph**) ~ (1889-1975) 《영국의 역사가·문명 비평가》
to·yon [tɔ́iɑn, tóujən | tɔ́iɔn, tóujən] *n.* 〖식물〗 장미과(科)의 상록 관목 《북미 태평양 연안산》
toy·shop [tɔ́iʃɑ̀p | -ʃɔ̀p] *n.* 장난감 가게, 완구점
toy·town [-táun] *a.* 《영》 유치한, 시시한, 사소한, 보잘것없는
tp township; troop **TP** 〖측량〗 turning point **t.p.** title page **TPI** tracks per inch 〖컴퓨터〗 인치당 트랙수 《자기 디스크에서 저장 밀도를 표시하는 척도》

thesaurus **toxic** *a.* poisonous, venomous, virulent, noxious (opp. *non-toxic, harmless, safe*)
track[1] *n.* **1** 지나간 자취 marks, impressions, prints,

tpk. turnpike **TPN** total parenteral nutrition **TPO** traveling post office **tpr., Tpr** trooper **TPR** total physical response **TPS** thermal protection system 〖우주과학〗 내열(耐熱) 시스템 **tps.** townships **TQC** total quality control **TQM** total quality management

t̂ quàrk 〖물리〗 =TOP QUARK

Tr 〖화학〗 terbium 《Tb가 일반적》 **TR** transmit-receive **tr.** train; transaction; transitive; translate(d); translator; transport(ation); transpose; treasurer(s); trustee **T.R.** *tempore regis* 《L = in the time of the king》; tons registered 〖항해〗 등록 톤

tra- [trə] *pref.* =TRANS-: *tra*dition

tra·be·at·ed [tréibièitid], **-ate** [-èit, -ət] *a.* 〖건축〗 상인방(lintel)식 구조의

tra·be·a·tion [trèibiéiʃən] *n.* Ⓤ 〖건축〗 상인방식 구조

tra·bec·u·la [trəbékjulə] *n.* (*pl.* **-lae** [-lìː]) 〖해부·식물〗 섬유주(柱) 《생물체 내의 조직을 지탱하는 작은 기둥 모양의 섬유성 구조》 **-lar** *a.* **-late** *a.*

‡**trace**[1] [tréis] *n.* **1** [보통 *pl.*] **자취**(track), **발자국**, 바퀴 자국, 쟁기 자국 《등》; (사건 등의) 흔적, 형적; 증적(證跡); (경험·경우 등의) 영향, 결과: ~*s* of an old civilization 옛 문명의 유적 / ~ of war 전쟁의 자취

> 유의어 **trace** 무언가가 지나간 흔적이나, 무언가가 일어났던[있었던] 것을 보여 주는 것: a snowfield pockmarked with the *traces* of deer 사슴 발자국이 빠끔빠끔 난 설원(雪原) **track**[1] 무언가가 지나간 후에 남은 연속된 흔적: the fossilized *tracks* of dinosaurs 화석이 된 공룡의 발자국 **vestige** 과거에는 있었지만 현재에는 존재하지 않는 것의 자취: *vestiges* of the last ice age 지난 빙하 시대의 자취

2 극소량, 미량, 기미(氣味) 《*of*》: with a ~ *of* rising temper 약간 화가 나서 **3** 선, 도형; 스케치, (군사 시설 등의) 배치도 **4** (지진계 등의) 자동 기록 장치가 그리는 선 **5** (사람·동물·차 등이 다녀서 생긴 황야 등의) 작은 길 **6** 〖심리〗 (기억의) 흔적 **7** 〖수학〗 자취 **8** 〖컴퓨터〗 추적, 트레이스 **a** 프로그램의 실행 상황을 추적하기 **b** 추적 정보 **c** 추적 프로그램(tracer)
(***hot***) ***on the ~s of*** …을 (맹)추격하여 ***lose*** (***all***) ***~ of*** …의 발자취를 (완전히) 놓치다; …의 행방을 (완전히) 모르게 되다 ***without*** (***a***) ***~*** 흔적도 없이
— *vt.* **1** …의 **자국을 밟아가다**: **a** 추적하다: 《~+목+전+명》 ~ an animal *to* its lair 동물을 그 소굴까지 추적하다 **b** 〈강·길 등을〉 따라가다: 《~+목+전+명》 ~ a river *to* its source 강을 수원까지 거슬러 올라가다 **c** …의 발자취를 찾다, 찾아내다: 《~+목+부》 ~ a person *out* …을 찾아내다 **2** 〈유래·원인·출처를〉 **더듬다**, 거슬러 올라가다, 밝혀내다, 규명하다 《*back, to*》: ~ the etymology of a word 한 단어의 어원을 밝혀내다 **3 a** 〈선·윤곽·지도 등을〉 긋다, 그리다 《*out*》; …의 겨냥도를 그리다 《*out*》: 《~+목(+부)》 He ~*d* (*out*) a copy from the original. 그는 원도를 베껴 모사도를 그렸다. **b** 〈자동 기록기 등이〉 기록하다 **c** 〈계획 등을〉 세우다, 결정하다 《*out*》 **4 a** (유적 등을 통해) …의 옛 모습을 확인하다; (증거 등을 더듬어) 발견하다: ~ ancient practices through the study of artifacts 문화 유물을 연구함으로써 태고의 풍습을 확인하다 **b** (윤곽 등에 의해) 알아보다 **5 a** 정성들여 쓰다 **b** (위에서) 베끼다, 투사(透寫)하다, 복사하다: ~ the signature of a person …의 서명을 위에서 베끼다 **6** …에 도안[무늬]을 넣다
— *vi.* **1** 길을 따라가다; 걸어가다 **2** 〈계통 등이〉 거슬러 올라가다 《*to*》 ~ ***back*** 더듬어 올라가다

trace[2] *n.* [보통 *pl.*] **1** (소·말 등을 매는) 봇줄, 끄는 줄 **2** 〖기계〗 경첩식 연동간(桿) **3** 〖낚시〗 목줄(leader) ***in the ~s*** 봇줄에 매여; 늘 하는 일에 종사하여 ***kick over*** [《미》 ***jump***] ***the ~s*** ⇨ kick[1]

trace·a·ble [tréisəbl] *a.* trace[1]할 수 있는
tràce·a·bíl·i·ty *n.*

tráce èlement 〖생화학〗 미량 원소[요소]

tráce fòssil 생흔(生痕) 화석

trace·less [tréislis] *a.* 〈범죄 등이〉 흔적이 없는, 자국을 남기지 않는: a ~ crime 흔적이 없는 범행

trac·er [tréisər] *n.* **1 a** 추적자(者) **b** 모사(模寫)하는 사람, 투사공(透寫工) **c** 줄 긋는 펜, 투사용 펜[붓, 용구] **2** 《미》 분실물 수색계원; 분실 우송물[화물] 수색 조회장 **3** 〖군사〗 =TRACER BULLET **4** 〖해부〗 탐침(探針) **5** 〖물리·의학〗 트레이서, 추적자 《어떤 물질의 행방·변화를 연구하기 위해 사용하는 방사성 원소》 **6** 〖컴퓨터〗 추적기

trácer bùllet 예광탄

trácer èlement 〖물리·의학〗 추적 원소

trac·er·y [tréisəri] *n.* (*pl.* **-er·ies**) ⓊⒸ 〖건축〗 트레이서리 《고딕식 창의 장식 격자(格子)》
trác·er·ied *a.*

tracery

trache- [tréiki], **tracheo-** [tréikiou, -kiə | trəkíːou] 《연결형》 「기관; 도관(導管)」의 뜻: *tra-cheo*tomy

tra·che·a [tréikiə | trəkíːə] *n.* (*pl.* **~s, -che·ae** [-kiìː | -kíːiː]) **1** 〖해부〗 기관; (곤충·절지 동물의) 호흡관 **2** 〖식물〗 도관 **trá·che·al** *a.*

tra·che·ate [tréikièit, -kiət | trəkíːət] *a.* 〈절지동물이〉 기관을 가진 — *n.* (절지동물의) 유기관류

tra·che·id [tréikiid] *n.* 〖식물〗 헛물관, 가도관(假導管)

tra·che·i·tis [trèikiáitis] *n.* Ⓤ 〖병리〗 기관염

tra·che·o·bron·chi·al [trèikioubráŋkiəl | -brɔ́ŋ-] *a.* 〖해부〗 기관과 기관지의

tra·che·o·e·soph·a·ge·al [trèikiəisɑ̀fədʒíːəl | -sɔ̀f-] *a.* 〖해부〗 기관과 식도의

tra·che·ole [tréikiòul] *n.* 〖곤충〗 (곤충의 기관 분기의) 기관지, 미세 기관

tra·che·o·phyte [tréikiəfàit] *n.* 〖식물〗 관다발 식물 《양치·종자 식물을 포함》

tra·che·os·to·my [trèikiɑ́stəmi | trækiɔ́s-] *n.* (*pl.* **-mies**) 〖외과〗 기관 절개(술); 그 개구부(開口部)

tra·che·ot·o·my [trèikiɑ́təmi | trækiɔ́t-] *n.* (*pl.* **-mies**) ⓊⒸ 〖외과〗 기관 절개(切開)(술)

tracheótomy tùbe 〖의학〗 기관 절개관 《기도(氣道) 역할을 함》

tra·cho·ma [trəkóumə] *n.* Ⓤ 〖안과〗 트라코마
tra·chom·a·tous [trəkɑ́mətəs, -kóumə- | -kɔ́m-] *a.*

tra·chyte [tréikait, trǽk-] *n.* Ⓤ 〖암석〗 조면암 《화산암의 일종》

tra·chyt·ic [trəkítik] *a.* 조면암 모양의

*__trac·ing__ [tréisiŋ] *n.* **1** Ⓤ **자취를 밟음**, 추적, 수색 **2** 트레이싱, 투사(透寫), 모사; 투사[복사]도: make a ~ of …을 모사하다, 그리다 **3** 자동 기록 장치의 기록 **4** 〖스케이팅〗 지치고 간 자취

trácing clòth 투사포

trácing pàper 투사지, 트레이싱 페이퍼

trácing whéel 〖재봉〗 점선기(點線器), 트레이서

‡**track**[1] [trǽk] *n., v.*

> 「지나간 자취」 **1** 《trace[1]와 같은 어원》
> →「작은 길」 **4 a**→「통로」 ┬→「궤도」 **2 a**
> └→「트랙」 **3 a**

— *n.* **1 a** 지나간 **자취**, 흔적(⇨ trace[1] 유의어); [*pl.*] 발자국: quadruped ~*s* 네발짐승의 발자국 / a lion's ~*s* 사자의 발자국 **b** 바퀴 자국, 항적(航跡):

---

footprints, footmarks, footsteps, trail **2** 길 path, pathway, way, course, route — *v.* pursue, follow, trail, trace, tail, shadow many automobile ~*s* 많은 차바퀴 자국 **c** 냄새 자국 《사냥개가 따라가는 짐승의》 **2 a** **철도 선로,** 궤도: single[double] ~ 단[복]선 **b** 통로, 진로, 항로: the ~ of a typhoon 태풍의 진로 **3 a** **경주로,** 주로(走路), 트랙(cf. FIELD); 〈경마의〉 경주로, 경마장: a cycling ~ 자전거 경주로 / the ~ designed for the model car race 모형 자동차 경기용 코스 **b** Ⓤ [집합적] 《미》 트랙 경기; 육상 경기 **4 a** 〈밟아서 생긴〉 **작은 길,** 밟아 다져진 길 **b** 〈인생의〉 행로, 상궤(常軌) **5** 〈사건·사상 등의〉 연속 **6 a** 【자동차】 윤거(輪距) 《양 바퀴 사이의 간격》; 《미》 궤간(軌間) **b** 【기계】 무한궤도 **7 a** 〈자기 테이프의〉 음대(音帶), 트랙; 테이프로 녹음한 곡 **b** = SOUND TRACK **8** 《미》 【교육】 능력[적성]별 편성 코스 **9** 【컴퓨터】 트랙 《디스크·테이프 등의 기억 매체의 표면에 자료를 기억하는 통로》

clear the ~ 길을 비키다; [명령] 거기 비켜 ***cover*** (***up***)[***hide***] one***'s ~s*** 행방을 감추다; 행동[수단, 계획]을 숨기다 ***follow in*** one***'s ~s*** …의 선례를 따르다 ***have the inside ~*** ⇨ inside track. ***in*** one***'s ~s*** 《구어》 그 자리에서; 당장에, 즉각, 갑자기 ***in the ~ of*** …의 예에 따라서; …의 도중에 (있는) ***jump the ~*** 《미》 탈선하다; 본제[관례]를 벗어나다 ***keep ~ of*** …의 진로를 쫓다, …을 놓치지 않고 따라가다; …의 소식을 알고 있다, …에 대해 끊임없이 정보를 얻어내다 ***lose ~ of*** …을 놓치다, 잊다; …의 기록을 게을리하다 ***make***[***take***] ***~s*** 《구어》 (급히) 가다, 가버리다 (*for*); 도망치다 ***off*** one***'s ~*** 《미·속어》 정신이 돌아 ***off the beaten ~*** 〈장소 등이〉 잘 알려지지 않은, 인적 드문; 정도(正道)를 벗어나; 별난 ***off the ~*** 〈사냥개가〉 짐승 냄새를 잃고; 문제를 벗어나서, 잘못하여(wrong); 〈열차 등이〉 탈선하여 ***on the right***[***wrong***] ***~*** 〈생각·의도 등이〉 타당하여[그릇되어], 바른[틀린] 사고 방식으로 ***on the ~ of*** …을 추적하여; …의 단서를 얻어 ***on the wrong side of the ~s*** ⇨ side. ***put on the ~*** …을 추적시키다 ***throw***[***put***] ***… off the ~*** 〈추적자를〉 따돌리다

— *vt.* **1 a** **추적하다,** …의 뒤를 쫓다; 추적하여 잡다: (~+목+전+명) ~ a lion *to* its covert 사자를 그 은신처까지 추적하다 **b** 〈흔적 등을 더듬어〉 찾아내다; …을 바짝 쫓아 잡아내다, 탐지하다 (*down*): (~+목+부) ~ *down* a criminal 범인을 추적하여 잡다 **2** 〈길을〉 따라가다; 〈사막 등을〉 횡단[종단]하다: ~ a wood 숲을 통과하다 **3** 〈길을〉 밟아 다져 만들다; 《미》 …에 선로를 깔다 **4** 《미》 〈흙 묻은 신발로〉 발자국을 남기다; 〈눈·진흙 등을〉 발에 묻혀들이다: (~+목+부) Don't ~ *up* the new rug. 새 융단에 진흙 자국을 남기지 마라. // (~+목+전+명) ~ mud *into* the house 구두에 진흙을 묻힌 채 집안에 들어오다 **5** 〈레이더 등의 계기로〉 〈우주선·미사일 등의 진로[궤도]를〉 관측[기록]하다 **6** 《미》 【교육】 〈학생을〉 능력[적성]별 코스로 배치하다(《영》 stream)

— *vi.* **1** 〈차가〉 앞바퀴 자국을 뒷바퀴가 따라가다 **2** 〈바늘이〉 레코드의 홈을 따라가다; 예상대로의[정상적인] 코스를 따라가다 **3** 《미》 궤간이 …이다 **4** 발자국을 남기다; 《미》 가다, 나아가다 (*about, around*) **5** 【영화·TV】 〈카메라맨이〉 이동하며 촬영하다 **6** 《미·속어》 일치하다 (*with*)

track[2] *vt.* 〈둑 등에서〉 〈배를〉 밧줄로 끌다(tow) — *vi.* 〈배가〉 밧줄로 끌려가다

track·age [trǽkidʒ] *n.* 《미》 **1** Ⓤ [집합적] 철도 선로 **2** ⓊⒸ 궤도 공동 사용권; 궤도 사용료

tráck and fíeld 육상 경기 **tráck-and-fíeld** *a.*

tráck bàll 【컴퓨터】 트랙볼 《스크린의 커서를 회전할 수 있는 볼을 사용하여 움직이는 장치》

track-clear·er [trǽkklìərər] *n.* 〈기관차 등의〉 배장기(排障器); 제설(除雪) 장치

tráck dénsity 【컴퓨터】 트랙 밀도 《트랙에 대하여 수직 방향으로 셈한 단위 길이당의 트랙 수》

tracked [trǽkt] *a.* 무한 궤도의

track·er[1] [trǽkər] *n.* **1** 추적자, 수색자; 경찰견, 사냥감을 쫓는 사냥개 **2** 【음악】 〈오르간의〉 트래커

tracker[2] *n.* 배를 끄는 사람, 끄는 배

trácker bàll 【컴퓨터】 = TRACK BALL

trácker dòg 사냥개, 수색견

trácker fùnd 【증권】 트래커 펀드, 지표채(指標債)(index fund) 《주가 지수에 가까운 이윤 배당이 돌아가도록 짜여진 펀드》

tráck evènt 【육상】 트랙 경기(cf. FIELD EVENT)

track·ing [trǽkiŋ] *n.* 《미》 = TRACK SYSTEM

trácking shòt 【영화·TV】 이동 촬영 (장면)

trácking stàtion 〈인공위성 등의〉 추적국(局)[기지], 관측국

track·lay·er [trǽklèiər] *n.* 《미》 선로 부설 인부, 보선공(保線工)(《영》 platelayer)

track·lay·ing [-lèiiŋ] *a.* 궤도 부설에 쓰이는; 〈차가〉 부한 궤도식의 — *n.* Ⓤ 선로 부설 (공사)

track·le·ment [trǽklmənt] *n.* 일품요리; (특히 고기와 함께 내는) 젤리

track·less [trǽklis] *a.* **1** 발자국 없는; 길 없는 **2** 무궤도의: a ~ vehicle 무궤도차 **3** 자취를 남기지 않는

tráckless trólley 《미》 = TROLLEYBUS

tráck lìght 트랙 조명용 전등 《track lighting에 사용되는 전등》

tráck lìghting 트랙 조명 《조명 장치를 천장·벽 등의 레일에 달아 이동시키는 방식》

track·man [trǽkmən] *n.* (*pl.* **-men** [-mən, -mèn]) 《미·캐나다》 **1** 〈철도〉 보선공 **2** = TRACKWALKER **3** 육상 경기 선수

tráck mèet 《미》 육상 경기 대회 《경주·도약·투척 등》

tráck rècord 《미》 **1** 육상 경기의 성적[기록] **2** 《일반적으로》 실적, 업적, 성적: an executive with a good ~ 공적이 있는 임원

tráck ròd 〈자동차의〉 앞바퀴 연결봉(棒)

tráck shòe 〈육상 선수의〉 운동화

trácks per ínch 【컴퓨터】 인치당 트랙 수 《플로피 디스크 등의 트랙 밀도를 나타내는 단위》

tráck sùit 육상 경기 선수의 보온복

tráck sỳstem 《미》 【교육】 능력[적성]별 학급 편성 제도(《영》 streaming)

track·walk·er [-wɔ̀ːkər] *n.* 《미》 선로 순시[검사]원

track·way [-wèi] *n.* = RAILWAY; 길, 도로

‡**tract**[1] [trǽkt] *n.* **1** 〈땅·하늘·바다 등의〉 **넓이,** 넓은 면적, 지방, 지대; 지역, 구역: a wooded ~ 삼림 지대 / a vast ~ of ocean 광활한 대양 **2** 【해부】 **a** 관(管), …계(系), 도(道): the digestive ~ 소화관 **b** 〈신경 계통의〉 속(束), 삭(索): the motor ~ 운동신경삭 **3** 《고어》 시간적 넓이, 기간(interval); 시간의 경과(lapse): a long ~ of time 장시간 **4** 【가톨릭】 영송(詠誦) **5** 《미》 택지; 주택 단지: a public housing ~ 공영 주택지

tract**[2] [trǽkt] *n.* 〈특히 정치·종교 문제의〉 **소책자,** 팸플릿; 《고어》 (소)논문 ***the T~s for the Times 시국 소책자 《옥스퍼드 운동을 옹호하기 위해 1833-41년간에 Newman 등이 영국 국교 진흥을 부르짖은 논문집; (Oxford) Tracts라고도 함》

trac·ta·bil·i·ty [trӕktəbíləti] *n.* Ⓤ 순종; 취급하기[다루기] 쉬움

trac·ta·ble [trǽktəbl] *a.* **1** 다루기 쉬운; 〈성격 등이〉 솔직한, 순종하는, 유순한 **2** 〈재료 등이〉 취급[세공]하기 쉬운 **~·ness** *n.* **-bly** *ad.*

Trac·tar·i·an [træktέəriən] *a.* 옥스퍼드 운동의 — *n.* **1** 옥스퍼드 운동론자[지지자] **2** [**t~**] 소책자의 저자[발행자] **~·ìsm** *n.* Ⓤ 옥스퍼드 운동(cf. TRACT[2])

trac·tate [trǽkteit] *n.* 논문(treatise); 평론, 수필

tráct hòuse 주택 단지를 조성해서 파는 주택

trac·tile [trǽktil, -tail | -tail] *a.* 잡아 늘일 수 있는, 연성(延性)이 있는(ductile)

thesaurus **tract**[1] *n.* area, region, zone, stretch, expanse, extent, plot, amplitude, belt, district

trade *n.* **1** 상업 commerce, buying and selling, dealing, traffic, trafficking, business, marketing,

trac·til·i·ty [træktíləti] *n.* Ⓤ 연성(延性), 신장성(伸張性)

trac·tion [trǽkʃən] [L 「잡아끌기」의 뜻에서] *n.* Ⓤ **1** 견인(력): electric[steam] ~ 전기[증기] 견인 **2** (도로에 대한 타이어·도르래에 대한 밧줄 등의) 정지(靜止) 마찰 **3** 〖생리〗 수축; 〖의학〗 (골절 치료 등의) 견인 **4** (사람을) 끄는 힘, 매력, 영향력 **5** 공영 수송 업무, 《미》 철도 수송; (시가) 전차: an electric ~ company 전철 회사 **~·al** *a.*

tráction èngine 견인 기관차

tráction whèel 〖기계〗 (기관차의) 동륜(動輪)

trac·tive [trǽktiv] *a.* 당기는, 견인하는

***trac·tor** [trǽktər] *n.* **1** 트랙터, 견인(자동)차: a farm ~ 경작용 트랙터 **2** 끄는 사람[것] **3** 견인식 비행기 《추진기가 주익(主翼)보다 앞에 붙어 있는》

trac·tor·cade [trǽktərkèid] *n.* (농민의 시위·항의 행동으로서의) 트랙터 행렬[행진], 트랙터 데모

trac·tor-trail·er [trǽktərtréilər] *n.* 《미》 트레일러가 달린 트랙터(《영》 articulated lorry)

tráct socìety 트랙트 협회 《교회 팸플릿의 출판·보급 활동을 하는 단체》

Tra·cy [tréisi] *n.* 여자[남자] 이름

trad [trǽd] [*trad*itional] 《영·구어》 *a.* 〈복장·종교 등이〉 전통적인, 구식의; 〈재즈가〉 트래드의, 초기의
—*n.* Ⓤ 트래드 재즈 《1920-30년대에 영국에서 연주되어 50년대에 부활한 재즈》

trad. tradition(al)

trad·a·ble, trade·a·ble [tréidəbl] *a.* 쉽게 매매[교환]할 수 있는(marketable)

⁂**trade** [tréid] *n., a., v.*

> ME 「길」의 뜻에서
> (손에 익힌 것)→「직업」 **2**→「장사」 **1 a**

—*n.* **1 a** Ⓤ Ⓒ 무역, 교역, 통상(commerce); 상업, 장사, 매매, 거래: foreign[home, domestic] ~ 외국[국내] 무역 / free[protected] ~ 자유[보호] 무역 / wholesale[retail] ~ 도매[소매]업 / *T*~ between the two countries is active. 두 나라 간의 교역이 활발하다. **b** 미개인과의 교역품 **c** Ⓤ Ⓒ 《미》 교환(exchange); Ⓒ 〖스포츠〗 (선수의) 트레이드 **d** 《미》 (정치적 부정) 거래, (정당 간의) 타협 **2** Ⓒ Ⓤ 직업, 생업; (목수·연관공 등의) 수공[기술] 직업, 손일: follow a ~ 직업에 종사하다 / He is a carpenter by ~. 그의 직업은 목수이다. / Every man for [to] his own ~. (속담) 사람은 제각기 장기[전문 분야]가 있다. / Two of a ~ never agree. (속담) 같은 장사끼리는 화합이 안 된다. **3** [the ~; 보통 수식어와 함께] …업, …업계: *the* tourist ~ 관광업 / *the* publishing ~ 출판업계 **4** [the ~; 집합적] **a** 동업자들, 소매상들: discount to *the* ~ 동업자 할인 **b** 《영·구어》 주류 판매 허가를 받은 식당 주인들 **c** 《미》 고객, 거래처: send sample ads to *the* ~ 견본 광고를 거래처에 보내다 **5** [the ~s] 무역풍(=~ wind) **6** 시장: an increase in the ~ 시장 확대 **7** (속어) [the ~] 매춘; 성행위의 상대; 남창(男娼); (매춘부의) 손님
be good*[*bad*] *for ~ 살 마음이 생기게[생기지 않게] 하다 ***be in*** ~ 장사하다 ***Board of T***~ 《영》 상무부(商務部); 《미》 상업 회의소 ***by*** ~ ⇨ *n.* 2. ***doctor's*** ~ (미동부) 의업(醫業) ***drive*[*do, make*] *a roaring*** ~ 장사가 잘 되다 ***fair*** ~ 공정 거래, 호혜(互惠) 무역 ***illegal*** ~ 암거래, 부정 거래 ***stock in*** ~ 직업, 업무 ***tricks of the*** ~ 장사의 비결
—*a.* Ⓐ **1** 상업의, 무역의 **2** 특정 직업용의 **3** 동업자로 이루어진
—*vi.* **1 a** (…의) 장사를 하다, 매매하다(*in*); (…와) 거래[무역]하다 (*with*): (~+전+명) ~ *in* furs 모피 장사를 하다 **b** 〈지위 등을〉 돈으로 거래하다 **2** (남과) 교환하다 (*with*): (~+전+명) If he doesn't like it, I will ~ *with* him. 만약 그가 그것을 좋아하지 않으면 내가 교환하지요. **3** 《미》 (상점에서) 물건을 사다, 단골로 사다(*at, with*): (~+전+명) I usually ~ *at* our local stores. 나는 보통 우리 동네의 가게에서 물건을 산다. **4** (나쁘게) 이용하다, 악용하다 (*on, upon*): (~+전+명) It is not good to ~ *on*[*upon*] another's ignorance. 남의 무지를 이용하는 것은 좋지 않다. **5** 〈배가〉 화물을 나르다, 다니다 (*to*)
—*vt.* **1 a** 교환하다 (*for, with*): (~+목+부) (~+목+전+명) ~ (*in*) an article *for* another 물건과 물건을 교환하다 **b** 매매하다, 장사하다 **c** 주고받다, 응수하다: ~ jokes 농담을 주고 받다 / ~ shots 서로 응사하다 **2** 팔아 치우다 (*away, off*): (~+목+부) ~ *off*[*away*] one's furniture 가구를 팔아 치우다 **3** 〈선수를〉 다른 팀에 보내다 (*for*)
~ *down* (구어) 더 싼 물건을 매매하다; (대금 일부로 중고차 등을 주고) 더 싼 물건을 사다 **~ *in*** 〈물품을〉 대가의 일부로 제공하다; 장사하다 **~ *off*** 《미》 팔아버리다; 서로 지위를 교체하다; 번갈아 사용하다; 교환하다 (*for, with*) **~ *on*[*upon*]** ⇨ *vi.* 4. **~ *up*** (중고차 등을 주고) 더 비싼 물건을 사다; 더 비싼 물건을 매매하다; 〈고객을〉 설득하여 비싼 쪽 물건을 사게 하다; (돈으로) 사회적 지위를 높이다

---

merchandising, transactions **2** 교환 swap, trade-off, exchange, switch, barter **3** 직업 occupation, job, career, profession, vocation, calling, work, employment, metier

tráde accèptance 수출 인수 어음

tráde àdvertising 산업[유통] 광고 《상품을 유통시키는 업계·기업을 겨냥한 광고》

tráde agrèement **1** 무역 협정 **2** =COLLECTIVE AGREEMENT

tráde associàtion 동업 조합, 동업자 단체

tráde bàlance =BALANCE(of trade)

tráde bàrrier 무역 장벽

tráde bòok **1** 일반서, 판매본 **2** =TRADE EDITION

trade·craft [tréidkræ̀ft] *n.* (산업 스파이 등의) 스파이 활동에 필요한 지식[기술]

tráde cỳcle 《영》 경기 순환(《미》 business cycle)

tráde dèficit 무역 (수지의) 적자

Tráde Descríptions Àct [the ~] (영국의) 거래 명세법 《상품 광고나 판매시 정직하게 설명하도록 규정한》

tráde dìscount 동업자간 할인, 영업 할인

tráde edìtion 대중판, 보급판

tráde fàir (산업[무역]) 견본시(市)

tráde gàp 〖경제〗 무역 수지의 적자

tráde imbàlance 무역 불균형

trade-in [-ìn] *n.* 신품 구입 대금의 일부로 내놓는 중고품; 그 거래 (가격) **—*a.*** Ⓐ 대금의 일부로 내놓는 (중고품의)

tráde jòurnal 업계지(業界誌)

tráde lànguage 통상(용 혼합)어 《lingua franca, pidgin English 등의 혼성 공통어》

trade-last [-læ̀st | -lɑ̀ːst] *n.* 《미·구어》 (자기의 평판이 좋음을 전해 주는 상대에게 보답으로 전하는) 제3자의 칭찬[좋은 평판] 《略 TL》

tráde liberalizátion 무역 자유화

tráde mágazine 업계지 《특정 업계나 전문 직업인 상대의 잡지》

***trade·mark** [tréidmὰːrk] *n.* **1** (등록) 상표 《略 TM》: a registered ~ 등록 상표 **2** (사람·사물을 상징하는) 특징, 특성, 트레이드마크: Clint Eastwood's ~ is his squint. 클린트 이스트우드의 트레이드마크는 가늘게 뜨는 눈이다.
—*vt.* **1** …에 상표를 붙이다 **2** …의 상표를 등록하다

tráde nàme **1** 상품명; 상표명 **2** 상호

trade-off [-ɔ̀ːf | -ɔ̀f] *n.* (타협을 위한) 거래, 교환 협정; (교섭에서의) 교환 조건

tráde pàper 업계 신문, 업계지(紙)

tráde páperback 대형 페이퍼백(책) 《포켓판보다 큰 일반 서적》

tráde plàte 자동차의 임시 번호판 《등록되기 전에 판매업자가 일시적으로 붙이는》
tráde prèss 업계 신문[잡지]
tráde prìce 업자간의 가격, 도매 가격
‡trad·er [tréidər] *n.* **1** 상인, 무역업자: a sugar ~ 설탕 상인[무역업자] **2** 〖증권〗 (고객의 의뢰가 아니고, 자기 자신의 이익을 위하여 하는) 거래원 **3** 무역선, 상선
tráde recipròcity 통상 상호주의 《상대국과 시장 개방도를 같게 하려는 미국 정책》
tráde rèference 신용 조회처; 신용 조회
tráde ròute (상선·대상의) 통상[교역]로, 항로
tráde schòol 《미》 직업 학교[고교]; (기업 내의) 직업 훈련 학교[강좌]
tráde sécret 기업[영업] 비밀
trades·folk [tréidzfòuk] *n. pl.* 《고어》 소매 상인 (tradespeople)
tráde shòw (개봉 영화) 시사회
***trades·man** [tréidzmən] *n.* (*pl.* **-men** [-mən]) **1** 상인; 《영》 소매 상인(storekeeper) **2** 장인(匠人), 숙련공 **3** (상품) 배달인
trades·peo·ple [-pì:pl] *n.* **1** 상인 **2** 《영》 소매 상인; [집합적] 소매상
trádes únion 《영》 = TRADE UNION
Trádes Ùnion Cóngress [the ~] 《영》 노동조합 회의 《略 TUC》
tráde súrplus 무역 수지의 흑자
trades·woman [-wùmən] *n.* (*pl.* **-wom·en** [-wìmin]) 여성 상인[소매 상인]
tráde únion 《영》 직종별 노동 조합(《미》 labor union)
tráde únionism 노동 조합 조직[주의, 운동]; [집합적] 노동 조합
tráde únionist 노동 조합원[주의자]
trade-up [-ʌ̀p] *n.* (유사 제품을 더 비싼 것으로의) 교환 구매
tráde wìnd [-wìnd] **1** [종종 the ~s] 무역풍 **2** 《고어》 항풍(恒風)
trad·ing [tréidiŋ] *a.* 상업에 종사하는; 통상용의: a ~ concern[company] 무역 회사, 상사(商社)
tráding àrea 상권(商圈)
tráding càrd 트레이딩 카드 《만화 주인공·스포츠 선수·연예인 등의 사진이나 그림이 있는 어린이용 카드》
tráding estàte 《영》 = INDUSTRIAL park
tráding flòor (증권 거래소·은행의 주식 등 거래의) 매매 입회장
tráding pàrtner 무역 상대국
tráding pòst (미개지 주민과의) 교역소
tráding stàmp 《미》 경품권, 쿠폰
‡tra·di·tion [trədíʃən] [L 「건네줌」의 뜻에서] *n.* **1** UC 전통, 관례; 〖미술·문학〗 (유파의) 전통 (양식), 식(式), 형(型): break with ~ 전통과 결별하다 / follow ~ 전통을 따르다 **2** UC 전설, 구전(口傳), 구비(口碑); 전승(傳承): a story that has come down to us by popular ~ 민간 전승으로 오늘날까지 전해져 온 이야기 **3** 〖법〗 (정식의 재산) 인도(引渡), 교부(交付) **4** 〖그리스도교〗 성전(聖傳) 《구전으로 전하는 불문율》 ***by*** **~** 전통에 의해[의하면], 구전으로[에 의하면]: be handed down *by* ~ 구전으로 전해 내려오다 ***T~ says*** [***runs***] ***that ...*** …이라고 말로 전해 내려오다 ***true to ~*** 전설대로, 전통에 부끄럽지 않게 **~·less** *a.*
***tra·di·tion·al** [trədíʃənl] *a.* **1** 전통의, 전통적인; 고풍의: ~ grammar 전통 문법 **2** 전설의, 전승의[에 의한]; 인습적인 **3** 〈재즈가〉 구식의, 전통적인 《1920년경 New Orleans에서 연주된 양식의》 **~·ly** *ad.*
tra·di·tion·al·ism [trədíʃənəlìzm] *n.* U 전통[인습]의 고수; 〖그리스도교〗 전통주의
tra·di·tion·al·ist [trədíʃənəlist] *n.* 전통주의자
tra·di·tion·al·ize [trədíʃənəlàiz] *vt.* 전통에 따르게 하다; …에게 전통을 가르치다[지키게 하다]
tra·di·tion·ar·y [trədíʃənèri | -əri] *a.* = TRADITIONAL
tra·di·tion·ist [trədíʃənist] *n.* **1** 전통주의자(traditionalist) **2** 전통[구비, 전설]을 기록하는[전하는] 사람; 전통[전설, 구비]에 조예가 깊은 사람
trad·i·tor [trǽdətər] *n.* (*pl.* **-to·res** [-tɔ́:ri:z], **~s**) (초기 그리스도 교도의) 배반자, 배교자(背敎者)
trád jàzz 트래드 재즈 《1920-30년대 영국의 재즈》
tra·duce [trədjú:s | -djú:s] *vt.* **1** 비방하다, 중상하다, …의 명예를 손상하다(slander); 〈사실 등을〉 왜곡하다 **2** 〈법 등을〉 무시하다, 깨다
~·ment *n.* **-dúc·er** *n.*
tra·du·cian [trədjú:ʃən | -djú:-] *n., a.* 〖신학〗 영혼 출생론자(의) **~·ism** *n.* U 〖신학〗 영혼 출생설
Tra·fal·gar [trəfǽlgər] *n.* **Cape ~** 트라팔가 갑 《스페인 남서의 갑(岬); 그 앞바다에서 Nelson이 1805년 스페인·프랑스 연합 함대를 격파하였음》
Trafálgar Squáre 트라팔가 광장 《London의 중심가》
‡traf·fic [trǽfik] [It. 「가로질러 밀다」의 뜻에서] *n.* U **1 a** (사람·차·배·비행기 등의) 교통, 왕래, 통행; 교통량, 수송량: control[regulate] ~ 교통을 정리하다 / Safety *T~* Week 교통 안전 주간 / the morning ~ report 아침 교통 정보 **b** [집합적] (통행하는) 사람, 자동차 **c** (전화) 통화량, (전보) 취급량 **2** (철도·선박·항공기 등에 의한) 교통 운수업; (화물의) 운수; 운임 수입: ships[vessels] of ~ 화물선 **3** 《문어》 (외국 등과의) 교역, 통상, 무역(trade) (특수품 등의) 거래; (종종) 부정[비합법] 거래 《*in*》: human ~ 인신매매 / (the) drug ~ 마약 거래 / ~ *in* votes 투표의 부정 거래 **4** (특정한 시기의) 고객수, 고객 규모 **5** 교섭, 접촉 《*with*》; (의견 등의) 교환 《*in*》: ~ *in* ideas 의견 교환 / ~ between the Democrats and the Republicans 민주당원과 공화당원간의 교섭 **6** 〖컴퓨터〗 (전산망을 통한 정보의) 소통, 소통량
be open to [***for***] **~** 개통하다 ***heavy*** **~** 극심한 교통량 ***stuck in*** **~** 《구어》 교통이 막힌[정체된] ***the ~ will bear*** 현재 상황이 허락하다: spend more than *the ~ will bear* 현재 상황이 허락하지 않을 만큼 돈을 많이 쓰다
— *v.* (**-ficked** [-t]; **-fick·ing**) *vi.* **1** 매매[거래, 무역]하다 《*with*》; (특히 불법적인) 거래를 하다 《*in*》: (~+전+명) ~ *in* drugs 마약을 밀매하다 / ~ *on* the seas 해상 무역하다 / He *trafficked with* the natives *for* ivory. 그는 토착민과 상아 거래를 하였다. **2** 교섭을 갖다(deal) 《*with*》
— *vt.* **1** 장사[매매, 교환]하다, (부정) 거래하다 **2** 희생시키다, 〈명예 등을〉 팔다 《*away*》 **3** 〈도로 등을〉 통행하다, 〈나라 등을〉 여행하다
traf·fic·a·ble [trǽfikəbl] *a.* **1** 〈도로 등이〉 자유로이 왕래[통행]할 수 있는 **2** 〈물자 등이〉 상거래에 알맞은, 시장성이 있는
traf·fi·ca·tor [trǽfəkèitər] [*traffic* indic*ator*] *n.* 《영》 (자동차의) 방향 지시기(《미》 turn signal)
tráffic blòck 《영》 = TRAFFIC JAM
tráffic càlming (학교 근처·주택가에서의) 서행 촉진 조치
traf·fic-cast [trǽfikkæ̀st | -kɑ̀:st] *n.* 도로 교통 정보 방송 **~·er** *n.* 도로 교통 정보 아나운서
tráffic cìrcle 《미》 원형 교차로, 로터리(《영》 roundabout)
tráffic còne 원뿔형의 도로 표지 《도로의 공사 구간 등에 설치하는 위험 경고 표지》
tráffic contról sìgnal = TRAFFIC LIGHT
tráffic contról sỳstem (컴퓨터에 의한) 교통 소통 제어 체계
tráffic còp 《구어》 교통 순경

thesaurus **traditional** *a.* customary, accustomed, conventional, established, ritual, habitual, set, fixed, routine, usual, old, historic, folk, familiar, ancestral, handed-down, wonted
tragedy *n.* disaster, calamity, catastrophe, mis-

tráffic cóurt (교통 위반을 재판하는) 즉결 재판소
tráffic dèath 교통 사고사(死)
tráffic dènsity 교통량
tráffic enginèer 교통 공학 전문가
tráffic enginèering 교통 공학
tráffic ìndicator 《영》 =TRAFFICATOR
tráffic ìsland (도로상의) 교통 안전 지대
tráffic jàm 교통 정체[마비] **tráf·fic-jàmmed** *a.*
traf·fick·er [trǽfikər] *n.* **1** (악덕) 상인 《*in*》; 불법 거래 상인 **2** 소개업자
tráffic lìght 교통 신호(등) ★ 보통은 《미》에서는 단수형으로, 《영》에서는 복수형으로 쓴다.
tráffic mànager 운수 과장; (회사에서) 업무 할당을 담당하는 관리자
tráffic offènse 교통 위반
tráffic pàttern 비행장 상공을 도는 경로 《이착륙 직전의 코스》
tráffic polìceman 교통 순경
tráffic retùrns (정기적인) 운수 보고
tráffic ríght (유상) 운송권, 운수권 《항공 회사가 유상으로 승객·화물의 운송을 인정받은 권리》
tráffic sign 교통 표지
tráffic sìgnal =TRAFFIC LIGHT
tráffic tìcket 《미》 교통 위반 딱지
tráffic wàrden 《영》 교통 감시관 《주차 위반 단속 등을 함》
traf·fic·way [trǽfikwèi] *n.* 도로 용지; 차도; =HIGHWAY
trag. tragedy; tragic
trag·a·canth [trǽgəkæ̀nθ, trǽdʒ-] *n.* Ⓤ 트래거캔스 고무 《수액(樹液); 제약·직물 마무리용》
tra·ge·di·an [trədʒíːdiən] *n.* 비극 작가; 비극 배우
tra·ge·di·enne [trədʒìːdién] [F] *n.* 비극 여배우
‡**trag·e·dy** [trǽdʒədi] [Gk 「숫염소의 노래」의 뜻에서; 그리스 비극에서 satyr로 분장하기 위해 염소 가죽을 입은 데서?] *n.* (*pl.* **-dies**) **1** ⓊⒸ (한 편의) **비극**; (문학의 한 장르로서의) **비극**(cf. COMEDY); [**T~**] 비극의 여신(Melpomene): a ~ king[queen] 비극 배우[여배우] **2** Ⓤ 비극 창작법[연출법] **3** ⓊⒸ 비극적 문학 작품; 비극적 사건, 참사, 참극(慘劇), 재난, 재해: the ~ of war 전쟁이라고 하는 비극적 사건 **4** Ⓤ (문예·인생에서의) 비극적 요소[성질] ***The ~ of it!*** 아, 이 무슨 비극이냐! ▷ trágic, trágical *a.*
‡**trag·ic** [trǽdʒik] *a.* **1** Ⓐ **비극의**, 비극적인: a ~ actor 비극 배우 **2 비참한**, 비장한; 애처로운: a ~ death 비참한 죽음 / in a ~ voice 비통한 목소리로
—*n.* [the ~] (인생·문학 등의) 비극적 요소[성질] ▷ trágedy *n.*
trag·i·cal [trǽdʒikəl] *a.* =TRAGIC
~·ly *ad.* 비극적으로, 비참하게
trágic fláw 〖문학〗 비극적 결함[약점] 《파멸의 원인이 되는 성격적 결함》
trágic írony 비극적 아이러니 《비극의 주인공이 자신의 운명을 알지 못하는데도 관객은 알고 있는 데서 생기는 극적 효과》
trag·i·com·e·dy [træ̀dʒikɑ́mədi | -kɔ́m-] *n.* (*pl.* **-dies**) ⓊⒸ 희비극(喜悲劇); 희비극적 사건
trag·i·com·ic, -i·cal [træ̀dʒikɑ́mik(əl) | -kɔ́m-] *a.* **1** Ⓐ 희비극의 **2** 희비극적인 **-i·cal·ly** *ad.*
trag·o·pan [trǽgəpæ̀n] *n.* 〖조류〗 주계(珠鷄), 호로호로새 《아시아산(産) 꿩과(科)의 새》
tra·gus [tréigəs] *n.* (*pl.* **-gi** [-dʒai]) 〖해부〗 이주(耳珠); 이모(耳毛)
tra·hi·son des clercs [trɑ̀ːizɔ́ːn-dei-klɛ́ər] [F] 지적(知的) 배반, 지식인의 지성(知性) 포기

fortune, misadventure, adversity, affliction
trail *n.* **1 흔적** traces, track, marks, signs, footprints, footmarks, spoor **2 오솔길** path, pathway, footpath, track, road, route **3 줄, 열** line, queue, train, column, procession, following

‡**trail** [tréil] [L 「(배를) 끌다」의 뜻에서] *n.* **1 a 끌고 간 자국**, 지나간 자국, 흔적; 선적(船跡), 항적(航跡): the ~ of a slug 달팽이의 지나간 자국 / hot[hard] on the ~ (of) (…의) 바로 뒤에 **b** (동물·사람 등이 남긴) 냄새 자국; 실마리, (수사상의) 단서 **2** 《미·캐나다》 (황야 등의) 밟아 다져진 길, (산속의) 작은 길, 오솔길, 산길 **3** (유성의) 꼬리; (구름·연기 등의) 길게 늘어진 자락; 긴 옷자락; 늘어진 술·머리카락 《등》; (사람·차 등의) 줄, 열; (땅을) 기는 덩굴[가지] **4** 〖항해〗 장식을 한 판자 **5** 〖군사〗 세워총(의 자세) **6** (사고·재해 등의) 결과, 여파, 후유증 **7** 〖라디오·TV〗 예고편
at the ~ 〖군사〗 세워총의 자세로 ***blaze a ~ to*** …을 개척하다, 창시하다(pioneer) ***hit the ~*** 《속어》 여행 떠나다; 가버리다, 떠나다 ***off the ~*** (짐승의) 냄새 자국을 잃고; 실마리를 잃고 ***on the ~*** (***of***) (…을) 추적하여; 냄새 자국[실마리]을 찾아내어
—*vt.* **1 끌다**; 〈옷자락 등을〉 질질 끌다, 끌며 가다; 〈그물 등을〉 끌다: ~ one's skirt 치마를 질질 끌다 // 《~+목+전+명》 ~ a toy cart *by*[*on*] a piece of string 장난감 수레를 끈으로 끌다 // 《~+목+부》 He *~ed along* his wounded leg. 그는 다친 다리를 끌며 걸었다. **2** 〈사람·동물 등을〉 **추적하다**, 미행하다: 《~+목+전+명》 ~ a person *to* his[her] house 집까지 …을 뒤쫓다 **3** 《미·구어》 (경주 등에서) …의 뒤를 달리다; 〈가축을〉 뒤쫓다; (긴 열을 지어) 뒤에 붙어서 가다 **4** 〈구름·연기 등을〉 길게 나부끼게 하다; 〈노를〉 젓지 않고 놓아 두다 **5** (시합에서) 지고 있다 **6** 《미》 〈풀 등을〉 밟아 길을 내다 **7** 〈이야기 등을〉 질질 끌다; 길게 발음하다 **8** 〖군사〗 세워총을 하다 **9** 〖라디오·TV〗 〈프로그램의〉 예고를 하다
—*vi.* **1** 〈옷자락 등이〉 **질질 끌리다**, 〈머리카락 등이〉 늘어지다; 끌다: 《~+전+명》 Her long bridal gown was *~ing on*[*over*] the church floor. 그녀의 긴 신부 의상이 교회의 마루에 질질 끌리고 있었다. **2** 〈덩굴이〉 기다, 뻗다; 〈뱀 등이〉 천천히 기다 《*over*》: 《~+전+명》 Ivy *~s over* the house. 담쟁이덩굴이 집에 기어오르고 있다. **3** 〈구름·연기가〉 길게 나부끼다: 《~+전+명》 Smoke *~ed from* the chimney. 연기가 굴뚝에서 길게 나부꼈다. **4** (끌려가듯이) 뒤를 따라가다, 발을 질질 끌며 걷다 《*along*》, 힘없이[느릿느릿] 걷다, 낙오하다 **5** 〈소리가〉 점점 사라지다[약해지다] 《*off, away*》: 《~+부》 《~+전+명》 Her voice *~ed off*[*away*] *into* silence. 그녀의 목소리는 서서히 사라져 갔다. **6** 〈이야기 등이〉 질질 계속되다 《*on*》 **7** 마지막으로 도착하다 《*in*》 **8** (경기에서) 지고 있다 **9** 〈사냥개가〉 (사냥감의) 냄새를 좇다
T~ arms! 세워총! ***~ behind*** 느릿느릿 따라가다 ***~ on*** 〈싫은 시간·행사 등이〉 길어지다
trail·a·ble [tréiləbl] *a.* =TRAILERABLE
tráil bìke 트레일 바이크 《험로용 오토바이》
trail·blaz·er [-blèizər] *n.* **1** (삼림·미개지 등에서 뒤에 오는 사람의 길표지가 되도록) 길에 표를 하는 사람 **2** (어떤 분야의) 개척[선구]자(pioneer): a ~ in science 과학의 선구자
trail·blaz·ing [-blèiziŋ] *a.* 선구적인
tráil bòss 《미서부》 소떼를 시장[역]까지 몰아서 몰아가는 사람
trail·break·er [-brèikər] *n.* =TRAILBLAZER
***trail·er** [tréilər] *n.* **1 a** (자동차 등의) **트레일러**; 《미》 (차로 끄는) 이동 주택[사무소, 실험소](《영》 caravan) **b** 〖기계〗 뒷바퀴(trailing wheel) **2 끄는 사람[것]**, 뒤따라가는 사람[것]; 추적자 **3** 포복 식물 **4** 〖영화〗 예고편 **5** 〖컴퓨터〗 트레일러, 정보 꼬리 《파일의 맨 끝에 기록되는 것; 파일의 끝 표시와 내용을 요약한 정보 포함》
trail·er·a·ble [tréilərəbl] *a.* 트레일러로 이동[운반]할 수 있는
tráiler càmp[**còurt**] 《미》 (삼림 공원 등의) 이동 주택 주차 구역(《영》 caravan park)
tráiler còach (자동차가 끄는 바퀴 달린) 작은 이동 가옥

trail·er·ist [tréilərist] *n.* 이동 주택으로 여행하는 사람; = TRAILERITE

trail·er·ite [tréiləràìt] *n.* 이동 주택의 주민[거주인]

tráiler pàrk = TRAILER camp

tráiler pùmp 이동 소방 펌프

trail·er·ship [tréilərʃip] *n.* 트레일러선(船) 《자동차 수송용》

tráiler tràsh (미·속어) (하층 계급 출신의) 가난한 백인 《모욕적인 말》

tráiler trùck (미) 트레일러 트럭

trail·head [tréilhèd] *n.* 자취[길]의 기점(起點)

trail·ing [tréiliŋ] *a.* 질질 끌리는; 길게 나부끼는 〈연기·구름 《등》〉; 기는 〈덩굴 《등》〉: ~ plants 포복 식물

tráiling arbútus 〔식물〕 석남과(石南科)의 식물 《북미산(産)》

tráiling èdge 〔항공〕 (비행기의) 날개 뒷전

tráil nèt (배로 끄는) 예망(曳網), 후릿그물

‡train [tréin] *n.*, *v.*

L「당기다」의 뜻에서
(연이어 계속되는 것) → 「연속, 계속」 **2 b, c**
(열지어 계속되는 것) → 「열」 **2 a**
→ 「열차」 **1**

— *n.* **1 열차**, 기차, 전차 ★ 복수 차량이 연결된 전차·기차를 말함; 차량 1대는 (미) car, (영) carriage: (a) ~ service 열차편 / travel by ~ 열차로 여행하다 / get off[out of] a ~ 열차에서 내리다 / passenger[goods, freight] ~ 여객[화물] 열차 / an express[a local] ~ 급행[완행] 열차 / a down[an up] ~ 하행[상행] 열차 / a through[night] ~ 직행[야간] 열차 / change ~*s* 열차를 갈아타다 / take the ~ to Chicago 열차로 시카고에 가다 **2 a** (사람·차 등의) **긴 열**(列), 줄, 행렬, 대상(隊商): a long ~ of sightseers 관광객의 긴 열 / a camel ~ 낙타 행렬, 낙타를 탄 대상(隊商) **b** (행위·사건 등의) 결과, 계속, 여파(sequence) **c** (관념 등의) 맥락, 연속, 연관: a ~ of thought 일련의 생각 / a ~ of successful battles 연전연승 **d** Ⓤ 순서, 차례; 정비 **e** 〔기계〕 열, 윤열(輪列) 《전동(傳動)의》 **3** [집합적] 종자(從者), 수행원(suite) **4 a** (길게 끌리는) 옷자락 **b** (동물·새의) 꼬리, 《특히》 공작의 꼬리; 〔천문〕 (혜성의) 꼬리, (유성의) 자취 **c** (포차(砲車)의) 가미(架尾), 차미(車尾) **d** 수송대 **e** (시어) (강 등의) 흐름 **5** 도화선, 불씨: fire the ~ 도화선에 점화하다 **6** 〔물리〕 (파면(波面)·진동 등의) 연속, 열 **7** 〔서핑〕 연속되는 파도 **8** [보통 *pl.*] (미·속어) 윤간 ***go by ~*** 기차로 가다 ***in its ~*** …을 수반하여 ***in* a person*'s ~*** …의 뒤를 이어서 ***in the ~ of*** …의 뒤를 이어, …의 결과로서 ***in ~*** 준비하여, 준비를 갖추고: All is now *in* ~. 모든 준비가 갖추어졌다. ***make a ~*** (미·구어) 기차 시간에 대어 가다 ***miss* [*catch*] one*'s ~*** 열차를 놓치다[잡아타다] ***pull a* [*the*] *~*** (미·속어) 〈여자가〉 차례차례 여러 남자와 성행위를 하다 ***put on a special ~*** 임시 열차를 편성하다 ***set … in ~*** (영) 준비하다, 시작하다 ***take* (*a*) *~*** 기차를 타다 ***take ~ to*** …에 기차로 가다

— *vt.* **1 훈련하다** 《*up*》, **양성하다**, 교육하다, **가르치다** 《*up*》; (…하도록) 길들이다 《*to* do》: (~+목+부) (~+목+***to be*** 보) It is important to ~ (*up*) children *to be* polite. 어린이들을 예의바르게 교육하는 것은 중요하다. // (~+목+***as*** 보) These girls are being ~*ed as* nurses. 이 소녀들은 간호사로 양성되고 있다. // (~+목+전+명) ~ a chimpanzee *for* a show 쇼에 대비하여 침팬지를 훈련하다 **2** 〈몸을〉 익숙하게 하다, 단련하다: (~+목+전+명) ~ a person [oneself] *for* a boat race 보트 레이스에 대비하여 몸을 단련하다 **3 a** 〔원예〕 〈가지 등을〉 바라는 모양으로 손질하다, 정지(整枝)하다: (~+목+부) (~+목+전+명) ~ (*up*) vines *over* a wall[*around* a post] 포도(나무)를 담장을 타게 하다[기둥을 감게 하다] **b** (특정 모양·위치·방향 등이 되도록) 다루다, 손을 대다, 조작하다 **4** 〈총·카메라 등을〉 겨누다(aim), 조준하다, 향하게 하다 《*on*, *upon*》: (~+목+전+명) ~ guns *on* a fort 요새 쪽을 향해 대포를 돌리다 **5** [~ it으로] (구어) 열차로 〈여행을〉 하다 **6** 〈무거운 물건을〉 끌다(drag)

— *vi.* **1 연습[트레이닝]하다**, 훈련하다, 교육하다: (~+전+명) He is ~*ing for* mountain climbing. 그는 등산에 대비한 트레이닝을 하고 있다. **2** (…되도록) 훈련을 받다, 교육받다, 양성되다: (~+***to*** do) ~ *to* be a doctor 의사가 되도록 교육을 받다 // (~+***as*** 보) She is ~*ing as* a nurse. 그녀는 간호사로서 양성되고 있다. **3** (구어) 기차로 가다: (~+전+명) We ~*ed to* Boston. 우리들은 보스턴에 기차로 갔다. **4** 질질 끌리다; 〈가지 등이〉 기다 **5** (미) 동행하다, 친밀해지다 《*with*》

~ down 〈운동선수 등이〉 단련하여 체중을 줄이다 ***~ fine*** 엄격하게 훈련하다 ***~ it*** (구어) 열차로 가다 (⇨ *vt.* 5) ***~ off*** 〈탄환이〉 빗나가다; 체력 조절 훈련에서 탈락되다; 〈체중을〉 감량하다 ***~ off fat*** 단련하여 시방(脂肪)을 빼다 ***~ on*** 연습하여 숙달해지다

~·a·ble *a.* 훈련할 수 있는

train·band [tréinbæ̀nd] *n.* 〔영국사〕 (16-18세기에 런던 등에 있었던) 민병단(民兵團)

train·bear·er [-bɛ̀ərər] *n.* (의식 때의) 옷자락 받드는 사람

tráin càse[**bòx**] 여행용 세면 도구 케이스

tráin dispàtcher (미) 〔철도〕 열차 발차계원

tráined núrse [tréind-] = GRADUATE NURSE

train·ee [treiníː] *n.* **1** 훈련받는 사람[동물], 《특히》 직업 훈련을 받는 사람, 훈련생, 도제 **2** (미) (군사 훈련을 받는) 신병

‡train·er [tréinər] *n.* **1 훈련자**, 교관, 트레이너; (말 등의) 조련사, 조마사(調馬師) **2** 연습용 기구[장치]; (비행기 조종사의) 훈련 모의 장치, 연습기 **3** (함포의) 수평 조준수 **4** 민병대원 **5** (영) (조깅용) 운동화

tráin fèrry 열차를 나르는 페리[연락선]

‡train·ing [tréiniŋ] *n.* Ⓤ **1 훈련**, 교육; 양성, 연습; 단련; 조교(調敎)(⇨ education 유의어): professional[vocational] ~ 직업 교육 / receive special ~ 특수 훈련을 받다 **2** 〔원예〕 가지 다듬기, 정지법(整枝法) **3** (훈련을 받는 사람의) 컨디션

be in* [*out of*] *~ 컨디션이 좋다[나쁘다]; 연습이 되어 있다[되어 있지 않다] ***go into ~*** 연습을 시작하다

tráining àid (영화·슬라이드 등의) 보조 교재 (teaching aid)

tráining còllege (영) 교원 양성소 《지금은 college of education이라 함; (미) teachers college》

tráining pànts (아기의) 용변 연습용 팬티 《기저귀를 떼기 위한 팬티》

tráining schòol 1 (직업·기술) 훈련[양성]소 **2** 소년원, 감화원

tráining sèat (소아의) 훈련용 변기

tráining shìp 연습선[함]

tráining shòe (영) (조깅용) 운동화(trainer)

tráining tàble (대학 등에서 컨디션 조절 중인 스포츠 선수의) 규정식용 식탁[식당]

tráining whèels (유아용 자전거의) 보조 바퀴

train·load [tréinlòud] *n.* 〔철도〕 한 열차분의 화물[승객]; 그 적재량

train·man [-mən, -mæ̀n] *n.* (*pl.* **-men** [-mən, -mèn]) (미) 열차 승무원 《제동수·신호수 등》

train·mas·ter [-mæ̀stər | -mɑ̀ːs-] *n.* (미) 열차장(長) 《열차 운행 책임자》

tráin òil 고래 기름, 경유(鯨油)(whale oil)

tráin sèt 장난감 기차 세트

train·sick [-sìk] *a.* 기차 멀미하는

~·ness *n.* 기차 멀미

thesaurus **train** *v.* **1** 훈련하다, 가르치다 instruct, teach, coach, tutor, school, educate, drill, guide **2** 단련하다 prepare, exercise, work out, practice
trait *n.* characteristic, attribute, feature, quality

train·spot·ter [-spɑ̀tər | -spɔ̀t-] *n.* 《주로 영》 **1** 기관차의 번호나 모델명을 외우는 사람 **2** 《영·구어》 따분하고 재미없는 사람

tráin sùrfing 열차 서핑 《달리는 기차·지하철 철로에 서 있다가 피하는 무모한 놀이》

traipse [tréips] 《구어·방언》 *vi.* **1** 터벅터벅 걷다, 어슬렁거리다, 배회하다 《*across, along, away*》 **2** 심부름가다 《*about*》 **3** 〈옷자락이〉 끌리다; 바쁘게 여기저기 뛰어다니다 《*about*》 **—** *vt.* 걸어서 가다, 헤매다

— *n.* **1** 터벅터벅 걷기 **2** 단정치 못한 여자

∗**trait** [tréit | tréi, tréit] *n.* **1 특성**, 특색, 특징: American ~*s* 미국인의 국민성 **2** 《드물게》 《펜·연필 등의》 일필(一筆); 《드물게》 기미(氣味), 기색, 기(touch); 소량 《*of*》: a ~ *of* humor 익살기 **3** 얼굴 생김새, 이목구비, 인상: the ~*s* of her face 그녀의 얼굴 생김새 **4** 〖유전〗 형질

∗**trai·tor** [tréitər] [L 「인도하다」의 뜻에서] *n.* **1 반역자**, 역적, 매국노 **2** 《사람·주의 등에 대한》 배신자 《*to*》: turn[become] ~ *to* …에게 모반하다, …을 배신하다 ***the T~'s Gate*** 역적문(逆賊門) 《옛날 국사범을 가두던 런던탑의 Thames 강 쪽의 문》

~·shìp *n.* ▷ tráitorous *a.*

trai·tor·ous [tréitərəs] *a.* 반역의, 배반적인; 반역죄의, 불충한(disloyal) **~·ly** *ad.* **~·ness** *n.*

trai·tress [tréitris] *n.* TRAITOR의 여성형

tra·ject [trədʒékt] *vt.* **1** 《고어》 수송하다, 나르다; 〈빛 등을〉 통하게 하다, 전도(傳導)하다(transmit); 〈말·사상 등을〉 전하다 **2** 〈강 등을〉 건너가다, 넘다

— *n.* 나루터(ferry); 횡단, 통행(passage)

tra·jéc·tion *n.*

tra·jec·to·ry [trədʒéktəri] *n.* (*pl.* **-ries**) 〖물리〗 탄도(彈道); 〖천문〗 《행성의》 궤도; 〖기하〗 정각(正角) 궤도: a flat ~ 수평 탄도

tra-la [trɑːlɑ́ː], **tra-la-la** [trɑ̀ːləlɑ́ː] *int.* 트랄라 《기쁨·즐거움을 나타내는 발성으로 특히 노래에서 사용》

‡**tram**[1] [trǽm] *n.* **1** 《영》 시가 전차(《미》 streetcar) **2** = TRAMROAD; [*pl.*] 《영》 《시가 전차의》 선로(tramway) **3** 《석탄·광물 운반용》 광차(鑛車) **4** 케이블카; 《케이블카의》 운반차

— *v.* (**~med**; **~·ming**) *vi.* 《영》 전차로 가다

— *vt.* 광차로 나르다; 《영》 전차로 가다

tram[2] *n.* Ⓤ 견연사(絹撚絲) 《우단 등의 씨줄》

tram[3] *n.* **1** = TRAMMEL 4 **2** 〖기계〗 정확한 위치[조정]: be in[out of] ~ 바르게 조정되어 있다[있지 않다] **—** *vt.* (**~med**; **~·ming**) 〖기계〗 바른 위치로 조정하다

‡**tram·car** [trǽmkɑ̀ːr] *n.* = TRAM[1] 1, 3

tram·line [-làin] *n.* 《영》 **1** 전차 궤도[선로] **2** [*pl.*] 《구어》 《테니스 코트의》 측선(側線) 《두 줄》 **3** [종종 *pl.*] 부동의 원칙

tram·mel [trǽməl] [OF 「세겹 그물」의 뜻에서] *n.* **1** [보통 *pl.*] 《자유로운 행동에 대한》 구속물, 속박, 장애 《*of*》: the ~*s of* custom 인습의 속박 **2** 그물 《물고기·새를 잡는》; 《특히》 3중망(網)(= ∠ **nèt**) **3** 타원컴퍼스; [보통 *pl.*] 빔 컴퍼스 《다리가 긴》 **4** 〖기계〗 조정기 **5** 화덕 위에 냄비를 매다는 두루돌이 고리쇠 **6** 차꼬, 말의 족쇄(shackle)

— *vt.* (**~ed**; **~·ing** | **~led**; **~·ling**) 《문어》 그물로 잡다; …의 자유를 방해하다

tram·mie [trǽmi] *n.* 《호주·구어》 노면 전차(tram)의 운전사[차장]

tra·mon·tane [trəmɑ́ntein, trǽməntèin | trəmɔ́ntein] *a.* **1** 산너머의, 산너머에서 오는 《원래는 이탈리아 쪽에서 보아서 알프스 저쪽의 뜻》 **2** 외국의, 야만의 ★ transmontane이라고도 함. **—** *n.* 산너머의 사람; 《드물게》 외국인, 타국인; 야만인

tramp *v.* trudge, march, plod, stamp, stump, stomp, trek, hike, walk, roam, range, rove

tranquil *a.* peaceful, restful, reposeful, calm, quiet, still, serene, placid, undisturbed,

‡**tramp** [trǽmp] *vi.* **1** 쾅쾅거리며 걷다, 육중하게 걷다 《*on*》; 내리밟다: (~+副) We heard him ~*ing about* overhead. 그가 머리 위에서 쿵쿵 걸어다니는 소리가 들렸다. // (~+前+名) He ~*ed on* the flowers. 그는 꽃을 짓밟았다. **2** 터벅터벅 걷다; 도보로 여행하다; 방랑하다: (~+前+名) ~ *up* and *down* the street 거리를 오락가락하다 / ~ *across* America 미대륙을 걸어서 횡단하다 **3** 부정기 화물선으로 항해하다

— *vt.* **1** 짓밟다, 밟아뭉개다: (~+目+前+名) ~ grapes *for* wine 포도주를 담그기 위해 포도를 밟아서 으깨다 **2** 걷다, 도보 여행을 하다; [~ it으로] 도보로 가다 **3** 〈부정기 화물선을〉 항해시키다 **4** 《호주·구어》 해고하다 **~ *down*** 내리밟다, 짓밟다

— *n.* **1** 쾅쾅거리며 걷는 소리; 내리밟기, 짓밟음: the ~ of marching soldiers 행진하는 병사들의 쿵쿵거리는 발자국 소리 **2** 도보 여행, 하이킹 **3** 도보 여행가; 떠돌이, 방랑자(vagabond); 뜨내기 일꾼 **4** 〖항해〗 부정기 화물선(cf. LINER[1]) **5** 구두징 《얼음판에서 미끄러지지 않도록 하기 위한 것》 **6** 《미·속어·경멸》 행실이 나쁜 여자, 매춘부 ***look like a*** **~** 차림새가 허수룩하다 ***on*** (***the***) **~** 방랑하여; 《일자리를 찾아》 떠돌아다녀 **~·er** *n.* 도보 여행자, 터벅터벅 걷는 사람; 떠돌이

trámp·y *a.*

trámp àrt 트램프 아트 《19-20세기에 걸쳐 미국에서 성행했던 목각 양식[작품]》 **trámp àrtist** *n.*

‡**tram·ple** [trǽmpl] *vt.* **1** 내리밟다, 짓밟다, 밟아뭉개다 《*down*》: (~+目+副) ~ grass *down* 잔디를 밟아 뭉개다 / ~ *out* a fire 불을 밟아 끄다 // (~+目+前+名) The hunter was ~*d to* death by the elephant. 그 사냥꾼은 코끼리한테 밟혀 죽었다. **2** 거칠게 대하다, 난폭하게 행동하다; 〈감정·권리 등을〉 유린하다, 무시하다 《*down*》: (~+目+副) He ~*d down* her feelings. 그는 그녀의 감정을 무시하였다.

— *vi.* 짓밟다; 《남의 감정 등을》 유린하다, 무시하다: (~+前+名) ~ *on* law and justice 법과 정의를 무시하다 / ~ *on* a person's toes[feelings] …의 발[감정]을 짓밟다 **~ *on*** [***under foot***] 짓밟다; 유린하다

— *n.* 짓밟음; 짓밟는 소리 **trám·pler** *n.*

tram·po·line [træ̀mpəlíːn, trǽmpəlìːn | trǽmpəlin, -lìːn] *n.* 트램펄린 《스프링이 달린 캔버스로 된 도약용 운동 용구》

-lín·er, -lín·ist *n.*

tram·po·lin·ing [træ̀mpəlíːniŋ] *n.* Ⓤ 트램펄린 경기 《트램펄린을 이용한 도약 회전 운동》

trampoline

trámp stéamer[**shíp**] 부정기(不定期) 화물선

tram·road [trǽmròud] *n.* 《주로 미》 광차 궤도

tram·way [-wèi] *n.* **1** 《영》 시가 전차 선로[궤도] **2** 삭도(索道) 《케이블카의》 **3** = TRAMROAD

tran- [træn] *pref.* = TRANS- 《s로 시작하는 낱말 앞에서》: *tran*scribe

∗**trance** [trǽns, trɑ́ːns | trɑ́ːns] [L 「《삶에서 죽음으로의》 옮김」의 뜻에서] *n.* **1 황홀**; 열중, 무아지경(ecstasy) **2** 실신, 혼수[최면] 상태, 인사불성: fall into[come out of] a ~ 혼수 상태에 빠지다[에서 깨어나다] / send[put] a person into a ~ …에게 최면술을 걸다 **3** 〖음악〗 트랜스 《황홀한 소리와 리듬을 가진 전자 음악》

— *vt.* 《시어·고어》 황홀하게 만들다, 넋을 잃게 하다

~·lìke *a.*

tranche [trɑ́ːnʃ] [F] *n.* **1** 박편, 일부분 **2** 〖금융〗 트랑슈 《발행 채권 중 외국에서 구매되는 부분》

trank [trǽŋk] *n.* [종종 *pl.*] 《속어》 = TRANQUILIZER

tran·ny, -nie [trǽni] *n.* **1** 《영·구어》 트랜지스터 라디오 **2** 《미·속어》 《자동차의》 변속기

∗**tran·quil** [trǽŋkwil] *a.* (**~·(l)er**; **~·(l)est**) **1** 〈장

소·환경이〉 조용한, 고요한, 잔잔한, 평온한(calm): the ~ waters of a pond 연못의 잔잔한 수면 **2**〈마음 등이〉 차분한, 편안한, 평화로운: a ~ heart 편안한 마음 **3** 일정한, 안정된 **~·ly** *ad.* **~·ness** *n.*
▷ tranquíl(l)ity *n.*; tránquil(l)ize *v.*

Tran·quil·ite [trǽŋkwəlàit] *n.* (아폴로 11호에 의해) 달의 '고요의 바다(the Sea of Tranquillity)'에서 채취된 광물

tran·quil·li·ty, -quil·i·ty** [træŋkwíləti] *n.* Ⓤ 평온, 고요함; 평정(平靜), 침착함: live in peace and ~ 평화롭고 조용하게 살다 ***the Sea of T~ 〖천문〗 (달 표면의) 고요의 바다
▷ tránquil *a.*; tránquilize *v.*

tran·quil·i·za·tion, -quil·li- [træ̀ŋkwəlizéiʃən | -lai-] *n.* Ⓤ 안정, 진정(鎭靜)

tran·quil·ize, -quil·lize [trǽŋkwəlàiz] *vt.* 조용하게 하다, 진정하다; 〈마음을〉 안정시키다 **—** *vi.* 조용해지다; 〈마음이〉 안정[진정]되다

tran·quil·iz·er, -quil·liz·er [trǽŋkwəlàizər] *n.* 진정시키는 사람[물건]; 〖약학〗 정신 안정제, 진정제

trans- [træns, trænz] *pref.* **1** 넘어서, 가로질러서: *trans*mit **2** 꿰뚫고, 지나서, 완전히: *trans*fix **3** 다른 쪽에, 다른 상태[곳]로: *trans*late **4** 초월하여: *trans*cend **5** [자유로운 접두사로서] …의 저쪽의: *trans*-Caucasian 코카서스 저쪽의

trans. transaction(s); transfer(red); transformer; transit; transitive; translated; translation; translator; transparent; transport; transportation; transpose; transverse

***trans·act** [trænsǽkt, trænz- | trænz-] *vt.* 〈사무·교섭 등을〉 집행하다, 행하다; 〈사건을〉 처리하다; 거래하다: (~+목+전+명) He ~*s* business *with* a large number of stores. 그는 많은 상점과 거래를 하고 있다.
— *vi.* **1** (…와) 거래[교섭]를 하다 (*with*) **2** (…와) 타협하다 (*with*) ▷ transáction *n.*

trans·ac·ti·nide [trænsǽktənàid, trænz- | trænz-] *a.* 〖화학〗 초(超) 악티니드(원소)의 (103번 원소보다 원자 번호가 큰 원소를 말함): the ~ series 초악티니드 계열

trans·ac·tion** [trænsǽkʃən, trænz- | trænz-] *n.* **1** Ⓤ [the ~] (업무·교섭·활동 등의) 처리, 취급, 처치: *the* ~ of business 사무 처리 **2** 업무, 거래; [종종 *pl.*] (특히) 상거래, 매매: ~*s* in real estate 부동산의 거래 **3** ⓊⒸ 〖법〗 화해 **4** 〖신학〗 (신과의) 계약 **5** [*pl.*] (학회·회의 등의) 회보(會報), 보고서, 의사록 **6** 〖심리〗 교류(交流) **7** 〖컴퓨터〗 트랜잭션 (데이터 파일의 내용에 영향을 미치는 모든 거래) ***Philosophical T~s 영국의 Royal Society의 회보 **~·al** [-ʃənl] *a.*
▷ transáct *v.*

transáctional análysis 〖심리〗 교류 분석 (略 TA)

transáction file 〖컴퓨터〗 트랜잭션 파일 (가변적인 자료를 처리하는 파일)

trans·ác·tive críticism [trænsǽktiv-, trænz- | trænz-] 〖문학〗 교류 비평

trans·ac·tor [trænsǽktər, trænz- | trænz-] *n.* 취급자, 처리하는 사람

trans·al·pine [trænsǽlpain, -pin, trænz- | trænz-] *a.*, *n.* 알프스 저편의 (사람) (이탈리아 쪽에서)

Trans-Am [trǽnzæ̀m] (구어) *n.* (상표 등에서) 아메리카 횡단; 아마존 횡단 도로
— *a.* = TRANS-AMERICAN; 아마존 횡단의

trans-A·mer·i·can [træ̀nsəmérikən, træ̀nz- | træ̀nz-] *a.* 아메리카 횡단의

trans·am·i·nase [trænsǽmənèis, trænz- | trænz-] *n.* 〖생화학〗 아미노기(基) 전이(轉移) 효소

trans·am·i·nate [trænsǽmənèit] *vi.*, *vt.* 〖생화학〗 아미노기(基) 전이(轉移)를 일으키다[일으키게 하다]

trans·am·i·na·tion [trænsæ̀mənéiʃən] *n.* 〖생화학〗 아미노기(基) 전이

trans·at·lan·tic [træ̀nsətlǽntik, træ̀nz- | træ̀nz-] *a.* **1** 대서양 저편의, 유럽의 (미국에서 말하여), 미국의 (유럽에서 말하여) **2** 대서양 횡단의: a ~ liner 대서양 항로 정기선 **—** *n.* (영) 미국인; (미) 유럽인; 대서양 항로 정기선

trans·ax·le [trænsǽksl, trænz- | trænz-] *n.* 〖기계〗 트랜스 액슬 (전치(前置) 기관·전륜(前輪) 구동차에서 변속 장치와 구동축이 일체가 된 것)

trans·bus [trænsbʌ́s, trænz- | trænz-] *n.* (미) 트랜스버스 (노인·신체 장애인을 위해 개조된 대형 버스)

trans·ca·lent [trænskéilənt] *a.* (드물게) 열을 (잘) 통하는[전하는], 열전도(熱傳導)의 **-len·cy** *n.*

trans·car·ba·myl·ase [trænskɑ́:rbəmilèis | trænzkɑ́:bəmilèiz] *n.* 〖생화학〗 카르바밀 전달 효소

Trans·cau·ca·sia [træ̀nskɔ:kéiʒə, træ̀nz- | -zjə] *n.* 트랜스코카시아 (코카서스 산맥 남쪽의 코카시아) **-sian** *a.*, *n.*

trans·ceiv·er [trænsí:vər] [*trans*mitter+re*ceiver*] *n.* 라디오 송수신기, 트랜스시버

tran·scend [trænsénd] *vt.* **1** 〈경험·이해력의 범위를〉 초월하다; 능가하다: ~ the limits of thought 사고의 한계를 초월하다 **2** 〖신학〗 〈신이〉 〈우주·시간 등을〉 초월하다 **—** *vi.* 초월하다, 능가하다, 탁월하다

tran·scend·ence, -en·cy [trænséndəns(i)] *n.* Ⓤ 초월, 탁월; (신의) 초월성

tran·scend·ent [trænséndənt] *a.* **1** 탁월한, 뛰어난, 출중한 **2** (스콜라 철학의) 초월적인; (칸트 철학의) 초경험적인, 선험적(先驗的)인 **3** 〖신학〗 초월적인
— *n.* **1** 탁월한 사람[것]; (칸트 철학의) 선험적인 것 **2** 〖수학〗 초월 함수 **~·ly** *ad.*

tran·scen·den·tal [træ̀nsendéntl, -sən-] *a.* **1** 〖칸트철학〗 초월적인, 선험적인, 직관적인, 직관에 의하여 얻은 〈인지(人智)·경험〉 **2** 〖수학〗 초월수의 **3** 탁월한, 우월한; 인지가 미치지 못하는; 헤아릴 수 없는, 심원(深遠)한, 모호한 **—** *n.* **1** [*pl.*] 〖스콜라철학〗 보편적 개념 (존재·유일·진·선 등); 초월론적인 것 **2** 〖수학〗 초월수 **~·ly** *ad.*

tran·scen·den·tal·ism [træ̀nsendéntəlìzm, -sən-] *n.* Ⓤ **1** (칸트의) 선험 철학; 초월주의, (에머슨의) 초월론, 초절론(超絶論) **2** 탁월성; 불가해; 환상
-ist *n.* 선험론자, 초월론자

tran·scen·den·tal·ize [træ̀nsendéntəlàiz, -sən-] *vt.* 우월케 하다, 초월시키다; 이상화하다, 승화시키다 **-i·zá·tion** *n.*

transcendéntal meditátion 초월 명상법(瞑想法) (略 TM)

trans·con·ti·nen·tal [træ̀nskɑntənéntl | -kɔn-] *a.* 대륙 횡단의; 대륙 저편의

***tran·scribe** [trænskráib] *vt.* **1** 베끼다, 복사[등사]하다; 〈연설 등을〉 문자화하다, 필기하다; (속기 등을 다른 글자로) 바꿔 쓰다, 전사(轉寫)하다: ~ shorthand notes 속기록을 보통 문자로 고쳐 쓰다 **2** 〈소리를〉 발음 기호로 쓰다, 음성 표기하다 **3** (다른 언어·문자로) 고쳐 쓰다, 번역하다 (*into*): (~+목+전+명) ~ a book *into* Braille 책을 점자로 번역하다 / ~ a Chinese name *into* English 중국 이름을 영어 문자로 고쳐 쓰다 **4** 〖음악〗 〈곡을〉 (다른 악기를 위하여) 개곡(改曲)[편곡]하다 **5** 〖라디오·TV〗 〈프로그램·보도 등을〉 녹음[녹화]하다; 〈녹음·녹화를〉 재생[방송]하다 **6** 〖유전〗 〈유전 정보를〉 전사(轉寫)하다
▷ transcríption, tránscript *n.*

tran·scrib·er [trænskráibər] *n.* 필사생(筆寫生); 등사자; 전사기

***tran·script** [trǽnskript] *n.* **1** 베낀 것, 사본, 등본; 전사, 복사 **2** (학교의) 성적 증명서 **3** (연설 등의) 의사록, 필기록; 번역한 것 **4** (문학·예술에 의한 실제 경험의) 표현, 재현 **5** 〖유전〗 DNA로부터 전령(傳令) RNA에 전사(轉寫)된 유전 정보 ▷ transcríbe *v.*

thesaurus **transfer** *v.* **1** 옮기다 convey, move, shift, carry, transport, change, relocate **2** 양도하

tran·scrip·tase [trænskrípteis, -teiz | -teiz, -teis] *n.* 〖생화학〗 전사(轉寫) 효소

*__tran·scrip·tion__ [trænskrípʃən] *n.* **1** Ⓤ 필사(筆寫), 모사(模寫), 복사; 바꿔 씀, 전사(轉寫); Ⓒ 바꿔 쓴 것, 사본: a phonetic ~ 발음 표기 《발음 기호로 바꿔 쓴 것》 **2** ⓒⓤ 〖음악〗 악곡 개작, 편곡 **3** ⓒⓤ 〖라디오·TV〗 녹음[녹화](방송) **4** (레코드의) 해적 음반 **5** 〖유전〗 (유전 정보의) 전사(轉寫) 《DNA에서 전령 RNA가 만들어지는 과정》 **~·al** *a.* **~·al·ly** *ad.* **~·ist** *n.*

transcríption machìne 녹음[녹화](재생)기

tran·scrip·tive [trænskríptiv] *a.* 써서 베낀; 모방적인(imitative) **~·ly** *ad.*

trans·crys·tal·line [trænskrístəlin, -làin] *a.* 〖결정〗 결정(結晶) 안을 가로질러[관통하여] 생기는

trans·cul·tur·al [trænskʌ́ltʃərəl] *a.* 2개 이상의 문화에 걸친[걸치는]

trans·cur·rent [trænskə́:rənt, -kʌ́r- | trænz-kʌ́r-] *a.* 가로 건너는, 횡단하는, 옆으로 뻗는

trans·cu·ta·ne·ous [trænskju:téiniəs] *a.* 〖의학〗 〈감염·접종·투약 등이〉 피부를 통한, 경피성(經皮性)의

trans·der·mal [trænsdə́:rməl, trænz- | trænz-] *a.* = TRANSCUTANEOUS

trans·duce [trænsdjú:s, trænz- | trænzdjú:s] *vt.* **1** 〈에너지 등을〉 변환하다 **2** 〖유전〗 〈유전자 등을〉 형질(形質) 도입하다

trans·duc·er [trænsdjú:sər, trænz- | trænz-djú:-] *n.* 〖물리〗 변환기(變換器)

trans·duc·tant [trænsdʌ́ktənt, trænz- | trænz-] *n.* 〖유전〗 형질 도입주(導入株)

trans·duc·tion [trænsdʌ́kʃən, trænz- | trænz-] *n.* Ⓤ **1** 〖유전〗 형질 도입 **2** (에너지 등의) 변환 **~·al** *a.*

trans·earth [trænsə́:rθ, trænz- | trænz-] *a.* 〖우주과학〗 〈우주선이〉 지구로 향하는 궤도상의, 〈궤도가〉 지구로 향한

tran·sect [trænsékt] *vt.* 〖해부〗 가로로 쪼개다[절개(切開)하다]; 횡단하다 **tran·séc·tion** *n.* 횡단(면)

tran·sept [trǽnsept] *n.* 〖건축〗 수랑(袖廊) 《십자형 교회당의 좌우의 익부(翼部)》 **tran·sép·tal** *a.*

tran·sex·u·al [trænsékʃuəl] *n., a.* = TRANSSEXUAL

transf. transfer(red)

tráns fát 트랜스 지방 《콜레스테롤 수치를 높이는 해로운 작용을 하는》 (cf. MONOUNSATURATED FAT, POLYUNSATURATED FAT, SATURATED FAT)

trans·fect [trænsfékt] *vt.* 〖미생물〗 〈분리된 핵산을〉 세포로 감염시키다

trans·fec·tion [trænsfékʃən] *n.* 〖생물·생화학〗 트랜스펙션 《분리된 핵산의 세포에의 감염; 완전한 바이러스가 복제됨》

‡**trans·fer** [trænsfə́:r, ∠- | trænsfə́:] [L 「가로질러 나르다」의 뜻에서] *v.* (**~red**; **~·ring**) *vt.* **1** 옮기다, 나르다, 건네다 《*from*; *to*》; 전임시키다, 전학시키다; 《영》 〈럭비·축구의 선수 등을〉 이적하다: 《~+목+전+명》 ~ a boy *to* another school 소년을 전학시키다 / Her husband has been *~red to* another branch in Boston. 그녀의 남편은 보스턴의 다른 지점으로 전임되었다. **2** 〈사상 등을 남에게〉 전하다, 전달[전승]하다; 〈감정 등을〉 사람에게 이입하다; 〈책임 등을〉 전가하다; 융통하다: 《~+목+전+명》 The baby *~red* its affection *to* its new mother. 그 젖먹이는 새어머니에게 정이 들었다. / He *~red* the blame *from* his shoulders *to* mine. 그는 자기의 죄를 나한테 전가시켰다. **3** 〖법〗 〈재산·권리 등을〉 양도하다 《*to*》: 《~+목+전+명》 ~ a title to land *to* a person 토지에 대한 권리를 …에게 양도하다 **4** 〈무늬 등을〉 베끼다, 전사하다; 〈벽화 등을〉 모사하다 《*to*》

— *vi.* **1** 이동하다, 전학(轉學)하다; 전임하다; 《영》 〈축구 선수 등이〉 이적하다: 《~+전+명》 He has *~red* *to* Harvard. 그는 하버드 대학으로 전학했다. **2** 〈사람이〉 갈아타다: 《~+전+명》 ~ *from* a train *to* a bus 기차에서 버스로 갈아타다 **3** 〈사무실 등이〉 이전하다 **4** 〖컴퓨터〗 점프하다(jump)

— [trǽnsfər] *n.* **1 a** ⓤⓒ 이전(移轉), 이동, 전임; 이동 수단[방법] **b** 〖법〗 Ⓤ (권리·증권 등의) 이전; 양도; Ⓒ 양도 증서 **2** 《영》 전사화(轉寫畫)(《미》 decal) **3 a** Ⓤ 〖철도〗 이송; Ⓒ 이송점 **b** ⓤⓒ 갈아타기, 환승(換乘); 갈아타는 곳; 《미·캐나다》 갈아타는 표(= ~ ticket) **4** 전임자, 전근자; 전학생; 이적 선수; 전속병: a ~ student 전학생 **5** 《미》 환(換), 대체(對替): telegraphic ~ 전신환 / a ~ slip 대체 전표 **6** 〖컴퓨터〗 (정보의) 이송, 옮김 **~·al** *n.* 이동, 전이, 전근 ▷ transférence *n.*

> 다 turn over, sign over, hand down, hand on, pass on, transmit, assign, convey, delegate

trans·fer·a·ble [trænsfə́:rəbl] *a.* 이동할수 있는; 양도할 수 있는; 전할 수 있는 **trans·fèr·a·bíl·i·ty** *n.*

transférable vóte 〖정치〗 이양표(移讓票) 《비례 대표제에서 다른 후보에게 이양할 수 있는 표》

tránsfer àgent (주식의) 명의 개서(改書) 대리인

trans·fer·ase [trǽnsfərèis, -rèiz | -rèiz, -rèis] *n.* 〖생화학〗 전이(轉移) 효소

tránsfer bòok (재산·주식의) 명의 변경 대장(臺帳)

tránsfer cèll 〖식물〗 전이(轉移) 세포

tránsfer còmpany 《미》 (단거리 구간의) 통운(通運) 회사

tránsfer dày 《영》 증권 명의 이전일

trans·fer·ee [trænsfərí:] *n.* **1** 전임[전속, 전학]자 **2** 〖법〗 (재산·권리 등의) 양수인(讓受人)

trans·fer·ence [trænsfə́:rəns, trǽnsfər- | trǽnsfər-] *n.* **1** ⓤⓒ 옮김, 옮기기; 이전, 이동; 운반; 양도, 매도(賣渡) **2** Ⓤ 〖정신의학〗 전이(轉移)

trans·fer·en·tial [trænsfərénʃəl] *a.*

tránsfer fàctor 〖생화학〗 전달 인자

tránsfer fèe (프로 축구 선수의) 이적료

tránsfer ìnk (석판 인쇄 등의) 전사 잉크

tránsfer lìst (축구의) 이적 가능한 선수 명부

tránsfer machìne 트랜스퍼 머신 《일관 작업용 자동 공작 설비》

tránsfer mòlding 〖화학〗 이송 성형(移送成形)

trans·fer·or [trænsfə́:rər] *n.* 〖법〗 (재산·권리 등의) 양도인, 이전자

tránsfer òrbit (우주선의) 이행(移行) 궤도

tránsfer pàper (decalcomania용 등의) 전사지(轉寫紙)

tránsfer pàyment 이전 지출 《정부가 일방적으로 지급하는 지출》

tránsfer prìcing 〖마케팅〗 이전(移轉) 가격 조작 《특수 관계에 있는 둘 이상의 기업간 거래에서, 설정하는 가격을 조작하여 조세 부담을 경감하려는 행위》

trans·fer·rer [trænsfə́:rər] *n.* transfer하는 사람[것]

trans·fer·rin [trænsférin] *n.* 〖생화학〗 트랜스페린 《음식물의 철분을 간장·비장·골수에 보내는 혈장 속의 당단백질》

tránsfer ŔNÁ 〖유전〗 전이(轉移) RNA 《略 tRNA》

tránsfer tàble 〖철도〗 천차대(遷車臺)

tránsfer tìcket 환승표(換乘票)

trans·fig·u·ra·tion [trænsfigjuréiʃən, trænsfig | -gə-, -gju-] *n.* **1** ⓤⓒ 변형, 변신(變身) **2** [the T~] 〖성서〗 (산 위에서의) 그리스도의 변용(變容), 현성용(顯聖容); 〖가톨릭〗 현성용 축일 《8월 6일》

trans·fig·ure [trænsfígjər | -gə] *vt.* **1** 변형하다, 변모시키다 **2** 거룩하게 하다; 미화[이상화]하다(glorify) **~·ment** *n.*

trans·fi·nite [trænsfáinait] *a.* **1** 유한성(有限性)을 초월한 **2** 〖수학〗 〈수가〉 초한(超限)의; 〖논리〗 초한적인

transfínite númber 〖수학〗 초한수(超限數)

trans·fix [trænsfíks] *vt.* **1** [보통 수동형으로] (공포 등으로) 그 자리에 못박히게 하다: be *~ed with* fear[wonder] 무서워서[놀라서] 꼼짝 못하다 **2** 찌르다, 꽂다, 꿰뚫다: 《~+목+전+명》 The native *~ed* the shark *with* a spear. 토인은 창으로 상어를 찔렀

다. **3** 〈뾰족한 것으로〉 고정시키다, 못박다: (~+목+전+명) ~ an insect *with* a pin 곤충을 핀으로 고정시키다 **~·ion** *n.*

‡trans·form [trænsfɔ́:rm] *vt.* **1** 변형시키다, 변모[변태]시키다, 〈외관·모양을〉 일변시키다 《*in, into*》(⇨ change 유의어): Joy *~ed* her face. 기쁨으로 그녀의 얼굴은 싹 달라졌다. // (~+목+전+명) A caterpillar is *~ed into* a butterfly. 쐐기벌레는 나비로 변한다. **2** 다른 물질로 만들다 《특히 연금술에서》 **3** 〈성질·기능·용도 등을〉 바꾸다, 전환하다 《*into, to*》: (~+목+전+명) ~ a criminal *into* a decent member of society 범죄자를 의젓한 사회인으로 일변시키다 **4** 〖전기〗 변압[변류]하다; 〖물리〗 〈에너지를〉 변환하다 《*into*》: ~ electricity *into* mechanical energy 전기를 기계 에너지로 바꾸다 **5** 〖수학·논리·언어〗 변환[변형]하다 **6** 〖유전〗 〈세포에〉 형질 변환[유전자 변화]을 일으키다
— *vi.* 〈형상·성질이〉 변하다, 변질하다, 변형하다
— [ㅅ—] *n.* **1** 〖수학〗 변환 **2** 변형[변화, 변질](의 결과) **3** 〖언어〗 변형체
~·a·ble *a.* 변형[변환, 변태]할 수 있는
▷ transformátion *n.*

***trans·for·ma·tion** [træ̀nsfərméiʃən] *n.* UC **1** 변형, 변모, 변질: the ~ of the desert into farmlands 사막을 농지로 변모시킴 / Soon public opinion underwent a complete ~. 곧 여론은 일변했다. **2** 〖생물〗 (특히 곤충의) 탈바꿈, 변태; 〖유전〗 형질 변환; 〖수학·논리·언어〗 변형(됨) **3** 〖물리〗 변환; 〖화학〗 (화합물의) 성분 치환(置換); 〖전기〗 변압, 변류 **4** C (여자 머리의) 다리, 가발 **5** 〖연극〗 장면 전환, 급변하는 장면(=~ scene) **6** 〖컴퓨터〗 변환 **~·al** [-ʃənl] *a.* 변형의 ▷ transfórm *v.*

transformátional dráma 〖연극〗 변형극 《비현실극의 일종》

transformátional(-génerative) grámmar 〖언어〗 변형 (생성) 문법

trans·for·ma·tion·al·ism [træ̀nsfərméiʃənəlìzm] *n.* U 변형 문법 이론 (연구) **-ist** *n.*

transformátional rúle 〖언어〗 변형 규칙

transformátion scène 〖연극〗 장면 전환; (pantomime의) 재빨리 바뀌는 장면

trans·for·ma·tive [trænsfɔ́:rmətiv] *a.* 변화시키는; 〖언어〗 변형의(transformational)

trans·form·er [trænsfɔ́:rmər] *n.* 변화[변형, 변질]시키는 것[사람]; 〖전기〗 변압기, 트랜스

tránsform fàult 〖지질〗 변환 단층

trans·fuse [trænsfjú:z] *vt.* **1** 〖의학〗 수혈하다; 〈식염수 등을〉 주입하다 **2** 《고어》 〈액체를〉 옮겨 붓다 **3** 〈액체·빛깔 등을〉 배어들게 하다; 〈사상·주의 등을〉 (…에게) 불어넣다 《*into, with*》: (~+목+전+명) The professor *~d* his enthusiasm for research *into* his students. 교수는 자기 연구열을 학생들에게 불어넣었다. **trans·fús·i·ble, -fús·a·ble** *a.*

trans·fu·sion [trænsfjú:ʒən] *n.* UC 주입(注入), 옮겨 붓기; 〖의학〗 수혈; 수액(輸液) **~·al** *a.* 수혈의 **~·ist** *n.* 〖의학〗 수혈 전문의

trans·gen·der [trænsdʒéndər] *n., a.* 트랜스젠더(의) 《자기의 성(性)과 다른 성으로 살려고 하는 (사람)》

trans·gene [trǽnsdʒì:n] *n.* 이식 유전자

trans·gen·ic [trænsdʒénik, trænz- | trænz-] *a.* 이식 유전자의[에 의한]: a ~ animal 유전자 도입 동물 **-gén·ics** *n.* 유전자 도입, 유전 형질 전환

transgénic fòods 유전자 변형 식품

trans·glob·al [trænsglóubəl] *a.* 〈네트워크 등이〉 세계에 걸친, 전세계적인

***trans·gress** [trænsgrés, trænz- | trænz-] 《문어》 *vt.* **1** 〈한도·범위 등을〉 넘다, 벗어나다 **2** 〈법률·규칙 등을〉 어기다, 위반하다, 범하다
— *vi.* 법[법규]을 어기다; (종교·도덕적으로) 죄를 범하다 《*against*》 **trans·grés·sor** *n.*

trans·gres·sion [trænsgréʃən, trænz- | trænz-] *n.* UC **1** 위반, 범죄; (종교·도덕적) 죄 **2** 〖지리〗 해진(海進), 해침(海浸) **3** 관습에 대한 도전

trans·gres·sive [trænsgrésiv, trænz- | trænz-] *a.* **1** 《고어》 위반하기 쉬운, 범하기 쉬운 **2** 〖생물〗 초월적인 **3** 관습에 거스르는 **~·ly** *ad.*

tran·ship [trænʃíp] *vt.* (**~ped**; **~·ping**) =TRANSSHIP

trans·his·tor·i·cal [træ̀nshistɔ́:rikəl | -tɔ́r-] *a.* 역사를 초월한, 보편적인

trans·hu·mance [trænshjú:məns, trænz- | trænshjú:-] *n.* U (가축의) 계절 이동, 이동 방목

trans·hu·mant [trænshjú:mənt, trænz- | trænshjú:-] *a.* 이동 방목의 — *n.* 이동 방목자

tran·sience, -sien·cy [trǽnʃəns(i), -ʒəns(i), -ziəns(i) | -ziəns(i)] *n.* (*pl.* **~s**; **-cies**) UC 일시적임, 덧없음, 무상: ~ of life 인생의 무상함

***tran·sient** [trǽnʃənt, -ʒənt, -ziənt | -ziənt] *a.* **1 a** 덧없는, 무상한 **b** 일시의, 순간적인, 깜짝할 사이의 (⇨ momentary 유의어) **2 a** 〈호텔 손님 등이〉 잠깐 머무르는(temporary) **b** 〖음악〗 경과적인, 일시적인: a ~ chord[note] 지남음, 경과음
~ affairs of this life 덧없는 세상사
— *n.* **1** 일시적인 사물[사람] **2** 단기 체류객; 뜨내기 노동자 **3** 〖물리〗 과도 현상, 과도 전류 **~·ly** *ad.*
▷ tránsience *n.*

tránsient ischémic attáck 〖병리〗 일과성 뇌허혈 발작 《略 TIA》

tránsient modulátion 〖음악〗 일시적[경과적] 전조(轉調)

tran·sil·i·ent [trænsíliənt, -ljənt] *a.* (한 점에서 다른 점으로) 뛰어 넘는; 〈상황 등이〉 급변하는

trans·il·lu·mi·nate [træ̀nsilú:mənèit] *vt.* 〖의학〗 〈몸의 일부·기관 등에〉 강한 광선을 투과시키다

trans·il·lu·mi·na·tion [træ̀nsilù:mənéiʃən] *n.* UC 〖의학〗 투조(透照) 《진단하기 위하여 기관(器官)에 강한 광선을 투과시킴》

trans·i·re [trænsáiəri] *n.* 《영》 (세관 발행의) 연안 운송 허가증

***tran·sis·tor** [trænzístər] [*tran*sfer+re*sistor*] *n.* **1** 〖전자〗 트랜지스터 《진공관 대신 게르마늄을 이용한 증폭(增幅) 장치》 **2** 《구어》 트랜지스터 라디오(=~ **rádio**) **~·ize** [-təràiz] *vt.* 트랜지스터화하다

‡tran·sit [trǽnsit, -zit] [L 「통과」의 뜻에서] *n.* **1** U 통과, 통행, 횡단 **2** 변화, 추이, 변천 **3** 〖천문〗 경과, 자오선(子午線) 통과 《천체의》; 다른 천체면(面) 통과 《작은 천체의》, 망원경 시야(視野) 통과 《천체의》 **4** U 운송, 운반: mass ~ 대량 수송 / city ~ 도시의 교통 기관 **5** 통로, 운송로 **6** 〖천문〗 =TRANSIT INSTRUMENT **7** 〖측량〗 트랜싯, 전경의(轉鏡儀)(=~**-còmpass**) **8** 〖컴퓨터〗 통과, 거쳐 보냄 ***in*** **~** 수송[이동] 중
— *vt.* **1** 횡단하다, 가로지르다 **2** 〖천문〗 〈천체가〉 〈태양면 등을〉 통과하다 **3** 〖측량〗 〈망원경을〉 (수직면 내에서) 회전시키다 **4** 운반하다, 이동시키다, 나르다
— *vi.* 통과하다, 횡단하다

transit. transitive

tránsit càmp (난민 등을 위한) 일시 체류용 야영지[수용소]

tránsit cìrcle 〖천문〗 자오환(子午環) 《천체 관측용》

tránsit dùty (화물의) 통과세, 통행세

tránsit ìnstrument 〖천문〗 (천체 관측용) 자오선의(儀); 〖측량〗 트랜싯, 전경의(transit(-compass))

***tran·si·tion** [trænzíʃən, -síʃ-] [L 「이행(移行)」의 뜻에서] *n.* UC **1** 변천, 이행, 변화 《*from*; *to*》: the ~ *from* adolescence *to* adulthood 청춘기에서 성인기로의 이행 / make a hurried ~ *to* other top-

thesaurus **transform** *v.* change, alter, convert, metamorphose, transfigure, remodel, reconstruct, rebuild, reorganize, rearrange
transgress *v.* overstep, exceed, infringe, breach, break, violate, defy, disobey, misbehave

ics 서둘러서 화제를 바꾸다 / a sudden ~ *from* autocracy *to* democracy 독재 정치로부터 민주 정치로의 급격한 이행 **2** 과도기(=~ period), 변환기 **3** (예술 양식의) 변화, 추이(推移); 〖음악〗 전조(轉調)(modulation); (TV·무대 등에서의) 장면 전환 **4** 〖유전〗 변이(變異) **5** 〖물리〗 (양자 역학에서) 천이(遷移); (열역학에서) 전이(轉移) **6** 〖항공·우주〗 (층류(層流)에서 난류(亂流)로의) 천이(遷移)
—*vi.* 이행[변천]하다
▷ tránsit *v.*, *n.*; transítional, tránsitive *a.*

tran·si·tion·al [trænzíʃənl, -síʃ- | -síʃ-] *a.* 변천하는; 과도적인, 과도기의 **~·ly** *ad.*

tran·si·tion·ar·y [trænzíʃənèri, -síʃ- | -əri] *a.* = TRANSITIONAL

transítion èlement [métal] 〖화학〗 천이(遷移) 원소, 천이 금속

transítion pèriod 과도기; 《미》 (정권 교체시의) 인계 기간

transítion pòint 〖화학〗 전이점(轉移點); 〖물리〗 = TRANSITION TEMPERATURE

transítion tèmperature 〖물리〗 전이[천이] 온도

‡**tran·si·tive** [trǽnsətiv, -zə-] *a.* **1** 〖문법〗 타동(사)의(opp. *intransitive*): a ~ verb = a verb ~ 타동사 《略 v.t.》 **2** 《드물게》 (다른 것으로) 옮아가는, 이행(移行)하는, 과도적인
—*n.* 〖문법〗 타동사(=~ **vérb**)
~·ly *ad.* 타동(사)적으로 **~·ness** *n.*

tran·si·tiv·i·ty [træ̀nsətívəti, -zə-] *n.* Ⓤ **1** 〖문법〗 타동성 **2** 이행성(移行性)

tránsit lòunge (공항의) 통과객용 라운지[대합실]

tran·si·to·ry [trǽnsətɔ̀:ri, -zə- | -təri] *a.* 일시적인, 잠시 동안의; 덧없는, 무상한(transient)
-ri·ly [træ̀nsətɔ́:rəli | trǽnsitər-] *ad.* **-ri·ness** *n.*

tránsitory áction 〖법〗 이동 소송 《관할이 정해지지 않아 어느 법원에 제소해도 되는》

tránsit pàssenger 통과 여객

Tránsit vàn 《영》 물건 배달이나 운반용 대형 밴의 일종 《상표명》

tránsit vìsa 통과 사증

trànsit without vísa 무사증 통과 《略 TWOV》

Trans·jor·dan [trænsdʒɔ́:rdn, trænz- | trænz-] *n.* 트랜스요르단 《Jordan의 옛 이름》

trans·ke·tol·ase [trænskí:təlèis, -lèiz | -lèiz, -lèis] *n.* 〖생화학〗 트랜스케톨라제 《케톨 전이 효소》

transl. translated; translation; translator

‡**trans·late** [trænsléit, trænz-, ⌐-| -⌐] [L 「운반된」의 뜻에서] *vt.* **1** 번역하다, 옮기다: (~+목+전+명) ~ an English sentence *into* Korean 영문을 한국어로 번역하다 / ~ Homer *from* the Greek 그리스어로 된 호머를 번역하다 **2** (다른 꼴·상태·성질로) 바꾸다, 고치다; 변형하다: (~+목+전+명) ~ promises *into* action 약속을 실행에 옮기다 / ~ emotion *into* action 감정을 행동으로 나타내다 **3** 〈말·몸짓 등을〉 (…로) 해석하다(interpret) 《*as*》: (~+목+**as** 보) I ~*d* her silence *as* a refusal. 나는 그녀의 침묵을 거절로 해석했다. **4** 《영·속어》 헌 재료로 〈구두·옷 등을〉 만들다, 〈헌옷을〉 재생하다 **5** 옮기다, 나르다; 〖교회〗 〈사제를〉 전임(轉任)시키다; 〖성서〗 (산 채로) 승천(昇天)시키다; 〈성자 등의 유해·유품을〉 (다른 곳으로) 옮기다 **6** 〖통신〗 〈전신을〉 중계하다 **7** 〖기계〗 〈물체를〉 직동(直動)[병진(竝進)]시키다 **8** 〖유전〗 〈유전 정보를〉 번역하다 **9** 〖컴퓨터〗 〈프로그램·자료·부호 등을 다른 언어로〉 번역하다
—*vi.* **1** 번역하다; 통역하다; 〈시 등이〉 번역되다: (~+부) His novels ~ *well.* 그의 소설은 번역하기 쉽다. // (~+전+명) This book can't ~ *into* Korean. 이 책은 국역하기 어렵다. **2** (결과로서) …가 되다; 변화하다, 변형하다 《*into*》 **3** 〈비행기·로켓이〉 이동하다 **4** 〈사제가〉 (다른 교구로) 전임하다 ***Kindly ~.*** 명백하게 말하시오. **trans·lát·a·ble** *a.* ▷ translátion *n.*

---

transient *a.* transitory, short-term, impermanent, temporary, brief, short, ephemeral, momentary
transition *n.* move, passage, change, transformation, conversion, changeover, shift, switch, progression, development, evolution, gradation

---

‡**trans·la·tion** [trænsléiʃən, trænz-] *n.* **1** Ⓤ 번역; Ⓒ 번역물[서]: literal ~ 직역 / free ~ 의역 **2** ⓊⒸ 해석 **3** ⓊⒸ 바꾸어 말함; 바꾸어 놓음 **4** 옮김; 〖물리〗 물체의 이행(移行); 〖종교〗 bishop의 전임; 〖성서〗 산 채로의 승천; (유해·유품의) 이전; 〖의학〗 전이(轉移) **5** Ⓤ 〖법〗 재산 양도, 유산 수취인의 변경 **6** Ⓤ 〖통신〗 자동 중계 **7** Ⓤ 〖기계〗 병진(竝進) **8** 〖유전〗 (유전 정보의) 번역 **9** 〖컴퓨터〗 번역 《언어·프로그램 등을 다른 표현으로 바꾸거나 화면상의 영상 형태를 변화시키는 것》 ***do* [*make*] *a ~ into*** Korean (한국어)로 번역하다 **~·al** *a.* **~·al·ly** *ad.* ▷ transláte *v.*

trans·la·tive [trænsléitiv, trænz-] *a.* **1** 〖법〗 재산 양도의 **2** 이행[이동, 전이, 전임]의 **3** 번역의, 번역에 도움이 되는

*****trans·la·tor** [trænsléitər, trænz-, ⌐--| -⌐-] *n.* **1** 역자, 번역자; 통역(interpreter) **2** 《영·속어》 (헌 신[우산]의) 수리인 **3** 〖통신〗 자동 중계기; 〖기계〗 병진기(竝進器) **4** 〖컴퓨터〗 번역기 《어떤 프로그래밍 언어로 쓰인 프로그램을 다른 언어로 변환하는 프로그램》

trans·lit·er·ate [trænslítərèit, trænz- | trænz-] *vt.* 〈문자·말 등을〉 (…로) 바꾸어 쓰다; 음역(音譯)하다 《*into*》 《상하이(上海)를 Shanghai로 하는 등》
trans·lìt·er·á·tion *n.* 바꿔 씀, 음역 **-à·tor** *n.* 음역자

trans·lo·cate [trænslóukeit, trænz-, ⌐-⌐ | træ̀nzloukéit] *vt.* 이동시키다, 바꾸어 놓다(displace), 전위(轉位)시키다 **tràns·lo·cá·tion** *n.*

trans·lu·cent [trænslú:snt, trænz- | trænz-] *a.* **1** 반투명의(⇨ transparent 유의어) **2** 명백한, 쉽게 이해할 수 있는 **3** 《드물게》 투명한
-cence, -cen·cy *n.* 반투명 **~·ly** *ad.*

trans·lu·cid [trænslú:sid, trænz- | trænz-] *a.* 반투명의(translucent)

trans·lu·nar [trǽnslù:nər, trǽnz-, --⌐-] *a.* **1** = TRANSLUNARY **2** 〖우주과학〗 〈우주선의 궤도·엔진 등이〉 달쪽으로 향한, 달 궤도상의

trans·lu·nar·y [trǽnslu:nèri, trǽnz-, trænslú:nəri, trænz- | trænzlú:nəri] *a.* **1** 달 위의, 달 저편의; 천상(天上)의 **2** 이상적인; 환상적인, 공상적인

trans·ma·rine [træ̀nsmərí:n, træ̀nz- | træ̀nz-] *a.* 해외의[로부터의]; 바다를 횡단하는

trans·mem·brane [trænsmémbrein, trænz- | trænz-] *a.* 〖생물〗 〈막전위(膜電位), 이온·가스의 운동이〉 (생체의) 막을 통해서 생기는, 막의 안팎에서 생기는

trans·mi·grant [trænsmáigrənt, trænz- | trænz-] *a.* **1** 이주하는 **2** 윤회(輪廻)하는
—*n.* 이민, 이주민

trans·mi·grate [trænsmáigreit, trænz- | træ̀nzmaigréit] *vi.* **1** 이전하다; 이주하다 **2** 윤회하다 **-gra·tor** *n.* 이민; 윤회한 사람

trans·mi·gra·tion [træ̀nsmaigréiʃən, træ̀nz- | træ̀nz-] *n.* ⓊⒸ **1** 이주 **2** 윤회 《*of*》

trans·mi·gra·to·ry [trænsmáigrətɔ̀:ri, trænz- | trænzmáigrətəri, træ̀nzmaigréitəri] *a.* 이주[이전]하는; 윤회하는, 다시 태어나는

trans·mis·si·bil·i·ty [trænsmìsəbíləti, trænz- | trænz-] *n.* Ⓤ 전달성; 유전성

trans·mis·si·ble [trænsmísəbl, trænz- | trænz-] *a.* 보낼[전할, 전도할] 수 있는; 전염하는

*****trans·mis·sion** [trænsmíʃən, trænz- | trænz-] *n.* **1 a** Ⓤ 전달, 전송; 매개, 전염 《*of*》: the ~ *of* electric power 전력의 송달 / ~ *of* news 뉴스 전송 / the ~ *of* germs 세균의 전염 **b** 전달되는 것, 메시지; 방송 **2** Ⓤ 〖물리〗 전도; ⓊⒸ (전파 등의) 송파, 송신, 발신 **3** 〖기계〗 전동(傳動) 장치, (자동차의) 변속기(gearbox): an automatic[a manual] ~ 자동[수동] 변속 장치 **4** 양도 **5** 〖생물〗 유전(heredity) **6** 〖의

학] 전달, 매개 **7** 〖컴퓨터〗 (음성·영상 신호·메시지 등의) 전송 ▷ transmít *v.*

transmíssion eléctron mìcroscope 〖광학〗 투과형 전자 현미경

transmíssion lìne 〖전기〗 송전선, 전송선(傳送線)

transmíssion lòss 〖전기〗 전송[투과] 손실

transmíssion ràte 〖컴퓨터〗 (데이터의) 전송률

transmíssion spèed 〖컴퓨터〗 전송 속도

trans·mis·sive [trænsmísiv, trænz- | trænz-] *a.* 보내는, 전하는; 보낼 수 있는, 전달[전도]되는

trans·mis·siv·i·ty [trӕ̀nsmisívəti, trӕ̀nz- | trӕ̀nz-] *n.* Ⓤ 〖물리〗 투과율

***trans·mit** [trænsmít, trænz- | trænz-] [L 「넘어서 보내다」의 뜻에서] *v.* (**~·ted**; **~·ting**) *vt.* **1 a** 〈물건 등을〉 **부치다**; 보내다, 건네다, 전달[송달]하다: (~+목+전 | 명) ~ a letter *by* hand[a parcel *by* rail, a message *by* radio] 편지를 손수 전해주다[소포를 철도편으로 부치다, 통신을 무전으로 보내다] / ~ troops *to* the border 군대를 국경 지역에 파견하다 **b** 〈지식·보도·정보 등을〉 **전하다**, 알리다 (*to*): (~+목+전+명) ~ a tradition *to* posterity 전통을 후세에 전하다 **2** 〈병 등을〉 (사람에게) 옮기다, 전염시키다 (*to*) **3** 〈유전적 성질을〉 (자손에게) 물려주다, 유전시키다 (*to*): (~+목+전+명) ~ a title *to* one's descendants 작위를 자손에게 물려주다 **4** 〖물리〗 〈열·전기 등을〉 전도하다; 〈빛을〉 투과시키다; 〈힘·운동 등을〉 전동(傳動)하다 **5** 〖통신〗 〈전파를〉 발신하다; 〈전파로 신호를〉 보내다; 방송하다: a *~ting* set 송신기 / a *~ting* station 방송국, 송신소 **6** 〖컴퓨터〗 〈정보를〉 전송하다
— *vi.* **1** 송신하다, 방송하다 **2** 〖법〗 자손[상속인]에게 권리[의무]를 전하다

~·ta·ble, ~·ti·ble *a.* 전할 수 있는; 전염성의; 유전성의 **~·tal** *n.* = TRANSMISSION

▷ transmíssion *n.*; transmíssive *a.*

trans·mit·tance [trænsmítns, trænz- | trænz-] *n.* = TRANSMISSION; 〖물리〗 투과율, 투과도

***trans·mit·ter** [trænsmítər, trænz- | trænz-] *n.* **1** 전달[전송]자, 양도자, 전승자; 전달 장치 **2** 〖통신〗 송신기; (전화의) 송화기, 발신기(opp. *receiver*): a television ~ 텔레비전 송신기 **3** 〖생화학〗 = NEUROTRANSMITTER **4** 〖전기〗 송량(送量) 장치

trans·mo·dal·i·ty [trӕ̀nsmoudǽləti, trӕ̀nz- | trӕ̀nz-] *n.* Ⓤ 종합 수송 《육로·해로·공로 등 각종 수송 방법을 합친 것》

trans·mog·ri·fy [trænsmɑ́grəfài, trænz- | trænzmɔ́g-] *vt.* (**-fied**) 모습을 변하게 하다, 변형시키다 **trans·mòg·ri·fi·cá·tion** *n.*

trans·mun·dane [trӕ̀nsmʌndéin, trænz-, ⌐-⌐ | trænzmʌ́ndein] *a.* 이 세상 것이 아닌, 피안의; 형이상학적인, 현세를 초월한

trans·mu·ta·tion [trӕ̀nsmju:téiʃən, trӕ̀nz- | trӕ̀nz-] *n.* Ⓤ Ⓒ **1** 변화, 변형, 변질, 변성(變性) **2** 〖연금술〗 변성, 변질 **3** 〖생물〗 (DNA의) 변성[변환] 돌연변이; (Lamarck의) 진화설; 〖물리〗 (핵종(核種)의) 변환 **4** 〖법〗 (소유권의) 양도[이전] ***~s of fortune*** 영고성쇠(榮枯盛衰) **~·al** *a.* **~·ist** *n.*

trans·mut·a·tive [trænsmjú:tətiv, trænz- | trænz-] *a.* 변화하는, 변성의, 변형의

trans·mute [trænsmjú:t, trænz- | trænz-] *vt.* **1** 〈성질·외관·형상 등을〉 변화시키다 (*into*): (~+목+전+명) ~ raw materials *into* finished products 원료를 제품으로 변화시키다 / It is possible to ~ one form of energy *into* another. 어떤 종류의 에너지를 다른 것으로 바꿀 수 있다. **2** 〖연금술〗 〈비금속을〉 (금·은으로) 변하게 하다 (*into*)
— *vi.* (…으로) 변질[변형]하다 (*into*)

trans·mút·a·ble *a.* **trans·mút·a·bly** *ad.*

trans·na·tion·al [trænsnǽʃənl, trænz- | trænz-] *a.* 국적을 초월한; 다국적의 — *n.* 다국적 기업[조직]

trans·nat·u·ral [trænsnǽtʃərəl, trænz- | trænz-] *a.* 초(超)자연적인

trans·o·ce·an·ic [trӕ̀nsouʃiǽnik, trӕ̀nz- | trӕ̀nz-] *a.* 대양 저편의, 대양 너머에 사는[있는]; 대양 횡단의: ~ operations 도양(渡洋) 작전 / ~ peoples 해외 제(諸) 국민

tran·som [trǽnsəm] *n.* **1** 〖건축〗 중간틀 《문과 그 위의 채광창 사이에 가로 놓인 나무》; 《미》 (문 위의) 채광창 (《영》 fanlight) (= ~ **window**) **2** 〖항해〗 고물보 ***over the ~*** 〈원고 등이〉 의뢰[사전 결정]없이, 일방적으로[멋대로] (보내어) **trán·somed** *a.*

transom 1

tran·son·ic [trænsɑ́nik | -sɔ́n-] *a.* 〖항공〗 음속에 가까운 속도의 《시속 970-1,450km 정도의 속도; cf. SONIC》

transp. transparent; transportation

trans·pa·cif·ic [trӕ̀nspəsífik] *a.* 태평양 저편[횡단]의

trans·pa·dane [trǽnzpədèin, trænspéidein] *a.* (로마에서 보아) Po 강 저편[북쪽]의

trans·par·ence [trænspέərəns, -pǽr- | -pǽr-, -pέər-] *n.* = TRANSPARENCY 1

trans·par·en·cy [trænspέərənsi, -pǽr- | -pǽr-, -pέər-] *n.* (*pl.* **-cies**) **1** Ⓤ 투명(성), 투명도: the ~ of water 물의 투명도 **2** 투명한 것; (유리 위에 그려진) 투명한 그림과 디자인; (자기(磁器)의) 투명 무늬 **3** Ⓤ 〖사진〗 투명도; Ⓒ 투명화(畫), 슬라이드 **4** [**T~**] (익살) 각하: his[your] *T~* 각하

***trans·par·ent** [trænspέərənt, -pǽr- | -pǽr-, -pέər-] *a.* **1 투명한**; 〈직물이〉 비쳐 보이는(open): ~ colors 〖회화〗 투명 그림물감

> 유의어 **transparent** 반대쪽의 것이 분명히 보일 정도로 투명한: Clear water is *transparent.* 맑은 물은 투명하다. **translucent** 빛은 통하지만 반대쪽의 것이 보일 정도로 투명하지 않은: Ground glass is *translucent.* 젖빛 유리는 반투명하다.

2 〈문체 등이〉 명쾌한, 평이한, 쉬운 **3** 〈사람·성격 등이〉 솔직한, 정직한, 시원스러운 **4** 〈구실·의도 등이〉 명백한, 빤히 들여다보이는 **5** 〖컴퓨터〗 〈프로세스·소프트웨어가〉 투과성의 **6** 〈물질이〉 (X선·자외선 등) 특정한 방사선을 통과하는 **~·ly** *ad.* **~·ness** *n.*

▷ transpárence, transpárency *n.*

trans·par·ent·ize [trænspέərəntàiz, -pǽr- | -pǽr-, -pέər-] *vt.* 투명하게 하다

trans·pep·ti·dase [trænspéptədèis | -dèiz] *n.* 펩티드 전이 효소

trans·pep·ti·da·tion [trænspèptidéiʃən] *n.* 〖생화학〗 펩티드 전이(轉移)

trans·per·son·al [trænspə́:rsənəl] *a.* 개인의 한계[이해]를 초월한

transpérsonal psychólogy 초(超)개인 심리학 《초감각적 지각을 중시하는 정신 요법의 하나》

tran·spic·u·ous [trænspíkjuəs] *a.* = TRANSPARENT **~·ly** *ad.*

trans·pierce [trænspíərs] *vt.* 꿰뚫다, 관통하다

tran·spi·ra·tion [trӕ̀nspəréiʃən] *n.* Ⓤ Ⓒ 증발(물), 발산, 증산 (작용); 《비유》 (애정 등의) 발로; 〖생물〗 (느끼지 못하는) 발한(發汗)

tran·spire [trænspáiər] *vi.* **1** 〈사건 등이〉 일어나다(happen) **2** 〈피부·식물 등이〉 수분[냄새]을 발산하다; 증발하다; 노폐물을 배출하다 **3** [it을 주어로 하여] 〈비밀 등이〉 새어나오다 (*that*절)

thesaurus **transmit** *v.* **1** 보내다 send, convey, transport, dispatch, forward, remit **2** 알리다 pass on, hand on, communicate, spread, diffuse

— *vt.* 〈수분·냄새 등을〉 발산하다; 스며나오게 하다

trans·pla·cen·tal [trӕnspləséntl] *a.* 〖해부〗 경(經)태반의, 태반을 통과하는

*__trans·plant__ [trӕnsplǽnt, -plɑ́:nt | -plɑ́:nt] *vt.* **1** 〈식물을〉 이식(移植)하다: (~+목+전+명) ~ flowers *to* a garden 화초를 뜰에 옮겨 심다 **2** 〖외과〗 〈기관·조직 등을〉 이식하다 **3** 이주시키다; 〈제도 등을〉 이식하다: (~+목+전+명) He wished to ~ his family *to* America. 그는 가족을 미국으로 이주시키고 싶어했다. / Many institutions were *~ed from* Europe. 많은 제도가 유럽에서 이식되었다.
— *vi.* **1** 〈식물이〉 이식할 수 있다, 이식에 견디다: (~+부) These plants ~ *easily.* 이 묘목들은 쉽게 이식된다. **2** 《폐어》 〈사람이〉 이주하다(emigrate)
— [∠-] *n.* **1** UC 이식; 이주; 〖외과〗 이식(수술): a heart ~ 심장 이식 **2** 〖의학〗 이식물[기관, 조직]; 이주자 **3** 현지 법인, 현지 공장; 현지 생산품
~·a·ble *a.* 이식할 수 있는 **~·er** *n.* 이식자; 이식기
▷ transplantátion *n.*

trans·plant·a·bil·i·ty [trӕnsplæ̀ntəbíləti, -plɑ̀:nt- | -plɑ̀:nt-] *n.* 〖의학〗 (조직의) 이식 가능성

trans·plant·ate [trӕnsplǽnteit, -plɑ́:nt- | -plɑ́:nt-] *n.* 〖외과〗 이식 기관[조직], (특히 사람에게서 사람으로) 이식된 기관[조직]

trans·plan·ta·tion [trӕ̀nsplæntéiʃən, -plɑ:n- | -plɑ:n-] *n.* UC **1** 이식(移植)(한 것); 〖외과〗 이식(수술) **2** 이주(移住), 이민

Trans·po [trǽnspòu] [*trans*portation+ex*po*sition] *n.* 국제 교통 박람회

trans·po·lar [trӕnspóulər] *a.* 남극[북극]을 넘어가는, 극지 횡단의

tran·spon·der [trӕnspɑ́ndər | -spɔ́n-] *n.* 트랜스폰더, 자동 무선 (레이더)

trans·pon·tine [trӕnspɑ́ntin, -tain | trӕnzpɔ́ntain] *a.* (London에서) Thames 강 남쪽의; 〈연극이〉 저속한 《이전에 이 구역에서 유행》

‡**trans·port** [trӕnspɔ́:rt] *vt.* **1** 수송[운송]하다: (~+목+전+명) ~ a machine *by* ship 선편으로 기계를 수송하다 / The products were *~ed from* the factory *to* the station. 제품은 공장에서 역까지 운반되었다. **2** [보통 수동형으로] 황홀하게 하다; 어쩔 줄 모르게 하다 《*with*》: *be ~ed with* joy 기뻐서 어쩔 줄 모르게 되다 **3** 〖역사〗 〈죄인을〉 추방하다, 유배하다 《*to*》 **4** 《폐어》 …을 죽이다
— [∠-] *n.* **1** U 수송, 운송; C 《영》 수송 기관(《미》 transportation): the ~ of mail by air 우편물의 항공 수송 **2** 군용 수송선[기]; 여객기, 화물 수송기 **3** 〖역사〗 유형수; 추방자 **4** [a ~; 또는 *pl.*] 황홀: in *~s*[*a* ~] of joy 기뻐서 어쩔 줄 몰라 / in *a* ~ of rage 노발 대발하여 **5** 〖녹음〗 테이프 구동(驅動) 기구(=tape ~) ▷ transportátion *n.*

trans·port·a·ble [trӕnspɔ́:rtəbl] *a.* **1** 수송[운송]할 수 있는 **2** 유형(流刑)에 처하여야 할
trans·pòrt·a·bíl·i·ty *n.*

‡**trans·por·ta·tion** [trӕ̀nspərtéiʃən | -pɔ:t-] *n.* U **1** 수송, 운송; 《미》 수송 기관(《영》 transport): means of ~ 교통[수송] 기관 / ~ by air 공수(空輸) / the railroad ~ 철도 수송 / *T~* will be supplied by the company. 회사가 차를 준비하기로 되어 있다. **2** UC 〖역사〗 추방형, 유형(流刑): ~ for life 종신 유형 **3** 《미》 운송료, 운임(fare) **4** 《미》 수송[여행] 허가서, 차표

transport café [∠-∠-] 《영》 (장거리 트럭 운전사 상대의) 간이 식당(《미》 truck stop)

trans·port·er [trӕnspɔ́:rtər, ∠-∠- | -∠-] *n.* 수송[운송]자; 운반 장치; (자동차 운송용) 대형 트럭; 운반 크레인(=~ **cràne**)

transport *v.* **1** 운반하다 convey, transfer, move, shift, fetch, carry, bear, haul, cart, ship **2** 추방하다 banish, exile, deport, drive away, expatriate

transpórter brìdge 운반교 《고가 이동 도르래에 매어단 대(臺)에 사람·차를 나르는 다리》

Tránsport Hóuse 《영》 노동당 본부 건물

tránsport shìp (주로 병사를 나르는) 수송선

trans·pós·a·ble élement [trӕnspóuzəbl-] 〖생화학〗 전이 인자

trans·pos·al [trӕnspóuzəl] *n.* = TRANSPOSITION 1

trans·pose [trӕnspóuz] *vt.* **1** 〈위치·순서를〉 바꾸어 놓다[넣다](interchange) **2** 〖대수〗 〈항을〉 이항(移項)하다; 〖수학〗 〈행렬의〉 행과 열을 바꿔 넣다, 전치(轉置)하다 **3** 〖문법〗 〈문자·낱말의〉 자리를 바꾸어 놓다; 바꾸어 말하다, 고쳐 표현하다 《*into*》 **4** 〖음악〗 이조(移調)하다 **5** 〖통신〗 〈전신·전화선의 회로를〉 교차시키다 **6** 수송하다, 옮기다, 운반하다 《*to, into*》 — *vi.* **1** 〖음악〗 이조(移調)하다 **2** 〈글 가운데의 어구가〉 바꾸어 놓일[넣을] 수 있다 — *n.* 〖수학〗 전치(轉置) 행렬

trans·pós·ing ìnstrument [trӕnspóuziŋ-] 이조(移調)악기 《원보(原譜)를 이조할 수 있는 장치가 있는 악기》

trans·po·si·tion [trӕ̀nspəzíʃən] *n.* UC **1** 바꾸어 놓음, 전위(轉位) **2** 〖수학〗 이항(移項) **3** 〖음악〗 조옮김 **4** 〖병리〗 전위(轉位) **5** 〖문법〗 전환법, 전치법; 전환문 **6** 〖통신〗 교차(交差) **7** 〖전기〗 (코일의) 전치 **8** 〖사진〗 반전

transposítion cìpher 〖군사〗 전자(轉字)[전치식(轉置式)] 암호(법) 《본래의 문장을 계통적으로 다른 순서로 바꾼 암호문[법]》

trans·po·son [trӕnspóuzɑn | -zɔn] *n.* 〖유전〗 트랜스포손 《하나의 replicon에서 다른 replicon으로 전이될 수 있는 유전자군(群)》

trans·put·er [trӕnspjú:tər] *n.* 〖컴퓨터〗 트랜스퓨터 《고속 RAM을 갖춘 고성능 마이크로프로세서》

trans·ra·cial [trӕnsréiʃəl] *a.* 인종을 초월한, 이(異)인종간의

trans·sex·u·al [trӕnssékʃuəl | -sjuəl] *n.* **1** 성도착자 **2** 성전환자 — *a.* **1** 성도착(자)의; 성전환(자)의: a ~ operation 성전환 수술 **2** 이성(異性)간의
~·ism *n.* 성전환; 이성화 원망(願望) **-sèx·u·ál·i·ty** *n.*

trans·shape [trӕnsʃéip] *vt.* 변형하다

trans·ship [trӕnsʃíp] *v.* (**~ped**; **~·ping**) *vt.* 〈승객·화물을〉 다른 배[트럭, 열차]로 옮기다, 옮겨 싣다
— *vi.* 〈승객이〉 (다른 배·탈것에) 갈아타다 **~·ment** *n.*

Trans-Si·bé·ri·an Ráilroad [trӕ̀nssaibíəriən-] [the ~] 시베리아 횡단 철도 《길이 약 6,440 km》

trans·son·ic [trӕnssɑ́nik | -sɔ́n-] *a.* = TRANSONIC

tran·stage [trӕnstéidʒ] *n.* 로켓의 제3단[최종단]

trans·tho·rac·ic [trӕ̀nsθɔ:rǽsik] *a.* 〖의학〗 흉강(胸腔)을 통한, 경(經)흉강적인 **-i·cal·ly** *ad.*

tran·sub·stan·tial [trӕ̀nsəbstǽnʃəl] *a.* **1** 변질된; 변질시키는 **2** 초[비]물질적인 **~·ly** *a.*

tran·sub·stan·ti·ate [trӕ̀nsəbstǽnʃièit] *vt.* **1** 변질시키다(transmute) 《*to, into*》 **2** 〖신학〗 …을 실체(實體) 변화시키다, 성변화(聖變化)시키다 《성찬의 빵과 포도주를 그리스도의 살과 피로 변화시키다》

tran·sub·stan·ti·a·tion [trӕ̀nsəbstæ̀nʃiéiʃən] *n.* U 변질; 〖신학〗 전(全)실체 변화, 성변화(聖變化)

tran·su·date [trǽnsudèit | -sju-] *n.* 삼출물(滲出物)[액(液)]

tran·su·da·tion [trӕ̀nsudéiʃən | -sju-] *n.* UC 배어[스며] 나옴[나오는 것]; C 삼출물(滲出物)[액]

tran·sude [trӕnsú:d | -sjú:d] *vi.* 배어 나오다, 스며나오다 **tran·sú·da·tò·ry** *a.*

trans·u·ran·ic [trӕ̀nsjuərǽnik], **-u·ra·ni·um** [-juəréiniəm] *a.* 〖물리·화학〗 초(超)우라늄의

transuránic[**transuránium**] **élement** 〖물리·화학〗 초우라늄 원소

Trans·vaal [trӕnsvɑ́:l, trӕnz- | trǽnzvɑ:l] *n.* [the ~] 트란스발 《남아프리카 공화국 북동부의 주; 세계 제1의 금 산지》

trans·val·ue [trænsvǽljuː] *vt.* 다른 가치 기준으로 평가하다, 재평가하다 **tràns·val·u·á·tion** *n.*

trans·ve·nous [trænsvíːnəs, trænz-] *a.* 〖의학〗 〈심장의 박동 조절이〉 경정맥법(經靜脈法)의

trans·ver·sal [trænsvə́ːrsəl, trænz- | trænz-] *a.* 횡단하는; 횡단선의 **—** *n.* 〖기하〗 횡단선 **~·ly** *ad.*

*__trans·verse__ [trænsvə́ːrs, trænz-, ⌐– | trænzvə́ːrs] *a.* **1** 가로의; 가로지르는, 횡단의: a ~ artery 〖해부〗 횡행 동맥(橫行動脈) **2** 〈플루트가〉 가로로 불게 된 **3** 〖기하〗 가로축[교축]의

— *n.* **1** 횡단물, 가로 빔 **2** 〖해부〗 횡근(橫筋) **3** 〖기하〗 가로축 **4** (공원 등의) 횡단 도로 **~·ly** *ad.*

transvérse vibrátions 〖물리〗 횡(橫) 진동

tránsverse séction = CROSS SECTION

tránsverse wáve 〖물리〗 횡파(橫波), 고저파

trans·ves·tism [trænsvéstizm, trænz- | trænz-] *n.* Ⓤ 〖심리〗 복장 도착(倒錯) 《이성의 옷을 입기 좋아하는 변태적 경향》

trans·ves·tite [trænsvéstait, trænz- | trænz-], **-tist** [-tist] *n.* (특히 남자) 복장 도착자

trans·ves·ti·tism [trænsvéstətìzm, trænz- | trænz-] *n.* = TRANSVESTISM

Tràns Wórld Áirlines 트랜스 월드 항공 《미국의 민영 항공 회사; 略 TWA》

tran·yl·cy·pro·mine [trǽnəlsáiprəmìːn, -min] *n.* 〖약학〗 트라닐시프로민 《항울제(抗鬱劑)》

‡**trap**[1] [trǽp] *n.* **1** 덫, 올가미, 함정, 허방다리: a mouse ~ 쥐덫 **2** 속임수, 음모, 술책, 계략 **3** (trapball에서) 공을 날려 올리는 나무 기구; 〖사격〗 표적 사출기 《clay pigeon 사출 장치》 **4** = TRAPDOOR; 개머리판의 구멍 《총의 부속품을 넣는》 **5** 트랩, (U자형) 방취판(防臭瓣) **6** (영) 2륜 경마차 **7** 속도 위반차 적발 장치 **8** 〖골프〗 벙커; 〖미식축구〗 트랩 플레이(mousetrap) **9** (그레이하운드 경주에서) 출발 전에 가둬 두는 우리 **10** (옷감 등의) 잘못 짜인 흠 **11** [보통 *pl.*] 《호주·속어》 경관; 탐정 **12** (미·속어) 금제품[밀수품] 은닉처 《배·차 안의》 **13** (속어) 입(mouth): Keep your ~ shut = Shut your ~. 입 다물어라. **14** [*pl.*] 〖재즈〗 타악기류 **15** 〖컴퓨터〗 트랩, 사다리 《연산시의 overflow나 특권 명령의 월권 사용 등의 때에 생기는 interruption》

be up to* ~** (영·속어) 〈사람·동물이〉 여간 아니다, 교활하다 ***fall [***walk***] ***into a* ~ = *be caught in a* ~** 함정[술책]에 빠지다 ***lay*** [***set***] ***a* ~ *for*** …을 빠뜨릴 함정을 마련하다, …에 덫을 놓다 ***understand*** [***know***] **~** (영·속어) 〈사람·동물이〉 빈틈없다

— *v.* (**~ped**; **~·ping**) *vt.* **1 a** 덫으로 잡다(⇨ catch [유의어]) **b** 덫을 놓다: ~ the wood 숲에 덫을 놓다 **c** 함정에 빠뜨리다, 골탕먹이다; 좁은 장소에 가두다: get ~*ped* in a traffic jam 교통 체증으로 움직일 수 없게 되다 **2** 속이다, 속여서 …시키다 **3** (사출기 등에서) 내쏘다 **4** 방취(防臭) 장치를 하다, 〈기체·냄새를〉 트랩으로 막다; 〈흐름을〉 막다 **5** 〖연극〗 〈무대에〉 뚜껑문을 마련하다 **6** 〖야구〗 〈주자를〉 견제구로 잡다

— *vi.* **1** 덫을 놓다; (미) 덫 사냥을 업으로 하다: He was busy ~*ping*. 그는 덫을 놓느라 분주했다. **2** 사출기를 쓰다[다루다] **3** 〈증기 등이〉 관 속에서 막히다 **4** 〖사격〗 표적 사출기를 조작하다 ▷ entráp *v.*

trap[2] *n.* [*pl.*] (구어) 휴대품, 짐보따리; 세간

— *vt.* (**~ped**; **~·ping**) 장식용 마구(馬具)를 달다; 성장(盛裝)시키다

trap[3] *n.* Ⓤ 〖지질〗 트랩 《어두운 빛깔의 화성암》; 석유·천연 가스가 모여 있는 지질 구조

trap[4] *n.* [*pl.*] (스코) 발판, (다락방으로 올라가는) 사닥다리

trap·ball [trǽpbɔ̀ːl] *n.* Ⓤ 공놀이의 일종

tráp càr (적화량이 적은) 경(輕) 화차

trap-cel·lar [-sèlər] *n.* (영) 무대 마루 밑 지하실

trap·door [-dɔ́ːr] *n.* **1** (마루·지붕·천장·무대의) 뚜껑문, 함정문, 들창 **2** 〖광산〗 통풍구(weather door)

tráp-door spíder [-dɔ̀ːr-] 〖곤충〗 문짝거미

trapes [tréips] *n.*, *vi.*, *vt.* = TRAIPSE

tra·peze [træpíːz, trə- | trə-] *n.* **1** 공중그네 《체조·곡예용》: a ~ artist (서커스의) 그네 타는 곡예사 **2** = TRAPEZIUM

trapéze drèss 트러피즈 드레스 《드레스의 일종》

tra·pe·zi·form [trəpíːzəfɔ̀ːrm] *a.* 부등변 4각형의; 사다리꼴의

tra·pez·ist [træpíːzist, trə- | trə-] *n.* 공중그네 곡예사(trapeze artist)

tra·pe·zi·um [trəpíːziəm] *n.* (*pl.* **~s, -zi·a** [-ziə]) 〖기하〗 (미) 부등변(不等邊) 4각형; (영) 사다리꼴

tra·pe·zi·us [trəpíːziəs] *n.* (*pl.* **~·es**) 〖해부〗 승모근(僧帽筋)

trap·e·zoid [trǽpəzɔ̀id] 〖기하〗 *n.*, *a.* (영) 부등변 4각형(의); (미) 사다리꼴(의)

trap·nest [trǽpnèst] 〖양계〗 *n.* 트랩네스트 《입구에 경첩이 있어 산란수를 측정할 수 있게 만든 닭장》

— *vt.* (개개의 닭의) 산란수를 트랩네스트로 측정하다

*__trap·per__ [trǽpər] *n.* **1** (특히 모피를 얻으려는) 덫 사냥꾼; 덫을 놓는 사람 **2** 〖광산〗 통풍구 개폐 담당자

trap·pings [trǽpiŋz] *n. pl.* 마구(馬具) 《특히 장식적인》; 부속물, 장식, 액세서리; (권력·지위를 나타내는) 장신구, 예복, 식복

Trap·pist [trǽpist] 〖가톨릭〗 *n.* 트라피스트 수도사; [the ~s] 트라피스트(수도)회 《프랑스 La Trappe에 1664년 창립》 **—** *a.* 트라피스트 수도회의

Trap·pist·ine [trǽpistìːn, -tàin] *n.* 〖가톨릭〗 트라피스트 수녀회의 수녀

trap·py [trǽpi] *a.* (**-pi·er**; **-pi·est**) 함정이 있는; 방심할 수 없는(tricky); 곤란한, 성가신

trap·rock [trǽpràk | -rɔ̀k] *n.* = TRAP[3]

trapse [tréips] *n.*, *vi.*, *vt.* = TRAIPSE

trap·shoot·er [trǽpʃùːtər] *n.* 트랩 사격자

trap·shoot·ing [-ʃùːtiŋ] *n.* Ⓤ 트랩 사격

tra·pun·to [trəpúntou] *n.* (*pl.* **~s**) 〖재봉〗 트라푼토 《2매 이상의 천을 써서 디자인한 윤곽을 running stitch로 박아 돋아나게 한 퀼팅》

*__trash__ [trǽʃ] *n.* Ⓤ **1** (미) 폐물, 쓰레기(rubbish); 무가치한 물건 **2** 허튼소리, 시시한 이야기 **3** [집합적; 복수 취급] (미) 부랑자, 건달: the white ~ 미국 남부의 가난한 백인들; 백인 전체 **4** 시시한 작품 **5** 나부랑이, 부스러기; 잘라낸 가지, 사탕수수의 찌끼[마른 가지] **6** (미·속어) (반항의 표시로) 닥치는 대로 파괴함

***talk* ~** (미·구어) (특히 스포츠에서 상대(팀)에게) 모욕적[도발적]인 말을 하다

— *vt.* **1** (미·속어) (노여움·항의·반항의 표시로서) 닥치는 대로 부수다 **2** 쓰레기 취급하다 **3** (사탕수수의) 겉잎을 떼내다 **4** (나무에서) 쓸데없는 잎[가지]을 제거하다 **5** (미·속어) 바보 취급하다; 조롱하다, 얕잡아 말하다; 중상하다; 마구 때리다; 상처를 입히다; 죽이다 **6** 〖컴퓨터〗 〈기억 내용을〉 지우다, 파괴하다 **7** (미·속어) 폐기하다, 버리다

— *vi.* **1** 닥치는 대로 부수다 **2** 비난하다, 헐뜯다 **3** 폐품[버린 물건] 중에서 쓸만한 것[가구 등]을 주워오다

trásh càn (미) (옥외용) 쓰레기통((영) dustbin)

trash·er [trǽʃər] *n.* (구어) (노여움·항의·반항의 표시로서) 닥치는 대로 파괴 행위를 하는 사람

trásh fish 잡어(rough fish); 기름을 짜거나 사료로나 쓸 바닷물고기

trash·for·ma·tion [træ̀ʃfɔːrméiʃən] *n.* 버려진 쓸모없는 잡동사니로 유용한 예술 작품을 만들어내기

trásh ìce 얼음물

trash·man [trǽʃmæ̀n, -mən] *n.* (*pl.* **-men** [-mèn, -mən]) (미) (트럭을 사용하는) 폐품 수집인 ((영) dustman)

trásh spòrts (미) (TV 방영되는) 유명인[연예인] 스포츠 대회

thesaurus **trap**[1] *n.* **1** 덫, 함정 snare, net, mesh, ambush, pitfall, lure, bait **2** 술책 stratagem, play, artifice, trick, device, deception

trásh tàlk (상대의 기를 죽이기 위한) 비웃는 말, 험담, 독설 **trásh tàlker** *n.*

trásh tàlking 《미》 (스포츠에서 상대(팀)에 대한) 모욕적인 말(하기), 더러운 욕설(하기)

trash·y [trǽʃi] *a.* (**trash·i·er**; **-i·est**) 폐물의, 쓰레기의; 쓸모없는, 시시한; 《미·속어》 난잡한, 더덕더덕한, 장황한 **trásh·i·ness** *n.*

trass [trǽs] *n.* Ⓤ 트래스 《화산암의 부스러기; 수경(水硬) 시멘트의 재료》

trat·to·ri·a [trɑ̀ːtəríːə | trӕtə-] [It.] *n.* (*pl.* **~s** [-z], **-ri·e** [-ríːei]) (싸고 대중적인) 이탈리아 레스토랑[경식당]

trau·ma [tráumə, trɔ́ː- | trɔ́ː-, tráu-] *n.* (*pl.* **~s, ~·ta** [-tə]) 〖병리〗 외상(外傷); 외상성 장애(traumatism); 〖정신의학〗 정신적 외상[충격]; (정신적 외상[충격]이 원인이 되는) 쇼크성 장애

trau·mat·ic [trəmǽtik, trɔː-, trau- | trɔː-, trau-] *a.* 외상성의; 외상 치료의; 〈경험 등이〉 잊을 수 없을 만큼 정신적 충격이 큰; 《구어》 불쾌한: (a) ~ neurosis 외상성 신경증 **-i·cal·ly** *ad.*

trau·ma·tism [tráumətìzm, trɔ́ː- | trɔ́ː-, tráu-] *n.* Ⓤ 〖병리〗 외상; 외상성 상해; 외상성 정신 장애

trau·ma·tize [tráumətàiz, trɔ́ː- | trɔ́ː-, tráu-] *vt.* 〖병리〗 〈신체 조직에〉 외상을 입히다, 상처를 입히다; 〖정신의학〗 〈마음에〉 충격을 주다, …에게 (영속적인 영향을 남기는) 정신적 충격[쇼크]을 주다

trau·ma·tol·o·gy [tràumətɑ́lədʒi, trɔ̀ː- | trɔ̀ː-mətɔ́l-, tràu-] *n.* Ⓤ 외상학(外傷學)

trav. travel(s); traveler

tra·vail** [trəvéil, trǽveil | trǽveil] *n.* Ⓤ **1** 산고, 진통; 고통, 고뇌 **2** [종종 *pl.*] 노고, 수고 ***in **~** 산기(産氣)가 있어, 진통 중에
—*vi.* **1** 진통하다, 산고를 겪다 **2** 수고하다

‡**trav·el** [trǽvəl] [MF 「애써서 가다」의 뜻에서] *v.* (**~ed**; **~·ing** | **~led**; **~·ling**) *vi.* **1** (먼 곳 또는 외국에) 여행하다: (~+副) ~ *abroad* 해외 여행을 하다 // (~+前+名) He is *~ing in* Africa. 그는 아프리카를 여행 중이다. / She has *~ed* all *over* Europe. 그녀는 유럽을 두루 여행했다. **2** 움직여 가다, 이동하다; 〈기계 등이〉 왕복 운동을 하다; 달리다, 걷다: (~+前+名) Trains ~ *along* rails. 열차는 레일 위를 달린다. / The earth *~s round* the sun. 지구는 태양의 둘레를 돈다. / The guard *~ed from* one place *to* another at regular intervals. 보초는 일정한 간격으로 한 위치에서 다른 위치로 오락가락했다. **3** (…에서 …로) 가다 《*from*; *to*》, 이동하다, (탈것으로) 가다 《*by*》; 〈동물이〉 풀을 뜯으며 이동하다: (~+前+名) ~ *from* Seoul *to* Tokyo 서울에서 도쿄까지 가다 / ~ to work *by* train 기차로 통근하다 **4** 순회 판매하다, 외판하다, 주문받으러 나가다 《*for*》: (~+前+名) This salesman *~s for* a New York motor dealer. 이 사람은 뉴욕의 한 자동차 판매업자의 외판원으로 있다. / She *~s in* toiletries. 그녀는 화장품을 외판하고 있다. **5** 《구어》 (…와) 사귀다, (…에) 끼다, 가담하다 《*with, in*》: (~+前+名) She *~s in*[*with*] wealthy crowd. 그녀는 부자들과 사귀고 있다. **6** 〈빛·소리 등이〉 전도되다, 나아가다: (~+副) Light *~s* much faster than sound. 빛은 소리보다 훨씬 빨리 전도된다. / The news *~ed* more quickly than we thought. 그 소식은 우리가 생각한 것보다 빨리 전해졌다. // (~+前+名) Television waves ~ only *in* straight lines. 텔레비전의 전파는 직선으로만 나아간다. **7** 〈눈길이〉 차례로 옮아가다; 차례차례 생각나다 《*over*》: (~+前+名) The old man's eyes *~ed over* the plain. 노인의 눈은 벌판을 죽 바라다 보았다. / His mind *~ed over* the happy events in his boyhood. 그의 마음에는 소년시절의 즐거웠던 일들이 이것저것 떠올랐다. **8** 〖농구〗 워킹하다(walk) **9** 《구어》 [부사를 동반하여] 〈술 등이〉 (장거리 수송에도) 품질이 유지되다: (~+副) a whiskey that does not ~ *well* 장거리 운송하기가 힘든 위스키 **10** 〈사슴 등이〉 풀을 뜯어 먹으며 나아가다
—*vt.* **1** 〈지방·국가 등을〉 여행하다, 여행하여 지나가다, 통과하다; 〈일정 거리를〉 나아가다, 가다 **2** 《구어》 〈가축의 떼를〉 몰다, 이동시키다; 〈목재 등을〉 나르다; 〈복장·책 등을〉 지니고 다니다[걷다]: ~ logs downriver 목재를 하류로 띄워서 나르다 **3** 〈구역을〉 외판하면서 돌다
Keep ~ing! 《미·속어》 빨리빨리 가거라!, 달려라! **~ *along*** 《속어》 걷다; 빨리 걷다 **~ *it*** (도보) 여행하다 **~ *light*** 짐을 줄이고 홀가분하게 여행하다 **~ *on steel runners*** 썰매[스케이트 《등》]로 여행하다 **~ *out of the record*** ⇨ record[2]
—*n.* Ⓤ **1** 여행(하기); [*pl.*] 《특히》 (장기간의) 원거리 여행, 외국 여행, 만유(漫遊)

> 유의어 **travel** 여행의 뜻으로, 가장 널리 쓰이는 말로서 특히 먼 나라 또는 장기간에 걸친 여행: foreign *travel* 외국 여행 **trip** 보통 용무나 놀이로 떠나고 또한 돌아오는 여행: a four-day three-night *trip* 3박 4일의 여행 **journey** 보통 꽤 긴, 때로는 힘이 드는 여행으로서 반드시 돌아오는 것을 뜻하지는 않는다: make[take] a car *journey* 자동차 여행을 하다 **voyage** 해상에서의 비교적 긴 여행: a round-the-world *voyage* 세계 일주 항해 **tour** 관광·시찰 등을 위한 계획에 의거하여 각지를 방문하는 주유 여행: a sightseeing *tour* 관광 여행 **excursion** 레크리에이션 등을 위해 많은 사람이 함께 하는 짧은 여행: a ski *excursion* 스키 여행

2 [보통 *pl.*] 여행기[담], 기행(문) **3** 《미》 (사람·마차의) 왕래, 교통(량); 여행자 수 **4** 진행, 운동, 이동 《별·빛·소리 등의》; 운동력; 운동 속도; 〖기계〗 왕복 운동 [거리] ***~s in the blue*** 방심(放心), 명상, 백일몽
—*a.* Ⓐ 여행용의: a ~ alarm clock 여행용 알람시계 **~·a·ble** *a.* 〈길 따위가〉 통행 가능한

trável advìsory 《미》 정부가 발행하는 해외 여행자에 대한 경고

trável àgency 여행사

trável àgent 여행사 직원, 여행 안내업자

trav·el·a·tor | trav·el·la·tor [trǽvəlèitər] *n.* 움직이는 보도(步道) 《평면적으로 움직이는 에스컬레이터》

trável bùreau = TRAVEL AGENCY

‡**trav·eled | trav·elled** [trǽvəld] *a.* **1** 널리 여행한; 견문이 많은 **2** 여행자가 많은; 여행자가 자주 지나가는 **3** 〖지질〗 〈돌 등이〉 이동하는; 표적(漂積)한

‡**trav·el·er | trav·el·ler** [trǽvələr] *n.* **1** 여행자, 나그네; 여행가 **2** 《영》 순회 판매인, 외판원(=commercial ~) **3** 〖기계〗 이동 기중기 **4** …하게 진행하는 것[말, 차 《등》]: This horse is a fast ~. 이 말은 빠른 말이다. **5** 〖방직〗 링 정방기(精紡機)에서 실을 꼬이게 하는 장치 **6** 〖항해〗 돛대·밧줄에 자유롭게 움직이도록 끼워놓은 고리; 그 고리가 달린 밧줄 **7** 〖연극〗 옆으로 여는 막(=**~ cùrtain**) **8** [종종 **T~**] 《영》 유랑민 **9** 《미》 옷가방, 트렁크, 여행 가방 **10** 《호주》 철새 노동자, 방랑자 ***play the ~ upon*** a person = 《속어》 ***tip*** a person ***the ~*** …을 속이다; …에게 허풍을 떨다 ***~'s tales*** 거짓말 같은 이야기, 허풍

Trávelers Áid 《미》 여행자 원조 협회 《공항이나 버스 터미널에서 여행자의 편의를 제공하는 사회 사업 단체》

tráveler's chèck 여행자 수표

trav·e·ler's-joy [trǽvələrzdʒɔ̀i] *n.* 〖식물〗 참으아리속(屬)의 식물

‡**trav·el·ing | trav·el·ling** [trǽvəliŋ] *a.* **1** 여행용의, 여행의; 여행하는, 순회하는: ~ expenses 여비 **2** 〈기계 등이〉 이동하는, 가동의, 움직이는
—*n.* Ⓤ 여행(하기); 순회 흥행; 이동

tráveling càse 여행용 슈트케이스

---

trash *n.* rubbish, waste, refuse, litter, garbage
traveler *n.* tourist, vacationer, excursionist, explorer, passenger, voyager, sightseer

tráveling cràne 주행(走行) 크레인
tráveling fèllowship (해외) 여행 장학금
tráveling líbrary 이동[순회] 도서관(《미》 bookmobile)
tráveling sálesman 《미》 순회[출장] 판매원, 외판원(《영》 commercial traveller)
tráveling wáve 〖물리〗 진행파
tráv·el·ing-wáve tùbe [-wéiv-] 〖전자〗 진행파관(管)
trav·e·log(ue) [trǽvəlɔ̀:g, -lɑ̀g | -lɔ̀g] [*travel*+*-logue*] *n.* **1** (슬라이드·전시품 등을 사용하여 하는) 여행담 **2** 기행(紀行)[관광] 영화
trável shòt 〖영화·TV〗 이동 촬영
trav·el-sick [-sìk] *a.* 뱃[차]멀미하는[의]
trável sìckness 뱃[차]멀미
trav·el-soiled [-sɔ̀ild] *a.* 여행으로 꾀죄죄한(travel-stained)
trav·el-stained [-stèind] *a.* 여행으로 더러워진
trável stèamer 여행자용 증기 다리미
trável tràiler 여행용 이동 주택
trav·el-worn [-wɔ̀:rn] *a.* 여행으로 여윈[지친]
tra·vers·a·ble [trəvə́:rsəbl, trǽvərs-] *a.* 횡단할[넘을] 수 있는, 통과할 수 있는; 〖법〗 부인하기에 적합한
‡**trav·erse** [trǽvə:rs, trəvə́:rs] *vt.* **1** 가로지르다, 가로지르고 있다; 가로질러 가다, 건너다; (마음 속에) 오락가락하다, 왔다갔다 하다: A covered bridge ~*s* the stream. 지붕 있는 다리가 그 개울에 놓여 있다. / He ~*d* alone the whole continent of Africa. 그는 혼자서 아프리카 대륙을 횡단 여행했다. **2** 〖등산〗 〈절벽 등을〉 Z자형으로 올라가다[내려가다]; 〖스키〗 〈산·경사면을〉 지그재그로 활강하여 내려가다 **3** 〈어떤 곳을〉 이리저리 움직이다 **4** 〈문제 등을〉 자세히 고찰하다[논하다] **5** 방해하다, 반대하다; 〈의견 등에〉 반박하다, 이의를 제기하다 **6** 〖법〗 부인[항변]하다 **7** 〖포술〗 〈포구(砲口)를〉 선회하다; 〖기계〗 〈선반 등을〉 선회하다; 수평으로 방향을 바꾸다 **8** 《드물게》 (물건으로) 가로막다 《*with*》; (무기 등으로) 관통하다, 꿰뚫다 《*with*》 **9** 〖측량〗 〈토지를〉 트래버스법으로 재다 ~ ***an office*** 직권을 거부하다, 심문을 부당하다고 하다
— *vi.* **1** 가로지르다, 가로질러 가다[오다]; 〖마장마술〗 〈말이〉 옆으로 걷다 **2** (스키로) Z자 형으로 활강하다 **3** 〈자침(磁針) 등이〉 옆으로 회전하다 **4** 〖측량〗 트래버스법으로 재다 **5** 〖펜싱〗 좌우로 움직이다 **6** 〖등산〗 Z자형으로 올라가다[내려가다]
— *n.* **1** 횡단 (여행), 가로지름: The ~ across the snow was difficult. 쌓인 눈을 가로질러 가는 것은 힘들었다. **2** 장애, 방해 **3** 횡단선; 횡단 도로; 횡단점[장소], 건널목 **4** 〖건축〗 (교회·대건축물의) 횡단 복도 **5** (방을 가르는) 커튼; 가로장, 횡목(橫木); 가로빔 **6** 〖항해〗 (맞바람을 안고서의) Z자[지그재그] 항로 **7** 〖축성〗 횡장(橫墻), 방호물 **8** 〖포술〗 (포구의) 선회(범위) **9** 〖기계〗 옆으로의 이동 **10** 〖측량〗 트래버스 측량; 다각선(多角線), 절단선 **11** 〖법〗 (상대방 주장의) 거부, 부인, 항변 **12** 〖등산〗 (절벽을) Z자형으로 기어오름; 지그재그 길; 〖스키〗 급사면의 지그재그 활강 **13** (말의) 옆으로 걷는 걸음 **14** 〖펜싱〗 트래버스 《상대의 칼자루에까지 칼을 밀어넣음》
— *a.* 가로지르는, 가로 놓인, 횡단하는
tra·vers·er [trəvə́:rsər, trǽvə:rs-] *n.* **1** 횡단하는 사람[것] **2** 컨베이어형의 운반기 **3** 〖철도〗 천차대(遷車臺)
tráverse ròd[**tràck**] (개폐용 도르래가 달린) 금속제 커튼 레일
tráverse tàble 〖항해〗 방위표, 경위표(經緯表); = TRAVERSER 3
tráv·ers·ing brìdge [trǽvə:rsiŋ-] (교체(橋體)가 수평으로 움직여 항로를 여는) 가동교(可動橋)
trav·er·tine [trǽvərtì:n, -tin] *n.* Ⓤ 온천의 침전물
trav·es·ty [trǽvəsti] [F 「변장하다」의 뜻에서] *vt.* (**-tied**) **1** 〈진지한 작품을〉 우스꽝스럽게 만들다, 희화화(戲畵化)하다 **2** 〈말·버릇을〉 서툴게 흉내내다[연기하다] **3** 변장[위장]시키다(disguise)
— *n.* (*pl.* **-ties**) 우스꽝스럽게 만듦, 희화화; 풍자[조롱]조로 만든 개작(改作)(parody); (일반적인) 모방작, 서툰 흉내; (이성(異性) 차림의) 변장
tra·vois [trəvɔ́i] [F] *n.* (*pl.* ~ [-z], ~**·es** [-ziz]) (북미 평원 지방 인디언의) 두 개의 장대를 틀에 붙들어 매어 개·말이 끌게 하는 운반 용구
trav·o·la·tor [trǽvəlèitər] *n.* 《영》 트래벌레이터(《미》 moving sidewalk) 《쇼핑센터·공항 등의 움직이는 보도(步道)》
trawl [trɔ́:l] [Middle Dutch 「끌다」의 뜻에서] *n.* **1** = TRAWLNET **2** 《미》 트롤 낚싯줄 **3** (인재를 채용할 목적으로) 사람을 많이 불러 모으는 것
— *vi.*, *vt.* 트롤 그물을 치다, 트롤 어업을 하다; 〈정보·사람 등을〉 널리 모집하다[구하다] 《*for*》
trawl-boat [trɔ́:lbòut] *n.* 트롤선
trawl·er [trɔ́:lər] *n.* 트롤 어부[어선], 저인망 어선
trawl·er·man [trɔ́:lərmæ̀n, -mən] *n.* (*pl.* **-men** [-mən]) 트롤 어업을 하는 사람
tráwl lìne = TRAWL *n.* 2
trawl·net [trɔ́:lnèt] *n.* 트롤망, 저인망
‡**tray** [tréi] [OE 「나무(tree)」의 뜻에서] *n.* **1 a** 쟁반; 쟁반 모양의 접시, 트레이 **b** 요리[물건]를 담은 접시; 접시 한 그릇 분량(trayful) 《*of*》 **2** (트렁크의) 칸막이 상자, 뚜껑 없는 얕은 갑; (책상의) 서류함, (박물 표본용 등의) 정리함 **3** 《영》 (전차 앞에 달린) 장애물 치우개 **4** 《호주》 트럭의 짐칸 ***in***[***out***] ~ 〈서류가〉 미[기]결(의)
tráy àgriculture 〖농업〗 수경법(水耕法)
tray·ful [tréifùl] *n.* 한 쟁반(의 양) 《*of*》
TRC Truth and Reconciliation Commission
treach [trétʃ] *a.* 《속어》 멋있는, 근사한
*__treach·er·ous__ [trétʃərəs] *a.* **1** 배반하는, 반역하는; 〈사람·언동이〉 불성실한, 기대에 어긋나는 **2** 〈기후·기억 등이〉 믿을 수 없는, 의지가 안 되는: ~ ice [branches] 튼튼해 보이면서도 깨지기 쉬운 얼음[꺾어지기 쉬운 가지] **3** 〈발판 등이〉 불안정한, 근들근들한 **4** 위험한 ~**·ly** *ad.* ~**·ness** *n.*
▷ tréachery *n.*
*__treach·er·y__ [trétʃəri] [OF 「속이다」의 뜻에서] *n.* (*pl.* **-er·ies**) Ⓤ 배반, 위약(違約), 변절, 기만; Ⓒ 배반[배신] 행위, 반역(treason); 불안정한 것, 기대할[믿을] 수 없는 것 ▷ tréacherous *a.*
trea·cle [trí:kl] *n.* Ⓤ 《영》 당밀(糖蜜)(《미》 molasses); 《폐어》 해독제; 《비유》 달콤한 태도[말, 발림 등]: ~ sleep 숙면, 깊은 잠
trea·cly [trí:kli] *a.* (**-cli·er**; **-cli·est**) 당밀의, 당밀 같은; 달콤한, 남의 환심을 사려는 〈웃음 등〉
‡**tread** [tréd] [OE 「걷다, 뛰다, 밟다」의 뜻에서] *v.* (**trod** [trɑ́d | trɔ́d], 《고어》 **trode** [tróud]; **trodden** [trɑ́dn | trɔ́dn], **trod**) *vi.* **1** 걷다, 가다 《walk가 일반적》; 진행하다; 《비유》 일을 해 나가다 **2** (잘못하여) 밟다; 《비유》 망치다, 손상시키다 《*on*, *upon*》: ~ a perilous path 《비유》 위험한 길을 걷다 // (~+전+명) Please be careful not to ~ *on* my foot. 내 발을 밟지 않도록 주의해 주시오. **2** 〈수탉이〉 흘레하다(copulate) 《*with*》
— *vt.* **1** 밟다, 걷다, 지나가다: (~+목+전+명) ~ a path *through* the snow 눈을 밟아 길을 내다 **2** 〈과일 등을〉 밟다, 밟아 으깨다; 〈페달 등을〉 밟다: ~ grapes (포도즙을 짜기 위하여) 포도를 밟다 **3** 〈길 등을〉 밟아 다지다 《*out*》; 〖원예〗 〈흙을〉 밟아 다지다 **4** 밟아 뭉개다, 〈적·권리 등을〉 유린하다, 〈감정을〉 억압하다(subdue), 제압하다 《*down*》: (~+목+부) ~ *down*

thesaurus **treacherous** *a.* traitorous, disloyal, faithless, unfaithful, deceitful, false-hearted
tread *v.* **1** 걷다 walk, step, go, pace, march, tramp, hike, stride, trudge, trek, plod **2** 밟다 trample, squash, crush, flatten, press down
treasure *n.* riches, valuables, wealth, fortune,

a person's right …의 권리를 유린하다 **5** 《고어》 춤추다: ~ a measure 춤을 추다 **6** 〈수탉이〉 …와 흘레하다 **7** 《영》 〈진흙 등을〉 발에 묻혀 들이다(《미》 track) ***~ down*** 짓밟다; 〈감정 등을〉 억누르다, 억압하여 복종시키다; 밟아 다지다 ***~ in*** 땅속에 밟아서 (쑤셔) 넣다 ***~ in*** a person***'s foot-steps*** = follow in a person's FOOTSTEPS. ***~ lightly*** 살금살금 걷다; 신중히 하다, 조심하다 ***~ on air*** ⇨ air[1]. ***~ on*** [***upon***] ***eggs*** ⇨ egg[1]. ***~ on*** one***'s own tail*** 남을 해치려다가 도리어 자신이 다치다 ***~ on*** a person***'s toes*** ⇨ toe. ***~ on sure ground*** 자신있게 말하다 ***~ on the gas*** = step on the GAS. ***~ on the heels of*** 〈사람·사건 등이〉 바로 뒤따라 오다 ***~ out*** (1) 불을 밟아 끄다; 진압[박멸]하다 (2) 〈포도즙 등을〉 밟아 짜다; 밟아서 탈곡(脫穀)하다 (3) 〈길을〉 밟아서 만들다 ***~ shoe leather*** = ***~ this earth*** 살아 있다 ***~*** one***'s shoes awry*** 〈여자가〉 정조를 더럽히다, 타락하다 ***~*** one***'s shoes straight*** 주의깊게 처신하다[행동하다] ***~ the boards*** [***stage***] 무대를 밟다[에 서다], 출연하다; 배우이다[가 되다]; 각본을 쓰다 ***~ the deck*** 배에 타고 있다; 선원이 되다, 뱃사람이다 ***~ the ground*** 걷다, 산책하다 ***~ the paths of exile*** 망명하다; 세상을 등지다 ***~ under foot*** 짓밟다; 《비유》 압박하다; 경멸하다 ***~ warily*** 조심스럽게 하다, 신중히 행하다 ***~ water*** ⇨ water

— *n.* **1** 밟음; 발걸음, 걸음걸이; 밟는 소리, 발소리; 길 **2 a** (계단 등의) 발판(tread-board); 페달, 디딤판 《재봉틀·자전거·죽마(竹馬) 등의》; (사닥다리의) 디딤 횡목 **b** 접지면 《수레바퀴·타이어의 지면과의 접촉면》, 접지면에 패인 모양; 접지면에 패인 홈의 깊이 **c** 바닥 《구두·썰매의》 **d** (좌우) 양 바퀴 사이의 거리, 윤거(輪距) **e** 〖철도〗 기차의 레일 면 **3** 〖항해〗 용골(龍骨)의 길이 **4** 계란의 배점(胚点) **~·er** *n.*

tread-board [trédbɔ̀ːrd] *n.* 디딤판 《계단 등의》

trea·dle [trédl] *n., vi., vt.* 페달(을 밟다), 디딤판(을 밟아 움직이다)

tread·mill [trédmìl] *n.* **1** 밟아 돌리는 바퀴 《특히 감옥 안에서 징벌로 밟게 한 것》; 트레드밀 《회전식 벨트 위를 달리는 운동 기구》 **2** 단조롭고 고된 일; (생활·일 등의) 단조로운 반복

treadmill 1

tread·wheel [-*h*wìːl] *n.* 밟아 돌리는 바퀴, 쳇바퀴 《다람쥐가 돌리는 것 같은》

treas., Treas. treasurer; treasury

*__trea·son__ [tríːzn] *n.* Ⓤ **1** (국가·정부에 대한) **반역**(죄): high ~ 대(반)역죄, 국사범(國事犯) / petit [petty] ~ 경(輕)반역죄 **2** 《드물게》 배신, 불신, 불충 ▷ tréasonous *a.*

trea·son·a·ble [tríːzənəbl] *a.* 반역의, 대역(大逆)의, 국사범(國事犯)의; 배신의(traitorous) **-bly** *ad.*

tréason félony 〖영국법〗 국사범, 중죄에 해당하는 반역죄

trea·son·ous [tríːzənəs] *a.* = TREASONABLE

‡**treas·ure** [tréʒər] *n.* **1** [집합적] **보물**, 재보; 금은, 보석, 은그릇, 비장물(秘藏物): national ~ 국보 / a living natural ~ 인간 국보 / cultural ~ 문화재 **2** Ⓤ 부(富), 금전, 재산 **3 보배**, 귀중품 **4** 《구어》 소중한 사람, 가장 사랑하는 사람; 귀여운 너 《어린아이·젊은 여자를 부르는 말》

art ~s 미술의 보배 《명화·명조각》 ***spend*** [***cost***] ***blood and ~*** 생명·재산을 바치다[이 들다]

— *vt.* **1** 비장(秘藏)하다, 소중히 하다; (장래를 위하여) 간수해 두다, 저장하다 《*up*》: She ~*s* everything her mother has given her. 그녀는 어머니에게서 받은 것은 뭐든지 소중히 한다. // (~+목+부) ~ *up* money and jewels 돈과 보석을 모아두다 **2** 〈교훈 등을〉 명심하다 《*up*》: (~+목+부) ~ *up* in one's heart the recollection of old times 지난날의 추억을 마음 속에 소중히 간직하다 **3** 귀중히 여기다, 높이 평가하다 **tréas·ur·a·ble** *a.* ▷ tréasury *n.*

tréasure hòuse **1** 보고(寶庫), 보물 저장[보관]실 (treasury) **2** (지식 등의) 보고, 원천 《*of*》

tréasure hùnt 보물찾기 《놀이》

Tréasure Ísland 보물섬 《R. L. Stevenson의 소설》

*__treas·ur·er__ [tréʒərər] *n.* **1** 회계원, 출납계원 **2** 귀중품 보관자 **3** [**T~**] (호주 각주의) 재무장관

the Lord High T~ 〖영국사〗 재무상 ***the T~ of the Household*** 《영》 왕실 회계국 장관 ***the T~ of the United States*** 미국 재무부 출납국장

~·shìp *n.* Ⓤ treasurer의 직

Tréasure Stàte [the ~] 미국 Montana주의 속칭

treas·ure-trove [tréʒərtròuv] [F = treasure found] *n.* 〖법〗 매장물 《소유자 불명의 발굴물》; 귀중한 발견(물)

‡**treas·ur·y** [tréʒəri] *n.* (*pl.* **-ur·ies**) **1 국고**(國庫); (공공 단체의) 금고 **2** 자금, 기금 **3** [the T~] **a** 《영》 재무부 **b** 《미》 재무부 《정식으로는 the T~ Department 또는 the Department of the T~》 **4 보고**(寶庫), 귀중품 보관실[상자], 보석 상자 **5** (지식 등의) **보고, 보전**(寶典) 《*of*》; 명작집 **6** [**Treasuries**] 《미》 재무부 증권

Tréasury Bènch [the ~] (영국 하원의) 국무위원석 《의장 오른쪽의 제1열》

Tréasury bìll 재무부 증권 《재무부 발행의 단기 채권》

Tréasury Bòard 《영》 국가 재정 위원회 《보통 수상과 재무 장관 및 의원 중에서 임명된 3-5명의 위원(Junior Lords)으로 구성됨; 정식명 the Board of Commissioners of the Treasury》

tréasury bònd 《미》 재무부 발행의 장기 채권, 만기 10년 이상의 국채

tréasury certìficate 《미》 재무부 증권, 재무부 채무 증서

Tréasury Depàrtment [the ~] 《미》 재무부 《the Department of the Treasury》

tréasury lòrd 《영》 국가 재정 위원회 위원

tréasury nòte 《영》 법정 지폐 《1파운드 또는 10실링; 지금은 Bank of England note가 이를 대신함》; 《미》 재무부 중기(中期) 증권

tréasury stòck 《미》 자사주(自社株) 《회사 자체가 보유하는 주권 또는 채권》

tréasury wàrrant 국고 지불[납부] 명령서

‡**treat** [tríːt] *v., n.*

타 「취급하다」	→「간주하다」 **2**	→「논하다」 **4**	
	→「다루다」 **1**	→「치료하다」 **3 a**	
		→(친절히 다루다) →「한턱 내다」 **5**	

— *vt.* **1** 대우하다, 다루다, 취급하다: (~+목+부) ~ a person *kindly* …을 친절하게 대하다 // (~+목+전+명) They ~*ed* him *with* respect. 그들은 그를 존경심을 갖고 대했다. // (~+목+**as** 보) ~ a person *as* a friend …을 친구로 대하다 **2** 간주하다, 여기다: (~+목+부) Let's ~ the matter *lightly.* 그 문제는 간단히 다루기로 합시다. // (~+목+**as** 보) ~ a matter *as* unimportant 어떤 문제를 중요치 않다고 간주하다 **3 a** 치료하다, 처치하다 《*with, for*》: (~+목+전+명) They ~*ed* me *with* a new drug. 나는 신약으로 치료를 받았다. / The doctor ~*ed* him *for* his diabetes. 의사는 그의 당뇨병을 치료했다.

---

hoard, jewels, gems, gold, money, cash

treat *v.* **1** 다루다 deal with, cope with, manage, handle **2** 간주하다 regard, consider, view, look upon **3** 치료하다 medicate, doctor, nurse, care for, cure, heal **4** 논하다 discuss, refer to, review, analyze **5** 교섭하다 negotiate with, talk with

b (화학 약품 등으로) 처리하다 《*with*》: (~+목+전+명) ~ a metal *with* acid 금속을 산(酸)으로 처리하다 **4** 〈문제 등을〉 논(論)하다, 취급하다, 진술하다 **5** (따뜻하게) 대접하다, …에게 한턱을 내다 《*to*》; (선거인을 매수할 목적으로) 향응하다: (~+목+전+명) He *~ed* me *to* an ice cream[a movie]. 그는 내게 아이스크림을 사 주었다[영화를 구경시켜 주었다].

— *vi.* **1** 〈문제를〉 다루다, 논하다 《*of*》: (~+전+명) This book *~s of* magic. 이 책은 마술을 다루고 있다. **2** 〈적국·정복자 등과〉 담판하다, 절충하다, 교섭하다(negotiate) 《*with*》: (~+전+명) They were to ~ *with* their enemy for peace. 그들은 적과 화평 교섭을 하기로 했다. **3** 한턱내다, (선거민에게) 향응하다: It is my turn to ~. 이번에는 내가 한턱낼 차례다. ~ a person ***like a doormat*** …을 굴욕[치욕]적으로 대접하다; 쓰레기 취급하다 ~ one***self to*** 큰 마음 먹고 〈음식·의복 등을〉 사다[먹다]

— *n.* **1** 한턱내기, 대접, 향응; 한턱낼 차례: It is my ~ now. 내가 한턱낼 차례다. **2** 《일반적으로》 큰 기쁨; 만족[즐거움]을 주는 것[사람]; (속어) 귀여운 아가씨: It is a ~ to see you. 당신을 만나서 매우 기쁩니다. **3** 위안회: a school ~ 학교 위안회 《교외 소풍·운동회 등》 ***a (fair)*** ~ [부사적] 만족하게, 말할 나위 없이, 훌륭하게 ***stand*** ~ (구어) 한턱내다 **~·er** *n.* ▷ tréatment *n.*

treat·a·ble [trí:təbl] *a.* 처리할 수 있는, 치료할 수 있는 **trèat·a·bíl·i·ty** *n.*

*__trea·tise__ [trí:tis] *n.* (학술) 논문, 전문 서적 《*on*》: a ~ *on* chemistry 화학에 관한 논문

‡**treat·ment** [trí:tmənt] *n.* ⓤⓒ **1** (사물의) 취급(방법) 《*of*》: delicate ~ 신중한 취급[방법] **2** 대우, 대접, 처우: special ~ 특별 대우 / receive cruel [kind] ~ 푸대접[큰 대접]을 받다 **3** (의사의) 치료(법); 치료제[약] 《*of, for*》: a new ~ *for* consumption 폐병의 신요법 / get[receive, undergo] medical ~ 치료를 받다 **4** 표현법, 다루는 방법; (문제 등의) 논술법 **5** (화학 약품에 의한) 처리 **6** 〖영화·TV〗 드라마 구성 《주요 장면·출연물·촬영지 등을 써 넣은 원고》 ***be under medical*** ~ 치료 중이다 ***give the silent*** ~ 묵살하다, 무시하다 ▷ tréat *v.*

‡**trea·ty** [trí:ti] *n.* (*pl.* **-ties**) **1** 조약, 협정, 맹약(盟約); 조약문 **2** ⓤ (문어) (개인간의) 약정(約定)(agreement), 교섭 《*to* do》 **3** ⓤ (고어) 담판, 협의: be in ~ with a person for a matter …와 어떤 문제를 협의 중이다 ▷ tréat *v.*

tréaty pòrt 조약항(港), 조약에 의한 개항장

tréaty pòwers 조약[동맹]국

*__tre·ble__ [trébl] *a.* **1** 3배의, 3중의, 세 곱의, 세 겹의 (cf. DOUBLE), 세 가지 모양의: ~ figures 세 자리 수 / There was a ~ knock at the door. 문에 세 번 노크가 있었다. / He earns ~ my earnings. 그는 내 수입의 세 배를 번다. **2** 〖음악〗 (가장) 높은, 고음부의, 소프라노의; 날카로운 **3** 〖녹음·방송〗 고음의, 고음역의

— *n.* **1** 3배; 세 겹의 물건 **2** 〖음악〗 (합창곡의) 고음부(의 가수·목소리·악기)(⇨ bass[1] 관련); 소프라노; 날카로운 목소리; 높은 종소리 **3** 〖경마〗 같은 말에 의한 3레이스 우승, 3중 내기[걸기] **4** 〖녹음·방송〗 고음역; 고음 조정용 손잡이

— *vt., vi.* 세곱하다[이 되다](triple)

tré·bly *ad.* 3배로, 세 겹으로

tréble clèf 〖음악〗 높은음자리표, '사' 음자리표

treb·u·chet [trébjuʃèt, ─ ─ ́ | ─ ́ ─] *n.* **1** 중세기의 투석기 **2** 소형 저울, 작은 천칭 《화학 실험용》

tre·buck·et [trí:bʌkit] *n.* = TREBUCHET 1

tre·cen·tist [treitʃéntist] [It.] *n.* [종종 **T~**] 14세기의 이탈리아 문학가[미술가]

tre·cen·to [treitʃéntou] [It.] *n.* [종종 **T~**] ⓤ 〖문예〗 14세기(풍)(cf. QUATTROCENTO); 14세기 미술[문학]

‡**tree** [trí:] *n.* **1** 나무, 수목, 교목; (꽃·열매와 구별하여) 줄기 부분

> 유의어 **tree** 보통 10피트 이상의 높이의 나무: a pine *tree* 소나무 **shrub, bush** 관목: a clump of *shrubs* 관목 한 그루 / a rose *bush* 장미 나무 **wood** 목재: a house built of *wood* 목조 가옥

2 (작은 나무나 초목이라도) 교목처럼 자라는 것: a rose ~ 장미 나무 / a banana ~ 바나나 나무 **3** 수목 모양의 것; 계도(系圖)(=family ~); 〖수학·언어〗 =TREE DIAGRAM **4** [보통 복합어를 이루어] (구조물의 일부를 구성하는) 나무 막대기; (고어) 목재: an axle~ 굴대 / a saddle~ 안장틀 / a boot[shoe] ~ 구두골 **5** (고어) 교수대; [종종 the T~] 십자가 《특히 그리스도의》 **6** =CHRISTMAS TREE **7** 〖동물〗 관계(管系) 《혈관, 기관지 등》 **8** 〖컴퓨터〗 트리 《나무처럼 편성된 데이터 구조》

as ~s walking 어렴풋이, 불명료하게 ***at the top of the ~*** 최고[지도자]의 지위에 ***bark up the wrong ~*** (구어) 엉뚱한 사람에게 불평하다 ***grow on ~s*** [보통 부정문에서] 쉽게 얻어지다 ***in the dry ~*** 역경에 처하여, 불행하여 ***out of*** one***'s ~*** (속어) 미쳐서, 정신이 나가서; 바보같이; (…에) 열중인 《*over*》 ***see the ~s and not the forest*** 나무만 보고 수풀을 못 보다; 눈 앞의 일에 구애되어 전체를 못 보다 ~ ***of Buddha*** 〖식물〗 보리수 ~ ***of liberty*** 자유의 나무 《기념으로 광장 등에 심는》 ***up a*** ~ (구어) 진퇴 양난하여, 어쩔 줄 몰라서

— *vt.* **1** 〈짐승을〉 나무 위로 쫓아올리다 **2** (구어) 몰아대다, 궁지에 빠뜨리다 **3** 나무[굴대]를 달다; 〈구두에〉 골을 넣다; 〈안장을〉 안장틀에 매다 **4** …에 수목을 심다, 수목으로 덮다

— *vi.* **1** 나무에 오르다; 나무 위로 쫓겨가다 **2** 나무 모양이 되다 **~·less** *a.* **~·like** *a.*

trée càlf 나뭇결 무늬의 제본용 고급 송아지 가죽

trée crèeper 〖조류〗 나무발바리

treed [trí:d] *a.* 나무가 심어져[나] 있는; 수목이 덮여 있는[울창한](wooded); 나무 위로 쫓겨 올라간; 구두골로 형태를 조절한

trée dìagram 〖언어〗 (문법 등의) 수형도(樹形圖)

tree-doz·er [trí:dòuzər] *n.* 벌채용 불도저

trée èar 《특히》 (중화 요리용의) 목이버섯

trée fàrm 나무 농장 《재목용이 주목적》

trée fèrn 〖식물〗 나무고사리

trée fròg 〖동물〗 청개구리

tree·hop·per [-hɔ̀pər] *n.* 뿔매미

trée hòuse 나무 위의 집 《아이들이 놀기 위한》

tree-hug·ger [-hʌ̀gər] *n.* 급진적인 환경 보호 운동가

trée làwn (가로와 보도 사이의) 녹지대

trée lìne =TIMBERLINE

tree·lined [-làind] *a.* (대개 양쪽에) 나무가 늘어선: a ~ road 가로수가 줄지어 선 도로

tre·en [trí:ən] *n.* (*pl.* ~) [보통 *pl.*] 목제 가정용품[도구] 《접시·대접 등》; 그 제작 기술

tree·nail, tre- [trí:nèil, trénl, trʌ́nl | trí:nèil, trénl] *n.* 나무못 《선박 제조용》

tre·en·ware [trí:ənwɛ̀ər] *n.* 목제 가정용품[도구] 《접시·대접 등》

trée of héaven 〖식물〗 가죽나무 《소태나뭇과(科)》

trée of knówledge (of góod and évil) 〖성서〗 [the ~] 선악과(善惡果) 나무 《에덴 동산에 있는 금단의 열매가 열림》

trée of lífe **1** 〖성서〗 [the ~] 생명의 나무 《에덴 동산의 중앙에 있는 나무로 열매가 영원한 생명을 준다고 함》 **2** =ARBORVITAE

thesaurus **treaty** *n.* agreement, pact, deal, compact, covenant, bargain, pledge, contract
tremble *v.* shake, quiver, shiver, quake, twitch,

trée pèony 〖식물〗 모란

Trée Plànters Státe [the ~] 미국 Nebraska 주의 속칭

trée rìng 나이테(annual ring)

trée shrèw 〖동물〗 나무두더지

trée squìrrel 다람쥐

trée strùcture 〖컴퓨터〗 나무 구조 《프로그램의 여러 단계를 구분하여 표시하기 위한》

trée sùrgeon 수목 외과술 전문가

trée sùrgery 수목 외과술

trée tòad = TREE FROG

trée tomàto 〖식물〗 토마토나무(의 열매) 《열대 아메리카 원산; 가짓과(科)》

*__tree·top__ [tríːtɑ̀p | -tɔ̀p] *n.* **1** 나무 꼭대기, 우듬지 **2** [*pl.*] 나무 끝이 그리는 선(의 높이)

tref¹ [tréif] *a.* (유대교 규율상) 적절히 처리되지 않은, 먹기[사용하기]에 적합치 않은; 부정한(opp. *kosher*)

tref², treff [tréf] *n.* 《미·속어》 (불법 거래를 위한) 비밀 회합

tre·foil [tríːfɔil, tréf- | tréf-, tríːf-] *n.* **1** 〖식물〗 개미자리, 개자리 **2** 〖건축〗 트레포일, 삼엽형(三葉形) 장식 **3** (문장(紋章)의) 세 잎, 삼판화(三瓣花) **—*a.*** 세 잎의, 화판이 셋인

trefoils 2

tre·foiled [tríːfɔild, tréf- | tréf-, tríːf-] *a.* 삼엽(三葉)[삼판(三瓣)]형의, 세 잎이 있는

trek [trék] *v.* (**~ked**; **~·king**) *vi.* **1** 길고 힘드는 여행을 하다, (힘들게) 전진하다 **2** 집단 이동[이주]하다 **3** 《남아공》 (소달구지로) 여행하다 **4** 〈소가〉 짐수레를 끌다 **—*vt.*** 《남아공》 〈소가 수레·짐을〉 끌다

—*n.* **1** 길고 고된 여행 **2** [보통 on (the) ~] 《남아공》 (소달구지) 여행 **3** 《남아공》 (소달구지 여행의) 하루의 행정(行程) **4** (개척자의) 집단 이주 **5** 빠른 걸음으로 가는 짧은 여행 **~·ker** *n.*

Trek·kie [tréki] *n.* [종종 **t~**] 《미·속어》 SF 텔레비전 연속 프로 "Star Trek"의 팬

trel·lis [trélis] *n.* (특히 목제의) 격자(格子)(lattice), 격자 세공; 격자 울타리; (포도나무 등의) 시렁; 격자 구조의 정자; (문장(紋章)의) 격자 무늬

—*vt.* 격자를 달다; 격자 울타리로 둘러싸다; 시렁으로 괴다; 격자상으로 만들다[짜다] **trél·lised** [-t] *a.*

trel·lis·work [tréliswə̀ːrk] *n.* Ⓤ 격자 세공, 격자 짜기(latticework)

trem·a·tode [trémətòud, tríː-] *n.* 흡충(吸蟲)

—*a.* 흡충강(綱)[류]의

trem·blant [trémblənt] *a.* 용수철 장치로 진동하는

‡**trem·ble** [trémbl] *vi.* **1 a** 떨리다(⇨ shake 유의어), 벌벌 떨다 《*at, for*》; (병 등으로) 떨다 《*with*》: (~+전+명) Her lips ~*d with* anger. 그녀의 입술은 분노로 파르르 떨렸다. **b** 〈빛·목소리 등이〉 떨리다 《*with*》 **c** 〈지면·건물 등이〉 흔들리다, 진동하다, 파르르 떨다: (~+전+명) The leaves ~*d in* the breeze. 나뭇잎이 산들바람에 흔들렸다. **2 a** 전전긍긍하다 《*at, for, to* do》 **b** 몹시 걱정하다, 근심하다: (~+전+명) She ~*d for* the safety of the children. 그녀는 아이들의 안부를 몹시 걱정했다.// (~+*to* do) I ~ *to* think that I may be scolded by my mother. 어머니한테 꾸지람 들을지 모른다고 생각하니 몹시 걱정이 된다. **c** 〈운명·생명 등이〉 아슬아슬한 처지에 있다: (~+전+명) His life ~*s in* the balance. 그의 생명은 아슬아슬한 고비에 놓여 있다.

—*vt.* 떨게 하다; 〈말·기도 등을〉 떨리는 목소리로 말하다 《*out*》: (~+목+부) He ~*d out* prayers. 그는 떨리는 목소리로 기도했다.

Hear and ~! 듣고 놀라지 마라! ***~ at the thought of*** = ***~ to think*** …을 생각만 해도 떨리다 ***~ in one's shoes*** ⇨ shoe. ***~ in the balance*** ⇨ *vi.* 2c

—*n.* 떨림, 진동, 전율; [*pl.*; 단수 취급] 〖수의학〗 떠는 증세가 따르는 병 《특히 소와 말의 전율증(戰慄症)》 ***all of*** [***in***] ***a ~*** = ***on*** [***upon***] ***the ~*** 《구어》 (흥분·걱정 등으로) 무서워서, 와들와들 떨며

▷ trémbly *a.*; trémor *n.*

trem·bler [trémblər] *n.* tremble하는 사람[것]; 〖전기〗 (벨 등의) 진동판

*__trem·bling__ [trémbliŋ] *n.* Ⓤ 떨림; 전율 ***in fear and ~*** ⇨ fear

—*a.* 떨리는; 전율하는 **~·ly** *ad.*

trémbling póplar 사시나무

trem·bly [trémbli] *a.* (**-bli·er**; **-bli·est**) 덜덜 떠는; 흔들리는, 진동하는; 겁이 많은

‡**tre·men·dous** [triméndəs] [L 「떨리는」의 뜻에서] *a.* **1** 거대한, 대단한(⇨ huge 유의어) **2** 《구어》 굉장한, 참으로 지독한, 기막힌 《*on*》: a ~ movie 굉장한 영화 **3** 무서운(dreadful), 무시무시한; 중대한: a ~ fact 놀랄만한 사실 It ***means a ~ lot to*** him. (그것)은 (그)에게 중대한 관계가 있다.

~·ly *ad.* **~·ness** *n.*

trem·o·lite [tréməlàit] *n.* 〖광물〗 투각섬석(石)

trem·o·lo [tréməlòu] [It. 「떨린」의 뜻에서] *n.* (*pl.* **~s**) 〖음악〗 트레몰로, 전음(顫音); (오르간의) 전음 장치

trem·or [trémər, tríː-] *n.* **1** 떨림, (몸·손·목소리 등의) 떨림: the ~ of age 노화에 의한 떨림 **2** 전율, 전전긍긍, 겁: in a ~ of joy 기쁨으로 두근두근하는 **3** (빛·나뭇잎·물 등의) 미동(微動); 미진(微震); 진동: ~*s* following an earthquake 여진(餘震) **4** 〖병리〗 진전(振顫)

trem·u·lant [trémjulənt] *a.* = TREMULOUS

*__trem·u·lous__ [trémjuləs] *a.* **1** 떨리는, 떠는(trembling), 무서워 떠는: a ~ child 벌벌 떠는 아이 **2** 〈소리·빛·잎 등이〉 흔들리는: ~ leaves 바람에 흔들리는 나뭇잎 **3** 〈필적 등이〉 떨린 **4** 겁 많은, 전전긍긍하는; (기쁨으로) 떨리는 **~·ly** *ad.* **~·ness** *n.*

▷ trémor *n.*

tre·nail [tríːnèil, trénl, trʌ́nl | tríːnèil, trénl] *n.* = TREENAIL

‡**trench** [tréntʃ] [L 「잘라 치우다」의 뜻에서] *n.* **1** 〖군사〗 참호, …호(壕); [*pl.*] 참호, 방어 진지, 전선: a cover ~ 엄폐호/a fire ~ 전투호, 산병(散兵)호 **2** (깊은) 도랑, 해자, 굴 **3** 〖지질〗 해구(海溝); 협곡

in the ~es 《미·속어》 (곤란한 상황 등의) 전면에 서서, 한창인 때 ***mount the ~es*** 참호내에 들어가 근무하다 ***open the ~es*** 참호를 파기 시작하다 ***relieve the ~es*** 참호 근무병과 교대하다 ***search the ~es*** (유산탄(榴散彈) 등으로) 참호를 포격하다

—*vt.* **1** 도랑[호]을 파다; 도랑으로 둘러싸다; 〈논밭을〉 파헤치다, 깊이 갈다 **2** 〈나무·돌 등에〉 홈을 파다; 새기다 **3** 〖군사〗 참호를 파다, 참호로 지키다 **4** 〈물건·식물을〉 도랑[홈]에 넣다[심다]

—*vi.* **1** 참호[도랑]를 파다 《*along, down*》 **2** 〈권리·토지 등을〉 침해하다, 잠식(蠶食)하다 《*on, upon*》: (~+전+명) Visitors ~*ed upon* my spare time. 손님이 와서 내 여가를 빼앗겼다. **3** 〈생각·언동 등이〉 …에 접근하다, …에 가깝다 《*on, upon*》: (~+전+명) Her behavior ~*es* closely *on* madness. 그녀의 행동은 꼭 미친 사람 같다. ▷ entrénch *v.*

trench·ant [tréntʃənt] *a.* **1** 〈말·사람 등이〉 통렬한, 신랄한, 날카로운 **2** 〈사람·정책 등이〉 강력한, 유력한; 〈방침 등이〉 효과적인, 설득력있는 **3** 〈윤곽 등이〉 뚜렷한 **-an·cy** *n.* 예리; 통렬 **~·ly** *ad.*

trénch còat 참호용 방수 외투; 트렌치 코트 《벨트가 있는 레인코트》

trenched [tréntʃt] *a.* 참호가 있는; 배수구가 있는; 〖군사〗 참호로 방비된

trench·er¹ [tréntʃər] *n.* **1** (네모 또는 둥근) 나무쟁반; 나무 쟁반에 가득한 음식 **2** 《고어》 음식; 식도락

---

shudder, teeter, wobble, rock, vibrate, rattle

tremendous *a.* great, huge, enormous, immense, massive, vast, colossal, gigantic, titanic

3 = TRENCHER CAP ***lick the*** ~ 비위 맞추다, 굽실거리다; 식객(食客) 노릇하다

trencher² *n.* 참호[도랑, 굴, 배수구] 파는 사람; 참호병

tréncher càp 대학의 사각모(mortarboard)

trench·er-fed [tréntʃərféd] *a.* ((영)) 사냥꾼이 손수 기른 〈사냥개〉

trench·er·man [-mən] *n.* (*pl.* **-men** [-mən, -mèn]) 먹는 사람; 대식가; ((고어)) 식객(食客): a good[poor] ~ 대[소]식가

trénch fèver 〖병리〗 참호열 ((제1차 대전 중 참호 속 병사들에게서 발생한 전염병))

trénch fòot 〖병리〗 참호족염(足炎) ((참호 속 냉습으로 인한 발병))

trénch knìfe 참호용 단검 ((백병전용))

trénch mòrtar[gùn] 〖군사〗 박격포

trénch mòuth 〖병리〗 참호성 구강염(Vincent's angina)

trénch wárfare 참호전 ((양군이 참호를 이용하는 전투))

∗**trend** [trénd] [OE 「향하다, 회전하다」의 뜻에서] *n.* **1** 경향, 동향, 추세 ((*of, in*)) **2** 유행(의 스타일): set[follow] a[the] ~ 유행을 창출하다[따르다] / a ~ in women's fashion 여성 패션의 한 유행 **3** (길·강·해안선 등의) 방향, 기울기, 향함
— *vi.* **1** …의 방향으로 가다, 흐르다, 기울다, 향하다 ((*to, toward*)): (~+副) (~+前+名) The coastline ~*s south*[*to* the south]. 해안선은 남쪽을 향하고 있다. **2** 어떤 방향으로 쏠리다, 기울다, …하는 추세[경향]이다: (~+前+名) Things are ~*ing toward* nationalism. 추세는 차츰 민족주의로 기울고 있다.

trend-chas·ing [-tʃèisiŋ] *n.* Ⓤ **1** 유행[풍조]의 추종 **2** (덩달아서 하는) 추종[모방] 투자
trénd-chàs·er *n.*

trénd lìne (주가의 가격 변동을 나타내는) 추세선

trend·set·ter [-sètər] *n.* 새 유행을 정착시키는[만드는] 사람

trend·set·ting [-sètiŋ] *a.* (비교적 단기적인) 유행[추세, 동향, 방향]을 결정하는

trend-spot·ter [-spɑ̀tər | -spɔ̀tə] *n.* 유행[풍조, 추세]을 재빨리 알아차리는 사람

trend·y [tréndi] *a.* (**trend·i·er**; **-i·est**) ((구어·종종 경멸)) 최신 유행의, 유행의[을 따르는]: a ~ style 최신 유행하는 스타일 — *n.* 유행을 따르는 사람; 최신 유행복을 입은 사람; 최근 유행하는 장소[물건, 사상]
trénd·i·ly *ad.* **trénd·i·ness** *n.*

tren·tal [tréntl] *n.* 〖가톨릭〗 (죽은 자에 대한) 30일간의 연속 위령 미사

trente-et-qua·rante [trɑ́:nteikərɑ́:nt] [F] *n.* = ROUGE ET NOIR

tre·pan¹ [tripǽn] *n.* **1** 〖외과〗 두개골을 잘라내는 톱 (cf. TREPHINE) **2** 〖광산〗 수갱(竪坑) 개착기
— *vt.* (**~ned**; **~·ning**) 〖외과〗 trepan¹으로 구멍을 파다[뚫다] **trèp·a·ná·tion** *n.*

trepan² ((고어)) *vt.* (**~ned**; **~·ning**) 모함하다, 곤경에 빠뜨리다; 꾀어들이다 ((*into*)); 꾀어서 …시키다 ((*to* do)) — *n.* 책략가, 음모가; 함정, 책략

tre·pang [tripǽŋ] *n.* 〖동물〗 해삼, ((특히)) 갈미 ((중국 요리용))

treph·i·na·tion [trèfənéiʃən] *n.* Ⓤ 〖의학〗 천공(술)(穿孔(術)), 두개개구(頭蓋開口)(술)

tre·phine [trifáin, -fí:n | -fí:n, -fáin] 〖외과〗 *n.* 관상(冠狀)톱 ((trepan¹을 개량한 것))
— *vt.* 관상톱으로 수술하다

trep·id [trépid] *a.* 소심한, 벌벌 떠는, 겁이 많은

trep·i·dant [trépədənt] *a.* = TREPID

trep·i·da·tion [trèpədéiʃən] [L 「떨다」의 뜻에서] *n.* Ⓤ **1** 전율, 공포(fright); 당황, (마음의) 동요; 낭패, 혼란 **2** (손발의) 떨림: sing a song with ~ 목소리를 떨면서 노래하다 **3** 〖병리〗 (손발·아래턱 등의 근육의) 진전(震顫) 운동

trep·o·ne·ma [trèpəní:mə] *n.* (*pl.* **~·ta** [-tə], **~s**) 트레포네마균(菌) ((회귀열·매독 등의 병원체를 포함하는 미생물)) **-mal** *a.*

trep·o·ne·ma·to·sis [trèpənì:mətóusis] *n.* (*pl.* **-ses** [-si:z]) 〖병리〗 트레포네마병 ((매독 등))

∗**tres·pass** [tréspəs, -pæs | -pəs] [L 「넘어 들어가다」의 뜻에서] *vi.* **1** 〖법〗 (남의 땅·집에) 침입하다; (남의 권리를) 침해하다 ((*on, upon*)): (~+前+名) ~ *on*[*upon*] a person's privacy[land] …의 사생활[땅]을 침해하다 **2** (남의 사생활·시간·호의 등을 염치없이 이용해) 폐를 끼치다: (~+前+名) I shall ~ *on*[*upon*] your hospitality, then. 그러면 염치 불구하고 호의를 받겠습니다. **3** (종교적·도덕적으로) 위법 행위를 하다, 죄를 범하다, 정도를 벗어나다 ((*against*)): (~+前+名) ~ *against* moral law 노덕을 어기다 **4** ((폐어)) 죽다 ***May I ~ on you for*** that book? 미안하지만 (그 책)을 집어[빌려] 주시겠어요? ***No ~ing.*** ((게시)) 출입 금지.
— *n.* ⓊⒸ **1** 〖법〗 (타인의 신체·재산·권리에 대한) 불법 침해, 불법 침입; 불법 침해소송 **2** (타인의 시간·호의·인내 등에 대한) 폐, 폐끼침 ((*on, upon*)) **3** ((고어)) (종교·도덕상의) 죄(sin), 위반, 부정: Forgive us our ~*es.* 〖성서〗 우리의 죄를 사하여 주옵소서. ((주기도문의 한 구절))

tres·pass·er [tréspəsər] *n.* 불법 침입자, 위법자, 위반자 ***T~s will be prosecuted.*** ((게시)) 침입자는 고발함.

tress [trés] *n.* **1** (여자의) 머릿단, 땋은 머리(plait, braid) **2** [*pl.*] (여자의) 치렁치렁한[숱 많은] 머리칼 **3** [*pl.*] 유연한 어린 가지, 덩굴; (태양) 광선
— *vt.* 〈머리를〉 다발로 땋다: ~ hair 머리를 땋다

tressed [trést] *a.* 머리를 땋은; [보통 복합어를 이루어] …머리의: black-~ 흑발의 / golden-~ 금발의

tres·tle, tres·sel [trésl] *n.* **1** 가대(架臺), 구각(構脚), 버팀다리 **2** = TRESTLE BRIDGE

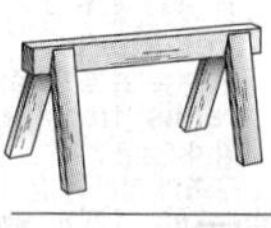
trestle 1

tréstle brìdge 구각교(構脚橋), 육교

tréstle tàble 가대식 테이블, 트레슬 테이블 ((가대 위에 판자로 상(床)을 만든 것))

tres·tle·tree [trésltrì:] *n.* 〖항해〗 장두 종재(檣頭縱材); 시렁 가래

tres·tle·work [-wə̀:rk] *n.* Ⓤ 〖토목〗 트레슬, 구각(構脚) 구조[공사, 공법]

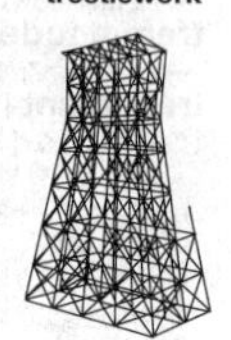
trestlework

tret [trét] *n.* 〖상업〗 예전에 운송 중의 감손을 고려한 초과 적재량

trews [trú:z] *n. pl.* ((스코)) 꼭 끼는 창살 무늬의 나사제 바지

T. rex [tí:-réks] [*T*yrannosaurus *rex*] 〖고생물〗 티라노사우루스

trey [tréi] *n.* **1** 3점의 카드[주사위] **2** ((영·속어)) 세 개 한 벌; 3펜스 화폐[은화] **3** ((미·속어)) 3달러 어치 마약[코카인]이 든 봉투 **4** (농구의) 3점(3 point shot)

trf tuned radio frequency **TRF** thyrotropin-releasing factor **TRH** Their Royal Highnesses ((영)) 전하(殿下)[비(妃)전하]; thyrotropin-releasing hormone

tri- [trai] ((연결형)) 「3…, 3배의, 3중…」의 뜻

tri·a·ble [tráiəbl] *a.* **1** 〈범죄 등이〉 공판에 회부할 수 있는, 재판에 회부해야 할 **2** ((폐어)) 시험할 수 있는

tri·ac [tráiæk] *n.* 〖전자〗 트라이액 ((3극관 교류 스위치))

tri·ac·e·tate [traiǽsətèit] *n.* 〖화학〗 트리아세테이

thesaurus **trend** *n.* **1** 경향 tendency, drift, course, direction, current, inclination, bias, bent **2** 유행 fashion, vogue, style, mode, craze
trial¹ *n.* **1** 재판 court case, hearing, case, tribunal,

트; 삼초산 섬유소 섬유

tri·ad [tráiæd, -əd] *n.* **1** 3인조, 세 개 한 벌 **2** 〖화학〗 3가 원소, 3원소 **3** 〖음악〗 3화음 **4** 〖군사〗 (전략핵 전력의) 세 기둥 《전략 폭격기, 대륙간 탄도 미사일, 잠수함 발사 탄도 미사일 등 전략핵 억제 능력》 **5** 〖의학〗 3징후(徵候) **6** 〖사회〗 삼자 관계 **7** [**T~**] 삼합회(三合會) 《중국 청대의 비밀 결사》

tri·age [triá:ʒ, trí:ɑ:ʒ, tráiidʒ] *n.* Ⓤ 《영》 품질이 최하인 커피 원두; 종류[품질]별 분류; (전상자 치료 우선 순위 등의) 선별(選別), 선택, 구분

‡**tri·al**[1] [tráiəl, tráil] *n.* ⒸⓊ **1** 〖법〗 **공판**, 재판, 심리: a case under ~ 심리 중인 사건 **2 a 시도**, 음미, (품질·성능 등의) **시험**, 실험 **b** Ⓒ (크리켓·축구 등의 선수 후보) 선발 경기(= **~́ màtch**), 예선 **3** 해보려는 열의, 노력 **4** 시험받고 있는 상태[입장], 가채용(假採用) (기간), 견습 (기간) **5 시련**, 고난, 고통, 고뇌; 어려운 상황 **6** Ⓒ 성가신 사람[것], 걱정거리 **7** 제품 원료의 견본, (오지 그릇 제조 등의) 시험용으로 구운 견본 **8** [종종 *pl.*] (내구력 또는 과제 달성을 겨루는) 오토바이[말, 개] 경기, 콘테스트

a criminal ~ 형사 재판 ***a new ~*** 재심(再審) ***a preliminary ~*** 예심(preliminary hearing) ***a public ~*** 공판 ***a ~ by battle*** [***combat***] 〖영국사〗 결투 재판 《당사자를 격투[결투]시켜 행하는 재판》 ***a ~*** (***of*** a man) ***for theft*** 절도범(인)의 공판 ***bring*** a person ***to ~*** = ***put*** a person ***on*** his[her] ~ …을 공판에 회부하다 ***by way of ~*** 시험삼아 ***give*** a person[a thing] ***a ~*** 〈사람[물건]을〉 시험삼아 써보다 ***make*** (***a***) ***~ of*** a thing = ***put*** a thing ***to ~*** 〈물건을〉 시험하다, 검사하다 ***on ~*** 시험 중; 재판에 회부된, 공판 중인; 심리 중; 시험해 보니; 시험삼아 ***run a ~*** 시운전을 하다 ***stand*** [***take***] one***'s ~*** 재판을 받다 ***~s and tribulations*** 시련, 많은 고난

— *a.* Ⓐ **1** 시험적인; 예선의; 견습의; 시험[시행]에 이용되는; 견본(품)의 **2** 공판의, 예심의 ▷ trý *v.*

tri·al[2] [tráiəl] *n.*, *a.* 〖문법〗 삼수(三數)(의) 《대명사 등의 어형에서 단수·양수·복수 등 3수를 나타내는 것》

tríal and érror 〖심리〗 시행착오(법) 《해보고서 잘못되면 다시 하는》 ***by ~*** 시행착오를 거쳐

tríal bálance 〖부기〗 시산표(試算表)

tríal ballóon (풍속·기류 등을 조사하는) 관측 기구 (pilot balloon); (여론의 반응을 보기 위한) 시안(試案), 반응 관측 수단(*ballon d'essai*)

tríal cóurt 사실심(事實審)[제1심] 법정

tríal éights (보트레이스의 출장(出場)을) 결정하는 예비 레이스

tríal exàminer 〖법〗 행정 심사관

tríal hòrse (구어) 연습 상대 《주로 연습·시범 시합에서 상대역을 맡는 선수》

tríal jùdge 〖법〗 사실심[제1심] 재판관

tríal jùry 〖미국법〗 심리 배심; 소배심(小陪審)(petty jury) 《12명》

tríal làwyer 《미》 법정 변호사 《사무소에서의 일을 주로 하는 변호사와 대비하여》

tríal márriage 시험 결혼, 계약 결혼 《일정 기간의》

tri·a·logue [tráiəlɔ̀:g, -lɑ̀g | -lɔ̀g] *n.* 3자 회담; 3인극

tríal rún [**tríp**] 시운전, 시승(試乘); 시행, 실험; 시연(試演)

tri·an·gle** [tráiæ̀ŋgl] 〚L 「세 각(angle)이 있는」의 뜻에서〛 *n.* **1 삼각형**: an equilateral ~ 정삼각형 / an isosceles ~ 이등변 삼각형 / a scalene ~ 부등변 삼각형 / a right[an acute, an obtuse](-angled) ~ 직[예, 둔]각 삼각형 **2** 《미》 3각자(《영》 set square); 삼각 우표; 삼각형의 물건: a ~ and a T square 삼각자와 T자 **3** 〖음악〗 트라이앵글 《삼각형 타(打)악기》 **4** 세 개 한 벌, 3인조; 삼각 관계(의 남녀) **5** [the T~] 〖천문〗 삼각자리 **6** 〖항해〗 3각(脚) 기중기 **7** [보통 *pl.*] 3각 형틀 《옛날 영국 군대의 형틀》 ***a red ~ 붉은 3각형 《YMCA의 표장(標章)》 ***the*** (***eternal***) ***~*** 남녀의 3각 관계 ***~ of forces*** 〖역학〗 힘의 삼각형 ▷ triángular *a.*; triángulate *v.*

litigation **2 시험, 실험** test, tryout, check, experiment **3 시도** try, attempt, endeavor, effort, venture **4 시련** trouble, worry, anxiety, burden, hardship, pain, suffering, distress, misery

tríangle inequàlity 〖수학〗 삼각 부등식

tríangle refléctor (운전자가 자동차 사고 등을 알리기 위한) 정지 표지판

***tri·an·gu·lar** [traiǽŋgjulər] *a.* **1 삼각**(**형**)의; 〈기부(基部)가〉 삼각형인 **2** 3자(간)의, 3국(간)의: a ~ duel 3자간의 결투 / a ~ situation 3각 관계 / a ~ treaty 3국 조약 **3** 〈사물이〉 세 부분[요소]으로 이루어진, 3중의 **4** (남녀의) 삼각 관계의: a ~ love affair 남녀의 삼각 관계 **tri·an·gu·lar·i·ty** [traiæ̀ŋgjulǽrəti] *n.* Ⓤ 삼각형(을 이룸) **~·ly** *ad.*

triángular cómpass 3각(脚) 컴퍼스

triángular mátrix 〖수학〗 삼각 행렬(行列)

triángular númbers 〖수학〗 3각수 《정삼각형으로 늘어놓을 수 있는 수》

triángular tráde 〖경제〗 3각 무역 《3국간에서 순환적으로 수출입을 행하는 무역 형태》

tri·an·gu·late [traiǽŋgjulèit] *vt.* **1** 3각으로 만들다 **2** 삼각형으로 나누다; 3각 측량을 하다

— [-lət, -lèit] *a.* 삼각(형)의; 3각 무늬가 있는; 삼각형으로 이루어진 **~·ly** *ad.* **-là·tor** *n.*

tri·an·gu·la·tion [traiæ̀ŋgjuléiʃən] *n.* Ⓤ 〖측량·항해〗 삼각형으로 분할하기; 3각 측량

triangulátion pòint = TRIG POINT

tri·ar·chy [tráiɑ:rki] *n.* (*pl.* **-chies**) Ⓤ 삼두(三頭) 정치; Ⓒ 삼두 정치의 나라; 세 통치구로 나뉜[이루어진] 나라[연합체]

Tri·as [tráiəs] *n.* 〖지질〗 = TRIASSIC

Tri·as·sic [traiǽsik] 〖지질〗 *a.* 트라이아스기(紀)[계]의: the ~ period[system] 트라이아스기[계]

— *n.* [the ~] 트라이아스기[계]

tri·ath·lete [traiǽθli:t] *n.* 트라이애슬리트 《트라이애슬론(triathlon)의 선수》

tri·ath·lon [traiǽθlən] *n.* 트라이애슬론, 3종 경기 《수영(3.9km)·자전거(180.2km)·마라톤(42.195km)의 3종 경기를 하루에 마침》

tri·át·ic stáy [traiǽtik-] 〖해양〗 두 돛대 사이를 이은 밧줄; 수평 지삭(支索)

tri·a·tom·ic [tràiətɑ́mik | -tɔ́m-] *a.* 〖화학〗 3원자의

tri·ax·i·al [traiǽksiəl] *a.* 3축(軸)의; 3성분을 가진

tri·a·zine [tráiəzi:n, traiǽzi:n] *n.* 〖화학〗 트리아진; 트리아진 유도체

trib. tribal; tribune; tributary

trib·ade [tríbəd] *n.* 여성 동성애자 《특히 남자역》

trib·a·dism [tríbədìzm] *n.* Ⓤ 여성간의 동성애

trib·al [tráibəl] *a.* Ⓐ 종족의, 부족의 **~·ly** *ad.*

trib·al·ism [tráibəlìzm] *n.* Ⓤ 종족[부족] 조직[생활, 근성], 종족의 특징; 부족주의; 부족[당파, 동료]에 대한 강한 충성심 **-ist** *n.* **trìb·al·ís·tic** *a.*

tri·band [tráibæ̀nd] *a.* 〈휴대 전화가〉 세 가지 주파대(帶)의

tri·ba·sic [traibéisik] *a.* 〖화학〗 3염기(鹽基)의

‡**tribe** [tráib] 〚L 「(로마인의) 3구분의 하나」의 뜻에서〛 *n.* **1 부족**(部族), 종족(種族), …족 **2** (동식물·품목 등의) 같은 류 **3** 〖축산〗 (소가 동일 수컷을 선조로 하는) 웅계 무리 **4** 〖생물〗 족, 유(類), 연(連) **5** (구어) 대가족, 일족; 패거리, 직업 동료 **6** [*pl.*] 다수의 사람[동물] **7** 〖역사〗 (고대 이스라엘의) 12지파 중 하나, (고대 로마의) 3부족의 하나 **8** 〖그리스사〗 = PHYLE **9** [the ~s] 《미·속어》 반체제[반문화]파 ***the scribbling ~*** 《익살》 문인[작가]들 ***the ~s of Israel*** 〖성서〗 열두 지파(支派) 《야곱의 열두 아들의 자손》 ▷ tríbal *a.*

tribes·man [tráibzmən] *n.* (*pl.* **-men** [-mən, -mèn]) 부족[종족]민, 원주민, 토민

tribes·peo·ple [-pì:pl] *n. pl.* 부족민, 원주민

tri·bo- [tráibou, -bə, tríb-] 《연결형》「마찰」의 뜻
tri·bo·e·lec·tric [tràibouiléktrik] *a.* 〖전기〗 마찰 전기의
tri·bo·e·lec·tric·i·ty [tràibouilèktrísəti] *n.* Ⓤ 〖전기〗 마찰 전기
tri·bol·o·gy [traibɑ́lədʒi, tri- | -bɔ́l-] *n.* Ⓤ 마찰학, 마찰 공학
tri·bo·lu·mi·nes·cence [tràiboulù:mənésns] *n.* Ⓤ 〖물리〗 마찰 발광(發光)
tri·bom·e·ter [traibɑ́mətər | -bɔ́m-] *n.* 마찰계
tri·brach [tráibræk | tríb-] *n.* 〖운율〗 (고전 시가의) 3단격(短格), 단단단격(短短短格) 《∪∪∪》
trib·u·late [tríbjulèit] *vt.* 억압[박해]하다, 괴롭히다, 시련을 지워주다
trib·u·la·tion [trìbjuléiʃən] *n.* UC 재난, 고난, 시련(의 원인); 고생, 고민 거리
***tri·bu·nal** [traibjú:nl, tri-] *n.* **1** 법정, 심판 위원회 **2** 판사석, 법관석; (고대 로마 바실리카의) 집정관석 **3** 세상의 비판; (비유) 심판의 자리 **4** (영) (제1차 세계 대전 중의) 병역 면제 심사국
the Hague T~ 헤이그 국제 사법 재판소
trib·u·nate [tríbjunət, -nèit | tríbjunit] *n.* 〖로마사〗 호민관(tribune)의 직[임기]; [집합적] 호민관(body of tribune); 호민관 정부
trib·une[1] [tríbju:n, ─ ́ | ́ ─] [L「족장」의 뜻에서] *n.* **1** 〖로마사〗 호민관(護民官); 군단 사령관 **2** 인민의 보호자[옹호자]; [T~] 신문 이름
tríb·u·nàr·y *a.* **~·shìp** *n.*
tribune[2] *n.* **1** basilica 내의 최고 행정관석; (basilica식 교회의) 감독석, 주교좌(座)(가 있는 자리) **2** (드물게) 연단, 강단; (교회의) 설교단; 일반 신자석 《교회의》; 관람석 《경마장의》
Trib·u·nite [tríbjunàit] *n.* 영국 노동당 내의 극좌파의 사람
***trib·u·tar·y** [tríbjutèri | -təri] *a.* **1** 공물(貢物)을 바치는, 속국의 **2** 공물로 바치는; 공헌하는, 기여하는; 보조적인 **3** 지류(支流)의; (정맥의) 지맥(支脈)의
— *n.* (*pl.* **-tar·ies**) **1** 공물을 바치는 사람[나라], 속국 **2** (강의) 지류; (정맥의) 지맥
‡**trib·ute** [tríbju:t] [L「지불되는 것」의 뜻에서] *n.* **1** CU 감사[칭찬, 존경, 애정]의 표시; 그 찬사; 증정물, 바치는 물건: as a ~ of respect to the Queen 여왕에 대한 경의의 표시로 **2** UC 공물; 연공, 세(稅); 공물을 바칠 의무, 조공을 바치는 나라[속국]의 지위 **3** Ⓤ (영) 광부에게 주는 배당
floral ~s 꽃 선물; 바치는 꽃 ***lay a ~ on*** …에 공물을 바칠 의무를 지우다 ***lay under ~*** 조공을 바치게 하다; 크게 이용하다 ***pay a ~ to*** …에게 찬사를 바치다 ***~ of a tear*** (애도로) 바치는 한 줄기의 눈물 ***~ of praise*** 찬사 ***~ to one's memory*** 고인에게 바치는 선물[찬사], 조사(弔詞) ***work on ~*** = ***work on the ~ system*** 배당 제도로 일하다
▷ tríbutary *a.*
tríbute bànd 모방 밴드 《유명 밴드 음악을 연주하고 외모와 소리를 모방하는》
Tri·cap [tráikæ̀p] [*Tri*ple *cap*ability] *n.* [종종 형용사적] 〖군사〗 트라이캡 《미 육군의 기갑·보병·항공 통합 사단; 1971년에 발족》
tri·car [tráikɑ̀:r] *n.* (영) 3륜 자동차
tri·car·box·yl·ic [traikɑ̀:rbɑksílik | -bɔk-] *a.* 〖화학〗 분자 내에 3개의 카르복실기를 가진
tricarboxýlic ácid cỳcle 〖생화학〗 3카르복실산 회로(Krebs cycle)
trice[1] [tráis] *vt.* 〖항해〗 밧줄로 달아 올리다[당기다] 《*up*》; 끌어 올려서 묶다 《*up*》
trice[2] *n.* 순간(instant) ★ 주로 다음 성구로. ***in a ~*** 순식간에, 곧, 바로
tri·cen·ten·ar·y [tràisenténəri | -tí:n-] *a., n.* (*pl.* **-ries**) = TERCENTENARY
tri·cen·ten·ni·al [tràisenténiəl] *a., n.* = TERCENTENARY

tri·ceps [tráiseps] *n.* (*pl.* **~, ~·es**) 〖해부〗 삼두근(三頭筋)
tri·cer·a·tops [traisérətɑ̀ps | -tɔ̀ps] *n.* 〖고생물〗 트리케라톱스 《3각의 뿔을 가진 초식성 공룡; 백악기의 북미산(産)》
trich- [trik, traik], **tricho-** [tríkou, -kə, tráik-] 《연결형》「털, 모발; 섬조, 필라멘트」의 뜻 《모음 앞에서는 trich-》
tri·chi·a·sis [trikáiəsis] *n.* Ⓤ 〖병리〗 **1** 눈썹 난생증(亂生症); 모뇨증(毛尿症) **2** (수유기의) 젖꼭지의 다열증(多裂症)
tri·chi·na [trikáinə] *n.* (*pl.* **-nae** [-ni:]) 〖동물〗 선모충(旋毛蟲) 《돼지·인체·쥐 등에 기생》 **-nal** [-nl] *a.*
trich·i·nize [tríkənàiz] *vt.* 〖병리〗 …에 선모충을 기생시키다
Trich·i·nop·o·ly [trìtʃənɑ́pəli | -nɔ́p-] *n.* (인도산) 엽궐련의 일종
trich·i·no·sis [trìkənóusis] *n.* Ⓤ 〖병리〗 선모충병[증]
trich·i·nous [tríkənəs], **trich·i·not·ic** [trìkənɑ́tik | -nɔ́t-] *a.* 선모충병의, 선모충병에 걸린
trich·ite [tríkait] *n.* 미소한 침상체(針狀體); 〖광물〗 모상정자(毛狀晶子), 트리카이트
tri·chlo·ride [traiklɔ́:raid] *n.* 〖화학〗 3염화물
tri·chlo·ro·eth·yl·ene [traiklɔ̀:rouéθəlì:n] *n.* Ⓤ 〖화학〗 트리클로로에틸렌 《무색 유독의 액체; 용제·추출제(抽出劑)·세척용으로 사용》
tri·chlo·ro·phe·nox·y·a·cé·tic ácid [traiklɔ̀:roufənɑ̀ksiəsí:tik- | -nɔ̀k-] 〖화학〗 트리클로로페녹시 초산 《2, 4, 5-T; 그 에스테르형을 제초제로 이용》
tricho- [tríkou, -kə, tráik-] 《연결형》 = TRICH-
trich·o·cyst [tríkəsìst] *n.* 〖동물〗 모포(毛胞), 사포(絲胞)
trich·o·gyne [tríkədʒàin, -dʒin] *n.* 〖식물〗 (홍조류의) 수정모(受精毛)[사(絲)]
trich·oid [tríkɔid] *a.* 털[모발] 모양의: a ~ tube 모세관
tri·chol·o·gy [trikɑ́lədʒi | -kɔ́l-] *n.* Ⓤ 모발학 **-gist** *n.* 모발학자; 《미·속어》 파마 전문가 《광고 용어》
trich·ome [tríkoum, tráik-] *n.* 〖식물〗 (고등 식물의) 돌기 꼴 구조; 분비모(毛); (특히 남조류(藍藻類)의) 사상체(絲狀體), 세포자, 트리콤
trich·o·mon·ad [trìkəmɑ́næd, -móun- | -mɔ́n-] *n.* 〖동물〗 트리코모나스 《편모충류 트리코모나스속의 원충》
trich·o·mo·ni·a·sis [trìkəmənáiəsis] *n.* Ⓤ 〖병리〗 질(膣) 트리코모나스증(症)
tri·chop·ter·an [trikɑ́ptərən | -kɔ́p-] *n.* 〖곤충〗 모시목(毛翅目)의 곤충 《날도래(caddisfly) 등》
tri·chord [tráikɔ̀:rd] 〖음악〗 *n.* 3현 악기; 3현금(琴) 《lyre, lute 등》 — *a.* 3현의; 3현을 지닌
tri·cho·sis [trikóusis] *n.* (*pl.* **-ses** [-si:z]) 〖병리〗 이소(異所) 발모(증), 다모증(多毛症): ~ decolor 모발 변색증 / ~ sensitiva 모발 민감증
tri·cho·the·cene [tràikəθí:sin, trik-] *n.* 〖의학〗 트리코테센 《진균류에 의해 만들어지는 독소》
tri·chot·o·mous [traikɑ́təməs | -kɔ́t-] *a.* 셋으로 나누는; 셋으로 갈라진, 삼차(三叉)의
tri·chot·o·my [traikɑ́təmi | -kɔ́t-] *n.* (*pl.* **-mies**) UC 3분(법)(cf. DICHOTOMY); 〖그리스도교〗 인성(人性) 3분법 《육체·정신·영혼의 3성(性)》
tri·chro·ic [traikróuik] *a.* 〖결정〗 3색성의
tri·chro·ism [tráikrouìzm] *n.* Ⓤ 〖결정〗 3색성 《다른 세 방향에서 보면 세 가지 다른 색을 나타내는 성질》
tri·chro·mat [tráikroumæ̀t] *n.* 〖안과〗 삼색자(三色者) 《3원색을 판별할 수 있는 정상인》
tri·chro·mat·ic [tràikroumǽtik, -krə-] *a.* **1**

thesaurus **tribute** *n.* gift, present, accolade, gratitude, applause, praise, compliments
trick *n.* **1** 계교, 책략 stratagem, ploy, artifice,

3색(사용)의: ~ photography 3색 사진(술) **2** 〚안과〛 〈눈이〉 3색형(色型) 색각(色覺)의 《3원색을 판별할 수 있는》 **3** 〈인쇄·사진 등이〉 3원색을 사용한, 3색판의: ~ photography 3색 사진[술]

tri·chro·ma·tism [traikróumətìzm] *n.* Ⓤ **1** 3색임, 3색성; (인쇄 등의) 3색 사용 **2** 〚안과〛 3색형 색각

tri·chrome [tràikróum, ─́] *a.* 3색의

tri-cit·y [tráisíti, ─́─] *n.* 3핵(核) 도시, 독립된 3개의 시(市)중의 하나 **—** *a.* 〈도시가〉 3개의 독립된 시로 이루어진

⁑**trick** [trík] *n., a., v.*

> OF 「사람의 눈을 속임」의 뜻에서 「책략」 **1** → 「장난」 → 「농담」 **2**
> → (손재주) → 「요령」 **3** → 「요술」 **4**

— *n.* **1 계교,** 책략; 속임수; 《속어》 (절도 등의) 범죄 행위; 환각, 착각: (~+*to* do) His wound was a ~ *to* play truant from school. 그의 부상은 학교를 결석하고 놀기 위한 술책이었다. **2** (악의 없는) **장난,** 희롱, 농담; 비열한 짓 **3 비결,** 요령; 수법, 편법: (~+전+*-ing*) the ~ *of* mak*ing* pies 파이를 만드는 요령 **4 재주,** 요술; 묘기; (연극·영화 등의) 기교, 트릭 **5** (태도·말 등의) 버릇, 벽(癖), 습관, 특징 **6** 〚항해〛 (조타수의) 1회 교대 근무 시간 《보통 2시간》: a two-hour ~ 두 시간 교대 / work in 3 ~*s* 3교대로 일하다 **7** 〚카드〛 1회; 한 차례 돌리는 패 《보통 4장》; 한 차례 이김 **8** 《구어》 아이, 《특히》 소녀 **9** 《속어》 매춘부의 손님[성행위] **10** (문장(紋章)의) 선화(線畫) 《색을 쓰지 않은》: in ~ 선화로[의] **11** 《고어》 시시한 장식, 장난감; [*pl.*] 자질구레한 일상 용품[화장품, 장식품 등] **12** 《미·속어》 야외쇼, 야외 개최 행사

He is **at**[**up to**] his **~s again.** (그는) 또 농간부리고[장난치고] (있다). **do**[《미》 **turn**] **the ~** 《구어》 목적을 달성하다, 뜻을 이루다; 〈약이〉 효과가 있다, 잘 듣다 ***How's ~s?*** 《구어》 안녕하십니까, 재미가 어떻습니까? ***know a ~ or two*** 여간내기가 아니다 ***know a ~ worth two of that*** 그것보다 훨씬 좋은 방법을 알다 ***None of your cheap ~s.*** 잔 꾀를 부리지 마라. ***None of your ~s with me!*** 그 꾀에는 넘어가지 않는다! ***not***[***never***] ***miss a ~*** 《구어》 언제든 기회를 놓치지 않다, 빈틈이 없다 ***play***[***serve***] a person ***a ~*** = ***play***[***serve***] ***a ~ on***[***upon***] a person …에게 장난을 하다; …을 속이다 ***take***[***stand***] one***'s ~ at the wheel*** 〚항해〛 키잡는 당직을 서다 ***the*** (***whole***) ***bag of ~s*** ⇨ bag[1]. ***~ of fortune*** 운명의 장난 ***~ of the senses***[***imagination***] 정신의 헷갈림 ***~s of the memory*** 기억의 헷갈림 ***~s of the trade*** ⇨ trade. ***turn a ~*** 《속어》 〈매춘부가〉 손님을 맞다; 《미·속어》 제대로 훔치다 ***up to*** one***'s ~s*** 장난을 치려고 하다 ***use ~s*** 잔꾀[농간]를 부려 속이다

— *a.* Ⓐ **1** 재주 부리는, 곡예(용)의; 속임수의; (영화 등의) 트릭의: ~ cycling[riding] 자전거의 곡예[곡마] **2** 〈문제 등이〉 의외로 까다로운, 함정이 있는 **3** 〈관절 등이〉 말을 잘 듣지 않는; 결함이 있는; 믿을 수 없는 **4** 《구어》 매력적인; 유행의, 멋진

— *vt.* **1 a 속이다,** 잔꾀를 부리다, 한 방 먹이다(⇨ cheat 유의어): (~+목+전+명) They ~*ed* the poor boy *out of* all his money. 그들은 그 불쌍한 소년을 속여 돈을 몽땅 빼앗았다. **b** 〈사람을〉 속여서 …시키다 《*into*》: be ~*ed by* flattery 감언에 속다 // (~+목+전+*-ing*) He tried to ~ me *into* buy*ing* it. 그는 나를 속여서 그것을 사게 하려고 했다. **2** 기대를 어기다, 배신하다, 등지다 **3** 잔뜩 꾸미다, 모양내다 《*up, out*》: (~+목+부) She ~*ed* herself *up* for the party. 그녀는 파티에 참석하기 위해 잔뜩 치장하였다. **4** 〈문장(紋章)을〉 선화(線畫)로 그리다

— *vi.* **1** 남을 속이다 **2** 장난치다, 농락하다 《*with*》 **3** 요술을 부리다, 곡예를 하다 **4** 《미·캐나다·속어》 매춘(행위)을 하다; 성교하다 《*out*》 **5** 《미·암흑가속어》 밀고하다 《*on*》 **~** a person ***out of*** …을 속여서 …을 빼앗다 **~·er** *n.* **~·less** *a.*

▷ tríckish, trícky *a.*

tríck cýclist 자전거 곡예사; 《속어》 = PSYCHIATRIST

tríck énding 트릭엔딩 《소설이나 희곡에서 의표를 찌르는 결말》

trick·er·y [tríkəri] *n.* ⓊⒸ 속임수, 사기; 농간, 책략 (⇨ deception 유의어)

trick·ish [tríkiʃ] *a.* (조금) 교활한

***trick·le** [tríkl] *vi.* **1** 〈액체가〉 **똑똑 떨어지다,** 졸졸 흐르다; 눈물을 흘리다 《*down, out, along*》; 《비유》 〈정보·비밀 등이〉 조금씩 새어 나가다: (~+전+명) Blood ~*d from* the wound. 상처에서 피가 흘러내렸다. // (~+부) The information ~*d out*. 그 정보가 차츰차츰 새어 나갔다. **2** 〈사람이〉 드문드문[조금씩] 오다[흩어져 가다]; 〈사물이〉 조금씩 나오다: (~+전+명) The guests ~*d out of* the room. 손님들이 하나 둘씩 방에서 나갔다.

— *vt.* 〈액체를〉 똑똑 떨어지게 하다; 한 사람[하나]씩 보내다[가게 하다] **~ up** 〈돈이〉 빈민층[빈국]에서 부유층[부국]으로 옮아가다

— *n.* **1** 물방울, 점적(點滴); 졸졸 흐르는 작은 시내; 느릿느릿한 움직임; 조금씩 오기[가기] **2** 소량

slow to a ~ 눈곱만큼으로 줄어들다

tríckle chàrge 〚전기〛 (전지의) 세류(細流) 충전

tríckle chàrger 〚전기〛 세류(細流) 충전기

trick·le-down [tríkldàun] *a.* 《미》 〚경제〛 통화 침투의

tríckle-down thèory 《미》 〚경제〛 통화 침투설 《정부 자금을 대기업에 유입시키면 그것이 중소 기업과 소비자에게까지 미쳐 경기를 자극한다는 이론》

tríckle irrigàtion (직경이 작은 호스로 간헐적으로 행하는) 세류(細流) 관개

trick·let [tríklit] *n.* 세류(細流), 실개천

trick·ly [tríkli] *a.* (**-li·er**; **-li·est**) 방울져 떨어지는; 졸졸 흐르는; 똑똑 떨어지는

tríck or tréat 《미》 과자 안 주면 장난칠 테야 《Halloween날 어린이들이 이웃집들 앞에서 외치는 소리》

trick-or-treat [tríkərtríːt] *vi.* trick or treat 놀이를 하다[에 참가하다]

trick·ster [tríkstər] *n.* **1** 사기꾼; 책략가; 요술쟁이 **2** 트릭스터 《원시 민족의 신화에 나와 주술·장난 등으로 질서를 문란시키는 초자연적 존재》

trick·sy [tríksi] *a.* (**-si·er**; **-si·est**) **1** 장난을 좋아하는 **2** 《고어》 교활한; 믿지 못할 **3** 〈일 등이〉 처리하기 힘든, 위험한, 아슬아슬한 **4** 《고어》 곱게 꾸민

trick·track [tríktræ̀k] *n.* = TRICTRAC

tríck wìg 〚연극〛 털이 뻗친 가발 (장치)

trick·y [tríki] *a.* (**trick·i·er**; **-i·est**) **1** 〈사람·행위 등이〉 교활한, 간사한, 내숭스러운, 음흉한 **2** 엄벙거리기 잘하는; 기략(機略)이 풍부한, 묘안이 풍부한 **3** 교묘한, 미묘한 **4** 〈역할·일 등이〉 하기 까다로운, 신중을 요하는, 솜씨가 좋아야 하는 **5** 〈의견 등이〉 남을 속이는, 속이는 데가 많은; 종잡을 수 없는, 막연한 **6** 고장이 잘 나는: a ~ car 고장이 잦은 차

tríck·i·ly *ad.* 교활하게 **tríck·i·ness** *n.* Ⓤ 잔꾀에 능함; 교활; 솜씨가 있어야 함; 하기 까다로움

tri·clin·ic [traiklínik] *a.* 〚결정〛 삼사(三斜)의, 삼사정계(三斜晶系)의: ~ system 삼사정계

tri·clin·i·um [traiklíniəm] *n.* (*pl.* **-i·a** [-iə]) (고대 로마의) 3면에 눕는 안락의자가 붙은 식탁; 그 식탁이 있는 식당

tric·o·lette [trìkəlét] *n.* 트리콜레트 《능직·레이온의 여성복용 메리야스》

tri·col·or [tráikʌ̀lər | tríkələ, tráikʌ̀lə] *a.* 3색의, 3색기의; 프랑스의 **—** *n.* 3색기 《특히 프랑스 국기》;

---

device, maneuver, deceit, swindle, fraud **2** 장난 hoax, joke, prank, caper, frolic **3** 재주 knack, art, talent, technique, ability, skill, expertise

(흑·백·황갈색의) 얼룩 강아지 **~ed** *a.* 3색의

tri·co·lore [trikəlɔ́:r] [F] *a.* 〔복식〕 3색의 《특히 적·백·청의 프랑스 국기의 3색 배색》

tri·corn(e) [tráikɔ:rn] *a.* 삼각의, 세 개의 뿔이 있는 〈모자 등〉 **—** *n.* 삼각 모자

tri·cor·nered [traikɔ́:rnərd] *a.* 삼각의(three-cornered)

tri·cot [trí:kou | trík-, trí:k-] [F 「뜨개질한 것」의 뜻에서] *n.* Ⓤ **1** 털실 또는 레이온의 손으로 뜬 것; 기계로 뜬 그 모조 직물 **2** 트리코 《골직의 피륙의 일종; 여자용 옷감》 **3** crochet 뜨개질의 일종

tric·o·tine [trìkətí:n, trì:k-] *n.* Ⓤ 능직(綾織) 메리야스 천

tric·trac [tríktræ̀k] *n.* 트릭트랙 《backgammon의 일종》

tri·cus·pid [traikʌ́spid] *a.* **1** 〈이가〉 세 첨두(尖頭)가 있는(cf. BICUSPID) **2** 〔해부〕 삼첨판(三尖瓣)의: the ~ valve (심장 우심실의) 삼첨판
— *n.* 〔해부〕 세 첨두가 있는 이; (심장의) 삼첨판

tri·cus·pi·date [traikʌ́spədèit] *a.* 〔해부〕 3개의 첨두[첨단, 첨판(尖瓣)]를 가진

tri·cy·cle [tráisəkl, -sìkl] *n.* 세발자전거(cf. BICYCLE); 삼륜 오토바이; 삼륜 휠체어: ride (on) a ~ 삼륜차를 타다 **—** *vi.* 삼륜차[삼륜 오토바이]를 타다 **-cler, -clist** *n.*

tri·cy·clic [traisáiklik, -sík-] *a.* 삼륜의, 삼륜차의; 〔화학〕 3환식(環式)의 **—** *n.* 〔약학〕 3환계 항울제(抗鬱劑)

tri·dac·tyl [traidǽktl] *a.* 손[발]가락이 셋 있는

tri·dai·ly [traidéili] *a.* 1일 3회의; 3일에 한 번의

tri·dent [tráidnt] *n.* **1** 〔그리스·로마신화〕 삼지창(三枝槍) 《해신(海神) Poseidon의 표장》; 제해권 **2** (고기를 찌르기 위한) 세 갈래난 작살 **3** 〔수학〕 삼차(三叉) 곡선 **—** *a.* 세 갈래난

tri·den·tate [traidénteit] *a.* 이가 셋 있는, 세 갈래의

Tri·den·tine [traidéntain, -ti:n, -tin] *a.* (이탈리아) Trent의; 트리엔트 공의회(1545-63)의 **~ *theology*** 트리엔트 공의회에서 정한 천주교 신학
— *n.* 트리엔트 공의회의 신앙 고백을 믿는 가톨릭교도

tri·di·men·sion·al [tràidiménʃənl] *a.* 3차원의, 입체의(3-D)

trid·u·um [trídʒuəm, -dju- | -dju-] *n.* 〔가톨릭〕 (성인의 축일 전에 행하는) 3일 묵도[묵상]

‡tried [tráid] *v.* TRY의 과거·과거분사
— *a.* Ⓐ 시험을 마친; 믿을 만한 〈친구 등〉; 시련에 견디는 ***old and ~*** 전적으로 신용할 수 있는

tried-and-true [tráidəntrú:] *a.* 유효성이 증명된, 신뢰할 수 있는

tri·ene [tráii:n] *n.* 〔화학〕 트리엔 《2중 결합을 셋 가진 탄화수소》

tri·en·ni·al [traiéniəl] *a.* **1** 3년간 계속하는 **2** 3년에 한 번씩의, 3년마다의(cf. BIENNIAL)
— *n.* **1** 3년제(祭); 3년 마다의 행사[간행물]; 〔가톨릭〕 죽은 사람을 위한 3년마다의 미사 **2** 〔식물〕 3년생 식물 **~·ly** *ad.*

tri·en·ni·um [traiéniəm] *n.* (*pl.* **~s, -ni·a** [-niə]) 3년의 기간, 3년간

tri·er [tráiər] *n.* **1** 시험자[관], 실험자; 색대 《견본 추출용》; 노력가 **2** 재판관; 심문자(審問者) **3** 〔법〕 배심 기피 심판관

tri·er·arch [tráiərɑ̀:rk] *n.* (고대 그리스의) 3단 노가 달린 갤리선(trireme)의 사령관; (아테네의) 3단 노 갤리선 건조 의무를 진 시민

tri·er·ar·chy [tráiərɑ̀:rki] *n.* (*pl.* **-chies**) **1** (고대 그리스의) 3단 노 갤리선 사령관의 자리[지위]; [집합적] 3단 노 갤리선 사령관 **2** (고대 아테네의) 3단 노 갤리선의 건조[유지, 의장] 의무 (제도)

tri·fec·ta [tráifèktə] *n.* 《미·호주》 〔경마〕 3연승(連勝) 단식(triple)[경기]

trif·fid [trífid] *n.* 트리피드 《공상 과학 소설에서 머리가 셋인 거대한 식물 괴수(怪獸)》

tri·fid [tráifid] *a.* 〈잎·스푼 등이〉 세 갈래로 째진, 3렬(裂)의

‡tri·fle [tráifl] *n.* **1** 하찮은[시시한] 것, 사소한 일: stick at ~*s* 사소한 일에 구애되다 **2** [a ~] **a** 소량, 근소한 금액: *a* ~ of sugar 소량의 설탕 **b** [부사적] 조금: *a* ~ sad 조금 슬픈 / I was *a* ~ vexed. 좀 속이 상했다. **3** (문학·음악·미술 등에서) 가벼운 작품, 소품; (피아노용의) 소곡, 바가텔(bagatelle) **4** Ⓤ (일종의) 백랍, 땜납(pewter); [*pl.*] 그것으로 만든 물건 **5** ⒸⓊ 《영》 〔요리〕 트라이플 《포도주에 담근 카스텔라류》
— *vi.* **1** 가지고 놀다, 희롱하다, 만지작거리다 《*with*》; 경시하다: 《~+전+명》 ~ *with* a pencil 연필을 가지고 장난하다 / ~ *with* one's health 건강을 대수롭지 않게 여기다 **2** 농담[실없는 말]을 하다, 희롱하다
— *vt.* 〈시간·정력·돈 등을〉 낭비하다 《*away*》: 《~+목+부》 ~ *away* money 돈을 낭비하다
▷ trífling *a.*

tri·fler [tráiflər] *n.* 농담하는 사람; 경솔한 사람; 빈둥거리는 사람(idler)

‡tri·fling [tráifliŋ] *a.* **1** 〈일이〉 하찮은, 시시한; 〈양·금액 등이〉 적은; 근소한: a ~ error[matter] 사소한 오류[문제] / of ~ value 값어치가 적은 **2** 경박한, 성실하지 못한: a ~ talk 농담 **3** 《미·방언》 〈사람이〉 게으른, 변변치 않은
— *n.* **1** 경박한[쓸데없는] 행동, 시시한 농담[수다] **2** 시간 낭비, 지루하게 보내는 것; 헛수고[노력]
~·ly *ad.* **~·ness** *n.*

tri·flu·o·per·a·zine [traiflù:əpérəzì:n] *n.* 〔약학〕 트리플루오페라진 《정신 안정제》

tri·flu·ra·lin [traiflúərəlin] *n.* 〔화학〕 트리플루랄린 《비선택성 제초제》

tri·fo·cal [traifóukəl] 〔광학〕 *a.* 〈안경의 렌즈가〉 3초점(焦點)의 **—** *n.* 3초점 렌즈; [*pl.*] 3초점 안경 《근·중·원거리가 보이는》

tri·fo·li·ate [traifóulièit] *a.* 〔식물〕 세 잎의

tri·fo·li·o·late [traifóuliəlèit] *a.* 〔식물〕 작은 잎이 셋 나는: ~ orange 탱자나무

tri·fo·li·um [traifóuliəm] *n.* 〔식물〕 달구지풀

tri·fo·ri·um [traifɔ́:riəm] *n.* (*pl.* **-ri·a** [-riə]) 〔건축〕 트리포리움 《교회 입구의 아치와 지붕과의 사이》

tri·form(ed) [tráifɔ̀:rm(d)] *a.* 3체(體)[3형]의; 3부로 된

tri·fur·cate [traifə́:rkeit, tráifə:rkèit | tráifə:kèit] *vt., vi.* 세 갈래로 하다, 세 갈래가 되다, 3부로 나누다[나뉘다] **—** [traifə́:rkeit, tráifər- | tráifə:kət] *a.* 세 갈래[가지]의

trig[1] [tríg] *a.* (**~·ger**; **~·gest**) 《영》 **1** 말쑥한, 깨끗한, 말끔한, 맵시 있는 **2** 튼튼한, 건전한
— *vt.* (**~ged**; **~·ging**) 《영·방언》 깔끔하게 하다, 꾸미다, 모양내다 《*up, out*》

trig[2] 《방언》 *vt.* (**~ged**; **~·ging**) 굄돌로 괴다[멈추다]; 굄목을 버티다 《*up*》 **—** *n.* 바퀴 멈추개

trig[3] [*trig*onometry] *n.* Ⓤ 《구어》 삼각(법)

trig. trigonometric(al); trigonometry

trig·a·mous [trígəməs] *a.* **1** 세 명의 처[남편]가 있는, 세 번 결혼한 **2** 〔식물〕 (수꽃·암꽃·암수 양꽃) 세 꽃이 있는

trig·a·my [trígəmi] *n.* Ⓤ 1부 3처, 1처 3부, 3중혼(cf. MONOGAMY, BIGAMY) **-mist** *n.* 3중혼자

tri·gem·i·nal [traidʒémənl] 〔해부〕 *a.* 삼차(三叉) 신경의; 3중(重)의 **~ *neuralgia*** 〔병리〕 삼차 신경통
— *n.* 삼차 신경(= **~ nérve**)

∗trig·ger [trígər] [Du. 「당기다」의 뜻에서] *n.* **1** (총포의) 방아쇠 **2** (기계의) 제동기[장치], 제륜기(制輪機)

thesaurus **trifling** *a.* **1** 하찮은, 시시한 petty, trivial, unimportant, insignificant, inconsequential, shallow, superficial, frivolous, silly, foolish, valueless **2** 적은 small, tiny, negligible, paltry
trigger *v.* generate, start, cause, prompt, provoke, give rise to, bring about

3 (분쟁 등의) 계기, 유인, 자극 **4** 〖전자〗 트리거 **5** 《속어》 =TRIGGERMAN
***have** one's **finger on the** ~* 방아쇠에 손가락을 대고 있다; 〖군사〗 작전의 지휘권을 쥐고 있다 ***in the drawing of a** ~* 별안간 ***pull**[**press**] **the** ~* 방아쇠를 당기다 《*at, on*》 ***quick on the** ~* 《구어》 사격이 날랜; 민첩한, 빈틈없는; 행동[반응]이 빠른
— *vt.* **1** (방아쇠를 당겨서) 쏘다, 발사하다; 폭발시키다 **2** 〈일을〉 일으키다, 시작케 하다, 유발하다 《*off*》

trígger fìnger 오른손의 집게손가락

trig·ger·fish [trígərfìʃ] *n.* (*pl.* **~, ~·es**) 〖어류〗 쥐치무리 《열대어》

trig·ger-hap·py [-hæ̀pi] *a.* 《구어》 **1** (마구) 권총을 쏘고 싶어하는 **2** 대단히 호전적[공격적]인 **3** 남의 약점 들추기를 좋아하는

trig·ger·man [-mən, -mæ̀n] *n.* (*pl.* **-men** [-mən, -mèn]) 《구어》 (범죄단 소속의) 암살자; (범죄단의) 경호원, 보디가드

trígger prìce 트리거 가격, 지표 가격 《덤핑 조사의 계기가 되는 가격》

tri·glot [tráiglɑt | -glɔt] *a.* 3개국 말로 쓴[을 하는] (cf. BILINGUAL)

tri·glyc·er·ide [traiglísəràid] *n.* 〖화학〗 트리글리세리드 《콜레스테롤과 함께 동맥 경화를 일으키는 혈중 지방 성분》

tri·glyph [tráiglìf] *n.* 〖건축〗 트리글리프 《세 줄기 세로 홈이 진 무늬》

tri·go [trí:gou] *n.* (*pl.* **~s**) 밀, 밀밭

tri·gon [tráigɑn | -gɔn] *n.* **1** 〖고대 그리스〗 삼각금(琴) **2** (해시계용의) 삼각판(板), 삼각자 **3** 〖점성술〗 =TRIPLICITY 3 **4** 《고어》 삼각형(triangle)

trigon. trigonometric; trigonometry

trig·o·nal [trígənl] *a.* 삼각형의; 〖생물〗 절단면이 삼각형을 이루는; 〖결정〗 삼방정계(三方晶系)의

trígonal trisoctahédron 3각면 24면체

tri·go·neu·tic [tràigənjú:tik | -njú:-] *a.* 〖곤충〗 3세대성의 《1년에 3세대가 생기는》

trig·o·nom·e·ter [trìgənɑ́mətər | -nɔ́m-] *n.* 직각 삼각계(計)

trig·o·no·met·ric, -ri·cal [trìgənəmétrik(əl)] *a.* 삼각법의[에 의한] **-ri·cal·ly** *ad.*

trigonométric equátion 〖수학〗 삼각 방정식

trigonométric fúnction 〖수학〗 삼각 함수

trigonométric séries 〖수학〗 삼각 급수

trig·o·nom·e·try [trìgənɑ́mətri | -nɔ́m-] *n.* Ⓤ 삼각법, 삼각술(術)

trig·o·nous [trígənəs] *a.* 〖생물〗 〈뿌리·줄기·씨앗 등이〉 세 모가 있는, 〈단면이〉 삼각형인

tríg pòint 삼각점 《삼각 측량을 할 때 기준으로 선정된 지점; 보통 지상의 표석으로 표시되어 있음》

tri·gram [tráigræ̀m] *n.* 삼자명(三字銘); 3선형(三線形); 괘(卦)

tri·graph [tráigræ̀f, -grɑ̀:f | -grɑ̀:f, -græ̀f] *n.* **1** 세 글자 한 소리, 3중음자 《schism[sízm]의 *sch* 등》 **2** 3중음자 단어 《the 등》 **trì·gráph·ic** *a.*

tri·he·dral [traihí:drəl] 〖기하〗 *a.* 삼면체의
— *n.* =TRIHEDRON

tri·he·dron [traihí:drən] *n.* (*pl.* **~s, -dra** [-drə]) 〖기하〗 삼면체

tri·hy·brid [traiháibrid] *n.* 〖생물〗 3유전자 잡종

tri·hy·drate [traiháidreit] *n.* 〖화학〗 3수화물(水化物) **-drat·ed** *a.*

tri·hy·drox·y [tràihaidrɑ́ksi | -drɔ́k-] *a.* 〖화학〗 한 분자 중에 3개의 수산기를 가진, 3수산기의

tri·i·o·do·thy·ro·nine [tràiaiòudouθáiərəni:n, -aiɑ̀d- | -aiòud-] *n.* 트리요오드사이로닌[티로닌] 《갑상선 호르몬의 일종》

tri·jet [tráidʒèt] *n., a.* 3발(三發) 제트기(의)

trike [tráik] [tricycle의 단축형에서] *n., vi.* 《구어》 세발자전거(를 타다)(cf. BIKE)

tri·la·bi·ate [trailéibiət, -bièit] *a.* 〖생물〗 3개의 순판(脣瓣)을 가진

tri·lam·i·nar [trailǽmənər] *a.* 3층의

tri·lat·er·al [trailǽtərəl] *a.* **1** 〈도형 등이〉 세 변의[이 있는] **2** 3자(者)로 이루어진, 3자간의
— *n.* 삼변형, 삼각형 **~·ly** *ad.*

tri·lat·er·al·ism [trailǽtərəlìzm] *n.* 3자 상호 협력 《선진 공업국인 북미와 유럽 제국 및 일본간의 보다 밀접한 관계와 협력을 촉진하는 정책》 **-ist** *n.*

tri·lat·er·a·tion [trailæ̀təréiʃən] *n.* 〖측량〗 삼변 측량(술)

tril·by [trílbi] *n.* (*pl.* **-bies**) **1** 《영》 소프트모(帽) 《중절모의 일종》(=∼ **hát**) **2** [보통 *pl.*] 《속어》 발《足》

tri·lem·ma [trailémə] *n.* 〖논리〗 삼도(三刀) 논법; 3자 택일의 궁지

tri·lin·e·ar [trailíniər] *a.* 세 개 선의, 세 선으로 둘러싸인

tri·lin·gual [trailíŋgwəl] *a.* 3개 국어의[를 말하는] (cf. BILINGUAL): a ~ journal 3개 국어로 쓰여진 잡지 **~·ly** *ad.*

tri·lit·er·al [trailítərəl] *a., n.* 3자(字)[3자음(字音)]로 이루어지는 (말, 어근(語根)): ~ languages 3자음식 언어 《셈 어 등》

tri·lith·on [trailíθɑn, tráiləθɑ̀n | trailíθɔn, tráiliθɔ̀n], **tri·lith** [tráiliθ] *n.* 〖고고학〗 (선사 시대의) 삼석탑(三石塔) 《곧게 선 두 돌 위에 한 개의 돌을 얹은 거석 기념물》

***trill**[1] [tríl] *n.* **1** 떨리는 소리; 〖음악〗 트릴, 전음(顫音) **2** (새의) 지저귐; (벌레의) 우는 소리; 까르르 웃는 소리 **3** 트릴로 노래[연주]하다 **4** 〖음성〗 전동음(顫動音) 《혀를 꼬부려서, 또는 프랑스 말과 같이 목젖을 진동시켜 발음한 자음; 기호 [R]》
— *vt.* **1** 떨리는 소리[전음(顫音)]로 노래하다[연주하다] **2** 〖음성〗 혀를 진동시켜 〈음(音)을〉 발음하다(roll) **3** 〈새·벌레 등이〉 소리를 떨면서 울다
— *vi.* **1** 떨리는 소리[전음]로 노래하다[연주하다]; 전동음으로 발음하다 **2** 〈새가〉 지저귀다
~ing laughter 떨리며 울려 나오는 웃음 소리

trill[2] 《고어》 *vi.* 회전[선회]하다; 〈액체가〉 졸졸 흐르다
— *vt.* 졸졸 흐르게 하다

***tril·lion** [tríljən] *n.* 《미》 **1조**(兆) 《100만의 제곱》; 《영》 **100경**(京) 《100만의 3제곱》; [종종 *pl.*] 《구어》 무수(無數)
— *a.* 1조의; 100경의

tril·li·um [tríliəm] *n.* 〖식물〗 연령초속(屬)의 식물

tri·lo·bate, -bat·ed [trailóubeit(id), tráiləbèit(id)], **tri·lobed** [tráilòubd] *a.* 〖식물〗 〈잎이〉 세 갈래로 찢어진

tri·lo·bite [tráiləbàit] *n.* 〖고생물〗 삼엽충(三葉蟲) 《화석으로 남은 고생대의 동물》

tri·loc·u·lar [trailɑ́kjulər | -lɔ́k-] *a.* 〖식물〗 (씨방이) 3실(室)의

tril·o·gy [trílədʒi] *n.* (*pl.* **-gies**) **1** 3부작 《극·소설 등의》 **2** (고대 그리스의) 3비극 《Dionysus의 제전에서 상연되었던》 **3** (서로 닮은) 세 개 한 벌

‡**trim** [trím] [OE 「바로잡다, 다듬다」의 뜻에서] *v.* (**~med**; **~·ming**) *vt.* **1 a** (깎아) **다듬다, 정돈하다,** 손질하다: ~ a lamp 램프의 심지를 자르다 / ~ one's nails 손톱을 깎다 **b** 다듬어 내다; 〈사진을〉 트림하다 《*off, away*》; 잘라내다, 없애다: (~+목+부) ~ *away* the edges of a picture 사진 마구리를 트림하다 / ~ dead branches *off* 죽은 가지를 쳐내다 // (~+목+전+명) ~ excess fat *from* meat 식육에서 여분의 기름을 잘라내다 **2 a** 〈예산 등을〉 깎다, 삭감하다 **b** 〖목공〗 대패질하다, 모를 없애다 **3 a** 〖항공·

---

trim *v.* **1** 다듬다 cut, clip, snip, shear, even up, tidy up, neaten **2** 잘라내다 chop, hack, remove, take off **3** 삭감하다 cut down, decrease, reduce, diminish, curtail, retrench **4** 장식하다 decorate, adorn, ornament, embellish, embroider — *a.* neat, tidy, smart, spruce, well-dressed, elegant

항해] (짐을 가감하여) 〈배·비행기의〉 균형을 잡다 **b** 〚항해〛 〈바람을 잘 받도록 돛·돛가름대를〉 조정하다, 조절하다; 〈연료·뱃짐을〉 화물창에 싣다 **c** 〈의견 등을〉 편리한 대로 바꾸다 **4** **장식하다,** 가장자리를 달다: (~+목+전+명) ~ a dress *with* fur 드레스에 모피 장식을 달다 **5** (미) (쇼윈도 등에) 상품을 진열하다 **6** (구어) 꾸짖다, 혼내주다, 때리다; (경기 등에서 상대편을) 지우다, 이기다 **7** (구어) 협잡하다; 속여서 빼앗다 **8** (고어) 몸단장하다, 차리다, 준비하다: (~+목+부) ~ oneself *up* 깨끗이 몸단장하다

— *vi.* **1** 〚항해〛 〈배가〉 균형이 잘 잡히다 **2** 〈정치가가〉 기회주의적 태도를 취하다, 양다리를 걸치다 (*between*) **3** (편리한 대로) 의견[방침]을 바꾸다

~ by [***on***] ***a wind*** 〚항해〛 되도록 바람이 부는 방향으로 배를 달리다 ***~ by the bow*** [***stern***] 〚항해〛 (배의) 이물[고물] 쪽을 낮추다 ***~ down*** 깎아서 손질하다; 〈체형 등을〉 작게[가늘게] 하다; 몸무게가 줄다; 바짝 줄이다, 삭감하다 ***~ in*** 〈판자 등을〉 끼워 넣다 ~ one***'s course*** 돛을 조정하여 나아가다 ~ a person***'s jacket*** (구어) …을 때리다

— *a.* (**~·mer**; **~·mest**) **1** 〈복장·모양 등이〉 **산뜻한,** 말끔한, 잘 손질된; 정비된 **2** 상태가 좋은; 기분 좋은 **3** 〈몸매가〉 균형 잡힌, (건강하고) 날씬한(slim)

— *n.* Ⓤ **1** 정돈(된 상태), 준비 상태; (건강 등의) 상태; 기분 **2** ⓊⒸ 〚항공·항해〛 (배·항공기의) 균형; 자세, (돛의) 바람 받는 정도, 돛대의 자세; 장비 **3** 몸차림, 모습; 풍채; 나들이옷 **4** (미) (건물 내부의) 목조부; 건물의 외면 장식; 외장(外裝) ((차체(車體)의)); 내장(內裝) ((특히 차의 판금·색 등)) **5** 손질, 깎아 다듬기; 잘린[삭감된] 것; 〈영화가〉 잘린 부분 **6** 성질, 성격

be in no ~ for 〈몸 상태가〉 …할 형편이 아니다 ***give*** a person ***a ~*** (구어) 〈이발사가〉 머리를 손질하다 ***in*** (***good*** [***proper***]) ***~*** 정돈되어; (몸의) 건강 상태가 좋아서; 〚항해〛 균형이 잡혀: *in* fighting [sailing] ~ 전투[출범] 준비가 되어 ***into ~*** 적절한 (정돈) 상태로 ***out of ~*** 정돈이 안 되어; 상태가 나빠, 탈이 나; 〚항해〛 배가 한 쪽이 무거워

~·ly *ad.* **~·ness** *n.*

tri·ma·ran [tráimərӕ̀n] *n.* 3동선(胴船)

tri·mer [tráimər] *n.* 〚화학〛 삼량체(三量體)

trim·er·ous [trímərəs] *a.* **1** 〚식물〛 〈꽃이〉 3수의, 3기수(基數)의 **2** 〚곤충〛 〈다리가〉 세 마디의 **3** 세 부분으로 된

tri·mes·ter [traiméstər, ⌐-⌐] *n.* (미) (특히 임신 기간 중의) 3개월간; (3학기제의) 한 학기

tri·mes·tral [traiméstrəl], **-tri·al** [-triəl] *a.* 3개월의; 3개월마다의

trim·e·ter [trímətər] 〚운율〛 *a.* 3보격(步格)의
— *n.* 3보격(의 시행(詩行))

tri·meth·o·prim [traiméθəprim] *n.* 〚약학〛 트리메소프림 ((살균제·항말라리아제))

tri·met·ric, -ri·cal [traimétrik(əl)] *a.* 〚운율〛 3보격의

trimétric projéction 〚기하〛 사(斜)[사방(斜方)] 투영

tri·met·ro·gon [traimétrəgɑ̀n | -gɔ̀n] *n.* 〚측량〛 3각점 부감(俯瞰) 촬영법 ((다른 각도에서 3대의 카메라로 동시 촬영하는 항공 사진 방식))

trim·mer [trímər] *n.* **1** 정돈[손질, 장식]하는 사람; 조정[마무리]하는 사람 **2** 베어 자르는 기구 ((낫, 자귀, 가위, 칼 등)) **3** 〚건축〛 장선받이, 틀장선; 모통이용의 벽[바닥] 타일 **4** 화물창 안의 짐을 알맞게 되싣거나 쌓는 기구[사람] **5** 기회주의자 **6** (구어) 꾸지람하는 사람; (호주·구어) 우수한 사람[것], 만만치 않은 사람[것] **7** (pike를 낚는) 낚시찌 **8** 〚전기〛 트리머

trim·ming** [trímiŋ] *n.* ⓊⒸ **1** **정돈,** 말끔하게 하기; 〚사진〛 트리밍 **2** 장식 재료, 장식품, 장식; 말(馬)의 장식 **3** [*pl.*] (구어) (요리의) 고명, 요리에 딸려 나오는 것 **4** 손질, 깎아 다듬기, 마름질; [*pl.*] 다듬어낸 것, 마름질하고 남은 헝겊 조각 **5** (구어) 호된 꾸지람, 매질; 패배 **6** (구어) 사기, 속임 (and***) ***all the ~s*** (그 외에도) 모두 다

trímming bòard 트리밍 보드 ((고무·판지·펠트로 된 판으로서 종이 등을 잘라낼 때 깔개[밑받침]로 씀))

trímming tàb 〚항공〛 = TRIM TAB

tri·mo·lec·u·lar [traimәlékjulər] *a.* 〚화학〛 3분자의[를 가지는]

tri·month·ly [traimʌ́nθli] *a.* 3개월마다의

tri·morph [tráimɔːrf] *n.* 〚결정〛 동질삼상(同質三像) 물질 ((성분은 같고 결정 구조가 다른 3종의 물질))

tri·mo·tor [tráimòutər] *n.* 〚항공〛 3발기 ((엔진이 세 개 달린 비행기))

trím sìze (책의) 재단 사이즈

trím tàb 〚항공〛 트림 탭 ((비행 고도 안정을 위해 승강타·보조날개·방향타의 뒤끝에 붙인 작은 날개))

Trin. Trinity

tri·nal [tráinl], **tri·na·ry** [-nəri] *a.* 셋으로[3부로] 된; 3중[배]의

trine [tráin] *a.* 3배[중]의, 3층의; 〚점성술〛 3분의 1 대좌(對座)의, 행운의: the ~ compass 천·지·해(天地海) 3층의 공간
— *n.* 세 개 한 벌, 삼인조, 삼파(三巴); 〚점성술〛 3분의 1 대좌; 〚그리스도교〛 [the T~] = TRINITY

trin·gle [tríŋgl] *n.* 〚건축〛 모난 쇠시리

Trin·i·dad [trínədӕ̀d] *n.* 트리니다드섬 ((서인도 제도 최남단의 섬))

Trínidad and Tobágo 트리니다드토바고 ((서인도 제도에 있는 독립국; 수도 Port-of-Spain))

Trin·i·tar·i·an [trìnətέəriən] 〚그리스도교〛 *a.* 삼위일체(설)의[을 믿는] **—** *n.* 삼위일체설 신봉자
~·ìsm *n.* Ⓤ 삼위일체설

tri·ni·tro·ben·zene [trainàitroubénziːn] *n.* Ⓤ 〚화학〛 트리니트로벤젠 ((폭약 원료; 略 TNB))

tri·ni·tro·tol·u·ene [trainàitroutɑ́ljuiːn | -tɔ́l-], **-tol·u·ol** [-tɑ́ljuɔ̀ːl | -tɔ́ljuɔ̀l] *n.* Ⓤ 트리니트로톨루엔, 트리니트로톨루올 ((강력 폭약; 略 TNT))

***Trin·i·ty** [trínəti] [L 「3개 한벌」의 뜻에서] *n.* **1** [the ~] 〚신학〛 **삼위일체** ((성부·성자·성령을 일체로 봄)); 삼위일체의 신; 삼위일체설 **2** 〚미술〛 삼위 일체의 상징[그림] **3** 삼위일체 축일(= ~ **Súnday**) ((Whitsunday 다음 일요일)) **4** [**t~**] 3인조; 3부분으로 된 것[조] **5** [**t~**] (애연가들이 쓰는) 세 부분으로 된 파이프 청소기

Trínity Bréthren (영) 도선사(導船士) 협회원

Trínity Cóllege 케임브리지 대학 최대의 단과 대학 ((Henry VII가 창설))

Trínity Hóuse (영) 도선사 협회 ((등대·항로 표지 건설 및 도선사의 시험 등을 관리))

Trínity sítting 〚영국법〛 = TRINITY TERM 2

Trínity Súnday 삼위일체의 신을 기리는 축제일 ((오순절(Pentecost) 다음의 일요일))

Trínity tèrm **1** (Oxford 대학의) Easter term 다음의 학기 **2** 〚영국법〛 고등 법원 제4기 개정기(開廷期)

trin·ket [tríŋkit] *n.* **1** 자질구레한 장신구 **2** ((일반적으로)) 하찮은 것

trin·oc·u·lar [trainɑ́kjulər | -nɔ́k-] *a.* 3안 현미경의

tri·no·mi·al [trainóumiəl] *a.* **1** 〚수학〛 3항(식)의 **2** 〚동물·식물〛 3어명(語名)의 **—** *n.* 〚수학〛 3항식; 〚생물〛 3어명[법] **~·ìsm** *n.* Ⓤ 〚생물〛 (속명(屬名)·종명(種名)·아종명(亞種名)의) 3어 명명(법) **~·ly** *ad.*

tri·nu·cle·o·tide [trainjúːkliətàid | -njúː-] *n.* 〚유전〛 트리뉴클레오티드

tri·o [tríːou] *n.* (*pl.* **~s**) **1** 〚음악〛 트리오, 3중주[창](곡), 3중주[창]단(⇨ solo 관련) **2** 셋으로 된 짝, 3인조, 세 개 한 벌 **3** (소나타·교향곡의) 중간부

tri·ode [tráioud] *n.* 〚전자〛 3극 진공관

tri·ol [tráiɔːl, -ɑl | -ɔl] *n.* 〚화학〛 트리올 ((3개의 수산기(水酸基)를 가진 화합물))

tri·o·let [trìːəléi, tráiəlit | tríːəlèt] *n.* 〚운율〛 2운각(韻脚)의 8행시 ((ab aa abab로 압운(押韻)하고, 제1행은 제4, 7행에, 제2행은 제8행에 반복됨))

Tri·o·nes [traióuniːz] *n. pl.* 〚천문〛 북두칠성(cf. DIPPER 4)

tri·or [tráiər] *n.* = TRIER 3
tri·ose [tráious | -ouz, -ous] *n.* 트리오스, 3탄당
tri·ox·ide [traiɑ́ksaid | -ɔ́k-] *n.* 〖화학〗 3산화물
‡trip [tríp] *n.*, *v.*

OE 「경쾌하게 걷다」의 뜻에서→「경쾌한 걸음걸이」 5→(잠깐 달림)→「여행」 1

— *n.* **1** (특히 짧은) **여행,** 항해(⇨ travel 유의어); 단체 여행, 소풍; 출장, (여행 이외의) 이동, 통근: We took a ~ north to see our cousin. 우리는 사촌을 만나러 북쪽으로 여행을 갔다. **2** 〖야구〗 타석에 섬[서는 것] **3 헛디딤;** 곱드러짐; 다리를 걸어 넘어뜨림; 〖레슬링〗 발걸이, 되차기 **4** 과실, 실언, 실수 **5 경쾌한 걸음걸이 6** 〖기계〗 시동 장치; 스위치; 멈추개 **7** 〖항해〗 바람을 비스듬히 앞으로 받아 배를 빗나가게 하기(tack); 그렇게 해서 나아가는 거리 **8** (어선의) 한 항해의 어획고 **9** 《미·속어》 (주로 LSD에 의한) 환각(의 경험[기간]); 자극적 경험 **10** 《미·구어》 활동, 행동, 사는 방식; 태도 **11** 《미·암흑가속어》 체포, 구류; (다른 교도소로의 범인) 이송 **12** 《미·라디오속어》 교신(交信) **13** 《미·속어》 문제: What's your ~? 무슨 문제라도 있니? ***lay a ~*** [***scene***] ***on*** a person …을 비난하다; 놀래키다 ***make a ~*** 여행하다 《*to*》; 과실을 범하다 ***take a fishing ~*** 《미·야구속어》 삼진하다

— *v.* (**~ped**; **~ping**) *vi.* **1 걸려 넘어지다;** 〈발이〉 걸리다 《*up*》, 곱드러지다; 헛디디다 《*over*》: (~+전+명) He ~*ped on* a stone. 그는 돌에 걸려 넘어질 뻔했다. **2** 과오를 범하다; 실수하다: (~+전+명) She ~*ped on* the test in English. 그녀는 영어 테스트에서 실수를 했다. **3 경쾌한 걸음걸이로 걷다**[**춤추다**]; 〈시구가〉 경쾌하다: (~+전+명) She came ~*ping down* the street. 그녀는 거리를 경쾌한 걸음으로 걸어왔다. **4** 앞뒤가 안 맞는 말을 하다; 말이 막히다; 잘못 말하다 **5** 여행하다 **6** 《속어》 (주로 LSD에 의한) 환각 증상에 빠지다 《*out*》

— *vt.* **1** 곱드러지게 하다, 딴죽 걸다, 걸려 넘어지게 하다 《*up*》: The rug ~*ped* him *up.* 그는 깔개에 걸려 넘어졌다. **2** 실패하게 하다; 방해하다, 저지하다; 실수하게 하다; 잘못을 들추다, 헐뜯다, 책잡다 《*up*》: He was ~*ped up* by skillful questioning. 그는 교묘한 질문에 걸려 대답을 잘못했다. **3** 〈지면 등을〉 가볍게 밟다, 춤추다 **4** 〖항해〗 〈닻을〉 당겨 해저에서 떼다; 〈활대를〉 내리기 위하여 기울이다; 〈위쪽 돛대를〉 내리기 위하여 달아 올리다 **5** 〈기계의〉 멈추개를 벗기다, 〈기계를〉 시동시키다 **6** 〖야구〗 이기다 **7** 《미·속어》 …에게 거짓말을 하다

be ~ping 《미·속어》 잘못 생각하고 있다, 착각하고 있다 ***catch*** [***find***] a person ***~ping*** …의 실수를 헐뜯다 ***go ~ping*** 순조롭게 진행되다 ***~ it*** 짧게 여행하다 ***~ out*** 〈회로가〉 끊기다[끊다]; 〈기계가〉 멈추다 ***~ the light fantastic*** 《익살》 춤추다

TRIP [tríp] [*tr*ansformation-*i*nduced *p*lasticity] *a.* 고강도(高强度)·강연성(强延性) 특수강(特殊鋼)의
tri·pack [tráipæ̀k] *n.* 〖사진〗 트라이팩 《감색성이 다른 세 가지 필름을 겹친 컬러 필름》
tri·part·ed [traipɑ́ːrtid] *a.* 세 부분으로 나누어진
tri·par·tite [traipɑ́ːrtait] *a.* **1** 셋으로 나누어진, 3부로 이루어지는 **2** 〖식물〗 〈잎이〉 세 갈래로 깊이 찢어진: ~ leaf 세 갈래 잎 **3** 〈협정 등이〉 3자간의, 3자 가맹의: a ~ treaty 3국 조약 **4** 〈문서 등이〉 3부로 작성된(cf. BIPARTITE) **~·ly** *ad.*
tri·par·ti·tion [tràipɑːrtíʃən, -pər-] *n.* Ⓤ 3분(하기), 3분할; 3분열
tripe [tráip] *n.* **1** ⓊⒸ 양 《소·양의 위(胃)에서 사람이 먹을 수 있는 부분》; [*pl.*] 《고어·비어》 내장 **2** 《구어》 하등품; 헛소리(nonsense); 졸작, 쓸모없는 것[사람]
tri·ped·al [tráipèdl, trípidl | tráipèdl, ─́─] *a.* 발이 셋 있는, 3각의
tri·per·son·al·i·ty [tràipəːrsənǽləti] *n.* [종종 T~] (신의) 3위격성(三位格性)

trip·ham·mer [tríphæ̀mər] *n.* 〖기계〗 기계 해머
tri·pha·sic [traiféizik] *a.* 3상성(相性)의, 3국면의 — *n.* 〖약학〗 (세 가지 효과의) 복합약, 《특히》 트리페이식 《경구 피임약의 일종》
tri·phen·yl·meth·ane [traifènəlméθein, -fìːn-] *n.* 〖화학〗 트리페닐메탄 《염료의 원료》
tri·phib·i·an [traifíbiən] *a.* **1** 〖군사〗 육·해·공의 어느 싸움에도 강한 **2** 〈항공기가〉 만능 이륙의, 어디서도 이륙 가능한 **3** = TRIPHIBIOUS
tri·phib·i·ous [traifíbiəs] *a.* 육·해·공 합동 작전의
tríp hòp 트립합 《힙합과 레게 음악을 혼합한 느린 댄스 음악》
tri·phos·phate [traifɑ́sfeit | -fɔ́s-] *n.* 〖화학〗 3인산염
tri·phos·pho·pýr·i·dine núcleotide [traifɑ̀sfoupírədìːn-, -din- | -fɔ̀s-] 〖생화학〗 트라이포스 포피리딘 뉴클레오티드 《略 TPN》
triph·thong [trífθɔːŋ, -θɑŋ, tríp- | -θɔŋ] *n.* 〖음성〗 3중모음 《fire에 있어서의 [aiər]의 단음절적 발음; cf. DIPHTHONG》; = TRIGRAPH
tri·plane [tráiplèin] *n.* 3엽 비행기
‡tri·ple [trípl] *a.* **1 3중의;** 3배의(cf. SINGLE, DOUBLE); 3부분으로 되는 **2** 3종의; 성격[관계]이 3중의 **3** 〖국제법〗 3자간의(tripartite) **4** 〖음악〗 3박자의 **5** 〖운율〗 〈압운이〉 대응하는 세 음절을 가진

— *n.* **1** 3배의 수[양]; 세 개 한 벌; 3중[배]의 것 **2** 〖야구〗 3루타(three-base hit) **3** 〖볼링〗 터키 《세 번의 연속 스트라이크》 **4** 〖경마〗 3연승 단식(trifecta) **5** 《미·구어》 (위스키) 트리플 **6** [*pl.*] 7개의 종으로 하는 전조(轉調)의 울림법[치는 법]

— *vt.* 3중[배]으로 하다(treble); 〖야구〗 3루타로 〈주자를〉 생환시키다

— *vi.* 3중[배]으로 되다; 〖야구〗 3루타를 치다

▷ tríply *ad.*; tríplicate *v.*

tríple Á 1 [*a*nti-*a*ircraft *a*rtillery] 〖군사〗 대공(對空) 화기 **2** [*A*merican *A*utomobile *A*ssociation] 미국 자동차 협회(AAA)
Tríple Allíance [the ~] 3국 동맹 (1) 독일·이탈리아·오스트리아의 동맹(1882-1915) (2) 프랑스·영국·네덜란드의 동맹(1717) (3) 영국·스웨덴·네덜란드의 동맹(1668)
tríple bónd 〖화학〗 3중 결합
tri·ple-check [trípəltʃék, ─́─ | ─́─́] *vt.* 3중으로 체크하다, 세 번 확인하다
tríple cóunterpoint 〖음악〗 3중 대위법
tríple crówn 로마 교황의 3중관(tiara); [the T- C-] 〖야구·경마〗 3관왕(冠王) 《자격》
tri·ple-deck·er [-dékər] *n.* = THREE-DECKER
tri·ple-dig·it [-dídʒit] *a.* 세 자리의: ~ inflation 세 자리의 인플레이션
trí·ple-én·gined týpe [-éndʒənd-] 〖항해〗 3엔진형
Tríple Enténte 1 [the ~] 3국 협상 《1891-1907년 영국·프랑스·러시아 3국간의》 **2** 3국 협상 가맹국
tri·ple-ex·pan·sion [-ikspǽnʃən] *a.* 〖기계〗 〈증기 기관이〉 3단 팽창식의: a ~ engine 3단 팽창 기관
tri·ple-head·er [-hédər] *n.* 〖경기〗 3연속 시합 《동일 경기장에서의 1일 3시합》
tríple júmp 〖육상〗 [the ~] 3단 뛰기(hop, step [skip], and jump)
tri·ple-nerved [-nə́ːrvd] *a.* 〖식물〗 3엽맥의
tríple pláy 〖야구〗 3중살(重殺), 트리플 플레이
tríple póint 〖물리〗 3중점(重點) 《기상(氣相)·액상(液相)·고상(固相)의 평형점》
tri·ple-space [-spéis] *vt.*, *vi.* 2행간 띄워 타이프 치다
trip·let [tríplit] *n.* **1** [*pl.*] 세 쌍둥이; 세 쌍둥이의 하나(⇨ twin 관련) **2** 셋으로 된 한 벌 **3** 〖운율〗 3행 연구(聯句) **4** 〖음악〗 셋잇단음표 **5** 〖광학〗 3장으로 된 렌즈 **6** 3인승 자전거[자동차, 보트 《등》] **7** 〖유전〗 트리플릿 《핵산의 세 염기의 순열》 **8** 트리플릿 《가운데 층

은 색유리를, 상하층에는 천연 보석을 붙인 것》 **9** [*pl.*] (트럼프에서) 동점인 세 장의 카드

tri·ple·tail [trípltèil] *n.* 참돔

tríple thréat 〖스포츠〗 세 가지에 고루 뛰어난 명선수; 〖미식축구〗 킥·패스·러닝의 세 가지에 고루 뛰어난 명선수; 〖영화〗 감독·각본·제작을 혼자서 하는 사람

tríple tìme 〖음악〗 3박자

tríple whàmmy **1** 《미·속어》 3중의 장애[곤란, 위험] **2** 〖증권〗 3중 이익 《외국 주식 매수에 의한 주가 차익·배당·환차익》

tríple wítching hòur 〖증권〗 (미국 주식 시장의) 최후의 마(魔)의 한 시간 《예측할 수 없는 사태가 곧잘 일어나는》

tri·plex [trípleks, trái-| trí-] *a.* **1** 3중[배]의; 세 가지 효과를 내는: ~ glass 3중 유리 **2** 세 개의 주요부로 구성된; 3중의 동작을 행하는 **3** 〈아파트·건물이〉 3가족용의, 세 칸의; 3층의

— *n.* **1** 3중[배]의 것, 셋으로 된 한 벌 **2** 〖음악〗 3박자 **3** [**T~**] Ⓤ 《영》 트리플렉스, 3중 유리 《일종의 자동차용 안전 유리; 상표명》 **4** 《미》 3층 아파트 **5** 트리플렉스 《세 개의 극장·영화관을 수용한 건물》

trip·li·cate [tríplәkèit] *vt.* **1** 3배하다 **2** 〈서류를〉 3통 작성하다(cf. DUPLICATE)

— [tríplikәt, -lәkèit] *a.* 3중의; 〈같은 문서가〉 3통 작성된(cf. DUPLICATE): ~ ratio 〖수학〗 3제곱하는 비 — [tríplikәt, -lәkèit] *n.* 3개 한 벌[3통 서류] 중의 하나; [*pl.*] 3개 한 벌 ***drawn up in*** ~ 3통으로 작성되어 (있는)

trip·li·ca·tion [trìplәkéiʃәn] *n.* **1** 3배, 3중, 3통 작성 **2** 3배한 것, 3통(중의 하나) **3** 〖법〗 피고의 재(再)답변에 대한 원고의 답변

tri·plic·i·ty [triplísәti] *n.* (*pl.* **-ties**) **1** Ⓤ Ⓒ 3배[중]성(性) **2** Ⓒ 3개 한 벌, 3개 겹친 것 **3** 〖점성술〗 3궁(三宮) 《12궁 중 서로 120도 떨어진 세 궁》

trip·lo·blas·tic [trìploublǽstik] *a.* 〖동물〗 〈배(胚)가〉 3배엽성의

trip·loid [tríplɔid] 〖생물〗 *a.* 〈염색체가〉 3배수의

— *n.* 3배체 **tríp·loi·dy** *n.* Ⓤ 3배체성

trip·ly [trípli] *ad.* 3중[배]으로, 세 모양으로

tri·pod [tráipɑd | -pɔd] *n.* **1** 삼각대, 세 다리 의자; 삼각가(架), 삼발이 **2** (사진기·망원경 등의) 3각 **3** 〖고대 그리스〗 Delphi의 무녀가 앉아 신탁을 내리던 청동 제단; 그 모조품 《Pythian 경기의 상품》 ***the*** ~ ***of life*** = ***the vital*** ~ 심장·폐·뇌

— *a.* 3각의, 3각으로 받쳐진: a ~ race 2인 3각 경기

trip·o·dal [trípәdl, tráipɑdl | trípәdl] *a.* 3각모양의; 3각의; 3각대의

tri·pod·ic [traipɑ́dik | -pɔ́d-] *a.* 다리가 셋인, 3각(脚)을 쓰는

trip·o·dy [trípәdi] *n.* (*pl.* **-dies**) 〖운율〗 3보격(步格)의 시구, 3각률(脚律)

tri·po·lar [traipóulәr] *a.* 3극(極)의

trip·o·li [trípәli] *n.* Ⓤ 〖지질〗 트리폴리암(岩) 《규질(珪質) 석회암이 분해 생성된 것; 연마제》

Trip·o·li [trípәli] *n.* 트리폴리 **1** 옛 바바리 제국(諸國)의 하나 《현재 리비아(Libya)의 일부》 **2** 리비아의 수도·해항(海港)

tri·pos [tráipɑs | -pɔs] *n.* (Cambridge 대학의) 우등 졸업 시험; 우등 합격자 명부

trip·per [trípәr] *n.* **1** 경쾌하게 걷는[춤추는] 사람 **2** 발이 걸려 넘어지는 사람; 남의 딴죽을 거는 사람 **3** 《영·구어》 (단기간의) 여행자[행락객]: a day ~ 당일치기 행락객 **4** 〖기계〗 트립 장치; 시동 장치 **5** 《미·속어》 환각제 사용자

trip·per·y [trípәri] *a.* 《영》 여행자의, 여행자가 많이 찾아오는, 여행자에게 인기있는

trip·ping [trípiŋ] *a.* **1** 경쾌하게[민첩하게] 빨리 걷는, 발걸음이 가벼운: ~ footstep 경쾌한 발걸음 **2** 〈이야기·시구 등이〉 술술 풀리는, 리드미컬하게 진행되는: a ~ speech 술술 해나가는 이야기 **3** 《미·속어》 (마약에) 취한[빠져 있는] **~·ly** *ad.* 재빨리; 유창하게

trip·py [trípi] *a.* **1** 《미·캐나다·속어》 (마약 등으로) 몽롱한, 기분이 좋아진; 〈생각 등이〉 비현실적인 **2** 《미·속어》 매우 좋은, 멋진, 최고의 **tríp·pi·ness** *n.*

trip·tane [tríptein] *n.* Ⓤ 〖화학〗 트립탄 《무색·액상의 탄화수소》

trip·tych [tríptik] *n.* **1** 〖미술〗 (3면경처럼) 석 장 이어진 그림 《보통 종교화》, 3개 한 벌(의 조각(彫刻)) **2** (미술·문학·음악 등의) 3부작, 3연작

trip·tyque [triptí:k] *n.* (세관 통과시 필요한) 국제 자동차 입국 허가증

trip·wire [trípwàiәr] *n.* **1** (발목에 걸리게 친) 올가미 철사 **2** 〖군사〗 (걸리면 폭발하도록 장치한) 지뢰선

tri·que·trous [traikwí:trәs, -kwét-] *a.* **1** 3각[변]의 **2** 〈줄기 등이〉 절단면이 3각형인

tri·reme [tráiri:m] *n.* (고대 그리스·로마의) 3단(段) 노의 갤리선(galley)

trireme

tri·sac·cha·ride [traisǽkәràid, -rid] *n.* 〖화학〗 삼당류(三糖類)

tri·sect [traisékt, ∠-| -∠] *vt.* 3(등)분하다

tri·sec·tion [traisékʃәn] *n.* Ⓤ 3(등)분

tri·sec·tor [traiséktәr] *n.* 3(등)분하는 것, 3등분기(器)

tri·serv·ice [traisә́:rvis] *a.* 육해공 3군의

tri·shaw [tráiʃɔ:] *n.* 3륜 자전거(pedicab)

tris·kai·dek·a·pho·bi·a [trìskaidèkәfóubiә] *n.* 〖정신의학〗 13 공포증

tris·kel·i·on [triskéliɑ̀n, -liәn | -liɔ̀n] *n.* (*pl.* **-i·a** [-iә]) 3개의 다리[팔, 가지]가 같은 중심에서 소용돌이 모양으로 퍼져나간 상징적인 도안

tris·mus [trízmәs, trís- | tríz-] *n.* 〖병리〗 = LOCKJAW

tris·oc·ta·he·dron [trisɑ̀ktәhí:drәn | -ɔ̀k-] *n.* 〖결정〗 24면체

tri·so·di·um [traisóudiәm] *a.* 〖화학〗 한 분자 중에 3개의 나트륨 원자를 함유한, 3나트륨의

tri·so·my [tráisoumi] *n.* Ⓤ 〖병리〗 3염색체성(性) 《2배체의 체세포의 염색체수가 $2n+1$이 되는 현상》 **tri·só·mic** *a.*

Tris·tan [trístәn, -tæn] *n.* **1** 남자 이름 **2** = TRISTRAM 2

tri·state [tráistèit] *a.* 《미》 3개 주에 인접하는, 3개 주로 이루어진

triste [trí:st] [F] *a.* 슬픈, 슬픈 듯한; 우울한

tris·te·za [tristéizә] *n.* 〖식물병리〗 감귤류의 바이러스병의 일종

trist·ful [trístfәl] *a.* 《고어》 슬픈, 슬픈 듯한; 슬픔에 가득찬 **~·ly** *ad.* **~·ness** *n.*

Tris·tram [trístrәm] *n.* **1** 남자 이름 《애칭 Tris》 **2** 트리스트럼 《아서왕의 원탁 기사 중 한 사람》

tri·sul·fide [traisʌ́lfaid, -fid] *n.* 〖화학〗 3황화물

tri·syl·la·ble [tráisìlәbl, traisíl-, trisíl-] *n.* 3음절어[시각(詩脚)], 3음절 **trì·syl·láb·ic** *a.*

trit. triturate

tri·tag·o·nist [traitǽgәnist] *n.* (고대 그리스 극의) 제3 배우 《세 번째로 중요한 역을 맡은 배우》

trit·an·ope [tráitәnòup, trít-] *n.* 〖안과〗 제3 색맹(色盲)인 사람

trit·an·o·pi·a [trὰitәnóupiә, trìt-] *n.* 제3 색맹, 청황(靑黃) 색맹 **-op·ic** [-ɑ́pik | -ɔ́p-] *a.*

trite [tráit] *a.* 흔한, 평범한; 〈언어·표현·사고 등이〉 케케묵은, 진부한 **~·ly** *ad.* **~·ness** *n.*

tri·the·ism [tráiθiìzm] *n.* Ⓤ 〖신학〗 삼신론(三神論), 삼위이체론(三位異體論) **-ist** *n.* 삼위이체론자

thesaurus **triumph** *n.* conquest, victory, win, ascendancy, mastery, success, feat, achievement, attainment, accomplishment, coup

trit·i·ca·le [trìtikéili] *n.* 라이밀 《밀과 라이보리의 복(複) 2배체》

trit·i·um [trítiəm, tríʃiəm | -tiəm] *n.* Ⓤ 〖화학〗 3중 수소, 트리튬 《수소의 동위체; 기호 T, ^{3}H》

trit·o·ma [trítəmə] *n.* 〖식물〗 트리토마 《백합과》

tri·ton [tráitɑn | -tɔn] *n.* 〖물리〗 3중양자(三重陽子), 트리톤 《3중 수소(tritium)의 원자핵》

Tri·ton [tráitn] *n.* **1** 〖그리스신화〗 반인 반어(半人半魚)의 해신(海神); 〖천문〗 해왕성의 제1위성 **2** [**t~**] 〖패류〗 소라고둥, 그 껍질; 〖동물〗 도롱뇽 ***a ~ among*** (***the***) ***minnows*** 군계일학

Triton 1

tri·tone [tráitòun] *n.* 〖음악〗 3온음

trit·u·rate [trítʃurèit] *vt.* **1** 가루로 빻다, 찧어[갈아] 바수다 **2** 저작(咀嚼)하다 **—** [trítʃurət] *n.* 분말로 한[빻은] 것; 가루약

trit·u·ra·tion [trìtʃuréiʃən] *n.* **1** Ⓤ 분쇄, 마쇄 **2** Ⓤ 씹음, 저작 **3** 〖약학〗 가루약; 분말로한[빻은]것

trit·u·ra·tor [trítʃurèitər] *n.* **1** 찧는[빻는] 사람 **2** 약연, 분쇄기

‡**tri·umph** [tráiəmf, -ʌmf] *n.* **1** 승리, 정복 《*over*》(⇨ victory 유의어); 대성공; 업적, 공적: The new play was a ~. 신작 연극은 대성공이었다. **2** Ⓤ 승리감, 성공의 기쁨 **3** 〖고대로마〗 개선식 ***in ~*** 의기양양하여 **4** 〖폐어〗 화려한 행렬

— *vi.* **1** 성공하다, 잘 되다; 승리를 차지하다, 이기다 《*over*》; 이겨서 좋아하다, 개가를 올리다: 《~+전+명》 ~ *over* a disease 병을 극복하다 / ~ *over* fear 두려움[공포심]을 극복하다 **2** 〖고대로마〗 개선식을 올리다, 승리를 축하하다 ***~ over adversity*** 역경을 극복하고 성공하다

— *vt.* 정복하다; 이기다

~·er *n.* ▷ triúmphal, triúmphant *a.*

tri·um·phal [traiʌ́mfəl] *a.* Ⓐ **1** 승리를 자랑하는[축하하는]; 의기양양한 **2** (고대 로마의) 개선식의: a ~ entry 개선 입성식 / a ~ return 개선

triúmphal árch 개선문

tri·um·phal·ism [traiʌ́mfəlìzm] *n.* Ⓤ 〖종교〗 승리주의 《특정한 교의(敎義)가 다른 그 어느 종교보다도 뛰어나다고 여기는 신념·주장》 **-ist** *n.*

∗**tri·um·phant** [traiʌ́mfənt] *a.* **1** 승리를 얻은; 성공한 **2** 의기양양한, 이겨서 좋아하는, 득의의 **~·ly** *ad.* 의기양양하여 ▷ tríumph *n.*

tri·um·vir [traiʌ́mvər] *n.* (*pl.* **-vi·ri** [-vəràì], **~s**) **1** 〖고대로마〗 3집정관의 한 사람 **2** 3인 위원회[지배자 집단, 권력자 집단]의 한 사람

tri·um·vi·rate [traiʌ́mvərət, -rèit | -rət] *n.* **1** 〖고대로마〗 3집정관의 직[임기]; 3두 정치, 3당 연립 정치; 3인 연합 행정부 **2** (지배적 지위에 있는) 3인조 ***the first ~*** (B.C. 60년 Pompey, Caesar, Crassus의) 제1회 3두 정치 ***the second ~*** (B.C. 43년 Antony, Octavian, Lepidus의) 제2회 3두 정치

tri·une [tráiju:n] *a.* 〖그리스도교〗 삼위일체의: I have faith in the ~ God. 나는 삼위일체 신을 믿는다. **—** *n.* [the T~] 삼위일체

tri·u·ni·ty [traijú:nəti] *n.* ⓊⒸ 3개조(組), 3인조 (triad), 3중성

tri·va·lence, -len·cy [traivéiləns(i)] *n.* ⓊⒸ 〖화학〗 3가(三價); 〖생물〗 (염색체의) 3가

tri·va·lent [traivéilənt, trívəl-] *a.* 〖화학〗 3가의; 〖면역〗 〈항원의 결합가가〉 3가의; 〖생물〗 〈염색체가〉 3가의

triv·et [trívit] *n.* **1** 삼발이 **2** (식탁용) 냄비 받치는 삼발이 (***as***) ***right as a ~*** 건전한, 튼튼한

trivial *a.* unimportant, insignificant, inconsequential, flimsy, insubstantial, petty, minor, negligible, trifling, paltry, foolish, worthless

triv·i·a [tríviə] *n. pl.* **1** TRIVIUM의 복수 **2** [때로 단수 취급] 사소한[하찮은] 일, 평범한 일; (대답이 별난 것으로 나오는) 퀴즈 게임

∗**triv·i·al** [tríviəl] [L 「세 도로가 만나는 곳, 즉 흔히 있는 일」의 뜻에서] *a.* **1** 하찮은; 사소한, 별것 아닌: a ~ offense 하찮은 죄, 경범죄 / ~ matters 사소한 일 **2** 진부한, 평범한 **3** 〖생물〗 (학명에서) 종(種)을 나타내는, 종에 관한(specific): a ~ name 종명; 속명(俗名), 실용명 **4** 〖수학〗 〈해·증명·답이〉 명백한 ***~ round of daily life*** 평범한 일상 생활

— *n.* [보통 *pl.*] 하찮은 일 **~·ìsm** *n.* = TRIVIALITY **~·ist** *n.* 잡학자(雜學者) **~·ly** *ad.* **~·ness** *n.* ▷ triviálity *n.*; trívialize *v.*

triv·i·al·i·ty [trìviǽləti] *n.* (*pl.* **-ties**) ⓊⒸ **1** 하찮음, 평범, 진부함 **2** 하찮은 것[생각, 작품] **3** 사소한 일에 대한 관심[집착]

triv·i·al·ize [tríviəlàiz] *vt.* 평범화하다, 사소하게 만들다 **trìv·i·al·i·zá·tion** *n.*

triv·i·um [tríviəm] *n.* (*pl.* **-i·a** [-iə]) (중세 학교에 있어서 7개 교양 과목 중 하위의) 삼학과(三學科) 《문법·논리학·수사학; cf. QUADRIVIUM》

tri·week·ly [traiwí:kli] *ad., a.* **1** 1주 3회(의): a ~ publication 주 3회 간행물 **2** 3주간마다(의)

— *n.* (*pl.* **-lies**) 1주 3회[3주 1회]의 간행물

-trix [triks] [-tor의 여성형] *suf.* (*pl.* **-tri·ces** [trəsì:z, tráisi:z]) **1** 「…하는 여자」의 뜻: execu*trix* **2** 〖수학〗 「선·점·면」의 뜻: genera*trix*

Trix·ie [tríksi] *n.* 여자 이름 《Beatrix의 애칭》

TRM trademark

tRNA [tí:ɑ̀:rènéi] *n.* = TRANSFER RNA

tro·car, -char [tróukɑ:r] *n.* 〖외과〗 투관침(套管針)

tro·cha·ic [troukéiik] 〖운율〗 *a.* trochee의

— *n.* **1** 강약격(强弱格) **2** [*pl.*] 강약격의 시(詩)

tro·chal [tróukəl] *a.* 〖동물〗 윤상(輪狀)의, 윤형(輪形)의

tro·chan·ter [troukǽntər] *n.* **1** 〖해부·동물〗 전자(轉子) 《대퇴골 상부의 돌기》 **2** 〖곤충〗 전절(轉節) 《다리의 제2 관절》

tro·che [tróuki | tróuʃ] *n.* 〖약학〗 (목의 살균·소염을 위한) 트로키(제), 정제(錠劑), 알약

tro·chee [tróuki:] *n.* 〖운율〗 **1** (고전시의) 장단격 《–∪》 **2** (영시의) 강약격(强弱格) 《⏑×》(cf. IAMBUS)

troch·i·lus [trɑ́kələs | trɔ́k-] *n.* (*pl.* **-li** [-lài]) **1** = CROCODILE BIRD **2** = HUMMINGBIRD

troch·le·a [trɑ́kliə | trɔ́k-] *n.* (*pl.* **-le·ae** [-lìi:]) 〖해부〗 활차(滑車), 연골륜(軟骨輪)

troch·le·ar [trɑ́kliər | trɔ́k-] *a.* **1** 〖해부〗 활차(滑車)의; 활차 신경의 **2** 〖식물〗 활차 모양의(trochleariform) **—** *n.* = TROCHLEAR NERVE

tróchlear nèrve 〖해부〗 활차 신경

tro·choid [tróukɔid] *n.* **1** 〖기하〗 트로코이드, 여파선(餘擺線) **2** 〖해부〗 활차 관절 **3** 〖패류〗 타래고둥

— *a.* 활차처럼 움직이는; 〈관절이〉 바퀴 모양의; 〈조개류가〉 팽이 모양의 **tro·chói·dal** *a.*

tro·chom·e·ter [troukɑ́mətər] *n.* (자동차의) 주행 거리계

troch·o·phore [trɑ́kəfɔ̀:r | trɔ́k-] *n.* 〖동물〗 트로코포아 《연체·환형동물 중 해수 생물의 유충》

∗**trod** [trɑ́d | trɔ́d] *v.* TREAD의 과거·과거분사

trod·den [trɑ́dn | trɔ́dn] *v.* TREAD의 과거분사

trode [tróud] *v.* 《고어》 TREAD의 과거·과거분사

trof·fer [trɑ́fər, trɔ́f- | trɔ́f-] *n.* (천장에 끼워 넣는 형광등의) 반원형 갓[반사판]

trog[1] [trɑ́g | trɔ́g] *vi.* 《영·구어》 터벅터벅 걷다, 돌아다니다

trog[2] *n.* 《영·속어》 케케묵은[시대에 뒤떨어진] 사람

trog·lo·bi·ont [trɑ̀gləbáiɑnt | trɔ̀gləbáiɔnt], **trog·lo·bite** [trɑ́gləbàit | trɔ́g-] *n.* 〖동물〗 진(眞)동굴성 동물 《눈·몸의 색소를 잃고 감각기가 발달》

trog·lo·dyte [trɑ́glədàit | trɔ́g-] *n.* **1** 혈거인(穴居人) 《특히 선사 시대 서유럽의》; 야만스러운 사람 **2**

《구어》 은자(隱者) **3** 비사교적인 사람 **4** 지하에 사는 동물 **5** 〖동물〗 침팬지; 굴뚝새(wren)

tro·gon [tróugan | -gɔn] *n.* 〖조류〗 트로곤 《열대·아열대산(産)의 깃털이 화려한 새》

troi·ka [trɔ́ikə] [Russ. 「3」의 뜻에서] *n.* **1** 트로이카 《러시아식 3두 마차[썰매]》 **2** [집합적] 《지배자의》 3인조, 3두 정치

troika 1

troil·ism [trɔ́ilizm] *n.* 세 사람이 하는 성행위

tro·i·lite [tróuəlàit, trɔ́ilait] *n.* 〖광물〗 트로일리광, 단유철광(FeS)

Troi·lus [trɔ́iləs, tróuə-] *n.* 〖그리스신화〗 트로일로스 《트로이왕 Priam의 아들; Cressida의 애인》

Tro·jan [tróudʒən] *a.* 트로이(Troy)의, 트로이 사람의 **—***n.* **1** 트로이 사람 **2** 《구어》 근면한 사람, 분투가, 용기[결단력, 정력]있는 사람; 용사; 명랑한 쾌남아 ***like a* ~** 용감하게; 부지런히 ▷ Tróy *n.*

Trójan Hórse **1** [the ~] 〖그리스신화〗 트로이의 목마 《트로이 전쟁에서 그리스군이 적을 속이려고 만든 것》 **2** 《적국에 잠입하는》 파괴 공작[공작원, 공작단] **3** [**T- h-**] 〖컴퓨터〗 시스템 파괴 프로그램

Trójan Wár [the ~] 〖그리스신화〗 트로이 전쟁 《Troy의 왕자 Paris가 그리스 왕비 Helen을 유괴한 데서 일어난 그리스와 트로이의 10년 전쟁; Homer의 서사시 *Iliad*의 주제》

troll[1] [tróul] *vt.* **1** 돌림노래하다; 노래를 불러 …을 축하하다[기리다]; 명랑하게 노래하다: ~ a poem 시를 낭낭하게 읽다 // 《~+목+부》 ~ *forth* a tune[an air] 명랑하게 노래 부르기 시작하다 **2** 견지낚시를 하다 **3** 〈공·주사위 등을〉 굴리다 **—***vi.* **1** 명랑하게 노래하다[연주하다] **2** 돌림노래하다 **3** 견지낚시질하다: 《~+전+명》 ~ *for* pike 꼬치고기를 견지낚시질하다 **4** 구르다 **5** 〈혀 등이〉 잘 움직여지다[돌다] **6** 찾아 헤매다 《*for*》 **7** 《영·구어》 산책하다, 서성대다

—*n.* **1** 돌림노래 **2** 견지낚시질; 견지낚시용 제물 낚시(가 붙은 낚싯줄) **3** 회전, 구르기 **4** 타락한 여자; 매춘부(trollop)

troll[2] *n.* 〖북유럽신화〗 트롤 《지하나 동굴에 사는 초자연적 괴물로 거인 또는 난쟁이로 묘사됨》

***trol·ley** [tráli | trɔ́li] *n.* (*pl.* **~s**) **1** 고가(高架) 이동 활차 **2** 트롤리, 촉륜(觸輪) 《전차 위의 가공선에 닿는 바퀴》 **3** 《영》 = TROLLEYBUS; 《미》 = TROLLEY CAR **4** 《영》 손수레; 철도용 손수레; 《병원용》 4륜 운반차; 《궤도에서 쓰는》 트럭, 광차(鑛車); 《음식 등을 나르는》 왜건 **5** 집전기(集電器)

trolley 4

off* one*'s* ~** 《미·구어》 (1) 미친, 제정신이 아닌 (2) 정도(正道)를 벗어난 ***slip* one*'s* ~** 《미·속어》 정신이 흐릿해지다 **~ *and truck 《속어》 성교(하다)

trol·ley·bus [-bʌs] 《영》 무궤도 전차

trólley càr 《미》 노면 전차, 시가(市街) 전차(《영》 tram)

trol·leyed [trálid | trɔ́lid] *a.* Ⓟ 《영·속어》 《술·마약에》 몹시 취한

trólley lìne[ròad] 시가 전차 운행 노선

trol·ley·man [-mən] *n.* (*pl.* **-men** [-mən, -mèn]) 《미》 《시가》 전차 승무원

trólley pòle 《전차의 지붕 위의》 트롤리가 달린 채

trólley whèel 촉륜(觸輪)

trólley wìre 《전차의》 가공선, 트롤리선

trol·lop [tráləp | trɔ́l-] *n.* **1** 타락[방종]한 여자 **2** 매춘부(prostitute)

trol·ly [tráli | trɔ́li] *n.* (*pl.* **-lies**) = TROLLEY

trom·be·nik [trámbənik] *n.* 《미·속어》 **1** 자만하는 사람, 허풍쟁이 **2** 게으름뱅이; 쓸모없는 사람

trom·bi·di·a·sis [tràmbədáiəsis | trɔ̀m-], **-di·o·sis** [-daióusis] *n.* 〖수의학〗 양충병(恙蟲病)

trom·bone [trambóun, ⌐– | trɔmbóun] *n.* 〖음악〗 트롬본 《저음의 금관 악기》; 트롬본 취주자

trom·bon·ist [trambóunist, ⌐–– | trɔmbóu-] *n.* 트롬본 취주자

trom·mel [tráməl | trɔ́m-] *n.* **1** 〖야금〗 《광석·석탄 등을 거르는》 회전식 원통의 체 **2** 《남아공·구어》 트렁크, 대형 옷가방

tro·mom·e·ter [troumámətər | -mɔ́m-] *n.* 미진계(微震計)

tromp [trámp | trɔ́mp] 《미·구어》 *vi.* **1** = TRAMP 1 **2** 짓밟다 **—***vt.* **1** = TRAMP 1 **2** 치다, 때리다; 완패시키다

trompe [trámp | trɔ́mp] *n.* 〖야금〗 낙수(落水) 송풍기

trompe l'œil [trɔ̃:mp-léi, -lɔ́i | trɔ́mp-lɔ́i, -lóui] [F] 〖미술〗 **1** 트롱프 뢰유, 속임 그림 《언뜻 보기에 현실로 착각하게 하는 효과를 가진 그림; 특히 정물(靜物)》 **2** 《벽화·천장화 등에서 볼 수 있는》 입체화법

TRON The Realtime Operating System Nucleus 〖컴퓨터〗 트론 《어느 컴퓨터에서나 공통으로 사용할 수 있도록 운영 체제를 표준화하여 컴퓨터를 조작하기 쉽게 하려는 계획》

-tron [tran | trɔn] *suf.* 「진공관; 원자 이하의 입자를 처리하는 장치; 소립자; …기구; 전자 …장치」의 뜻: magne*tron*, cyclo*tron*, posi*tron*

tro·na [tróunə] *n.* Ⓤ 〖광물〗 트로나, 중탄산소다석 《이탄산수소나트륨》

‡troop [trú:p] [F 「군중」의 뜻에서] *n.* **1** 대(隊), 무리, 떼, 단(團); 다수, 대군(大群): a ~ of deer 사슴 떼 **2** 〖군사〗 기병 중대(cf. SQUADRON, COMPANY, BATTERY); 기병 중대의 지휘권 **3** [보통 *pl.*] 군대, 경찰대: regular ~*s* 상비군 / shock ~*s* 기습 부대, 돌격대 ★ 80 troops는 '병력 80명'의 뜻. **4** 《보이 스카우트의》 분대 《최소 5명》; 《걸 스카우트의》 단(團) 《보통 8-32명》 **5** 가축의 무리; 《특히》 원숭이 무리 **6** [*pl.*; 집합적] 《미·속어》 《선거 후보자 등의》 지지자, 운동원 **7** [the ~] 《지휘자·스타를 제외한》 평범한 무리 ***get* one*'s* ~** 기병 중대장으로 승진하다

—*vi.* **1** 떼를 짓다 《*up, together*》, 떼지어 모이다 **2** 무리를 지어 걷다, 줄줄 떼지어 오다[가다] 《*along, past, in, out, to,* etc.》 **3** 떼지어 떠나다 《*off, away*》: 《~+부》 The audience began to ~ *away*[*off*]. 청중은 떼지어 떠나가기 시작했다. **4** 《고어》 《…와》 사귀다, 패거리가 되다 《*with*》

—*vt.* **1** 〈군대를〉 수송하다; 행진시키다 **2** 《영》 《군기를 선두에 세우고》 분열 행진하다 **3** 《폐어》 〈기병대를〉 중대로 편성하다 **~ *the colour*(*s*)** 《영》 군기 분열식을 하다

tróop càrrier 〖군사〗 군대 수송기[선, 차]; 보병용 장갑차

troop·er [trú:pər] *n.* **1** 기병(의 말) **2** 《미·호주》 기마 순경; 《미》 주 경찰관 **3** 낙하산병 **4** 《영·구어》 군대 수송선 **5** 《구어》 용감한 사람, 용사 ***like a* ~** 맹렬히, 격하게, 거칠게: swear like a ~ 심하게 욕설을 퍼붓다

troop·ie [trú:pi] *n.* 《속어》 《짐바브웨·남아프리카 공화국 정부군의》 최하위 병사

troop·ship [trú:pʃip] *n.* 군대 수송선(transport)

tro·pae·o·lum [troupí:ələm] *n.* (*pl.* **~s, -la** [-lə]) 〖식물〗 금련화

trope [tróup] *n.* **1** 〖수사학〗 문채(文彩), 비유(적 용법), 수사(修辭) **2** 〖가톨릭〗 미사의 한 부분에 수식으로 넣은 시구

-trope [troup] 《연결형》 「…회전, 변화; …로 변화한 것; …로 회전[변화]하는」의 뜻

-troph [traf, trouf | trɔf] 《연결형》 「영양 물질; 특정 영양소를 필요로 하는 생물체」의 뜻

troph·al·lax·is [tràfəlǽksis, tròuf- | trɔ̀f-] *n.*

(*pl.* **-lax·es** [-si:z] 〖생물〗 영양 교환 《곤충 사회에서, 유충이나 성충의 분비물·영양을 교환하는 일》

troph·ic [trɑ́fik, tróufik | trɔ́f-] *a.* **1** 영양(작용)에 관한: ~ disorders 영양 실조 **2** = TROPIC²

-trophic [trɑ́fik, tróuf- | trɔ́f-] 《연결형》 「…으로 영양 섭취하는, …의 영양을 필요로 하는; …(선(腺))의 활동에 영향을 주는; …영양의」의 뜻

tróphic lével 〖생태〗 영양 단계 《생태계를 구성하는 생물을 에너지나 물질의 움직임의 면에서 생산자·소비자·분해자 등으로 나눈 것》

tro·phied [tróufid] *a.* 전리품[기념품]으로 장식된

troph·o·blast [trɑ́fəblæ̀st, tróuf- | trɔ́f-] *n.* 〖생물〗 영양 아층, 영양포 《포유류의 초기 배반포 벽을 이루는 박막》

troph·o·plasm [trɑ́fəplæ̀zm, tróuf- | trɔ́f-] *n.* Ⓤ 〖생물〗 (세포의) 영양 원형질

troph·o·zo·ite [trɑ̀fəzóuait, tròuf- | trɔ̀f-] *n.* 〖동물〗 영양체 《원생동물(원충)의 영양기(생식기가 아닌 시기)에 있는 개체》

***tro·phy** [tróufi] [Gk 「적의 패배 기념비」의 뜻에서] *n.* (*pl.* **-phies**) **1** 전리품; 전승[성공, 사냥] 기념물 《적의 연대기·사자 가죽·사슴의 뿔·짐승의 머리 등》 **2** 트로피 《기·컵·방패 등》, (경기의) 우승 기념품, 상품(賞品) **3** 〖고대 그리스·로마〗 전승 기념비

-trophy [-trəfi] 《연결형》 「영양; 발육」의 뜻

tróphy wìfe (부자가 얻은) 젊은 미녀 아내

trop·ic¹** [trɑ́pik | trɔ́p-] [Gk 「회전에 관한」 일의 뜻에서] *n.* **1** 〖천문·지리〗 [때로 **T~**] 회귀선(回歸線) **2** [the ~s] 열대지방 ***the T~ of Cancer 북회귀선 ***the T~ of Capricorn*** 남회귀선

— *a.* 열대(지방)의, 열대 특유의 ▷ trópical *a.*

tro·pic² [tróupik, trɑ́p- | trɔ́p-] *a.* **1** 〖생물〗 …속성(屬性)의, 굴성(屈性)의, 향성(向性)의 **2** 〖생화학〗 〈호르몬이〉 특정한 선(腺)의 활동을 자극하는

-tropic [tróupik, trɑ́p- | trɔ́p-] 《연결형》 「…의 자극에 따라 전회(轉回)하는, …의 향성(向性)을 갖는, …친화성의」의 뜻: helio*tropic*

***trop·i·cal** [trɑ́pikəl | trɔ́p-] *a.* **1** 열대(지방)의, 열대성의: the ~ rain forests 열대 우림 **2** 열대적인, 열대 특유의, 심한 더위의 **3** 열렬한, 정열적인 **4** [tróupikəl] 〖수사학〗 비유적인 **5** 〖천문〗 회귀선의

— *n.* 열대어(魚) **~·ly** *ad.*

▷ trópic¹ *n., a.*; trópicalize *v.*

trópical aquárium 열대어 수족관; (열대어용의) 항온(恒溫) 수조

trópical cýclone 〖기상〗 열대 저기압

trópical físh 열대어

trop·i·cal·ize [trɑ́pikəlàiz | trɔ́p-] *vt.* (성질·상태·외관 등을) 열대 지방풍으로 하다; 열대 지방에 알맞게 하다

trópical níght 열대의 밤 《기온 25℃ 이상의 밤; (영·미)에서는 단지 일반적 의미로 사용》

trópical ráin fòrest 〖생태〗 열대 다우림(多雨林)

trópical stórm 〖기상〗 열대 폭풍우 《풍속 17.2-24.5 ㎧》

trópical yéar 〖천문〗 회귀년, 태양년 《365일 5시간 48분 45.5초》

trópical zóne [the ~] 열대(Torrid Zone)

trópic bìrd 열대조

tro·pism [tróupizm] *n.* ⓊⒸ 〖생물〗 (동물의) 향성(向性), (식물의) 굴성(屈性), 친화성 **tro·pís·tic** *a.*

tro·po·col·la·gen [trɑ̀pəkɑ́lədʒən | trɔ̀p-] *n.* 〖생화학〗 트로포콜라겐 《교원 섬유의 기본 구성 단위》

trop·o·log·i·cal [trɑ̀pəlɑ́dʒikəl, tròup- | trɔ̀pəlɔ́dʒ-], **-ic** [-dʒik] *a.* 비유적인; 교훈적인 **~·ly** *ad.*

tro·pol·o·gy [troupɑ́lədʒi | trɔpɔ́l-] *n.* **1** Ⓤ (회화·문장에서) 비유적 언어의 사용; 비유적 어법에 관한 연구 논문, 비유론[집] **2** (성서의) 비유적 해석

tro·po·nin [tróupənin, trɑ́p- | trɔ́p-] *n.* 〖생화학〗 트로포닌 《근육을 조절하는 단백질》

trop·o·pause [tróupəpɔ̀:z, trɑ́p- | trɔ́p-] *n.* 〖기상〗 권계면(圈界面) 《대류권과 성층권과의 경계면》

trop·o·scat·ter [trɑ́pəskæ̀tər | trɔ́p-] *n.* = TROPOSPHERIC SCATTER

trop·o·sphere [trɑ́pəsfìər, tróup- | trɔ́p-] *n.* [the ~] 〖기상〗 대류권 《지구 표면에서부터 약 10-20 km 사이의 대기권》(cf. STRATOSPHERE)

trop·o·spher·ic [trɑ̀pəsférik, tròup- | trɔ̀p-] *a.* 대류권의, 고층 기상의

tropospheric scátter 〖통신〗 (전자파의) 대류권 산란(散亂)

trop·o·tax·is [trɑ̀pətǽksis, tròup- | trɔ̀p-] *n.* 〖동물〗 전향주성(轉向走性)

trop·po¹ [trɑ́pou | trɔ́p-] [It. =too much] *ad.* 〖음악〗 지나치게, 너무 심하게 ***ma non ~*** 그러나 지나치지 않게

troppo² *a.* (호주·속어) 열대 기후로 머리가 멍한; 《일반적으로》 정신이 이상한, 미친: go ~ 미치다, 정신이 나가다

***trot** [trɑ́t | trɔ́t] *n.* **1** [보통 a ~] 빠른 걸음, 속보 《말 등의; cf. WALK, CANTER, GALLOP》; 총총 걸음 《사람의》; 그 소리 **2** (구어) 빠른 걸음으로 가기; [보통 the ~] 바쁜 일 **3** (구어) 아장아장 걷는 아이; (경멸) 노파; (속어) 매춘부 **4** [the ~s; 단수·복수 취급] (속어) 설사 **5** (미·속어) (어학의) 자습서, 풀이책(crib) **6** 트로트 스텝(의 춤)

(***always***) ***on the ~*** (구어) 늘 돌아다니는, 늘 바쁜; 도주 중이어서; 잇달아 ***at a ~*** 빠른 걸음으로 ***go for a ~*** 산보가다 ***have the ~s*** = ***be on the ~*** (속어) 설사하다 ***keep*** a person ***on the ~*** …을 온종일 뛰어 돌아다니게 하다, 혹사하다

— *v.* (**~·ted**; **~·ting**) *vi.* **1** 〈말 등이〉 빠른 걸음으로 가다 **2** 총총 걸음으로 가다; (구어) 바쁘게[급히] 걷다 《*along*》(cf. STRIDE): (~+副) The boy *~ted along* after his mother. 소년은 총총 걸음으로 어머니 뒤를 따라갔다. / Now, you must be *~ting off* home. 자 이젠 빨리 집으로 돌아가야 해요. / You ~ *away*! 썩 꺼져! **3** (구어) (걸어서) 가다

— *vt.* **1** 〈말 등을〉 빠른 걸음으로 가게 하다 **2** 〈사람을〉 (바삐) 걷게 하다; 걸어다니게 하여 (어떤 상태에) 이르게 하다: (~+目+副) ~ a person *round* …을 (쇼핑 등에) 데리고[안내하고] 다니다 // (~+目+前+名) He *~ted* me *off* my legs[*to* death]. 그가 자꾸만 걷게 하는 바람에 나는 녹초가 되었다. **3** 〈어떤 거리·길 등을〉 빠른 걸음으로 가다 **4** 〈어린 아이를〉 무릎에 태우고 흔들어 주다 **5** (뉴질·속어) 〈여성과〉 사귀다

~ about 법석거리며 돌아다니다 ***~ along*** (구어) 총총걸음으로 가다 ***~ in double harness*** 〈부부가〉 의좋게 살다; 협력하여 해나가다 ***~*** a child ***on the knee*** (어린애)를 무릎 위에 올려 놓고 흔들다 ***~ out*** (1) 〈말을〉 끌어내어 걸음걸이를 보여주다[자랑하다] (2) (구어) 〈물품·고안 등을〉 자랑삼아 내놓다 (3) (구어) 〈여자를〉 자랑삼아 보이다 (4) 〈제안을〉 제시하다 ***~*** one***self off*** 잠깐 나갔다 오다

troth [trɔ́:θ, tróuθ | tróuθ, trɔ́θ] *n.* Ⓤ (고어) **1** 진실, 성실 **2** 충실, 충성 **3** 약속, (특히 결혼) 서약; 약혼(betrothal) ***by*** [***upon***] ***my ~*** 맹세코 ***in ~*** 정말로 ***plight*** one***'s ~*** 서약하다; 부부될 약속을 하다

— *vt.* (고어) 약속하다; 약혼하다(betroth)

troth·plight [trɔ́:θplàit, tróuθ- | tróuθ-, trɔ́θ-] (고어) *n.* 약혼 — *a.* 약혼한(betrothed)

— *vt.* …와 약혼하다

trot·line [trɑ́tlàin | trɔ́t-] *n.* 〖낚시〗 주낙 줄 《든든한 줄에 일정한 간격을 두고 짧은 낚싯줄을 매고 물에 띄워 두는 낚싯줄》

Trots [trɑ́ts | trɔ́ts] *n. pl.* [단수·복수 취급] (구어) 트로츠키파

Trot·sky, -ski [trɑ́tski | trɔ́t-] *n.* 트로츠키 **Leon** ~ (1879-1940) 《러시아의 혁명가·저술가》 **~·ism** *n.*

Trot·sky·ist [trɑ́tskiist | trɔ́t-] *n., a.* = TROTSKYITE

Trot·sky·ite [trάtskiàit | trɔ́t-] *a.*, *n.* 《구어》 트로츠키파의 (사람)

trot·ter [trάtər | trɔ́t-] *n.* **1** 걸음이 빠른 사람[말]; 《특히》 수레 경마용으로 훈련을 받은 말 **2** 이리저리 뛰어다니는 사람; 《구어》 활동가 **3** [보통 *pl.*] (양·돼지 등의) 족(足) 《식용》; 《구어·익살》 (아이들이나 젊은 여자의) 발

trot·toir [trɑtwά:r | trɔ́twɑ:] [F] *n.* 인도(人道), 보도(步道)

tro·tyl [tróutil, -ti:l] *n.* = TRINITROTOLUENE

trou·ba·dour [trú:bədɔ̀:r, -dùər] [F] *n.* 서정[음유] 시인 《11-14세기 무렵에 주로 프랑스 남부에서 활약한》(cf. TROUVÈRE); (일반적인) 음유 시인(minstrel)

‡**trou·ble** [trʌ́bl] [L 「흐리게 하다」의 뜻에서] *n.* **1** Ⓤ **불편, 폐, 성가심, 귀찮음**: It would be no ~ at all to advise you. 네게 조언해 주는 게 나한테는 전혀 성가신 일이 아니다. **2** ⓊⒸ 괴로움, 곤란, 당혹, 재난, 불행: The ~ is that .... 곤란한 것은 …이다. / *T*~*s* never come singly. 《속담》 불행은 겹치는 법이다. **3** [*pl.*] **분쟁**, 말썽, 쟁의 《*with, over*》; 성가신 사건, 내분: labor ~*s* 노동 쟁의 **4** ⓊⒸ …**병**, 탈; (기계의) 고장: liver ~ 간장병 **5** ⓊⒸ **근심**, 걱정, 고뇌 **6** [보통 a ~] **근심거리**, 걱정거리, 골칫거리 **7** Ⓤ **고생, 노력, 수고**: 《~+전+**-ing**》 Did you have much ~ (*in*) find*ing* my house? 저의 집을 찾는데 힘드셨습니까? **8** (…에 관한) **문제점**; (성격상의) 문제점, 결점 《*with*》: The ~ *with* your project is that it would take too long time. 네 기획의 문제점은 시간이 너무 오래 걸린다는 것이다. **9** (기계 등의) 고장; 《전기》 장애 **10** 《영·방언》 진통; 《구어》 《완곡》 (미혼 여성의) 임신

ask*[*look*] *for* ~** 《구어》 공연한 짓을 하다, 재난을 자청하다 ***be a* ~ *to …에게 성가신 일이다 ***be at*[*go to*] *the* ~ *of* do*ing*** 귀찮지만 …하다, 일부러 …하다 ***be in* ~** (1) 곤란한 처지에 있다 (2) 꾸지람 듣다, 벌받다 (3) 말썽이 나[체포당하게 되어] 있다 (4) 〈미혼 여자가〉 임신 중이다 ***be in* ~(*s*) *with*** = ***have a* ~ *with*** …와의 사이에 말썽이 나 있다 ***be more* ~ *than a cartload of monkeys*** 《구어》 매우 귀찮다[번거롭다] ***borrow* ~** ⇨ borrow. ***get into* ~** (1) 말썽이 나다; 경찰에 불려 가다, 처벌당하다, 꾸지람 듣다 (2) 《구어》 〈미혼 여성이〉 임신하다 ***get*** a person ***into* ~** = ***make* ~ *for*** a person (1) 폐를 끼치다, 말썽나게 하다 (2) 《구어》 〈미혼 여성을〉 임신시키다 ***get out of* ~** 벌을 면하다, 곤란을 벗어나다, 구출되다 ***get*** a person ***out of* ~** …을 곤란에서 벗어나게 하다 ***give*** a person **~** 폐를 끼치다 ***go to* ~ *to*** do 애써 …하다 ***have* ~** …을 앓다: *have* heart ~ 심장병을 앓다 / I am *having* ~ *with* my teeth. 이가 말썽을 부리고 있다. ***have* ~ do*ing*** …하는 데 힘이 들다 ***in* ~** 곤란해서, 곤란한; 고장이 나서; 불운의, 재난의; (사건에) 관련되어서; 처벌[체포]될 것 같은; 《속어》 복역 중인; 《구어·완곡》 〈미혼 여성이〉 임신하여 ***make* ~(*s*)** 소동을 일으키다, 세상을 소란케 하다 ***meet* ~ *halfway*** 지레 걱정을 하다 ***No* ~ (*at all*).** 천만에요, 어렵지 않습니다. ***put*** a person ***to* ~** …에게 폐[수고]를 끼치다 ***save*[*spare*]** a person **~** …의 고생[수고]을 덜다 ***take the* ~ *to*** do 수고를 아끼지 않고 …하다 ***take* ~** 수고하다, 수고를 아끼지 않다 ***What is the ~?*** 어찌된 일이냐; 어디가 아프냐[나쁘냐]?

— *vt.* **1 괴롭히다**, 애먹게 하다, 걱정시키다(⇨ troubled 1): What is *troubling* you? 무엇 때문에 고민하고 있는거냐? // 《~+목+전+명》 He does not ~ himself *about* money matters. 그는 돈 문제에 관해서는 걱정하지 않는다. **2** 《구어》 **수고**[**폐** 《등》]**를 끼치다**, 성가시게 하다, (폐가 될 것을 개의치 않고) 부탁하다 《*for, to* do》: I am sorry to ~ you so often. 매번 폐를 끼쳐 죄송합니다. // 《~+목+전+명》 May I ~ you *for* a light? 미안하지만 담뱃불 좀 빌려 주시겠습니까? / I will ~ you *for* his last exploit. 그의 최후의 공적에 대해서 비판해 주시기 바랍니다. // 《~+목+**to** do》 May I ~ you *to* pass the salt? 소금 좀 집어 주시겠습니까? 《식탁에서》 / I will ~ [= I defy] you *to* translate this. 이것을 번역할 수 있으면 번역해 보아라. **3** 어지럽히다, 어수선하게 하다, 소란케 하다 **4** 〈사람을〉 (…으로) 육체적 고통을 주다 《*with, by*》: be ~*d by*[*with*] cough 기침으로 고생하다 **5** 《고어》 …을 학대하다, 압박하다

— *vi.* **1 걱정하다**, 근심하다, 염려하다 《*over, about*》: 《~+전+명》 She ~*d over* the matter. 그녀는 그 일에 대해 걱정했다. **2 수고하다**; 일부러 …하다: 《~+**to** do》 Don't ~ *to* write. 편지하실 것까지는 없습니다. / Why should I ~ *to* read it? 왜 내가 일부러 그것을 읽어야만 하지?

~ one*self to* do 수고를 아끼지 않고 …하다 **~ a** person ***with*[*to* do]** …에게 수고를 끼치다

tróu·bler *n.* ▷ tróublesome, tróublous *a.*

trou·bled [trʌ́bld] *a.* **1** 〈표정 등이〉 근심스러운, 불안한, 괴로운; 〈사람·일이〉 곤란한: wear a ~ look 걱정스러운 얼굴을 하고 있다 / You look ~. 무언가 걱정이 있는 것 같이 보인다. **2** 〈바다 등이〉 파도 치는; 〈지역 등이〉 소란한: ~ times 뒤숭숭한 시대

be* ~ *about*[*over*]** money matters (금전 문제)로 골치를 앓다 ***be* ~ *with (병으로) 고통받다

tróubled wáters 1 거친 파도 **2** 혼란 상태

***fish in* ~** 혼란을 틈타 이익을 얻다[꾀하다]; 귀찮은 일에 관련되다

trou·ble-free [trʌ́blfrì:] *a.* 문제가 일어나지 않는, 고장이 없는

trou·ble·mak·er [-mèikər] *n.* 말썽꾸러기, 분쟁의 야기자

trou·ble·proof [-prù:f] *a.* 〈기계 등이〉 고장이 없는

trou·ble·shoot [-ʃù:t] *v.* (**~·ed, -shot** [-ʃɑ̀t | -ʃɔ̀t]) *vi.* 고장 수리원[조정자]의 역할을 하다; 중재[조정]역을 하다 — *vt.* 고장 수리원[조정자]으로서 처리[조사]하다; 〈분쟁 등을〉 조정[중재]하다

trou·ble·shoot·er [-ʃù:tər] *n.* **1** (기계·송전선 등의) 수리원, 고장 검사원 **2** 분쟁 조정자

trou·ble·shoot·ing [-ʃù:tiŋ] *n.* **1** 고장의 수리 **2** 분쟁 조정

∗**trou·ble·some** [trʌ́blsəm] *a.* **1 성가신, 귀찮은**: a ~ woman 성가신 여자 **2** 까다로운, 곤란한, 힘든 **3** 말썽부리는 **~·ly** *ad.* **~·ness** *n.*

tróuble spòt 1 (기계 등의) 고장이 잘 나는 곳 **2** (국제 관계 등의) 분쟁 (가능) 지점

trou·blous [trʌ́bləs] *a.* **1** 《문어·고어》 〈바다·바람 등이〉 거친; 불안한, 소란한: ~ times 난세(亂世) / a ~ sea 노도, 거친 바다 **2** 《고어》 = TROUBLESOME

trou-de-loup [trù:dəlú:] [F] *n.* (*pl.* **trous-**[~]) 〖군사〗 함정

∗**trough** [trɔ́:f, trάf | trɔ́f] *n.* **1** 구유, 여물통; 나무 그릇 **2** 《비유·구어》 식사가 주어지는 장소; 《특히》 디너 테이블; 식사; (간단히 얻어지는) 수입원 **3** 반죽 그릇 《미국 빵집에서는 [tróu], 영국에서는 [tráu]라고도 발음》 **4** (빗물) 홈통; 〖광산〗 광석을 씻는 홈통; 〖인쇄〗 석판석(石版石) 연마용 물통 **5** 물통 《조제(調劑)·사진 등의》, 수반(水盤) **6** 물마루 사이의 골; 〖항해〗 해구(海溝)(opp. *peak*) **7** 〖기상〗 기압골 **8** 〖경제〗 경기 주기(景氣周期)의 저점(底點) **9** 《미》 〖연극〗 각광기(脚光器) ***the* ~ *of the sea*** 물마루 사이의 골(opp. *crest*)

trough 1

thesaurus **trouble** *n.* **1 불편, 성가심** worry, bother, anxiety, unease, irritation, inconvenience, annoyance, agitation, difficulty, problem **2 곤란, 불행** difficulty, misfortune, adversity, hardship, bad luck, distress, pain, suffering,

trounce [tráuns] *vt.* **1** 실컷 때리다, 혼내주다; 깎아 내리다, 헐뜯다; 벌주다, 징계하다 **2** 《구어》 (시합 등에서) 격파하다, …에 대승[완승]하다
troupe [trú:p] *n.* (배우·곡예사의) 흥행단; 《경찰속어》 소매치기 일당
— *vi.* 흥행단에 들어가 순회[연기]하다
troup·er [trú:pər] *n.* **1** troupe의 일원[단원]; 노련한 배우 **2** 《구어》 (일·주의(主義) 등에) 충실한 사람, 믿음직한 동료
trouse [tráuz] *n. pl.* 《영》 (아일랜드에서 입는) 몸에 꼭끼는 짧은 바지
trou·ser [tráuzər] [trousers에서의 역성(逆成)] *a.* Ⓐ 바지(용)의: ~ cuffs 바짓단/a ~ pocket 바지 주머니 — *n.* 바지의 한쪽 가랑이; (한 벌의) 바지 — *vt.* 《영·구어》 〈돈을〉 호주머니에 넣다, 착복하다, 축재(蓄財)하다
trou·ser·ing [tráuzəriŋ] *n.* ⓊⒸ 바지감
tróuser prèss 《영》 바지 전용 다리미
‡**trou·sers** [tráuzərz] *n. pl.* **1** (남자용) **바지**: ~ pockets 바지 주머니

> 유의어 **trousers** 남자용 바지에 대해 말한다: a drainpipe *trousers* 몸에 꼭 끼는 바지 **pants** 《미》에서는 trousers의 뜻으로 쓰인다: put on one's *pants* 바지를 입다 **slacks** 윗도리와 한 벌로 되어 있지 않은 것으로서, 남자·여자용 구별 없이 쓴다: She wore a blue blazer and brown *slacks.* 그녀는 파란 블레이저와 갈색 바지를 입고 있었다.

2 = PANTALET(TE)S **3** 헐렁한 판탈롱 《회교국의 남녀가 입는》 ★ 셀 때에는 a pair[three pairs] of ~와 같이 표현함. ***catch*** a person ***with his***[***her***] ***~ down*** (남의) 허를 찌르다 ***dust*** a person***'s ~***[***pants***] 어린아이 엉덩이에 매질을 하다 ***wear the ~***[《미》 ***pants***] 《구어》 〈아내가〉 남편을 깔고 뭉개다; (가족 내에서) 결정권을 쥐다 ***with*** one***'s ~***[***pants***] ***down*** 《속어》 기습을 당하여, 당혹하여, 허둥지둥하여 ***work*** one***'s ~ to the bone*** 《구어》 맹렬히 일하다
tróuser strètcher 바지 주름 펴는 기구
tróuser sùit 《영》 = PANTSUIT
trous·seau [trú:sou, ─´] [F] *n.* (*pl.* **~s, ~x** [-z]) (신부의) 혼수
***trout** [tráut] *n.* (*pl.* **~, ~s**) **1** 〖어류〗 **송어** **2** Ⓤ 송어의 살 **3** [old ~] 《영·속어》 추한 노파, 어리석은 할멈
— *vi.* 송어 낚시를 하다
trout-col·ored [tráutkʌ̀lərd] *a.* 흰 바탕에 검정[적갈, 황갈]색의 반점이 있는 〈말〉
trout·let [tráutlit], **-ling** [-liŋ] *n.* 〖어류〗 새끼 송어 《1년 미만의》
tróut lìly = DOGTOOTH VIOLET
trout-perch [tráutpə̀:rtʃ] *n.* 〖어류〗 연어·송어류의 담수어 《미국 동·중부산》
trout·y [tráuti] *a.* (**trout·i·er**; **-i·est**) 송어가 많은; 송어 같은
trou·vaille [tru:vái] [F] *n.* 우연히 발견한 진품(珍品), 뜻밖의 행운, 횡재
trou·vère [tru:véər] [F] *n.* 트루베르 《11-14세기 북부 프랑스의 음유 시인; cf. TROUBADOUR》
trou·veur [tru:vɔ́:r] *n.* = TROUVÈRE
trove [tróuv] *n.* **1** 발견물(cf. TREASURE-TROVE) **2** 귀중한 수집물; 획득물
tro·ver [tróuvər] *n.* 〖법〗 (발견 등에 의한) 동산의 취득; 횡령물 회복 소송, 횡령 소송

---

affliction, torment, grief, unhappiness, sadness **3 분쟁** disturbance, unrest, fighting, strife, conflict, tumult, commotion **4 …병** disorder, disease, illness, dysfunction **5 문제점** problem, weakness, shortcoming, fault, defect, imperfection

trow [tróu] *vi., vt.* **1** 《고어》 생각하다; 믿다 **2** [의문문에 붙여서 경멸·분노 등을 나타내어] …일까?: What is the matter, ~? 무슨 일일까?
trow·el [tráuəl] *n.* **1** (미장이가 사용하는) 흙손 **2** (원예용의) 모종삽 ***lay it on with a ~*** (1) 흙손으로 바르다[펴다] (2) 몹시 아양부리다
— *vt.* (**~ed**; **~·ing** | **~led**; **~·ling**) **1** 흙손으로 바르다[펴다] **2** 모종삽으로 파다
troy [trɔ́i] *a.* 트로이형(衡)으로 표시[측정]한
— *n.* = TROY WEIGHT
Troy [trɔ́i] *n.* 트로이 《소(小) 아시아 북서부의 고대 도시; cf. TROJAN》
tróy wèight 트로이형(衡), 금형(金衡) 《금·은·보석 등에 쓰는 형량(衡量); 12온스가 1파운드》
trp 〖군사〗 troop **Trp** 〖생화학〗 tryptophan **TRRL** Transport and Road Research Laboratory **trs.** 〖인쇄〗 transpose; trustees **TRS** trunked radio system 〖통신〗 주파수 공용 통신 **trsd** transferred; transposed
tru·an·cy [trú:ənsi] *n.* (*pl.* **-cies**) ⓊⒸ 무단결석, 등교 거부; 꾀부리기, 게으름
tru·ant** [trú:ənt] *n.* **1** (학교의) **무단결석자,** 등교 거부 아동 **2** 게으름뱅이, (일을) 꾀부리며 하는 사람 ***play ~ 학교를 무단결석하다, 시간을 빼먹고 놀다
— *a.* 무단결석하는; 게으름 피우는: He was ~ ten days this month. 그는 이번 달에 열흘 결석했다.
— *vi.* 무단결석하다; 게으름 피우다, 꾸물대며 일하다
▷ trúancy *n.*
trúant òfficer 《미》 (공립학교의) 무단결석 학생 지도원
tru·ant·ry [trú:əntri] *n.* (*pl.* **-ries**) = TRUANCY
***truce** [trú:s] *n.* **1 휴전**(협정), 정전(停戰) **2** (고뇌·고통 등의) 휴지(休止), 중단, 경감
A ~ to[***with***] jesting! 《고어》 (농담은) 이제 그만하게! ***flag of ~*** 휴전의 백기 ***the ~ of God*** (중세의 교회가 내린) 일시적 사투(私鬪) 중지령
— *vi.* 휴전하다 《*with*》: 《~+전+명》 ~ *with* the enemy 적과 휴전[정전]하다
— *vt.* 〈전투를〉 휴전(협정)에 의해 중지하다
tru·cial [trú:ʃəl] *a.* 휴전 협정에 관계되는
***truck**[1] [trʌ́k] [Gk 「바퀴」의 뜻에서] *n.* **1** 《미》 **트럭** (《영》 lorry), 화물 자동차 **2** 《영》 무개(無蓋) 화차 **3** 손수레, 짐수레, 광차(鑛車) **4** 〖항해〗 깃대[돛대] 위 끝의 둥근 목관(木冠) **5** 〖영화〗 촬영용 이동 대차 **6** (포가(砲架)용) 작은 수레 **7** (도서관의) 관내용 서적 운반차
— *a.* 트럭의, 트럭용(用)의
— *vt.* 트럭에 싣다[으로 나르다]; 《미·구어》 나르다
— *vi.* **1** 물품을 트럭으로 나르다, 트럭으로 상품을 수송하다; 트럭 수송업에 종사하다 **2** 《미·구어》 트럭을 운전하다 **3** 《미·속어》 멋대로[마음 내키는대로] 살다 **4** 《미·재즈속어》 전진하다, 나아가다; 지르박(춤)을 추다
truck[2] [MF 「교환하다」의 뜻에서] *vt.* 《고어》 **1** 교환[교역]하다 《*for*》: 《~+목+전+명》 ~ a thing *for* another 어떤 것을 다른 것과 교환하다 **2** 거래하다 《*with*》 — *vi.* **1** 《고어》 (물물) 교환하다 **2** 매매하다, 거래하다; (…와) 교섭하다(bargain) 《*with*》: 《~+전+명》 ~ *with* a person *for* a thing …와 어떤 것을 거래하다
— *n.* Ⓤ **1** [집합적] 《미》 시장에 내다 팔 채소 **2** [집합적] 자질구레한 물건, 잡품; 《구어》 쓸모없는 물건; 《구어》 헛소리 **3** 《구어》 [보통 부정문에서] 거래, 교제 관계 **4** 교환, 물물 교환; 매매, 거래(barter) **5** 《고어》 (임금의) 현물 지급 **6** = TRUCK SYSTEM **7** 교역품, 상품 ***have no ~ with*** …와 거래[교제]하지 않다 ***stand no ~*** 타협 따위에 응하지 않다
Trúck Àcts [the ~] 《영》 현물 지급 금지령
truck·age[1] [trʌ́kidʒ] *n.* 《미》 **1** 트럭 운반 **2** 트럭 운임[사용료]
truckage[2] *n.* Ⓤ 《드물게》 교환, 교역
trúck càp 《미》 트럭 캡 《무개(無蓋) 트럭의 짐받이에 설치한 캠핑용 덮개》

truck·driv·er [trʌ́kdràivər] *n.* **1** 트럭 운전사 **2** [종종 *pl.*] ((미·마약속어)) = AMPHETAMINE

truck·er[1] [trʌ́kər] *n.* ((미)) **1** 트럭 운전사 **2** 트럭 운송업자

trucker[2] *n.* **1** 교역자; ((미·스코)) 행상인 **2** ((미)) = TRUCK FARMER

trúck fàrm[gàrden] ((미)) 시장 판매용 청과물[야채] 농장

trúck fàrmer ((미)) 시장 판매용 청과물 재배업자

trúck fàrming ((미)) 시장 판매용 청과물 재배(업)

truck·ie [trʌ́ki] *n.* ((호주·구어)) 트럭 운전사

truck·ing[1] [trʌ́kiŋ] *n.* Ⓤ ((미)) 트럭 수송(업)

trucking[2] *n.* Ⓤ **1** 교역, 거래 **2** ((미)) 시장 판매용 채소[청과물] 재배

trúcking shòt 〖영화·TV〗 카메라 이동차에서 찍은 장면

truck·le[1] [trʌ́kl] *vi.* 굴종[맹종]하다, 굽실굽실하다 ((*to*)) **trúck·ler** *n.* **trúck·ling** *a.* **trúck·ling·ly** *ad.*

truckle[2] *n.* **1** = TRUCKLE BED **2** 작은 바퀴, (피아노 등의) 다리 바퀴, 캐스터 **3** ((영·방언)) 원통형 소형 치즈

trúckle bèd ((영)) 바퀴 달린 침대(((미)) trundle bed) ((사용하지 않을 때는 다른 침대 아래에 밀어 넣어 둠))

truck·line [trʌ́klàin] *n.* 정기 트럭 운송 회사

truck·load [-lòud] *n.* 트럭 한 대분의 짐 ((略 TL))

truck·man [-mən] *n.* (*pl.* **-men** [-mən, -mèn]) **1** 트럭 운전사 **2** 트럭 운송업자 **3** (소방서의) 사다리차 대원

trúck shòp[stòre] (임금의) 현물 급여제

trúck stòp ((미)) (간선 도로변의) 트럭 운전사 식당 (((영)) transport café)

trúck sỳstem 〖영국사〗 (임금의) 현물(現物) 급여제 ((임금으로 물품 등을 지급하는 제도))

trúck tràctor 화물 트레일러를 끄는 트랙터

trúck tràiler 화물 트레일러 ((트럭이 끄는 운반차))

truc·u·lence, -len·cy [trʌ́kjuləns(i), trú:k-|trʌ́k-] *n.* Ⓤ **1** 흉포, 야만, 잔인 **2** 신랄, 통렬; 사나운 반항, 호전성

truc·u·lent [trʌ́kjulənt, trú:k-|trʌ́k-] *a.* **1** ((고어)) 흉포한, 잔인한 **2** 〈말투·논평 등이〉 거친, 통렬[신랄]한 **3** 〈사람이〉 공격적인, 호전적인, 반항적인 **4** 파괴력이 있는 **~·ly** *ad.*

trudge** [trʌdʒ] *vi., vt.* 터덕터덕[터벅터벅] 걷다 ((*along, away*)): ~ with heavy feet 무거운 발걸음으로 걷다 **~ *it 터덕터덕 걷다

— *n.* 터덕터덕 걸음; 길고 힘든 도보 여행(tramp); (운동을 목적으로) 장거리를 걷기

trudg·en [trʌ́dʒən] [이 영법(泳法)을 쓴 영국의 수영 선수 이름에서] *n.* 〖수영〗 팔은 크롤식, 발은 횡영(橫泳)식의 헤엄(= **~ stròke**)

Tru·dy [trú:di] *n.* 여자 이름 ((Gertrude의 애칭))

‡**true** [trú:] *a.* **1** 정말의, 진실의, 참된(opp. *false*) **2** 〈사람의 행동 등이〉 예측한 대로, 이전 그대로의; 〈치수 등이〉 정확한, 조금도 틀림없는 ((*to*)); 박진(迫眞)의: ~ to life[nature] 실물 그대로의[박진한] **3** 진짜의, 순정(純正)의, 순수한(⇨ real[1] 유의어) **4 a** 충실한, 성실한 **b** ((고어)) 정직한 **5** 진정한, 이름을 더럽히지 않는, 등지지 않는 ((*to*)) **6** 〈사람이〉 정통의, 합법[적법]한 **7** 신뢰할 수 있는, 틀림없는, 확실한 **8** 〈바람 등이〉 변하지 않는, 일정한 **9** 〈말의 의미·성질 등이〉 본래의, 본질적인 **10** 〈베낀 것이〉 표준[원형]과 일치하는; (…에) 딱 맞는, 이상적인 ((*to*)) **11** 음조가 바른 〈목소리 등〉; 〈기구·기계 등이〉 제대로 움직이는; 올바른 위치에 있는 **12** 〖생물〗 전형적인; 순종의 **13** (자극(磁極)이 아닌) 지축(地軸)에 따라 정한; 〈방향·힘 등이〉 오차를 보정(補正)한: ~ north 진북(眞北)

(as) ~ as steel[flint, touch] 매우 충실한, 믿을 수 있는 ***come ~*** 〈예언 등이〉 들어맞다; 〈희망 등이〉 실현되다; 현실화되다: C.E I hope my dream *come*[become(×)] *true.* 내 꿈이 실현되기를 바란다. ***hold ~*** 〈규칙·말 등이〉 들어맞다, 유효하다 (***It is ~ that …, but*** 정녕 …이지만 (그러나) ***prove ~*** 사실임이 판명되다, 들어맞다 ***Too ~!*** = ***How ~!*** ((구어)) [강한 동의] 정말[과연] (그렇소)! ***~ color*** 진실, 진짜 ***~ to form*** 〈이야기 등이〉 언제나처럼, 예상대로 ***~ to one***self 자기에게 충실하게, 본분을 발휘하여 ***~ to one's name*** 그 이름에 어긋나지 않는 ***~ to the original*** 원문에 충실한 ***~ to time[schedule]*** 시간대로 ***~ to type*** 전형적인, 판에 박은; (동·식물이) 순종의

— *ad.* **1** ((고어)) 진실로(truly), 참으로; 올바르게 **2** 정확하게 **3** 〖생물〗 순수하게, 선조 그대로

aim ~ 정확하게 겨누다 ***breed ~*** 순종을 낳다 ***Tell me ~.*** 정직하게 말해라.

— *n.* Ⓤ **1** 정확한 상태[위치, 조정] **2** [the ~] 진실한, 진리 ***in[out of] ~*** 정확[부정확]하여, 쏙 들어맞아[벗어나]

— *vt.* **1** 〈연장·차량 등을〉 똑바로 맞추다, 조정하다 ((*up*)): (~+목+부) ~ *up* a wheel 차바퀴를 조정하다 **2** 〖목공〗 평평하게[좌우 대칭으로] 하다 ((*up*))

▷ trúly *ad.*; trúth *n.*

trúe bíll **1** ((미·영·고어)) 〖법〗 정식 기소장: find a ~ 〈대배심이〉 기소장을 시인하다 ((공판에 회부)) **2** 사실과 모순이 없는 진술과 주장

trúe blúe **1** (좀처럼 바래지 않는) 남빛 염료[안료] **2** 지조가 굳은 사람

true-blue [trú:blú:] *a.* **1** ((미)) 참으로 충실한, 타협하지 않는, 신념을 굽히지 않는: a ~ green 충실한 환경 보호 운동가 **2** ((영)) 완고한, 보수파의

true·born [-bɔ́:rn] *a.* **1** 순수한 **2** 적출(嫡出)의; 출생이 바른

true·bred [-bréd] *a.* **1** 순종의, 혈통이 바른 **2** 올바르게 자란, 예절 바른

true·breed [-brì:d] *n.* 순종, 우량종

trúe búg 〖곤충〗 반시류(半翅類)의 곤충

trúe cóurse 〖항해·항공〗 진침로(眞針路)

trúe-fálse tèst [-fɔ́:ls-] 〖교육〗 진위(眞僞)형 시험법, OX 테스트

trúe héading 〖항공〗 진방위(眞方位)

true·heart·ed [-há:rtid] *a.* **1** 성실한, 충실한 **2** 정직한, 진지한 **~·ness** *n.*

true-life [-láif] *a.* **1** 실제의, 실생활의, 현실의, 실화의, 생생한: a ~ story 실화 **2** 박진한, 진짜에 가까운 (true-to-life)

true·love [-lʌ̀v] *n.* **1** 진실한 사랑; 애인(sweetheart) **2** 삿갓풀류(類)의 식물

trúelove[trúe(-)lóver's] knòt = LOVE KNOT

true·ness [trú:nis] *n.* Ⓤ **1** 충실, 성의, 의리 있음 **2** 진실; 순수 **3** 정확

trúe nórth 〖항공·항해〗 진북(眞北) ((한 지점에서의 지축의 북극 방향))

true·pen·ny [-pèni] *n.* ((고어)) 정직한 사람, 성실한 사람, 진국

trúe rìb 〖해부〗 진늑골(眞肋骨)

trúe sún 〖천문〗 진태양(眞太陽)(cf. MEAN SUN)

trúe tíme 〖천문〗 진태양시(眞太陽時) ((해시계가 나타내는 태양시))

true-to-life [tələ́if] *a.* 박진의, 진짜에 가까운, 진짜를 정확히 모방한

Trùe Týpe 〖컴퓨터〗 트루 타입 ((미국 Apple Computer사가 만든 외각선 글꼴 형식))

truf·fle [trʌ́fl, trú:fl|trʌ́fl] *n.* **1** 〖식물〗 송로(松露)의 일종 ((조미료; 진미 중 하나)) **2** 트뤼플, 트뤼프 ((초콜릿 과자의 일종))

truf·fled [trʌ́fld, trú:fld|trʌ́fld] *a.* 송로가 든; 송로로 맛들인

trug [trʌ́g, trúg|trʌ́g] *n.* ((영)) **1** 나무 우유통 **2** (야채·과일을 넣는) 나무 광주리

thesaurus **true** *a.* **1** 정말의 right, valid, truthful, factual, sincere **2** 정확한 exact, precise, accurate, correct, unerring **3** 진짜의 real, genuine,

tru·ism [trú:izm] *n.* 자명한 이치, 공리(公理); 뻔한 소리, 진부한[판에 박힌] 문구

trull [trʌ́l] *n.* 《고어》 창부, 매춘부

‡tru·ly [trú:li] *ad.* **1** 진실로, 거짓없이, 사실대로; 올바르게, 정당하게 **2** 정확하게, 정밀하게 **3** 합법적으로, 적법하게, 정당한 권리에 의해 **4** [특히 형용사·명사구·부정어를 수식하여 강조적으로] 정말로, 실로, 참으로: He was ~ a king. 그는 진정한 왕이었다. **5** [보통 문두나 삽입적으로] 사실을 말하자면, 정직하게 말하여; 정말이지 **6** 마음으로부터의, 진심으로 **7** 《고어》 충실히, 성실히 ***It is ~ said that ....*** …이라고 말해지고 있는 것은 지극히 당연한 일이다. ***Yours ~*** 배상(拜上) 《편지의 끝맺는 말》; 《구어》 나, 소생(小生) (I, me, myself) 《3인칭 단수 취급》 ▷ trúe *a.*

Tru·man [trú:mən] *n.* 트루먼 **Harry S**[**S.**] ~ (1884-1972) 《미국 제33대 대통령(1945-53)》

Trúman Dòctrine [the ~] 트루먼 독트린 《1947년 미국 Truman 대통령이 「전체주의」에 대한 방위를 내걸고 그리스·터키에 대한 경제 원조의 중요성을 성명(聲明)한 것》

∗trump¹ [trʌ́mp] *n.* **1** 〖카드〗 으뜸패; [*pl.*] 으뜸패의 한 벌 **2** 《구어》 훌륭한[믿음직한] 사람, 호한(好漢); 《호주·뉴질》 권력자, 당국자: a ~ boy 멋있는 남자 **3** 최후 수단, 비방(祕方)
a call for ~s 상대방에게 으뜸패를 내라는 신호 ***hold all the ~s*** 압도적으로 유리한 입장에 있다 ***hold some ~s*** (1) 아직 으뜸패를 가지고 있다 (2) 비장의 수가 있다; 운이 좋다 ***no ~(s)*** 〖카드〗 으뜸패 없는 승부 ***play a ~ = play*** one***'s ~ card*** (1) 으뜸패를 내놓다 (2) 비방[최후 수단]을 쓰다 ***put*** a person ***to his***[***her***] ***~s*** …에게 으뜸패를 내놓게 하다; …을 술책이 궁하게 하다 ***turn***[***come***] ***up ~s*** 순조롭게 잘 되어가다; 의외로 친절하다[의지할 만하다]; 운이 따르다
— *vt., vi.* **1** 으뜸패를 내놓다[로 따다] **2** 《구어·비유》 비방을 쓰다; (비방을 써서) 이기다 **~ *up*** 〈이야기·구실 등을〉 꾸며대다, 날조하다; 《고어》 근거를 대다

trump² 《문어》 *n.* 나팔(소리): the last ~ (세상의 종말을 알리는) 최후의 심판의 나팔 — *vi.* 나팔을 불다 — *vt.* 나팔로 널리 알리다[축하하다]

trúmp càrd = TRUMP¹ 1

trumped-up [trʌ́mptʌ́p] *a.* **1** 〈죄·구실·재판 등이〉 날조된, 조작된: a ~ story 날조된 기사 **2** 《미·구어》 과장되게 선전되어진

trum·per·y [trʌ́mpəri] *n.* ⓒⓤ **1** [집합적] 겉보기만 좋은 물건, 겉만 번드르르한 값싼 물건, 하찮은 것 **2** 헛소리 — *a.* **1** 겉만 번드르르한, 싸구려의; 쓸모없는 **2** 《문어》 〈의견 등이〉 시시한

‡trum·pet [trʌ́mpit] *n.* **1** 〖음악〗 트럼펫(⇨ bugle¹ 유의어); 오르간의 트럼펫 음전(音栓) **2** 나팔 모양의 물건; (축음기 등의) 나팔 모양의 확성기[전성기(傳聲器)]; 보청기 **3** 나팔 비슷한 소리, 나팔 같은 울음 소리 《코끼리 등》 **4** 트럼펫 취주자, 나팔수; 《폐어》 자화자찬하는 사람 **5** 〖해부〗 나팔관 **6** 〖기계〗 깔때기 **7** 〖패류〗 소라고둥(= ~ shell) **8** 《영·속어》 전화 ***blow*** one***'s own ~*** 《영·구어》 자화자찬하다, 허풍을 떨다 ***the Feast of Trumpets*** 유대교의 신년제

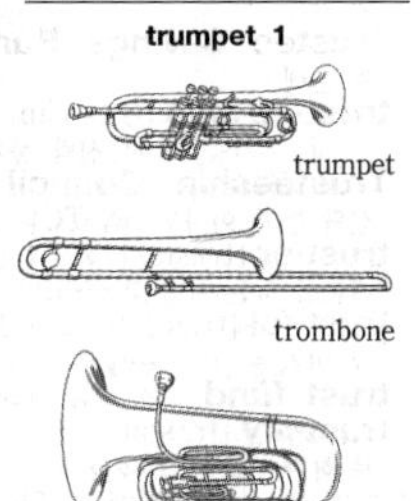

authentic, actual **4** 충실한 loyal, faithful, firm, staunch, devoted, dedicated, dutiful **5** 신뢰할 수 있는 trustworthy, reliable, dependable

— *vi.* **1** 나팔을 불다 **2** 〈코끼리 등이〉 나팔 같은 울음소리를 내다
— *vt.* **1** 나팔로 알리다[포고하다] **2** (떠들어대어) 퍼뜨리다, 〈남을〉 떠들썩하게 치켜세우다: (~+목+부) ~ *forth* a person's great deeds …의 훌륭한 행위를 떠벌리고 다니다 **3** 과시하다, 공연히 보여주다

trúmpet càll **1** 트럼펫 취주; 집합 나팔 **2** 긴급[비상] 행동의 요구

trúmpet crèeper[**flòwer**] 〖식물〗 능소화 《미국 남부산(産)》

trum·pet·er [trʌ́mpitər] *n.* **1** 트럼펫 부는 사람; (군대의) 나팔수 **2** (이야기를) 퍼뜨리는 사람, 남을 떠들썩하게 치켜세우는 사람; 자화자찬하는 사람 **3** 〖조류〗 나팔새 《남미산(産)》; 집비둘기의 일종 **4** = TRUMPETER SWAN ***be*** one***'s own ~*** 자화자찬하다, 제 자랑하다 ***Your ~'s dead.*** 《구어》 곧이 들리지 않는데. 《남이 허풍떨 때 대꾸하는 말》

trúmpeter swàn 야생 백조의 일종 《북미산; 우는 소리로 유명》

trúmpet lèg (가구의) 나팔 모양의 다리

trum·pet·like [trʌ́mpitlàik] *a.* 〈모양·소리가〉 트럼펫 비슷한

trúmpet lìly 〖식물〗 나리꽃의 일종

trúmpet màjor 〖군사〗 (기병 연대의) 나팔장(長); 악단의 수석 트럼펫 주자

trúmpet shèll 〖패류〗 소라고둥

trúmpet vìne = TRUMPET CREEPER

trun·cal [trʌ́ŋkəl] *a.* (나무) 줄기의; 몸통의

trun·cate [trʌ́ŋkeit] [L 「잘려진」의 뜻에서] *vt.* **1** (나무·원뿔 등의) 꼭대기[끝]를 자르다 **2** 《비유》 (인용구 등의) 일부를 생략하여 줄이다: ~ an overlong part 너무 긴 부분을 줄이다 **3** 〖수학〗 끝수를 버리다 **4** 〖컴퓨터〗 절단하다, 계산 과정을 종결짓다 **5** 〖결정〗 〈모서리를〉 면이 되게 자르다
— *a.* = TRUNCATED

trun·cat·ed [trʌ́ŋkeitid] *a.* **1** (줄기·몸통 등의) 끝을 잘라버린; 〖동물·식물〗 끝을 자른 **2** 〈문장 등이〉 몹시 생략된, 불완전한, 〈시구가〉 결절(缺節)인 **3** (도형·입체의) 정점을 평면으로 자른, 절두(切頭)의: a ~ cone 원뿔대 **4** 〖결정〗 〈모서리가〉 면(面) 처리된

trun·ca·tion [trʌŋkéiʃən] *n.* ⓤ 끝을 잘라냄, 절두(截頭), 절단(切斷); 〖컴퓨터〗 끊음, 끊기

trun·cheon [trʌ́ntʃən] *n.* ⓤ **1** 《영》 경찰봉(《미》 night stick) **2** (창의) 손잡이 부분 **3** 직장(職杖) (baton) 《권위의 표장이 되는》 **4** (접목용의) 나뭇가지 일부 **5** 《폐어》 곤봉, 몽둥이
— *vt.* 《고어》 곤봉으로 때리다

trun·dle [trʌ́ndl] *n.* **1** (침대·피아노 등의) 다리 바퀴(castor²) **2** = TRUCKLE BED **3** (작은 바퀴로) 구르기, 그 소리 **4** 바퀴 달린 운반차
— *vt.* **1** 〈바퀴·공·수레 등을〉 돌리다, 굴리다: (~+목+전+명) ~ a hoop *along* the street 길에서 굴렁쇠를 굴리다 // (~+목+부) ~ a machine *around* 기계를 빙빙 돌리다 **2** (수레 따위로) 운반하다 **3** 〖크리켓〗 〈공을〉 던지다
— *vi.* **1** 〈바퀴·공·수레 등이〉 돌다, 구르다, 회전하다; 각륜으로 굴러가다: (~+부) The truck ~*d away* along the street. 트럭이 거리를 달려가 버렸다. **2** 떠나다; 마차[차]로 여행하다 **3** 넘어질듯이 걷다 **4** 〖기상〗 〈기단(氣團)이〉 이동하다

trún·dler *n.*

trúndle bèd 《미》 = TRUCKLE BED

‡trunk [trʌ́ŋk] *n., a.*

「본체 부분」 → 「나무 줄기」 **1** → (나무 줄기로 만든 상자) → 「트렁크」 **2**
「본체 부분」 → 「(사람의) 몸통」 **4**

— *n.* **1** (나무) 줄기(cf. BRANCH) **2** 여행용 큰 가방, 트렁크(⇨ bag¹ 유의어) **3** 《미》 트렁크(《영》 boot¹) 《자동차 뒷부분의 짐칸》 **4** 몸뚱이, 몸통; (물건의) 본

체, 주요부 **5** (철도·도로·운하의) **간선,** 본선 **6** 전화[전신] 중계 회선, 중계선; (컴퓨터 등의) 정보 전달 전자 회로; [*pl.*] 장거리 전화, 시외 전화 **7** 〖해부〗 대동맥, 대정맥, 굵은 신경 《등》; 〖건축〗 주신(柱身), 기둥몸 **8** 《영》 타이즈 위에 입는 꼭 맞는 반바지; [*pl.*] 트렁크스 《권투[수영]용 등의 남성용 짧은 반바지》 **9** [*pl.*] = TRUNK HOSE **10** 코끼리 코(⇨ nose 유의어); 《익살》 사람의 코 **11** 〖기계〗 통형(筒型) 피스톤 **12** 통풍통(通風筒); 인공 수로; 도관, 수관; 환기구; 수조(水槽), 활어조(活魚槽) ***live in*** one***'s ~s*** 여장을 풀지 않고 있다; 좁은 곳에서 살다

— *a.* **1** 주요한; 간선의, 본류의, 본선의 **2** 트렁크(모양)의; 동체(胴體)의 **3** 대동맥을 이루는 **4** 관의, 통의 **5** 〈기계가〉 도관의 흐름을 조절하는

trúnk cábin 통형(筒形) 선실

trúnk càll 《영》 장거리 전화(의 통화[호출])(《미》 long-distance call)

trúnk càrrier 《미》 주요[대형] 항공 회사

trunked [trʌ́ŋkt] *a.* **1** …한 줄기[몸통]를 가진 **2** 〈동물이〉 긴 코를 가진

trunk·fish [trʌ́ŋkfiʃ] *n.* (*pl.* **~, ~·es**) 〖어류〗 거북복(boxfish)

trunk·ful [trʌ́ŋkfùl] *n.* (*pl.* **~s, trunks·ful**) **1** 트렁크 하나 가득 **2** 《구어》 다량, 다수, 풍부 《*of*》

trúnk hòse [집합적; 복수 취급] 트렁크 호스 《16-17세기에 유행한 반바지》

trun·king [trʌ́ŋkiŋ] *n.* 〖통신〗 전신 중계 회선; (전선 등을 감싸는) 플라스틱제(製) 외피

trúnk lìne 1 (철도·운하·항공로 등의) 본선, 장거리 직통 간선 **2** (수도·가스의) 공급 간선 **3** (두 전화국을 직결하는) 중계선

trúnk nàil 트렁크 못 《트렁크 등의 장식에 쓰이는 대갈못》

trúnk ròad 《영》 (특히 대형 차량이 다니는) 간선 도로

trúnk ròute (도로·철도의) (장거리) 간선

trun·nel [trʌ́nl] *n.* = TREENAIL

trun·nion [trʌ́njən] *n.* **1** 포이(砲耳) 《포신을 포가에 받쳐 놓는 원통형 돌출부》 **2** 〖기계〗 통이(筒耳)

truss [trʌ́s] *n.* **1** 《영》 (건초·짚 등의) 다발(bundle) **2** 〖의학〗 헤르니아[탈장]대(帶) **3** 〖건축〗 지붕틀, 결구(結構), 형구(桁構) **4** 〖항해〗 아래 활대 중앙부를 마스트에 걸어 매는 쇠붙이 **5** 〖식물〗 수상화(穗狀花)

— *vt.* **1** 다발 짓다 《*up*》: ~ hay 건초를 묶다 **2** (요리하기 전에 새의) 날개[다리]를 몸통에 꼬챙이로 고정시키다 **3** 〖건축〗 〈지붕·교량 등을〉 트러스[형구]로 떠받치다 **4** 〈매 등이〉 〈새를〉 움켜잡다 **5** 《구어》 〈옷을〉 단정하게 조여 입다; 〈머리카락을〉 동여매다 **6** 〈사람의〉 양팔을 몸통에 묶어 매다 《*up*》: (~+목+부) The policeman *~ed up* the robber. 경관이 도둑의 양팔을 묶었다.

trúss brìdge 〖토목〗 트러스교, 결구교(結構橋), 형교(桁橋)

truss·ing [trʌ́siŋ] *n.* **1** 묶음 **2** 〖건축〗 트러스재(材); 〖건축〗 트러스부(部)

‡**trust** [trʌ́st] *n.* Ⓤ **1 신임,** 신뢰, 신용 《*in*》; Ⓒ 믿을 수 있는 사람[물건] **2** 희망, 기대, 확신 **3** 〖상업〗 신용, 외상 **4** (신뢰·위탁에 대한) 책임, 의무 **5 위탁,** 신탁; 보관, 보호; 감독; Ⓒ 위탁물 **6** 〖법〗 신탁 (관리); Ⓒ 신탁물; 신탁자[단체]: The estate was held in ~ by the son. 그 부동산은 아들에게 신탁되었다. **7** 보관 위원회 **8** Ⓒ 〖경제〗 트러스트, 기업 합동(cf. CARTEL) ***breach of ~*** 배임 ***give*** [***leave***] ***in ~*** 신탁하다 ***have*** [***hold***] ***... in ~*** 보관하고 있다 ***have*** [***put, repose***] ***~ in*** …을 신용[신임]하다 ***hold*** [***be in***] ***a position of ~*** 책임 있는 위치에 있다 ***on ~*** (1) 신용으로, 외상으로 (2) 남의 말만 믿고, 증거도 없이: take a thing *on* ~ (조사도 하지 않고) …을 그대로 신용하다 ***put*** [***place***] one***'s ~ in*** …을 믿다, 신뢰하다 ***take ... on ~*** …을 (남이 말하는 대로) 전적으로 믿다

— *vt.* **1 신뢰[신임, 신용]하다;** …에 의지하다; 〈이야기 등을〉 믿다 **2 a** 〈귀한 것을〉 **맡기다,** 위탁하다: (~+목+전+명) I *~ed* him *with* my car. = I *~ed* my car *to* him. 안심하고 그에게 차를 맡겼다[빌려 주었다]. **b** 〈비밀 등을〉 털어놓다 《*with*》: (~+목+전+명) He is a man who cannot be *~ed with* a secret. 그는 비밀을 털어놓을 수 없는 사람이다. **3 기대하다,** 확신하다, (…이라면 좋겠다고) 생각하다: (~+***to*** do) I ~ *to* hear better news. 더 좋은 소식이 있을 것으로 기대한다. // (~+***that*** 절) I ~ *that* he will come. 나는 그가 꼭 오리라고 생각한다. **4** 안심하고 …시켜 두다, 어김없이 …할 것으로 생각하다; 안심하고 …에 두다[보관하다]: (~+목+***to*** do) We cannot ~ her *to* go out alone at night. 그 여자를 밤에 혼자 외출시킬 수는 없다. // (~+목+전+명) You can ~ your children *out of* doors. 아이들을 밖에 내놓아도 괜찮다. **5** …에게 신용 거래로 주다, 외상으로 팔다 《*for*》: (~+목+전+명) Do you mind *~ing* me *for* it? 그것을 외상으로 주시겠습니까?

— *vi.* **1 신용[신임, 신뢰]하다** 《*in*》 **2** 믿고 맡기다; 의지하다 《*to*》: (~+전+명) ~ *to* chance 운에 맡기다 / I will ~ *to* you *for* the performance. 너를 믿고 그 일을 맡긴다. **3** 외상으로 팔다 **4** 기대하다 《*for*》 ~ a person ***to*** do 《구어》 …에(나쁜 짓·바보 짓)을 틀림없이 하다; …한 것은 …다운 행동이다: *T~* Bill *to* forget about our meeting 빌이 우리 모임을 잊은 것은 그다운 행동이다.

~·a·ble *a.* **trùst·a·bíl·i·ty** *n.*

▷ trústful, trústy, trústworthy *a.* entrúst *v.*

trúst accòunt 1 《미》 〖은행〗 신탁 계정, 수신자 계정 **2** 〖법〗 신탁 재산

trust·a·far·i·an [trʌ̀stəfέəriən] *n.* 《영·구어》 빈민처럼 행세하는 부유층 젊은이

trust·bust·er [trʌ́stbʌ̀stər] *n.* 《구어》 (미 연방 정부의) 반(反)트러스트법 위반 단속관

trust-bust·ing [-bʌ̀stiŋ] *n.* 《미》 반(反)트러스트의 공소(公訴)[정치 운동]

trúst còmpany 《미》 신탁 회사[은행]

trúst dèed 〖법〗 (담보) 신탁 증서

trust·ee** [trʌstíː] 〖법〗 *n.* **1** 피(被)**신탁인,** 수탁자, 보관인 **2** 보관 위원, 관재인; (대학 등 법인의) 평의원, 이사; 신탁 통치국; 〖미국법〗 제3 채무자 ***the Public T~ 《영》 공인 수탁자

— *vt.* 《미》 〈재산을〉 수탁자[관재인]의 손에 넘겨 주다

trustée in bánkruptcy (법원이 지정한) 파산 관리인

trustée pròcess 〖미국법〗 제3 채무자에 대한 채권 압류

Trústee Sávings Bànk [the ~] 《영》 신탁 저축 은행

trust·ee·ship [trʌstíːʃip] *n.* **1** Ⓤ 〖법〗 trustee의 직[지위, 기능] **2** Ⓤ 신탁 통치; Ⓒ 신탁 통치령[지역]

Trustéeship Còuncil [the ~] (국제 연합의) 신탁 통치 이사회 《略 TC》

trust·er [trʌ́stər] *n.* **1** 신뢰[신용]하는 사람; 신용 대출을 하는 사람 **2** 〖스코법〗 신탁 설정자, 위탁자

trust·ful [trʌ́stfəl] *a.* 〈사람을〉 신용하는, 믿음직하게 여기는 《*of*》 **~·ly** *ad.* **~·ness** *n.*

trúst fùnd 신탁 자금[재산]

trust·i·fy [trʌ́stəfài] *vt.* (**-fied**) 〖경영〗 기업 합동으로 하다, 트러스트화하다

***trust·ing** [trʌ́stiŋ] *a.* 믿(고 있)는, (신뢰하여) 사람을 의심하지 않는, 잘 믿는: a ~ child 의심할 줄 모르는 아이 **~·ly** *ad.* 신용[안심]하여 **~·ness** *n.*

thesaurus **trust** *n.* faith, confidence, belief, conviction, assurance, certainty, reliance, hope

truth *n.* **1 진실** truthfulness, accuracy, correctness, rightness, validity, fact, genuineness, verity **2 현실** reality, actuality, factuality **3 성실** hon-

trúst ìnstrument 〚법〛 신탁 증서

trust·less [trʌ́stlis] *a.* 《문어·고어》 **1** 신용이 없는, 믿을 수 없는; 불성실한, 부실한 **2** 남을 믿지 않는, 의심이 많은 《*of*》

trust-mon·ey [-mʌ̀ni] *n.* Ⓤ 위탁금

trúst tèrritory (국제 연합의) 신탁 통치령[지역]

*__trust·wor·thy__ [trʌ́stwə̀ːrði] *a.* **신뢰[신용]할 수 있는**, 믿을 수 있는 **-wòr·thi·ly** *ad.* **-wòr·thi·ness** *n.* ▷ trúst *n.*

*__trust·y__ [trʌ́sti] *a.* (**trust·i·er**; **-i·est**) Ⓐ **믿음직한**, 신용[신뢰]할 수 있는, 충실한(trustworthy)

— *n.* (*pl.* **trust·ies**) **1** 믿을 만한 사람, 신용[신뢰]할 수 있는 사람 **2** (미) 모범수(囚)

trúst·i·ly *ad.* **trúst·i·ness** *n.* ▷ trúst *n.*

‡**truth** [trúːθ] *n.* (*pl.* **~s** [trúːðz, trúːθs]) **1** [종종 the ~] ⒸⓊ **진실**, 진상, 사실(opp. *lie*, *falsehood*) (⇨ fact 유의어): She always speaks *the* ~. 그녀는 항상 진실을 얘기한다. / *T*~ is stranger than fiction. 《속담》 사실은 소설보다 더 기이하다 / *T*~ is [lies] at the bottom of the decanter. 《속담》 취중에 진담이 나온다. **2** Ⓤ **진리**, 참: a universal ~ 보편적 진리 **3** Ⓤ 정말, 진실성, (일의) 진위(眞僞): doubt the ~ of …의 진실성을 의심하다 / There is no ~ in her statement. 그녀의 이야기에는 진실성이 없다. **4** 현실, 현존, 실재 **5** Ⓤ **성실**, 정직 **6** Ⓤ 사실과 일치하기, 진실임; 《영》 (기계의) 정확성: ~ to nature[life] 박진성(迫眞性), 사실성(寫實性) **7** [종종 **T~**] (관념적·본원적인) 진리

in **~** = 《고어》 ***of a*** **~** 정말로, 실제로; 사실은 ***out of*** **~** 탈이 나, 제대로 안 움직여 ***say***[***speak***] ***the*** **~** 진실을 말하다 ***tell the*** **~** ***and shame the devil*** 《구어》 과감하게 진실을 말하다 ***tell*** a person ***the whole*** **~** …에게 모든 사실을 이야기하다 ***There is some*** **~** ***in*** what he says. (그의 말)에는 다소의 진리가 있다. ***The*** **~** ***is not in him.*** 〚성서〛 진리는 그의 속에 있지 않다. ***The*** **~** ***is that ....*** 사실은 …이다. ***to tell the*** **~** = **~** ***to tell*** [보통 문두에서] 사실은, 사실을 말하자면

▷ trúe, trúthful, trúthless *a.*

Trúth and Reconciliátion Commìssion [the ~] (남아공) 진실 화해 위원회 《남아프리카 공화국에서 과거 청산을 위해 설치했던 기구》

trúth drùg 자백약(自白藥) 《신경증 환자의 치료나 범죄자의 조사에서 억눌렸던 생각·감정 등을 드러내게 하는 최면약》

truth·ful [trúːθfəl] *a.* **1** 거짓말 안 하는, 성실한, 정직한; 정말의 **2** 〈진술 등이〉 진실의, 사실의; 〈예술 표현 등이〉 현실[실물] 그대로의: a ~ portrait 실제를 그대로 그린 초상화 **~·ly** *ad.* **~·ness** *n.*

truth-func·tion [-fʌ̀ŋkʃən] *n.* 〚논리〛 진리 함수

truth·less [trúːθlis] *a.* 허위의; 정직[성실]하지 않은, 믿을 수 없는

trúth sèrum = TRUTH DRUG

trúth sèt 〚수학·논리〛 진리 집합(cf. SOLUTION SET)

trúth tàble 〚논리〛 진리치표(眞理値表)

truth-val·ue [trúːθvæ̀ljuː] *n.* 〚논리〛 진리치(値)

‡**try** [trái] *v.*, *n.*

OF 「주워 올리다」의 뜻에서	
① 노력하다, 해보다	**1**
② 시도하다, 시험하다	**2**
③ 심문하다, 심리하다	**3**

— *v.* (**tried**) *vt.* **1** **노력하다**, 해보다, 힘쓰다 《*to* do》: ~ one's best[hardest] 최선을 다하다 // (~+***to*** do) She *tried to* write in pencil. 그녀는 연필로 써 보려고 했다.

> 유의어 **try** 「해보다」를 뜻하는 가장 일반적인 말로서 성공을 지향하여 여러 가지 일을 해보다: *Try* doing your best. 최선을 다해서 해 보게. **attempt** try와 거의 같지만 try보다 격식차린 말로서 노력보다 착수한 것에 중점이 두어지고 그 결과의 성패 여부는 뜻 속에 포함되어 있지 않다: He *attempted* to deceive me. 그는 나를 속이려고 했다.

2 **시도하다, 시험하다**; (평가를 위해) 실제로 해보다, 도전해 보다: (~+***wh.*** 절) *T*~ *whether* you can do it or not. 그것을 할 수 있는지 없는지 시험해 보아라. // (~+***-ing***) He *tried* writ*ing* under an assumed name. 그는 시험삼아 가명으로 써내어 보았다. / She *tried* writ*ing* in pencil. 그녀는 연필로 (시험삼아서) 써 보았다. // (~+목+***as***+보) ~ a person *as* a secretary 비서로 (한 번) 써 보다 // (~+목+전+명) Just ~ this knife *on* a pencil. 시험삼아 이 칼로 연필을 깎아 보아라. **3** 〚법〛 **심문[심리]하다**, 공판에 회부하다, 〈사람을〉 **재판하다** 《*for*》; 《미》 〈변호사가〉 〈사건을〉 재판에 붙이다: (~+목+전+명) ~ a person *for*[*on*] his[her] life …을 사형죄로 심리하다 / He was *tried for* murder. 그는 살인죄로 심리되었다. **4** 써[먹어]보다; 입어[걸쳐] 보다(⇨ TRY on) **5** **시련을 주다**, 괴롭히다; 혹사하다; 무리하게 시키다[사용하다]: (~+목+전+명) Don't ~ your eyes *with* that small print. 그런 작은 활자로 눈을 혹사하지 마라. **6** …의 기름을 짜내다 《*out*》; 《폐어》 정련(精鍊)하다: (~+목+부) ~ *out* chicken fat for crackling 껍질이 파삭파삭하도록 닭의 기름을 짜내다 **7** 〈문제 등을〉 해결하다; (검사·경험에 의해) …가 옳다고 알게 되다 **8** 〚목공〛 마무리 대패질을 하다 《*up*》: (~+목+부) ~ *up* a desk 책상을 마무리 대패질하여 다듬다

— *vi.* 해보다, 노력하다 《*at*, *for*》: (~+전+명) He *tried for* post of a president. 그는 사장 자리를 차지하려고 노력했다.

Do **~** ***more.*** 자 좀 더 드시오. 《음식을 권할 때》 **~** ***a door***[***jump***] 문을 열려고[뛰뛰려고] 하다 **~** ***and*** (do[be]) ... 《구어》 …하도록 힘쓰다: *T*~ *and be* punctual. 시간을 지키도록 노력하시오. **~** ***back*** (1) (되돌아가) 다시 한번 해보다 (2) 〚항해〛 〈밧줄 등을〉 늦추어 풀어내다 (3) 〈개 등이〉 〈냄새를〉 찾아서 돌아가다 (4) 〈이야기가〉 …로 돌아가다 《*to*》 **~** ***for*** (1) …을 얻으려고 하다 (2) …을 지원하다; …을 구하다 **~** ***it on*** 《영·구어》 〈나쁜 짓을〉 시험삼아 해보다; 〈사람을〉 속이려 들다; 거만을 떨다; 〈이성에게〉 귀찮게 굴다 **~** ***it on the dog*** (1) 음식물을 개에게 먹여 보다 (2) 새 연극 등을 지방에서 공연하여 반응을 보다 **~** ***on*** 시험해보다; 입어[신어] 보다; 가봉(假縫)하다 **~** ***out*** (1) 엄밀하게 시험하다, 충분히 시험해 보다; 〈채용하기 전에 인물을〉 잘 살피다 (2) (금속의) 순도(純度)를 측정하다; 정련(精鍊)하다; 광석을 체로 치다 (3) 《미》 (팀 선발 등에) 나가보다 《*for*》 **~** ***over*** 《영》 복습하다; 〈연극 등을〉 미리 해보다, 예행연습하다 **~** one***'s best***[***hardest***] 전력을 다하다 **~** one***'s hand at*** ⇨ hand. **~** one***'s weight*** 체중을 달아 보다

— *n.* (*pl.* **tries**) **1** **시험**, **시도**, **해보기**, 노력 **2** 〚럭비〛 트라이 ***give it the old college*** **~** 《구어》 성실하게 노력하다 ***have a*** **~** ***at***[***for***] …을 해보다

▷ tríal *n.*

try-and-buy [tràiənbái] *a.* Ⓐ (특히 컴퓨터 프로그램이나 장비의) 시험 사용 구매의

*__try·ing__ [tráiiŋ] *a.* **1** **견딜 수 없는**, 괴로운, 쓰라린; 지치는 《*to*》 **2** 화나는, 약오르는 **~·ly** *ad.* **~·ness** *n.*

trýing plàne 〚목공〛 마무리 대패

try-on [tráiɑ̀n | -ɔ̀n] *n.* **1** 《구어》 해보기, 시도; 《영·구어》 속이려고 하기 **2** 《구어》 (가봉한 옷을) 입어 보기, 가봉

---

esty, integrity, sincerity, honor,

try *v.* **1** 노력하다 attempt, endeavor, undertake, strive, seek, struggle **2** 시도하다, 시험하다 test, experiment with, assay, investigate, examine, appraise, evaluate, assess, experience, sample

try·out [-àut] *n.* **1** (미) 시험적 실시[사용]; (스포츠의) 실력[적격] 시험: ~*s* for the baseball team 야구팀 입단 테스트 **2** 〖연극〗 시험 흥행, 시연(試演)
try·pan·o·so·ma [tripæ̀nəsóumə | trìpən-] *n.* (*pl.* **~s,** **~·ta** [-tə]) = TRYPANOSOME
try·pan·o·some [tripǽnəsòum, trípən-] *n.* 〖동물〗 트리파노소마 《편모충(鞭毛蟲)의 일종; 혈액 내에 기생함》
try·pan·o·so·mi·a·sis [tripæ̀nəsoumáiəsis | trìpən-] *n.* Ⓤ 〖병리〗 트리파노소마증(症) 《trypanosome에 인한 사람의 수면병이나 가축의 nagana병》
try-pot [tráipɑ̀t | -pɔ̀t] *n.* = TRYWORKS
tryp·sin [trípsin] *n.* Ⓤ 〖생화학〗 트립신 《췌액(膵液) 중의 단백질 분해 효소》
tryp·ta·mine [tríptəmì:n, triptǽmi:n, min] *n.* 〖생화학〗 트립타민 《트립토판의 분해로 얻어지는 염기의 일종》
tryp·tic [tríptik] *a.* 트립신(작용)의; 트립신에 의해 생긴
tryp·to·phan [tríptəfæ̀n], **-phane** [-fèin] *n.* Ⓤ 〖생화학〗 트립토판 《동물의 영양에 필요한 아미노산》
try·sail [tráisèil; 〖항해〗 tráisəl] *n.* 〖항해〗 트라이슬 《마스트 뒤쪽의 보조적인 작은 세로돛》
trý squàre 곡척(曲尺), 곱자
tryst [tríst, tráist] *n.* (문어·고어) **1** 회합의 약속; (약속한) 회합; 밀회 **2** 회합의 장소, 밀회 장소(rendezvous) **3** (스코) 시장, (특히 소의) 정규 시장
keep [***break***] (***a***) ~ 회합의 약속을 지키다[깨뜨리다]
— *vt.* …와 만날 약속을 하다; 〈회합의 때와 장소를〉 지정하다 — *vi.* (스코) 회합 약속을 하다[지키다]
the ~ing day [***place, time***] 회합 약속의 날[장소, 시간] **~·er** *n.*
try·works [tráiwə̀:rks] *n. pl.* 경유(鯨油) 정제소[로(爐)]
TS toolshed; top secret; tough shit (속어·비어) 빌어먹을 놈!; tub-sized; typescript **t.s.** tensile strength
tsar [zɑ́:r, tsɑ́:r] *n.* = CZAR
tsar·e·vitch [zɑ́:rəvìtʃ, tsɑ́:r-] *n.* = CZAREVITCH
tsa·rev·na [zɑ:révnə, tsɑ:-] *n.* = CZAREVNA
tsa·ri·na [zɑ:rí:nə, tsɑ:-] *n.* = CZARINA
tsar·ism [zɑ́:rizm, tsɑ́:r-] *n.* Ⓤ 차르 체제 《1917년 이전의 러시아의 정부 체제》 **tsár·ist** *n., a.*
TSB (영) Trustee Savings Bank **TSCA** Toxic Substances Control Act (미) 독성 물질 규제법
Tschai·kov·sky [tʃaikɔ́:fski, -kɑ́f- | -kɔ́f-] *n.* = TCHAIKOVSKY
tset·se [tsétsi, tsí:t- | tétsi, tsétsi] *n.* 〖곤충〗 체체파리(= ~ **flỳ**) 《수면병 등의 병원체를 매개하는 아프리카의 피 빨아먹는 파리》
tsétse (**flỳ**) **disèase** 〖수의학〗 나가나병(cf. NAGANA)
TSgt, T/Sgt technical sergeant **TSH** Their Serene Highnesses; 〖생화학〗 thyroid-stimulating hormone
T-shaped [tí:ʃèipt] *a.* T자형의
T-shirt [-ʃə̀:rt] *n.* T셔츠(tee shirt)
~·ed [-id] *a.* T셔츠를 입은
tsim·mes [tsímis] *n.* = TZIMMES
Tsing·hai [tʃìŋhái, tsìŋ-] *n.* **1** 칭하이 성(青海省) 《중국 북서부의 성》 **2** 칭하이 호(湖)
Tsing·tao [tsìŋtáu, tʃìŋdáu] *n.* 칭다오(青島) 《중국 산둥 성(山東省)의 항구 도시》
tsk [tísk] *int.* 쯧 《혀 차는 소리, 불승인·비난을 나타냄》 — *vt.* 쯧쯧 혀를 차다, 못마땅해하다
TSO town suboffice **tsp.** teaspoon(s); teaspoonful(s)
tsot·si [tsɑ́tsi | tsɔ́t-] *n.* (남아공) 불량배, 깡패
T̀ squàre T자 《제도용》
TSS 〖컴퓨터〗 time-sharing system; 〖병리〗 toxic shock syndrome
T-strap [tí:stræ̀p] *n.* T 스트랩 《발목과 발등의 끈을 T자형으로 묶는 끈》; 그 끈이 달린 구두
tsu·na·mi [tsunɑ́:mi] *n.* 쓰나미 《지진에 의한 해일》
tsur·is, tsour·is [tsúəris, tsə́:r-], **tsor·is** [tsɔ́:ris], **tzu·ris** [tsú:ris] *n.* (속어) 괴로움, 고민, 곤란, 불운(의 연속)
tsu·tsu·ga·mú·shi disèase [tsù:tsugəmú:ʃi-] 〖병리〗 털진드기병(scrub typhus)
t.s.v.p. *tournez s'il vous plaît* (F = please turn over) 뒷면으로 계속 **TT** teetotal(ler); telegraphic transfer; teletypewriter; Tourist Trophy; Trinidad and Tobago 《국제 자동차 식별 기호》; 〖우편〗 Trust Territories; tuberculin tested
T-time [tí:tàim] [*T*ake-off *time*] *n.* (유도탄·로켓 등의) 시험 발사 시간(time for test-firing)
TTL through-the-lens; to take leave; 〖전자〗 transistor transistor logic
T-top [tí:tɑ̀p] *n.* (여닫을 수 있는) 자동차 지붕
TTS teletypesetter; teletypesetting **TTY** teletypewriter **Tu** 〖화학〗 thulium; tungsten **Tu.** Tuesday **TU** Trade(s) Union; transmission unit
tu·an [tuɑ́:n] *n.* 말레이 사람의 경칭 《sir, master, lord에 해당》
tu·a·ta·ra [tù:ətɑ́:rə] *n.* 〖동물〗 큰도마뱀 《뉴질랜드산(産)》
***tub** [tʌ́b] *n.* **1** 통, 물통, 함지; 통[함지] 하나 가득 **2** 목욕통, 욕조(bathtub); (영·구어) 목욕: take a cold ~ every morning 매일 아침 냉수욕을 하다 **3** (구어) 뚱뚱보 **4** (구어) (통같이 생긴) 작은 배; 노후된 배; 연습용 보트 **5** 〖광산〗 광차(鑛車); 광석을 실어 올리는 통[두레박] **6** (군대속어) 연습 비행기 **7** (싱크로나이즈드스위밍에서) 터브 《위를 향해 떠 있는 자세로 양 무릎을 가슴에 붙이고 수평으로 회전하는 연기》 **8** (미·속어) 다량, 많음
a tale of a ~ ⇨ tale. ***Every ~ must stand on its own bottom.*** (속담) 사람은 누구나 제 힘으로 살아야 한다. ***in the*** ~ (미·속어) 파산하여 ***throw out a ~ to the whale*** (위험을 피하기 위하여) 남의 눈을 속이다 ~ ***of lard*** (미·속어) (불쾌할 정도의) 뚱뚱보 ***work the ~s*** (영·속어) 버스(정류장)에서 소매치기를 하다
— *v.* (**~bed**; **~·bing**) *vt.* **1** 통에 넣다[저장하다]; 통에 심다 **2** (영·구어) 목욕시키다, …을 통에서 씻다 **3** 연습용 보트로 연습시키다
— *vi.* **1** (영·구어) 목욕통에서 몸을 씻다, 목욕하다 **2** 연습용 보트로 연습하다 **3** (구어) 〈천 등이〉 잘 빨리다, 빨아도 상하지 않다 **~·ful** *a.*
▷ tύbbish *a.*
tu·ba [tjú:bə | tjú:-] [L 「트럼펫」의 뜻에서] *n.* (*pl.* **~s, -bae** [-bi:]) **1** 〖음악〗 튜바 《저음의 금관악기》 **2** (풍금의) 튜바 음전(音栓) **3** 적의 레이더를 교란하기 위한 고출력 레이더 송신기 **túb·ist** *n.*
tub·al [tjú:bəl | tjú:-] *a.* **1** 관(管)(모양)의 **2** 〖해부〗 난관(卵管)의, 나팔관의; 기관지의
túbal blóckage 나팔관 폐색(閉塞)
Tu·bal-cain [tjú:bəlkèin | tjú:-] *n.* 〖성서〗 두발가인 《Lamech와 Zillah의 아들; 날붙이를 만드는 사람; 창세기 4: 22》
túbal ligátion 〖의학〗 난관 결찰(結紮)(술(術)) 《불임 수술》
tub·ber [tʌ́bər] *n.* **1** 통 만드는 사람 **2** 통을 써서 일하는 사람 **3** 통에서 목욕하는 사람
tub·bing [tʌ́biŋ] *n.* Ⓤ **1** 목욕 **2** 보트 연습 **3** 통 만들기; 통 만드는 재목
tub·bish [tʌ́biʃ] *a.* 통 같은; 뚱뚱한
tub·by [tʌ́bi] *a.* (**-bi·er**; **-bi·est**) **1** 통 같은; 땅딸막한, 뚱뚱한 **2** (드물게) 〈악기가〉 (통을 두들기는 것 같은) 둔한 소리가 나는, 울림이 없는
túb·bi·ness *n.*
túb chàir (영) 〖가구〗 등이 반원형이고 팔걸이가 넓은 안락의자

‡tube [tjú:b | tjú:b] *n.* **1** (금속·유리·고무 등의) **관**(管), **통**(筒): a test ~ 시험관 / a tin ~ 주석관 **2** (그림물감·치약 등의) **튜브**, 짜내어 쓰게 된 용기: ~ colors 튜브에 든 그림물감 / a ~ of toothpaste 치약의 튜브 **3** (관악기의)관, 통 **4** 〖해부·동물·식물〗 관, 통 모양의 부분, 관상(管狀) 기관: the bronchial ~*s* 기관지 **5** 관상 터널; 《영·구어》 지하철(《미》 subway); [the ~] 《영·구어》 런던의 지하철 **6** 《미》 진공관(=vacuum ~; 《영》 valve); 전자관 **7** (타이어의) 튜브 **8** =TELEVISION TUBE; [the ~] 《미·구어》 텔레비전 (수상기) **9** =MAILING TUBE
go down the **~(*s*)** 《미·구어》 못쓰게 되다, 망가지다, 망치다 ***shoot the*** **~[*curl*]** 〖서핑〗 굽이치는 파도 속으로 돌진하다
—*vt.* **1** …에 관[튜브]을 달다[갖추다] **2** 관 모양으로 하다 **3** 관 속에 넣다; 관으로 운반하다 **4** 《미·속어》 잘 안되다, 실패하다
—*vi.* 《영·구어》 지하철을 타다[로 가다]; 《미·속어》 잘 안되다, 실패하다; 《미·학생속어》 텔레비전을 보다 《*out*》 **~·like** *a.* 관 같은; 튜브 모양의
▷ túbular, túbulate, túbulous *a.*

tu·bec·to·my [tju:béktəmi | tju:-] *n.* 〖외과〗 난관 절제(술)

tubed [tjú:bd | tjú:bd] *a.* 〈말이〉 (기관을 절개하여) 금속제 호흡관을 댄; 《미·속어》 (술·마약에) 취한

túbe fòot 〖동물〗 (극피(棘皮)동물의) 관족(管足)

tube·less [tjú:blis | tjú:b-] *a.* **1** 관이 없는 **2** 〈자동차 등의 타이어가〉 튜브가 없는

túbeless tíre 튜브 없는 타이어

túbe pàn (도넛 모양의) 케이크 굽는 기구

tu·ber[1] [tjú:bər | tjú:-] *n.* **1** 〖식물〗 덩이줄기 《감자 등》; 덩이줄기 작물 **2** 〖해부〗 결절(結節), 병적 융기(隆起)(tubercle)

tuber[2] *n.* 관을 만드는 사람[것], 배관공; 튜빙(tubing) 대회 참가자

tu·ber·cle [tjú:bərkl | tjú:-] *n.* **1** 〖해부·동물〗 작은 결절, 혹 모양의 작은 돌기 **2** 〖병리〗 결절; 결핵 (결절) **3** 〖식물〗 작은 덩이줄기, 덩이뿌리; 소립(小粒)
tú·ber·cled *a.* 결절이 생긴[있는]

túbercle bacìllus 결핵균 《略 TB》

tu·ber·cu·lar [tjubə́:rkjulər | tju-] *a.* 결절(모양)의; 결절이 있는; 결핵(성)의, 결핵에 걸린; 병적인, 불건전한 **—*n.*** 결핵 환자 **~·ly** *ad.*

tu·ber·cu·late [tjubə́:rkjulət, -lèit | tju-] *a.* **1** 결절이 있는 **2** =TUBERCULAR

tu·ber·cu·la·tion [tjubə̀:rkjuléiʃən | tju-] *n.* Ⓤ 결절(結節)[결핵] 형성

tu·ber·cu·lin [tjubə́:rkjulin | tju-] *n.* Ⓤ 투베르쿨린 《1890년 Robert Koch가 발명한 결핵 진단·치료용 주사액》

tu·ber·cu·lin·ize [tjubə́:rkjulənàiz | tju-] *vt., vi.* =TUBERCULIZE

tubérculin tèst 투베르쿨린 검사

tu·ber·cu·lin-test·ed [tjubə́:rkjulintèstid | tju-] *a.* 투베르쿨린 반응이 음성인 소에서 짠 〈우유〉

tu·ber·cu·lize [tjubə́:rkjəlàiz | tju-] *vt., vi.* …에게 투베르쿨린 접종을 하다; 결핵(성)으로 하다

tu·ber·cu·loid [tjubə́:rkjulɔ̀id | tju-] *a.* tubercle 같은; (결절(結節)이 있는 점에서) 결핵과 유사한

tu·ber·cu·lo·sis [tjubə̀:rkjulóusis | tju-] *n.* Ⓤ 〖의학〗 **1** 결핵 《略 TB》 **2** 폐결핵(=pulmonary ~)

tu·ber·cu·lous [tjubə́:rkjuləs | tju-] *a.* 결핵(성)의, (폐)결핵에 걸린: ~ pneumonia 결핵성 폐렴

túbe rìding 〖서핑〗 튜브라이딩 《파도가 무너질 때 생기는 튜브 속을 타는 테크닉》

tube·rose[1] [tjú:bəròuz | tjú:b-] *n.* 〖식물〗 월하향(月下香) 《멕시코 원산》

tu·ber·ose[2] [tjú:bəròus | tjú:-] *a.* =TUBEROUS

tu·ber·os·i·ty [tjù:bərɑ́səti | tjù:bərɔ́s-] *n.* (*pl.* **-ties**) (뼈의) 융기; 결절 조면(粗面)

tu·ber·ous [tjú:bərəs | tjú:-] *a.* **1** 원형의 돌기로 덮인, 결절이 있는, 결절 모양의; 결절의 성질을 띤, 결절과 유사한 **2** 〖식물〗 덩이줄기[괴경(塊莖)] 모양의

túberous róot 〖식물〗 괴근(塊根), 덩이뿌리

túbe sòck 튜브 속스 《뒤꿈치가 따로 없는 신축성이 풍부한 양말》

túbe tòp 튜브 톱 《어깨끈 없이 몸에 맞게 만든 여성용 윗옷》

túbe tràin 《영》 지하철 열차

túbe wèll (관을 지하 수위까지 박은) 펌프 우물

tube·worm [tjú:bwə̀:rm | tjú:b-] *n.* 〖동물〗 서관충(棲管蟲)

tu·bi·fex [tjú:bəfèks | tjú:-] *n.* (*pl.* **~es, ~**) 실지렁이; 투비펙스속(屬)의 실지렁이의 총칭

tub·ing [tjú:biŋ | tjú:b-] *n.* Ⓤ **1** 관 재료; 관 조직 **2** [집합적] 관류(管類) **3** 관의 한 조각[부분] **4** 관 공사, 배관 **5** 〖스포츠〗 튜빙 《타이어를 타고 강을[눈 위를] 내려가는 경기》

túb màt 욕조용 매트 《욕조 안에 까는 미끄럼 방지용》

tu·bo·cu·ra·rine [tjù:boukjurɑ́:ri:n, -rin | tjù:-] *n.* 〖화학〗 튜보쿠라린 《남미 인디언이 사용하는 화살독 튜보쿠라레(curare)의 알칼로이드 성분》

tub-thump·er [-θʌ̀mpər] *n.* 《구어》 **1** 탁자를 치며 열변을 토하는 사람 **2** 《미》 홍보관, 대변인

tub-thump·ing [-θʌ̀mpiŋ] *n.* Ⓤ 《구어·종종 경멸》 **1** 열변, 대연설 **2** 《미》 거창한 선전
—*a.* 열변을 토하는

tu·bu·lar [tjú:bjulər | tjú:-] *a.* **1** 관(모양)의, 통 모양의 **2** 관식(式)의: a ~ boiler 연관식(煙管式) 보일러 **3** 〖생리·의학〗 기관(氣管)의; 세뇨관의 **4** 《미·속어》 (10대 사이에서) 멋진, 훌륭한, 대단한

túbular béllls 튜블러 벨 《금속제 타악기로 나무로 된 해머를 놋쇠관에 쳐서 소리를 냄》

tu·bu·late [tjú:bjulət, -lèit | tjú:-] *a.* **1** 관 모양의 **2** 관이 달린
— [tjú:bjulèit | tjú:-] *vt.* 관 모양으로 하다; …에 관을 설치하다

tu·bu·la·tion [tjù:bjuléiʃən | tjù:-] *n.* **1** 관의 제작[설치, 배열] **2** 관상부(管狀部)

tu·bule [tjú:bju:l | tjú:-] *n.* 가느다란[작은] 관; (동·식물의) 세관(細管)

tu·bu·lin [tjú:bjulin | tjú:-] *n.* 〖생화학〗 튜뷸린 《세포내 미세관(microtubule)의 구성 단백질》

tu·bu·lous [tjú:bjuləs | tjú:-] *a.* **1** 관 모양의(tubular) **2** 관이 있는; 관으로 된: a ~ boiler 연관식(煙管式) 보일러 **3** 〖식물〗 관상화(管狀花)가 있는

TUC Trades Union Congress 《영》 노동 조합 회의

tu·chun [dù:dʒjú:n, tù:tʃú:n] [Chin.] *n.* 〖중국사〗 독군(督軍)(warlord) 《각 성(省)의 군사 장관》

***tuck**[1] [tʌ́k] *vt.* **1** 밀어[쑤셔] 넣다 《*in, into, under*》: (~+목+전+명) ~ one's napkin *under* one's chin 냅킨을 턱 밑에 밀어 넣다 / She ~*ed* her money *into* her wallet. 그녀는 돈을 지갑 속에 쑤셔 넣었다. **2** 〈자락·소매 등을〉 **걷어 올리다**; 〈옷의 단을〉 호아 올리다, 시쳐 놓다; 〈주름을〉 잡다 《*up*》: (~+목+전+명) Her dress was ~*ed with* beautiful stitches. 그녀의 옷은 예쁜 주름단이 잡혀 있었다. // (~+목+부) ~ *up* one's sleeves[trousers, skirt] 소매[바지, 스커트]를 걷어 올리다 **3 덮다, 감싸다** 《*in, into*》: (~+목+부) (~+목+전+명) ~ oneself *up in* bed 침구로 몸을 감싸다 / ~ the children *into* bed 어린이들을 침구에 감싸 자리에 누이다 **4** 〈물고기를〉 큰 그물에서 건져 내다 **5** 《영·구어》 왕성하게[게걸스럽게] 먹다; 꿀꺽꿀꺽 마시다 《*away, in*》 **6** 〈집 등을〉 눈에 띄지 않는 곳에 짓다 《*away*》 **7** 조여 매다(draw in) **8** 《고어》 〈죄인을〉 교수형에 처하다 《*up*》
—*vi.* **1** 시쳐 넣다; 접어 올리다, 주름을 잡다 **2** 아담하게 마무리되다
be ~ed up 〈개나 말이〉 배가 고파 허리가 가늘어지다; 《영·구어》 피곤해 지치다; 《영·속어》 투옥되다; 《영·속어》 속다 **~ *away*** (1) (안전한 곳으로) 치우다, 감추다 (2) 《구어》 잔뜩 먹다[마시다] (3) 보이지 않는

곳에 두다; 감추다 ~ ***in*** (1) 감싸다 (2) 끝을 접다, 밀어 넣다 (3) 《구어》 잔뜩 먹다[마시다] ~ ***into*** 밀어 넣다; 《영·구어》 〈음식물을〉 게걸스럽게 먹다 ~ ***on*** 《속어》 〈비싼 값을〉 부르다 ~ one***'s tail*** 당혹하다; 〈개가〉 (꼬리를 감추듯) 풀이 죽다 ~ ***up*** (1) 끝을 접어 올리다, 단을 접다 (2) 감아 싸다; 〈소매를〉 말아 올리다; 〈다리를〉 옆으로 구부려 앉다 (3) 《고어》 〈죄인을〉 교수형에 처하다

— *n.* **1** 접어 넣은 단, 호아 올린 것 **2** 〔항해〕 (고물) 돌출부의 아래쪽 **3** Ⓤ 《영·속어》 음식, 식량, 《특히》 과자 **4** 〔수영〕 턱 《구부린 두 무릎을 양손으로 안은 자세》

tuck[2] (스코) *n.* 북치는 소리; 나팔을 마구 불기
— *vt.* 〈북을〉 치다; 〈나팔을〉 힘차게 불다

tuck[3] *n.* 힘; 활력, 정력, 원기

tuck[4] *n.* 《구어》 = TUXEDO

tuck·a·hoe [tʌ́kəhòu] *n.* **1** 〔식물〕 복령(茯苓) (Indian bread) **2** [T~] 터커호 《특히 Blue Ridge 산맥 동쪽에 사는 Virginia 주 사람의 속칭》

túck bòx 《영·속어》 (아이들이 학교에 가지고 가는) 과자 상자

tucked [tʌ́kt] *a.* **1** 접어 넣은, 호아 올린 **2** 《구어·방언》 답답한, 꼼짝 못하는

tuck·er [tʌ́kər] *n.* **1** (17-18세기의 여자 복장의) 깃장식 **2** 주름잡는 사람[기계] **3** 《호주·구어》 음식물 **4** = CHEMISETTE ***earn*** [***make***] one***'s*** ~ 《호주·속어》 먹고 입을 것을 겨우 벌다 one***'s best bib and*** ~ 나들이옷
— *vt.* 《미·구어》 피로하게 하다(tire) 《*out*》: be ~*ed out* 지칠대로 지치다

tuck·er-bag [tʌ́kərbæ̀g] *n.* 《호주·구어》 (오지(奧地) 여행자가 휴대하는) 식량 주머니

tuck·er-box [-bɑ̀ks | -bɔ̀ks] *n.* = TUCKER-BAG

tuck-in [tʌ́kìn], **tuck-out** [-àut] *n.* Ⓤ 《영·구어》 배불리 먹을 수 있는 식사, 성찬

túck pòinting 〔석공〕 도드라진 줄눈

tuck-shop [-ʃɑ̀p | -ʃɔ̀p] *n.* 《영》 (학교(근처)의) 과자점

-tude [-tjù:d | -tjù:d] *suf.* [라틴 계통의 형용사에 붙여서] 「성질; 상태」의 뜻: apti*tude*, soli*tude*

Tu·dor [tjú:dər | tjú:-] [Henry 5세가 죽은 후 그의 아내와 결혼한 Wales 기사(Owen) Tudor의 이름에서] *a.* **1** 〔영국사〕 튜더 왕가[왕조]의(1485-1603) **2** 〔건축〕 튜더 양식의
— *n.* **1** 튜더 왕가[왕조] 사람 **2** [the ~s] 튜더 왕가 (the House of ~)

Tues., Tue. Tuesday

‡**Tues·day** [tjú:zdei, -di | tjú:z-] [OE 「Tiw(Teuton족의 군신(軍神))의 날」의 뜻에서] *n.* 화요일 《略 Tues., Tue.》
— *a.* Ⓐ 화요일의
— *ad.* 《구어》 화요일에(on Tuesday)

Tues·days [tjú:zdeiz, -diz | tjú:z-] *ad.* 화요일마다, 화요일에는 언제나(on Tuesdays)

tu·fa [tjú:fə | tjú:-] *n.* Ⓤ 〔지질〕 석회화(石灰華), 튜퍼 《다공질(多孔質) 탄산석회의 침전물》

tu·fa·ceous [tju:féiʃəs | tju:-] *a.*

tuff[1] [tʌ́f] *n.* Ⓤ 〔지질〕 응회암(凝灰岩)

tuff[2] *a.* 《속어》 뛰어난, 굉장한(tough)

***tuft** [tʌ́ft] *n.* **1** (실·머리털·새털 등의) 술, 다발; 터프트 《침대·커텐 등의 끝 장식용 실뭉치》 **2** 숲, 나무숲, 덤불 **3** 작은 언덕 **4** 〔영국사〕 (귀족 대학생 제모의) 금빛 수실; 귀족 대학생 **5** 황제 수염(imperial), 염소 수염 **6** 〔해부〕 혈관 다발, 모세 혈관 다발
— *vt.* **1** …에 술을 달다, 술로 장식하다 **2** 〈쿠션 등을〉 누비다, 시침질하다
— *vi.* 술 (모양)이 되다, 무더기로[더부룩하게] 자라다
▷ túfty *a.*

tuft·ed [tʌ́ftid] *a.* 술을 단, 술로 장식한; 술을 이룬; 군생하고 있는

tuft·hunt·er [tʌ́fthʌ̀ntər] *n.* 권문에 아첨하는 사람, 알랑쇠 **túft·hùnt·ing** *a.*, *n.*

tuft·y [tʌ́fti] *a.* (**tuft·i·er**; **-i·est**) **1** 술이 많은; 술 모양의, 술로 장식된 **2** 술을 이루는; 군생하는

Tu Fu [dú:-fú: | tú:-] 두보(杜甫)(712-770) 《중국 당대(唐代)의 시인》

***tug**[1] [tʌ́g] *v.* (**~ged**; **~·ging**) *vt.* **1** (세게) 당기다; 끌다(⇨ pull 유의어): 《~+목+전+명》 ~ a car *out of* the mire 진창에서 차를 끌어내다 **2** 예인선(曳引船)으로 〈배를〉 끌다 **3** 〈관계없는 이야기 등을〉 억지로 끌어들이다: 《~+목+부》 ~ a subject *in* 관계없는 화제를 억지로 끌어들이다 **4** 힘들여서 운반하다(lug)
— *vi.* **1** 힘껏 당기다, 끌다 《*against, at*》: 《~+전+명》 The kitten was ~*ging at* my shoelace. 새끼 고양이가 내 구두끈을 힘껏 물어 당기고 있었다. **2** 노력하다, 분투하다, 열심히 일하다 **3** 다투다, 경쟁하다 (contend) ~ ***at the*** [***an***] ***oar*** (갤리선의 노예로) 노를 젓다; 빠빠지게 일하다
— *n.* **1** 힘껏 당김 **2** 분투, 노력; 심한 다툼, 치열한 경쟁: 《~+***to*** do》 We had a great ~ *to* persuade him. 그를 설득하는 데 무척 힘이 들었다. // We felt a great ~ at parting. 작별하기가 마음 아팠다. **3** 짧은 가죽끈; (마구(馬具)의) 끄는 가죽끈 **4** 예인선(tugboat); (글라이더) 예항기 ***give a*** ~ at the bell (벨)의 끈을 잡아당기다

tug[2] *n.* 《영·속어》 (Eton교의) 장학생(colleger)

tug·boat [tʌ́gbòut] *n.* 예인선(曳引船)(⇨ boat 관련)

túg of lóve 《구어》 (자녀의 양육을 둘러싼) 친권자 싸움

túg of wár **1** 줄다리기 (경쟁) **2** 격렬한 다툼; 주도권 쟁탈

tu·grik, tu·ghrik [tú:grik] *n.* 투그리크 《몽골의 화폐 단위; =100 mongo; 略 Tug》

tu·i·fu [tù:ifú:, ⌐⌐⌐] [*t*he *u*ltimate *i*n *f*uck*u*ps] *n.* 《미·군대속어》 구제불능의 상황, 대실패(cf. SNAFU)

Tui·ler·ies [twí:ləri:z | -ləri] *n.* 튈르리 궁전 《파리의 옛 궁전; 1871년 소실》

tuille [twí:l] *n.* (갑옷의) 넓적다리받이

tu·i·tion [tju:íʃən | tju:-] [L 「돌보다」의 뜻에서] *n.* Ⓤ **1** 교수, 수업; 지도 **2** 수업료(= ⌐ **fèe**)
▷ tuítional, tuítionary *a.*

tu·i·tion·al [tju:íʃənl | tju:-], **-ar·y** [-ʃənèri | -ʃənəri] *a.* **1** 교수[지도](용)의 **2** 수업료의

tu·la·re·mi·a, -rae- [tù:lərí:miə] *n.* Ⓤ 〔수의학〕 야토병(野兎病) 《때로는 사람에게도 감염됨》

tu·le [tú:li] [Sp.] *n.* (*pl.* **~s**) 커다란 골풀, 등심초

***tu·lip** [tjú:lip | tjú:-] [Turk. 「터번」의 뜻에서; 색과 모양이 비슷하다 해서] *n.* **1** 〔식물〕 튤립 **2** 튤립 꽃[구근(球根)]

túlip chàir 튤립 의자 《다리가 하나로 길고 가늘다》

túlip trèe 〔식물〕 튤립나무 《목련과(科)의 교목; 북미산(産)》

tu·lip·wood [tjú:lipwùd | tjú:-] *n.* Ⓤ 튤립나무의 재목

tulle [tú:l | tjú:l] [프랑스의 원산지 이름에서] *n.* Ⓤ (베일용의) 얇은 명주 그물

tul·war [tʌ́lwɑ:r, ⌐⌐] *n.* (인도 북부에서 사용하는) 칼날이 휜 칼

tum[1] [tʌ́m] [의성어] *n.* 딩, 댕, 드룽 《현악기를 퉁기는 소리》 — *vt.* 댕하고 퉁기다

tum[2] *n.* 《유아어》 배(stomach)

‡**tum·ble** [tʌ́mbl] *vi.* **1** 넘어지다 《*down, over*》, 굴러 떨어지다: 《~+부》 In her hurry she ~*d over*. 그녀는 급히 서두르다가 넘어졌다. // 《~+전+명》 ~ *down* the stairs 계단에서 굴러 떨어지다 **2** 〈가격이〉 폭락하다, 급속히 떨어지다 《*to*》 **3** (곡예·체조의 마루운동에서) 공중제비를 하다(somersault) **4** (권력의 자리에서) 갑자기 전락하다, 실각하다; 《미·암흑가속어》 체포되다, 붙잡히다 **5** 〈건물 등이〉 무너지다, 붕괴하다

thesaurus **tug**[1] *v.* pull, jerk, draw, drag, haul
tumble *n.* fall, stumble, trip, spill, plunge, slump
tumult *n.* **1** 소란 uproar, commotion, clamor,

《*down, upon*》 **6** 뒹굴다, 몸부림치다 《*about*》; 〈파도 등이〉 요동치다; 허둥지둥 오다[가다] 《*to*》; 굴러 들어가다 《*into*》; 구르다시피 뛰어 나가다 《*out*》: (~+부) She came *tumbling along*. 그녀는 허둥지둥 달려왔다. // (~+전+명) ~ *down*[*up*] the stairs 계단을 허둥지둥 달려 내려가다[올라가다] / Children ~*d out of* the bus. 아이들이 버스에서 허둥지둥 뛰어 내렸다. **7** 《구어》 …에 문득 생각이 미치다, 깨닫다 《*to*》: (~+전+명) He finally ~*d to* what she was doing. 그는 마침내 그녀가 무엇을 하고 있는가를 알아냈다. **8** (…에) 우연히 부닥뜨리다, 부딪치다 《*in, into, upon, on*》: ~ *into* war 전쟁에 휘말려 들다
— *vt.* **1** 굴리다; 넘어뜨리다, 뒤집어엎다 《*down*》; 던지다, 던져 팽개치다 《*about, in, out*》: (~+목+부) ~ a person *down* …을 때려 넘어뜨리다 // (~+목+전+명) All the passengers were ~*d out of* the car. 승객들은 모두 차 밖으로 나가떨어졌다. **2** 난잡하게 흐트러뜨리다; 〈머리카락·옷 등을〉 구기다; 뒤범벅이 되게 마구 쑤셔 넣다: (~+목+전+명) ~ clothes *into* a box 상자 속에 옷들을 마구 쑤셔 넣다 **3** (권좌에서) 잡아 내리다, 실각시키다 《*from, out of*》 **4** 〈건물을〉 붕괴시키다 **5** 〈재료 등을〉 회전통에 넣고 회전시키다[갈다, 건조시키다] **6** 꿰뚫어보다, 간파하다
~ along 구르다시피 뛰다 ***~ and toss*** 몸부림치며 뒹굴다 ***~ for*** 《구어》 …에게 빠져들다, 홀리다; 〈속임수 등을〉 믿다, 〈덫에〉 걸리다 ***~ home*** 〖항해〗 〈뱃전이〉 안쪽으로 휘다 ***~ in*** (1) 〈나무 조각을〉 끼워 맞추다 (2) = TUMBLE home (3) 《구어》 잠자리에 기어 들어가다 ***~ out*** 싸우다 《*over, with*》 ***~ over*** (1) 전도하다; 넘어지다; …에 발이 걸려 자빠지다 (2) 넘어뜨리다, 뒤집어엎다 (3) 〈말이 탄 사람을〉 떨어뜨리다 ***~ to*** 《영》 …에 적응하다
— *n.* **1** 추락, 전도; (파도 등의) 흔들림 **2** 공중제비 (등의 곡예) **3** [a ~] 혼란 **4** 붕괴, 파괴; 실각 **5** (주가 등의) 하락, 폭락; (가치의) 저하 **6** 《구어》 (관심·애정을 나타내는) 반응, 표시 **7** 〈종이 등이〉 어지럽게 쌓인 것 ***be all in a ~*** 혼란이 극도에 달하다 ***give*** [***get***] ***a ~*** 《구어》 (1) 관심[호의]을 나타내다[받다] (2) 찬스를 주다[얻다] ***have*** [***take***] ***a ~*** 넘어지다 ***take a ~ to ...*** 《구어》 …에 생각이 미치다, 문득 생각나다

tum·ble·bug [tʌ́mblbʌ̀g] *n.* 〖곤충〗 말똥구리

tum·ble-down [-dàun] *a.* 〈건물이〉 황폐한, 금방 넘어질 듯한

túmble drìer = TUMBLER DRIER

tum·ble-dry [-drài] *vt., vi.* (**-dried**) 〈세탁물을〉 회전식 건조기로 말리다[마르다]

túmble hòme 〖항해〗 텀블홈 《현측(舷側) 상부가 안쪽으로 경사진 상태》

tum·bler [tʌ́mblər] *n.* **1** 넘어지는 사람; (공중제비하는) 곡예사; 오뚝이 **2** (밑이 편편하고 굽이나 손잡이가 없는) 큰 컵; 그 한 잔 **3** 〖조류〗 공중제비하는 비둘기 **4** (총기의) 공이치기 용수철; 자물쇠의 회전판 **5** 회전통(筒)(tumbling box) **6** 〖기계〗 전동(轉動) 장치의 가동부(可動部) **~·ful** *n.* 큰 컵 한 잔(의 양)

túmbler drìer (세탁물의) 회전식 건조기(tumble drier)

túmbler gèar 〖기계〗 텀블러 기어 《공작 기계에서 쓰이는 속도 변환 기구》

túmbler swìtch 〖전기〗 텀블러 스위치 《손잡이를 상하로 작동시키는 스위치》

tum·ble·weed [tʌ́mblwì:d] *n.* 《미·호주》 〖식물〗 회전초(回轉草) 《비름·명아주 등의 무리; 가을에 밑동에서 부러져 들판을 굴러감》

tum·bling [tʌ́mbliŋ] *n.* Ⓤⓒ 〖체조〗 텀블링 《매트에서 하는 공중제비 등》; 〖컴퓨터〗 동축(動軸) 회전 표시

túmbling bàrrel[**bòx**] (연마용 분쇄기·자동 건조기 등의) 회전통(筒)[상자]

shouting, yelling, noise, bedlam **2** 소동 disorder, disarray, disturbance, confusion, chaos, upheaval **3** 폭동 riot, protest, insurrection, rebellion

tum·brel [tʌ́mbrəl], **-bril** [-bril] *n.* **1** (프랑스 혁명 시대의) 사형수 호송차 **2** (농장용) 화물차, 비료 운반차 **3** 《폐어》 (폭약·병기 운반용) 2륜차 **4** 《영》 = DUCKING STOOL; CUCKING STOOL

tu·me·fa·cient [tjù:məféiʃənt | tjù:-] *a.* (몹시) 부어오른; 종창성(腫脹性)의; 부어오르게 하는

tu·me·fac·tion [tjù:məfǽkʃən | tjù:-] *n.* **1** Ⓤ 부어오름 **2** 종창, 종기

tu·me·fy [tjú:məfài | tjú:-] *v.* (**-fied**) *vt.* 부어오르게 하다, 붓게 하다 — *vi.* 붓다, 부어오르다; 거드름피우다

Tu·men [tù:mʌ́n] *n.* [the ~] (한국의) 두만강

tu·mesce [tju:més | tju:-] *vi.* 부어오르다; 〈성기가〉 발기하다 — *vt.* 부어오르게 하다; 〈성기를〉 발기하게 하다

tu·mes·cence [tju:mésns | tju:-] *n.* Ⓤ **1** 팽창, 비대, 부어오름 **2** 통화 팽창 **3** 발기 **4** 팽창한 부분

tu·mes·cent [tju:mésnt | tju:-] *a.* 부어오른, 팽창한; 발기한; 과장된; 정서가 풍부한
▷ tuméscence *n.*

tu·mid [tjú:mid | tjú:-] *a.* **1** 부어오른, 팽창성의, 비대한 **2** 〈문체 등이〉 과장된 **3** 부은 것처럼 보이는 (bulging) **~·ly** *ad.* **~·ness** *n.*
▷ tumídity *n.*

tu·mid·i·ty [tju:mídəti | tju:-] *n.* Ⓤ 부어오름, 종창; 과장(誇張)

tum·my [tʌ́mi] [stomach의 변형] *n.* (*pl.* **-mies**) 《유아어》 배(stomach)

tum·my·ache [tʌ́mièik] *n.* 《유아어》 배아픔, 복통 (stomachache)

tum·my-but·ton [-bʌ̀tn] *n.* 《유아어》 배꼽(navel)

tu·mor | **tu·mour** [tjú:mər | tjú:-] [L 「부은 상태」의 뜻에서] *n.* 〖병리〗 종양(腫瘍): a benign[malignant] ~ 양성[악성] 종양
~·al [-mərəl] *a.* **~·like** *a.*

tu·mor·i·gen·e·sis [tjù:məridʒénəsis | tjù:-] *n.* Ⓤ 〖병리〗 종양 형성[발생]

tu·mor·i·gen·ic [tjù:məridʒénik | tjù:-] *a.* 〖병리〗 종양 형성(성)의, 《특히》 발암성의

túmor necròsis fàctor 〖약학〗 종양 괴사(壞死) 인자

tu·mor·ous [tjú:mərəs | tjú:-] *a.* 종양의[같은]

tump [tʌmp] *n.* 《영·방언》 작은 산, 작은 언덕; (습지·늪의) 덤불, 풀숲

tump·line [tʌ́mplàin] *n.* 《미》 (등짐을 질 때) 이마[가슴]에 거는 멜빵

tum-tum [tʌ́mtʌ̀m] *n.* 현악기를 튕기는[뜯는] 소리 (cf. TUM[1])

*__tu·mult__ [tjú:məlt | tjú:mʌlt] [L 「부어서 생긴 것」의 뜻에서] *n.* Ⓤⓒ **1** 소란, 떠들썩함, 소동, 법석 **2** 소요, 폭동, 반란 **3** 정신적 동요, 격정, (마음의) 산란 《*of*》 ***in*** (***a***) ***~*** 격동하여
▷ tumúltuary, tumúltuous *a.*

tu·mul·tu·ar·y [tjumʌ́ltʃuèri | tju:mʌ́ltjuəri] *a.* **1** = TUMULTUOUS 1 **2** 규율[질서]이 없는; 〈군대가〉 오합지졸의; 지리멸렬한

tu·mul·tu·ous [tjumʌ́ltʃuəs | tju:-] *a.* **1** 떠들썩한, 소란스러운, 사나운, 거친; 소동을 일으키는[일으킬 듯한] **2** 〈마음이〉 동요한, 산란한, 격앙된: ~ passions 폭풍 같은 격정 **~·ly** *ad.* **~·ness** *n.*

tu·mu·lus [tjú:mjuləs | tjú:-] [L 「부푼 것」의 뜻에서] *n.* (*pl.* **-li**[-lài], **~·es**) 〖고고학〗 무덤, 봉분; 고분(古墳)(mound)

tun [tʌ́n] *n.* **1** 큰 술통; (양조용의) 큰 통 **2** (술 등의) 용량 단위(252 wine gallons)
— *vt.* (**~ned**; **~·ning**) 〈술을〉 통에 넣다[넣어 저장하다] 《*up*》

Tun. Tunisia(n)

tu·na[1] [tjú:nə | tjú:-] *n.* (*pl.* **~, ~s**) 〖어류〗 참치, 다랑어(tunny); Ⓤ 그 살

tuna[2] *n.* 〖식물〗 부채선인장의 일종; 그 열매 《식용》

tun·a·ble [tjú:nəbl | tjú:n-] *a.* **1** 조정(調整)[조율] 할 수 있는 **2** 《고어》 가락이 맞는, 조화된, 음악적인 **~·ness** *n.* **tùn·a·bíl·i·ty** *n.* **-bly** *ad.*

túnable làser 〔물리〕 파장 가변 레이저

Tún·bridge wàre [tʌ́nbrìdʒ-] 잉글랜드 Tunbridge Wells에서 생산된 상감 목공 세공품

tun·dra [tʌ́ndrə, tún- | tʌ́n-] [Russ.] *n.* 동토대(凍土帶), 툰드라

‡tune [tjú:n | tjú:n] [tone의 변형] *n.* **1** Ⓒ Ⓤ 곡조, 곡, 가곡; 선율(melody) **2** Ⓤ (노래·음률의) 가락, 장단; (다른 악기와의) 조화 《*with*》 **3** Ⓤ 〔통신〕 동조(同調), 조정 **4** Ⓤ (마음의) 상태(mood), 기분 《*for*》: I am not in ~ *for* a talk. 말할 기분이 아니다. **5** Ⓤ 협조, 조화 **6** 《고어》 음질, 음색, 음조

call the [one***'s own***] ~ 자기 생각대로 지시하다 ***can't carry a ~*** (***in a bucket***) (심한) 음치이다 ***change*** one***'s ~ = sing another*** [***a different***] ~ (특히 오만에서 겸손으로) 태도[논조, 어조]를 싹 바꾸다 ***dance to another*** [***a different***] ~ = ***whistle a different ~*** 태도[의견, 어조]를 싹 바꾸다 ***dance to*** a person***'s ~*** 남이 하라는 대로[선동하는 대로] 행동하다 ***in ~*** 〈오케스트라가〉 음조를 맞춘 ***in ~ with*** 장단이 맞아서, 조화되어; 《구어·비유》 동의하여, 협력하여 ***out of ~*** 음조가 맞지 않는; 《구어·비유》 동의하지 않는, 비협조적인 ***the ~ the*** (***old***) ***cow*** [***the cat***] ***died of*** 불쾌한 음의 연속, 매우 지루한 음악 ***to some*** [***every***] ***~*** 상당히, 꽤 ***to the ~ of*** $500 거금 (500달러) ***turn a ~*** 《구어》 한 곡 부르다[연주하다]

— *vt.* **1** 〈악기를〉 조율하다 《*up*》 **2** 〈기계 등을〉 조정하다; 〈엔진을〉 튠업하다 《*up*》 **3 a** 일치[적합, 조화]시키다 《*to*》: (~+목+전+명) ~ a thing *to* the standard[purpose] 사물을 표준[목적]에 맞추다 **b** [~ one*self* 로] (주위 환경에) 맞추다 《*to*》 **4** 《시어》 노래하다, 연주하다 **5** 〔통신〕 〈수신기를〉 …에 동조시키다, 〈파장을〉 맞추다 《*to*》: (~+목+전+명) ~ a radio set *to* a short wave 라디오를 단파에 맞추다 **6** 〈엔진 등을〉 (고성능으로) 조정하다 《*up*》

— *vi.* 악기를 조율하다 《*up*》; 음악적인 음을 발하다; 가락이 맞다, 조화하다 《*with*》

~ down …의 음량을 낮추다 ***~ in*** 〈수신기의〉 파장을 (…에) 맞추다 《*to*》; …에 따르다, 귀 기울이다 《*to, on*》 ***~ off*** (1) 상태가 나빠지다 (2) 〔라디오〕 도중에서 끄다 ***~ out*** (1) 〔라디오〕 〈잡음 등을〉 (다이얼을 조정하여) 안 들리게 하다 (2) …에 무관심하게 되다, 무시하다 ***~ oneself to …*** (상황 등에) 맞추어 자신의 행동을 바꾸다 ***~ up*** (1) 〈악기를〉 조율하다; 〈엔진 등을〉 조정하다 (2) …의 음량을 올리다 (3) 〈오케스트라가〉 악기의 음조를 맞추다 (4) 연주를 시작하다, 노래하기 시작하다 (5) 연습[예행연습]하다

▷ túneful, túneless, túny *a.*

tune·a·ble [tjú:nəbl | tjú:n-] *a.* = TUNABLE

túned círcuit [tjú:nd- | tjú:nd-] 〔전자〕 동조 회로

tuned-in [-ín] *a.* 《속어》 현대적 감각이 있는, 유행에 앞서가는

tune·ful [tjú:nfəl | tjú:n-] *a.* **1** 선율이 아름다운, 음악적인 **2** 음악적인 소리를 내는 **~·ly** *ad.* **~·ness** *n.*

tune·less [tjú:nlis | tjú:n-] *a.* **1** 음조가 맞지 않는; 비(非)선율적인 **2** 《시어》 무음(無音)의, 소리가 나지 않는 **~·ly** *ad.*

tune·out [tjú:nàut | tjú:n-] 《미·구어》 〔방송〕 *n.* 청취자를 불쾌하게 하여 프로를 듣지 않게 하는 요소

— *vi.* 방송 청취를 그만두다, 다이얼을 딴 데로 돌리다 (cf. TUNE out)

tun·er [tjú:nər | tjú:n-] *n.* **1** [수식어와 함께] …의 조율사 **2** 〔통신〕 파장 정조기(器), 튜너

tune·smith [tjú:nsmìθ | tjú:n-] *n.* 《미·구어》 (대중 음악의) 작곡가(songwriter)

tune-up [-ʌ̀p] *n.* **1** 튠업 《엔진 등의 철저한 조정》 **2** 《구어》 (시합 전의) 준비 연습; 예행연습

tung [tʌ́ŋ] *n.* = TUNG TREE

túng òil 동유(桐油) 《페인트·인쇄 잉크 원료》

tung·state [tʌ́ŋsteit] *n.* 〔화학〕 텅스텐산염

tung·sten [tʌ́ŋstən] *n.* Ⓤ 〔화학〕 텅스텐(wolfram) 《금속 원소; 기호 W, 번호 74》

tung·stén·ic [-sténik] *a.*

túngsten làmp 텅스텐 전구

túngsten stéel 텅스텐강(鋼)

tung·stic [tʌ́ŋstik] *a.* 〔화학〕 (6[5]가(價))텅스텐의[을 함유한]

túngstic ácid 〔화학〕 텅스텐산(酸)

tung·stous [tʌ́ŋstəs] *a.* 〔화학〕 (저원자가(價)) 텅스텐의

túng trèe 〔식물〕 유동(油桐)

Tun·gus, -guz [tuŋgú:z | túŋgus] *n.* (*pl.* **~·es,** [집합적] **~**) 퉁구스 사람; [the ~es] 퉁구스 족 《시베리아 동부에 사는 몽고계의 한 종족》

Tun·gus·ic [tuŋgú:zik | -gúsik] *n.* Ⓤ, *a.* 퉁구스 어군(語群)(의)

tu·nic [tjú:nik | tjú:-] *n.* **1** 튜닉 **a** (고대 그리스·로마 사람의) 가운 같은 웃옷[겉옷] **b** 《영》 (경관·군인 등의) 짧은 제복 상의 **c** (벨트로 졸라매는) 여자용 쇼트코트, 느슨한 블라우스 **2** 〔해부·동물〕 피막(被膜); 〔식물〕 외피(外皮), 종피(種皮)(husk)

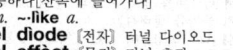

tunic 1 a

tu·ni·ca [tjú:nikə | tjú-] *n.* (*pl.* **-cae** [-sì:]) = TUNIC 2

tu·ni·cate [tjú:nikət, -kèit | tjú:-] *a.* 피막이 있는; 〔식물〕 외피[씨껍질]가 있는

tu·ni·cle [tjú:nikl | tjú:-] *n.* 〔가톨릭〕 주교가 제복(祭服) 밑에 입는 얇은 명주옷

tun·ing [tjú:niŋ | tjú:n-] *n.* Ⓤ **1** 조율 **2** 〔물리·전기〕 동조(同調) **3** 〔컴퓨터〕 세부 조정 《체계 자원의 보다 효율적인 배분을 위한 체계 조정》

túning capácitor[**condènser**] 〔전기〕 동조 콘덴서

túning cìrcuit 〔전기〕 동조 회로

túning còil 〔전기〕 동조 코일

túning fòrk 〔음악〕 소리굽쇠, 음차(音叉)

túning hàmmer[**wrènch**] 〔음악〕 피아노 조율용의 해머형 나사돌리개

túning pèg[**pìn**] (현악기의) 줄 감는 막대못; (피아노의) 조율용 핀

túning pìpe = PITCH PIPE

Tu·nis [tjú:nis | tjú:-] *n.* 튀니스 《튀니지(Tunisia)의 수도》

Tu·ni·sia [tju:ní:ʒə, -ʃə | tju:níziə, -siə] *n.* 튀니지 《북아프리카의 공화국; 수도 Tunis》

Tu·ni·sian [tju:ní:ʒən, -ʃən | tju:níziən, -siən] *n.* 튀니지 사람 — *a.* 튀니지(풍)의, 튀니지 사람의

tun·nage [tʌ́nidʒ] *n.* = TONNAGE

∗tun·nel [tʌ́nl] *n.* **1 a** 터널, 굴, 지하도, 지하 수로 **b** 〔광산〕 갱도(adit) **2** (짐승이 사는) 굴(burrow) **3** 〔항공〕 = WIND TUNNEL **4** 오리무중의 상태

— *v.* (**~ed**; **~·ing** | **~led**; **~·ling**) *vt.* **1** …에 터널[굴]을 파다 **2** [~ one's way 또는 ~ one*self* 로] 갱도[터널]를 파고 나아가다: (~+목+전+명) ~ one's way *out of* a prison 탈옥하다

— *vi.* (…에) 터널을 파다 《*in, through, into*》: (~+전+명) ~ *through*[*into*] a hill 터널을 파서 산을 관통하다[산속에 들어가다]

~·er *n.* **~·lìke** *a.*

túnnel dìode 〔전자〕 터널 다이오드

túnnel effèct 〔물리〕 터널 효과

túnnel nèt (새·물고기를 잡기 위한) 원뿔 모양의 그물

túnnel vàult 〔건축〕 = BARREL VAULT

túnnel vísion 〔의학〕 터널시(視) 《시야 협착의 일종》; 시야가 좁음, 협량(狹量)

tun·nel-vi·sioned [tʌ̀nlvíʒənd] *a.* 시야가 매우 좁은; 편협한

tun·ny [tʌ́ni] *n.* (*pl.* **~, -nies**) 〖어류〗 다랑어 (tuna[1]); Ⓤ 그 살
tun·y [tjúːni | tjúːni] *a.* (**tun·i·er**; **-i·est**) 가락이 맞는, 선율적인, 음악적인
tup [tʌp] *n.* **1** 《영》 숫양(ram) **2** 〖기계〗 (증기 해머 등의) 대가리, 타면(打面)
— *vt.* (**~ped**; **~·ping**) 《영》 〈숫양이〉 교미하다
tu·pe·lo [tjúːpəlòu | tjúː-] *n.* (*pl.* **~s**) 미국 니사나무 《북미 원산》; Ⓤ 그 목재
Tu·pi [tuːpíː, ⌐-] *n.* **1** (*pl.* **~s,** [특히 집합적] **~**) 투피족(의 한 사람) 《브라질의 여러 하천, 특히 Amazon 강 근처에 사는 인디오》 **2** Ⓤ 투피 어(語) 《투피과라니 어족(Tupi-Guarani)에 속함》 **~·an** *a., n.*
Tu·pi-Gua·ra·ni [tuːpíːgwɑ̀ːrɑːníː] *n.* [the ~s] (남미 중부의) 투피과라니 족(族)
tu·pik [túːpək] *n.* (에스키모의 여름용) 텐트
-tuple [tʌ̀pl, túːpl] 《연결형》 [숫자에 붙여서] 「…개의 요소로 된 집합」의 뜻
tup·pence [tʌ́pəns] *n.* 《영》 = TWOPENCE
tup·pen·ny [tʌ́pəni] *a., n.* = TWOPENNY
not give [***care***] ***a ~ damn*** 전혀 개의치 않다
Tup·per·ware [tʌ́pərwɛ̀ər] *n.* Ⓤ 터퍼웨어 《식품 보관용 플라스틱 용기; 상표명》
tuque [tjúːk | tjúːk] *n.* 끝이 뾰족한 털모자
tu quo·que [tjúː-kwóukwi, -kwei | tjúː-] [L= you too] (비난 등에 대하여 「너도 마찬가지 아니냐」의 뜻의) 반박, 응수: a ~ reply 말대꾸
Tu·ra·ni·an [tjuréiniən | tju-] *a.* 우랄알타이 어족의(Ural-Altaic) **—** *n.* **1** 우랄알타이 어족의 사람 **2** Ⓤ 우랄알타이어
tur·ban [tə́ːrbən] *n.* **1** 터번 《인도인이나 이슬람교도의 남자가 머리에 두르는 두건》 **2** (여자·어린아이의 챙이 없는) 터번식 모자 **~ed** *a.* 터번을 쓴[두른]

turban 1

tur·ba·ry [tə́ːrbəri] *n.* ⓊⒸ 토탄(土炭) 채굴장, 이탄전; 〖법〗 (공유지 또는 타인의 소유지의) 토탄 채굴권
tur·bid [tə́ːrbid] *a.* **1** 〈액체가〉 흐린, 탁한(muddy) **2** 〈연기·구름 등이〉 짙은, 자욱한, 농밀한(dense) **3** 〈생각·문제·발언 등이〉 혼란된, 어지러운, 뒤죽박죽의(disordered) **~·ly** *ad.* **~·ness** *n.*
tur·bi·dim·e·ter [tə̀ːrbədímətər] *n.* (액체용) 탁도계(濁度計); = NEPHELOMETER
tur·bi·dite [tə́ːrbədàit] *n.* 〖지질〗 심해(深海) 퇴적물 《혼탁류로 운반된》
tur·bid·i·ty [təːrbídəti] *n.* Ⓤ **1** 흐림 **2** 혼란(상태) **3** 〖토목〗 혼탁도, 탁도
tur·bi·nal [tə́ːrbənl] *a.* 팽이 모양의; 나선 모양의
— *n.* 〖해부〗 비개골
tur·bi·nate [tə́ːrbənət, -nèit] *a.* **1** 〈조개 등이〉 팽이 모양의; 나선 모양의 **2** 거꾸로 세운 원뿔형 모양의 **3** 〖해부〗 비개골(鼻介骨)의, 비갑개(鼻甲介)의
— *n.* **1** 〖해부〗 비개골 **2** 소용돌이꼴 조가비
tur·bi·na·tion [tə̀ːrbənéiʃən] *n.* ⓊⒸ 거꾸로 세운 원뿔 모양, 소용돌이 모양(spiral)
∗**tur·bine** [tə́ːrbin, -bain] [L 「회전시키는 것」의 뜻에서] *n.* 〖기계〗 터빈 《유수·증기·가스 등의 힘으로 회전하는 원동기》: an air[a gas] ~ 공기[가스] 터빈/a steam[water] ~ 증기[수력] 터빈
túrbine bòat 터빈 선
tur·bit [tə́ːrbit] *n.* 〖조류〗 집비둘기의 일종
tur·bo [tə́ːrbou] *n.* (*pl.* **~s**) = TURBINE; 《구어》 터보(turbocharger, turbosupercharger)
turbo- [təːrbou, -bə] 《연결형》 「turbine」의 뜻
tur·bo·car [tə́ːrboukɑ̀ːr] *n.* 가스 터빈 자동차
tur·bo·charged [tə́ːrboutʃɑ̀ːrdʒd] *a.* 터보차저가 달린: a ~ engine 터보차저가 달린 엔진
tur·bo·charg·er [tə́ːrboutʃɑ̀ːrdʒər] *n.* 터보차저, 배기(排氣) 터빈 과급기(過給器)
tur·bo·cop·ter [tə́ːrboukɑ̀ptər | -kɔ̀p-] *n.* 〖항공〗 터보헬리콥터 《가스 터빈을 동력으로 함》
tur·bo-e·lec·tric [tə̀ːrbouiléktrik] *a.* 터빈[터보] 발전(식)의
tur·bo·fan [tə́ːrboufæ̀n] *n.* **1** 〖항공〗 터보팬 엔진 《팬으로 가속 추진되는 터보제트 엔진》 **2** 〖기계〗 터보 송풍기
tur·bo-gen·er·a·tor [tə́ːrboudʒènəreitər] *n.* 터빈 발전기
tur·bo·jet [tə́ːrboudʒèt] *n.* **1** 터빈식 분사 추진기, 터보제트 엔진(= ~ engine) **2** 터보제트기
túrbojet èngine 터보제트 엔진
tur·bo·lin·er [tə́ːrboulàinər] *n.* 터빈 열차 《가스 터빈 엔진을 동력으로하는 고속 열차》
tur·bo·pause [tə́ːrboupɔ̀ːz] *n.* 〖기상〗 난류권 계면(界面)
tur·bo·prop [tə́ːrbouprɑ̀p | -prɔ̀p] *n.* 〖항공〗 **1** = TURBO-PROPELLER ENGINE **2** 터보 프로펠러 (항공)기
túr·bo-pro·pel·ler èngine [tə́ːrbouprəpèlər-] 〖항공〗 터보 프로펠러 엔진
tur·bo·pump [tə́ːrboupʌ̀mp] *n.* 터보펌프 《추진약을 공급》
tur·bo·rám·jet èngine [tə̀ːrbouræ̀mdʒet-] 〖항공〗 터보램제트 엔진
tur·bo·shaft [tə́ːrbouʃæ̀ft | -ʃɑ̀ːft] *n.* 〖기계〗 터보샤프트 《전도 장치가 붙은 가스 터빈 엔진》
tur·bo·su·per·charged [tə̀ːrbousúːpərtʃɑ̀ːrdʒd | -sjúː-] *a.* 터보 과급기(過給器)를 갖춘
tur·bo·su·per·charg·er [tə̀ːrbousúːpərtʃɑ̀ːrdʒər | -sjúː-] *n.* 터보슈퍼차저, 터보 과급기(過給器)
tur·bot [tə́ːrbət] *n.* (*pl.* **~, ~s**) 〖어류〗 가자미의 일종 《유럽산》; = TRIGGERFISH
tur·bo·train [tə́ːrboutrèin] *n.* (가스) 터빈 열차
tur·bu·lence, -len·cy [tə́ːrbjuləns(i)] *n.* Ⓤ **1 a** (바람·물결 등의) 휘몰아침, 사나움 **b** (사회적) 소란, 불온, 동란 **2** 〖기상〗 난류, 난기류; 〖물리〗 교류(攪流)
∗**tur·bu·lent** [tə́ːrbjulənt] *a.* **1 a** 〈바람·물결 등이〉 휘몰아치는, 사나운, 거친, 폭풍우의: ~ waves 노도(怒濤) **b** 〈감정 등이〉 교란된, 격한 **2** 〈폭도 등이〉 소란스러운, 난폭한, 불온한(disorderly): a ~ mob 폭도/a ~ period 난세(亂世) **~·ly** *ad.*
túrbulent flów 〖물리·항공〗 난류 《속도·방향·압력이 국소적으로 급변하여 유선(流線)이 흐트러진 흐름; cf. LAMINAR FLOW》
Turco-, Turko- [tə́ːrkou, -kə] 《연결형》 「터키(사람)의; 터키 말의」의 뜻
Tur·co·man [tə́ːrkəmən] *n.* (*pl.* **~s**) **1** = TURKOMAN **2** = TURKMEN
Tur·co·phile [tə́ːrkəfàil], **-phil** [-fil] *a., n.* 터키를 좋아하는 (사람) **-phil·ism** *n.* Ⓤ 친터키주의
Tur·co·phobe [tə́ːrkəfòub] *a., n.* (극단적으로) 터키를 싫어하는 (사람)
turd [tə́ːrd] *n.* 《속어·비어》 **1** ⓊⒸ 똥 (덩어리) **2** 똥 같은 놈, 비천한 인간
tur·duc·ken [tə́ːrdʌ̀kən] [*tur*key+*duck*+chick*en*[*hen*]] *n.* 〖요리〗 칠면조 뱃속에 오리를 넣고 그 오리 안에 닭을 넣어 굽는 음식
tu·reen [tjuríːn, tə-] *n.* (수프 등을 담는) 뚜껑 달린 움푹한 그릇

tureen

∗**turf** [tə́ːrf] *n.* (*pl.* **~s, turves** [tə́ːrvz]) **1** Ⓤ 잔디, 잔디밭

> 유의어 **turf**는 잔디와 뿌리를 내린 흙의 표층 **lawn**은 손질한 잔디

2 《영》 뗏장(sod); [a ~] 한 조각의 잔디 **3** (연료용의) 토탄(土炭)(peat) **4** [the ~]

a 경마장 b 경마 5 《구어》 (거주하여) 잘 아는 지역; 《구어》 (자기의) 전문 영역 6 《구어》 (폭력단의) 세력권, 영역; 《구어》 (형사 등의) 담당 구역 ***on the ~*** 경마를 직업으로 하여
— *vt.* 1 〈땅을〉 잔디로 덮다, …에 잔디를 심다; 매장하다(bury) 2 …에서 토탄(土炭)을 캐다 3 《영·속어》 〈사람을〉 내쫓다, 추방하다 《*out*》

túrf accòuntant 《영》 사설 마권 영업자(bookmaker)

turf-bound [tə́ːrfbàund] *a.* 잔디로 뒤덮인, 잔디를 깐

túrf fight 《미·속어》 영역권 다툼

túrf·ing ìron [tə́ːrfiŋ-] 《영》 잔디 깎는 도구

turf·ite [tə́ːrfait] *n.* = TURFMAN

turf·man [tə́ːrfmən] *n.* (*pl.* **-men** [-mən, mèn]) 경마광(狂); 《특히》 경주마의 마주

turf·ski [-skìː] *n.* (바닥에 롤러가 달린) 잔디 스키

túrf wàr 영역[세력] 다툼, 밥그릇 싸움

turf·y [tə́ːrfi] *a.* (**turf·i·er**; **-i·est**) 1 잔디로 덮인, 잔디가 많은; 잔디 모양의 2 토탄(土炭)이 풍부한; 토탄질(質)의 3 경마(장)의

Tur·ge·nev, -niev [təːrgénjəf, -géin-] *n.* 투르게네프 **Ivan Sergeevich** ~ (1818-83) 《러시아의 소설가》

tur·ges·cence, -cen·cy [təːrdʒésns(i)] *n.* Ⓤ 1 〖의학〗 종창(腫脹)(swelling) 2 과장(誇張)
▷ turgéscent *a.*

tur·ges·cent [təːrdʒésnt] *a.* 부어오른; 과장적인

tur·gid [tə́ːrdʒid] *a.* 1 부어오른, 종창성의 2 〈문체 등이〉 과장된 **~·ly** *ad.* **~·ness** *n.*

tur·gid·i·ty [təːrdʒídəti] *n.* Ⓤ 1 부어오름, 부풀기, 팽창 2 과장

tur·gor [tə́ːrgər] *n.* 1 〖의학〗 터거 《피부의 긴장감》 2 〖식물〗 팽압(膨壓), 팽창

Tú·ring machìne [tjúəriŋ- | tjúər-] 〖수학〗 튜링 기계 《영국의 수학자 A. M. Turing이 제안한, 무한대의 저장량과 절대로 고장이 없는 가상적 계산기》

Túring tèst 〖컴퓨터〗 튜링 테스트 《컴퓨터가 생각하고 있는지를 판정하는 테스트》

tu·ri·on [tjúəriàn | tjúəriən] *n.* 〖식물〗 헛가지, 웃자란 가지 《뿌리에서 나온, 바늘눈이 웃자란 어린 가지》

tu·ris·ta [tuəríːstə] *n.* 투리스터 《외국 여행자의 설사》; 《특히》 = MONTEZUMA'S REVENGE

*__Turk__ [tə́ːrk] *n.* 1 터키 사람; 《특히》 오스만터키 족의 사람 2 터키 말 3 《고어》 이슬람교도(Muslim) 4 《고어·속어》 잔인[포악]한 사람; 난폭자
a little [***young***] ~ 장난꾸러기, 개구쟁이 ***the Grand*** [***Great***] ~ 터키 황제 ***turn*** [***become***] ~ 이슬람교도가 되다; 악당이 되다

Turk. Turkey; Turkish

Tur·ke·stan, -ki- [tə̀ːrkəstǽn, -stáːn] *n.* 투르케스탄 《중앙 아시아의 광대한 지방》

*__tur·key__ [tə́ːrki] *n.* (*pl.* **~s,** ~) 1 〖조류〗 칠면조; 칠면조 고기 2 《미·속어·익살》 (칠면조 고기처럼) 맛없는 고기 (요리) 3 《미·속어》 (영화·연극 등의) 실패작 4 《미·속어》 쓸모[매력]없는 사람[것], 바보 5 〖볼링〗 터키 《3회 연속의 스트라이크》 6 《미·속어》 약한 마약
(***as***) ***proud as a lame ~*** 《미·구어》 매우 겸손한 (cf. PROUD) ***not say*** (***pea-***)~ 《미·속어》 아무런 대답이 없다 ***say ~*** 《미·구어》 상냥하게 말하다 ***talk ~*** 《미·구어》 (상담 등에서) 솔직하게[단도직입적으로] 이야기하다; 진지하게 이야기하다

*__Tur·key__ [tə́ːrki] *n.* 터키 《흑해와 지중해에 면한 공화국; 수도 Ankara》

túrkey bùzzard = TURKEY VULTURE

Túrkey cárpet 1 = TURKISH CARPET 2 = ORIENTAL RUG

túrkey còck 1 칠면조의 수컷 2 뽐내는 사람
turn as red as a ~ 얼굴이 새빨개지다

túrkey còrn [뿌리가 옥수수 비슷한 데서] 〖식물〗 캐나다금낭화

túrkey hèn 칠면조의 암컷

Túrkey lèather 《영》 터키 가죽 《특히 제본용으로 무두질한 것》

túrkey nèck 《미·속어》 음경, 페니스

túrkey pòult 칠면조 새끼

Túrkey réd 터키 레드 《(1) alizarin으로 면직물을 염색했을 때의 빨간 색 (2) = ALIZARIN(E) (3) 붉은 산화철 안료》; 터키 레드로 염색한 면직물

túrkey shòot 1 움직이는 표적을 쏘는 사격회 《상품으로 칠면조가 나옴》 2 1과 유사한 시합 3 《미·속어》 간단한 일, 손쉬운 일

Túrkey stòne 〖보석〗 터키석(石)(turquoise); 터키 숫돌

túrkey tròt 터키 트롯 《둘씩 짝을 지어 몸을 스윙식으로 움직이는 원무, 사교춤의 일종》

túrkey vùlture 〖조류〗 독수리의 일종 《남미·중미산》

Tur·ki [tə́ːrkiː, túər- | tə́ː-] *n.* [집합적] 튀르크어 《중앙 아시아의》; 튀르크 어군(語群); 튀르크어 사용 민족 — *a.* 튀르크어 사용 민족의; 튀르크어(군)의

Tur·kic [tə́ːrkik] *a.* 1 튀르크 어파(語派)[어족]의 2 = TURKISH — *n.* 튀르크 어파[어족] 《Ural-Altaic 어족의 일파》

*__Turk·ish__ [tə́ːrkiʃ] *a.* 1 터키의; 터키식[풍]의; 터키 사람[족]의 2 터키 말의
— *n.* Ⓤ 터키 말

Túrkish báth 터키식 목욕, 증기 목욕; [*pl.*] 터키 목욕탕 (설비)

Túrkish cárpet[**rúg**] (두꺼운) 터키 융단; (영국 제의) 터키풍의 융단

Túrkish cóffee 터키 커피 《미세한 가루 커피를 오래 끓인 후 단맛을 첨가한 것》

Túrkish delíght[**páste**] 터키 과자 《설탕에 버무린 젤리 모양의 과자》

Túrkish Émpire [the ~] 터키 제국(Ottoman Empire)

Túrkish músic (타악기와 관악기로 된) 터키 음악

Túrkish póund 터키 파운드 《기호 £T》

Túrkish rúg = TURKISH CARPET

Túrkish tobácco 터키 담배 《주로 궐련용; 터키·그리스 지방산》

Túrkish tówel [때로 **t- t-**] 터키 타월 《두껍고 보풀이 긴》

Túrkish tóweling [때로 **t- t-**] (보풀이 긴) 터키 타월감

Turk·ism [tə́ːrkizm] *n.* ⓊⒸ 터키 문화, 터키풍(風) 《터키계 민족의 관습·신앙·제도·사상·기질 등》

Tur·ki·stan [tə̀ːrkəstǽn | -stáːn] *n.* = TURKESTAN

Turk·man [tə́ːrkmən] *n.* (*pl.* **-men** [-mən, -mèn]) 투르크멘 사람(Turkoman)
▷ Turkménian *a.*

Turk·men [tə́ːrkmen, -mən] *n.* Ⓤ 〖언어〗 투르크멘 말

Turk·me·ni·an [təːrkmíːniən] *a.* 투르크멘 사람의; 투르크멘(공화국)의

Turk·men·i·stan [tə̀ːrkmenəstǽn, -stáːn] *n.* 투르크메니스탄 《중앙 아시아의 카스피해에 면한 공화국; 구소련의 붕괴 후 독립(1991); 수도 Ashkhabad》

Turko- [tə́ːrkou, -kə] 《연결형》 = TURCO-

Tur·ko·man, -co- [tə́ːrkəmən] *n.* (*pl.* **~s**) 1 투르크멘 사람 《투르케스탄 지방의 터키족》 2 = TURKMEN

Túrkoman cárpet[**rúg**] 투르크멘 융단 《보풀이 길고 부드러우며 빛이 고운 융단》

Túrk's-cap lily [tə́ːrkskæ̀p-] 〖식물〗 백합의 일종

Turk's-head [-hèd] *n.* 1 〖항해〗 터번 모양의 장식 매듭 2 (천장을 쓰는) 자루 긴 비

tur·mer·ic [tə́ːrmərik] *n.* 1 〖식물〗 심황 2 Ⓤ 심황 뿌리(의 가루) 《물감·건위제(健胃劑)·카레 가루용》

túrmeric pàper 〖화학〗 강황지(薑黃紙) 《알칼리성 시험지》

tur·moil [tə́ːrmɔil] *n.* UC 소란, 소동, 혼란(tumult); 분투 **—***vt.* 《고어》 불안하게 하다

turn [tə́ːrn] *v., n.*

> 동 기본적으로는 「돌리다, 돌다」의 뜻
> ① 돌리다; 돌다 — 타 **1** 자 **1**
> ② 뒤집다 — 타 **2 c**
> ③ 〈모퉁이를〉 돌다 — 타 **1 b**
> ④ 향하게 하다; 방향을 바꾸다 — 타 **5** 자 **3**
> ⑤ 변화시키다; 바뀌다, …이 되다 — 타 **7** 자 **7**
> 명 「회전」 **1**
> →「방향 전환」 **2 a** →「모퉁이」 **2 b** / →「변화」 **3**
> →(돌기)→(돌아오는 것)→「차례」 **5 a**

—*vt.* **1 a 돌리다,** 회전시키다 《*round*》; 〈마개 등을〉 틀다; 〈전등을〉 켜다[끄다]; 〈라디오·텔레비전 등을〉 켜다[끄다]: ~ a wheel[the knob] 바퀴[문의 손잡이]를 돌리다 // 《~+목+부》 ~ the cock *on*[*off*] 꼭지를 틀어 〈물 등을〉 나오게 하다[잠그다] / *T*~ the lights *on.* 불을 켜시오. // 《~+목+보》 ~ a screw tight 나사를 꼭 죄다 **b** 〈모퉁이를〉 **돌다**; 《적의》 측면을 우회하다, 배후를 공격하다; …의 의표를 찌르다, 허를 찌르다

> 유의어 **turn** 축 또는 중심의 주위를 한 바퀴·반 바퀴·여러 바퀴 빙그르르 돌리다 **rotate**[1] 축을 중심으로 하여 빙빙 회전시키다: *rotate* a handle 손잡이를 돌리다 **revolve** rotate와 같은 뜻이지만 특히 중심점 주위의 궤도를 돌다: *revolve* a pencil between one's fingers 연필을 손가락 사이에 끼고 돌리다 **spin** 축을 중심으로 빠른 속도로 회전시키다: *spin* one's top 팽이를 돌리다

2 a 〈페이지를〉 넘기다 《*back, down*》 **b** 〈가장자리 등을〉 접다 《*back, in, up*》; 〈칼날 등을〉 무디게 하다 **c 뒤집다** **3** 뒤엎다, 전복[전도]시키다; 〈땅을〉 파엎다; 〈옷을〉 뒤집다 **4** 숙고하다, 이모저모 생각하다 《*over, about*》: 《~+목+부》 I was ~*ing* the problem *about.* 나는 그 문제를 숙고하고 있었다. **5 a** …의 **방향을 바꾸다**: 《~+목+전+명》 ~ a ship *from* her course 배의 방향을 바꾸다 **b** 〈시선·얼굴·등 등을〉 (…쪽으로) **돌리다,** 향하게 하다 《*to, on, upon*》; 집중시키다; 〈화제·주의 등을〉 딴 데로 돌리다 《*to, toward, on*》: 《~+목+전+명》 ~ one's steps *toward* home 발걸음을 집 쪽으로 옮기다 **c** 〈목적·용도에〉 충당하다: 《~+목+전+명》 ~ a thing *to* good account[use] 물건을 선용하다 **6 a** …의 마음을 바꾸게 하다: You cannot ~ him. 그의 기분을 바꾸게 할 수는 없다. **b** (…로부터) …의 마음을 딴 데로 돌리다 《*from*》; (…에) 적대하게 하다 《*against*》 **7 a** …의 질·모양 등을 (…로) 변화시키다, 바꾸다 《*into, to*》: 《~+목+전+명》 ~ water *into* ice 물을 얼음이 되게 하다 / ~ one's check *into* cash 수표를 현금으로 바꾸다 **b** 번역하다; (다른 표현으로) 바꾸다 《*into*》: 《~+목+전+명》 ~ Korean *into* English 한국어를 영어로 번역하다 **8** [목적보어와 함께] …화(化)하다 **a** …이 되게 하다: 《~+목+보》 His behavior ~*ed* me sick. 그가 하는 짓에 진저리가 났다. **b** 악화시키다, 〈음식 등을〉 부패[변질]시키다: Thunder ~*s* the milk (sour). 천둥이 치면 우유가 상한다. 《미신》 **9** 〈기분·머리를〉 혼란시키다; 메스껍게 하다: The sight ~*s* my stomach. 그것을 보면 메스꺼워진다. / Success has ~*ed* his head. 그는 성공에 도취되어 머리가 돌았다. **10** 〈어떤 나이·시간·액수를〉 넘다, 초과하다: He is ~*ed* (of) forty. =He has ~*ed* forty. 그는 40을 넘었다. / He is ~*ed* of boy. 그는 이제 소년이 아니다. **11** 보내다, 몰다, 쫓아버리다: 《~+목+전+명》 ~ cows *to* pasture 소를 목장으로 내보내다 **12** 〈물건을〉 선반(旋盤)으로 깎다[만들다]; 모양[솜씨]있게 만들다[완성하다] 《*out of*》; 〈표현 등을〉 멋지게 말하다[표현하다]: well-~*ed* legs[phrases] 맵시있는 다리[세련된 문구] **13** 〈돈·상품을〉 돌리다, 회전시키다 **14** 〈공중제비 등을〉 하다, 〈재주를〉 넘다 **15** 〈탄환·공격 등을〉 피하다 **16** (장사에서) 〈이익을〉 내다, 올리다 《*on*》: 《~+목+전+명》 He ~*ed* a huge profit *on* the sale. 그는 매각하여 거액의 이익을 올렸다.

—*vi.* **1 a** 〈물체가〉 (축·중심의 둘레를) **돌다, 회전하다** 《*around, round, about*》: 《~+전+명》 ~ *on* one's heel(s)[its axis] 발뒤꿈치로[축을 중심으로] 돌다 **b** 마개[고동]를 틀어 물[가스 등]이 나오다; 전등[라디오, 텔레비전]이 켜지다 《*on*》 **c** 마개[고동]를 틀어 물[가스 등]이 잠가지다; 전등[라디오, 텔레비전]이 꺼지다 《*off*》 **2** 뒹굴다, 몸을 뒤치다 《*over*》: 《~+전+명》 ~ *in* bed[one's sleep] 잠결에 돌아눕다 / make a person ~ *in* his[her] grave 죽은 사람을 편히 잠들지 못하게 하다 // A worm will ~. 《속담》 지렁이도 밟으면 꿈틀한다. **3 a** 방향을 바꾸다 《*to*》 **b** 뒤돌아보다 **c 향하다** 《*to, into*》; 〈생각·주의·욕망 등을〉 …으로 돌리다 《*to, toward*》: 《~+전+명》 ~ *to* the left 왼쪽으로 돌다 **d** 되돌아가다: 《~+부》 ~ *back* to one's work 일을 다시 시작하다, 자기 일로 되돌아가다 **4 a** 믿다, 의지하다; 참조하다 《*to*》: 《~+전+명》 I have no one but you to ~ *to.* 믿을 사람은 너밖에 없다. / Why not ~ *to* this book? 왜 이 책을 참조하지 않는가? **b** (…에) 달려 있다, 좌우되다 《*on, upon*》 **5** 적대하다, 반항하다, 배반하다 《*against*》; 공격하다, 덤벼들다 《*on, upon*》: 《~+전+명》 ~ *against* a former friend 옛 친구와 의절(義絕)하다 **6 a 전복하다,** 뒤집히다(cf. TURN inside out) **b** 〈옷이〉 걷히다, 〈칼날이〉 무디어지다 **c** 〈책장이〉 넘겨지다; (책장을 넘겨 …페이지를) 열다 《*to*》 **7 a 변화하다,** …으로 바뀌다 《*from; to, into*》: 《~+전+명》 Tadpoles ~ *into* frogs. 올챙이는 개구리가 된다. **b** 〈바람·조수·형세 등이〉 **변하다,** 방향을 바꾸다 《*from; to*》 **c** [무관사 명사·형용사 보어와 함께] …**이 되다,** …으로 전환하다: 《~+보》 ~ Christian[traitor] 기독교도[반역자]가 되다 / ~ red 얼굴을 붉히다 / The weather has ~*ed* colder. 날씨가 더[몹시] 추워졌다. **d** 맛이 변하다, 부패하다; 색이 변하다 **8** 머리가 어질어질하다 《*around, round*》, 현기증이 나다; 메스꺼워지다, 비위가 상하다 **9** 녹로[선반]를 돌리다; 〈금속·나무 등이〉 녹로[선반]로 깎이다, 완성되다 **10** 《미》 〈재산 등이〉 남의 손에 넘어가다; 〈상품이〉 잘 팔리다

as things [***it***] ***~ed out*** 나중에 안 일이지만 ***not know where*** [***which way***] ***to ~*** 《구어》 어찌할 바를 모르다 ***~ a blind eye*** 《구어》 무시하다, 못 본 체하다 ***~ about*** (1) 돌아보다; 뒤로 돌다; 빙 돌다[돌리다] (2) 《군사》 뒤로 돌아를 하다 ***~*** (a person) ***adrift*** (***in the world***) 〈사람·배 등을〉 표류시키다; …을 (세상으로) 내쫓다, 해고하다 ***~ again*** 《고어》 되돌아가다[오다] ***~ against*** …에 거역하다; …에 악감을 가지다; …에 거역하게 하다 ***~ and rend*** 〈친구를〉 매도하다 ***~ and ~ about*** 빙빙 돌다; 차례로 돌다 ***~ a profit*** 이익을 내다 ***~ around*** = TURN round. ***~ aside*** (1) 옆으로 비키다 (2) 〈질문·공격 등을〉 슬쩍 피하다 (3) 옆을 보다, 외면하다 (4) 〈화 등을〉 가라앉히다 ***~ away*** (1) 쫓아버리다 (2) 〈사람을〉 지지[원조]하지 않다 (3) 해고하다 《*from*》 (4) 외면하다 ***~ back*** (*vt.*) (1) 되돌아가게 하다 (2) 〈시계를〉 늦추다 (3) 접다, 접어올리다; (*vi.*) (4) 되돌아가다 《*from, to*》 ***~ blue*** 추워서[호흡 곤란으로] 파래지다 ***~ cartwheels*** 《구어》 기뻐 날뛰다 ***~ down*** (1) 접다, 개다; 접히다; 〈카드를〉 엎어 놓다 (2) 〈가스·불꽃 등을〉 줄이다; 〈라디오 등의〉 소리를 줄이다[낮추다] (3) 〈제안·후보자 등을〉 거절[각하]하다 (4) 내려가다; 〈경기 등이〉 쇠퇴하다 ***~ from*** 〈관찰·연구 등을〉 그만두다 ***~ green*** 병색이 되다; 질투하다 ***~ in*** (1) 《미》 〈보고서·답신·서류·사표 등을〉 제출하다 (2) [~ one*self* 로] (경찰에) 자수하다 (3) 〈불필요한 물건을〉 되돌려주다, 반환하다 《*to*》 (4) 〈사람·물건을〉 경찰에 신고하다 《*to*》

(5) 《구어》 〈일·계획·흡연·음주 등을〉 그만두다 (6) 〈발가락 등을〉 안쪽으로 구부리다 (7) …을 대금의 일부로 내놓다 (8) 속으로 넣다, 몰아넣다 (9) 〈비료 등을〉 땅속에 갈아 넣다; (10) 〈병이〉 내공(內攻)하다 (11) 들르다 (12) 《구어》 잠자리에 들다 (13) 〈발가락 등이〉 안으로 구부러지다 (14) (큰길에서) 안으로 들어오다 (15) …을 (…와) 교환하다 《*for, on*》 **~ inside out** 〈호주머니·양말 등의 안팎을〉 뒤집다, 뒤집히다 **~ in to ...** 〈프로그램에〉 채널을 맞추다 **~ into** (1) …으로 변하다 (2) …으로 들어가다 **~ in upon**[**on**] one**self** (1) 자기 생각에 파묻히다[파묻히게 하다]; 내향적이 되다 (2) 〈국가·장소 등이〉 고립화되다 **~ loose upon the world** 놓아주다, 자유롭게 해주다 **~ off** (1) 〈마개를〉 틀어서 수도물[가스 《등》]을 잠그다(opp. *turn on*); 〈라디오·등불을〉 끄다 (2) 《영》 〈고용인을〉 해고하다 (3) 〈주의·화제 등을〉 슬쩍 돌리다 (4) …을 만들어내다, 생산하다 (5) 《속어》 흥미를 잃게 하다 (6) 〈사람이〉 옆길로 빠지다 (7) 〈일에서〉 벗어나다, 옆길로 들어서다 (8) 〈길이〉 갈라지다 (9) 《구어》 흥미가 없어지다, 지겨워지다 **~ on** (1) 〈가스·수도 등을〉 틀다; 〈전등·라디오 등을〉 켜다(opp. *turn off*) (2) 《속어》 시작하게 하다(set) 《a person *to* do》 (3) 〈엔진 등을〉 작동시키다 (4) 〈물줄기·욕 등을〉 …에 향하게 하다 (5) 《속어》 〈사람을〉 흥분시키다, 성적으로 자극하다 《*to*》 (6) 《속어》 마약으로 〈사람에게〉 쾌감을 일으키게 하다; 마약을 복용하다[복용하여 쾌감을 느끼다] (7) 《미·속어》 〈사람을〉 (새로운 경험·생각 등으로) 흥미를 갖게 하다 《*to*》 (8) …에 반항하다 (9) …에 따라 결정되다(depend on) (10) …을 공격하다 **~ on** one**'s heels** ⇨ heel. **~ out** (1) 〈가스·불 등을〉 끄다 (2) 생산하다, 제조하다 (3) …을 (밖으로) 내쫓다; 해고하다; 〈가축을〉 밖으로 내보내다 《*of, from*》 (4) [종종 수동형으로; 보통 양태 부사와 함께] …에게 좋은 옷을 입히다, 성장(盛裝)시키다; [~ one*self*로] 성장하다: She *was well*[*badly*] *~ed out*. 그녀는 곱게[형편 없이] 차려 입고 있었다 (5) 〈발가락 등을〉 밖으로 구부러지게 하다 (6) 〈방·그릇 등을〉 (비우고) 청소하다 (7) 〈속의 것을〉 비우다, 뒤집어 엎다 (8) 결국 …임이 드러나다, (결과) …이 되다 (9) 폭로하다 (10) [양태 부사와 함께] 〈사태 등이〉 진전하다, 끝나다 (11) 〈발가락 등이〉 밖으로 구부러지다 (12) 파업을 시작하다 (13) 밖에 나가다; 모여들다; 떼지어 나서다, 출동하다 (14) 《구어》 (잠자리에서) 일어나다(opp. *turn in*) **~ out of** …에서 쫓아내다; …에서 나가다; 〈속의 것을〉 비우다 **~ over** (1) …을 뒤집다, 뒤집어 엎다 (2) 〈책장을〉 넘기다 (3) 〈땅을〉 갈아엎다 (4) 곰곰이 생각하다, 숙고하다 (5) 〈서류 등을〉 뒤적거려 찾다 (6) 〈일·책임 등을〉 인계하다, 넘겨주다; 〈사람·물건을〉 경찰에 인도하다, 신고하다 《*to*》 (7) 〈엔진을〉 걸다, 시동시키다 (8) 〈상품을〉 취급하다; 〈자금을〉 운용하다 (9) 교수형에 처하다; (10) 뒹굴다, 몸을 뒤치다 (11) 뒤집히다, 전복하다 (12) 〈엔진이〉 시동이 걸리다; 저회전으로 돌다 **~ round**[**around**] (1) 회전하다; 회전시키다 (2) 〖항해〗 출항 준비를 하다 (3) 돌아다보다; 〈시선·얼굴 등을〉 …쪽으로 돌리다 (4) 의견[태도]을 일변하다; 변절하다; 〈의견·태도 등을〉 바꾸다; 변절시키다 (5) 적대하다 《*on, upon*》 **~ round and** do 《구어》 기가 막히게도 예사로 …하다 **~** a person **round** one**'s little finger** …을 마음대로 부리다 **~ to** (1) …로 향하다 (2) …에 문의하다, 조회하다 (3) …에 의지하다 《*for*》 (4) 〈일〉에 착수하다; 일을 시작하다 ★ 이 경우의 to는 부사 **~ up** (1) 파서 뒤엎다, 발굴하다; 발견하다 (2) 〈램프·가스 등을〉 밝게[세게] 하다; 〈라디오 등의〉 소리를 크게 하다(opp. *turn down*) (3) 접어서 줄이다, 끝을 접다, 걷어올리다 (4) 〈얼굴을〉 돌리게 하다 (5) 뒤집어엎다 (6) 〈패를〉 뒤집다, 까다; 겉이 위로 오게 놓다 (7) 《영》 (사전에서) 조사하다, 참조하다 (8) 《영·속어》 포기하다 (9) 석방하다 (10) 〖항해〗 (수평선 위에) 나타나게 하다; 〖항해〗 〈선원을〉 갑판에 모으다 (11) 《구어》 (사람이 일 때문에) 모습을 나타내다, 뜻밖에 나타나다 (12) 〈일이〉 (뜻밖에) 생기다, 일어나다 (13) 《구어》 〈분실물이〉 우연히 나타나다[발견되다] (14) 위로 구부러지다, 위로 향하다; 휘어 솟아오르다 (15) …임이 판명되다, 알려지다 (16) 〖항해〗 바람을 거스르며 나아가다 (17) 위로 향하게 하다 (18) 《영·구어》 넌더리나게 하다; 욕지기 나게 하다 **~ upon** = TURN on. **~ upside down** 뒤집다, 거꾸로 하다; 혼란시키다

— *n.* **1 a** 회전, 돌림, 선회 **b** 회전 운동 **c** 〖음악〗 회음(回音) **d** 〖피겨 스케이팅〗 A, B, C, D의 회전 활주 **e** 〖인쇄〗 복자(伏字) **f** 한 바퀴 돌기, (가벼운) 산책, 드라이브: take a ~ 산책하다 **2 a** (방향) 전환 **b** 굽이, 구부러진 곳, (도는) 모퉁이 《*in*》 **c** 〖골프〗 코스의 중앙부; 〖경기〗 턴, 반환(점); 일변, 역전 **d** [the ~] 전환점, 전기 **e** (실·밧줄 등의) 한 타래[사리](의 길이); (소용돌이의) 선회(旋回) **3 a** (정세의) 변화; (드물게) 전화(轉化), 변경; 새로운 견해[관점]: give a new ~ to …에 새로운 변화[견해]를 주다 / take a bad ~ 악화하다 **b** (구어) 깜짝 놀람[놀라게 함], 쇼크 **4 a** [good, bad, ill, evil 등의 다음에] (좋은·나쁜) 행위, 짓: One *good* ~ deserves another. 좋게 대하면 좋게 대해지게 마련이다. **b** 《속어》 구역질 **c** 한바탕의 일[활동] 《*at*》 **d** [*pl.*] 월경 **5 a** [보통 one's ~] 순번, 차례; 기회 **b** 《영》 (연예 프로의) 한 차례, 한 바탕; 짤막한 상연물 **c** (직공의) 교대 시간 **d** 《구어》 (병 등의) 발작 **e** (특정한) 목적, 필요, 편의; 급할 때 **6 a** [보통 a ~] (타고난) 성질, 성향; 특수한 재능, 적성, 기질 《*for*》: He is of *a* humorous ~. 그는 익살스러운 성질이 있다. **b** 버릇, 특별한 버릇 **c** 능력: have a fine[pretty] ~ of speed 상당한 속력을 낼 수 있다 **d** 말투, (특별한) 표현 《*of*》 **7** 현기증 **8** 모양, 생김새(shape) **9** (병 등의) 발작

at every ~ 굽이[모퉁이]마다, 가는 곳마다; 항상 ***by ~s*** 번갈아, 차례로 ***call the ~*** (1) 〖카드〗 (FARO에서) 마지막 석 장의 패를 차례로 알아맞히다 (2) 정확히 예언하다(call one's shot) (3) 《구어》 지배하다, 이기다 (4) 〈가격 등이〉 최고가 되다 ***do*** a person ***a good***[***an ill***] ***~*** …에게 친절을 다하다[불친절하게 굴다] ***done to a ~*** 《영》 잘 요리된 ***give*** a person (***quite***) ***a ~*** …을 질겁하게 하다 ***in*** one***'s ~*** 차례가 되어; 이번에는 자기가 ***in the ~ of a hand*** 손바닥 뒤집듯이, 즉시 ***in ~*** 차례로, 번갈아, 이번에는 ***on the ~*** (1) 바뀌는 고비에 (2) 《구어》 〈우유가〉 상하기 시작하여 ***out of*** (one***'s***) ***~*** (1) 순서 없이, 순서가 뒤바뀌어 (2) 적당하지 않은 때에, 때[장소]를 가리지 않고, 경솔하게, 무례하게 ***Right***[***Left, About***] ***~!*** 우향우[좌향 좌, 뒤로 돌아]! ***serve*** a person***'s ~*** …의 도움이 되다, 소용이 되다, 충족하다 ***take a short ~*** 〖항공·자동차〗 급선회하다 ***take a ~*** (***at the oars***) 〈노를〉 한바탕 젓다 ***take a ~ for the better***[***worse***] 〈환자가〉 병이 나아가다[악화하다] ***take it in ~s*** 《영》 〈…을〉 교대하다 ***take*** one***'s ~*** 차례로 하다 ***take ~s*** 교대로 하다 ***talk out of*** one***'s ~*** 경솔하게 말하다 ***to a ~*** 《구어》 〈음식 등이〉 꼭 알맞게 ***~*** (***and ~***) ***about*** = by TURNS. ***~ of life*** 갱년기, 월경 폐지기

turn·a·bout [tə́ːrnəbàut] *n.* **1** 방향 전환, 선회 **2** (사상·정책 등의) 전향, 배반, 변절 **3** 《미》 회전 목마 **4** = TURNCOAT **5** 변혁자; 급진론자

turn-a·bout-face [-əbàutféis] *n.* 180도의 전환

túrn-and-bánk ìndicator [-ənbǽŋk-] 〖항공〗 선회 경사계

turn·a·round [-əràund] *n.* **1** 전회, 선회; (진로·태도·방침 등의) 180도 전환, 전향 **2** (자동차 도로상의) U턴 지점 **3** CU (탈것의) 반환 준비(소요 시간) 《승객의 승강·하역·정비 등》; (처리) 소요 시간; (자동차 등의) 분해 검사[수리]; (다음 발사를 위한) 우주선 발사대의 정비 및 부스터 로켓의 부착 **4** 부실 기업 회생 (작업); 결손으로부터의 흑자 전환

túrnaround tìme **1** 왕복 (소요) 시간 **2** 〖컴퓨터〗 총처리 시간; 회송(回送) 시간

turn·back [-bæ̀k] *n.* 반환

turn·buck·le [-bʌ̀kl] *n.* 턴버클, 나선식 죔쇠

turn·cap [-kæ̀p] *n.* (굴뚝의) 회전식 불똥마개
turn·coat [-kòut] *n.* 변절자, 배반자
turn·cock [-kɑ̀k | -kɔ̀k] *n.* 《영》 (수도 등의) 꼭지(stopcock); 수도 급수전(給水栓) 담당자
turn·down [-dàun] *a.* **1** (옷깃 등의) 접어 젖힌 (opp. *stand-up*) **2** 접어 갤 수 있는 **—** *n.* **1** 접어 젖힌 것[부분] **2** 거절, 배척; 각하 **3** 하강, 침체
turned [tə́:rnd] *a.* **1** 돌린 **2** 거꾸로 된: a ~ comma 거꾸로 선 콤마 (ʻ)/a ~ letter 거꾸로 된 활자/a ~ period 거꾸로 선 피리어드 (˙) **3** [복합어를 이루어] 표현[모양]이 …한: an exquisitely-~ wrist 잘생긴 손목
turned-off [tə́:rndɔ́:f | -ɔ́f] *a.* 《속어》 **1** 마약 기운이 떨어진 **2** 마음 내키지 않는 **3** 지겨운
turned-on [-ɑ́n-, -ɔ́:n | -ɔ́n] *a.* 《속어》 **1** 유행에 민감한, 새것을 좋아하는(tuned-in) **2** 멋부린, 멋진(switched-on) **3** (성적으로) 흥분한; (마약에) 취한
turn·er[1] [tə́:rnər] *n.* **1** 돌리는[뒤집는] 사람[것]; (핫케이크 등을) 뒤집는 주걱 **2** 녹로공(轆轤工), 선반공
tur·ner[2] [tə́:rnər, túər-] *n.* **1** 《미》 공중제비하는 사람(tumbler); 체조 협회원 **2** 《미·속어》 독일 사람, 독일계 사람(German)
Túrner Bróadcasting sỳstem [the ~] 터너 방송사 《미국의 CATV 방송 회사; 略 TBS》
Túr·ner's sỳndrome [tə́:rnərz-] [미국의 의사 이름에서] 〖병리〗 터너 증후군, (여자의) 성선(性腺) 발육 장애 증후군
turn·er·y [tə́:rnəri] *n.* (*pl.* **-er·ies**) **1** 선반 작업[기술]; 선반[녹로] 세공(법) **2** 선반 제품; 녹로 세공품 **3** 선반[녹로] 세공 공장
turn-in [tə́:rnin] *n.* 징집 영장 집단 반려
túrn ìndicator **1** (자동차의) 방향 지시기, 방향 지시등 **2** 〖항공〗 선회계
turn·ing [tə́:rniŋ] *n.* **1** 선회, 회전; 변전(變轉); 방향 전환: take the first ~ to[on] the right 첫째 모퉁이에서 오른쪽으로 돌다 **2** 굴곡; 구부러지는 곳, 굽이, 모퉁이; 분기점 **3** Ⓤ 선반[녹로] 세공(법); 통째 깎기; [*pl.*] (선반의) 깎아낸 부스러기 **4** [the ~] (비문(碑文)·문예 작품 등의) 형성, 구성
túrning chìsel 선삭용(旋削用) 끌[정] 《선반 공작 마무리 용》
túrning cìrcle 배·차가 회전할 때 그리는 최소의 원
túrning pòint **1** 방향 전환 지점 **2** 전환기, 전기; (운명·병 등의) 고비, 위기 **3** 〖측량〗 이기점(移器點)
∗**tur·nip** [tə́:rnip] *n.* **1** 〖식물〗 순무 《식물 및 그 뿌리》 **2** 《속어》 유행이 지난 대형 회중 시계
túrnip tòps[grèens] 순무의 어린 잎 《식용》
tur·nip·y [tə́:rnipi] *a.* 순무같은 (맛이 나는); 원기[생기]가 없는
turn·key [tə́:rnkì:] *n.* (*pl.* **~s**) 《고어》 간수(jailer) **—** *a.* (건설·플랜트 수출 계약 등의) 완성 인도 방식의, 턴키 방식의; 작동 준비가 된
túrnkey sỳstem 〖컴퓨터〗 턴키 시스템 《발주자의 요구대로 만들어져 완전히 작동하는 것을 확인한 뒤에 인도되는 하드웨어나 소프트웨어》
turn·off [tə́:rnɔ̀:f | -ɔ̀f] *n.* **1** 《미》 (간선 도로의) 지선 도로; (고속도로의) 램프웨이 **2** 분기점 **3** 완성품 **4** 시장에 출하된 가축의 수[중량] **5** (활동·진행 등의) 중지 **6** 《속어》 흥미를 잃게 하는 것, 기분 상하게 하는 것
turn·on [-ɑ̀n, -ɔ̀:n | -ɔ̀n] *n.* 《속어》 흥미를 돋우는 [자극적인] 사람[것]; 흥분, 도취
turn·out [-àut] *n.* **1** 집합, 동원, 비상 소집; (구경·행렬 등에) 나온 사람들; (집회 등의) 출석자(수); 투표(자)수 **2** 《영》 동맹 파업(자) **3** 생산액, 생산고, 산출고[량] **4** 기상(起床) (신호) **5** (나들이) 옷차림; 장비(outfit) **6** (말·마구·말구종을 포함한) 마차 **7** (철도의) 대피선(線) (siding); 《미》 (도로상의) 자동차 대피소, 감속 차선 **8** (도로 등의) 분기점 **9** 〖발레〗 턴아웃 《두 발꿈치를 등맞춤한 자세》 **10** (서랍 등의) 내용물을 비우기; 청소, 정돈 작업
turn·o·ver [-òuvər] *n.* **1** 전복, 전도(轉倒)(upset) **2 a** 접은 물건, 《특히》 턴오버 《잼 등을 넣어 반원형으로 접은 파이》; 봉투의 뚜껑 **b** 《영》 다음 면에 계속되는 신문 기사 **3** (일정 기간의) 거래액, 총매상고 **4** 《방언》 (남에게 넘겨진) 연기(年期) 직공; (다른 정당으로의) 표의 이동 **5** 전직률, 이직률 **6** (입장·의견의) 변경, 전환; 재편성 **7** (자금 등의) 회전율 **8** 노동 이동률 **—** *a.* 접어젖힌, 접힌 〈깃·칼라 등〉
turn·pike [-pàik] *n.* **1** 통행료 징수소 **2** 《미》 유료 고속 도로(=~ **ròad**)
túrnpike crúiser 《미·속어》 변기
turn-round [-ràund] *n.* **1** 반환점 **2** 안팎으로 뒤집어 입는 옷 **3** 《영》 =TURNAROUND **4** 유료 도로 요금소(tollgate)
turn·screw [-skrù:] *n.* 《영》 나사돌리개
túrn[diréctional] sìgnal 방향 지시등
turn·sole [-sòul] *n.* **1** 〖식물〗 향일성(向日性) 식물 《해바라기·헬리오트로프 등》 **2** Ⓤ 리트머스; 보랏빛 물감
turn·spit [-spìt] *n.* **1** (몸통이 길고 다리가 짧은) 턴스피트종(種)의 개 **2** 고기 굽는 꼬챙이를 돌리는 사람; 고기 굽는 회전 꼬챙이
turn·stile [-stàil] *n.* **1** 회전식 십자문 《한 사람씩 통과하게 되어 있음》 **2** (지하철 등의) 회전식 개찰구

turnstile 2

turn·stone [-stòun] *n.* 〖조류〗 꼬까물떼새
túrn stòry 다음 페이지로 계속되는 신문·잡지 기사
turn·ta·ble [-tèibl] *n.* **1** 〖철도〗 전차대(轉車臺); 회전대 **2** (레코드 플레이어의) 턴테이블, 회전반; (라디오 방송용) 녹음 재생기 **3** 회전식 쟁반 《식탁용》
túrntable làdder 《영》 =AERIAL LADDER
turn·up [tə́:rnʌ̀p] *n.* **1** 《영》 (바지 등의) 접어 올린 단(cuff) **2** 《영》 뜻밖의 일[기회] **3** 《영·구어》 소동, 야단법석 **4** 권투 시합, 주먹 싸움 **5** =UPTURN 2 **—** *a.* **1** 〈코가〉 위로 향한, 들창코의 **2** 접어 올린
turn·ver·ein [tə́:rnvəràin, túərn-] *n.* 체조 협회
tur·pen·tine [tə́:rpəntàin] *n.* Ⓤ **1** 테레빈 《소나무과(科) 식물의 함유 수지(含油樹脂)》 **2** 테레빈유(油) ***talk*** ~ 《속어》 그림을 논하다 **—** *vt.* …에 테레빈유를 바르다[칠하다]
túrpentine òil 테레빈유(油)
Túrpentine Státe [the ~] 《미》 North Carolina 주의 속칭
tur·peth [tə́:rpiθ] *n.* 〖식물〗 얄랍(jalap); Ⓤ 얄랍의 뿌리 《동인도산(産); 그 뿌리는 하제(下劑)》
tur·pi·tude [tə́:rpətjù:d | -tjù:d] *n.* Ⓤ 비열(baseness); 타락; 비열한 행동, 타락한 행위
turps [tə́:rps] *n. pl.* [단수 취급] **1** =TURPENTINE **2** 《속어》 알코올 음료, 《특히》 맥주
tur·quoise [tə́:rkwɔiz | -kwɔiz, -kwɑ:z] *n.* ⓊⒸ **1** 〖보석〗 터키옥(玉) **2** 터키옥색, 청록색 **—** *a.* 청록색의; 터키옥의[으로 장식한]
∗**tur·ret** [tə́:rit, tʌ́r- | tʌ́r-] *n.* **1** (주건물에 부속된) 작은 탑 **2** 〖군사〗 **a** (군함의) 회전 포탑 **b** (전차의) 포탑 **c** (전투기의) 총좌(銃座) **3** 〖역사〗 (중세의 성(城) 공격용) 바퀴 달린 사닥다리 **4** (선반(旋盤)의) 터릿

turret 1

túrret cáptain 《미》 포탑장(長)
túrret clòck 탑시계
tur·ret·ed [tə́:ritid, tʌ́r- | tʌ́r-] *a.* **1** 작은 탑이 있는 **2** 포탑이 있는
túrret gùn 〖군사〗 포탑포(砲)
tur·ret·head [tə́:rithèd, tʌ́r- | tʌ́r-] *n.* **1** 〖기계〗 (선반의) 터릿(turret) **2** 《미·속어》

토론을 좋아하는 사람

túrret làthe (미) 터릿 선반(旋盤)

túrret shìp 포탑함(艦)

turri [tə́:ri | tʌ́ri] 《연결형》「tower」의 뜻

*__tur·tle__[1] [tə́:rtl] *n.* (*pl.* **~s, ~**) **1** 거북, 《특히》 바다거북(⇨ tortoise 유의어) **2** Ⓤ 거북의 고기 **3** 〖컴퓨터〗 터틀 《LOGO 언어의 컴퓨터 그래픽 부분에서 구현된, 화면에 나타나는 작은 삼각형 모양의 그림》 *turn* ~ 〈배·자동차 등이〉 전복하다; 《미·속어》 어쩔 도리가 없다; 《미·속어》 겁먹다
—*vi.* 바다거북을 잡다

turtle[2] *n.* (고어) = TURTLEDOVE

tur·tle·back [tə́:rtlbæ̀k] *n.* 거북의 등딱지; 〖항해〗 귀갑(龜甲) 갑판

tur·tle·dove [-dʌ̀v] *n.* 〖조류〗 호도애; 연인

túrtle gràphics 〖컴퓨터〗 터틀 그래픽스 《어린아이의 교육용 프로그램 언어인 LOGO의 그래픽 기능》

tur·tle·head [-hèd] *n.* 〖식물〗 나도사향나무 《북미산》

tur·tle·neck [-nèk] *n.* (미) **1** 터틀넥 **2** 터틀넥 스웨터

túrtle shèll 별갑(鼈甲)

tur·tle-soup [-sú:p] *n.* 바다거북 수프 《green turtle의 고기로 만듦》

turves [tə́:rvz] *n.* (영) TURF의 복수

Tus·can [tʌ́skən] *a.* 토스카나(사람·말)의: the ~ order 〖건축〗 토스카나 양식 / ~ straw 토스카나산(産) 밀짚 —*n.* **1** 토스카나 사람; Ⓤ 토스카나 어(語) 《이탈리아의 표준어》 **2** 〖건축〗 토스카나 양식

Tus·ca·ny [tʌ́skəni] *n.* 토스카나 《이탈리아 중부의 지방; 원래 대공국(大公國)(1532-1860); 주도 Florence》

Tus·ca·ro·ra [tʌ̀skərɔ́:rə] *n.* (*pl.* **~, ~s**) 투스카로라 족 《북미 인디언 Iroquois의 한 지족(支族)》; Ⓤ 투스카로라 어(語)

tu·sche [tú∫] [G] *n.* (석판 인쇄의) 먹

tush[1] [tʌ́∫] (고어) *int., n.* 체, 치 《책망·초조·경멸 등의 소리》 —*vi.* 체[치] 하다 《*at*》

tush[2] *n.* (말의) 송곳니

tush[3] (미·흑인속어) *n.* 피부가 황갈색의 흑인, 흑백 혼혈아 —*a.* **1** 호전적인, 위험한 **2** 상류의, 부유한

tush[4] *n.* (속어) 엉덩이

tush·er·y [tʌ́∫əri] *n.* (*pl.* **-er·ies**) ⓊⒸ (tush[1]와 같은 옛말을 사용한) 멋 부린 고문체(古文體)

tusk [tʌ́sk] *n.* **1** (코끼리 등의) 엄니(cf. IVORY)(⇨ fang 유의어) **2** 엄니 비슷한 것; (삽·보습 등의) 뾰족한 끝; 뻐드렁니 —*vt.* 엄니로 찌르다[파헤치다]

tusk·er [tʌ́skər] *n.* 큰 엄니가 있는 동물 《코끼리·멧돼지 등》

tus·sah [tʌ́sə] *n.* (미) **1** 참나무 산누에 나방 **2** Ⓤ 그 누에고치에서 뽑은 명주실 또는 비단

tus·sal [tʌ́səl] *a.* 〖병리〗 기침의

Tus·saud [tu:sóu, tə- | tú:sou] *n.* 터소 **Marie Grosholtz ~** (1760-1850) 《스위스의 여성 밀랍 인형 세공사; London에 있는 터소 밀랍 인형관의 창립자》

tus·sic·u·la·tion [təsìkjuléi∫ən] *n.* 해수병; 헛기침

tus·sis [tʌ́sis] *n.* 〖병리〗 기침

tus·sive [tʌ́siv] *a.* 〖병리〗 기침의, 기침 같은

tus·sle [tʌ́sl] *n., vi.* 격투(하다), 난투(하다); 분투(하다) 《*with*》

tus·sock [tʌ́sək] *n.* 풀숲, 덤불; 더부룩한 털

tússock mòth 〖곤충〗 독나방 《독나방과(科) 나방의 총칭》

tus·sock·y [tʌ́səki] *a.* tussock이 많은

tut[1] [tʌ́t] *int.* **1** 쯧, 체 《초조·경멸·비난·곤란·불만 등으로 혀를 차는 소리》 **2** 창피한 줄 알아라(For shame!) —*n.* 쯧(하고 혀 차는 소리), 혀차기
—*vi.* (**~·ted**; **~·ting**) 혀를 차다

tut[2] *n.* (영·방언) 일한 양, 작업량, 생산고(piece): by (the) ~ =upon ~ 〈지불이〉 작업량 기준으로

Tut·ankh·a·men [tù:tɑ:ŋkɑ́:mən | -təŋkɑ́:men] *n.* 투탕카멘 《기원전 14세기 이집트 제18왕조의 왕; 1922년에 그 분묘가 발견되었음》

tu·tee [tju:tí: | tju:-] *n.* 가정교사(tutor)의 지도를 받고 있는 사람, 학생

tu·te·lage [tjú:təlidʒ | tjú:-] *n.* Ⓤ **1** 후견, 보호, 감독; 지도 **2** 보호[감독, 지도]를 받음[받는 기간]

tu·te·lar·y [tjú:təlèri | tjú:tiləri], **-lar** [-lər] *a.* **1** 수호(守護)의: a ~ deity[god] 수호신 / a ~ saint[angel] 수호 성인[천사] **2** 후견인[보호자]의 (지위에 있는); 후견의 —*n.* (*pl.* **-lar·ies**) 수호자, 수호신

*__tu·tor__ [tjú:tər | tjú:-] [L 「보호자」의 뜻에서] *n.* **1** 가정교사(cf. GOVERNESS) **2** (영) (대학에서의 할당된 특정 학생에 대한) 개별 지도 교수; 학감; (미) (대학의) 조교 《instructor의 하위》 **3** 〖법〗 (미성년자 등의) 후견인, 보호자 **4** 교본, 자습서
—*vt.* **1** 개인 교사[가정교사]로서 가르치다[지도하다] **2** 〈사람을〉 훈련시키다, 버릇들이다 **3** [~ one*self* 또는 수동형으로] 〈자신을〉 억제하다, 훈련하다: (~+목+*to* *be*+보) (~+목+전+명) He has never ~*ed* himself *to be* patient. = He has never been ~*ed in* patience. 그는 인내심을 기른 적이 없다.
—*vi.* **1** 가정[개인] 교사 노릇을 하다 **2** (미) 가정교사의 지도를 받다

tu·tor·age [tjú:təridʒ | tjú:-] *n.* Ⓤ **1** 가정[개인] 교사의 지위[직책] **2** 지도(instruction) **3** 가정교사의 월급, 개인 교수료

tu·tor·ess [tjú:təris | tjú:-] *n.* TUTOR의 여성형

tu·to·ri·al [tju:tɔ́:riəl | tju:-] *a.* **1** 가정교사의 **2** (영) (대학의) (개별) 지도의: a ~ class 개별 지도 수업 **3** 〖법〗 후견인의
—*n.* **1** (영) (지도 교수의) 개인 지도 (시간) **2** (실용적인) 설명서, 설명을 위한 필름[프로그램]

tutórial sỳstem (특히 대학의) 개인[개별] 지도제

tu·tor·ship [tjú:tər∫ìp | tjú:-] *n.* Ⓤ tutor의 지위[직무, 지도]

tu·toy·er [tù:twɑ:jéi] [F] *vt.* 〈…에게〉 친하게 말을 걸다

tut·ti [tú:ti | túti] [It.] 〖음악〗 *a., ad.* 전원[전악기]의[로], 투티의[로] —*n.* 투티, 전합주[전합창] (악구) (opp. *solo*)

tut·ti-frut·ti [tù:tifrú:ti] [It. = all fruits] *n.* 여러 가지 과일을 썰어서 설탕에 절인 것; 그것이 든 과자[아이스크림] —*a.* 여러 가지 과일 맛이 나는

tutu

tut-tut [tʌ́ttʌ́t] *int., n., vi.* (**~·ted**; **~·ting**) = TUT[1]

tut·ty [tʌ́ti] *n.* Ⓤ 불순 산화 아연 《마분(磨粉)용》

tu·tu [tú:tu:] [F] *n.* 발레용 스커트

tut·work [tʌ́twə̀:rk] *n.* (영·방언) (작업량에 따라 지급받는) 삯일, 가정에서 하는 부업[삯일]

Tú·va Autónomous Repúblic [tú:və-] [the ~] 투바 자치 공화국 《러시아의 한 행정 구분》

Tu·va·lu [tú:vəlù:, tu:vɑ́:lu: | tù:vəlú:] *n.* 투발루 《태평양 중남부의 9개의 섬으로 된 나라; 1978년 영국으로부터 독립; 수도 Fongafale》

tu-whit tu-whoo [tuhwít-tuhwú: | tuwít-tuwú:] *n.* 부엉부엉 《올빼미 우는 소리》
—*vi.* 부엉부엉 울다

tux [tʌ́ks] *n.* (미·구어) = TUXEDO

tux·e·do [tʌksí:dou] *n.* (*pl.* **~(e)s**) (미) 턱시도 ((영) dinner jacket) 《남자용 약식 야회복; 여자의 dinner dress[gown]에 해당함》

tuxédo sófa[cóuch] 등받이와 거의 같은 높이의 약간 바깥쪽으로 벌어진 팔걸이가 있는 긴 의자

tu·yère [twijɛ́ər, tu:-, twíər | twí:ɛə, twáiə] [F] *n.* (용광로의) 송풍구

TV [tí:ví:] *n.* (*pl.* **~s, ~'s**) **1** Ⓤ 텔레비전 (방송) **2** 텔레비전 수상기 —*a.* 텔레비전의

TV terminal velocity 최종[최고] 가속도 **TVA** tax on value added; Tennessee Valley Authority **TVC** thrust vector control 〚우주과학〛 추력(推力) 방향 제어

TV dinner [텔레비전을 보며 준비할 수 있는 데서] 《미》 텔레비전 식품 《가열하고 바로 먹을 수 있는 냉동 식품》

TV-14 [tí:vì:fɔ̀:rtí:n] *a.* 《미》 〈TV프로가〉 14세 미만에 부적절한

TVI television interference TV 전파 장애

Tvl Transvaal

TV-M [tí:vì:ém] *a.* 《미》 〈TV프로가〉 17세 미만에 부적절한

TVP [tì:vì:pí:] textured vegetable protein 《상표명》

TV-PG [tí:vì:pì:dʒí:] *a.* 《미》 〈TV프로가〉 어린이에게 부적절한

TV-Q [tí:ví:kjú:] *n.* 〚광고〛 (텔레비전의) 프로그램 인지도(認知度)[인기 측정치]

TVR television rating 텔레비전 시청률

TV rights 텔레비전 방영권

TV-Y [tí:vì:wái] *a.* 《미》 〈TV프로가〉 어린이에게 적절한

TV-Y7 [tí:vì:wàisévən] *a.* 《미》 〈TV프로가〉 7세 미만의 어린이에게 부적절한

TW terawatt

twa [twá:, twɔ́:] *n.* 《스코》 = TWO

TWA Trans World Airlines

twad·dle [twádl | twɔ́dl] *n.* Ⓤ **1** 쓸데없는 소리[군소리] **2** 시시한 저작, 졸작
— *vi.* **1** 쓸데없는 소리를 하다 **2** 시시한 글을 쓰다

twain [twéin] *n., a.* 《고어》 = TWO
— *vt., vi.* 《폐어》 둘로 나누다[나뉘어지다]

Twain [twéin] *n.* ⇨ Mark Twain

twang [twǽŋ] *n.* **1** 윙 《현악기·활시위 등의 소리》 **2** 콧소리, 코멘 소리; (표준 억양과 다른) 비음 섞인 억양 — *vt.* 〈현악기·활시위 등을〉 윙하고 울리다; 화살을 쏘다 — *vi.* **1** 〈현악기·활시위 등이〉 윙하고 울다 **2** 콧소리로 말하다, 코맹맹이 소리를 내다

Twán·kay téa [twǽŋkei-, -ki:-] [중국 강남(江南)의 지명에서] 둔계차(屯溪茶) 《녹차》

'twas [twʌ́z, twáz | twɔ́z; 《약하게》 twəz] it was의 단축형

twat [twá:t | twǽt, twɔ́t] *n.* 《속어·비어》 **1** 여자의 음부(vulva) **2** 엉덩이; (섹스의 대상으로서의) 여자 **3** 보기 싫은 사람[여자]

tweak [twí:k] *vt.* **1** 〈귀·코 등을〉 비틀다, 꼬집다; 홱 당기다 **2** 《속어》 〈자동차·엔진 등을〉 (최고 성능을 낼 수 있게) 미조정(微調整)하다 — *n.* **1** 비틀기, 꼬집음 **2** 홱 잡아당기기 **3** (마음의) 동요 **4** 〚컴퓨터〛 시스템의 소수 변경 《기능의 향상이나 선택적 성과를 보임》

tweak·er [twí:kər] *n.* 《영》 (어린이의) 고무줄 새총

twee [twí:] *a.* 《영》 귀여운; 새침 떠는

*__tweed__ [twí:d] *n.* **1** Ⓤ 〚직물〛 트위드 **2** [*pl.*] 트위드 천으로 만든 옷
— *a.* 트위드의 ▷ twéedy *a.*

twee·dle [twí:dl] *vi.* 〈가수·새·악기 등이〉 강약 변화가 풍부한 높은 (목)소리를 내다; 악기를 만지다
— *vt.* 음악으로 꾀다; 달콤한 말로 꾀다
— *n.* (바이올린 등의) 깽깽하는 소리

Twee·dle·dum and Twee·dle·dee [twì:dl-dʌ́m-ən-twì:dldí:] 매우 닮은 두 사람[물건]

tweed·y [twí:di] *a.* (**tweed·i·er**; **-i·est**) **1** 트위드의[같은] **2** 트위드를 즐겨 입는 **3** 옥외 생활을 즐기는 타입의, 격식을 차리지 않는, 느긋한

tweeked [twí:kt] *a.* 《미·학생속어》 몹시 취한

tween [twí:n] *n.* 10-12세의 어린이 《tweenager라고도 함》

'tween [twí:n] *prep.* 《시어》 BETWEEN의 단축형

'twéen dèck [때로 **~s**] 〚해양〛 중갑판

tween·er [twí:nər] [be*tween*+-*er*] *n.* **1** = TWEEN **2** 중간층(의 사람[사물]); 틈새 상품 **3** 〚야구〛 두 외야[내야]수 사이에 떨어지는 안타

tween·y [twí:ni] *n.* (*pl.* **tween·ies**) 《영·구어》 부엌일과 허드렛일을 거드는 하녀

tweet[1] [twí:t] *vi.* 〈작은 새가〉 짹짹 울다[지저귀다]
— *n.* 짹짹(소리), 지저귀는 소리; 음향 재생 장치 등에서 나는 높은 소리

tweet[2] *n.* 트위터(Twitter)를 이용하여 보낸 메시지
— *vi.* = TWITTER

tweet·er [twí:tər] *n.* 트위터 《고음용 스피커; cf. WOOFER》

tweet·heart [twí:thà:rt] *n.* 트위터에서 많은 사용자의 찬사를 받는 사용자

tweet-out [twí:tàut] *n.* 트위터를 통해 지인에게 보내는 안부 인사

tweet·tooth [twí:ttù:θ] *n.* 트위터에 최신 정보를 올리려는 욕구

tweet·up [twí:tʌ̀p] *n.* 트위터를 통한 만남

tweeze [twí:z] *vt.* 《미》 〈털을〉 족집게로 뽑다

tweez·ers [twí:zərz] *n. pl.* 족집게, 핀셋: a pair of ~ 핀셋 한 개

‡**twelfth** [twélfθ] *a.* **1** [보통 the ~] **제12**의, 열두 번째의 **2** 12분의 1의
— *n.* **1** [보통 the ~] **a** (서수의) 제12 《略 12th》 **b** (달의) 12일 **2** [a ~, one ~] 12분의 1 **3** 〚음악〛 12도, 12도 음정 **4** [the ~] 8월 12일 《영국에서 뇌조(雷鳥) 사냥이 시작되는》
— *pron.* [the ~] 열두 번째의 사람[것]

twelfth-cake [twélfθkèik] *n.* Twelfth Night의 축하 과자

Twélfth Dáy [the ~] 12일절(節)(Epiphany) 《크리스마스로부터 12일째인 1월 6일》

twélfth mán 《미식축구속어》 킥플레이를 위해 구성되는 선수; 통상의 공수 플레이를 위한 11명과는 다른 특별한 포진; 《영》 (크리켓의) 후보 선수

Twélfth Níght 12일절 전야제 《1월 5일》

Twelfth·tide [twélfθtàid] *n.* = TWELFTH DAY 《Twelfth Night도 포함하여》

‡**twelve** [twélv] *a.* **12(개)의**, 12명의: ~ score 240
the T~ Apostles 그리스도의 12사도
— *pron.* [복수 취급] 12개[명]
— *n.* **1** 12(개[명]): strike ~ (시계가) 12시를 치다 **2** 12의 기호 《12, xii》 **3 a** 12시; 12세; 12달러[파운드, 센트, 펜스 《등》] **b** 12번 《구두나 장갑의 형(型)》 **4 a** 12개[사람] 한 조의 것 **b** [*pl.*] 12절(판)
strike ~ the first time [***all at once***] 처음부터 전 능력을 발휘하다 (***twelvemo***) ***in ~s*** 12절의[로]

twelve·fold [twélvfòuld] *a.* **1** 12부분[면, 종류]을 가진 **2** 12배의 — [´´] *ad.* 12배로

twelve-inch [-ìntʃ] *n.* (45회전의) 12인치 레코드판

twelve·mo, 12mo [-mòu] *n.* (*pl.* **~s**) 12절(판) (duodecimo)

twelve·month [-mʌ̀nθ] *n., ad.* 《영·고어》 12개월, 1년(간): this day ~ 내년[작년]의 오늘

twelve·pen·ny [-pèni, -pəni] *a.* = SHILLING

twélvepenny náil 길이 3 1/4인치의 못

Twélve Tábles [the ~] 12표법(表法) 《로마법 원전; 451 B.C.》

twelve-tone [-tóun], **-note** [-nóut] *a.* 〚음악〛 12음의, 12음 조직의, 12음 기법을 토대로 한

twélve-tone[**-note**] **rów** 〚음악〛 12음렬(音列) 《12음 음악에서 1옥타브 내의 12개의 다른 음의 배열; tone-row라고도 함》

*__twen·ti·eth__ [twéntiiθ, twʌ́n- | twén-] *a.* **제20**의; 20분의 1의 ***a ~ part*** 20분의 1
— *n.* **1** [보통 the ~] **a** 제 20 《略 20th》 **b** (달의) 20일 **2** [a ~, one ~] 20분의 1
— *pron.* [the ~] 스무 번째의 사람[물건]

‡**twen·ty** [twénti, twʌ́n- | twén-] *a.* **1 20**의; 20개의; 20명의 **2** 다수의, 많은 ***~ and ~*** 다수의 ***~ times*** 20회[번]; 여러 번
— *pron.* [복수 취급] 20개[명]
— *n.* (*pl.* **-ties**) **1** 20 **2** 20의 기호 《20, XX》 **3 a**

20세; 20달러[파운드, 센트, 펜스 등] **b** 〖인쇄〗 20절(판) **4 a** [the twenties] (세기의) 20년대 **b** [one's twenties] (나이의) 20대: a man in *his twenties* 20대의 남성 ★ 21-29는 twenty-one과 같이 하이픈으로 연결하며, 때로는 one and twenty의 형식을 취함. ***like*** ~ (미·구어) 몹시, 되게

twen·ty-first [-fə́:rst] *n.* (특히 영·구어) 21세 생일; 그 축하 파티

twen·ty-five [-fáiv] *n.* 〖럭비·하키〗 25야드선(線)(내) (골에서)

twen·ty·fold [-fòuld] *a.* **1** 20배[겹]의 **2** 20부분[요소]이 있는 **—** *ad.* 20배[겹]로

24-hour clóck [twéntifɔ:ràuər-] 24시간제(制)

twen·ty-four·mo, 24mo [-fɔ́:rmòu] *n.* (*pl.* **~s**) 24절판(의 책[종이, 면])

24/7 [twéntifɔ:rsévən, twʌ́n-|twén-] *ad.* (미·속어) 하루 24시간 1주 7일 동안, 1년 내내, 언제나(always) **—** *a.* 연중 무휴의, 항시 대기하고 있는 **—** *n.* 〖컴퓨터〗 인터넷에서 실제 인물과의 문답으로 지식을 얻을 수 있는 소프트웨어

20-gauge [-gèidʒ] *n.* 20번(산탄총[산탄]) (지름 615/1000인치)

twen·ty-one [-wʌ́n] *a.* 21(개)의; 21명의; 21세의 **—** *n.* Ⓤ (미) **1** 〖카드〗 21점 놀이((미) blackjack, (영) vingt-et-un, pontoon) **2** 21세 (★ 미국에서는 식당이나 술집에서 술을 사서 마실 수 있는 나이; cf. EIGHTEEN)

twènty pénce (**píece**), **20p** [twèntipi:] *n.* **1** (영국의) 20펜스 짜리 동전: You need two *~s* for the machine. 그 기계를 이용하려면 20펜스짜리 동전 두 개가 필요하다.

twénty quéstions [단수 취급] 스무고개

twen·ty·some·thing [-sʌ́mθiŋ] *n.* (미) 20대 풋내기 (20-29세의)

twen·ty-twen·ty, 20-20 [-twénti] *a.* 〖안과〗 시력(視力) 정상의: ~ vision 정상 시력

twen·ty-two [-tú:] *n.* **1** 22 **2 a** 22구경 라이플[권총] **b** 이에 사용하는 탄환

'twere [twə́:r, (약하게) twər] it were의 단축형

twerp [twə́:rp] *n.* (속어) 시시한 놈, 바보 녀석, 얼간이; 불쾌한 놈

twi- [twái] *pref.* 「2…; 2배의; 2중의」의 뜻

TWI training (of supervisors) within industry 기업내 (감독자) 훈련

twi·bil(l) [twáibìl] *n.* 양날 곡괭이; 양날 전부(戰斧); (영·방언) (특히 콩을) 베는 낫

‡twice [twáis] *ad.* **1** 두 번, 2회 **2** 두 배로: *T~* two is[are] four. 2×2는 4. ***at*** ~ (1) (드물게) 두 번으로 (2) 두 번째로 ***in*** ~ 두 번에 ***once or*** ~ 한두 번 ***think*** ~ 재고하다 (*about*): do not *think* ~ 주저하지 않고 (…)하다; 두 번 다시 생각하지 않다, 잊다, 무시하다 ~ ***as good as*** …보다 갑절 (좋은) ~ ***as much*** 두 배(의 양)

twice-born [twáisbɔ́:rn] *a.* **1** 두 번 태어난, 화신(化身)의; (정신적으로) 재생한, 거듭난 **2** 〖힌두교〗 재생족의 (카스트 중 상위의 3계급; 특히 브라만을 이름)

twice-laid [-léid] *a.* **1** 〈밧줄이〉 다시 꼰 **2** 재생의, 대용의

twic·er [twáisər] *n.* **1** 두 번 하는 사람 **2** 두 가지 일을 하는 사람; (영·속어) 식자 겸 인쇄공 **3** (영·호주) 사기꾼; (속어) 전과 2범자

twice-told [twáistóuld] *a.* 두 번[몇 번이고] 이야기한; 진부한

twid·dle [twídl] *vt.* 회전시키다, 빙빙 돌리다 **—** *vi.* **1** 만지작거리다; 가지고 놀다 (*with, at*) **2** 떨리다, 진동하다 ~ one***'s fingers*** [***thumbs***] (지루해서) 손가락을 빙빙 돌리다; 빈들빈들하고 있다 **—** *n.* **1** 비틀어 돌림 **2** 파문, 파상선(波狀線)

twid·dly [twídli] *a.* (영·구어) (섬세하여) 복잡한

‡twig[1] [twíg] *n.* **1** 작은 가지, 잔가지(⇨ branch 유의어); 〖해부〗 지맥(枝脈); 〖전기〗 소배전자(小配電子), 지선(枝線) **2** 점(占)대 ***hop the*** ~ ⇨ hop[1]

twig[2] *vt., vi.* (**~ged**; **~·ging**) (영·구어) 감지하다; 깨닫다, 양해[이해]하다, 〈참뜻 등을〉 간파하다, 알아채다

twíg blìght 〖식물〗 가지마름병

twíg bòrer 〖곤충〗 가지에 구멍을 뚫는 딱정벌레[나방]의 유충

twig·gy [twígi] *a.* (**-gi·er**; **-gi·est**) 잔가지의[같은]; 잔가지가 많은; 연약한, 섬세한

twi·light** [twáilàit] *n.* Ⓤ **1** (해뜨기 전·해진 후의) 여명, 황혼, 땅거미; 어스름, 박명 **2** 미광(微光) **3** 어슴푸레한 짐작; (충분한 발달 전후의) 중간 상태[기간] **4** (비유) (전성기·영광·성공 뒤의) 쇠퇴기, 황혼기, 말기 **5** 〈의미·지식·평판 등이〉 불확실한 상태 ***the T~ of the Gods 〖북유럽신화〗 신들의 황혼 (여러 신들과 거인들의 난투도 선세계가 멸망한다는) **—** *a.* 여명의, 박명의, 황혼의: the ~ hours 황혼 때 **—** *vt.* 희미하게 비추다, 어스름하게 하다

twílight ìndustry 사양(斜陽) 산업

twílight slèep 〖의학〗 (무통 분만의) 반마취 상태

twílight stàte 〖의학〗 몽롱 상태

twílight zòne **1** 〖생태〗 약광층(弱光層) (빛이 도달하는 바닷속의 가장 깊은 층) **2** 중간 지대[상태]; 경계 불분명 지역 **3** (도시의) 슬럼화되고 있는 지역

twi·lit [twáilit] *a.* 어슴푸레한, 희미하게 밝은, 박명(薄明) 속의

twill [twíl] *n.* Ⓤ 능직(綾織)(물) (serge, gabardine 등) **—** *vt.* 능직으로 짜다

'twill [twíl] it will의 단축형

twilled [twíld] *a.* 능직으로 짠: ~ fabrics 능직물

TWIMC to whom it may concern

‡twin [twín] *n.* **1** 쌍둥이의 한 사람; [*pl.*] 쌍둥이 관련 세 쌍둥이의 한 사람은 triplet 네 쌍둥이의 한 사람은 quadruplet 다섯 쌍둥이의 한 사람은 quintuplet 여섯 쌍둥이의 한 사람은 sextuplet **2** 닮은 사람[물건]; …의 한 쪽; [*pl.*] 쌍 **3** 〖결정〗 쌍정(雙晶)(macle) **4** [the T~s] 〖천문·점성술〗 쌍둥이자리(Gemini) **—** *a.* **1** 쌍둥이의; 〖식물〗 쌍생(雙生)의, 둘이 꼭 같은, 쌍을 이루는: ~ brother 쌍둥이 형제 / ~ sister 쌍둥이 자매 / ~ boat[steamer] 쌍둥이 모양의 기선 **2** 한 쌍의, 많이 닮은 **3** 〖결정〗 쌍정의 **—** *v.* (**~ned**; **~·ning**) *vt.* **1** 쌍둥이로 배다[낳다] **2** 짝이 되게 하다 (*with*) **3** 쌍정(雙晶)을 이루게 하다 **4** 〈어떤 도시를〉 자매 관계로 결연하다 **—** *vi.* **1** 쌍둥이를 낳다; 짝이 되다; 〈도시가〉 자매 결연이 되다 (*with*)

twín béd 트윈 베드 (한 쌍의 1인용 침대; cf. DOUBLE BED)

twín bédroom 두 개의 1인용 침대가 있는 방

twin-bedded [-bédid] *a.* (방이) 두 개의 1인용 침대(single bed)가 있는

twin·ber·ry [twínbèri, -bəri|-bəri] *n.* (*pl.* **-ries**) 〖식물〗 호자덩굴(partridgeberry)

twín bíll **1** 〖스포츠〗 같은 날 시합을 두 번 계속해서 하기(doubleheader) **2** (미·구어) 〖영화〗 = DOUBLE FEATURE

twin·born [-bɔ̀:rn] *a.* 쌍둥이로 태어난

Twín Bróthers[**Bréthren**] = TWIN 4

twín-cám èngine [-kǽm-] 〖자동차〗 트윈캠 엔진 (고회전으로 성능을 높인 엔진)

Twín Cíties [the ~] (미국 Minnesota 주의) Minneapolis와 St. Paul의 두 도시

twín dóuble (경마 등에서 2중승식(勝式)(daily double)을 둘 합친) 4중승식 투표 방식

***twine** [twáin] *n.* ⓊⒸ **1** 꼰 실, (특히 포장용·그물 제조용 등의) 삼실, 삼끈; 바느질실; 종이실 **2** 꼬기, 꼬아 합침, 감김, 사림 **3** 엉클어짐, 뒤얽힘, 분규 **—** *vt.* **1** 꼬다, 꼬아 합치다 **2** 짜다, 엮다, 뜨다, 섞어 짜다 (*into*): ~ a wreath 화환을 엮다 // (~+목+전+명) ~ flowers *into* a wreath 꽃을 엮어 화환을 만들다 **3** 감기게 하다 (*about, round*): (~+목+부) She sat *twining* her fingers *together* in

silence. 그녀는 손가락을 꼬며 잠자코 앉아 있었다.// ((~+목+전+명)) She ~*d* her arms *(a)round* me. 그녀는 두 팔로 나를 껴안았다.
— *vi.* **1** 〈덩굴 등이〉 감기다, 얽히다: ((~+전+명)) The ivy ~*d about*[*(a)round*] the oak tree. 담쟁이가 떡갈나무에 칭칭 감겼다. **2** 구불거리다, 구불구불 가다: ((~+전+명)) ~ *through* a field 들판을 구불구불 가다 ▷ entwíne *v.*

twin-en·gine(d) [twínéndʒin(d)] *a.* 〈비행기가〉 쌍발의

twin·er [twáinər] *n.* 꼬는 사람[것]; 감기는 것, (식물의) 덩굴; 감겨 기어오르는 식물((나팔꽃 등))

twin·flow·er [twínflàuər] *n.* ((미)) 〚식물〛 린네풀((인동과(科)))

twinge [twíndʒ] *n.* **1** (류마티스·치통 등의) 쑤시는 듯한 아픔, 동통((*of*)): a ~ *of* toothache 쿡쿡 쑤시는 치통 **2** (마음의) 고통, (양심의) 가책, 후회((*of*))
— *vi.*, *vt.* 쑤시고 아프다[아프게 하다]

twi-night [twáinàit] [*twi*light+*night*] *a.* 〚야구〛 늦은 오후부터 밤까지 계속되는 더블헤더의: a ~ game 야간 게임 **~·er** *n.*

twí-night dóubleheader 〚야구〛 저녁때부터 밤까지 계속되는 더블헤더

twín·ing plánt [twáiniŋ-] 〚식물〛 다른 것에 감겨 자라는 식물

twin·jet [twíndʒèt] *n.* 쌍발 제트기

twink[1] [twíŋk] *vi.*, *vt.*, *n.* **1** =WINK **2** =TWINKLE

twink[2] *vt.* ((영·방언)) =PUNISH

twink[3] *n.* ((미·속어)) **1** 젊고 성적 매력이 있는 사람; 귀여운 십대 소녀 **2** 연인; 호모; 바보, 얼간이

twink·ie [twíŋki] *n.* ((미·속어)) 바보, 얼간이

Twin·kie [twíŋki] *n.* ((미)) 노란색의 작은 케이크((가운데 크림이 들어 있으며 단맛이 나는; 상표명))

*__twin·kle__ [twíŋkl] *vi.* **1 반짝반짝 빛나다**, 반짝이다, 번득이다, 빛나다(⇨ shine 유의어) **2** 깜빡이다; 〈눈이〉 (기쁨·즐거움 등으로) 반짝하고 빛나다((*at*, *with*)): ((~+전+명)) She said so with her eyes *twinkling with* amusement[mischief]. 그녀는 즐거운 듯이[장난스럽게] 눈을 반짝이며 그렇게 말했다. **3** ((드물게)) 〈춤추는 다리가〉 경쾌하게 움직이다
— *vt.* 〈눈을〉 반짝하고 빛내다
— *n.* **1** 반짝거림, 번득임 **2** 깜빡거림; (재치·웃음·기분 좋음을 나타내는) 반짝임; (생기 있는) 눈빛: a ~ of amusement in one's eyes 희희낙락한 눈빛 **3** 경쾌한 움직임((춤추는 다리 등의)) **4** 순간, 순식간
in a ~ = ***in the ~ of an eye*** 눈 깜짝할 사이에 ***when you were just***[***no more than***] ***a ~ in your father's eyes*** (네가 태어나기) 훨씬 전에, 아주 옛날에

*__twin·kling__ [twíŋkliŋ] *a.* **1 반짝반짝 빛나는**, 번쩍거리는, 번득이는 **2** 〈발놀림이〉 경쾌한
— *n.* **1** Ⓤ 반짝임, 번득임, 섬광 **2** 순간 **3** ((고어)) 깜빡임 **4** 경쾌한 움직임 ***in a ~*** = ***in the ~ of an eye***[***a bedpost,*** ((익살)) ***a teacup***] 눈 깜짝할 사이에

twin-lens [twínlènz] *a.* 〚사진〛 쌍안의: ~ reflex 쌍안 리플렉스/~ camera 쌍안 카메라

twin-mo·tored [-móutərd] *a.* =TWIN-ENGINE(D)

twinned [twínd] *a.* 쌍둥이로 태어난, 쌍생의; 쌍을 이루는; 〚결정〛 쌍정(雙晶)의

twin·ning [twíniŋ] *n.* Ⓤ 쌍둥이를 낳기[배기]; 결합; 둘을 결부시켜 인용[연상, 비교]하기

twín róom twin bed가 있는 방

twin-screw [twínskrúː] *a.* 〚항해〛 〈스크루가〉 2축(軸)의

twín sèt 카디건과 풀오버의 앙상블((여성용))

twin·ship [twínʃip] *n.* Ⓤ 쌍둥이 관계[상태]; 밀접한 관계; 근사[유사](성)

twin-size [twínsàiz] *a.* 〈침대가〉 트윈 사이즈의((39×75인치))

twín tówn 자매 도시

Twín Tówers [the ~] 트윈 타워((New York 시의 World Trade Center로 쌍둥이 고층 빌딩임; 2001년 9·11 테러로 파괴됨))

twin-track [twíntræ̀k] *a.* 두 방식[조건, 부분]으로 이루어진

*__twirl__ [twə́ːrl] *vt.* **1 빙빙 돌리다**, 휘두르다((*round*, *about*)) **2** 비틀어 돌리다, 만지작거리다: ((~+목+(부))) ~ (*up*) one's mustache 콧수염을 비비 꼬다 **3** ((야구속어)) 〈투수가〉 〈공을〉 던지다
— *vi.* **1** 빠르게 돌다, 빙빙 돌다 **2** ((야구속어)) 투구하다 ~ one***'s thumbs*** ⇨ thumb
— *n.* **1** 회전, 비틀어 돌림 **2** 장식 글씨체

twirl·er [twə́ːrlər] *n.* 빙빙 도는[돌리는] 사람[것]; ((구어)) 〚야구〛 투수; 배턴걸((고적대의 선두에서 지휘봉을 돌리는 소녀))

twirp [twə́ːrp] *n.* =TWERP

‡**twist** [twíst] *vt.* **1 a 꼬다**, 꼬아 합치다((*together*)); 뜨다, 짜넣다((*into*)): ~ cotton 무명실을 꼬다// ((~+목+전+명)) ~ flowers *into* garland 꽃을 엮어 화환을 만들다 **b** 감다(wind), 얽히게 하다((*with*, *in*)): ((~+목+전+명)) ~ a scarf *around* the neck 목에 스카프를 두르다/trees ~*ed with* ivy 담쟁이 넝쿨이 감긴 나무들 **2 a 비틀어 돌리다**, 비틀어 구부리다(⇨ bend[1] 유의어); 〈발목 등을〉 삐다 **b** 〚야구·당구〛 〈공을〉 커브시키다, 비틀어 치다 **3** 〈얼굴을〉 찡그리다(⇨ twisted 2) ((*with*, *up*)): ((~+목+전+명)) The child ~*ed* his face *with* pain. 그 아이는 아파서 얼굴을 찌푸렸다. **4** 곡해하다, 억지를 쓰다((*about*, *round*, *around*)) **5** 비틀어 떼다, 비틀어 꺾다: ((~+목+부)) ~ *off* a piece of wire 쇠줄을 비틀어 끊다// ((~+목+전+명)) The little girl ~*ed* the arm *off* the doll. 그 어린 소녀는 인형의 팔을 비틀어 떼어 버렸다./He ~*ed* it *out of* my hand. 그는 그것을 내손에서 잡아챘다. **6** 뚫고[누비며] 지나가다 **7** ((미·구어)) (자기 회사로 생명 보험 계약을 옮기도록) 〈고객을〉 권유하다
— *vi.* **1 뒤틀리다**, 꼬이다, 감기다((*around*, *about*)) **2** 화환(花環)을 만들다 **3** 뚫고 나가다; 〈강·길 등이〉 굽이치며 가다((*through*, *along*)): ((~+전+명)) The river ~*s through* the field. 강은 들판을 굽이쳐 흐르고 있다. **4** 나쁜 짓을 하다 **5** (고통 등으로) 몸부림치다, 몸을 뒤틀다((*about*, *with*, *up*)) **6** 〚무용〛 **트위스트를 추다**
turn, ~, and wind a person = **~** a person ***(a)round*** one***'s*** (***little***) ***finger*** …을 마음대로 부리다 **~ *off*** 비틀어 떼다 **~** a person***'s arm*** ⇨ arm[1]. **~** one***'s features*** (아파서) 얼굴을 찌푸리다 **~ *up*** 〈종이를〉 나선 모양으로 말다, 꼬다
— *n.* **1 a** CU 꼰 실, 밧줄 **b** 꼬임; 꼬는 법 **2** UC 비틀림, 뒤틀림; 엉킴; 〚항공〛 기류의 꼬임; 〚물리〛 비틀림률(率)[각(角)] **3** 꼬인 빵 **4** 꼬인 담배 **5** 나선 모양; 〚야구·당구〛 커브, 비틀어 친 공 **6** UC ((영·속어)) 혼합주[음료]: gin ~ 브랜디와 진의 혼합주 **7** 굽음, 만곡((*in*)) **8** 부정, 부정직 **9** ((종종 경멸)) (이상한) 버릇 **10** [the ~] 〚무용〛 트위스트 **11** ((영·구어)) 왕성한 식욕 **12** (사건 등의) 급진전 **13** ((미)) 특별한 비결; 새 방식 **14** (얼굴의) 찡그림 **15** 곡해 ***a ~ in*** one***'s nature*** 이상한 버릇, 별난 성질 ***a ~ in*** one***'s tongue*** 발음의 불명료 ***a ~ of the wrist*** ((비유)) 솜씨, 요령 ***be full of turns and ~s*** 몹시 구불구불하다 ***give a new ~*** 신기축(新機軸)을 열다 ***have a ~*** ((매우)) 시장하다 ***round the ~*** = round the BEND[1] ***the ~s and turns*** 구불구불, 굴곡; 곡절

twíst drìll 〚기계〛 천공 드릴((깊은 홈이 나선형으로 패어 있는 송곳))

twist·ed [twístid] *a.* **1** 꼬인, 비틀어진: a ~ curve 〚수학〛 공간 곡선 **2** 〈표정·마음이〉 일그러진, 비뚤어진((*with*, *by*)): His face was ~ *with* pain. 그의 얼굴은 고통으로 일그러졌다. **3** ((미·속어)) (마약·술에) 취한 **4** ((속어)) 마약의 금단 증상으로 괴로워하는

twísted páir 두 가닥으로 꼰 동축 케이블선

twist·er [twístər] *n.* **1** 꼬는 사람; 실 꼬는 기계;

비트는 사람 **2** 《영·구어》 〈마음이〉 비틀어진 사람, 교활하게 속이는 사람, 부정직한 사람 **3** 〖야구·당구〗 곡구(曲球); 틀어치는 공 **4** 어려운 일[문제] **5** 《미·구어》 선풍, 회오리바람(whirlwind) **6** 〖무용〗 트위스트를 추는 사람 **7** 《미·속어》 열쇠

twíst grìp 트위스트 그립 《오토바이처럼 비틀어서 가속기[기어] 조작을 하는 핸들의 손잡이 부분》

twist·ing [twístiŋ] *n.* 〖보험〗 (왜곡된 권유에 의한) 생명 보험의 부당 계약

twist-re·lease [twístrilí:s] *a.* 비틀어 여는 〈뚜껑〉, 비틀어 끄집어 내는

twist·y [twísti] *a.* (**twist·i·er**; **-i·est**) **1** 〈길 등이〉 꾸불꾸불한; 비틀린 **2** 정직하지 않은, 교활한 **3** 〈여성이〉 매력적인

twit[1] [twít] *vt.* (**~·ted**; **~·ting**) 꾸짖다, 책망하다; 조롱하다, 비웃다 《*about, on, with*》: (~+목+전+명) They *~ted* him *with*[*about*] his stammer. 그들은 그를 말더듬이라고 비웃었다.

— *n.* **1** 힐책, 힐난; 조롱, 조소 **2** 《속어》 바보, 멍청이(fool) **3** 《미·구어》 초조한 상태, 신경과민

twit[2] *n.* 실의 가는[약한] 부분

*__twitch__ [twítʃ] *vt.* **1** 〈소매 등을〉 **홱 잡아 당기다**; 잡아채다 **2** (몸의 일부를 의식하지 않고) 씰룩씰룩 움직이다, 경련을 일으키게 하다 **3** 꼬집다(nip)

— *vi.* **1 씰룩거리다**, 경련을 일으키다 《*away*》 **2** 홱 잡아당기다 《*at*》: (~+전+명) ~ *at* a person's skirt …의 스커트를 홱 잡아당기다

— *n.* **1** [보통 a ~] 홱 잡아당김 **2** (근육 등의) 경련; (심신의) 가벼운 아픔(twinge) **3** 코 비트는 기구 《사나운 말을 다루는 데 씀》 ***all of a ~*** 《속어》 벌벌 떨려, 두려워하여 ***at*** [***in***] ***a ~*** 순식간에

twítch gràss =COUCH GRASS

twitch·er [twítʃər] *n.* **1** 잡아 당기는 사람[것] **2** 《영·구어》 들새를 관찰하는 사람(bird watcher)

twitch·y [twítʃi] *a.* (**twitch·i·er**; **-i·est**) 초조한, 안절부절 못하는, 침착하지 못한

twite [twáit] *n.* 〖조류〗 홍방울새의 일종 《유럽산》

*__twit·ter__ [twítər] *vi.* **1 지저귀다**; 지저귀듯 지껄이다 《*on, away, about*》 **2** 흥분하여 떨리다

— *vt.* 지저귀듯이 지껄이다; 앞뒤로 조금씩 흔들다

— *n.* **1** (새의) 지저귐 **2** 흥분, (흥분으로) 떨림 ***in*** [***all of***] ***a ~*** 흥분하여, 들먹거려

Twit·ter [twítər] *n.* Ⓤ 트위터 《인터넷이나 휴대 전화를 통해서도 단문의 메시지를 주고 받을 수 있는 소셜 네트워크 서비스; 상표명》 **—** *vi.* [**t~**] 트위터를 이용하여 메시지를 보내다

twit·ter·y [twítəri] *a.* 잘 지저귀는; 떨리는; 몸을 떠는; 신경과민의

(')**twixt** [twíkst] *prep.* 《시어》 BETWIXT의 단축형

twiz·zle [twízl] *vt.* (**-zled**; **-zl·ing**) 빙빙 돌리다, 선회하다 **—** *n.* 회전, 선회

‡**two** [tú:] *a.* **2의**, 2개의, 두 사람의; Ⓟ 두 살의: *T~* heads are better than one. 《속담》 혼자보다 두 사람의 머리가 낫다, 백지장도 맞들면 가볍다. ***be in*** [***of***] ***~ minds*** 결정짓지 못하고 망설이고 있다 ***in a day or ~*** 하루 이틀 사이에 ***one or ~*** 한둘의, 얼마간의

— *pron.* [복수 취급] 두 개, 두 사람

— *n.* (*pl.* **~s**) **1** (기수의) 2; 2라는 기호 《2, ii, II》 **2** 2시; 2살; 2달러[파운드, 센트, 펜스 《등》] **3** 2개[두 사람] 한 쌍[짝]: *T~'s* company, three's none. 《속담》 두 사람은 좋은 동반자가 되지만 셋이면 의가 잘 맞지 않는다. **4** (카드·주사위 등의) 2 ***by*** [***in***] ***~s and threes*** 둘씩 셋씩, 삼삼오오 ***in ~*** 둘로, 두 동강으로 ***in ~ ~s*** 《영·구어》 곧바로, 즉시 ***put ~ and ~ together*** 사실에서 정확한 결론을 내다 ***That makes ~ of us.*** 《구어》 나의 경우도 같다, 나도 그렇게 생각한다. ***~ and*** [***by***] ***~*** 두 개[사람]씩 ***T~ and ~ make***(***s***) ***four.*** 2에 2를 더하면 4가 된다(는 것은 자명한 이치다). ***T~ can play at that game.*** 《구어》 그리 나오면 이쪽에도 수가 있다. ***~ to one*** 십중팔구, 분명히, 꼭

twó-ad·dress instrúction [tú:ədrès-] 〖컴퓨터〗 2번지 명령 《두 개의 연산수 address가 지정되는 명령》

two-a-pen·ny [-əpéni] *a.* 《영》 흔해 빠진; 값싼

two-bag·ger [-bǽgər] *n.* **1** 《야구속어》 =TWO-BASE HIT **2** 《미·속어》 못생긴 남자

twó-base hít [-bèis-] 〖야구〗 2루타(double)

two-beat [-bì:t] *a.* 〖음악〗 〈jazz가〉 $^4/_4$박자로 2박자와 4박자에 악센트를 두는

two-bit [-bìt] *a.* 《미·속어》 **1** 25센트의 **2** 시시한, 값싼, 보잘것없는

twó bíts [단수·복수 취급] 《미·속어》 **1** 25센트 **2** 소액; 시시한 것

two-by-four [-baifɔ́:r, -bə-] *n.* **1** 단면 2×4인치의 재목 **2** 좁고 답답한 것 《방·아파트 따위》

— *a.* **1** 두께 2(인치) 폭 4(인치)의, 2×4의 **2** 《미·구어》 조그마한(small); 협소한, 비좁은, 답답한 **3** 《미·구어》 시야가 좁은, 아량이 좁은

2-C, Ⅱ-C [tú:sí] *n.* 《미》 (징병 검사 분류에서) 2-C 《농업 종사자이기 때문에 징병이 연기된 사람》

two-ca·reer [-kəríər] *a.* 부부가 본격적인 직업을 갖고 있는; 맞벌이의

twó cénts 《미·구어》 **1** 시시한 것: feel like ~ 창피하게[겸연쩍게] 느끼다 **2** [one's ~ (worth)] 의견, 견해 ***add*** [***put in***] ***one's ~ worth*** 의견을 말하다

twó cúltures [the ~] 인문·사회 과학과 자연 과학

two-cy·cle [tú:sàikl] *a.* 《미》 〈내연 기관이〉 2사이클의

two-deck·er [-dékər] *a.*, *n.* 2중 갑판의 (배); 2층 있는 (전차[버스])(double-decker)

two-dig·it [-dídʒit] *a.* 두 자리의(double-digit)

two-di·men·sion·al [-diménʃənl] *a.* **1** 2차원의 **2** 〈미술 작품이〉 평면적인, 2차원적인; 〈소설 등이〉 깊이가 없는

twó-éarn·er còuple [-ə́:rnər-] 맞벌이 부부[가정]

two-edged [-édʒd] *a.* 양날의; 〈이론 등이〉 두 개의 뜻을 가진, 애매한

two-faced [-fèist] *a.* 표리부동한, 불성실한, 위선적인; 2면[양면]이 있는 **~·ly** [-féisidli, -féist-] *ad.*

two·fer [tú:fər] [two for (one)] *n.* 《미·구어》 **1** (극장 등의) 반액 할인권; 한 개의 요금으로 두 개를 살 수 있는 쿠폰[품목] **2** 값싼 물건, 《특히》 두 개 5센트의 여송연 **3** 1인 2역 피고용자

twó fíngers 《영·구어》 검지와 중지 두 손가락으로 만드는 V자형 《욕설을 의미함》

two-fist·ed [tú:fístid] *a.* **1** 두 주먹을 쥔, 두 주먹을 쓸 수 있는 **2** 강한, 원기 왕성한, 남성적인, 정력적인(vigorous)

two-fold [-fòuld] *n.* 〖연극〗 둘로 접히는 무대 배경

two·fold [-fòuld] *a.* **1** 2배의, 이중의 **2** 두 부분[요소]의 **—** *ad.* [ˊˊ] 두 배로, 2중으로

2,4-D [-fɔ́:rdí:] *n.* =DICHLOROPHENOXYACETIC ACID 《제초제》

2,4,5-T [-fɔ́:rfáivtí:] *n.* =TRICHLOROPHENOXYACETIC ACID 《제초제》

twó-fóur (**tìme**) [-fɔ́:r-] 〖음악〗 4분의 2박자

twó-gen·er·á·tion fàmily [-dʒènəréiʃən-] 핵가족(nuclear family)

two-hand·ed [-hǽndid] *a.* **1** 두 손이 있는; 두 손으로 다루는 **2** 〈톱 등이〉 2인용의; 〈놀이 등이〉 두 사람이 하는 **3** 두 손을 다 쓰는

two-hand·er [-hǽndər] *n.* 2인 연극 《두 명의 배우가 연기하는 연극》

twó i/c [-áisí] 《영·속어》 부(副)사령관(second in command)

twó-ín·come fàmily [-ínkʌm-] 돈 버는 사람이 둘 있는 가정; 맞벌이 부부 가정

twó ìron 〖골프〗 =MIDIRON

two-leg·ged [-légid, -légd] *a.* 다리가 둘인, 양각(兩脚)의

twó-lev·el stórage [-lèvəl-] 〖컴퓨터〗 2단계 기억 장치
two-line [-làin] *a.* 〖인쇄〗 〈활자가〉 배형(倍型)의
two-mast·ed [-mǽstid | -mɑ́:st-] *a.* 〖항해〗 쌍돛대의, 두대박이의 **twó-mást·er** *n.*
twó-min·ute òffense [-mìnit-] 〖미식축구〗 경기 종반에 나머지 시간을 계산하여 행하는 공격
twó-name páper [-nèim-] (미) 〖은행〗 복명 수표
two·ness [tú:nis] *n.* Ⓤ **1** 둘임 **2** 이중성
twonk [twɑ́:ŋk] *n.* (영·속어) **1** 멍청이 **2** 쓸모 없는 것, 소용없는 물건
twó páir 〖카드〗 (포커의) 투페어
two-part [tú:pɑ̀:*r*t] *a.* 〖음악〗 2부의
— *n.* (스코) 3분의 2(two thirds)
twó-part tìme 〖음악〗 2박자(double time)
twó-par·ty sýstem [-pɑ̀:*r*ti-] 〖정치〗 양대 정당 제도
two-pay·check [-péitʃèk] *a.* 돈을 버는 사람이 둘 있는; 수입원이 둘 있는; 맞벌이의
two·pence** [tʌ́pəns] *n.* (**-pen·ces**) (영) **1** Ⓤ 2펜스 《영국 화폐》 **2** 2펜스 청동화, 2펜스 은화 《1662년 이후 maundy money로서 발행》 ***do not care **~** 조금도 개의치 않다 **~** ***coloured*** (영·구어) 값싸고 화려한
***two·pen·ny** [tʌ́pəni, tú:pèni] *a.* **1** 2펜스의 **2** (구어) 값싼, 시시한 **3** 길이 1인치짜리 못(twopenny nail)의
— *n.* **1** 2펜스 동화 **2** Ⓤ 맥주의 일종(= **~ ále**) 《옛날 1 quart를 2펜스에 판 데서》
two·pen·ny-half·pen·ny [tʌ́pənihéipəni] *a.* 2펜스 반의; 하찮은, 값싼
twópenny náil (길이) 1인치의 못
two-phase [tú:féiz] *a.* 〖전기〗 2상(相)의(diphase)
two-piece [-pí:s] *a.* 두 부분으로 된, (특히) 〈옷이〉 투피스의 **—** *n.* 투피스의 옷
two-ply [-plái] *a.* **1** 두 가닥의, 두 가닥으로 꼰 **2** 두 겹의, 두 겹으로 짠; 두 장 겹친
— *n.* (*pl.* **~s**) 2겹의 합판
twó-pót scrèamer [-pɑ́t- | -pɔ́t-] (호주·속어) 술을 마시면 금방 취하는 사람, 술에 약한 사람
twó-príce sỳstem [-práis-] (금·양곡 따위의) 2중 가격 제도
twó-rowed bárley [-ròud-] 맥주보리
twó's cómplement 〖수학·컴퓨터〗 2의 보수(補數) 《주어진 값의 음수를 표시하는 데 사용되는 수》
two-seat·er [-sí:tə*r*] *n.* 2인승 자동차[비행기]
2-S, Ⅱ-S [tú:és] *n.* (미) (징병 검사 분류에서) 2-S 《학생이기 때문에 징병이 연기된 사람》
two-shot [-ʃɑ̀t | -ʃɔ̀t] *n.* 〖영화·TV〗 2인 구도 《한 화면에 두 명의 인물을 담은》
two-sid·ed [-sáidid] *a.* **1** 2변[면]의; 〈문제 등이〉 양면이 있는; 양면에 걸친 **2** 두 마음을 가진, 표리부동한, 위선적인
two·some [-səm] *a.* 둘로 된; 둘이서 하는
— *n.* 두 사람이 하는 놀이[춤]; 2인조
two-speed [-spì:d] *a.* 2단 변속의
two-spot [-spɑ̀t | -spɔ̀t] *n.* (카드의) 2의 패; (도미노의) 2의 말; (미·구어) 2달러(지폐)
two-star [-stɑ̀:*r*] *a.* 그저 그런, 중급의; 〖군사〗 소장(少將)의
two-step [-stèp] *n.* 투스텝 《사교댄스의 일종》; 그 무곡(舞曲) **—** *vi.* (**~ped**; **~·ping**) 투스텝을 추다
two-strip·er [-stráipə*r*] *n.* (미·해군속어) = LIEUTENANT
two-stroke [-stròuk] *a.* 2행정(行程) 사이클(엔진)의
twó-stròke cýcle 〖기계〗 2행정 사이클
two-suit·er [-sjú:tə*r*] *n.* 양복이 두 벌 들어가는 남성용 슈트케이스
two-syl·la·ble [tù:síləbl] *a.* 2음절의; Ⓐ 간단한 말밖에 모르는 〈사람〉
Twó Thòusand Guíneas [the ~; 단수 취급] 2천 기니 경마 《영국 5대 경마의 하나; cf. CLASSIC RACES》
two-tier [tú:tíə*r*] *a.* **1** 2층[열]의 **2** 〈요금 제도 등이〉 2단계제의
twó-tíer wáge sỳstem (미) 이중 임금 제도
two-time [-tàim] (구어) *vt.* 〈애인·배우자를〉 배신하고 바람피우다; 속이다 **—** *vi.* 배신 행위를 하다; 남[애인, 배우자]을 속이다
twó-tìm·er *n.* **twó-tìm·ing** *a.*
twó-time lóser (속어) 전과 2범인 사람, 재범자; (결혼·사업 등에) 두 번 실패한 사람
two-tone(d) [-tóun(d)] *a.* Ⓐ 2색조의
two-tongued [-tʌ́ŋd] *a.* 두말하는; 속이는
'twould [twúd] (시어) it would의 단축형
two-up [tú:ʌ́p] *n.* 동전 2개를 던져 둘 다 앞면 또는 뒷면인가에 거는 내기
two-up two-down [tù:ʌ̀p-tù:dáun] (영·구어) 2층에 두 개의 침실과 1층에 두 개의 방이 있는 주택
TWOV transit without visa
two-val·ued [-vǽlju(:)d] *a.* 〖논리〗 진위(眞僞) 2가(價)의
two-way [-wéi] *a.* **1** 두 길의 **2** 송수신 양용의: a ~ radio 송수신 겸용 무전기 **3** 양면[2면] 교통의, 양쪽 길의, 상호적인(cf. ONE-WAY) **4** 상호의 동의[책임, 의무]를 요하는 **5** 〖수학〗 이원(二元)의
twó-wáy cáble sỳstem 〖전자〗 양방향 케이블 시스템 《송수신을 동시에 하는》
twó-wáy cáble tèlevision 〖전자〗 양방향 유선 텔레비전
twó-wáy communicátion 쌍방향 통신
twó-wáy mírror 양방향성 거울 《한쪽 면은 거울, 반대쪽 면은 일반 유리》
twó-wáy stréet **1** 양면 교통 도로 **2** (비유) 쌍무[호혜]적 상황[관계]
two-wheel·er [-*h*wí:lə*r*] *n.* 2륜 마차; 자전거
twó-winged flý [-wìŋd-] 〖곤충〗 쌍시류(雙翅類)의 곤충
twó-word vérb [-wə̀:*r*d-] 〖문법〗 2어 동사, 구동사
two-year-old [-jìəròuld | -jə̀:-] *a., n.* 두 살의 《어린아이·망아지 등》
twp township **TWX** teletypewriter exchange
twy·er [twáiə*r*] *n.* 〖야금〗 = TUYÈRE
TX 〖우편〗 Texas **Ty** Territory; Truly
-ty[1] [ti] *suf.* 「10의 배수」의 뜻: twen*ty*
-ty[2] *suf.* 「…함, …한 성질, …한 정도」의 뜻: beau*ty*
Ty·burn [táibə*r*n] *n.* 타이번 《London의 사형 집행장; 현재의 Marble Arch 부근》
Týburn tìppet (영) 교수(絞首) 밧줄
Týburn trèe (영) 교수대
TYC Thames Yacht Club
Ty·che [táiki] *n.* 〖그리스신화〗 튀케 《운명의 여신; 로마 신화의 Fortuna에 해당됨》
Ty·cho [táikou] *n.* 〖천문〗 티코 《월면 제3상한(象限)의 크레이터》
ty·coon [taikú:n] [Jap.] *n.* **1** 대군(大君) 《도쿠가와(德川) 장군(將軍)에 대한 서양인들의 호칭》 **2** (미·구어) 실업계의 거물
***ty·ing** [táiiŋ] [tie에서] *n.* Ⓤ 매기, 맴, 묶기, 동임; 맨 것; Ⓒ 매듭
— *a.* 매는, 묶은; 구속적인
tyke [táik] *n.* **1** 야견(野犬), 잡종 개 **2** [종종 tike] (스코) 시골뜨기; 예의 없는 사람: a Yorkshire ~ 요크셔 출신 촌뜨기 **3** (미) 아이, 꼬마
tyle [táil] *vt.* = TILE 2
ty·lec·to·my [tailéktəmi] *n.* 〖의학〗 국소부 절제술
Ty·le·nol [táilənɔ̀:l, -nɑ̀l | -nɔ̀l] *n.* 〖약학〗 타이레놀 《비(非)피린계 진통 해열제; 상표명》
tyl·er [táilə*r*] *n.* = TILER 2
Ty·ler [táilə*r*] *n.* **1** 타일러 **John ~** (1790-1862) 《미국의 10대 대통령(1841-45)》 **2** 미국 Texas 주 동부의 도시

ty·lo·pod [táiləpɑ̀d | -pɔ̀d] *n.* 〖동물〗 핵각류(核脚類)[아목(亞目) 동물(의 화석)]

ty·lo·sin [táiləsin] *n.* Ⓤ 〖약학〗 타일로신 《항생 물질의 일종》

ty·lo·sis [tailóusis] *n.* (*pl.* **-ses** [-si:z]) Ⓤ 〖병리〗 안검 경화증(眼瞼硬化症), 변지종(胼胝腫) 《조직의 경화》; Ⓒ 〖식물〗 전충(塡充) 세포 《도관부(導管部)에 있는》

tym·bal [tímbəl] *n.* = TIMBAL

tym·pan [tímpən] *n.* **1** 팽팽한 엷은 막 **2** 〖인쇄〗 압반과 인쇄지 사이에 끼우는 종이[천](=~ **shèet**) **3** 〖건축〗 = TYMPANUM 4

tym·pa·na [tímpənə] *n.* TYMPANUM의 복수

tym·pa·ni [tímpəni] *n.* = TIMPANI

tym·pan·ic [timpǽnik] *a.* 고막의; 고실(鼓室)의, 중이(中耳)의; 북 같은; 〖건축〗 3각면의

tympánic bóne 〖해부·동물〗 고실 소골(小骨)

tympánic cávity 〖해부·동물〗 (중이의) 고실

tympánic mémbrane 〖해부〗 고막(eardrum)

tym·pa·nist [tímpənist] *n.* = TIMPANIST

tym·pa·ni·tes [tìmpənáiti:z] *n.* Ⓤ 〖병리〗 고창(鼓脹), 복부 창만(腹部脹滿)

tym·pa·ni·tis [tìmpənáitis] *n.* Ⓤ 〖병리〗 중이염

tym·pa·num [tímpənəm] [Gk 「북」의 뜻에서] *n.* (*pl.* **~s, -na** [-nə]) **1** 〖해부〗 고막; 고실(鼓室), 중이(中耳) **2** (전화기의) 진동판; 북(처럼 생긴 것) **3** 〖기계〗 북 모양의 양수기 **4** 〖건축〗 (박공의) 3각면; 문짝 틀에 끼운 널판

tym·pa·ny [tímpəni] *n.* (*pl.* **-nies**) 〖병리〗 = TYMPANITES

Tyn·dal(e) [tíndl] *n.* 틴들 **William** ~ (1492?-1536) 《영국의 종교 개혁자·성서 번역자》

Týn·dall effèct [tíndl-] 〖물리〗 틴들 효과, 틴들 현상 《많은 입자가 산재하는 매질(媒質) 속에 빛을 통하면 통로가 산란광으로 인해 빛나 보이는 현상; Tyndall phenomenon이라고도 함》

tyn·dall·om·e·ter [tìndəlɑ́mətər | -lɔ́m-] *n.* 틴들로미터 《부유 분진(浮遊粉塵) 측정기》

tyne [táin] *n.* (영) = TINE

Tyne [táin] *n.* [the ~] 타인 강 《잉글랜드 북동부에서 북해로 흐르는 강》

Tyne and Wear [-ənd-wíər] 타인 위어 주 《1974년에 신설된 잉글랜드 북동부의 주; 주도 Newcastle-upon-Tyne》

typ. typographer; typographic(al); typography

typ·al [táipəl] *a.* 형(型)의; 유형으로서의, 전형적인

⁑type [táip] [Gk 「누르다, 치다」의 뜻에서] *n.* **1** 형(型), 정형, 양식, 원형, 유형, 타입; 종류; …타입의 사람: a new ~ of car = a car *of* a new ~ 신형차/This ~ of book is popular. 지금 이런 종류의 책이 인기다. **2** 전형, 대표물, 모범, 본; 전형적 인물; 표상, 상징 《*of*》: a perfect ~ *of* English gentleman 영국 신사의 전형, 전형적인 영국 신사 **3** 〖생물〗 형, 유형; 〖의학〗 병형(病型), 균형(菌型); 혈액형; 〖화학〗 기형(基型); 양식 **4** (화폐·메달의) 의장, 도형; 특징 **5** Ⓤ [집합적] 〖인쇄〗 활자; 자체; 인자체(印字體) **6** 상징; 예징; 〖신학〗 예표(豫表), 예징(豫徵)

in **~** 활자로 조판되어 ***revert to*** **~** 원형[원상태]으로 되돌아가다 ***set*** **~** 활자로 조판하다, 식자하다 ***true to*** **~** 전형적인 ***vertebrate*** **~** 척추 동물형[류] ***wooden*** **~** 목판 ★ 활자의 크기에 따른 명칭 《괄호 속은 포인트》: diamond(4 1/2), pearl(5), agate [ruby](5 1/2), nonpareil(6), emerald(6 1/2), minion(7), brevier(8), bourgeois(9), long primer (10), small pica(11), pica(12), English(14), great primer(18).

— *vt.* **1** 분류하다 **2** 〖의학〗 〈혈액 등의〉 형을 정하다 **3** 〈편지 등을〉 타이프라이터로 치다, 타이프하다(typewrite) 《*out*》 **4** …의 전형[상징]이 되다, 대표하다

— *vi.* 타이프라이터를 치다: (~+副) She *~s well.* 그녀는 타이프라이터를 잘 친다.

~ ... ***in*** [***into***] 〈추가 어구 등을〉 타이프하여 삽입하다 **~** ***out*** 타이프를 치다 **~** ***up*** 〈초고 등을〉 타이프하여 정서하다 ▷ týpical *a.*; týpify *v.*

-type [tàip] 《연결형》 「타입, …형, …식, …판(版)」의 뜻: ferro*type*, proto*type*

Týpe Á 〖심리〗 A형 행동 양식(의 사람) 《긴장하고 성급하며 경쟁적인 것이 특징; 관상 동맥계의 심장병을 잘 일으킨다 함》

Týpe B 〖심리〗 B형 행동 양식(의 사람) 《A형의 반대로서 성질이 느긋함》

type·bar [táipbɑ̀:r] *n.* **1** (타자기의 활자가 달려 있는) 타이프바 **2** 활자의 행(slug)

type·case [-kèis] *n.* 활자 케이스

type·cast[1] [-kæ̀st | -kɑ̀:st] *vt.* (**-cast**) 〖연극〗 (체격·성격을 고려해서) 배역을 정하다, 같은 타입의 배역만을 맡기다 — *a.* (배우의) 이미지[역할]가 고정되어 있는; 판에 박힌

typecast[2] *vt., vi.* (**-cast**) 〖인쇄〗 주조하다

týpe C vírus = C-TYPE VIRUS

týpe declarátion 〖컴퓨터〗 형(型) 선언

type·face [-fèis] *n.* 〖인쇄〗 **1** 활자면 **2** (활자) 서체

type·found·er [-fàundər] *n.* 활자 주조 업자

type·found·ry [-fàundri] *n.* (*pl.* **-ries**) 활자 주조소

týpe gènus 〖생물〗 모식속(模式屬), 기준속

type-high [-hái] *a., ad.* 〖인쇄〗 〈연판 등이〉 활자와 같은 높이인[로] 《23.3 mm》

týpe locàlity **1** 〖생물〗 모식[타입] 산지(産地) 《기준 표본이 야생하던 장소》 **2** 〖지질〗 모식(산)지

týpe mètal 활자 합금 《납·안티몬·주석의 합금》

Týpe I érror [-wʌ́n-] 〖통계〗 제1종 과오 《가설 검정에 있어서 가설이 옳은데도 불구하고 이를 기각하는 일》

type·script [-skrìpt] *n.* 타이프라이터로 친 원고[문서]

type·set [-sèt] *vt.* (~; **~·ting**) 식자하다, 조판하다 — *a.* 식자된, 조판된

type·set·ter [-sètər] *n.* **1** 식자공(compositor) **2** 식자기(typesetting machine)

type·set·ting [-sètiŋ] *n.* Ⓤ 식자, 조판 — *a.* 식자(용)의: a ~ machine 식자기

type-site [-sàit] *n.* 〖고고학〗 표준 유적, 타입 사이트 《형식·양식·연대 등의 표준이 됨》

týpe spècies 〖생물〗 (생물의 분류·명명에 있어서의) 모식종(模式種)(genotype)

týpe spècimen 〖생물〗 (종(種)의) 기준[모식] 표본

týpe T T형(型) 인간, 스릴을 좋아하는 사람

týpe thèory **1** 〖생물〗 원형설(原型說) **2** 〖화학〗 기형설(基型說)

Týpe II érror [-tú:-] 〖통계〗 제2종 과오 《가설 검정에 있어 가설이 잘못임에도 이를 수용해 버리는 일》

týpe whèel 타이프휠 《원통의 표면에 활자를 박은 것; 어떤 종류의 타이프라이터나 전보에 씀》

type-word [-wə̀:rd] *n.* 〖언어〗 타입어(語)

***type·write** [táipràit] *v.* (**-wrote** [-ròut]; **-writ·ten** [-rìtn]) *vt.* 타이프라이터로 치다 — *vi.* 타이프하다

***type·writ·er** [táipràitər] *n.* **1** 타이프라이터, 타자기 **2** 〖인쇄〗 타이프라이터 서체 **3** (고어) = TYPIST **4** (미·속어) (경)기관총

type·writ·ing [-ràitiŋ] *n.* **1** Ⓤ 타자 기술; 타자기 사용; 타자하는 일 **2** Ⓤ,Ⓒ 타이프 인쇄(물)

type·writ·ten [-rìtn] *a.* 타자기로 친

typh- [táif] 《연결형》 = TYPHO

typh·li·tis [tifláitis] *n.* Ⓤ 〖병리〗 맹장염

typh·lol·o·gy [tiflɑ́lədʒi | -lɔ́l-] *n.* Ⓤ 맹목학(盲目學) 《소경에 관한 연구》

typho [táifou, -fə] 《연결형》 「발진티푸스, 장티푸스」의 뜻: *typho*genic

thesaurus **type** *n.* **1** 종류, 유형 sort, kind, variety, form, class, category, group, order, set, genre, species, genus **2** 전형 example, exemplar, model, pattern, essence, prototype, archetype

ty·pho·gen·ic [tàifədʒénik] *a.* 〖병리〗 장티푸스를 일으키는

***ty·phoid** [táifɔid] 〖병리〗 *a.* **장티푸스(성)의**
— *n.* Ⓤ 장티푸스(=~ fever) ▷ typhóidal *a.*

ty·phoi·dal [taifɔ́idl] *a.* 〖병리〗 장티푸스(성)의

týphoid bacíllus 〖병리〗 장티푸스균

týphoid condítion (급성 질병 때 생기는) 쇠약(상태)

týphoid féver 〖병리〗 장티푸스

ty·phoi·din [taifɔ́idin] *n.* 〖의학〗 티포이딘 《장티푸스의 감염 유무를 검사하는 피부 접종용 티푸스균액》

Týphoid Máry [장티푸스 보균자였던 미국 요리사 *Mary* Mallon에서] 전염병 보균자; 유행병·악습 등을 퍼뜨리는 사람

ty·phon [táifɑn | -fɔn] *n.* 타이폰 《압축 공기 등에 의한 신호 경적》

ty·phon·ic [taifɑ́nik | -fɔ́n-] *a.* 태풍(성)의

***ty·phoon** [taifúːn] [Chin. 「大風」에서] *n.* **1 태풍** 《특히 태평양 서부에서 발생하는 열대성 폭풍》(⇨ storm 유의어) **2** [T-] 제2차 세계 대전 당시 영국 폭격기 이름

ty·phous [táifəs] *a.* 〖병리〗 발진티푸스(성)의

ty·phus [táifəs] *n.* Ⓤ 〖병리〗 발진티푸스: malignant[simple] ~ 악성[경증] 발진티푸스

typ·ic [típik] *a.* = TYPICAL

***typ·i·cal** [típikəl] *a.* **1 전형적인,** 대표적인: the ~ businessman 전형적인 실업가 **2** 상징적인, 표상(表象)하는 《*of*》: (~+*of*+명) This action is ~ *of* him. 이러한 행동은 그가 할직한 일이다. **3** 〖해부·화학〗 정형(定型)적인; 특징을 나타내는, 특유한 **4** 예시하는 《*of*》, 상징하는(typic) **~·ness** *n.*

typ·i·cal·i·ty [tìpəkǽləti] *n.* Ⓤ **1** 전형적임, 대표적임 **2** 특유성, 특징성

typ·i·cal·ly [típikəli] *ad.* **1** 전형적으로 **2** [문장 전체를 수식하여] 예에 따라, 으레 **3** 일반적으로, 대체로

typ·i·fi·ca·tion [tìpəfikéiʃən] *n.* ⓊⒸ 대표(할 수 있음); 상징; 전조(前兆)

typ·i·fy [típəfài] *vt.* (**-fied**) **1** 대표하다, …의 표본[전형]이 되다, …의 특징을 나타내다 **2** 상징하다, 예시(予示)[예표(予表)]하다

typ·ing [táipiŋ] *n.* Ⓤ 타이프라이터[키보드] 치기(typewriting); 타자[키보드] 기술

týping pàper 타이프(라이터) 용지

týping pòol (회사 내의) 타이피스트 집단

***typ·ist** [táipist] *n.* **타이피스트,** 타자수, 키보드 치는 사람

ty·po [táipou] *n.* (*pl.* **~s**) (구어) **1** [*typo*grapher] 인쇄공, 《특히》 식자공 **2** [*typo*graphic error] 오식(誤植)

typo- [táipou, -pə], **typ-** [taip] 《연결형》 「형(型), 상(像)」의 뜻

typo. typographer; typographic(al); typography

ty·pog·ra·pher [taipɑ́grəfər | -pɔ́g-] *n.* 활판(인쇄) 기술자; 인쇄[식자]공; 활자 디자이너

ty·po·graph·ic, -i·cal [tàipəgrǽfik(əl)] *a.* 인쇄상의, 인쇄술의: a ~ error 오식(誤植)
-i·cal·ly *ad.* 인쇄로, 인쇄상

ty·pog·ra·phy [taipɑ́grəfi | -pɔ́g-] *n.* Ⓤ **1** 활판 인쇄술 **2** 인쇄의 체재(體裁)

ty·po·log·i·cal [tàipəlɑ́dʒikəl | -lɔ́dʒ-], **-log·ic** [-lɑ́dʒik | -lɔ́dʒik] *a.* **1** 예표론의; 유형학의 **2** 인쇄[활자]에 관한 **-i·cal·ly** *ad.*

ty·pol·o·gy [taipɑ́lədʒi | -pɔ́l-] *n.* Ⓤ **1** 〖신학〗 예표론(豫表論); (심리학·철학·생물학에서의) 유형학 **2** 표상, 상징(symbolism) **-gist** *n.*

ty·po·script [táipəskrìpt] *n.* = TYPESCRIPT

typp [típ] *n.* 〖섬유〗 팁 《실의 굵기의 단위》

tyranny *n.* **1** 전제 정치 despotism, autocracy, dictatorship, absolute power, authoritarianism **2** 포악, 횡포 absolutism, arbitrariness, oppression, bullying, harshness, strictness, severity, cruelty

typw. typewriter; typewriting; typewritten

typ·y, typ·ey [táipi] *a.* (**typ·i·er**; **-i·est**) 전형적인, 《특히》 〈가축 등이〉 체형이 뛰어난

Tyr [tíər, tjúər] *n.* 〖북유럽신화〗 티르 《전쟁과 승리의 신》

Tyr. Tyrone

ty·ra·mine [táirəmìːn] *n.* 〖생화학〗 티라민 《아드레날린과 비슷하게 교감 신경 흥분 작용을 함》

ty·ran·ni·cal [tirǽnikəl, tai-], **-nic** [-nik] *a.* 전제 군주적인; 압제적인, 무도한, 포학한(cruel)
-ni·cal·ly *ad.* **-ni·cal·ness** *n.*

ty·ran·ni·cide [tirǽnəsàid, tai-] *n.* **1** Ⓤ 폭군 살해 **2** 폭군 살해자 **ty·ràn·ni·cíd·al** *a.*

tyr·an·nize [tírənàiz] *vi.* 학정을 펴다, 압제하다 《*over*》 **—** *vt.* …에게 학정을 펴다, 압제하다

ty·ran·no·saur [tirǽnəsɔ̀ːr, tai-], **ty·ran·no·sau·rus** [tirǽnəsɔ́ːrəs, tai-] *n.* 〖고생물〗 티라노사우루스 《육식(肉食) 공룡 중 최대》

tyr·an·nous [tírənəs] *a.* = TYRANNICAL

‡**tyr·an·ny** [tírəni] *n.* (*pl.* **-nies**) **1** ⓊⒸ **전제 정치** (despotism), 학정 **2** Ⓤ **포학,** 횡포 **3** [종종 *pl.*] 포학[무도]한 행위 **4** Ⓤ (고대 그리스의) 참주(僭主) 정치; Ⓒ 참주 정치국 ▷ tyránnical *a.*; týrannize *v.*

ty·rant** [táiərənt] [Gk 「절대 군주」의 뜻에서] *n.* **1 폭군,** 전제 군주, 압제자 **2** 폭군 같은 사람 **3** (특히 고대 그리스·시실리아의) 참주 ***the Thirty T~s 30참주 《404 B.C.-403 B.C.에 Athens를 지배한 집정관들》

týrant flýcatcher[bìrd] 〖조류〗 타이런트새 《미국산(産) 딱새의 무리》

tyre [táiər] *n., vt.* (영) = TIRE²

Tyr(e) [táiər] *n.* 티레, 튀루스, 〖성서〗 두로 《고대 페니키아의 항구 도시》

Tyr·i·an [tíriən] *a., n.* Tyre의 (사람)

Týrian púrple[dýe] 티리언 퍼플 《고대의 자줏빛 또는 진홍색의 고귀한 염료》

ty·ro, ti·ro [táiərou] *n.* (*pl.* **~s**) 초심자, 초학자 (novice)

Ty·rol [tiróul, tai-, táiroul | tírəl, tiróul] *n.* **1** [the ~] 티롤 지방 《오스트리아 서부 및 이탈리아 북부의 산악 지대》 **2** 티롤 《오스트리아 서부의 주》

Ty·ro·le·an, Ty·ro·li·an [tiróuliən, tai- | ti-] *n., a.* = TYROLESE

Tyr·o·lese [tìrəlíːz, -líːs, tàir- | tìr-] *a.* 티롤(사람)의 **—** *n.* (*pl.* ~) 티롤 사람

Ty·rone [tairóun | ti-] *n.* 티론 《북아일랜드 서부의 주》

ty·ro·si·nase [táiərousinèis, -nèiz, tír-] *n.* 〖생화학〗 티로시나아제 《동식물의 조직에 있는 산화 효소》

ty·ro·sine [táiərəsìːn, -sin, tír-] *n.* 〖생화학〗 티로신

ty·ro·tox·i·con [tàiərətɑ́ksikɑ̀n | -tɔ́ksikɔ̀n] *n.* Ⓤ 〖생화학〗 타이로톡시콘 《부패한 우유·유제품 등에 생기는 프토마인 독소》

Tyr·rhe·ni [tiríːnai] *n. pl.* 에트루리아 족(Etruscans)

Tyr·rhe·ni·an, Tyr·rhene [tíriːn, ⌐⌐] *a., n.* = ETRUSCAN

tzar [zɑ́ːr, tsɑ́ːr] *n.* = CZAR

tza·ri·na [zɑːríːnə, tsɑː-] *n.* 제정 러시아의 황후 (czarina)

tzar·ism [zɑ́ːrizm, tsɑ́ːr-] *n.* = CZARISM

tzar·ist [zɑ́ːrist, tsɑ́ːr] *n., a.* = CZARIST

tza·rit·za [zɑːrítsə, tsɑː-] *n.* = CZARITZA

tzét·ze (flỳ) [tsétsi(-), tsíːt- | tsét-] = TSETSE (FLY)

Tzi·gane [tsigɑ́ːn] *n.* 헝가리계 집시
— *a.* 집시의: ~ music 집시 음악

tzim·mes [tsíməs] *n.* 〖요리〗 치메스 《야채·고기·말린 과일 등을 섞어 끓인 스튜》; (미·속어) 소동, 야단법석

tzi·tzith, tzi·tzis [tsítsis], **-tzit** [-tsit] *n. pl.* 〖유대교〗 = ZIZITH

U u

u, U[1] [júː] *n.* (*pl.* **u's, us, U's, Us** [-z]) **1** 유 《영어 알파벳의 제21자》 **2** U자꼴(의 물건): a *U*-tube U자 관(管) **3** 제21번째(의 것); (J를 포함시키지 않을 때의) 제20번째(의 것) **4** (학업 성적 등의) U 평점(unsatisfactory)

U[2] [*u*pper class] *a.* 《영·구어》 〈말씨 등이〉 상류 계급 특유의(opp. *non-U*)

U[3] *pron.* 《구어》 =YOU: I.O.U.(=I owe you.) 차용증

U[4] *n.* 《구어》 대학(university): Wash *U* (Saint Louis의) 워싱턴 대학

U[5] [uː] *n.* 우(Mr.) 《미얀마의 남자 이름 앞에 붙이는 경칭》

U Universal 《영》 〖영화〗 일반용; 〖화학〗 uranium; 〖생화학〗 uracil **u.** uncle; *und* 《G =and》; uniform; unit; upper **U.** Union(ist); University **UAAC** Un-American Activities Committee 비미(非美) 활동 (조사) 위원회 **UAE** United Arab Emirates **UAL** United Airlines 《미국의 항공 회사》 **UAM** underwater-to-air missile 수중 대공(水中對空) 미사일 **u. & l.c.** upper and lower case 〖인쇄〗 대문자와 소문자 **UAR, U.A.R.** United Arab Republic 통일 아랍 공화국 **U.A.T.P.** Universal Air Travel Plan 《항공권 신용 판매 제도》 **UAV** unmanned aerial vehicle 《무인 항공기》 **UAW, U.A.W.** United Automobile Workers 《미》 전국 자동차 노동조합

U Bahn [úː-bɑ̀ːn] [G =Underground Railway] 지하철

U·ban·gi [juːbǽŋgi, uːbɑ́ːŋ-] *n.* [the ~] 우방기강 《중앙 아프리카의 강》

U·ban·gi-Sha·ri [-ʃɑ́ːri] *n.* 우방기샤리 《중앙 아프리카 공화국의 옛이름》

U-bend [júːbènd] *n.* (특히 배수용) U자형 관

uber-, über- [úːbər] [G] 《연결형》 「극도, 과도; 이상; 초월」의 뜻: *uber*cool 매우 멋진, *uber*babe 아주 매력적인 아가씨

Ü·ber·mensch [júːbərmènʃ] [G] *n.* (*pl.* ***-men·schen*** [-mènʃən]) (Nietzsche 철학의) 초인(superman)

UB 40 unemployment benefit 40 《영》 실업 수당 수령자 증명서

u·bi·e·ty [juːbáiəti] *n.* Ⓤ 《고어》 일정한 곳에 있음; 소재, 존재, 위치(position)

u·bi·qui·none [jùːbikwinóun] *n.* 〖생화학〗 유비퀴논

U·biq·ui·tar·i·an [juːbìkwətέəriən] 〖신학〗 *a.* 그리스도 편재론(遍在論)의 **—** *n.* 그리스도 편재론자 **~·ism** *n.* Ⓤ 〖신학〗 그리스도 편재론

u·biq·ui·tar·y [juːbíkwətèri | -təri] *a.* =UBIQUITOUS

u·biq·ui·tous [juːbíkwətəs] *a.* 《문어》 **1** (동시에) 어디에나 있는, 편재하는(omnipresent) **2** 《익살》 〈사람이〉 어디에나 모습을 나타내는 **3** 〖통신·컴퓨터〗 유비쿼터스 《사용자가 시간·장소에 구애받지 않고 자유롭게 네트워크에 접속할 수 있는 정보통신 환경》 **~·ly** *ad.* **~·ness** *n.*

u·biq·ui·ty [juːbíkwəti] [L 「도처」의 뜻에서] *n.* Ⓤ 《문어》 도처에 있음, 편재(遍在); [**U~**] 〖신학〗 《특히》 그리스도의 편재(성): the ~ of the king 〖영국법〗 국왕의 편재 《국왕은 재판관을 대리로 하여 어떤 재판소에나 존재한다는 뜻》

u·bi su·pra [júːbai-súːprə, -bi-] [L] *ad.* 상기 장소에 《略 u.s.》

U-boat [júːbòut] [G *U-boot* =undersea boat] *n.* U보트 《제1·2차 세계 대전에 사용된 독일의 잠수함》

Ú bòlt 〖기계〗 U(자꼴) 볼트

U-bomb [-bɑ̀m | -bɔ̀m] *n.* 우라늄 폭탄

ubun·tu [ubúntu] *n.* Ⓤ 《남아공》 공동체 윤리 사상

uc, u.c. 〖인쇄〗 upper case(cf. L.C.) **U.C.** under charge; University College **UCAS** Universities and Colleges Admissions Service 《영》 대학 입학 지원 기관 **U.C.C., UCC** Universal Copyright Convention; 〖컴퓨터〗 User Created Content **U.C.C.A.** [ʌ́kə] 《영》 Universities Central Council on Admissions **UCLA, U.C.L.A.** University of California at Los Angeles **U.D.A., UDA** Ulster Defence Association

UDAG [júːdæg] [*U*rban *D*evelopment *A*ction *G*rant] *n.* 《미》 (연방 정부의) 도시 재개발 지원 계획

u·dal [júːdl] *n.* 〖법〗 자유 보유지 **—** *a.* (토지의) 자유 보유권의

U.D.C. Union of Democratic Control; 〖도서관〗 Universal Decimal Classification; 《영》 Urban District Council (예전의) 준(準)자치 도시 위원회

ud·der [ʌ́dər] *n.* (소·양·염소 등의) 젖통 **~·less** *a.*

UDI, U.D.I. unilateral declaration of independence 일방적 독립 선언

u·dom·e·ter [juːdɑ́mətər | -dɔ́m-] *n.* 우량계(rain gauge) **ù·do·mét·ric** *a.* **-try** *n.*

UDR Ulster Defence Regiment **UDT** underwater demolition team 〖군사〗 수중 폭파반 **U.D.T.** United Dominions Trust **UDTV** ultra definition television 초고선명(超高鮮明) 텔레비전

UEFA [juːéifə] [*U*nion of *E*uropean *F*ootball *A*ssociation] *n.* 유럽 축구 연맹

U-ey [júːi] *n.* 《특히 호주·구어》 자동차의 180도 회전 《반대 방향으로 돌리기 위한》

U.F.C. United Free Church (of Scotland)

UFO, ufo [júːèfóu, júːfou] [*u*nidentified *f*lying *o*bject] *n.* (*pl.* **~s, ~'s**) 미확인 비행 물체; 《특히》 비행접시(flying saucer)

u·fol·o·gy [juːfɑ́lədʒi | -fɔ́l-] *n.* Ⓤ UFO학, 미확인 비행 물체학[연구] **u·fo·log·i·cal** [jùːfəlɑ́dʒikəl | -lɔ́dʒ-] *a.* **-gist** *n.*

UFT 《미》 United Federation of Teachers

u·ga·li [uːgɑ́ːliː] *n.* 우갈리 《아프리카 옥수수 가루죽》

U·gan·da [juːgǽndə, uːgɑ́ːndɑː] *n.* 우간다 《아프리카 동부의 공화국; 수도 Kampala》 **-dan** *a., n.*

U.G.C. University Grants Committee 《영》 대학 보조 위원회

UGC 〖컴퓨터〗 《미》 User Generated Content

Úgg bòot 어그 부츠 《양가죽으로 만든 부츠; 상표명》

ugh [úx, ʌ́x, ʌ́, ú, ʌ́g] *int.* 어, 악 《혐오·경멸·공포 등을 나타내는 소리》

ug·li [ʌ́gli] *n.* 《영》 〖식물〗 =TANGELO

ug·li·fy [ʌ́glifài] *vt.* (**-fied**) 〈외관을〉 추하게 하다, 보기 흉하게 하다 **ùg·li·fi·cá·tion** *n.*

‡ug·ly [ʌ́gli] [ON 「무서운」의 뜻에서] *a.* (**-li·er**; **-li·est**) **1** 추한, 못생긴: an ~ face 못생긴 얼굴 **2** 추악한, 비열한; 싫은, 불쾌한: ~ smells 불쾌한 냄새/an ~ task 싫은 일 **3** 위험한, 악질의; 성품이 나쁜, 다루기 난처한: The dog turned ~. 개가 성미가 사나워졌다. **4** 《구어》 심술궂은; 호전적인, 적의 있는; 성을

thesaurus **ugly** *a.* **1** 추한, 못생긴 hideous, plain, unattractive, unlovely, homely, unsightly **2** 불쾌

잘 내는: an ~ tongue 독설(毒舌) / ask an ~ question 적의 있는 질문을 하다 **5** 〈날씨 등이〉 험악한, 사나운: an ~ sea 사나운 바다
— *n.* **1** 보기 흉한 것, 못생긴 사람 **2** 《영》 여성 모자의 차양 《19세기에 유행》 **úg·li·ly** *ad.* **úg·li·ness** *n.* ▷ úglify *v.*
úgly Américan [종종 **U- A-**] [미국의 저술가 Eugene Burdick과 William J. Lederer 공저인 *The Ugly American*에서] 추악한 미국인 《현지인이나 그 문화를 무시하는 거만한 재외(在外) 미국인》
úgly cústomer 《구어》 다루기 난처한 사람, 귀찮은 사람, 위험 인물
úgly dúckling [Andersen의 동화에서] 미운 오리 새끼 《집안 식구들에게 바보[못생긴 아이] 취급 받다가 훗날 훌륭하게[아름답게] 되는 아이》
U·gri·an [jú:griən] *n.* **1** 우그리아 족(族)(의 사람) 《Finno-Ugrian 족의 분파》 **2** = UGRIC
— *a.* 우그리아 족의; 우그리아 말의(Ugric)
U·gric [jú:grik] *a.* **1** 우그리아 말[어파]의 **2** 우그리아 족의(Ugrian) — *n.* Ⓤ 우그리아 말[어파] 《Finno-Ugric 어족의 일파》
ug·some [ʌ́gsəm] *a.* 《스코》 무서운
ugt., UGT urgent
uh [ʌ́, ʌ́ŋ] *int.* **1** 흥 《경멸·불신의 표시》 **2** 어… 《말을 하다가 뒷말이 생각나지 않을 때 내는 소리》
U.H. upper half **UHF, uhf** ultrahigh frequency 〖통신〗 극초단파(cf. VHF)
uh-huh [ʌhʌ́] *int.* **1** 응, 오냐 《동의·만족 등을 나타내는 소리》 **2** = UH-UH
uh·lan [ú:lɑ:n, jú:lən] *n.* 창기병(槍騎兵) 《제1차 세계 대전 전의 독일 및 오스트리아의》
uh-oh [ʌ́òu] *int.* 어머, 이런, 저런, 아니 《놀라움·의심·반성 따위를 나타내는 소리》
UHT ultra heat treated; ultra high temperature 초고온 처리된 《우유의 장기 보존용》
uh-uh [ʌ́ʌ́, ㅅㅅ, ㅅㅅ] *int.* 아니(no) 《부정·불찬성을 나타내는 소리》
u·hu·ru [u:hú:ru:] [Swahili] *n.* 민족 독립, 자유 《아프리카 민족주의자의 구호》
UI unemployment insurance **UICC** *Union internationale contre le cancer* (F = International Union against Cancer)
Ui·ghur, Ui·gur [wí:guər] *n.* **1** 위구르 족 《터키계의 부족》 **2** 위구르 사람; Ⓤ 위구르 말; 위구르 문자
— *a.* 위구르 족[말]의
u·in·ta(h)·ite [ju:íntəàit] *n.* 유인타석(石) 《미국 Utah주 산(産)의 천연 아스팔트; 안료·니스의 재료》
UIS Unemployment Insurance Service
Uit·land·er [áitlæ̀ndər, ɔ́it-, éit- | éit-] [Afr. = outlander] *n.* [때로 **u~**] 《남아공》 외국인
u·ja·ma·a [ù:dʒɑ:mɑ́:ɑ:] *n.* 우자마, 가족 사회주의 《탄자니아에서의 사회주의의 한 형태》
ujamáa vìllage [때로 **U- v-**] (탄자니아의) 우자마 마을 《가족 사회주의의 공동체 조직의 마을》
U.K., UK United Kingdom **U.K.A.** United Kingdom Alliance **U.K.A.E.A.** United Kingdom Atomic Energy Authority
u·kase [ju:kéis, -kéiz, ㅅ-] *n.* **1** (제정 러시아의) 칙령(勅令) 《법률과 똑같은 효력을 가졌음》 **2** (독재적인) 법령, 포고: be forbidden by ~ 법령으로 금지되어 있다
uke[1] [jú:k] *n.* 《구어》 = UKULELE
uke[2] *vi.* 《미·학생속어》 게우다 — *n.* 구역질
Ukr. Ukraine
U·kraine [ju:kréin, -kráin | -kréin] *n.* [원래 the ~] 우크라이나 《러시아 남서부의 공화국; 독립 국가 연합 가맹국; 수도 Kiev》
U·krai·ni·an [ju:kréiniən, ju:-kráin- | ju:kréin-] *a.* 우크라이나 (사람[말])의 — *n.* **1** 우크라이나 사람 **2** Ⓤ 우크라이나 말
u·ku·le·le, u·ke- [jù:kəléili] [Haw.] *n.* 우쿨렐레 《하와이 원주민의 기타와 비슷한 4현 악기》

UL, U.L. Underwriters' Laboratories 보험업자 연구소
u·la·ma [ù:ləmɑ́:] *n.* (*pl.* **~, ~s**) 울라마 《이슬람교의 법·신학의 지도자》
u·lan [ú:lɑ:n, jú:lən] *n.* = UHLAN
U·lan Ba·tor [ú:lɑ:n-bɑ́:tɔ:r] 울란바토르 《몽골의 수도》
-ular [-julər] *suf.* 「(작은) …의; …비슷한」의 뜻: cell*ular*, tub*ular*
ULCC [jù:èlsì:sí:] [*u*ltra *l*arge *c*rude *c*arrier] *n.* (40만톤 이상의) 초대형 유조선
ul·cer [ʌ́lsər] *n.* **1** 〖병리〗 궤양(潰瘍): a gastric ~ 위궤양 **2** = PEPTIC ULCER **3** 병폐, 폐해, (도덕적) 부패
ul·cer·ate [ʌ́lsərèit] *vt., vi.* 궤양이 생기게 하다[생기다], 궤양화하다
ul·cer·a·tion [ʌ̀lsəréiʃən] *n.* Ⓤ 궤양 (형성), 궤양화
ul·cer·a·tive [ʌ́lsərèitiv, -rət- | -rət-, -rèit-] *a.* 궤양(성)의, 궤양 형성의: ~ colitis 궤양성 대장염
ul·cer·o·gen·ic [ʌ̀lsəroudʒénik] *a.* 궤양 유발의
ul·cer·ous [ʌ́lsərəs] *a.* **1** 궤양의, 궤양성의; 궤양을 일으키는; 궤양에 걸린 **2** 부패한
~·ly *ad.* **~·ness** *n.*
-ule [ju:l] *suf.* 「작은 것」의 뜻: glob*ule*, gran*ule*
u·le·ma [ú:ləmɑ̀:] *n.* = ULAMA
-ulent [julənt] *suf.* 「…이 풍부한」의 뜻: fraud*ulent*, turb*ulent*
u·lig·i·nous [ju:lídʒənəs], **-i·nose** [-nòus] *a.* 〖식물〗 늪지[습지]에서 자라는
ul·lage [ʌ́lidʒ] *n.* **1** Ⓤ 〖상업〗 부족량, 누손량 《통·병 속의 액체의 증발·누출(漏出) 등으로 생긴》; 컵에 남은 술 **2** 《속어》 찌꺼기, 하찮은 자들 ***on*** ~ 가득 채우지 않고 《통 등에》 **úl·laged** *a.*
úllage ròcket 〖항공〗 얼리지 로켓 《주(主)엔진 점화 전에 탱크 후부에 추진약을 흘려 보내기 위해 가속을 붙여 주는 소형 로켓》
ul·mic [ʌ́lmik] *a.* 〖화학〗 울민의
ul·min [ʌ́lmin] *n.* Ⓤ 〖화학〗 울민 《느릅나무나 그 부식토 속에 있는 갈색의 무정형 물질》
ULMS underwater long-range missile system 수중 발사 장거리 미사일 시스템
ul·na [ʌ́lnə] *n.* (*pl.* **-nae** [-ni:], **~s**) 〖해부〗 척골(尺骨) **úl·nar** *a.*
-ulose [julòus, -lòuz] *suf.* 「…의 특징을 갖는」의 뜻
u·lot·ri·chous [ju:lɑ́trikəs | -lɔ́t-] *a.* 양털 같은 털이 있는, 축모(縮毛)(인종)의
-ulous [juləs] *suf.* 「…의 경향이 있는; 다소 …한」의 뜻: cred*ulous*, trem*ulous*
ULP ultra light plane 초경량 비행기
ul·pan [ú:lpɑ:n, ㅡㅅ] *n.* (특히 이스라엘 이주자를 대상으로 한) 히브리 어 학습을 위한 시설[학교]
ULSI ultra large-scale integration 〖전자〗 초대규모 집적 회로
Ul·ster [ʌ́lstər] *n.* **1** 얼스터 《옛 아일랜드 지방; 지금은 아일랜드와 북아일랜드로 나뉘어 있음》 **2** 《구어》 북아일랜드 **3** [**u~**] 얼스터 외투 《원래 허리띠가 달린 두껍고 헐렁한 더블 오버코트》
~·ite [-ràit], **~·man** *n.* 얼스터 사람
Úlster Defénce Associàtion [the ~] 얼스터 방위 협회 《북아일랜드의 프로테스탄트 무장 세력; 略 UDA》
ult. ultimate(ly); ultimo
ul·te·ri·or [ʌltíəriər] [L 「보다 먼」의 뜻에서] *a.* Ⓐ **1** 마음 속의 〈의향 등〉, 이면의, 입 밖에 내지 않는: for the sake of ~ ends 생각하는 바가 있어 / He has an ~ object in view. 그는 어떤 딴 속셈이 있

한 horrible, terrible, disagreeable, unpleasant, nasty, disgusting, revolting, sickening

다. **2** 뒤의, 앞날의, 장래의: ~ action 이후의 행동 **3** 저쪽의, 저편의 **~·ly** *ad.*

ultérior mótive 속셈, 숨은 동기

ul·ti·ma [ʌ́ltəmə] [L] *n.* 〖음성·운율〗 마지막 음절, 미(尾)음절(cf. PENULT, ANTEPENULT)

ul·ti·ma·cy [ʌ́ltəməsi] *n.* **1** 최후의 상태, 극한 상태 **2** 근본 (원리)

ul·ti·ma ra·tio [últəmə-réiʃiòu] [L] 최후의 논의[수단], 무력

ultima ratio re·gum [-rí:gəm] [L] 왕(王)의 최후 논의[수단]; (최후 수단으로서) 무력행사, 전쟁

ul·ti·ma·ta [ʌ̀ltəméitə] *n.* ULTIMATUM의 복수

‡**ul·ti·mate** [ʌ́ltəmət] [L 「마지막에 있는」의 뜻에서] *a.* Ⓐ **1** 최후의, 최종의, 궁극의 〈목적 등〉 (⇨ last[1] 유의어): the ~ end of life 인생의 궁극적 목적 **2** 최대의, 결정적인; 최고의, 제1차적인: ~ goals in life 인생의 1차적 목표 **3** 근본적인, 근원적인: ~ principles 근본 원리 **4** (공간적·시간적으로) 가장 먼
— *n.* [the ~] 궁극의 것, 최후점, 결론, 최후의 수단, 최종 단계[결과, 목적] ***in the ~*** = ULTIMATELY
~·ness *n.* Ⓤ 최후, 종국; 근본적임
▷ ultimátum *n.*

últimate análysis 〖화학〗 원소 분석

últimate constítuent 〖문법〗 종극(終極) 구성 요소 《그 이상 세분되지 않는 부분》

últimate detérrent [the ~] 궁극적 억제력 《수소 폭탄》

últimate fíghting 〖스포츠〗 = EXTREME FIGHTING

últimate lóad 〖항공〗 극한[종극(終極)] 하중(荷重)

∗**ul·ti·mate·ly** [ʌ́ltəmətli] *ad.* **1** 최후로, 마침내, 결국(finally) **2** [문장 전체를 수식하여] 궁극적으로

últimate párticle 〖물리〗 소립자(素粒子)

últimate stréngth 〖공학〗 극한 강도(强度)

ul·ti·ma Thu·le [ʌ́ltəmə-θú:li | -θjú:-] [L = remotest Thule; 고대의 항해가가 브리튼섬의 북쪽에 있다고 상상한 섬의 이름에서] [the ~] **1 a** 극한, 극점 **b** 아득한 목표[이상] **2** 세계의 끝 **3** 최북단

ul·ti·ma·tism [ʌ́ltəmətìzm] *n.* 비타협적 태도, 강경 자세, 과격주의 **ùl·ti·ma·tís·tic** *a.*

∗**ul·ti·ma·tum** [ʌ̀ltəméitəm, -má:- | -méi-] [L 「최종의 것」의 뜻에서] *n.* (*pl.* **~s, -ta** [-tə]) 최후의 말[제언, 조건], 《특히》 최후통첩; 종국의 결론; 근본 원리 ▷ últimate *a.*

ul·ti·mo [ʌ́ltəmòu] [L = in the last (month)] *a.* [날짜 뒤에 써서] 지난 달의 《略 ult.; cf. PROXIMO, INSTANT》: on the 11th ~ 지난 달 11일에

ul·ti·mo·gen·i·ture [ʌ̀ltəmoudʒénətʃər, -tʃùər | -tʃə] *n.* 〖법〗 말자(末子) 상속(제[권])(opp. *primogeniture*) **ùl·ti·mo·gén·i·tàr·y** *a.*

ul·ti·sol [ʌ́ltəsɔ̀:l, -sɑ̀l | -sɔ̀l] *n.* 〖지질〗 얼티솔 《고온 다습 지대의 풍화된 적황색 토양》

ul·tra [ʌ́ltrə] *a.* 〈주의·사상 등이〉 극단적인, 과격한, 과도한: ~ conservatism 극단적 보수주의
— *n.* [종종 the ~s] 극단론자, 과격론자, 급진적인 사람; (유행 등의) 최첨단을 걷는 사람

ultra- [ʌ́ltrə] *pref.* **1** 「극단적으로; 극도로」의 뜻: *ultra*ambitious 야심만만한 / *ultra*cautious 극도로 신중한 **2** 「초(超)…; 한외(限外)…; 과(過)…」의 뜻: *ultra*violet, *ultra*microscope

ul·tra·ba·sic [ʌ̀ltrəbéisik] *a.* 〈암석이〉 초염기성의

ul·tra·cen·tri·fuge [ʌ̀ltrəséntrəfjù:dʒ] 〖물리·화학〗 *n.* 초(超)원심 분리기
— *vt.* 초원심 분리기에 걸다[걸어서 분리하다]

ul·tra·chip [ʌ́ltrətʃìp] *n.* 〖전자〗 울트라칩 《ULSI를 담은 실리콘 칩》

ul·tra·clean [ʌ̀ltrəklí:n] *a.* 초청정(超清淨)의, 《특히》 완전 무균의

ul·tra·cold [ʌ̀ltrəkóuld] *a.* 〖물리〗 초(超)저온의

ul·tra·con·serv·a·tive [ʌ̀ltrəkənsə́:rvətiv] *a.* 극단적으로 보수적인, 초보수적인 《특히 정치적으로》
— *n.* 초보수적인 사람[집단] **-tism** *n.*

ul·tra·crit·i·cal [ʌ̀ltrəkrítikəl] *a.* 혹평의, 혹평하는 **~·ly** *ad.*

ul·tra·di·an [ʌltréidiən] *a.* 〖생리〗 (생체 리듬(biorhythm)이) 24시간 이하의 주기를 갖는

ul·tra·dis·tance [ʌ̀ltrədístəns] *a.* 〖육상〗 (30마일을 넘는) 초장거리 경주의

ul·tra·el·e·mén·ta·ry párticle [ʌ̀ltrəeləméntəri-] 〖물리〗 초소립자 《소립자를 구성하는 입자; quark 등》

ul·tra·fash·ion·a·ble [ʌ̀ltrəfǽʃənəbl] *a.* 극단으로 유행을 쫓는, 초첨단적인

ul·tra·fast [ʌ̀ltrəfǽst | -fɑ́:st] *a.* 초고속의

Ul·tra·fax [ʌ́ltrəfæ̀ks] *n.* (*pl.* **~·es**) 울트라팩스 《고속도 모사(模寫) 전송 방식; 상표명》

ul·tra·fiche [ʌ́ltrəfì:ʃ] *n.* 초마이크로피시 《원본을 1/90 이하로 축소한 microfiche》

ul·tra·fil·ter [ʌ̀ltrəfíltər] *n.* 〖물리·화학〗 한외 여과기(限外濾過器) 《콜로이드 용액 여과용》; 〖수학〗 극대 필터 — *vt.* 〖물리·화학〗 한외 여과기로 여과하다
ùl·tra·fil·trá·tion *n.*

ul·tra·fine párticles [ʌ̀ltrəfáin-] 〖물리〗 초미립자 《지름 10-2,000Å의 입자》

ul·tra·high [ʌ̀ltrəhái] *a.* 극히 높은, 초고(超高)…, 최고(도)의

últrahigh fréquency 〖통신〗 극초단파 《300-3000 메가헤르츠; 略 UHF, uhf》

ul·tra·ism [ʌ́ltrəìzm] *n.* Ⓤ 극단론, 과격론, 급진[과격] 주의(extremism); 과격한 의견[행위]
-ist *n.*, *a.* 극단[과격]론자(의) **ùl·tra·ís·tic** *a.*

ul·tra·left [ʌ̀ltrəléft] *a.* 극좌(파)의; [the ~; 집합적; 명사적] 극좌, 극좌파[진영] **~·ism** *n.* **~·ist** *n.*, *a.*

ul·tra·lib·er·al [ʌ̀ltrəlíbərəl] *a.*, *n.* 급진적 자유주의의 (사람) **~·ism** *n.*

ul·tra·light [ʌ̀ltrəláit] *a.* 초경량의: an ~ engine 초경량 엔진 — *n.* [⏑–⏑] 초경량 물건; 초경량 비행기 《1인승 스포츠용 비행기》(= **~ pláne**)

ul·tra·mar·a·thon [ʌ̀ltrəmǽrəθɑ̀n] *n.* 울트라 마라톤 《정규 마라톤 거리(42.195km)를 크게 상회하는 초장거리 경주》

ul·tra·ma·rine [ʌ̀ltrəmərí:n] *n.* Ⓤ 울트라마린, 군청 《청색 안료》 — *a.* **1** 군청색의 **2** 바다 건너(편)의, 해외의

ul·tra·mi·cro [ʌ̀ltrəmáikrou] *a.* 마이크로보다 작은, 초마이크로의

ul·tra·mi·cro·bal·ance [ʌ̀ltrəmáikroubæ̀ləns] *n.* 〖화학〗 초미량 천칭(天秤)

ul·tra·mi·cro·chem·is·try [ʌ̀ltrəmàikroukéməstri] *n.* 초미량 화학

ul·tra·mi·cro·com·pu·ter [ʌ̀ltrəmàikroukəmpjú:tər] *n.* 극초소형 컴퓨터

ul·tra·mi·cro·fiche [ʌ̀ltrəmáikroufì:ʃ] *n.* = ULTRAFICHE

ul·tra·mi·crom·e·ter [ʌ̀ltrəmaikrɑ́mətər | -krɔ́m-] *n.* 초측미계(超測微計)

ul·tra·mi·cro·scope [ʌ̀ltrəmáikrəskòup] *n.* 초[한외(限外)] 현미경

ul·tra·mi·cro·scop·ic, -i·cal [ʌ̀ltrəmàikrəskɑ́pik(əl) | -skɔ́p-] *a.* 한외[암시야] 현미경의; 극히 미소한 **-i·cal·ly** *ad.*

ul·tra·mi·cros·co·py [ʌ̀ltrəmaikrɑ́skəpi | -krɔ́s-] *n.* Ⓤ 초[한외]현미경법

ul·tra·mi·cro·tome [ʌ̀ltrəmáikrətòum] *n.* 초마이크로톰 《전자 현미경용 초박절편을 만드는 절단기》

ul·tra·mil·i·tant [ʌ̀ltrəmílətənt] *a.*, *n.* 극단적으로 호전적인 (사람)

ul·tra·min·i·a·ture [ʌ̀ltrəmíniətʃùər | -tʃə] *a.* 초소형의(subminiature)

thesaurus **ultimate** *a.* **1** 최후의 last, final, eventual, conclusive, terminal **2** 최고의 maximum, supreme, greatest, highest, unrivaled **3** 근

ul·tra·min·i·a·tur·ize [ʌ̀ltrəmíniətʃəràiz] *vt.* 초소형화하다

ul·tra·mod·ern [ʌ̀ltrəmɑ́dərn | -mɔ́d-] *a.* 초현대적인 **~·ism** *n.* **~·ist** *n.*

ul·tra·mon·tane [ʌ̀ltrəmɑntéin, -mɑ́ntein | -mɔntéin, -mɔ́ntein] [L 「산을 넘은」의 뜻에서; 원래는 「알프스의 북쪽의」의 뜻이었음] *a.* **1** 산너머의; 알프스 산맥 남쪽의, 이탈리아의 **2** [때로 **U~**] 교황 지상권론의 **—** *n.* **1** 알프스 산맥 남쪽의 사람 **2** [때로 **U~**] 교황 지상권론자

ul·tra·mon·ta·nism [ʌ̀ltrəmɑ́ntənìzm | -mɔ́n-] *n.* Ⓤ [때로 **U~**] 교황 지상권론 **-nist** *n.*

ul·tra·mun·dane [ʌ̀ltrəmʌndéin, -mʌ́ndein] *a.* **1** 이 세계 밖의; 태양계 밖의 **2** 저승의

ul·tra·na·tion·al [ʌ̀ltrənǽʃənl] *a.* 초국가주의적인 **~·ism** *n.* Ⓤ 초국가주의 **~·ist** *n.* 초국가주의자

ul·tra·or·tho·dox [ʌ̀ltrəɔ́:rθədɑ̀ks | -dɔks] *a.* 〖유대교〗 초(超)정통파의

ul·tra·pure [ʌ̀ltrəpjúər] *a.* 극히 순수한, 초고순도의 **~·ly** *ad.* **-pú·ri·ty** *n.*

ul·tra·red [ʌ̀ltrəréd] *a.*, *n.* 〖물리〗 = INFRARED

ul·tra·right [ʌ̀ltrəráit] *a.* 극우(極右)의, 초보수주의자의; [the ~; 집합적; 명사적] 극우파, 초보수주의자들

ul·tra·right·ist [ʌ̀ltrəráitist] *a.* = ULTRARIGHT **—** *n.* 극우[초보수] 주의자

ul·tra·se·cret [ʌ̀ltrəsí:krit] *a.* 극비의 **~·ly** *ad.*

ul·tra·short [ʌ̀ltrəʃɔ́:rt] *a.* **1** 극단으로 짧은 **2** 〖물리〗 초단파의: an ~ wave 초단파 《파장 10미터 이하의》

ul·tra·son·ic [ʌ̀ltrəsɑ́nik | -sɔ́n-] *a.* 〖물리〗 초음파의: ~ waves 초음파 / ~ vibrations 초음파 진동

ultrasónic cléaning 초음파 세척

ul·tra·son·ics [ʌ̀ltrəsɑ́niks | -sɔ́n-] *n. pl.* [단수 취급] 초음속학; 초음파학(supersonics)

ul·tra·son·o·gram [ʌ̀ltrəsɑ́nəgræ̀m | -sɔ́n-] *n.* 〖의학〗 초음파 검사도(檢査圖)

ul·tra·son·o·graph [ʌ̀ltrəsɑ́nəgræ̀f | -sɔ́nəgrɑ̀:f] *n.* 〖의학〗 초음파 검사 장치

ul·tra·so·nog·ra·phy [ʌ̀ltrəsənɑ́grəfi | -nɔ́g-] *n.* Ⓤ 〖의학〗 초음파 검사(법)

-so·no·graph·ic [-sòunəgrǽfik] *a.*

ul·tra·so·nol·o·gist [ʌ̀ltrəsənɑ́lədʒist | -nɔ́l-] *n.* 〖의학〗 초음파 검사 기사(技師)

ul·tra·so·phis·ti·cat·ed [ʌ̀ltrəsəfístəkèitid] *a.* 〈기계 등이〉 극히 정밀한, 초정교한 **~·ly** *ad.*

ul·tra·sound [ʌ́ltrəsàund] *n.* Ⓤ 〖물리〗 초음파; 〖의학〗 초음파를 이용해 치료[진료]하는 일

últrasound cardiógraphy 〖의학〗 초음파 심장 검사(법)

últrasound ìmaging 〖의학〗 초음파 화상 진단

últrasound scànner 〖의학〗 초음파 스캐너

ul·tra·struc·ture [ʌ́ltrəstrʌ̀ktʃər] *n.* 〖생물〗 (원형질의) 초미세 구조 **ùl·tra·strúc·tur·al** *a.*

ul·tra·swoop·y [ʌ̀ltrəswú:pi] *a.* 《미·속어》 아주 매력적인 스타일의, 스타일이 뛰어난

ul·tra·thin [ʌ̀ltrəθín] *a.* 아주 얇은, 극박(極薄)의

ul·tra·trop·i·cal [ʌ̀ltrətrɑ́pikəl | -trɔ́p-] *a.* **1** 열대권 외의 **2** 열대보다 더 더운

ul·tra·vi·o·let [ʌ̀ltrəváiəlit] *a.* **1** 〖물리〗 자외(선)의: ~ rays 자외선 **2** Ⓐ 자외선을 사용한: an ~ lamp 자외선 램프 **—** *n.* 자외선 《略 UV》

ultravíolet astrónomy 자외선 천문학

ultravíolet fílter 〖사진〗 자외선 흡수 필터

ultravíolet líght 〖광학〗 자외선, 자외방사

ultravíolet míсroscope 자외선 현미경

ul·tra vi·res [ʌ́ltrə-váiəri:z] [L = beyond power] *ad.*, *a.* 〖법〗 (개인·법인의) 월권으로[의], 권한을 넘어서[넘은]

본적인 basic, fundamental, primary, elemental
ultimately *ad.* in the end, in the long run, eventually, finally, basically, fundamentally

ul·tra·vi·rus [ʌ̀ltrəváiərəs] *n.* 〖세균〗 초여과성 병원체

ul·u·lant [ʌ́ljulənt, jú:l- | jú:l-] *a.* 짖는; 부엉부엉 우는; 슬피 우는, 울부짖는

ul·u·late [ʌ́ljulèit, jú:l- | jú:l-] *vi.* **1** 짖다 《늑대처럼》; 부엉부엉 울다 《올빼미처럼》 **2** 슬피 울다

ùl·u·lá·tion *n.* 짖는 소리; 포효

ul·va [ʌ́lvə] *n.* 파래속(屬)의 바닷말

U·lys·ses [ju:lísi:z | ju:lísi:z, ⌐⌐⌐] *n.* 〖그리스신화〗 율리시스 (Ithaca의 왕; Homer의 *Odyssey*의 주인공; Odysseus의 라틴명)

um [ʌ́m, ʌ́ŋ, əm, əŋ] *int.* 음, 저, 아니 《주저·의문 등을 나타냄》

uma·mi [u:mɑ́:mi] [Jap.] *n.* Ⓤ 감칠맛 《단맛·짠맛·신맛·쓴맛과 다른 제 5의 맛》

um·bel [ʌ́mbəl] *n.* 〖식물〗 산형(繖形) 꽃차례, 산형화서(繖形花序); 산형화(繖形花)

um·bel·late [ʌ́mbələt, -lèit], **um·bel·lar** [ʌ́mbələr] *a.* 〖식물〗 산형 꽃차례의; 산형화의

um·bel·lif·er·ous [ʌ̀mbəlífərəs] *a.* 〖식물〗 **1** 산형화가 피는 **2** 산형과의

um·bel·lule [ʌ́mbəljù:l, ʌmbélju:l] *n.* 〖식물〗 작은 산형화 **um·bél·lu·late** *a.*

um·ber [ʌ́mbər] [L 「그늘」의 뜻에서] *n.* Ⓤ **1** 엄버 《천연의 광물성 갈색 안료; 태우면 밤색이 됨》 **2** 암갈색, 적갈색, 밤색 ***burnt ~*** 태운 엄버; 밤색 ***raw ~*** 생 엄버; 암갈색
— *a.* 엄버색의, 암갈[적갈]색의, 밤색의
— *vt.* 엄버로 칠하다

um·bil·i·cal [ʌmbílikəl | ʌmbíli-, ʌ̀mbiláі-] *a.* **1** 배꼽의; 배꼽 모양의: ~ surgery 배꼽 수술 **2** (탯줄로 이어진 것처럼) 밀접한 관계의[에 있는] **3** 배꼽 가까이의; 배꼽의 위치에 있는, 배의 중앙의 **4** 모계(母系)의 **—** *n.* = UMBILICAL CORD 2 **~·ly** *ad.*

umbílical còrd **1** 〖해부〗 탯줄 **2** 〖우주과학〗 공급선(線) 《(1) 발사 전에 우주선에 전기·냉각수를 공급 (2) 생명줄 《우주선 밖의 비행사에 대한 공기 보급·통신용》》; (잠수부의) 생명줄

umbílical hérnia 〖병리〗 배꼽 헤르니아

um·bil·i·cate [ʌmbílikət, -ləkèit] *a.* **1** 배꼽 모양의; 가운데가 오목 들어간 **2** 배꼽이 있는

um·bil·i·cus [ʌmbílikəs, ʌ̀mbəlái-] [L 「방패의 돌기물」의 뜻에서] *n.* (*pl.* **~·es, -ci** [-kài, -sài]) **1** 〖해부〗 배꼽 **2** 〖동물〗 (소라의) 제공(臍孔) **3** 〖식물〗 (잠두의) 종제(種臍) **4** 〖수학〗 제점(臍點) **5** (문제의) 핵심 **6** 《고어》 권축(卷軸)의 장식

um·bil·i·form [ʌmbíləfɔ̀:rm] *a.* 배꼽 모양을 한

úm·ble píe [ʌ́mbl-] 《고어》 = HUMBLE PIE

um·bles [ʌ́mblz] *n. pl.* (사슴·돼지 등의) 내장 《식용》

um·bo [ʌ́mbou] *n.* (*pl.* **~s, ~·nes** [ʌmbóuni:z]) **1** 방패 중앙의 돌기 **2** (일반적) 돌기물(突起物) **3** 〖동물〗 (쌍각류의) 각정(殼頂) **4** 〖해부〗 제와(臍窩) **5** 〖식물〗 균산(菌傘)의 중심 돌기 **~·nal** [-nl] *a.*

um·bo·nate [ʌ́mbənət, -nèit] *a.* 〈방패에〉 장식 돌기가 있는; 각정(殼頂)이 있는; 돌기물이 있는

um·bra [ʌ́mbrə] [L 「그늘」의 뜻에서] *n.* (*pl.* **-brae** [-bri:]) **1** 그림자 **2** 초대객을 따라온 불청객 **3** 〖천문〗 (태양 흑점 중앙의) 암영부(暗影部); 본영(本影) 《월식 때 태양 빛이 전혀 닿지 않는 지구·달의 그림자 부분》 **4** 유령, 망령 **úm·bral** *a.*

um·brage [ʌ́mbridʒ] *n.* Ⓤ **1** 분하게 여김, 불쾌, 분개 **2** 나뭇잎(foliage) **3** 《고어·시어》 그림자, 그늘(shade) **4** 《고어》 닮은 물건, …와 같은 것
give ~ 분개하게 하다 《*to*》 ***take ~*** 불쾌하게 여기다, 분개하다 《*at*》

um·bra·geous [ʌmbréidʒəs] *a.* **1** 그늘을 짓는, 그늘이 많은, 그늘진 **2** 성 잘 내는 **~·ly** *ad.* **~·ness** *n.*

‡**um·brel·la** [ʌmbrélə] [It. 「작은 그늘」의 뜻에서] *n.* **1** 우산, 박쥐 우산: put up an ~ 우산을 쓰다 / open[unfurl] an ~ 우산을 펴다 **2** 《미》 양산 《보통은 sunshade, parasol》 **3** 보호(하는 것), 비호; (핵의) 우

산; 포괄적인 조직[단체]: a price ~ 가격 보호 / under the anticommunist ~ 반공산주의 산하에 **4** 〔동물〕 (해파리의) 삿갓 **5** 〔군사〕 상공 엄호 (전투기대)
— *a.* Ⓐ **1** 우산의[같은] **2** 포괄적인: an ~ term [clause] 포괄적 용어[조항]
— *vt.* 우산으로 가리다[보호하다], …의 우산이 되다
~ed *a.* **~·like** *a.*

umbrélla bìrd 〔조류〕 우산새 《중남미산(産)》
umbrélla lèaf 〔식물〕 산하엽 《북미산(産)》
umbrélla organizàtion 〔상업〕 (산하에 많은 소속 단체를 거느린) 통솔 기구, 상부 단체
umbrélla pàlm 〔식물〕 캔터베리 야자나무 《솔로몬 군도 원산; 잎이 무성하며 키가 큼》
umbrélla pìne 〔식물〕 왜금송 《일본 원산》
umbrélla shèll 〔패류〕 삿갓조개
umbrélla stand 우산꽂이
umbrélla tàlks 포괄 교섭[회담]
umbrélla tènt 우산형 텐트
umbrélla trèe 〔식물〕 **1** 태산목 무리 《북미산(産)》 **2** 우산 모양의 나무의 총칭
um·brette [ʌmbrét] *n.* 〔조류〕 백로의 일종
Um·bri·a [ʌ́mbriə] *n.* **1** 〔역사〕 움브리아 《고대 이탈리아 중부·북부 지방》 **2** 움브리아 《이탈리아 중부의 주》
Um·bri·an [ʌ́mbriən] *a., n.* 움브리아의; 움브리아 사람(의); 움브리아 말(의)
Úmbrian schóol [the ~] 움브리아 화파(畫派) 《Perugino와 제자 Raphael 등의 파》
um·brif·er·ous [ʌmbrífərəs] *a.* 그늘 짓는
um·faan [ʌ́mfɑ:n] *n.* 《남아공》 아이 보는[잡일하는] 소년
um-hum [ḿmm] *int.* 응(응), 흠(흠) 《긍정·동의·이해·흥미 등을 나타냄》
u·mi·ak [ú:miæ̀k] *n.* 우미악 《목재에 바다표범의 가죽을 댄 에스키모의 배; cf. KAYAK》
um·laut [úmlaut] [G] *n.* **1** Ⓤ 〔언어〕 움라우트, 변모음(變母音) 《주로 후속 음절의 i 또는 u의 영향으로, a, o, u를 각각 ä(=ae), ö(=oe), ü(=ue)로 변화시키는 모음 변화: 보기 man, men; cf. MUTATION, ABLAUT》 **2** (독일어의) 움라우트 기호 《¨》
— *vt.* **1** …에 움라우트 기호를 붙이다 **2** 〈어형·발음을〉 움라우트로 변화시키다
umm [m:] *int.* =UM
um·ma(h) [ʌ́mə] *n.* 〔이슬람교〕 움마 《이슬람 공동체》
ump [ʌ́mp] *n., v.* 《속어》 =UMPIRE
UMPC ultra-mobile personal computer 〔컴퓨터〕 초소형 모바일 PC
umph [ə́m, ə́mf, ʌ́mf] *int.* =HUMPH
um·pir·age [ʌ́mpaiəridʒ, -pəridʒ | -paiər-] *n.* Ⓤ **1** 판정[심판]인의 지위[권위] **2** 중재인의 재결, 엄파이어의 심판
⁑um·pire [ʌ́mpaiər] [OF 「제삼자」의 뜻에서; 원래 a numpire가 an umpire로 이해된 데서] *n.* **1** 심판(원), (경기의) 엄파이어: a ball ~ 〔야구〕 구심 **2** (중재의) 판정자; 〔법〕 심판인, 재정인(裁定人)
— *vi.* umpire 노릇을 하다 《*for*》: (~+전+명) ~ *for* the league 그 리그의 심판을 보다
— *vt.* 〈경기의〉 심판을 보다; 〈논쟁 등을〉 중재하다
~·shìp *n.* 심판직
ump·teen [ʌ̀mptí:n], **um·teen** [ʌ̀m-] 《구어》 *a.* Ⓐ 많은, 무수한 **—** *pron.* 많음, 다수
ump·teenth [ʌ̀mptí:nθ], **um·teenth** [ʌ̀m-] *a.* Ⓐ 《구어》 여러 번째의, 몇 번째인지 모를 정도의
ump·ty [ʌ́mpti] *a.* **1** [종종 복합어를 이루어] 《속어》 그러저러한 (such and such): the ~-fifth regiment 제 몇 십 5연대 **2** =UMPTEEN **3** 《비유》 〈사람·장소 등이〉 재미없는
ump·ty-umpth [ʌ́mptiʌ́mpθ] *a.* 《미·구어》 = UMPTEENTH
um·py [ʌ́mpi] *n.* 《호주·구어》 =UMPIRE
UMT Universal Military Training 《미》 일반 군사 교련 **UMW, U.M.W.** United Mine Workers of America 전미국 탄광부[광산] 노동조합
um·welt [úmvelt] [G] *n.* 〔생물·심리〕 환경
un, 'un [ən] *pron.* 《구어》 =ONE 《종종 다른 말과 결합하여 씀》: He's a tough *'un.* 그는 만만치 않은 녀석이다. / That's a good *'un.* 제법 말 잘한다. 《익살·거짓말 등을》 ***a little*** [***young***] ***'un*** 꼬마, 어린이 ***a stiff 'uns' race*** 강호들의 경주 ***you 'uns*** 《미남부》 너희들
UN, U.N. [jú:én] [*U*nited *N*ations] *n.* [the ~] 국제 연합, 유엔
un- [ʌ̀n, ʌ́n] *pref.* **1** [형용사·부사에 붙여서 「부정(否定)」의 뜻을 나타냄]: *un*happy, *un*happily **2** [동사에 붙여서 「반대」의 동작을 나타냄]: *un*tie, *un*lock **3** [명사에 붙여서 그 성질·상태의 「제거」를 뜻하는 동사를 만듦]: *un*man, *un*bishop **4** [명사에 붙여서 「…의 결여, …의 반대」의 뜻을 나타냄]: *un*rest, *un*kindness

USAGE (1) [뜻] -able, -ed 및 -ing의 어미를 가진 형용사는 un-의 1의 경우와 2의 경우가 완전히 같은 꼴이며, 각각의 뜻도 실제로는 별차가 없는 일이 있지만, 때로는 크게 달라지기도 한다. 예컨대 *un*doable은 un+doable이라고 보아 《un-1》 that cannot be done 「될 수 없는」의 뜻이 되며, 또 undo+able이라고 보아 《un-2》 that can be undone 「원상태대로 할 수 있는」의 뜻도 된다.(cf. UNBENDING); 지금은 보통 《un-1》의 뜻으로 해석한다.
(2) 부정의 un-, in-, non-에 대하여: 형용사를 부정함에는 un-을 접두사로 하는 것이 보통인데(보기: *un*able), 이미 라틴계의 in-이 붙은 형용사가 있는 경우에는 un-보다도 in-쪽을 쓰는 것이 일반적이다 (보기: *im*possible). 그러나 in-[il-, im-, ir-] 꼴의 형용사가 단순한 부정이 아니고 특별한 뜻을 포함하고 있을 경우에는, 모호함을 피하기 위해 un-꼴이 단순한 부정으로 쓰인다. 즉 *im*moral이 「패륜의; 소행이 나쁜」의 뜻으로 쓰이게 되었으므로 「도덕의 범위 외의; 비도덕적인」의 뜻으로는 *un*moral을 쓰는 것이 그 일례이다. 또 in-, un-이 다 같이 「견책; 비난」의 뜻을 포함할 경우에는 중립적 부정으로 non-을 쓴다.
(3) 이 사전에 없는 un-이 붙은 낱말은 원말(어간)의 뜻을 부정하여 생각하면 된다.

UNA, U.N.A. United Nations Association 유엔 협회
un·a·bashed [ʌ̀nəbǽʃt] *a.* 부끄러운 기색이 없는, 뻔뻔스러운, 태연한 **un·a·bash·ed·ly** [-əbǽʃidli] *ad.*
un·a·bat·ed [ʌ̀nəbéitid] *a.* Ⓟ 〈바람·체력 등이〉 줄지 않는, 약해지지 않는 **~·ly** *ad.*
un·ab·bre·vi·at·ed [ʌ̀nəbrí:vièitid] *a.* 생략[단축] 되지 않은
⁑un·a·ble [ʌ̀néibl] *a.* **1** Ⓟ …할 수 없는: (~+*to* do) He was ~ *to* attend the meeting. 그는 그 모임에 참석할 수 없었다. **2** 무력한, 약한, 무능한; 자격[권한]이 없는: an ~ body 약한 몸 ★ 명사형으로는 inability, 동사형은 disable을 씀.

> 유의어 **unable**은 어떤 때, 어떤 경우에 일시적으로 능력이 없음을 뜻함: *unable* to relax 편히 쉬지 못하는 **incapable**은 선천적 또는 영구적으로 능력이 없음을 뜻함: *incapable* of appreciating music 음악을 감상할 능력이 없는

un·a·bridged [ʌ̀nəbrídʒd] *a.* 생략하지 않은, 완전한(complete); 가장 완전한 《같은 종류의 것 중에서》, 〈사전 등이〉 완본인: an ~ dictionary 완본 사전, 대사전 **—** *n.* 《미》 무삭제[완본] 사전, 대사전
un·ab·solved [ʌ̀næbzɑ́lvd | -zɔ́lvd] *a.* 죄가 용서되지 않은
un·ab·sorbed [ʌ̀næbsɔ́:rbd] *a.* 흡수되지 않은
un·ab·sorb·ent [ʌ̀næbsɔ́:rbənt] *a.* 흡수하지 않는, 비흡수성의
un·ac·a·dem·ic [ʌ̀nækədémik] *a.* 학구[학문]적이 아닌, 이론에 치우치지 않는, 공론적이 아닌; 실리적인,

실제적인 **~ical·ly** *ad.*
un·ac·cent·ed [ʌ̀nǽksentid | -æksént-] *a.* 악센트[강세]가 없는; 〈그림 등이〉 눈에 띄는 부분이 없는
un·ac·cept·a·ble [ʌ̀nəkséptəbl] *a.* 받아들이기 어려운, 용인할 수 없는; 환영하기 어려운; 마음에 들지 않는 **-cèp·ta·bíl·i·ty** *n.* **-bly** *ad.*
un·ac·cept·ed [ʌ̀nækséptid] *a.* 받아들여지지 않은, 용인되지 않은
un·ac·claimed [ʌ̀nəkléimd] *a.* 환영받지 못하는
un·ac·com·mo·dat·ed [ʌ̀nəkɑ́mədeitid | -kɔ́m-] *a.* 적응되지 않은; (필요한) 설비[편의]가 없는
un·ac·com·mo·dat·ing [ʌ̀nəkɑ́mədeitiŋ | -kɔ́m-] *a.* 순종하지 않는; 불친절한
un·ac·com·pa·nied [ʌ̀nəkʌ́mpənid] *a.* **1** 동행이 없는, …을 수반하지 않은 《*by, with*》: He came ~ to the hospital. 그는 혼자서 병원에 왔다. **2** 〖음악〗 반주 없는: a sonata for ~ violin 무반주 바이올린 소나타
un·ac·com·plished [ʌ̀nəkɑ́mpliʃt | -kɔ́m-] *a.* **1** 미완성의, 성취되지 않은 **2** 별 재주가 없는, 무능한 (unskillful): an ~ artist 미숙한 화가
‡**un·ac·count·a·ble** [ʌ̀nəkáuntəbl] *a.* **1** 설명할 수 없는; 까닭 모를, 기묘한: her ~ beauty 그녀의 기묘한 아름다움 **2** Ⓟ (변명할) 책임이 없는 《*for*》 **~·ness** *n.* **-bly** *ad.* 설명할 수 없을 만큼; 기묘하게(도)
un·ac·count·ed-for [ʌ̀nəkáuntidfɔ̀:r] *a.* 설명[해명]되지 않은(unexplained), 원인 불명의: an ~ explosion 원인 불명의 폭발
***un·ac·cus·tomed** [ʌ̀nəkʌ́stəmd] *a.* **1** Ⓟ 익숙지 못한 《*to*》: He is ~ *to* hardships. 그는 고난에 익숙하지 않다. **2** Ⓐ 예사롭지 않은, 여느 것이 아닌; 보통이 아닌; 기묘한: the ~ heat 보통 때와 다른 무더위 **~·ly** *ad.* **~·ness** *n.*
un·a·chiev·a·ble [ʌ̀nətʃí:vəbl] *a.* 달성할 수 없는
un·ac·knowl·edged [ʌ̀næknɑ́lidʒd | -nɔ́l-] *a.* (널리) 인정되지 않은, 무시되고 있는; 답장이 없는
u·na cor·da [ú:nə-kɔ́:rdə] *a., ad.* 〖음악〗 우나코르다의[로], 약음 페달(soft pedal)을 밟는[고]
úna córda pèdal = SOFT PEDAL
un·ac·quaint·ed [ʌ̀nəkwéintid] *a.* 낯선, 눈에 익지 않은, 생소한 《*with*》 **~·ness** *n.*
un·act·ed [ʌ̀nǽktid] *a.* 이행[실시]되지 않은; 상연되지 않은
un·a·dapt·a·ble [ʌ̀nədǽptəbl] *a.* 적응[적합]할 수 없는, 융통성 없는
un·ad·dressed [ʌ̀nədrést] *a.* **1** 말이 걸려오지 않는 **2** 〈편지 등이〉 (수신인의) 주소·성명이 없는
un·ad·just·ed [ʌ̀nədʒʌ́stid] *a.* 조정[해결]되지 않은
un·ad·mit·ted [ʌ̀nədmítid] *a.* 인정[허가]되지 않은; 받아들여지지 않은
un·a·dopt·ed [ʌ̀nədɑ́ptid | -ədɔ́pt-] *a.* **1** 채택되지 않은; 양자가 되어 있지 않은 **2** 《영》 〈신설 도로가〉 지방 당국에서 관리하지 않는
un·a·dorned [ʌ̀nədɔ́:rnd] *a.* 꾸밈 없는; 있는 그대로의, 간소한
un·a·dorn·ment [ʌ̀nədɔ́:rnmənt] *n.* 꾸밈이 없음; 간소
un·a·dul·ter·at·ed [ʌ̀nədʌ́ltərèitid] *a.* **1** 〈음식물이〉 잡물이 섞이지 않은 **2** 순수한, 진짜의: ~ wool 순모 **3** Ⓐ 완전한, 순전한 **~·ly** *ad.*
un·ad·ven·tur·ous [ʌ̀nədvéntʃərəs] *a.* 모험적이 아닌, 모험심이 없는, 대담하지 않은; 모험 없는, 안전무사한 **~·ly** *ad.*
un·ad·ver·tised [ʌ̀nǽdvərtàizd] *a.* 광고되지 않은; 알려지지 않은
un·ad·vis·a·ble [ʌ̀nədváizəbl] *a.* 조언[충고]을 받아들이지 않는; 권장할 수 없는; 상책이 아닌
un·ad·vised [ʌ̀nədváizd] *a.* 조언[충고]을 듣지 않는; 분별없는, 경솔한: ~ behavior 경솔한 행동 **-vis·ed·ly** [-váizidli] *ad.* 분별없이, 경솔하게
un·aes·thet·ic, un·es- [ʌ̀nesθétik | -i:s-] *a.* 미(학)적이 아닌; 미가 결핍된, 아취가 없는; 악취미의, 불쾌한 **-i·cal·ly** *ad.*
un·af·fect·ed[1] [ʌ̀nəféktid] *a.* Ⓟ **1** 〈마음이〉 좌우되지 않은, 영향을 받지 않은 《*by*》: She was ~ *by* the death of her husband. 그녀는 남편의 죽음에도 영향을 받지 않았다. **2** 〈사물·상황 등이〉 움직이지 않는, 변하지 않는 《*by*》 **~·ly** *ad.*
unaffected[2] *a.* **1** 〈감정 등이〉 마음으로부터의, 진실한 **2** 점잔빼지 않는, 있는 그대로의, 자연스러운; 꾸밈없는 **~·ly** *ad.* **~·ness** *n.*
un·af·fec·tion·ate [ʌ̀nəfékʃənət] *a.* 애정[정]이 없는 **~·ly** *ad.*
un·af·fil·i·at·ed [ʌ̀nəfílièitid] *a.* 연계가 없는; 동아리에 못 끼는; 입양하지 않은
un·af·ford·a·ble [ʌnəfɔ́:rdəbl] *a.* 〈가격이〉 너무 비싼, 감당하기 힘든
un·a·fraid [ʌ̀nəfréid] *a.* Ⓟ 두려워하지 않는, 무서워하지 않는, 태연한 《*of*》: The child seems ~ *of* a snake. 그 아이는 뱀을 무서워하지 않는 것 같다.
un·aid·ed [ʌ̀néidid] *a.* 남의 도움이 없는, 원조[조력]를 받지 않은; 육안의: I did it ~. 나는 그것을 혼자 힘으로 해냈다. ***with the ~ eye*** 육안으로
un·aimed [ʌ̀néimd] *a.* 목적이 없는, 닥치는 대로의
un·aired [ʌnέərd] *a.* 환기가 되지 않은, 통풍이 나쁜; 눅눅한
u·nak·ite [jú:nəkàit] *n.* 〖광물〗 우나카이트 《화강암의 일종》
un·al·ien·a·ble [ʌ̀néiljənəbl] *a.* = INALIENABLE
un·a·ligned [ʌ̀nəláind] *a.* 가맹[연합]하지 않은, 비동맹의
un·a·like [ʌ̀nəláik] *a.* 비슷하지 않은; 다른
un·a·live [ʌ̀nəláiv] *a.* 활기가 없는; 무관심한
un·al·lied [ʌ̀nəláid] *a.* 동맹을 맺지 않은; 관계가 없는
un·al·low·a·ble [ʌ̀nəláuəbl] *a.* 허락[수락, 승인]할 수 없는
un·al·loyed [ʌ̀nəlɔ́id] *a.* **1** 〈금속 등이〉 합금이 아닌, 순수한 **2** 《문어》 〈감정 등이〉 진정한, 진실한: ~ joy 진정한 기쁨
un·al·ter·a·ble [ʌ̀nɔ́:ltərəbl] *a.* 바꿀 수 없는, 변경할 수 없는, 불변의 **ùn·àl·ter·a·bíl·i·ty** *n.* **~·ness** *n.* **-bly** *ad.* (영구)불변으로
un·al·tered [ʌ̀nɔ́:ltərd] *a.* 변경되지 않은, 불변의; 〈가축이〉 거세되지 않은
un·a·mazed [ʌ̀nəméizd] *a.* 놀라지 않는, 태연한
un·am·big·u·ous [ʌ̀næmbígjuəs] *a.* 모호[애매]하지 않은, 명백한 **~·ly** *ad.* **~·ness** *n.*
un·am·bi·tious [ʌ̀næmbíʃəs] *a.* **1** 대망[야심]이 없는 **2** 삼가는, 수수한 **~·ly** *ad.* **~·ness** *n.*
un·a·mend·a·ble [ʌ̀nəméndəbl] *a.* 수정[개정, 변경]할 수 없는
un-A·mer·i·can [ʌ̀nəmérikən] *a.* 〈풍속·습관·주의 등이〉 미국식이 아닌[에 맞지 않는], 비(非)미국적인; 반미의: ~ activities 비미국적인 활동 **~·ìsm** *n.* Ⓤ 반미(反美) 활동
Un-Américan Actívities Commìttee 《미》 반미(反美) 활동 위원회
un-A·mer·i·can·ize [ʌ̀nəmérikənàiz] *vt.* 비미국화하다, 미국식으로 하지 않다
un·a·mi·a·ble [ʌ̀néimiəbl] *a.* 붙임성 없는; 무뚝뚝한, 퉁명스러운; 불친절한 **~·ness** *n.* **-bly** *ad.*
unan. unanimous
un·an·a·lyz·a·ble [ʌnǽnəlàizəbl] *a.* 분석[분해]할 수 없는
un·an·a·lyzed [ʌnǽnəlàizd] *a.* 분석[분해]되지 않은
un·an·chor [ʌ̀nǽŋkər] *vt., vi.* 발묘(拔錨)하다
un·a·neled [ʌ̀nəní:ld] *a.* 《고어》 병자[종부] 성사(extreme unction)를 받지 않은
un·a·nes·the·tized [ʌ̀nənésθətàizd] *a.* (수술할 때) 마취시키지 않은
u·na·nim·i·ty [jù:nənímәti] *n.* Ⓤ 전원 이의(異議) 없음, (만장)일치, (전원) 합의

***u·nan·i·mous** [ju:nǽnəməs] [L 「한마음의」의 뜻에서] *a.* **1** 합의의, 동의하는 《*for, as, to, in*》: We are ~ *for* reform. 우리는 개혁에 대해 찬성이다. **2** 만장일치의, 이구동성의, 이의 없는: with ~ applause 만장의 박수갈채로 **~·ly** *ad.* 만장일치로
▷ unanímity *n.*
un·an·nounced [ʌ̀nənáunst] *a.* **1** 공언[공표, 발표]되지 않은 **2** 예고 없는, 미리 알리지 않은, 갑자기 나타나는: arrive ~ 예고 없이 오다
un·an·swer·a·ble [ʌ̀nǽnsərəbl | -ɑ́:n-] *a.* **1** 대답[답변]할 수 없는: an ~ question 대답할 수 없는 질문 **2** 반박할 수 없는, 결정적인 《*for*》: an ~ proof 결정적 증거 **~·ness** *n.* **-bly** *ad.*
un·an·swered [ʌ̀nǽnsərd | -ɑ́:n-] *a.* **1** 대답 없는, 답변 없는 **2** 반박되지 않는, 반론이 없는 **3** 보답 없는: ~ love 짝사랑
un·an·tic·i·pat·ed [ʌ̀næntísəpèitid] *a.* 예기치 않은, 미리 알지 못한; 기대하지 않은, 뜻밖의 **~·ly** *ad.*
un·a·pol·o·get·ic [ʌ̀nəpɑ̀lədʒétik | -pɔ̀l-] *a.* 변명[사죄]하지 않는; 변명답지 않은; 미안해 하지 않는
un·ap·peal·a·ble [ʌ̀nəpí:ləbl] *a.* 상소할 수 없는; 〈판결이〉 종심의 **~·ness** *n.* **-bly** *ad.*
un·ap·peal·ing [ʌ̀nəpí:liŋ] *a.* 호소력이 없는, 매력이 없는 **~·ly** *ad.*
un·ap·peas·a·ble [ʌ̀nəpí:zəbl] *a.* **1** 가라앉힐[완화시킬] 수 없는, 달랠 수 없는 **2** 만족시킬 수 없는; 채울 수 없는 **-bly** *ad.*
un·ap·pe·tiz·ing [ʌ̀nǽpətàiziŋ] *a.* 식욕을 돋우지 않는, 맛없는; 시시한 **~·ly** *ad.*
un·ap·pre·ci·at·ed [ʌ̀nəprí:ʃièitid] *a.* 진가를 인정받지 못한; 감상되지 않은; 〈호의 등이〉 감사받지 못한
un·ap·pre·ci·a·tion [ʌ̀nəprì:ʃiéiʃən] *n.* 몰(沒)이해, 옳은 평가를 못함
un·ap·pre·cia·tive [ʌ̀nəprí:ʃətiv] *a.* 감상력이 없는
un·ap·pre·hend·ed [ʌ̀næprihéndid] *a.* 이해되지 않은; 체포되지 않은
un·ap·pre·hen·sive [ʌ̀næprihénsiv] *a.* 걱정하지 않는; 이해하지 못하는 **~·ness** *n.*
un·ap·proach·a·ble [ʌ̀nəpróutʃəbl] *a.* **1** 〈장소 등이〉 접근하기 어려운; 〈태도 등이〉 쌀쌀한(distant); 〈사람이〉 가까이 하기 어려운, 서름서름한: an ~ woman 가까이 하기 어려운 여자 **2** 비길 바 없는, 무적의(unmatched) **~·ness** *n.* **-bly** *ad.*
un·ap·pro·pri·at·ed [ʌ̀nəpróuprièitid] *a.* **1** 특정한 사람[회사]용으로 제공되지 않은 **2** 〈기금·돈 등이〉 특수 용도에 충당되지 않은 **3** 〈토지 등이〉 독점[점유]되지 않은 **4** 〖회계〗 미처분 이익 유보의
un·apt [ʌ̀nǽpt] *a.* **1** 부적당한, 합당치 않은: an ~ answer 부적당한 대답 **2** (…할) 것 같지도 않은(cf. INEPT): (~+***to*** do) I am a soldier and ~ *to* weep. 나는 군인이라 우는 일 따위는 하지 않는다. **3** 멍청한, 이해력이 나쁜; 서투른 《*to, at*》, …에 익숙하지 않은 《*to*》: The boy was ~ *to* swim. 그 소년은 수영에 서툴렀다. **~·ly** *ad.* **~·ness** *n.*
un·ar·gu·a·ble [ʌ̀nɑ́:rgjuəbl] *a.* 의론의 여지가 없는; 논의할 수 없는 **-bly** *ad.*
un·ar·gued [ʌ̀nɑ́:rgju:d] *a.* **1** 의심할 여지없는, 이의 없는 **2** 논의되지 않은
un·arm [ʌ̀nɑ́:rm] *vt.* **1** …로부터 무기를 빼앗다, …의 무장을 해제하다(disarm) 《*of*》 **2** (고어) 무력하게 하다 **—** *vi.* 무기를 버리다; 무장을 해제하다
***un·armed** [ʌ̀nɑ́:rmd] *a.* **1** 무장하지 않은, 무기를 갖지 않은, 비무장의; 무기를 사용하지 않은, 맨손의: an ~ reconnaissance plane 비무장 정찰기 **2** 〈폭탄 등이〉 불발 상태로 된 **3** 〖동물·식물〗 (비늘·가시 등의) 방호 기관이 없는
un·ar·mored [ʌ̀nɑ́:rmərd] *a.* 갑옷을 입지 않은; 〈선박·군함 등이〉 비장갑(非裝甲)의
un·ar·rest·ing [ʌ̀nəréstiŋ] *a.* 재미없는, 시시한
un·art·ful [ʌ̀nɑ́:rtfəl] *a.* **1** 교활하지 않은; 잔재주를 부리지 않은; 솔직한, 있는 그대로의(genuine) **2** 서투른 **~·ly** *ad.*
un·ar·tic·u·lat·ed [ʌ̀nɑ:rtíkjulèitid] *a.* 분명히 발음되지 않은; 논리가 서 있지 않은; 〖생물〗 관절이 없는
un·ar·ti·fi·cial [ʌ̀nɑ:rtəfíʃəl] *a.* 인공을 가하지 않은, 인위적이 아닌; 자연스러운; 단순한
un·ar·tis·tic [ʌ̀nɑ:rtístik] *a.* 비예술적인
u·na·ry [jú:nəri] *a.* 단일체의, 단일 요소로 된(monadic); 〖수학〗 1진법의
únary operàtion 〖수학·컴퓨터〗 단항 연산(單項演算)
únary operàtor 〖컴퓨터〗 단항 연산자
unasgd. unassigned
un·a·shamed [ʌ̀nəʃéimd] *a.* 부끄러워하지 않는, 수치를 모르는, 주제넘은, 뻔뻔스러운 **~·ly** *ad.* **~·ness** *n.*
un·asked [ʌnǽskt | -ɑ́:skt] *a.* 부탁[요구]받지 않은; 초대받지 않은 〈손님 등〉
un·asked-for [-fɔ̀:r] *a.* Ⓐ 〈충고를〉 부탁[요구]받지 않은
un·as·pir·ing [ʌ̀nəspáiəriŋ] *a.* 향상심 없는, 공명심 없는, 현상에 만족하고 있는
un·as·sail·a·ble [ʌ̀nəséiləbl] *a.* **1** 공격할 수 없는, 난공불락의 **2** 〈주장이〉 논박의 여지를 주지 않는, 논쟁의 여지가 없는; 의심할 여지가 없는; 확고한 **~·ness** *n.* **-bly** *ad.*
un·as·ser·tive [ʌ̀nəsə́:rtiv] *a.* 단정적이 아닌; 내성적인 **~·ly** *ad.* **~·ness** *n.*
un·as·sign·a·ble [ʌ̀nəsáinəbl] *a.* 양도할 수 없는; (…의 탓으로) 돌릴 수 없는
un·as·signed [ʌ̀nəsáind] *a.* 할당되지 않은
un·as·sist·ed [ʌ̀nəsístid] *a.* =UNAIDED
un·as·suaged [ʌ̀nəswéidʒd] *a.* 완화되지 않은, 달래지지 않은
un·as·sum·ing [ʌ̀nəsú:miŋ | -sjú:m-] *a.* 주제넘지 않은, 주적대지 않는, 건방지지 않은, 겸손한(modest) **~·ly** *ad.* **~·ness** *n.*
un·as·sured [ʌ̀nəʃúərd] *a.* 불확실한; 보험이 붙지 않은; 자신이 없는
un·a·toned [ʌ̀nətóund] *a.* 배상되지 않는
un·at·tached [ʌ̀nətǽtʃt] *a.* **1** 붙어 있지 않은; 부속되지 않은 **2** 무소속의, 중립의; 약혼[결혼]하지 않은 **3** 〖법〗 압류되지 않은 **4** 〖군사〗 〈장교가〉 부대 소속이 아닌 **5** (영) 〖대학〗 (대학에 학적은 있으나) 특정한 학부(college)에 속하지 않은 ***place*** an officer ***on the ~ list*** (장교)를 대기 발령하다
un·at·tain·a·ble [ʌ̀nətéinəbl] *a.* 얻기 어려운, 도달[성취]하기 어려운, 미치기 어려운 **~·ness** *n.* **-bly** *ad.*
un·at·tempt·ed [ʌ̀nətémptid] *a.* 계획[시도]된 일이 없는
un·at·tend·ed [ʌ̀nəténdid] *a.* **1** 참가[출석]자가 없는[적은]; 수행원[시중꾼]이 없는, 혼자의: an ~ meeting 출석자 없는 회합 **2** (위험 등을) 수반하지 않은 《*by, with*》 **3** 돌봄을 받지 않은, 내버려둔; 치료를 받지 않은: ~ patients 방치된 환자 **4** 주의하지 않은, 귀를 기울이지 않은 **5** 〈기계 등이〉 무인의 **6** 〈일 등이〉 실행[실시]되지 않은
un·at·test·ed [ʌ̀nətéstid] *a.* 증명[입증]되지 않은
un·at·trac·tive [ʌ̀nətrǽktiv] *a.* **1** 사람의 눈을 끌지 않는, 애교 없는, 아름답지 않은 **2** 흥미 없는 **~·ly** *ad.* **~·ness** *n.*
un·at·trib·ut·a·ble [ʌ̀nətríbjutəbl] *a.* 〈정보 등이〉 출처가 모호한, 확인할 수 없는
un·au·then·tic [ʌ̀nɔ:θéntik] *a.* 출처 불명의, 불확실한, 믿을 수 없는; 진짜가 아닌
ùn·au·then·tíc·i·ty *n.*
un·au·then·ti·cat·ed [ʌ̀nɔ:θéntikèitid] *a.* 정당하다고 인정되지 않은, 확증되지 않은, 인증되지 않은

thesaurus **unanimous** *a.* at one, united, concordant, solid, concerted, uniform, consistent
unaware *a.* unknowing, unconscious, ignorant, heedless, oblivious, uninformed

un·au·thor·ized [ʌ̀nɔ́:θəraizd] *a.* 권한이 없는, 독단적인; 인정받지 않은, 자기식의

un·a·vail·a·ble [ʌ̀nəvéiləbl] *a.* **1** 손에 넣을 수 없는 **2** 〈사람이〉 없는, 부재의 **3** 이용할 수 없는, 무효의; 무익한 **~·ness** *n.* **-bly** *ad.*

unaváilable énergy 〖물리〗 무효 에너지

un·a·vail·ing [ʌ̀nəvéiliŋ] *a.* 〈노력 등이〉 효과가 없는, 무효의, 무익한(useless), 공연한 **~·ly** *ad.*

un·a·venged [ʌ̀nəvéndʒd] *a.* 복수를 하지 못한

un·av·er·aged [ʌ̀nǽvəridʒd] *a.* 보통이 아닌, 두드러진

un·a·void·a·ble [ʌ̀nəvɔ́idəbl] *a.* **1** 피하기[모면하기] 어려운, 불가피한: an ~ delay 불가피한 연기 **2** 무효로 할 수 없는 **-bly** *ad.* 불가피하게

un·a·wak·ened [ʌ̀nəwéikənd] *a.* 잠에서 깨지 않은; 활동[활성화]하지 않는

un·a·ware** [ʌ̀nəwέər] *a.* Ⓟ **1** 알지 못하는, 모르는, 눈치 못 챈 《*of, that*》: He was ~ *of* any change. 그는 어떤 변화도 눈치 못챘다. **2** 《시어》 부주의한, 조심성 없는(heedless) ***I am not ~ that ... 나는 …을 모르는 것은 아니다

— *ad.* = UNAWARES **~·ly** *ad.* **~·ness** *n.*

un·a·wares [ʌ̀nəwέərz] *ad.* **1** 알지 못하고, 모르고, 부지중에 **2** 뜻밖에, 불시에 ***at ~*** 불시에, 뜻밖에, 갑자기 ***be taken*** [***caught***] ***~*** 불의의 습격을 당하다 ***take*** [***catch***] a person ***~*** …을 불시에 습격하다, 엄습하다 ***~ to*** …을 눈치 못 채고; …에게 눈치채이지 않고

un·awed [ʌ̀nɔ́:d] *a.* 두려워하지 않는, 태연한

unb. 〖제본〗 unbound

un·backed [ʌ̀nbǽkt] *a.* **1** 지지자[후원자]가 없는 **2** 〈경주마 등이〉 돈 거는 사람이 없는 **3** 증서가 없는: an ~ TV 품질 보증서 없는 TV **4** 〈말이〉 사람을 태워본 적이 없는, 타서 길들여지지 않은 **5** 〈의자 등이〉 등받이가 없는

un·bag [ʌnbǽg] *vt.* (**~ged**; **~·ging**) 백[자루]에서 꺼내다

un·baked [ʌ̀nbéikt] *a.* **1** 〈빵·타일 등이〉 굽지 않은 **2** 《폐어》 미숙한, 생경(生硬)한

un·bal·ance [ʌ̀nbǽləns] *n.* Ⓤ 불균형, 불평형(⇨ imbalance 유의어); (정신) 착란

— *vt.* **1** 불균형하게 하다 **2** 〈마음의〉 평형을 깨뜨리다, 〈사람을〉 착란케 하다

un·bal·anced [ʌ̀nbǽlənst] *a.* **1** 평형을 잃은 **2** 정신[정서] 불안정에 빠진, 착란한 **3** 불안정한, 흔들흔들하는 **4** 〈견해 등이〉 일방적인 **5** 〖상업〗 미결산[미청산]의: ~ accounts 미결산 계정

un·bal·last·ed [ʌ̀nbǽləstid] *a.* **1** 배에 바닥짐을 싣지 않은 **2** 불안정한, 흔들거리는

un·ban [ʌ̀nbǽn] *vt.* 〈금지 사항을〉 폐기하다; 합법화하다

un·band·age [ʌ̀nbǽndidʒ] *vt.* …의 붕대를 풀다

un·bank [ʌ̀nbǽŋk] *vt.* 〈강의〉 둑을 허물다; 〈잿불을〉 쑤석거리다

un·bap·tized [ʌ̀nbǽptaizd] *a.* **1** 세례를 받지 않은 **2** 비(非)그리스도교의; 이교도의 **3** 세속적인

un·bar [ʌ̀nbɑ́:r] *vt.* (**~red**; **~·ring**) **1** 〈문의〉 빗장을 벗기다; 〈감옥 등의〉 문고리를 벗기다: ~ a door 문을 열다 **2** 〈문호·길 등을〉 열다, 개방하다

un·bat·ed [ʌ̀nbéitid] *a.* **1** = UNABATED **2** 《고어》 무디게 하지 않은 〈칼 등〉

***un·bear·a·ble** [ʌ̀nbέərəbl] *a.* 견딜 수 없는, 참기 어려운 《*to*》: ~ tension 견디기 힘든 긴장감 **~·ness** *n.* **-bly** *ad.*

un·beat·a·ble [ʌ̀nbí:təbl] *a.* **1** 패배시킬 수 없는: an ~ baseball team 무적의 야구팀 **2** 탁월한 **-bly** *ad.*

un·beat·en [ʌ̀nbí:tn] *a.* **1** 매 맞지 않은 **2** 정복당한 일이 없는 **3** 져 본 일이 없는, 무적의; 〈기록이〉 깨진 적이 없는 **4** 밟아 다지지 않은, 인적 미답의

un·beau·ti·ful [ʌnbjú:təfəl] *a.* 아름답지 않은, 추한 **~·ly** *ad.*

un·be·com·ing [ʌ̀nbikʌ́miŋ] *a.* **1** 〈의복·빛깔 등이〉 어울리지 않는: an ~ hat 어울리지 않는 모자 **2** 〈행위 등이〉 어울리지 않는, 격에 맞지 않는 《*to, for*》 **3** 〈행위·말 등이〉 온당치 못한, 보기 흉한, 꼴사나운, 버릇없는 **~·ly** *ad.* **~·ness** *n.*

un·bed [ʌ̀nbéd] *vt.* 〈초목을〉 묘상(苗床)에서 뽑다, 다른 곳으로 옮기다

un·be·fit·ting [ʌ̀nbifítiŋ] *a.* 적합하지 않은, 어울리지 않는, 격에 맞지 않는

un·be·got·ten [ʌ̀nbigɑ́tən] *a.* 아직 생기지 않은; (신과 같이) 독립적으로 존재하는; 영원한

un·be·hold·en [ʌ̀nbihóuldən] *a.* 은혜를 입지 않은, 의무가 없는

un·be·known [ʌ̀nbinóun] *a.* Ⓟ 《구어》 미지의, 알려지지 않은 《*to*》 ***~ to*** a person …이 모르는 사이에, …에 눈치 채이지 않고

un·be·knownst [ʌ̀nbinóunst] *a.* = UNBEKNOWN

un·be·lief [ʌ̀nbəlí:f, -bi-] *n.* Ⓤ 불신앙(不信仰), 불신심; (종교상의) 회의(懷疑)

> 유의어 **unbelief** 특히 종교상의 일로서 증거나 지식이 불충분하기 때문에 믿지 않는다는 뜻 **disbelief** 허위거나 신뢰할 수 없기 때문에 적극적으로 믿을 것을 거부하는 것

***un·be·liev·a·ble** [ʌ̀nbəlí:vəbl, -bi-] *a.* 믿을 수 없는, 믿기 어려운; 비상한: an ~ excuse 믿을 수 없는 변명 **-bly** *ad.*

un·be·liev·er [ʌ̀nbəlí:vər, -bi-] *n.* 《특히》 신앙 없는 사람; 이교도; 회의를 품는 사람; 믿지 않는[믿으려고 하지 않는] 사람

un·be·liev·ing [ʌ̀nbəlí:viŋ, -bi-] *a.* 《특히》 신앙이 없는; 믿지 않는; 회의적인(skeptical) **~·ness** *n.* **~·ly** *ad.*

un·belt [ʌ̀nbélt] *vt.* …의 띠를 끄르다[풀다]; (띠를 풀어서) 〈칼 등을〉 벗기다

un·bend [ʌ̀nbénd] *v.* (**-bent** [-bént], 《고어》 **~·ed**) *vt.* **1** 〈굽은 것을〉 곧게 펴다; 평평하게 늘이다: ~ a bow 활줄을 풀어서 활을 펴다 **2** 〈몸·마음을〉 편하게 하다, 쉬게 하다: ~ the mind[oneself] 편히 쉬다, 편안해지다 **3** 〖항해〗 돛대·밧줄에서 〈돛을〉 끄르다; 〈매듭을〉 풀다 — *vi.* **1** 편히 쉬다, 마음을 턱 놓다 **2** 똑바르게 되다, (늘어나서) 평평하게 되다

~ one's ***brow*** 한시름 놓다, 명랑해지다 **~·a·ble** *a.*

un·bend·ing [ʌ̀nbéndiŋ] *a.* 구부러지지 않는; 꿋꿋한; 〈성격·결심 등이〉 굳센, 확고부동한; 고집센, 완고한; 마음 편하게 하는 — *n.* Ⓤ 마음을 편하게 함 **~·ly** *ad.* **~·ness** *n.*

un·ben·e·ficed [ʌ̀nbénəfist] *a.* 성직록(聖職祿)을 받지 않는, 무급의

un·bent [ʌ̀nbént] *v.* UNBEND의 과거·과거분사

— *a.* **1** 굽지 않은, 곧은; 자연스럽게 뻗은 〈나뭇가지〉 **2** 굴복하지 않은

un·be·seem [ʌ̀nbisí:m] *vt.* …에 어울리지[맞지] 않다

un·be·seem·ing [ʌ̀nbisí:miŋ] *a.* 어울리지 않는, 알맞지 않은, 부적당한

un·be·trothed [ʌ̀nbitróuðd] *a.* 약혼하지 않은

un·bi·as(s)ed [ʌ̀nbáiəst] *a.* 선입관이 없는, 편견이 없는, 편파적이 아닌, 공평한(impartial) **~·ly** *ad.* **~·ness** *n.*

un·bib·li·cal [ʌ̀nbíblikəl] *a.* 성서의 가르침[교의]에 반하는; 비(非)성서적인

un·bid·da·ble [ʌ̀nbídəbl] *a.* 순종하지 않는, 말을 듣지 않는

un·bid·den [ʌ̀nbídn], **un·bid** [ʌ̀nbíd] *a.* 《문어》

---

unbearable *a.* intolerable, insufferable, unsupportable, unendurable, unacceptable

unbelievable *a.* incredible, unconvincing, improbable, unimaginable, impossible, astonishing

1 명령[요청]받지 않은, 자발적인 2 초청받지 않은
un·bind [ʌ̀nbáind] *vt.* (**-bound** [-báund]) 1 …의 묶은 것을 끄르다(untie), 〈끈·붕대 등을〉 풀다, 끄르다 2 속박을 풀다, 석방하다
un·bitt [ʌ̀nbít] *vt.* 『항해』 〈밧줄 따위를〉 계주(繫柱)에서 풀다
un·bit·ted [ʌ̀nbítid] *a.* 재갈을 물리지 않은; 구속을 받지 않은
un·bit·ter [ʌ̀nbítər] *a.* 독기[악의] 없는
un·blam·a·ble [ʌ̀nbléiməbl] *a.* 책할[비난할] 점이 없는, 결백한
un·bleached [ʌ̀nblí:tʃt] *a.* 표백하지 않은
un·blem·ished [ʌ̀nblémiʃt] *a.* 1 흠집 없는 2 더러운 데가 없는, 결백한
un·blenched [ʌ̀nbléntʃt | ʌ̀nbléntʃt] *a.* 《고어》 = UNDAUNTED
un·blessed, un·blest [ʌ̀nblést] *a.* 1 은혜를 입지 못한, 축복받지 못한 2 저주받은; 불행한, 비참한
un·blind·ed [ʌ̀nbláindid] *a.* 맹목적이지 않은; 자각한
un·blink·ing [ʌ̀nblíŋkiŋ] *a.* 1 눈을 깜박이지 않는 2 눈 하나 깜짝 않는, 동하지 않는, 태연한 3 변함없는, 한결같은 **~·ly** *ad.*
un·block [ʌ̀nblák | -blɔ́k] *vt.* …에서 방해물을 제거하다
un·blood·ed [ʌ̀nblʌ́did] *a.* 〈말 등이〉 순종이 아닌, 잡종의; = UNBLOODIED
un·blood·ied [ʌ̀nblʌ́did] *a.* 피가 묻지 않은: an ~ dagger 피묻지 않은 단도
un·blood·y [ʌnblʌ́di] *a.* 피에 물들지 않은; 잔인하지 않은; 피를 흘리지 않는
un·blown[1] [ʌ̀nblóun] *a.* 《고어》 아직 꽃이 피지 않은; 미숙한
unblown[2] *a.* 바람에 날리지 않은; 〈나팔 등을〉 아직 불지 않은
un·blush·ing [ʌ̀nblʌ́ʃiŋ] *a.* 부끄러워하지 않는, 염치없는, 뻔뻔스러운; 얼굴을 붉히지 않는 **~·ly** *ad.*
un·bod·ied [ʌ̀nbádid | -bɔ́d-] *a.* 육체를 떠난, 육체 없는, 정신적인; 무형의
un·bolt [ʌ̀nbóult] *vt.* 〈문 등의〉 빗장을 벗기다, 〈문 등을〉 빗장을 벗겨서 열다
un·bolt·ed[1] [ʌ̀nbóultid] *a.* 빗장을 벗긴
unbolted[2] *a.* 〈밀가루 등이〉 체질하지 않은
un·bon·net [ʌ̀nbánit | -bɔ́n-] *vi.* 모자를 벗고 절하다 《*to*》 **—** *vt.* …의 모자를 벗기다
~·ed [-id] *a.* 모자를 안 쓴
un·book·ish [ʌnbúkiʃ] *a.* 교육을 받지 않은; 책의 지식에 의존하지 않는; 독서[책]를 싫어하는
un·boot [ʌnbú:t] *vi., vt.* 부츠를 벗(게 하)다
un·born [ʌ̀nbɔ́:rn] *a.* 1 아직 태어나지 않은; 태내의 2 장래의, 후세의(future)
un·bor·rowed [ʌ̀nbároud | -bɔ́r-] *a.* 독창적인, 모방하지 않은; 고유의, 자연의; 독자의
un·bos·om [ʌ̀nbúzəm] *vt.* 〈속마음·비밀 등을〉 털어놓다, 밝히다, 고백하다 **—** *vi.* 속을 털어놓다
~ one***self*** 속마음을 털어놓다; 고백하다 《*to*》
un·bot·tle [ʌnbátl | -bɔ́tl] *vt.* …을 병에서 꺼내다, 병을 비우다
un·bot·tomed [ʌnbátəmd | -bɔ́t-] *a.* = BOTTOMLESS
un·bought [ʌnbɔ́:t] *a.* 산 물건이 아닌; 매수(買收)한 것이 아닌
un·bound [ʌ̀nbáund] *v.* UNBIND의 과거·과거분사 **—** *a.* 1 속박이 풀린, 자유의 몸이 된, 해방된(free): come ~ 풀려나다 2 〈책·종이 등이〉 매여 있지 않은(loose), 제본되지 않은
un·bound·ed [ʌ̀nbáundid] *a.* 1 한정되지 않은 《*by*》; 끝없는, 무한의: an ~ function 『수학』 무한 계수 2 억제할 수 없는, 속박이 없는 **~·ly** *ad.* **~·ness** *n.*
un·bowed [ʌ̀nbáud] *a.* 1 〈무릎·허리 등이〉 굽어 있지 않은 2 굴복하지 않는, 불굴의

un·box [ʌ̀nbáks | -bɔ́ks] *vt.* 상자에서 꺼내다
un·brace [ʌ̀nbréis] *vt.* 1 늦추다, 느슨하게 하다 2 긴장을 풀다: ~ the mind 마음의 긴장을 풀다 3 연약하게 하다
un·braid [ʌ̀nbréid] *vt.* …의 꼬임을 풀다
un·brand·ed [ʌ̀nbrǽndid] *a.* 1 〈소유자를 나타내는〉 낙인이 새겨지지 않은 2 『상업』 〈상품이〉 브랜드명이 없는
un·break·a·ble [ʌ̀nbréikəbl] *a.* 깨지지[부서지지] 않는; 〈암호 등이〉 해독되지 않은
un·breath·a·ble [ʌ̀nbrí:ðəbl] *a.* 흡입할 수 없는, 흡입하기에 부적당한 **~·ness** *n.* **-bly** *ad.*
un·bred [ʌ̀nbréd] *a.* 1 교육받지 않은, 무학의 2 《폐어》 버릇없이 자란 3 〈가축이〉 새끼를 낳은 적이 없는, 미교배의
un·breech [ʌ̀nbrí:tʃ] *vt.* 1 〈총포에서〉 개머리판을 떼어내다 2 [-brítʃ] …의 바지를 벗기다
un·breeched [ʌ̀nbrítʃt] *a.* 바지를 입고 있지 않은
un·brib·a·ble [ʌ̀nbráibəbl] *a.* 뇌물이 듣지 않는
un·bridge·a·ble [ʌ̀nbrídʒəbl] *a.* 다리를 놓을 수 없는
un·bri·dle [ʌ̀nbráidl] *vt.* 1 〈말에서〉 말굴레를 벗기다 2 구속에서 풀다, 해방하다
un·bri·dled [ʌ̀nbráidld] *a.* 1 말굴레를 매지 않은, 굴레를 벗긴 2 억제되지 않은, 방자한, 난폭한
un-Brit·ish [ʌ̀nbrítiʃ] *a.* 영국적이 아닌, 비영국적인
un·broke [ʌ̀nbróuk] *a.* = UNBROKEN
***un·bro·ken** [ʌ̀nbróukən] *a.* 1 손상[파손]되지 않은, 온전한(whole): an ~ statue 손상되지 않은 조각상 2 중단되지 않는, 연달은, 계속되는(continuous): ~ fine weather 계속되는 좋은 날씨 3 〈말 등이〉 길들여지지 않은 4 꺾이지 않은, 좌절되지 않은 5 〈기록 등이〉 깨어지지 않은; 〈약속 등이〉 지켜진 6 경작되지 않은 **~·ly** *ad.* **~·ness** *n.*
un·broth·er·ly [ʌ̀nbrʌ́ðərli] *a.* 형제답지 않은
un·bruised [ʌ̀nbrú:zd] *a.* 상처를 입지 않은
un·buck·le [ʌ̀nbʌ́kl] *vt.* …의 죔쇠[버클]를 벗기다; 죔쇠에서 벗기다; 《구어》 긴장을 풀다
un·budge·a·ble [ʌ̀nbʌ́dʒəbl] *a.* 불변의, 부동의; 확고한, 불굴의
un·build [ʌ̀nbíld] *v.* (**-built** [-bílt]) *vt.* 〈건조물을〉 파괴하다 **—** *vi.* 파괴하다, 헐다
un·built [ʌ̀nbílt] *a.* 세우지 않은; 〈토지가〉 아직 건축물이 서지 않은
un·bun·dle [ʌ̀nbʌ́ndl] *vi., vt.* 〈일괄 판매되는 상품·서비스 등에〉 개별적으로 가격을 매기다; 『경제』 〈기업·자산·제품 등을〉 중심 기업[계열 기업]에 분산시키다 **un·bun·dling** *n.*
un·bur·den [ʌ̀nbə́:rdn] *vt.* 1 …의 짐을 내려놓다 2 〈마음의〉 부담을 없애다[덜다], 〈마음을〉 편하게 하다, 〈고민·비밀을〉 털어놓다: She ~*ed* her troubles. 그녀는 고민거리를 털어놓았다. ~ one***self*** 속마음을 털어놓다 《*to*》
un·bur·ied [ʌ̀nbérid] *a.* 1 아직 매장되지 않은 2 무덤에서 발굴된
un·bur·y [ʌ̀nbéri] *vt.* (**-bur·ied**) 1 무덤에서 파내다, 발굴하다 2 폭로하다
un·busi·ness·like [ʌ̀nbíznislàik] *a.* 사무적이 아닌, 비실제[비능률, 비조직]적인
un·but·ton [ʌ̀nbʌ́tn] *vt., vi.* 1 〈의복의〉 단추를 끄르다 2 〈장갑차 등의 해치를〉 열다 3 〈마음속을〉 털어놓다: ~ oneself of a secret 비밀을 털어놓다
un·but·toned [ʌ̀nbʌ́tnd] *a.* 1 단추를 끄른 2 속박되지 않은, 자유로운 3 힘이 없는, 안정이 부족한 4 《영·속어》 부주의한
unc [ʌŋk] *n.* 《구어》 = UNCLE
UNC United Nations Charter[Congress];

thesaurus **uncertain** *a.* 1 불확실한 undetermined, unsettled, unforeseeable, incalculable, undependable, chancy 2 확신이 없는 unsure,

United Nations Command
un·cage [ʌnkéidʒ] *vt.* **1** 새장[우리]에서 내놓다 **2** 구속[속박]에서 해방하다
un·caged [ʌnkéidʒd] *a.* **1** (새장·우리 등에) 갇히지 않은 **2** 해방된, 자유롭게 된
un·cal·cu·lat·ed [ʌnkǽlkjulèitid] *a.* 계획되어 있지 않은; 무의식적인
un·cal·cu·lat·ing [ʌnkǽlkjulèitiŋ] *a.* 계산[고려]하지 않는; 비타산적인
un·called [ʌnkɔ́:ld] *a.* 부르지 않은, 초대받지 않은
un·called-for [-fɔ̀:*r*] *a.* **1** 불필요한, 무용의, 쓸데없는; 주제넘은, 참견하는 **2** 까닭 없는, 이유 없는
un·can·did [ʌnkǽndid] *a.* 솔직[정직]하지 않은, 불성실한 **~·ly** *ad.* **~·ness** *n.*
un·can·ny [ʌnkǽni] *a.* (**-ni·er**; **-ni·est**) **1** 초인적인, 초자연적인; 이상한, 비정상적인: an ~ instinct 초자연적인 본능 **2** 섬뜩한, 으스스한, 무시무시한, 기괴한; 신비한 **3** 《스코·북잉글》 힘드는, 위험한, 격렬한 **-ni·ly** *ad.* **-ni·ness** *n.*
un·ca·non·i·cal [ʌnkənɑ́nikəl | -nɔ́n-] *a.* **1** 교회법에 의하지 않은: an ~ marriage 교회법에 따르지 않은 결혼 **2** 성서의 정경(正經)에 속하지 않는: the ~ books 위경(僞經), 외전(外典) **3** 정통이 아닌 **~·ly** *ad.*
un·cap [ʌnkǽp] *v.* (**~ped**; **~·ping**) *vt.* **1** 〈병·만년필 등의〉 뚜껑[덮개]을 벗기다 **2** …의 모자를 벗기다, 모자를 벗게 하다 **3** …의 제한[억제]을 풀다 **4** 폭로하다 — *vi.* (경의를 표하여) 모자를 벗다
un·cared-for [ʌnkέərdfɔ̀:*r*] *a.* 아무도 돌봐 주지 않는, 버림받은, 방임[방치]된; 호감을 못받는, 싫은
un·care·ful [ʌnkέərfəl] *a.* 부주의한; 사려가 없는, 경솔한 **~·ly** *ad.* **~·ness** *n.*
un·car·ing [ʌnkέəriŋ] *a.* 《경멸》 냉담한, 무관심한
un·case [ʌnkéis] *vt.* **1** 통[상자, 곽]에서 꺼내다 **2** 보이다, 펼치다, 공개하다: ~ the colors 군기를 휘날리다 **3** 알리다, 밝히다
un·cashed [ʌnkǽʃt] *a.* 〈수표 등이〉 현금화되지 않은; 돈을 걸지 않은
un·cast [ʌnkǽst] *a.* 배역 미정의
un·cas·trat·ed [ʌnkǽstreitid] *a.* 〈문학 작품 등이〉 삭제되지 않은, 완전한; 거세되지 않은
un·caught [ʌnkɔ́:t] *a.* 잡히지 않은
un·caused [ʌnkɔ́:zd] *a.* 원인이 있어서 생긴 것이 아닌, 자존(自存)의
UNCDF United Nations Capital Development Fund 유엔 자본 개발 기금
un·ceas·ing [ʌnsí:siŋ] *a.* 끊임없는, 쉴 새 없는, 연달은 **~·ly** *ad.* **~·ness** *n.*
UNCED United Nations Conference on Environment and Development 유엔 환경 개발 회의
un·cel·e·brat·ed [ʌnséləbrèitid] *a.* 유명하지 않은; 의식을 거행하여 축하하지 않은
un·cen·sored [ʌnsénsərd] *a.* 〈출판물 등이〉 검열을 받지 않은, 무검열의
un·cer·e·mo·ni·ous [ʌnsèrəmóuniəs] *a.* **1** 의식[형식]적이 아닌, 형식을 차리지 않는, 소탈한, 허물없는 **2** 점잖지 못한, 버릇없는 **~·ly** *ad.* **~·ness** *n.*
‡**un·cer·tain** [ʌnsə́:rtn] *a.* **1 a** 〈시간·수량 등이〉 **불확실한**, 미정의; 모호한 **b** 〈여성의 나이가〉 분명하지 않은: a lady of ~ age 나이가 분명하지 않은 부인 《실제보다 젊게 보이려고 하는 중년 부인》 **2 확신이 없는**, 분명히[확실히] 알지 못하는, 단정할 수 없는 《*of, about, as to*》: She was ~ *of* success. 그녀는 성공의 확신이 없었다. **3** 〈행동·목적이〉 확정되지 않은, 일정치 않은 **4** 〈날씨·기질·성격 등이〉 변하기 쉬운, 변덕스러운; 믿을 수 없는: ~ weather 변덕스러운 날씨 ***in no ~ terms*** 분명하게, 딱 잘라서 (말해) **~·ly** *ad.* **~·ness** *n.* ▷ uncértainty *n.*

doubtful, dubious, undecided, unresolved, vague, unclear, ambivalent **3** 변하기 쉬운 changeable, variable, irregular, fitful, unpredictable

*__un·cer·tain·ty__ [ʌnsə́:rtnti] *n.* Ⓤ **1** 불확실(성), 확신이 없음, 반신반의: above all ~ 전혀 불안하지 않은 **2** 불안정; 불확정; 불안, 변하기 쉬움: the ~ of life 인생의 무상(無常) / ~ of temper 변덕; 성마름 **3** [종종 *pl.*] 불확실한 것[일], 예측할 수 없는 것[일] ▷ uncértain *a.*
uncértainty prìnciple 〖물리〗 불확정성 원리
UNCF United Negro College Fund
un·chain [ʌntʃéin] *vt.* 사슬에서 풀어주다, 해방하다
un·chal·lenge·a·ble [ʌntʃǽlindʒəbl] *a.* 도전할 수 없는; 난공불락의 **-bly** *ad.*
un·chal·lenged [ʌntʃǽlindʒd] *a.* **1** 도전받지 않은 **2** 문제 삼아지지 않은, 이의가 제기되지 않은, 논쟁이 되지 않은 ***go ~*** 〈진술 등이〉 문제되지 않고 통과하다
un·chanc·y [ʌntʃǽnsi | -tʃɑ́:n-] *a.* 《스코》 **1** 불운한; 시기가 나쁜 **2** 위험한
un·change·a·ble [ʌntʃéindʒəbl] *a.* 변하지 않는, 불변의 《*of*》 **~·ness** *n.* **-bly** *ad.*
*__un·changed__ [ʌntʃéindʒd] *a.* **변[변화]하지 않은**, 불변의
un·chang·ing [ʌntʃéindʒiŋ] *a.* 변하지 않는, 불변의, 항상 일정한 **~·ly** *ad.* **~·ness** *n.*
un·chap·er·oned [ʌnʃǽpəròund] *a.* 샤프롱(chaperon)이 없는
un·char·ac·ter·is·tic [ʌnkæ̀riktərístik] *a.* 특징이 없는; (…의) 특색을 나타내지 않는 《*of*》 **-ti·cal·ly** *ad.*
un·charge [ʌntʃɑ́:rdʒ] *vt.* …에서 짐을 내리다; 《폐어》 무죄로 하다
un·charged [ʌntʃɑ́:rdʒd] *a.* **1** 짐을 싣지 않은 **2** 〈총이〉 장전이 안된 **3** 〖전기〗 충전되지 않은: an ~ battery 충전되지 않은 건전지 **4** 죄가 없는, 고소 당하지 않은
un·char·i·ta·ble [ʌntʃǽrətəbl] *a.* 무자비한, 가차 없는; 불친절한, 냉담한; 엄한 **~·ness** *n.* **-bly** *ad.*
un·charmed [ʌntʃɑ́:rmd] *a.* 〖물리〗 〈쿼크(quark)가〉 charm을 갖지 않은
un·chart·ed [ʌntʃɑ́:rtid] *a.* 《문어》 〈장소·지역 등이〉 해도[지도]에 없는; 미지의, 미답(未踏)의
un·char·tered [ʌntʃɑ́:rtərd] *a.* **1** 특허를 받지 못한, 면허장[인가증]이 없는(unlicensed) **2** 공인되지 않은; 불법의
un·char·y [ʌntʃέəri] *a.* 부주의한, 조심성 없는; 아끼지 않는
un·chaste [ʌntʃéist] *a.* 정숙하지 못한, 행실이 나쁜, 음란한; 천한; 상스러운: an ~ woman 정숙하지 못한 여자 **~·ly** *ad.* **~·ness** *n.*
un·chas·tened [ʌntʃéisnd] *a.* 처벌을 받지 않은; 억제되지 않은; 세련되지 않은
un·chas·ti·ty [ʌntʃǽstəti] *n.* Ⓤ 부정(不貞), 행실이 나쁨, 음란
un·checked [ʌntʃékt] *a.* 억제되지 않은; 검사[점검]받지 않은
un·chic [ʌnʃí:k] *a.* 〈복장 등이〉 촌스러운, 시대에 뒤떨어진
un·chiv·al·rous [ʌnʃívəlrəs] *a.* 기사(騎士)답지 않은; 무례한 **~·ly** *ad.*
un·choke [ʌntʃóuk] *vt.* …에서 장애물을 제거하다, …의 혼잡을 해소하다
un·cho·sen [ʌntʃóuzn] *a.* 선택되지 않은
un·chris·tened [ʌnkrísnd] *a.* 세례를 받지 않은; 명명(命名)되지 않은
un·chris·tian [ʌnkrístʃən] *a.* **1** 그리스도교(도)적이 아닌, 그리스도교 정신에 위배되는; 관대하지 않은, 친절하지 않은; 야만적인, 미개의 **2** 《구어》 터무니없는, 엉뚱한: an ~ price 터무니없는 가격
un·chris·tian·ize [ʌnkrístʃənàiz] *vt.* 그리스도교를 버리게 하다, …를 비(非)그리스도교적으로 만들다
un·church [ʌntʃə́:rtʃ] *vt.* …에게서 교회의 특권을 빼앗다; 파문하다, 교회에서 추방하다
un·churched [ʌntʃə́:rtʃt] *a.* 교회 신자가 아닌, 어느 교회에도 나가지[속하지] 않는; 교회가 없는

un·ci·al [ʌ́nʃiəl, -ʃəl | -siəl] *n.* **1** Ⓤ 언셜 자체(字體)《4-8세기의 둥근 대문자 필사체》 **2** 그 자체의 사본 — *a.* 언셜 자체의; 12등분의[한] **~·ly** *ad.*

un·ci·form [ʌ́nsəfɔ̀ːrm] 〖해부〗 *a.* 갈고리 모양의 — *n.* 구상골(鉤狀骨)《손목뼈의 하나》

únciform pròcess 〖해부〗 (특히 유구골(有鉤骨)의) 갈고리 모양의 돌기

un·ci·nal [ʌ́nsənl] *a.* 〖생물·의학〗 = UNCINATE

un·ci·nar·i·a [ʌ̀nsinέəriə] *n.* 〖동물〗 구충(鉤蟲)

un·ci·na·ri·a·sis [ʌ̀nsənəráiəsis] *n.* 〖병리〗 구충증

un·ci·nate [ʌ́nsənət, -nèit], **-nat·ed** [-nèitid] *a.* 〖생물·의학〗 갈고리 모양의

UNCIO United Nations Conference on International Organization 유엔 국제 기구 회의《UN의 정식 창설까지의 준비 회의》

un·cir·cum·cised [ʌnsə́ːrkəmsàizd] *a.* **1 a** 할례(割禮)를 받지 않은 **b** 유대인이 아닌, 이방인의(Gentile) **2 a** 이교의; 이단의 **b** 영적으로 거듭나지 않은

un·cir·cum·ci·sion [ʌ̀nsəːrkəmsíʒən] *n.* **1** Ⓤ 할례를 받지 않음, 무할례 **2** [the ~; 집합적] 〖성서〗 이방인(the Gentiles)

un·civ·il [ʌ̀nsívəl] *a.* **1** 〈행위 등이〉 예의에 벗어난, 무례한, 버릇없는 **2** 미개한, 야만적인 **~·ly** *ad.*

un·civ·i·lized [ʌ̀nsívəlaizd] *a.* **1** 미개한; 야만의 **2** 〈토지 등이〉 문명으로부터 격리된; 황량한 **~·ly** *ad.*

un·clad [ʌ̀nklǽd] *v.* UNCLOTHE의 과거·과거분사 — *a.* (문어) 옷을 입지 않은, 나체의

un·claimed [ʌ̀nkléimd] *a.* 청구자가 없는; 소유주 불명의 〈집 등〉: items that are ~ after six months 6개월 후에도 주인이 나타나지 않는 물건

un·clar·i·ty [ʌ̀nklǽrəti] *n.* 불투명, 불명확

un·clasp [ʌ̀nklǽsp | -klɑ́ːsp] *vt.* **1** …의 걸쇠를 벗기다 **2** 〈쥐었던 양손 등을〉 펴다 — *vi.* **1** 〈걸쇠가〉 벗겨지다 **2** 〈쥐었던 손 등이〉 펴지다

un·classed [ʌ̀nklǽst | -klɑ́ːst] *a.* 분류되지 않은; 등급을 매기지 않은

un·clas·si·cal [ʌ̀nklǽsikəl] *a.* 고전적이 아닌

un·clas·si·fi·a·ble [ʌ̀nklǽsəfàiəbl] *a.* 분류할 수 없는 **~·ness** *n.*

un·clas·si·fied [ʌ̀nklǽsəfàid] *a.* **1** 분류[구분]되지 않은 **2** 〈문서 등이〉 기밀 취급을 받지 않은, 비밀이 아닌: ~ information 기밀 취급을 받지 않는 정보

‡**un·cle** [ʌ́ŋkl] *n.* **1** 아저씨, (외)삼촌, 백[숙]부, 고모부, 이모부(cf. AUNT) **2** (구어) [친밀하게] (이웃집) 아저씨《방송국의 아나운서나 미국에서는 늙은 흑인 하인 등에도 씀》 **3** (속어) 전당포 주인(pawnbroker) **4** [U~] = UNCLE SAM **5** (통신에서) U를 나타내던 용어 **6** (미·속어) 마약 수사관 ***come the ~ over*** a person (꾸중 등을 할 때) …에게 아저씨처럼 굴다 ***I'll be a monkey's ~!*** (구어) 아이구 깜짝이야! ***say*** [***cry***] ~ (미·구어) 졌다고 말하다, 항복하다 ***talk*** (***to*** a person) ***like a Dutch ~*** ⇨ Dutch uncle. ***your ~*** (***Dudley***) 《익살》 나, 이 아저씨 — *vi.* 아저씨라고 부르다, 아저씨 취급을 하다

-uncle [ʌ̀ŋkl] *suf.* 「작은 …」의 뜻: carb*uncle*

***un·clean** [ʌ̀nklíːn] *a.* **1** 더러운, 불결한 **2** (도덕적으로) 순결하지 못한, 품행이 나쁜, 음탕한: the ~ spirit 〖성서〗 악령《특히 사람 마음속에 있는》 **3** 〈돼지고기 등이〉 (종교적으로) 먹지 못하게 금지된, 부정(不淨)한 **4** 명확하지 못한 **~·ness** *n.*

un·clean·ly[1] [ʌ̀nklénli] *a.* 불결한; 음란한, 부정(不貞)한: ~ thoughts 음란한 생각 **-li·ness** *n.*

un·clean·ly[2] [ʌ̀nklíːnli] *ad.* 불결하게, 더럽게

un·clear [ʌ̀nklíər] *a.* 이해하기 힘든; 명백하지 않은, 막연한 **~·ly** *ad.* **~·ness** *n.*

un·cleared [ʌ̀nklíərd] *a.* 장애물이 제거되지 않은; 나무를 베어 길을 내지 않은

Úncle Náb (미·속어) 경찰관

un·clench [ʌ̀nkléntʃ] *vt.* 〈꼭 쥐었던 것을〉 펴다; 억지로 비틀어 열다 — *vi.* 〈꼭 쥐었던 것이〉 펴지다; 열리다

Úncle Sám [U(nited) S(tates)를 딴 말로 바꾼 것] **1** 미국 정부 **2** (전형적인) 미국 사람《별무늬 테를 두른 실크모자를 쓰고 푸른 연미복과 줄무늬 바지를 입은, 키 크고 마른 남자로 만화에 묘사》(cf. JOHN BULL)

Uncle Sam

un·cle·ship [ʌ́ŋklʃip] *n.* 삼촌[숙부, 백부]의 지위

Úncle Súgar (미·속어) 미연방 수사국(FBI)

Úncle Tóm (미) **1** 엉클 톰《Mrs. Stowe의 소설 *Uncle Tom's Cabin*의 흑인 주인공》 **2** (경멸) 백인에게 굴종적인 흑인

Un·cle-Tom [ʌ́ŋkltɑ́m | -tɔ́m] *vi.* (**~med**; **~·ming**) (미·구어) 백인에게 아첨하다[비굴하게 굴다]

Úncle Tómahawk (미·경멸) 백인 사회에 융화한 아메리칸 인디언

Úncle Tómism (미) 점진적 흑백 통합론, (흑인의) 백인 영합(迎合)주의

un·clipped [ʌ̀nklípt] *a.* 깎지[자르지] 않은

un·cloak [ʌ̀nklóuk] *vt.* **1** …의 외투를 벗기다 **2 a** 〈위선 등의〉 가면을 벗기다, 폭로하다: Her motives were ~*ed.* 그녀의 동기가 폭로되었다. **b** 〈계획 등을〉 밝히다, 공표하다(reveal) — *vi.* 외투를 벗다

un·clog [ʌ̀nklɑ́g | -klɔ́g] *vt.* (**~ged**; **~·ging**) …에서 장애[방해]를 없애다: ~ a drain 배수로의 장애를 없애다

un·close [ʌ̀nklóuz] *vt., vi.* 열다, 열리다

un·closed [ʌ̀nklóuzd] *a.* **1** 열려 있는, 열린 채로의; 활짝 열린 **2** 완결되지 않은(unfinished)

un·clothe [ʌ̀nklóuð] *vt.* **1** …의 옷을 벗기다, 옷을 빼앗다, 발가벗기다 **2** …의 덮개를 벗기다 **3** 〈비밀 등을〉 털어놓다

un·clothed [ʌ̀nklɔ́ːðd] *a.* 의복을 입지 않은, 알몸의(naked)

un·cloud·ed [ʌ̀nkláudid] *a.* **1** 구름이 끼지 않은, 활짝 갠, 맑은(clear) **2** 밝은, 명랑한: ~ happiness 밝은 행복 **~·ness** *n.*

un·clut·ter [ʌ̀nklʌ́tər] *vt.* 정돈하다, 어지른 것을 치우다 **~ed** *a.* 정돈된, 어지러져 있지 않은

un·co [ʌ́ŋkou] (스코) *a.* **1** 낯선; 섬뜩한 **2** 눈에 띄는; 두드러진 — *n.* (*pl.* **~s**) **1** 낯선 사람 **2** [*pl.*] 뉴스, 소식 — *ad.* 매우, 대단히(extremely, very)

un·cod·ed [ʌ̀ŋkóudid] *a.* **1** 평문의, 암호화하지 않은 **2** 우편 번호가 없는[잘못 씌여진]

un·cof·fin [ʌ̀nkɔ́ːfin | -kɔ́f-] *vt.* 관에서 꺼내다

únco guíd [-gíd] [the ~; 복수 취급; 보통 반어적] 대단히 훌륭한 사람, '성인군자'; [비난하는 뜻으로] 아주 엄격한 교인들

un·coil [ʌ̀nkɔ́il] *vt.* 〈감은 것을〉 풀다, 펴다 — *vi.* **1** 풀리다 **2** 〈뱀이〉 사렸던 몸을 풀다

un·coined [ʌ̀nkɔ́ind] *a.* **1** 경화로 주조되지 않은 **2** 위조가 아닌, 진짜의, 천연의

un·col·lect·ed [ʌ̀nkəléktid] *a.* 모으지 않은; 징수하지 않은; 자제심을 잃은, 혼란된

un·col·lect·i·ble [ʌ̀nkəléktəbl] *a.* 수집[회수] 불가능한 — *n.* (부채 등이) 회수 불가능한 것

un·col·ored [ʌ̀nkʌ́lərd] *a.* **1** 색칠하지 않은, 채색되지 않은, 바탕 빛깔대로의: her ~ lips 립스틱을 바르지 않은 그녀의 입술 **2** (문어) 〈얘기 등이〉 사실대로의, 꾸미지 않은

un·combed [ʌ̀nkóumd] *a.* 빗질하지 않은, 텁수룩한, 엉킨

thesaurus **uncomfortable** *a.* **1** 마음이 편치 못한 uneasy, ill-at-ease, nervous, tense, self-conscious, awkward, embarrassed, disturbed, troubled, worried, anxious, apprehensive **2** 불편한 unpleasant, disagreeable, painful, distressing

un·com·bined [ʌ̀nkəmbáind] *a.* 분리된, 결합[화합]하지 않은

un·come-at-a·ble [ʌ̀nkʌmǽtəbl, -kəm-] *a.* 《속어》 **1** 가까이 하기 어려운, 접근하기 힘든 **2** 손에 넣기 힘든, 얻기 어려운

un·come·ly [ʌ̀nkʌ́mli] *a.* **1** 참하지 못한, 예쁘지 않은 **2** 어울리지 않는; 버릇없는 **-li·ness** *n.*

‡**un·com·fort·a·ble** [ʌ̀nkʌ́mfərtəbl] *a.* **1** 기분이 언짢은, 마음이 편치 못한, 거북한; 아픈, 고통스러운: I was ~ with his silence. 그의 침묵으로 인해 불안했다. **2** 살기[앉기, 입기, 신기] 불편한; 곤란한, 난처한 〈사태 등〉: an ~ chair 앉기 불편한 의자
~·ness *n.* **-bly** *ad.*

un·com·fort·ed [ʌnkʌ́mfərtid] *a.* 위안이 없는

un·com·fort·ing [ʌnkʌ́mfərtiŋ] *a.* 위안이 안 되는

un·com·mer·cial [ʌ̀nkəmə́ːrʃəl] *a.* **1** 상업에 종사하지 않는, 장사와 관계없는: an ~ town 비상업 도시 **2** 상업 도덕[정신]에 위반되는 **3** 상업적이 아닌, 비영리적인; 장사가 되지 않는

un·com·mis·sioned [ʌ̀nkəmíʃənd] *a.* 위임[위탁]되지 않은

un·com·mit·ted [ʌ̀nkəmítid] *a.* **1** 미수(未遂)의: an ~ crime 미수죄 **2** 언질[맹세]에 얽매이지 않은, 의무를 지지 않은; 약혼하지 않은 **3** 어느 편도 아닌, 중립의: an ~ vote 중립표, 부동표 **4** 〈법안 등이〉 위원회에 회부되지 않은

***un·com·mon** [ʌ̀nkámən | -kɔ́m-] *a.* **1** 드문, 보기 드문, 희한한, 진귀한: an ~ case 드문 경우 **2** 보통 아닌, 비상한, 비범한: an ~ quality 비범한 소질
— *ad.* 《고어·방언》 = UNCOMMONLY **~·ness** *n.*

un·com·mon·ly [ʌ̀nkámənli | -kɔ́m-] *ad.* 드물게, 진귀하게; 매우, 특별히: not ~ 종종, 흔히

un·com·mu·ni·ca·ble [ʌ̀nkəmjúːnikəbl] *a.* = INCOMMUNICABLE

un·com·mu·ni·ca·tive [ʌ̀nkəmjúːnəkèitiv, -kət-] *a.* 속을 털어놓지 않는, 서먹서먹한, 좀체로 말하지 않는, 말없는: an ~ person 말없는 사람
~·ly *ad.* **~·ness** *n.*

un·com·pas·sion·ate [ʌ̀nkəmpǽʃənət] *a.* 동정심이 없는, 무자비한

un·com·pen·sat·ed [ʌnkámpənsèitid | -kɔ́m-] *a.* 보상되지 않은

un·com·pet·i·tive [ʌ̀nkəmpétətiv] *a.* 경합하지 않는; 경쟁력이 없는

un·com·plain·ing [ʌ̀nkəmpléiniŋ] *a.* 불평을 말하지 않는; 참을성 많은 **~·ly** *ad.*

un·com·plet·ed [ʌ̀nkəmplíːtid] *a.* 미완성의

un·com·pli·cat·ed [ʌ̀nkámpləkèitid | -kɔ́m-] *a.* **1** 복잡하지 않은; 단순한(simple) **2** 〖의학〗 합병증을 수반하지 않은

un·com·pli·men·ta·ry [ʌ̀nkàmpləméntəri | -kɔ̀m-] *a.* 결례가 되는, 무례한

un·com·ply·ing [ʌ̀nkəmpláiiŋ] *a.* 〈요구 따위에〉 따르지 않는, 순종하지 않는

un·com·pre·hend·ing [ʌ̀nkàmprihéndiŋ] *a.* 〈사태 등이〉 잘 이해되지 않는, 이해력이 부족한 **~·ly** *ad.*

un·com·pro·mis·ing [ʌ̀nkámprəmàiziŋ | -kɔ́m-] *a.* **1** 타협하지 않는, 양보하지 않는 **2** 단호한, 완고한, 강경한 **~·ly** *ad.* **~·ness** *n.*

un·com·put·ed [ʌ̀nkəmpjúːtid] *a.* 계산[측정]되지 않은

un·con·cealed [ʌ̀nkənsíːld] *a.* 숨겨지지 않은, 노골적인, 공공연한

un·con·ceiv·a·ble [ʌ̀nkənsíːvəbl] *a.* 《고어》 = INCONCEIVABLE

unconscious *a.* **1** 알아채지 못하는 unaware, heedless, ignorant, incognizant, oblivious, insensible **2** 의식을 잃은 senseless, comatose, knocked out, stunned, dazed **3** 무의식적인 unintentional, unintended, accidental, unthinking

un·con·cern [ʌ̀nkənsə́ːrn] *n.* Ⓤ 무관심, 태연, 냉담

un·con·cerned [ʌ̀nkənsə́ːrnd] *a.* **1** 관심[흥미]을 가지지 않는, 개의하지 않는 《*with, at*》 **2** 태연한, 무사태평한 《*about*》 **3** 관계가 없는, 무관한 《*in*》
-cern·ed·ly [-sə́ːrnidli] *ad.* 태연하게, 무관심하게
-cern·ed·ness [-sə́ːrnidnis] *n.*

un·con·clud·ed [ʌ̀nkənklúːdid] *a.* 결론이 나지 않은; 종료하지 않은

***un·con·di·tion·al** [ʌ̀nkəndíʃənl] *a.* 무조건의, 무제한의, 절대적인: an ~ surrender 무조건 항복
~·ly *ad.* **~·ness** *n.*

unconditional bránch 〖컴퓨터〗 무조건 분기

unconditional convérgence 〖수학〗 무조건 수렴(收斂)

unconditional júmp 〖컴퓨터〗 무조건 점프

un·con·di·tioned [ʌ̀nkəndíʃənd] *a.* **1** 무조건의, 절대적인 **2** 〖철학〗 무제약의; 무조건의; 〖심리〗 무조건의, 무조건 반응을 일으키는: ~ behavior 무조건 행동

unconditioned respónse[réflex] 〖심리〗 무조건 반응[반사]

un·con·fined [ʌ̀nkənfáind] *a.* 제한을 받지 않은; 한계가 없는; 자유로운

un·con·firmed [ʌ̀nkənfə́ːrmd] *a.* **1** 〈소문·보도 등이〉 확인되지 않은, 확증이 없는: an ~ report 미확인 보도 **2** 〖그리스도교〗 안수(按手)를 받지 않은, 견진(堅振) 성사를 받지 않은

un·con·form·a·ble [ʌ̀nkənfɔ́ːrməbl] *a.* **1** 적합하지 않은; 일치하지 않는 **2** 순응하지 않는, 복종하지 않는 **~·ness** *n.* **-bly** *ad.*

un·con·form·i·ty [ʌ̀nkənfɔ́ːrməti] *n.* Ⓤ **1** 불일치, 부적합 **2** 〖지질〗 (지층의) 부정합(不整合)

un·con·gen·ial [ʌ̀nkəndʒíːnjəl] *a.* 마음[기호]에 맞지 않는 《*with, to*》; 적합지 않은 《*to*》 **~·ly** *ad.*

un·con·nect·ed [ʌ̀nkənéktid] *a.* **1** 연결[연속]되지 않은, 단독의, 독립한 **2** 연고가 없는 《*with*》; 관련이 없는: ~ things 관련없는 사건들 **3** 조리가 맞지 않는; 산만한 **~·ly** *ad.* **~·ness** *n.*

un·con·quer·a·ble [ʌ̀nkáŋkərəbl | -kɔ́ŋ-] *a.* 정복[극복]하기 어려운 **-bly** *ad.*

un·con·quered [ʌ̀nkáŋkərd | -kɔ́ŋ-] *a.* 정복되지 않은

un·con·scion·a·ble [ʌ̀nkánʃənəbl | -kɔ́n-] *a.* 《문어》 **1** 양심이 없는, 비양심적인, 악질인; 〖법〗 부당한; 무법의: an ~ bargain 부당한 거래 **2** 부조리한, 터무니없는 **3** 과도한, 법외의 **~·ness** *n.* **-bly** *ad.*

‡**un·con·scious** [ʌ̀nkánʃəs | -kɔ́n-] *a.* **1** Ⓟ 〈…을〉 모르는, 알아채지 못하는, 깨닫지 못하는 《*of*》: be ~ *of* one's mistake 실수를 깨닫지 못하다 **2** 의식[정신]을 잃은, 의식 불명의, 인사불성의: be ~ after an accident 사고 후에 의식을 잃다 **3** 자기도 모르게 나온; 자각하지 않은, 지각[의식]이 없는, 비정(非情)의: an ~ impulse 무의식적 충동 **4** 〖심리〗 무의식의
— *n.* Ⓤ [보통 the ~] 〖심리〗 무의식 **~·ly** *ad.* 부지중에, 무의식적으로 **~·ness** *n.* Ⓤ 무의식; 인사불성

un·con·se·crat·ed [ʌ̀nkánsəkrèitid | -kɔ́n-] *a.* 성화(聖火)되지 않은; 신에게 바치지 않은; 성별(聖別)되지 않은

un·con·sent·ing [ʌ̀nkənséntiŋ] *a.* 동의[승낙]하지 않은

un·con·sid·ered [ʌ̀nkənsídərd] *a.* **1** 고려되지 않은, 무시된 **2** 〈언행 등이〉 경솔한, 사려가 없는: an ~ remark 경솔하게 말한 의견

un·con·sol·a·ble [ʌ̀nkənsóuləbl] *a.* = INCONSOLABLE **-a·bly** ad.

un·con·sol·i·dat·ed [ʌ̀nkənsálədèitid | -sɔ́l-] *a.* 굳지 않은; 강화[통합]되지 않은

un·con·sti·tu·tion·al [ʌ̀nkànstətjúːʃənl | -kɔ̀nstitjúː-] *a.* 헌법 위반의, 위헌의
ùn·còn·sti·tu·tion·ál·i·ty *n.* Ⓤ 헌법 위반 **~·ly** *ad.*

unconstitútional stríke 위법 스트라이크 《노사간의 합의가 이루어진 상황에서 행하는》

un·con·strained [ʌ̀nkənstréind] *a.* **1** 구속받지 않는, 자유로운 **2** 강제가 아닌, 자발적인 **3** 거리낌 없는, 태연한; 편안한 **-strain·ed·ly** [-stréinidli] *ad.*
un·con·straint [ʌ̀nkənstréint] *n.* Ⓤ 구속받지 않음; 수의(隨意), 자유
un·con·struct·ed [ʌ̀nkənstrʌ́ktid] *a.* 〈옷이〉 심이나 패드를 넣어 모양을 만든 것이 아닌
un·con·sumed [ʌ̀nkənsú:md] *a.* 소비되지 않은
un·con·tain·a·ble [ʌ̀nkəntéinəbl] *a.* 수용할 수 없는; 억제할 수 없는
un·con·tam·i·nat·ed [ʌ̀nkəntǽmənèitid] *a.* 오염되지 않은
un·con·ten·tious [ʌnkənténʃəs] *a.* 《문어》 논쟁[이론(異論)]의 여지가 없는
un·con·test·ed [ʌ̀nkəntéstid] *a.* 경쟁자가 없는, 무경쟁의; 논쟁의 여지가 없는, 명백한
un·con·tra·dict·ed [ʌ̀nkɑntrədíktid] *a.* 부인[반박]되지 않은
un·con·trol·la·ble [ʌ̀nkəntróuləbl] *a.* 제어[통제]할 수 없는, 억제하기 어려운, 걷잡을 수 없는: ~ anger 억제할 수 없는 노여움 **~·ness** *n.* **-bly** *ad.*
un·con·trolled [ʌ̀nkəntróuld] *a.* 억제되지 않은, 방치된, 자유로운
un·con·tro·ver·sial [ʌ̀nkɑ̀ntrəvə́:rʃəl | -kɔ̀n-] *a.* 토론[논쟁]이 안 되는; 토론[논쟁]을 좋아하지 않는
un·con·ven·tion·al [ʌ̀nkənvénʃənl] *a.* **1** 관습을 좇지 않는, 인습에 사로잡히지 않는 **2** 〈태도·복장 등이〉 판에 박히지 않은, 약식의, 자유로운 **~·ly** *ad.*
un·con·ven·tion·al·i·ty [ʌ̀nkənvènʃənǽləti] *n.* **1** Ⓤ 비(非)인습적임; 자유로움 **2** 인습에 사로잡히지 않는 언행
unconvéntional wárfare 비(非)정규전 《적지 내에서 수행되는 게릴라전·파괴 활동》
un·con·vert·ed [ʌ̀nkənvə́:rtid] *a.* **1** 〈질·형태 등이〉 변하지 않은, 변화 없는 **2** 개종하지 않은; 회개하지 않은 **3** 전향하지 않은
un·con·vert·i·ble [ʌ̀nkənvə́:rtəbl] *a.* **1** 바꿀 수 없는 **2** 〈지폐 등이〉 불태환의
un·con·vinced [ʌ̀nkənvínst] *a.* 설득되지 않은, 납득하지 않은
un·con·vinc·ing [ʌ̀nkənvínsiŋ] *a.* 납득시킬 수 없는, 설득력 없는, 의문이 있는 **~·ly** *ad.* **~·ness** *n.*
un·cooked [ʌ̀nkúkt] *a.* (불로) 요리하지 않은, 날것의(raw)
un·cool [ʌ̀nkú:l] *a.* 《속어》 **1** 자신 없는, 몹시 감상적인 **2** 볼품 없는, 멋없는, 세련되지 못한 **3** (동료의 관습을) 잘 모르는
un·co·op·er·a·tive [ʌ̀nkouɑ́pərətiv | -ɔ́p-] *a.* 비협조적인 **~·ly** *ad.*
un·co·or·di·nat·ed [ʌ̀nkouɔ́:rdənèitid] *a.* 조정(調整)되지 않은; 〈근육 운동 등이〉 협동이 이루어지지 않은; 동격이 되어 있지 않은
un·cord [ʌ̀nkɔ́:rd] *vt.* …의 밧줄[끈]을 풀다[끄르다]
un·cork [ʌ̀nkɔ́:rk] *vt.* **1** (병의) 마개를 뽑다 **2** 〈감정 등을〉 토로하다, 〈말 등을〉 입 밖에 내다 **3** 세차게 내뿜다[내쏟다]
un·cor·rect·a·ble [ʌ̀nkəréktəbl] *a.* 수정이 불가능한; 불치의, 회복할 수 없는
un·cor·rect·ed [ʌ̀nkəréktid] *a.* 정정[교정]되지 않은
un·cor·rob·o·rat·ed [ʌ̀nkərɑ́bərèitid | -rɔ́b-] *a.* 확증이 없는
un·cor·rupt·ed [ʌ̀nkərʌ́ptid] *a.* **1** 부패하지 않은 **2** 타락하지 않은, 청렴결백한
un·cor·rupt·i·ble [ʌ̀nkərʌ́ptəbl] *a.* 《고어》 부패하지 않는; 매수하기 어려운
***un·count·a·ble** [ʌ̀nkáuntəbl] *a.* **1** 셀 수 없는, 헤아릴 수 없는, 무수한: ~ ants 무수한 개미들 **2** 〖문법〗 〈명사가〉 셀 수 없는, 불가산(不可算)의
— *n.* 〖문법〗 셀 수 없는[불가산] 명사(opp. *countable*) **~·ness** *n.* **-a·bil·i·ty** *n.* **-a·bly** *ad.*
uncóuntable nòun 〖문법〗 불가산 명사
un·count·ed [ʌ̀nkáuntid] *a.* **1** 세지 않은 **2** 무수한(innumerable)
un·cóunt nòun [ʌ̀nkáunt-] 〖문법〗 = UNCOUNTABLE NOUN
un·cou·ple [ʌ̀nkʌ́pl] *vt.* **1** 〈두 마리의 개를〉 가죽끈에서 풀다 **2** 〈열차의〉 연결을 풀다; (열차에서) 〈화차 등을〉 떼어놓다 — *vi.* **1** 떨어지다; 풀리다 **2** 〖수렵〗 사냥개를 풀다
un·cour·te·ous [ʌ̀nkə́:rtiəs] *a.* 예절을 모르는, 무엄한, 버릇없는 **~·ly** *ad.* **~·ness** *n.*
un·court·ly [ʌ̀nkɔ́:rtli] *a.* **1** 거친, 우아하지 못한, 천한 **2** 궁정 예절에 익숙지 못한, 반(反)궁정적인 **-li·ness** *n.*
***un·couth** [ʌnkú:θ] [OE 「알려지지 않은」의 뜻에서] *a.* **1** 〈사람·언동 등이〉 세련되지 않은, 거친, 투박한, 무뚝뚝한 **2** 유쾌하지 않은 **3** 《고어》 기묘한, 미지의, 낯선 **4** 인적이 드문, 쓸쓸한; 안락하지 못한 〈생활 등〉 **~·ly** *ad.* **~·ness** *n.*
un·cov·e·nant·ed [ʌ̀nkʌ́vənəntid] *a.* **1** 계약[서약]에 의하지 않은 **2** 〖신학〗 하느님의 약속에 의하지 않은 ***the ~ mercies of God*** 신약(新約)에 의하지 않는 하느님의 은혜 ***U~ Civil Service*** 《영》 (인도에서의) 무계약 문관 복무
⁑**un·cov·er** [ʌ̀nkʌ́vər] *vt.* **1** 폭로하다(reveal), 털어놓다, 적발하다: ~ one's heart to …에게 마음을 털어놓고 이야기하다 **2** 뚜껑[덮개]을 벗기다; 〈몸을〉 발가벗기다; 〈머리에서〉 모자를 벗다; 〈여우를〉 몰아내다: ~ one's head 모자를 벗다 **3** 〖군사〗 〈군대를〉 적의 포화[시야]에 노출시키다, …을 무방비 상태로 하다 ~ one***self*** 모자를 벗다; 몸에 걸친 것을 벗다
— *vi.* **1** (경의를 표하여) 모자를 벗다, 탈모하다 **2** 뚜껑[덮개]을 벗기다
un·cov·ered [ʌ̀nkʌ́vərd] *a.* **1** 덮개가 없는 **2** 모자를 쓰지 않은 **3** 차폐물이 없는, 노출된: ~ legs 노출된 다리 **4** 담보가 없는 **5** 보험에 들지 않은
un·cre·ate [ʌ̀nkriéit] *vt.* …의 존재를 말살하다, 전멸[절멸]시키다
un·cre·at·ed [ʌ̀nkriéitid] *a.* 《문어》 **1** 아직 창조되지 않은 **2** 다른 것에 의해 창조된 것이 아닌, 자존(自存)의 **~·ness** *n.*
un·cre·a·tive [ʌ̀nkriéitiv] *a.* 창조적이 아닌, 창조력이 없는
un·cred·it·ed [ʌ̀nkréditid] *a.* 신용을 얻지 못한
un·crit·i·cal [ʌ̀nkrítikəl] *a.* **1** 비판력[정견]이 없는: an ~ reader 비판력이 없는 독자 **2** 비판하지 않는; 무차별한 **~·ly** *ad.*
un·cropped [ʌnkrɑ́pt | -krɔ́pt] *a.* 〈토지가〉 경작되지 않은; 〈작물을〉 심지 않은; 〈머리털이〉 자르지 않은
un·cross [ʌ̀nkrɔ́:s | -krɔ́s] *vt.* …의 교차(交叉)를 풀다, 〈책상다리 등을〉 풀다
un·crossed [ʌ̀nkrɔ́:st | -krɔ́st] *a.* **1** (십자로) 교차되지 않은 **2** 《영》 〈수표 등이〉 횡선을 긋지 않은 **3** 방해되지 않은
un·crowd·ed [ʌ̀nkráudid] *a.* 혼잡하지 않은
un·crown [ʌ̀nkráun] *vt.* …의 왕관[왕위, 왕좌]을 빼앗다
un·crowned [ʌ̀nkráund] *a.* **1** 아직 왕관을 쓰지 않은, 정식 왕이 아닌, 대관식을 올리지 않은 **2** 무관(無冠)의, 제일인자의: the ~ king[queen] of …계의 제일인자
un·crum·ple [ʌ̀nkrʌ́mpl] *vt.* …의 주름을 펴다
un·crush·a·ble [ʌ̀nkrʌ́ʃəbl] *a.* **1** 부서지지 않는; 〈천 등이〉 구겨지지 않는 **2** 《문어》 〈사람·의지 등이〉 불굴의, 꺾이지 않는
UNCSTD United Nations Conference on Science and Technology for Development **UNCTAD** United Nations Conference on Trade and Development

thesaurus **uncover** *v.* discover, unearth, expose, unveil, reveal, make known, disclose

unc·tion [ʌ́ŋkʃən] [L 「기름을 바르다」의 뜻에서] *n.* Ⓤ **1 a** 기름 부음, 도유(塗油) 《종교적 축성의 표시》 **b** 《가톨릭·그리스도교》 병자 성사, 종부 성사 《임종 때 성유(聖油)를 바르는》(=extreme ~) **c** 도유식 《대관식 때의》 **2** 《의료(醫療)의》 기름약 바름; 연고 바르기 **3 a** 바르는 기름, 고약, 연고(ointment) **b** 비위 맞추는 언동, 감언 **4 a** 사람을 감동[감격]시키는 어조[태도 《등》]; 《특히》 종교적 열정: a sermon lacking in ~ 종교적 열정이 부족한 설교 **b** 표면만의 열정, 과장[가장]된 감동[감격, 동정, 점잔 《등》] **~·less** *a.*
▷ únctuous *a.*

unc·tu·ous [ʌ́ŋktʃuəs] *a.* **1** 아주 감동한 체하는, 엉너리치는, 살살 녹이는 〈말 등〉: in an ~ voice 사람을 녹이는 목소리로 **2 a** 기름 같은, 유질(油質)의, 기름기가 있는 **b** 매끈한, 미끈미끈한
~·ly *ad.* **~·ness** *n.* ▷ únction *n.*

un·cul·ti·vat·ed [ʌnkʌ́ltəvèitid] *a.* **1** 갈지 않은, 개간하지 않은 **2** 닦지 않은, 돌보지 않은, 가꾸지 않은, 배양되지 않은 **3** 미개의, 교양 없는

un·cul·ture [ʌ̀nkʌ́ltʃər] *n.* 교양 없음, 무교육

un·cul·tured [ʌ̀nkʌ́ltʃərd] *a.* **1** 개간[경작]하지 않은 **2** 교양 없는, 세련되지 못한

un·curbed [ʌ̀nkə́:rbd] *a.* 〈말이〉 재갈을 벗은; 억제[구속]되지 않은

un·cured [ʌ̀nkjúərd] *a.* **1** 치료[구제]되지 않은 **2** 저장[가공] 처리되지 않은, 간하지[말리지] 않은

un·cu·ri·ous [ʌ̀nkjúəriəs] *a.* =INCURIOUS

UNCURK United Nations Commission for the Unification and Rehabilitation of Korea

un·curl [ʌ̀nkə́:rl] *vt.* 〈곱슬한 머리털 등을〉 펴다
— *vi.* 〈말린 것이〉 풀리다, 곧게 펴지다

un·cur·tailed [ʌ̀nkərtéild] *a.* 단축[삭감]되지 않은

un·cur·tain [ʌnkə́:rtn] *vt.* …으로부터 커튼을 떼다; 폭로하다

un·cus [ʌ́ŋkəs] *n.* (*pl.* **un·ci** [ʌ́nsai]) 《해부》 갈고리

un·cus·tomed [ʌ̀nkʌ́stəmd] *a.* 세관을 통하지 않은; 관세가 부과되지 않은; 《고어》 =UNACCUSTOMED

un·cut [ʌ̀nkʌ́t] *a.* **1** 자르지 않은 **2** 〈보석 등이〉 깎지[갈지] 않은 **3** 〈영화·소설 등이〉 삭제[커트]하지 않은, 완전판의; 원형의 **4** 〈마약 등이〉 섞은 것이 없는, 순수한: ~ heroin 순수한 헤로인 **5** 《제본》 도련하지 않은 **6** 《속어》 할례하지 않은

un·dam·aged [ʌ̀ndǽmidʒd] *a.* 무사한, 손해[손상]를 당하지 않은; 완전한

un·damped [ʌ̀ndǽmpt] *a.* **1** 축축하지 않은 **2** 〈힘·활력 등이〉 쇠퇴하지 않은 **3** 《물리》 〈진동이〉 불감쇠(不減衰)의

un·dat·ed [ʌ̀ndéitid] *a.* **1** 날짜가 없는 **2** 기일[기한]을 정하지 않은

*__un·daunt·ed__ [ʌ̀ndɔ́:ntid] *a.* 《문어》 **겁내지 않는,** 두려워하지 않는, 담대한, 끄떡없는; 용감한(courageous): ~ by failure 실패에 끄떡없는
~·ly *a.* **~·ness** *n.*

un·daz·zled [ʌ̀ndǽzld] *a.* 현혹되지 않은

UNDC United Nations Disarmament Commission 유엔 군축 위원회

un·dé, un·dée [ʌ́ndei] [F] *a.* 《문장(紋章)의》 〈분할선이〉 《특히 높은》 물결 모양의

un·dead [ʌndéd] *a.* 죽지 않은; 완전히 죽지 않은; [the ~; 집합적; 명사적] 완전히 죽지 않은 사람들

un·dec·a·gon [ʌndékəgɑ̀n | -gən, -gɔ̀n] *n.* 11각형

un·de·ceive [ʌ̀ndisí:v] *vt.* …의 그릇된 생각을 깨우쳐 주다, …에게 진실을 깨닫게 하다 (*of*)

un·de·cid·a·bil·i·ty [ʌ̀ndisaidəbíləti] *n.* 《수학·논리》 결정 불가능성, 논증[증명] 불능

un·de·cid·a·ble [ʌ̀ndisáidəbl] *a.* 결정할 수 없는; 《수학·논리》 논증[증명] 불능의

un·de·cid·ed [ʌ̀ndisáidid] *a.* **1** 아직 결정되지 않은, 미정인; 〈경기·날씨 등이〉 어떻게 될지 모르는: an ~ question 미해결 문제 **2** 〈사람이〉 결심이 서지 않은; 우유부단한: an ~ character 우유부단한 사람
— *n.* 우유부단한 사람 **~·ly** *ad.* **~·ness** *n.*

un·decked [ʌ̀ndékt] *a.* 《항해》 갑판이 없는, 무갑판의; 장식이 없는

un·de·clared [ʌ̀ndikléərd] *a.* **1** 공언하지 않은; 〈전쟁이〉 선전 포고를 하지 않은 **2** 〈과세 대상품이〉 《세관에》 신고되지 않은

un·de·com·posed [ʌ̀ndikəmpóuzd] *a.* 〈화학 물질이〉 분해되지 않은; 썩지 않은

un·de·feat·a·ble [ʌ̀ndifí:təbl] *a.* 무적의; 난공 불락의, 쳐부술 수 없는

un·de·feat·ed [ʌ̀ndifí:tid] *a.* 진 일이 없는, 무패의

un·de·fend·ed [ʌ̀ndiféndid] *a.* **1** 방비가 없는 **2** 옹호[변호]되지 않은 《변론·변명에 의해》 **3** 변호인이 없는 **4** 항변이 없는

un·de·filed [ʌ̀ndifáild] *a.* 더럽혀지지 않은, 정한, 순결한(chaste); 순수한

un·de·fin·a·ble [ʌ̀ndifáinəbl] *a.* 한정할 수 없는; 정의를 내리기 힘든

un·de·fined [ʌ̀ndifáind] *a.* **1** 불확정의, 막연한 〈경계선 등〉: ~ feelings 막연한 느낌 **2** 아직 정의되지 않은: an ~ term 정의되지 않은 용어

un·de·lete [ʌ̀ndilí:t] 《컴퓨터》 *n.* 삭제 취소 《삭제 정보 부활 기능》 **—** *vt.* 〈삭제한 정보를〉 되살리다

un·de·liv·ered [ʌ̀ndilívərd] *a.* **1** 배달[인도]되지 않은: an ~ letter 배달되지 않은 편지 **2** 석방[방면]되지 않은 **3** 〈의견 등이〉 진술되지 않은 **4** 〈임산부가〉 아직 출산하지 않은; 〈아이가〉 아직 생기지 않은

un·de·mand·ing [ʌ̀ndimǽndiŋ] *a.* 〈일 등이〉 과도한 노력을 필요로 하지 않는; 〈요구가〉 지나치지 않은

un·dem·o·crat·ic [ʌ̀ndèməkrǽtik] *a.* 〈조직·절차 등이〉 비민주적인 **-i·cal·ly** *ad.*

un·de·mon·stra·tive [ʌ̀ndimɑ́nstrətiv | -mɔ́n-] *a.* 〈감정 등을〉 내색하지 않는, 조심성 있는, 내성적인
~·ly *ad.* **~·ness** *n.*

*__un·de·ni·a·ble__ [ʌ̀ndináiəbl] *a.* **1 부정[부인]하기 어려운,** 시비의 여지가 없는, 영락없는, 명백한: an ~ fact 명백한 사실 **2** 흠잡을 데 없는, 더할 나위 없는, 훌륭한: ~ musical talent 훌륭한 음악적 재능
~·ness *n.* **-bly** *ad.*

un·de·nom·i·na·tion·al [ʌ̀ndinɑ̀mənéiʃənl | -nɔ̀m-] *a.* 비종파적인 〈교육 등〉

un·de·pend·a·ble [ʌ̀ndipéndəbl] *a.* 의지[신뢰]할 수 없는 **-bly** *ad.*

‡**un·der** ⇨ under (p. 2724)

under- [ʌ́ndər, ∠-] *pref.* **1 a** 아래(쪽)의[에]: *under*clothes, *under*line **b** 아래로부터: *under*mine **2** 보다 못한, 버금가는, 종속의: *under*secretary **3** 나이가 …미만의 사람: *under*fives 5세 미만의 어린이 **4 a** 불충분하게: *under*state **b** 너무 적어: *under*sized **5** 비밀의

un·der·a·chieve [ʌ̀ndərətʃí:v] *vi.* 《기대된》 능력보다 낮은 성적을 얻다 **~·ment** *n.*

un·der·a·chiev·er [ʌ̀ndərətʃí:vər] *n.* =NONACHIEVER

un·der·act [ʌ̀ndərǽkt] *vt., vi.* 충분한 열의를 가지고 연기하지 않다, 연기가 부족하다, 소극적으로 연기하다(opp. *overact*) **ùn·der·ác·tor** *n.*

un·der·ac·tive [ʌ̀ndərǽktiv] *a.* 활기가[활동이] 불충분한

un·der·age[1] [ʌ̀ndəréidʒ] *a.* 미성년의

un·der·age[2] [ʌ́ndəridʒ] *n.* 부족(량)

un·der·arm [ʌ́ndərɑ̀:rm] *a.* **1** 겨드랑이 밑의 〈솔기 등〉; 겨드랑이에 끼는 〈가방 등〉; Ⓐ 겨드랑이용의 《(암내) 방취제 등》 **2** 《야구》 =UNDERHAND **3** 《영·속어》 부정의, 불법의 **—** *ad.* =UNDERHAND
— *n.* 겨드랑이 밑(armpit)

un·der·armed [ʌ̀ndərɑ́:rmd] *a.* 군비가 불충분한

---

undeniable *a.* indisputable, unquestionable, certain, sure, definite, proven, clear, obvious

under

under는 전치사가 주기능이지만 부사로서도 쓰인다. under는 above와 below의 관계와 같이 over와 역의 관계를 나타낸다. The kitchen is *under* the bedroom. (주방은 침실 바로 밑에 있다.) 같이 위의 것과 접촉하지 않은 것도, hold a book *under* one's arm (겨드랑이에 책을 끼다)과 같이 접촉되어 있는 것도 나타낸다.

‡un·der [ʌ́ndər] *prep.*, *ad.*, *a.*

기본적으로는 「…의 밑에」의 뜻에서
① …의 바로 밑에; …의 기슭에; …의 안쪽에, …에 덮인 전 **1** 부 **1**
② …미만으로[인] 전 **5 a** 부 **2**
③ (수복 등을) 받아; (지배·영향 등을) 받아 전 **2 a, b, 6**
④ …의 항목[명목]하에, …에 숨어 전 **4**

— *prep.* **1** [위치] **a** …의 아래에, …의 바로 밑에 ★ over의 반대어로서 「…의 바로 아래에」의 뜻. (⇨ below 유의어): ~ the bridge 다리 밑에 《*below* the bridge는 보통 「다리의 하류에」의 뜻》/ ~ a tree 나무 밑에, 나무 그늘에 / The baby came out from ~ the table. 아기는 테이블 밑에서 나왔다. **b** …의 기슭에: a village nestling ~ a hill 산기슭에 자리 잡은 마을 **c** …의 안쪽[내부]에; …속에 잠기어 (있는), …에 덮인: ~ the ground 지하에, 땅속에 / ~ water 수중에, 물속에 / ~ the skin 피하에 / cables ~ the ocean 해저 케이블 / He was wearing a sweater ~ his coat. 그는 상의 밑에 스웨터를 입고 있었다. / He hid (himself) ~ the bedclothes. 그는 이불 속으로 파고 들었다. **d** …의 바로 아래[밑]에: She was hit just ~ her eye. 그녀는 바로 눈아래를 맞았다. / draw a line ~ the important words 중요 단어에 밑줄을 긋다
2 [상태] **a** 〈치료·공격·시련·형벌 등〉을 받고: ~ close questioning 철저한 심문을 받고 / groan ~ oppression 압정에 신음하다 / ~ (medical) treatment for ulcers 궤양의 치료를 받고 / The soldier advanced ~ heavy fire. 그 군인은 맹렬한 포화 속에서 전진했다. **b** 〈…의 지배·감독·영향 등〉의 아래에, …하에; 〈지도·규제 등〉을 받고: ~ the supervision of …의 감독하에 / ~ guard 감시를 받아 / be held ~ the auspices of …의 후원하에 열리다 / England ~ (the rule of) Cromwell 크롬웰 지배하의 영국 / ~ the influence of wine 술김에 / He has nearly twenty men ~ him. 그에게는 약 20명의 부하가 있다. **c** 〈…이라는 조건·사정〉 하에: ~ such conditions[circumstances] 그러한 조건[상황]하에 / ~ a delusion[misapprehension, mistaken impression] 착각하고[오해하고, 잘못된 인상을 갖고] **d** 〈서명·날인 등〉의 보증하에: ~ one's signature 서명하에 **e** (위반하면) 〈형벌 등〉을 받기로 하고: ⇨ under PAIN of. **f** [생태·과정] 〈작업·고려〉 중인: ~ consideration[discussion, investigation] 고려[논의, 조사]중인 / a road ~ repair[construction] 수리[공사]중인 도로 / land ~ the plow = land ~ cultivation[tillage] 경작지
3 〈종류·분류〉에 속하는, …의 항목하에: treat a question ~ several heads 여러 개의 항목으로 나누어 문제를 다루다 / Read the sentence ~ No. 5. 5번의 문을 읽으시오.
4 〈…이라는 명목〉하에, 숨어서: ~ a false name 가짜 이름으로 / ~ the pretext of ill health 건강이 좋지 않다는 구실로 / ~ (the) cover of night 야음을 틈타
5 a 〈수량·시간·나이·가격 등이〉 …미만인(less than): boys ~ age 미성년인 소년들 / We've been here just ~ a week. 여기에 온 지 1주일 좀 못됩니다. **b** 〈지위가〉 …보다 못한, …보다 하급인: officers ~ the rank of major 소령 이하의 장교들
6 〈무거운 짐〉을 지고; …의 (중압) 밑에서: The cart will collapse ~ all that weight[those things]. 짐차는 그런 중량[짐]을 모두 싣다가는 짜부러지고 말 것이다. / He sank ~ the burden of his misery. 그는 그 불행의 중압을 감당하지 못했다.
7 〈땅·밭 등이〉 〈작물〉을 심어 놓은: a field ~ grass[wheat] 목초[밀]를 심은 밭

— *ad.* **1** 아래에[로]; 수중[물속]에 《종종 동사와 함께 성구가 됨》: He stayed ~ for two minutes. 그는 2분 동안 잠수해 있었다.
2 미만으로; 보다 아래로: Children five or ~ were admitted free. 5세 내지 그 이하의 어린이는 무료 입장이었다. / sell shirts for $15 and ~ 셔츠를 15달러 아래로 팔다
3 억압되어, 지배되어: bring the fire ~ 불을 끄다
down ~ ⇨ down *ad.*
go ~ ⇨ go
keep ~ ⇨ keep

— *a.* Ⓐ [보통 복합어를 이루어] **1** 아래의, 하부의: the ~ jaw 아래턱 / ~ layers 아래층
2 〈수량·정도 등이〉 보다 적은, 부족한: an ~ dose of medicine 정량 이하의 약
3 지배받는; 종속의, 차위의; (약·알코올 등의) 영향을 받는: an ~ servant 머슴, 허드레꾼 / an ~ cook 요리사의 조수

un·der·bel·ly [ʌ́ndərbèli] *n.* (*pl.* **-lies**) (동물의) 하복부(下腹部); 취약점, 급소

un·der·bid [ʌ̀ndərbíd] *vt.* (~; **-bid·den** [-bídn], ~) 〈경쟁 입찰자보다〉 싸게 값을 매기다[입찰하다]; 《카드》 신중을 기하여 적게 걸다
— *n.* 낮은 가격의 입찰; 《카드》 적게 걸기 **~·der** *n.*

un·der·bite [ʌ́ndərbàit] *n.* 앞니 반대 교합(咬合)

un·der·bod·ice [ʌ́ndərbɑ̀dis | -bɔ̀d-] *n.* (여성의 블라우스 등의 밑에 입는) 속옷(underwaist)

un·der·bod·y [ʌ́ndərbɑ̀di | -bɔ̀di] *n.* [the ~] (자동차 등의) 하부, (몸통의) 하부, (동물의) 복부, (선체의) 수면 아래 부분: the ~ of a tank 전차의 하부

un·der·boss [ʌ́ndərbɑ̀s | -bɔ̀s] *n.* (미·속어) (마피아의) 부두목

un·der·bought [ʌ̀ndərbɔ́:t] *v.* UNDERBUY의 과거·과거분사

un·der·bred [ʌ̀ndərbréd] *a.* 점잖지 못한, 상스러운, 천한(vulgar); 〈말·개가〉 순종이 아닌

***un·der·brush** [ʌ́ndərbrʌ̀ʃ], (미) **-bush** [-bùʃ] *n.* Ⓤ (큰 나무 밑에 자라는) 덤불(undergrowth)

un·der·buy [ʌ̀ndərbái] *v.* (**-bought** [-bɔ́:t]) *vt.* 정가보다 싸게 사다; 〈경쟁 상대보다〉 싸게 사다; 〈물건을〉 불충분하게[모자라게] 사들이다 — *vi.* 필요한 양보다 적게 사다

un·der·cap·i·tal·ize [ʌ̀ndərkǽpətəlàiz] *vt.*, *vi.* (영) 〈기업에〉 충분한 자본을 공급하지 않다 **-ized** *a.*

un·der·card [ʌ́ndərkɑ̀:rd] *n.* 주 경기에 앞선 경기

un·der·car·riage [ʌ́ndərkæ̀ridʒ] *n.* (자동차 등의) 하부 구조, 차대(車臺); (비행기의) 착륙 장치(landing gear)

un·der·cart [ʌ́ndərkɑ̀:rt] *n.* (영·구어) (비행기의) 착륙 장치(cf. UNDERCARRIAGE)

un·der·cast [ʌ́ndərkæ̀st | -kɑ̀ːst] *n.* **1** 〖광물〗 (광상 밑의) 통풍도(道) **2** 〖기상〗 비행기 아래의 구름
— [ˋ-ˊ] *vt.* 〈배우에게〉 낮은 역[단역]을 주다; 〈연극·영화에〉 2류 배우를 배역하다

un·der·cel·lar [ʌ́ndərsèlər] *n.* 지하 2층(subbasement)

un·der·char·ac·ter·ize [ʌ̀ndərkǽriktəràiz] *vt.* 〈소설·연극 등의〉 인물 묘사가 부족하다; 〈음악의〉 주제를 제대로 전개 못하다 **-chàr·ac·ter·i·zá·tion** *n.*

un·der·charge [ʌ̀ndərtʃɑ́ːrdʒ] *vt.* **1** 정당한 가격 이하로 청구하다 《*for, on*》 **2** 〈총포에〉 충분히 장약(裝藥)하지 않다; 〈축전지에〉 충분히 충전하지 않다
— [ˊ-ˋ] *n.* **1** 정당한 대금 이하의 청구 **2** 장약 불충분, 충전 불충분

un·der·class [ʌ́ndərklæ̀s | -klɑ̀ːs] *n.* 사회의 저변, 최하층 — *a.* 하급생의

un·der·class·man [ʌ̀ndərklǽsmən | -klɑ́ːs-], **-wom·an** [-wùmən] *n.* (*pl.* **-men** [-mən, -mèn], **-wom·en** [-wìmin]) 《미》 대학[고등학교]의 하급생 《1학년생(freshman) 또는 2학년생(sophomore)》(cf. UPPERCLASSMAN)

un·der·clay [ʌ́ndərklèi] *n.* Ⓤ 〖지질〗 (석탄의) 하반 점토(下盤粘土)

un·der·clerk [ʌ́ndərklə̀ːrk | -klɑ̀ːrk] *n.* 부서기(副書記), 사무관보(補); 견습 점원[사원]

un·der·cliff [ʌ́ndərklìf] *n.* 〖지질〗 부애(副崖) 《낙석·사태로 생긴 절벽 또는 층계》

un·der·clothed [ʌ̀ndərklóuðd] *a.* 옷을 얇게 입은

un·der·clothes [ʌ́ndərklòuðz, -klòuz] *n. pl.* 속옷, 내의

un·der·cloth·ing [ʌ́ndərklòuðiŋ] *n.* Ⓤ [집합적] 속옷[내의]류(underwear)

un·der·club [ʌ̀ndərklʌ́b] *vi.* (**~bed**; **~·bing**) 〖골프〗 (거리에 비해서) 작은 클럽을 사용하다

un·der·coat [ʌ́ndərkòut] *n.* **1** 속외투, 속저고리; 《방언》 페티코트(petticoat) **2** 속털 《새·짐승의》 **3** 밑칠; 밑칠용 도료, (자동차의) 언더코팅 《방수(防銹)용 밑칠》 — *vt.* …에 밑칠을 하다; 《미》 〈자동차에〉 방수 도료를 칠하다

un·der·coat·ing [ʌ́ndərkòutiŋ] *n.* Ⓤ 밑칠; 《미》 (차체의) 초벌칠(《영》 underseal)

un·der·col·ored [ʌ̀ndərkʌ́lərd] *a.* 색이 부족한; (동물의) 단모색(短毛色)의

un·der·com·pen·sate [ʌ̀ndərkɑ́mpənsèit | -kɔ́m-] *vt.* 통상의[정당한] 액수보다 낮은 보상을 하다 **-còm·pen·sá·tion** *n.*

un·der·con·sump·tion [ʌ̀ndərkənsʌ́mpʃən] *n.* 과소 소비, 소비 부족

un·der·cook [ʌ̀ndərkúk] *vt.* [보통 수동태로] 덜 익히다

un·der·cool [ʌ̀ndərkúːl] *vt., vi.* 〖화학〗 불충분하게 냉각하다; 〖금속〗 과냉각하다(supercool)

un·der·count [ʌ̀ndərkáunt] *vt., n.* 실제보다 적게 세다[세기], 빠뜨리고 세다[세기]

un·der·cov·er [ʌ̀ndərkʌ́vər] *a.* Ⓐ 《미》 비밀로 행해지는, 비밀의(secret); 《특히》 첩보 활동[비밀 조사]에 종사하는: an ~ agent[man] 첩보원, 비밀 수사관

un·der·croft [ʌ́ndərkrɔ̀ːft | -krɔ̀ft] *n.* 둥근 천정의 지하실 《교회 등의》

un·der·cross·ing [ʌ́ndərkrɔ̀ːsiŋ | -krɔ̀s-] *n.* = UNDERPASS 1

un·der·cur·rent [ʌ́ndərkə̀ːrənt | -kʌ̀r-] *n.* **1** 하층의 흐름, 저류(底流) **2** 저의, 암류(暗流) 《표면에 나타나지 않는 감정이나 의견 등의》

un·der·cut [ʌ̀ndərkʌ́t, ˊ-ˋ] *v.* (~; **~·ting**) *vt.* **1** …의 아래 부분을 잘라내다 **2** 〖상업〗 경쟁적으로 〈가격을〉 내리다; 〈남보다〉 저임금으로 일하다 **3** …의 효력[공격, 지위]을 약화시키다 **4** 〖골프〗 (역회전을 주어) 〈공을〉 쳐올리다; 〖테니스〗 (역회전을 주어) 〈공을〉 언더컷하다 — *vi.* **1** 아래 부분을 잘라내다 **2** 경쟁자보다 싸게 팔다 **3** (공을) 언더컷하다
— [ˊ-ˋ] *a.* 아래를 잘라낸
— [ˊ-ˋ] *n.* **1** 아래 부분을 잘라냄; 그 부분 **2** 《미》 벌채할 나무의 넘어지는 방향을 나타낸 새김눈 **3** 〖권투〗 밑에서 쳐올리기; 〖골프·테니스〗 언더컷 《공을 역회전시킴》 **4** 《영》 소 허리의 연한 고기(tenderloin)

un·der·de·vel·op [ʌ̀ndərdivéləp] *vt.* …을 충분히 발육[발달]하지 않다 — *vi.* 충분히 개발하지 않다

un·der·de·vel·oped [ʌ̀ndərdivéləpt] *a.* **1** 발달이 불충분한, 미숙한, 발육 부전의 **2** 〈나라·지역 등이〉 저개발의: ~ countries 저개발국, 후진국 ★ developing country (개발도상국)쪽이 일반적. **3** 〖사진〗 현상(現像) 부족의(opp. *overdeveloped*)

un·der·de·vel·op·ment [ʌ̀ndərdivéləpmənt] *n.* Ⓤ 〖사진〗 현상 부족; 저개발

un·der·do [ʌ̀ndərdúː] *vt., vi.* (**-did** [-díd]; **-done** [-dʌ́n]) **1** 〈일 등을〉 보통[필요, 능력] 이하로 하다, 충분히 하지 않다 **2** 〈고기 등을〉 설굽다, 설삶다

un·der·dog [ʌ́ndərdɔ̀ːg | -dɔ̀g] *n.* **1** (투견에서) 진 개; 질 것 같은 사람, 패배자 **2** 희생자 《사회 부정·박해 등의》(opp. *top dog*) **ún·der·dòg·ger** *n.* 패자[이길 것 같지 않은 사람]의 지지자

un·der·done [ʌ̀ndərdʌ́n] *v.* UNDERDO의 과거분사
— *a.* 설익은, 설구운 〈음식·고기 등〉(opp. *overdone*)

un·der·drain [ʌ̀ndərdréin] *vt.* 암거(暗渠)[지하 하수도]로 배수하다 — [ˊ-ˋ] *n.* 암거
~·age [-idʒ] *n.* Ⓤ (농지의) 암거 배수

un·der·draw [ʌ̀ndərdrɔ́ː] *vt.* (**-drew** [-drúː]; **-drawn** [-drɔ́ːn]) **1** …의 밑에 줄을 치다 **2** 〈지붕·천장 등에〉 회반죽을 바르다, 판자를 대다 **3** 충분히 묘사하지 않다

un·der·draw·ers [ʌ́ndərdrɔ̀ːrz] *n. pl.* 속바지, 팬츠

un·der·draw·ing [ʌ̀ndərdrɔ́ːiŋ] *n.* (물감을 칠하기 전의) 밑그림, 소묘(素描)

un·der·dress [ʌ̀ndərdrés] *vt., vi.* 너무 간소한 옷을 입히다[입다] — [ˊ-ˋ] *n.* 속옷, 내복(underclothes); 《특히》 장식적인 속치마[페티코트]

un·der·earth [ʌ́ndərə̀ːrθ] *a.* 지하의, 지표 아래의
— *n.* 지하 지층

un·der·ed·u·cate [ʌ̀ndərédʒukèit] *vt.* …에게 충분한 교육을 시키지 못하다 **-èd·u·cá·tion** *n.*

un·der·em·pha·sis [ʌ̀ndərémfəsis] *n.* 강조 부족

un·der·em·pha·size [ʌ̀ndərémfəsàiz] *vt.* 충분히 강조하지 않다; 최소로 견적하다

un·der·em·ployed [ʌ̀ndərimplɔ́id, -em-] *a.* **1** 불완전 고용[취업]의 **2** 능력 이하의 일을 하는 **3** 《구어》 일거리가 부족한, 한가한 **4** 〈기계·설비 등이〉 충분히 활용[이용]되지 않는 — *n.* [the ~] 불완전 취업자
-em·plóy·ment *n.* Ⓤ 불완전 고용[취업]

un·der·en·dowed [ʌ̀ndərindáud] *a.* 〈학교·병원 등이〉 기부금 수입이 충분치 않은; 〈사람이〉 (자질·능력의) 혜택을 못받은

***un·der·es·ti·mate** [ʌ̀ndəréstəmèit] *vt.* 낮게[적게] 어림하다; 과소평가하다, 얕잡아 보다, 경시하다: ~ the problem[the enemy's strength] 문제[적의 힘]를 과소평가하다
— *vi.* 너무 싸게 어림[견적]하다
— [-mət] *n.* 싼 어림[견적]; 과소평가, 경시

un·der·es·ti·ma·tion [ʌ̀ndərèstəméiʃən] *n.* = UNDERESTIMATE

un·der·ex·pose [ʌ̀nderikspóuz] *vt.* **1** 〖사진〗 〈필름 등을〉 노출 부족으로 하다 **2** [종종 수동형으로] 불충분하게 선전하다 **-ex·po·sure** [-ikspóuʒər] *n.* ⓊⒸ 노출 부족; 선전 부족

un·der·fed [ʌ̀ndərféd] *v.* UNDERFEED의 과거·과거분사 — *a.* 영양 부족의

un·der·feed [ʌ̀ndərfíːd] *v.* (**-fed** [-féd]) *vt.* **1** …에 대하여 충분한 음식[연료]을 주지 않다: ~ oneself for years 수년간 식사를 줄이다 **2** [ˊ-ˋ] 〈난로 등에〉 아래쪽에서 연료를 공급하다
— *vi.* 감식(減食)하다

un·der·felt [ʌ́ndərfèlt] *n.* Ⓤ 양탄자 밑에 까는 펠트 천

un·der·fi·nanced [ʌ̀ndərfinǽnst, -fáinænst] *a.* 〈기업 등이〉 자금이 충분하지 않은, 융자 부족의

un·der·fired [ʌ̀ndərfáiərd] *a.* **1** 〈벽돌 등이〉 덜 구워진 **2** 〈솥 등이〉 아래서 가열되는

un·der·floor [ʌ́ndərflɔ̀:r] *a.* 〈난방이〉 방바닥 밑에서 되는, 온돌식의

un·der·flow [ʌ́ndərflòu] *n.* =UNDERCURRENT; 〖컴퓨터〗 언더플로 《부동 소수점 연산의 결과가 컴퓨터가 표현할 수 있는 가장 작은 양보다 작을 때 발생하는 상태; cf. OVERFLOW》

un·der·foot [ʌ̀ndərfút] *ad.* **1** 발 밑에; 발치에 **2** 짓밟아 **3** 거치적거려, 방해가 되어 **4** 지배하에 두어, 굴종시켜 **—***a.* 발밑의; 짓밟힌; 거치적거리는; 천대받는

un·der·frame [ʌ́ndərfrèim] *n.* (열차·자동차의) 차대

un·der·fund [ʌ̀ndərfʌ́nd] *vt.* 〈사업·계획 등에〉 충분한 재원을 대주지 않다

un·der·fund·ed [ʌ̀ndərfʌ́ndid] *a.* 자금 부족의: seriously ~ 심각하게 자금이 부족한

un·der·fur [ʌ́ndərfə̀:r] *n.* (짧고 부드러운) 잔털

un·der·gar·ment [ʌ́ndərgɑ̀:rmənt] *n.* 속옷, 내의

un·der·gird [ʌ̀ndərgə́:rd] *vt.* …의 밑을 단단하게 묶다; 뒷받침하다

un·der·glaze [ʌ́ndərglèiz] *a.* 〖도자기〗 유약을 바르기 전의; 밑그림용의 **—***n.* 밑그림

‡**un·der·go** [ʌ̀ndərgóu] *vt.* (**-went** [-wént]; **-gone** [-gɔ́:n | -gɔ́n]) **1 a** 〈검열·수술을〉 받다, 만나다, 당하다(suffer): ~ medical treatment 치료를 받다 **b** 〈변화 등을〉 겪다, 경험하다(⇨ experience 유의어): ~ changes 여러 가지 변화를 겪다 **2** 〈고난을〉 견디다, 참다(endure): ~ trials 시련을 견디다

***un·der·gone** [ʌ̀ndərgɔ́:n | -gɔ́n-] *vt.* UNDERGO의 과거분사

un·der·grad [ʌ́ndərgræ̀d] *n.* 《구어》 =UNDERGRADUATE; 《미》 (대학의) 학부 강좌[과정]

***un·der·grad·u·ate** [ʌ̀ndərgrǽdʒuət, -èit] *n.* 대학 재학생, 대학생 《졸업생·대학원 학생·연구원과 구별하여》; 신출내기, 풋내기

— *a.* Ⓐ 대학(생)의: an ~ student 대학생 / in my ~ days 대학 시절에

~·ship *n.* Ⓤ 대학생의 신분[지위]

un·der·grad·u·ette [ʌ̀ndərgrǽdʒuèt, ⌄–⌄–´ | ⌄–⌄–´] *n.* 《영·구어》 여자 대학생

‡**un·der·ground** [ʌ́ndərgràund] *a.* Ⓐ **1** 지하의, 지하…: an ~ parking lot 지하 주차장 / an ~ passage 지하도 **2** 지하에 숨은, 비밀의; 지하 조직의: an ~ movement 지하 운동 / the ~ government 지하 정부 **3** 반체제의; 전위적인, 실험적인: ~ opinion 반체제적 의견 / the ~ theater 전위 극장

— *n.* **1** 지하; 지하 공간 **2** [보통 the ~] 《영》 지하철 (《미》 subway); 《미》 지하도(《영》 subway): by[on *the*] ~ 지하철로 **3** [the ~] 지하 조직, 지하 운동 단체 **4** 전위[급진] 운동[단체]

— [⌄–´] *ad.* 지하에(서); 지하에 숨어, 비밀히, 몰래: go ~ 지하에 숨다, 지하 활동을 시작하다

— *vt.* 매설하다

úndergroun d ecónomy 지하 경제

un·der·ground·er [ʌ́ndərgràundər] *n.* 지하에서 일하는 사람; 지하철 탑승객; 지하 조직 활동원; 전위 운동가

úndergroun d fílm[móvie] 반체제[전위] 영화

úndergroun d mútton 《호주·속어》 토끼

úndergroun d ráilroad **1** 지하철(subway) **2** [the U- R-] 〖미국사〗 지하 철도 조직 《남북 전쟁 전의 노예의 탈출을 도운 비밀 조직》

úndergroun d ráilway **1** 《영》 지하철(subway) **2** [the U- R-] =UNDERGROUND RAILROAD 2

un·der·grown [ʌ́ndərgròun, ⌄–´] *a.* 발육이 불충분한, 완전히 자라지 않은

un·der·growth [ʌ́ndərgròuθ] *n.* Ⓤ **1** (큰 나무 밑의) 덤불, 풀숲(underbrush) **2** 발육 불충분 **3** (긴 털 아래의) 잔털

un·der·hand [ʌ́ndərhæ̀nd] *a.* **1** 〖야구〗 밑으로 던지는; 아래로 향한 **2** =UNDERHANDED

—*ad.* 밑으로 던져; 비밀히(secretly, stealthily); 엉큼하게, 음흉하게(slyly)

un·der·hand·ed [ʌ̀ndərhǽndid] *a.* **1** 비밀의, 공정하지 않은 **2** 손이 모자라는, 인원이 부족한(short-handed) **~·ly** *ad.* **~·ness** *n.*

un·der·housed [ʌ̀ndərháuzd] *a.* 주택 부족의 〈지역〉; 집이 비좁고 불편한 〈가정〉

un·der·hung [ʌ̀ndərhʌ́ŋ] *a.* **1** 〖해부〗 〈아래턱이〉 위턱보다 튀어나온, 주걱턱인(opp. *overhung*) **2** 호차로 움직이는 〈미닫이문 등〉

un·der·in·sur·ance [ʌ̀ndərinʃúərəns] *n.* 일부 보험 《보험 금액이 보험 가액보다 적은》

un·der·in·sure [ʌ̀ndərinʃúər] *vt.* 〈집 등을〉 일부 보험에 들다, 실제 가치 이하의 보험에 들다

un·der·in·sured [ʌ̀ndərinʃúərd] *a.* 일부 보험의 《보험 금액이 보험 가액 미만인 경우》

un·der·in·vest·ment [ʌ̀ndərinvéstmənt] *n.* 투자 부족

un·de·rived [ʌ̀ndiráivd] *a.* 파생한 것이 아닌, 〈공리(公理) 등이〉 기본적인(fundamental)

un·der·jaw [ʌ́ndərdʒɔ̀:] *n.* 아래턱, 하악(下顎)

un·der·kill [ʌ́ndərkìl] *n.* Ⓤ 격파력의 결여, 전력 부족, 열세

un·der·laid [ʌ̀ndərléid] *vt.* UNDERLAY의 과거·과거분사 **—***a.* 〈받침대 등이〉 밑에서 받친; 밑에 놓인

un·der·lain [ʌ̀ndərléin] *vt.* UNDERLIE의 과거분사

un·der·lap [ʌ̀ndərlǽp] *vt.* (**~ped**; **~·ping**) (위 것의) 아래에 부분적으로 겹치다(opp. *overlap*)

un·der·lay[1] [ʌ̀ndərléi] *v.* (**-laid** [-léid]) *vt.* **1** …의 아래에 깔다[놓다] **2** 〖인쇄〗 밑받침하다

—*vi.* 〈광맥이〉 경사지다 **—** [´–⌄] *n.* **1** 〖인쇄〗 밑받침 《활자의 높낮이를 조절하는 종이 조각 등》; (융단 등의) 밑깔개 《내수(耐水) 종이·천》 **2** (광맥의) 수직 경사 **~·ment** *n.* (융단 등의) 밑깔개

underlay[2] *vt.* UNDERLIE의 과거

un·der·lay·er [ʌ́ndərlèiər] *n.* 하층; 기초

un·der·lease [ʌ́ndərlì:s] *n.*, *vt.* =SUBLEASE

un·der·let [ʌ̀ndərlét] *vt.* (**~**; **~·ting**) **1** 시세보다 싼 값으로 빌려주다 **2** =SUBLET **~·ter** *n.*

un·der·lie [ʌ̀ndərlái] *vt.* (**-lay** [-léi]; **-lain** [-léin]; **-ly·ing**) **1** …의 아래에 있다[놓이다] **2** …의 기초가 되다; …의 밑바닥에 잠재하다: What reasons ~ your choice? 당신이 선택한 이유는 무엇입니까? **3** 〖문법〗 (파생어의) 어근이 되다 **4** 〖경제〗 …에 대하여 제1의 권리[담보]가 되다

— [´–⌄] *n.* =UNDERSET[2]

‡**un·der·line** [ʌ́ndərlàin, ⌄–´ | ⌄–´] *vt.* **1** 〈어구 등의〉 아래에 선을 긋다, 밑줄을 치다: an ~*d* part 밑줄 친 부분 **2** 강조하다, 분명히 나타내다; 예고하다: Her behavior ~*d* her contempt for him. 그녀의 태도는 그를 경멸하고 있음을 분명히 나타내고 있었다.

— [´–⌄] *n.* **1** 밑줄, 하선(下線): a single ~ 한 줄로 된 밑줄 **2** 삽화[사진] 아래의 설명문 **3** (프로그램 아래에 적은) 다음 공연의 예고

un·der·lin·en [ʌ́ndərlìnin] *n.* Ⓤ 리넨 따위로 만든 속옷[내의]

un·der·ling [ʌ́ndərliŋ] *n.* 《경멸》 부하, 하급 직원

un·der·lin·ing [ʌ́ndərlàiniŋ] *n.* (옷의) 안감 천

un·der·lip [ʌ́ndərlìp] *n.* 아랫입술(lower lip)

un·der·lit [ʌ̀ndərlít] *a.* 조명이 불충분한

***un·der·ly·ing** [ʌ́ndərlàiiŋ | ⌄–´–] *a.* **1** 밑에 있

thesaurus **undergo** *v.* go through, experience, sustain, endure, bear, withstand, put up with
underlying *a.* **1** 근원적인 basic, fundamental, primary, prime, **2** 잠재적인 latent, lurking, concealed

는; 기초를 이루는, 근원적인(fundamental): the ~ strata 그 밑에 있는 지층/an ~ principle 기본적 원칙 **2** 뒤에 숨은, 잠재적인(implicit): an ~ motive 잠재적인 동기 **3** 〖상업〗 〈담보·권리 등이〉 제1의, 우선적인(prior): the ~ mortgage 제1담보

únderlying ássets 〖경제〗 기본 자산

un·der·manned [ʌ̀ndərmǽnd] *a.* 인원[승무원, 종업원] 부족의 〈배·공장 등〉

un·der·men·tioned [ʌ̀ndərménʃənd] *a.* **1** Ⓐ 하기(下記)의, 아래에 말하는 **2** [the ~; 명사적; 단수·복수 취급] 하기의 것[사람]

***un·der·mine** [ʌ̀ndərmáin, ⌐—⌐ | ⌐—⌐] *vt.* **1** …의 밑을 파다, …의 밑에 갱도를 파다: ~ a wall 성벽 밑에 땅굴을 파다 **2** (침식 작용으로) …의 뿌리[토대]를 침식하다: The sea had ~*d* the cliff. 바닷물이 절벽 아래를 침식하고 있었다. **3** 〈건강 등을〉 모르는 사이에 해치다: My father's health was ~*d* by drink. 아버지의 건강은 술로 손상되었다. **4** 〈명성 등을〉 몰래 손상시키다, 음흉한 수단으로 훼손하다: It ~*d* her confidence in us. 그것은 우리에 대한 그녀의 신뢰를 훼손했다. **ún·der·mìn·ing·ly** *ad.*

un·der·min·er [ʌ́ndərmàinər] *n.* 밑을 파는 사람; 암약자; 《영》 공병대원

un·der·most [ʌ́ndərmòust] [under의 최상급] *a., ad.* 최하(급)의[로], 최저의[로](lowest)

‡**un·der·neath** [ʌ̀ndərní:θ, -ní:ð | -ní:θ] *prep.* **1** …의 아래에[를, 의](under, beneath): ~ the table 테이블 아래에 **2** …의 지배하에 **3** …에 숨어서

— *ad.* **1** 아래에, 하부(下部)에: put a stone ~ 밑에 돌을 받치다[괴다] **2** 밑면에: He appears pompous but he is a good man ~. 그는 오만하게 보이지만 속은 좋은 사람이다.

— *a.* 낮은, 아래의; 표면에 나타나지 않는; 비밀의

— *n.* [보통 the ~] 《구어》 밑면, 바닥, 하부

un·der·nour·ish [ʌ̀ndərnə́:riʃ | -nʌ́r-] *vt.* 영양 실조가 되게 하다 **~ed** [-t] *a.* 영양 부족의 **~·ment** *n.* Ⓤ 영양 부족

un·der·nu·tri·tion [ʌ̀ndərnju:tríʃən | -nju:-] *n.* 영양 부족, 영양 결핍

un·der·oc·cu·pied [ʌ̀ndərɑ́kjupàid | -ɔ́k-] *a.* 크기에 비해 거주자가 적은 〈집 등〉; 충분한 할 일[직업]이 없는 〈사람〉

un·der·of·fi·cer [ʌ̀ndərɔ́:fisər | -ɔ́f-] *vt.* 〈부대에〉 장교를 충분히 배속하지 않다

— [⌐—⌐—] *n.* 하급 사관

un·der·paid [ʌ̀ndərpéid] *v.* UNDERPAY의 과거·과거분사 — *a.* 박봉의, 저임금의

un·der·paint·ing [ʌ́ndərpèintiŋ] *n.* 밑칠, (특히 캔버스에 색조·형체 등을 나타내는) 바탕칠

un·der·pants [ʌ́ndərpæ̀nts] *n. pl.* 속바지; 팬츠

un·der·part [ʌ́ndərpɑ̀:rt] *n.* 하부; (새·짐승의) 복부; (항공기의) 동체 하부; 부차적[보조적] 역할[지위]

un·der·pass [ʌ́ndərpæ̀s | -pɑ̀:s] *n.* **1** 《미》 지하도 《철도[도로] 밑을 지나는》 **2** (입체 교차로의) 밑쪽 도로(cf. OVERPASS)

— *vt.* 〈도로에〉 지하도를 설치하다

un·der·pay [ʌ̀ndərpéi] *vt.* (**-paid** [-péid]) …에게 급료[임금]를 충분히 주지 않다 **~·ment** *n.*

un·der·per·form [ʌ̀ndərpərfɔ́:rm] *vt., vi.* 〈…을〉 다른 것만큼 잘하지 못하다

un·der·pin [ʌ̀ndərpín] *vt.* (**~ned**; **~·ning**) **1** 〈구조물에〉 버팀목을 대다, 토대를 보강하다: ~ a sagging building 기울어진 건물에 버팀목을 대다 **2** 지지[응원]하다; 실증하다

un·der·pin·ning [ʌ́ndərpìniŋ] *n.* **1** 〖토목〗 지주(支柱) 《벽 등의》, 받침대, 토대, 버티는 물건, 보강물 **2** [종종 *pl.*] (일반적) 기초, 기반 **3** ⓊⒸ 지지(support), 응원 **4** [보통 *pl.*] 속옷 **5** [보통 *pl.*] 《구어》 다리(legs)

un·der·play [ʌ̀ndərpléi, ⌐—⌐ | ⌐—⌐] *vi.* 소극적으로 연기하다 — *vt.* **1** 〈역 등을〉 소극적으로 연기하다; 신중히 다루다 **2** 〖카드〗 (높은 끗수의 패를 가지고 있으면서도) 낮은 패를 내다

— [⌐—⌐] *n.* underplay함; 비밀리의 행동[운동]

un·der·plot [ʌ́ndərplɑ̀t | -plɔ̀t] *n.* **1** 곁줄거리 《소설·극 등의》, 삽화(挿話) **2** 밀계, 음모

un·der·pop·u·lat·ed [ʌ̀ndərpɑ́pjulèitid | -pɔ́p-] *a.* 인구 부족의, 인구 과소(過疎)의, 인구 밀도가 낮은

un·der·pop·u·la·tion [ʌ̀ndərpɑ̀pjuléiʃən | -pɔ̀p-] *n.* Ⓤ 인구 부족[과소]

un·der·pre·pared [ʌ̀ndərpripέərd] *a.* 준비가 부족한

un·der·price [ʌ̀ndərpráis] *vt.* **1** 〈상품에〉 표준 가격 이하의 값을 매기다 **2** 〈경쟁 상대보다〉 싸게 팔다

un·der·priced [ʌ̀ndərpráist] *a.* 시세 이하의, 적정가보다 저가의

un·der·priv·i·leged [ʌ̀ndərprívəlidʒd] *a.* **1** (일반인보다) 권리가 적은, 혜택받지 못한 《사회적·경제적으로》: ~ children in the inner city 도시에 사는 저소득층 자녀들 **2** [the ~; 명사적; 복수 취급] 혜택을 덜 받고 있는 사람들

un·der·pro·duce [ʌ̀ndərprədjú:s | -djú:s] *vt., vi.* 불충분하게 생산하다, 생산이 부족(되게)하다

un·der·pro·duc·tion [ʌ̀ndərprədʌ́kʃən] *n.* Ⓤ 생산 부족, 저(低)생산(opp. *overproduction*)

un·der·pro·duc·tive [ʌ̀ndərprədʌ́ktiv] *a.* 생산성이 낮은 **-pro·duc·tiv·i·ty** [-prə̀dʌktívəti] *n.* Ⓤ 저(低)생산성

un·der·proof [ʌ̀ndərprú:f] *a.* 〈알코올이〉 표준 강도(50%) 이하의 《略 u.p.》

un·der·prop [ʌ̀ndərprɑ́p | -prɔ́p] *vt.* (**~ped**; **~·ping**) **1** 기둥으로 받치다, 밑에서 지탱하다 **2** 지원[지지]하다: ~ a reputation 명성을 지지하다

un·der·quote [ʌ̀ndərkwóut] *vt.* 〈상품을〉 다른 가게[시장 가격]보다 싸게 팔다, …보다 싼 값을 매기다[부르다]

un·der·ran [ʌ̀ndərrǽn] *v.* UNDERRUN의 과거

***un·der·rate** [ʌ̀ndərréit] *vt.* **낮게 평가하다,** 과소평가하다, 깔보다(underestimate)

un·der·re·act [ʌ̀ndərriǽkt] *vi.* 미온적인 반응을 보이다 **ùn·der·re·ác·tion** *n.*

un·der·re·hearsed [ʌ̀ndərrihə́:rst] *a.* 〈공연·연극 등이〉 연습이 안 된[불충분한]

un·der·re·port [ʌ̀ndərripɔ́:rt] *vt.* 〈소득·수입 등을〉 적게 신고하다; 불충분하게 보도하다

un·der·rep·re·sent [ʌ̀ndərrèprizént] *vt.* 실제의 수량·정도보다 적게[낮게] 표시하다

ùn·der·rèp·re·sen·tá·tion *n.* 과소 표시

un·der·rep·re·sent·ed [ʌ̀ndərrèprizéntid] *a.* 불충분하게 표시[대표]된: ~ women's issues 잘 드러나지 않은 여성 문제들

un·der·re·sourced [ʌ̀ndərrí:sɔ:rsd] *a.* 지원을 제대로 받지 못한; 가난한

un·der·ripe [ʌ̀ndərráip] *a.* 미숙한, 덜 익은

un·der·run [ʌ̀ndərrʌ́n] *v.* (**-ran** [-rǽn]; **~**; **~·ning**) *vt.* …의 밑을 달리다[지나다] — *vi.* 저류(底流)로서 흐르다 — [⌐—⌐] *n.* 밑을 달리는[지나는, 흐르는] 것; 저류; 견적 이하의 생산량

un·der·sat·u·rat·ed [ʌ̀ndərsǽtʃərèitid] *a.* 〖화학〗 =UNSATURATED

un·der·score [ʌ́ndərskɔ̀:r, ⌐—⌐ | ⌐—⌐] *vt.* =UNDERLINE — [⌐—⌐] *n.* **1** =UNDERLINE **2** 〖영화·연극〗 배경 음악

un·der·sea [ʌ́ndərsì:] *a.* Ⓐ 해중(海中)의, 바다 밑의, 해저의: an ~ cable[tunnel] 해저 케이블[터널]/~ life 바닷속의 생물 — *ad.* 바닷속에, 해저에

un·der·seal [ʌ́ndərsì:l] *n.* 《영》 =UNDERCOATING — *vt.* =UNDERCOAT

---

undermine *v.* **1** …의 밑을 파다 tunnel under, dig under, burrow under, excavate **2** 침식하다 wear away, erode **3** 몰래 손상시키다 weaken, impair, damage, injure, sap, threaten, subvert

un·der·seas [ʌ̀ndərsíːz] *ad.* ＝UNDERSEA

un·der·sec·re·tar·y [ʌ̀ndərsékrətèri | -tri] *n.* (*pl.* **-tar·ies**) 차관(次官) ***a parliamentary***[***permanent***] **~** (영) 정무[사무] 차관 **~·ship** *n.* Ⓤ 차관의 직[임기]

un·der·sell [ʌ̀ndərsél] *vt.* (**-sold** [-sóuld]) (남보다) 헐값으로 팔다, (실제 가치보다) 싸게 팔다; 조심해서[소극적으로] 선전하다 **~·er** *n.*

un·der·sense [ʌ́ndərsèns] *n.* 잠재의식(subconsciousness); 숨은 뜻

un·der·serv·ant [ʌ́ndərsə̀ːrvənt] *n.* 잔심부름꾼, 잔심부름하는 하녀

un·der·served [ʌ̀ndərsə́ːrvd] *a.* 서비스가 충분하지 못한

un·der·set¹ [ʌ̀ndərsét] *vt.* (**~**; **~·ting**) **1** 받치다 ((돌·벽돌을 쌓아서)); 지지하다 **2** …의 아래에 놓다

un·der·set² [ʌ́ndərsèt] *n.* 〖항해〗 저류(底流) ((바람[수면]의 흐름과 반대로 흐르는)); 〖광물〗 낮은 광맥

un·der·sexed [ʌ̀ndərsékst] *a.* 성욕이 약한, 성행위에 관심이 적은

un·der·sher·iff [ʌ́ndərʃèrif] *n.* (영) 주(州) 장관 대리; (미) 군(郡) 보안관 대리

un·der·shirt [ʌ́ndərʃə̀ːrt] *n.* (미) (주로 남성·아동용의) 속셔츠((영) vest)

un·der·shoot [ʌ̀ndərʃúːt] *v.* (**-shot** [-ʃát | -ʃɔ́t]) *vt.* **1** 〈과녁까지〉 이르지 못하다 **2** 〖항공〗 〈활주로에〉 도달하지 못하다 **—** *vi.* **1** 과녁에 미치지 못하게 쏘다 **2** 〖항공〗 착륙 지점[활주로]에 못미쳐 착륙하다

un·der·shorts [ʌ́ndərʃɔ̀ːrts] *n. pl.* (남자용) 팬츠

un·der·shot [ʌ́ndərʃàt | -ʃɔ̀t] *v.* UNDERSHOOT의 과거·과거분사 **—** *a.* **1** 아래턱이 쑥 나온: the dog with an ~ mouth 아래턱이 쑥 나온 개 **2** 〈물레방아가〉 하사식(下射式)의: an ~ wheel 하사식 물레방아

un·der·shrub [ʌ́ndərʃrʌ̀b] *n.* 작은 관목

un·der·side [ʌ́ndərsàid] *n.* 아래쪽, 밑면; (비유) (보통 보이지 않는) 안쪽, 이면, 내면

un·der·sign [ʌ̀ndərsáin, ╌╌ | ╌╌] *vt.* …의 아래에 서명하다; 〈증서·편지 등의〉 끝에 서명하다; 승인하다: ~ a project 계획을 승인하다

un·der·signed [ʌ̀ndərsáind, ╌╌ | ╌╌] *a.* Ⓐ 아래에 서명[기명]한 **—** [╌╌] *n.* [the ~; 단수·복수 취급] 서명자 ***I, the*** **~** 소생, 서명자(는)

un·der·size [ʌ́ndərsáiz] *n.* 보통보다 작음, 소형; 파쇄된 광석 등의 특정한 체를 통과한 부분 **—** *a.* ＝UNDERSIZED

un·der·sized [ʌ́ndərsáizd] *a.* 보통 크기보다 작은, 소형의(dwarfish)

un·der·skirt [ʌ́ndərskə̀ːrt] *n.* 속치마; ((특히)) 페티코트(petticoat)

un·der·sleeve [ʌ́ndərslìːv] *n.* 안소매

un·der·slung [ʌ̀ndərslʌ́ŋ] *a.* **1** 〈차체의 프레임 등이〉 차축보다 아래에 달린; 현수식(懸垂式)의 **2** 중심이 낮은 **3** 아래턱이 튀어나온

un·der·soil [ʌ́ndərsɔ̀il] *n.* Ⓤ 하층토(下層土), 밑흙, 바닥흙(subsoil)

un·der·sold [ʌ̀ndərsóuld] *v.* UNDERSELL의 과거·과거분사

un·der·song [ʌ́ndərsɔ̀ːŋ | -sɔ̀ŋ] *n.* **1** (반주로서) 딸린 노래 **2** 저의(底意), 숨은 뜻

un·der·spend [ʌ̀ndərspénd] *vt.* 〈어떤 액수보다〉 돈을 적게 쓰다 **—** *vi.* 보통보다 적은 돈을 쓰다

un·der·spin [ʌ́ndərspìn] *n.* ＝BACKSPIN

un·der·staffed [ʌ̀ndərstǽft | -stɑ́ːft] *a.* 인원 부족의(opp. *overstaffed*)

‡un·der·stand [ʌ̀ndərstǽnd] *v.* (**-stood** [-stúd])

> OE 「아래[사이]에 서다」의 뜻에서
> ① 이해하다 **1**
> ② 들어서 알고 있다 **4**
> ③ 추측하다 **3**

— *vt.* **1** 〈…의 말 등을〉 이해하다, 알아듣다: Do you ~ me? 내 말을 알아듣겠소?

> 유의어 **understand** 이해한 결과의 지식을 강조한다: I can't *understand* you. 무슨 말인지 모르겠소. **comprehend** 그 이해에 이르기까지의 심적 과정을 강조한다: I could *comprehend* all he said. 그가 한 말은 다 이해할 수 있었다. **appreciate** 어떤 것의 참된 가치를 바로 이해·평가하다: *appreciate* English poetry 영시를 감상하다

2 a 〈참뜻·설명·원인·성질 등을〉 알다, 이해가 가다, 깨닫다: (**~+*wh. to*** do) ~ *how to* deal with the matter 그 문제의 취급 방법을 알고 있다 // (**~+*wh.*** 절) (**~+*-ing***) I do not ~ *why* he came [comes]. ＝I don't ~ his com*ing*. 그가 왜 왔는지 [오는지] 알 수 없다. // (**~+*that*** 절) I ~ *that* he is leaving town. 그가 도시를 떠나려 하고 있는 모양이다. **b** 〈학문·기술·법률 등에〉 정통하다: ~ finance [machinery] 재정학[기계]에 정통하다 **3** 생각하다, …라 믿다; 추측하다; 〈남의 말 등을〉 …한 뜻으로 해석하다; 당연지사로 여기다; 판단하다: (**~+*that*** 절) I quite *understood that* expenses were to be paid. 비용은 당연히 지불해 줄 것으로 알았다. // (**~+**목**+*to be*** 보) I ~ him *to be* satisfied. 물론 그는 만족하고 있을 것으로 생각한다. // (**~+**목**+*as*** 보) She *understood* his silence *as* refusal. 그녀는 그의 침묵을 거절로 여겼다. // (**~+**목**+*to*** do) His silence was *understood to* mean that he was opposed to the policy. 그의 침묵은 그 정책에 반대함을 뜻한다고 해석되었다. **4** 들어서 알고 있다, 듣고 있다: (**~+*that*** 절) I ~ *that* he is now in the States. 듣건대 그는 지금 미국에 있는 줄 안다. **5** [종종 수동형으로] 〖문법〗 〈어구 등을〉 마음속에서 보충하다, 보충하여 해석하다; 함축하다, 〈말 등을〉 생략하다: The verb may *be* expressed or *understood*. 그 동사는 넣어도 좋고 생략해도 좋다.

— *vi.* **1** 알다, 이해력이 있다; 지력(知力)이 있다: You don't ~. 자네는 (사정을) 이해하지 못하고 있어. ★ 뒤에 the situation 등이 생략된 타동사 용법에서 비롯된 것. **2** 들어서 알(고 있)다: The situation is better, so I ~. 사태는 호전되었다고 듣고 있다. **3** (…에) 정통해 있다; (…에 관해) 체계적으로 이해하고 있다 ((*about*)): She ~*s about* money investment. 그녀는 투자에 정통하다.

give[***lead***] a person ***to*** **~** (***that*** …) (문어) …에게 (…이라는 사실을) 이야기하다, 알리다(inform): I was *given to* ~ *that* … …이라는 이야기를 들었다 ***It is understood that …*** …은 물론이다, …은 말할 것도 없다 ***make*** one***self understood*** 자기의 말[생각]을 남에게 이해시키다 **~ *one another***[***each other***] 서로 이해하다, 의사가 소통하다; 의기투합하다

***un·der·stand·a·ble** [ʌ̀ndərstǽndəbl] *a.* **1** 이해할 수 있는, 알 만한: It is ~ that he is angry. 그가 화를 내는 것도 알 만하다. **2** (고어) 이해력이 있는 **-bíl·i·ty** *n.* **-bly** *ad.* 이해할 수 있게; 당연하게도

‡un·der·stand·ing [ʌ̀ndərstǽndiŋ] *n.* **1** Ⓤ 이해, 양해, 납득, 파악, 지식, 식별, 정통 ((*of*)): He doesn't seem to have much ~ *of* the question. 그는 그 질문을 잘 이해하지 못하는 것 같다. **2** Ⓤ **a** 이해력, 지력(intelligence): beyond human ~ 인지가 미치지 못하는 / a person of[without] ~ 이해력 있는[없는] 사람 **b** 사려, 분별; (남에 대한) 이해심, 공감(sympathy): There was (a) deep ~ between us. 우리 사이에는 깊은 이해심이 있었다. **3** (의견·감정 등의) 일치, (비공식적인) 합의, 양해; 협정, 협약; 약정, 언

thesaurus **understand** *v.* **1** 이해하다 apprehend, comprehend, grasp, see, perceive, discern, make out, recognize, appreciate, follow, inter-

약: a tacit ~ 암묵의 양해, 묵계 **4** 〖철학〗 오성(悟性); 추상적 사고력, 지성 **5** [*pl.*] 《영·속어·익살》 발(feet), 다리(legs); 구두 ***come to a definite ~ about*** …에 관하여 의사가 통하다, 양해가 성립되다 ***come to*** [***reach, arrive at***] ***an ~ with*** …와 양해가 이루어지다 ***have*** [***keep***] ***a good ~ with*** …와 의사[기맥]가 통하고 있다 ***have an ~*** 합의하다 ***on the ~ that ...*** …한 조건으로 ***pass all ~*** 사람의 지혜로는 도저히 헤아릴 수 없다 ***with*** [***on***] ***this ~*** 이것을 명심하고서, 이 조건으로

—*a.* 이해력 있는, 지각 있는; 이해성[이해심] 있는: an ~ father 이해심 있는 아버지

~·ly *ad.* 이해심을 가지고, 이해심있게 **~·ness** *n.*

un·der·state [ʌ̀ndərstéit] *vt.* 삼가면서 말하다, 줄잡아 말하다, 〈수효를〉 적게 말하다

un·der·stat·ed [ʌ̀ndərstéitid] *a.* 억제된, 줄인

un·der·state·ment [ʌ̀ndərstéitmənt] *n.* Ⓤ 삼가서 말함; Ⓒ 삼가서 하는 말[표현] ***the ~ of the year*** 아주 억제된[줄잡은] 표현

un·der·steer [ʌ́ndərstìər] *n.* Ⓤ 언더스티어 《핸들을 꺾은 각도에 비해서 차체가 덜 도는 특성》

—[ˋ-ˊ] *vi.* 〈차가〉 언더스티어하다

un·der·stock [ʌ̀ndərstɑ́k | -stɔ́k] *vt.* 《상점 등에》 〈물건을〉 충분히 들여 놓지 않다 —[ˊ-ˋ] *n.* **1** 〖원예〗 《접목의》 밑나무, 대목(臺木) **2** 공급 부족

‡**un·der·stood** [ʌ̀ndərstúd] *v.* UNDERSTAND의 과거·과거분사

—*a.* 양해[동의]된; 암묵의

un·der·story [ʌ́ndərstɔ̀:ri] *n.* 〖생태학·임학〗 하층목, 하층 식물 《특정 숲의 상부 아래에 형성되는 층》

un·der·strap·per [ʌ́ndərstræ̀pər] *n.* 《경멸》 아랫사람(underling); 말단 직원

un·der·stra·tum [ʌ́ndərstrèitəm | -strɑ̀:-] *n.* (*pl.* **~s, -ta** [-tə]) = SUBSTRATUM

un·der·strength [ʌ̀ndərstréŋkθ] *a.* 〈단체·군대 등이〉 조직력이 부족한; 인원[병력, 인재] 부족의, 정원이 모자라는; 힘[강도] 부족의: an ~ army 조직력이 부족한 군대

un·der·struc·ture [ʌ́ndərstrʌ̀ktʃər] *n.* 하부 구조, 토대; 기초, 근거, 바탕: The building has a strong ~. 그 건물은 토대가 견고하다.

un·der·stud·y [ʌ́ndərstʌ̀di] *n.* (*pl.* **-stud·ies**) 《연습 중의》 임시 대역 배우; 《속어》 후보 선수

—*v.* (**-stud·ied**) *vt.* …의 대역을 하도록 연습하다; …의 임시 대역을 하다 —*vi.* …의 역을 연습하다

un·der·sub·scribed [ʌ̀ndərsəbskráibd] *a.* 신청[참가, 응모]자가 불충분한

un·der·sup·ply [ʌ̀ndərsəplái] *vt.* 충분히 공급하지 않다 —[ˊ--ˋ] *n.* 공급 부족

un·der·sur·face [ʌ́ndərsə̀:rfis] *n.* 밑면, 하면(underside) —*a.* 물속의, 땅속의

‡**un·der·take** [ʌ̀ndərtéik] *v.* (**-took** [-túk]; **-tak·en** [-téikən]) *vt.* **1** 〈일·책임 등을〉 맡다, 떠맡다, 책임 맡다: ~ a task[responsibility for ...] 일을[…의 책임을] 맡다 **2** 착수하다, 시작하다; 기도하다: ~ an experiment 실험에 착수하다 **3** 약속하다, …할 의무를 지다; 보증하다, 단언하다: (~+*to* do) He *undertook to* do it by Monday. 그는 월요일까지는 그것을 하겠다고 약속했다. / The husband ~*s to* love his wife. 남편은 자기의 아내를 사랑할 의무를 진다. // (~+***that*** 節) I will ~ *that* he has not heard a word. 그가 한 마디도 듣지 않았다는 것은 내가 보증한다. **4** 《고어》 〈…와〉 싸우다

—*vi.* **1** 《고어》 증인이 되다, 보증하다 (*for*) **2** 《구어》 장례식을 떠맡다, 장의사를 경영하다

*__un·der·tak·en__ [ʌ̀ndərtéikən] *v.* UNDERTAKE의 과거분사

---

pret **2** 들어서 알고 있다 hear, learn, be informed

undertake *v.* take on, set about, begin, start, commence, embark on, attempt, try

---

un·der·tak·er [ʌ̀ndərtéikər] *n.* **1** 인수인, 청부인; 기업가 **2** [ˊ-ˋ-] 장의사(cf. FUNERAL DIRECTOR, MORTICIAN)

‡**un·der·tak·ing** [ʌ̀ndərtéikiŋ, ˊ-ˋ-] *n.* **1** 사업, 기업(enterprise); 《일·책임의》 인수; 떠맡은 일, 청부한 일: It's quite an ~. 그것은 꽤 큰 사업이다. **2** 약속, 보증 (*to* do) **3** [ˊ-ˋ-] Ⓤ 장의(葬儀) 취급업 ***on the ~ that ...*** …이라는 약속[조건]으로

un·der·tax [ʌ̀ndərtǽks] *vt.* 과소하게 과세하다 **-tax·a·tion** [-tækséiʃən] *n.*

un·der·ten·ant [ʌ́ndərtènənt] *n.* 전차인(轉借人)(subtenant) **-tèn·an·cy** *n.*

un·der-the-count·er [ʌ̀ndərðəkáuntər] *a.* Ⓐ 암거래되는 〈밀수품 등〉; 비밀의; 불법적인 〈거래 등〉: ~ payments 《탈세를 위한》 비밀 지불

—*ad.* 《암시장 등에서》 내밀히[불법으로] 《팔려》

un·der-the-ta·ble [ʌ̀ndərðətéibl] *a.* Ⓐ 〈거래 등이〉 비밀리의, 내밀의; 《속어》 술취한

un·der·things [ʌ́ndərθìŋz] *n. pl.* 《구어》 《여자용》 속옷

un·der·tint [ʌ́ndərtìnt] *n.* 엷은[완화된] 색조

un·der·tone [ʌ́ndərtòun] *n.* **1** 저음, 작은 목소리: talk in ~*s* 작은 소리로 말하다 **2** 배경음; 반주음 **3** 저류(底流), 잠재적 성질[요소]; 저의 **4** 《다른 색으로》 완화된 색 **5** 《증권·상품》 시장의 기조(基調)

*__un·der·took__ [ʌ̀ndərtúk] *v.* UNDERTAKE의 과거

un·der·tow [ʌ́ndərtòu] *n.* 물가에서 물러가는 물결; 《수면 밑의》 강한 역류

un·der·tri·al [ʌ́ndərtràiəl] *n.* 《인도》 피고

un·der·used [ʌ̀ndərjú:zd] *a.* 충분히 이용하지 않은

un·der·u·ti·lize [ʌ̀ndərjútəlàiz] *vt.* 충분히 이용[활용]하지 않다 **-ù·ti·li·zá·tion** *n.*

un·der·u·ti·lized [ʌ̀ndərjú:təlaizd] *a.* 《문어》 = UNDERUSED

un·der·val·ue [ʌ̀ndərvǽlju(:)] *vt.* 과소평가하다; …의 가치를 감소시키다; 경시하다(cf. OVERVALUE) **-val·u·a·tion** [-væljuéiʃən] *n.* Ⓤ 과소평가

un·der·vest [ʌ́ndərvèst] *n.* 《영》 소매 없는 속셔츠, 속옷(undershirt)

un·der·waist [ʌ́ndərwèist] *n.* 《미》 속블라우스; 《어린이용》 속옷을 고정시키는 블라우스

*__un·der·wa·ter__ [ʌ̀ndərwɔ́:tər] *a.* **1** 수면하의, 수중(용)의: an ~ camera 수중 카메라 / an ~ gun 수중총 **2** 《배의》 흘수선 아래의 **3** 《속어》 〖금융〗 《손익 분기점 수준 이하의》 손실 상태에 있는

—*ad.* 수면하에, 물속에(서)

—*n.* 물속, 수면하(의 물); [*pl.*] 《바다·호수의》 깊이

underwáter archaeólogy 수중 고고학

underwáter básket wèaving 《미·속어》 《고교·대학의》 아주 쉬운 과목[강좌]

un·der·way [ʌ̀ndərwéi] *a.* 여행[진행, 항행]중인; 움직이고 있는

‡**un·der·wear** [ʌ́ndərwɛ̀ər] *n.* Ⓤ [집합적] 속옷, 내의

un·der·weight [ʌ̀ndərwéit] *a.* 중량 부족의, 〈몸무게가〉 저체중인: an ~ baby 저체중아 —[ˊ-ˋ] *n.* ⓊⒸ 중량 부족; Ⓒ 표준 중량 이하의 사람[것]

*__un·der·went__ [ʌ̀ndərwént] *v.* UNDERGO의 과거

un·der·whelm [ʌ̀ndərhwélm | -wélm] *vt.* …에게 감명을 주지 못하다, 《익살》 파홍[실망]시키다

~·ing *a.* 압도적이 못 되는

un·der·whelmed [ʌ̀ndərwélmd] *a.* 《구어·익살》 감동받지 않는, 흥분하지 않는: We were ~ by his speech. 우리는 그의 연설에 감동받지 않았다.

un·der·wing [ʌ́ndərwìŋ] *n.* 《곤충의》 뒷날개; 뒷날개에 줄무늬가 있는 나방 —*a.* 날개 밑에 있는

un·der·wire [ʌ́ndərwàiər] *n.* 언더와이어 《브래지어의 컵 밑에 꿰매넣은 철사》

un·der·wired [ʌ̀ndərwáiərd] *a.* 《브래지어 컵 아래에》 와이어를 넣은

un·der·wood [ʌ́ndərwùd] *n.* = UNDERBRUSH

un·der·wool [ʌ́ndərwùl] *n.* = UNDERFUR

un·der·work[1] [ʌ̀ndərwə́ːrk] *vt.* …에 충분히 노력하지 않다; 〈기계·소·말 등을〉 충분히 일 시키지 않다; …보다 싼 임금으로 일하다 — *vi.* 충분히 일하지 않다, 몸을 아끼다; 다른 사람보다 싼 임금으로 일하다

un·der·work[2] [ʌ́ndərwə̀ːrk] *n.* Ⓤ **1** 허드렛일, 잡무 **2** 이면 공작, 비밀 행동 **3** 토대 (공사); 기초 구조 (substructure)

*__un·der·world__ [ʌ́ndərwə̀ːrld] *n.* [the ~] **1** 하층 사회; 악의 세계, 암흑가 **2** 〖그리스신화〗 하계(下界); 저승, 지옥 **3** 대척지(對蹠地)(antipodes) **4** 《고어》 지상, 이승, 지구 **~·ling** [-liŋ] *n.* 《미·구어》 암흑가의 사람, 폭력단원

un·der·write [ʌ̀ndərráit, ⌐–⌐] *v.* (**-wrote** [-róut, ⌐–⌐]; **-writ·ten** [-rítn, ⌐–⌐]) *vt.* **1** …의 아래에 쓰다[기명하다], 서명 승낙하다 **2** …에 기부을 승인하다, 〈사업 등의〉 비용 부담을 동의하다 **3** 〖상업〗 〈주식·사채(社債) 등을〉 인수하다 **4** (해상) 보험에 가입시키다, 〈어떤 위험을〉 보험하다; 재정상의 보증을 하다 — *vi.* (해상) 보험업을 경영하다; 아래[말미]에 쓰다

un·der·writ·er [ʌ́ndərràitər] *n.* (해상) 보험업자; (주권·공채 등의) 인수업자, 증권 인수인; 보증인

Únderwriters' Làboratories (미) 보험업자 연구소 《略 UL》

un·der·writ·ing [ʌ́ndərràitiŋ] *n.* Ⓤ (해상) 보험업; 증권[보험] 인수

un·der·writ·ten [ʌ̀ndərrítn, ⌐–⌐] *v.* UNDERWRITE의 과거분사 — *a.* 아래에 쓴[서명한]: the ~ signature[name] 서명자

un·der·wrote [ʌ̀ndərróut, ⌐–⌐] *v.* UNDERWRITE의 과거

un·de·scend·ed [ʌ̀ndiséndid] *a.* 내려가지 않은; 〖의학〗 〈고환(睾丸)이〉 정류(停留)하고 있는

undescénded tésticle 〖의학〗 불강하(不降下) 고환 《음낭으로 내려오지 않은》

un·de·scrib·a·ble [ʌ̀ndiskráibəbl] *a.* = INDESCRIBABLE

un·de·scribed [ʌ̀ndiskráibd] *a.* 기술[묘사]되지 않은

un·de·served [ʌ̀ndizə́ːrvd] *a.* 받을 만한 값어치가 없는, 부당한, 분수에 벗어나는, 당찮은 **~·ly** [-vidli] *ad.* **~·ness** *n.*

un·de·serv·ing [ʌ̀ndizə́ːrviŋ] *a.* 받을 가치가 없는; …의 값어치가 없는 《*of*》 **~·ly** *ad.*

un·des·ig·nat·ed [ʌ̀ndézignèitid] *a.* 지정[지명, 임명]되지 않은

un·de·signed [ʌ̀ndizáind] *a.* 고의가 아닌, 무심코 한; 아직 설계[입안]되지 않은 **~·ly** *ad.*

un·de·sign·ing [ʌ̀ndizáiniŋ] *a.* 이기적인 의도가 없는, 아무런 야심[꿍꿍이속]도 없는, 성실한(sincere) **~·ly** *ad.* **~·ness** *n.*

*__un·de·sir·a·ble__ [ʌ̀ndizáiərəbl] *a.* **탐탁지 않은,** 바람직스럽지 못한, 달갑지 않은, 불쾌한: an ~ person[book] 탐탁지 않은 사람[책] — *n.* 바람직스럽지 못한[탐탁지 않은] 사람[물건] **-sìr·a·bíl·i·ty** *n.* **~·ness** *n.* **-bly** *ad.*

undesírable díscharge (미) 불명예 제대

un·de·sired [ʌ̀ndizáiərd] *a.* 바라지[원하지] 않은; 부탁하지 않은

un·de·sir·ous [ʌ̀ndizáiərəs] *a.* 바라지[원하지] 않는

un·de·stroy·a·ble [ʌ̀ndistrɔ́iəbl] *a.* 파괴할 수 없는, 불멸의

un·de·tect·a·ble [ʌ̀nditéktəbl] *a.* 찾아낼 수 없는, 탐지할 수 없는

un·de·tect·ed [ʌ̀nditéktid] *a.* 발견되지 않은, 들키지 않은

un·de·ter·mined [ʌ̀nditə́ːrmind] *a.* **1** 미결의; 미확인의 **2** 결단을 못 내리는 **3** 〈뜻이〉 분명치 않은

un·de·terred [ʌ̀nditə́ːrd] *a.* 저지되지 않은, 말리지 못한, 금하지 않은

un·de·vel·oped [ʌ̀ndivéləpt] *a.* **1** 미발달의, 미발전의 **2** 〈토지가〉 미개발의 **3** 〈사진 필름이〉 현상되지 않은, 물을 타지 않은

un·de·vi·at·ing [ʌ̀ndíːvièitiŋ] *a.* 정도를 벗어나지[잃지] 않는 **~·ly** *ad.*

un·de·vout [ʌ̀ndiváut] *a.* 신앙심 없는

un·di·ag·nosed [ʌ̀ndáiəgnòust] *a.* 〖의학〗 진단 미확정[회피]의

*__un·did__ [ʌndíd] *v.* UNDO의 과거

un·dies [ʌ́ndiz] [underwear의 완곡적 단축형] *n. pl.* 《구어》 속옷류 《여성·아동용》

un·dif·fer·en·ti·at·ed [ʌ̀ndifərénʃièitid] *a.* 차이가 생기지 않은, 획일적인(uniform); 〖병리〗 미분화의

un·di·gest·ed [ʌ̀ndaidʒéstid, -di-] *a.* 소화되지 않은; 충분히 이해되지 않은

un·di·gest·i·ble [ʌ̀ndaidʒéstəbl, -di-] *a.* = INDIGESTIBLE

un·dig·ni·fied [ʌndígnəfàid] *a.* 품위[위엄] 없는

un·di·lut·ed [ʌ̀ndailúːtid, -di-] *a.* 희석[묽게]하지 않은, 물을 타지 않은

un·di·lu·tion [ʌ̀ndailúːʃən, -di-] *n.* ⓊⒸ 불희석

un·di·min·ished [ʌ̀ndimíniʃt] *a.* 〈힘·질 등이〉 줄지 않은, 쇠약[저하]하지 않은

un·dine [ʌndíːn, ⌐–|⌐–, –⌐] *n.* 물의 요정

un·dip·lo·mat·ic [ʌ̀ndipləmǽtik] *a.* 외교 수완이 없는, 요령이 없는 **-i·cal·ly** *ad.*

un·di·rect·ed [ʌ̀ndiréktid, -dai-] *a.* **1** 지시 없는, 지도자 없는, 목표가 불명한 **2** 수취인 주소 성명이 없는 〈편지 등〉

un·dis·cerned [ʌ̀ndisə́ːrnd, -zə́ːrnd] *a.* 식별[인식]되지 않은 **-cern·ed·ly** [-sə́ːrnidli] *ad.*

un·dis·cern·ing [ʌ̀ndisə́ːrniŋ, -zə́ːr-] *a.* 분간[판별] 못하는, 분별없는; 지각[감각]이 둔한 **~·ly** *ad.*

un·dis·charged [ʌ̀ndistʃɑ́ːrdʒd] *a.* **1** 이행되지 않은; 〈빚 등이〉 상환되지 않은 **2** 발사되지 않은 **3** 〖법〗 면책되지 않은 **4** 〈뱃짐이〉 양륙되지 않은

un·dis·ci·pline [ʌndísəplin] *n.* 규율이 없음, 훈련되지 않음

un·dis·ci·plined [ʌndísəplind] *a.* 규율 없는; 훈련을 받지 않은

un·dis·closed [ʌ̀ndisklóuzd] *a.* 나타나지 않은, 폭로[발표]되지 않은, 비밀에 붙여진

un·dis·cov·ered [ʌ̀ndiskʌ́vərd] *a.* 발견되지 않은, 찾아내지 못한; 미지의

un·dis·crim·i·nat·ing [ʌ̀ndiskrímənèitiŋ] *a.* 식별[구별]하지 않는, 무차별의; 식별[감상]력 없는, 민감하지 않은 **~·ly** *ad.*

un·dis·cussed [ʌ̀ndiskʌ́st] *a.* 토의[논의]되지 않은

un·dis·guised [ʌ̀ndisgáizd] *a.* **1** 변장하지 않은 **2** 있는 그대로의, 숨기지 않은, 공공연한: with ~ curiosity 호기심을 숨기지 않고서 **-guis·ed·ly** [-gáizidli] *ad.* 변장하지 않고; 공공연히

un·dis·mayed [ʌ̀ndisméid] *a.* 기상을 잃지 않은, 태연한, 낙심하지 않은

un·dis·posed [ʌ̀ndispóuzd] *a.* **1** 미처리의, 할당되지 않은, 처분되지 않은 **2** 마음내키지 않는, 좋아하지 않는 《*to* do》: He was ~ *to* work. 그는 일하고 싶어하지 않는다.

un·dis·put·ed [ʌ̀ndispjúːtid] *a.* 논의의 여지가 없는, 이의 없는, 명백한, 당연한: an ~ world champion 〖권투〗 WBA와 WBC 쌍방이 인정하는 세계 챔피언 **~·ly** *ad.*

un·dis·sem·bled [ʌ̀ndisémbld] *a.* 〈감정 등이〉 거짓 없는, 진심의

un·dis·so·ci·at·ed [ʌ̀ndisóuʃièitid] *a.* 〖화학〗 해리(解離)되지 않은

un·dis·solved [ʌ̀ndizɑ́lvd | -zɔ́lvd] *a.* 분해[용해]되지 않은; 해산[해소]되지 않은

un·dis·tin·guish·a·ble [ʌ̀ndistíŋgwiʃəbl] *a.* 구별하기 어려운, 분간할 수 없는; 구별이 확실치 않은

thesaurus **undesirable** *a.* unpleasant, nasty, disagreeable, unacceptable, unwanted, disliked

un·dis·tin·guished [ʌ̀ndistíŋgwiʃt] *a.* **1** 출중한 데가 없는, 평범한, 보통의: an ~ performance 평범한 연주[연기] **2** 뚜렷한 차이점이 없는 **3** 발견[관찰]할 수 없는 **4** 분류[분리, 구별]되지 않는

un·dis·tin·guish·ing [ʌ̀ndistíŋgwiʃiŋ] *a.* 구별이 없는, 무차별의

un·dis·tort·ed [ʌ̀ndistɔ́:rtid] *a.* 일그러짐이 없는 〈상(像)〉, 생음에 충실한 〈스테레오 음 등〉; 왜곡되지 않은, 정상적인

un·dis·trib·ut·ed [ʌ̀ndistríbju:tid] *a.* 분배[배포, 배당]되지 않은; 〖논리〗 부주연(不周延)의

undistríbuted míddle 〖논리〗 부주연(不周延)의 중개념(中槪念)

undistríbuted prófit 〖상업〗 유보[미배당] 이익

***un·dis·turbed** [ʌ̀ndistə́:rbd] *a.* **방해받지 않은**; 교란되지 않은; 괴롭혀지지 않은; 평정한: sleep ~ (방해받지 않고) 조용히 자다

-turb·ed·ly [-tə́:rbidli] *ad.* 차분히, 조용히

un·di·vert·ed [ʌ̀ndivə́:rtid | -dai-] *a.* 빗나가지 않은; 마음이 풀리지 않은

un·di·vid·ed [ʌ̀ndiváidid] *a.* **1** 나눌 수 없는, 분할되지 않은; 완전한; 연속된 **2** 골똘한, 한눈 팔지 않는: ~ attention 전념

undivíded prófits 미처분[미분배] 이익

***un·do** [ʌndú:] *v.* (**-did** [-díd]; **-done** [-dʌ́n]) *vt.* **1 a** 〈일단 한 것을〉 **원상태로 돌리다,** 본래대로 하다; 〈노력 등의〉 결과를 망치다: What's done cannot be *undone.* (속담) 엎지른 물은 다시 담을 수 없다. / This error *undid* all our efforts. 이 실수로 우리의 모든 노력이 수포로 돌아갔다. **b** 취소하다; 〖컴퓨터〗 (바로 전의 조작을 취소하고) 원래로 되돌리다 **2 a** 〈의복 등을〉 벗기다; 〈매듭·꾸러미 등을〉 **풀다 b** 〈단추 등을〉 끄르다, 늦추다: ~ a button 단추를 끄르다 **3** [보통 수동형으로] 〈사람을〉 영락[타락]시키다, …의 명예[재산, 희망]를 망치다 **4** (고어) 〈비밀 등을〉 풀다; 설명하다 **5** 유혹하여 〈여자의〉 정조를 빼앗다 **6** 〈사람을〉 동요[혼란]시키다

— *vi.* 풀리다, 열리다

~·**a·ble** *a.* 실행할 수 없는 ~·**er** *n.* 취소하는 사람; 푸는 사람; 파멸로 이끄는 사람, 유혹자

un·dock [ʌndɑ́k | -dɔ́k] *vt.* 〈배를〉 dock에서 내다; 〖우주과학〗 〈우주선의〉 도킹을 풀다 — *vi.* 〈배가〉 dock에서 나오다; 〈우주선이〉 도킹에서 풀리다

un·doc·u·ment·ed [ʌ̀ndɑ́kjumèntid | -dɔ́k-] *a.* 증거[자료]가 없는; (이주[취업]) 증명서를 가지지 않은

undócumented pérson (미) 밀입국자 (미국 법무성 이민 귀화국 용어)

un·dog·mat·ic [ʌ̀ndɔ:gmǽtik | -dɔg-] *a.* 독단적이 아닌, 교리에 얽매이지 않는

un·do·ing [ʌndú:iŋ] *n.* Ⓤ **1** 원상태로 하기, 취소 **2** (문어) 타락, 영락, 파멸; [one's ~] 파멸[영락]의 원인: work one's own ~ 제 무덤을 파다 **3** 〈소포 등을〉 풀기, 끄름

un·do·mes·tic [ʌ̀ndəméstik] *a.* **1** 비가정적인 **2** 국산(품)이 아닌 **3** 〈동물이〉 길들지 않은

un·do·mes·ti·cat·ed [ʌ̀ndəméstikèitid] *a.* **1** 〈동물이〉 길들지 않은 **2** 〈여성이〉 가정생활에 적합지 않은, 가정적이 아닌

***un·done**[1] [ʌndʌ́n] *v.* UNDO의 과거분사

— *a.* Ⓟ **1** 푼, 끄른, 벗긴, 늦춘: He has got a button ~. 그의 단추가 하나 끌러져 있다. **2** 영락한, 파멸한 ***come*** ~ 풀리다; 실패하다, 파멸하다 ***I am ~!*** 이젠 망했다!, 끝장났다!, 당했다!

undone[2] *a.* Ⓟ 하지 않은; 다 되지 않은, 미완성의 ***leave*** ~ 하지 않은 채 두다, 방치하다

un·dou·ble [ʌndʌ́bl] *vt.* 펴다, 펼치다

***un·doubt·ed** [ʌndáutid] *a.* Ⓐ **의심할 여지없는;** 진짜의, 확실한: an ~ fact 확실한 사실

undoubtedly *ad.* beyond question, undeniably, positively, absolutely, certainly, definitely

‡**un·doubt·ed·ly** [ʌndáutidli] *ad.* **의심할 여지없이;** 확실히: *U*~ he did it. 틀림없이 그가 했다.

un·doubt·ing [ʌndáutiŋ] *a.* 의심하지 않는, 의문을 갖지 않는, 확신하는 ~·**ly** *ad.*

UNDP United Nations Development Program

un·drained [ʌndréind] *a.* 배수가 안 된; 물기가 남은; 마셔[써]도 바닥이 안 나는

un·dra·mat·ic [ʌ̀ndrəmǽtik] *a.* 극적이 아닌, 인상적이 아닌; 상연에 알맞지 않은

un·drape [ʌndréip] *vt.* …의 옷을 벗기다, …의 가리개를 제거하다

un·draped [ʌndréipt] *a.* 옷을 걸치지 않은, 나체의

un·draw [ʌndrɔ́:] *vt., vi.* (**-drew** [-drú:]; **-drawn** [-drɔ́:n]) 〈커튼을〉 열어 젖히다; (끌리어) 제자리에 돌아가다

un·dreamed [ʌndrí:md], **-dreamt** [-drémt] *a.* 꿈에도 생각지 못한, 예기치 않은

un·dreamed-of [ʌndrí:mdʌ̀v | -ɔ̀v], **un·dreamt-of** [-drémt-] *a.* 꿈에도 생각지 않은, 전혀 예상 외의

***un·dress**[1] [ʌndrés] *vt.* **1** …의 **옷을 벗기다**(disrobe): She ~*ed* the baby. 그녀는 아기의 옷을 벗겼다. **2** 장식을 떼다; 〈상처의〉 붕대를 풀다 **3** 〈가장 등을〉 벗겨내다, 폭로하다(expose)

— *vi.* 옷을 벗다 ~ one***self*** 옷을 벗다

un·dress[2] [ʌ́ndrès] *n.* Ⓤ **1** 평복, 약장(略裝), 일상복(informal dress) (opp. *full dress*); 일상 군복 (= ~ **ùniform**) **2** 가정복, 화장복, 잠옷; 알몸(이나 다름없는) 상태, (거의) 나체 상태

— *a.* 평상복의; 약식의; 꾸밈없는 〈태도 등〉: an ~ dinner party 약식의 저녁 만찬회

un·dressed [ʌndrést] *a.* **1** 옷을 벗은, 발가벗은; 잠옷 바람의; 약장(略裝)의 **2** 붕대 감지 않은; 무두질하지 않은; 손질하지 않은 〈머리·말(馬) 등〉; 요리하지 않은, 〈요리가〉 소스를 치지 않은: ~ salad 드레싱하지 않은 샐러드

un·drew [ʌndrú:] *v.* UNDRAW의 과거

un·drilled [ʌndríld] *a.* 훈련을 받지 않은

un·drink·a·ble [ʌndríŋkəbl] *a.* 마시지 못할, 마시기에 부적합한; (마시기에) 맛없는

UNDRO [ʌ́ndròu] [*U*nited *N*ations *D*isaster *R*elief *O*rganization] *n.* 유엔 재해 기관

und so wei·ter [unt-zou-váitər] [G] 기타 등등, …등(and so forth) (略 usw, u.s.w.)

***un·due** [ʌndjú: | -djú:] *a.* Ⓐ **1 과도한,** 심한: He left with ~ haste. 그는 공연히 서둘러서 떠났다. **2** 부당한, 부적당한, 들어맞지 않는: have an ~ effect on …에 부당한 결과를 가져오다 **3** 〈어음 등이〉 (지불) 기한이 되지 않은

undúe ínfluence 〖법〗 부당 위압

un·du·lant [ʌ́ndʒulənt, -dju- | -dju-] *a.* 물결치는, 파상(波狀)의 **ún·du·lance** *n.*

úndulant féver 〖병리〗 파상열(波狀熱)

un·du·late [ʌ́ndʒulèit, -dju- | -dju-] [L 「물결」의 뜻에서] *vi.* **1** 〈수면·초원·기 등이〉 물결[파동]치다: The flag ~*s* in the breeze. 깃발이 미풍에 흔들린다. **2** 〈지표 등이〉 기복지다, 굽이치다 — *vt.* 물결을 일으키다, 진동시키다; 굽이치게 하다

— [-lət, -lèit, -dju- | -dju-] *a.* 파상(波狀)의; 파도같은; 기복의 ~·**ly** *ad.*

un·du·lat·ed [ʌ́ndʒulèitid, -dju- | -dju-] *a.* = UNDULATE

un·du·la·tion [ʌ̀ndʒuléiʃən, -dju- | -dju-] *n.* ⓊⒸ 파동, 굽이침; (지표의) 기복; 〖물리〗 파동, 진동; 음파; 광파; 〖의학〗 동계(動悸), 맥박 변동

un·du·la·tor [ʌ́ndʒulèitər] *n.* 〖물리〗 언줄레이터 (방사광을 얻는 장치)

un·du·la·to·ry [ʌ́ndʒulətɔ̀:ri, -dju- | -djulətəri] *a.* 파동[기복]의, 굽이치는; 파상의

úndulatory thèory (**of light**) 〖물리〗 (빛의) 파동설

un·du·la·tus [ʌ̀ndʒuléitəs, -dju- | -dju-] *a.* 〖기상〗 〈구름이〉 물결 모양의

un·du·ly [ʌ̀ndjúːli | -djúː-] *ad.* 과도하게, 심하게; 부당하게, 마땅찮게, 부정으로

un·du·ti·ful [ʌ̀ndjúːtifəl | -djúː-] *a.* 의무를 다하지 않은, 불충실[불효]한, 순종하지 않는 **~·ly** *ad.* **~·ness** *n.*

un·dyed [ʌ̀ndáid] *a.* 염색하지 않은

un·dy·ing [ʌ̀ndáiiŋ] *a.* Ⓐ 죽지 않는, 불멸의, 불후의, 영원한; 끊이지[다하지] 않는: ~ fame 불멸의 명성 **~·ly** *ad.* **~·ness** *n.*

un·earned [ʌ̀nə́ːrnd] *a.* **1** 노력 없이 얻은, 일하지 않고 얻은: an ~ promotion 노력 없이 얻은 승진 **2** Ⓐ 〈보수 등이〉 받을 일이 못되는, 과분한 **3** 미수(未收)의 **4** 상대 팀의 실수에 의한: an ~ run 〖야구〗 상내 팀의 실수로 얻은 득점

unéarned íncome 불로 소득

unéarned íncrement (재산, 특히 토지의) 자연적 가치 증가

unéarned rún 〖야구〗 수비측의 실수로 빼앗긴 득점

un·earth [ʌ̀nə́ːrθ] *vt.* **1** 발굴하다, 파내다 **2** 〈새 사실 등을〉 발견하다, 밝히다, 폭로하다: He *~ed* new evidence. 그는 새로운 증거를 발견했다. **3** 사냥개를 부추겨 〈여우를〉 몰아내다

un·earth·ly [ʌ̀nə́ːrθli] *a.* **1** 이 세상 것 같지 않은, 비현실적인, 초자연적인 **2** 기분 나쁜, 섬뜩한, 무시무시한, 소름끼치는: an ~ scream 소름이 끼치는 비명 **3** Ⓐ 《구어》 상식 밖의, 터무니없는[없이 이른] 〈시각 등〉 **-li·ness** *n.* Ⓤ

un·ease [ʌníːz] *n.* 《문어》 = UNEASINESS

***un·eas·i·ly** [ʌníːzəli] *ad.* **1** 불안 속에, 걱정하여: I had slept ~ all night. 밤새 안심하고 자지 못했다. **2** 불쾌하게, 거북하게

un·eas·i·ness** [ʌníːzinis] *n.* Ⓤ 불안, 걱정, 불쾌; 거북함 ***be under some ~ at …에 좀 불쾌[불안]감을 가지다 ***cause*** [***give***] a person ~ …을 불쾌[불안]하게 하다

‡un·eas·y [ʌníːzi] *a.* (**-eas·i·er**; **-i·est**) **1** 불안한, 걱정되는, 염려스러운(anxious): an ~ dream 불안한 꿈 / I felt ~ at my wife's absence. 아내가 없는 것이 염려가 되었다. **2** 〈태도 등이〉 어색한, 딱딱한: She gave an ~ laugh. 그녀는 어색한 웃음을 웃었다. **3** 〈몸이〉 거북한, 불편한; 불쾌한: feel ~ in tight clothes 끼는 옷을 입어서 거북하다 **4** 어려운, 간단하지 않은 ***feel ~ about*** …에 불안을 느끼다, …이 걱정이 되다 ***grow ~ at*** …이 불안해지다 ***have an ~ conscience*** 마음이 꺼림칙하다 ***pass an ~ night*** 불안한 하룻밤을 지내다

un·eat·a·ble [ʌníːtəbl] *a.* 먹지 못할

un·eat·en [ʌníːtn] *a.* 먹지 않은

un·e·co·nom·ic, -i·cal [ʌ̀nekənámik(əl), -iːk- | -nɔ́m-] *a.* **1** 경제 원칙에 맞지 않는, 비경제적인 **2** 비절약적인, 낭비하는 **-i·cal·ly** *ad.*

un·ed·i·fy·ing [ʌnédəfàiiŋ] *a.* 계발하지 않는, 교훈이 되지 않는

un·ed·it·ed [ʌnéditid] *a.* 편집되지 않은, 아직 출판[간행]되지 않은; 〈영화 등이〉 미검열의

un·ed·u·ca·ble [ʌnédʒukəbl] *a.* 교육시킬 수 없는, 교화가 불가능한

un·ed·u·cat·ed [ʌnédʒukèitid] *a.* 무교육의, 교육을 받지 못한, 무식한(⇨ ignorant 유의어)

UNEF United Nations Emergency Forces 유엔 긴급군

un·e·lect·ed [ʌniléktid] *a.* 선거로 뽑지 않은, 비선거의: ~ bureaucrats 비선거 관료들

un·e·lec·tri·fied [ʌniléktrəfàid] *a.* 전화(電化)되지 않은; 전력이 공급되지 않는

un·em·bar·rassed [ʌnimbǽrəst] *a.* 〈태도 등이〉 당황하지 않은; 방해받지 않은

un·e·mo·tion·al [ʌnimóuʃənl] *a.* 감정적[정서적]이 아닌, 감정에 좌우되지 않는, 냉정한 **~·ly** *ad.*

un·em·phat·ic [ʌnimfǽtik] *a.* 어세(語勢)가 강하지 않은, 힘주지 않은

un·em·ploy·a·ble [ʌnimplɔ́iəbl] *a.* (나이·장애 등으로) 고용할 수 없는 — *n.* 고용 불합격자 **-plòy·a·bíl·i·ty** *n.*

***un·em·ployed** [ʌnimplɔ́id] *a.* **1 a** 실직한, 일이 없는, 실업(자)의: an ~ clerk 실직한 점원 **b** [the ~; 복수 취급] 실직자들 **2** 쓰이지 않는, 이용[활용]하지 않는, 놀려 두는: ~ capital 유휴 자본 **3** 한가한

‡un·em·ploy·ment [ʌnimplɔ́imənt] *n.* Ⓤ **1** 실직, 실업 상태; 실업률, 실업자수: push ~ down 실업률을 낮추다 **2** 《구어》 = UNEMPLOYMENT BENEFIT

unemplóyment bènefit 실업 수당, 실업 급여

unemplóyment compensàtion 《미》 (주 정부 등에 의한) 실업 수당

unemplóyment insùrance 《미》 실업 보험

unemplóyment ràte 실업률

un·en·closed [ʌninklóuzd] *a.* 둘러싸지 않은; 동봉(同封)되지 않은

un·en·cum·bered [ʌninkʌ́mbərd, -en-] *a.* 방해 없는, 장애받지 않는; (저당·부채 등의) 부담이 없는 〈부동산〉

un·end·ed [ʌnéndid] *a.* 끝나지 않은; 미완(未完)의

un·end·ing [ʌnéndiŋ] *a.* **1** 끝없는, 영구한 **2** 《구어》 끊임없는, 간단없는 **~·ly** *ad.* **~·ness** *n.*

un·en·dorsed [ʌnindɔ́ːrst] *a.* 〈어음 등이〉 배서[보증]되어 있지 않은

un·en·dowed [ʌnindáud] *a.* **1** 부여되지 않은 (*with*); 타고난 재능이 없는 **2** 《고어》 지참금이 없는

un·en·dur·a·ble [ʌnindjúərəbl | -djúər-] *a.* 참을[견딜] 수 없는 **-bly** *ad.*

un·en·dur·ing [ʌnindjúəriŋ] *a.* 오래 가지 않는

un·en·forced [ʌninfɔ́ːrst] *a.* 실시[강행]되지 않는

un·en·gaged [ʌningéidʒd] *a.* 선약이 없는; 약혼하지 않은; (볼)일 없는, 한가한

un·en·gag·ing [ʌningéidʒiŋ] *a.* 마음을 끌지 않는, 매력 없는

un-Eng·lish [ʌníŋgliʃ] *a.* 영국인[영어]답지 않은; 영국식이 아닌, 비영국적인

un·en·joy·a·ble [ʌnindʒɔ́iəbl] *a.* 즐겁지 않은 **~·ness** *n.*

un·en·light·ened [ʌninláitnd] *a.* **1** 계몽되지 않은, 무지한; 미개의 **2** 편견에 찬 **3** 진상을 모르는

un·en·rolled [ʌninróuld] *a.* 등록되지 않은, 미등록의

un·en·tan·gled [ʌnintǽŋgld] *a.* 헝클어지지 않은; 연루되지 않은

un·en·tered [ʌnéntərd] *a.* 가입[입학]하지 않은

un·en·thu·si·as·tic [ʌninθùːziǽstik] *a.* 열성이 없는; 냉담한 **-ti·cal·ly** *ad.*

un·en·vi·a·ble [ʌnénviəbl] *a.* 부럽지 않은, 부러워할 것 없는; 난처한; 골치 아픈: an ~ task 골치 아픈 일

un·en·vied [ʌnénvid] *a.* 남이 부러워[질투]하지 않는

un·en·vi·ous [ʌnénviəs] *a.* 부러워[시기]하지 않는

UNEP [júːnep] [United Nations Environment Program] *n.* 유엔 환경 계획

***un·e·qual** [ʌníːkwəl] *a.* **1** 같지 않은, 동등하지 않은: books of ~ price 가격이 다른 책 **2** 부적당한, 불충분한, 감당 못하는 (*to*): He is ~ *to* the task. 그는 그 일을 감당할 수 없다. **3** 한결같지 않은, 가지런하지 못한, 균형을 잃은(uneven, variable); 불공평한 **4** 〈가치·질이〉 부동(不同)한, 고르지 못한 **~·ly** *ad.* **~·ness** *n.*

un·e·qualed | -qualled [ʌníːkwəld] *a.* 필적할 것이 없는, 무적의, 둘도 없는, 무쌍한

thesaurus **uneasy** *a.* **1** 불안한 troubled, worried, anxious, disturbed, agitated, nervous, unsettled **2** 어색한 strained, tense, awkward
unemployed *a.* jobless, workless, out of work
unexpected *a.* unforeseen, unanticipated, unpredicted, abrupt, surprising, startling, astonishing

un·e·quipped [ʌnikwípt] *a.* 준비가 안 된; 설비[장비]가 되어 있지 않은

un·e·quiv·o·cal [ʌnikwívəkəl] *a.* 모호[애매]하지 않은; 명백한, 명확한, 솔직한(clear); 절대적인(absolute), 무조건의: an ~ answer 명쾌한 대답 **~·ly** *ad.* **~·ness** *n.*

un·err·ing [ʌnə́ːriŋ, -ɛ́ər- | -ə́ːr-] *a.* 틀리지 않는, 잘못이 없는; 정확[적확]한 **~·ly** *ad.* **~·ness** *n.*

un·es·cap·a·ble [ʌniskéipəbl] *a.* 회피할 수 없는

∗**UNESCO, Unes·co** [juːnéskou] [*U*nited *N*ations *E*ducational, *S*cientific, and *C*ultural *O*rganization] *n.* 유네스코, 유엔 교육 과학 문화 기구

un·es·cort·ed [ʌniskɔ́ːrtid] *a.* 호위받지 않은; 동반자 없는

un·es·sen·tial [ʌnisénʃəl] *a.* 본질적이 아닌; 긴요하지 않은, 없어도 좋은 **—** *n.* 본질적이 아닌 것, 없어도 되는 것

un·es·tab·lished [ʌnistǽbliʃt] *a.* 설립[설정]되지 않은; 확립[확정]되지 않은; 〈작가 등이〉 무명의: ~ facts 미확인 사건

un·es·thet·ic [ʌnesθétik | -iːs-] *a.* 《미》 =UNAESTHETIC

un·eth·i·cal [ʌnéθikəl] *a.* 비윤리적인, 도리에 어긋나는

un-Eu·ro·pe·an [ʌnjuərəpíːən] *a.* 비유럽적인, 유럽풍이 아닌

∗**un·e·ven** [ʌníːvən] *a.* **1** 평탄하지 않은, 울퉁불퉁한: an ~ dirt road 울퉁불퉁한 비포장도로 **2** 한결같지 않은, 고르지 않은: of ~ temper 변덕스러운 **3** 공평하지 않은; 일방적인 **4** 〈작품 등이〉 균형이 맞지 않는 **5** 홀수의(odd): ~ numbers 홀수, 기수 **~·ly** *ad.* **~·ness** *n.*

unéven (párallel) bàrs [(the) ~] 〖체조〗 2단[고저] 평행봉 《용구 및 경기 종목》

un·e·vent·ful [ʌnivéntfəl] *a.* 사건이 없는, 파란이 없는, 평온무사한 **~·ly** *ad.* **~·ness** *n.*

un·ex·act·ing [ʌnigzǽktiŋ] *a.* 엄하지 않은, 수월한, 강요적이 아닌; 까다롭게 굴지 않는

un·ex·ag·ger·at·ed [ʌnigzǽdʒərèitid] *a.* 과장되지 않은

un·ex·am·ined [ʌnigzǽmind] *a.* 검사[분석, 음미]되지 않은

un·ex·am·pled [ʌnigzǽmpld | -záːm-] *a.* 전례[유례]가 없는, 비할 데 없는, 둘도 없는

un·ex·cep·tion·a·ble [ʌniksépʃənəbl] *a.* 나무랄 데 없는, 더할 나위 없는, 훌륭한 **~·ness** *n.* **-bly** *ad.*

un·ex·cep·tion·al [ʌniksépʃənl] *a.* 예외가 아닌; 보통의; 예외를 인정하지 않는 **~·ly** *ad.* 예외 없이, 모두

un·ex·cit·ing [ʌniksáitiŋ] *a.* 흥분시키지 않는, 평범한, 재미없는

un·ex·e·cut·ed [ʌnéksikjùːtid] *a.* 실행[이행]되지 않은; 집행되지 않은

un·ex·haust·ed [ʌnigzɔ́ːstid] *a.* 아직 없어지지[다하지] 않은; 지쳐버리지 않은

‡**un·ex·pect·ed** [ʌnikspéktid] *a.* 예기치 않은, 뜻밖의, 갑작스러운(sudden): an ~ effect 예기치 않은 효과 / an ~ visitor 불시의 방문객 **~·ness** *n.*

∗**un·ex·pect·ed·ly** [ʌnikspéktidli] *ad.* 뜻밖에, 예상외로, 갑자기, 돌연

un·ex·pend·a·ble [ʌnikspéndəbl] *a.* 불가결의, 중요한(essential); 다 써버릴 수 없는; 소비[지출]할 수 없는: an ~ source of energy 다 써버릴 수 없는 에너지원(源)

un·ex·pe·ri·enced [ʌnikspíəriənst] *a.* 미경험의

unfair *a.* **1** 불공평한 unjust, partial, prejudiced, biased, one-sided, unequal, uneven **2** 부당한 unreasonable, excessive, extreme, immoderate **3** 부정한 foul, unsportsmanlike, dirty, dishonorable

unfamiliar *a.* unknown, new, strange, alien, uncommon, unaccustomed, unacquainted

un·ex·pired [ʌnikspáiərd] *a.* 사라지지[없어지지] 않은; 기한이 만료되지 않은

un·ex·plain·a·ble [ʌnikspléinəbl] *a.* 설명할 수 없는 **-bly** *ad.*

un·ex·plained [ʌnikspléind] *a.* 설명이 없는, 이유가 밝혀지지 않은

un·ex·plod·ed [ʌniksplóudid] *a.* 폭발되지 않은; 발사되지 않은(undischarged)

un·ex·ploit·ed [ʌniksplɔ́itid] *a.* 〈자원 등이〉 개발[이용]되지 않은, 미개척의

un·ex·plored [ʌniksplɔ́ːrd] *a.* 아직 탐험[답사, 탐구]되지 않은

un·ex·pressed [ʌnikspréstl] *a.* 표현[표명]되지 않은; 암묵의(tacit): an ~ agreement 암묵의 동의

un·ex·pres·sive [ʌnikspésiv] *a.* 표현력이 부족한, 뜻을 충분히 전달하지 못하는: an ~ person 표현력이 부족한 사람 **~·ly** *ad.* **~·ness** *n.*

un·ex·pur·gat·ed [ʌnékspərgèitid] *a.* 〈책 등이〉 (검열에서) 삭제[수정]되지 않은; 완전한

un·ex·tin·guished [ʌnikstíŋgwiʃt] *a.* 꺼지지 않은; 소멸되지 않은

un·fact [ʌnfǽkt] *n.* 《구어》 (유포된) 조작된 이야기

un·fad·ed [ʌnféidid] *a.* 퇴색되지 않은

un·fad·ing [ʌnféidiŋ] *a.* 빛이 바래지 않는; 쉽사리 시들지 않는; 쇠퇴하지 않는, 불멸의 **~·ly** *ad.*

un·fail·ing [ʌnféiliŋ] *a.* **1** 절대 확실한, 틀림없는; 신뢰할 수 있는, 충실한: an ~ person 신뢰할 수 있는 사람 **2** 끊임[다함] 없는: a novel of ~ interest 흥미진진한 소설 **~·ly** *ad.* **~·ness** *n.*

∗**un·fair** [ʌnfɛ́ər] *a.* **1** 불공평한 **2** 공명정대하지 못한, 교활한; 부정한, 부당한 〈상거래 등〉: an ~ labor practice 부당 노동 행위 **3** 〈풍향이〉 반대인(unfavorable) **~·ly** *ad.* **~·ness** *n.*

unfáir competítion 불공정 경쟁

unfáir dismíssal 《영》 부당 해고

unfáir práctice =UNFAIR COMPETITION; 부정 상관행(商慣行)

unfáir tráde[tráding] 불공정 거래

un·faith [ʌnféiθ] *n.* Ⓤ 불신(disbelief); 비종교적 신념

un·faith·ful [ʌnféiθfəl] *a.* **1** 불충실한, 성실하지 않은, 불충한: an ~ servant 불충한 하인 **2** 정숙하지 못한, 부정한 〈아내 등〉 **3** 부정확한 〈사본 등〉: an ~ translation 부정확한 번역 **4** 《폐어》 무신앙의; 부정직한 **~·ly** *ad.* **~·ness** *n.*

un·fal·ter·ing [ʌnfɔ́ːltəriŋ] *a.* **1** 〈걸음걸이가〉 비틀거리지 않는, 떨지 않는; 〈말투 등이〉 흔들리지 않는, 떨리지 않는 **2** 주저하지 않는, 단호한 **~·ly** *ad.*

∗**un·fa·mil·iar** [ʌnfəmíljər] *a.* **1** 〈사람이〉 익숙지 못한, 잘 모르는, 정통하지 못한, 경험이 없는 《*with*》: I am ~ *with* the subject. 그 문제는 잘 모른다. **2** 생소한, 낯선, 눈[귀]선, 드문: ~ faces 낯선 얼굴들 **3** 이상한, 다른 **~·ly** *ad.*

un·fa·mil·i·ar·i·ty [ʌnfəmìliǽrəti] *n.* Ⓤ 잘 모름, 익숙지 않음

un·fash·ion·a·ble [ʌnfǽʃənəbl] *a.* 유행하지 않는, 낡은, 유행[시대]에 뒤진 **~·ness** *n.*

un·fash·ioned [ʌnfǽʃənd] *a.* 가공되지 않은; 《고어》 세련되지 않은

un·fas·ten [ʌnfǽsn | -fáːsn] *vt.* 풀다, 끄르다, 늦추다: ~ buttons 버튼을 끄르다 **—** *vi.* 풀리다, 끌러지다, 느슨해지다

un·fa·thered [ʌnfáːðərd] *a.* 아버지의 인지를 받지 못한, 사생아의, 아비 없는; 출처[창설자, 작자]가 불분명한: ~ tales 작자를 모르는 설화

un·fa·ther·ly [ʌnfáːðərli] *a.* 아버지답지 않은

un·fath·om·a·ble [ʌnfǽðəməbl] *a.* **1** 잴 수 없는, 깊이를 헤아릴 수 없는 **2** 심오한, 불가해한(inexplicable) **~·ness** *n.* **-bly** *ad.*

un·fath·omed [ʌnfǽðəmd] *a.* 〈바다 등이〉 깊이를 알 수 없는; 〈문제 등이〉 이해할[헤아릴] 수 없는

un·fa·vor·a·ble** | **-vour-** [ʌnféivərəbl] *a.* **1** 〈보고·비평 등이〉 **호의적이 아닌**, 비판적인: hold an ~ opinion of …에 대해 비판적인 의견을 갖고 있다 **2 형편이 나쁜**, 불운한, 불리한, 역(逆)의, 알맞지[적합하지] 않은 (*for, to*): an ~ wind 역풍 **3** 상서롭지 못한, 불길한: an ~ omen 흉조 **4** 〈무역이〉 수입 초과의 ***the ~ balance of trade 무역 역조, 수입 초과 **~·ness** *n.* **-bly** *ad.*

un·fa·vor·ite [ʌnféivərit] *a.* 대단히 싫은, 전혀 마음에 들지 않는

un·fazed [ʌnféizd] *a.* 《구어》 마음이 동요하지 않은, 당황하지 않은

un·feared [ʌnfíərd] *a.* 겁내는 일이 없는

un·fear·ing [ʌnfíəriŋ] *a.* 겁[두려움] 없는

un·fea·si·ble [ʌnfí:zəbl] *a.* 실행할 수 없는, 실시하기 어려운 **-bly** *ad.*

un·fed [ʌnféd] *a.* 음식[연료]을 공급받지 못한; 지지를 얻지 못한

un·fed·er·at·ed [ʌnfédərèitid] *a.* 동맹[연합]하고 있지 않은

un·feed [ʌnfí:d] *a.* 보수를 주지 않는, 무보수의

un·feel·ing [ʌnfí:liŋ] *a.* **1** 느낌 없는, 무감각의: ~ legs 무감각한 다리 **2** 무정[냉혹, 잔혹]한: an ~ man 냉혹한 사람 **~·ly** *ad.* **~·ness** *n.*

un·feigned [ʌnféind] *a.* 거짓없는, 진실한, 있는 그대로의 **un·feign·ed·ly** [-féinidli, -féindli] *ad.*

un·felt [ʌnfélt] *a.* 느낌이 없는, 느껴지지 않은

un·fem·i·nine [ʌnfémənin] *a.* 여성용이 아닌; 여자답지 않은, 여성적이 아닌

un·fenced [ʌnfénst] *a.* 울타리[담]가 없는; 무방비의, 무방어의

un·fer·ment·ed [ʌnfərméntid] *a.* 발효되지 않은

un·fer·ti·lized [ʌnfə́:rtəlàizd] *a.* 수정(受精)이 되지 않은: an ~ egg 무정란

un·fet·ter [ʌnfétər] *vt.* …을 자유롭게 하다, 해방하다: ~ a prisoner 포로를 자유롭게 풀어주다

un·fet·tered [ʌnfétərd] *a.* 구속[속박]을 벗어난, 자유로운

un·fil·i·al [ʌnfíliəl] *a.* 자식답지 않은, 효도를 다하지 않는, 불효한 **~·ly** *ad.*

un·filled [ʌnfíld] *a.* 채워지지 않은, 빈(empty)

un·fil·tered [ʌnfíltərd] *a.* 여과되지 않은; 〖사진〗 필터를 사용하지 않고 촬영한

un·fin·ished** [ʌnfíniʃt] *a.* **1 미완성인**, 완료되지[끝나지] 않은: an ~ letter 쓰다 만 편지 **2** 다듬지 않은, 세련되지 않은: an ~ style 세련되지 않은 문체 **3** 〈직물 등이〉 마무리가 덜 된 ***the U~ Symphony 미완성 교향곡 《Schubert의 교향곡 제8번》

unfínished búsiness (회의 등에서의) 미결 사항, 미필 사무

***un·fit** [ʌnfít] *a.* Ⓟ **1 부적당한**, 적임이 아닌, 맞지 않는, 어울리지 않는 (*for*): (~+*to* do) He is ~ *to* be a teacher. 그는 교사가 되기에는 부적당하다. // (~+전+*-ing*) This land is ~ *for* farm*ing*. 이 토지는 농작에는 적당하지 않다. **2** (…의) 자격[능력]이 없는, 무자격의 (*to*): She is ~ *to* assume such a responsibility. 그녀는 그런 책임을 감당할 능력이 없다. **3** 〈사람이〉 건강하지 않은, 몸에 이상이 있는
— *vt.* (**~·ted**; **~·ting**) 부적당하게 하다, 어울리지[맞지] 않게 하다, 부적격으로 만들다 (*for*): Illness *~ted* him *for* the life of a farmer. 병 때문에 그는 농민 생활을 못하게 되었다. **~·ly** *ad.* **~·ness** *n.*

un·fit·ted [ʌnfítid] *a.* **1** 〈사람·사물이〉 부적절한, 맞지 않은 (*for*) **2** 설비[비품] 없는 (*with*) **3** 《주로 캐나다》 〈옷이〉 끼지 않는, 헐렁한

un·fit·ting [ʌnfítiŋ] *a.* 부적당한, 어울리지 않는 (unsuitable) **~·ly** *ad.*

un·fix [ʌnfíks] *vt.* **1** 떼다, 떼어내다, 풀다, 끄르다; 늦추다(unfasten) **2** 〈마음 등을〉 흔들리게 하다; 〈전통·관습을〉 혼란스럽게 하다 ***U~ bayonets!*** 《구령》 빼어 칼!

un·fixed [ʌnfíkst] *a.* **1** 고정되지 않은; 분명치 않은 **2** 떼어낸; 늦추어진 **ùn·fíx·ed·ness** *n.*

un·flag·ging [ʌnflǽgiŋ] *a.* 늘어지지 않는, 쇠하지 않는, 지치지 않는, 지칠 줄 모르는 **~·ly** *ad.*

un·flap·pa·ble [ʌnflǽpəbl] *a.* 《구어》 쉽사리 흥분[동요]하지 않는, 침착한 **~·ness** *n.* **-bly** *ad.*

un·flat·ter·ing [ʌnflǽtəriŋ] *a.* 아첨하지 않는; 있는 그대로의, 노골적인[으로 말하는] **~·ly** *ad.*

un·fla·vored [ʌnfléivərd] *a.* 맛을 내지 않은, 가미(加味)하지 않은

un·fledged [ʌnflédʒd] *a.* 아직 깃털이 다 나지 않은; 어린, 미숙한(immature), 젖내 나는(callow), 풋내기의(cf. FULL-FLEDGED)

un·flesh·ly [ʌnfléʃli] *a.* 육욕적[현세적]이 아닌, 정신적인 **-li·ness** *n.*

un·flinch·ing [ʌnflíntʃiŋ] *a.* 움츠리지 않는, 물러서지 않는, 굽히지 않는(unyielding); 단호한(resolute): ~ courage 불굴의 용기 **~·ly** *ad.*

un·fo·cus(s)ed [ʌnfóukəst] *a.* **1** 〈카메라 등이〉 초점이 맞지 않는; 〈눈이〉 초점 없는 **2** 하나에 집중하지 않는: an ~ meeting 산만한 회의

***un·fold**[1] [ʌnfóuld] *vt.* **1** 〈접은[갠] 물건·잎·꽃봉오리 등을〉 **펴다**, 펼치다: ~ a map 지도를 펴다 **2** 〈생각·의도 등을〉 나타내다, 표명하다(disclose); 〈비밀·속마음을〉 털어놓다(reveal): (~+목+전+명) He *~ed* his plans *to* her. 그는 계획을 그녀에게 털어놓았다.
— *vi.* **1** 〈잎·꽃봉오리 등이〉 **열리다**, 펴[펼쳐]지다 **2** 〈경치·이야기 등이〉 펼쳐지다, 전개되다: The plot of the novel *~s* in a very natural way. 그 소설의 줄거리는 아주 자연스럽게 전개된다. **3** 명확해지다
~ one***self*** 〈이야기·사태 등이〉 전개되다 **~·ment** *n.*

unfold[2] *vt.* 〈양 등을〉 울에서 내놓다

un·fóld·ing hóuse [ʌnfóuldiŋ-] 〖건축〗 공장에서 조립 후 운반하여 설치하는 조립식 주택

un·forced [ʌnfɔ́:rst] *a.* 강제적이 아닌; 억지가 아닌, 부자연스러운 것이 아닌: ~ kindness 자발적인 친절

un·fore·see·a·ble [ʌnfɔ:rsí:əbl] *a.* 예지[예측]할 수 없는 **-bly** *ad.*

un·fore·seen [ʌnfɔ:rsí:n] *a.* 생각지[뜻하지] 않은, 예측하지 않은, 우연의, 의외의
— *n.* [the ~] 예측하기 어려운 일

un·fore·told [ʌnfɔ:rtóuld] *a.* 예언[예고]하지 않은

un·for·get·ta·ble [ʌnfərgétəbl] *a.* 잊을 수 없는, 언제까지나 기억에 남는 **~·ness** *n.* **-bly** *ad.*

un·for·giv·a·ble [ʌnfərgívəbl] *a.* 용서할 수 없는 〈과오 등〉 **-bly** *ad.*

un·for·giv·en [ʌnfərgívən] *a.* 용서받지 못한

un·for·giv·ing [ʌnfərgíviŋ] *a.* 용서하지 않는, 용서 없는, 앙심을 품은; 〈사태·상황 등이〉 잘못을 허락하지 않는 **~·ly** *ad.* **~·ness** *n.*

un·for·mat [ʌnfɔ́:rmæt] *vi.* 〖컴퓨터〗 잘못 포맷한 디스크에서 데이터를 복원하다

un·formed [ʌnfɔ́:rmd] *a.* **1** 아직 꼴을 이루지 않은, 정형(定形)이 없는 **2** 미발달의, 미숙한(immature) **3** 형성되지 않은

un·for·mu·lat·ed [ʌnfɔ́:rmjulèitid] *a.* 공식화되지 않은, 계통이 서지 않은

un·forth·com·ing [ʌnfɔ̀:rθkʌ́miŋ] *a.* 《영》 말이 없는, 과묵한; 붙임성이 없는

un·for·ti·fied [ʌnfɔ́:rtəfàid] *a.* 무방비의; (도덕적으로) 불안정한; 〈식품이〉 영양 보강이 되지 않은

‡**un·for·tu·nate** [ʌnfɔ́:rtʃənət] *a.* **1 불운한**, **불행한**: an ~ accident 불운한 사고 // (~+전+*-ing*) He was ~ *in* los*ing* his property. 그는 불행하게도 재산을 잃었다. // (~+*to* do) She was ~ *to* lose her husband. 그녀는 불행하게도 남편을 잃었다. **2** 불

thesaurus **unfavorable** *a.* **1** 호의적이 아닌 adverse, critical, hostile, unfriendly, negative **2** 불운한 disadvantage, unfortunate, unhappy
unfortunate *a.* **1** 불운한 unlucky, luckless,

리한; 불길한: an ~ beginning 불길한 시작[출발] **3** 유감스러운, 애처로운, 비참한 **4** 불행한 결과를 가져오는, 성공하지 못한: an ~ business venture 성공하지 못한 투기적 사업 **5** 적당하지 않은, 부적당한: make an ~ remark 부적절한 말을 하다, 실언하다
— *n.* 불운한[불행한] 사람; 사회에서 버림받은 사람, 《특히》 창녀, 죄수 **~·ness** *n.*

‡**un·for·tu·nate·ly** [ʌnfɔ́:rtʃənətli] *ad.* **1** [문장 전체를 수식하여] 불행[불운]하게도, 유감스럽게도, 공교롭게도: *U*~ I was out when you came. 네가 왔을 때에 공교롭게도 나는 부재중이었다. **2** 운수 나쁘게: He was ~ caught in the shower. 그는 재수 없게 소나기를 만났다.

un·found·ed [ʌnfáundid] *a.* 근거 없는, 사실무근의, 이유 없는(groundless): ~ hopes 헛된 희망

UNFPA United Nations Fund for Population Activities 유엔 인구 활동 기금

un·framed [ʌnfréimd] *a.* 액자에 끼우지 않은, 틀이 없는 〈그림·사진〉; 《구어》 컨디션이 좋지 않은

unfránked invéstment íncome 《영》 세금 공제 전의 배당 소득

un·free [ʌnfrí:] *a.* 자유가 없는; 《영·고어》 (토지에 대한) 자유 보유권이 없는

un·freeze [ʌnfrí:z] *vt.* (**-froze** [-fróuz]; **-fro·zen** [-fróuzn]) **1** 〈눈·얼음 등을〉 녹이다(melt); 〈식품을〉 해동하다; 태도를 완화하다 **2** 〖경제〗 〈자금·예산·정책 등의〉 동결을 해제하다

un·fre·quent [ʌnfrí:kwənt] *a.* 흔하지 않은, 드문(infrequent) **~·ly** *ad.*

un·fre·quent·ed [ʌnfrí:kwəntid, ʌnfri:kwént-id] *a.* 사람이 잘 가지[다니지] 않는, 인적 드문

un·friend [ʌnfrénd] *vt.* **1** = DEFRIEND **2** 《드물게》 친구 관계를 끊다

un·friend·ed [ʌnfréndid] *a.* 벗 없는, 도와주는 이 없는, 의지할 곳 없는 **~·ness** *n.*

***un·friend·ly**[1] [ʌnfréndli] *a.* (**-li·er**; **-li·est**) **1** 우정이 없는, 비우호적인, 불친절한, 박정한; 악의[적의]가 있는: an ~ waitress 불친절한 여급 // (~+*of*+명+*to* do) It was ~ *of* you not *to* help her. 그녀를 돕지 않았다니 자네는 박정했군. **2** 형편이 좋지 않은, 불리한, 〈날씨 등이〉 불순한; 〈토지 등이〉 살기에 적절하지 않은: an ~ climate for new ideas 새로운 사상을 환영하지 않는 사회 환경
— *ad.* 《고어》 비우호적으로, 불친절하게
— *n.* (*pl.* **-lies**) 〖군사〗 적(enemy); 적의를 가진 사람, 적대적인 것 **-li·ness** *n.*

unfriendly[2] *a.* [주로 복합어로] 해로운, 기능을 저해하는: environment-*unfriendly* 환경에 나쁜 작용을 하는 / ozone-*unfriendly* 오존을 고갈시키는

un·frock [ʌnfrák | -frɔ́k] *vt.* …의 성직복[법의(法衣)]을 벗기다, …에게서 성직을 빼앗다; 명예[지위, 특권]를 박탈하다

un·froze [ʌnfróuz] *v.* UNFREEZE의 과거

un·fro·zen [ʌnfróuzn] *v.* UNFREEZE의 과거분사
— *a.* **1** 얼지 않은 **2** 〖경제〗 〈자금이〉 동결되지 않은

un·fruit·ful [ʌnfrú:tfəl] *a.* **1** 헛된, 공연한, 보답 없는: ~ efforts 헛된 노력 **2** 열매를 맺지 않는, 불모의; 아이[새끼]를 낳지 못하는: ~ lands 불모의 토지 **~·ly** *ad.* **~·ness** *n.*

un·ful·filled [ʌnfulfíld] *a.* 이루어지지 않은, 이행되지 않은; 실현[성취]되지 않은; 〈사람이〉 재능을 충분히 발휘하지 않은

un·ful·fil·ling [ʌnfulfíliŋ] *a.* 만족감을 주지 못하는, 불만족스러운: an ~ job 만족스럽지 않은 직업

un·fund·ed [ʌnfʌ́ndid] *a.* 〖금융〗 일시 차입의, 〈공채가〉 단기의; 자금[재원]이 없는

---

wretched, miserable, unhappy **2** 불리한 adverse, disadvantageous, unfavorable, unpromising, hostile
unfriendly[1] *a.* unamicable, unsociable, inhospitable, unkind, aloof, cold, disagreeable

unfúnded débt 일시 차입금, 단기 공채

un·fun·ny [ʌnfʌ́ni] *a.* 《영·구어》 〈농담 등이〉 우습지 않은, 재미없는 **-ni·ly** *ad.* **-ni·ness** *n.*

un·furl [ʌnfɔ́:rl] *vt.* 〈돛·우산 등을〉 펴다(unroll, unfold), 〈기 등을〉 올리다, 펄펄 날리다; 〈배경 등을〉 전개하다 **—** *vi.* 펴지다, 오르다, 펄럭이다 **~·a·ble** *a.*

un·fur·nished [ʌnfɔ́:rniʃt] *a.* 공급되지 않은; 갖추어지지 않은, 설비되지 않은 (*with*); 〈방 등이〉 가구가 비치되지 않은, 비품이 없는

un·fuss·y [ʌnfʌ́si] *a.* 별로 관계[관심] 없는, 까다롭게 굴지 않는; 꾸며대지 않는, 복잡하지 않은, 단순한: an ~ life-style 단순한 생활 방식

UNGA United Nations General Assembly 국제 연합 총회

un·gain·ly [ʌngéinli] *a.* 꼴사나운, 볼품없는, 어색한, 미련스러운(awkward); 다루기 힘든: an ~ boy 볼품없는 소년 **—** *ad.* 꼴사납게 **-li·ness** *n.*

un·gal·lant [ʌngǽlənt] *a.* 용감하지 않은; 여자에게 친절하지 않은 **~·ly** *ad.*

un·gar·bled [ʌngá:rbld] *a.* 왜곡되지 않은; 정확한, 사실 그대로의

un·gear [ʌngíər] *vt.* …의 기어를 떼다

un·gen·er·os·i·ty [ʌndʒenərásəti | -rɔ́s-] *n.* Ⓤ 옹졸; 인색

un·gen·er·ous [ʌndʒénərəs] *a.* 옹졸한, 대범하지 못한, 비열한; 인색한: an ~ critic 비열한 비평가 **~·ly** *ad.* **~·ness** *n.*

un·gen·ial [ʌndʒí:njəl] *a.* 불친절한, 마음에 안 드는

un·gen·tle [ʌndʒéntl] *a.* 상냥[얌전]하지 않은; 《고어》 가문이 좋지 않은 **~·ness** *n.* **-tly** *ad.*

un·gen·tle·man·ly [ʌndʒéntlmənli] *a.* 비신사적인; 야비한(vulgar) **-li·ness** *n.*

un·get·at·a·ble [ʌngetǽtəbl] *a.* 쉽사리 도달할 수 없는, 가까이 가기 어려운

un·gift·ed [ʌngíftid] *a.* 재주가 없는

un·gild [ʌngíld] *vt.* …의 도금을 벗기다

un·gird [ʌngɔ́:rd] *vt.* (**~·ed, -girt** [-gɔ́:rt]) …의 띠를 풀다[풀어 늦추다]; …에 대한 통제를 풀다

un·girt [ʌngɔ́:rt] *a.* 띠를 늦춘[푼]; 규율[통제]이 느슨해진, 긴장이 풀린: ~ thinking 산만한 사고

un·glam·o(u)r·ous [ʌnglǽmərəs] *a.* 매력이 없는, 흥미 없는; 평범한, 보통의

un·glazed [ʌngléizd] *a.* 유약을 칠하지 않은, 초벌구운; 유리를 끼우지 않은; 〈종이 등이〉 광택 처리를 하지 않은

un·glove [ʌnglʌ́v] *vt., vi.* 장갑을 벗다

un·gloved [ʌnglʌ́vd] *a.* 장갑을 끼지 않은

un·glue [ʌnglú:] *vt.* 접착제를 분해하여 〈우표 등을〉 떼다; (강한 집착에서) 떼어놓다 (*from*)

un·glued [ʌnglú:d] *a.* 벗겨진, 잡아뗀; 《미·속어》 격노한, 이성을 잃은; 《미·속어》 미친 ***come*** [***get***] ~ 《미·구어》 (산산이) 허물어지다; 격노하다, 흥분하여 침착성[이성]을 잃다

un·god·ly [ʌngádli | -gɔ́d-] *a.* (**-li·er**; **-li·est**) **1 a** 신앙심 없는, 신을 두려워[경외]하지 않는 **b** 사악한(wicked), 죄 많은(sinful): the ~ 죄 많은 사람들 **2** 추잡한(indecent) **3** Ⓐ 《구어》 **a** 심한, 지독한(dreadful): an ~ noise 지독한 소음 **b** 〈시각이〉 엉뚱한, 터무니없는: call on a person at an ~ hour 엉뚱한 시간에 …을 방문하다
— *ad.* 《고어》 불경스럽게; 《구어》 심하게, 지독하게(dreadfully) **-li·ness** *n.*

ungódly shót 《미·속어》 〖야구〗 강렬한 라인 드라이브

un·got·ten [ʌngátən] *a.* **1** 《고어》 얻어지지 않는 **2** 《폐어》 〈아이가〉 생기지 않는

un·gov·ern·a·ble [ʌngʌ́vərnəbl] *a.* 다스리기 어려운, 제어할 수 없는(uncontrollable); 격심한 〈분노 등〉: an ~ appetite 억제할 수 없는 식욕 **-bly** *ad.*

un·gov·erned [ʌngʌ́vərnd] *a.* 지배[제어]되지 않은, 제멋대로의, 멋대로 날뛰는

un·grace·ful [ʌ̀ngréisfəl] *a.* 우아하지 않은, 아취가 없는; 예의 없는, 볼품없는, 꼴사나운, 미련스러운 **~·ly** *ad.* **~·ness** *n.*

un·gra·cious [ʌ̀ngréiʃəs] *a.* 공손하지 않은, 퉁명스러운, 불친절한; 버릇없는, 무례한; 불쾌한: ~ behavior 무례한 행동 **~·ly** *ad.* **~·ness** *n.*

un·grad·ed [ʌ̀ngréidid] *a.* **1** 〈길이〉 평탄하지 않은 **2** 등급[학년]별로 분류되지 않은 **3** 〈교사가〉 특정 학년을 맡지 않은

ungráded schóol (미) 무학년제 초등학교 《시골의 교사 한 사람, 교실 하나인》

un·grad·u·at·ed [ʌ̀ngrǽdʒuèitid] *a.* 졸업하지 않은; 등급을 매기지 않은

un·gram·mat·i·cal [ʌ̀ngrəmǽtikəl] *a.* 문법에 맞지 않는, 문법을 무시한; 비표준적인 **~·ly** *ad.* **-i·ty** *n.*

*__un·grate·ful__ [ʌ̀ngréitfəl] *a.* **1** 은혜를 모르는, 배은망덕의: (~+*of*+명+*to* do) (~+ *to* do) It is ~ *of* you *to* say that about him. =You are ~ *to* say that about him. 그에 관해서 그런 말을 하다니 자네는 배은망덕하군. **2** 일한 보람 없는, 헛수고의; 불쾌한, 싫은: an ~ task 싫은 일 **~·ly** *ad.* **~·ness** *n.*

un·green [ʌ̀ngríːn] *a.* 〈사람이〉 환경을 고려하지 않는; 〈제품·행동 등이〉 환경에 유해한

un·ground·ed [ʌ̀ngráundid] *a.* 근거 없는, 이유 없는, 사실 무근의; 기초 지식이 없는; 〖전기〗 접지(接地)되지 않은

un·grudg·ing [ʌ̀ngrʌ́dʒiŋ] *a.* 아끼지 않는, 옹졸하지 않은, 활수한; 쾌히 하는, 진심의 **~·ly** *ad.*

un·gual [ʌ́ŋgwəl] *a.* 발톱[발굽]의[이 있는, 을 닮은]

un·guard·ed [ʌ̀ngɑ́ːrdid] *a.* **1** 지키지 않는, 수비 없는; 안전장치[경비원]가 없는 **2** 부주의한, 경솔한; 방심하는(careless); 멍한: an ~ manner 경솔한 태도 **3** 〈카드의 패·체스의 말 등이〉 먹힐 듯한 **4** 직설적인, 솔직한; 꾸밈없는 ***in an ~ moment*** 방심하고 있는 순간에 **~·ly** *ad.*

un·guent [ʌ́ŋgwənt] *n.* ⓊⒸ 연고(軟膏)(ointment), 고약(salve)

un·guen·tar·y [ʌ́ŋgwəntèri | -təri] *a.* 연고(용)의

un·guessed [ʌngést] *a.* 추측할 수 없는; 뜻밖의

un·guic·u·late [ʌŋgwíkjulət, -lèit] *a.* 발톱[손톱]이 있는[을 닮은]; 〖동물〗 유조류(有爪類)의; 〖식물〗 〈꽃부리가〉 발톱 모양의 꽃받침이 있는
— *n.* 유조류(有爪類)의 포유동물

un·guid·ed [ʌ̀ngáidid] *a.* 인도[안내] 없는 〈관광 등〉; 유도 없는 〈미사일 등〉

un·gui·form [ʌ́ŋgwifɔ̀ːrm] *a.* 발톱[손톱] 모양의

un·guis [ʌ́ŋgwis] *n.* (*pl.* **-gues** [-gwiːz]) 〖동물〗 발톱, 발굽; 〖식물〗 발톱 모양의 꽃받침

un·gu·la [ʌ́ŋgjulə] *n.* (*pl.* **-lae** [-lìː]) 〖동물〗 발굽; 〖식물〗 발톱꽃 꽃받침; 〖기하〗 제상체(蹄狀體)

un·gu·lar [ʌ́ŋgjulər] *a.* =UNGUAL

un·gu·late [ʌ́ngjulət, -lèit] 〖동물〗 *a.* 발굽이 있는; 유제류의; 발굽 모양의 — *n.* 유제 동물

un·gu·li·grade [ʌ́ŋgjuləgrèid] *a.* 〖동물〗 발굽으로 걷는

un·hack·neyed [ʌ̀nhǽknid] *a.* 낡지 않은, 참신한; 독창적인

un·hair [ʌ̀nhέər] *vt.* 〈가죽의〉 털을 뽑다, 〈모피의〉 센털을 없애다; 〈모피의〉 결을 곱게 하다
— *vi.* 털이 빠지다 **~·er** *n.*

un·hal·low [ʌ̀nhǽlou] *vt.* 《고어》 …의 신성을 더럽히다, 모독하다(profane)

un·hal·lowed [ʌ̀nhǽloud] *a.* 성별되지 않은; 신성하지 않은, 더럽혀진, 부정한, 죄 많은; 외설된: ~ ground 신성하지 않은 땅 / ~ pleasure 부정한 쾌락

un·ham·pered [ʌ̀nhǽmpərd] *a.* 차꼬를 채우지 않은; 방해[구속]받지 않는, 통제되지 않은

un·hand [ʌ̀nhǽnd] *vt.* [보통 명령형으로] 《고어·익살》 …에서 손을 떼다, 손에서 놓다

un·han·dled [ʌ̀nhǽndld] *a.* 〈동물이〉 길들지 않은; 〈상품 등이〉 취급되지 않는

un·hand·some [ʌ̀nhǽnsəm] *a.* **1** 아름답지[잘하지] 못한, 못생긴(ugly) **2** 꼴사나운, 어울리지 않는, 버릇없는, 야비한, 비루한 **3** 돈을 아끼는, 인색한 **~·ly** *ad.* **~·ness** *n.*

un·hand·y [ʌ̀nhǽndi] *a.* (**-hand·i·er**; **-i·est**) **1** 손 재주가 없는, 서투른 **2** 다루기 불편한, 간편하지 않은

un·hang [ʌ̀nhǽŋ] *vt.* 〈걸어 놓은 것을〉 내려 놓다, 벗겨 놓다

un·hanged [ʌ̀nhǽŋd] *a.* 교수형에 처하지 않은

*__un·hap·pi·ly__ [ʌ̀nhǽpili] *ad.* **1** 불행히, 운 나쁘게, 비참하게: live ~ 비참하게 살다 **2** [문장 전체를 수식하여] 불행하게도, 공교롭게도, 재수 없이: *U*~, he was out. 공교롭게도 그는 집에 없었다. **3** 부적절하게

*__un·hap·pi·ness__ [ʌ̀nhǽpinis] *n.* Ⓤ 불행, 불운, 비참, 비애

*__un·hap·py__ [ʌ̀nhǽpi] *a.* (**-pi·er**; **-pi·est**) **1** 불행한, 불운한, 비참한: (~+*to* do) She felt ~ *to* see the accident. 그녀는 사고를 목격하고 매우 마음 아프게 생각했다. **2** 계제가 나쁜, 공교로운: an ~ meeting 공교로운 만남 **3** 불리한; 불길한: an ~ omen 흉조 **4** 적절하지 못한, 서투른 〈말씨 등〉: an ~ remark 부적절한 평[말]

un·har·bor [ʌ̀nhɑ́ːrbər] *vt.* 《영》 〖수렵〗 〈동물을〉 숨은 곳에서 몰아내다

un·harmed [ʌ̀nhɑ́ːrmd] *a.* 상하지 않은, 해를 입지 않은, 무사한

un·harm·ful [ʌ̀nhɑ́ːrmfəl] *a.* 해롭지 않은, 무해한

un·har·mo·ni·ous [ʌ̀nhɑːrmóuniəs] *a.* =INHARMONIOUS

un·har·ness [ʌ̀nhɑ́ːrnis] *vt.* **1** 〈말 등의〉 장구(裝具)를 끄르다, 마구를 풀다 **2** …의 갑옷을 벗기다, …의 무장을 해제시키다 **ùn·hár·nessed** [-t] *a.*

un·hasp [ʌ̀nhǽsp] *vt.* …의 빗장을 벗기다

un·hatched [ʌ̀nhǽtʃt] *a.* 〈병아리가〉 알에서 부화되지 않은; 〈알이〉 충분히 품어지지 않은; 《비유》 〈음모 등이〉 꾸며지지 않은

UNHCR (Office of the) United Nations High Commissioner for Refugees 유엔 난민 고등 판무관(사무소)

un·health·ful [ʌ̀nhélθfəl] *a.* 건강에 해로운, 건강하지 못한, 비위생적인: an ~ food 비위생적인 음식

*__un·health·y__ [ʌ̀nhélθi] *a.* (**-health·i·er**; **-i·est**) **1** 건강하지 못한, 병약한; 〈정신이〉 불건전한: an ~ paleness 건강치 못한 창백함 **2** 〈장소·기후 등이〉 건강에 해로운, 불건전한, 비위생적인; 병적인, 해로운: an ~ climate 건강에 해로운 기후 / an ~ interest in death 죽음에 대한 병적인 흥미 **3** 《구어》 〈사태 등이〉 위험한, 무분별한, 경솔한
ùn·héalth·i·ly *ad.* **ùn·héalth·i·ness** *n.*

un·heard [ʌ̀nhə́ːrd] *a.* **1** 들리지 않는; 귀담아 들어주지 않는; 변명을 들어주지 않는 **2** 아직 듣지[알지] 못한 ***go ~*** 〈소리가〉 들리지 않다; 〈경고 등이〉 경청되지 않다, 무시되다

un·heard-of [ʌ̀nhə́ːrdʌ̀v | -ɔ̀v] *a.* 전례가 없는, 금시초문의, 전대미문의, 미증유의; 미지의

un·heat·ed [ʌ̀nhíːtid] *a.* 난방이 되지 않는, 난방 장치가 없는: an ~ room 난방이 되지 않는 방

un·heed·ed [ʌ̀nhíːdid] *a.* 고려[배려]되지 않는, 무시된, 주의를 끌지 못하는

un·heed·ful [ʌ̀nhíːdfəl] *a.* 부주의한

un·heed·ing [ʌ̀nhíːdiŋ] *a.* 주의를 기울이지 않는, 부주의한 **~·ly** *ad.*

un·help·ful [ʌ̀nhélpfəl] *a.* 쓸모없는, 도움[소용]이 되지 않는

un·hemmed [ʌ̀nhémd] *a.* 감치지 않은, 가를 두르지 않은

thesaurus **ungrateful** *a.* unthankful, unappreciative, impolite, uncivil, rude
unhealthy *a.* **1** 건강하지 못한 unwell, ill, ailing,

un·her·ald·ed [ʌnhérəldid] *a.* **1** 무명의, 세상에 알려지지 않은 **2** 전달[보고, 예고, 고지]되지 않은; 예상 밖의, 의외의
un·hes·i·tat·ing [ʌnhézətèitiŋ] *a.* **1** 어물거리지[주저하지] 않는 **2** 민활한, 재빠른; 척척 해치우는: an ~ decision 재빠른 결단 **~·ly** *ad.* **~·ness** *n.*
un·hin·dered [ʌnhíndərd] *a.* 방해받지 않는
un·hinge [ʌnhíndʒ] *vt.* **1** …의 경첩을 떼다, 넓게 열다, 떼어놓다 **2** 〈정신을〉 혼란[착란]시키다; 미치게 하다 **3** 흐트러지게 하다, 안정을 잃게 하다 **~·ment** *n.*
un·hinged [ʌnhíndʒd] *a.* **1** 경첩을 뗀 **2** 불안정한; 흐트러진; 혼란한
un·hip(ped) [ʌnhíp(t)] *a.* 《속어》 = UNCOOL
un·his·tor·i·cal, -ic [ʌnhistɔ́:rik(əl) | -tɔ́r-] *a.* 역사적이 아닌; 역사(적 기록)에 없는 **-i·cal·ly** *ad.*
un·hitch [ʌnhítʃ] *vt.* 풀어놓다(unfasten)
un·ho·ly [ʌnhóuli] *a.* (**-li·er**; **-li·est**) **1** 《문어》 신성하지 않은, 부정(不淨)한 **2** 신앙심 없는; 사악한(wicked), 악인의: an ~ soul 사악한 사람 **3** Ⓐ 《구어》 무서운, 지독한(frightful); 터무니없는 〈시간 등〉: an ~ row 걷잡을 수 없는 소동[법석] **-li·ness** *n.*
un·hon·ored [ʌnɑ́nərd | -ɔ́n-] *a.* 존경받지 못하는; 〈어음이〉 인수되지 않은, 지불 거절된
un·hood [ʌnhúd] *vt.* …의 두건을 벗기다
un·hook [ʌnhúk] *vt.* 갈고리에서 벗기다, 〈의복 등의〉 훅을 끄르다 **—** *vi.* 갈고리[훅]가 풀리다
un·hoped [ʌnhóupt] *a.* 《고어》 = UNHOPED-FOR
un·hoped-for [ʌnhóuptfɔ̀:r] *a.* 바라지 않던, 의외의, 뜻밖의, 예기치 않은: an ~ piece of good luck 뜻밖의 행운
un·horse [ʌnhɔ́:rs] *vt.* **1** 말에서 떨어뜨리다, 〈말이〉 〈탄 사람을〉 떨어뜨리다 **2** (지위 등에서) 물러나게 하다 **3** 《고어》 〈마차 등에서〉 말을 풀다
un·house [ʌnháuz] *vt.* 집[숙소]을 빼앗다, 집에서 내쫓다, 올 데 갈 데 없게 만들다 **ùn·hóused** *a.*
un·hulled [ʌnhʌ́ld] *a.* 탈곡하지 않은: ~ rice 벼
un·hu·man [ʌnhjú:mən] *a.* 《드물게》 잔인한(inhuman); 초인간적인(superhuman), 인간 같지 않은; 비인간적인(cf. INHUMAN)
un·hung [ʌnhʌ́ŋ] *v.* UNHANG의 과거·과거분사 **—** *a.* 걸려 있지 않은; 교수형을 당하지 않은; 〈그림이〉 전시되지 않은
un·hur·ried [ʌnhə́:rid | -hʌ́r-] *a.* 서두르지 않는, 신중한 **~·ly** *ad.* **~·ness** *n.*
un·hurt [ʌnhə́:rt] *a.* 상하지[다치지] 않은, 해를 받지 않은, 부상 당하지 않은
un·husk [ʌnhʌ́sk] *vt.* 드러내다, 노출시키다
un·hy·gi·en·ic [ʌnhaidʒiénik | -dʒí:n-] *a.* 비위생적인, 건강에 좋지 않은
un·hy·phen·at·ed [ʌnháifənèitid] *a.* 하이픈이 붙지 않은; 혼혈이 아닌
u·ni [jú:ni] *n.* 《호주·구어》 대학(university)
uni- [jú:ni] 《연결형》 「단일(single)」의 뜻
U·ni·ate, -at [jú:niət, -èit] *n.* 합동 동방 가톨릭교도 《교황의 수위권(首位權)을 인정하면서 그리스 정교 고유의 전례·습관을 지킴》 **—** *a.* 합동 동방 가톨릭 교도의 ***the Uniate churches*** 합동 동방 가톨릭 교회
u·ni·ax·i·al [jù:niǽksiəl] *a.* 〖결정·식물·동물〗 단축(單軸)의, 단경(單莖)의 **~·ly** *ad.*
u·ni·brow [jú:nibràu] *n.* **1** 일자(一字) 눈섭 **2** 《속어》 성미가 까다로운 사람
u·ni·cam·er·al [jù:nikǽmərəl] *a.* 〈의회가〉 일원(제)의(cf. BICAMERAL) **~·ism** *n.* **~·ly** *ad.*
u·ni·cast [jú:nikæ̀st] *n.* 〖컴퓨터〗 유니캐스트 《인터넷에서 특정한 수신자에게로의 송신》
UNICEF, Uni·cef [jú:nəsèf] [*U*nited *N*ations *I*nternational *C*hildren's *E*mergency *F*und] *n.* 유니세프, 유엔 아동 기금 《1953년 United Nations Children's Fund로 개칭되었지만 약칭은 같음》

sick, unsound, weak, feeble, frail **2** 해로운 injurious, damaging, noxious, detrimental
unidentified *a.* nameless, unknown, anonymous

u·ni·cel·lu·lar [jù:nəséljulər] *a.* 단세포의
unicéllular ánimal 단세포 동물, 원생(原生) 동물(protozoan)
u·ni·cel·lu·late [jù:nəséljulət, -lèit] *n.* 단세포 생물
u·nic·i·ty [ju:nísəti] *n.* 단일성; 독자성
U·ni·code [jú:nikòud] *n.* 〖컴퓨터〗 유니코드 《PC로 데이터 교환을 원활히 하기 위해 만든 세계 문자 코드 체계》
u·ni·col·or [jù:nikʌ́lər, ∠-∸-] *a.* 한 색의, 단색인
u·ni·corn [jú:nəkɔ̀:rn] [L 「뿔이 하나인」의 뜻에서] *n.* **1** 일각수(一角獸) 《이마에 뿔 하나·영양(羚羊)의 엉덩이·사자의 꼬리를 가진 말 비슷한 전설의 동물》; 〖성서〗 외뿔의 들소 **2** [the U~] 〖천문〗 외뿔소자리; 일각수 《방패의 왼편에 사자와 마주 서 있는, 영국 왕실의 문장(紋章)》 **3** 세 마리 한 패의 말 《나란히 선 두 마리 앞에 한 마리를 세워서 달리게 함》

unicorn 1

u·ni·corn-whale [-*h*wèil] *n.* 〖동물〗 일각고래(narwhal)
u·ni·cos·tate [jù:nəkɑ́steit | -kɔ́:s-] *a.* **1** 단일 늑골을 가진 **2** 〖식물〗 단일 중앙맥이 있는
u·ni·cus·pid [jù:nəkʌ́spid] *a.* 〈이(齒)가〉 단첨두(單尖頭)의 **—** *n.* (개 등의) 단첨두의 이
u·ni·cy·cle [jú:nəsàikl] *n.* 외바퀴 자전거 《서커스용》 **—** *vi.* 외바퀴 자전거에 타다 **-clist** *n.*

unicycle

un·i·de·aed, -i·de·a'd [ʌnaidí:əd | -díəd] *a.* 독창성[아이디어]이 없는; 우둔한
un·i·de·al [ʌnaidí:əl] *a.* 이상적이 아닌, 불완전한
un·i·den·ti·fi·a·ble [ʌnaidéntəfaiəbl] *a.* 확인[인식]할 수 없는
un·i·den·ti·fied [ʌnaidéntəfàid] *a.* 〈국적·소유·신원이〉 불확실한, 미확인의, 정체불명의
unidéntified flýing óbject 미확인 비행 물체 《비행접시 등; 略 UFO》
u·ni·di·men·sion·al [jù:nədiménʃənl, -dai-] *a.* 1차원의; 표면적인
un·id·i·o·mat·ic [ʌnidiəmǽtik] *a.* 관용 어법에 어긋나는
u·ni·di·rec·tion·al [jù:nidirékʃənl, -dai-] *a.* 단일 방향(성)의; 〖전기〗 단향성(單向性)의: ~ current 〖전기〗 단향 전류(direct current) **~·ly** *ad.*
unidiréctional bùs 〖컴퓨터〗 단(單)방향 버스 《자료의 전송 방향이 단일 방향으로 된 버스》
UNIDO [ju:ní:dou] [*U*nited *N*ations *I*ndustrial *D*evelopment *O*rganization] *n.* 유엔 공업 개발 기구
u·ni·face [jú:nəfèis | -ni-] *n.* 표면에 모양이 없는 화폐[메달]
u·ni·fac·to·ri·al [jù:nəfæktɔ́:riəl] *a.* 〖생물〗 단일 유전자의[에 의한], 일인자성(一因子性)의
u·ni·fi·a·ble [jú:nəfàiəbl] *a.* 통일[단일화]할 수 있는
u·nif·ic [ju:nífik] *a.* 하나로 하는, 통합적인
u·ni·fi·ca·tion [jù:nəfikéiʃən] *n.* Ⓤ 통일, 단일화, 결합, 통합(union)
Unificátion Chúrch [the ~] 통일교
ú·ni·fied fíeld thèory [jú:nəfàid-] 〖물리〗 통일장(場) 이론
u·ni·flag·el·late [jù:nəflǽdʒəlèit | jù:ni-] *a.* 단모(單毛)의
u·ni·flor·ous [jù:nəflɔ́:rəs] *a.* 〖식물〗 홑꽃의
ú·ni·flow èngine [jú:nəflòu-] 단류(單流) 기관
u·ni·fo·li·ate [jù:nəfóuliət] *a.* 〖식물〗 단엽(單葉)의,

외잎을 가진

u·ni·fo·li·o·late [jù:nəfóuliəlèit] *a.* 〖식물〗 단소엽(單小葉)의; 단소엽이 있는

‡**u·ni·form** [jú:nəfɔ̀:rm] [L 「같은 모양의」의 뜻에서] *a.* **1 한결같은**, 동형(同形·同型)의, 똑같은; 균일한: vases of ~ size and shape 같은 크기 같은 모양의 꽃병들 **2** 불변의, 일정한: at a ~ temperature [speed] 일정 온도[속도]로 **3** 균등한, 동질의, 고른: ~ output 균등한 생산고 **4** 동일 표준의, 획일적인: a ~ wage 동일 임금 **5** 제복의 일부로 되어 있는 ~ ***motion*** 〖물리〗 등속 운동 ~ ***with*** …와 같은 모양의
—*n.* **1** [CU] **제복**, 군복, 관복 《군인·경관·간호사 등의》(cf. MUFTI[1]); 일정한 운동복, (선수의) 유니폼 **2** [the ~] 군인 ***in*** [***out of***] ~ 군복[평복]으로
—*vt.* …에게 제복을 입히다[지급하다]; 통일하다
▷ uniformity *n.*

Úniform Códe of Mílitary Jústice [the ~] 〖미군〗 통일 군사 재판법

Úniform Críme Repòrt (미) FBI 통일 범죄 총계 보고서 《略 UCR》

úniform delívered prícing 〖마케팅〗 획일 수송 가격 《거리와는 상관없이 구매자에게 동일하게 적용되는 수송 가격》

u·ni·formed [jú:nəfɔ̀:rmd] *a.* 제복 차림의

u·ni·form·i·tar·i·an [jù:nəfɔ̀:rmətέəriən] 〖지질〗 *a.* 균일설의 —*n.* 균일론자
~·ism *n.* Ⓤ 〖지질〗 균일설 《지질의 변화는 부단히 균일적으로 작용하는 힘에 의한 것이라는 학설》

*__u·ni·form·i·ty__ [jù:nəfɔ́:rməti] *n.* (*pl.* **-ties**) [UC] **1 한결같음**, 고름; 일정불변, 균일성; 균등(성), 등질, 균일, 획일, 일률(opp. *variety*) **2** 같은 모양의[획일적인, 유사한] 것 ***the Act of U~*** = ***U~ Act*** 〖영국사〗 기도(祈禱) 방식 통일령 《1549년, 1559년, 특히 1662년의》

u·ni·form·ize [jú:nəfɔ:rmàiz] *vt.* 균일화하다, 등질화하다

*__u·ni·form·ly__ [jú:nəfɔ̀:rmli] *ad.* **한결같이**, 균일[균등]하게

u·ni·fy [jú:nəfài] *vt.* (**-fied**) **1** 하나로 하다, 단일화하다, 통합하다, 통일하다: ~ the opposition 야당을 통합하다 **2** 한결같게 하다 **ú·ni·fi·er** *n.*

u·ni·lat·er·al [jù:nəlǽtərəl] *a.* **1** 한편(만)의, 일면(적)인; 일방적인 **2** 〖법〗 일방적인, 단독의, 편무(片務)의: a ~ contract 편무 계약(cf. BILATERAL) **3** 〖식물〗 한쪽에만 생기는[배열하는] **4** 〈주차가〉 한 쪽에만 허용된 **5** 〖음성〗 혀의 한 쪽으로 발음되는 **6** 〖병리〗 〈병이〉 몸의 한 쪽에만 생기는 **~·ìsm** *n.* 일방적 군비 폐기론[군축론] **~·ist** *n.* **~·ly** *ad.*

Unilàteral Declarátion of Indepéndence 일방적 독립 선언 《1965년 로디지아의 영국으로부터의 독립 선언; 略 UDI》

u·ni·lin·e·ar [jù:nəlíniər] *a.* 단선적(單線的)인, 착실하게 죽 발전하는[진화하는]

u·ni·lin·gual [jù:nəlíŋgwəl] *a.* 한 언어만 사용하는 〈사람·책〉; 통일 언어의 **~·ìsm** *n.* **~·ly** *ad.*

u·ni·lit·er·al [jù:nəlítərəl] *a.* 한 글자로 된; 단일 문자의 **~·ly** *ad.*

un·il·lu·mi·nat·ed [ʌ̀nilú:minèitid] *a.* 조명되지 않은; 몽매한

u·ni·lock [jù:nəlák | -lɔ́k] *a.* 〈서랍 등이〉 한 군데를 잠그면 전부 잠기는

u·ni·loc·u·lar [jù:nəlákjələr] *a.* 〖생물〗 단실(單室)의, 일실(一室)의

un·im·ag·i·na·ble [ʌ̀nimǽdʒinəbl] *a.* 상상할 수 없는; 생각조차 못하는, 기상천외의 **-bly** *ad.*

un·im·ag·i·na·tive [ʌ̀nimǽdʒinətiv] *a.* 상상력이 없는, 시적이 아닌 **~·ly** *ad.* **~·ness** *n.*

u·ni·mo·lec·u·lar [jù:nəməlékjələr] *a.* 〖화학〗 단(單)분자층의

un·im·paired [ʌ̀nimpέərd] *a.* 손상되지 않은; 약화되지 않은, 〈양·가치가〉 감소 안된

un·im·pas·sioned [ʌ̀nimpǽʃənd] *a.* 감정에 동하지 않은[않는], 차분한, 냉철한

un·im·peach·a·ble [ʌ̀nimpí:tʃəbl] *a.* 《문어》 탄핵[비난]할 여지가 없는; 과실[죄]이 없는: an ~ witness 의심할 여지 없는 증인 / news from an ~ source 확실한 근거를 가진 뉴스 **~·ness** *n.* **-bly** *ad.*

un·im·ped·ed [ʌ̀nimpí:did] *a.* 방해받지 않고 있는

un·im·por·tance [ʌ̀nimpɔ́:rtəns] *n.* Ⓤ 중요하지 않음, 하찮음, 사소함

*__un·im·por·tant__ [ʌ̀nimpɔ́:rtənt] *a.* **중요하지 않은**, 사소한, 하찮은, 시시한 **~·ly** *ad.*

un·im·pos·ing [ʌ̀nimpóuziŋ] *a.* **1** 위풍 없는, 눈에 띄지 않는, 보잘것 없는 **2** 자발적인(voluntary)

un·im·pressed [ʌ̀nimprést] *a.* 각인되지 않은, 감동을 받지 않은 《*by, with*》

un·im·press·i·ble [ʌ̀nimprésəbl] *a.* 느낌이 없는, 감수성이 부족한

un·im·pres·sion·a·ble [ʌ̀nimpréʃənəbl] *a.* 감동하지 않는; 냉담한

un·im·pres·sive [ʌ̀nimprésiv] *a.* 인상적이 아닌, 인상이 희박한, 감동을 주지 않는 **~·ly** *ad.* **~·ness** *n.*

un·im·proved [ʌ̀nimprú:vd] *a.* **1** 개량되어 있지 않은 **2** 경작되지 않은; (건물·대지 등으로) 이용되지 않은, (황폐된 채) 손보지 않은, 미개발의 **3** 〈기회·방법 등이〉 아직 이용[활용]되지 않은 **4** 〈특질·유용성·가치 등이〉 충분히 발휘[발전, 개발]되지 않은

un·in·cor·po·rat·ed [ʌ̀ninkɔ́:rpərèitid] *a.* 합동[합병, 법인화]되지 않은; 자치체로서 인가되지 않은; 편입되지 않은: an ~ business 비법인(非法人) 기업

un·in·fect·ed [ʌ̀ninféktid] *a.* 감염되지 않은; (사상·습관에) 감화되지 않은

un·in·flam·ma·ble [ʌ̀ninflǽməbl] *a.* 타지 않는, 불연성의

un·in·flect·ed [ʌ̀ninfléktid] *a.* 굴곡이 없는; 〈목소리 등이〉 억양이 없는; 〖문법〗 어형 변화가 없는

un·in·flu·enced [ʌ̀nínfluənst] *a.* 영향을 받지 않은, 감화되지 않은; 편견 없는, 공평한

un·in·flu·en·tial [ʌ̀ninfluénʃəl] *a.* 영향력[세력]이 없는

un·in·form·a·tive [ʌ̀ninfɔ́:rmətiv] *a.* 정보 가치가 없는; 유익하지 않은 **~·ly** *ad.*

un·in·formed [ʌ̀ninfɔ́:rmd] *a.* **1** 소식[정보]을 받지 않은, 소식불통인, 충분한 지식이 없는 **2** 교육을 받지 않은, 무식한

un·in·hab·it·a·ble [ʌ̀ninhǽbitəbl] *a.* 사람이 살[거주할] 수 없는 **~·ness** *n.*

un·in·hab·it·ed [ʌ̀ninhǽbitid] *a.* 사람이 살지 않는, 주민이 없는, 무인지경인

un·in·hib·it·ed [ʌ̀ninhíbitid] *a.* **1** 억제되지 않은, 무제한의 **2** (사회적 관행 등에) 속박되지 않은, 제약받지 않는 **~·ly** *ad.* **~·ness** *n.*

un·in·i·ti·ate [ʌ̀niníʃiət] *a.* 경험 부족의, 미숙한
—*n.* 풋내기, 신출내기

un·in·i·ti·at·ed [ʌ̀niníʃièitid] *a.* **1** 충분한 경험[지식]이 없는, 풋내기의 **2** [the ~; 명사적; 복수 취급] 미경험자, 초심자

un·in·jured [ʌ̀níndʒərd] *a.* 손상되지 않은, 상처를 입지 않은

un·in·spired [ʌ̀ninspáiərd] *a.* 영감을 받지 않은; 독창성[상상력]이 없는; 감격이 없는, 평범한: an ~ performance 독창성 없는 연기

un·in·spir·ing [ʌ̀ninspáiəriŋ] *a.* 영감을 주지 않는, 상상력을 불러일으키지 않는

un·in·stall [ʌ̀ninstɔ́:l] *vt.* 〖컴퓨터〗 설치된 소프트웨어를 삭제하여 완전히 원래 상태로 되돌리다

un·in·struct·ed [ʌ̀ninstrʌ́ktid] *a.* **1** 무식한; 교

thesaurus **uniform** *a.* **1** 똑같은 same, alike, like, identical, similar, equal **2** 일정한 constant, consistent, invariable, unchanging, stable, regular, even
union *n.* **1** 결합, 연합 joining, junction, merging,

육받지 못한 **2** 〈대표자·대리인 등이〉 지시[훈령]를 받지 않은 **~·ly** *ad.*

un·in·struc·tive [ʌ̀ninstrʌ́ktiv] *a.* 비교육적인

un·in·sur·a·ble [ʌ̀ninʃúərəbl] *a.* 보험에 들 수 없는

un·in·sured [ʌ̀ninʃúərd] *a.* 보험에 들지 않은

un·in·tel·li·gent [ʌ̀nintélədʒənt] *a.* 지력이 없는, 무지한; 우둔한 **-gence** *n.* **~·ly** *ad.*

un·in·tel·li·gi·ble [ʌ̀nintélədʒəbl] *a.* 이해할 수 없는, 알기 어려운, 난해한 **~·ness** *n.* **-bly** *ad.*

un·in·tend·ed [ʌ̀ninténdid] *a.* 고의가 아닌, 계획하지 않은

un·in·ten·tion·al [ʌ̀ninténʃənl] *a.* 고의가 아닌, 무심코한, 부지불식간의 **~·ly** *ad.*

un·in·ter·est [ʌ̀níntərist] *n.* 무관심

un·in·ter·est·ed [ʌ̀níntəristid] *a.* **1** 무관심한, 냉담한(cf. DISINTERESTED) 《*in*》 **2** 〈개인적인〉 관계가 없는, 이해 관계가 없는, 공평한 **~·ly** *ad.* **~·ness** *n.*

un·in·ter·est·ing [ʌ̀níntəristiŋ] *a.* 재미없는, 흥미 없는, 시시한, 지루한 **~·ly** *ad.* **~·ness** *n.*

un·in·ter·rupt·ed [ʌ̀nintərʌ́ptid] *a.* 중단되지 않은, 연속된, 연달은, 부단의 **~·ly** *ad.*

un·in·ter·rupt·i·ble [ʌ̀nintərʌ́ptəbl] *a.* 중단[차단]할 수 없는

uninterrúptible pówer supplỳ 〚전기〛 무정전(無停電) 전원 장치 《略 UPS》

u·ni·nu·cle·ate [jùːnənjúːkliət, -klièit | -njúː-], **-nu·cle·ar** [-njúːkliər | -njúː-] *a.* 〚생물〛 〈세포 등이〉 단일핵의

un·in·ven·tive [ʌ̀ninvéntiv] *a.* 창의력이 없는

un·in·vit·ed [ʌ̀ninváitid] *a.* **1** 초청받지 않은 〈손님 등〉, 불청객인 **2** 쓸데없는 참견을 하는, 주제넘은

un·in·vit·ing [ʌ̀ninváitiŋ] *a.* 마음이 끌리지 않는; 마음 내키지 않는, 싫은: a region with an ~ climate 기후가 좋지 않은 지방 **~·ly** *ad.* **~·ness** *n.*

un·in·volved [ʌ̀ninvɑ́lvd | -vɔ́lvd] *a.* 복잡하지 않은, 단순한; 관련되지 않은, 무관심한

***un·ion** [júːnjən] [L 「하나로 하기」의 뜻에서] *n.* **1** Ⓤⓒ 결합(combination), 연합, 합병, 합체, 합일; (특히 나라와 나라와의 정치적) 병합: *U*~ is[gives] strength. 단결이 힘이다.

> 유의어 **union** 여러 요소나 개개로는 독립되어 있는 것들로 이루어져 있고, 기본적인 이해나 목적 등이 일치해서 통일이 되어 있는 것: the *union* between two families 두 집안의 결합 **unity** 공통 목적을 위해 하나의 조직에 결합되어 조화나 협조가 유지되어 있는 것: find *unity* in diversity 다양성 속에 통일성을 발견하다

2 [**U~**] (개인·단체·국가 등의) 연합 조직, 연합 국가, 연방; [the U~] 아메리카 합중국, (남북 전쟁 때 연방 정부를 지지한) 북부의 여러 주; [the U~] England 및 Scotland 연합 《1707년》; Great Britain 및 Ireland 연합 《1801년》; 영국 연방, 연합 왕국(the United Kingdom): a credit ~ 신용 조합 / the Universal Postal *U*~ 만국 우편 연합 **3** 노동조합(=trade ~) **4** 결혼; 부부 관계, 성교; Ⓤ 융화, 화합, 일치: bring about the ~ of the troubled household 불화가 끊이지 않는 가정을 화합시키다 / an ideal[a perfect] ~ (남녀의) 이상적인 결합; 더할 나위 없는 결혼 **5** 동맹, 합동 **6** 《영》 구빈구(救貧區) 연합 《빈민 구제법을 시행하기 위한 여러 교구의 연합체; 19세기에 있었음》; (그 연합에서 설립한) 구빈원(=~ **hòuse** [**wòrkhouse**]); 《영》 연합 교회 《신교의 여러 파의》 **7** 연합 표상(表象) 《미국 국기의 푸른 바탕의 별표 부분처럼 「연방」을 표시하는 것》; 《특히》 영국 국기 **8** 〚외과〛 유합(癒合), 유착(癒着) **9** 〚직물〛 교직(交織) **10** 〚기계〛 접합관 **11** 〚화학〛 화합물 **12** 〚수학〛 합집합 **13** [보통 the U~] 《미》 (대학의) 학생 클럽, 학생 회관 《교내에서의 학생의 오락·사교·문화 활동 시설, 그리고 식당 등도 갖춤》

a craft ~ 직능(별) 조합 ***in*** ~ 공동으로, 협조하여 ~ ***by*** (***the***) ***first***[***second***] ***intention*** 〚의학〛 직접[간접] 유합(癒合) 《화농하지 않고[화농 후에] 상처가 아무는 일》 ~ ***down*** 연합 표상(union)의 부분을 아래로 하여, 기를 거꾸로 달아서 《조난 신호》: an ensign hoisted[a flag flown] ~ *down* 조난 신호로서 거꾸로 달아맨 기

— *a.* Ⓐ **1** (노동) 조합의, 연합[조합]에 관한 **2** 교직(交織)의 **3** 〈언어 등이〉 결합된 《여러 언어[사투리]에서 어휘·어법을 간추려 결합하여 공통적으로 쓸 수 있게 만들어 낸》; 다른 요소의 결합으로 된 ▷ únionize *v.*

únion bùster 노동조합 파괴자; (회사에 고용되어) 파업을 와해시키는 사람

únion càrd **1** (노동조합의) 조합원증 **2** 《비유》 절대적으로 필요한 조건[자격]

únion càtalog (2개 이상의 도서관의) 종합 도서 목록

únion dìstrict 《미》 합동 학구(學區)

Únion Flàg [the ~] = UNION JACK

un·ion·ism [júːnjənìzm] *n.* Ⓤ **1** 노동조합주의 **2** [**U~**] 《영》 (19세기 말의) 연합주의, 통일주의 《영 제국의 모든 속령(屬領)을 단일 중앙 정부 아래 연합 통일하려는 정책; opp. *Home Rule*》; 아일랜드 통일주의 **3** [**U~**] 《미》 (남북 전쟁 당시의) 연방주의

un·ion·ist [júːnjənist] *n.* **1** 《영》 통일론자, 연합론자; [**U~**] 〚영국사〛 통일 당원 《아일랜드 자치안에 반대한 보수당원; 또는 흔히 아일랜드 독립에 이르기까지의 보수당》 **2** [**U~**] 〚미국사〛 연방주의자 《남북 전쟁 당시 남북의 분리에 반대함》 **3** 노동조합원; 노동조합주의자 **4** 종교상의 통일주의자 《신교 각파의 통일을 주장함》

un·ion·is·tic [jùːnjənístik] *a.* union의; unionist의

un·ion·i·za·tion [jùːnjənizéiʃən | -nai-] *n.* Ⓤ 노동조합화; 노동조합 형성; 노조 가입

un·ion·ize [júːnjənàiz] *vt.* **1** 노동조합화하다; 노동조합을 조직하다; 노동조합에 가입시키다 **2** 연합하다, 합체하다 — *vi.* **1** 노동조합에 가입하다 **2** 연합하다, 합체하다; 조합을 만들다 **ún·ion·ìz·er** *n.*

un·i·on·ized [ʌ̀náiənàizd] *a.* 〚화학〛 이온화하지 않은

Únion Jáck **1** [the ~] 영국 국기 《잉글랜드의 St. George, 스코틀랜드의 St. Andrew, 아일랜드의 St. Patrick의 3개 십자가를 합친 3국 연합의 표상》 **2** [u- j-] 연합 기장(旗章)

Union Jack 1

únion lànguage 〚언어〛 통합어 《여러 방언의 특징을 결합하여 만든 인공적 언어》

únion lìst 〚도서관〛 (ABC순) 정기 간행물 따위의 종합 목록

Únion of Sòuth África [the ~] the Republic of South Africa의 옛 이름

Únion of Sóviet Sócialist Repúblics [the ~] 소비에트 사회주의 공화국 연방 《1991년에 해체됨; 略 U.S.S.R., USSR》(cf. SOVIET RUSSIA, SOVIET UNION)

únion scále 최저 임금

únion schòol 《미》 합동 학교

únion shòp 유니언 숍 **1** 전 종업원의 고용 조건이 사용자와 노동조합과의 협정으로 정해지는 기업체(cf. CLOSED SHOP, OPEN SHOP) **2** 조합원인 것이 고용 조건으로 되어 있지만, 일정 기간 《보통 30일》 후에 반드시 조합원이 되는 것을 조건으로 고용주가 비조합원을 채용할 수 있는 사업장·기업 등

únion stàtion 《미》 합동역 《둘 이상의 철도 회사나 버스 회사가 공동으로 사용하는 역》

---

merger, fusion, amalgamating, blend, mixture, coalition, combination **2** 연합 조직 association, alliance, league, coalition, consortium, guild **3** 일치 agreement, accord, concurrence, unity

únion sùit (미) 유니언 슈트(《영》 combinations)《아래위가 하나로 된 속옷》

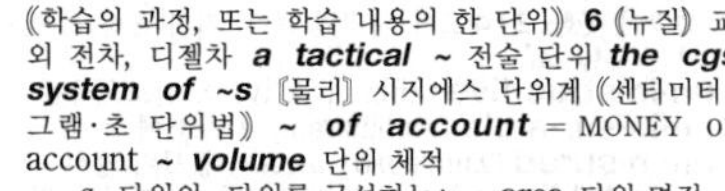

union suit

u·ni·pa·ren·tal [jù:nəpəréntl] *a.* 〖생물〗 단위 생식(單位生殖)의(parthenogenetic) **~·ly** *ad.*

u·nip·ar·ous [ju:nípərəs] *a.* 〖동물〗 한 번에 새끼[알] 하나만 낳는, 〈여자가〉 한 번 해산한; 〖식물〗 꽃자루가 하나뿐인

u·ni·par·tite [jù:nəpɑ́:rtait] *a.* 부분으로 나누어지지 않는

u·ni·ped [jú:nəpèd] *a.* 일족(一足)[일각(一脚)]의

u·ni·per·son·al [jù:nipə́:rsənl] *a.* **1** 한 사람만으로 이루어지는, 한 사람만으로 존재하는: a ~ god 유일신 **2** 〖문법〗 단일 인칭의

u·ni·pla·nar [jù:nipléinər] *a.* 평면상의[에 있는]

u·ni·pod [jú:nəpɑ̀d | -pɔ̀d] *n.* (카메라 등의) 일각(一脚)(식 지주)(cf. TRIPOD)

u·ni·po·lar [jù:nipóulər] *a.* 〖해부〗 〈신경절 세포 등이〉 단극(單極)의; 〖전기〗 단극(單極)의, 단축(單軸)의 **ù·ni·po·lár·i·ty** *n.*

u·nip·o·tent [ju:nípətənt] *a.* 〖생물〗 〈세포가〉 단분화능(單分化能)의

u·ni·po·ten·tial [jù:nəpətén∫əl] *a.* 〖전기〗 동일 전위(電位)의; 〖생물〗 = UNIPOTENT

‡u·nique [ju:ní:k, ju-] [F 「단일의」의 뜻에서] *a.* **1** 유일(무이)한(single), 대신할 것이 없는, 특이한, 독특한; 비길 바 없는: a man ~ in virtue 고결하다는 점에서는 비할 데 없는 사람 **2** 《구어》 훌륭한, 굉장한; 진기한, 별난 ★ 엄밀히는 비교·최상급이 허용되지 않는 말이지만, 구어에서는 흔히 more, most; very; rather 등으로 수식됨.
— *n.* 유일무이한[유례 없는] 사람[물건, 사실 《등》]
~·ly *ad.* **~·ness** *n.*

u·ni·ra·mous [jù:nəréiməs] *a.* 〖생물〗 단지(單枝)의; 단지(單肢)의

un·i·roned [ʌnáiərnd] *a.* 다림질하지 않은

un·ir·ra·di·at·ed [ʌniréidièitid] *a.* 방사능을 받지 않은

u·ni·sex [jú:nəsèks] *a.* **1** 〈복장 등이〉 남녀의 구별이 없는, 남녀를 구별할 수 없는 **2** 남녀 공용의
— *n.* Ⓤ 남녀 무차별[평등]; 남녀 공용 스타일[패션]

u·ni·sexed [jú:nisèkst] *a.* 남녀의 구별이 안되는

u·ni·sex·u·al [jù:nəsék∫uəl | -sjuəl] *a.* **1** 〖동물·식물〗 단성(單性)의 **2** = UNISEX
ù·ni·sèx·u·ál·i·ty *n.* **~·ly** *ad.*

UNISIST, U·ni·sist [jú:nəsìst] [*U*nited *N*ations *I*ntergovernmental *S*ystem of *I*nformation in *S*cience and *T*echnology] *n.* 유엔 정부간 과학 기술 정보 시스템

un·i·so·lat·ed [ʌnáisəlèitid] *a.* 떨어져 있지 않은, 고립되지 않은

u·ni·son** [jú:nəsn, -zn] [L 「동일음의」의 뜻에서] *n.* ⓊⒸ **1** 조화, 화합(harmony), 일치 **2** 동음(同音) **3** 〖음악〗 제창(齊唱), 제주(齊奏) ***in **~** 〈한 선율을〉 동음으로, 제창으로; 일제히; 일치하여, 조화하여 (《*with*》)
— *a.* 〖음악〗 동음의, 같은 높이의
▷ unísonous, unísonant *a.*

u·nis·o·nant [ju:nísənənt] *a.* 음이 일치[조화]하는, 동음[같은 높이]의

u·nis·o·nous [ju:nísənəs] *a.* **1** 동음의, 같은 높이의 **2** 일치[화합]하는

únison strìng 〖음악〗 (피아노 따위의) 동음현(同音弦)

‡u·nit [jú:nit] [unity의 역성(逆成)] *n.* **1** 단일체, 하나, 한 사람; 일단 **2** 편성[구성] 단위, 유닛; 〖군사〗 부대 **3** (특정의 기능을 가진) 장치, 설비, 도구: an input ~ (컴퓨터의) 입력 장치 **4** 〖수학〗 단위, 최소 완전수 《즉 1》, 한 자리의 수; 〖물리〗 단위; 〖의학〗 단위 《생체에 일정한 효과를 주는 데 필요한 약물·혈청 등의 양》 **5** (미) 〖교육〗 (학과목) 단위, 학점(credit); 단원 《학습의 과정, 또는 학습 내용의 한 단위》 **6** 《뉴질》 교외 전차, 디젤차 ***a tactical*** **~** 전술 단위 ***the cgs system of ~s*** 〖물리〗 시지에스 단위계 《센티미터·그램·초 단위법》 **~ *of account*** = MONEY of account **~ *volume*** 단위 체적
— *a.* 단위의, 단위를 구성하는: ~ area 단위 면적
▷ únitary *a.*

Unit. Unitarian

UNITA, U·ni·ta [jú:nətɑ̀: | ju:ní:tə, ju-] [*Port.* *U*nião *N*acional para a *I*ndependência *T*otal de *A*ngola] *n.* 앙골라 완전 독립 민족 동맹 《우익 게릴라 조직》

u·nit·a·ble [ju:náitəbl] *a.* 결합[연합]할 수 있는, 합일시킬 수 있는

u·nit·age [jú:nitidʒ] *n.* (비타민 등의) 단위량의 규정; 단위량

UNITAR [jú:nətɑ̀:r] [*U*nited *N*ations *I*nstitute for *T*raining *a*nd *R*esearch] *n.* 유엔 훈련 조사 연수원 《국제 협력 활동을 위한 공무원 훈련 기관》

u·ni·tard [jú:nətɑ̀:rd] *n.* 유니타드 《몸통에서부터 발목 끝까지 가리는 레오타드(leotard)》

U·ni·tar·i·an [jù:nətέəriən] *n.* **1** 유니테리언파의 사람 《신교의 일파; 삼위일체설을 부인하고 유일 신격(神格)을 주장하여 그리스도의 신성(神性)을 부인》 **2** [**u~**] 유일신교도; 단일제론자; 단일 정부주의자
— *a.* **1** 유니테리언파의 **2** [**u~**] 유일신교의; = UNITARY **~·ism** *n.* Ⓤ 유니테리언파의 교리

Unitárian Univérsalism 유니테리언 유니버설리즘 《북미의 자유주의적인 그리스도교 종파》

u·ni·tar·i·ty [jù:nətǽrəti] *n.* Ⓤ 〖물리·수학〗 단일성, 유니테리성(性)

u·ni·tar·y [jú:nətèri | -təri] *a.* **1** 하나의, 단위의, 일원(一元)의, 귀일(歸一)의: the ~ method 〖수학〗 귀일법 **2** 단위로 사용하는 **3** 단일 정부제의: a ~ government[state] 단일 정부[국가] **ù·ni·tár·i·ly** *ad.*

únitary mátrix 〖수학〗 단위 행렬

únitary táx (미) 합산 과세 《California주 등에서 실시하고 있는 기업 과세 방식》

únit cèll 〖결정〗 단위 격자(格子)

únit cháracter 〖유전〗 단위 형질 《멘델의 법칙으로 유전되는 특질》

únit cìrcle 〖수학〗 단위원(圓)

únit còst 단위 원가, 단가

ú·nit-dóse pàckaging [jú:nitdóus-] 1회 복용량 구분 포장

‡u·nite¹ [ju(:)náit] [L 「하나로 하다」의 뜻에서] *vt.* **1** 결합하다, 합치다, 통합하다, 일체가 되게 하다, 합병하다 (《*to, with*》): (~+목+전+명) ~ one country *to* another 한 나라를 다른 나라에 합병하다

> 유의어 **unite** 둘 이상의 것을 결합하여 새로운 하나의 것으로 만들다: *unite* bricks with mortar 벽돌을 모르타르로 이어붙이다 **join** 둘 이상의 것을 직접 접촉하여 결합·연결하다: *join* one pipe to another 한 관을 다른 관에 연결하다 **connect** 상호 독자성을 유지한 채로 무엇인가의 수단·도구를 써서 결합하다: *connect* two batteries 두 배터리를 연결하다

2 결혼시키다; (정신적으로) 결합하다: ~ a man and woman in marriage 남녀를 결혼시키다 **3** 〈여러 장점을〉 함께 가지다, 겸비하다: ~ wit and beauty 재색을 겸비하다 **4** 단결[결속]시키다
— *vi.* **1** 하나[일체]가 되다, 합일[합체]하다, 결합하다 (《*with*》): (~+전+명) Oil will not ~ *with* water. 기름과 물은 혼합되지 않는다. **2** 〈사람·국가 등

thesaurus **unique** *a.* only, single, sole, exclusive, unequal, unparalleled, matchless, peerless
unit *n.* **1** 단일체 entity, whole **2** 구성 단위 part, section, component, element, constituent, por-

이〉(…에 대해) 동맹[연합]하다 ⦅*against*⦆; 제휴[일치]하다, 통합[단결]하다: ⦅~+전+명⦆ ⦅~+***to*** do⦆ ~ *in* fighting public nuisances = ~ *to* fight public nuisances 협동해서 공해를 퇴치하다 **3** 결혼하다 ⦅*with*⦆ **4** 〖화학〗 화합하다 **u·nít·er** *n.*
▷ únity *n.*

u·nite² [jú:nait] *n.* 〖영국사〗 유나이트 금화 ⦅James 1세·Charles 1세 시대에 발행된 금화; = 20 shillings⦆

‡**u·nit·ed** [ju(:)náitid] *a.* **1** 합병한, (정치적으로) 연합한, 결합한 **2** 일심동체의, 뭉친, 일치한, 화합한: a ~ family 화목한 가족 / *U~* we stand, divided we fall. ⦅속담⦆ 뭉치면 살고 흩어지면 죽는다. **3** 협력한, 제휴한, 단결한
break into a ~ laugh 일제히 웃음을 터뜨리다 ***in one ~ body*** 일체가 되어, 한 덩어리가 되어 ***present a ~ front*** 공동 전선을 펴다 ***the U~ Church of Christ*** 통일 그리스도 교회 ⦅1957년 조합 교회와 복음 개혁파 교회가 통합한 미국의 개신교 교회⦆ ***the U~ Irishmen*** 아일랜드인 연맹 ⦅1791년 가톨릭 교도의 해방을 목적으로 하여 조직됨⦆
~·ly *ad.* 연합[협동, 일치]하여 **~·ness** *n.*

Uníted Áirlines 유나이티드 항공 ⦅미국의 민간 항공 회사; 略 UAL⦆

Uníted Árab Emírates [the ~; 단수·복수 취급] 아랍 에미리트 연합국 ⦅아라비아 반도 동부의 연방 국가; 수도 Abu Dhabi; 略 U.A.E.⦆

Uníted Árab Repúblic [the ~] 통일 아랍 공화국 ⦅이집트·시리아·예멘으로 성립된 나라; 후에 분열하여 이집트만이 남아 이집트 아랍 공화국(the Arab Republic of Egypt)이라 개칭(1971); 略 U.A.R.⦆

Uníted Bréthren [the ~] 〖종교〗 모라비아파(cf. MORAVIAN)

Uníted Fárm Wòrkers (of América) [the ~] (미국) 농장 노동자 조합 ⦅略 UFW(A)⦆

Uníted Frée Chùrch [the ~] 연합 자유 교회 ⦅스코틀랜드 장로교회⦆

uníted frónt 통일[공동]전선

‡**Uníted Kíngdom** [the ~] **연합 왕국**, 영국 ⦅잉글랜드·웨일스·스코틀랜드·북아일랜드로 구성되며, 영연방의 중심임; 수도 London; 略 U.K.; 정식 명칭 the United Kingdom of Great Britain and Northern Ireland⦆

‡**Uníted Nátions** [the ~; 단수 취급] **국제 연합, 유엔** ⦅1945년에 조직; 본부는 New York시; 略 UN, U.N.; cf. the LEAGUE of Nations⦆
~ Conference on the Human Environment [the ~] 유엔 인간 환경 회의

Uníted Nátions Chàrter [the ~] 유엔 헌장

Uníted Nátions Chíldren's Fùnd [the ~] ⇨ UNICEF

Uníted Nátions Commánd 유엔군 사령부 ⦅略 UNC⦆

Uníted Nátions Dày 유엔의 날 ⦅10월 24일⦆

Uníted Nátions Educátional, Scientífic and Cúltural Organizàtion [the ~] ⇨ UNESCO

Uníted Nátions Hígh Commíssioner for Refugées [the ~] ⇨ UNHCR

Uníted Nátions Péacekeeping Fórces [the ~] 유엔 평화 유지군

Uníted Nátions Secúrity Cóuncil [the ~] 유엔 안전 보장 이사회 ⦅略 UNSC⦆

Uníted Préss Internátional [the ~] (미국의) UPI 통신사 ⦅略 UPI; cf. ASSOCIATED PRESS⦆

Uníted Próvinces [the ~] (인도의) 연합 주(州) ⦅Uttar Pradesh의 옛 이름⦆

---

tion, segment, module, item, member
unite¹ *v.* join, link, connect, combine, amalgamate, fuse, weld, mix, blend, admix, commix, mingle (opp. *separate, split, divorce*)

Uníted Státes Áir Fòrce [the ~] 미국 공군 ⦅略 USAF⦆

Uníted Státes Áir Fòrce Acàdemy [the ~] 미국 공군 사관학교

Uníted Státes Ármy [the ~] 미국 육군 ⦅略 USA⦆

Uníted Státes Maríne Còrps [the ~] 미국 해병대 ⦅略 USMC⦆

Uníted Státes Mílitary Acàdemy [the ~] 미국 육군 사관학교

Uníted Státes Nával Acàdemy [the ~] 미국 해군 사관학교

Uníted Státes Návy [the ~] 미국 해군 ⦅略 USN⦆

‡**Uníted Státes (of América)** [the ~; 단수 취급] (아메리카) 합중국, 미국 ⦅수도 Washington, D.C.; 略 U.S., US, U.S.A., USA⦆

Uníted Státes Tráde Represèntative [the ~] 미국 통상 대표[대표부] ⦅대통령 직속의 행정 기관인 미국 통상 대표부를 통할하는 각료로 대사와 동격⦆

Uníted Wáy (of América) [the ~] 유나이티드 웨이 (오브 아메리카) ⦅미국의 자선 단체⦆

u·ni·term [jú:nətə̀:rm] *n.* 〖도서관〗 (문헌 색인의 기술에 쓰이는) 단일어

únit fàctor 〖생물〗 (유전상의) 단일 인자

u·nit·hold·er [jú:nithòuldər] *n.* (영) unit trust의 투자자[수익자]

u·ni·tive [jú:nətiv] *a.* 결합력 있는; 결합적인, 통합적인; 결합의, 합동의 **~·ly** *ad.* **~·ness** *n.*

u·nit·ize [jú:nətàiz] *vt.* 결합하다; 단위[유니트]로 나누다 **ù·nit·i·zá·tion** *n.* **-iz·er** *n.*

únit pàcking = UNIT-DOSE PACKAGING

únit prìce **1** (물품의) 단가 **2** 세트 요금

únit prícing 단위 가격 표시

únit pròcess 〖화학〗 단위 공정

únit rúle (미) 〖정치〗 단위 선출제 ⦅민주당 전국 대회의 선거 방법으로, 대의원의 모든 투표는 과반수가 지지하는 후보에게 전원 투표한 것으로 간주한다는 제도⦆

únit's plàce 〖수학〗 (아라비아 숫자의) 1자리

únit tràin (미·캐나다) 고정 편성의 화물 열차 ⦅석탄·밀 등 단일 상품을 대량으로 수송하는 열차⦆

únit trùst (영) 〖경제〗 계약형 투자 신탁; (미) 단위형 투자 신탁

únit vèctor 〖수학·물리〗 단위 벡터 ⦅길이가 1단위(1cm, 1m 등)의 벡터⦆

únit vòlume 〖수학〗 단위 체적

‡**u·ni·ty** [jú:nəti] [L 「1」의 뜻에서] *n.* (*pl.* **-ties**) **1 a** Ⓤ 단일(성), 유일: the ~ of the self 자아의 단일성 **b** 개체, 단일체, 통일체 **c** Ⓤ 통일, 뭉침 **2** Ⓤ 조화, 일치 단결, 협동(⇨ union 유의어) **3** 〖수학〗 1(이라는 수) **4** Ⓤ 〖법〗 (부동산의) 공동 보유 **5** Ⓤ 불변성 ⦅*to*⦆; (목적 등의) 일관성: ~ in purpose and action 행동과 목적에서의 일관성 **6** (예술 작품 소재의) 효과적 배열, 통일성 **7** 〖연극〗 3일치의 법칙의 하나 **8** [**U~**] 유니티파, 일체파(一體派) ⦅20세기 미국의 종교 운동; 건강·번영을 지향⦆ ***at*** [***in***] ***~*** 사이 좋게, 일치 단결하여 ***family ~*** 집안의 화합 ***national ~*** 거국일치 ***the dramatic unities*** (연극에서 때·장소·행동의) 삼일치(三一致) ⦅Aristotle에서 시작하여 프랑스 고전파 희곡에서 엄수된 희곡 구성상의 법칙⦆
▷ uníte, únitize *v.*; únitive *a.*

univ. universal; university **Univ.** Universalist; University

UNIVAC, U·ni·vac [jú:nəvæ̀k] [*Univ*ersal *A*utomatic *C*omputer] *n.* 유니백 ⦅세계 최초로 시판된 컴퓨터; 상품명⦆

u·ni·va·lence [jù:nəvéiləns, ju:nívə-], **-len·cy** [-lənsi] *n.* Ⓤ 〖화학〗 일가(一價)

u·ni·va·lent [jù:nəvéilənt, ju:nívə-] *a.* 〖화학〗 일가(一價)의; 〖생물〗 〈염색체가〉 일가인
— *n.* 〖생물〗 일가 염색체

u·ni·valve [júːnəvæ̀lv] 〖동물〗 *a.* 단판(單瓣)의, 단각(單殼)의 **—** *n.* 단각 연체 동물

‡**u·ni·ver·sal** [jùːnəvə́ːrsəl] *a.* **1 보편적인,** 전반적인; 일반적인; 〖논리〗 전칭(全稱)의(opp. *special*): ~ rules 보편적 법칙 / a ~ trend 일반적 경향 **2 만국의,** 전세계의 **3 모든 사람의,** 만인의, 만인에 공통한, 전인류의: ~ experience of mankind 인류 모두의 경험 **4 우주의,** 만물의; 완전한, 절대적인: the ~ creator 조물주 / ~ gravitation 〖물리〗 만유인력 **5** 만능인, 박식한; 〖기계〗 만능의; 자유자재의

the U~ Declaration of Human Rights 세계 인권 선언 《1948년 유엔에서 채택》

— *n.* 보편적 실재; 〖논리〗 전칭(全稱) 명제; 〖철학〗 일반 개념 **~·ness** *n.*

▷ úniverse, universálity *n.*; univérsalize *v.*; univérsally *ad.*

univérsal affírmative 〖논리〗 (명제의) 전칭 긍정

univérsal ágent 총대리인[점]

univérsal bóard 〖컴퓨터〗 범용 기판(汎用基板)

univérsal cháracter sèt 〖컴퓨터〗 국제 부호화 문자 집합 《전세계의 문자 코드 체계; 略 UCS》

univérsal cláss = UNIVERSAL SET

univérsal cómpass 〖기계〗 자재(自在) 컴퍼스

univérsal coórdinated tìme 〖천문〗 국제 표준시

Univérsal Cópyright Convèntion [the ~] 국제 저작권 협정 《1955년 발효; 한국은 1987년에 가입; 略 U.C.C.》

univérsal cóupling = UNIVERSAL JOINT

Univérsal Décimal Classificátion 〖도서관〗 국제 십진 분류법 《略 U.D.C.》

univérsal dónor O형 혈액의 사람

univérsal gás cònstant 〖물리〗 보편 기체 상수

univérsal grámmar 〖언어〗 보편 문법

univérsal índicator 〖화학〗 만능[범색] 지시약 《산 또는 알칼리에 반응하면 색깔이 변하는 물질》

u·ni·ver·sal·ism [jùːnəvə́ːrsəlizm] *n.* Ⓤ **1** [**U~**] 〖신학〗 보편 구제설 《인류는 결국 전부 구제받는다는 설》 **2** 보편성 **3** 만능, 박식 **4** 보편주의

u·ni·ver·sal·ist [jùːnəvə́ːrsəlist] *n.* [**U~**] 보편 구제설 신봉자; 다방면에 능통한 사람, 만능인

u·ni·ver·sal·is·tic [jùːnəvəːrsəlístik] *a.* 전반의, 보편적인; [**U~**] 보편 구제주의(자)의

u·ni·ver·sal·i·ty [jùːnəvəːrsǽləti] *n.* Ⓤ 일반성, 보편성; 만능, 박식

u·ni·ver·sal·ize [jùːnəvə́ːrsəlàiz] *vt.* 일반화하다, 보편화하다 **-iz·er** *n.*

univérsal jóint 〖기계〗 자재(自在) 커플링[연결기]

univérsal lánguage **1** 세계 공통어, 세계어 **2** 세계 어디에서든 사용되고 이해되는 일반적인 표현: Music is a ~. 음악은 세계 공통어이다.

***u·ni·ver·sal·ly** [jùːnəvə́ːrsəli] *ad.* **보편적으로,** 일반적으로; 예외 없이; 도처에, 널리(generally); 〖논리〗 전칭적으로

univérsal mótor 〖전기〗 직교류 겸용 모터

univérsal négative 〖논리〗 (명제의) 전칭 부정

univérsal pártnership 〖법〗 공동 조합

Univérsal Póstal Ùnion [the ~] 만국 우편 연합 《略 UPU》

Univérsal Próduct Còde [the ~] 《미》 통일 상품 코드 《전자식으로 식별하게 된 짤막한 검은 줄무늬; 略 UPC; cf. BAR CODE》

univérsal proposítion 〖논리〗 전칭(全稱) 명제

univérsal quántifier 〖논리〗 전칭 기호 《∀》

univérsal recípient 〖의학〗 (혈액형이 AB형인) 만능 수혈자; AB형 혈액

univérsal sét 〖수학〗 전체 집합; 〖논리〗 보편 집합

univérsal súffrage 보통 선거권

univérsal tìme 만국 표준시(時) 《略 UT》

univérsal tìme coórdinated 협정 세계시(時) 《1982년부터 실시; 略 UTC》

‡**u·ni·verse** [júːnəvə̀ːrs] [L 「하나를 향한」의 뜻에서] *n.* **1** [the ~] **우주;** 은하계 (우주); (은하계에 필적하는) 성운(星雲): reach a new ~ 새로운 은하 우주에 도달하다 **2** 만유(萬有), 천지만물, 삼라만상 **3** [the ~] 세계(world), 만천하(의 사람); 전인류: a truth known throughout the ~ 전세계에 알려진 진리 **4** 영역, 활동권, 분야; 〖논리〗 논의의 영역(= **~ of discourse**) **5** 〖통계〗 모집단(母集團) **6** 다수, 대량

▷ univérsal *a.*

U·ni·ver·si·ade [jùːnəvə́ːrsiæ̀d] *n.* 유니버시아드, 국제 학생 경기 대회(World University Games)

‡**u·ni·ver·si·ty** [jùːnəvə́ːrsəti] [L 「전체, (교사·학생의) 공동체」의 뜻에서] *n.* (*pl.* **-ties**) **1** (종합) 대학교(cf. VARSITY, COLLEGE): a women's ~ 여자 대학교 **2** 대학의 건물과 부지 **3** [the ~; 집합적] 대학 《교직원·학생》, 대학 당국 **4** 대학 팀

U~ of the Air 《영》 방송 대학; 《미》 개방 대학

— *a.* 대학의[에 관계 있는]: a ~ man 대학생; 대학 출신자 / a ~ settlement 대학 세틀먼트(cf. SETTLEMENT 3) **ù·ni·vèr·si·tár·i·an** *n., a.*

univérsity cóllege **1** 《미》 대학교 부속 단과 대학 **2** 《영》 학위 수여 자격이 없는 단과 대학 **3** [**U- C-**] 옥스퍼드 대학교 단과 대학의 하나 《1249년 창설; 略 U.C.》; 런던 대학교 단과 대학의 하나 《1827년 창설; 略 U.C.L.》

univérsity exténsion 대학 공개 강좌

u·niv·o·cal [juːnívəkəl, jùːnivóu- | jùːnivóu-] *a.* **1** 단조로운 음성으로 말하는; 뜻이 분명한, 한 뜻 밖에 없는 **2** 〖음악〗 동음(unison)을 가진, 제주[제창](齊奏[齊唱])의 **—** *n.* 일의어(一義語) **~·ly** *ad.*

UNIX, U·nix [júːniks] *n.* 〖컴퓨터〗 유닉스 《미국 벨 연구소가 1973년에 개발한 운영 체제(OS)》

un·join [ʌndʒɔ́in] *vt.* 분리하다, 떼다(disjoin)

un·joined [ʌndʒɔ́ind] *a.* 결합[가입]되어 있지 않은

un·joint [ʌndʒɔ́int] *vt.* 〈그물 등의〉 매듭을 풀다; 〈낚싯대 등의〉 이은 곳을 떼다

‡**un·just** [ʌndʒʌ́st] *a.* **불공평한,** 부당한; 부정의, 불법의, 부조리(不條理)한: ~ enrichment 부정 축재 / an ~ ruler 불법 지배자 **~·ly** *ad.* **~·ness** *n.*

un·jus·ti·fi·a·ble [ʌ̀ndʒʌ́stəfàiəbl] *a.* 조리가 닿지 않는, 이치에 맞지 않는, 변명할 여지가 없는 **~·ness** *n.* **-bly** *ad.*

un·jus·ti·fied [ʌ̀ndʒʌ́stəfàid] *a.* 정당하지 않은, 근거가 없는; 〖인쇄〗 행말(行末)을 가지런히 맞추지 않는

un·kempt [ʌ̀nkém*p*t] *a.* **1** 〈머리가〉 빗질하지 않은, 텁수룩한, 쑥대머리의 **2** 〈복장·모습 등이〉 깔끔하지 못한, 흐트러진, 너저분한 **~·ly** *ad.* **~·ness** *n.*

un·kenned [ʌnkénd] *a.* 《주로 스코》 알려지지 않은, 미지의

un·ken·nel [ʌnkénl] *v.* (**~ed**; **~·ing** | **~led**; **~·ling**) *vt.* 《영》 **1** 〈개 등을〉 우리에서 풀어놓다, 〈여우 등을〉 굴에서 몰아내다 **2** 폭로하다

— *vi.* 우리에서 나오다

un·kept [ʌnképt] *a.* 유지되지[지켜지지] 않는, 등한시된, 방치된

‡**un·kind** [ʌnkáind] *a.* **1 불친절한,** 무정한, 몰인정한: That's very ~ of you. 너무 박정하다. **2** 〈날씨가〉 사나운, 나쁜, 고약한: The weather proved ~. 날씨는 나빴다. **~·ness** *n.* 불친절, 몰인정, 무정

un·kind·ly [ʌnkáindli] *ad.* 불친절하게, 무정하게

look ~ at [***on***] …에게 무서운 낯을 하다, 째려보다

take it ~ 나쁘게 해석하다

— *a.* **1** 불친절한, 무정한 **2** 《고어·방언》 〈날씨가〉 고약한, 나쁜; 〈토지가〉 작물에 적합하지 않은 **-li·ness** *n.*

thesaurus **universal** *a.* general, comprehensive, worldwide, global, widespread, common, predominant (opp. *particular, restricted, local*)

unkind *a.* unfriendly, unamiable, inhospitable, mean, vicious, harsh, heartless

unknown *a.* **1** 알려지지 않은 untold, unrevealed,

un·king [ʌnkíŋ] *vt.* …에게서 왕위를 빼앗다; 왕을 폐위시키다

un·king·ly [ʌnkíŋli] *a.* 왕답지 못한

un·knight·ly [ʌnnáitli] *a.* 기사답지 않은, 기사에 어울리지 않는 —*ad.* 기사답지 않게

un·knit [ʌnnít] *v.* (**~·ted, ~; ~·ting**) *vt.* 〈편물·매듭 등을〉 풀다; 〈찌푸렸던 것을〉 펴다: ~ one's forehead 찌푸린 이맛살을 펴다 —*vi.* 풀리다

un·knot [ʌnnát | -nɔ́t] *vt.* (**~·ted; ~·ting**) …의 매듭을 풀다

un·know·a·ble [ʌnnóuəbl] *a.* 알 수 없는; 〚철학〛 불가지(不可知)의 —*n.* [the U~] 〚철학〛 불가지 존재(不可知存在) **~·ness** *n.* **-bly** *ad.*

un·know·ing [ʌnnóuiŋ] *a.* Ⓐ 모르는, 의식하지 않는, 무지한 《*of*》 **~·ly** *ad.* **~·ness** *n.*

‡**un·known** [ʌnnóun] *a.* **1 알려지지 않은,** 미지의, 미상의, 무명의 《*to*》: the ~ parts of Antarctica 남극 대륙의 미지의 부분 **2 알 수 없는,** 셀 수 없는, 헤아릴 수 없는: ~ wealth 막대한 부 **3** 〚수학〛 미지의

~ to …에게 알려지지 않은[않고], …을 잘 알지 못하여; …에게 들키지 않은[않고], …에게 알리지 않고: a man ~ *to* fame 이름이 알려지지 않은 사람

—*n.* [the ~] 세상에 알려지지 않은 사람[것], 무명인, 미지의 사물; 〚수학〛 미지수; [the ~] 미지의 세계 ***the Great U~*** 「위대한 무명 작가」 《그 본명이 알려지기까지의 Sir Walter Scott》 ***venture into the ~*** 미지의 세계에 발을 들여놓다[탐험하다]

unknówn cóuntry 미지의 분야[영역, 장소]

unknówn quántity **1** 〚수학〛 미지수[량] **2** 《구어》 미지수의 사람[것]

Unknówn Sóldier [(영) **Wárrior**] [the ~] 무명용사 《미군의 묘는 Arlington 국립묘지에, 영국군의 묘는 Westminster Abbey에 있음》

UNKRA United Nations Korean Reconstruction Agency 유엔 한국 재건단 《1973년 해체》

unk-unks [ʌ́ŋʌ̀ŋz] [*unk*nown+*unk*nowns] *n. pl.* 《미·속어》 까닭 모를 사건[불행]의 연속, 예측 불허, 한치 앞을 모름

un·la·beled [ʌnléibld] *a.* 꼬리표가 붙지 않은; 분류되어 있지 않은

un·la·bored [ʌnléibərd] *a.* **1** 노력 없이 얻은 **2** 〈문체 등이〉 자연스러운 **3** 〈땅이〉 경작되지 않은

un·lace [ʌnléis] *vt.* 〈신발·코르셋 등의〉 끈을 풀다[늦추다]

un·lade [ʌnléid] *vt.* **1** …의 짐을 내리다[부리다] **2** 〈배의 짐을〉 내리다 —*vi.* 뱃짐을 내리다

un·lad·en [ʌnléidn] *a.* 짐을 싣지 않은

un·la·dy·like [ʌnléidilàik] *a.* 숙녀[귀부인]답지 않은; 상스러운

un·laid [ʌnléid] *v.* UNLAY의 과거·과거분사

—*a.* **1** 놓여 있지 않은, 늘어[벌여] 놓지 않은, 부설되지 않은, 〈식탁이〉 준비되어 있지 않은 **2** 안정[진정]되지 않은, 갈피를 못 잡는 **3** 비치는 무늬가 없는 〈종이〉; 〈새끼 등이〉 꼬이지 않은

un·la·ment·ed [ʌnləméntid] *a.* 슬프게 여겨지지 않는, 슬퍼[비탄, 애도]하는 사람 없는

un·lash [ʌnlǽʃ] *vt.* …의 줄을 풀다

un·latch [ʌnlǽtʃ] *vt.* 〈문의〉 빗장을 끄르다; 〈구두·가방 등의〉 죔쇠를 끄르다

—*vi.* 〈문이〉 열리다, 죔쇠가 끌러지다

un·law·ful [ʌnlɔ́:fəl] *a.* **1** 불법의, 비합법적인: an ~ union 비합법 노동조합 / ~ entry 불법 침입 **2** 사생(아)의 **~·ly** *ad.* **~·ness** *n.*

unláwful assémbly 〚법〛 불법 집회

unláwful kílling 〚법〛 (불법적) 살인, 살해 《고의적 살인·과실치사 등》

un·lax [ʌnlǽks] *vi., vt.* 《미·속어》 쉬다, 쉬게 하다

un·lay [ʌnléi] *v.* (**-laid** [-léid]) *vt.* 〚항해〛 〈밧줄 등의〉 엉킨 것을 풀다 —*vi.* 엉킨 것이 풀리다

un·lead·ed [ʌnlédid] *a.* **1** 납을 제거한, 〈가솔린에〉 납을 첨가하지 않은, 무연의 **2** 〚인쇄〛 행간에 인테르를 끼우지 않은 —*n.* 무연 가솔린

un·learn [ʌnlə́:rn] *v.* (**~ed, -learnt** [-lə́:rnt]) *vt.* 〈배운 것을〉 잊다; 고쳐 배우다; 《특히》 〈버릇·잘못 등을〉 버리다 —*vi.* 지식[습관]을 버리다

un·learn·ed[1] [ʌnlə́:rnid] *a.* 배우지 않은, 무교육의; …에 정통하지 않은; [the ~; 명사적] 몽매한 사람들 **~·ly** *ad.*

un·learned[2] [ʌnlə́:rnd] *a.* 배우지 않고 터득한

un·learnt [ʌnlə́:rnt] *v.* UNLEARN의 과거·과거분사 —*a.* = UNLEARNED[2]

un·leash [ʌnlí:ʃ] *vt.* …의 가죽끈을 끄르다[풀다]; …의 속박을 풀다, 해방하다, 자유롭게 하다

un·leav·ened [ʌnlévənd] *a.* 베이킹파우더[누룩]를 넣지 않은; 《비유》 영향을 받지 않은, 변화하지 않은

‡**un·less** ⇨ unless (p. 2744)

un·les·soned [ʌnlésnd] *a.* 교육[훈련]받지 않은

un·let·tered [ʌnlétərd] *a.* **1** 배우지 않은, 글자를 모르는(uneducated), 무학 문맹의(illiterate) **2** 글자가 씌어 있지 않은

un·li·a·ble [ʌnláiəbl] *a.* 책임없는 《*to*》; …을 받지 않아도 되는 《*to*》

un·lib [ʌnlíb] *a.* = UNLIBERATED

un·lib·er·at·ed [ʌnlíbərèitid] *a.* 〈여자 등이〉 사회적으로 종속적인, 해방되지 않은

un·li·censed [ʌnláisənst] *a.* **1** 무면허의, 면허장이 없는: an ~ airplane pilot 무면허 조종사 **2** 방종한, 억제하지 않은

un·licked [ʌnlíkt] *a.* (곰이 새끼를 핥아주지 않아) 모양이 다듬어지지 않은(cf. LICK into shape); 볼품없는, 버릇없는: an ~ cub 모양 흉한 능소니; 버릇없는 젊은이

***un·light·ed** [ʌnláitid] *a.* **불을 켜지 않은**

un·lik·a·ble [ʌnláikəbl] *a.* 호감이 가지 않는; 유쾌하지 않은

‡**un·like** [ʌnláik] *a.* **같지 않은,** 다른, 닮지 않은; 《고어·방언》 …일 것 같지 않은: ~ signs 〚수학〛 상이한 기호 《+와 - 등》 / The two sisters are in ~ disposition. 두 자매는 성질이 같지 않다.

—*prep.* …**을 닮지 않고,** …답지 않게, 〈용모·성격 등이〉 …와 달라서: music ~ any other on earth 이 세상 어느 음악과도 다른 음악 / It's ~ him to cry. 울다니 그답지 않다.

—*n.* 닮지 않은 사람[것] **~·ness** *n.*

un·like·li·hood [ʌnláiklihùd], **-li·ness** [-nis] *n.* Ⓤ 사실일 것 같지 않음 《*of*》, 진실 같지 않음

***un·like·ly** [ʌnláikli] *a.* **1 있음직하지 않은,** 정말 같지 않은: an ~ tale 믿기 어려운 이야기 **2 가망 없는,** 성공할 것 같지 않은: (~+*to* do) He was ~ *to* win the race. 그는 그 경주에서 이길 것 같지 않았다.

in the ~ event of ... 만일 …할 경우에는

—*ad.* 있을[…할] 것 같지 않게

un·lim·ber[1] [ʌnlímbər] *a.* 유연하지 않은, 단단한 —*vi., vt.* 유연하게 되다[하다]

unlimber[2] *vt.* 〈대포의〉 앞차를 떼다 —*vi.* 발포[행동] 준비를 하다 —*n.* 대포를 사격 위치에 놓기

***un·lim·it·ed** [ʌnlímitid] *a.* **1** (공간적으로) **끝없는,** 망망한, 한없는, 무한한: an ~ expanse of the sky 광대무변의 하늘 **2** 제한 없는 〈활동 범위〉: ~ trade 무제한 무역 **3** 무조건의; 《영》 무한 (책임)의: an ~ company 무한 책임 회사 **~·ly** *ad.* **~·ness** *n.*

un·lined [ʌnláind] *a.* **1** 안을 대지 않은 **2** 〈얼굴 등이〉 주름이 없는

un·link [ʌnlíŋk] *vt.* 〈사슬 등의〉 고리를 빼다; 풀다 —*vi.* 풀리다, 빠지다

---

undisclosed **2 무명의** unidentified, anonymous **3 미지의** unfamiliar, unexplored, undiscovered

unlikely *a.* **1 믿기 어려운** implausible, questionable, unconvincing, incredible, unbelievable, unimaginable, inconceivable **2 가망 없는** improbable, doubtful, remote, unexpected

unless

unless는 if ... not(만약 …이 아니라면)와 같은 뜻의 접속사로서 부정의 조건절을 이끈다. if ... not와는 달리, unless절(節)에서는 가정법이 쓰이지 않는다. unless는 조건이라기보다 '제외'의 뜻이 강하다.

‡un·less [ənlés, ʌn-] *conj.* **1** [제외·조건] …이 아닌 한, 만약 …이 아니면(except that) ((USAGE 뜻은 if ... not이 되지만 가정법을 쓰는 경우는 드묾; 따라서 If he had not helped me를 Unless he had helped me라고는 쓰지 않음)): You'll miss the bus ~ you walk more quickly. 더 빨리 걷지 않으면 버스를 놓칠라. / I will be there ~ it rains. 비가 오지 않는 한 가겠습니다. / *U*~ (he was) in uniform, he didn't look a policeman. 그는 제복을 입지 않으면 경찰관으로 보이지 않았다. ★ unless절은 if ... not보다 문어적이며 주절과 종속절의 주어가 같을 때 종속절의 주어와 동사는 종종 생략됨.
2 [부정어 뒤에 쓰여] …하는 일 없이는, …하지 않는 한은(but, but that): *Never* a day passes ~ some traffic accidents occur. 교통사고가 몇 건 일어나지 않는 날은 하루도 없다. / Don't call me ~ it's absolutely necessary. 꼭 필요한 상황이 아닌 한 내게 전화하지 마라.
~ *and until* =until *conj.*
— *prep.* ((드물게)) …을 제외하면, …이외는(except, save[2]): Nothing, ~ an echo, was heard. 메아리 외에는 아무것도 들리지 않았다.

un·linked [ʌnlíŋkt] *a.* 〖생물〗 동일 연쇄군에 속하지 않는 〈유전자〉; 연결하지 않은; 관련성이 없는
un·liq·ui·dat·ed [ʌnlíkwidèitid] *a.* 청산[결산]되지 않은, 미청산의
un·list·ed [ʌnlístid] *a.* 목록[명부, 전화 번호부]에 실리지 않은; 〖증권〗 상장되지 않은: an ~ securities market 비상장 증권 시장
un·lit [ʌnlít] *a.* 점화되지 않은; 〈건물 등이〉 불이 켜져 있지 않은
un·live [ʌnlív] *vt.* 〈과거 생활을〉 일신하다, 청산하다; 속죄하는 생활을 하다
un·lived-in [ʌnlívdìn] *a.* 아무도 살고 있지 않은
***un·load** [ʌnlóud] *vt.* **1 a** 〈차·배 등의〉 짐을 내리다 **b** 〈짐을〉 부리다 ((*from*)): ((~+목+전+명)) ~ cargoes *from* a ship 배에서 짐을 부리다 **2** 〈총에서〉 탄알을 빼내다, 〈카메라에서〉 필름을 빼내다: ~ a gun 총포에서 탄알을 빼다 **3** ((구어)) (할 말을 다하여) 〈마음 등의〉 짐을 덜다, 후련하게 하다: ~ one's heart 마음의 짐을 덜다 **4** 〖증권〗 〈소유주를〉 처분하다, 팔아 치우다
— *vi.* 짐을 내리다[부리다] **~·er** *n.*
un·lo·cat·ed [ʌnlóukeitid] *a.* 위치[장소]가 정해지지 않은, 놓여 있지 않은; ((미)) 측량[구획]되지 않은
***un·lock** [ʌnlák | -lɔ́k] *vt.* **1** 〈문·상자 등의〉 자물쇠를 열다: ~ fetters 족쇄의 자물쇠를 벗기다 **2** 〈비밀 등을〉 터놓다, 〈심중을〉 토로하다(disclose): ~ the mysteries of the universe 우주의 비밀을 밝히다
— *vi.* 자물쇠가 열리다; 속박이 풀리다 **~·a·ble** *a.*
un·locked [ʌnlákt | -lɔ́kt] *a.* 자물쇠가 잠기지 않은: Leave the door ~. 문을 잠그지 마라.
un·looked-for [ʌnlúktfɔ̀:r] *a.* 예기치 않은, 뜻밖의, 의외의
un·loose [ʌnlú:s], **un·loos·en** [-lú:sn] *vt.* 풀다, 늦추다; 놓아주다, 해방하다
un·lov·a·ble [ʌnlʌ́vəbl] *a.* 귀엽지 않은, 애교가 없는; 불쾌한; 싫은 **~·ness** *n.*
un·loved [ʌnlʌ́vd] *a.* 사랑[귀염]받지 못하는
un·love·ly [ʌnlʌ́vli] *a.* 사랑스럽지 않은, 귀엽지 않은; 못생긴, 추한; 싫은, 불쾌한 **-li·ness** *n.*
un·lov·ing [ʌnlʌ́viŋ] *a.* 애정이 없는, 상냥하지 않은 **~·ly** *ad.*
un·luck·i·ly [ʌnlʌ́kili] *ad.* **1** 불운[불행]하게도 **2** [문장 전체를 수식하여] 공교롭게도
‡un·luck·y [ʌnlʌ́ki] *a.* (**-luck·i·er**; **-i·est**) **1** 불운한; 성공하지 못한, 주변머리 없는 **2** 불길한, 재수없는, 불행을 가져오는: an ~ day 재수 없는 날 **3** 계제가 나쁜, 기회가 나쁜: in an ~ hour 공교롭게도 나쁜 때에 **ùn·lúck·i·ness** *n.* ▷ unlúckily *ad.*
un·made [ʌnméid] *v.* UNMAKE의 과거·과거분사
— *a.* **1** 만들어지지 않은; 준비가 안 된, 정돈되지 않은 〈침대 등〉 **2** 무효가 된
un·maid·en·ly [ʌnméidnli] *a.* 처녀답지 않은
un·mail·a·ble [ʌnméiləbl] *a.* ((미)) 우송할 수 없는
un·make [ʌnméik] *vt.* (**-made** [-méid]) **1** 망치다, 부수다, 파괴하다 **2** 변형하다, 변질하다 **3** 폐지하다, 원상으로 돌리다, 철회하다 **4** 해임하다, 폐위하다; 좌천하다 **ùn·mák·a·ble** *a.*
un·mal·le·a·ble [ʌnmǽliəbl] *a.* 〈금속 등이〉 단조할 수 없는, 두드려서 늘이기 힘든
un·man [ʌnmǽn] *vt.* (**~ned**; **~·ning**) ((문어)) **1** …의 남자다움을 잃게 하다, 여자같이 나약하게 하다, 무기력하게 하다(unnerve); 거세하다 **2** 〈배 등에서〉 승무원의 수를 줄이다
~·ful *a.* **~·lìke** *a.* 남자답지 않은
un·man·age·a·ble [ʌnmǽnidʒəbl] *a.* 관리[조작]하기 힘든; 제어하기 어려운, 힘에 겨운, 버거운 **~·ness** *n.* **-bly** *ad.*
un·man·ly [ʌnmǽnli] *a.* 남자답지 않은; 겁 많은; 나약한; 여자 같은 **-li·ness** *n.*
un·manned [ʌnmǽnd] *a.* **1** 〈항공기·우주선 등이〉 승무원이 타지 않은, 무인의, 자동 조종의: an ~ satellite 무인 인공위성 / an ~ spacecraft 무인 우주선 **2** 사람[주민]이 없는 **3** 거세된, 남자의 특성을 잃은
un·man·nered [ʌnmǽnərd] *a.* **1** =UNMANNERLY **2** 꾸미지 않은, 솔직한
un·man·ner·ly [ʌnmǽnərli] *a.*, *ad.* 무례한[하게], 버릇없는[없게], 무엄한[하게]
un·man·tle [ʌnmǽntl] *vt.*, *vi.* 외투를 벗기다[벗다]
un·marked [ʌnmá:rkt] *a.* 표[표지]가 없는, 눈에 띄지 않는; 〖언어〗 무표(無標)의; 상처가 없는; 〈답안·리포트 등이〉 채점하지 않은: an ~ police car ((미)) (경찰의) 마크 없는[위장] 순찰차
un·marred [ʌnmá:rd] *a.* 손상되지 않은
un·mar·riage·a·ble [ʌnmǽridʒəbl] *a.* 혼기에 이르지 않은; 결혼에 적합하지 않은
***un·mar·ried** [ʌnmǽrid] *a.* 미혼의, 독신의; 이혼한: an ~ mother 미혼모
un·mask [ʌnmǽsk | -má:sk] *vi.*, *vt.* **1** …의 가면을 벗(기)다 **2** 정체를 나타내다, 폭로하다 **3** 〖군사〗 〈포·포대의 소재를〉 발포하여 들키다
un·mas·tered [ʌnmǽstərd] *a.* 억제[제어, 정복]되지 않은; 숙달되지 않은
un·match·a·ble [ʌnmǽtʃəbl] *a.* 필적하기 어려운, 대항할 수 없는 **-bly** *ad.*

thesaurus **unlucky** *a.* **1** 불운한 luckless, unfortunate, wretched, miserable **2** 불길한 adverse, disadvantageous, unfavorable, ill-fated
unmarried *a.* single, unwed, unwedded, spouseless, partnerless, divorced, unattached, bachelor, celibate, husbandless, wifeless

un·matched [ʌ̀nmǽtʃt] *a.* 상대가 없는, 무적의, 비길 데 없는(matchless); 균형이 잡히지 않는, 부조화의

un·ma·te·ri·al [ʌ̀nmətíəriəl] *a.* 비물질적인, 무형(無形)의

un·ma·tured [ʌ̀nmətjúərd] *a.* 익지 않은, 〈포도주가〉 숙성되지 않은

un·mean·ing [ʌ̀nmí:niŋ] *a.* 뜻이 없는, 무의미한; 부질없는; 쓸데없는; 〈얼굴 등이〉 무표정한; 활기가 없는 **~·ly** *ad.* **~·ness** *n.*

un·mean·ing·ful [ʌ̀nmí:niŋfəl] *a.* 의미가 없는; 표정이 없는

un·meant [ʌ̀nmént] *a.* 본심[고의]이 아닌

un·meas·ur·a·ble [ʌ̀nméʒərəbl] *a.* 헤아릴 수 없는, 잴 수 없는; 극도의, 과도의

un·meas·ured [ʌ̀nméʒərd] *a.* **1** 헤아릴[측정할] 수 없는; 무한한, 한정 없는, 막대한 **2** 과도의, 지나친, 터무니없는 **3** 〖운율〗 운율적이지 않은 **~·ly** *ad.*

un·me·chan·i·cal [ʌ̀nmikǽnikəl] *a.* 도구를 다룰 능력이 모자라는; 기계적이 아닌

un·meet [ʌ̀nmí:t] *a.* 《문어·고어》 부적당한, 어울리지 않는 《*for*, *to* do》 **~·ly** *ad.* **~·ness** *n.*

un·me·lo·di·ous [ʌ̀nmilóudiəs] *a.* 장단이 맞지 않는, 비음악적인; 귀에 거슬리는 **~·ly** *ad.*

un·mem·o·ra·ble [ʌ̀nmémərəbl] *a.* 기억할 가치가 없는

un·men·tion·a·ble [ʌ̀nménʃənəbl] *a.* 말해서는 안 되는, 입에 담을 수 없는, 언급할 수 없는
— *n.* [the ~] 말해서는 안 되는 것; [*pl.*] 《익살》 내의, 속옷, 바지(trousers) **~·ness** *n.* **-bly** *ad.*

un·mer·ci·ful [ʌ̀nmə́:rsifəl] *a.* **1** 무자비한, 무정한, 잔인한(cruel) **2** 《구어》 지독한, 터무니없는, 굉장한 **~·ly** *ad.* **~·ness** *n.*

un·mer·it·a·ble [ʌ̀nméritəbl] *a.* 상줄[칭찬할] 만한 가치가 없는

un·mer·it·ed [ʌ̀nméritid] *a.* 공 없이 얻은, 분수에 지나친; 마땅치 않은, 부당한 **~·ly** *ad.*

un·mer·it·ing [ʌ̀nméritiŋ] *a.* 받을 자격이 없는, 노력 없이 얻은

un·met [ʌ̀nmét] *a.* 〈요구·목표 등이〉 채워지지 않은

un·mil·i·tar·y [ʌ̀nmílətèri | -təri] *a.* 비군사적인

un·mind·ful [ʌ̀nmáin*d*fəl] *a.* 염두에 두지 않는, 잊기 쉬운; 부주의한, 관심 없는, 개의치 않는(regardless) 《*of*》 **~·ly** *ad.*

un·miss·a·ble [ʌ̀nmísəbl] *a.* 〈과녁 등이〉 빗맞힐 수 없는; 〈영화, TV 프로 등이〉 보지 않을 수 없는, 놓칠 수 없는

∗**un·mis·tak·a·ble** [ʌ̀nmistéikəbl] *a.* 틀림없는, 혼동할 우려가 없는, 명백한 **-bly** *ad.*

un·mis·tak·en [ʌ̀nmistéikən] *a.* 틀리지 않은

un·mit·i·gat·ed [ʌ̀nmítəgèitid] *a.* **1** 완화되지 않은, 경감(輕減)되지 않은 **2** 순전한, 진짜의, 완전한: an ~ villain 지독한 악당 **~·ly** *ad.* **~·ness** *n.*

un·mixed [ʌ̀nmíkst] *a.* 섞인 것이 없는, 순수한(pure) **ùn·míx·ed·ly** *ad.*

un·mod·i·fied [ʌ̀nmádəfàid | -mɔ́d-] *a.* 변경되지 않은; 〖문법〗 한정[수식]되지 않은

un·mod·ish [ʌ̀nmóudiʃ] *a.* = UNFASHIONABLE

un·mold [ʌ̀nmóuld] *vt.* …의 모양[틀]을 부수다, 변형시키다; 틀에서 꺼내다

un·mo·lest·ed [ʌ̀nmouléstid] *a.* 곤란[괴로움]받지 않은, 방해되지 않은, 평온한

un·moor [ʌ̀nmúər] *vt.* **1** 매었던 밧줄을 풀다, 발묘(拔錨)하다, 닻을 올리다 **2** 외닻으로 정박하다 《쌍닻으로 정박할 때 한쪽 닻은 올리고》 — *vi.* 닻을 올리다

un·mor·al [ʌ̀nmɔ́:rəl | -mɔ́r-] *a.* 도덕과 관계 없는, 초도덕적인(cf. IMMORAL)
ùn·mor·ál·i·ty *n.* **~·ly** *ad.*

un·moth·er·ly [ʌ̀nmʌ́ðərli] *a.* 어머니답지 않은, 모성애가 없는

un·mo·ti·vat·ed [ʌ̀nmóutəvèitid] *a.* (정당한) 동기[이유]가 없는

un·mount·ed [ʌ̀nmáuntid] *a.* **1** 말 타지 않은; 도보의 **2** 〈사진 등을〉 대지(臺紙)에 붙이지 않은 **3** 〈대포가〉 포가에 얹혀 있지 않은

un·mourned [ʌ̀nmɔ́:rnd] *a.* 슬퍼하는 사람이 없는

un·mov·a·ble [ʌ̀nmú:vəbl] *a.* 움직일 수 없는, 부동(不動)의(immovable)

∗**un·moved** [ʌ̀nmú:vd] *a.* **1** 〈목적·결심이〉 확고부동한, 요지부동의(firm); 〈위치·지위가〉 변동이 없는 **2** 냉정한, 태연한

unmóved móver (아리스토텔레스 철학에서) 제1 운동자(prime mover)

un·mov·ing [ʌ̀nmú:viŋ] *a.* **1** 움직이지 않는, 부동의, 정지한 **2** 마음을 움직이지 못하는

un·muf·fle [ʌ̀nmʌ́fl] *vt.*, *vi.* …에서 덮개[소음기, 스카프]를 벗기다

un·mur·mur·ing [ʌ̀nmə́:rməriŋ] *a.* 《문어》 불평을 말하지 않는 **~·ly** *ad.*

un·mu·si·cal [ʌ̀nmjú:zikəl] *a.* **1** 음악적이 아닌, 비음악적인, 음조에 맞지 않는 **2** 음악적 소질이 없는, 음악이 서투른, 음치의 **~·ly** *ad.* **~·ness** *n.*

un·muz·zle [ʌ̀nmʌ́zl] *vt.* **1** 〈개 등의〉 부리망[재갈]을 벗기다 **2** …에 언론의 자유를 주다, …의 함구령을 해제하다

un·my·e·li·nat·ed [ʌ̀nmáiələnèitid] *a.* 〖해부〗 무수초(無髓鞘)의 《마이엘린 껍질(myelin sheath)을 갖지 않은 신경 섬유를 지칭하는 말》

un·nail [ʌ̀nnéil] *vt.* …의 못을 뽑다

un·nam·a·ble [ʌ̀nnéiməbl] *a.* 이름짓기 어려운, 말로 표현하기 어려운

un·named [ʌ̀nnéimd] *a.* 이름이 없는, 무명의; 지칭되지 않은: a man who shall go ~ 이름을 댈 필요가 없는 어떤 사람

un·na·tion·al [ʌ̀nnǽʃənəl] *a.* 특정한 국가(의 문화적 특질)에 속하지 않는

‡**un·nat·u·ral** [ʌ̀nnǽtʃərəl] *a.* **1** 부자연한, 자연 법칙에 어긋나는; 이상한, 괴이한: an ~ phenomenon 기괴한 현상 / the ~ atmosphere of the place 그곳의 이상한 분위기 **2** 자연적인 인정[본성, 천성]에 배치되는, 인도에 어긋나는; 《완곡》 변태적인 **3** 꾸민 티가 나는, 태도가 인위적인 **4** 잔혹한, 냉혹한, 사악한, 극악무도한(monstrous), 비인간적인(inhuman)
die an ~ death 비명횡사[변사]하다 **~·ness** *n.*

un·nat·u·ral·ize [ʌ̀nnǽtʃərəlàiz] *vt.* 부자연스럽게 하다; 시민권을 빼앗다

un·nat·u·ral·ized [ʌ̀nnǽtʃərəlàizd] *a.* 귀화하지 않은, 시민권을 빼앗긴

un·nat·u·ral·ly [ʌ̀nnǽtʃərəli] *ad.* 부자연스럽게, 이상하게, 해괴하게; 인정[사회 통념]에 어긋나게 ***not*** ~ 무리도 아니게

∗**un·nec·es·sar·i·ly** [ʌ̀nnèsəsérəli | -nésəsər-] *ad.* 불필요하게, 쓸데없이, 무익하게

‡**un·nec·es·sar·y** [ʌ̀nnésəsèri | -səri] *a.* 불필요한, 무용의, 쓸데없는(needless), 무익한
— *n.* (*pl.* **-sar·ies**) [보통 *pl.*] 불필요한 것, 중요하지 않은 것 ▷ unnecessárily *ad.*

un·need·ed [ʌ̀nní:did] *a.* 불필요한

un·neigh·bor·ly [ʌ̀nnéibərli] *a.* 이웃답지 않은; 이웃과 사귀지 않는, 붙임성 없는

un·nerve [ʌ̀nnə́:rv] *vt.* …의 기운을 빼앗다[잃게 하다], 무기력하게 하다, 용기를 잃게 하다, 낙담시키다

un·not·ed [ʌ̀nnóutid] *a.* 눈에 띄지 않는; 보잘것 없는, 시시한

un·no·tice·a·ble [ʌ̀nnóutisəbl] *a.* 남의 주목을 끌지 못하는, 눈에 띄지 않는

---

unnatural *a.* **1** 이상한 unusual, uncommon, extraordinary, strange, queer, odd, bizarre **2** 인위적인 affected, artificial, feigned, false, self-conscious, insincere, forced, studied

unnecessary *a.* needless, inessential, unrequired, useless, dispensable, redundant

un·no·ticed** [ʌnnóutist] *a.* 주의[주목]되지 않는; 사람 눈에 띄지 않는, 무시된 ***pass ~ 간과되다, 무시당하다

un·num·bered [ʌ̀nnʌ́mbərd] *a.* (확인 등을 위한) 번호를 붙이지 않는; 일일이 세지 않은; 셀 수 없을 만큼 많은, 무수한(countless)

UNO, U.N.O. [jú:nou] [*U*nited *N*ations *O*rganization] *n.* 국제 연합 (기구)

un·ob·jec·tion·a·ble [ʌ̀nəbdʒékʃənəbl] *a.* 반대할 수 없는, 흠 잡을 데 없는, 이의가 없는; 지장 없는

un·o·blig·ing [ʌ̀nəbláidʒiŋ] *a.* 불친절한, 무뚝뚝한, 협조적이 아닌

un·ob·scured [ʌ̀nəbskjúərd] *a.* 어둡게 되지 않은; 뚜렷한

un·ob·serv·ant [ʌ̀nəbzə́:rvənt] *a.* 부주의한; 〈규칙·관례를〉 지키지 않는《*of*》 **~·ly** *ad.*

un·ob·served [ʌ̀nəbzə́:rvd] *a.* 지켜지지 않은; 관찰되지 않은; 주의[주목]되지 않은 **~·ly** *ad.*

un·ob·serv·ing [ʌ̀nəbzə́:rviŋ] *a.* 주의하지 않는, 방심하고 있는

un·ob·struct·ed [ʌ̀nəbstrʌ́ktid] *a.* 방해받지 않은, 가로막는 것이 없는

un·ob·tain·a·ble [ʌ̀nəbtéinəbl] *a.* 얻기 어려운, 손에 넣기 어려운; 엄두도 못 낼

un·ob·tru·sive [ʌ̀nəbtrú:siv] *a.* 주제넘지 않은; 조심성 있는, 겸손한, 삼가는 **~·ly** *ad.* **~·ness** *n.*

***un·oc·cu·pied** [ʌnɑ́kjupàid | -ɔ́k-] *a.* **1** 〈집·대지 등이〉 소유자가 없는, 점유되지 않은, 사람이 살지 않는(vacant): an ~ seat[house] 빈 자리[집] **2** 볼일이 없는, 한가한, 놀고 있는(idle): an ~ person 빈둥거리는 사람 **3** 〈외국 군대에게〉 점령되지 않은

un·of·fend·ing [ʌ̀nəféndiŋ] *a.* 해[죄]가 없는; 남의 감정을 해치지 않는; 성나게 하지 않는

***un·of·fi·cial** [ʌ̀nəfíʃəl] *a.* **1** 〖스포츠〗 〈기록 등이〉 비공식적인, 공인되지 않은: an ~ candidate 비공인 후보 **2** 〈보도 등이〉 미확인의; 〈파업이〉 노동조합 승인을 얻지 않은: an ~ strike 비공인 파업 / an ~ report 미확인 보도 **3** 〈약품이〉 무허가인 **~·ly** *ad.*

un·of·fi·cious [ʌ̀nəfíʃəs] *a.* 지나친 간섭을 하지 않는

un·o·pened [ʌnóupənd] *a.* 열리지 않은, 개봉하지 않은, (아직) 닫힌 채로의, 페이지가 잘리지 않은, 〈책·잡지 등이〉 가철(假綴)의: an ~ letter 뜯지 않은 편지

un·op·posed [ʌ̀nəpóuzd] *a.* 반대가 없는, 반대[저항]하는 자가 없는, 무경쟁의

un·or·dained [ʌ̀nɔ:rdéind] *a.* 성직을 받지 못한

un·or·di·nar·y [ʌ̀nɔ́:rdənèri] *a.* 보통이 아닌, 평범하지 않은

un·or·gan·ized [ʌ̀nɔ́:rgənàizd] *a.* **1** 조직되지 않은, 미조직의; 〈사고·행동 등이〉 질서 잡히지 않은, 지리멸렬한; 공식 정부를 가지지 않은 **2** 〖화학〗 무기(無機)의, 무성형(無成形)의 **3** 《미》 노동조합에 가입하지 않은, 조직이 없는 〈노동자 등〉; 〈대학생이〉 학생 단체(fraternity)에 가입하지 않은 **4** 확실한 경계선이 없는

unórganized férment = ENZYME

un·o·rig·i·nal [ʌ̀nərídʒənl] *a.* 독창적이 아닌, 본래의 것이 아닌, 파생의; 모방의

un·or·na·men·tal [ʌ̀nɔ̀:rnəméntl] *a.* 장식적이 아닌, 간소한 **~·ly** *ad.*

un·or·tho·dox [ʌ̀nɔ́:rθədɑ̀ks | -dɔ̀ks] *a.* 정통(正統)이 아닌; 이교(異教)[이단]의; 인습적이지 않은: ~ medicine 대체 의학 **~·ly** *ad.*

un·os·ten·ta·tious [ʌ̀nɑ̀stəntéiʃəs | -ɔ̀s-] *a.* 거만떨지 않는, 젠체하지 않는, 점잔빼지 않는, 뻐기지 않는; 순박한, 수수한 **~·ly** *ad.*

un·owned [ʌ̀nóund] *a.* 인정되지 않은; 소유자가 없는(ownerless)

un·pack [ʌnpǽk] *vt.* **1** 〈꾸러미·짐을〉 풀다, 끄르다 **2** 〈안에 든 것을〉 꾸러미[짐]에서 꺼내다 **3** 〈말·자동차 등에서〉 짐을 부리다 **4** 〖컴퓨터〗 언팩하다, 압축한 데이터를 원래대로 되돌리다 **—** *vi.* 꾸러미[짐]를 풀다

un·paged [ʌnpéidʒd] *a.* 페이지 수를 매기지 않은, 장수 표시가 없는

un·paid [ʌnpéid] *a.* **1** 〈빚·어음 등을〉 지불하지 않은, 미납의 **2** 급료를 받지 않는 〈사람·직위 등〉, 무급의, 명예직의; 무보수의 ***the*** (***great***) ~ 《영》 (명예직의) 치안 판사들

un·paid-for [ʌnpéidfɔ̀:r] *a.* 미불의; 무보수의

un·paired [ʌnpέərd] *a.* 짝이 없는, 배우자[상대]가 없는: an ~ shoe 짝 없는 신발

un·pal·at·a·ble [ʌnpǽlətəbl] *a.* **1** 입에 맞지 않는, 먹음직스럽지 않은, 맛없는(distasteful) **2** 싫은, 불쾌한: ~ behavior 불쾌한 태도 **~·ness** *n.* **-bly** *ad.*

un·par·al·leled [ʌnpǽrəlèld] *a.* 견줄 나위 없는, 비할 바 없는; 미증유의

un·par·don·a·ble [ʌnpɑ́:rdənəbl] *a.* 〈행동이〉 용서할 수 없는, 용납할 수 없는 ***the ~ sin*** 〖성서〗 성령을 모독하는 죄; 《일반적으로》 용서 못할 죄

un·pa·ren·tal [ʌ̀npəréntl] *a.* 어버이답지 못한, 부모의 구실을 못하는 **~·ly** *ad.*

un·par·lia·men·ta·ry [ʌ̀npɑ:rləméntəri] *a.* **1** 의회의 관례[국회법]에 어긋나는 **2** 〈언사가〉 의회내에서 허용되지 않는: ~ language 욕설, 비방, 독설

un·pas·teur·ized [ʌnpǽstəràizd, -tʃər-] *a.* 저온 살균을 하지 않은

un·pat·ent·ed [ʌnpǽtəntid | -péit-] *a.* 전매 특허를 받지 않은, 특허를 얻지 않은

un·pa·tri·ot·ic [ʌ̀npeitriɑ́tik | -pætriɔ́t-] *a.* 애국심이 없는, 비애국적인 **-i·cal·ly** *ad.*

un·paved [ʌnpéivd] *a.* 돌을 깔지 않은, 포장되지 않은; 《고어》 거세당한

un·peeled [ʌnpí:ld] *a.* 껍질을 벗기지 않은

un·peg [ʌnpég] *vt.* (**~ged**; **~·ging**) **1** …에서 나무못[말뚝, 마개]을 뽑다 **2** 〈물가·임금 등의〉 고정화[동결]를 풀다

un·pen [ʌnpén] *vt.* (**~ned**; **~·ning**) 〈양 등을〉 우리[유치장]에서 풀어주다

un·peo·ple [ʌnpí:pl] *vt.* …에서 주민을 없애다[제거하다, 절멸시키다](depopulate); 무인지경으로 만들다 **—** *n.* **1** 인간성[개성]이 결여된 사람들 **2** 국민으로 취급되지 않는 사람들, (정치적인) 피차별민들

un·peo·pled [ʌnpí:pld] *a.* 사람이 살지 않는; 무인지경이 된

un·per·ceived [ʌ̀npərsí:vd] *a.* 눈치채이지 않은, 눈에 띄지 않은

un·per·fect·ed [ʌ̀npərféktid] *a.* 완성되지 않은

un·per·formed [ʌ̀npərfɔ́:rmd] *a.* 실행[수행, 공연]되지 않은

un·per·plexed [ʌ̀npərplékst] *a.* 당황하지 않는; 복잡하지 않은

un·per·son [ʌnpə́:rsn] *n.* (정치적·사상적으로) 완전히 무시된 사람; 과거의 인물
— *vt.* 좌천시키다, 실각시키다, 정치적으로 매장하다

un·per·suad·ed [ʌ̀npərswéidid] *a.* 설득[납득]되지 않은

un·per·sua·sive [ʌ̀npərswéisiv] *a.* 설득할 수 없는, 구변이 없는 **~·ly** *ad.*

un·per·turbed [ʌ̀npərtə́:rbd] *a.* 교란되지 않은, 평온[침착]한, 놀라지 않은

un·phil·o·soph·ic, -i·cal [ʌ̀nfìləsɑ́fik(əl) | -sɔ́f-] *a.* 비철학적인, 철리(哲理)에 반하는 **-i·cal·ly** *ad.*

un·pick [ʌnpík] *vt.* 〈솔기·편물 등을〉 실을 뽑아 풀다, 따다; 〈문 따위를〉 비틀어 열다

un·picked [ʌnpíkt] *a.* 따지 않은; 선별되지 않은

un·pile [ʌnpáil] *vt.* 〈쌓인 것을〉 하나하나 내려놓다, 허물다: ~ a heap of stones 바위산을 허물다
— *vi.* 〈쌓인 것이〉 무너지다; 〈운집한 사람이〉 흩어지다

thesaurus **unofficial** *a.* informal, casual, unauthorized, unsanctioned, unconfirmed
unpopular *a.* disliked, unloved, unwanted, unwelcome, friendless, avoided, ignored, reject-

un·pin [ʌnpín] *vt.* (**~ned**; **~·ning**) **1** …의 핀을 뽑아 늦추다[벗기다, 열다], 〈문의〉 빗장을 벗기다, 핀을 빼다 **2** 〖체스〗 〈상대 말을〉 움직이게 하다
un·pit·ied [ʌ̀npítid] *a.* 동정을 못 받는, 가엾게 여기는 사람이 없는
un·pit·y·ing [ʌ̀npítiiŋ] *a.* 동정심을 보이지 않는
un·placed [ʌ̀npléist] *a.* **1** 배치되지 않은, 일람표에 실려 있지 않은 **2** 〖경마〗 등외의, 3등 안에 들지 못한
un·plait [ʌ̀npléit | -plǽt] *vt.* …의 주름을 펴다, 〈땋은 머리 등을〉 풀다
un·planed [ʌ̀npléind] *a.* 대패질하지 않은
un·planned [ʌ̀nplǽnd] *a.* 계획되지 않은, 무의식의
un·plant·ed [ʌ̀nplǽntid | -plɑ́:nt-] *a.* 심지 않은
un·play·a·ble [ʌ̀npléiəbl] *a.* **1** 〈음악이〉 (너무 어려워) 연주할 수 없는 **2** 〈운동장이〉 놀기[경기]에 부적당한 **3** (음반이 낡아) 틀기에 부적당한 **4** 〈공이〉 받아칠 수 없는 **-bly** *ad.*
‡**un·pleas·ant** [ʌnpléznt] *a.* 불쾌한, 싫은, 재미없는: an ~ smell 불쾌한 냄새 **~·ly** *ad.*
un·pleas·ant·ness [ʌnplézntnis] *n.* Ⓤ **1** 불유쾌, 불쾌함 **2** 살풍경, 몰취미, 파흥(破興) **3** 오해, 비위에 거슬림; 불화; Ⓒ 불쾌한 사건[경험], 다툼 ***have a slight ~ with*** a person …와 사이가 좀 좋지 않다 ***the late*** [***recent***] ~ 최근의 불쾌한 사건[전쟁]
un·pleas·ant·ry [ʌnplézntri] *n.* 불쾌한 언동[비평]; 불친절
un·pleased [ʌ̀nplí:zd] *a.* 기뻐하지 않는, 불만인
un·pleas·ing [ʌ̀nplí:ziŋ] *a.* 만족을 주지 않는, 불유쾌한, 싫은
un·pleas·ure [ʌ̀npléʒər] *n.* 불쾌(함)
un·plug [ʌ̀nplʌ́g] *vt.* (**~ged**; **~·ging**) …의 마개[플러그]를 뽑다; …에서 장애물을 제거하다
un·plugged [ʌ̀nplʌ́gd] *a., ad.* 〈악기가〉 언플러그드의[로]; 〈록 연주 등이〉 전기 악기를 사용하지 않는[않아], 어쿠스틱 악기 중심의[으로]
un·plumbed [ʌ̀nplʌ́md] *a.* **1** 측연(測鉛)으로 잴 수 없는; 깊이를 알 수 없는 **2** 〈집이〉 수도[가스]관의 설비가 없는 **3** 〈생각·경험·감정 등을〉 헤아릴 수 없는, 속을 알 수 없는
un·po·et·ic, -i·cal [ʌ̀npouétik(əl)] *a.* 시적이 아닌, 산문적인; 범속한 **-i·cal·ly** *ad.*
un·point·ed [ʌ̀npɔ́intid] *a.* 끝이 뾰족하지 않은; 구두점이 없는; 이음매에 시멘트를 바르지 않은
un·pol·ished [ʌ̀npɑ́liʃt | -pɔ́l-] *a.* 닦지 않은, 윤을 내지 않은; 세련되지 않은, 본데없는, 점잖지 못한
unpólished ríce 현미(玄米)
un·po·lit·i·cal [ʌ̀npəlítikəl] *a.* 정치와 관계없는, 비정치적인; 정치에 관심이 없는 **~·ly** *ad.*
un·polled [ʌ̀npóuld] *a.* **1** 선거인으로서 등록되지 않은; 투표되지 않은: the ~ vote 미투표 **2** 여론 조사 대상자에서 빠진 **3** 《고어》 잘리지 않은
un·pol·lut·ed [ʌ̀npəlú:tid] *a.* 오염되지 않은
∗**un·pop·u·lar** [ʌ̀npɑ́pjulər | -pɔ́p-] *a.* 인기 없는, 인망이 없는, 평판이 좋지 못한; 유행하지 않는 《*with, among*》 **~·ly** *ad.*
un·pop·u·lar·i·ty [ʌ̀npɑpjulǽrəti | -pɔp-] *n.* Ⓤ 인망이 없음, 인기 없음
un·prac·ti·cal [ʌ̀npræ̀ktikəl] *a.* 비실용적인, 비실제적인(cf. IMPRACTICAL) **~·ly** *ad.* **~·ness** *n.*
un·prac·ticed | **-tised** [ʌ̀npræ̀ktist] *a.* 실지로 쓰이지 않는, 실행되지 않은; 미숙한, 미경험의
∗**un·prec·e·dent·ed** [ʌ̀nprésədèntid | -dənt-] *a.* 전례가 없는, 전에 없던, 공전의, 비할 바 없는; 새로운, 신기한: an ~ event 전례가 없는 사건 **~·ly** *ad.*
un·pre·dict·a·ble [ʌ̀npridíktəbl] *a., n.* 예언[예측]할 수 없는[없음] (것) **~·ness** *n.* **-bly** *ad.*

---

ed, shunned, unattractive
unprecedented *a.* unparalleled, unequaled, unmatched, extraordinary, uncommon, unusual, exceptional, abnormal (opp. *usual, normal*)

un·prej·u·diced [ʌ̀nprédʒudist] *a.* **1** 편견이 없는, 선입관이 없는; 편파적이 아닌, 공평한(impartial) **2** 《폐어》 〈권리 등이〉 침해되지 않은
un·pre·med·i·tat·ed [ʌ̀npri(:)médətèitid] *a.* 사전에 계획하지 않은; 고의가 아닌, 무심코한(unintentional); 즉석의 **~·ly** *ad.*
∗**un·pre·pared** [ʌ̀npripέərd] *a.* **1** 준비 없는, 즉석의: an ~ speech 즉석 연설 **2** 준비[각오]가 되지 않은 《*for*》: 《~+*to* do》 She was ~ *to* answer. 그녀는 대답할 준비가 되어 있지 않았다. ***catch*** a person ~ …의 허를 찌르다
un·pre·pos·sess·ing [ʌ̀npri:pəzésiŋ] *a.* 붙임성 없는, 호감이 안 가는, 인상이 나쁜
un·pre·sent·a·ble [ʌ̀nprizéntəbl] *a.* 남 앞에 내놓지 못하는, 떳떳하지 못한; 볼품없는
un·pressed [ʌ̀nprést] *a.* 눌리지 않은; 〈옷 등이〉 다려지지 않은
un·pre·sump·tu·ous [ʌ̀nprizʌ́mptʃuəs | -tju-] *a.* 주제넘지[건방지지] 않은, 겸손한
un·pre·tend·ing [ʌ̀npriténdiŋ] *a.* …인 체하지 않는, 겉꾸미지 않는, 거만떨지 않는; 신중한, 얌전한, 겸손한(humble) **~·ly** *ad.* **~·ness** *n.*
un·pre·ten·tious [ʌ̀npriténʃəs] *a.* = UNPRETENDING **~·ly** *ad.* **~·ness** *n.*
un·pre·vail·ing [ʌ̀npriveíliŋ] *a.* 효과적이 아닌, 우세하지 않은
un·pre·vent·a·ble [ʌ̀nprivéntəbl] *a.* 피할 수 없는, 면하기 어려운(inevitable) **~·ness** *n.* **-bly** *ad.*
un·priced [ʌ̀npráist] *a.* 일정한 값이 없는, 값이 정해지지 않은; 가격표가 붙지 않은; 《시어》 값을 매길 수 없는, 귀중한
un·primed [ʌ̀npráimd] *a.* 준비가 되어 있지 않은, 화약[탄환, 연료]을 꽉 채우지 않은
un·prince·ly [ʌ̀nprínsli] *a.* 왕자답지 않은
un·prin·ci·pled [ʌ̀nprínsəpld] *a.* 줏대 없는, 절조 없는, 파렴치한, 방종한; 《고어》 …의 원리를 배우지 못한 《*in*》: ~ behavior 방종한 태도 **~·ness** *n.*
un·print·a·ble [ʌ̀nprίntəbl] *a.* 〈문장·그림 등이〉 (외설 등으로) 인쇄하기에 적합하지 않은, 인쇄하기 곤란한 **~·ness** *n.* **-bly** *ad.*
un·print·ed [ʌ̀nprίntid] *a.* 인쇄되지 않은
un·pris·on [ʌ̀nprízn] *vt.* 〈교도소에서〉 석방하다
un·priv·i·leged [ʌ̀nprívəlidʒd] *a.* 《완곡》 빈곤한(poor), 최하층의; 특권[특전]이 없는(cf. UNDERPRIVILEGED)
un·prob·lem·at·ic, -i·cal [ʌ̀nprɑbləmǽtik(əl) | -prɔb-] *a.* 문제 없는, 까다롭지[복잡하지] 않은
un·pro·duc·tive [ʌ̀nprədʌ́ktiv] *a.* 수확이 없는, 불모의; 비생산적인, 수익[이익]이 없는, 무효한, 헛된 **~·ly** *ad.* **~·ness** *n.*
un·pro·fes·sion·al [ʌ̀nprəféʃənl] *a.* **1** 직업적이 아닌, 전문 밖의; 본업이 아닌, 아마추어의: ~ conduct 전문가답지 않은 행위 **2** 직업상의 규칙[습관]에 위반되는 **—** *n.* 아마추어 **~·ly** *ad.*
∗**un·prof·it·a·ble** [ʌ̀nprɑ́fitəbl | -prɔ́f-] *a.* **1** 이익이 없는, 벌이가 안 되는 **2** 무익한, 헛된: ~ servants 〖성서〗 무익한 종, 맡은 일 외에는 아무것도 자진하여 하지 않는 사람 **~·ness** *n.* **-bly** *ad.*
UNPROFOR [*U*nited *N*ations *Pro*tection *For*ce] *n.* 유엔 보호군
un·pro·gres·sive [ʌ̀nprəgrésiv] *a.* 진보적이 아닌, 반동[보수]적인
un·prom·is·ing [ʌ̀nprɑ́məsiŋ | -prɔ́m-] *a.* 가망 없는, 〈전도가〉 유망하지 못한: look ~ 좋아질 것 같지 않다 **~·ly** *ad.*
un·prompt·ed [ʌ̀nprɑ́mptid | -prɔ́mpt-] *a.* 남에게서 지시받은 것이 아닌, 자발적인
un·pro·nounce·a·ble [ʌ̀nprənáunsəbl] *a.* 발음할 수 없는, 발음하기 어려운
un·prop [ʌ̀nprɑ́p | -prɔ́p] *vt.* (**~ped**; **~·ping**) …에서 버팀대를 치우다

un·pro·pi·tious [ʌ̀nprəpíʃəs] *a.* 계제가 나쁜, 불길한, 불운한 **~·ly** *ad.* **~·ness** *n.*
un·pro·por·tion·ate [ʌ̀nprəpɔ́:rʃənət] *a.* 균형이 잡히지 않은; 부적당한
un·pros·per·ous [ʌ̀nprɑ́spərəs | -prɔ́s-] *a.* 번영하지 않는; 건강이 좋지 않은; 불경기의
un·pro·tect·ed [ʌ̀nprətéktid] *a.* **1** 보호(자)가 없는, 돌보는 이 없는: an ~ orphan 보호자 없는 고아 / an ~ player (농구·축구 등의) 자유 계약 선수 **2** 무방비의, 장갑(裝甲)하지 않은 **3** 관세의 보호를 받지 않는 〈산업〉 **~·ness** *n.*
un·pro·test·ing [ʌ̀nprətéstiŋ] *a.* 반대[반항, 항의]하지 않는 **~·ly** *ad.*
un·prov·a·ble [ʌ̀nprú:vəbl] *a.* 실증[증명]할 수 없는
un·proved [ʌ̀nprú:vd], **-prov·en** [-prú:vn] *a.* 실증[증명]되지 않은
un·pro·vid·ed [ʌ̀nprəváidid] *a.* 지급[공급]되지 않은 《*with*》; 〈필수품 등이〉 결핍한 《*of*》; 준비가 되어 있지 않은 《*for*》; 불시의 **~ for** 〈과부·어린이가〉 (남편·부모에 의해) 비축된 돈이 없는; 수입이 없는, 곤궁한
un·pro·voked [ʌ̀nprəvóukt] *a.* 자극[도발]되지 않은; 정당한 이유가 없는, 까닭 없는: ~ anger 이유 없는 분노 **~·ly** *ad.*
un·pub·lished [ʌ̀npʌ́bliʃt] *a.* **1** 널리 알려지지 않은, 숨은 **2** 아직 출판[간행]되지 않은
un·punc·tu·al [ʌ̀npʌ́ŋktʃuəl | -tju-] *a.* 시간[기일]을 지키지 않는, 꼼꼼하지 않은, 규율적이 아닌 **~·ly** *ad.*
un·pun·ished [ʌ̀npʌ́niʃt] *a.* 처벌을 받지 않은, 벌받지 않은, 형벌을 면한
un·purged [ʌ̀npɔ́:rdʒd] *a.* 정(淨)하게 되지 않은, 《특히》 고해를 속죄받지 않은; 숙청[추방]되지 않은
un·put·down·a·ble [ʌ̀nputdáunəbl] *a.* 《구어》 〈책 등이〉 너무나 재미있어서 읽기를 중단할 수 없는, 몰두하게 하는
un·quail·ing [ʌ̀nkwéiliŋ] *a.* 두려워하지 않는, 기가 꺾이지 않는, 불굴의
un·qual·i·fied [ʌ̀nkwɑ́ləfàid | -kwɔ́l-] *a.* **1** 자격이 없는, 무자격의; 적임이 아닌, 부적당한: an ~ practitioner 무자격 개업의(醫) // (~+*to* do) He is ~ *to* teach English. 그는 영어를 가르치기에는 적임이 아니다. **2** 제한되지 않은, 무조건의; 절대적인; 순전한(complete): an ~ liar 지독한 거짓말쟁이 **~·ly** *ad.* **~·ness** *n.*
un·qual·i·fy·ing [ʌ̀nkwɑ́ləfàiiŋ | -kwɔ́l-] *a.* 자격을 잃게 하는
un·quan·ti·fi·a·ble [ʌ̀nkwɑ́ntəfàiəbl | -kwɔ́n-] *a.* 수량화할 수 없는, 계량 불가능한
un·quench·a·ble [ʌ̀nkwéntʃəbl] *a.* 끌 수 없는; 막을 수 없는, 억제할 수 없는 **-bly** *ad.*
*__un·ques·tion·a·ble__ [ʌ̀nkwéstʃənəbl] *a.* **1** 의심할 나위 없는, 논의의 여지가 없는, 확실한: an ~ piece of evidence 움직일 수 없는 증거 **2** 나무랄 데 없는, 더할 나위 없는 **~·ness** *n.*
*__un·ques·tion·a·bly__ [ʌ̀nkwéstʃənəbli] *ad.* **의심할 나위 없이, 분명히**
un·ques·tioned [ʌ̀nkwéstʃənd] *a.* 문제시되지 않는, 이의[혐의]가 제기되지 않은; 조사[심문]받지 않은; 시비할 수 없는; 명백한
un·ques·tion·ing [ʌ̀nkwéstʃəniŋ] *a.* 질문하지 않는; 의심하지 않는; 주저하지 않는: ~ obedience to authority 권위에의 절대복종 **~·ly** *ad.*
un·qui·et [ʌ̀nkwáiət] *a.* 조용하지 않은, 침착하지 못한, 불안한; 불온한; 《고어》 떠들썩한 **—** *n.* Ⓤ 불온(한 상태) **~·ly** *ad.* **~·ness** *n.*
un·quot·a·ble [ʌ̀nkwóutəbl] *a.* 인용할 수 없는; 인용할 가치가 없는
un·quote [ʌ̀nkwóut] *vi.* 인용(문)을 끝맺다 《다음 보기와 같이 인용 부호로 인용문을 닫도록 지시할 때 quote와 상관적으로 씀》: The candidate said, quote, I will not run for governor, ~. 후보자는 「나는 지사에 입후보하지 않겠다」라고 말했다.
un·quot·ed [ʌ̀nkwóutid] *a.* 인용되지 않은; 〈기업이〉 비상장의
un·rav·el [ʌ̀nrǽvəl] *vt.* (**~ed**, **~·ing** | **~led**; **~·ling**) **1** 〈얽힌 실 등을〉 풀다 **2** 해명하다, 해결하다: ~ a situation 국면을 타개하다 / ~ a mystery 수수께끼를 풀다 **—** *vi.* 풀어지다; 해명되다
un·reach·a·ble [ʌ̀nrí:tʃəbl] *a.* 도달할 수 없는 **-bly** *ad.* **~·ness** *n.*
un·reached [ʌ̀nrí:tʃt] *a.* 도착[도달]되지 않은
un·read [ʌ̀nréd] *a.* **1** 〈책 등이〉 읽히지 않은 **2** 독서하지 않은; 학문이 없는, 전문적 지식이 없는 《*in*》(cf. WELL-READ): an ~ person 학식 없는 사람
un·read·a·ble [ʌ̀nrí:dəbl] *a.* **1** 읽어서 재미없는, 지리한; 읽을 가치가 없는, 읽기에 부적당한 **2** 판독하기 어려운 ★ 이 뜻으로는 illegible이 보통.
un·read·y [ʌ̀nrédi] *a.* **1** Ⓟ 준비 없는: (~+*to* do) He was ~ *to* start. 그는 출발 준비가 되어 있지 않았다. **2** 민첩하지 않은, 느린; 즉석 응답[판단]할 수 없는 **3** 《영·방언》 아직 옷을 (다) 입지 않은 **ùn·réad·i·ness** *n.*
*__un·re·al__ [ʌ̀nrí:əl, -ríəl] *a.* **실재하지 않는**; 상상[가공]적인, 비현실적인; 《구어》 이해할 수 없는, 믿을 수 없는 **~·ly** *ad.* ▷ unreálity *n.*
un·re·al·is·tic [ʌ̀nri:əlístik] *a.* 비현실적인; 비사실적인 **-ti·cal·ly** *ad.*
un·re·al·i·ty [ʌ̀nriǽləti] *n.* ⓊⒸ 비현실(성); 실재하지 않는 것: the ~ of dreams 꿈이 가지는 비현실성
un·re·al·iz·a·ble [ʌ̀nrí:əlàizəbl | -ríəl-] *a.* 실현할 수 없는; 이해할 수 없는; 돈으로 바꿀 수 없는: ~ assets 환가(換價) 불능 자산
un·re·al·ized [ʌ̀nrí:əlàizd | -ríəl-] *a.* **1** 실현[달성]되지 않은: ~ ambitions 아직 실현되지 않은 야망 **2** 인식[의식]되지 않은 **3** 판매 대금으로서 미회수의, 장부상만의 〈이익〉: ~ profit 장부상 이익(paper profit)
un·rea·son [ʌ̀nrí:zn] *n.* Ⓤ 불합리, 부조리; 무분별, 무이성; 정신 나감, 무질서, 혼란 **—** *vt.* 미치게 하다
‡**un·rea·son·a·ble** [ʌ̀nrí:zənəbl] *a.* **1** 이성적이 아닌; 철없는; 변덕스러운 **2** 조리가 맞지 않는, 불합리한, 상식을 벗어난(⇨ illogical 유의어) **3** 부당한, 터무니없는 〈값·요금 등〉: an ~ demand 부당한 요구 **~·ness** *n.* **-bly** *ad.*
unréasonable behávior 〘법〙 (파혼의 원인이 되는) 배우자의 행위
un·rea·soned [ʌ̀nrí:znd] *a.* 이치에 닿지 않는, 불합리한
un·rea·son·ing [ʌ̀nrí:zəniŋ] *a.* 생각이 없는; 이성이 없는; 이치에 닿지 않는, 까닭 모를, 불합리한(irrational): the ~ multitude 사리를 분간 못하는 일반 대중 / an ~ hatred 당치 않은 증오 **~·ly** *ad.*
un·re·cep·tive [ʌ̀nriséptiv] *a.* 수용력이 없는, 반응이 좋지 않은
un·re·cip·ro·cat·ed [ʌ̀nrisíprəkèitid] *a.* 보답없는, 일방적인; 교환되지 않은
un·re·claimed [ʌ̀nrikléimd] *a.* 교화[교정(矯正)]되지 않은; 개척되지 않은
un·rec·og·niz·a·ble [ʌ̀nrékəgnàizəbl] *a.* 식별할 수 없는; 인정[승인]할 수 없는 **-bly** *ad.*
un·rec·og·nized [ʌ̀nrékəgnàizd] *a.* 인식되지 않은; 인정[승인]되지 않은
un·re·con·struct·ed [ʌ̀nri:kənstrʌ́ktid] *a.* 머리를 개조할 수 없는, 낡은 사상의; 재건[개조]되지 않은; 〘미국사〙 (남북 전쟁 후) 합중국 재편입에 동의하지 않는 〈남부 주들〉
un·re·cord·ed [ʌ̀nrikɔ́:rdid] *a.* 등록되지 않은,

thesaurus **unquestionable** *a.* undoubted, indisputable, undeniable, irrefutable, incontrovertible, certain, sure, definite, obvious
unreasonable *a.* **1** 이성적이 아닌 irrational, biased, prejudiced, capricious **2** 불합리한 illogical, absurd **3** 터무니없는 excessive, immoderate, outra-

기록에 실리지 않은
un·re·cov·er·a·ble [ʌ̀nrikʌ́vərəbl] *a.* 되찾을 수 없는, 회복 불능의
un·re·deem·a·ble [ʌ̀nridíːməbl] *a.* 되살 수 없는; 구제[상환]할 수 없는 **-bly** *ad.*
un·re·deemed [ʌ̀nridíːmd] *a.* **1** 〈결점 등이〉 완화[보상]되지 않은 **2** 〈어음 등이〉 상환되지[회수하지] 못한
un·reel [ʌnríːl] *vt., vi.* 실패[얼레, 자새]에서 풀다[풀리다] **~·a·ble** *a.* **~·er** *n.*
un·reeve [ʌnríːv] *v.* (**~d, -rove** [-róuv]) *vt.* 『항해』 〈밧줄을〉 도르래에서 빼내다
— *vi.* 빠지다; 빼내다
UNREF United Nations Refugee Emergency Fund 유엔 난민 긴급 기금
un·re·fined [ʌ̀nrifáind] *a.* **1** 정제되지 않은 **2** 세련되지 못한; 천한, 야비한
un·re·flect·ed [ʌ̀nrifléktid] *a.* **1** 사려(思慮) 부족의; 반성하지 않는 **2** 〈빛·열 등이〉 반사되지 않는: the ~ heat of the sun 일광의 직사열
un·re·flect·ing [ʌ̀nrifléktiŋ] *a.* **1** 빛을 반사하지 않는 **2** 반성하지 않는, 분별[지각] 없는 (thoughtless) **~·ly** *ad.* **~·ness** *n.*
un·re·flec·tive [ʌ̀nrifléktiv] *a.* 〈행동 등이〉 생각이 모자라는, 무분별한, 경솔한 **~·ly** *ad.*
un·re·formed [ʌ̀nrifɔ́ːrmd] *a.* 개혁[개정]되지 않은, 교정되지 않은
un·re·gard·ed [ʌ̀nrigáːrdid] *a.* 주의[주목, 고려]되지 않은, 무시당한, 등한시된
un·re·gen·er·ate [ʌ̀nridʒénərət, -rèit] *a., n.* **1** (정신적·종교적으로) 거듭 나지 않은 (사람), 갱생[회개]하지 않은 (사람); 신을 믿지 않는 (사람): an ~ sinner 회개하지 않는 죄인 **2** 구체제를[사상을] 고수하는 (사람); 완고한 (사람) **~·ly** *ad.*
un·re·gen·er·at·ed [ʌ̀nridʒénərèitid] *a.* = UNREGENERATE
un·reg·is·tered [ʌnrédʒistərd] *a.* 등록[기록]되지 않은; 등기 우편이 아닌; 〈가축 등이〉 혈통 증명이 없는
un·reg·u·lat·ed [ʌnrégjulèitid] *a.* 규제[제한, 조정]되지 않은
un·re·hearsed [ʌ̀nrihə́ːrst] *a.* 리허설[연습]을 하지 않은
un·rein [ʌnréin] *vt.* 고삐를 늦추다; …을 풀어주다
un·re·lat·ed [ʌ̀nriléitid] *a.* 관계가 없는; 혈연이 아닌; 언급되지 않은 **~·ness** *n.*
un·re·laxed [ʌ̀nrilǽkst] *a.* 늦춰지지 않은, 긴장한
un·re·lent·ing [ʌ̀nriléntiŋ] *a.* 가차[용서] 없는, 엄한; 무자비[잔인]한; 〈힘·속도 등이〉 꾸준한 **~·ly** *ad.*
un·re·li·a·bil·i·ty [ʌ̀nrilàiəbíləti] *n.* Ⓤ 신뢰[의지]할 수 없음, 믿을 수 없음
***un·re·li·a·ble** [ʌ̀nriláiəbl] *a.* 신뢰[의지]할 수 없는, 믿을 수 없는(untrustworthy)
— *n.* 신뢰[의지]할 수 없는 사람[것]
~·ness *n.* **-bly** *ad.*
un·re·lieved [ʌ̀nrilíːvd] *a.* **1** 누그러지지 않은; 구제받지 못한 **2** 변화[명암] 없는, 평면적인, 단조로운
un·re·li·gious [ʌ̀nrilídʒəs] *a.* 종교와 관계가 없는, 비종교적인; 《문어》 신앙심이 없는 **~·ly** *ad.*
un·re·mark·a·ble [ʌ̀nrimáːrkəbl] *a.* 남의 주의[흥미]를 끌지 않는, 평범한
un·re·marked [ʌ̀nrimáːrkt] *a.* 주목되지 않는
un·re·mem·bered [ʌ̀nrimémbərd] *a.* 기억되지 않은, 잊혀진(forgotten)
un·re·mit·ted [ʌ̀nrimítid] *a.* **1** 〈죄·부채 등이〉 사면[경감]되지 않은 **2** 부단한, 꾸준한(constant)

---

geous, extravagant, expensive
unreliable *a.* undependable, untrustworthy, suspect, questionable, doubtful, unconvincing
unrest *n.* discontent, unease, disquiet, dissension, discord, strife, rebellion, agitation, turmoil, turbulence (opp. *peace, calm*)

un·re·mit·ting [ʌ̀nrimítiŋ] *a.* 끊임없는; 끈기 있는, 꾸준히 노력하는: ~ efforts 부단한 노력 **~·ly** *ad.*
un·re·moved [ʌ̀nrimúːvd] *a.* 제거되지 않은
un·re·mu·ner·a·tive [ʌ̀nrimjúːnərèitiv | -nərə-] *a.* 보상[보수, 이익]이 없는, 벌이가 되지 않는, 수지 안 맞는 **~·ness** *n.*
un·re·pair [ʌ̀nripέər] *n.* Ⓤ 파손[미수리] 상태, 황폐
un·re·peat·a·ble [ʌ̀nripíːtəbl] *a.* **1** 되풀이[반복]할 수 없는 **2** 너무 충격적인[불쾌한]; 인용할 가치도 없는(unquotable)
un·re·pealed [ʌ̀nripíːld] *a.* 폐지되지 않은, 여전히 유효한
un·re·pent·ant [ʌ̀nripéntənt] *a.* 뉘우치지 않는; 완고한, 고집 센 **~·ly** *ad.*
un·re·pin·ing [ʌ̀nripáiniŋ] *a.* 불평을 하지 않는
un·re·plen·ished [ʌ̀nripléniʃt] *a.* 보충[보급]되지 않은
un·re·port·ed [ʌ̀nripɔ́ːrtid] *a.* 보고되지 않은
un·rep·re·sent·a·tive [ʌ̀nreprizéntətiv] *a.* 대표하지 않는; 비전형적인 《*of*》 **~·ness** *n.*
un·rep·re·sent·ed [ʌ̀nreprizéntid] *a.* 대표 예시(例示) 되지 않은
un·re·pressed [ʌ̀nriprést] *a.* 억압[억제]되지 않은
un·re·prieved [ʌ̀nripríːvd] *a.* 집행이 유예되지 않은
un·re·proved [ʌ̀nriprúːvd] *a.* 비난을 받지 않은, 책망받지 않은, 나무랄 데 없는
un·re·quest·ed [ʌ̀nrikwéstid] *a.* 요구되지 않은, 요청받지 않은
un·re·quit·ed [ʌ̀nrikwáitid] *a.* **1** 보답 없는; 응보[보복]를 당하지 않는: ~ love 짝사랑 **2** 보수를 받지 않는: ~ labor 무보수 노동 / ~ service 무료 봉사
unrequíted éxports (차입금 변제 등을 위한) 무상 수출품
un·re·serve [ʌ̀nrizə́ːrv] *n.* Ⓤ 스스럼[기탄] 없음, 솔직(frankness)
un·re·served [ʌ̀nrizə́ːrvd] *a.* **1** 스스럼없는, 기탄없는, 솔직한 **2** 삼가지 않는, 거리낌 없는 **3** 제한 없는, 무조건의, 전적인; 보류되지 않은 **4** 예약하지 않은 **-serv·ed·ly** [-zə́ːrvidli] *ad.* 기탄 없이, 솔직히; 제한 없이 **-sérv·ed·ness** *n.*
un·re·sist·ed [ʌ̀nrizístid] *a.* 저항[방해]받지 않은
un·re·solved [ʌ̀nrizálvd | -zɔ́lvd] *a.* 결심이 서지 않은, 결단을 못 내린; 미해결[미정]의; 〈소리가〉 불협화의: an ~ problem 미해결 문제
un·re·spon·sive [ʌ̀nrispánsiv | -spɔ́n-] *a.* 반응이 늦은, 둔감한; 동정심이 없는 **~·ness** *n.*
***un·rest** [ʌnrést] *n.* Ⓤ **1** (사회적인) 불안, 불온 (상태): political[labor] ~ 정치[노동] 불안 **2** (마음의) 불안, 근심
un·rest·ful [ʌnréstfəl] *a.* 불안한, 불안케 하는 **~·ly** *ad.* **~·ness** *n.*
un·rest·ing [ʌnréstiŋ] *a.* 침착하지 않은, 동요하고 있는 **~·ly** *ad.*
un·re·strained [ʌ̀nristréind] *a.* 억제되지 않은; 제어되지 않은; 거리낌 없는; 삼가지 않는 **-strain·ed·ly** [-stréinidli] *ad.*
un·re·straint [ʌ̀nristréint] *n.* Ⓤ 무제한; 구속 없음, 자제하지 않음, 방종
un·re·strict·ed [ʌ̀nristríktid] *a.* 제한[구속]이 없는, 자유로운: an ~ expressway 속도 제한이 없는 고속도로 **~·ly** *ad.*
un·re·ten·tive [ʌ̀nriténtiv] *a.* 보존력[기억력]이 없는 **~·ness** *n.*
un·re·tract·ed [ʌ̀nritrǽktid] *a.* 수축되지 않은; 취소[철회]되지 않은
un·re·versed [ʌ̀nrivə́ːrst] *a.* 〈결정 등이〉 뒤집히지 않은, 거꾸로 되지 않은; 취소되지 않은
un·re·voked [ʌ̀nrivóukt] *a.* 취소[폐지, 철회]되지 않은, 아직 효력을 잃지 않은
un·re·ward·ed [ʌ̀nriwɔ́ːrdid] *a.* 보수[보답]없는, 무보수의

un·re·ward·ing [ʌ̀nriwɔ́:rdiŋ] *a.* 보람[보답]이 없는
un·rhyth·mi·cal [ʌ̀nríðmikəl] *a.* 율동적이 아닌, 리드미컬하지 않은 **~·ly** *ad.*
un·rid·dle [ʌ̀nrídl] *vt.* …의 수수께끼를 풀다; 알아내다, 해명하다 **ùn·ríd·dler** *n.*
un·rig [ʌ̀nríg] *vt.* (**~ged**; **~·ging**) 〖항해〗 〈배에서〉 삭구(索具)를 벗기다, …의 장비를 해제하다; 《영·방언》 …에게 옷을 벗게 하다, 발가벗기다(undress)
un·right·eous [ʌ̀nráitʃəs] *a.* **1** 옳지 않은, 죄 많은 **2** 공정하지 않은(unjust), 부당한, 그릇된 **~·ly** *ad.* **~·ness** *n.* Ⓤ 부정, 불의; 사악
un·rip [ʌ̀nríp] *vt.* (**~ped**; **~·ping**) **1** 갈라놓다, 절개하다, 〈솔기를〉 뜯다 **2** 《고어》 알리다, 폭로하다
un·ripe [ʌ̀nráip] *a.* 미숙한, 익지 않은(immature); 시기상조의(premature) **~·ly** *ad.* **~·ness** *n.*
un·ri·valed | -valled [ʌ̀nráivəld] *a.* 경쟁자[상대]가 없는, 무적의, 무쌍의, 비할 데 없는
un·robe [ʌ̀nróub] *vt.* …의 의복[관복(官服)]을 벗기다(disrobe, undress) — *vi.* 의복을 벗다
***un·roll** [ʌ̀nróul] *vt.* 〈말아 둔 것을〉 **풀다,** 펴다, 펼치다; 진개시키다; 나타내다, 표시하다, 밝히다 — *vi.* 〈말린 것이〉 **펴지다,** 풀리다, 전개하다
un·ro·man·tic [ʌ̀nroumǽntik] *a.* 공상적이 아닌; 로맨틱하지 않은 **-ti·cal·ly** *ad.*
un·roof [ʌ̀nrú:f] *vt.* …의 지붕을 벗기다
un·root [ʌ̀nrú:t] *vt.* 《미》 …의 뿌리를 뽑다, 뿌리째 뽑다, 근절하다(uproot) — *vi.* 뿌리가 빠지다, 절멸하다
un·round [ʌ̀nráund] *vt.* 〖음성〗 〈원순 모음을〉 입술을 둥글게 하지 않고 발음하다
un·round·ed [ʌ̀nráundid] *a.* 〖음성〗 〈모음이〉 비원순(非圓脣)의
UNRRA, U.N.R.R.A. [ʌ́nrə] [*U*nited *N*ations *R*elief and *R*ehabilitation *A*dministration] *n.* 국제 연합 구제 부흥 사업국
un·ruf·fled [ʌ̀nrʌ́fld] *a.* **1** 〈마음·수면이〉 파문이 일지 않은, 혼란되지 않은; 조용한, 평온한 **2** 〈옷 등이〉 주름 잡히지 않은 **~·ness** *n.*
un·ruled [ʌ̀nrú:ld] *a.* 지배당하지 않은; 괘선이 없는
un·ru·ly [ʌ̀nrú:li] *a.* (**-rul·i·er**; **-i·est**) 휘어잡을 수 없는, 제멋대로 하는(unlawful), 다루기 힘든; 〈머리털 등이〉 흐트러지기 쉬운 **ùn·rúl·i·ness** *n.*
UNRWA [ʌ́nrə] [*U*nited *N*ations *R*elief and *W*orks *A*gency] *n.* 국제 연합 난민 구제 사업국
un·sad·dle [ʌ̀nsǽdl] *vt.* 〈말의〉 안장을 벗기다; 〈사람을〉 말에서 떨어뜨리다 — *vi.* 말의 안장을 내리다
***un·safe** [ʌ̀nséif] *a.* **1 위험한,** 안전하지 못한 **2** 〖법〗 〈재판에서의 판결[평결]이〉 항고[상고]에 제한이 없는; 이의 신청[전복]될 가능성이 있는
~ ***period*** (임신할 확률이 높은) 위험한 시기
un·safe·ty [ʌ̀nséifti] *n.* 위험(한 상태)
un·said [ʌ̀nséd] *v.* UNSAY의 과거·과거분사 — *a.* 말하지 않은: Better leave it ~. 말하지 않고 두는 것이 좋다.
un·saint·ly [ʌ̀nséintli] *a.* 성자답지 않은
un·sal(e)·a·ble [ʌ̀nséiləbl] *a.* 팔 것이 아닌; (잘) 팔리지 않는, 시장성이 없는
un·sal·ted [ʌ̀nsɔ́:ltid] *a.* 소금(물)에 담그지 않은; 염기가 없는; 담수의
un·sanc·ti·fied [ʌ̀nsǽŋktəfàid] *a.* 성별(聖別)[신성화]되지 않은; 정당화되지 않은
un·san·i·tar·y [ʌ̀nsǽnətèri | -təri] *a.* 비위생적인, 보건상 나쁜; 건강에 좋지 않은: ~ living conditions 비위생적인 생활 조건
un·sa·tia·ble [ʌ̀nséiʃəbl] *a.* = INSATIABLE
un·sa·ti·at·ed [ʌ̀nséiʃièitid] *a.* 만족하지 못한, 포만하지 못한
***un·sat·is·fac·to·ry** [ʌ̀nsæ̀tisfǽktəri] *a.* **불만족스러운,** 마음에 차지 않는 **-ri·ly** *ad.* **-ri·ness** *n.*
un·sat·is·fied [ʌ̀nsǽtisfàid] *a.* 만족[충족]하지 않은
un·sat·is·fy·ing [ʌ̀nsǽtisfàiiŋ] *a.* 만족시키지 않는, 불만인, 성이 차지 않는; 불충분한 **~·ly** *ad.*
un·sat·u·rat·ed [ʌ̀nsǽtʃərèitid] *a.* 충분히 용해되지 않은; 〖화학〗 포화되지 않은, 불포화의
un·saved [ʌ̀nséivd] *a.* 구제할 수 없는
un·sa·vor·y | -vour·y [ʌ̀nséivəri] *a.* **1** 좋지 못한 냄새[맛]가 나는, 맛[냄새]이 고약한, 불쾌한, 싫은 **2** 불미스러운 《도덕적으로》: an ~ past 좋지 않은 과거
un·say [ʌ̀nséi] *vt.* (**-said** [-séd]) 《문어》 〈한 말을〉 취소하다, 철회하다
UNSC United Nations Security Council 국제 연합 안전 보장 이사회
un·scal·a·ble [ʌ̀nskéiləbl] *a.* 〈담 등을〉 기어 오를 수 없는
un·scale [ʌ̀nskéil] *vt.* …의 비늘[물때]을 벗기다
un·scaled [ʌ̀nskéild] *a.* 〈산 등이〉 미등반이, 처녀봉인
un·scanned [ʌ̀nskǽnd] *a.* 〈시행(詩行)이〉 운각(韻脚)으로 나누어지지 않은
un·scared [ʌ̀nskɛ́ərd] *a.* 무서움을 타지 않는, 겁내지 않는
un·scathed [ʌ̀nskéiðd] *a.* 상처 없는, 다치지 않은; 상처를 입지 않은 〈마음 등〉
un·sched·uled [ʌ̀nskédʒu:ld] *a.* 예정[계획]에 없는, 예정 밖의
un·schol·ar·ly [ʌ̀nskɑ́lərli | -skɔ́l-] *a.* 학문[학식]이 없는; 학자답지 않은 **-li·ness** *n.*
un·schooled [ʌ̀nskú:ld] *a.* **1** 학교 교육[훈련]을 받지 않은 **2** 교육[훈련]으로 얻은 것이 아닌, 타고난(natural): an ~ talent 타고난 재능
un·sci·en·tif·ic [ʌ̀nsaiəntífik] *a.* 비과학적인, 비학리적인; 학리를 응용하지 않은 **-i·cal·ly** *ad.*
un·scoured [ʌ̀nskáuərd] *a.* 문질러 닦이지 않은; 씻겨 흘러내리지 않은
un·scram·ble [ʌ̀nskrǽmbl] *vt.* 〈흩어진 것을〉 제대로 챙기다; 〈암호 등을〉 해독하다; 〈혼선된 송신을〉 알아듣게 조정하다
un·screened [ʌ̀nskrí:nd] *a.* 〈석탄 등이〉 체질하지 않은; 안전이 확인[조사]되지 않은; 영화화되지 않은
un·screw [ʌ̀nskrú:] *vt.* **1** …의 나사를 빼다, 나사를 늦추어서 떼다 **2** 〈병 등의〉 마개를 돌려서 빼다 — *vi.* 나사가 빠지다[늦추어지다]
un·script·ed [ʌ̀nskríptid] *a.* **1** 〈대사·연설 등이〉 대본[초고] 없는, 즉석의, 즉흥의 **2** 《구어》 계획에 없는, 예기치 않은
***un·scru·pu·lous** [ʌ̀nskrú:pjuləs] *a.* **사악한,** 예사로 나쁜 짓을 하는, 비도덕적인, 파렴치한, 절조 없는; 무엄한, 괘씸한 **~·ly** *ad.* **~·ness** *n.*
un·sculp·tured [ʌ̀nskʌ́lptʃərd] *a.* 조각되지 않은
un·seal [ʌ̀nsí:l] *vt.* 개봉하다, 〈봉인한 것을〉 열다; 나타내다(disclose), 〈생각 등을〉 털어놓다, 자유롭게 하다 **~·a·ble** *a.*
un·sealed [ʌ̀nsí:ld] *a.* **1** 날인[봉인]되지 않은; 밀폐[밀봉]되지 않은 **2** 확증[확인]되지 않은
un·seam [ʌ̀nsí:m] *vt.* …의 솔기를 풀다; 잡아찢다
un·search·a·ble [ʌ̀nsə́:rtʃəbl] *a.* 탐지[염탐]해 낼 수 없는; 헤아릴 수 없는; 신비한, 불가사의한(mysterious) **~·ness** *n.* **-bly** *ad.*
un·sea·son·a·ble [ʌ̀nsí:zənəbl] *a.* **1** 때[철] 아닌, 시절[계절]에 맞지 않는, 〈일기가〉 불순한 **2** 때를 얻지 못한, 시기가 나쁜(untimely); 〈장소가〉 적절하지 않은 **~·ness** *n.* **-bly** *ad.*
un·sea·son·al [ʌ̀nsí:znəl] *a.* 계절에 맞지 않는, 때 아닌; 시기가 나쁜
un·sea·soned [ʌ̀nsí:znd] *a.* **1** 간을 맞추지 않은, 양념하지 않은 **2** 〈목재 등이〉 마르지 않은, 〈술 등이〉 숙성하지 않은: ~ wood 생나무 **3** (기후·일에) 미숙한; 경험 없는, 익숙하지 못한: an ~ crew 미숙한 선원
un·seat [ʌ̀nsí:t] *vt.* **1** 말에서 떨어뜨리다 **2** …의 지위[직위]를 빼앗다, 퇴직시키다 **3** 〈의원의〉 의석을 빼앗

thesaurus **unsettled** *a.* changeable, variable, inconstant, uncertain; uneasy, anxious, shaken

다, 낙선시키다; (공직에서) 추방하다 **~·ed** [-id] *a.* 좌석(의 설비가) 없는; 의석이 없는; 낙마한; 직장이 없는
un·sea·wor·thy [ʌ̀nsíːwə̀ːrði] *a.* 〈배가〉 항해에 적합하지 않은, 내항력(耐航力) 없는 **-thi·ness** *n.*
un·sec·ond·ed [ʌ̀nsékəndid] *a.* 지원[지지]받지 못한; 시중드는 이 없는
un·se·cured [ʌ̀nsikjúərd] *a.* **1** 안전이 보장되지 않은; 무담보의 **2** 〈문 등이〉 확실히 잠겨 있지 않은 **3** 〈전화선·라디오·전파 등이〉 방해[차단]에 대비하지 않은
un·see·a·ble [ʌ̀nsíːəbl] *a.* 눈에 보이지 않는
un·seed·ed [ʌ̀nsíːdid] *a.* 씨앗이 뿌려지지 않은; 〈선수 등이〉 시드되어 있지 않은, 노시드의 《특히 경기의 토너먼트에서》
un·see·ing [ʌ̀nsíːiŋ] *a.* 보고 있지 않는, 《특히》 보려고 하지 않는; 맹목의(blind)
un·seem·ly [ʌ̀nsíːmli] *a.* 보기 흉한, 꼴사나운; 어울리지 않는, 부적당한 **—** *ad.* 보기 흉하게, 꼴사납게; 부적당하게 **-li·ness** *n.*
‡**un·seen** [ʌ̀nsíːn] *a.* **1 눈에 보이지 않는**(invisible) **2** 처음 보는; 〈과제·악보 등이〉 즉석의: an ~ translation 즉석 번역 (과제)
— *n.* [the ~] 보이지 않는 것; 영계(靈界); 《영》 즉석 번역 (과제)
un·seg·re·gat·ed [ʌ̀nségrigèitid] *a.* 차별 대우를 받지 않는; 인종 차별 없는 〈학교 등〉
un·self·con·scious [ʌ̀nselfkɑ́nʃəs | -kɔ́n-] *a.* 자기를 의식하지 않는, 우쭐대지 않는 **~·ly** *ad.* **~·ness** *n.*
***un·self·ish** [ʌ̀nsélfiʃ] *a.* **이기적이 아닌,** 헌신적인, 사리사욕이 없는, 이타적인 **~·ly** *ad.* **~·ness** *n.*
un·sell [ʌ̀nsél] *vt.* (**-sold** [-sóuld]) …의 가치[진실성]를 믿지 않도록 설득하다; 찬동하지 않도록 권하다 《*on*》
un·sen·ti·men·tal [ʌ̀nsentəméntl] *a.* 감정적이 아닌, 이성적으로 일을 처리하는 **~·ly** *ad.*
un·ser·vice·a·ble [ʌ̀nsə́ːrvisəbl] *a.* 쓸모없는, 실용이 되지 않는, 소용없는
un·set [ʌ̀nsét] *a.* **1** 〈시멘트가〉 굳지 않은 **2** 〈보석이〉 대에 박히지 않은 **3** 조판되지 않은
un·set·tle [ʌ̀nsétl] *vt.* **1** 〈고정·안정된 것을〉 뒤흔들다; 배탈이 나게 하다: Violence ~*d* the government. 폭동에 정부는 동요했다. **2** …의 마음을 동요시키다, 불안하게 하다; 침착성을 잃게 하다
— *vi.* 불안정해지다; 침착성을 잃다 **~·ment** *n.*
***un·set·tled** [ʌ̀nsétld] *a.* **1** 〈날씨 등이〉 **변하기 쉬운,** 일정치 않은; 〈상태·정신 등이〉 불안정한, 동요[혼란]한: ~ times 불안정한 시대 **2** 결정되지 않은; 미해결의; 청산[결제]되지 않은 **3** 거주지가 일정치 않은, 정착 주민이 없는: an ~ wilderness 사람이 살지 않는 황야 **~·ness** *n.*
un·set·tling [ʌ̀nsétliŋ] *a.* 동요시키는, 심란하게 하는 **~·ly** *ad.*
un·sew [ʌ̀nsóu] *vt.* (**~ed**; **-sewn** [-sóun], **~ed**) …의 실밥을 뽑다; 풀다
un·sex [ʌ̀nséks] *vt.* 〈남녀의〉 성의 특질을 없애다, 《특히》 여자다움을 없애다, 남성화하다, 성적 불능을 만들다, 거세하다(castrate)
un·sexed [ʌ̀nsékst] *a.* 성적 불능이 된; 성적 특질이 없는
un·shack·le [ʌ̀nʃǽkl] *vt.* 쇠고랑[속박]을 풀어주다; 자유의 몸이 되게 하다
un·shad·ed [ʌ̀nʃéidid] *a.* 〈전등 등이〉 차양[덮개]이 없는; 그늘이 없는; 〈그림이〉 명암의 변화가 없는
un·shad·owed [ʌ̀nʃǽdoud] *a.* 그늘지지 않은, 어두운 빛이 없는: an ~ future 그늘지지 않은 장래
un·shak(e)·a·ble [ʌ̀nʃéikəbl] *a.* 흔들리지 않는, 확고부동한 **-bly** *ad.*
un·shak·en [ʌ̀nʃéikən] *a.* 흔들리지 않는, 부동의; 동요하지 않는, 확고한 〈마음 등〉

unskilled *a.* untrained, unqualified, inexpert, inexperienced, amateurish, unprofessional

un·shamed [ʌnʃéimd] *a.* 치욕을 당하지 않은; 염치없는
un·shaped [ʌ̀nʃéipt] *a.* 형태가 이루어지지 않은, 완성되지 않은; 기형의
un·shape·ly [ʌ̀nʃéipli] *a.* 몰골스러운; 덜된, 못생긴, 보기 흉한(misshapen) **-li·ness** *n.*
un·shap·en [ʌ̀nʃéipən] *a.* = UNSHAPED
un·shaved [ʌ̀nʃéivd] *a.* 면도하지 않은
un·shav·en [ʌ̀nʃéivn] *a.* = UNSHAVED
un·sheathe [ʌ̀nʃíːð] *vt.* 〈칼 등을〉 칼집에서 뽑다, 빼내다; 선전 포고를 하다, 개전(開戰)하다: ~ the sword 칼을 빼다, 선전 포고하다
un·shell [ʌ̀nʃél] *vt.* …의 껍데기를 벗기다: ~ one's secret thoughts …의 마음 속 생각을 밝히다 / ~ nuts 나무 열매의 껍질을 벗기다
un·shel·tered [ʌ̀nʃéltərd] *a.* 덮여 있지 않은, 노출된; 보호되지 않은
un·ship [ʌ̀nʃíp] *v.* (**~ped**; **~·ping**) *vt.* **1** 〈뱃짐 등을〉 풀다, 양륙하다; 〈승객을〉 하선시키다 **2** 〖항해〗 〈키·노 등을〉 떼어내다 **3** 《구어》 떼어버리다, 제거하다
— *vi.* 짐을 부리다; 배에서 내려오다; 떼어지다
un·shirt·ed [ʌ̀nʃə́ːrtid] *a.* 《미》 [보통 ~ hell의 형태로] 꾸밈없는, 노골적인: give a person ~ *hell* …을 야단치다 / raise ~ *hell* 극도로 화내다, 큰 소란을 피우다
un·shod [ʌ̀nʃɑ́d | -ʃɔ́d] *a.* 구두를 신지 않은, 맨발의; 〈말이〉 편자가 박히지 않은; 〈차가〉 타이어가 없는
un·shorn [ʌ̀nʃɔ́ːrn] *a.* **1** 〈머리 등이〉 가위로 다듬지 않은 **2** 〈논밭이〉 거둬들이지 않은 **3** 감소되지 않은
un·shrink·a·ble [ʌ̀nʃríŋkəbl] *a.* 줄지 않는, 축소되지 않는
un·shrink·ing [ʌ̀nʃríŋkiŋ] *a.* 줄지 않는, 위축하지 않는; 단호한, 당당한 **~·ly** *ad.*
un·shut [ʌ̀nʃʌ́t] *vt.* 열다
— *a.* 닫히지 않은, 열려 있는
un·sick·er [ʌ̀nsíkər] *a.* 《스코》 안전하지 않은; 신용할 수 없는 **-ered** *a.* **~·ly** *ad.* **~·ness** *n.*
un·sift·ed [ʌ̀nsíftid] *a.* 체질[여과]하지 않은; 철저히 조사하지 않은; 미경험의
un·sight [ʌ̀nsáit] *a.* 보지 않은, 조사하지 않은
★ 다음 성구로, **~, *unseen*** 현물을 보지[조사하지]도 않고: He bought a car ~, *unseen.* 그는 자동차를 보지[조사해 보지]도 않고 샀다.
— *vt.* …의 눈을 보이지 않게 하다
un·sight·ed [ʌ̀nsáitid] *a.* 보이지 않는; 〈총포가〉 가늠쇠가 없는, 가늠쇠를 쓰지 않고 겨눈; 〖야구〗 〈심판이〉 보이지 않는 위치에 있는
un·sight·ly [ʌ̀nsáitli] *a.* (**-li·er**; **-li·est**) 보기 흉한, 볼품없는, 추한, 꼴사나운 **-li·ness** *n.*
un·signed [ʌ̀nsáind] *a.* 서명이 없는
un·sink·a·ble [ʌ̀nsíŋkəbl] *a.* 가라앉지 않는
un·sis·ter·ly [ʌ̀nsístərli] *a.* 자매답지 않은, 자매다운 점이 없는
un·sized[1] [ʌ̀nsáizd] *a.* 규격에 맞지 않는; 치수대로 분류되어 있지 않은
unsized[2] *a.* 도사(陶砂)(size)를 바르지 않은; 풀을 먹이지 않은
***un·skilled** [ʌ̀nskíld] *a.* **1 숙달하지 않은,** 미숙한 (cf. SKILLED) **2** 〈일 등이〉 숙련을 필요로 하지 않는
unskílled lábor 비숙련 노동(자)
un·skill·ful | **-skil-** [ʌ̀nskílfəl] *a.* 서투른, 졸렬한; 솜씨 없는, 맵시 없는(clumsy): an ~ mountaineer 미숙한 등산가 **~·ly** *ad.* **~·ness** *n.*
un·slaked [ʌ̀nsléikt] *a.* 〈갈증·화가〉 풀리지 않은; 〈석회가〉 소화(消和)되지 않은: ~ lime 생석회
un·sleep·ing [ʌ̀nslíːpiŋ] *a.* 잠자지 않는, 밤샘하는; 쉬지 않는
un·sling [ʌ̀nslíŋ] *vt.* 매단 곳에서 풀다; 〖항해〗 〈활대·짐 등을〉 매단 밧줄에서 풀다, …의 매단 밧줄을 풀다
un·smil·ing [ʌ̀nsmáiliŋ] *a.* 웃지 않는, 웃음기(氣)도 띄지 않는 **~·ly** *ad.*

un·smoked [ʌnsmóukt] *a.* 훈제가 아닌, 불에 그을리지 않은; 〈담배 등이〉 피우지 않은
un·snap [ʌnsnǽp] *vt.* (**~ped**; **~·ping**) …의 스냅을 끌러 벗다; 끄르다, 열다
un·snarl [ʌnsnɑ́:rl] *vt.* 〈얽힌 것을〉 풀다
un·so·cia·ble [ʌnsóuʃəbl] *a.* **1** 사교를 싫어하는, 비사교적인, 붙임성이 없는, 무뚝뚝한; 내성적인(withdrawn): an ~ person[nature] 비사교적인 사람[성질] **2** 《영》 =UNSOCIAL 3
~·ness *n.* **ùn·so·cia·bíl·i·ty** *n.* **-bly** *ad.*
un·so·cial [ʌnsóuʃəl] *a.* **1** 반사회적인 **2** =UNSOCIABLE **3** 《영》 〈시간이〉 사교 생활과 맞지 않는 **~·ly** *ad.*
unsócial hóurs 《영》 (사교에 지장이 있는) 정상 근무 시간 외의 노동 시간: work ~ 시간외 근무를 하다
un·soiled [ʌnsɔ́ild] *a.* 더럽혀지지 않은, 청결한
un·sold [ʌnsóuld] *a.* 팔리지 않은, 팔다 남은
un·sol·der [ʌnsɑ́ldər | -sɔ́l-] *vt.* …의 납땜을 떼어내다, 〈납땜한 것을〉 떼다; 분리시키다: ~ ties of friendship 우정의 끈을 끊다
un·so·lic·it·ed [ʌnsəlísitid] *a.* 탄원[청원]받지 않은, 요구받지 않은; 구혼받지 않은; 불필요한
un·solved [ʌnsɑ́lvd | -sɔ́lvd] *a.* 해결되지 않은, 미해결의
un·so·phis·ti·cat·ed [ʌnsəfístəkèitid] *a.* **1** 순박한, 단순[소박]한, 천진난만한, 순진한(innocent) **2** 복잡[정교]하지 않은: a relatively ~ mechanism 비교적 복잡하지 않은 기계 장치 **3** 섞인 것 없는, 순수한; 진짜의 **~·ly** *ad.* **~·ness** *n.*
un·sort·ed [ʌnsɔ́:rtid] *a.* 선별[분류]되지 않은
un·sought [ʌnsɔ́:t] *a.* 찾지 않는, 구하지 않는, 원치 않는, 청하지 않은
un·sound [ʌnsáund] *a.* **1** 건전하지 못한, 건강하지 않은 **2** 상한, 썩은 〈과실 등〉 **3** 근거가 박약한, 불합리한 〈학설 등〉 **4** 〈사람이〉 (도덕적으로) 부패[타락]한 (corrupt) **5** 견고하지 못한, 흔들흔들하는; 신용할 수 없는: an ~ old chair 흔들흔들 하는 오래된 의자 **6** 얕은 〈잠〉 ***of ~ mind*** 정신 이상이 있는, 〖법〗 정신 이상의 **~·ly** *ad.* **~·ness** *n.*
un·spar·ing [ʌnspɛ́əriŋ] *a.* **1** 인색하지 않은, 후한, 통이 큰 《*of, in*》 **2** 가차 없는, 엄한(severe)
give with ~ hand 아낌없이 주다
~·ly *ad.* 아낌없이, 후하게; 가차 없이 **~·ness** *n.*
un·speak [ʌnspí:k] *vt.* =UNSAY
***un·speak·a·ble** [ʌnspí:kəbl] *a.* **1** 형언하기 어려운, 이루 말할 수 없는 〈기쁨·손해 등〉: ~ grief 말할 수 없는 슬픔 **2** 말로 할 수 없는; 발음할 수 없는 **3** 입에 담기도 싫은, 말도 안되는
~·ness *n.* **-bly** *ad.* 말할 수 없을 정도로, 극도로
un·spec·i·fied [ʌnspésəfàid] *a.* 특별히 지시하지 않은, 특기[명기]하지 않은, 열거하지 않은
un·spec·tac·u·lar [ʌnspektǽkjulər] *a.* 돋보이지 않는, 현란하지 않은, 진부한, 평범한 **~·ly** *ad.*
un·spell [ʌnspél] *vt.* (**~ed, -spelt** [-spélt]) …의 주문[요술]을 풀다
un·spent [ʌnspént] *a.* 소비되지 않은; 소모되지 않은
un·sphere [ʌnsfíər] *vt.* 《시어》 〈행성 등을〉 궤도에서 벗어나게 하다; 범위에서 제외하다
un·spilled [ʌnspíld], **-spilt** [-spílt] *a.* 엎지르지 않은, 흘리지 않은
un·spir·i·tu·al [ʌnspíritʃuəl] *a.* 정신적이 아닌, 현세적인, 물질적인
un·spoiled [ʌnspɔ́ild], **-spoilt** [-spɔ́ilt] *a.* 해를 입지 않은, 약탈당하지 않은
un·spoke [ʌnspóuk] *v.* UNSPEAK의 과거
un·spo·ken [ʌnspóukən] *a.* 입 밖에 내지 않은, 무언의; 이심전심(以心傳心)의; 말을 거는[상대해 주는] 사람이 없는 《*to*》; 과묵한
un·sport·ing [ʌnspɔ́:rtiŋ] *a.* =UNSPORTSMANLIKE **~·ly** *ad.*
un·sports·man·like [ʌnspɔ́:rtsmənlàik] *a.* 운동 정신에 어긋나는, 스포츠맨답지 않은; 불공정한, 염치없는
un·spot·ted [ʌnspɑ́tid | -spɔ́t-] *a.* 얼룩이 없는; 더러움[오점] 없는, 죄악에 물들지 않은, 결백한; 흠 없는
un·sprung [ʌnsprʌ́ŋ] *a.* 스프링이 달리지 않은; 탄력이 없는
***un·sta·ble** [ʌnstéibl] *a.* **1** 〈기후·상황 등이〉 불안정한; 움직이기 쉬운, 변하기 쉬운: the tower ~ in the wind 바람이 불면 흔들흔들 하는 탑 **2** 마음이 변하기 쉬운, 침착하지 못한; 〈마음이〉 동요하는(shaky) **3** 〖화학·물리〗 〈화합물이〉 분해하기 쉬운; 원자가 불안정한: ~ element 〖물리〗 불안정 원소
~·ness *n.* **-bly** *ad.*
unstáble equilíbrium 〖물리〗 불안정의 균형
un·stained [ʌnstéind] *a.* **1** 〈성격·명성 등이〉 흠 없는 **2** 오점 없는, 깨끗한
un·stamped [ʌnstǽmpt] *a.* 도장[소인]이 찍히지 않은; 우표[인지]가 붙지 않은
un·stand·ard·ized [ʌnstǽndərdàizd] *a.* 표준에 맞추지 않은
un·stat·ed [ʌnstéitid] *a.* 진술되지 않은, 설명[발표]되지 않은
un·states·man·like [ʌnstéitsmənlàik] *a.* 정치가답지 않은
un·stead·fast [ʌnstédfæst | -fəst] *a.* 확고하지 못한, 흔들리고 있는
***un·stead·y** [ʌnstédi] *a.* (**-stead·i·er**; **-i·est**) **1** 불안정한, 근들근들[비틀비틀]하는: be ~ on one's feet 발이 뒤뚱거리다 **2** 불규칙한, 일정하지 않은: ~ development 불균형한 발전 **3** 변하기 쉬운, 동요하는, 확고하지 못한: be ~ of purpose 목적이 확고하지 못하다 **4** 행실[몸가짐]이 단정치 못한
— *vt.* (**-stead·ied**) 불안정하게 하다, 흔들거리게 하다 **ùn·stéad·i·ly** *ad.* **ùn·stéad·i·ness** *n.*
un·steel [ʌnstí:l] *vt.* …의 무장을 풀다; 〈마음을〉 누그러뜨리다(soften)
un·step [ʌnstép] *vt.* (**~ped**; **~·ping**) 〖항해〗 〈돛대를〉 대좌(臺座)(step)에서 떼어내다
un·stick [ʌnstík] *v.* (**-stuck** [-stʌ́k]) *vt.* **1** 〈비행기를〉 이륙시키다 **2** 〈붙어 있는 것을〉 잡아떼다 **—** *vi.* **1** 〈비행기가〉 이륙하다 **2** 붙지 않게 되다
un·stint·ed [ʌnstíntid] *a.* 제한되지 않은; 인색하지 않은, 아낌없는 **~·ly** *ad.*
un·stint·ing [ʌnstíntiŋ] *a.* 무제한으로 주어진, 무조건의 **~·ly** *ad.*
un·stitch [ʌnstítʃ] *vt.* 〈기워 붙인 것을〉 따내다, 〈옷 등의〉 솔기를 풀다
un·stop [ʌnstɑ́p | -stɔ́p] *vt.* (**~ped**; **~·ping**) …의 마개를 뽑다[따다]; …에서 장애물을 제거하다; 〈풍금의〉 음전(音栓)을 풀다
un·stop·pa·ble [ʌnstɑ́pəbl | -stɔ́p-] *a.* 막을 수 없는, 방지할 수 없는 **-bly** *ad.*
un·sto·ried [ʌnstɔ́:rid] *a.* 역사에 없는; 역사에 기록되지 않은
unstpd. unstamped
un·strained [ʌnstréind] *a.* **1** 〈기름 등을〉 거르지 않은, 걸러서 제거하지 않은 **2** 켕기지 않은, 긴장되지 않은; 무리하지 않은, 자연스러운: an easy, ~ manner 느긋하고 자연스러운 태도
un·strap [ʌnstrǽp] *vt.* (**~ped**; **~·ping**) …의 가죽 끈을 벗기다[풀다]: ~ a trunk 트렁크의 가죽 끈을 끄르다
un·strat·i·fied [ʌnstrǽtəfàid] *a.* 층을 이루지 않은, 무성층(無成層)의: an ~ society 계급이 없는 사회
un·stressed [ʌnstrést] *a.* **1** 강조하지 않은 **2** 〖음성〗 강세[악센트]가 없는(unaccented)
un·strik·a·ble [ʌnstráikəbl] *a.* 파업을 못하게 된, 파업이 금지된, 파업권 행사의 대상에서 제외된 〈업소 등〉

thesaurus **unstable** *a.* changeable, variable, unsettled, fluctuating, inconstant; unsteady, infirm, shaky, wobble, unsafe, insecure
unsuccessful *a.* **1** (사람이) 실패한 failed, losing,

un·string [ʌ̀nstríŋ] *vt.* (**-strung** [-strʌ́ŋ]) **1** 〈현악기·활 등의〉 현을 풀다[늦추다] **2** 〈꿰인 구슬 등을〉 실에서 뽑다 **3** 긴장을 풀다, 느슨하게 하다(loose) **4** 〈신경을〉 약하게 하다, 혼란시키다(⇨ unstrung)

un·struc·tured [ʌ̀nstrʌ́ktʃərd] *a.* 일정한 사회 체계[조직]가 없는: an ~ school environment 체계적으로 정비되지 않은 학교 환경

un·strung [ʌ̀nstrʌ́ŋ] *v.* UNSTRING의 과거·과거 분사 — *a.* 〈현악기·활 등이〉 줄이 느슨해진; 〈신경이〉 약해진; 침착성을 잃은 《*by, at*》: His nerves were ~ *by* the news. 그 소식으로 그는 마음이 산란했다.

un·stuck [ʌ̀nstʌ́k] *v.* UNSTICK의 과거·과거분사 — *a.* 떨어진, 벗겨진, 느슨해진; 혼란된, 지리멸렬한 ***come*** ~ 떨어지다; 《구어》 〈사람·계획 등이〉 실패하다, 망쳐지다

un·stud·ied [ʌ̀nstʌ́did] *a.* **1** 자연히 터득한, 저절로 알게 된 **2** 일부러 꾸민 것 같지 않은, 자연스러운, 편한, 무리 없는: with ~ ease 무리 없이 쉽게 쉽게 **3** 배우지 않은, 알지 못하는 《*in*》

un·stuffed [ʌ̀nstʌ́ft] *a.* 속을 채우지 않은, 속이 차지 않은

un·sub·dued [ʌ̀nsəbdjú:d | -djú:d] *a.* 진압[정복]되지 않은; 억제되지 않은

un·sub·scribe [ʌ̀nsəbskráib] *vi., vt.* 〖컴퓨터〗 (…의) 등록[구독 신청]을 취소하다, (메일링 리스트에서) 탈퇴하다

un·sub·stan·tial [ʌ̀nsəbstǽnʃəl] *a.* **1** 실체[실질]가 없는, 허울뿐인, 모양[이름]만의; 견고하지 않은, 약한 《건물 따위》 **2** 〈식사가〉 내용이 빈약한: an ~ dinner of bread and cheese 요기도 안되는 빵과 치즈로 된 저녁 식사 **3** 비현실적인(unreal), 공상적인, 꿈 같은 〈희망〉 **-stàn·ti·ál·i·ty** *n.* **~·ly** *ad.*

un·sub·stan·ti·at·ed [ʌ̀nsəbstǽnʃièitid] *a.* 입증되지 않은, 확증 없는; 실체가 없는

un·suc·cess [ʌ̀nsəksés] *n.* ⓊⒸ 실패(failure)

***un·suc·cess·ful** [ʌ̀nsəksésfəl] *a.* 성공하지 못한; 실패한; 잘 안된, 불운한: an ~ candidate 낙선한 후보자 **~·ly** *ad.* **~·ness** *n.*

un·suit [ʌ́nsù:t | -sjù:t] *n.* 일광욕용 원피스

un·suit·a·bil·ity [ʌ̀nsù:təbíləti | -sjù:t-] *n.* Ⓤ 부적당, 부적임

***un·suit·a·ble** [ʌ̀nsú:təbl | -sjú:t-] *a.* 부적당한, 적당[적합]하지 않은, 적임이 아닌, 어울리지 않는 《*for*》: an ~ dress *for* a funeral 장례식에 맞지 않는 옷 **~·ness** *n.* **-bly** *ad.*

un·suit·ed [ʌ̀nsú:tid | -sjú:t-] *a.* 알맞지 않은, 부적당한 《*for, to*》; 어울리지 않는

un·sul·lied [ʌ̀nsʌ́lid] *a.* 더럽혀지지 않은; 오점 없는

un·sung [ʌ̀nsʌ́ŋ] *a.* 노래로 불리우지 않은; 노래로 찬양되지 않은, 이름 없는

un·sunned [ʌ̀nsʌ́nd] *a.* **1** 햇볕에 쬐지 않은 **2** 일반에 공개되지 않은

un·sup·port·a·ble [ʌ̀nsəpɔ́:rtəbl] *a.* 지지[지탱]할 수 없는; 견딜 수 없는

un·sup·port·ed [ʌ̀nsəpɔ́:rtid] *a.* 지탱되지 않은, 유지되지 않은; 지지받지 못한 **~·ly** *ad.*

un·sure [ʌ̀nʃúər] *a.* **1** 자신[확신]이 없는 **2** 불안정한, 불확실한 **3** 믿을 수 없는 **~·ly** *ad.* **~·ness** *n.*

un·sur·mount·a·ble [ʌ̀nsərmáuntəbl] *a.* = INSURMOUNTABLE

un·sur·pass·a·ble [ʌ̀nsərpǽsəbl | -pá:s-] *a.* 능가할 수 없는, 최고의 **-bly** *ad.*

un·sur·passed [ʌ̀nsərpǽst | -pá:st] *a.* 이겨낼 사람 없는, 능가할 것이 없는, 매우 뛰어난, 비길 데 없는, 탁월한

un·sur·prised [ʌ̀nsərpráizd] *a.* [보통 Ⓟ] 놀라지 않은: He was totally ~ at the news. 그는 그 소식에 전혀 놀라지 않았다.

un·sur·pris·ing [ʌ̀nsərpráiziŋ] *a.* 놀랄 것이 못 되는, 뜻밖이 아닌 **~·ly** *ad.*

un·sus·cep·ti·ble [ʌ̀nsəséptəbl] *a.* 민감하지 못한, 불감성의, 둔감한; …에 물들지 않은 《*to*》

un·sus·pect·ed [ʌ̀nsəspéktid] *a.* 의심[혐의]받지 않은; 생각지도 않은, 뜻밖의: a person of ~ talents 뜻밖의 재능의 소유자 **~·ly** *ad.*

un·sus·pect·ing [ʌ̀nsəspéktiŋ] *a.* 의심하지 않는, 수상히 여기지 않는, 신용하는 **~·ly** *ad.*

un·sus·pi·cious [ʌ̀nsəspíʃəs] *a.* **1** 의심스럽지 않은, 수상하지 않은 **2** 의심하지 않는, 수상[이상]히 여기지 않는 **~·ly** *ad.* **~·ness** *n.*

un·sus·tain·a·ble [ʌ̀nsəstéinəbl] *a.* 떠받칠 수 없는; 지지[옹호, 지속]할 수 없는; 입증할 수 없는

un·sus·tained [ʌ̀nsəstéind] *a.* 지지[후원]를 받지 못한; 확증이 없는

un·swathe [ʌ̀nswɑ́ð | -swéið] *vt.* …에서 감은 천[붕대]을 벗기다

un·swayed [ʌ̀nswéid] *a.* 영향을 받지 않는, 지배[좌우]되지 않는

un·swear [ʌ̀nswɛ́ər] *vt., vi.* 〈맹세한 것을〉 취소하다, 철회하다

un·sweet·ened [ʌ̀nswí:tnd] *a.* 단맛을 들이지 않은, 달게 하지 않은; 감미롭게 되어 있지 않은 〈곡조 등〉

un·swept [ʌ̀nswépt] *a.* 털리지 않은, 쓸리지 않은; 일소되지 않은

un·swerv·ing [ʌ̀nswə́:rviŋ] *a.* **1** 빗나가지 않는, 어긋나가지 않는, (정도에서) 벗어나지 않는 **2** 굳은, 확고한, 변함없는, 부동의

un·syl·lab·ic [ʌ̀nsilǽbik] *a.* 〖음성〗 = NONSYLLABIC

un·sym·met·ri·cal [ʌ̀nsimétrikəl] *a.* 대칭적이 아닌, 균형이 잡히지 않은 **~·ly** *ad.*

un·sym·pa·thet·ic [ʌ̀nsìmpəθétik] *a.* 동정심 없는; 무정한; 공명하지 않는; 성미가 맞지 않는 **-i·cal·ly** *ad.*

un·sym·pa·thiz·ing [ʌ̀nsímpəθàiziŋ] *a.* 동정하지 않는, 인정이 없는

un·sys·tem·at·ic [ʌ̀nsìstimǽtik] *a.* 조직적이 아닌, 비조직적인, 비계통적인 **-i·cal·ly** *ad.*

un·tack [ʌ̀ntǽk] *vt.* 〈압정으로 붙여진 것을〉 떼어내다; …의 압정을 떼어 분리시키다

un·taint·ed [ʌ̀ntéintid] *a.* 더럽혀지지 않은, 오점 없는, 흠 없는

un·tal·ent·ed [ʌ̀ntǽləntid] *a.* 재능이 없는, 무능한

un·tam·a·ble [ʌ̀ntéiməbl] *a.* 길들일 수 없는 **~·ness** *n.* **-bly** *ad.*

un·tamed [ʌ̀ntéimd] *a.* **1** 길들이지 않은, 야성의, 야생의(wild) **2** 억제[진정]할 수 없는, 억누를 수 없는

un·tan·gle [ʌ̀ntǽŋgl] *vt.* **1** 〈얽힌 것을〉 풀다[고르다] **2** 〈분규 등을〉 해결하다: a major administration snag to ~ 해결해야 할 커다란 행정상의 장애

un·tanned [ʌ̀ntǽnd] *a.* **1** 〈가죽이〉 무두질하지 않은 **2** 〈피부가〉 햇볕에 타지 않은

un·tapped [ʌ̀ntǽpt] *a.* **1** 〈통이〉 꼭지를 달지 않은 **2** 〈자원 등이〉 이용되지 않은(unused), 미개발의: ~ resources 미개발 자원

un·tar·nished [ʌ̀ntɑ́:rniʃt] *a.* 흐리지 않은; 더러움이 없는

un·tast·ed [ʌ̀ntéistid] *a.* 〈음식 등을〉 맛보지 않은; 아직 겪어보지 못한

un·taught [ʌ̀ntɔ́:t] *a.* **1** 배우지 않고 (자연히) 터득한 **2** 배우지 않은, 교육을 받지 않은, 무학의, 무지한

un·taxed [ʌ̀ntǽkst] *a.* 비과세의, 면세의

UNTC United Nations Trusteeship Council 국제 연합 신탁 통치 위원회

un·teach [ʌ̀ntí:tʃ] *vt.* (**-taught** [-tɔ́:t]) **1** 〈배운 것을〉 잊게 하다, 믿지 않게 하다 **2** (전의 것과) 반대되는 일을 가르치다; …의 잘못을 알게 하다

---

unlucky, unfortunate, ill-fated **2** (일이) 실패한 futile, fruitless, unproductive, frustrated

unsuitable *a.* inappropriate, inapt, unfitting, unacceptable, unbecoming, improper, unseemly

un·teach·a·ble [ʌntíːtʃəbl] *a.* 가르치기 어려운, 말을 잘 듣지 않는 **~·ness** *n.*
un·tech·ni·cal [ʌntéknikəl] *a.* 전문적[기술적]이 아닌; 전문적 기능[훈련]이 모자라는
un·tem·pered [ʌntémpərd] *a.* **1** 〈강철이〉 단련되지 않은 **2** 조절되지 않은, 누그러지지 않은
un·ten·a·ble [ʌnténəbl] *a.* **1** 〈이론·입장 등이〉 지지[주장]할 수 없는, 이치가 닿지 않는: an ~ theory 지지할 수 없는[성립하지 않는] 이론 **2** 《드물게》 〈아파트·가옥 등이〉 도저히 거주할 수 없는
~·ness *n.*, **-bil·i·ty** *n.*, **-bly** *ad.*
un·ten·ant·a·ble [ʌnténəntəbl] *a.* 〈토지·가옥이〉 임대[임차]에 부적당한; 살 수 없는
un·ten·ant·ed [ʌnténəntid] *a.* 〈토지·가옥이〉 임대[임차]되지 않은; 비어 있는
un·tend·ed [ʌnténdid] *a.* 돌봄[간호]을 받지 않는, 거들떠 보지도 않는(neglected)
un·tent·ed [ʌnténtid] *a.* **1** 탐사되지 않은 **2** 〈상처가〉 치료를 받고 있지 않은; 불치의
Un·ter·mensch [úntərmènʃ] [G] *n.* (*pl.* ***-men·schen*** [-mènʃən]) 인간 이하의 것, 열등 인간
un·test·ed [ʌntéstid] *a.* 시험[검사]되지 않은, 실제로 입증되지 않은
un·teth·er [ʌntéðər] *vt.* 〈동물의〉 맨 밧줄[사슬]을 풀다, …을 놓아주다
un·thanked [ʌnθǽŋkt] *a.* 감사받지 못한, 고마워하지 않는
un·thank·ful [ʌnθǽŋkfəl] *a.* **1** 감사하지 않는, 고맙게 여기지 않는(ungrateful) 《*to, for*》: an ~ child 은혜를 모르는 아이 **2** 〈명령 등이〉 반갑잖은, 감사받지 못하는(thankless) **~·ly** *ad.* **~·ness** *n.*
un·thatch [ʌnθǽtʃ] *vt.* 〈초가지붕의〉 이엉을 벗기다
un·think [ʌnθíŋk] *v.* (**-thought**) *vt.* **1** 염두에 두지 않다, 이제 생각하지 않다 **2** …한 생각을 바꾸다, 고쳐 생각하다 **—** *vi.* 생각을 지우다; 고쳐 생각하다
un·think·a·ble [ʌnθíŋkəbl] *a.* **1** 상상도 할 수 없는, 감히 생각도 할 수 없는; 도저히 있을 법하지 않은: the ~ size of the universe 상상도 할 수 없는 거대한 우주 **2** 생각할 가치도 없는, 문제가 되지 않는
— *n.* [the ~] 생각도 할 수 없는 일 **-bly** *ad.*
un·think·ing [ʌnθíŋkiŋ] *a.* **1** 생각[사려] 없는, 경솔한 **2** 사고력이 없는: ~ matter[animals] 사고력이 없는 것[동물] **~·ly** *ad.* **~·ness** *n.*
un·thought [ʌnθɔ́ːt] *v.* UNTHINK의 과거·과거분사
— *a.* 생각해 본 적이 없는, 고려되지 않고 있는
un·thought·ful [ʌnθɔ́ːtfəl] *a.* 생각[사려]이 깊지 않은; 부주의한 **~·ly** *ad.* **~·ness** *n.*
un·thought-of [ʌnθɔ́ːtʌ̀v | -ɔ̀v] *a.* 생각지도 않은, 뜻밖의: an ~ difficulty 뜻밖의 난관
un·thread [ʌnθréd] *vt.* **1** 〈바늘 등의〉 실을 뽑다[빼다] **2** 〈미로 등을〉 빠져나오다, 벗어나다 **3** 〈수수께끼 등을〉 풀다, 해결하다
un·thrift [ʌnθríft] *n.* **1** Ⓤ 낭비(thriftlessness) **2** 낭비가(prodigal)
un·thrift·y [ʌnθrífti] *a.* 비경제적인, 절약하지 않는, 낭비하는, 사치스러운
un·throne [ʌnθróun] *vt.* 왕위에서 물러나게 하다; 폐하다, 제거하다
un·ti·dy [ʌntáidi] *a.* (**-di·er**; **-di·est**) **1** 단정치 못한, 말끔하지 못한 **2** 어수선한, 흐트러진, 난잡한
— *vt.* …을 어지럽히다 **-di·ly** *ad.* **-di·ness** *n.*
⁎**un·tie** [ʌntái] *v.* (**~d**; **-ty·ing** [-táiiŋ]) *vt.* **1** 풀다, 끄르다, 〈꾸러미 등의〉 매듭을 풀다: ~ a package 꾸러미를 풀다 / ~ one's apron 에이프런의 끈을 풀다 **2** 해방하다, 자유롭게 하다; 〈곤란 등을〉 해결하다 《*from*》: (**~+**목**+**전**+**명) ~ a person *from* bondage …을 속박에서 해방하다
— *vi.* 풀리다, 끌러지다
un·tied [ʌntáid] *a.* 묶이지 않은; 제한되지 않은
untíed lóan 불구속 융자 《자금을 대출하는 측이 그 용도를 지정하지 않은 형태의 차관》

⁑**un·til** [əntíl, ʌn-] *prep.* **1** [시간의 계속] …**까지**, …이 되기까지, …에 이르기까지 (줄곧)(cf. BY): Wait ~ two o'clock. 2시까지 기다려라. / ~ tomorrow morning 내일 아침까지 / ~ late in the fifteenth century 15세기 후반까지 **2** [부정어와 함께] …이 되어 비로소 (…하다): *Not* ~ yesterday did I know the fact. 어제 비로소 그 사실을 알았다.
— *conj.* **1** [시간의 계속] …**때까지**, …까지(줄곧): I will wait here ~ the concert is over. 나는 음악회가 끝날 때까지 여기서 기다리겠다. **2** [정도] …하기까지, …하도록: He worked ~ too tired to do more. 그는 지쳐버릴 때까지 줄곧 일했다. **3** [부정어와 함께] …하여 비로소 (…하다): It was *not* ~ he was thirty that he started to paint. 그는 30세가 되어 비로소 그림을 그리기 시작하였다.
unless and **~** =until 1 ★ TILL[1] 참조.
un·till·a·ble [ʌntíləbl] *a.* 경작할 수 없는, 불모의
un·tilled [ʌntíld] *a.* 갈지 않은, 경작하지 않은
⁎**un·time·ly** [ʌntáimli] *a.* **1** 때 아닌, 철이 아닌, 불시의: an ~ frost 때 아닌 서리 **2** 시기상조의, 미숙한: an ~ birth 조산 **3** 때를 얻지 못한, 시기를 놓친
— *ad.* 때에 맞지 않게, 때 아니게, 시기를 놓쳐, 너무 일찍 미숙하게 **-li·ness** *n.*
un·time·ous [ʌntáiməs] *a.* 《스코》 =UNTIMELY
un·tinged [ʌntíndʒd] *a.* **1** 물들지 않은, 착색되지 않은: the ~ sky 아직 물들지 않은 하늘 **2** (사상·감정 등에) 감화받지 않은, 영향을 받지 않은 《*with, by*》
un·tired [ʌntáiərd] *a.* 지치지 않은
un·tir·ing [ʌntáiəriŋ] *a.* 지치지 않는, 싫증을 느끼지 않는, 끈기 있는, 불굴의 **~·ly** *ad.*
un·ti·tled [ʌntáitld] *a.* **1** 칭호[작위, 직함]가 없는 **2** 권리가 없는 **3** 표제가 없는, 무제의
⁎**un·to** [ʌ́ntu, -tuː; (자음 앞) ʌ́ntə] *prep.* 《고어·시어》 …에, …에게로; …까지(to): Come ~ me, all ye that labor. 〔성서〕 수고하고 무거운 짐진 자들아 다 내게로 오라.
un·to·geth·er [ʌntəgéðər] *a.* 《미·속어》 **1** 혼란한, 당황한, 머리가 돈 **2** 세상에 익숙하지 못한 **3** 시대[유행]에 뒤떨어진
⁎**un·told** [ʌntóuld] *a.* **1** 언급되지 않은, 화제에 오르지 않은; 밝혀지지 않은, 비밀로 되어 있는: an ~ story 비화 **2** 말로 다 할 수 없는; 헤아릴 수 없는, 막대한 〈금액 등〉: ~ losses 막대한 손실
un·tomb [ʌntúːm] *vt.* 〈시체를〉 무덤에서 파내다
un·torn [ʌntɔ́ːrn] *a.* 찢기지 않은; 완전한
un·touch·a·bil·i·ty [ʌntʌ̀tʃəbíləti] *n.* Ⓤ **1** 손 댈 수 없음 **2** 〔힌두교〕 (인도의) 불가촉 천민의 미천함[신분]
un·touch·a·ble [ʌntʌ́tʃəbl] *a.* **1** 만질 수 없는, 실체가 없는: ~ articles in the museum 만질 수 없게 되어 있는 박물관 전시물 **2** 멀어서 손이 닿지 않는 **3** 비판[비난, 공격]할 수 없는, 의심할 수 없는 **4** 접촉이 금지된, 금제(禁制)의 **—** *n.* **1** [종종 **U~**] (인도의) 불가촉 천민《최하층 Pariah》; 《일반적으로》 사회에서 배척당하는 사람 **2** (정직·근면하여) 비난의 여지가 없는 사람 **3** 다루기가 까다로운 것[생각], 어려운 문제
⁎**un·touched** [ʌntʌ́tʃt] *a.* **1** 손대지 않은; 아직 착수되지 않은; 본디대로의, 손상되지 않은, 상하지 않은 **2** 논급[언급]되지 않은 **3** 감동되지 않은, 마음이 흔들리지 않은 **~·ness** *n.*
un·to·ward [ʌntóuərd, -təwɔ́ːrd] *a.* **1** 부적당한, 버릇없는; 고집 센, 심술궂은, 〈성질이〉 비뚤어진: this ~ generation 〔성서〕 이 패역(悖逆)한 세대 **2** 형편이 나쁜, 곤란한, 불행한: ~ circumstances 역경
~·ly *ad.* **~·ness** *n.*
un·trace·a·ble [ʌntréisəbl] *a.* 추적할 수 없는; 찾아낼 수 없는; 투사(透寫)할 수 없는
un·traced [ʌntréist] *a.* 추적되지 않은; 뒤가 밟히지 않은

thesaurus **unusual** *a.* **1** 비범한, 진귀한 uncommon, extraordinary, exceptional, rare, remarkable,

un·tracked [ʌntrǽkt] *a.* **1** 발자국[인적]이 없는: ~ marauders of the jungle 발자국을 남기지 않는 정글의 맹수들 **2** 추적[탐지]되지 않은 **3** 《구어》 처음엔 저조했지만 우수한 기록을 올리는
un·trac·ta·ble [ʌntrǽktəbl] *a.* 다루기 어려운; 순종하지 않는
un·trained [ʌntréind] *a.* 훈련받지 않은, 미숙한; 연습을 쌓지 않은 《경기 등에서》
un·tram·meled | -melled [ʌntrǽməld] *a.* 속박[방해, 구속]받지 않는, 자유로운
un·trans·fer·a·ble [ʌntrænsfə́:rəbl] *a.* 이동[양도]할 수 없는
un·trans·lat·ed [ʌntrænsléitid] *a.* 번역되지 않은
un·trav·eled | -elled [ʌntrǽvəld] *a.* **1** (특히 먼 곳으로) 여행해 본 적이 없는, 견문이 좁은 **2** 인적이 끊긴, 행인이 다니지 않는 〈도로 등〉: an ~ country lane 사람이 거의 다니지 않는 시골길
un·tra·vers·a·ble [ʌntrævə́:rsəbl] *a.* 횡단할 수 없는, 건널 수 없는
un·trav·ersed [ʌntrǽvə:rst] *a.* 횡단되지 않은; 《특히》 여행자의 발길이 닿지 않은, 인적미답(人跡未踏)의
un·tread [ʌntréd] *vt.* (**-trod** [-trɑ́d | -trɔ́d]; **-trod·den** [-trɑ́dn | -trɔ́dn], **-trod**) 〈오던 길을〉 되돌아가다
un·treat·a·ble [ʌntrí:təbl] *a.* 다룰수 없는; 〈병을〉 치료할 수 없는
un·treat·ed [ʌntrí:tid] *a.* 미처리[미처치]의; 아직 치료를 받고 있지 않은
un·tried [ʌntráid] *a.* **1** 해보지 않은, 시험해 보지 않은; 확인되지 않은, 경험한 일이 없는: new and ~ enterprises 아직 시험해 보지 않은 새로운 사업 **2** 〖법〗 심리하지 않은, 공판에 회부되지 않은
leave nothing [***no means***] ~ 갖은 일을 다 해보다, 온갖 수단을 다 쓰다
un·trimmed [ʌntrímd] *a.* **1** 장식을 달지 않은 **2** 손질을 하지 않은, 가지치기를 안한 **3** 〖제본〗 〈책이〉 도련하지 않은
un·trod(**·den**) [ʌntrɑ́d(n) | -trɔ́d(n)] *a.* 밟히지 않은, 사람이 발을 들여 놓은 적이 없는, 인적미답의
un·trou·bled [ʌntrʌ́bld] *a.* **1** 마음이 어지러워지지 않은, 괴로워하지 않는 **2** 흐트러지지 않은, 고요한 (calm) **~·ness** *n.*
∗**un·true** [ʌntrú:] *a.* **1** 진실이 아닌, 허위의: an ~ statement 허위 진술 **2** 충실[성실]하지 않은, 부실한, 정숙하지 못한 **3** 올바르지 않은, 공정하지 않은: by an ~ means 부정한 수단으로 **4** 표준[본, 치수]에 맞지 않는 **~·ness** *n.* **ùn·trú·ly** *ad.*
▷ untrúth *n.*
un·truss [ʌntrʌ́s] *vt.* 《고어》 **1** 〈다발 등을〉 풀다 **2** 벗기다 **3** 해방시키다, 속박을 풀다 **—** *vi.* 옷을 벗다
un·trust·wor·thy [ʌntrʌ́stwə̀:rði] *a.* 믿지 못할, 신뢰할 수 없는 **-thi·ness** *n.*
un·truth [ʌntrú:θ] *n.* (*pl.* **~s** [-ðz, -θs]) ⓊⒸ **1** 허위, 참되지 않음 **2** 거짓, 거짓말 **3** 《고어》 부실, 불성실
un·truth·ful [ʌntrú:θfəl] *a.* **1** 진실이 아닌, 거짓의: an ~ report 사실과 다른 보고 **2** 거짓말을 하는 **~·ly** *ad.* **~·ness** *n.*
un·tuck [ʌntʌ́k] *vt.* …의 주름을 펴다; 〈접은 것·다리를〉 펴다
un·tun·a·ble [ʌntjú:nəbl] *a.* 〈피아노 등이〉 불협화음의, 듣기 거북한
un·tune [ʌntjú:n] *vt.* 가락을 어긋나게 하다; 〈마음·감정 등을〉 어지럽히다
un·tuned [ʌntjú:nd | -tjú:nd] *a.* **1** 조율(調律)하지 않은; 가락이 맞지 않는 **2** 비동조(非同調)의
un·turned [ʌntə́:rnd] *a.* **1** 돌리지 않은; 뒤집지 않은 **2** 선반(旋盤) 가공을 하지 않은 ***leave no stone*** ~ 갖은 수단을 다 쓰다, 백방으로 힘쓰다

outstanding **2** 별난 abnormal, odd, strange, queer, bizarre, unconventional

un·tu·tored [ʌntjú:tərd | -tjú:-] *a.* **1** 교육받지 않은, 배우지 않은 **2** 소박한, 순진한 **3** 교육에 의하지 않고 자연히 갖추어진, 타고난
un·twine [ʌntwáin] *vt.* …의 꼬인 것을 풀다 **—** *vi.* 꼬인 것이 풀리다
un·twist [ʌntwíst] *vt.* …의 꼬인 것을 풀다(unravel) **—** *vi.* 꼬인 것이 풀리다
un·typ·i·cal [ʌntípikəl] *a.* 대표적[전형적]이 아닌; 예사가 아닌; 언제나와 다른 **~·ly** *ad.*
un·urged [ʌnə́:rdʒd] *a.* 강제당하지 않은; 자발적인 **—** *ad.* 자발적으로
un·us(**e**)**·a·ble** [ʌnjú:zəbl] *a.* 쓸 수 없는, 쓸모없는 **-bly** *ad.*
∗**un·used** [ʌnjú:zd] *a.* **1** 사용하지 않은; 쓰인 적이 없는; 신품인: an ~ postage stamp 사용하지 않은 우표 **2** [-jú:st] Ⓟ 익숙하지 않은, …에 길들지 않은 《*to*》: He is ~ *to* labor. 그는 노동에 익숙해 있지 않다.
un·use·ful [ʌnjú:sfəl] *a.* 실용 가치가 없는, 쓸모없는(useless)
⁑**un·u·su·al** [ʌnjú:ʒuəl] *a.* **1** 보통이 아닌, 비범한, 드문; 보기[듣기] 드문, 진귀한: a scholar of ~ ability 비범한 학자 **2** 별난, 유다른 **~·ness** *n.*
∗**un·u·su·al·ly** [ʌnjú:ʒuəli] *ad.* **1** 보통과는 달리, 이상하게; 유별나게, 현저하게 **2** 《구어》 매우, 대단히
un·ut·ter·a·ble [ʌnʌ́tərəbl] *a.* **1** 말로 표현할 수 없는, 이루 말할 수 없는, 형언할 수 없는 **2** 철저한, 순전한 **3** 발음할 수 없는 **-bly** *ad.*
un·ut·tered [ʌnʌ́tərd] *a.* 말로 표명되지 않은; 무언의, 암묵의
un·vac·ci·nat·ed [ʌnvǽksənèitid] *a.* 백신[예방] 접종을 하지 않은
un·val·ued [ʌnvǽlju:d] *a.* **1** 소중히 여겨지지 않는, 변변찮은, 하찮은 **2** 아직 평가되지 않은: an ~ gemstone 감정되지 않은 보석
un·var·ied [ʌnvέərid] *a.* 변화가 없는[적은], 단조로운
un·var·nished [ʌnvɑ́:rniʃt] *a.* **1** 니스칠하지 않은, 마무리를 하지 않은 **2** 꾸미지 않은, 있는 그대로의, 소박한: the ~ truth 있는 그대로의 진실
un·var·y·ing [ʌnvέəriiŋ] *a.* 변하지 않는, 일정불변의(invariable) **~·ly** *ad.*
un·veil [ʌnvéil] *vt.* **1** …의 베일을 벗기다, …의 덮개를 벗기다; …의 제막식을 거행하다 **2** 〈비밀 등을〉 밝히다: ~ a secret[truth] 비밀[진상]을 밝히다 **3** 나타내 보이다, 발표하다 **—** *vi.* 베일을 벗다, 덮개를 떼다; 가면을 벗다, 정체를 나타내다 **ùn·véiled** *a.*
un·veil·ing [ʌnvéiliŋ] *n.* **1** (기념비 등의) 제막식 **2** 보이는[진열하는] 것; 《특히》 첫 공개, 초연, 제막
un·ven·ti·lat·ed [ʌnvéntilèitid] *a.* 통풍[환기]이 나쁜; 〈문제 등이〉 자유롭게 논의되지 않은
un·versed [ʌnvə́:rst] *a.* 《문어》 숙달[정통]하지 않은, …에 밝지 않은 《*in*》
un·ver·i·fi·a·ble [ʌnvérəfàiəbl] *a.* 증명[입증]할 수 없는
un·vexed [ʌnvékst] *a.* 화내지 않은, 안달하지 않는; 냉정한, 침착한
un·vi·a·ble [ʌnváiəbl] *a.* 〈계획 등이〉 실행 불가능한; 성장[발전]할 수 없는
un·vi·o·lat·ed [ʌnváiəlèitid] *a.* 〈법률·약속 등이〉 위반되지 않은; 침범당하지 않은
un·vo·cal [ʌnvóukəl] *a.* **1** 말솜씨가 없는, 말이 또렷하지 못한, 말이 없는 **2** 〈목소리가〉 매끄럽지 못한, 《특히》 비음악적인, 음치의
un·voice [ʌnvɔ́is] *vt.* 〖음성〗 〈유성음을〉 무성(음)화하다, 무성으로 발음하다
un·voiced [ʌnvɔ́ist] *a.* **1** 소리로[입 밖에] 내지 않은, 말하지 않은 **2** 〖음성〗 무성(음)의; 무성화한(cf. VOICELESS): an ~ sound 무성음
un·vouched [ʌnváutʃt] *a.* 증명[보증]되지 않은
un·waged [ʌnwéidʒd] *a.* 〈사람이〉 무직의, 급여 소득이 없는; 실업중인: the ~ (실업자와 무직자가 포함된) 무수입 계층

un·want·ed [ʌ̀nwɔ́:ntid | -wɔ́nt-] *a.* **1** 요구되지 않은 **2** 불필요한; 쓸모없는 **3** 〈성격 등이〉 결함 있는, 바람직하지 못한
un·war·like [ʌ̀nwɔ́:rlàik] *a.* 호전적[도전적]이 아닌
un·warned [ʌ̀nwɔ́:rnd] *a.* 경고되지 않은, 예고 없는
un·war·rant·a·ble [ʌ̀nwɔ́:rəntəbl | -wɔ́r-] *a.* **1** 정당성을 인정하기 어려운, 변호할 수 없는 **2** 부당한, 무법의 **~·ness** *n.* **-bly** *ad.*
un·war·rant·ed [ʌ̀nwɔ́:rəntid | -wɔ́r-] *a.* **1** 보증되지 않은, 보증이 없는 **2** 정당하다고 인정할 수 없는, 공인되지 않은, 부당한 **~·ly** *ad.*
un·war·y [ʌ̀nwέəri] *a.* (**-war·i·er**; **-i·est**) 조심성 없는, 방심한, 경솔한 **ùn·wár·i·ly** *ad.* **-i·ness** *n.*
un·washed [ʌ̀nwɔ́:ʃt | -wɔ́ʃt] *a.* **1** 씻지 않은; 불결한, 더러운 **2** 하층민의, 서민의, 무지한: the power of the ~ electorate 일반 유권자의 힘 **3** [the (great) ~; 집합적] 《구어》 하층 사회, 하층민
un·wast·ed [ʌ̀nwéistid] *a.* 낭비되지 않은; 황폐해지지 않은; 쇠약해지지 않은
un·watch·ful [ʌ̀nwɑ́tʃfəl | -wɔ́tʃ-] *a.* 방심하고 있는, 부주의한
un·wa·tered [ʌ̀nwɔ́:tərd, -wɑ́t- | -wɔ́:t-] *a.* 물을 뿌리지 않은; 건조한; 물을 타지 않은
un·wa·ver·ing [ʌ̀nwéivəriŋ] *a.* 동요하지 않는; 확고한 **~·ly** *ad.*
un·weaned [ʌ̀nwí:nd] *a.* 이유(離乳)하지 않은
un·wea·ried [ʌ̀nwíərid] *a.* **1** 피로하지 않은 **2** 싫증내지 않는, 끈기 있는, 불굴의 **~·ly** *ad.* **~·ness** *n.*
un·wea·ry·ing [ʌ̀nwíəriiŋ] *a.* 지치지 않는; 물리지 않는; 지속적인 **~·ly** *ad.*
un·weath·ered [ʌ̀nwéðərd] *a.* 풍화(風化)의[풍우(風雨)에 노출된] 흔적이 없는
un·weave [ʌ̀nwí:v] *vt.* (**-wove** [-wóuv]; **-wo·ven** [-wóuvən]) 〈짠 것을〉 풀다, 풀리게 하다
un·wed [ʌ̀nwéd], **-wed·ded** [-wédid] *a.* 미혼의(unmarried), 독신의: an ~ mother 미혼모
un·weed·ed [ʌ̀nwí:did] *a.* 김매지 않은, 잡초를 뽑지 않은
un·weighed [ʌ̀nwéid] *a.* **1** 무게를 달지 않은 **2** 〈성명·의견 등이〉 무분별한, 앞뒤를 재지 않은, 경솔한
un·weight [ʌ̀nwéit] *vt.* …에서 무게를 빼다[줄이다]
***un·wel·come** [ʌ̀nwélkəm] *a.* 환영받지 못하는, 싫어하는; 반갑지 않은, 달갑지 않은, 귀찮은: an ~ guest 달갑지 않은 손님 **~·ly** *ad.* **~·ness** *n.*
un·wel·com·ing [ʌ̀nwélkəmiŋ] *a.* **1** 〈사람이〉 반기지 않는, 환영하지 않는 **2** 〈장소가〉 매력적이지 않은; 불편해 보이는
un·well [ʌ̀nwél] *a.* **1** Ⓟ 몸이 편치 않은, 기분이 좋지 않은 **2** 월경 중인
un·wept [ʌ̀nwépt] *a.* 슬퍼할 사람이 없는; 〈눈물이〉 나오지 않는; 《드물게》 울어서 나온 눈물이 아닌
un·wet [ʌ̀nwét] *a.* 젖지 않은; 〈눈에〉 눈물이 없는
***un·whole·some** [ʌ̀nhóulsəm] *a.* **1** 몸[건강]에 나쁜; 건강을 해치는: ~ food 몸에 해로운 음식 **2** 병적인, 환자 같은 〈얼굴빛 등〉 **3** 《도덕적으로》 불건전한, 해로운: ~ activities[pastimes] 불건전한 활동[오락] **~·ly** *ad.* **~·ness** *n.*
un·wield·y [ʌ̀nwí:ldi] *a.* (**-wield·i·er**; **-i·est**) 《무거워서》 다루기 힘든, 부피가 큰, 너무 뚱뚱한; 꼴 사나운, 거대한 **ùn·wíeld·i·ly** *ad.* **ùn·wíeld·i·ness** *n.*
un·willed [ʌ̀nwíld] *a.* 의도하지 않은, 고의가 아닌
‡un·will·ing [ʌ̀nwíliŋ] *a.* **1** 마음 내키지 않는, 마지못해 하는(⇨ reluctant 유의어): (~+**to** do) She was ~ *to* come. 그녀는 오고 싶어하지 않았다. **2** 반항적인, 말을 듣지 않는; 적대[대항]하는, 저항하는 ***willing or* ~** 좋든 싫든간에 **~·ly** *ad.* 마지못해, 본의 아니게 **~·ness** *n.*
un·wind [ʌ̀nwáind] *v.* (**-wound** [-wáund]) *vt.* **1** 〈감겨 있는 것을〉 풀다, 펴다 **2** 《구어》 〈긴장을〉 풀다, 편한 마음을 갖게 하다(relax)
— *vi.* **1** 〈감긴 것이〉 풀리다 **2** 〈긴장이〉 풀리다
un·wind·ase [ʌ̀nwáindeis, -eiz | -eiz, -eis] *n.* 〖유전〗 되꼬는 효소(unwinding protein) 《DNA 분자의 복제 과정에서 DNA의 나선 상태의 꼬임을 되돌려 DNA 주형(鑄型)을 교정하는 효소》
un·wínd·ing prótein [ʌ̀nwáindiŋ-] 〖유전〗 = UNWINDASE
un·winged [ʌ̀nwíŋd] *a.* 날개가 없는
un·wink·ing [ʌ̀nwíŋkiŋ] *a.* **1** 눈을 깜박거리지 않는 **2** 방심하지 않는 **~·ly** *ad.*
un·win·na·ble [ʌ̀nwínəbl] *a.* 이길 수 없는, 난공불락의 〈성 등〉
un·wis·dom [ʌ̀nwízdəm] *n.* Ⓤ 무지, 어리석음; 무모함
***un·wise** [ʌ̀nwáiz] *a.* 지혜[지각] 없는, 현명하지 못한, 바보 같은, 천박한, 무분별한, 어리석은; 상책이 아닌 **~·ly** *ad.* **~·ness** *n.* ▷ unwísdom *n.*
un·wish [ʌ̀nwíʃ] *vt.* 바라는 것을 그만두다; 〈바라는 것을〉 취소하다; 《폐어》 저주하여 죽이다
un·wished(-for) [ʌ̀nwíʃt(fɔ̀:r)] *a.* 원하지 않은, 바라지 않은; 달갑지 않은
un·wit [ʌ̀nwít] *vt.* 《폐어》 발광하게 하다, 미치게 하다
un·with·ered [ʌ̀nwíðərd] *a.* 시들지 않은, 신선한, 원기 왕성한
un·wit·nessed [ʌ̀nwítnist] *a.* **1** 〈문서 등이〉 증인의 서명이 없는 **2** 《오감(五感)으로》 감지되지 않은; 〈현장이〉 목격되지 않은
un·wit·ting [ʌ̀nwítiŋ] *a.* **1** 알지 못하는, 의식하지 못하는; 부주의한, 아랑곳하지 않는 **2** 고의가 아닌, 우연의 **~·ly** *ad.* **~·ness** *n.*
un·wom·an·ly [ʌ̀nwúmənli] *a.* 여자답지 않은, 여자에게 어울리지 않는 — *ad.* 여자답지 않게
un·wont·ed [ʌ̀nwɔ́:ntid, -wóunt- | -wóunt-] *a.* **1** 보통이 아닌, 예사롭지 않은; 드문 **2** 《고어》 …에 익숙하지 않은 《*to*》 **~·ly** *ad.* **~·ness** *n.*
un·wooed [ʌ̀nwú:d] *a.* 구혼[구애]받지 않은
un·work·a·ble [ʌ̀nwə́:rkəbl] *a.* **1** 운전[취급, 가공]할 수 없는, 쓸모없는 **2** 〈계획 등이〉 실행할 수 없는
un·worked [ʌ̀nwə́:rkt] *a.* 가공[세공]하지 않은; 이용되지 않은; 경작[채굴]되지 않은
un·work·man·like [ʌ̀nwə́:rkmənlàik] *a.* 장인(匠人)답지 않은, 솜씨가 서툰
un·world·ly [ʌ̀nwə́:rldli] *a.* (**-li·er**; **-li·est**) **1** 이 세상 것이 아닌, 정신[심령]계의; 천상(天上)의 **2** 속세를 떠난, 명리(名利)를 떠난; 소박한 **-li·ness** *n.*
un·worn [ʌ̀nwɔ́:rn] *a.* **1** 닳지[파손되지] 않은, 해어지지 않은 **2** 〈옷이〉 한번도 입지 않은, 새로운(new)
un·wor·ried [ʌ̀nwə́:rid | -wʌ́r-] *a.* [보통 Ⓟ] 《문어》 걱정하지 않는; 침착한; 평온한
‡un·wor·thy [ʌ̀nwə́:rði] *a.* (**-thi·er**; **-thi·est**) **1** 《도덕적으로》 가치 없는, 존경할 가치 없는; 하찮은, 비열한: an ~ person 보잘 것 없는 사람 **2** Ⓟ **a** 〈어떤 지위·행상(行賞)에〉 알맞지 않은, 어울리지 않는 《*of*》 **b** 〈처우 등이〉 정당하지 않은, 부당한 《*of*, *to* do》
~ *of* (1) …의 가치 없는 (2) …으로서 부끄러운, 있을 수 없는 (3) 어울리지 않는, …에 적합하지 않은
— *n.* (*pl.* **-thies**) 변변치 못한 사람, 가치 없는 사람 **-thi·ly** *ad.* **-thi·ness** *n.*
un·wound [ʌ̀nwáund] *a.* **1** 감긴 것이 풀린 **2** 〈나사가〉 감겨 있지 않은: an ~ clock 태엽이 풀린 시계
un·wove [ʌ̀nwóuv] *v.* UNWEAVE의 과거·과거분사
un·wo·ven [ʌ̀nwóuvən] *v.* UNWEAVE의 과거분사 — *a.* 짜지 않은
***un·wrap** [ʌ̀nrǽp] *v.* (**~ped**; **~·ping**) *vt.* **1** 〈꾸린 것을〉 풀다, 포장을 끄르다 **2** 분명히 하다, 폭로하다 — *vi.* 포장이 풀리다
un·wreathe [ʌ̀nrí:ð] *vt.* 〈감긴[꼬인] 것을〉 풀다
un·wrin·kle [ʌ̀nríŋkl] *vt.* 주름을 펴다, 반반하게 하다 — *vi.* 주름이 펴지다, 반반해지다

thesaurus **unwelcome** *a.* unwanted, undesired, uninvited, unpopular, disagreeable

un·writ·ten [ʌnrítn] *a.* **1** 씌어 있지 않은, 기록되어 있지 않은, 불문율(不文律)의, 구비(口碑)의, 구전(口傳)의: an ~ agreement 구두 계약 **2** 글씨가 씌어 있지 않은, 백지 그대로의 〈페이지 등〉

unwrítten láw 〖법〗 **1** 관습법, 불문법(common law) **2** [보통 the ~] 불문율

un·wrought [ʌnrɔ́:t] *a.* **1** 마무리되지 않은, 제작[제조]되지 않은; 〈금속 등이〉 가공[세공]되지 않은 **2** 〈광산 등이〉 채굴되지 않은, 개발되지 않은

un·yield·ing [ʌnjí:ldiŋ] *a.* **1** 유연성[탄력성]이 없는; 굳은, 단단한 **2** 완고한, 단호한 **~·ly** *ad.* **~·ness** *n.*

un·yoke [ʌnjóuk] *vt.* **1** 〈소 등의〉 멍에를 벗기다 **2** 분리시키다, 떼다; 해방하다
— *vi.* (고어) **1** 멍에를 벗기다 **2** 일을 그만두다

un·zeal·ous [ʌnzéləs] *a.* 열중하고 있지 않은

un·zip [ʌnzíp] *v.* (**~ped**; **~·ping**) *vt.* **1** 지퍼(zipper)를 열다; 〈입을〉 열다 **2** (미·속어) 〈일을〉 해결하다, 〈문제를〉 풀다 — *vi.* 지퍼로 열다; 지퍼가 열리다

un·zipped [ʌnzípt] *a.* **1** 지퍼가 열린 **2** (미·구어) 우편 번호(zip code)를 쓰지 않은

U. of S. Afr. Union of South Africa

⁑up ⇨ up (p. 2758)

up- [ʌp] 《연결형》 **1** 동사 (특히 과거분사) 또는 동명사에 붙여서 동사·명사·형용사를 만듦: *up*bringing, *up*cast **2** 동사·명사에 붙여서 「(위로) 뽑다, 뒤집어엎다」의 뜻을 갖는 동사·형용사를 만듦: *up*root, *up*turned **3** 부사·형용사·명사를 만듦: *up*hill, *up*wards, *up*land, *up*town

up. upper **u.p., UP, up.** underproof 〈술이〉 표준 강도 이하 **U.P., UP** United Presbyterian 〖그리스도교〗 연합 장로파; United Press ⇨ UPI

U.P. [jú:pí:] [up의 철자 발음에서] *ad.* [보통 all ~] (속어) (이제) 모든 것이 끝나서, 다 틀려서 《*with*》(cf. UP *ad.* 12 b): It's *all* ~ (*with* me). 이제 (나는) 끝장이다, 모든 것이 틀렸다.

up·an·chor [ʌpǽŋkər, ⌐⌐-] *vi.* 〖항해〗 닻을 올리다, 출범하다; (속어) 떠나가다

up-and-(a-)down·er [ʌpən(ə)dáunər] *n.* (영·속어) 난전, 난투; 악전고투

up-and-com·er [-kʌ́mər] *n.* 장래가 유망한 사람

up-and-com·ing [-kʌ́miŋ] *a.* (주로 미·구어) **1** 정력적인, 활동적인, 수완이 능란한; 진취적인, 유망한: an ~ new town 활기 있는 신도시 **2** 세상의 주목을 받고 있는

up-and-down [-dáun] *a.* **1** 오르내리는, 고저가 있는, 기복이 있는: ~ countryside 기복이 많은 전원 지방 **2** 성쇠(盛衰)가 있는 **3** (미) 〈절벽 등이〉 수직의, 깎아지른 듯한 **4** (미) 단호한, 뚜렷한, 솔직 담백한, 순전한(downright): an ~ lie 새빨간 거짓말
— *n.* [the ~] 위아래로 훑어보는 것

up-and-o·ver [-óuvər] *a.* (영) 〈문이〉 들어서 수평으로 여는

up-and-un·der [-ʌ́ndər] *n.* 〖럭비〗 볼을 높이 차올려 그 낙하 지점으로 선수들을 밀집하게 하는 플레이

up-and-up [-ʌ́p] *n.* [주로 다음 성구로] ***be on the ~*** (1) (미) 정직하다, 속임수가[거짓됨이] 없다 (2) (영) 잘 되어가다, 유망하다, 성공[번영]하고 있다

U·pan·i·shad, -sad [u:pǽniʃæ̀d, -pɑ́:niʃɑ̀:d | -pʌ́niʃəd, -pǽn-] *n.* 〖힌두교〗 우파니샤드 《고대 인도의 철학서》 **U·pàn·i·shád·ic** [-ʃǽdik] *a.*

u·pas [jú:pəs] *n.* **1** 〖식물〗 유파스나무(= ≈ **trèe**) 《자바 및 그 근처 섬에서 나는 무화과나뭇과(科)의 독 있는 나무》 **2** Ⓤ 유파스 독 《유파스나무 진에서 채취하는 독액; 화살 끝에 칠함》 **3** Ⓤ (비유) 해독, 악영향

up·beat [ʌ́pbì:t] *n.* **1** 〖음악〗 상박(上拍), 약박 **2** (지휘자가 상박을 지시하는) 지휘봉의 상향 동작 **3** (경기의) 상승 기조; 번영, 호경기
— *a.* (미·구어) 낙관적인; 행복한; 즐거운

up·blaze [ʌpbléiz] *vi.* 타오르다

up·borne [ʌpbɔ́:rn] *a.* 들어올려진; 받쳐진

up·bound [ʌ́pbáund] *a.* 북쪽으로[대도시로, 상류로] 향[통]하는: an ~ freighter 북으로[대도시로] 향하는 화물선

up·bow [ʌ́pbòu] *n.* 〖음악〗 상행궁(上行弓), 올림활 《바이올린 등에서 활을 끝쪽 방향으로 움직이는 운궁법》

up·braid [ʌpbréid] *vt.* **1** 신랄하게 비판[비난, 힐책]하다 《*with, for*》: ~ a person *with*[*for*] a fault 잘못에 대해서 …을 비난하다 **2** 〈일이〉 …을 비난하는 결과를 가져오다 — *vi.* (고어) 비판하다 **~·er** *n.*

up·braid·ing [ʌpbréidiŋ] *a.* 나무라는, 비난하는
— *n.* Ⓤ 비난, 비판 **~·ly** *ad.*

up·bring·ing [ʌ́pbrìŋiŋ] *n.* ⓊⒸ (유아기의) 교육, 훈도(薰陶), 훈육, 양육(education)

up·build [ʌpbíld] *vt.* (**-built** [-bílt]) **1** 쌓아 올리다; 설립하다: ~ one's fame 명성을 쌓다 **2** 발전시키다, 개량하다 **~·er** *n.*

up·burst [ʌ́pbə̀:rst] *n.* 위쪽으로의 폭발

UPC, U.P.C. United Presbyterian Church 연합 장로파 교회; Universal Product Code (미) 만국 제품 코드

up·cast [ʌ́pkæ̀st | -kɑ̀:st] *a.* 던져 올린; 위로 향한 치뜬 〈눈초리 등〉 — *n.* 던져 올림; 던져 올린 물건; 〖광산〗 배기갱(排氣坑) — *vt.* (**up·cast**) 던져 올리다; 위로 향하게 하다

up·change [ʌ́ptʃèindʒ] *vt.* (자동차를) 고단 기어로 바꾸다

up·chuck [ʌ́ptʃʌ̀k] *vt., vi.* (미·구어) 토하다, 게우다 — *n.* 토함

up·com·ing [ʌ́pkʌ̀miŋ] *a.* Ⓐ (미) 다가오는, 곧 나올[공개될]; 이번의(forthcoming): for the ~ school year 다음 학년을 위해

up·con·vert [ʌpkənvə́:rt] *vt.* 〖전자〗 〈입력 신호 등을〉 upconverter에서 보다 높은 주파수로 변환하다

up·con·vert·er [ʌpkənvə́:rtər] *n.* 〖전자〗 업컨버터 《입력 신호의 주파수를 보다 높은 주파수로 바꾸어 출력하는 변환 장치》

up·coun·try [ʌ́pkʌ̀ntri] *n.* [the ~] 내륙 지방, 산간벽지 — *a.* **1** 해안에서 먼, 내륙 지방의 **2** (경멸) 시골티 나는, 단순[소박]한(unsophisticated)
— [⌐⌐-] *ad.* (구어) 내륙 지방(쪽)으로, 산간벽지에

up·curve [ʌ́pkə̀:rv] *n.* 상승 곡선

up·date [ʌpdéit, ⌐⌐] *vt.* (미) 새롭게 하다, 최신의 것으로 하다, 갱신하다(bring up to date); 〖컴퓨터〗 갱신하다 — [⌐⌐] *n.* **1** 새롭게 함, 갱신, 개정 **2** 최신 정보; 〖컴퓨터〗 갱신 《데이터 파일에 데이터를 더하거나, 변경시키거나, 없애서 데이터 파일을 새롭게 하는 것》
— [⌐⌐] *a.* (미·속어) 최신의, 첨단을 걷는

up·do [ʌpdú:] *n.* (*pl.* **~s**) 매만져 올리는 머리형, 업스타일(upswept hairdo)

up·draft, -draught [ʌ́pdræ̀ft, -drɑ̀:ft | -drɑ̀:ft] *n.* 상승 기류; 상향 통풍

up·end [ʌpénd] *vt.* **1** 〈통 등을〉 세우다, 일으켜 세우다 **2** 뒤집다, 거꾸로 놓다 **3** (구어) 충격을 가하다, 깜짝 놀라게 하다 **4** (구어) 패배시키다 — *vi.* 서다; 물구나무서다

up·field [ʌ́pfí:ld] *a., ad.* 〖미식축구〗 공격팀이 향하고 있는 필드의[에]

up·fold [ʌpfóuld] *vt.* 접다, 접어넣다
— *n.* 〖지질〗 배사(背斜)

up-from-the-ranks [ʌ́pfrʌmðərǽŋks] *a.* 낮은 신분[지위]에서 출세한

up·front [ʌ́pfrʌ́nt] *a.* (구어) **1** 〖금융〗 선행 투자의, 선불의 **2** 솔직한, 정직한 **3** 중요한, 눈에 띄는; 최신 유행의; (기업의) 경영진의, 관리 부문의 **4** 맨 앞줄의

up·gath·er [ʌpgǽðər] *vt.* 모으다, 수집하다

up·grad·a·tion [ʌ̀pgreidéiʃən, -grəd-] *n.* Ⓤ (인도) 개선, 향상, 고급화

up·grade [ʌ́pgréid] *a.* (미) 치받이[오르막]의
— *ad.* (미) 치받이에, 오르막이 되어

---

unwilling *a.* reluctant, disinclined, unenthusiastic, grudging, involuntary, forced, opposed

up

up은 OE의 부사 uppe가 전치사와 동일하게 쓰이다가 점차 전치사 기능이 탈락되면서 부사 용법이 확립된 말이다. down, out과 더불어 오늘날에는 부사로서의 사용 빈도가 압도적으로 높다. 또한 운동의 동사와 결합하여 방향을 나타내는 데 쓰이는 중요한 부사이다.

‡up [ʌp] *ad., prep., a., n., v.*

기본적으로는 「높은 쪽으로」의 뜻에서	
① 위쪽으로, 높은 데로; 떠올라서; 일어나	[부] **1, 2, 3, 4, 5, 6** [전] **1, 2 a**
② (특정 장소, 말하는 이) 쪽으로	[부] **7** [전] **2 b**
③ (지위·정도·물가 등) 위쪽으로	[부] **8 a b**
④ 힘차게	[부] **10 a**
⑤ 완전히	[부] **12 a**

― *ad.* ★ be동사와 결합한 경우는 형용사로 볼 수도 있음; opp. *down.* **1 a** (낮은 위치에서) **위쪽으로, 위로[에]**; 위층[이층]으로: jump *up* 뛰어오르다 / look *up* at the sky 하늘을 쳐다보다 / take *up* a pen 펜을 집어 들다 / pull *up* a weed 잡초를 뽑다 / pull a boat *up* onto the beach 해안으로 보트를 끌어올리다 / lift one's head *up* 고개를 쳐들다 / Hands *up*! 손들어!, 손들어 주세요! / I climbed *up* to the top of the mountain. 산꼭대기까지 올라갔다. / Is the elevator going *up*? 이 엘리베이터는 올라갑니까? / Come *up* here. 이리 올라오시오. / Show her *up*. 그 여자 분을 위[2층]로 안내하시오. **b** [be의 보어로] **올라가**: The flag is *up*. 기가 게양되어 있다. / He is *up* in his study. 그는 서재에 올라가 있다. / The curtain was *up*. (극장의) 막이 올라가 있었다. **c** (물속에서) **수면으로,** 땅위로: come *up* to the surface (of the water) 수면에 떠오르다 / The crocodile came *up* out of the water. 악어가 물속에서 올라왔다. **d** 〈먹은 것을〉 게워: bring one's dinner[lunch] *up* 저녁밥[점심]을 게우다

2 a 몸을 일으켜; (잠자리에서) 일어나: stand *up* 일어서다, 기립하다 / get *up* 일어나다, 기상하다 / sit *up* in bed 침대에서 일어나 앉다 / spring *up* from one's seat 의자에서 벌떡 일어서다 **b** [동사를 생략하여 명령문으로] **일어나!**, 일어서! 《Get[Stand] *up*!을 줄인 것》: *Up* with you, you lazy boy! 일어나, 이 게으름쟁이야! / *Up* (with) the workers! 노동자여, 일어서라! **c** [be의 보어로] **일어나**: She is always *up* early (in the morning). 그녀는 언제나 (아침) 일찍 일어나 있다. **d** [be의 보어로] **세워져**: Part of the building is *up*. 그 건물의 일부는 이미 세워져 있다.

3 a 〈천체가〉 **하늘로 떠올라**: The moon came *up* above the horizon. 달이 지[수]평선 위에 떠올랐다. **b** [be의 보어로] **떠서**: The sun is *up*. 해가 떠 있다.

4 보다 높은 데로[에서], 위쪽으로[에서]: A lark was singing high *up* in the sky. 종달새 한 마리가 하늘 높이 지저귀고 있었다. / The office is *up* on the top floor. 사무실은 맨 위층에 있다. / What's happened *up* there? 저 높은 곳에서 무슨 일이 일어났을까?

5 (남에서) **북으로,** 북쪽으로[에]: as far *up* as Alaska 북으로는 알래스카까지 / The man lives *up* in Alaska. 그 사람은 (북쪽) 알래스카에 살고 있다. / drive *up* from Los Angeles to San Francisco 로스앤젤레스에서 샌프란시스코까지 차로 북상하다

6 고지(高地)로, 내륙으로; (하천의) 상류로: They went ten miles further *up* into the country. 그들은 10마일을 더 내륙으로 들어갔다. ★ 5의 뜻으로 「10마일을 더 북쪽으로 갔다」로도 해석됨 / follow a stream *up* to its source 흐름을 거슬러 올라가서 수원지에 이르다

7 a (특정한 장소·말하는 이가 있는) **쪽으로,** 다가와[가]: *up* ahead 그 앞쪽에 / go straight *up* to him 그가 있는 쪽으로 가다 / I went *up* to the teacher's table. 선생님의 교탁 곁으로 갔다. / A stranger came *up* to me. 낯선 사람이 내게로 다가왔다. / I'll be *up* at your place by ten. 10시까지 댁으로 가겠습니다. **b** 《영》 (수도·옥스퍼드·케임브리지 대학 등으로) 향하여; (지방에서) 상경 중에: She went *up* to London on business. 그녀는 볼일로 런던에 갔다. / go *up* to Oxford[the university] 〈학생이〉 옥스퍼드[대학]에 진학하다 / I am going to be[stay] *up* during the holidays. 방학 동안은 (집에 가지 않고) 학교에 남을 예정이다.

8 a 〈지위·성적·정도·나이 등이〉 **위쪽으로,** 올라가: go *up* in the world 출세하다 / move *up* in a firm 회사에서 승진하다 / She is *up* at the head of her class. 그녀는 반에서 수석이다. **b** [종종 be의 보어로] 〈물가 등이〉 **오름세로**; 〈속도·목소리 등이〉 더 크게[높게], 더 올라가: Prices[Rents] are (going) *up*. 물가[집세]가 오르고 있다. / The fare (from London to Cambridge) has gone *up* (by) a pound. (런던에서 케임브리지까지의) 차비가 1파운드 올랐다. / The temperature is *up* 3 degrees today. 오늘은 기온이 3도 올라갔다. / Speak *up*! 큰소리로 말하시오! / Hurry *up*! 서둘러라! / Keep your voice *up*. 목소리를 높이시오. / The piano is *up* a tone. 그 피아노는 1음정이 높다. / The car soon speeded *up*. 그 차는 곧 속도를 냈다. **c** 성숙의 상태로: bring *up* a child 아이를 기르다 / "What will you be, Johnny, when you grow *up*?"—"A Fireman!" 조니, 넌 커서 뭐가 될래?—소방관! **d** (…부터) …까지; (…으로부터) 이후로 내내: from childhood *up* 어릴 때부터 줄곧 / from sixpence *up* 6펜스 이상 / from his youth *up* to his old age 그의 청년 시절부터 노년에 이르기까지 **e** [be (well) up으로] 《구어》 …에 정통하여 《*in, on*》: My brother *is* (*well*) *up in* English literature. 형은 영문학에 밝다.

9 a (뒤쫓아) **따라잡아,** 뒤쫓아: catch *up* (to the leader) in a race 경주에서 (선두를) 따라잡다 / follow *up* a person …의 뒤를 놓치지 않도록 쫓다 **b** (경기에서) 리드하여, 상대에 이기고 《*on*》: The player was two points *up on* his competitor. 그 선수는 경쟁자를 2점 이기고 있었다. **c** 〈사람이〉 (의식·정보면 등에서) 뒤지지 않고: keep *up* with the latest information 최신 정보에 밝다

10 a 기세 좋게, 힘차게, 활발히; 화가 나, 흥분하여: blaze[fire] *up* 발끈 화를 내다 / Their spirits went *up*. 그들은 기세가 올랐다. 《힘이 났다》 / The town is *up*. 온 도시가 발칵 뒤집혔다. / The fire burned *up* brightly. 불이 활활 타올랐다. **b** [be의 보어로] 《문어》 (싸우려고) 분발하여: The team is *up* for the game. 경기를 앞두고 그 팀은 기세가 등등하다. **c** 작동하여, 〈장치·컴퓨터 등이〉 가동중인: start *up* the engine 엔진의 시동을 걸다

11 a (논의·화제에) **올라;** (눈에) 띄어, 두드러져: The problem came *up* in conversation. 그 문제가 화제에 올랐다. / The lost papers have turned *up*. 잃었던 서류들이 나타났다. **b** 법관[법정] 앞에: He was had[brought] *up for* stealing. 그는 절도죄로 법정에 세워졌다. **c** 《구어》 〈일이〉 생겨, 일어나: What's *up*? 무슨 일이 일어났는가?, 어찌 된 일인가? / Is anything *up*? 무슨 일이 있나?, 무슨 일인가?

12 a [종결·완성·충만·양도·양보 등을 나타내는 강조어로서 동사와 결합하여] **완전히,** 다; …하여 버려: Eat *up* your cake. 케이크를 (다) 먹어 버려라. / This rubbish must be burned *up*. 이 쓰레기는 다 태워 버려야 한다. / The paper is all used *up*. 이제 종이는 다 써 버렸다. / He pumped *up* the tires. 그는 타이어에 바람을 가득 넣었다. / Drink *up*! 쭉 비워! / sell *up* the farm 농장을 팔아버리다 / yield *up* one's seat 자리를 양보하다 / ⇨ CLEAN up, DRESS up, END up, WRITE up **b** [be의 보어로] **끝나고**; 글러: Time's *up*. 시간이 다 되었다. / Parliament is *up*. 의회가 폐회되었다. / It's all *up* (with him). (그는) 이제 글렀다., 가망이 없다. / The game's *up*. 계획은 실패로 돌아갔다., 만사는 끝장났다. **c** [접합·부착·폐쇄 등을 나타내는 동사와 결합하여] 꽉, 단단히: nail *up* a door 문에 못을 박아 버리다 / chain *up* a dog 개를 단단히 사슬로 붙들어매다 / pack *up* one's things 짐을 꾸리다 / tie *up* a parcel 소포를 끈으로 단단히 묶다 **d** [집합(集合)을 나타내는 동사와 결합하여] 모두, 함께, 한데: add *up* the figures 그 수를 합계하다 / collect[gather] *up* fallen apples 떨어진 사과를 주워 모으다 / tally *up* the voting 투표수를 집계하다 **e** [분할을 나타내는 동사와 결합하여] 잘게, 조각조각으로, 갈갈이: tear *up* a letter 편지를 쪽쪽 찢다 / chop *up* the meat 고기를 몬탁몬탁 자르다

13 [동사와 결합하여] **a** 정지하여; 활동 않고: draw[put] *up* 〈차가〉 서다, 〈차 등을〉 세우다 / lie *up* (앓아) 누워 있다 / He reined *up* his horse. 그는 고삐를 당겨 말을 세웠다. / ⇨ BRING up, DRAW up, FETCH up. **b** 챙겨 두어, 따로 간직하여, 보관[저장]하여: save *up* money for …에 대비하여 저금하다 / They had to lay *up* food for the winter. 그들은 월동용 식량을 비축해 두어야 했다.

14 [be의 보어로] 《영》 〈도로가〉 공사중인: "Road *Up*" 《게시》 도로 공사중 ★ 보통 통행 금지.

15 《미·구어》 〈득점이 쌍방〉 각각: The score is 10 *up*. 득점은 각각 10점이다.

16 a 〖야구〗 〈타자가〉 칠 차례로, 타석에 서(at bat): go *up* twice in the same inning 같은 회에 두 번 타석에 서다 **b** 〈기수가〉 말을 타고: with a new jockey *up* 신출내기 기수가 말을 타고

17 《구어》 (술·칵테일 등에) 얼음을 넣지 않은, 온더락이 아닌, 얼음 없이 스트레이트로

18 망설임 없이, 즉석에서: speak right *up* 〈생각한 바 등을〉 기탄없이 말하다

19 〈얼굴·면 등을〉 위로 향하여: lie face *up* 벌렁 드러눕다 / This side *up*. 이쪽 면을 위로. 《포장 게시》

20 〖항해〗 바람을 향해: Put the helm *up*! 키 올렷!

***all up* (*with*)** ⇨ 12 b

be* [*stay*] *up all night 밤을 꼬박 새다

be up and coming 〈사람이〉 적극적이다

be well up in ⇨ 8 e

up against ... (1) 《구어》 (곤란·장애 등에) 부딪쳐서, 직면하여: I'm[I've come] *up against* a problem. 문제에 부딪쳐 있다[부딪쳤다]. (2) …에 접근하여; …에 접촉하여

up against it 《구어》 몹시 곤란하여, 곤경에 처하여, 사면초가로

***up and about* [*around*]** 〈환자가〉 병상을 떠나서, (회복하여) 걸어다니고

***up and do*ing** 맹활동하고, 분주히 일하고

up and down (1) 상하로; 왔다갔다 (2) 여기저기에, 이리저리 (3) 《구어》 〈건강 상태 등이〉 좋아졌다 나빠졌다; 부침(浮沈)하면서

up close 《구어》 바로 가까이서, 바싹 다가와

up for ... (1) 선거에 나서, 입후보하여 (2) (팔 물건으로) 내놓아: The house was *up for* sale[auction]. 그 집은 팔려고[경매에] 내놓았다. (3) (논의·화제 등에) 올라(⇨ 11 a) (4) 법관[법정] 앞에(⇨ 11 b) (5) 《구어》 기꺼이 …하는

up front ⇨ front

up there 저 높은 곳에(서); 저승에서; 저기에

up to ... (1) 〈어느 위치·정도·시점이〉 …까지(에), …에 이르기까지; 〈지위 등이〉 …에 이르러: *up to* this time[now] 지금껏, 지금[이 시간]까지는 / I am *up to* the ninth lesson. 나는 제 9과까지 나가고 있다. / He counted from one *up to* thirty. 그는 1에서 30까지 세었다. / He worked his way *up to* company president. 그는 그 회사의 사장으로까지 출세했다. (2) [대개 부정문·의문문에서] 《구어》 〈일 등〉을 감당하여, …을 할 수 있고[할 수 있을 정도로 뛰어나]: You're *not up to* the job. 너는 그 일을 감당하지 못한다. / This novel is*n't up to* his best. 이 소설은 그의 최고작에는 미치지 못한다. / Do you feel *up to* going out today? 오늘은 외출할 수 있을 것 같습니까? 《병자에게 묻는 말》 (3) 《구어》 〈나쁜 짓〉에 손을 대고; …을 꾀하고: He is *up to* something[no good]. 그는 어떤[좋지 않은] 일을 꾀하고 있다. / What are they *up to*? 그들은 무슨 짓을 하려는 것인가? (4) 《구어》 〈사람이〉 해야 할, …나름인, …의 의무인, …에 달려 있는: It's *up to* him to support his mother. 그야말로 어머니를 부양해야 한다. / I'll leave it *up to* you. 그것을 네게 맡기마. / It's *up to* you whether to go or not. 가고 안가고는 네 맘에 달려 있다. / The final choice is *up to* you. 마지막 선택은 네 손에 달려 있다.

up to much 〈가치가〉 큰, 소중한(⇨ UP to (2))

up to* one*'s ears ⇨ ear

up to* one*'s* [*the*] *eyes ⇨ eye¹

***up until* [*till*] ...** 《구어》 …(에 이르기)까지 《until [till]의 강조형》: She was here *up until* yesterday. 그녀는 어제까지 죽 여기 있었다.

Up with ...! ⇨ 2 b

What's up? 《구어》 ⇨ 11 C

— [əp, ʌ́p, ʌ́p] *prep.* **1** (낮은 위치·지점에서) …**의 위로[에]**, …의 높은 쪽으로[에], …을 올라가[올라간 데에]: walk *up* a hill 언덕을 걸어 오르다 / climb *up* a ladder 사다리를 오르다 / My room is *up* the stairs. 내 방은 위층에 있다. / He is well *up* the social ladder. 그의 사회적 지위는 상당히 높다.

2 a (하천의) 상류로[에], 〈흐름을〉 거슬러 올라가: go *up* the wind 바람 불어오는 쪽으로 나아가다 / sail *up* a river 강을 거슬러 항해하다 **b** …을 따라, …을 끼고, …을 좇아서(along): ride *up* the road 길을 말타고 가다 / She lives *up* the street. 그녀는 그 거리를 조금 더 간 곳에 살고 있다. **c** …의 해안에서 내륙으로, …의 오지로: travel *up* country 오지로 여행하다 ★ 《미》에서는 up-country를 씀 / live two miles *up* the coast 해안에서 2마일 내륙에 살다

3 《영·방언》 (도시의 중심부 등)으로 《*to*》: I'm going *up* Soho this evening. 오늘 저녁 소호에 갈 예정이다.

up and down …을 이리저리, 왔다갔다: He was walking *up and down* the street. 그는 거리를 왔다갔다 하고 있었다.

Up yours! [감탄사적으로; 혐오·반항 등을 나타내어] 《속어》 나쁜 놈!, 빌어먹을 녀석! ★ 천한 표현: up your ass[arse]에서.

— *a.* 《★ be동사와 결합한 up은 부사로 다루었음 ⇨ *ad.*》 **1** Ⓐ **올라가는**, 위로 가는, 위쪽으로의; 〈열차가〉 상행의: the *up* escalator[elevator] 올라가는 에스컬레이터[엘리베이터] / the *up* grade 치받이(길), 오르막(길)(cf. UPGRADE *n.*) / an *up* train 상행 열차 / the *up* line (철도의) 상행선 / an *up* platform 상행선 플랫폼

2 〈돈이〉 (…에) 걸린: money *up* on the match 경기에 걸린 돈

3 《구어》 명랑한, 기운이 넘치는, 혈기왕성한: in one's *up* period 혈기왕성한 시절에; 기분이 명랑한 때에 / an *up* movie 기분을 북돋우는 영화

4 《구어》 〈시기가〉 호경기인, 호황을 띤: a string of *up* months for the company 회사로서는 호황이 계속되는 수개월

5 바람을 향한: a strong *up* wind 센 맞바람

— *n.* **1 a** 상승, 향상; 호조, 고조 **b** 오르막길 **2** [the up] 〖구기〗 (친 공이 바운드하여) 튀어 오르고 있는 상태: hit a ball on *the up* 바운드한 공을 치다 **3** 《속어》 각성제, 흥분제(upper)
on the up 《구어》 〈일이〉 호조로
on the up and up 《구어》 ⇨ up-and-up
ups and downs (1) (길 등의) 오르내림, 기복: farmland full of *ups and downs* 기복이 많은 농지 (2) 부침, (영고)성쇠: the *ups and downs* of life[fate] 인생[운명]의 부침/I had my *ups and downs.* 좋은 시절도 어려운 시절도 있었다.

— *v.* (**~ped** [ʌ́pt]; **~·ping**) *vi.* [보통 up and do로] **1** 《구어》 갑자기[느닷없이] …하다, 의표(意表)를 찔러 …하다: *up* and leave 불쑥 일어서서 떠나다/The fool *upped and died.* 그 바보 녀석은 갑자기 죽어 버렸다.
2 [종종 권고·명령·격려로] 일어서다: *Up,* workers! 노동자들이여, 궐기하라!
3 〈무기·팔 등을〉 휘두르다 《*with*》
4 《미·속어》 각성제를 복용[주사]하다
— *vt.* 《구어》 〈값 등을〉 올리다, 인상하다; 〈생산 등을〉 늘리다; 〈사람을〉 승진시키다

— [ˊ-] *n.* **1** 《미》 치받이(길), 오르막길 **2** [보통 the ~] 증가, 상승; 향상 **3** 신판, 개량형 **4** 〖컴퓨터〗 업그레이드 《제품의 품질·성능이 향상됨》 ***on the ~*** (1) 치받이 길에 (2) 향상[상승]하여, 증가하여
— [ˋˊ, ˊ-] *vt.* **1** 〈직원 등을〉 승진시키다, 한층 중요한 일을 맡게 하다 **2** 〈제품 등의〉 품질을 개량하다; 〈가축의〉 품종을 개량하다 **3** (품질 향상 없이) 〈제품의 가격·등급을〉 올리다

up·growth [ʌ́pgròuθ] *n.* **1** Ⓤ 성장, 발육, 발달 **2** 성장물, 발달물 《특히 생물체의 정상적인》

up·heav·al [ʌ̀phíːvəl] *n.* ⓊⒸ **1** 밀어 올림, 들어 올림 **2** 〖지질〗 융기 **3** 《비유》 대변동 《사상·사회 등의》, 격변, 동란

up·heave [ʌ̀phíːv] *v.* (**~d, -hove** [-hóuv]) *vt.* **1** 들어[밀어]올리다, 융기시키다 **2** 혼란시키다, 대변동을 일으키다 — *vi.* 솟아오르다, 융기하다(rise)
ùp·héav·er *n.*

*__up·held__ [ʌ̀phéld] *v.* UPHOLD의 과거·과거 분사

*__up·hill__ [ʌ́phil] *a.* **1** 올라가는, 오르막의, 치받이의: an ~ climb[road, way] 오르막길/The road is ~ all the way. 그 길은 내내 오르막이다. **2** 높은 곳에 있는, 언덕 위의 **3** 힘드는, 애먹는: an ~ struggle to become wealthy 부자가 되기 위한 고투
— *ad.* **1** 고개[언덕] 위로 **2** 곤란을 무릅쓰고, 애써서
— [ˊ-] *n.* 오르막길, 치받이

‡**up·hold** [ʌ̀phóuld] *vt.* (**-held** [-héld]) **1** 지지[시인, 변호]하다; 《영》 〈질서 등을〉 유지하다 **2** 받치다, 들어 올리다, 받들다, 지탱하다 **3** 고무하다, 격려하다 **4** 〈결정·판결 등을〉 확인하다, 확정하다 **~·er** *n.*

up·hol·ster [ʌphóulstər, əpóul- | ʌphóul-] *vt.* **1** 〈의자 등에〉 속·스프링·커버 등을 대다; 겉천을 대다, 〈의자 등에〉 커버를 씌우다 《*in, with*》 **2** 〈집·방 등을〉 양탄자[커튼, 가구류]로 장식하다, …에 가구를 설치하다 《*with*》 **~·er** *n.*

up·hol·stered [ʌphóulstərd, əpóul- | ʌphóul-] *a.* **1** 〈의자 등이〉 겉천을 간 **2** [well-~로] 《익살》 살이 포동포동하게 찐

up·hól·ster·er bèe [ʌphóulstərər-, əpóul- | ʌphóul-] 〖곤충〗 가위벌(leaf-cutting bee)

up·hol·ster·y [ʌphóulstəri, əpóul- | ʌphóul-] *n.* (*pl.* **-ster·ies**) **1** [집합적] 가구류, 실내 장식품; ⓊⒸ 실내 장식 재료 《속, 스프링, 피복물 등; 특히 겉천, 커버》 **2** Ⓤ 가구업, 실내 장식업

up·hove [ʌ̀phóuv] *v.* UPHEAVE의 과거·과거분사

UPI universal peripheral interface 〖컴퓨터〗 범용(汎用) 단말 인터페이스 **UPI, U.P.I.** United Press International

úp Jén·kins [-dʒéŋkinz] 동전 돌리기 놀이

*__up·keep__ [ʌ́pkìːp] *n.* Ⓤ **1** 유지, 보존(maintenance); (가족 등의) 부양 **2** 유지비, 보존비; 부양비

*__up·land__ [ʌ́plənd, -lǽnd | -lənd] *n.* **고지**, 고원 《highland보다 낮은》; 고지 지방; [보통 *pl.*; 단수·복수 취급] = UPLAND COTTON
— *a.* 고지의: an ~ village 고지 마을 **~·er** *n.*

úpland cótton 〖식물〗 육지 목화 《미국 남부 여러 주에서 나는 단(短)섬유 솜; 그 면화》

*__up·lift__ [ʌ̀plíft] *vt.* **1** 들어올리다, 높이 올리다 **2** …의 정신을 앙양하다, 의기를 드높이다; 향상시키다 《사회적·도덕적으로》 **3** 외치다, 큰 소리를 내다
— [ˊ-] *n.* **1** Ⓤ 들어올림, 들어올리는 힘 **2** Ⓤ 향상 《사회적·정신적·도덕적》, 정신적 앙양, 감정의 고조: a moral ~ 도덕적 향상 **3** ⓊⒸ 〖지질〗 융기, 융기된 부분 **4** 브래지어의 일종(=~ **brassíere**) 《유방을 위쪽으로 들어올려 줌》 **~·er** *n.* **~·ment** *n.*

up·lift·ed [ʌ̀plíftid] *a.* **1** 높여진, 사기왕성한, 자랑스러운 **2** (지적·정신적으로) 향상된

up·lift·ing [ʌplíftiŋ] *a.* 사기를 높이는, 격려하는, 정신을 고양하는

up·light [ʌ́plàit] *n.* 업라이트 조명, 윗 방향 조명

up·link [ʌ́plìŋk] *n.* 〖통신〗 업링크 《지상에서 우주선[위성]으로의 정보 전송》 — [ˋˊ] *vt.* 〈정보를〉 지상에서 우주선[위성]으로 전송하다, 업링크하다

up·load [ʌ́plòud] *vt.* **1** 〖컴퓨터〗 〈소프트웨어·데이터 등을〉 소형 컴퓨터에서 대형 컴퓨터로 전송하다 **2** 〈비행기 등에〉 화물이나 연료를 채우다

up·man·ship [ʌ́pmənʃip] [one-upmanship의 단축형] *n.* Ⓤ 《구어》 (남보다) 한 수 앞섬; 남보다 한 수 위에 서는 술책

up·mar·ket [ʌ́pmɑ̀ːrkit] *a.* 〈상품 등이〉 상급 시장[고소득층] 지향의; 고급품 (지향)의
— *ad.* 상급 시장용으로, 고급품 분야로
— *vi., vt.* 상급 시장에 팔다[진출하다]

up·most [ʌ́pmòust] *a.* = UPPERMOST

‡**up·on** [əpɑ́n, əpɔ́ːn | əpɔ́n; 《약하게》 əpən] *prep.* = ON USAGE upon은 일반적으로 on과 거의 같은 뜻으로 쓰이나 on보다는 좀 무거운 문어조(文語調)의 말이다. 관용구나 문어체에서 강조되는 문미(文尾)에 올 때 등에 upon이 쓰인다. 그러나 구어조에서 가볍게 때·수단·상태·종사 등을 나타낼 경우에는 on 대신에 upon이 쓰이는 일은 없다. ***once ~ a time*** ⇨ once. ***~ my word*** ⇨ word. ***depend ~ it*** ⇨ depend.

úp-or-dówn vóte [ʌ́pɔːrdáun-] 부동표(浮動票) (floating vote)

up-or-out [-áut] *n.* 《미》 〖경영〗 업오어아웃 《일정 연한내에 승진하든지 아니면 그 기업[조직]에서 떠나야 한다는 일부 기업의 불문율》

‡**up·per** [ʌ́pər] *a.* (opp. *lower*) Ⓐ **1** [장소·위치 등] 더 위의[위에 있는], 높은 쪽의, 상부의: the ~ jaw 위턱 **2** [지위·계급·신분 등] **상위의**, 상급의, 상류의: the ~ classes 상류 계급 **3** 고지의, (강)상류의; 《미》 (…보다) 북쪽의, 오지의: ~ Manhattan 북부 맨해튼 **4** 〖지질〗 상층의, 지표(地表)에 가까운; [**U~**] 새로운 쪽의, 후기(後期)의: *U~* Cambrian 후기 캄브리아기(紀) **5** 〈음·목소리 등이〉 높은 **6** 《고어》 위에 입는 〈옷 등〉 ***get*** [***have***] ***the ~ hand of*** …보다 우세[유리]하다, …을 이기다 ***in the ~ air*** 하늘 높이, 상공에
— *n.* **1** 높은 쪽에 있는 것; 《미·구어》 상류 사회[계급]의 사람 **2** [보통 *pl.*] 구두 갑피 **3** [*pl.*] 《미·구어》 헝겊 각반(cloth gaiters) **4** 《미·구어》 (침대차 등의) 상단 침대(upper berth); [*pl.*] 윗니, 위쪽 의치 **5** 《구어》 각성제; 《미·속어》 자극적인 경험 **6** 《영·속어》 (사립 중학교의) 상급생 ***be*** (***down***) ***on*** one***'s ~s*** 《구어》 바닥이 닳아 빠진 구두를 신고 있다; 몹시 가난하다

thesaurus **uphold** *v.* support, back up, stand by, defend; maintain, sustain, hold to, keep

úpper áir 〖기상〗 고층 대기 《하부 대류권 위》
úpper árm 상박(上膊), 상완(上腕)
úpper átmosphere 〖기상〗 초고층 대기 《대류권 위쪽》
Úpper Bénch [the ~] 〖고대 영국법〗 (공화제 시대의) 왕좌 재판소(Court of King's Bench)
up·per-brack·et [ʌ́pərbrǽkit] *a.* (등급표나 순위표 중) 상위에 있는: an ~ taxpayer 고액 납세자
Úpper Cánada 어퍼 캐나다 《Ontario주의 별칭》
úpper cáse 〖인쇄〗 어퍼 케이스 《대문자·작은 대문자(small capitals)·분수·기호 등을 넣는 활자 상자》
up·per·case [-kéis] 〖인쇄〗 *a.* 대문자의 《略 u.c.》; 대문자로 짠[쓰인, 인쇄된] **—***n.* 대문자 (활자) **—***vt.* **1** 대문자로 인쇄하다[짜다] **2** 〈소문자를〉 대문자로 바꾸다
úpper chámber [the ~] = UPPER HOUSE
úpper círcle (극장의) 3등 좌석 《dress circle과 gallery 사이로 요금이 싼 좌석》
úpper clás s [the ~(es)] **1** 상류 계급 (사람들) **2** (학교의) 상급 (학급)
up·per-class [-klǽs | -klɑ́:s] *a.* **1** 상류 계급의, 상류 계급 특유의 **2** 《미》 (고등학교·대학의) 상급의, 3[4]학년생의
up·per·class·man [ʌ̀pərklǽsmən | -klɑ́:s-], **-wom·an** [-wùmən] *n.* (*pl.* **-men** [-mən], **-wom·en** [-wìmin]) 《미》 (고등학교·대학의) 상급생 (cf. UNDERCLASSMAN)
úpper crúst **1** (파이·빵 등의) 윗껍질 **2** [the ~] 《구어》 상류[귀족] 사회[계급] **3** 《속어》 머리
thin in the ~ 《미·속어》 머리가 이상한
up·per-crust·er [ʌ́pərkrʌ́stər] *n.* 《구어》 상류 계급 사람
up·per·cut [-kʌ̀t] *n.* 〖권투〗 어퍼컷, 올려치기 **—***vt., vi.* (~; **~·ting**) 어퍼컷으로 치다
úpper déck 〖항해〗 상갑판(上甲板)
up·per·dog [-dɔ́:g | -dɔ́g] *n.* = TOP DOG
úpper échelon (지휘 계통의) 상층부, 상급 기관
úpper hánd [the ~] 우세, 우위
have the ~ 이기다, 우세하다
úpper hóuse [종종 **U- H-**; the ~] (양원제의) 상원(cf. LOWER HOUSE) ★ 《영》 the House of Lords; 《미》 the Senate.
úpper léather (구두의) 갑피용 가죽
úpper mémory área 〖컴퓨터〗 상위 메모리 영역 《DOS에서 640-1024 KB까지의 영역》
up·per-mid·dle [ʌ́pərmídl] *a.* 중상(中上)의
úpper míddle cláss [the ~] 상위 중산[중류] 계급 《middle class의 상층 사회 계급》
***up·per·most** [ʌ́pərmòust] *a.* **1** 최고[최상]의, 최우위[최우수]의: the ~ peaks of the mountain 그 산의 최고봉/the ~ class of society 사회의 최상류 계급 **2** 〈문제가〉 가장 중요한
—*ad.* 맨 위[앞]에, 가장 높이; 맨 먼저 (머리에 떠올라서): the thoughts that came ~ to one's mind …의 마음에 가장 먼저 떠오른 생각
úpper régions [the ~] **1** 하늘 **2** 천계(天界), 천국
úpper schòol (사립학교의) 상급 학년; 《영》 공립학교의 상급[고] 학년
úpper séats [the ~] = UPPER CIRCLE
Úpper Silésia 상부 실레지아 《옛 프로이센 동남부 지방》
úpper stòry **1** 위층, 2층 **2** [the ~] 《미·속어》 머리, 두뇌
up·per·ten·dom [ʌ̀pərténdəm] *n.* Ⓤ 최상류 계급(cf. UPPER TEN)
úpper tén (**thóusand**) [the ~] 최상류 사회에 속하는 사람들, 귀족 계급(cf. the FOUR HUNDRED)
Úpper Vól·ta [-vɑ́ltə | -vɔ́l-] 오트볼타 《아프리카 서부의 공화국; Burkina Faso의 구칭》
up·per·works [ʌ́pərwə̀:rks] *n. pl.* **1** 〖항해〗 (배의) 건현(乾舷); 수상부(水上部) **2** 상부 구조 **3** 《속어》 두뇌, 지력(知力)
up·per·world [ʌ́pərwə̀:rld] *n.* [the ~] 지상의 세계; 건실한 생활
up·phase [ʌ́pfèiz] *n.* (경제·장사의) 호황기, 상승기
up·pie [ʌ́pi] *n.* 《미·속어》 각성제 《특히 암페타민 정제》
up·pish [ʌ́piʃ] *a.* **1** 《영·구어》 거만한, 잘난 체하는, 건방진, 주제넘은(impudent) **2** 〈장소 등이〉 약간 높은 **~·ly** *ad.* **~·ness** *n.*
up·pi·ty [ʌ́pəti] *a.* 《미·구어》 = UPPISH
Upp·sa·la, Up- [ʌ́psɑ:lə, -sə- | ʌ́psɑ:lə, upsɑ́:-] *n.* 웁살라 《스웨덴 남동부의 교육 도시》
úp quàrk 〖물리〗 업쿼크 《가설상의 소립자 구성 요소의 하나》
up·raise [ʌpréiz] *vt.* **1** 높이 올리다, 들어올리다 **2** 〈지층(地層)을〉 융기시키다 **3** 원기를 북돋우다, 격려하다(cheer) **ùp·ráis·er** *n.*
up·raised [ʌpréizd] *a.* 들어 올린, 쳐들린: He strode towards me, his fist ~. 그는 주먹을 쳐들고, 나에게 성큼성큼 다가갔다.
up·rate [ʌ̀préit] *vt.* **1** 격상하다; …의 율을 올리다; …의 출력[효율]을 증가시키다 **2** 품질을 올리다, 개량하다(improve)
up·rear [ʌ̀príər] *vt.* **1** 올리다, 일으키다, 세우다 **2** 길러내다; 승진시키다, 높이다: ~ children in a good environment 아이를 좋은 환경에서 길러내다
—*vi.* 일어서다
***up·right** [ʌ́pràit, ⌐⌐] *a.* **1** 똑바로 선, 곧추 선, 직립의, 수직의; 똑바른: an ~ tree 곧은 나무 **2** 올바른, 정직한, 고결한(⇨ honest 유의어); 공정한
—*n.* **1** Ⓤ 똑바른 상태 **2** 똑바른 물건, 곧추 선 부분, 직립재(直立材) 《건축물의》 **3** 직립형 피아노(=~ piano) **4** [*pl.*] 〖미식축구〗 골포스트, 골대(goal-posts) (***be***) ***out of ~*** 기울어져 (있다)
—[⌐⌐] *ad.* 똑바로 (서서), 꼿꼿이; 올바른 자세로
—[⌐⌐] *vt.* 직립시키다, 수직으로 하다
~·ly *ad.* **~·ness** *n.*
úpright piáno 직립형 피아노(cf. GRAND PIANO)
up·rise [ʌpráiz] *vi.* (**-rose** [-róuz]; **-ris·en** [-rízn]) **1** 일어서다; 기상(起床)하다; 일어나다(rise, get up) **2** 〈태양이〉 떠오르다; 출현하다; 존재하게 되다, 발생하다 **3** 오르막길이 되다, 올라가다(ascend) **4** 〈소리가〉 높아지다; 〈양이〉 증가하다 **5** 폭동[반란]을 일으키다 **6** (죽은 사람이) 소생하다
—[⌐⌐] *n.* **1** 해돋이, 새벽; 상승 **2** 치받이; 입신 출세 **3** 발생, 발달 **4** 반란, 폭동 **úp·rìs·er** *n.*
up·ris·en [ʌprízn] *v.* UPRISE의 과거분사
***up·ris·ing** [ʌ́pràiziŋ, ⌐⌐—] *n.* **1** (지역적인) 반란, 폭동, 봉기(revolt): a student ~ 학생 폭동 **2** 치받이 **3** CU (고어) 기립, 기상; 상승
up·riv·er [ʌ́prívər] *a.* (강의) 상류의, 상류에 있는; 수원(水源)으로 향하는 **—***ad.* 수원으로 향하여(서), 상류로[에서] **—***n.* 상류 지역, 수원지
up·roar** [ʌ́prɔ̀:r] *n.* CU [(an) ~] 소란, 소동; 야단법석, 떠들어대는 소리 ***in (***an***) ***~*** 몹시 떠들썩하여, 왁자하여 ▷ upróarious *a.*
up·roar·i·ous [ʌprɔ́:riəs] *a.* **1** 떠드는, 법석떠는; 시끄러운, 떠들썩한: an ~ laughter 떠들썩한 웃음소리/~ welcome 떠들썩한 환영 **2** 매우 재미있는
~·ly *ad.* **~·ness** *n.*
***up·root** [ʌprú:t] *vt.* **1** 뿌리째 뽑다(root up) **2** …을 (오래 살아온 집·토지 등에서) 몰아내다 《*from*》: Millions of people were *~ed* by the war. 수백만의 사람들이 전쟁으로 집과 땅을 잃었다. **3** 〈악습을〉 근절하다, 절멸하다: ~ poverty 빈곤을 근절하다
—*vi.* **1** 주거[생활 양식]를 바꾸다 **2** 절멸되다
~·ed·ness *n.* **~·er** *n.*
up·rose [ʌpróuz] *v.* UPRISE의 과거
up·rouse [ʌpráuz] *vt.* **1** 일으키다, 깨우다 **2** 각성

---

uplift *v.* **1** 들어올리다 raise, lift, heave up, elevate **2** 의기를 드높이다 inspire, edify, improve

시키다, …에 눈뜨게 하다

up·rush [ʌ́prʌ̀ʃ] *n.* **1** (가스·액체 등의) 급격한 상승, 분출 **2** (잠재의식으로부터의) 사고(思考)의 분출, (감정의) 고조: an ~ of fear 공포심의 고조
— *vi.* 급격히 상승하다, 분출하다

UPS Underground Press Syndicate 지하 출판 그룹[연합]; uninterrupted power supply (정전에 대비한) 보조 전원; United Parcel Service

up·sa·dai·sy [ʌ́psədèizi] *int.* = UPSY-DAISY

up·scale [ʌ́pskèil] *a.* ⦅미⦆ **1** 〈수입·교육·사회적 지위가〉 평균 이상의 **2** 부자의; 돈 많은 소비자의 마음에 드는 — *n.* [the ~] 상류 계급(의 사람들)
— *vt.* (부동산 등의) 가치를 높이다

up·sell [ʌ́psel] *vi.* (**up·sold** [ʌ́psould]) 격상 판매하다, 추가 판매하다 **~·ing** *n.* Ⓤ

‡**up·set** [ʌ̀psét] *v.* (~; **~·ting**) *vt.* **1** 뒤엎다, 전복시키다: ~ a boat 보트를 전복시키다 **2** 당황하게 하다; …의 정신을 못차리게 하다 **3** 〈계획 등을〉 망쳐 놓다, 어긋나게 하다 **4** …의 몸[위장]을 상하게 하다 **5** ⦗기계⦘ 〈가열한 쇠막대를〉 망치질을 하여 굵고 짧게 하다 **6** (예상을 뒤엎고) 이기다
— *vi.* 뒤집히다, 전복하다
— [ˊˋ] *n.* **1** 전복, 전도(轉倒), 뒤집힘; 혼란 (상태): have an ~ 뒤집히다 **2** 당황, 낭패 **3** 불화, 싸움: an ~ in the family 가정의 불화 **4** 역전패 **5** (위(胃) 등의) 부조(不調), 탈 **6** ⦗기계⦘ 단압(鍛壓) 해머; 금속봉의 단압한 부분
— [ˋˊ] *a.* **1** 뒤집힌, 전도된 **2** 타도된, 패배한 **3** 〈위장이〉 불편한 **4** 혼란에 빠진, 엉망인 **5** 당황한, 근심되는, 낭패한 **6** ⦅고어⦆ 수직으로 세운
~·ta·ble *a.* **~·ter** *n.*

úpset prìce ⦅미⦆ (경매 등에서의) 처음 부르는 가격, 최저 매가(賣價)(⦅영⦆ reserve price)

up·set·ting [ʌ̀psétiŋ] *a.* 뒤집어 엎는; 난리를 일으키는 — *n.* 전복, 전도, 뒤집음; 혼란

up·shift [ʌ́pʃìft] *n.*, *vi.* 고속 기어로 바꿈[바꾸다]

up·shot [ʌ́pʃɑ̀t | -ʃɔ̀t] [궁술에서 「마지막 화살」의 뜻에서] *n.* [the ~] (최후의) 결과, 결말, 결론
in the **~** 마침내, 결국에는

*__up·side__ [ʌ́psàid] *n.* **1** 위쪽, 윗면, 상부 **2** ⦗철도⦘ 상행선 플랫폼 **3** (가격 등의) 상승 경향
— *prep.* ⦅미·속어⦆ …의 옆을, …을 따라서

‡**úpside dówn** *ad.* **1** 거꾸로, 전도되어, 뒤집혀: turn the table ~ 테이블을 뒤집어 엎다 **2** 혼란하여, 난잡하게, 엉망으로, 뒤죽박죽으로

*__up·side-down__ [ʌ́psàiddáun] *a.* **1** 거꾸로의; 곤두박이는; 뒤집힌 **2** 혼란한, 뒤죽박죽의 **~·ness** *n.*

úpside-dówn càke ⦅미⦆ 업사이드다운 케이크 ⦅밑에 과일을 놓고 구운 후 과일이 위로 오도록 엎어서 내는⦆

up·sides [ʌ́psàidz] *ad.* ⦅영·구어⦆ 피장파장이 되어, 맞먹어(even, square) ***be***[***get***] **~** ***with*** (1) …와 피장파장이다[이 되다] (2) 복수하다, 원한을 풀다

up·si·lon [jú:psəlɑ̀n, -lən, ʌ́p- | ju:psáilən] *n.* **1** 입실론 ⦅그리스 자모의 제20자 Υ, υ; 영어 자모의 U, u 또는 Y, y에 해당⦆ **2** ⦗물리⦘ 입실론 (입자) ⦅beryllium 원자핵과 고에너지 양성자(proton)를 충돌시켜 만드는 무겁고 수명이 짧은 중성의 중간자(meson) 일족의 총칭⦆

úpsilon pàrticle ⦗물리⦘ 입실론 입자(粒子) ⦅양자의 약 10배의 질량을 갖는 중간자⦆

up·skill [ʌ́pskil] *vt.*, *vi.* 능력을 향상시키다, 능력이 향상되다: The company invested heavily in *~ing* its workforce. 회사는 직원들의 능력 향상을 위해 대규모 투자를 하였다.

up·skill·ing [ʌ́pskìliŋ | ˊˋ-] *n.* Ⓤ 숙련도 향상

up·slope [ʌ́pslòup] *n.* 오르막 비탈
— [ˋˊ] *ad.*, *a.* 비탈 오르막 쪽으로[의]

up-South [ʌ́psàuθ] *a.* ⦅미·속어⦆ (남부 여러 주처럼 인종 차별이 있는) 북부 여러 주의

up·spin [ʌ́pspìn] *n.* 급격한 회전 상승

up·spring [ʌ̀pspríŋ] *vi.* (**-sprang** [-sprǽŋ], **-sprung** [-sprʌ́ŋ]; **-sprung**) **1** 뛰어오르다 **2** 발생하다, 출현하다 **3** 마음에 떠오르다
— [ˊˋ] *n.* ⦅고어⦆ **1** 뛰어오름 **2** 발생, 출현

up·stage [ʌ́pstéidʒ] *a.* **1** 무대 안 쪽의 ⦅예전에는 무대 앞쪽보다 높았음⦆, 무대 뒤쪽에 자리를 차지하는 ⦅다른 배우들의 등이 관객을 향하도록⦆ **2** ⦅구어⦆ 도도한, 뻐기는, 교만한, 뽐내는 — *ad.* **1** 무대 안쪽으로[에](opp. *downstage*) **2** 도도하게, 거만하게
— [ˋˊ] *vt.* **1** ⦅구어⦆ 무대 안쪽에 서서 〈다른 배우로 하여금〉 관객에게 등을 향하도록 하다 **2** 앞지르다, …보다 인기를 얻다: The dog *~d* the human actors. 개가 (오히려) 사람 배우보다 인기가 있었다. **3** ⦅구어⦆ 거만하게 대하다, 냉대하다 — [ˊˋ] *n.* 무대 안쪽[뒤쪽]

up·stair [ʌ́pstέər] *a.* = UPSTAIRS

‡**up·stairs** [ʌ̀pstέərz] *ad.* **1** 2층으로[에], 위층으로[에]; 계단을 올라서 **2** 한층 높은 지위에 **3** ⦗항공⦘ 고공에 **4** ⦅구어⦆ 머리 속은, 두뇌는(in the head): She is all vacant ~. 그 여자는 머리가 텅 비어 있다.
kick a person **~** ⇨ kick[1]
— *n. pl.* **1** [단수·복수 취급] 2층, 위층; ⦅영·구어⦆ 위층 거주자; (특히 대저택의) 주인 **2** ⦅구어⦆ 머리, 두뇌
— *a.* **1** 2층의, 위층의: an ~ window 2층의 창 **2** 높은 곳에 있는, 고도(高度)의

up·stand·ing [ʌ̀pstǽndiŋ] *a.* **1** 똑바로 선; 꼿꼿한, 맷맷한, 날씬한 〈몸매〉 **2** 〈인물이〉 훌륭한, 고결한, 정직한(upright) ***Be*** **~.** 기립. ⦅법정에서 판사가 들어오거나 나갈 때의 구령⦆ **~·ness** *n.*

up·start [ʌ́pstɑ̀:rt] *n.* **1** 갑자기 출세한 사람, 어정뱅이, 벼락부자, 졸부 **2** 건방진 녀석 — *a.* 갑자기 출세한; 거들먹거리는, 건방진
— [ˋˊ] *vi.* 갑자기 일어서다[나타나다] — [ˋˊ] *vt.* 갑자기 일으키다 **~·ness** *n.*

up·state [ʌ́pstéit] ⦅미⦆ *a.*, *ad.* (한 주(州) 안의) 대도시에서 먼[멀리], 해안에서 먼[멀리], 북쪽의[에, 으로] ★ 특히 New York 주에 대하여 씀.
— *n.* (주(州) 내의) 시골; ⦅특히⦆ New York 주의 북부 지방 **úp·stát·er** *n.*

up·step [ʌpstép] *vt.* (**~ped**; **~·ping**) 증진시키다

*__up·stream__ [ʌ́pstrí:m] *ad.* **1** 상류에[로], 강을 거슬러 올라가서: walk ~ through the meadow 초원을 지나서 상류 쪽으로 걸어가다 **2** 산유(産油) 단계에
— *a.* **1** 흐름을 거슬러 오르는, 상류의 **2** 산유 단계인
— [ˊˋ | ˊ-] *n.* (석유 산업의) 상류 부문 ⦅downstream에 대하여 석유 채굴 부문⦆; (산업에서의) 제조 부문 (cf. DOWNSTREAM)

up·stretched [ʌ̀pstrétʃt] *a.* 〈팔 따위를〉 위로 뻗친[펼친]

up·stroke [ʌ́pstròuk] *n.* **1** (글자의) 위쪽으로 그은 획[필법] **2** (피스톤의) 상승 운동[행정]

up·surge [ʌ̀psə́:rdʒ] *vi.* **1** (파도처럼) 솟아오르다, 높아지다 **2** 급증하다 — [ˊˋ] *n.* **1** 급증, 쇄도; (감정의) 급격한 고조 **2** 갑작스러운 출현, 돌발

up·sweep [ʌ́pswì:p] *n.* **1** 위쪽으로 쓸어올림[솔질함] **2** 아래턱의 위쪽으로의 굽음 **3** 가파른 치받이[언덕] **4** 치켜 빗어 올린 머리형 **5** (사업·시장 상황 등의) 활성화 — [ˋˊ] *v.* (**-swept** [-swépt]) *vt.* 위쪽으로 쓸다[쓰다듬다] — *vi.* 위쪽으로 기울다

up·swell [ʌ̀pswél] *v.* (**~ed**; **~ed, -swol·len**) *vi.*, *vt.* 부풀(게 하)다

up·swept [ʌ́pswèpt] *v.* UPSWEEP의 과거·과거분사
— *a.* 위로 구부러진[휜, 기울어진]; 빗어올린 〈머리 모양〉

up·swing [ʌ́pswìŋ] *n.* **1** 상승, 상승 기세[경향] **2** 향상, 발전, 현저한 증가: an ~ in stock prices 주가의 현저한 상승 — [ˋˊ] *vi.* (**-swung** [-swʌ́ŋ]) 위쪽으로 흔들리다; 향상[상승, 증가]하다

up·sy-dai·sy [ʌ́psidéizi] *int.* **1** 영차, 올라간다 ⦅아기를 안아올릴 때⦆ **2** 착하지, 일어나 ⦅아이가 넘어졌을 때 격려하여⦆

up·take [ʌ́ptèik] *n.* **1** [the ~] ⦅미·구어⦆ 이해(력) (understanding) **2** 들어[집어]올림; 빨아올림; 흡수,

섭취 3 (빨아올리는) 통풍관, 연도(煙道)
***quick*[*slow*] *on the* ~** 《구어》 이해가 빠른[느린], 사리를 잘 깨닫는[깨닫지 못하는]
up·talk [ʌ́ptɔ̀ːk] *n.* 업토크 《평서문의 문미를 높이는 어조》
up·tear [ʌ̀ptɛ́ər] *vt.* (**-tore**; **-torn**) 뿌리째 뽑아내다; 파멸시키다
up-tem·po [ʌ́ptèmpou] *n.* (*pl.* **~s, -pi** [-piː]) (음악의) 업 템포
up·throw [ʌ́pθròu] *n.* **1** 던져올림; (지표 등의) 융기 **2** 〖지질〗 (단층에 의한 지반의) 융기
— [–́] *vt.* (**-threw** [-θrúː]; **-thrown** [-θróun]) …을 던져[밀어]올리다
up·thrust [ʌ́pθrʌ̀st] *n.* 밀어올림; 〖지질〗 융기
— *vt., vi.* 융기시키다[하다]
up·tick [ʌ́ptìk] *n.* Ⓤ **1** 《미》 (경기·사업 등의) 상향, 상승, 개선 **2** 〖증권〗 전회의 매매가보다 높은 거래
up·tight [ʌ́ptáit] *a.* 《속어》 **1** Ⓟ 초조해 하는, 긴장한, 근심스러운, 불안한; 성난 《*about*》 **2** 경제적으로 곤란한 **3** 틀에 박힌, 딱딱한, 형식적인; 《미》 매우 보수적인 **4** 굉장한, 완벽한, 만족스러운; 멋진 **~·ness** *n.*
up·tilt [ʌ̀ptílt] *vt.* 위로 기울이다[향하게 하다]
up·time [ʌ́ptàim] *n.* (기계 등의) 가동 시간; (종업원 등의) 작업 시간
‡**up-to-date** [ʌ́ptədéit] *a.* **1 최신(식)의,** 최근의, 첨단적인: ~ ideas 현대적인 생각 / an ~ style 최신식 **2** 〈사람이〉 현대적인, 최신 유행을 좇는(cf. OUT-OF-DATE) **~·ly** *ad.* **~·ness** *n.*
up-to-the-min·ute [ʌ́ptəðəmínit] *a.* 극히 최근의, 가장 참신한: an ~ news report 최신 보도
up·town [ʌ́ptàun] 《미》 *n.* 시가지의 높은 지대; (상업 지구에 대하여) 주택 지구
— [–́–́] *a.* 주택 지구의[에 있는], 주택 지구에 사는
— [–́–́] *ad.* 주택 지구에[로], 높은 지대에[로](opp. *downtown*) **~·er** *n.* 《미》 주택 지구 거주자
up·trade [ʌ̀ptréid] *vt.* 〈자동차·기기류를〉 더 좋은 것과 교환하다
up·trend [ʌ́ptrènd] *n.* 〖경제〗 상승 경향, 상향
up·turn [ʌ̀ptə́ːrn, –́ | –́] *vt.* 위로 향하게 하다; 뒤집어 엎다; 파헤치다 — *vi.* 위로 향하다; 뒤집히다
— [–́–] *n.* **1** 전복, 사회의 소란, 대혼란 **2** 위로 향함; (경기·물가 등의) 상승, 호전(好轉)(upward turn)
up·turned [ʌ̀ptə́ːrnd, –́ | –́] *a.* **1** 치뜬 〈시선 등〉; 끝이 위로 향한 **2** 뒤집힌; 파헤쳐진
UPU Universal Postal Union 만국 우편 연합
up·val·ue [ʌ́pvæ̀ljuː] *vt.* 〈통화를〉 평가 절상하다
ùp·val·u·á·tion *n.*
uPVC unplasticized polyvinyl chloride 비가소화(非可塑化) 폴리염화 비닐
‡**up·ward** [ʌ́pwərd] *a.* **위로[위쪽으로] 향한,** 향상하는, 올라가는; 위쪽에 있는: an ~ glance 치켜 뜬 시선 / an ~ tendency 오르는 경향 《물가 등의》 / an ~ current 상승풍[기류]
— *ad.* **1 위쪽으로,** 상류[오지, 대도시, 중심부] 쪽으로: trace a stream ~ 상류쪽으로 강을 거슬러 올라가는 **2** [from ... ~] …에서 위쪽으로; 이래, 이후: children *from* the age of six ~ 6세 이상의 아이들 **3** [... and ~] …이상: fourscore *and* ~ 80 이상
~(*s*) *of* …보다 이상; 거의, 약… **~·ly** *ad.* **~·ness** *n.*
úp·ward·ly móbile [ʌ́pwərdli-] *a.* 《미》 (사회적·경제적 지위의) 향상 지향의
úpward mobílity 《미》 〖사회〗 경제적[사회적] 상태의 상승
***up·wards** [ʌ́pwərdz] *ad.* = UPWARD
up·warp [ʌ́pwɔ̀ːrp] *n.* 〖지질〗 곡륭(曲隆); 배사(背斜) 《지각이 완만하게 위쪽으로 굽어진 지질 구조》
up·well [ʌ̀pwél] *vi.* 〈물 등이〉 솟아나다, 분출하다
up·well·ing [ʌ̀pwéliŋ] *n.* (하층 해수의) 용승(湧昇)
up·wind [ʌ́pwínd] *ad.* 바람이 불어오는 쪽으로; 바람을 거슬러서 — *a.* 맞바람의, 맞바람쪽으로 향한
— [–́] *n.* **1** 맞바람, 역풍 **2** 경사면을 치부는 바람

ú quàrk 〖물리〗 = UP QUARK
ur [ʌː, əː] *int.* = ER
Ur 〖화학〗 uranium
ur-[1] [juər], **uro-**[1] [júərou, -rə] 《연결형》 「뇨(尿); 요도; 배뇨; 요소」의 뜻 《모음 앞에서는 ur-》
ur-[2], **uro-**[2] 《연결형》 「꼬리; 꼬리 부분; 후미 돌기」의 뜻 《모음 앞에서는 ur-》
ur-[3] [uər, əːr] [G] *pref.* 「원시의; 초기의; 원형의」의 뜻: the *ur*-form 원형(原形)
u·ra·cil [júərəsil] *n.* Ⓤ 〖생화학〗 우라실 《리보핵산을 구성하는 염기(base)의 하나》
u·rae·mi·a [juəríːmiə] *n.* = UREMIA
u·rae·mic [juəríːmik] *a.* = UREMIC
u·rae·us [juəríːəs] *n.* 뱀 모양의 표상 《고대 이집트 파라오의 왕관에 달았던 휘장》

uraeus

U·ral [júərəl] *a.* 우랄 산맥[강]의 — *n.* **1** [the ~] 우랄 강 《우랄 산맥 남부에서 발원하여 카스피해에 이르는 강》 **2** [the ~s] 우랄 산맥
U·ral-Al·ta·ic [jùərəlæltéiik] *a.* **1** 우랄알타이(Ural-Altai) 지방(주민)의 **2** 우랄알타이 어족의 — *n.* Ⓤ 우랄알타이 어족 《핀어·터키어·몽고어를 포함하며 동부 유럽 및 중앙 아시아에 걸침》
U·ra·li·an [juəréiliən, -ljən] *a.* **1** 우랄 산맥의 **2** 우랄 지방 사람의 **3** 〖언어〗 우랄 어족의
U·ral·ic [juərǽlik] *n.* Ⓤ 〖언어〗 우랄 어족
— *a.* = URALIAN
Úral Móuntains [the ~] 우랄 산맥 《유럽과 아시아의 경계를 이룸》(the Urals)
u·ra·nal·y·sis [jùərənǽləsis] *n.* (*pl.* **-ses** [-sìːz]) = URINALYSIS
U·ra·ni·a [juəréiniə, -njə] [Gk 「하늘의」의 뜻에서] *n.* 〖그리스신화〗 우라니아 《천문(天文)의 여신; the Muses의 한 사람; Aphrodite의 속칭》

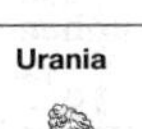
Urania

U·ra·ni·an [juəréiniən, -njən] *a.* **1** 〖천문〗 천왕성(Uranus)의 **2** Urania의 **3** [u~] 천상의, 영혼의; 천문학상의 **4** [u~] 동성애의
u·ran·ic[1] [juərǽnik] *a.* 〖화학〗 (uranous보다 원자가가 높은) (제2) 우란[우라늄]의, 우란을 함유한: ~ acid 우란산(酸)
uranic[2] *a.* 하늘의, 천문(학)상(上)의
uránic óxide 〖화학〗 = URANIUM DIOXIDE
u·ra·nite [júərənàit] *n.* Ⓤ 〖광물〗 우라나이트 《인산 우라늄 광물의 총칭》
***u·ra·ni·um** [juəréiniəm] [*Uranus*+*-ium* (원소의 뜻을 나타내는 접미사)] *n.* Ⓤ 〖화학〗 **우라늄** 《방사성 금속 원소; 기호 U, 번호 92》
uránium bòmb 우라늄 (원자) 폭탄
uránium dàting 우라늄 연대 측정
uránium dióxide 〖화학〗 이산화 우라늄
uránium hexaflúoride 〖화학〗 우라늄 헥사플루오라이드
uránium trióxide 〖화학〗 삼산화 우라늄 《도자기 착색용》
uránium 238 〖화학〗 우라늄 238 《우라늄 동위원소; 핵연료 플루토늄 339의 제조 원료; 기호 ^{238}U, U^{238}》
uránium 235 〖화학〗 우라늄 235 《우라늄 동위원소의 하나; 핵에너지로 이용; 기호 ^{235}U, U^{235}》
urano- [júərənou, -nə] 《연결형》 heaven의 뜻
u·ra·nog·ra·phy [jùərənɑ́grəfi | -nɔ́g-] *n.* Ⓤ 천체학, 천문학 **-pher** *n.* **ù·ra·no·gráph·ic, -i·cal** *a.* **-phist** *n.*
u·ra·nol·o·gy [jùərənɑ́lədʒi | -nɔ́l-] *n.* **1** 천체지(誌) **2** Ⓤ 천체학, 천문학 **ù·ra·no·lóg·i·cal** *a.*

u·ra·nom·e·try [jùərənɑ́mətri | -nɔ́m-] *n.* (*pl.* **-tries**) **1** 천체 측량 **2** 천체도(圖), 성도(星圖); 천체 위치지(位置誌) **ù·ra·no·mét·ri·cal** *a.*
u·ra·nous [júərənəs, juəréi-] *a.* 〖화학〗 (uranic보다 원자가가 낮은)(제1) 우란[우라늄]의[을 함유한]
U·ra·nus [júərənəs, juəréi-] *n.* **1** 〖그리스신화〗 우라누스 신 《Gaea의 남편》 **2** 〖천문〗 천왕성
u·ra·nyl [júərənìl] *n.* 〖화학〗 우라닐
u·rate [júəreit] *n.* 〖화학〗 요산염
u·rat·ic [juərǽtik] *a.*
urb [ɔ́:rb] [*urban*] *n.* 《미·구어》 시가지, 도시
***ur·ban** [ɔ́:rbən] *a.* Ⓐ **도시의**, 도시 특유의, 도시에 익숙한; 도시에 사는(opp. *rural*)
úrban anthropólogy 도시 문화 인류학
úrban archeólogy 도시 고고학
úrban archeólogist 도시 고고학자
úrban blúes 《미》 도시풍의 블루스 《대개 밴드가 딸린 리드미컬하고 화려한 블루스》
úrban desígn 〖건축〗 도시 설계
úrban dístrict 《영》 준(準)자치 도시 《이전의 county 내의 소도시》
ur·bane [ə:rbéin] *a.* **1** 도시풍의, 품위 있는, 세련된 (refined): an ~ manner 세련된 태도 **2** 정중한, 예절바른, 점잖은 **~·ly** *ad.* **~·ness** *n.*
úrban guerrílla 도시 게릴라 (조직)
úrban hómesteading 《미》 도시 정주(定住) 장려 (정책) 《도시의 황폐화를 막기 위해 빈 건물에의 입주를 장려하는 연방 정부의 정책; 일정 기간 후 소유권 인정》 **úrban hómesteader** 도시 재(再)정주자
ur·ban·ism [ɔ́:rbənìzm] *n.* Ⓤ **1** 《미》 도시 생활(학); 도시성 **2** 도시 계획; 도시화 **3** (인구의) 도시 집중 **úr·ban·ist** *n.* 도시 계획 전문가
ur·ban·is·tic [ə̀:rbənístik] *a.* 도시 생활(양식)의 **-ti·cal·ly** *ad.*
ur·ban·ite [ɔ́:rbənàit] *n.* 《미》 도시 생활[거주]자
ur·ban·i·ty [ə:rbǽnəti] *n.* (*pl.* **-ties**) **1** Ⓤ 도시풍, 세련, 우아 **2** [*pl.*] 도시풍의[세련된] 태도 **3** 도회생활
ur·ban·ize [ɔ́:rbənàiz] *vt.* **1** 도시화하다, 도시식으로 하다; 도시로의 이주를 촉진하다 **2** 《드물게》 우아하게하다 **ùr·ban·i·zá·tion** *n.*
úrban légend 도시(형) 전설 《확실한 근거가 없는데도 사실인 것처럼 사람들 사이에 퍼지는 놀라운 이야기》
ur·ban·oid [ɔ́:rbənɔ̀id] *a.* 대도시 특유의
ur·ban·ol·o·gy [ə̀:rbənɑ́lədʒi | -nɔ́l-] *n.* Ⓤ 도시학, 도시 문제 연구 **-gist** *n.*
úrban óre (재생 원료로서의) 도시 폐기물
úrban renéwal[redevélopment] 도시 재개발
úrban sociólogy 도시 사회학
úrban spráwl 도시 스프롤 현상 《도시 개발이 근접 미개발 지역으로 확산되는 현상》
ur·bi·a [ɔ́:rbiə] *n.* Ⓤ [집합적] 도시(부)(cf. SUBURBIA, EXURBIA)
ur·bi·cide [ɔ́:rbəsàid] *n.* 도시 환경[경관] 파괴
ur·bi·cul·ture [ɔ́:rbəkʌ̀ltʃər] *n.* Ⓤ 도시 생활, 도시 문화, 도시 경영
ur·ce·o·late [ɔ́:rsiələt, -lèit] *a.* 〖식물〗 〈꽃부리가〉 단지 모양인
***ur·chin** [ɔ́:rtʃin] [L 「고슴도치」의 뜻에서] *n.* **1** 장난꾸러기, 개구쟁이(mischievous boy); 《일반적으로》 소년 **2** = SEA URCHIN **3** 《영·방언》 고슴도치; 《폐어》 (고슴도치로 둔갑하는) 꼬마 귀신(goblin)
Ur·du [úərdu:, ɔ́:r-, ─́] *n.* Ⓤ 우르두 말 《Hindustani 말의 일종; 주로 인도 이슬람교도들 사이에서 쓰이며 파키스탄의 공용어》
-ure [*j*ùər, ər] *suf.* **1** [동작·과정·존재]: cens*ure* **2** [동작의 결과]: creat*ure* **3** [직무·기능]: judica*ture* **4** [기능 집단]: legislat*ure* **5** [수단]: ligat*ure*
u·re·a [juərí:ə, júəriə] *n.* Ⓤ 〖화학〗 요소(尿素)
uréa cỳcle 〖생화학〗 요소 회로
u·ré·a-form·ál·de·hyde rèsin [-fɔ:rmǽldə-haid-] 〖화학〗 요소 수지(樹脂)
u·re·al [juərí:əl, júəri-] *a.* 〖화학〗 요소의, 요소를 함유한
uréa résin 〖화학〗 요소 수지
u·re·ase [júərièis, -èiz | -èiz, -èis] *n.* 〖생화학〗 우레아제 《요소의 가수 분해를 촉진하는 효소》
u·re·di·o·spore [juərí:diəspɔ̀:r] *n.* 〖균류〗 여름포자(summer spore)
u·re·do [juərí:dou] *n.* 〖병리〗 피부 소양감(搔痒感)
u·re·mi·a, u·rae- [juərí:miə] *n.* Ⓤ 〖병리〗 요독증(尿毒症) **-mic**[-mik] *a.* 요독증의; 요독증에 걸린
u·re·ter [juərí:tər, júərətər] *n.* 〖해부〗 수뇨관(輸尿管) **u·ré·ter·al** *a.* **u·re·ter·ic** [jùərətérik] *a.*
u·re·ter·i·tis [juərì:təráitis] *n.* 〖병리〗 요관염
u·re·ter·ot·o·my [juərì:tərɑ́təmi | -rɔ́t-] *n.* 〖외과〗 요관 절개(술)
u·re·thane [júərəθèin], **-than** [-θæ̀n] *n.* Ⓤ 〖화학〗 우레탄 《무색·무취의 결정체; 주로 최면제용》
úrethane fòam 우레탄 폼 《포장의 속을 채우는 재료 따위》
u·re·thra [juərí:θrə] *n.* (*pl.* **-thrae** [-θri:], **~s**) 〖해부〗 요도(尿道) **u·ré·thral** *a.*
u·re·threc·to·my [jùərəθréktəmi] *n.* 〖외과〗 요도 절제(술)
u·re·thri·tis [jùərəθráitis] *n.* Ⓤ 〖병리〗 요도염(炎)
u·re·thro·scope [juərí:θrəskòup] *n.* 〖의학〗 요도경(鏡) **ù·re·thro·scóp·ic** *a.*
u·re·thros·co·py [jùərəθrɑ́skəpi | -θrɔ́s-] *n.* Ⓤ 요도경 검사(법)
u·ret·ic [juərétik] *a.* 〖의학〗 오줌의[에 관한]; 《특히》 이뇨(利尿)의
****urge** [ɔ́:rdʒ] [L 「몰다」의 뜻에서] *vt.* **1** **몰아대다**, 급히 서둘게 하다: ~ one's way[course] 길을 서두르다 // (~+목+부) ~ one's car *forward* 자동차를 몰다 **2** **죄어치다**, 재촉하다; 열심히 권하다, 설득하다; 격려하다: (~+목+***to*** do) He ~*d* me *to* go into business. 그는 나에게 실업계로 나가도록 강력히 권했다. // (~+목+전+명) ~ a person *to* greater efforts 더욱 노력하도록 …을 격려하다 **3** …**에게 억지로 시키다**, 강요하다: ~ silence 침묵을 강요하다 // (~+목+전+명) ~ a person *to* a task …에게 일을 억지로 시키다 **4** **주장하다**, 역설하다, 강조하다: (~+목+전+명) ~ *on*[*upon*] a person the fruitlessness of a petition 탄원해도 소용없다고 …에게 역설하다 // (~+***that*** 절) He ~*d that* we (should) accept the offer. 우리가 그 제의를 받아들여야 한다고 그는 주장했다. **5** 자극하다, 흥분시키다: (~+목+전+명) I ~*d* him *to* an intensity like madness. 미칠 지경이 되도록 그를 흥분시켰다. **6** 주목시키다
— *vi.* **1** 〈공포 등이〉 자극하다, 충동을 주다; (충동을 받아) 돌진하다, 서두르다 (*toward*) **2** (주장·요구·반대 의견 등을) 역설하다 (*for, against*)
— *n.* **1** 몰아댐 **2** 자극, 압박 **3** (강한) 충동: (~+***to*** do) She had[felt] an ~ *to* visit Europe. 그녀는 유럽을 여행하고 싶은 충동을 느꼈다.
▷ úrgency *n.*; úrgent *a.*
***ur·gen·cy** [ɔ́:rdʒənsi] *n.* (*pl.* **-cies**) **1** Ⓤ **긴급**, 화급; 절박, 급박, 위급, 위기: a sense of ~ 절박감 **2** [*pl.*] 긴급한 일; 《영》 〖의회〗 긴급 안건이라는 결의 **3** 역설, 집요: the ~ of a suitor 구혼자의 집요함
****ur·gent** [ɔ́:rdʒənt] *a.* **1** **긴급한**, 다급한, 촉박한, 절박한: on ~ business 급한 볼일로 / the ~ motion 긴급 동의 / an ~ telegram 지급 전보 **2** **죄어치는**, 재촉이 성화 같은, 강요하는 (*for*); 〈탄원·청구 등이〉 몹시 들볶는; 끈덕진, 귀찮은: an ~ claimant 계속 재촉하는 채권자 ***be in ~ need of*** 〈구조 등이〉 긴급히 필요하다 **~·ly** *ad.* ▷ úrge *v.*; úrgency *n.*

thesaurus **urge** *v.* **1** 몰아대다 push, drive, propel, impel, force, hasten, hurry **2** 권하다 entreat, implore, appeal, beg, beseech, plead **3** 격려하다

urg·er [ə́ːrdʒər] *n.* **1** 보채는 사람, 독촉하는 사람; 주장[역설]자 **2** 《호주·속어》 (경마 등의) 예상가 **3** 사기꾼
urgh [ə́rx | ə́x] *int.* 으악, 아이고(ugh)
ur·gi·cen·ter [ə́ːrdʒəsèntər] [*urg*ent+(surg*i*)*center*] *n.* (입원을 필요로 하지 않는 정도의 치료를 행하는) 외래용 긴급 병원, 구급 병원
urg·ing [ə́ːrdʒiŋ] *a.* 재촉하는, 성가신 **~·ly** *ad.*
-urgy [ərdʒi, ə̀ːrdʒi] 《연결형》 「…의 취급법; …의 조작 기술」의 뜻: chem*urgy*
URI 〖컴퓨터〗 uniform resource identifier **U.R.I.** upper respiratory infection 〖병리〗 상기도(上氣道) 감염
-uria [júəriə] 《연결형》 「…요(尿)」의 뜻 **1** …가 요중에 있는: albumin*uria* **2** 요도의 상태, 배뇨시의 상태
U·ri·ah [juəráiə] *n.* **1** 남자 이름 **2** 〖성서〗 우리아 《Bathsheba의 남편; 다윗에게 모살(謀殺)당함》
u·ric [júərik] *a.* 오줌의, 오줌에서 얻은
úric ácid 〖생화학〗 요산(尿酸)
u·ri·co·tel·ic [jùərikoutélik] *a.* 〖생화학〗 요산 배출의 **-tél·ism** *n.*
u·ri·dine [júərədìːn] *n.* 〖생화학〗 우리딘 《RNA의 구성 성분》
U·ri·el [júəriəl] *n.* 〖성서〗 우리엘 《7대 천사의 하나》
U·rim and Thum·mim [*j*úərim-ən-θʌ́mim, -túm-] [종종 **u- and t-**] 〖성서〗 우림과 둠밈 《재판할 때 유대의 대제사장이 가슴에 차던 물건》
urin- [júərən], **urino-** [júərənou, -nə] 《연결형》 「오줌; 요도; 요소」의 뜻 《모음 앞에서는 urin-》
u·ri·nal [júərənl] *n.* **1** (환자 등의) 소변기 **2** 소변소, 《특히》 남자용 소변기 **3** 유리 오줌병 《검사용》
u·ri·nal·y·sis [jùərənǽləsis] *n.* (*pl.* **-ses** [-sìːz]) Ⓤ Ⓒ 소변[요] 검사, 검뇨(檢尿)
u·ri·nar·y [júərənèri | -nəri] *a.* 오줌의; 비뇨기의: ~ diseases 비뇨기 병/~ organs 비뇨기 **—** *n.* (*pl.* **-nar·ies**) 소변소(urinal); 소변 구덩이 《비료용》
úrinary bládder 〖해부·동물〗 방광(膀胱)
úrinary cálculus 〖병리〗 요(결)석(尿(結)石)
úrinary tràct 〖해부〗 요로(尿路)
úrinary tràct infèction 〖병리〗 요로 감염증 《略 UTI》
úrinary túbule 〖해부〗 요세관(尿細管)
u·ri·nate [júərənèit] *vi.* 오줌 누다 **—** *vt.* **1** 오줌으로 적시다 **2** 오줌으로[과 함께] 배설하다 **-nà·tive** *a.*
u·ri·na·tion [jùərənéiʃən] *n.* Ⓤ 배뇨(排尿) (작용)
u·rine [júərin] *n.* Ⓤ 오줌, 소변 ***pass*** [***discharge***] (one***'s***) ~ 오줌 누다
úrine anàlysis = URINALYSIS
u·ri·no·gen·i·tal [jùərənoudʒénətl] *a.* 비뇨 생식기의(genitourinary)
u·ri·nom·e·ter [jùərənɑ́mətər | -nɔ́m-] *n.* 요(尿)비중계 **ù·ri·no·mét·ric** *a.*
u·ri·nous [júərənəs], **-nose** [-nòus] *a.* 오줌의[에 관한], 지린내 나는
URL 〖컴퓨터〗 uniform resource locator 《인터넷의 www에서 서버가 있는 장소를 지시하는 방법》
*__urn__ [ə́ːrn] *n.* **1 a** 항아리, 단지 **b** 납골(納骨)[유골] 단지 **2** (꼭지 달린) 대형 커피 포트 **—** *vt.* 납골 단지에 넣다; 매장하다

urns

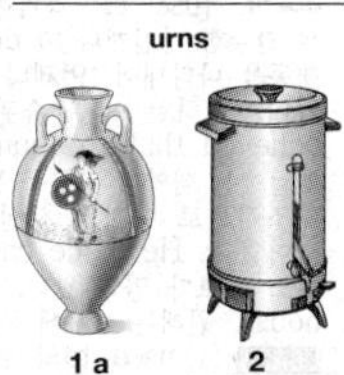

uro- [júərou, -rə] 《연결형》 = UR-[1, 2]
u·ro·chrome [júərəkròum] *n.* 〖생화학〗 우로크롬 《오줌의 담황색을 띠는 색소》

spur, incite, stir up, stimulate, encourage
urgent *a.* imperative, vital, crucial, critical, essential, important, necessary, pressing, serious

u·ro·dele [júərədìːl] *n., a.* 유미목(有尾目)의 양생류(兩生類)(의) 《도롱뇽 등》
u·ro·gen·i·tal [jùəroudʒénətl] *a.* 비뇨 생식기의
u·ro·lag·ni·a [jùərouléǽgniə] *n.* 〖정신의학〗 유롤라그니아 《오줌 또는 배뇨를 보고 흥분을 느끼는 성욕 도착증》
u·ro·li·thi·a·sis [jùərouliθáiəsis] *n.* 〖병리〗 요로결석증
u·rol·o·gist [juərɑ́lədʒist | -rɔ́l-] *n.* 비뇨기과 전문의사
u·rol·o·gy [juərɑ́lədʒi | -rɔ́l-] *n.* Ⓤ 〖의학〗 **1** 비뇨기학 **2** 비뇨기과 **ù·ro·lóg·ic, -i·cal** *a.*
u·ro·py·gi·um [jùərəpídʒiəm] *n.* 〖조류〗 요(腰)
u·ros·co·py [juərɑ́skəpi | -rɔ́s-] *n.* Ⓤ 〖의학〗 (진단을 위한) 요(尿)검사 **ù·ro·scóp·ic** *a.* **-pist** *n.*
u·ro·style [júərəstàil] *n.* 〖해부〗 미단골(尾端骨)
Ur·sa [ə́ːrsə] [L = (she-)bear] *n.* 여자 이름
Úrsa Májor [L = Great Bear] 〖천문〗 큰곰자리 (the Great Bear)
Úrsa Mínor [L = Little Bear] 〖천문〗 작은곰자리 (the Little Bear)
ur·sid [ə́ːrsid] *a., n.* 〖동물〗 곰과(科)의 (동물)
ur·sine [ə́ːrsain, -sin | -sain] *a.* **1** 곰의; 곰 같은(bearlike) **2** 〖동물〗 강모(剛毛)로 덮인
Ur·su·la [ə́ːrsələ, -sju- | -sju-] *n.* **1** 여자 이름 **2** [St. ~] 성(聖) 우르술라 《영국의 전설적 순교자》
Ur·su·line [ə́ːrsəlin, -làin, -lìːn, -sju- | -sjulàin] *n.* 〖가톨릭〗 우르술라회(會)의 수녀 《환자의 간호와 교육을 목적으로 함》 **—** *a.* 우르술라회의
ur·text [ə́ːrtèkst, úər-] *n.* (특히 악보의) 원본
ur·ti·ca·ceous [ə̀ːrtəkéiʃəs] *a.* 〖식물〗 쐐기풀과(科)(Urticaceae)의
ur·ti·cant [ə̀ːrtikənt] *a.* (쐐기풀에 찔린 것처럼) 따끔따끔한, 부어서 가려운
ur·ti·car·i·a [ə̀ːrtəkέəriə] [L 「쐐기풀」의 뜻에서] *n.* Ⓤ 〖병리〗 두드러기(hives) **-i·al** *a.*
ur·ti·cate [ə́ːrtəkèit] *vi.* 쐐기풀처럼 찌르다; 두드러기가 나다 **—** *vt.* 쐐기풀로 찌르다; …에 두드러기가 나게 하다 **—** *a.* 두드러기가 난
ur·ti·ca·tion [ə̀ːrtəkéiʃən] *n.* Ⓤ **1** 따끔거리는 가려움; 두드러기의 발생 **2** 쐐기풀의 매질
Uru. Uruguay
U·ru·guay [júərəgwèi, -gwài | -gwài] *n.* **1** 우루과이 《남미 남동부의 공화국; 수도 Montevideo; 略 Uru.》 **2** [the ~] 우루과이 강
U·ru·guay·an [jùərəgwéiən, -gwái- | -gwái-] *a.* 우루과이 (사람)의 **—** *n.* 우루과이 사람
Úruguay Róund 〖경제〗 우루과이 라운드 《1986년 우루과이에서 개최된 GATT 각료 회의에서 선언되어 이듬해부터 시행된 15개 분야의 다자간 무역 협상[교섭]; 略 UR》
Ü·rüm·qi [jùːrjúːmtʃíː] *n.* 우루무치(烏魯木齊) 《중국의 신장 위구르 자치구의 주도(主都)》
u·rus [júərəs] *n.* 〖동물〗 = AUROCHS
u·ru·shi·ol [urúːʃiɔ̀ːl | -ɔ̀l] *n.* 〖화학〗 우루시올 《옻의 주성분》
__us__ [ʌ́s; 《약하게》 əs, s] *pron. pl.* **1** [we의 목적격] 우리를[에게]: She blamed ~. 그녀는 우리를 책망했다. **2** 짐(朕)을[에게] 《국왕·황제의 자칭》; (신문 논설 등에서) 우리를[에게](cf. WE) **3** 《영·방언·속어》 = ME: Give *us* a penny. 한 푼만 주시오. **4** [부정대명사적으로] 사람들에게[을]: This fact shows *us* that .... 이 사실에서 …하다는 것을 알 수가 있다. **5** 《시어·고어·미》 = OURSELVES: We laid *us* down. 우리는 드러누웠다. ***Let us go [léts góu]. = ***Let's go*** [léts góu]. 가자.; 자 가자. ***Let us go*** [lét əs góu]. 보내주시오, 놓아주시오.
US, U/S unserviceable; useless **u.s.** *ubi supra* 《L = where above (mentioned)》; *ut supra* 《L = as above》 **U.S., US** Under Secretary; United Service; United States **U.S.A., USA**

Union of South Africa; United States Army; United States of America
us·a·bil·i·ty [jù:zəbíləti] *n.* Ⓤ 유용성, 편리함
us·a·ble [jú:zəbl] *a.* 쓸 수 있는, 쓰기에 편리한[알맞은]: 20 square meter of ~ office space 사무실로 사용되는 20제곱 미터의 공간 **~·ness** *n.* **-bly** *ad.*
USAEC United States Atomic Energy Commission **USAF, U.S.A.F.** United States Air Force **USAFI** United States Armed Forces Institute 미군 교육 기관
‡**us·age** [jú:sidʒ, -zidʒ] *n.* **1** ⓊⒸ 관습(habit), 관례, 관행; 〖법〗 관습(법): social ~ 사회적 관습 / according to ancient ~*s* 고대로부터의 관례에 따라 **2** ⓊⒸ (언어의) 관용법; 언어 용법, 어법: American ~ 미국 어법 / present-day English ~ 현대 영어 관용법 **3** Ⓤ 사용(법)(use), 용법, 쓰임새; 사용량: annual ~ 연간 사용량 / This teaching method of English has wide ~. 이 영어 교수법은 널리 쓰이고 있다. **4** Ⓤ 취급(법); 대우, 처우 **5** 유용(성), 실용(성) ***by ~*** 관례상, 관례에 따라 ***come into*** [***go out of***] ~ 쓰이게 되다[쓰이지 않게 되다] ***under rough ~*** 난폭하게 다루는[다루어져서] ▷ úse *v.*
us·age·as·ter [jú:sidʒæ̀stər] *n.* 자칭 어법의 권위, 자칭 어법학자
USAID [jú:eséid] [*U*nited *S*tates *A*gency *f*or *I*nternational *D*evelopment] *n.* 미국 국제 개발처
us·ance [jú:zns] *n.* Ⓤ **1** 〖금융〗 어음 기간 《환어음의 만기일까지의 기간》 **2** 〖경제〗 (부(富)의 소유에서 생기는) 수입[이익] ***bills drawn at*** (***double***) ~ (2배의) 기한부(附) 어음
USAR United States Army Reserve **USASI** United States of America Standards Institute 미국 규격 협회 《구칭 ASA》 **USB** 〖컴퓨터〗 Universal Serial Bus 《PC와 주변 장치를 접속하는 버스 규격》
USB drive[**stick**] = FLASH DRIVE
USC, U.S.C. United States Code **USCA** United States Code Annotated 주해 미연방 법규집 **USCAB** United States Civil Aeronautics Board 미국 민간 항공 위원회 **USCG, U.S.C.G.** United States Coast Guard **USCIS** United States Citizenship and Immigration Services 미국 이민 서비스국 **USD** United States dollar(s) **USDA** United States Department of Agriculture
‡**use**[1] [jú:z] *vt.* **1** 쓰다, 사용[이용]하다: ~ one's legs [ears, eyes, brains] 걷다[듣다, 보다, 생각하다] // (~+목+***to*** do) Don't ~ a knife *to* cut bread. 빵을 자르는 데 칼을 써서는 안된다. // (~+목+전+명) ~ soap *for* washing 세탁에 비누를 쓰다 // (~+***as*** 보) ~ newspapers *as* kindling 신문지를 불쏘시개로 쓰다 **2** 〈재능·폭력 등을〉 행사하다, 동원하다: ~ force 폭력을 쓰다 / ~ care 주의하다 / *U~* your head. 머리를 쓰시오. **3** 소비하다; 습관적으로 사용하다[마시다, 피우다]: ~ a ton of coal in a month 한 달에 석탄 1톤을 소비하다 // (~+목+전+명) How many eggs has the cook *~d for* this omelette? 요리사는 이 오믈렛에 달걀을 몇 개나 썼는가? **4** 〈권총 등을〉 겨누다 《*on, upon*》 **5** 〈언어를〉 사용하다, 〈글을〉 쓰다, 말하다: ~ Latin 라틴어로 말하다 / ~ words, phrases, etc. 단어, 구 등을 사용하다 **6** 대우하다, 취급하다, 다루다: (~+목+부) ~ a person *well*[*ill*] …을 친절히 대하다[학대하다] / ~ the prisoners *cruelly* 죄수들을 잔인하게 다루다 // (~+목+전+명) He *~d* me *like* a dog. 그는 나를 개같이 취급하였다. **7** (구어) 이기적인 목적에 이용하다, 이용해 먹다: ~ people to gain one's own ends 자신의 목적을 달성하기 위해 사람들을 이용해 먹다 **8** [could[can] ~] (구어) …을 얻을 수 있으면 좋겠다, 필요하다: I *could* ~ a good meal. 맛있는 식사를 하고 싶다. / You *could* ~ a new suit. 옷을 새로 맞추면 좋을 텐데.
— *vi.* **1** 항상 …하다, …하는 것이 습관이다 ★ 이 뜻으로는 지금은 과거형으로만 쓰임. ⇨ used[1] *vi.* **2** (고어·방언) 습관적으로 가다 **3** (미·속어) 마약을 상용하다 ***How is the world using you?*** (속어) 요즈음 재미가 어떻습니까? ~ ***language*** 욕지거리를 퍼붓다 ~ one***self*** (고어) 행동하다, 처신하다 ~ ***the sea*** 선원 생활을 하다 ~ ***up*** (1) 〈상품 등을〉 다 써버리다 (2) [보통 수동형으로] (구어) 지치게 하다 (3) 〈사람을〉 해치우다, 죽이다 ***U~ your head*** [(영) ***loaf***]! (구어) 머리를 굴려 봐! ***U~ your pleasure.*** 마음을 푹 놓으세요.
‡**use**[2] [jú:s] *n.* **1** Ⓤ [때로 a ~] 사용, 이용(법): the ~ of tools 도구의 사용 / *a* wasteful ~ of rich resources 풍부한 자원의 낭비 **2** Ⓤ 사용하는 힘[능력]; 사용 허가, 사용의 자유, 사용권 **3** Ⓤ [종종 부정문·의문문] 유용(有用), 소용, 효용, 이익, 효과: It is no ~ crying over spilt milk. (속담) 한 번 쏟은 물은 다시 담을 수 없다. **4** ⒸⓊ 사용 목적, 용도; Ⓤ 사용의 필요[기회] 《*for*》: I have ~ *for* you! 나에게는 네가 필요해! **5** ⓊⒸ 습관, 관습, 관행: *U~* is (a) second nature. (속담) 습관은 제2의 천성. / *U~* makes perfect. (속담) 배우기보다 익혀라. / Once a ~, for ever a custom. (속담) 버릇이 천성이 된다. **6** Ⓤ 〖법〗 (신탁 토지 등의) 수익(권), 신탁 **7** 〖그리스도교〗 각 교회·감독 관구의 특유한 의식
as (***the***) ~ ***is*** (스코) 관습대로 ***be of*** (***great***) ~ (크게) 소용이 되다, (매우) 유익하다 ***be*** (***of***) ***no*** ~ 쓸모없다, 무익하다 ***be*** [***get, go, fall***] ***out of*** ~ 쓰이지 않다[않게 되다], 폐지되어 있다[폐지되다], 필요가 없다[없게 되다] ***bring … into*** ~ …을 사용하기 시작하다 ***come*** [***go***] ***into*** ~ 쓰이게 되다 ***for the ~ of*** students (학생)을 위하여, (학생)용으로, (학생)에게 알맞게 maps ***for ~ in*** school (학교)용 (괘도)(掛圖)) ***have no ~ for*** (1) …은 필요가 없다, …은 쓸데없다 (2) (미·구어) …은 싫다, …의 진가를 인정치 않다, …을 참을 수 없다, …을 상대하지 않다 ***have*** one***'s ~s*** (구어·종종 익살) 가끔은 쓸모가 있다, 소용에 닿다 ***have the ~ of*** …하는 습관이 있다 ***in ~*** 쓰이고 있는; 일반적으로 행하여지고 있는 ***make ~ of*** …을 사용[이용]하다: *make* bad[good] ~ *of* …을 악용[선용]하다 ***put to ~*** 사용하다, 이용하다: *put* it *to* (a) good ~ 그것을 잘 이용하다 ***There is no ~*** (in) talking. = ***It is of no ~*** [(속어) ***It's no ~***] to talk[talking]. (말해도) 아무 소용 없다. ~ ***and wont*** 관습, 관례 ***with ~*** 늘 사용하여 ***What is the ~ of*** talking? = ***Of what ~ is it*** to talk? (말하면) 무슨 소용이 있느냐?
use·a·ble [jú:zəbl] *a.* = USABLE
ùse·a·bíl·i·ty *n.* **~·ness** *n.* **-bly** *ad.*
úse-by dàte [jú:zbài-] (식품의 포장이나 용기에 기입하는) 유효일
‡**used**[1] [jú:st, (to의 앞) jú:st] *a.* Ⓟ 익숙한, 버릇이 되어 (있는) 《*to*》: He is ~ *to* driving a car. 그는 차 운전에 익숙해져 있다. ★ He is ~ *to* sit up late. 와 같은 부정사 구문은 드묾.
get [***become***] ~ ***to*** …에 익숙해지다
— *vi.* [use[1] *vi.* 과거형에서] ★ 현재는 보통 조동사로 간주함. [언제나 *to* do와 함께] **1** [과거의 습관적인 행동을 나타내어] 언제나 …했다, …하는 것이 보통이었다, …하는 버릇[습관]이 있었다: It ~ *to* be believed that the sun moved round the earth. 옛날에는 태양이 지구를 돈다고 믿고 있었다. **2** [현재와 대조적으로 이전의 사실·상태를 나타내어] 이전에는 …이었다: He came earlier than he ~ (*to*). 그는 여느 때보다 일찍 왔다. / There ~ *to* be a storehouse. 원래는 여기에 창고가 있었다.
USAGE (1) used to의 부정형은 현재는 (미), (영) 다 같이 didn't use(d)이며, (영)에서는 단축형인 usedn't

thesaurus **useful** *a.* **1** 유익한 beneficial, helpful, advantageous, worthwhile, profitable, rewarding **2** 유능한 competent, capable, effective

[usen't] to도 쓴다: He *didn't used*[*usen't*] *to* play golf, did he? 그는 전에는 골프를 치지 않았지? (2) used to의 의문형은 《미》에서는 Did you use(d) to …?가 쓰이며, 《영》에서는 Used you to …? 또는 Use(d)n't you to …?가 쓰인다: Did he *use*(*d*) [*Used* he] *to* be so forgetful? 그는 전에도 이렇게 잊어버리기를 잘했는가? (3) used to는 현재와 대조적으로 과거의 동작이나 상태를 말할 때 쓰이는 데 대해 would는 특정인의 특성으로서의 과거의 습관적 또는 반복적인 행위를 말할 때 쓰며, used to와 같이 객관적인 과거의 사실이나 상태를 나타내지는 않는다. 또 말의 첫머리에 used to가 쓰이기도 하나 would는 쓸 수 없다.

used² [júːzd] *a.* 《주로 미》 사용된, 이용된; 써서 낡은; 지친: ~ cars 중고차/~ tickets 쓰고난 (차)표 **~ *up*** 몹시 지친; 소모된

úse dìstrict [júːs-] 용도 지역 《도시에서 행정상의 목적을 위하여 지정된 지역》

used·n't [júːsnt, júːsn*t*] used not의 단축형

used-to-be [júːs*t*təbìː] *n.* 《미·구어》 = HAS-BEEN

used-up [júːzdʌ́p] *a.* 《구어》 **1** 써서 낡은 **2** 기진한, 지쳐 버린

‡**use·ful** [júːsfəl] *a.* **1** 쓸모 있는, 유용한, 유익한; 편리한, 실용적인: a few ~ hints for new students 신입생에게 유익한 힌트 // (~+***to*** do) (~+전+***-ing***) This article is ~ *to* have in the house. 이 물건이 집에 있으면 편리하다. // The computer is ~ *in* process*ing* data[*for* data processing]. 컴퓨터는 데이터 처리에 유용하다. **2** 《구어》 유능한, 수완이 있는: a ~ member of the firm 회사의 유능한 사원/She is pretty ~ at cooking. 그녀의 요리 솜씨는 제법이다. **3** 《영·구어》 만족한, 충분한 **4** 《호주·구어》 (임시로 고용한) 막일꾼의
be ~ with[***at***] …을 잘 하다 ***make* one*self* *generally* ~** 이모저모로 도움이 되다, 〈…을〉 돕다
— *n.* 《호주·구어》 막일꾼 **~·ly** *ad.* **~·ness** *n.*

úseful lóad 〖항공〗 적재량

úse immùnity [júːs-] 〖미국법〗 증언의 사용 면책

‡**use·less** [júːslis] *a.* **1** 쓸모없는, 무용한 《*to*, *for*》; 무익한, 헛된, 무능한 《*to* do, do*ing*》: It is ~ do*ing*[*to* do] that. 그래봤자 소용없다. **2** 《고어·속어》 〈몸이〉 편치 않은, 기운 없는 **~·ly** *ad.* 무익하게, 쓸데없이, 헛되이 **~·ness** *n.*

USENET, Use·net [júːznèt, júːs-] *n.* 〖컴퓨터〗 유스넷 《UNIX 시스템의 컴퓨터를 연결하는 국제적인 네트워크》

usen't [júːsnt, júːsn*t*] = USEDN'T

‡**us·er** [júːzər] *n.* **1** 사용자, 소비자; 술 애용자: a regular ~ of the subway 지하철을 항상 이용하는 사람 **2** 〖법〗 (권리의) 행사; 사용권 **3** 〖컴퓨터〗 사용자 **4** 《미·속어》 마약 상용자

us·er-de·fin·a·ble [júːzərdifáinəbl] *a.* 〖컴퓨터〗 〈키의 기능 등이〉 사용자 정의(定義)가 가능한

ús·er-de·fíned fúnction [-difáind-] 〖컴퓨터〗 사용자 정의 함수

úser-defíned kéy 〖컴퓨터〗 사용자 정의 키

úser-defíned wórd 〖컴퓨터〗 사용자 정의 단어

us·er-friend·ly [-fréndli] *a.* 〖컴퓨터〗 〈시스템이〉 사용하기 쉬운 **-li·ness** *n.*

us·er-hos·tile [-hάstl | -hɔ́stail] *a.* 〖컴퓨터〗 사용하기가 까다로운

úser identificàtion 〖컴퓨터〗 사용자 식별 번호

úser ìnterface 〖컴퓨터〗 사용자 인터페이스 《사용자가 컴퓨터와 대화하기 위한 기호나 명령 체계》

úser mèmory 〖컴퓨터〗 사용자 메모리 《데이터를 판독·기록할 수 있는 중앙 처리 장치의 기억 영역》

us·er·name [júːzərnèim] *n.* 〖컴퓨터〗 사용자명(名) 《사용자 개인의 식별용 이름》

---

useless *a.* **1** 헛된 vain, unsuccessful, futile, ineffectual, fruitless, unprofitable, abortive **2** 무능한 worthless, incompetent, incapable

---

úser('s) fèe (공공 서비스의) 수익자 부담금

úser('s) gròup 〖컴퓨터〗 사용자 그룹, 유저 그룹 《특정 컴퓨터 혹은 프로그램의 이용자가 물건 구입 또는 사고 대책에 있어서 서로 정보·서비스를 교환하는 그룹》

USES, U.S.E.S. 《미》 United States Employment Service **u.s.f.** *und so fort* 《G=and so forth》

úse tàx [júːs-] 《미》 이용세 《다른 주에서 사가지고 들어오는 물품에 대한 주세(州稅)》

USG United States government

USGA United States Golf Association 미국 골프 협회

U.S. gállon 미국 갤런 《약 3.7853 *l*》

USGS United States Geological Survey 미국 지질 조사소

ush [ʌʃ] *vi.* 《속어》 = USHER

USH United States Housing Authority

U-shaped [júːʃèipt] *a.* U자형의

***ush·er** [ʌ́ʃər] [L 「문지기」의 뜻에서] *n.* **1** (극장·교회 등의) 안내인; 《미》 신랑의 들러리 **2** (법정 등의) 수위, 접수원; 《영》 (법정의) 정리(廷吏)(《미》 bailiff) **3** 영국 왕실의 의전관(儀典官) **4** 《고어》 (고관의) 선도 담당 관리 **5** 《영·고어》 조(助)교사(assistant teacher)
— *vt.* **1** 안내하다, 인도하다: (~+목+부) ~ *in* a guest 손님을 안내하다/~ a person *out*[*forth*] …을 전송하다 // (~+목+전+명) He *~ed* the ladies *to* their seats. 그는 숙녀들을 자리로 안내했다. **2** 예고하다, …의 도착을 알리다 《*in*》: (~+목+부) The return of swallows *~ed in* spring. 돌아온 제비들이 봄을 알렸다.
— *vi.* 안내[선도] 임무를 맡다: He *~ed* at the wedding. 그는 그 결혼식에서 안내를 맡았다.
~·shìp *n.* Ⓤ usher의 직[지위, 신분]

ush·er·ette [ʌ̀ʃərét] *n.* 여자 안내원 《교회·극장 등의》

USIA, U.S.I.A United States Information Agency 미국 해외 정보국 **USIS, U.S.I.S.** United States Information Service 미국 공보원 **USITC** United States International Trade Commission **U.S.L.T.A., USLTA** United States Lawn Tennis Association **USM** underwater-to-surface missile **USM, U.S.M.** United States Mail[Marines, Mint] **U.S.M.A., USMA** United States Military Academy 미국 육군 사관 학교 **USMC, U.S.M.C.** United States Marine Corps; United States Maritime Commission **USN, U.S.N.** United States Navy **USNA, U.S.N.A.** United States National Army; United States Naval Academy

us·ne·a [ʌ́sniə] *n.* 〖식물〗 소나무 겨우살이

USNG, U.S.N.G. United States National Guard 미국 주방위군

ús·nic ácid [ʌ́snik-] 〖약학〗 우스닌산

USNR, U.S.N.R. United States Naval Reserve **USO, U.S.O.** United Service Organizations 미군 위문 협회 **USOC** United States Olympic Committee 미국 올림픽 위원회

ÚS Ópen [*U*nited *S*tates *Open* Championship] [the ~] 전미(全美) 오픈 골프[테니스] 선수권 (대회) 《세계 4대 선수권 대회; 골프는 매년 6월 미국에서 개최, 테니스는 매년 8~9월 New York시의 Flushing Meadow-Corona에서 개최》

USP Unique Selling Proposition 〖광고〗 독점 제공(품) **U.S.P., U.S. Pharm.** United States Pharmacopoeia **U.S.P.G.** United Society for the Propagation of the Gospel **USPHS, U.S.P.H.S.** United States Public Health Service 미국 공중 위생국 **USPO, U.S.P.O.** United States Post Office **USPS, U.S.P.S.** United States Postal Service 미국 우정 공사

us·que·baugh [ʌ́skwibɔ̀ː, -bὰː | -bɔ̀ː] *n.* Ⓤ 《스코·아일》 위스키

USR, U.S.R. United States Reserves 미국 예비군 **USRC, U.S.R.C.** United States Reserve Corps 미국 예비군 **USS, U.S.S.** United States Senate 미국 상원; United States Ship[Steamer, Steamship] **U.S.S.C(t).** United States Supreme Court **USSR, U.S.S.R.** the Union of Soviet Socialist Republics 소비에트 사회주의 공화국 연방, 구소련 **USSS, U.S.S.S.** United States Steamship 미국 기선

Us·su·ri [usúəri] *n.* [the ~] 우수리 강 《중국과 러시아 국경의 일부를 이루며 북류하여 Amur 강으로 흘러듦; 890km》

USTR United States Trade Representative 미국 통상 대표부 **USTS** United States Travel Service 미국 관광국

us·tu·late [ʌ́stʃulət, -lèit] *a.* 타서 눌은 빛깔의

us·tu·la·tion [ʌ̀stʃuléiʃən | -tju-] *n.* **1** 타서 눌은 것, 불태우는 것 **2** 〖약학〗 가열 건조

usu. usual; usually

‡**u·su·al** [júːʒuəl, -ʒwəl] [L 「사용(use)의」의 뜻에서] *a.* **1** 보통의, 평상시의, 평소[여느 때]의; 통상의, 통례의, 일상의(⇨ habitual 유의어): eat one's ~ amount 언제나 같은 양을 먹다 **2** 평소에 볼 수 있는, 흔히 경험하는, 평범한

as is ~ with …에게는 으레 있는 일이지만 ***as per ~*** 《익살·속어》 여느 때처럼 ***as ~*** 평소와 같이, 여느 때처럼 earlier ***than ~*** 평소보다 (빨리)

— *n.* [one's ~] 《구어》 여느 때의 건강 상태

out of the ~ 보통이 아닌, 진귀한 ***the***[one***'s***] ~ (***thing***) 《구어》 평소 정해진 일[물건, 말], 여느 때의 그것 《술, 음식 등》; 월경 **~·ness** *n.*

▷ úsually *ad.*

‡**u·su·al·ly** [júːʒuəli, -ʒwəli] *ad.* 보통, 늘, 일반적으로, 대개, 평소에(는), 통상적으로: more than ~ late 평상시보다 늦은 / She ~ comes at seven. 그녀는 보통 7시에 온다. ★ 문장 중에서의 어순은 always에 준함 ⇨ always.

u·su·fruct [júːzjufrʌ̀kt, -sju- | -sju-] *n.* Ⓤ 〖로마법〗 용익권, 사용권; 이용권

— *vt.* 〈토지 등의〉 용익권을 행사하다

u·su·fruc·tu·ar·y [jùːzjufrʌ́ktʃuèri, -sju- | -sjufrʌ́ktjuəri] *a.* 〖로마법〗 용익권의, 사용권상의

— *n.* (*pl.* **-ar·ies**) 용익[사용]권자

u·su·rer [júːʒərər] *n.* 고리대금업자; 《폐어》 대금업자

u·su·ri·ous [juːʒúəriəs | -zjúər-] *a.* 고리(대금)의; 고리를 받는: ~ rates of interest (법정 이상의) 고이율 **~·ly** *ad.* **~·ness** *n.*

***u·surp** [juːsə́ːrp, -zə́ːrp | -zə́ːp-] [L 「사용하기 위해 잡다」의 뜻에서] *vt.* 〈왕위·권력 등을〉 빼앗다, 탈권(奪權)하다, 횡령[강탈]하다; 불법 행사하다

— *vi.* 침범하다, 침해하다 (*on, upon*)

~ the place of …의 자리를 빼앗다, …을 쫓아내고 대신 들어앉다 **~·er** *n.* **~·ing·ly** *ad.*

▷ usurpátion *n.*

u·sur·pa·tion [jùːsərpéiʃən, -zər- | -zəː-] *n.* UC **1** 강탈, 탈취 **2** 권리 침해 **3** 왕위 찬탈

u·su·ry [júːʒəri] [L 「사용」의 뜻에서] *n.* (*pl.* **-ries**) UC **1** 고리대금 《행위》 **2** 엄청나게 비싼 이자, 폭리 **3** 《폐어》 이자(interest) ***with ~*** 이자를 붙여서

USV, U.S.V. United States Volunteers 미국 의용병단 **usw, u.s.w.** *und so weiter* (G = and so forth) **USW, usw** 〖통신〗 ultrashort wave **USWA** United Steelworkers of America 미국 철강 노동 조합

ut[1] [ʌ́t, úːt] *n.* 〖음악〗 유트 《8도 음계의 제1음; 지금의 solmization의 도》

ut[2] [ʌ́t] [*ut*terly] *a.* 《미·속어》 철저한

ut[3] [ʌ́t] [L] *conj.* …와 같이, …대로(as)

~ infra 아래와 같이 ***~ supra*** 위와 같이

UT Universal Time; 《미》 〖우편〗 Utah **Ut.** Utah

***U·tah** [júːtɔː, -tɑː] [북미 방언 「산악 민족」의 뜻에서] *n.* 유타주 《미국 서부의 주; 略 Ut.》

U·tahan, U·tahn [júːtɔːn, -tɑːn] *a., n.* 유타주의 (사람)

UTC Universal Time Coordinated 협정 세계시(時) **Utd.** United

ut dic·tum [ut-díktum] [L = as directed] 〖처방〗 지시된 대로 《略 ut dict.》

ute [júːt] *n.* 《미·호주·구어》 소형 트럭

Ute [júːt, júːti] *n.* (*pl.* **~, ~s**) **1** [the ~(s)] 우트족 《미국 Utah, Colorado주 등지에 사는 아메리칸 인디언》 **2** 우트 어(語)

‡**u·ten·sil** [juːténsəl] [L 「쓰기에 알맞은」의 뜻에서] *n.* **1** 기구, 용구; 가정용품: farming *~s* 농기구 / kitchen *~s* 주방용구 / sacred *~s* 성기(聖器), 성구, 교회용 기구 / household *~s* 가정용품 **2** 유용한 사람; 이용당하기 쉬운 사람 ***~s of war*** 무기

u·ter·al·gi·a [jùːtərǽldʒiə] *n.* 〖의학〗 자궁통(痛)

u·ter·ine [júːtərin, -ràin | -ràin] *a.* **1** 자궁의; 자궁내에 생기는; 자궁 (진단)용의 **2** 동모 이부(同母異父)의; 모계의: ~ sisters 씨다른 자매 / ~ descent 이부(異父) 모계

úterine túbe 〖해부〗 난관(卵管)

u·ter·i·tis [jùːtəráitis] *n.* 〖병리〗 자궁염

u·ter·us [júːtərəs] *n.* (*pl.* **u·ter·i** [-rài], **~·es**) 〖해부〗 자궁(womb)

Ú·ther (Pendrágon) [júːθər(-)] *n.* 유서 《Briton 사람의 전설 속의 왕; Arthur 왕의 아버지》

UTI urinary tract infection

U·ti·ca [júːtikə] *n.* 우티카 《아프리카 북쪽 해안 Carthage 서북방의 고대 도시》

u·til·i·tar·i·an [juːtìlətέəriən] *a.* **1** 공리적인, 실리(주의)의, 실용(주의)의: for ~ purpose 실리적인 목적으로 **2** 공리주의(자)의, 공리설의 — *n.* 공리주의자

u·til·i·tar·i·an·ism [juːtìlətέəriənìzm] *n.* Ⓤ **1** 공리주의, 실용주의; 〖철학〗 공리설[주의] 《「최대 다수의 최대 행복」을 인간 행위의 규범으로 하는 J. Bentham 및 J.S. Mill의 윤리학설》 **2** 공리적 성격[정신, 성질]

‡**u·til·i·ty** [juːtíləti] [L 「유익한」의 뜻에서] *n.* (*pl.* **-ties**) **1** Ⓤ 유용(usefulness), 유익, 효용, 실리; 〖경제〗 효용; 〖철학·윤리·미술〗 공리, 공리성: marginal ~ 〖경제〗 한계 효용 **2** [보통 *pl.*] 쓸모 있는 것, 유용물; 〖연극〗 = UTILITY MAN 1 **3** 공익 사업, 공익 설비 《전기·가스·상하수도·교통 기관 등》; [*pl.*] 공익 사업체 (= public ~) **4** (공리주의의 원리를 목적으로 하는) 복지, 행복; 최대 다수의 최대 행복 **5** 〖컴퓨터〗 유틸리티 《프로그램 작성에 유용한 각종 소프트웨어》

of no ~ 소용없는, 무익한

— *a.* **1** 〈상품이〉 실용적인, 실용 본위의: a ~ model 실용 신안품 **2** 여러 가지 용도를 가진, 〈운동 선수 등이〉 만능의: a ~ infielder 《미》 〖야구〗 만능 내야수 **3** 《미》 〈고기가〉 하급의, 보통의 **4** 공공 사업의

▷ utilitárian *a.*; útilize *vt.*

utílity màn **1** 〖연극〗 하급 배우, 단역(端役) **2** 〖스포츠〗 만능 보결 선수 **3** 《미》 무엇이든지 잘 하는 사람; 여러 가지 일을 잘 하는 숙련공

utílity plàne 〖항공〗 다목적기(機)

utílity plàyer 〖스포츠〗 = UTILITY MAN 2

utílity pòle 《미》 (전화선용의) 전신주

utílity prògram 〖컴퓨터〗 유틸리티 프로그램 《컴퓨터가 수행하는 처리 기능을 지원하는 표준적인 프로그램으로 진단·추적·정렬·보수 프로그램을 포함》

utílity ròom 《미》 편의실, 다용도실 《세탁이나 다리미질 등의 가사용 작은 방》

utílity trùck 《호주》 (다용도의) 소형 트럭

utílity vèhicle 다용도차 《트럭·밴 등》

u·ti·li·za·tion [jùːtəlizéiʃən | -lai-] *n.* Ⓤ 이용, 활

thesaurus **usually** *ad.* generally, as a rule, normally, mainly, mostly, on the whole

utter[1] *a.* absolute, complete, total, thorough,

용: the effective ~ of personnel at all levels 전직원의 효율적인 운용

***u·ti·lize** [jú:təlàiz] *vt.* 이용하다, 소용되게 하다 (make use of) ((*for*)) **ú·ti·lìz·a·ble** *a.*

ut in·fra [ʌt-ínfrə] [L =as below] *ad.* 아래와 같이 ((略 u.i.))

u·ti pos·si·de·tis [jú:tai-pàsədí:tis | -pɔ̀s-] [L =as you possess] **1** 〖로마법〗 점유 보호 명령 **2** 〖국제법〗 점유물 유보의 원칙

UTLAS University of Toronto Library Automation System (토론토 대학의 도서관 업무의 자동화를 권장하기 위한) 도서 목록 데이터 뱅크

***ut·most** [ʌ́tmòust] [OE 「밖으로」의 뜻의 최상급] *a.* **1** 최대(한)의, 최고(도)의, 극도의(extreme): a matter of the ~ importance 최고로 중요한 문제/ with the ~ effort 최대로 노력하여 **2** 가장 떨어진, 맨 끝[가]의 **3** 마지막의
—*n.* [the ~; one's ~] **1** 최대한도 ((힘·능력·노력 등의)), 최고도, 극도, 극한(極限) **2** ((미·속어)) 최고[최상]의 것 ***at*** (***the***) **~** 기껏해야 ***do*** [***try, exert***] one***'s*** **~** 전력을 다하다 ***get the ~ out of*** …을 최대한 활용하다 ***to the ~*** 극도로, 최대한으로: *to the* ~ of one's power 힘껏, 힘 닿는 데까지

U·to-Az·tec·an [jú:touǽztekən] *n.* Ⓤ, *a.* 우토아즈텍 어족(語族)(의)

***U·to·pi·a** [ju:tóupiə] [Gk 「어디에도 없는 곳」의 뜻에서] *n.* **1** 유토피아 ((Sir Thomas More가 *Utopia* 에서 그린 이상향)) **2** [종종 **u~**] ⓊⒸ 이상향 **3** [종종 **u~**] ⓊⒸ 공상적 정치[사회] 체제, 공상적 사회 개량 계획 **4** 유토피아 소설

U·to·pi·an [ju:tóupiən] *a.* **1** 이상향의, 유토피아의 **2** [종종 **u~**] 유토피아적인, 공상[몽상]적인(visionary); 실현 불가능한: a ~ scheme 비현실적인 계획
—*n.* **1** 유토피아[이상향]의 주민 **2** [종종 **u~**] 공상적 이상주의자, 공상적 사회 개량주의자, 몽상가(visionary)

u·to·pi·an·ism [ju:tóupiənìzm] *n.* Ⓤ [종종 **U~**] **1** 공상적 이상주의 **2** [집합적] 유토피아적 이념, 공상적 (사회) 개량책

utópian sócialism 공상적 사회주의

U·trecht [jú:trekt] *n.* 위트레흐트 ((네덜란드 남서부의 도시))

u·tri·cle [jú:trikl] *n.* **1** 〖식물〗 포과(胞果) ((폐과(閉果)의 일종; 명아주씨 등)) **2** 〖생리〗 소낭(小囊), 소포(小胞) **3** 〖해부〗 (내이(內耳)의) 난원낭(卵圓囊)

u·tric·u·lar [ju:tríkjulər] *a.* 소낭[소포] (모양)의, 소낭[소포]의[가 있는]

ut sup. *ut supra* ((L =as above))

ut su·pra [ut-sjú:prɑ:] [L =as above] 위와 같이 ((略 ut sup.))

Ut·tar Pra·desh [útər-prədéʃ] 우타르프라데시 ((인도 북부의 주; 주도는 Lucknow))

***ut·ter¹** [ʌ́tər] [OE 「밖으로」의 뜻의 비교급] *a.* **1** 전적인, 완전한, 철저한: an ~ darkness 칠흑(같은 어둠) **2** 무조건의, 절대적인, 단호한 〈거절 등〉: an ~ denial 단호한 부인 **3** 순전한, 진정한, 전혀 …한: an ~ stranger 생판 모르는 남 ★ 보통 좋지 않은 뜻의 말과 결합됨. **~·ness** *n.* ▷ útterly *ad.*

***ut·ter²** [ʌ́tər] *vt.* **1** 〈소리·말·신음·탄식 등을〉 입 밖에 내다; 발언하다; 발음하다; 언명하다, 표명하다: ~ a sigh 한숨을 쉬다/be unable to ~ one's feelings 감정을 말로 나타낼 수 없다 **2** ((드물게)) 내다, 누설하다; 〈비난·중상 등을〉 퍼뜨리다 **3** 〖법〗 〈위조지폐 등을〉 사용하다, 유통시키다
—*vi.* **1** 말하다, 입을 열다 **2** 〈금구(禁句) 등이〉 언급되다 **~·a·ble** *a.* **~·a·ble·ness** *n.* **~·er** *n.* **~·less** *a.* ▷ útterance *n.*

---

downright, sheer, perfect, unconditional
utter² *v.* voice, say, speak, pronounce, express, put into words, vocalize, verbalize

ut·ter·ance¹** [ʌ́tərəns] *n.* Ⓤ **1** 입 밖에 냄, 발언, 발성 **2** 발표력, 말씨, 어조, 발음: a man of good ~ 말 잘하는 사람, 능변가 **3** Ⓒ 말 ((입으로 말한 또는 쓴)), 언사, 언설(言說): one's public ~ 공언(公言) **4** 〖법〗 유포; 사용, 유통 ((위조지폐 등의)) ***defective **~** 불완전 발음 ***give*** **~** ***to*** one***'s rage*** 화를 내다, 분통을 터뜨리다 ▷ útter *v.*

utterance² *n.* [the ~] ((고어)) 최후, 죽음(death) ***to the*** **~** 최후의 순간까지, 죽을 때까지

ut·ter·ing [ʌ́təriŋ] *n.* 〖법〗 위조 통화 사용죄

***ut·ter·ly** [ʌ́tərli] *ad.* 완전히, 순전히, 아주, 전혀 (totally): sink ~ to the bottom of the sea 완전히 해저로 가라앉다

***ut·ter·most** [ʌ́tərmòust] *a.* **1** 최대 한도의, 극도의(cf. UTMOST) **2** 가장 멀리 떨어진: to the ~ part of the earth 지구의 맨 끝까지
—*n.* 최대 한도, 극도, 극한 ***to the ~ of*** one***'s power*** [***capacity***] 전력을 다하여, 힘껏

U-tube [jú:tjù:b] *n.* 〖기계〗 U자관(管)

U-turn [-tə̀:rn] *n.* **1** (자동차 등의) U턴, 회전; 반전(反轉): No ~*s*! ((게시)) U턴 금지! **2** ((구어)) (정책 등의) 180도 전환, 방향 전환 —*vi.* U턴하다

UUCP, uucp UNIX-to-UNIX Copy Program [Protocol] 〖컴퓨터〗 UNIX간 복사 프로그램[프로토콜] **UUM** underwater-to-underwater missile

UUP Ulster Unionist Party 얼스터 연합당 ((북아일랜드가 영국의 일부로 남는 것에 찬성하는 정당))

U.V., UV ultraviolet; under voltage **UV-A, UVA** ultraviolet-A 장파장 자외선 ((파장 320-380nm))

U-val·ue [-vǽlju:] *n.* 〖건축〗 U가(價) ((단열 효과를 측정하는 척도))

UV-B, UVB ultraviolet-B 중파장 자외선 ((파장 280-320nm))

UVC [jù:vi:sí:] *n.* Ⓤ UVC 자외선 ((오존층을 통과하지 못하는 자외선))

u·ve·a [jú:viə] *n.* 〖해부〗 포도막

u·ve·i·tis [jù:viáitis] *n.* 〖병리〗 포도막염

ÚV index [jú:ví-] 자외선 지수, UV 지수

UVM universal vender mark ((미)) 통일 벤더 마크 ((미국의 백화점 업계가 종래의 UPC의 10자리 정도의 표시로는 불충분하다고 해서 개발한 상품 코드))

u·vu·la [jú:vjulə] *n.* (*pl.* **-lae** [-lì:], **~s**) 〖해부〗 현옹수(懸壅垂), 목젖

u·vu·lar [jú:vjulər] *n., a.* 목젖(의); 〖음성〗 연구개음(의) **~·ly** *ad.*

u·vu·li·tis [jù:vjəláitəs] *n.* 〖병리〗 구개수염(口蓋垂炎)

U/W, u/w underwriter **ux.** *uxor* ((L = wife))

UXB unexploded bomb

ux·or [ʌ́ksɔ:r, ʌ́gzɔ:r] [L = wife] *n.* 아내

ux·o·ri·al [ʌksɔ́:riəl, ʌgzɔ́:- | ʌksɔ́:-] *a.* 아내의, 아내다운

ux·o·ri·cide [ʌksɔ́:rəsàid, ʌgzɔ́:- | ʌksɔ́:-] *n.* Ⓤ 아내 살해; Ⓒ 아내 살해범 **ux·ò·ri·cíd·al** *a.*

ux·o·ri·ous [ʌksɔ́:riəs, ʌgzɔ́:- | ʌksɔ́:-] *a.* 아내를 너무 위하는, 아내 앞에서 사족을 못 쓰는 **~·ly** *ad.* **~·ness** *n.*

Uz·bek [úzbèk, ʌ́z-, uzbék], **Uz·beg** [úzbèg, ʌ́z-, uzbég] *n.* **1** [the ~(s)] 우즈베크 족 ((중앙 아시아의 터키 족)) **2** Ⓤ 우즈베크 말
—*a.* 우즈베크 족[말]의

Uz·bek·i·stan [uzbékistæ̀n, -stɑ̀:n, ʌz- | uzbèkistɑ́:n, ʌz-] *n.* 우즈베키스탄 ((독립 국가 연합(CIS)에 속한 공화국; 수도는 Tashkent))

U·zi [jú:zi] *n.* 우지 단(短)기관총

Uz·zi·ah [əzáiə] *n.* 〖성서〗 웃시야 ((Amaziah의 아들; 유대 최성기의 왕))

V v

v, V [víː] *n.* (*pl.* **v's, vs, V's, Vs** [-z]) **1** 브이《영어 알파벳의 제22자》; (연속된 것의) 22번째(의 것) **2** V자형(의 것) **3** 《미·구어》 5달러 지폐 **4** (로마 숫자의) 5: IV = 4 / VI = 6 / XV = 15
V 〖화학〗 vanadium; Victory; 〖물리〗 volt **v.** valve; 〖수학〗 vector; velocity; verb; verse; version; versus 《L = against》; very; vicar; vice[4]; vice-; vide 《L = see》; village; vocative; voice; volt(age); volume; von 《G = from, of》 **V.** Venerable; Vicar; Vice; Victoria; Viscount; Volunteer
va [váː] [It.] *v.* 〖음악〗 계속하시오 《지휘 용어》
VA Veterans Administration 《미》 재향 군인국(局); Vicar Apostolic; Vice-Admiral; Order of Victoria & Albert 《영》 빅토리아 앨버트 훈장; 《미》 〖우편〗 Virginia; value analysis 가치 분석 **Va.** Virginia **v.a.** verb active; verbal adjective
vac[1] [vǽk] [*vacation*] *n.* 《영·구어》 휴가
vac[2] *n.* 《영·구어》 = VACUUM CLEANER
— *vi., vt.* 진공 청소기로 청소하다
vac. vacant; vacation; vacuum
*__va·can·cy__ [véikənsi] *n.* (*pl.* **-cies**) **1** Ⓤ 공허, 공(空); 공간; 결여 **2** 빈터, 공지, 여지; 빈방: 'No *vacancies*', the sign read. '빈방 없음'이라 쓰인 간판 **3** 빈자리, 결원: a ~ on the staff 직원의 결원 / a ~ in the Cabinet 각료의 공석 **4** 틈, 간극(間隙) (gap) **5** Ⓤ 방심 (상태), 정신 없음: an expression of ~ 멍한 표정 **6** Ⓤ 《고어》 한가; 여가, 휴가
▷ vácant *a.*
vácancy decontról 《미》 빈집 자유 전세제(傳貰制) 《일단 집이 비면 집주인이 임의로 올려 받을 수 있게 한 법규》
‡__va·cant__ [véikənt] [L 「빈」의 뜻에서] *a.* **1** 빈, 공허한; 〈…이〉 없는(⇨ empty 유의어) 《*of*》: stare [gaze] into[at, on] ~ space 허공을 쳐다보다 // (~+*of*+명) be ~ *of* sympathy 동정심이 없다 **2** 〈땅이〉 비어 있는, 〈집·방 등이〉 (세)든 사람이 없는, 살지 않는: a ~ lot[house] 빈터[집] / There are no ~ seats on this train. 이 열차에는 빈자리가 없다. **3** 빈자리[지위]의, 결원의: a ~ position 공석인 자리 / fall ~ 〈자리가〉 비다 / situation ~ columns (신문의) 구인(求人) 광고란(《미》에서는 help wanted columns) **4** 한가한, 할 일이 없는: ~ hours[time] 한가한 시간 **5** 〈마음·머리가〉 공허한, 텅빈; 〈표정이〉 멍한, 얼빠진, 멍청한: a ~ expression 멍한 표정 / give a ~ laugh 멍청한 웃음을 웃다 **~·ly** *ad.* 멍하니, 멀거니 **~·ness** *n.* ▷ vácancy *n.*; vácate *v.*
vácant posséssion 〖영국법〗 (선주(先住) 점유자가 없는) 가옥의 소유권; 즉시 소유[입주] 가능 《부동산 광고문에서》
va·cate [véikeit, ─́ | vəkéit, vei-] *vt.* **1** 그만두고 물러나다, 〈직위 등을〉 사퇴하다, 공석으로 하다: ~ an office 관직을 사퇴하다 **2** 비게[공허하게] 하다; 퇴거하다, 떠나가다, 〈집 등을〉 비우다: ~ a house 집을 비우다 **3** 〖법〗 무효로 하다 **4** (…로부터) 해방하다, 자유롭게 하다 《*of*》: (~+목+전+명) ~ one's mind *of* worries 걱정거리를 없애다 — *vi.* **1** 집[방]을 비우다 **2** 사직하다, 공석으로 하다 **3** 《미·구어》 떠나가다 (leave); 휴가를 가지다 **vá·cat·a·ble** *a.*
▷ vácant *a.*
‡__va·ca·tion__ [veikéiʃən, və- | və-, vei-] *n.* **1** ⒸⓊ 정기 휴가 《학교나 회사 등의》; 《미》 (여행 등의) 휴가 (holidays): be on ~ 휴가 중이다 / take a ~ 휴가를 얻다 / the Christmas[Easter, Whitsun] ~ 크리스마스[부활절, 성령 강림의 축일] 휴가 / the long[summer] ~ 장기[하기] 휴가 《보통 8, 9, 10월의 3개월》 **2** (법정·의회 등의) 휴정[휴회]기, 궐위[공석] 기간 **3** 사직, 퇴임 **4** Ⓤ 《문어》 (가옥 등의) 명도(明渡), 철수
— *vi.* 《미》 휴가를 보내다[얻다](《영》 holiday) 《*at, in*》: go ~*ing* 휴가로 놀러가다 // (~+전+명) He ~*ed in* Florida. 그는 플로리다에서 휴가를 보냈다.
~·less *a.*
va·ca·tion·er [veikéiʃənər, və- | və-, vei-] *n.* 《미》 (휴가의) 행락객, 피서객(《영》 holidaymaker)
va·ca·tion·land [-lǽnd] *n.* 《미》 휴양지, 관광지, 명승 고적
vac·ci·nal [vǽksənl] *a.* 백신[종두]의[에 의한]
‡__vac·ci·nate__ [vǽksənèit] 〖의학〗 *vt.* …에게 백신[예방] 접종을 하다; …에 종두하다: (~+목+전+명) be ~*d against* typhus 티푸스 예방 주사를 맞다
— *vi.* 백신 접종을 하다
— [vǽksənèit, -nət] *n.* 종두[예방] 접종을 받은 사람
▷ vaccíne, vaccinátion *n.*; váccinal *a.*
*__vac·ci·na·tion__ [vӕksənéiʃən] *n.* 〖의학〗 **1** ⓊⒸ 백신[예방] 접종, 《특히》 종두 **2** Ⓤ 종두 자국
~·ist *n.* (강제) 종두론자
vac·ci·na·tor [vǽksənèitər] *n.* **1** 종두 의사, 백신을 주사하는 사람 **2** 우두칼, 접종 주사기
vac·cine [væksíːn, ─́ | vǽksiːn, -sin] [L 「암소의」의 뜻에서] *n.* ⓊⒸ **1** (접종용의) 백신(cf. SERUM); 〖컴퓨터〗 바이러스 예방 프로그램: combined ~ 혼합 백신 **2** 〖의학〗 우두창(瘡), 두묘(痘苗)
— *a.* Ⓐ 우두의; 백신의: a ~ farm 두묘 제조소 / the ~ lymph[virus] 두묘 ▷ váccinate *v.*
vac·cin·ee [vӕksəníː] *n.* 백신 주사[종두]를 맞은 사람
vaccíne pòint 〖의학〗 접종침(針)
váccine thèrapy 백신 요법
vac·cin·i·a [væksíniə] *n.* 〖의학〗 = COWPOX
-i·al [-iəl] *a.*
vac·ci·ni·za·tion [vӕksənizéiʃən | -nai-] *n.* Ⓤ 〖의학〗 연속 종두 《면역이 될 때까지의》
vac·il·lant [vǽsələnt] *a.* = VACILLATING
vac·il·late [vǽsəlèit] *vi.* **1** 흔들흔들하다, 동요하다 **2** 〈사람·마음이〉 동요하다, 주저하다, 망설이다(waver) 《*between*》: (~+전+명) ~ *between* two opinions 두 의견 중 어느 것을 채택할까 망설이다 **3** 진동하다; 변동하다 **-là·tor** *n.*
vac·il·lat·ing [vǽsəlèitiŋ] *a.* **1** 동요하는, 망설이는, 우유부단한 **2** 흔들리는; 진동하는 **~·ly** *ad.*
vac·il·la·tion [vӕsəléiʃən] *n.* ⓊⒸ 동요, 흔들림; 망설임, 우유부단
vac·il·la·to·ry [vǽsələtɔ̀ːri | -təri] *a.* = VACILLATING
vac·u·a [vǽkjuə] *n.* VACUUM의 복수
vac·u·ate [vǽkjuèit] *vt.* 진공으로 만들다; 무효로 하다
va·cu·i·ty [vækjúːəti, və-] *n.* (*pl.* **-ties**) ⓊⒸ **1** 공허, 진공 **2** 마음의 공허, 망연자실, 방심; 우둔, 멍청함 **3** 무활동 시기[상태], 공백 상태; 단조로움 **4** [보통

thesaurus **vacant** *a.* **1** 비어 있는 empty, void; unoccupied, unfilled, free, available **2** 공허한 blank, expressionless, emotionless

pl.] 하잘것없는 일[말] **5** 허무, 무(無)
vac·u·o·lar [vӕ̀kjuóulər | vǽkjuələr] *a.* 〖생물〗 공포(空胞)[액포]의[가 있는]
vac·u·o·late, -lat·ed [vǽkjuələt(id), -lèit(id)] *a.* 〖생물〗 공포[액포]가 있는
vac·u·o·la·tion [vӕ̀kjuəléiʃən] *n.* 〖생물〗 **1** 공포[액포] 형성 **2** 공포 상태 **3** 공포[액포] 조직
vac·u·ole [vǽkjuòul] *n.* 〖생물〗 **1** 공포(空胞), 액포(液胞) **2** 소강(小腔)(minute cavity)
vac·u·ous [vǽkjuəs] *a.* **1** 텅 빈, 공허한: the ~ air 진공 **2** 마음이 텅 빈, 얼빠진, 멍청한: a ~ mind 얼빠진 생각 **3** 〈생활이〉 아무 것도 하지 않는, 무의미한, 목적 없는 **~·ly** *ad.* **~·ness** *n.*
▷ vácuum *n.*
⁑**vac·u·um** [vǽkjuəm, -kju(:)m | -kjuəm] [L 「빈」의 뜻에서] *n.* (*pl.* **~s, vac·u·a** [vǽkjuə]) **1** 진공: absolute ~ 절대 진공 / Nature abhors a ~. 자연은 진공을 싫어한다. 《옛 사람들이 믿었던 사상》 **2** 진공실(opp. *plenum*) **3** 진공 상태; 진공도(度)[률] **4** 빈곳, 공허, 공백: The loss left a ~ in his heart. 상실감으로 그의 마음에 구멍이 생겼다. **5** 《미·구어》 = VACUUM CLEANER ***feel a ~ in the lower regions*** 배가 고프다, 시장기를 느끼다
—*a.* Ⓐ 진공의[에 관한]; 진공을 이용한; 진공 장치의
—*vt., vi.* 《구어》 진공 청소기로 청소하다
▷ vácuous *a.*
vácuum árc remèlting 〖금속〗 진공 아크 재(再)용해법
vácuum aspirátion 〖의학〗 자궁 진공 흡인법 《인공 임신 중절의 한 방법》
vácuum bàg 진공 청소기의 집진대(集塵袋)
vácuum bòttle 진공병, 보온병(thermos)
vácuum bràke 진공 제동기
vac·u·um-clean [vǽkjuəmklí:n] *vt., vi.* 진공 청소기로 청소하다
vácuum clèaner 진공 청소기
vácuum clèaning 진공 청소기에 의한 청소
vácuum cóffee màker 진공 커피 포트
vácuum còncrete 진공 콘크리트
vácuum dischàrge 〖전기〗 진공 방전
vácuum distillàtion 〖화학〗 진공 증류
vácuum drìer 진공 건조기
vácuum fàn 흡입식 환풍기
vácuum filtràtion 〖화학〗 진공 여과(법)
vácuum flàsk 《영》 = VACUUM BOTTLE
vácuum fòrming 〖공학〗 《플라스틱의》 진공 성형
vácuum gàuge 진공계(計)
vácuum indúction fùrnace 〖야금〗 진공 유도로(誘導爐)
vac·u·um·ize [vǽkjuəmàiz, -kju(:)m-] *vt.* **1** 진공으로 만들다 **2** 진공 장치로 청소[건조, 포장]하다
vácuum jùg = VACUUM BOTTLE
vácuum mèlting 〖야금〗 진공 용광(鎔鑛)
vac·u·um-me·tal·lize [vǽkjuəmmétəlàiz] *vt.* 진공 메탈 증착(蒸着)하다
vac·u·um-pack [-pæ̀k] *vt.* 〈식품을〉 진공 포장하다
vácuum pàckage 진공 포장(包裝)
vac·u·um-packed [-pǽkt] *a.* 진공 포장한
vácuum pàn 진공 솥
vácuum pùmp 배기기(排氣器), 진공 펌프
vácuum sèrvo 〖기계〗 진공 서보 (기구) 《내연기관의 흡입관 내의 압력을 조절하는 서보 기구》
vácuum swèeper = VACUUM CLEANER
vácuum tùbe 《미》 〖전자〗 진공관
vác·u·um-tube vóltmeter [-tjù:b-] 〖전자〗 진공관 전압계
vácuum vàlve 《영》 = VACUUM TUBE

vacation *n.* break, recess, holiday, rest
vagrant *a.* itinerant, nomadic, peripatetic, wandering, roving, homeless, vagabond

VAD Voluntary Aid Detachment 《영》 (제1차 세계 대전 때의) 구급 간호 봉사대(원)
va·de me·cum [véidi-mí:kəm, vá:di-méi-] [L =go with me] **1** 항시 휴대하는 물건 **2** 휴대용 참고서, 핸드북, 편람(便覽)
V-Adm., VADM Vice-Admiral
va·dose [véidous] *a.* 〖지질〗 〈지하수가〉 지하수면보다 높이 있는
Va·duz [vɑ:dú:ts] *n.* 파두츠 《Liechtenstein의 수도》
vae vic·tis [ví:-víktis] [L =woe to the vanquished] 패자(敗者)는 무참하도다
vag [vǽg] *n.* 《구어》 부랑자, 실업자; [the ~] 《호주》 부랑자 단속법 **—***vt.* (**~ged**; **~·ging**) 부랑자로서 체포하다
vag- [veig] 《연결형》 = VAGO-
⁎**vag·a·bond** [vǽgəbɑ̀nd | -bɔ̀nd] [L 「방랑하다」의 뜻에서] *n.* **1 방랑[유랑]자,** 정처없는 나그네; (거처가 없는) 무숙자 **2** 《구어》 부랑자, 건달, 깡패
—*a.* Ⓐ **1** 방랑하는, 유랑의 **2** 멋대로 생활을 하는 **3** 방랑성[벽(癖)]의 **4** 행로가 일정치 않은: a ~ voyage 정처 없는 항해 **5** 건달인; 하잘것없는
—*vi.* 방랑[유랑]하다
~·ish *a.* **~·ism** *n.* Ⓤ 방랑성[벽]
vag·a·bond·age [vǽgəbɑ̀ndidʒ | -bɔ̀nd-] *n.* **1** Ⓤ 방랑[부랑] 생활, 방랑성[벽] **2** [집합적] 방랑자
vag·a·bond·ize [vǽgəbɑndàiz | -bɔnd-] *vi.* 방랑 생활을 보내다, 유랑하다
va·gal [véigəl] *a.* 〖해부〗 미주(迷走) 신경의 **~·ly** *ad.*
vágal blóck 〖의학〗 미주 신경 차단 《약물로 미주 신경을 자극하여 차단하는 것》
va·gar·i·ous [veigέəriəs] *a.* **1** 상식을 벗어난, 엉뚱한, 기발한, 변덕스러운 **2** 방랑하는, 유랑하는: ~ artists 방랑 예술가들 **~·ly** *ad.*
va·gar·y [vəgέəri, véigəri | véigəri] *n.* (*pl.* **-ries**) [종종 *pl.*] **1** (날씨 등의) 예측 불허의 변화[변동] **2** 엉뚱한 짓[생각], 괴팍한 언행; 변덕
V-a·gent [ví:èidʒənt] *n.* 〖약학〗 V제(劑) 《독성이 강한 신경 가스》
va·gi [véidʒai, -gai] *n.* VAGUS의 복수
vag·ile [vǽdʒəl, -dʒail | -dʒail] *a.* 〖생물〗 자유롭게 움직이는, 이동성의 **va·gil·i·ty** [vədʒíləti] *n.*
va·gi·na [vədʒáinə] *n.* (*pl.* **-nae** [-ni:], **~s**) 〖해부〗 질(膣); 협막(莢膜); 〖식물〗 잎집, 엽초(葉鞘)
vag·i·nal [vǽdʒənl | vədʒái-] *a.* **vág·i·nal·ly** *ad.*
váginal móund 불두덩, 치구(恥丘)
vag·i·nate, -nat·ed [vǽdʒənət(id), -nèit(id)] *a.* 〖식물〗 엽초(葉鞘)가 있는; 초(鞘) 모양의
vag·i·nec·to·my [vӕ̀dʒənéktəmi] *n.* 〖외과〗 질(膣)절제(술); 고환 초막(鞘膜) 절제(술)
vag·i·nis·mus [vӕ̀dʒənízməs] *n.* 〖병리〗 질경(膣痙)
vag·i·ni·tis [vӕ̀dʒənáitis] *n.* Ⓤ 〖병리〗 질염(膣炎)
vag·i·no·my·co·sis [vӕ̀dʒənoumaikóusis] *n.* 〖병리〗 질(膣) 기생균병
vag·i·not·o·my [vӕ̀dʒənɑ́təmi | -nɔ́t-] *n.* (*pl.* **-mies**) 〖외과〗 질(膣) 절개(술)
vago- [véigou, -gə] 《연결형》 「미주 신경(vagus nerve)」의 뜻: *vago*tomy
va·got·o·my [veigɑ́təmi | -gɔ́t-] *n.* (*pl.* **-mies**) 〖외과〗 미주(迷走) 신경 섬유 절제술
va·go·to·ni·a [vèigətóuniə] *n.* 〖병리〗 미주 신경 긴장증 **va·go·ton·ic** [-tɑ́nik | -tɔ́n-] *a.*
va·go·trop·ic [vèigətrɑ́pik, -tróup- | -trɔ́p-] *a.* 〖생물〗 미주 신경 긴장성의, 미주 신경에 작용하는
va·gran·cy [véigrənsi] *n.* (*pl.* **-cies**) ⓊⒸ 방랑, 부랑; 방랑 생활; 〖법〗 부랑죄; [집합적] 방랑자
⁎**va·grant** [véigrənt] [OF 「방랑하다」의 뜻에서] *a.* **1** 방랑[유랑]하는, 주거 부정의, 헤매는, 정처 없이 떠돌아 다니는: ~ beggars 부랑 거지 **2** 〈식물이〉 (여기저기) 무성한 **3** 방향이 일정치 않은; 변하기 쉬운, 일시적 기분의: a ~ leaf blown by the wind 바람에 이리저리 흩날리는 나뭇잎

—*n.* 방랑자, 유랑자; 〖법〗 부랑자

> 유의어 **vagrant** 법률 용어의 색채가 강한 어휘로 주소 부정에 직업도 없이 빈둥대는 사람 **vagabond** 방랑 생활을 하며 이렇다 할 생계 수단을 갖지 않은 사람 또는 방랑을 좋아하며 걱정이 없는 사람에게도 쓰임 **bum** 게을러서 일도 하지 않으며 남에게 빌붙어 사는 사람 **tramp** 방랑 생활을 하고 있는 사람을 뜻하는데, 일을 찾아 여기저기 도는 사람 혹은 구걸·도둑질을 하여 먹고 사는 사람, 성적으로 단정하지 못한 여성에게도 쓰임 **hobo** 특히 계절 노동자로서 각지를 돌아다니는 사람

~·ly *ad.* **~·ness** *n.* ▷ vágrancy *n.*

va·grom [véigrəm] *a.* =VAGRANT

‡**vague** [véig] [L 「방랑하다」의 뜻에서] *a.* **1** 〈말·관념·감정 등이〉 막연한, 모호한, 애매한: yield to ~ terrors 막연한 공포에 사로잡히다 / make a ~ answer 흐리멍덩한 대답을 하다

> 유의어 **vague** 말·뜻·생각·감정 등이 막연한: a *vague* premonition of disaster 막연한 재난의 예감 **ambiguous** 부적절한 표현 때문에 두 가지 이상의 해석이 성립되어 애매한: an *ambiguous* answer 애매모호한 대답 **obscure** 표현이 부정확하고, 또 무엇이 숨겨져 있어서 불명료한: an *obscure* meaning 모호한 뜻

2 〈형태·색 등이〉 흐릿한, 모호한, 희미한: the ~ outline of a church at dusk 해질녘의 교회의 희미한 윤곽 **3** Ⓐ [보통 the vaguest ...로, 부정·의문문에서] 〈이해·생각 등이〉 아주 희미한[조금의]: I have*n't the vaguest* idea what to do. 어떻게 해야 좋을지 전혀 모르겠다. **4** 〈표정·눈 등이〉 멍한, 얼빠진, 건성의: a ~ stare 멍한 눈빛 **~·ness** *n.* **vá·guish** *a.*

*__vague·ly__ [véigli] *ad.* 모호하게, 막연히

va·gus [véigəs] *n.* (*pl.* **-gi** [-dʒai, -gai]) =VAGUS NERVE

vágus nérve 〖해부〗 미주(迷走) 신경(vagus)

vail[1] [véil] 《고어》 *vt.* **1** 내리다, 떨어뜨리다(lower): ~ one's eyes 눈을 내리깔다 **2** 〈모자 등을〉 벗다 —*vi.* (존경·복종하여) 모자를 벗다; 머리를 숙이다

vail[2] 《고어》 *vt., vi.* =AVAIL —*n.* 팁; 축의금

‡**vain** [véin] [L 「텅 빈」의 뜻에서] *a.* **1** 헛된, 무익한, 헛수고의(⇨ futile 유의어): a ~ hope 헛된 희망 / a ~ effort 헛된 노력 / It is ~ to try. 해봤자 헛수고이다. **2** 자만심이 강한, 허영적인; 뽐내는 《*of*, *about*》: a very ~ man 몹시 자만심이 강한 사람 / She was ~ *about*[*of*] her beauty. 그녀는 자기의 미모가 자랑이었다. **3** 허영심으로 생긴, 허영심을 나타내는 **4** 쓸데없는, 하잘것없는, 시시한; 공허한, 알맹이 없는: ~ titles 허명 / waste one's life in ~ pleasures 하찮은 쾌락에 일생을 낭비하다 ***in*** **~** (1) 헛되이, 공연히(vainly): All our efforts were *in* ~. 우리들의 노력은 수포로 돌아갔다. (2) 경솔하게, 함부로: take the name of God *in* ~ 신의 이름을 함부로 쓰다 **~·ness** *n.* ▷ vánity *n.*

vain·glo·ri·ous [vèinglɔ́:riəs] *a.* 《문어·고어》 **1** 자만심이 강한; 허영심이 강한 《*of*》 **2** 자만심에서 오는, 허영심을 나타내는 **~·ly** *ad.* **~·ness** *n.*

vain·glo·ry [véinglɔ̀:ri, ⌐⌐ | ⌐⌐] *n.* Ⓤ 《문어·고어》 **1** 자만심, 크게 뽐냄, (강한) 허영심 **2** 허식, 과시

*__vain·ly__ [véinli] *ad.* **1** 헛되이, 공연히(in vain) **2** 자만하여, 자랑하여, 뽐내어

vair [vέər] *n.* **1** Ⓤ 회색과 흰색의 얼룩이 있는 다람쥐의 모피 《중세 귀족의 긴 외투의 안 또는 깃에 댄 장식》 **2** (문장(紋章)의) 모피 무늬

Vais·ya [váisjə, váiʃiə] [Skt.] *n.* 바이샤, 평민 《인도 4성(姓)의 제 3계급; cf. CASTE 1》

va·keel, -kil [vəkí:l] *n.* 인도인 변호사; 인도인의 대리인[대표자]

Val [væl] *n.* 밸리 걸(valley girl)

val. valentine; valley; valuation; value(d) **Val** 〖생화학〗 valine

va·lance [vǽləns, véil- | vǽl-] [프랑스의 직물 산지명에서] *n.* **1** 드리운 천 《선반·침대의 아래 등을 가리는》 **2** 《미》 (커튼 막대를 가리는) 장식천(《영》 pelmet) **vál·anced** *a.*

Val·dez [vældí:z] *n.* 밸디즈 《미국 Alaska만의 북단에 있는 부동항》

Valdéz Prìnciples 《미》 밸디즈 원칙 《환경 보전을 위해 기업의 활동을 규제·감독하는 원칙; 1989년 미국에서 제정》

*__vale__ [véil] *n.* 《시어》 **1** 골짜기(valley), (넓고 얕은) 계곡 **2** 이 세상, 현세: the ~ of years 노년(老年) / this[the] ~ of tears[woe, misery] (고뇌·슬픔에 싸인) 이 세상, 현세, 이승

va·le [vá:lei, véili] [L] *int.* 안녕히, 잘 가세요 —*n.* 이별(farewell); 작별 인사[편지]

val·e·dic·tion [vælədíkʃən] [L 「작별을 고하다」의 뜻에서] *n.* 《문어》 **1** 고별, 작별 **2** 고별사, 작별의 말(valedictory)

val·e·dic·to·ri·an [vælədiktɔ́:riən] *n.* 《미》 (고별 연설을 하는) 졸업생 대표 《보통 수석 졸업생; cf. SALUTATORIAN》

val·e·dic·to·ry [vælədíktəri] *a.* 《문어》 고별[작별]의: a ~ speech 고별사 —*n.* (*pl.* **-ries**) 고별사[연설]; 《미》 졸업생 대표의 고별 연설(cf. SALUTATORY)

va·lence[1] [véiləns] *n.* **1** 《미》 〖화학〗 원자가(價): ~ bond 원자가 결합 / ~ electron 원자가 전자 **2** 〖생물〗 수가(數價) 《염색체 등이 결합하는》

va·lence[2] [vǽləns] *n.* =VALANCE

vá·lence bànd [véiləns-] 〖물리〗 원자가(價) 전자대(電子帶) 《전자가 충만한 에너지대》

válence elèctron [véiləns-] 〖화학〗 원자가 전자

Va·len·ci·a [vəlénʃiə, -ʃə, -siə] *n.* 발렌시아 **1** 스페인 남동부의 주[항구] **2** (미국산) 발렌시아 오렌지 (=~ **órange**) **3** 여자 이름

Va·len·ci·ennes [vəlènsiénz | vælənsién] *n.* 발랑시엔 《프랑스 북부의 시》; 발랑시엔 레이스 《프랑스 또는 벨기에산의 고급 레이스》(Val lace)

va·len·cy [véilənsi] *n.* (*pl.* **-cies**) 《영》 =VALENCE[1]

-valent [véilənt, vələnt] 《연결형》 〖화학〗 「…(원자)치(値)[가(價)]의」의 뜻; 〖생물〗 「항체 …을 지닌」의 뜻: uni*valent*

Val·en·tine [vǽləntàin] *n.* **1** 남자 이름 **2** [Saint ~] 성 밸런타인 《3세기경의 로마의 그리스도교 순교자; 축일 2월 14일; cf. SAINT VALENTINE'S DAY》 **3** [v~] **a** (밸런타인데이에 선물을 보내는) 애인, 연인(sweetheart) **b** 밸런타인 카드[편지, 선물] 《이전에는 Saint Valentine's Day에 이것을 이성에게 보냄》 —*a.* Ⓐ [v~] (성) 밸런타인의; 밸런타인데이에 보내는: a ~ card 밸런타인 카드

Válentine's[Válentine] Dày =SAINT VALENTINE'S DAY

Válentine Státe 미국 Oregon주의 별칭

Va·le·ri·a [vəlέəriə, -líəriə] *n.* 여자 이름

va·le·ri·an [vəlíəriən] *n.* 〖식물〗 쥐오줌풀; Ⓤ 〖약학〗 길초근(吉草根) 《쥐오줌풀의 뿌리를 말린 것; 정신안정제》

va·le·ric [vəlérik, -líər-] *a.* 쥐오줌풀의

valéric ácid 〖화학〗 발레르산, 길초산(吉草酸)

Va·lé·ry [vælərí:, vǽləri | vǽləri] *n.* 발레리 **Paul** ~ (1871-1945) 《프랑스의 시인·철학자》

> **thesaurus** **vain** *a.* **1** 헛된 futile, worthless, insignificant, meaningless, valueless, empty, unsuccessful, **2** 자만심이 강한 conceited, self-loving, narcissistic, proud, arrogant, boastful
> **valid** *a.* **1** 근거가 확실한 sound, reasonable, logical,

va·let [vǽléi, vǽlit | vǽlit] *n.* **1** 시종, 종자(從者) ((남자))(manservant): No man is a hero to his ~. ((속담)) 영웅일지라도 (날마다 같이 지내는) 종자에게는 여느 사람과 같다. **2** (호텔 등의) 보이; (레스토랑·호텔 등의) 주차 담당자 **3** 모자[코트] 걸이
— *vt.* **1** 시종으로 섬기다 **2** 〈남의 옷을〉 돌보다 ((솔질·세탁·수리 등을 하다)) — *vi.* 남의 옷을 돌보다

va·let de cham·bre [vǽléi-də-ʃɑ́:mbrə] [F] (*pl.* **va·lets de chambre** [~]) 종자(從者), (귀인의) 시중드는 사람

va·let de place [vǽléi-də-plɑs] [F] *n.* 안내인

válet pàrking 대리 주차 ((호텔·레스토랑 등에서 주차 담당원이 손님 차를 주차장에 넣고 내오는 서비스))

va·let-park [vǽleipɑ̀:rk] *vt.*

val·e·tu·di·nar·i·an [vӕlətjù:dənέəriən | -tjù:-] [L 「나쁜 건강」의 뜻에서] *a.* **1** 병약한, 허약한 **2** 건강을 지나치게 염려하는 — *n.* **1** 병약자 **2** 건강을 지나치게 염려하는 사람 **3** 건강한 노인 **~·ism** *n.* Ⓤ

val·e·tu·di·nar·y [vӕlətjú:dənèri | -tjú:dinəri] *a., n.* (*pl.* **-nar·ies**) = VALETUDINARIAN

val·gus [vǽlgəs] 〚병리〛 *n.* 외반족(外反足)(opp. *varus*) — *a.* 외반한 〈다리〉

Val·hal·la [vӕlhǽlə, vɑ:lhɑ́:lə | vӕlhǽlə], **Val·hall** [vӕlhǽl, ⌐–] *n.* 〚북유럽신화〛 발할라 ((Odin 신(神)의 전당; 국가적 영웅을 모신 사당))

val·ian·cy [vǽljənsi], **val·iance** [vǽljəns] *n.* Ⓤ ((문어)) 용맹, 용감, 용기

*__val·iant__ [vǽljənt] [OF 「강한」의 뜻에서] *a.* ((문어)) **1** 용맹스런, 씩씩한, 장한, 영웅적인 **2** 훌륭한, 빼어난, 가치 있는: It was a ~ attempt. (잘 되지는 않았으나) 할 보람 있는 시도였다.
— *n.* 용감한 사람 **~·ly** *ad.* **~·ness** *n.*
▷ váliancy, válor *n.*

*__val·id__ [vǽlid] [L 「강한」의 뜻에서] *a.* **1** 근거가 확실한, 정확한, 정당[타당]한: a ~ conclusion 타당한 결론 **2** 유효한, 효과적인(opp. *invalid*): a ~ remedy 효과적인 치료 **3** 설득력 있는; 권위 있는 **4** 〚법〛 법적으로 유효한(opp. *invalid*): a ~ contract 합법적인 계약 **5** 〚논리〛 (논리적으로) 타당한 **6** ((고어)) 강건한 **~·ly** *ad.* **~·ness** *n.* ▷ válidate *v.*; valídity *n.*

val·i·date [vǽlədèit] *vt.* **1** 정당성을 입증하다, 실증하다, 확인하다 **2** (법적으로) 비준하다(opp. *invalidate*): ~ a treaty 조약을 비준하다 **3** 〈문서 등을〉 허가[인가]하다 **vàl·i·dá·tion** *n.* Ⓤ 확인; 비준

*__va·lid·i·ty__ [vəlídəti] *n.* Ⓤ **1** 정당함, 타당성, 확실(성) **2** 〚법〛 효력, 유효성; 합법성: the term of ~ 유효 기간

va·line [vǽli:n, -lin, véi-] *n.* 〚생화학〛 발린 ((아미노산의 일종))

val·in·o·my·cin [vӕlinoumáisn | -sin] *n.* Ⓤ 〚약학〛 밸리노마이신 ((항생 물질))

va·lise [vəlí:s | vəlí:z] *n.* **1** ((미)) 여행용 손가방 **2** 〚군사〛 배낭

Val·i·um [vǽliəm] *n.* 발륨(diazepam) ((정신 안정제; 상표명))

Val·ky·rie [vӕlkíəri, -káiəri, vɑ:l-, vǽlkəri], **Val·kyr** [vǽlkər | -kiə] *n.* 〚북유럽신화〛 발키리 ((Odin 신의 시녀; 전사한 영웅의 영혼을 Valhalla로 인도한다는)) **Val·kýr·i·an** *a.*

val·la [vǽlə] *n.* VALLUM의 복수

Vál làce 발렌시엔 레이스(Valenciennes)

val·late [vǽleit] *a.* 이랑[둑]으로 경계지어진, 누벽의, 보루의

val·la·tion [vӕléiʃən] *n.* 누벽(壘壁), 보루

val·lec·u·la [vəlékjulə] *n.* (*pl.* **-lae** [-lì:]) **1** 〚해부〛 곡(谷), 와(窩) **2** 〚식물〛 과곡(果谷) **-lar** *a.*

Val·let·ta [vəlétə] *n.* 발레타 ((Malta의 수도))

‡**val·ley** [vǽli] *n.* **1** 골짜기, 산골짝, 계곡, 산협

> 유의어 **valley** 양측 산 사이에 움푹 패어 들어간 곳을 말하며, 흔히 강으로서 물이 흐르고 있다 **gorge, ravine** valley보다 깊고 좁으며 양측이 절벽으로 되어 있다 **canyon** valley보다 큰 것을 말한다.

2 (큰 강의) 유역 **3** 골짜기 모양의 골, (물결의) 골 **4** (경기(景氣) 등의) 골, 저미기(低迷期) **5** 공포[우울, 불길한 예감]로 가득찬 곳[때, 상황], 고난의 시기: the ~ of despair 절망의 골짜기 / the ~ of the shadow of death 〚성서〛 사망의 음침한 골짜기 ((시편 23: 4)); 큰 고난의 시기 **6** 〚건축〛 (지붕의) 골
the V~ of Ten Thousand Smokes 만연(萬煙)의 골짜기 ((Alaska의 Katmai 국립공원의 일부인 화산 지대)) ***the ~ of the dolls*** 극도의 정신적 불안정 상태 **~·like** *a.*

Válley bòy ((미)) 밸리 보이 ((Valley girl의 놀이 상대가 되는 소년))

válley féver 〚병리〛 계곡열(熱)(coccidioidomycosis)

Válley gìrl [때로 **V- G-, v- g-**] ((미)) 밸리 걸 ((독특한 유행어와 말씨로 풍속적 상징이 되었던 미국의 10대 소녀; 1982년에 대량 발생))

válley glàcier 〚지질〛 곡빙하(谷氷河)

Válley of the Kíngs [the ~] 왕가의 계곡 ((고대 이집트 제18, 19 왕조의 왕가 매장지))

válley wind 골바람, 곡풍(谷風)

val·lum [vǽləm] *n.* (*pl.* **-la** [-lə], **~s**) (고대 로마의) 누벽(壘壁), 보루

Va·lois [vӕlwɑ́:] *n., a.* 프랑스의 발루아 왕가(의) ((1328-1589년까지 프랑스를 지배))

va·lo·ni·a [vəlóuniə] *n.* Ⓤ 일종의 떡갈나무 열매의 깍정이 ((잉크 원료·염색용))

*__val·or__ | __val·our__ [vǽlər] *n.* Ⓤ ((문어)) (특히 싸움터에서의) 용기, 용맹, 무용(武勇)
▷ váliant, válorous *a.*

val·o·ri·za·tion [vӕlərizéiʃən | -rai-] *n.* Ⓤ (정부의) 물가 안정책, 공정 가격 설정

val·o·rize [vǽlərὰiz] [Port. 「가치」의 뜻에서] *vt.* 〈특히 정부가〉 가격을 정하다; 물가를 안정시키다

val·or·ous [vǽlərəs] *a.* ((문어)) 씩씩한, 용감한(brave) **~·ly** *ad.* **~·ness** *n.*

val·our [vǽlər] *n.* ((영)) = VALOR

Val·po·li·cel·la [vӕlpoulitʃélə] *n.* (이탈리아의) 적포도주

val·pro·ate [vӕlpróueit] *n.* 〚약학〛 밸프로에이트 ((간질약))

val·pró·ic ácid [vӕlpróuik-] 〚약학〛 밸프로산(酸) ((간질 등의 치료용))

Val·sál·va manèuver [vӕlsǽlvə-] [이탈리아의 해부학자 이름에서] 〚의학〛 발살바법(法) ((이관 통기법(耳管通氣法)의 일종; 입과 코를 막고 숨을 내쉬는 동작))

valse [vɑ́:ls] [F] *n.* = WALTZ

Val·speak [vǽlspì:k] *n.* ((미)) 밸리 말씨 ((Valley girl 특유의 말씨))

‡**val·u·a·ble** [vǽljuəbl, vǽljubl] *a.* **1** 금전적 가치가 있는, 가격을 지닌, 유가(有價)의(opp. *worthless*): ~ papers 유가 증권 **2** 값비싼; 값진, 귀중한, 소중한: ~ jewelry 값비싼 보석류 / a ~ friend 소중한 친구 **3** 매우 유익한[유용한] ((*to, for*)): a book very ~ *to*[*for*] teachers 교사에게 매우 유용한 책 / ~ information 유익한 정보

> 유의어 **valuable** 물품에 대해 쓸 경우는 「금전적 가치가 큰」의 뜻이며, 물품 이외에 대해서는 「유용성이 큰」의 뜻이다 **precious** 금전으로는 헤아릴 수 없을 정도로 귀중한: a *precious* jewel 값비싼 보석

4 가치를 평가할 수 있는

---

authentic **2** 설득력 있는 convincing, credible, forceful **3** 법적으로 유효한 lawful, legal, legitimate
valuable *a.* **1** 값비싼 costly, high-priced, expensive, priceless, precious **2** 매우 유익한 useful, helpful, beneficial, advantageous, worthy

— *n.* [보통 *pl.*] 귀중품 《특히 보석류》: keep ~*s* in the safe 귀중품을 금고에 보관하다
~·ness *n.* **-bly** *ad.*

váluable considerátion 〘법〙 유가 약인(有價約因), 대가(對價)

val·u·ate [vǽljuèit] *vt.* 《미》 사정(査定)하다, 견적하다; 〈인물·능력 등을〉 평가하다 **-à·tor** *n.*
▷ váluable *a.*; valuátion *n.*

***val·u·a·tion** [væ̀ljuéiʃən] *n.* **1** Ⓤ (금전적) **평가**; Ⓤ (인물·재능 등의) 평가, 사정(査定): accept[take] a person at his[her] own ~ …의 능력 평가를 본인이 말하는 대로 받아들이다 **2** Ⓒ 사정[견적] 가격, 평가액: put[set] too high a ~ on …을 너무 높이 평가하다 **3** (특질·중요성·우수성 등의) 인지, 인식 **4** (생명 보험 증권의) 가치 평가 **~·al** *a.* **~·al·ly** *ad.*

‡**val·ue** [vǽlju:] [OF 「가치 있다」의 뜻에서] *n.* **1** Ⓤ [때로 a ~] **가치**, 값어치, 진가(眞價); 유용성: the ~ of a college education 대학 교육의 가치 / news [propaganda] ~ 뉴스[선전] 가치 / be of great[little, no] ~ 가치가 크다[적다, 없다]

> 유의어 **value** 실제적인 유용성·중요성에서 본 가치: the *value* of sunlight 햇빛의 가치 **worth** 지적·정신적·도덕적 가치: Few knew his true *worth.* 그의 진가를 아는 사람은 거의 없었다.

2 Ⓤ Ⓒ **가격**, 값, (금전적) 가치: exchange(able) ~ = ~ in exchange 교환 가치 / market ~ 시가(市價) / surplus ~ 〘경제〙 잉여(剩餘) 가치 **3** (통화의) 교환 가치, (화폐의) 구매력 **4** 대가; Ⓤ (돈을 치른 만큼의) 대가(對價): get good ~ for one's money 돈 값어치 만큼의 좋은 물건을 얻다[사다] / give good ~ for …에 대해 충분히 값어치 있는 것을 주다 **5** Ⓤ Ⓒ 평가, 중요시; 가격 평가: face ~ 액면 가격 / set[place, put] much[a high] ~ on[upon] …을 높이 평가하다, 중시하다 **6** Ⓤ Ⓒ 참뜻, 의의(意義): the ~ of a word 단어의 의미 **7** [*pl.*] (대부분의 사람이 가진) 가치 기준, 가치관: the erosion of traditional ~*s* 전통적 가치관의 붕괴 **8** 〘수학〙 값, 치(値): The ~ of x^2 at 2 is 4. (x가) 2일 때 x^2의 값은 4이다. **9** Ⓤ Ⓒ 〘회화〙 밸류, 명암도(明暗度): out of ~ 〘회화〙 명암의 조화가 없는 **10** 〘음악〙 (음표나 쉼표가 나타내는) 길이, 시간적 가치 **11** Ⓒ 〘생물〙 (분류상의) 등급
(***for***) ***~ received*** 〘상업〙 대가 수취(對價受取) 《어음 액면의 기재 문구》 ***of ~*** 가치 있는, 귀중한(valuable); 값비싼(⇨ be of great[little, no] VALUE) ***to the ~ of*** …의 금액[가격 한도]까지: a prize *to the ~ of* ten thousand dollars 금액이 일만 달러의 상 ***~ for money*** 금액에 어울리는 가치(가 있는 것), 돈에 상응하는 것
— *vt.* **1** (금전으로) **평가하다**, 값을 매기다, 〈…의 값을〉 어림하다 《*at*》: 《~+목+전+명》 The actor's property was ~*d at* $3,000,000. 그 배우의 재산은 3백만 달러로 평가되었다. **2** **높이 평가하다**, 존중하다, 소중히 하다: He ~*s* your friendship. 그는 자네의 우정을 존중한다. **3** …의 가치 판단을 하다, 평가하다: 《~+목+전+명》 He ~*s* health *above* wealth. 그는 부(富)보다는 건강을 중히 여긴다.
▷ váluable *a.*; váluate *v.*

val·ue-add·ed [vǽlju:ǽdid] *n.* 부가 가치 (상품[부분]) **—** *a.* 부가 가치의[에 관한], 〈상품 등이〉 부가 가치를 붙인

válue-ádded nétwork 〘통신〙 부가 가치 통신망 《略 VAN》

válue-ádded remárketer[reséller] 〘컴퓨터〙 부가 가치 재판(再販)업자

válue-ádded táx 부가 가치세 《略 VAT》

válue anàlysis 가치 분석

válue ànalyst 가치 분석가

val·ued [vǽlju:d] *a.* **1** 평가된, 가격이 사정된: jewels ~ at $100,000 10만 달러로 평가된 보석 **2** 존중되는, 귀중한, 소중한 **3** [보통 복합어를 이루어] …의 가치를 가진: many-~ 다원적(多元的) 가치의

válue dàte 《영》 어음 결제일

válued pòlicy 〘보험〙 정액(定額) 보험 계약 《보험 금액을 미리 협정한 보험》

válue engineèring 가치 공학 《제품의 기획·제조하는 데 있어서 설계 및 제조 전문가의 입장에서 검토하여 조직적으로 분석하는 것》

val·ue-free [vǽlju:fri:] *a.* 가치가 개입되지 않은; 객관적인

válue jùdgment 가치 판단

val·ue-lad·en [væ̀lju:léidn] *a.* 이념이 담긴, 가치 함축적인

val·ue·less [vǽlju:lis] *a.* 값어치[가치]가 없는, 하찮은 **~·ness** *n.*

val·u·er [vǽljuər] *n.* 평가자; 《영》 가격 사정인

válue sỳstem 〘사회〙 가치 체계

va·lu·ta [vəlú:tə] [It.] *n.* Ⓤ 화폐 교환 가치; 외화(外貨)(foreign exchange)

val·vate [vǽlveit] *a.* **1** 판(瓣)이 있는, 판으로 여닫는 **2** 판처럼 생긴, 판 구실을 하는, 겹치지 않고 맞닿은 **3** 〘식물〙 접합상(接合狀)의

‡**valve** [vǽlv] [L 「접게 된 문의 한 짝」의 뜻에서] *n.* **1** (장치의) 판(瓣), 밸브: a safety ~ 안전판 **2** 〘해부·동물〙 판, 판막(瓣膜) **3** (쌍패류의) 껍질(cf. BIVALVE) **4** 〘식물〙 꼬투리 조각, 꽃밥 조각 **5** 《영》 전자관, 진공관(tube): a ~ detector 진공관 검파기 / a ~ set 진공관 수신기 **6** 〘음악〙 (금관 악기의) 피스톤, 활전(活栓) **7** (고어) (여닫이 문·접는 문의) 문짝
— *vt.* …에 판을 달다; 판으로 〈액체의〉 흐름을 조절하다
— *vi.* 판을 이용하다 **valved** [vǽlvd] *a.* **~·less** *a.* **~·lìke** *a.* ▷ válvate, válvular *a.*

válve gèar[tràin] 밸브 장치

valve·let [vǽlvlit] *n.* 작은 판(瓣), 소판(valvule)

val·vu·lar [vǽlvjulər] *a.* 판의, 판 모양의, 판이 있는; 판으로 된; 심장 판막의

válvular insuffíciency 〘병리〙 심장 판막 부전증

val·vule [vǽlvju:l] *n.* 소판(小瓣)

val·vu·li·tis [væ̀lvjuláitis] *n.* Ⓤ 〘병리〙 (심장) 판막염

val·vu·lot·o·my [væ̀lvjulɑ́təmi | -lɔ́t-] *n.* (*pl.* **-mies**) 〘외과〙 (심장의) 판막(瓣膜) 절개(술)

vam·brace [vǽmbreis] *n.* (갑옷의) 완갑(腕甲)

va·moose [væmú:s | və-], **va·mose** [-móus] *vi.*, *vt.* 《미·속어》 내빼다, 뺑소니치다

vamp¹ [vǽmp] [OF 「발 앞부분」의 뜻에서] *n.* **1** (구두의) 앞쪽 등가죽 **2** 기워 대는 조각 **3** (구어) 〘음악〙 즉석 반주

vamp¹ *n.* 1

— *vt.* **1** 〈구두에〉 새 앞 윗가죽을 대다 **2** 깁다(repair) **3** 새것으로 꾸미다, 겉발림하다 **4** 꾸며대다 《*up*》: 《~+목+부》 ~ *up* an excuse 핑계대다 / ~ *up* ugly rumors 추잡한 소문을 꾸며대다 **5** (구어) 〘음악〙 〈노래·춤 등에〉 즉석 반주를 붙이다
— *vi.* (구어) 〘음악〙 즉석 반주를 하다

vamp² [*vam*pire] (구어) *n.* 요부(妖婦); 바람난 계집
— *vt.* 〈사내를〉 호리다; 〈사내를〉 이용하다
— *vi.* 요부역(役)을 맡다 **~·ish** *a.* 요부형의

vamp·er [vǽmpər] [vamp¹에서] *n.* 신기료 장수; 즉석 반주자 《특히 피아노의》

vam·pire [vǽmpaiər] *n.* **1** 흡혈귀 《밤에 무덤에서 나와 자고 있는 사람의 생피를 빨아 먹는다는》 **2** 흡혈귀 같은 착취자 **3** = VAMP² **4** 〘동물〙 흡혈 박쥐(= ~ **bàt**) 《중·남미 열대 지방산으로 말 등의 생피를 빠는》 **5** 〘연극〙 (무대에 장치한 용수철식) 함정

vam·pir·ic [væmpírik] *a.* 흡혈귀의[같은]

thesaurus **value** *n.* **1** 가치 worth, merit, advantage, benefit, profit, importance, significance **2**

vam·pir·ism [vǽmpaiərìzm] *n.* Ⓤ **1** 흡혈귀(의 존재)를 믿음 **2** 흡혈귀의 짓 **3** (타인의 고혈을 빠는) 지독한 착취; 남자를 호리기

*__van__[1] [vǽn] [cara*van*] *n.* **1** 유개 운반차[트럭], 밴 《가구·짐승 등을 나르는》: a police ~ 유개 경찰차, 죄수 호송차 **2** 《영》 소형 운반차[트럭] **3** 《영》 (철도의) 수하물차, 유개 화차(《미》 car)(cf. WAGON 2)
— *vt.* 유개 운반차에 싣다[로 운반하다]
— *vi.* 밴으로 가다[캠프 여행하다]

van[2] [*van*guard] *n.* [the ~] **1** 〖군사〗 전위(前衛), 선봉(opp. *rear*) **2** [집합적] 선도자, 선구자, 주동자 ***in the ~ of*** …의 선두[진두]에 서서, 솔선하여, 선구로서 ***lead the ~ of*** …의 선봉이 되다, 주동자가 되다

van[3] *n.* 키(질하는 기구), 곡류 선별 장치; 《고어·시어》 날개; 〖광산〗 선광(選鑛) 삽
— *vt.* (**~ned**; **~·ning**) 선광하다

van[4] [Du. =of, from] *prep.* [인명의 일부로서] …출신의

van[5] *n.* 《영·구어》 〖테니스〗 = ADVANTAGE 3

Van [vǽn] *n.* **1 Lake ~** 반 호 《터키 동부의 함수호》; 반 시(市) **2** 남자 이름

VAN value-added network 부가 가치 통신망

van·a·date [vǽnədèit] *n.* 〖화학〗 바나듐산염[에스테르]

va·na·di·ate [vənéidièit] *n.* = VANADATE

va·na·dic [vənéidik, -néid-] *a.* 〖화학〗 바나듐을 함유한

vanádic ácid 〖화학〗 바나드 산

va·na·di·um [vənéidiəm] *n.* Ⓤ 〖화학〗 바나듐 《금속 원소; 기호 V, 번호 23》

vanádium pentóxide 〖화학〗 5산화 바나듐

vanádium stéel 바나듐 강(鋼)

va·na·dous [vǽnədəs] *a.* 《특히》 2가 또는 3가의 바나듐을 함유하는

Van Ál·len (**radiátion**) **bèlt** [vǽn-ǽlən-] [미국의 물리학자 이름에서] 〖물리〗 밴 앨런 (방사)대(帶) 《지구를 둘러싸고 있는 방사능을 가진 층》

va·nas·pa·ti [vənʌ́spəti, -nɑ́:s-] [Skt.] *n.* 바나스파티 《인도의 버터 대용의 식물성 유지》

van·co·my·cin [væ̀ŋkəmáisn, væ̀n-|-sin] *n.* Ⓤ 〖약학〗 반코마이신 《스피로헤타에 듣는 항생 물질》

ván convèrsion 거주용설비를 갖춘 밴

Van·cou·ver [vænkú:vər] *n.* 밴쿠버 《캐나다 남서부, British Columbia 주의 항구 도시》; 밴쿠버 섬

Van·cou·ver·ite [vænkú:vəràit] *n.* 밴쿠버 시민

V & A 《영》 Victoria and Albert Museum

Van·dal [vǽndl] *n.* **1** [the ~s] 반달 족 《5세기에 서유럽에 침입하여, 로마를 약탈한 게르만의 한 종족; 로마 문화의 파괴자; cf. GOTH》; 반달 사람 **2** [v~] 고의[무지]에 의한 공공[사유] 재산의 파괴자
— *a.* = VANDALIC

Van·dal·ic [vændǽlik] *a.* **1** 반달 사람의, 반달적인 **2** [v~] 예술·문화의 파괴자의[적인]; 야만의: a ~ act 파괴 행위

van·dal·ism [vǽndəlìzm] *n.* Ⓤ **1** 반달 사람의 기질[풍습] **2** 예술·문화의 고의적 파괴; (비문화적) 야만 행위; 공공 시설물의 파괴
vàn·dal·ís·tic *a.* **ván·dal·ish** *a.*

van·dal·ize [vǽndəlàiz] *vt.* 〈예술·문화·공공시설 등을〉 고의적으로 파괴하다

Ván de Gràaff génerator [vǽn-də-grǽf-|-grɑ̀:f-] [미국의 물리학자 이름에서] 〖물리〗 밴 더 그래프 정전(靜電) 발전기

ván der Wàals equátion [vǽn-dər-wɔ́:lz-, -wɑ́:lz-] [네덜란드의 물리학자 이름에서] 〖물리〗 반 데르 발스 방정식

ván der Wàals fórces 〖물리〗 반 데르 발스의 힘 《중성 원자[분자]간의 비교적 약한 인력》

가격 price, cost, expense, equivalent, rate
vanish *v.* disappear, evaporate, disperse, fade

Van·dyke[1], **Van Dyck** [vændáik] *n.* 반다이크 **Sir Anthony ~** (1599-1641) 《플랑드르의 초상화가》

Vandyke[2] *n.* **1** [보통 **v~**] 반다이크작(作)의 그림[초상화] **2** = VANDYKE COLLAR **3** = VANDYKE BEARD — *a.* 반다이크(작)의; [《영》 ∠-] 반다이크풍의
— *vt.* [**v~**] …에 깊은 톱니 모양의 가장자리를 달다

Vandyke beard

Vandýke béard [플랑드르의 초상화가 Vandyke에서] (끝을 뾰족하게 한) 반다이크 수염

Vandýke brówn 진한 갈색

Vandýke cóllar[**cápe**] 반다이크 깃 《톱니 모양의 가장자리가 있는 레이스의》

van·dyked [vændáikt] *a.* [종종 **V~**] 톱니 모양으로[들쭉날쭉하게] 마른

*__vane__ [véin] [OE 「깃발」의 뜻에서] *n.* **1** 바람개비, 풍신기(風信旗) **2** (풍차·프로펠러 등의) 날개 **3** 변덕쟁이 **4** 〖측량〗 (측량기·사분의(四分儀) 등의) 시준판(視準板) **5** 〖조류〗 우판(羽板)(web)
váned *a.* **~·less** *a.*

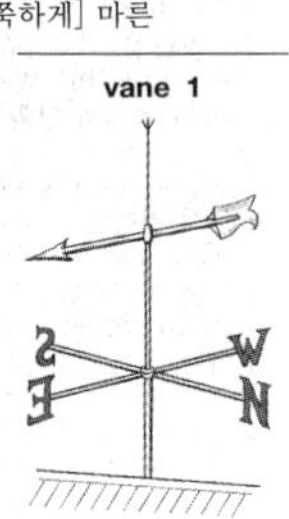

vane 1

va·nes·sa [vənésə] 〖곤충〗 큰멋쟁이나비

vang [vǽŋ] *n.* 〖항해〗 사형(斜桁) 밧줄

van Gogh [væn-góu, -gɔ́:x|-gɔ́x, -gɔ́f] *n.* 반 고호 **Vincent ~** (1853-90) 《네덜란드의 화가》

*__van·guard__ [vǽngɑ̀:rd] [OF 「앞쪽 경비」의 뜻에서] *n.* [the ~] **1** [집합적] 〖군사〗 전위(前衛), 선봉(opp. *rear guard*) **2** (운동·분야·활동 등의) 선두(forefront); 지도적 지위: be in *the* ~ of …의 진두[선두]에 서다, …의 선구자가 되다 **3** [집합적] (사회·정치 운동 등의) 선구[지도]자 **4** [**V~**] 뱅가드 《미국의 초기 인공위성 발사용 로켓》 **~·ism** *n.* **~·ist** *n.*

vánguard pàrty 전위 정당

*__va·nil·la__ [vənílə, -nélə|-nílə] [Sp. 「작은 콩꼬투리」의 뜻에서] *n.* **1** 〖식물〗 바닐라 《아메리카 열대 지방산(産)의 덩굴 식물》; Ⓤ 바닐라콩[열매](=∠ **bèan**) **2** Ⓤ 바닐라 엑스 《그 열매에서 얻은 향미료》
— *a.* Ⓐ **1** 바닐라로 맛들인: two ~ ice creams 바닐라 아이스크림 2개 **2** 《구어》 꾸미지 않은, 흔한, 평범한

va·nil·lic [vənílik] *a.* 바닐라의, 바닐라에서 채취한; 〖화학〗 바닐린의

va·nil·lin [vǽnəlin, vənílin] *n.* Ⓤ 〖화학〗 바닐린 《vanilla로 만든 향료》

Va·nir [vɑ́:niər] *n. pl.* 〖북유럽신화〗 바니르 《기상·농업·상업의 신(神)들》

‡**van·ish** [vǽniʃ] [L 「텅비게 되다」의 뜻에서] *vi.* **1** (갑자기) 사라지다, 없어지다: 《~+副》 ~ *away* like smoke 연기처럼 사라지다 // 《~+前+名》 ~ *into* thin air 자취도 없이 사라지다 / ~ *from* sight 시야에서 사라지다 / He ~*ed into* the darkness. 그는 어둠 속으로 사라졌다.

> 유의어 **vanish** 보이던 것이 (별안간) 사라지다 **disappear** vanish보다도 뜻이 넓고, 갑자기 또는 점차로 보이지 않게 되다: The moon *disappeared* behind the clouds. 달은 구름 뒤에 모습을 감추었다. **fade** 점차 보이지 않게 되어 끝내는 아주 사라져 버리다: The ship *faded* into the fog. 그 배는 안개에 싸이면서 사라졌다.

2 〈빛·빛깔이〉 희미해지다, 소멸하다 **3** 〈희망·공포 등이〉 사라지다 **4** 〖수학〗 영(零)이 되다
— *vt.* 보이지 않게 하다, …의 모습을 감추다[없애

다]: one's ~*ed* youth 잃어버린 청춘
— *n.* 〖음성〗 소음(消音) 《이중 모음 [ou], [ei]의 [u, i]음》 **~·er** *n.* **~·ing·ly** *ad.* **~·ment** *n.* Ⓤ 소멸

van·ish·ing [vǽniʃiŋ] *a.*, *n.* 사라지는 (일)

vánishing crèam 배니싱 크림 《화장품》

vánishing lìne 〖회화〗 (투시 화법의) 소실선

vánishing pòint 1 (투시 화법의) 소실점(點), 소점(消點) 2 사물이 소멸되는 최후의 한 점, 한계점

vanishing point 1

van·i·to·ry [vǽnətɔ̀:ri | -təri] [*vanity lavatory*] *n.* (*pl.* **-ries**) 화장대 달린 세면대

‡**van·i·ty** [vǽnəti] *n.* (*pl.* **-ties**) 1 Ⓤ 허영심, 자만심: the pomps and ~ of this wicked world 속세의 영화의 꿈 / intellectual ~ 지적 허영심

> 유의어 **vanity** 자신에 대한 지나친 찬양 또는 남에게서 칭찬받고 싶다는 지나친 욕망: do something from *vanity* 허영심에서 …을 하다 **pride** 정당한 자존심·자신 또는 과장된 거짓 자신·자만: *Pride* must have a fall. 교만은 몰락하게 마련이다.

2 ⓊⒸ 공허, 허무함, 덧없음, 무상(無常) 3 자랑거리, 자만하는 것 4 허황한 것, 무익한[시시한] 사물[행위] 5 = VANITY CASE[BAG, BOX] 6 (미) = DRESSING TABLE 7 (여성용) 콤팩트(compact)
V~ of vanities; all is ~. 〖성서〗 헛되고 헛되니 모든 것이 헛되도다. 《전도서 1: 2》
▷ váin *a.*

vánity càse[bàg, bòx] 휴대용 화장품 상자

Vánity Fáir 1 허영의 시장 《J. Bunyan의 *Pilgrim's Progress*의 시장 이름》 2 [종종 **v- f-**] (문어) 허영으로 가득 찬 세상; 상류 사회

vánity plàte (미) (자동차의) 장식 번호판

vánity prèss[pùblisher] (미) 자비(自費) 출판 전문 출판사

vánity sùrgery 미용 외과, 성형 외과(plastic surgery)

vánity ùnit (화장대에 결합된) 세면대

ván lìne (미) (이삿짐 전문의) 장거리 운송 회사

van·man [vǽnmæ̀n] *n.* (*pl.* **-men**) 유개 화물 자동차 운전사

van·ner [vǽnər] *n.* (미·캐나다) van[1]을 타는 사람; van[1]으로 캠프 여행을 하는 사람

van·ning [vǽniŋ] *n.* 숙박 장비가 설비된 밴으로 가는 여행

van·pool [vǽnpù:l] *n.*, *vi.* (미) (통근 때의) van[1]의 합승(을 하다) **~·ing** *n.*

*__van·quish__ [vǽŋkwiʃ, vǽn- | vǽŋ-] (문어) *vt.* 1 정복하다, 패배시키다(⇨ defeat 유의어): ~ the enemy 적을 격파하다 / the ~*ed* 피정복자, 패배자 2 (경기·논쟁 등에서) 〈상대를〉 이기다 3 〈감정 등을〉 극복하다: ~ one's fears 공포심을 이겨내다
— *vi.* 이기다, 승리를 얻다, 정복하다
~·a·ble *a.* 격파[정복]할 수 있는, 이길 수 있는
~·er *n.* **~·ment** *n.*

*__van·tage__ [vǽntidʒ, vɑ́:n- | vɑ́:n-] [advantage의 두음 소실(頭音消失)] *n.* Ⓤ 1 우세, 유리 2 유리한 점[위치] 3 (영) 〖테니스〗 듀스 후 1점의 득점 ***for*[*to*] *the* ~** 게다가 또 ***have*** a person ***at* ~** …보다 유리하다 ***have*[*take*] *the enemy at* ~** 적을 기습하다 ***point*[*coign*] *of* ~** = VANTAGE POINT 1

vántage gròund 유리한 처지[조건]

van·tage-in [vǽntidʒín | vɑ́:n-] *n.* 〖테니스〗 듀스 후에 서브측(server)에서 얻은 1점

van·tage-out [-áut] *n.* 〖테니스〗 듀스 후에 리시브측(receiver)에서 얻은 1점

vántage pòint 1 = VANTAGE GROUND 2 관점, 견해

van't Hóff's láw [vɑ:nt-hɔ́:fs-] [네덜란드의 화학자 이름에서] 〖화학〗 반트 호프의 법칙 《평형 상태에 있는 계(系)에 있어서, 온도를 올리면 흡열(吸熱) 반응률이 증가한다는 이론》

Va·nu·a·tu [vɑ̀:nuɑ́:tu: | væ̀-] *n.* 바누아투 《태평양 남서부의 공화국; 수도 Vila》 **~·an** *a.*, *n.*

van·ward [vǽnwərd] *a.*, *ad.* 앞[전방]의[으로]

va·pid [vǽpid] [L 「활기를 잃은」의 뜻에서] *a.* 1 맛없는, 김빠진: run ~ 김[맥] 빠지다, 축 늘어지다 2 〈말·문장이〉 생기를 잃은, 활기 없는, 흥미 없는, 지리한(dull) **~·ly** *ad.* **~·ness** *n.* ▷ vapídity *n.*

va·pid·i·ty [væpídəti, və-] *n.* (*pl.* **-ties**) Ⓤ 맛없음, 생기[활기] 없음; [보통 *pl.*] 지루한 말

‡**va·por | va·pour** [véipər] *n.* 1 Ⓤ 증기 《공기 중의 수증기·김·안개·운무 등》 2 〖물리〗 증기: water ~ 수증기 3 (고어) 부질없는 공상, 허황된 생각, 망상(idle fancy) 4 [the ~s] (고어) 우울증
— *vt.* 발산시키다, 증발[기화]시키다(vaporize) 《*away*》: (~+목+부) ~ *away* a heated fluid 가열한 액체를 증발시키다
— *vi.* 1 증발하다: (~+부) ~ *up*[*out*] 증발하다 2 허풍떨다, 허세부리다 ~ ***forth high-flown fancies*** 터무니없는 기염을 토하다
~·a·ble *a.* **~·er** *n.* **~·less** *a.* **~·like** *a.*
▷ váporish, váporous *a.*; váporize *v.*

va·po·rar·i·um [vèipəréəriəm] *n.* = VAPOR BATH

vápor bàrrier 〖건축〗 (필름 막 등) 내부 습기 방지용 절연물

vápor bàth 증기 목욕, 한증

vápor dènsity 〖물리〗 증기 밀도

vápor éngine 〖기계〗 증기 기관 《특히 작동 유체(流體)가 수증기 이외의 것》

va·por·es·cence [vèipərésns] *n.* 기화(氣化), 증발

va·po·ret·to [vɑ̀:pərétou] *n.* (*pl.* **~s**, **-ret·ti** [-réti]) (특히 이탈리아의 Venice에서 운하 승용선으로 쓰이는) 소형 증기선

va·por·if·ic [vèipərífik] *a.* 증기가 생기는; 증기의

va·por·im·e·ter [vèipərímətər] *n.* 증기계(蒸氣計) 《압력과 양을 잼》

va·por·ing [véipəriŋ] *n.* [보통 *pl.*] 허세 부림, 허풍
— *a.* 1 증기가 생기는; 증발하는 2 허세 부리는, 허장성세의 **~·ly** *ad.*

va·por·ish [véipəriʃ] *a.* 1 증기 같은 2 증기가 많은: ~ autumn mornings 안개 낀 가을 아침 3 (고어) 〈마음이〉 침울한, 우울한(depressed) **~·ness** *n.*

va·por·i·za·tion [vèipərizéiʃən | -rai-] *n.* Ⓤ 증발 (작용), 기화(氣化); 〖의학〗 증기 요법

va·por·ize [véipəràiz] *vt.*, *vi.* 증발[기화]시키다[하다]: The water ~*s* into steam. 물이 증발하여 증기가 된다. **-ìz·a·ble** *a.* **-ìz·er** *n.* 증발기; 기화기; 분무기 ▷ vápor *n.*

vápor lòck 증기 폐색 《내연 기관에서 가솔린의 기포로 발생하는 연료 공급의 고장》

va·por·ous [véipərəs] *a.* 1 증기 비슷한, 기상(氣狀)의 2 증발기가 많은, 안개가 자욱한(foggy, misty) 3 증기를 발산하는 4 덧없는, 공허한, 공상적인, 허황한 **~·ly** *ad.* **~·ness** *n.*

vápor prèssure 〖물리〗 증기압

vápor tènsion 〖물리〗 1 = VAPOR PRESSURE 2 포화 증기압, 최고 증기압

vápor tràil 비행기운(雲)(contrail)

va·por·ware [véipərwὲər] *n.* Ⓤ (컴퓨터속어) 베

> **thesaurus** **vanity** *n.* 1 허영심 conceit, self-love, narcissism, egotism, pride, arrogance (opp. *modesty, humility*) 2 공허 worthlessness, futility, insignificance, meaninglessness, emptiness

이퍼웨어 《개발 중부터 요란하게 선전하지만, 실제로는 완성될 가능성이 없는 소프트웨어》

va·por·y [véipəri] *a.* =VAPOROUS

*__va·pour__ [véipər] *n.*, *v.* (영) =VAPOR

va·que·ro [vɑːkέərou] [Sp.] *n.* (*pl.* **~s**) 《미남서부》 목동, 카우보이, 목부

var [vɑ́ːr] [*v*olt-*a*mpere *r*eactive] *n.* 〖전기〗 바 《무효 전력의 단위》

VAR visual-aural range 〖항공〗 가시 가청식 레인지 《계기 표시와 신호음으로 침로를 표시》; volt-ampere reactive; value-added remarketer[reseller] **var.** variable; variant; variation; variety; variometer; various

va·rac·tor [vərǽktər | vέəræk-] *n.* 〖전자〗 버랙터 《반도체 다이오드 저항기》

Va·ra·na·si [vərɑ́ːnəsi] *n.* 바라나시 《인도 북부 갠지스 강변의 힌두교 성지; 구칭 Benares》

Va·ran·gi·an [vərǽndʒiən] *n.* **1** 바랑 사람 《발트해 연안을 휩쓴 스칸디나비아의 유랑 민족의 하나》 **2** 바랑인 시위대(Varangian Guard)의 병사
— *a.* 바랑 사람의

Varángian Guárd 바랑인 시위대(侍衛隊) 《11-12세기경 동로마 황제의》

var·ec(h) [vǽrek] *n.* 해초, 해조(海藻) (seaweed); 해초의 재 《요오드·칼륨의 원료》

vari- [vέəri], **vario-** [vέəriou, -iə] 《연결형》 「여러 가지의」의 뜻: *vari*colored, *vario*coupler

var·i·a [vέəriə] *n. pl.* =MISCELLANY, 《특히》 잡문집

var·i·a·bil·i·ty [vɛ̀əriəbíləti] *n.* Ⓤ 변하기 쉬움, 변화성(變化性); 〖생물〗 변이성(變異性)

*__var·i·a·ble__ [vέəriəbl] *a.* **1** 변하기 쉬운, 곧잘 변하는: ~ weather 변하기 쉬운 날씨 **2** 변동할 수 있는, 가변(성)의: Prices are ~ according to the rate of exchange. 물가는 환율에 따라 수시로 변동한다. **3** 변덕스러운: Her mood is ~. 그녀는 변덕쟁이다. **4** (완곡) 〈연주·연기 등이〉 고르지 못한 **5** 변화가 풍부한; 부침(浮沈)이 심한 **6** 〖생물〗 〈종·성질이〉 변이하는 **7** 〖천문〗 〈별이〉 변광(變光)하는 **8** 〖기상〗 〈바람이〉 방향이 바뀌는 **9** 〖수학〗 변수(變數)의, 부정(不定)의
— *n.* **1** 변화하는[변하기 쉬운] 것 **2** 〖수학〗 변수 **3** 〖기상〗 변하기 쉬운 바람 **4** 〖천문〗 변광성
~·ness *n.* Ⓤ 변하기 쉬움, 변화성, 변동성 **-bly** *ad.* 변하기 쉽게, 일정치 않게
▷ váry *v.*; variabílity *n.*

váriable annúity 변액(變額) 연금 《주식 투자의 성과에 따른 연금 지급 방식》

váriable búdget 〖회계〗 변동 예산

váriable condénser 가변 축전기

váriable cóst 〖경제〗 변동 원가, 변동비 《생산량과 관련해서 변동하는》

váriable geómetry 〖항공〗 =(VARIABLE-) SWEEP WING

váriable ínterest ràte 변동 금리

vár·i·a·ble-léngth rècord [-léŋkθ-] 〖컴퓨터〗 가변(可變) 길이 레코드 《하나의 파일에 있는 레코드의 길이가 변할 수 있는 것; cf. FIXED-LENGTH RECORD》

váriable lífe insùrance 〖보험〗 변액 생명 보험

var·i·a·ble-pitch [-pítʃ] *a.* 〖항공〗 〈프로펠러가〉 가변 피치의

váriable-pítch propèller 〖항공〗 가변 피치 프로펠러

var·i·a·ble-rate [-rèit] *a.* 변동 금리의

váriable ràte mórtgage 변동 저당 증권

váriable stár 〖천문〗 변광성(變光星)

váriable swéep 〖항공〗 (날개의) 가변 후퇴각 (설계)

vár·i·a·ble-swéep wìng [-swíːp-] 〖항공〗 가변 후퇴익

váriable tíme fùze =PROXIMITY FUZE

Váriable Zòne [보통 the ~s] 〖항해〗 온대(Temperate Zone)

va·ri·a lec·ti·o [vέəriə-lékʃiòu] [L =variant reading] *n.* 이문(異文)

*__var·i·ance__ [vέəriəns] *n.* ⓊⒸ **1** 변화, 변동, 변천: the ~ of temperature 기온의 변화 **2** (구체적인) 상위(相違) 《의견·취미·생각 등의》, 불일치 **3** 〖통계〗 평방편차(平方偏差) **4** 〖물리·화학〗 가변 조건수(數); 〖생물〗 변이(량) **5** 〖법〗 소장(訴狀)과 진술과의 상위, 모순 **6** 《미·캐나다》 (건축법·토지 용도 규제법 등에서 일반적으로 금지하고 있는 사항의) 적용 제외 조치, 예외적 허가 **7** 불화, 충돌, 적대(敵對): set ~ at 이간질하다, 소원(疎遠)하게 만들다 ***at ~ (with)*** (…와) 사이가 나빠; 〈언행 등이〉 일치되지 않아, 모순되어
▷ váry *v.*; váriant *a.*

*__var·i·ant__ [vέəriənt] *a.* **1** 다른, 상치[상이]한, 어긋난: a ~ reading (사본 등의) 이문(異文) / be ~ from …와 상이하다 **2** 가지가지의
— *n.* 변체, 변형; 별형; (사본의) 이문(異文); (어음(語音)의) 와전(訛傳)
▷ váry *v.*; váriance *n.*

variant CJD [*variant C*reutzfeldt-*J*akob *d*isease] 〖병리〗 변종 크로이츠펠트-야콥병 《속칭 인간 광우병》

var·i·ate [vέəriət, -rièit] *n.* 〖통계〗 변량(變量)

‡**var·i·a·tion** [vɛ̀əriéiʃən] *n.* **1** ⓊⒸ 변화(change), 변동: Prices are subject to ~. 가격은 변동될 수 있습니다. **2** 변화량[정도]: a temperature ~ of 20° 20°의 온도차 **3** 변종, 이형(異形) **4** 〖음악〗 변주; [*pl.*] 변주곡 **5** (발레의) 독무 《특히 파드되(pas de deux)에서》 **6** ⓊⒸ 〖천문〗 변차(變差)(deviation); (달의) 이균차(二均差) **7** 〖물리〗 편차(偏差) **8** Ⓤ 〖생물〗 변이 **9** 〖수학〗 변분(變分), 순열 **10** 〖문법〗 어미 변화
~s on the theme of …의 여러 가지 변종(變種)
~·al *a.* **~·al·ly** *ad.* ▷ váry *v.*

var·i·cel·la [væ̀rəsélə] *n.* Ⓤ 〖병리〗 수두(水痘) (chicken pox) **vàr·i·cél·lar** *a.*

varicélla zóster vìrus 수두 대상 포진(水痘帶狀泡疹) 바이러스

var·i·cel·loid [væ̀rəsélɔid] *a.* 수두 같은, 수두성의

var·i·ces [vέərəsìːz | vǽri-] *n.* VARIX의 복수

var·i·co·cele [vǽrəkousìːl] *n.* 〖병리〗 정삭 정맥류(精索靜脈瘤)

var·i·col·ored [vέərikʌ̀lərd] *a.* 잡색의, 얼룩덜룩한

var·i·cose [vǽrəkòus], **-cosed** [-kòust] *a.* (특히 각부(脚部)의) 정맥류(靜脈瘤)의; 정맥 이상(異常) 확장의

váricose vèin 〖의학〗 하지 정맥류(下肢靜脈瘤) 《다리 피부의 정맥이 확장되고 비틀리면서 늘어나는 질환》

var·i·co·sis [væ̀rəkóusis] *n.* Ⓤ 〖병리〗 **1** 정맥 이상(異常) 확장, 정맥류증 **2** =VARICOSITY

var·i·cos·i·ty [væ̀rəkɑ́səti | -kɔ́s-] *n.* Ⓤ 〖병리〗 **1** 정맥류성 종창(腫脹) **2** =VARIX 1

‡**var·ied** [vέərid] *a.* **1** 여러 가지의, 잡다한, 잡색의 **2** 변화 있는[많은], 다채로운: live a ~ life 파란 많은 생활을 하다 / a man of ~ accomplishments 다재다능한 사람 **3** 변한, 수정한 **~·ly** *ad.* **~·ness** *n.*

var·i·e·gate [vέəriəgèit] *vt.* **1** 잡색으로 하다, 얼룩지게 하다 **2** …에 변화를 주다(diversify), 다양하게 하다 **-gà·tor** *n.*

var·i·e·gat·ed [vέəriəgèitid] *a.* **1** 〈꽃·잎 등이〉 잡색의, 얼룩덜룩한, 여러 가지 색으로 물들인 **2** 변화가 많은, 파란 많은, 다채로운; 변덕스러운 〈성질〉: a ~ career 파란 많은 경력 / the ~ nature of English 영어의 다양성

var·i·e·ga·tion [vɛ̀əriəgéiʃən] *n.* Ⓤ 잡색, 얼룩덜룩함; 여러 색으로 물들임; 변화(된 상태), 다양(성)

var·i·er [vέəriər] *n.* 변화하는 사람[것]

va·ri·e·tal [vəráiətl] *a.* **1** 〖생물〗 변종의 **2** 변종을

---

vanquish *v.* conquer, defeat, overcome, master, subdue, repress, overwhelm, crush

variable *a.* varying, changeable, mutable, shifting, inconstant, unsteady, unstable

구성하는 **3** (미국의 포도주 제조에서) 원료로 쓰인 포도의 품종을 표시한 **~·ly** *ad.*

va·ri·e·tist [vəráiətist] *n.* 〈성벽(性癖) 등이〉 표준에서 벗어난 사람

‡**va·ri·e·ty** [vəráiəti] *n.* (*pl.* **-ties**) **1** Ⓤ 변화(가 많음), 다양(성): give ~ to a diet 식사에 변화를 주다 / a life full of ~ 변화가 많은 인생 **2** ⓊⒸ [a ~ of ...로] (여러 가지를) 모은 것, **갖가지,** 가지각색: *a ~ of* opinions 갖가지 의견 / *a* large ~ *of* fruits 온갖 종류의 과일 **3 종류**(kind, sort); 이종(異種), 별종 **4** 〖생물〗 (유전적 차이에 의한) 변종 **5** 〖언어〗 변체(變體), 변형 **6** (인공적으로 만든) 품종: a new ~ of rose 장미의 신품종 **7** 《영》 (텔레비전·나이트클럽 등에서의) 버라이어티 쇼(《미》 vaudeville)

for a ~ of reasons 여러 가지 (이유)로 ***for ~'s sake*** 변화를 주기 위하여, 취향을 달리하기 위하여 ***unity in ~*** 다양(多樣) 중의 통일

▷ várious *a.*; váry *v.*

varíety entertàinment = VARIETY SHOW

varíety mèat 《미》 잡육(雜肉) 《내장·혀·간 등》

varíety shòw 버라이어티 쇼

varíety stòre[shòp] 《미》 잡화점

varíety thèater 쇼극장, 연예관(music hall)

var·i·fo·cal [vέərəfòukəl] *a.* 〈렌즈가〉 가변(可變) 초점의 **—** *n.* [*pl.*] 가변 초점 안경(bifocals)

var·i·form [vέərəfɔ̀:rm] *a.* 여러 가지 형태의

vario- [vέəriou, -iə] 《연결형》 = VARI-

var·i·o·cou·pler [vὲərioukʌ́plər] *n.* 〖전기〗 가변 결합기

var·i·o·la [vəráiələ] *n.* Ⓤ 〖병리〗 천연두(smallpox) **va·ri·o·lar** *a.* = VARIOLOUS

var·i·o·late [vέəriəlèit, -lət] 〖병리〗 *a.* 천연두 자국이 있는 **—** *vt.* …에게 우두를 접종하다

var·i·o·la·tion [vὲəriəléiʃən] *n.* Ⓤ 우두 접종

var·i·o·lite [vέəriəlàit] *n.* Ⓤ 〖암석〗 구과(球顆) 현무암, 곰보돌

var·i·o·loid [vέəriəlɔ̀id] 〖병리〗 *a.* 유사 천연두의, 가두(假痘)의 **—** *n.* 가두

var·i·o·lous [vəráiələs] *a.* 우두의; 마마 자국이 있는, 곰보의

var·i·o·mat·ic [vὲəriəmǽtik] *a.* 《영》 〈자동차가〉 벨트 구동(驅動) 자동 변속의

var·i·om·e·ter [vὲəriɑ́mətər | -ɔ́m-] *n.* **1** = DECLINOMETER **2** 〖전기〗 바리오미터 **3** 〖항공〗 승강계 《승강 속도 측정용》

var·i·o·rum [vὲəriɔ́:rəm] *n.* 이문본(異文本)[판], 집주(集註)본[판] **—** *a.* Ⓐ 대가들의 주(註)를 실은: a ~ edition 집주판[본]

‡**var·i·ous** [vέəriəs] *a.* **1 가지각색의,** 여러 가지의(different): ~ opinions[colors] 다양한 의견[색상]

> 유의어 **various** 동일류에 속하는 여러 가지 종류의: try *various* methods 갖가지 방법을 시도하다 **different** 개별적으로 유사성이 없는: three *different* answers 세 가지 서로 다른 대답 **distinct** 명확히 구별되는: two entirely *distinct* languages 완전히 별개인 두 언어 **diverse** 다종다양하며 대조적인 차이로, 대립이나 불일치로 이어질 염려가 있음: such *diverse* interests as dancing and football 춤과 축구 등의 다양한 취미 **disparate** 서로 맞지 않는 본질적인 차이가 있는: *disparate* notions of freedom 자유에 대한 서로 상이한 개념들

2 다방면의, 다재다능한: a man of ~ talent 다재다능한 사람 **3** 서로 다른, 닮지 않은 **4** Ⓐ 여러, 많은: run away in ~ directions 우왕좌왕하며 달아나다 / stay at ~ hotels 수많은 호텔을 전전하다 **5** (무리·종류 가운데) 개개의, 별개의: permission from the ~ officials 각기 별개의 공무원들로부터 얻은 허가

— *pron.* [보통 ~ of로; 복수 취급] 《미·구어》 몇 사람, 몇몇, 다수: I asked ~ *of* them. 그들 몇 사람에게 물어 보았다. **~·ly** *ad.* **~·ness** *n.* Ⓤ 다양성, 변화

▷ varíety *n.*; váry *v.*

var·i·sized [vέərəsàizd] *a.* 여러 가지 크기의

va·ris·tor [vərístər, və-] *n.* 〖전기〗 배리스터 《반도체 저항 소자》

var·i·type [vέəritàip] *vi., vt.* Varityper를 치다 [로 식자하다] **vár·i·tỳp·ist** *n.*

Var·i·typ·er [vέəritàipər] *n.* 베리타이퍼 《타이프라이터 비슷한 식자기; 상표명》

var·ix [vέəriks] *n.* (*pl.* **-i·ces** [vέərəsì:z | vǽri-]) **1** 〖병리〗 정맥류(靜脈瘤) **2** 〖패류〗 (권패(卷貝)류의) 나선형 융기

var. lect. varia lectio

var·let [vɑ́:rlit] *n.* 《고어》 **1** 종자(從者), 시복(侍僕); 기사(騎士) 견습생(page); 종 **2** 《익살》 악한(rascal)

var·let·ry [vɑ́:rlitri] *n.* 《고어》 **1** [집합적] 종자, 종복 **2** 폭도, 오합지졸

var·mint, -ment [vɑ́:rmənt] [vermin의 전와(轉訛)] *n.* **1** 해를 주는 들짐승; 해조(害鳥); 《특히》 여우 **2** 《미·구어·방언》 장난꾸러기, 귀찮은 놈 **3** [집합적] 《방언》 = VERMIN

var·na [vɑ́:rnə] [Skt.] *n.* 바르나, 카스트(caste)

var·nish** [vɑ́:rniʃ] *n.* Ⓤ **1** [종류를 말할 때는 Ⓒ] 니스, 바니시; (니스 모양의) 광택제, 유약 **2** 광택(면), 윤(gloss) 《동백·담쟁이덩굴의 잎 등》 **3** (결함을 감추기 위한) 겉치레, 허식, 속임수 **4** 《영》 = NAIL POLISH **5** [*pl.*] 〖철도〗 객차, 여객 열차(passenger car) ***put a ~ on …을 교묘하게 꾸미다; …을 분식(粉飾)하다

— *vt.* **1** 〈…에〉 **니스를 칠하다**: (~+목+부) ~ *over* a table 테이블에 골고루 니스를 칠하다 **2** 광택을 내다 **3** (사람을 속이려고) 겉꾸밈하다, 〈언짢은 기분을〉 꾸며 속이다 《*over*》: ~ the truth 사실을 호도하다 **4** 《영》 〈손톱·발톱에〉 네일 에나멜을 칠하다; 매니큐어[페디큐어]하다 **~·er** *n.* **vár·nish·y** *a.*

vár·nish·ing dày [vɑ́:rniʃiŋ-] 미술 전람회 개회의 전날 《출품한 그림에 손질하는 것을 허락하는 날》; 미술 전람회 개회일

várnish remòver 《미·속어》 질 나쁜[값싼] 위스키

várnish trèe 〖식물〗 니스를 채취하는 나무 《옻나무 등》

va·room [vərú:m, -rúm] *n., vi.* 《미》 = VROOM

var·sal [vɑ́:rsəl] *a.* 《영·구어》 = UNIVERSAL

var·si·ty [vɑ́:rsəti] [university의 단축 변형] *n.* (*pl.* **-ties**) 《영·구어》 대학; 《미》 대학 (등의) 대표팀 **—** *a.* Ⓐ **1** 《영·구어》 대학의: a ~ team 대학 팀 **2** 《미》 대학 대표팀의: a ~ player 대표 팀의 선수

Var·so·vi·an [vɑ:rsóuviən] *n.* 바르샤바(Warsaw) 태생의 사람, 바르샤바 주민

— *a.* 바르샤바(사람)의

var·so·via·na [vɑ̀:rsouvjɑ́:nə], **-vienne** [-vjén] *n.* 바르소비아나 《마주르카를 본 뜬 무도; 그 곡》

Var·u·na [vɔ́:runə, vɑ́:r- | vǽr-, vʌr-] *n.* 〖힌두교〗 바루나(婆樓那) 《사법(司法)의 신》

var·us [vέərəs] *n.* Ⓤ 〖병리〗 내반슬(內反膝), 안짱다리(opp. *valgus*) **—** *a.* 〈다리가〉 내반슬의

varve [vɑ́:rv] *n.* 〖지질〗 연층(年層) 《어느 지층 구조에서 볼 수 있는 줄 무늬 모양의 성층(成層)》 **várved** *a.*

‡**var·y** [vέəri] *v.* (**var·ied**) *vt.* **1 바꾸다,** 변경하다, 고치다(⇨ change 유의어): ~ the pressure 압력을 바꾸다 **2** 변화를 가하다, 다양하게 하다: ~ one's meals 식사에 변화를 주다 **3** 〖음악〗 변주[변곡]하다

— *vi.* **1** 여러 가지이다; 다르다, 차이 있다 《*from*》: (~+전+명) ~ a little *from* the original 원전과 좀 다르다 **2 바뀌다,** 변화하다, 달라지다: The weather *varies* hourly. 날씨는 매시간 바뀐다. // (~+전+명) flowers that ~ *in* color and size 색과 크기가

> **thesaurus** **vary** *v.* **1** 바꾸다 change, alter, modify, transform **2** 다르다 differ, be unlike[dissimilar], diverge **3** 바뀌다 be transformed, alter

다른 꽃들 **3** 이탈하다, 벗어나다 《*from*》: (~+전+명) ~ *from* the law 법칙에서 벗어나다 / ~ *from* the norm 규범에서 벗어나다 **4** 〖수학〗 변하다 **5** 〖생물〗 변이(變異)하다 **~ *as*** …에 따라 변하다: A *varies* directly *as*[inversely *as*] B. A는 B에 비례[반비례]해서 변화한다. **~ *with*** …에 의하여 변하다
▷ váriable, váriant, várious *a.*; variátion, varíety *n.*

var·y·ing [vέəriŋ] *a.* (연속적으로) 바뀌는, 변화하는; 가지각색의: a constantly ~ sky 시시각각으로 변하는 하늘 **~·ly** *ad.*

várying háre 〖동물〗 변색 토끼 《겨울털이 희게 변하는 눈토끼 등》

vas [vǽs] [L=vessel] *n.* (*pl.* **va·sa** [véisə]) 〖해부·생물〗 관(管), 맥관(脈管), 도관(導管)

vas- [veiz, veis, væs | veiz, veis], **vasi-** [véizi, -si], **vaso-** [vǽsou, -sə, véizou, -zə | véizou, -zə] 《연결형》 〖의학〗 「맥관」의 뜻 《모음 앞에서는 vas-》

va·sal [véisəl, -zəl, vǽs- | véis-] *a.* 도관[맥관]의

VASCAR, Vas·car [vǽskɑ̀ːr] [*V*isual *A*verage *S*peed *C*omputer *A*nd *R*ecorder] *n.* 바스카 《속도위반 차량 단속용 계속(計速) 장치; 상표명》

Vas·co da Ga·ma [vǽskou-də-gǽmə | -gɑ́ːmə] ⇨ Gama

vas·cu·la [vǽskjulə] *n.* VASCULUM의 복수

vas·cu·lar [vǽskjulər], **-lose** [-lòus], **-lous** [-ləs] *a.* 〖생물〗 도관(導管)[맥관, 혈관]의; 혈관이 많은 **~·ly** *ad.*

váscular búndle 〖식물〗 유관속(維管束), 관다발

vas·cu·lar·i·ty [væ̀skjulǽrəti] *n.* Ⓤ 맥[혈]관질; 혈기

vas·cu·lar·i·za·tion [væ̀skjulərizéiʃən] *n.* 〖의학〗 혈관화, 혈관 신생(新生)

vas·cu·lar·ize [vǽskjulərὰiz] *vi.* 〖생물〗 〈조직·태아가〉 혈관을 발달[연장]시키다
— *vt.* 〈기관·조직에〉 혈관을 지나가게 하다

váscular plánt 유관속[관다발] 식물

váscular ráy 〖식물〗 관다발 내 방사 조직

váscular stránd 〖식물〗 =VASCULAR BUNDLE

váscular sỳstem 〖식물〗 관다발계(系); 〖동물〗 [the ~] 맥관계, 혈관계(血管系)

váscular tíssue 〖식물〗 관다발 조직

vas·cu·la·ture [vǽskjulətʃùər, -tʃər] *n.* 〖해부〗 맥관 구조

vas·cu·li·tis [væ̀skjuláitis] *n.* (*pl.* **-lit·i·des** [-lítədìːz]) 〖병리〗 맥관염(脈管炎)(angiitis)

vas·cu·lum [vǽskjuləm] *n.* (*pl.* **-la** [-lə], **~s**) **1** 식물 채집 상자 **2** 〖식물〗 =ASCIDIUM

vas def·er·ens [vǽs-défərènz, -rənz] [L] *n.* (*pl.* **va·sa def·er·en·ti·a** [véizə-dèfərénʃiə, -ʃə]) 〖해부·동물〗 수정관(輸精管), 정관

‡**vase** [véis, véiz, vɑ́ːz | vɑ́ːz] [L 「그릇」의 뜻에서] *n.* **1** 꽃병; (유리·도자기·금속으로 된 장식용) 항아리, 병 **2** 〖건축〗 병 장식 **~·lìke** *a.*

va·sec·to·mize [væséktəmὰiz, -zék-, vei-] *vt.* 〖외과〗 …에게 정관 절제 수술을 하다

va·sec·to·my [væséktəmi] *n.* (*pl.* **-mies**) ⓊⒸ 〖외과〗 정관 절제(精管切除)(술)

Vas·e·line [vǽsəlìːn, ⌐–⌐] *n.* Ⓤ 바셀린 《상표명》
— *vt.* [**v~**] …에 바셀린을 바르다

váse pàinting (특히 고대 그리스의) 꽃병 그림

vasi- [véizi, -si], **vaso-** [vǽsou, -sə, véizou, -zə | véizou, -zə] 《연결형》 =VAS-

va·so·ac·tive [vèizouǽktiv] *a.* 〖생리〗 혈관 (수축[확장])에 작용하는

va·so·con·stric·tion [vèizoukənstríkʃən] *n.* 〖생리〗 혈관 수축

va·so·con·stric·tive [vèizoukənstríktiv] *a.* 〖생리〗 혈관을 수축시키는

va·so·con·stric·tor [vèizoukənstríktər] 〖생리〗 *n.* 혈관 수축 신경[약] — *a.* Ⓐ 혈관을 수축시키는

vas·o·de·pres·sor [væ̀soudiprésər] *a., n.* 〖의학〗 =VASODILATOR

va·so·di·la·ta·tion [vèizoudìlətéiʃən], **-di·la·tion** [-dailéiʃən] *n.* 〖생리〗 혈관 확장

va·so·di·la·tor [vèizoudailéitər] 〖생리·약학〗 *n.* 혈관 확장 신경[약] — *a.* Ⓐ 혈관을 확장시키는

va·so·li·gate [vèizouláigeit, vèis-] *vt.* 〈사람·동물에게〉 정관 결찰(結紮) 수술을 하다
và·so·li·gá·tion *n.* ⓊⒸ 정관 결찰 수술

va·so·mo·tor [vèizəmóutər] *a.* 〖생리〗 혈관 운동 신경의[을 조절하는]

va·so·pres·sin [væ̀souprésn | vèizouprésin] *n.* 〖생화학〗 바소프레신 《신경성 뇌하수체 호르몬의 일종; 혈압 상승·항이뇨제》

va·so·pres·sor [véizouprèsəːr] 〖생화학·약학〗 *n.* 승압약[제] — *a.* 승압의, 혈관 수축의

va·so·spasm [véizouspæ̀zm] *n.* 혈관 경련

vas·ot·o·my [væsɑ́təmi | -ɔ́t-] *n.* (*pl.* **-mies**) 〖외과〗 정관 절개(술)

***vas·sal** [vǽsəl] [L 「하인」의 뜻에서] *n.* 〖역사〗 **1** (봉건 시대의) **봉신**(封臣), 영신(領臣) **2 가신**(家臣); 종속자, 부하 **3** 노예, 종
— *a.* Ⓐ **1** 가신의, 신하 같은: ~ homage[fealty] 신하의 예, 충성의 맹세 **2** 예속의; 노예적인: a ~ state 속국 / a ~ relationship 종속 관계 **~·less** *a.*

vas·sal·age [vǽsəlidʒ] *n.* Ⓤ **1** 〖역사〗 (중세 봉건 시대의) 신하[부하]됨, 가신(家臣)의 신분 **2** 충성(의 맹세)(vassal homage) **3** 신하의 영지(領地), 봉토(封土) **4** [집합적] 봉신들 **5** 종속, 예속(적 지위): mental ~ 정신적 예속

vas·sal·ize [vǽsəlὰiz] *vt.* 신하[속국]로 만들다

‡**vast** [vǽst, vɑ́ːst | vɑ́ːst] [waste와 같은 어원] *a.* **1 광대**[**거대**]**한**, 광막한(⇨ huge 유의어): a ~ expanse of desert 광막한 사막 / a ~ scheme = a scheme of ~ scope 방대한 계획 **2** 〈수·양·금액이〉 **막대한**: spend a ~ sum of money 거액의 돈을 쓰다 **3** (구어) 〈정도가〉 굉장한: have a ~ appetite 식욕이 왕성하다 ***of ~ importance*** 아주 중대한
— *n.* 《시어·문어》 [the[a] ~] 광활한 넓이: *the* ~(*s*)[*a* ~] of ocean 광활한 대양 **~·ness** *n.*
▷ vásty *a.*

vas·ti·tude [vǽstətjùːd, vɑ́ːs- | vɑ́ːstitjùːd] *n.* Ⓤ **1** 광대(무변), 거대, 막대 **2** 광대한 넓이[공간]

***vast·ly** [vǽstli | vɑ́ːst-] *ad.* **1 광대하게**, 광막하게 **2** 방대하게; 대단히, 크게

vast·y [vǽsti, vɑ́ːsti | vɑ́ːsti] *a.* (**vast·i·er**; **-i·est**) 《시어·고어》 거대[광대]한

vat [vǽt] *n.* 큰 통 《양조·염색용 등》
— *vt.* (**~·ted**; **~·ting**) 큰 통에 넣다[저장하다]; 큰 통 속에서 처리하다[익히다]

VAT value-added tax; vodka and tonic **Vat.** Vatican

vát dỳe[**còlor**] 건염(建染) 염료 《산화(酸化)에 의하여 섬유를 물들이는 물감》

vat·ful [vǽtfùl] *n.* 큰 통 하나의 양

vat·ic, -i·cal [vǽtik(əl)] *a.* 예언자의; 예언적인

Vat·i·can** [vǽtikən] *n.* [the ~] **바티칸 궁전**; 로마 교황청; 바티칸 시국(市國); 교황의 자리, 교황권, 교황 정치 ***the thunders of the ~ 가톨릭 교회의 파문
— *a.* 바티칸(궁전)의; 교황 정치의
~·ìsm *n.* Ⓤ 교황 절대권주의 **~·ist** *n.*

Vátican Cíty [the ~] 바티칸 시국(市國) 《교황 지배하에 있는 로마 시내의 독립 국가로서 St. Peter's Church, Vatican 궁전을 포함》

Vátican Cóuncil [the ~] 바티칸 공의회

Vat·i·can·ol·o·gist [væ̀tikənɑ́lədʒist | -nɔ́l-] *n.*

---

vast *a.* **1** 거대한 immense, huge, enormous, massive, tremendous, bulky **2** 광막한 extensive, broad, wide, boundless, limitless, infinite

로마 교황청 연구가[전문가]
Vátican roulétte 《미·속어》 = RHYTHM METHOD
va·tic·i·nal [vətísənl] *a.* 예언의
va·tic·i·nate [vətísənèit] *vt., vi.* 예언하다(prophesy) **-nà·tor** *n.*
va·tic·i·na·tion [vətìsənéiʃən | væ̀təs-] *n.* UC 예언; 예언하는 것
VAT·man, Vat- [vǽtmən] *n.* (*pl.* **-men** [-mèn]) 《구어》 《국세청의》 VAT 담당관
Vaud [vóu] *n.* 보 《스위스 서부의 주; 주도 Lausanne》
*__vaude·ville__ [vɔ́:dəvil, vóud-] *n.* **1** U 《미》 보드빌 (《영》 variety) 《노래·춤·곡예·촌극 등》; 《영》 음악이 있는 짧은 희극, 가벼운 희가극 **2** 주연(酒宴)의 노래 《시사 문제를 대구(對句)로 쓴 가벼운 풍자적인 속요》
váudeville thèater 《미》 뮤직홀, 연예장(《영》 music hall)
vaude·vil·lian [vɔ:dvíljən, voud-, vɔ̀:də-] *n.* 보드빌 배우[대본 작가] **—** *a.* 보드빌의[같은]
Vau·dois[1] [voudwɑ́:] [F] *n.* (*pl.* ~) 보(Vaud)의 주민; U 보 말 **—** *a.* 보의
Vaudois[2] [F] *n. pl.* = WALDENSES
‡**vault[1]** [vɔ:lt] [L 「구르다」의 뜻에서] *n.* **1** 〔건축〕 둥근[아치] 천장 **2** 둥근 천장이 있는 회랑 **3** 지하실, 저장실 **4** 금고실 **5** 《교회·무덤의》 지하 납골소; 지하 감옥 **6** 창공: the ~ of heaven 하늘, 대공(大空)
— *vt.* **1** 둥근 천장으로 만들다, …에 둥근 천장을 달다 **2** 지하실에 저장하다, 금고에 보관하다
— *vi.* 둥근 천장처럼 만곡하다 **~·like** *a.*

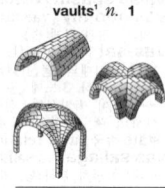

vaults[1] *n.* **1**

vault[2] *vi.* **1** 뛰다, 도약하다(jump) 《*from, on, over*》: 《~+전+명》 ~ *from*[*into*] the saddle 안장에서 뛰어 내리다[에 뛰어오르다] / ~ *upon*[*on to*] a horse 말에 뛰어 타다 **2** 단숨에 이루다: 《~+전+명》 ~ *into* prominence 일약 유명해지다 **—** *vt.* 〈도랑 따위를〉 뛰어넘다: ~ a horse 《체조용》 뜀틀을 넘다 / ~ a fence 울타리를 뛰어넘다
— *n.* 뛰어넘음, 도약: a pole ~ 장대높이뛰기
~·er *n.* 도약자; 장대 높이 뛰기하는 사람
vault·age [vɔ́:ltidʒ] *n.* 둥근 천장의 방; 아치 모양의 건조물
vault·ed [vɔ́:ltid] *a.* 둥근[아치 모양] 천장으로 된
vault·ing[1] [vɔ́:ltiŋ] [vault[1]에서] *n.* U 〔건축〕 둥근 천장 건축물; 둥근 천장 만들기; [집합적] 둥근 천장
vaulting[2] [vault[2]에서] *n.* U 뜀 《막대기 또는 손을 짚고》, 뛰어 넘음 **—** *a.* **1** 뛰어 넘는, 단번에 뛰는 **2** 도약용의: a ~ pole 장대 높이 뛰기봉 **3** 과장한, 허풍떠는: ~ ambition 솟구치는 야심 《Shak., *Macbeth* 중에서》
váulting hòrse 뜀틀 《체조 경기용》
váult lìght 포도창(鋪道窓)(pavement light) 《유리 블록으로 지하도에 빛이 들게 한 것》
vault·y [vɔ́:lti] *a.* 아치형의, 둥근 천장 모양의
vaunt [vɔ́:nt, vɑ́:nt | vɔ́:nt] [vanity와 같은 어원] 《문어》 *vt., vi.* 자랑하다(boast), 허풍떨다, …의 장점[좋은 점]을 치켜세우다: ~ one's achievements 업적을 자랑하다 **~ *of*** …을 자랑하다, 치켜세우다 **~ *over*** 승리감에 도취하여 좋아하다
— *n.* UC 자랑, 허풍, 호언 장담 ***make a ~ of*** …을 자랑하다 **~·er** *n.* 자랑하는 사람 **~·ful** *a.* 자랑하는
▷ váunty *a.*
vaunt-cou·ri·er [vɔ́:ntkùriər] [AVANT-COURIER의 두음 소실] *n.* 《고어》 선구자
vaunt·ed [vɔ́:ntid, vɑ́:nt- | vɔ́:nt-] *a.* 과시되고 있는, 자랑의
vaunt·ing [vɔ́:ntiŋ, vɑ́:nt- | vɔ́:nt-] *n.* U 자랑(하기) **—** *a.* 자랑하는 **~·ly** *ad.* 자랑스럽게
vaunt·y [vɔ́:nti, vɑ́:nti | vɔ́:nti] *a.* 《스코》 자랑하는, 자만하는
v. aux(il). auxiliary verb
vav·a·sor [vǽvəsɔ̀:r] *n.* 《봉건 시대의》 배신(陪臣) 《군주 직속 가신(家臣)의 신하》
va-va-voom [vɑ̀:vɑ:vú:m, væ̀væ-] *n.* U 《구어》 짜릿함; 성적 매력
va·voom [vɑ:vú:m, və-] 《구어》 *n.* 흥분; 성적 매력 **—** *int.* 흥분·환희의 소리
va·ward [vɑ́:wɔ̀:rd, váu-] *n.* 《고어》 **1** = VANGUARD 1 **2** 전부(前部), 전기(前期)
vb. verb(al) **VBA** 〔컴퓨터〕 Visual Basic for Applications
V-bomb [ví:bɑ̀m | -bɔ̀m] *n.* V 병기 《V-1, V-2 등》
V-bom·ber [ví:bɑ̀mər | -bɔ̀m-] *n.* V폭격기 《영국의 핵무기 탑재 가능한 폭격기》
VC venture capital; Veterinary Corps; Vice-Chairman; Vice-Chancellor; Vice-Consul; Victoria Cross; Vietcong; Voluntary Corps
V-chip [ví:tʃìp] *n.* 〔컴퓨터〕 V칩 《TV의 폭력·음란물을 미성년자가 보지 못하도록 장착하는 소자(素子)》
vCJD 〔병리〕 new variant Creutzfeldt-Jakob disease 변종 크로이펠트 야콥병 **VCP** videocassette player **VCR** videocassette recorder; 〔항공〕 visual control room **VD** venereal disease **v.d.** vapor density; various dates
V-Day [ví:dèi] [*V*ictory *Day*] *n.* 전승 기념일(cf. V-E DAY, V-J DAY)
v. dep. verb deponent **VDH** valvular disease of the heart **VDM** *Verbi Dei Minister* 《L = Preacher of God's Word》 **VDP** video display processor 〔전자〕 화상(畫像) 표시용 프로세서 《LSI 칩》 **VDR** videodisc recorder **VDT** 〔컴퓨터〕 video[《영》 visual] display terminal
VDT sỳndrome 〔컴퓨터〕 브이디티 증후군 《전문 프로그래머들에게 발생하는 직업병》
VDU visual display unit 〔컴퓨터〕 브라운관 디스플레이 장치 **VE** value engineering
've [v] *v.* 《구어》 have의 단축형 《I, we, you, they 뒤에서》: I*'ve*, you*'ve*
*__veal__ [ví:l] [L 「송아지」의 뜻에서] *n.* U 송아지 고기 《식용》(⇨ cow[1] 관련)
veal·er [ví:lər] *n.* 《미》 식육용 송아지
veal·y [ví:li] *a.* (**veal·i·er**; **-i·est**) **1** 송아지 같은 **2** 《구어》 미숙한, 풋내기의(immature)
vec·tion [vékʃən] *n.* U 〔의학〕 병원체 전염
vec·to·graph [véktəgræ̀f | -grɑ̀:f] *n.* 벡터그래프 《특수한 편광 안경으로 보는 입체 사진》
vec·tor [véktər] [L 「나르는 것」의 뜻에서] *n.* **1** 〔수학〕 벡터, 동경(動徑), 방향량(方向量)(opp. *scalar*) **2** 병독을 매개하는 곤충
— *vt.* 〈비행기·미사일 등의〉 전파로 진로를 인도하다
vec·to·ri·al [vektɔ́:riəl] *a.*
véctor addìtion 〔수학〕 벡터 가법(加法)
véctor anàlysis 〔수학〕 벡터 해석(解析)(학)
vec·tor·car·di·o·gram [vèktərkɑ́:rdiəgræ̀m] *n.* 벡터 심전도
vec·tor·car·di·og·ra·phy [vèktərkɑ̀:rdiɑ́grəfi | -ɔ́g-] *n.* 벡터 심전도[계]법
véctor fìeld 〔수학·물리〕 벡터장(場)
véctor fùnction 〔수학〕 벡터 함수
véctor pròduct 〔수학〕 벡터적(積), 외적(外積)
véctor spàce 〔수학〕 벡터 공간
véctor sùm 〔수학〕 벡터합(合)
vec·ture [véktʃər] *n.* 《운임 지불용의》 대용 경화(硬貨), 토큰
Ve·da [véidə, ví:də] *n.* [the ~(s)] 베다(吠陀) 《고

thesaurus **vault[2]** *v.* leap over, hurdle, clear, bound, spring, jump, mount, pole-vault
veer[1] *v.* deviate, swerve, depart, digress,

대 인도의 성전(聖典)》 **Ve·da·ic** [vidéiik] *a.*, *n.* Ⓤ 베다의 (말) **~·ism** *n.* = VEDISM
Ve·dan·ta [vidɑ́:ntə, -dǽn-] *n.* Ⓤ 〖종교〗 (인도의) 베단타 철학 《범신론적·관념론적 일원론으로서 바라문 사상의 주류》 **-tic** *a.* **-tism** *n.* **-tist** *n.*, *a.*
V-E Dày [ví:í:-] [*V*ictory in *E*urope *Day*] (제2차 세계 대전) 유럽 전승 기념일 《1945년 5월 8일》
Ved·doid [védɔid] *n.* 베도이드 족(族) 《고대 동남아시아 및 오스트레일리아에 살던 종족; 키가 작고 곱슬머리에 피부가 검은 갈색》
ve·dette [vidét] *n.* **1** 초계정(哨戒艇)(=~ **bòat**) **2** 〖군사〗 전초(前哨)기병 **3** (영화·연극의) 스타(star)
Ve·dic [véidik, ví:-] *a.* 베다(Veda)의
— *n.* Ⓤ 베다 말(=~ **Sánskrit**)
Ve·dism [véidizm, ví:-] *n.* Ⓤ 베다의 가르침
ved·u·tis·ta [vèdətístə] [It.] *n.* (*pl.* **-ti** [-ti:]) 도시 경관 화가
vee [ví:] *n.* **1** V[v]자; V자형의 것 **2** (속어) 5달러 지폐 **—** *a.* V자형의
vee·jay [ví:dʒèi] *n.* (미·구어) = VIDEO JOCKEY
veep [ví:p] *n.* (미·구어) = VICE-PRESIDENT
veer[1] [víər] *vi.* **1** 〈사람·차·도로 등이〉 방향을 바꾸다; 〈의견·신념 등이〉 바뀌다; 〈사람이〉 갑자기 기분[계획]을 바꾸다: ~ to the right 오른쪽으로 굽어지다 // (~+전+명) The car *~ed off* the road. 자동차가 길을 벗어났다. **2 a** 〈바람·풍신기 등의〉 방향이 바뀌다(shift), 〈바람이〉 우선회로 바뀌다: (~+부) The wind *~ed round* to the west. 바람이 서풍으로 바뀌었다. **b** 《특히》 바람 불어 가는 쪽으로 돌다: ~ and haul 〈밧줄을〉 늦추었다 당겼다 하다; 〈풍향이〉 번갈아 바뀌다 **3** 〖항해〗 〈배가〉 침로(針路)를 바꾸다
— *vt.* **1** 〖항해〗 〈배의〉 침로를 바꾸다 《*away, off*》 **2** 《특히》 〈배를〉 바람 불어가는 쪽으로 돌리다
~ *out*[*away*] 늦추다, 풀어주다
— *n.* 방향 전환, 침로 변경
veer[2] *vt.* 〖항해〗 〈밧줄·쇠사슬 등을〉 풀어주다 《*away, out*》
veer·ing·ly [víəriŋli] *ad.* 방향 전환을 하여, 〈방침 등이〉 잘 변하여
vee·ry [víəri] *n.* (*pl.* **-ries**) 〖조류〗 개똥지빠귀의 일종 《북아메리카산(産)》
veg [védʒ] [*veg*etable] *n.* (*pl.* ~) **1** (영·구어) 야채; 야채 요리 **2** (미·구어) 바보, 멍청이
— *vi.* [다음 성구로] **~*ged out*** (미·속어) 마약[술]으로 취해 쇠약하다
veg. vegetable(s)
Ve·ga [ví:gə, véi-] [Arab. 「강하하는 (독수리)」의 뜻에서] *n.* 〖천문〗 베가별, 직녀성 《거문고자리의 1등성》
veg·an [védʒən | ví:gən] *n.*, *a.* 완전 채식주의자(의) 《우유·달걀 등 동물성 식품을 일체 먹지 않는; cf. VEGETARIAN》 **~·ism** *n.* Ⓤ 완전 채식주의
Ve·gas [véigəs] *n.* (미·구어) = LAS VEGAS
veg·e·bur·ger [védʒəbə̀:rgər] [*veg*etable+ham*burger*] *n.* 베지버거 《식물성 단백질의 인조육을 넣은 샌드위치·햄버거》
Veg·e·mite [védʒimait] *n.* Ⓤ (호주) 베지마이트 《야채 즙·소금·이스트로 만든, 빵에 발라 먹는 스프레드; 상표명》
‡veg·e·ta·ble [védʒətəbl] [L 「활기를 불어 넣다」의 뜻에서] *n.* **1** [보통 *pl.*] 야채, 푸성귀, 남새: green *~s* 푸성귀; 신선한 야채 요리 / live on *~s* 채식하다 **2** 식물(plant) **3** (속어) 무기력한 사람: become a mere ~ 심신이 (붙박이로 있는 식물처럼) 활기를 잃게 되다 **4** (구어) 식물 인간
— *a.* **1** 식물의; 식물성의: ~ matter 식물성 **2** 야채의: a ~ diet 채식 / ~ soup 야채 수프 **3** 식물 같은, 하찮은: a ~ existence 단조로운 삶; 식물인간

---

diverge, bend, turn, divert, deflect, sheer, shift
vehement *a.* intense, forceful, powerful, passionate, fervent, emphatic, impetuous, fierce

végetable bùtter 식물성 버터
végetable cèllar 지하의 저온 야채 저장실
végetable fàt 식물성 지방
végetable gàrden 채원(菜園), 채소밭
végetable ìvory 식물 상아(象牙) 《상아 야자의 배유(胚乳); 상아의 대용품》
végetable kìngdom [the ~] 식물계
végetable màrrow 〖식물〗 페포호박 《달걀꼴의 야채용 호박》
végetable òil (야채의 열매나 씨에서 얻는) 야채 기름
végetable òyster = SALSIFY
végetable plàte 야채 요리
végetable sìlk 식물 명주 《브라질산(産) 판야과(科) 나무의 씨에서 나는 섬유》
végetable spònge 〖식물〗 수세미
végetable tàllow 식물유(油)
végetable wàx 목랍(木蠟)
veg·e·tab·lize [védʒətəblàiz] *vt.* 식물질적으로 되게 하다, 식물화시키다 **—** *vi.* 단조로운 생활을 하다[보내다], 무위도식하다
veg·e·ta·bly [védʒətəbli] *ad.* 식물처럼, 활기 없이, 무기력하게
veg·e·tal [védʒətl] *a.* **1** 식물(성)의(vegetable): a ~ diet 채식 / the ~ functions 식물성 기능 **2** 〖생리〗 생장[영양](기능)의, 생물 작용의: ~ metabolism 식물성 물질 대사
végetal póle 〖동물〗 식물극(極)(cf. ANIMAL POLE)
veg·e·tar·i·an [vèdʒətέəriən] *n.* **1** 채식(주의)자
관련 유제품 및 달걀을 함께 먹는 채식주의자는 lacto-ovo vegetarian, 유제품만 함께 먹는 채식주의자는 lacto vegetarian, 달걀만 함께 먹는 채식주의자는 ovo-vegetarian, 야채만 먹는 완전 채식주의자는 vegan이라 함.
2 초식 동물 **—** *a.* **1** 채식주의(자)의: ~ principles 채식주의 **2** 야채만의, 채식의
~·ism *n.* Ⓤ 채식(주의)
veg·e·tate [védʒətèit] *vi.* **1** 식물처럼 생장하다 **2** 초목 같은 (단조로운) 생활을 하다, 하는 일 없이 지내다 **3** 〈땅이〉 식물을 생장시키다 **—** *vt.* 〈땅에〉 식물을 생장하게 하다 ▷ vegetátion *n.*; végetal *a.*
veg·e·tat·ed [védʒətèitid] *a.* 식물이 사는, 녹화(綠化)된: a densely[sparsely] ~ area 식물이 밀집한[드문] 지역
***veg·e·ta·tion** [vèdʒətéiʃən] *n.* Ⓤ **1** [집합적] 초목; 한 지방 (특유)의 식물: tropical ~ 열대 식물 **2** 식물성 기능, 식물의 성장[발육] **3** 〖병리〗 조직 증식(증); Ⓒ 혹, 영류(瘿瘤) **4** 활기 없는 생활, 무위도식의 생활 **~·al** *a.* ▷ végetate *v.*; végetative *a.*
veg·e·ta·tive [védʒətèitiv | -tə-] *a.* **1** 〈식물이〉 성장력 있는, 성장하는 **2** 발육[생장, 영양]에 관한: the ~ stage 식물의 생장 단계 **3** 식물(계)의 **4** 〈생식이〉 무성(無性)의(asexual) **5** 〖생물〗 식물성의, 자율 신경의 **6** 〈땅 등이〉 식물을 성장시키는 힘이 있는 **7** 식물처럼 살고 있는, 무위도식의 **~·ly** *ad.* **~·ness** *n.*
végetative státe (사고로 인한) 식물(인간) 상태
vegged-out [védʒdáut] *a.* (미·속어) 마약[술]으로 쇠약한(cf. VEG)
veg·gie, veg·ie, veg·gy [védʒi] (미·구어) *a.* 채식주의(자)의 **—** *n.* 채식주의자(vegetarian); 채소
véggie bùrger = VEGEBURGER
***ve·he·mence, -men·cy** [ví:əməns(i)] *n.* Ⓤ 격렬함, 맹렬함(violence), 맹위, 열렬; 열의, 열정, 열심 ▷ véhement *a.*
***ve·he·ment** [ví:əmənt] [L 「마음을 빼앗아 가는」의 뜻에서] *a.* **1** (문어) 격렬한, 맹위를 떨치는, 맹렬한 **2** 열렬한, 열정적인(passionate) **~·ly** *ad.*
‡ve·hi·cle [ví:ikl, ví:hi- | ví:i-] [L 「나르는」의 뜻에서] *n.* **1 a** 탈것, 차, 운송 수단, 수레: a motor ~ 자동차 / a commercial ~ 영업용 자동차 **b** (우주 공간의) 탈것: space *~s* 우주선 **2** 매개물, 매체, 전달 수단: Air is the ~ of sound. 공기는 소리의 매질(媒

質)이다. / Language is the ~ of thought. 언어는 생각의 전달 수단이다. **3** (재능 등을) 발휘하는 수단 **4** 〖연극·영화〗 특정 출연자를 위해서 씌어진 희곡이나 시나리오 **5** 〖화학〗 용액(溶液); 〖약학〗 (먹기 어려운 약을 먹기 쉽게 하는) 부형약(賦形藥) **6** 〖회화〗 전색제(展色劑) ▷ vehícular *a.*

véhicle lìcence ⦅영⦆ 자동차 검사증

ve·hic·u·lar [viːhíkjulər] *a.* **1** 운송 수단의, 탈것의[에 관한, 에 의한]: a ~ tunnel 차량 전용 터널 / a ~ contrivance 운반구, 운수 수단, 수레, 차량 **2** 매개하는, 전달하는; 매개물의

vehícular lánguage 매개[공용]어 ⦅언어가 다른 종족간에 사용되는 제3의 언어⦆

V-eight, V-8 [víːéit] *n.*, *a.* V형 8기통 엔진(의)

‡**veil** [véil] [L 「덮개」의 뜻에서] *n.* **1** 베일, 면사포: a bridal ~ 신부의 면사포 / drop[raise] a ~ 베일을 내리다[걷어 올리다] **2** (가리는) 덮개, 씌우개, 장막: a ~ of smoke 연막 **3** 가장, 가면; 핑계: under the ~ of …의 미명 아래, …을 빙자하여 **4** [the ~] (수녀의) 베일; 수녀 생활: life behind *the* ~ 수녀원의 생활 **5** 〖동물·식물〗 막(膜) ***beyond*** [***behind, within***] ***the*** ~ 저승에, 저 세상에 ***draw a*** [***the***] ~ ***over*** (1) …에 베일을 씌우다 (2) 〈불쾌한 일 등을〉 덮어 감추다, …에 대해 입을 다물다 ***lift the*** ~ 베일을 벗기다, 진상을 밝히다 ***pass the*** ~ 죽다 ***take the*** ~ 〈여자가〉 수녀원에 들어가다, 수녀가 되다

— *vt.* **1** …에 베일을 씌우다, 베일로 가리다 **2** ⦅문어⦆ 〈감정 등을〉 감추다, 숨기다(conceal): ~ one's intentions 진의를 숨기다

— *vi.* 베일을 쓰다 **~·less** *a.* **~·lìke** *a.*

veiled [véild] *a.* **1** 베일로 덮인[가린] **2** 숨겨진, 감추어진, 가면을 쓴; 분명치 않은: ~ threats 은근한 협박 **veil·ed·ly** [véilidli] *ad.*

veil·ing [véiliŋ] *n.* Ⓤ **1** 베일로 덮기; 덮어 감추기 **2** 베일용 천; 베일

‡**vein** [véin] *n.* **1** 〖해부〗 정맥(cf. ARTERY) **2** ⦅속어⦆ 혈관(blood vessel) **3** 〖동물〗 (곤충의) 시맥(翅脈) **4** 〖식물〗 엽맥(葉脈) **5** (목재·돌 등의) 결, 돌결, 나뭇결 **6** 〖지질·광물〗 맥, 암맥(岩脈), 광맥 **7** [보통 in ~] (일시적인) 기분: *in* the giving ~ 너그러운[인색하지 않은] 기분으로 / say *in* a humorous ~ 반농담조로[희롱삼아] 말하다 / be *in* the ~ for doing …할 마음이 내키다 / a ~ of pessimism 비관적인 기분 **8** ⒸⓊ 기질, 특질, 성질: a ~ of humor 유머 기질, 해학성 / a poetic ~ 시인 기질

drain the main ~ ⦅미·속어⦆ 〈남성이〉 방뇨하다 ***pop a*** ~ ⦅미·구어⦆ 핏줄을 세우며 화내다

— *vt.* **1** [보통 과거분사로] …에 결[맥]을 넣다 **2** …위를 맥처럼 뻗어가다[달리다] **~·less** *a.* **~·lìke** *a.*

▷ véiny, vénous, vénose *a.*

veined [véind] *a.* 맥[결, 줄]이 있는; 엽맥[시맥, 광맥]이 있는; 나뭇결이 있는

vein·ing [véiniŋ] *n.* Ⓤ (광물·나무 등의) 결의 배열, (시맥·엽맥 등의) 줄무늬; [집합적] 맥; 결

vein·let [véinlit] *n.* 소정맥; 소맥(小脈)

vein·ous [véinəs] *a.* 정맥이 두드러진 〈손 따위〉; 정맥(혈)의

vein·ule [véinjuːl], **vein·u·let** [-julit] *n.* = VEINLET

vein·y [véini] *a.* (**vein·i·er**; **-i·est**) 정맥이 많은[있는], 힘줄이 많이 돋은 〈얼굴·손 등〉

vel. vellum; velocity

ve·la [víːlə] *n.* VELUM의 복수

Ve·la [víːlə, véi- | víː-] *n.* 〖천문〗 (남쪽 하늘의) 돛자리(the Sail); ⦅미⦆ 핵실험 탐지 위성

ve·la·men [vəléimən | -men] *n.* (*pl.* **-lam·i·na** [-lǽmənə]) 〖해부〗 **1** 막(膜), 피막 **2** 〖식물〗 근피(根皮)의 ⦅난의 뿌리를 덮고 있는 표피⦆

ve·lar [víːlər] *a.* **1** 〖해부〗 막(膜)의, 연구개(軟口蓋)의 **2** 〖음성〗 연구개(음)의 — *n.* 〖음성〗 연구개 자음

ve·lar·i·um [vəléəriəm] *n.* (*pl.* **-i·a** [-iə]) (고대 로마의) 지붕 없는 극장의 차일, 천막; 〖동물〗 (파리 따위의) 의연막(擬緣膜)

ve·lar·ize [víːləràiz] *vt.* 〖음성〗 〈목소리를〉 연구개(음)화(化)하다 **vè·lar·i·zá·tion** *n.*

ve·lar·ized [víːləràizd] *a.* 〖음성〗 연구개음화한

Ve·láz·quez [vəlɑ́ːskeis, -kəs | vilǽskwiz] *n.* 벨라스케스 **Diego Rodriguez de Silva y ~** (1599-1660) ⦅스페인의 화가⦆

Vel·cro [vélkrou] *n.* [때로 **v~**] 벨크로 ⦅단추·지퍼 대신에 쓰는 접착 천; 상표명⦆

veld(t) [vélt, félt] *n.* ⒸⓊ [보통 the ~] (남아프리카 남부 여러 지방의) 초원 (지대)

veld·schoen [véltskùːn] [Du.] *n.* 생가죽제 구두

ve·le·ta [vəlíːtə] *n.* 벨레타 ⦅3박자의 사교댄스⦆

vel·i·ta·tion [vèlətéiʃən] *n.* ⦅고어⦆ 말다툼, 논쟁

vel·le·i·ty [vəlíːəti | vel-] *n.* (*pl.* **-ties**) ⓊⒸ **1** 〖철학〗 불완전 의욕 ⦅아직 행동에 나타나지 않은 약한 욕망⦆ **2** (노력하지 않는) 단순한 바람[소망]

vel·li·cate [véləkèit] *vi.*, *vt.* 씰룩씰룩 움직이다[움직이게 하다], 경련이 일다[을 일게 하다]; 홱 잡아 당기다; 꼬집다(nip)

vel·lum [véləm] [OF 「송아지(veal)」의 뜻에서] *n.* Ⓤ **1** 송아지 피지(皮紙), 고급 피지: ~ cloth 〖제도〗 전사포(轉寫布) **2** 모조 피지

— *a.* 송아지 피지 비슷한[로 만든]

véllum pàper 모조 양피지

ve·lo·ce [veilóutʃei] [It.] *a.*, *ad.* 〖음악〗 빠르게, 빠른 템포의[로], 빠른

ve·lo·cim·e·ter [vìːlousímətər, vèlou-] *n.* (특히 발사물의) 속도계

ve·loc·i·pede [vəlɑ́səpìːd | -lɔ́s-] *n.* **1** ⦅미⦆ 아동용 세발 자전거 **2** 초기의 자전거 ⦅두 발로 땅을 차서 달린⦆ **3** (바퀴가 세 개의) 철도용 수동차(手動車)

ve·loc·i·rap·tor [vəlɑ̀sərǽptər | -lɔ̀s-] *n.* 백악기의 소형 육식성 공룡의 일종

*__ve·loc·i·ty__ [vəlɑ́səti | -lɔ́s-] [L 「빠름」의 뜻에서] *n.* (*pl.* **-ties**) ⓊⒸ **1 a** 속도(speed), 속력; (자금의) 회전율 **b** ⦅문어⦆ (사태 등의) 신속 **2** 〖물리〗 속도; 〖야구〗 (투구의) 속도: cruising ~ 경제 속도 / accelerated ~ 가속도 / initial[muzzle] ~ 초(初)속도 / uniform ~ 등(等)속도 / variable ~ 가변 속도

velócity micròphone 벨로시티 마이크로폰

velócity modulátion 〖전자〗 속도 변조(變調)

velócity of circulátion[**móney**] 〖경제〗 (화폐의) 유통 속도

velócity of escápe = ESCAPE VELOCITY

velócity of líght [the ~] 광속(도)

velócity ràtio 〖공학〗 속도비(比)

ve·lo·drome [víːlədròum, vélə-] *n.* 자전거 경주장

ve·lour(s) [vəlúər] [F] *n.* (*pl.* **-lours**) ⓊⒸ 벨루어 ⦅벨벳 모양의 플러시천(plush)의 일종⦆; 벨루어 모자(= ~ **hàt**)

ve·lum [víːləm] [L = veil] *n.* (*pl.* **-la** [-lə]) 〖해부〗 연구개(軟口蓋)(soft palate); 〖식물〗 균막(菌膜); 〖동물〗 (해파리의) 연막(緣膜)

ve·lure [veljúər] *n.* **1** Ⓤ 벨벳류(類) **2** 벨벳으로 만든 솔 ⦅실크 해트용⦆

— *vt.* 〈모자를〉 벨벳 브러시로 손질하다

ve·lu·ti·nous [vəlúːtənəs] *a.* 부드러운 벨벳[비로드] 모양의 털을 가진

vel·ver·et [vèlvərèt] *n.* ⓊⒸ 거친 면(綿) 벨벳

‡**vel·vet** [vélvit] [L 「융모」의 뜻에서] *n.* **1** ⓊⒸ 벨벳, 우단: cotton ~ 무명 벨벳 / silk ~ 명주 벨벳 **2** 벨벳 비슷한 것 ⦅복숭아 껍질, 솜털 난 뺨, 이끼 낀 돌 등⦆ **3** 녹용(鹿茸) **4** Ⓤ ⦅속어⦆ **a** 도박에서 딴 돈 **b** (예상 이상의) 이익, 이득 ***stand*** [***be***] ***on*** ~ ⦅구어⦆ (1) 부유하게 살다 (2) (도박·투기에서) 유리한 입장에 있다 ***to the*** ~ 순익으로서, 벌어서

thesaurus **velocity** *n.* speed, quickness, fastness, swiftness, celerity, rapidity, impetus

—*a.* **1** 벨벳의; 벨벳으로 만든; 벨벳 같은 **2** 《문어》 조용한; 부드러운: a ~ tread 조용한 발걸음[발소리] / the ~ sea 잔잔한 바다
~·ed [-id] *a.* **~·lìke** *a.* ▷ vélvety *a.*
vélvet ànt 〖곤충〗 개미벌
vélvet bèan 1년생 콩의 일종 《미국 남부산(産); 사료용》
vélvet cárpet 벨벳 양탄자
vel·ve·teen [vèlvətí:n] *n.* **1** Ⓤ 무명 벨벳 **2** [*pl.*] 무명 벨벳의 옷[바지] **3** [*pl.*; 단수 취급] 《영》 사냥터 지기 —*a.* 무명 벨벳제(製)의
vélvet glóve 벨벳 장갑; 외면상의 부드러움
***the* [*an*] *iron hand in the* ~** 외유내강(外柔內剛)
vel·vet-gloved [vélvitglʌ́vd] *a.* 외관만 부드러운
vel·vet·ing [vélvətiŋ] *n.* Ⓤ [집합적] 벨벳 제품
vélvet páw 고양이 발 《온화한 외면 뒤에 감춰진 잔인성》
vélvet revolútion 벨벳 혁명 《1989년 체코슬로바키아의 평화적 민주 혁명》
vélvet spònge 〖동물〗 벨벳 해면(海綿) 《서인도 제도산(産)》
∗**vel·vet·y** [vélviti] *a.* **1 벨벳 같은,** 촉감이 매끄러운[부드러운] **2** 〈포도주 등이〉 맛이 순한, 혀끝에 닿는 맛이 좋은 **3** 〈색깔·빛·목소리 등이〉 부드러운
Ven. Venerable; Venice
ve·na [ví:nə] [L] (*pl.* **-nae** [-ni:]) 〖해부〗 정맥(靜脈)(vein)
ve·na ca·va [ví:nə-kéivə, -kɑ́:və] [L = hollow vein] *n.* (*pl.* **ve·nae ca·vae** [ví:ni:-kéivi:]) 〖해부〗 대정맥(大靜脈)
ve·nal [ví:nl] [L 「판매(용)의」의 뜻에서] *a.* **1** 〈사람이〉 돈으로 좌우되는, 매수할 수 있는, 부패한 **2** 〈행위 등이〉 돈 위주의, 돈 나름인, 타산적인; 〈지위 등이〉 매수에 의한: ~ acquittals 돈으로 산 무죄 방면
~·ly *ad.*
ve·nal·i·ty [vi:nǽləti, və- | vi:-] *n.* Ⓤ 《문어》 **1** 돈에 좌우됨, 매수되기 쉬움 **2** (금전상의) 무절제
ve·nat·ic, -i·cal [vi:nǽtik(əl)] *a.* **1** 사냥(용)의 **2** 사냥을 좋아하는; 사냥으로 생활하는 **-i·cal·ly** *ad.*
ve·na·tion [vi:néiʃən] *n.* Ⓤ 엽맥[시맥(翅脈)]의 분포 상태; [집합적] 엽맥, 시맥 **~·al** *a.*
vend [vénd] *vt.* **1** 《문어》 〈작은 상품을〉 (길에서) 팔고 다니다, 행상하다 **2** 〖법〗 〈토지·가옥 등을〉 매각하다, 팔다 **3** 《드물게》 〈의견·생각 등을〉 발언하다; 공표하다
—*vi.* 팔리다; 장사를 하다 **~·a·ble** *a.*
ven·dace [véndis] *n.* (*pl.* **~, -dac·es**) 〖어류〗 흰송어 《잉글랜드·스코틀랜드산(産)》
ven·dee [vendí:] *n.* 〖법〗 사는 사람, 매주(買主), 매수인(opp. *vendor*)
vend·er [véndər] *n.* = VENDOR
ven·det·ta [vendétə] [It. = vengeance] *n.* **1** (특히 코르시카섬에서 행하여지던) 상호 복수, 피의 복수 **2** 장기에 걸친 불화, 항쟁 **-tist** *n.*
ven·deuse [vɑ:ndə́:z] [F] *n.* 여점원
vend·i·bil·i·ty [vèndəbíləti] *n.* Ⓤ 팔림, 시장 가치
vend·i·ble [véndəbl] *a.* 팔 수 있는, 팔리는; 《폐어》 금전으로 좌우되는 —*n.* [보통 *pl.*] 팔 수 있는[팔리는] 물건 **~·ness** *n.* **-bly** *ad.*
vénd·ing machìne [véndiŋ-] 자동 판매기
ven·di·tion [vendíʃən] *n.* Ⓤ 판매, 매각
ven·dor [véndər] *n.* **1** 행상인; 〖법〗 매주(賣主), 매각인(opp. *vendee*): a reliable ~ 믿을 만한 상인 **2** = VENDING MACHINE
ven·due [véndju: | vendjú:] *n.* 공매(公賣), 경매
ve·neer [vəníər] [G 「설비하다」의 뜻에서] *n.* ⒸⓊ **1** 합판의 겉켜; 화장판(化粧板) **2** (합판을 이루는) 단판(單板), 널빤지 ★ 우리말의 「베니어판」은 plywood임. **3** Ⓒ 겉치장, 허식: a ~ of scholarship 학자인 체함

venerable *a.* respected, revered, worshiped, honored, esteemed, hallowed (opp. *disreputable*)

—*vt.* **1** …에 화장판을 붙이다; 〈나무·돌 등에〉 화장붙임을 하다 **2** …의 겉을 꾸미다, 〈결점 등을〉 …으로 감추다 **~·er** *n.*
ve·neer·ing [vəníəriŋ] *n.* Ⓤ 화장판 만들기[가공]; 화장판 재료; 화장판을 붙인 표면; Ⓒ 허식: a ~ of civilization 허식뿐인 문명
ven·e·nate [vénənèit] *vt.* …에 독물을 주입하다
—*vi.* 독물을 투여하다
ven·e·nose [vénənòus], **-nous** [-nəs] *a.* 유독한
∗**ven·er·a·ble** [vénərəbl] *a.* **1** (인격·지위·나이로 보아) **존경할 만한,** 공경할 만한, 덕망 있는 **2** 〈토지·건물 등이〉 유서 깊은, 고색 창연하여 숭엄한; 존귀한, 숭엄한: the ~ halls of the abbey 그 사원의 숭엄한 회당 **3** 〖영국국교〗 …부주교님 《archdeacon의 존칭》; 〖가톨릭〗 가경자(可敬者) 《복자(福者) 다음 가는 사람에 대한 존칭》 **4** 오래된, 케케묵은
vèn·er·a·bíl·i·ty *n.* **~·ness** *n.* **-bly** *ad.*
▷ vénerate *v.*
ven·er·ate [vénərèit] [L 「사랑」의 뜻에서] *vt.* 존경하다, 숭배하다, 경모(敬慕)하다 **-à·tor** *n.*
ven·er·a·tion [vènəréiʃən] *n.* Ⓤ 존경; 숭배, 숭상: have[hold] a person in ~ …를 존경[숭배]하다
ve·ne·re·al [vəníəriəl] [L 「성애(性愛)」의 뜻에서] *a.* **1** 성교(性交)의[에 의한] **2** 성병의: a ~ patient 성병 환자 **3** 성병 치료에 적합한: a ~ remedy 성병 치료약 **4** 성욕의, 성교의; 성기의 **5** 성욕을 자극하는
venéreal diséase 성병 《略 VD》
venéreal wárt 〖병리〗 성병 사마귀(genital wart) 《음부 점막·항문 둘레에 생기는 바이러스성 돌기》
ve·ne·re·ol·o·gy [vənìəriɑ́lədʒi | -ɔ́l-] *n.* Ⓤ 성병학 **-gist** *n.* 성병과 의사 **ve·nè·re·o·lóg·i·cal** *a.*
ven·er·y[1] [vénəri] *n.* Ⓤ 《고어》 성적 쾌락의 추구; 성교(性交)
venery[2] *n.* 《고어》 사냥, 수렵
ve·ne·sec·tion [vènəsékʃən, ví:nə-] *n.* Ⓤ 〖외과〗 방혈(放血), 사혈(瀉血)(법)(bloodletting)
Ve·ne·ti·a [vəní:ʃiə, -ʃə] *n.* 베네치아 《Alps와 Po강 사이의 지역》
∗**Ve·ne·tian** [vəní:ʃən] *a.* **베니스(Venice)의,** 베네치아의; **베네치아풍[식]의**
—*n.* **1** 베네치아 사람[방언] **2** [**v~**] = VENETIAN BLIND; 배게 짠 광택 있는 능직(= **~ clóth**)
▷ Vénice *n.*
venétian blínd 베니션 블라인드 《끈으로 여닫고 오르내리는 판자발》

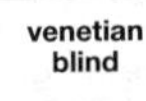
venetian blind

Venétian blúe [때로 **v- b-**] 베니션 블루 《코발트 블루(cobalt blue) 비슷한 짙은 청색》
Venétian cárpet 베니스 양탄자 《털실로 만들며 보통 줄무늬가 있음》
Venétian chálk 활석(滑石), (재봉용) 초크(French chalk)
Venétian dóor 양쪽에 곁문이 달린 문
Venétian glάss [때로 **v- g-**] 베네치아산(産) 유리 그릇, 색무늬의 장식 유리
Venétian láce 손으로 뜬 레이스의 일종
Venétian mást 장식 기둥 《나선형 무늬로 얼룩덜룩하게 색칠한 가두 장식용 기둥》
Venétian péarl [때로 **v- p-**] 베네치아 진주 《유리로 만든 모조 진주》
Venétian pínk 베니스 핑크(blossom) 《온화한 핑크색의 일종》
Venétian réd 적(赤)색 안료의 일종; 거무스름한 등적(橙赤)색
Venétian wíndow = PALLADIAN WINDOW
Venez. Venezuela
Ve·ne·zi·a [vənétʃiə] *n.* Venice의 이탈리아어명
Ven·e·zu·e·la [vènəzwéilə, -zwí:- | -zwéi-] *n.* 베네수엘라 《남아메리카 북부의 공화국; 수도 Cara-

cas; 略 Venez.》 **Ven·e·zu·é·lan** *n.*, *a.* 베네수엘라 사람[문화](의)

ven·geance** [véndʒəns] *n.* [UC] **1** 복수, 원수갚기, 앙갚음: exact a ~ from a person for …에게 …의 복수를 하다 / Heaven's ~ is slow but sure. 《속담》 천벌은 더디지만 반드시 오는 법이다. / inflict [take] ~ on …에게 복수하다 **2** 복수심: be full of ~ 복수심으로 가득차다 ***with a ~ 《구어》 호되게, 격렬하게, 맹렬히, 극단으로, 철저히
▷ avénge *v.*

venge·ful [véndʒfəl] *a.* 《문어》 〈행위·감정 등이〉 복수심이 있는[에 불타는], 앙심[원한]을 품은; 집념이 강한; 복수하는 데 쓰이는 **~·ly** *ad.* **~·ness** *n.*

veni- [víːni, véni, -nə], **veno-** [víːnou, -nə, vén-] 《연결형》 「정맥, 엽맥, 시맥, 광맥」의 뜻

ve·ni·al [víːniəl, -njəl] [L 「용서, 은혜」의 뜻에서] *a.* **1** 〈죄 등이〉 용서될 만한, 용서받을 수 있는, 경미[사소]한(opp. *mortal*) **2** 〖신학〗 사면할 수 있는, 죄가 가벼운 **~·ly** *ad.* **~·ness** *n.*

ve·ni·al·i·ty [vìːniǽləti] *n.* [U] 용서될 수 있음, 용서받을 수 있음, 경죄(輕罪), 소죄(小罪)(venial sin)

vénial sín 〖가톨릭〗 경죄, 소죄(opp. *mortal sins*)

***Ven·ice** [vénis] *n.* 베니스 《베네치아의 영어명; 이탈리아 북동부의 항구 도시》

Ven·ik [víːnik] *n.* (구소련의) 금성 탐측 위성

ven·in [vénin, víːn-] *n.* 〖생화학〗 베닌 《뱀독에 함유된 유독 물질》

ve·ni·punc·ture [vénəpʌ̀ŋktʃər, víːnə-] *n.* 〖의학〗 정맥 천자(穿刺)

ve·ni·re fa·ci·as [vənáiəri-féiʃiæ̀s, -níəri-] [L] *n.* 〖역사〗 배심원 소집장

ve·ni·re·man [-mən] *n.* (*pl.* **-men** [-mən, -mèn]) 〖미국법〗 배심원 소집장(venire facias)으로 호출당한 사람[배심원]

***ven·i·son** [vénəsn, -zn] [L 「사냥」의 뜻에서] *n.* [U] 사슴 고기(cf. DEER)

Ve·ni·te [vináiti, veníːtei | vináiti] [L] *n.* 시편 제95편과 제96편; 그 송가(頌歌) 《아침 기도》; 그 악곡

ve·ni, vi·di, vi·ci [víːnai-váidai-váisai, véniː-víːdiː-víːtʃiː, -siː] [L = I came, I saw, I conquered] 왔노라, 보았노라, 이겼노라 《원로원에 대한 Caesar의 간결한 전황 보고》

Vénn dìagram [vén-] [영국의 논리학자 이름에서] 〖수학·논리〗 벤 도식(圖式) 《원·직사각형을 써서 집합의 상호 관계를 알기 쉽게 나타낸 그림》

ve·no·gram [víːnəgræ̀m] *n.* 정맥 조영도(造影圖)

ve·nog·ra·phy [viːnάgrəfi | -nɔ́g-] *n.* 정맥 조영[촬영]법 《방사선 불투과성 물질을 주사한 후에 함》

ve·nol·o·gy [viːnάlədʒi | -nɔ́l-] *n.* = PHLEBOLOGY

***ven·om** [vénəm] [L 「독」의 뜻에서; 원래는 「마약」의 뜻에서] *n.* [U] **1** 독액(毒液) 《독사·전갈·벌 등이 분비하는》: a ~ duct 독관(毒管) / a ~ fang[gland] 독아[선(腺)] **2** 악의(spite), 원한, 앙심: spit out the words with ~ 독설을 내뱉다 **3** 《고어》 독(毒), 독물
— *vt.* …에 독을 타다
▷ vénomous *a.*

ven·om·ous [vénəməs] *a.* **1** 독액을 분비하는; 독이 있는 **2** 악의에 찬, 원한을 품은, 해로운: a ~ tongue 독설 / a ~ attack 악의에 찬 공격
~·ly *ad.* **~·ness** *n.*

ve·nos·i·ty [vinάsəti | -nɔ́s-] *n.* [U] 정맥[엽맥]이 많음; 〖생리〗 정맥 울혈

ve·nous [víːnəs], **ve·nose** [víːnous] *a.* **1** 나뭇결이 있는 **2** 〖생리〗 정맥의, 맥관의(opp. *arterial*): ~ blood 정맥혈 **3** 〖식물〗 엽맥이 많은 **~·ly** *ad.*

vent**[1] [vént] [L 「바람」의 뜻에서] *n.* **1 a** (공기·액체 등을 뺐다 넣었다 하는) **구멍, 새는 구멍,** 통풍[통기]공: a front quarter ~ (자동차의) 삼각창 **b** (대포의) 화문; (통의) 바람 구멍; (관악기의) 손가락 구멍; (굴뚝의) 연도(煙道) **c** (조류·파충류·물고기 등의) 항문(anus) **2** [CU] 탈출구, 분출구, 배출구; 빠져 나가는 힘[기회]: find (a) ~ for …의 출구를 찾다 / find [make] a ~ in …에 배출구를 찾다[만들다] **3** (감정 등의) 발로, 표출, 표현 《*to*》: give ~ *to* one's emotions 감정을 겉으로 나타내다 **4** [UC] (수달·비버의 숨쉬기 위한) 물 위로의 부상 ***take ~ 새다, 빠져나가다
— *vt.* **1** 〈감정 등에〉 배출구를 주다; 〈감정 등을〉 터뜨리다, 발산하다 《*on, upon*》: (~+목+전+명) He ~*ed* himself *in* grief. 그는 비탄에 잠겼다. / He ~*ed* his ill humor *upon* his wife. 그는 불쾌한 나머지 아내에게 화풀이를 하였다. **2** …에 나갈 구멍을 주다; …에 샐 구멍을 만들다, 〈통에〉 구멍을 뚫다 **3** 〈액체·연기 등을〉 내보내다
— *vi.* **1** 〈수달 등이〉 호흡하기 위해 수면에 얼굴을 내밀다 **2** 〈액체·공기 등이〉 나갈 곳을 찾아내다, 새어 나오다 ~ ***itself*** 새어 나오다; 나타나다 **~·less** *a.*

vent[2] *n.* 벤트 《상의의 등·겨드랑이, 스커트 등의 튼 곳》 — *vt.* …에 벤트를 내다

vent[3] *n.* 《미·구어》 복화술사(ventriloquist)

vent·age [véntidʒ] *n.* **1** (공기·가스·액체 등의) 분출구, 새는 곳; (감정을) 쏟을 곳[기회]: give ~ to anger 분노를 발산하다 **2** (관악기의) 손가락 구멍

ven·ter[1] [véntər] *n.* 〖해부〗 배; 〖법〗 (자손의 원천으로서의) 배, 어머니

venter[2] *n.* 생각[감정, 노여움, 슬픔 《등》]을 밖으로 나타내는 사람

vent·hole [vénthòul] *n.* (공기·빛·가스의) 새는 구멍, 통기공

ven·ti·duct [véntədʌ̀kt] *n.* 통풍관(通風管)

ven·ti·fact [véntəfæ̀kt] *n.* 〖지질〗 (풍화 작용으로 깎인) 조약돌, 자갈

ven·til [véntl] *n.* 〖음악〗 (관악기의) 활전(活栓)

***ven·ti·late** [véntəlèit] [L 「바람을 일게 하다」의 뜻에서] *vt.* **1** 〈방·건물·갱도 등에〉 **공기[바람]를 통하다,** 〈방 등을〉 통풍이 잘되게 하다, 환기하다 **2** 《폐어》 〖의학〗 〈혈액에〉 산소를 공급하다 **3** 〈공기·바람이〉 불어 지나가다: Cool breezes ~*d* the house. 그 집은 시원한 바람이 잘 통했다. **4** 〈문제 등을〉 토론에 붙이다, 여론에 묻다 **5** 〈의견을〉 말하다; 〈감정 등을〉 나타내다 **6** 환기 구멍을 내다, 통기 설비를 하다
— *vi.* 감정[의견, 불평]을 표현하다
▷ ventilátion *n.*; véntilative *a.*

vén·ti·lat·ing shàft [véntəlèitiŋ-] 〖광산〗 환기[통풍]갱(坑)

***ven·ti·la·tion** [vèntəléiʃən] *n.* [U] **1** 통풍, 공기의 유통, 환기 **2** 통풍 상태 **3** 환기법, 환기 장치 **4 a** 자유 토의, 문제의 공개 토론, 여론에 묻기 **b** (의견·감정 등의) 발로, 표출

ven·ti·la·tive [véntəlèitiv] *a.* 통풍의, 환기의; 바람이 잘 통하는

ven·ti·la·tor [véntəlèitər] *n.* **1** 환기 담당자 **2** 환기 설비; 통풍기, 송풍기; 통풍공, 통풍관; 환기창; (모자의) 바람 구멍 **3** (여론에 호소하기 위하여) 문제를 제기하는 사람 **ven·ti·la·to·ry** [-lətɔ̀ːri | -lèitəri] *a.* 환기의; 환기 장치가 있는

vént màn 《미·속어》 (지하철 등의 노상 환기구 옆에서 자는) 노숙자

vent·ouse [véntus] *n.* 〖의학〗 (분만시 아기 머리에 대어 출산을 돕는 컵 모양의) 흡반(吸盤)(= ~ extráction)

vent-peg [véntpèg], **-plug** [-plʌ̀g] *n.* (통의) 바람 구멍 마개

vént pìpe 배기관(排氣管), 통기관

ventr- [véntr], **ventro-** [véntrou, -trə] 《연결형》 「배(abdomen)」의 뜻 《모음 앞에서는 ventr-》

ven·tral [véntrəl] *a.* **1** 배의, 복부(腹部)의(abdominal), (특히 등에 대하여) 복면(腹面)의(cf. DORSAL) **2** 〖식물〗 내면의, 하면의 — *n.* 복부; (물고기의) 배지느러미 **~·ly** *ad.*

véntral fíns (물고기의) 배지느러미

ventri- [véntri] 《연결형》 VENTRO-의 변형

ven·tri·cle [véntrikl] *n.* 〖해부〗 **1** (뇌수·후두(喉頭)

등의) 공동(空洞), 실(室) **2** (심장의) 심실(心室)

ven·tri·cose [véntrikòus], **-cous** [-kəs] *a.* 불룩한, 불룩 내민; 배가 불룩한 **vèn·tri·cós·i·ty** *n.*

ven·tric·u·lar [ventríkjulər] *a.* (뇌·심장 등의) 실(室)의, 심실의; 불룩한, 뚱뚱한, 비대한

ventrícular fibrillátion 〖병리〗 심실세동(心室細動) 《부정맥의 일종》

ven·tric·u·log·ra·phy [ventrikjulágrəfi | -lɔ́g-] *n.* 〖의학〗 뇌실(腦室)[심실(心室)] 촬영법

ven·tric·u·lus [ventríkjuləs] *n.* (*pl.* **-li** [-lài]) 〖해부〗 소화 기관, 위

ven·tri·lo·qui·al [vèntrəlóukwiəl] *a.* 복화술(腹話術)의; 복화술을 사용하는 **~·ly** *ad.*

ven·tril·o·quism [ventríləkwìzm], **-quy** [-kwi] *n.* Ⓤ 복화술(腹話術) **-quist** [-kwist] *n.* 복화술자[사] **ven·trìl·o·quís·tic** *a.*

ven·tril·o·quize [ventríləkwàiz] *vi., vt.* 복화(腹話)하다; 복화술로 말하다

ven·trip·o·tent [ventrípətənt] *a.* 대식(大食)의, 배가 튀어나온

ven·tro·lat·er·al [vèntroulǽtərəl] *a.* 복부 측면의, 복부와 측부의

‡**ven·ture** [véntʃər] [adventure의 두음 소실] *n.* **1** Ⓤ 모험; Ⓒ 모험적 행위[시도] **2** 모험적 사업, 투기적 기업: a new ~ 신규 개발 사업

> 유의어 **venture** 특히 사업에서 금전상의 위험을 무릅쓴 행위를 말하며, 「모험」의 뜻으로는 **adventure**가 일반적이다.

3 투기; 투기의 대상 《선하·상품 등》: a lucky ~ 바로 들어맞은 투기 **4** ⓊⒸ (고어) (예측할 수 없는) 운; 위험 ***at a*** **~** 모험적으로, 운에 맡기고, 무작위로, 엉터리로

— *vt.* **1** (문어) 〈생명·재산 등을〉 위험에 내맡기다; 〈생명·재산 등을〉 내걸다: (~+목+전+명) He ~*d* his fortune *on* a single chance. 그는 한 번의 기회에 재산을 내걸었다. **2** 위험을 무릅쓰고 …하다, 과감히 …하다, 모험하다(risk); 대담하게도 …하다: Nothing ~*d*, nothing gained. (속담) 호랑이 굴에 들어가야 호랑이 새끼를 잡는다. // (~+목+전+명) ~ a voyage *into* space 우주 비행에 도전하다 // (~+*to* do) I ~ *to* differ from you. 실례이지만 당신과는 의견이 다릅니다. / I hardly ~ *to* say it, but … 말씀드리기 대단히 죄송합니다마는… **3** 〈의견 등을〉 시험 삼아 발표하다; 과감히 말하다 **4** …의 위험에 몸을 내맡기다 ~ one***self*** 위험을 무릅쓰다, 과감히 나아가다

— *vi.* **1** [방향 부사와 함께] 과감히 나아가다, 위험을 무릅쓰고 가다: He ~*d* deep *into* the jungle. 그는 위험을 무릅쓰고 정글 깊이 들어갔다. **2** 위험을 무릅쓰고 나서다, 과감히 해보다 (*on, upon*): (~+전+명) ~ *on* a protest 과감히 항의하다 / Will you ~ *on* a glass of whiskey? 위스키 한 잔 드시죠? **3** 벤처 사업에 투자하다

▷ vénturesome, vénturous *a.*

vénture bùsiness 모험[벤처] 기업

vénture càpital 〖경제〗 위험 부담 자본, (사업) 투기 자본

vénture càpitalism 벤처 기업 투자 (활동)

vénture càpitalist 위험 투자가

vénture cùlture 적극적이며 모험을 좋아하는 기질의 풍토

vénture fùnd 〖금융〗 벤처 펀드 《모험 기업에 자금을 지원하기 위해 만든 투자 신탁》

ven·tur·er [véntʃərər] *n.* **1** 모험자, 투기자 **2** (옛날의 투기적) 무역 상인

Vénture Scòut (영) 18세 이상의 소년 단원

ven·ture·some [véntʃərsəm] *a.* **1** 〈사람이〉 모험을 좋아하는; 대담한, 무모한 **2** 〈행위가〉 위험이 따르는, 위험한 **~·ly** *ad.* **~·ness** *n.*

ven·tu·ri [ventúəri | -tjúəri] [이탈리아의 물리학자 G.B.Venturi의 이름에서] *n.* (*pl.* **~s**) 벤투리관(管) 《유량(流量) 등을 측정》(=**~ tùbe**)

ven·tur·ous [véntʃərəs] *a.* 모험을 좋아하는, 무모한, 대담한, 모험적인(venturesome) **~·ly** *ad.* **~·ness** *n.*

vént wìndow 자동차의 삼각창

ven·ue [vénju:] *n.* **1** 〖법〗 (배심 재판의) 재판지(地); 범행지, 소송 원인 발생지; 재판 관할구의 표시, 공판 장소의 지시: change the ~ 재판지를 변경하다 《공평을 기하려고》/ (a) change of ~ 〖법〗 재판지의 변경 **2** 행위[사건]의 현장, 발생지 **3** (정치 회의 등의) 회합 장소; 개최 예정지 **4** (주로 미) (논의·논쟁에서 사람의) 입장, 입각점, 논거

ven·ule [vénju:l] *n.* 〖해부〗 작은 정맥; 〖식물〗 작은 잎맥; 〖곤충〗 작은 날개맥 **vén·u·lar** *a.*

***Ve·nus** [ví:nəs] [L 「정욕」의 뜻에서] *n.* **1** 〖로마신화〗 비너스 《미와 사랑의 여신; 그리스 신화의 Aphrodite》 **2** 성욕, 애욕 **3** 〖천문〗 금성(金星), 태백성(太白星) 《Hesperus 「개밥바라기」 및 Lucifer 「샛별」로서 나타남》 **4** 비너스 여신의 상[그림]; 절세미인

▷ Venúsian *a.*

Ve·nu·sian [vənjú:ʃən, -ʃiən, -siən | -njú:ziən, -siən] *a.* 금성의 — *n.* (상상적인) 금성인(人)(cf. MARTIAN)

Ve·nus's-flow·er-bas·ket [ví:nəsizfláuər-bæ̀skit] *n.* 〖동물〗 해로동혈(偕老同穴) 《심해에 사는 해면(海綿)》

Ve·nus's-fly·trap [-fláitræ̀p] *n.* 〖식물〗 끈끈이주걱

Ve·nus's-hair [-hɛ́ər] *n.* 〖식물〗 공작고사리의 일종

Ve·nus's-slip·per [-slípər] *n.* =LADY'S-SLIPPER

ver. verse(s); version

Ve·ra [víərə] *n.* 여자 이름

VERA Versatile Experimental Reactor Assembly; vision electronic recording apparatus 텔레비전 프로그램 기록 장치

ve·ra·cious [vəréiʃəs] *a.* (문어) **1** 〈사람이〉 진실을 말하는, 정직한 **2** 〈진술·보고 등이〉 진실한; 정확한 **~·ly** *ad.* **~·ness** *n.*

ve·rac·i·ty [vərǽsəti] [L 「진실」의 뜻에서] *n.* (*pl.* **-ties**) ⓊⒸ (문어) **1** 진실을 말함, 성실; 정직 **2** 정확성, 정확도 **3** 진실(성), 진상, 진리

‡**ve·ran·da(h)** [vərǽndə] [Hind.] *n.* 베란다, 툇마루 ((미) porch)

veranda(h)

ve·ran·daed, -dahed [vərǽndəd] *a.* 베란다가 있는[딸린]

ve·ra·pam·il [vìərəpǽməl] *n.* 〖약학〗 베라파밀 《협심증·부정맥의 치료에 쓰는 칼슘 차단제》

ve·ra·trine [vérətrì:n, -trin] *n.* Ⓤ 〖화학〗 베라트린 《전에는 류머티즘 치료제》

‡**verb** [və́:rb] [L 「단어」의 뜻에서] *n.* 〖문법〗 동사 ***auxiliary*** **~** 조동사 ***causative*** [***factitive***] **~** 사역[작위(作爲)] 동사 《목적어와 보어를 취하는 것》 ***dative*** **~** 여격 동사 《give, lend 등 이중 목적어를 취하는 것》 ***finite*** **~** 정(형)동사 ***intransitive*** [***transitive***] **~** 자[타]동사 ***irregular*** [***regular***] **~** 불규칙[규칙]동사 ***reflexive*** **~** 재귀 동사 ***strong*** [***weak***] **~** 강[약]변화 동사 ***substantive*** [***copulative***] **~** 존재[계사] 동사 《즉 be》 **~·less** *a.* ▷ vérbal *a.*

***ver·bal** [və́:rbəl] *a.* **1** 말의, 말에 관한, 말로 나타낸: ~ ability 언어 능력 ★ 원래 oral은 "spoken," verbal은 "in words (either written or spoken)"의 뜻이나, 지금은 구별 없이 씀. **2** 구두(口頭)의(oral): ~ evidence 구두 증거, 증언 / a ~ promise 언약 / a ~ report 구두 보고 / a ~ dispute 언쟁 / a ~ message 전언 / ~ communication 구두 연락 **3**

축어적(逐語的)인, 문자 그대로의(literal): a ~ translation 축어역(譯), 직역 **4** (내용에 관계치 않고) 말만의, 어구의, 용어상의: a purely ~ distinction 어구상으로만의 구별 **5** 〚문법〛 동사의, 동사적인
— *n.* **1** 《영·구어》 유죄를 인정하는 구두 진술, 자백 **2** 《익살》 언쟁, 말다툼 **3** 〚문법〛 준동사(형)
— *vt.* 《영·속어》 …에게 자백시키다
▷ vérb *n.*; vérbalize *v.*; vérbally *ad.*

vérbal ádjective 〚문법〛 동사적 형용사 《동사에서 파생한 형용사》

vérbal auxíliary 〚문법〛 조동사

vérbal diarrhéa 《미·속어》 병적 다변증(多辯症)

vérbal ímage 〚심리〛 언어 심상(心象)

ver·bal·ism [vɚ́ːrbəlìzm] *n.* Ⓤ **1** 언어적 표현, 어구 **2** 어구의 사용[선택]; 말투, 표현 **3** Ⓒ 형식적인 어구, 의미 없는 어구 **4** 장황한 말투(wordiness) **5** 자구에 구애됨; 언어 편중; 어구 비평

ver·bal·ist [vɚ́ːrbəlist] *n.* **1** 어구를 잘 가려 쓰는 사람 **2** 자구에 구애되는 사람; 어구 비평가

ver·bal·i·ty [vəːrbǽləti] *n.* (*pl.* **-ties**) 말이 많음[장황함]; 언어에 의한 표현; ⓊⒸ 동사의 성질

ver·bal·ize [vɚ́ːrbəlàiz] *vt.* **1** 〈사고·감정 등을〉 언어[말]로 나타내다, 언어화하다 **2** 〚문법〛 동사적으로 사용하다, 동사화하다 — *vi.* **1** 어구가 장황해지다 **2** 말로 나타내다 **vèr·bal·i·zá·tion** *n.* **-iz·er** *n.*

ver·bal·ly [vɚ́ːrbəli] *ad.* **1** 언어로, 말로, 용어상으로, 구두로 **2** 축어적으로 **3** 〚문법〛 동사로서, 동사적으로

vérbal nóte 구술서(口述書); 〚외교〛 무서명 각서

vérbal nóun 〚문법〛 동사적 명사 《동명사도 포함》

ver·ba·tim [vəːrbéitəm] *ad.* 축어적으로, 말대로
— *a.* 축어적인: a ~ record of the proceedings 의사(議事)의 축어적 기록
— *n.* 축어적 보고[번역]

ver·be·na [vəːrbíːnə] *n.* 〚식물〛 버베나 《마편초과(科)》

ver·bi·age [vɚ́ːrbiidʒ] *n.* Ⓤ **1** (문장·말에) 쓸데없는 말이 많음, 용장(冗長), 장황, 다변 **2** 말씨, 용어(用語)

ver·bi·cide [vɚ́ːrbəsàid] *n.* ⓊⒸ 의도적으로 말의 뜻을 왜곡하는 일[사람]

ver·bid [vɚ́ːrbid] *n.* 〚문법〛 준동사(형)

ver·bi·fi·ca·tion [vɚ̀ːrbəfikéiʃən] *n.* (명사 등의) 동사화

ver·bi·fy [vɚ́ːrbəfài] *vt.* (**-fied**) 동사화하다, 동사로서 사용하다

ver·big·er·a·tion [vəːrbìdʒəréiʃən] *n.* Ⓤ 〚병리〛 언어 반복증 《의미없는 말이나 문장을 반복하는 상태; 정신 분열증에서 흔히 보임》

ver·bose [vəːrbóus] *a.* 말수가 많은, 다변의; 용장(冗長)한, 장황한(wordy) **~·ly** *ad.* **~·ness** *n.*

ver·bos·i·ty [vəːrbɑ́səti | -bɔ́s-] *n.* Ⓤ 다변, 수다; 용장, 장황

ver·bo·ten [vərbóutn] [G] *a.*, *n.* (법률·당국에 의해) 금지된 (것)

vérb phràse 〚문법〛 동사구

ver·bum sat sa·pi·en·ti [vɚ́ːrbəm-sæt-sæ̀piéntai] [L] 현자에게는 한 마디면 충분하다(a word (is) enough to the wise) 《略 verb. sap., verbum sap., verbum sat.》

ver·dan·cy [vɚ́ːrdnsi] *n.* Ⓤ 《시어》 **1** 푸릇푸릇함, 신록 **2** 미숙, 젊음; 순진, 천진난만

ver·dant [vɚ́ːrdnt] [F 「녹색의」의 뜻에서] *a.* **1** 〈풀·잎·빛깔 등이〉 초록의(green), 푸릇푸릇한, 풀빛의; 〈토지가〉 신록의; 초록 일색인 **2** 젊은, 숫된, 미숙한(inexperienced): in one's ~ youth 순진한 청년 시대에 / Mr. *V*~ Green 《속어》 풋내기, 초심자 **~·ly** *ad.*

vérdant grèen 담녹색, 신록

vérd[vérde] antíque [vɚ́ːrd-] 〚암석〛 사문암(蛇紋岩) 대리석; 녹청(綠青), 녹

Verde [vɚ́ːrd] *n.* **Cape ~** 베르데 곶 《아프리카 대륙 서쪽 끝의 갑(岬)》

ver·der·er, -or [vɚ́ːrdərər] *n.* (영국의) 왕실 산림 관리관 **~·shìp** *n.*

Ver·di [vɛ́ərdi] *n.* 베르디 **Giuseppe ~** (1813-1901) 《이탈리아의 가극 작곡가》

***ver·dict** [vɚ́ːrdikt] *n.* **1** 〚법〛 (배심원이 재판장에게 제출하는) **평결**, 답신(答申): bring in[return, deliver, give] a ~ of guilty[not guilty] 유죄[무죄]의 평결[답신]을 하다 / a general[special] ~ 일반[특별] 평결 **2** 《구어》 판정, 판단, 의견: pass one's ~ upon …에 판정을 내리다

ver·di·gris [vɚ́ːrdəgrìːs, -gris | -gris, -grìːs] [OF =green of Greece] *n.* Ⓤ 녹청(綠青)

ver·di·ter [vɚ́ːrditər] *n.* Ⓤ 녹청 그림 물감 《탄산구리의 청색 또는 녹색의 안료》

ver·dure [vɚ́ːrdʒər] [OF 「녹색」의 뜻에서] *n.* Ⓤ 《시어》 **1** (초목의) 푸름, 청록, 신록 **2** 푸른 초목, 푸른 잎; 푸른 풀, 녹초 **3** 신선함, 생기, 활력, 융성
vér·dured [-d] *a.* 초록빛 초목으로 덮인; 푸릇푸릇한

ver·dur·ous [vɚ́ːrdʒərəs] *a.* 푸른 초목으로 덮인; 신록의, 푸릇푸릇한 **~·ness** *n.*

Ver·ein [vəráin] [G] *n.* (*pl.* **~s**) 연맹, 동맹; 조합, 협회(association), 회

‡**verge** [vɚ́ːrdʒ] *n.* **1 가장자리**, 가, 맨 끝, **변두리**(edge): the ~ of a desert 사막의 가장자리 **2** [the ~] 경계, 한계 **3** 경계를 이루는 것; 도로[화단]의 가장자리 (풀) **4** 경계 내의 지역, 범위 **5** 《시어》 수평선 **6** 〚역사〛 (영국의) 궁내 대신의 관구(區) 《왕궁을 포함한 지역으로 궁정 재판소가 재판권을 가짐》 **7** 권표(權標) 《고위 성직자의 행렬 등에 받드는 표상》 **8** 축(軸), 굴대 《회중시계·라이노타이프 등의》 ***on the ~ of*** …하기 직전에; …에 직면하여, 바야흐로 …하려 하여: *on the ~ of* starvation 아사(餓死) 직전에
— *vi.* **1** 기울다, 〈해가〉 지다(sink), 아래로 향하다 **2 a** (어떤 상태·방향으로) 향하다(tend) 《*toward*》; …에 가까워지다, 거의 …할 지경이다 《*on, upon*》: (~+전+명) ~ *on*[*upon*] insanity 광기에 가깝다, 미친 것 같다 **b** …에 접하다, 경계하다 **~ *to*[*toward*(*s*)] *a close*** 끝장에 가까와지다
— *vt.* …의 경계를 이루다

verg·er [vɚ́ːrdʒər] *n.* **1** 《영》 권표를 받드는 사람 《교회·대학 등의》 **2** 성당지기(usher)

Ver·gil, Vir- [vɚ́ːrdʒil] *n.* **1** 남자 이름 **2** 베르길리우스 **Publius Vergilius Maro** (70-19 B.C.) 《로마 시인; *The Aeneid*의 저자》

Ver·gil·i·an, Vir- [vərdʒíliən, -ljən] *a.* Vergil 풍의

ver·glas [vɛərglɑ́ː] [F] *n.* Ⓤ 〚등산〛 베르글라 《바위에 붙은 얇은 얼음》

ve·rid·i·cal [vərídikəl], **ve·rid·ic** [-ik] *a.* **1** = VERACIOUS **2** 〈초자연적인 현상 등이〉 현실의, 몽상이 아닌 **ve·rìd·i·cál·i·ty** *n.* Ⓤ 진실성 **-i·cal·ly** *ad.*

ver·i·est [vériist] *a.* [VERY의 최상급] 《문어》 순전한, 더할 나위 없는(utmost): the ~ rascal 최고 악질의 망나니 / The ~ baby could do it. 갓난애라도 하려면 할 수 있다.

ver·i·fi·a·bil·i·ty [vèrəfàiəbíləti] *n.* Ⓤ 실증할 수 있음, 검증 가능성

verifiabílity prìnciple 〚논리〛 검증 가능성의 원리

ver·i·fi·a·ble [vérəfàiəbl] *a.* 증명할 수 있는; 입증[검증]할 수 있는 **~·ness** *n.* **-bly** *ad.*

ver·i·fi·ca·tion [vèrəfikéiʃən] *n.* Ⓤ **1** 확인, 조회; 입증, 증명, 검증; 검사 **2** 증거, 근거 **3** 비준 **4** ⓊⒸ 〚법〛 진술이 사실이라는 확언

ver·i·fi·er [vérəfàiər] *n.* 입증자, 증명자, 검정기(檢定器); 〚컴퓨터〛 검공기(檢孔機)

***ver·i·fy** [vérəfài] *vt.* (**-fied**) **1 증명[입증]하다**, 증거를 대다, 확증하다; 조회하다; 확인하다: ~ a spelling 철자를 확인하다 **2** 〈사실·행위 등이 예언·약속 등을〉 실증하다 **3** 〚법〛 입증하다 《증거·선서 등에 의하

thesaurus **verdict** *n.* decision, judgment, finding, adjudication, conclusion, ruling, opinion
verge *n.* edge, border, margin, rim, limit,

여》 **4** 〖컴퓨터〗 검증하다
▷ verificátion *n.*

ver·i·ly [vérəli] *ad.* 《고어》 (특히 맹세에서) 진실로, 틀림없이(truly) ▷ véry *a.*

ver·i·sim·i·lar [vèrəsímələr] *a.* 《드물게》 정말[사실]인 듯한, 있을 법한 **~·ly** *ad.*

ver·i·si·mil·i·tude [vèrəsimílətjù:d | -tjù:d] *n.* **1** Ⓤ 있을 법함, 진실[정말]인 듯함, 진실에 가까움, 박진성(迫眞性) **2** 정말 같은 일[이야기]

ver·ism [víərizm, vér-] *n.* Ⓤ 〖문학〗 진실주의 **-ist** *n., a.* **ve·ris·tic** [viərístik] *a.*

ve·ris·mo [vərízmou] [It.] *n.* (*pl.* **~s**) 베리즈모, 진실주의(verism) 《19세기 이탈리아 오페라의 한 형식; 인물·무대가 진실주의를 특징으로 하는》

∗**ver·i·ta·ble** [vérətəbl] *a.* 실제의, 정말의, 진실의, 틀림없는 **~·ness** *n.* **-bly** *ad.*

ve·ri·tas [véritæ̀s] [L] *n.* 진리

vé·ri·té [vèritéi] [F] *n.* 진실; = CINÉMA VÉRITÉ

ver·i·ty [vérəti] *n.* (*pl.* **-ties**) 《문어》 **1** Ⓤ 진실성, 진실(truth): in all ~ 진실로 《맹서할 때 씀》/in ~ 정말로, 참으로/of a ~ 《고어》 진실로, 참으로 **2** [보통 *pl.*] 진실의 진술; Ⓤ 사실, 진리: the eternal *verities* 영원한 진리 ▷ vérify *v.*

ver·juice [və́:rdʒù:s] [OF 「녹색의 즙」의 뜻에서] *n.* Ⓤ **1** (덜익은 사과·딸기 등의) 신 과즙 **2** (성질·표정 등의) 까다로움 **—** *a.* 신맛 나는 과즙의, 신맛의; 까다로운 **vér·juiced** [-t] *a.*

ver·kramp·te [fərkrǽmptə] 《남아공》 *n.* (흑인 차별을 지지하는) 국민당 우파, 초보수주의자
— *a.* 국민당 우파의; 편협한

ver·lig·te [fərlíxtə] 《남아공》 *n.* (흑인에 대해 온건한) 국민당 좌파, 온건파 (사람); 관대한 사람
— *a.* 국민당 좌파의; 온건파의

ver·meil [və́:rmil, -meil | -meil] *n.* Ⓤ **1** 《시어》 빨간색, 주홍색(vermilion) **2** [vərméil] 금도금한 은[청동] **—** *a.* 《시어》 빨간, 주홍색의

vermi- [və́:rmi, -mə] 《연결형》 「벌레」의 뜻

ver·mi·an [və́:rmiən] *n.* 연충(蠕蟲)류의, 연충을 닮은

ver·mi·cel·li [vɔ̀:rmətʃéli, -séli] [It. 「가늘고 긴 벌레」의 뜻에서] *n.* Ⓤ 베르미첼리 《spaghetti보다 가는 파스타(pasta)류》

ver·mi·cid·al [vɔ̀:rməsáidəl] *a.* 살충(제)의

ver·mi·cide [və́:rməsàid] *n.* 살충제; 《특히》 기생충약, 구충제

ver·mic·u·lar [və:rmíkjulər] *a.* **1** 연충(蠕蟲) 모양의 **2** 연동(蠕動)하는; 벌레 먹은 자국 모양의; 구불구불한 **~·ly** *ad.*

ver·mic·u·late [və:rmíkjulèit] *vt.* …에 벌레 먹은 자국 같은 무늬를 만들다
— [-lət] *a.* 벌레 먹은; 〈생각 등이〉 얽히고 설킨

ver·mic·u·la·tion [və:rmìkjuléiʃən] *n.* **1** Ⓤ (장(腸)의) 연동(蠕動) **2** ⓊⒸ 〖건축〗 벌레 먹은 모양의 세공[장식]

ver·mic·u·lite [və:rmíkjulàit] *n.* Ⓤ 질석(蛭石) 《화강암 속의 흑운모가 분해된 것》

ver·mi·cul·ture [və́:rməkʌ̀ltʃər] *n.* Ⓤ 지렁이 양식

ver·mi·form [və́:rməfɔ̀:rm] *a.* 연충 모양의

vérmiform appéndix 〖동물·해부〗 충수(蟲垂)

vérmiform pròcess 〖해부〗 = VERMIFORM APPENDIX; 소뇌(小腦)의 충양체(蟲樣體)

ver·mi·fuge [və́:rməfjù:dʒ] *n.* 구충제
— *a.* 구충(제)의 **ver·mi·fu·gal** [vɔ̀:rməfjú:gəl] *a.*

ver·mi·grade [və́:rməgrèid] *a.* 굼벵이같이 움직이는, 연동(蠕動)하는, 구불구불 전진하는

ver·mil·ion, -mil·lion [vərmíljən] [L 「(코치닐) 충」의 뜻에서] *n.* ⓊⒸ **1** 주홍(朱紅), 단사(丹砂) **2** 주홍빛 **—** *a.* 주홍(빛)의, 주홍으로 물들인[칠한]
— *vt.* 주홍으로 물들이다[칠하다]

ver·min [və́:rmin] [L 「벌레」의 뜻에서] *n.* (*pl.* ~) [집합적; 보통 복수 취급] **1** 해수(害獸) 《쥐·족제비 등》, 해조(害鳥) **2** 해충 《집·의류 등의 해충, 벼룩·빈대·이 등》, 기생충 **3** 사회의 해충; 악당, 인간쓰레기

ver·mi·nate [və́:rmənèit] *vi.* 해충[벼룩, 이, 빈대]이 꾀다[생기다]

ver·mi·na·tion [vɔ̀:rmənéiʃən] *n.* Ⓤ 해충 발생; 〖병리〗 기생충병

ver·mi·no·sis [vɔ̀:rmənóusis] *n.* (*pl.* **-ses** [-si:z]) 〖병리〗 기생충병

ver·min·ous [və́:rmənəs] *a.* **1** 벌레[벼룩, 이, 빈대 《등》]가 꾄[끓는] **2** 〈병이〉 해충에 의하여 생긴, 기생충에 의한 **3** 〈사람이〉 유해한, 비열한; 해독을 끼치는 **~·ly** *ad.* **~·ness** *n.*

ver·miv·o·rous [və:rmívərəs] *a.* 벌레를 먹는, 식충의

Ver·mont [və:rmɑ́nt | -mɔ́nt] [F 「푸른 산」의 뜻에서] *n.* 버몬트 《미국 동북부의 주; 주도 Montpelier; 속칭 the Green Mountain State: 略 Vt, 〖우편〗 VT》 **~·er** *n.* Vermont 주의 사람

ver·mouth, -muth [vərmú:θ] [G 「향쑥」의 뜻에서] *n.* Ⓤ 베르무트주(酒) 《약초·강장제로 맛을 낸 흰 포도주》

Vern [və́:rn] *n.* 남자 이름 《Vernon의 애칭》

Ver·na [və́:rnə] *n.* 여자 이름

∗**ver·nac·u·lar** [vərnǽkjulər] [L 「집에서 태어난 노예」의 뜻에서] *n.* **1** [the ~] 제 나라말, 자국어(自國語); 지방어, 방언, 사투리: *the* English ~ of Ireland 아일랜드 방언 **2** 직업[전문] 용어, (동업자간의) 은어 **3** 〖언어〗 생득어(生得語) **4** (동·식물의) 속칭, 속명
— *a.* **1** 〈국어·어법·말이〉 자국(自國)의, 토착의(native) **2** 자국어에 의한, 지방어로 쓰여진: a ~ paper 자국어 신문 **3** 일상 구어의 **4** 〈건축·공예 등이〉 그 지방[시대] 특유의, 민예적인 **5** (동·식물에 관해) 통칭의, 속칭의 **6** 《폐어》 〖병리〗 풍토적인(endemic): a ~ disease 풍토병 **~·ism** *n.* Ⓤ 자국어 어법, 자국어 사용 **~·ize** *vt.* 자국어로 옮기다; 지방어로 고치다 **~·ly** *ad.*

vernácular náme 〖생물〗 지방명, 속명(俗名) 《학명이 아닌 한 지방에서의 동물명·식물명》

ver·nal [və́:rnl] [L 「봄의」의 뜻에서] *a.* **1** 봄의, 봄에 나는, 봄에 피는; 〈철새가〉 봄에 찾아오는: ~ flowers 봄 꽃 **2** 봄 같은[다운], 봄빛을 띤 **3** 젊은, 청춘의, 청년의: ~ years 청춘 시절 **~·ly** *ad.*

vérnal équinox [the ~] 〖천문〗 춘분; 춘분점 《vernal point라고도 함》

ver·nal·ize [və́:rnəlàiz] *vt.* 〖농업〗 〈식물의〉 개화 결실을 촉진하다, 춘화(春化) 현상을 일으키다
vèr·nal·i·zá·tion *n.*

ver·na·tion [və:rnéiʃən] *n.* Ⓤ 〖식물〗 아형(芽型) 《싹 안의 잎의 배치》

Verne [və́:rn] *n.* 베른 **Jules ~** (1828-1905) 《프랑스의 공상 과학 소설가》

Ver·ner [və́:rnər, vέər-] *n.* 베르너 **Karl Adolph ~** (1846-96) 《덴마크의 언어학자》

Vérner's láw 〖언어〗 베르너의 법칙 《인구어(印歐語)간의 자음 법칙》

ver·ni·cle, -na- [və́:rnikl] *n.* = VERONICA 2

ver·ni·er [və́:rniər] *n.* **1** 버니어, 유표(척)(遊標(尺)), 부척(副尺)(= **~ scàle**) 《발명자인 프랑스의 수학자 이름에서》 **2** 〖우주과학〗 = VERNIER ENGINE
— *a.* 버니어가 달린

vérnier cáliper[micrómeter] 노기스 《부척 달린 캘리퍼스》

vérnier éngine[rócket] 〖우주과학〗 보조 엔진 《미사일·로켓의 진로와 속도를 조절하는 소형 로켓 엔진》

ver·nis·sage [vɔ̀:rnəsɑ́:ʒ] [F] *n.* (미술 전시회를 열기 전의) 화랑에서의 연회

Ver·non [və́:rnən] *n.* **1** 남자 이름 **2** = MOUNT VERNON

---

boundary, end, extremity, brink, threshold
verify *v.* confirm, substantiate, prove, testify to, validate, authenticate, endorse, ratify

Ve·ro·na [vəróunə] *n.* 베로나 《이탈리아 북부의 도시》
Ver·o·nal [vérənl] *n.* 베로날 《최면·진정제 barbital의 상품명》
Ver·o·nese [vèrəní:z, -ní:s | -ní:z] *a.* 베로나(Verona)(풍)의 **—** *n.* (*pl.* **~**) 베로나 사람
ve·ron·i·ca[1] [vərɑ́nikə | -rɔ́n-] *n.* 〖식물〗 눈꼬리풀속(屬) 《현삼과(科)》
veronica[2] *n.* [때로 **V~**] **1** [the ~] 베로니카, 성안(聖顔)(상(像)) **2** 성포(聖布) 《그리스도의 얼굴이 찍힌 천》
veronica[3] *n.* 〖투우〗 베로니카 《케이프를 흔들어 소를 다루는 동작》
Ve·ron·i·ca [vərɑ́nikə | -rɔ́n-] *n.* 여자 이름
ver·ru·ca [vərú:kə, ve-] *n.* (*pl.* **-cae** [-si:]) 〖병리〗 (보통 발바닥에 생기는) 무사마귀(wart); 〖동물·식물〗 사마귀 모양의 돌기
ver·ru·cose [vérəkòus, vərú:kous | verú:kous] *a.* 사마귀가 많은; 사마귀꼴 돌기로 뒤덮인 **~·ness** *n.*
ver·ru·cous [vérəkəs, vərú:- | véru-] *a.* 사마귀(모양)의
vers 〖수학〗 versed sine
Ver·sailles [vɛərsái] *n.* 베르사유 《파리 서부의 궁전 소재지; 제1차 대전 후의 강화 조약 체결지》
ver·sal [və́:rsəl] *a.* 《고어》 보편적인, 전반적인
ver·sant [və́:rsənt] [F] *n.* 산[산맥]의 한쪽 경사면; (한 지방) 전체의 경사
∗**ver·sa·tile** [və́:rsətl | -tàil] [L 「방향을 바꾸는」의 뜻에서] *a.* **1** 다재다능한; 〈능력·재능이〉 다방면의, 융통성이 있는: a very ~ performer 아주 다재다능한 연기자[연주자] **2** 다목적으로 쓰이는, 다용도의: a ~ tool 다목적 도구 **3** 〖식물〗 T자 꼴의 **4** 〖동물〗 가전(可轉)[반전(反轉)]성의(reversible): a ~ toe 가전성 발가락 **5** 〈감정·기질 등이〉 변하기 쉬운, 변덕스러운
~·ly *ad.* **~·ness** *n.* **ver·sa·til·i·ty** [və̀:rsətíləti] *n.* Ⓤ 다재, 다예, 다능, 융통성 있음
vers de so·cié·té [vɛ́ər-də-sòusiətéi] [F] *n.* 사교시(社交詩)
‡**verse**[1] [və́:rs] [L 「바꾸다」의 뜻에서] *n.* **1** Ⓤ (문학 형식으로서의) 운문(metrical composition)(opp. *prose*), 시(詩): express in ~ 시로 짓다 **2** [집합적] (어느 작가·시대·나라의) 시가(opp. *prose*) **3** (시의) 절(節), 연(聯)(stanza) **4** 시의 한 줄, 시구(詩句): quote a ~ 시의 한 행을 인용하다 **5 a** (한 편의) 시, 시편: lyrical ~ 서정시 **b** (노래의) 절 **6** 시형, 시격: blank ~ 무운시(無韻詩) 《무운 5각(脚)의 억양격》/ free ~ 자유시 / elegiac ~ 애가(哀歌) **7** (성서·기도서의) 절 **8** 〖음악〗 (성가의) 독창부 ***cap ~s*** 앞의 시구의 끝말과 운이 같은 말로 다음 구를 시작하다 ***give chapter and ~ for*** (인용문 등의) 출처를 명백히 밝히다 ***put*** [***turn***] ***into ~s*** 시로 짓다
— *vt.* 시로 표현하다[짓다]; 시로 고치다
— *vi.* 시를 짓다
▷ vérsify *v.*
verse[2] *vt.* …에 정통[숙달]하다
versed [və́:rst] *a.* Ⓟ (문어) 숙달[정통]한, 통달한 《*in*》: be ~ *in* …에 조예가 깊다 / well ~ *in* Greek and Latin 그리스어와 라틴어를 잘하는
vérse dràma 시극(詩劇), 운문극
vérsed síne 〖수학〗 버스트 사인 《1-cos θ 때의 각 θ; 略 vers》
verse·let [və́:rslit] *n.* Ⓤ 단시(短詩), 소시(小詩)
verse·man [və́:rsmən] *n.* 시인, 작시가
verse·mon·ger [-mʌ̀ŋgər, -mɑ̀ŋ- | -mʌ̀ŋ-], **-mak·er** [-mèikər] *n.* 엉터리[삼류] 시인
vérse-speak·ing chóir [-spì:kiŋ-] 시의 합창대
vers·et [və́:rsit] *n.* 《특히》 성서에서 따온 짧은 시; 〖음악〗 (미사 때 연주하는) 파이프 오르간용 소곡
ver·si·cle [və́:rsikl] *n.* **1** 단시(短詩) **2** 〖그리스도교〗 교독문 《예배할 때 목사나 사회자가 첫 구절을 읽으면 합창단·참석자가 제창함; 종종 시편 등에서 인용됨》 **ver·sic·u·lar** [və:rsíkjulər] *a.*
ver·si·col·or(**ed**) [və́:rsikʌ̀lər(d)] *a.* **1** (각도·광선에 의하여) 색이 변하는, 갖가지 색의, 무지개색의 **2** 잡색의, 얼룩색의
ver·si·fi·ca·tion [və̀:rsəfikéiʃən] *n.* Ⓤ **1** 작시(作詩), 시작(詩作), 운문화(韻文化) **2** (…의) 시형(verse form); 운문 구조 《*of*》 **3** 운문화; 작시법
ver·si·fi·er [və́:rsəfàiər] *n.* **1** 시작가(家), 시인; 산문을 운문으로 고치는 사람 **2** 엉터리 시인
ver·si·fy [və́:rsəfài] *v.* (**-fied**) *vt.* **1** 시로 짓다, 시로 말하다 **2** 〈산문을〉 운문으로 고치다
— *vi.* 《경멸》 시를 짓다
∗**ver·sion** [və́:rʒən, -ʃən | -ʃən, -ʒən] [L 「전환」의 뜻에서] *n.* **1** 번역, 번역문: the English ~ of the original 원전의 영역(英譯) **2** (개인적 또는 특수한 입장에 의한) 설명, 설(說), 이설(異說), 견해: two different ~s of the accident 그 사고에 관한 두 가지 다른 설명 **3** (원형·원물에 대한) 이형, 변형; 개작, 개조; (연주자·배우 등의 독자적인) 해석, 연주, 연출; (소설의) 개작, 각색, 번안 《*of*》: a stage ~ *of* a novel 소설을 극화한 것 **4** [보통 **V~**] (성서의) 역(譯), …판 **5** 〖의학〗 (분만할 때의) 태아 선위법(轉位法) **6** 〖병리〗 (자궁 등의) 이상경사 **7** 〖컴퓨터〗 판, 버전 《소프트웨어 명령의 끝에 붙는 숫자로 기능이 개선됨을 나타냄》
~·al [-ʒənl | -ʃənl] *a.*
vérsion nùmber 〖컴퓨터〗 버전 번호 《소프트웨어 개발업자들이 자신이 개발한 소프트웨어의 각 단계를 구분하기 위하여 붙인 번호》
vers li·bre [vɛ̀ər-lí:brə] [F = free verse] *n.* 자유시(형)
vers-li·brist(**e**) [vɛərlí:brist] [F] *n.* 자유 시인
ver·so [və́:rsou] [L = (the page) being turned] *n.* (*pl.* **~s**) **1** 왼편[짝수] 페이지 《책을 폈을 때의》, (종이의) 뒷면(opp. *recto*) **2** (책의) 뒷표지(back cover) **3** (화폐·메달 등의) 뒷면, 이면(opp. *obverse*)
verst(**e**) [və́:rst, vɛ́ərst] *n.* 베르스타, 노리(露里) 《러시아의 이정(里程); = 1.067 km》
∗**ver·sus** [və́:rsəs, -səz | -səs] [L = against, toward] *prep.* **1** (소송·경기 등에서) …대(對), …에 대한 《略 v., vs.》: Jones *v.* Smith 〖법〗 존스 대 스미스 사건 / Army ~ Navy 육군 대 해군 **2** …와 대비[비교]하여: traveling by plane ~ (traveling) by train 비행기 여행을 할지 기차 여행을 할지
vert[1] [və́:rt] *n.* Ⓤ **1** 〖영국법〗 삼림 중의 푸르게 숲이 우거진 곳 《특히 사슴이 숨는 장소》; 입목 벌채권(伐採權) **2** (문장(紋章)의) 녹색(綠色)
— *a.* (문장(紋章)의) 녹색의
vert[2] *n.* (영·구어) (영국국교회에서 가톨릭으로의) 개종자(改宗者); 배교자(背敎者), 변절자; (미) 마음을 고쳐 먹은 악한 **—** *vi.* 개종하다; 전향하다
vert. vertebrate; vertical
ver·te·bra [və́:rtəbrə] [L] *n.* (*pl.* **-brae** [-brì:], **~s**) 〖해부〗 **1** 척추골 **2** [the vertebrae] 척추, 척주
ver·te·bral [və́:rtə:brəl] *a.* 〖해부〗 척추의[에 관한]; 척추골로 된[을 가진] **~·ly** *ad.*
vertébral cólumn 척추, 척주(spine)
Ver·te·bra·ta [və̀:rtəbréitə, -brɑ́:- | -brɑ́:-] *n. pl.* [the ~] 〖동물〗 척추동물문(門)
ver·te·brate [və́:rtəbrət, -brèit] *a.* **1** 척추[척골]가 있는 **2** 척추동물문에 속하는 **3** 튼튼한, 조직이 잘 된 **—** *n.* 척추동물
ver·te·brat·ed [və́:rtəbrèitid] *a.* 척추골을 가진[로 된]
ver·te·bra·tion [və̀:rtəbréiʃən] *n.* Ⓤ **1** 척추 구조 **2** 견고성, 긴밀성
ver·tex [və́:rteks] [L] *n.* (*pl.* **~·es, -ti·ces** [-təsì:z]) **1** 최고점, 정상, 꼭대기 **2** 〖해부〗 두정(頭頂), 정수리 **3** 〖기하〗 꼭지점, 정점, 각정(角頂) **4** 〖천문〗 천정(天頂)
‡**ver·ti·cal** [və́:rtikəl] *a.* **1** 수직[연직]의(cf. HORI-

thesaurus **versatile** *a.* **1** 다재다능한 adaptable, flexible, all-around, multifaceted, ingenious,

ZONTAL), 곧추선, 세로의: (a) ~ motion 상하 운동/a ~ turn (비행기의) 수직 선회/a ~ rudder (비행기의) 방향키 **2** 정점의, 절정의, 꼭대기의 **3** 〖해부〗 두정(頭頂)의, 정수리의 **4** 〖식물〗 〈잎이〉 직립인 **5** 수직적 통합의 **6** 〈조직·사회 구조 등이〉 각 단계를 세로로 잇는, 종단적인 **7** 〖기하〗 정점의 **8** 〖천문〗 천정(天頂)의 ―*n.* **1** [the ~] 수직선[면]; 수직의 위치: out of *the* ~ 수직에서 벗어나 **2** 〖건축〗 수직재(材)
~·ly *ad.* **~·ness** *n.* ▷ vértex, verticálity *n.*
vértical ángle 〖수학〗 정각(頂角), 맞꼭지각
vértical círcle 〖천문〗 고도권(高度圈)
vértical divéstiture 〖경제〗 수직적 분리 《수직적 통합 상태에 있는 기업의 자회사를 분리하기; cf. HORIZONTAL DIVESTITURE》
vértical envélopment 〖군사〗 (공수 부대에 의한) 하늘로부터의 포위, 입체 포위 작전[공격]
vértical expánsion 〖경제〗 수직적 확장 《다른 회사로부터 제공받던 제품·서비스 활동을 어떤 회사가 새로 시작하는 식의 확장》
vértical féed 〖컴퓨터〗 수직 피드 《수직 방향으로 용지를 공급하는 일》
vértical fíle **1** 세워서 정리한 서류·팸플릿류 **2** 세로형 캐비닛
vértical fín **1** 세로지느러미 《등·꼬리·뒷지느러미 등》 **2** 〖항공〗 수직 안전판, 수직 미익
vértical integrátion 〖경제〗 수직적 통합 《일련의 생산 공정에 있는 기업간의 통합; cf. HORIZONTAL INTEGRATION》
ver·ti·cal·i·ty [vəːrtikǽləti] *n.* Ⓤ 수직성, 수직 (상태)
vértical líne 수직선, 연직선(鉛直線)
vértical mérger[combinátion] = VERTICAL INTEGRATION
vértical mobílity 〖사회〗 수직 이동 《지위의 변동·문화의 전파 등이 다른 사회 계층으로 옮아가는 일》
vértical pláne 수직면
vértical príce-fixing 〖경제〗 수직적 가격 유지
vértical proliferátion 수직적 증대 《핵 보유국의 핵무기 보유량의 증대》
vértical publicátion 전문 잡지 《특정 그룹에 속하는 사람을 대상으로 한 잡지; cf. HORIZONTAL PUBLICATION》
vértical séction 수직 단면, 종단면
vértical stábilizer 〖항공〗 수직 안정판(fin)
vértical tákeoff 〖항공〗 수직 이륙 《略 VTO》: ~ and landing 비톨, 수직 이착륙 《略 VTOL》
vértical thínking 수직 사고 《상식에 의거한 논리적 사고방식》
vértical únion 산업별 노동조합(industrial union)(cf. HORIZONTAL UNION)
ver·ti·ces [vɔ́ːrtəsìːz] *n.* VERTEX의 복수
ver·ti·cil [vɔ́ːrtəsìl] *n.* 〖식물·동물〗 윤생체(輪生體)
ver·ti·cil·late [vərtísələt, -lèit, vəːrtəsíleit, -lət], **-lat·ed** [-id] *a.* 〖식물·동물〗 〈잎·털 등이〉 윤생[돌려나기]의; 윤생의 잎[털]을 가진 **-late·ly** *ad.*
ver·tig·i·nous [vəːrtídʒənəs] *a.* **1** 빙빙 도는, 선회하는 **2** 현기증 나는, 어지러운 **3** 현기증 나게 하는, 어질어질하는 **4** 어지럽게 변하는, 변하기 쉬운, 불안정한: a ~ economy 불안정한 경제 **~·ly** *ad.* **~·ness** *n.*
ver·ti·go [vɔ́ːrtigòu] [L 「회전」의 뜻에서] *n.* (*pl.* **~s, ~es, ver·tig·i·nes** [vəːrtídʒənìːz]) ⓊⒸ **1** 〖병리〗 현기(眩氣), 어지러움 **2** (정신적) 혼란 **3** 〖동물의〗 선회; 선회병
ver·ti·port [vɔ́ːrtipɔ̀ːrt] [*verti*cal air*port*] *n.* 〖항공〗 수직 이착륙 비행장
ver·ti·sol [vɔ́ːrtəsɔ̀ːl, -sɑ̀l | -sɔ̀l] *n.* 〖지질〗 수직 토양 《토양의 표면에 깊은 균열이 있는 토양; 건계(乾季)가 긴 지방에서 볼 수 있음》

---

clever **2** 다용도의 adjustable, multipurpose, handy
vertical *a.* upright, erect (opp. *horizontal, level*)

ver·tu [vəːrtúː, vɔ́ːrtuː] *n.* = VIRTU
ver·vain [vɔ́ːrvein] *n.* 〖식물〗 마편초속(屬)의 다년초
verve [vɔ́ːrv] [OF 「(언어의) 박력」의 뜻에서] *n.* Ⓤ **1** (예술 작품에 나타난) 기백, 열정 **2** 활기, 힘, 기력, 정력, 기운, 기상(spirit) **3** 《고어》 재능
ver·vet [vɔ́ːrvit] *n.* 〖동물〗 긴꼬리원숭이의 일종 《남아프리카산(産)》
‡**ver·y** ⇨ very (p. 2790)
véry hìgh fréquency 〖통신〗 초단파 《30-300 megahertz; 略 VHF》
véry lárge scàle integrátion 〖전자〗 초고밀도 집적 회로 《略 VLSI》
Vé·ry lìght [véri-] [미국의 발명자 이름에서] 베리식 신호 조명탄 《야간 비행기 착륙의 신호·구난 신호 등에 쓰이는 색채 섬광》
véry lów-dénsity lipoprotein 〖생화학〗 초저밀도 리포 단백질 《略 VLDL》
véry lòw fréquency 〖통신〗 초장파 《3-30 kilohertz; 略 VLF》
véry lòw témperature 〖물리〗 극저온 《절대 영도(-273.15℃)에 가까운 온도》
Véry pìstol 베리식 신호 권총
Véry Réverend 〖영국국교〗 bishop, abbot, abbess 직위 밑의 성직자 및 교단 임원에 대한 공식 호칭 《略 Very Rev(d)》
Véry sìgnals 베리 신호 《Very light에 의한 야간용 신호》
ves. vessel; vestry
VESA [víːsə] [*V*ideo *E*lectronics *S*tandards *A*ssociation] *n.* 〖컴퓨터〗 비디오 일렉트로닉스 표준화 협회
Ve·sak [vésæk] *n.* 베삭 《부처의 탄생·깨달음·열반을 축하하는 축제의 하나》
ve·si·ca [vəsáikə, -síː-, vésikə | vésikə] *n.* (*pl.* **-cae** [-si, -ki | -sìː]) **1** 〖해부〗 낭(囊), 《특히》 방광(膀胱) **2** = VESICA PISCIS
ves·i·cal [vésikəl] *a.* 〖해부〗 낭(囊)의; 《특히》 방광의
ves·i·cant [vésikənt] *n.* **1** 〖의학〗 발포제(發疱劑) **2** 미란성 독가스 ―*a.* 발포하는; 발포시키는
ve·si·ca pis·cis [vəsáikə-páisis, -písis, -pískis | vésikə-písis] 〖미술〗 (중세 고딕 종교 건축의 성상(聖像)이 지니는) 후광 《끝이 뾰족한 타원형 장식》
ves·i·cate [vésəkèit] *vt., vi.* 〖의학〗 수포(水疱)를 생기게 하다, 수포가 생기다
ves·i·ca·tion [vèsəkéiʃən] *n.* ⓊⒸ 〖의학〗 발포(發疱)
ves·i·ca·to·ry [vésikətɔ̀ːri, vəsíkə- | vésikèitəri] *a., n.* (*pl.* **-ries**) = VESICANT
ves·i·cle [vésikl] *n.* **1** 〖해부〗 소낭(小囊), 소포(小胞); 〖의학〗 소수포(小水疱) **2** 〖동물·식물〗 소공포(小空胞), 기포(氣胞); 액포(液胞) **3** 〖암석〗 (화산암 등의) 기공(氣孔)
vesico- [vésikou, -kə] 《연결형》 「방광」의 뜻
ves·i·cot·o·my [vèsəkɑ́təmi | -kɔ́t-] *n.* Ⓤ 〖외과〗 방광절개(술)
ve·sic·u·lar [vəsíkjulər] *a.* **1** 〖의학〗 소낭[소포]성의 **2** 소포[기공]를 갖는, 소포로 이루어진 **~·ly** *ad.*
vesícular stomatítis 〖수의학〗 (말·돼지 등의) 수포성 구내염(口內炎)
ve·sic·u·late [vəsíkjulət, -lèit] *a.* 소낭이 있는[으로 덮인]; 소낭[소포]성의 ― [-lèit] *vi., vt.* 소낭[소포]이 생기다[생기게 하다] **ve·sìc·u·lá·tion** *n.*
ves·per [véspər] [L 「저녁(의 별)」의 뜻에서] *n.* **1** 《시어》 저녁, 밤, 땅거미 **2** [**V~**] 《시어》 개밥바라기 (Hesperus) **3** 저녁 기도의 종(=∠ **bèll**) **4** [*pl.*] 〖종교〗 저녁 기도[예배](evensong) ―*a.* 저녁의, 밤의; 저녁 기도[예배]의
ves·per·al [véspərəl] *n.* 〖가톨릭〗 **1** 만과집(晩課集) **2** (제대포(祭臺布)의) 먼지막이 덮개
―*a.* 《드물게》 저녁의, 석양의
ves·per·tide [véspərtàid] *n.* 저녁 기도 시간
ves·per·tine [véspərtin, -tàin | -tàin] *a.* **1** 밤의,

very

very는 원래 'true, truly'의 뜻이었다. very는 부사로서 「매우, 대단히, 아주」의 뜻으로 형용사·부사를 강조한다. 또 형용사로서 한정사와 함께 「바로 그, …조차, …까지도」의 뜻으로 명사를 수식한다. 일반 부사와는 달리 부사로서의 very는 동사는 수식하지 않고 형용사·부사만을 수식한다.

‡ver·y [véri] [L 「진실의」의 뜻에서] *ad.*, *a.*

— *ad.* **1** [원급의 형용사·부사의 정도를 강조하여] **대단히, 몹시, 아주, 무척**(USAGE afraid, alike, aware 등에는 《영》에서는 much를 쓰지만, 《미》에서는 ~ (much)를 씀; different에는 much, far도 쓰지만 very가 일반적): It took ~ little time. 시간은 얼마 걸리지 않았다. / He walked ~ carefully. 그는 몹시 조심스레 걸었다. / This is a ~ puzzling question. 이것은 정말 머리를 짜내게 하는 문제이다. / "Isn't he nice?" — "*V*~." 그 사람 멋지지 않아요? — 네, 무척. USAGE (1) 비교급의 형용사·부사는 much 또는 far로 수식한다; 최상급의 경우는 ⇨ 2: I like coffee *much better* than tea. 나는 홍차보다 커피를 더 좋아한다. (2) 동사는 (very) much로 수식한다. 《very 만 쓰는 것은 잘못》: Thank you ~ *much.* 대단히 감사합니다. (3) 현재분사형의 형용사의 경우에는 very를 쓴다: a ~ interesting story 아주 재미있는 이야기 (4) 과거분사형의 형용사가 Ⓐ로 쓰일 경우, 특히, 명사와의 의미상의 관계가 간접적인 경우에는 very를 쓴다: a ~ valued friend 아주 소중한 친구 / He wore a ~ worried look. 그는 몹시 걱정스러운 표정을 짓고 있었다. (5) 과거분사가 명확한 수동으로 쓰였을 경우에는 (very) much를 쓴다; 다만 《구어》에서는 특히 감정이나 심적 상태를 나타내는 과거분사는 형용사처럼 취급되어 very가 쓰인다: This picture has been (*very*) *much* admired[criticized, discussed]. 이 그림은 대단한 칭찬[비판, 논의]의 대상이 되어 왔다. / I was ~ pleased[tired, surprised, amused, excited, puzzled, interested]. 나는 몹시 기뻤다[지쳤다, 놀랐다, 즐거웠다, 흥분했다, 당황했다, 재미있었다].

2 [형용사의 최상급, same, last, opposite 또는 own 앞에 붙여 강조적으로 써서] **충분히,** 정말, 참으로: Do your ~ *best.* 최선을 다하라. / It is the ~ *last* thing I expected. 그것은 내가 전혀 예기치 못한 일이다. / the ~ *best* thing 그야말로 최선의 일 / in the ~ *same* place as before 전과 바로 같은 장소에서 / You can keep this book for your ~ *own.* 이 책은 네 자신의 물건으로 가져도 된다. ★ one's ~ own은 흔히 아이들에 대해서 말하거나 또는 아이들이 말할 때에 씀.

3 [부정문에서] **a 그다지[별로]** (…이 않다): *not* of ~ much use 별로 쓸모가 없는 / I'm *not* a ~ good tennis player. 테니스는 그다지 잘 못한다. / This is *not* a ~ good job. 그다지 잘한 일이 못된다. / "Are you busy?" — "No, *not* ~." 바쁘십니까? — 아뇨, 별로요. / This is*n't*[is not] ~ góod. 이것은 별로 좋지 않군. (USAGE good에 제1악센트가 있음에 주의; This isn't véry gòod.처럼 very에 제1악센트가 있는 문장은 This is véry gòod.의 부정문으로서 「이것은 아주 좋은 것은 아니다」라는 뜻이 되어, ... but it is quite good[better than last time] 「하지만 꽤[요전보다는 꽤] 좋다」라는 문장과 연관하여 씀) **b** [정반대의 뜻을 완곡하게 표현하여] 전혀[조금도] (…이 않다): I'm *not* feeling ~ well. 전혀 기분이 좋지 않아.

all ~ well[***fine***] 《구어》 [보통 but ...가 뒤따름] 대단히 좋지만, (…하는 것은) 상관없지만: "I'll buy her a pearl necklace!" — "That's *all* ~ *well* [It's *all* ~ *well* to say that], *but* where will you get the money?" 그녀에게 진주 목걸이를 사 주겠어! — 썩 좋은 일이지만[그렇게 말하는 것은 좋지만], 돈은 어디서 나지?

V~ fine! (1) 썩 좋다, 아주 훌륭해! (2) [종종 반어적으로] 잘했군!

V~ good. [명령·지시에 대하여] 좋습니다, 알았습니다: *V~ good*, sir[ma'am]. 선생님[부인], 알았습니다.

V~ well. 그래, 됐어, 알았어. 《종종 마지못해 하는 승낙의 뜻을 나타낼 때에 씀》: Oh, ~ *well*, if you want it that way. 네가 그러기를 원한다면 그러지[하는 수 없지].

— *a.* Ⓐ (**ver·i·er**; **ver·i·est**) ★ 비교 변화는 현대 영어에서는 거의 쓰지 않음; cf. 5 **1** [the, this, that 또는 소유격 인칭대명사와 함께 강조를 나타내어] **바로 그,** 다름 아닌 그: That's *the* ~ item I was looking for. 그게 바로 내가 찾던 것이었다. / You must do it *this* ~ day[minute]. 오늘[당장] 하지 않으면 안 돼. / This happened under *her* ~ eyes. 이 일은 그녀의 바로 눈앞에서 일어났다. / He was caught in *the* ~ act. 그는 바로 현행범으로[현장에서] 잡혔다.

2 [the ~로] …조차도, …만 하여도(mere): *The* ~ thought of the terrible accident makes me tremble. 그 끔찍한 사고를 생각만 해도 몸서리가 난다. / *The* ~ stones cry out. 돌도 부르짖는다, 귀신도 운다.

3 [the ~로] 극한의, 맨…: at *the* ~ beginning of his speech 그의 연설의 맨 첫마디에 / *the* ~ heart of the matter 문제의 핵심 / I saw the bird at *the* ~ top of the tree. 나무 맨 꼭대기에 그 새가 보였다.

4 〈감정 등이〉 그저 …의 일심으로, 순수한: the ~ joy of living 산다는 것이 그저 기쁠 뿐 / steal from ~ hunger 단지 배가 고파 남의 물건을 훔치다

5 《문어》 참다운, 진짜의; 가히 …이라 할 수 있는 ★ 이 뜻으로는 종종 비교급·최상급을 강조적으로 씀; ⇨ veriest: a ~ knave 진짜 악당 / for ~ pity's sake 제발 부탁이야 / The Nile is the ~ life of Egypt. 나일 강은 정말로 이집트의 생명이다.

The ~ idea! ⇨ idea

저녁의, 저녁에 일어나는 **2** 〖식물〗 저녁에 피는 〈꽃 등〉 **3** 〖동물〗 저녁에 활동하는[날아 다니는] **4** 〖천문〗 해질 녘에 사라지는

ves·pi·ar·y [véspièri | -piəri] *n.* (*pl.* **-ar·ies**) **1** 말벌집 **2** (말벌집 속의) 말벌떼

ves·pid [véspid] 〖곤충〗 *n.* 말벌(과(科)의 총칭)
— *a.* 말벌과(科)의

ves·pine [véspain, -pin] *a.* 〖곤충〗 말벌의[과 같은]

Ves·puc·ci [vespjúːtʃi | -púː-] *n.* 베스푸치 **Amerigo** ~ (1454-1512) 《이탈리아의 상인·항해가; America는 그의 이름에서 유래된 것으로 알려짐》

‡ves·sel [vésəl] [「작은 병」의 뜻에서] *n.* **1** 배 《보통 boat보다 큼》(⇨ ship 유의어): a merchant ~ 상선 / a sailing ~ 범선 / a war ~ 군함 **2** **용기**(容器), 그릇 《물주전자·단지·사발·병·냄비·접시 등》: Empty ~*s* make the most sound. 《속담》 빈 수레가 요란한 법이다. **3** 〖해부·동물〗 도관(導管), 맥관(脈管), 관(管): a blood ~ 혈관 **4** 〖성서〗 사람: a ~ of grace 은총 받은 사람 / a chosen ~ 〖성서〗 택한 그릇[사람] / a weak ~ 약한 그릇; 믿을 수 없는 사람 / the weaker ~ 〖성서〗 연약한 그릇 《여자》 / ~*s* of wrath 〖성서〗 진노(震怒)의 그릇, 신의 노염을 받을 사람

vés·sel(l)ed [-d] *a.*

‡vest [vést] [L 「의복」의 뜻에서] *n.* **1** 《미》 (양복의)

조끼(《영》 waistcoat) 《《영》에서는 상점 용어》 **2** 방탄조끼; 구명조끼: a bulletproof ~ 방탄조끼 **3** 《영》 내의, 셔츠(《미》 undershirt) **4** (여성복의) V자형 앞장식 **5** 《고어》 겉옷; 성직복, 제의(祭衣) ***play it close to the ~*** 《구어》 불필요한 위험을 피하다
— *vt.* **1** 《시어》 의복을 입히다, 〈제복(制服)을〉 입게 하다 **2** 〈권리를〉 주다, 부여하다; 〚법〛 소유권[행사권]을 귀속시키다 《*in*; *with*》: 〈~+목+전+명〉 ~ an estate[a title] *in* a person …에게 재산[칭호]을 주다 / ~ a person *with* rights *in* an estate …에게 재산권을 주다 / ~ a person *with* authority = ~ authority *in* a person …에게 권한을 부여하다
— *vi.* **1** 의복을 입다; 제복을 입다 **2** 〈권리·재산 등이〉 확정되다, 귀속하다 《*in*》
~·less *a.* **~·lìke** *a.*

Ves·ta [véstə] *n.* **1** 〚로마신화〛 베스타 여신 《불과 부엌의 여신; 그리스 신화의 Hestia에 해당》 **2** [**v~**] 밀랍 성냥

ves·tal [véstl] *n.* **1** Vesta 여신을 시중든 처녀, 신녀(神女)(= **~ vírgin**) 《영원한 정결(貞潔)을 맹세하고 여신의 제단의 성화(vestal fire)를 지켰던 6명의 처녀 중의 한 사람》 **2** 처녀; 수녀, 여승(nun)
— *a.* **1** Vesta 여신의[을 섬기는] **2** 정결한, 순결한(chaste), 처녀의 **~·ly** *ad.*

vest·ed [véstid] *a.* **1** 〚법〛 (권리 등의) 소유가 확정된, 기득(既得)의: ~ right 기득권 / ~ in possession 점유가 확정된 **2** 확립된, 보호받는, 기정의: ~ contributions to a fund 기금에 대한 기정의 공헌 **3** 제복(祭服)을 입은

vésted ínterest **1** 〚법〛 기득권[이권](vested right) **2** 연금 제도에서의 종신 권리 **3** [*pl.*] 국가의 경제 활동을 지배하는 개인[단체]

vest·ee [vestí:] *n.* 베스티 《여성복 앞 장식의 일종》

ves·ti·ar·y [véstièri | -əri] *a.* 의상의; 법의(法衣)의, 제의(祭衣)의 — *n.* (*pl.* **-ar·ies**) **1** 의류 보관실[상자]; (교회의) 제의실(vestry) **2** 의복; 《특히》 법의[제의] 한 벌

ves·tib·u·lar [vestíbjulər] *a.* **1** 현관의, 문간방의 **2** 〚해부〛 전정(前庭)[전방(前房), 전실(前室)]의

vestíbular nèrve 〚해부〛 전정(前庭) 신경 《평형감을 뇌에 전달하는 청신경의 일부》

ves·ti·bule [véstəbjù:l] [「입구」의 뜻에서] *n.* **1** 현관, 현관 홀, 대기실; (현관의) 차 대는 곳 **2** 《미》 (객차 앞뒤에 있는) 출입 방, 연결 복도 **3** 〚해부〛 전정(前庭), 전실(前室); 《특히》 내이강(內耳腔) **4** (새로운 것에의) 접근로; …을 이루는 수단 《*to*》
— *vt.* **1** …에 입구방을 설치하다 **2** 《미》 (객차 등에) 연결 복도를 설치하다

ves·ti·bu·lec·to·my [vèstəbju:léktəmi] *n.* 〚의학〛 이전정(耳前庭) 제거 수술

véstibule làtch 현관 자물쇠 《밖에서는 열쇠로 열고, 안에서는 손잡이만 돌리면 열리는 자물쇠》

véstibule schòol 《미》 (공장 등의) 신입 사원 양성소[훈련소]

véstibule tràin 《미》 관통식 열차(《영》 corridor train) 《객차 사이의 통행이 가능한》

***ves·tige** [véstidʒ] [L 「발자국」의 뜻에서] *n.* **1** 자취, 흔적, 모습, 표적, 형적(⇨ trace[1] 유의어); 〚생물〛 흔적 **2** [보통 부정어와 함께] 아주 조금(도 …않다) 《*of*》: *not* a ~ *of* evidence 증거가 조금도 없는 **3** 〚생물〛 흔적 (기관), 퇴화 기관 **4** 《고어》 발자국, 냄새 자취 《짐승의》

ves·ti·gi·al [vestídʒiəl, -dʒəl] *a.* **1** 흔적의 **2** 〚생물〛 퇴화한, 흔적 기관의 **~·ly** *ad.*

vest·ing [véstiŋ] *n.* Ⓤ **1** 양복 조끼의 천 **2** (정년 전 퇴직자의) 연금 수령권 (부여)

vésting dày (권리·재산 등의) 귀속 확정일

ves·ti·ture [véstətʃùər, -tʃər] *n.* **1** Ⓤ (권력·작위 등의) 수여, 부여 **2** [집합적] 의류, 의복 **3** 〚동물〛 몸의 표면을 덮는 것 《비늘, 털 등》

vest·ment [véstmənt] *n.* **1** [종종 *pl.*] 《문어》 의복, 의상(garment) **2** 《특히》 제의(祭衣), 예복 《일반적으로 성직자·성가대원이 입는 cassock, stole, surplice 등》: Mass ~*s* 미사의 제의 《chasuble이 그 주된 것》 **3** 감싸는 것, 덮는 것

vest·ment·al [vestméntl] *a.*

vest-pock·et [véstpɑ̀kit | -pɔ̀k-] *a.* Ⓐ 《미》 **1** 양복 조끼의 주머니에 들어갈 만한, 회중용의, 아주 작은 〈카메라·책 등〉: a ~ dictionary 포켓[소형] 사전 **2** 아주 소규모의: a ~ park (도시 안의) 소공원

ves·try [véstri] *n.* (*pl.* **-tries**) **1** (교회의) 제의실(祭衣室), 성구실(sacristy) **2** 교회 부속실 《사무실·기도실·주일 학교 교실용》 **3** [집합적] (미국 성공회·영국 국교회의) 교구위원(회) **vés·tral** *a.*

ves·try-clerk [véstriklə̀:rk] *n.* 《영》 교구 서기(parish clerk)

ves·try·man [-mən] *n.* (*pl.* **-men** [-mən, -mèn]) 교구 위원

ves·ture [véstʃər] *n.* ⓊⒸ **1** 〚법〛 (수목을 제외한) 지상 수확물, 지상 성육물 《목초, 농작물 등》 **2** 《시어·문어》 의복, 의류; 옷 (한 가지); 씌우개, 덮개(covering) — *vt.* 《시어·문어》 …에게 옷을 입히다; 싸다
vés·tured *a.* 옷을 입은; 덮인

ves·tur·er [véstʃərər] *n.* (교회의) 제의(祭衣)[성구실(聖具室)] 담당원

Ve·su·vi·an [vəsú:viən] *a.* **1** Vesuvius 화산의[같은] **2** 화산(성)의 — *n.* [**v~**] **1** 바람에 잘 꺼지지 않는 성냥 **2** Ⓤ 〚광물〛 베수비어스석(石)(vesuvianite)

ve·su·vi·an·ite [vəsú:viənàit] *n.* Ⓤ 〚광물〛 베수비아나이트(idocrase) 《Vesuvius 화산에 많은 갈색 또는 녹색의 광물》

Ve·su·vi·us [visú:viəs] *n.* **Mount ~** 베수비오 산 《이탈리아 나폴리만(灣)에 면한 활화산》

vet[1] [vét] [《영》 *vet*erinary surgeon 또는 《미》 *vet*erinarian] *n.*, *a.* 《구어》 수의(獸醫)(사)(의)
— *v.* (**~·ted**; **~·ting**) *vt.* **1 a** 〈동물을〉 진료하다 **b** 〈사람을〉 진찰하다, 치료하다 **2** 면밀히 조사하다, 심사하다; 검사[점검]하다: An expert *~ted* the manuscript before publication. 전문가가 출판 전에 원고를 검토했다. — *vi.* 수의사 노릇을 하다

vet[2] *n.*, *a.* 《미·구어》 = VETERAN

vet. veteran; veterinarian; veterinary

vetch [vétʃ] *n.* 〚식물〛 야생 완두, 살갈퀴덩굴속(屬)

vetch·ling [vétʃliŋ] *n.* 〚식물〛 연리초

veter. veterinary

‡**vet·er·an** [vétərən] [L 「나이 먹은」의 뜻에서] *n.* **1** 노련가, 경험 많은 대가, 베테랑; 《특히》 노병(老兵): a ~ of the police force 경찰의 베테랑 **2** 《미》 퇴역[재향] 군인(《영》 ex-serviceman): a Vietnam ~ 베트남전 참전 군인 **3** 《영》 **a** 오래 써서 낡은 것 **b** (1916년 이전에 만들어진) 클래식 카
— *a.* Ⓐ **1** 노련한, 많은 경험을 쌓은; 전쟁[전투] 경험이 많은: ~ troops 역전(歷戰)의 정예 부대 / a ~ member of Congress 노련한 국회의원 **2** 《미》 퇴역(군인)의 **3** 《영》 오래 써서 낡은

véteran cár 《영》 베테랑[클래식] 카 《1919년[좁은 뜻으로는 1905년] 이전의 자동차》(cf. VINTAGE CAR)

vet·er·an·ize [vétərənàiz] *vi.* (사병으로) 재입대하다 — *vt.* 노련하게 만들다

Véterans Administràtion [the ~] 《미》 재향 군인 관리국

Véterans(') Dày 《미·캐나다》 재향 군인의 날 《대부분의 주에서 11월 11일》(cf. ARMISTICE DAY)

véterans' préference 《미》 (특히 공무원 시험에서) 재향[퇴역] 군인 우대 조치

vet·er·i·nar·i·an [vètərənέəriən] *n.* 《미》 수의사(《영》 veterinary surgeon)

vet·er·i·nar·y [vétərənèri | -nəri] [L 「짐 운반용 동물」의 뜻에서] *a.* Ⓐ 수의(학)의: a ~ hospital 가축[동물] 병원 / a ~ school[college] 수의과 대학
— *n.* (*pl.* **-nar·ies**) 수의사

véterinary médicine[scíence] 수의학

véterinary súrgeon ⦅영⦆ 수의사(⦅미⦆ veterinarian)

***ve·to** [víːtou] [L＝I forbid] *n.* (*pl.* **~es**) **1** 거부권 ⦅군주·대통령·지사·상원 등이 법률안에 대하여 가지는⦆; (특히 국제 정치면에서의) 거부권: exercise the power[right] of ~ over …에 거부권을 행사하다 **2** 부재가(不裁可), 거부(권의 행사) **3** ⦅미⦆ (대통령의) 거부 교서(敎書)[통고서](＝~ **mèssage**) **4** ⦅일반적으로⦆ (…에 대한) 금지(권), 금제(禁制) ⦅*on, upon*⦆
put*[*set*] *a [one*'s*] **~ *on*** the proposal (제안을) 거부하다, (제안에) 거부권을 행사하다
— *vt.* **1** 〈제안·의안 등을〉 거부하다: ~ a bill 법안을 거부하다 **2** 〈행위 등을〉 금지하다, 엄금하다; 반대하다: ~ a plan 계획에 반대하다 **~·er** *n.*

véto pòwer 거부권

ve·to-proof [víːtouprùːf] *a.* (대통령의) 거부권에 대항하는, 거부권에 대항하기에 충분한 표를 가진

vet. sci. veterinary science

***vex** [véks] *vt.* **1** 초조하게 하다, 성가시게 굴다, 성나게 하다, 괴롭히다, 〈…을〉 난처하게[귀찮게] 하다(⇨ vexed 1): Her continuous chatter *~es* me. 그녀가 연방 지껄여대는 건 질색이다. // (~＋목＋전＋명) ~ a person *with* foolish questions 어리석은 질문으로 …을 귀찮게 하다 **2** 〈문제 등을〉 활발하게 토론하다 **3** ⦅시어·문어⦆ 〈바다 등을〉 격랑이 일게 하다
~ one***self*** 안달하다, 화내다 **~·er** *n.*
▷ vexátion *n.*; vexátious *a.*

***vex·a·tion** [vekséiʃən] *n.* **1** 초조하게[성가시게, 괴롭게] 함 **2** Ⓤ 속상함, 분함, 원통함: to my ~ 분하게도 / in ~ of spirit[mind] 속상하여, 마음이 아파서 **3** [종종 *pl.*] 괴로움[번뇌]의 원인, 뜻대로 되지 않는 일
▷ véx *v.*; vexátious *a.*

vex·a·tious [vekséiʃəs] *a.* **1** 성가신, 안달나는, 부아나는, 약오르는(annoying) **2** ⦅법⦆ 소송을 남용하는: a ~ suit[action] ⦅법⦆ 남소(濫訴) ⦅상대를 괴롭히려고 제기하는⦆ **3** 무질서한, 혼돈스러운
~·ly *ad.* **~·ness** *n.*

vexed [vékst] *a.* **1** (…으로) 속타는, 짜증나는 ⦅*about, at*⦆, 성난 ⦅*with*⦆: I am ~ *by* visitors all day. 나는 종일 손님들에게 시달린다. **2** 〈문제가〉 머리를 아프게 하는; 말썽 많은: a ~ question 말썽 많은[시끄럽게 논의되는] 문제 **3** 〈파도 등이〉 출렁거리는
***be*[*feel*] ~** 분하다, 약오르다 ⦅*about, by, at, with, for*⦆ **~·ness** *n.*

vex·ed·ly [véksidli] *ad.* 부아가 나서, 화를 내고

vex·il·lar·y [véksəlèri | -ləri] *a.* ⦅고대로마⦆ 군기(軍旗)의; ⦅식물⦆ 기판(旗瓣)(vexillum)의; ⦅조류⦆ (새 깃털의) 깃가지의 — *n.* 고참병; 기수

vex·il·late [véksələt, -lèit, veksílət | véksə-] *a.* ⦅식물·조류⦆ vexillum이 있는

vex·il·lol·o·gy [vèksəlɑ́lədʒi | -lɔ́l-] *n.* Ⓤ 기학(旗學), 기 연구 **vex·il·lo·log·ic, -i·cal** [veksìləlɑ́dʒik(əl) | -lɔ́dʒ-] *a.* **-gist** *n.*

vex·il·lum [veksíləm] *n.* (*pl.* **-la** [-lə]) **1** (고대로마의) 군기; 그 군기를 받은 부대 **2** ⦅식물⦆ 기판(旗瓣); ⦅조류⦆ (깃털의) 깃가지 **3** ＝VIDEO FREQUENCY **4** ⦅종교⦆ 행렬(용)의 기[십자가]; 홀장(笏杖)의 윗부분에 달린 작은 천

vex·ing [véksiŋ] *a.* 성가신, 귀찮은; 짜증나게 하는, 애태우는 **~·ly** *ad.*

VF, v.f. very fair[fine] ⦅항해⦆ 날씨 맑음; video frequency; visual field; voice frequency **VFD** Volunteer Fire Department **VFO** variable frequency oscillator ⦅전자⦆ 가변 주파수 발진기(發振器) **VFR** visual flight rules ⦅항공⦆ 유시계(有視界) 비행 규칙 **VFW** ⦅미⦆ Veterans of Foreign Wars (of the United States) **v.g.** *verbi gratia* ⦅L＝for example⦆ **VG** very good; Vicar General **VGA** ⦅컴퓨터⦆ Video Graphics Array

V̀ gène [*v*ariable *gene*] ⦅유전⦆ V 유전자 ⦅면역 글로불린의 가변 부분을 지배하는 유전자⦆

V-girl [víːgəːrl] *n.* ⦅미·속어⦆ ＝VICTORY GIRL; 성병이 있는 여자

VHF, vhf., V.H.F. very high frequency

VHF márker bèacon ⦅항공⦆ VHF 마커 ⦅계기 착륙 시스템(ILS) 장치의 일부⦆

VHLL very high level language ⦅컴퓨터⦆ 초고급 언어 **VHS** video home system 가정용 비디오테이프 레코더의 방식 ⦅상표명⦆

VHSIC [vízik] [*v*ery *h*igh *s*peed *i*ntegrated *c*ircuit] *n.* ⦅전자·군사⦆ 비직, 초고속 집적 회로

Vi ⦅화학⦆ virginium **VI** ⦅미⦆ ⦅우편⦆ Virgin Islands; Vancouver Island **vi., v.i.** verb intransitive **v.i.** *vide infra* ⦅L＝see below⦆

***vi·a** [váiə, víːə] [L「길」의 뜻에서] *prep.* **1** …을 경유하여(by way of), …을 거쳐: Canada 캐나다를 경유하여 **2** ⦅미⦆ …을 매개로 하여, …을 통해서; …에 의하여(by means of): receive information ~ mass media 대중 매체를 통해서 정보를 받다 / be telecast live ~ satellite 위성 중계로 생방송이 되다

vi·a·bil·i·ty [vàiəbíləti] *n.* Ⓤ 생존 능력; (특히 태아·신생아의) 생육[생존]력; (계획 등의) 실행 가능성

vi·a·ble [váiəbl] [L「생명」의 뜻에서] *a.* **1** 〈태아·신생아가〉 생존[생육] 가능한 **2** 〈계획 등이〉 실행 가능한, 실용적인 **3** 〈국가·경제 등이〉 성장[발전]할 만한 **4** 〈사물이〉 확실한, 뻔히 눈에 보이는; 진짜 같은; (지성·상상력·감각 등을) 자극하는 **-bly** *ad.*

via dol·o·ro·sa [váiə-dɑ̀lərόusə, víːə-, -dòul- | -dɔ̀l-] [L＝sorrowful road] *n.* **1** 슬픔의 길, 쓰라린 경험의 연속 **2** [**V- D-**] 비아 돌로로사 ⦅그리스도가 십자가를 지고 걸어간 처형지 Golgotha까지의 길⦆

vi·a·duct [váiədʌ̀kt] *n.* 육교, 고가교, 고가도로

viaduct

Vi·ag·ra [vaiǽgrə] *n.* 비아그라 ⦅발기 부전 환자를 위한 발기 촉진제; 상표명⦆

vi·al [váiəl] *n.* 유리병; 물약병 ⦅영국에서는 phial 쪽이 일반적⦆
pour out the* ~*s of one***'s wrath upon*[*on*]** ⦅성서⦆ …에게 복수하다; ⦅구어⦆ …에 대한 울분을 쏟다
— *vt.* (**~ed**; **~led**; **~·ing**; **~·ling**) 유리병에 넣다[넣어서 보관하다]

Via Lac·te·a [váiə-lǽktiə, víːə-] [L＝Milky Way] 은하(銀河)

via me·di·a [-míːdiə, -méi-] [L＝middle path] *n.* 중도(中道), 중용

vi·and [váiənd] [L「살아 나가기 위한 것」의 뜻에서] *n.* **1** 식품 **2** [*pl.*; 집합적] 음식물, 식료, 양식(food), ⦅특히⦆ 진수성찬

vi·át·i·cal séttlement [vaiǽtikəl-] ⦅보험⦆ 말기 환금(換金) ⦅말기 환자의 생명 보험 증권을 할인 매각하여 그 대금을 환자의 의료비로 쓰는 것⦆

vi·at·i·cum [vaiǽtikəm, vi-] *n.* (*pl.* **-ca** [-kə], **~s**) **1** ⦅그리스도교⦆ 임종시에 받는 성찬[성체(聖體)] **2** ⦅고대로마⦆ 공무 여행용 급여물(給與物), 공무 여비 **3** ⦅드물게⦆ 여비; 여행 필수품

vibe [váib] *n.* [보통 *pl.*] ⦅구어⦆ 분위기, 낌새, 느낌
— *vt.* …에 영향을 주다, 〈감정 등을〉 발산시키다
— *vi.* 〈사람이〉 영향을 잘 받다, 죽이 맞다
~ *on* …에 공감하다, …와 뜻이 통하다

vibes [váibz] *n. pl.* [단수 취급] ⦅구어⦆ ＝VIBRAPHONE

vib·gyor [víbgjɔːr] [*v*iolet, *i*ndigo, *b*lue, *g*reen, *y*ellow, *o*range, and *r*ed] *n.* 무지개의 7색을 외기

thesaurus **veto** *v.* reject, turn down, prohibit, forbid, interdict, disallow, outlaw, embargo, ban
vex *v.* anger, annoy, irritate, incense, enrage, infuriate, provoke, disturb, upset, bother
via *prep.* through, by way of, on the way

위한 낱말
vib·ist [váibist] *n.* ⦅구어⦆ vibraphone 주자
vi·bra·harp [váibrəhɑ̀ːrp] *n.* Ⓤ ⦅미⦆ 비브라하프(vibraphone) **~·ist** *n.*
Vi·bra·my·cin [vàibrəmáisin] *n.* 〚약학〛 비브라마이신 ⦅doxycycline 제제(製劑); 상표명⦆
vi·brant [váibrənt] *a.* **1 a** 떠는, 진동하는 **b** 〈현 등이〉 진동해서 소리를 내는; 〈소리·음성이〉 떨리는 **c** 〈색·빛이〉 선명한, 번쩍거리는 **2 a** 활기에 넘치는, 활발한: a ~ class 활기 넘치는 학급[반] **b** 곧 반응하는, 민감한 **c** 가슴 설레는; 자극적인, 강렬한, 생생한 **d** Ⓟ (생기 등으로) 약동하는, 고동치는 ⦅*with*⦆: a city ~ *with* life 활기에 넘치는 도시 **3** 〚음성〛 유성의(voiced) **—** *n.* 〚음성〛 유성음, 진동음
vi·bran·cy [váibrənsi] *n.* **~·ly** *ad.*
vi·bra·phone [váibrəfòun] *n.* 비브라폰 ⦅marimba 비슷한 악기⦆ **-phòn·ist** *n.*
‡**vi·brate** [váibreit | -ˊ] [L 「진동하다」의 뜻에서] *vi.* **1** 진동하다, (시계추처럼) 흔들리다 **2** 〈목소리가〉 떨리다; 〈음향이〉 반향하다, 울려퍼지다 ⦅*with*⦆: His voice ~*d with* rage. 노여움으로 그의 목소리가 떨렸다. **3** ⦅구어⦆ 〈사람·마음이〉 떨리다, 설레다, ⦅드물게⦆ 깊이 감동하다: ⦅~+전+명⦆ ~ *with* joy 기뻐서 가슴이 설레다 **4** 마음이 동요하다; 헷갈리다
— *vt.* **1** 진동시키다; 흔들다 **2** 〈시간·주기 등을〉 진동으로 표시하다: A pendulum ~*s* seconds. 진자는 흔들리면서 초를 나타낸다. **3** 〈빛·소리 등을〉 진동하여 발하다[내다], 〈목소리 등을〉 떨리게 하다 **4** 진동을 시켜 압축하다 **ví·brat·ing·ly** *ad.*
▷ vibrátion *n.*; víbrant, víbratile *a.*
ví·brat·ed cóncrete [váibreitid- | vaibréit-] 〚건축〛 진동 콘크리트 ⦅이겨 만들 때 진동시켜 강도(强度)를 높인 것⦆
vi·bra·tile [váibrətil, -tàil | -tàil] *a.* 진동하는, 진동성의, 진동시킬 수 있는, 진동용의 **vì·bra·tíl·i·ty** *n.*
vi·bra·tion** [vaibréiʃən] *n.* ⓊⒸ **1** 진동(시키기), 떨림, 전동(顫動) **2** [보통 *pl.*] ⦅구어⦆ (사람·장소 등에서 느껴지는) 감정적 반응, 감촉, 분위기, 직감 **3** (마음 등의) 동요, 설렘, 감동, 떨림 **4** 〚물리〛 **a** (진자(振子)의) 진동(cf. OSCILLATION) **b** 음향 진동 **5** (직관적으로 얻어진) 초자연적 방출(물), 영기(靈氣) ***amplitude of **~** 〚물리〛 진폭(振幅) **~·al** *a.* **~·less** *a.*
▷ víbrate *v.*; víbrant, víbratile *a.*
vi·bra·tion-proof [-prùːf] *a.* 내진(耐振)의
vi·bra·tive [váibrətiv, -brei- | vaibréi-] *a.* = VIBRATORY
vi·bra·to [vibrɑ́ːtou, vai- | vi-] [It.] *n.* (*pl.* **~s**) 〚음악〛 비브라토; 진동(음)
vi·bra·tor [váibreitər | -ˊ-] *n.* **1** 진동하는[시키는] 것[사람] **2** 〚전기〛 진동기, 발진기(oscillator); 〚음악〛 현, 황엽(簧葉) ⦅풍금의 황관(簧管)의⦆; 〚인쇄〛 진동 롤러
vi·bra·to·ry [váibrətɔ̀ːri | -təri] *a.* 떨리는, 진동성의; 진동시키는, 진동을 일으키는; 진동의
vib·ri·o [víbriòu] *n.* (*pl.* **~s**) 비브리오 ⦅간상(桿狀) 세균의 한 속(屬)⦆ **víb·ri·òid** [-ɔ̀id] *a.*
vib·ri·o·ci·dal [vìbriousáidl] *a.* 비브리오균을 사멸시키는
vib·ri·on [víbriɑ̀n | -ɔ̀n] *n.* 〚세균〛 = VIBRIO; 운동성 박테리아 **vib·ri·ón·ic** *a.*
vib·ri·o·sis [vìbrióusis] *n.* 〚수의학〛 비브리오병(病) ⦅교미 따위에 의해 감염되는 소·양의 병⦆
vi·bris·sa [vaibrísə] *n.* (*pl.* **-sae** [-siː]) 코털; 동물의 입가에 있는 강모(剛毛) ⦅고양이 수염 등⦆; (새의 입언저리에 있는) 수염 모양의 깃털 **-sal** *a.*

---

vibrate *v.* fluctuate, flutter, waver, swing
vice[1] *n.* **1** 악덕 sin, wrongdoing, wickedness, badness, immorality, evil, corruption **2** 비행 offense, misdeed, violation, transgression **3** 결함 flaw, defect, imperfection, weakness

vibro- [váibrou, -brə] ⦅연결형⦆ 「진동」의 뜻
vi·bro·graph [váibrəgræ̀f, -grɑ̀ːf | -grɑ̀ːf, -græ̀f] *n.* 진동(기록)계
vi·brom·e·ter [vaibrɑ́mətər | -brɔ́m-] *n.* = VIBROGRAPH
vi·bron·ic [vaibrɑ́nik | -brɔ́n-] *a.* 〚물리〛 전자 진동의, 전자 상태와 진동 상태가 결합된
vi·bro·scope [váibrəskòup] *n.* 진동계
vi·bur·num [vaibə́ːrnəm] *n.* **1** 〚식물〛 가막살 나무속(屬) 관목 **2** Ⓤ 그 건조한 나무 껍질 ⦅약용⦆
vic[1] [vík] *n.* ⦅영·속어⦆ 〚항공〛 V자형 편대 (비행)
vic[2] *n.* ⦅미·속어⦆ 죄인, 죄수(convict)
vic[3] *n.* ⦅미·속어⦆ = VICTIM
— *vt.* (**~ked**) 희생자[봉]를 찾다
vic[4] *n.* ⦅미·구어⦆ = VICTROLA
Vic [vík] *n.* 남자 이름 ⦅Victor의 애칭⦆
vic. vicar; vicarage; vicinity **Vic.** Vicar; Vicarage; Victoria; Victorian
vic·ar** [víkər] [L 「대리」의 뜻에서] *n.* **1** 〚영국국교〛 교구(敎區) (대리) 목사 ⦅교구 수입의 1/10 또는 봉급을 받음; cf. RECTOR⦆ **2** ⦅미⦆ 감독 교회의 회당 목사, 전도 목사, 부목사 **3** 〚가톨릭〛 교황[주교] 대리; ⦅특히⦆ (종교상의) 대리 **4** 대리, 대리자 ***cardinal ~ 〚가톨릭〛 주교 대리, (이전에는) 교황 대리 (대)주교 ***the ~ of Bray*** [-bréi] 기회주의자 ***the V~ of (Jesus) Christ*** 〚가톨릭〛 그리스도의 대리자 ⦅교황⦆
~·shìp *n.*
vic·ar·age [víkəridʒ] *n.* ⦅영⦆ **1** vicar의 주택, 목사관, 사제관 **2** vicar의 성직급(聖職給) **3** Ⓤ vicar의 직
vícar apostólic 〚가톨릭〛 대목(代牧); 교황 대리
vícar chóral 〚영국국교〛 성가 조수(助手)
vícar fo·ráne [-fɔːréin | -fɔ-] 〚가톨릭〛 감목(監牧) 대리 (dean) ⦅한 지방의⦆
vic·ar-gen·er·al [víkərdʒénərəl] *n.* (*pl.* **vicars-**) **1** 〚영국국교〛 (종교 소송 등에 있어서의) 주교[대주교] 대리 법무관 **2** 〚가톨릭〛 주교 총대리 **~·shìp** *n.*
vi·car·i·al [vaikέəriəl, vi-] *a.* **1** vicar의 **2** vicar의 직에 있는 **3** 대리의
vi·car·i·ance [vaikέəriəns, vi-] *n.* 〚생태〛 분단(分斷) 분포
vi·car·i·ate [vaikέəriət, -ièit, vi-] *n.* ⦅영⦆ **1** Ⓤ vicar의 직[권한] **2** vicar의 소관 구역
vicáriate apostólic 〚가톨릭〛 대목구(代牧區) ⦅대목의 관할 구역⦆
vi·car·i·ous [vaikέəriəs, vi-] [L 「대리의」의 뜻에서] *a.* **1** ⦅문어⦆ 대리직의, 대리의, 대행의: ~ authority 대리 직권 **2** (타인의 경험을) 상상하여 느끼는, 남의 몸[기분]이 되어 경험하는 **3** ⦅문어⦆ 대신하여 받는[입는], 대신의: ~ punishment 대신하여 받는 형벌 **4** 〚의학·생물〛 대상(성)(代償(性))의: ~ hemorrhage 대상 출혈 ⦅출혈을 일으킬 기관 이외의 것으로부터의⦆ ***the ~ sufferings*** [***sacrifice***] ***of Christ*** 〚신학〛 그리스도가 죄인을 대신하여 받은 수난[희생]
~·ly *ad.* 대리로서; 대리로 **~·ness** *n.*
‡**vice**[1] [váis] [L 「결함」의 뜻에서] *n.* ⓊⒸ **1** 악덕, 부도덕, 악(⇨ crime 유의어)(opp. *virtue*); 비행, 부패, 타락 행위; 악습, 악벽(惡癖) **2** (조직·제도·문체·성격상의) 결함, 약점 **3** 성적(性的) 부도덕 행위; 매춘; 마약 **4** (말·개 등의) 나쁜 버릇; [the V~] 〚역사〛 (영국 교훈극(morality)에 나오는) 악한 역; 어릿광대
~·less *a.* 악덕[결함]이 없는 ▷ vícious *a.*
vice[2] *n.*, *v.* ⦅영⦆ = VISE
vice[3] *n.* ⦅구어⦆ vice-chancellor, vice-president 등의 약어; 대리(자) **—** *a.* 대리의, 부(副)…
vi·ce[4] [váisi, váis | váisi] [L] *prep.* …대신에, …의 대리로서, …의 뒤를 이어(instead of, in the place of) ⦅略 v.⦆
vice- [váis, vàis] *pref.* [관직·관등을 나타내는 명사에 붙여] 「부(副)…, 대리…(deputy), 차(次)…」의 뜻: *vice*-agent 부대리인
více ádmiral [váis-] 해군 중장

více ádmiralty [váis-] 해군 중장의 직[지위, 임기]
více-ád·mi·ral·ty cóurt [váisǽdmərəlti-] (영) 식민지 해사(海事) 법원
vice-chair·man [váistʃέərmən] *n.* (*pl.* **-men** [-mən]) 부의장, 부회장, 부위원장
~·shìp *n.* Ⓤ 그 직[지위, 임기]
vice-cham·ber·lain [váistʃéimbərlin] *n.* (영) 부시종(副侍從), 내대신(內大臣)
vice-chan·cel·lor [váistʃǽnsələr | -tʃɑ́:n-] *n.* **1** (주로 영국의) 대학 부총장 (종종 실질적 최고 책임자) **2** 부대법관 **3** 부장관, 장관 대리, 차관 **4** 〖미국법〗 (equity courts의) 차석 재판관 **~·shìp** *n.* Ⓤ
vice-con·sul [váiskánsəl | -kɔ́n-] *n.* 부영사
-su·lar [-kánsələr | -kɔ́nsjulə] *a.* 부영사의 **~·shìp** *n.*
vice-con·su·late [váiskánsələt | -kɔ́nsju-] *n.* **1** Ⓤ 부영사직[임기] **2** 부영사관(館)
vice·ge·ral [vàisdʒíərəl] *a.* 대관(代官)(직)의; 대리(인)[대리직]의
vice·ge·ren·cy [vàisdʒíərənsi | -dʒé-] *n.* Ⓤ 대리인의 직[지위, 권한]; Ⓒ 대리인의 관할 지역
vice·ge·rent [vàisdʒíərənt | -dʒé-] *n.* **1** 대관 **2** 대리인 ***God's ~*** 로마 교황
— *a.* 대리인의; 대리권을 행사하는
vice-gov·er·nor [váisgʌ́vənər] *n.* 부총독; 부지사
vice-king [váiskíŋ] *n.* 부왕(副王), 태수, 총독 (viceroy)
vice·like [váislàik] *a.* (영) = VISELIKE
vice-min·is·ter [váismínistər] *n.* 차관(次官)
vic·e·nar·y [vísənèri | -nəri] *a.* 20의[으로 이루어지는]; 20진법의
vi·cen·ni·al [vaiséniəl] *a.* 20년의, 20년간의, 20년마다의[계속하는]
více òfficer (속어) 매춘 담당 경찰관
vice-pres., Vice-Pres. Vice-President
***vice-pres·i·dent** [váisprézədənt] *n.* **1** [보통 **V-P-**] (미) **부통령** ★ 미국 부통령은 대통령의 조언자이며 상원 의장을 겸함. **2** 부총재; 부회장; 부총장; 부사장
-den·cy [-dənsi] *n.* Ⓤ **-pres·i·dén·tial** *a.*
vice-prin·ci·pal [váisprínsəpəl] *n.* 부교장, 교감
vice·re·gal [vàisrí:gəl] *a.* viceroy의 **~·ly** *ad.*
vice-re·gent [váisrí:dʒənt] *n.* 부섭정(副攝政)
— [⌐⌐—] *a.* 부섭정의 (지위에 있는)
-gen·cy [-dʒənsi] *n.* Ⓤ 부섭정의 직[임기]
vice·reine [váisrèin | ⌐⌐, ⌐⌐] *n.* **1** 부왕비, 태수 부인 **2** 여성 부왕[태수]
více rìng 불법 매춘[마약] 조직
vice·roy [váisrɔi] *n.* (왕의 대리로 타국을 통치하는) 부왕(副王); 총독, 태수: the ~ of India 인도 총독
vice·roy·al·ty [váisrɔ̀iəlti, ⌐⌐——|⌐⌐——], **vice·roy·ship** [-rɔ̀iʃip] *n.* Ⓤ viceroy의 지위[권한, 임기, 지배 지역]
více squàd [때로 the V- S-] (매음·마약·도박 등을 단속하는 경찰의) 풍기 사범 단속반
vi·ce ver·sa [váisə-və́:rsə, váis-, váisi-] [L] *ad.* [보통 and ~로; 생략문으로서] 거꾸로, 반대로, 역(逆)도 또한 같음 (略 v.v.): call black white, and ~ 흑을 백이라 부르고 백을 흑이라 부르다
Vi·chy [víʃi | ví:ʃi] *n.* **1** 비시 (프랑스 중부의 도시로 제2차 세계 대전 중 프랑스의 임시 정부 소재지; 온천지) **2** = VICHY WATER
Vi·chy·ite [víʃiàit, ví:-] *n.* 비시 정부 지지자
vi·chys·soise [vìʃiswɑ́:z, ví:-] [F] *n.* 비시수아즈 (감자·양파·부추·닭 육수 등으로 된 크림 수프)
Víchy wàter [때로 **v- w-**] 비시 광천수 (소화기 질환·통풍 등에 좋음); (천연 또는 인공의) 이와 유사한 것
Vi·ci [váisai] *n.* (구두용) 양새끼 가죽의 일종 (상표명)
vic·i·nage [vísənidʒ] *n.* **1** Ⓤ 근처, 부근, 근방 (neighborhood); 이웃하여 있음, 인접; (특정한) 주변, 근린, 한 지역 **2** [집합적] 이웃 사람들 **3** Ⓤ 차지(借地) 공동 사용권
vic·i·nal [vísənl] *a.* **1** 인근의, 부근의; 근접한, 인접의: ~ organs 인접 기관 **2** (특정의) 한 지방만의 (보통 local을 사용): a ~ way 간선 도로 **3** 〖결정〗 미사면(微斜面)의: a ~ plane 미사면
‡vi·cin·i·ty [visínəti] [L 「가까운」의 뜻에서] *n.* (*pl.* **-ties**) ⓊⒸ **1 a 근처, 부근 b** [종종 *pl.*] 주변 **2** (문어) **근접,** 가까이 있음, 접근 (*to, of*): the ~ *of* 50 50세 전후 ***in the ~ of*** (1) …의 부근에: *in the ~ of* the main shopping areas 주요 쇼핑 단지와 가까운 곳에 (2) (문어) 약(about), …전후의
‡vi·cious [víʃəs] *a.* **1** 나쁜(evil), **악덕의**; 부도덕한, 타락한, 패덕(悖德)의; 나쁜 일에 빠지기 쉬운 **2** 악의 있는, 심술궂은: a ~ gossip 짓궂은 소문 **3** 옳지 않은 (wrong); 비난받을 만한 **4** (구어) 〈기후·고통 등이〉 지독한, 심한(severe); 악성의 **5** 틀린, 결점 있는; 〈이론·추론 등이〉 잘못된, 비뚤어진, 불합리한: a ~ reasoning 잘못된 추론 **6** 〈사람·동물이〉 고약한; 광포한, 잔인한: a ~ temper 잔인한 성질 **7** (속어) 굉장한, 놀라운 **~·ly** *ad.* **~·ness** *n.* ▷ vice *n.*
vícious círcle[cýcle] **1** 〖논리〗 순환 논법 **2** (일련의 사태의) 악순환 (cf. VIRTUOUS CIRCLE)
vícious spíral 〖경제〗 (물가 등귀와 임금 상승의) 악순환
***vi·cis·si·tude** [visísətjù:d | -tjù:d] [L 「변화」의 뜻에서] *n.* **1** (사물 등의) **변화, 변천**; 교체, 바뀜 **2** [*pl.*] (인생·운명 등의) 영고성쇠, 부침(浮沈): a life full of ~*s* 파란만장한 생애 **3** (고어·시어) 추이(推移), 순환, 교대 (*of*) ▷ vicissitúdinary, vicissitúdinous *a.*
vi·cis·si·tu·di·nar·y [visìsətjú:dənèri | -tjú:dinəri] *a.* = VICISSITUDINOUS
vi·cis·si·tu·di·nous [visìsətjú:dənəs | -tjú:-] *a.* 변화 있는, 성쇠 있는, 변화무쌍한
Vick [vík] *n.* 남자 이름 (Victor의 애칭)
vicked [víkt] *a.* (미·속어) 속은, 봉이 된
Vick·y [víki] *n.* 여자 이름 (Victoria의 애칭)
vi·comte [vi:kɔ́:nt] [F] *n.* 자작(子爵)
vi·com·tesse [vi:kɔ:ntés] [F] *n.* 자작 부인[미망인]; 여자 자작
Vict. Victoria(n)
‡vic·tim [víktim] [L 「희생용 동물」의 뜻에서] *n.* **1** (박해·불행·사고 등의) **희생자,** 피해자, 조난자, 이재민; (사기꾼 등의) 봉 (*of*): a ~ *of* disease 병든 사람 / a ~ *of* circumstances 환경의 희생자 **2** (종교적 의식에 있어서의) **희생,** 산 제물, 인신(人身) 제물 ***become*** [***be made***] ***a*** [***the***] ***~ of*** = ***fall a*** [***the***] ***~ to*** …의 희생[포로]이 되다 **~·hòod** *n.*
▷ víctimize *v.*
vic·tim·ize [víktəmàiz] *vt.* **1** 희생시키다 **2** 속이다, 기만하다, 사기치다 **3** …에게 손해[고통]를 주다, 괴롭히다, 번민케 하다 **4** 산 제물로[처럼] 죽이다
vic·tim·i·za·tion [vìktəmizéiʃən | -mai-] *n.* Ⓤ 희생시킴; 속임 **-ìz·er** *n.*
vic·tim·less [víktimlis] *a.* 희생자[피해자]가 없는
víctimless críme 피해자 없는 범죄 (매춘·도박 등)
vic·tim·ol·o·gy [vìktəmɑ́lədʒi | -mɔ́l-] *n.* Ⓤ 피해자학 (범죄에서의 피해자에 대한 연구) **-gist** *n.*
víctim suppórt (경찰의) 범죄 피해자 지원 서비스
‡vic·tor [víktər] *n.* (문어) **1 승리자,** 전승자, 정복자 (conqueror) **2** (경기 등의) 우승자(winner) **3** [V~로] (통신에서) V자를 나타내는 부호
— *a.* 승리(자)의
Vic·tor [víktər] *n.* 남자 이름 (애칭 Vic, Vick)
vic·to·ri·a [viktɔ́:riə] *n.* **1** 빅토리아 (말 한 필 또는 두 필이 끄는 2인승

victoria 1

thesaurus **vicious** *a.* **1** 타락한 corrupt, degenerate, debased, wicked, evil, sinful, bad, wrong, immoral **2** 악의 있는 malicious, malignant, spite-

4륜 마차의 일종》 **2** 〖식물〗 수련의 일종(= ∼́ (**wáter**) **lily**) 《남미산(産)》

Vic·to·ri·a [viktɔ́:riə] *n.* 빅토리아 **1** 여자 이름(cf. VICTOR) **2 Queen ∼** 영국의 여왕(1819-1901) **3** 〖로마신화〗 승리의 여신(상) **4** 캐나다 British Columbia 주의 주도 **5** 홍콩의 수도 **6 Lake ∼** 빅토리아 호 《아프리카 최대의 호수》 **7** 호주 남동부의 주 《주도는 Melbourne》 **8** 미국 Texas주 남부의 도시

Victória Cróss [the ∼] 《영》 빅토리아 십자 훈장 《1856년 Victoria 여왕이 제정; 수훈이 있는 군인에게 줌; 略 V.C.》

Victória Dày 1 = EMPIRE DAY **2** 빅토리아 데이 《캐나다의 법정 공휴일; 5월 25일 직전의 월요일》

Victória Fálls [the ∼] 빅토리아 폭포 《아프리카 동남부 Zambezi 강에 있음》

Victória Ísland 빅토리아 섬 《캐나다의 북극해 제도의 섬》

Victória Lànd 빅토리아랜드 《남극 대륙의 Ross 해 서안 지역》

∗**Vic·to·ri·an** [viktɔ́:riən] *a.* **1** **빅토리아 여왕 (시대)의,** 빅토리아조(朝)(풍)의: the ∼ Age 빅토리아 왕조 시대(1837-1901) **2** 〈도덕관 등이〉 빅토리아조 풍의 《엄격, 점잔, 인습성, 편협 등이 특징》 **3** 〈건축·가구류 등이〉 빅토리아조 양식의, 구식의 **4** 《호주》 빅토리아 주(州)의 ***the*** (***Royal***) ***∼ Order*** 빅토리아 훈장 《Victoria 여왕이 제정, 국가 원수에 대한 큰 공이 있는 사람에게 줌; 略 V.O.》

— *n.* 빅토리아 여왕 시대 사람, 《특히》 빅토리아조 문학자; 빅토리아 여왕 시대의 것; 빅토리아 주(州) 태생의 사람, 빅토리아 주의 주민

∼·ìsm *n.* Ⓤ 빅토리아조풍[주의]

Vic·to·ri·an·a [viktɔ̀:riǽnə, -ɑ́:nə | -ɑ́:nə] *n.* 빅토리아조(풍)의 물건[장식품]; 빅토리아조 물품의 컬렉션; 빅토리아조에 관한 자료; 빅토리아조 특유의 태도

Vic·to·ri·an·ize [viktɔ́:riənàiz] *vt.* 빅토리아조풍으로 하다 **Vic·tò·ri·an·i·zá·tion** *n.*

Victória plúm 《영》 자두의 일종 《요리용으로도 쓰이는 주황색 자두》

Victória spónge 스펀지케이크의 일종 《버터가 많이 들어간》

vic·to·rine [vìktəríːn, ∸∸́] *n.* 빅토린 《끝이 좁고 긴 모피 숄》

‡**vic·to·ri·ous** [viktɔ́:riəs] *a.* **1** (…에 대해서) **승리를 거둔,** 전승자의, 이겨서 의기양양한(triumphant): ∼ troops 승리를 거둔 부대 **2** Ⓐ 승리[전승]의, 승리를 나타내는 **3** 《비유》 목표를 달성한, 만족한

∼·ly *ad.* **∼·ness** *n.* ▷ víctory *n.*

víctor lu·dór·um [-lu:dɔ́:rəm] [L] *n.* 최고 수훈(殊勳) 선수

‡**vic·to·ry** [víktəri] [L 「정복하다」의 뜻에서] *n.* (*pl.* **-ries**) ⓊⒸ **1** **승리,** 전승(opp. *defeat*) 《*over*》

> 유의어 **victory** 전쟁·스포츠 그밖의 넓은 뜻에서의 싸움[경기]에서 「승리」를 뜻하는 가장 일반적인 말이다: a *victory* in battle 전투의 승리 **triumph** 완전한 승리·성공으로서 그 기쁨의 감정을 나타내는 수가 있다: the *triumph* of justice 정의의 승리 **conquest** 저항한 상대방을 완전히 지우고 지배한 승리: a war of *conquest* 정복 전쟁

2 (반대·곤란 등의) 정복, 극복 **3** [**V∼**] 빅토리아 《고대 로마의 여신》(Victoria)

have [***gain, get, win***] ***a*** [***the***] ***∼*** (***over*** [***against***] ***...***) (…에 대하여) 승리를 얻다, …를 이기다 ***∼ over*** one***self*** [one***'s lower self***] 극기(克己)

▷ victórious *a.*

víctory gàrden [때로 **V∼ g∼**] 《미》 뜰안 야채밭 《제2차 대전 중 정원 등을 일구어 만든》

Víctory gìrl 《미·속어》 (애국심에서 장병과 교섭을 갖는) 여자 《略 V-girl》; 위안부

Víctory Mèdal 《미》 [the ∼] 제1·2차 세계 대전의 종군자에게 수여한 기념장

víctory rìbbon 《미》 Victory Medal의 약장(略章)

víctory ròll (승리를 축하하는) 비행기의 회전 비행

vic·tress [víktris] *n.* 여자 승리자

Vic·tro·la [viktróulə] *n.* 빅터 축음기 《상표명》

∗**vict·ual** [vítl] [L 「양식」의 뜻에서] *n.* **1** [*pl.*] **음식물,** 양식 **2** (사람의) 먹을 것, 식품

— *v.* (**∼ed**; **∼·ing** | **∼led**; **∼·ling**) *vt.* 〈군대 등에〉 식료품을 공급하다; 〈배에〉 식료품을 싣다

— *vi.* **1** 식료품을 사들이다, 〈배가〉 식량을 싣다 **2** 《고어》 음식을 먹다

vict·ual·age [vítlidʒ] *n.* 음식; 식량

vict·ual·er | **-ual·ler** [vítlər] *n.* **1** (선박·군대에의) 식료품 공급자, 《특히》 종군 상인 **2** 《영》 주류 면허 판매의 음식점 주인; 술집 주인 **3** 식량 운송선

víct·ual·ing bìll [vítliŋ-] 〖항해〗 선박용 식품 적재 신고서

víctualing hòuse 《영》 음식점

víctualing nòte 〖영국해군〗 수병 식사 전표

víctualing òffice 〖영국해군〗 군수부 식량과

víctualing shìp = VICTUALER 3

víctualing yàrd 〖영국해군〗 군수부 창고

vict·ual·ler [vítlər] *n.* 《영》 = VICTUALER

vi·cu·ña, vi·cu·(g)na [vaikjú:nə, vi-, vikú:njə | vikjú:nə] [Sp.] *n.* **1** 〖동물〗 비큐나 《남미산(産)의 llama 속의 야생 동물》 **2** Ⓤ 〖직물〗 그 털 또는 유사한 털로 짠 나사(羅紗)

vicuña 1

vid [víd] *n.* 《구어》 비디오(video)

vid. vide

Vi·da [ví:də, vái-] *n.* 여자 이름 《Davida의 애칭》

Vi·dal Sas·soon [vidɑ́:l-səsú:n] *n.* 비달 사순 《미국제의 hair care 제품; 상표명》

vi·dar·a·bine [vaidǽrəbàin] *n.* 〖약학〗 비다라빈 《항바이러스 물질》

vi·de [váidi, ví:di] [L 'see'의 명령법] *vt.* [명령법으로] 〈…을〉 보라, … 참조 《略 v., vid.》

vi·de an·te [-ǽnti] [L] 앞을 보라(see before)

vi·de in·fra [-ínfrə] [L] 아래를 보라(see below) 《略 v.i.》

vi·de·li·cet [vidéləsit | -dí:lisèt] [L = It is permitted to see] *ad.* 《문어》 즉, 바꿔 말하면 《略 viz.; 보통 namely라 읽음; cf. I.E.》

∗**vid·e·o** [vídiòu] *n.* **1** Ⓤ 〖TV〗 **비디오;** 영상 (부분) (opp. *audio*); 《구어》 = VIDEOTAPE **2** Ⓤ 《미》 **텔레비전**(television) **3** 비디오 레코더 **4** (상품으로서) 비디오화된 것[영화] **5** = MUSIC VIDEO

— *a.* Ⓐ **1** 텔레비전의; 텔레비전 수상기의 **2** 〖TV〗 비디오의; 영상(부분)의; 녹화의 **3** 텔레비전 화상의 수신[송신]용의

vídeo adàpter 〖컴퓨터〗 비디오 어댑터

vídeo arcàde 비디오 게임 코너[센터]

vídeo àrt 비디오 아트[예술] **vídeo àrtist**

vídeo bòard 〖컴퓨터〗 비디오 보드

vídeo càmera 비디오 카메라

vídeo càpture càrd 비디오 캡처 카드 《비디오 신호를 컴퓨터에 거두어 들이기 위한 확장 카드》

vídeo càrd 비디오 카드

vídeo càrrier 〖전자〗 영상 반송파(搬送波) 《TV 신호를 VHF나 UHF 등의 전파에 싣기 위한 반송파》

vid·e·o·cas·sette [vídioukəsèt, -kæ-] *n.* 비디오카세트 — *a.* Ⓐ 비디오카세트(용)의

vídeocassette recòrder 비디오카세트 녹화기

---

ful, mean **3** 잔인한 violent, savage, brutal, fierce
victim *n.* **1** 희생자 casualty, sufferer, target, prey
2 재물 offering, sacrifice, scapegoat

《略 VCR》 **vídeocassette recòrding**
vid·e·o·cast [-kæ̀st, -kɑ̀:st | -kɑ̀:st] *n.* ⓊⒸ 텔레비전 방송 **—** *vt., vi.* (**~, ~·ed**) 텔레비전으로 방송하다
vídeo CĎ 비디오 시디 《CD에 동화(動畫)를 수록하는 규격》
vid·e·o·con·fer·ence [-kɑ̀nfərəns | -kɔ̀n-] *n.* 영상[화상] 회의 《TV로 원격지를 연결하여 하는 회의》 **-con·fer·enc·ing** *n.* Ⓤ 영상[화상] 회의를 하기
vídeo contròller 〖컴퓨터〗 비디오 컨트롤러 《컴퓨터의 그래픽스 처리 회로; 이 회로를 탑재한 확장 카드》
vídeo dìary 비디오 일기
vid·e·o·disc, -disk [vìdioudísk] *n.* 비디오디스크 《레코드 모양의 원반에 TV 화상과 음성을 다중화하여 기록한 것》
vídeodisk plàyer 비디오디스크 플레이어
vídeo displáy tèrminal 〖컴퓨터〗 영상 표시 장치 《데이터나 도형이 표시되는 스크린으로 구성된 컴퓨터 단말기; visual display terminal이라고도 하며, (영)에서는 visual display unit라고 함; 略 V.D.T.》
vídeo dràma = TELEDRAMA
vid·e·o·fit [vídioufìt] *n.* 비디오핏 《몽타주 사진》
vídeo frèquency 〖TV〗 영상 주파수
vídeo gàme 비디오[텔레비전] 게임(electronic game)
vid·e·o·gáme sùrgery [vídiougéim-] 비디오 게임 수술 《환부의 영상을 TV로 보면서 실시하는 수술법》
vid·e·o·gen·ic [vìdioudʒénik] *a.* = TELEGENIC
vid·e·o·gram [vídiougræ̀m] *n.* 비디오 그램 《비디오테이프나 비디오디스크에 녹화되어 있는 영상 내용 또는 영상 제품》
vid·e·og·ra·pher [vìdiɑ́grəfər | -ɔ́g-] *n.* 비디오 예술가(video artist), 비디오 아트(video art)의 작품을 창작하는 사람
vid·e·o·graph·ics [vìdiougrǽfiks] *n. pl.* 〖컴퓨터〗 비디오그래픽스
vid·e·og·ra·phy [vìdiɑ́grəfi | -ɔ́g-] *n.* 비디오카메라 촬영(술)
vídeo hòme sýstem 가정용 비디오테이프의 기록 방식 《略 VHS》
vid·e·o·ize [vídiouàiz] *vt.* …을 텔레비전으로 방영할 수 있도록 하다, 비디오화하다
vídeo jòckey 비디오자키 《음악 비디오 방송의 방송 프로그램 진행자; 略 VJ》
vídeo jòurnalism 〖TV〗 영상 저널리즘; 뉴스 프로그램
vid·e·o·land [vídioulæ̀nd] *n.* (매스컴 기관으로서의) 텔레비전, 텔레비전 산업(계)
vid·e·o·ma·ni·a [vìdiəméiniə] *n.* 비디오광(狂), 비디오의 열광적 애호
vídeo mònitor 〖TV〗 영상 화면기
vídeo mùsic 〖음악〗 비디오 뮤직 《비디오에 의한 영상과 환경 음악(ambient music)의 결합에 의한 새로운 음악 개념》
vídeo násty (구어) 폭력[포르노] 비디오
vídeo nòvel 텔레비전 영화의 내용을 사진을 곁들여 책으로 만든 것
vídeo òn demánd 주문형 비디오 시스템 《사용자의 요구에 따라 각 개인의 단말기에 원하는 영상 자료나 시청 프로그램을 제공하는 서비스; 略 VOD》
vid·e·o·phile [vídiəfàil] *n.* 텔레비전 애호가
vid·e·o·phone [vídioufòun] *n.* 텔레비전 전화
vídeo pìracy 해적판 비디오테이프 제작, 비디오 저작권 침해
vídeo pìrate 비디오 저작권 침해자
vid·e·o·play·er [-plèiər] *n.* 비디오테이프 재생 장치
Vid·e·o·Plus [-plʌ̀s] *n.* 비디오플러스 《비디오로 프로그램의 녹화 예약을 하기 위한 숫자에 의한 예약 시스템; 상표명》
vid·e·o·porn [-pɔ̀:rn] *n.* (구어) 포르노 비디오
Vídeo RÀM 〖컴퓨터〗 비디오 램
vídeo rècord = MUSIC VEDEO
vid·e·o·re·cord [-rikɔ̀:rd] *vt.* (영) = VIDEOTAPE
vídeo recòrder 〖TV〗 비디오테이프식 녹화기 (videotape recorder)
vídeo recòrding **1** 비디오 리코딩 《키네스코프(kinescope)상의 영상(映像)을 텔레비전 프로그램용으로 녹화하기》 **2** = VIDEOTAPE RECORDING
vídeo respónse sỳstem 화상 응답(畫像應答) 시스템 《略 VRS》
vid·e·o·scope [-skòup] *n.* 비디오 내시경
vídeo sìgnal 〖TV〗 영상 신호
vid·e·o·sur·ger·y [-sə̀:rdʒəri] *n.* (videoscope에 의한) 비디오 수술
vid·e·o·tape [-tèip] *n.* **1** 비디오테이프 **2** Ⓤ 비디오테이프 녹화 **—** *vt.* 비디오테이프에 녹화하다
vídeotape recòrder 비디오테이프 녹화 장치 《略 VTR》
vídeotape recòrding 비디오테이프 녹화
vid·e·o·tap·ping [-tæ̀piŋ] *n.* 비디오 도청 《소형 비디오 카메라를 장치하여 비디오에 기록하는 정보 수집의 방법》
vid·e·o·tel·e·phone [vìdioutéləfoun] *n.* 텔레비전 전화(videophone)
vid·e·o·te·leph·o·ny [vìdioutəléfəni] *n.* Ⓤ 화상 통화, 영상 전화
vid·e·o·tex [-téks] *n.* 비디오텍스 《정보를 전화 회선을 통해 가입자의 TV 수상기에 보내주는 시스템》
vídeo vé·ri·té [-vèritéi] 다큐멘터리 텔레비전 프로그램 《실생활을 그대로 영상화하는 수법》(cf. CINÉMA VÉRITÉ)
vi·de post [váidi-póust] 〔L = see after〕 뒤를 보라 《略 v.p.》
vi·de su·pra [-sú:prə] 〔L = see above〕 위를 보라 《略 v.s.》
vi·dette [vidét] *n.* (영) = VEDETTE
vid·i·con [vídikɑ̀n | -kɔ̀n] *n.* 〖TV〗 비디콘 《광전도(光傳導) 효과를 이용한 저속형 촬상관(撮像管)의 일종》
Vid·i·font [vídəfɑ̀nt | -fɔ̀nt] *n.* 비디폰트 《키보드 조작에 의하여 문자나 숫자를 TV 화면에 나타내는 전자 장치; 상표명》
vi·di·mus [vídəməs, vái-] 〔L = we have seen〕 *n.* (*pl.* **~·es**) **1** Ⓤ (장부·서류 등의) 공식 검사 **2** 검사필증이 붙은 서류
vid·i·ot [vídiət] 〔*vid*eo+id*iot*〕 *n.* (미·속어) 텔레비전[비디오]광(狂)
vid·kid [vídkìd] 〔*video*+*kid*〕 *n.* (미·속어) 비디오 게임에 빠진 아이, 텔레비전을 너무 많이 보는 아이
vi·du·i·ty [vidjú:əti | -djú:-] *n.* Ⓤ 과부살이(widowhood)
***vie** [vái] 〔L 「(시합에) 초대하다」의 뜻에서〕 *v.* (**~d**; **vy·ing**) *vi.* 우열을 다투다, 겨루다, 경쟁하다 《*in, with*》: (~+전+명) ~ *with* another for power 권력을 얻으려고 남과 다투다 / ~ *in* beauty 미를 겨루다 **—** *vt.* (고어) …을 경쟁시키다 **ví·er** *n.*
Vi·en·na [viénə] *n.* 빈, 비엔나 《오스트리아의 수도》
Viénna sáusage [때로 **v- s-**] 비엔나 소시지
Vi·en·nese [vi:əní:z, -ní:s | viəní:z] *a.* 빈의; 빈식[풍]의 **—** *n.* (*pl.* ~) 빈 사람
Vien·tiane [vjentjɑ́:n] *n.* 비엔티안 《Laos의 수도》
Vi·et [viét | vjét] (구어) *n.* 베트남; 베트남 사람 **—** *a.* = VIETNAMESE
vi et ar·mis [vái-et-ɑ́:rmis] 〔L = with force and arms〕 *ad.* 〖법〗 무력에 의하여, 폭력을 사용하여
Vi·et·cong, Viet Cong [viètkɑ́ŋ, -kɔ́:ŋ, vjèt-, vì:ət- | -kɔ́ŋ] 〔월남어 *Viet* Nam *Cong* San (= Vietnamese Communist)〕 *n.* (*pl.* ~) [the ~] 베트콩 《남베트남 민족 해방 전선의 공산 게릴라 부대; 그 대원; 略 VC》 **—** *a.* 베트콩의

thesaurus **vie** *v.* compete, contend, strive, rival
view *n.* panorama, outlook, scene, scenery, prospect, vista, landscape, perspective

Vi·et·minh, Viet Minh [viètmín, vjèt-, vìːət-] *n.* 베트민 《호치민(胡志明)을 지도자로 하는 1941-54년의 베트남 독립 동맹(군); 그 일원》 **—** *a.* 베트민의

Vi·et·nam, Viet Nam [viètnɑ́ːm, -nǽm, vjèt-, vìːət- | -nǽm, -nɑ́ːm] *n.* 베트남 《정식명은 Socialist Republic of Vietnam; 인도차이나 동부의 공화국; 수도 Hanoi》

Vi·et·nam·ese [vièt nɑːmíːz, -míːs, -nəm-, vjèt-, vìːət- | -míːz] *a.* **1** 베트남 (공화국)의 **2** 베트남 사람[말]의 **—** *n.* (*pl.* ~) **1** 베트남 사람 **2** Ⓤ 베트남 말

Vi·et·nam·i·za·tion [vièt nəmizéiʃən | -mai-] *n.* Ⓤ 베트남화(化) 《베트남 전쟁시 미국의 정책 중 하나로, 미군의 철군이 가능하도록 전쟁을 남베트남 정부에게 맡기는 방식》

Vi·et·nam·ize [viétnəmàiz] *vt.* 베트남화하다

Vietnám Wár [the ~] 베트남 전쟁(1954-75)

Vi·et·nik [viétnik, vjét-, víːət-] *n.* 《미·속어·경멸》 베트남전 반전 운동가, 베트남전 개입 반대자

Vi·et·vet [vjétvet] [*Viet*nam+*vet*eran] *n.* 베트남 전쟁 참전 용사

‡**view** [vjúː] *n., v.*

> L 「보다」의 뜻에서
> 「바라봄」 **1** → 「관점」 **5**, 「견해」 **7**
> 「보이는 것」 → 「조망」 → 「경치」 **4**, 「시계」 **3**

— *n.* **1** [*sing.*] **a** Ⓤ 봄, 바라봄, 구경 **b** 개관, 개설, 통람 《*of*》 **c** 〖법〗 실지 검증 **2** Ⓤ 시력, 시각, 시선 **3** Ⓤ 시계(視界), 시야: objects in ~ 시야에 있는 것들, 보이는 것들 **4** [a ~, the ~] 경치, 조망(眺望), 전망: a house with *a* ~ of the sea 바다가 바라보이는 집

> [유의어] **view** 일정한 장소에서 눈에 들어오는 풍경·경치·광경: a fine *view* of the surrounding country 근교의 아름다운 경치 **sight** 시각에 의해 보인 그대로의 광경: see the *sights* of Rome 로마 구경을 하다 **scene** 특정한 장소의 풍경: a woodland *scene* 삼림 풍경 **scenery** 한 지방의 자연 풍경 전체: enjoy the beautiful *scenery* of Hawaii 하와이의 아름다운 경치를 즐기다

5 관점, 견지: from a practical ~ 실제적인 면[견지]에서 보면 **6** [보통 *sing.*; 수식어와 함께] (특정한) 사고방식, 보는 방식 《*of*》: *a* romantic ~ *of* life 삶에 대한 낭만적 사고방식 **7** (개인적) 의견, 견해, 생각 《*on, about*》(⇨ opinion [유의어]): I have[hold] other ~*s about* the boy's future. 아이의 장래에 관하여는 나대로의 다른 생각이 있다. **8** 풍경화[사진]; 전망도(圖) 《*of*》: a ~ *of* the mountain 산이 있는 풍경화/a bird's-eye ~ 조감도, 전경; (사물의) 개관/a front[back] ~ 정면[후면]도 **9** 시찰, 관찰, 조사 **10** 목적, 계획, 의향, 의도; 가망 《*to* do》 **11** 소견, 인상, 감명, 느낌 《*of*》 **12** (어떤 주제에 대한) 개괄, 개설(概說); 통람(通覽)

come into ~ 시야에 들어오다, 보이게 되다 ***do*** [***take***] ***some*** ~***s of*** …의 경치를 그리다[찍다] ***exposed to*** ~ 나타나서, 보여서 ***fall in with*** a person***'s*** ~***s*** …의 견해와 일치하다 ***field of*** ~ 시야 ***have in*** ~ 마음먹다, 계획하다; 염두에 두다, 유의하다 ***have*** ~***s on***[***upon***] …에 주목[착안]하다, …을 노리다 ***in*** a person***'s*** ~ …의 의견[생각]으로는 ***in the long***[***short***] ~ 긴[짧은] 안목으로 보면, 장기적[단기적]으로 보면 ***in*** ~ (1) 보이는 곳에, 보여 (2) 고려중, 계획하여; 희망[기대]하여 (3) 가까운 장래에 ***in*** ~ ***of*** (1) …이[에서] 보이는 곳에: come *in* ~ *of* the tree 그 나무가 보이는 곳에 오다 (2) …을 고려하여, …의 점에서 보아; …때문에, …한 고로 (3) …을 예상[기대]하여 (4) …할 생각으로 (5) …한 까닭에 ***keep*** [***have***] a thing ***in*** ~ (1) …을 주목하다, …에서 눈을 떼지 않고 있다, 보이는 곳에 두다 (2) 마음[기억]에 새겨 두다; 목표로 하고 있다 ***leave out of*** ~ 문제시하지 않다, 고려에 넣지 않다 ***lost to*** ~ 보이지 않게 되어 ***on the*** ~ 한 번 보고, 보기만 하고도 ***on***[***upon***] (***the***) ~ ***of*** …을 관찰하여, 《특히》 …을 검시(檢視)하여 ***on*** ~ 누구나 볼 수 있는 곳에; 전시하여, 공개하여, 전람 중에 ***perspective*** ~ 배경도(背景圖), 투시도 ***point of*** ~ 견지, 관점, 견해(viewpoint) ***private*** ~ 비공개 전람 《전람 회화(繪畫)의》 ***take a*** ~ ***of*** …을 보다; …을 관찰[시찰]하다: *take a* dark[favorable, impartial] ~ *of* …을 비관적으로[호의적으로, 공평하게] 보다/*take a* dim[poor, gloomy] ~ *of* …을 비관적으로 보다; …에 찬성하지 않다/*take a* general ~ *of* …을 개관(概觀)하다 ***take*** (***the***) ***long*** [***short***] ~***s*** 먼[가까운] 장래를 생각하다, 선견지명이 있다[없다] ***to the*** ~ 시야에, 보이는 곳에; 공공연하게, 공적으로 ***with a*** ~ ***to*** (1) [명사·대명사·동명사와 함께] …하려고, …의[…할] 목적으로, …을 얻을 희망으로 (2) 《속어》 …을 예상[생각]하여 (3) …에 관하여 ***with a*** ~ ***to*** do 《속어》 …할 목적으로 ***with the***[***a***] ~ ***of*** do***ing*** …할 작정으로, …할 목적으로 ***with this***[***that***] ~ 이[그] 목적[의도]을 가지고, 이것[그것]을 위하여

— *vt.* **1 a** 바라보다, 보다 **b** 조사하다, 검토하다; 시찰[관찰]하다; 검사[검시(檢視), 검시(檢屍)]하다: ~ the body 〈배심원이〉 검시하다 **2** …이라고 생각하다[간주하다], 판단하다; 고찰하다, 고려하다: (~+목+전+명) ~ the matter *in* a new light 사건에 대하여 새로운 견해를 갖다/Let's ~ the matter *from* another angle. 다른 각도에서 그 문제를 생각해 봅시다./The subject may be ~*ed in* different ways. 그 문제는 여러 가지 방법으로 고찰될 수 있다.// (~+목+***as*** 보) ~ a minor setback *as* a disaster 사소한 실패를 재난으로 보다// (~+목+부) The plan was ~*ed* favorably. 그 계획은 평가가 좋았다. **3** 《구어》 …을 텔레비전으로 보다(teleview) **4** (여우 사냥을 할 때) 〈여우를〉 목격하다, 발견하다(sight)

— *vi.* **1** 텔레비전을 보다 **2** 검시하다, 조사하다

an order to ~ (가옥·건물 등에 대한) 임검(臨檢) 허가

~·a·ble *a.* 볼 수가 있는, 보이는; 볼 만한 ▷ víewy *a.*

víew càmera 뷰 카메라 《렌즈 교환 등의 기능을 가진 대형 카메라; 인물·풍경 촬영용》

view·da·ta [vjúːdèitə] *n.* 비디오에 의한 정보 시스템(videotex)

***view·er** [vjúːər] *n.* **1** 보는 사람, 관찰자, 구경꾼; 《특히》 텔레비전 시청자(televiewer), 특정 텔레비전 프로그램의 팬 **2** 〖광학〗 (슬라이드 등의) 뷰어 《화면을 확대하는 투시식 장치》 **3** 《구어》 접안 렌즈, 파인더(eyepiece) **4** 검사[감독]관

view·er·ship [vjúːərʃìp] *n.* [집합적] (텔레비전 프로그램의) 시청자(수[층]), 시청률

view·find·er [vjúːfàindər] *n.* 〖사진〗 (카메라의) 파인더 《피사체의 위치를 봄》(cf. RANGE FINDER)

víew hallóo[**hallóa, halló**] *int.* 〖수렵〗 나왔다 《여우가 숨은 곳에서 뛰어 나왔을 때 지르는 소리》

view·ing [vjúːiŋ] *n.* **1** Ⓤ (풍경·전시물 등을) (바라)보기, 조망, 감상; 《특히》 텔레비전 보기 **2** [집합적] 텔레비전 프로그램: Which channel offers the best ~? 어떤 채널이 제일 좋은 프로그램을 방영하니? **3** (특히 조문객의) 고인(故人)과의 대면

view·less [vjúːlis] *a.* **1** 《시어》 보이지 않는; 눈이 보이지 않는 **2** 《주로 미》 선견지명이 없는; 의견이 없는 **3** 전망이 좋지 않은 **~·ly** *ad.*

view·phone [vjúːfòun] *n.* = VIDEOPHONE

***view·point** [vjúːpɔ̀int] *n.* **1** [수식 어구를 동반해서]

---

viewpoint *n.* point of view, perspective, angle, standpoint, position, stance, slant, stand, aspect, light, respect, attitude, outlook

견해, 견지, 관점(standpoint) 《*of*》: a practical [religious] ~ 실질적[종교적] 견해[견지] **2** (어떤 것이) 보이는 지점, 관찰하는 위치 ***from the ~ of*** …의 관점[견지]에서

view·port [vjúːpɔ̀ːrt] *n.* 〖컴퓨터〗 뷰포트 《화면상의 화상 표시 영역》

víew wíndow = PICTURE WINDOW

view·y [vjúːi] *a.* (**view·i·er**; **-i·est**) 《구어》 **1** 공상적인; 괴벽한, 변덕스러운, 기분파적인 **2** 훌륭한, 볼 만한(spectacular); 《속어》 보기에 참한, 예쁘장한(showy), 눈요기감의 **víew·i·ness** *n.*

viff, VIFF [víf] [*v*ectoring *i*n *f*orward *f*light] 〖항공〗 *n.* 《구어》 (수직 방향으로의) 급속 방향 변환 **—** *vi.* 급히 방향을 바꾸다

vig [víg] *n.* 《미·속어》 = VIGORISH

vi·ges·i·mal [vaidʒésəməl] *a.* **1** 제20의, 20번째의 **2** 1/20의(twentieth) **3** 〖수학〗 20으로 된, 20진법(進法)의; 20을 기초로 한 **~·ly** *ad.*

∗**vig·il** [vídʒəl] [L 「(자지 않고) 일어나 있는」의 뜻에서] *n.* **1 a** Ⓤ Ⓒ 철야, 밤샘, 불침번 **b** (엄한) 경계, 감시, 망보기 **2** 불면 **3** [주로 *pl.*] 철야 기도; (밤을 새워 비는) 축일 전야 ***keep (a) ~*** 불침번을 서다; 철야하다 《병 간호 등으로》; 밤샘을 하다 ▷ vígilant *a.*

∗**vig·i·lance** [vídʒələns] *n.* Ⓤ **1** 경계, 조심, 불침번: exercise ~ 조심하다 **2** 〖의학〗 각성 (상태[활동]), 불면증 ▷ vígilant *a.*

vígilance commìttee 《미》 자경단(自警團)

∗**vig·i·lant** [vídʒələnt] *a.* **1** 자지 않고 지키는: ~ soldiers 불침번병 **2** 경계하고 있는, 방심하지 않는, 주의깊게 지키는(watchful); 조심성 있는(opp. *careless*) **~·ly** *ad.* **~·ness** *n.* ▷ vígil, vígilance *n.*

vig·i·lan·te [vìdʒəlǽnti] [Sp.] *n.* **1** 《미》 자경단원(員) **2** 사적인 제재를 가하는 사람 《범죄에 대한 보복 등》 **-tìsm** *n.* Ⓤ 자경(주의)

vígil lìght[càndle] **1** 〖가톨릭〗 (신자가 성인상(聖人像) 앞에 켜놓는) 촛불 **2** 등명(燈明)

vi·gnette [vinjét] [F 「덩굴(vine)」의 뜻에서] *n.* **1** (책의 속표지나 장(章) 머리와 끝 등의) 작은 장식 무늬 **2** 비네트 《배경을 흐리게 한 상반신의 사진[그림]》 **3** (책 속의 작고 우아한) 삽화, 사진 **4** (연극·영화 속의) 짤막한 장면 **5** (문학적 멋이 있는) 소품, 미문(美文), 스케치 **6** 포도잎·덩굴손·가지의 장식; 덩굴무늬 **—** *vt.* 〈사진·그림 등을〉 흐리게[바림으로] 처리하다; …에 비네트를 붙이다[장식하다]

vi·gnett·er [vinjétər] *n.* **1** 〖사진〗 비네트 사진 인화 장치 《사진 화상의 가장자리를 흐리게 하는 장치》 **2** = VIGNETTIST

vi·gnett·ist [vinjétist] *n.* 비네트 사진 제작자; 비네트 화가; 소품 작가

‡**vig·or | vig·our** [vígər] [L = to be lively] *n.* Ⓤ **1 a** 정력, 힘, 활력: vim and ~ 정력 **b** 활기, 정신력, 기력, 원기: lose one's ~ 활기를 잃다 **2** 힘 《성장·운동 등에 나타난》, 생기, 세력, 활동력, 체력; 억셈 《성격의》, 힘참, 박력 《문체 등의》; 건전한 생장력 《식물 등의》 **3** 《미》 구속력, 유효성, 법적 효력 ***in ~*** 활기 넘쳐서; 〈법률이〉 유효한 ***with ~*** 힘차게, 활기 있게 **~·less** *a.* ▷ vígorous *a.*

vig·o·rish [vígəriʃ] *n.* 《미·속어》 (마권업자·노름판 주인 등에게 지불하는) 수수료, 그 요율(料率); (고리 대금업자에게 지불하는) 이자; (불법 수익의) 몫, 배당

vig·o·ro [vígəròu] *n.* 《호주》 비고로 《크리켓과 야구의 특징을 합친, 한 팀이 12명인 여자 경기》

vi·go·ro·so [vìgəróusou] [It.] *a.* 〖음악〗 활발한, 힘찬, 씩씩한 **—** *ad.* 힘차게, 씩씩하게

‡**vig·or·ous** [vígərəs] *a.* **1** 정력적인, 강건[강장]한, 원기 왕성한: a ~ young man 건장한 젊은이 **2** 〈행동·말 등이〉 활기 있는, 격렬한: have a very ~ argument 활발한 토론을 하다, 활발하게 말을 주고 받다 / ~ exercises 격심한 운동 **3** 〈사람·성격·문체 등이〉 박력 있는; 강력한: a ~ personality 개성이 강한 사람 **4** 〈작용·효과 등이〉 강력한, 강한: ~ law enforcement 법률의 강력한 시행 **5** 〈식물 등이〉 잘 자라는 **~·ly** *ad.* **~·ness** *n.* ▷ vígor *n.*

vi·ha·ra [vihάːrə] *n.* 〖불교〗 절, 승방, 정사(精舍)

Vik·i [víki] *n.* 여자 이름 《Victoria의 애칭》

∗**Vi·king** [váikiŋ] [ON 「후미의 주민」의 뜻에서] *n.* **1** (북유럽의) 바이킹 《8-10세기에 유럽 해안을 약탈한 스칸디나비아의 해적》 **2** [**v~**] 해적(pirate) **3** 《구어》 스칸디나비아 사람(Scandinavian) **4** 〖항공·우주과학〗 바이킹호 《미국의 무인 화성 탐사기》

vil. village

vi·la·yet [vìːlɑːjét | vilάːjet] [Turk.] *n.* (오스만 제국의) 주(州)

‡**vile** [váil] [L 「가치 없는」의 뜻에서] *a.* **1** 〈생각·행위 등이〉 비열한, 타락한, 수치스러운, 상스러운; 하등의, 미천한 **2** 몹시 나쁜, 넌더리나는, 지독한: ~ weather 험한 날씨 **3** 매우 싫은; 혐오감을 주는; 〈장소 등이〉 불결한, 더러운 **4** 비참한, 빈약한; 〈작품 등이〉 졸렬한; 꼴불견의, 보기 흉한 **5** 〈보수·금액 등이〉 얼마 안 되는 **~·ly** *ad.* **~·ness** *n.* ▷ vílify *v.*

vil·i·fi·ca·tion [vìləfikéiʃən] *n.* Ⓤ 욕설, 비방

vil·i·fy [víləfài] *vt.* (**-fied**) **1** 《문어》 헐뜯다, 비방하다, 중상하다(slander) **2** 《폐어》 천하게 하다, 타락시키다 **-fi·er** *n.*

vil·i·pend [víləpènd] *vt.* 《드물게》 업신여기다, 경멸하다; 흠잡다(belittle), 헐뜯다

∗**vil·la** [vílə] *n.* **1** (피서지나 해변의) 별장; 시골의 큰 저택 **2** 《영》 (한 채 또는 두 채가 이어진 정원 딸린) 교외 주택 《종종 부동산업자 등이 선전 문구로서 씀》; [종종 **V~**; 주택명의 일부로서] …주택 **3** (고대 로마의) 장원

vil·la·dom [víladəm] *n.* 《영》 **1** [집합적] 별장, 교외 주택 **2** 교외 주민의 사회

‡**vil·lage** [vílidʒ] [L 「시골의 저택(villa)의」의 뜻에서] *n.* **1** 마을, 촌락: a fishing ~ 어촌 ★ hamlet보다는 크고 town보다는 작음. **2** 마을 사람들 **3** (동물의) 군락, 무리 **4** [the V~] = GREENWICH VILLAGE **—** *a.* Ⓐ 마을의, 촌락의, 시골의

víllage cóllege 《영》 마을 대학 《마을 연합체의 교육·레크리에이션 센터》

víllage commúnity (고대의) 촌락 공동체

víllage gréen 마을 중심부에 있는 연극을 하기 위한 광장

víllage ìdiot [the ~] 《구어》 바보, 멍청이

‡**vil·lag·er** [vílidʒər] *n.* 마을 사람, 시골 사람 **—** *a.* 《동아프리카》 발전이 늦은; 교양이 없는

vil·lage·ry [vílidʒəri] *n.* [집합적] 촌락, 마을

vil·lag·i·za·tion [vìlidʒizéiʃən | -dʒaiz-] *n.* (아시아·아프리카에서의) 토지의 마을 소유화

‡**vil·lain** [vílən] [L 「농장의 하인」의 뜻에서] *n.* **1 a** 《문어》 악한, 악인 **b** 《구어》 (어린이나 애완동물을 꾸짖어) 이 놈[녀석]: You little ~! 이 꼬마 놈아! **2** [the ~] (극·소설 등의) 악역 **3** 《영》 = VILLEIN **4** 《영·구어》 범인, 범죄자 **5** 《폐어》 농사꾼, 시골 사람 ***play the ~*** 악한 역을 맡아 하다; 나쁜 짓을 하다 ***the ~ of the piece*** 《구어·익살》 (문제 등을 일으킨) 장본인, 원흉 《「연극의 악역」의 뜻에서》 ▷ víllainous *a.*

vil·la(i)n·age [vílənidʒ] *n.* = VILLENAGE

vil·lain·ess [vílənis] *n.* VILLAIN의 여성형

vil·lain·ous [vílənəs] *a.* **1** 〈사람이〉 극악무도한, 사악한; 〈행위가〉 악한[악인] 같은 **2** 하등의, 천한; 극악한, 매우 비열한: ~ conduct 야비한 행동 **3** 《구어》 몹시 나쁜, 형편없는, 지독한, 넌더리나는 **~·ly** *ad.* **~·ness** *n.*

vil·lain·y [víləni] *n.* (*pl.* **-lain·ies**) **1** Ⓤ 극악(極惡), 흉악 **2** [*pl.*] 나쁜 짓, 악행, 악랄한 수단

vil·la·nelle [vìlənél] [F] *n.* 〖운율〗 전원시, 19행

thesaurus **vigilant** *a.* watchful, observant, sharp-eyed, eagle-eyed, attentive, alert, awake,

(行) 2운체(韻體)의 시
vil·lat·ic [vilǽtik] *a.* (문어) 마을[촌락]의; 농촌의; 농장의; 시골의(rural)
-ville [vil] *suf.* **1** 지명의 일부로서 「town, city」의 뜻: Louis*ville* **2** (미·속어) 「place, condition」의 뜻: dulls*ville* **3** (미·학생속어) 「같은 류의 사람들이 모여 있는 상태」의 뜻: jock*ville* 운동선수 투성이
vil·leg·gia·tu·ra [vilèdʒətúərə | -dʒiətúərə, -dʒə-] [It.] *n.* **1** (휴가로) 시골에 머묾; 시골에서의 휴일 **2** (도시에서 떨어진) 휴가에 적합한 장소
vil·lein [vílən, -lein, viléin | vílən, -lein] *n.* 〚역사〛 (봉건 시대 영국의) 농노 《영주를 위하여 노동할 것을 조건으로 토지의 사용이 허락된》
vil·len·age, vil·lein- [vílənidʒ] *n.* Ⓤ **1** 농노의 토지 보유(조건); 농노제 **2** 농노의 신분[지위]
vil·li [vílai] *n.* VILLUS의 복수
vil·li·form [víləfɔ̀:rm] *a.* 융모(絨毛) 모양의; 비로드의 보풀 같은
vil·li·no [vilí:nou] *n.* (*pl.* **-ni** [-ni:]) (시골의) 작은 별장
vil·los·i·ty [vilɑ́səti | -lɔ́s-] *n.* (*pl.* **-ties**) **1** Ⓤ 긴 연모(軟毛)[융모(絨毛)]가 많음[많이 덮인 표면] **2** 융모 조직 **3** = VILLUS
vil·lous [víləs], **-lose** [vílous] *a.* 융모(絨毛) 같은; 융모(絨毛)[상 돌기]를 가진; 연모(軟毛)로 덮인
vil·lus [víləs] *n.* (*pl.* **-li** [-lai]) 〚해부〛 융모(絨毛); 〚식물〛 연모(軟毛)
Vil·ni·us [vílniəs] *n.* 빌뉴스 《리투아니아 공화국의 수도》
vim [vím] *n.* Ⓤ (구어) 정력, 힘, 기력, 활기; 열의 ★ 흔히 ~ and vigor로 씀.
~·ful *a.* 정력[기력, 활기]이 넘치는
VIM [vím] [*V*ertical *I*mproved *M*ail] *n.* (고층 건물의) 고속 우편물[서류] 집배 장치
vi·min·e·ous [vimíniəs] *a.* 〚식물〛 가늘고 긴 작은 가지의[가 나는, 로 만든]
v. imp. verb impersonal
vin [vǽŋ] [F] *n.* (*pl.* **~s** [~]) = WINE
VIN [vín] [*v*ehicle *i*dentification *n*umber] *n.* 자동차 등록 번호
vi·na, vee·na [ví:nɑ:, -nə] *n.* 〚음악〛 비나 《인도 현악기의 일종》
vi·na·ceous [vainéiʃəs] *a.* 포도(주)의[같은]; 포도주 빛의
vin·ai·grette [vìnəgrét | -nei-] *n.* **1** 정신나게 하는 약통, 냄새 맡는 병(smelling bottle) **2** = VINAIGRETTE SAUCE **—** *a.* 비니그레트 소스로 버무려진
vinaigrétte sáuce 비니그레트 소스 《식초·기름·양념으로 만든 냉육(冷肉)·채소용 소스》
vi·nal[1] [váinl] *a.* 포도주의
vi·nal[2] [váinæl] *n.* 〚화학〛 바이날 《폴리비닐 알코올을 원료로 하는 합성 섬유 비닐론》
vin blanc [vǽŋ-blɑ́:ŋ] [F = white wine] *n.* 백포도주
vin·blas·tine [vinblǽsti:n] *n.* 〚약학〛 빈블라스틴 《식물성 항종양성 알칼로이드》
Vin·cent [vínsənt] *n.* **1 Saint ~** 성(聖) 빈첸티우스 (?-304) 《스페인의 순교자; 포도 재배의 수호 성인》 **2** 남자 이름
Víncent's angína [프랑스의 세균학자 이름에서] 〚병리〛 궤양성 위막성(僞膜性) 앙기나, 뱅상 구협염(口峽炎) (trench mouth)
Víncent's inféction 〚의학〛 뱅상 감염 《호흡기·입에 궤양이 형성됨》
Vin·ci [víntʃi] *n.* ⇨ da Vinci
vin·ci·ble [vínsəbl] *a.* (드물게) 이길 수 있는, 정복할 수 있는; 극복[억제]할 만한
vìn·ci·bíl·i·ty *n.* **~·ness** *n.*

careful, cautious, wary, circumspect, heedful (opp. *heedless, negligent, inattentive*)

vin·cris·tine [vinkrísti:n] *n.* Ⓤ 〚약학〛 빈크리스틴 《백혈병 치료용 알칼로이드》
vin·cu·lum [víŋkjuləm] *n.* (*pl.* **-la** [-lə]) **1** (드물게) 연결, 유대(bond) **2** 〚수학〛 괄선(括線)
vin·da·loo [víndəlù:] *n.* 빈달루 《고기나 생선을 넣어 만든 매우 매운 인도 카레》
vin·di·ca·ble [víndikəbl] *a.* 변호[옹호]할 수 있는; 정당화[입증]할 수 있는 **vìn·di·ca·bíl·i·ty** *n.*
*****vin·di·cate** [víndəkèit] [L 「요구하다」의 뜻에서] *vt.* **1** …의 정당[결백, 진실]함을 입증하다, …의 혐의를 풀다; 〈명예를〉 회복하다: Subsequent events ~*d* his innocence. 그 후에 일어난 일이 그의 무죄를 입증하였다. **2** 〈불확실했던 것 등의〉 진실성[정당성]을 입증하다 **3** 〈권리·주의 등을〉 주장[지지, 옹호]하다, 요구하다: (~+목+전+명) ~ one's claim[right] *to* the property 재산에 대한 자기의 권리를 주장하다 **4** 복수하다 **5** (폐어) 자유롭게 하다, 해방하다 **~ one*self*** 자기의 정당[결백]함을 입증하다, 변명하다
-cà·tor *n.* 변호자, 옹호자
▷ vindicátion *n.*; vindícative *a.*
vin·di·ca·tion [vìndəkéiʃən] *n.* **1** ⓊⒸ (명예·요구 등의) 옹호, 변호, 지지 **2** ⓊⒸ 입증; (비난 등에 대한) 변명, 해명; 정당성 ***in ~ of*** …을 변호하여
vin·dic·a·tive [vindíkətiv] *a.* **1** 변호하는; 변명[변호]적인 **2** (고어) 형벌의; (폐어) 보복의
vin·di·ca·to·ry [víndikətɔ̀:ri | -kèitəri] *a.* **1** 변명[변호]하는, 정당화하는 **2** 〚법〛 징벌의, 형벌의
vin·dic·tive [vindíktiv] *a.* **1** 복수심 있는, 앙심 깊은 **2** 악의에서의, 보복적인 **~·ly** *ad.* **~·ness** *n.*
vindíctive dámages = PUNITIVE DAMAGES
‡vine [váin] [wine과 같은 어원] *n.* **1** 〚식물〛 포도나무(grapevine) **2** 덩굴식물 《담쟁이·오이·멜론 등》; (덩굴식물의) 줄기, 덩굴 **3** [the ~] (미·속어) 포도주(wine) ***a clinging ~*** (구어) 남에게 성가시게 붙어 다니는 사람[《특히》 여자] ***die*** [***wither***] ***on the ~*** (문어) 〈계획·운동 등이〉 열매를 맺지 않고 끝나다, 미완으로 끝내다, 좌절되다 ***rose ~s*** (미) 덩굴장미 ***under one's*** (***own***) ***~ and fig tree*** 〚성서〛 제 집에서 편안히 《열왕기상 4: 25》
— *vi.* 덩굴이 뻗다, 덩굴 모양으로 뻗다
▷ víny, vínous *a.*
vin·e·al [víniəl] *a.* 포도(나무)의; 와인(양조)의
víne bòrer 포도 나무에 구멍을 뚫는 해충
vine·dress·er [váindrèsər] *n.* 포도 나무 재배[기술]자
víne frùit 덩굴 식물의 과실, 《특히》 포도
‡vin·e·gar [vínigər] [OF 「새콤한 포도주」의 뜻에서] *n.* Ⓤ **1** 식초, 초; 〚약학〛 초제(醋劑) 《약물을 희초산으로 녹인 액》 **2** 찡그린 표정, 뒤틀어진 말[성질], 언짢음 **3** (미·구어) 활력, 원기: full of ~ 활기 넘치는 ***aromatic ~*** 향초(香醋) 《장뇌(樟腦) 등을 넣은 초; 정신 돌리는 약》 ***lead ~*** = ***~ of lead*** 식초산납
— *vt.* …에 초를 치다[섞다]; 초로 처리하다[조미하다]
~·lìke *a.* ▷ vínegarish, vínegary *a.*
vínegar èel[**wòrm**] 묵은 식초 등에 생기는 작은 선충, 초선충(醋線蟲)
vínegar flỳ 〚곤충〛 초파리(fruit fly)
vin·e·gar·ish [vínigəriʃ] *a.* 신듯한, 초 같은; 까다로운, 언짢은; 빈정거리는, 신랄한(tart)
vínegar plànt 〚식물〛 거망옻나무의 일종
vin·e·gar·roon [vìnigərú:n | -rú:n] *n.* 〚동물〛 큰 전갈 《미국 남부·멕시코산(産); 초 냄새가 남》
vin·e·gar·y [vínigəri] *a.* **1** 초가 많은; 초 같은, 신(sour): a ~ taste 신 맛 **2** 찡그린, 까다로운 〈성미〉, 신랄한, 심술궂은: a ~ smile 쓴웃음
vin·er [váinər] *n.* 완두 수확기(機); 포도 재배자
vin·er·y [váinəri] *n.* (*pl.* **-er·ies**) **1** 포도 나무[덩굴 식물] 온실; 포도원[밭] **2** Ⓤ [집합적] (미) 덩굴 식물, 포도 나무(vines)
*****vine·yard** [vínjərd] *n.* **1** 포도원[밭] **2** 활동의 장, 활동 범위, 일터 《특히 정신적·영적 노력을 하는》

~·ist *n.* 포도원 경영[소유]자
vingt-et-un [vǽnteiə́:n] [F] *n.* 〖카드〗 = TWENTYONE
vini- [víni, váini, -nə] 《연결형》 「포도, 포도주」의 뜻
vi·nic [váinik, vín-] *a.* 포도주의, 포도주에서 얻어진
vi·ni·cul·tur·al [vìnəkʌ́ltʃərəl, vàinə-] *a.* 포도 재배의
vi·ni·cul·ture [vínəkʌ̀ltʃər, váinə-] *n.* Ⓤ 포도 재배, 포도주 양조학(學)[연구]
vi·ni·cul·tur·ist [vìnəkʌ́ltʃərist] *n.*
vi·nif·er·ous [vainífərəs, vi-] *a.* 포도주 생산에 알맞은, 포도주용으로 재배되는
vi·ni·fi·ca·tion [vìnəfikéiʃən] *n.* Ⓤ 포도주 양조; 포도즙의 포도주화[과정]
vin·i·fy [vínəfài] *v.* (**-fied**) *vt.* …에서 포도주[와인]를 만들다 — *vi.* 포도주를 양조하다; 발효하다
vi·no [ví:nou] [Sp., It. =wine] *n.* Ⓤ (구어) 싸구려 포도주, 《특히》 이탈리아산(産) 적(赤)포도주
vin·ol·o·gy [vinɑ́lədʒi | -nɔ́l-] *n.* Ⓤ 포도주학(學)
-gist *n.*
vin·om·e·ter [vinɑ́mətər, vai- | -nɔ́m-] *n.* 포도주 주정계(酒精計)
vin or·di·naire [vǽŋ-ɔ̀:rdənέər] [F =ordinary wine] (식탁용) 보통 포도주
vi·nos·i·ty [vainɑ́səti | -nɔ́s-] *n.* Ⓤ 포도주 질(質)[빛, 맛, 향]; 포도주 기운[애호]; (적)포도주색
vi·nous [váinəs] *a.* **1** 포도주의, 포도주의 성질[향미]을 가진; 포도주 빛의 **2** 포도주로 기운을 낸; 포도주에 취한 **~·ly** *ad.*
vin rouge [vǽŋ-rú:ʒ] [F =red wine] 적포도주
Vín·son Massíf [vínsən-] 빈슨 산 《남극 대륙의 최고봉; 높이 5,140 m》
vint[1] [vínt] *vt.* 〈와인·과실주를〉 만들다
vint[2] *n.* Ⓤ 러시아식 카드놀이의 일종
*__vin·tage__ [víntidʒ] [L 「포도 수확」의 뜻에서] *n.* **1** 포도 수확(기) **2** (일정 수확기에 채취된) 포도, 포도주 **3** (한 철의) 포도 수확량, 포도주 생산(량) **4** = VINTAGE WINE **5** (시어) 맛이 좋은 술, (특히) 고급 포도주(wine) **6** ⓊⒸ (구어) (어느 해의) 제품, 제작품, 《특히》 (구)형; (…년도 출신의) 사람들 **7** 성숙도; (원숙도를 나타내는) 오래됨
— *a.* Ⓐ **1** 포도주 (양조)의; 〈포도주가〉 우량한, 고급의; (오랜) 연호가 있는 **2** 《일반적으로》 …형, …년식: a 1960s-~ TV set 1960년대식 텔레비전 수상기 **3** 〈제작물·작품이〉 우수한, 걸작의; 유서 있는; 시대물의; 구식의, 케케묵은, 시대에 뒤진; (영) 〈차가〉 1917-30년에 제조된
— *vt.* 〈와인용의 포도를〉 수확하다; (포도로) 〈와인을〉 빚다, 양조하다
vín·tag·er *n.* 포도 수확자
víntage càr (영) (1919-30년에 제조된 우수한) 구형 자동차
víntage chìc 〖복식〗 빈티지 식 《1980년대의 헌 옷으로 내는 멋 또는 유행》
víntage féstival 포도 수확 축제
víntage wíne 풍작인 해의 포도주 《특정 지방·연도·상표의 우량주》
víntage yéar **1** 포도 작황이 좋았던 해, 그 양조 연도; vintage wine을 만든 해 **2** 알찬 해, 성과가 많은 해
vint·ner [víntnər] *n.* 포도주 상인; 포도주 양조 업자
vi·num [váinəm] *n.* (와인에 의약품을 탄) 약용 포도주
vin·y [váini] *a.* (**vin·i·er**; **-i·est**) 덩굴식물의[같은]; 덩굴식물[포도 나무]이 많은[많이 나는]
*__vi·nyl__ [váinl] *n.* ⓊⒸ **1** 〖화학〗 비닐기(基); 비닐 《수지제의 플라스틱》 **2** (미·속어) 레코드판; 레코드 녹음
— *a.* **1** Ⓐ 비닐제의: a ~ tablecloth 비닐 식탁보 **2** 비닐기(基)를 가진 **3** (미·속어) 디스코(춤)의
vi·nyl·ic [vainílik] *a.*
vínyl ácetate 〖화학〗 초산 비닐
vi·nyl·a·cet·y·lene [vàinələsétəlì:n] *n.* 〖화학〗 비닐아세틸렌
vínyl álcohol 〖화학〗 비닐 알코올
vínyl chlóride 〖화학〗 염화 비닐
vínyl éther 〖약학〗 비닐 에테르 《가연성의 무색 액체로, 흡입 마취제로 쓰임》
vínyl gròup[ràdical] 〖화학〗 비닐기(基)
vi·nyl-guard·ed [váinlgɑ̀:rdid] *a.* 비닐로 씌워진, 비닐로 보호된
vi·nyl·i·dene [vainílədì:n] 〖화학〗 *a.* 비닐리덴기(基)를 가진 — *n.* 비닐리덴기(基)(=~ **gròup[ràdical]**)
vinýlidene chlóride 〖화학〗 염화 비닐리덴
Vi·nyl·ite [váinəlàit] *n.* 비닐라이트 《합성수지의 일종; 상표명》
vínyl plástic 비닐 플라스틱
vínyl résin 〖화학〗 비닐 수지(樹脂)(polyvinyl resin)
Vin·yon [vínjɑn | -jɔn] *n.* 비니온 《어망·옷감용의 합성 섬유; 상표명》
vi·ol [váiəl] *n.* 〖음악〗 비올 《중세의 보통 6현의 현악기로 violin의 전신》
vi·o·la[1] [vióulə] [It.] *n.* 〖음악〗 비올라 《violin과 비슷하나 조금 큰 악기》; 테너 바이올린, 알토 바이올린; 비올라 연주자
vi·o·la[2] [váiələ, vaióu-, vi-] [L =violet] *n.* 〖식물〗 제비꽃 무리
Vi·o·la [váiələ, ví:-, vaióu-, vi-] *n.* 여자 이름
vi·o·la·bil·i·ty [vàiələbíləti] *n.* Ⓤ 범할 수 있음, 가침성(可侵性)
vi·o·la·ble [váiələbl] *a.* 범할 수 있는, 깨뜨릴 수 있는, 더럽힐 수 있는, 더럽혀지기 쉬운(opp. *inviolable*) **~·ness** *n.* **-bly** *ad.*
vi·o·la·ceous [vàiəléiʃəs] *a.* **1** 제비꽃과(科)의 **2** 제비꽃[보라]색의(violet); 푸른 빛이 도는 자색의(bluish-purple)
vi·o·la da brac·cio [vióulə-də-brɑ́:tʃou] [It. = viol for the arm] *n.* (*pl.* **vi·o·las-**) (팔로 받쳐 연주하는) 차중음(次中音) 비올라 《violin보다 크며 cello보다는 작음》
vi·o·la da gam·ba [-də-gɑ́:mbə] [It. =viol for the leg] *n.* (*pl.* **vi·o·las-**) (다리로 받쳐 연주하는) 저음 비올라 《지금의 cello에 해당함》
‡**vi·o·late** [váiəlèit] [L 「힘으로 다루다」의 뜻에서] *vt.* **1** 위배[위반]하다, 범하다, 어기다; 〈양심 등을〉 저버리다: ~ the speed limit 속도 제한을 위반하다 **2** …의 신성을 더럽히다, …에 불경한 짓을 하다, 모독하다: ~ a shrine 성당의 신성을 더럽히다 **3** 〈정적·수면·프라이버시 등을〉 방해하다, 침해하다: ~ personal rights 인권을 침해하다 **4** …을 힘껏 돌파하다, 정당한 권리없이 통과하다 **5** (완곡) 〈여자를〉 성폭행하다, 능욕하다(rape) **6** 〈감정을〉 상하게 하다, 자극하다
ví·o·làt·er *n.* ▷ violátion *n.*; víolative *a.*
*__vi·o·la·tion__ [vàiəléiʃən] *n.* ⓊⒸ **1** 위반, 위배 《*of*》: commit a traffic ~ 교통 위반을 범하다 **2** 방해, 침해, 침입 《*of*》: a ~ *of* Korea's air space 한국 영공의 침범 **3** (문어) (신성) 모독 《*of*》 **4** (완곡) 성폭행(rape) **5** 〖농구〗 바이얼레이션 ***in ~ of*** …을 위반하여 ***~ of human rights*** 인권 침해
~·al *a.* ▷ víolate *v.*; víolative *a.*
vi·o·la·tive [váiəlèitiv, -lə-] *a.* 범하는, 어기는; 침해하는; 더럽히는
vi·o·la·tor [váiəlèitər] *n.* 위반자, 위배자; (문어) 모독자; (문어) 침입자, 방해자; (문어·완곡) 성폭행범
‡**vi·o·lence** [váiələns] *n.* Ⓤ **1** (자연현상·행위 등의) 격렬(함), 맹렬(함), 사나움; 맹위 **2** 폭력, 난폭; 격노; 〖법〗 성폭행, 폭행 **3** 모독; (자구(字句)의) 부당한 변경; (사실·의미 등의) 곡해, 왜곡; 불일치, 충돌
do ~ to …에게 폭행을 가하다, …을 해치다[침해하다]; 〈아름다움 등을〉 파괴[손상]하다; …의 사실[의미]

thesaurus **violate** *v.* **1** 위반하다 break, transgress, infringe, disobey, disregard, ignore **2** 방해하다 disturb, intrude on, interfere with, invade
violent *a.* **1** 맹렬한 wild, raging, turbulent; force-

을 왜곡[곡해]하다; …을 모독하다; …에 위반하다 ***offer ~ to*** …을 습격하다, …에게 폭력을 가하다 ***use***[***resort to***] ***~*** 폭력을 쓰다 ***with ~*** 맹렬히, 격렬하게 ▷ víolent *a.*

‡**vi·o·lent** [váiələnt] *a.* **1** 〈자연현상·행위 등이〉 **격렬한, 맹렬한**: a ~ blow[attack] 맹타[맹공] **2** 〈수단 등이〉 **난폭한,** 폭력적인; 〈영화 등이〉 폭력 장면이 많은; 〈죽음이〉 부자연한: a ~ death 횡사, 변사 / ~ deeds 폭행 **3** 〈정도 등이〉 강한, 심한, 극단의: ~ heat 혹서(酷暑) / a ~ contrast of color 격심한[강렬한] 색채 대조 **4** 흥분한, 격분한, 격한: a ~ quarrel 격론 / in a ~ temper 격노하여 **5** 〈속도 등이〉 굉장한, 맹렬한: at a ~ speed 맹렬한 속도로 **6** 〈해석 등이〉 무리한, 억지의 ***lay ~ hands on*** …에게 폭행을 가하다, …에게 손대다 ***resort to ~ means*** 폭력에 호소하다 ▷ víolence *n.*

víolent fluctuátions (시세의) 극심한 변동

‡**vi·o·lent·ly** [váiələntli] *ad.* **맹렬하게,** 세차게, 격렬히, 난폭하게, 폭력적으로; 심하게

víolent presúmption 〖법〗 간접 사실에 의한 추정

víolent stórm 〖기상〗 폭풍(storm)

vi·o·les·cent [vàiəlésnt] *a.* 보랏빛 도는

‡**vi·o·let** [váiəlit] *n.* **1** 〖식물〗 **제비꽃,** 제비꽃 무리의 식물 **2** Ⓤ 보라색, 청자색; 보라색 옷감[의류] **3** 《구어》 매우 신경질적인 사람 ***a shrinking***[***modest***] ***~*** 《익살》 수줍어하는 사람, 내성적인 사람 ***English***[***sweet***] ***~*** 〖식물〗 향제비꽃 ***tricolored ~*** 〖식물〗 팬지(pansy) — *a.* 보라색의, 붉은 빛을 띤 청색(reddish-blue)의

Vi·o·let [váiəlit] *n.* 여자 이름

víolet rày 〖물리〗 자광선(紫光線) 《가시광선 중에 파장이 가장 짧은 것》; 《속칭》 자외선

víolet wòod 자단(紫檀)(kingwood)

‡**vi·o·lin** [vàiəlín] [It. =little viola] *n.* **1** 바이올린(fiddle): play the ~ 바이올린을 연주하다 **2** (특히 오케스트라의) 바이올린 연주자[파트] ***the first***[***second***] ***~*** (오케스트라의) 제1[제2] 바이올린 (연주자) ***play first ~*** 제1 바이올린을 켜다; 《비유》 중요한 위치에 있다; 앞장을 서다, 지도적 역할을 하다

***vi·o·lin·ist** [vàiəlínist] *n.* **바이올린 연주자**

violín spìder =BROWN RECLUSE SPIDER

vi·o·list[1] [vióulist] *n.* 비올라(viola) 연주자

vi·ol·ist[2] [váiəlist] *n.* 비올(viol) 연주자

vi·ol·o·gen [váiələdʒən] *n.* 〖화학〗 비올로겐 《산화 환원 지시약으로 씀》

vi·o·lon·cel·list [vì:ələntʃélist, vài- | vài-] *n.* =CELLIST

vi·o·lon·cel·lo [vì:ələntʃélou, vài- | vài-] *n.* (*pl.* **~s**) =CELLO

vi·o·lo·ne [vì:əlóunei | váiəlòun] [It.] *n.* 〖음악〗 비올로네 《콘트라베이스의 전신》

vi·o·my·cin [vàiəmáisn | -sin] *n.* Ⓤ 〖약학〗 비오마이신 《결핵 등에 유효한 항생 물질》

vi·os·ter·ol [vaiάstərɔ̀:l, -rὰl | -ɔ́stərɔ̀l] *n.* Ⓤ 〖생화학〗 비오스테롤 《비타민 D》

VIP [ví:àipí:] [*v*ery *i*mportant *p*erson] *n.* (*pl.* **~s**) 《구어》 요인(要人), 중요 인물, 귀빈

vi·per** [váipər] *n.* **1** 〖동물〗 **북살무사;** 《일반적으로》 독사 **2** 독사 같은 사람, 음흉한 인간 **3** =PIT VIPER **4** 속이 검은 인간, 불성실한 사람 **5** [**V~**] 〖군사〗 바이퍼 《미육군의 보병 휴대용 대전차 로켓 발사기》 **6** 《미·속어》 마약[마리화나] 상용자; 마약 상인 ***cherish[***nourish, nurse***] ***a ~ in*** one***'s bosom*** 은혜를 원수로 갚을 인간에게 친절을 베풀다 **~·like** *a.* ▷ víperine, víperous, víperish *a.*

vi·per·ine [váipərin, -ràin | -ràin] *a.* 독사의[같은], 독이 있는

ful, mighty, destructive, damaging **2** 폭력적인 brutal, savage, vicious, fierce, hot-tempered **3** (정도 등이) 심한 strong, great, intense, extreme, excessive; sharp, acute, agonizing

vi·per·ish [váipəriʃ] *a.* =VIPEROUS

vi·per·ous [váipərəs] *a.* 독사 같은 성질의; 악의가 있는, 사악한, 음흉한 **~·ly** *ad.*

vir [víər] [L] *n.* 남편(husband) 《주로 법률용 *et vir* 에 사용》

vi·ra·go [virά:gou, -réi-] [L 「남자 같은 여자」의 뜻에서] *n.* (*pl.* **~(e)s**) 바가지 긁는[사나운] 여자(shrew); 《고어》 여장부(amazon)

vi·ral [váiərəl] *a.* 바이러스의, 여과성 병원체의; 바이러스성의 **~·ly** *ad.* ▷ vírus *n.*

víral inféction 〖컴퓨터〗 바이러스 감염

víral márketing 〖컴퓨터〗 바이러스성 마케팅 《사용자가 전자 메일을 통해 무의식적으로 메시지[이미지]를 받고 보내게 하는》

Vi·ra·zole [váiərəzòul] *n.* 〖약학〗 비라졸 《항(抗) 바이러스제 ribavirin의 상표명》

vir·e·lay, -lai [vírəlèi] *n.* 〖운율〗 1절(節) 2운체(韻體)의 단시(短詩) 《특히 프랑스 고시(古詩)의 형식》

vire·ment [víərmα:n] [F] *n.* 〖상업〗 대체(對替), 어음 교환; (자금의) 유용, 항목 변경

vi·re·mi·a [vaiərí:miə] *n.* 〖병리〗 (혈액의) 바이러스 감염, 바이러스 혈증(血症) **vi·ré·mic** *a.*

vir·e·o [víriòu] *n.* (*pl.* **~s**) 〖조류〗 개고마리 비슷한 명금(鳴禽) 《미국산(產)》

vi·res [váiəri:z] [L] *n.* VIS의 복수

vi·res·cent [vairésnt, vi- | vi-] *a.* 〖식물〗 녹색을 띤(greenish), 녹변하는 **-cence** [-sns] *n.* Ⓤ 〖식물〗 녹색; 녹색화(化), 녹변

vir·ga [vɔ́:rgə] *n.* [단수·복수 취급] 〖기상〗 미류운(尾流雲) 《땅에 도달하기 전에 증발해 버리는 비구름》

vir·gate[1] [vɔ́:rgət, -geit] *a.* 막대기 모양의(rod-shaped); 쭉 뻗은; 작은 가지가 많은

virgate[2] [L =a rod's measurement] *n.* 〖영국사〗 버게이트 《지적의 단위; =1/4 acre》

Vir·gil [vɔ́:rdʒəl] *n.* =VERGIL

Vir·gil·i·an [vərdʒíliən, -ljən] *a.* =VERGILIAN

‡**vir·gin** [vɔ́:rdʒin] [L 「처녀」의 뜻에서] *n.* **1 a** 처녀, 아가씨, 숫처녀, 동정녀; 미혼 여성; 소녀 **b** 〖가톨릭〗 성처녀; 수녀 **2** [the V~] 동정녀 마리아; [a V~] 성모 마리아의 그림[상] **3** 《속어》 미경험자 **4** 동정남(童貞男) **5** 〖곤충〗 단성(單性) 생식을 하는 암컷 **6** [the V~] 〖천문〗 =VIRGO ***the*** (***Blessed***) ***V~ Mary*** 성모 마리아 《略 BVM》 — *a.* **1** Ⓐ **처녀의,** 동정의 **2** 처녀다운, 순결한, 얌전한 **3** 더럽혀지지 않은, 아직 손대지 않은, 깨끗한; 최초의, 새로운; 아직 쓰지 않은; 개간되지 않은: a ~ blade 아직 피를 묻히지 않은 칼 / ~ clay (아직 굽지 않은) 생점토 / a ~ peak 처녀봉 / ~ snow 처녀설 / ~ soil 처녀지, 미개간지 / a ~ voyage 처녀 항해 **4** 〈금속이〉 혼합되지 않은, 순수한: ~ gold 순금 **5** 〈식물유가〉 처음 짠(first) **6** 처음 경험한[입은, 안] 《*of*》 **7** 〈곤충이〉 수정 없이 알을 낳는 ▷ vírginal *a.*

vir·gin·al[1] [vɔ́:rdʒənl] *a.* **1** 처녀의, 처녀다운; 순결한, 무구한, 흠없는, 숫처녀의: ~ bloom 한창때인 처녀 **2** 신선한; 인적미답의 **3** 〖동물〗 미수정의 **~·ly** *ad.* 처녀로서, 처녀답게

virginal[2] [주로 소녀들이 탄 데서] *n.* [종종 (a pair of) ~s] 〖음악〗 버지널 《16-17세기경 쓰인 일종의 건반이 있는 현악기로서 직사각형의 다리가 없는 하프시코드》 **~·ist** *n.*

virginal[2]

vírginal generátion 〖생물〗 단성 생식

vírginal mémbrane 〖해부〗 처녀막(hymen)

vírgin bírth [종종 **V- B-**; the ~] 〖신학〗 (마리아의) 처녀 잉태설; 〖동물〗 단성 생식, 처녀 생식(parthenogenesis)

vírgin cóke 《속어》 Coca-Cola에 매실 향미의 시럽

을 첨가한 음료

vírgin cómb 꿀 저장을 위해 단 한 번만 사용된 벌집, 처녀 봉와(蜂窩)

vírgin fórest 처녀림, 원시림

vírgin hóney virgin comb에서 채취한 꿀, 벌집에서 저절로 흘러나오는 새 꿀

vir·gin·hood [vɔ́ːrdʒinhùd] *n.* Ⓤ 처녀임, 동정(童貞)(virginity), 처녀기(期)

Vir·gin·ia [vərdʒínjə, -niə] [Virgin Queen (Elizabeth 1세)을 기념하여] *n.* **1** 버지니아 주 《미국 동부의 주; 주도 Richmond; 속칭 the Old Dominion; 略 Va., 〖우편〗 VA》; Ⓤ 버지니아 담배 **2** 여자 이름

Virgínia cówslip[blúebell] 〖식물〗 갯지칫속(屬)의 다년초 《북미 원산; 원예용》

Virgínia créeper 〖식물〗 양담쟁이 《북미산(産)》

Virgínia déer 〖동물〗 흰꼬리사슴(whitetailed deer) 《북미산(産)》

Virgínia fènce = SNAKE FENCE

vir·gin·ia·my·cin [vərdʒìnjəmáisn | -sn] *n.* 〖약학〗 버지니아마이신 《방선균(放線菌)에서 얻는 항생 물질; 그람 양성균(陽性菌)에 유효》

Vir·gin·ian [vərdʒínjən, -niən] *a.* 버지니아 주(산)의 **—** *n.* 버지니아 주의 사람

Virgínia réel (미국의) 민속춤의 일종

vir·gin·i·bus pu·er·is·que [vərdʒínibəs-pjùːərískwi | vəːgínibəs-puə-] [L] *ad.*, *a.* 소년 소녀를 위하여[에 적합한]

Vírgin Íslands [the ~] 버진 제도 《서인도 제도 중의 군도; 略 V.I.》

vir·gin·i·ty [vərdʒínəti] *n.* Ⓤ **1** 처녀[동정]임, 처녀성, 동정; 미혼[독신] 생활; 순결; 신선; 청춘 **2** (구어) 미경험, 무지

vir·gin·i·um [vərdʒíniəm] *n.* Ⓤ 〖화학〗 버지늄 《기호 Vi; 지금은 francium이라 함》

Vírgin Máry [the ~] 동정녀[성모] 마리아

vírgin médium 〖컴퓨터〗 (데이터가 전혀 기록되어 있지 않은) 미사용 매체

Vírgin Móther [the ~] 성모 마리아

Vírgin Quéen [the ~] 처녀 여왕 《영국의 Elizabeth 1세》; [**v- q-**] 미수정의 여왕벌

vírgin's bówer 〖식물〗 참으아릿속(屬)의 식물

vírgin sóil 미개간지, 처녀지

vírgin wóol 새 양모; 미가공 양모, 원모

Vir·go [vɔ́ːrgou] [L = virgin] *n.* 〖천문〗 처녀자리 (the Virgin); 쌍녀궁(雙女宮) 《zodiac(황도대(黃道帶))의 제6궁(宮)》; 쌍녀궁자리 태생의 사람 《8월 23일-9월 22일》

vir·go in·tac·ta [vɔ́ːrgou-intǽktə] [L = untouched virgin] 〖법〗 숫처녀

vir·gu·late [vɔ́ːrgjulət, -lèit] *a.* 〖식물〗 막대기 모양의(virgate)

vir·gule [vɔ́ːrgjuːl] [L 「작은 막대」의 뜻에서] *n.* **1** 작은 사선(斜線) 《/》 《어느 쪽 말을 취하여도 좋음을 나타냄》: A and/or B A 및[또는] B **2** (날짜·분수·시의 행을 나눌 때 쓰는) 분할선

vi·ri·cide [váiərəsàid] *n.* = VIRUCIDE

vir·id [vírəd] *a.* 신록의, 연한 초록색의

vir·i·des·cent [vìrədésnt] *a.* **1** 담록색의, 초록색을 띤(greenish) **2** 녹색으로 변하는, 푸르게 되는; 신선한, 생생한 **-cence** [-sns] *n.*

vi·rid·i·an [vərídiən] *n.* 비리디언 《청록색 안료; 그 빛》 **—** *a.* 청록색의, 청청한(verdant)

vi·rid·i·ty [vərídəti] *n.* Ⓤ **1** (풀·새잎의) 초록, 산뜻한 초록, 신록 **2** 싱싱함, 생기, 젊음 **3** 미숙함, 무경험

vir·ile [vírəl | -rail] [L 「남성」의 뜻에서] *a.* **1** 성년 남자의, 〈남자가〉 한창인: the ~ age 남자의 한창 나이 **2** 남성(적)인, 씩씩한; 강건한; 웅장한 **3** 생식의, 생식력이 있는: ~ power 생식 능력 ▷ virílity *n.*

vir·i·les·cent [vìrəlésnt] *a.* 〈늙은 암컷이〉 웅성[남성]화하는 **-cence** [-sns] *n.*

vir·i·lism [vírəlìzm] *n.* Ⓤ (여성의) 남성화 《수염·저음(低音) 등》; 남성의 제2차 성징의 조발(早發)

vi·ril·i·ty [vəríləti] *n.* Ⓤ **1** (성년) 남자임, 성년 **2** 사나이다움, (사내가) 한창임 **3** 남성적인 성격[힘, 생기] **4** 남자의 생식력

vir·il·ize [vírəlàiz] *vt.* 남성화시키다

vir·i·lo·cal [vìrəlóukəl] *a.* 〖인류〗 부계측(父系側) 거주의, 부거성(父居性)의 **~·ly** *ad.*

vi·ri·on [váiəriɑ̀n, ví- | -ɔ̀n] *n.* 비리온 《성숙한 바이러스 입자》

vi·ro·gene [váiərədʒìːn] *n.* 〖생화학〗 바이러스 유전자 《특히 정상 세포 안에 발암성 바이러스를 만들어내는 유전자》

vi·roid [váiərɔid] *n.* 〖생물〗 바이로이드 《바이러스보다 작은 RNA 병원체; 식물병의 원인》 **—** *a.* 바이로이드의; = VIRAL

vi·rol·o·gy [vàiərɑ́lədʒi | -rɔ́l-] *n.* Ⓤ 바이러스학 **vi·ro·log·ic, -i·cal** [vàiərəlɑ́dʒik(əl) | -lɔ́dʒ-] *a.* **vì·ro·lóg·i·cal·ly** *ad.* **-gist** *n.* 바이러스학자

vi·rol·y·sin [vaiərɑ́ləsin | -rɔ́l-] *n.* 〖생화학〗 비롤리신 《정상 세포의 벽을 파괴하는 화학 약품》

vi·rose [váiərous] *a.* 유독한; 악취 나는

vi·ro·sis [vaiəróusis] *n.* (*pl.* **-ses** [-siːz]) ⓊⒸ 바이러스병

v. irr. irregular verb

vir·tu [vəːrtúː, vɔ́ːrtuː | vəːtúː] [It. 「우수」의 뜻에서] *n.* **1** Ⓤ 미술품 애호, 골동 취미, 골동벽; 미술[골동]품에 대한 조예 **2** (미술품·골동품 등의) 우수성, 가치 **3** [집합적; 복수 취급] 미술[골동]품

articles [***objects***] ***of ~*** 골동품

*****vir·tu·al** [vɔ́ːrtʃuəl] *a.* Ⓐ **1** (표면상·명목상은 그렇지 않으나) 사실상의, 실질상의, 실제(상)의: a ~ dictator 사실상의 독재자 **2** 〖광학〗 허상(虛像)의, 허상 초점의; 〖물리〗 가상(假想)의; 〖컴퓨터〗 가상 기억의: ~ mass 〖물리〗 가상 질량 / ~ work 〖역학〗 가상의 일 ▷ virtuálity *n.*; vírtually *ad.*

vírtual áddress 〖컴퓨터〗 가상 번지

vírtual ádvertising 가상 광고 《TV 스포츠 프로에 특수 효과로 곁들인 광고》

vírtual cásh 〖컴퓨터〗 가상 현금 《인터넷 상에서 신용 카드로 지불하는 돈》

vírtual commúnity 가상 사회 《컴퓨터 통신망이 낳은 가입자 간의 가상 사회》

vírtual corporátion 버추얼 코퍼레이션 《어떤 프로젝트를 위해 여러 회사에서 유능한 직원을 모아 만든 임시 회사》

vírtual displácement 〖물리〗 가상 변위

vírtual fócus 〖광학〗 허초점(虛焦點)

vírtual ímage 〖광학〗 허상

vir·tu·al·i·ty [vɔ̀ːrtʃuǽləti] *n.* Ⓤ (명목상으로는 그렇지 않으나) 사실상[실질상] 그러한 것, 실질, 실제; 본질; = VIRTUAL REALITY

*****vir·tu·al·ly** [vɔ́ːrtʃuəli] *ad.* **1** 사실상, 실질적으로는, 거의: He is ~ dead. 죽은 것이나 다름 없다. **2** 〖컴퓨터〗 가상(적)으로, 컴퓨터 상으로

vírtual mémory 〖컴퓨터〗 가상기억 《virtual storage에 쓰이는 외부 기억》

vírtual óffice 〖컴퓨터〗 가상 사무실 《출근하지 않고 인터넷을 통한 업무 처리》

vírtual pàrticle 〖물리〗 가상 입자

vírtual reálity 〖컴퓨터〗 가상 현실(감) 《컴퓨터로 만든 가상 공간에서 마치 현실과 같은 체험을 느끼게 하는 일 또는 그런 상태; 略 VR》

vírtual stórage 〖컴퓨터〗 가상기억 장치 《외부 기억을 내부 기억인 양 사용하는 방식》

vírtual wórld 〖컴퓨터〗 가상 세계

‡**vir·tue** [vɔ́ːrtʃuː] [L 「우수함」의 뜻에서] *n.* **1 a** Ⓤ 덕, 덕행, 선, 선행; 고결, 청렴, 정직 **b** 미덕, 도덕적 미

thesaurus **virtue** *n.* **1** 덕 morality, goodness, righteousness, integrity, honesty, honor, decency, worth **2** 정조 virginity, purity, chastity, inno-

점, 덕목: *V*~ is its own reward. 《속담》 덕행은 그 자체가 보수이다. **2** Ⓤ 정조, 순결, 정절: a lady of easy ~ 바람둥이 여자, 매춘부 / a woman of ~ 정숙한 여인 **3 장점,** 미점, 가치, 좋은 점 **4** Ⓤ 《고어》 힘, 효력, 효능, 효험; 잠재 능력 **5** [*pl.*] 역천사(力天使) 《천사의 제5 계급; cf. HIERARCHY 3》
by [***in***] ***~ of*** …의 힘으로, …(의 효력)에 의하여, …의 덕분으로 ***make a ~ of necessity*** ⇨ necessity. **~·less** *a.*
▷ vírtuous *a.*

vir·tu·o·sa [və̀ːrtʃuóusə, -zə] [It.] *n.* (*pl.* **-se** [-sei, -zei], **~s**) VIRTUOSO의 여성형

vir·tu·os·i·ty [və̀ːrtʃuásəti | -ɔ́s-] *n.* Ⓤ **1** (예술가, 특히 음악가의) 묘기(妙技), 탁월한 기량, 명인 연기; (예술 작품에 나타난) 기묘 **2** 미술 취미[애호], 골동 취미, 골동품을 보는 안식 **3** [집합적] 미술 애호[감식]가

vir·tu·o·so [və̀ːrtʃuóusou, -zou] [It. 「숙련의」의 뜻에서] *n.* (*pl.* **~s, -si** [-siː]) **1** (예술의) 거장(巨匠), 명인(名人), (특히 음악의) 대가, 대연주가 **2** 미술품 애호[감상]가, 미술품[골동품] 수집가 **3** 《폐어》 학자
— *a.* Ⓐ virtuoso의[같은] **vìr·tu·ós·ic** *a.*

*__vir·tu·ous__ [və́ːrtʃuəs] *a.* **1** 덕 있는, 덕이 높은, 고결한; 정숙한; 순결한(⇨ moral 유의어): lead a ~ life 고결한 생애를 보내다 **2** 고결한 체하는, 독선적인 **3** 《고어》 〈약 등이〉 효력이 있는 **~·ly** *ad.* **~·ness** *n.*
▷ vírtue *n.*

vírtuous círcle 《문어》 선순환 《두 요소가 서로 좋은 영향을 미치면서 둘 다 거듭 좋아지는 것》(cf. VICIOUS CIRCLE)

vi·ru·cide [váiərəsàid] *n.* 바이러스 박멸제(viricide) **vì·ru·cíd·al** *a.*

vir·u·lence, -len·cy [vírjuləns(i) | víru-] *n.* Ⓤ **1** 독성, 병독성; 발병력 **2** 악의, 증오; 신랄함

vir·u·lent [vírjulənt] [L 「독(virus)의」의 뜻에서] *a.* **1** 유독한, 맹독의; 매우 유해한, 치명적인 **2** 악의 있는, 증오심에 찬: a ~ attack 매서운 공격 **3** 〖의학〗 악성의, 전염성이 강한, 진행이 빠른: a ~ infection 악성 전염병 **~·ly** *ad.*

vírulent phа́ge 〖생물〗 독성 파즈(phage) 《세균에 감염되어도 새끼 파즈를 생산하면서 세균 세포를 용해시키는 바이러스》

vir·u·lif·er·ous [vìrjulífərəs] *a.* 병원체를 가지는[생성하는, 전파하는]

*__vi·rus__ [váiərəs] [L 「독」의 뜻에서] *n.* **1 바이러스;** 《속칭》 (전염성) 병독, 병원체 **2** 《구어》 바이러스성의 병(virus disease) **3** (도덕·정신상의) 해독, 악영향 **4** 컴퓨터 바이러스(=computer ~); 휴대 전화 바이러스 **~·lìke** *a.* ▷ víral *a.*

vírus chècker 〖컴퓨터〗 바이러스 검색·제거 프로그램

vírus disèase 바이러스(성) 질환

vi·ru·stat·ic [vàiərəstǽtik] *a.* 바이러스의 증식을 저지하는

vírus wàrfare 세균전(biological warfare)

vírus X́ 〖병리〗 바이러스 엑스 《정체 불명의 바이러스 병독》; 그 병

vis [vís] [L] *n.* (*pl.* **vi·res** [váiəriːz]) 힘

vis. visibility; visual; viscosity **Vis.** Viscount(ess)

*__vi·sa__ [víːzə] [L 「보이는 것」의 뜻에서] *n.* **1 사증, 비자;** (여권 등의) 이서(裏書): a tourist[entry] ~ 관광[입국] 비자 / apply for a ~ for the United States 미국으로 가는 비자를 신청하다 **2** 《일반적으로》 허가증 **3** [**V~**; 또는 VISA] 비자 카드(=**~ càrd**) 《상표명》
— *vt.* (**~ed, ~'d**) 〈여권·서류 등에〉 이서[사증]하다 (endorse); …에게 비자를 내주다

‡**vis·age** [vízidʒ] [L 「보이는 것」의 뜻에서] *n.* **1** 《문어》 **얼굴,** 용모: His ~ told clearly that he would resign. 그가 사직할 것이 얼굴에 뚜렷이 씌어 있었다. **2** 양상, 외관 **vís·aged** [-d] *a.* [복합어를 이루어] 《문어》 …얼굴의

cence, modesty **3 장점** good quality[point], merit, asset, advantage, benefit, strength
visage *n.* appearance, face, countenance

vi·sa·giste [vìːzaːʒíːst] [F] *n.* 〖연극〗 분장사

Vi·sa·kha [visáːkə] *n.* =VESAK

vis·ard [vízərd] *n.* =VESAK

vis-à-vis [vìːzəvíː, -zaː-] [F =face to face] *ad.* 마주 향하여, 얼굴을 맞대고, 맞보고 《*to, with*》
— *prep.* …와 마주 보고, …에 면해서; …에 관하여; …와 비교하여 **—** *a.* 서로 마주 본
— *n.* **1** 서로 마주 향하고[얼굴을 맞대고] 있는 사람 **2** 좌석이 마주 향하고 있는 마차 **3** 마주 향하여 앉는 S자형의 2인용 의자[좌석] **4** 《미》 (사교적인 장소에서의) 상대역, 동반자

Vi·sa·yan [visáiən | -sáːjən] *n.* (*pl.* **~, ~s**) 비사얀 사람 《필리핀 원주민의 하나》; Ⓤ 비사얀 말

Visc. Viscount(ess)

vis·ca·cha [viskáːtʃə], **-che** [-tʃi] *n.* 〖동물〗 비스카차 《남미산(産) 친칠라과(科)의 설치 동물》

vis·cer·a [vísərə] [L] *n. pl.* (*sing.* **-cus** [-kəs]) 〖해부〗 내장; 《구어》 창자

vis·cer·al [vísərəl] *a.* **1** 내장의, 창자의: the ~ cavity 복강(腹腔) **2** 〈병이〉 내장을 침범하는 **3** 내장 같은 **4** 본능적인, 비이성적인; 노골적인; 마음속에서 느끼는: a ~ reaction 본능적 반응 **~·ly** *ad.*

vísceral léarning (불수의(不隨意) 기관 제어 능력을 갖추는) 내장 학습

vísceral nérve 교감 신경

visceri- [vísərə], **viscero-** [vísərou] 《연결형》 「내장(內臟)의」의 뜻

vis·cer·o·mo·tor [vìsərəmóutər] *a.* 내장 운동의 《특히 소화기계의 정상적인 운동》

vis·cer·o·to·ni·a [vìsərətóuniə] *n.* 〖심리〗 내장(긴장)형 성격 《소화기가 발달하여 먹는 일을 좋아하고, 외향적이고 사교성이 많은 것이 특징》
-ton·ic [-tánik | -tɔ́n-] *a., n.* 내장형의 (사람)

vis·cer·o·trop·ic [vìsərətrápik, -tróup- | -trɔ́p-] *a.* 〈바이러스 등이〉 내장향성(內臟向性)의

vis·cid [vísid] [L 「끈끈이」의 뜻에서] *a.* **1** 찐득찐득한, 끈끈한, 점착성의, 잘 붙는 **2** 〖식물〗 〈잎 등의 표면이〉 점착성 물질로 덮인: a ~ leaf 끈끈한 잎
~·ly *ad.* **~·ness** *n.* **vis·cid·i·ty** [visídəti] *n.* Ⓤ

vis·co·e·las·tic [vìskouilǽstik] *a.* 〖물리〗 점성(粘性)과 탄성(彈性)을 지닌; 점탄성 (물질)의

vis·coid [vískɔid], **vis·coi·dal** [viskɔ́idəl] *a.* 다소 점착성이 있는

vis·com·e·ter [viskámətər | -kɔ́m-] *n.* 점도계(計) **vis·co·met·ric** [vìskəmétrik] *a.* **-e·try** *n.*

vis·cose [vískous] *n.* Ⓤ 〖화학〗 비스코스 《인견(人絹) 등의 원료인 셀룰로오스》; 비스코스 레이온(=**~ ráyon**) **—** *a.* **1** 비스코스의[로 만든] **2** =VISCOUS

vis·co·sim·e·ter [vìskousímətər] *n.* =VISCOMETER **vis·cos·i·met·ric** [vìskousimétrik] *a.*

vis·cos·i·ty [viskásəti | -kɔ́s-] *n.* Ⓤ [또는 a ~] 점도(粘度); Ⓤ 점착성, 점성률(粘性率), 점착력; 〖물리〗 (액체의) 점도

viscósity ìndex 〖자동차·기계〗 점도 지수

*__vis·count__ [váikàunt] *n.* [종종 **V~**] **1 자작**(子爵) (cf. NOBILITY) **2** 《영》 earl의 맏아들에 대한 경칭(敬稱); 〖역사〗 백작의 대리 **3** (영국의) 주(州)장관(sheriff) **~·cy, ~·ship** *n.* **vís·count·y** *n.*

vis·count·ess [váikàuntis] *n.* 자작 부인[미망인]; 《영》 earl의 맏아들의 부인에 대한 경칭; 여(女)자작

vis·cous [vískəs] *a.* 찐득찐득한, 끈기 있는, 점착성의; 농후한; 〖물리〗 점성(粘性)의[이 있는]: ~ liquid 점성액 **~·ly** *ad.* **~·ness** *n.*

Visct. Viscount

vis·cus [vískəs] *n.* VISCERA의 단수

vise [váis] *n.* **1** 바이스: grip ... in a ~ 바이스로 …을 죄다 **2** 나선형 계단 (***as***) ***firm as a ~*** 바이스처럼 확고 부동하게

—vt. 바이스로 죄다, 바이스처럼 꽉 물다[죄다]

vi·sé [ví:zei, –´|´–] [F] *n.*, *vt.* (**~d, ~'d**) = VISA

vise·like [váislàik] *a.* (바이스처럼) 단단히[꽉] 죈[죄는, 무는]

Vi·shin·sky [viʃínski] *n.* 비신스키 **Andrei Yanuarievich ~** (1883-1954) 《구소련의 법률가·정치가》

Vish·nu [víʃnu:] *n.* 〖힌두교〗 비슈누 《3대신(大神)의 하나; cf. BRAHMA[1], SIVA》

vis·i·bil·i·ty [vìzəbíləti] *n.* Ⓤ **1** 눈에 보임, 눈에 보이는 상태[정도]; 가시성(可視性) **2** 〖기상〗 시계(視界), 시야, 시정(視程); 투명도, 가시도(可視度): high[low] ~ 고[저]시도 **3** (미·속어) 남의 눈을 끄는 것, 탁월함, 눈에 띄는[화려한] 존재 **4** 〖광학〗 선명도; 시감도(視感度) ▷ vísible *a.*

visibílity mèter 〖기상〗 시정계(視程計)

****vis·i·ble** [vízəbl] *a.* **1 눈에 보이는,** (육안으로) 볼 수 있는: ~ rays 〖물리〗 가시선(可視線) **2 명백한,** 보아 알 수 있는(perceptible): with ~ impatience 눈에 보이게 초조한 빛을 띠고 **3** 〈사람·사건 등이〉 빈번하게 뉴스에 나오는, 활동이 눈에 띄는 **4** 보기 쉬운, 일람(一覽)식의: a ~ index 일람식 색인 **5** 시각적으로 표시된 **6** 면회할 수 있는: Is he ~? 그를 뵐 수 있습니까? **7** 〈공급품 등이〉 곧 쓸 수 있는; 유형재의; 시장에 나와 있는 ***the ~ imports and exports*** 〖상업〗 유형적 수출입(opp. INVISIBLE *exports and imports*)

—n. [보통 *pl.*] 눈에 보이는 것[존재]; 유형품, 상품; [the ~] 물질(세계), 현세(opp. *the invisible*)

~·ness *n.* **-bly** *ad.* 눈에 보이게, 뚜렷하게, 역력히(evidently) ▷ visibílity *n.*

vísible bálance 〖회계〗 무역 수지

vísible chúrch [the ~] 〖신학〗 현세의 교회

vísible horízon [the ~] 시지평선(視地平線)

vísible minórity (캐나다) 유색 소수 인종

vísible Négro (미) 흑인 손님을 끌기 위해 고용된 흑인

vísible spéctrum 〖물리〗 가시 스펙트럼

vísible spéech 〖음성〗 시화법(視話法) 《음성 기호의 체계》

vísible supplý 〖상업〗 농산물의 유효 공급량, 출하 총량

vísible tráde 〖경제〗 유형적[상품] 무역

Vis·i·goth [vízəgɑ̀θ|-gɔ̀θ] *n.* **1** [the ~s] 서(西)고트 족(族); 서고트 사람 《4세기경 로마에 침입한 일족》 **2** (비유) 야성적인[건장한] 남자(macho)

Vìs·i·góth·ic *a.*

vis in·er·ti·ae [vís-inə́:rʃiì:] [L] *n.* 타성(惰性), 타력

****vi·sion** [víʒən] [L 「보다」의 뜻에서] *n.* **1** Ⓤ 시력(sight), 시각; 시야; 관찰: the organ of ~ 시각 기관 / have normal ~ 시력이 정상이다 **2** Ⓤ [관사 없이] (시인·정치가 등의) **상상력,** 직감력, **통찰력;** 미래상, 비전; 선견지명: a poet of great ~ 위대한 상상력을 가진 시인 **3 환상,** 환영, 몽상; 환각, 환시: in a ~ 허깨비로 / have a ~ 환영이 나타나다 **4** 보이는 것, 눈에 비치는 것, 모양, 광경 **5** (구어) 꿈같이 아름다운 것 《미인·경치 등》: a glorious ~ of the sunset 석양의 아름다운 광경 **6** 〖영화〗 (상상·회상을 나타내는) 환상의 장면; (텔레비전의) 영상 **7** Ⓒ 한눈, 일견(一見): catch a ~ of the summit 산정을 흘끗 보다 **8** Ⓤ 〖수사학〗 현사법(現寫法) 《과거의 일이나 공상을 현실의 일처럼 묘사하기; 보기: I see before me the gladiator *lie.*》 ***beyond*** one***'s ~*** 사람의 눈에 보이지 않는 ***distance of ~*** [the ~] 시정(視程) 《목표물을 명확하게 식별할 수 있는 최대 거리》 ***field of ~*** 시계, 시야 ***see ~s*** 환영을 보다, 공상하다

—vt. 환상으로 나타내다; 환상으로 보다, 꿈에 보다; 뇌리[마음]에 그리다; 상상하다: ~ oneself in a future 미래의 자신을 상상하다[그려보다]

~·less *a.* 시력이 없는; 통찰력[상상력, 포부]이 없는 ▷ vísionary, vísional, vísual *a.*

vi·sion·al [víʒənl] *a.* 환상으로 본, 허깨비[곡두]의, 환영의; 환각의, 환영적인, 몽상적인, 가공의

~·ly *ad.* 허깨비[곡두]로, 환영처럼

***vi·sion·ar·y** [víʒənèri|-nəri] *a.* **1 환영의[같은]** **2** 〈사람이〉 공상적인; 환영을 좇는, 망상적인; 비실제적인 **3** 가공적인; 꿈같은(dreamy), 실현 불가능한

—n. (*pl.* **-ar·ies**) 공상가, 꿈꾸는 사람, 환상[몽상]가 **-àr·i·ness** *n.* ▷ vísion *n.*

vi·sioned [víʒənd] *a.* 환상(幻像)에 나타난; 환영(幻影)에 의한; 상상력[통찰력]이 풍부한

vi·sion-mix [víʒənmìks] *vi.* 〖TV·영화〗 복수의 카메라를 써서 영상을 구성하다

~·er *n.* 비전 믹스 담당자[장치]

vísion quèst 〖인류〗 영계(靈界)와의 교류를 구하는 의식 《북미 인디언 부족에서 행해진 남자의 의례》

*****vis·it** [vízit] [L 「보러 가다」의 뜻에서] *vt.* **1 방문하다;** 〈의사가〉 왕진하다; 〈병자를〉 문안가다: ~ a friend 친구를 방문하다 **2 찾아가다,** 참관하다, 구경가다, 참배하다: ~ a museum 박물관에 가다 / ~ Paris 파리에 구경하러 가다[오다] **3** …의 손님으로 묵다, 체재하다: I *~ed* an old friend for a week. 나는 일주일간 옛 친구집에 머물렀다. **4** 시찰하러 가다, 조사하러 가다, 임검하다 **5** (고어) 〈병·재해 등이〉 찾아오다, 엄습하다; 〈꿈이 사람에게〉 나타나다 **6** [종종 수동형으로] (고어) 〈고통·벌을〉 주다, 〈재난을〉 가져오다 《*on, upon*》; 〈죄인·죄를〉 벌하다; 〈죄를〉 (…에게) 씌우다; 〈죄를〉 갚다: (~+목+전+명) ~ one's indignation[blunder] *on*[*upon*] a person …에게 화풀이하다[실수를 탓하다] / The iniquity of the fathers *is ~ed upon* the children. 조상 잘못이 자식에게 돌아온다. **7** 〖컴퓨터〗 〈웹사이트에〉 액세스하다

—vi. **1** 방문하다 《*with*》; (미) (장소를) 찾아가다, (…에) 체류하다 《*at, in*》: (~+전+명) ~ *at* a new hotel 새 호텔에 묵다 / ~ *in* New York 뉴욕에 구경하러 가다 **2** (미·구어) 이야기[잡담]하다 《*with*》: (~+전+명) ~ *on* the phone *with* a friend 전화로 친구와 이야기를 나누다 **3** 순시하다, 시찰하다, 임검하다 **4** (문어) 보복하다, 갚다 ***~ with a return in kind*** 같은 것으로 갚다

—n. **1 a 방문,** 심방, 문안 《*to*》: a ~ *to* Chicago 시카고 방문 **b** 순회, 시찰, 순시, 왕진, (환자의) 병원다니기 《*to*》: one's daily ~ *to* a dentist 매일 치과에 가기 **c** 참관, 견학, 참배 《*to*》 **2** (미·구어) 비공식적인 이야기, 잡담, 환담 《*with*》: one's ~ *with* …와의 잡담 **3** (손님으로서의) 체류, 숙박 《*with, at*》

a domiciliary ~ 〖법〗 가택 수색 ***a ~ of civility*** [***respect***] 예방 ***a ~ of state*** 공식 방문 ***on a ~ to*** …을 방문[체류] 중(에), 구경 중(에) ***pay*** [***make, give***] ***... a ~*** = ***pay*** [***make, give***] ***a ~ to*** …을 방문하다, 심방하다, 문안하다, 순회하다, 참관하다, 구경하다 ***receive a ~ from*** a person …의 방문을 받다 ***return a ~*** 답례로 방문하다 ***the right of ~*** = the right of VISITATION.

▷ visitátion *n.*

vis·it·a·ble [vízitəbl] *a.* 방문[참관]할 수 있는; 구경할 가치가 있는; 방문객 받기에 알맞은; 시찰을 받아야 하는

vis·i·tant [vízitənt] *n.* **1** 방문객; 관광객; 방문자, 순례자; (문어) (영계(靈界)에서 온) 내방자, 망령 **2** 〖조류〗 철새, 후조(候鳥) **—a.** (고어·시어) 방문하는

***vis·i·ta·tion** [vìzətéiʃən] *n.* **1 방문,** 내방, (성직자 등의 환자) 심방, 문안, 문병; 관광, 연수 여행 **2** ⒸⓊ 공식 방문; 시찰, 임검, 순찰, 순시, 순회; 선박 임검 **3** [the V~] 〖성서〗 성모 방문의 축일 《7월 2일; 성모 마리아가 세례 요한의 어머니 Elizabeth를 방문한 날을 기념하는 축일》 **4** (문어) 천벌, 재화, 재앙 **5** (구어·익살) 오래 끄는[필요 이상 머무는] 방문(protracted visit) **6** 〖법률〗 방문권(에 의한 방문)(⇨ visitation

thesaurus **visible** *a.* **1** 눈에 보이는 perceptible, discernible, detectable, seeable **2** 명백한 apparent,

rights) **7** 초자연적인 힘의 출현, 강령, 강림 ***the Nuns of the V~*** = ***the Order of the V~ of Our Lady***[***the Blessed Virgin Mary***] 〖가톨릭〗 성모 마리아 방문 동정회《가난한 사람·병자의 위문 및 소녀 교육을 목적으로 하는 수녀회》 ***the right of ~*** 〖국제법〗 (선박의) 임검권 ***the ~ of the sick*** 목사의 환자 교구민 방문; 〖영국국교〗 병자 방문의 기도 **~·al** *a.* ▷ visit *n.*; visitatórial *a.*

visitátion ríghts 방문권《이혼·별거시 한쪽 부모가 다른한쪽 부모 밑에 있는 자식을 방문할 수 있는 권리》

vis·i·ta·to·ri·al [vìzitətɔ́:riəl] *a.* 순회(자)의, 순시의, 임검(자)의; 순시[임검]권이 있는; 방문[면회]권의

vis·it·ing [vízitiŋ] *n.* Ⓤ **1** [보통 복합어를 이루어] 방문, 시찰, 임검, 순시, 문병 **2** (미·구어) 수다, 떠들어댐 **—** *a.* 방문용의; 내방(來訪)의; 서로 방문할 정도의, 교제가 있는 ***have a ~ acquaintance with*** = ***be on ~ terms with*** …와 왕래하는 친한 사이다

vísiting bòok 방문객 명부; 방문자 명단

vísiting càrd (영) 명함((미) calling card)

vísiting dày 면회일, 접객일

vísiting fíreman (미·구어) (잘 대접해야 될) 중요한 손님[방문객]; 아낌없이 돈을 뿌리는 어정뱅이[(시골서 올라온) 관광객]; 내방 단체의 한 사람

vísiting hóurs (병원 등의) 면회 시간

vísiting lìst 방문록, 방우록(訪友錄)

vísiting núrse (미) 방문[순회] 간호사《사회 봉사 단체 소속의》

vísiting proféssor 초빙[객원] 교수

vísiting téacher 가정 방문 교사《병상의 학생을 방문하여 수업하는》

vísiting téam 〖스포츠〗 원정[내방]팀(cf. HOME TEAM)

‡**vis·i·tor** [vízitər] *n.* **1** 방문객, 방문자, 손님, 내방객, 문병객: No ~*s*! (게시) 면회 사절

> 유의어 **visitor** 사교·상용·관광 등 온갖 목적으로 사람·장소를 방문하는 사람: a *visitor* at our neighbor's house 이웃집을 찾아온 손님 **guest** 초대되어 접대를 받는 손님, 또는 호텔의 숙박자: a welcome *guest* 환영받는 손님 **caller** 단기간의 방문자: The *caller* left her card. 그 방문자는 명함을 두고 갔다.

2 체재객, 유숙자; 관광객, 참관자, 참배인 **3** (영) (대학의) 시찰원, 순찰관, 감찰관 **4** [*pl.*] 〖스포츠〗 원정 팀 **5** 〖조류〗 철새 **6** (구어) 생리 ***have a*** (***little***) ***~*** (속어) 생리 중이다

vísitor cénter (사적·관광 명소 등의) 자료관; 관광안내소

vis·i·to·ri·al [vìzətɔ́:riəl] *a.* = VISITATORIAL

vísitors' bòok (영) 숙박인 명부; (가정집 등의) 내방객 방명록

vísitor's pàssport (영) 관광용 패스포트《특정국의 단기 방문이 가능한 유효 기간 1년의 패스포트》

vis·i·tress [vízitris] *n.* 여성 visitor《특히 시찰·사회봉사 목적으로 방문하는》

vis ma·jor [vís-méidʒər] [L] 〖법〗 불가항력

vis mo·ti·va [-moutáivə] [L] 원동력

vis·na [vísnə] *n.* 〖수의학〗 비스나《양의 질병》

vi·sor [váizər] [OF 「얼굴」의 뜻에서] *n.* **1** (투구의) 면갑(面甲); (용접용 마스크의) 움직이는 보호 유리 **2** (미) (모자의) 챙 **3** 마스크, 복면(覆面) **4** (자동차의) 선바이저(sun visor)

visor 1

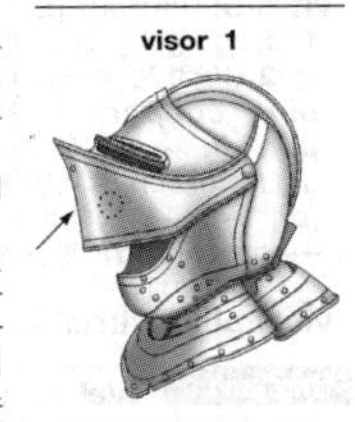

— *vt.* …을 면갑으로 보호하다; 복면하다

ví·sored *a.* **~·less** *a.*

⁎**vis·ta** [vístə] [It. 「광경」의 뜻에서] *n.* **1** 멀리 내다보이는 경치, 조망, 원경《특히 양쪽에 가로수·산 등이 있는》; 조망이 좋은 장소 **2** 추억, 회상; 예상, 전망: ~*s* of the future 미래에 대한 전망

VISTA [vístə] [*V*olunteers *i*n *S*ervice *t*o *A*merica] *n.* 미국 빈민 지구 파견 자원 봉사 활동

vísta dòme (기차의) 전망대

vis·taed, vis·ta'd [vístəd] *a.* 조망[전망]이 트인[좋은]; 추억[전망]으로 마음에 그려진; 미래를 전망한

Vis·ta·Vi·sion [vístəvìʒən] *n.* 비스타 비전《와이드 스크린 방식의 영화; 상표명; cf. CINERAMA, CINEMASCOPE》

⁎**vi·su·al** [víʒuəl] *a.* **1** 시각의[에 의한, 에 호소하는]; 보는, 보기 위한; 심상(心象)의: a ~ image 시각 심상(心像) / the ~ nerve 시신경 / the ~ organ 시각 기관(器官) **2** 광학상의 **3** 눈에 보이는(visible); 눈에 보이는 듯한, 선명한(vivid) **4** 〖항공·항해〗 (레이더·계기에 의존하지 않는) 유시계의
— *n.* (광고의) 레이아웃 원도(原圖); [종종 *pl.*] (특히 미) (사진·영화·비디오 등의) 시각 정보, 시각에 호소하는 표현, 영상
▷ vísualize *v.*; vísion *n.*; vísually *ad.*

vísual acúity 〖안과〗 시력(視力) (略 V)

vísual áid 시각 교구[교재]《영화·슬라이드 등; cf. AUDIOVISUAL AIDS》

vísual ángle 시각(視角)

vísual ártist 시각 예술가

vísual árts 시각 예술

vís·u·al-áu·ral (**rádio**) **ránge** [-ɔ́:rəl-] 〖항공〗 가시 가청식(可視可聽式) (무선) 레인지《계기 표시와 신호음에 따라 침로를 보임; 略 VAR》

vísual bínary 〖천문〗 실시 쌍성(實視雙星)

vísual cápture 〖심리〗 시각 포착《공간 파악 등에서 다른 감각보다 시각의 우위》

vísual córtex 시각령(視覺領)《시신경으로부터 흥분을 받아들이는 대뇌 피질의 부분》

vísual displáy 〖컴퓨터〗 영상 표시

vísual displáy tèrminal 〖컴퓨터〗 = VIDEO DISPLAY TERMINAL (略 VDT)

vísual displáy ùnit (영) 〖컴퓨터〗 (CRT를 사용한) 표시[디스플레이]장치 (略 VDU)

vísual educátion[**instrúction**] 시각 교육

vísual fíeld 시계, 시야

vísual flíght 〖항공〗 유시계(有視界) 비행

vísual flíght rùles 〖항공〗 유시계 비행 규칙《略 VFR》

vísual ínstrument 시각 악기《스크린에 여러 가지 색채를 나타내는 전자 건반 악기》

vis·u·al·ist [víʒuəlist] *n.* = VISUALIZER

vi·su·al·i·ty [vìʒuǽləti] *n.* **1** 시각성; = VISIBILITY **2** 심상(心像)(mental image)

vi·su·al·i·za·tion [vìʒuəlizéiʃən | -lai-] *n.* **1** Ⓤ 눈에 보이게 함[하는 힘], 시각화; 구상화(具象化) **2** 심상(心像) **3** 〖의학〗 (절개하여) 기관을 노출하기; 조영제(造影劑)를 이용한 X선 투시법

⁎**vi·su·al·ize** [víʒuəlàiz] *vt.* **1** 눈에 보이게 하다, 〈…을〉 (…으로) 시각화하다 (*as*): The painting ~*s* despair. 그 그림은 절망을 나타내고 있다. **2** 마음 속에 선하게 떠오르게 하다, 상상하다 (*as*): (~+목+***as*** 보) I had ~*d* him *as* an old man. 나는 그를 나이든 사람으로 상상해 왔었다. **3** 예상하다, 예견하다 **4** 〖의학〗 〈내장 기관을〉 (절개하여) 노출시키다, 시각화하다, (X선으로) 투시하다
— *vi.* 영상을 마음 속에 그리다; 눈에 보이게 되다

vi·su·al·iz·er [víʒuəlàizər] *n.* 사물을 눈으로 보는 것처럼 생각해 내는 사람; 〖심리〗 시각형의 사람
▷ vísual *a.*

vísual líteracy 시각 판단[판별] 능력

---

evident, noticeable, plain, clear, obvious, distinct
visual *a.* observed, obvious, seen, ocular, optic

vi·su·al·ly [víʒuəli] *ad.* **1** 시각적으로, 눈에 보이게 **2** 시각 교구[교재]를 써서 **3** 겉보기로는, 외관상은: a ~ difficult book 겉보기에 어려운 책
vísually hándicapped *a.* 시각[시력] 장애의; [the ~] [집합적] 시각[시력] 장애자
vísual mágnitude 〔천문〕 실시(實視) 등급
vísual póint (광학 기계를 사용할 때의) 시점(視點)
vísual pollútion 시각 공해 《광고물 등의》
vísual púrple 〔생화학〕 시홍(視紅), 로돕신
vísual ránge 〔기상〕 시정(視程)(visibility) 《대기(大氣) 혼탁의 정도; 돌출된 물체를 알아볼 수 있는 최대 수평 거리로 표시》
vísual ráy 〔광학〕 시감(視感) 광선
vi·su·o·spa·tial [vìʒuouspéiʃəl] *a.* 〔심리〕 공간 시각에 관한
vis vi·va [vís-váivə] [L] 〔물리〕 활력 《물체의 에너지》, 일의 능력
vi·ta [váitə] *n.* (*pl.* **-tae** [váiti:, ví:tai]) 약력, 이력서(curriculum vitae)
Vi·ta [váitə] *n.* 바이타 유리 《자외선 투과 유리; 상표명》
Vi·ta·glass [váitəglæ̀s | -glɑ̀:s] *n.* = VITA
‡**vi·tal** [váitl] [L 「생명의」의 뜻에서] *a.* **1** **생명의**, 생명에 관한, 생명의 유지에 필요한: ~ power 생명력 **2** **극히 중대한**, 절대 필요한, 불가결한: a ~ question 극히 중대한 문제 **3** 생생한, 생기에 넘치는, 힘찬: a ~ personality 생기발랄한 사람 **4** 치명적인, 사활(死活)에 관한: a ~ wound 치명상
of ~ importance 극히 중대[중요]한
— *n.* [보통 the ~s] 생명의 유지에 절대 필요한 기관 《심장·폐·장 등》; 중추부(中樞部), 핵심: tear *the ~s* out of a subject 문제의 핵심을 찌르다 **~·ness** *n.*
vítal capácity 폐활량(肺活量)
vítal fórce [보통 the ~] 생명력, 활력; = ELAN VITAL
vítal índex 인구 지수 《어느 시점에서의 출생의 사망에 대한 비율》
vi·tal·ism [váitəlìzm] *n.* Ⓤ 〔생물·철학〕 활력론[설], 생기론(生氣論) 《생명 현상은 물질의 기능 이상의 생명 원리에 의한다는 설; cf. MECHANISM》
-ist *n., a.* 〔생물·철학〕 활력론자(의)
vi·tal·is·tic [vàitəlístik] *a.* 활력론(자)의, 활력론적인
***vi·tal·i·ty** [vaitǽləti] *n.* Ⓤ **1** **생명력**, **활력**; 왕성한 체력, 생활력 **2** **활기**, 정력, 원기; 생기, 박력 **3** 지속력[성], 존속력 **4** 생명력이 있는 것 **5** 〔생태〕 활력도
vi·tal·ize [váitəlàiz] *vt.* **1** 생명을 주다, 활력을 북돋아 주다 **2 a** 생기를 불어넣다, 살리다 **b** 고무(鼓舞)하다 **3** (문학·예술에서) 생생하게 묘사하다
vì·tal·i·zá·tion *n.* Ⓤ 생명[활력] 부여 **-iz·er** *n.*
Vi·tal·li·um [vaitǽliəm] *n.* 비탈륨 《코발트와 크롬의 합금; 치과·외과용; 상표명》
***vi·tal·ly** [váitəli] *ad.* **치명적으로**, 사활에 관계될 만큼; 생명상; 극히 중요하게, 참으로
vítal príncíple = VITAL FORCE
vítal sígns 생명 징후 《맥·호흡·체온·혈압》
vítal spárk [the ~] 《구어》 (예술 작품의) 생기, 박력
vítal stáining 〔생물〕 생체 염색
vítal statístics [단수·복수 취급] 인구 동태 통계 《생사·혼인·질병 등의》; 《구어》 여성의 가슴·허리·히프의 치수
vi·ta·mer [váitəmər] *n.* 〔생화학〕 비타머 《비타민 작용을 나타내는 물질의 총칭》 **-mer·ic** [vàitəmérik] *a.*
‡**vi·ta·min, -mine** [váitəmi(:)n | vít-] [L vita (=vital)와 amine에서] *n.* **1** 비타민 《현재까지 발견된 것은 A, B, C, D, E, G, H, K, L, M, P, PP 등》 **2** [*pl.*] 《속어》 마약 정제(錠劑)[캡슐]
vì·ta·mín·ic *a.* 비타민의
▷ vítaminize *v.*
vítamin B̀ cò̀mplex 〔생화학〕 비타민 B 복합체
vìtamin Ć 비타민 C(ascorbic acid)
vi·ta·min·i·za·tion [vàitəminizéiʃən | vìtəminai-] *n.* Ⓤ (식품에의) 비타민 첨가[강화]
vi·ta·min·ize [váitəminàiz | vít-] *vt.* 〈음식에〉 비타민을 첨가하다[강화하다]; 활기를 불어넣다
vi·ta·min·ol·o·gy [vàitəminɑ́lədʒi | vìtəminɔ́l-] *n.* Ⓤ 비타민학(學)
vi·tam·i·no·sis [vàitəminóusis | vìt-] *n.* Ⓤ 〔의학〕 비타민 결핍증
Vi·ta·phone [váitəfòun] *n.* 디스크식 발성 영화기 《축음기를 사용; 상표명》
vi·ta·scope [váitəskòup] *n.* (초기의) 영사기
vite [ví:t] *ad.* 〔음악〕 활발[척척]하게, 빠르게
vi·tel·lin [vaitélin, vi-] *n.* Ⓤ 〔화학〕 비텔린 《노른자위의 주성분인 인(燐)단백질》
vi·tel·line [vaitélin, vi-] *a.* 난황(卵黃)의; 난황 색의
— *n.* 난황
vitélline mémbrane 난황막 《난황 표면의 막》
vi·tel·lo·gen·e·sis [vitèloudʒénəsis, vai-] *n.* 〔발생〕 난황 형성
vi·tel·lus [vaitéləs, vi-] *n.* 난황(yolk)
viti- [vítə] 《연결형》 「포도」의 뜻
vi·ti·a·ble [víʃiəbl] *a.* 더럽힐 수 있는, 썩기 쉬운
vi·ti·ate [víʃièit] *vt.* 《문어》 **1** …의 가치를 떨어뜨리다, 손상시키다, 해치다(spoil) **2** 〈공기·혈액 등을〉 오염시키다, 더럽히다, 썩게 하다; 타락[부패]시키다 **3** 무효로 하다 **vì·ti·á·tion** *n.* Ⓤ **-à·tor** *n.*
vi·ti·cul·ture [vítəkʌ̀ltʃər] *n.* Ⓤ 포도 재배(법)
vì·ti·cúl·tur·al *a.*
vi·ti·cul·tur·ist [vìtəkʌ́ltʃərist, vài-], **-tur·er** [-tʃərər] *n.* 포도 재배자
vit·i·li·go [vìtəláigou, -lí:-] *n.* (*pl.* **~s**) 〔병리〕 백반(白斑), 백피(白皮)
vit·rec·to·my [vitréktəmi] *n.* (*pl.* **-mies**) 〔의학〕 유리체(體) 절제(술)
vit·re·ous [vítriəs] [L 「유리의」의 뜻에서] *a.* **1** 유리 같은, 유리질의, 유리 모양의, 투명한 **2** 유리로 된 **3** 〔해부〕 유리체(액)의 **~·ly** *ad.* **~·ness** *n.*
vítreous bódy 〔해부〕 (눈의) 유리체
vítreous electrícity 〔전기〕 양(陽)전기, 유리 전기(positive electricity)
vítreous enámel 법랑(琺瑯)
vítreous húmor 〔해부〕 (눈의) 유리액
vi·tres·cent [vitrésnt] *a.* 유리 (모양으)로 만드는[만들 수 있는] **vi·trés·cence** *n.* Ⓤ 유리질화
vitri- [vítri], **vitro-** [vítrə] 《연결형》 「유리」의 뜻
vit·ric [vítrik] *a.* 유리질의; 유리 모양의; 유리와 같은
vit·rics [vítriks] *n. pl.* **1** [단수 취급] 유리 제조술 **2** [집합적; 복수 취급] 유리류(類), 유리 제품
vit·ri·fi·ca·tion [vìtrəfəkéiʃən], **vit·ri·fac·tion** [-fǽkʃən] *n.* Ⓤ 유리화(化), 유리 (모양으)로 만듦; Ⓒ 유리화된 것
vit·ri·form [vítrəfɔ̀:rm] *a.* 유리 모양의(glasslike)
vit·ri·fy [vítrəfài] *vt., vi.* (**-fied**) 유리로 변화시키다[하다], 유리 (모양으)로 만들다[되다]; 자기화(磁器化)하다, 용화시키다 **vit·ri·fi·a·bíl·i·ty** *n.* **-fi·a·ble** *a.*
vi·trine [vitrí:n] *n.* 진열용 유리 케이스
vit·ri·ol [vítriəl] [L 「유리 모양의」의 뜻에서] *n.* Ⓤ **1** 〔화학〕 황산염(塩), 반류(礬類); [보통 oil of ~] 황산 **2** 신랄한 말[비평], 비방, 헐뜯음, 통렬한 풍자
blue* [*copper*] *~ 담반(膽礬), 황산동 ***dip*** one***'s pen in ~*** 독필(毒筆)을 휘두르다, 깍아내리다(cf. GALL[1]) ***green ~*** 녹반(綠礬), 황산철 ***throw ~ over* [*at*]** …에 황산을 뿌리다 ***white ~*** 호반(皓礬), 황산아연
— *vt.* (**~(l)ed**) 황산(염)으로 처리하다; 《특히》 묽은 황산에 담그다
vit·ri·ol·ic [vìtriɑ́lik | -ɔ́l-] *a.* 황산(염)의, 황산(염)

thesaurus **vital** *a.* **1** 생명 유지에 필요한 life-giving, life-preserving **2** 극히 중대한 essential, necessary, indispensable, important, significant, imperative, urgent, critical, crucial **3** 생기에 넘치는 lively, animated, spirited, energetic, vigorous **4** 치명

으로 된; 신랄한, 통렬한

vit·ri·ol·ize [vítriəlàiz] *vt.* 황산염으로 처리하다; 황산염으로 만들다; …에 황산을 끼얹다
vìt·ri·ol·i·zá·tion *n.*

vi·tro [ví:trou] *n.* =IN VITRO

vit·rum [vítrəm] *n.* (*pl.* **-ra** [-rə]) (처방전에서) 유리병, 약용병

vit·ta [vítə] *n.* (*pl.* **-tae** [-ti:]) 〚식물〛 유관(油管), 유도(油道); 〚동물·식물〛 세로줄 무늬

vit·tate [víteit] *a.* 〈식물이〉 유관을 가진; 세로줄무늬가 있는

vit·tle [vítl] *n.*, *v.* 《구어》 =VICTUAL

vit·u·line [vítʃulàin, -lin | -tju-] *a.* 송아지의[같은]; 송아지 고기의[같은]

vi·tu·per·ate [vaitjú:pərèit, vi- | -tjú:-] [L 「비난하다」의 뜻에서] *vt.*, *vi.* 호통치다, 욕설하다; 혹평하다 **-à·tor** *n.* 독설가

vi·tu·per·a·tion [vaitjù:pəréiʃən, vi- | -tjù:-] *n.* Ⓤ 욕설, 독설, 질책, 비난

vi·tu·per·a·tive [vaitjú:pərèitiv, -pərət- | -tjú:-] *a.* 통렬한, 악담하는, 욕질하는; 독설을 퍼붓는 **~·ly** *ad.*

vi·va[1] [ví:və] [It.] *int.* 만세(Long live ...!)
— *n.* 만세 소리; 환성

vi·va[2] [váivə] *n.* 《영·구어》 =VIVA VOCE
— *vt.* …에게 구두 시험을 보게 하다

vi·va·ce [vivá:tʃei, -tʃi] [It. = vivacious(ly)] 〚음악〛 *a.*, *ad.* 힘찬, 힘차게, 활기 있는[있게], 빠르게 《略 viv》 **—** *n.* 비바체 (악절, 악장)

vi·va·cious [vivéiʃəs, vai-] [L 「살아 있는」의 뜻에서] *a.* **1** 활기[생기] 있는, 활발한, 쾌활한 **2** 〚식물〛 다년생의; 《고어》 좀처럼 죽지 않는 **~·ly** *ad.* **~·ness** *n.*

vi·vac·i·ty [vivǽsəti, vai-] *n.* (*pl.* **-ties**) Ⓤ 생기, 활기, 활발, 쾌활, 활달; 까불기, 장난; Ⓒ [보통 *pl.*] 쾌활한 행위[말]

Vi·val·di [vivá:ldi | -vǽl-] *n.* 비발디 **Antonio ~** (1678?-1741) 《이탈리아의 작곡가·바이올린 연주자》

vi·van·dière [vì:va:ndjɛ́ər] [F] *n.* 종군 여자 상인 《특히 옛날 프랑스 군대의》

vi·var·i·um [vaivɛ́əriəm, vi-] *n.* (*pl.* **~s**, **-i·a** [-iə]) (자연의 서식(棲息) 상태를 모방한) 동식물 사육장, 생태 동물[식물]원

vi·vat [váivæt, ví:-] [L] *int.*, 만세(Long live ...!) **—** *n.* 만세 소리; 환성

vi·vat re·gi·na [-ridʒáinə] [L] *int.* 여왕 만세!

vi·vat rex [-réks] [L] *int.* 국왕 만세!

vi·va vo·ce [váivə-vóusi, ví:və-] [L =with the living voice] *ad.* 구두로(orally)
— *a.* Ⓐ 구두의(oral) **—** *n.* 구두[구술, 면접] 시험

vi·va-vo·ce [váivəvóusi, ví:və-] [L] *vt.*, *a.* …에게 시험관이 구두로 시문하다[하는]

vi·vax [váivæks] *n.* 삼일열(三日熱) 말라리아 원충

vívax malária 〚병리〛 삼일열 말라리아

vive [ví:v] [F] *int.* 만세(Long live ...!): *V~ le roi*! 국왕 만세!

vive la difference [vì:v-la:-dìfərá:ns | -rɔ́ns] [F] *int.* 차이[유별] 만세! 《두 사람, 특히 남녀 간에 차이가 있는 것이 좋음을 나타낼 때 쓰는 말》

vi·ver·rid [vaivérid] 〚동물〛 *a.* 사향고양잇과(科)의
— *n.* 사향고양이

vi·ver·rine [vaivérain, -rin, vi- | -rain] *a.*, *n.* 〚동물〛 사향고양잇과(科)의 (동물)

vi·vers [ví:vərz | vái-] *n. pl.* 《스코》 음식, 식량

vives [váivz] *n. pl.* [보통 단수 취급] 〚수의학〛 말의 악하선염(顎下腺炎)

vivi- [vívi] 《연결형》 「살아 있는, 생체의」의 뜻

적인 deadly, lethal, fatal, fateful
vivid *a.* **1** 생생한 graphic, clear, impressive, memorable, realistic **2** 선명한 colorful, rich, glowing, bright, brilliant **3** 발랄한 dynamic, lively, animated, spirited, vital

Viv·i·an [víviən] *n.* 남자[여자] 이름

viv·i·an·ite [víviənàit] *n.* 〚광물〛 남철석

‡**viv·id** [vívid] [L 「살아 있는」의 뜻에서] *a.* **1** 〈묘사·인상·기억 등이〉 **생생한**, 눈에 보이는 듯한, 완연한, 여실한: ~ in one's memory 기억에 선한 / a ~ description 생생한 묘사 **2** 〈색·빛 등이〉 **선명한**, 밝은, 빛나는, 눈부신, 휘황한: a ~ blue 선명한 파란색 **3** 〈사람·성격 등이〉 발랄한, 약동적인, 힘찬, 생기 있는: a ~ personality 발랄한 성격의 사람 **~·ness** *n.*

*__viv·id·ly__ [vívidli] *ad.* **생생하게**, 선명하게, 발랄하게

Viv·i·en [víviən] *n.* 여자 이름

vi·vif·ic [vaivífik] *a.* 생기를 주는, 활기차게 하는

viv·i·fy [vívəfài] *vt.* (**-fied**) …에 생명[생기]을 주다; 선명[강렬]하게 하다; 생생하게 하다, 활기를 띠게 하다, 격려하다 **viv·i·fi·ca·tion** [vìvəfikéiʃən] *n.* **-fi·er** *n.*

vi·vip·a·ra [vivípərə] *n. pl.* 〚동물〛 태생(胎生) 동물

vi·vi·par·i·ty [vìvəpǽrəti, vàiv- | vìv-] *n.* Ⓤ 〚동물〛 태생(胎生); 〚식물〛 모체 발아(發芽)

vi·vip·a·rous [vaivípərəs, vi- | vi-, vai-] *a.* 〚동물〛 태생의(cf. OVIPAROUS); 〚식물〛 태생의, 모체 발아의 **~·ly** *ad.* **~·ness** *n.*

viv·i·sect [vívəsèkt, ⌐–⌐] *vt.*, *vi.* 생체(生體)를 해부하다 **viv·i·sèc·tor** *n.* 생체 해부를 하는 사람

viv·i·sec·tion [vìvəsékʃən] *n.* Ⓤ 생체 해부[실습]; 너무 세세한 평(評), 혹평 **~·al** *a.* **~·al·ly** *ad.* **~·ist** *n.* 생체 해부를 하는 사람, 생체 해부 옹호자

vi·vo [ví:vou] [It.] *a.*, *ad.* 〚음악〛 =VIVACE

vi·vor [váivər] *n.* 《미·속어》 살아남는 자, 만만치 않은 놈(survivor)

vix·en [víksn] [fox의 여성형] *n.* **1** 암여우 **2** 심술궂은 여자, 바가지 긁는 여자
~·ish *a.* **~·ish·ly** *ad.* **~·ly** *ad.*, *a.*

Vi·yel·la [vaijélə] *n.* 비옐라 《면·모 혼방의 능직물; 상표명》

viz [váiz] *n.* 《미·속어》 (Levi's의) 청바지

viz. [víz] [L =namely] videlicet

viz·ard, vis- [vízərd] *n.* 복면, 가면, 마스크, 변장(disguise)

viz·ca·cha [viská:tʃə] *n.* =VISCACHA

vi·zier, vi·zir [vizíər, vízjər] *n.* 고관 《이슬람국 특히 터키 제국의》, 장관 ***grand ~*** 수상 **~·i·al** *a.*

vi·zor [váizər] *n.*, *vt.* =VISOR **~·less** *a.*

vizs·la [víʒlə] *n.* [종종 **V~**] 비즐라 《헝가리산(産)의 힘센 사냥개》

VJ *n.* 《구어》 =VIDEO JOCKEY; (텔레비전의) 리포터

V-J Dày (제2차 세계 대전의) 대일(對日) 전승 기념일 《항복 조인일인 1945년 9월 2일; cf. V-E DAY, V-DAY》

VL Vulgar Latin **v.l.** *varia lectio* (L =variant reading) 이문(異文) **VLA** 〚천문〛 Very Large Array 《미국 국립 전파 천문대의 대형 간섭계형 전파 망원경의 하나》; 《영》 voluntary licensing authority

Vlach [vlá:k, vlǽk] *n.* 왈라키아(Walachia) 사람

Vlad·i·vos·tok [vlæ̀divá:stak, -vəstá:k | -vɔ́s-tɔk] *n.* 블라디보스토크 《러시아의 시베리아 남동부의 항구 도시》

VLBI very long baseline interferometry 〚천문〛 초장기선(超長基線) 간섭계에 의한 관측 **VLCC** very large crude carrier 초대형 유조선 《30만톤 이상의》 **VLDL** very low-density lipoprotein 〚생화학〛 초저밀도 리포 단백질 **VLE** virtual learning environment 〚컴퓨터〛 가상 학습 환경

vlei [fléi, flái] *n.* 《남아공》 우기에 호수가 되는 저지(低地); 《미북부》 늪(marsh)

vléi ràt 〚동물〛 플레이 쥐

VLF very low frequency **VLSI** very large scale integration 〚컴퓨터〛 초대규모 집적 회로

vlog [vlá:g | vlɔ́g] [*v*ideo+b*log*] *n.* [보통 *pl.*] 영상물을 수록한 블로그

V-mail [ví:mèil] [*V*ictory *mail*] *n.* Ⓤ V우편 《제2차 대전 중 해외의 미국 장병 앞으로의[에게서 오는]

편지를 마이크로 필름으로 보낸 것)
VMC visual meteorological condition 〔항공〕 유시계 비행 상태 **VMD** *Veterinariae Medicinae Doctor* (L = Doctor of Veterinary Medicine)
VMX voice mailbox **v.n.** verb neuter 자동사
V nèck V자형 목둘레(의 옷)
V-necked [ví:nèkt] *a.* 〈목둘레가〉 V자형인
vo. *verso* (L = left-hand page) **VO** verbal order; very old 《위스키·브랜디 등에 씀》; Victorian Order
VOA Voice of America 미국의 소리 《방송》
vo-ag [vóuæg] [*vo*cational *ag*riculture] *n.*, *a.* (미·구어) (고등학교의) 농업 (교사)(의)
voc. vocational; vocative **vocab.** vocabulary
vo·ca·ble [vóukəbl] *n.* 〔언어〕 (뜻에 관계없이 음의 구성에서 본) 말, 단어(word); 모음; 유성어
—*a.* 발성[발음]할 수 있는 **-bly** *ad.*
vo·cab·u·lar [voukǽbjulər] *a.* 어(語)[어구]의, 말의[에 관한]
‡**vo·cab·u·lar·y** [voukǽbjulèri | -ləri] [vocable에서] *n.* (*pl.* **-lar·ies**) **1** (한 개인·저자·어느 계급의 사람 등의) 어휘, 용어수(數), 용어 범위: exhaust one's ~ 알고 있는 말을 다 쓰다 / have a large[wide] ~ of …의 어휘를 많이 알고 있다 / His English ~ is limited. 그의 영어 어휘는 한정되어 있다. **2** 단어집[표]; 사전; 부호표, 기호표 **3** (예술에서의) 표현 형식[법], 형(型) **-làr·ied** *a.*
vocábulary èntry (사전의) 표제[수록]어
vocábulary tèst 어휘 검사 《지능 검사의 하나》
‡**vo·cal** [vóukəl] *a.* **1** Ⓐ 목소리의, 음성의[에 관한]; 발성에 필요한; 구두의: the ~ organs 발성 기관 / a ~ communication 구두 전달 **2** 〔음악〕 성악의, 노래의: ~ music 성악 / a ~ performer 가수 / a ~ solo 독창 **3** 목소리를 내는, 발성력이 있는; 〈흐르는 물 등이〉 소리내는, 울리는 **4** (구어) 마음대로 말하는, 시끄럽게 지껄이는, 잔소리가 많은: become ~ about the question 그 문제로 시끄러워지다 **5** 〔음성〕 유성음의; 모음(성)의
—*n.* **1** [종종 *pl.*] (팝뮤직 등의) 보컬 (부분), 가창(歌唱); 성악곡 **2** 〔음성〕 소리; 유성음, 모음 **3** 〔가톨릭〕 선거권자 ***give with the ~s*** (미·속어) 노래를 부르다 **~·ly** *ad.* **~·ness** *n.*
▷ vóice, vocálity *n.*; vócalize *v.*; vocálic *a.*
vócal chìnk 〔해부〕 성문(聲門)(glottis)
vócal còrds[chòrds] [the ~, one's ~; 복수 취급] 〔해부〕 성대
vo·ca·lese [vòukəlí:z] *n.* 〔재즈〕 보컬리즈 《보컬을 악기로 간주하여 악기부를 따라 노래하는 가창 스타일》
vo·cal·ic [voukǽlik] *a.* 모음의, 모음성의; 모음으로 된; 모음성을 가진 —*n.* 〔음성〕 음절의 핵(核) **-i·cal·ly** *ad.*
vo·cal·ise [vòukəlí:z] *n.* 〔음악〕 보컬리즈 《계명이 아닌 모음을 쓰는 발성 연습; 그 곡》
vo·cal·ism [vóukəlìzm] *n.* Ⓤ **1** 소리를 냄, 발성술[법] **2** 가창법, 성악법 **3** 〔음성〕 모음의 성질; 모음 조직 **-ist** *n.* (재즈나 팝뮤직의) 성악가, 가수
vo·cal·i·ty [voukǽləti] *n.* Ⓤ 발성 능력, 발성; 〔음성〕 모음성(母音性), 유성음성(有聲音性)
vo·cal·i·za·tion [vòukəlizéiʃən | -lai-] *n.* Ⓤ 발성; 발성법; 유성음화(化)
vo·cal·ize [vóukəlàiz] *vt.* **1** 〈말·음을〉 목소리로 내다, 발음하다, 발성하다; 노래하다; 〈기분·생각 등을〉 확실히 말하다 **2** 〔음성〕 유성음화하다, 유성음으로 하다: (~+목+전+명) 'F' is *~d into* 'v'. f는 유성음화하여 v가 된다. **3** 〈히브리어 등에〉 모음 부호를 붙이다
—*vi.* 목소리를 내다, 소리치다, 웅얼거리다, 지껄이다; 모음을 써서 노래하다; 〔음성〕 모음화하다; 유성음화하다 **vó·cal·ìz·er** *n.*
vócal lìgaments = VOCAL CORDS
vócal sàc (개구리 수컷의) 울음 주머니
vócal tráct 〔음성〕 성도(聲道) 《성대에서 입술 또는 콧구멍에 이르는 통로》
‡**vo·ca·tion** [voukéiʃən] [L 「부름」의 뜻에서] *n.* **1** 천직, 사명(calling); 성직(聖職); (특정 직업에 대한) 사명감, 천직 의식 **2** 직업, 생업(生業), 장사: mistake one's ~ 직업을 잘못 택하다 **3** (특정 직업에 대한) 적성, 소질, 재능 (*for*) **4** Ⓤ 〔신학〕 신의 부르심; (신의 부르심에 의한) 정신적 생활, 소명
▷ vocátional *a.*
∗**vo·ca·tion·al** [voukéiʃənl] *a.* 직업상의; 업무상의; 직업 교육의: a ~ disease 직업병 / a ~ test 직업 적성 검사 **~·ly** *ad.* 직업적으로; 직업상으로
vocátional ágriculture (고등학교 학과목으로서의) 농업
vocátional búreau 직업 상담[소개]소
vocátional educátion 직업 교육
vocátional guídance 〔교육〕 취업 지도
vo·ca·tion·al·ism [voukéiʃənəlìzm] *n.* Ⓤ 직업[실무] 교육 중시 주의 **-ist** *n.*
vocátional schòol (미) 직업 학교
voc·a·tive [vɑ́kətiv | vɔ́k-] *a.* **1** 〔문법〕 부르는, 호격(呼格)의: the ~ case 호격 **2** 유창한(voluble)
—*n.* 〔문법〕 호격; 호격어(형) **~·ly** *ad.*
vo·ces [vóusi:z] *n.* VOX의 복수
vo·cif·er·ance [vousífərəns] *n.* Ⓤ 떠들썩함; 고함, 노호(怒號)
vo·cif·er·ant [vousífərənt] *a.*, *n.* 큰소리로 고함치는 (사람)
vo·cif·er·ate [vousífərèit] [L 「목소리를 나르다」의 뜻에서] *vi.*, *vt.* 큰소리로 고함치다[외치다], 호통치다, 고래고래 소리지르다 (*against*) **vo·cìf·er·á·tion** *n.* Ⓤ 노호(怒號); 시끄러움 **-à·tor** *n.*
∗**vo·cif·er·ous** [vousífərəs] *a.* 큰소리로 외치는, 고함치는, 시끄러운; 큰소리의, 떠들썩한; 〈말·태도 등이〉 요란스런; 집요한, 끈질긴 **~·ly** *ad.* **~·ness** *n.*
vo·cod·er [vóukòudər] *n.* 〔통신〕 보코더 《음성을 전기적으로 분석·합성하는 장치》
vo·coid [vóukɔid] *n.* 〔음성〕 모음류(類)
VOD video on demand 주문형 비디오
Vo·da·fone [vóudəfòun] *n.* (영) 보더폰 《이동 무선 전화 시스템, 그 전화기; 상표명》
vod·ka [vɑ́dkə | vɔ́d-] [Russ. 「물」의 뜻에서] *n.* Ⓤ 보드카 《호밀·밀로 만드는 러시아의 독한 증류주》
voe [vóu] *n.* (스코틀랜드의 Orkney 및 Shetland 제도의) 후미, 좁은 만
vo-ed [vóuèd] *n.* (미·구어) = VOCATIONAL EDUCATION
voet·sak [vútsæk, fút-] *int.* (남아공·속어) 훠이 훠이 《동물을 쫓는 소리》
voets·toots [vútstuts, fút-] (남아공) *a.* 상품의 품질에 관하여 파는 사람은 책임을 지지 않는다는 조건의 —*ad.* (팔린 상품의 품질에 관해서) 책임 없이
∗**vogue** [vóug] [MF 「배젓기」 → 「진로」의 뜻에서] *n.* **1** [the ~] (대)유행, 성행(fashion); 유행품, 인기 있는 물건[사람]: a mere passing ~ 단지 일시적인 유행 / It is now *the* ~. 그것이 지금 대유행이다. **2** [종종 a ~] 인기, 평판 ***all the ~*** 최신 유행(품) ***bring[come] into ~*** 유행시키다[하게 되다], 성행시키다[하게 되다] ***give ~ to*** = bring into VOGUE. ***have a great ~*** 대유행[대인기]이다 ***have a short ~*** 인기가 오래 못 가다 ***in ~*** 유행하여, 인기 있는 ***out of ~*** 유행하지 않아, 한물 지나
—*a.* Ⓐ (일시적) 유행의: a ~ phrase 유행 문구
vógue wòrd 유행어
vogue·y [vóugi] *a.* (구어) 유행하는
vogu·ing, vogue- [vóugiŋ] *n.* 보깅 《패션모델 같은 걸음걸이나 몸짓을 흉내낸 디스코 댄스》
vogu·ish [vóugiʃ] *a.* 유행의, 멥시 있는; 갑자기 인기를 얻은, 일시적 유행의; 변덕스러운 **~·ness** *n.*
‡**voice** [vɔ́is] *n.* **1** ⒸⓊ 목소리, 음성, (어떤 사람의)

thesaurus **vogue** *n.* fashion, style, trend, craze, mode, taste, fad, rage, latest thing

음성; (새·곤충의) 울음소리; 음질: in a deep[low, soft] ~ 힘찬 저음의[낮은, 부드러운] 목소리로 **2** Ⓤ Ⓒ 〖음악〗 성부(聲部); 발성; 가수(singer); 발성법 **3** 목소리의 특색[음색], 성음(聲音); (지방) 억양, 독특한 발음 **4** [보통 the ~] (사람의 목소리 비슷한 또는 그것에 비유한) 음, 소리; [보통 the ~] (사람의 말에 비유한 양심·하늘의) 소리, 말, 알림, 명령; [보통 the ~] (주의 등의) 대변자: *The* ~ of people is the ~ of God. 《속담》 민성은 천성. **5** Ⓤ 《문어》 (희망 등의) 표명, 표현; [보통 the ~] 표명의 수단 **6** [때로 a ~] 《문어》 발언권, 선택권, 투표권; 영향력 《*in*》 **7** 《문어》 의견, 선택, 판단; 요청: My ~ is for peace. 평화에 찬성이다. **8** 〖문법〗 (동사의) 태(態)(cf. ACTIVE, PASSIVE; (⇨ 문법 해설 (32)) **9** 〖음성〗 유성음(opp. *breath*) **10** 〖음악〗 (피아노 등의) 조율, 조음; (가수의) 성역(聲域)

be in good [***bad***] ~ = ***be*** [***be not***] ***in*** ~ (노래하는 데) 소리가 잘 나오다[나오지 않다] ***be out of*** ~ = be in bad VOICE. ***do ~s*** 성대모사를 하다, 음색을 흉내내다 ***find*** one***'s*** ~ 입밖에 내어 말하다, 소리가 나오다 ***find ~ in song*** 마음을 노래로 나타내다 ***give ~ to*** …을 입 밖에 내다, 토로하다, 표명하다 ***have a*** [***no***] ~ ***in*** 〈…의 결정〉에 대하여 선택[발언, 투표]권이 있다[없다] ***head*** ~ 두성(頭聲) ***in a loud*** ~ 큰소리로 ***lift up*** one***'s*** ~ 소리지르다, 외치다; 항의하다 ***lose*** one***'s*** (***singing***) ~ (노래하는) 목소리가 나오지 않게 되다 ***make*** one***'s*** ~ ***heard*** 남에게 자신의 의견을 고려하게 하다 ***mixed*** ~ 〖음악〗 혼성(混聲) ***raise*** one***'s*** ~ 더 큰소리로 말하다; 호통치다; 불평하다, 항의하다 ***recover*** one***'s*** ~ 다시 말하게 되다 ***speak under*** one***'s*** ~ 낮은 목소리로 말하다 ***talk to hear*** one***'s own*** ~ 《미·구어》 너무 떠들어대다, 혼자 독선적으로 지껄이다 ***the still small*** ~ 〖성서〗 고요하고 가는 소리 《양심의 소리》 ***veiled*** ~ 목쉰 소리 ***with one*** ~ 《문어》 이구동성으로, 만장일치로, 일제히

— *vt.* **1** 〈감정·의견 등을〉 (강력히) 말로 나타내다, 표명하다, 선언하다 **2** 〖음성〗 유성음화하다 **3** 〖음악〗 〈피아노 등을〉 조율[조음]하다; (곡의) 성음부를 쓰다

voice-ac·ti·vat·ed [vɔ́isǽktəvèitid] *a.* 음성 기동(起動)의

vóice annotàtion 〖컴퓨터〗 스크린상의 문면(文面)에 음성 입력으로 논평이나 정정 등을 하는 일

vóice bòx 《구어》 후두(喉頭)(larynx)

vóice còil 〖전기〗 (스피커의) 음성 코일

voice-con·trolled [-kəntròuld] *a.* 음성으로 제어할 수 있는

voiced [vɔ́ist] *a.* **1** [보통 복합어를 이루어] 소리가 …인: rough-~ 거친 목소리의 **2** 말로 표명한 **3** 〖음성〗 유성(음)의(cf. VOICELESS): ~ sounds[consonants] 유성음[자음] **voic·ed·ness** [vɔ́isidnis] *n.*

vóice frèquency 음성 주파수 《200-3,500 Hz; 略 VF》

voice·ful [vɔ́isfəl] *a.* 《시어》 목소리가 있는; 큰소리를 내는; 울려 퍼지는; 잡음으로 시끄러운; 떠들썩한; 말이 많은 **~·ness** *n.*

vóice ìnput 〖컴퓨터〗 음성 입력 《음성 (명령)에 의한 컴퓨터 조작》

vóice jàil 〖컴퓨터〗 음성 형무소 《직접 통화하지 못하는 voice mail을 귀찮게 여기는 말》

vóice lèading 〖음악〗 (다성 음악에서) 성부(聲部) 진행

***voice·less** [vɔ́islis] *a.* **1** 목소리가 없는; 무언의, 묵묵한, 말 못하는: a ~ forest 잠잠해진 숲 / ~ opposition 말없는 저항 **2** 〖음성〗 무성(음)의, 기음(氣音)의(breathed): ~ sounds[consonants] 무성음[자음] **3** 투표[선택]권이 없는 **~·ly** *ad.* **~·ness** *n.*

vóice màil 〖컴퓨터〗 음성 우편[메일] 《음성으로 기록한 것을 수신인이 확인하는 전자 메일 시스템》

vóice mèssage 〖컴퓨터〗 음성 메시지

Vóice of América [the ~] 미국의 소리 《미국 정부의 대외 방송; 略 VOA》

voice-o·ver [vɔ́isòuvər] *n.* 〖TV·영화〗 화면에 나타나지 않은 해설자의 목소리[말]; (말없는 인물의) 심중을 말하는 목소리

— *vt.* 〈프로그램 등에〉 화면 밖에서 해설을 달다

— *ad.* 화면에 나타나지 않고 (목소리만으로)

vóice pàrt 〖음악〗 성부(聲部)

vóice pìpe[**tùbe**] 통화관(管), 전성관(傳聲管)

voice·print [-prìnt] *n.* 성문(聲紋)

~·er *n.* 성문 묘사 장치 **~·ing** *n.* Ⓤ 성문 감정법

vóice procèssor 〖컴퓨터〗 음성 프로세서

voic·er [vɔ́isər] *n.* 〖음악〗 (파이프 오르간의) 조율사; 리포터의 목소리만 녹음된 테이프[방송]

vóice recognítion 〖컴퓨터〗 음성 인식

vóice recognìtion equìpment 음성 인식 기기(機器) 《음성에 반응하여 움직이는》

vóice respònse 〖컴퓨터〗 음성 응답

vóice sỳnthesis 〖컴퓨터〗 음성 합성

vóice sỳnthesizer 〖컴퓨터〗 음성 합성 장치

vóice sýnthesizing bòard = VOICE SYNTHESIZER

vóice vòte 《미》 구두 투표[표결]

voic·ing [vɔ́isiŋ] *n.* Ⓤ 발성; 〖음성〗 유성(음)화

‡**void** [vɔ́id] [L 「텅 빈」의 뜻에서] *a.* **1** 빈, 헛된, 공허한(empty): a ~ space 공간; 진공 **2** 무익한, 쓸모없는; 〖법〗 무효의(opp. *valid*), 법적 구속력이 없는 **3** Ⓟ 없는, 결여된 《*of*》: a story ~ *of* meaning 의미[뜻] 없는 이야기 **4** 〈자리·장소가〉 비어 있는; 공석인 **5** 〖카드〗 짝패가 없는 **6** 한가로운, 놀고 있는 **7** 〖수학〗 〈집합이〉 빈, 공집합의 ***null and*** ~ ⇨ null

— *n.* **1** [the ~] (우주의) 공간; 허공; 무(無) **2** [a ~] 빈 곳[틈] **3** [a ~] 공백, 공허감, 적적함 **4** 〖카드〗 짝패 없음 **5** 공석, 결원 **6** [the V~] 〖불교〗 공

an aching ~ (***in*** one***'s heart***) 안타까운 공허감

— *vt.* **1** 〈계약 등을〉 무효로 하다, 취소하다(nullify) **2** 방출[배설]하다 **3** (…로부터) 〈…을〉 제거하다, 치우다 **4** 비우다; 《고어》 떠나다

— *vi.* 방뇨하다, 배변하다(defecate)

~·ly *ad.* **~·ness** *n.* ▷ vóidance *n.*

void·a·ble [vɔ́idəbl] *a.* **1** 비울 수 있는, 배설할 수 있는 **2** 〖법〗 무효로 할 수 있는 **~·ness** *n.*

void·ance [vɔ́idəns] *n.* Ⓤ **1** 배설, 방출; 제거, 퇴거; 포기 **2** 공허; (성직(聖職)의) 공위(空位); 성직에서의 추방 **3** 〖법〗 무효, 취소

vóid dèck 《동남아》 (건물의 1층에 있는) 공용 공간

void·ed [vɔ́idid] *a.* **1** 《드물게》 공허하게 된; 틈이 있는 **2** 〖법〗 무효로 된 **3** 〈문장(紋章)이〉 윤곽만 남기고 가운데를 없앤[비운]

void·er [vɔ́idər] *n.* **1** 비우는[취소하는] 사람 **2** 《방언》 쓰레기통; 설거지하는 하인

voi·là, -la [vwɑːlɑ́ː] [F] *int.* 자 봐, 보란 말이야, 어때 《성공·만족의 표시》

voile [vɔ́il] [F = veil] *n.* Ⓤ 보일 《무명·양털·명주로 만든 반투명의 엷은 피륙》

VoIP [vɔ́ip] [*v*oice *o*ver *I*nternet *p*rotocol] *n.* Ⓤ 인터넷 전화(IP telephony)

voir dire [vwɑ́ːr-díər] [F] *n.* 〖법〗 **1** (증인·배심원의) 예비 심문 선서 **2** (1의) 예비 심문 (절차)

voi·ture [vwɑːtjúər | -tjúə] [F] *n.* 마차, 수레

voi·tur·ette [vwɑ̀ːtjurét] [F] *n.* 소형 자동차

vol. volcano; volume; volunteer

VÓ lànguage 〖언어〗 VO 언어 《직접 목적어가 동사 뒤에 오는 형태의 언어》

Vo·lans [vóulænz] *n.* 〖천문〗 날치자리(the Flying Fish)

vo·lant [vóulənt] [F] *a.* **1** 《드물게》 나는(flying), 날 수 있는 **2** 《문어》 날쌘, 기민한, 몸이 가벼운 **3** 〈문장(紋章)에서〉 〈새가〉 나는 모양의

---

void *a.* **1** 빈 empty, vacant, free, unfilled, unoccupied **2** 무효의 nullified, invalid, canceled

vo·lan·te [vouláːntei | vɔlǽnti] 〖It.〗 *a., ad.* 〖음악〗 하늘을 날듯이 빠르고 경쾌한[하게]

Vo·la·pük [vóuləpùk] 〖G〗 *n.* 볼라퓌크어(語) 《1879년경 독일의 J.M. Schleyer가 창시한 인공 언어》

vo·lar[1] [vóulər] *a.* 〖해부〗 손바닥의; 발바닥의

volar[2] *a.* 비행(용)의, 비행에 의한

VOLAR volunteer army

⁎**vol·a·tile** [válətl, -til | vɔ́lətàil] 〖L 「날고 있는」의 뜻에서〗 *a.* **1** 휘발성의, 휘발하는: ~ matter 휘발물 **2** 변덕스러운; 들뜬; 경박한; 쾌활한; 민첩한: a ~ disposition 변덕스러운 성질 **3** 〈정세·상황 따위가〉 불안정한, 일촉즉발의 **4** 덧없는, 순간적인, 일시적인; 〈가격·가치 등이〉 심하게[끊임없이] 변동하는 **5** 〖컴퓨터〗 〈메모리가〉 휘발성의 《전원을 끄면 데이터가 소실되는》
— *n.* **1** 날개 있는 동물 《새·나비 등》 **2** 휘발성 물질
~·ness *n.* **vòl·a·tíl·i·ty** *n.* Ⓤ 휘발성, 휘발도; 변덕

vólatile òil 휘발성 기름

vólatile sàlt 〖화학〗 탄산 암모늄; 탄산 암모니아수

vol·a·til·ize [válətəlàiz | vɔlǽtil-, vəl-] *vt., vi.* 휘발시키다[하다] **vòl·a·til·i·zá·tion** *n.* Ⓤ 휘발

vol·a·tize [válətàiz | vɔ́l-] *vt., vi.* = VOLATILIZE

vol-au-vent [vɔ̀ːlouvɑ́ːŋ | vɔ̀l-] 〖F 「바람 속의 비행」의 뜻에서〗 *n.* 볼로방(meat-pie) 《일종의 고기 파이》

⁎**vol·ca·nic** [valkǽnik | vɔl-] *a.* **1 a** 화산의; 화산성의, 화산 작용에 의한, 화성(火成)의: a ~ eruption 분화/ ~ activity 화산 활동 **b** 화산이 있는[많은] **2** 화산과 같은; 폭발성의, 격렬한: a ~ temper 불같이 격한 기질/a ~ rage 격노
— *n.* = VOLCANIC ROCK
-ni·cal·ly *ad.* ▷ volcáno *n.*

volcánic ásh[áshes] 〖지질〗 화산재

volcánic bómb 〖지질〗 화산탄(彈)

volcánic cóne 〖지질〗 화산 원뿔

volcánic dúst 화산진(塵)

volcánic glàss 〖광물〗 흑요석(黑曜石)

vol·ca·nic·i·ty [vὰlkənísəti | vɔ̀l-] *n.* = VOLCANISM

vol·can·i·clas·tic [valkæ̀niklǽstik | vɔl-] 〖지질〗 *a.* 화산 쇄설(碎屑) 모양의, 화산 쇄설암으로 이루어진 — *n.* 화산 쇄설암

volcánic róck 〖암석〗 화산암

volcánic túff 〖암석〗 응회암(凝灰岩)

vol·ca·nism [válkənìzm | vɔ́l-] *n.* Ⓤ 〖지질〗 화산 활동; 화산 현상[작용]; 화산성(性)

vol·can·ist [válkənist | vɔ́l-] *n.* 화산학자; 암석 화성론자(火成論者)

vol·can·ize [válkənàiz | vɔ́l-] *vt.* …에 화산열을 작용시키다 **vòl·can·i·zá·tion** *n.*

‡**vol·ca·no** [valkéinou | vɔl-] 〖L 「불의 신(Vulcan)」의 뜻에서〗 *n.* (*pl.* **~(e)s**) **1** 화산; 분화구 **2** 화산을 연상시키는 것; 금방 폭발할 것 같은 감정[사태] ***an active*** [***a dormant, an extinct***] **~** 활[휴, 사]화산 ***a submarine* ~** 해저 화산 ***sit on a* ~** (구어) 일촉즉발 상태에 있다

vol·ca·no·gen·ic [vὰlkənədʒénik | vɔ̀l-] *a.* 화산 기원(起源)의, 화산으로 생성된

vol·ca·nol·o·gy [vὰlkənálədʒi | vɔ̀lkənɔ́l-] *n.* 화산학 **-gist** *n.* **vòl·ca·no·lóg·ic, -i·cal** *a.*

vole[1] [vóul] *n.* 〖동물〗 들쥐

vole[2] *n.* 〖카드〗 전승(全勝)
***go the* ~** (1) 이기든 지든 해보다, 크게 한판 투기하다 (2) 여러 가지 일을 차례로 시험해 보다

vo·let [vouléi | vɔ́lei] *n.* 3매 그림[조각]의 바깥쪽 한 장; 3겹으로 접힌 글자판의 바깥쪽 1매

Vol·ga [válgə, vóul- | vɔ́l-] *n.* [the ~] 볼가 강 《러시아 남동부를 흘러 카스피 해로 흘러 들어가는 유럽에서 가장 긴 강》; 구소련산(産) 중형 승용차

Vol·go·grad [válgəgræ̀d, vóul- | vɔ́l-] *n.* 볼고그라드 《구소련 남부의 도시; 전 이름 Stalingrad》

vol·i·tant [válətənt | vɔ́l-] *a.* **1** 나는, 날 수 있는 **2** 잘 돌아다니는, 활발한

vol·i·ta·tion [vὰlətéiʃən | vɔ̀l-] *n.* Ⓤ 날기; 나는 힘, 비상력 **~·al** *a.*

vo·li·tion [voulíʃən, və-] 〖L 「바라다」의 뜻에서〗 *n.* Ⓤ **1** 의지 작용, 의욕 **2** 의지, 결의, 결단; 의지력, 결단력 ***of* one*'s own* ~** 자기의 자유의사로
~·al *a.* **~·al·ly** *ad.* **~·ar·y** [-nèri | -nəri] *a.* **~·less** *a.*

vol·i·tive [válətiv | vɔ́l-] *a.* **1** 의지의, 의지에서 나오는, 결단력이 있는: ~ faculty 의지력 **2** 〖문법〗 소원[허가, 의지]을 나타내는: the ~ future 의지 미래

Volk [fɑ́lk | fɔ́lk] 〖G〗 *n.* 국민, 민중

volks·lied [fɔ́ːlkslìːt | fɔ́lks-] 〖G〗 *n.* (*pl.* **-lie·der**) 속요(俗謠), 민요(folk song)

Volks·wa·gen [vóukswæ̀gən | vɔ́lks-] 〖G= people's wagon〗 *n.* (*pl.* **~, ~s**) 폴크스바겐 《독일의 대중용 소형 자동차; 略 VW; 상표명》

⁎**vol·ley** [váli | vɔ́li] 〖OF 「비행」의 뜻에서〗 *n.* **1** (화살·탄환 등의) 일제 사격 《*of*》: in a ~ 일제 사격으로/a ~ *of* small arms fire 소총의 일제 사격 **2** (저주·욕설·질문 등의) 연발 《*of*》 **3** 〖테니스·축구〗 발리 《공이 땅에 닿기 전에 쳐 넘기거나 차 넘김》; 〖크리켓〗 발리 《공을 바운드시키지 않고 3주문(柱門) 위에 닿도록 던짐》 **4** 〖채광〗 (폭약의) 일제 폭발
— *vt.* **1** 일제 사격하다 **2** 〈욕설 등을〉 연발하다 **3** 〖테니스·축구·크리켓〗 발리로 쳐[차] 넘기다
— *vi.* **1** 일제히 발사되다, 〈총소리 등이〉 일제히 울리다; 매우 빨리 날다[움직이다]: 《~+전+명》 ~ *at* the enemy 적에게 일제 사격을 가하다 **2** 〖테니스·축구·크리켓〗 발리를 하다 **3** 일제히 큰소리를 내다[지르다]
~ *forth* [***out***] 연발하다 **~·er** *n.*

‡**vol·ley·ball** [válibɔ̀ːl | vɔ́l-] *n.* **1** Ⓤ 〖경기〗 배구, 발리볼 **2** 배구공 **~·er** *n.* 배구 선수

vo·lost [vóuləst | -lɔst] *n.* **1** 볼로스트 《러시아 제정 시대의 소 행정구역》 **2** 농촌 소비에트(rural soviet)

vol·plane [válplèin | vɔ́l-] *n., vi.* **1** 〖항공〗 공중 활주(하다), 활공[강하](하다) 《동력이 꺼진 상태에서》 **2** 〖음악·음성〗 = GLIDE **-plàn·ist** *n.*

vols. volumes

Vol·sci [válsai, -si, -ʃi | vɔ́lskiː, -sai] *n. pl.* [the ~] 볼스키족(族) 《기원전 이탈리아 남부 Latium에 살던 고대 민족》

Vol·scian [válʃən | vɔ́lskiən, -ʃiən, -si-] *a.* 볼스키 족[사람]의; 볼스키 어의
— *n.* 볼스키 족 사람[어(語)]

Vól·stead Àct [válsted- | vɔ́l-] 〖미국 하원 의원의 이름에서〗 [the ~] (미) 금주법 《1933년 폐지》

Vol·stead·ism [válstedìzm, vóul- | vɔ́l-] *n.* Ⓤ (미) 주류 판매 금지주의[정책] **-i·an** *a.*

Vol·sun·ga Sa·ga [válsuŋgə-sáːgə | vɔ́l-] 〖ON =saga of the Volsungs〗 볼숭가 전설 《13세기 아이슬란드의 Volsung 일가를 중심으로 한 전설집》

⁎**volt**[1] [vóult] 〖이탈리아의 전지 발명자 A. Volta의 이름에서〗 *n.* 〖전기〗 볼트 《전압의 실용 단위; 略 V》

volt[2] [vóult | vɔ́lt] 〖It. 「회전하다」의 뜻에서〗 *n.* **1** 〖펜싱〗 찌르기를 피하기 위한 재빠른 다리의 동작 **2** 〖승마〗 (말의) 원을 그리는 동작, 회전
— *vi.* 〖펜싱〗 찌르기를 재빨리 피하다

vol·ta [vóultə, vɑ́l- | vɔ́l-] 〖It.〗 *n.* (*pl.* **-te** [-tei | -ti]) **1** 〖음악〗 회(回), 번: prima ~ 제1회 **2** 〖댄스〗 볼타춤 《16-17세기에 유행한 활발한 움직임의 춤》 ***due* ~** 두 번, 2회 ***una* ~** 한 번, 1회

Vol·ta [vóultə | vɔ́l-] *n.* 볼타 **Alessandro ~** (1745-1827) 《이탈리아의 물리학자·전지 발명자》

volt·age [vóultidʒ] *n.* ⓊⒸ 〖전기〗 전압, 전압량, 볼트수 《略 V》

vóltage divìder 〖전기〗 분압기(分壓器)

vóltage règulator 전압 조정기

vóltage transfòrmer 〖전기〗 계기용 변압기

vol·ta·ic [valtéiik, voul- | vɔl-] *a.* **1** 동전기(動電

thesaurus **volatile** *a.* light, airy, imponderable, subtle, buoyant (opp. *heavy, dense, solid*)

氣)의; 화학 작용에 의해 기전(起電)하는 **2** [**V~**] 볼타의
voltáic báttery 볼타 전지 《voltaic cell을 몇 개 연결한 것》
voltáic céll 볼타 전지(galvanic cell) 《두 전극과 전해액으로 구성됨》
voltáic cóuple 〖전기〗 (볼타) 전극쌍 《볼타 전지(voltaic cell)의 양쪽 극에 쓰이는 한 쌍의 금속판》
voltáic electrícity 〖전기〗 (볼타) 전류, 동전기
voltáic píle 〖전기〗 볼타 전퇴(電堆)
Vol·taire [voultέər, vɑl- | vɔ́ltεə, –⌐] *n.* 볼테르 **F. M. A. ~** (1694-1778) 《프랑스의 문학자·철학자》
Vol·tair·e·an, -i·an [voultέəriən, vɑl- | vəl-] *a., n.*
vol·ta·ism [vóultəìzm, vɑ́l- | vɔ́l-] *n.* Ⓤ **1** 동(動)전기학 **2** 동전기(galvanism)
volt·am·e·ter [vɑltǽmətər, voul- | vɔl-] *n.* 볼타미터, 전해 전량계(電解電量計)
volt·am·me·ter [voultǽmmìːtər] *n.* 〖전기〗 전압 전류계
volt-am·pere [-ǽmpiər] *n.* 〖전기〗 볼트암페어, 피상(皮相) 전력 《volt와 ampere의 곱; 略 VA》
volte[1] [vóult | vɔ́lt] *n.* =VOLT[2]
vol·te[2] [vóultei | vɔ́lti] *n.* VOLTA의 복수
volte-face [vɑ́ltfɑ́ːs, vóult- | vɔ́lt-] [F 「얼굴을 돌리다」의 뜻에서] *n.* (*pl.* **~**) **1** 방향 전환 **2** (의견·정책 등의) 전환, 전향, 급변, 역전
volt·me·ter [vóultmìːtər] *n.* 〖전기〗 전압계
vol·u·ble [vɑ́ljubl | vɔ́l-] [L 「회전하는」의 뜻에서] *a.* **1** 말이 유창한; 입심 좋은; 혀가 잘 돌아가는: a ~ spokesman 입담 좋은 대변인 **2** (드물게) 〖식물〗 〈덩굴 등이〉 휘감는 (습성이 있는) **3** (고어) 회전성의, 구르기 쉬운; 변하기 쉬운 **vòl·u·bíl·i·ty** *n.* Ⓤ 유창; 다변, 수다 **~·ness** *n.* **-bly** *ad.*
‡**vol·ume** [vɑ́ljuːm, -ljum | vɔ́l-] *n., a., v.*

L 「두루마리」의 뜻에서 「책(의 크기)」→「(물건의) 크기, 부피」 **2**→「음량」 **4**

— *n.* **1** (특히 두꺼운) 책(⇨ book 유의어), 서적; (전집류 등의) 권 《略 v., vol.》; (정기 간행물·[종종] 1년분의) 권: *Vol.* 1 제1권 **2** Ⓤ 부피, 양, 크기, 체적; 용적, 용량: the ~ of traffic 교통량 **3** [종종 *pl.*] 대량, 많음 《*of*》: ~*s of* smoke[vapor] 뭉게뭉게 오르는 연기[수증기] / a ~ *of* mail 다량의 우편물 **4** Ⓤ (사람·텔레비전·라디오의) 음량: a voice of great[little] ~ 성량이 풍부한[적은] 목소리 **5** (노래·곡을 실은 레코드의) 앨범 **6** 〖역사〗 (양피지·파피루스 등의) 두루마리 **7** 총액, 총계; …고(高) **8** 〖미술·건축〗 양감, 입체감 ***gather* ~** 정도가 커지다, 증대[증가]하다 ***in* ~** 대량으로 ***speak* [*express, tell*] ~*s*** 의미 심장하다; …을 증명하고도 남음이 있다 《*for*》
— *a.* 〈가게가〉 대량 판매의, 상품을 대량으로 취급하는
— *vi.* 〈구름·연기 등이〉 뭉게뭉게 피어오르다
— *vt.* 〈음량을〉 올리다; 한 권으로 합치다
▷ volúminous *a.*
vólume contròl (라디오 따위의) 음량 조절 (장치)
vol·umed [vɑ́ljuːmd, -ljum | vɔ́l-] *a.* **1** [보통 복합어를 이루어] 〈저작물이〉 …권으로 된: a five-~ work 5권으로 된 대작 **2** (시어) 〈연기 등이〉 뭉게뭉게 일어나는 **3** 부피가 있는, 다량의; 두둑한, 묵직한
vol·u·me·nom·e·ter [vɑ̀ljumənɑ́mətər | vɔ̀ljuminɔ́m-] *n.* 용적 비중계; 배수(排水) 용적계
vólume retàiler 대량 판매점
vol·u·me·ter [vəlúːmətər, vɑ́ljumìːtər | vɔljúːmitər] *n.* 용적계, 체적계; 배수 용적계
vol·u·met·ric, -ri·cal [vɑ̀ljumétrik(əl) | vɔ̀l-] *a.* 용적[체적] 측정의 **-ri·cal·ly** *ad.*
volumétric análysis 〖화학〗 용량 분석; 체적 분석
volumétric effíciency (엔진·압축기 등의) 용적

voluntary *a.* optional, discretional, noncompulsory, elective, nonmandatory (opp. *compulsory*)

[체적] 효율
vol·u·me·try [vəlúːmətri | vɔl-] *n.* Ⓤ 용적[체적] 측정
vólume ùnit 〖전기〗 음량 단위 《말소리·음악 등의 음량을 재는 단위; 略 VU》
vólume ùnit méter 〖오디오〗 VU 미터 《음성·음악에 대응하는 전기 신호의 강약을 측정하는 기기(機器); 略 VU meter》
vo·lu·mi·nal [vəlúːmənl] *a.* 용적의, 체적의
***vo·lu·mi·nous** [vəlúːmənəs] *a.* **1 권수**[책수]가 많은, 여러 권의 **2 부피가 큰**, 용적이 큰; 대형의 **3** 〈작가 등이〉 저서가 많은, 다작의 **4** 〈의복 등이〉 넉넉한 **5** 많은, 방대한, 풍부한 **vo·lu·mi·nos·i·ty** [vəlùːmənɑ́səti | -nɔ́s-] *n.* **~·ly** *ad.* **~·ness** *n.*
vol·u·mize [vɑ́ljumàiz | vɔ́l-] *vt.* 머리를 볼륨감 있게 하다 **vól·u·mìz·er** *n.*
vol·un·ta·rism [vɑ́ləntərìzm | vɔ́l-] *n.* Ⓤ **1** (교회·학교·병원 등의) 자유주의, 비의존주의; (병역의) 자유 지원제; 《일반적으로》 자발적인 행동 **2** 〖철학〗 주의설(主意說) 《의지가 정신 작용의 근저 또는 세계의 근기(根基)라는 설》 **-rist** *n.* **vòl·un·ta·rís·tic** *a.*
‡**vol·un·tar·y** [vɑ́ləntèri | vɔ́ləntəri] [L 「자유 의사」의 뜻에서] *a.* **1 자발적인**; 임의의, 수의(隨意)의; 지원의: a ~ contribution[donation] 자발적인 기부 **2** Ⓐ 독지가의 손으로 경영[유지]되는, 임의 기부제(寄附制)의: ~ hospitals 기부제로 운영되는 병원 **3** 〖법〗 임의의, 고의의, 의도적인: a ~ confession 임의 자백 / ~ murder 모살(謀殺) **4** 〖생리〗 수의적인 **5** 자유의지를 가진: a ~ agent 자유 행위자
— *n.* **1** 자발적인 행위[원조, 기부] **2** 오르간 독주 《특히 교회에서 예배의 전후에 연주하는》; 그 악곡; (악곡의 전후에 임의로 연주하는) 즉흥곡 **-tàr·i·ly** *ad.* 자유의사로, 자발적으로; 임의로 **-tàr·i·ness** *n.*
Vóluntary Áid Detàchment (영) 구급 간호 봉사대 《略 VAD》
vóluntary ármy 의용군
vóluntary associátion 임의 단체, 자발적 단체; =VOLUNTARY CHAIN
vóluntary cháin 자유[임의] 연쇄점(連鎖店)
vóluntary convéyance[disposítion] 〖법〗 임의[무상] 양도
vóluntary èxport restráint 수출 자율 규제
vol·un·tary·ism [vɑ́ləntèriìzm | vɔ́ləntəri-] *n.* Ⓤ **1** (종교·교육의) 임의 기부주의[제도] **2** 지원병 제도
vóluntary múscle 〖해부〗 수의근(隨意筋)
vóluntary rétailer 임의 연쇄점 가맹점
vóluntary schòol (영) 임의 기부제 학교 《종교 단체에서 설립한 초·중등 학교》
vóluntary sérvice 〖군사〗 지원 복무
Vóluntary Sérvice Overséas (영) 해외 협력대 《개발도상국에 의사·교사·기술자 등을 파견하는 영국의 기금 단체; 略 VSO》
‡**vol·un·teer** [vɑ̀ləntíər | vɔ̀l-] *n.* **1 지원자**, 독지가(篤志家), 자원 봉사자 《*for*》: a ~ *for* a concert 연주회의 지원자 **2** 지원병, 의용병 **3** 〖법〗 임의 행위자; (부동산의) 무상의 양수(讓受)인 **4** 〖농업〗 자생 식물 **5** [**V~**] 미국 Tennessee 주의 주민
— *a.* Ⓐ **1** 자발적인, 자원하는, 지원(병)의, 의용(군)의: a ~ nurse 독지 자원 간호사 **2** 〖식물〗 자생의
— *vt.* **1 자진하여 하다**, 자발적으로[자원하여] 나서다[제공하다] **2** 자발적으로 말하다: ~ a remark 자진하여 말하다 / ~ an explanation 자진하여 설명하다
— *vi.* **1** 자진하여 일을 하다[사주다, 팔아 주다]: 《~+전+명》 ~ *for* a task 자진하여 일을 맡다 / ~ *in* an attempt 기획에 자진하여 참가하다 // 《~+***to*** do》 ~ *to* help others 다른 사람 돕기를 자청하다 **2** 지원하다; 지원병[의용병]이 되다 《*for*》 **3** 〖농업〗 〈식물이〉 자생하다
voluntéer ármy 의용군 《略 VOLAR》
vol·un·teer·ism [vɑ̀ləntíərizm | vɔ̀l-] *n.* Ⓤ 자유 지원제

Voluntéers of América [the ~] 미국 의용군 《1896년 New York에 설립; 略 VOA》

Vólunteer Resérve Fòrces [the ~] 《영》 자원 예비군

Voluntéer Státe [the ~] 미국 Tennessee주의 속칭

vo·lup·tu·ar·y [vəlʌ́ptʃuèri | -tjuəri] *a.*, *n.* (관능적) 쾌락에 빠지는 (사람), 방탕자(의)

*__vo·lup·tu·ous__ [vəlʌ́ptʃuəs] [L 「쾌락」의 뜻에서] *a.* **1** 관능적인, 쾌락적인, 도발적인: ~ pleasure 관능적 쾌락 **2** 〈사람·인생 등이〉 육욕(肉慾)에 빠지는, 방탕한, 향락적인: a ~ life 방탕한 생활 **3** 육감적인, 요염한: a ~ woman 요염한 여자 **vo·lùp·tu·ós·i·ty** [-ɑ́səti | -ɔ́s-] *n.* **~·ly** *ad.* **~·ness** *n.*

vo·lute [vəlúːt] *n.* **1** 〖건축〗 소용돌이꼴 《주두(柱頭)·제단의 난간의 장식 등; 특히 이오니아 및 코린트식》 **2** 〖패류〗 고둥의 일종 **—***a.* 소용돌이꼴의

volute 1

vo·lut·ed [vəlúːtid] *a.* **1** 소용돌이꼴의; 나선형의 (홈이 있는) **2** 〖건축〗 소용돌이꼴의 장식이 있는

volúte pùmp 와류식(渦流式) 원심 펌프

volúte sprìng (죽순처럼 감겨 올라간) 용수철

vo·lu·tion [vəlúːʃən] *n.* ⓊⒸ **1** 선회[회전] 운동 **2** (조개의) 소용돌이 **3** 〖해부〗 뇌회(腦回)

vol·va [vɑ́lvə | vɔ́l-] *n.* 〖식물〗 (버섯의) 균포(菌包)

Vol·vo [vɑ́lvou | vɔ́l-] *n.* 볼보 《스웨덴 Volvo 사제(製)의 자동차; 상표명》

vol·vox [vɑ́lvɑks | vɔ́lvɔks] *n.* 〖생물〗 볼복스 《민물 녹조류》

vo·mer [vóumər] *n.* 〖해부〗 (코의) 서골(鋤骨) 《비중격(鼻中隔)의 대부분을 이루는 뼈》 **vo·mer·ine** [vóumərὰin, -rin, vɑ́- | vóu-, vɔ́-] *a.*

*__vom·it__ [vɑ́mit | vɔ́m-] *vt.* **1** 토하다, 게우다, 구토하다 《*forth, out, up*》 ★ 《구어》에서는 throw up이 보통임. **2** 내뱉다, 내뿜다, 분출하다: ~ lava 용암을 분출하다 // 《~+目+副》 ~ *forth* smoke 연기를 내뿜다 **3** 《고어》 (토제(吐劑)로) 게우게 하다 **4** 〈욕설·항의 등을〉 내뱉듯이 말하다 **5** 《미·속어》 퇴학시키다
— *vi.* **1** 게워내다, 토하다 《*forth, out, up*》 **2** 분출하다, 분화(噴火)하다
— *n.* **1** Ⓤ 토함, 게움; (용암·연기 등의) 분출; Ⓒ 토한 것 **2** 메스꺼운 것; 천한 인간; 독설 **3** 《고어》 토제(吐劑) **~·er** *n.* ▷ vómitive *a.*

vom·it·ing [vɑ́mitiŋ | vɔ́m-] *n.* Ⓤ 구토, 토하기

vom·i·tive [vɑ́mətiv | vɔ́m-] *a.* 구토의, 토하게 하는 **—***n.* 《폐어》 토하는 약(emetic)

vóm·i·to [vɑ́mətòu, vóum- | vɔ́m-] *n.* 〖병리〗 (황열병에 의한) 흑색 구토물(= **~ négro**)

vom·i·to·ri·um [vὰmətɔ́ːriəm | vɔ̀m-] *n.* (*pl.* **-ri·a** [-riə]) = VOMITORY 3

vom·i·to·ry [vɑ́mətɔ̀ːri | vɔ́mitəri] *a.* = VOMITIVE **—***n.* **1** 방출구, 분출구 **2** 토하는 사람; 《드물게》 구토물을 담는 용기 **3** (고대 로마의 원형 극장·경기장 등의) 출입구

vom·i·tous [vɑ́mətəs | vɔ́m-] *a.* 구역질나게 하는, 가슴이 메스꺼운; 《구어》 싫은, 불쾌한, 매슥거릴 듯한

vom·i·tu·ri·tion [vὰmətʃuríʃən | vɔ̀m-] *n.* Ⓤ 〖의학〗 빈회(頻回) 구토; 헛구역(질)

vom·i·tus [vɑ́mətəs | vɔ́m-] *n.* 〖의학〗 **1** 구토 **2** 토한 내용물, 구토물

vom·it·y [vɑ́məti | vɔ́m-] *a.* 《미·속어》 토할 것 같은, 구역질나는

von [vɑn | vɔn, 《약하게》 fən] [G = from, of] *prep.* [독일·오스트리아 귀족의 가명(家名) 앞에서] …(출신)의: Fürst ~ Bismarck 비스마르크 공(公)

von Braun [vɑn-bráun | vɔn-] *n.* 폰 브라운 **Wernher ~** (1912-77) 《독일 태생의 미국 로켓 과학자》

V-one, V-1 [víːwʌ́n] *n.* V-1호, 보복 병기 제1호 《독일이 제2차 세계 대전시 영국 공격에 사용한 로켓 폭탄》

Von Néu·mann compùter [vɑn-nɔ́imɑːn- | vɔn-] [미국의 수학자 이름에서] 〖컴퓨터〗 폰 노이만형 컴퓨터

von Wíl·le·brand's disèase [fɔːn-víləbrὰːnts-] [핀란드의 의사 이름에서] 〖병리〗 빌러브란트씨 병; 〖혈관〗 혈우병(血友病) 《혈액 중의 응고 요소의 부족으로 인한 장시간의 출혈이 특징》

voo·doo [vúːduː] [다오메이(Dahomey) 토어 「사신(邪神)」의 뜻에서] *n.* (*pl.* **~s**) **1** Ⓤ 부두교(敎) 《서인도 제도 및 미국 남부의 흑인 사이에 행해지는 일종의 마교(魔敎)》 **2** 부두교의 마법(사) **3** 부두교의 예배 대상물[예배식] **4** 《속어》 흑마술, (악마가 저지르는) 마술, 사술(邪術) **—***a.* 부두교의; 《구어》 마술적인 **—***vt.* 부두교의 마법을 걸다
~·ìsm *n.* Ⓤ 부두교의 신앙[마법] **~·ist** *n.* **vòo·doo·ís·tic** *a.*

VOP, vop valued as in original policy 〖보험〗 협정 보험 가격은 원증권대로 **VOR** very high frequency omnirange 〖항해〗 초단파 전방향식 무선 표지

vo·ra·cious [vɔːréiʃəs, və- | və-] *a.* **1** 게걸스레 먹는, 식욕이 왕성한, 대식[폭식(暴食)]하는; 탐욕적인, 물릴 줄을 모르는(insatiable): a ~ appetite 왕성한 식욕 **2** 열성이 대단한, 몹시 집착하는, 골몰하는 **~·ly** *ad.* **~·ness** *n.*

vo·rac·i·ty [vɔːrǽsəti, və- | və-] *n.* Ⓤ **1** 폭식(暴食), 대식(大食) **2** 탐욕, 집착

-vore [vɔ̀ːr] 《연결형》 〖동물〗 「…식 동물」의 뜻

vor·la·ge [fɔ́ːrlɑːgə] [G] *n.* 〖스키〗 전경(前傾) 자세 《내리받이의 활강 자세》

-vorous [-vərəs] 《연결형》 「…을 먹는, …에서 영향을 얻는」의 뜻: carni*vorous*, herbi*vorous*

vor·tex [vɔ́ːrteks] [L] *n.* (*pl.* **~·es, -ti·ces** [-təsìːz]) **1** 소용돌이; 회오리바람; (소용돌이꼴의) 비행운(雲) **2** 〖물리〗 와동(渦動) **3** [the ~] (전쟁·혁명·논쟁 등의) 소용돌이; 혼란스러운 사태, (…의) 와중 《*of*》: *the* ~ *of* war 전란(戰亂) / in *the* ~ *of* busy work 바쁜 일의 와중에, 바쁘게 일하던 와중에 **4** (Descartes 철학에서) 우주 물질의 와동

vor·ti·cal [vɔ́ːrtikəl] *a.* 소용돌이꼴의, 소용돌이치는, 선회하는 **~·ly** *ad.*

vor·ti·cel·la [vɔ̀ːrtəsélə] *n.* (*pl.* **-lae** [-liː]) 〖동물〗 종벌레

vor·ti·ces [vɔ́ːrtəsìːz] *n.* VORTEX의 복수

vor·ti·cism [vɔ́ːrtəsìzm] *n.* Ⓤ **1** 〖미술〗 소용돌이파(派) 《소용돌이로 그림을 구성하는 미래파의 일파》 **2** 〖우주과학〗 소용돌이 이론 **-cist** *n.*

vor·tic·i·ty [vɔːrtísəti] *n.* (*pl.* **-ties**) 〖물리〗 소용돌이도(度) 《유체의 소용돌이 운동의 세기와 그 축 방향을 나타내는 벡터》; Ⓤ (유체의) 소용돌이 운동 상태

vor·ti·cose [vɔ́ːrtikòus] *a.* = VORTICAL

vor·tig·i·nous [vɔːrtídʒənəs] *a.* 《고어》 = VORTICAL

Vos·khod [vɑ́shɑd | vɔ́shɔd] [Russ. = sunrise] *n.* 보스호드 《구소련의 2, 3인승 우주선》

Vos·tok [vɑ́stɑk, ─ ́ | vɔ́stɔk] [Russ. = east] *n.* 보스토크 《구소련의 세계 최초의 1인승 유인(有人) 인공위성; 제1호는 1961년 발사》

vós·tro accóunt [vɑ́strou- | vɔ́s-] 《영》 〖금융〗 상대편 계정 《외국 은행이 국내에 개설한 계정》

vot·a·ble [vóutəbl] *a.* 투표할 수 있는, 투표권이 있는; 투표로 결정할 수 있는

vo·ta·ress [vóutəris] *n.* VOTARY의 여성형

vo·ta·rist [vóutərist] *n.* = VOTARY

vo·ta·ry [vóutəri] [L 「맹세하다」의 뜻에서] *n.* (*pl.*

thesaurus **vote** *n.* ballot, poll, election
vouch *v.* assert, aver, attest, warrant, affirm,

-ries) **1** 수도자, 성직자(聖職者) **2** (특정 종교의) 신자, 독신자(篤信者), 신봉자 **3** (특정 문제·취미·목표 등의) 추구자, 헌신자, 애호가 **4** (주의·이상·제도 등의) 열렬한 신봉자, 숭배자, 지지자

‡**vote** [vóut] [L「맹세하다」의 뜻에서] *n.* **1 a** [보통 a ~, the ~] (발성·거수·기립(起立)·투표 용지 등에 의한) **투표**, 찬부 표시; 투표 방법, 선출 방법: an open ~ 기명 투표/a secret ~ 무기명 투표 **b** [the ~] 표결 **2** (개개의) 표; 투표 용지: count *the* ~*s* 표수를 세다/pass by a majority of ~*s* 과반수로 통과하다 **3** [the ~] **투표[선거]권**, 참정권; 의결권: lose [have] *the* ~ 투표권을 잃다[갖다]/give women *the* ~ 여성에게 참정권을 주다 **4** [종종 the ~; 집합적] 투표 총수, 득표; 표밭: *the* floating ~*s* 부동표/*the* woman ~ 여성표 **5** 《영》 의결 사항; 의결액(額), (의결된) (…할) 비용 《*for*》 **6** [the V~s] 《영》 (하원의) 의사록(議事錄) **7** 《고어》 투표자, 유권자

by a voice ~ = in a voice VOTE. ***canvass for ~s*** 표를 얻으려고 운동을 하다, 선거 운동하다 ***cast a ~*** 한 표를 던지다 《*for, against*》 ***come* [*go, proceed*] *to the ~*** 표결에 부쳐지다 ***get out the ~*** 《미》 예상 득표의 획득에 성공하다 ***give* [*record*] *one's ~*** 투표하다 《*to, for*》 ***in a voice ~*** 《미》 만장일치의 투표로 ***one man one ~*** 1인 1표 주의 ***plural ~* [*voting*]** 복수 투표[투표제] ***put a question* [*bill*] *to the ~*** (문제[의안]를) 표결에 붙이다 ***spoiled ~*** 무효 투표 ***split the ~*** 《영》 〈소수당이〉 표를 갈라 놓다 ***take a ~ on*** a question (어떤 문제에) 대하여 투표로 결정하다 ***~ of confidence* [*nonconfidence, censure*]** 신임[불신임] 투표 ***~ of thanks*** 감사 결의

— *vi.* **1 투표하다** 《*for, in favor of, against, on*》: (~+[전]+[명]) ~ *for*[*against*] the candidate 그 후보자에 대해 찬성[반대] 투표를 하다/~ *on* a bill 법안에 대해 투표하다 **2** [I를 주어로 하여] 《구어》 제안하다, 동의를 내다, 의사 표시를 하다: (~+[전]+[명]) *I* ~ *for* a rest. 쉬는 게 어떻겠나?

— *vt.* **1 투표하여 가결[의결]하다,** 표결하다; [보통 수동형으로] 선출하다: (~+[목]+[전]+[명]) The board ~*d* the money *for* education. 위원회는 그 돈을 교육비에 충당할 것을 결의하였다. **2** 투표로 지지하다: ~ the Republican ticket 공화당을 지지하여 투표하다 **3** [I를 주어로 하여] 《구어》 주장하다, 제안[제의]하다: (~+***that*** [절]) *I* ~ (*that*) we (should) go to the theater tonight. 오늘 밤 극장에 갑시다. **4** 《구어》 〈세상 사람이〉 …이라고 인정하다, 간주하다: (~+[목]+[보]) The public ~*d* the new play a success. 이번의 극은 성공이라는 세평이다.

~ … away = ***~ away …*** 〈사람·권리 등을〉 투표로 추방[박탈]하다 ***~ down*** (투표하여) 부결하다; (투표로) 이기다(defeat) ***~ for*** (1) …에게 (찬성) 투표하다 (2) 《구어》 제안하다 ***~*** a person ***in* [*into*]** …을 …으로 선출하다 ***~ on*** 표결하다 ***~*** a person ***out* (*of*)** 투표에 의해 …을 …에서 축출[추방]하다 ***~ through*** 〈의안 등을〉 투표로 통과시키다[의결하다] ***~ with one's feet*** 체제를 싫어해서 망명하다; 〈관객이〉 불만을 갖고 퇴장하다; 퇴장함으로써 불만을 표하다

vote·a·ble [vóutəbl] *a.* = VOTABLE

vóte bùying 표의 매수(買收)

vo-tech [vóutèk] *a.* 《구어》 (교과목으로서) 직업 기술의(vocational technical)

vote-get·ter [vóutgètər] *n.* 표 모으기에 성공한 사람, 인기 후보자, 유력 후보자

vote·less [vóutlis] *a.* 투표[선거]권이 없는[박탈된]

vot·er** [vóutər] *n.* **투표자**; (특히 국회의원 선거에서의) **유권자**, 선거인 ***casting ~ 결정 투표자 《의장 등》

vot·ing [vóutiŋ] *n.* Ⓤ 투표(권 행사), 선거

vóting àge 선거권 취득 연령, 투표 연령

---

verify, endorse (opp. *deny, repudiate, discard*)
vow *v.* promise, vouch, resolve, pledge, swear

vóting bòoth 《미》 (투표장 안의) 투표 용지 기입소(《영》 polling booth)

vóting machìne (자동식) 투표 계산기

vóting pàper 《영》 투표 용지(ballot)

Vóting Ríghts Àct 《미》 투표권법 《흑인·소수 민족의 선거권 보장을 목적으로 하는 법》

vóting stòck 〖경제〗 의결권(이 있는) 주식 《주식 소유자에게 의결권을 주는 주식》

vóting trùst 《미》 〖경제〗 의결권 신탁

vo·tive [vóutiv] *a.* (신에게 맹세를 지키기 위해) 봉납[봉헌]하는; 축원하는, 소원 성취를 비는, 지성드린: a ~ offering 헌납품, 봉헌물/a ~ picture [tablet] 봉헌도[편액(扁額)] **~·ly** *ad.* **~·ness** *n.*

vo·tress [vóutris] *n.* 《고어》 = VOTARESS

vou. voucher

***vouch** [váutʃ] *vi.* **1** 〈사물이〉 〈…의 진실성[확실성·신뢰성]을〉 **보증[보장]하다** 《*for*》: (~+[전]+[명]) ~ *for* the truth of a report 보고가 진실인 것을 보증하다/His references ~ *for* his ability. 신상 명세서가 그의 능력을 보증한다. **2** 〈사람이〉 보증하다; 보증인이 되다; 단언하다 《*for*》: (~+[전]+[명]) I'll ~ *for* him. 내가 그의 보증인이 되겠다./I can't ~ *for* it that he has recovered his perfect health. 그가 완치되었다고 단언할 수 없다.

— *vt.* **1** 〈어떤 일을〉 보증하다; 옳다고 단언하다 《*that*》 **2** 증거를 제시하여 …라고 주장하다, 증명하다, 입증하다; 증인을 내세워 변호하다 **3** 《고어》 〈사례·책을〉 예증으로 인용하다 **4** 《고어》 증인으로 소환하다 **5** 〈증거 서류·영수증 등을〉 확인[인증]하다

— *n.* 《폐어》 단언, 증언

vouch·ee [vautʃíː] *n.* 피보증인

vouch·er [váutʃər] *n.* **1** 보증인, 증명인 **2** 증거 서류, 증명서; 증거; 〖회계〗 증표(證票) 《수지 거래를 증명하는 전표·영수증 등》 **3** 《영》 (현금 대용의) 교환권, 상품권(coupon); 할인권: a sales ~ 상품 교환권/a hotel ~ 숙박권/a luncheon ~ 점심 식권

— *vt.* 증명하다; 〖회계〗 …에 대한 거래 증표를 만들다[준비하다]

vóucher chèck 《미》 증빙식 수표

vóucher plàn = VOUCHER SYSTEM 2

vóucher sỳstem **1** 〖회계〗 증빙식(證憑式) 제도 **2** 《미》 〖교육〗 바우처 계획[제도] 《공적 기관이 사립 학교에 수업료의 지불을 보증하는 증명서를 발행하여 공립·사립학교를 선택할 수 있도록 하는 계획》

vouch·safe [vautʃséif] [ME「안전한 것으로 보증하다」의 뜻에서] *vt.* **1** (특별한 호의로) 주다, 하사하다; (친절하게도) …해주시다(deign): (~+[목]+[목]) She ~*d* me thirty minutes' interview. 그녀는 나에게 30분간의 면접을 허락해 주었다.//(~+***to*** do) He ~*d to* attend the party. 그분이 파티에 참석해 주셨습니다. **2** 허락하다, 허가하다: They ~*d* his return to his own country. 그들은 그의 귀국을 허락했다. **~·ment** *n.*

vouge [vúːʒ] *n.* 〖영국사〗 보병용의 자루가 긴 도끼 비슷한 무기

vous·soir [vuːswáːr] [F] *n.* Ⓤ Ⓒ 〖건축〗 (쐐기꼴의) 홍예석(虹蜺石) 《아치용》

‡**vow** [váu] [vote와 같은 어원] *n.* **1** 맹세, 서약, 개인적 공약, 언질; 〖그리스도교〗 서원(誓願): (~+***to*** do) I am under a ~ not *to* smoke. 나는 금연할 것을 서약하고 있다. **2** 맹세의 내용[행위]

take* [*make*] *a ~ 맹세하다, 서원하다 ***take* (*the*) *~s*** 수도회[원]에 들어가다

— *vt.* **1** (엄숙히) 맹세하다, 서약하다(⇨ swear [유의어]): ~ a crusade 성전(聖戰)을 맹세하다//(~+[목]+[전]+[명]) They ~*ed* vengeance *against* the oppressor. 그들은 압제자에게 보복할 것을 맹세하였다. **2** 맹세코 …하겠다고 말하다, 단언하다: (~+***to*** do) (~+***that*** [절]) He ~*ed to* work harder[*that* he would work harder] in the future. 맹세코 앞으로 더 열심히 하겠다고 말했다. **3** …을 (…에게) 서약

을 통해 바치다; 헌신하다 《*to*》: They *~ed* a temple *to* God. 그들은 신에게 신전을 바쳤다.
— *vi.* **1** 서약하다, 맹세하다 **2** (고어) 단언[약속]하다, 언명하다 ***I*** **~** (고어) 확실히, 분명히 **~ *and declare*** (고어) 맹세코 단언하다
~·er *n.* **~·less** *a.*

‡**vow·el** [váuəl] [L 「소리의(vocal)」의 뜻에서] *n.* **1** 〖음성〗 모음(cf. CONSONANT) **2** 모음자 《a, e, i, o, u의 다섯 자, 때로는 w, y도 포함함》
— *a.* 모음의: a ~ sound 모음
~ed *a.* 모음이 있는 **~·less** *a.* 모음이 없는
▷ vówelize *v.*

vówel gradátion 〖언어〗 모음 교체(ablaut)

vówel hàrmony 〖언어〗 모음 조화

vow·el·ize [váuəlàiz] *vt.* 〈히브리어·아랍어의 문자에〉 모음 부호를 붙이다; 〈자음을〉 모음화하다, 유성음화시키다(vocalize) **vòw·el·i·zá·tion** *n.*

vow·el·like [váuəllàik] *a.* 모음 같은

vówel mutátion 〖언어〗 모음 변이(umlaut)

vówel pòint 〖언어〗 모음 부호 《히브리어 등에서 모음을 표시하는 점》

vówel rhỳme 〖운율〗 모음운(母音韻)(assonance)

vówel sỳstem (한 언어·어족의) 모음 조직[체계]

vox [váks | vɔ́ks] [L =voice] *n.* (*pl.* **vo·ces** [vóusi:z]) 소리, 음성; 말(word)

VOX [váks | vɔ́ks] *n.* 복스 《송신·수신 전환이 음성에 의해 작동 제어되는 장치》

vóx bár·ba·ra [-bá:*r*bərə] [L] 야만어(語) 《특히 동식물학의 학명에 쓰인 신조(新造) 라틴어》

vox·el [váksəl | vɔ́k-] *n.* 〖컴퓨터〗 (입체 화상을 구성하는) 3D 화소(畫素)

vox hu·ma·na [váks-hju:méinə, -má:- | vɔ́ks-hju:má:nə] [L] 〖음악〗 오르간의 음전(音栓)의 하나 《사람 목소리 같은 소리를 내는》

vóx póp [-páp | -pɔ́p] [*vox po*puli] (영·구어) (텔레비전·라디오의) 거리 인터뷰; 시민의 소리

vox po·pu·li [-pápjulài | -pɔ́p-] [L =people's voice] 민중의 소리, 여론 **~, *vóx Déi*** 백성의 소리는 하느님의 소리

‡**voy·age** [vɔ́iidʒ] [L 「여비」의 뜻에서] *n.* **1** 항해, 항행; (배·비행기 등에 의한 비교적 긴) 여행(⇨ travel 유의어); 우주 여행; 탐험, 원정: a ~ round the world 세계 일주 항해 / a rough ~ 난항 / a round ~ 순항(巡航) / take one's ~ on foot 도보 여행을 하다 **2** [종종 *pl.*] (장기간에 걸친) 여행기, 여행담 **3** (해양 자원을 노린) 항해; 그 항해에서 얻어진 수익
go on [***make***] ***a*** **~** 항해하다 ***on a*** **~** 항해중인[에]
— *vi.* **1** 항해하다, 바다[육지, 하늘]의 여행을 하다 **2** 바다를 건너가다
— *vt.* 〈배 등으로 바다를〉 건너 지르다; 여행[항해]하다 **~·a·ble** *a.* 항해[항행]할 수 있는

vóyage chàrter 〖항해〗 항해 용선 (계약)

vóyage pòlicy 〖보험〗 항해 보험 증권

voy·ag·er [vɔ́iidʒə*r*] *n.* **1** 항해자, (옛날의) 모험적 항해자; 여행자 **2** [**V~**] 〖우주과학〗 보이저 《미국의 무인 목성·토성 탐사 위성》 **3** (미·속어) LSD 사용자

vo·ya·geur [vwà:ja:ʒə́:r, vɔ̀iə-] [F] *n.* **1** (캐나다·미국 북서부의) 뱃사공 《모피 회사에 고용되어 사람·물자의 수송에 종사》; 《일반적으로》 캐나다의 뱃사공 **2** (특히 북부의) 삼림 생활자, 탐험가; 올가미 사냥꾼

voy·eur [vwa:jə́:*r*, vɔi- | vwaiə́:] [F 「보다」의 뜻에서] *n.* 엿[훔쳐]보는 취미를 가진 성적 이상자; 《일반적으로》 꼬치꼬치 캐묻기 좋아하는 사람, 뒷소문을 말하기 좋아하는 사람 **~·ism** *n.* Ⓤ 관음증(觀淫症)
~·is·tic [vwà:jərístik] *a.* 관음증의, 훔쳐보는 취미의

VP verb phrase 〖문법〗 동사구; Vice President

v.p. variable pitch; various places; verb passive

V-par·ti·cle [ví:pá:*r*tikl] *n.* 〖물리〗 V입자(粒子) 《1947년에 발견된 새로운 입자로서 V자형 비적(飛跡)을 나타냄》

VPF vertical processing facility 종형(縱型) 정비탑 《로켓 등의 발사 준비를 위한》 **V. Pres.** Vice President **v.r.** verb reflexive **VR** variant reading; Vice Regent; *Victoria Regina* 《L = Queen Victoria》; virtual reality; Volunteer Reserve

vrai·sem·blance [vrèisɑ:mblá:ns] [F] *n.* 정말 같음, 그럴듯함, 진실인 듯함

VRC vertical redundancy checking 〖컴퓨터〗 수직 중복 검사 **v. refl.** verb reflexive **V. Rev.** Very Reverend 각하 《고위 성직자에 대한 경칭》 **VRML** 〖컴퓨터〗 Virtual Reality Modeling Language

vroom [vrú:m, vrúm] [의성어] (미·구어) *n.* 부릉부릉 《엔진 소리》 — *vi.* 부릉부릉 소리내며 달리다[가속하다, 질주하다]

vrouw, vrow [vráu] [Du.] *n.* **1** (네덜란드인·남아프리카 공화국 태생 백인의) 아내, 여자 **2** …부인 《기혼 여성에게 붙이는 경칭》(Mrs.)

vs. verse; versus **v.s.** *vide supra* 《L =see above》 **VS** veterinary surgeon; volumetric solution 〖화학〗 표준액 **VSAM** virtual storage access method 〖컴퓨터〗 가상 기억 액세스 방식

VSBC very small business computer 〖컴퓨터〗 업무용 초소형 컴퓨터

V-shaped [ví:ʃèipt] *a.* V자형의

V sìgn (제 2 차 대전 때의) 승리 사인 《가운뎃손가락과 집게손가락으로 V(victory)자를 그리는》

V-six, V-6 [ví:síks] *a.* V자형 6기통 엔진의, V6의
— *n.* V자형 6기통 엔진 《3기통씩 2열 V형으로 배열된 형식의 엔진》

VSO very superior[special] old 《브랜디의 특급; 12-17년 묵은 것》; (영) Voluntary Service Overseas

VSÓ lánguage 〖언어〗 VSO 언어 《동사+주어+목적어라는 어순을 가진 언어; 웨일스 어·고전 아라비아어 등》(cf. SOV LANGUAGE, SVO LANGUAGE)

VSOP very superior[special] old pale 《브랜디의 특상급; 18-25년 묵은 것》 **vss.** verses; versions

V/STOL, VSTOL [ví:stɔ̀:l] [*v*ertical *s*hort *t*akeoff and *l*anding] *n.* 〖항공〗 V/STOL기(機) 《수직 단거리 이착륙(기); VTOL기와 STOL기의 총칭》

VT vacuum tube; voice tube; (미) 〖우편〗 Vermont **Vt.** Vermont **vt., v.t.** verb transitive(cf. V.I.) **VT, v.t.** variable time

VT fùze = VARIABLE TIME FUZE

VTO vertical takeoff 수직 이륙

VTOL [ví:tɔ̀:l] [*v*ertical *t*ake*o*ff and *l*anding] *n.* 〖항공〗 **1** 수직 이착륙 (방식), 비톨 **2** 수직 이착륙기 (VTOL jet plane) — *a.* 수직 이착륙(방식)의

VTOL·port [-pɔ̀:*r*t] *n.* 〖항공〗 수직 이착륙기용 비행장(vertiport)

VTR video tape recorder[recording]

V-twelve, V-12 [ví:twélv] *n.* **1** V형 12기통 [V12] 엔진 **2** V12 엔진을 단 자동차
— *a.* 〈엔진이〉 V형 12기통의

V-two, V-2 [ví:tú:] *n.* V-2호 《독일이 제 2차 세계대전 말기 영국 공격에 쓴 장거리 로켓 폭탄; cf. V-ONE》

V-type éngine [ví:tàip-] V형 엔진 《기통을 2열 V자형으로 배치한 자동차 엔진》

VU volume unit 〖오디오〗 음량 단위 **Vul.** Vulgate

Vul·can [vʌ́lkən] *n.* **1** 〖로마신화〗 불카누스 《불과 대장일의 신》 **2** 〖군사〗 벌컨포(= **~ cánnon**) 《고속 발사의 기관포》

Vul·ca·ni·an [vʌlkéiniən] *a.* **1** Vulcan 신의 **2** [**v~**] 대장장이의 **3** [**v~**] 화산(작용)의

thesaurus **voyage** *n.* **1** 항해 crossing, cruise, passage **2** 여행 journey, trip, expedition, travels
vulgar *a.* rude, indecent, indecorous, offensive, bawdy, obscene, dirty, coarse, rough, crude (opp. *decorous, gentle, mannerly, tasteful*)
vulnerable *a.* unsafe, weak, helpless, unprotected

Vul·can·ic [vʌlkǽnik] *a.* = VULCANIAN
vul·ca·nism [vʌ́lkənìzm] *n.* = VOLCANISM
-nist *n.* = VOLCANIST
vul·can·ite [vʌ́lkənàit] *n.* Ⓤ 경질(硬質) 고무(hard rubber), 에보나이트(ebonite)
vul·ca·ni·zate [vʌ́lkənizèit] *n.* 가황물(加黃物)
vul·ca·ni·za·tion [vʌ̀lkənizéiʃən | -nai-] *n.* Ⓤ (고무의) 경화(硬化), 가황(加黃) 《생고무의 유황 화합에 의한 경화 조작》
vul·ca·nize [vʌ́lkənàiz] *vt.* 〈고무를〉 경화[가황]하다; (약품과 열 처리로) 〈고무·타이어 등을〉 수리하다
— *vi.* 가황 처리를 받다 **-nìz·a·ble** *a.* **-nìz·er** *n.*
vul·can·i·zed [vʌ́lkənàizd] *a.* 가황(加黃) 처리한, 경화(硬化)시킨
vúlcanized fíber 경화 섬유 《종이나 천을 염화아연으로 경화시킨 것; 전기 절연물 등에 사용》
vul·ca·nol·o·gy [vʌ̀lkənɑ́lədʒi | -nɔ́l-] *n.* = VOLCANOLOGY **vùl·can·o·lóg·i·cal** *a.* **-gist** *n.*
vulg. vulgar(ly) **Vulg.** Vulgate
⁑**vul·gar** [vʌ́lgər] [L 「일반 대중의」의 뜻에서] *a.* **1** (교양 있는 상층 계급에 대하여) **상스러운**, 비속한; **저속한**, 야비한, 천박한: ~ words 비어(卑語) **2 통속적인**, 속세의, 세속적인; 일반 (대중)의; 널리 알려진, 유포한: ~ superstitions 세속의 미신 **3** (고어) (상류 계급에 대하여) 평민의, 서민의: the ~ herd 일반 대중, 서민 **4** 〈언어가〉 일반 민중이 사용하는, 구어(口語)체의; 자국어의 **5** 매력 없는, 재미없는, 평범한, 진부한 ***the ~ tongue*** [***speech***] 일반 대중이 쓰는 말; 자기 나라 말 《옛날, 라틴어에 대한 영어와 같은》
— *n.* **1** [the ~] (고어) 평민, 서민 **2** (폐어) 모국어, 자국어; 지방어, 방언 **~·ly** *ad.* **~·ness** *n.*
▷ vulgárity *n.*; vúlgarize *v.*
vúlgar éra [the ~] = CHRISTIAN ERA
vúlgar fráction 〖수학〗 상분수(common fraction)
vul·gar·i·an [vʌlgέəriən] *n.* 속물, 《특히》 벼락 출세자[부자]; (속어·익살) = BULGARIAN
— *a.* 속물의, 저속한
vul·gar·ism [vʌ́lgərìzm] *n.* **1** = VULGARITY **2** ⓊⒸ 야비한 말, 상말; 잘못된 말투, 어법의 오용
vul·gar·i·ty [vʌlgǽrəti] *n.* (*pl.* **-ties**) **1** Ⓤ 속됨, 야비, 천박 **2** [보통 *pl.*] 무례한 언동
vul·gar·ize [vʌ́lgəràiz] *vt.* **1** (비)속화하다, 속악화하다, 천박하게 하다; 〈가치·정도 등을〉 추락[타락]시키다 **2** 통속화하다; 〈전문 서적·난해한 작품 등을〉 평이하게 하다 **vùl·gar·i·zá·tion** *n.* **vúl·gar·ìz·er** *n.*
Vúlgar Látin 통속[구어] 라틴어 《고전 라틴어에 대해 일반 대중이 사용한 라틴어; 후에 로망스 제어(諸語)의 기원이 되었음; 略 VL》
Vul·gate [vʌ́lgeit, -gət] [L 「일반에 유포된 (판)」의 뜻에서] *n.* **1** [the ~] 불가타 성경 《405년에 완역된 라틴 말 성경》 **2** [v~] 유포본(流布本); 표준적인 해석, 통설 **3** [the v~] 통속적인 말, 일상어; (표준어가 아닌) 저속한 말, 방언 — *a.* Ⓐ 불가타 성경의; [**v~**] 통속적인, 일반적인; 보통의
vul·gus [vʌ́lgəs] *n.* **1** [집합적] 민중, 평민, 서민 **2** 라틴어 시작(詩作) 과제
vul·ner·a·bil·i·ty [vʌ̀lnərəbíləti] *n.* Ⓤ 상처[비난]받기 쉬움, 약점이 있음, 취약성
vul·ner·a·ble [vʌ́lnərəbl] [L 「상처 입히다」의 뜻에서] *a.* **1** 상처 입기 쉬운, 공격받기 쉬운; 비난받기 쉬운; 취약성[약점]이 있는; (유혹 등에) 넘어가기 쉬운 《*to*》: a fortress ~ *to* attacks from the sky 공습을 받기 쉬운 요새 / High temperatures made them more ~ *to* illness. 고온이 그들을 질병에 더욱 취약하게 만들었다. **2** 〖카드〗 (브리지 놀이에서 한 판 이겨서 다액의 보너스를 기대할 수 있는 반면) 벌점의 위험도 큰 **~·ness** *n.* **-bly** *ad.*
vul·ner·ar·y [vʌ́lnərèri | -rəri] *a.* **1** 상처에 바르는, 상처를 고치는 **2** 상처를 낫게 하는
— *n.* (*pl.* **-ar·ies**) 상처약, 외상 치료제
Vul·pec·u·la [vʌlpékjulə] *n.* 〖천문〗 작은여우자리
vul·pec·u·lar [vʌlpékjulər] *a.* = VULPINE
vul·pi·cide, -pe- [vʌ́lpəsàid] *n.* ⓊⒸ 《영》 **1** (사냥개 이외의 방법에 의한) 여우 잡아 죽이기 **2** (그러한 방법으로) 여우를 죽이는 사람
vul·pine [vʌ́lpain, -pin | -pain] *a.* **1** 여우의; 여우 같은 **2** 교활한, 간사한
vul·pi·nite [vʌ́lpənàit] *n.* 〖광물〗 석고옥(石膏玉) 《경(硬)석고의 일종》; 장식용
⁎**vul·ture** [vʌ́ltʃər] *n.* **1** 〖조류〗 독수리; 콘도르(condor)속(屬) **2** (약한 자를 희생시키는) 무자비한[욕심 많은] 사람; 남을 속여 먹는 사람 《사기꾼 등》 **3** 〖야구〗 구원 투수 **~·lìke** *a.*

vulture 1

vúlture fùnd 〖금융〗 벌처 펀드 《부실 자산을 싼 값에 사서 가치를 올린 뒤 되팔아 차익을 내는 것을 목적으로 하는 투자 신탁 기금》
vul·tur·ine [vʌ́ltʃəràin, -rin | -ràin] *a.* = VULTUROUS
vul·tur·ous [vʌ́ltʃərəs] *a.* **1** 독수리 같은[의] **2** 탐욕스러운
vul·va [vʌ́lvə] [L] *n.* (*pl.* **-vae** [-vi:], **~s**) 〖해부〗 음문(陰門), (여자의) 외음부(外陰部)
vúl·val, -var *a.* **vul·vi·form** [vʌ́lvəfɔ̀:rm] *a.*
vul·vate [vʌ́lvèit, -vət] *a.* 음문[외음]의[과 같은]
vul·vi·tis [vʌlváitis] *n.* Ⓤ 〖병리〗 음문염, 외음염
vul·vo·vag·i·ni·tis [vʌ̀lvouvæ̀dʒənáitis] *n.* Ⓤ 〖병리〗 외음(부)질염
vum [vʌ́m] *vi.* (**~med**; **~·ming**) (미·방언) 서약하다, 맹세하다(vow)
vu·vu·zela [vu:vu:zélə] *n.* (남아공) 부부젤라 《트럼펫 모양의 프라스틱 악기》
vv. verses; violins; volumes **v.v.** vice versa 《L = to turn》 **vv. ll.** *variae lectiones* 《L = variant readings》 **VVSOP** very very superior old pale 《(브랜디의) 보통 25-40년의 것; cf. VSO, VSOP》
VW Very Worshipful; Volkswagen
VX (**gàs**) VX 가스 《피부·폐를 통하여 흡수되는 치명적인 신경가스》
v.y. 〖서지학〗 various years
Vy·cor [váikɔ:r] *n.* 바이코어 《단단한 내열 유리로 실험 기구 제조 등에 쓰임; 상표명》
vy·ing [váiiŋ] *v.* VIE의 현재 분사
— *a.* 겨루는, 경쟁하는; 팽팽한 《*for, against, with*》 **~·ly** *ad.*
Vy·shin·sky [viʃínski] *n.* 비신스키 **Andrei Yanuarievich ~** (1883-1954) 《구소련의 법률가·정치가; 외무 장관(1949-53)》
Vyv·yan [vívjən] *n.* 남자[여자] 이름

w, W [dʌ́bljuː, -lju] [원래 v를 두 개 겹쳐 써서 'double 'u'(=v)'라고 부른 데서] *n.* (*pl.* **w's, ws, W's, Ws** [-z]) **1** 더블유 《영어 알파벳의 제23자》 **2** W자형(의 물건); 23번째(의 것) 《J를 빼면 22번째》
W watt; west; wolfram 《G=tungsten》 **w.** week; west; wide; width; wife; with **w., W, W.** west; western **W.** Wales; Washington; Wednesday; Welsh; West 《런던 우편구(區)의 하나》; Western **₩** won 원《한국의 화폐 단위》 **w/** 〖상업〗 with
Wa [wɑ́ː] *n.* (*pl.* ~(**s**)) 와 족(族)(의 한 사람) 《미얀마와 중국 국경 부근에 사는 산악 민족》; Ⓤ 와 어(語) 《Mon-Khmer 어족의 하나》
WA (미) 〖우편〗 Washington **W.A.** West Africa; West(ern) Australia; 〖해상보험〗 With Average
WAAC [wǽk] [*W*omen's *A*rmy *A*uxiliary *C*orps] *n.* **1** 육군 여자 보조 부대 《영국은 ATS로, 미국은 WAC로 바뀌었음》 **2** [또는 **Waac**] 육군 여자 보조 부대원
WAAF, W.A.A.F., [wǽf] [*W*omen's *A*uxiliary *A*ir *F*orce] *n.* **1** (영) 공군 여자 보조 부대 《현재는 WRAF》 **2** [또는 **Waaf**] 공군 여자 보조 부대원
wab·bit [wǽbət] *a.* (스코) 피로한, 지친
wab·ble [wɑ́bl | wɔ́bl] *v., n.* =WOBBLE
WAC [wǽk] [*W*omen's *A*rmy *C*orps] *n.* **1** (미) 육군 여군 부대 **2** [또는 **Wac**] 육군 여군 부대원(cf. WAF)
wack¹ [wǽk] *n.* (속어) 괴팍한[별난] 사람
— *a.* (미·속어) **1** 나쁜, 고약한; 멋없는 《주로 마약 퇴치 운동의 슬로건에 쓰여; Crack is wack.(마약은 인생을 망친다.) 등으로 쓰임》 **2** 극단의, 심한
wack² *v., n.* =WHACK
wack·a·doo [wǽkəduː] *n.* (미·속어) =WACKO
wack·e [wǽkə] *n.* Ⓤ 〖지질〗 현무토
wacked-out [wǽktáut] *a.* (미·속어) **1** 지친; 닳아 해진 **2** 괴팍스러운, 별난; 미친 **3** 알코올[마약]로 멍청해진; 술[마약]에 취한
wack·o [wǽkou] (미·속어) *n.* (*pl.* ~**s**) 괴짜, 이상한 사람 — *a.* =WACKY
wack·y [wǽki] *a.* (**wack·i·er**; **-i·est**) (미·속어) 괴팍스러운, 별난(eccentric), 엉뚱한, 이상한
— *n.* 별난[이상한] 사람
wáck·i·ly *ad.* **wáck·i·ness** *n.*
wàcky báccy (영·구어) =CANNABIS
WACL World Anti-Communist League
Wa·co [wéikou] *n.* 웨이코 《미국 Texas주 중부의 도시》; 목화 재배 중심지
wad¹ [wɑ́d | wɔ́d] *n.* **1** (마른 풀·삼 부스러기·껌·종이 등 부드러운 물건을 뭉친) 뭉치: a ~ of paper 둥근 종이 뭉치 **2** 틈을 메우는 물건, 솜뭉치 **3** 총[탄약]의 화약 마개 **4** (지폐·서류의) 뭉치, 다발: a ~ of bills [bank notes] 지폐 뭉치, 돈다발 **5** [종종 *pl.*] (구어) 많음, 다량, 대량 《*of*》: have ~*s of* money 많은 돈을 갖고 있다 / ~*s of* butter[books] 많은 버터[책] **6** (영·속어) 롤빵, 샌드위치
***blow* one's ~** (속어) 가진 돈을 죄다 털다 ***shoot* one's ~** (미·속어) 가진 돈을 죄다 날리다; (미·속어) 속에 있는 말을 죄다 털어놓다; (미·속어) 끝내 버리다; (미·속어) (성교에서) 사정하다
— *vt.* (**~·ded**; **~·ding**) **1** 작은 뭉치로 만들다: (~+목+부) ~ paper *up* 종이를 돌돌 뭉치다 // (~+목+전+명) He ~*ded* a newspaper *into* the trash can. 그는 신문지를 돌돌 뭉쳐서 쓰레기통에 집어넣었다. **2** 〈사이를〉 메우다; 〈총기에〉 화약 마개를 끼워 넣다; 〈구멍을〉 틀어막다; 솜을 넣어 메우다; 〈사람에게〉 채워 넣다 《*with*》: (~+목+전+명) He is well ~*ded with* conceit. 그는 자만심에 차 있다.
wád·der *n.*
wad² *n.* Ⓤ 〖지질〗 망간토(土)
wad³ *n.* (스코) 담보, 저당 ***in*** [***to***] **~** 저당 잡혀
wad·a·ble, wade·a·ble [wéidəbl] *a.* 〈강 등을〉 걸어서 건널 수 있는
wad·ding [wɑ́diŋ | wɔ́d-] *n.* Ⓤ **1** 메우는 물건; 메우는 솜 **2** (총포의) 충전물 재료
wad·dle [wɑ́dl | wɔ́dl] *vi.* **1** 〈오리나 다리가 짧은 뚱보 등이〉 뒤뚱[어기적]거리며 걷다 **2** 〈배·차 등이〉 흔들흔들거리며 가다(wobble) — *n.* 뒤뚱거리는 걸음걸이: walk with a ~ 뒤뚱거리며 걷다
wád·dler *n.* **wád·dling·ly** *ad.* **wád·dly** *a.*
wad·dy¹ [wɑ́di | wɔ́di] *n.* (*pl.* **-dies**) 전투용 곤봉 《오스트레일리아 원주민의》; 나무 막대, 지팡이, 말뚝
— *vt.* (**-died**) 곤봉으로 치다[공격하다]
waddy² *n.* (*pl.* **-dies**) (미·속어) 카우보이
‡wade [wéid] *vi.* **1** (개천 등을) 걸어서 건너다: (~+전+명) ~ *across* a stream 내를 걸어서 건너다 **2** (물·눈·모래·인파 등을) 고생하며 나아가다, 간신히 빠져나가다 《*across, into, through*》: ~ *through* the mud 진창길을 걸어서 지나다 / ~ *into* the crowd 군중 속을 헤치고 나가다 **3** (비유) 힘들여[애써서] 나아가다 《*through*》: ~ *through* a dull book 재미없는 책을 겨우 다 읽다 / ~ *through* slaughter[blood] to the throne 살육 끝에 왕위를 차지하다
— *vt.* 〈강 등을〉 걸어서 건너다
~ *in* (1) 여울[얕은 물]에 들어가다 (2) (구어) 싸움[논쟁]에 참가하다; 간섭하다 (3) (구어) (어려운 일 등에) 결연히 착수하다 **~ *into*** (1) (구어) 〈일 등에〉 힘차게 착수하다 (2) 〈적 등을〉 맹공격하다
— *n.* 걸어서 건너기; (걸어서 건널 수 있는) 여울, 얕은 물; 고생하며 나아가는 전진
Wáde(-Gíles) sỳstem [wéid(dʒáilz)-] [영국의 고안자 이름에서] 웨이드식 표기(법) 《중국어의 로마자 표기법의 하나》
wade-in [wéidìn] *n.* 웨이드인 《흑인이 백인 전용 풀에 들어가 인종 차별에 항의하기》
wad·er [wéidər] *n.* **1** (개천 등을) 걸어 건너는 사람 **2** 〖조류〗 섭금류(涉禽類)의 새 **3** [*pl.*] (장화와 이어진) 방수 바지 《강낚시용》

waders 3

wadge [wɑ́dʒ | wɔ́dʒ] *n.* (영·구어) 다발, 뭉치; 케이크의 한 조각
wa·di, wa·dy [wɑ́ːdi | wɔ́di] [Arab. 「골짜기」의 뜻에서] *n.* 와디 《사막 지방의 개울; 우기 이외에는 말라 있음》; =OASIS
wád·ing bìrd [wéidiŋ-] 섭금류(涉禽類)의 새 《학·백로 등》
wáding pòol (미) (공원 등의) 어린이 풀장[물놀이터]((영) paddling pool)
wad·mal, -mel, -mol [wɑ́dməl | wɔ́d-] *n.* 거친 실로 짜여져 잔털이 있고 부피가 큰 모직물 《옛날 잉글랜드와 스칸디나비아에서 겨울 옷의 재료로 사용》
WADS Wide Area Data Service 광역 데이터 전송(傳送) 서비스
wa·dy [wɑ́ːdi | wɔ́di] *n.* (*pl.* **-dies**) =WADI
W.A.E. when actually employed **w.a.f.** with

all faults 〖상업〗 일정 구매자의 책임으로, 손상(損傷) 보증 없음

WAF [wǽf] [*W*omen in the *A*ir *F*orce] *n.* **1** (미) 공군 여군 부대 **2** [또는 **Waf**] 공군 여군 부대원

Wafd [wɑ́:ft | wɔ́ft] *n.* 와프드당 《이집트 최초의 민족주의 정당; 1918년 결당, 1952년 해산》 **~·ist** *n., a.*

*****wa·fer** [wéifər] [ME 「얇은 케이크」의 뜻에서] *n.* **1** 웨이퍼 《살짝 구운 얇은 과자》: (as) thin as a ~ 아주 얇은 **2** 〖가톨릭〗 성체, 제병(祭餠) 《성찬용의 빵》 **3** 얄팍한 것; 봉함지(封緘紙); 봉함용 풀 **4** 〖의학〗 오블라토; 〖전자공학〗 회로판 《집적 회로의 기판(基板)이 되는 실리콘 등의 박편(薄片)》

— *vt.* **1** 풀로 봉하다, 봉함용 풀을 바르다 **2** 〈건초 등을〉 얇은 판 모양으로 압축하다 **3** 〖전자공학〗 〈실리콘 막대 등을〉 웨이퍼로 만들다 **~·like** *a.*

wáfer chìp 〖컴퓨터〗 웨이퍼 칩

wáfer tàpe 〖컴퓨터〗 웨이퍼 테이프 《구동 장치》

wa·fer-thin [wéifərθín] *a.* 매우 얇은; (비유) 근소한 차이의: a ~ victory 아슬아슬한 승리

wa·fer·y [wéifəri] *a.* 웨이퍼 모양의, 얇은

waff [wǽf, wɑ́:f] (스코) *n.* **1** (바람의) 한 번 불기, 한 번 휙 부는 바람 **2** 흘긋 봄, 일견(一見) **3** (감기 등의) 가벼운 병에 걸리는 것

— *vt., vi.* 흔들리게 하다; 펄럭이다

waf·fle[1] [wɑ́fl | wɔ́fl] [Du. 「벌집」의 뜻에서] *n.* 와플 《밀가루·우유·계란 등을 반죽하여 구운 것; 시럽을 쳐서 먹음》 — *a.* 격자무늬의, 석쇠 무늬가 있는

waffle[2] (영·속어) *n.* 쓸데없는[시시한] 말; 애매한 말

— *vi.* 쓸데없는 말을 지껄이다, 시시한 내용을 말하다[적다] 《*on*》; 〈정치가 등이〉 모호한 말을 하다[태도를 취하다] 《*on*》: ~ *on* an important issue 중요한 문제에 대해 말을 얼버무리다 — *vt.* …에 관해 애매하게 말하다[쓰다] **wáf·fler** *n.* **wáf·fly** *a.*

wáffle ìron 와플 굽는 틀

waffle iron

waf·fle·stomp·ers [wɑ́flstɑ̀mpərz | wɔ́flstɔ̀mp-] *n. pl.* (투박한) 하이킹 부츠

waf·fling [wɑ́fliŋ | wɔ́-] *a.* (구어) 모호한, 미적지근한 〈태도〉 **~·ly** *ad.*

W. Afr. West Africa(n)

*****waft**[1] [wǽft, wɑ́:ft | wɑ́:ft] (문어) *vt.* 둥둥 띄우다, 떠돌게[감돌게] 하다; 둥실둥실[가볍게] 실어나르다: (~+목+부) The aroma of coffee was ~*ed in.* 향긋한 커피 냄새가 풍겨 왔다. // (~+목+전+명) The wave ~*ed* the boat *to* the shore. 파도에 밀려 보트가 해안에까지 이르렀다.

— *vi.* 둥실[훨훨] 떠돌다, 표류하다(float); 키스를 던지다; 〈바람이〉 살랑살랑 불다: (~+전+명) Songs of birds ~*ed on* the breeze from the woods. 새의 노랫소리가 미풍을 타고 숲에서 들려왔다. // (~+부) The smell ~*ed off.* 냄새가 흩어져 사라졌다.

— *n.* **1** 풍기는 향기; 한바탕 부는 바람; 바람에 실려 오는 소리 **2** 한 번 일기 《연기·김 등의》 **3** 흔들림, 펄럭거림; 느릿한 손짓; 날개의 퍼덕거림 《새의》 **4** 〖항해〗 신호기(旗): make a ~ 신호로 기를 올리다 **5** 순간적인 느낌, 잠깐 동안의 감정: a ~ of joy 순간적인 기쁨 **~·er** *n.* 불어보내는 사람[것], 《특히》 송풍기의 회전 날개

waft[2] [wɑ́ft] *n.* (스코) = WEFT[1]

waft·age [wɑ́:ftidʒ, wǽft- | wɑ́:ft-] *n.* 표류함, 둥실둥실 띄우기, 부유(浮遊), 부동(浮動)

waf·ture [wɑ́:ftʃər, wǽf- | wɑ́:f-] *n.* 가볍게 나르기[보내기]; 표류, 부동(浮動); 표류물

*****wag**[1] [wǽg] *v.* (**~ged**; **~·ging**) *vt.* **1** 〈꼬리·머리 등을〉 흔들다, 흔들어 움직이다; 〈인사 등을〉 꼬리를 흔들며 하다: A dog ~*s* its tail. 개가 꼬리를 흔든다. **2** 〈손가락을〉 흔들다 《비난·경멸의 동작》; 〈머리를〉 흔들거리다: (~+목+전+명) ~ one's finger *at* a person …에게[면전에] 삿대질하다 《비난·경멸의 행동》 **3** (수다 등으로) 〈혀·턱을〉 연방 움직이다 **4** (영·속어) 학교[일]를 빼먹다, 게을리하다

— *vi.* **1** 〈꼬리 등이〉 흔들리다, 흔들거리다 **2** 〈혀 등이〉 쉴 새 없이 움직이다; 지껄이다: Beards[Chins, Jaws] are ~*ging.* 한참 이야기 중이다. / The scandal set tongues ~*ging.* 그 추문으로 사람들의 입이 시끄러워졌다. **3** 아장아장 걷다(waddle) **4** (영·구어) 출발하다, 여행하다, 떠나다 **5** (머리·손가락을 흔들어) 신호하다 **6** (영·속어) 농땡이 부리다; 학교를 빼먹다 **7** (고어) 〈세상·사태 등이〉 여러 모로 변해 가다 《*on, along*》: How ~*s* the world (with you)? 재미가 어떠십니까? / Let the world ~. (속담) 될 대로 되라지.

a case of the tail ~ging the dog 아랫사람이 좌지우지하는 경우, 하극상; 주객전도 **~ one's head** 머리를 흔들다 《조롱·흉겨울 때의 행동》 **~ one's tongue[chin, jaws]** ⇨ tongue

— *n.* **1** (머리·꼬리 등을) 흔들기 **2** 익살꾸러기, 까불이 **3** (영·속어) 게으름뱅이 ***play (the) ~*** (영·속어) 농땡이 부리다 **~·ger** *n.*

wag[2] [*w*ives *a*nd *g*irlfriends] *n.* [보통 *pl.*] 축구 선수의 아내[여자 친구]

‡**wage** [wéidʒ] [OF 「저당」의 뜻에서] *n.* **1** [보통 *pl.*] 임금, 노임, 품삯(⇨ pay[1] 유의어); 급료(cf. SALARY): His ~*s* are $300 a week. 1주당 300 달러의 임금을 받는다. **2** [보통 *pl.*; (고어)는 단수 취급] (죄)값, 응보 ***The ~s of sin is death.*** 〖성서〗 죄의 값은 죽음이니라.

— *a.* Ⓐ 임금의: a ~ raise 임금 인상

— *vt.* 〈전쟁·투쟁 등을〉 (수)행하다 《*against*》: ~ successful campaigns 성공적인 (선거) 운동을 하다 // (~+목+전+명) ~ war *against* a country 어느 나라와 전쟁하다 **~ *the peace*** 평화를 유지하다

— *vi.* 〈전쟁이〉 벌어지다, 행해지다

wáge clàim 임금 인상 요구

waged [wéidʒd] *a.* **1** 〈사람이〉 임금을[급료를] 받는: ~ workers 임금 노동자들 **2** 〈일이〉 보수가 있는: ~ employment 보수가 있는 고용[일] **3** [the ~; 명사적; 복수 취급] 임금 노동자들, 봉급생활자들

wáge differèntial 임금 격차

wáge drìft 〖경제〗 임금 드리프트 《평균 임금률을 웃도는 개별 기업 등의 임금 상승 경향》

wáge èarner 임금 생활자, 근로자; 《특히》 육체 노동자(laborer)

wage-earn·ing [wéidʒə̀:rniŋ] *a.* 돈벌이하는, 돈을 벌 수 있는 〈능력 등〉

wáge flòor 최저 임금

wáge frèeze 임금 동결

wáge fùnd = WAGES-FUND THEORY

wáge hìke (미) 임금 인상

wáge incèntive (생산성 향상을 위한) 장려 급여

wáge inflàtion 임금 인플레이션

wage·less [wéidʒlis] *a.* 무급의, 무보수의(unpaid)

wáge lèvel 임금 수준

wáge pàcket (영) 급료 봉투((미) pay envelope); 급료, 임금

wáge pàttern (같은 산업[지역]내의) 표준 임금표

wáge plùg (호주·구어·경멸) 임금 노동자(wage worker)

wáge-prìce spíral [wéidʒpràis-] 임금, 물가의 악순환적 상승

wáge-pùsh inflàtion [wéidʒpùʃ-] 〖경제〗 임금 상승(으로 인한) 인플레이션

*****wa·ger** [wéidʒər] (문어) *n.* 내기(bet), 노름; 내기한 것[돈]; 내기의 대상: win[lose] a ~ of five dollars 내기 돈 5달러를 따다[잃다] ***lay[make] a ~*** 내기를 하다 《*on*》 **~ *of battle*** 〖영국법〗 결투 재판

— *vt.* 〈돈 등을〉 (내기에) 걸다; 보증하다: (~+목+목) ~ a person one dollar …에게 1달러 걸다 // (~+목+전+명) I ~ ten dollars *on* it. 그것에 10 달러 걸겠다. // (~+*that* 절) I ~ *that* they shall win. 꼭 그들이 이길걸.

— *vi.* 내기를 걸다 《*on*》
~·**er** *n.* 내기하는 사람, 도박사
wáge ràte (일급·시간급 등의) 임금률
wáge restràint 임금 요구의 자제(自制)
wáge scàle 임금표; (한 고용주가 지급하는) 임금의 폭
wáge(s) còuncil [wéidʒ(iz)-] 《영》 (노사 대표간의) 임금 심의회
wáges fùnd = WAGES-FUND THEORY
wáges-fùnd thèory [-fʌ̀nd-] 〖경제〗 임금 기금설 《자본으로서의 임금 기금이 증가하든가, 인구가 감소해야만 임금 상승이 가능하다는 설》
wáge slàve 《익살》 임금의 노예, 임금 생활자
wage-snatch [wéidʒsnæ̀tʃ] *n.* 《영》 임금 도둑
wáge stòp 《영》 사회 보장 급여금 지급 제한
wage-stop [wéidʒstɑ̀p | -stɔ̀p] *vt.* 《영》 〈실업자에게〉 사회 보장 급여금 지급 제한을 하다
wage·work·er [-wə̀ːrkər] *n.* 《미》 = WAGE EARNER **wáge·wòrk·ing** *a.*, *n.*
wag·ger [wǽgər] *n.* 《영·속어》 휴지통
wag·ger·y [wǽgəri] *n.* (*pl.* **-ger·ies**) **1** Ⓤ 우스꽝스러움, 익살 **2** [종종 *pl.*] 농담, 장난
wag·gish [wǽgiʃ] *a.* 우스꽝스러운, 익살맞은; 장난스러운 ~·**ly** *ad.* ~·**ness** *n.*
wag·gle [wǽgl] *vi.*, *vt.* (위 아래 또는 좌우로) 흔들리다, 흔들다(wag); 까딱까딱 움직이다
— *n.* 흔들기; 〖골프〗 왜글 《공을 치기 전에 공 위에서 골프채를 앞뒤로 흔드는 동작》
wággle dànce 〖동물〗 (8자의) 춤 《꿀벌이 꽃 등의 방향과 거리를 동료에게 알리는 동작》
wag·gly [wǽgli] *a.* 꼬불꼬불 구부러진, 구불구불한; 흔들[비틀]거리는: a ~ dog 꼬리를 잘 흔드는 개
wag·gon [wǽgən] *n.*, *vt.*, *vi.* 《영》 = WAGON
Wag·ner [vɑ́ːgnər] *n.* 바그너 **Wilhelm Richard** ~ (1813-83) 《독일의 작곡가》
Wag·ne·ri·an [vɑːgníəriən] *a.* 바그너풍[식]의
— *n.* 바그너 숭배자, 바그너 식의 작곡가, 바그너주의
Wag·ner·ism [wǽgnərìzm] *n.* Ⓤ Wagner의 예술[세계]관, 바그너주의; Wagner 연구 **-ist** *n.*
‡**wag·on** | **wag·gon** [wǽgən] *n.* **1** 《영》 짐마차, 4륜마차 《보통 두 필 이상의 말이 끎》: a horse and ~ 말이 끄는 짐마차 **2** 《영》 〖철도〗 무개(無蓋)화차, 화차(貨車)(《미》 freight car) **3** 〖광산〗 광차(鑛車) **4** (식당 등에서 쓰는 바퀴 달린) 왜건, 식기대(《영》 trolley): a dessert ~ 디저트를 나르는 왜건 **5** 《미》 (거리의) 물건 파는 수레: a hot dog ~ 핫도그 판매차 **6 a** 배달용 트럭 **b** = STATION WAGON **c** 《미》 죄수 호송차(patrol wagon); 《미·구어》 자동차 **7** [the W~] 북두칠성 **8** 《미》 유모차(baby carriage)

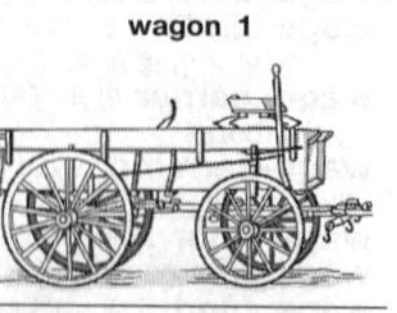
wagon 1

***fix* a person*'s* (*little red*) ~** 《미·구어》 …을 골탕 먹이다, 보복으로 …을 해치다, …의 성공을 방해하다, …을 죽이다 ***hitch* one*'s* ~ *to a star* [*the stars*]** 큰 뜻을 품다 ***jump* [*climb, get, hop*] *on* [*aboard*] *the* ~** 《구어》 = climb on the BANDWAGON. ***on* [*off*] *the* (*water*) ~** 《미·속어》 술을 끊고[또 다시 시작하여]
— *vi.* 《미》 짐마차로 여행[수송]하다: (~+전+명) ~ *up* the hill 짐마차로 언덕을 오르다
— *vt.* 짐마차로 운반하다
wag·on·age [wǽgənidʒ] *n.* 짐차에 의한 수송[운반](요금); [집합적] 짐차
wágon bòss wagon train의 대장
wag·on·er [wǽgənər] *n.* **1** 마부 《짐마차의》 **2** [the W~] 〖천문〗 마차부자리; 《폐어》 북두칠성
wag·on·ette [wæ̀gənét] *n.* 일종의 유람 마차 《보통 6-8명이 타는》
wa·gon-lit [wæ̀gɔːnlíː] [F = railway coach bed] *n.* (*pl.* **wa·gons-lits** [~]) 침대차 《유럽 대륙 철도의》
wag·on·load [wǽgənlòud] *n.* wagon 한 차분의 짐
wágon màster 짐마차의 화물 수송대장
wágon sòldier 《군대속어》 야전병, 야전 포병
wágon tràin 《미》 (서부 개척 시대 등의) 포장마차 대열; 마차 수송대
wágon vàult 〖건축〗 = BARREL VAULT
wags [wǽgz] *n. pl.* 《영》 **1** 축구 선수들의 아내 또는 여자 친구
wag·tail [wǽgtèil] [걸을 때 꽁지깃을 상하로 흔드는 데서] *n.* 〖조류〗 할미새
Wah·ha·bi, -ha·bee [wəhɑ́ːbi, wɑː-] *n.* 와하브파의 신도 《Koran의 교의를 고수하는 이슬람교도; 18세기에 일어남》 **Wah·há·bism** *n.*
Wah·ha·bite [wəhɑ́ːbait, wɑː-] *n.*, *a.* 와하브파(派)의 신도(의), 와하브주의(의)
wa·hi·ne [wɑːhíːni, -nei] *n.* **1** 폴리네시아[하와이] 여성 **2** 《미·속어》 여성 서퍼(surfer)
wa·hoo[1] [wɑːhúː, ∠-] *n.* (*pl.* **~s**) 〖식물〗 사철나무 무리 《북미산(産) 관목》; 느릅나무(elm)
wahoo[2] *n.* (*pl.* **~s**) 《미·속어》 짐승 같은 놈, 촌놈, 등신, 뒤틈바리
wahoo[3] *int.* 《미남부》 와!, 굉장하군!, 신난다!
wah-wah [wɑ́ːwɑ̀ː] *a.* (트럼펫의 개구부를 손으로 막았다 열었다 하면서 내는) 「와우와우」 하는 소리의[를 내는] — *n.* **1** 「와우와우」 소리 **2** (특히 전자 기타 등에 달린) 1 같은 소리를 내는 장치
waif [wéif] *n.* (*pl.* **~s**) **1** 방랑자; 집 없는 아이; 집 없는 동물 **2** 초라한 사람[동물] **3** 주인 불명의 습득물; 표착물 ***~s and strays*** 부랑아들; 잡동사니
~·**ish** *a.* ~·**like** *a.*
Wai·ki·ki [wáikikìː, ∸-∸] *n.* 와이키키 《하와이 Honolulu의 해변 요양지》
‡**wail** [wéil] *vi.* **1 a** 울부짖다, 소리내어 울다, 통곡하다: (~+전+명) ~ *with* pain 고통으로 울부짖다/ A child is ~*ing for* his mother. 어린애가 어머니를 찾아 울부짖고 있다. **b** 〈바람이〉 울부짖듯 윙윙대다; 〈사이렌 등이〉 구슬픈 소리를 내다 **2** 한탄하다(lament) 《*over*》 **3** 〖재즈〗 (감정이 깃들게) 절묘하게 연주하다 **4** 《속어》 음악[말]으로 감정을 절묘하게 표현하다 **5** 《미·속어》 황급히 출발하다, 재빠르게 도망치다
— *vt.* 비탄하다, 통곡하다; 울면서 말하다 《*that*》
— *n.* **1** 비탄, 한탄; 울부짖음, 통곡, 통곡하는 소리 **2** (바람의) 울부짖듯 윙윙대는 소리: the ~ of a siren 사이렌의 윙윙대는 소리
~·**er** *n.* ~·**ing·ly** *ad.*
▷ wáilful, wáilsome *a.*; bewáil *v.*
wail·ful [wéilfəl] *a.* 비탄하는; 슬피 우는, 애틋한 가락의 ~·**ly** *ad.*
wail·ing [wéiliŋ] *a.* 《미·속어》 일류의, 훌륭한, 최고의
Wáil·ing Wáll [wéiliŋ-] [the ~] (예루살렘의) 통곡의 벽
wail·some [wéilsəm] *a.* 《고어》 = WAILFUL
wain [wéin] *n.* **1** 《고어·시어》 = WAGON; (특히 농업용의) 큰 짐수레(cart) **2** [the W~] 〖천문〗 북두칠성(Big Dipper)
wain·age [wéinidʒ] *n.* [집합적] (중세의) 농기구
wain·scot [wéinskət, -skɑt | -skət] *n.* ⓊⒸ 〖건축〗 징두리 벽판; 그 재목
— *vt.* 〈벽에〉 징두리 판자를 대다 《*in*》: (~+목+전+명) The room was ~*ed in* oak. 그 방에는 오크의 징두리 판이 붙어 있었다.
wain·scot·ing | **-scot·ting** [wéinskoutiŋ, -skɑt- | -skət-] *n.* Ⓤ **1** 징두리 벽판을 댐; [집합적] 징두리 벽판 **2** 징두리 벽판 재료
wain·wright [wéinràit] *n.* 짐수레 제작자

thesaurus **wail** *v.* cry, lament, weep, sob, moan, groan, whine, complain, howl, yowl
wake[1] *v.* **1** 잠이 깨다 awake, awaken, waken, wake

WAIS [wéiz] [*W*ide *A*rea *I*nformation *S*ervers] *n.* 〖컴퓨터〗 광역 정보 서버 《인터넷 상에서 키워드 등으로부터 파일을 검색하는 시스템》

‡**waist** [wéist] *n.* **1 a** (인체의) 허리 **b** 허리의 잘록한 곳; 날씬하고 가는 허리: have a slender[small, narrow] ~ 허리가 가늘다 / paralyzed from ~ down 하반신 마비인 / She has no ~. 그 여자의 허리는 절구통이다. **2** 여성복의 허리, 웨이스트라인(waistline); 의복의 어깨부터 허리까지의 부분; (미) 조끼, 블라우스 《여성복·어린이옷의》 **3** 중앙의 잘록한 부분 《바이올린 등의》; 〖항해〗 중앙 상갑판; 〖항공〗 (항공기·폭격기의) 중간 동체 **~·less** *a.*

waist·band [wéistbæ̀nd] *n.* (스커트·바지 등에 꿰매 단) 허리띠, 허리끈

wáist bèlt 허리띠, 혁대

waist·cloth [-klɔ̀(:)θ, -klɑ̀θ] *n.* 허리에 두르는 천

***waist·coat** [wéskət, wéistkòut | wéiskòut] *n.* (영) 양복 조끼((미) vest) **~·ed** [-id] *a.* 조끼를 입은 **~·ing** *n.* Ⓤ 조끼감

waist-deep [wéistdíːp] *a., ad.* 허리까지 들어가게 깊은[깊게]

wáist-dòwn parálysis [-dàun-] 하반신 마비

waist·ed [wéistid] *a.* 허리 모양의; [복합어를 이루어] …한 허리의[를 가진]

waist·er [wéistər] *n.* 〖항해〗 (포경선 등의) 중앙 상갑판원 《신출내기나 병자》

waist-high [wéisthái] *a., ad.* 허리까지 올라오는 (높이에)

waist·line [-làin] *n.* 허리의 잘록한 선, 허리의 굵기; 〖양재〗 여성복의 허리통

‡**wait** [wéit] [OG 「망보다」의 뜻에서] *vi.* **1** 기다리다, 만나려고 기다리다 《*for*》; 대기하다, 기대하다 《*for, to* do》 (cf. AWAIT): (~+전+명) Please ~ *for* a moment. 잠시 기다려 주시오. // (~+전+명+**to** do) ~ *for* the bus *to* arrive 버스가 도착하기를 기다리다 // (~+**to** do) I have been *~ing to* hear from you. 너에게서 소식이 오기를 기다리고 있었다. // Everything comes to those who ~. (속담) 기다리는 자에게는 모든 것이 성취된다. **2** (식탁에서) 시중들다 《*at, on, upon*》; 〈사람을〉 시중들다, 모시다, 섬기다 《*on, upon*》: (~+전+명) She will ~ *on*[*at*] table. 그녀가 식사 시중을 들 것이다. **3** [보통 진행형으로] 〈물건이〉 준비되어 있다: (~+전+명) Dinner *is ~ing for* you. 저녁 식사가 준비되어 있다. **4** [종종 can ~로] 〈사태·일 등이〉 내버려 두어도 되다, 급하지 않다, 미룰 수 있다: a matter that *can* ~ 급하지 않은 문제 / Dinner *can* ~. 저녁 식사는 나중에 해도 된다. / That matter *can* ~ until tomorrow. 그 문제는 내일까지 미루어도 된다. **5** 일시 주차[정차]하다: No *Waiting.* (게시) 주차[정차] 금지.

—*vt.* **1** 〈기회·신호·형편 등을〉 기대하며 기다리다, 대기하다, 대령하다: (~+목+부) ~ *out* a storm 폭풍이 잘 때까지 기다리다 **2** (구어) 〈식사 등을〉 늦추다, 미루다; 〈일 등이〉 연기되다: (~+목+전+명) Please don't ~ dinner *for* us. 우리 때문에 식사를 늦추지 마십시오. **3** (미) (식탁에서) 식사 시중을 들다

(***Just***) ***you ~.*** (구어) 두고 봐. 《(1) 남을 협박할 때 (2) 예고할 때》 ***keep*** a person ***~ing*** = ***make*** a person ~ 사람을 기다리게 하다 ***Time and tide ~ for no man.*** ⇨ time. ***~ about***[(미) ***around***] (근처에서) 서성거리며 기다리다 ***~ and see*** 일이 돌아가는 것을 두고 보다, 경과를 관망하다 ***~ behind*** (남이 가 버린) 뒤에 남다 ***W~ for it.*** (영) (때가 올 때까지) 좀 기다려. ***~ on*** 계속해서 기다리다; [보통 명령형으로] (구어) …을 잠깐 기다리다 ***~ on***[***upon***] (1) …의 시중을 들다; …을 받들다[섬기다] (2) (문어) …에 (결과로서) 수반되다 (3) (드물게) …을 방문하다 《경의를 표하기 위하여》, …에게 문안드리다 ***~ on*** a person ***hand and foot*** ⇨ hand. *n.* ***~ on***[***at***] ***table*** (직업으로서 식당에서) 급사 노릇을 하다(⇨ *vi.* 2) ***~ out*** 〈…이〉 호전될[그칠] 때까지 기다리다, 꾹 참아내다 ~ a person***'s convenience***[***orders***] …의 형편[명령]을 기다리다 ***~ until***[***till***] (구어) 기다려 봐. 《놀랍거나 흥미로운 것을 말하거나 보여줄 때》 ***~ up*** (구어) 자지 않고 〈사람을〉 기다리다 《*for*》; (다른 사람이) 따라붙을 때까지 멈추어 서서 기다리다

—*n.* **1** [a ~] 기다림, (…의) 대기, 지연(delay); 휴지(休止); 기다리는 시간 《*for*》: have *a* long[thirty-minute] ~ 오랫동안[30분] 기다리다 **2** [*pl.*] 성탄절 새벽에 성가를 부르며 집집마다 다니는 성가대 **3** Ⓤ 숨어서 기다리기 ***lie in***[***lay***] ***~ for*** …을 잠복하여 기다리다 ▷ awáit *v.*

wait-a-bit [wéitəbìt] *n.* 가시가 있는 식물의 총칭

wait-and-see [wéitnsíː] *a.* 일이 돼 가는 형편을 살피는, 정관(靜觀)적인 〈태도〉

‡**wait·er** [wéitər] *n.* **1** 시중드는 사람, 웨이터 **2 a** 요리 나르는 쟁반(tray, salver) **b** = DUMBWAITER **3** 기다리는 사람 **4** (미) 잔심부름꾼

—*vi.* 웨이터로 일하다

wait·er·ing [wéitəriŋ] *n.* 웨이터 일[직]

‡**wait·ing** [wéitiŋ] *n.* Ⓤ **1** 기다림 **2** 기다리는[대기] 시간 **3** 시중들기; 섬김 **4** 정차; No ~. 정차 금지 ***in ~*** ((여)왕 등을) 모시고, 섬기는

—*a.* Ⓐ 기다리는; 시중드는, 섬기는 **~·ly** *ad.*

wáiting gàme 대기 작전[전술]: play a[the] ~ 대기 전술을 쓰다; (청혼 등에 대해서) 〈여자가〉 남자의 태도를 관망하다

wáiting lìst (예약·입주·입학 등의) 대기자 명단, 보결인 명부, 후보자 명단: be on the ~ 차례가 오기를 기다리고 있다; 보결로 되어 있다

wáiting màid[**wòman**] 시녀, 몸종

wáiting màn 하인, 시종

wáiting pèriod (결혼식 전의) 대기 기간; 보험금 지급 대기 기간; (노동 쟁의의) 냉각 기간

***wáiting ròom** 대합실 《정거장·병원 등의》

wáit lìst (미) = WAITING LIST

wait·list [wéitlìst] *vt.* waiting list에 올리다

wait·per·son [-pə̀ːrsn] *n.* 시중드는 사람 《웨이터와 웨이트리스의 성(性)을 구별하지 않는 표현》

***wait·ress** [wéitris] *n.* (호텔·음식점의) 웨이트리스, 여자 급사(cf. WAITER)

—*vi.* 웨이트리스로 일하다

wait·ress·ing [wéitrəsiŋ] *n.* 웨이트리스 일[직]

wai·tron [wéitrən] *n.* (미) (식당의) 시중드는 사람 《웨이터와 웨이트리스; 성(性)에 의한 구별을 피하기 위해 사용》

wait·staff [wéitstæ̀f] *n.* (미) [단수·복수 취급] 웨이터, 웨이트리스

wáit stàte 〖컴퓨터〗 대기 상태

waive [wéiv] *vt.* **1** 〈권리·주장 등을〉 포기[철회]하다 **2** 〈요구 등을〉 보류하다; 〈문제 등을〉 미루다(defer): (~+목+전+명) ~ a thought *from* one's mind 어떤 생각을 당분간 잊어버리다 **3** 〈규칙 따위를〉 적용하지 않다, 고려하지 않다, 생략하다: in order to have parking fees *~d* for the day 당일 주차비를 감면받으려면

waiv·er [wéivər] *n.* **1** 〖법〗 권리 포기; 포기 증서 **2** (미) (프로 선수의) 공개 이적(移籍)

wáiver of prémium 〖보험〗 보험료 납부 면제

‡**wake**[1] [wéik] *v.* (**~d, woke** [wóuk]; **~d, woken** [wóukən], (드물게) **woke**) *vi.* **1** 잠이 깨다, 눈을 뜨다: (~+부) He *woke up* at five. 그는 5시에 잠이 깼다. // (~+전+명) Suddenly he *woke from* sleep. 갑자기 그는 잠에서 깨어났다. **2** (문어) 〈자연물이〉 활기를 띠다, 소생하다: The flowers ~ in spring. 꽃은 봄에 소생한다. **3** 각성하다; 깨닫다 《*up; to*》: (~+전+명) You must ~ (*up*) *to* this danger. 너는 이 위험을 깨달아야 한다. **4** [보통 waking으로] (문

up, rouse, arise (opp. *sleep, snooze, dose*) **2** 고무하다 stir up, stimulate, activate, spur, provoke **3** 불러일으키다 evoke, call up, revive

어) 깨어 있다, 자지 않고 있다(cf. AWAKE, WAKEN): during one's *waking* hours 깨어 있을 때에 **5** (아일·북잉글) 밤샘[철야]하다
— *vt.* **1** 깨우다, …의 눈을 뜨게 하다: (~+목+부) Please ~ me *up* at seven. 7시에 깨워 주십시오. **2** 각성시키다, 고무하다, 깨닫게 하다: (~+목+부) The event may ~ her *up*. 그 사건으로 그녀는 정신 차리겠지. **3** 소생시키다, 부활시키다 **4** (문어) 〈동정·노여움 등을〉 일으키다, 야기시키다, 촉발하다; 〈기억을〉 불러일으키다; 〈파도·메아리 등을〉 일으키다 **5** (문어) …의 정적을 깨뜨리다: A shot *woke* the wood. 한 발의 총성이 숲의 정적을 깨뜨렸다. **6** (아일·북잉글) 〈망자를〉 위해 밤을 새우다
~ to …을 눈치 채다, …을 깨닫다 ***W~ up!*** 일어나!; (구어) 조심해! ***W~ up and smell the coffee.*** (미·구어) 자, 이제 현실[진실]을 직시해라. ***~ up to*** …의 중요성을 깨닫다: You should ~ *up to* the fact that it's a tough world. 힘든 세상이라는 사실을 깨달아야 한다. ***waking or sleeping*** 자나 깨나
— *n.* **1** 〚역사〛 철야제(徹夜祭) (헌당식(獻堂式) 등의); 철야제의 기념 연회 또는 축제 **2** (아일·북잉글) (초상집에서의) 밤샘, 경야(經夜): hold a ~ 경야를 치르다 **3** [*pl.*] (북잉글) 한 해 한 번의 1-2 주일간의 휴일 (공업 도시 노동자의) **wák·er** *n.*
▷ awáke, wákeful *a.*; wáken *v.*

wake² [ON「(배가 만드는) 얼음판의 구멍」의 뜻에서] *n.* **1** 배가 지나간 자리, 항적(航跡): no-~ speed 항적이 생기지 않을 정도의 느린 속도 **2** (물건의) 지나간 자국, 흔적 ***in the ~ of*** …의 자국을 좇아서; …을 본따서; …의 결과로서; …에 계속해서: Miseries follow *in the ~ of* a war. 전쟁에는 불행이 잇따른다. ***take ~*** 다른 배의 항적을 따르다

wake·board [wéikbɔ̀ːrd] *n.* 웨이크보드 (보트에 연결해 물 위를 달리는 수상 스키(의 판)) **~·er** *n.* **~·ing** *n.*

Wake·field [wéikfìːld] *n.* 웨이크필드 (잉글랜드 West Yorkshire주의 주도)

wake·ful [wéikfəl] *a.* **1 a** 깨어 있는, 자지 않고 있는(sleepless) **b** 〈사람·밤이〉 잠이 오지 않는, 깨기 쉬운 **2 a** 불침번의, 밤샘하는 **b** 주의 깊은, 방심하지 않는 **~·ly** *ad.* **~·ness** *n.*

Wáke Ísland [wéik-] (남태평양의) 웨이크 섬 (미군 기지가 있음)

wake·less [wéiklis] *a.* 깊이 잠든

‡wak·en [wéikən] *vi.* (문어) **1** 잠이 깨다, 눈이 뜨이다 (*up*); 깨어 있다, 자지 않고 있다: (~+전+명) She *~ed from* sleep. 그녀는 잠에서 깼다. **2** 각성하다, 자각하다 (*up*)
— *vt.* **1** 깨우다, 눈뜨게 하다 **2** (정신적으로) 눈뜨게 하다, 각성시키다, 고무하다 (*up*)(cf. AWAKE, WAKE¹): ~ the reader's interest 독자의 관심을 불러일으키다 // (~+부) (~+목+전+명) I was *~ed* (*up*) *to* the stern realities of life. 나는 엄연한 삶의 현실을 깨달았다. **~·er** *n.*

wak·en·ing [wéikəniŋ] *n.* 잠에서 깸

wake·rife [wéikràif] *a.* (스코) = WAKEFUL

wake-rob·in [wéikrɑ̀bin | -rɔ̀b-] *n.* (미) 〚식물〛 연령초; (미) 천남성 무리; (영) = ARUM

wáke sùrfing 모터보트의 항적(航跡)에서 하는 파도타기

wake-up [wéikʌ̀p] *n.* **1** 잠을 깨우는 것; 각성 **2** (미·구어) = FLICKER² **3** (속어) 형기의 마지막 날 **4** (호주·구어) 조심스런[현명한] 사람 ***be a ~ to*** …에 조심하고 있다 — *a.* **1** 잠을 깨우는 **2** 환기[고무]시키는

wáke-up cáll (호텔의) 모닝콜; 주의를 환기하는 경고, 관심을 불러일으키는 사건; I asked for a ~ for 7 a.m. 오전 7시에 모닝콜을 해 달라고 요청했다.

wak·ey [wéiki] *int.* (영·구어) 일어나, 기상(Wake up!)

wak·ing [wéikiŋ] *a.* Ⓐ 깨어 있는, 일어나 있는 ***in*** one***'s ~ hours*** 깨어 있는 시간에 ***~ dream*** 백일몽, 몽상

Waks·man [wǽksmən] *n.* 왁스먼 **Selman Abraham ~** (1888-1973) (러시아 태생의 미국 세균학자; 노벨상 수상 (1952))

WAL Western Airlines

Wal·cott [wɔ́ːlkət] *n.* 월콧 **Derek ~** (1930-) (서인도 제도의 시인·극작가; 노벨 문학상(1992))

Wál·den Pónd [wɔ́ːldən-] 월든 호수 (미국 매사추세츠 주 북동부에 있는 연못)

Wal·den·ses [wɔːldénsiːz, wɑl- | wɔːl-, wɔl-] *n. pl.* 〚종교〛 발도파(派) (프랑스 사람 Peter Waldo가 1170년경에 시작한 그리스도교의 일파)

Wal·den·si·an [wɔːldénsiən, -ʃən | wɔːldénsiən, wɔl-] *a.* 발도파의 — *n.* 발도파 교도

wald·grave [wɔ́ːldgreiv] *n.* (중세 독일의) 왕제 소유림의 감리관

Wald·heim [wɔ́ːldhàim, vɑ́ːlt-] *n.* 발트하임 **Kurt ~** (1918-2007) (유엔 사무총장(1972-81)·오스트리아 대통령(1986-92))

Wal·dorf-A·sto·ri·a [wɔ́ːldɔːrfəstɔ́ːriə] *n.* [the ~] 월도프·아스토리아 (뉴욕 시의 고급 호텔)

Wáldorf sálad [뉴욕의 호텔 이름에서] 월도프 샐러드 (사과·호두·셀러리에 마요네즈를 곁들인)

wald·ster·ben, W- [wɔ́ːldstə̀ːrbən] [G] *n.* (환경오염 등에 의한 중부 유럽의) 삼림의 고사(枯死)

wale¹ [wéil] *n.* **1** 채찍 자국(의 부르튼 곳) **2** 골(ridge) (옷감의); (천의) 짜임(새), 바탕(texture) **3** 〚조선〛 외부 요판(腰板); = GUNWALE
— *vt.* 채찍 자국을 내다; 골지게 짜다

wale² *n.* (스코) 극상(極上)의 것, 선별
— *vt.* 고르다, 선별하다

wále knòt = WALL KNOT

Wal·er [wéilər] *n.* 웨일러 (오스트레일리아산(産)의 승용마)

‡Wales [wéilz] [OE「앵글로색슨 사람이 보아 외국인」의 뜻에서] *n.* 웨일스 (Great Britain섬 남서부의 지방; 수도 Cardiff) ***the Prince of ~*** 영국 황태자 ***the Princess of ~*** 영국 황태자비
▷ Wélsh *a.*

Wa·le·sa [vəwénsə] *n.* 바웬사 **Lech ~** (1943-) (폴란드 자유 노조 위원장; 노벨 평화상 수상(1983); 폴란드 대통령(1990-1995))

Wal·hal·la [wælhǽlə, væl-] *n.* = VALHALLA

wal·ing [wéiliŋ] *n.* Ⓤ 〚건축〛 방죽 띠장

‡walk [wɔ́ːk] [OE「구르다」의 뜻에서] *vi.* **1** 걷다(cf. RUN); 걸어가다, 도보로 가다: (~+전+명) She generally *~s to* school. 그녀는 대개 걸어서 학교에 간다. / ~ *up* and *down* the room 방 안을 왔다 갔다 하다 **2** 거닐다, 배회하다(roam); 〈유령이〉 나오다: (~+전+명) Ghosts ~ *at* midnight. 유령은 한밤중에 나온다. **3** 〈말이〉 보통 걸음으로 걷다 **4** 산책하다: (~+전+명) We often ~ *in* the park after lunch. 우리는 점심 식사 후 자주 공원을 산책한다. **5** 〚야구〛 〈타자가〉 (포볼로 1루에) 나가다; 〚농구〛 (공을 가진 채) 3보 이상 걷다 **6** (문어·고어) 처신하다, 처세하다: (~+전+명) ~ *in* peace 평화롭게 살다 **7** (속어) (교도소에서) 나오다, 석방되다; 혐의가 벗겨지다
— *vt.* **1** 〈길 등을〉 걷다, 걸어가다 **2 a** 〈말을〉 걸리다, 보통 걸음으로 걷게 하다 **b** (구어) 〈말·사람 등을〉 끌고 가다, 〈사람을〉 안내하고 다니다, (같이 걸어서) 바래다주다: (~+목+부) The policeman *~ed* the man *off*. 경관은 그 남자를 끌고 갔다. // (~+목+전+명) I'll ~ you *to* the station. 역까지 바래다 드리지요. **c** 〈말·개 등을〉 걸려서 훈련하다 **3** (미) 〈무거운 것 등을〉 (좌우로 번갈아 움직여 가거나 하여) 조금씩 움직이다[나르다]; 〈자전거 등을〉 밀며[끌며] 걸어가다: (~+목+전+명) ~ a heavy box *into* the room 무거운 상자를 조금씩 움직여 방 안으로 나르다 / ~ one's bicycle *up* a hill 자전거를 밀며 언덕을 오르다 **4** 걷게 하다, 걷게 하여 …시키다, 〈시간을〉 걸으며 보내다 (*away*): (~+목+부) We *~ed* the afternoon *away* along the wharf. 우리는 오후에 선창가를 거

님며 시간을 보냈다. // (~+목+전+명) They *~ed* me *to* exhaustion. 그들은 나를 걷게 해서 녹초가 되게 했다. **5** …와 걷기 시합[경보]을 하다 **6** 걸어서 순회[순시]하다: The captain *~ed* the deck. 선장은 갑판을 걸어서 순시했다. **7** 〚야구〛〈타자를〉 1루에 걸어가게[나가게] 하다 《포볼로》; 〚농구〛〈공을〉 가진 채 3보 이상 걷다 **8** 〚항해〛〈캡스턴(capstan)을〉 돌려 감아올리다 **9** 《영·속어》 멋대로 가져가다 ***run before you can ~*** ⇨ run. **~ *about*** 걸어 다니다, 거닐다, 산책하다 **~ *abroad*** 〈질병·범죄 등이〉 만연되다 **~ *all over*** = WALK over. **~ *around*** 다각적으로 검토하다, 신중히 다루다; 의표를 찌르다; 《미·속어》 춤을 추다 **~ *away from*** 《미·속어》 (경기 등에서) …에 낙승하다; (사고 등)에서 (거의) 부상 없이 살아나다 **~ *away with*** …와 함께 걸어가 버리다; 《구어》 …을 무심코 갖고 가다; …을 갖고 달아나다; …을 착복하다; 《구어》 〈상품 등을〉 휩쓸어 가다, …에 낙승하다 **~ *by faith*** 신앙 생활을 하다 **~ *in*** (1) 안으로 들어가다: Please *~ in.* 들어오세요. (2) 〈직장을〉 쉽게 구하다 **~ *in on*** a person (방 안에) 들어와서 우연히 …을 보게 되다 **~ *into*** (1) …에 들어가다 (2) 《구어》 수월하게 〈직장을〉 구하다 (3) 《구어》 〈함정 등에〉 부지불식간에 빠지다 (4) 《구어》 …을 용감하게 공격하다; 《구어》 …에게 욕설을 퍼붓다 **~ *it*** 《구어》 걷다, 걸어가다; 〈경주마가〉 낙승하다 **~ *off*** 떠나가다; 떠나가게 하다; 〈죄인 등을〉 끌고 가다; 〈노여움·두통 등을〉 걸어서 없애다: *~ off* a headache 걸어서 두통을 낫게 하다 **~** a person ***off his***[***her***] ***legs***[***feet***] …을 걸려서 지치게 하다 **~ *off the job*** (항의의 표시로) 작업을 중단하다, 파업하다 **~ *off with*** = WALK away with. **~ *off with the show*** = steal the SHOW. **~ *on*** 계속해서 걷다; (연극에서) 단역을 맡다 **~ *on air*** ⇨ air. **~ *on the water*** 기적을 행하다, 매우 특별한 사람이다 **~ *out*** 나다니다; (항의하고) 퇴장하다; 직장을 떠나다; 《미·구어》 동맹 파업하다; 갑자기 떠나다 **~ *out of*** …에서 걸어 나가다; …에서 갑자기 떠나다[퇴장하다] **~ *out on*** 《구어》 〈사람을〉 버리다(desert); 〈계획 등을〉 포기하다: *~ out on* one's wife 아내를 버리다 **~ *out with*** (이성과) 교제하다 《결혼을 전제로 하여》, 〈여성을〉 설득하다 **~ *over*** 《속어》 (경쟁 없이) 혼자 뛰다, …에 낙승하다; …을 모질게 다루다, 좌지우지하다 **~ *round*** 《미·구어》 …을 속이다; …을 쉽게 이기다 **~ *Spanish*** 《미·구어》 목덜미와 허리를 잡혀 걷다[걸리다], 억지로 걷다[걸리다]; 목 자르다, 해고하다 **~ *tall*** ⇨ tall. **~ *the boards*** 무대를 밟다, 배우가 되다 **~ (*the*) *chalk* (*line*)** (1) 《속어》 ⇨ chalk. (2) 《미·구어》 지시대로 행동하다; 항상 규칙대로 행동하다 **~ *the plank*** ⇨ plank. **~ *the streets*** 《속어》 매음하다, 매춘부 노릇을 하다 **~ *through*** 서서히 〈춤을〉 마치다; 〈역을〉 대강 적당히 마치다; 〈시험 등에〉 쉽게 합격하다 **~ *through life*** 처세하다 ***W~ up!*** 어서 오십시오! 《극장 등의 문지기의 말》 **~ *up to*** …에 다가가다 **~ *with God*** 바르게 살다

—*n.* **1** [보통 a ~] **보행,** 걷기; (말의) 보통 걸음: go at *a* ~ 〈말이〉 보통 걸음으로 가다 **2** [보통 a ~] **걸음걸이,** 걸음새: I can recognize him by his ~. 걸음걸이로 그를 알아볼 수 있다. **3** [보통 a ~] **산책,** 소풍: on *a* ~ 산책 중에 / afternoon *~s* 오후의 산책 **4** [보통 a ~] **보행 거리,** 노정(路程): *a* long ~ (from here) (여기에서) 걸어서 먼 거리 **5** 산책길 **6** 길, 보도, 인도 **7** 장사 구역 《상인 등의》, 자기 단골 구역; 행동 범위, 활동 영역 **8** 사육장 《동물의》; 농장 《커피 등의》 **9** 〚야구〛 포볼에 의한 출루; 〚육상〛 경보 **10** 처세, 세상살이, 살아가는 법, 행실: an honest ~ 정직한 행동[처세] **11** 우주 유영 《우주선 등이 차례로 천천히 도는 것》 **12** [W~] 워크 《디스코 춤의 일종》

(***a***) **~ *of***[***in***] ***life*** 신분, 계급, 지위; 직업 ***in a ~*** 쉽사리, 수월하게 ***take***[***have, go for***] ***a ~*** 산책 나가다 ***take*** a person ***for a ~*** …을 산책에 데리고 나가다

walk·a·ble [wɔ́:kəbl] *a.* 〈복장·구두·길 등이〉 걷기에 적합한; 걸어서 갈 수 있는

walk·a·bout [-əbàut] *n.* **1** 《영》 도보 여행; (왕족·정치인 등이) 걸어다니며 서민과 접촉하기 **2** 《호주·속어》 (원주민의 일시적) 숲 속의 떠돌이 생활; 결근 ***go ~*** (1) 《익살》 없어지다: My bag has *gone* ~ again. 내 가방이 또 없어졌다. (2) 《호주》 (원주민의) 전통적 생활 방식을 유지하기 위해 시골에 가다

walk·a·round [-əràund] *n.* 《미·속어》 (서커스단의 피에로가) 링 둘레를 걸으면서 하는 연기

walk·a·thon [wɔ́:kəθɑ̀n | -əθɔ̀n] *n.* (지구력을 겨루는) 장거리 경보; (정치적 목적·모금을 위한) 시위 행진, 걷기 대회

walk·a·way [wɔ́:kəwèi] *n.* **1** 낙승, 압승 **2** (병원·교도소 등에서) 걸어서 도망하는 환자[죄수] **3** 《미·속어》 (표를 사고) 손님이 잊고 간 거스름돈

walk-be·hind [-bihàind] *a.* 밀면서 걷는, 인간이 뒤에서 따라가는 《움직이는 기계 등에 대해서 말함》

walk-down [-dàun] *n.* (길에서 계단을 따라 내려가는) 저지대 상점[주택가]; 《미·구어》 (서부 영화 등의 결투 장면에서) 주인공과 악역이 대결을 위해 천천히 걸어가는 것

—*a.* 〈가게·아파트 따위가〉 노면보다 낮은 곳에 있는

walker 4

*__walk·er__ [wɔ́:kər] *n.* **1 a** **걷는 사람,** 보행자 **b** **산책을 좋아하는 사람;** 경보 선수 **2** 〚조류〛 날거나 헤엄치지 않고 걷는 새 **3** (어린이용) 보행기 **4** (노인·신체 장애자용) 보행 보조기 **5** [*pl.*] 보행용[산책용] 구두 **6** [*pl.*] = WALKING SHORTS **7** 《속어》 〚연극〛 엑스트라 **8** 수행원 《요인 등의 부인이 공식 장소에 나갈 때 동반하는 용모 단정한 남자》

Walk·er [wɔ́:kər] *int.* 설마!, 미친 소리!

walk·ie-look·ie [wɔ́:kilúki] *n.* 휴대용 텔레비전 카메라

walk·ies [wɔ́:kiz] *n. pl.* 《영·구어》 산책 《개에게 쓰임》: Let's go ~! 자, 산책하자!

walk·ie-talk·ie, walk·y-talk·y [-tɔ́:ki] *n.* 워키토키 《휴대용 무선 송수신기》

walk-in [wɔ́:kìn] *a.* Ⓐ **1** 예약 없이 출입하는: a ~ clinic 예약하지 않고 진찰받을 수 있는 진료소 **2** 사람이 출입할 수 있는, 대형의 〈냉장고 등〉: a ~ safe 서서 들어갈 수 있는 금고 **3** 《미》 〈아파트 등이〉 길에서 곧장 방으로 들어갈 수 있는 **4** 수월한 〈승리〉

—*n.* **1** 서서 들어갈 수 있는 것 《대형 냉장고·벽장 등》 **2** (선거·시합에서의) 낙승 **3** 예약하지 않고 가는 사람, 훌쩍 찾아오는 손님[환자]

wálk-in apártment (출입문이 각기 따로 있는) 단층 아파트

‡**walk·ing** [wɔ́:kiŋ] *n.* Ⓤ **걷기,** 산책, 보행; 걸음새, 걷는 법; 경보; (보행을 위한) 도로의 상태: The ~ is slippery. 길이 미끄럽다.

—*a.* Ⓐ 걷는, 보행용의; 〈기계 등이〉 이동하는; 보행에 의한, 걷기를 특징으로 하는 〈여행 등〉; 동물이 끌게 하고 사람이 걸으면서 조작하는, 걷는 사람[동물]에 의해 사용되는: a ~ plow 우마(牛馬)용 쟁기

wálk·ing-a·round mòney [wɔ́:kiŋəràund-] 《미·속어》 용돈, 유흥비

wálking báss [-béis] 〚음악〛 워킹 베이스 《피아노에 의한 블루스의 베이스 리듬》

wálking bèam 〚기계〛 동형(動桁)

wálking bùs 《영》 다른 아이들이나 부모들과 더불어 등하교하는 어린이들의 무리

wálking chàir (유아용) 보행기

wálking cráne 이동 기중기

wálking dándruff 《미·속어》 이(louse)

wálking délegate (노동조합의) 순회[순찰] 위원 《직장을 방문하여 협약 위반 등을 조사》

wálking díctionary[**encyclopédia**] 살아 있는 사전, 박식한 사람
wálking drèss (산보용) 외출복, 산책복
wálking fèrn 〖식물〗 거미고사리 무리
wálking fràme (영) 보행 보조기
wálking gèntleman (연기보다는) 풍채로 한몫하는 남자 배우
wálking làdy (연기보다는) 풍채로 한몫하는 여배우
wálking lèaf **1** 〖식물〗 = WALKING FERN **2** 〖곤충〗 잎벌레의 일종
wálking machìne 걷는 기계 《장착자(裝着者)의 팔다리 기능을 하게 만들어진 기계》
wálk·ing-on pàrt [-ɑ̀n- | -ɔ̀n-] = WALK-ON *n.* 1
wálking pàpers (미·구어) 해고 (통지)((영) marching orders); (미·속어) (애인으로부터의) 결연상(絶緣狀), 차이는 것
wálking pàrt 〖연극〗 (대사가 없는) 단역(walk-on)
wálking ràce 경보(競步)
wálking rèin (유아의) 보행 연습용 유도끈
wálking shòrts = BERMUDA SHORTS
wálking stàff 보행용 지팡이
wálking stìck **1** 단장, 지팡이 **2** (미) 〖곤충〗 대벌레
wálking tìcket (미·구어) = WALKING PAPERS
wálking tòur 도보 여행
wálking wóunded [the ~] [집합적] 보행할 수 있는 부상자[병]
walk·ing-wound·ed [-wú:ndid] *a.* 보행 가능한 정도의 부상을 입은
Walk·man [wɔ́:kmən, -mæ̀n] *n.* 워크맨 《헤드폰이 달린 작은 스테레오 카세트 플레이어; 상표명》
walk-off [wɔ́:kɔ̀:f, -ɑ̀f | -ɔ̀f] *n.* 떠나감; (항의 표시로서의) 퇴장(walkout); 이별(의 정표)
walk-on [-ɑ̀n | -ɔ̀n] *n.* **1** 〖영화·연극〗 단역, 통행인 역 《대사 없이 무대를 거닐기만 하는》 **2** 단역 배우 **3** (스포츠팀의) 적격 테스트를 신청한 사람
— *a.* Ⓐ **1** 단역의, 걸어가는 역의 **2** 〈비행기가〉 좌석 예약이 필요 없는
walk·out [-àut] *n.* (미·구어) 스트라이크, 동맹 파업(strike); (회의 등에서의) 항의 퇴장; 물건을 사지 않고 나가는 손님
walk·o·ver [-òuvər] *n.* (구어) 부전승; 독주(獨走) 《경쟁자가 없을 때 등의》; 쉽게 이길 수 있는 상대; 낙승 ***have a*** ~ 쉽게 이기다
walk-through [-θrù:] *n.* **1** 〖TV·영화〗 카메라 없이 하는 리허설; 〖연극〗 첫 리허설에서 대충 하는 연습 **2** 비디오 게임 방법을 자세하게 알려주는 지시문 **3** (건물과 건물 사이의) 연락 통로
— *a.* 구경[관찰]하면서 빠져나가게 되어 있는
walk-up [-ʌ̀p] *n.* **1** (미) 엘리베이터 설비가 없는 아파트[건물, 사무실] **2** 〖승마〗 상보(常步) 스타트
— *a.* Ⓐ 엘리베이터가 없는 〈건물〉; (도로에 면해 있어서) 건물에 들어가지 않고 밖에서 이용할 수 있는: a ~ teller's window at a bank 도로에 면한 은행의 금전 출납 창구
walk·way [-wèi] *n.* (공원 등의) 보도, 산책길; (공장·열차 내의) 통로
Wal·kyr·ie [wɑ:lkíəri | vælkíəri] *n.* = VALKYRIE
‡wall¹ [wɔ́:l] [L 「누벽(壘壁)」의 뜻에서] *n.* **1 a** 벽; 담 《돌·벽돌 등의》 (⇨ fence 유의어): a stone [brick] ~ 돌[벽돌]담 / *W*~*s* have ears. (속담) 벽에도 귀가 있다, 밤 말은 쥐가 듣고 낮 말은 새가 듣는다. **b** [보통 *pl.*] 성벽, 방벽: town[city] ~*s* 도시의 성벽 **2** [종종 a ~] 벽처럼 생긴 것: *a* towering mountain ~ 벽처럼 치솟은 산 / *a* ~ of bayonets[water] 총검[물]의 벽 **3** (정신적·사회적) 벽, 장애, 장벽: a ~ of prejudice [silence] 편견[침묵]의 벽 / break down the ~ of inferiority complex 열등감이라는 장벽을 무너뜨리다 **4** [종종 *pl.*] (동식물 조직의) 벽, 내벽(內壁): the stomach ~(*s*) 위벽 / the ~*s* of chest 흉벽 **5** (도로의) 집[벽]에 가까운 쪽, 도로의 가장자리
bang [***beat, hit, knock, run***] one***'s head against*** [***into***] ***a*** (***brick***) ~ ⇨ head. ***blank*** ~ 아무런 장식도 없는 벽; (창·입구 등이 없는) 온벽 ***climb the*** ~***s*** (구어) 초조해하다, 미칠 것 같다 ***drive*** [***push, thrust***] a person ***to the*** ~ …을 궁지에 몰아넣다 ***drive*** a person ***up the*** [***a***] ~ (구어) 짜증나게 만들다 ***give*** a person ***the*** ~ …에게 길을 비켜 주다; 유리한 입장을 양보하다 ***go over the*** ~ 탈옥하다; (갇힌 생활에서) 빠져나오다 ***go to the*** ~ 궁지에 빠지다; 지다; (무용[무효]으로 간주되어) 밀려나다; (사업 등에) 실패하다 ***Great W~ of China*** [the ~] 만리장성 ***hang by the*** ~ ⇨ hang. ***jump*** [***leap***] ***over the*** ~ 교회[교단]를 떠나다 ***off the*** ~ (미·속어) 엉뚱한, 미친 ***run into a brick*** ~ (구어) 난관에 부딪히다 ***see through*** [***into***] ***a brick*** ~ 비상한 통찰력이 있다 ***take the*** ~ ***of*** a person …에게 길을 양보하게 하다 ***turn*** one***'s face to the*** ~ 얼굴을 벽 쪽으로 향하다 《자기의 임종을 알아차린 사람에 대해서 말함》 ***up against a*** ~ 궁지에 몰려, 벽에 부딪쳐 ***up the*** ~ (구어) 격노하여; 미칠 지경인, 어찌할 바를 몰라 ***within four*** ~***s*** 방 안에서; 은밀히 ***with*** one***'s back to the*** ~ 궁지에 빠져서, 진퇴유곡이 되어
— *vt.* **1 a** 벽[담]으로 둘러싸다 **b** 성벽으로 두르다 [방어하다] **2** 벽으로 막다; 막다, 가로막다, 둘러싸다 《*in, off*, etc.》: ~ *in* the play area 놀이터를 벽으로 둘러싸다 // (~+目+副) The window was ~*ed up.* 창문은 벽으로 봉해졌다. **3** 가두다, 감금하다 《*up, in*》
— *a.* 벽[담]의; 벽에 붙어 사는 〈식물〉; 벽에 거는
~·**less** *a.* ~·**like** *a.*
wall² (미) *vt.* 〈눈알을〉 굴리다
— *vi.* 〈눈알이〉 구르다
wal·la [wɑ́:lɑ:, -lə | wɔ́lə] *n.* = WALLAH
wal·la·by [wɑ́ləbi | wɔ́l-] *n.* (*pl.* **-bies,** [집합적] ~) **1** 〖동물〗 왈라비 《작은 캥거루》 **2** [*pl.*] (구어) 오스트레일리아 원주민 ***on the*** ~ (***track***) (호주·속어) 사냥감을 찾아 덤불 속을 지나, 먹을 것[일]을 찾아 돌아다녀
Wal·lace [wɑ́lis | wɔ́l-] *n.* **1** 남자 이름 **2** 월리스 **Sir William** ~ (1272?-1305) 《스코틀랜드 군사 지도자·애국자; 잉글랜드에 진격했으나, 에드워드 1세에 패하여 모반죄로 처형됨》
Wal·lace·ism [wɑ́lisìzm | wɔ́l-] *n.* **1** 월리스주의 《인종 차별 정책의 계속, 남부의 권리 옹호를 주창하는 Alabama 주지사 G.C. Wallace(1919-98)의 정책》 **2** 월리스적 언사(言辭)
Wállace's líne [the ~] 월리스 선 《영국의 박물학자인 A. Wallace가 생물의 분포를 조사하여 설정한 동물 지리학상 동양 구역과 오스트레일리아 구역 사이의 가상 경계선》
Wal·la·chi·a, Wa·la- [wɑléikiə | wɔ-] *n.* 왈라키아 《유럽 남동부의 옛 공국; 1861년 Moldavia와 통합하여 루마니아가 됨》
wal·lah [wɑ́:lɑ:, -lə | wɔ́lə] *n.* (인도) (일에 동원되는) 사람, …관계자: a ticket ~ 매표계(係)
wáll ànchor (미) 나사못 앵커 《벽에 꽂아 나사를 지지하는 플라스틱 관》((영) Rawlplug)
wal·la·roo [wɑ̀lərú: | wɔ̀l-] *n.* (*pl.* ~**s,** ~) 〖동물〗 왈라루 《대형 캥거루의 일종; 오스트레일리아산(産)》
wáll-at·tach·ment effèct [wɔ́:lətæ̀tʃmənt-] 유체가 곡면상에 밀착하여 흐르는 성질(Coanda effect)
wáll bànger (미·속어) 메타콸론(methaqualone) 《진정·최면제의 일종》
wáll bàrs (체조용) 늑목
wall·board [-bɔ̀:rd] *n.* Ⓤ Ⓒ 벽판 재료; 《특허》 인조 벽판(cf. PLASTERBOARD)
wall·chart [-tʃɑ̀:rt] *n.* 월 차트 《벽에 붙인 종이 게시물》
wáll clòud 〖기상〗 = EYEWALL
wall·cov·er·ing [-kʌ̀vəriŋ] *n.* (종이·플라스틱·직물 등으로 만든) 벽지 《장식용》
wáll crèeper 〖조류〗 나무발바리
walled [wɔ́:ld] *a.* 벽이 있는, 벽으로 둘러싸인; 성벽으로 방비한

wálled pláin 〖천문〗 (달 표면의) 벽 평원
‡**wal·let** [wálit, wɔ́:l-|wɔ́l-] *n.* **1** (접게 된 가죽제의) 지갑 **2** (가죽제의) 서류 끼우개; 작은 연장 주머니 **3** (고어) 전대 《여행자·순례자·거지 등의》, 바랑
wall·eye [wɔ́:lài] *n.* **1** 각막(角膜) 백반; (각막의 혼탁 등으로) 부옇게 흐린 눈; 외(外)사시 **2** (사시(斜視) 등으로) 각막이 커진 눈 **3** (*pl.* **~s, ~**) 《미》 〖어류〗 눈알이 큰 물고기 《pike 등》
wall·eyed [-àid] *a.* **1** 각막이 흐린 눈의; 각막이 커진 눈의; 사팔눈의(cf. CROSS-EYED) **2** 《미》 〖어류〗 눈알이 큰 **3** 《미·속어》 술 취한
wálleyed píke = WALLEYE 3
wálleyed póllack 〖어류〗 명태
wall·flow·er [-flàuər] *n.* **1** 〖식물〗 계란풀 《겨잣과의 관상용 식물》 **2** 《속어》 무도회에서 상대가 없는 여자
wáll frùit 〖식물〗 벽에 기대게 하여 보호하고 온기를 주어 익게 하는 과일
wáll gàme 《영》 Eton 학교식 축구
wáll hànging 벽에 거는 장식품 《태피스트리 등》
wall·ing [wɔ́:liŋ] *n.* 벽[담] 쌓기; 벽 재료; [집합적] 벽
wáll jòb 《미·속어》 (수리 공장에서) 고장난 차를 수리도 하지 않고 요금을 청구하기
wáll knòt 〖항해〗 두렁 모양의 고 《풀리지 않게 매듭을 지은》
wall-mount·ed [wɔ̀:lmáuntid] *a.* 벽에 부착한[고정한]: ~ lights 벽에 부착한 전등
wáll nèwspaper 벽신문, 대자보(大字報)
Wáll of Déath [the ~] 죽음의 벽 《커다란 원통의 안쪽 벽을 오토바이로 달리는 구경거리》
Wal·loon [walú:n|wɔl-] *n.* **1** 왈론 사람 《벨기에 동남부의》 **2** Ⓤ 왈론 말 《프랑스 방언의 하나》
— *a.* 왈론 사람[말]의
wal·lop [wáləp|wɔ́l-] *vi.* **1** 《구어》 뒤뚝거리며 가다, 뒤뚱뒤뚱 가다 **2** 〈액체가〉 부글부글 끓어오르다 **3** 《주로 스코》 허둥지둥 움직이다 — *vt.* 《구어》 **1** 구타하다, 호되게 때리다; 〈공 등을〉 강타하다 **2** (경기에서) 철저히 참패시키다
— *n.* **1** 《구어》 구타, 강타력 **2** Ⓤ 《영·속어》 맥주(beer) **3** 《구어·비유》 **a** 강한 인상을 주는 힘, 박력 **b** 스릴, 흥분 **c** 영향력 ***go*** (***down***) **~** 《구어·방언》 털썩 넘어지다 ***pack a* ~** 《구어》 강타하다, 강타력이 있다; 〈독한 술 등이〉 굉장한 위력이 있다
wal·lop·er [wáləpər|wɔ́l-] *n.* 《구어》 wallop하는 사람[것]; 《방언》 엄청나게 큰 것; 《호주·속어》 경관
wal·lop·ing [wáləpiŋ|wɔ́l-] 《구어》 *n.* ⓊⒸ 호되게 때림, 강타; Ⓒ 완패(完敗): get[take] a ~ 완패하다 — *a.* Ⓐ 육중한, 거대한; 엄청난, 터무니없는; 매우 훌륭한[멋진]: a ~ lie 터무니없는[새빨간] 거짓말 / a ~ party 성대한 파티
— *ad.* 터무니없이, 엄청나게
wal·low [wálou|wɔ́l-] *vi.* **1** 뒹굴다 《수렁·모래·물 속에서》: (~+전+명) ~ *in* the dust 먼지투성이가 되어 뒹굴다 **2** (주색 등에) 빠지다, 탐닉하다: (~+전+명) ~ *in* luxury 사치에 빠지다 **3** 〈배가〉 흔들리면서[삐거덕거리며] 나아가다 **4** 〈연기 등이〉 뭉게뭉게 나다 **~ *in money*** 파묻힐 만큼[산더미처럼] 돈이 많다
— *n.* **1** 뒹굴기 **2** (물소 등이) 뒹구는 못[수렁] **3** Ⓤ 주색[나쁜 짓]에 빠짐, 탐닉 **~·er** *n.*
wáll pàinting **1** 벽화법 **2** 벽화; 프레스코(fresco)
∗**wall·pa·per** [wɔ́:lpèipər] *n.* Ⓤ **벽지**(壁紙)
— *vt., vi.* (…에) 벽지를 바르다
wall·pa·per·i·za·tion [wɔ̀:lpèipərizéiʃən|-rai-] *n.* (지폐 등의 가치 하락으로) 휴지화하기
wállpaper mùsic 《영》 (식당·백화점 등의 은은한) 무드 음악(background music)
wáll pàss 〖축구〗 월 패스 《삼각 패스의 일종》
wáll plùg (벽면의) 콘센트
wall·post·er [wɔ́:lpòustər] *n.* (중국의) 벽신문, 대자보(wall newspaper)
wáll ròck 모암(country rock), 벽암(壁岩)
wáll sòcket 벽에 설비한 콘센트

Wáll Strèet **1** 월 가(街) 《New York시의 증권 거래소 소재지》 **2** 미국 금융 시장, 미국 금융계(cf. THROGMORTON STREET, LOMBARD STREET)
Wáll Strèeter *n.* 월 가의 증권 중개인
Wáll Strèet Jóurnal [the ~] 월 스트리트 저널 《뉴욕 시에서 발행되는 경제 전문 일간지》
wáll sýstem 월 시스템 《벽을 따라 여러가지로 짜맞출 수 있는 선반·캐비닛 등의 세트》
wáll tènt (사방에 수직 벽면이 있는) 집 모양의 천막
wall-to-wall [-təwɔ́:l] *a.* 《미·구어》 **1** 마루에 빽빽이 찬 〈카펫〉; (시간·공간적으로) 점유하는 **2** 어디에서나 보이는[할 수 있는]: Las Vegas offers ~ gambling. 라스베이거스에서는 어디서나 도박을 할 수 있다.
— *ad.* 빽빽하여 — *n.* 바닥 전체를 까는 카펫
wáll ùnit = WALL SYSTEM
wal·ly[1] [wéili] 《스코》 *a.* 훌륭한, 멋진; 〈사람·동물이〉 건강한; 대규모의
— *n.* (장난감처럼) 쓸모없는 것, 싸구려 물건
wal·ly[2] [wáli|wɔ́li] *n.* 《속어》 바보, 팔푼이; 《스코·속어》 [*pl.*] 의치
wal·ly·ball [wɔ́:libɔ́:l] *n.* 배구 비슷한 공놀이 《벽으로 된 코트에 공을 튀겨 나오게 하는》
wal·ly·drag [wéilidræ̀g, wál-|wéil-, wɔ́l-], **-drai·gle** [-drèigl] *n.* 《스코》 **1 a** 발육 부전의[연약한] 동물[사람] **b** (사람·동물 일가에서) 가장 어린 것, 꼬마 **2** 쓸모없는[주책없는] 사람 《특히 여성》
Wal-Mart [wɔ́:lmá:rt] *n.* 월마트 《미국의 전국 체인망의 대형 할인 매장》
Wál-Márt effèct [the ~] 《미》 월마트 효과 《월마트의 진출로 인한 소매점 도산, 임금 하락, 생산성 향상 따위》
∗**wal·nut** [wɔ́:lnʌ̀t, -nət] *n.* 〖식물〗 **호두나무**(= **~ trèe**); 호두 (열매); Ⓤ 호두나무 재목; 호두 빛깔, 다갈색 ***over the ~s and the wine*** 식후에 담화를 나누는 자리에서
Wal·pole [wɔ́:lpòul] *n.* 월폴 **1 Horace ~** (1717-97) 《영국의 작가》 **2 Hugh** (**S.**) **~** (1884-1941) 《뉴질랜드 태생의 영국 작가》
Wal·púr·gis Níght [va:lpúərgis-|væl-] **1** 발푸르기스의 전야제 《5월 초하루 전날 밤; 독일에서는 이날 밤 마녀들이 Brocken산에서 마왕과 술잔치를 가진다고 함》 **2** 악몽 같은 사건[상황]
∗**wal·rus** [wɔ́:lrəs, wál-|wɔ́:l-, wɔ́l-] *n.* (*pl.* **~·es,** [집합적] **~**) 〖동물〗 **해마**(海馬), 바다코끼리

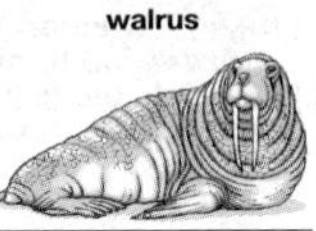
walrus

wálrus mustáche (숱이 많은 코 밑의) 팔자 수염
Walt [wɔ́:lt] *n.* 남자 이름 《Walter의 애칭》
Wal·ter [wɔ́:ltər] *n.* 남자 이름 《애칭 Walt, Wat》
Wálter Mítty ⇨ Mitty
Wal·ton [wɔ́:ltn] *n.* 월턴 **1 Ernest Thomas Sinton ~** (1903-95) 《아일랜드의 물리학자; Nobel 물리학상(1951)》 **2 Izaak ~** (1593-1683) 《영국의 수필가·전기 작가》
∗**waltz** [wɔ́:lts|wɔ́:ls, wɔ́:lts] *n.* **1 왈츠** 《두 사람이 추는 3박자의 우아한 원무》; 왈츠곡, 원무곡: play a ~ 왈츠를 연주하다 **2** 쉬움, 식은 죽 먹기
— *vi.* **1** 왈츠를 추다 **2** 춤추는 듯한 걸음으로 걷다, 덩실덩실 춤추다 《*in, out, round*》: with quick ~*ing* steps 빠르고 경쾌한 발걸음으로 **3** 《구어》 수월하게[용케] 통과하다[나아가다] **4** 《미·구어》 뻔뻔스럽게 다가가다 《*up*》
— *vt.* **1** 왈츠에서 〈파트너를〉 리드하다, …와 왈츠를 추다 **2** 〈사람 등을〉 낚아채듯이 데리고 가다; 〈물건을〉 끌어당기듯이 운반하다 **~ *into*** …을 공격[비난]하다, 야단치다 **~ *off with*** 《구어》 〈상·장학금 등을〉 수월하게 타다 **~·er** *n.* **~·like** *a.*
wam·ble [wámbl|wɔ́m-] 《방언》 *vi.* 메스껍다; 〈위가〉 꾸르륵거리다; 불안정하게 걷다, 비틀거리다; 몸

을 꼬다[뒤틀다] **—** *n.* Ⓤ 위의 탈[꾸르륵거림], 메스꺼움; 불안정한 걸음걸이, 비틀거림

wame [wéim] *n.* 《스코》 배(belly); 자궁

Wam·pa·no·ag [wɑ̀:mpənóuæg | wɔ̀m-] *n.* **1** 왐파노아그 족(의 한 사람) 《북미 인디언의 일족》 **2** 왐파노아그어(語)

wam·pee [wɑmpí: | wɔm-] *n.* 〖식물〗 왐피(黃枇)(의 열매) 《운향과(科)의 과실수; 중국·인도산(産)》

wam·pum [wɑ́mpəm | wɔ́m-] *n.* 조가비 구슬 《옛날 북미 인디언이 화폐 또는 장식으로 사용》; Ⓤ 《속어》 금전, 돈

wam·pus [wɑ́mpəs | wɔ́m-] *n.* **1** 《방언》 괴짜, 싫은 사람; 촌뜨기 **2** = WAMUS

wa·mus [wɔ́:məs | wɔ́:m-, wɔ́m-] *n.* 《미》 두꺼운 카디건; 두껍고 질긴 작업용 겉옷

*****wan** [wɑ́n | wɔ́n] [OE 「어둑한」의 뜻에서] *a.* (**~·ner**; **~·nest**) 《문어》 **1 핏기 없는**(pale); 병약한; 창백한: She looked ~ and tired. 그녀는 창백하고 지쳐 보였다. **2** 지친, 나른한, 힘 없는; 효력이 없는, 쓸모없는; 역부족의, 불충분한, 효과적이지 않은 **3** 《시이·고어》 어둠침침한; 회색의; 희미한 〈별·빛 등〉

— *vi.* (**~ned**; **~·ning**) 《고어》 파리해지다

~·ly *ad.* **~·ness** *n.* ▷ wánnish *a.*

WAN [wǽn] [*w*ide *a*rea *n*etwork] *n.* 〖컴퓨터〗 광(廣)지역 정보 통신망(cf. LAN)

wan·an·chi [wʌ̀nʌ́ntʃi] *n. pl.* 《남아공》 사람들(people); 대중

*****wand** [wɑ́nd | wɔ́nd] *n.* **1** (마술사의 가느다란) **지팡이**, 막대, 장대, 요술 지팡이; (버드나무 같은) 낭창낭창한 가지 **2** 직표(職標) 《직권을 표시하는》, 관장(官杖) **3** 〖음악〗 지휘봉 **4** 《미》 표적판, 과녁 《길이 6피트(약 1.8m), 폭 2인치(약 5cm)의 표적판》 ***wave*** one***'s*** (***magic***) **~** 요술 지팡이를 흔들다, 마법의 힘으로 소원을 성취하다

Wan·da [wɑ́ndə | wɔ́n-] *n.* 여자 이름

‡**wan·der** [wɑ́ndər | wɔ́n-] *vi.* **1 a** (정처 없이) **돌아다니다**, 걸어다니다, 헤매다; 떠돌아다니다, 방랑하다, 유랑하다 《*about, over*》: (~+전+명) He ~*ed* (all) *over* the world. 그는 온 세계를 방랑했다. **b** 〈눈·시선이〉 두리번거리다: (~+전+명) His glance ~*ed from* me *to* her. 그의 시선은 나를 떠나서 그녀 쪽으로 옮아갔다.

> 유의어 **wander** 목적·정처 없이 어슬렁거리다: *wander* lonely as a cloud 구름처럼 외로이 떠돌다 **ramble** 일정한 코스·목적 등을 정하지 않고 떠돌아다니다: *ramble* around the country 시골을 산책하다 **roam** 마음 내키는 대로 자유롭게, 또는 종종 넓은 지역을 돌아다니다: *roam* around the town 시내를 돌아다니다

2 〈강·길 등이〉 **꾸불꾸불 이어지다**[흐르다]: (~+전+명) The river ~*s over* the plain. 그 강은 평야를 굽이굽이 흐른다. **3 a** (옆으로) **빗나가다**, 길을 잃다 《*out, off, from*》: (~+전+명) He ~*ed from* the course in the mountain. 그는 산 속에서 길을 잃었다. // (~+부) I have ~*ed away*[*off*]. 나는 길을 잃어버렸다. **b** 〈이야기 등이〉 **옆길로 벗어나다** 《*from*》; 탈선하다, 나쁜 길로 빠지다: (~+전+명) You've ~*ed* (*away*) *from* the subject[point]. 본론에서 (옆길로) 빗나갔다. **c** 〈소문 등이〉 유포되다, 떠돌다 **4** 〈사람이〉 헛소리를 하다, (열 등으로) 몽롱해지다; 〈생각 등이〉 집중[통일]이 되지 않다, 산만해지다: His wits are ~*ing*. 그는 정신이 이상하다. / She often ~*s in* her talk. 그녀는 종잡을 수 없는 말을 종종 한다.

— *vt.* **1** 거닐다, 돌아다니다, 헤매다, 방황하다; 방랑하다: (~+목+부) You may ~ the world *through*, and not find such another. 온 세계를 헤매고 다녀도 그런 것은 찾지 못할 것이다. **2 a** 길을 잃게 하다, 타락시키다 **b** 정신을 못 차리게 하다, 어리둥절하게 하다

— *n.* 유랑, 방랑, 어슬렁거리며 걸어다니기

*****wan·der·er** [wɑ́ndərər | wɔ́n-] *n.* **돌아다니는 사람**; 방랑자; 사도(邪道)에 빠진 사람

*****wan·der·ing** [wɑ́ndəriŋ | wɔ́n-] *a.* **1** (정처 없이) **돌아다니는**, 방랑하는, 헤매는; 종잡을 수 없는 **2** 〈강·길 등이〉 꾸불꾸불한 **3** 〖의학〗 유주성(遊走性)의(floating): a ~ kidney 유주신(遊走腎)

— *n.* [종종 *pl.*] 산책, 방랑, 만유(漫遊); 헛소리

~·ly *ad.* 방랑하여, 헤매어 **~·ness** *n.*

Wándering Jéw 1 [the ~] 방랑하는 유대인 《형장(刑場)으로 끌려가는 그리스도를 조소한 죄로 세상의 종말까지 방랑하게 되었다는 전설에서》 **2** [때로 **w- J-**] 〖식물〗 자주닭의장풀

Wan·der·jahr [vɑ́:ndərjɑ̀:r] [G] *n.* (*pl.* **-jah·re** [-jɑ̀:rə]) 긴 여행[방랑] 기간; (수련을 위한) 편력 시내 《견습을 마친 도제(徒弟)가 수련을 쌓는 1년》

wan·der·lust [wɑ́:ndərlʌ̀st | wɔ́n-] [G = desire to wander] *n.* Ⓤ 여행벽(癖), 방랑벽

wan·der·oo [wɑ̀ndərú: | wɔ̀n-] *n.* (*pl.* **~s**) 〖동물〗 검은원숭이 《스리랑카산(産)》; 인도원숭이

wánder plùg 〖전기〗 (어떤 소켓에도 맞는) 만능 플러그

wánd rèader 완드 리더 《바코드(bar code)를 광학적으로 판독하는 전자 펜[스틱]》

wand-wa·ver [wɑ́ndwèivər | wɔ́nd-] *n.* 《미·속어》 (남자) 노출증 환자

*****wane** [wéin] [OE 「감소하다」의 뜻에서] *vi.* **1 작아[적어]지다**; 약해지다, 쇠약해지다, 감퇴하다; 끝이 가까워지다: His popularity has ~*d*. 그의 인기는 기울었다. // (~+전+명) The country ~*d in* influence. 그 나라는 세력이 쇠퇴했다. **2** 〈달 등이〉 **이지러지다**(opp. *wax*[2])

— *n.* Ⓤ **1** (달의) 이지러짐 **2** [the ~] 감소, 감퇴, 쇠미(衰微); 쇠퇴기 **3** 종말, 끝장 **4** 원목의 껍질이나 둥근 면이 남아 있는 각재(角材)[판재(板材)]

on[***in***] ***the*** **~** 〈달이〉 이지러지기 시작하여; 쇠퇴하기 시작하여, 기울기 시작하여: The market price is *on the* ~. 시세가 누그러졌다.

wane·y [wéini] *a.* (**wan·i·er**; **-i·est**) 〈달 등이〉 이지러지는; 쇠퇴해진; 〈목재가〉 둥근 면이 남아 있는

wan·gle [wǽŋgl] 《구어》 *vt.* **1 a** 속임수로 손에 넣다, 교묘하게 빼앗다: (~+목+전+명) ~ ten pounds *out of* a person …에게서 10파운드를 우려내다 **b** 구슬러[설득하여] …시키다: (~+목+전+명) They ~*d* him *into* confessing. 그들은 그를 구슬러 사실을 말하게 했다. **c** 〈서류 등을〉 그럴듯하게 꾸며 내다(fake): ~ business records 영업 기록을 꾸며 내다 **2** 〈사람에게〉 …을 용케 구해주다: (~+목+목) ~ a person a job …에게 용케 일자리를 구해주다 **3** [~ *oneself*[one's way]로] 용케[그럭저럭] 빠져나가다[벗어나다] 《*through, out of*》

— *vi.* (어려움 등에서) 용케 벗어나다; 잔재주를 부리다

— *n.* ⓊⒸ 용케 입수함[구함], 책략, 책동

wán·gler *n.*

wan·i·gan, wan·ni- [wɑ́nigən | wɔ́n-], **wan-gan, -gun** [wǽŋgən] *n.* 《미·캐나다》 벌목꾼의 보급품 상자

wán·ing móon [wéiniŋ-] 〖천문〗 하현(下弦)달 (cf. WAXING MOON)

wan·ion [wɑ́njən | wɔ́n-] *n.* 《고어》 저주, 복수

A (***wild***) **~ *on*** a person**!** = ***with a* ~ *to*** a person**!** …에게 저주가 있기를! ***with a*** (***wild***) **~** = ***in a* ~** 맹세코, 기필코; 지독히

wank [wǽŋk] *n.* 《영·비어》 자위

— *vi.* 자위를 하다(masturbate) **~·er** *n.* 《영·비어》 자위하는 사람; 《속어》 변변치 못한 자, 싫은 녀석

Wán·kel éngine [wɑ́:ŋkəl-, wǽŋ-] 〖기계〗 방켈 엔진 《로터리 엔진의 일종》

thesaurus **wan** *a.* pale, pallid, ashen, white, colorless, bloodless (opp. *flushed, ruddy*)
wane *v.* decrease, decline, diminish, dwindle,

wan·kle [wǽŋkl] *a.* 《영·방언》 불안정한, 동요하는; 약한

wank·y [wǽŋki] *a.* 《영·속어》 시시한, 형편없는; 미숙[빈약]한

wan·na [wánə, wɔ́:nə | wɔ́nə] 《미·구어》 want to; want a 《발음대로 철자한 것》

wan·na·be(e) [wánəbì: | wɔ́n-] *n.* 《미·속어》 (인기인·연예인 등의) 열렬한 팬 《좋아하는 인기인의 외모·복장 등을 흉내내며 그들을 영웅시하는 것이 특징》; (인기인 등을) 닮고자 하는 사람
— *a.* 열망하는, 동경하는; 되고 싶어 하는

wan·nish [wániʃ | wɔ́n-] *a.* 약간 창백한

‡**want** [wánt, wɔ́:nt | wɔ́nt] [ON 「결여되다」의 뜻에서; 「원하다」란 뜻의 일반적 용법은 18세기경부터] *vt.* **1 a** 원하다, 바라다(wish), 갖고 싶다: I badly ~ a new car. 새 차를 몹시 갖고 싶다. **b** [보통 수동형으로] …에게 볼일이 있다; 〈고용자가〉 〈사람을〉 찾다; 〈경찰이〉 지명 수배하다 《*for*》: You *are ~ed* on the phone. 너에게 전화가 왔다. / He *is ~ed* by the police for murder. 그는 살인 용의자로 경찰의 수배를 받고 있다.

> 유의어 **want** 「바라다, 원하다」의 뜻의 가장 일반적인 말이다: People all over the world *want* peace. 전세계의 사람들은 평화를 원한다. **wish** 가능·불가능에 관계없이 원하고[바라고] 있음을 나타낸다: I *wish* to travel. 여행을 하고 싶다. **desire** want와 거의 같은 뜻의 딱딱한 말이다: They *desire* a new regime. 그들은 새 정권을 원하고 있다. **hope** 바람직한 일이 실현 가능하리라고 믿고 기대하다: I *hope* to see you again. 당신을 다시 만나기를 바라고 있다. **expect** 확신을 갖고 일이 일어날 것을 기대하다: *expect* a visit from a friend 친구가 찾아오리라고 기대하다 **anticipate** 기쁨·불안의 기분으로 고대하다: *anticipate* seeing a play 연극 관람을 기대하다

2 《영》 필요로 하다, 필요하다(need): Children ~ plenty of sleep. 어린이에게는 충분한 수면이 필요하다. // (~+**-ing**) My shoes ~ mend*ing*. 내 구두는 수선해야 한다. **3** [부정사를 동반하여] **a** …하고 싶다: (~+**to** do) I ~ *to* see you. 당신을 만나고 싶다. **b** 《구어》 [you를 주어로 하여] …할 필요가 있다, …하지 않으면 안 되다(must): (~+**to** do) You ~ *to* see a doctor at once. 즉시 의사의 진찰을 받아야 하겠다. **c** [부정어와 함께] …할 필요는 없다, …하지 않아도 괜찮다, …해서는 안 되다: (~+**to** do) You do*n't* ~ *to*(=need not) be rude. 버릇없이 굴어서는 안 된다. **4** 빠져 있다, 부족하다, 모자라다: His manner ~*s* politeness. 그의 태도는 예의가 없다. // (~+목+전+명) The fund ~*s* a hundred dollars *of* the sum needed. 자금은 필요 금액에서 100달러 모자란다. **5** [목적 보어를 동반하여] …에게 …해 주기를 원하다: (~+목+**to** do) I ~ you *to* do it. =I ~ it *done* by you. 네가 그것을 해 주었으면 좋겠다. // (~+목+**-ing**) I don't ~ others interfer*ing*. 남들이 내 일에 간섭하는 것을 원하지 않는다. // (~+목+**done**) I ~ this work *finished* without delay. 이 일을 지체 없이 끝냈으면 좋겠다. // (~+목+보) I ~ everything ready by tomorrow. 내일까지는 모든 준비가 되었으면 한다. **6** [it를 주어로] 〈시간이〉 아직 … 있다 《*to, of, till, until*》; 〈길이가〉 모자라다 《*of*》: (~+목+전+명) *It* still ~*s* five minutes *to* ten o'clock. 아직 10시까지 5분 남았다. / *It* ~*s* one inch *of* the regulation measurement. 그것은 규격에서 1인치 모자란다. **7** 《문어》 …이 없어서 고통받다: These people ~ food and shelter. 이 사람들은 음식도 거처도 없어서 고통받고 있다.
— *vi.* **1** 원하다, 바라다(wish, like): You may stay if you ~. 원한다면 머물러도 좋다. **2** 없다, 모자라다, 부족하다 《*in, for*》; 곤궁하다, 궁핍하다: (~+전+명) ~ *for* money 돈이 부족[필요]하다 / You shall ~ *for* nothing as long as I live. 내가 살아 있는 한 당신에게 무엇 하나 부족하지 않게 하겠습니다. **3** 소용되다, 필요하다 **4** 《미·구어》 [in, to 등 방향을 표시하는 부사를 동반하여] 가고[나오고, 들어가고] 싶어 하다: (~+부) The cat ~*s out*. 고양이는 나가고 싶어 한다. **~ in[out]** 《구어》 들어가고[나가고] 싶어 하다(⇨ *vi.* 4); 《구어》 (계획 등의) 한패에 끼이고[에서 빠지고] 싶어 하다 **~ off** 《구어》 떠나고 싶어 하다 **~ *some*[*a lot of*] *doing*** ⇨ doing.
— *n.* **1** Ⓤ 필요, 소용; 욕구; [주로 *pl.*] 필수품, 가지고 싶은 물건, 탐나는 것: a long-felt ~ 오랫동안 필요를 느껴온 것 / be in ~ of ready money 현금이 필요하다 **2** Ⓤ 결핍, 부족 《*of*》(⇨ lack 유의어); (사람의) 결점: be in ~ *of* food 먹을 것이 없다 / ~ *of* imagination 상상력의 결여 **3** Ⓤ 곤궁, 빈곤: reduced to ~ 가난에 빠져, 몰락하여
a man of few ~s 욕심이 적은 사람 ***for*[*from, through*] ~ *of*** …의 부족 때문에: The plant died *from* ~ *of* water. 물 부족으로 그 식물은 말라 죽었다. ***supply a felt ~*** 절실한 요구를 충족시키다
wánt·er *n.*

want·a·ble [wántəbl, wɔ́:nt- | wɔ́nt-] *a.* 바람직한; 매력적인

wánt àd 《미》 구직[구인, 가옥 임대차] 광고 《신문의》(cf. CLASSIFIED AD)

want·age [wántidʒ, wɔ́:nt- | wɔ́nt-] *n.* Ⓤ 부족(shortage); 부족액[량, 수]

wánt còlumn 구직[구인, 채용, 가옥 임대차 등] 광고란

‡**want·ed** [wántid, wɔ́:nt- | wɔ́nt-] *v.* WANT의 과거·과거분사
— *a.* **1** 〔광고〕 …을 구함, …모집, 채용코자 함: *W*~ a cook. 요리사 구함. **2** [상점에서 점원을 부르는 말] 여보세요 **3** 지명 수배의: the ~ list 지명 수배자 명단 / a ~ person 수배 중인 범인

wánted mán (경찰의) 지명 수배자

‡**want·ing** [wántiŋ, wɔ́:nt- | wɔ́nt-] *a.* Ⓟ **1** 모자라는, 결핍한; 이르지 못한, 미달인 《목표·표준·필요에》; …이 없는 《*in*》: a motor with some of the parts ~ 부품이 몇 개 부족한 모터 **2** 《속어》 지혜가 모자라는, 머리가 나쁜
— *prep.* …이 없이, …이 모자라서, …이 부족하여: a box ~ lid 뚜껑이 없는 상자

want·less [wántlis, wɔ́:nt- | wɔ́nt-] *a.* **1** 부족함이 없는 **2** 욕심이 없는, 바랄 것이 없는 **~·ness** *n.*

wánt lìst 필요 품목표 《수집가, 박물관, 도서관 등이 우표, 동전, 서적 등 입수 희망 품목을 게재해서 업자에게 돌리는 카탈로그》

***wan·ton** [wántən | wɔ́n-] [OE 「교육받지 못한」의 뜻에서] *a.* **1 a** 방자한, 방종한, 무엄한; 무자비한, 잔인한: ~ destruction 무자비한 파괴 **b** 《시어》 변덕스러운, 제멋대로의, 장난꾸러기의 〈아이 등〉 **2** 이유가 없는, 조리가 서지 않는: ~ murder 동기가 없는 살인 **3** 〈특히 여자가〉 음란한, 바람둥이의, 부정(不貞)한 **4** 자유분방한, 억제되지 않는 **5** 《시어》 〈초목 등이〉 무질서하게 우거진, 무성한
— *n.* 바람둥이, 《특히》 화냥년 ***play the ~*** 장난치다
— *vi.* **1** 뛰어 돌아다니다, 장난치다, 까불다 **2** 무성하게 자라다; 방종하게 자라다
— *vt.* 낭비하다: (~+목+부) ~ money *away* 돈을 낭비하다 **~·ly** *ad.* 방자하게, 제멋대로; 장난치며; 바람이 나서 **~·ness** *n.*

want·wit [wántwìt | wɔ́nt-] *n.* 《구어》 멍청이, 얼간이

wan·y [wéini] *a.* =WANEY

wap[1] [wáp | wɔ́p] *v., n.* =WHOP

---

shrink, subside, sink, ebb, dim, fade away
wanton *a.* immoral, loose, immodest, shameless, unchaste, unvirtuous, lustful, degenerate

wap[2] *vt.* 《방언》 싸다, 묶다
WAP [wǽp, wάp] work analysis program 〖컴퓨터〗 작업 분석 프로그램; wireless application protocol 〖컴퓨터〗 (휴대 전화기의) 무선 응용 통신 규약
WAP-en·a·bled [-inèibld] *a.* 〈휴대 전화기가〉 스크린에 인터넷 정보를 입수할 수 있는
wap·en·take [wάpəntèik, wǽp- | wɔ́p-, wǽp-] *n.* 〖영국사〗 소구(小區)(hundred) 《county의 소구분》
wap·i·ti [wάpəti | wɔ́p-] *n.* (*pl.* **~, ~s**) 〖동물〗 큰사슴(elk) 《북미산(産)》
wap·pen·shaw [wάpənʃɔ̀ː, wǽp- | wǽp-, wɔ́p-] *n.* 정기 열병[소집] 《이전에 스코틀랜드의 일부에서 부하들의 무장과 영주에의 충성을 점검하기 위해 행해졌음》
wap·per·jaw [wάpərdʒɔ̀ː | wɔ́p-] *n.* 《구어》 주걱턱 **~ed** *a.*
‡**war** [wɔ́ːr] *n.* **1** Ⓤ **전쟁**(cf. PEACE); Ⓒ 무력 충돌, 전투(warfare); 전쟁[교전] 상태; 교전 기간: an aggressive ~ 침략 전쟁 / (a) guerrilla ~ 게릴라전 / a sacred ~ 성전(聖戰) / in ~ and in peace 전쟁 시에도 평화 시에도

> 유의어 **war** 국가간의 대규모의 전쟁: a nuclear *war* 핵전쟁 **battle** 특정 지역에서의 조직적이고도 장기적인 전투: win[gain] the *battle* 전투에 이기다

2 싸움, 투쟁, 반목: a ~ against[on] poverty 가난과의 싸움 / a trade ~ between nations 국가 간의 무역 전쟁 **3** Ⓤ 적의(敵意), 불화[적대] 상태 **4** (과학·직업·활동·기술로서의) 군사(軍事); 전략, 전술, 병법, 군사학; 육군
all-out* ~** 총력전 ***art of* ~** 전술, 병법 ***be at* ~** 교전 중이다; 사이가 나쁘다 《*with*》 ***carry the* ~ *into the enemy's camp*[*country*]** 공세로 전환하다; 같은 비난 등으로 상대방에게 역습하다 ***cold* ~** 냉전 (cf. HOT WAR, NERVE WAR) ***declare* ~ *against*[*on, upon*]** 〈다른 나라에 대하여〉 선전 포고하다 ***drift into* ~** 개전(開戰)하기에 이르다 ***go to the* ~(*s*)** 《고어》 출전하다 ***go to* ~** 무력에 호소하다; 출전하다 ***have a good* ~** 《구어》 전장에서[전시에] 맹활약을 하다 ***have been in the* ~*s 《구어》 〈어린이 등이〉 (싸움·사고 때문에) 다쳤다, 상처투성이이다 ***make*[*wage*] ~ *upon*** …에 전쟁을 걸다, …을 공격하다 ***theater of* ~** 전쟁터[지역], 전장 ***the W~ between the States* = *the W~ of Secession*** 〖미국사〗 남북전쟁(1861-65) ***the* ~ *dead*** [집합적] 전몰 군인 ***the W~ in the Pacific*** 태평양 전쟁 ***the W~ of* (*American*) *Independence*** 〖미국사〗 독립 전쟁(1775-83) ***the W~ of 1812*** 영미(英美)전쟁(1812-15) ***the W~s of the Roses*** ⇨ rose. ***the* ~ *to end* ~** 전쟁을 끝내기 위한 전쟁 《제1차 세계 대전 때의 연합군의 슬로건》 ***tug of* ~** 줄다리기 ***~ of nerves*** 신경전 ***~ of position*** 진지전(陣地戰) ***~ of words*** 설전(舌戰), 논쟁 ***white* ~** 무혈 전쟁, 경제전
— *a.* Ⓐ 전쟁의[에 관한]: ~ expenditure 군사비(費) / a ~ brother 전우
— *vi.* (**~red**; **~·ring**) (…와) 싸우다, 전쟁하다 《*with, against*》: ~ *against* poverty and disease 빈곤과 질병을 상대로 싸우다
war. warrant **War.** Warwickshire
wa·ra·gi [wάːrɑgi] *n.* 우간다 사람이 마시는 바나나술
wár àrtist (고용된) 전쟁 화가
warb [wɔ́ːrb] *n.* 《호주·속어》 추레한[초라한] 녀석
wár bàby **1** 전시[전쟁 직후]에 태어난 아이; 《특히》 전시 사생아 **2** 전쟁의 (나쁜) 산물, 군수 산업
war·bird [wɔ́ːrbə̀ːrd] *n.* 군용 비행기(의 탑승자)
*__war·ble__[1] [wɔ́ːrbl] *vi.* **1** 〈새가〉 **지저귀다**; 〈여자가〉 목소리를 떨며 노래하다 **2** 《미》 요들(yodel)로 노래하다 **3** 〈전자 장치가〉 진동음을[떠는 소리를] 내다 **4** 《시어》 〈물이〉 졸졸 흐르다
— *vt.* **1** 새가 〈노래를〉 지저귀다 《*out*》 **2** 〈여자가〉 〈노래를〉 목소리를 떨며 부르다 《*out*》
— *n.* 지저귐; 떨리는 목소리; 노래 **wár·bling** *n.*, *a.*
warble[2] *n.* **1** (말 등의) 안장 때문에 생기는 혹 **2** 쇠파리의 유충; 그 기생에 의한 가축의 피부 부스럼
wár·bled *a.*
wárble flỳ 〖곤충〗 쇠파리
war·bler [wɔ́ːrblər] *n.* **1** 지저귀듯이 (목소리를 떨면서) 노래하는 사람[가수](singer) **2** 지저귀는 새, 명금(鳴禽) 《특히 휘파람샛과(科)의 작은 새》
war·bon·net [wɔ́ːrbɑ̀nit | -bɔ̀n-] *n.* 독수리 깃으로 꾸민 북미 인디언의 전투모

warbonnet

wár brìde 전쟁 신부 《출정[외국] 군인과 결혼하는》
warb·y [wɔ́ːrbi] *a.* 《호주·구어》 꾀죄죄한, 초라한; 불안정한 **—** *n.* 꾀죄죄한 물건[사람]
wár càbinet 전시 내각
wár chálking 보도(步道) 등에 분필로 무선 네트워크가 가능한 지역을 특수 기호로 표시하는 일
wár chèst 군자금; 활동[운동] 자금 《선거 등의》
wár clòud 전운(戰雲)
wár clùb 전투용 곤봉 《북미 인디언의》; 《속어》 야구 방망이
Wár Cóllege 《미》 육군[해군] 대학
wár correspòndent 종군 기자
wár crìme [보통 *pl.*] 전쟁 범죄
wár crìminal 전쟁 범죄자, 전범
wár crỳ **1** (전투·공격시의) 함성(battle cry) **2** 표어(slogan) 《정당 등의》
‡**ward** [wɔ́ːrd] *n.*, *v.*

> OE 「감시하다」의 뜻에서
> →(보호를 받는 사람)→「피후견인」 **3 b**
> →(보호하는 장소)→「병동」 **2**
> →(구청장의 보호하에 있는 지구)→「구」 **1**

— *n.* **1 병동**(病棟), 병실; 감방; 《영》 기숙사, 수용실 《양로원 등의》: an isolation ~ 격리실[병동] / a convalescent ~ 회복기 환자 병실 **2 구**(區) 《도시의》, 선거구 **3 a** Ⓤ 《문어》 **감시**, 감독, 보호; 후견(後見) **b** 〖법〗 피(被)후견인(minor), 피보호자 (opp. *guardian*) 《미성년 등》 **4** 열쇠나 자물쇠 내부의 돌기, 열쇠의 홈 **5** 《고어》 **a** Ⓤ 억류, 감금 **b** 감시인, 숙직인, 간수 **6** 《고어》 〖펜싱〗 방어 자세[동작] **7** (모르몬교의) 지방 분회 **8** (성·요새의) 안뜰 ***be in* ~ *to*** …의 후견을 받고 있다 ***be under* ~** 감금되어 있다 ***casual* ~** 《영·고어》 (구빈원의) 부랑자 임시 수용소; 《미》 응급 처치실[병동] ***keep watch and* ~** 끊임없이 감시하다 ***put*** a person ***in* ~** …을 감금하다
— *vt.* **1** 〈위험·타격 등을〉 피하다, 받아넘기다, 막다, 물리치다 《*off*》: (~+목+부) try to ~ *off* the inevitable 불가피한 것을 피하려 하다 **2** 병동 등에 수용하다 **3** 《고어》 보호하다; 후견하다 **~·less** *a.*
-ward [wərd] *suf.* 「…쪽의[으로]」의 방향을 표시하는 형용사·부사를 만듦: bed*ward*(*s*) 침대 쪽으로
USAGE 형용사의 경우에는 《미》 《영》 다 같이 -ward를 쓰지만, 부사인 경우에는 《미》에서는 -ward를 쓰고 《영》에서는 -wards를 쓴다.
wár dàmage 전화(戰禍), 전재(戰災)
wár dànce (토인의) 출전의 춤, 전승의 춤
wár dèbt 전채(戰債)
ward·ed [wɔ́ːrdid] *a.* 〈자물쇠가〉 가운데 돌기가 있는; 〈열쇠가〉 조각이 새겨진

thesaurus **warm** *a.* **1** 따뜻한 heated, tepid, lukewarm, sunny **2** 온정 있는 kind, friendly, ami-

*__war·den__[1] [wɔ́:rdn] *n.* **1** (기숙사·보호 시설 등의) 관리인 **2** **감시자**, 파수꾼, 수위; ((미)) 교도소장(((영)) governor), 감독; 〖항공〗 감시원 **3** (각종 관공서의) 기관장, …장 ((시장·병원장 등)) **4** ((영)) 학장, 교장 **5** 교회 위원(churchwarden)
— *vi.* 수렵 감독관으로서 감독 보호하다
~·shìp *n.* Ⓤ warden의 직

warden[2] *n.* ((영)) 배(pear) ((요리용의))

ward·en·ry [wɔ́:rdnri] *n.* ⓊⒸ warden[1]의 직(권)[관할, 관리 지구]

Wár Depàrtment [the ~] ((미)) 육군성 ((1789-1947; 현재는 the Department of the Army로, the Department of Defense 소속))

ward·er[1] [wɔ́:rdər] *n.* ((영)) 간수, 교도관; 감시원, 파수꾼 **~·shìp** *n.*

warder[2] *n.* 〖역사〗 권표(權標) ((왕·사령관의))

wárd hèeler ((미·구어)) (정당의) 말단 당원, 지방 운동원

wárd màid (병원의) 잡역부, 청소부

Wárd·our Strèet [wɔ́:rdər-] 워더 가(街) ((고물 상점으로 유명하였던 런던의 거리; 현재는 영화관이 많음)): ~ English 예스러운 문체의 영어

ward·ress [wɔ́:rdris] *n.* ((영)) 여교도관

‡**ward·robe** [wɔ́:rdròub] *n.* **1 a** **양복장**, 옷장 **b** (극단 등의) 의상실 **2** 소유하고 있는 의상 **3** 의상 관리인 ((왕실 또는 귀족 등의)) ***have a large ~*** 옷이 많다
— *vt.* …에게 옷장을 마련해 주다

wárdrobe bèd 장롱 겸용의 접는 침대

wárdrobe càse 의상 가방

wárdrobe dèaler 헌옷 장수

wárdrobe malfùnction (완곡) 의상 불량 ((흔히 여성 연예인들의 노출 사고))

wárdrobe màster (극장·극단의) 의상 책임자 ((남자))

wárdrobe mìstress (연극의) 의상 책임자 ((여자))

wárdrobe trùnk 의상 트렁크 ((옷장 겸용))

ward·room [wɔ́:rdrù(:)m] *n.* (군함 안의 중령 이하 대위 이상의) 고급 사관실; [집합적] 상급 사관

-wards [wərdz] *suf.* ((영)) = -WARD

ward·ship [wɔ́:rdʃìp] *n.* Ⓤ 후견받는 미성년자의 신분[지위]; 후견: be under the ~ of …의 후견을 받고 있다 / have the ~ of …을 후견하고 있다

wárd sìster ((영)) 병실 담당 간호사

‡**ware**[1] [wέər] *n.* **1** Ⓤ **a** **제품**, 세공품, 제작품, 물품, 장식품, 기물(器物); [보통 복합어를 이루어] (…)용품: silver*ware* 은제품 / hard*ware* 철물 / glass*ware* 유리 제품 / a peddler selling his *~s* 상품을 팔러 다니는 행상인 **b** 도자기류 **2** [one's ~s] ((문어)) (재능·예능 등에 의한) 상품 가치가 있는 기술 무형 상품 ***praise*** one***'s own ~s*** 자화자찬하다

ware[2] *a.* ((고어)) 조심성 있는, 방심하지 않는 (aware)
— *vt.* [주로 명령형으로] **1** 〖수렵〗 주의하다 **2** ((속어)) **a** 조심하다: *W~* the hound! 개 조심! **b** …의 남용을 삼가다: *W~* the bottle. 술을 삼가라.

ware[3] *vt.* ((스코·북잉글)) 〈돈을〉 쓰다, 쏟아 넣다

ware[4] *n.* ((스코·북잉글)) 봄

-ware [wεər] *suf.* 「…의 소프트웨어」의 뜻: course*ware* 교육용 소프트웨어 / font*ware* 서체[알파벳] 소프트웨어 / free*ware* 사용자가 임의로 사용할 수 있는 소프트웨어 / group*ware* 일괄[그룹] 소프트웨어 / middle*ware* 오퍼레이팅 시스템과 애플리케이션 시스템 간의 기능 소프트웨어 / vapour*ware* 제작은 발표했지만 발매되지 않은 소프트웨어 / live*ware* 인간의 두뇌 작용 소프트웨어

*__ware·house__ [wέərhàus] *n.* (*pl.* **-hous·es** [-hàuziz]) **1** **창고**, 저장소 **2** ((영)) 도매점, 큰 상점 **3** ((미)) 대규모 공공 수용 시설 ((노인·정신병자 등을 수용))
— [-hàuz, -hàus] *vt.* **창고에 넣다**; 보세 창고에 예치하다; ((미)) 대규모 공공 수용 시설에 수용하다

---

able, genial, cordial, affectionate, tender, charitable, sincere, hearty, hospitable

wárehouse clùb 웨어하우스 클럽 ((회원제의 할인 매점))

ware·house·man [wέərhàusmən] *n.* (*pl.* **-men** [-mən]) **1** 창고 관리인; 창고업자 **2** ((영)) 도매 상인

wárehouse pàrty 창고 파티 ((창고나 넓은 장소에서 열리는 규모가 큰 댄스 파티))

ware·hous·er [wέərhàuzər] *n.* **1** 창고 종업원 **2** 창고 경영자[회사] **3** 대규모 도매 상인

wárehouse recèipt ((미)) 창고 증권

ware·hous·ing [-hàuziŋ] *n.* 창고업

ware·room [-rù:m] *n.* 상품 전시[보관]실

wár estàblishment (전쟁 부대의) 전시 편제

*__war·fare__ [wɔ́:rfὲər] *n.* Ⓤ **1** **전쟁**, 교전(交戰) 상태, 전투 (행위) ((*against*)): psychological[guerrilla] ~ 심리[게릴라]전 **2** 투쟁, 싸움: class ~ 계급 투쟁 / economic ~ 경제 전쟁

war·fa·rin [wɔ́:rfərin] *n.* 〖화학〗 와르파린 ((무색, 비수용성, 항응혈성의 결정)); 〖약학〗 와르파린의 제제(製劑) ((항응혈 약))

war·fight·ing [wɔ́:rfàitiŋ] *n.* 전투

wár fòoting (군대의) 전시 편성, (각종) 전시 조직의 체제

wár gàme 탁상 작전 연습, 도상(圖上) 작전; [*pl.*] (실제의) 기동 연습; 전쟁 게임(kriegspiel)

war-game [-gèim] *vt., vi.* 도상(圖上) 작전을 하다; 기동 훈련을 하다; 전쟁 게임을 하다
wár-gàm·er *n.*

wár gàming (게임으로) 전쟁놀이하기

wár gàs 전쟁용 독가스

war·gasm [wɔ́:rgæzm] *n.* ((미)) 전면 전쟁의 돌발, 전면 전쟁으로 발전할 위기[위험]

wár gòd 군신(軍神) ((로마 신화의 Mars, 그리스 신화의 Ares 등))

wár gràve 전몰자의 묘

wár hàwk 주전(主戰)론자; [**W- H-**] 〖미국사〗 매파 ((1812년 제2차 영미 전쟁 때, 영국에 강경하게 맞선))

war·head [wɔ́:rhèd] *n.* (미사일·어뢰 등의) 탄두(彈頭): a nuclear ~ 핵탄두

War·hol [wɔ́:rhɔ:l | -houl] *n.* 워홀 **Andy** ~ (1928?-87) ((미국의 pop art 화가))

war-horse [wɔ́:rhɔ̀:rs] *n.* ((문어)) 군마(軍馬); ((구어)) 노병(老兵), 노련가; (정계 등의) 백전노장; ((구어)) (되풀이되어) 진부한 작품 ((곡·극 등))

war·i·ly [wέərəli] *ad.* 조심하여, 방심하지 않고

war·i·ness [wέərinis] *n.* Ⓤ 조심, 신중(성); 경계심

Warks. Warwickshire

war·less [wɔ́:rlis] *a.* 전쟁 없는
~·ly *ad.* **~·ness** *n.*

*__war·like__ [wɔ́:rlàik] *a.* **1** **전쟁의**, 군사의: ~ actions 군사 행동 **2** **호전적인**, 용맹한, 도전적인: a ~ tribe 호전적인 부족 **3** 전쟁이 일어날 듯한(opp. *peaceful*)

war·ling [wɑ́:rliŋ] *n.* 미움을 받는 사람

wár lòan ((영)) 전시 공채

war·lock [wɔ́:rlɑ̀k | -lɔk] *n.* (남자) 요술쟁이, 마법사(cf. WITCH), 점쟁이

war·lord [-lɔ̀:rd] *n.* ((문어)) (호전적인 나라의) 장군; 군사 지도자, 군벌(軍閥) ((특히 한 지역의)); 독군(督軍) ((옛 중국의)) **~·ism** *n.*

‡**warm** [wɔ́:rm] *a.* **1** **따뜻한**, 온난한; 더운(hot); 〈옷 등이〉 보온성의: a ~ climate 온난한 기후 / It is getting *~er* day by day. 나날이 따뜻해진다. / I am ~ from running. 달렸더니 몸이 덥다. / be ~ with wine 와인으로 몸이 더워지다 **2** **열렬한**, 열심인, 활발한; 열광적인, 흥분한; 성마른: a ~ dispute 격론 / a ~ supporter 열광적 지지자 **3** **온정 있는**, 마음이 따뜻한, 인정이 있는; 충심으로부터의: a ~ friend 친한 친구 / ~ thanks 마음에서 우러나는 감사 **4** 〈색이〉 따뜻한 느낌을 주는, 난색(暖色)의(opp. *cool*): ~ colors 난색 **5** 〖수렵〗 〈짐승이 남긴 냄새 자국이〉 생생한, 오래되지 않은 **6** ((구어)) (숨바꼭질에서) 숨은 사람에게 가까워진; (알아맞히기·보물찾기 등에서) 목표물에 가까운 **7** ((구

어) 힘든, 감당하기 어려운; 불쾌한, 기분이 나쁜: a ~ corner 격전지(激戰地); 불쾌한[참을 수 없는] 처지 **8** 《영·구어》 유복한: a ~ man 부자 **9** 도발[호색]적인: ~ descriptions 선정적인 기사[묘사]
be getting ~ 〈몸·기후 등이〉 점점 따뜻해지다; (숨바꼭질 등에서) 거의 맞힐[찾아낼] 듯하다 ***get*** ~ 따뜻해지다; 뜨거워지다, 화끈 달아오르다; 열중하다; 흥분하다 ***grow*** ~ 격하다, 흥분하다; 〈토론 등이〉 활발해지다 ***in ~ blood*** ⇨ blood. ***keep a place*** ~ 남을 위해 잠정적으로 자리[지위]에 앉다 ***keep*** ~ 식지 않도록 하다 ***make it*** [***things***] ~ ***for*** a person 《구어》 …에 대한 반감을 조장하다, (몹시 반대해) 배겨낼 수 없게 하다 ~ ***with*** 《속어》 더운 물에 설탕을 탄 브랜디《warm with sugar의 생략; cf. COLD without》
— *vt.* **1** 따뜻하게 하다, 데우다: (~+목+부) ~ *up* milk 우유를 데우다 // (~+목+전+명) ~ one's hands *over* the fire 손을 불에 쬐어 따뜻하게 하다 **2** 열중[흥분]시키다, 기운나게 하다: drink wine to ~ the heart 술 마시고 기운내다 **3** …의 마음을 따뜻하게 하다, 부드럽게 하다, 힘을 내게 하다: It ~*s* my heart to hear such a story. 그 이야기를 들으니 마음이 훈훈해진다. **4** (준비 체조[조작] 등으로) 〈몸·기계 등의〉 준비를 하다 《*up*》 **5** 《속어》 구타하다, 채찍질하다
— *vi.* **1** 따뜻해지다: Drink the hot tea and you'll soon ~ *up.* 따뜻한 차를 마시면 곧 몸이 따뜻해질 거야. **2** 열중하다, 열의를 품게 되다 《*up*》; 흥분하다 《*up*》; 활기 띠다, 생기가 넘치다 《*up*》: (~+전+명) ~ *to* one's work 일에 열중하다 **3** 호의적이 되다; 동정하다: (~+전+명) My heart ~s *to*[*toward*] him. 그에게 마음이 끌린다, 그리움을 느낀다.
~ ***over*** 《미》 〈식은 음식 등을〉 다시 데우다; 〈같은 디자인·작품 등을〉 재탕하다 ~ a person***'s blood*** …의 피를 끓게 하다 ~ one***self*** 몸을 따뜻하게 하다 ~ a person***'s jacket*** 《속어》 …을 때리다, 채찍질하다 ~ ***the bench*** 후보 선수가 되다, 벤치만 지키다 ~ ***up*** (1) 데우다, 따뜻해지다, 데워지다; 다시 데우다 (2) 열중[흥분]시키다 《*to, toward*》, 열중하게 되다; 동정을 갖게 되다; 〈파티를〉 흥이 나게 하다, 〈파티가〉 흥이 나다; 〈엔진 등이〉 충분히 데워지다 (3) 【경기】 (가벼운) 준비 운동을 시키다[하다] ~ ***up to*** …을 좋아하게 되다 ~ ***wise*** 《미·속어》 사정에 밝아지다
— *n.* 《구어》 **1** [the ~] 따뜻한 곳 《실내 등》 **2** [a ~] 따뜻하게 함, 따뜻해짐: Sit by the fire and have a nice ~. 불 옆에 앉아 따뜻하게 불을 쬐어라.
~·**ness** *n.* = WARMTH ▷ wármth *n.*

wár machìne 전쟁에 쓰이는 기계, 군수(軍需)

wárm blòod 온혈 동물; 열혈

warm-blood·ed [wɔ́ːrmblʌ́did] *a.* (opp. *cold-blooded*) **1** 〈동물이〉 온혈(溫血)의 《36℃-42℃》 **2** 열혈(熱血)의, 정열적인, 열렬한(ardent)
~·**ly** *ad.* ~·**ness** *n.*

wárm bòdy 《구어·경멸》 (단순 작업밖에 못하는) 무능한 노동자

wárm bòot 【컴퓨터】 웜 부트 《시스템에 문제가 생겼을 때 전원을 끄지 않고 다시 부트시키는 일》

warm-down [wɔ́ːrmdàun] *n.* 【스포츠】 정리 운동

warmed-o·ver [wɔ́ːrmdóuvər] *a.* 《미》 다시 데운 〈요리 등〉; 재탕한 〈아이디어 등〉

warmed-up [wɔ́ːrmdʌ́p] *a.* = WARMED-OVER

wár memòrial 전쟁[전몰자] 기념비[탑, 관]

warm·er [wɔ́ːrmər] *n.* 따뜻하게 하는 사람[물건]; 온열(溫熱) 장치: a vegetable ~ 채소 재배용 보온기

warm·er-up·per [wɔ́ːrmərʌ́pər] *n.* 《미·구어》 (특히 따뜻한 음료수·술 등의) 몸을 따뜻하게 하여 원기를 돋우는 것; (주요한 것 전의) 흥을 돋우는 것

wárm frònt 【기상】 온난 전선(opp. *cold front*)

wárm fùzzy 《미·속어》 칭찬(의 말), 치렛말, 듣기 좋은 인사말

warm-heart·ed [wɔ́ːrmhɑ́ːrtid] *a.* 인정이 있는, 온정의, 친절한 ~·**ly** *ad.* ~·**ness** *n.*

warm·ing [wɔ́ːrmiŋ] *n.* **1** Ⓤ 따뜻하게 함, 따뜻해짐, 가온(加溫) **2** 《속어》 채찍질, 구타
get a (***good***) ~ (톡톡히) 얻어맞다

wárming pàn **1** 잠자리를 덥게 하는 그릇 《옛날에 썼음》, 탕파(湯婆), 각파 **2** 《속어》 대리, 서리(署理) 《본인이 취임하기까지의》

warm·ing-up [wɔ́ːrmiŋʌ́p] *a.* 【경기】 (운동 전의) 준비 운동의, 워밍업의 — *n.* 데우기, 따뜻해짐

warm·ish [wɔ́ːrmiʃ] *a.* 좀 따스한

*__warm·ly__ [wɔ́ːrmli] *ad.* **1** 따뜻하게: ~ clothed 따뜻하게 옷을 입고 **2** 열심히, 열렬히; 흥분하여; 충심으로, 따뜻이: thank ~ 심심한 사의를 표하다 / receive a person ~ …을 따뜻이 맞다

war·mon·ger [wɔ́ːrmʌ̀ŋgər] *n.* 전쟁 도발자, 전쟁광, 주전론자 ~·**ing** *n.* Ⓤ, *a.* 전쟁 도발(의)

wárm restàrt 【컴퓨터】 시스템 다시 시작

wárm sèctor 【기상】 난역(暖域)

wárm spòt (피부의) 온점; 《구어》 (마음 속의) 따뜻한[사랑이 깃드는] 곳

wárm spríng (섭씨 37° 이하의) 온천

‡**warmth** [wɔ́ːrmθ] *n.* Ⓤ **1** 따뜻함, 온기, 온난 **2** 열심, 열렬 **3** 온정, 동정, 친밀함 **4** 격렬함; 흥분; 격앙(激昂) **5** 【회화】 (색의) 따뜻한 느낌 **6** 보온력, 보온 기능
vital ~ 체온 ***with*** ~ 흥분하여; 열렬히; 정답게, 충심으로 ~·**less** *a.* ~·**less·ness** *n.*

warm-up [wɔ́ːrmʌ̀p] *n.* **1** 【경기】 준비 운동 《시합 전에 하는 가벼운》, 워밍업 **2** 일의 시초, 시작, 사전 연습 **3** [보통 *pl.*] (헐렁한) 운동복(sweat shirt)

wárm wòrk 몸이 더워지는 일; 고된 일, 악전고투

‡**warn** [wɔ́ːrn] [OE 「조심하다」의 뜻에서] *vt.* **1** 경고하다, 조심시키다, 경고하여 피하게 하다, 훈계하여 그만두게 하다: (~+목+전+명) The Coast Guard ~*ed* all ships *of* the hurricane. 해안 경비대는 모든 선박들에 대해 태풍 경보를 발했다. // (~+목+***that*** 절) He ~*ed* me *that* the beast was very dangerous. 그는 그 짐승은 매우 위험하다고 나에게 경고했다. // (~+목+***to be*** 보) He ~*ed* me not *to be* late. 그는 나에게 늦지 말라고 주의시켰다. **2** …에게 통지[통고]하다; 예고하다: (~+목+***to*** do) ~ a person *to* appear in court …에게 법정 출두를 통고하다
— *vi.* (…의) 경고를 하다, 주의하다, 경보를 울리다 《*of*》: (~+전+명) ~ *of* danger 위험을 경고하다
~ ***away*** = ~ ***off*** 〈아무에게〉 접근하지 않도록[떨어지도록] 경고하다 ~·**er** *n.*

Wár·ner Bróthers [wɔ́ːrnər-] 워너 브러더스 《미국의 영화사》

wár neuròsis 【정신의학】 전쟁 신경증

‡**warn·ing** [wɔ́ːrniŋ] *a.* 경고의, 경계의; 훈계의; 【동물】 경계색의: a ~ gun 경포(警砲) / a ~ light 봉화 / ~ colors 경계색
— *n.* **1** Ⓤ 경고, 경계; ⒸⓊ 훈계 **2 a** 경보(警報); 경고[훈계]가 되는 것; 공습 경보; 【기상】 경보: Let this be a ~ to you. 이것을 교훈으로 삼아라. **b** 징후, 징조, 전조(前兆) **3** Ⓤ 《영·고어》 예고, 통고(notice), 통지
at a minute's ~ 즉시 ***give*** ~ 경고하다; 훈계하다; 예고하다: *give* a month's ~ 〈고용주·사용인이〉 1개월 전에 해고[사직]를 예고하다 ***sound a note of*** ~ = ***sound a*** ~ ***note*** 경고하다 《*to*》 ***take*** ~ 경계하다 ***take*** ~ ***by*** …을 훈계[경계] 삼다
~·**ly** *ad.* 경고[경계]하여, 경고적으로

wárning bèll 경종; 신호의 종, 예령

wárning coloràtion 【동물】 경계색

wárning mèssage 【컴퓨터】 경고 메시지

wárning nèt (방공(防空)) 경보망

wárning tràck[**pàth**] 【야구】 경고선 《외야의 끝을 따라 설치된 잔디 없는 트랙》

wárning tríangle 삼각 경고 표시대 《사고나 응급 상황 시 도로 위에 세우는》

wár nòse = WARHEAD

thesaurus **warn** *v.* **1** 조심시키다 advise, counsel, caution, make aware, exhort **2** 통고하다 inform,

Wár Òffice 《영》 (이전의) 육군성《1964년에 국방성(the Ministry of Defence)에 통합됨》(《미》 Department of War)

Wár on Wánt 빈곤과의 투쟁《국제적 빈민 구제를 지향하는 영국의 자선 조직》

wár òrphan 전쟁 고아

***warp** [wɔ́ːrp] *vt.* **1** 휘게 하다, 뒤틀다, 구부리다: The heat has *~ed* the boards. 열이 판자를 휘게 했다. / trees *~ed* by the wind 바람으로 휜 나무 **2 a** 〈마음 등을〉 비뚤어지게 하다, 편벽되게 하다: Hardship *~ed* his disposition. 고난으로 그의 성질이 비뚤어졌다. **b** 〈기사·보도 등을〉 왜곡하다 **3** 〈정도(正道) 등에서〉 일탈시키다 **4** 〖항해〗 〈배를〉 밧줄로 끌어당기다 **5** 〖농업〗 개흙으로 〈땅을〉 걸게 하다
— *vi.* **1** 휘다, 뒤틀리다 **2** 〈성격 등이〉 비뚤어지다, 앵돌아지다 **3** 〖항해〗 〈배가〉 밧줄에 끌리다 **4** 〖방직〗 날(실)을 베틀에 걸다
— *n.* **1** (재목 등의) 휨, 뒤틀림, 툉겨짐, 굽음 **2** (마음의) 비뚤어짐, 편견 **3** 〖방직〗 날(실)(opp. *woof, weft*) **4** 〖항해〗 배를 끄는 밧줄 **5** 〖농업〗 가라앉은 개흙; 〖지질〗 충적토 **~ *and woof*** 기초, 기틀
~·age [-idʒ] *n.*

wár pàint **1** 출전하는 인디언이 얼굴·몸 등에 바르는 칠 **2** 《구어》 성장(盛裝), 치장(finery) **3** 《속어》 화장품, 분, 입술연지《등》

wár pàrty 진군하는 북미 인디언의 일대; 호전파 정당

war·path [wɔ́ːrpæ̀θ] *n.* (북미 인디언의) 출정의 길; 《구어》 적대 행위, 적의 ***on the* ~** 싸우고자, 싸우려고; 성나서, 싸울 기세로

warped [wɔ́ːrpt] *a.* 휜, 뒤틀린; 이상한, 불쾌한

wár pènsion 전상자(戰傷者) 연금

warp·er [wɔ́ːrpər] *n.* 〖방직〗 날실 감는 기계, 정경기(整經機); 날실을 거는 사람

wárp fàctor 《미·속어》 워프 속도 계수

wárp knìt 날실 짜기

war·plane [wɔ́ːrplèin] *n.* 군용기, 전투기

wár pòet 전쟁 시인

wár poténtial 전력(戰力)

wár pòwer 전력; (행정부의) 비상 대권

Wár Pòwers Àct [the ~] 《미》 전쟁 권한법《대통령의 전쟁 권한에 제약을 가한 것》

wárp spèed 《구어》 워프 속도《미국 TV시리즈물 *Star Trek*에서 광속보다 빠른 속도를 일컫는 말》

‡**war·rant** [wɔ́ːrənt, wɑ́r- | wɔ́r-] *n.* **1 a** ⓤⓒ 정당한 이유, 근거; ⓤ 권능(authority): without ~ 정당한 이유 없이 / You have no ~ *for* doing[*to* do] that. 당신에겐 그런 짓을 할 권리는 없소. **b** 보증(이 되는 것), 담보 물건: Diligence is a sure ~ of success. 근면은 성공의 확실한 보증이다. **2** 〖법〗 **a** (형사범에 대한) 영장, (민사의) 소환장 **b** 지시(서); 위임장 **3** 증명서; 면허장; 《영》 창고 증권; 지불 명령서; 〖군사〗 준위 임명 사령장
general* ~** (옛날의) 일반 체포 영장 ***search* ~** 가택 수색 영장 **~ *of arrest 체포 영장 **~ *of attachment*** 압류 영장 **~ *of attorney*** (소송) 위임장 ***with the* ~ *of a good conscience*** 양심에 거리끼는 바가 없이, 정정당당하게
— *vt.* **1** 정당화하다(justify): The circumstances ~ such measures. 사정상 그런 수단이 용납된다. **2** 《구어》 보증하다, 단언하다; 장담하다: ~ quality 품질을 보증하다 // (~+목+***to be*** 보) Who can ~ it *to be* true? 그것이 사실임을 누가 보증할 수 있나? // (~+***that*** 절) I ~ *that* the sum shall be paid. 그 금액을 꼭 지불하겠다. // (~+목+***that*** 절) He *~ed* me *that* it was one of the best jewels. 그는 그것이 최고급 보석 가운데 하나임을 내게 장담했다. **3** 정식으로 허가[인가]하다 ***I('ll)* ~ (*you*)** [보통 삽입구] 확실히, 틀림없이 **~·less** *a.* ▷ wárranty *n.*

notify, let know, acquaint
warrior *n.* fighter, combatant, soldier, champion

war·rant·a·ble [wɔ́ːrəntəbl, wɑ́r- | wɔ́r-] *a.* 정당한; 보증[장담]할 수 있는 **~·ness** *n.* **-bly** *ad.*

wárrant càrd (경찰관 등의) 신분증

war·ran·tee [wɔ̀ːrəntíː, wɑ̀r- | wɔ̀r-] *n.* 〖법〗 피보증인

wárrant òfficer 〖미육군〗 준위

war·ran·tor [wɔ́ːrəntɔ̀ːr, -tər, wɑ́r- | wɔ́r-], **-ran·ter** [-tər] *n.* 〖법〗 보증인, 담보인

war·ran·ty [wɔ́ːrənti, wɑ́r- | wɔ́r-] *n.* (*pl.* **-ties**) **1** ⓤⓒ 근거, 정당한 이유 《*for*》 **2** (품질 등의) 보증, 보증서(guarantee); 서약 《*for doing*》: a one-year ~ on a transistor radio 트랜지스터라디오의 1년간의 품질 보증서 **3** 〖법〗 담보; 영장
***under* ~** 〈상품이〉 보증 기간중인

wárranty dèed 〖법〗 (토지 양도의) 하자(瑕疵) 담보증서

war·ren [wɔ́ːrən, wɑ́r- | wɔ́r-] *n.* **1** 토끼 사육장 **2** 토끼의 군서지(群棲地), 토끼 굴 **3** 〖영국법〗 야생 조수(鳥獸) 사육 특허지[특권] **4** 빽빽이 들어선 곳[건물]

War·ren [wɔ́ːrən, wɑ́r- | wɔ́r-] *n.* 남자 이름

war·ren·er [wɔ́ːrənər, wɑ́r- | wɔ́r-] *n.* 야생 조수 사육 특허지의 관리인; 양토장(養兎場) 주인

war·ri·gal [wɔ́ːrigəl | wɔ́r-] *n.* 《호주》 **1** 오스트레일리아산(産) 들개; 오스트레일리아산(産)의 대형 개 **2** 야생마 **3** 미개 지역 주민 — *a.* 몹시 거친, 광포한

war·ring [wɔ́ːriŋ] *a.* 투쟁하는; 적대하는, 서로 싸우는; 양립하지 않는 〈의견·신조 등〉
— *n.* ⓤ 전쟁 수행, 교전

‡**war·rior** [wɔ́ːriər, -rjər, wɑ́r- | wɔ́riə] [OF 「싸우다」의 뜻에서] *n.* 《문어》 전사(戰士), 무인(武人)(soldier, fighter); 《특히》 고참병, 역전의 용사
the Unknown W~ 무명용사
— *a.* Ⓐ 전사[무인]의, 전사다운

wár rìsk insùrance 《미》 전시 보험; 전쟁 상해보험《군인에 대한 정부 보험》

wár ròom 〖군사〗 작전실; (기업 등의) 전략 회의실

war·saw [wɔ́ːrsɔː] *n.* 〖어류〗 농성어의 일종(= ~ **grouper**)

War·saw [wɔ́ːrsɔː] *n.* 바르샤바《폴란드의 수도; 폴란드 말로는 Warszawa》

Wársaw Convéntion [the ~] 바르샤바 협정《탑승객과 화물주에 대한 항공사의 의무를 규정한 다국간 협정》

Wársaw Tréaty Organizàtion [the ~] 바르샤바 조약 기구《1955년 NATO에 대항해서 구소련 및 동구 공산 국가들이 조직한 군사 조직》

‡**war·ship** [wɔ́ːrʃip] *n.* 군함, 전함

wár sòng 군가(軍歌)

wár stòry 전쟁 체험기[담]; (인생의) 투쟁담

wart [wɔ́ːrt] *n.* (피부의) 사마귀, 쥐젖; 〖식물〗 나무의 혹, 옹이 ***paint* a person *with* his *~s*** …을 있는 그대로 그리다 ***~s and all*** 흠을 하나도 감추지 않고, 있는 그대로: I like him, *~s and all*. 나는 생긴 그대로의 그를 좋아한다. **~·ed** *a.* **~·less** *a.*

wart·hog [wɔ́ːrthɔ̀ːg | -hɔ̀g] *n.* 〖동물〗 혹멧돼지《아프리카산(産)》

war·time [wɔ́ːrtàim] *n.* ⓤ 전시(戰時)(opp. *peacetime*) — *a.* Ⓐ 전시의: ~ shortages 전시의 물자 결핍

war-torn [-tɔ̀ːrn] *a.* 전쟁으로 파괴된[피폐한]

wár trìal 군사 재판

wart·y [wɔ́ːrti] *a.* (**wart·i·er**; **-i·est**) 사마귀 모양의; 사마귀투성이의; 혹이 있는

wár vèssel 군함, 전함(warship)

war-wea·ry [wɔ́ːrwìəri] *a.* (오랜) 전쟁으로 지친[피폐한]; 〈비행기 등이〉 폐물이 된 **-ri·ness** *n.*

wár whòop 함성《북미 인디언의》

War·wick [wɔ́ːrik, wɑ́r- | wɔ́r-] *n.* 워릭《잉글랜드 Warwickshire주의 주도》

War·wick·shire [wɔ́ːrikʃiər, -ʃər | wɔ́r-] *n.* 워릭셔《영국 중남부의 주; 略 War.》

wár wìdow 전쟁 미망인
war·worn [wɔ́:rwɔ̀:rn] *a.* 전쟁으로 피폐한[황폐한]
war·y [wέəri] *a.* (**war·i·er**; **-i·est**) 조심성 있는 (*of*); 방심하지 않는; 세심[신중]한: give a person a ~ look …을 경계하는 듯한 눈초리로 보다
wár·i·ly *ad.* **wár·i·ness** *n.* ▷ wáre² *v.*
wár zòne (공해의) 교전 지역 (중립국 선박도 공격의 대상이 됨)
‡**was** [wʌ́z, wɑ́z | wɔ́z] *vi.* BE의 제1인칭 및 제3인칭 단수 과거
wa·sa·bi [wɑ́:səbi] [Jap.] *n.* 〖식물〗 고추냉이; Ⓤ (생선회에 곁들이는) 고추냉이의 양념
Wá·satch Ránge [wɔ́:sætʃ-] [the ~] 워새치 산맥 (미국 Utah와 Idaho주에 걸쳐 있는 산맥)
‡**wash** [wɑ́ʃ, wɔ́:ʃ | wɔ́ʃ] *vt.* **1** 씻다, 빨래하나, 세탁하다; 씻어서 깨끗이 하다: ~ oneself 얼굴[몸]을 씻다, 목욕하다 / This shirt needs ~*ing* 이 셔츠는 세탁해야 한다. // (~+목+보) *W*~ your hands clean before each meal. 식사 전에 손을 깨끗이 씻어라. / ~ windows clean 창을 깨끗이 닦다 **2 a** 씻어버리나[없애다] (*off, away, out*): (~+목+부) ~ a stain *out* 얼룩을 씻어내다 // (~+목+전+명) ~ the dust *off* one's face 얼굴의 먼지를 씻어내다 **b** 〈허물 등을〉 씻다 (*away*): (~+목+부) ~ *away* one's sin 죄를 씻어 깨끗하게 하다 **3** 〈파도·강물 등이〉 〈기슭을〉 씻다, …에 밀려오다: The waves ~ the foot of the cliffs. 파도가 절벽 밑을 철썩이고 있다. **4** 〈폭풍·비 등이〉 침식하다; 물에 적시다, 축축하게 적시다: (~+목+전+명) roses ~*ed with* dew 이슬에 젖은 장미 **5** 〈빛을〉 쬐다 **6** 씻어내리다, 휩쓸어가다: (~+목+부) The flood ~*ed away* the bridge. 홍수로 다리가 떠내려갔다. **7** 〖광산〗 물로 씻어 선광(選鑛)하다 **8** 〈기체·기체 상태의 혼합물을〉 물에 통과시켜 가용 물질을 제거하다 **9 a** 도금하다: (~+목+전+명) silver ~*ed with* gold 금을 입힌 은 **b** 〈그림물감을〉 표면에 엷게 칠하다 (*with*) **10** (구어) 〈학생을〉 퇴학시키다 **11** 〈세제 등이〉 빨 수 있다: This powder won't ~ wool. 이 세제로는 모직물은 빨 수 없다. **12** 〈커피·홍차 등을〉 휘젓다
— *vi.* **1** 세수하다, 손[얼굴]을 씻다, 목욕하다: (~+보) He ~*es* clean before a meal. 그는 식사 전에 손을 깨끗이 씻는다. **2** 빨래하다, 옷을 세탁하다: ~ twice a week 일주일에 두 번 빨래하다 / ~ for a living 세탁업을 하다 **3 a** [well 등의 양태 부사를 동반하여] 세탁이 되다, 〈직물·색 등이〉 빨아도 바래지 않다: (~+부) This cloth won't ~ (*well*). 이 천은 세탁이 (잘) 안 된다. **b** 〈때 등이〉 씻겨 없어지다 (*out, off*): This stain won't ~ *out*. 이 얼룩은 빨아도 지지 않는다. **4** [부정문에서] (구어) 〈논거·변명 등이〉 조사[실험]에 견디다, 쓸[믿을] 만하다: His story wo*n't* ~. 그의 이야기는 신용할 수 없다. **5 a** 〈물·파도 등이〉 씻다, 철썩철썩 밀려오다 **b** (빗물 등으로) 떠내려가다, 움푹 깎이다 **6** 세광(洗鑛)하다
be* [*feel*] *~ed out (구어) 지쳐서 창백하다[맥이 없다] ***~ against*** …에 밀려오다, …을 씻다 ***~ down*** 씻어내리다; 〈파도 등이〉 쓸어가다; 〈음식을〉 꿀꺽 삼키다 (*with*) ***~ out*** (*vt.*) 씻어버리다; 빨아서 색을 바래게 하다; 휩쓸어 가다; (구어) 〈희망 등을〉 버리다, 〈계획 등을〉 단념하다; (영) 〈비가〉 〈경기를〉 중지시키다; (*vi.*) 빨아서 색이 빠지다; 물에 떠내려가다; (미·속어) 〈사관생도 등이〉 낙제하다, 실패하다 ***~ over*** a person (1) 〈감정 따위가〉 갑자기 매우 강하게 밀려오다 (2) (소음·비난 따위에) 영향받지 않다 ***~ one's hands*** 손을 씻다 (「화장실에 간다」는 말을 완곡히 하는 말): Where can I ~ *my hands*? 손 씻을 곳은 어디죠, 화장실이 어디 있죠? ***~ one's hands of*** (비유) …에서 손을 떼다, 관계를 끊다 ***~ through*** a person = WASH over a person (1). ***~ up*** (미) 세수하다; (영) 〈식기 등을〉 씻어서 정돈하다, 설거지하다; 〈파도 등이〉 〈물건을〉 물가에 밀어올리다
— *n.* **1** ⒸⓊ [보통 a ~, the ~] 빨래, 세탁, 세척: have[get] *a* ~ (얼굴 등을) 씻다 / stand ~ 빨래가 잘되다 / give the car *a* ~ 세차하다 **2** [the ~] [집합적] (미) 세탁물; 세탁소[장]: a heavy ~ 산더미 같은 세탁물 / send the linen to *the* ~ 〈시트·셔츠 등을〉 세탁소에 보내다 **3** [the ~] (물·파도가) 밀려옴; 그 밀려오는 소리; (배가 지날 때 생기는) 물결의 굽이침 **4** ⓊⒸ (설거지하고 난) 음식 찌끼 (돼지 먹이); 물기가 많은[멀건] 음식; 화주(火酒)를 증류한 후의 발효 맥즙(麥汁) **5** 세척제; 화장수: eye ~ 안약, 점안수 **6** Ⓤ 금속의 얇은 도금, 금속을 입힌 박(箔); Ⓒ 엷은 칠 **7** [the ~] 침전물, 개흙; 여울; 얕은 물구덩이 **8** [the ~] 〖항공〗 (비행기 때문에 생기는) 기류 **9** Ⓤ 침식 (바닷물·강물 등의); Ⓒ (흐르는 물 때문에 생긴) 도랑; 늪, 소택지 **10** Ⓤ 〖증권〗 위장 매매 **11** (비·구어) 독한 술 뒤에 마시는 물[탄산수, 맥주 (등)]
be at the ~ 〈옷이〉 세탁소에 가 있다 ***come out in the ~*** 〈수치 등이〉 드러나다, 탄로나다; 끝에 가서 잘되다, 좋은 결과로 끝나다 ***give*** a thing ***a good ~*** 깨끗이 잘 빨다 ***hang out the ~*** 빨래를 옥외에 널다
— *a.* Ⓐ (미) = WASHABLE
▷ wáshable, wáshy *a.*; awásh *a.*, *ad.*
Wash. Washington
wash·a·ble [wɑ́ʃəbl, wɔ́:ʃ- | wɔ́ʃ-] *a.* **1** 빨 수 있는 **2** 물에 녹을 수 있는, 가용성의 — *n.* 세탁할 수 있는 옷
wash-and-wear [wɔ́:ʃənwέər] *a.* (미·구어) 〈옷이〉 빨아서 입을 수 있는 (다리미질이 필요 없는)
wash·a·te·ri·a [wɑ̀ʃətíəriə, wɔ̀:ʃ- | wɔ̀ʃ-] [*wash*+cafe*teria*] *n.* (주로 미남부) **1** 동전을 넣고 사용하는 세탁실 **2** 셀프서비스 세차장
wash·bag [wɑ́ʃbæ̀g, wɔ́:ʃ- | wɔ́ʃ-] *n.* (영) 세면 도구를 넣는 방수 주머니, 세숫대야((미) washbowl)
wash·ball [-bɔ̀:l] *n.* 둥근 세숫비누
wash·ba·sin [-bèisn] *n.* (영) 세면기, 세숫대야 ((미) washbowl)
wash·board [-bɔ̀:rd] *n.* **1** 빨래판 **2** 〖건축〗 걸레받이 (굽도리 보호를 위해 댄 판자) **3** 〖항해〗 뱃전의 파도 막는 판자, 방파판(防波板) **4** 물결 모양의 표면 (유리 등의); 울퉁불퉁한 길 **5** 〖음악〗 워시보드 (금속 빨래판을 손톱으로 튀기는 악기) — *a.* 빨래판 모양의
wash·boil·er [-bɔ̀ilər] *n.* 세탁용 대형 보일러[가마솥]
wásh bòttle 〖화학〗 세척병 (누르면 세척용 물이 나옴)
wash·bowl [-bòul] *n.* (미) 세면기, 세숫대야((영) washbasin)
wash·cloth [-klɔ̀:θ | -klɔ̀θ] *n.* (미) (세수)수건 (facecloth); (영) 마른행주 (접시 닦는)
wash·day [-dèi] *n.* (가정의) 세탁일
wash·down [wɑ́ʃdàun] *n.* Ⓤ 씻어내리기
wásh dràwing 단색(單色) 담채(淡彩)풍의 수채(화); 수묵화
washed-out [wɑ́ʃtáut, wɔ́:ʃt- | wɔ́ʃt-] *a.* **1** 빨아서 바랜; 퇴색한: ~ curtains 빨아서 빛이 바랜 커튼 **2** (구어) 기운이 없는, 지칠 대로 지친
washed-up [-ʌ́p] *a.* **1** 깨끗이 씻은[빤] **2** (구어) 실패한, 못쓰게 된; (구어) 지칠 대로 지친
***wash·er** [wɑ́ʃər, wɔ́:ʃ- | wɔ́ʃ-] *n.* **1** 씻는 사람, 세탁인; 세탁기; 세광기(洗鑛機); 식기 세척기(dishwasher) **2** 짜리쇠 (볼트의), 와셔 **~·less** *a.*
wash·er-dry·er [-dràiər] *n.* 건조기가 딸린 세탁기
wash·er·man [-mən] *n.* (*pl.* **-men**[-mən]) 세탁업자; 세탁인
wash·er-up [-ʌ́p] *n.* (영·구어) 접시 닦는 사람, 식기 세척 담당자
wash·er·wom·an [-wùmən] *n.* (*pl.* **-wom·en** [-wìmin]) (직업적) 여자 세탁부(laundress)

thesaurus **wary** *a.* careful, cautious, alert, watchful, heedful, vigilant, circumspect
waste *v.* **1** 낭비하다 squander, dissipate, misuse, throw away **2** 황폐시키다 destroy, devastate — *n.* **1** 낭비 dissipation, misuse, unthriftiness **2** 폐물

wash·e·te·ri·a [wɑ́ʃətíəriə, wɔ̀:ʃ- | wɔ̀ʃ-] *n.* = WASHATERIA
wásh gòods 세탁이 잘되는 직물[옷]
wash·hand [-hæ̀nd] *a.* ((영)) 손을 씻는, 세면용의
wáshhand básin ((영)) = WASHBASIN
wáshhand stànd ((영)) 세면대(((미)) washstand)
wash·house [-hàus] *n.* (*pl.* **-hous·es** [-hàuziz]) 세탁소; 세탁장
‡**wash·ing** [wɔ́:ʃiŋ, wɑ́ʃ- | wɔ́ʃ-] *n.* **1** Ⓤⓒ 씻음, 빨래, 세탁, 세척 **2** [보통 the ~; 집합적] 세탁물, 빨랫감: hang *the* ~ in the sun to dry 세탁물을 햇볕에 널어 건조시키다 **3** [보통 *pl.*] (씻기 위하여 사용한) 물, 액체, 세척액 **4** 엷은 피복(被覆) ((은 등의)); 도금 **5** [*pl.*] 세광하여 채취한 사금 ***Get on with the ~!*** ((속어)) (농땡이 부리지 말고) 열심히 일해!
— *a.* Ⓐ 세탁용의; 빨래가 잘되는
wáshing béar 미국너구리(raccoon)
wáshing bòttle = WASH BOTTLE
wáshing dày ((영)) 세탁일(washday)
wáshing lìne 빨랫줄
wáshing machìne 세탁기
wáshing pòwder 분말 (합성) 세제, 가루비누
wáshing sòda 세탁용 소다
‡**Wash·ing·ton** [wɑ́ʃiŋtən, wɔ́:ʃ- | wɔ́ʃ-] [George Washington에서] *n.* 워싱턴 **1** 미국의 수도 ((주와 구별하기 위하여 종종 **~, D.C.**라고 함; ⇨ District of Columbia)); 미국 정부 **2** 미국 북서부 끝의 주(州) (Washington State) ((수도 Olympia; 略 Wash., WA)) **3 George ~** (1732-99) ((미국 초대 대통령 (1789-97))) ▷ Washingtónian *a.*
Wash·ing·to·ni·an [wɑ̀ʃiŋtóuniən, wɔ̀:ʃ- | wɔ̀ʃ-] *a.* 워싱턴 주[(미국 수도) 워싱턴 시]의; 조지 워싱턴의
— *n.* 워싱턴 주[워싱턴 시]의 주민[시민]
Wash·ing·ton·ol·o·gist [wɑ̀ʃiŋtənɑ́lədʒist, wɔ̀:ʃ- | wɔ̀ʃiŋtənɔ́l-] *n.* (외국의) 미국 정치 연구가
Wáshington píe 워싱턴 파이 ((잼이나 젤리를 켜마다 넣은 layer cake))
Wáshington's Bírthday 워싱턴 탄생일 ((2월 22일; 미국 여러 주에서 법정 공휴일))
Wáshington Squáre 워싱턴 광장 ((New York의 Greenwich Village의 중심을 이루는 광장))
Wáshington Státe [the ~] (Washington, D.C.와 구별하여) 워싱턴 주(州)
wash·ing-up [wɑ́ʃiŋʌ́p, wɔ́:ʃ- | wɔ́ʃ-] *n.* Ⓤ ((영)) 설거지
wáshing-úp lìquid ((영)) (식기 세척용) 액체 세제
wáshing-úp machìne ((영)) 식기 세척기(dishwasher)
wash·land [wɑ́ʃlæ̀nd, wɔ́:ʃ- | wɔ́ʃ-] *n.* 주기적으로 물에 잠기는 땅
wash·leath·er [wɑ́ʃlèðər, wɔ́:ʃ- | wɔ́ʃ-] *n.* 부드러운 가죽 ((섀미(chamois) 가죽 같은)); 그 모조품
wash·out [-àut] *n.* **1** 유실(流失) ((도로·교량 등의)); (유실로 인한) 붕괴[침식] 장소 **2** ((속어)) 실패; 실망 **3** ((구어)) (군대·학교의) 낙오자, 낙제생; 실패자, 무능한 사람; ((미)) 비행 훈련 실격자 **4** 〚의학〛 장 세척 **5** 〚철도〛 긴급 정차 신호
wash·rack [-ræ̀k] *n.* 세차장(washstand)
wash·rag [-ræ̀g] *n.* ((미)) = WASHCLOTH
wash·room [-rù(:)m] *n.* ((미)) 세면실; 화장실
wásh sàle ((미)) (시장의 경기가 좋음을 가장하기 위한) 증권의 위장 매매
wash·stand [-stæ̀nd] *n.* **1** 세면대 **2** 세차장
wash·tub [-tʌ̀b] *n.* 세탁용 대야, 빨래통
wash·up [-ʌ̀p] *n.* 씻음, 씻는 곳; 빨래(터), 세탁(장)

wash·wom·an [-wùmən] *n.* (*pl.* **-wom·en** [-wìmin]) ((미)) 세탁부(婦)(washerwoman)
wash·y [wɑ́ʃi, wɔ́:ʃi | wɔ́ʃi] *a.* (**wash·i·er**; **-i·est**) **1** 물기 많은, 묽은, 물을 탄: ~ coffee 흐린 커피 **2** 〈색이〉 엷은, 연한: ~ coloring 엷은 채색 **3** 〈문체 등이〉 약한, 힘이 없는 **4** 〈마소 등이〉 쉽게 땀을 흘리는, 체력이 약한 **wásh·i·ly** *ad.* **wásh·i·ness** *n.*
‡**wasn't** [wʌ́znt, wɑ́z- | wɔ́z-] was not의 단축형
***wasp** [wɑ́sp | wɔ́sp] *n.* **1** 〚곤충〛 말벌 **2** 성을 잘 내는 사람, 까다로운 사람 **3** 찌르는 듯한 통증을 주는 것, 성나게 하는 것 **~·lìke** *a.* ▷ wáspish *a.*
WASP[1], **Wasp**[1] [wɑ́sp | wɔ́sp] *n.* ((미)) 육군 항공대 여성 조종사대(Women's Air Force Service Pilots)의 대원
WASP[2], **Wasp**[2] [*W*hite *A*nglo-*S*axon *P*rotestant] *n.* ((미)) 와스프 ((앵글로색슨계 백인 신교도; 미국 사회의 주류를 이루는 지배 계급으로 여겨짐))
Wásp·ish *a.* **Wásp·y** *a.*
Wasp·dom [wɑ́spdəm | wɔ́sp-] *n.* ((미)) WASP[2]의 특징[신조, 태도]
wasp·ish [wɑ́spiʃ | wɔ́sp-] *a.* **1** 말벌 같은 **2** 성을 잘 내는, 심술궂은; 까다로운 **3** = WASP-WAISTED
~·ly *ad.* **~·ness** *n.*
wásp wàist 잘록한 허리, 개미허리
wasp-waist·ed [wɑ́spwèistid | wɔ́sp-] *a.* 엉덩이가 크고 허리가 가는
wasp·y [wɑ́spi | wɔ́spi] *a.* (**wasp·i·er**; **-est**) 말벌의[같은]
was·sail [wɑ́səl, -seil | wɔ́seil] *n.* **1** 축배의 인사 **2** ((고어)) (크리스마스이브에 벌어졌던) 술잔치 **3** 잔치술
— *vi.* 주연에 참석하다; 술잔치를 베풀다; 축배하다 ***go ~ing*** 크리스마스 캐럴을 부르면서 집집을 돌아다니다 ((옛날의 크리스마스 행사))
— *vt.* …의 건강[성공]을 위하여 축배를 들다
— *int.* (건강을 위하여) 축배 **~·er** *n.*
Was·ser·mann [wɑ́:sərmən] *n.* **1** 바서만 **August von ~** (1866-1925) ((독일의 세균학자)) **2** = WASSERMANN TEST
Wássermann àntibody 〚면역〛 바서만 항체(抗體)
Wássermann reàction 〚의학〛 (매독의) 바서만 반응
Wássermann tèst 〚의학〛 (매독의) 바서만 (반응) 시험
was·sup [wǽsəp, wɑ̀sʌ́p] *int.* ((속어)) 무슨 일이냐?(What's up?)
wast [wɑ́st | wɔ́st; ((약하게)) wəst] *vi.* ((고어·시어)) be의 제2인칭 단수·직설법 과거 ((주어가 thou일 때))
wast·age [wéistidʒ] *n.* Ⓤ **1** 소모, 손모(損耗); 낭비; (낭비에 의한) 손해, 손실고(高) **2** 소모액[량] **3** Ⓤⓒ 폐물 ((낭비에 의하여 생긴))
‡**waste** [wéist] *v.*, *n.*, *a.*

> L 「텅 빈」의 뜻에서
> 「황폐하게 하다」 **3** → 「소모하다」 **4** → 「낭비하다」 **1**

— *vt.* **1** 〈돈·시간·재능 등을〉 낭비하다, 허비하다: ~ a full hour 꼬박 한 시간을 허비하다 / have no time to ~ 여분의 시간이 없다; 서두르지 않으면 안 된다 // (~+목+전+명) ~ one's energy *on* useless things 하찮은 일에 정력을 낭비하다 **2** 〈기회 등을〉 놓치다: ~ a good opportunity 좋은 기회를 놓치다 **3** 〈토지 등을〉 황폐하게 하다(cf. WASTED 1): a country ~*d* by a long war 오랜 전쟁으로 황폐해진 나라 **4** 〈사람·체력을〉 소모하다; 쇠약[초췌]하게 만들다: be ~*d* by disease and hunger 질병과 기아로 쇠약해지다 **5** ((미·속어)) 죽이다 **6** 〚법〛 〈가옥 등을〉 훼손하다, 손상시키다; 〈가치를〉 저하시키다
— *vi.* **1** 낭비하다; ((드물게)) 낭비되다, 허비되다 **2 a** 쇠약해지다, 말라빠지다: (~+부) ~ *away* through illness 병으로 쇠약해지다 / ~ *away* to a skeleton 쇠약해져서 뼈만 앙상하다 // *W*~ not, want not. ((속

rubbish, refuse, garbage, trash, debris **3** 황무지 desert, wasteland, wilderness — *a.* **1** 황폐한 desert, barren, uncultivated, arid, solitary, empty, wild **2** 쓸데없는 unused, superfluous, unwanted, worthless, useless

담) 낭비가 없으면 부족도 없다. **b** 〈부·권력 등이〉 소모되다 **3** 〈시간이〉 경과하다
~ away (1) 쇠약해지다 (2) 〈시간을〉 헛되이 보내다 ***~ one's breath*** [***words***] 쓸데없는 소리를 하다
— *n.* **1** ⓊⒸ **낭비**, 허비; (기회 등을) 이용하지 않음 **2** [종종 *pl.*] **폐물**, (산업) 폐기물, 쓰레기: industrial ~ 산업 폐기물 **3 황무지**, 불모의 황야, 사막; (넓은) 미개간지: the *~s* of mud 진흙 황무지 **4** Ⓤ 소모, 마손(摩損); 쇠약 **5** Ⓤ 〖법〗 훼손 《토지·건물의》 **6** Ⓤ 솜[털] 부스러기 ***run*** [***go***] ***to ~*** 폐물이 되다, 허비되다
— *a.* **1 황폐한**; 메마른, 불모(不毛)의; 경작되지 않은; 무인(無人)의 **2** Ⓐ 무용의, 쓸데없는, 무익한; 쓰다 남은, 폐물의: utilize ~ products of manufacture 쓰다 남은 제품을 이용하다 **3** Ⓐ **폐물을 넣는[운반하는]**: ~ container 폐물을 운반하는 컨테이너
lay ~ 〈토지·나라를〉 황폐하게 하다, 파괴하다 ***lie ~*** 〈토지가〉 황폐해 있다, 개간되어 있지 않다
wást·a·ble *a.* **~·ness** *n.* Ⓤ ▷ wásteful *a.*

*__waste·bas·ket__ [wéistbæ̀skit, -bɑ̀:s- | -bɑ̀:s-] *n.* (미) 휴지통((영) wastepaper basket)
waste·bin [-bìn] *n.* (미) 쓰레기통
waste·book [-bùk] *n.* (영) = DAYBOOK
wáste circulátion (신문·잡지의) 무효 부수 《배포된 것 중에 광고 효과를 얻지 못한》
wasted [wéistid] *a.* **1** 황폐한, 쇠약한; 소용이 없는, 헛된 〈노력〉: a child ~ by disease 병으로 쇠약한 아이 **2** (미·속어) (특히 전쟁에서) 살해된; (정신적·육체적으로) 지친; 마약[알코올]에 취한, 마약 중독의; (미·속어) 무일푼의 **3** (고어) 지나간 ***be ~ on*** …에게는 소용없는 일이다
wáste dispòsal 폐기물 처리, 폐기 처분
wáste-dis·pos·al ùnit [-dispòuzəl-] 음식 쓰레기 분쇄기 《싱크대에 부착된》((미) garbage disposal [disposer], disposal)
wáste dispòser = WASTE DISPOSAL UNIT
*__waste·ful__ [wéistfəl] *a.* **1 낭비적인**; 비경제적인, 허비의; 소모성의: a ~ person 낭비하는 사람 **2** 황폐하게 하는, 파괴적인 **~·ly** *ad.* **~·ness** *n.*
wáste hèat 여열(餘熱), 폐열
wáste hèat recòvery 폐열 이용
wáste ìndustry 산업 폐기물 처리업
waste·land [wéistlæ̀nd] *n.* **1** 불모[미개척]지; 황무지; 폐허 **2** [보통 a ~] (정신적·문화적) 불모[황폐] 지역[시대, 생활]
waste·less [wéistlis] *a.* 다 쓸 수 없는, 무진장의
waste·mak·er [wéistmèikər] *n.* 폐기물을 발생시키는 사람[회사, 공장, 산업]
waste·pa·per [-pèipər] *n.* Ⓤ 휴지, 종이 쓰레기, 헌 종이
wástepaper bàsket (영) 휴지통((미) wastebasket)
wáste pìpe 배수관(排水管), 배기관
waste·plex [wéistplèks] [*waste*+com*plex*] *n.* 폐기물 재순환 처리 시설
wáste pròduct **1** (생산 과정에서 나온) 폐기물 **2** (몸의) 노폐물, 배설물
wast·er [wéistər] *n.* **1** 낭비하는 사람; (속어) 건달, 불량배 **2** (제품의) 흠 있는 물건, 불량품, 파치 **3** 황폐하게 하는 사람, 파괴자 **4** (미·속어) 살인자; 총
wáste trèatment = WASTE DISPOSAL
wáste ùnit 쓰레기 처리 공장
waste·wa·ter [wéistwɔ̀:tər] *n.* (공장) 폐수(廢水), 오수(汚水)
wast·ing [wéistiŋ] *a.* Ⓐ **1** 〈병이〉 소모성의: a ~ disease[illness] 소모성 질환 《결핵·암 등》 **2** 〈전쟁 등〉 황폐하게 하는, 파괴적인 **—** *n.* 낭비; 소모 **~·ly** *ad.*
wásting ásset 〖회계〗 소모(성) 자산, 감모[감손] 자산 《광산 등》
wast·rel [wéistrəl] *n.* **1** (문어) 낭비하는 사람 **2** 건달; 부랑자 **3** 흠 있는 물건, 파물, 파치
wat [wɑ́:t | wɔ́t, wɑ́:t] *n.* 〖건축〗 와트 《타이나 캄보디아의 불교 사원》
Wat. Waterford 《아일랜드의 주(州)》

‡**watch** [wɑ́tʃ | wɔ́tʃ] [OE 「자지 않고 있다」의 뜻에서] *vi.* **1 지켜보다**, 주시하다, 주목[관찰]하다: ~ while an experiment is performed 실험이 진행되는 동안 관찰하다 // (~+전+명) *W~ for* a signal. 신호를 지켜보아라. // (~+***to*** do) He *~ed to* see what would happen. 그는 어떻게 될 것인가를 주의하여 보았다. **2 기다리다**, 기대하다 (*for*): (~+전+명+***to*** do) We *~ed for* the procession *to* go by. 우리는 행렬이 지나가기를 기다리고 있었다. / ~ *for* the bus (*to* come) at the bus stop 버스 정류장에서 버스를 기다리다 **3 망을 보다**, 경계하다, 감시하다; 불침번을 서다: (~+전+명) ~ *over* a flock of sheep 양떼를 지키다 **4** (문어) 자지 않다, 자지 않고 간호하다: (~+전+명) The nurse *~ed with* a sick person. 간호사는 자지 않고 환자를 간호했다.
— *vt.* **1 지켜보다**(⇨ look 유의어), 주시하다, 주의하다: I ~ television every evening. 나는 매일 저녁 텔레비전을 시청한다. / *W~* your step! 발 밑을 조심해! // (~+목+***do***) I *~ed* him *swim* across the river. 그가 강을 헤엄쳐 건너는 것을 지켜보았다. // (~+목+***-ing***) I *~ed* the sun sett*ing*. 나는 해가 지는 것을 바라보았다. **2 망보다**, 감시하다, 경계하다: ~ the prisoner 죄수를 감시하다 **3** 〈기회 등을〉 기다리다, 노리다: ~ one's opportunity 기회를 기다리다 **4** 〈가축·물건 등을〉 지키다; 돌보다; *W~* this bag while I am away. 내가 없는 동안 이 가방을 봐 주시오.
bear ~ing (1) 주목할 가치가 있다, 전도가 유망하다 (2) 주시(注視)할 필요가 있다, 위태롭다 ***~ it*** [***oneself***] (구어) 주의[조심]하다; [명령형으로] 조심해라 ***~ out*** (1) [명령형으로] 조심해, 위험하다 (2) 망보다, 경계하다 (*for*) ***~ over*** 간호하다, 돌보아 주다; 감시하다 ***~ a person's dust*** [***smoke***] (미·속어) …이 후닥닥 해치우는 것을 보다
— *n.* **1** Ⓤ **경계**, 망보기, 감시; 조심, 주의: keep a ~ for the train 기차가 오는 쪽을 계속 바라보다 **2 회중[손목]시계**(cf. clock[1]) **3** (고어) 자지 않고 지킴; 자지 않고 있음 **4** [집합적] 경비원[대], 감시인 **5** 〖역사〗 경(更) 《밤을 셋[넷]으로 구분한 것의 하나》 **6** ⒸⓊ 〖항해〗 (4시간 교대의) 당직 (시간); 당직 순번 《승무원을 둘로 나눈》 **7** (기상청의) 주의보
(***be***) ***on*** [***off***] ***~*** 〖항해〗 당직[비번(非番)](이다) ***in the night ~es*** = ***in the ~es of the night*** 밤에 잠자지 않고 있을 때에 ***keep*** (***a***) ***~ on*** [***of, over***] …을 지키다, 감시하다: Security forces *kept a* close *~ on* our activities. 치안 부대가 우리의 행동을 주의 깊게 감시했다. ***keep the ~*** 당직하다 ***on*** [***upon***] ***the ~ for*** …을 마음 놓지 않고 경계하여; 〈바라는 일 등을〉 기다리며 ***pass as*** [***like***] ***a ~ in the night*** 어느 틈엔가 지나가 버리다; 곧 잊혀져 버리다 ***port*** [***starboard***] ***~*** 〖항해〗 좌[우]현(舷) 당직; (옛날에는) 주야의 파수꾼 ***set a ~*** 보초를 세우다 ***stand*** (***a*** [***one's***]) ***~*** 보초 서다 ***~ and ward*** 엄중한 경계, 부단한[밤낮없는] 감시: keep ~ *and ward* 밤낮없이 경계하다 ***~ and ~*** 〖항해〗 4시간 교대의 당직, 반현(半舷) 당직 《승무원이 두 패로 갈라져서 교대하는》
▷ wátchful *a.*
-watch [wɑtʃ | wɔtʃ] 《연결형》 「감시, 관찰」의 뜻
watch·a·ble [wɑ́tʃəbl | wɔ́tʃ-] *a.* **1** 명백한 **2** 볼 가치가 있는 **wàtch·a·bíl·i·ty** *n.*
watch·band [wɑ́tʃbæ̀nd | wɔ́tʃ-] *n.* 손목시계 밴드[줄] 《가죽으로 된》
wátch bòx 초소, 보초 막사
wátch càp 〖미해군〗 (한랭기에 근무 중인 하사관이 쓰는) 모직으로 된 테 없는 모자

thesaurus **watch** *v.* **1** 지켜보다 observe, look at, view, gaze at, stare at, peer at, behold, scrutinize, survey **2** 감시하다 keep an eye on, keep in sight, follow, spy **3** 돌보다 take care of,

watch·case [-kèis] *n.* 회중[손목]시계의 케이스
wátch chàin 회중시계의 쇠줄
Wátch Commìttee 《영》 공안 위원회 《옛날 시의회(市議會)의》
wátch crýstal 《미》 회중[손목]시계의 뚜껑 유리
watch·dog [-dɔ̀ːg, -dɑ̀g] *n.* **1** (집) 지키는 개 **2** 충실한 경비원, 감시인 **—** *vt.* 감시하다, 감시견 노릇을 하다
watch·er [wɑ́tʃər | wɔ́tʃ-] *n.* **1** 망보는[지키는] 사람; 당직자 **2** (자지 않고 돌보는) 간호인; 밤샘하는 사람 **3** 주시자, 관측자; [국명 등의 뒤에 붙여서] …(문제) 전문가: Libya ~ 리비아 문제 전문가 **4** 《미》 참관인 《선거 투표소의》
wátch fìre 모닥불, 횃불 《야영·신호용》
*****watch·ful** [wɑ́tʃfəl | wɔ́tʃ-] *a.* **1** 주의 깊은, 경계하는, 방심하지 않는 《*against, of*》: ~ waiting (외교·군사에서의) 감시 대기 **2** 《고어》 자지 않는, 깨어 있는 (wakeful) **~·ly** *ad.* **~·ness** *n.*
▷ wátch *n.*
wátch glàss **1** = WATCH CRYSTAL **2** 〖화학〗 시계 접시 《비커 뚜껑이나 소량의 물질을 다루는 데 사용》
wátch guàrd 회중시계의 끈[쇠줄]
wátch hànd 손목시계의 바늘
watch·house [wɑ́tʃhàus | wɔ́tʃ-] *n.* (*pl.* **-hous·es** [-hàuziz]) 감시소, 초소, 파수막
wátch·ing brìef [wɑ́tʃiŋ- | wɔ́tʃ-] 《영》 소송 경계(警戒) 의뢰(서)
watch·keep·er [wɑ́tʃkìːpər | wɔ́tʃ-] *n.* 감시인; 〖항해〗 당직 선원
wátch kèy 태엽 감개 《구식 회중시계의》
watch·less [wɑ́tʃlis | wɔ́tʃ-] *a.* 경계를 게을리하는, 방심한; 경비원이 없는
watch·list [-lìst] *n.* 경계[감시] 사항 일람표
watch·mak·er [-mèikər] *n.* 시계 제조[수리]인
watch·mak·ing [-mèikiŋ] *n.* Ⓤ 시계 제조[수리](업)
*****watch·man** [wɑ́tʃmən | wɔ́tʃ-] *n.* (*pl.* **-men** [-mən]) (건물 등의) 야경꾼, 경비원; (옛날의) 야간 순찰자
wátch mèeting 제야의 집회[예배]
wátch nìght **1** (한밤중까지 계속되는) 제야의 예배 **2** [**W- N-**] 제석(除夕), 섣달그믐날 밤
wátch òfficer 〖해군〗 (군함의) 당직 사관; 〖항해〗 (상선의) 당직 항해사
wátch òil 시계 기름
watch·out [wɑ́tʃàut | wɔ́tʃ-] *n.* 조심하기, 주의, 경계
wátch pòcket 회중시계 주머니
wátch quèen 《미·속어》 남의 성행위를 보고 성적 만족을 얻는 사람(voyeur)
watch·strap [-stræ̀p] *n.* 《영》 손목시계 밴드[줄]
watch·tow·er [-tàuər] *n.* **1** 망대(望臺), 망루, 감시탑 **2** 《비유》 관점(觀點) **3** 《고어》 등대
watch·wom·an [-wùmən] *n.* (*pl.* **-wom·en** [-wìmin]) 여자 경비원
watch·word [-wə̀ːrd] *n.* **1** 암호(password) **2** 표어, 슬로건(slogan)
‡wa·ter [wɔ́ːtər, wɑ́t- | wɔ́ːt-] *n.* Ⓤ **1** 물; 음료수: fresh[salt] ~ 담[염]수 / cold ~ 냉수 / hot ~ 온수 / boiling ~ 끓는 물 **2** (수도 등의) 물, 용수; [*pl.*] 광천수, 탄산수: tap ~ 수돗물 / drink[take] the ~*s* 〈온천 치료객이〉 광천수를 마시다 **3** [종종 the ~] (공중·육지에 대해) 수중: Fish live in ~. 물고기는 물속에서 산다. **4** 수위, 수심; 조위(潮位); 흘수(吃水); 수면: above[below] (the) ~ 수면 위[아래]에 / a difference of 20 feet between high and low ~ 간만의 수위차 20피트 **5** [종종 the ~s] (바다·강·폭포·호수·연못 등의) 유수(流水), 해수, 하수(河水) **6** [보통 the ~s] 바다, 영해, 근해: cross *the* ~*s* 바다를 건너다 **7** 용액; …수, 화장수: soda ~ 소다수 / lavender ~ 라벤더 향수 **8 a** ⓊⒸ 분비액(分泌液), 눈물, 땀, 오줌, 침 **b** [종종 *pl.*] 〖의학〗 양수(amniotic fluid); 양막(amnion) **9** 순도, 품질 《보석, 특히 다이아몬드의》; 등급 **10** 〖경제〗 (주식의) 물타기 《실질 자산을 수반하지 않는 주식의 증발(增發)에 의한》 **11** Ⓒ 물결무늬 《직물·금속 등의》 **12** Ⓒ 수채화; Ⓤ 수채화 그림물감
above ~ 물 위에; (경제적) 곤란을 벗어나 ***back ~*** ⇨ back[1] ***break ~*** (1) 〈물고기·잠수함 등이〉 물 위로 떠오르다 (2) (특히 평영을 할 때) 발로 물을 차다 (3) 〖의학〗 (출산 직전) 양수가 터지다 ***by ~*** 배로, 수로[해로]로 ***cast one's bread upon the ~s*** ⇨ bread. ***Come on in, the ~'s fine.*** 《구어》 (1) 물이 좋아, 자네도 들어오게. 《수영의 권유》 (2) 자네도 이 일에 참가하게. ***deep ~(s)*** (1) 심해, 원해 (2) 위험, 곤란: in *deep* ~(s) 매우 곤란하여, 괴로워하며 ***draw ~ to one's mill*** ⇨ mill[1]. ***fish in troubled [muddy] ~s*** ⇨ fish[1]. ***get into deep ~(s)*** (1) 수렁에 빠지다 (2) 처리할 수 없는 일에 손대다 ***get into hot ~*** 곤경에 빠지다 ***go over the ~*** 강[호수, 바다]을 건너다; 섬으로 귀양 가다 ***hold (one's) ~*** 소변을 참다 ***hold ~*** (1) 〈그릇에서〉 물이 새지 않다 (2) 〈논리가〉 옳다, 이치에 맞다 (3) 노를 수직으로 물속에 세워 보트를 멈추다 ***in hot ~*** 난처하여, 곤란하여 ***in low ~*** 《속어》 돈에 궁색하여 ***in rough ~(s)*** 곤경에 빠져서, 곤란을 받고 ***in smooth ~(s)*** 평온하게, 탈없이, 순조롭게, 원활하게, 술술 ***like ~*** 아낌없이; 물 쓰듯이 ***like ~ off a duck's back*** 아무런 반응[효과] 없이 ***make ~*** 소변보다 ***muddy [stir] the ~s*** 〈대화·사태 등을〉 혼란시키다, 파문을 던지다 ***of the first ~*** 최상의 ***on the ~*** 물 위에 ***pass ~*** 소변보다 ***red ~*** 혈뇨(血尿) ***take the ~*** (1) 헤엄치기 시작하다, 물속에 뛰어들다 (2) 〈비행기가〉 착수(着水)하다; 〈배가〉 진수하다 ***take the ~s*** 광천수(鑛泉水)를 마시다, 탕치(湯治)하다 ***take ~*** (1) 〈물새가〉 물에 들어가다; 〈배가〉 (폭풍우로) 물을 뒤집어쓰다 (2) 《미·속어》 손들다, 녹초가 되다 ***the ~ of life*** 〖성서〗 생명수 ***the ~s of forgetfulness*** 망각의 강(Lethe); 망각; 죽음 ***throw [pour, dash] cold ~ on [upon]*** (1) 찬물을 끼얹다 (2) 〈계획 등을〉 방해하다 ***tread ~*** 서서 헤엄을 치다; 현상 유지하다, 진전이 없다 ***turn off a person's ~*** 《미·속어》 (1) (자랑하는) 말허리를 꺾다 (2) …의 계획[목적 달성]을 망치다 ***under ~*** (1) 수면 아래로 가라앉아서 (2) 생활이 곤궁하여 ***~ bewitched*** 아주 묽은 차; 물 탄 술 ***~ of crystallization*** 〖화학〗 결정수(結晶水) ***~ under the bridge [over the dam]*** 《미》 지나간 일 ***writ [written] in ~*** 〈명성이〉 덧없는; 〈업적이〉 곧 잊혀지는
— *vt.* **1** …에 물을 끼얹다[뿌리다], 물을 대다: ~ the flowers 꽃에 물을 주다 **2** 물을 타다, 물을 타서 묽게 하다; 품질을 떨어뜨리다 《*down*》 **3** 〈말 등에〉 물을 먹이다 **4** 〈강 등이〉 〈작물·밭 등에〉 관개하다; 급수하다: 《~+목+보》 This city is *well* ~*ed.* 이 도시는 급수가 충분하다. **5** 〖경제〗 〈주식의〉 물타기를 하다 《자산이 증가하지 않았는데 주식의 발행을 늘리다》 **6** [주로 과거분사로] 〈직물·금속판 등에〉 물결무늬를 넣다
— *vi.* **1** 분비액이 나오다; 눈물[침]이 나다; 침을 흘리다: His eyes ~*ed* from the smoke. 그는 연기 때문에 눈물이 나왔다. **2** 〈짐승이〉 물을 마시다 **3** 〈배·기관이〉 급수되다: This ship will ~ at Honolulu. 이 배는 호놀룰루에서 급수한다.
make a person's mouth ~ (군)침을 흘리게 만들다; 욕심이 나서 못 견디게 하다 ***~ at the mouth*** (1) (기대하여) 침을 흘리다 (2) 선망하다 ***~ down*** (1) 물을 타다 (2) (표현의 노골성 등을 피하여) 내용을 완화하여 말하다; 효과를 약화시키다
— *a.* Ⓐ **1** 물의, 물에 관한: a ~ journey 수상 여행 **2** 물이 든, 물을 담기 위한 **3** 수력의 **4** 물을 데우는; 물을 펌프로 빨아올리는; 송수하는 **5** 수분을 포함한, 수성

---

look after, supervise, superintend, tend, guard
watchful *a.* observant, alert, vigilant, attentive, heedful, wary (opp. *careless, inattentive*)
watchman *n.* security guard, custodian, caretaker

(水性)의 **6** 물 위[물속]의; 수상[수중]에서 행해지는 **7** 수생(水生)의 **~·lìke** *a.* ▷ wátery *a.*

wa·ter·age [wɔ́:təridʒ, wɑ́t- | wɔ́:t-] *n.* Ⓤ 《영》 (화물의) 수상 수송; 그 요금

wáter ànchor = SEA ANCHOR

wáter bàck 《미》 (난로 등의 뒷부분에 있는) 물 끓이는 탱크[파이프]

wáter bàg **1** 물주머니 **2** (가축의) 양수막(羊水膜)

wáter bàiliff 〖영국사〗 **1** (밀어(密漁) 등의) 하천 감시관 **2** (세관의) 선박 검사관

wáter bàllast 〖항해〗 물 밸러스트 《선박의 안정을 위해 선저(船底)에 싣는 물》

wáter ballèt 수중 발레; 《특히》 = SYNCHRONIZED SWIMMING

wáter bàth **1** 중탕(重湯) 냄비(bain-marie) **2** (증기식 목욕에 내하여) 발당 목욕

Wáter Bèarer [the ~] 〖천문〗 물병자리(Aquarius)

wa·ter-bear·ing [wɔ́:tərbɛ̀əriŋ, wɑ́t-] *a.* 〈지층이〉 물을 함유한

wáter bèd **1** 물을 넣은 고무요 《환자용》 **2** 수분이 많은 토양

wáter bèetle 〖곤충〗 수서 곤충 《물방개 등》

wáter bìrd 물새

wáter bìrth 수중 출산[분만]

wáter bìscuit (버터와 밀가루, 물 등으로 만드는) 크래커 비슷한 비스킷

wáter blìster 수포(水疱), 물집

wáter blòom 〖생태〗 물꽃, 청분(青粉)

wáter bòa 〖동물〗 = ANACONDA

wa·ter·board·ing [wɔ́:tərbɔ̀:rdiŋ] *n.* Ⓤ 물고문 《눕힌 상태에서 얼굴에 물을 부어 자백하게 함》

wáter bòat 급수선(給水船)

wáter bòiler (reàctor) 〖원자력〗 비등수형(沸騰水型) 원자로 《경수로의 일종》

wáter bòmb 물 폭탄 《높은 건물 위에서 떨어뜨리는, 물을 넣은 봉지》

wa·ter·borne [wɔ́:tərbɔ̀:rn] *a.* **1** 물 위에 뜨는 (floating) **2** 수상 수송의, 배로 나르는: ~ commerce 해상 무역 **3** 〈전염병이〉 음료수 매개(媒介)의, 수인성의

wáter bòttle 물병; 《영》 수통, 물통; 채수기(採水器)

wáter bòy **1** (노동자·운동 선수들에게) 음료수를 나르는 소년 **2** 《미·속어》 비위 맞추는 사람; (윗사람의) 잔심부름꾼

wáter bràsh = HEARTBURN 1

wa·ter·buck [-bʌ̀k] *n.* (*pl.* **~, ~s**) 〖동물〗 워터벅 《남아프리카산(産)의 대형 영양》

wáter bùffalo **1** 〖동물〗 물소 **2** 《미·속어》 수륙 양용 수송 전차(戰車)

wáter bùg 〖곤충〗 수생 곤충 《물장군·소금쟁이·물방개 등》

Wa·ter·bur·y [wɔ́:tərbèri | wɔ́:təbəri] *n.* 워터베리 《미국 Connecticut주 서부의 도시; 이곳에서 제조되는 값싼 시계》

wa·ter-bus [-bʌ̀s] *n.* 《영》 수상 버스 《유람선》

wáter bùtt 큰 빗물통

wáter cànnon 고압 방수포(放水砲) 《데모대 해산용》

wáter cànnon trùck 방수차(車) 《데모대 해산용》

wáter càrriage **1** 수운(水運); 수상 운송 기관[시설] **2** (유수(流水)에 의한) 하수 처리

wáter càrrier **1** 수로 운송자; 물을 운반하는 사람[동물] **2** 송수용 용기[물통, 관, 수로] **3** [**W- C-**] 〖천문〗 물병자리(Aquarius)

wáter càrt 《영》 **1** 물 파는 수레 **2** 살수차(撒水車) 《거리의》 ***on the ~*** 《영·속어》 금주(禁酒) 중인

wáter chèstnut 〖식물〗 마름

wáter chùte 워터 슈트 《보트를 높은 곳에서 물 위로 미끄러져 내려와 돌진시키는 경사로; 그 놀이》

wa·ter-clear [-klìər] *a.* 무색 투명한

wáter clòck 물시계, 각루(刻漏)

wáter clòset **1** (수세식) 변소 《略 W.C.》 **2** 수세식 변기

***wa·ter·col·or** [wɔ́:tərkʌ̀lər] *n.* **1** [*pl.*] 수채화 그림물감 **2** 수채화 **3** Ⓤ 수채화법
— *a.* Ⓐ 수채화 그림물감으로 그린, 수채(화)의
~·ist *n.* 수채화가

wáter convèrsion (바닷물의) 담수화(化)

wa·ter-cool [-kù:l] *vt.* 〖기계〗 〈엔진 등을〉 물로 식히다 **-còoled** *a.* 수랭식의

wáter còoler 냉수기(冷水器), 냉수 탱크

wáter-cooler gòssip 《미·속어》 (직장의 냉수기 옆에 모여 하는) 동료·상사에 관한 소문 이야기

wáter còoling 물에 의한 냉각

wa·ter·course [-kɔ̀:rs] *n.* **1** 물줄기, 강, 개울 **2** 수로(水路), 운하 **3** (어떤 시기에만 물이 흐르는) 강[개울] 바닥 **4** 〖법〗 유수권(流水權)

wáter cràcker = WATER BISCUIT

wa·ter·craft [-krӕft, -krɑ̀:ft | -krɑ̀:ft] *n.* **1** Ⓤ 수상 기술 《배·보트의 조종, 수영 등》 **2** [집합적] 배, 선박

wa·ter·cress [wɔ́:tərkrès] *n.* 〖식물〗 물냉이

wáter cùlture 〖농업〗 수경(水耕) (재배)

wáter cùre **1** 〖의학〗 수치 요법(水治療法) **2** 《구어》 물 먹이는 고문(법)

wa·ter·cycle [wɔ́:tərsàikl] *n.* 수상 자전거 《페달식 보트》

wáter divìner 《영》 = WATERFINDER

wáter dòg **1** 물에 익숙한 개; 물새 사냥용 개 **2** 《속어》 노련한 선원, 헤엄 잘 치는 사람

wa·ter·dog [wɔ́:tərdɔ̀:g | -dɔ̀g] *n.* 도롱뇽

wa·ter-drink·er [-drìŋkər] *n.* **1** 광천수를 마시는 사람 **2** 금주가

wa·ter·drop [-drɑ̀p | -drɔ̀p] *n.* **1** 물[빗, 눈물]방울 **2** (산불 등을 끄기 위한 비행기·헬리콥터 등에서의) 살수(撒水)

wa·tered [wɔ́:tərd, wɑ́t- | wɔ́:t-] *a.* **1** 물을 댄[뿌린], 관개(灌漑)가 된; 눈·비가 잘 내리는 **2** 물결무늬가 있는 〈비단·금속판 등〉; 물결무늬가 서려 있는 〈칼날〉 **3** 물을 탄 〈술 등〉 **4** 〖경제〗 물타기한 〈주식 등〉: ~ stock 물타기한 주식 《자산 규모를 과대 평가해서 발행된》

wa·tered-down [wɔ́:tərddáun] *a.* **1** 물을 탄: a ~ cocktail 물을 섞은 칵테일 **2** 〈밀도·강도 등이〉 약화된, 둔화된, 경감된

wátered sílk = MOIRE 2

wa·ter·er [wɔ́:tərər, wɑ́t- | wɔ́:t-] *n.* **1** 물 뿌리는 사람[기계, 장치] **2** 음료수를 보급하는 사람 **3** (가축 등에의) 급수기

‡wa·ter·fall [wɔ́:tərfɔ̀:l, wɑ́t-] *n.* **1** 폭포(수); 낙수(落水) 《수력(水力)으로 이용하는》 **2** (폭포처럼) 늘어진[밀려오는] 것, 쇄도 **3** 머리를 묶지 않고 길게 늘어뜨린 여자의 머리형

wa·ter-fast [-fӕst, -fɑ̀:st | -fɑ̀st] *a.* **1** 물을 통과시키지 않는, 내수성의 **2** 〈색깔·염료가〉 물에 의해 변하지[빠지지] 않는

wáter fèature (정원을 꾸미기 위한) 수경 시설 《인공 분수, 수로 등》

wa·ter·find·er [-fàindər] *n.* (점 지팡이로) 수맥을 찾는 사람(cf. DOWSE[2])

wáter flàg 〖식물〗 창포(菖蒲), 붓꽃

wáter flèa 〖동물〗 물벼룩

wa·ter·flood [-flʌ̀d] 〖채광〗 *vi.*, *vt.* (유층(油層)에) 물을 압입(壓入)하다 《증산·2차 채유를 위하여》
— *n.* 수공법(水攻法) **~·ing** *n.*

wáter flòw **1** 수류(水流) **2** (단위 시간 당의) 유수량

wáter flỳ 물가를 날아다니는 곤충

wáter fòuntain **1** 분수식의 물 마시는 곳 **2** 냉수기 **3** 음료수 공급 장치

wa·ter·fowl [-fàul] *n.* (*pl.* **~s,** [집합적] **~**) 물새

wa·ter·fowl·er [-fàulər] *n.* 물새 사냥꾼

wa·ter·fowl·ing [-fàuliŋ] *n.* 물새 사냥

wa·ter·front [-frʌ̀nt] *n.* **1** 물가의 땅 **2** (도시의) 호안[하안, 해안] 지역 **3** 선창가, 부두: ~ workers 선창가의 노동자 ***cover the ~*** (모든 각도에서) 문제를 충분히 논의하다 《*on*》

wáter gàp ⦅미⦆ 수극(水隙) ⦅강물에 의해 생긴 협곡 또는 협로⦆
wáter gàrden 수생 식물원
wáter gàs 〖화학〗 수성(水性) 가스
wáter gàte 수문(水門)(floodgate)
Wa·ter·gate [wɔ́:tərgèit, wɑ́t- | wɔ́:t-] *n.* 워터게이트 (사건) ⦅1972년 Washington, D.C.에 있는 민주당 본부 건물에 도청 장치를 한 정보 활동; 1974년 Nixon 대통령 사임의 직접적 원인이 됨⦆; [때로 **w~**] ⦅일반적으로⦆ 정치적 부정 행위[추문]
wáter gàuge 1 수위[수량]계 **2** (보일러 등의) 액면[수면]계 ⦅탱크 등의 수면의 높이를 표시하는 유리관⦆
wáter glàss 1 물 마시는 유리 컵 **2** 물안경 ⦅물속을 들여다보는⦆, 수중 탐지경(探知鏡) **3** 수위계(水位計) **4** 〖원예〗 수반(水盤) **5** 〖역사〗 물시계 **6** 규산소다
wáter grùel 묽은 죽, 미음
wáter guárd 1 수상 경찰관 **2** 수상 감시 세관원
wáter gùn 물총(water pistol)
wáter hàmmer 수격(水擊) 작용; 수격음(音) ⦅관 속을 흐르는 물의 유출을 갑자기 막았을 때의 물의 충격; 그때 나는 소리⦆
wa·ter-ham·mer [wɔ́:tərhæ̀mər] *vi.* 〈물·관이〉 수격(水擊)을 일으키다
water·head [-hèd] *n.* **1** (강의) 수원, 원류 **2** 관개(灌漑), (정원의) 살수 용수
wáter hèater (가정용) 온수기; 급탕 장치
wáter hèn 〖조류〗 쇠물닭 ⦅뜸부깃과(科)⦆
wáter hòle 1 물 웅덩이, 작은 못, (사막의) 샘 **2** 빙면(氷面)의 구멍 **3** ⦅미·속어⦆ (트럭 운전사의) 휴게소
wáter hỳacinth 〖식물〗 부레옥잠 ⦅열대산(産)의 부초(浮草)⦆
wáter ìce 1 ⦅영⦆ (과즙이 든) 빙과(氷菓)(cf. SHERBET) **2** (물이 얼어서 생긴) 얼음(cf. SNOW ICE)
wa·ter-inch [-íntʃ] *n.* 〖수력학〗 수(水)인치 ⦅최소 압력으로 지름 1인치의 관(管)에서 24시간 나오는 물의 양; 약 500입방 피트⦆
wa·ter·ing [wɔ́:təriŋ, wɑ́t- | wɔ́:t-] *n.* ⓊⒸ **1** 살수(撒水), 관수(灌水), 급수 **2** 배수구(가 있는 늪) **3** (천·금속면 등의) 물결무늬
— *a.* **1** 살수용의, 관수용의, 급수용의: a ~ bucket 급수용 양동이 **2** 온천의, 해수욕장의 **3** 눈곱이 낀 〈눈〉 **4** 침을 흘리는 〈입〉
wátering càn 물뿌리개
wátering càrt 살수차(撒水車)
wátering hòle 1 ⦅미·속어⦆ (술 마시는) 사교장 (watering place) ⦅바·나이트클럽·라운지 등⦆ **2** ⦅구어⦆ 물놀이를 할 수 있는 행락지
wátering plàce 1 ⦅영⦆ 온천장; 해수욕장 **2** 물 마시러 오는 곳 ⦅짐승의⦆; (대상(隊商)이나 배의) 물 보급지 **3** = WATERING HOLE
wátering pòt 물뿌리개(watering can)
wa·ter·ish [wɔ́:təriʃ, wɑ́t- | wɔ́:t-] *a.* **1** 물 같은; 〈색·빛 등이〉 엷은: a ~ blue 물색 **2** 물이 섞인, 싱거운, 물을 탄 **3** 수분[습기]이 많은 **~·ly** *ad.* **~·ness** *n.*
wáter jàcket 1 〖기계〗 물 재킷 ⦅내연 기관 등의 과열을 냉각시키는 장치⦆ **2** (기관총의) 냉수통
wa·ter-jack·et [wɔ́:tərdʒæ̀kit] *vt.* …에 물 재킷을 달다
wa·ter·jet [-dʒèt] *n.* (작은 구멍에서) 분출하는 물, 분수 — *a.* 물 분사(식)의
wáter jùmp (장애물 경마에서 뛰어넘어야 하는) 물웅덩이, 도랑
wa·ter·less [wɔ́:tərlis, wɑ́t- | wɔ́:t-] *a.* **1** 물이 없는, 마른 **2** 물이 필요하지 않은 〈요리 등〉 **3** 공랭식(空冷式)의 〈엔진 등〉 **~·ly** *ad.* **~·ness** *n.*
wáterless cóoker 물 없이 요리할 수 있는 (밀폐된) 냄비[솥]; 압력솥
wáter lèvel 1 수위(水位); 수평면; 지하 수면; 흘수선 **2** 수평기, 수준기(水準器)
wáter lìly 〖식물〗 수련(睡蓮)
wáter lìne 1 흘수선(吃水線) **2** 해안선; 지하 수면 **3** (수조 등의) 수위, (홍수 수위의 흔적을 나타내는) 수위선 **4** 송수관 **5** (종이의) 투명선
wa·ter·locked [wɔ́:tərlɑ̀kt | -lɔ̀kt] *a.* 완전히 물에 갇힌 〈토지 따위의〉
wa·ter·log [-lɔ̀(:)g | -lɔ̀g] *v.* (**~ged**; **~·ging**) *vt.* **1** 〈배를〉 침수시켜 항행이 불가능하게 하다 **2** 물에 적셔 〈목재가〉 물에 뜨지 않게 하다 **3** 〈토지를〉 물에 잠기게 하다 — *vi.* 침수되어 흠뻑 젖다[움직임이 둔해지다]
wa·ter·logged [-lɔ̀(:)gd | -lɔ̀gd] *a.* **1** 〈목재가〉 물이 밴, 〈땅이〉 물에 잠긴 **2** 〈배가〉 침수된 **3** ⦅비유⦆ 수렁[곤경]에 빠진
Wa·ter·loo [wɔ́:tərlù:, ⌐—⌐ | wɔ̀:təlú:] *n.* **1** 워털루 ⦅Belgium 중부의 마을; 1815년 Napoleon I 세가 Wellington에게 대패한 곳⦆ **2** [때로 **w~**] (결정적) 대패, 참패; 좌절 ***meet** one**'s** ~* 참패당하다, 크게 지다
wáter màin 급수[수도] 본관(本管)
wa·ter·man [wɔ́:tərmən, wɑ́t- | wɔ́:t-] *n.* (*pl.* **-men** [-mən]) **1** 뱃사공 **2** 노 젓는 사람(oarsman) **3** 급수[살수, 관수] 업무 종사원; 수산업 종사원
~·shìp *n.* Ⓤ waterman의 직무[기능]; 노 젓는 기술
wa·ter·mark [-mɑ̀:rk] *n.* **1** 양수표(量水標), 수위표 **2** (종이의) 투명무늬 — *vt.* …에 투명무늬를 넣다
wáter màss 〖항해〗 수괴(水塊)
wáter mèadow (강의 범람으로) 비옥해진 목초지
***wa·ter·mel·on** [wɔ́:tərmèlən] *n.* 〖식물〗 수박
wáter mèter 수량계, 수도의 계량기
wáter mìll 물방앗간; 수력 제분소
wáter mòccasin 1 독사 ⦅북미 남부의 늪·강에 사는⦆ **2** ⦅일반적으로⦆ 물뱀 ⦅독 없음⦆
wáter mòld 〖균류〗 수생 균류
wáter mònkey (동양의 열대 지방에서 증발 작용에 의해 음료수를 식히는) 목이 가늘고 긴 질그릇
wáter mòtor 수력 발동기[기관]
wáter nỳmph 1 물의 요정(Naiad), 인어(人魚) **2** 〖식물〗 수련
wáter òak 〖식물〗 북미 남동부산(産)의 습지성 떡갈나무
wáter of constitútion 〖화학〗 구조수(構造水)
wáter of crystallizátion 〖화학〗 결정수
wáter of hydrátion 〖화학〗 수화수(水和水)
wáter on the knée 〖병리〗 무릎 관절 수종(水腫)
wáter òuzel 〖조류〗 물까마귀
wáter òx 〖동물〗 물소
wáter pàint 수성(水性) 물감[페인트]
wáter pàrting ⦅미⦆ 분수선(分水線)[계(界)]
wáter pèpper 〖식물〗 버들여뀌류
wáter pìck = WATER TOOTHPICK
wáter pìll ⦅구어⦆ 이뇨제
wáter pìpe 송수관, 배수관
wáter pìstol 물총(squirt gun)
wáter plàne 〖조선〗 수선면(水線面); 수상 비행기
wáter plànt 수생 식물, 수초
wáter plùg 소화전(fireplug)
wáter pollùtion 수질 오염
wáter pòlo 〖경기〗 수구(水球)
wáter pòt 물그릇; 물뿌리개
***wa·ter·pow·er** [wɔ́:tərpàuər] *n.* Ⓤ **1** 수력; (동력용) 낙수(落水) **2** 〖법〗 (수차(水車)의) 용수 사용권(權), 수리권(水利權)
— *a.* Ⓐ 수력의, 수력에 의한; 낙수를 이용한: ~ electricity 수력 전기
wáter pòx 〖병리〗 수두(chicken pox)
wáter prìvilege (특히 동력 자원으로서의 물에 관한) 용수 사용권, 수리권(水利權)
***wa·ter·proof** [wɔ́:tərprù:f, wɑ́t- | wɔ́:t-] *a.* 방수의, 물이 새어 들지 않는: a ~ hat 방수 모자
— *n.* **1** 방수복, 레인코트 **2** Ⓤ 방수 재료, 방수포(布)
— *vt.* 방수성(性)으로 하다, 방수 처리[가공]하다 **~·er** *n.* 방수제[재료] **~·ness** *n.*
wa·ter·proof·ing [-prú:fiŋ] *n.* Ⓤ **1** 방수제(劑) **2** 방수 처리[가공]

wáter pùlse 분사식 구강 세척수
wáter ràm 자동 양수기(揚水機)
wáter ràt 〖동물〗 물쥐; 《미》 사향뒤쥐; 《속어》 (해안 등의) 부랑자, 좀도둑; 《구어》 수상 스포츠 애호가
wáter ràte[**rènt**] 수도 요금
wa·ter-re·pel·lent [-ripélənt] *a.* (완전 방수는 아니지만) 물을 튀기는[튀기도록 만든]
wa·ter-re·sis·tant [-rizístənt] *a.* (완전 방수는 아니지만) 물이 스며드는 것을 막는, 내수(성)의
wáter rìght 〖법〗 용수권, 수리권
wáter sàpphire 〖광물〗 근청석(菫青石) 《보석으로도 쓰임》
wa·ter·scape [-skèip] *n.* **1** 물이 있는 경치 **2** 수경화(水景畫)(cf. LANDSCAPE)
wáter scòrpion 〖곤충〗 장구애비
wáter sèal 수밀봉(水密封) 《가스관의 가스가 새는 것을 막기 위한》
wa·ter·shed [-ʃèd] *n.* **1** 분수선, 분수계(分水界)(《미》 water parting) **2** 분수계에 둘러싸인 지역, (강의) 유역 **3** 분수령, 분기점, 중대한 시기; 위기: one of history's great ~*s* 역사상의 중대한 분기점의 하나
wa·ter·shoot [-ʃùːt] *n.* **1** 배수관, 홈통 **2** = WATER CHUTE **3** 〖식물〗 도장지(徒長枝), 웃자란 가지
wa·ter·side [-sàid] *n.* [the ~] (강·바다·호수의) 물가, 수변(水邊) **—** *a.* Ⓐ **1** 물가의 **2** 물가에서 일하는
wáter skì 수상 스키
wa·ter-ski [-skìː] *vi.* 수상 스키를 하다
~·er *n.* **~·ing** *n.*
wa·ter·skin [-skìn] *n.* 물 담는 가죽 부대
wáter snàke **1** 〖동물〗 (물속 또는 물가에 사는) 물뱀 《독 없음》 **2** [the W- S-] 〖천문〗 물뱀자리
wa·ter-soak [-sòuk] *vt.* 물에 담그다[적시다]
— *vi.* 흠뻑 젖다
wáter sòftener **1** 경수 연화제(軟化劑) **2** 경수 연화 장치
wa·ter-sol·u·ble [-sɑ̀ljubl | -sɔ̀l-] *a.* 물에 용해되는, 수용성의: ~ vitamins 수용성 비타민류
wáter spàniel 〖동물〗 워터 스패니얼 《오리 사냥 등에 쓰는 털이 곱슬곱슬한 개》
wa·ter·splash [-splæ̀ʃ] *n.* 《주로 영》 얕은 여울; 물[웅덩이]에 잠긴 도로(의 부분)
wa·ter·sport [-spɔ̀ːrt] *n.* 수상 스포츠 《수영·수중 폴로·파도타기 등》
wa·ter·spout [-spàut] *n.* **1** 물 나오는 구멍, 홈통 구멍, 배수구, 배수관 **2** 〖기상〗 물기둥 **3** 억수 같은 비
wáter sprìte 물의 요정
wáter spròut 〖식물〗 웃자란 가지, 도장지(徒長枝)
wáter stòne (물을 사용하는 보통의) 숫돌
wáter strìder 〖곤충〗 소금쟁잇과(科) 곤충의 총칭
***wáter supplỳ** **1** 급수(법), 급수(사용)량 **2** 상수도, 송수 설비
wáter sỳstem **1** (하천의) 수계(水系) **2** = WATER SUPPLY
wáter tàble **1** 지하 수면(地下水面) **2** 도로 가[옆]의 배수구 **3** 〖건축〗 빗물막이, 물받이 돌림띠 《건축물의 외벽에 수평으로 둘러댄 돌출부》
wáter tànk 물탱크, 수조(水槽)
wáter tàxi (승객을 실어 나르는) 모터보트
wa·ter·tight [-tàit] *a.* **1** 방수의, 물이 들어오지 못하는: a ~ compartment (배의) 방수 구획(실) **2** 〈계획·논의 등이〉 완벽한, 빈틈없는, 〈문장 등이〉 정연한
~·ness *n.*
wáter tòothpick 물 분사식 구강 세척기
wáter tòrture 물고문
wáter tòwer **1** 급수[저수, 배수]탑 **2** 《미》 (고층 빌딩 상부의) 소방용 방수 장치
wáter trèatment (여과·연수화(軟水化) 등과 같은) 물 처리
wáter tùbe 수관(水管)
wáter tùrkey 〖조류〗 = ANHINGA
wáter vàpor 수증기(cf. STEAM)
wáter vòle 〖동물〗 = WATER RAT
wáter wàgon 《미》 **1** (행군 중인 군대와 행동을 함께 하는) 급수차 **2** 살수차 ***on***[***off***] ***the*** **~** = on[off] the WAGON
wáter wàve **1** 물결, 파도 **2** 워터 웨이브 《머리카락을 로션으로 적시고 세트하여 드라이어로 마무리하는 파마의 일종》
wa·ter-wave [-wèiv] *vt.* 〈머리카락을〉 워터 웨이브로 하다 **-wàved** *a.*
***wa·ter·way** [wɔ́ːtərwèi, wɑ́t- | wɔ́ːt-] *n.* **1** 수로, 항로(航路); 《미》 운하 **2** 〖항해〗 배수구(溝) 《갑판의》, 물 빼는 홈
wa·ter·weed [-wìːd] *n.* 수초(水草); 〖식물〗 캐나다말
wa·ter·wheel [-*h*wìːl] *n.* **1** 물레바퀴; 무자위, 수차(水車) **2** (옛날 기선의) 외륜(外輪)
wa·ter·white [-*h*wàit] *a.* 무색 투명의
wáter wìngs (수영 연습용으로 양겨드랑이에 끼는) 날개꼴 부낭
wáter wìtch **1** 물속에 사는 마녀 **2** 《미》 = WATER-FINDER **3** (각종) 수맥 탐지기 **4** 〖조류〗 **a** = DABCHICK 1 **b** 《영·방언》 바다제비
wa·ter-witch [-wìtʃ] *vi.* 수맥을 탐지하다
wáter wìtching (점지팡이로 하는) 수맥 탐사
Wáter Wónderland 미국 Michigan주의 별칭
wa·ter·works [-wə̀ːrks] *n. pl.* **1** [단수·복수 취급] 수도, 상수도, 급수 시설; 급수소 **2** 분수 **3** 《속어》 눈물 ***turn on the*** **~** 《속어》 울다
wa·ter·worn [-wɔ̀ːrn] *a.* 물의 작용으로 마멸된[매끈매끈해진]
***wa·ter·y** [wɔ́ːtəri, wɑ́t- | wɔ́ːt-] *a.* (**-ter·i·er**; **-i·est**) **1** 물의; 물 같은 **2** 눈물 어린 〈눈 따위〉: a ~ good-bye 눈물 어린 작별 **3** 〈포도주 등이〉 싱거운, 맛없는, 약한; 〈삶은 음식이〉 물기가 많은: a ~ stew 싱거운 스튜 **4** 재미없는, 시시한 **5** 〈빛깔 등이〉 옅은 **6** 〈하늘 등이〉 비가 올 듯한: a ~ sky 비가 올 듯한 하늘 **7** Ⓐ 《문어》 수중의: go to a ~ grave 수장되다 / meet a ~ death 익사하다 **wá·ter·i·ly** *ad.* **wá·ter·i·ness** *n.* ▷ wáter *n.*
Wat·ford [wɑ́tfərd | wɔ́t-] *n.* 왓퍼드 《잉글랜드 Hertfordshire 남서부의 도시》
WATS [wɑ́ts | wɔ́ts] [*W*ide *A*rea *T*elecommunications *S*ervice] *n.* Ⓤ 《미》 와츠 《매달 일정한 요금으로 장거리 전화를 제한 없이 걸 수 있음》
Wát·son-Críck mòdel [wɑ́tsnkrík- | wɔ́t-] [미국의 생물학자 J.D. Watson과 영국의 생물학자 H.C. Crick의 이름에서] 〖생화학〗 왓슨·크릭 모델 《DNA의 3차원 분자 구조를 나타내는 모형》
***watt** [wɑ́t | wɔ́t] [J. Watt에서] *n.* 〖전기〗 와트 《전력의 실용 단위; 略 W, w》
Watt [wɑ́t | wɔ́t] *n.* 와트 **James ~** (1736-1819) 《스코틀랜드의 발명가》
watt·age [wɑ́tidʒ | wɔ́t-] *n.* Ⓤ 〖전기〗 와트수; (필요한) 와트량(量): a ~ of 10 kilowatts 10킬로와트 수
watt-hour [wɑ́tàuər | wɔ́t-] *n.* 〖전기〗 와트시(時) 《1시간 1와트의 전기량; 略 Wh》
wat·tle [wɑ́tl | wɔ́tl] *n.* **1** 윗가지, 윗가지로 엮어 만든 것 《울타리·지붕·벽 등》; 《영·방언》 작은 가지, 가느다란 막대기, 장대 **2** 아랫볏, 늘어진 살 《닭·칠면조의》; (물고기의) 촉수(觸鬚)(barbel) **3** 아카시아속(屬)의 교목[관목] 《호주산 (産)》 **~ *and daub*** 〖건축〗 (엮은 윗가지 위에 흙을 바른) 초벽 **—** *vt.* **1** 〈울타리·벽 등을〉 윗가지로 엮어 만들다 **2** 〈윗가지를〉 엮다
— *a.* 윗가지의; 윗가지로 엮어 만든
wat·tled [wɑ́tld | wɔ́t-] *a.* **1** 윗가지로 엮은 **2** 늘어진 살이 있는 〈새 등〉
watt·less [wɑ́tlis | wɔ́t-] *a.* 〖전기〗 〈전류가〉 무효의
watt·me·ter [wɑ́tmìːtər | wɔ́t-] *n.* 〖전기〗 전력계
Wa·tu·si [wɑːtúːsiː | wətúːzi], **Wa·tut·si** [-túːt-

thesaurus **wave** *v.* **1** 흔들리다 undulate, ripple, stir, flutter, flap, sway, swing, shake, quiver,

si] *n.* (*pl.* **~s,** [집합적] **~**) **1** 와투시 족(의 사람) (Tutsi) 《르완다와 부룬디의 유목민》 **2** [**w~**] 와투시 춤 **—** *vi.* 와투시 춤을 추다

waul [wɔ́:l] *vi.* (고양이같이) 응애응애 울다, 울부짖다 **—** *n.* 응애응애 《울음소리》

W. Aust. Western Australia

‡**wave** [wéiv] *n.* **1** 파도, 물결; [the ~(s)] 《시어》 물, 바다: tiny *~s* 잔물결

> 유의어 **wave** 「물결」을 뜻하는 가장 일반적인 말: *waves* in a high wind 강풍으로 인한 파도 **billow** 큰 물결, 놀: angry *billow* 노도(怒濤) **ripple** 잔 물결: *ripples* in a brook 시내의 잔물결 **swell** 너울거리는 물결: There was a gentle *swell* running. 완만한 물결이 너울너울 움직이고 있었다. **breaker** 해안·암초 등에 부딪쳐 부서지는 물결: a *breaker* hitting the coast 해안을 때리는 큰 물결 **surf** 해안으로 밀려드는 물결: children playing in the *surf* 밀려오는 물결 속에서 노는 어린이들 **roller** 폭풍으로 인해 몰아치는 큰 파도: the swish of *rollers* 몰아치는 큰 파도의 소리

2 파동, 기복, 너울거림, 굽이침: the golden *~s* of grain 이삭의 금빛 물결 / *~s* of the pulse 맥파(脈波) **3** 물결무늬 《비단의 광택 등의》; 웨이브 《머리카락 등의》 **4** 흔들기, 흔들림, 흔드는 신호 **5** 물밀 듯함, 높아짐, 고조 《감정 등의》: a ~ of animal-protectionism 동물 보호 운동의 물결 **6** 〖물리〗 파(波), (빛·소리 등의) 파동; 전파; 〖컴퓨터〗 놀, 파 **7** 〖기상〗 (기압 등의) 파(波), 변동: a cold[heat] ~ 한[열]파 **8** (부대·이주자·철새 등의) 집단 이동, 파도처럼 밀려오는 사람[동물]의 떼[물결]; 인구의 급증; 진격하는 군대[비행기] ***attack in ~s*** 〖군사〗 파상 공격을 가하다; 차례차례 공격을 가하다 ***make ~s*** (구어) 풍파를 일으키다

— *vi.* **1** 파도치다, 물결치다; 굽이치다; 너울거리다, 흔들리다, 펄럭이다: (~+전+명) The flags were *waving in* the wind. 깃발이 바람에 펄럭이고 있었다. **2** 〈머리털 등이〉 웨이브로 되어 있다; 〈지형 따위가〉 기복이 있다: Her hair *~s* naturally. 그녀의 머리카락은 자연스럽게 웨이브 져있다 // (~+전+명) The road *~s along* the valley. 그 길은 계곡을 따라 굴곡을 이루고 있다. **3** 손을 흔들다, (손·손수건 등을) 흔들어 신호하다 《*to, at*》: (~+전+명) We all *~d to* her as the train left. 기차가 떠나자 우리는 모두 그녀에게 손을 흔들었다.

— *vt.* **1** 흔들다, 휘두르다; 나부끼게 하다: (~+목+부) He *~d* his arms *about.* 그는 팔을 휘둘렀다. // (~+목+전+명) She *~d* her handkerchief *to* us. 그녀는 우리들을 향해 손수건을 흔들었다. **2** 물결 모양으로 하다; …에 웨이브를 하다: She had her hair *~d.* 그녀는 머리를 웨이브했다. **3** (손·깃발을 흔들어) 신호[인사]하다: (~+목+목) ~ a person adieu 손을 흔들어 …와 작별하다 // (~+목+부) The policeman *~d* us *on.* 경찰관은 우리들에게 손을 흔들어 가도 좋다고 신호했다. // (~+목+전+명) He *~d* a greeting *to* her. 그는 손을 흔들어 그녀에게 인사했다. // (~+목+*to* do) The policeman *~d* us *to* come nearer. 경찰관은 우리들에게 손을 흔들어 더 가까이 오라고 신호했다.

~ aside 물리치다, 뿌리치다 ***~ away***[***off***] 손을 흔들어 쫓아 버리다, 거절하다 ***~ down*** 〈자동차 등을〉 손을 흔들어 멈추게 하다 ***~ on*** (손 등을 흔들어) 앞으로 나가라는 신호를 하다 ***~ over*** a waiter (웨이터를) 손을 흔들어 부르다 **wáv·ing·ly** *ad.*

Wave, WAVE [wéiv] *n.* 〖미해군〗 여군 예비 부대 (Waves)의 대원

wáve bànd 〖통신〗 (무선·TV의) 주파대(周波帶)

wáve bòmbing 〖군사〗 파상 폭격

oscillate **2** 흔들다 wag, waggle, flutter **3** (흔들어) 신호하다 signal, sign, beckon, indicate, gesture

wáve-cut plátform [wéivkʌ̀t-] 〖지질〗 파식 대지(波蝕臺地)

waved [wéivd] *a.* 파도 모양의, 기복이 있는

wáve ènergy 파동 에너지

wáve equàtion 〖물리〗 파동 방정식

wáve file 〖컴퓨터〗 wave sound의 파일

wave·form [wéivfɔ̀:rm] *n.* 〖물리〗 파형(波形)

wáve frònt **1** 〖물리〗 (물결의) 등위상면[선](等位相面[線]), 파면(波面) **2** 〖전기〗 파두(波頭)

wáve fùnction 〖물리〗 파동 함수

wave·guide [wéivgàid] *n.* 〖전자〗 도파관(導波管)

wave·length [-lèŋkθ] *n.* **1** 〖물리〗 파장(波長) 《기호 λ》 **2** (구어) (개인의) 사고방식 ***on the same ~ as*** …와 같은 생각으로, …와 의기투합하여

wave·less [wéivlis] *a.* 물결[파동]이 없는; 조용한 **~·ly** *ad.*

wave·let [wéivlit] *n.* 잔물결

wave·like [wéivlàik] *a.* 파도[물결] 같은

wáve machìne (풀장의) 인공 파도기

wave·mak·er [wéivmèikər] *n.* 《미·속어》 문제[풍파]를 일으키는 사람

wáve mechànics 〖물리〗 파동 역학

wave·me·ter [-mì:tər] *n.* 〖전기〗 파장계(波長計), 주파계(周波計)

wáve mòtion 〖물리〗 파동

wáve nùmber 〖물리〗 파수(波數); 파장의 역수(逆數)

wáve of the fúture 금후의 경향, 장래의 추세

wáve póol 인공 파도 시설이 있는 큰 수영장

wáve pòwer 파력(波力)

***wa·ver**[1] [wéivər] *vi.* **1** 흔들리다, 〈불길 등이〉 너울[가물]거리다; 나부끼다, 펄럭이다; 〈목소리가〉 떨리다: butterflies *~ing* over flowers 꽃 위에서 펄럭이며 날고 있는 나비 **2** 무너지기[흔들거리기] 시작하다; 비틀거리다, 동요하다 **3** 주저하다, 머뭇거리다(⇨ hesitate 유의어)

— *n.* 동요; 주저, 머뭇거림 ***be upon*** ~ 머뭇거리고 있다 **~·er** *n.*

wav·er[2] [wéivər] *n.* **1** 흔드는 사람 **2** 머리에 웨이브를 만드는 도구, 미용사

wa·ver·ing [wéivəriŋ] *a.* **1** 흔들리는, 펄럭이는 **2** 떨리는, 주저하는 **~·ly** *ad.*

wa·ver·y [wéivəri] *a.* = WAVERING

Waves, WAVES [wéivz] [*W*omen *A*ccepted for *V*olunteer *E*mergency *S*ervice] *n.* (미) (해군의) 여군 예비 부대(cf. WAC, WAF)

wáve sèt (머리에 웨이브를 만들기 위한) 세트 로션

wáve sòund 〖컴퓨터〗 웨이브 사운드 《Microsoft사와 IBM사가 공동 개발한 음성 데이터 기록 방식》

wave·stack [wéivstæ̀k] *n.* 〖라디오·TV〗 (굴뚝 비슷한) 개량형 텔레비전 송신 안테나

wave·ta·ble [wéivtèibl] *n.* 〖컴퓨터〗 웨이브 테이블 《사운드보드 기능의 하나》

wáve thèory **1** 〖물리〗 (빛의) 파동설 **2** 〖언어〗 파문설(波紋說)

wáve tràin 〖물리〗 파열(波列)

wáve tràp 〖무선〗 웨이브 트랩 《특정 주파수의 혼신(混信)을 없애기 위한 공진(共振) 회로 필터》

wav·y [wéivi] *a.* (**wav·i·er**; **-i·est**) **1** 요동하는; 물결 모양의, 〈머리카락 등이〉 웨이브가 있는: a ~ course 기복이 많은 코스 **2** 파도치는, 굽이치는, 너울거리는 **3** 떨리는, 불안정한, 흔들리는: ~ respiration 일정하지 않은 호흡 **wáv·i·ly** *ad.* **wáv·i·ness** *n.*

Wávy Návy [the ~] (영·구어) 영국 왕립 해군 의용 예비대(Royal Naval Volunteer Reserve)

wa-wa [wɑ́:wɑ] *n.* = WAH-WAH

WAWF World Association of World Federalists 세계 연방주의자 세계 협회

wawl [wɔ́:l] *vi, n.* = WAUL

‡**wax**[1] [wǽks] *n.* Ⓤ **1** 밀랍(蜜蠟); (밀)초 **2** (밀)초 같은 것; 목랍(木蠟)(= vegetable ~); 구두 만들 때 실에 바르는 밀; 봉랍(封蠟); 《미》 당밀 《사탕단풍나무

로 만드는); (마루 등의) 윤내는 약 **3** 귀지(earwax) **4** (미·구어) 레코드 《음반》, 레코드 취입 **5** 다루기 쉬운 [처리하기 쉬운] 사람
mold a person ***like*** **~** …을 자기 뜻대로의 인간으로 만들다, …을 마음대로 조종하다 ***put on*** **~** 레코드에 취입하다 **~** ***in*** a person***'s hands*** …에게 자유자재로 조종되는 사람
— *a.* Ⓐ 밀랍으로 만든, 납제(蠟製)의
— *vt.* **1** …에 초를 칠하다; 초로 닦다 **2** (미·구어) 〈곡을〉 레코드에 녹음하다
~·a·ble *a.* **~·er** *n.* 밀랍 칠하는 직공 **~·like** *a.*
▷ wáxen[1], wáxy[1] *a.*

wax[2] *vi.* (**~ed**; **~ed,** (고어) **wax·en** [wǽksən]) **1** 커지다, 증대하다; 〈달이〉 차다(opp. *wane*) **2** (고어·시어) 점점 …이 되다: (~+보) ~ angry 화가 치밀어 오르다/~ old 늙어 가다 **~** ***and wane*** 〈달이〉 차고 기울다; 성쇠[증감]하다
— *n.* **1** (달의) 참 **2** 증대, 번영

wax[3] *n.* [a ~] (영·구어) 노여움, 분통, 노발대발: *a* dreadful ~ 격렬한 노여움 ***get into a*** **~** 발끈 화내다 ***put*** a person ***in a*** **~** …을 발끈 성나게 하다

wax[4] *vt.* **1** (구어) …보다 우세하다; 결정적으로 패배시키다 **2** (속어) 때려눕히다, 죽이다

wáx bèan (미) 〖식물〗 강낭콩의 일종

wax·ber·ry [wǽksbèri | -bəri] *n.* (*pl.* **-ries**) 〖식물〗 **1** 소귀나무 **2** =SNOWBERRY

wax·bill [-bìl] *n.* 〖조류〗 (아프리카 또는 남양산(産)) 단풍새의 일종 《부리가 밀랍 같음》

wax-chan·dler [-tʃǽndlər | -tʃɑ̀ːn-] *n.* 양초 제조[판매]인

wáx clòth 초 먹인 천, 방수천

wáx dòll **1** 밀랍 인형 **2** 표정 없는 미인

waxed [wǽkst] *a.* 밀랍을 입힌[바른]; 방수의; (미·속어) 술 취한

wáxed pàper =WAX PAPER

wax·en[1] [wǽksən] *a.* **1** 초로 만든; 초를 바른 **2** 초 같은, 매끈매끈한 **3** (비유) 창백한, 생기 없는 **4** 감동하기 쉬운; 유연한

waxen[2] *v.* (고어) WAX[2]의 과거분사

wax·ing [wǽksiŋ] *n.* **1** 납(蠟) 바르기; 왁스로 닦기 **2** (왁스를 사용해서 하는) 탈모, 제모(除毛) **3** (구어) 레코드 (취입) **4** (속어) 구타

wáxing móon 〖천문〗 상현달, 차 가는 달 (cf. WANING MOON)

wáx light 작은 초(taper)

wáx musèum 밀랍 인형관(館)

wáx mỳrtle 〖식물〗 소귀나무

wáx pàinting 납화(蠟畫)(법) 《달군 쇠로 밀랍을 녹여 붙이는》

wáx pàlm 〖식물〗 밀랍야자 《밀랍을 분비하는 야자; 안데스[브라질] 밀랍야자 등》

wáx pàper 납지, 파라핀지(紙)

wáx trèe 〖식물〗 **1** 밀랍을 분비하는 나무 **2** =WAX MYRTLE

wax·weed [wǽkswìːd] *n.* 〖식물〗 부처꽃과(科)의 초본(草本) 《북미 동부산(産)》

wax·wing [-wìŋ] *n.* 〖조류〗 여새, 연작(連雀)

waxwing

wax·work [-wə̀ːrk] *n.* **1** 밀랍 세공품, 밀랍 인형 **2** [*pl.*; 단수 취급] 밀랍 세공품의 진열관(館)

wax·y[1] [wǽksi] *a.* (**wax·i·er**; **-i·est**) **1** 밀랍의, 밀초의; 밀초를 먹인 **2** 납질(蠟質)의; 색과 윤이 초 같은, 창백한, 부드럽고 연한, 말랑말랑한; 〈사람·성질 등이〉 유연한, 영향을 받기 쉬운 **3** 〖병리〗 〈기관이〉 납양 변성(蠟樣變性)에 걸린
wáx·i·ly *ad.* **wáx·i·ness** *n.*

waxy[2] *a.* (**wax·i·er**; **-i·est**) (영·속어) 화를 낸, 성난: get ~ 버럭 화를 내다

‡way[1] [wéi] *n.*

> 「도로」 ─┬→「…으로 가는 길」 **1** ─┬→「도정, 거리」 **3**
>   │   └→「방향」 **6**
>   └→「수단」 ─┬→「방법」 **5**
>   └→(정해진 방식) →「습관」 **4**

1 **길,** 도로, 가로; [**W~**] (고대 로마 사람이 만든) 길, 가도: lose one's ~ in the woods 숲에서 길을 잃다/I live in Yard *W*~ 저는 야드 가(街)에 삽니다./The furthest ~ about is the nearest ~ home. = The longest ~ round is the shortest ~. (속담) 급한 일일수록 천천히 해라. **2** (…로 가는) **길, 코스,** 진로 《*to*》: What's the shortest ~ *to* the station? 역으로 가는 가장 빠른 길은 어디입니까?/Could you show me the ~ *to* the temple? 사원으로 가는 길 좀 알려 주시겠습니까? **3** **도정**(道程), 행정(行程), 거리: It's a long ~ from here. 여기서 멀다. **4** [종종 *pl.*] **습관,** 버릇; 풍습; 욕망, 의지; …풍(風), …식(式): (~+전+**-ing**) She has a ~ *of* exaggerat*ing* things. 그녀는 사물을 과장해서 말하는 버릇이 있다. // the ~ *of* the world 세상의 관습/A spoiled child wants his own ~ all the time. 버릇없는 아이는 언제나 제 뜻대로만 하려고 한다. **5** (특정한) **방법,** 수단(⇨ method 유의어); 행동; 방침, (처세·인생의) 길, (구어) 직업: (~+**to** do) This is the best ~ *to* solve the problem. 이것이 그 문제를 해결하는 최선의 방법이다. // (~+전+**-ing**) There are three ~*s of* deal*ing* with the situation. 그 사태를 처리하는 데는 세 가지 방법이 있다./a new ~ *of* looking at a matter 사물을 보는 새로운 시각 **6** **방향,** 쪽; [*sing.*] (구어) 근처: this ~ 이리로/my ~ 내 쪽[근처]으로/ explosions coming from London ~ 런던 방향에서 들려오는 폭발음 **7** 가는 길, 가는 도중, 도중의 시간: on one's[the] ~ home[to school] 집으로[학교로] 가는 길에 **8** (어떤 방향으로의) 진행, 진보, 진척; 전진 (기세), 타성: make one's ~ on foot 도보로 전진하다 **9** 〖항해〗 배의 속도, 항행; 〖법〗 통행권 **10** (…한) 점, 사항: in some ~*s* 어떤 점에 있어서는/ in its ~ 그 나름대로 **11** (구어) 상태; (영·구어) 동요[흥분] 상태: be in a bad ~ 〈건강·경기 등이〉 나쁘다/be in a (great) ~ (매우) 흥분해 있다 **12** [one's ~] 경험[지식, 주의, 행동]의 폭[범위]: the best device that ever came in *my* ~ 내가 아는 한 최상의 장치 **13** 규모: live in a great ~ 호화스럽게 살다 **14** [*pl.*] 〖조선〗 진수대(進水臺)
across the **~** 길 건너편에 ***all the*** **~** (1) 도중 내내, 먼 길을 무릅쓰고 (2) (미·구어) …의 범위 내에: pay *all the* ~ from five to fifteen dollars 5달러와 15달러 범위 내에서 지불하다 (3) (미·속어) (동의·지지 등) 전폭적으로, 언제라도, 무조건으로 ***a long*** **~** ***off*** 멀리 떨어져서, 먼 곳에 ***any*** **~** 여하간 ***at the least*** **~(*s*)** 적어도 ***be in the family*** **~** (구어) 〈여자가〉 임신하고 있다 ***both*** **~*s*** (1) 왕복 모두; 양쪽에 (2) (영) 〖경마〗 우승과 입상의 양쪽에 〈걸다〉 **(*by*)** ***a long*** **~** 훨씬 ***by the*** **~** (1) 도중에 (2) 말이 난 김에 (3) 그런데 ***by*** **~** ***of*** (1) …을 지나서, …을 경유하여(via) (2) …을 위하여, …으로서, …인 셈으로: *by* ~ *of* apology 변명으로, 변명하기 위하여/a stick *by* ~ *of* weapon 무기로 쓰는 지팡이 ***cannot fight***[***punch***] one***'s*** **~** ***out of a paper bag*** (구어) 유약하다; 실행력이 부족하다 ***clear the*** **~** ***for*** …에의 길을 트다, …을 용이하게 하다 ***come a long*** **~** [완료형으로] 계속 출세하다 ***come***[***fall***] one***'s*** **~** (1) 〈일이〉 닥치다 (2) …의 수중에 떨어지다 (3) (구어) 일이 잘 되어가다 ***cut both***[***two***] **~*s*** 〖구어〗 상반된 효과[결과]를 모두 가지고 있다 ***each*** **~**

thesaurus **way**[1] *n.* **1** 길 road, street, track, path, avenue; route, course, direction **2** 습관, …식 habit, custom, practice, conduct, behavior,

《영》〖경마〗 우승과 입상 양쪽에, 복승식(複勝式)으로 〈걸다〉 ***every which ~*** ⇨ every. ***find*** one***'s ~*** (1) 길을 찾아서 가다 (2) 다다르다; 애써 나아가다 (3) 들어오다; 나가다 ***find*** one***'s ~ about*** (지리에 밝아서) 혼자서 어디에나 갈 수 있다 ***find*** one***'s ~ into*** (1) …의 속으로 들어가다, …한 상태가 되다 (2) 〈신문 등에〉 나다 ***find*** one***'s ~ out of*** (가까스로) …에서 나오다, 탈출하다 ***force*** one***'s ~ into*** 떠밀고 들어가다[나아가다] ***gather ~*** 〈배가〉 속력을 내다 ***get in the ~*** 방해가 되다 ***get out of the ~*** 피하다, 비키다 ***get … out of the ~*** (방해되지 않도록) 치우다; 제거하다, 처분하다 ***get*** one***'s (own) ~*** 바라던 것을 얻다, 마음대로 하다 ***get under ~*** 《미·구어》 (1) 〖항해〗 항해 중이다 (2) 시작하다; 진행 중이다 ***give ~*** (1) 무너지다, 부러지다, 꺾이다; 떨어지다 (2) 지다, 물러가다, 양보하다 《*to*》 (3) 〈마음이〉 꺾이다, 풀이 죽다, 낙심하다; 비탄에 잠기다 ***go all the ~ with …*** 《속어》 (1) …에 전적으로 동의하다 (2) …를 결단하다 (3) …와 성교하다 ***go a long***[***some***] ***~*** (…하는 데) 이바지하다, 일조하다 《*to, toward*》 ***go out of the*** [one***'s***] ***~*** 일부러[고의로] …하다 ***go***[***take***] one***'s (own) ~*** 자기 생각대로 하다, 자신의 길을 가다 ***go*** a person***'s ~*** (1) …와 같은 방향으로 가다 (2) 〈일이〉 잘되어 가다, …에게 유리하게 되다 ***go*** one***'s ~(s)*** 출발하다, 가 버리다 ***go the ~ of*** (1) …와 같은 길을 가다[취급을 받다], …의 전철을 밟다 (2) 《구어》 〈일이〉 〈사람의〉 생각대로 되다 ***go the ~ of all flesh***[***all the earth, all living***] 죽다 ***go the ~ of all good things*** 멸망할 운명에 있다 ***go the whole ~*** 《미·구어》 끝까지 하다 ***have a ~ of*** do***ing*** …하는 버릇이 있다 ***have a ~ with*** a person …을 잘 다루다; 영향력이 있다 ***have it both ~s*** 양다리를 걸치다, 두 마리 토끼를 잡다 ***Have it your (own) ~.*** 네 마음대로 해라. ***have*** one***'s (own) ~*** 뜻대로[마음대로] 하다 ***have the ~ about*** one 독자적인 것[품격, 방식]을 갖추고 있다 ***have ~ on*** 〈배가〉 전진하고 있다 ***have*** one***'s (wicked) ~ with*** 《구어》 …을 꾀어 성관계를 가지다 ***in a bad ~*** (1) 중병으로 (2) 매우 곤란하여 ***in a big***[***great, large***] ***~*** 대규모로 〈장사를 하다〉; 사치스럽게 〈살다〉 ***in a fair***[***good***] ***~ to*** do[***of*** do***ing***] …할 것 같은, …할 가망이 있는, 유망한 ***in a kind***[***sort***] ***of ~*** 《구어》 다소, 얼마간 ***in a small ~*** 소규모로, 간소하게 ***in a***[***one***] ***~*** 보기에 따라서는; 다소, 얼마간 ***in more ~s than one*** 여러 가지 의미로 ***in no ~*** 결코 …않다 ***in one ~ or another*** 어떻게라도 해서 ***in some ~*** 어떻게든 해서 ***in some ~s*** 여러 가지 점에서 ***in*** one***'s (own) ~*** (1) 특기여서, 전문으로 (2) 그것 나름으로, 꽤 ***in the*** grocery[stationery] ***~*** (잡화상[문방구])을 경영하여 ***in the***[a person***'s***] ***~*** 방해[장애]가 되어 ***in the ~ of*** (1) …의 방해가 되어 (2) …한 점에서; …으로서 ***(in) the worst ~*** 《구어》 매우 ***in this ~*** 이렇게, 이런 식으로 ***keep out of the ~*** 피하다, 비키다 ***keep***[***hold***] one***'s ~*** 길을 잃지 않다, 벗어나지 않다, 똑바로 길을 따라가다 ***know***[***learn***] one***'s ~ about***[(《영》) ***round***] 《구어》 (어느 곳의) 지리에 밝다; 사정[내용]에 정통하고 있다 ***lead the ~*** (1) 선두에 서다, 길을 안내하다 (2) 솔선하다, 지도하다 ***look the other ~*** 고개를 돌리다; 무시하다 ***lose the***[one***'s***] ***~*** 길을 잃다 ***lose ~*** 〖항해〗 〈배의〉 속력이 줄다 ***make***[***pay***] ***its ~*** 〈기업 등이〉 돈을 벌다 ***make much***[***little***] ***~*** 진척되다[되지 않다] ***make*** one***'s (own) ~*** (애써) 나아가다, 가다; 번창하다, 잘 되다, 출세하다 ***make*** one***'s ~ home*** 집으로 돌아가다 ***make the best of*** one***'s ~*** 될 수 있는 대로 빨리 가다 ***make ~*** (1) 나아가다, 진보하다, 출세하다 (2) 길을 비켜 주다 《*for*》 ***no ~*** 《구어》 천만의 말씀, 싫다(no) 《제안·요구에 대한 거절》; 조금도 …않다: Apologize to her? *No ~!* 그녀에게 사과하라고? 싫어! ***once in a ~*** 때로, 간혹 ***one ~ and another*** 이것저것으로 ***one ~ or another*** 이럭저럭; 어떻게 해서든지 ***one ~ or the other*** 어떻게 해서든지; 어떤 쪽이든지 ***on*** one***'s***[***the***] ***~ home***[***out***] 집에 돌아가는[외출하는] 도중에 ***on*** one***'s ~ to*** …으로 가는 길[도중]에 ***on the***[one***'s***] ***~*** …하는 중에; …도중에 《*to*》; 진행 중의, 다가오는; 《구어》 임신하여 ***on the ~ down*** 내리막길의[에] ***on the***[one***'s***] ***~ out*** (1) 시들기 시작하여, 사멸하기 시작하여 (2) 퇴직하려고 마음먹고 ***out of*** one***'s ~*** (1) 불가능하여 (2) (사람이 가는) 길에서 벗어나서 ***out of the ~*** (1) 방해가 되지 않는 곳에; 길에서 떨어져, 인적이 드문 곳에 (2) 터무니없는, 그릇된; 상도(常道)를 벗어나, 이상한, 별난(cf. OUT-OF-THE-WAY) ***over***[***across***] ***the ~*** 길 건너편에[으로] ***pave the ~ for***[***to***] …의 길을 열다; …을 용이하게 하다, …에 이르다 ***pay***[***earn***] one***'s (own) ~*** 빚지지 않고 살아가다 ***put*** a person ***in the ~ of …*** = ***put … (in)*** a person***'s ~*** …에게 …할 기회를 주다 ***put*** a person ***out of the ~*** 남몰래 …을 해치우다 《감금 또는 암살하다》 ***right of ~*** 통행권 ***see*** one***'s ~ (clear) to*** do[do***ing***] …을 (자기도) 할 수 있다고 생각하다, 전망이 서다; …을 하고 싶어하다, 기꺼이 …하다 ***send …*** a person***'s ~*** …을 …에게 주다 ***set in*** one***'s ~s*** 〈특히 노인이〉 자신의 방식에 집착하여, 완고하여 ***some ~*** 잠시 ***stand***[***be***] ***in the ~ of*** one [***in*** one***'s way***] …의 방해가 되다, …의 앞길을 가로막다 ***stop the ~*** 진행을 방해하다 ***take*** one***'s own ~*** 자기 생각대로 하다 ***take*** one***'s ~*** 《시어》 여행을 하다 ***take*** one***'s ~ to***[***toward(s)***] …의 쪽으로 나아가다 ***take the easy***[***quick, simplest***] ***~ out (of …)*** 《구어》 (곤경으로부터) 안이한[신속한, 가장 간단한] 해결책을 취하다 ***that ~*** (1) 저쪽으로: You go *that* ~ to London. 런던은 저쪽입니다. (2) 그런 식으로 (3) 《미·속어》 반해서, 좋아서: They are *that* ~. 그들은 뜨거운 사이이다. / I'm *that* ~ about tea. 홍차라면 사족을 못 쓴다. (4) 《미·속어》 임신해서 ***(that's***[***it's***]***) always the ~*** 일은 언제나 이런 식으로[안 좋은 방향으로] 일어난다. ***the good old ~s*** 그리운 옛날 풍습 ***the hard ~*** (1) 고생을 하면서 (2) (쓰라린) 경험에 의해서 ***the other ~ about***[***(a)round***] 반대로, 거꾸로 ***the parting of the ~s*** 결단의 갈림길 ***(There are) no two ~s about it***[***that***]. 《구어》 물론이다, 두말할 것 없다, 당연한 일이다. ***the right***[***wrong***] ***~s of*** do***ing*** a thing 일을 하는 올바른[그릇된] 방식 ***the ~ of the world*** (1) 관례 (2) 관례에 따라 정당화된 행위 ***the ~ (that) …*** (1) …하는 방법 (2) …처럼 《*as*》 (3) …에 의하면 (4) …이므로 (5) …으로 판단하면 ***this ~ and that*** 이리저리 〈헤매다〉; 갈팡질팡하여 ***to*** one***'s ~ of thinking*** …의 생각으로서는 ***under ~*** 진행 중인; 〖항해〗 항행 중인(under weigh) ***want*** one***'s own ~*** 생각한 대로 하고 싶어하다 ***W~ enough!*** 〖항해〗 노젓기 그만! ***~s and means*** (1) 수단, 방법 (2) (정부의) 재원 ***~ the wind blows*** 나아가게 될 방향; 형편; 귀추 ***W~ to go!*** 《미·구어》 바로 그거다, 잘 했어, 훌륭히 해냈어! 《격려의 말》 ***work*** one***'s ~*** 애써 나아가다; 일하여 …의 돈을 벌다 ***work*** one***'s ~ up*** (회사에서) 승진하다

way², **'way** [wéi] [away의 두음소실(頭音消失)] *ad.* **1** 저쪽으로: Go ~. 저쪽으로 가거라. **2** [부사·전치사를 강조하여] 《미·속어》 훨씬, 멀리: ~ off 훨씬 먼 곳으로 / ~ too long 너무 긴 / ~ down the road 이 길을 쭉 가면 그곳에 ***from ~ back*** (1) 먼 시골로부터(의) (2) 먼 옛날로부터(의) ***~ above*** 훨씬 위에; 먼 옛날 ***~ ahead*** 훨씬 앞에 ***~ behind*** 훨씬 늦어서[뒤에] ***~ over*** 훨씬 멀리 ***~ up*** 훨씬 높이

way·bill [wéibìl] *n.* **1** 승객 명부 **2** 화물 운송장(狀) 《略 W.B., W/B》

---

disposition, character, style, fashion, mode **3** 방법 method, process, procedure, technique, manner, means **4** (…한) 점 aspect, point, sense

way·far·er [-fɛ̀ərər] *n.* 《문어》 **1** 여행자, 나그네 《특히 도보의》 **2** 단기 숙박자

way·far·ing [-fɛ̀əriŋ] 《문어》 *a.* 《도보》 여행을 하는 (itinerant): a ~ man 나그네
— *n.* Ⓤ 도보 여행, 여행

way·go·ing [-gòuiŋ] 《주로 스코》 *a.* 떠나가는; 떠나가는 사람의 — *n.* 떠나감, 고별

wáy ín 《영》 《지하철 등의》 입구(entrance)

way·lay [wéilèi, ⌐⌐|⌐⌐] *vt.* (**-laid** [-lèid]) **1** 길가에 숨어서 기다리다 《강도질·살해하려고》, 급습하다 **2** 도중에 기다렸다가 불러 세우다

way·leave [wéilì:v] *n.* 《남의 토지를 통과할 수 있는》 통행권[료]

way·less [wéilis] *a.* 길이 없는; 사람이 가지 않은

way·mark [-mà:rk] *n.* 《자연·인공의》 도표(道標), 길잡이, 도로 표시

Wayne [wéin] *n.* 웨인 **1** 남자 이름 **2 Anthony** ~ (1745-96) 《미국 독립 전쟁 시의 장군》 **3 John** (Marion Michael Morrison) ~ (1907-79) 《미국의 영화배우》

Wáy of the Cróss [the ~] **1** = STATIONS OF THE CROSS **2** = VIA DOLOROSA 2

wáy óut 1 《영》 《지하철 등의》 출구 **2** 《곤란한 문제의》 해결책, 해결의 수단, 타개책

way-out [wéiáut] *a.* 《구어》 **1** 매우 좋은, 뛰어난 **2** 〈스타일·기교 등이〉 첨단을 걷는, 진보적인, 급진적인; 이국적인; 기발한 **~·ness** *n.*

wáy pòint 1 《항로의 주요 지점 사이의》 중간 지점 **2** = WAY STATION

ways [wéiz] *n. pl.* [단수 취급] 《장》거리, 길

-ways [wèiz] *suf.* 「위치; 상태; 방향」을 나타냄: side*ways*, any*ways*

Wáys and Méans Commìttee [the ~] 《미》 하원 세입(歲入)[재정] 위원회

*__way·side__ [wéisàid] *n.* [the ~] **길가, 노변** ***fall*** [***drop***] ***by the ~*** (1) 중도에서 단념하다 (2) 《부정 등을 해서》 낙오하다 ***go by the ~*** 보류되다
— *a.* Ⓐ 길가의

wáy stàtion 《미》 **1** 《주요 역 사이의》 중간 역 **2** 급행열차가 통과하는 작은 역 **3** 중계 지점

way-stop [-stɑ̀p|-stɔ̀p] *n.* 《버스 등의》 정류장; 《도중의》 휴게소

wáy tràin 《미》 보통 열차 《각 역마다 정차하는》

*__way·ward__ [wéiwərd] *a.* **1 말을 안 듣는**; 고집 센, 외고집의; 정도에서 벗어난, 불법의: a ~ son 부모 말을 안 듣는 아들 / ~ behavior 고집스런 태도 **2 제 마음대로의**; 변덕스러운: be ~ in one's affections 애정이 변덕스럽다 **3** 〈방침·방향 등이〉 흔들리는, 불안정한 **~·ly** *ad.* **~·ness** *n.*

way-wise [wéiwàiz] *a.* **1** 《미》 〈말이〉 길에 익숙한 **2** 《방언》 경험이 풍부한, 노련한

way·wis·er [wéiwàizər] *n.* 주행[항행] 거리계

way·worn [wéiwɔ̀:rn] *a.* 《드물게》 여행에 지친, 여행으로 야윈

wayz·goose [wéizgù:s] *n.* 《영》 인쇄 공장의 1년에 한 번의 잔치[여행] 《여름에 실시》

wa·zir [wəzíər] *n.* = VIZIER

waz·oo [wǽzu:] *n.* 《미·속어》 엉덩이, 볼기 ***out*** [***up***] ***the ~*** 많이, 충분히

w.b. warehouse book; 〖항해〗 water ballast; westbound **Wb** 〖전기〗 weber(s) **W.B., W/B, w.b.** waybill **WB** weather bureau; World Bank **WBA, W.B.A.** World Boxing Association 세계 권투 연맹 **WBC, W.B.C.** white blood cells; white blood count; World Boxing Council 세계 권투 평의회 **wbfp** wood-burning fireplace **WbN** west by north 서미북(西微北)

W bòson 〖물리〗 W 보손 (W particle)

WbS west by south 서미남(西微南) **WBS** World Broadcasting System 세계 방송망 **w.c.** water closet; without charge **W.C.** water closet; West Central 《런던》 서(西) 중앙 우편구 **W.C.A.** Women's Christian Association **WCC, W.C.C.** War Crimes Commission; World Council of Churches 세계 교회 협의회 **W/Cdr.** 《영》 Wing Commander **WCP, W.C.P.** World Council of Peace 세계 평화 평의회 **W.C.T.U.** Woman's Christian Temperance Union 《미》 그리스도교 여성 금주 협회 **wd.** ward; wood; word; would **W.D.** War Damage; War Department; Water Department; 〖법〗 wife's divorce **W.D.A.** War Damage Act **W.D.C.** War Damage Commission; War Damage Contribution

‡**we** [wí:; 《약하게》 wi] *pron.* 《목적격 us; 소유격 our》 **1** [I의 복수] **우리(들)**, 저희들 **2** [군주 등의 자칭] 나, 짐(朕) 《the royal 'we'; cf. OURSELF》; [신문·잡지의 논설 등에서 필자가 공적 입장에서 I 대신에 씀] 오인(吾人), 우리 《the editorial 'we'; cf. US》 **3** [부정대명사적] 우리들 《인간》: *We* are not naturally bad. 사람은 천성이 악한 것은 아니다. / the marvels of science that ~ take for granted 우리가 당연한 것으로 생각하는 과학의 경이 **4** [상대방에게 동정감·친근감 등을 나타내어] 너, 너희(들) 《the paternal 'we'》: How are *we*(= you) this morning, child? 오늘 아침은 기분이 어때요? **5** [명사 앞에서 강조 용법으로] 우리…: *We* Americans are a sturdy lot. 우리 미국인들은 강인한 국민이다.

WE Women Exchange 여성 교환소 《이혼 재판소로 유명한 미국 Reno시에 대한 속칭》 **w/e** weekend **W.E.A., WEA** 《영》 Workers' Educational Association

‡**weak** [wí:k] *a.* **1 a** 〈몸이〉 **약한**(opp. *firm, strong*), 연약한, 가냘픈, 허약한: have ~ eyes[ears] 시력[청력]이 약하다 / have a ~ constitution 허약 체질이다 / The ~*est* goes to the wall. 《속담》 우승열패(優勝劣敗), 약육강식(弱肉強食). (cf. WEAK-TO-THE-WALL) **b** 〈물건이〉 **약한**, 부서지기 쉬운: a ~ foundation 약한 기초 **c** 〈나라 등이〉 힘이 없는, 약소의: a ~ nation 약소 국가

> 유의어 **weak** 「약한」을 뜻하는 가장 일반적인 말이다: *weak* after an attack of fever 열병 후에 쇠약해진 **feeble** 병이나 노령(老齡) 등으로 인해 육체적·정신적으로 가엾을 정도로 약한: a *feeble* old man 기력이 없는 약한 늙은이

2 불충분한, 약한, 〈문제·증거 등이〉 설득력이 없는 **3** 〈지능이〉 **모자라는**, 저능의; 〈상상력 등이〉 부족한; 결단력이 없는, 우유부단한: a ~ surrender 무기력한 항복 **4** 〈학과 등이〉 **자신 없는**, 뒤떨어진; 서투른, 열등한 《*in*》: I'm ~ *in* the science subjects 나는 과학에 약하다 **5** 〈차(茶) 등이〉 묽은, 싱거운; 〈소맥(분)이〉 끈기가 적은; 〖사진〗 〈음화가〉 콘트라스트가 약한, 농도가 낮은; 〖화학〗 〈산·염기가〉 약(弱)의 《이온 농도가 낮은》 **6** 〖음성〗 〈음절·모음 등이〉 악센트가 없는(opp. *strong*) **7** 〖문법〗 약변화의, 규칙 변화의 **8** 〖상업〗 〈시세가〉 하락 기세의, 한산한: The yen was ~ against the dollar. 엔화는 달러에 약세였다. (***as***) ***~ as a kitten*** 연약한, 체력이 쇠약해진 ***one's ~ point*** 약점
▷ wéaken *v.*; wéakly *a.*; wéakness *n.*

wéak bóson 위크 보손 《유럽 합동 원자핵 연구소에서 발견한 새 소립자》

‡**weak·en** [wí:kən] *vt.* **1 약화시키다**: ~*ed* eyesight 약해진 시력 **2** 〈술·차 등을〉 묽게 하다
— *vi.* **1 약해지다 2** 결단성이 없어지다; 흔들거리다; 꺾이다, 굴복하다 **~·er** *n.*

thesaurus **wayward** *a.* **1** 말을 안 듣는 willful, headstrong, stubborn, perverse, unruly, difficult, disobedient **2** 변덕스러운 capricious, whimsical, fickle, changeable, variable, unstable
weak *a.* frail, fragile, delicate, feeble, infirm, shaky, faint, tired, fatigued, exhausted

wéak·er bréthren [wí:kər-] 동료들 중에서 별로 신통치 못한 사람(들), 주쳇덩어리

wéaker séx [the ~] 《경멸·완곡》 여성(women)

wéaker véssel [the ~] 〖성서〗 연약한 그릇, 여성

weak-eyed [wí:káid] *a.* 시력이 약한

weak·fish [-fìʃ] *n.* (*pl.* **~·es,** [집합적] **~**) 민어과(科)의 식용어 《미국 대서양 연안산(産)》

wéak fórce 〖물리〗 약한 힘

weak·hand·ed [-hǽndid] *a.* 힘이 없는, 무력한; 인원 부족의

weak-head·ed [-hédid] *a.* **1** 머리가 둔한, 저능의 **2** 현기증을 일으키기 쉬운 **3** 술에 약한; 의지가 약한, 우유부단한 **~·ly** *ad.* **~·ness** *n.*

weak·heart·ed [-há:rtid] *a.* 마음이 약한, 용기가 없는 **~·ly** *ad.* **~·ness** *n.*

wéak interáction 〖물리〗 (소립자 사이에 작용하는) 약한 상호 작용(weak force)(cf. STRONG INTERACTION)

weak·ish [wí:kiʃ] *a.* **1** 약간 약한, 연약한 **2** 〈차 등이〉 좀 묽은 **3** 〖상업〗 약세의

weak-kneed [wí:kní:d] *a.* **1** 무릎에 힘이 없는 **2** 《구어》 줏대 없는, 우유부단한(irresolute) **~·ly** *ad.*

weak·ling [wí:kliŋ] *n.* **1** 허약자, 병약자 **2** 나약한 사람, 약골 **—** *a.* 약한

***weak·ly** [wí:kli] *a.* (**-li·er**; **-li·est**) 몸이 약한, 병약한, 허약한; 가냘픈: a ~ infant 병약한 유아 **—** *ad.* **1** 약하게, 가냘프게 **2** 우유부단하게, 무기력하게 **3** 묽게, 물기 많게 **wéak·li·ness** *n.*

weak-mind·ed [wí:kmáindid] *a.* 저능한; 마음이 약한 **~·ly** *ad.* **~·ness** *n.*

‡**weak·ness** [wí:knis] *n.* Ⓤ **1** 약함, 가냘픔; 허약, 유약(柔弱) **2** Ⓒ 약점, 결점: Everyone has his little ~. 누구나 약간의 결점은 있기 마련이다. **3** 우둔, 저능 **4** 우유부단, 나약, 심약 **5** (증거) 불충분, 박약 **6** [a ~] 《속어》 매우 좋아하는 것, 편애(偏愛) 《*for*》: have *a* ~ *for* sweets 단것을 무척 좋아하다

weak·on [wí:kɑn | -ɔn] *n.* 〖물리〗 (소립자 사이의) 약한 상호 작용을 매개한다고 하는 가설(假說) 입자

wéak sìde 1 (성격의) 약점(weak point) **2** 〖미식 축구〗 위크 사이드 《공격 라인의 양쪽에서 배치 인원 수가 적은 약한 사이드》

wéak síster 《미·구어》 **1** (한 그룹 안에서) 도움이 필요한 사람, 거추장스러운 사람 **2** 믿을 수 없는[쓸모없는] 사람 **3** 무력한 사람; 겁쟁이

weak-spir·it·ed [wí:kspíritid] *a.* 마음이 약한, 겁쟁이의

weak-to-the-wall [wí:ktəðəwɔ́:l] *a.* 약육강식의, 우승열패의: ~ kind of society 약육강식형(型)의 사회 ★ The WEAKest goes to the wall. 「가장 약한 자가 진다, 우승열패, 약육강식」이라는 속담에서 나옴.

weak-willed [wí:kwíld] *a.* 의지(意志)가 약한, 심약한, 생각이 흔들리는

weal[1] [wí:l] *n.* 《문어》 Ⓤ 복리(福利), 번영, 행복, 안녕 ***for the general***[***public***] **~** 일반[공공]의 복리를 위하여 **~ *and*[*or*] *woe*** 행복과 불행, 화복(禍福)

weal[2] *n.* =WALE[1]

weald [wí:ld] *n.* **1** 삼림 지대; 광야 **2** [the W~] 윌드 지방 《Kent, Surrey, East Sussex, Hampshire 등의 여러 주를 포함하는 England 남부 지역의 옛 삼림 지대》

wéald clày 〖지질〗 윌드 점토층(粘土層) 《영국 남부의 Weald 지방 특유의 점토질층》

Weald·en [wí:ldən] *a.* 윌드 지방의, 윌드 지방의 지질을 닮은 **—** *n.* 〖지질〗 윌드층 《윌드 지방에 전형적인 하부 백악기의 육성(陸成)층》

---

wealthy *a.* rich, well off, affluent, prosperous, opulent, lavish, luxurious, splendid, magnificent

wear[1] *v.* **1** 입다[걸치다] dress in, be clothed in, have on, put on **2** 해지게 하다 erode, corrode, abrade, wash away, rub away, grind away **3** 지치게 하다 fatigue, tire, exhaust, weary

‡**wealth** [wélθ] [ME 「행복」의 뜻에서] *n.* Ⓤ **1** 부(富); ⓊⒸ 재산, 재화, 재물(riches): the ~ of a city[a nation] 도시[국가]의 부 **2** [a ~, the ~] 풍부, 다량, 다수 《*of*》: *a* ~ *of* delightful memories 수많은 즐거운 추억들 **3** 〖경제〗 부 《화폐 가치·교환 가치·이용 가치가 있는 모든 것》; 귀중한 산물, 자원: natural ~ 천연자원 **4** 부유, 부귀, 부자; [집합적] 부유층: come to ~ 부자가 되다 **5** 《고어》 행복, 복리, 번영 ***a man of* ~** 재산가, 부자 ***gather*[*attain to*] ~** 재물을 모으다 **~·less** *n.* ▷ wéalthy *a.*

wéalth tàx 부유세(稅) 《일정 한도 이상의 개인 재산에 부과되는 세》

‡**wealth·y** [wélθi] *a.* (**wealth·i·er**; **-i·est**) **1** 부유한, 부자인, 유복한(⇨ rich 유의어) **2** 풍부한, 많은, 충분한: ~ in psychological insights 심리적 통찰이 풍부한 **wéalth·i·ly** *ad.* **wéalth·i·ness** *n.* ▷ wéalth *n.*

wean[1] [wí:n] *vt.* **1** 〈아기·동물 새끼의〉 젖을 떼다, 이유(離乳)시키다: (~+목+전+명) ~ a baby *from* the mother 아기에게 젖을 떼게 하다 **2** …에서 떼어놓다 《*away, off*; *from*》, 버리게 하다: (~+목+부) ~ a person *away from* his desires …의 욕망을 없애 버리다 / ~ an addict *off* heroin 마약 중독자에게 헤로인을 끊게 하다

wean[2] [wéin, wí:n] *n.* 《스코》 유아, 어린애

wean·er [wí:nər] *n.* **1** 이유(離乳)시키는 사람; 이유기구 **2** 젖을 갓 뗀 어린 새끼[송아지, 새끼 돼지]

wean·ling [wí:nliŋ] *n.* 젖 떨어진 어린애[동물의 새끼] **—** *a.* 젖을 막 뗀 어린애[새끼 짐승]의

‡**weap·on** [wépən] *n.* **1** 무기, 병기, 흉기: defensive ~ 방어용 무기

> 유의어 **weapon** 공격이나 방어를 위해 사용되는 무기: carry a *weapon* 무기[흉기]를 휴대하다 **arms** 전쟁용 무기: carry *arms* (군인이) 무기를 휴대하다

2 공격의 수단; 〖동물〗 공격[방어] 기관(器官): women's ~*s*, waterdrops 여자의 무기인 눈물 **—** *vt.* 무장하다 **wéap·oned** *a.* 무기를 지닌 **~·less** *a.*

weap·on·eer [wèpəníər] *n.* **1** (핵)무기 설계[개발]자 **2** 핵폭탄 발사 준비원 **~·ing** *n.* (핵)무기 개발

weap·o·nize [wépənaiz] *vi.* (미사일·발사체 등에) 무기를 탑재하다, (폭탄 등을 탑재해) 무기화하다

wéapon of máss destrúction 〖군사〗 대규모 살상[파괴] 무기

weap·on·ry [wépənri] *n.* Ⓤ [집합적] 무기류(類); 조병학(造兵學); 군비 개발, 무기 제조

wéapons càrrier 〖군사〗 무기 운반차

‡**wear**[1] [wέər] *v., n.*

> 「몸에 걸치고 있다」 → 「(의복을) 입어 낡게 하다」 → 「해지게 하다」가 되었음

— *v.* (**wore** [wɔ́:r]; **worn** [wɔ́:rn]) *vt.* **1** 입고[신고, 쓰고, 끼고] 있다, 띠고[휴대하고] 있다: She always ~*s* a ring. 그녀는 늘 반지를 끼고 있다. / She generally ~*s* green. 그녀는 보통 녹색 옷을 입고 있다. / He ~*s* a dark suit. 그는 검은 옷을 입고 있다. / ~ a watch 시계를 차고 있다 / She ~*s* spectacles. 그녀는 안경을 끼고 있다. / He ~*s* brown shoes. 그는 갈색 구두를 신고 있다. / He ~*s* a pistol. 그는 권총을 차고 있다. **2** 〈수염·머리 등을〉 기르고 있다; 〈향수를〉 바르고 있다; 〈표정을〉 하고 있다: The girl always ~*s* a smile. 그 소녀는 늘 미소를 띠고 있다. // (~+목+보) She *wore* her hair long[short]. 그녀는 머리를 길게[짧게] 하고 있었다. **3** 닳게[해지게] 하다, 써서 낡게 하다: (~+목+부) Letters on the stone seem to have been *worn away* by weather. 돌에 새겨진 글자는 비바람에 마멸되어 버린 것 같다. **4** **지치게[쇠약하게] 하다**, 서서히 …하게하다 **5** 〈구멍·도랑 등을〉 파다, 뚫다: (~+목+전+명) ~ a hole *in* one's socks 양말에 구멍이 뚫리다 / Constant dropping ~*s* the stone. 《속담》 낙숫물이 댓돌을 뚫는다. **6** …의 지위에 있다, 〈직함을〉 갖다: ~ the crown 왕위에 있다 / ~ the purple 황제의 자리에 있다 **7** 〈마음·기억에〉 간직하고 있다 《*in*》

—*vi.* **1 닳아 떨어지다**, 낡아지다, 해지다, 마멸되다: (~+보) The boy's pants have *worn* thin at the seat. 소년의 바지는 엉덩이가 닳아서 얇아졌다. **2** 〈물건이〉 (오랜) **사용에 견디다**, 쓸 수 있다, 오래가다: (~+부) This coat has *worn well*[*badly*]. 이 옷옷은 꽤 오래 입었다[입지 못했다]. **3** 〈시간 등이〉 점점 지니다, 경과하다. (~+부) The long winter night *wore away*. 기나긴 겨울밤은 서서히 지나갔다. // (~+전+명) His glorious life was ~*ing to* its close. 영광스러운 그의 일생은 서서히 막을 내리고 있었다. **4** 지치다, 쇠약해지다

~ ***away*** (1) 닳아 없애다, 마멸시키다 (2) 〈시간이〉 흐르다; 〈때를〉 보내다 ~ ***down*** 피로하게 하다; 닳아 없어지게 하다, 마멸시키다; 조금씩 파괴하다, 자꾸 공격하여 격파[격퇴]하다 ~ ***off*** (1) 닳아 없어지게 하다, 점차로 없애다 (2) 닳아 없어지다, 점점 사라져 없어지다 ~ ***on*** (1) 〈시간이〉 지나다, 경과하다 (2) 초조하게 만들다 ~ ***out*** (1) 닳아 없어지게 하다, 써서 해지게[낡게] 하다; 다 없어지게 하다 (2) 지치게 하다; 질리게 하다; 견디어 내다; 견디다 (3) 〈시간을〉 보내다, 허비하다 (4) 닳아 없어지다, 해지다, 마멸되다 ~ one***'s heart upon*** one***'s sleeve*** ⇨ heart. ~ ***the trousers*** [***pants***] ⇨ trousers. ~ ***thin*** (1) 닳아서 얇아지다 (2) 〈이야기 등이〉 신선미를 잃다, 싫증나다 ~ ***through the day*** 그럭저럭 하루를 지내다 ~ ***well*** 오래가다; 〈사람이〉 늙지 않다: ~ one's age[years] *well* 나이에 비해서 젊다, 늙지 않다

—*n.* Ⓤ **1 착용**, 사용: clothes for everyday ~ 평상복 **2** [집합적] **의복**; 착용물: men's ~ 신사복 / travel ~ 여행복 **3** (착용의) 유행; 유행복: in general ~ 유행하고 **4** 사용에 견딤, 오래감: There is a plenty of ~ in it yet. 그것은 아직도 오래갈 것이다[쓸 수 있다]. **5** 닳아 해짐, 마멸, 마손, 입어 낡게 함

everyday ~ 일상복 ***have in*** ~ 입고 있다 ***Sunday*** [***working, spring***] ~ 나들이[일, 봄] 옷 ***the worse for*** ~ (1) 지쳐서 (2) 옷이 낡아서 (3) 《구어》 취해서 ~ ***and tear*** 마멸, 마손, 소모

wear² 〔항해〕 *vt., vi.* (**wore** [wɔ́ːr]; **worn** [wɔ́ːrn], 《영》 **wore**) 〈배를[가]〉 바람에 등지게 돌리다[돌다]

—*n.* 바람에 등지게 돌기

wear³ [wíər] *n.* = WEIR

wear·a·bil·i·ty [wὲərəbíləti] *n.* Ⓤ (의복의) 내구성, 《특히》 (의복의) 입기 편함

wear·a·ble [wέərəbl] *a.* 착용[사용]할 수 있는[에 적합한]; 착용[사용]에 견디는, 오래가는

—*n.* [보통 *pl.*] 의복

wear·er [wέərər] *n.* **1** 착용자, 휴대자, 사용자 **2** 소모시키는 것

wea·ri·ful [wíərifəl] *a.* **1** 피곤하게 하는; 피곤한 **2** 싫증나게 하는, 따분한; 안달나는

~·**ly** *ad.* ~·**ness** *n.*

wea·ri·less [wíərilis] *a.* 피곤을 모르는, 지칠 줄 모르는 ~·**ly** *ad.*

wear·ing [wέəriŋ] *a.* **1** 입을 수 있는, 착용하도록 만들어진 **2** 닳는 **3** 지치게 하는; 싫증나게 하는

wéaring appàrel 의복, 옷

wéaring cóurse (자동차의) 도로의 표면, 마모층

wea·ri·some [wíərisəm] *a.* **1** 피곤하게 하는, 지치게 하는 **2** 따분하게 하는, 지루한(tiresome): a ~ day 지루한 하루 ~·**ly** *ad.* ~·**ness** *n.*

▷ wéary *a.*

wear-out [wέəràut] *n.* 닳음, 마모, 손모(損耗)

wear·proof [wέərprùːf] *a.* 닳아 없어지지 않는, 내구성이 있는

‡wea·ry [wíəri] *a.* (**-ri·er**; **-ri·est**) **1 피곤한**(tired), 지친, 기진맥진한: ~ eyes 피곤한 눈(길) **2 싫증이 난** 《*of*》; 지루한, 따분한: a ~ journey 지루한 여행

—*v.* (**-ried**) *vt.* **1** 지치게 하다 《*with, by*》: The long hour of study *wearied* me. 오랜 시간의 공부로 지쳤다. / be *wearied by* a long journey 긴 여행으로 지쳐 있다 **2** 싫증나게 하다, 넌더리 나게 하다 《*with*》: (~+목+전+명) ~ a person *with* idle talk …을 지루한 이야기로 넌더리 나게 하다 ~ ***out*** 지쳐 버리게 하다; 지루하게 보내다

—*vi.* **1** 지치다 《*from*》 **2** 권태를 느끼다, 싫증이 나다 《*of*》: (~+전+명) He will soon ~ *of* the task. 그는 그 일에 곧 싫증이 날 것이다. **3** 《주로 스코》 그리워하다, 갈망하다; (…이) 없음을 매우 서운하게 여기다 《*for*》: (~+전+명) She is *wearing for* home. 그녀는 고향을 그리워하고 있다.

—*n.* 《미·속어》 [the wearies] 침울한 기분

wéa·ri·ly *ad.* **wéa·ri·ness** *n.*

▷ wéarisome *a.*

wea·sand [wíːzənd] *n.* **1** 식도(食道) **2** 《고어》 기관(氣管), 목구멍

wea·sel [wíːzəl] *n.* (*pl.* ~**s**, ~) **1** 〔동물〕 족제비; 그 모피 **2** 교활한 사나이; 《미·구어》 밀고자 **3** (무한궤도가 달린) 설상차(雪上車), 수륙 양용차 ***catch a*** ~ ***asleep*** 약삭빠른 사람을 속이다

—*vi.* **1** 《구어》 말끝을 흐리다 **2** 《구어》 (의무 등을) 회피[기피]하다 《*on, out of*》 **3** 《미·속어》 밀고하다

wea·sel-faced [wíːzəlfèist] *a.* (족제비처럼) 가늘고 뾰족한 얼굴의, 교활한 얼굴의

wea·sel·ing [wíːzəliŋ] *a., n.* 《미·구어》 말[태도]을 얼버무리는 (일)

wea·sel·ly [wíːzəli] *a.* 족제비 같은, 교활한

wéasel wòrd 《미·구어》 고의로 뜻을 모호하게 한 말, 책임을 회피하는 애매한 말

wea·sel-word·ed [-wə̀ːrdid] *a.* (일부러) 애매한 말을 쓴; 뜻을 모호하게 한

‡weath·er [wéðər] *n.* Ⓤ **1 날씨**, 일기, 기상(氣象) (⇨ climate 유의어): ~ observation 기상 관측 / abnormal dry ~ 이상 건조 / What is the ~ like? 날씨는 어떤가? **2** [종종 the ~] 사나운[거친, 고약한] 날씨, 악천후 **3** [주로 *pl.*] 《영》 기후 **4** (인생·운명의) 변천, 사태; 풍화(風化)

above the ~ 〔항공〕 날씨에 좌우되지 않을 정도로 높이 ***April*** ~ (1) 비가 오다가 개다가 하는 날씨 (2) 울다 웃다 함 ***dance and sing all ~s*** 형세를 살피다, 그때그때의 형세에 순응하다 ***drive with the*** ~ 물결치는 대로 표류하다 ***go into the*** ~ 풍우를 무릅쓰고 나가다 ***in all ~s*** 비가 오나 바람이 부나 ***in the*** ~ 비바람을 맞고, 밖에서 (***in***) ***wet*** ~ 비 오는 날씨(에) ***keep the*** ~ 〔항해〕 바람 불어오는 쪽에 있다[쪽으로 가다] ***make bad*** ~ 〔항해〕 폭풍을 만나다 ***make good*** ~ 〔항해〕 좋은 날씨를 만나다 ***make heavy*** ~ (***of***[***out of***]) (1) 〔항해〕 〈배가〉 폭풍우를 만나 크게 흔들리다; …에 시달리다, …의 화를 당하다 (2) 《구어》 〈작은 일을〉 너무 심각하게 생각하다 ***make*** (***it***) ***fair*** ~ 아첨하다 ***under stress of*** ~ 폭풍우로 말미암아, 궂은 날씨를 만나서 ***under the*** ~ (1) 《구어》 기후 탓으로; 몸이 편치 않아, 불쾌하여 (2) 《속어》 궁색하여 (3) 술에 취하여 ~ ***permitting*** 날씨가 좋으면

—*a.* Ⓐ **1** 〔항해〕 바람 불어오는 쪽의(opp. *lee*); 바람을 안고 가는 **2** 비바람에 노출된 ***keep*** one***'s*** ~ ***eye open*** ⇨ weather eye

—*vt.* **1** 비바람을 맞게 하다, 바깥 공기에 쏘이다; 널어서 말리다: ~ timber 목재를 바깥 공기에 쐬다 **2** 〔지질〕 풍화(風化)시키다: These rocks have been ~*ed* for some centuries. 이 바위들은 수세기 동안 풍화되어 왔다. **3** 경사[비탈]지게 하다 《물이 고이지 않도록》 **4** 〔항해〕 …의 바람 불어오는 쪽으로 나가다 **5** 〈곤란 등을〉 견디어 내다, 뚫고 나가다: ~ a storm

〈배가〉 폭풍을 뚫고 나아가다
—*vi.* **1** 바깥 공기로 인하여 변하다, 풍화되다 《*away*》 **2** 비바람에 견디다 《*out*》
~ ***a point*** (1) 〔항해〕 바람을 향하여 나아가다 (2) 난국을 타개하다 ~ ***a storm*** 〔항해〕 폭풍우를 헤쳐 나아가다; 《비유》 난국을 타개해 나가다 ~ ***in*** 날씨가 나빠 오도 가도 못하다; 〈비행기·비행장 등을〉 악천후로 사용을 정지시키다 ~ ***out*** 악천후로 구내 진입을 금하다[(도중에) 중지시키다] ~ ***through*** 폭풍우[위험, 곤란]를 뚫고 나아가다
▷ wéatherly *a.*

weath·er·a·bil·i·ty [wèðərəbíləti] *n.* 악천후에 견디는[적합한] 성질

wéather ballòon 기상 관측 기구(氣球)

wéather bèam 〔항해〕 바람 불어오는 쪽의 뱃전

weath·er-beat·en [wéðərbìːtn] *a.* **1** 비바람에 시달린, 비바람을 맞아 온[견디어 낸] **2** 〈사람·얼굴 등이〉 풍설에 단련된; 햇볕에 탄: a ~ face 햇볕에 탄[그을린] 얼굴

weath·er·board [-bɔ̀ːrd] *n.* **1** 비막이 판자 **2** 〔항해〕 바람 불어오는 쪽의 뱃전; 물막이판
—*vt., vi.* (…에) 비막이 판자를 대다

weath·er·board·ing [-bɔ̀ːrdiŋ] *n.* Ⓤ [집합적] 비막이 판자 《흙벽 등에 대는》

weath·er-bound [-bàund] *a.* 〈비행기·배 등이〉 악천후로 출항하지 못하는, 비바람에 갇힌

wéather bòx = WEATHER HOUSE

wéather brèeder 폭풍 전의 좋은 날씨

wéather bùreau [the ~] 《미》 기상국(氣象局) 《National Weather Service의 구칭; 略 W.B.》

weath·er-burned [wéðərbə̀ːrnd] *a.* 햇볕과 바람에 그을은

wéather càst (라디오·텔레비전의) 일기 예보

wéather càster (라디오·텔레비전의) 일기 예보 담당 아나운서

wéather cèntre 《영》 기상국

wéather chàrt = WEATHER MAP

*__weath·er·cock__ [wéðər-kɑ̀k | -kɔ̀k] *n.* **1** 바람개비, 풍향계 《닭 모양을 한》 **2** 《비유》 변덕쟁이, 기회주의자
—*vt.* **1** …에 바람개비[풍향계]를 달다 **2** 《비유》 …에 대한 풍향계 역할을 하다
—*vi.* 〈비행기·미사일이〉 풍향성(風向性)이 있다

weathercock *n.* **1**

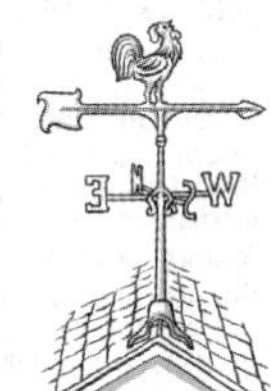

weath·er·con·di·tion [-kəndìʃən] *vt.* 모든 날씨에 견딜 수 있게 하다, 전천후용으로 하다

wéather còntact[**cròss**] 〔전기〕 (우천시의) 전선의 누전

wéather dèck 〔항해〕 노천 갑판

weath·ered [wéðərd] *a.* **1** 〈바위가〉 풍화된; 비바람에 씻긴 **2** 〈목재가〉 천연 건조된, (목재를 인공적으로 처리해서) 오래된 것처럼 보이게 한 **3** 〔건축〕 물매를 준

wéather èye **1** 일기(日氣)를 알아보는 눈 **2** 《구어·비유》 빈틈없는 경계[주의] **3** 기상 관측 장치, 기상 위성 ***keep*** one***'s ~ open*** 늘 주의하고[경계를 게을리 하지 않고] 있다 《*for*》

wéather fòrecast 일기 예보

wéather fòrecaster 일기 예보자[관]

wéather gàuge **1** 〔항해〕 바람 불어오는 쪽의 위치 《다른 배에 대한》 **2** 유리한 입장, 우위 ***have***[***get***] ***the ~ of*** …보다 유리한 지위에 서다[를 차지하다]

wéather gìrl 《미》 여성 일기 예보 아나운서

weath·er·glass [wéðərglæ̀s | -glɑ̀ːs] *n.* 대기의 상태를 측정하는 계기의 총칭 《기압계·습도계·청우계 등》

wéather hòuse (장난감) 청우(晴雨) 자동 표시기 《집 모양이며, 습도의 변화에 따라 인형이 나왔다 들어갔다 함》

weath·er·ing [wéðəriŋ] *n.* Ⓤ **1** 〔지질〕 풍화 (작용) **2** 〔건축〕 배수(排水)를 위한 물매

weath·er·ize [wéðəràiz] *vt.* 《미》 〈집 등을〉 (단열재를 써서) 기후에 견디는 구조로 하다
wèath·er·i·zá·tion *n.*

weath·er·ly [wéðərli] *a.* 〔항해〕 바람을 거슬러 갈 수 있는, 바람 불어오는 쪽으로 나아갈 수 있는 **-li·ness** *n.*

*__weath·er·man__ [wéðərmæ̀n] *n.* (*pl.* **-men** [-mèn]) 《구어》 **1** (방송의) 일기 예보 아나운서 **2** 기상대 직원; 기상학자

wéather màp 일기도

weath·er·per·son [-pə̀ːrsn] *n.* (방송의) 일기 예보 담당 아나운서; 기상학자

weath·er·proof [-prùːf] *a.* 비바람에 견디는
—*vt.* 비바람에 견디게 만들다, 전천후형으로 하다
—*n.* 《영》 레인코트 **~ed** [-t] *a.* **~·ness** *n.*

weath·er·proof·er [wéðərprùːfər] *n.* (건축의) 내후(耐候) 공사업자; 내후재(材)

wéather pròphet **1** 일기 예보자 **2** 날씨를 알 수 있는 장치, 일기 예보기; 일기 예보에 쓸모 있는 것 《새·개구리 등》

wéather ràdar 기상 레이더

wéather repòrt 일기 예보, 기상 통보

weath·er-re·sist·ant [-rizìstənt] *a.* 방습[방한]의, 궂은 날씨에 영향받지 않는

wéather sàtellite 기상 위성

wéather shìp 기상 관측선

wéather sìde 〔항해〕 바람 받는 현(舷)

weath·er-stained [-stèind] *a.* 비바람으로 변색된

wéather stàtion 기상 관측소

wéather strìp 〔건축〕 틈마개 《창·문 등의 틈새에 끼워 비바람을 막는 나무나 고무 조각》, 문풍지

weath·er-strip [-strìp] *vt.* (**~ped**; **~·ping**) …에 틈마개를 끼우다

wéather strìpping **1** = WEATHER STRIP **2** [집합적] 틈마개 재료

wéather tìde 〔항해〕 바람과 반대 방향으로 흐르는 조류

weath·er·tight [-tàit] *a.* 비바람에 견디는

wéather vàne 풍향계

weath·er·win·dow [-wìndou] *n.* (어떤 목적에) 알맞은 날씨가 계속되는 기간[시간대]

weath·er-wise [wéðərwàiz] *a.* **1** 일기를 잘 알아맞히는 **2** 여론의 동향에 민감한: ~ political experts 여론의 동향을 잘 예측하는 노련한 정치가들
—*ad.* 날씨에 관해서

weath·er·worn [wéðərwɔ̀ːrn] *a.* 비바람에 상한

weath·er·y [wéðəri] *a.* 변하기 쉬운, 변덕스러운; 〈과일 따위가〉 비바람에 품질이 손상된

‡**weave**[1] [wíːv] *v.* (**wove** [wóuv], 《드물게》 **~d**; **wov·en** [wóuvən], **wove**) *vt.* **1** 〈피륙을〉 짜다, 뜨다, 엮다, 치다: 《~+目+前+名》 ~ cloth *out of* thread 실로 천을 짜다 // 《~+目+副》 ~ threads *together* 실을 짜 맞추다 **2** 〈이야기를〉 꾸미다, 만들어 내다, 〈사실·조목을〉 …에 엮어 맞추다; 〈음모를〉 꾸미다 《*into*》: 《~+目+前+名》 ~ a story *from* three plots 세 가지 줄거리를 엮어서 하나의 이야기로 꾸미다 / ~ an old folk melody *into* one's latest musical composition 최신곡에 옛 포크송 멜로디를 엮어 넣다 **3** [~ one's way로] 누비고 지나가다
get weaving 《영·구어》 진지한 마음으로 일에 착수하다 ~ ***all pieces on the same loom*** 어느 것이나 다 같은 수법으로 하다 ~ one***'s way*** ⇨ *vt.* 3
—*vi.* **1** 천을[베를] 짜다, 짜지다 **2** 조립되다 **3** 《구어》 왔다 갔다 하다, (장애물 사이를) 누비듯이 나아가다, 전후좌우로 움직이다; 《속어》 〈비행기·조종사가〉 (지그재그 비행 등으로) 적의 포화·탐조등 따위의 사이를 누비듯 빠져나가다
—*n.* **1** 짜기, 짜는[뜨는] 법: plain[twill] ~ 평직(平織)[능직(綾織)] **2** 짜서[엮어서] 만든 것
▷ inwéave *v.*

weave² *vi.* 비틀비틀하다, 좌우로 흔들리다; 〖권투〗 위빙하다

***weav·er** [wíːvər] *n.* **1** (천 등을) **짜는 사람**, 직조공; 뜨개질하는 사람 **2** 〖조류〗 = WEAVERBIRD; 〖곤충〗 물무당(whirligig beetle)

weav·er·bird [wíːvərbə̀ːrd] *n.* 〖조류〗 산까치 무리

wéaver's hìtch[knòt] 〖항해〗 = SHEET BEND

wea·zand [wíːzənd] *n.* = WEASAND

wea·zen [wíːzn] *v., a.* = WIZEN¹

‡**web** [wéb] *n.* **1** 거미집(cobweb); 거미집 모양의 것; (항공·통신 등의) 망상 조직, …망(網); (미·구어) 방송망: a ~ of expressways 고속도로망 **2** 피륙, 짜서 만든 것; 편물, 직포(織布) **3 a** 〖해부〗 섬유, 막; (물새 등의) 물갈퀴 **b** 〖조류〗 깃가지들 **4** (페르시아 융단 등의) 별도로 짠 가장자리 **5** 꾸민 것, 꾀한 것; 덫, 음모: a ~ of international terrorism 국제 테러의 음모 **6** 〖인쇄〗 두루마리 용지 **7** 〖기계〗 크랭크의 암(arm) **8** 얇은 금속판 **9** [**W~**] 〖컴퓨터〗 = WORLD WIDE WEB **~ of lies** 거짓말투성이의 이야기
— *vt.* …에 거미줄을 치다; 거미줄 모양으로 넓히다; 함정에 빠뜨리다 **~·less** *a.* **~·like** *a.* ▷ wébby *a.*

webbed [wébd] *a.* 물갈퀴가 달린; 거미집 모양의

web·bing [wébiŋ] *n.* ⓊⒸ **1** 가죽 끈 (말의 뱃대끈 등); (야구 글러브의 손가락을 잇는) 가죽끈 **2** 두꺼운 가장자리 (융단 등의) **3** 물갈퀴의 막 (물새 등의)

Wéb bròwser 〖컴퓨터〗 웹 브라우저 (웹 서버가 제공하는 자료들을 검색하는 프로그램)

web·by [wébi] *a.* (**-bi·er**; **-bi·est**) **1** 물갈퀴[피막(皮膜)]의[같은] **2** 거미줄을 친, 거미집 모양의

Web·cam [wébkæ̀m] *n.* 〖컴퓨터〗 웹캠 (인터넷에서 방영하는 영상을 찍기 위한 특수 비디오 카메라)

web·cast [wébkæ̀st] *n.* 〖컴퓨터〗 **1** WWW로 보내기, (인터넷을 통한) 방송 **2** 웹캐스트 (사용자가 적극적으로 액세스하지 않아도 등록된 사이트의 갱신 정보 등이 보내지는 시스템)

wéb desìgner 〖컴퓨터〗 웹 디자이너 (특히 회사나 기관의 홈페이지 디자이너)

Web-en·a·bled [wébinèibld] *a.* 인터넷 접속[사용]이 가능한: a ~ interface 웹 기반의 인터페이스

we·ber [wébər, véi-] [독일의 물리학자 이름에서] *n.* 〖전기〗 웨버 (자속(磁束)의 단위; =10⁸ maxwells; 略 Wb)

We·ber [véibər] *n.* 웨버 **1 Ernst Heinrich ~** (1795-1878) (독일의 생리학자) **2 Max ~** (1864-1920) (독일의 사회학자·경제학자)

web·foot [wébfùt] *n.* (*pl.* **-feet** [-fìːt]) **1** 물갈퀴발 **2** 물갈퀴발을 가진 새나 짐승 **3** [**W~**] (미) Oregon 주 사람 (습지가 많은 데서 나온 속칭)

web-foot·ed [-fùtid] *a.* 물갈퀴발인, 물갈퀴발이 있는

Wébfoot Stàte [the ~] 미국 Oregon 주의 속칭

Web·head [-hèd] *n.* (컴퓨터속어) WWW를 자주 이용하는 사람

web·i·nar [wébinɑ̀ːr] [*web*+semi*nar*] *n.* 온라인 회의

web·i·sode [wébisòud] [*web*+epi*sode*] *n.* 웹사이트에서 볼 수 있는 TV쇼

web·li·og·ra·phy [wèbliɑ́grəfi | -ɔ́g-] [*web*+bib*liography*] *n.* 전자 참고 도서 목록

web·log [-lɔ̀ːg, -lɑ̀g | -lɔ̀g] *n.* 〖컴퓨터〗 웹로그 (링크 목록과 설명이 실린 웹사이트)

web·mas·ter [wébmæ̀stər] *n.* 〖컴퓨터〗 웹마스터 (웹 서버나 웹사이트 관리자)

wéb mèmber 〖토목〗 복재(服材), 웹재(材)

wéb òffset 〖인쇄〗 web press에 의한 오프셋 인쇄

wéb páge 〖컴퓨터〗 World Wide Web의 개별적인 컴퓨터 화면 문서(document)

wéb prèss 〖인쇄〗 윤전 인쇄기

wéb rìng 〖컴퓨터〗 웹 링 (WWW의 인터넷 링크 모음)

wéb séarch èngine 〖컴퓨터〗 웹 검색 엔진

Wéb sérver 〖컴퓨터〗 웹 서버 (웹 서비스를 제공하는 프로그램)

Wéb síte 〖컴퓨터〗 (각 주제별·인문별의) web page의 모음[집합체]

web·ster [wébstər] *n.* (고어) = WEAVER

Web·ster [wébstər] *n.* 웹스터 **1 Daniel ~** (1782-1852) (미국의 정치가·웅변가) **2 Noah ~** (1758-1843) (미국의 사전 편찬자·저술가)

Web·ste·ri·an [webstíəriən] *a.* D. Webster(의 정치 이론, 웅변술)의; N. Webster(의 사서)의

web-toed [wébtóud] *a.* = WEB-FOOTED

Web 2.0 [wèb-tuːpointóu] *n.* Ⓤ 웹2.0 (양방향으로 정보를 주고 받고 공유하는 사용자 참여 중심의 인터넷 환경)

web-winged [-wìŋd] *a.* 〈박쥐 등이〉 비막(飛膜)이 있는 날개를 가진

web·work [-wə̀ːrk] *n.* 망상 조직

web·worm [-wə̀ːrm] *n.* 거미집 모양의 집을 짓는 나방·나비의 유충

web·zine [wébzìːn] [*web*+maga*zine*] *n.* 웹진 (WWW상의 전자 잡지)

Wéchs·ler Scáles [wékslər-] 〖심리〗 웩슬러 지능 척도[검사]

WECPNL weighted equivalent continuous perceived noise level 가중(加重) 등가(等價) 감각 소음 레벨 (항공기 소음의 평가 단위)

***wed** [wéd] [OE 「저당잡히다, 약속하다」의 뜻에서] *v.* (**~·ded, ~**; **~·ding**) *vt.* **1** …와 **결혼하다**, …에 장가들다, …에 시집가다 **2 결혼시키다**; 〈부모가〉 장가들이다, 시집보내다 (*to*), 〈목사가〉 …의 결혼식의 주례를 하다: (~+목+전+명) ~ one's daughter *to* a teacher 딸을 교사에게 시집보내다 **3** [보통 수동형 또는 ~ one*self* 로] 단단히 결부시키다; 헌신[집착, 고집]하다 (*to*) (⇨ wedded 2, 3): ~ *oneself to* the cause of the poor 가난한 사람들의 복지를 위하여 헌신하다 **4** 〈사물을〉 (…와) 융합[통합, 합체]하다 (*to, with*)
— *vi.* 결혼하다; 결부되다, 하나가 되다, 융합하다 (*with*)

Wed. Wednesday

‡**we'd** [wíːd] we had[would, should]의 단축형

***wed·ded** [wédid] *a.* **1** Ⓐ **결혼한**; 결혼의: a ~ pair 부부 / ~ life 결혼 생활 **2** Ⓟ …에 집착하는, 몰두한, 열심인 (*to*): a man ~ *to* a just cause 대의 명분을 고집하는 사람 **3** Ⓟ 결합된, 일체가 된 (*to*)

Wéd·dell Séa [wédl-] [the ~] 웨델 해(海) (남극 대륙의 대서양 쪽에 있는 큰 만입부)

Wéddell séal 〖동물〗 웨델바다표범

‡**wed·ding** [wédiŋ] *n.* **1 결혼식, 혼례**(⇨ marriage 유의어) **2** 결혼 기념식[기념일]: the silver[golden, diamond] ~ 은[금, 다이아몬드]혼식 (결혼 후 25년[50년, 60 또는 75년]만에 행하는 기념식) **3** (이질적인 것의) 결합, 일체화, 융합
— *a.* Ⓐ 결혼의, 결혼식용의: a ~ invitation 청첩장

wédding annivèrsary 결혼 기념일

wédding bànd = WEDDING RING

wédding bèll 결혼식의 종

wédding brèakfast 결혼 피로연

wédding càke 웨딩 케이크

wédding càrd 결혼 청첩장

wédding dày **1** 결혼식날 **2** 결혼 기념일

wédding drèss 신부 의상, 웨딩드레스

wédding fàvor (고어) (예전에 결혼식에서 남자 참석자들이 단) 흰 꽃 모양의 리본

wédding gàrment **1** 결혼식 예복 **2** 〖성서〗 연회에의 참가 자격 (마태 복음 22: 11)

wédding màrch 결혼 행진곡

wédding nìght 결혼 첫날 밤

wédding recèption 결혼 피로연

wédding rìng 결혼 반지

wédding tàckle (영·완곡·속어) 남성 성기

we·del [véidl] [G] *vi.* 〖스키〗 베델른(wedeln)으로 활강하다

we·deln [véidln] [G] *n.* Ⓤ 〖스키〗 베델른 (연속적

인 소회전 활주》 **—** *vi.* = WEDEL

***wedge** [wédʒ] *n.* **1** 쐐기: drive a ~ into a log 통나무에 쐐기를 박다 **2** 쐐기[V] 모양(의 물건); 〚골프〛 웨지《쳐올리기용의 아이언 클럽》: a ~ of pie 쐐기 모양으로 자른 파이 **3** 사이를 갈라놓는 것, 분열[분리]의 원인; (큰일 등의) 발단, 실마리 **4** 〚기상〛 쐐기 모양의 고기압권; 〚군사〛 쐐기 모양의 대형; 〚미식축구〛 웨지《킥오프 때 리시브측 블로커가 자기편 볼캐리어의 진로를 만드는 인벽(人壁)》 **5** 《속어》 = LSD[1]

drive a ~ between ... 〈문제 등이〉 〈둘 사이를〉 이간시키다: The quarrel *drove a ~ between* them. 그 싸움은 그들 사이를 이간시켰다. ***knock out the ~s*** 《속어》 남을 곤경에 빠뜨려 놓고 방관하다 ***the thin end of the ~*** 중대한 결과를 가져올 조그마한 실마리

— *vt.* **1** …에 쐐기를 박아 죄다, 쐐기로 움직이지 않게 하다, 쐐기로 고정하다, …에 쐐기를 박다 《*in*》: (~+목+보) ~ a door open 문을 쐐기로 고정시켜 열어 놓다 // (~+목+부) This sideboard is unsteady; it needs to be *~d up.* 이 찬장은 불안정하므로 쐐기로 고정시켜 놓아야 한다. **2** 쐐기로 쪼개다 **3** 억지로 박아[밀어] 넣다; [~ one*self* 로] 억지로 밀고 들어가다 《*in, into,* etc.》: (~+목+전+명) The boy *~d himself into* the crowd. 소년은 군중 속으로 비집고 들어갔다. **4** 〈진흙을〉 이겨서 굳히다

— *vi.* (…에) 끼어들다, 밀어제치고 나아가다

~ away 밀어제치다 ***~ off*** 쐐기로 벌려 놓다; 떼밀다, 밀어제치다 ***~ one's way*** 헤치고 나아가다, 비집고 들어가다 ***~ up*** 쐐기로 고정시키다 **~·like** *a.*

wedged [wédʒd] *a.* **1** 쐐기 모양의 **2** Ⓟ 박혀서 꼼짝 않는

wédge héel 1 (옆으로 봐서) 쐐기꼴 힐[굽] **2** = WEDGIE 1

wédge íssue (한 단체 내의 갈등·분리를 일으키는) 분열 쟁점: Abortion is a ~ for the Republican Party. 낙태 문제는 공화당 내에서도 의견이 갈라진다.

wedge-shaped [-ʃèipt] *a.* 쐐기 모양의, V자 꼴의

wedge·wise [wédʒ-wàiz] *ad.* 쐐기처럼, 쐐기 모양으로

wedg·ie [wédʒi] *n.* **1** [종종 *pl.*] 쐐기 모양의 힐[굽]이 달린 여자 구두 **2** 엉덩이 사이로 속옷이 끼어 불편한 상태

wedgie 1

Wedg·wood [wédʒ-wùd] [영국의 도자기 제조업자 이름에서] *n.* 웨지우드 도자기(=**∠ wàre**); 엷은[잿빛 어린] 청색

wedg·y [wédʒi] *a.* (**wedg·i·er**; **-i·est**) 쐐기 같은, 쐐기꼴의

wed·lock [wédlɑ̀k | -lɔ̀k] *n.* Ⓤ 《문어》 결혼[부부] 생활, 혼인(marriage) ***born in lawful ~*** 적출(嫡出)의 ***born out of ~*** 서출(庶出)의, 사생아의

⁑**Wednes·day** [wénzdei, -di] [OE 「Woden(게르만의 신)의 날」의 뜻에서] *n.* 수요일 《略 W., Wed.》 ***Good*** [***Holy***] ~ 성(聖)수요일 《부활절 전의》

— *a.* Ⓐ 수요일의: on ~ afternoon 수요일 오후에

— *ad.* 《미》 수요일에

Wednes·days [wénzdeiz, -diz] *ad.* 수요일마다, 수요일에는 언제나

Weds. Wednesday

wee[1] [wiː] *a.* Ⓐ (**we·er**; **-est**) 《유아어·방언》 **1** 작은, 조그마한, 연소(年少)한 **2** 《구어》 〈시각이〉 몹시 이른: in the ~ hours of the morning 이른 아침 시각에 ***a ~ bit*** 아주 조금 ***the ~ folk*** 꼬마 요정들 ***~ small hours*** 한밤중 《오전 한 시나 두 시》

— *n.* [a ~] 《스코》 아주 조금[잠깐]

wee[2] *n., vi.* 《구어·유아어》 = WEE-WEE

⁑**weed**[1] [wiːd] *n.* **1** 잡초: Ill ~*s* grow apace. 《속담》 악초는 쉬이 자란다. **2** [the ~] 《속어》 담배, 궐련, 엽(葉)궐련 **3** 쓸모없는 것[사람], 건달, 호리호리한 사람[말(馬)]; 동물의 열등종 **4** [the ~s] 《미·속어》 부랑아들이 꾀는 곳 **5** 《속어》 마리화나

run to ~s 〈정원 등이〉 잡초로 뒤덮이다, 잡초가 우거지다 ***the soothing*** [***fragrant, Indian***] ~ 담배

— *vt.* **1** …의 잡초를 없애다, 김매다, …의 풀을 뽑다: ~ a garden 뜰 안의 잡초를 뽑다 **2** 〈무용지물·유해물을〉 치우다, 제거하다 《*out*》: (~+목+부) (~+목+전+명) ~ *out* useless books *from* one's library 쓸모없는 책을 장서에서 추려 내다 **3** 《미·속어》 건네주다; (훔친 지갑 등에서) 〈돈을〉 빼내다

— *vi.* **1** 잡초를 없애다, 제초하다 **2** 방해자를 제거하다

~·less *a.* **~·like** *a.*

weed[2] *n.* **1** [보통 *pl.*] 상장(喪章) 《모자나 팔에 두르는》 **2** [보통 *pl.*] 상복 《미망인의》: widow's ~*s* 미망인의 상복 **3** [종종 *pl.*] 《고어》 의복 《성직자복·법관복 등》: clad in rustic ~*s* 시골풍의 의복을 입고

weed·eat·er [wíːdìːtər] *n.* 《미·속어》 = WEEDHEAD

weed·ed [wíːdid] *a.* 풀을 뽑은, 제초한; 잡초가 우거진

weed·er [wíːdər] *n.* 제초하는 사람; 제초기

weed-grown [wíːdgròun] *a.* 잡초가 무성한

weed·head [wíːdhèd] *n.* 《속어》 마리화나 상용[중독]자

weed·i·cide [wíːdəsàid] *n.* 제초제(劑)

wéed kìller = WEEDICIDE

weed·kil·ling [wíːdkìliŋ] *n.* Ⓤ 제초

wéed tèa 《미·속어》 대마초, 마리화나

weed·y [wíːdi] *a.* (**weed·i·er**; **-i·est**) **1** 잡초가 많은, 잡초투성이의 **2** 잡초 같은; 쉬이 자라는 **3** 〈사람·동물이〉 마른, 껑충한, 홀쭉한; 쓸모없는, 변변치 못한, 건달인 **wéed·i·ly** *ad.* **wéed·i·ness** *n.*

Wée Frées [wíː-fríːz] [the ~] 《스코·속어》 소수 자유 교회파 《1900년에 스코틀랜드 자유 교회로부터 떨어져 나옴》

wee·juns [wíːdʒənz] *n. pl.* 위전 《모카신(moccasin)풍의 구두》

⁑**week** [wiːk] *n.* **1** 주(週); 7일간, 1주간 《일요일로부터 토요일까지의; 略 w., wk.》: What day of the ~ is it (today)? = What is the day of the ~? 오늘은 무슨 요일입니까? / this[last, next] ~ 이번[지난, 다음] 주 / the ~ before last[after next] 지지난[다음다음] 주 / a ~ from Monday 다음 주의 월요일 / a ~ ago Monday 지난주 월요일 **2** 일정한 날[축일]부터 시작하는 1주간: the ~ of June 3 6월 3일부터 시작되는 한 주 / Christmas ~ 크리스마스 주간 **3** (일요일(과 토요일)을 제외한) 주(週)의 평일 기간; (1주일 동안의) 취업 일수[시간], 수업 일수[시간]: He works a 40-hour ~. 그는 주(週) 40시간(노동)제로 일한다. **4** [**W~**] 주간 《특별한 행사·집회가 있는》: Fire Prevention *W~* 화재 예방 주간 / National Book *W~* 전국 독서 주간

a ~ about 1주일 걸러서, 격주(隔週)로 ***a ~ ago today*** 지난 주의 오늘 ***a ~ from now*** 다음 주의 오늘 ***a ~ of Sundays*** = ***a ~ of ~s*** 7주일간; (지루하도록) 긴 동안 ***knock*** [***send***] a person ***into the middle of next ~*** …을 때려눕히다[혼내다] ***~ after*** [***by***] ***~*** 매주, 줄곧 ***~ in***(,) ***~ out*** 매주, 주마다 ***~s ago*** 몇 주일 전에, 오래 전에

— *ad.* 《주로 영》 (특정한 날로부터) 일주일 전[후]에: I shall come Tuesday ~. 다음 주 화요일에 돌아오겠다. ***today*** [***yesterday, tomorrow***] ~ 다음[지난]주의 오늘[어제, 내일]

⁑**week·day** [wíːkdèi] *n.* **1** 주일(週日) 《토·일요일 이외의 날》 **2** 취업일(就業日), 평일

— *a.* Ⓐ 평일의: a ~ service 평일의 예배

week·days [-dèiz] *ad.* 평일[주일(週日)]에 《특히 월요일부터 금요일까지》

⁑**week·end** [wíːkènd, ∠∠] *n.* **1** 주말 《보통 토요일 오후 또는 금요일 밤부터 월요일 아침까지》 **2** 주말 휴가; 주말 파티 **3** 주말 이외의 정기적인 주 2일간의 휴가 ***long ~*** 주말과 그 전후 1-2일을 더한 기간 ***look like***

a wet ~ (구어) 풀이 죽어 있다 ***make a ~ of it*** (구어) 주말을 외출해서[오락으로] 지내다
—*a.* 주말의: a ~ journey 주말 여행
—*vi.* 주말 여행을 하다, 주말을 지내다: (~+전+명) She used to ~ *at* Yuseong. 그녀는 늘 주말을 유성에서 지내곤 했다.

wéekend bàg[càse] 소형 여행 가방

week·end·er [wí:kèndər] *n.* **1** 주말 여행자; 주말 내방자, 주말 체류객 **2** 여행용 소형 가방(weekend bag) **3** (호주) 주말용 작은 별장

week·ends [wí:kèndz] *ad.* (미) 주말마다, 주말에는: go fishing ~ 주말이면 낚시질 가다

wéekend wàrrior (미·속어) **1** 주말의 병사, 예비병 《주말에 훈련을 받는 데서》 **2** 때때로 매춘하는 여자

week·long [wí:klɔ̀:ŋ | -lɔ̀ŋ] *a., ad.* 1주일에 걸친[걸쳐서]

‡**week·ly** [wí:kli] *a.* **1** 〈급료 등이〉 매주의, 주 1회의, 주간의, 1주의, 주(週) 계산의: ~ pay[wage] 주급/a ~ magazine 주간지/a ~ test 주 1회 시험 **2** 〈일 등이〉 1주간에 하는[한]
—*ad.* 주마다, 매주일, 주 1회씩
—*n.* (*pl.* **-lies**) 주간(週刊)지[신문, 잡지], 주보(週報)

week·night [wí:knàit] *n., a.* 평일(平日)의 밤(의)

week·nights [-nàits] *ad.* (미) 평일 밤에, 평일 밤에는 언제나

ween[1] [wí:n] *vt.* (고어) **1** …이라고 생각하다(think), 믿다 《*that*》 ★ 보통 I *ween* 형식으로 삽입. **2** 기대하다, 예기하다 《*to* do》

ween[2] *n.* (미·속어) 공붓벌레

wee·nie, wee·ny[1] [wí:ni] *n.* (*pl.* **-nies**) **1** (구어) 프랑크푸르트소시지(frankfurter), 비엔나소시지(wiener) **2** (미·속어) 장애물; 실망시키는 것, 실패의 원인; 싫은 녀석, 바보

weeny[2] *a.* (**-ni·er**; **-ni·est**) 아주 작은; 보잘것없는

wee·ny-bop·per [wí:nibɑ̀pər | -bɔ̀p-] *n.* (구어) 패션·록 (그룹) 등에 관심을 갖는 소녀 《teenybopper 보다 어림》

‡**weep** [wí:p] *v.* (**wept** [wépt]) *vi.* **1** 눈물을 흘리다, 울다(⇨ cry 유의어); 슬퍼하다, 한탄하다: (~+전+명) ~ *at* sad news 비보를 듣고 울다/~ *for* [*with*] joy 기뻐서 울다/~ *over* a person's death …의 죽음을 슬퍼하여 울다 // (~+***to*** do) She *wept to* see him in this condition. 그가 이러한 처지에 놓여 있음을 알고서 그녀는 눈물을 흘렸다. **2** 물기를 내뿜다, 물방울을 떨어뜨리다; 물방울이 듣다; 〈상처가〉 피를 흘리다: a water tank *~ing* at the seams 갈라진 틈에서 물방울이 떨어지는 저수 탱크 **3** 〈나무가〉 가지를 축 늘어뜨리다, 축 처지다
—*vt.* **1** 〈눈물을〉 흘리다: ~ tears of gratitude 고마워서 눈물을 흘리다 **2** …때문에 눈물을 흘리다, 비탄에 잠기다, 슬퍼하다: She *wept* her dead son. 그녀는 죽은 자식을 그리며 울었다. **3** [종종 ~ one*self* 로] 울어서 …한 상태가 되다: (~+목+부) ~ one*self out* 목 놓아 울다/~ one's eyes[heart] *out* 눈이 퉁퉁 붓도록[가슴이 미어질 듯이] 울다 // (~+목+전+명) The girl *wept herself to* sleep. 소녀는 울다가 잠들었다. **4** 〈물기·물방울·이슬 등을〉 스며 나오게 하다, 내뿜다, 떨어뜨리다: The trees ~ sap. 그 나무는 수액을 내뿜는다. ***~ away*** 〈세월을〉 울며 보내다 ***~ Irish*** 거짓 울음을 울다 ***~ out*** 울면서 말하다; 〈세월을〉 울며 보내다; 울어서 잊다 ***~ one's fill*** 실컷 울다
—*n.* (구어) (한바탕) 울기; (물·액체의) 분비, 삼출

weep·er [wí:pər] *n.* **1** 우는 사람, 슬퍼하는 사람; 곡하는 사람 《장례식에 고용되는》 **2** 상장(喪章) 《남자 모자에 다는》; 검은 베일 《미망인이 쓰는》; [*pl.*] 미망인의 흰 커프스 **3** (영·구어) 눈물을 자아내는 이야기[영화, 노래 《등》] **4** [*pl.*] 긴 구레나룻; 배수구[관]

wéep hòle 눈물 구멍 《옹벽 등의 물 빼는 구멍》

weep·ie [wí:pi] *n.* (영·구어) 눈물을 짜는 감상적인 연극[영화](sob drama)

*****weep·ing** [wí:piŋ] *a.* **1** 눈물을 흘리는, 우는: ~ multitudes 눈물 흘리는 군중들 **2** 스며[배어] 나오는; 방울방울 듣는; 빗물을 떨어뜨리는 **3** 가지가 늘어진
—*n.* **1** 울음 **2** 스며[배어] 나옴, 삼출 **3** 가지의 늘어짐 **~·ly** *ad.*

wéeping chérry 〖식물〗 수양벚나무

wéeping cróss 울음의 십자가 《사람들이 참회의 눈물을 바치는 길가의 십자가》 ***return*** [***come home***] ***by ~*** 슬픈 일을 당하다, 실패하다; 자기가 한 일을 후회하다

wéeping éczema 〖병리〗 삼출성(滲出性) 습진

wéeping wíllow **1** 〖식물〗 수양버들 **2** (미·속어) 베개(pillow)

weeps [wí:ps] *n. pl.* (미·속어) 눈물: put on the ~ 울다

weep·y [wí:pi] *a.* (**weep·i·er**; **-i·est**) **1** (구어) 눈물을 머금은, 눈물 어린; 눈물을 잘 흘리는; 〈영화 등이〉 눈물을 짜내는: a ~ novel 눈물 나게 하는 소설 **2** 새는, 스며 나오는 —*n.* (영·구어) =WEEPIE

wee·ver [wí:vər] *n.* 〖어류〗 눈동미리류(類)의 식용어

wee·vil [wí:vəl] *n.* 〖곤충〗 바구미

wee·vil(·l)y [wí:vəli] *a.* 바구미가 생긴[꾄]

wee-wee [wí:wì:] *n., vi.* (유아어) 쉬(하다): do [have] a ~ =go[make] ~ 쉬하다

w.e.f. with effect from …부터 유효

weft[1] [wéft] *n.* [the ~] **1** (피륙의) 씨실(cf. WARP) **2** (문어) 피륙, 직물(web)

weft[2] *n.* 〖항해〗 (깃발·옷 등으로 흔들어 보내는) 조난 신호, 신호 깃발

wéft knìtting 가로뜨기 《가로 방향으로 그물코를 연속해 짜는 법》

weft·wise [wéftwàiz] *ad.* 가로 방향으로

We·ge·ner [véigənər] *n.* 베게너 **Alfred Lothar ~** (1880-1930) 《독일의 지구 물리학자·기상학자》

Wehr·macht [vέərmɑ:kt] [G =defense+force] *n.* 2차 대전 시의 독일군

Wei [wéi] *n.* 〖중국사〗 위(魏)나라

‡**weigh** [wéi] [OE 「차로 나르다」의 뜻에서] *vt.* **1** …의 무게를 달다, 저울에 달다, 손에 들어 무게를 달아 보다: ~ potatoes 감자의 무게를 달다 // (~+목+전+명) *W~* it *in* your hand. 손으로 그것의 무게를 가늠해 보아라. / She *~ed* the meat *in* the scales[*in* the balance]. 그녀는 저울로 고기의 무게를 달아 보았다. **2** 심사숙고하다, 고찰하다, 평가하다, 비교 검토하다 《*against*》: You must ~ your words before speaking. 말하기 전에 신중히 생각하고 말해야 한다. // (~+목+부) Don't you ~ (*up*) the outcome of your action? 자신의 행동에 대한 결과를 깊이 생각해 보지 않는가? // (~+목+전+명) We *~ed* one plan *against* another. 두 가지 안을 비교 검토했다. **3** 〈닻을〉 올리다: ~ anchor 닻을 올리다, 출항하다 **4** 〈책임·걱정 등이〉 〈사람을〉 압박하다, 내리누르다 《*down*》; …을 (…로) 무겁게 하다 《*with*》: (~+목+부) She is *~ed down with* many troubles. 그녀는 고생으로 짓눌려 있다. / The fruit was so thick that it *~ed down* the branches. 그 열매는 가지가 휠 정도로 굵었다.
—*vi.* **1** 무게를 달다[재다]; 무게가 … 나가다; …(만큼) 무겁다: (~+보) He *~s* 160 pounds. 그의 체중은 160파운드이다. **2** 큰 무게를 가지다, 중요시되다, 중요하다; 영향을 주다 《*in, with*》: (~+전+명) His opinion doesn't ~ *with* me at all. 그의 의견 따위는 내게 아무런 의미도 없다. / Your recommendation *~s* heavily in my favor. 당신의 추천이 영향을 주어 나는 아주 유리하게 되어 있다. **3** 무거운 짐이 되다, 압박하다 《*on, upon*》: (~+전+명) The mistake *~ed* heavily[heavy] *upon*[*on*] his mind. 그

thesaurus **weighty** *a.* **1** 무거운 heavy, massive, burdensome **2** 설득력 있는 cogent, powerful, forceful, effective, persuasive, influential **3** 중대한 important, significant, momentous, vital, cru-

실수는 그에게 큰 부담이 되었다. **4** 심사숙고하다, 고찰하다: ~ well before deciding 잘 생각하고 결정하다 **5** 〖항해〗 닻을 올리다, 출항하다

~ against …에게 불리하게 작용하다 ***~ down*** 내리누르다, 힘주어 구부리다; 무게 때문에 가라앉다; 압박하다, 침울하게 하다 ***~ in*** 〈권투·레슬링 선수가〉 시합 당일 체중 검사를 받다; 〈경마 기수가〉 경주 후에 체중 검사를 받다; (싸움·논쟁에) 끼어들다, 간섭하다 ***~ into*** 《속어》 공격하다 ***~ in with*** 〈주장 등을〉 토론을 위하여 꺼내다 ***~ out*** 달아서 나누다, 저울로 일정량을 달아 배분하다; 〈경마 기수가〉 경주 전에 체중 검사를 받다 ***~ one's words*** 말을 신중하게 하다[쓰다] (⇨ *vt.* 2) ***~ the thumb*** 《미》 (엄지손가락으로 저울을 내려서) 근량을 속이다 ***~ up*** …을 (한쪽 무게로) 튕겨 올리다; 비교해서 생각하다; 〈사람·물건을〉 평가하다 ***~ with*** …에 영향을 주다, …에 중대한 영향이 있다

— *n.* Ⓤ **1** 무게 달기, 계량, 검량(檢量) **2** 〖항해〗 (배의) 속도; 진행, 항행 ***under ~*** = under WAY[1]

▷ wéight *n.*; wéighty *a.*

weigh·a·ble [wéiəbl] *a.* 무게를 달 수 있는

wéigh bèam 큰 대저울

weigh·bridge [wéibrìdʒ] *n.* 앉은뱅이저울 《차량·가축 등의 무게를 다는》

weigh·er [wéiər] *n.* 무게를 다는 사람; 계량기

weigh·house [wéihàus] *n.* (*pl.* **-hous·es** [-hàuziz]) 화물 계량소

weigh-in [-ìn] *n.* (권투·레슬링·역도 선수의 시합 직전의) 체중 검사; (경마 기수의 레이스 직후의) 체중 검사; (여객기 탑승 전의) 휴대품의 계량; 《일반적으로》 계량, 검량

wéigh·ing machìne [wéiiŋ-] 대형 계량기

weigh·lock [wéilɑ̀k | -lɔ̀k] *n.* 계량 수문(計量水門) 《운하의 통행세 징수를 위하여 배의 톤수를 계량하는》

weigh·man [-mən] *n.* (*pl.* **-men** [-mən]) 계량[검량]인

weigh·mas·ter [-mæ̀stər, -mɑ̀:s- | -mɑ̀:s-] *n.* 검량관(檢量官)

***weight** [wéit] *n.* **1** Ⓤ **무게**, 중량; 체중: gain [lose] ~ 체중이 늘다[줄다] **2** Ⓤ 〖물리〗 중력 **3 a** 무거운 짐, 중압(重壓), 압박: a ~ of care 근심, 걱정 **b** 부담, 책임 **4 a** 세력, 영향력, 유력, 비중: a man of ~ 유력자 **b** Ⓤ **중요성**, 무게(⇨ importance 유의어): of no ~ 무가치한/an opinion of great ~ 아주 중요한 의견 **5** 무거운 물건; 분동(分銅), 저울추; 추; 문진, 서진(書鎭)(paperweight) **6** 〖통계〗 가중치(加重値), 웨이트 **7** (운동 경기용의) 포환, 원반, 해머; 바벨 **8** (권투 선수 등의) 체급 **9** ⓊⒸ 형량(衡量) 체계; 형량[중량] 단위, 형법(衡法) **10** …의 무게에 상당하는 양: a half-ounce ~ of gold dust 반 온스의 사금 **11** (계절에 맞는 옷의) 무게[두께]: a winter-~ jacket 겨울용의 두꺼운 재킷/a suit of summer ~ 여름철 옷 **12** 〖경마〗 부담 중량 《출장(出場) 말에 요구되는 중량; 파운드로 표시》 **13** 〖인쇄〗 웨이트 《활자 선의 굵기[농도]》 **14** 《속어》 마리화나[헤로인] 1온스

by ~ 무게에 의해, 중량으로 ***carry ~*** 중요하다; 영향력이 있다 ***get*** [***take***] ***the ~ off one's feet*** [종종 명령법으로] (쉬기 위해) 앉다 ***give short ~*** 중량이 모자라게 주다[팔다], 저울눈을 속이다 ***give ~ to*** 〈주장·가능성 등을〉 강화하다 ***have ~ with*** …에게 중요하다 ***lay ~ on*** …을 중시하다 ***over*** [***under***] ***~*** 중량 초과[부족]로; 너무 살쪄서[말라서] ***pull one's ~*** 자기 체중을 이용하여 노를 젓다, 역할[임무]을 다하다 ***put on ~*** 《미·구어》 체중이 늘다, 살찌다 ***throw one's ~ around*** [***about***] 《미·구어》 (사리사욕을 위해) 권력을 휘두르다 ***throw*** [***put***] ***one's ~ behind*** …을 지원하기 위해서 힘을 쓰다 ***under the ~ of*** …의 무게로 인하여, 중압[압박]하에 ***~s and measures*** 도량형 ***worth one's ~ in gold*** ⇨ gold

— *vt.* **1** …에 무게를 더하다, 무겁게 하다; 지우다, 싣다, …에 적재하다: (~+목+전+명) ~ the head of a golf club *with* lead 골프채 끝에 납을 달아 무겁게 하다 **2** [보통 수동형으로] …에 무거운 짐을 지우다, 지나치게 싣다 《*with*》; …에게 과중한 부담을 지우다; 압박하다, 괴롭히다 《*with*》: (~+목+전+명) The car was heavily *~ed with* luggage. 그 차는 짐을 너무 많이 실었다. **3** 다른 물질을 섞어서 〈피륙 등을〉 무겁게 하다 **4** 〖통계〗 …에 가중치[웨이트]를 주다 **5** …을 (특정의 목적으로) 기울게 하다(⇨ weighted 3); …을 손가늠하다 ***~ down*** 내리누르다, 중압을 주다

▷ wéigh *v.*

wéight bèlt 무게 벨트 《물속에서 잠수부의 부력을 조절하기 위해 착용하는 벨트》

weight·ed [wéitid] *a.* **1** 무거워진, 무거운 짐을 실은; 〖통계〗 가중된; 〈슬픔 등을〉 짊어진, …로 괴로워하는 《*with*》: ~ *with* sorrow 슬픔에 빠진 **2** 〖정치〗 선거구 인구 비례로 대표권을 행사하는: ~ representation 비례 대표제 **3** Ⓟ …로 기울어 《*toward*》

wéighted áverage[**méan**] 〖통계〗 가중 평균

wéighted vòting 가중(加重) 투표 방식

weight·ing [wéitiŋ] *n.* Ⓤ 《영》 근무지 수당(= ~ **allòwance**); 부가되는 것

weight·ism [wéitizm] *n.* 체중 과다에 대한 편견, 비만 차별주의

weight·less [wéitlis] *a.* 무게가 (거의) 없는; 〖물리〗 중력이 없는, 무중력 (상태)의: Man is ~ in space. 사람은 우주에서는 무중력 상태가 된다.

~·ly *ad.* **~·ness** *n.* Ⓤ 무중력 상태

wéight lìfter 역도 선수

wéight lìfting 역도 ★ 역도 경기는 다음 두 종목으로 구분됨: snatch 인상(引上), clean and jerk 용상(聳上).

wéight màn 투척(投擲) 경기 선수 《해머던지기, 원반던지기, 포환던지기 등》

weight·man [wéitmæ̀n] *n.* (*pl.* **-men** [-mèn]) 저울에 다는 사람; 상인

wéight shìft 중심(重心) 이동

wéight tráining 웨이트[근력] 트레이닝

wéight wàtcher 체중에 신경을 쓰는 사람, (식이요법에서) 감량에 노력하는 사람

***weight·y** [wéiti] *a.* (**wéight·i·er**; **-i·est**) **1** 무거운, 무게 있는 **2 a** 〈인물 등이〉 중요시되는, 비중[영향력]이 있는, 세력 있는, 유력한 **b** 〈논거 등이〉 설득력 있는, 남을 수긍케 하는 힘이 있는 **3** 〈문제 등이〉 중요한, 중대한, 쉽지 않은: ~ negotiations 중요한 교섭 **4** 답답하게 내리누르는, 견딜 수 없는; 〈책임 등이〉 무거운

wéight·i·ly *ad.* **wéight·i·ness** *n.*

Wéil's disèase [váilz-, wáilz-] 〖병리〗 바일병 《황달·출혈을 수반하는 렙토스피라증(症)》

Wei·mar [váimɑ:r, wái- | vai-] *n.* 바이마르 《독일 중부의 도시》 ***the ~ Constitution*** (독일 공화국의) 바이마르 헌법(憲法) 《1919년 제정》

Wéimar Repúblic [the ~] 바이마르 공화국 (1919-33) 《바이마르 헌법에 의하여 성립되었으나, Hitler가 등장, 제3제국이 됨》

Wéin·berg-Sa·lám thèory[**mòdel**] [wáinbə:rgsɑ:lɑ́:m-] 〖물리〗 와인버그-살람 이론[모형] 《약한 상호 작용과 전자(電磁) 상호 작용의 통일 이론[모형]》

wei·ner [wí:nər] *n.* = WIENER

wei·nie [wí:ni] *n.* = WEENIE

weir [wíər] *n.* 둑, 댐; 어살 《고기를 잡는》

weird** [wíərd] [OE 「운명」의 뜻에서] *a.* **1** 수상한, 불가사의한, 신비로운, 두려운, 섬뜩한, 무시무시한, 이 세상 것이 아닌: a ~ sound 기분 나쁜 소리 **2** 《구어》 기묘한, 이상한: a ~ costume 이상한 복장 **3** 《고어》 운명의 **4** 《미·속어》 멋있는 ***~ and wonderful 《구어》 기묘하고 신기한

— *n.* ⓊⒸ 《고어·스코》 운명(fate), 《특히》 불운; 마

---

cial, serious, grave **4** (책임 등이) 무거운 oppressive, worrisome, troublesome, stressful, taxing

weird *a.* **1** 불가사의한 mysterious, supernatural, unnatural **2** 이상한 strange, queer, odd, eccentric

법, 전조(前兆), 예언; Ⓒ 예언자, 마녀; [**W~**] 운명의 여신(Fates)의 한 사람
— *vt.* 《스코》 운명짓다; 예언하다 **~·ly** *ad.* **~·ness** *n.*
weird·o [wíərdou] *n.* (*pl.* **weird·os**) 《미·속어》 기묘한[이상한] 사람 《특히 긴 수염을 기른 젊은이》; (특히 위험하고 광포한) 정신병자; 별난 것[책, 영화]
— *a.* 기묘한, 별난
Wéird Sísters [the ~] **1** 〖그리스·로마신화〗 운명의 3여신(the Fates) **2** 3인의 마녀 《Shakespeare 작 *Macbeth*에 나오는》
weird·y, weird·ie [wíərdi] *n.* (*pl.* **weird·ies**) 《미·구어》 = WEIRDO
Weis·mann·ism [váismənìzm] *n.* Ⓤ 〖생물〗 바이스만설(說) 《독일의 생물 학자 August Weismann (1834-1914)의 설로서 획득 형질을 부정함》
weka [wéikə, wí:kə] *n.* 〖조류〗 호주뜸부기 《뉴질랜드산(産)》
welch [wéltʃ | wélʃ] *vi.* 《구어》 = WELSH
Welch [wéltʃ, wélʃ | wélʃ] *a., n.* = WELSH
Welch·man [wéltʃmən | wélʃ-] *n.* = WELSHMAN
⁑**wel·come** [wélkəm] [OE 「호감이 가는 손님」의 뜻에서; ME에서 will이 well과 혼동된 것] *int.* 참 잘 오셨소, 어서 오십시오! 《종종 부사 또는 to와 함께》: *W~ home[back]!* 잘 다녀오셨습니까! / *W~ aboard!* 승차[탑승, 승선]해 주셔서 감사합니다! / *W~ to* Seoul! 서울에 오신 것을 환영합니다! / *W~*, stranger. 오랜만입니다.
— *n.* **1** 환영, 환대; 환영의 인사; 접대 **2** 마음대로 사용하는[즐기는] 특권 ***bid*** a person **~** = ***say* ~ *to*** a person …을 환영하다, 환대하다 ***give*** a person ***a warm* ~** …을 따뜻이 맞이하다; [반어적] …에게 완강하게 저항하다 ***in* ~** 환영(의 뜻을 표)하여 ***wear out*** [***outstay***] one***'s* ~** 너무 오래 묵어 미움을 사다
— *vt.* **1** 〈사람·도착·뉴스·사건 등을〉 환영하다, 기쁘게 맞이하다; [반어적] 〈불쾌한 것[사람] 등을〉 (…로) 맞아들이다 《*with*》: He was warmly *~d*. 그는 따뜻한 환영을 받았다. // (~+목+전+명) We *~d* him *to* our house. 우리는 기꺼이 그를 집으로 맞이했다. / They *~d* him *with* catcalls. 그들은 그를 야유하며 맞이했다. **2** 〈비판·충고·제안 등을〉 기꺼이 받아들이다: ~ criticism 비평을 기꺼이 받아들이다 / ~ a new idea 새 사상을 기꺼이 받아들이다
— *a.* **1** 환영받는, 기꺼이 받아들여지는: a ~ visitor 환영받는 방문자 **2** Ⓟ **a** 제 마음대로 써도 좋은, 마음대로 할 수 있는, 자유로이 …해도 좋은 《*to* do; *to*》: (~+***to*** do) You are ~ *to* try it. 마음대로 해 보셔도 좋습니다. // (~+전+명) You are ~ *to* another opinion. 다른 의견이 있으셔도 좋습니다. **b** 《비꼼》 할 테면 …해라 (내가 알 바 아니다) **3** 기쁜, 고마운: ~ news 희소식 / a ~ rest 즐거운 휴식 ***and* ~** 그만하면 됐다, 그래도 괜찮다 (***as***) **~ *as snow in harvest*** = UNWELCOME. ***make*** a person **~** …을 환영하다 (***You are***) **~.** 참 잘 오셨습니다; (사례에 답하여) 천만에요.
~·ly *ad.* **~·ness** *n.* **wél·com·er** *n.*
wélcome màt (특히 welcome의 글이 새겨진) 도어매트(doormat); 《구어》 [비유적] 환영 ***put*** [***roll***] ***out the*** [one***'s***] **~** 대환영하다 《*for*》
wélcome pàge 〖컴퓨터〗 웰컴 화면(home page)
wélcome wàgon 《미》 신참자 환영차; [종종 **W- W-**] 신참자 환영인[단]
wel·com·ing [wélkəmiŋ] *a.* 환영의[하는]
*__weld__¹ [wéld] *vt.* **1** 〈금속을〉 (…에) 용접하다 **2** 결합[조화, 화합, 일치]시키다 《*into*》
— *vi.* 용접되다, 밀착하다: Iron *~s* easily. 철은 쉽게 용접된다.
— *n.* **1** 용접점, 접합점 **2** 용접, 밀착
~·a·ble *a.* **~·er, wél·dor** *n.* 용접공 **~·less** *a.* **~·ment** *n.* Ⓤ 단접(鍛接), 용접; Ⓒ 용접물
weld² *n.* 〖식물〗 《유럽산(産)》 목서초속(木犀草屬)의 일종; Ⓤ 그것에서 채취한 황색 염료

weld·ing [wéldiŋ] *n.* Ⓤ 용접 (기술)
wélding ròd 용접봉
wélding tòrch 용접 토치
⁑**wel·fare** [wélfɛ̀ər] [「잘해 가다」의 뜻에서] *n.* Ⓤ **1** 복지, 복리, 번영, 행복: child[public] ~ 아동[공공] 복지 **2** 복지 사업, 후생 사업[시설]; 《미》 사회 복지, 생활 보호(《영》 social security); [the ~] 《주로 영·구어》 정부 복지[후생] 기관 ***on* ~** 《미》 금전적 원조[생활 보호]를 받아
— *a.* 복지 시설의; 복지 원조를 받는
wélfare cápitalism 후생[복지] 자본주의
wélfare cènter (진료소·건강 상담소 등을 갖춘) 복지 후생 센터
wélfare económics 후생 경제학
wélfare fùnd 복리 (후생) 기금[자금] 《요양 중인 피고용자에게 지급하는》
wélfare hotél (복지 사업에 의한) 일시적 숙박소
wélfare mòther 《미》 (모자(母子) 가정에서) 생활 보조금을 받는 어머니
wélfare stàte [the ~] 복지 국가
wélfare stàtism 복지 국가주의
wélfare to wórk 복지에서 노동으로의 정책 《영국 정부의 실업자 등을 지원하는 정책》
wélfare wòrk 복지[후생] 사업
wélfare wòrker 복지 사업가, 사회 사업가
wel·far·ism [wélfɛərizm, ⌐-⌐] *n.* Ⓤ 복지 국가주의[정책] **-ist** *n., a.*
wel·far·ite [wélfɛəràit] *n.* 《미·경멸》 생활 보호를 받고 있는 사람
wel·kin [wélkin] *n.* 《시어》 창공, 하늘; 대기
make [***let***] ***the* ~ *ring*** (하늘이 울릴 정도로) 매우 큰소리를 내다
⁑**well¹** ⇨ well (p. 2849) ▷ góod *a.*
⁑**well²** [wél] [OE 「샘」의 뜻에서] *n.* **1** 우물; (유전 등의) 정(井): an oil ~ 유정(油井) **2** 샘; 광천; [*pl.*] 광천[온천]지 **3** (비유) 근원, 원천: a ~ of information 지식의 샘 **4** 우물 같은 구덩이 **5** (승강기의) 오르내리는 공간[통로], 층계의 뚫린 공간; (각 층을 뚫고 통한) 통풍[채광]용 세로 구멍 **6** 〖항해〗 배 밑바닥에 괸 물을 퍼 올리는 두레박이 왕복하는 통[관]; 잡은 고기를 담아 두는 활어조(活魚槽) 《어선의》 **7** 잉크스탠드의 구멍; (액체의) 용기 **8** 《영》 (법정의) 변호인석 **9** 〖물리〗 (우물처럼 깊은) 퍼텐셜의 골(potential well)
the* ~ *of English undefiled 순정(純正) 영어의 근원 《시인 Chaucer를 말함》
— *vi.* 솟아 나오다, 내뿜다, 분출하다, 넘쳐 나오다 《*out, forth, up*》: (~+부) Tears *~ed up* in his eyes. 그의 눈에서 눈물이 넘쳐흘렀다. / I felt indignation *~ing up* in me. 분노가 치밀어 오름을 느꼈다.
— *vt.* 솟아 나오게 하다, 분출하다: a fountain *~ing* its water 물을 뿜어내는 분수
— *a.* 우물 같은; 우물에서의
⁑**we'll** [wí:l] we will[shall]의 단축형
well- [wel] 《연결형》 = WELL¹(opp. *ill-*)
well-ac·quaint·ed [wéləkwéintid] *a.* 잘 알고 있는 《*with*》
well·a·day [wélədèi] *int.* 《고어》 아, 슬픈지고; = WELLAWAY
well-ad·just·ed [wélədʒʌ́stid] *a.* 잘 적응한; 〖심리〗 정신적[정서적]으로 안정된
well-ad·ver·tised [wélǽdvərtàizd] *a.* 요란하게 선전되고 있는
well-ad·vised [wélədváizd] *a.* 생각이 깊은, 분별 있는, 신중한(prudent): a ~ action 신중한 행동
well-af·fect·ed [wéləféktid] *a.* 호의[호감]를 갖고 있는 《*to, toward*》; 충실한
well-ap·point·ed [wélәpɔ́intid] *a.* 잘 정비된, (가구 등으로) 잘 꾸며진 〈호텔 등〉; 장비가 완전한 〈배 등〉: a ~ room 잘 꾸며진 방
well-at·tend·ed [wéləténdid] *a.* (회의 등에) 출석률이 좋은

well

well은 부사·형용사·감탄사 및 드물게 명사 용법으로도 쓰이며, 다음과 같은 사항들에 주의해야 한다.
[1] 부사로서의 well은 동사·분사·전치사·부사 등을 수식하지만, 원칙적으로 형용사는 수식하지 않는다.
[2] 형용사로서의 well은 보통 서술적으로 쓰나, (미)에서는 「건강한」의 뜻으로 한정적으로 쓰기도 한다. 이 경우 원급인 well만을 쓸 수 있고 비교급과 최상급인 better, best는 쓸 수 없다.

⁑well [wél] *ad.*, *a.*, *int.*, *n.*

① 만족스럽게, 잘; 만족스러운	부 **1, 2** 형 **2**
② 건강하여	형 **1**
③ 상당히; 족히	부 **4**
④ 저런; 글쎄; 그래	감 **1**
⑤ 그런데	감 **2**

— *ad.* (**bet·ter** [bétər]; **best** [bést]; ★ better, best 항 참조) **1** 만족스럽게, 잘, 훌륭하게, 더할 나위 없이; 바르게, 선량하게(opp. *ill*, *badly*): dine [sleep, work] ~ 잘 먹다[자다, 일하다] / behave ~ 예의 바르게 행동하다 / She dresses ~. 그녀는 옷을 맵시 있게 입는다. / She behaves herself ~. 그녀는 몸가짐이 훌륭하다. / Business is going ~. 사업은 잘 돌아가고 있다.
2 능숙하게, 솜씨 있게, 잘: speak French ~ 프랑스 말을 잘하다 / a difficult task ~ done 잘 처리된 어려운 일
3 충분히, 완전히, 잘; 친하게, 친밀하게: Shake ~ before using. 사용하기 전에 잘 흔드시오. / listen ~ 잘 듣다 / I don't know her very ~. 나는 그녀를 잘 모른다.
4 a [부사(구) 앞에 써서] 상당히, 꽤; 충분히, 훨씬: a sum ~ *over* the amount agreed upon 동의한 액수를 훨씬 초과한 금액 / He must be ~ *over* fifty [~ *on* in his fifties]. 그는 50세를 훨씬 넘었음에 틀림없다. **b** [때·장소의 부사·전치사와 able, aware, worth 등의 일부의 서술 형용사 앞에 써서 강의적으로] 매우; 충분히, 상당히: He must be ~ *past* forty. 그는 마흔이 훨씬 넘었음에 틀림없다. / She was leaning ~ *back* in her chair. 그녀는 의자에 등을 푹 대고 있었다. / He got there ~ *after* eleven o'clock. 그는 열한 시가 훨씬 지나서 그곳에 도착했다. / He is ~ *able* to lead the people. 그는 국민을 충분히 지도할 수 있다. / I was ~ *aware* of the danger. 나는 그 위험을 익히 알고 있었다. / This book is ~ *worth* reading. 이 책은 읽을 가치가 충분히 있다. / The plan is now ~ *advanced*. 이제 그 계획은 상당히 진척되어 있다. **c** [perfectly, jolly, damn, bloody 등의 부사 뒤에서] 충분히, 전적으로: I know *damn* ~ who he is. 나는 그가 어떤 사람인지 잘 안다.
5 적절히, 알맞게; 마침 잘: That is ~ said. 지당한 말이다. / *W*~ met! 《고어》 잘 만났다!
6 넉넉하게, 안락하게: live ~ 잘 살다 / He's doing rather ~ for himself. 그는 (돈을 벌어) 꽤 안락하게 생활하고 있다.
7 [보통 can, could, may, might와 함께] 사리[이치]에 맞아, 당연하여; [cannot, could not 뒤에서] 쉽게(는) (…할 수 없다): You *may* ~ be right. 네가 옳은 것은 당연하다. / I *could not* ~ refuse. 쉽게 거절할 수 없었다.
8 a 호의를 가지고, 잘, 친절하게; 쾌히, 기분 좋게; 선의로, 극진하게: treat a person ~ 아무를 친절히 대하다 / Everyone speaks[thinks] ~ of her. 누구나 다 그녀에 대해서는 좋게 말한다[생각한다]. **b** 침착하게, 담담하게: He took the news ~. 그는 그 소식을 차분하게 받아들였다.
***as* ~** (1) 게다가, 더욱이, 더구나, 그 위에, …도: He speaks Spanish *as* ~. 그는 스페인 어도 한다. (2) 마찬가지로 잘[능숙하게]: He can speak Spanish *as* ~. 그는 스페인 어를 (…와) 마찬가지로 잘한다. ★ as well as (1) 의 뒤쪽 *as* 이하가 생략된 것; (1) 의 뜻으로 「그는 스페인 어도 할 줄 안다.」의 의미가 되기도 함.
***as* ~ *as* …** (1) …와 마찬가지로 잘 (2) …와 동시에, …은 물론, …뿐만 아니라 …도, …도 …도: He gave us clothes *as* ~ *as* food. 그는 우리에게 음식뿐만 아니라 옷도 주었다.
USAGE (1) A as well as B에서는 A쪽에 의미상의 중점이 있으며, 이를 주어로 하는 술어 동사의 인칭·수는 A와 일치한다: John, *as* ~ *as* his parents, *is* going to Europe. 양친은 물론이요, 존도 유럽에 가기로 되어 있다.(cf. NOT only ... but (also) ...) (2) 때로는 A와 B가 의미상으로 대등한 무게가 되기도 한다: In theory *as* ~ *as* in practice, the idea was unsound. 이론적으로나 실제면으로나 그 생각은 온당치 않았다.
***be* ~ *on in years*[*life*]** 상당한 나이이다: He *is* ~ *on in life*. 그분은 연세가 지긋하시다.
***come off* ~** 좋은 결과가 되다, 잘되다, 운이 좋다
***could just as* ~** do …하는 편이 낫다: You *could just as* ~ have apologized then and there. 너는 그 자리에서 사과했어야 좋았다.
***do* one*self* ~** 부유하게 살다, 훌륭하게 해 나가다
***do* ~** (1) 잘되다, 성공하다 《*in*》 (2) [진행형으로] 건강이 회복되다, 차도가 있다 (3) (남에게) 친절하게 하다 《*by*》: He's always *done* ~ *by* me. 그는 늘 나에게 잘해 주었다. (4) 잘한 일이다
do* ~ *for* one*self 성공하다, 부유해지다
***do* ~ *out of* …** 《구어》 …으로 이익을 얻다, 돈벌이하다: He *did* ~ *out of* sales of cars. 그는 자동차 판매로 돈을 벌었다.
do* ~ *to do …하는 것이 좋다[현명하다]: You would *do* ~ *to* say nothing about it. 그 일에 대해서는 아무 말도 안 하는 것이 좋을 거다. ★ You shouldn't say anything about it.쪽이 구어적임.
***just as* ~** [대답에 써서] 상관없어, 그것으로 괜찮아: "I'm sorry, I don't have a pen." — "A pencil will do *just as* ~." 죄송하지만 저는 펜이 없는데요. — 연필이라도 괜찮습니다.
leave* ~ *enough alone (지금으로서는) 쓸데없는 짓[말]을 하지 않다, 긁어 부스럼 만들지 않다
may*[*might*] (*just*) *as* ~** do (as* …**) (…하는 것은) …하는 거나 마찬가지이다, (…하느니) 차라리 …하는 편이 좋다[낫다]
USAGE (1) 원래 이 구문은 두 번째 as 뒤에 not가 있으며, 「않느니보다 …하는 편이 좋을 것이다」의 뜻이었음; had better보다 뜻이 약하고 완곡함 (2) 진술 내용의 불가능성을 강조하거나 진술에 완곡한 어조를 더할 때에는 조동사 may 대신 might를 씀: One *may as* ~ not know a thing at all, *as* know it but imperfectly. 어중간하게 아느니 차라리 전혀 모르는 편이 낫다. / You *may as* ~ rid your mind of any intention of seeing all. 모든 것을 한꺼번에 보겠다는 생각은 버리는 것이 좋을 거야. 《볼 것이 너무 많으니》 / One *may as* ~ be hanged for a sheep *as* a lamb. 《속담》 바늘 도둑보다 소도둑으로 죽는 편이 낫다. / You *might just as* ~ talk to your son. 아드님에게 주의 좀 시키는게 좋겠습니다. ★ You *may just as* ~ talk ...보다 완곡한 표현 / We *might just as* ~ have stayed at home. (차라리) 아예 집에 있는 편이 나았는데. ★ 「나가서 그런 변을 당

하느니」의 뜻이 내포됨 / You *might just as* ~ have confessed. (그렇게 말한다면) 너는 자백한 거나 다름없다.

***may* ~ do** (1) …하는 것도 무리가 아니다[당연하다]: He *may* ~ think so. 그가 그렇게 생각하는 것은 당연하다. / You *may* ~ wonder! 자네가 의아해 하는 것도 무리가 아니다! 《누구든지 의아하게 여길 것이다》 (2) …일는지도 모르다, (충분히) …할 법하다, …할 것 같다: The answer *may* ~ be right. 그 답은 아마 정답일 것이다. / "Do you think he'll pass the exam?"—"He *may* ~." 그가 시험에 합격할 걸로 생각하니? — 그럴걸. 《끝에 pass the exam이 생략되었음》

***pretty* ~** (1) 거의(almost): My homework is *pretty* ~ finished. 내 숙제는 거의 끝났다. (2) 〈환자 등이〉 꽤 좋아져[건강하여], (일 등에서) 꽤 잘[능숙하게]: "How's she doing?"—"Oh, (she's doing) *pretty* ~." 그녀는 어떻게 하고 있나요? — 아, 꽤 잘 하고 있어요.

~ *and truly* 《구어》 완전히, 아주: I was ~ *and truly* exhausted. 나는 완전히 녹초가 되어 있었다.

~ *away* 《영》 (1) 진행되어, 진척되어: We're ~ *away*. 잘되고 있다. (2) 《구어》 취하기 시작하여, 얼큰하여

W~ done! 잘한다, 잘했다, 훌륭하다!

~ *off* ⇨ well-off

~ *out of* ... (1) (…에서부터) 충분히 떨어져: Stand ~ *out of* the way. (방해가 되지 않도록) 충분히 떨어져 있어라. (2) 《구어》 (불행·사건 등을) 용케 모면하여: You're ~ *out of* the trouble. 그 골칫거리에서 벗어나게 되어 다행이군. / I wish I was ~ *out of* this job. 이 일에서 손을 뗐으면 좋겠다.

~ *up* 정상[최상위]에 가깝게

~ *up in* ... 《구어》 …을 잘 알고 있는, …에 정통한

—*a.* (**bet·ter**; **best**) **1 a** Ⓟ **건강하여,** 튼튼하여 《이 의미로는 최상급을 쓰는 일이 드묾; ⇨ healthy 유의어》: feel[look] ~ 기분이 좋다[건강해 보이다] / Are you ~? 건강하십니까? / "How are you?"—"Quite[Very] ~, thank you." 건강[안녕]하세요? — 감사합니다, 아주 건강합니다[아주 잘 지내고 있습니다].(cf. *a.* 2b) **b** Ⓐ 《미》 [비교 없음] 건강한: He is a very ~ man. 그는 매우 건강한 사람이다.

2 Ⓟ [비교 없음] **a 만족스러운,** 더할 나위 없는, 좋은(right) 《*with*》: Things are ~ enough. 정세는 꽤 좋다. / All's ~ (that ends ~). (끝이 좋으면) 모든 것이 좋다. / I'm very ~ as I am. 현재 대만족입니다. **b** [보통 very ~로 동의·승낙을 나타냄] 좋아, 괜찮아, 알았다(cf. *a.* 1a): *Very* ~, you can go now. 좋아, 이제 가도 돼.

3 Ⓟ [비교 없음] **a** 적당하여, 알맞아, 마땅하여 ★ 이 의미로는 well보다 best 쪽이 일반적임: It would be ~ to start at once. 곧 출발하는 게 좋을 거야. **b** 《드물게》 〈사정이〉 알맞아, 다행으로 ★ 이 의미로는 well보다 good 쪽이 일반적임: It was ~ that you met him there. 거기서 그를 만나다니 다행이었군요. / It is ~ that you didn't go. 네가 가지 않아 다행이다.

(all)* ~ *and good = ***all very* ~** 《구어》 좋다; 어쩔 수 없다 《마지못한 동의·승낙을 나타냄》: That's *all* ~ *and good*, but what can we do for the orphans? 그것은 좋은 이야기지만 고아들에게 우리가 무엇을 할 수 있겠습니까?

it's*[*that's*] *all very* ~, *but... 《구어》 아주 그럴 듯해 보이지만, 사실은 (실현될 것 같지 않다)

***just as* ~** (1) 아주 운이 좋은, 때마침 좋은: It's *just as* ~ I met you. 당신을 만나서 마침 잘됐소. (2) 오히려 나은, 차라리 잘된: It was *just as* ~ you didn't go with him. 너는 그와 함께 가지 않았던 것이 오히려 잘된 거야.

***(just) as* ~ ...** …하는 편이 나은[좋은]: It would be *as* ~ to explain. 설명하는 편이 (무엇보다) 낫겠구나. / It would be *just as* ~ not to invite him to the party. 그를 파티에 초대하지 않는 것이 좋을 거야.

~ *enough* 충분히 (잘); 꽤 좋게; 꽤 건강하여

—*int.* **1 a** [놀람·의심·망설임 등을 나타내어] **이런,** 저런, 어마, 뭐라고, **글쎄**: *W*~, I never! = *W*~, to be sure! = *W*~ indeed now! 이런 이런; (이거) 놀라겠는걸, 설마! / *W*~, ~! 글쎄 어떨지! / *W*~! There is no need to shout. 어마, 소리 지를 필요는 없는데. **b** [안심·체념·양보 등을 나타내어] 아이고, 후유; 에라; 과연; 그래, 글쎄; 원 참: *W*~, here we are at last. 후유, 드디어 도착했다. / Oh ~, I can't help it. 그래, 어쩔 수 없군. / *W*~, but what about the money? 그래, 그렇다면 돈은 어떡하고? **c** [예상·기대를 나타내어] 그래서, 그런데: *W*~, then? 어, 그래서?

2 [말을 계속하거나 용건을 꺼낼 때에 써서] **그런데,** 글쎄, 그건 그렇고; 저어: *W*~, as I was saying .... 그런데, 아까 말했듯이… / *W*~, it's time to go home. 자, 집에 갈 시간이다.

—*n.* 좋음, 만족스러움, 행복; 행운; 성공: wish ~ to a person …의 행복을 빌다 / I wish her ~. 그녀의 성공[행복]을 빈다.

let*[*leave*] ~ (*enough*) *alone (좋은 것은) 그대로 내버려 두다, 현상에 만족하다

well·a·way [wèləwéi] *int.* 《고어》 아아 《비탄의 표현으로》 **—*n.*** 비탄, 한탄; 애도의 말[시, 노래, 곡]

well-ba·lanced [wélbǽlənst] *a.* **1** 균형이 잡힌: a ~ diet 균형 잡힌 식사 **2** 제정신의, 정신이 온전한; 상식 있는, 온건한: a ~ mind 온전한 정신

well-be·haved [wélbihéivd] *a.* 행실[품행]이 단정한

***well-be·ing** [wélbí:iŋ] *n.* Ⓤ **행복,** 안녕, 복지, 복리 (welfare)

well-be·loved [wélbilʌ́vid, -lʌvd] *a., n.* 마음속으로부터 사랑을 받는 (사람); 깊이 존경받고 있는 (사람): our ~ speaker 우리가 경애하는 의장님

well·born [wélbɔ́:rn] *a.* 양가 태생의, 가문이 좋은, 명문 출신의 **—*n.*** [the ~] 가문[태생]이 좋은 사람

well-bred [wélbréd] *a.* **1** 좋은 가문에서 자란, 교육을 잘 받은, 예의 바른; 행실이 좋은, 얌전한, 점잖은 **2** 〈말 등이〉 혈통[종자]이 좋은

well-built [wélbílt] *a.* 체격이 좋은; 〈건물이〉 튼튼한

well-chos·en [wéltʃóuzən] *a.* 〈어구 등이〉 잘 골라낸, 정선(精選)된, 적절한

well-con·di·tioned [wélkəndíʃənd] *a.* 행실[생각]이 바른, 선량한, 인품이 좋은, 도덕적으로 건전한; 〈신체가〉 건강한

well-con·duct·ed [wélkəndʌ́ktid] *a.* **1** 예의 바른, 품행이 방정한 **2** 관리가 잘된

well-con·nect·ed [wélkənéktid] *a.* 유력한 친척[친구]이 있는; 친척[집안]이 좋은, 문벌이 좋은

well-con·tent(·ed) [wélkəntént(id)] *a.* 매우 만족한, 마음껏 즐긴

well-cov·ered [wélkʌ́vərd] *a.* 《영·구어》 통통하게 살찐

well·cut [wélkʌ̀t] *a.* 〈양복이〉 잘 만들어진

wéll dèck 〖항해〗 요갑판(凹甲板) 《선수루와 선미루 사이의 갑판》

well-de·fined [wéldifáind] *a.* 윤곽이 뚜렷한, 정의(定義)가 명확한: a ~ character 뚜렷한 특징 / a ~ boundary 명확한 경계

well-de·signed [wéldizáind] *a.* 잘 설계[계획]된

well-de·vel·oped [wéldivéləpt] *a.* 잘 발달된

thesaurus **well-being** *n.* welfare, health, happiness, comfort, prosperity, security

〈몸·모습〉; 충분히 손질된[다듬어진] 〈안(案)〉
well-di·rect·ed [wéldiréktid] *a.* 바르게 방향 지어진[지도받은]
well-dis·ci·plined [wéldísəplind] *a.* 가정 교육이 잘된, 잘 훈련[단련]된; 규율[규범]에 따르는; 체벌을 세게 받은
well-dis·posed [wéldispóuzd] *a.* 마음씨 고운; 친절한; 호의를 가진; 잘 배치된: the investor ~ toward our project 우리 계획에 호의적인 투자자
well-doc·u·ment·ed [wéldɑ́kjumèntid | -dɔ́k-] *a.* 문서[기록]에 의해 충분히 입증된
well-do·er [wéldú:ər] *n.* 《고어》 선행자(善行者), 덕행가
well-do·ing [wéldú:iŋ] *n.* Ⓤ **1** 선행, 덕행 **2** 번영, 건강, 행복, 성공 **—***a.* 선량한, 친절한; 근면한
well-done [wéldʌ́n] *a.* **1** 〈고기가〉 잘 익은[구워진], 충분히 요리된(cf. UNDERDONE, OVERDONE) **2** 잘 된, 잘 한, 능숙히 처리된
well-dressed [wéldrést] *a.* 좋은 옷을 입은; 옷 맵시가 단정한
well-earned [wélə́:rnd] *a.* 자기 힘[노력]으로 획득한; 〈보은 등이〉 당연한: a ~ punishment 자업자득
well-ed·u·cat·ed [wélédʒukèitid] *a.* 잘 교육된; 교양 있는
well-en·dowed [wélindáud] *a.* (재능·자질을) 잘 타고난 《*with*》; 《영·속어》 〈여성이〉 가슴이 풍만한; 《영·속어》 〈남성이〉 당당한 성기를 가진
Welles [wélz] *n.* 웰스 (**George**) **Orson ~** (1915-85) 《미국의 영화배우·감독》
well-es·tab·lished [wélestǽbliʃt] *a.* 기초가 튼튼한; 확립[정착]된, 안정된 〈습관·어법 등〉
well-fa·vored [wélféivərd] *a.* 미모의, 잘생긴 《남녀 구별 없이 씀》
well-fed [wélféd] *a.* 영양이 충분한, 살찐
well-fit·ted [wélfítid] *a.* 잘 맞는
well-fixed [wélfíkst] *a.* 《미·구어》 유복한, 잘사는 (well-to-do); 안전한, 확실한
well-formed [wélfɔ́:rmd] *a.* **1** 모양이 좋은: a ~ contour 모양 좋은 윤곽 **2** 〚문법〛 적격(適格)의; 언어 표현이 규칙에 맞는 **~·ness** *n.*
well-found [wélfáund] *a.* 〈특히 배가〉 설비가 잘 갖추어진
well-found·ed [wélfáundid] *a.* 〈혐의·소신 등이〉 사실에 입각한, 근거가 충분한, (충분한) 이유가 있는
well-groomed [wélgrú:md] *a.* 〈동물·정원 등이〉 손질이 잘 되어 있는; 〈사람이〉 몸차림이 단정한: a ~ young man 단정한 젊은이 / a ~ lawn 손질이 잘 된 잔디밭
well-ground·ed [wélgráundid] *a.* **1** = WELL-FOUNDED: ~ suspicions 근거 있는 의심 **2** Ⓟ 기초 교육[훈련]을 잘 받은 《*in*》: ~ *in* mathematics 수학의 기초가 잘 잡힌
well-grown [wélgróun] *a.* 발육이 좋은
well-han·dled [wélhǽndld] *a.* 관리[운영]가 잘 된; 여러 사람이 만진 〈상품〉; 신중히[솜씨 있게] 다루어진: a ~ political campaign 관리가 잘 된 선거 운동 / a delicate but ~ subject 미묘했지만 잘 처리된 문제 / a sale of ~ goods 재고 상품의 세일
well·head [wélhèd] *n.* **1** 수원(水源), 우물이 있는 곳; 《비유》 원천 **2** 우물에 씌운 지붕
well-heeled [wélhí:ld] *a.* 《구어》 부유한, 넉넉한; 무장(武裝)을 갖춘; 안전한
well·hole [wélhòul] *n.* 우물 구멍
well-hung [wélhʌ́ŋ] *a.* **1** 〈사냥한 짐승·고기가〉 먹기에 적당해질 때까지 매달아 둔 **2** 〈커튼이〉 잘 드리워진; 〈스커트가〉 보기 좋게 자리잡은 **3** 〈혀가〉 잘 돌아가는 **4** 《비어》 〈여성이〉 유방이 큰; 〈남성이〉 성기가 큰
wel·lie [wéli] *n.* [보통 *pl.*] 《영·속어》 웰링턴 부츠 《무릎까지 오는 장화》(Wellington boot) ***give it some ~*** 힘을 쏟다, 힘껏 하다
well-in·formed [wélinfɔ́:rmd] *a.* 박식한, 견문이 넓은; 전문적 지식을 갖고 있는, 정보에 밝은; 잘 알고 있는(cf. ILL-INFORMED)
Wel·ling·ton [wéliŋtən] *n.* 웰링턴 **1 First Duke of** (**Arthur Wellesley**) **~** (1769-1852) 《Waterloo에서 Napoleon Ⅰ세를 격파한 영국의 장군·정치가》 **2** New Zealand의 수도 **3** [보통 *pl.*] 《영·속어》 웰링턴 부츠 《무릎까지 오는 장화》(= **~ bóot**)
well-in·ten·tioned [wélintén∫ənd] *a.* 선의의, 선의로 한, 선의에서 나온
well-judged [wéldʒʌ́dʒd] *a.* 판단이 올바른, 적절한(appropriate)
well-kept [wélképt] *a.* 간수가 잘 된, 손질이 잘 된
well-knit [wélnít] *a.* 〈신체 등이〉 튼튼한, 강건한, 건장한(sinewy); 〈주장 등이〉 정연한; 체제가[조직이] 잘 짜여진: a ~ plot 잘 짜여진 구성 / a muscular, ~ body 근골이 억세 보이는 몸
⁑well-known [wélnóun] *a.* **유명한**; 잘 알려진, 주지의; 친한, 친밀한(⇨ famous 유의어): a ~ painter 유명한 화가 / hear the ~ voice of a loved one 사랑하는 이의 친밀한 목소리를 듣다
well-lik·ing [wélláikiŋ] *a.* 《영》 건강하고 넉넉하게 보이는, 형편이 좋아 보이는
well-lined [wélláind] *a.* 《구어》 **1** 〈지갑 등이〉 돈이 가득 들어 있는 **2** 〈위(胃)가〉 가득 찬
well-look·ing [wéllúkiŋ] *a.* = GOOD-LOOKING
well-made [wélméid] *a.* **1** 〈체격이〉 균형이 잡힌, 날씬한 **2** 〈수공품이〉 잘 만들어진 **3** 〈소설·극이〉 구성이 잘 된: a ~ play 구성이 잘 된 연극
well-man·nered [wélmǽnərd] *a.* 예의 바른, 착한; 공손한, 점잖은
well-marked [wélmɑ́:rkt] *a.* 뚜렷이 식별되는; 눈에 띄는, 두드러진
well-matched [wélmǽt∫t] *a.* 배합이 잘 된; 〈부부 등이〉 어울리는, 조화된; 〈대결 등이〉 맞수의
well-mean·ing [wélmí:niŋ] *a.* 〈사람이〉 선의의, 악의 없는; 〈말·행위가〉 호의에서 우러난: a ~ but tactless person 선하지만 요령 없는 사람 / ~ words 선의에서 나온 말
well-meant [wélmént] *a.* = WELL-INTENTIONED
well-mod·u·lat·ed [wélmɑ́dʒulèitid | -mɔ́dʒ-] *a.* 〈억양·리듬이〉 잘 조절된
well-mount·ed [wélmáuntid] *a.* 훌륭한 말을 탄
well·ness [wélnis] *n.* 건강, 호조(好調); (예방 차원에서의) 건강 관리
well-nigh [wélnái] *ad.* 《문어》 거의(almost, very nearly): It's ~ bedtime. 거의 잠잘 시간이다.
well-off [wélɔ́:f, -ɑ́f | -ɔ́f] *a.* **1** 부유한, 유복한 **2** Ⓟ 〈일이〉 잘 되어가고 있는, 순조로운 **3** Ⓟ …을 풍부하게 가지고 있는 《*for*》
well-oiled [wélɔ́ild] *a.* 〈표현이〉 간살스러운; 《속어》 취한(drunk); 능률적인, 순조로이 진행되는
well-or·dered [wélɔ́:rdərd] *a.* 질서가 잡힌
well-pad·ded [wélpǽdid] *a.* 《구어》 〈사람이〉 통통하게 살찐; 〈소파 등이〉 속을 충분히 채운
well-paid [wélpéid] *a.* 보수가 좋은, 좋은 보수를 받고 있는
well-pay·ing [wélpéiiŋ] *a.* 좋은 보수를 지불하는, 보수가 좋은
well-placed [wélpléist] *a.* 믿을 수 있는 〈정보원〉; 좋은 지위에 있는; 알맞은 장소에 설치된; 정확히 겨냥한
well-pleased [wélplí:zd] *a.* 대단히 만족하고 있는
well-pleas·ing [wélplí:ziŋ] *a.* 《고어》 만족스러운, 기꺼운 《*to*》
well·point [wélpɔ̀int] *n.* 〚토목〛 웰포인트 《집수관(集水管)의 구멍 뚫린 하단부》
well-pol·ished [wélpɑ́liʃt | -pɔ́l-] *a.* 잘 닦여진; 세련된

well-known *a.* famous, famed, renowned, celebrated, noted, notable, eminent

well-pre·served [wélprizə́ːrvd] *a.* 잘 보존된; 새것처럼 보이는; (연령에 비해) 젊은
well-pro·por·tioned [wélprəpɔ́ːrʃənd] *a.* 균형이 잘 잡힌
well-read [wélréd] *a.* **1** 책을 많이 읽은; 박식한, 박학의 **2** Ⓟ …에 정통한 《*in*》: ~ *in* oceanography 해양학에 정통한
well-reg·u·lat·ed [wélrégjulèitid] *a.* 조정이 잘 된, 잘 정돈된, 규칙이 잘 선[서 있는]
well-re·put·ed [wélripjúːtid] *a.* 평판이 좋은
well-round·ed [wélráundid] *a.* **1** 〈사람이〉 포동포동 살이 찐, 풍만한, 잘 발달한 **2** 〈문체·프로그램 등이〉 균형이 잡힌: a ~ curriculum 균형 잡힌 교과 과정 **3** 다재다능한, 만능의
wéll rún *a.* 잘 관리[운영]된
Wells [wélz] *n.* 웰스 **Herbert George** ~ (1866-1946) 《영국의 소설가·저술가》
well-seem·ing [wélsíːmiŋ] *a.* 좋아 보이는
well-seen [wélsíːn] *a.* 《고어》 경험을 쌓은, 숙달된
well-set [wélsét] *a.* 〈체격 등이〉 건장한; 균형이 잡힌, 잘 짜인
well-set-up [wélsètʌ́p] *a.* =WELL-SET
wéll sìnker 우물을 파는 사람
well-spent [wélspént] *a.* 뜻있게 사용된, 효과적으로 소비된
well-spo·ken [wélspóukən] *a.* 말이 세련된[유창한], 말씨가 점잖은; 〈표현이〉 적절한; 《영》 표준 영어를 쓰는
well·spring [wélsprìŋ] *n.* **1** 원천, 수원(水源) **2** (특히 무한한) 자원; 《일반적으로》 근원 《*of*》
well-stacked [wélstǽkt] *a.* 《속어》 〈여성이〉 《특히》 가슴이 풍만한, 포동포동한
well-suit·ed [wélsúːtid] *a.* 적절한; 편리한 《*to*》
wéll swèep (지렛대의 원리를 이용한) 반동식(反動式) 두레박, 방아두레박
well-tak·en [wéltéikən] *a.* 근거가 확실한, 정당한, 타당한: Your advice is ~. 네 충고는 타당하다.
well-tem·pered [wéltémpərd] *a.* **1** 〖음악〗 평균율의 **2** 마음씨가 좋은, 온후한 **3** 〖야금〗 (경도·탄성 등의) 질이 적절하게 조절된
well-thought-of [wélθɔ́ːtʌ̀v, -ɑ̀v | -ɔ̀v] *a.* 〈사람이〉 평판이 좋은, 존경받는
well-thought-out [wélθɔ̀ːtáut] *a.* 면밀한, 심사숙고한
well-thumbed [wélθʌ́md] *a.* 〈책 따위가〉 손때가 묻은
well-tim·bered [wéltímbərd] *a.* 구조[골조]가 튼튼한; 수목이 울창한
well-timed [wéltáimd] *a.* 호기(好機)의, 때를 잘 맞춘, 때에 알맞은: a ~ request 시기 적절한 요구
***well-to-do** [wéltədúː] *a.* 유복한, 부자인(cf. WELL-OFF); [the ~; 명사적; 집합적] 부유 계급
well-trav·eled [wéltrǽvld] *a.* 여행 경험이 풍부한, 여행에 익숙한; 교통량이 많은
well-tried [wéltráid] *a.* 많은 시련을 겪은; 잘 음미된
well-trod·den [wéltrɑ́dn | -trɔ́dn] *a.* 잘 다져진 〈길〉; 사람이 많이 다니는
well-turned [wéltə́ːrnd] *a.* 〈말 등이〉 잘 표현된; 〈체격이〉 맵시 있는, 체격 좋은(shapely)
well-turned-out [wéltə̀ːrndáut] *a.* 잘 차려입은, 날씬한 차림의
well-up·hol·stered [wélʌphóulstərd] *a.* 《구어》 〈사람이〉 통통한, 살찐
wéll úsed *a.* 많이 사용된: a ~ path 사람들이 많이 다닌 길
well-wish [wélwìʃ] *n.* 호의(好意)
well-wish·er [wélwíʃər] *n.* 남(의 일)이 잘되기를 바라는 사람, 호의를 보이는 사람; (주의 등의) 지지자
well-wish·ing [wélwìʃiŋ] *a.* 남의 행복을 비는, 호의를 보이는; 지지[찬성]하는
— *n.* Ⓤ 남의 행복을 빎, 호의를 보임; 지지, 찬성

wéll wòman 건강 지향적인 여성
well-worn [wélwɔ́ːrn] *a.* **1** 써서 낡은, 낡아빠진: ~ carpets 낡은 카펫 **2** 진부한, 평범한: a ~ saying 진부한 속담 **3** 몸에 밴: a ~ modesty 몸에 밴 겸손
wel·ly [wéli] *n.* =WELLIE
Wéls·bach bùrner [wélzbæk-, -bɑːk-] 벨즈바하 등(燈) 《상표명》
welsh [wélʃ, wéltʃ | wélʃ] *vi.* **1** 〖경마〗 건 돈을 치르지 않고 도망치다 《*on*》: He *~ed on* his gambling debts. 그는 도박 빚을 떼어먹고 도망쳤다. **2** 《속어》 빚을 떼어먹다; 의무를 회피하다; 약속을 어기다 《*on*》 **~·er** *n.*
***Welsh** [wélʃ, wéltʃ | wélʃ] *a.* **1** 웨일스(Wales)의 **2** 웨일스 사람[말]의
— *n.* **1** [the ~; 집합적] 웨일스 사람 **2** Ⓤ 웨일스 말 《Cymric, Kymric이라고도 한다.》
▷ Wáles *n.*
Wélsh Assémbly [the ~] 웨일스 의회 《영국 의회로부터 일부 독립권을 갖고 있는》
Wélsh córgi 몸이 길고 다리가 짧은 웨일스산(産) 개
Wélsh drésser 《영》 웰시 드레서 《윗부분은 선반으로 되어 있고, 아랫부분은 서랍이나 칸막이가 달려 있는 식기 찬장》
Welsh·man [-mən] *n.* (*pl.* **-men** [-mən, -mèn]) 웨일스 사람
Wélsh mútton 웨일스 산중에서 사는 소형 양의 고기
Wélsh rábbit[rárebit] 치즈 토스트 《치즈를 녹여 향료·맥주·우유 등을 섞어 토스트에 바른 것》
Welsh·wom·an [-wùmən] *n.* (*pl.* **-wom·en** [-wìmin]) 웨일스 여자
welt [wélt] *n.* **1** 대다리 《구두창에 갑피(甲皮)를 대고 맞꿰매는 가죽테》 **2** 가장자리 장식 **3** 채찍 자국, (매질 등으로) 부푼 자리; 강타 **4** 《속어》 심한 구타
— *vt.* **1** 〈구두에〉 대다리를 대다; 좁다란 헝겊[가죽]을 대다, 가장자리 장식을 하다 **2** 채찍 자국이 나게 때리다 **3** 《속어》 구타하다
Welt·an·schau·ung [véltɑ̀ːnʃàuuŋ] [G] *n.* (개인·민족의) 세계관
wel·ter[1] [wéltər] *vi.* **1** 구르다, 굴러다니다(wallow); 뒹굴다 《*about*》: (~+副) (~+前+名) a pig *~ing* (*about*) *in* the mud 진흙 속에서 뒹굴고 있는 돼지 **2** 〈파도가〉 굽이치다, 너울거리다, 넘실거리다 **3** 잠기다, 빠지다, 몰입하다, 탐닉하다: (~+前+名) ~ *in* sin[pleasure] 죄악[쾌락]에 빠지다 **4** 혼란한 상태에 있다 **5** 《방언》 비틀거리다, 어정거리다 **6** (특히 피 따위의) 투성이가 되다, 적셔 있다 **7** 〈강이〉 흐르다
— *n.* **1** 뒹굴기, 대굴대굴 굴러다님 **2** 너울거림, 굽이침, 넘실거림 **3** 혼란, 뒤죽박죽, 어수선하게 한 덩어리가 된 것[상태]
welter[2] *n.* **1** =WELTERWEIGHT 1, 2 **2** 《구어》 강타(强打), 강펀치 **3** 《구어》 몹시 무거운[큰] 것[사람]
— *a.* 중량 부하(負荷) 경마의
wel·ter·weight [wéltərwèit] *n.* **1** 〖경마〗 평균 체중 이상의 기수(騎手) **2** 〖권투·레슬링〗 웰터급의 권투 선수 《체중 140-147파운드》; 웰터급 레슬러 《체중 147-160파운드》 **3** (장애물 경마에서) 말에 지우는 특별한 중량 《말의 나이에 따라 과하는 것 이외의 28파운드》
Welt·po·li·tic [véltpolitiːk] [G] *n.* 세계 정책
Welt·schmerz [véltʃmɛ̀ərts] [G] *n.* [때로 **W~**] 비관적 세계관, 염세; 감상적 비관주의
wen[1] [wén] *n.* **1** 〖병리〗 혹, 종기, 피지 낭종(皮脂囊腫) 《머리·목 등의》 **2** 《비유》 대도시 ***the Great W~*** 런던 시(市)
wen[2] *n.* 웬 《고대 영어에서 사용된 룬 문자(runes) p의 자모명; 근대 영어의 w에 해당》
wench [wéntʃ] *n.* **1** 소녀, 처녀(girl); 《주로 방언》 촌색시; 《특히》 하녀 **2** 음탕한 여자, 매춘부 **3** 《미》 하층 계급[흑인]의 여자 — *vi.* 《고어》 (특히 습관적으로)

thesaurus **well-to-do** *a.* wealthy, rich, well off, affluent, moneyed, prosperous, flourishing,

매춘부와 놀다, 오입하다

Wen·chow [wèntʃáu] *n.* 원저우(溫州) 《중국 저장성 동남부에 있는 도시》

wench·y [wéntʃi] *a.* 《미·속어》 심술궂은, 성미 까다로운

wend [wénd] [OE 「구부러지다」의 뜻에서] *v.* (~·**ed**, 《고어》 **went** [wént]) *vt.* 향하게 하다, 나아가게 하다 —*vi.* 《고어》 나아가다, 가다 ★ 이 말의 옛 과거형인 WENT는 지금은 GO의 과거형으로 대신 쓰이고 있다. ~ one**'s way** 가다

Wend [wénd] *n.* 웬드 족 《본래 독일의 북동부에, 지금은 동(東) Saxony에 사는 슬라브 민족의 일파》

Wend·ish [wéndiʃ], **Wend·ic** [-ik] *a.* 웬드 사람[말](의)

Wen·dy, -die, -dey [wéndi] *n.* 여자 이름

Wéndy hòuse 《영》 (어린이들이 들어가 노는) 장난감집 《J.M. Barrie의 *Peter Pan*에서》

wen·ny [wéni] *a.* 혹 같은; 혹이 있는

Wens·ley·dale [wénzlidèil] *n.* **1** Ⓤ Yorkshire 산(産)의 흰 치즈 **2** 그 곳의 털이 긴 양(羊)

went [wént] *v.* GO의 과거; 《고어》 WEND의 과거·과거분사

wen·tle·trap [wéntltræ̀p] *n.* 〖패류〗 실패고둥과(科)의 각종 고둥

wept [wépt] *v.* WEEP의 과거·과거분사

were [wə́ːr; 《약하게》 wər] *vi.* BE의 복수 과거형 또는 2인칭 단수 과거형 《가정법의 경우에는 단수 또는 복수》 ***as it ~*** 말하자면 ***if it ~ not for*** = ***~ it not for ...*** 만약 …이 없다면

we're [wíər] we are의 단축형

weren't [wə́ːrnt | wə́ːnt] were not의 단축형

were·wolf, wer·wolf [wέərwùlf, wíər-] *n.* (*pl.* **-wolves** [-wùlvz]) (전설상의) 이리가 된 인간, 이리 귀신이 들린 사람, 늑대 인간

werf [vέərf] *n.* 《남아공》 농가의 마당

wer·gild [wə́ːrgild, wέər-] *n.* (앵글로색슨 시대의 잉글랜드 및 중세 게르만 제국에서) 속죄금; 보상 금액

Wér·ner's sýndrome [wə́ːrnərs-, vέər-] [독일 의사 이름에서] 〖의학〗 베르너 증후군 《조로증의 일종》

Wér·nick·e-Kór·sa·koff sỳndrome [vέərnikəkɔ́ːrsəkɔ̀ːf- | -kɔ̀f-] 베르니케 코르사코프 증후군 《이상한 안구 운동, 협조 운동 장애, 착란, 기억과 학습 장애를 특징으로 하는 중추 신경계의 장애》

Wér·nick·e's àrea [vέərnikəz-] 베르니케 영역 《대뇌의 언어 이해 영역》

wert [wə́ːrt, 《약하게》 wərt] *vi.* 《고어》 주어가 thou일 때의 be의 제2인칭 단수·직설법 및 가정법 과거(cf. WAST)

We·sak [vésæk] *n.* = VESAK

wes·kit [wéskit] *n.* 조끼(vest) 《특히 여성용의》

Wes·ley [wésli, wéz-] *n.* 웨슬리 **1** 남자 이름 **2** John ~ (1703-91) 《영국의 감리교(Methodist)의 창시자》

Wes·ley·an [wésliən, wéz-] *a., n.* 웨슬리교파의 (교도) **~·ìsm** *n.* Ⓤ 웨슬리교[주의]

Wes·sex [wésiks] *n.* 웨식스 《영국 남서부에 있었던 고대의 Anglo-Saxon 왕국》

west [wést] *n.* **1** [보통 the ~] 서(西), 서쪽, 서방; 서부(opp. *east*): in *the* ~ of …의 서부에/on *the* ~ of …의 서쪽에[서쪽에 접하여]/to *the* ~ of …의 서쪽에 위치하여 **2 a** [the ~] 서부 지방 **b** [the W~] 서양, 서구; 구미 **c** [the ~] 《미》 서부(의 여러 주) 《Mississippi강에서 태평양 연안까지의》 **d** [the W~] 서구 제국, 자유 진영측, 서방측 **e** [the W~] 〖역사〗 서로마 제국 **3** 《시어》 서풍(西風) **4** (교회당의) 서쪽; [종종 **W~**] (브리지 등에서) 서쪽 자리의 사람 ***~ by north*** 서미북(西微北) 《略 WbN》 ***~ by south*** 서미남 《略 WbS》

—*a.* Ⓐ **1** 서쪽의[에 있는]; 서향의: the ~ longitude 서경/a ~ window 서창 **2** (교회에서) 제단의 반대측의, 교회당 서쪽의 **3** [종종 **W~**] 서부의, 서양의, 서쪽 나라의; 서부 주민의 **4** 〈바람이〉 서쪽에서의: a ~ wind 서풍

—*ad.* 서(쪽)에(서); 서쪽으로: The car headed ~. 차가 서쪽으로 향했다./The wind blew ~. 바람이 서쪽에서 불어왔다. ***due ~*** 정서(正西)에[로] ***go ~*** 서쪽으로 가다; 《속어》 죽다; 〈돈 등이〉 떨어지다 ***lie east and ~*** 동서로 가로놓이다 ***~ of*** …의 서쪽에 ▷ wéstern, wésterly *a.*

West. western

west·a·bout [wéstəbàut] *ad.* 서쪽으로

Wést Atlántic 1 대서양 연안 어군(語群) **2** [the ~] 서(西)대서양

Wést Bánk [the ~] 웨스트 뱅크 《요르단 강 서안(西岸) 지구; 1967년의 the Six-Day War에서 이스라엘이 점령한 구(舊)요르단령(領)》

Wést Bánker *n.* 웨스트 뱅크 주민

Wést Bengál [the ~] 서(西)벵골 《인도 동부의 주; 주도 Calcutta》

Wést Berlín 서베를린 《1990년 동·서독의 통일로 East Berlin과 함께 Berlin으로 통합》

Wést Berlíner *n.* 서베를린 주민

west·bound [-bàund] *a.* 서쪽으로 가는, 서쪽으로 향한, 서쪽으로 도는

Wést Céntral [the ~] 서중앙구(區) 《London 우편 구역의 하나; 略 W.C.》

Wést Cóast [the ~] (미국의) 서해안, 태평양 연안

Wést-Cóast *a.*

Wést Cóuntry [the ~] (잉글랜드의) 서부 지방

Wést Énd [the ~] 웨스트 엔드 《London의 서부 지역; 대저택·큰 상점·극장 등이 많음; cf. EAST END》

west·er [wéstər] *vi.* 서쪽으로 향하다[가다]; 〈천체가〉 서쪽으로 나아가다[기울다]

—*n.* 서풍, 《특히》 서쪽에서 불어오는 강풍

west·er·ing [wéstəriŋ] *a.* 서쪽으로 향하는, 서쪽으로 기우는 《보통 태양에 대하여》

west·er·ly [wéstərli] *a.* 서쪽의; 서쪽으로의; 〈바람이〉 서쪽에서 부는 —*ad.* 서쪽에, 서쪽으로, 서쪽에서 —*n.* (*pl.* **-lies**) 서풍; [*pl.*] 편서풍대

west·ern [wéstərn] *a.* **1** 서쪽의; 서쪽에 있는; 서쪽으로부터의, 서쪽에서의; 서쪽으로 가는: the ~ front (1차 대전의) 서부 전선/a ~ migration 서부로의 이주 **2** [**W~**] 《미》 서부의: the *W~* States 서부의 여러 주 **3** [종종 **W~**] 서양의, 구미의: ~ civilization 서구 문명 **4** 서방측의, 자유 진영의 **5** [**W~**] 서방 교회의 **6** 서부 출신의 **7** 기우는, 쇠퇴하는

—*n.* **1** 서부 사람, 서쪽 나라 사람; 서양인 **2** 서유럽 사람 **3** [종종 **W~**] 《미》 서부극, 서부물(物) 《카우보이 등이 활약하는 미국 영화·극 및 소설》; 서부 음악

Wéstern Austrália 웨스턴 오스트레일리아 《Australia 서부의 한 주(州)》

Wéstern blót 〖생화학〗 특수 단백질 검출 검사 《혈액에서 AIDS 바이러스를 알아내기 위한》

Wéstern Chúrch [the ~] (동방 정교회에 대하여) 서방 교회, 가톨릭 교회

Wéstern Émpire [the ~] = WESTERN ROMAN EMPIRE

West·ern·er [wéstərnər] *n.* 서쪽 나라 사람, 서방 국민; 서구인, 서양인; (특히 미국의) 서부 사람; 서방측 정책[사상]의 지지자; 서양 사상[생활양식]을 신봉하는 사람

Wéstern Européan Únion [the~] 서유럽 연합 《1948년 체결된 영국·프랑스·Benelux 3국 사이의 연맹, 지금은 독일과 이탈리아도 포함; 略 WEU》

Wéstern Hémisphere [the ~] 서반구(cf. EASTERN HEMISPHERE)

Wéstern Íslands[Ísles] [the ~] = HEBRIDES

west·ern·ism [wéstərnìzm] *n.* [종종 **W~**] 《특히》 미국 서부 특유의 어법[방식]; 서구적 특징; 서양의 사

loaded, successful, rolling in it, of substance (opp. *poor, penniless, broke*)

상[제도]; 서양 기술[전통]의 신봉

west·ern·i·za·tion [wèstərnizéiʃən | -nai-] *n.* Ⓤ [종종 **W~**] (사고방식·생활양식 등의) 서구화

west·ern·ize [wéstərnàiz] *vt.* 서양식으로 하다, 서유럽화(化)하다

wéstern lóok (미) 〚복식〛 서부 카우보이풍의 복장 《개별적으로는 western hat, western shoes, western jacket》

west·ern·most [wéstərnmòust] *a.* 가장 서쪽의, 최서단의

Wéstern Ócean [the ~] 〚항해〛 북대서양

wéstern ómelet 웨스턴 오믈렛 《햄·양파·피망을 넣은 오믈렛》

Wéstern Resérve [the ~] 〚미국사〛 서부 보류지 《1780년대에 미국 동부 여러 주가 서부의 토지에 대한 청구권을 포기한 후에도 Connecticut주가 Ohio 영지 북동부에 보류한 토지; 1800년 Ohio주에 이양됨》

Wéstern róll 〚육상경기〛 웨스턴 롤 《높이뛰기 자세의 하나; 바 위에서 눕는 듯이 넘는 자세》

Wéstern Róman Émpire [the ~] 서로마 제국(帝國) 《로마 제국이 동서로 분리된 후의 서부 제국 (395-476); cf. EASTERN ROMAN EMPIRE》

Wéstern sáddle (미) 서부식 안장

Wéstern Samóa 서사모아 《남태평양 사모아 제도 서부의 독립국; 수도 Apia》

wéstern sándwich 웨스턴 샌드위치 《western omelet를 끼운 샌드위치》

wéstern swíng 〚음악〛 웨스턴 스윙 《컨트리 뮤직의 악기로 연주되는 스윙》

Wéstern Wáll [the ~] 통곡의 벽(Wailing Wall)

Wést Germánic 〚언어〛 서(西)게르만 언어

Wést Gérmany (통일 전의) 서독, 독일 연방 공화국 《수도 Bonn; cf. EAST GERMANY》

Wést Glamórgan 웨스트글러모건 《영국 Wales 남부의 주; 1974년에 신설》

Wèst Híghland whíte térrier 웨스트 하일랜드 화이트 테리어 《스코틀랜드산(産)의 소형 테리어(개)》

Wést Índian *a.*, *n.* 서인도 제도의 (사람)

Wést Índies [the ~] 서인도 제도 《북미 동남부와 남미 북부 사이에 있는 제도》

Wést Índies Assóciated Státes [the ~] (이전의) 서인도 제도 연합국 《영국 직할 식민지》

west·ing [wéstiŋ] *n.* Ⓤ 〚항해〛 서행 항정(西行航程); 서항(西航); 서행, 서진(西進)

Wést·ing·house bráke [wéstiŋhàus-] [미국의 발명가의 이름에서] 웨스팅하우스식(式) 브레이크 《철도 차량용 에어 브레이크》

Wést Í·ri·an [-í:riɑ̀:n] 서이리안 《New Guinea 서부에 있는 인도네시아 영토》

Westm. Westminster; Westmorland

west·mark [wéstmɑ̀:rk] *n.* = DEUTSCHE MARK

Wést Mídlands 웨스트미들랜즈 《잉글랜드 중부의 주》; 주도는 Birmingham

***West·min·ster** [wéstmìnstər] *n.* **웨스트민스터** **1** London시 중앙의 한 구 《상류 주택지 및 여러 관청 소재지》 **2** 영국 국회 의사당; 의회 정치: at ~ (영) 의회에서 **3** = WESTMINSTER ABBEY

Wéstminster Ábbey **1** 웨스트민스터 성당 《London 소재; 여기서 국왕의 대관식이 거행되며 국왕을 비롯한 명사들이 묻혀 있음》 **2** (이곳에 묻힐 정도의) 명예로운 죽음

Wéstminster Cathédral 웨스트민스터 대성당 《영국의 로마 가톨릭 교회의 대본산》

Wéstminster Schóol 웨스트민스터 사원 부속의 public school

West·mor·land [wéstmɔ̀:rlənd] *n.* 웨스트모얼랜드 《잉글랜드 북서부의 옛 주》

west·most [wéstmòust] *a.* = WESTERNMOST

west-north·west [wéstnɔ̀:rθwést; 〚항해〛 -nɔ̀:rwést] *n.* Ⓤ [보통 the ~] 서북서 《略 WNW, W.N.W.》 **—** *a.*, *ad.* 서북서의[로(부터)]

Wést Póint 웨스트포인트 **1** 미국 육군 사관학교의 통칭 **2** New York주 남동부에 있는 미국 육군 사관학교 소재지(cf. ANNAPOLIS)

Wést Póint·er *n.* 미국 육군 사관학교 학생[출신자]

West·po·li·tik [véstpoulitì:k] [G] *n.* 서방[서유럽] 정책 《동유럽 공산권이 서유럽 여러 나라와 외교 통상 관계의 정상화를 꾀하려는 정책》

Wést Sáxon 웨스트 색슨 왕국 주민; (고대 영어의) 웨스트 색슨 방언

Wést Síde [the ~] 웨스트 사이드 《미국 New York시 Manhattan섬 서부 지구》

Wést Síde Stòry 웨스트 사이드 스토리 《미국의 뮤지컬 영화》

west-south·west [wéstsàuθwést; 〚항해〛 -sàuwést] *n.* Ⓤ [보통 the ~] 서남서 《略 WSW, W.S.W.》 **—** *a.*, *ad.* 서남서의[로(부터)]

Wést Sússex 웨스트서식스 주 《잉글랜드 남부의 주; ⇨ Sussex》

Wést Virgínia 웨스트버지니아 주 《미국 동부의 주; 略 W.Va.》 **Wést Virgínian** *a.*, *n.* 웨스트버지니아의 (사람)

‡**west·ward** [wéstwərd] *a.* **서쪽으로 향하는**, 서쪽의, 서부의

— *ad.* **서쪽으로[에]**, 서부로

— *n.* [the ~] 서방, 서부

~·ly *a.*, *ad.* 서쪽으로(의), 서쪽에서(의)

‡**west·wards** [wéstwərdz] *ad.* = WESTWARD

Wést Yórkshire 웨스트요크셔 《잉글랜드 북부의 주; ⇨ Yorkshire》

‡**wet** [wét] *a.* (**~·ter**; **~·test**) **1 젖은**, 축축한; 〈페인트 등이〉 갓 칠한, 덜 마른(opp. *dry*); 〈천연가스가〉 습성의: *W~* paint! (게시) 칠 주의!(cf. FRESH paint) / ~ eyes 눈물 어린 눈 / a ~ breeze from the west 서쪽에서 불어오는 습한 바람

> 유의어 **wet** 물 또는 다른 액체로 젖어 있는: *wet* clothes 젖은 옷 **humid** 공기가 불쾌할 정도로 습기를 띠고 있는: The air is oppressively *humid.* 공기가 답답하도록 습기 차다. **damp** 축축하여 불쾌감이 따르는: a *damp* cellar 축축한 지하실 **moist** 습한 정도가 damp 정도는 아니고 적당히 바람직한 상태를 나타낸다: *moist* ground 촉촉한 땅

2 비가 내리는, 비의, 비가 올 듯한; 비가 잘 오는: Slippery when ~. (미) 비 올 때는 잘 미끄러짐. 《주의하라는 도로 교통 표지》 / the ~ season 우기 **3** 〚화학〛 습식(濕式)의 **4** (속어) 취한; (미·속어) 음주를 금하지 않는(opp. *dry*); (미) 주류 판매를 인정하는; 금주법에 반대하는: a ~ town 술을 마실 수 있는 마을 **5** (호주·속어) 화난, 짜증난 **6** (영·구어) 〈사람이〉 심약한, 감상적인 **7** 젖이 나는, 〈아이가〉 기저귀를 적시는 **8** (속어) 틀려먹은, 얼간이의 ***all ~*** (미·속어) 전혀 틀린, 아주 잘못인 ***~ behind the ears*** (미) 미숙한, 풋내기의 ***~ through*** = ***~ to the skin*** 함빡 젖어서

— *n.* **1** Ⓤ [종종 the ~] 습기, 누기(漏氣), 수분, 액체 **2** [보통 the ~] 강우(降雨), 우천; 비, (비에) 젖은 땅 **3** (속어) 술, 음주 **4** (미) 금주 반대자 **5** (영·구어) 심약한 사람 ***drop*** a person ***in the ~ and sticky*** …을 곤경에 빠뜨리다

— *v.* (**~**, **~·ted**; **~·ting**) *vt.* **1 적시다**, 축이다 **2** …에 오줌을 싸다: The dog had ~ the carpet. 개가 양탄자에 오줌을 쌌다. **3** 술을 마시며 축하하다[마시며 …을 하다]

— *vi.* **1** 젖다: My jacket has ~ through. 상의가 젖었다. **2** 오줌 누다 ***~ a bargain*** 술을 마시면서 매매 계약을 맺다 ***~ out*** 〈직물 원료를〉 물에 담그다 ***~ oneself*** = ***~ one's pants*** [***knickers***] 오줌을 지리

thesaurus **wet** *a.* **1** 젖은 damp, moist, soaked, drenched, saturated, dripping, soggy (opp. *dry*,

다, 옷에 오줌을 싸다 ~ one**'s** ***whistle***[***goozle, throat***] 《구어》 술을 마시다 ~ ***the bed*** 자다가 오줌 싸다 **~·ly** *ad.* **~·ting** *n.*
we·ta [wéitə] *n.* New Zealand산(産) 대형 꼽등잇과(科)의 곤충
wet·back [wétbæ̀k] *n.* 《미·구어·경멸》 미국에 불법 입국하는 멕시코인 《Rio Grande강을 헤엄쳐서 넘어오는》
wét bàr 자택에 설치한 바
wét bàrgain 《구어》 술자리에서 맺어지는 계약 (Dutch bargain)
wét blánket **1** (불을 끌 때 쓰는) 젖은 담요 **2** 《구어》 결점을 들추는 사람, 헐뜯는 사람; 흥을 깨뜨리는 사람[것]
wet-blan·ket [-blǽŋkit] *vt.* …의 흥을 깨뜨리다
wét bób 《영·속어》 (영국 Eton 학교의) 보트 부원(部員)(cf. DRY BOB)
wét búlb (온도계의) 습구(濕球); = WET-BULB THERMOMETER
wét-bulb thermómeter [-bʌ̀lb-] 습구 온도계
wét cèll 〖전기〗 습전지(濕電池)
wet-clean [-klíːn] *vt.* 〈의복 등을〉 물로 빨다
wét cóntact 〖전기〗 직류를 흐르게 하는 접촉
wét dòck 계선 독, 습선거(濕船渠) 《조수의 간만(干滿)에 상관없이 수위를 일정하게 유지하는 독; cf. DRY DOCK》
wét-dóg shàkes [-dɔ́ːg-, -dɑ́g-|-dɔ́g-] 《속어》 마약이나 알코올을 중단할 때의 심한 경련
wét dréam 몽정(夢精)
Wet·eye [wétài] *n.* 〖군사〗 웨트 아이 《GB 독가스의 속칭》
wét físh 물 좋은 생선
wét flỳ 물속에 가라앉혀서 낚는 제물낚시
wét gás 습성 가스
wét gòods 통[병]에 넣은 액체 상품; 《특히》 주류
weth·er [wéðər] *n.* 거세한 숫양
wét láb[**labóratory**] 해중(海中) 실험실
wet·land [wétlæ̀nd] *n.* [보통 *pl.*] 습지대
wét léasing (승무원·기체 정비 등 일체를 포함한) 비행기의 임대
wét lóok (천에 우레탄 수지를 발라서 내는) 광택, 윤기
wét mòp 물에 적셔 사용하는 청소용 자루걸레
wet·ness [wétnis] *n.* Ⓤ **1** 축축함, 젖어 있음, 습기 **2** 강우
wét nóodle 《미·구어》 멍청이, 계집애 같은 남자
wet-nose [wétnòuz] *n.* 《속어》 촌놈, 풋내기
wét nùrse 유모(cf. DRY NURSE)
wet-nurse [-nə̀ːrs] *vt.* …의 유모가 되다, 유모가 되어 〈젖먹이에게〉 젖을 주다; 과보호하다
wét òne 《미·속어》 찬 맥주
wét pàck 〖의학〗 냉습포 (요법) 《전신을 습포(濕布)로 싸는 열병 치료법》, 찜질 (요법)
wét plàte 〖사진〗 습판
wét pléurisy 〖병리〗 습성(濕性) 늑막염
wét ròt 물에 젖어 썩음, 습식(濕蝕)
wét sàles 《영》 (식당·주점 등의) 주류 판매고
wét stréngth 〖제지〗 습윤 강도 《젖은 종이를 찢을 때 종이가 가지는 상대적 저항력》
wét sùit 잠수용 고무옷 《스쿠버 다이버용》
wet·ta·ble [wétəbl] *a.* 적실 수 있는; 〖화학〗 (습윤제의 첨가 등으로) 젖기 쉽게 된, 가용성(可溶性)이 된; 적셔지기 쉬운 **wèt·ta·bíl·i·ty** *n.* 습윤(성)
wet·ter [wétər] *n.* 적시는 사람, 침윤(浸潤) 작업공; 〖화학〗 = WETTING AGENT
wét thúmb 어류(魚類)를 기르는 재능
wet·ting [wétiŋ] *n.* 젖어서 축축함; 〖화학〗 습윤(濕潤)
wét·ting(**-óut**) **àgent** [wétiŋ(-áut)-] 〖화학〗 습윤제; 침윤제 《직물 공업 등에서 표면을 침윤시키는 데 씀》

---

arid) **2** 비가 내리는, 습한 rainy, raining, pouring, showery, drizzling, humid, dank, misty

wet·tish [wétiʃ] *a.* 약간 축축한, 눅눅한
wet·ware [wétwɛ̀ər] *n.* (소프트웨어를 생각해 내는) 인간의 두뇌; 《미·속어》 컴퓨터 인간 《소프트웨어를 만들고 하드웨어를 조작하는》
wét wàsh 다림질을 하지 않은 젖은 세탁물; 닦고 말리지 않는 세차법
W.E.U., WEU Western European Union
we've [wíːv] we have의 단축형
wey [wéi] *n.* 《영》 옛날 무게의 단위 《물건에 따라 다르나 양털로는 182파운드》
WF white female **w.f., wf** wrong font 〖인쇄〗 활자 틀림 《교정 용어》 **WFP** World Food Program 세계 식량 계획 **WFTU, W.F.T.U.** World Federation of Trade Unions 세계 노동조합 연합회 **wg.** wing **W.G., w.g.** water gauge; weight guaranteed; wire gauge **Wg. Cdr., Wg. Comdr.** 《영》 Wing Commander **W. Ger., WGmc.** West Germanic; West Germany **Wh, wh** watt-hour(s) **wh.** wharf; which; white **WHA** World Hockey Association
whack [*h*wǽk|wǽk] [의성어] *vt.* **1** 《구어》 (지팡이 등으로) 세게 치다, 탁 때리다 **2** 《미·구어》 몫으로 나누어 가지다, 분배하다 《*up*》 **3** 《구어》 지우다, 이기다, 패배시키다 **4** 《속어》 쳐서 끊다; 〈마약의 양을〉 줄이다 **5** 《미·속어》 죽이다, 없애다 《*out*》 **—** *vi.* 《구어》 호되게 딱 때리다 《*at*》
~ ***off*** 《구어》 잘라 버리다; 《비어》 〈남성이〉 자위하다: The cook *~ed off* the fish's head. 요리사는 생선 머리를 잘라 버렸다. ~ ***out*** 《속어》 기운차게 만들어 내다; 《미·속어》 죽이다; 《미·속어》 (도박에서) 빈털터리가 되다 ~ ***up*** 《속어》 늘리다; 속도를 더 내다
— *n.* **1** 《구어》 철썩[세게] 치기, 구타, 강타; 철썩 소리 **2** 《속어》 시도(attempt); 기회; 한 번, 일회 **3** 분배, 몫 **4** 《미·속어》 (좋은) 상태, 형편 **5** 《영·속어》 자기부담; 〖야구〗 안타, 히트 **6** 《미·속어》 (청부) 살인
at a[***one***] ~ 《구어》 단숨에, 재빨리 ***get***[***have, take***] one**'s** ~ 한몫 끼다 ***have***[***take***] ***a*** ~ ***at*** …에 일격을 가하다, …을 시험해 보다 ***out of*** ~ 《미》 고장 나서, 상태가 나빠
whacked [*h*wǽkt|wǽkt] *a.* 《영·구어》 몹시 지친, 녹초가 된 《*from*》; 《속어》 곤드레가 된
whacked-out [-àut] *a.* Ⓟ 《미·속어》 지칠 대로 지친(exhausted); 마약에 취한, 술 취한
whack·er [*h*wǽkər|wǽk-] *n.* 《구어》 **1** 때리는 사람 **2** 큰 사람[것] 《같은 종류 중에서》; 엄청난 거짓말, 허풍 **3** 가축의 떼를 모는 사람
whack·ing [*h*wǽkiŋ|wǽk-] 《영·구어》 *a.* 큰, 굉장한, 훌륭한 **—** *ad.* 굉장히(extremely)
— *n.* [보통 a ~] 철썩[세게] 치기, 강타
whack·o [*h*wǽkou|wǽk-] 《영·호주·속어》 *n.* (*pl.* **~s**) = WACKO **—** *a.* = WACKY **—** *int.* 멋지다
whack·y [*h*wǽki|wǽk-] *a.* (**whack·i·er**; **-i·est**) 《미·속어》 = WACKY
whácky Wíllies 《속어》 환호성을 치는 열렬 관객
whale[1] [*h*wéil|wéil] *n.* (*pl.* **~s,** ~) **1** 〖동물〗 고래; Ⓤ 고래고기 **2** 《구어》 뛰어난 것[사람], 거대한 것; 뚱뚱한 사람; 능숙한 사람, 열심인 사람 《*at, on, for*》: a ~ at tennis 테니스의 명수/a ~ on reading 굉장한 독서광 **3** [**W~**] 〖천문〗 고래자리(Cetus)
arctic[***right***] ~ 참고래 ***a*** ~ ***of a ...*** 《구어》 굉장한, 대단한: *a* ~ *of a* difference 대단한 차이 ***bull***[***cow***] ~ 수[암]고래 ***gray*** ~ 작은 고래 ***humpback***[***sperm***] ~ 향유[말향]고래 ***It is very like a*** **~.** 암 그렇고 말고요. 《불합리한 말에 대한 반어(反語); Shakespeare 작, *Hamlet* 중에서》
— *vi.* 고래잡이에 종사하다 **~·like** *a.*
whale[2] *vt.* 《미·구어》 때리다, 두들기다, 강타하다; 패배시키다 **—** *vi.* 맹렬히 공격하다
whale·back [*h*wéilbæ̀k] *n.* 《미》 **1** 고래등처럼 불룩한 것 **2** 〖항해〗 귀갑(龜甲) 갑판 (화물선)
whale-backed [-bæ̀kt] *a.* 고래등처럼 불룩한

whale·boat [-bòut] *n.* 〖항해〗 양끝이 뾰족한 보트 《옛날에는 포경용, 지금은 구조선; cf. CATCHER》
whale·bone [-bòun] *n.* 고래수염; 그 제품 《부챗살 등》 ~ **whale** 긴수염고래
whále càlf 새끼 고래
whále càtcher 포경선
whále fishery 고래잡이, 포경업; 포경 어장
whále lìne[ròpe] (고래잡이) 작살 밧줄
whale·man [-mən] *n.* (*pl.* **-men** [-mən, -mèn]) 고래 잡는 사람; 포경 선원
whále òil 고래기름
whal·er [*h*wéilər | wéil-] *n.* 고래 잡는 사람; 포경선
whal·er·y [*h*wéiləri | wéil-] *n.* 포경업; 고래 가공 공장[가공선(船)]
whále shàrk 〖어류〗 고래상어
whal·ing[1] [*h*wéiliŋ | wéil-] *n.* Ⓤ 고래잡이, 포경업
whaling[2] *n.* 《미·속어》 구타(毆打)
wháling gùn 포경포(砲), 작살 발사포
wháling màster 포경선장
wháling shìp 포경선(捕鯨船)
wham [*h*wǽm | wǽm] *n.* 《구어》 강한 다격, 쾅(소리) **—** *vt., vi.* (**~med**; **~·ming**) 후려갈기다, 쾅 치다 **—** *ad.* 별안간에, 느닷없이
wham-bam [*h*wǽmbǽm] *a., ad.* 《구어》 난폭한[하게]; 쿵쾅하고
wham·bang [-bæ̀ŋ] *a.* 《미·속어》 몹시 소란스러운
wham·mers [*h*wǽmərz | wǽm-] *n. pl.* 《영·속어》 유방, 젖 ★ wammers라고도 함.
wham·mo [*h*wǽmou | wǽm-] 《구어》 *n.* 약동감, 활력 **—** *a.* 활기에 찬 **—** *ad.* = WHAM
wham·my [*h*wǽmi | wǽm-] *n.* (*pl.* **-mies**) 《미》 **1** 재수 없는 것(jinx); 흉안(凶眼) 《이 눈으로 노려보면 재앙이 온다고 함》; 마력, 마법, 주문; 불운, 불행 **2** 강력한 타격, 치명적인 일격, 파국 ***put a*** **[*the*]** **~ *on*** 《미·속어》 …을 인사불성으로[못 움직이게] 만들다, 마법에 걸다; 파멸[전멸]시키다
wha·nau [fɑ́:nau] *n.* (*pl.* ~) 《뉴질》 가족, 대가족 《마오리(Maori) 어에서 유래함
whang [*h*wǽŋ | wǽŋ] [의성어] 《구어》 *n.* 강타; 그 소리; 《비어》 음경 **—** *vt.* 철썩 치다, 세게 때리다 (beat, whack) **—** *vi.* 〈북 등이〉 둥둥 울리다; 강타하다; 기세 좋게 공격하다 《*away*》
whang·ee [*h*wæŋgí: | wæŋ-] *n.* 〖식물〗 왕대류의 대 《중국산(産)》; 그것으로 만든 지팡이[승마용 채찍]
whang·er [*h*wǽŋər | wǽŋər] *n.* 《비어》 남자의 성기, 페니스
whap [*h*wɑ́p, hwǽp | wɔ́p] *n., v.* 《구어》 = WHOP
wha·re [*h*wɑ́rei, fɑ́r- | wɔ́ri] *n.* 《뉴질》 (마오리(Maori)인의) 오두막집; (양털을 깎기 위한) 가건물
‡**wharf** [*h*wɔ́:rf | wɔ́:f] *n.* (*pl.* **wharves** [*h*wɔ́:rvz | wɔ́:vz], **~s**) 부두, 선창(船艙)

> 유의어 **wharf** 「선창·부두」를 뜻하는 가장 일반적인 말이다: All the family waited for him on the *wharf*. 온 가족이 선창에서 그를 기다렸다. **pier** 잔교(棧橋)로서, 배를 타고 내리는 선창 구실도 하고 산책장도 된다: The ship is at *Pier* Five. 그 배는 5번 선창에 있다. **quay** 돌 또는 콘크리트로 만든 부두: The fishing boat landed at the *quay*. 그 어선은 부두에 도착했다.

— *vt.* 〈배를〉 선창에 매다; 〈짐을〉 선창에 풀다, 하륙[양륙]하다; …에 부두를 설비하다
— *vi.* 〈배가〉 부두에 닿다
wharf·age [*h*wɔ́:rfidʒ | wɔ́:f-] *n.* Ⓤ 선창[부두] 사용료; 선창 사용; [집합적] 선창 (설비)
wharf·ie [*h*wɔ́:rfi | wɔ́:fi] *n.* 《호주》 항만 노동자
wharf·in·ger [*h*wɔ́:rfindʒər | wɔ́:f-] *n.* 선창 주인[관리인]
whárf ràt 선창에 있는 큰 시궁쥐; 《속어》 선창의 부랑자[건달, 깡패]
wharf·side [*h*wɔ́:rfsàid | wɔ́:f-] *n., a.* 선창 주위(의)
wharves [*h*wɔ́:rvz | wɔ́:vz] *n.* WHARF의 복수
whas·sup [wɑ:sʌ́p | wɔ-] *int.* 《속어》 여, 안녕하세요(hello) 《특히 친숙한 사이의 인사말》
‡**what** ⇨ what (p. 2857)
what·cha·ma·call·it [*h*wʌ́tʃəməkɔ̀:lit, *h*wɑ́tʃ- | wɔ́tʃ-] *n.* 《구어》 = WHAT-DO-YOU-CALL-IT
what'd [*h*wʌ́tid, *h*wɑ́t- | wɔ́tid] what did의 단축형
what-do-you-call-it [**-them, -her, -him**] [*h*wʌ́tdujukɔ̀:lit [-ðem, -hə:r, -him], *h*wɑ́t- | wɔ́t-] *n.* 그 무엇이라고 하는 것[사람] 《이름을 모르거나 잊었거나 사용하고 싶지 않을 때에 대용하는 말》 ★ what-you-may-call-it [-them, -her, -him]도 같은 의미로 쓰인다.
*__what-e'er__ [*h*wʌtɛ́ər, *h*wɑt- | wɔt-] *pron.* 《시어》 = WHATEVER
‡**what·ev·er** [*h*wʌtévər, *h*wɑt- | wɔt-] *pron.* **1** [선행사를 포함하는 부정 관계대명사] (…하는) 것[일]은 무엇이든지, (…하는) 것[일]은 모두: Do ~ you like. 무엇이든지 하고 싶은 것을 해라. **2** [양보절을 이끌어] 어떠한 일[것]이[을] …일지라도, 아무리 …이라도: *W*~ happens, I will do it. 무슨 일이 일어나도 그것을 하겠다. **3** [의문사 what의 강조형] 《구어》 도대체 무엇이, 도대체 무엇을(what in the world): *W*~ do you mean? 대관절 무슨 말인가? **4** [수량을 나타내는 복합 관계사로] …만큼 많이, …만큼의 수[양]: Take ~ you like of these. 이들 중 좋아하는 만큼 가져가시오.
(***or***) **~** 《구어》 (1) [열거한 뒤에] 그 밖에 무엇이든지, 기타 등등, 유사한 것: papers, magazines, *or* ~ 신문, 잡지, 기타 등등 (2) [한마디로 써서] 무엇이든지
~ *you do* 《구어》 일러두는데 《명령문에서 아주 중요하다고 강조할 때》
— *a.* **1** [관계사 what의 강조형] 어떠한 …이라도, 얼마간의 …이라도(no matter what): You can have ~ magazine you like. 네가 좋아하는 어떤 잡지라도 너에게 주겠다. **2** [양보절을 이끌어] 어떠한 …이라도: *W*~ results follow, I will go. 어떠한 결과가 되든 가겠다. / ~ rebuffs you might receive 어떠한 거절을 받더라도 **3** [부정·의문문에서 명사·대명사의 뒤에 쓰여] 약간의 …도 (없는), 하등의 …도(at all): There is *no* doubt ~. 아무런 의심도 없다. / Is there any chance ~? 조금이라도 가망이 있습니까?
what-for [*h*wʌ́tfɔ̀:r, *h*wɑ́t- | wɔ́tfə] *n.* 《영·구어》 **1** 이유, 까닭 **2** 꾸지람, 벌, 매질 ★ what for로도 씀.
what-if [*h*wʌ́tìf, *h*wɑ́t- | wɔ́t-] *n.* (만약에 과거에 이러했더라면 현재 어떻게 되었을까 하는) 가정(의 문제), 만약의 문제 **—** *a.* 가정의: a ~ scenario 가정의 시나리오
what-is-it [*h*wʌtízit, *h*wɑt- | wɔt-] *n.* = WHATSIS
what'll [*h*wʌ́tl, *h*wɑ́tl | wɔ́tl] what will[shall]의 단축형: *W*~ I do and ~ she say? 나는 어떻게 할까, 그녀는 뭐라고 말할까?
what·man [*h*wɑ́tmən | wɔ́t-] [제조자의 이름에서] *n.* Ⓤ 와트만지(紙) 《그림·사진·판화용 종이》
what·not [*h*wʌ́tnɑ̀t, *h*wɑ́t- | wɔ́tnɔ̀t] *n.* **1 a** 선반, 장식 선반 《골동품 등을 올려 놓는》 **b** [보통 *pl.*] 골동품 **2** Ⓤ 《구어》 그 외의 비슷한 것, 이것저것, 여러 가지 물건; 정체를 알 수 없는 녀석[것]: sheets, towels, and ~ 시트, 타월, 그 외 비슷한 것

whatnot 1 a
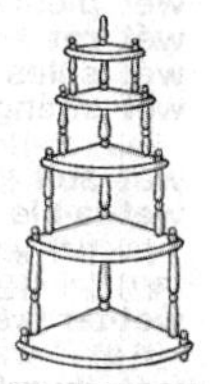

‡**what's** [*h*wʌ́ts, *h*wɑ́ts | wɔ́ts] 《구어》 what is [has]의 단축형
what·sis [*h*wʌ́tsis, *h*wɑ́ts- | wɔ́ts-] *n.* Ⓤ 《구어》 무언가, 뭐라던가 (하는 사람[것]) 《이름을 잊었거나, 모르거나, 쓰고 싶지 않을 때 대신 하는 말》 ★ what-is-it, what's it, whatsit라고도 함.

what

what 는 주로 대명사와 형용사로 쓰이는데, 대명사는 의문대명사와 관계대명사로 나뉘고, 형용사도 의문형용사와 관계형용사로 나뉜다. 이밖에 부사·감탄사 등으로도 쓰인다.
관계대명사로서의 what 는 다른 관계대명사 who, which, that 등과는 달리 그 자체에 선행사를 포함하여 'the thing which'의 뜻으로 쓰이는 경우가 많지만, 때로는 'as much as', 'a thing which', 'anything that'의 뜻이 되는 것도 있다. 따라서 제한적 용법과 계속적 용법의 구별이 없다.

‡**what** [*hw*ʌ́t, *hw*ɑ́t | wɔ́t] *pron., a., ad., int., n.*

① [의문사로] 무엇; 어떤	대 **A 1** 형 **A 1**
② [의문사로] 얼마나	대 **A 2 a**
③ [관계사로] (…하는) 것[바]; (…하는) 어떠한 …도	대 **B** 형 **B**
④ [감탄사로] 얼마나, 참으로	형 **A 2**

— *pron.* **A** (의문대명사) **1** [부정(不定) 수량의 선택에 관하여 써서] **무엇, 어떤 것[일]**, 무슨 일, 무슨 종류 (cf. WHICH A) **a** [주어의 경우]: *W*~ has become of him? 그는 어떻게 되었느냐? / *W*~ is the matter with you? 무슨 일이냐, 어떻게 된 일이냐? ★ 《미·구어》에서는 the matter를 생략해 What's with you? 라고도 함 / *W*~ made you believe such a story? 어째서 그런 이야기를 믿게 되었느냐? / *W*~ ever[on earth, in the world, the[in] hell, the devil] has happened (to her)? 도대체 (그녀에게) 무슨 일이 일어났을까? **b** [보어의 경우]: *W*~ is this? 이것은 무엇이냐? / *W*~'s your name[address, telephone number]? 당신의 이름[주소, 전화번호]은? / *W*~'s the time? (지금) 몇 시지요? / *W*~ is tomorrow? 내일은 며칠[무슨 요일]이냐? **c** [목적어의 경우]: *W*~ do you mean (by that)? (그것은) 무슨 뜻이냐? / *W*~ are you looking for? 무엇을 찾고 있는 거냐? / *W*~ the hell [devil, deuce, heck, blazes] do you want? 도대체 무엇을 원하는 거냐? / *W*~ do you think of him? 그를 어떻게 생각하느냐? 《이 경우 How ...? 가 아님》 / *W*~ do you say to *going* for a walk? = 《미》 *W*~ do you say we go for a walk? 산책하는 게 어떨까요? 《산보하시겠습니까?》 ★ 상대방의 의향을 물을 때의 표현. **d** [간접의문절이나 ~+***to*** do의 형태로]: Do you know ~ this is? 이것이 무엇인지 아느냐? / *W*~ do you suppose this is? 이것이 무엇이라고 생각하느냐? / Tell me ~ he has done. 그가 무슨 일을 했는지 말해 다오. / *W*~ follows is doubtful. (보고 등의 도중에서) 지금부터 말하는 내용은 의문의 여지가 있습니다. / I'm not sure (about) ~ *to* do. 어떻게 하면 좋을지 모르겠다. **e** [앞서 한 말의 설명 또는 반복을 요구하여] 《상승조로 발음함》: *W*~ (did you say)? = *W*~ (is it)? 뭐라 하셨지요, 뭐라고요? / You told him ~? 그에게 뭐라고 말했다고? ★ 보통 「해서는 안 될 말을 했다」의 뜻 / You need ~? 뭐가 필요하다고요?
2 a 얼마나, 얼마만큼, 얼마쯤(how much): *W*~ will it cost? 그것은 얼마나 비용이 들까? / *W*~ is the population of this city? 이 시의 인구는 얼마나 되느냐? / *W*~ is the price of this camera? 이 카메라는 얼마나 합니까? **b** [남의 직업 등을 물어] 무엇을 하는 사람, 어떤 사람: "*W*~ is he?" — "He is a teacher." 그는 무엇을 하는 사람이냐? — 그는 교사다. ★ 상대방을 마주보고 *W*~ are you? 라고 묻는 것은 실례이며, *W*~ is your occupation?, *W*~ (kind of work) do you do? 등으로 말함 / *W*~ does he do? 그의 직업은 무엇입니까? **c** 얼마만 한 가치[의미]를 지닌 것: *W*~ is wealth without health? 건강이 없는 재물은 무슨 가치가 있겠는가? / *W*~ is that to you? 그게 너에게 무슨 의미가 있단 말인가? 《그걸 알아서 어쩌겠다는 거냐?》
3 [감탄문에 써서] 얼마나 많은 양[금액], 정말이지 많이, 얼마나: *W*~ it must cost! 돈이 정말로 많이 드는구나! / *W*~ would I not give to be free! 자유를 얻기 위해서라면 어떠한 대가인들 못 치르겠느냐!
4 [이야기의 계속 등을 나타내어]: You know ~? 있잖아, 그런데? / Shall we go or ~? 가지요, 네?
— **B** (관계대명사) **1 a** (…하는) **것[바, 일]**
USAGE which, who, that 등과는 달리 의미상 선행사를 포함하는 관계대명사이며 명사절을 이끎: *W*~ you say doesn't make any sense to me. 네가 하는 말을 나는 이해할 수가 없다. / *W*~ surprised me was his cold attitude. 나를 놀라게 한 것은 그의 차가운 태도였다. ★ what 절이 주어인 경우에는 주로 단수 취급이지만, 문맥에 따라서는 복수 취급도 됨 / She pointed to ~ looked like a bird. 그녀는 새처럼 보이는 것을 가리켰다. / He always does ~ he believes is right. 그는 항상 옳다고 믿는 바를 행한다. ★ what는 is의 주어이며 he believes는 삽입적으로 읽음 / I will send ~ was promised. 약속한 것을 보내겠습니다. / She said just ~ I was expecting she would. 그녀가 말할 것이라고 내가 예상한 것을 그녀는 말했다. **b** [관계사절 안의 be의 보어로 써서] (…인) 바로 그 사람[그것]: He is not ~ he was. 그는 옛날의 그가 아니다. ★ 옛날에 비해서 현재는 「타락했다; 쇠퇴했다」 등 보통 나쁜 의미로 씀 / Diligence has made Tom ~ he is. 근면함 덕분에 오늘날의 톰이 있다. **c** (…하는) 것은 무엇이든지[무엇이나] (whatever); …(할) 만큼의 양[수]: You may do ~ you will. 하고 싶은 것은 무엇이든지 해도 좋다. / Come ~ may, I will follow you. 어떤 일이 있어도 네 뒤를 따르겠다. / We should each give ~ we can. 각자가 할 수 있는 만큼 베풀어야 한다. **d** [A is to B what C is to D의 형태로] A의 B에 대한 관계는 C의 D에 대한 관계와 같다: Air *is to* us ~ water *is to* fish. 공기와 인간의 관계는 물과 물고기의 관계와 같다. / *W*~ lungs *are to* the human, leaves *are to* the plant. 식물에 있어서의 잎은 인간에게 있어서의 폐와 같은 것이다.
2 [독립절 또는 삽입절을 이끌어] (게다가, 더욱이) …한 것은: The book is interesting and, ~ *is more*, very instructive. 그 책은 재미있고, 게다가 교훈적이기도 하다. / It began to rain and, ~ *is worse*, we lost our way in the dark. 비가 내리기 시작했고 설상가상으로 어둠 속에서 우리는 길까지 잃었다.
and ~ not = 《구어》 ***and I don't know ~*** (*else*[*all*]) = 《구어》 ***and ~ have you*** [열거한 뒤에 써서] 기타 (등등), …따위, …등 여러 가지(cf. WHATNOT 2): He sells books, toys, *and ~ have you.* 그는 책, 장난감 등등을 팔고 있다.
be the matter ~ it may 무슨[어떤] 일이든
but ~ [부정문에 써서] …하지 않는: *Not* a day *but* ~ it rains. 비가 오지 않는 날은 하루도 없다.
come ~ may [***will***] ⇨ come¹
get ~ for 《구어》 야단맞다, 혼나다
give a person ***~ for*** 《구어》 …을 단단히 혼내 주다, 야단치다
have [***have got***] ***~ it takes*** 《구어》 (어떤 목적을 달성하는 데) 필요한 재능[자질, 돈]을 지니고 있다 《*to* do》: He's really *got ~ it takes to* achieve stardom. 그에게는 정말 스타의 자리에 오를 소질이 있다.
I know ~. 좋은 생각이 있다. 《제안 등을 하려고 할 때

의 표현》
(*I'll*) *tell you* ~. 저 말이야, 실은 말이지, 이야기할 게 있는데.
know ~'s ~ (1) 상식이 있다, 빈틈이 없다 (2) 실정[요령]을 잘 알고 있다(cf. WHAT's what)
let others say ~ they will 남이야 뭐라 하든
not but ~ ⇨ but *conj.*
or ~ [부정·조건문에서] 아니면 다른 무엇이: I don't know whether I've offended her, *or* ~. 내가 그녀의 기분을 상하게 했는지, 아니면 그 밖의 무슨 이유가 있는지 잘 모르겠다.
or ~ not = 《구어》 ***or ~ have you*** [열거한 끝에 써서] 기타 등등, …따위: money, jewels, *or* ~ *have you* 돈, 보석, 기타 등등
So ~? 《구어》 (1) 그래서 어떻다는 것인가: "You failed the test." — "*So* ~?" 너, 시험에 떨어졌구나. — 그래서 어쨌단 말이야? (2) 그런 건 상관없지 않은가?
W~ about …? (1) …은 어떻게 되느냐, …은 어떻게 되고 있나: *W~ about* me? 나는 어떻게 되나? / *W~ about* the missing letter? 없어진 편지건은 어떻게 되었지? (2) [상대방에게 권유하여] (…하는 것이) 어떻겠느냐: *W~ about* bed? 이제 자는 게 어때? / *W~ about* com*ing* with us? 우리와 함께 가는 게 어때?
W~ do you say to …? ⇨ A 1 c
~ d'you call it 《구어》 = WHAT's it
W~ ever [***on earth, in the world, the*** [***in***] ***hell, the devil***] ***…?*** 도대체 무엇 …? (⇨ A 1 a)
~ for (1) 무엇 때문에, 어째서, 왜(cf. WHAT … for): *W~ for?* 왜? (2) 《구어》 호된 꾸지람[벌] (what-for)(⇨ get WHAT for; give a person WHAT for)
~ … for (1) 무엇 때문에, 왜(why): *W~* are you doing that *for?* 무엇하려고 그런 짓을 하고 있느냐? (2) 〈물건이〉 무슨 용도로, 무엇에 쓰이어: *W~*'s this gadget *for?* 이 기구는 무엇에 쓰이는 거냐?
W~ if …? (1) …하면 어떻게 될까 ★ What will [would] happen if …?을 줄인 것; 지금은 if절에 직설법을 쓰는 것이 일반적임: *W~ if* she comes back now? 지금 그 여자가 돌아온다면 어떻게 될까? / *W~ if* they should be[they are] in love? 만일 두 사람이 서로 사랑하는 사이라면 어떻게 하죠? / *W~ if* we were to try again? 우리가 다시 한번 시도하면 어떻게 될까? (2) …한들 상관없지 않은가[알게 뭐야], (설사) …한다 하더라도 어쨌단 말인가? ★ What does it matter if …?의 줄임: *W~ if* I fail! 실패한들 어때! 《괜찮지 않은가》
~ is better 게다가, 더욱이, 금상첨화로
~ is called = ***~ we*** [***you, they***] ***call*** 이른바, 소위: This is ~ *is called*[~ *you call*] a 'present' in some countries and a 'bribe' in others. 이것이 이른바 어떤 나라에서는 「선물」이요, 다른 나라에서는 「뇌물」이라는 것이다.
W~ is it? 《구어》 무슨 용무냐, 무엇이 필요하느냐?
W~ is it to you? 《구어》 뭐 때문에 그 일에 관심을 가지느냐, 그 일에 무슨 관계나 있는 것인가?
~ is more 게다가, 더욱이(⇨ B 2)
~ is to … ⇨ B 1 d
~ it takes ⇨ have[have got] WHAT it takes
W~ … like? 어떠한 사람[것, 일]일까, 어떠한 기분일까: *W~*'s the new mayor *like?* 새 시장은 어떤 사람이냐? / *W~*'s it *like* go*ing* there alone? 그곳에 혼자 가는 것은 어떠한 기분이냐[이었느냐]?
W~ next? 《구어》 놀랍군, 기가 막혀, 말도 안 돼, 괘씸하군. ★ 「다음에 이보다 더 심한 일이 일어날 수 있겠는가」의 뜻에서.
W~ of it? ⇨ So WHAT?
~'s his [***her, their***] ***name*** 《구어》 뭐라고[던가] 하는 남자[여자, 사람들]: Mary's gone out with ~'*s his name.* 메리는 그 뭐라고 하는 남자와 함께 나갔다. / She's gone to visit the ~'*s their name.* 그녀는 무슨무슨 부부를 방문하러 갔다. ★ their name은 부부 또는 가족의 성을 말함.
~'s in it for a person …에게 좋은 일[이익]이 있나
~'s it = ***~'s its name*** 《구어》 그 뭐라고[뭐라던가] 하는 것, 거시기 《이름이 생각나지 않는 작은 기구 등을 가리킴》: I bought a ~'*s it.* 나는 거시기를 샀다. / I don't know how to handle the ~'*s it.* 이 뭐라던가 하는 것의 사용법을 모르겠다.
W~'s new? 《구어》 [인사말로] 무슨 새로운 일이라도 있나; 어떻게 지내나?
W~'s up? 《구어》 (1) [인사말로] 무슨 일인가, 어떻게 지내나? (2) 무슨 일이 일어나고 있는가?
W~'s (***up***) ***with that?*** 《구어》 어찌된 일인가?, 말이나 되나?
W~'s (***up***) ***with you?*** 《구어》 무슨 일인가 (고민이 있으면 말해 보렴)? 《상대편을 보고 걱정하면서》
~'s [***~ was***] ***~*** 《구어》 진상, 실정; 사물의 이치, 사리: Ask someone who knows ~'*s* ~. 누가 진상을 아는지 물어봐라.
W~'s with …? ⇨ A 1 a
W~ though …? 《문어》 …하다 해도 상관없지 않은가, …하다 해서 어쨌다는 것인가 (⇨ WHAT if 2): *W~ though* you are nameless? 무명 인사라 해서 그게 어쨌다는 건가?
~ with …때문에
~ you may call it ⇨ WHAT's it
You ~? (1) 뭐라고 하셨죠? 《한 번 더 말해 주시오》 (2) 뭐라고요? 《놀람·당황을 나타냄》
— *a.* Ⓐ **A** (의문형용사) **1 a** 무슨, 어떤, 《구어》 어느 (which); 얼마만큼의: *W~* time is it? 몇 시지요? / *W~* (kind of) train shall we go by? 어떤 열차로 갈까요? / *W~* day of the week is it today? 오늘은 무슨 요일이냐? **b** [간접의문절을 이끌어] 무슨, 어떤; 얼마만큼의: I don't know ~ plans he has. 그가 어떤 계획을 가지고 있는지 모르겠다. / Do you know ~ time the train will arrive? 그 열차가 몇 시에 도착하는지 압니까?
2 [감탄문에 써서] 얼마나, 참으로, 정말이지 ★ 이 구문에서는 종종 주어와 술어동사가 생략됨; cf. HOW A 7: *W~* a beautiful girl she is! 그녀는 얼마나 아름다운 소녀인가! ★ How beautiful she is!로 바꾸어 쓸 수 있음. / *W~* impudence! 정말 뻔뻔스럽구나! / *W~* a pity (it is)! 유감천만이야! / *W~* a genius he is! 그는 대단한 천재로구나! / *W~* nonsense! 말도 안 되는 소리!
— **B** (관계형용사) (…하는) 어떠한 …도, (…할) 만큼의; 전부의 ★ 이 용법에는 「약소하지만 모두」의 뜻이 내포되어 있으므로, 구체적으로 what little[few] … 와 같이 쓰이기도 함: I have read ~ books I have. 나는 갖고 있는 책을 모두 읽었다. / Bring ~ parcels you can carry. 가져올 수 있는 만큼 많은 꾸러미를 가져오시오. / I gave her ~ *little* money I had. 적으나마 있는 돈을 죄다 그녀에게 주었다. / Take ~ supplies you need. 필요한 물건은 무엇이든지 가져가세요.
W~ price …? 《영·구어》 ⇨ price
— *ad.* 얼마만큼, 어느 정도(how much); 어떻게: *W~* does it matter? 그것이 얼마만큼 중요한가, 그것이 어쨌다는 건가? 《상관없지 않은가》 / *W~* does it profit her? 그것이 그녀에게 무슨 이득이 되는가? / *W~* do you care about it? (그런 것은) 네가 상관할[알] 바가 아니다.
~ with … and (***~ with***) ***…*** = ***~ between … and …*** [보통 좋지 않은 일의 원인을 열거하는 형태로] …다 …다 하여: *W~ with* school *and* (~ *with*) work to earn my living, I had little time to play. 한편으론 학업이다 한편으론 생계를 위한 일이다 하여 놀 틈이 거의 없었다. / *W~ with* overwork *and* (~ *with*) poor meals, he broke down. 과로에다 형편없는 식사 때문에 그는 쓰러졌다.

—*int.* **1** [일반적으로 의문문과 함께 놀람·노여움을 나타내어] 뭐라고, 이런, 아니, 설마: *W*~, no water? 뭐라고, 물이 없다고?
2 [문미에 덧붙여 상대방의 동의를 재촉하여] 《영》 응, 안 그래(eh) 《다소 예스러운 표현》: Unusual, ~? 드문 일이야, 응?

—*n.* **1** [the ~] 본질, 정체; 내용: *the* ~ of a thing 어떤 사물의 본질 / a lecture on *the* ~*s* and hows of crop rotation 윤작(輪作)의 본질과 방법에 관한 강의 **2** 'what'이라는 의문[감탄]: Stop your ~*s*[whatting]! 일일이 「뭐냐, 뭐냐」라고 묻는 것 좀 그만둬!

whats·it [*h*wʌ́tsit, *h*wɑ́t- | wɔ́t-] *n.* =WHATSIS

what·so [*h*wʌ̀tsóu, *h*wɑ̀t- | wɔ̀t-] *a.*, *pron.* 《고어》 =WHATEVER

what·so·e'er [hwʌ̀tsouέər, *h*wɑ̀t- | wɔ̀t-] *a.*, *pron.* 《시어》 =WHATSOEVER

***what·so·ev·er** [*h*wʌ̀tsouévər, *h*wɑ̀t- | wɔ̀t-] *a.*, *pron.* 《문어》 WHATEVER의 강조형

what've [*h*wʌ́təv, *h*wɑ́t- | wɔ́t-] what have의 단축형

whaup [*h*wɑ́:p, *h*wɔ́:p | wɔ́:p] *n.* (*pl.* ~, ~**s**) 《스코》 〖조류〗 마도요

wha·zood [*h*wɑ́:zu:d | wɑ́:-] *a.* 《미·속어》 고주망태로 취한

wheal[1] [*h*wí:l | wí:l] *n.* **1** 부스럼; 피부의 발진(發疹) 《두드러기 등의》, 모기 물린 자국 **2** 회초리[채찍] 자국(wale) —*vt.* …에게 회초리 자국을 내다, 매를 때려 부르트게 하다

wheal[2] *n.* 《방언》 《잉글랜드 Cornwall에서》 《주석》 광산

‡**wheat** [*h*wí:t | wí:t] *n.* Ⓤ 〖식물〗 밀; 소맥; [*pl.*] 《미·속어》 =WHEAT CAKE

> 유의어 **wheat** 가루로 빵의 원료가 되는 밀. **barley** 보리로서, 식용도 되고 맥주·위스키의 원료로 쓴다. **oat** 귀리로서, 오트밀로 식용이 되거나 소·말의 사료로 쓴다. **rye** 호밀로서, 빵 또는 위스키의 원료나 가축의 사료로도 사용된다.

(*as*) ***good as*** ~ 아주 좋은 ***separate*** (***the***) ~ ***from*** (***the***) ***chaff*** (1) 좋은 것과 나쁜 것을 구별하다 (2) 유능한 사람과 무능한 사람을 구별하다 ~**·less** *a.* ▷ whéaten *a.*

whéat bèlt [the ~] 《미》 밀 생산 지대

whéat bèrry 밀알

whéat brèad 고운 밀가루와 정백하지 않은 밀가루를 섞어 만든 빵 《한쪽 것만으로 만든 빵과 구별하여》

whéat càke 밀가루로 만든 핫케이크류(類)

wheat·ear [*h*wí:tìər] *n.* **1** 밀 이삭 **2** 〖조류〗 흰머리딱새 무리

wheat·en [*h*wí:tn | wí:tn] *a.* 《문어》 밀의; 밀(가루)로 만든

whéat gèrm 맥아(麥芽)

wheat·grass [*h*wí:tgræ̀s | wí:tgrɑ̀:s] *n.* 〖식물〗 =COUCH GRASS

wheat·meal [-mì:l] *n.* Ⓤ 《영》 《기울을 뽑지 않은》 통째로 빻은 밀가루

whéat rùst 〖식물〗 밀의 녹병[수병(銹病)]

Whéat·stone('s) brìdge [*h*wí:tstòun(z)- | wí:t-] 〖전기〗 휘트스톤 브리지 《전기 저항 측정기》

wheat·worm [*h*wí:twə̀:rm | wí:t-] *n.* 밀 등의 줄기 속에 기생하는 선충(線蟲)

whee[1] [*h*wí: | wí:] *int.* 와아! 《기쁨·흥분을 나타냄》 —*vt.* [보통 ~ up] 《미·속어》 몹시 기쁘게 하다, 흥분시키다

whee[2] *n.* 《속어》 오줌, 소변

whee·dle [*h*wí:dl | wí:dl] [G 「꼬리를 흔들다, 아첨하다」의 뜻에서] *vt.* **1** 〈사람을〉 감언이설로 꾀다 **2 a** 솔깃한 말로 속이다 《*out*》; 속여서 …시키다 《*into*》: 《~+目+前+名》 She ~*d* her mother *into* buying her a mink coat. 그녀는 어머니를 구슬려서 밍크 코트를 한 벌 얻어 입었다. **b** 감언이설로 빼앗다 《*out of*》

whée·dler *n.* **whée·dling·ly** *ad.*

‡**wheel** [*h*wí:l | wí:l] *n.* **1** 수레바퀴, 바퀴: four-~ drive 사륜 구동 **2** 《구어》 자전거, 삼륜차; [*pl.*] 《미·속어》 자동차 **3** 바퀴 달린[비슷한] 기계[기구]; 물레(=spinning ~); 녹로(轆轤); 《기선의》 외륜(=paddle ~); 회전 불꽃(pinwheel); 〖역사〗 《죄인을 찢어 죽이는》 형거(刑車) **4** [the ~] 《자동차의》 핸들; 《배의》 타륜(舵輪)(=steering ~) **5** 윤전, 회전, 선전(旋轉); 《운명·역사·시간 등의》 순환, 규칙적 운행; 회전하는 움직임; 《곡예사의》 공중회전; 〖군사〗 선회 운동: the ~*s* of gulls 갈매기의 선회 / the ~ of days and nights 낮과 밤의 순환 / the intricate ~*s* of the folk dances 포크 댄스의 복잡한 회전 운동 **6** [보통 *pl.*] 원동력, 추진력, 중추 기구 **7** [종종 big ~로] 《미·속어》 세력가, 거물: a *big* political ~ 정계의 거물 **8** 《노래의》 후렴, 반복구; 《극장 등의》 흥행 계열[체인]; 《스포츠의》 리그

at the next turn of the ~ 이번에 운이 트이면 ***be at*** [***behind***] ***the*** ~ (1) 핸들을 잡다, 운전하다, 《배의》 키를 잡다 (2) 지배권을 쥐다 ***break*** a person ***on the*** ~ 형거에 매달아 돌려서 찢어 죽이다 ***fifth*** ~ ***of a coach*** [***wagon***] =FIFTH WHEEL. ***Fortune's*** ~ = ~ ***of Fortune*** 운명의 신의 수레바퀴; 운명, 영고성쇠 ***go*** [***run***] ***on*** ~***s*** 순조롭게 진행되다, 원활하게 진척되다 ***oil*** [***grease***] ***the*** ~***s*** 일을 원활히 진행되게 하다 ***on oiled*** ~***s*** 순조롭게, 원활히 ***put*** [***set***] one***'s shoulder to the*** ~ ⇨ shoulder. ***put*** [***set***] ***the*** ~***s moving*** [***in motion***] 일을 원활히 진행시키다, 계획을 궤도에 올리다 ~ ***and axle*** 윤축(輪軸) 《단일 기계(simple machine)의 일종》 ~ ***of life*** (1) [the ~] 〖불교〗 윤회; 윤회도(圖) (2) =ZOETROPE ~***s of life*** 인체 여러 기관의 작용 ~***s within*** ~***s*** 〖성서〗 바퀴 안의 바퀴, 복잡한 동기[사정, 기구]

—*vt.* **1 a** 〈수레바퀴 달린 것을〉 움직이다, 밀어[끌어] 움직이다, 운전하다 **b** 수레로 운반하다: 《~+目+前+名》 ~ a baby *in* a baby carriage 아기를 유모차에 태워서 가다 // 《~+目+副》 The patient was ~*ed in*. 환자가 차에 실려 안으로 옮겨졌다 **2** 〈대열 등을〉 선회시키다, 회전시키다, …의 방향을 바꾸다; 뒤집다 **3** …에 수레바퀴를 달다 **4** 녹로(轆轤)로 〈자기를〉 만들다 **5** 〈전력(電力)을〉 보내다 **6** 《구어》 데려오다, 가져오다

—*vi.* **1 a** 방향을 바꾸다 **b** 〈대열·새·천체 등이〉 선회하다: 《~+副》 The seasons ~*ed around* and it was Christmas again. 계절이 바뀌어 또 다시 크리스마스가 돌아왔다. // 《~+前+名》 A flock of gulls ~*ed* round *over* the windy sea. 강풍이 불고 있는 바다 위를 한 떼의 갈매기들이 빙빙 돌고 있었다. **2** 《구어》 자전거[삼륜차]를 타다 **3** 차로 가다; 〈차가〉 미끄러지듯 달리다; 원활하게 진행되다: 《~+前+名》 A car is ~*ing along* the street. 차가 거리를 미끄러지듯 달리고 있다. **4** 의견[태도]의 방향을 전환하다: She ~*ed* around and argued for the opposition. 그녀는 태도를 바꾸어 반대파를 위해 설득했다. ~ ***and deal*** 《구어》 《장사·정치에서》 수완을 부리다, 능력을 발휘하다; 계책을 쓰다, 술책을 부리다 ~**·less** *a.*

wheelbarrow

whéel animàlcule [**ànimal**] =ROTIFER

whéel àrch 휠아치 《자동차 바퀴 위의 아치형 둥근 차체 구조》

whéel bàck 차바퀴 모양으로 되어 있는 의자 《등》

wheel·bar·row [*h*wí:l-bæ̀rou] *n.*, *vt.* 외바퀴 손수

레(로 운반하다)
(**as**) ***drunk as a*** ~ (속어) 곤드레만드레 취하여
wheel·base [-bèis] *n.* ⓊⒸ 축거(軸距), 차축 거리 《자동차의 앞뒤 차축(車軸) 사이의 거리》
wheel·chair [-tʃɛ̀ər] *n.* (환자용) 바퀴 달린 의자, 휠체어
whéelchair hòusing 휠체어 사용자 주택
whéel clàmp (불법 주차 차량의 한쪽 바퀴에 채우는) 죔쇠 《규정된 벌금을 지불하면 풀어 줌》
wheel-clamp [-klæ̀mp] *vt.* 〈차에〉 바퀴 죔쇠를 채우다
wheeled [*h*wíːld | wíːld] *a.* **1** 바퀴 달린; 차(바퀴)로 움직이는: ~ transportation 차바퀴로 움직이는 교통 기관[수송 기관] **2** [보통 복합어를 이루어] …바퀴의: a four-~ carriage 사륜 마차
wheel·er [*h*wíːlər | wíːl-] *n.* **1** 짐수레꾼 **2** = WHEEL HORSE 1 **3** 바퀴 달린 것, …륜차 **4** (영) 수레바퀴 제조인(wheelwright)
wheel·er-deal·er [-díːlər], **whéeler and déaler** *n.* (미·속어) 정치나 장사에 능란한 활동가, 수완가; 책략가
wheel·er-deal·ing [-díːliŋ] *n.* (미·속어) 빈틈없는 계획[거래, 장사]
whéel hòrse **1** (네 필이 끄는 마차의) 뒷말 **2** (미·구어) (정당·기업 등의) 충실한 노력가[일꾼]
wheel·house [*h*wíːlhàus | wíːl-] *n.* (*pl.* **-hous·es** [-hàuziz]) 〖항해〗 (소형의 구식 배의) 조타실(操舵室)(pilothouse)
wheel·ie [*h*wíːli | wíːli] *n.* (자전거 등을) 뒷바퀴만으로 달리는 곡예
whéelie bìn (바퀴 달린) 대형 쓰레기[폐물] 상자
wheel·ing [*h*wíːliŋ | wíːl-] *n.* Ⓤ **1** 수레로 나르기, 짐차에 의한 운반 **2** 자전거 타기 **3** (차의 진행 상태로 본) 노면의 상태: good ~ 좋은 차도 **4** 윤전, 회전
~ ***and dealing*** 목적을 위해서는 수단을 가리지 않음, 수완을 발휘하기
whéel lòck 바퀴식 방아쇠(총) 《작은 쇠바퀴와 부싯돌의 마찰로 발화되는》
wheel·man [*h*wíːlmən | wíːl-] *n.* (*pl.* **-men** [-mən, -mèn]) 〖항해〗 키잡이, (조)타수; (구어) 자전거 타는 사람 《남자》; 도주차(車)의 운전사
wheel·race [-rèis] *n.* (수차용 수로의) 수차가 설치된 곳
wheels·man [*h*wíːlzmən | wíːlz-] *n.* (*pl.* **-men** [-mən, -mèn]) (미) 〖항해〗 (조)타수
wheel·spin [*h*wíːlspìn | wíːl-] *n.* (차)바퀴의 공전
whéel stàtic 〖통신〗 차륜 공전(車輪空電) 《차륜의 회전 때문에 생기는 정전기로 자동차 안의 라디오에 생기는 잡음》
wheels·up [*h*wíːlzʌp | wíːlz-] *n.* (미·속어) 비행기의 이륙(takeoff)
wheel-thrown [*h*wíːlθròun | wíːl-] *a.* 도공의 녹로[물레]로 만든
whéel wìndow 둥근 창
wheel·work [-wə̀ːrk] *n.* 〖기계〗 톱니바퀴 장치
wheel·wright [-ràit] *n.* 수레바퀴 제조인
wheen [*h*wíːn | wíːn] (스코) *a.* 조금의(few)
— *n.* [a ~] 소수, 소량; 상당한 수[양]: for quite *a* ~ of years 상당히 오랜 세월 동안
wheep [*h*wíːp | wíːp] *n.* (미·속어) 작은 컵 한 잔의 맥주
wheesht [*h*wíːʃt] *int., v., n., a.* = WHIST[2]
wheeze [*h*wíːz | wíːz] *vi.* **1** 〈사람이〉 (천식 등으로) 씨근거리다; 씨근거리며 말하다 《*out*》: Asthma caused him to ~. 천식으로 그는 헐떡이며 숨을 쉬었다. **2** 〈물건이〉 씨근거리는 소리를 내다 — *vt.* 씨근거리며 말하다; 숨을 헐떡이며 말하다 《*out*》
— *n.* **1** 씨근거리는 소리, 숨을 헐떡이는 소리 **2** 진부한 말[속담], (희극 배우의) 재미없는 재담
whéez·er *n.* **whéez·ing·ly** *ad.*
wheez·y [*h*wíːzi | wíːzi] *a.* (**wheez·i·er**; **-i·est**) 씨근거리는, 헐떡거리는 **whéez·i·ly** *ad.* **-i·ness** *n.*
whelk[1] [*h*wélk | wélk] *n.* 〖패류〗 쇠고둥류의 식용 조개
whelk[2] *n.* 뾰루지, 여드름(pimple)
whelked [*h*wélkt | wélkt] *a.* 고둥 모양의
whelm [*h*wélm | wélm] *vt.* (문어) **1** (슬픔 등으로) 압도하다, 내리덮치다, 눌러 찌부러뜨리다(overwhelm): *~ed* in sorrow 비탄에 잠겨서 **2** 〈파도가〉 삼키다, 물속으로 가라앉히다(submerge) **3** (영·방언) 〈접시 따위를〉 엎다 — *vi.* 덮다, 가라앉히다
whelp [*h*wélp | wélp] *n.* **1** 강아지, 새끼 《사자·호랑이·곰 따위의》 **2** (경멸) 버릇없는 아이, 개구쟁이; 꼬마 — *vi., vt.* 〈짐승이〉 새끼를 낳다; (경멸) 〈여자가〉 아이를 낳다; 〈나쁜 일을〉 일으키다, 시작하다
‡**when** ⇨ when (p. 2861)
when·as [*h*wènǽz, *h*wən- | wen-] *conj.* (고어) = WHEN; = WHILE; = WHEREAS
***whence** [*h*wéns | wéns] (문어·고어) *ad.* **1** [의문부사] **a** 어디로부터(from where): *W*~ comest thou? 너, 어디서 왔니? **b** 어떻게(how); 왜, 어찌하여(why): *W*~ comes it that ...? …인 것은 무슨 까닭인가? **2** [관계부사] **a** …하는: the source ~ these evils spring 이러한 모든 악이 생겨나는 근원 **b** (…하는) 거기서부터; (…하는[한]) 그 곳에: Return ~ you came. 온 곳으로 돌아가라. **3** [앞 문장을 받아서] 그러므로, 그리하여
— *pron.* **1** [의문대명사] 어디 《기원(起源)》: From ~ is he? 그는 어디 출신인가? **2** [관계대명사] (…하는) 그 곳: the source from ~ it springs 그것이 나오는 바의 근원
— *n.* 출처, 유래, 기원 《*of*》: We know neither our ~ nor our whither. 우리들은 어디로부터 와서 어디로 가는지를 모른다.
whence·so·ev·er [*h*wènssouévər | wèns-] *ad.* (문어) [WHENCE의 강조형] 그 어떤 장소[원인, 유래]에서 …해도; 어쩨서든지 — *conj.* 어디서부터 …하든지
***when·e'er** [*h*wenɛ́ər, *h*wən- | wen-] *conj. ad.*, (시어) = WHENEVER
‡**when·ev·er** [*h*wènévər, *h*wən- | wèn-] *conj.* **1** …할 때는 언제나, …할 때에는 반드시; …할 때마다: *W*~ he goes out, he takes his dog with him. 그는 외출할 때에는 언제나 개를 데리고 간다. **2** [양보절에서] 언제 …하든지 간에(no matter when): *W*~ you (may) visit her, you will find her sleeping. 언제 그녀를 방문할지라도 그녀는 자고 있을 것이다. **3** (주로 스코) …했을 때는 바로(as soon as)
— *ad.* [의문사 when의 강조형으로서] (구어) 도대체 언제: *W*~ did he say that? 도대체 언제 그가 그것을 말했나? ★ 특히 (영)에서는 when ever?로 분리하는 것이 정식으로 여겨지고 있으나, 최근에는 이의 구별이 없음.
whèn íssued 〖증권〗 발행일 거래
when-is·sued [-íʃuːd] *a.* 〖증권〗 발행일 결제 거래의
when'll [*h*wénl | wénl] when will의 단축형: *W*~ we meet again? 우리 언제 다시 만날까?
when's [*h*wénz | wénz] when is[has]의 단축형
***when·so·ev·er** [*h*wènsouévər | wèn-] *conj. ad.*, WHENEVER의 강조형
‡**where** ⇨ where (p. 2862)
‡**where·a·bouts** [*h*wɛ́ərəbàuts | wɛ́ə-] *ad.* **1** [의문부사] 어디쯤에: *W*~ in Europe will you be? 유럽 어디쯤에 가실 건가요? **2** [간접의문문을 이끌어] …하는 곳, …의 장소: Do you know ~ we are now? 우리가 어디쯤에 있는지 아십니까?
— *n.* [단수·복수 취급] 있는 곳, 소재, 행방 《사람 또는 사물의》: His ~ is[때로는 are] unknown. 그의 행방은 알 수 없다. / no clue as to his ~ 그가 있는 곳에 대한 실마리가 없다
where·af·ter [-ǽftər, -ɑ́ːf- | -ɑ́ːf-] *ad.* (문어) 그 후, 그 이후
‡**where·as** [*h*wɛ̀əræ̀z | wɛ̀ə-] *conj.* **1** …에 반하여(while on the other hand), 그런데, 그러나 (사실

when

when은 주로 부사와 접속사로 쓰인다. 부사로서의 when은 뜻과 구문으로 보아 의문부사와 관계부사로 나눌 수 있으며, 관계부사에는 관계대명사와 마찬가지로 제한적 용법과 비제한적 용법이 있다.

1 관계부사로서의 when은 제한적 용법으로 쓰일 때 흔히 생략되기도 한다: I was out of town on the day (*when*) the accident happened. 그 사고가 일어난 날 나는 도시 밖에 있었다.

2 그러나 관계부사 when이 선행사와 떨어져 있을 경우에는 이를 생략할 수 없다: The day came *when* I had to leave. 내가 떠나야 할 날이 왔다.

3 선행사 없이 쓰이는 관계부사 when은 접속사와 같은 기능을 하므로 접속사와 구별하기 어려울 때도 있다.

‡**when** [*h*wén, 《약하게》 *h*wən | wén, 《약하게》 wən] *ad., conj., n., pron.*

① [의문사로] 언제, 어떤 때에	부 **A**
② [관계사로] …할 때, 그때	부 **B**
③ [접속사로] …할 때에, …하면	접

—*ad.* **A** (의문부사) **1** [때를 나타내어] **언제**: *W*~ did she promise to meet him? 그녀는 그를 언제 만나기로 약속했습니까? / *W*~ have you been there? (지금까지) 그곳에는 언제 (몇 번쯤) 가 본 적이 있느냐? ★ 이처럼 같은 경험의 되풀이에 관해 묻는 경우에는 when을 동사 be의 현재완료형 have been과 함께 쓸 수 있음. / Ask her ~ she will come[be] back. 그녀에게 언제 돌아오느냐고 물어봐. / I don't know ~ to go. 언제 가야 할지 모르겠다. / *W*~ are they to arrive? 그들은 언제 도착할 예정입니까? **2** [상황을 물어] 어떤 때에, 어떤 경우에: *W*~ is a letter of condolence in order? 조문장은 어떤 경우에 보내는 것입니까? / *W*~ do you double the final consonant? 어떤 경우에 마지막 자음을 겹칩니까? **3** 어느 정도(의 시점)에서, 얼마쯤에서: Say ~ you want me to stop. 얼마쯤에서 (술을) 따르기를 멈추면 좋은지 말해 주시오. ★ (구어)로는 Say when. 이라고 줄여 말하는 것이 보통.

—**B** (관계부사) **a** [제한적 용법] …하는[한, 인, 할] (때) ★ 보통 '때' 때로는 '경우'를 나타내는 명사를 선행사로 하는 형용사절을 만듦: It was in the days ~ medical services were rare. 그것은 의료 서비스가 드문 시대의 일이었다. / There are times ~ everyone needs to be alone. 누구나 혼자 있을 필요가 있을 때가 있다. / Now is the time ~ we have to make a decision. 지금이야말로 우리가 결단을 내려야 할 때다. **b** [비제한적 용법; 보통 앞에 콤마가 있음] (…하면, …하는데) **그때에** 《문어에서 많이 쓰임》: Wait till eight, ~ he will be back. 8시까지 기다리세요, 그 무렵에는 돌아올 겁니다. / Her father died of cancer in 1962, ~ she was only five. 그녀의 아버지는 1962년에 암으로 돌아가셨는데 그때 그녀는 겨우 다섯 살이었다. **c** [선행사를 포함한 관계부사 용법] …할[일] 때: Monday is ~ I am busiest. 월요일은 내가 가장 바쁠 때이다.

—*conj.* **1 a** …**할 때에**, …할 때는, …하니[하자, 하면] (《USAGE 때를 나타내는 부사절을 만듦; when은 특정한 때를 나타내고 while은 기간을 나타내는 것이 통례임; 이따금 when 절에 진행형이 쓰이기도 함》): *W*~ we have a cold, we blow our noses very often. 감기가 들면 코를 자주 푼다. / Time goes very fast ~ one is busy. 바쁠 때면 시간이 매우 빨리 간다. / I'll tell him ~ he comes home. 그가 돌아오면 말하겠다. (《USAGE 접속사가 이끄는 부사절에서는 미래형이 쓰이지 않으며, 현재형 또는 현재완료형으로 나타냄: 비교 I'll ask him ~ he *will* come home. 그가 언제 돌아올 것인지 물어보겠다.(cf. *ad.* A 1)》) / *W*~ (he was) a boy, he was very naughty. 소년 시절에 그는 장난이 아주 심했다. ★ (문어)에서는 when이 이끄는 종속절과 주절의 주어가 같을 때, 종속절의 주어와 be 동사가 생략되기도 함. **b** [주절 뒤에 when이 이끄는 종속절이 올 경우 문맥상으로] (…하자) 그때 ★ 주절이 진행형 또는 과거완료형으로 되어 있는 경우에 사용됨: I *was* stand*ing* there lost in thought ~ I was called from behind. 생각에 잠긴 채 거기에 서 있을 때 뒤에서 누가 나를 불렀다. / I *had* just fall*en* asleep ~ someone knocked at the door. 잠이 막 들었을 때 누군가가 문을 두드렸다. **c** …할 때는 언제나(whenever): He is impatient ~ he is kept waiting. 계속 기다리고 있어야 할 때면 그는 늘 조바심을 낸다. / She smiles ~ you praise her. 당신이 그녀를 칭찬할 때는 그녀는 언제나 미소를 짓는다. **d** …한 후[하면] 곧: Stop writing ~ the bell rings. 종이 울리면 곧 쓰기를 멈춰라. **2 a** …하면, …하는 경우에는(if): I'll give it to you ~ you say 'please.' 「제발」이라고 말하면 그걸 주마. **b** …에도 불구하고, …을 생각하면(considering that); …한데: How can he succeed ~ he won't work? 일할 마음이 없는데 어찌 성공할 수 있겠느냐? / He is always complaining ~ there's no reason to do so. 그럴 이유가 없을 때에도 그는 늘 불평하고 있다.

***hardly* … ~** ⇨ hardly

***scarcely* … ~** ⇨ scarcely

—*n.* [the ~] (문제의) 때, 시기(time): *the* ~ and the where of a crime 범죄의 시기와 장소

—*pron.* **1** [전치사 뒤에 놓여 의문대명사로서] 언제(what time): Since ~ did you get interested in collecting stamps? 언제부터 우표 수집에 흥미를 갖기 시작했는가? / Until ~ will you stay here? 언제까지 이곳에 머물 겁니까? **2** [전치사 뒤에 놓여 관계대명사로서] (문어) 그때: They left on Monday, since ~ we have heard nothing. 그들은 월요일에 출발했는데 그때부터 전혀 소식이 없다.

은) **2** [특히 법률·조약의 전문(前文)에서] …이므로, …라는 사실에서 보면, …인 까닭에(since)

—*n.* (본론 전의) 서두; 〖법〗 전문(preamble): read the ~*es* in the will 유언장의 전문(前文)을 읽다

where·at [*h*wɛ̀ərǽt] *ad.* (고어) **1** [의문사] 무엇에 대하여(at what) **2** [관계사] **a** [제한적 용법] 그것에[그곳에서]; 그것에 대하여: I know the things ~ you are displeased. 자네 마음에 들지 않는 점을 알고 있다. / a reception ~ many were present 많은 사람들이 참석한 리셉션 / a remark ~ she quickly angered 그녀가 듣고 바로 화낸 말 **b** [비제한적 용법] 그러자, 그 결과, 그래서

***where·by** [*h*wɛ̀ərbái | wɛ̀ə-] *ad.* (문어) **1** [의문사] 무엇에 의하여, 어찌하여, 어째서, 어떻게 하여(by what) **2** [관계사] (그것에 의하여, 그것에 따라) …하는 (수단 등)(by which)

where'd [*h*wɛ́ərd | wɛ́əd] where did[would]의 단축형

wher·e'er [*h*wɛ̀ərɛ́ər | wɛ̀ər-] *conj. ad.,* (시어) = WHEREVER

where

where의 주요 용법은 when과 같이 부사와 접속사 용법이며, 부사는 의문부사와 관계부사로 나누어진다. 그 기능도 when의 경우와 거의 같다.

1 관계부사의 제한적 용법에서 where는 《구어》에서는 뜻이 애매해지지 않는 한 생략되기도 한다: This is the place (*where*) I was born. 이곳은 내가 태어난 곳이다.

2 《구어》에서 관계부사 where는 place 등과 같이 일반적인 뜻의 선행사는 쓰지 않는 일이 많다. 이 경우 where는 명사절을 이끌며 선행사가 포함된 관계부사 용법이 된다: This is (the place) *where* we used to live. 이곳은 우리가 전에 살았던 곳이다.

‡**where** [*h*wέər] *ad., conj., n., pron.*

① [의문사로] 어디에[로, 에서]	부 **A 1**
② [관계사로] …하는 (곳); 그리고 거기에서	부 **B 1, 2, 3**
③ [접속사로] …하는 곳에[으로]	접 **1**

— *ad.* **A** (의문부사) **1** [장소·방향·도착점] 어디에[로, 를, 에서]: *W*~ do you live? 어디에 살고 있습니까? / *W*~ are you going? 어디 가는 길입니까? 《이와 같은 질문은 친한 사이가 아니면 실례되는 수가 있음》/ *W*~'s[*W*~'re] your manners? 예의는 어디로 갔어? ★ 《구어》에서는 복수명사의 앞에서도 Where's가 쓰이는 일이 있음. / I don't know ~ she got the information. 그녀가 어디서 그 정보를 입수했는지 모르겠다. / He asked ~ there was[he could find] a good hotel. 그는 어디에 좋은 호텔이 있는지 물었다. / He asked me ~ to go. 그는 나에게 어디로 가면 좋으냐고 물었다. / *W*~ now? 이번에는 어디(에[로])? / *W*~ were we[was I]? 《구어》 어디까지 이야기했더라? 《대화가 중단되었거나 본론에서 벗어났을 때의 표현》
2 어떤 점에서: *W*~ is he different from you? 그는 너와 어떤 점에서 다른가? / *W*~ does this move us? 이것은 어떤 점에서 우리에게 감동을 주나?
3 어떠한 처지[사태]에(서)[로]: *W*~ do you stand on this question? 이 문제에 대해서 어떻게 생각합니까? / *W*~ would the man be without his wife? 그 남자는 자기 아내가 없다면 어떻게 될까?
4 어느 장소[부분]에, 어디에: Check ~ the trouble is. 어디가 고장인지 점검하시오.
— **B** (관계부사) **1** [제한적 용법] …하는, …한 (장소·경우 등) ★「장소·경우」를 나타내는 명사를 선행사로 하는 형용사절을 만듦: This is the house ~ I was born. 이 집이 내가 태어난 집이다. ★ 《구어》에서는 where를 생략하는 수도 있음. / There are many cases ~ such a principle is not practicable. 그와 같은 원칙이 실행 불가능한 경우도 많다.
2 [비제한적 용법; 보통 앞에 콤마를 찍음] 그리고 거기에(서)(and there): We came to the town, ~ we had lunch. 우리는 그 도시에 도착해서 거기서 점심을 먹었다.
3 [선행사를 포함한 관계부사 용법] …하는 곳[점]: This is ~ we used to play. 여기가 우리들이 놀곤 했던 곳이다. / That's ~ you are mistaken. 그 점이 바로 당신이 잘못된 점이다. / The park is near ~ I work. 그 공원은 내가 일하는 곳에서 가깝다.
W~ away? 《항해》 (배의 감시원이 육지 등을 발견하였다는 보고에 대하여) 어느 쪽이냐?
W~ from? 어디서 왔느냐?
~ it's (all) at 《속어》 (1) 가장 재미있는[중요한, 대표적인, 유행하는] 장소: That disco's ~ *it's at*, man. 이봐, 저 디스코텍은 대인기야. (2) 《미》 훌륭한 것, 아주 멋있는 것: Baseball's ~ *it's at*. (스포츠를 아는 사람에게는) 야구가 최고다[그만이다].
W~ to? 어디로 가십니까? 《택시 기사가 손님에게》
W~ were we[was I]? ⇨ A 1
— *conj.* **1** [장소의 부사절을 이끌어] **a** …하는[한] 곳에[으로, 에서, 을]: Show us ~ we can have a drink of water. 물을 마실 수 있는 곳으로 우리를 안내해 주시오. / *W*~ there's a will, there's a way. ⇨ will[2] **b** [방향의 부사절을 이끌어] …한 곳으로; …하는 곳은 어디든지(wherever): Go ~ you like. 어디든지 가고 싶은 데로 가시오.
2 [상황의 부사절을 이끌어] …하는 경우에: *W*~ there are no democratic institutions, people may resort to direct action. 민주 제도가 없는 곳에서는 사람들은 직접 행동에 호소하는 일이 있다.
3 《문어》 [대조·범위 등의 부사절을 이끌어] …하는데, …하는 데 반해[비해], …한다는데, …에 대해, …인데: They are submissive ~ they used to be openly hostile. 그들은 이전에 공공연히 적대적이었는데 지금은 순종한다.
— *n.* [the ~] 장소(place): *the* ~ and the when of the accident 그 사고의 발생 장소와 시각
— *pron.* **1** [전치사와 함께 의문대명사로서] 어디 《*from*》: *W*~ do you come *from*? = *W*~ are you *from*? 고향이 어디입니까? / "I'm going now." — "*W*~ *to*?" 자, 나는 간다. — 어디로 (가요)?
2 [전치사와 함께 관계대명사로서] (…하는[한]) 바의 (장소) 《비표준적 용법》: That is the place ~ he comes *from*. 저곳이 그의 고향이다. / the source ~ he got the information *from* 그가 입수한 정보의 출처

‡**where·fore** [*h*wέərfɔ̀ːr | wέə-] 《고어》 *ad.* **1** [의문사] 왜(why), 무슨 이유로, 무엇 때문에: *W*~ did you go? 너는 무슨 목적으로 갔느냐? **2** [관계사] 그런 이유로, 그러므로, 그런 까닭으로: He was angry, ~ I left him alone. 그는 화가 나 있었다, 그래서 나는 그를 혼자 있게 뒀다. / We ran out of water, ~ we surrendered. 우리는 물이 떨어졌다, 그래서 항복했다.
— *n.* [the ~s; 보통 *pl.*] 원인(cause), 이유(reason): *the* whys and ~*s* of it 그것의 이유와 원인

where·from [*h*wὲərfrʌ́m | wὲəfrɔ́m] *ad.* 《문어》 **1** [의문사] 어디[어느쪽]에서 **2** [관계사] 거기에서 …하는, 거기에서(from which)

‡**where·in** [*h*wὲərín | wὲə-] *ad.* 《문어》 **1** [의문사] 어떤 점으로[에서]; 어디에(in what) **2** [관계사] …하는 바의; 거기서, 그 중에, 그 곳에, 그 점에서(in which)

where·in·so·ev·er [*h*wὲərinsouévər | wὲə-] *ad.* 《문어·고어》 WHEREIN의 강조형

where·in·to [-íntu, -tə] *ad.* 《고어》 **1** [의문사] 무엇 속으로, 무엇에 **2** [관계사] 그 속으로

where'll [*h*wέərl | wέəl] where will[shall]의 단축형: *W*~ I be ten years from now? 지금부터 10년 후에 나는 어디에 있을까?

∗**where·of** [*h*wὲərʌ́v | wὲəɔ́v] *ad.* 《문어》 **1** [의문사] 무엇의(of what[which]), 무엇에 관하여, 누구의(of whom) **2** [관계사] 그것의, 그것에 관하여, 그 사람의; 《고어》 그것을 가지고

∗**where·on** [*h*wὲərɑ́ːn | wὲəɔ́n] *ad.* 《고어·익살》 **1** [의문사] 무엇의 위에 (on what), 누구에게 **2** [관계사] 그 위에 (on which)

where·out [-áut] *ad.* 《고어》 **1** [의문사] 어디에서,

무엇부터 **2** 거기에서[부터](out of which)
where're [*h*wέərər | wέər-] where are의 단축형
‡**where's** [*h*wέərz | wέəz] where is[has]의 단축형
where·so·e'er [*h*wὲərsouέər | wὲə-] *ad.* 《시어》 = WHERESOEVER
where·so·ev·er [-souévər] *ad.* 《문어》 WHEREVER의 강조형
where·through [-θrúː] *ad.* 《고어》 [관계사] 그것을 통해서 …하는(through which); 그것 때문에, 그러므로
where·to [-túː] *ad.* 《문어》 **1** [의문사] **a** 무엇에, 어디로 **b** 무엇 때문에 **2** [관계사] 그것에, 그곳으로, 그것에 대하여(to which)
where·un·der [*h*wὲərʌ́ndər] *ad.* 《고어》 [관계사] 그 아래에[에서]
where·un·til [-əntíl] *ad.* 《방언》 = WHERETO
where·un·to [*h*wὲərʌ́ntuː | wὲər-, ⌐–⌐] *ad.* 《고어》 = WHERETO
∗**where·up·on** [*h*wὲərəpɑ́n | wὲərəpɔ́n] *ad.* **1** [관계사] **그래서**, 여기에 있어서, 그 때문에, 그 후에, 그 결과; 그 위에, 게다가 **2** [의문사] 《고어》 = WHEREON
where've [*h*wέərv | wέəv] where have의 단축형
‡**wher·ev·er** [*h*wεərévər | wεər-] *conj.* **1 …하는 곳은 어디(에)라도**; …하는 경우는 언제나: I will follow you ~ you go. 네가 가는 곳은 어디든지 따라가겠다. **2** [양보절을 이끌어] 어디에[어디로] …하든지(no matter where): *W*~ he is[may be], he thinks of you. 그는 어디에 있든지 너를 생각한다.
— *ad.* [의문사 where의 강조형] 《구어》 대체 어디에[어디로, 어디에서]; 어떤 곳에서도, 어떤 경우에도: *W*~ did you find that? 도대체 어디서 그것을 발견했느냐? ***or*** **~** [장소의 부사(구)에 이어서] 《구어》 …나 어딘가 그와 같은 곳에(서)
∗**where·with** [*h*wεərwíð | wεə-] *ad.* **1** [관계사] **그것을 가지고**, 그것으로 **2** [의문사] 《고어》 무엇으로, 무엇을 가지고
— *pron.* 그것에 의하여 …하는 것 《*to* do》: He had not ~ *to* feed himself. 그는 먹을 것이 없었다.
— *n.* [the ~] = WHEREWITHAL
where·with·al [*h*wέərwiðɔ̀ːl | wέə-] *ad.* 《고어》 = WHEREWITH — *n.* [the ~] (필요한) 자금, 수단, 돈: *the* ~ to pay my rent 집세를 지불할 돈
— *pron.* 《문어》 = WHEREWITH
wher·ret [*h*wə́ːrit] 《방언》 *n.* 손바닥으로 치기
— *vt.* …을 손바닥으로 치다
∗**wher·ry** [*h*wéri | wéri] *n.* (*pl.* **-ries**) **1 나룻배**, 거룻배 **2** 《미》 (경조용) 1인승 스컬(scull) **3** 《영》 큰 하천용 너벅선
wher·ry·man [*h*wérimən] *n.* (*pl.* **-men** [-mən]) 《영》 거룻배 사공
∗**whet** [*h*wét | wét] *vt.* (**~·ted**; **~·ting**) **1** 〈칼 등을〉 **갈다**, 갈아서 날카롭게 하다(sharpen) **2** 〈식욕·호기심 등을〉 **자극하다**, 돋우다(stimulate): ~ the appetite 식욕을 돋우다 / ~ the curiosity 호기심을 자극하다
— *n.* **1** 갈기, 연마 **2** 자극(물), 《특히》 식욕을 돋우는 것; 한 잔의 술(drink) **3** 《방언》 잠시 동안; 한차례의 일 **~·ter** *n.*
‡**wheth·er** [*h*wéðər | wéð-] *conj.* **1** [간접의문문의 명사절을 이끌어] **…인지 어떤지**: He asked ~ he could help. 그는 자신이 도울 수 있나를 물었다. / I don't know ~ he is at home *or* at the office. 그가 집에 있는지 사무실에 있는지 모른다. / Tell me ~ he is at home (*or* not). 그가 집에 있는지 어떤지 말해 주시오. / I am doubtful (as to) ~ it is true. 사실인지 아닌지(에 관해) 의문이 있다. / It matters little ~ we go *or* stay. 갈지 머물지는 그다지 중요하지 않다. / See ~ she has come. 그녀가 왔는지 어떤지 봐 주세요. / I doubt ~ we can do anything now. 우리가 무엇을 할 수 있을지 의문이다. **2** [양보의 부사절을 이끌어] **…이든지 아니든지** (간에), …이든지 …이든지 (여하간에): ~ for good or for evil 좋건 나쁘건 / *W*~ or not he comes(= *W*~ he comes or not), the result will be the same. 그가 오든 안 오든 결과는 같을 것이다.
~ or no[***not***] 어느 쪽이든, 하여간; …인지 어떤지: He threatens to go ~ *or no.* 하여간 가겠다고 그는 위협하고 있다.
— *pron.* 《고어》 (둘 중의) 어느 하나
whet·stone [*h*wétstòun | wét-] *n.* **1** 숫돌 **2** 자극물, 흥분제; 격려자; 타산지석(他山之石)
whew [*h*wjúː] 〔의성어〕 *int.* 아휴 《놀람·실망·당황·불쾌·피로감·안도·기쁨 등》
— *n.* 휘파람 같은 소리, 휴[휙] 하는 소리
— *vi.* 휘파람 같은 소리를 내다, 휴 하는 소리를 내다
whey [*h*wéi | wéi] *n.* Ⓤ 유장(乳漿) 《치즈 만들 때 엉긴 젖을 거르고 난 물》 **~·like** *a.*
whey-face [*h*wéifèis] *n.* (공포 등으로) 파랗게 질린 얼굴; 안색이 창백한 사람 **whéy-fàced** *a.*
whey·ish [*h*wéiiʃ | wéi-] *a.* 푸르스름한, 창백한
whf. wharf
‡**which** ⇨ which (p. 2864)
‡**which·ev·er** [*h*witʃévər | witʃ-] *pron.* **1** [부정(不定) 관계사; 명사절을 이끌어] **어느 것[쪽]이든지**, (…하는) 어떤 것이라도: Buy ~ you like. 어느 것이든 좋아하는 것을 사시오. **2** [양보의 부사절을 이끌어] **어느 것[쪽]을[이] …하든(지)**: *W*~ you (may) choose, you won't be satisfied. 어느 쪽을 선택해도 너는 만족할 수 없을 것이다. **3** [의문대명사 WHICH의 강조형] 《구어》 **도대체 어느 것[쪽]을[이]** …: *W*~ do you prefer? 대체 어느 쪽을 더 좋아하느냐?
— *a.* **1** [관계형용사; 명사절을 이끌어] …하는 어느, **어느 것[쪽]의 …이든지**: Take ~ ones you choose. 네가 고른 어떤 것이든 가져라. **2** [양보의 부사절을 이끌어] **어느 쪽이 …든(지)**, 어느 (쪽이) …을 …하여도 (no matter which): *W*~ side wins, I shall be satisfied. 어느 편이 이기든(지) 나는 만족이다. **3** [의문형용사 WHICH의 강조형] 《구어》 도대체 어느(것[쪽]) …가[을]: *W*~ Mary do you mean? 대체 어느 메리 말이죠?
which·so·ev·er [-souévər] *pron., a.* 《문어》 WHICHEVER의 강조형
which·way [-wèi] *ad.* [종종 all ~] 모든 방향에
whick·er [*h*wíkər | wík-] 〔의성어〕 *vi.* 〈말이〉 나지막이 울다(neigh, whinny)
— *n.* 말의 나지막한 울음소리
whid [*h*wíd, *h*wʌ́d | wíd] 《스코》 *vi.* (**~·ded**; **~·ding**) 민첩하게 조용히 움직이다
— *n.* 민첩하고 조용한 움직임
whid·ah [*h*wídə, wídə] *n.* = WHYDAH
∗**whiff**[1] [*h*wíf | wíf] *n.* **1 a** (바람·연기 등의) **한 번 불기[내뿜기]** 《*of*》; 한 번 내뿜은 담배 연기 **b** 풍기는 냄새: a ~ of onions 확 풍기는 양파 냄새 **2** 《구어》 작은 엽궐련, 여송연 **3** [보통 *pl.*] (담배·가스 등을) 빨아들이기 **4** 《미·구어》 (골프·야구 등의) 헛치기, 삼진; 발사, 발포 **5** 《영》 경조(競漕)용 스컬 **6** (…의) 기미, 기색 **7** 가벼운 화풀이[노여움] ***take a ~ or two*** 〈담배를〉 한두 모금 빨다
— *vt.* 〈담배를〉 빨다, 피우다, 태우다; 〈투수가〉 〈타자를〉 삼진 먹이다
— *vi.* **1** 담배를 피우다 **2** 《영·구어》 불쾌한 냄새가 풍기다; 불어오다 **3** 《미·구어》 (골프·야구에서) 헛치다, 삼진당하다 **~·er** *n.*
whiff[2] *n.* 〚어류〛 가자미의 일종
whif·fet [*h*wífit | wíf-] *n.* 《미·구어》 **1** 하찮은 사람, 풋내기; 강아지 **2** 가볍게 한 번 불기
whif·fle [*h*wífl | wífl] *vi.* **1 a** 〈바람이〉 살랑거리다 **b** 〈잎·불꽃이〉 흔들리다 **2** 되는대로 지껄이다 **3** 〈의견 등이〉 흔들리다, 바뀌다, 동요되다 — *vt.* **1** 〈바람 등이〉 …을 날리다; 〈기(旗) 등을〉 흔들다; 〈배를〉 이리저리 돌리다 **2** 〈의견 등을〉 흔들리게 하다, 동요시키다
— *n.* 살랑거림, 휘 하는 소리; 변변치 못한 것
whif·fle·ball [*h*wíflbɔ̀ːl | wífl-] *n.* 휘플볼 《구멍을

which

which는 품사별로 대명사와 형용사의 두 가지로 쓰인다. 대명사는 다시 의문대명사와 관계대명사로, 형용사는 다시 의문형용사와 관계형용사로 각각 갈라진다. which 는 사물을 가리키는 점에서 사람을 가리키는 who 와 대비된다. 그러나 which에는 형용사 용법이 있어 who보다 복잡하다. 한편 which 는 what와 용법상 공통점이 많다.

‡**which** [*h*wítʃ | wítʃ] *pron.* **A** (의문대명사) [일정한 수의 물건·사람 중에서의 선택에 써서] **어느 쪽,** 어느 것, 어느 사람(cf. WHAT A 1): **a** [주어의 경우] ★ 이 경우 의문문이라도 주어와 동사의 어순은 평서문과 같음: *W*~ of the girls is the prettiest? 그 소녀들 중에 누가 가장 예쁜가? / *W*~ of the two cars goes better? 그 두 대의 자동차 중에서 어느 쪽이 더 잘 달리는가? / *W*~ is taller, he or she? 그와 그녀는 누가 더 키가 큰가? ★ 《구어》에서는 Who is taller, him or her? 쪽이 일반적임 / *W*~ do you think is the best plan? 자네는 어느 것이 제일 좋은 계획이라고 생각하는가? **b** [보어의 경우]: *W*~ is your father in this picture? 이 사진에서 누가 당신의 아버지냐? **c** [목적어의 경우]: *W*~ do you prefer, this or that? 이것과 저것 중 어느 것이 더 좋습니까? / *W*~ of the boys were you talking to? 어느 소년하고 이야기하고 있었습니까? **d** [간접의문의 절 또는 ~+***to*** do의 형태로]: Tell me ~ you would like best. 어느 것이 제일 마음에 드는지 말해 보시오. / Can you advise me ~ *to* do. 어느 쪽을 해야 할지 가르쳐 주시오.

— **B** (관계대명사) **1** [제한적 용법] **…하는[한]** (것·일) (USAGE (1) 보통 「물건」을 나타내는 명사를 선행사로 하는 형용사절을 만듦 (2) 제한적 용법에서 주격·목적격의 경우 which는 that로 바꾸어 쓸 수 있음): **a** [주격의 경우]: I'd like a room ~ overlooks the sea. 바다가 바라보이는 방이 좋겠다. **b** [소유격의 경우; of which의 형태로]: This is the picture *of* ~ the price is incredibly high. =This is the picture the price *of* ~ is incredibly high. 이것은 값이 엄청나게 비싼 그림이다. ★ of which는 whose로 대용할 수 있음; cf. WHOSE; of which는 딱딱한 어투이므로 쓰지 않는 경향이 있음: This is the picture *whose* price is incredibly high. **c** [목적격의 경우]: This is the book (~) I have chosen. 이것이 내가 고른 책이다. ★ 목적격의 관계대명사는 《구어》에서 흔히 생략됨: This is the pen with ~ he wrote the novel. =This is the pen (~) he wrote the novel with. 이것은 그가 그 소설을 쓰는 데 썼던 펜이다. ★ 전치사가 which와 떨어져서 후치되는 경우에는 which를 생략할 수 있음. **d** [~+***to*** do의 형태로] …할 (수 있는)(것): He has no means of support upon ~ *to* depend. 그는 의지할 (수 있는) 생계 수단이 없다. ★ He has no means of support *to* depend upon.쪽이 구어적임. **e** [It is … which의 강조 구문으로] …하는 것은 ★ It is … that …쪽이 일반적임; cf. IT[1] 7: *It is* the book ~ will be very popular. 인기를 끌 것은 이 책이다.

2 [비제한적 용법; 보통 앞에 콤마를 찍음] **a** [주격·목적격의 경우] **그리고 그것은[을];** 그러나[그런데] 그것은[을, 에] 《격식 차린 용법》: I began to read the book, ~ was very exciting. 그 책을 읽기 시작했는데 그것은 손에 땀을 쥐게 했다. ★ 제한 용법의 which는 that로 고쳐 쓸 수 있으나, 비제한 용법의 which는 고쳐 쓸 수 없으며 생략할 수도 없음 / This dictionary, ~ I bought three years ago, is very useful. 이 사전은 3년 전에 산 것인데 매우 유용하다. ★ 삽입적으로 쓰이는 관계대명사는 「그리고 그것은[을]」의 뜻이 아니고 문맥에 따라 「(그것은) …인데[한데]」의 뜻이 됨 / The tobacco company, ~ controls the entire tobacco industry, is an example of a monopoly. 그 담배 회사는 모든 담배 산업을 지배하고 있는데 시장 독점의 표본이다. **b** [선행하는 구·절·문 또는 그 내용을 받아] ★ 격식 차린 용법; 때로 독립하여 Which …로 쓰는 수도 있음: He studied hard in his youth, ~ contributed to his success in later life. 그는 젊은 시절에 열심히 공부했는데, 그것이 그가 만년에 성공하는 데 도움이 되었다. / His essays reveal his love of living things. *W*~ is why I enjoy reading them. 그의 수필에는 생명체에 대한 그의 사랑이 드러나 있다. 그래서 나는 그의 수필을 즐겨 읽는다. / He arrived half an hour late, ~ annoyed us all very much. 그는 30분 늦게 왔는데 그 때문에 우리 모두는 짜증이 났다. **c** [관계사절이 주절에 선행하여] 《문어》 …이지만, …한 것은: Moreover, ~ you may hardly believe, she committed suicide. 게다가 거의 믿지 못할 일이겠지만 그녀는 자살해 버렸어.

3 [명사절을 이끌어] (…하는 것은) 어느 것이든지 (whichever): You may choose ~ (of the books) you like best. 어느 것이든지 가장 마음에 드는 쪽(의 책)을 고르시오.

USAGE (1) 《문어》에서는 보통 선행사와 지시형용사[대명사] that가 함께 있을 경우에는 관계대명사는 that을 쓰지 않고 which를 써서 that … which의 형태로 한다: *that* part of the country ~ was struck by the powerful earthquake 강력한 지진에 강타당한 그 나라의 그 지대 《which의 선행사는 that part》 (2) 선행사가 사람의 집단을 나타내는 명사인 경우, 집합체로서 생각할 때에는 관계대명사는 which(또는 that)로서 단수 취급하며, 구성 요소를 생각할 때에는 보통 who[whom]를 써서 복수 취급한다: a family ~ *has* lived here for many years 오랫동안 이곳에서 살아 온 가족 / a family *who are* always quarreling among themselves 항상 가정 불화가 끊이지 않는 가족

that ~ … …하는[한] 바의 것: "Which room do you mean?" — "*That* ~ I spoke to you about on the phone." 어느 방을 말하시는 거지요? — 제가 전화로 이야기한 방 말입니다. 《The one …쪽이 일반적임》

~ is ~ 어느 것이 어느 것인지, 어디가 다른지, 누가 누군지; 중요한 것은 어느 쪽인지: The two brothers are so much alike that you cannot tell ~ *is* ~. 두 형제는 서로 너무 닮아서 누가 누군지 분간 못 할 정도이다. / I no longer know ~ *is* ~. 이제 어느 것이 어느 것인지 모르겠다.

~ is worse 더 안 좋은 것은

— *a.* Ⓐ **A** (의문형용사) **1 어느,** 어떤, 어느 쪽의: *W*~ apartment does she live in? 그녀는 어느 아파트에 살고 있습니까? / *W*~ girl is younger? 어느 소녀가 더 어립니까? / Ask ~ way to take. 어느 쪽 길로 가야 할지 물어봐라.

2 [간접의문의 절 또는 ~+***to*** do 의 형태로]: Tell me ~ watch you prefer. 어느 시계가 더 마음에 드는지 말해 보시오. / I could not decide ~ club *to* join. 어느 클럽에 들어가야 할지 결정할 수 없었다.

— **B** (관계형용사) **1** 《문어》 그리고[그러나] 그 ★ 이 which는 다음에 오는 명사보다 강하게 발음됨: The doctor told him to take a few days' rest, ~ advice he followed. 의사는 그에게 며칠간 휴식을 취하라고 말했는데 그는 그 충고에 따랐다. / He kept to his bed for a week, by ~ time he was

restored. 그는 1주일간 자리에 누워 있었는데 그때쯤 되자 그는 회복되었다.
2 (…하는 것은) 어느 …이든[이나] (whichever): Use ~ dictionary you like. 어느 사전이나 좋을 대로 쓰시오. / Go ~ way you please, you'll end up here. 어느 길을 가든 결국 여기에 오게 돼.

뚫어 멀리 날지 못하게 만든 플라스틱 공; 원래 골프 연습용》

whif·fled [*h*wífld | wífld] *a.* 비틀거리는, 술 취한

whif·fler¹ [*h*wíflər | wíf-] *n.* 〖역사〗 행렬의 선도자

whiffler² *n.* 의견[방침]을 자주 바꾸는 사람; (토론 중) 애매한 태도를 취하는 사람

whif·fle·tree [*h*wífltrì: | wífl-] *n.* = WHIPPLETREE

whif·fy [*h*wífi | wífi] *a.* (구어) 냄새가 확 풍기는

whig [*h*wíg | wíg] *vi.* (**~ged**; **~·ging**) (스코) 힘차게 나아가다

Whig [*h*wíg | wíg] [Scot. 「말을 모는 사람」의 뜻에서] *n.* **1** 〖영국사〗 휘그당원 **2** [the ~s] 휘그당 《17-18세기에 일어난 민권당으로 Tory당과 대립하여 19세기에 지금의 Liberals(자유당)가 된 정당》 **3** 〖미국사〗 휘그당원 《(1) (독립 전쟁 당시 영국으로부터의) 독립 혁명 지지자, 독립당원; (2) 1834년경 결성되어, the Democratic Party(민주당)와 대립한 정당의 당원》
—*a.* 휘그당(원)의; 휘그당 특유의

Whig·ger·y [*h*wígəri | wíg-] *n.* **1** = WHIGGISM **2** [집합적] 휘그당원

Whig·gish [*h*wígiʃ | wíg-] *a.* 휘그당의[같은], 휘그주의의 **~·ly** *ad.* **~·ness** *n.*

Whig·gism [*h*wígizm | wíg-] *n.* Ⓤ 휘그주의, 휘그당의 주의

whig·ma·lee·rie, -ry [*h*wìgməlíəri | wìg-] *n.* (스코) 변덕; 색다른[기발한] 장치[장식]

⁂**while** ⇨ while (p. 2866) ▷ awhíle *ad.*

whiles [*h*wáilz | wáilz] *ad.* (스코) 때때로
—*conj.* (고어) = WHILE

whil·li·kers [*h*wílikərz | wíl-] *int.* (구어) 우와 《gee나 golly gee 뒤에서 놀람, 기쁨 등을 나타내는 강조어》

whi·lom [*h*wáiləm | wái-] (고어) *ad.* 일찍이, 이전에, 예전에(formerly)
—*a.* 이전의, 옛날의: ~ friends 옛날 친구

*__whilst__ [*h*wáilst | wáilst] *conj.* (주로 영) = WHILE

*__whim__ [*h*wím | wím] *n.* **1** CU 변덕, 잘 변하는 마음, 일시적인 생각: full of ~*s* (and fancies) 변덕스러운 / take[have] a ~ for reading 책이나 볼까 하는 마음이 나다 **2** 〖광산〗 권양기(捲揚機) 《광석·광수(鑛水) 등을 달아올리는》 ***on a*** **~** 즉흥적으로, 충동적으로
—*vi.* (**~med**; **~ming**) 일시적인 기분으로 바라다

whim·brel [*h*wímbrəl | wím-] *n.* 〖조류〗 중부리도요

*__whim·per__ [*h*wímpər | wím-] *vi.* **1** 〈어린아이 등이〉 훌쩍훌쩍 울다, 흐느껴 울다, 울먹이다 **2** 〈개 등이〉 낑낑거리다 **3** 〈사람이〉 코맹맹이 소리를 내다; 투덜투덜 불평하다; 〈바람·시내 등이〉 낮고 구슬픈 소리를 내다
—*vt.* 슬픈 듯이[호소하듯] 말하다
—*n.* 흐느낌, 훌쩍거림; (개 등의) 낑낑거림; 코를 킁킁거리는 소리; 애원 **~·er** *n.* 흐느껴 우는 사람 **~·ing·ly** *ad.* 훌쩍거리며, 킁킁거리며

whim·sey [*h*wímzi | wím-] *n.* (*pl.* **~s**) = WHIMSY

*__whim·si·cal__ [*h*wímzikəl | wím-] *a.* **1** 변덕스러운 (fanciful), 마음이 잘 변하는 **2** 묘한, 별난, 기발한: ~ inventions 기발한 발명품 **~·ly** *ad.* **~·ness** *n.*
▷ whimsicálity, whímsy *n.*

whim·si·cal·i·ty [*h*wìmzəkǽləti | wìm-] *n.* (*pl.* **-ties**) **1** Ⓤ 변덕(스러움) **2** [보통 *pl.*] 별스러운 짓, 기행(奇行)

whim·sy [*h*wímzi | wím-] *n.* (*pl.* **-sies**) **1** 변덕, 일시적 기분 **2** 기발한 말[행동, 생각]: a comedy with an air of ~ 재미있는 표현이 많은 코미디
—*a.* 색다른, 기묘한, 별난

whim-wham [*h*wím*h*wæ̀m | wímwæ̀m] *n.* (장식·복장 등의) 기묘한 것; 변덕; (고어) 장난감(toy); [the ~s] (구어) (신경의) 흥분, 안달, 초조, 신경질

whin¹ [*h*wín | wín] *n.* (영) 〖식물〗 가시금작화 (gorse) 《유럽산(產) 관상용 관목》

whin² *n.* = WHINSTONE

whin·chat [*h*wíntʃæ̀t | wín-] *n.* 〖조류〗 검은딱새의 일종

*__whine__ [*h*wáin | wáin] *vi.* **1 a** 구슬피 울다, 흐느끼다, 애처로운 소리로 울다; 〈개가〉 낑낑거리다(⇨ bark¹ 유의어): The puppies ~*d* from hunger. 강아지가 배고픔으로 낑낑거렸다. **b** 〈바람·탄환 등이〉 윙 소리를 내다 **2** 우는소리를 하다, 푸념하다, 투덜대다: (~+전+명) She is always *whining about* trifles. 그녀는 하찮은 일에 늘 불평을 한다.
—*vt.* 애처로운 (콧)소리로 …라고 말하다 《*out*》: ~ complaints 애처로운 소리로 불평하다
—*n.* **1** (개 등의) 낑낑거림; 칭얼거림; 흐느끼는 소리; (탄환·바람 등의) 윙 소리 **2** 우는소리, 넋두리, 푸념
whín·er *n.*

whinge [*h*wíndʒ | wíndʒ] (호주·영) *vi.* 우는소리를 하다, 호소하듯이 울다(whine); 투덜거리다
—*n.* 우는소리

whing·er¹ [*h*wíŋgər | wíŋg-] *n.* (스코) 단검(短劍), 단도

whinger² *n.* (미·속어) 떠들썩한 주연(酒宴)

whin·ny [*h*wíni | wíni] *vi.*, *vt.* (**-nied**) 〈말이〉 나지막이[기분 좋은 듯이] 울다; 울어서 나타내다[표시하다](⇨ horse 관련)
—*n.* (*pl.* **-nies**) 말의 울음소리

whin·stone [*h*wínstòun | wín-] *n.* Ⓤ 〖암석〗 현무암 등 단단한 암석의 속칭

whin·y [*h*wáini | wáini] *a.* 불평하는, 투덜대는; 짜증나는 **whín·i·ness** *n.*

⁑**whip** [*h*wíp | wíp] *v.* (**~ped, whipt** [*h*wípt]; **~·ping**) *vt.* **1 a** 채찍질하다, 매질하다: (~+목+부) ~ a cow *on* 소를 매질하여 빨리 가게 하다 **b** 격려[편달]하다, 자극하다; (엄하게 말하여) 가르치다, 고치게 하다; 매질하여 …시키다: (~+목+전+명) ~ sense *into* a child 아이를 철들도록 엄하게 가르치다 **2** (구어) …에 이기다, 격파하다 **3** 홱 잡아채다[거머쥐다]; 갑자기 움직이게 하다[잡아당기다]; 〈달걀·크림 등을〉 세게 휘저어 거품이 일게 하다: (~+목+부) ~ *off* one's coat 웃옷을 홱 벗다 / She ~*ped* my purse away. 그녀는 내 지갑을 홱 가져가 버렸다[잡아챘다]. // (~+목+전+명) ~ money *into* one's pocket 돈을 후딱 호주머니에 쑤셔 넣다 **4** 〈막대기 등에〉 동여매다, 휘감기게 하다, (실 따위로) 칭칭 감다; 〈솔기를〉 꿰매다, 감치다 **5** 〈석탄 등을〉 도르래로 끌어 올리다 **6** 〈강·호수 등에서〉 낚싯줄을 연방 거두었다 던졌다 하며 낚시질하다, 던질낚시를 하다 **7** 〈비·우박 등이〉 …을 세차게 때리다 **8** (구어) …에게 이기다, 승리하다: ~ a bad habit 악습을 고치다
—*vi.* **1** 채찍을 쓰다, 매질하다 **2** 급히 움직이다; 돌진하다, 뛰어들다[나가다]: (~+부) ~ *away* to a foreign country 급히 외국으로 가다 // (~+전+명) ~ *behind* the door 얼른 문 뒤에 숨다 **3** 〈비·우박 등이〉 세차게[휘갈기듯] 때리다[불다]; 〈깃발 등이〉 바람을 가르다, 펄럭이다: flags that ~ in the wind 바람에 날리는 깃발 **4** 던질낚시를 하다
~ away (1) 채찍으로 쫓아버리다 (2) 홱 낚아채다 (3) 갑자기 출발하다 (4) 갑자기 데리고 가다 ***~ back*** 〈가지·문 등이〉 되튀어 오다 ***~ in*** (1) 〈사냥개 등을〉 채찍으로 불러들이다 (2) 〈의원에게〉 등원(登院)에 힘쓰도

thesaurus **whip** *v.* lash, scourge, birch, switch, strap, thrash, beat, strike, castigate

while

while의 대표적인 용법은 종속접속사 기능이다. while은 뜻과 구문상 when에 가까우나 while이 「어떤 길이를 지닌 기간」을 말하는 데 대해, when은 「어떤 특정한 시점」을 나타낸다.
접속사적 용법 외에 명사와 동사의 용법이 있으며, 명사 용법에서는 여러 성구를 이루고 있음에 유의해야 한다.

‡**while** [*h*wáil | wáil] *conj.*, *n.*, *v.*

① …하는 동안	접 **1 a**
② 한편(으로는)	접 **2 b**
③ …하지만	접 **2 a**

— *conj.* **1 a** …하는 동안, 하는 사이, …와 동시에 《USAGE 「동작, 상태」가 계속되고 있는 시간[기간]을 나타내는 부사절을 만듦; while 절 안에 진행형이 많이 쓰임; cf. WHEN *conj.* 1a USAGE》: Strike ~ the iron is hot. 《속담》 쇠는 달구어졌을 때 쳐라. 《쇠뿔도 단김에 빼렜다.》/ Did anyone call ~ I was away? 내가 외출한 동안 누구 찾아온 사람 있었어요? / *W*~ (you are) eating, you shouldn't speak. 식사하는 동안에는 말을 해서는 안 된다. ★ while이 이끄는 종속절과 주절의 주어가 같을 때, 종속절의 주어와 be동사가 생략될 수 있음. **b** …하는 한(as long as): *W*~ there is life, there is hope. 목숨이 있는 한 희망이 있다.
2 a [문두에 놓여 양보의 종속절을 이끌어] …할지라도, …라고는 해도, …하지만(although): *W*~ I admit that the problems are difficult, I don't agree that they cannot be solved. 그 문제가 어렵다는 것은 인정하지만, 해결할 수 없다고는 생각지 않는다. **b** [주절 뒤에서 반대·비교·대조를 나타내어] 그런데, 한편(으로는); 동시에: I've read fifty pages, ~ he's read only twenty. 나는 50페이지 읽었는데 그는 20페이지밖에 읽지 못하고 있다. / The walls are green, ~ the ceiling is white. 벽은 초록색인데 천장은 흰색이다.
— *n.* [a ~] 《짧은》 동안, 잠깐, 잠시: for *a* (short) ~ 잠깐, 잠시 동안 《for는 종종 생략됨》/ in *a* (little) ~ 곧, 얼마 안 있어 / once in *a* ~ 이따금, 가끔, 때때로 / after *a* ~ 잠시 후에 / quite *a* ~ 꽤 오랫동안 / *a* good[great] ~ 꽤 오랫동안 / *a* ~ ago 조금 전에 / *a* long ~ ago 오래 전에
all the **~** (1) 그동안 내내 (2) [접속사적으로] …하는 동안 내내: The students chattered *all the* ~ I was lecturing. 학생들은 내가 강의하는 동안 내내 지껄여 댔다.
all this **~** 이 오랫동안 내내
at **~*s*** 때때로, 이따금
a **~** ***back*** 수주[수개월] 전에(는), 요전에, 앞서
between **~*s*** 《구어》 틈틈이, 때때로, 이따금
the **~** [부사구로서] 그 동안; 동시에
this long **~** = all this WHILE
worth (one***'s***[a person***'s***]) ~ ⇨ worth[1] *a.*
— *vt.* 〈시간을〉 빈둥빈둥[한가하게] 보내다 《*away*》: (~+목+부) He ~*d away* his vacation on the beach. 그는 휴가를 바닷가에서 보냈다.

록 하다 **~ *into shape*** …을 형체를 갖추게 하다; …을 애써 이룩하다 **~ *off*** (1) 채찍으로 쫓다; 〈사냥개를〉 채찍으로 흩어져 뛰어가게 하다 (2) 갑자기 데리고 가다; 급히 떠나다 (3) 후닥닥 벗다; 급히 쓰다: ~ *off* a book report 보고서를 급히 쓰다 **~ *on*** 〈말을〉 채찍질하여 빨리 가게 하다 **~ *out*** (1) 홱 끄집어 내다, 〈칼·권총 등을〉 뽑아 들다 (2) 퉁명스럽게 말을 뱉어내다 **~ *round*** (1) 홱 돌아보다 (2) 급히 가다 (3) 모두에게서 돈을 거두다 **~ *the devil around the stump*** 《미》 교묘한 구실 등을 대어 난관을 타개하다; 정식으로는 안 될 일을 속임수나 재주를 부려 해내다 **~ *through*** 〈일 등을〉 척척[신속하게, 간단히] 해치우다 **~ *up*** (1) 〈말 등을〉 채찍질하여 뛰게 하다 (2) 홱 잡아채다; …을 재빨리 끌어 모으다: ~ *up* the mob 군중을 모으다 (3) 《구어》 〈요리·작품 등을〉 재빠르게 만들다[계획하다, 준비하다]: ~ *up* dinner in ten minutes 10분 안에 저녁을 급히 준비하다 (4) …을 (…한 상태까지) 자극하다, 흥분시키다; 〈반응·감정 등을〉 유발하다
— *n.* **1 a** 채찍(의 소리) **b** [the ~] 채찍질 **2** 마부 《특히 4두 마차의》 **3** 사냥개 담당자 **4 a** 원내 총무 《정당의》 **b** 《영》 (자기당 의원에게 내는) 등원(登院) 명령서 **5** 끌어올리는 도르래 **6** 휩 《달걀·크림 등을 섞어 거품을 일게 한 디저트용 과자》 **7** 〖낚시〗 던질낚시 **8** Ⓤ 나긋나긋함, 탄력성, 유연성 **9** 풍차의 날개; 〖음악〗 (타악기의) 채 **10** 〖전기〗 (휴대용 라디오·자동차 등의) 회초리 모양의 안테나 **11** [*pl.*] [단수 취급] 《호주·구어》 다량, 다수(의 …) 《*of*》
a fair crack of the **~** 《영·구어》 공평[공정]한 기회[취급] ***crack the*** **~** 채찍을 휘두르다; 지휘하다; 엄하게 감독하다; 벌을 주겠다고 을러 복종시키다; 겁주어 지배하다 **~ *and spur*** 황급히; 전속력으로
▷ whíppy *a.*
whíp bìrd 〖조류〗 호주에 서식하는 딱샛과(科)의 새 《울음소리가 채찍질 소리와 비슷함》
whip·cord [*h*wípkɔ̀ːrd | wípkɔ̀ːd] *n.* **1** 채찍 끈 《꼬거나 땋은》 **2** 장선(腸線) 《말이나 양의 창자를 말려 만든 노끈 같은 줄》 **3** 능직의 일종; 채찍 같은 해초
— *a.* 〈근육 등이〉 팽팽히 긴장된
whip·crack [-krӕ̀k] *n.* 매를 철썩하고 때림; 그 소리
whíp cràne 간이 기중기 《뱃짐 하역용》
whip·gin [-dʒìn] *n.* 조면기(繰綿機)
whíp gràft 〖원예〗 혀접 《접목법의 하나》
whíp hànd [the ~] **1** (채찍을 쥐는) 오른손 **2** 지배; 우위(優位) ***get*** [***have***] ***the ~ over*** [***of***] …을 지배[좌우]하다
whip·lash [-lӕ̀ʃ] *n.* **1** 채찍 끝(의 나긋나긋한 부분[가죽]) **2** 편달(鞭撻), 자극, 충격 **3** = WHIPLASH INJURY — *vt.* 채찍질하다; 아프게 하다; 손해[악영향]를 주다
whíplash ínjury 〖의학〗 목뼈의 골절 《자동차의 충돌로 인한》, 채찍을 맞은 상처
whip·less [*h*wíplis] *a.* 〈국회의원이〉 정식으로 탈당한, 당원 신분을 박탈당한
whip-out [*h*wípàut] *n.* 《미·속어》 돈, 초기 투자
whipped [*h*wípt | wípt] *a.* **1** 매 맞은 **2** (섞어서 저어) 거품을 일게 한 **3** 죽도록 얻어맞은 (것 같은); 《미·속어》 지칠 대로 지친, 기진맥진한(= **∼-ùp**, **∼ úp**)
whip·per [*h*wípər] *n.* 채찍질하는 사람[물건]
whip·per-in [*h*wípərín] *n.* (*pl.* **whip·pers-**) **1** 〖수렵〗 사냥개 담당자 **2** 〖의회〗 원내 총무(whip) **3** 《속어》 〖경마〗 꼴찌를 한 말
whip·per·snap·per [*h*wípərsnӕ̀pər] *n.* 하찮은 사람, 애송이; 얄미운 놈, 건방진 녀석
whip·pet [*h*wípit | wíp-] *n.* **1** 위피트 《greyhound와 terrier의 교배에 의한 영국산 경주견》 **2** 〖군

thesaurus **whirl** *v.* turn around, circle, spin, rotate, revolve, wheel, twirl, swirl, reel, pivot
whirlpool *n.* vortex, maelstrom, eddy

사》 (쾌속) 경전차(輕戰車) 《1차 대전 때 영국군의》
whip·ping [*h*wípiŋ | wíp-] *n.* **1** ⓊⒸ 채찍질, 태형(笞刑) **2** Ⓤ 급히 움직임; 덤벼들기; 〖요리〗 거품을 일게 하기 **3** Ⓤ 〖낚시〗 던질낚시질 **4** Ⓤ 〖항해〗 (밧줄 등의) 끝 매듭; 칭칭 감아 묶음 **5** ⓊⒸ 《구어》 패배
whípping bòy **1** 〖역사〗 (왕자의 학우(學友)로서) 대신 매를 맞는 소년 **2** 대신 당하는 자, 희생자
whípping crèam 휘핑크림 《유지방 함유량이 많아 거품 내는 데 쓰는 생크림》
whípping pòst 〖역사〗 태형(笞刑) 기둥
whípping tòp 채로 치는 팽이
whip·ple·tree [*h*wípltrì: | wíp-] *n.* 마구(馬具)의 봇줄을 매는 가로막대, 물추리막대
whip·poor·will [*h*wípərwìl | wípuəwìl] *n.* 〖조류〗 쏙독새의 무리 《북미산(産)》
whip·py [*h*wípi | wíp-] *a.* (**-pi·er**; **-pi·est**) **1** 채찍 모양의 **2** 탄력[탄성]이 있는(springy), 낭창낭창한, 부드러운: a ~ tree branch 부드러운 나뭇가지 **3** 《구어》 쾌활한, 팔팔한 **whíp·pi·ness** *n.*
whip-round [*h*wípràund] *n.* 《영·구어》 (동료·친구의 불행이나 경사 때 하는) 기부 권유, (자선) 모금
whip·saw [-sɔ̀:] *n.* (틀에 끼운) 가늘고 긴 톱
— *vt.* (**~ed**; **~ed, -sawn** [-sɔ̀:n]) **1** whipsaw로 켜다 **2** 《미》 결탁하여 이기다; 이중으로 손해를 주다; 〈조합이〉 회사를 경합시켜 유리하게 이끌다 **3** 《미·구어》 쉽게 이기다; 심하게 때리다; 〈일 등을〉 빨리 해치우다
— *vi.* 〈전차 등이〉 갑자기 기울다, 좌우로 흔들리다; 《미》 경합시키다
whip·sawed [-sɔ̀:d] *a.* 〖증권〗 이중으로 손해를 본 《하락 직전에 사고 값이 오르기 직전에 팔아서》
whíp snàke 〖동물〗 채찍뱀 《꼬리가 채찍처럼 가느다란 뱀》
whip·stall [-stɔ̀:l] *n.* 〖항공〗 급(상승) 실속(失速) 《수직 상승 시에 기수가 급격히 흔들려 실속하는 일》
— *vi., vt.* 급(상승) 실속하다[시키다]
whip·ster [*h*wípstər | wíp-] *n.* **1** 채찍을 쓰는 사람 **2** = WHIPPERSNAPPER
whip·stitch [*h*wípstìtʃ | wíp-] *n.* 감치기 ***every ~*** 《미남부》 자주, 빈번히
— *vt.* 〈가장자리를〉 감치다
whip·stock [*h*wípstɑ̀k | wípstɔ̀k] *n.* 채찍 손잡이; 〖석유〗 휩스톡 《유정(油井)에 내려서 비트의 굴진 방향을 바꾸는 데 쓰이는 역(逆)쐐기 모양의 기구》
— *vi., vt.* 휩스톡을 써서 파다
whíp tòp = WHIPPING TOP
whip·worm [-wə̀:rm] *n.* 편충(鞭蟲)
whir [*h*wə́:r | wə́:] [의성어] *v.* (**~red**; **~·ring**) *vi.* 씽 소리내며 날다[회전하다, 움직이다]; 〈모터 등이〉 윙윙 돌다 **—** *vt.* (빨리) 윙윙 소리를 내며 나르다: A limousine *~red* him away. 리무진이 그를 태우고 윙 소리를 내며 갔다.
— *n.* [보통 *sing.*] 씽 하는 소리; 빙빙 도는 소리: the ~ of wings 날개 도는 소리
‡**whirl** [*h*wə́:rl | wə́:l] *vt.* **1 빙글빙글 돌리다**: ~ a top 팽이를 돌리다 **2** 소용돌이치게 하다 **3** 〈던지는 무기 등을〉 빙빙 돌려 던지다: (~+목+전+명) The man *~ed* his hat *across* the room. 그 남자는 모자를 빙빙 돌려 방 맞은편으로 던졌다.// (~+목+부) The wind *~ed away* people's hats. 사람들의 모자가 바람에 빙빙 돌며 날렸다. **4** 〈탈것이〉 〈사람을〉 재빨리 나르다[데려가다] **5** 《고어》 현기증을 일으키게 하다
— *vi.* **1 빙빙 돌다**; 소용돌이치다, 회전[선회]하다: (~+부) ~ *round* 〈나뭇잎 등이〉 뱅글뱅글 돌며 날다// (~+전+명) ~ *about* a room 방 안을 빙빙 돌다 **2** (차·비행기 등을 타고) 급히 가다; 〈차 등이〉 질주하다 《*away*》: (~+전+명) ~ *down* the freeway 고속도로를 질주하다 **3** 현기증이 나다: My head is *~ing.* 현기증이 난다. **4** 〈생각·감정 등이〉 연달아 떠오르다, 용솟음치다
— *n.* **1 a** 회전, 선회 **b** 핑핑 도는 것, 소용돌이; 선풍 **2** [a ~] (정신의) 혼란, 착란 **3** [보통 *sing.*] **a** 어지러움 **b** (사건·모임 등의) 주마등 같은 연속 《*of*》: a ~ *of* graduation parties 졸업 파티의 연속 **c** 후딱 걸어가기[뛰어가기]; 짧은 여행 **4** 〖식물·동물〗 = WHORL **5** [a ~] 《구어》 시도
give ... a ~ 《구어》 …을 시도하다, …을 해 보다: He *gave* the diet *a ~*. 그는 식이 요법을 해 보았다.
in a ~ 선회하여; 빙빙 돌아; 갈피를 못 잡아, 혼란하여: My head is *in a ~*. 내 머리는 혼란하다.
~·ing·ly *ad.*
whirl·a·bout [*h*wə́:rləbàut] *n.* **1** 선회 (작용), 회전 **2** = WHIRLIGIG **—** *a.* 빙빙 도는, 선회하는
whirl·er [*h*wə́:rlər | wə́:l-] *n.* **1** 선회하는 물건, 빙빙 도는 물건 **2** 마무리용 녹로(轆轤)
whirl·i·gig [*h*wə́:rligìg | wə́:l-] *n.* **1** 회전하는 장난감 《팽이·팔랑개비》; 회전목마; 변덕스러운 사람 **2** 회전 운동; 선전(旋轉); 변전(變轉): the ~ of time 시운[운명]의 변전 **3** 〖곤충〗 = WHIRLIGIG BEETLE
whírligig bèetle 〖곤충〗 물맴이
⁎**whirl·pool** [*h*wə́:rlpù:l | wə́:l-] *n.* **1** 소용돌이 **2** 혼란, 소란
whírlpool bàth (치료를 위한) 기포(氣泡) 목욕법[장치] 《소용돌이를 인공적으로 만들어 그 가운데서 하는》
⁎**whirl·wind** [*h*wə́:rlwìnd | wə́:l-] *n.* **1** 회오리바람 **2** 소용돌이침 《감정의》; 회오리바람 같은 것[일] **3** 세찬 회전 운동; 어지러운[눈이 핑핑 도는] 활동 ***ride*** (***in***) ***the ~*** ⇨ ride. (***sow the wind and***) ***reap the ~*** 나쁜[어리석은] 짓을 했다가 몇 갑절의 벌을 받다
— *a.* Ⓐ (소용돌이처럼) 빠른, 급격한, 성급한: a ~ visit[tour] 황급한 방문[여행]
— *vi.* 회오리바람처럼 움직이다
whirl·y [*h*wə́:rli | wə́:li] *a.* (**whirl·i·er**; **-i·est**) 빙빙 도는, 소용돌이치는 **—** *n.* (*pl.* **-ies**) (눈을 동반한) 소용돌이 바람 《남극 대륙에서 발생함》
whirl·y·bird [*h*wə́:rlibə̀:rd | wə́:li-] *n.* 《구어》 헬리콥터
whirl·y·pig [*h*wə́:rlipìg] *n.* 《미·속어》 경찰 헬리콥터; 그 승무원
whirr [*h*wə́:r | wə́:] *v., n.* = WHIR
whir·ry [*h*wə́:ri | wə́:ri] *v.* (**-ried**) 《스코》 *vi.* 서둘다, 급히 가다 **—** *vt.* 신속하게 운반하다; 〈가축을〉 급히 몰고 가다
whish [*h*wíʃ | wíʃ] [의성어] *vi.* 쉿[휙] 하고 소리나다[움직이다, 날다] **—** *vt.* 쉿[휙] 하고 몰다[뒤쫓다]
— *n.* 쉿[휙] 소리
whisht [*h*wíst | wíʃt] *int., v., n., a.* 《스코·아일》 = WHIST[2]
⁎**whisk** [*h*wísk | wísk] *vt.* **1** 〈먼지 등을〉 **털다,** 털어 없애다; 〈파리 등을〉 쫓다; 〈꼬리·채찍 등을〉 (털듯이) 흔들다, 휘두르다: (~+목+부) ~ flies *away* [*off*] 파리를 쫓아내다// (~+목+전+명) ~ crumbs *off* one's coat 웃옷에서 빵부스러기를 털다 **2** 홱 가져[끌어]가다; 가볍게 나르다: (~+목 +부) ~ *away* [*off*] a newspaper 신문을 홱[싹] 가져가 버리다// (~+목+전+명) ~ a letter *out of* sight 편지를 후딱 감추다 **3** 〈달걀·크림 등을〉 빨리 휘젓다(whip) 《*up*》
— *vi.* 홱[급히] 가버리다[사라지다]: (~+전+명) ~ *out of* sight 급히 사라지다 / ~ *into* a hole 〈쥐 등이〉 구멍 속으로 잽싸게 사라지다// (~+부) ~ *out* 재빨리 집어내다
— *n.* **1** 털기; 후다닥 침 《새·짐승의 날개·꽁지 등의》; 신속한 움직임: in[with] a ~ 즉시, 곧 **2** 총채, 작은 비 《털·짚·작은 가지 등으로 만든》 **3** 묶음,

whisks *n.* **5**

whirlwind *n.* cyclone, tornado, twister
whisk *v.* **1** 털다 brush, sweep, wipe **2** 휘두르다 wave, flick, brandish **3** 빨리 휘젓다 whip, beat, mix

단 《건초·짚·셴털·깃 등의》 **4** 양복 솔 **5** 휘젓는 기구 《달걀·크림 등의》

whísk bròom 양복 솔

*__whis·ker__ [*h*wískər | wís-] *n.* **1** [보통 *pl.*] 구레나룻(⇨ beard [유의어]); 콧수염 한 가닥; (구어) 콧수염 **2** [보통 *pl.*] 수염 《고양이·쥐 등의》; 부리 둘레의 털 《새의》 **3** 〖무선·전자〗 =CAT WHISKER **4** (사파이어·금속 등의) 단결정(單結晶) **5** [a ~] (구어) 얼마 안 되는 거리; 간발의 차 **6** (비어) 여자, 매춘부 **7** [*pl.*] (미·속어) (권투에서의) 턱 **8** [*pl.*; 단수 취급] (미·구어) (턱수염을 한) 노인, 나이 많은 남자 **9** [보통 *pl.*] 〖인쇄〗 (활자의) 세선(細線)(hairline)

by a **~** 근소한[간발의] 차로 ***come*** [***be***] ***within a*** **~** (***of*** do***ing***) **...** (영) 거의 …할 뻔하다 ***have*** [***grow***] **~*s*** 더 이상 새롭지 않다; 한창때가 지나다 ***Mr.*** [***Uncle***] ***W*** **~*s*** (미·속어) 미국 정부; 미국 정부의 법 집행 관리 《내국 세무 공무원·마약 단속관·FBI 수사관 등》 **whís·ker·y** *a.*

whis·kered [*h*wískərd | wís-] *a.* 구레나룻이 난

‡**whis·key**[1] [*h*wíski | wís-] [Gael. 「생명의 물」의 뜻에서] *n.* (미) **1** [UC] **위스키** 《귀리·밀·옥수수·보리 등을 증류하여 만든 술》 **2** [a ~] 위스키 한 잔 ★ (미)에서는 whiskey는 국산품, whisky는 수입품에 쓴다. **3** [**W~**] (통신에서) W를 나타내는 말 **4** (미·속어) (경식당에서) 호밀빵

—*a.* 위스키의, 위스키로 만든

whiskey[2] *n.* (*pl.* **~s**) 경장(輕裝) 2륜 마차의 일종

whískey and sóda 위스키소다, 하이볼

whis·key·fied, -ki·fied [*h*wískifàid | wís-] *a.* 위스키에 취한

whískey sóur 위스키 사워 《위스키에 설탕·소다수·레몬 주스를 탄 칵테일》

*__whis·ky__ [*h*wíski | wís-] *n.* (*pl.* **-kies**) (영) =WHISKEY

whísky màc 위스키 맥 《위스키와 진저와인을 섞은 술》

whisp [*h*wísp | wísp] *n.* =WISP

‡**whis·per** [*h*wíspər | wís-] *vi.* **1 속삭이다**; 귀엣말하다, 귀띔하다: (~+[전]+[명]) ~ *in* a person's ear [*to* a person] …에게 귀엣말하다; 소문 이야기를 하다 **2** 일러바치다, 험담[밀담]하다; 소곤소곤 이야기하다 《*about*》: (~+[전]+[명]) The city *~ed about* the rumors. 그 도시는 그 소문으로 술렁거렸다. **3** 〈바람·시냇물·나뭇잎 등이〉 살랑거리다: (~+[전]+[명]) A breeze *~ed through* the pines. 소나무 숲속을 산들바람이 살랑거리며 불어왔다.

—*vt.* **1** 속삭이다, 작은 목소리로 말하다: (~+[목]+[전]+[명]) ~ something *to* a girl 소녀에게 무엇인가를 속삭이다 // (~+[전]+[명]+***that*** [절]) I *~ed to* him *that* he might come. 나는 그에게 와도 좋다고 속삭였다. // (~+[목]+***to*** do) ~ a person not *to* go …에게 가지 말라고 속삭이다 **2** 살며시 이야기를 퍼뜨리다: (~+***that*** [절]) It is *~ed that* the market is dull. 시황(市況)이 불경기라는 소문이다. // (~+[목]+[전]+[명]) The strangest things are being *~ed about* her. 그녀에 관하여 이상하기 짝이 없는 소문이 나돌고 있다. **3** 낮은 목소리로 말을 걸다

—*n.* **1 속삭임,** 낮은 목소리 **2** 수군거림, 쑥덕공론; 밀담; 소문, 풍설; 암시 **3** [보통 *sing.*] 살랑[속삭]거리는 소리: the ~ of a dress 옷자락이 살랑거리는 소리 **4** 적은 분량, 기미(trace): a ~ of a perfume 향수의 은은한 냄새 ***give the*** **~** 살짝 귀띔하다 ***in a*** **~** = ***in*** **~*s*** 낮은 목소리로, 가만가만히

~·er *n.* 속살거리는 사람; 고자질하는 사람

whis·per·ing [*h*wíspəriŋ | wís-] *a.* 속삭이는 듯한; 살랑거리는; 소문을 좋아하는 **—** *n.* [UC] 속삭임, 소곤거림, 낮은 소리로 이야기함 **~·ly** *ad.*

whíspering campàign (미) (상대방 입후보자의 명예를 훼손하기 위한) 허위 사실 유포 행위, 중상모략 전술

whíspering gàllery [**dòme**] 속삭임의 회랑(回廊) 《작은 소리도 멀리까지 들리게 만든 회랑; London의 St. Paul's 대성당의 회랑 등》

whis·per·ous [*h*wíspərəs | wís-] *a.* =WHISPERY

whis·per·y [*h*wíspəri | wís-] *a.* 속삭이는 것 같은, 희미한; 졸졸[소곤]거리는 소리로 가득 찬

whist[1] [*h*wíst | wíst] *n.* [U] 〖카드〗 휘스트놀이 《보통 네 명이 함》 ***long*** [***short***] **~** 휘스트의 10점[5점] 승부

whist[2] *int.* (고어·방언) 쉿, 조용히 **—** *vt., vi.* 조용하게 만들다[되다]; 말을 그치게 하다[그치다]

—*n.* (아일) 침묵 ***Hold your ~!*** 조용히 (해)!

—*a.* (고어) 조용한, 무언의

whíst drìve (영) 휘스트 드라이브 《휘스트를 몇 사람이 상대를 바꿔 가며 하는 놀이》

‡**whis·tle** [*h*wísl | wísl] [의성어] *vi.* **1 휘파람 불다,** 휘파람을 불어 부르다; 〈새가〉 지저귀다; 〈바람이〉 씽 불다; 〈탄환이〉 핑 하고 날아가다: (~+[전]+[명]) The wind *~d around* the house. 바람이 집 주위에 씽씽 불었다. / ~ *through* the air 〈탄환 등이〉 공기를 가르며 날아가다 **2** (개·차 등에) 휘파람[호각]으로 부르다[신호하다] **3** (놀라움·안도·낙담 등으로) 휴 하고 소리를 내다 **4** 휘파람 같은 소리를 내다; 기적을 울리다 **5** 밀고[고자질]하다

—*vt.* **1** 〈노래 등을〉 휘파람으로 불다; 휘파람으로 가락을 맞추어 노래하다 **2** 휘파람으로 부르다; 호각으로 신호하다: (~+[목]+[부]) ~ a dog *forward* [*back*] 휘파람으로 개를 앞으로 나아가게[되돌아오게] 하다 **3** 〈화살·총탄 등을〉 휙 하고 내쏘다

let a person ***go*** **~** 단념시키다, 청을 들어주지 않다 **~ *down the wind*** (1) 놓아주다, 버리다, 마음대로 가게 하다 《매사냥의 비유에서》 (2) 〈남을〉 중상하다, 명예를 훼손하다 **~ *for*** (구어) (1) 휘파람으로 부르다 (2) 구하여도[바라도] 소용없다, 보람도 없이 구하다 **~ *in the dark*** 대담한[침착한] 체하다, 허세 부리다 **~** one***'s life away*** 일생을 태평스럽게 보내다 **~ *up*** (1) 〈개 등을〉 휘파람으로 부르다 (2) (많지 않은 재료로) …을 재빨리 만들다

—*n.* **1 휘파람 2 호각**; 호적(號笛), 경적(警笛); **기적**(汽笛) **3** 휙 하는 소리, 날카롭게 우는 소리 《때까치 등》, (나뭇잎 등이) 바람에 날리는 소리 **4** (구어) 입, 목구멍 (***as***) ***clean*** [***clear***] ***as a*** **~** 아주 깔끔하여[깨끗하여, 청결하여], 아주 안전하게, 손쉽게, 거뜬히 ***blow the*** **~ *on*** (구어) (1) 〖경기〗 〈심판이〉 (선수에게) 벌칙 적용의 호각을 불다 (2) 〈부정행위 등을〉 그만두게 하다; …을 불법이라고 말하다; 경고하다 (3) 〈동료 등을〉 밀고하다 (4) 폭로하다 ***not worth the*** **~** 전혀 무가치한 ***pay*** (***dear***) ***for*** one***'s*** **~** 하찮은 물건을 비싼 값으로 사다, 홍정에서 뒤집어쓰다; (하찮은 일로 인해) 심한 꼴을 당하다 ***penny*** [***tin***] **~** 구멍이 여섯 개인 양철 피리 《싼 장난감》 ***steam*** **~** 기적 ***wet*** one***'s*** **~** (구어·익살) 목을 축이다; 한잔하다 **~ *and flute*** (속어) 정장, 양복 한 벌 **~ *and toot*** (속어) 돈, 현금

~·a·ble *a.*

whístle bàit (미·속어) 매력적인 여자

whis·tle-blow·er [*h*wíslblòuər | wísl-] *n.* (미·속어) 밀고자, 내부 고발자; (경찰 등에) 정보 누설자

whis·tle-blow·ing [-blòuiŋ] *n.* (미·속어) 모함, 고발, 밀고

whis·tled [*h*wísld] *a.* (속어) 술 취한

whis·tler [*h*wíslər | wís-] *n.* **1** 휘파람 부는 사람; 픽[휙] 하는 소리(를 내는 것) **2** (미·속어) 밀고자 **3** 〖동물〗 (몸집이 큰 야성의) 마멋(marmot)의 무리; 〖조류〗 피리 소리를 내는 새 《홍머리오리 등》 **4** 〖수의학〗 천식에 걸린 말

whístle stòp (미) **1 a** 급행열차가 서지 않는 작은 역 《역에서 신호가 있으면 임시 정거》 **b** 보잘것없는 작은 고을 **2** (작은 마을 등에서의 선거 유세나 흥행을 위한) 단기 체류 **3** (선거 입후보자가 열차에서 하는) 작은 역에서의 짧은 연설

thesaurus **whisper** *n.* **1** 속삭임, 저음 murmur, mutter, low voice, undertone **2** 살랑거리는 소리 rustle, sigh, sough, swish, swoosh

whis·tle-stop [*h*wíslstɑ̀p | wíslstɔ̀p] *vi.* (**~ped**; **~·ping**) (미·구어) 〈후보자가〉 작은 역까지 두루 돌면서 유세하다; 각지에서 1박씩 하면서 여행하다
— *a.* Ⓐ 지방 유세의: a ~ speech 지방 유세 연설

whis·tling [*h*wísliŋ | wís-] *a.* 휘파람을 부는, 휘파람 같은 소리를 내는
— *n.* ⓊⒸ **1** 휘파람, 휘파람 같은 소리; 휘파람 불기 **2** 〔수의학〕 (말 등의) 천식 **~·ly** *ad.*

whístling búoy 〔항해〕 무적(霧笛) 부이 《파도의 요동에 따라 기적이 울리는 안개 경보용》

whístling swán 〔조류〕 고니 《북미산(産)》

*****whit** [*h*wít | wít] *n.* [a ~; 보통 부정문에서] 조금, 극소량 ***every*** **~** 어떤 점으로나, 전혀 ***no*** [***not a, never a***] **~** 조금도 …않다(not at all): He had *not* changed *a* ~. 그는 조금도 변하지 않았었다.

Whit [*h*wít | wít] *n., a.* 성령 강림절(Whitsunday)(의)

Whít·a·ker's Álmanack [*h*wítəkərz- | wít-] 휘터커 연감(年鑑) 《1868년 영국의 출판업자 Joseph Whitaker가 창시》

⁑white [*h*wáit | wáit] *n.* **1** ⓊⒸ 백색, 흰빛; 청백색 **2** Ⓤ 흰 그림물감; 흰빛 염료 **3** 순백, 결백, 무구 **4** [종종 **W~**] **a** 백인, 《특히》 코카서스 인종 **b** 초(超)보수주의자, 반동주의자 **5** 물건의 흰 부분; (고기·목재 등의) 흰 부분 **6 a** (달걀 등의) 흰자위 **b** (눈의) 흰자위 **7** Ⓤ 백포도주; 흰 빵 **8** [**W~**] 화이트 《돼지의 백색 품종》 **9** [the ~] 〔인쇄〕 공백, 여백 **10** 〔곤충〕 흰나비의 무리 **11 a** Ⓤ 흰옷(감), 백의, 백포(白布): a lady in ~ 흰옷 입은 여인 **b** [*pl.*] 백포 제품, 흰 운동복 **12** [the ~] 〔궁술〕 과녁의 가장 바깥 테; 거기에 꽂힌 화살 **13** 〔의학〕 [**~s**] 백대하(白帶下) **14** (미·속어) 코카인, 모르핀; 바닐라 아이스크림; 진한 화이트 소스 **15** (영·속어) 은화; 《일반적으로》 돈 **16** [the ~s] (미·속어) 임질(gonorrhea) ***in the*** **~** 〈천이〉 흰 바탕 그대로의; 〈제품이〉 미완성 상태의
— *a.* **1** 흰, 하얀, 백색의 **2** 흰빛이 도는; 여린 빛의; 색이 바랜 **3 a** 백색 인종의 〈문화 등〉 **b** (흑인에 대하여) 백인 지배[전용]의: a ~ club 백인(전용의) 클럽 **4** (공포·분노·질병 등으로) 창백한: ~ with rage 분노로 창백한 **5** 은백색의; 백발의 **6** 눈이 오는, 눈이 쌓인: a ~ winter 눈이 오는 겨울 **7** 〈물·공기·빛·유리 등이〉 투명한, 무색의 **8** (정치적으로) 초보수적인, 왕당(王黨)의; 반공산주의의(opp. *red*); 반동(적)인 《보통 반혁명파의》: a ~ purge 혁명분자 추방 **9** 공백의, 여백의, 백지의, 빈: a ~ space 여백 **10** 흰옷을 입은, 백의의: a ~ monk 흰옷을 입은 수도사 **11** (구어) 공명정대한, 신용할 수 있는; 관대한 **12** 운이 좋은, 행운을 가져오는 **13** (구어·비유) 결백한, 더럽혀지지 않은 **14** 〈거짓말·마법 등이〉 선의의, 해(害) 없는 **15 a** 〈포도주가〉 백색의 **b** (영) 〈커피가〉 밀크[크림]를 탄 **16** 〈감정 등이〉 격렬한 **17** 〈싸움이〉 교전이 없는 **18** (음악에서) 음색[울림, 온화함]이 없는 **19** (미·속어) 정직한, 성실한; 〈매매 등이〉 공정한 **20** (미·속어) 보잘것없는; 이해심 없는
(***as***) **~** ***as a sheet*** [***cloth, ghost***] (공포 등으로) 〈얼굴이〉 백지장 같은, 아주 창백한 (***as***) **~** ***as snow*** [***milk, chalk***] 새하얀, 순백의; 결백한 ***be in*** **~** ***terror*** [***rage***] 공포[분노]로 (핏기를 잃어) 새파랗게 질려 있다 ***bleed*** a person **~** …를 짜낼 수 있는 데까지 짜내다 ***make*** one***'s name*** **~** ***again*** 오명(汚名)을 씻다, 설욕하다 ***mark with a*** **~** ***stone*** 대서특필하다 ***whiter than*** **~** (구어) 더할 나위 없이 청렴결백한[정직한]
— *vt.* **1** 〔인쇄〕 공백으로 하다 《*out*》 **2** (고어) 희게 하다 **~ *out*** 〈오자 등을〉 수정액으로 지우다; …을 검열해서 삭제하다; (인쇄에서) …에 여백[공백]을 남기다; (극장 등에서) 〈관객의 눈을〉 부시게 하다
▷ whíten *v.*; whítish *a.*

whit *n.* particle, bit, jot, iota, mite, little, trifle
white-collar *a.* nonmanual, office, clerical, professional, executive, salaried

whíte ádmiral 〔곤충〕 흰줄나비

whíte agáte 백색의 옥수(玉髓)

whíte alért 공습 경보 해제

whíte álkali 〔농업〕 백색 알칼리토(土), 알칼리 백토

whíte álloy 〔야금〕 백색 합금(white metal)

whíte ánt 1 〔곤충〕 흰개미 **2** [*pl.*] (호주·속어) 정신이 나간[이상한] 것

white-ant [*h*wáitæ̀nt | wáit-] *vt.* (호주·구어) 〈기업·단체 등을〉 (내부로부터) 파괴하다

whíte área 특별한 이용 계획이 없는 지역

whíte ársenic = ARSENIC TRIOXIDE

Whíte Austrália pólicy (유색 인종의 이민을 허용치 않는) 백호(白濠)주의

whíte bácklash (소수 민족 차별 철폐 운동에 대한) 백인의 반발, 백색 반동

white·bait [-bèit] *n.* (*pl.* ~) 〔어류〕 **1** 뱅어 **2** 정어리·청어 등의 새끼

white·beam [-bì:m] *n.* 〔식물〕 마가목류(類)

whíte béar 〔동물〕 흰곰, 북극곰(polar bear)

white·beard [-bìərd] *n.* 늙은이, 노인, 옹(翁)(graybeard)

whíte bélt (유도 등의) 흰 띠(의 사람)

whíte bírch 〔식물〕 흰자작나무 《유럽산(産)》

whíte blóod cèll 백혈구(white corpuscle)

white·board [-bɔ̀:rd] *n.* (플라스틱제의) 희고 매끄러운 칠판 《컬러 펜 등으로 썼다가 지울 수 있는》

whíte bóok (미) 백서 《국내 사정에 관한 정부 발행 보고서; cf. WHITE PAPER, BLUE BOOK, YELLOW BOOK》

white·boy [-bɔ̀i] *n.* **1** (고어) 총애받는 사람, 총아 **2** [**W~**] 〔역사〕 백의(白衣) 당원 《18세기 아일랜드에서 농지 개혁을 주장한 비밀 결사원》

whíte bréad 흰 빵 《정백분(精白粉)으로 만든 것》 (cf. BROWN BREAD)

white-bread [-brèd] *a.* (구어) **1** (경멸) 백인 중산계급의, 백인 중산층의 특징[전통]을 지닌; 부르주아의 **2** 전통적인, 인습적인 **3** 단조로운, 자극이 없는
— *n.* 재미없는 사람

white·cap [-kæ̀p] *n.* **1** [보통 *pl.*] 흰 물결, 흰 파도(breaker) **2** 흰 모자를 쓴 사람 **3** [**W~**] (미) 백모단원(白帽團員) 《폭력적인 자칭 경비단원》 **4** = HORSE MUSHROOM

whíte cást ìron 백철광(white iron)

whíte cédar 〔식물〕 편백의 일종 《미국 동부산(産)》; 그 재목

whíte céll 백혈구(white blood cell)

Whíte·chap·el cárt [*h*wáittʃæ̀pəl- | wáit-] 두 바퀴 달린 손수레 《상품 배달용》

whíte chíp 〔카드〕 백색 포커칩 《금액이 가장 낮은 칩》

whíte chócolate 초콜릿 타입의 백색 당과

Whíte Chrístmas 눈 내린 크리스마스

whíte clóver 〔식물〕 흰꽃클로버, 흰토끼풀

whíte cóal (동력원으로서의) 물, 수력; 전력

whíte cóffee (영) 우유[크림] 탄 커피(cf. BLACK COFFEE)

*****white-col·lar** [-kɑ́lər | -kɔ́lə] *a.* Ⓐ **1** 사무직의, 화이트 칼라층의[에 속하는, 에 특유한], 두뇌 노동자의 (cf. BLUE-COLLAR) **2** 〈범죄자가〉 지능범인

whíte-cóllar críme 화이트 칼라족(族)의 범죄, 공무원이나 회사원의 부정행위 《배임·횡령·착복·유용·증수회 등의 총칭》

whíte-cóllar críminal (살인범·절도범에 대해서) 탈세[횡령, 유용, 증수회] 범인

whíte-cóllar wórker 봉급 생활자, 인텔리 직업인 (cf. BLUE-COLLAR WORKER)

white·comb [-kòum] *n.* 〔의학〕 백선(白癬), 기계충

Whíte Cóntinent [the ~] 흰 대륙, 남극 대륙 (Antarctica)

whíte córpuscle 백혈구

whíte crów 1 흰 까마귀 《진기한 것》 **2** 〔조류〕 이집트독수리

whit·ed [*h*wáitid | wáit-] *a.* 희게 한, 하얗게 된; 표백한; 하얗게 칠한
whíte dáisy 〖식물〗 프랑스 국화 《1년초》
whíte dámp (일산화탄소가 주성분인) 갱내 유독 가스
whíte dáy 《드물게》 재수 좋은 날, 길일(吉日)
whíte déath 《구어》 헤로인
whíte drùgs 《미·속어》 코카인
whíted sépulcher 위선자(hypocrite); 겉만 번지르르한 것
whíte dwárf 〖천문〗 백색 왜성(矮星)
whíte élephant **1** 흰 코끼리 《인도·버마·스리랑카 등에서 신성시됨》 **2** 성가신[처치 곤란한] 물건 《옛날 샴의 국왕이 흰 코끼리를 미운 신하에게 하사하여 사육비로 골치를 앓게 했다는 이야기에서》
Whíte Énglish (미국의) 백인 영어(cf. BLACK ENGLISH)
whíte énsign [the ~] 《영》 (해군의) 백색기, 영국 군함기
white·face [*h*wáitfèis | wáit-] *n.* **1** 〖동물〗 얼굴에 흰 부분[반점]이 있는 동물; = HEREFORD **2** 〖연극〗 하얗게 분칠한 화장; 하얗게 분칠한 어릿광대
white-faced [-fèist] *a.* **1** 안색이 창백한 **2** 〈동물이〉 얼굴이 흰; 얼굴에 흰 부분[반점]이 있는 **3** 표면이 흰 **4** 뻔뻔스러운, 낯이 두꺼운
whíte fáther 아프리카 파견 선교사 《흰 의복에서》
whíte féather **1** [the ~] 겁쟁이의 증거 《투계의 흰 꽁지 깃은 싸움에 약한 표지라는 데서》 **2** 겁쟁이
show the **~** 겁을 집어먹다, 꽁무니를 빼다, 우는소리를 하다
whíte fínger(s) 〖의학〗 백랍병(白蠟病)
white·fish [-fìʃ] *n.* (*pl.* **~, ~·es**) **1** 흰빛의 물고기; 송어의 일종; 흰 돌고래 **2** Ⓤ (대구 등의) 물고기의 흰 살
whíte flág 백기(白旗), 항복[휴전]기
hoist[***show, hang out, run up, raise, wave***] ***the*** **~** 백기를 들다; 단념하다; 굴복하다
whíte flìght (백인 중산 계급의) 도심에서 교외로의 탈출 《범죄 증가·인종 융합·중세(重稅) 등이 원인》
whíte flóur (배아와 밀기울을 제거한) 흰 밀가루
whíte-fòoted móuse [-fùtid-] 〖동물〗 흰발생쥐
whíte fóx 북극 여우
whíte fríar [종종 **W- F-**] 카르멜(수도)회의 수사(Carmelite friar)(cf. BLACK[GREY] FRIAR)
whíte fróst 흰 서리; 서리(hoarfrost)(cf. BLACK FROST)
whíte fúel (에너지원(源)으로서의) 강물; 무연(無鉛) 휘발유
whíte gasolíne[gás] 무연(無鉛) 가솔린
whíte gírl 《미·속어》 코카인(cocaine)
white-glove [-glʌ́v] *a.* 《구어》 세심한, 면밀한; 오점[결점] 없는, 무균의
whíte glóves 〖영국법〗 흰 장갑 《옛날 순회 재판에서 처리할 형사 사건이 없을 때 주(州) 장관이 판사에게 증정했음》
whíte góld 화이트골드 《금과 니켈에 때로는 아연, 주석 또는 구리 등을 섞은 플래티나(platinum) 대용의 합금》; 흰[정제해서 하얗게 된] 산물 《설탕, 면화 등》
whíte gòods **1** 리넨류(類) 《시트·테이블보·타월 등》 **2** (냉장고·세탁기 등 흰색의) 대형 가정용품
white-haired [-hέərd] *a.* **1** 백발의; 흰 털로 덮인 **2** 《구어》 마음에 드는
White·hall [*h*wáithɔ̀:l | wáit-] *n.* **1** 화이트홀 《런던의 관청 소재 지역》 **2** [집합적] 《영》 영국 정부(의 정책)
white-hand·ed [*h*wáithǽndid | wáit-] *a.* **1** 손이 흰, 노동하지 않은 **2** 결백한
whíte hát 《미·속어》 올바른[착한] 사람《서부극의 주인공이 흰 모자를 쓴 데서》; 《미·해군속어》 하사관
whíte hàt hácker 《컴퓨터속어》 선량한 해커 《컴퓨터 시스템을 보호하는 등 회사에 유익한 일을 하는 고용된 해커》
white·head [-hèd] *n.* 〖의학〗 패립종(稗粒腫)(milium)
White·head [*h*wáithed | wáit-] *n.* 화이트헤드 **Alfred North ~** (1861-1947) 《영국 태생의 미국 수학자·철학자》
white-head·ed [*h*wáithédid | wáit-] *a.* **1** 백두(白頭)의, 백발의; 금발의 **2** 《구어》 마음에 드는
whíte héat **1** (구리·철 등의) 백열(白熱) 《1500-1600℃》 **2** (심적·육체적인) 극도의 긴장, (감정의) 격앙 상태, (투쟁 등의) 치열한 상태
whíte héron 큰 백로
whíte hóle 〖천문〗 화이트홀 《black hole에 빨려 들어간 물질이 방출된다는 가설적인 장소》
whíte hópe **1** 《속어》 (흑인에게서 헤비급 선수권을 쟁취할 수 있는) 백인 권투 선수 **2** (소속 분야·학교·국가에) 큰 공헌이 기대되는 사람
whíte hórses 흰 물결(whitecaps)
white-hot [-hʌ́t | -hɔ́t] *a.* **1** 백열의 《금속 따위의》; 아주 뜨거운 **2** 극단적으로 열렬한, 흥분한
Whíte Hòuse [the ~] **1** 백악관 《미국 대통령 관저》 **2** 미국 대통령의 직[권위, 의견 《등》]; 미국 정부(cf. KREMLIN)
whíte húnter (아프리카의 사파리·수렵 여행의) 백인 안내인; (아프리카에서) 큰 동물을 사냥하는 백인
whíte informátion (은행 등이 신용 상태가 양호한 개인에 대해 내리는) 백색 신용 정보
whíte íron 백주철
whíte kníght 구조를 위해 나타나는 용사[영웅]; 정치 개혁자, (주의를 위한) 운동가; 〖경제〗 경영권을 인계당할 위기의 회사를 살리기 위한 회사
white-knuck·le [-nʌ́kl] *a.* 《구어》 무서운, 공포를 불러일으키는; 겁에 질린
whíte knúckler 《구어》 긴장[불안]을 주는 것; 몹시 겁에 질린 사람
whìte-knúckle rìde 손에 땀을 쥐게 하는 신나는 놀이기구 《롤러코스터 등》
whíte lády **1** 《속어》 코카인 **2** [the ~] (불행의 조짐으로서 나타난다는) 백의(白衣)의 (귀)부인
whíte lánd 《영》 농업 지정지
whíte léad [-léd] 〖화학〗 **1** 백연(白鉛), 탄산연 **2** 퍼티(putty)
whíte léather 무두질한 흰 가죽
whíte lég 〖의학〗 = MILK LEG
whíte líe (공손한 나머지 저지른) 가벼운[의례적인] 거짓말, 악의[죄] 없는 거짓말
whíte líght **1** 〖물리〗 백색광 **2** 공정한 판단
whíte líghtning 《미·속어》 자가 양조[밀조]의 위스키; = LSD[1]
whíte líne **1** 흰 선, 백선 《특히 도로 중앙의》 **2** 〖인쇄〗 (행간의) 공백 행 **3** 《미·속어》 밀매 위스키
white-lipped [-lìpt] *a.* (무서움으로) 입술의 핏기가 사라진, 입술이 새파랗게 질린
whíte líquor 백액(白液) 《제지용 펄프 용해제》
whíte lìst 바람직한 것의 리스트(cf. BLACKLIST); 우량 도서[인물, 기업] 목록
white-liv·ered [-lívərd] *a.* 겁 많은; 혈색이 나쁜, 창백한; 활기가 없는; 건강하지 못한
whíte lúng = ASBESTOSIS
white·ly [*h*wáitli | wáit-] *ad.* 하얗게 보이게; 하얗게, 백색으로
whíte mágic (치료 등 선행을 목적으로 한) 선의의 마술(cf. BLACK MAGIC)
whíte màn **1** 백인 **2** 《구어》 공평한[훌륭한] 사람, 청렴결백한 사람; 본데 있는 사람, 좋은 가문의 사람
whíte màn's búrden [the ~] (유색 인종의 미개발국을 지도해야 할) 백인의 책무
whíte márket (배급표 등 공인된) 합법적 시장[거래] 《암시장의 형성을 막기 위하여》
whíte màtter 〖해부〗 (뇌·척수의) 백질
whíte mèat 흰 고기 《닭·송아지·돼지 등의 고기》; 《속어》 (성적 대상의) 백인; 《고어》 유제품
whíte métal = WHITE ALLOY

white méter (영) 〖전기〗 백색 미터 《요금이 싼 때의 전력 소비량을 표시하는 전력계》
white móney (미·속어) 출처를 속이고 합법을 가장한 비자금
White Móuntains [the ~] 화이트 산맥 《미국 New Hampshire 주의 산맥》
white múle (미·속어) 에틸알코올에 물을 탄 술; 밀주
white múscle disèase 〖수의학〗 백근증(白筋症)
white mústard 〖식물〗 백겨자 《겨자유를 채취함》
*__whit·en__ [*h*wáitn | wáitn] *vt.* **1** 희게 하다, 표백하다, 희게 칠하다: ~ cloth 천을 표백하다 **2** …의 죄[더러움]를 씻다, 결백하게 하다; 결백한 듯이 보이게 하다 — *vi.* 희어지다; 〈얼굴이〉 창백해지다
▷ white *a.*
whit·en·er [*h*wáitnər | wáit-] *n.* 표백하는 사람[물건], 표백제, 표백공; (커피·홍차에 넣는) 분말 크림; (영·속어) 코카인
*__white·ness__ [*h*wáitnis | wáit-] *n.* Ⓤ **1** 흼, 순백, 설백(雪白) **2** 순결, 결백 **3** 창백 **4** 백색 물질; 백색 부분
white nígger (미·속어·경멸) 흑인의 시민권을 옹호하는 백인
white níght 백야(白夜); 잠 못 이루는 밤
White Níle [the ~] 백(白)나일 《나일강 상류의 No 호(湖)에서 Khartoum까지의 본류; cf. BLUE NILE》
whit·en·ing [*h*wáitniŋ | wáit-] *n.* Ⓤ **1** 희게 함[됨], 백화, 표백 **2** =WHITING[2]
white nóise 〖물리〗 (모든 가청(可聽) 주파수를 포함하는) 백색 소음
white óak (껍질이 흰) 떡갈나무; 그 목재
white óil 백유(白油) 《무미·무색·무취의 광물유》
white·out [*h*wáitàut | wáit-] *n.* 〖기상〗 **1** 화이트아웃 《극지(極地)에서 천지가 모두 백색이 되어 방향 감각을 잃어버리는 상태》 **2** (미) (잘못 쓴 글자를 지우는) (백색의) 수정액(液); 수정액으로 수정된 부분
white pàges [the ~] (전화번호부의) 개인별 가입자란; 〖컴퓨터〗 백서
white páper **1** 백지(白紙) **2** 백서(白書) 《특히 영국 정부의 보고서; blue book보다 간단》; 《일반적으로》 정식 보고서
white pépper 흰 후추(cf. BLACK PEPPER)
white pèril [the ~] 백화(白禍) 《유색 인종이 백색 인종에게서 받는 압박; cf. YELLOW PERIL》
white phósphorus 황린(黃燐)
white píne 〖식물〗 스트로부스소나무 《북미산(産)》, 이와 비슷한 소나무류의 총칭; 그 재목
white plágue [the ~] **1** 〖병리〗 폐결핵 **2** 헤로인 중독
white póplar 〖식물〗 백양(白楊), 사시나무
white potàto 감자(Irish potato)
white prímary 〖미국사〗 백인 예비 선거회 《남부에서 백인만이 투표할 수 있던; 1944년 위헌 판결》
white ráce [the ~] 백[백색]인종
white ríbbon (미) 흰 리본 《금주(禁酒)·순결 장려의 표지》
white ríce 백미(白米)
white ròom 무균(無菌)[무진(無塵)]실
White Rússia 백러시아 《구소련 서부의 공화국; 벨로루시 공화국으로 바뀜; 수도 Minsk》
White Rússian **1** 백러시아 사람 **2** 백계 러시아 사람 《러시아 혁명에 반대한 사람들》 **3** 칵테일의 일종 《보드카·생크림·카카오 등을 섞어서 만듦》
white rúst 〖식물·병리〗 흰녹병; 흰녹병균
white sàle 흰 섬유 제품(white goods)의 대매출
white sàuce 〖요리〗 화이트소스 《버터·밀가루·우유를 섞어 만듦》
white scóurge [the ~] (영) 폐결핵
White Séa [the ~] 백해(白海) 《구소련 북서부에 있는 Barents Sea의 일부》
white séttler (경멸) 부유한 이주자
white shárk 백상아리
white shéep 믿지 못할 무리들 중의 착실한 사람
white shéet (참회자가 입는) 흰옷, 백의
put on [***stand in***] ***a ~*** 참회하다, 회개하다
white shóe (미·속어) 전형적인 Ivy Leaguer
white-shóe *a.*
white sláve **1** (매춘을 강요당하는) 백인 소녀[여성], 매춘부 **2** 백인 노예
white sláver white slave의 매매[알선]업자
white slávery 백인 매춘부[노예]의 처지[매매]
white·smith [-smìθ] *n.* 양철공(工), 은도금공(cf. BLACKSMITH); 철기 전문 직공
white smóg 광(光)화학 스모그
white spàce 〖인쇄〗 여백
white spírit **1** [종종 *pl.*] 백유(白油) 《도료 용제(塗料溶劑)의 일종》 **2** (영) 휘발유
white squàll 〖기상〗 무운(無雲) 돌풍 《열대 지방의 급진성 폭풍》
white stíck (맹인용) 흰 지팡이
white stúff (미·속어) **1** 코카인(cocaine); 모르핀, 헤로인 등 **2** 밀주용 알코올, 밀조 위스키
white suprémacist 백인 우월론자[우월주의자]
white suprémacy 백인 우월주의
white-tailed déer [-tèild-] 〖동물〗 흰꼬리사슴
white-tailed éagle 〖조류〗 흰꼬리수리
white téa còmmune (중국의) 가난한 인민공사 《차 대신에 더운 맹물을 마신다는 뜻》
White Térror [the ~] 〖정치〗 백색 테러 《정치적 목적 달성을 위해 암살·파괴 등을 수단으로 하는 테러》
white·thorn [-θɔ̀:rn] *n.* =HAWTHORN
white·throat [-θròut] *n.* 〖조류〗 참새의 일종 《북미산(産)》; 목이 흰 명금(鳴禽)
white tíe **1** 흰 나비넥타이 **2** (남자의) 정장 《야회용》, 연미복
white-tie [-tái] *a.* Ⓐ 흰 나비넥타이가 필요한, 정장을 필요로 하는 〈만찬 등〉
white trásh [집합적] (경멸) (특히 미국 남부의) 가난한 백인
white túrnip 순무
white vàn màn (영·구어) 공격적인 흰색 밴[배달차] 운전자
white vítriol 황산아연
white·wall [-wɔ̀:l] *n.* 측면이 흰 타이어
white wár 유혈 없는 전쟁 《부정한 수단을 써서 하는 경제 전쟁 등》(cf. HOT[COLD] WAR)
white·ware [*h*wáitwὲər] *n.* 〖요업〗 백색 도자기
*__white·wash__ [*h*wáitwɔ̀(:)ʃ, -wɑ̀ʃ | wáit-] *n.* Ⓤ **1** 수성(水性) 백색[석회] 도료 《벽·천장 등에 바르는》 **2** 결백을 표시하는 수단; (잘못 등을 감추기 위한) 겉발림; 속임수 **3** (영·속어) (다른 술 뒤에 입가심으로 마시는) 한 잔의 셰리 **4** (미·구어) (경기에서의) 영패(零敗), 완패 **5** (벽돌 표면의) 풍화(風化)
— *vt.* **1** 희게 회칠하다 **2** 〈결점을〉 겉칠하여 속이다, 호도(糊塗)하다 **3** [수동형으로] 〈파산자 등을〉 재판 절차로 채무를 면제해 주다 **4** (미·구어) 영패시키다 **5** 〈벽돌 등에〉 풍화를 발생시키다 **~·er** *n.*
white wáter **1** (급류 등의) 거품이 이는 물 **2** (바닥이 보이는) 맑은 바닷물
white wáx 백랍
white wáy 번화가, 불야성
white wédding 순백의 (의상을 입은) 결혼식
white·weed [*h*wáitwì:d] *n.* 흰 꽃이 피는 풀
white whále 〖동물〗 흰돌고래
white wíne 백포도주(cf. RED WINE, ROSÉ)
white·wing [-wìŋ] *n.* (미) 흰 제복을 입은 사람, 《특히》 도로 청소부
white wítch (사람의 행복을 위해서만 힘을 행사하는) 착한 마녀
white·wood [-wùd] *n.* 〖식물〗 흰 빛깔의 나무 《linden 등》; Ⓤ 그 목재
white wòrk 흰 천에 흰 실로 놓은 자수
whit·ey [*h*wáiti | wáiti] *n.* Ⓤ [때로 **W~**] (속어·경멸) **1** 백인 **2** [집합적] 백인, 백인 사회

whith·er** [*h*wíðər | wíð-] *ad.* 《시어·문어》 **1** [의문사] **a** 어디로, 어느 곳으로(opp. *whence*) **b** [신문 문체, 정치 슬로건 등에서 동사를 생략하여] …은 어디로(가느냐), …은 어떻게 되는가, …의 미래는; 어떤 목적으로: *W*~ our democracy? 우리의 민주주의는 어떻게 되는가? / *W*~ strives modern youth? 현대 젊은이들은 무엇을 목적으로 노력하는가? **2** [관계사] **a** [제한적 용법] (…하는[한]) 그 곳으로: the place ~ he went 그가 간 장소 **b** [비제한적 용법] 그리고 그곳으로: He was in heaven, ~ she hoped to follow. 그는 천국에 있었으며, 그녀도 뒤따라 그곳으로 가고 싶었다. **c** [선행사 없는 관계사] 어디든지 …하는 곳으로: Go ~ you please. 어디든지 가고 싶은 곳으로 가거라. **d** [양보] 어느 쪽으로 …해도[할지라도]: Go ~ you will, you will return whence you came. 어느 쪽으로 간다 해도 출발점으로 돌아오게 된다. ***no **~** 어디로도 …않다
—*n.* [the ~, one's ~] 가는 곳, 목적지

whith·er·so·ev·er [*h*wìðərsouévər | wìð-] *ad., conj.* 《고어》 [WHITHER의 강조형] **1** 어디로든지, …하는 곳은 어디든지 **2** [양보절] 어디로 …할지라도

whith·er·ward(s) [*h*wíðərwərd(z) | wíð-] *ad.* 《고어·시어》 어느 쪽으로 (향하여); = WHITHERSOEVER

whit·ing[1] [*h*wáitiŋ | wáit-] *n.* (*pl.* **~, ~s**) 〖어류〗 **1** 대구의 무리 **2** 민어의 무리

whiting[2] *n.* Ⓤ 호분(胡粉), 백악(白堊)

whíting pòut 〖어류〗 소형 대구

whit·ish [*h*wáitiʃ | wáit-] *a.* 약간 흰, 희끄무레한 (pale): ~-green 담녹색 **~·ness** *n.*

Whít·ley Cóuncil [*h*wítli- | wít-] 《영》 휘틀리 위원회 《노사(勞使) 대표 회의[협의회]》

whit·low [*h*wítlou | wít-] *n.* Ⓤ 〖병리〗 **1** 표저(瘭疽), 생인손 **2** (양(羊)의) 제관염(蹄冠炎)

Whit·man [*h*wítmən | wít-] *n.* 휘트먼 **Walt ~** (1819-92) 《미국의 시인》

Whit·mon·day [*h*wítmʌ́ndei, -di | wít-] *n.* Whitsunday 뒤의 첫 월요일

Whit·ney [*h*wítni] *n.* **Mount ~** 휘트니 산 《미국 California 주 동부 Sierra Nevada 산맥 중의 산》

Whit·sun [*h*wítsən | wít-] *n., a.* 성령 강림절(의)

Whit·sun·day [*h*wítsʌ́ndei, -di | wítsʌndi] *n.* 성령 강림절, 오순절 《Easter 뒤의 제 7일요일》(Pentecost)

Whit·sun·tide [*h*wítsəntàid | wít-] *n.* 성령 강림절 주간 《Whitsunday로부터 1주간, 특히 첫 3일간》

whit·tle [*h*wítl | wítl] *n.* 《고어》 큰 칼, 식칼 《특히 고깃간의》
—*vt.* **1** 베다, 자르다; 깎아서 모양을 다듬다: (~+목+전+명) He ~*d* the wood *into* a figure. 그는 나무를 깎아 사람의 모양을 새겼다. **2** 〈비용 등을〉 (점차) 덜다, 감하다 《*down, away*》: (~+목+부) They tried to ~ *down*[*away*] expenses. 그들은 비용을 줄이려고 애썼다. **3** 《미·속어》 수술하다
—*vi.* **1** 깎다, 새기다: (~+전+명) She was *whittling at* a stick. 그녀는 한 자루의 막대기를 깎고 있었다. **2** 고뇌[초조]로 심신이 모두 지치다 **3** 《미·속어》 수술하다 **whít·tler** *n.*

whit·tled [*h*wítld | wítld] *a.* 《미·속어》 술 취한

whit·tling [*h*wítliŋ | wít-] *n.* **1** 깎기, 베기, 새기기; 삭감하기 **2** [종종 *pl.*] 깎은 부스러기, 나무토막

Whít Wèek = WHITSUNTIDE

whit·y [*h*wáiti | wáiti] *a.* (**whit·i·er**; **-i·est**) [종종 복합어를 이루어] 흰빛을 띤, 희끄무레한

***whiz(z)** [*h*wíz | wíz] *n.* **1** 윙, 핑, 씽 《화살·총알 등이 내는 소리》; 씽[윙] 하며 재빨리 움직이는 것 **2** 《미·속어》 민완가, 수완가; 명수, 전문가 《*at*》: a ~ *at* math 수학의 도사 **3** (만족할 만한) 협정, 조처 **4** 《미·속어》 소매치기 **5** 《속어》 소변: take a ~ 소변을 보다 **6** 《미·속어》 (간단한) 필기 시험
—*v.* (**whizzed**; **whiz·zing**) *vi.* **1** 씽[윙] 소리 나다; 씽[윙] 하며 움직이다[날다, 회전하다]: (~+부) The bullet *whizzed past.* 총알이 핑하고 날아갔다. **2** 《미·속어》 소매치기를 하다 **3** 《속어》 소변을 보다 **4** 돌아가다, 가다 《*off*》
—*vt.* **1** 윙[핑, 씽] 소리나게 하다 **2** 원심 탈수기에 걸다, 급속하게 회전시키다 **3** 《속어》 〈차를〉 폭주시키다; 소매치기하다

whiz(z)-bang, whiz(z)·bang [*h*wízbæ̀ŋ | wíz-] *n.* **1** 〖군사〗 (초고속의) 소구경 포탄의 일종 **2** 《구어》 폭죽(firecracker) **3** 《구어》 명수, 전문가(whiz) **4** 《미·속어》 코카인과 모르핀의 혼합물
— [스스] *a.* 일류의, 최고의(topnotch)

whíz kìd 《구어》 신동; 젊은 수재: Pentagon's civilian ~*s* 미 국방부의 민간인 귀재들

whiz·zer [*h*wízər | wíz-] *n.* **1 a** 윙윙 소리 나는 것 **b** 원심 탈수기 **2** 뛰어난 매력[재능]이 있는 것 **3** 빈틈없는 책략; 깜짝 놀라게 하는 조크 **4** 《속어》 소매치기

whiz·zy [*h*wízi | wízi] *a.* (기술적으로) 혁신적인, 진보적인

‡who ⇨ who (p. 2873)

WHO, W.H.O. World Health Organization (유엔) 세계 보건 기구

whoa [*h*wóu | wóu] *int.* 워 《말 등을 멈추게 할 때에 내는 소리》

who'd [hú:d] who had[would]의 단축형

who-does-what [hú:dʌ̀z*h*wʌ́t | -wɔ́t] *a.* 〈파업 등이〉 어느 조합이 어떤 일을 분담할 것인가에 관한

who·dun·(n)it [hù:dʌ́nit] [Who done it? (= Who did it?)에서] *n.* 《구어》 추리 소설[영화, 극]

who·e'er [hu:ɛ́ər] *pron.* 《시어》 = WHOEVER

‡who·ev·er [hu:évər] *pron.* (목적격 **whom·ev·er** [hu:mévər]; 소유격 **whos·ev·er** [hu:zévər]) **1** [선행사를 포함하는 부정 관계대명사로서 명사절을 이끌어] **누구나**, 어떤 사람이든지(anyone who): *W*~ comes is welcome. 누구든지 오는 분은 환영한다. / Give it to ~ comes first. 먼저 오는 사람에게 그것을 주어라. / Ask *whomever* you meet. 누구든지 만나는 사람에게 물으시오. **2** [양보를 나타내는 부사절을 이끌어] **누가[누구를] …하더라도**(no matter who): *W*~[*Whomever*] I quote, you retain your opinion. 어떤 사람의 말을 내가 인용해도 자네는 자기 견해를 바꾸지 않는군. / *Whosever*[*Whoever's*] it was, it is now mine. 원래는 누구의 것이든 지금은 내 것이다. **3** [의문대명사 WHO의 강조형] 《구어》 **도대체 누가[누구를]**: *W*~ said so? 도대체 누가 그런 말을 하던가? **4** 《구어》 (누구라도 좋은) 어떤 (미지의) 사람: Give that to John, or Judy, or ~. 그건 존이나 주디나 누군가에게 주시오.

whol. wholesale

‡whole [hóul] [OE 「건강한」의 뜻에서] *a.* **1** Ⓐ [the ~, one's ~] **전체의**, 전원의, 모든, 전(全)…: *the* ~ time 내내, 시종 / I ate *the* ~ pie. 파이를 모두 먹었다. ★ 보통은 복수명사나 지명을 나타내는 고유명사를 직접 수식하지 않음.

> 유의어 **whole** 빠진 데가 없는 전체를 나타낸다: the *whole* world 전세계 **entire** 빠진 것도 보탤 것도 없는 완전성을 강조함; whole보다 뜻이 센 말: I spent the *entire* day reading the book. 그 책을 읽느라고 온종일을 보냈다. **total** 개개의 총합을 나타낸다: the *total* expenditure 총경비 **all** 용법은 다르지만 뜻은 whole, total과 같다: *all* the world 전세계 **gross** 공제하기 전의 총체를 나타낸다: *gross* income 총수입

2 Ⓐ **완전한**(complete), 다 있는; 《스코》 총수[총계]의; 흠 없는, 온전한; 순수한, 있는 그대로의, 섞지 않은 **3** Ⓐ [단수에는 부정관사를 붙여] 〈시간·거리 등이〉 꼬박 …, 꼭 …, 만(滿) …: a ~ year 꼬박 1년 **4** Ⓐ 〖수학〗 정수(整數)의, 정(整)의, 분수(分數)를 포함하지 않는 **5** 〈사람이〉 상처가 없는; 《고어》 건강한, 건장한 **6** 〈형제 등이〉 양친이 같은, 친형제(자매)의 **7** 전인적인,

who

who의 용법은 크게 의문대명사 「누구」와 관계대명사 「…(하는 사람)」의 두 가지 용법으로 나누어진다. 특히 who는 격변화를 하는데, 실제 용법에서는 목적격인 whom 대신에 주격인 who를 쓰는 경우가 많다. 즉 동사의 목적어나 뒤에 놓이는 전치사의 목적어가 될 경우에 whom 대신 who를 쓰기도 한다. 이런 경향은 (구어)에서 두드러진다. ⇨ *pron.* A 2, B1b
한편 관계대명사 용법에서 who는 사람을 선행사로 하나, 때로는 의인화된 동물이나 무생물을 선행사로 하기도 한다.

‡**who** [húː] *pron.* (목적격 **whom**, A에서는 (구어) **who**; 소유격 **whose**) **A** (의문대명사) **1** [성명·신원·신분 등을 물어] **누구**, 어느 사람, 어떤 사람 ★ 주어로 쓴 경우에는 의문문이라도 주어와 동사의 어순은 평서문과 같음: *W*~ is he? 그는 누구입니까? / *W*~ did it? 누가 그것을 했습니까? / *W*~ is it? 누구십니까? 《문을 노크하는 데 대한 대답》/ *W*~ would have thought it? 누가 그런 생각을 했겠는가? 《아무도 생각 못했을 것이다.》/ Nobody knew ~ he was. 아무도 그가 누군지를 몰랐다. / "When will the war end?"—"*W*~ knows." 전쟁은 언제 끝날까? —누가 알겠나. 《아무도 모른다.》/ *W*~ ever[on earth, in the world] told you that? 도대체 누가 너에게 그렇게 말했어? / *W*~ is this? [전화에서] 누구시죠? / Mr. *W*~? [전화에서] 누구시라고요? 《확실히 듣지 못했을 때 이름을 물을 경우》
2 [whom 대용으로] (구어) **누구를[에게]**: *W*~ do you mean? 누구 말입니까? / *W*~ is the letter *from*? 편지는 누구한테서 왔습니까? / I told him ~ to look *for*. 나는 누구를 찾아야 하는지를 그에게 일러 주었다. / I wonder ~ to invite. 누구를 초대할까?
— **B** (관계대명사) **1** [제한적 용법] …**하는[한](사람)** ★ 보통 「사람」을 나타내는 명사를 선행사로 하는 형용사절을 만듦. **a** [주격의 경우]: Anyone ~ wants to come is welcome. 오고자 원하는 사람은 누구라도 환영이다. / I dislike women ~ chatter incessantly. 나는 쉴 새 없이 수다를 떠는 여성은 질색이다. / It's I ~ am wrong. 잘못한 것은 저입니다. / There's a student (~) wants to see you. 어떤 학생이 당신을 뵙고 싶다고 합니다. ★ 주격의 관계대명사는 생략하지 않는 것이 원칙인데 There is ... 등의 뒤에서는 생략되기도 함. **b** [목적격의 경우] ★ (구어)에서는 때로 whom 대신에 사용되는 수가 있으나, 보통 생략됨: This is the person (~) I met yesterday. 이분이 제가 어제 만났던 사람입니다. **c** [It is ... who의 강조구문으로] …하는 것은(cf. IT[1] 7): *It was* he ~ broke the windowpane. 창유리를 깬 것은 그였다.
2 [비제한적 용법; 보통 앞에 콤마를 찍음] 그리고 그 사람은; 그러나 그 사람은 ★ 격식 차린 용법; who는 생략하지 않음: I saw one of my old friends, ~ recognized me at once. 나는 옛 친구를 만났는데 그는 나를 즉시 알아보았다. / Her husband, ~ is living in London, often writes to her. 그녀의 남편은 런던에 살고 있는데, 그녀에게 자주 편지를 쓴다. ★ 격식 차린 용법; 삽입적으로 쓰인 관계대명사는 「그리고그 사람은」의 뜻이 아니고, 문맥에 의해 「(그 사람은) …하는데」의 뜻이 됨 / The club has a band, ~ are all excellent musicians. 그 클럽에는 밴드가 있는데 모두가 뛰어난 음악가들이다. ★ 선행사가 a family, a band 등의 집합 명사일 때, 뒤의 동사가 복수형인 경우는 who를 쓰고, 단수형인 경우는 which를 씀.
3 [선행사를 포함한 관계대명사 용법으로] (…하는) 그 사람: I am ~ you are looking for. 내가 바로 당신이 찾고 있는 사람이오. 《이 who는 what로 대체할 수 있음》
4 [주격의 복합관계대명사로] (고어) (…하는) 사람은 누구나: *W*~ is born a fool is never cured. (속담) 바보는 죽을 때까지 바보다.
as ~ should say ... (고어) …이라고 말하려는 사람같이, …이라고 말하려는 듯이
no matter ~ 아무리 누가 …라고 해도[한다 할지라도](⇨ matter)
~ all ... (미남부) …하는[한] 사람은 빠짐없이 모두: Do you remember ~ *all* were at the party? 파티에 왔던 사람을 모두 기억하세요?
W~ is a person ***to*** do***?*** …가 …할 자격이[권리가] 있습니까? 《없다는 뜻》
~ does what 누가 무엇을 할 것인가; 역할 분담: decide ~ *does what* 역할 분담을 정하다
W~ goes there! 누구야! 《보초의 수하의 말》
~'s [~ ***is***] ~ (1) 누가 누구인지[어떤 사람인지]를 알다 (2) (어떤 곳에서) 누가 유력자인지: know ~*'s* ~ in the village 그 마을에서 누가 유력자인지를 알다

완전한, 원만한: education for the ~ person 전인교육 **8** Ⓐ [a ~; 다수[다량]를 나타내는 명사와 함께] 대단한, 큰: *a* ~ army of people 큰 무리의 사람들
a ~ bunch (미·구어) 크게, 매우, 굉장히 ***a ~ lot*** [부사적] (구어) 매우, 대단히 ***a ~ lot of ...*** (구어) 썩 많은… ***a ~ tone*** 〖음악〗 온음(全音) 《반음에 대하여》 ***be the ~ show*** 독무대를 이루다, 판을 휩쓸다 ***made out of ~ cloth*** (미) 새빨간 거짓말인, 전혀 허위 날조의 ***the ~ truth*** 있는 그대로의 사실 ***with a ~ skin*** 아무 상처도 입지 않고
— *n.* **1** [the ~] **전부**, 전체, 전원; 전량 《*of*》: *the* ~ *of* Korea 한국 전역 **2** [보통 a ~] 완전물; (유기적인) 통합체, 통일체: *an* organic ~ 유기적 통일체
as a ~ 총괄적으로, 전체로서; 대체적으로 ***in ~*** 전부, 완전히, 송두리째: *in* ~ or in part 전부 또는 일부 ***on***[***upon***] ***the ~*** 대개, 대체로, 일반적으로; 전체적으로 보아, 여러 가지를 고려할 때에; (고어) 최종적으로, 최후에는 ***taken as a ~*** 전체적으로 볼 때
— *ad.* 전적으로, 완전히; 전부, 통째로 ★ 주로 half와 대조적으로 쓰임.
▷ whólly *ad.*

whóle blóod 1 전혈(全血), 완전 혈액 《어떤 성분도 제거되지 않은 수혈용》 **2** 완전한[친] 부모 자식 관계 (cf. HALF BLOOD)
whóle bròther 부모가 같은 형제(cf. HALF BROTHER)
whóle chéese [the ~] (미·속어) 스타 선수; 유일한 중요 인물
whóle clóth 〖직물〗 원단
out of ~ (미·구어) 순 엉터리의, 완전히 날조한
whole-col·ored [hóulkʌ̀lərd] *a.* 단색의
whole·food [-fùːd] *n.* (영) (유기 농업으로 재배된) 무첨가 식물, 자연 식품
whóle gàle 〖기상〗 노대바람, 전강풍(全强風) 《시속 55-63마일》
whole-grain [-grèin] *a.* 정백(精白)하지 않은
⁎**whole·heart·ed** [hóulhɑ́ːrtid] *a.* **전심전력의**; 성의 있는, 진심의, 마음으로부터 열중하고 있는; 진지한
~·ly *ad.* **~·ness** *n.*
whóle hóg [the ~] (속어) 전체, 전부, 완전: believe[accept] *the* ~ 모조리 믿다[시인하다]
go (***the***) ***~*** (속어) 철저히[완벽하게] 하다
— *ad.* 완전히, 철저히

whole-hog [-hɔ́:g | -hɔ́g] *a.* Ⓐ 《속어》 철저한, 완전한(complete); 마음으로부터의, 진심의

whole-hog·ger [-hɔ́:gər | -hɔ́gər] *n.* 극단론자, 철저한 지지자[추진자]

whóle hóliday 만 하루의 휴일, 전(全)휴일(cf. HALF-HOLIDAY)

whole-hoofed [-hú:ft] *a.* 〖동물〗 단제(單蹄)의(cf. CLOVEN-HOOFED)

whole-length [-lèŋkθ] *a.* 전장(全長)의, 전신의; 생략[단축]하지 않은 **—***n.* 전신상(全身像)[사진]

whóle lífe insùrance 〖보험〗 종신 보험

whóle mèal 1 전립(全粒) 소맥분, 통밀가루(whole-wheat flour) **2** 《영》 = WHEATMEAL

whóle mílk 전유(全乳) 《지방분을 빼지 않은》

whole·ness [hóulnis] *n.* Ⓤ **1** 전체, 총체, 일체 **2** 안전, 흠 없음 **3** 〖수학〗 정수성(整數性)

whóle nòte 《미》 〖음악〗 온음표(《영》 semibreve)

whóle nùmber 〖수학〗 정수(整數)(integer); 자연수 《0을 포함》

whóle rèst 〖음악〗 온쉼표

*__whole·sale__ [hóulsèil] *a.* **1** 도매의, 대량 판매의: a ~ merchant 도매상 / ~ prices 도매 가격 **2** Ⓐ 전면적인, 대대적인, 대량의, 대규모의 〈학살 등〉: the ~ discharge of workers 노동자의 대량 해고

—*ad.* **1** 도매로 **2** 대량으로, 대대적으로 **3** 대강, 통틀어, 모조리, 무차별로

—*n.* Ⓤ 도매; 대량 판매

by [《미》 ***at***] **~** 도매로; 대대적으로, 대규모로

—*vt., vi.* 도매하다; 대량으로 팔다

whólesale príce ìndex 〖경제〗 도매 물가 지수

whole·sal·er [-sèilər] *n.* 도매업자

whole·sal·ing [-sèiliŋ] *n.* Ⓤ 도매업

whole·scale [hóulskèil] *a.* 대규모의; 광범위한

whóle-seas óver [-sì:z-] *ad.* 《구어·익살》 만취하여, 곤드레만드레가 되어

whóle shów [the ~] **1** 《미·속어》 스타[인기] 선수; 유일한 중요 인물 **2** 《미·구어》 일 전체, 만사: I hate *the* ~. 그 일 모두가 싫다.

whóle sìster 친자매

‡**whole·some** [hóulsəm] *a.* **1** (도덕적으로) 건전한, 유익한 **2** 건강에 좋은, 위생에 좋은 **3** 건강해 보이는, 건강한 (듯한) **4** 신중한, 주의 깊은; 안전한(safe) **~·ly** *ad.* **~·ness** *n.*

whole-souled [hóulsóuld] *a.* 마음으로부터의, 성의 있는(wholehearted)

whóle stèp [**tòne**] 〖음악〗 온음(정)

whole·time [-táim] *a.* 《영》 = FULL-TIME

whóle-tone scále [-tòun-] 〖음악〗 온음 음계

whole-wheat [-*h*wí:t] *a.* Ⓐ 《미》 밀기울을 빼지 않은 밀가루의(《영》 wholemeal): ~ flour 통밀가루 / ~ bread 통밀빵

who·lism [hóulizm] *n.* 〖철학〗 전체론(全體論)(holism) **who·lis·tic** [houlístik] *a.*

who'll [hú:l] who will[shall]의 단축형

‡**whol·ly** [hóu*l*li] *ad.* **1** 전적으로, 완전히(completely); 오로지(exclusively) **2** [부정 어구와 함께, 부분부정으로] 전부가 다 (…은 아니다) **3** 전체적으로, 포괄적으로: grasp the problem ~ 포괄적으로 문제를 파악하다 ▷ whóle *a.*

whol·ly-owned [-óund] *a.* 〖경영〗 주식이 다른 회사에 완전히 소유된: ~ subsidiary 전액 출자[투자] 자회사

‡**whom** [hú:m] *pron.* WHO의 목적격(⇨ who)

whom·ev·er [hù:mévər] *pron.* WHOEVER의 목적격

whomp [*h*wámp | wɔ́mp] 《구어》 *n.* 탁[탕] (하고 나는 소리) **—***vi.* 탁[탕] 하고 소리를 내다 **—***vt.* **1** 탁[탕] 치다 **2** 결정적으로 패배시키다 **~ *up*** 급조하다, 서둘러 만들다; 날조하다; 〈감정 등을〉 불러일으키다

whom·so [hú:msou] *pron.* WHOSO의 목적격

whom·so·ev·er [hù:msouévər] *pron.* WHOSOEVER의 목적격

*__whoop__ [hú(:)p, *h*wú(:)p | hú:p, wú:p] [의성어] *n.* **1** (기쁨 등을 나타내는) 와아(하고 외치는 소리); 함성; 환성: ~*s* of victory 승리의 함성 **2** (올빼미 등의) 부엉부엉 우는 소리(hoot) **3** (백일해 등의) 씩씩거리는 소리 **4** 《구어》 약간, 조금

a ~ and a holler (1) 《미·구어》 비교적 가까운 거리 (2) 《구어》 야단법석, 대소동 ***not care a ~*** 조금도 개의치 않다 ***not worth a ~*** 《미·구어》 한 푼어치 가치도 없다, 아주 시시하다

—*vi.* **1** (열광·흥분 등으로) 고함지르다(halloo); 큰 소리를 내며 지나가다; 〈법안 등이〉 환호 속에 통과되다 **2** 부엉부엉 울다 **3** 씩씩거리다

—*vt.* **1** 환성을 지르며 말하다; 큰 소리로 말하다; 야야[우아] 하고 외치며 쫓다[몰다]: ~ a welcome 큰 소리를 지르며 환영하다 《[illegible]》 ~ dogs *on* 와와 소리를 질러 개를 부추기다 **2** 잔뜩 선전하다 **3** 〈가격 등을〉 올리다

~ *it* [*things*] *up* 《미·속어》 (1) 큰 소리로 떠들어 대다, 마구 떠들고 놀다 (2) 열기[관심]를 높이다; 열렬히 지지[응원]하다 《*for*》

—*int.* 우, 와, 야 《환희·흥분 등의 외침》

whoop-de-do, -doo [hú:pdidù:] *n.* Ⓤ 《구어》 **1** 야단법석 **2** 뒤끓는 흥분 **3** 조직적 사회 행사[활동], 대대적인 선전 행사 **4** 요란스러운 토론, 격론

whoop·ee [*h*wú(:)pi: | wúpi:] *int.* 우, 와 《환성》 **—***n.* Ⓤ 《구어》 **1** 와(하는 함성) **2** 야단법석; 샴페인 ***make ~*** 진탕 떠들며 놀다; 야단법석 떨다

whóopee cùshion 《미·속어》 뿡뿡 쿠션 《앉으면 방귀 소리가 나는 고무 주머니》

whóopee wáter 《미·속어》 술, 와인, 《특히》 샴페인

whoop·er [hú:pər] *n.* **1** 야단법석하는[명랑하게 떠드는] 사람, 와 하고 소리치는 사람; 큰 소리를 내는 물건 **2** 부엉부엉 하고 우는 새 **3** 〖조류〗 백조(= **~ swàn**)

whóop·ing còugh [hú:piŋ-] 〖병리〗 백일해

whóoping cráne 〖조류〗 미국흰두루미 《북미산》

whoop·la [hú:plɑ:, *h*wú:p- | hú:p-] *n.* Ⓤ 야단법석; 큰 소동

whoops [*h*wú(:)ps | wú(:)ps] *int.* 《구어》 으악, 이크, 아차(oops) 《놀람·당황·사과 등을 나타내는 소리》 **—***vi.* 《미·속어》 토하다

whoosh [*h*wú(:)ʃ | wú(:)ʃ] *vi., vt.* 휙[쉭] 하고 움직이다[움직이게 하다]

—*n.* 휙[쉭] (하고 움직이는 소리) ***in a ~*** 《미·속어》 휙[쉭] 하고 소리내며; 재빨리

—*int.* 휴우 《놀람·피로 등을 나타냄》

whoo·sis, who·sis [hú:zis], **whoo·sy** [hú:zi] *n.* 《미·구어》 그것, 거시기 《물건·사람의 이름이 생각나지 않거나 모를 때》

whop, whap [*h*wáp | wɔ́p] *v.* (**~ped**; **~·ping**) *vt.* 《구어》 **1** 강타하다, 때리다, 채찍질하다 **2** 때려눕히다; 이기다; 지우다 **3** 쾅 하고 두다[내려놓다]; 홱 잡아당기다(whip) **—***vi.* 벌떡 넘어지다; 쾅 떨어지다

—*n.* **1** 《구어》 때림, 구타; 쾅 (하는 충돌·추락) **2** 《미·속어》 시도, 기회

whop·per, whap- [*h*wápər | wɔ́p-] *n.* 《구어》 **1** 때리는[구타하는] 사람 **2** 엄청난 것; 굉장히 큰 것 **3** 새빨간 거짓말, 허풍

whop·ping, whap- [*h*wápiŋ | wɔ́p-] *n.* ⓊⒸ **1** 태형(笞刑), 매질 **2** 대패(大敗), 참패

—*a.* 《구어》 굉장한, 엄청난(thumping) 〈허풍 등〉

—*ad.* 엄청나게, 굉장히

whore [hɔ́:r | hɔ́:] *n.* **1** 매춘부; 음탕한 여자 **2** 《미·속어》 절개가 없는 여자 **3** 《속어》 남창(男娼) **4** 《속어》 〖카드〗 여왕 **5** 《미·속어》 〖증권〗 신주(新株)만 노리는 고객 **6** 《미·학생속어》 무언가를 열중하여 하는 사람

thesaurus **wholesome** *a.* **1** 건전한 moral, ethical, helpful, beneficial, nonviolent **2** 건강에 좋은 nutritious, nourishing, healthful, good

wholly *ad.* **1** 전적으로 completely, fully, entirely, totally, utterly, thoroughly, perfectly, enthusiasti-

— *vi.* **1** 매춘하다; 오입하다 **2** 옳지 않은 일에 빠지다; 《고어》 우상·사교(邪敎)에 빠지다 ***go a whoring after*** 〖성서〗 〈우상·사교 등을〉 숭배하다 《출애굽기 34 : 15》

who're [hú:ər] who are의 단축형

whore·dom [hɔ́:rdəm | hɔ́:-] *n.* Ⓤ **1** 매춘, 사통(私通); 창녀 사회 **2** 배신 행위; 〖성서〗 우상 숭배

whore·house [hɔ́:rhàus] *n.* (*pl.* **-hous·es** [-hàuziz]) 매음굴, 갈보집 — *a.* 취미가 저속한

whórehouse cút 〖카드〗 한 벌의 카드를 둘로 나누고 그것을 다시 둘로 가르기

whore·mas·ter [-mæ̀stər, -mɑ̀:s-] *n.* = WHOREMONGER **~·y** *n.*

whore·mon·ger [-mʌ̀ŋgər] *n.* **1** 매춘부와 노는 사람; 호색가 **2** 밀통하는 남자; 매춘업자; 뚜쟁이, 포주(pimp) **~·ing** *n.*

whore·son [hɔ́:rsn, húər- | hɔ́:-] 《고어》 *n.* 사생아; 《경멸》 놈, 녀석 — *a.* 부모를 알 수 없는, 사생아의; 천한, 비열한, 싫은

Whórf·i·an hypóthesis [*h*wɔ́:rfiən- | wɔ́:f-] 〖언어〗 워프의 가설 《개인의 세계관은 모국어에 의해서 결정된다고 하는 설》

whor·ing [hɔ́:riŋ] *n.* Ⓤ 《고어》 매춘, 창녀와 관계하기

whor·ish [hɔ́:riʃ] *a.* 매춘부의[같은], 음탕한; 《고어》 배신적인, 우상 숭배의

whorl [*h*wə́:rl, *h*wɔ́:rl | wə́:l] *n.* **1** 〖식물〗 윤생체(輪生體) **2** 〖동물〗 (고둥 등의) 소용돌이꼴 《한 번 감김》; 나선의 한 번 감김; 소용돌이꼴 지문 **3** 달팽이관의 소용돌이; 나선부(螺旋部) **4** 《고어》 〖섬유〗 속도 조절 장치(flywheel)

whorled [*h*wə́:rld, *h*wɔ́:rld | wə́:ld] *a.* 〖식물〗 윤생의; 〖동물〗 소용돌이꼴로 된

whor·tle·ber·ry [*h*wə́:rtlbèri | wə́:-] *n.* (*pl.* **-ries**) 〖식물〗 산앵두나무 무리; 그 열매

‡**who's** [hú:z] who is[has, does]의 단축형

‡**whose** [hú:z] *pron.* **1** [의문대명사] [WHO, WHICH의 소유격] **a** [형용사적 용법] **누구의**: Do you know ~ pencil it is? 그것이 누구의 연필인지 알고 있니? **b** [명사적 용법] **누구의 것**: *W*~ is this pencil? 이 연필은 누구의 것이냐? **2** [관계대명사] **a** [제한적 용법] (그 사람[물건]의) …가[을] …하는 바의: Is there any student ~ name hasn't been called? 이름을 부르지 않은 학생은 없나? **b** [비제한적 용법] 그리고 [그러나] 그 사람[물건]의 …가[을]: My brother, ~ major was economics, is a professor of university. 내 동생은 전공이 경제학인데 대학 교수이다.

whose·so [hú:zsou] *pron.* WHOSO의 소유격

whose·so·ev·er [hù:zsouévər] *pron.* 《문어》 WHOSOEVER의 소유격; WHOSEVER의 강조형

whos·ev·er [hù:zévər] *pron.* WHOEVER의 소유격

who·sit, who·zit [hú:zit] [who's it가 준 말] *n.* Ⓤ 《속어》 아무개, 모모(某某)

who·so·e'er [hù:souέər], **who·so** [hú:sou] *pron.* 《시어·고어》 = WHOSOEVER

who·so·ev·er [hù:souévər] *pron.* WHOEVER의 강조형

who's who [hú:z-hú:] **1** [the ~; 집합적] (각계의) 명사, 유명인 **2** [**W- W-**] 명사록, 신사록, 인명록

who've [hú:v] who have의 단축형

Whó Wàs Whó 작고한 명사 인명록

WHP water horsepower

WH-ques·tion [dʌ́blju(:)èitʃkwéstʃən] *n.* 〖문법〗 wh의문(문) 《what, who, which 등 wh-로 시작되는 의문사에 의한 의문(문)》

---

cally **2** 오로지 only, solely, exclusively, purely

wicked *a.* evil, sinful, wrong, bad, base, vile, vicious, criminal, immoral, amoral, corrupt, foul, mean, dishonorable, disgraceful, shameful, malicious, nasty, offensive, degenerate

whr, whr., Whr, Whr. watt-hour(s) 와트시 《1시간 1와트의 전력》 **whs(e).** warehouse **whsle.** wholesale

whump [*h*wʌ́mp | wʌ́mp] *n.*, *v.* = THUMP

whup [*h*wʌ́p | wʌ́p] *vt.* (**~ped**; **~·ping**) 《미·구어》 쳐부수다, 완패시키다: ~ the game 시합에서 이기다; 성공하다

WH-word [dʌ́blju(:)èitʃwə́:rd] *n.* 〖문법〗 wh어(語) 《영어에서 의문·관계대명사로 쓰이는 것들: what, why, which, who, how 등》

‡**why** ⇨ why (p. 2876)

whyd·ah [*h*wídə | wídə] *n.* 〖조류〗 천인조(天人鳥)의 일종 《서부 아프리카산(産)》

why·dun·it [*h*waidʌ́nit | wai-] *n.* (범죄의) 동기를 중심으로 다룬 추리 소설[극, 영화](cf. WHODUNIT)

why·ev·er [*h*wàiévər | wài-] *ad.* 도대체 왜

why'll [*h*wáiəl | wái-] why will, why shall의 단축형

why're [*h*wáiər | wái-] why are의 단축형

why's [*h*wáiz | wáiz] why is의 단축형

WI 《미》 〖우편〗 Wisconsin **w.i.** 〖증권〗 when issued; wrought iron **W.I.** West Indian; West Indies; 《영》 Women's Institute **WIA** wounded in action 〖군사〗 전상(戰傷) **WIBC** Women's International Bowling Congress

Wic·ca [wíkə] *n.* Ⓤ 마술[요술] 숭배 **Wíc·can** *a.*

wick[1] [wík] *n.* 심지, 양초 심지; 《영·속어》 음경 ***dip*** one***'s*** **~** 《영·속어》 성교하다 ***get on*** a person***'s*** **~** 《영·속어》 …을 괴롭히다, 안달나게 하다, 짜증나게 하다 **~·less** *a.*

wick[2] *n.* 《영·방언》 낙농장; 《고어·방언》 마을, 고을, 지구(地區)

wick[3] *n.* 〖컬링〗 윅 《다른 경기자가 던진 돌과 돌 사이의 좁은 틈》

‡**wick·ed** [wíkid] *a.* **1** 〈사람·언행 등이〉 (도덕적으로) **사악한**, 나쁜, 부도덕한, 부정한, 악질인, 악독한 (⇨ bad[1] 유의어); 음탕한: ~ habits 나쁜 습관, 악습 **2** **심술궂은**, 악의에 찬, 짓궂은; 〈동물 등이〉 버릇이 나쁜, 다루기 힘든 **3** 장난기 있는, 까부는(mischievous) **4** 불쾌한, 지독한; 당찮은 **5** 《미》 〈추위·바람 등이〉 매우 거센; 〈상처가〉 심한 **6** 매우 위험한; 매우 귀찮은 **7** 《미·속어》 경이적인, 우수한, 뛰어난, 잘하는: a ~ tennis player 테니스의 명수[귀신]

— *ad.* 《속어》 매우, 참으로

~·ly *ad.* 나쁘게, 부정하게; 심술궂게 **~·ness** *n.* Ⓤ 사악, 부정; 악의, 짓궂음

wick·er [wíkər] *n.* **1** (나긋나긋한) 작은 가지, 버들가지 **2** Ⓤ 고리버들 세공 《제품》 — *a.* Ⓐ 작은 가지로 만든, 고리버들로 만든, 고리 세공의

wick·er·work [wíkərwə̀:rk] *n.* Ⓤ 고리버들 세공 《제품》 — *a.* Ⓐ 고리버들 세공의

***wick·et** [wíkit] *n.* **1** **작은 문**, 협문(夾門), 쪽문 **2** 〖크로케〗 문, 주문(柱門)(hoop) **3** (극장 등의) X형 회전문; (역의) 개찰구 **4** 작은 창 《문 또는 벽에 낸 여닫이로 된》; 하반부만을 닫게 되어 있는 문 《마구간 등》 **5 a** (매표소 등의) 창구 **b** (은행의) 격자창, 창구 **6** 〖크리켓〗 **a** 삼주문(三柱門) **b** ⓊⒸ 투구장(投球場)(의 상태) **c** 이닝, 타격 차례, …회

at the **~** 〖크리켓〗 타석에 서서; 포수에 의해 ***keep*** one***'s*** **~ *up*** 〈타자가〉 아웃이 되지 않고 있다 ***keep*** (***the***) **~** 삼주문 뒤에서 수비하다 ***make*** seventeen ***for a*** **~** 〈팀(eleven)이〉 타자 한 사람의 아웃으로 (17점) 따다 ***on a bad***[***good***] **~** 불리[유리]한 입장[정세]에, 열세[우세]하여 ***take a*** **~ *for*** seventeen (17점) 빼앗기고 〈투수(bowler)가〉 타자 한 사람을 아웃시키다 ***the match won by two ~s*** 세 사람이 아직 아웃되지 않고 이긴 시합

wícket dòor[**gàte**] 쪽문, 협문(夾門)

wick·et·keep·er [wíkitkì:pər] *n.* 〖크리켓〗 삼주문 수비자, 포수

wick·ing [wíkiŋ] *n.* Ⓤ (양초) 심지의 재료

why

why의 용법은 의문부사 「왜」와, 관계부사 「…하는 이유」로 크게 둘로 나뉜다.

① 의문부사 Why …?가 이유를 물을 때는 원칙적으로 Because …로 대답하며 경우에 따라서는 다른 대답도 할 수 있다: *Why* did you go there? — To see her. 거기는 왜 갔는가? — 그녀를 만나려고.

② 관계부사 why는 제한용법 밖에는 없고 선행사도 the reason에 한한다. 그런데 이 the reason은 《구어》에서는 생략되는 수가 많다. 또 why가 생략되고 the reason만 쓸 때도 있다: That is *the reason* he did not come. 그것이 그가 오지 않았던 이유이다.

‡why [*h*wái | wái] *ad.* **A** (의문부사) **1** [이유·원인·목적·의도 등을 물어] 왜, 어째서, 무슨 까닭으로: *W*~ was he late? 그는 왜 늦었는가? / I am not sure ~ it's so. 왜 그런지 알 수 없다. / Tell me ~. 왜 그런지 그 이유를 말해 주시오. ★ Tell me ~ you did it[~ it was so]. 등의 생략 / "*W*~ were you absent from school yesterday?"—"Because I was sick." 어제 왜 결석을 했니? — 몸이 아파서요.
2 [not 또는 원형부정사를 수반하여 권유·제안을 나타내어]: *W*~ do*n't* you have dinner with me this evening? 오늘 저녁 식사를 같이하는 것이 어떨까요? / *W*~ *drive* to London this month? 이달에는 런던까지 드라이브 갑시다.
— **B** (관계부사) **1** [제한적 용법] …한 (이유) ★ reason(s)를 선행사로 한 형용사절을 만듦; 비제한적 용법은 없으며, 대신에 for which reason 등을 씀: The reason ~ he did it is complicated. 그가 그 짓을 한 이유는 복잡하다. / I see no reason (~) we should stay here. 우리가 이곳에 머물러 있어야 할 이유를 모르겠다. 《why는 생략 가능》
2 [선행사 없이 명사절을 이끌어] …하는 이유 ★ 특히 This[That] is …의 구문에 많이 쓰임: This is ~ I refuse to go. 이것이 내가 가기를 거절하는 이유이다.
that's ~! [문미(文尾)에 붙여] 《구어》 그렇게 된 거야!, 그런 까닭이야!
W~ don't you (…)? 《구어》 [제안·권유 등에 써서] …하는 게 어때요, …하지 않겠어요? ★ 친한 사이에 쓰며, 손윗사람에게는 쓰지 않음; 생략형은 WHY not? (2): *W*~ *don't you*[*W*~ *not*] come and see me tomorrow? 내일 나한테 놀러 오지 않겠어요? / *W*~ *don't you* just shut up? 입 좀 다물어요. ★ *W*~ *don't you*는 문장 끝에 올 수도 있음.
W~ not (…)? (1) [상대방의 부정의 말에 반론하여] 왜 안 되느냐, 왜 안 하느냐, (해도) 좋지 않으냐: "You had better not wear the red dress." "*W*~ *not?*" 그 빨강 옷을 입지 않는 게 좋겠어. — 왜 안 돼요? (2) [어떤 일을 제안하여; 동사의 원형과 함께] …하면 어떤가: *W*~ *not* try (it) again? (그것을) 다시 한번 해 보지 그래? (3) [상대방의 제안에 동의하여] 좋지, 그러지: "Let's go swimming."—"*W*~ *not?*" 수영하러 가자. — 좋아, 가자.
W~ so? 왜[어째] 그런가?
— *n.* (*pl.* **~s**) **1** 이유, 까닭, 원인, 동기 ★ 보통 the ~*s* and (the) wherefores로 쓰임: I told them *the* ~*s and wherefores* of my behavior. 나는 그들에게 내 행동의 이유를 말해 주었다.
2 왜[어째서]라는 질문: a child's ~*s* 아이들의 「왜」라는 질문
3 수수께끼, 이해되지 않는 부분: There were too many ~*s* in that affair. 그 사건에는 이해되지 않는 부분이 너무 많았다.
— *int.* **1** [뜻밖의 일을 발견·승인할 때 등의 소리로] 어머, 아니, 이런; 그야 물론이지: *W*~, I'll be (damned). 야, 이거 놀랐는데. 《★ 뜻밖의 사람을 만났을 때 쓰는 표현; damned를 생략하는 것은 《미》》
2 [반론·항의를 나타내어] 뭐라고, 뭐: *W*~, I am wrong! 뭐, 내가 틀렸다는 거야!
3 [주저를 나타내어, 또한 연결어로서] 저, 에, 글쎄: *W*~, it's you! 아, 당신이군! / *W*~, yes, I guess so. 에, 그래, 아마 그럴 거야.
4 [if … why의 구문에서; if … then보다 강조적] 그렇다면: *If* they don't want to do it, ~, you should. 그들이 그것을 하길 원하지 않는다면, 그렇다면 네가 해야지.

wick·i·up, wik·i·up, wick·y·up [wíkiʌ̀p] *n.* **1** (미국 남서부 유목 인디언의) 나뭇가지로 엮어 만든 원뿔형 오두막집 **2** 《일반적으로》 임시 오두막집
Wick·liffe, -lif [wíklif] *n.* = WYCLIF(FE)
wick·wil·lie [wíkwíli] *n.* 《미·속어》 제트기 조종사
wid. widow; widower
wid·der [wídər] *n.* 《방언》 = WIDOW
wid·der·shins [wídərʃinz] *ad.* 《스코》 = WITHERSHINS
wid·dle [wídl] *vi.* 오줌 누다, 쉬하다
— *n.* 오줌, 소변
‡wide [wáid] *a., ad., n.*

「넓은」 3 ─┬→「폭이 넓은」 **1**
　　　　　└→(비유적으로) 「넓은」, 「자유로운」 **4**

— *a.* **1** 폭이 넓은(opp. *narrow*); 〈눈·입 등이〉 큰; 〈회전 등이〉 큰, 넓은: a ~ cloth 폭이 넓은 천 / turn in a ~ circle 큰 원을 그리며 돌다

유의어 **wide, broad** 거의 같은 뜻이지만 wide는 끝에서 끝까지의 거리에 중점을 두고, broad는 넓이에 중점을 둔다.

2 폭이 …인(cf. LONG): a road twenty meters ~ 폭 20미터의 도로 **3** 〈면적이〉 넓은, 광대한: the ~ plains of the West 서부의 광대한 평원 / be of ~ distribution 널리 분포되어 있다 **4** 〈지식 등이〉 범위가 넓은, 광범한, 다방면의; 포괄적인; 자유로운 **5** 충분히[크게] 열린: with ~ eyes 눈을 크게 뜨고 **6 a** 헐거운, 느슨한 **b** 자유로운, 구속되지 않은, 방종한 **c** 편협하지 않은, 편견이 없는: a person of ~ experience 풍부한 경험을 쌓은 사람 **7 a** 동떨어진: a guess ~ of the truth 진실과는 거리가 먼 추측 **b** 〈과녁 등에서〉 먼, 벗어난, 빗나간 《*of*》: a shot ~ *of* the mark 과녁에서 많이 빗나간 사격 **8** 〖음성〗 개구음(開口音)의 《혀의 사용 국부의 근육이 느슨한 상태에 있는》 (opp. *narrow*) **9** 《영·속어》 교활한, 사특한: a ~ person 교활한 사람 ***hazard a ~ guess*** 주먹구구식으로 대충 짐작하다
— *ad.* **1** 넓게, 광범위하게; 널리, 골고루: scattered far and ~ 넓게 흩어져서 **2** 크게 열고[벌리고, 뜨고]; 충분히 (열어서), 완전히: be ~ awake 완전히 잠이 깨어 있다, 정신이 초롱초롱하다; 빈틈이 없다 **3** 멀리, 빗나가서, 엉뚱하게: He is shooting ~. 과녁

thesaurus **wide** *a.* broad, extensive, spacious, large, spread out, ample, vast, immense
widespread *a.* universal, common, general, far-reaching, prevalent, extensive, sweeping, perva-

과는 동떨어진 데를 쏘고 있다.
bowl **~** 〚크리켓〛 폭투하다《타자의 1점이 됨》 ***far and ~*** ⇨ far ***have*** one***'s eyes ~ open*** 정신을 바짝 차리다; 빈틈없다 ***open*** one***'s mouth too ~*** 기대가 너무 크다, 너무 욕심 부리다 ***speak ~ of the mark*** 엉뚱한[요령부득의] 이야기를 하다 **~ *on*** 《미·속어》 〈여성이〉 성적으로 흥분되어 **~ *open*** (1) 넓게 벌리고; 완전히, 충분히 (2) 〈공격 등에〉 무방비인 (3) 《구어》 전속력의[으로] (4) 《미·구어》 무법 지대에서, 악이 만연해서
—*n.* **1** [the ~] 넓은 이 세상 **2** 《고어·시어》 넓은 장소 **3** 〚크리켓〛 투수의 폭투구(暴投球)(wide ball) **4** 〚음성〛 이완 모음(lax vowel)
to the ~ 아주, 완전히: broke *to the ~* 《속어》 빈털터리가 되어, 아주 신용이 떨어져/dead *to the ~* 의식을 잃고; 곤드레만드레가 되어 **~·ness** *n.* 넓이, 퍼짐; 폭 ▷ wídth *n.*; wíden *v.*; wídely *ad.*

-wide [wàid] 《연결형》 「…의 범위에 걸친; …전체의; 전(全) …의」의 뜻: city*wide*

wide-an·gle [wáidǽŋgl] *a.* **1** 〈사진기의 렌즈가〉 광각(廣角)인; 〈사진기·사진 등이〉 광각 렌즈를 사용하는: a ~ lens 광각 렌즈 **2** 〚영화〛 와이드 스크린 (방식)의 《시네라마·시네마스코프 등의》

wíde área nètwork = WAN

wide-awake [-əwéik] *a.* **1** 아주 잠이 깨어 **2** 정신을 바짝 차린, 빈틈없는 **—*n.*** 챙이 넓은 중절모자 (= **~ hát**) **~·ness** *n.*

wíde báll 〚크리켓〛 투수의 폭구(暴球) 《타자에게 1점이 됨》

wide·band [-bǽnd] *a.* 〚전자〛 광대역(廣帶域)의 〈앰프 따위〉

wide·bod·y [-bɑ̀di | -bɔ̀di] *n.* 와이드보디 《동체의 폭이 넓은 여객기》 **wíde-bòd·y** *a.*

wíde bòy 《영·속어》 불량배, 사기꾼

wide-brimmed [-brìmd] *a.* 〈모자가〉 챙이 넓은

wide-eyed [-àid] *a.* **1** 눈을 크게 뜬; 깜짝 놀란 **2** 순진한, 천진난만한

wide-field [-fì:ld] *a.* 시야가 넓은 〈망원경 등〉

***wide·ly** [wáidli] *ad.* **1** 넓게, 널따랗게, 광범위하게; 멀리, 크게 벌리고 **2** 크게, 몹시, 매우 **3** 많은 사람들 사이에서, 일반적으로, 널리: a ~ known singer 널리 알려진 가수 **4** 많은 문제에 관해, 다방면에 걸쳐

wide·mouthed [wáidmàuðd, -màuθt] *a.* **1** 입이 큰, 아가리[입구]가 넓은: a ~ river 하구가 넓은 강 **2** 놀라서 입을 딱 벌린: stare ~ in astonishment 놀라서 입을 딱 벌리고 응시하다

***wid·en** [wáidn] *vt.* 〈폭·면적·범위 따위를〉 넓히다: ~ one's experience 경험을 넓히다
—*vi.* 넓어지다; 〈눈이〉 (놀람 등으로) 둥그레지다: The gap between them has *~ed* to 7%. 그들 사이의 격차는 7%까지 넓어졌다[벌어졌다] **~·er** *n.* ▷ wíde *a.*; wídth *n.*

wid·en·ing [wáidəniŋ] *n.* 넓히는 것, 확대, 확장; (EC에 관계된) 공동체 확장책 《동구를 포함한》

wide-o·pen [wáidóupən] *a.* **1** 전부[완전히] 열린, 훤히 트인 **2** 《미·구어》 (술·도박·매춘 등에 대하여) 단속이 허술한 〈장소 등〉 **3** 《미·속어》 공격받기 쉬운, 무방비의 **4** 결과를 예상하기 힘든, 결과를 알 수 없는: a ~ war 예측 불가능한 전쟁 **5** 《미·속어》 전속력의
have one***'s eyes ~*** 정신을 바짝 차리다, 위험에 방심하지 않다

wide-range [wáidréindʒ] *a.* 광범하게 유효한

wide-rang·ing [-rèindʒiŋ] *a.* 광범위한, 드넓은; 다방면에 걸친: a ~ discussion 다방면에 걸친 토의

wíde recéiver 〚미식축구〛 와이드 리시버 《공격 라인의 몇 야드 바깥 쪽에 위치한 리시버》

---

sive, epidemic (opp. *local*, *limited*, *rare*)
wield *v.* **1** (도구를) 휘두르다, 쓰다 brandish, wave, swing, shake, use, employ, handle, manipulate **2** 지배하다 command, control, manage

---

wide-ruled [-rù:ld] *a.* 〈노트 등이〉 괘선이 굵은

wide-scale [-skéil] *a.* 광범위한; 대규모의

wide-screen [-skrí:n] *a.* 〚영화〛 화면이 넓은, 와이드스크린의; (텔레비전) 화면이 대형인

***wide·spread** [wáidspréd] *a.* **1** 널리 보급된, 넓게 펼쳐진, 광범위한, 일반적인 **2** 〈날개 등을〉 펼친: ~ wings 한껏 펼친 날개

wide-spread·ing [-sprédiŋ] *a.* 널따랗게 펼쳐진 〈평야〉; 퍼져 있는

widg·eon [wídʒən] *n.* (*pl.* **~, ~s**) 〚조류〛 홍머리오리

widg·er [wídʒər] *n.* (묘목 이식용) 작은 삽

widg·et [wídʒit] *n.* 《구어》 (이름을 모르거나 생각나지 않는) 소형 장치, 부품, 도구; (규격품 등의) 대표적[전형적] 제품; 《미·구어》 (가공의 것으로써 말해지는) 이런저런 제품

widg·ie [wídʒi] *n.* 《호주·속어》 불량 소녀

wid·ish [wáidiʃ] *a.* 다소 넓은; 널찍한

‡wid·ow [wídou] [OE 「헤어진 여자」의 뜻에서] *n.* **1** 미망인, 과부(opp. *widower*) **2** 〚카드〛 돌리고 남은 패(cf. KITTY[2]) **3** 〚인쇄〛 조판에서 단락 끝의 반행 이하 혹은 한 글자만 있는 짧은 행; 한 행만이 다음 페이지의 처음으로 간 단락의 끝행 **4** [복합어로] …과부: a fishing[golf] ~ 낚시[골프] 과부 《남편이 골프·낚시 등에 열중하여 버림받은 것과 다름없는 아내》
—*vt.* **1** 과부가 되게 하다; 홀아비로 만들다 **2** 《시어》 〈소중한 것을〉 빼앗다 《*of*》
~ed *a.* 미망인[홀아비]이 된 **~·ly** *a.*

wídow bewítched 《구어》 = GRASS WIDOW

wídow bìrd[fìnch] = WHYDAH

wid·ow·er [wídouər] *n.* 홀아비(opp. *widow*)

wid·ow·er·hood [wídouərhùd] *n.* 홀아비 생활(기간)

wid·ow·hood [wídouhùd] *n.* Ⓤ 과부 신세

wid·ow-mak·er [wídoumèikər] *n.* 《미·속어》 매우 위험한 일[것]

wídow's bénefit 《영》 국민 보험의 과부 급부

wídow's crúse 〚성서〛 과부의 항아리, 무진장(의 공급원) 《열왕기 상 17: 10-16》

wídow's mándate 남편 대신의 임명 《임기 도중에 사망한 사람의 공직에 그의 부인을 임명하는 일》

wídow's míte 〚성서〛 가난한 과부의 정성 어린 헌금 《마가복음 12: 41-44》

wídow's péak 이마에 난 V자형 머리털 끝선 《이것이 있으면 과부가 된다는 미신에서》

wídow's wàlk (해안의 주택) 지붕 위의 망대 《선원의 처가 남편의 귀항을 기다린 데서》

wídow's wéeds 미망인의 상복

wídow wòman 《방언》 과부

‡width [wídθ, wítθ] *n.* **1** ⓊⒸ 폭(breadth), 너비; 가로: It is 4 feet in ~. 폭이 4피트이다. **2** Ⓤ (마음·견해 등의) 넓음, 도량이 큼, 관대함 《*of*》 **3** 일정한 폭의 피륙: three ~*s* of cloth 세 폭의 천 **4** 구두[신발]의 폭 《A, B, C, D, E, EE, EEE, 4E's로 표시》 **5** [*pl.*] 넓은 장소 ▷ wíde *a.*; wíden *v.*

width·ways [wídθwèiz, wítθ-] *ad.* = WIDTHWISE

width·wise [wídθwàiz, wítθ-] *ad.* 가로로, 가로 방향으로

***wield** [wí:ld] [OE 「지배하다」의 뜻에서] *vt.* 《문어》 **1** 〈칼·도구 등을〉 휘두르다, 사용하다, 쓰다: ~ a baseball bat 야구 방망이를 휘두르다/~ the pen 글을 쓰다, 저술하다 **2 a** 지배하다, 통제하다(control); 〈권력·무력 등을〉 휘두르다, 떨치다, 행사하다: ~ power 권력을 행사하다 **b** 〈영향 등을〉 미치다: (~+목+전+명) ~ great influence *upon* …에 큰 영향을 미치다 **3** 《고어》 지도하다, 이끌다 **~·er** *n.* ▷ wíeldy *a.*

wield·y [wí:ldi] *a.* (**wield·i·er**; **-i·est**) 휘두르기 쉬운, 다루기 쉬운, 사용하기 알맞은

Wien [ví:n] [G] *n.* 빈 《Vienna의 독일명》

wie·ner [wí:nər] [*wiener*wurst] *n.* ⓊⒸ 《미》 **1**

비엔나소시지 《소·돼지고기를 섞어서 넣은 기다란 소시지》 **2** 프랑크푸르트 소시지(frankfurter) **3** 《비어》 남근, 음경
wíener nóse 《미·속어》 바보, 멍청이
wíener ròast 《미》 소시지 따위를 구워 먹는 (야외) 파티
Wie·ner schnit·zel [víːnər-ʃnìtsəl] [G] 비엔나 슈니첼 《송아지 고기로 만든 커틀릿》
wie·ner·wurst [wíːnərwə̀ːrst] *n.* = WIENER
wie·nie [wíːni] *n.* 《미·구어》 = WIENER
‡wife [wáif] [OE 「여자」의 뜻에서] *n.* (*pl.* **wives** [wáivz]) **1** 아내, 처; 주부(cf. HUSBAND) **2** 《고어·방언》 여자 **3** 《속어》 약혼녀, 특별한 여자 친구 ***all the world and his ~*** 《익살》 (너나 할 것 없이) 모두 다 ***take***[***give***] a person ***to ~*** …에게 장가들다[시집보내다] **~·dom** *n.* **~·less** *a.* 아내 없는, 독신의
-wife [wàif] 《연결형》 「(특정 직업에 종사하는) 여자」의 뜻: fish*wife*, house*wife*
wífe bèater 《미·호주·속어》 (근육질 남성들이 애호하는) 소매없는 티셔츠
wife·hood [wáifhùd] *n.* Ⓤ 아내임, 아내의 신분
wife·like [wáiflàik] *a.* = WIFELY **—** *ad.* 아내답게
wife·ly [wáifli] *a.* (**-li·er**; **-li·est**) 아내다운; 아내에게 어울리는 **wífe·li·ness** *n.*
wífe swàpping 《구어》 부부 교환(交換), 스와핑
Wi-Fi [wáifái] [*wi*reless+*fi*delity] *n.* 와이파이 《무선 랜의 인증 마크》
wif·ty [wífti] *a.* = DITSY
‡wig [wíg] [peri*wig*] *n.* **1** 가발; 머리 장식 《18세기 경에 유행한》 **2** 《구어》 판사, 재판관; (가발을 쓸 수 있는) 상급 변호사; 높은 양반 **3** 《영·속어》 혼내 주기, 질책 **4** 《미·속어》 (긴) 머리털; 머리; 정신 **5** 《호주》 양의 눈 언저리 부분의 털 ***flip*** one***'s ~*** 《미·속어》 미치다, 발끈하다 ***jack*** a person***'s ~*** 《미·속어》 …의 머리털을 잡아당기다 ***keep*** one***'s ~ on*** 침착하게 있다, 성내지 않다, 흥분하지 않다 ***lose*** one***'s ~*** 《미·속어》 분통을 터뜨리다 ***~s on the green*** 붙잡고 싸움, 드잡이; 격론, 논쟁

wig *n.* 1

— *v.* (**~ged**; **~·ging**) *vt.* **1** 가발을 씌우다 **2** 몹시 꾸짖다 **3** 《미·속어》 성가시게[화나게, 당황하게, 흥분하게] 하다 ***~ out*** 《미·속어》 (마약 등으로) 취하게 하다; 몹시 흥분시키다[하다], 자제력을 잃게 하다[잃다]
— *vi.* 《미·속어》 열중하다, 길게 지껄이다
wig·an [wígən] *n.* Ⓤ 캔버스 모양의 탄탄한 무명베 《의복의 심으로 씀》
wig·eon [wídʒən] *n.* (*pl.* **~, ~s**) = WIDGEON
wigged [wígd] *a.* 가발을 쓴; (마약으로) 기분이 좋아진, 흥분한
wig·ger [wígər] [*w*hite+n*igger*] *n.* 《속어》 흑인처럼 행동하는 백인 《힙합 음악에 열중한 백인 등》
wig·ger·y [wígəri] *n.* [집합적] 가발; 가발을 쓰기
wig·ging [wígiŋ] *n.* **1** [보통 *sing.*] 《영·구어》 책망, 꾸지람(scolding), 질책: get *a ~* 혼쭐나다 **2** 《호주》 양의 눈 언저리털 깎기; [*pl.*] 그 깎아낸 털
wig·gle [wígl] *vt.* 《구어》 〈몸 등을〉 (뒤)흔들다
— *vi.* **1** 몸을 (좌우로) 움직이다[흔들다] **2** 파동치다 **3** 몸부림쳐 도망가다 (*out of*) **4** 《미·속어》 춤추다
— *n.* **1** 뒤흔듦, 몸부림 **2** 《미·속어》 댄스 **3** (연필·펜 등의) 비뚤어진 선 **4** 크림 소스를 얹은 조개와 완두콩으로 만든 요리 ***Get a ~ on*** (***you***)***!*** 《미·속어》 서둘러라, 빨리!
wig·gler [wíglər] *n.* **1** 뒤흔드는 사람[것] **2** 〖동물〗 장구벌레(wriggler) **3** 〖낚시〗 몹시 요동치는 미끼
wíggle ròom 《미·속어》 자유재량권, 해석의 폭[여지](latitude)
wíggle sèat (의자에 장치된) 거짓말 탐지기

wig·gle-wag·gle [wíglwæ̀gl] *vi.* 《구어》 흔들다; 세상 이야기를 하다 **—** *n.* 흔들기
wig·gly [wígli] *a.* (**-gli·er**; **-gli·est**) 흔들리는; 파동치는, 몸부림치는
wig·gy [wígi] *a.* 《속어》 색다른; 자극적인; 《속어》 〈술·마약에〉 취한; 자제심을 잃은; 열광적인, 멋진(cool)
wight¹ [wáit] *n.* **1** 《고어·방언》 사람, 인간(person) **2** 《폐어》 초자연적 존재 《요정 등》; 생물
wight² *a.* 《영·방언》 용맹스러운; 활발한, 민첩한
Wight [wáit] *n.* **the Isle of ~** 와이트 섬 《영불 해협에 있는 섬으로 잉글랜드의 한 주; 略 I.W.; 주도 Newport》
wig·let [wíglit] *n.* 작은 가발 《여성의 머리에 변화를 주기 위한》
wig·mak·er [wígmèikər] *n.* 가발 제조업자, 가발 상인
wig·wag [wígwæ̀g] *v.* (**~ged**; **~·ging**) *vi.*, *vt.* **1** 흔들다, 이리저리 휘두르다 **2** (수기 등으로) 신호하다 **—** *n.* ⓊⒸ **1** 수기[등화] 신호법 **2** 수기[등화] 신호
wig·wam [wígwam | -wæm] [북미 인디언 말 「그들의 주거」의 뜻에서] *n.* **1** 북미 인디언의 오두막집 **2** 《미·속어》 임시 건축의 대회장 《정치 집회 등에 사용》 **3** [the W~] = TAMMANY HALL
wi·ki [wíki] [Haw. =quick] *n.* [때때로 **WikiWiki**] 〖컴퓨터〗 위키 《인터넷 사용자들이 내용을 수정·편집할 수 있는 웹사이트》
Wil·bur [wílbər] *n.* 남자 이름
wil·co [wílkou] [*wil*l *co*mply] *int.* 〖통신〗 승낙, 알았음 《무선으로 수신한 메시지의 응낙을 나타내는 말》
‡wild [wáild] *a.*, *ad.*, *n.*

> 「야생의」 **2**
> →(자연 그대로의) → 「황폐한」 **3**
> →(억제가 안 되는) → 「거친」 **5**
> → 「난폭한」 **7** → 「미친 듯한」 **6**

— *a.* **1** 〈짐승 등이〉 길들지 않은, 사나운: a ~ animal 야생 동물 / ~ beasts 야수 **2** 야생의, 사람 손에 의하지 않은, 자연 그대로 자란(opp. *tame*, *cultivated*): ~ flowers 들꽃, 야생초 / a ~ vine 머루, 산포도 **3** 황폐한, 불모의; 황량한; 경작하지 않은; 자연 그대로의; 사람이 살지 않는 **4** 야만의, 미개의: a ~ man 야만인 / ~ tribes 미개한 종족 **5 a** 〈날씨·바다 등이〉 거친, 거센, 사나운, 험한: a ~ sea 거친 바다 **b** 〈시대 등이〉 소란스러운, 시끄러운, 떠들썩한: ~ times 난세 **6** 광란의, 광기의, 미친 듯한; 몹시 화난, 격노한; 흥분한 (*with*); 열광적인; (미칠 듯이) …하고 싶어하는 (*for*), 열중한 (*about*): ~ *with* excitement 몹시 흥분하여 / ~ *with* rage 노발대발하여 / He is ~ *about* her. 그는 그녀에 미쳐 있다. // (~+*to* do) She is ~ *to* see him. 그녀는 그를 몹시 만나 보고 싶어한다. **7** 난폭한, 억척스러운, 제멋대로의, 방종한: ~ boys 거친 아이들 **8** 〈계획 등이〉 엉뚱한, 무모한; 〈추측 등이〉 얼토당토않은, 전혀 뜻밖의; 〈투구 등이〉 목표에서 벗어난: a ~ throw 악송구, 폭투 / a ~ shot 난사(亂射) **9** 《구어》 즐거운, 유쾌한, 화끈한: We had a ~ time. 우리는 아주 신나게 지냈다. **10** 방탕한, 난잡한 **11** 단정치 못한, 흐트러진: ~ hair 흐트러진 머리
do the ~ thing 《미·학생속어》 섹스하다 ***drive*** a person ***~*** …을 발광하게 만들다, 몹시 흥분[열광]시키다 ***go ~*** (…으로) 광란하다; (…에) 열중하다 (*with*, *over*); 〈길들인 동물 등이〉 야생화하다 ***grow ~*** 야생하다 ***run ~*** 방목(放牧)되다, 들에서 자라다; 〈아이 등

thesaurus **wild** *a.* **1** 길들지 않은 untamed, undomesticated, fierce, ferocious **2** 야생의 uncultivated, natural, native (opp. *tame*) **3** 황폐한 barren, waste, desolate, forsaken, isolated **4** 야만의 uncivilized, primitive, ignorant, savage, barbarous, brutish (opp. *civilized*) **5** (날씨가) 거친

이〉 제멋대로 굴다, 난폭[방종]해지다 ***~ and woolly*** 거친, 야만적인, 난폭한; 미개한; 파란만장한; 흥분시키는 ***W~ horses shall not drag it from me.*** 비밀은 절대로 누설하지 않겠다.
—*ad.* 난폭하게, 마구, 함부로: shoot ~ 마구 쏘다, 난사하다 / talk ~ 함부로 말하다
—*n.* **1** [the ~; 종종 *pl.*] 황무지, 황야; 미개지 **2** [the ~] 야생 (상태) **~·ness** *n.*
▷ wíldish *a.*

wíld bóar 〖동물〗 멧돼지(cf. BOAR); 그 고기

wíld càrd 1 〖카드〗 자유패, 만능패 **2** 예측할 수 없는 요인[사람]; 〖스포츠〗 와일드카드 《주최측 지명 팀이나 선수》 **3** 〖컴퓨터〗 와일드카드 《임의 문자 기호》

wíld cárrot 야생 당근

***wild·cat** [wáildkæ̀t] *n.* (*pl.* **~s, ~**) **1** 살쾡이, 들고양이 **2** 화를 잘 내는 사람, 성급한 사람, 거친 사람 **3** 《미·구어》 소형 기관차 《조차용(操車用)》 **4** 시굴정(試掘井) 《석유·천연가스의》
—*a.* **1** 〈계획·경영 등이〉 무모한, 앞뒤를 헤아리지 않는, 난폭한: ~ companies 무모한[위태로운] 회사 **2** 비합법의; 무허가의 **3** 〈열차가〉 임시편(便)의; 구내 전용의: a ~ train 특별 임시 열차
—*vi., vt.* 미조사(未調査) 지구에서 석유[광석]를 시굴하다; 위험한 사업에 손을 대다.

wíldcat bánk 《미》 **1** 살쾡이 은행 《1863년의 은행법 제정 이전에 지폐를 남발한 은행》 **2** 《일반적으로》 위태로운 은행

wíldcat stríke 무모한 파업 《본부의 승인 없이 하는》

wild·cat·ter [wáildkæ̀tər] *n.* 《미》 **1** (석유 등을 찾아) 닥치는 대로 채굴하는 사람 **2** 무모한 사업에 대한 증권을 파는 사람 **3** wildcat strike 참가자

wíld dóg 야생의 개, 들개

wíld dúck 〖조류〗 야생의 오리, 《특히》 들오리(⇨ duck[1] 관련)

Wilde [wáild] *n.* 와일드 **Oscar ~** (1854-1900) 《영국의 극작가·소설가》

wil·de·beest [wíldəbìːst, víl-] *n.* (*pl.* **~s,** [집합적] **~**) 〖동물〗 = GNU

wil·der [wíldər] *vt.* 《시어》 = BEWILDER
—*vi.* 길을 잃다, 당황하다 **~·ment** *n.*

‡**wil·der·ness** [wíldərnis] *n.* **1** [the ~] 황무지, 황야, 미개지 **2** 《미》 (지정) 자연 보호 구역 **3** (황야처럼) 광막한 곳: a ~ of streets[houses] 불규칙적으로 죽 늘어서 있는 거리들[집들] **4** (정원 가운데) 일부러 손질하지 않고 내버려 둔 곳 **5** 막대한 수[양]; 혼란 상태: a ~ of curiosities 수많은 진귀한 물건
a voice* (*crying*) *in the ~ 〖성서〗 광야에서 외치는 자의 소리 《마태복음 3: 3》; 세상이 알아주지 않는 도덕가·개혁가 등의 외침 ***a watery ~ = a ~ of waters*[*sea*]** 망망대해 ***in the ~*** 《영》 〈정당이〉 정권을 쥐지 못하고, 야(野)에 있어

wílderness àrea [종종 **W- A-**] 원생(原生)[자연] 환경 보전 지역, 자연 보호 구역

wild-eyed [wáildàid] *a.* **1** 눈이 분노로 이글이글 타는, 미친 듯한 눈매의; 고뇌에 찬 눈매의 **2** 〈생각·사람 등이〉 몽상적인, 극단적인, 과격한, 무모한, 불합리한

wild·fire [-fàiər] *n.* Ⓤ **1** 소이제, 연소물(Greek fire) 《옛날 적선(敵船)에 불 지르기 위하여 사용한》 **2** 도깨비불 **3** 번갯불 **4** 《폐어》 〖병리〗 단독(丹毒)(erysipelas) ***spread*[*run*] *like ~*** 〈소문 등이〉 확 [삽시간에] 퍼지다

wild·flow·er [-flàuər] *n.* 들꽃, 야생초

wild·fowl [-fàul] *n.* (*pl.* **~s,** [집합적] **~**) 엽조(獵鳥) 《특히 duck, goose, swan 등의 물새》 **~·er** *n.*

---

stormy, tempestuous, turbulent, violent, raging, furious (opp. *calm*) **6** 광란의 frantic, frenzied, hysterical, crazed, mad, irrational (opp. *restrained*)

will[2] *n.* **1** 의지력 volition, willpower, determination, resolution, resolve **2** 소망 desire, wish, preference, inclination, mind, fancy

---

wíld góose 〖조류〗 기러기

wíld-góose chàse 막연한 목적의 추구[탐색]; 비상식적인 희망[기대]; 가망성 없는 기획

wíld hórse 야생마

wíld hýacinth 〖식물〗 야생 히아신스

wild·ing [wáildiŋ] *n.* **1** 야생 식물; 야생 능금 **2** 야수(野獸) **3** 《비유》 변종 **4** 《미·속어》 도로상의 집단 폭력 행위 《때로 강도짓을 하거나 행인을 공격함》(cf. STEAMING *n.* 4) —*a.* 《시어》 야생의, 재배[사육]되지 않은 —*ad.* 멋대로 행동하여

wild·ish [wáildiʃ] *a.* 좀 난폭한, 날뛰는, 미친 듯한

wild·land [wáildlæ̀nd] *n.* 황무지(wasteland)

wild·life [-làif] *n.* Ⓤ [집합적] 야생 생물
—*a.* 야생 생물의; 야생 생물이 풍부한

wild·lif·er [-làifər] *n.* 야생 생물 보호주의자

wild·ling [wáildliŋ] *n.* 야생화[식물]; 야생 동물

‡**wild·ly** [wáildli] *ad.* **1** 난폭하게, 거칠게, 미친 듯이 **2** 야생적으로 **3** 무턱대고; 격렬하게

wíld màn 1 야만인; 야만스런[거친] 남자 **2** (정치적) 급진파, 과격 분자 **3** 〖동물〗 오랑우탄

wíld mústard 〖식물〗 = CHARLOCK

wild·ness [wáildnis] *n.* Ⓤ 야생; (토지 등의) 황폐; 난폭, 무모; Ⓒ 방탕

wíld óat 1 〖식물〗 야생 귀리 **2** [*pl.*] 젊은 시절의 방종[난봉] ***sow* one*'s ~s*** 젊은 시절 방탕한 생활을 하다

wíld pánsy 〖식물〗 야생 팬지 《유럽·아시아산(産)》

wíld pítch 〖야구〗 (투수의) 폭투(暴投)

wíld ríce 〖식물〗 줄, 줄풀; 그 열매 《식용》

wíld róse 〖식물〗 야생 장미, 들장미

wíld rúbber (야생 고무나무에서 채취되는) 야생 고무

wíld sílk 야잠사(野蠶絲), 천잠사(天蠶絲)

wíld spínach 명아주

wíld stráwberry 산딸기

wíld tráck 〖영화·TV〗 와일드 트랙 《화면과는 다른 소리[해설]를 녹음한 사운드 트랙》 **wíld-tráck** *a.*

wíld túrkey 야생 칠면조

wíld tỳpe 〖생물〗 야생형(野生型) **wíld-tỳpe** *a.*

wild·wa·ter [wáildwɔ̀ːtər] *n.* Ⓤ 급류, 격류(激流)

Wíld Wést [the ~] (개척 시대의) 미국 서부 지방

Wíld Wést shòw 《미》 대서부 쇼 《카우보이·북미 인디언이 야생마 타기 등을 보여 주는》

wíld whíte 〖의학〗 원숭이마마 바이러스 《천연두 바이러스에 가까움》

wild·wood [-wùd] *n.* 자연림(林), 원생림, 원시림

wile [wáil] *n.* [보통 *pl.*] 책략, 간계(奸計), 농간, 엉큼한 수단; 속임수, 사기
—*vt.* **1** 속이다, 농간을 부리다: (~+목+부) ~ a person *away* …을 꾀어내다 // (~+목+전+명) ~ a person *into* do*ing* …을 속여 …하게 하다 **2** 〈시간을〉 즐겁게 보내다(while) 《*away*》: ~ *away* the long winter night 긴긴 겨울밤을 한가로이 보내다
▷ wíly *a.*

Wil·fred, -frid [wílfrid] *n.* 남자 이름 《애칭 Fred》

***wil·ful** [wílfəl] *a.* 《영》 = WILLFUL
~·ly *ad.* **~·ness** *n.*

Wil·helm [wílhelm] *n.* 남자 이름

Wil·hel·mi·na [wìləmíːnə, wìlhel-] *n.* 여자 이름

Wil·helm·stras·se [vílhelmʃtràːsə] *n.* **1** [the ~] 빌헬름 가(街) 《옛 독일의 외무부가 있던 Berlin의 관청가》 **2** 옛 독일 외무부

Will [wíl] *n.* 남자 이름 《William의 애칭》

‡**will[1]** ⇨ will (p. 2880)

‡**will[2]** [wíl] *n.* **1** Ⓤ [종종 the ~] 의지: the freedom of *the* ~ 의지의 자유 / *the* ~ to live 생존욕 / *The* ~ is as good as the deed. 《속담》 무슨 일에 있어서든 의지가 중요하다. / Where there's a ~, there's a way. 《속담》 하려고 들면 방법은 있는 법이다, 뜻이 있는 곳에 길이 있다; 정신일도 하사불성. **2** [(a) ~, much ~] 의지의 힘, 의지력, 의지의 행사, 자제심 **3** [the ~, a ~, one's ~] 결의, 결심, 의욕 **4 a** [God's ~] (하느님의) 뜻 **b** [one's ~] (사람의)

will

조동사 will의 원래의 뜻은 (to) intend, wish로서 의지·소원을 나타냈으나, 이 뜻이 점차 약해져서 오늘날에는 특별한 뜻이 없이 미래를 나타내는 조동사로서 쓰이는 일이 많아졌다.
단순미래 용법에서 《영》 1인칭(shall을 씀)의 경우를 제외한 모든 인칭에서 will을 쓰고 있으며, 《영·구어》에서는 1인칭에서마저도 shall 대신 will을 쓰는 경향이 높아져 가고 있다(⇨ 1 USAGE). 따라서 1인칭의 대명사를 주어로 하는 will이 단순미래를 나타내는지 또는 의지미래를 나타내는지는 전후 내용을 보아 구별해야 한다.

‡will [wəl, əl, l; 《강하게》 wíl] *auxil. v.* (단축형 **'ll**; 부정형 **will not**, 부정 단축형 **won't**; 과거형 **would**)

OE 「원하다」의 뜻에서
① [단순미래] …할[일] 것이다 **1**
② [의지미래] …할 작정이다 **2**
③ [반복 행위·습관] 곧잘 …하다 **6**
④ [주장·고집 등] …하려고 하다 **5**
⑤ [추측] …일 것이다 **4**

1 [단순미래] …**할[일] 것이다** 《USAGE 2인칭·3인칭의 미래형에 씀; 1인칭의 경우 《미》에서는 will, 'll을, 《영》에서는 shall을 사용하지만, 《영》에서도 《구어》에서는 will, 'll을 사용하는 경향이 강해지고 있음》: It ~[It'*ll*] be fine tomorrow. 내일은 갤 것이다. / I ~ [I'*ll*] be twenty (years old) next year. 내년이면 20살이 됩니다. / You'*ll* be in time if you hurry. 서두르면 시간에 댈 수 있을 것이다. ★부사절 안에서는 미래형은 쓰지 않음; cf. 2c / I'*ll* have finished this work by five o'clock. 5시까지는 이 일을 끝마칠 것입니다. 《미래완료형》 / *W~* he be able to hear at such a distance? 이렇게 떨어져 있는데 그가 들을 수 있을까요? / We ~ be owning our own home at this time next year. 우리는 내년 이맘때쯤 우리 자신의 집을 갖게 될 것이다. ★ 미래 진행형을 쓰면 단순미래임이 분명해짐; 진행형을 잘 쓰지 않는 동사도 will과는 미래진행형으로 쓸 수 있음.
2 [의지미래] **a** [1인칭 주어와 함께 쓰여, 말하는 이의 의지를 나타냄] …**할 작정이다**, …하겠다 ★ 마음속에 미리 정한 사항에 대해서는 be going to를 사용하는 게 일반적: *I* ~ go there tomorrow. 내일 그곳에 가겠다. / *I* ~ do my best. 최선을 다하겠습니다. / All right, *I* ~ do so. 좋습니다, 그렇게 하죠. / *I won't* go to such places again. 나는 두 번 다시 그런 곳에는 가지 않겠다. / No, *I* ~ not. 아뇨, 싫습니다. 《~ not는 강하게 ㅡㅡ 또는 ㅡㅡ로 발음함》 **b** [1인칭 외의 주어와 함께 쓰여 말하는 이의 의지를 나타냄] …해 주세요, …하시오: You ~ report to the teacher at once. 당장 선생님께 가서 말하시오. **c** [조건문의 *if*-clause에서 주어[상대방]의 호의를 기대하여 ★단순미래의 부사절과 혼동하지 않도록; cf. IF *conj.* A1a USAGE] …해 주다: I shall be glad [pleased] to go, *if* you ~ accompany me. 당신이 동행하여 주신다면 기꺼이 가겠습니다.
3 [2 인칭이 주어가 되는 의문문에서 상대방의 의지를 묻거나 의뢰·권유 등을 나타내어] …**할 작정입니까**, …해 주지 않겠습니까; …하지 않겠습니까 ★ 명령문 뒤에 붙이는 ... will you?는 ↗조로 말하면 부드러운 의뢰나 권유를 나타내고 ↘조로 말하면 명령조가 됨: *W~ you* come tomorrow? 내일 오겠어요? / *W~ you* pass me the pepper? = Pass me the pepper, ~ *you*? 그 후추 좀 건네주시겠습니까? 《식탁에서》 / *W~ you* please stop talking? 얘기 좀 그만 하세요. ★ 종종 please와 함께 사용 / *W~*[*Won't*] *you* have some coke? = Have some coke, *won't you*? 콜라 드실래요? ★ *Won't* you?는 *W~ you* ...?보다 친근한 어조이며 Have ..., *won't* you?는 한층 구어적인 말 / Open the window, ~[*won't*] *you*? 창문을 열어 주겠어요? / *You'll* try it, *won't you*? 해 보지 않겠나? 《권유》; 해 주겠지. 《의뢰》
4 [말하는 사람의 추측] (아마도) …**일 것이다**(cf. WOULD A 4): That ~ be right. 그것으로 좋을 것이다. / You ~ be Mr. Baker, I think. 베이커 선생님이시죠. / This'*ll* be our bus, I guess. 이것이 우리가 탈 버스일 거야. / I'm sure she'*ll* have finished by now. 지금쯤은 그녀도 틀림없이 끝났을 것이다. / You'*ll* have heard of this. 이 일은 이미 들었겠지요. ★ 미래완료형이지만 과거 또는 완료된 일에 관한 현재의 추측을 나타냄.
5 [주어의 의지] **a** [소원·주장·고집·거절] (…**하기를**) **원하다**, …하고 싶어하다, (어디까지나) …하려고 하다: Let him do what he ~. 그가 하고 싶어하는 대로 하게 하시오. 《~ do의 생략》 / Come whenever you ~. 오고 싶을 때에는 언제라도 오시오. 《~ come의 생략》 / You ~ have your own way. 자네는 멋대로 고집을 부린다. / He *won't* consent. 그는 한사코 승낙하지 않는다. / This door *won't* open. 이 문은 아무리 해도 열리지 않는다. **b** [불가피·필연적 사태] …**하는 법이다**: Boys ~ be boys. 《속담》 사내아이는 역시 사내아이이다. / Accidents ~ happen. 《속담》 사고는 으레 따르는 법이다. / Errors ~ slip in. 잘못은 섞여 들게 마련이다.
6 a [반복 행위·습관; cf. WOULD A 3] **곧잘** …**하다**: He ~ often sit up all night. 그는 곧잘 밤을 새우곤 한다. **b** [사물의 습성] (특징으로서) …**하다**: Oil ~ float on water. 기름은 (으레) 물 위에 뜬다.
7 〈물건이〉 …할 능력이 있다, …할 수가 있다(cf. WOULD A 5): The back seat of this car ~ hold three people. 이 차의 뒷좌석에는 세 사람이 앉을 수 있다.
8 [제안·지시] …합시다, …해 주세요: The class ~ rise. (전원) 기립해 주세요.
USAGE (1) 간접화법의 경우 원칙적으로 직접화법의 will을 그대로 이어받는다(cf. SHALL USAGE, WOULD A 1): She always says (that) she ~ do her best. 그녀는 언제나 (입버릇처럼) 전력을 다하겠다고 말한다. 《She always says, "I ~ do my best."로 바꾸어 쓸 수 있음》
(2) 직접화법에서의 단순미래 I[we] shall이 간접화법의 문장의 종속절에서 2·3인칭이 주어가 될 경우, 때때로 you[he, she, they] *will*이 됨: Say that you ~ be glad to see him. 그를 만나는 것이 기쁘다고 말하시오. 《Say, "I *shall* be glad to see you."로 바꾸어 쓸 수 있음》
~ *do* 쓸모가 있다, 급한 대로 쓸 만하다(cf. ⇨ do[1] *vi.* A3a)

소망, 소원, 하고자 하는 일 **5** Ⓤ (남에 대해 가지는 호의·악의 등의) 마음, 자세, 태도; 의향, 의도; 명령: show good ~ 호의를 표하다 **6** 〖법〗 유언; 유언장 《종종 last will and testament라고 함》: make [draw up] a[one's] ~ 유언장을 작성하다

against one**'s** ~ 본의 아니게, 무리하게 ***at*** ~ = ***at*** one**'s *own*** (***sweet***) ~ 뜻대로, 마음대로 ***do the*** ~ ***of*** …의 뜻[의사]을 따르다(obey) ***good*** ~ = GOODWILL. ***have no*** ~ ***of ...*** 《스코》 …이 조금도 내키지 않다 ***have*** one**'s** ~ 고집대로 하다, 뜻대로

하다, 소망을 성취하다 ***ill*** ~ ＝ILL WILL. ***iron*** ~ 철석같은 의지 ***of*** one***'s own free*** ~ 자유 의지[의사]로 ***take*** one***'s*** ~ 《주로 스코》 마음 내키는 대로 하다 ***take the*** ~ ***for the deed*** 실현은 하지 못하였지만 그 의도는 고맙게 여기다 ***with a*** ~ 정성껏, 진정으로, 결연하게 ***with the best*** ~ (***in the world***) 아무리 그럴 마음이 있어도, 전심전력을 다하여도 ***work*** one***'s*** ~ 자기 원하는 바를 하다, 목적을 이루다
— *vt.* 《문어》 **1** 뜻하다, 의도하다, 결심하다; 의지력으로 해내다; 명하다, 정하다: God ~*s* it. 그것은 하느님의 뜻이다. **2** 의지의 힘으로 …시키다: (~+목+전+명) He ~*s* himself *into* contentment. 그는 스스로 만족하고 있다. // (~+목+***to*** do) She ~*ed* herself *to* fall asleep. 그녀는 억지 잠이 들었다. **3** 〈재산 등을〉 유언으로 남기다, 유증하다: (~+목+전+명) He ~*ed* a lot of money *to* his child. 그는 많은 돈을 자식에게 남겼다. **4** 바라다, 원하다
— *vi.* **1** 의지를 발동하다: lose the power to ~ 의지를 발휘할 힘을 잃다 **2** 《고어》 선택하다, 선호하다; 바라다, 원하다 **3** 결정하다, 결의하다
God ~ing 다행히 그렇게 된다면 **~·er** *n.*
▷ wíllful, wíll-less *a.*

will·a·ble [wíləbl] *a.* 바랄 수가 있는, 의지로 결정할 수가 있는

Wil·lard [wíləɾd | -lɑːd] *n.* 남자 이름

will-call [wílkɔ̀ːl] *a.* 《백화점 등에서 손님이 돈을 지불할 때까지》 물건을 맡아 두는; 상품 예약 구입법의
— *n.* 《백화점 등의》 산 물건을 맡아 두는 부서[제도]; 그 물건; ＝LAYAWAY PLAN

wíll cóntest 〖법〗 유언 소송

willed [wíld] *a.* [보통 복합어를 이루어] …의 의지가 있는: strong-~ 강한 의지를 가진 / weak-~ 의지가 약한

wil·lem·ite [wíləmàit] *n.* Ⓤ 〖광산〗 규산아연광

wil·let [wílit] *n.* (*pl.* **~, ~s**) 〖조류〗 도요의 일종 《북미산(産)》

∗**will·ful | wil·ful** [wílfəl] *a.* **1** Ⓐ 일부러의, 계획적인, 고의의: ~ murder 모살(謀殺) **2** 제 마음대로의, 고집 센, 괴팍스러운: ~ ignorance 무지막지함 / ~ waste 제멋대로의 낭비 **~·ly** *ad.* **~·ness** *n.*

Wil·liam [wíljəm] *n.* 윌리엄 **1** 남자 이름 《애칭 Bill, Will》 **2** ~ **the Conqueror** (＝~ **I**)(1027-87) 《Hastings에서 영국군을 격파하고 영국 왕이 되었음(1066-87)》 **3** ~ **III** 윌리엄 3세(1650~1702) 《명예혁명에 의해 영국 왕위에 오름(1689-1702)》 **4** [종종 **w~**] 《미·속어》 지폐, 은행권 **5** 《영·속어》 경찰, 경관

Wil·liams [wíljəmz] *n.* 윌리엄스 **Tennessee** ~ (1911-83) 《미국의 극작가》

Wílliam Téll 윌리엄 텔 《독일어 명(名) Wilhelm Tell; 스위스의 전설적 용사》

Wil·lie [wíli] *n.* **1** 남자[여자] 이름 **2** [보통 **w~**] 《미·속어》 《특히 통조림》 쇠고기 **3** [보통 **w~**] 《미·속어》 동성애자 **4** [**w~**] 《영·속어》 음경, 페니스

wil·lies [wíliz] *n. pl.* [the ~] 《미·구어》 겁, 두려움: It gave me *the* ~. 나는 그것이 겁났다. / get *the* ~ 소름이 끼치다 《*at*》

‡**will·ing** [wíliŋ] *a.* **1** Ⓟ 기꺼이 …하는, 즐겨[자진하여] …하는, …하기를 사양하지[개의치] 않는: (~+***to*** do) I am quite ~ *to* do anything for you. 당신을 위해서라면 무엇이든 기꺼이 하렵니다.

> 유의어 **be ready to do**는 「언제든지 곧 …하다」의 뜻이지만 **be willing to do**의 경우는 「사실은 하고 싶지 않지만 …하다, …해도 상관없다」의 뜻이 포함된다.

2 Ⓐ 자진해서 하는; 자발적인: ~ hands 자진하여 돕는 사람들 / She is a ~ worker. 그녀는 자진해서 일하는 사람이다. **3** 마침 잘된, 알맞은, 순조로운(favorable): the ~ wind 순풍 **~ *or not*** 싫든 좋든

> **thesaurus** **willing** *a.* prepared, ready, happy, agreeable, eager, keen, enthusiastic, cooperative, consenting (opp. *unwilling, reluctant*)

wílling hórse 자진해서 일하는 사람

∗**will·ing·ly** [wíliŋli] *ad.* 자진해서, 기꺼이, 쾌히: "Can you help me?" — "*W*~." 좀 도와주시겠습니까? — 기꺼이 도와드리죠.

∗**will·ing·ness** [wíliŋnis] *n.* Ⓤ 쾌히[자진하여] 하기; 기꺼이 하는 마음: (~+***to*** do) I expressed my ~ *to* support the cause. 자진해서 그 운동을 지지하고 싶다는 의향을 표명했다.

Wil·lis [wílis] *n.* 남자 이름

wil·li·waw, wil·ly- [wíliwɔ̀ː] *n.* 〖기상〗 **1** 윌리워 《산이 많은 해안 지대로부터 부는, 특히 Magellan 해협의 차가운 돌풍》 **2** 《일반적으로》 돌풍; 대혼란, 격동

will-less [wíllis] *a.* **1** 의지가 없는; 뜻하지 않은, 본의 아닌, 고의가 아닌: a ~ compliance 맹종 **2** 유언을 남기지 않은

will-o'-the-wisp [wìləðəwísp] *n.* **1** 도깨비불 **2** 사람을 호리는[미혹시키는] 것[사람]; 신출귀몰하는 사람 **3** 《추구해도》 달성할 수 없는 목표[소망]

‡**wil·low**[1] [wílou] *n.* **1** 버드나무; Ⓤ 버드나무 재목; 버드나무 가지 **2** 크리켓의 배트 **3** 〖방직〗 제진기(除塵機) ***handle*** [***wield***] ***the*** ~ 크리켓을 하다 ***wear the*** ~ 실연하다; 애인의 죽음을 서러워하다 《옛날에 버들잎 화환을 가슴에 달고 그 뜻을 표시하였음》 ***weeping*** ~ 수양버들
— *a.* 버드나무의[로 만든]
~·like *a.* **~·ish** *a.* ▷ wíllowy *a.*

willow[2] *n.*, *vt.* 솜틀(로 틀다)

wil·low·er [wílouəɾ] *n.* 〖방적〗 솜틀; 《솜틀로》 솜을 트는 사람; 제면공(製綿工)

wíllow hèrb 〖식물〗 분홍바늘꽃 《바늘꽃과(科)》

wíllow pàttern 버들 무늬 《영국식 도자기의 장식 무늬》

wil·low·ware [wílouwὲəɾ] *n.* 버드나무 모양이 그려진 도자기

wil·low·y [wíloui] *a.* **1** 휘청휘청한, 나긋나긋한; 축 늘어진, 가냘픈 **2** 버드나무가 많은 〈강가 등〉

will·pow·er [wílpàuəɾ] *n.* Ⓤ 의지력, 정신력, 결단력, 자제심

wíll to pówer 《니체 철학에서》 권력에의 의지, 권력 행사욕

Wil·ly [wíli] *n.* **1** 남자[여자] 이름 **2** [**w~**] 《영·속어》 ＝WILLIE 4

wil·ly-nil·ly [wìliníli] *ad.* **1** 무질서하게, 무계획하게 **2** 싫든 좋든, 막무가내로 — *a.* 어쩔 수 없는; 망설이는, 머뭇거리는, 우유부단한; 계획성 없는

wil·ly-wil·ly [-wìli] *n.* (*pl.* **-lies**) 《호주》 윌리윌리 《강한 열대 저기압; 사막의 선풍(旋風)》

Wil·ma [wílmə] *n.* **1** 여자 이름 **2** 《미·학생속어》 주의가 산만한 여자

Wílms's tùmor [vílmziz-] 〖병리〗 빌름스 종양 《악성의 신종양(腎腫瘍)》

Wil·son [wílsn] *n.* **1** 윌슨 (**Thomas**) **Woodrow** ~ (1856-1924) 《미국 제28대 대통령(1913-21)》 **2** 윌슨 **Sir** (**James**) **Harold** ~ (1916-95) 《영국의 정치가; 수상(1964-70, 74-76)》 **3 Mount** ~ 윌슨 산 《미국 캘리포니아 주 남서부에 있는 산; 곡대기에 유명한 천문대가 있음》

Wílson's disèase 〖병리〗 윌슨병 《구리 대사(代謝) 이상으로 간경변·정신 장애 등을 일으키는 유전병》

wilt[1] [wílt] *vi.* **1** 〈화초 등이〉 이울다, 시들다 **2** 〈사람이〉 풀이 죽다; 약해지다 — *vt.* **1** 이울게 하다, 시들게 하다 **2** 약하게 하다; 맥이 풀리게 하다
— *n.* Ⓤ **1** 무기력, 의기소침 **2** 〖식물〗 시듦, 시들어 죽는 병(＝∠ **disèase**)

∗**wilt**[2] [wəlt, wílt] *auxil. v.* 《고어》 WILL[1]의 2인칭 단수 현재형 《주어가 thou일 때》

wilt·ed [wíltid] *a.* 《야채 등을》 살짝 익힌[데친]

Wil·ton [wíltn] [생산지인 영국의 Wiltshire의 지명에서] *n.* 윌턴 양탄자(＝∠ **cárpet**[**rúg**])

Wilt·shire [wíltʃiər, -ʃər] *n.* 윌트셔 《잉글랜드 남부의 주; 주도 Trowbridge; 略 Wilts.》

wil·y [wáili] *a.* (**wil·i·er**; **-i·est**) 꾀가 많은, 약삭빠른, 책략을 쓰는, 교활한(sly)
wíl·i·ly *ad.* **wíl·i·ness** *n.* ▷ wíle *n.*

wim·ble [wímbl] *n.* 송곳(gimlet, auger); (광산의) 판 구멍에서 흙을 걷어내는 도구
— *vt.* 《고어》 (송곳으로) …에 구멍을 뚫다

Wim·ble·don [wímbldən] *n.* **1** 윔블던 《London 교외의 지명; 국제 테니스 선수권 대회 개최지》 **2** 이곳에서 거행되는 국제 테니스 선수권 대회

wim·min [wímin] *n. pl.* (여권 운동가들이 쓰는) 여성(women): peace ~ (전투적 여권 운동가에 대해) 평화적 여권 운동가

wimp [wímp] *n.* 《미·속어》 무기력한 사람, 겁쟁이
— *vi.* 겁쟁이같이 행동하다. ~ out 두려워서 손을 떼다 **wímp·y** *a.*

WIMP[1] [wímp] [*W*indows, *I*cons, *M*ouse *P*ull-Down-Menus] *n.* 〖컴퓨터〗 컴퓨터를 사용하기 쉽게 하는 일련의 사용자[유저(user)] 인터페이스

WIMP[2] [*W*eakly *I*nteracting *M*assive *P*article] *n.* 〖핵물리〗 약한 상호 작용을 하는 소립자

wimp·ish [wímpiʃ] *a.* 《구어》 나약[연약]한, 겁쟁이의; 우둔한 **~·ness** *n.*

wim·ple [wímpl] *n.* **1** 수녀의 베일, 쓰개 **2** 《스코》 옷주름, 접은 자리(fold); (도로·강 등의) 커브, 굽이 **3** 《영》 잔물결
— *vt.* **1** (수녀용의) 베일[쓰개]로 싸다; 〈베일 등에〉 주름을 잡다 **2** 잔물결을 일으키다 **3** 《고어》 숨기다
— *vi.* **1** 주름 잡히다 **2** 《스코》 〈개천이〉 굽이지다 **3** 잔물결이 일다 **4** 비틀비틀 움직이다

wimple *n.* **1**

Wim·py [wímpi] *n.* **1** 윔피 《Popeye의 친구; 늘 햄버거를 먹고 있음》 **2** 윔피 《햄버거의 일종; 상표명》

‡**win**[1] [wín] [OE 「싸우다」의 뜻에서] *v.* (**won** [wʌ́n]; **~·ning**) *vt.* **1** (싸워서) 이기다(opp. *lose*): ~ a battle[race, game] 전투[경주, 경기]에서 이기다 / ~ a beauty contest 미인 대회에서 우승하다 / ~ an election 선거에서 이기다 / ~ a bet 내기에서 돈을 따다 **2** 〈상품·승리·1위 등을〉 획득하다, 이겨서 얻다; 노력해서 얻다(gain, obtain): ~ a gold medal 금메달을 획득하다 **3** 〈생활의 토대가 되는 양식을〉 벌어들이다 **4** 〈명성·칭찬·신망 등을〉 얻다, 떨치다: The book *won* him fame. 그 책으로 그는 명성을 떨쳤다. **5** 〈장소·상태 등에〉 이르다: ~ repose 안식의 경지에 이르다 **6** (곤란을 물리치고) 달성하다, 도달하다: ~ the summit 마침내 정상에 다다르다 **7** 〈호의·우정·동정·애정 등을〉 얻다 **8** …의 마음을 사로잡다, 설복하다(persuade): (~+목+부) He *won* the jury *over* to his side. 그는 배심원을 설득하여 자기편에 서게 했다. // (~+목+전+명) ~ natives *to* Christianity 원주민을 전도하여 그리스도교로 개종시키다 // (~+목+*to* do) He has *won* her *to* consent. 그는 그녀를 설득하여 동의하게 했다. **9** 〖채광〗 〈광맥을〉 찾아 파내다, 채취하다
— *vi.* **1** 이기다, 1위를 하다; 승리하다: (~+전+명) ~ *at* cards 카드놀이에 이기다 / ~ *against* all obstacles 모든 장애를 극복하다 / ~ *by* a boat's length 1정신(艇身)[보트 하나 길이]의 차로 이기다 **2** (노력에 의해) 성공하다, 잘 해내다 《*out, through*》 **3** (노력하여) …이 되다: (~+보) ~ free from prejudice 편견에서 벗어나다 / ~ free[clear, loose] 마침내 자유를 얻다, 극복하다 **4** 나아가다; 다다르다, 도달하다: (~+부) ~ *home* 무사히 집에 돌아오다 / ~ *back* to cool sanity 냉정을 되찾다 **5** 《스코·방언》 해치우다, 수행하다 **6** (점차로) 마음을 사로잡다 《*on, upon*》: ~ *upon* the heart[a person] …의 마음을 끌다
~ a person *away from* …로부터 사람을 자기편으로 끌어들이다 **~ *back*** (이겨서) 되찾다 **~ *by* hanging** (교살을) 모면하다, 요행히 당하지 않다 **~ *hands down*** 《구어》 쉽게 [큰 점수 차로] 이기다 **~ *in a walk*** 《구어》 쉽게 이기다 **~ *or lose*** 이기든 지든 **~ *out*[*through*]** 《속어》 완수하다, 수행하다, 성공하다 **~ *over*** 〈자기편·자기 주장에〉 끌어들이다 《*to*》 **~ *round*** 자기편으로 끌어넣다 **~ one*'s bread*** 빵[끼니]을 벌다 **~ a person*'s love*[*heart*]** …의 사랑을 얻다 **~ one*'s spurs*** 영광[명예]을 차지하다 **~ one*'s way*** 장애를 물리치고 나아가다; 고생하여 성공하다 **~ *the day*[*field*]** 싸움[논쟁]에 이기다 **~ *up*** 일어나다, 일어서다; 말을 타다 ***you can't*** **~** 《구어》 뭘 한다 해도 넌 안 된다; 이런 상황에서는 뾰족한 수가 없다 ***You can't ~ them all.*** 다 잘 되라는 법은 없지. 《실패한 사람에게 하는 말》 ***you*** **~** 《구어》 네가 이겼다; 네 말에 따르게
— *n.* 《구어》 승리(victory), 성공; 이익, 벌이, 상금(winnings); (경마 등의) 일등

win[2] *vt.* 《스코》 〈건초·목재 등을〉 말리다, 건조시키다

WIN[1] [wín] [*W*hip *I*nflation *N*ow] *n., vi.* 《미》 「타도 인플레이션」 《Gerald R. Ford 대통령 시대의 슬로건》

WIN[2] [*W*ork *In*centive] *n.* 《미》 근로 장려책

*__wince__ [wíns] *vi.* (아픔·무서움 때문에) 주춤하다, 꽁무니 빼다, 질겁하다, 움츠리다, 겁내다 《*at, under*》: (~+전+명) He didn't ~ *under* the blow. 그는 맞고도 굴하지 않았다.
— *n.* 질겁, 꽁무니 뺌, 주춤함, 위축, 겁냄

win·cey [wínsi] *n.* Ⓤ 윈시 직물 《면모 교직(綿毛交織)의 일종; 스커트 등을 만듦》

win·cey·ette [wìnsiét] *n.* Ⓤ 《영》 (양면에 보풀이 있는) 융(絨) 《파자마·속옷·잠옷용》

winch [wíntʃ] *n.* **1** L자 손잡이, 크랭크(crank) **2** 윈치, 권양기(捲揚機)(cf. WINDLASS)
— *vt.* **1** 윈치로 감아올리다: (~+목+전+명) The glider was *~ed off* the ground. 그 글라이더는 윈치에 끌려서 이륙했다. **2** 〈베를〉 윈치로 염색통에 넣다 **~·er** *n.*

winch *n.* **2**

Win·ches·ter [wíntʃèstər | -tʃis-] *n.* **1** 윈체스터 《잉글랜드 Hampshire의 주도》 **2** = WINCHESTER RIFLE; 《일반적으로》 라이플총 **3** = WINCHESTER QUART **4** = WINCHESTER DISK

Wínchester búshel 윈체스터 부셀 《미국 및 구 영국의 건량(乾量) 단위》

Wínchester dísk 〖컴퓨터〗 윈체스터 자기(磁氣) 디스크

Wínchester quárt 반 갤런(들이 병)

Wínchester rífle 윈체스터식[후장식(後裝式)] 연발총 《상표명》

‡**wind**[1] [wínd, 《詩에서 종종》 wáind] *n.* **1 a** [보통 the ~] ⓊⒸ 바람: *The* ~ is rising[falling]. 바람이 일고[자고] 있다. / There isn't much ~ today. 오늘은 바람이 별로 없다. / a cold ~ 찬 바람 / a blast of ~ 한바탕 부는 바람 / a seasonal ~ 계절풍 **b** (물체의 움직임에 따라) 이는 바람: the ~ of a speeding car 질주하는 차가 일으키는 세찬 바람
관련 wind: 「바람」을 뜻하는 일반적인 말이다. breeze: 산들바람 air: 선풍기나 냉·난방 장치 등의 바람
2 Ⓤ 숨, 호흡: regain one's ~ 숨을 돌리다 **3** [the ~; 집합적] 〖음악〗 관악기(=~ instrument); 그 취주자들 **4** Ⓤ **a** 영향력; 경향; 파괴적인 힘 **b** (어떤 것에 대한) 암시; 예감, 낌새 《*of*》 **c** 바람에 실려오는 냄새,

thesaurus **win**[1] *v.* **1** 이기다 be victorious in, overcome, succeed, triumph, prevail (opp. *lose, fail*) **2** 획득하다 achieve, attain, earn, gain,

향기 **d** (비밀의) 누설, 소문 **5** Ⓤ (구어) 빈말, 허황한 소리; 무의미 **6** 놀라움, 소동 **7** Ⓤ 위장 안의 가스, 방귀; 압축 공기; 《고어·속어》 공기 **8** 《권투속어》 명치 **9** [the ~] **a** 〖항해〗 바람이 불어오는 쪽 **b** [*pl.*] 방위(方位); 방향 **10** Ⓤ 양(羊)의 고창증(鼓脹症)

against the ~ 바람을 거슬러, 바람을 안고 ***before the ~*** 바람을 따라서, 바람을 등에 지고, 순풍에 ***between ~ and water*** (배의) 물 닿는 곳에, 수선부(水線部)에 《탄환을 맞으면 배가 침몰하는 부분에》; 급소에 ***break ~*** 방귀 뀌다; 트림하다 ***broken ~*** 숨이 차 헐떡거림 《특히 말(馬)의》 ***by the ~*** 〖항해〗 되도록 바람 불어오는 쪽[위쪽]으로, 되도록 바람을 거슬러 ***constant ~s*** 항풍 ***down the ~*** 바람 불어가는 쪽으로; 바람을 등지고 ***fair*** [***contrary***] ***~s*** 순[역]풍 ***feel the ~*** 곤궁하다, 주머니가 비어 있다 ***fling*** [***throw, cast***] ***to the ~s*** 바람에 날려 보내다; 〈조심성·체면 등을〉 아주 내버리다, 전혀 개의치 않다 ***from*** [***to***] ***the four ~s*** 사면팔방에서[으로] ***gain the ~ of*** = get the WIND of. ***get*** [***recover***] one***'s second ~*** (구어) 기력을 회복하다, 페이스를 되찾다 ***get the ~ of*** (다른 배의) 바람받이로 나아가다; = get WIND of. ***get*** [***have***] ***the ~ up*** 《영·속어》 깜짝 놀라다 ***get ~*** = take WIND. ***get*** [***catch, have***] ***~ of*** …의 소문을 알아내다, 눈치 채다 ***go like the ~*** 빨리 가다 ***go to the ~*** 전멸하다 ***hang in the ~*** 태도가 결정되지 않다 ***have a good*** [***bad***] ***~*** 숨이 지속되다[계속되지 못하다] ***have in the ~*** 낌새를 알아채다 ***have*** one***'s ~ taken*** 명치를 맞고 기절하다 ***have the ~ of*** ⇨ get the WIND of. ***head ~*** 역풍, 맞바람 ***in the ~*** 바람 불어오는 쪽에; (일이) 일어날 듯한, (몰래) 진행되어; 아직 미결로; 〖항해〗 술 취하여 ***in the teeth*** [***eye***] ***of the ~*** = ***in the ~'s eye*** 바람을 거슬러 ***into the ~*** 바람 불어오는 쪽으로 ***keep the ~*** 〖항해〗 거의 바람에 역행하여[거슬러] 나아가다; (사냥감의) 냄새 자취를 잃지 않다 ***kick the ~*** (속어) 교수형에 처해지다 ***know*** [***see, find out***] ***how*** [***where***] ***the ~ blows*** [***lies, sits***] 바람 부는 방향을 알다, 여론의 동향을 살피다 ***like the ~*** 빨리 〈달리다〉 ***lose*** one***'s ~*** 숨을 헐떡이다 ***off the ~*** 〖항해〗 순풍을 받고, 바람을 등지고 ***on*** [***upon***] ***the*** [***a***] ***~*** 〖항해〗 바람을 거슬러[역행하여]; 〈소리·냄새 등이〉 바람에 불리어, 순풍을 타고 ***put the ~ up*** a person 《영·속어》 …을 깜짝 놀라게 하다 ***raise the ~*** (속어) 돈을 마련하다; 소동을 일으키다 ***sail close to*** [***near***] ***the ~*** ⇨ sail *v.* ***sail with every*** (***shift of***) ***~*** 어떠한 경우에도 자기에게 유리하게 이끌다 ***sound in ~ and limb*** 아주 건강한 ***take the ~ of*** = get the WIND of. ***take the ~ out of*** a person***'s sails*** 다른 배의 바람 불어오는 쪽으로 나가 바람을 빼앗다; 앞지르다, 기선을 잡다, 상대를 꼼짝 못하게 하다 《논쟁 등에서》 ***take ~*** 소문으로 퍼지다 ***to the ~*** 〖항해〗 바람 불어오는 쪽을 향하여 ***touch the ~*** 될 수 있는 대로 바람 불어오는 쪽으로 나아가다 ***twist in the ~*** 심한 불안을 느끼다 ***under the ~*** 〖항해〗 바람 불어 가는 쪽으로, 바람 받지 않는 쪽으로 ***up the ~*** 바람을 안고 ***~ abaft*** [***ahead***] 〖항해〗 정후(正後)[정수(正首)]풍, 고물[이물]바람 ***~ and weather*** 비바람 ***~(s) of change*** 중요한 정치적[사회적] 변화를 가져오는 사건 ***within ~ of*** …에게 들키어[눈치채여] ***with the ~*** 바람과 함께, 바람 부는 대로; = before the WIND

―*v.* [wínd] *vt.* **1** …을 바람에 쐬다 **2** 냄새를 맡아 알아내다; 〈비밀을〉 알아채다: She *~ed* the plot. 그녀는 음모를 알아챘다. **3** 숨차게 하다; …에 숨을 쉬게 하다, 숨을 돌리게 하다

―*vi.* **1** 냄새를 맡아 알아내다, 낌새를 채다 **2** 〈도로·강 따위가〉 바람을 통하다, 바람에 쏘이다 **3** 헐떡이다; 〈말이〉 숨을 돌리다

▷ wíndless, wíndy *a.*

‡wind² [wáind] *v.* (**wound** [wáund]) *vi.* **1** 꾸불거리다, 굽이지다: 《~+副》 The river *~s along.* 강이 굽이져 흐른다. // 《~+前+名》 The road *~s along* the river. 길이 강을 따라 꼬불꼬불 이어 나간다. **2** 나선상으로 나가다[움직이다] **3** 감기다, 휘감다 《*about, around, round*》: 《~+前+名》 The morning glory *~s around* a bamboo pole. 나팔꽃이 대나무 장대에 감겨 있다. **4** 〈시계태엽 등이〉 감기다: This watch *~s* easily. 이 시계는 태엽이 잘 감긴다. **5** 〈판자 등이〉 휘다, 뒤틀리다: The board *wound.* 판자가 뒤틀렸다. **6** 교묘한 방법을 쓰다; 교묘하게 파고들다 《*in, into*》

―*vt.* **1** 감다, 동이다, 칭칭 감다: 《~+目+前+名》 ~ thread *on* a reel 실패에 실을 감다 / ~ a scarf *around* one's neck 목에 스카프를 두르다 **2** 〈실 등을〉 감아서 공처럼 둥글게 만들다 **3** 〈감긴 것을〉 풀다 《*off, from*》: I *wound* the thread *off* the bobbin. 실타래에서 실을 풀어 옮겨 감았다. **4** 싸다; 휘감다: ~ one's neck with a scarf 목에 스카프를 두르다 **5** 〈시계태엽 등을〉 감다: 《~+目+副》 ~ *up* one's watch 시계의 태엽을 감다 **6** 감아 올리다 《윈치 등으로》: 《~+目+副》 《~+目+前+名》 They were *~ing up* some ore *from* the mine. 갱내에서 광석을 끌어올리고 있는 중이었다. **7** …을 굽이쳐[돌아] 나가다 **8** 돌리다; 〖항해〗 〈배를〉 반대 방향으로 돌리다

~ down 태엽이 풀리다; 서서히 끝내다[끝나다]; 규모를 축소하다; 긴장을 풀다 ***~ off*** 〈감은 것을〉 되풀다, 끄르다, 풀어 헤치다 ***~*** a person ***round*** one***'s*** (***little***) ***fingers*** …을 마음대로 부리다, 끌어들여 완전히 자기 사람을 만들다 ***~*** one***self*** [one***'s way***] ***into*** …의 환심을 얻다, 신임을 얻다 ***~*** one***'s way*** 굽이지며 나아가다[흐르다] ***~ up*** (1) 〈실 등을〉 다 감다; 감아[동여] 죄다; 〈닻·두레박 등을〉 감아 올리다; 〈시계 태엽을〉 감다 (2) …을 긴장시키다 (3) 〈논설·연설 등의〉 끝을 맺다 《*by, with*》 (4) 〈상점·회사 등을〉 폐업하다, 해산하다, 결말을 짓다, 그만두다 《*by*》 (5) 〖야구〗 〈투수가〉 와인드업하다

―*n.* **1** 굽이, 굽이짐, 굴곡: The road makes a ~ to the East. 길은 동쪽으로 굽이져 있다. **2** 한 번 돌리기, 한 번 감음 《시계태엽·실 등의》; 감아올리기; 감아올리기 위한 기계 ***out of ~*** 구부러지지 않은

~·a·ble *a.* ▷ enwínd *v.*

wind³ [wáind, wínd | wáind] *v.* (**~·ed,** (주로 미) **wound** [wáund]) *vt.* **1** 〈피리·나팔 등을〉 불다 (blow): ~ a call 호각을 불다 **2** 〈고함을〉 지르다 **3** 〈한바탕의 바람을〉 일으키다 **4** (시어) (피리를 불어서) …을 지시하다 ―*vi.* 피리를 불다

wind·age [wíndidʒ] *n.* ⓊⒸ **1** (바람에 의한 탄환의) 편류(偏流), 편차(偏差); 편차의 조절 **2** 유극(遊隙) 《마찰을 적게 하기 위한 강면(腔面)과 탄환 사이의 간격》 **3** (날아가는 탄환이 일으키는) 바람 **4** 〖기계〗 풍손(風損); 〖항해〗 (선체의) 바람에 쐬는 면, 풍압면; 〖전기〗 공기압

wind-aid·ed [wíndèidid] *a.* 〖스포츠〗 바람을 등진, 순풍을 탄

wínd àvalanche 〖기상〗 바람이 일으키는 눈사태

wind·bag [wíndbæ̀g] *n.* **1** (구어) 수다쟁이; 쓸데없는 말을 늘어놓는 사람 **2** 공기 주머니; 풀무(bellows) **3** 《익살》 가슴(chest) **~·ger·y** *n.* 허풍

wínd bànd **1** 취주악대[악단], 《특히》 군악대 **2** (관현악의) 취주[관악]부

wind-bell [wíndbèl] *n.* 풍경(風磬)

wind·blast [wíndblæ̀st, -blɑ̀:st | -blɑ̀:st] *n.* **1** 돌풍 **2** 〖항공〗 윈드블라스트 《고속 비행기에서 사출(射出) 좌석으로 탈출한 조종사가 받는 공기 저항에 의한 강한 풍압의 영향》

wind·blown [wíndblòun] *a.* **1** 바람에 날린: ~ hair 바람에 날린 머리카락 **2** 〈나무가〉 바람에 날려 구부러진 **3** (여성의) 머리가 짧게 깎아 이마 쪽으로 눕힌

receive, obtain, acquire, procure, collect, pick up
wind² *v.* twist, curve, bend, zigzag, snake, spiral, ramble, curl, wreathe, coil, twine, roll

wind-borne [wíndbɔ̀ːrn] *a.* **1** 〈종자·꽃가루 등이〉 바람으로 운반되는 **2** 바람의 작용에 의한, 풍화된
wind·bound [wíndbàund] *a.* 〖항해〗 바람 때문에 항행할 수 없는, 바람에 묶인
wind bòx (풀무의) 바람 상자; 《미·속어》 오르간, 아코디언
wind·break [wíndbrèik] *n.* **1** 방풍림(防風林) (shelterbelt) **2** 바람막이, 방풍 시설, 방풍벽 **3** (나뭇가지의) 바람에 의한 꺾임
wind·break·er [wíndbrèikər] *n.* **1** = WINDBREAK 1, 2 **2** [**W~**] 《미》 스포츠용 재킷의 일종 《방풍 및 방한의 목적으로 손목과 허리 부분에 고무 밴드를 넣은; 상표명》
wind-bro·ken [wíndbròukən] *a.* = BROKEN-WINDED
wind·burn [wíndbə̀ːrn] *n.* UC 바람에 의한 피부염; 〖식물〗 바람에 의한 잎[나무껍질]의 상처
wínd·bùrned, -burnt *a.*
wind·cheat·er [wíndtʃìːtər] *n.* 《영》 = WINDBREAKER 2
wind·chest [wíndtʃèst] *n.* (파이프 오르간의) 바람통
wind·chill [wíndtʃìl] *n.* 풍속 냉각 《기온과 어떤 풍속의 바람의 복합 효과에 의한 신체의 냉각》
wíndchill fàctor[ìndex] 풍속 냉각 지수
wínd chìmes 유리·금속·대나무 등을 매단 장식물 《바람에 서로 부딪쳐 소리를 나게 하는》
wínd còne 〖기상〗 풍향 기드림, 바람개비
wínd dirèction 풍향
wind-down [wáinddàun] *n.* 단계적 축소[진정]
wínd dràg [wínd-] 공기 저항
wind·ed [wíndid] *a.* **1** 숨이 찬(out of breath) **2** [보통 복합어를 이루어] 호흡이 …한: short-~ 곧 숨이 차는 **3** 바람[공기]에 쏘인
wínd ègg (껍질이 무른) 무정란(無精卵)
wínd ènergy = WIND POWER
wind·er [wáindər] *n.* **1** 감는 사람[것]; 감는 기계, 실패 **2** 나선식 계단 **3** 덩굴 식물
Win·der·mere [wíndərmìər] *n.* **Lake ~** 윈더미어 호 《영국 북서부의 Westmorland에 있는 호수》
wínd eròsion [wínd-] 풍식(風蝕) (작용)
wind·fall [wíndfɔ̀ːl] *n.* **1** 뜻밖의 횡재 《유산 등》, 굴러 들어온 복 **2** 바람에 떨어진 과실 **3** 바람에 쓰러진 나무
wíndfall lòss 〖경제〗 우연[의외]의 손실
wíndfall pròfit(s) 초과 이윤, 우발 이익, 불로 소득; 〖경제〗 의외의 이윤
wíndfall prófits tàx 초과 이윤세, 불로 소득세
wínd fàrm 풍력 기지, 풍력 발전 지역[시설]
wind·flaw [wíndflɔ̀ː] *n.* 돌풍(flaw²)
wind·flow·er [wíndflàuər] *n.* = ANEMONE
wind-force [wíndfɔ̀ːrs] *n.* 바람의 힘; 〖기상〗 (풍력 등급상의) 풍력; 풍압
wínd fùrnace 〖기계〗 (시금(試金) 등에 쓰는) 풍로(風爐)
wind·gall [wíndgɔ̀ːl] *n.* 〖수의학〗 (말 등의) 구건 연종(球腱軟腫)
wínd gàp 〖지리〗 풍극(風隙)
wínd gàuge 풍력계, 풍속계; 풍압계 《오르간의》
wínd gènerator 풍력 발전기[시설]
wínd hàrp 풍명금(風鳴琴)(aeolian harp)
wínd hàzard 풍해 《초고층 빌딩에 부딪친 바람으로 생긴 난기류 때문에 사람이나 집이 쓰러지는 현상》
Wind·hoek [vínthúk] *n.* 빈트후크 《나미비아의 수도》
wind·hov·er [wíndhʌ̀vər | -hɔ̀v-] *n.* 《영》 〖조류〗 = KESTREL
Wind·ies [wíndiz, -diːz] *n. pl.* [the ~] 《구어》 서인도 크리켓 팀
wínd ìndicator (공항 등에 있는 대형) 풍향 지시 표지
*__wind·ing__ [wáindiŋ] *a.* **1** 〈강·길 등이〉 꾸불꾸불한: a ~ staircase 나선식 계단 **2** 〈말 등을〉 둘러 말하는
— *n.* **1** U 감음; 감아올림, 감아들임 **2** 구부러짐; 굴곡, 굽이: out of ~ 구부러지지 않은 **3** C 감은 것, 두루마리; U 〖전기〗 감는 법 **4** [*pl.*] 꼬불꼬불한 길, 우여곡절; 부정한 방법[행동] ***in*** ~ 〈판자 등이〉 휘어져, 굽어 **~·ly** *ad.* **~·ness** *n.*
wind·ing-down [wàindiŋdáun] *n.* = WIND-DOWN
wínding ègine 감아올리는 엔진, 윈치 엔진
wínding fràme (실 등을) 감는 틀[기기]
wind·ing-sheet [wáindiŋʃìːt] *n.* **1** 수의(壽衣), 시체 싸는 천 **2** 《방언》 (촛불의) 촛농
wind·ing-up [-ʌ́p] *n.* 결말; 청산; 《영》 정리 해산 《회사 등의》: ~ sale 《영》 점포 정리 특매
wínd ìnstrument [wínd-] 관악기, 취주 악기
wind·jam·mer [wíndʤæ̀mər] *n.* **1** 《구어》 돛단배; 그 사공 **2** 《미·속어》 허풍선이 **3** (서커스의) 금관 악기 주자; (군대의) 나팔수
wind·lass [wíndləs] *n.* 윈치, 권양기
— *vi., vt.* 권양기로 감아올리다
wíndlass bìtt 〖항해〗 양묘기(揚錨機) 기둥
wind·less [wíndlis] *a.* **1** 바람 없는, 잔잔한 **2** 《드물게》 숨이 찬 **~·ly** *ad.* **~·ness** *n.*
win·dle·straw [wíndlstrɔ̀ː] *n.* 《스코·북잉글》 **1** 길쭉한 건초의 줄기; 줄기가 긴 풀 **2** 가볍고 약한 것[사람]; 키가 크고 여윈[병약한] 사람
wínd lòad[lòading] 〖공학〗 풍하중(風荷重) 《풍압에 의해 구조물에 가해지는 하중》
wínd machìne 〖연극〗 바람 소리를 내는 장치
wínd mèter 풍력계, 풍속계(anemometer)
*__wind·mill__ [wíndmìl] *n.* **1** 풍차 **2** 풍차 비슷한 것; (장난감) 팔랑개비; 풍력 발전기[발전소] **3** 가상의 해악[적] **4** 《구어》 헬리콥터; 《구어》 프로펠러
fight [***tilt at***] **~*s*** 가상의 적과 싸우다 《Don Quixote의 이야기에서》 ***fling*** [***throw***] one***'s cap over the*** ~ 무모한 짓을 하다; 전통에 반항하다
— *vt., vi.* (풍차처럼) 회전시키다[하다]
wínd mòtor 풍력 원동기 《풍차 따위》
‡**win·dow** [wíndou] [Old Norse 「바람의 눈(wind eye)」의 뜻에서] *n.* **1** 창문, 창; 창가: look out of the ~ 창밖을 내다보다 **2** 창틀, 창유리: break a ~ 창유리를 깨다 **3** 장식창, 진열창 **4** (은행 등의) 창구, 매표구: a cashier's ~ 출납 창구 **5** 창 모양의 것 **6** [*pl.*] 《미·속어》 안경 **7** (마음의) 창; 눈: The eyes are the ~*s* of the mind. 눈은 마음의 창이다. **8** 관찰할 기회, 아는 수단, 창구; (봉투의) 파라핀 창 《수신인의 이름 등이 보임》 **9** 시간(대), 기간, 호기, 시기 **10** 〖컴퓨터〗 창; 윈도 《디스플레이 화면상의 한 부분에 지정된 영역》 **11** (레이더·전파의) 창, 윈도 《공중에 살포된 금속 조각》; 〖천문〗 전파의 창, 전자창(電磁窓); 〖우주〗 (우주선이 무사 귀환을 위해 통과해야 할 대기의) 특정 영역 **12** 〖정치〗 한정 시간대; (국제 관계에서 정책 등의) 실행 기간, 제한 기일; 〖군사〗 적의 공격에 노출되기 쉬운 기간: the ~ of vulnerability 〖군사〗 (적 공습에 대한) 무방비 시간대 / a ~ of opportunity 목표 달성 가능한 한정 시간대 ***arched*** ~ 아치 모양의 창 ***blank*** [***blind, false***] ~ 막힌[장식] 창 ***fly*** [***go out***] (***of***) ***the*** ~ 《구어》 완전히 사라지다; 더 이상 효력이 없다 ***have*** [***put***] ***all*** one***'s goods in the*** (***front***) ~ 겉치레뿐이다 ***in the*** ~ 〈광고·주의문 등을〉 창구에 게시한; 〈상품이〉 진열창에 내놓인 ***out*** (***of***) ***the*** ~ 《구어》 이미 문제가 되지 않는; 사용되지 않는; 《미·속어》 〈재산·명성 등을〉 잃고; 《미·속어》 〈상품이〉 진열하자마자 팔려 ***throw the house out at*** (***the***) ~ 대혼란에 빠뜨리다, 엉망진창으로 만들다
— *vt.* …에 창을 내다 **~·less** *a.* 창이 없는
wíndow bàr 창문 빗장
win·dow-based [wíndoubéist] *a.* 〖컴퓨터〗 윈도를 사용한 디스플레이를 채택하고 있는
wíndow blìnd 블라인드 《보통 위에 롤러가 달려 있어 아래 위로 접혔다 폈다 하는 블라인드》
wíndow bòard 창 선반
wíndow bòx **1** (창의 아래틀에 붙인) 화초 가꾸는 상자 **2** (내리닫이 창의) 창틀의 홈
wíndow clèaner 유리창 청소부

wíndow cùrtain 창문 커튼
wíndow displày 쇼윈도의 상품 진열
win·dow-dress [-drès] *vt.* …의 체재를 갖추다, …을 겉치레하다
wíndow drèsser **1** 쇼윈도 장식가 **2** 사실을 그럴듯하게 속이는 사람
wíndow drèssing **1** 진열창 장식(법) **2** 《비유》 겉치레; 눈속임; 〖회계〗 분식(粉飾)
wín·dow-drèss·ing dèpósit [-drèsiŋ-] 분식(粉飾) 예금
wíndow-drèssing séttlement 〖회계〗 분식 결산[회계]
win·dowed [wíndoud] *a.* [종종 복합어를 이루어] (…의) 창이 있는
wíndow ènvelope 창 달린 봉투 《받는 사람의 이름과 주소가 투명하게 들여다보이도록 파라핀 종이를 붙인 봉투》
wíndow fràme 창틀
wíndow glàss 창유리
win·dow·ing [wíndouiŋ] *n.* 〖컴퓨터〗 윈도잉 《두 개 이상의 서로 다른 데이터를 윈도를 사용하여 동시에 한 화면에 표시하는 것》
wíndow lèdge = WINDOWSILL
* **win·dow·pane** [wíndoupèin] *n.* 창유리
Win·dows [wíndouz] *n.* 〖컴퓨터〗 윈도우즈 《Microsoft사의 마이크로 컴퓨터 운용 시스템; 상표명》: ~ XP 윈도우즈 XP
wíndow sàsh (내리닫이) 창틀
wíndow sèat **1** 창턱 밑에 붙인 긴 의자 **2** (등받이 없이) 팔걸이만 있는 긴 의자 **3** (열차 등의) 창쪽 좌석 (cf. AISLE SEAT)
wíndows envíronment 〖컴퓨터〗 윈도 환경
wíndow shàde 《미》 = WINDOW BLIND
win·dow-shop [-ʃɑ̀p | -ʃɔ̀p] *vi.* (**~ped**; **~·ping**) (사지 않고) 진열창 안(의 상품)을 들여다보며 다니다
-shòp·per *n.* **-shòp·ping** *n.* Ⓤ
win·dow·sill [-sìl] *n.* 창턱, 창 아래틀(cf. DOORSILL)
win·dow·y [wíndoui] *a.* 창[창문]이 많은
wínd pàrk = WIND FARM
wind·pipe [wíndpàip] *n.* 기관(氣管), 숨통
wínd plànt 풍력 발전 시설
wind-pol·li·nat·ed [wíndpɑ́lənèitid | -pɔ́l-] *a.* 〖식물〗 풍매(風媒)의, 풍매 수분(受粉)의
wínd pòwer (동력원으로서의) 풍력
wind·proof [wíndprù:f] *a.* 〈옷 등이〉 방풍의
wínd pùdding 《미·속어》 [다음 성구로] ***live on*** **~** 아무것도 먹을 것이 없다, 빈털터리이다
wínd pùmp 풍력[풍차] 펌프
wind·rode [wíndròud] *a.* 〖항해〗 〈배가〉 바람 불어오는 쪽으로 뱃머리를 돌려 닻을 내린
wínd ròse 〖기상〗 풍배도(風配圖), 바람장미
wind·row [wíndròu] *n.* **1** (바람에 말리기 위해 널어놓은) 건초[보릿단]의 줄; (바람에 불리어 생긴) 낙엽[쓰레기, 눈]의 줄 **2** 제방; 이랑; 산등성이
— *vt.* (바람에 말리기 위해) 줄지어 널어놓다
wind·row·er [wíndròuər] *n.* (건초용으로) 풀을 베어 줄줄이 널어 놓는 기구
wínd sàil **1** 〖항해〗 (선내로 공기를 들여보내는) 베로 만든 송풍통 **2** (풍차의) 날개
wínd scàle 풍력 등급[계급], 풍급(風級) 《Beaufort scale에서는 0-12급으로 구성됨》
wind·screen [wíndskrì:n] *n.* 《영》 = WINDSHIELD
wíndscreen mìrror 《영》 (자동차의) 백미러(《미》 rearview mirror)
wíndscreen wìper 《영》 = WINDSHIELD WIPER
wínd shàke 풍렬(風裂) 《강풍이 나무에 부딪쳐 생겼다고 생각되는 목재의 갈라진 틈》
wínd shèar **1** 〖항공〗 윈드 시어 《바람 진행 방향에 대해 수직 또는 수평 방향의 풍속 변화(율)》 **2** 풍속과 풍향이 갑자기 바뀌는 돌풍(cf. MICROBURST)
wind·shield [wíndʃì:ld] *n.* (자동차 등의) 앞[전면] 유리 《바람막이용》
wíndshield wìper 《미》 (자동차 앞창에 붙어 있는) 유리 닦개[와이퍼](《영》 windscreen wiper)
wínd shìp 대형 범선
wínd sòck[slèeve] 풍향계, 바람개비
* **Wind·sor** [wínzər] *n.* 윈저 《영국 Berkshire주에 있는 Windsor Castle 소재지》 ***the House*** (***and Family***) ***of*** **~** 영국 윈저 왕가 《1917년 이래 현 영국 왕실의 공칭》
Wíndsor Cástle 윈저 궁전 《영국 왕가의 주된 주거》
Wíndsor cháir 등이 높은 나무 의자의 일종 《가느다란 나무 막대로 등받이·다리를 만든》

Windsor chairs

Wíndsor knót 윈저 노트 《넥타이 매는 방식의 하나; 매듭의 폭이 넓음》
Wíndsor sóap 윈저 비누 《보통 갈색 또는 백색의 향료가 든 세숫비누》
Wíndsor tíe (검은 비단으로 된) 폭 넓은 넥타이
Wíndsor úniform 《영》 붉은 칼라·커프스의 감색 제복 《왕실 사람들이 입는》
wínd spèed 풍속(風速)
wínd sprìnt (운동 선수가) 연습으로 뛰는 단거리 경주
wind·storm [wíndstɔ̀:rm] *n.* (비를 동반하지 않는) 폭풍
wind-surf [wíndsə̀:rf] *vi.* 윈드서핑을 하다
wind·surf·er [wíndsə̀:rfər] *n.* **1** [**W~**] 윈드서핑용 보드 **2** 윈드서핑을 하는 사람
wind·surf·ing [wíndsə̀:rfiŋ] *n.* Ⓤ 윈드서핑, (돛 달린 서프보드(surfboard)로 하는) 파도타기
wind·swept [wíndswèpt] *a.* 바람에 노출된, 바람받이의, 바람 맞는
wind-swift [wíndswìft] *a.* 바람처럼 빠른
wínd tèe 〖항공〗 T꼴 풍향계
wind·throw [wíndθròu] *n.* 바람이 나무를 뿌리째 쓰러뜨리기; 바람에 쓰러진 나무
wind·tight [wíndtàit] *a.* 바람이 통하지 않는, 바람이 새어 들지 않는, 기밀(氣密)의
wínd tùnnel 〖항공〗 풍동(風洞) 《항공기의 모형이나 부품을 시험하는 통 모양의 장치》
wínd tùrbine 풍력 터빈
wind·up [wáindʌ̀p] *n.* **1** 결말, 끝장 **2** 마지막 손질; 최후의 행위[부분]: ~ report 최종 보고 **3** 〖야구〗 와인드업 《피처의 투구 예비 동작》 **4** 감아올리는 일
— *a.* **1** 감아올리는; 태엽으로 움직이는 〈시계·장난감 등〉 **2** 결말의
wínd vàne [wínd-] 풍향계
wind·ward [wíndwərd] *n.* Ⓤ 바람이 불어오는 쪽 (opp. *lee, leeward*) ***get to*** **~** ***of*** 바람 불어오는 쪽으로 나가다 《해전 등에서》; 바람 불어오는 쪽으로 돌다 《냄새 등을 피하기 위하여》; 앞지르다, 보다 유리한 입장에 서다 ***keep to*** **~** ***of*** …을 피하고 있다
— *a.* 바람 불어오는 쪽의, 바람 불어오는 쪽에 있는 ***on the*** **~** ***side of*** …의 바람 불어오는 쪽에
— *ad.* 바람 불어오는 쪽으로 《*of*》
Wíndward Íslands [the ~] 윈드워드 제도 《서인도 제도 남동부》
wind·way [wíndwèi] *n.* 공기가 지나가는 길, 통풍로, 통풍구; 〖음악〗 (오르간 파이프의) 윈드웨이 《리드의 틈》
⁑ **wind·y**[1] [wíndi] *a.* (**wind·i·er**; **-i·est**) **1** 바람이 센, 바람 부는; 바람을 맞는, 바람받이의: on a ~ day 바람이 부는 날에 **2** 격렬한, 심한 **3** 〈말 등이〉 공허한, 내용 없는 **4** 말[입]만의, 수다스러운: a ~ speaker 수다쟁이 **5** (배에) 가스가 차는, 헛배가 부른 **6** 〈연주가〉 관악기에 의한 **7** 《영·속어》 깜짝 놀란; 겁먹은, 무서워하는 **8** 《고어》 바람 불어오는 쪽의 ***on the*** **~**

side of the law 법률이 미치지 못하는 곳에
wínd·i·ly *ad.* **wínd·i·ness** *n.* ▷ wínd *n.*

wind·y² [wáindi] *a.* 〈도로·냇물이〉 꼬불꼬불한; 사행(蛇行)하는

Wínd·y Cíty [wíndi-] [the ~] 바람의 도시 《Chicago시의 속칭》

‡**wine** [wáin] *n.* (cf. VINE) Ⓤ **1** 포도주; 과실주: apple ~ 사과주 / Good ~ needs no bush. 《속담》 좋은 술은 간판이 필요없다. **2** 〖약학〗 포도주 용제(溶劑): ~ of opium 아편 포도주 **3** 적포도주색, 검붉은 빛 **4** 취하게[기운나게] 하는 것 **5** Ⓒ 《영》 〖대학〗 (정찬 후의) 포도주 파티, 음주회: go out to ~ 포도주 파티에 나가다 ***bread and ~*** ⇨ bread. ***green ~*** 새 술 《양조 후 1년 이내의》 ***have a ~ in one's room*** 《영》 〖대학〗 자기 방에서 술잔치를 열다 ***in ~*** 술에 취하여 ***new ~ in old bottles*** 〖성서〗 헌 부대[낡은 가죽 부대]에 담은 새 술 《낡은 형식으로는 다룰 수 없는 새 이론》 ***rice ~*** 청주 《등》 ***sound ~*** 질이 좋은 포도주 ***take ~ with*** …와 서로 건강을 위하여 건배하다 ***~ of the country*** 그 고장의 독특한 술 ***~, women, and song*** 술과 여자와 노래(에 묻혀 싸인 환락)
— *a.* 암적색의, 와인색의
— *vt.* 《속어》 …을 포도주로 대접하다
— *vi.* 포도주를 마시다
dine and ~ a person …를 술과 음식으로 푸짐하게 대접하다 ▷ wíny *a.*

wine·ap·ple [wáinæ̀pl] *n.* 포도주 맛이 나는 크고 빨간 사과

wine·bag [-bæ̀g] *n.* **1** 포도주를 담는 가죽 부대 **2** 《속어》 = WINEBIBBER

wíne bàr 와인 바 《술, 특히 포도주를 제공하는 레스토랑 안의 바》

wine·bib·ber [-bìbər] *n.* 술고래, 대주가

wine·bib·bing [-bìbiŋ] *n.* Ⓤ, *a.* 술을 엄청나게 마시기[마시는]

wine·bot·tle [-bàtl | -bɔ̀tl] *n.* **1** 포도주 병 **2** = WINESKIN

wine·bowl [-bòul] *n.* **1** 큰 포도주 잔 **2** [the ~] Ⓤ 음주(벽)(cf. WINECUP) ***drown care in the ~*** 술로 울적한 기분을 풀다

wíne bòx (보통 3리터들이) 종이 팩 와인

wíne cèllar (지하의) 포도주 저장실; 포도주의 저장(량); 저장한 포도주

wíne còlor 적포도주색 《검붉은 색》

wine-col·ored [-kʌ̀lərd] *a.* 검붉은 색의

wíne còoler 포도주 냉각기

wine·cup [-kʌ̀p] *n.* **1** 포도주 잔 **2** Ⓤ [the ~] 음주벽(cf. WINEBOWL)

wíne fàrm 《남아공》 포도밭(vineyard)

wine·fat [-fæ̀t] *n.* 《영·고어》 포도주 짜는 기구; = WINEHOUSE

wíne gállon 와인 갤런 《원래 영국에서 사용한 액체의 용량 단위로 231 입방 인치; 미국의 현행 표준 갤런과 동일함》

wine·glass [-glæ̀s, -glɑ̀:s] *n.* 포도주 잔 《특히 셰리용의》; 포도주 잔으로 한 잔 《tablespoon 네 숟갈의 분량》 **~·fùl** *n.* 포도주 잔 하나 가득

wine·grow·er [-gròuər] *n.* 포도 재배 겸 포도주 양조업자; 와인 만드는 전문가

wine·grow·ing [-gròuiŋ] *n.* Ⓤ 포도 재배 겸 포도주 양조업; 와인 만들기

wíne gùm 《영》 = GUMDROP

wine·house [-hàus] *n.* (*pl.* **-hous·es** [-hàuziz]) = WINESHOP

wíne lìst 포도주 일람표[목록]

wine·mak·er [-mèikər] *n.* = WINEGROWER

wine·mak·ing [-mèikiŋ] *n.* 포도주 양조법

wíne pàlm 야자술의 원료가 되는 각종 야자

wíne prèss[prèsser] 포도즙 짜는 기구

wíne réd 포도주 빛

win·er·y [wáinəri] *n.* (*pl.* **-er·ies**) 포도주 양조장

Wine·sap [wáinsæ̀p] *n.* [때때로 **w~**] 와인샙종 사과 《미국산(産) 겨울[가을] 사과; 암적색에 중간 크기》

wine·shop [wáinʃɑ̀p | -ʃɔ̀p] *n.* 포도주 전문 술집

wine·skin [-skìn] *n.* 포도주 담는 가죽 부대(winebag); 술고래

wíne stèward (식당·클럽의) 와인 담당 웨이터; 포도주 담당 사환

wíne tàster **1** 포도주 맛[품질] 감정가 **2** 품질 검사용 포도주를 담는 작은 종지

wíne tàsting 포도주 맛 감정, 포도주 시음회

wíne vàult (아치형 천장의) 포도주 (지하) 저장실; 선술집

wíne vínegar 와인으로 만든 식초

wíne wàiter (레스토랑의) 포도주 웨이터 《고객의 포도주 선택을 도와주고 따라 주는》(sommelier)

wine·y [wáini] *a.* = WINY

Win·fred [wínfrid] *n.* 남자 이름 《애칭 Win》

‡**wing** [wíŋ] *n.* **1** (새·곤충 등의) 날개; (천사·악마 등의) 날개 **2** (익살) 팔, (야구 선수의) 투구하는 팔 **3** 비행, 비상(flight) **4** (풍차·비행기 등의) 날개 **5** (네발 짐승의) 앞발 **6** (양쪽으로 열리는 문 등의) 한쪽 문짝 **7** 〖공군〗 비행단, 항공단 《영국에서는 3-5 squadrons; 미국에서는 보통 둘 이상의 groups로 된 연대》 **8** (건물의) 윙 《중심 건물에서 옆으로 늘인 부속 건물》: the west ~ of the palace 궁전의 왼쪽 (부속) 건물 **9** 〖가구〗 (안락의자의 등받이 양 옆의 앞으로 튀어나온) 날개꼴 부분 **10** 《영》 흙받이 《자동차의》(《미》 fender) **11** 〖축성〗 익면(翼面); 익벽(翼壁) **12** [보통 *pl.*] 무대의 양옆(의 빈칸) **13** [*pl.*] 《구어》 〖군사〗 공군 기장(aviation badge) **14** 〖정치〗 당파: the left[right] ~ 좌익[우익], 급진[보수]당 **15** 〖항해〗 익창(翼艙) 《선창 또는 아래 갑판의 뱃전에 접하는 부분》; 〖군사·경기〗 익(翼), 윙 **16** 화살의 깃; 〖식물〗 (익과(翼果)의) 날개; 익판(翼瓣) **17** [종종 집합적] 새; 새 떼(flock)
clip a person***'s ~s*** ⇨ clip¹. ***earn*** one***'s ~s*** 《구어》 유능함을 인정받다 ***get one's ~s*** 조종사 시험을 통과하다 ***give***[***lend, add***] ***~s to*** = ***lend ... ~s*** …을 빠르게 하다; …을 촉진하다; …에 가속도를 붙이다: Fear *lent* him *~s.* 그는 무서워서 쏜살같이 뛰었다. His[Her] ***~s are sprouting.*** (그[그녀]는) 천사처럼 고결한 사람이다. ***in the ~s*** 〖연극〗 무대 옆에서; 《구어》 (모습을 보이지 않고) 대기하는; (눈에 안 띄게) 준비하여 ***on the ~*** 나는, 날고 있는, 비행 중; 여행 중; 활동하여; 출발하려 하여 ***on the ~s of the wind*** 바람을 타고 나는 듯이, 빨리 ***on ~s*** 발걸음도 가볍게 ***show the ~s*** 공군력을 과시하다 《비행 방문으로》 ***spread***[***stretch***] one***'s ~s*** 능력을 충분히 발휘하다 ***sprout ~s*** 《속어》 착한 짓을 하다; 죽다 ***take to itself ~s*** (돈 등이 날개가 돋친 듯이) 갑자기 사라지다, 없어지다 ***take ... under*** one***'s ~*** …을 감싸다 ***take ~***(***s***) 날아가다; 비약적으로 신장하다; 도망가다, 〈돈이〉 없어지다; 〈시간이〉 눈 깜짝할 사이에 지나가다; (몹시) 기뻐하다 ***touch in the ~*** 《익살》 팔의 부상 ***try*** one***'s ~s*** 자기 힘을 시험하다 ***under the ~ of*** …의 비호를 받고 ***wait in the ~s*** 《구어》 대기하다, (아무를 대신하려고) 기다리다 ***~ and ~*** 〖항해〗 (종범선(縱帆船)이 양현(兩舷)에 돛을 하나씩) 나비같이 펴고
— *vt.* **1** 날개를 달다 《*with*》: ~ an arrow *with* feathers 화살에 깃을 달다 **2** 신속하게 움직이게 하다; 촉진하다, 빠르게 하다: Fear *~ed* my steps. 무서워서 빨리 걸었다. **3** 〈건물에〉 퇴를 달다 **4** 날 수 있게 하다, 〈화살 등을〉 날리다, 쏘다: 《~+목+전+명》 ~ an arrow *at* the mark 과녁에 화살을 쏘다 **5** …을 날다, 비상하다: ~ the air 공중을 날다 **6** 〈새 등의〉 날개에 상처 내다, 날개를 무력하게 하다; 〈사람의〉 팔에 상처를 내다 **7** 〈새 등을〉 쏘아 떨어뜨리다; 〈비행기 등을〉 격추하다 **8** 깃(솔)로 깨끗이 하다[청소하다] **9** 《구어》 〖연극〗 즉흥으로 연기하다
— *vi.* 《시어·문어》 〈새가〉 날아가다, (높이) 날다: 《~+전+명》 The plane *~ed over* the Alps. 비행

기는 알프스 산맥 위를 날아갔다.
~ it 《미·구어》 즉석에서 해치우다; 즉석에서 말하다 **~** one**'s way**[**flight**] 〈새가〉 날아가다
▷ wíngy *a.*

wing·back [wíŋbæ̀k] *n.* 〖미식축구〗 윙백; 그 수비 위치

wíngback formàtion 〖미식축구〗 윙백포메이션 《후위의 한[두] 선수가 자기편 엔드의 바깥 또는 뒤쪽에 위치하여 주로 라인플레이를 노리는 공격법》

wíng bàr 〖항공〗 날개의 횡골(橫骨); 〖조류〗 익대(翼帶)

wing·beat [wíŋbìːt] *n.* (한 번의) 날개 침[파닥거림]

wíng bòlt 나비 볼트

wíng bòw [-bòu] 〖조류〗 (새의) 어깨깃

wíng càse[**còver**] 시초(翅鞘), 겉날개(elytron) 《곤충의》

wíng chàir 등이 날개 모양으로 된 안락의자

wing chair

wíng còllar (연미복처럼 정장할 경우의) 빳빳하게 세운 칼라

wíng commànder 《영》 공군 중령; 《미》 공군 단장

wíng còvert [보통 *pl.*] 〖조류〗 날개덮깃

wing·ding [wíŋdìŋ] *n.* **1** 《속어》 야단법석, 떠들어 댐; 남의 눈을 끄는 것; 떠들썩한[사치스러운] 집회; 사교 모임, 친목회 **2** 격노 **3** 《미·속어》 마약에 의한 발작(적 흥분); 꾀병 **—** *a.* 떠들썩한, 굉장한

∗**winged** [wíŋd] *a.* **1 날개 있는**; 날개를 쓰는, 날 수 있는; [복합어로] 날개가 …한: strong-~ 날개가 강한/broken-~ 날개가 부러진/the ~ air 《시어》 새들이 떼지어 나는 하늘 《Milton의 시에서》 **2** 비행하는; 날개를 단 듯 움직이는[나아가는] **3** 신속한, 빠른; 〈소문 등이〉 빨리 퍼지는: on ~ feet 빠른 발로 **4** 숭고한, 고결한, 고매한 〈사상 등〉 **5** 날개를 다친; 《구어》 팔을 다친 **6** 《미·구어》 술 취한 **7** 《미·속어》 코카인 중독의
~·ly *ad.* **~·ness** *n.*

wínged gód [the ~] = MERCURY 2

Wínged Hórse [the ~] 〖천문〗 페가수스자리 (Pegasus)

Wínged Víctory [the ~] 날개 돋친 승리의 여신상

wing·er [wíŋər] *n.* 《영》 (축구 등에서의) 윙의 선수

-winger [wíŋər] 《연결형》 「(정치적으로) …익의 사람」의 뜻: a left-~ 좌익 분자

wing·fish [wíŋfìʃ] *n.* 날개 같은 가슴지느러미를 가진 물고기 《날치 따위》

wíng flàt 〖연극〗 (무대의) 옆 배경[공간]

wing-foot·ed [wíŋfùtid] *a.* 《시어》 걸음이 빠른, 신속한, 빠른

wíng fórward 〖럭비〗 윙 포워드

wíng gàme [집합적] 《영》 엽조(獵鳥)(opp. *ground game*)

wíng hàlf 〖럭비〗 윙 하프

wíng·ing òut [wíŋiŋ-] 〖항해〗 선창의 측면으로부터의 짐 싣기

wing·less [wíŋlis] *a.* **1** 날개 없는; 날지 못하는 **2** 〈문장 등이〉 산문적인, 시취(詩趣)가 없는

wing·let [wíŋlit] *n.* 작은 날개(죽지)

wing·like [wíŋlàik] *a.* 날개 모양의

wíng lòading[**lòad**] 〖항공〗 날개(면) 하중(荷重)

wing·man [wíŋmən] *n.* (*pl.* **-men** [-mən, -mèn]) (편대 비행의) 대장 호위기; 그 조종사; (경기에서) 윙의 선수

wíng mìrror 《영》 (자동차의) 사이드 미러, 펜더 미러

wíng nùt 〖기계〗 = THUMB NUT

wing·o·ver [wíŋòuvər] *n.* 〖항공〗 급상승 반전

wíng ròot 〖항공〗 날개 뿌리

wíng shèath = WING CASE

wíng shòoting 윙 슈팅 《새나 클레이 표적 등 나는 것을 표적으로 하는 사격》

wíng shòt 하늘을 나는 새[표적]를 겨누는 사격(의 명수)

wing·span [-spæ̀n] *n.* (비행기의) 날개 길이, 날개 폭 《한쪽 날개 끝에서 다른 쪽 날개 끝까지의 길이》

wing·spread [-sprèd] *n.* (새·곤충·비행기의) 날개 폭

wing·stroke [-stròuk] *n.* = WINGBEAT

wíng tànk 〖항공〗 익내 (연료) 탱크; 〖선박〗 현측(舷側) 탱크

wíng tìp **1** (비행기의) 날개 끝, 익단 **2** 윙팁 《날개 모양의 구두코; 그런 모양의 구두》

wing-walk·ing [wíŋwɔ̀ːkiŋ] *n.* 윙워킹 《날고 있는 비행기 날개 위에서 하는 곡예》 **wíng-wàlk·er** *n.*

wíng wàll 〖건축〗 날개 벽

wing·y [wíŋi] *a.* (**wing·i·er**; **-i·est**) **1** 날개가 있는; 날개 같은, 날개 모양의 **2** 빠른; 날아오르는 **3** 《속어》 솟아오른 **—** *n.* [**W~**] 《미·속어》 외팔이 《특히 외팔이 거지의 별명》

Win·i·fred [wínəfrid] *n.* 여자 이름 《애칭 Winnie》

‡**wink**[1] [wíŋk] *vi.* **1 눈을 깜박거리다**(⇨ blink [유의어]) **2 눈짓하다**: (~+[전]+[명]) He *~ed at* the girl. 그는 아가씨에게 눈짓[윙크]했다. **3** 짐짓 못 본 체하다, 간과하다: (~+[전]+[명]) ~ *at* a person's fault …의 잘못을 못 본 체하다 **4** 〈별·빛 등이〉 반짝이다; 《영》 〈불빛이〉 점멸하다(《미》 blink): The stars *~ed.* 별이 반짝였다.
— *vt.* **1** 〈눈을〉 깜박이다; 눈짓하다, 윙크하다: ~ one's eye(s) 눈을 깜박이다 **2** 눈을 깜박여서 …을 제거하다: (~+[목]+[부]) She *~ed away*[*back*] her tears. 그녀는 눈을 깜박거려 눈물을 감췄다. **3** 눈짓하여 알리다[신호하다]; 《영》 (자동차 라이트 등으로) 깜박이다, 신호하다(《미》 blink): ~ a hint 눈짓하여 알리다 ***like ~ing*** 《속어》 (눈 깜박하는 사이처럼) 재빨리, 순식간에; 활발하게 **~ *out*** 깜박이다; 끝나다, 갑자기 끝나다 **~ *the other eye*** 《속어》 대수롭지 않게 여기다, 콧방귀를 뀌다
— *n.* **1 눈의 깜박거림** **2 눈짓**, 윙크; 암시, 신호: He gave me a knowing ~. 그는 나를 보고 알았다는 눈짓을 했다. **3** 깜박임, 반짝임 《별·빛 등의》 **4** [a ~; 보통 부정문에서] 순식간; (수면의) 아주 조금, 선잠(cf. FORTY WINKS) ***in a ~*** 순식간에, 눈 깜짝할 사이에 ***not a ~*** 조금도 …않다: I did *not* sleep *a* ~. = I did *not* get *a* ~ of sleep. 한 잠도 자지 않았다. ***tip***[***give***] a person ***the ~*** 《구어》 …에게 신호[경고]를 보내다, 눈짓하다

wink[2] *n.* 〖놀이〗 (tiddlywinks에서 쓰는) 작은 원반

win·kel [wíŋkəl] *n.* 《남아공》 식품 잡화상; 상점
~·er *n.*

wink·er [wíŋkər] *n.* **1** 깜박거리는 사람[것] **2** [*pl.*] (말의) 눈가리개(blinker) **3** [*pl.*] 《구어》 속눈썹; 눈 **4** [*pl.*] 《호주·속어》 안경 **5** [*pl.*] 《미·속어》 (자동차의) 방향 지시등, 깜빡이, 점멸등

win·kle[1] [wíŋkl] *n.* 〖패류〗 경단고둥 무리
— *vt.* 《구어》 우벼내다, 도려내다, 쫓아내다; 〈정보 등을〉 알아내다 《*out, out of*》

winkle[2] *vi.* = TWINKLE

win·kle·pick·ers [wíŋklpìkərz] *n. pl.* 《속어》 끝이 뾰족한 구두[부츠]

Win·ne·ba·go [wìnəbéigou] *n.* (*pl.* **~, ~**(**e**)**s**) 위네바고 족 《북미 인디언의 한 종족》; [U] 위네바고 족 말

∗**win·ner** [wínər] *n.* **1 승리자**, 우승자; (경마의) 이긴 말: the ~ of the election 선거의 승리자 **2** 수상자[작품], 입상[입선]자: a Pulitzer Prize ~ 퓰리처상 수상자[작품] **3** 《구어》 우승[수상, 성공]의 가망이 있는 사람[것]; 이길 듯한 말

wínner's círcle **1** 〖경마〗 우승마 표창식장 **2** (승리자·선택된 물건 등의) 정선된 집단

Win·nie [wíni] *n.* 여자 이름 《Winifred의 애칭》

∗**win·ning** [wíniŋ] *n.* **1** [UC] **획득**, 점령: the ~ of a prize 입상 **2** [UC] **승리**, 성공 **3** [*pl.*] 상금, 벌이, 소득: one's total ~*s* 소득 총액 **4** 〖광산〗 채굴 가능한 탄층, 탄층으로 통하는 갱도

— *a.* **1** 이긴, 승리를 얻은, 당선된: the ~ team 승리 팀 **2** 승리를 얻게 하는, 결승의 **3** 마음을 끄는[사로잡는], 매력[애교] 있는: a ~ smile 애교 있는 미소 **~·ly** *ad.* 애교 있게 **~·ness** *n.*

win·ning·est [wíniŋist] *a.* 《구어》 **1** 가장 승률이 높은, 최다 승리의 **2** 가장 매력적인

wínning pòst (경마장의) 결승점(의 푯말)

wínning rún 〖야구〗 결승점

wínning strèak (야구 등에서의) 연승

Win·ni·peg [wínəpèg] *n.* 위니펙 《캐나다의 Manitoba주의 주도》 **~·ger** *n.*

win·now [wínou] *vt.* **1** 〈낟알·겨 등을〉 까부르다, 키질하다(fan) 《*from*》: 《~+目+副》 《~+目+前+名》 ~ *away*[*out*] the chaff *from* the grain 곡물에서 겨를 까불러 내다 **2** 〈나부랭이·잡물 등을〉 흩날려 보내다 《*away*》 **3** 분석·검토하나 **4** 〈좋은 부분을〉 골라내다, 뽑아내다: 《~+副》 《~+目+前+名》 ~ (*out*) truth *from* falsehood 진위를 가려내다 **5** 《시어》 날개치다; 〈바람이〉 〈잎·머리카락을〉 흩날리다

— *vi.* **1** 까부르다, 키질하다 **2** 날개 치다 **3** 선별하다

— *n.* 까불러 가리는 도구, 키, 풍구; 키질, 까부르기 **~·er** *n.* 까부르는 사람[기계]

wín·now·ing bàsket[**fàn**] [wínouiŋ-] 키

wínnowing machìne 풍구

win·o [wáinou] *n.* (*pl.* **~s**) 《속어》 포도주 중독자; 와인을 좋아하는 사람; 와인, 포도주

win·some [wínsəm] *a.* **1** 매력 있는, 애교 있는 (charming): a ~ smile 애교 있는 미소 **2** 《방언》 명랑한, 쾌활한 **~·ly** *ad.* 귀엽게; 쾌활하게 **~·ness** *n.*

Win·ston [wínstən] *n.* 남자 이름

⁑**win·ter** [wíntər] *n.* **1** UC **겨울** 《(영)에서는 11월-1월, (미)에서는 12월-2월, 〖천문〗에서는 12월 21일-3월 21일》: a hard[mild] ~ 엄동[난동] / in (the) ~ 겨울에(는) **2** 한기; 추운 기후; 추운 기간: a touch of ~ 으스스한 추위 **3** [*pl.*] 《시어》 춘추, 나이; 1년: a man of seventy ~*s* 70세의 사람 **4** UC 만년; 쇠퇴기; 역경; 불행[불운]의 시대

— *a.* **1** 겨울의: ~ clothing 겨울옷 / a ~ resort 피한지 **2** 〈과일·야채가〉 겨울 저장이 되는: ~ apples 겨울 사과 **3** 〈곡식이〉 가을에 파종하는

— *vi.* 겨울을 보내다, 월동하다 《*at, in*》; 동면하다

— *vt.* **1** 〈가축을〉 겨울 동안 기르다; 〈식물을〉 겨울 동안 보살피다 **2** 《주로 비유》 얼게 하다, 위축시키다

wínter ápple 〖원예〗 겨울 사과

wínter bárley 가을보리 《가을에 심어서 봄 또는 초여름에 거두는》

win·ter-beat·en [wíntərbì:tn] *a.* 추위에 상한[시달린]

win·ter·ber·ry [wíntərbèri | -bəri] *n.* 〖식물〗 북미산(産) 감탕나무

win·ter·bourne [-bɔ̀:rn] *n.* 여름에는 물이 마르는 개천

wínter búd 〖식물〗 겨울눈

wínter chérry 〖식물〗 꽈리

wínter cróp 겨울 작물

win·ter·er [wíntərər] *n.* 겨울철 거주자, 피한객, 월동자; 겨울을 나는 새

win·ter·feed [wíntərfì:d] *vt.* 〈가축에게〉 겨울 사료를 주다; 〈사료를〉 겨울에 가축에게 주다 —*vi.* 겨울에 가축에게 사료를 주다 —*n.* 겨울 사료 《*for*》

Wínter Gámes = WINTER OLYMPIC GAMES

wínter gàrden 윈터 가든 《열대 식물 등을 겨울에 유지·관리하는 정원》

win·ter·green [-grì:n] *n.* 〖식물〗 노루발풀; 그 잎에서 추출한 향유

win·ter-hardy [-hà:rdi] *a.* 〖식물〗 월동[내한]성의

win·ter·ize [wíntəràiz] *vt.* 〈천막·무기·자동차 등에〉 방한 준비를 하다

win·ter-kill [wíntərkìl] *vt., vi.* 《미》 〈보리 등을[이]〉 추위로 얼어 죽게 하다[얼어 죽다]

—*n.* 겨울 추위에 얼어 죽음

win·ter·less [wíntərlis] *a.* 겨울이 없는, 겨울을 모르는

win·ter·ly [wíntərli] *a.* 겨울의; 겨울 같은; 황량한

Wínter Olýmpic Gámes, Wínter Olým·pics [the ~] 동계 올림픽 대회

wínter quárters (서커스 등의) 월동 장소; 〖군사〗 동계 야영지

wínter rát 중고차, 고물 자동차

wínter slèep 〖동물〗 동면

wínter sólstice [the ~] 동지점; 동지

wínter spórts (스키 등의) 겨울 스포츠

wínter squásh 〖식물〗 겨울호박

win·ter·tide [-tàid] *n.* 《시어》 = WINTERTIME

win·ter·time [-tàim] *n.* U 겨울(철)

win·ter·weight [-wèit] *a.* 〈옷이〉 아주 두툼한

winter wheat 가을밀 《가을에 씨를 뿌려 이듬해 여름에 거두는 밀》

win·ter·y [wíntəri] *a.* (**-ter·i·er**; **-i·est**) = WINTRY

win·tle [wíntl] *n.* 《스코》 회전; 넘실거림

⁎**win·try** [wíntri] *a.* (**-tri·er**; **-tri·est**) **1** **겨울의**; 겨울같이 추운; 황량한, 쓸쓸한: ~ blasts 겨울 돌풍 **2** 냉랭한, 냉담한, 차가운 〈미소 등〉: a ~ manner 차가운 태도 **-tri·ly** *ad.* **-tri·ness** *n.*

win-win [wínwín] *a.* 《속어》 〈정책 등이〉 어느 쪽에서도 비난받지 않는, 무난한, 안전한; (협상에서) 양쪽이 다 유리한; 동시에 두 개 지역의 전쟁에서 승리하는: a ~ proposal 양쪽에게 다 좋은 제안

win·y [wáini] *a.* (**win·i·er**; **-i·est**) 포도주(wine)의 (풍미가 있는); 포도주에 취한

winze[1] [wínz] *n.* 〖광물〗 갱정(坑井)

winze[2] *n.* 《스코》 저주(의 말)

WIP, W.I.P. work in process[progress]

⁑**wipe** [wáip] *vt.* **1** **훔치다, 씻다, 닦다**, 닦아 내다 《*away, up*》: *W*~ your eyes. 눈물을 닦아라; 그만 울어. // 《~+目+副》 ~ *off* dirt 진흙을 닦아 내다 // 《~+目+前+名》 He ~*d* his hands *on*[*with*] the towel. 그는 수건으로 손을 닦았다. **2** 비벼대다, 북북 문지르다; 〈이음매에〉 납땜하다; 문질러 바르다: 《~+副》 《~+目+前+名》 ~ a cloth *back* and *forth over* the table 걸레로 테이블을 북북 문지르다 **3** 〈얼룩을〉 빼다 《*out*》; 〈발자국 등을〉 지우다: 《~+目+副》 ~ *out* a stain 얼룩을 빼다 **4** 설욕하다 《*out*》; 〈부채 등을〉 청산하다 《*off*》: ~ *off* a debt 빚을 청산하다 **5** 〈적 등을〉 소탕하다, 파괴하다 《*out*》; 《속어》 때리다 《*with*》 **6** 《속어》 〈사람을〉 죽이다, 없애다 《*out, off*》: ~ oneself *out* 자살하다

— *vi.* 《속어》 (칼·지팡이 등으로 휩쓸듯이) 한 대 갈기다, 치다: 《~+前+名》 ~ *at* a person *with* a stick 지팡이로 …을 후려치다

~ down (젖은 헝겊 등으로) 깨끗이 닦다 ***W~ it off!*** 《미·속어》 웃지 마라, 진지하게 해라! ***~ off*** (1) 〈부채 등을〉 청산하다 (2) 《속어》 파괴하다, 말살하다 ***~ ... off the face of the earth*** = ***~ ... off the map*** …을 완전히 파괴하다, …을 전멸시키다 ***~ out*** (1) …의 안을 닦다: ~ *out* a bottle 병 안을 닦다 (2) (기억에서) 지우다; 〈부채를〉 청산하다; 〈수치를〉 씻다 (3) 〈적 등을〉 무찌르다, 전멸하다 (4) 《속어》 (스키 등에서) 넘어지다 ***~ a person's eye*** …을 앞지르다, 지우다, …의 허를 찌르다 ***~ one's eyes*** = ***~ one's tears away*** 눈물을 닦다 ***~ one's hands of*** …에서 손을 떼다, …와 관계를 끊다 ***~ the floor with*** 《속어》 〈상대를〉 참패시키다, 타도하다

— *n.* **1** 닦음, 훔침, 닦아 냄 **2** 주먹다짐 **3** 〖영화·TV〗 와이프 《화면을 한쪽에서 지우면서 다음 화면을 보이는 기법》 **4** 《구어》 철썩 때림; 조소, 조롱 **5** 《속어》 손수건; = WIPER 2 ***fetch***[***take***] ***a ~ at*** a person = ***fetch*** a person ***a ~*** …을 한 번 호되게 때려 주다

wiped [wáipt] *a.* 《속어》 취한; 지친; 파산한

thesaurus **wintry** *a.* **1** 추운 cold, chilly, icy, frosty, freezing, frozen, snowy, arctic, glacial,

wiped-out [wáiptàut] 《미·속어》 **1** 지친, 녹초가 된 **2** 술 취한, 거나한 **3** 구식의, 뒤진 **4** 파산한

wipe·out [wáipàut] *n.* 《속어》 **1** (스포츠에서) 완패; 절멸; 살인; 완전 실패; (서핑·스키·오토바이 등에서) 나가떨어지기 **2** (육체적인) 극도의 피로 **3** 〖통신〗 다른 전파에 의한 수신 방해

wip·er [wáipər] *n.* **1** 닦는 사람 **2** 닦개, 걸레, 행주; 수건, 타월, 스펀지; 〖총포〗 꽂을대; 〖전기〗 (전기 기구 내의 연결용) 가동 접촉자(子) **3** [보통 *pl.*] (자동차의) 와이퍼(windshield wiper) **4** 《미·속어》 건맨, 총잡이, 청부 살인업자

WIPO, W.I.P.O. [wáipou] [*W*orld *I*ntellectual *P*roperty *O*rganization] *n.* 세계 지적 재산권 기구

W.I.R. West India Regiment

‡**wire** [wáiər] *n., v.*

「철사」→「전선」→「전보」→「전보를 치다」

—*n.* **1** UC 철사: a length of ~ 철사 한 가닥 / copper ~ 동선 **2** U 철사 세공, 철(조)망 **3** 전선, 케이블: an overhead ~ 지상선 **4** 전신선, 전화선: a private ~ 사설 전화선 / telephone ~(*s*) 전화선 **5** (망원경 등의 초점을 지시하는) 십자선(cross hairs) **6** U 전신(telegraph); C 《구어》 전보; [the ~] 전화: send a person congratulations by ~ …에게 축전을 보내다 / send a person a ~ =send a ~ to a person …에게 전보를 치다 **7** (인형의) 조종끈 **8** C (악기의) 현(弦) **9** (경마의) 결승선 **10** 덫(snare) 《철망으로 만든》 **11** 〖제지〗 종이 뜨는 망 **12** 《미·속어》 소매치기; 스파이 **13** 도청기

be* (*all*) *on ~s 흥분하고[안절부절못하고] 있다 ***by ~*** 전신으로; 《속어》 전보로 ***down to the ~*** 《미》 마지막까지 ***get* (*in*) *under the ~*** 〈일·도착이〉 간신히 마감 시간에 맞다, 겨우 되다 ***get* one*'s* [*the*] *~s crossed*** 전화가 혼선되다; 《구어》 머리가 혼란해지다 ***lay ~s for*** 《미·구어》 …의 준비를 하다 ***on the ~*** 전화로[에 나와] ***party ~*** 〖전화〗 공동 가입선 ***pull* (*the*) *~s*** 《구어》 실을 당겨 인형을 조종하다, 이면에서 책동하다, 막후 조종하다 ***put the ~ on*** a person 《미·속어》 …을 중상하다, 모함하다

—*vt.* **1** 철사로 (졸라[잡아]) 매다 **2** …에 전선을 가설하다, 배선하다: (~+목+전+명) ~ a house *for* electricity 집에 전선을 가설하다 **3** [보통 ~ in] 철조망을 둘러치다 **4** 〈염주알을〉 철사에 꿰다 **5** 전송(電送)하다; 《구어》 타전하다, 전보로 알리다: (~+목+목) (~+목+전+명) He ~*d* me the result. = He ~*d* the result *to* me. 그는 내게 전보로 결과를 알려 줬다. // (~+목+*to* do) Mother ~*d* me to come back. 어머니는 내게 돌아오라는 전보를 치셨다. // (~+목+*that* 절) She ~*d* (me) *that* she was coming soon. 그녀는 곧 오겠다고 내게 전보를 보냈다. **6** 〈새 등을〉 덫으로 잡다 **7** 도청[폭발용] 장치를 장착하다, 도청하다 **8** 《구어》 …과 밀접한 관계가 있다 **9** [주로 수동형으로] 〖크로케〗 〈선수·공 등을〉 작은 문(hoop)에서 방해하다

—*vi.* 《구어》 전보를 치다, 타전하다: (~+부) ~ *back* 회답 전보를 치다 // (~+전+명) He ~*d to* me to come back at once. 그는 내게 곧 돌아오라고 전보를 쳤다. ***~ for*** 전보를 쳐서 …을 요청하다 ***~ in*** 《영·속어》 열심히 노력하다 ***~ into*** 《영·속어》 …을 게걸스레[마구] 먹기 시작하다

wír·a·ble *a.* **~·lìke** *a.* ▷ wíry *a.*

wíre àgency = WIRE SERVICE

wire-bound [wáiərbàund] *a.* 〖제본〗 와이어 제책의 《두꺼운 책에 알맞음》

wíre bróadcasting 유선 방송

wíre brùsh (녹 등을 닦아 내는) 와이어 브러시

wíre clóth 촘촘히 짠 쇠그물 《체·여과기 등의》

wíre cùtter 철사 끊는 기구[사람]

wired [wáiərd] *a.* **1** 유선의; 케이블 TV가 설치된: ~ telegraphy[telephone] 유선 전신[전화] **2** 철사로 보강한; 철사로 묶인; 철망을 친 **3** 《미·속어》 (특히 정치·경제계에서) 확실히 중심적 지위에 있는 **4** 《미·속어》 흥분[기대]으로 긴장한; 무장한 ***~ up*** 《미·속어》 취한, (마약으로) 기분이 좋아진; 《미·속어》 열광한; 신경이 날카로워진; 《미·속어》 확실한

wire·danc·er [wáiərdæ̀nsər, -dɑ̀:nsər] *n.* 줄타기 광대 《곡예사》

wire·danc·ing [-dæ̀nsiŋ, -dɑ̀:ns-] *n.* 줄타기 《곡예》

wíred gláss = WIRE GLASS

wíred rádio 〖라디오〗 유선 방송(wired wireless)

wire·draw [-drɔ̀:] *vt.* (**-drew** [-drù:]; **-drawn** [-drɔ̀:n]) **1** 〈금속을〉 늘여서 철사를 만들다; …을 잡아 늘이다 **2** (비유) 길게 하다, 너무 세밀하게[세부적인 사항까지] 논하다; …의 의미를 왜곡시키다

~·er *n.* 철사 만드는 사람

wire·draw·ing [-drɔ̀:iŋ] *n.* U **1** 철사 제조(업) **2** 세세하게[장황하게] 늘어놓음 《토론 등에서》

wire·drawn [-drɔ̀:n] *v.* WIREDRAW의 과거분사

—*a.* 너무 세세한 〈주장·토의·구별 등〉; (철사 모양으로) 길고 가늘게 늘여진

wíred wíreless 《영》 = WIRED RADIO

wíre entànglement 철조망

wíre fràud 전자 통신 수단을 사용한 사기 행위

wíre gàuge 와이어 게이지 《철사의 굵기 등을 재는 기구; 略 W.G.》; 철사 선번(線番)

wíre gáuze 촘촘한 쇠그물[철망]

wíre glàss 철망을 넣은 판유리

wíre gràss 〖식물〗 바랭이

wire-guid·ed [-gàidid] *a.* 〈미사일이〉 유선 유도의

wire·hair [-hɛ̀ər] *n.* 와이어헤어 《털이 뻣뻣한 폭스테리어종의 애완용 작은 개》

wire·haired [-hɛ̀ərd] *a.* 털이 센[뻣뻣한] 〈개 등〉

wire·head [-hèd] *n.* 《속어》 컴퓨터광(狂)

‡**wire·less** [wáiərlis] *a.* **1** 무선의; 무선 전신[전화]의: a ~ license 무선 통신 면허 / a ~ microphone 무선 마이크 / a ~ operator 무선 통신사 / a ~ telegram 무선 전보 / a ~ set 무전기, 라디오 / a ~ station 무선 전신국 **2** 《영·드물게》 라디오의

—*n.* **1** UC 무선 전신, 무선 전화; 무선 전보: telegraph by ~ 무선으로 전보를 치다 **2** U 《영》 [the ~] 라디오 《현재는 radio가 일반적》

over the ~ 라디오로 〈청취하다〉 ***send a message by ~*** 무선으로 송신하다 ***talk* [*sing*] *on the ~*** 《영》 라디오에서 말하다[노래하다]

—*vi., vt.* 《영》 무선 전신을 치다; 무선[라디오]으로 알리다 **~·ly** *ad.* **~·ness** *n.*

wíreless communicátions 무선 통신(망) 《휴대 전화망 따위》

wíreless télegraph 무선 전신(radiotelegraph)

wíreless telégraphy 무선 전신술

wíreless télephone 《드물게》 무선 전화(기) (radiotelephone)

wíreless teléphony 무선 전화(술)

wire·man [wáiərmən] *n.* (*pl.* **-men** [-mən]) 전선공; 전기 배선공[기사]; 《미》 전화[전신] 도청 전문가; 통신사의 저널리스트

wíre mèmory 〖컴퓨터〗 와이어 기억 장치 《자성 박막 기억 장치의 일종으로, 자성 박막을 도금한 도선을 와이어로 직물처럼 짠 것》

wíre nétting 철망

wire·pho·to [-fòutou] *n.* 유선 전송 사진

—*vt.* 〈사진을〉 유선 전송하다

wire·pull [-pùl] *vt., vi.* 《구어》 뒤에서 실을 당기다, 이면에서 공작하다

wire·pull·er [-pùlər] *n.* **1** (인형극의) 인형을 조종하는 사람 **2** 《구어》 배후 조종자

wire·pull·ing [-pùliŋ] *n.* U 《구어》 이면의 책동, 막후 조종

---

biting, piercing **2** 냉담한 unfriendly, distant, remote

wipe *v.* rub, brush, dust, mop, clean, dry

wir·er [wáiərər] *n.* **1** 철사를 감는 사람; = WIREMAN **2** 덫 등으로 짐승을 잡는 사람
wire-re·cord [wáiərrikɔ̀ːrd] *vt.* 철사 자기(磁氣) 녹음하다
wire recòrder 철사 자기 녹음기
wíre recòrding 철사 자기 녹음
wíre ròom (경마의) 마권 영업소 《특히 합법적 사업으로 위장한》; (신문사·방송국의) 전신 수신실
wíre rópe 강철 밧줄, 와이어로프
wíre sèrvice 통신사
wíre sìde 〖제지〗 종이의 뒷면
wire·smith [wáiərsmìθ] *n.* (구식의) 철사 제조공
wire·spun [-spʌ̀n] *a.* **1** 철사처럼 잡아 늘인 **2** 지극히 미묘한, 포착하기 어려운; 희미한, 애매한(obscure) **3** 알맹이[내용]가 거의 없는
wire stitch [wáiərstìtʃ] *vt.* 〖제본〗 〈책의 등을〉 철사로 철하다, 철사매기를 하다 **~ed** *a.* **~·er** *n.*
wire strìppers 전선 박피기 《전선의 플라스틱 피복물을 벗기는 도구》
wire·tap [-tæ̀p] *n.* 전화[전신] 도청 장치; 도청 정보
— *a.* 전화[전신] 도청의[에 의한]
— *vi., vt.* (**~ped**; **~·ping**) 전화[전신] 도청을 하다; 〈전화 등에〉 도청기를 장치하다: ~ a telephone 전화를 도청하다
wire·tap·per [-tæ̀pər] *n.* **1** (전화[전신]) 도청자 **2** 도청 정보 제공자 **3** 정보실
wire·tap·ping [-tæ̀piŋ] *n.* 전화[전신] 도청
wire-to-wire [-təwáiər] *a.* (경주·토너먼트 등에서) 처음부터 끝까지의: ~ victory 처음부터 끝까지 1등을 지속한 승리
wire tràffic (일정 시간 내에 보내 오는) 전보 교신량, 통신량
wíre trànsfer 전신 송금
wire-walk·er [-wɔ̀ːkər] *n.* 줄타기 곡예사
wire-walk·ing [-wɔ̀ːkiŋ] *n.* 줄타기 《곡예》
wire·way [-wèi] *n.* 〖전기〗 전선관(管)
wíre whèel **1** (금속 연마용) 회전식 철사 브러시 **2** (스포츠카 등의) 철사 스포크 바퀴, 와이어휠
wíre wóol (식기 닦는) 쇠수세미
wire·work [-wɔ̀ːrk] *n.* Ⓤ 철사 세공
wire·worker [-wɔ̀ːrkər] *n.* **1** 철사 세공사 **2** 《구어》 = WIREPULLER
wire·worm [-wɔ̀ːrm] *n.* 〖곤충〗 구렁방아벌레의 애벌레
wire-wove [-wòuv] *a.* 광택지의 《편지지 등》; 철망으로 만든
wir·ing [wáiəriŋ] *n.* Ⓤ 가선[배선] (공사); [집합적] 공사용 전선; 뼈의 철사 접합(接合) 《외과·박제에서》
— *a.* 배선(용)의: a ~ diagram 배선도
wir·ra [wírə] *int.* 《아일》 아 《비탄·우려의 소리》
*****wir·y** [wáiəri] *a.* (**wir·i·er**; **-i·est**) **1** 철사로 만든: ~ articles 철사로 만든 제품 **2** 철사 모양의; 〈털 등이〉 억센, 뻣뻣한: ~ hair 억센 머리카락 **3** 〈인품·체격 등이〉 깐깐한, 끈기 있는, 강인한 **4** 〈소리·음성 등이〉 금속성의, 가는 **wír·i·ly** *ad.* **wír·i·ness** *n.*
▷ wíre *n.*
wis [wís] *vt., vi.* 《고어》 [다음 삽입구로] 알다
I **~** 《영·고어》 나는 잘 알고 있다 (그런데)(cf. WIT[2])
Wis., Wisc. Wisconsin
Wis·con·sin [wiskɑ́nsən | -kɔ́n-] [강 이름에서] *n.* 위스콘신 《미국 북중부의 주; 주도 Madison; 略 Wis(c).》 **~·ite** [-àit] *n.* 위스콘신 주 주민
Wisd. 〖성서〗 Wisdom (of Solomon)
*****wis·dom** [wízdəm] *n.* Ⓤ **1 a** 현명, 지혜, 슬기로움(sagacity); 분별; 상식: human ~ 인지(人知) / a man of great ~ 매우 현명한 사람 / conventional [received] ~ 통념, 일반 사람들의 견해 **b** [the ~] …하는 현명함, 현명하게도 …하기: (~+***to*** do) He had *the* ~ *to* refuse it. 그는 현명하게도 그것을 거절했다. **2** 학문, 지식, 박식: the ~ of ages 고금의 지식 **3** [집합적; 또는 the ~s] 현인, 현자 **4** 금언(金言), 명언 **5** 현명한 언행
all the wit and ~ of the place 그 땅의 모든 재사 현인 ***in*** a person***'s*** (***infinite***) **~** 《익살》 …딴에는 《남의 결정에 대해 비꼬아 말할 때》 ***pour forth ~*** 현명한 말을 잇달아 말하다 ***the W~ of Jesus, the Son of Sirach*** [sáiræk] 〖성서〗 시락의 아들 예수의 지혜(Ecclesiasticus) 《경외서의 하나》 ***W~ of Solomon*** 〖성서〗 솔로몬의 지혜 《경외서의 하나》
~·less *a.* ▷ wíse[1] *a.*
Wísdom lìterature[**wrìtings**] 지혜 문학 《고대 이집트·바빌로니아의 처세훈적(處世訓的) 서책; 구약성서의 Job, Proverbs, Ecclesiastes 등》
wísdom tòoth 사랑니, 지치(智齒)(third molar)
cut one***'s ~*** 사랑니가 나다; 철이 들 나이가 되다
*****wise**[1] [wáiz] [OE 「알고 있는」의 뜻에서] *a.* **1** 슬기로운, 현명한, 총명한(opp. *foolish*); 지각[분별] 있는 (⇨ clever 유의어): a ~ judge[leader] 현명한 재판관[지도자] / It was ~ that she had chosen it. 그녀가 그것을 택한 것은 현명한 일이었다. **2** 신중한, 사려 깊은: a ~ decision 신중한 결정 **3** 박식한, 박학한; (…에) 정통한 (*in*): ~ *in* the law 법에 정통한 **4** 슬기롭게 보이는, 현인 같은 **5** Ⓟ [보통 비교급을 써서] 깨달은: Who will be the *wiser*? 누가 알랴? 《아무도 모른다.》 **6** Ⓟ 《구어》 〈속사정을〉 알고 있는, 눈치챈 **7** 잘난 체하는, 약삭빠른 **8** 《영·고어》 비법에 통달한 **9** [the ~; 명사적] 현인(들)
be[***get***] **~** ***to***[***on***] 《미·속어》 …을 눈치채고 있다[눈치채다], …을 알고 있다[알다] ***get ~*** (1) 《구어》 …을 알게 되다 (2) 《미·속어》 건방지게 굴다 ***look ~*** 잘난 체하다, 거드름피우다; 시치미 떼다 ***none the wiser*** = ***no wiser than***[***as ~ as***] ***before*** 여전히 모르고: I was *none the wiser* for his explanation. 그의 설명을 들어도 여전히 알 수 없었다. ***put*** a person **~** ***to***[***on***] 《미·속어》 …에게 …을 알리다 **~** ***after the event*** 〈어리석은 자가〉 때늦게 똑똑한, 나중에야 깨닫는 ***with a ~ shake of the head*** 알고 있는 듯이 고개를 끄떡이고
— *vt., vi.* [다음 성구로] **~ up** 《미·속어》 (올바로) 알게 되다; …에게 알게 하다, 알리다 **~·ness** *n.*
▷ wísdom *n.*
wise[2] *n.* ⓊⒸ [*sing.*] 《고어》 방법(way) ***in any ~*** 아무래도 ***in like ~*** 마찬가지로 (***in***) ***no ~*** 결코 …않다 ***in some ~*** 이럭저럭; 어딘지 ***on this ~*** 이와 같이
wise[3] *vt.* 《스코》 **1** 교육하다, 가르치다; 충고하다, 조언하다 **2** …의 진로를 제시하다; 방향을 바꾸다
-wise [wàiz] *suf.* [명사·부사에 붙여서] 「…한 양식[방식]으로; …의 위치[방향]로」의 뜻의 부사를 만듦: clock*wise*, crab*wise*, cross*wise*
wise·a·cre [wáizèikər] *n.* 아는[현인인] 체하는 사람
wíse àpple 《미·속어》 잘난 체하는 사람
wise-ass [-æ̀s] *a., n.* 《미·속어》 수재; 건방진[잘난 체하는] (녀석) **wíse-àssed** *a.*
wise·crack [-kræ̀k] *n., vi.* 《구어》 재치 있는[비꼬는] 말(을 하다), 경구(警句)(를 말하다)
~·er *n.* 재치 있는[비꼬는] 말을 하는 사람
wíse gùy 잘난 체하는 사람, 자만가; 경솔한 남자
*****wise·ly** [wáizli] *ad.* **1** 현명하게, 꾀를 부려, 약삭빠르게 **2** [문장 전체를 수식하여] 현명하게도
wíse màn 현인
wi·sen·hei·mer, wei·sen- [wáizənhàimər] *n.* 《미·구어》 아는 체하는 사람(wiseacre)
wi·sent [víːzent] [G] *n.* 〖동물〗 유럽산 들소의 일종
wíse sáw 금언, 격언
wíse úse 현명한 이용주의 《자연 환경을 다각적으로 현명하게 이용하자는 기업가 지향의 주장》
wise·wo·man [wáizwùmən] (*pl.* **-wom·en** [-wìmin]) *n.* 현명한 여인; 《고어》 여자 마법사; 조산원

thesaurus **wise**[1] *a.* sage, sagacious, clever, sensible, prudent, smart, shrewd, reasonable, rational, intelligent, learned, educated, knowl-

‡**wish** [wíʃ] *v., n.*

① …이기를 바라다	**2**
② …하고 싶다, …해 주길 바라다	**1**
③ 빌다, 원하다	**3**

— *vt.* **1 희망하다,** 바라다, …하고 싶다: ⟪~+***to*** do⟫ I ~ *to* go abroad. 외국에 가고 싶다 // ⟪~+목+***to*** do⟫ I ~ you *to* do it. 그것을 해 주기를 바라네. / I ~ you *to* go at once. 곧 가 주었으면 하네. // ⟪~+목+보⟫ I ~ that forgotten. 그것을 잊어 주면 좋겠네. / ~ a person away …이 가 버렸으면 좋겠다 / ~ oneself home[dead] 집에 있으면[죽으면] 좋겠다 / ~ a person further[*to* the devil] ⟪속어⟫ …가 지옥에나 가 버렸으면 좋겠다고 생각하다

> 유의어 **wish**는 **want**의 품위 있는 표현이지만 **wish for**를 쓰는 것이 일반적이다.

2 …이기를 바라다(⇨ want 유의어): ⟪~+(***that***) 절⟫ I ~ I *were* [⟪구어⟫ *was*] a bird! 새라면 좋을 텐데! ★ 실현할 수 없는 소망. / I ~ I *had bought* it. 그걸 사 두었더라면 좋았을 텐데. / I ~ you *would* do so. 그렇게 해 주시기를 바랍니다. **3** …이기를 원하다, 기원하다, 발원하다: ⟪~+목+보⟫ He *~es* me *well.* 그는 내가 잘되기를 바란다, 호의를 가지고 있다. / He *~es* nobody ill. 그는 아무도 잘못되지 않기를 바란다. // ⟪~+목+(***to be***) 보⟫ I ~ the problem (*to be*) settled soon. 그 문제가 빨리 해결되기를 바란다. / She very sincerely *~ed* him happy. 그녀는 진심으로 그의 행복을 빌었다. **4** 〈…에게〉 〈축하의 말 등을〉 말하다, 〈작별 등을〉 고하다: ⟪~+목+목⟫ I ~ you a Happy New Year. 새해 복 많이 받으십시오. / I ~ you success[good luck]. 성공[행운]을 빈다. / I ~ him joy of it. ⟪비꼼⟫ 그 녀석에게 변변한 일이 있기도 하겠다. / He *~ed* me good-bye[farewell]. 그는 나에게 작별 인사를 하였다. / I'll ~ you good morning. 그럼 안녕히. **5** 억지로 떠맡기다, 강요하다 ⟪*on, upon*⟫: ⟪~+목+전+명⟫ They *~ed* a hard job *on* him. 그들은 힘든 일을 그에게 떠맡겼다.
— *vi.* **1** 희망하다, (쉽게 얻을 수 없는 것을) 바라다 ⟪*for, after*⟫: ⟪~+전+명⟫ The weather is all one could ~ *for.* 날씨는 정말 좋다. / She *~ed for* peace with her whole heart. 그녀는 진심으로 평화를 원했다. **2** (…에) 소원을 빌다, 기원하다 ⟪*on, upon*⟫: ~ *on* a star 별에 소원을 빌다 **3** …이기를 빌다, 축원하다: ⟪~+부⟫ He *~es well*[*ill*] to all men. 그는 모든 사람의 행운[불행]을 빈다.
It is to be ~ed that … …이길 바란다 ~ a person ***joy of …*** ⇨ *vt.* 4. ***~ on*** …에게 떠맡기다, 전가하다
— *n.* **1** [CU] **소원,** 소망, 희망: according to one's *~es* 소망에 따라 / The ~ is father to the thought. ⟪격언⟫ 소망은 생각의 아버지 ⟪간절히 바라면 언젠가는 이루어진다는 뜻⟫ **2** [보통 *pl.*] (남의 행복·평안 등을) 바라는 말, 기원: Please send her my best[kindest] *~es.* 그 여자에게 안부 전하여 주시오. **3** [CU] 청, 요청; 명령: disregard the *~es* of others 남의 요청을 무시하다 **4 바라는 바,** 희망하는 점[것]: She got her ~, a new car. 그녀는 바라던 새 차를 손에 넣었다. ***carry out***[***attend to***] a person***'s ~es*** …의 희망을 성취하다, 기대에 어그러지지 않다 ***good ~es*** 행복을 비는 마음, 호의 ***to*** one***'s ~*** 소원대로 ***with best ~es*** = ***with every good ~*** 행복[성공]을 빌며 ⟪편지를 끝맺는 말⟫ ***Your ~ is my command.*** ⟪익살⟫ 네가 해 달라고 하는 것은 뭐든 하겠다.
~·less *a.* ▷ wíshful *a.*

edgeable (opp. *unwilling, reluctant*)
wish *n.* liking, fondness, longing, hope, yearning, want, aspiration, inclination, craving

wish·bone [wíʃbòun] *n.* **1** (새 가슴의) 창사골(暢思骨), 차골(叉骨); 차골 모양의 물건 ⟪전신주의 가로대 등⟫ **2** [미식축구] 위시본 ⟪T포메이션의 변형으로 하프백이 풀백보다 뒤쪽에 라인업함⟫
wísh bòok ⟪미·속어⟫ 통신 판매 카탈로그
wished-for [wíʃtfɔ̀ːr] *a.* 바라던 (대로의)
wish·er [wíʃər] *n.* 희망자, 원하는 사람: a well-~ 호의를 가지고 있는 사람
∗**wish·ful** [wíʃfəl] *a.* **1 갈망하는,** 소원하는 ⟪*to*⟫: be ~ *to* go 가고 싶다 **2 탐내는,** 가지고 싶어하는: with a ~ look 탐내는 표정으로 **3** 희망에 의거한, 희망적인
~·ly *ad.* **~·ness** *n.*
wísh fulfillment 1 소망을 만족시키는 것 **2** [정신분석] 소망[소원] 성취
wíshful thínker 희망적 관측자, 낙천가
wíshful thínking 1 희망적 관측[해석], 낙관적인[안이한] 생각 **2** [정신분석] 소망적 사고; 소망 실현[충족](wish fulfillment)
wish·ing [wíʃiŋ] *a.* **1** 소원 성취의 힘이 있다고 여겨지는 **2** ⟪고어⟫ = WISHFUL — *n.* 원하기
wíshing bòne = WISHBONE
wíshing càp 요술 모자 ⟪동화에서 이것을 쓰면 소원이 이루어진다고 함⟫
wíshing wéll 소원의 우물 ⟪동전을 던진 사람의 소원을 이루게 해 준다는⟫
wísh lìst (마음속으로) 바라는 것; 가지고 싶은 물건의 목록
wish-wash [wíʃwɔ̀ːʃ | -wɔ̀ʃ] *n.* [U] **1** ⟪속어⟫ 멀건 음료, 아주 묽은 술[약] **2** 김빠진 이야기, 시시한 이야기
wish·y-wash·y [wíʃiwɔ̀ːʃi | -wɔ̀ʃi] *a.* **1** 〈사람·태도 등이〉 우유부단한 **2** 김빠진, 시시한; 평범한 **3** ⟪속어⟫ 〈수프·차 등이〉 묽은, 멀건
wisp [wísp] *n.* **1** 한 줌, 작은 묶음, 다발, 단 ⟪건초·짚·잔가지 등의⟫: a ~ of hair 한 줌의 머리카락 **2** 단편, 조각; 가는 줄기 ⟪*of*⟫: a ~ *of* smoke 한 줄기의 연기 **3** 작은 물건[사람] **4** = WHISK BROOM **5** ⟪시어⟫ 도깨비불 **~·ish** *a.* **~·lìke** *a.*
wisp·y [wíspi] *a.* (**wisp·i·er**; **-i·est**) 작게 묶은; 약간의, 희미한; 숱이 적은, 성긴; 가냘픈; 안개 같은
Wis·sen·schaft [vísənʃæ̀ft] [G] *n.* 학문
wist [wíst] *v.* ⟪고어⟫ WIT[2]의 과거·과거분사: He ~ not. = He did not know.
∗**wis·te·ri·a** [wistíəriə], **wis·tar·i·a** [wistíəriə, -tέər-] [미국 해부학자의 이름에서] *n.* [식물] **등**(**나무**)
∗**wist·ful** [wístfəl] *a.* **1 탐내는,** 바라는 듯한; 그리워하는, 동경하는: ~ eyes 동경하는 눈 **2** 곰곰이 생각하는, 생각에 잠기는: in a ~ mood 생각에 잠겨서
~·ly *ad.* **~·ness** *n.*
‡**wit**[1] [wít] [OE 「지식」의 뜻에서] *n.* **1** [U] [단수·복수 취급] **지혜,** 지력, 이지, 이해력: ⟪~+***to*** do⟫ He has ~ enough *to* come in out of the rain. 그에게는 비를 피할 만한 지혜가 있다. **2** [UC] **기지,** 재치(⇨ humor 유의어); 수완, 요령 **3** 기지가 넘치는 이야기, 유머가 풍부한 문장 **4** 재주꾼; ⟪고어⟫ 지자(智者), 현인 **5** [*pl.*] (건전한) 정신, 제정신, 맑은 정신; 분별; 감상, 의식 ***at*** one***'s ~s'***[***~'s***] ***end*** 좋은 수가 없어서, 어찌할 바를 모르고, 자금이 떨어져서 ***have***[***keep***] one***'s ~s about*** one 수완이 좋다, 재치가 있다, 냉정하게 행동하다 ***have quick***[***slow***] ***~s*** 재치가 있다[없다], 융통성[요령]이 있다[없다], 약삭빠르다[주변이 없다] ***in*** one***'s*** (***right***) ***~s*** 제정신으로, 진정으로 ***live by*** one***'s ~s*** (일정한 직업 없이) 잔재주를 부려 이럭저럭 살아가다 ***out of*** one***'s ~s*** 제정신을 잃고 ***scare*** one ***out of*** one***'s ~s*** ⟪미·구어⟫ 두려워서 꼼짝 못하게 하다 ***the five ~s*** ⟪고어⟫ 5관(官); 마음 ▷ witty *a.*
wit[2] *vt., vi.* (**wist**; **~·ing**)(★ 현재형 I[he] **wot** [wát | wɔ́t], thou **wot·**(**t**)**est** [-tist]) ⟪고어⟫ 알다, 알고 있다(know) ***to ~*** ⟪고어⟫ 즉
wi·tan [wítn, -tɑːn] *n. pl.* [영국사] witenagemot 의 구성원

‡**witch** [wítʃ] *n.* **1** 마녀, 여자 마법사, 무당(cf. WARLOCK, WIZARD): a white ~ 착한 마녀 《사람의 행복을 위해서만 마법을 행사하는》 **2** 보기 흉한 노파(hag), 마귀할멈, 잔인한 노파 **3** 점(占) 막대기로 수맥을 찾는 사람 **4** 《구어》 아주 매력 있는 여자, 매혹적인 요부 **5** 마법: put the *~es* on …에 마법을 걸다
—*vt.* **1** …에게 마법을 쓰다 **2** 매혹하다, 홀리게 하다
—*vi.* 점(占) 막대기로 수맥을 찾다
—*a.* 마녀의 **~·hood** *n.* **~·like** *a.*

witch- [witʃ] 《연결형》 = WYCH-

witch ball (창에 다는) 마녀를 쫓는 유리 구슬

∗**witch·craft** [wítʃkræft | -krɑ̀:ft] *n.* Ⓤ **1** 마법, 요술: under ~ 마법에 걸려서 **2** 매력, 마력

witch dòctor 마법사, 요술사 《특히 아프리카 원주민의》

witch èlm 〖식물〗 양느릅나무(wych elm) 《유럽산》

witch·er·y [wítʃəri] *n.* **1** Ⓤ 요술, 마법(witchcraft) **2** [*pl.*] 마력, 매력(fascination) 《*of*》

witches' brèw (마녀의) 비약(秘藥); 가공할[유해한] 혼합

Witches' Sàbbath 악마의 연회 《1년에 한 차례 밤에 악마들이 연다는 잔치》

witch házel 〖식물〗 하마멜리스 《북미산》; 그 나무껍질과 잎에서 채취하는 약물 《타박상 등에 씀》

witch-hunt [wítʃhʌ̀nt] *n.* **1** 마녀 사냥 **2** 정적(政敵)을 박해[중상]함; 국가 전복을 꾀하는 자의 색출 **~·er** *n.* **~·ing** *n.*

witch·ing [wítʃiŋ] *a.* 마력이 있는, 매혹적인; 마녀가 횡행하는 ***the ~ time of night*** 마녀가 횡행하는 한밤중, 삼경 《Shakespeare 작 *Hamlet* 중에서》
—*n.* 마법, 마술; 매력, 매혹 **~·ly** *ad.*

witching hòur 한밤중

witch·man [wítʃmən] *n.* = WITCH DOCTOR

witch·y [wítʃi] *a.* 마녀의[같은], 마녀적인; 마법에 의한, 마법을 생각하게 하는

wite [wáit] *n.* **1** 〖고대영국법〗 (왕 등이 과하는) 벌금; 속죄금 **2** 《스코》 벌; 질책, 비난; 책임
—*vt.* 《스코》 비난하다, 고발하다

wi·te·na·ge·mot [wítənəgəmòut | ⌐----⌐] *n.* 〖영국사〗 (앵글로색슨 시대의 왕의 고문 역할을 한) 자문 협의회

Wite-out [wáitaut] *n.* Ⓤ 《미》 (잘못 쓴 글자 위에 바르는) 백색 수정액 《상표명》(cf. WHITEOUT)

‡**with** ⇨ with (p. 2893)

with- [wið, wiθ] 《연결형》 「뒤쪽으로(back); 떨어져(away); 반대로(against)」의 뜻: *with*hold, *with*draw, *with*stand

∗**with·al** [wiðɔ́:l, wiθ- | wið-] *ad.* 《고어》 **1** 게다가, 마찬가지로, 동시에 **2** 한편, 그럼에도 불구하고
—*prep.* 《고어》 …으로(with), …을 가지고: What shall he fill his belly ~? 그는 무엇으로 배를 채울 것인가? ★ 언제나 문장 끝에 옴.

‡**with·draw** [wiðdrɔ́:, wiθ-] *v.* (**-drew** [-drú:]; **-drawn** [-drɔ́:n]) *vt.* **1** 〈손 등을〉 빼다, 움츠리다, 뒤로 물리다, 〈커튼 등을〉 당겨 젖히다: (~+목+전+명) ~ one's head *from* the window 창문에서 안으로 머리를 들여보내다 **2** 〈시선을〉 딴 데로 돌리다 《*from*》: (~+목+전+명) She *withdrew* her eyes *from* me. 그녀는 나로부터 시선을 돌렸다. **3** 물러나게 하다, 자퇴시키다; 〈군대를〉 철수시키다 《*from*》: (~+목+전+명) ~ one's son *from* school 아이를 학교에서 자퇴시키다 / The troops are being gradually *withdrawn from* the front. 군대가 서서히 전선에서 철수하고 있다. **4** 〈물건 등을〉 꺼내다; 〈예금 등을〉 (은행으로부터) 인출하다: ~ one's savings from the bank 은행에서 저금을 인출하다 **5** 〈신청·진술·약속 등을〉 철회하다, 취소하다, 취하하다: ~ an offer 신청을 철회하다 **6** 〈소송을〉 취하하다 **7** 〈특권 등을〉 빼앗아 버리다: (~+목+전+명) ~ one's favor[privilege] *from* a person …에게 베푼 은전[특권]을 빼앗아 버리다 **8** 〈사람에게〉 (마약 등의) 사용을 끊게 하다 **9** 〈통화·서적 등을〉 회수하다, 거두어들이다 《*from*》: (~+목+전+명) ~ dirty bank notes *from* circulation 유통 중인 낡은 지폐를 회수하다
—*vi.* **1** 물러나다, 물러나오다; 쑥 들어가다: (~+전+명) ~ *from* a person's presence …앞에서 물러가다 **2** (모임 등에서) 탈퇴하다; 은퇴하다; (학교·직장을) 그만두다 《*from*》: ~ *from* politics 정계에서 은퇴하다 **3** 〈군대가〉 철수하다: All the troops *withdrew.* 전군이 철수했다. **4** (마약 등의) 사용을 그만두다[끊다] 《*from*》: (~+전+명) ~ *from* heroin 헤로인의 사용을 끊다 **5** (동의 등을) 철회하다, 취소하다 **~·a·ble** *a.* **~·er** *n.* ▷ withdráwal *n.*

∗**with·draw·al** [wiðdrɔ́:əl, wiθ-] *n.* **1** 물러남, 쑥 들어감, 퇴출, 탈퇴 **2** 되찾기, (예금·출자금 등의) 인출, 회수 **3** 취소, 철회 **4** 철수, 철퇴, 철병 **5** (사신) 퇴학, 퇴회 **6** (약제의) 투여[사용] 중지; 마약 사용 중지에 따른 허탈 ***go through ~*** 금단 증세를 겪다

withdráwal sỳmptom [보통 *pl.*] 〖의학〗 (마약의) 금단 증상 《욕지기·발한·허탈 등》

withdráwal sỳndrome 〖약학〗 금단 증후군

with·dráw·ing ròom [wiðdrɔ́:iŋ-] 《고어》 응접실, 휴게실

∗**with·drawn** [wiðdrɔ́:n, wiθ-] *v.* WITHDRAW의 과거분사
—*a.* **1** 인가에서 떨어진, 인적이 드문 **2** 수줍어하는; 〈사람이〉 집 안에 틀어박힌 **3** 회수한; 철회한

∗**with·drew** [wiðdrú:, wiθ-] *v.* WITHDRAW의 과거

withe [wíθ, wíð, wáið] *n.* 가는 가지 《버들 등의》; 실가지, 가지 매끼 《장작 등을 묶는》
—*vt.* 실가지로 묶다

‡**with·er** [wíðər] 〖ME 「비바람을 맞히다」의 뜻에서〗 *vi.* **1** 시들다, 이울다, 말라빠지다(shrivel); 시들어 죽다 《*up, away*》: (~+부) The flowers *~ed up* [*away*]. 꽃이 시들었다. **2** 〈색이〉 바래다; 〈소리가〉 사라져 가다 **3** 〈애정·희망 등이〉 시들다, 약해지다 《*up, into*》: (~+전+명) ~ *into* insignificance 쇠퇴하여 볼품없게 되다 **4** 〈산업 등이〉 활기를 잃다
—*vt.* **1** 시들게 하다; 말라 죽게 하다 《*up*》: (~+목+부) The hot sun has *~ed up*[*away*] the grass. 뜨거운 햇볕 때문에 풀이 완전히 시들어 버렸다. **2** 쇠퇴시키다, 약하게 하다 《*away*》 **3** 〈명예 등을〉 손상하다 **4** 위축시키다, 움츠러들게 하다 《*with*》: (~+목+전+명) ~ a person *with* a look 한 번 노려보아 …을 움츠러들게 하다 ***~ on the vine*** 열매를 맺지 못하고 시들다, 흐지부지되다

with·ered [wíðərd] *a.* 시든, 말라 빠진; 쇠약해진; 활기 없는 **~·ness** *n.*

with·er·ing [wíðəriŋ] *a.* **1** 시들게 하는 **2** 위축시키는, 움츠러들게 하는 **~·ly** *ad.*

with·er·ite [wíðəràit] *n.* Ⓤ 〖광물〗 독중석(毒重石) 《바륨의 원광(原鑛)》

with·ers [wíðərz] *n. pl.* **1** (말·개 등의) 양 어깨뼈 사이의 융기(隆起) **2** 《고어》 감정 ***My ~ are unwrung.*** 내가 마음 아플 것은 하나도 없다, 흠잡힐 것이 없다. 《Shakespeare 작 *Hamlet* 중에서》 ***wring*** a person***'s ~*** 걱정하게 하다, 마음을 아프게 하다

with·er·shins [wíðərʃìnz], **wid·der-** [wídər-] *ad.* 《스코》 **1** 태양의 운행과 반대의 방향으로, 왼쪽 방향으로 《특히 제식(祭式)의 순회 경로에 있어서 불길한 방향으로 여겨짐》 **2** (여느 방향과) 반대 방향으로

∗**with·hold** [wiθhóuld, wið- | wið-] *vt.* (**-held** [-héld]) **1** 억누르다, 억제하다, 말리다, 손대지 못하게 하다(hold back, check) 《*from*》: (~+목+전+명) The captain *withheld* his men *from* the

thesaurus **withdrawn** *a.* retiring, reserved, uncommunicative, unsociable, quiet, introverted, detached, aloof, shrinking, timid, shy, bashful (opp. *outgoing, sociable*)
withhold *v.* hold back, keep back, restrain, repress, suppress, check, curb

with

전치사 전용의 with 의 용법은 아주 다양하나 기본적인 뜻은 「…와 함께, …으로써, …을 가지고」 등이다.
도구·수단을 나타내는 전치사로서의 with 와 by 의 차이는, by 가 「…에 의하여」와 같이 행위나 동작의 주체에 중점을 두는 데 대하여, with 는 「…을 써서, …한 방법으로」와 같이 행위나 동작의 상태·상황 및 수단 등에 중점을 둔다.
그리고 다음 용법들에 주의해야 한다.
1 「with+추상명사」 → 부사로 쓰임: *with* skill(=skillfully) 능숙하게 / *with* pleasure 기꺼이 ⇨ C 4
2 「with+목적어+형용사[분사·전치사구]」로서 부대상황을 나타냄: *with* the window open 창문을 열어 놓은 채

‡with [wið, wiθ, wìð, wìθ] *prep.*

기본적으로 「…와 함께」의 뜻에서	
① …와 함께	**A 1 a**
② …을 사용하여; …으로	**C 2, 3**
③ [소유·휴대를 나타내어] …이 있는	**C 1**
④ [원인을 나타내어] …의 탓으로, …때문에	**C 5**
⑤ …에 관해서; …을 상대로	**B 2, 4**
⑥ …와 함께, …와 동시에	**A 5**
⑦ [양태를 나타내어] …을 나타내어, …하게	**C 4**
⑧ [부대상황을 나타내어] …하면서	**C 7**

— A 1 a [동반·동거] …**와 함께,** …와 같이; …을 데리고: Will you come to the theater ~ us? 우리와 함께 극장에 가지 않겠습니까? / She lives ~ her mother. 그녀는 어머니와 함께 산다. / A woman ~ a baby was shopping. 아기를 데리고 있는 여자가 쇼핑하고 있었다. **b** [근무·소속] …**에서,** …의 직원으로서, …에 근무하고: work ~ a florist 꽃집에서 일하다 / She is a stewardess ~ Korean Air. 그녀는 대한항공의 스튜어디스이다. / How long have you been ~ the company? 그 회사에 근무하신 지가 얼마나 됩니까? / He used to play baseball ~ the Bears. 그는 옛날에 베어스의 야구 선수였다. **c** [포함] …을 합쳐서, …을 포함하여: I can speak three languages, four ~ Korean. 나는 3개 국어를 할 수 있는데 한국어를 합치면 4개 국어이다.

2 a [접촉·교제·결합] …와: discuss a problem ~ a person …와 문제를 토의하다 / The railroad connects our town ~ the city. 철도가 우리 읍을 그 시에 연결한다. / We are acquainted[friendly] ~ him. 우리는 그를 잘 알고 있다[그와 친교가 있다]. / He wanted to get in touch ~ his old friends. 그는 옛 친구들과 연락을 취하기를 원했다. **b** [혼합·혼동] …**와,** …을 가하여: mix whiskey ~ soda 위스키에 소다를 타다 / take coffee ~ a little sugar 설탕을 조금 넣어서 커피를 마시다

3 a [일치·조화] …와: I agree ~ you there. 그 점에서 나는 자네와 같은 의견이야. / That tie goes ~ your suit. 그 넥타이는 너의 양복과 어울린다. **b** [동조·찬성] …**에 찬성하여,** …에(게): He voted ~ the ruling party. 그는 여당[집권당]에 투표하였다. / I'm ~ you in what you say. 나는 너의 의견에 찬성이다. **c** [be의 보어가 되는 구를 이끌면서, 보통 부정·의문문에서] 〈상대〉의 이야기[의론]를 알아들을[따라갈] 수 있는: Are you ~ me so far? 여기까지의 내 이야기를 알아들었느냐? / Sorry I'm *not* ~ you; you are going too fast. 미안하지만 당신 말을 알아들을 수가 없군요, 이야기가 너무 빨라서요.

4 [비교·동등의 대상을 이끌어] …와: That watch is not to be compared ~ this one. 저 시계는 이것과는 비교할 것이 못 된다. / This floor is level ~ the roof of that building. 이 층은 저 건물의 지붕 높이와 같다. / He can swim ~ the best of them. 그는 (그들의) 누구에게도 뒤지지 않게 잘 헤엄칠 수 있다.

5 [동시·같은 정도·같은 방향 등] …**와 함께,** …와 동시에; …에 따라서, …와 비례해서: *W*~ that she shut the door. 그렇게 말하고[그와 동시에] 그녀는 문을 닫아 버렸다. / Wisdom comes ~ age. 나이를 먹음에 따라 사람은 현명해진다. / Her grief lessened ~ time. 시간(의 흐름)과 함께 그녀의 슬픔도 감소되어 갔다.

— B 1 a [조치·관계의 대상을 이끌어] …**에 대하여,** …에 관하여: I have nothing to do ~ that. 나는 그것과는 아무런 관계도 없다. / I can do nothing ~ this child. 나는 이 어린이에게 할 수 있는 일이 아무것도 없다. / I am not concerned ~ such trivial matters. 나는 그런 하찮은 문제에는 관심이 없다. / I want to get it finished ~. 이것으로써 그것을 끝내고 싶다. / How are you getting along ~ your work? 하시는 일은 어떻게 되어가고 있습니까? **b** [감정·태도의 대상을 이끌어] …**에 대하여,** …에: be angry[frank, gentle, patient] ~ a person …에게 화를 내다[솔직하게 굴다, 부드럽게 대하다, 참을성 있게 굴다] / Be careful ~ the glass. 유리[컵]을 조심해서 다뤄라. / You are too strict ~ your children. 당신은 아이들에게 너무 엄하다. / They are in love ~ each other. 그들은 서로 사랑하는 사이다. / We are at peace[war] ~ them. 우리는 그들과 화친[교전] 상태에 있다. **c** [방향의 부사와 함께, 동사 없이 목적어와 함께 명령문적으로 쓰여] …을[은]: *Away* ~ him! 그를 쫓아내라! / *Down* ~ the dictator! 독재자를 타도하라! / *Up* ~ freedom! 자유를 수호하라! / *Off* to bed ~ you! 이제 자도록 해라!

2 [관계·입장] …**에 관해서[대해서]**; …에 있어서는, …의 경우는: the Italian frontier ~ France 이탈리아의 프랑스와의 국경 / The trouble ~ her is that she gets easily excited. 그녀의 문제점은 쉽사리 흥분하는 것이다. / What is the matter ~ you? 자네, 어찌된[무슨] 일이야? (cf. WHAT *pron.*) / That's all right ~ me. 나는 괜찮다. / That's always the case ~ my brother. 내 형은 언제나 그렇단다. / *W*~ many women, love comes first. 많은 여자들은 사랑을 첫째로 생각한다.

3 [분리] …와 **(분리되어[떨어져]),** …으로부터(cf. FROM 8): part ~ money 돈을 (마지못해) 내놓다 / break ~ a boyfriend 남자 친구와 헤어지다

4 [적대] …**을 상대로,** …와(cf. AGAINST): fight ~ the enemy 적과 싸우다 / argue[quarrel] ~ a person 남과 논쟁[말다툼]하다 / He is struggling ~ TB. 그는 결핵으로 투병 중이다.

— C 1 a [소유] …**을 가지고** (있는), …이 있는, …이 달린[부착된]; …을 받고 있는: a vase ~ handles 손잡이가 달린 꽃병 / a room ~ a balcony 발코니가 달린 방 / a woman ~ long hair 긴 머리의 여인 / a person ~ no sense of direction 방향 감각이 없는 사람 **b** [휴대] 〈사람〉의 **몸에 지니고,** …의 수중에 있는(cf. ABOUT 5): He had no money ~ him. 그는 수중에 가진 돈이 없었다. / Take an umbrella ~ you. 우산을 가지고 가라.

2 [도구·수단] …**을 사용하여,** …으로: write ~ a ballpoint 볼펜으로 쓰다 / stir one's coffee ~ a spoon 스푼으로 커피를 젓다 / pay ~ a check 수표로 지급하다 / He cut the rope ~ his knife. 그는 그의 칼로 밧줄을 잘랐다. / I have no money to buy it (~). 그것을 살 돈이 없다. ★《구어》에서는 with를 생략함.

3 [재료·내용물] …**으로**: fill a glass ~ water 컵에 물을 채우다 / load a cart ~ timber 짐차에 재목을 싣다 / decorate a cake ~ strawberries 딸기로 케이크를 장식하다 / The mountain is covered ~ snow. 산은 눈으로 덮여 있다. / He is overwhelmed ~ work. 그는 산더미 같은 일에 파묻혀 있다.

4 a [양태(樣態)의 부사구를 이끌어] …**을 나타내어**, …하게 《-ly형으로 바꿔 쓸 수 있는 것이 있음》: ~ care 주의하여 《carefully로 바꿔 쓸 수 있음》/ ~ ease 수월하게, 쉽게 / ~ pleasure 기꺼이 / ~ great interest 큰 관심을 갖고 / ~ difficulty 어렵게, 가까스로 / He played ~ great skill. 그는 아주 훌륭하게 연기를 했다. **b** [표정·동작을 나타내는 부사구를 이끌어] …하면서, …하며: She greeted me ~ a smile. 그녀는 미소를 지으면서 나에게 인사를 하였다. / "My son failed in the exam," said Mrs. Brown ~ a sigh. 「아들이 시험에 떨어졌어요」라고 브라운 부인은 한숨을 쉬며 말했다.

5 [원인] …**의 탓으로**, …으로 인해, …때문에(because of): turn pale ~ fear 무서워서 창백해지다 / His eyes glistened ~ excitement. 그의 눈은 흥분으로 반짝였다. / He was half dead ~ fatigue. 그는 피로로 반쯤 죽어가고 있었다. / She was in bed ~ a severe attack of flu. 그녀는 지독한 유행성 독감에 걸려 자리에 누웠다. / I was silent ~ shame. 창피해서 말도 안 나왔다.

6 a [위탁] 〈사람〉의 손에 맡겨져서, …에(게); 〈물건〉을 (맡겨): Leave your dog ~ us while you go on holiday. 휴가 가 있을 동안은 댁의 개를 우리에게 맡기시오. / He trusted me ~ the secret. 그는 나에게 그 비밀을 털어놓았다. **b** [선택] 〈사람〉에게 달려: It rests ~ you to decide. 결정은 네게 달려 있다.

7 [부대상황을 나타내는 구를 이끌어] …**하여**, …**한 채로**, …하면서 《명사·대명사 뒤에 전치사가 달린 구·부사·형용사·분사 등의 보충적 요소를 거느림》: He stood there ~ his hands in his pockets. 그는 호주머니에 양손을 찌르고 그곳에 서 있었다. / Don't speak ~ your mouth full. 입 안 가득 음식물을 문 채로 이야기를 하는 것이 아니다. / He came downstairs ~ his coat over his arm. 그는 상의를 팔에 걸치고 아래층으로 내려왔다. / *W*~ night coming on, we started home. 어둠이 다가오자 우리는 귀로에 올랐다. 《With night coming ...의 with가 생략되면 독립 분사구문이 됨》/ She sat there, ~ her eyes closed. 그녀는 눈을 감고 거기에 앉아 있었다.

8 a [종종 ~ all로서; 양보] …이 있으면서도, …에도 불구하고: *W*~ *all* her wealth, she is still unhappy. 그만한 부를 가졌음에도 불구하고 그녀는 여전히 불행하다. / *W*~ *all* her drawbacks, she is loved by everybody. 그녀는 여러 결점이 있음에도 불구하고 모든 사람에게서 사랑을 받는다. **b** [조건] …이 있으면, 만약에 …이면: *W*~ your help, there should be no problem. 자네가 도와주면 아무 문제도 없겠는데. **c** [제외] …이란 점을 제외하면: These are very similar, ~ one important difference. 이것들은 하나의 중요한 차이점을 제외하면 아주 흡사하다.

***be* [*keep*] (*well*) *in* ~** …와 사이좋게 지내다

get* ~ *it 《속어》 (1) ⇨ WITH it (2) 정신 바짝 차리다, 긴장하다: The coach told the team to *get* ~ *it.* 코치는 팀의 선수들에게 정신 차리고 하라고 말했다.

***what* ~ ... *and* (*what* ~) ...** ⇨ what *ad.*

~ *all* …이 있으면서도, …에도 불구하고(⇨ 8 a)

~ *it* 《구어》 (1) 〈복장·사상·행동 등이〉 시대[유행]의 첨단을 달리고, 최신식으로: He always tries to be [get] ~ *it.* 그는 언제나 시대에 뒤지지 않으려고 한다. (2) 그 위에, 게다가(as well); 잘 알고 있는

~ *that* [*this*] 그것[이것]과 함께, 그래서[이래서]; 그렇게[이렇게] 말하고: *W*~ *that* he went away. 그렇게 말하고 그는 가 버렸다.(⇨ A 5) / And ~ *this* I bid you farewell. 그러면 이것으로 작별을 고하겠습니다.

attack. 대장은 부하들을 제지하여 공격을 못하게 했다. **2** 〈승낙 등을〉 **보류하다**; 주지 않고[허락치 않고] 두다 《*from*》: ~ one's payment[consent] 지불[승낙]을 보류하다 // (~+목+전+명) ~ an important fact *from* a person …에게 중대한 사실을 알리지 않다 **3** 〈세금 등을〉 임금에서 공제하다, 원천 징수하다 **4** 《고어》 감금[구류]하다

— *vi.* 보류하다, 그만두다, 자제하다

~·er *n.* **~·ment** *n.* 억제; 원천 징수

with·hóld·ing tàx [-hóuldiŋ-] 《미》 원천 과세

‡**with·in** ⇨ within (p. 2895)

with·in·doors [wiðíndɔ̀:rz] *ad.* 《고어》 = INDOORS

with·in-named [-nèimd] *a.* 이 문서에서, 여기서 말한 바에 의하면

with-it [wíðit, wíθ-] *a.* 《구어》 (사회적·문화적으로) 최신의 **~·ness** *n.*

‡**with·out** ⇨ without (p. 2896)

with·out·doors [wíðautdɔ̀:rz, wiθ- | wið-] *ad.* 《고어》 문 밖에서

with-prof·its [wíðprɑ́fits, wiθ- | -prɔ́f-] *a.* 〈보험이〉 이익 배당이 보증된

***with·stand** [wiθstǽnd, wið- | wið-, wiθ-] *v.* (**-stood** [-stúd]) *vt.* **1** 〈사람·힘·곤란 등에〉 **저항하다**, 버티다(⇨ oppose 유의어): ~ temptation 유혹에 저항하다 **2** 〈물건 등이〉 〈마찰·혹사에〉 **견디어 내다**, 잘 견디다

— *vi.* 《주로 시어》 저항[반항]하다; 견디다 **~·er** *n.*

with·y [wíði, -θi | -ði] *n.* (*pl.* **with·ies**) = WITHE

— (**with·i·er**; **-i·est**) *a.* 버들 같은, 유연한; 순응성이 강한

wit·less [wítlis] *a.* **1** 재치 없는; 지혜 없는; 어리석은; 무분별한 **2** 제정신을 잃은, 미친 **3** (…을) 알지 못하는, 자각하지 못하는 《*of*》 **~·ly** *ad.* **~·ness** *n.*

wit·ling [wítliŋ] *n.* 하찮은 재사(才士), 영리한 체하는 사람

wit·loof [wítlouf] *n.* = ENDIVE

‡**wit·ness** [wítnis] [OE 「아는 일」의 뜻에서] *n.* **1** **목격자**: without a ~ 목격자 없이 / a ~ to the accident 그 사건의 목격자 **2** (…의) 증거가 되는 사람, 증거물 **3** (법정에 서는) 증인, 참고인: stand ~ 증인으로 서다 **4** (문서·계약·결혼 등의) 입회인 **5** Ⓤ 증거, 증언; 증명, 입증 **6** [**W~**] 여호와의 증인의 신자

(***as***) **~** 그 증거로서는, 이를테면: Novels offer nothing new — (*as*) ~ every month's review. 소설에는 아무런 새로운 것이 없다, 이를테면 매달의 평론을 보면 알 수 있다. ***be a* ~ *to*** …의 목격자이다, …의 입회인이 되다; …의 증거가 되다 ***be* ~ *to*** …을 목격하다 ***bear* a person ~** …의 증인이 되다, …이 말한 것을 증명하다 ***bear* ~ *to* [*of*]** …의 증언을 하다, …의 증인[증거]이 되다 ***call* [*take*] ... *to* ~** …으로 하여금 증명하게 하다, …을 증인으로 하다: I *call* Heaven *to* ~ that ... …이 거짓이 아님은 하느님도 아신다 ***give* ~ *on behalf of*** …을 위하여 증언하다 ***God's my* ~** 맹세코 (단언하는데…) ***in* ~ *of*** …의 증거로 ***with a* ~** 명백히, 틀림없이, 확실히

thesaurus **withstand** *v.* resist, fight, combat, oppose, endure, stand, tolerate, bear, put up with, defy (opp. *surrender, yield*)

witness *n.* **1** 목격자 observer, eyewitness, spectator, onlooker, viewer, watcher, beholder,

within

within은 주로 전치사로 쓰이며 부사·명사로서의 용법은 문어적이다. 전치사 within은 장소·시간·거리를 나타내는 말과 함께 써서 「…이내, 범위 내」의 뜻을 나타낸다.

‡with·in [wiðín, wiθ- | wið-] *prep.*, *ad.*, *a.*, *n.*
— *prep.* **1** (장소·시간·거리·범위·한계 등) …이내에[의], …을 넘지 않고, …의 범위 내에서: stay ~ city 시내에서 벗어나지 않다 / keep ~ doors 집 밖에 나가지 않다 / ~ five minutes 5분 이내에 / ~ a week 1주일 이내에 / ~ the law 법이 허용하는 안에서 / a task well ~ his power(s) 그의 힘[역량]으로 충분히 할 수 있는 일 / live ~ one's income 수입 내에서 생활하다 / ~ a mile[an easy walk] of my office 나의 사무실에서 1마일 이내의[걸어서 금방 가는] 곳에 / ~ call 부르면 들리는 곳에 / ~ hearing[earshot] of …에서 (부르면) 들리는 곳에 / ~ three degrees of freezing 빙점 3도 이내에 / I live ~ sight of the Han River. 나는 한강이 보이는 곳에 산다.
2 (문어·고어) …의 속에, …안에 (《현재는 inside가 일반적; cf. WITHOUT 5》): ~ and without the town 도시의 안팎에 / a cry from ~ the room 방 안에서 들려오는 외침
keep ~ bounds ⇨ bound[3]
~ limits ⇨ limit
~ one***self*** (1) 마음속으로: pray ~ *oneself* 마음속으로 기도하다 (2) 전력을 다하지 않고, 여력을 남기고: run ~ *oneself* 전력 질주하지 않다, 여유 있게 달리다
— *ad.* (문어·고어) **1** 속에, 안에, 내부는: ~ and without 안팎으로(부터), 안팎에
2 집 안에, 옥내에(indoors): go ~ 안으로 들어가다 / He is not ~. 그는 (집) 안에 없다.
3 마음속에[은]: be pure ~ 마음이 깨끗하다 / keep one's thoughts ~ 생각한 바를 마음속에 간직하다
— *a.* 내부의: the ~ complaint 내부의 불평 / the ~ structure 내부 구조
— *n.* Ⓤ [보통 from ~로] (문어) 안, 내부: the ~ of a stand 매점의 내부 / analyze the society *from* ~ 사회를 내부에서 분석하다 / The door opens *from* ~. 그 문은 안쪽에서 열린다.

— *vt.* **1** 목격하다, 보다: Many people *~ed* the accident. 그 사고를 목격한 사람이 많았다. **2** 입증[증명]하다; 증언하다; 〈사물이〉 …을 나타내다, …의 증거가 되다: Her red face *~ed* her embarrassment. 벌겋게 상기된 그녀의 얼굴이 당황하고 있다는 증거였다. // (~+*that* 절) He *~ed that* it was the driver's fault. 그는 그것이 운전사의 과실임을 증언했다. **3** …에 입회하다; 서명하다 (《증인으로서》): The two servants *~ed* Mr. Clark's will. 두 하인이 클라크씨의 유언장에 증인으로서 서명하였다. **4** 〈시대·장소 등이〉 〈사건의〉 무대가 되다
— *vi.* **1** 증언하다 (《*for*, *against*》): (~+전+명) ~ *for*[*against*] a person …에게 유리[불리]한 증언을 하다 **2** 증명하다, 증거가 되다, 입증하다 (《*to*》): (~+전+명) ~ *to* a person's innocence …의 결백함을 입증하다 **3** 〖그리스도교〗 강한 믿음을 공언[설파]하다
W~ Heaven! 하느님이시여, 굽어 살피소서!
~·a·ble *a.* **~·er** *n.*
wit·ness-box [wítnisbɑ̀ks | -bɔ̀ks] *n.* (영) (법정의) 증인석((미) witness stand)
wítness còrner 〖측량〗 목표 기둥
wítness màrk 경계표 푯말 (《측량 지점에 설치된》)
wítness stànd (미) (법정의) 증인석 ***take the ~*** 증인석에 서다
wit·ster [wítstər] *n.* 재사(才士)
wit·ted [wítid] *a.* [보통 복합어를 이루어] …의 지혜[재치]가 있는, 지혜[재치]가 …한 **~·ness** *n.*
Wit·ten·berg [wítnbə̀ːrg] *n.* 비텐베르크 (《독일 중부의 도시; 1517년 Luther가 「95개조」를 교회 문에 붙여 종교 개혁의 도화선이 되었음》)
wit·ter [wítər] *vi.*, *vt.* (영·구어) 시시한 이야기를 장황하게 늘어놓다 (《*on*, *about*》)
wit·ti·cism [wítəsìzm] *n.* (보통 경멸) **1** 재담, 익살 **2** (고어) 비웃음, 조롱
wit·ting [wítiŋ] *a.* (드물게) 알면서 하는, 고의의, 짐짓 …하는 — *n.* (방언) 지식 **~·ly** *ad.* 고의로, 일부러
wit·tol [wítl] *n.* (고어) **1** 아내의 부정을 묵인하는 남편 **2** 지혜가 부족한 사람, 둔감한 사람, 바보

---

bystander **2** 증인 testifier, attestant, deponent **3** 증거 evidence, testimony, confirmation, proof
witty *a.* clever, ingenious, sparkling, humorous, amusing, funny, comic (opp. *boring*, *dull*)
wizard *n.* sorcerer, enchanter, magician

***wit·ty** [wíti] *a.* (**-ti·er**; **-ti·est**) 재치[기지] 있는, 익살맞은; 〈표현 등이〉 재기 넘치는: a ~ writer 기지가 풍부한 작가 **wít·ti·ly** *ad.* **wít·ti·ness** *n.*
wive [wáiv] *vi.*, *vt.* (고어) 아내로 삼다, 결혼하다
wi·vern [wáivərn] *n.* = WYVERN
‡wives [wáivz] *n.* WIFE의 복수
wiz [wíz] *n.* (구어) 비상한 솜씨를 가진 사람, 귀재(鬼才)(wizard)
‡wiz·ard [wízərd] *n.* **1** (남자) 마법사(cf. WITCH); 요술쟁이(juggler) **2** (구어) 놀라운 솜씨[재능]를 가진 사람, 귀재(鬼才): a ~ at the piano 피아노의 귀재 **3** (구어) 기적을 행하는 사람 **4** (고어) 성현(聖賢)
the Welsh W~ Lloyd George의 속칭 ***the W~ of the North*** Sir Walter Scott의 속칭
— *a.* **1** 마법의, 마술의, 불가사의한 **2** (영·속어) 놀라운, 굉장한 **3** (속어) 기묘한, 교묘한; 명인의, 귀재의: That's ~! 그것 참 훌륭하군! **~·like** *a.*
wiz·ard·ly [wízərdli] *a.* **1** 마법사의[같은]; 초현실적인, 불가사의한; 굉장한 **2** (구어) 천재적인, 비범한, 경이적인
wiz·ard·ry [wízərdri] *n.* Ⓤ **1** 마법, 마술 **2** 뛰어난 능력, 묘기 **3** 하이테크 제품
wiz·en[1] [wí(ː)zn | wízn] *vi.* 시들다
— *vt.* 시들게 하다 — *a.* = WIZENED
wizen[2] *n.* (고어) 식도(食道)
wiz·ened [wí(ː)znd | wíznd] *a.* 시든, 쭈글쭈글한 〈사람·얼굴 등〉
wizz [wíz] *n.* (영·속어) 각성제, 스피드
wk. weak; week; work **wkly.** weekly **wks.** weeks; works **W.L., w.l.** waiting list; waterline; wavelength **W.L.A.** Women's Land Army **WLM** women's liberation movement **W. long.** west longitude **WLTM** would like to meet 만남을 원함 (《데이트를 원하는 개인 광고 문구에 쓰임》) **WM** white male **wm., wm** wattmeter **Wm.** William **W/M** weight or measurement **WMD** weapons of mass destruction 〖군사〗 대량 파괴 무기 **wmk.** watermark **WMO, W.M.O.** World Meteorological Organization 유엔 세계 기상 기구 **WNW, W.N.W., w.n.w.** west-northwest
wo[1] [wóu] *int.* = WHOA
wo[2] *n.*, *int.* (고어) = WOE
W.O., WO wait order; (영) War Office;

without

without는 with와 뜻이 반대되는 말로서, 주로 전치사로 쓰이며 기본적으로는 「…없이」의 뜻이다. within의 경우처럼 부사·명사로서의 용법은 문어적이다.
또한 동명사를 목적으로 하는 without의 용법과, 단순한 '조건'과 '가정(假定)'을 나타내는 용법에 유의해야 한다.

‡with·out [wiðáut, wiθ- | wið-] *prep.*, *ad.*, *n.*, *conj.*

① …이 없는[없이]	**1**
② …하지 않고	**3**
③ …이 없으면, …이 없다고 하면	**2**

— *prep.* **1** …이 없이, …이 없는, …을 갖지[입지] 않고(opp. *with*): ~ help 도움을 받지 않고 / ~ difficulty 수월하게 / ~ glasses[a coat] 안경을 쓰지[코트를 입지] 않고 / ~ exception 예외 없이 / a rose ~ a thorn 가시 없는 장미; 괴로움이 따르지 않는 환락 / ~ (a) reason 까닭 없이 / The rumor is quite ~ foundation. 그 소문은 전혀 근거가 없다. / I usually drink coffee ~ cream. 나는 보통 크림을 넣지 않은 커피를 마신다.
2 a [단순한 조건] …이 없으면, 없이는: No man can live ~ food. 먹을 것이 없으면 아무도 살지 못한다. / *W*~ competition, progress stops. 경쟁이 없으면 진보는 멈춘다. **b** [가정] (만약에) …이 없다고 하면, 없다면: *W*~ his advice, I would have failed. 그의 충고가 없었더라면 나는 실패했을 것이다. 《If it had not been for his advice, … = But for his advice, …로 고쳐 쓸 수 있음》
3 [주로 동명사와 함께] …하지 않고; …함이 없이: speak ~ think*ing* 생각하지 않고 말하다 / He went away ~ say*ing* goodbye. 그는 작별의 인사도 없이 가 버렸다. / A visitor entered ~ knock*ing*. 방문자가 노크도 하지 않고 들어왔다. / They never meet ~ quarrel*ing*. 그들은 만나기만 하면 꼭 다툰다. / I couldn't do it ~ her help*ing* me. 그녀의 도움 없이는 나는 그것을 할 수 없었다. ★ 'with+동명사'의 용법은 없음.
4 [부대상황을 나타내는 구를 이끌어] …이 없는 채로, …을 하지 않은 채: He wandered the streets ~ shoes or socks on. 그는 신발도 양말도 신지 않고 길가를 돌아다녔다. (cf. WITH C 7)
5 《문어·고어》 …의 밖에[에서] (cf. WITHIN 2) ★ 현재는 outside가 일반적.
6 [보통 within과 짝으로 쓰여] …의 범위를 넘어서 (beyond): whether *within* or ~ the law 법의 허용범위 내이든 범위 밖이든
do ~ … ⇨ do[1]
go ~ … ⇨ go *v.*
It goes ~ saying that … ⇨ say
not*[*never*] do ~ do*ing …하지 않고 …하는 일은 없다, …하면 반드시 …하다(cf. 3)
— *ad.* **1** 《문어·고어》 밖은[에](outside), 외부에; 문밖에: The car awaits ~. 차는 밖에서 기다리고 있다.
2 [문맥상으로 자명한 경우에] 《구어》 없이 《전치사의 목적어를 생략한 형태》: If there's no sugar, we'll have to do ~. 설탕이 없으면 없이 지내는 수밖에 없다.
— *n.* Ⓤ [보통 from ~로] 《문어》 바깥, 외부: as seen *from* ~ 밖에서 보면 / help *from* ~ 외부로부터의 원조
— *conj.* 《미·방언》 …이 아닌 한(unless)

Warrant Officer; wireless operator 무선 통신사
w/o 〖상업〗 walked over; walkover; without; write off; written off
woad [wóud] *n.* **1** 〖식물〗 대청(大靑) **2** Ⓤ 청색 염료 《대청 잎에서 채취함》
— *vt.* 대청으로 물들이다[염색하다]
~·ed [-id] *a.* 대청으로 물들인
wob [wɑ́b | wɔ́b] *n.* 《영·속어》 한 덩이[조각]
wó báck 《영》 뒤로, 워워 《말을 물러서게 할 때》
wob·ble [wɑ́bl | wɔ́bl] *vi.* **1** 비틀거리다, 흔들흔들하다 **2** 〈목소리 등이〉 떨리다: Her voice ~*d*. 그녀의 목소리가 떨렸다. **3** 〈정책 등이〉 동요하다: My resolution began to ~. 내 결심이 흔들리기 시작했다.
— *vt.* 흔들리게 하다
— *n.* **1** 비틀거림, 흔들림 **2** (정책 등의) 동요
wóbble bòard 《호주》 굽히면 독특한 소리를 내는 섬유판(板) 《악기로 사용함》
wob·ble·fats [wɑ́blfæ̀ts | wɔ́b-] *n.* 《속어》 뚱보
wóbble pùmp 〖항공〗 수동(手動) 보조 연료 펌프
wob·bler [wɑ́blər | wɔ́b-] *n.* 비틀비틀하는 것[사람]; (생각·주의·주장이) 동요하는 사람
wob·bling [wɑ́bliŋ | wɔ́b-] *a.* 흔들거리는, 흔들거리게[비틀거리게] 하는
wob·bly [wɑ́bli | wɔ́b-] *a.* (**-bli·er**; **-bli·est**) **1** 흔들거리는, 동요하는, 불안정한 **2** 줏대 없는, 주견(主見)이 없는 — *n.* 《구어》 우울증; 《영·속어》 신경증의 발작 ***throw a*** ~ 갑자기 화를[짜증을] 내다
Wob·bly [wɑ́bli | wɔ́b-] *n.* (*pl.* **-blies**) 《구어》 세계 산업 노동자 조합(IWW)의 조합원; 노조의 조직책
wo·be·gone [wóubigɔ̀:n | -gɔ̀n] *a.* 《고어》 = WOEBEGONE
WOC, W.O.C. without compensation 무보수
Wo·den, -dan [wóudn] *n.* 보단 《고대 영어에서 북유럽 신화의 Odin에 해당하는 신을 부른 이름; Wednesday는 이 신의 이름에서 유래》
wodge [wɑ́dʒ | wɔ́dʒ] *n.* 《영·구어》 (서류 등의) 뭉치; 덩어리, 한 덩이(lump)
‡woe [wóu] *n.* **1** Ⓤ 《문어·시어》 비애, 비통, 고뇌, 괴로움(distress) **2** [보통 *pl.*] 불행, 재난, 재앙, 화: financial ~*s* 재정상의 어려움
in weal and ~ 행불행[고락] 간에, 기쁘거나 슬프거나 ***tale of*** ~ 넋두리, 우는소리
— *int.* 아 《비탄·애석·고뇌를 나타냄》
W~ be to …! = ***W~ betide …!*** …에 화 있을진저! ***W~ to*[*is*] *me!*** 오, 슬프도다! ***W~ worth the day!*** 오늘은 왜 이다지도 운수가 나쁠까!
▷ wóeful *a.*
woe·be·gone [wóubigɔ̀:n | -gɔ̀n] *a.* 슬픔에 잠긴, 수심에 가득찬
***woe·ful, wo·ful** [wóufəl] *a.* **1** 비참한, 애처로운; 재앙의; 불행한: a ~ situation 비참한 상황 **2** 슬픈, 비통한, 슬픔에 잠긴 **3** 한심한; 변변치 못한
~·ly *ad.* **~·ness** *n.*
woe·some [wóusəm] *a.* 《고어》 = WOEFUL
wog[1] [wɑ́g | wɔ́g] *n.* 《영·속어》 **1** 아랍 사람, 중동 사람 **2** 얼굴이 거무스름한 외국인
wog[2] *n.* 《호주·속어》 **1** 독감, 유행성 감기 (비슷한 병) **2** 작은 벌레, 균(germ)
wog·gle [wɑ́gl | wɔ́gl] *n.* 보이스카우트의 스카프를 고정시키는 고리

thesaurus **wobble** *v.* stagger, waddle, waggle, teeter, rock, sway, seesaw, shake, vibrate
woe *n.* **1** 비애 misery, grief, anguish, affliction,

wóg gùt (속어) 구역질; 설사

wok [wák | wɔ́k] *n.* 중국 요리용 팬 《보울(bowl) 모양으로 주로 튀김용》

wok

****woke** [wóuk] *v.* WAKE[1]의 과거·과거분사

wo·ken [wóukən] *v.* WAKE[1]의 과거분사

wold[1] [wóuld] *n.* **1** (불모의) 산지, 황량한 고원 **2** [**Wolds**; 일반적으로 잉글랜드의 지명에 써서] 고원 지방: Yorkshire *Wolds* 요크셔 고원 지방

wold[2] *n.* 〚식물〛 = WELD[2]

wold[3] [wɔ́:ld] *v.* 《폐어》 WILL[1]의 과거분사

*****wolf** [wúlf] *n.* (*pl.* **wolves** [wúlvz]) **1** 〚동물〛 이리, 늑대; Ⓤ 이리의 모피: To mention the *~'s* name is to see the same. 《속담》 호랑이도 제 말 하면 온다. **2** [the W~] 〚천문〛 이리자리(Lupus) **3** (곡물을 해치는 해충의) 유충 **4** 잔인한 사람, 탐욕스러운 사람 **5** 《속어》 교묘히 여자를 유혹하는 남자, 색마 **6** 〚음악〛 울프음 《악기의 구조상 또는 불완전한 조율에 의해 생기는 불쾌한 불협화음》(= **~ nòte**) **7** [the ~] 심한 공복, 굶주림, 지칠 줄 모르는 식욕 (*as*) ***greedy as a ~*** (이리처럼) 욕심 많은 ***a ~ in sheep's clothing*** = ***a ~ in a lamb's skin*** 〚성서〛 위선자, 양의 탈을 쓴 이리 《온순을 가장한 위험 인물》 ***cry ~*** 거짓으로 보고[보도]하다, 거짓 경보를 울리다 《Aesop 이야기에서》 ***have*** [***hold***] ***a ~ by the ears*** 진퇴양난이다, 위험한 처지에 빠지다 ***have a ~ in the stomach*** 몹시 허기지다 ***keep the ~ from the door*** 기갈을 면하다, 요기하다 ***see*** [***have seen***] ***a ~*** 말문이 막히다 ***the big bad ~*** 위협이 되는 사람[물건, 일] ***throw ... to the wolves*** …을 죽게 내버려 두다 [희생시키다] ***wake a sleeping ~*** 공연히 집적거리다, 긁어 부스럼 내다, 사서 고생하다

— *vt.* **1** 게걸스레 먹다, 마구 처먹다 《*down*》 **2** 〈남의 애인을〉 가로채다

— *vi.* **1** 늑대 사냥을 하다 **2** 《미·속어》 여자 꽁무니를 쫓아다니다 ▷ wólfish *a.*

wolf·ber·ry [wúlfbèri, -bəri | -bəri] *n.* 〚식물〛 인동과(科)의 관목 《북미 서부산(産)》

wólf càll 휘파람 《여성의 주의를 끌기 위한》

wolf-child [-tʃàild] *n.* 늑대 소년 《늑대에게서 양육되었다고 여겨지는 아이》

wólf crỳ 거짓 경고, 허보(虛報)

wólf cùb 이리 새끼; 《영》 (Boy Scouts의) 유년 부원 《8-11세》

wólf dòg 이리 사냥개; 개와 이리의 잡종

wolf·er [wúlfər] *n.* 이리 사냥꾼

wolf·fish [wúlffìʃ] *n.* (*pl.* **~, ~·es**) 〚어류〛 베도라치 무리의 물고기 《심해어로서 날카로운 이를 가짐》

Wolf·gang [wúlfgæŋ] *n.* 남자 이름

wolf·hound [wúlfhàund] *n.* 이리 사냥용 큰 개

wolf·ish [wúlfiʃ] *a.* 이리 같은; 탐욕스러운, 굶주린; 잔인한 **~·ly** *ad.* **~·ness** *n.*

wolf·man [wúlfmæ̀n] *n.* (*pl.* **-men** [-mèn]) 〚전설〛 늑대 인간(werewolf) 《보름날 밤에 늑대로 변하는 남자》

wólf pàck 이리 떼; 잠수함[전투기]군(群); 《미》 (강도·약탈 등을 일삼는) 젊은 패거리(cf. WILDING)

wol·fram [wúlfrəm] *n.* Ⓤ 〚화학〛 볼프람 《tungsten의 별칭; 기호 W》

wol·fram·ite [wúlfrəmàit] *n.* Ⓤ 철망간 중석 《텅스텐 원광(原鑛)》

wolfs·bane [wúlfsbèin] *n.* ⓊⒸ 〚식물〛 바꽃, 투구꽃

wolf's-claw [wúlfsklɔ̀:], **-foot** [-fùt] *n.* 〚식물〛 = CLUB MOSS

wólf spìder 독거미

wólf tìcket [다음 성구로] ***buy*** a person***'s ~*** 《미·속어》 …의 자랑 이야기를 트집 잡다, …의 도전에 응하다 ***sell a ~*** [***~s***] 《미·속어》 자랑하다, 뻐기다, 허풍 떨다

wólf whìstle 매력적인 여자를 보고 부는 휘파람(cf. WOLF CALL)

wol·las·ton·ite [wúləstənàit] *n.* 〚광물〛 규회석(硅灰石)

Wol·sey [wúlzi] *n.* 울지 **Thomas ~** (1475?-1530) 《영국의 추기경·정치가》

wolv·er [wúlvər] *n.* **1** 늑대 사냥을 하는 사람 **2** 늑대처럼 거동하는 사람

wol·ver·ine [wùlvəríːn, ⌐-⌐] *n.* **1** 〚동물〛 울버린 《북미산(産) 족제빗과(科)에 속하는 오소리》; Ⓤ 그 모피 **2** [**W~**] 《미》 Michigan주 사람 《별명》

Wólverine Stàte [the ~] Michigan주의 속칭

****wolves** [wúlvz] *n.* WOLF의 복수

*****wom·an** [wúmən] [OE 「여자」의 뜻에서] *n.* (*pl.* **wom·en** [wímin]) **1** (성인) 여자, 여성, 부인(opp. *man*)(⇨ lady 유의어): an old ~ 노부인 **2** [무관사; 집합적] 여성(opp. *man*) 《남성에 대한》: *~'s* reason 여자의 이론 《좋으니까 좋다는 식》/ *~'s* wit 여자의 지혜 《본능적 통찰력》/ *W~* was created to be the companion of man. 여자는 남자의 반려로 창조되었다. **3** [the ~; 때로 a ~] 여자다움, 여자 기질; 여자다운 기분, 여자의 감정: There is little of *the* ~ in her. 그녀는 여자다운 데가 조금도 없다. **4** 《고어》 시녀, 여관(女官) **5** 《구어》 아내, 처 **6** 《구어》 애인, 정부: the other ~ (결혼한 남자의) 애인, 정부 **7** 여자 사원[판매원] **8** 식모, 가정부 **9** 여자 같은 남자 ***a bad ~*** 행실이 나쁜 여자; 화냥년, 매춘부 ***a ~ of pleasure*** 쾌락을 좇는 여자; 방종한 여자 ***a ~ of the house*** (가정의) 안주인, 주부 ***a ~ of the town*** [***street***(***s***)] 매춘부 ***a ~ of the world*** 세상 물정에 밝은 여자, 닳고 닳은 여자 ***be one's own ~*** (남에게 의지하지 않고) 스스로 결정을 내리다, 자립하다 ***born of ~*** 여자에게서 태어난, 인간으로 태어난, 인간으로서의(human) ***make an honest ~*** (***out***) ***of*** ⇨ honest. ***old women of both sexes*** 잔소리가 심한 사람들, 미신가 《남녀를 막론하고》 ***play the ~*** 여자처럼 행동하다 《울거나 무서워하는 등》 ***the little ~*** 《구어》 아내 ***There's a ~ in it.*** 범죄의 배후에 여자가 있다.

— *vt.* **1** 〈여성을〉 (lady라 하지 않고) woman이라고 부르다 **2** …에 여자를 배치하다, 여성 직원을 두다 **3** 《고어》 여자다워지게 하다

— *a.* Ⓐ **1** 여성 특유의, 여성스러운 **2** 여자의, 여성의(female): a ~ doctor 여의사 ★ female은 별로 사용되지 않게 되었음(cf. LADY).

~·less *a.* **~·ness** *n.* ▷ wómanish, wómanlike, wómanly *a.*; wómanize *v.*

wo/man [wúmən] *n.* 남자나 여자(woman or man)

-woman [wùmən] 《연결형》 **1** 「…나라[민족] 여성; …에 사는 여자」의 뜻: English*woman*; country*woman*. **2** 「직업·신분」 등을 나타냄: police*woman*, wash*woman*(cf. -MAN)

wom·an-a·bout-town [-əbàuttáun] *n.* 놀아나는 여자

wom·a·naut [wúmənɔ̀:t] *n.* 여성 우주 비행사 (woman astronaut)

wóman chàser 여자 꽁무니를 쫓아다니는 남자

wom·an·ful·ly [wúmənfəli] *ad.* 여성 특유의 끈기로[정신력으로]

wóman hàter 여자를 싫어하는 사람

***wom·an·hood** [wúmənhùd] *n.* Ⓤ **1** 여자임; 여자 기질; 여자다움 **2** [집합적] 《드물게》 여자, 여성(womankind): the ~ of India 인도 여성

wom·an-hour [-àuər] *n.* 여성의 인시(人時) 《여성 한 사람이 한 시간에 해내는 작업량》(cf. MAN-HOUR)

pain, agony, torment, sorrow, sadness, unhappiness, gloom, distress **2** 재난 adversity, trial, burden, suffering, disaster, calamity, catastrophe

wom·an·ish [wúməniʃ] *a.* 여자다운, 여성 특유의; 《경멸》 〈남자가〉 여자 같은, 나약한; 《고어》 〈일 등이〉 여성이 하는 **~·ly** *ad.* **~·ness** *n.*

wom·an·ism [wúmənìzm] *n.* (흑인의) 페미니즘 **-ist** *n.*

wom·an·ize [wúmənàiz] *vt.* 여자같이 만들다, 연약하게 하다 **—** *vi.* (구어) 계집질하다 **-iz·er** *n.* (구어) 오입쟁이

wom·an·iz·ing [wúmənàiziŋ] *n.* Ⓤ 《경멸》 바람피우기, 방탕, 주색잡기

wom·an·kind [wúmənkàind] *n.* Ⓤ [집합적] 여성, 여자, 부녀자(opp. *mankind*): one's ~[*womenkind*] 한 집안의 여자들

wom·an·like [wúmənlàik] *a.* 여자 같은, 여자다운, 여성적인(cf. WOMANISH)

*__wom·an·ly__ [wúmənli] *a.* (**-li·er**; **-li·est**) 여자다운 (cf. WOMANISH), 상냥한; 여성에게 어울리는 **—** *ad.* (고어) 여성답게 **-li·ness** *n.*

wóman of létters 여류 작가; 여성학자

wom·an·pow·er [wúmənpàuər] *n.* 여성의 힘[인적 자원, 노동력]

wóman's ríghts 여성의 권리, 여권

wóman súffrage 여성 참정권

wom·an-suf·fra·gist [-sʌ́frədʒist] *n.* 여성 참정권론자

*__womb__ [wú:m] *n.* **1** 〖해부〗 자궁(uterus); 배, 태내(胎內) **2** 사물이 발생[성장]하는 곳 **3** (사물의) 내부, 핵심 ***from the ~ to the tomb*** 요람에서 무덤까지, 태어나서 죽을 때까지(from the CRADLE to the grave) ***fruit of the ~*** 자식(children) ***in the ~ of time*** 장차 (일어날), 배태(胚胎)하고 있는 **wómbed** *a.* **~·lìke** *a.* ▷ enwómb *v.*

wom·bat [wʌ́mbæt | wɔ́m-] *n.* 〖동물〗 웜뱃 《오스트레일리아산(產)의 곰 비슷한 유대(有袋)동물》

wombat

wómb ènvy 〖정신분석〗 (남성의) 자궁 선망(羨望)

womb-to-tomb [wú:mtətú:m] *a.* 《영》 태어나서 죽을 때까지의, 일생의

‡**wom·en** [wímin] *n.* WOMAN의 복수

wom·en·folk(s) [wíminfòuk(s)] *n.* [집합적; 복수 취급] **1** (구어) 여성들 **2** (가족·단체의) 여자들: the [one's] ~ 한 집안의 여자들

wom·en·kind [-kàind] *n.* = WOMANKIND

wom·en's [wíminz] *n.* **1** 평균보다 큰 부인용 의복(사이즈) **2** 그것을 파는 가게

Wómen's Ínstitute 《영》 (지방 도시 등의) 여성 단체

wómen's líb [*women's lib*eration movement] [종종 **W- L-**] 《경멸》 여성 해방 운동

wómen's líbber [종종 **W- L-**] 《경멸》 = WOMEN'S LIBERATIONIST

wómen's liberátionist [종종 **W- L-**] 여성 해방 운동가

wómen's liberátion (móvement) [종종 **W- L- (M-)**] 여성 해방 운동

wómen's móvement [종종 **W- M-**] 여성 해방 운동(women's lib)

wómen's réfuge (학대로부터 피신하기 위한) 모자(母子) 보호 시설

wómen's ríghts = *WOMAN'S RIGHTS*

wómen's ròom 여자 화장실

wómen's stúdies 여성학 《여성의 역사적·문화적 역할의 연구》

wómen's wèar 여성복 및 액세서리

wom·ens·wear [wíminzwὲər] *n.* **1** = WOMEN'S WEAR **2** 울 또는 울 혼방 직물

wom·yn [wímin] *n.* = WOMEN 《성 차별을 피한 새로운 철자》

‡**won**[1] [wʌ́n] *v.* WIN[1]의 과거·과거분사

won[2] [wɑ́n | wɔ́n] *n.* 원 《한국의 화폐 단위; 기호 ₩》

‡**won·der** [wʌ́ndər] [OE 「기적」의 뜻에서] *n.* **1** 경탄할 만한[불가사의한] 것[사람, 사건]; 신동: The child is a ~. 그 아이는 신동이다. **2** Ⓤ 경이, 경탄, 놀라움: in ~ 놀라서/I felt ~ at seeing the Taj Mahal. 타지마할을 보면서 경탄했다 **3** (자연계 등의) 경이로운 현상; 기적 **4** 불신감, 불안, 의심 ***and no [little, small] ~*** (그것은) 당연하다, 이상할 것 없다 ***a nine day's ~*** (세간의 이목을 끌다가) 곧 잊혀지는 사물[사람] ***do ~s*** = work WONDERS. ***for a ~*** (드물게) 이상하게도 ***in the name of ~*** 도대체 《의문을 강조》 ***It is a ~ that ...*** = ***The ~ is that ...*** …은 이상한 일이다 (***It is***) ***no*** [***No***] ***~*** (***that***) ***...*** …은 조금도 이상하지 않다, …하는 것은 당연하다 ***It is small*** [***Small***] ***~*** (***that***) …은 별로 이상한 일이 아니다 ***the Seven Wonders of the World*** ⇨ SEVEN WONDERS OF THE WORLD. ***to a ~*** 놀랄 만큼 ***What ~*** (***that ...***)***?*** (…이라고 해서) 무엇이 이상하랴, 당연하다 ***Wonders will never cease.*** = ***Will ~s never cease?*** (구어·익살) 정말 희한한 일도 다 있네《어떤 것이 매우 놀라우면서도 흡족할 때 쓰는 말》 ***work*** [***do, perform***] ***~s*** 기적을 행하다; 놀랄 만한 성공을 하다; 〈약 등이〉 신통하게 듣다

— *vi.* **1** 이상하게 여기다, (…에[…을 보고]) 놀라다, 경탄하다 《*at, to* do》: I shouldn't ~ if he fails in the examination. 그가 시험에 실패한다 해도 놀라지 않는다. // (~+전+명) I *~ed at* his calmness in such a crisis. 그런 위기에 처해서도 그가 침착해서 나는 놀랐다. / I ~ *at* you. 기가 차서 말을 못하겠구나. 《어린이 등에게》 **2** 의아하게 여기다, 의심하다; 호기심을 가지다, 알고 싶어하다: What are you *~ing* about? 뭐가 의심스럽니?

— *vt.* **1** …이 아닐까 생각하다, …인가 하고 생각하다: (~+*wh.* 절) I ~ *who* that man is. 저 남자는 누구일까? / I ~ *what* happened. 무슨 일이 일어났을까? / I ~ *whether*[*if*] it will rain tomorrow. 내일은 비가 오지 않을까? / I ~ *whether* I might ask you a question. 질문을 해도 좋을는지요. // (~+***wh. to*** do) I ~ *where*[*how*] *to* spend the holidays. 휴가를 어디서[어떻게] 보낼까? **2** …을 이상하게 여기다, …이라니 놀랍다: (~+(***that***) 절) I ~ (*that*) you were able to escape. 용케 빠져나왔군.

— *a.* Ⓐ **1** 놀라운, 경이로운; 훌륭한 **2** 마법의, 마력이 있는 **~·er** *n.* **~·less** *a.*

▷ wónderful *a.*; wónderment *n.*

wónder bòy 뛰어난 재능을 가진 소년[청년], 신동; 시대의 총아

wónder chìld 신동

wónder drùg 특효약(miracle drug)

‡**won·der·ful** [wʌ́ndərfəl] *a.* **1** 이상한, 불가사의한, 놀랄[경탄할] 만한, 경이적인 **2** (구어) 훌륭한, 굉장한, 굉장히 멋진: I had a ~ time in Canade. 캐나다에서 좋은 시간을 보냈다. **~·ness** *n.*

won·der·ful·ly [wʌ́ndərfəli] *ad.* **1** 이상하게(도), 놀랄 만큼, 경이적으로 **2** 훌륭하게

won·der·ing [wʌ́ndəriŋ] *a.* Ⓐ 이상히 여기는; 이상한 듯한; 경탄하는 **~·ly** *ad.*

won·der·land [wʌ́ndərlæ̀nd] *n.* **1** ⓊⒸ 이상한 나라; 동화의 나라 **2** (경치 등이) 훌륭한[멋진] 곳

won·der·ment [wʌ́ndərmənt] *n.* **1** Ⓤ 경탄, 놀라움, 경이 **2** 놀라운[이상한, 불가사의한] 것[사건] **3** 호기심(curiosity)

wónder mètal 경이의 금속 《가볍고 강한 티타늄·지르코늄 등의 금속》

Wónder Stàte [the ~] Arkansas주의 속칭

thesaurus **wonder** *n.* **1** 불가사의한 것 marvel, phenomenon, miracle, curiosity, spectacle **2** 놀라움 awe, surprise, astonishment, amazement,

won·der·strick·en [wʌ́ndərstrìkən], **-struck** [-strʌ̀k] *a.* 놀라움에 질린, 깜짝 놀란, 아연실색한

won·der·work [-wə̀ːrk] *n.* 놀랄 만한 것, 경이적인 일; 기적(miracle) **~·ing** *a.*

won·der·work·er [-wə̀ːrkər] *n.* 기적[놀라운 일]을 행하는 사람

***won·drous** [wʌ́ndrəs] 《시어·문어》 *a.* **놀랄 만한,** 불가사의한: a ~ dream 놀라운 꿈
—*ad.* [형용사를 수식하여] 놀랄 만큼, 불가사의하게; 아주 훌륭히 **~·ly** *ad.* **~·ness** *n.*

wo·nel·ly [wounéli] *a.* 《미·속어》 굉장히 좋은, 최고의

won·ga [wɑ́ːŋgə] *n.* Ⓤ 《영·속어》 돈(money)

wonk [wɑ́ŋk | wɔ́ŋk] *n.* 《미·속어》 공붓벌레, 일벌레; 바보, 하찮은 사람 **~·ish** *a.*

won·ky [wɑ́ŋki | wɔ́ŋ-] *a.* (**-ki·er**; **-ki·est**) 《영·속어》 흔들흔들하는, 비틀비틀하는; 순조롭지 않은; 미덥지 않은; 《미·속어》 시시한, 지루한

‡**wont** [wɔ́ːnt, wóunt, wʌ́nt | wóunt] *a.* Ⓟ **…에 익숙한**(accustomed), …하는 것이 습관인: 《~+*to* do》 He was ~ *to* read a mystery in bed. 그는 늘 잠자리에서 추리 소설을 읽는 버릇이 있었다. / He was ~ *to* say so. 그는 늘 그렇게 말했다.
—*n.* Ⓤ [보통 one's ~] 습관, 버릇, 풍습(custom) ***use and*** **~** 세상의 관습
—*v.* (**wont**; **wont,** **~·ed**) *vi.* 《고어》 늘 …하다, …하는 습관이다
—*vt.* 《고어》 …에 익숙하게 하다, 습관이 들게 하다

‡**won't** [wóunt, wʌ́nt | wóunt] will not의 단축형

wont·ed [wɔ́ːntid, wóunt- | wóunt-] *a.* **1** Ⓐ 《드물게》 늘 하는, 평소의(usual) **2** 《미》 (환경에) 익숙한[익숙해 있는] 《*to*》 **~·ly** *ad.* **~·ness** *n.*

won·ton [wɑ́ntɑ̀n | wɔ́ntɔ̀n] *n.* 〖요리〗 완탄 《중국식 만두; 그것을 넣은 수프》 (=~ **sòup**)

***woo** [wúː] *vt.* **1** 〈남자가〉 〈여자에게〉 **구애하다,** 구혼하다 **2** 〈명예·재산 등을〉 얻으려고 노력하다; 〈재앙 등을〉 초래하다 **3** …에게 조르다: 《~+목+*to* do》 ~ a person *to* go together …에게 함께 가자고 조르다
—*vi.* 〈남자가〉 구애하다; 간청하다
—*n.* [다음 성구로] ***pitch*** [***fling***] **~** 《미·속어》 구애하다; 애무하다; 아부하다 **~·a·ble** *a.*

‡**wood**[1] [wúd] *n.* **1** Ⓤ [종류를 말할 때는 Ⓒ] **a** 목질(木質)(부)(xylem) **b** 나무, 재목, 목재(⇨ timber[1] 유의어): hard[soft] ~ 단단한[연한] 목재 **c** 장작 **2** [*sing.* 또는 *pl.*] 숲, 삼림 ★ *pl.*형이 보통임; 《구어》에서는 *a* nearby woods와 같이 종종 단수 취급을 함. **3** [the ~] 술통: beer from *the* ~ 통에서 꺼낸[병에 담지 않은] 맥주 / wine in *the* ~ 통에 넣은 포도주 **4** 판목(版木), 목판 **5** [the ~] 〖음악〗 **a** 목관 악기 **b** [집합적] (오케스트라의) 목관 악기부 **6** (bowls 놀이의) 목구(木球) **7** 〖골프〗 우드 《헤드가 목제인 골프채》
cannot [***fail to***] ***see the*** **~**(***s***) ***for the trees*** 나무만 보고 숲을 못 보다, 작은 일에 구애되어 대국(大局)을 못 보다 ***go to the*** **~*s*** 사회적 위치를 잃다, 사회에서 추방되다 ***out of the*** **~** [《미》 **~*s***] 《구어》 숲 속에서 나와; 위험을 면하여, 곤란을 벗어나 ***saw*** **~** 《구어》 코를 골다; 남에게 간섭하지 않다 ***take to the*** **~*s*** (1) 《구어》 숲 속으로 달아나다, 종적을 감추다 (2) 《미》 〖정치〗 책임을 회피하다, 관직에서 물러나다 ***touch*** [《미》 ***knock on***] **~** 자랑 등을 한 후에 Nemesis(복수의 여신)의 벌을 피하려고 주위의 나무로 된 물건에 손을 대다[나무를 두들기다] ***walk in the*** **~*s*** 둘만의 비공식 회담
—*a.* Ⓐ 목제(木製)의(wooden); 숲에 사는
—*vt.* **1** …에 나무를 심다, 식림하다 **2** 《드물게》 〈난로 등에〉 장작을 지피다 **3** 재목으로 받치다
—*vi.* 장작[목재]을 쌓다[모으다] 《*up*》
~·less *a.* 재목[수목]이 없는

---

bewilderment, fascination, admiration

woo *v.* **1** 구애하다 court, pay suit to, chase after, make love to **2** 추구하다 seek, pursue

wood[2] *a.* 《고어》 난폭한; 미친

wóod àcid = WOOD VINEGAR

wóod álcohol 메틸알코올(methyl alcohol), 목정(木精)

wóod anèmone 〖식물〗 아네모네속(屬)의 초본; 《특히》 유럽산(産) 숲바람꽃

wood·bin [wúdbin] *n.* 장작통[상자]

wood·bine [-bàin], **-bind** [-bàind] *n.* **1** 〖식물〗 **a** 인동덩굴 **b** 《미》 양담쟁이(Virginia creeper) **2** 《호주·속어》 영국인

wóod blòck **1** 판목, 목판; 목판화(woodcut) **2** 나무 벽돌 《도로 포장용》 **wóod-blòck** *a.*

wood·bor·er [-bɔ̀ːrər] *n.* **1** 압축 공기로 나무에 구멍을 뚫는 기구 **2** = BORER 2

wood-bor·ing [-bɔ̀ːriŋ] *a.* 목질부(木質部)에 구멍을 내는 〈곤충〉

wóod bùtcher 《미·속어》 **1** 서투른 목수 **2** 〖해군〗 수리 담당 조수

wood·carv·er [-kɑ̀ːrvər] *n.* 목각사(木刻師)

wood·carv·ing [-kɑ̀ːrviŋ] *n.* **1** Ⓤ 목각(木刻)(술), 목조(木彫) **2** 목각물

wóod chàrcoal 목탄(木炭), 숯

wood·chat [wúdtʃæ̀t] *n.* 〖조류〗 **1** 때까치(=~ **shríke**) **2** 쇠유리새

wood·chip [-tʃìp] *n.* (벌채 때 떨어져 나간) 나뭇조각; [*pl.*] 우드칩스 《겨울철 상해 방지 뿌리 덮개용 나뭇조각》

wóod chòp 《호주》 통나무 자르기 경쟁

wood·chop·per [-tʃɑ̀pər | -tʃɔ̀p-] *n.* 나무꾼, 벌목꾼

woodchuck

wood·chuck [-tʃʌ̀k] *n.* 〖동물〗 (북미산(産)의) 마멋(marmot)

wóod cóal 숯, 목탄 (brown coal, lignite); 아탄(亞炭), 갈탄

wood·cock [-kɑ̀k | -kɔ̀k] *n.* (*pl.* **~s,** **~**) 〖조류〗 멧도요

wood·craft [-kræ̀ft | -krɑ̀ːft] *n.* Ⓤ **1** 삼림[산]에 대한 노련한 기술 《특히 사냥·야영·통과·생활법》 **2** 삼림학 **3** 목각(술)

wood·crafts·man [-kræ̀ftsmən, -krɑ̀ːfts-] *n.* (*pl.* **-men** [-mən]) 삼림 노련가; 목각사; 목공 기사

wood·cut [-kʌ̀t] *n.* 목판화; 판목, 목판

***wood·cut·ter** [wúdkʌ̀tər] *n.* **1** **나무꾼,** 벌목꾼 **2** 목판(화)가

wood·cut·ting [-kʌ̀tiŋ] *n.* Ⓤ **1** 벌목 **2** 목판술

wóod èar = TREE EAR

wood·ed [wúdid] *a.* 삼림이 많은[있는], 수목이 우거진

‡**wood·en** [wúdn] *a.* **1** **나무의,** 나무로 만든, 목제의 **2** **a** 〈얼굴·눈 등이〉 활기 없는, 무표정한, 멍한 **b** 〈사람·태도 등이〉 뻣뻣한, 어색한, 부자연스러운 **3** 멍청한, 얼빠진 **4** 융통성 없는 **5** 〈결혼 등이〉 5주년 기념의: the ~ wedding 목혼식 **~·ly** *ad.* **~·ness** *n.*

wóod engràver 목각사; 〖곤충〗 나무좀

wóod engràving 목각, 목판술; 목판화

wood·en·head [wúdnhèd] *n.* 《구어》 얼간이

wood·en-head·ed [-hèdid] *a.* 우둔한, 바보의, 얼간이 같은

Wóoden Hórse = TROJAN HORSE

wóoden Índian 인디언의 목상(木像) 《옛 엽궐련 가게의 간판》; 《구어》 무표정한 사람(poker face)

wóoden lèg (목제의) 의족

wóoden níckel 《미·속어》 5센트 백동화 값어치의 나무 기념품; 하찮은[싸구려] 물건, 모조품

wóoden spóon 《영·구어》 나무 숟가락 《Cambridge 대학의 수학 우등 졸업 시험에서 꼴찌에게 주는 상》; 나무 숟가락을 받은 사람; [the ~] 최하위 (상)
win [***collect, get, take***] ***the*** **~** (경기·경쟁에서) 꼴찌가 되다

wóoden wálls (옛날 영국의 연안 경비용) 목조 전함
wood·en·ware [-wὲər] *n.* Ⓤ (요리·식사 등 가사용의) 목기(木器), 나무 기구
wóoden wédding 목혼식 《결혼 5주년 기념식》
wóod fiber 목질 섬유 《특히 제지 재료》
wóod gàs 목(木) 가스 《목재를 건류(乾溜)하여 얻는 가스; 연료·등화용》
wood·henge [wúdhèndʒ] *n.* 〖고고학〗 우드헨지 《원형 나무 기둥 유적군》
wood·house [-hàus] *n.* 재목 창고
wóod hỳacinth 〖식물〗 무릇 무리 《종 모양의 꽃이 피는 백합과(科)의 풀; 유럽산(産)》
wóod ìbis 〖조류〗 노랑부리황새
***wood·land** [wúdlæ̀nd, -lənd] *n.* Ⓤ [종종 *pl.*] 삼림지, 삼림 지대
— [-lənd] *a.* Ⓐ 삼림지의, 숲의
~·er *n.* 삼림지의 주민
wood·lark [-lὰːrk] *n.* 〖조류〗 숲종다리 《유럽·미국산(産)》
wood·lore [-lɔ̀ːr] *n.* 숲에 관한 지식
wóod lòt, wood·lot [wúdlὰt | -lɔ̀t] *n.* (미) 식림지(植林地)
wóod lòuse 〖곤충〗 쥐며느리
***wood·man** [wúdmən] *n.* (*pl.* **-men** [-mən]) **1** 나무꾼(woodcutter); 산림·사냥 등에 밝은 사람 **2** (영) 산림 보호관; 산지기; 장작 장수 **3** 숲에서 사는 사람(woodlander)
wood·note [-nòut] *n.* **1** 숲의 노랫가락 《새의 울음소리 등》 **2** 자연스럽고 소박한 표현
wóod nỳmph **1** 숲의 요정(dryad) **2** 〖곤충〗 나방의 일종 《포도 등의 해충》 **3** 〖조류〗 벌새 《남미산(産)》
wóod òil **1** 목재에서 짜낸 기름 《총칭》 **2** 동유(桐油)
wóod pàper 목재 펄프지
***wood·peck·er** [wúdpèkər] *n.* 〖조류〗 딱따구리
wóod pìgeon 〖조류〗 산비둘기 《유럽산(産)》; 들비둘기의 일종 《북미 서부산(産)》
wood·pile [-pàil] *n.* 재목[장작]의 더미
***a* [*the*] *nigger in the* ~** ⇨ nigger
wood·print [wúdprìnt] *n.* 판목, 목판; 목판화
wóod pùlp 목재 펄프 《제지 원료》
wóod pùssy (미·방언·구어) 〖동물〗 스컹크
wóod ràt 〖동물〗 숲쥐 《북미산(産)》
wóod rày = XYLEM RAY
wood·ruff [wúdrəf, -rʌ̀f | -rʌ̀f] *n.* 〖식물〗 선갈퀴아재비
wóod rùsh 〖식물〗 꿩의밥 《볏과(科)》
wóods bàthing 삼림욕(浴)
wood·shed [-ʃèd] *n.* **1** 재목[《특히》 장작] 두는 곳 《오두막집》 **2** (속어) (악기 등의) (맹)연습 장소
— *vi.* (~·**ded**; ~·**ding**) (속어) (악기를) 맹연습하다
wóod shòt 〖골프〗 나무 클럽으로 친 샷; 〖테니스·배드민턴 등〗 프레임으로 친 스트로크, 프레임 샷
wood·side [-sàid] *n.* 숲 가[언저리]
woods·man [wúdzmən] *n.* (*pl.* **-men** [-mən]) **1** 숲에서 사는 사람 **2** 산[숲]속 일에 밝은 사람 **3** 나무꾼, 벌목꾼(woodman)
Wóod's métal 우드 합금 《융점 60-65℃의 이융(易融) 합금의 하나; 상표명》
wóod smòke 나무[장작]를 땐 연기, 나무 훈연(燻煙) 《훈제를 만들 때의》
wóod sòrrel 〖식물〗 애기괭이밥
wóod spìrit = WOOD ALCOHOL
Wood·stock [wúdstὰk | -stɔ̀k] *n.* 우드스톡 **1** 미국 만화 Peanuts에 등장하는 새 **2** 1969년 8월 미국 New York City 교외의 Woodstock에서 열린 록 페스티벌
wóod sùgar 〖화학〗 목당(木糖)(xylose)
woods·y [wúdzi] *a.* (**woods·i·er**; **-i·est**) (미) 숲의, 숲 같은
wóod tàr 목(木)타르 《방부제》
wóod thrùsh 〖조류〗 개똥지빠귀의 일종 《북아메리카 동부산(産)》
wóod tùrner 목재 선반[녹로]공
wóod tùrning 목재 선반 가공, 녹로 세공
wóod vìnegar 〖화학〗 목초산(木醋酸) 《방부제》
Wood·ward [wúdwərd] *n.* 우드워드 **Robert Burns ~** (1917-79) 《미국의 화학자; 노벨 화학상 수상(1965)》
wood·wind [wúdwìnd] *n.* 〖음악〗 **1** 목관 악기 **2** [the ~; 집합적] (영) (오케스트라의) 목관 악기부 (《미》에서는 the ~s) — *a.* 목관 악기 (연주자)의
wood-wool [-wùl] *n.* 나무를 깎아낸 부스러기 《의료·절연·포장 충전용》
wood·work [-wə̀ːrk] *n.* Ⓤ **1** (가옥 등의) 목조 부분 **2 a** 목세공(木細工) **b** [집합적] 목제품, 목공품
***come out of the* ~** (미·구어) 난데없이 나타나다
~·er *n.* 목세공인 **~·ing** *n.*, *a.* 목세공(의)
wood·worm [-wə̀ːrm] *n.* **1** 나무좀 **2** Ⓤ 나무좀의 해(害)
***wood·y** [wúdi] *a.* (**wood·i·er**; **-i·est**) **1** 〈토지가〉 수목이 우거진, 숲이 많은 **2** (초본(草本)에 대하여) 목본의, 나무의, 목질의(ligneous): ~ fiber 목질 섬유
wóod·i·ness *n.*
wood·yard [wúdjὰːrd] *n.* 목재[장작]를 쌓아 놓는 곳; 목공장
woo·er [wúːər] *n.* (문어) 구혼자, 구애자(suitor)
woof[1] [wúf | wúːf] *n.* **1** [the ~; 집합적] 씨, 씨줄(weft[1])(cf. WARP) **2** 직물(fabric), 피륙 **3** [보통 the ~] 기초[주체]를 이루는 요소[재료]
woof[2] [wúf] *n.* 개가 낮게 으르릉거리는 소리; 재생 장치에서 나오는 저음 — *vi.* 〈개가〉 낮게 으르릉거리다; 저음을 내다; (미·속어) [보통 부정문에서] 바보 소리를 하다 ~ one***'s custard*** (속어) 토하다
woof·er [wúfər] *n.* 저음용 스피커(cf. TWEETER); (미·속어) 숨소리가 마이크를 통해 들리는 가수
woof·ing [wúfiŋ], **-in'** [-in] *n.* (미·속어) 말·몸짓으로 위협하기
wòo hóo [wùː-húː] *int.* 우후! 《좋은 일일 때》
woo·ing [wúːiŋ] *n.* Ⓤ 구애(求愛)
— *a.* 구애하는, 매혹적인 **~·ly** *ad.*
*****wool** [wúl] *n.* Ⓤ **1** 양모 《염소·라마·알파카 등의 털도 포함》 **2** 털실 **3** 모직물, 나사; 모직물의 옷: a pure ~ skirt 순모 치마 **4 a** [복합어로] 양털 모양의 것 **b** (짐승의) 텁수룩한 털 **5** (식물·송충이 등의) 솜털 **6** (익살) (특히 흑인의) 고수머리 ***against the* ~** 털을 거슬러, 거꾸로; 성미에 맞지 않아 ***all* ~ *and a yard wide*** (미·구어) 진짜의, 틀림없는, 나무랄 데 없는 ***draw* [*pull*] *the* ~ *over*** a person***'s eyes*** (구어) …의 눈을 속이다, …을 속이다 ***dye in the* ~** ⇨ dye. ***go for* ~ *and come home shorn*** 혹 떼러 갔다 혹 붙여 오다 ***Keep your* ~ *on!*** 화내지 마라! ***lose*** one***'s* ~** (영·구어) 흥분하다, 성내다 ***out of the* ~** 털이 깎이어 ***~ in fleeces*** 깎아낸 양모
— *a.* Ⓐ 모직(물)의, 울의(woolen)
wóol clàsser (호주·뉴질) = WOOL GRADER
wóol clìp 양모의 연간 산출량
wóol còmber 양털을 빗는 사람[기계]
wool-dyed [wúldàid] *a.* = DYED-IN-THE-WOOL
wooled [wúld] *a.* 〈양이〉 털이 그대로 있는; [복합어로] 양모가 …한 (성질을 가진)
***wool·en | wool·len** [wúlən] *a.* **1** 양모의; 양모제의, 모직의: a ~ sweater 양모 스웨터 **2** Ⓐ 모직물을 취급하는, 모직물의
— *n.* ⓊⒸ 모직물, 나사; [보통 *pl.*] 모직의 옷
wool·er [wúlər] *n.* 털 깎는 가축 《양·밍크 등》
Woolf [wúlf] *n.* 울프 **Virginia ~** (1882-1941) 《영국의 여류 소설가》
wóol fàt 양모지(羊毛脂), 라놀린(lanolin)
wool·fell [wúlfèl] *n.* 털이 붙은 양가죽, 양털 가죽(woolskin)
wool·gath·er [-gæ̀ðər] *vi.* 부질없는 공상에 잠기다 **~·er** *n.*

wool·gath·er·ing [-gæ̀ðəriŋ] *a.* 방심한, 얼빠진, 멍한 **—** *n.* Ⓤ **1** 방심; 부질없는 공상: go ~ 공상에 잠기다 **2** 양털 걷어 모으기
wóol gràder 양모 선별자
wóol grèase 양모지(脂) ((양털에 붙어 있는 기름))
wool·grow·er [-gròuər] *n.* 목양업자
wóol hàll ((영)) 양모 거래소[시장]
wool-hat [-hæ̀t] *n.* (거친 양털로 만든) 펠트 모자
wool·len [wúlən] *a.*, *n.* ((영)) = WOOLEN
***wool·ly** [wúli] *a.* (**-li·er**; **-li·est**) **1 a** 양모의, 양모질의 **b** 양털 같은; 털로 덮인, 털이 많은: the ~ flock 양 떼 **2 a** 〈의론·설명·사고 등이〉 알아들을 수 없는; 희미한, 뚜렷하지 않은, 분명[선명]하지 않은; 흐린 **b** 쉰 〈목소리〉 **3** (개척 시대의 미국 서부처럼) 거칠고 활기 있는, 파란 많은, 야성적인 **4** 〖식물〗 솜털이 있는 **—** *n.* (*pl.* **-lies**) [보통 *pl.*] **1** 모직 의류; 모직 편물 ((스웨터·카디건 등)) **2** 모직 내의
wóol·li·ly *ad.* **wóol·li·ness** *n.* Ⓤ 양털 모양; 선명치 않음
wóolly áphid 〖곤충〗 솜진디
wóolly bèar **1** 〖곤충〗 (크고 털이 많은, 특히 불나방의) 유충, 모충(毛蟲) **2** ((속어)) 여성 (경찰관)
wool·ly-head·ed [wúlihèdid] *a.* **1** 고수머리의 **2** 〈생각이〉 혼란한(woolly-minded)
wóolly mámmoth 매머드(Siberian mammoth)
wool·man [wúlmən] *n.* (*pl.* **-men** [-mən]) *n.* 양모업자, 양모 상인
wool·mark [-mɑ̀ːrk] *n.* **1** 양에 찍는 소유자의 낙인 **2** [**W~**] 울마크 ((국제 양모 사무국의 양모 제품 품질 보증 마크))
wool·pack [-pæ̀k] *n.* **1** 양모 한 곤포 ((240파운드)) **2** 뭉게구름
wool·sack [-sæ̀k] *n.* **1** 양털 부대 **2** ((영)) 양털을 채운 좌석 ((상원 의장석)); [the ~] 상원 의장의 직
wool·shears [-ʃìərz] *n. pl.* 양털 깎는 가위
wool·shed [-ʃèd] *n.* 양털을 깎는 헛간
wool·skin [-skìn] *n.* 양모가 붙어 있는 양피
wool·sort·er [-sɔ̀ːrtər] *n.* 양털을 선별하는 사람
wóolsorter's disèase 〖병리〗 = ANTHRAX
wóol spònge ((미)) 양모 해면, 울스펀지 ((부드러운 섬유질의 질긴 해면))
wóol stàpler 양모 상인[중매인]; 양털을 선별하는 사람
Wool·wich [wúlidʒ, -litʃ] *n.* Greater London 남동부의 한 지구의 옛 수도구(區) ((현재는 Greenwich와 Newham의 일부))
wool·work [wúlwə̀ːrk] *n.* Ⓤ 털실 세공[자수]
wool·y [wúli] *a.* (**wool·i·er**; **-i·est**) = WOOLLY
woop·ie [wúːpi] [*w*ell-*o*ff *o*lder *p*erson+-*ie*] *n.* ((영·구어)) 부유한 노인
woops [wúps, wúːps] *int.* = WHOOPS
Woop Woop [wú(ː)p-wù(ː)p] ((호주·뉴질·익살)) 오지의 개척지[부락]
woot, w00t [wúːt] *int.* 〖인터넷〗 성취감에 환호하는 표현
wootz [wúːts] *n.* Ⓤ 인도제 강철(= **~ stèel**) ((본래 칼 제조용))
wooz·y [wú(ː)zi] *a.* (**wooz·i·er**; **-i·est**) ((구어)) **1** (술 때문에) 머리가 흐릿한, 멍한, 핑한 **2** ((미)) (탈것 등에 멀미하여) 기분이 나쁜 **3** 머리가 혼란된(muddled) **wóoz·i·ly** *ad.* **wóoz·i·ness** *n.*
wop [wɑ́p | wɔ́p] ((비어·경멸)) *n.* [종종 **W~**] 외국인; ((특히)) 이탈리아 이민자[사람](cf. DAGO) **—** *a.* 이탈리아(사람)의, 라틴계의
Worces·ter [wústər] *n.* 우스터 ((잉글랜드의 Hereford and Worcester주의 주도))
Worces·ter·shire [wústərʃìər, -ʃər] *n.* **1** 우스터셔 ((잉글랜드 남서부의 옛 주)) **2** = WORCESTERSHIRE SAUCE
Wórcestershire sàuce 우스터소스 ((간장·초·향료 등이 원료))

Worcs. Worcestershire
‡**word** [wə́ːrd] *n.* **1 a** 말, 낱말, 단어 **b** [*pl.*] (곡에 대하여) 가사; (배우의) 대사 **2** [종종 *pl.*] 한 마디 말, 이야기, 담화: I'd like a ~ with you. 잠깐 얘기할 것이 있다. // (~+*to* do) I have no ~*s to* thank you enough. 무어라고 감사를 드려야 할지 모르겠습니다. **3** [보통 무관사로] 기별, 소식(news, report); 전언(傳言)(message): *W~* came *that* the party had got to their destination. 일행이 목적지에 도착했다는 기별이 왔다. / Please send me ~ of your new life in Brazil[(of) how you are leading a new life in Brazil]. 브라질에서의 새 생활에 관한 소식을 전해 주십시오. **4** [*pl.*] 말다툼, 논쟁 **5** [one's ~, the ~] 약속(promise), 보증(warrant, assurance), 서언, 언질: You have *my* ~ 약속할게. **6** [one's ~, the ~] 지시, 명령(command); 구두 신호: (~+*to* do) give *the* ~ *to* fire 발포 명령을 내리다 **7** [the ~] 암호(password), 군호: give *the* ~ 암호를 대다 **8** 격언, 표어; (문장(紋章) 따위에 쓰인) 제명(題銘) **9** [the W~] 하느님(의 말씀); 성서, 복음; 그리스도: preach *the W~* 복음을 전하다 **10** 〖컴퓨터〗 워드, 기계어 ((자료 처리를 위한 기본 단위))
a good ~ 좋은 소식, 길보; 추천, 알선 ***a man of few*** [***many***] ***~s*** 말이 적은[많은] 사람 ***a man*** [***woman***] ***of his*** [***her***] ***~*** 약속을 지키는 사람 ***at a*** [***one***] ***~*** (부탁하는) 말이 떨어지자마자, 곧, 즉시 ***a ~ in*** [***out of***] ***season*** 때에 알맞은[알맞지 않은] 말, 적절한[적절하지 않은] 말 ***bandy ~s*** ((구어)) 남과 의논하다 ***be as good as*** one***'s ~*** 약속을 지키다, 언행이 일치하다 ***be not the ~ for it*** 적절한 말이 아니다 ***beyond ~s*** 형언할 수 없을 만큼 ***bitter ~s*** 심한[격한] 말 ***break*** [***go back on***] one***'s ~*** 약속을 지키지 않다 ***bring ~ that ...*** …라고 전하다 ***burning ~s*** 열렬한 말 ***by ~ of mouth*** (문서가 아닌) 구두로, 말로 ***come to*** (***high***) ***~s*** 격론이 되다, 말다툼하게 되다 ***eat*** [***swallow***] one***'s ~s*** (어쩔 수 없이) 앞서 한 말을 취소하다; 자신의 잘못을 인정하다 ***from the ~ go*** ⇨ Go *n.* ***get a ~ in*** (***edgeways***) 남의 대화에 끼어들어서 말하다 ***give*** [***pledge, pass***] one***'s ~*** 약속하다, 언질을 주다 ***give the ~ for*** [***to***] …의[하라는] 명령을 내리다 ***give ~s to*** …을 말로 표현하다 ***hang on*** a person***'s ~s*** [***every ~***] = ***hang on the ~s of*** a person …의 말을 열심히 듣다 ***have a good ~*** 명랑하다, 친절히 대하다 ***have a ~ in*** a person***'s ear*** ((구어)) …에게 귓속말을 하다 ***have a ~ with*** …와 한두 마디 나누다 ***have the last ~*** (토론 등에서) 끝까지 양보하지 않다, 꼼짝 못하게 하다; (지지 않으려고) 객쩍은 소리를 하다 ***have ~s with*** …와 말다툼하다 ***high*** [***warm, sharp***] ***~s*** 말다툼, 격론 ***in a*** [***one***] ***~*** 한마디로 말하면, 요컨대 ***in other ~s*** 바꾸어 말하면 ***in plain ~s*** 솔직히 말하면 ***in so many ~s*** [종종 부정문에서] 글자 그대로, 분명하게, 노골적으로 ***in these ~s*** 이렇게 ((말했다 등)) ***in ~*** 입으로(는), 말만(의) ***keep*** [***break***] one***'s ~*** 약속을 지키다[어기다] ***leave ~ with*** [***for***] a person …에게 전언을 남기다 ***make ~s*** [보통 부정문으로] 말하다 ***My ~!*** [놀람·초조 등을 나타내어] 이런! ***my ~ upon it*** ((고어)) 확실히, 맹세코 ***not have a good ~*** (***to say***) ***for*** …에 반대[부정적]이다, …을 잘 말하지 않다 ***not mince*** one***'s ~s*** 까놓고[솔직히] 말하다 ***on*** [***with***] ***the ~*** 말이 떨어지자마자 ***pass the ~*** (***that ...***) (…을) 모두에게 알리다 ***play on*** [***upon***] ***~s*** (1) [play를 동사로 써서] 익살을 부리다 (2) [play를 명사로 써서] 익살 ***put into ~s*** 말로 표현하다 ***put ~s into*** a person***'s mouth*** …에게 말할 것을 가르치다; …의 입을 빌려 말하게 하다, …가 말을 한 것으로 치다 ***say*** [***put in***] ***a*** (***good***) ***~ for*** …을 추천[변호]하다 ***say the ~*** ((구어)) (1) 명령하다 (2) 바라는 바를 이야기하다 ***send ~*** 말을 전하다, 전갈하다 ((*that...*, *to* do)) ***Sharp's the ~!*** 서둘러라! ***suit***

the action to the ~ 말대로 실행하다 (one*'s*) ***~ of honor*** 명예를 걸고 한 약속[언명] ***take*** a person ***at his*** [***her***] ***~*** = ***take*** a person*'s* ***~ for it*** …의 말을 믿다: *Take my ~ for it.* 내 말을 믿어라. ***take the ~s out of*** a person*'s* ***mouth*** …이 말하려고 하는 것을 먼저 말하다, …의 말을 가로채다 ***take*** (***up***) ***the ~*** 말하기 시작하다 《남이 말한 직후, 또는 남을 대신해서》 ***the last ~*** ⇨ last word. ***too ... for ~s*** 《구어》 (형언할 수 없을 만큼) 매우 …한 ***upon my ~*** 맹세코, 꼭; 이거 참 《놀람·노여움의 발성》 ***waste*** (one*'s*) ***~s*** 말을 헛되이 하다, 헛된 말을 하다 ***weigh*** one*'s* ***~s*** 신중하게 말하다 ***~ for ~*** 한 마디 한 마디, 문자 그대로: translate *~ for ~* 축어역을 하다

— *vt.* [well 등의 부사와 함께] …을 말로 표현하다, 말을 고르다 ▷ wórdy *a.*

wórd àccent = WORD STRESS

word·age [wə́ːrdidʒ] *n.* 말(words); 장황한 말; 어휘 수; 어법, 용어의 선택(wording)

wórd associàtion 어연상(語聯想), 언어 연상

wórd associàtion tèst 〖심리〗 어연상 검사 《언어의 연상에 의한 성격·정신 상태의 검사》

word-blind [wə́ːrdblàind] *a.* 어맹증(語盲症)의, 실독증(失讀症)의

wórd blìndness 〖병리〗 어맹증, 실독증(alexia)

word·book [-bùk] *n.* **1** 단어집; 사전, 사서(dictionary) **2** (오페라의) 대본, 가사집(libretto)

word·break [-brèik] *n.* 〖인쇄〗 (행 끝에서) 단어의 분할[분철]점

word-build·ing [-bìldiŋ] *n.* Ⓤ = WORD-FORMATION

wórd clàss 〖문법〗 어류(語類), 품사

word-deaf [-dèf] *a.* 어롱증(語聾症)의; 담화를 이해하지 못하는

wórd dèafness 〖병리〗 어롱증 《피질성 감각 실어증; mind[psychic] deafness, auditory aphasia라고도 함》

wórd divìsion = WORDBREAK

wórd èlement 〖문법〗 단어 요소 《연결형 등》

word-for·ma·tion [-fɔːrmèiʃən] *n.* Ⓤ 〖문법〗 단어 형성; 조어(造語)(법)

word-for-word [-fɔːrwə́ːrd] *a.* Ⓐ 〈번역이〉 축어적(逐語的)인, 문자대로의: ~ translation 축어역

wórd gàme (각종의) 어휘 놀이, 낱말 놀이 《철자 바꾸기나 Scrabble 따위》

word-hap·py [-hæ̀pi] *a.* 낱말에 사로잡힌

word-hoard [-hɔ̀ːrd] *n.* 어휘(vocabulary)

word·ing [wə́ːrdiŋ] *n.* Ⓤ 말씨, 어법, 용어; 표현

***word·less** [wə́ːrdlis] *a.* **1** 말 없는, 무언의; 벙어리의(dumb); 말로 나타내지 않는(unexpressed) **2** Ⓐ 말로 표현할 수 없는 **~·ly** *ad.* **~·ness** *n.*

word-lore [wə́ːrdlɔ̀ːr] *n.* 단어 연구, 어지(語誌)

wórd mèthod (언어의) 단어 중심 교수법

word·mon·ger [-mʌ̀ŋgər, -mɑ̀ŋ- | -mʌ̀ŋ-] *n.* 충분히 의미를 생각하지 않고 말을 쓰는 사람[작가]

wórd of commánd 《영》 (교련 등에서의) 구령

Wórd of Gód [the ~] 하느님의 말씀, 복음, 성서(the Bible)

word-of-mouth [-əvmáuθ] *a.* Ⓐ 구두의(oral), 구전의 **wórd of móuth** *n.*

wórd òrder 〖문법〗 어순(語順), 배어법

word-paint·er [-pèintər] *n.* (그림처럼) 생생한 문장을 쓰는 사람

word-paint·ing [-pèintiŋ] *n.* Ⓤ 생생한 서술[묘사]

word-per·fect [-pə́ːrfikt] *a.* 《영》 〈배우·강연자 등이〉 대사[문장]를 완전히 외고 있는(《미》 letter-perfect)

wórd pìcture 그림을 보는 듯한 서술; 생동하는 문장

word·play [-plèi] *n.* **1** 말의 응수[주고받기] **2** 익살, 재담(pun) 《동음이의어 등의》

wórd pròcessing 〖컴퓨터〗 워드 프로세싱 《문서 작성기로 각종 문서를 작성 편집하기; 略 WP》

wórd pròcessor 〖컴퓨터〗 워드 프로세서, 문서 작성기

word·search [wə́ːrdsə̀ːrtʃ] *n.* 단어 찾기 퍼즐 《사각형 안의 배열된 문자들 속에 숨겨진 단어를 찾는 게임》

words·man·ship [wə́ːrdzmənʃip] *n.* 문장 작법

word·smith [wə́ːrdsmìθ] *n.* (말을 능숙하게 다루는) 문장가; 컴퓨터

word-split·ting [-splìtiŋ] *n.* Ⓤ 말의 지나치게 세밀한 구분; 말씨의 까다로움

wórd squàre 4각 연어 《세로 읽으나 가로 읽으나 같은 말이 되도록 배열한 낱말》

wórd strèss 〖음성〗 단어의 악센트[강세](cf. SENTENCE STRESS)

Words·worth [wə́ːrdzwə(ː)rθ] *n.* 워즈워스 **William** ~ (1770-1850) 《영국의 낭만주의 시인》 **Wòrds·wórth·i·an** *a.*, *n.*

wórd wàtcher 언어 관찰자, 단어의 수집가; 《익살》 언어학자, 사전 편집자

wórd wràp[**wràpping**] 〖컴퓨터〗 워드랩 《워드 프로세서에서 행 끝에 넘치는 단어를 자동으로 다음 행으로 넘김[넘기기]》

word·y [wə́ːrdi] *a.* (**word·i·er**; **-i·est**) **1** 말의, 언론의, 어구의: ~ warfare 설전, 논쟁 **2** 말 많은, 장황한 **wórd·i·ly** *ad.* **wórd·i·ness** *n.*

‡**wore** [wɔ́ːr | wɔ́ː] *v.* **1** WEAR[1]의 과거 **2** WEAR[2]의 과거·과거분사

‡**work** [wə́ːrk] *n.*, *v.*

「일」
- (생활 수단의 일)
  - 「직업」, 「생업」 **3 b**
  - (일하는 장소) → 「직장」, 「회사」 **3 d**
- (행해진 일)
  - 「제작품」 **6**
  - 「작품」 **5 a**

— *n.* Ⓤ **1 a** (어떤 목적을 가지고 노력하여 하는) 일, 노동, 작업: Many hands make light[quick] ~. 《속담》 일손이 많으면 일도 쉬워진다. / All ~ and no play makes Jack a dull boy. 《속담》 공부만 시키고 놀게 하지 않으면 아이는 바보가 된다. **b** 노력, 공부, 연구

유의어 **work** 노력해서 하는 육체적·정신적인 일: heavy *work* 중노동 **labor** 힘들고 고된 육체적 노동: *labor* on a farm 농장에서의 노동 **toil** 장기간 계속되는, 육체적·정신적으로 지치는 일: *toil* which breaks down the worker's health 노동자의 건강을 망가뜨리는 고역

2 〖물리〗 일; 일의 양(cf. ERG[1]) **3 a** 일, 업무, 직무 **b** 직업, 일자리, 장사, 생업: look for ~ 일자리를 찾다 / go to ~ 일하러[회사에] 가다 **c** 전문, 연구 《*on*》 **d** 직장, 회사 **4** (해야 할) 일, 임무, 과업; (하고 있는) 일 《특히 바느질·자수 등》; [집합적] 바느질 도구[재료] **5 a** (예술 등의) 작품; 저작, 저술: the *~s* of Scott 스콧 전집 **b** [보통 *pl.*] (시계 등의) 장치, 기계 **6** 공작, 세공, 제작; [집합적] (세공품·공예품·조각 등의) 공작물, 제작품 **7** 작용 **8** [형용사에 수식되어] 일하는 품, 방법, 행위, 솜씨: sharp ~ 빈틈없는 솜씨 **9** [*pl.*] **a** 공사, 토목 공사: public *~s* 공공 토목 공사 / the Ministry of *W~s* 《영》 건설부 / water *~s* 수도, 분수 **b** (토목 공사에 의한) 건조물 《교량·제방·댐 등》 **10** [보통 *pl.*; 종종 단수 취급] 공장, 제작소: an iron *~s* 철공장 **11** [*pl.*] 방어 공사, 보루 **12** 《속어·익살》 내장, 오장 육부 **13** [*pl.*] 〖신학〗 (의로운) 행위, (종교적·도덕적) 행위, (신이 하신) 일: *~s* of mercy 자선 행위 / the *~s* of God 자연 **14** [the (whole) ~s] 《구어》 전부, 일체 **15** (노력·노동·활동의) 성과, 성적;

thesaurus **work** *n.* **1** 일, 노동 effort, exertion, labor, toil **2** 직업 employment, occupation, job, profession, career, vocation **3** 임무 job, task,

(…에 대한) 결과, 효과(effect) **16** (발효에 의한) 거품 ***all in a*[*the*] *day's* ~** 아주 일상적인[보통의, 당연한] 일인 ***a piece of* ~** (1) 일; 곤란한 일 (2) ⦅구어⦆ 소란 ***at* ~** (1) 일하고, 집무 중에; 현역으로 (2) 일하러 나가; 직장에 (3) 〈기계가〉 작동하고, 운전 중에 (4) 〈영향이〉 작용하여 ***be in regular* ~** 일정한 직업을 가지고 있다 ***do its* ~** 효력이 나다, 작용을 미치다 ***fall to* ~** 일에 착수하다 ***get the ~s*** ⦅속어⦆ 경치다, 혼나다 ***get*[*go*] *to* ~** 일을 시작하다; 일터로 가다 ***give*** a person ***the*** (***whole***[***entire***]) ***~s*** ⦅속어⦆ 〈사람을〉 혼내주다; …을 죽이다(murder) ***good* ~** 좋은 일, 잘한 일; 자선 행위 ***have*** (***all***) one***'s* ~ *cut out*** (***for*** one) ⦅구어⦆ 벅찬[힘겨운] 일을 맡고 있다 ⦅*to* do⦆ ***in good*[*full*] ~** 순조롭게[바쁘게] 일하여 ***in the ~s*** ⦅구어⦆ 계획 중에; 진행 중에 ***in* ~** 취업하여, 할 일이 있어 ***make light* ~ *of*[*with*]** …을 힘안 들이고[수월하게] 하다 ***make sad* ~ *of it*** 서투른 짓을 하다, 실수하다 ***make short*[*quick*] ~ *of*** …을 재빨리 해치우다, 척척 처리하다 ***make* ~ *for*** (1) …에게 일을 주다 (2) …에게 폐를 끼치다 ***of all* ~** 허드렛일을 하는 〈하녀 등〉 ***out of* ~** 실직하여; 〈기계 등이〉 고장 나서 ***set*[*go, get* (*down*), *fall*] *to* ~** 일에 착수하다; 일[작업]을 시작하다 ***set … to* ~** = ***put … to* ~** …을 일에 착수시키다 ***shoot the ~s*** ⦅미·구어⦆ 성패를 걸고 모험을 해 보다; 크게 분발하다 ***the* ~ *of a moment*[*second*]** ⦅문어⦆ 시간이 얼마 걸리지 않는 일 **~ *of art*** 훌륭한 작품, 걸작 ⦅미술품 등⦆ **~ *of time*** 시간이 걸리는 일

— *v.* (**~ed,** ⦅고어⦆ **wrought** [rɔ́ːt]) *vi.* **1** 노동하다(labor), 일하다 ⦅*at, in*⦆; 노력[공부]하다: ~ hard [with a will] 열심히 일하다 / We ~ 35 hours a week. 우리는 1주일에 35시간씩 일한다. // ⦅~+전+명⦆ ~ *at* American history 미국 역사를 공부하다 **2** 근무하다, 종사[경영]하다 ⦅*at, in, on, for, as*⦆: ⦅~+전+명⦆ ~ *in* a bank 은행에 근무하다 **3** (…에) 봉사하다 ⦅*among*⦆ **4** (…을 위해) 힘을 다하다, 노력하다 ⦅*for, to* do⦆ **5** [종종 **wrought**] 세공하다 ⦅*in*⦆; 바느질하다, 자수하다 **6** 〈기관·기계 등이〉 움직이다, 작동하다; 〈차바퀴 등이〉 회전하다: My watch doesn't ~. 시계가 섰다. **7** 〈계획 등이〉 잘되어 가다; 〈약 등이〉 듣다 ⦅*for, against*⦆; (사람·감정 등에) 작용하다, 영향을 미치다 ⦅*on, upon*⦆; 도움이 되다: ⦅~+부⦆ The plan ~*ed* pretty *well.* 그 계획은 매우 잘되어 갔다. **8** [보통 부사나 전치사와 함께] 서서히[애써] 나아가다, 뚫고 나아가다, 움직이다 ⦅*out, in, into, through, past, down, round, up,* etc.⦆; 차차 …이 되다: ⦅~+전+명⦆ His elbow has ~*ed through* the sleeve. 그의 옷은 팔꿈치가 닳아 뚫어졌다. / ~ *through* college 고학으로 대학을 나오다 / The wind ~*ed* round *to* the west. 바람은 서서히 서쪽으로 방향을 바꾸었다. **9** 발효하다 **10 a** 〈얼굴·마음 등이〉 실룩거리다, 동요하다, 술렁이다: ⦅~+전+명⦆ Her face ~*ed with* emotion. 벅찬 감정으로 그녀의 얼굴이 실룩거렸다. **b** ⦅드물게⦆ 〈바다가〉 물결치다: The sea ~*s* high. 바다가 심하게 물결친다. **11** 싹트다

— *vt.* **1 a** 일을 시키다; 〈사람·소·말 등을〉 부리다: ~ one's employees hard 종업원을 혹사하다 // ⦅~+목+전+명⦆ ~ oneself *to* death 과로로 죽다 // ⦅~+목+보⦆ My mother ~*ed* herself ill. 어머니는 과로로 병이 나셨다. **b** ⦅구어⦆ 이용[활용]하다; 교묘히 이용하여 …하게 하다 ⦅*into*⦆: She ~*ed* her charm in landing a new job. 그녀는 그녀의 매력을 이용하여 새 일자리를 얻었다. **2** 〈기계·장치 등을〉 움직이게 하다, 조작하다, 취급하다, 사용하다 **3** 〈손가락·주판·기계 등을〉 움직이다, 사용하다; 〈배·차·대포·기계 등을〉 운전하다, 조종하다; ⦅속어⦆ 잘 꾸려 나가다, 해내다: ~ a typewriter 타이프라이터를 치다 / ~ one's fingers [jaws] 손가락[턱]을 움직이다 **4** [종종 **wrought**] (노력하여) 만들다, 세공하다, 가공하다 ⦅*in*⦆; 〈밀가루·찰흙 등을〉 반죽하다, 개다: a jewel wonderfully *wrought* 훌륭하게 세공된 보석 // ⦅~+목+전+명⦆ ~ clay *into* a pretty vase 찰흙을 개어 예쁜 꽃병을 만들다 **5 a** 〈농장·사업 등을〉 경영하다; 〈광산을〉 채굴하다: ~ a farm 농장을 경영하다 **b** 〈외판원 등이〉 〈일정한 구역을〉 담당하다 **6** 〈계획 등을〉 세우다, 짜다, 생각해 내다, 궁리하다 **7** 〈계산을〉 열심히 하다, 산출하다; 〈문제·암호 등을〉 풀다: ⦅~+목+부⦆ ~ (*out*) a difficult problem 어려운 문제를 풀다 ★ ⦅미⦆에서는 out을 생략. **8** [종종 **wrought**] 〈변화·효과·영향 등을〉 생기게 하다, 일으키다: The storm *wrought* much damage. 폭풍으로 많은 피해가 났다. // ⦅~+목+보⦆ He ~*ed* himself free of the ropes. 그는 묶인 밧줄을 풀고 빠져나왔다. **9** 떠서[짜서] 만들다; …에 수놓다; 〈무늬 등을〉 꿰매 붙이다, 자수하다: ⦅~+목+전+명⦆ She ~*ed* a rose *on* a dress. 그녀는 드레스에 장미꽃 한 송이를 수놓았다. **10** 서서히[애써] 나아가다, 노력하여[일하여] 얻다: ⦅~+목+전+명⦆ ~ oneself *into* a crowd 군중 속으로 비집고 들어가다 **11** [종종 **wrought**] 〈사람을〉 차츰 움직이다[…이 되게 하다], 꾀다; 흥분시키다: ⦅~+목+전+명⦆ ~ oneself *into* a rage[temper] 흥분[격]하여 성내다 / ~ a person *to* one's will …을 자기의 뜻에 따르게 하다 **12** 접붙이다; 싹트게 하다 **13** 발효시키다 **14** 일[노동]하여 지불하다: ⦅~+목+부⦆ ~ *off* a debt 일해서 빚을 갚다 **15** 경작하다 **16** 〈동물을〉 재주 부리게 하다

~ *against* …에 반대하다; …에 나쁘게 작용하다 **~ *around*** 어려움을 그럭저럭 극복하다 **~ *at*** …을 이루려고[향상시키려고] 노력하다 **~ *away*** 부지런히 일[공부]을 계속하다 ⦅*at*⦆ **~ *for*** the cause (주의)를 위하여 일하다 **~ *hard*[*with a will*]** 열심히 일하다 **~ *in*** (*vi.*) (1) 재료에 세공하다 (2) 들어오다, 섞여들다 (3) 맞다, 조화하다, 잘 어울리다 ⦅*with*⦆ (*vt.*) (4) 넣다, 〈화제 등을〉 끼워 넣다, 섞다 **~ *… into*** (1) 서서히[애써] 나아가다, 노력하여 얻다 (2) …으로 가공하다 (3) 〈밀가루·찰흙 등을〉 반죽하다, 개다 (4) 〈사람을〉 흥분시키다 (5) …을 …에 넣다 **~ *in with*** …와 협조하다, 조화하다 **~ *it*[*things*]** ⦅속어⦆ (마음먹은 대로) 해내다 **~ *like a charm*** 〈약 등이〉 신통하게 잘 듣다 **~ *like a dog*[*mule*]** 열심히[고되게] 일하다 **~ *loose*** 느슨해지다 **~ *off*** (*vi.*) (1) 서서히 …으로 되다 (2) 벗어지다 (*vt.*) (3) 〈체중을〉 (운동 등으로) 줄이다, 서서히 제거하다 (4) 판매하다, 팔아버리다 (5) 〈울분 등을〉 풀다 (6) 〈판 데로〉 떠넘기다 (7) 인쇄하다(run off) (8) 〈일을〉 마치다, 〈남은 일 등을〉 해치우다 (9) 〈빚 등을〉 일하여 갚다(⇨ *vt.* 14) (10) ⦅속어⦆ 죽이다, 교살하다 (11) 속이다 **~ *on*** (1) 일을 계속하다 (2) …에 효험이 있다, 작용하다; 〈사람·감정 등을〉 움직이다, 흥분시키다 **~ *out*** (*vi.*) (1) 빠져나가다 (2) 〈금액 등이〉 산정되다(amount) ⦅*at, to*⦆ (3) 〈계획 등이〉 잘되어 가다; 결국 …이 되다 (4) 〈문제가〉 풀리다 (5) 〈권투 선수가〉 연습하다, 훈련하다; 운동하다 (*vt.*) (6) 〈문제를〉 풀다 (7) 애써서 성취하다 (8) 제거하다, 쫓아내다 (9) 산출하다 (10) 〈계획 등을〉 완전히 세우다 (11) 〈광산을〉 다 파내다 (12) 〈빚을〉 일하여 갚다 (13) ⦅미⦆ 〈도로세 등을〉 노무 제공으로 갚다 (14) …을 노력하여 이해하다 (15) ⦅구어⦆ 〈사람의〉 정체[참모습]를 알다 **~ *over*** (1) …을 철저하게 연구하다, 조사하다 (2) 〈계산 등을〉 다시 하다; 〈이야기·보고서 등을〉 고쳐 쓰다 (3) ⦅미·구어⦆ …을 맹렬히 공격하다, 혼내 주다 **~ *round*** (1) 〈바람이〉 방향을 바꾸다 (2) 〈사람이〉 의견[생각]을 남의 관점으로 바꾸다 **~** one***'s ass*[*butt, arse*] *off*** ⦅속어⦆ 매우 열심히 일하다 **~** one***'s head off*** 맹렬히 일하다[공부하다] **~ *to*** (계획이나 일정표 등을) 따르다 **~ *to rule*** ⦅영⦆ 합법[준법] 투쟁하다 **~ *toward*** …을 이루기 위해 노력하다 **~ *up*** (*vt.*) (1) 〈사업 등을〉 (노력하여 차차) 발전시키다, 확장하다 (2) 서서히[애써] 나아가다, 노력하여 얻다 (3) 〈사람을〉 움직이다; 흥분시키다 (4) 〈용기·흥미·열의 등을〉 불러

---

chore, undertaking, duty, charge, assignment, mission **4** 작품 composition, creation, piece **5** 성과 achievement, deed, feat, performance

일으키다, 북돋우다, 부추기다 (5) 〈재료·주제를〉 집성하다, 정리하다 《*into*》 (6) 〈학과 등을〉 자세히 연구[조사]하다; 습득하다 (*vi.*) (7) …에까지 서서히 오르다[나아가다], 승진하다, 출세하다 《*to*》 (8) 흥분하다, 화나다: Who's got you all *~ed up?* 누가 너를 화나게 만들었니? **~ *with*** (1) …와 함께 일하다, …의 동료이다 (2) 〈도구 등을〉 써서 일하다 (3) (일 《등》에서) …을 다루다[대상으로 하다]

work·a·bil·i·ty [wə̀ːrkəbíləti] *n.* Ⓤ 일을 시킬[움직일] 수 있음; 가동성; 실행 가능성

work·a·ble [wə́ːrkəbl] *a.* **1** 일을 시킬[움직일] 수 있는; 〈기계 등이〉 운전할 수 있는 **2** 〈광산 등이〉 경영[채굴]할 수 있는 **3** 〈계획 등이〉 성취될 수 있는, 실행할 수 있는 **4** 갤 수 있는, 반죽할 수 있는, 가공[세공]할 수 있는 **5** 〈토지가〉 경작할 수 있는 **~·ness** *n.* **-bly** *ad.* ▷ workabílity *n.*

work·a·day [wə́ːrkədèi] *a.* Ⓐ **1** 일하는 날의, 평일의(everyday) **2** 일상의; 무미건조한, 평범한
in this ~ world 이 무미건조한[답답한] 세상에서

work·a·hol·ic [wə̀ːrkəhɔ́ːlik | -hɔ́l-] [*work*+*-aholic*] *n.* 일에 중독된 사람, 일벌레
— *a.* 일에 중독된, 일벌레의
▷ wórkaholism *n.*

work·a·hol·ism [wə́ːrkəhɔ̀ːlizəm | -hɔ̀l-], **-hol·i·cism** [-hɔ̀ːlisizm | -hɔ̀l-] *n.* Ⓤ 일중독

work-a·like [wə́ːrkəlàik] *n.* **1** (다른 회사 등의 제품과) 꼭 닮은 제품 **2** 〖컴퓨터〗 소프트웨어에 호환성이 있는 컴퓨터 기종
— *a.* 〈컴퓨터가〉 소프트웨어에 호환성이 있는

wórk àrea 〖컴퓨터〗 작업 영역 《데이터의 계산이나 결과의 일시적인 저장을 위해 확보되어 있는 영역》

work·a·round [wə́ːrkəràund] *n.* **1** 〖우주과학〗 (예정대로 안 된 경우의) 예비 수단, 차선책 **2** 〖컴퓨터〗 (프로그램 문제의) 회피 방법

work·bag [-bæ̀g] *n.* 연장 주머니; 반짇고리, 재봉[바느질] 도구 주머니

work·bas·ket [-bæ̀s-kit | -bɑ̀ːs-] *n.* 작업 용구 바구니; 반짇고리

workbasket

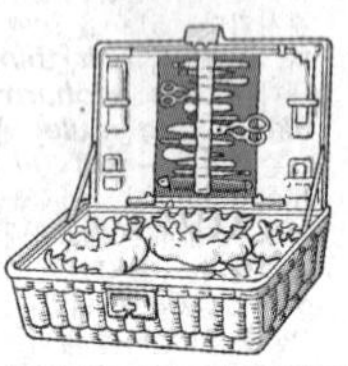

work·bench [-bèntʃ] *n.* (목수·기계공 등의) 작업대, 공작대

work·boat [-bòut] *n.* 업무용 소형 선박 《어선·작업선·화물선 등》

work·book [-bùk] *n.* **1** 연구록(硏究錄), 저술의 초고 **2** 시공(施工) 지정[기준]서 **3** 업무 예정표; 성적부, 학습 기록부 **4** 학습장, 연습장

work·box [-bɑ̀ks | -bɔ̀ks] *n.* 연장 상자, 바느질 상자, 반짇고리

wórk càmp **1** = PRISON CAMP **2** (종교 단체의) 봉사 캠프

wórk clòthes 작업복

wórk cùrve 작업 곡선

work·day [-dèi] *n.* **1** 작업일, 근무일, 평일 **2** 하루의 노동 시간: a seven-hour ~ 1일 7시간의 노동
— *a.* = WORKADAY

worked [wəːrkt] *a.* 가공[처리, 개발]된; 꾸며진, 장식된, 수놓인

wórked úp *a.* 흥분한, 신경이 날카로워진, 속을 태우는 《*about, over*》(wrought-up)

‡**work·er** [wə́ːrkər] *n.* **1 a** 일하는 사람, 공부하는 사람; 연구가[자]: a good ~ 근면한 사람 **b** 노동자, 일꾼, 직공: steel *~s* 철강 노동자들 **c** 세공사 **2** 〖곤충〗 일벌(=~ bee); 일개미(=~ ant)

wórker ánt 일개미

wórker bée 일벌(cf. QUEEN BEE)

work·er-di·rec·tor [-diréktər] *n.* (특히 영) 관리직 노동자 《선출되어 중역 회의에 참석하는 노동자》

work·er-own·er [-òunər] *n.* 《특히》 종업원 지주(持株) 제도(ESOP)하의 사원 주주

wórker participàtion (기업 경영에의) 노동자 참가, 노사 협의제

wórkers' compensátion = WORKMEN'S COMPENSATION

wórkers' co-óperative 노동자 생활 협동조합 (상점)

wórk èthic 노동관, (윤리관으로서의) 근면 《보통 Protestant work ethic으로 쓰임》

wórk expèrience **1** 업무 경험 **2** 《영》 (특히 학생의) 연수 기간(cf. INTERNSHIP)

work·fare [wə́ːrkfɛ̀ər] *n.* (정부 등 공공 기관이 실시하는) 노동자 재교육; 근로복지 제도

wórk fàrm 소년 범죄자의 교화 농장

work·fel·low [-fèlou] *n.* 일 친구, 회사[직장] 동료

work·flow [-flòu] *n.* (회사·공장 등의 각 사업 부서 또는 종업원 간의) 작업[일]의 흐름

work·folk(s) [-fòuk(s)] *n. pl.* [집합적] (임금) 노동자, 《특히》 농장 노동자들

wórk fòrce **1** 전 종업원 **2** [the ~] (총) 노동력; 노동(력) 인구

wórk fùnction 〖물리〗 일함수 《고체 중에서 고체 외부의 진공 속으로 전자를 끌어내는 데 필요한 에너지》

work-hard·en [-hɑ̀ːrdn] *vt.* 〖공학〗 〈금속을〉 가공 경화(硬化)하다 **wórk hàrdening** *n.* 가공 경화

work-hard·ened [-hɑ́ːrdnd] *a.* 일로 단련된

work·horse [-hɔ̀ːrs] *n.* **1** 짐말, 마차말 **2** 중노동자; 꾸준한 일꾼 **3** 편리한[견고한] 기계[자동차 《등》]

work-hour, work·hour [-àuər] *n.* (보통 9시부터 5시까지의) 근무 시간(working hour)

work·house [-hàus] *n.* (*pl.* **-hous·es** [-hàuziz]) **1** [the ~] 《영》 (옛날의) 구빈원(poorhouse) **2** 《미》 소년원, (경범죄자의) 노역장(house of correction)

work-in [-ìn] *n.* 생산 관리 쟁의 《노동 쟁의 때 공장을 점거한 노동자가 경영하는》

‡**work·ing** [wə́ːrkiŋ] *n.* **1** ⓊⒸ **a** 일, 노동, 작업: ~ conditions 근로 조건 **b** [보통 *pl.*] 작용 《*of*》 **c** 활동, 운영, 기능 《*of*》 **d** Ⓤ 운전 **2** Ⓤ (얼굴 등의) 실룩거림, 경련 **3** [*pl.*] (광산·채석장·터널 등의) 작업장, 현장; 채굴장, 갱도 **4** Ⓤ 발효 작용
— *a.* Ⓐ **1** 일하는, 노동에 종사하는, 노무자의; 현역의; 활동 중의: the ~ population 노동 인구 **2 a** 실제로 일을 하는, 노무의; 경영의, 영업의; 〈기계가〉 돌아가는 **b** 실제로 도움되는, 실용적인 **3** 효과적인, 호조의 **4** 공작의, 마무리의 **5** 작업의, 취업의, 일의; 경작에 부리는 〈가축 등〉 **6** 〈얼굴이〉 경련하는

wórking àsset 〖회계〗 운영 자산

wórking brèakfast (일을 화제로 하는) 아침 식사

wórking bùdget 실행 예산

wórking càpital **1** 〖회계〗 운영[운전] 자본 **2** 〖경제〗 유동 자산

wórking clàss [집합적; 보통 the ~; 《영》에서는 보통 the ~es] 《특히》 (육체적 노동을 하는) 임금 노동자; 노동자 계급 ▷ wórking-clàss *a.*

work·ing-class [wə́ːrkiŋklæ̀s | -klɑ̀ːs] *a.* Ⓐ 노동자[근로자] 계급의[에 어울리는]

wórking commìttee 운영 위원회

wórking còuple 맞벌이 부부

wórking dày **1** (1일의) 노동 시간, 근무 시간: ~ of eight hours 1일 8시간 노동 **2** 작업일, 취업일(workday), 평일(everyday)

work·ing-day [-dèi] *a.* Ⓐ = WORKADAY

wórking dòg (애완견·사냥개 등과 구별되는) 작업견 《썰매·수레 등을 끄는 개》

wórking dràwing (공사의) 시공도(施工圖), (기계의 정밀·상세한) 공작도

wórking flùid 〖물리〗 작동 유체(流體)

wórking fùnd 운전 자금

wórking gìrl 근로 여성; 여공; 《미·속어》 매춘부

wórking gròup = WORKING PARTY

wórking hòur =WORK-HOUR
wórking hypóthesis 작업 가설(假說)
wórking knòwledge 실용적 지식
work·ing-lev·el [-lévəl] *a.* 실무적인, 실무[담당자] 차원의
wórking lòad 〖기계〗 사용 하중(荷重)
*__work·ing·man__ [wə́ːrkiŋmæ̀n] *n.* (*pl.* **-men** [-mèn]) 노동자, 장인, 직공, 공원
wórking mèmory 〖심리〗 작동 기억; 〖컴퓨터〗 계산 도중의 결과를 고속으로 기억하는 장치
wórking mèn's clúb 노동자 클럽 《영국의 도시에 있는 노동자 사교장》
wórking módel (기계의) 실용 모형, 운전 모형 《실물과 같은 기능을 가진》
wórking mòther 직업을 가진 어머니
wórking órder (기계 등이) 정상적으로 작동하는 상태; 호조(好調), 순조로움
work·ing-out [-àut] *n.* Ⓤ **1** (결과의) 산출, 계산 **2** 세부의 마무리; 기안(起案)
wórking pàpers (미) (미성년자·외국인 등의 고용시에 필요한) (공식) 취업 서류
wórking pàrty **1** 〖군사〗 작업반 **2** (영) (정부가 임명하는) 특별 조사 위원회
wórking sàtellite 실용 위성
wórking stìff (속어) (일반) 노동자
wórking stòrage 〖컴퓨터〗 작업 기억 영역
wórking stréss 〖기계〗 사용 응력(應力)
wórking súbstance 〖물리〗 작업 물질
wórking tìtle (제작 중인 영화·소설 등의) 가제(假題)
wórking wèek (영) =WORKWEEK
work·ing·wom·an [-wùmən] *n.* (*pl.* **-wom·en** [-wìmin]) 여자 노동자, 여직공
wórk in prócess[**prógress**] (영) 〖회계〗 재공품(在工品) 《생산 공정 중에 있는 미완성 제품》
wórk ìsland 작업 팀 《기획의 각 영역을 자주적 관리하에 담당하는 노동자 그룹》
wòrk-lífe bàlance[-láif-] 일과 생활[삶]의 균형[조화] 《略 WLB》
work·less [wə́ːrklis] *a.* 일이 없는, 실직한; [the ~; 집합적] 실업자, 실직자 **~·ness** *n.*
wórk lòad 작업 부하(負荷); 표준 작업량
‡**work·man** [wə́ːrkmən] *n.* (*pl.* **-men** [-mən]) 노동자, 장인, 직공, 공원: a good[skilled] ~ 숙련공 / a ~'s train (근로자를 위한) 조조 할인 열차 ***master*** **~** 명공(名工); (미) 노동 조합장
work·man·like [wə́ːrkmənlàik], **work·man·ly** [-li] *a.* 직공다운; 일 잘하는, 솜씨 있는, 척척 하는
*__work·man·ship__ [wə́ːrkmənʃìp] *n.* Ⓤ **1 a** (직공 등의) **기량, 기능 b 솜씨**, 재간 **2** 세공품, 제작품
work·mate [wə́ːrkmèit] *n.* 일 친구, 회사[직장]의 동료(workfellow)
wórk·men's compensátion 노동자 재해 보상
wórkmen's compensátion insùrance 〖보험〗 노동자 재해 보상 보험
wórk of árt **1** (특히 그림·조각의) 예술품, 미술품, 공예품 **2** (비유) 미적인 것
wórk òrder 제조[작업] 지도서
work·out [-àut] *n.* **1** 〖경영〗 워크아웃 《기업의 재무구조 개선 작업》 **2** (권투 등의) 연습, 연습 경기; 운동, 체조: I go to the gym for a ~ everyday. 나는 운동하러 매일 헬스클럽에 간다. **3** 점검; (적성) 검사 **4** (미·속어) 고역; 격무
work·o·ver [-òuvər] *n.* (석유 채취정(井)의) 개수(改修)
work·peo·ple [-pìːpl] *n. pl.* (영) 직공들, (남녀) 노동자(workers, employees)
wórk permìt (외국인에게 내주는) 노동 허가증
work·piece [-pìːs] *n.* 제조 공정에 있는 제품[소재]
work·place [-plèis] *n.* 일터, 작업장
wórk plàcement (영) 직업[실무] 연수
work·print [-prìnt] *n.* 〖영화〗 편집 완료 프린트 《영화의 최초의 포지티브 프린트》
wórk relèase (죄수의) 외부 통근, 통근형(刑) 《수형자를 낮 동안 교도소 외부 직장에서 일하게 허용하는 갱생 제도》 **wórk-re·lèase** *a.*
wórk róbot =INDUSTRIAL ROBOT
work·room [-rùːm] *n.* 일하는 방, 작업실
wórk rùles (노사간에 체결된) 취업 규칙
wórks còuncil[**commìttee**] (영) **1** 공장 협의회 《단일 공장 내의 노동자 대표로 조직된 회의》 **2** 노사(勞使) 협의회
work·shad·ow·ing [-ʃædouiŋ] *n.* 작업 관찰 《교육이나 연구를 목적으로 노동자들을 관찰하는 일》
work-shar·ing [-ʃɛ̀əriŋ] *n.* 〖노동〗 워크셰어링 《작업을 전원이 분담하여 노동 시간을 단축하고 실업자를 내지 않도록 하는 일》
wórk shèet **1** 작업 계획[예정 기록]표 **2** (회계용) 시산(試算) 용지 **3** 연습 문제지 **4** (언어 조사의) 조사표
*__work·shop__ [wə́ːrkʃɑ̀p | -ʃɔ̀p] *n.* **1 작업장**, 일터, 직장 **2** (참가자들의 의견 및 실제 적용·기술을 행해 보는) 공동 연구회, 연수회 **3** 실습실, 연구실(laboratory)
work-shy [-ʃài] *a.* 일하기 싫어하는
wórk sìte 일터, 직장
wórks mànager 공장 주임, 공장 지배인
wórk sòng 노동가, 근로의 노래
work·space [-spèis] *n.* 〖컴퓨터〗 워크스페이스 《대개 주기억 장치에서 프로그램이 계산을 위해 활용할 수 있는 공간》
work·sta·tion [-stèiʃən] *n.* **1** (사무실 등의) 1명의 근로자가 작업하기 위한 장소[자리] **2** 〖컴퓨터〗 워크 스테이션 《정보 처리 시스템에 연결된, 독립해도 처리를 할 수 있는 단말 장치》
wórk stòppage 작업 정지 《노동자의 집단적인》(cf. STRIKE *n.* 2)
wórk stùdy 작업 연구 《능률적·경제적인 생산 공정을 연구하는 일》
wórk-stúd·y prògram [-stʌ́di-] (미) 체험 학습 계획[과정]
wórk sùrface =WORKTOP
work·ta·ble [-tèibl] *n.* 작업대(bench); 자수[편물, 재봉]용 작업대 《테이블 모양의》
work-to-hours [-təáuərz] *n.* (영) 〖노동〗 정규 근무 시간만 일하기
work·top [-tɑ̀p | -tɔ̀p] *n.* (영) (부엌의) 조리대; 작업 탁자
work-to-rule [-tərúːl] *n.* Ⓤ (영) 준법 투쟁(cf. WORK to rule): ~ struggle 준법 투쟁
wórk tràin 선로 보수반차
work·up [-ʌ̀p] *n.* **1** 〖의학〗 (정확한 진단을 내리기 위한) 일련의 정밀 검사 **2** 잠정안, 시안
work-up [-ʌ̀p] *n.* 〖인쇄〗 (인쇄면의) 오점, 얼룩
work·wear [-wɛ̀ər] *n.* 작업복
work·week [-wìːk] *n.* 1주 노동 시간
work·wom·an [-wùmən] *n.* (*pl.* **-wom·en** [-wìmin]) 여자 노동자, 여직공, 여공
‡**world** [wə́ːrld] [OE 「사람의 일생」의 뜻에서] *n.* **1** [the ~] **세계, 지구** **2** [the ~] **천지**, 우주, 만물; 천체 **3** [the ~] **세계의 사람들**, 세상 사람들, 세인; 인류, 인간: *the* whole ~ 전세계의 사람들 **4 a** (인간) **세상**; 이[저]승: the [this] ~ 이승, 현세 / this ~ and the next = the two ~*s* 이승과 저승 **b** [the ~] 현세, 속세: forsake *the* ~ 속세를 버리다 **5** [the ~] 세상사, 인간사; 세태 **6** [the ~] 상류 사회(의 사람들) **7** [보통 the ~] (활동·이익·목적을 같이하는) …계, …세계, …사회: *the* literary ~ = *the* ~ of letters 문학계, 문단 **8** (구어) 더 없이 소중[중요]한 것 **9** (어떤 특정의) 지역, 세계, …계 **10** 무한 **11** 대량, 다수 (*of*): do ~*s of* good 선행을 많이 하다
a better ~ = another ~ 저세상, 내세 ***against the ~*** 전 세계를 상대로 하여, 세상과 싸워서 ***all the ~*** 전 세계[만천하](의 사람들); 만물 (***all***) ***the ~ and his wife*** (익살) 누구나 할 것 없이, 어중이떠중이 모두 (***all***) ***the ~ over = all over the ~*** 전 세계에

as the [***this***] ***~ goes*** 통례대로 말하면, 보통 같으면 ***a*** [***the***] ***~ of*** 산더미 같은, 막대한, 무수한, 한량없는, 무한한 ***a*** [***the***] ***~ of difference*** 《구어》 큰 차이 ***a ~ too many*** [***much***] 너무 많은 ***be all the ~*** 어떠한 것과도 바꿀 수 없다, 지극히 귀중한 보물이다 《*to*》 ***begin*** [***go out into***] ***the ~*** 사회에 나가다 ***bring into the ~*** 낳다 ***carry the ~ before one*** 순식간에 크게 성공하다 ***come*** [***go***] ***down in the ~*** 영락하다 ***come into*** [***to***] ***the ~*** 태어나다; 출판되다 ***come*** [***go***] ***up in the ~*** 출세하다 ***dead to the ~*** ⇨ dead. ***do ... a*** [***the***] ***~ of good*** …의 건강[기분]에 매우 좋다 ***end of the ~*** 세상의 종말 《파멸의 날》 ***for*** (***all***) ***the ~*** [부정문에서] 결코, 절대로 ***for all the ~ like*** [***as if***] 아주 닮아서 (exactly like) ***give to the ~*** 세상에 내놓다, 출판하다 ***give ~s*** [***the ~***] ***to*** do 어떤 희생을 치르더라도 …하겠다 ***go back*** [***return***] ***to the ~*** 《미·속어》 〔군사〕 본국에 돌아가다 ***go*** [***depart***] ***out of this ~*** 죽다 ***have the ~ against*** one 전세계를 적으로 돌리다 ***have the ~ before*** one 전도가 양양하다, 앞날이 훤하게 트이다 ***How goes the ~ with you?*** = ***How is the ~ using you?*** 지내기가 어떻습니까, 어떻게 지냅니까? ***in a ~ of*** one***'s own*** = ***in*** one***'s own little ~*** 자기 자신만의 세계에 갇혀서 ***in the ~*** (1) 세계에(서): He is the greatest man *in the* ~. 그는 세상에서 가장 위대한 사람이다. (2) [what, who, how 및 최상급의 형용사, 부정어 등을 강조하여] 도대체: *What in the* ~ does he mean? 도대체 그 사람의 말은 무슨 뜻인가? ***in this ~ and the ~ to come*** 이승에서도 저승에서도 ***It's a small ~.*** 《구어》 세상 참 좁구나. ***know the ~*** 세상 물정에 밝다 ***live out of the ~*** 속세와 인연을 끊고 살다 ***make a noise in the ~*** ⇨ noise. ***make*** [***have***] ***the best of both ~s*** 양쪽의 좋은 점을 다 취하다 ***man*** [***woman***] ***of the ~*** 세상을 잘 아는 사람[여자], 교제에 능한 사람[여자] ***mean all the ~*** = be all the WORLD. ***not for the ~*** [***for ~s***] = ***not for anything in the ~*** 결코 …아니다, 결코 …않다 ***nothing in the ~*** 조금도 없다 ***of the ~*** 세속의, 속된 ***on top of the ~*** 《미·구어》 좋아서 어쩔 줄 모르는 《성공·행복 등으로》 ***out of this*** [***the***] ***~*** 《구어》 더할 나위 없는, 매우 훌륭한 ***Prince of this ~*** 악마 ***see the ~*** 세상을 알다 ***set the ~ on fire*** (눈부신 일을 하여) 세상을 깜짝 놀라게 하다 ***set*** [***put***] ***the ~ to rights*** 《주로 영·익살》 세상사[정의]를 논하다 ***take the ~ as it is*** [***as*** one ***finds it***] 세상을 있는 그대로 받아들이다, 현실에 순응하다 ***the best of both*** [***all possible***] ***~s*** 일거양득 ***the First*** [***Second***] ***W~ War*** = WORLD WAR I[II]. ***the New W~*** 신세계 《아메리카》 ***the Old W~*** 구세계 《유럽·아시아 및 아프리카》 ***the other ~*** = ***the next ~*** = ***the ~ to come*** [***to be***] 저승, 내세, 미래 ***the*** (***whole***) ***~ over*** 전 세계에 ***The ~ is*** one***'s oyster.*** 세상은 내 뜻대로 된다. ***the ~, the flesh, and the devil*** 세상과 살과 악마 《명리(名利)와 육욕과 사념(邪念) 등 온갖 유혹》 ***think the ~ of*** a person …을 매우 높이 평가하다 be tired ***to the ~*** 《속어》 아주 (피곤하다) ***to the ~'s end*** 세상 끝까지, 영원히 ***watch the ~ go by*** (느긋하게) 지나가는 사람들을 보다 ***What is the ~ coming to?*** 도대체 어떻게 된 거야? 《사회에 대한 놀람·분노의 표시》 ***~s apart*** 전혀 동떨어진 ***~ without end*** 영원히

— *a.* Ⓐ (전)세계의, 세계적인; 〈사람이〉 세계적으로 유명한: a ~ championship 세계 선수권 / a ~ artist 세계적으로 저명한 예술가

▷ wórldly, wórldwide *a.*

Wórld Bánk [the ~] 세계 은행 《International Bank for Reconstruction and Development의 별칭》

world·beat·er, world-beat·er [wə́ːrldbìːtər] *n.* 《구어》 크게 성공한[성공할] 사람; 제1인자; 대성공

Wórld Cálendar [the ~] 세계력(曆) 《태양력의 개량안》

wórld càr 월드카 《전 세계 시장에의 보급을 목표로 한 자동차》

world-class [-klǽs | -klɑ́ːs] *a.* 세계적 수준의; 세계에 통용되는

Wórld Cóuncil of Chúrches [the ~] 세계 교회 협의회 《略 WCC》

Wórld Cóurt [the ~] **1** 상설 국제 사법 재판소 《네덜란드의 The Hague에 있는 Permanent Court of International Justice의 속칭》 **2** 국제 사법 재판소 《the International Court of Justice의 속칭》

Wórld Cúp [the ~] 월드컵 《축구 등의 세계 선수권 대회; 그 우승컵》

Wórld Énglish 세계[국제] 영어; 표준 영어

Wórld Environméntal Dày [the ~] 세계 환경의 날 《매년 6월 5일》

wórld exposítion 세계 박람회

world-fa·mous [-féiməs], **-famed** [-féimd] *a.* 세계[천하]에 이름 높은

wórld féderalism 세계 연방론[주의]

wórld féderalist 세계 연방주의자

Wórld Federátion of Tráde Únions [the ~] 세계 노동조합 연맹 《略 WFTU》

Wórld Fóod Cóuncil [the ~] (국제 연합의) 세계 식량 이사회 《1974년 창설》

Wórld Héalth Organizátion [the ~] 세계 보건 기구 《본부는 Geneva; 略 WHO》

Wórld Héritage Commíttee [the ~] (유네스코의) 세계 유산 위원회 《略 WHC》

Wórld Héritage Sìte 세계 유산 등록지

Wórld Intelléctual Própery Organizàtion 세계 지적 소유권 기관 《略 WIPO》

Wórld Ísland [the ~, 종종 the w- i-] 〔정치·지리〕 세계도(島) 《아시아·유럽·아프리카의 총칭》

wórld lánguage 세계어, 국제어 **1** Esperanto어 등의 인공어 **2** (영어처럼) 세계의 많은 나라에서 쓰이는 언어

wórld líne 〔물리〕 (상대성 이론에서) 세계선(世界線)

world·ling [wə́ːrldliŋ] *n.* 속인, 속물

‡**world·ly** [wə́ːrldli] *a.* (**-li·er**; **-li·est**) **1** Ⓐ 이 세상의, 현세의; 속세의: ~ goods[possessions] 재물, 재산 / ~ pleasures 현세의 즐거움 **2** 세속적인(earthly), 명리(名利)에 급급한, 속된 마음의: ~ people 속물들 / ~ wisdom 처세하는 재간

— *ad.* 세속적으로, 속되게

wórld·li·ness *n.* 속된 마음; 세속적임

world·ly-mind·ed [wə́ːrldlimáindid] *a.* 속된, 명리에 급급한 **~·ly** *ad.* **~·ness** *n.*

world·ly-wise [wə́ːrldliwáiz] *a.* 처세에 능한, 세상일에 밝은

Wórld Meteorológical Organizátion [the ~] 세계 기상 기구 《略 WMO》

wórld mùsic (지방이나 민족 전통의 요소를 혼합한) 팝 음악

wórld pòint 〔물리·수학〕 세계점 《4차원 시공(時空) 세계의》

wórld pówer 세계적 강대국

wórld premíere (연극·영화 등의) 세계 초연(初演)

Wórld [**Wórld's**] **Séries** [the ~] 〔야구〕 월드 시리즈 《전 미국 프로 야구 선수권 시합》

Wórld Sérvice [the ~] BBC의 단파에 의한 국제 방송

wórld's [**wórld**] **fáir** 만국[세계] 박람회

thesaurus **worldly** *a.* earthly, terrestrial, secular, temporal, material, carnal, fleshly
worldwide *a.* universal, global, international, general, ubiquitous, widespread, extensive
worn[1] *a.* **1** 닳아 해진 tattered, ragged, shabby **2** 지친 exhausted, tired out, fatigued, weary
worried *a.* anxious, disturbed, bothered, dis-

world-shak·ing [wə́ːrldʃèikiŋ] *a.* 세계를 뒤흔드는; 획기적인, 매우 중대한
world-sized [-sàizd] *a.* 세계적 규모의, 엄청나게 큰
wórld's óldest proféssion [the ~] 매춘
wórld sóul 세계 영혼[정신] 《우주를 지배하는 통일 원리》
wórld spírit 신(God); = WORLD SOUL
Wórld Tráde Cènter [the ~] 세계 무역 센터 《New York시에 있던 110층 쌍둥이 건물로, 2001년 9월 11일 항공기 테러로 붕괴됨》
Wórld Tráde Organizàtion 세계 무역 기구 《略 WTO》
wórld vìew 세계관(Weltanschauung)
wórld wár 세계 대전
Wórld Wàr I [-wʌ́n] 제1차 세계 대전(1914-18) 《略 WW I》
Wórld Wàr III [-θríː] (장차 일어날지도 모를) 제3차 세계 대전
Wórld Wàr II [-túː] 제2차 세계 대전(1939-45) 《略 WW II》
world-wea·ry [-wìəri] *a.* 염세적인, 세상이 싫어진 **-ri·ness** *n.*
‡**world·wide, world-wide** [wə́ːrldwáid] *a.* 세계적인, 전 세계로 미치는; 전 세계에 알려진: ~ inflation 세계적인 인플레이션
— *ad.* 전 세계에: distributed ~ 전 세계에 분포된
Wórld Wìde Fúnd for Náture [the ~] 세계 자연 보호 기금 《국제 자연 보호 단체; 略 WWF》
Wórld Wìde Wéb [the ~] 〖컴퓨터〗 월드 와이드 웹 《인터넷에 존재하는 광범위한 정보 공간; 略 WWW》
‡**worm** [wə́ːrm] *n.* **1** (꿈틀거리며 기어다니는) 벌레, 《지렁이·거머리 등》, 구더기, 땅벌레, 배추벌레(⇨ insect 유의어); [*pl.*] 기생충; [*pl.*; 단수 취급] 기생충병: Even a ~ will turn. = Tread on a ~ and it will turn. 《속담》 지렁이도 밟으면 꿈틀한다. **2** 《구어》 벌레 같은 인간 **3** 나사(screw); 나선관(管) 《증류기의》; 〖기계〗 웜, 무한 나사 **4** (육식 동물의) 혀의 인대(靭帶) **5** 고통[회한]의 원인 **6** 〖컴퓨터〗 컴퓨터 파괴 프로그램(cf. TROJAN HORSE) **7** [*pl.*] 《미·속어》 파스타, 마카로니 ***be* [*feel like*] *a* ~** 기운이 없다 ***food* [*meat*] *for* ~*s* = ~*'s meat*** (인간의) 사체 ***I am a* ~ *today.*** 〖성서〗 오늘은 기운이 조금도 없다. ***the* ~ *of conscience*** 양심의 가책
— *vt.* **1 a** (벌레같이) 천천히 나아가게 하다 **b** 기어 들어가게 하다 《*into*》, 기어 나오게 하다 《*out of*》: 《~+목+전+명》 ~ one's way *out of* a crowd 군중 속에서 빠져나오다 **c** [~ one*self* 로] 차차 〈남의 호감·신용 등을〉 얻게 하다: 《~+목+전+명》 She ~*ed herself into* his confidence. 그녀는 교묘히 그의 신임을 얻었다. **2** 〈비밀 등을〉 교묘히 알아내다 《*out*; *from*, *out of*》: 《~+목+전+명》 ~ a secret *out of* [*from*] a person …에게서 비밀을 알아내다 **3** 〈개 의〉 기생충을 없애다; 〈꽃밭 등을〉 구충[살충]하다: ~ a dog 개의 기생충을 없애다
— *vi.* **1** 꿈틀꿈틀 나아가다, 벌레처럼 나아가다 《*through*, *into*, *out of*》 **2** 교묘히 빌붙다: 《~+전+명》 He ~*ed into* his teacher's favor. 그는 교묘히 선생님의 환심을 샀다. **3** 〖야금〗 (금속의 겉면에) 금이 가다 **4** 《미·속어》 공부하다
~ ***out of*** 《속어》 〈곤란한 곳·싫은 일〉에서 빠져나오다, 〈약속을〉 어기다 ~ ***one's way* [*oneself*] *into*** [부정적 의미로] 교묘하게 환심을 사다

tressed, concerned, upset, uneasy, agitated, nervous, tense, fearful, afraid, frightened (opp. *careless, calm, unconcerned*)
worry *v.* **1** 걱정시키다 make anxious, disturb, bother, distress, upset, concern **2** 걱정하다 be worried, be anxious, fret, brood — *n.* anxiety, disturbance, perturbation, trouble, bother

~·ish *a.* **~·less** *a.* **~·lìke** *a.*
▷ wórmy *a.*; wórmer *n.*
WORM [wə́ːrm] [*w*rite *o*nce, *r*ead *m*any (times)] *n.* 〖컴퓨터〗 웜 《데이터를 한 번만 써 넣을 수 있는 광 디스크》(= ~ dìsk)
worm·cast [wə́ːrmkæ̀st, -kɑ̀ːst] *n.* 지렁이 똥
worm-eat·en [-ìːtn] *a.* **1** 벌레 먹은, 벌레가 파먹은 **2** 《속어》 케케묵은, 시대에 뒤진
worm·er [wə́ːrmər] *n.* (동물용) 구충제
worm·er·y [wə́ːrməri] *n.* (특히 낚시 미끼용) 벌레[지렁이] 사육장
wórm fènce 지그재그형의 울타리[담장]
worm-fish·ing [wə́ːrmfìʃiŋ] *n.* 지렁이(를 미끼로 쓰는) 낚시질
worm-food [-fùːd] *n.* 《미·속어》 구더기 밥, 송장
wórm gèar 〖기계〗 웜 기어 (장치)

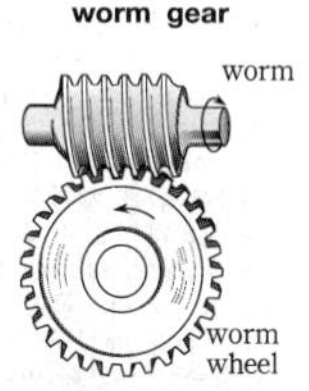

worm·hole [-hòul] *n.* 벌레 구멍 《나무·과실·땅의》; 〖천문〗 웜홀 《black hole과 white hole의 가설적 연락로》
wórm·hòled *a.*
worm·seed [-sìːd] *n.* CU 〖식물〗 세멘시나 《꽃은 산토닌 원료》
wórm's-eye víew [wə́ːrmzài-] **1** 충첨도(蟲瞻圖), 앙시도(仰視圖) 《아래에서 올려다본 도표[관측]》(opp. *bird's-eye view*) **2** 아랫자리의 사람이 본 상층부의 인상
wórm snàke 〖동물〗 지렁이뱀 《미국 중부·동부산(産)》
wórm whèel 〖기계〗 웜 톱니바퀴
worm·wood [wə́ːrmwùd] *n.* **1** 〖식물〗 다북쑥속(屬)의 식물 **2** U 《문어》 고민; C 고민의 원인
worm·y [wə́ːrmi] *a.* (**worm·i·er**; **-i·est**) 벌레 붙은; 벌레가 많은; 벌레 먹은; 벌레 같은, 경멸할 만한
‡**worn**[1] [wɔ́ːrn] *v.* WEAR[1]의 과거분사
— *a.* **1** 닳아 해진, 써서 낡은 **2** 지쳐버린, 수척해진
worn[2] *v.* WEAR[2]의 과거분사
worn-out [wɔ́ːrnáut] *a.* **1** A 써서 낡은, 닳아 해진 **2** 기진맥진한: He looks ~ *from* the long trip. 그는 긴 여행 때문에 아주 지친 듯하다. **3** 진부한
*__wor·ried__ [wə́ːrid | wʌ́r-] *a.* 〈표정 따위가〉 걱정[근심]스러운, 괴로움받는; 당황[걱정, 안달]하는, 곤란한 듯한 《*about*, *over*, *that* 절》: a ~ look 근심스러운 얼굴 / I'm ~ *about* his health. 그의 건강이 걱정이다. / He is ~ *over* the future. 그는 장래 일을 걱정하고 있다. **~·ly** *ad.*
wor·ri·er [wə́ːriər | wʌ́r-] *n.* **1** 괴롭히는 사람, 고민하게 하는 사람 **2** 걱정이 많은 사람
wor·ri·less [wə́ːrilis | wʌ́r-] *a.* 걱정거리가 없는; 태평스러운
wor·ri·ment [wə́ːrimənt | wʌ́r-] *n.* U 《구어》 걱정, 근심; C 걱정[근심]거리
wor·ri·some [wə́ːrisəm | wʌ́r-] *a.* 꺼림칙한, 걱정되는; 귀찮은 **~·ly** *ad.* **~·ness** *n.*
wor·rit [wə́ːrit | wʌ́r-] *v.*, *n.* 《영·방언》 = WORRY
‡**wor·ry** [wə́ːri, wʌ́ri | wʌ́ri] [OE 「목을 조르다」의 뜻에서] *v.* (**-ried**) *vt.* **1 a** 걱정시키다, …의 속을 태우다(⇨ bother 유의어): Don't ~ your parents. 부모님께 걱정을 끼치지 마라. **b** 괴롭히다: My bad tooth *worries* me. 충치 때문에 괴롭다. // 《~+목+전+명》 Don't ~ me *with* those nonsensical questions. 그런 어리석은 질문으로 나를 괴롭히지 마라. **c** [~ one*self* 로] 걱정[근심]하다, 속을 태우다(⇨ worried) 《*about*, *over*, *that* 절, *wh-*절》: 《~+목+전+명》 Don't ~ *yourself about* that. 그 일을 가지고 걱정하지 마라. **2** 귀찮게 조르다: 《~+목+전+명》 He *worried* his mother *for* money. 그는 어머니에게 돈을 달라고 졸랐다. // 《~+목+***to*** do》 He was ~*ing* his mother *to* buy him a car. 그는 어머니

에게 자동차를 사 달라고 조르고 있었다. **3** 귀찮게 공격하다[굶리다]; 〈개 등이〉 물고 흔들다

— *vi.* **1 걱정하다,** 속 태우다, 고민하다; 마음을 졸이다, 초조해하다 《*about, over*》: (~+전+명) ~ *over* one's husband's health 남편의 건강을 걱정하다 / There's nothing to ~ *about.* 걱정할 것은 하나도 없다. // (~+***that*** 절) He is *~ing that* he may have made a mistake. 그는 실수하지는 않았나 하고 걱정하고 있다. // (~+***-ing***) You needn't ~ try*ing* to find me a job. 직장을 구해 주시려고 걱정하실 것 없습니다. **2** 〈문제 등을〉 풀려고 애쓰다; 애쓰며 나아가다: an old car *~ing* uphill 힘들게 언덕을 오르고 있는 오래된 차 // (~+전+명) ~ *at* the problem 그 문제를 풀려고 애쓰다 **3** 귀찮게 조르다: (~+전+명+***to*** do) He *worried at* me *to* give it to him. 그는 내게 그것을 달라고 자꾸 졸라댔다. **4** 〈개 등이〉 물고 흔들다 《*at*》 ***I should ~!*** 《구어》 조금도 걱정될 것 없다, (그런 것은) 내가 알 바 아니다!; 《미》 참 기막혀! ***not to ~*** 《영·구어》 문제없다(no problem) ***~ along*** 《구어》 괴로워하며 살아가다; (곤란을 무릅쓰고) 이럭저럭 해나가다 ~ a problem ***out*** 고심한 끝에 (문제)를 해결하다 ***~ through*** 고생하여 나아가다[관철하다], 노력 끝에 성취하다

— *n.* (*pl.* **-ries**) **1** Ⓤ 걱정(⇨ care 유의어); 근심; Ⓒ 걱정거리, 골칫거리: What a ~ the child is! 참 귀찮은 애로군! / Life is full of *worries.* 인생은 근심투성이[고해]이다. **2** 사냥개가 짐승을 물어 흔들기 ▷ wórrisome *a.*; wórriment *n.*

wórry bèads 손으로 만지작거리며 긴장을 풀기 위한 염주(念珠)

wor·ry·ing [wə́:riiŋ | wʌ́r-] *a.* 귀찮은, 성가신; 애타는, 걱정이 되는 **~·ly** *ad.*

wor·ry·wart [wə́:riwɔ̀:rt | wʌ́r-], **-guts** [-gʌ̀ts] *n.* 《구어》 사소한 걱정이 많은 사람, 소심한 사람

wors [vɔ́:rs] *n.* Ⓤ 《남아공》 소시지

‡**worse** [wə́:rs] *a.* (opp. *better*) [ILL, BAD의 비교급; cf. WORST] **1 보다 나쁜,** 더욱 나쁜: The food is bad, and the service is ~. 음식은 형편없고 게다가 서비스는 더 나쁘다. / Nothing could be ~ than this. 이보다 더 나쁜 것은 없으리라. **2** Ⓟ 〈병자가〉 (상태·기분 따위가) **악화되어,** 더욱 불편하여: He is somewhat ~ this morning. 그의 상태는 오늘 아침에 다소 악화되어 있다.

(and) what is [was] ~ = to make matters ~ = ~ than all 설상가상으로, 공교롭게도 ***be ~ than*** one***'s word*** 약속을 지키지 않다 ***be ~ than useless*** 유해무익하다 ***none the ~ for*** the accident (사고)가 일어나도 태연하고[꿈쩍 안하고] ***nothing ~ than*** (최악의 경우에도) 기껏 …만: I managed to escape with *nothing ~ than* a few scratches. 약간의 찰과상을 입었을 뿐 위험을 모면했다. ***no ~ for wear*** (사고 후) 멀쩡한 ***so much the ~*** 도리어 그만큼 나쁜 ***the ~ for drink [liquor]*** 술에 취하여 ***the ~ for wear*** 몹시 지쳐서; 입어서 낡아 ***~ and ~*** 점점[한층 더] 나쁜

— *ad.* [BADLY, ILL의 비교급; cf. WORST] **1 더욱 나쁘게,** 한층 더 나쁘게: She has been taken ~ recently. 요즘 그녀의 용태가 더욱 나빠졌다. **2 더욱 심하게:** I want it ~ than before. 전보다 더 그것을 갖고 싶다. ***be ~ off*** 살림 형편이 더욱 나쁘다[어렵다] ***could do ~ than*** …하는 것도 나쁘지 않다 ***none the ~*** 역시, 그럼에도 불구하고 ***think none the ~ of*** …을 그래도 중히 여기다[존경하다] ***~ than ever*** 한층 나쁘게[심하게]

— *n.* Ⓤ **한층 더 나쁨;** [the ~] 더욱 나쁜 편[쪽], 불리, 패배 ***do ~*** 더욱 나쁜[어리석은] 짓을 하다 《*to*》 ***for better (or) for ~*** ⇨ better[1] *n.* ***for the ~*** 나쁜 편으로, 한층 더 나쁘게: change *for the ~* 악화되다 ***go from bad to ~*** ⇨ bad[1] *n.* ***have the ~*** 패배하다 ***or [and] ~*** 더욱 나쁜 것 ***put*** a person ***to the ~*** …을 지게 하다, …에게 이기다

~·ness *n.* ▷ wórsen *v.*

wors·en [wə́:rsn] *vi.* 악화되다 — *vt.* 악화시키다

‡**wor·ship** [wə́:rʃip] *n.* **1** Ⓤ 예배, 참배 《*of*》; Ⓒ 예배식: attend ~ 예배에 참석하다 **2** Ⓤ 숭배, 존경; 존경의 대상: hero ~ 영웅 숭배 **3** Ⓤ 《고어》 명예, 존경, 위엄 **4** [소유격 인칭대명사와 함께 경칭으로서; 때로 **W~**] 《영》 각하: your *W~* 각하 《시장·고관을 호칭할 때의 경칭》 / his *W~* the Mayor of London 런던 시장 각하 《언급할 때》

a house [place] of ~ 예배당, 교회 ***a man of ~*** 《고어》 훌륭한 사람, 신분 있는 사람 ***public ~*** 교회 예배식 ***win ~*** 《고어》 명성을 얻다

— *v.* (**~ed**; **~·ing** | **~ped**; **~·ping**) *vt.* **1 예배하다,** 참배하다 **2 숭배하다,** 존경하다, 열애하다: ~ the ground she walks[treads] on 그녀를 흠모하다

> 유의어 **worship** 깊은 존경과 경애하는 마음을 품다: *worship* the sun 태양을 숭배하다 **revere[1]** 큰 존경·애정을 품다: The scholar is *revered* for his noble character. 그 학자는 고결한 인격으로 존경받고 있다. **adore** 충심으로의 경의와 애정을 품다: They *adored* their leader. 그들은 지도자를 경애했다.

— *vi.* 예배[참배]하다: Where does he ~? 그는 어느 교회에 다니는가? **~·a·ble** *a.* **~·ing·ly** *ad.* ▷ wórshipful *a.*

***wor·ship·er | -ship·per** [wə́:rʃipər] *n.* **예배자,** 참배자; **숭배자**

wor·ship·ful [wə́:rʃipfəl] *a.* Ⓐ **1** [보통 **W~**; 경칭으로서] 《영》 숭배하는, 존경할 만한, 고명하신 **2** 신앙심이 깊은, 경건한 ***the Most [Right] W~*** …각하 **~·ly** *ad.* **~·ness** *n.*

wor·ship·less [wə́:rʃiplis] *a.* 존경받지 못하고 있는

‡**worst** [wə́:rst] *a.* [BAD, EVIL, ILL의 최상급; cf. WORSE] **1 a** [보통 the ~] **가장 나쁜,** 최악의, 제일 못한: She was *the ~* singer of the three. 3명 중에서 그녀가 노래를 제일 못했다. **b** Ⓟ 〈병의 상태가〉 가장 나쁜: He was ~ yesterday. 그의 병은 어제가 가장 나빴다. **2** [the ~] 제일 심한, 가장 격심한: This is *the ~* fever I've ever had. 이번만큼 지독한 열이 났던 적이 없다. ***(in) the ~ way*** 《구어》 몹시, 대단히

— *ad.* [BADLY, ILL의 최상급; cf. WORSE] **가장 나쁘게;** 몹시, 대단히 ***~ of all*** 무엇보다도 나쁜 것은, 제일 곤란한 것은

— *n.* 가장 나쁜[심한] 것[물건, 사람], 최악 《*of*》 ***at*** one***'s ~*** 최악의 상태에 ***at (the) ~*** 아무리 나빠도 ***be prepared for the ~*** 최악[만일]의 경우에 대비하고 있다 ***come off (with the) ~*** = get[have] the WORST of. ***Do your ~!*** 무슨 짓이건 하려면 해 보아라! 《도전하는 말》 ***get [have] the ~ of ...*** 가장 호된 변을 당하다, 패배하다 ***give*** a person ***the ~ of it*** …을 이기다 ***have the ~*** 패배하다 ***if [when] (the) ~ comes to (the) ~*** 만일의 경우에는 ***make the ~ of*** 《구어》 …을 아주 떠벌려서[큰일인 것처럼] 말하다; …을 비관하다[최악의 것으로 생각하다] ***put*** a person ***to the ~*** 《폐어》 …을 지게 하다 ***speak the ~ of*** …을 깎아내리다 ***The ~ (of it) is that ...*** 제일 나쁜[곤란한] 일은…

— *vt.* 지게 하다, 이기다 ***be ~ed*** 패배하다

worst-case [wə́:rstkèis] *a.* 최악의 경우도 고려한 (opp. *best-case*)

wor·sted [wústid, wə́:rs- | wús-] [영국의 원산지

thesaurus **worship** *v.* revere, venerate, honor, adore, praise, glorify, exalt, cherish, admire, idolize (opp. *blaspheme, dispise*)

worth[1] *n.* **1** 가치 value, price, cost **2** 유용성 advantage, benefit, profit, help, assistance, merit

worthless *a.* rubbishy, trashy, valueless, useless, of no use, futile, ineffective, pointless

명에서] *n.* Ⓤ 소모사(梳毛絲); ⓊⒸ 소모 직물, 우스티드 — *a.* Ⓐ 소모사제의; 소모 직물제의; 소모 가공[판매](업)의

wort[1] [wə́:rt, wɔ́:rt | wə́:t] *n.* Ⓤ 맥아즙《맥주 원료》

wort[2] *n.* 초목, 풀(plant, herb) ★ 지금은 복합어로만 쓰임: cole*wort*, liver*wort*

‡**worth**[1] [wə́:rθ] *a.* [전치사처럼 쓰여] **1** …의 가치가 있는: be ~ little 거의 가치가 없다 / This used car is ~ £900. 이 중고차는 900파운드의 가치가 있다. **2 a** [동명사와 함께] 〈…할〉 가치가 있는, 〈…할〉 만한: This book is ~ read*ing*. 이 책은 읽을 만한 가치가 있다. / Whatever is ~ do*ing* at all is ~ doing well. 《속담》 적어도 할 만한 일은[하기에 족한 일이라면] 훌륭히 할 만한 가치가 있다. **b** [명사와 함께] 〈…의〉 가치가 있는: Is it ~ all the trouble? 그것이 그렇게도 애쓸 가치가 있는가? **3** 재산이 …인, …만큼의 재산을 소유하고: He is ~ a million. 그는 백만장자다.

as much as ... is ~ …의 가치에 필적할 만큼 ***for all*** one ***is ~*** 《구어》 전력을 다하여, 열심으로, 최대한으로 ***for what it is***[***it's***] ***~*** (진위(眞僞)는 알 수 없으나) 다만 그대로: I pass it on to you *for what it is* ~. 사실 여부는 모르나 일단 네게 전한다. ***get*** one***'s money's ~*** ⇨ money. ***not ~ a plugged nickel***[***a bucket of warm spit***] 전혀[거의] 가치가 없는, 전혀 도움이 안 되는 ***~ it*** 《구어》 = WORTHWHILE. ***~*** one***'s weight in gold*** ⇨ gold. ***~ the trouble*** ⇨ *a.* 2 b. ***~*** (one***'s***[a person***'s***]) ***while*** (…할) 가치가 있는, …할 보람이 있는 《*to* do, do*ing*》

— *n.* Ⓤ **1** 가치, 진가(⇨ value 유의어) **2** (얼마) 어치 《*of*》: a dollar's ~ *of* this tea 이 차 1달러어치 **3** (사람·사회에 있어서의) 유용성, 중요성 **4** 재산, 부(富) ***of*** (***great***) ***~*** (대단히) 가치 있는 ***of little***[***no***] ***~*** 가치가 적은[없는] ***put***[***get***] ***in*** one***'s two cents ~*** 《미·구어》 주장하다, 의견을 말하다 《토론에서》, 열렬히 연설하다(speak up)

▷ wórthy *a.*

worth[2] *vi.* 《고어》 (신변에) 일어나다, 닥쳐오다

Woe ~ the day! 오늘은 참으로 일진이 사납구나!

worth·ful [wə́:rθfəl] *a.* 가치 있는, 훌륭한

‡**worth·less** [wə́:rθlis] *a.* **1** 가치 없는, 보잘것없는, 소용없는, 무익한(useless): ~ knowledge 쓸모없는 지식 **2** 〈사람이〉 아무짝에도 못 쓸

~·ly *ad.* **~·ness** *n.*

*__worth·while__ [wə́:rθ*h*wáil] *a.* 할 보람이 있는, 시간과 노력을 들일 만한; 상당한, 훌륭한 〈선물 등〉(cf. WORTH (one's[a person's]) while) **~·ness** *n.*

‡**wor·thy** [wə́:rði] *a.* (**-thi·er**; **-thi·est**) **1** 가치 있는; 존경할 만한, 훌륭한, 덕망이 있는: a ~ gentleman 훌륭한 신사; 《비꼼》 높은 양반 / a ~ successor 훌륭한 후계자 **2** …하기에 족한; …에 알맞은, 상응하는 《*of*, *to* do》: in words ~ (*of*) the occasion 그 경우에 알맞은 말로 / a poet ~ *of* the name 시인다운 시인 // (~+***to*** do) ~ *to* be considered 고려할 가치가 있는 / She is a woman who is ~ *to* take the lead. 지도자가 되기에 손색이 없는 여자이다. // (~+전+***-ing***) The event is ~ *of* be*ing* remembered. 그 사건은 기억해 둘 만하다. ***be ~ of note*** 주목할 만하다 ***I'm***[***We're***] ***not ~.*** 《구어·익살》 (자리를 같이하게 되니) 불초 소생[들]은 영광입니다.

— *n.* (*pl.* **-thies**) **1** 명사, 훌륭한 인물 **2** 《익살》 사람, 양반(person): local *worthies* 지방 유지

wór·thi·ly *ad.* **wór·thi·ness** *n.*

---

worthwhile *a.* useful, beneficial, advantageous
worthy *a.* virtuous, good, moral, upright, honest, decent, honorable, respectable, reliable
wound[1] *n.* **1** 상처 cut, graze, scratch, gash, laceration, tear, puncture, slash, injury, sore **2** 손상 blow, insult, offense, harm, damage **3** 고통 hurt, pain, pang, ache, distress, trauma, torment

---

-worthy [wə̀:rði] 《연결형》 「…에 알맞은; …할 가치가 있는」의 뜻: sea*worthy*, trust*worthy*

wot [wɑ́t | wɔ́t] *v.* 《고어》 WIT[2]의 제1인칭·제3인칭 단수 현재형

wotch·a [wɑ́tʃə | wɔ́tʃə] *int.* 《영·구어》 hello의 친근한 말

wotch·er [wɑ́tʃər | wɔ́tʃ-] *int.* 《영·속어》 안녕하십니까(What cheer!)

‡**would** ⇨ would (p. 2910)

*__would-be__ [wúdbì:] *a.* Ⓐ **1** …이 되려고 하는, 지망의; 자칭의, …인 체하는, 장래의: a ~ author 작가 지망생 / a ~ poet 자칭 시인 **2** (…할) 작정인, 의도였던: a ~ suicide 자살 미수자

— *n.* 지망자, 자칭…

would·est [wúdist] *auxil. v.* 《고어》 = WOULDST

‡**would·n't** [wúdnt] would not의 단축형

wouldst [wúdst, wútst] *auxil. v.* 《고어》 WILL[1]의 2인칭 단수 WILT[2]의 과거

‡**wound**[1] [wú:nd] *n.* **1** (큰) 상처, 부상(⇨ injury 유의어): inflict a ~ upon a person …에게 상처를 입히다 **2** (명예·신용·감정 등의) 손상, 상해, 손해, 고통; 모욕 《*to*》: a ~ *to* one's pride 자존심을 상하게 하는 것 **3** 《시어》 사랑의 상처 ***a mortal***[***fatal***] ***~*** 치명상 ***lick*** one***'s ~s*** ⇨ lick

— *vt.* **1** 부상하게 하다(⇨ injure 유의어): (~+목+전+명) He was ~*ed in* the war. 그는 전쟁에서 부상당했다. **2** 〈감정 등을〉 해치다; 감정을 상하게 하다: His self-respect was ~*ed*. 그의 자존심은 상했다.

— *vi.* 상처내다 ***willing to ~*** 악의가 있는

~·less *a.*

‡**wound**[2] [wáund] *v.* WIND[2, 3]의 과거·과거분사

‡**wound·ed** [wú:ndid] *a.* 부상한, 다친; 〈명예 등이〉 상처를 입은, 훼손된; [the ~; 집합적] 부상자들: a ~ soldier 부상병 / seriously ~ 중상을 입은 / ~ pride 상처받은 자존심

Wóund·ed Knée [wú:ndid-] 운디드 니 《미국 South Dakota주 남서부의 마을 이름; 1890년, 백인들에 의한 인디언 대학살이 일어난 곳》

wound·ing [wú:ndiŋ] *a.* 마음 아프게 하는, 고통을 주는

wound-up [wáundʌ́p] *a.* 흥분한; 긴장한

‡**wove** [wóuv] *v.* WEAVE의 과거·과거분사

‡**wo·ven** [wóuvən] *v.* WEAVE의 과거분사

wóve pàper 그물 무늬를 넣은 고급 종이(cf. CREAM WOVE)

wow[1] [wáu] [의성어] *n.* 《속어》 대성공; 성황(hit) 《극·영화 등의》

— *vt.* 《속어》 〈청중[관중]을〉 열광시키다

— *int.* 야, 와 《경탄·기쁨·고통 등을 나타냄》

wow[2] [의성어] *n.* 〖통신〗 (녹음기 등의 고르지 못한 회전에 의한) 재생음의 흐트러짐

wów fàctor 《구어》 (사람의 마음을 이끄는) 감성적 매력, 감탄 요인

wow·ser [wáuzər] *n.* 《호주·경멸》 청교도적 광신자, 지나치게 엄격한 사람

WP [dʌ́blju:pí:] [*w*ithdrawn *p*assing] *n.* 《미》 (성적 평가의) WP 《합격 점수를 따면서 학과 이수를 중지한 학생에게 교사가 매기는 평점》

WP word processing; word processor **W.P., WP, w.p.** weather permitting; wettable powder; white phosphorus; without prejudice **WPA, W.P.A.** Works Projects Administration 《미》 공공 사업 촉진국(1939-41) 《1935~39까지는 Works Progress Administration》

W pàrticle 〖물리〗 W입자 《기호 W^+, W^-》

WPB, W.P.B. War Production Board 전시 생산국; wastepaper basket 휴지통에 넣으시오 **wpc, w.p.c.** watts per candle **W.P.C.** 《영》 woman police constable **WPI** wholesale price index 도매 물가 지수 **WPM, wpm, w.p.m.** words per minute 1분간 타자 속도 **wpn** weapon **WPPSI**

would

would는 will의 과거형이므로 직설법에서 시제의 일치에 따라 종속절에서, 또 간접화법에서 쓰임은 물론이다. 그러나 would는 가정법에서의 용법이 더욱 넓고 복잡하다. 또한 과거의 습관이나 동작의 반복을 나타내는 용법도 있다.

1 직접화법에서의 단순미래 shall을 간접화법으로 옮길 때 그 주어의 인칭과는 관계없이 would를 쓰는 것이 보통이다.(⇨ A 1)

2 [과거의 습관·동작의 반복] used to는 과거의 꽤 긴 기간에 걸친 상습적 상태를 나타내고, would는 과거의 비교적 짧은 기간 또는 불규칙적 반복 동작을 나타낸다.(⇨ A 3)

3 의뢰를 나타내는 Would you ...? 는 Will you ...? 보다 정중한 표현인데, Would you mind [like, prefer] ...? 의 경우에는 거기에 대응하는 Will you mind[like, prefer] ...? 라는 표현은 없다.

⁑would [wəd, əd, d; wúd] *auxil. v., vt.*

① [종속절에서]…일 것이다	**A 1**
② (기어이) …하려고 하였다	**A 2 a**
③ …(할[했을]) 것이다	**B 1 a, b, c, d**
④ (아마) …일 것이다, …하고 싶다	**B 2 a, b**
⑤ 만약 …할 마음만 있다면	**B 1 e**

— *auxil. v.* 《단축형 **'d**; 부정형 **would not**; 부정 단축형 **wouldn't**》 **A** (will[1]의 직설법 과거) **1** [시제의 일치에 따라 종속절 안에 또는 간접화법에 써서] **a** [단순미래] …**일 것이다**: I knew that he ~ be in time. 나는 그가 제 시간에 댈 것이라는 것을 알고 있었다. / She asked her brother when he ~ be back. 그녀는 오빠에게 언제 돌아올 것인가를 물었다. / He said he ~ be here by seven. 그는 7시까지에는 여기에 올 것이라고 말했다. 《USAGE 직접화법에서의 단순미래인 I[we] shall이 간접화법에서 2·3인칭을 주어로 하여 표현되는 경우, 종종 should 대신에 would를 씀; He said, "I shall be here by seven."》/ I thought he ~ have finished his work by then. 그때까지에는 그는 이미 일을 마쳤겠지 하고 생각했다. ★「would have+과거분사」는 과거의 시점까지 완료했으리라고 생각한 동작이나 사건을 나타냄. **b** [의지미래] …**하겠다**: I decided I ~ leave tomorrow. 나는 내일 떠나기로 마음먹었다. / I said I ~ try it. 해 보겠다 라고 나는 말했다. ★ 직접화법으로는 I said, "I will try it."

2 a [과거의 의지·주장·거절] (기필코) …**하려고 하였다**: We asked her to help us, but she ~ not. 우리는 그녀에게 도와줄 것을 청했으나 그녀는 아무리 해도 듣지 않았다. / I tried to dissuade him from his plan, but he *wouldn't* hear my advice. 나는 그의 계획을 단념시키려 했으나 그는 내 충고를 들으려 하지 않았다. / The door ~ not open. 문이 도무지 열리지 않았다. **b** [말하는 사람의 초조감을 나타내어] 〈사람이〉 상습적으로 …하다; 〈공교로운 사태 등이〉 늘 …하다 《종종 과거의 때와는 관계없이 씀》: He ~ park his car in front of my house. 그는 늘 내 집 앞에다 주차한단 말이야.

3 [과거의 습관·동작 등의 반복에 관한 회상] …**하곤 했다**, 흔히 …하였다(cf. WILL[1] 6 a, USED[1]; ⇨ used[1] USAGE (3)): After lunch he ~ take a nap. 점심 식사 후에 그는 흔히 낮잠을 잤다.

4 [말하는 사람의 과거에 관한 추측] …**이었을[하였을] 것이다**(cf. WILL[1] 4): I suppose it ~ be the first time I saw her. 그것이 내가 그녀를 만난 처음이었을 것이다.

5 〈물건이〉 …할 능력이 있었다, …할 수가 있었다 (could)(cf. WILL[1] 7): The barrel ~ hold ten gallons. 그 통은 10갤런이 족히 들어갔었다.

— B (가정법에서) **1 a** [「~+동사의 원형」으로, 현재나 미래의 사항에 대한 무의지의 가정을 나타내어] …(할) **것이다**: If he saw this, he ~ be angry. 만약에 그가 이것을 본다면 화를 낼 것이다. **b** [「~+동사의 원형」으로, 현재나 미래의 사항에 관한 귀결절에서 의지의 가정을 나타내어] …**할 생각인데**: If I were rich enough, I ~ buy it. 돈이 넉넉하면 그것을 살 텐데. / I *wouldn't* if I were you. 내가 너라면 그렇게 하지는 않을 텐데. ★ wouldn't의 뒤에 do so 등이 생략된 것. **c** [「~+have+과거분사」로 과거의 사항에 관하여 귀결절에서 무의지의 가정을 나타내어] …**했을 것이다**: I *wouldn't have gone* to the football game if I had known it was going to be so boring. 만일 그 축구 경기가 그토록 지루하게 될 줄 알았더라면 나는 가지 않았을 것이다. **d** [「~+have+과거분사」로 과거의 사항에 관하여 귀결절에서 의지의 가정을 나타내어] …했을 텐데, …할 생각이었는데: If I had been there, I ~ *have told* him the truth. 만일 내가 거기 있었더라면 그에게 사실을 알렸을 텐데. **e** [주어의 의지를 나타내는 조건절에서] (만약) …할 마음만 있다면: I could do so if I ~. 하고 싶으면 그렇게 할 수 있는데 (하고 싶지가 않다). 《... if I wanted to.보다 좀 품위 있는 표현》/ I should be most obliged if you ~ grant my request. 부탁을 들어주시면 참으로 감사하겠습니다. ★ 정중한 의뢰를 나타내는 문장에 씀; 《미》에서는 I would be (very) grateful if ...의 표현을 많이 쓰며 should를 쓰는 것보다 구어적임.

2 a [조건절의 내용을 언외(言外)에 함축시켜 표현을 완곡하게 하여] …**일 것이다**, …일 것입니다: It ~ be about a mile from here to town. 여기서 읍까지는 1마일쯤 될 겁니다. 《from here to town에 조건절의 뜻이 포함되어 있음》/ Anyone ~ have thought that. 다들 그렇게 생각했을 겁니다. 《주어 anyone에 조건절의 뜻이 포함되어 있음》/ How much ~ you take for this? 이것은 얼마나 합니까? 《if I bought it from you가 생략되어 있음》 **b** [1인칭의 주어와 함께, 말하는 사람의 의견·감정을 완곡하게 표현하여] …**하고 싶다**, …하게 해 주었으면 싶다: *I'd* prefer to go tomorrow morning. 내일 아침에 가고 싶은데요. / *I* ~ like (for) you to check it. 당신이 확인해 주었으면 합니다. 《for를 쓰는 것은 《미》》(cf. I SHOULD like to) **c** [Would you ...?로 정중한 의뢰나 권유를 나타내어] …**하여 주시겠습니까**: *W~ you* please wait a moment? 잠깐 기다려 주시겠습니까? ★ please를 함께 쓰면 더욱 정중한 표현 / *W~ you* mind showing me the way to the station? 역으로 가는 길을 가리켜 주시겠습니까? / *W~ you* like another cup of coffee? 커피 한 잔 더 드시겠습니까? **d** [강한 희망·선택] 《문어》 …**하고자 하다**: The membership is composed of those who ~ prevent unfair elections. 회원은 부정 선거를 방지하고자 하는 사람들로 구성되어 있다.

3 [I [We] wish에 이어지는 명사절에서] …이기를, …하기를: *I wish* you ~ send me a copy of the document. 문서의 사본을 한 통 보내 주시기를 바랍니다.

I ~ fain do ... 《시어·고어》 기꺼이 …하고 싶다(=I would like to do ...)

~ like (1) 〈…을〉 원하다, 갖고 싶다: I'*d like* a

regular pizza, please. 보통 크기의 피자를 주세요. / I'd *like* a guide to London. 런던의 안내서를 보고 싶습니다만. (2) [Would you like ...?로] ⇨ B 2 c
~ **best** do ⇨ had BEST
~ **better** do 《미》 ⇨ had BETTER[1]
wouldn't you know 생각했던 대로, 역시
~ **rather** ⇨ rather

— *vt.* 《문어》 …이기를 바라다(wish) 《보통 주어를 생략하고 가정법 과거형을 포함하는 that절이 뒤에 와서》: (~+*that* 절) *W*~ *that* I *were* young again! 다시 한번 젊어졌으면! / *W*~ it *were* so. 그랬으면 좋으련만. ★ that이 생략되어 있음 / Ah, ~ *that* it *had been* true! 아, 그것이 사실이었더라면 좋았을 텐데!

[wípsi] Wechsler Preschool and Primary Scale of Intelligence ⇨ Wechsler Scales. **W.R.** warehouse receipt; Wassermann reaction; West Riding 《영국 Yorkshire 주의 일부》; with rights **WRA** War Relocation Authority
WRAC, W.R.A.C. [rǽk] 《영》 Women's Royal Army Corps
wrack[1] [rǽk] *n.* **1** Ⓤ 물가에 밀려온 해초 **2** 난파선, 표착물; 잔해 **3** Ⓤ 파멸, 멸망 ***go to*** ~ (***and ruin***) 파멸하다
wrack[2] *n.* 고문대(rack) — *vt.* 고문하다
wrack·ful [rǽkfəl] *a.* = RUINOUS
WRAF, W.R.A.F. [rǽf | rǽf, rɑ́:f] 《영》 Women's Royal Air Force
wraith [réiθ] *n.* **1** 생령(生靈) 《사람의 임종 직전[전후]에 나타난다고 하는》(cf. DOPPELGÄNGER) **2** 망령, 유령(ghost) **3** 앙상하게 마른 사람 **~·like** *a.*
***wran·gle** [rǽŋgl] *vi.* **말다툼하다,** 언쟁하다; 논쟁하다: (~+전+명) ~ *with* a person *about*[*over*] a matter 어떤 일로 …와 언쟁하다
— *vt.* **1** 〈사람을〉 말하여 설득하다 《*into, out of*》 **2** 《미남부》 〈가축을〉 돌보다, 지키다
— *n.* 논쟁(dispute), 언쟁, 말다툼
wran·gler [rǽŋglər] *n.* **1** 《미남부》 (목장에서) 승용마를 돌보는 사람; 카우보이 **2** 언쟁하는 사람, 논쟁자 **3** 《영》 (Cambridge 대학의) 수학의 학위 시험의 1급 합격자: the senior ~ 수석 1급 합격자
‡**wrap** [rǽp] *v.* (**~ped, wrapt**[rǽpt]; **~·ping**) *vt.* **1 a** (감)싸다, 입다 《*up, in, with*》: (~+목+부) (~+목+전+명) He ~*ped* himself (*up*) *in* his cloak. 그는 망토로 몸을 감쌌다. / She ~*ped* the baby *in* her shawl. 그녀는 아기를 숄로 감쌌다. / *W*~ it *up in* paper. 그것을 종이에 싸시오. **b** (둘레에) 두르다, 감다; 〈손톱을〉 실크[리넨]천으로 싸다 《*around, round, about*》: (~+목+전+명) ~ a rubber band *round* a parcel 꾸러미에 고무 밴드를 감다 **2** 감추다, 덮어싸다 《*up, in, with*》; [종종 수동형으로] 보호하다 《*in*》: (~+목+전+명) The building *was* ~*ped in* flames. 건물은 화염에 휩싸였다. / The affair *is* ~*ped in* mystery. 그 사건은 신비에 싸여 있다. **3** [보통 수동형으로] 몰두[열중]하다 《*in*》: *be* ~*ped in* thought 사색에 잠기다 **4** 〈일·회의 등을〉 끝내다, 마치다; 〈숙제 등을〉 다 쓰다 《*up*》; 〈뉴스 등을〉 요약하다 《*up*》 **5** 〈냅킨 등을〉 접다 **6** 《호주·구어》 …을 칭찬하다
— *vi.* **1** 둘러입다, 몸을 감싸다 《*up, in*》: (~+부) *W*~ *up* well when you go out. 외출할 때는 옷을 따뜻하게 입도록 해라. **2** 감기다: (~+전+명) A vine ~*s round* the pillar. 덩굴이 기둥을 감고 있다.
be ~ped up in …의 속에 싸이다; …에 열중하다; …에 관계가 있다 ~ ***over*** 겹쳐지다, 겹치다 ~ ***up*** 싸다; 〈외투·숄 등을〉 걸쳐 입다, 걸치다; (진의를) …에 숨기고 표현하다 《*in*》; 《구어》 〈계약을〉 매듭짓다; 〈숙제 등을〉 다 쓰다; 〈기사 등을〉 요약하다
— *n.* **1 싸개,** 외피(外皮); **덮개 2** [보통 *pl.*] 숄; 목도리; 무릎 싸개; 외투 **3** [*pl.*] 구속, 억제; 기밀 (유지책); 검열 **4** 《호주·구어》 칭찬, 칭송 **5** 포장지(wrapper) **6** 손톱을 감싸는 실크[리넨]천 《손톱 강화·치료용》 **7** (샌드위치용의) 얇고 납작한 빵
keep ... under ~s …을 비밀로 해두다 ***take the ~s off*** (드러내) 보이다, 밝히다, 폭로하다
— *a.* 휘감듯이 입는
wráp accóunt 〖경제〗 재산 종합 관리 계좌
wrap·a·round [rǽpəràund] *a.* **1** 몸[허리]에 두르는 **2** 광각(廣角)의: a ~ windshield (자동차의) 광각 앞유리 **3** (끝쪽이) 굽은, 겹친
— *n.* **1** [종종 **wrap-around**로] 몸[허리]에 두르는 식의 드레스[스커트 《등》]; 물체를 감아서 덮씌우는 것 **2** = OUTSERT; [*pl.*] 한쪽 귀 부분에서 다른 쪽 귀 부분까지 휜 신형 선글라스
wráparound mòrtgage 포괄 저당권
wráp còat 랩코트 《단추 없이 몸을 감싸듯 입고 벨트를 매는 코트》
wrap·o·ver [-òuvər] *a., n.* 몸을 감싸듯이 입는 (옷)(wraparound)
wrap·page [rǽpidʒ] *n.* Ⓤ 포장(지); 포장 재료
wrapped [rǽpt] *a.* 《호주·구어》 매우 기뻐하는 (rapt); 열중하는 《*in*》; 《미·구어》 억누르는
***wrap·per** [rǽpər] *n.* **1 싸는 사람,** 감싸는 사람 **2** 싸는 것; 싸개, 보자기, 포장지; (잡지·신문을 우송할 때의) 띠지; 《영》 책 커버(jacket) **3** (여자용) 실내복, 화장옷 **4** (여송연의) 겉잎
wrap·ping [rǽpiŋ] *n.* **1** 쌈, 포장함; [종종 *pl.*] 싸개, 포장 재료 **2** = WRAPPER 3
wrápping pàper 포장지
wrapt[1] [rǽpt] *v.* WRAP의 과거·과거분사
wrapt[2] *a.* = RAPT
wrap-up [rǽpʌ̀p] *n.* **1** 간추린 뉴스; 요약 **2** 결말, 최종 결과, 결론 **3** 《미·속어》 (값을 흥정하지 않고) 선뜻 사는[파는] 사람
— *a.* 《구어》 최종적인; 결론[총괄]의
wrasse [rǽs] *n.* 〖어류〗 양놀래깃과(科)의 바닷물고기
***wrath** [rǽθ, rɑ́:θ | rɔ́θ, rɔ́:θ] *n.* Ⓤ 《문어》 **격노** (rage), 분노; 복수, 천벌
children [***vessels***] ***of*** ~ 〖성서〗 진노의 자녀[그릇] 《천벌을 받을 사람들; 로마서 9: 22》 ***slow to*** ~ 좀처럼 화내지 않는 ***the grapes of*** ~ 〖성서〗 분노의 포도 《하느님의 노여움의 상징; 요한 계시록 14: 10》
— *a.* 《고어》 = WROTH **~·less** *a.*
▷ wráthful, wráthy *a.*
wrath·ful [rǽθfəl, rɑ́:θ- | rɔ́θ-, rɔ́:θ-] *a.* 《문어》 몹시 노한, 노기등등한 **~·ly** *ad.* **~·ness** *n.*
wrath·y [rǽθi, rɑ́:θi | rɔ́θi, rɔ́:θi] *a.* (**wrath·i·er**; **-i·est**) 《미·구어》 격노한 **wráth·i·ly** *ad.*
wreak [rí:k] *vt.* **1** 〈해·벌 등을〉 가하다, 주다, 〈원수를〉 갚다 《*on, upon*》: (~+목+전+명) ~ vengeance *on* one's enemy 적에게 복수하다 **2** 〈분노를〉 터뜨리다 《*on, upon*》: (~+목+전+명) He ~*ed* his anger *on* his brother. 그는 동생에게 화풀이를 했다. **3** 《고어》 복수하다(avenge) **4** 〈정력 등을〉 …에 쓰다
~·er *n.* **~·ful** *a.*
‡**wreath** [rí:θ] [OE 「비틀다」의 뜻에서] *n.* (*pl.* **~s** [rí:ðz, rí:θs]) **1 화관(花冠), 화환;** 화환 모양의 조각: a laurel ~ 월계관 **2** (연기·구름 등의) 소용돌이, 고리 《*of*》 **3** 《시어》 (춤추는 사람들·구경꾼 등이 이루는) 원(형), 한 무리 《*of*》
— *vt., vi.* = WREATHE **~·less** *a.* **~·like** *a.*
***wreathe** [rí:ð] *v.* (**~d**; **~d,** 《고어》 **wreath·en** [rí:ðən]; **wreath·ing**) *vt.* **1** 〈꽃·가지 등을〉 고리로

thesaurus **wrangle** *v.* argue, quarrel, fight, clash, row, bicker, squabble, brawl

만들다, 화환으로 만들다; ⟨화환을⟩ 만들다 《*in, with*》: (~+목+전+명) ~ flowers *into* a garland 꽃을 엮어 화환으로 만들다 **2** 화환[화관]으로 장식하다 《*in, with*》: (~+목+전+명) The poet's head was *~d with* laurel. 시인의 머리는 월계관으로 장식되었다. **3 a** 감다, (둘러)싸다 《*in, into, to*》: a face *~d in* smiles 환하게 미소 짓는 얼굴 **b** ⟨꽃 등이⟩ 휘감다; ⟨뱀 등이⟩ 감다 《*around, round, about*》: (~+목+전+명) ~ one's legs *about* a stool 다리를 걸상에 감듯이 걸치다 **~ one*self*** ⟨뱀·덩굴 등이⟩ 휘감다 《*around, round*》

— *vi.* **1** ⟨수목이⟩ 서로 얽히다 **2** ⟨연기 등이⟩ 동그랗게 감돌다, 소용돌이치며 올라가다: (~+부) The smoke was *wreathing upward.* 연기가 소용돌이치며 올라가고 있었다. **wréath·er** *n.*

wreath·y [ríːθi, -ði] *a.* 화환 모양의, 고리 모양의

‡**wreck** [rék] *n.* **1** UC **a** 난파, 파선, 조난(shipwreck); (열차·자동차 등의) 충돌, 파괴: save a ship from (a) ~ 조난당한 배를 구조하다 / His car was in a ~. 그의 차는 충돌 사고를 당했다. **b** 파멸, 좌절: the ~ of one's life 인생의 파멸 **2** 난파선; (표류한) 난파선의 잔해 **3** (파괴된 건물·비행기·열차·자동차 등의) 잔해; 노후화된 자동차: My car was a worthless ~. 내 차는 무참한 꼴이 되어 있었다. **4** 몰락한 사람; 몸이 망가진 사람

a* (*mere*) *~ of* one*'s former self 옛 모습을 찾아볼 수 없는 가련한 꼴, 패망한 몸 ***go to ~* (*and ruin*)** (드물게) 파멸하다 ***make a ~ of*** a person***'s life*** …의 일생을 망치다

— *vt.* **1** [종종 수동형으로] ⟨배를⟩ 난파시키다; ⟨선원을⟩ 조난시키다: The ship *was ~ed.* 그 배는 난파했다. / a *~ed* ship 난파선 / *~ed* sailors 조난당한 선원들 **2** ⟨건물·차 등을⟩ 엉망으로 파괴하다(⇨ destroy 유의어): The car was *~ed* by the mob. 차는 폭도에 의해서 엉망으로 파괴되었다. **3** ⟨재산 등을⟩ 날리다; ⟨계획 등을⟩ 좌절시키다; ⟨몸을⟩ 결딴내다, 망치다

— *vi.* **1** 난파하다; 파멸하다 **2** 난파선을 구조하러 가다; (사고를 당한 차 등의) 잔해를 제거하다

▷ wréckage *n.*

***wreck·age** [rékidʒ] *n.* U **1** [집합적] 난파 잔해물, 표착물; 잔해, 파편 **2** 난파, 난선 **3** 파괴, 파멸; (회사의) 파산 (상태)

wrecked [rékt] *a.* 난파된, 조난된; (미·속어) 몹시 취한, 마약으로 몽롱해져 있는(stoned)

wreck·er [rékər] *n.* **1** 파괴자; 난선 약탈자, 난파시키는 사람 **2** (미) (건물의) 해체업자((영) housebreaker); 제도 파괴자 **3** (미) 난선 구조자[선], 구조(작업)선; 구조차, 구조 열차; 구난 자동차, (사고차 등을 끌고 가는) 레커차(tow car[truck], (영) breakdown lorry[van])

wrécker's bàll 건물 해체용 철구(skull cracker)

wreck·ful [rékfəl] *a.* (고어·시어) 파괴적인(destructive)

wreck·ing [rékiŋ] *n.* UC **1** 난파, 난선 **2** 구난[난선 구조] 작업 **3** 파멸, 파괴; (미) 건물 해체(업)

— *a.* A 구난[건물 해체] 작업에 종사하는

wrécking amèndment (영) 〖정치〗 (법안의) 골자를 빼 버린 수정안

wrécking bàll = WRECKER'S BALL

wrécking càr (미) 〖철도〗 구난(열)차

wrécking còmpany 수재 구호대; 〖철도〗 구난대; 파괴 소방대

wrécking cràne 〖철도〗 (탈선 차량 등을 들어올리는) 구원 기중기

wrécking crèw (미) 〖철도〗 구조대; 파괴 소방대((영) breakdown gang)

wréck màster 난파선 화물 관리인

wréck tràin (미) 〖철도〗 구조 열차

***wren** [rén] *n.* 〖조류〗 굴뚝새

Wren [rén] *n.* [때로 **w-**] (영·구어) 해군 여자 부대원(cf. W.R.N.S.)

***wrench** [réntʃ] *n.* **1** 비틀기, 꼬기(twist) **2** (관절의) 삠, 근육의 뒤틀림 **3** (이별 등의) 비통(함), 고통 **4** (미) 렌치((영) spanner) 《너트를 죄는 기구》; (영) 멍키 스패너(monkey wrench) **5** (말이나 이치를) 억지로 끌어냄; 왜곡, 곡해 ***throw a* (*monkey*) *~ in*[*into*]** (구어) 훼방 놓다

wrenches *n.* **4**

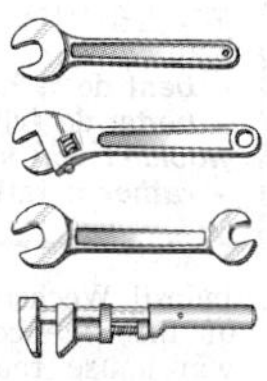

— *vt.* **1** (세게) 비틀다, 비틀어 돌리다 《*around, round*》; 비틀어 떼다, 잡아떼다 《*off, away, out of, from*》: He *~ed* the boy's wrist. 그는 소년의 손목을 비틀었다. // (~+목+전+명) ~ a fruit *off* a branch 가지에서 과일을 비틀어 따다 / ~ the gun *from* a person[*out of* a person's hand] …의 손에서 총을 억지로 빼앗다 // (~+목+보) Somebody has *~ed* the window open. 누군가가 창문을 비틀어 열었다. **2** ⟨관절을⟩ 삐다 **3** ⟨사실을⟩ 왜곡하다; ⟨의미를⟩ 억지로 맞추다

— *vi.* (세게, 갑자기) 비틀리다, 뒤틀리다; 비틀다 《*at*》

wrench·ing [réntʃiŋ] *a.* 비통한, 고통스러운 **~·ly** *ad.*

***wrest** [rést] *vt.* **1** 비틀다 《*away*》; 비틀어 떼다, 잡아떼다 《*out of, from*》: (~+목+전+명) The policeman *~ed* the gun *from* the gunman. 경관은 총잡이의 손을 비틀어 총을 빼앗았다. **2** ⟨법·사실 등을⟩ 왜곡하다 《*out of, from*》; ⟨의미를⟩ 억지로 맞추다 **3** ⟨정보·생계·동의 등을⟩ 캐[짜]내다(wring), 억지로 얻어내다(extract), 노력하여 얻다 《*out of, from*》: (~+목+전+명) ~ consent *from* a person 억지로[간신히] …의 동의를 얻어내다 / ~ a living *from* the barren ground 불모의 땅에서 살아 나가다

— *n.* **1** 비틀기; 왜곡; 부정 행위 **2** (고어) (악기의) 조율건(調律鍵) 《현의 고정 못을 조절하는 도구》

***wres·tle** [résl] *vi.* **1** 맞붙어 싸우다, 격투하다; 레슬링을하다, 씨름하다 《*together, with*》: (~+전+명) He began to ~ *with* his opponent. 그는 상대방과 맞붙어 싸우기 시작했다. **2** (악·어려움·유혹 등과) 싸우다, (악전)고투하다 《*with, against*》; 전력을 다하다; (문제 등과) 씨름하다 《*with*》: (~+전+명) We must ~ *with* the problem[difficulty]. 우리는 그 문제[난국]와 씨름해야 한다. / ~ *against* adversity 역경과 싸우다

— *vt.* **1** …와 레슬링[씨름]을 하다; 격투하다, 싸우다: ~ a person for a prize 상금을 걸고 …와 레슬링을 하다 **2** (레슬링 등에서) 넘어뜨리다: (~+목+부) He *~ed* me *down.* 그는 나를 잡아 넘어뜨렸다. **3** 무지막지하게 마구 밀어대다

~ in prayer* = *~ with God 정성껏 (하느님께) 기도하다 ***~ out*** 애써 행하다, 분투하여 완수하다

— *n.* **1** 씨름, 맞붙어 싸움; 레슬링의 한 시합 **2** 분투, 고투 ▷ wréstler *n.*

***wres·tler** [réslər] *n.* 레슬링 선수; 씨름꾼, 장사, 격투하는 사람

‡**wres·tling** [résliŋ] *n.* U 레슬링; 씨름; 격투

wrést pìn 〖음악〗 (피아노 등의) 조율 핀

wretch** [rétʃ] [OE 「쫓긴 사람」의 뜻에서] *n.* **1** 가련한 사람, 비참한 사람 **2** 철면피; 비열한 사람(scoundrel) **3** (익살) (귀여운) 놈, 녀석 ***a ~ of a child 불쌍한[가련한] (아이) ***You ~!*** 이 몹쓸 놈!

‡**wretch·ed** [rétʃid] *a.* (**~·er**; **~·est**) **1 a** 비참한, 불쌍한(miserable); 불행한: lead a ~ existence 불행한 생활을 하다 **b** 아주 초라한[형편없는]: a ~ house[inn] 아주 초라한 집[여관] **2** A 서툰, 질이 나쁜, 열등한: a ~ poet 서툰 시인 **3** A 야비한, 비열

thesaurus **wreckage** *n.* **1** 잔해, 파편 wreck, debris, ruins, remains, remnants, fragments **2** 파괴 destruction, ruination, demolition, smashing

한, 치사한, 가증스런: a ~ traitor 가증스러운 배신자 **4** Ⓐ 아주 불쾌한, 질색인: What ~ weather! 정말 지독한 날씨로군! **~·ly** *ad.* **~·ness** *n.*

W.R.I. 〖보험〗 War Risk Insurance; Women's Rural Institute

wrick [rík] 《영》 *vt.* 〈목 등을〉 결리게[삐게] 하다 —*n.* (약간) 삠, 결림, 염좌(捻挫)

*__wrig·gle__ [rígl] *vi.* **1** 〈지렁이 등이〉 **꿈틀거리다**; (지렁이같이) 꿈틀거리며 돌아다니다, 몸부림치다 《*about*》; 꾸무럭거리다: Don't ~ when you take an oral test. 면접 시험 때 우물쭈물해서는 안 된다. **2** 꿈틀거리며 나아가다 《*along, through, out, in*》: (~+전+명) A snake ~*d through* the grass. 뱀이 풀숲을 꿈틀거리며 지나갔다. **3** 《구어》 요리조리 잘 빠져[헤쳐] 나가다, 속이다, 곤경을 헤쳐 나가다 《*out of*》: (~+전+명) He could ~ *out of* the difficulty. 그는 요리조리 곤경을 헤쳐 나갈 수 있었다. / ~ *out of* a bargain[an undertaking] 요리조리 협정을 지키지 않다[맡은 일을 실행하지 않다] **4** 교묘히 환심을 사다: (~+전+명) ~ *into* a person's favor 교묘히 …의 환심을 사다

—*vt.* **1** 움직이게 하다, 꿈틀거리게 하다: ~ one's hips[body, hand] 엉덩이[몸, 손]를 흔들다 // (~+목+부) ~ itself *out* at a small hole 〈지렁이 등이〉 조그마한 구멍에서 꿈틀거리며 나오다 **2** 교묘히 …하게 하다: (~+목+전+명) ~ oneself *into* a person's favor …에게 빌붙어 환심을 사다 ~ **one's way** 꿈틀거리며 나아가다 ~ **oneself** (1) = WRIGGLE one's way (2) 요리조리 빠져나가다 《*out of*》

—*n.* 몸부림침, 꿈틀거림, 허덕거림

wríg·gling·ly *ad.* ▷ wriggly *a.*

wrig·gler [ríglər] *n.* **1** 꿈틀거리는 것 **2** 〖곤충〗 장구벌레(wiggler, wiggle-tail) **3** (대답·약속 실행 등을) 미적거리는 사람; 교묘하게 환심을 사는 사람

wrig·gly [rígli] *a.* (**-gli·er**; **-gli·est**) 몸부림치는; 몸을 꿈틀거리는; 꿈틀거리며 돌아다니는

wright [ráit] *n.* [보통 복합어를 이루어] **1** 장인, 기능인 《목수 등의》; 제조인 《배·차 등의》: a ship~ 조선공 / a wheel~ 수레 목수 **2** 작가: a play~ 극작가

Wright [ráit] *n.* 라이트 **1 Frank Lloyd ~** (1867-1959) 《미국의 건축가》 **2 Orville ~** (1871-1948), **Wilbur ~** (1867-1912) 《1903년 인류 최초로 비행기에 의한 비행에 성공한 미국인 형제》

*__wring__ [ríŋ] *vt.* (**wrung** [rʌ́ŋ], 《드물게》 **~ed**; **~·ing**) **1 짜다,** 쥐어짜다 《*out*》; 짜는 기계로 짜다; (힘껏) **비틀다,** 비틀어 떼다: (~+목+부) He *wrung* (*out*) his wet clothes. 그는 젖은 옷을 짰다. // (~+목+보) She *wrung* the laundry dry. 그녀는 세탁물을 물기가 없어지도록 짰다. **2** 〈말의 의미를〉 왜곡하다: (~+목+전+명) He has *wrung* my words *from* their true meaning. 그는 내 말의 참뜻을 곡해했다. **3** 〈마음을〉 (쥐어짜듯이) 괴롭히다: (~+목+전+명) His soul was *wrung with* agony. 그의 마음은 고민으로 쥐어짜듯이 괴로웠다. **4** 〈금전 등을〉 짜내다, 빼앗다 《*out*; *from, out of*》: (~+목+부) *W*~ the water *out.* 물을 짜내시오. // (~+목+전+명) They *wrung* consent *from* us. 그들은 우리에게 억지로 동의하게 했다. **5** 〈손을〉 꽉 쥐다: ~ one's old friend's hand (깊은 우정으로) 옛 친구의 손을 꽉 쥐다 **6** 감다, 두르다

—*vi.* 짜다; 몸부림치다, 괴로워하다

know where the shoe ~s a person …의 아픈 곳을 알다 ~ ***down*** 〈특히 목을〉 비틀다 ~ ***in*** 끼어들게 하다 ***~ing wet*** 쥐어짤 만큼 젖어, 흠뻑 젖어 ~ ***off*** 비틀어 끊다[떼다] ~ ***out*** 짜내다, 착취하다; 〈금전·승낙 등을〉 억지로 얻어내다 ~ ***a person's hand*** …와 손을 꽉 쥐고 악수하다 ~ ***one's*** [***the***] ***hands*** (비통한 나머지) 자기 손을 쥐어틀다 ~ ***a person's heart*** …의 마음을 몹시 아프게 하다 ~ ***an animal's neck*** (동물)의 목을 비틀어 죽이다 ~ ***up*** 조르다, 압축하다

—*n.* **1** 짬, 비틂, 꼼 **2** 손을 꽉 쥠, 굳은 악수 **3** (사과) 과즙 짜는 기계

wring·er [ríŋər] *n.* **1** 짜는 사람; 착취자 **2** 짜는 기계, 탈수기 **3** 쓰라린 경험, 시련 ***put*** a person ***through the ~*** …에게 고통[시련]을 주다

wring·ing-wet [ríŋiŋwét] *a.* 짜야 할 정도로 젖은, 흠뻑 젖은

__wrin·kle__[1] [ríŋkl] *n.* **1 주름,** 잔주름, (천 등의) 구김살, 주름살 《*in, on*》: She has got ~*s* round her eyes. 그녀는 눈가에 잔주름이 생겼다. **2** 결점, 오점 ***iron out the ~s*** 남은 문제들을 해결하다

—*vt.* …에 주름살 지게 하다, **주름을 잡다** 《*up*》: (~+목+부) He ~*d* (*up*) his forehead. 그는 이마에 주름살을 지었다. // (~+목+전+명) I saw his face ~*d with* age. 그의 얼굴이 늙어서 주름살 잡힌 것이 보였다.

—*vi.* 주름살 지다, 구겨지다: The skin of this apple ~*s.* 이 사과 껍질은 우글쭈글하다.

wrinkle[2] *n.* 《구어》 **1** 좋은[멋진] 생각, 묘안; 조언, 지혜, 정보: Give me a ~ or two. 묘안을 좀 가르쳐 주게. **2** 형(型), 스타일, 유행: the newest ~ in running shoes 러닝 슈즈의 최신 유행형

Wrínkle Cíty 《미·속어》 고령, 노후; 《미·속어》 고령자가 많이 살고 있는 지역

wrin·kled [ríŋkld] *a.* 주름이 있는, 쭈글쭈글한

wrin·kl·ing [ríŋkliŋ] *n.* Ⓤ (피부의) 주름; 주름 생성 과정

wrin·kly [ríŋkli] *a.* (**-kli·er**; **-kli·est**) 주름살 진; 주름이 많은, 많이 구겨진; 구겨지기 쉬운

__wrist__ [ríst] *n.* **1 손목;** 손목 관절; (옷·장갑의) 손목 부분: take a person by the ~ …의 손목을 잡다 **2** 손재주, 손의 기능 **3** 〖기계〗 = WRIST PIN

—*vt.* 손목을 써서 움직이다[던지다] ***slap on the ~*** 《미》 가볍게 꾸짖다[나무라다]

wrist·band [-bæ̀nd] *n.* 소매 끝, 소맷부리 《셔츠 등의》; 밴드, 팔찌 《손목시계 등의》

wrist·bone [-bòun] *n.* 〖해부〗 손목뼈, 완골(腕骨)

wrist·drop [-drɑ̀p | -drɔ̀p] *n.* 〖병리〗 수수(垂手) 《전박(前膊) 신장근의 마비로 인한》

wrist·let [rístlit] *n.* **1** 소매에 씌우는 토시 **2** 팔찌(bracelet) **3** 《익살·속어》 수갑

wrístlet wàtch 《영》 = WRISTWATCH

wrist·lock [rístlɑ̀k | -lɔ̀k] *n.* 〖레슬링〗 손목 비틀어 꺾기

wríst pìn 〖기계〗 피스톤핀(piston pin)

wríst shòt 〖골프·하키〗 리스트 샷 《손목으로 치는 짧은 스트로크》

wrist·watch [-wɑ̀tʃ | -wɔ̀tʃ] *n.* 손목시계

wríst wrèstling (엄지손가락만을 맞걸어서 하는) 팔씨름

wrist·y [rísti] *a.* (**wrist·i·er**; **-i·est**) (스포츠에서) 〈타구 등이〉 손목을 사용한, 손목을 잘 놀리는

*__writ__[1] [rít] *n.* **1** 〖법〗 **영장 2** 《드물게》 문서, 서류: the *W*~ = (the) Holy[Sacred] *W*~ 성전(聖典) ***serve a ~ on*** a person …에게 영장을 송달하다 a ***person's ~ runs*** 〈사람이〉 권한을 가지다 ~ ***of summons*** 〖영국법〗 소환장

writ[2] *v.* 《고어》 WRITE의 과거·과거분사

***__write__ [ráit] [OE 「긁다」의 뜻에서] *v.* (**wrote** [róut], 《고어》 **writ** [rít]; **writ·ten** [rítn], 《고어》 **writ**) *vi.* **1 글씨를 쓰다:** He cannot read or ~. 그는 읽지도 쓰지도 못한다. / ~ well[plain, large, small] 잘[또박또박, 크게, 작게] 쓰다 // (~+전+명) May I ~ *on* both sides of the paper? 종이의 양면에 다 써도 됩니까? / ~ *with* a pen 펜으로 쓰다 / ~ a letter *with*[*on*] a word processor 워드 프로세서로 편지를 쓰다 / ~ *in* French 프랑스 어로 쓰다 **2 저술하다,** 저작하다; 글[원고]을 쓰다; 작곡하다

---

wretched *a.* miserable, unhappy, sad, sorrowful, distressed, downcast, defected, depressed, melancholy, gloomy, mournful, abject

《*for, about, on*》: Her ambition was to ~. 그 여자의 포부는 작가가 되는 것이었다. // (~+전+명) ~ *for* a newspaper[magazine] 신문[잡지]에 실을 원고를 쓰다[기고하다] / ~ *for* a living 문필을 업으로 삼다 / I am not fit to ~ *about* it[*on* the subject]. 나는 그것[그 문제]에 대해 글을 쓸 적임자가 아니다. **3 편지를 쓰다**[써 보내다] 《*for*》: (~+부) (~+전+명) She ~*s home*[*to* her mother] once a week. 그녀는 1주일에 한 번씩 집에[어머니에게] 편지를 쓴다. // (~+**to** do) I *wrote to* let him know that I was arriving at three. 3시에 도착한다고 그에게 편지로 알려주었다. **4** 편지를 전하다 《*to, about, of, on*》 **5** 〈펜 등이〉 (…하게) 쓰이다: (~+부) This pen ~*s well.* 이 펜은 잘 써진다. **6** 〖컴퓨터〗 기억 상치에 기록하다

— *vt.* **1** 〈글씨를〉 **쓰다,** 적다, 베끼다(cf. DRAW); 기입하다; 〈종이 등에〉 글을 쓰다; (어떤 필적으로) 글을 쓰다: ~ five pages 5페이지를 쓰다 / ~ shorthand 속기를 하다 / ~ a good[bad] hand 글씨를 잘 쓰다[못 쓰다] **2** 〈문장·논문·책 등을〉 쓰다, 저작하다; 〈곡을〉 작곡하다 《*for, about, on*》: (~+목+전+명) ~ a book *on* American literature 미국 문학에 관한 책을 쓰다 / He *wrote* a wonderful melody *for* the song. 그는 그 노래에 훌륭한 곡을 붙였다. **3** 기록[기술]하다, 글로 나타내다 《*that* 절, *in*》: The great poet, in writing himself, ~*s* his time. 위대한 시인은 자기 자신에 대해 씀으로써 그 시대를 표현한다. **4** 〈감정·성질 등을〉 (얼굴·마음에) 나타내다, 새기다 《*on, in, all over*》: (~+목+전+명) Honesty is *written on*[*all over*] his face. 정직함이 그의 얼굴[온 얼굴]에 나타나 있다. **5** (미·구어) 〈사람에게〉 **편지를 쓰다** 《*of, on*》; 〈편지를〉 쓰다, 〈편지를〉 보내다 《*to*》: Our son ~*s* us every week. 아들은 우리들에게 매주 편지를 써 보낸다. // (~+목+목) She *wrote* me an account of her journey. 그녀는 여행에 관한 이야기를 나에게 적어 보냈다. // (~+목+ 전+명) I *wrote* a long letter *to* my parents. 나는 부모님에게 장문의 편지를 써 보냈다. // (~+**that** 절) He ~*s that* he is getting better. 그는 점차 회복 중이라고 편지에 쓰고 있다. // (~+목+**wh.** 절) *W~* me *how* you got home. 어떻게 집에 도착했는지 편지로 알려주시오. // (~+목+**that** 절) I *wrote* them *that* I was leaving for London. 런던으로 떠날 참이라고 그들에게 편지로 알렸다. // (~+목+**to** do) I *wrote* her *to* come and see me. 놀러 오라고 그녀에게 편지를 써 보냈다. **6** 〈서류 등에〉 서명하다 **7** 써서 〈자기를〉 …이라고 칭하다, …의 직함을 쓰다, …이라고 서명하다: (~+목+보) He ~*s* himself 'Judge'. 그는 (문서 등에서) '판사'의 직함을 쓴다. **8** (책 등에서) …이라고 말하고[쓰여] 있다: (~+**that** 절) Longfellow ~*s that* life is but an empty dream. 인생은 일장춘몽이라고 롱펠로는 말하고 있다. // (~+목+전+명) It is *written in* the Bible that ... …이라고 성경에 쓰여 있다 **9** 〖컴퓨터〗 (기억 장치에) 〈정보를〉 기록하다

nothing to ~ home about ⇨ home *ad.* ***That's all she wrote.*** (미·구어) 더 이상 할 수 있는 일은 없다; 끝장났다 ***~ a good hand*** ⇨ *vt.* 1. ***~ away for*** …을 편지[우편]로 주문하다 ***~ back*** 회신을 쓰다 《*to*》 ***~ down*** (1) 써 두다, 적다, 기록하다 (2) 지상(紙上)에서 깎아내리다; 평가하다, 간주하다 《*as*》: ~ him *down as* a fool 바보라고 악평하다 (3) 〈자산의〉 장부 가격을 내리다 (4) …를 (독자가 이해하기 쉽도록) 수준[정도]을 낮추어 쓰다 《*to*》 ***~ for*** …을 편지로 주문하다; 〈신문·잡지에〉 기고하다 ***~ in*** 써 넣다, 기입하다; (미) (선거에서) …의 이름을 명부에 기입하다; (미) 〈표를〉 기명식으로 투표하다; 〈요망 사항·주문 등을〉 편지로 보내다, 투서하다 《*to*》, (…을) 편지로 주문[요구]하다 《*for*》 ***~ in the paper*** 신문에 기고하다 ***~ off*** (1) 술술[막힘없이] 쓰다 (2) 편지로 주문하다 (3) 〈빚 등을〉 장부에서 지우다, 탕감하다; 감가상각하다 (4) …을 …으로 간주하다 《*as*》; (구어) 틀렸다고 간주하다, 단념하다 ***~ out*** (1) 완전히 다 쓰다; 〈속기 등을〉 완전히 고쳐 쓰다 (2) 〈수표 등을〉 쓰다 (3) 〈작가 등이〉 다 쓰고 쓸 재료가 없다: He has *written* himself *out.* 그는 다 써 버려서 이제 쓸 것이 없게 되었다. ***~ out fair*** 정서하다, 또박또박 쓰다 ***~ … out of*** 드라마 등에서 중간에 〈등장 인물을〉빼다 ***~ over*** 고쳐 쓰다; 가득 쓰다 ***~ up*** (벽 위 같은) 높은 곳에 써 두다, 게시하다; 〈사건 등을〉 자세히 쓰다; 지상(紙上)에서 칭찬하다; (일기·장부 등에) 당일 현재까지 기입하다 ***writ***[***written***] ***in water*** ⇨ water. ***writ***[***written***] ***large*** (1) 대서특필되어; 확실히 나타나 (2) 대규모로, 대대적으로 (3) 〈폐해 등이〉 더욱 심해져[악화되어] ***writ small*** 축소한 규모로, 소규모로

wrít·a·ble *a.*

write-back [ráitbæ̀k] *n.* UC 〖회계〗 (기존의) 감가상각비의 환입(금)

write-down [ráitdàun] *n.* (장부상의) 평가 절하

wríte hèad 〖컴퓨터〗 기록 헤드

write-in [-ìn] (미) *n.* 기명 투표(=∸ **vóte**)

— *a.* Ⓐ 기명(투표)의[에 의한]: a ~ candidate 기명 투표에 의한 후보자

wríte-ín campàign [-ín-] (미) write-in 입후보자를 위한 선거 운동

write-off [-ɔ̀:f | -ɔ̀f] *n.* **1** (장부에서의) 삭제, 취소, (부채 등의) 탕감; 결손 처분 **2** (장부상의) 가격 인하 **3** (구어) 절망적인 것; 실패작; (충돌하여) 수리가 불가능한 것 《자동차·비행기 등》

write-once [-wʌ̀ns] *a.* 〖컴퓨터〗 〈메모리나 기억 장치가〉 바꿔쓰기[지우기]가 안 되는

wríte-on tàpe [-ɑ̀n- | -ɔ̀n-] 표면 위에 글씨를 쓸 수 있는 불투명한 테이프

wríte pròtect 〖컴퓨터〗 *n.* 쓰기 방지, 기록 보호

— *vt.* (디스크에) 쓰기[기록]를 방지하다

wríte-pro·tect tàb [-prətèkt-] 〖컴퓨터〗 (플로피 디스크 등의) 기록 금지 손잡이

‡**writ·er** [ráitər] *n.* **1 필기자,** 베끼는 사람; (영) 서기 《관청 등의》 **2 저자, 작가,** 문필가, 저술가; 기자; 작곡가 **3** 사자기(寫字器) **4** 작문 자습서, 작문 책: a French ~ 프랑스 어 자습서 ***the present ~*** 이 글의 저자[필자] 《작품 내의 I, we의 대용》 ***W~ to the Signet*** (스코·고어) 〖법〗 법정 외 변호사(solicitor) 《略 W.S.》 **~·ly** *a.* **~·shìp** *n.* Ⓤ writer의 직[지위]

wríte/réad hèad 〖컴퓨터〗 쓰기-읽기 머리틀 《자기 테이프·저장판 등에 정보를 기록하고 읽고 지우는 기능을 하는 작은 전자 자기 장치》

wríter's blòck 작가의 슬럼프, 창작 정돈 상태

wríter's crámp[**pálsy, spásm**] 〖병리〗 서경(書痙) 《손가락의 경련》

write-up [ráitʌ̀p] *n.* (구어) **1** (신문·잡지 등의) 기사; 《특히》 호의적인 기사 **2** (미) (법인 자산의) 과대 평가

***writhe** [ráið] *vi.* **몸부림치다,** 몸을 뒤틀다, 몸부림치며 괴로워하다 《*at, under, with, in*》: (~+전+명) ~ *in* agony 고통으로 몸부림치다 / ~ *with* shame 치욕을 당하고 괴로워하다

— *vt.* 〈몸을〉 비틀다, 꾸부리다: ~ oneself 몸부림치다, 발버둥치다

— *n.* 몸부림, 뒹굴기; 고뇌 **wríth·er** *n.*

‡**writ·ing** [ráitiŋ] *n.* **1** Ⓤ (**글을**) **쓰기,** 집필, 필기: He is busy with his ~. 그는 글쓰기에 바쁘다. **2** Ⓤ (**글씨**) **쓰기,** 습자, 서사(書寫) **3** UC (사람이) **쓴 것**; 비명(碑銘); Ⓤ **필적,** 서법, 서체(handwriting) **4** UC 문서, 서류, 기록 **5** 편지 **6** [보통 *pl.*] 저작, 작품 **7** (문학·음악 등의) 스타일, 형식 **8** [the W~s] =HAGIOGRAPHA ***at this ~*** 이 글을 쓰고 있는 현시점에서(는) ***in ~*** (글로) 써서, 서면으로 ***put … in ~*** …을 쓰다, 서면으로 하다 ***the*** (***sacred***[***holy***]) ***~s*** 성서 ***the ~ on the wall*** 〖성서〗 절박한 재앙의 징조

thesaurus **wrong** *a.* **1** 나쁜 bad, wicked, immoral, unethical, corrupt, criminal, unlawful, illegal **2** 틀린 incorrect, inaccurate, mistaken,

wríting bòok 습자책
wríting càse 필통, 문방구 상자
wríting dèsk (글을 쓰는) 책상
wríting ìnk 필기용 잉크
wríting màster 습자 선생
wríting matèrials 문방구
wríting pàd 편지지 《한 장씩 떼어 쓰는》
wríting pàper 필기 용지; 편지지; 원고 용지
wríting tàble 필기용 테이블 《서랍이 달린》
wrít of certiorári 〚법〛 =CERTIORARI
wrít of elécton 《미》 (보궐) 선거 시행 영장
wrít of érror 〚법〛 오심(誤審) 영장 《현재에는 appeal이 사용됨》
wrít of execútion 〚법〛 강제 집행 영장
wrít of extént 〚법〛 (옛 영국의) 재산 압류 영장
wrít of prohibítion 〚법〛 (하급 법원에 대한) 금지 영장
wrít of protéction 〚법〛 보호 영장
wrít of ríght 〚법〛 권리 영장
‡**writ·ten** [rítn] *v.* WRITE의 과거분사
—*a.* **1** 문자로 쓴[된], 서류로[서면으로] 된(opp. *spoken*): a ~ application 신청서, 원서, 의뢰장/a ~ examination 필기 시험 **2** 문어(文語)의: ~ language 문어, 문자 언어 **3** 〚법〛 성문의
wrítten constitútion 〚법〛 성문(헌)법
wrítten láw 〚법〛 성문법(cf. UNWRITTEN LAW); [**W- L-**] 〚유대교〛 율법(Torah)
W.R.N.S. Women's Royal Naval Service 《영》 해군 여자 부대(cf. WREN) **wrnt.** warrant
‡**wrong** [rɔ́:ŋ, rάŋ | rɔ́ŋ] *a., ad., n., v.*

ON 「비뚤어진」의 뜻에서
… (구부러진) → (옳은 데서 벗어난)
→「나쁜」, 「부정한」 **1**
→「적절하지 않은」 **5** —→「그릇된」, 「틀린」 **2**
→「탈난」, 「고장난」 **4**

—*a.* (**more ~,** [때때로] **~·er**; **most ~,** [때때로] **~·est**) (opp. *right*) **1** 나쁜, 부정한: (~+***to*** do) (~+***of***+명+***to*** do) You were ~ *to* do that. =It was ~ *of* you *to* do that. 그렇게 한 것은 자네가 나빴네. **2** 그릇된, 틀린: a ~ answer 틀린 답/take the ~ way 길을 잘못 가다 **3** 〈의복 등이〉 거꾸로의; 뒤의, 안의: the ~ side of the cloth 천의 안쪽 **4** Ⓟ 고장난, 탈난: My watch is ~. 내 시계는 고장 났다. **5** 적절하지 않은, 부적당한 《*for*》; 시원찮은, 재미없는; 곤란한, 서투른: the ~ clothes *for* the occasion 그 경우에 어울리지 않는 옷 **6** 〈사람이〉 머리가 이상한 《*in*》 **7** 〈사람이〉 (…에 관해서[…점에서]) 행동[판단, 의견, 방법]이 틀린 《*about, in*》(opp. *correct*): I was ~ *about* him. 나는 그에 대해 잘못 생각했다.
be caught on the ~ foot 허점을 찔리다 ***get*** (***hold of***) ***the ~ end of the stick*** ⇨ end. ***get on the ~ side of*** 남의 노염[미움]을 사다 ***get out of bed*** (***on***) ***the ~ side*** 하루 종일 기분이 나쁘다 ***go*** (***down***) ***the ~ way*** 《구어》 〈음식물이〉 잘못되어 숨통으로 들어가다 ***go the ~ way*** 〈일이〉 잘 되어 나가지 않다 ***on the ~ side of*** ⇨ side. ***Something is ~ with*** the machine[him]. (그 기계는) 어딘가 고장이다[(그는) 어딘가 이상하다]. (***the***) ***~ side out*** 안쪽을 겉으로 하여, 뒤집어서, 거꾸로 해서 (***the***) ***~ way round*** 거꾸로, 역으로, 반대로 ***What's ~ with it?*** 《구어》 그게 어떻단 말인가? 《어디가 마음에 안 드는가; cf. WHY not》 ***~ in the head*** 《구어》 머리가 돌아[이상해져] ***~ move*** (체스의) 잘못 둔 수; 신통찮은 계략
—*ad.* [비교급은 없음] **1** 나쁘게: right or ~ 좋든 나쁘든 **2** 잘못하여, 틀리게: answer ~ 잘못 대답하다 **3** 거꾸로, 반대로 **4** 탈이 나서; 제대로 되지 않아
get a person ***in ~*** 《미·속어》 …을 미움받게 하다 ***get in ~ with*** a person 《미·구어》 …에게서 미움받다 ***get it ~*** 계산을 잘못하다; 오해하다 ***get***[***take***] ***~*** 《미·구어》 오해하다 ***go ~*** 길을 잘못 들다; 옳은 길을 벗어나다; 〈시계 등이〉 고장나다 《*with*》; 〈여자가〉 몸을 망치다, 타락하다; 기분이 나빠지다; 〈음식물이〉 썩다; 〈계획 등이〉 실패하다 ***lead*** a person ***~*** …의 방향을 그르치게 하다, 헤매게 하다; …에게 그릇된 것을 가르치다
—*n.* (opp. *right*) **1** Ⓤ 악, 죄; 부정 **2** ⓊⒸ 과실, 잘못 **3** ⓊⒸ 부당 (행위), 학대; 〚법〛 권리 침해; 불법 행위, 범죄; Ⓒ 비행: Two ~*s* don't make a right. 《속담》 남이 네게 나쁜 짓을 한다고 해서 너도 똑같이 하면 안 된다. **4** ⓊⒸ 손해, 해
distinguish between right and ~ = ***know right from ~*** 시비를 가리다 ***do ~*** 죄악을 저지르다, 죄를 범하다, 법을 어기다 ***do*** a person ***~*** = ***do ~ to*** a person …에게 나쁜[불법] 행동을 하다, …을 부당하게 대우하다; 오해하다, …의 동기를 올바르게 판단하지 않다 ***in the ~*** 잘못되어 (있는), 나쁜; 부정하여 ***put*** a person[one***self***] ***in the ~*** …의[자기의] 잘못임을 나타내다, …의[자기의] 잘못으로 돌리다 ***right a ~*** 악을 고치다, 시정하다 ***suffer ~*** 해[학대]를 받다, 불법적인 조치를 당하다
—*vt.* **1** 나쁜 짓을 하다, 부당한 취급을 하다, 부정한 일을 하다; 학대하다 **2** 오해하다; …에게 누명을 씌우다, 중상모략하다 **3** 〈여자를〉 유혹하다, 속이다
~·er *n.* **~·ness** *n.* Ⓤ 그릇됨, 틀림, 잘못; 부정, 부당 ▷ wróngful, wróngous *a.*; wróngly *ad.*
wrong·do·er [rɔ́:ŋdù:ər, rάŋ- | rɔ́ŋ-] *n.* 나쁜 짓을 하는 사람, 비행자; 범죄자, 가해자, 범인
wrong·do·ing [-dú:iŋ] *n.* Ⓤ 나쁜 짓 하기; 나쁜 행위, 비행; 죄, 범죄
wronged [rɔ́:ŋd, rάŋd | rɔ́ŋd] *a.* 부당한 취급을 받은, 학대받은
wróng fónt 〚인쇄〛 활자체·크기의 틀림, 잘못된 문자 《略 w.f.》
wrong-foot [rɔ́:ŋfùt, rάŋ- | rɔ́ŋ-] *vt.* 〚테니스〛 〈상대가〉 균형을 잃도록 치다; 《구어》 …에게 불의의 습격을 가하다
wrong·ful [rɔ́:ŋfəl, rάŋ- | rɔ́ŋ-] *a.* **1** 나쁜, 사악한, 해로운 **2** 불법적인, 부당한, 위법의: ~ dismissal 부당 해고 **~·ly** *ad.* **~·ness** *n.*
wróngful déath 〚법〛 불법 행위에 의한 사망, 불법 사망
wrong·head·ed, wrong·head·ed [rɔ́:ŋhédid, rάŋ- | rɔ́ŋ-] *a.* **1** 〈사람이〉 생각이 잘못된; 잘못된 생각을 고집하는, 완고한 **2** 〈생각 등이〉 잘못된, 그릇된 **~·ly** *ad.* **~·ness** *n.*
*__wrong·ly__ [rɔ́:ŋli, rάŋ- | rɔ́ŋ-] *ad.* [보통 과거분사 앞에서] **1** 부정하게, 사악하게; 불법으로, 부당하게: He was ~ *accused.* 그는 부당하게 고발당했다. **2** 잘못하여, 그릇되게: We were ~ *informed.* 우리는 그릇된 정보[지식]를 갖고 있었다.
wróng númber **1** 잘못 걸린 전화(를 받은 사람); 틀린 전화번호: You've got the ~. 전화를 잘못 거셨습니다. **2** 《미·속어》 **a** 틀린 생각 **b** (어떤 임무·역할 등에) 부적합한[신용할 수 없는] 사람[물건] **3** 《미·속어》 정신병자
wrong·o [rɔ́:ŋou, rάŋ- | rɔ́ŋ-] *n.* (*pl.* **wrong·os**) 《속어》 무법자, 악당; 범죄자, 가해자
—*a.* =WRONG
wrong·ous [rɔ́:ŋəs, rάŋ- | rɔ́ŋ-] *a.* 〚스코법〛 불법의, 부정한
wrong'un [rɔ́:ŋən, rάŋ- | rɔ́ŋ-] *n.* 《영·구어》 나쁜 놈, 악당
‡**wrote** [róut] *v.* WRITE의 과거
wroth [rɔ́:θ | róuθ] *a.* 《고어·시어》 **1** Ⓟ 격노하여 (angry) **2** 〈바다 등이〉 사납게 날뛰어

---

inexact, faulty, false (opp. *right, correct*) **3** 부적당한 unsuitable, inappropriate, inapt, unacceptable, undesirable, unfitting, improper

***wrought** [rɔ́:t] *v.* 《고어》 WORK의 과거·과거분사
— *a.* **1** 만든(made); 정제(精製)한; 세공한, 공이 많이 든 **2** 〈철물 등이〉 두들겨 만든, 단련한 **3** 꾸민, 수놓은 ***highly*** **~** 정교한
wróught íron 단철(鍛鐵), 연철(鍊鐵)
wrought-up [rɔ́:tʌ́p] *a.* 〈신경·사람이〉 흥분한; 짜증나는 《work-up이라고도 함》
***wrung** [rʌ́ŋ] *v.* WRING의 과거·과거분사
— *a.* (쥐어)짠, 비튼; 괴로움[슬픔]에 짓눌린: ~ out 피곤해 지친
W.R.V.S. Women's Royal Voluntary Service 《영》 여자 의용군
***wry** [rái] *a.* (**~·er, wri·er; ~·est, wri·est**) Ⓐ **1** 〈얼굴·표정 등이〉 (일시적으로) 찡그린: a ~ look 찡그린 얼굴 **2** 비틀어진, 뒤틀린, 옆으로 꾸부러진, 비틀려 있는; 〈말·유머 등이〉 비딱한, 빈정대는: ~ wit 비꼬는 식의 위트 **3** 예상이 틀린, 엉뚱한; 〈뜻을〉 왜곡한, 억지로 갖다 댄 **4** 심술궂은, 성질이 비뚤어진(cross)
make a ~ face [***mouth***] 얼굴을 찡그리다[찌푸리다] **~ *smile*** 쓴웃음, 고소(苦笑)
— *vi.* 일그러지다, 비틀어지다
— *vt.* 뒤틀다, 비틀다; 〈얼굴을〉 찡그리어 고통을 나타내다 **~·ly** *ad.* **~·ness** *n.*
wry·neck [ráinèk] *n.* 〖조류〗 개미핥기; 〖의학〗 사경(斜頸); 《구어》 목이 굽은 사람
wry-necked [-nèkt] *a.* 목이 구부러진
wry·tail [-tèil] *n.* 뒤틀린 꼬리 《가축에 생기는 유전적인 변이》
W.S. Writer to the Signet **WSJ** the Wall Street Journal 《발행 부수 미국 제1의 경제 전문지》 **WSLF** Western Somali Liberation Front **W.S.P.U.** Women's Social and Political Union **WSW, W.S.W., w.s.w.** west-southwest **WT** wireless telegraphy[telephone, telephony] **wt.** weight **WTA** Women's Tennis Association **WTO** World Tourism Organization; World Trade Organization 세계 무역 기구
W-2 form [dʌ́blju:tú:-] 《미》 W-2 양식 《종업원의 연간 소득액, 세금 납부액이 표시된 명세서》
Wu [wú:] *n.* 〖언어〗 우 어(吳語) 《양쯔강 유역에서 사용되고 있는 중국어의 방언》
Wu·han [wù:hɑ́:n] *n.* 우한(武漢) 《중국 동부의 후베이성(湖北省)의 성도(省都); Han Cities라고도 함》
wul·fen·ite [wúlfənàit] *n.* Ⓤ 〖광물〗 수연(水鉛)[몰리브덴] 연광(鉛鑛)
wun·der·kind [vúndərkìnd, wʌ́n-] [G] *n.* (*pl.* **-kin·der** [-kìndər], **~s**) **1** 신동(神童) **2** 젊어서 성공[출세]한 사람
Wundt [vúnt] *n.* 분트 **Wilhelm Max ~** (1832-1920) 《독일의 생리학자·심리학자》
wur·ley [wə́:rli] *n.* 《호주》 원주민의 오두막집
Wur·litz·er [wə́:rlitsər] *n.* 대형 오르간 《1930년대 영화관에서 사용함; 상표명》
wurst [wə́:rst, wúərst] [G] *n.* [보통 복합어로] 《특히》 (독일·오스트리아의) 소시지: brat*wurst*
Würt·tem·berg [wə́:rtəmbə̀:rg | vɔ́:t-] [G] *n.* 뷔르템베르크 《독일 남서부에 위치한 주; 현재는 Baden-Württemberg 주의 일부》
wu shu [wú:-ʃú:] (중국의) 우슈 《전통 무술》
wuss [wʌ́s] *n.* 《미·속어》 겁쟁이, 남자답지 못한 남자
wuss·y [wʌ́si] *n.* 《미·속어》 **1** 겁쟁이; 여자 같은 남자 **2** 잘 속는 사람; 호인
wuth·er [wʌ́ðər] *vi.* 《영·방언》 〈바람이〉 강하게 불다
wuth·er·ing [wʌ́ðəriŋ] *a.* 《영·방언》 〈바람이〉 쌩쌩 강하게 부는; 〈땅이〉 바람이 쌩쌩 강하게 부는
wuz·zy [wʌ́zi] 《미·속어》 *a.* 심술궂은, 비뚤어진; 혼란된, 멍한 — *n.* 계집애, 여자
WV 《미》 〖우편〗 West Virginia **W.Va.** West Virginia **W.V.S.** 《영》 Women's Voluntary Service 《현재는 W.R.V.S.》 **WW** World War **WWF** World Wildlife Fund 세계 야생 생물 기금 **WWMCCS** World-wide Military Command and Control System 《미》 전 세계 군사 지휘 통제 시스템 **W.W. I** World War I 《주로 미》 제1차 세계 대전 **W.W. II** World War II 《주로 미》 제2차 세계 대전 **WWW** World Weather Watch 세계 기상 감시 계획; 〖컴퓨터〗 World Wide Web **W.X.** women's extra (large size) **WY** 《미》 〖우편〗 Wyoming **Wy.** Wyoming
Wy·an·dot [wáiəndɑ̀t | -dɔ̀t] *n.* (*pl.* **~, ~s**) [the ~(s)] 와이언도트 족 《북미 인디언의 Huron족의 한 종족》; Ⓤ 와이언도트 말(Wyandotte)
Wy·an·dotte [wáiəndɑ̀t | -dɔ̀t] *n.* 《미》 **1** 미국산(産) 닭의 일종 **2** = WYANDOT
Wy·att [wáiət] *n.* 와이엇 **1 James ~** (1746-1813) 《영국의 건축가》 **2 Sir Thomas ~** (1503?-42) 《영국의 시인·외교관》 **3** 남자 이름
wych- [wítʃ] 《연결형》 [나무 이름에 붙여] 「휘기 쉬운(pliant)」의 뜻
wých èlm [wítʃ-] 〖식물〗 느릅나무의 일종(witch elm) 《영국산(産)》; 그 재목
Wych·er·ley [wítʃərli] *n.* 위철리 **William ~** (1640-1716) 《영국의 극작가·시인》
wých hàzel 〖식물〗 개암나무
Wyc·liffe, -lif [wíklif] *n.* 위클리프 **John ~** (1330?-84) 《영국의 종교 개혁가; 성경을 최초로 영어로 번역함》
Wyc·lif·fite, -lif·ite [wíklifàit] *a.* Wycliffe(파)의 — *n.* Wycliffe파(의 사람)(Lollard)
wye [wái] *n.* Y자(字); Y자 모양을 한 것; 〖전기〗 Y자 모양의 회로(回路)
Wye [wái] *n.* [the ~] 와이 강 《웨일스 중부에서 발하여 잉글랜드 남서부를 흐름》
wýe lèvel = Y LEVEL
Wy·eth [wáiəθ] *n.* 와이어스 **1 Andrew Newell ~** (1917-) 《미국의 화가》 **2 James Browning ~** (1946-) 《미국의 화가; 1의 아들》 **3 Newell Convers ~** (1882-1945) 《미국의 화가; 1의 아버지》
Wyke·ham·ist [wíkəmist] *a.*, *n.* 영국 Winchester College의 (재학생·출신자)
wy·lie·coat [wáilikòut] *n.* 《스코》 따뜻한 내의; 페티코트(petticoat); 여성[어린이]용 나이트가운
wyn [wín] *n.* = WYNN
wynd [wáind] *n.* 《스코》 좁은 길, 골목길
wynn [wín] *n.* 현대 영어의 w에 상당하는 룬 문자(wen)
Wyo. Wyoming
***Wy·o·ming** [waióumiŋ] *n.* [북미 인디언 말 「대평원」의 뜻에서] 와이오밍 《미국 북서부의 주; 略 Wyo., Wy.》 **~·ite** [-àit] *n.* 와이오밍 주의 사람
WYSIWYG, wys·i·wyg [wíziwìg] [*W*hat *Y*ou *S*ee *I*s *W*hat *Y*ou *G*et] *n.* 《미·구어》 〖컴퓨터〗 위지위그 《화면상으로 본 화상이 그대로 프린터로 출력되는 기능》
Wys·tan [wístən] *n.* 남자 이름
wyte [wáit] *n.*, *vt.* = WITE
wy·vern, wi- [wáivərn] *n.* (문장(紋章)의) 비룡(飛龍) 《다리가 둘이고 날개가 있으며 꼬리 끝의 가시가 화살촉 모양인 상상의 동물》

X x

x, X [éks] *n.* (*pl.* **x's, xs, X's, Xs** [éksiz]) **1** 엑스《영어 알파벳의 제24자》; X자 모양(의 물건); X의 활자 **2** 제24번째(의 것)《J를 뺄 때에는 23번째, J, V, W를 뺄 때에는 21번째》 **3** (편지 끝에 적는) kiss의 뜻의 부호; (글을 쓸 수 없는 사람이 서명 대신에 쓰는) X표; (지도·사진에서) 어떤 지점의 표시 **4** (미·구어) 10달러 지폐 **5** 〖수학〗 제1 미지수(cf. Y, Z), 미지[미정]의 것; 〖통신〗 공중 장애 **6** 로마 숫자의 10
double-X, triple-X 맥주의 강도를 나타내는 부호《각각 XX, XXX라고 술통에 표시함》 ***put one's X on the line*** (미·속어) 서명하다 ***put the X on ...*** (속어) …에 X표를 하여 죽이기로 하다 ***X marks the spot.*** 저 곳이 문제의 지점이다. ***Xs and Os*** (스포츠속어) (공격과 수비의) 양쪽 팀의 선수들《진용 등을 표시할 때 X와 O로 선수를 나타내는 데서》
— *vt.* (**x-ed, x'd, xed**; **x-ing, x'ing**) **1** …에 X표를 하다; (미·속어) 무효로 하다, 취소하다 **2** 〈후보자명·정답 등을〉 X를 기입하여 선택하다 (*in*): ~ *in* the candidate of one's choice 자기가 선택한 후보에게 X표를 하여 선택하다 **3** (속어) 죽이다 (*out*)
X'd out (미·구어) X표시로 지워진, 삭제된; (속어) 살해당한, 제거된 ***X out*** X표로 지우다

x 〖수학〗 abscissa 횡좌표(橫座標) **x, X** 〖상업〗 ex[1]; experimental; extra **X, x** 곱셈, 치수, 배율의 기호 **X** Christ《Christ를 뜻하는 그리스어 ΧΡΙΣΤΟΣ의 머리글자 X에서》; Christian; cross; 〖전기〗 reactance; 〖화학〗 xenon; research plane 〖미군〗 실험기

X[1] [éks] *n.* (속어) = ECSTASY

X[2] *n., a.* (미) 〖영화〗 성인 영화(의)《17세 이하는 입장 불가》

x. (영) 〖기상〗 hoarfrost

X́ amòunt (미·속어) [불특정한 수를 가리켜] 얼마간, 몇 개[명]

Xan·a·du [zǽnədjùː | -djùː, gzǽn-] [Kublai Khan이 별궁을 세운 땅 이름에서] *n.* 도원경

xanth- [zænθ] 《연결형》 = XANTHO-《모음 앞에서》

xan·than [zǽnθən] *n.* 〖화학〗 크산탄《수용성 천연 호료(糊料)의 일종; 식품의 농화제(濃化劑) 등에 쓰임》(= **∠ gùm**)

xan·thate [zǽnθeit] *n.* 〖화학〗 크산틴산염(酸鹽)

xan·the·in [zǽnθiin] *n.* Ⓤ 〖화학〗 크산테인《노란 꽃의 수용성(水溶性) 색소》

xan·thene [zǽnθiːn] *n.* 〖화학〗 크산텐《염료의 원료》

xánthene dýe 크산텐 염료

xan·thic [zǽnθik] *a.* **1** 황색의, 황색을 띤: ~ flowers 〖식물〗 노란꽃 **2** 〖화학〗 크산틴(xanthin)의, 크산틴에서 얻을 수 있는

xánthic ácid 〖화학〗 크산틴산(酸)

xan·thin [zǽnθin] *n.* Ⓤ 〖화학〗 크산틴《노란 꽃의 비수용성(非水溶性) 색소; cf. XANTHEIN》

xan·thine [zǽnθiːn, -θin] *n.* Ⓤ 〖생화학〗 크산틴《혈액·오줌·간장(肝臟) 등에 함유되어 있는 질소 화합물》

Xan·thip·pe [zæntípi | -θípi, -típi] *n.* **1** 크산티페《Socrates의 아내; 악처의 전형으로 알려짐》 **2** 《일반적으로》 잔소리 많은 여자(shrew), 악처

xantho- [zǽnθou, -θə] 《연결형》 「황색(yellow); 크산틴산(xanthic acid)」의 뜻: *xantho*phyll

xan·thoch·ro·i [zænθɑ́krouài, -rɔi | -θɔ́k-] *n. pl.* 〖인종〗 황백 인종《코카서스 인종의 일부로 피부는 엷은 황색 또는 백색, 눈동자가 파랗고 금발, 주로 유럽 북서 지방에 거주》 **xàn·tho·chró·ic** *a.*

xan·tho·chroid [zǽnθəkrɔ̀id, zænθɑ́krɔid | zǽnθəkrɔ̀id] *n., a.* 황백 인종(의)

xan·tho·ma [zænθóumə] *n.* (*pl.* **~s, ~·ta** [-tə]) 〖병리〗 (눈꺼풀·등·목 등에 생기는) 황색종(腫)

xan·tho·mel·a·nous [zæ̀nθouméləːnəs] *a.* 머리털이 검고 피부는 올리브 빛[황갈색]의 〈인종〉

xan·thone [zǽnθoun] *n.* 〖화학〗 크산톤《살충제·염료 중간체·약제용》

xan·tho·phyl(l) [zǽnθəfìl] *n.* Ⓤ 〖화학〗 크산토필《잎의 황색소》 **xàn·tho·phýl·lic, -phýl·lous** *a.*

xan·thop·si·a [zænθɑ́psiə | -θɔ́p-] *n.* 〖병리〗 황시증(黃視症)

xan·thous [zǽnθəs] *a.* **1** 〈피부가〉 황색의(yellow) **2** 〖인종〗 황색 인종의, 몽고 인종의

Xan·tip·pe [zæntípi] *n.* = XANTHIPPE

x-ax·is [éksæ̀ksis] *n.* (*pl.* **-ax·es** [-siːz]) [the ~] 〖수학〗 (평면(平面)의) 횡축(橫軸), x축《가로 좌표축》

X-bod·y [-bɑ̀di | -bɔ̀di] *n.* 〖식물〗 X체《식물 세포 중의 무정형 봉입체(無定形封入體)》

xc, xcp ex coupon 〖증권〗 이자락(利子落)

X-C, XC [ékssíː] *n., a.* 〖스포츠〗 크로스컨트리(의) (cross-country): ~ skiing 크로스컨트리 스키 경기

X́-cer·tif·i·cate [-sərtífikət] *a.* (영) = X-RATED

X́ chròmosome 〖생물〗 X염색체《자웅 결정에 중요한 소인(素因)이 되는 성염색체》

x-co·or·di·nate [èkskouɔ́ːrdənit, -nèit] *n.* 〖수학〗 x좌표

xd, x-div. ex dividend 〖증권〗 배당락(配當落)

X-dis·ease [éksdizìːz] *n.* 〖병리〗 X병《병원(病原)을 알 수 없는 각종 바이러스 병》

X́-dou·ble mínus [-dʌ̀bl-] *a.* (속어) (연기·연주 등의) 성적이 매우 안 좋은

Xe 〖화학〗 xenon

xe·bec [zíːbek] *n.* 지벡《지중해의 돛대 세 대의 범선》

xen- [zen], **xeno-** [zénou, -nə, zíːn- | zén-] 《연결형》 「손님의; 이국(異國)의; 외부의; 이종(異種)의」의 뜻《모음 앞에서는 xen-》

Xen. Xenophon

xe·nate [zíːneit, zén-] *n.* 〖화학〗 크세논산염(酸鹽)

xe·ni·a [zíːniə, -njə] *n.* ⓊⒸ 〖식물〗 크세니아《꽃가루가 배젖에 영향을 미치는 현상》

xe·ni·al [zíːniəl, -njəl] *a.* 주객(主客)간의, 주객 관계의

xe·nic [zíːnik, zén-] *a.* 미확인의 유기물을 함유한 배양기(培養基)의[를 사용한]: ~ acid 〖화학〗 크세논산 **xé·ni·cal·ly** *ad.*

Xen·i·cal [zénikəl] *n.* 〖약학〗 제니칼《비만 치료제; 상표명》

xen·o·bi·ol·o·gy [zènoubaiɑ́lədʒi | -ɔ́l-] *n.* Ⓤ 우주 생물학(exobiology)

xen·o·bi·ot·ic [zènoubaiɑ́tik | -ɔ́t-] *n., a.* 〖생물·의학〗 생체 이물(異物)(의)

xen·o·cur·ren·cy [zènəkə́ːrənsi | -kʌ́r-] *n.* Ⓤ 〖경제〗 국외 유통 통화

xen·o·di·ag·no·sis [zènədaiəgnóusis] *n.* 〖의학〗 외인(外因) 진단법《미감염된 곤충 등에게 환자의 피를 주입한 후 그 곤충에 병균 감염 여부를 검사하여 진단하는 방법》 **xèn·o·di·ag·nós·tic** *a.*

xen·o·do·chi·um [zènədəkáiəm | -dɔ́kiəm, -dəkái-] *n.* (*pl.* **-chi·a** [-káiə]) (고대 그리스·로마의) 여인숙, 여관; (중세의 순례자·환자 등을 위한) (보호) 시설; (수도원의) 객실

xe·nog·a·my [zinɑ́gəmi | zenɔ́g-, zi:-] *n.* Ⓤ 〖식물〗 딴꽃가루받이 **xe·nóg·a·mous** *a.*

xen·o·ge·ne·ic [zènədʒəní:ik, zì:n- | zèn-] *a.* 〖생물·의학〗 이종(異種)의, 이종 발생성의

xen·o·gen·e·sis [zènədʒénəsis, zì:nə- | zèn-] *n.* 〖생물〗 **1** = HETEROGENESIS **2** 완전 변이(變異) 세대

xen·o·glos·si·a [zènəglɑ́siə, zì:n- | zènəglɔ́s-] *n.* 〖심령〗 이어(異言) 능력 《배운 적이 없는 언어를 읽고 쓰고 말하고 이해하는 초능력》

xen·o·graft [zénəgræ̀ft, -grɑ̀:ft | zénəgrɑ̀:ft] *n.* 〖외과〗 이종 이식 《이종 동물간의 이식》

xen·o·lith [zénəlìθ] *n.* 〖암석〗 포획암(捕獲岩) 《화성암 속의 이질 암석 조각》 **xèn·o·líth·ic** *a.*

xen·ol·o·gy [zinɑ́lədʒi] *n.* 외계인학(學) 《특히 외계인의 생리에 대한 연구》 **-gist** *n.*

xen·o·ma·ni·a [zènəméiniə, zì:n- | zèn-] *n.* 외제품광(狂), 외국열

xe·non [zí:nɑn | zénɔn] *n.* Ⓤ 〖화학〗 크세논 《희유(稀有)가스 원소; 기호 Xe, 원자 번호 54》

xénon àrc 크세논 아크 《크세논 기체를 함유한 석영 전구 속의 두 개의 금속 전극 사이에 들어 있는 아크》

xénon hex·a·flú·o·ride [-hèksəflú:əraid] 〖화학〗 6플루오르화 크세논

xénon làmp 〖광학〗 크세논 램프 《영사기 등에 쓰이는 고압 램프》

xénon tet·ra·flú·o·ride [-tètrəflú:əraid] 〖화학〗 4플루오르화 크세논

xen·o·phile [zénəfàil, zí:n- | zén-] *n.* 외국인[외국풍]을 좋아하는 사람 **xe·nóph·i·lous** *a.*

xen·o·phil·i·a [zènəfíliə, zì:n- | zèn-] *n.* Ⓤ 외국인[문화, 풍습]에 매료되기[끌려들기] **-phíl·ic** *a.*

xen·o·phobe [zénəfòub, zí:n- | zén-] *a., n.* 외국인[것]을 싫어하는 (사람)

xen·o·pho·bi·a [zènəfóubiə, zì:n- | zèn-] *n.* Ⓤ 외국인[것]을 싫어함 **-phó·bic** *a.*

Xen·o·phon [zénəfən, -fɑ̀n | -fən] *n.* 크세노폰 (434?-355? B.C.) 《그리스의 철학자·역사가·장군》

xen·o·trans·plant [zènoutrǽnsplænt, zì:-] *n.* **1** ⓊⒸ 이종(異種) 기관 이식(술) 《동물의 기관을 인체에 이식하기》 **2** Ⓒ (이식용) 이종 기관
— *vt.* 〈이종 기관을〉 이식하다: *~ed* organs 이종 이식 기관 **xèn·o·trans·plan·tá·tion** *n.* Ⓤ 이종 이식

xen·o·trop·ic [zènətrɑ́pik, zì:n- | zènətrɔ́p-] *a.* 〖생물〗 〈바이러스가〉 숙주 외의 세포에서만 증식하는

xer- [ziər], **xero-** [zíərou, -rə] 《연결형》 「건조(한)」의 뜻 《모음 앞에서는 xer-》: *xero*phyte

X-er [éksər] *n.* 《미·속어》 X세대의 사람

xe·ra·sia [ziréiʒə] *n.* Ⓤ 〖의학〗 모발 건조증

xe·ric [zíərik] *a.* 〈토양 등이〉 건조 상태의; 〈식물 등이〉 내건성의, 건생(乾生)의

xe·ri·scap·ing [zíərəskèipiŋ, zér-] *n.* Ⓤ 건식 조경(乾式造景)

xe·ro·der·ma [zìərədə́:rmə], **-mi·a** [-miə] *n.* 〖병리〗 피부 건조증, 건피증(乾皮症)

xerodérma pig·men·tó·sum [-pìgmәntóusəm] 〖병리〗 색소성 건피증

xe·ro·gel [zíərədʒèl] *n.* 〖화학〗 크세로겔 《다공성(多孔性) 건조 겔의 총칭》

xe·ro·gram [zíərəgræ̀m] *n.* xerography에 의한 복사물, 제록스 복사

xe·rog·ra·phy [zirɑ́grəfi | ziərɔ́g-] *n.* Ⓤ 제로그라피 《건식 전자 사진 복사의 한 방식; cf. XEROX》
xe·ro·graph·ic [zìərəgrǽfik] *a.*

xe·ro·morph [zíərəmɔ̀:rf] *n.* 건생 식물(xerophyte)

xe·roph·i·lous [ziərɑ́fələs | -rɔ́f-] *a.* 〖동물·식물〗 **1** 건조를 좋아하는, 내건성(耐乾性)의 **2** 열대 건조지에 나는[사는] **xe·róph·i·ly** *n.* 건성(乾性)

xe·roph·thal·mi·a [zìərɑfθǽlmiə | -rɔf-] *n.* Ⓤ 〖병리〗 안구 건조증(眼球乾燥症) **-thál·mic** *a.*

xe·ro·phyte [zíərəfàit] *n.* 〖식물〗 건생(乾生) 식물 《선인장 등》 **xe·ro·phyt·ic** [zìərəfítik] *a.*

xe·ro·print·ing [zíərouprìntiŋ] *n.* Ⓤ (xerography를 응용한) 건식 복사 인쇄

xe·ro·ra·di·o·graph [zìərəréidiougræ̀f | -grɑ̀:f] *n.* X선 전자 사진 — *vt.* X선 전자 사진으로 촬영하다

xe·ro·ra·di·og·ra·phy [zìərərèidiɑ́grəfi | -ɔ́g-] *n.* Ⓤ X선 전자 사진법

xe·ro·sis [ziəróusis] *n.* (*pl.* **-ses** [-si:z]) 〖의학〗 (피부·안구 등의) 건조(증); 노인성 건조증

xe·ros·ta·ma [zirɑ́stəmə | -rɔs-], **xe·ro·sto·mi·a** [zìərəstóumiə] *n.* Ⓤ 〖병리〗 구강 건조증

Xe·rox [zíərɑks | -rɔks] *n.* **1** 제록스 《건식 복사법[복사기]의 일종; 상표명》 **2** 제록스 복사물
— *vt., vi.* [종종 **x~**] 제록스로 복사하다(photocopy)

Xerx·es [zə́:rksi:z] *n.* **1** 남자 이름 **2** 크세르크세스 1세 ~ **I** 《페르시아의 왕(519?-465 B.C.); 480 B.C.에 그리스에 침입, Salamis의 해전에서 패배하여 퇴각》

x-fac·tor [éksfæ̀ktər] *n.* 미지의 요인[인물, 사물]

X-filed [-fàild] *a.* 《영·속어》 애인에게 차인, 버림받은

xg crossing

X-Game [-géim] *n.* Ⓤ X게임, 익스트림[극한] 스포츠 《공중 낙하나 급류타기 등》

x-height [-hàit] *n.* 〖인쇄〗 엑스 하이트 《소문자 x의 높이》

Xho·sa [kóusə, -zə, kɔ́:- | kɔ́:sə] *n.* **1** (*pl.* **~s**) 코사[호사] 족(族)의 일원 《남아공 Cape Province 동부에 거주하는 Nguni 족》 **2** Ⓤ 코사[호사] 어(語)
— *a.* 코사 족[어]의

xi [zái, sái] *n.* 크사이, 크시 《그리스 어 알파벳의 열네번째 글자; Ξ, ξ; 로마 글자의 X, x에 해당》

X.i., x.i., x-i. ex interest 〖증권〗 이자락(利子落) (without interest)

Xia·men [ʃjɑ̀:mə́:n], **Hsia·men** [ʃiɑ́:- | ʃjɑ́:-] *n.* 샤먼(廈門) 《중국 푸젠(福建)성 남동부의 한 섬을 이루는 항만 도시; 별칭 Amoy》

Xi·ang [ʃiɑ́:ŋ], **Hsi·ang, Si·ang** [ʃiɑ́:ŋ | ʃjɑ́:ŋ] *n.* 〖언어〗 샹위(湘語) 《후난 성(湖南省) 일대에서 사용되고 있는 중국어의 방언》

Xiang·gang [ʃjɑ́:ŋgɑ́:ŋ] *n.* 샹강(香港)(Hong Kong)

x in ex interest 〖증권〗 이자락(利子落)

X-in·ac·ti·va·tion [éksinæ̀ktəvéiʃən] *n.* 〖생물〗 불활성 X염색체

X-in·ef·fi·cien·cy [-ìnifíʃənsi] *n.* 〖경영〗 X 비효율 《기업의 실제 생산성이 이론상의 최대치보다 못함, 또는 그 비율》

Xing [krɔ́:siŋ, krɑ́s- | krɔ́s-] *n.* [교통 표지] **1** (산악의) 동물 횡단 지점: Deer ~ 사슴 횡단 지점 **2** 횡단보도: school ~ 학교 횡단보도 **3** 건널목

Xin·gú [ʃi:ŋgú:] *n.* [the ~] 싱구 강 《브라질 중앙부를 북으로 흘러 Amazon 강으로 들어감》

Xin·hua·she [ʃínhwɑ̀:ʃʌ́] *n.* 신화 통신(New China News Agency) 《중국의 통신사》

x-int. ex interest 〖증권〗 이자락(落)

-xion [kʃən] *suf.* [동작·상태를 나타내는 명사 어미] ★ -ction에 상당하는 영국식 철자: conne*xion*; infle*xion*

xí pàrticle 〖물리〗 크시 입자

xiph- [záif | zíf], **xipho-** [záifou | zíf-], **xiphi-** [záifi | zífi] 《연결형》 「검(劍)(모양)의」의 뜻 《모음 앞에서는 xiph-》

xiph·i·as [zífiəs] *n.* (*pl.* ~) 〖어류〗 황새치(swordfish)

xiph·i·ster·num [zìfəstə́:rnəm] *n.* (*pl.* **-na** [-nə]) 〖해부〗 (흉부의) 검상 돌기(劍狀突起)

xiph·oid [zífɔid] 〖해부〗 *a.* 칼 모양(돌기)의
— *n.* = XIPHISTERNUM

x-ir·ra·di·ate [éksiréidièit] *vt.* 〈환부 등에〉 X선을 조사하다 **x-ir·rà·di·á·tion** *n.*

Xi·zang [ʃi:zɑ́:ŋ], **Si·tsang** [ʃí:zɑ́:ŋ | sí:tsǽŋ] *n.* 시짱(西藏) 《Tibet의 중국어명》

XL extra large; extra long

X-linked [ékslìŋkt] *a.* 〖유전〗 X염색체에 연쇄된

XLP extra long playing (record) 초(超) LP반

Xm Christmas

‡Xmas [krísməs, éksməs] [Gk 'Xristos'의 머리글자와 「미사(mass)」에서] *n.* 《구어》 = CHRISTMAS ★ X'mas라고 쓰는 것은 잘못.
XML 〘컴퓨터〙 Extensible Markup Language
X·mo·dem [éksmòudem] *n.* 〘컴퓨터〙 X모뎀 《파일 전송 프로토콜》
Xn. Christian **x.n.** 《영》 ex new **Xnty.** Christianity **x.o.** executive officer
xo·a·non [zóuənɑ̀n | -nɔ̀n] *n.* (*pl.* **-na** [-nə]) 〘고고학〙 크소아논 《고대 그리스의 원시적 목조 신상(神像)》
X·o·graph [éksəgræ̀f, -grɑ̀:f] *n.* 3차원 복사 사진 인쇄(술) 《상표명》
XOR [eksɔ́:r] [exclusive or의 단축형] *n.* 〘컴퓨터〙 배타적 논리합 《입력된 2개 중 1개만 참일 때 참이 되는 논리 연산자》
x-out [éksàut] *vt.* 《속어》 말소하다, 말살하다, 없애 버리다, 죽이다
XP [káiróu, kí:-] *n.* 그리스도의 표호(標號) 《Christ의 그리스 글자, XPIΣTOΣ의 처음 두 글자》
X-par·ti·cle [ékspɑ̀:rtikl] *n.* 〘물리〙 중간자 (meson)
xr, XR ex rights 〘증권〙 권리락(權利落)으로[의]
X-ra·di·ate [éksrèidieit] *vt.* 엑스선을 방사하다
X-ra·di·a·tion [-rèidiéiʃən] *n.* Ⓤ X선 방사
X-rat·ed [-rèitid] *a.* 《구어》 **1** 〈영화가〉 성인용의: an ~ movie 성인 영화 **2** X표시가 된, 금지된; 불법화된 **3** 《미》 외설적인: ~ language 외설스러운 말 **4** 《속어》 무시무시한, 오싹해지는
X́ ràting 18세 미만 금지의 영화
***X́ rày** [발견자 뢴트겐이 「정체 불명의 방사선」의 뜻으로 명명한 데서] **1 X선**, 뢴트겐선(Röntgen rays) **2** X선 사진
***X-ray** [éksrèi] *a.* **X선의**, 뢴트겐의
— *vt.* [종종 **x-ray**] **1** X선 사진을 찍다 **2** X선으로 검사하다[치료하다]
X́-ray astrònomy X선 천문학
X́-ray bùrst 〘천문〙 X선 버스트 《X선원(源)에서 주기적으로 일어나는 폭발적인 X선 방사》
X́-ray bùrster *n.* X선 버스터 《천체》
X́-ray crystallògraphy X선 결정학(結晶學) 《X선 회절(回折)을 이용한 결정 구조 등의 연구》
X́-ray diffràction 〘물리〙 X선 회절(回折) 《원자 배열을 해석하는 데 응용》
X́-ray làser 〘물리〙 X선 레이저
X́-ray machìne **1** X선 기기 **2** 《미·속어》 (경찰 자동차의) 속도 측정 장치
X́-ray nòva 〘천문〙 X선 신성(新星)
X́-ray phòtograph[pìcture] X선 사진
X́-ray pùlsar 〘천문〙 X선 펄서 《X선을 방사하는 전파 천체》
X́-ray sàtellite 〘천문〙 X선 위성 《천체의 X선 관측용 인공위성》
X́-ray scànning 〘공학〙 X선 주사(走査) 《X선을 주사하여 하자 유무를 검사하는 기술》
X́-ray stàr 〘천문〙 X선성(星)
X́-ray tèlescope 〘천문〙 X선 망원경
X́-ray thèrapy 〘의학〙 X선 요법
X́-ray tùbe 〘전자〙 X선관
x. rts. ex rights 〘증권〙 (신주 인수의) 권리락(落)
XS extra small **Xt, Xt.** Christ
xtc [ékstəsi] *n.* 《속어》 (마약의) 엑스터시(ecstasy)
Xtian. Christian **Xty.** Christianity

xu [sú:] *n.* (*pl.* ~) **1** 수 《베트남의 화폐 단위; = 1/100 dong = 1/10 hao》 **2** 1수짜리 동전
X-u·nit [éksjù:nit] *n.* 〘물리〙 X 단위 《방사선의 파장 측정에 씀》
xw ex warrants 〘증권〙 신주 인수 권리락(權利落)으로[의]
XX [dʌ́bléks] **1** 에일(ale)의 알코올 강도를 나타내는 기호 《보통보다 알코올 성분이 많음》 **2** [the ~] 《속어》 = DOUBLE CROSS **3** = POWDERED SUGAR
XXX [trípléks] **1** XX보다 알코올 성분이 많은 에일(ale) **2** 〘영화〙 본격 포르노 영화
XXXX = CONFECTIONERS' SUGAR
xyl- [zail], **xylo-** [záilou, -lə] 《연결형》 「나무」의 뜻 《모음 앞에서는 xyl-》: *xylo*phagous
xy·lan [záilæn] *n.* Ⓤ 〘화학〙 크실란 《xylose로 이루어진 다당류(多糖類)》
xy·lem [záiləm, -lem] *n.* Ⓤ 〘식물〙 목질부(木質部), 목부(木部)
xý·lem rày 〘식물〙 목부(木部) 방사 조직(wood ray)
xy·lene [záili:n] *n.* Ⓤ 〘화학〙 크실렌 《물감 원료, 용제(溶劑)》
xy·li·tol [záilətɔ̀:l, -tɑ̀l | -tɔ̀l] *n.* 〘화학〙 크실리톨 《xylose의 환원으로 얻어지는 당(糖) 알코올; 감미료》
xy·lo·carp [záiləkɑ̀:rp] *n.* 〘식물〙 경목질과(硬木質果)
xy·lo·car·pous [zàiləkɑ́:rpəs] *a.* 〘식물〙 경목질과(果)를 맺는
xy·lo·gen [záilədʒən] *n.* 〘식물〙 = XYLEM
xy·lo·graph [záiləgræ̀f | -grɑ̀:f] *n.* (특히 15세기의) 목판; 목판화, 목판 인쇄물
xy·log·ra·pher [zailɑ́grəfər | -lɔ́g-] *n.* 목판사(師)
xy·log·ra·phy [zailɑ́grəfi | -lɔ́g-] *n.* Ⓤ 목판술 《특히 15세기의》; 목판 인쇄술 **xỳ·lo·gráph·ic** *a.*
xy·loid [záilɔid] *a.* 나무[목재] 비슷한, 목질(木質)의
xy·lol [záilɔ:l, -lɑl | -lɔl] *n.* Ⓤ 〘화학〙 크실롤 (xylene)
Xy·lo·nite [záilənàit] *n.* Ⓤ 자일로나이트 《셀룰로이드의 일종; 상표명》
xy·lo·phage [zàiləféidʒ] *n.* 나무를 먹는[목식성(木食性)] 곤충
xy·loph·a·gous [zailɑ́fəgəs | -lɔ́f-] *a.* 〘동물〙 **1** 〈곤충의 유충 등이〉 나무를 먹는 **2** 〈갑충(甲蟲)·균류 등이〉 나무에 구멍을 뚫는
***xy·lo·phone** [záiləfòun] *n.* 〘음악〙 **실로폰**, 목금(木琴)(cf. MARIMBA) **xỳ·lo·phón·ic** *a.*
xy·lo·phon·ist [záiləfòunist] *n.* 실로폰 연주자
xy·lose [záilous] *n.* Ⓤ 〘화학〙 크실로오스, 목당(木糖) 《목재·짚 속에 들어 있는 일종의 당(糖)》
xy·lot·o·mous [zailɑ́təməs | -lɔ́t-] *a.* 〈곤충이〉 나무에 구멍을 뚫는, 나무를 자르는
xy·lot·o·my [zailɑ́təmi | -lɔ́t-] *n.* Ⓤ 목질(木質) 박편 절단법 《검경용(檢鏡用)》
xyst [zíst] *n.* = XYSTUS
xys·ter [zístər] *n.* 〘의학〙 (외과용) 골막 박리기(剝離器)(raspatory); 외과용 줄
xys·tus [zístəs] *n.* (*pl.* **-ti** [-tai]) **1** 〘고대그리스·로마〙 주랑식(柱廊式) 실내 경기장 **2** 〘고대로마〙 (정원 안의) 보도(步道)[테라스]
XYY sỳndrome [éksdʌ́blwái-] 〘의학〙 XYY 증후군 《남성 염색체(Y)를 하나 더 가진 염색체 이상》
XYZ [ékswàizí: | -zéd] [*E*xamine *y*our *z*ipper!] *int.* 《미·속어》 (바지의) 지퍼가 열렸어요! 《주의의 말》

Y y

y, Y[1] [wái] *n.* (*pl.* **y's, ys, Y's, Ys** [-z]) **1** 와이 《영어 알파벳의 제25자》 **2** Y자 모양(의 물건); Y자 모양의 버팀목 **3** 25번째(의 것) 《J를 뺄 때에는 24번째, J, V, W를 뺄 때에는 22번째》 **4** 〚수학〛 제2 미지수, 변수, y축, y좌표(cf. X, Z)

Y[2] [wái] *n.* [the ~] 《구어》 YMCA; YWCA; YMHA; YWHA

Y 〚전기〛 admittance; 〚생화학〛 tyrosine; 〚물리〛 upsilon particle; y-axis; yeoman; 〚화학〛 yttrium **¥, Y** yen 엔(円) 《일본의 화폐 단위》 **y.** yacht; yard(s); year(s); yellow; young; younger; youngest

y- [i] *pref.* 《고어》 [과거분사·집합명사 등을 나타내는 접두사]: *y*clad(=clad), *y*clept(=called)

-y[1] [i] *suf.* **1** [형용사·명사에 붙여서] 「…의 성질[상태]」의 뜻: jealous*y*, victor*y* **2** [동사에 붙여서] 「…의 행위」의 뜻: entreat*y*, deliver*y*

-y[2] *suf.* **1** [명사에 붙여 친근감을 나타내는 명사를 만듦]: John*ny* John의 애칭 / aunt*y* 아줌마 **2** [형용사에 붙여 명사를 만듦; 다소 경멸조로]: dark*y* 검둥이 / fatt*y* 뚱뚱보

-y[3] *suf.* **1** [명사에서 형용사를 만듦] …있는, …투성이의, …으로 이루어지는, …성의, …와 유사한: bon*y*, greed*y*, snow*y*, thorn*y* **2** 〈빛깔이〉 좀 …한, …빛이 도는: yellow*y*, whit*y* **3** [형용사에서 다시 같은 뜻의 형용사 (주로 시어(詩語))를 만듦]: steep*y*, still*y*

ya [jə] *pron.* 《속어》 =YOU, YOUR

yaar [jɑ́:r] *n.* 《인도·구어》 친구 《누군가를 친근하게 부르는 말》

yab·ber [jǽbər] *n.* Ⓤ, *vi.* 《호주·구어》 수다(떨다) (talk, jabber)

yab·by, -bie [jǽbi] *n.* (*pl.* **-bies**) 〚동물〛 민물가재 《호주산(産)》

‡**yacht** [jɑ́t | jɔ́t] [Du. 「추격하는 배」의 뜻에서] *n.* 요트, (유람용) 쾌속선

> 유의어 **yacht**는 경주·유람용의 대형 요트를 이르며, 소형 경주용 요트는 **dinghy** 또는 (미) **sailboat**, (영) **sailing boat**라고 함.

— *vi.* 요트를 타다, 요트를 조종하다, 요트로 항해하다

yácht chàir 범포(帆布)를 쳐서 만든 팔걸이 접의자

yácht clùb 요트 클럽

yacht·ie [jɑ́ti | jɔ́ti] *n.* 《구어》 요트 타는 사람[소유자], 요트족(族)

yacht·ing [jɑ́tiŋ | jɔ́t-] *n.* Ⓤ **1** 요트 놀이, 요트 여행; 요트 레이스 **2** 요트 조종(술) ***go*** **~** 요트 놀이 가다

yácht ràcing[ràce] 요트 경주[레이스]

yachts·man [jɑ́tsmən | jɔ́ts-] *n.* (*pl.* **-men** [-mən]) 요트 조종자[소유자, 애호가]

~·shìp *n.* Ⓤ 요트 조종술

yachts·wom·an [-wùmən] *n.* (*pl.* **-wom·en** [-wìmin]) 여성 요트 조종자[소유자, 애호가]

yack [jǽk] *vi.* =YAK[2]

yack·e·ty-yak, -yack [jǽkitijǽk] [의성어] *n.*, *vi.* 《미·속어》 =YAK[2]

— *int.* 와글와글, 재잘재잘; 닥쳐! 《상대방의 말에 대한 불신이나 수다스러움에 대한 불쾌감을 나타냄》

yad·(d)a yad·(d)a yad·(d)a [jǽdə-jæ̀də-jǽdə] 《미·구어》 *n.* 시시한 소리, 그렇고 그런 소리 《이미 알거나 지루한 내용이라서 그만 줄이는 말》

yaff [jǽf] *vi.* 《영·방언》 **1** 개처럼 짖다 **2** 잔소리하다, 딱딱거리다; 야단치다(scold)

yaf·fle [jǽfl], **yaf·fil** [jǽfəl] [의성어] *n.* 《영·방언》 〚조류〛 딱따구리의 일종

YAG [jǽg] [*y*ttrium *a*luminum *g*arnet] *n.* 〚물리〛 야그 《이트륨과 산화 알루미늄의 합성 가닛; 보석·레이저 발진(發振)용》

ya·ger [jéigər] *n.* =JAEGER

yah[1] [jɑ́:, jǽə] [의성어] *int.* 야아, 어이 《혐오·조롱·초조의 소리》

yah[2] *ad.* 《구어》 =YES

— *n.* (특히 런던에 사는) 상류층의 세련된 취향의 젊은이, 여피족(yuppie) 《'yes' 대신 'yah'를 사용하는 데서》

Ya·hoo [jɑ́:hu:, jéi-, jɑ:hú: | jəhú:, jɑ:-] *n.* (*pl.* **~s**) **1** 야후 《「걸리버 여행기」(*Gulliver's Travels*) 중 사람의 모양을 한 짐승》 **2** [**y~**] 짐승 같은 사람; (미) 무뚝뚝한[무례한] 사람; 시골뜨기 **3** 〚컴퓨터〛 야후 《미국의 인터넷 검색 서비스 업체》

Yah·veh [jɑ́:ve, -vei] *n.* =YAHWEH

Yah·weh [jɑ́:we, -wei | -wei] *n.* 〚성서〛 야훼, 여호와(Jehovah)

Yah·wism [jɑ́:wizm] *n.* Ⓤ **1** (고대 히브리 인의) 야훼(Yahweh) 신앙 **2** 신을 야훼라 부르는 것

Yah·wist [jɑ́:wist] *n.* **1** 야훼스트(Jehovist) 《구약성서 중 신을 Yahweh라고 기록한 부분의 기자(記者); cf. ELOHIST》 **2** 야훼 숭배자 — *a.* =YAHWISTIC

Yah·wis·tic [jɑ:wístik] *a.* **1** 야훼스트의 **2** 야훼 신앙의

yak[1] [jǽk] *n.* (*pl.* **~s, ~**) **1** 〚동물〛 야크 《티베트산(産)의 들소》 **2** 야크 고기

yak[2] *n.* 수다, 허튼소리

— *vi.* (**~ked**; **~·king**) 재잘거리다

yak[3] [의성어] 《미·속어》 *n.* 큰 웃음(을 자아내는 농담)

— *vi.*, *vt.* (**~ked**; **~·king**) 크게 웃다[웃기다]

yak[4] *n.* 《미·속어》 **1** 친구, 짝 **2** 멍텅구리, 얼간이, 시골뜨기

yak[5] *n.* 《속어》 시계(watch)

yak·ka [jǽkə], **yak·ker, yack·er** [jǽkər] *n.* **1** 《미·속어》 〚야구〛 날카로운 커브 **2** 《호주·구어》 일, 《특히》 고된 일

yak·ky [jǽki] *a.* 《미·속어》 잘 지껄이는, 수다스러운; 시끄러운

yák láce 야크 털로 만든 레이스

yak·ow [jǽkau] [*yak*+*cow*] *n.* 〚축산〛 야카우 《영국에서 만들어진 야크와 하일랜드산(産) 암소와의 교배로 난 육우》

yák shòw 《속어》 (라디오의) 토크 쇼

Ya·kut [jəkú:t | jəkút, jæ-] *n.* (*pl.* **~, ~s**) **1** 야쿠트족(族)(의 사람) 《동부 시베리아의 터키 종족의 일파》 **2** Ⓤ 야쿠트 말

Yakút Autónomous Repúblic [the ~] 야쿠트 자치 공화국 《러시아 연방 동부에 위치; 수도 Yakutsk》

yak-yak [jǽkjǽk] *n.*, *vi.* 《속어》 =YAK[2]

Yale [jéil] *n.* 예일 대학 《미국 Connecticut주 New Haven에 있는 1701년에 창립된 명문 사립 대학》(=~ **Univérsity**)

Yále (lòck) [발명자 이름에서] 예일 자물쇠 《문에 쓰는 원통형 자물쇠; 상표명》

Yal·ie [jéili] *n.* 《미·속어》 Yale 대학 재학생[출신자]

y'all [jɔ́ːl] *pron.* 《미남부》 = YOU-ALL

Yal·ta [jɔ́ːltə | jǽl-] *n.* 얄타 《우크라이나 공화국 남부의 흑해 연안 항구》

Yálta Cónference [the ~] 얄타 회담 《1945년 2월 미·영·소의 수뇌가 모여 2차 대전의 사후책을 논의한 회담》

Ya·lu [jáːlùː] *n.* [the ~] 압록강 《북한과 중국의 국경을 이루는》

yam [jǽm] *n.* **1** 〖식물〗 참마 **2** 《미남부》 고구마(sweet potato) **3** 《스코》 감자

Ya·ma [jʌ́mə] [Sans.] *n.* 〖불교〗 염마(閻魔)

ya·men, ya·mun [jáːmən] [Chin.] *n.* (중국의) 관청, 관아(官衙)

yam·mer [jǽmər] (구어·방언) *vi.* **1** 슬픈 목소리로 울다, 훌쩍이다, 불평을 하다 **2** 시끄러운 소리를 내다, 지껄여대다; 야단치다 — *vt.* …이라고 불평스런 얼굴로 이야기하다, 불평하다, …이라고 지껄여대다
— *n.* **1** 불평, 투덜거림 **2** 지껄임, 수다 **3** 헛소리
~·er *n.*

yang, Yang [jáːŋ, jǽŋ] [Chin.] *n.* Ⓤ (동양 철학의) 양(陽)(opp. *yin*)

Yan·gon [jæŋgán, -gɔ́ːn | -gɔ́n] *n.* 양곤 《미얀마(Myanmar)의 수도; 1989년 이전까지는 Rangoon》

Yang·zi (Jiang) [jæŋsíː(-dʒiáːŋ), -tsíː- | jǽŋksi-], **Yang·tze (Kiang)** [jæŋsíː(-kiáːŋ), -tsíː] *n.* [the ~] 양쯔강, 양자강(揚子江) 《Chang Jiang의 예전 말》

yank [jǽŋk] *vt.* **1** 《미·구어》 홱 잡아당기다(jerk); 홱 잡아당겨 …의 상태로 하다: (~+목+보) ~ the door open 문을 홱 당겨 열다 **2** 《미·속어》 (실적 부진 때문에) 해임하다, 해고하다: (~+목+전+명) He was *~ed out of* school. 그는 학교에서 쫓겨났다.
— *vi.* **1** 홱 당기다 《*at*》 **2** 〖야구〗 (실책 등으로) 피처를 교체시키다 **~ off** 〈옷을〉 벗어 던지다
— *n.* 홱 잡아당김

Yank [jǽŋk] *n., a.* 《속어》 = YANKEE

*__Yan·kee__ [jǽŋki] [New York의 네덜란드 이민이 Connecticut의 영국 이민을 부른 별명] *n.* **1** 《영·속어》 미국 사람 **2** 《미》 뉴잉글랜드(New England) 사람 **3** 《미남부》 미국 북부 여러 주의 사람 **4** 〖미국사〗 북부 사람, 북부군 《남북 전쟁 당시 남부 사람이 북부 사람에게 붙인 경멸 또는 적의의 호칭》 **5** [the ~s] (미국 American League의) 뉴욕 양키스 구단
— *a.* 양키의, 양키식의

Yánkee bònd 〖금융〗 양키 본드 《미국의 금융 시장에서 달러 표시로 발행되는 외국 기업·기관의 채권》

Yan·kee·dom [jǽŋkidəm] *n.* Ⓤ **1** 양키 나라 《미국, 특히 뉴잉글랜드》 **2** [집합적] 양키(Yankees)

Yánkee Dóo·dle [-dúːdl] **1** 양키 노래 《독립 전쟁 중에 유행한 노래; 미국의 준국가(準國歌)라고 일컬어짐》 **2** [a ~] 미국 사람(Yankee)

Yan·kee·fy [jǽŋkifài] *vt.* 양키화하다, 미국식으로 하다(Americanize)

Yan·kee·ism [jǽŋkiìzm] *n.* Ⓤ **1** 양키 기질 **2** 미국적 풍습 **3** 미국식 어법[사투리]

Yan·kee·land [jǽŋkilæ̀nd] *n.* **1** 《영》 미국 **2** 《미남부》 북부 여러 주 **3** 《미북부》 뉴잉글랜드 지방

Yanks [jǽŋks] *n.* 《속어》 New York Yankees (프로 야구단)의 약칭

yan·ni·gan [jǽnigən] *n.* 《미·속어》 〖야구〗 2군 선수

yan·qui [jáːŋki] [Sp.] *n.* [종종 **Y~**] (라틴 아메리카에서) 미국 사람 — *a.* 미국(사람)의

yan·tra [jʌ́ntrə, jǽn-] [Skt.] *n.* 얀트라 《명상할 때 쓰는 기하학적 도형》

Ya·oun·dé [jaundéi] *n.* 야운데 《카메룬의 수도》

ya·ourt [jáːuərt] *n.* 《영》 = YOG(H)URT

yap¹ [jǽp] [의성어] *v.* (**~ped**; **~·ping**) *vi.* **1** 〈개가〉 캥캥[시끄럽게] 짖어대다(⇨ bark¹ 유의어) **2** 《속어》 재잘거리다; 투덜대다 — *vt.* …을 시끄럽게 말하다, …에게 심하게 잔소리하다
— *n.* **1** 시끄럽게 짖는 소리 **2** 《속어》 시끄러운 [듣기 싫은] 잔소리; 떠드는 사람; (수다스러운) 입; 불평, 항의: Keep your ~ shut. 입 다물고 있어라. **3** 《속어》 시골뜨기, 얼간이

Yap [jǽp, jáːp] *n.* 얍 《태평양 북부 Caroline 제도 서부의 섬; 미국 해저 전신의 중계지》

yap², YAP [wáièipíː, jǽp] [*y*oung *A*merican [*a*spiring] *p*rofessional] *n.* 《미·구어》 출세 지향적인 고소득의 젊은 전문직 종사자

ya·po(c)k [jəpák | -pɔ́k] *n.* 〖동물〗 물주머니쥐 《중·남미산(産)》

yapp [jǽp] [19세기 London의 제책 고안자 이름에서] *n.* ⓊⒸ 얍형 제책 《가죽 표지의 가장자리를 접은, 성서 등의 제책 양식》, 귀 접은 표지(= **~ bìnding**)

yap·pie [jǽpi] *n.* [종종 **Y~**] = YAP²

Ya·qui [jáːki] *n.* (*pl.* **~, ~s**) 야키 족(族) 《Arizona 주·멕시코 서북의 인디언》; Ⓤ 야키 어(語)

Yar·bor·ough [jáːrbə̀ːrou, -bʌ̀r- | jáːbərə] *n.* [종종 **y~**] 〖카드〗 9점 이상의 패가 없는 수 《whist 또는 bridge에서》

‡**yard¹** [jáːrd] [OE 「막대」의 뜻에서] *n.* **1** 《영》 야드 《3피트, 36인치, 0.914미터; 略 yd》, 마(碼): two *~s* of cloth 천 2야드 **2** 야드 자(yardstick) **3** 〖항해〗 (돛) 활대: *~s* apeak (돛) 활대를 X형으로 올리고 《조의를 나타낼 때 등에》 **4** 《미·속어》 100달러, (때로는) 1,000달러(grand)
by the ~ (1) 1야드에 (얼마로) (2) 장황하게, 상세히 ***go the full ~*** 《미·속어》 철저하게 하다 ***the whole nine ~s*** 《구어》 일체, 전부 ***~ of ale*** 1야드 맥주잔 《길쭉하게 높은 유리잔》 ***~s of ...*** 《미》 매우 긴; 많은

‡**yard²** [jáːrd] [OE 「울타리」의 뜻에서] *n.* **1** 마당, (건물 등으로) 둘러싸인 지면, 뜰, 구내

> 유의어 **yard** 보통 포장되고, 울타리 등으로 둘러싸인 땅, 또는 학교 등의 구내. 《미》에서는 잔디 등을 심은 앞뜰(front yard)이나 뒤뜰(back yard)도 가리킨다: play in the *yard* 뜰에서 놀다 **garden** 꽃이나 야채를 심은 뜰: plant one's *garden* 정원에 나무[화초]를 심다

2 (학교·시설 등의) 운동장 **3** (대학 등의) 교내, 캠퍼스 **4** 《호주·뉴질》 (가축의) 우리; 축사(pen) **5** [보통 복합어를 이루어] …제조장, 작업장, 일터: a brick ~ 벽돌 제조장/a cab~ 역마차 두는 곳/a stock~ 가축을 가두어 두는 곳/a lumber~ 목재 집하장 **6** 〖철도〗 역구내, 조차장(操車場)(railway-yard) **7** 《미》 〈사슴 등이〉 겨울에 풀 뜯는 곳 **8** [the Y~] 《영》 = SCOTLAND YARD ***stay in one's own ~*** [***back ~***] 《미·구어》 (1) 참견하지 않다 (2) 익숙한 일만 하다
— *vt.* 〈가축 등을〉 우리 속에 넣다 《*up*》
— *vi.* **1** (뜰에) 모이다 **2** 《미·속어》 바람피우다

yard·age¹ [jáːrdidʒ] *n.* Ⓤ **1** (야드제(制) 채탄(採炭)에서) 야드수(數) **2** 야드법에 의한 길이[용적, 부피] **3** 《미》 = YARD GOODS

yardage² *n.* Ⓤ **1** (가축 등의) 위탁장 사용권[료] **2** 역 구내 사용권[료]

yard·arm [jáːrdàːrm] *n.* 〖항해〗 활대의 끝

yard·bird [-bə̀ːrd] *n.* 《미·속어》 **1** 초년병, 졸병; (처벌로서 사역당하는) 병사 **2** 죄수; 전과자

yárd gòods 《미》 야드 단위로 파는 피륙, 옷감

yárd gràss 〖식물〗 왕바랭이 《벼과(科)의 잡초》

yárd hàck[**bùll**] 《미·속어》 교도관

Yar·die [jáːrdi] *n.* 《자메이카·속어》 (특히 마약 거래 등에 연루된) 자메이카의 조직 범죄단의 일원

yárd lìne 〖미식축구〗 야드 라인 《골라인과 평행으로 1야드마다 그어 놓은 라인》

yard·man¹ [jáːrdmən] *n.* (*pl.* **-men** [-mən]) 〖항해〗 활대 담당자

yardman² *n.* (*pl.* **-men** [-mən]) **1** 〖철도〗 조차장 작업원 **2** (날품을 파는) 허드렛일꾼

yard·mas·ter [-mæ̀stər | -màːs-] *n.* 〖철도〗 조차장장(操車場長)

yárd mèasure 야드 자
yárd ròpe 〖항해〗 활대를 올리는 밧줄
yárd sàle (미) = GARAGE SALE
yard·stick [-stìk] *n.* **1** 야드 자 《나무·금속으로 만든》 **2** 판단·비교의 표준[척도]
yard·wand [-wɑ̀nd | -wɔ̀nd] *n.* (고어) = YARDSTICK
yárd wòrk (미) 정원 일
yare [jέər, jɑ́ːr | jέə] *a.* **1** 민첩한, 신속한(quick); 활발한(active) **2** 〈배 등이〉 다루기 쉬운 **~·ly** *ad.*
yar·mul·ke, -mel·ka, -mul·ka [jɑ́ːrməlkə] [Yid. 「작은 모자」의 뜻에서] *n.* 〖유대교〗 야물커 《정통파 남자가 기도할 때 쓰는 테없는 작은 모자》
***yarn** [jɑ́ːrn] *n.* **1** Ⓤ **직물 짜는 실,** 방적사(紡績絲), 방사(紡絲), 뜨개실, 꼰실; 〖항해〗 작은 그물 짜는 섬유, 얀: woolen[worsted] ~ 방모사(紡毛絲)[소모사(梳毛絲)] **2** (구어) 모험담 《여행자 등의》; 허풍스런 이야기; 꾸며낸 이야기
breast the ~ (속어) (경주에서) 테이프를 끊다, 1등을 하다 ***sling a ~*** (영·속어) 허풍을 떨다 ***spin a ~[~s]*** (이것저것) 긴 이야기를 늘어놓다
— *vi.* (구어) (긴) 이야기를 하다, 허풍을 떨다
— *vt.* …에 방사(紡絲)를 감다
yárn bèam[ròll] 방적기의 날실을 감는 막대기
yarn-dye [jɑ́ːrndài] *vt.* (짜기 전에) 실을 염색하다, 실염색을 하다(opp. *piece-dye*) **yárn-dỳed** *a.*
yarn-spin·ner [-spìnər] *n.* (구어) 이야기 잘하는 사람, 이야기를 잘 꾸며내는 사람, 허풍쟁이
yar·o·vize [jɑ́ːrəvàiz] *vt.* = VERNALIZE
yar·row [jǽrou] *n.* 〖식물〗 서양가새풀[톱풀]
Yar·row [jǽrou] *n.* [the ~] 애로 강 《스코틀랜드 남동부의 강; Tweed 강의 지류》
yash·mak [jɑːʃmɑ́ːk, jǽʃmæk | jǽʃmæk] [Arab.] *n.* (얼굴의) 베일 《이슬람교도 여성이 타인 앞에서 쓰는》
yat·a·g(h)an [jǽtəgæ̀n | -gən] [Turk.] *n.* 이슬람교도의 긴 칼 《날밑 없이 S자 꼴로 휜》
ya-ta-ta [jɑ́ːtətə, jǽt-] [의성어] *n.* (미·속어) 객담, 잡담(empty talk)
yate [jéit] *n.* 〖식물〗 유칼립투스속(屬)의 나무; 그 목재 《호주산(産)》
yat·ter [jǽtər] (구어) *vi.* 재잘재잘 지껄이다
— *n.* 수다, 잡담
yauld [jɔ́ːld, jɑ́ːld] *a.* (스코·북잉글) 방심하지 않는, 민첩한; 건장한
yaup [jɔ́ːp, jɑ́ːp] *vi., n.* = YAWP
yau·pon [jɔ́ːpɑn | -pɔn] *n.* 〖식물〗 감탕나무의 일종 《잎을 차 대용으로 씀; 미국 남부산(産)》
yau·ti·a [jautíːə] *n.* 〖식물〗 야우티아, 아메리카 토란 《열대 아메리카산 토란 비슷한 식물; 그 덩이뿌리는 식용》
ya·vis, YAVIS [jéivis] [*y*oung, *a*ttractive, *v*erbal, *i*ntelligent, and *s*uccessful] *n.* (미·속어) 젊고 매력적이며 달변이고 성공한 지성인
yaw [jɔ́ː] *vi.* **1** 〖항해〗 〈배가〉 이물을 좌우로 흔들다 **2** 〖항공〗 〈항공기가〉 한 쪽으로 흔들리다; 〈로켓·미사일 등이〉 비행 자세의 균형을 잃다; (침로에서) 벗어나다
— *vt.* 좌우로 흔들리게 하다
— *n.* **1** 편주(偏走); 편요(偏搖) **2** 편요각(도)
yawl[1] [jɔ́ːl] *n.* **1** 소형 함재(艦載) 보트(jolly boat) **2** 욜형 범선 《큰 앞돛대와 작은 뒷돛대를 가진 작은 범선》
yawl[2] *vi., vt. n.* (영·방언) = YOWL, HOWL
***yawn** [jɔ́ːn] *vi.* **1** 하품하다: ~ heavily 하품을 크게하다 / make a person ~ …을 지루하게 만들다 **2** 〈입·틈·만(灣) 등이〉 크게 벌어지다

yawl[1] 2

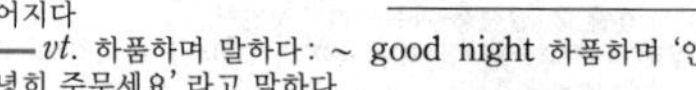

— *vt.* 하품하며 말하다: ~ good night 하품하며 '안녕히 주무세요' 라고 말하다

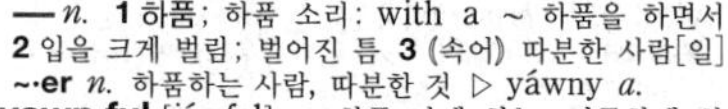

— *n.* **1** 하품; 하품 소리: with a ~ 하품을 하면서 **2** 입을 크게 벌림; 벌어진 틈 **3** (속어) 따분한 사람[일]
~·er *n.* 하품하는 사람, 따분한 것 ▷ yáwny *a.*
yawn·ful [jɔ́ːnfəl] *a.* 하품 나게 하는, 지루하게 하는: a ~ story 지루한 이야기
yawn·ing [jɔ́ːniŋ] *a.* **1** 하품을 하는, 지루해하는 **2** 입을 크게 벌린 〈만(灣) 등〉 **~·ly** *ad.*
yawn·y [jɔ́ːni] *a.* (**yawn·i·er, -i·est**) 하품 나는[나게 하는]: a ~ play 지루한 연극
yawp [jɔ́ːp, jɑ́ːp | jɔ́ːp] (구어·방언) *vi.* **1** 날카로운 소리로 말하다[외치다] **2** (속어) 재잘재잘 지껄이다; 불평하다 **3** (구어) 입을 멍하니 벌리다
— *n.* **1** 날카로운 소리 **2** 수다, 푸념 **3** 울부짖음
yawp·ing [jɔ́ːpiŋ, jɑ́ːp- | jɔ́ːp-] *n.* Ⓤ 귀에 거슬리는 소리; 수다
yaws [jɔ́ːz] *n. pl.* [단수·복수 취급] 〖병리〗 딸기종(腫), 인도마마(frambesia) 《열대 지방의 전염성 피부병》
y-ax·is [wáiæ̀ksis] *n.* (*pl.* **y-ax·es** [-siːz]) [the ~] 〖수학〗 (평면(平面)의) 종축(縱軸), y축
yay [jéi] *int.* (미·구어) 야호, 야, 와 《신나거나 기쁠 때 외치는 말》: I won! *Y*~! 내가 이겼다! 야호!
— *ad.* **1** 이 정도로: The fish was ~ big. 그 물고기가 이 정도로 컸다. **2** 매우, 엄청나게
Yb 〖화학〗 ytterbium **YB** yearbook **YC** Young Conservative
Ý chròmosome 〖생물〗 Y 염색체
y·clad [iklǽd] *v.* (고어) CLOTHE의 과거분사
y·clept, y·cleped [iklépt] *a.* (고어) …이라고 불린, …이라는 이름의(called, named)
Ý connèction 〖전기〗 Y결선(結線), Y접속
y-co·or·di·nate [wáikouɔ́ːrdənit, -nèit] *n.* 〖수학〗 y좌표
Ý cròss Y자꼴 십자가 《그리스도의 못박힘을 나타내는 것으로서 성직복 위에 다는》
yd yard(s) **y'day, yday** yesterday **yds** yards
***ye**[1] [jíː, 《약하게》 ji] *pron.* **1** (고어·시어) **너희들** 《2인칭 대명사 THOU의 복수형》 **2 a** [2인칭 단수 주격으로 쓰여] 당신은 《특히 윗사람·첫 대면인 사람에게 쓰는 정중한 말투》: Do *ye* not know me? 저를 모르시겠습니까? **b** (속어) = YOU: How d'*ye* do [háu-di-dúː]? 처음 뵙겠습니다. 《처음 대면하여》 / Thank *ye.* [θǽŋki] 고맙습니다. **3** [2인칭 단수·복수 목적격으로 쓰여] 너(희)를, 너(희)에게: I have something to tell *ye.* 너(희)에게 할 말이 있다. **4 a** (고어·방언) [명령문에서]: Hark *ye.* [hɑ́ːrki] 들어라. / Look *ye.* [lúki] 보아라. **b** (시어·익살) [호칭]: *Ye* gods (and little fishes)! 오 하느님이시여! 《아이 깜짝이야, 천만에요 등의 감탄사》
ye[2] [ðíː, jíː] *def. art.* (고어) = THE
yea [jéi] *ad.* (고어) **1** 예, 그렇소(yes) **2** 참으로, 실로(indeed) **3** 게다가, 그뿐만 아니라(moreover)
~ and 아니 그뿐만 아니라, 게다가(and moreover)
~ big[high] (미·속어) (손을 펼쳐 보이면서) 이렇게 큰[높은], 엄청나게 큰[높은]
— *n.* **1** 긍정, 찬성: ~*s* and nays 찬부(의 투표 수) **2** [보통 *pl.*] 찬성 투표자 ***~ and nay*** 우유부단(한), 〈판단이〉 수시로 바뀌는 (일); 주저, 망설임 ***~, ~, nay, nay*** 찬성이면 찬성, 반대면 반대라고 솔직히
— *int.* 와, 잘한다, 힘내라, 만세(hooray)
yeah** [jέə, jǽə, jɑ́ː] *ad.* (미·구어) 응, 그래, 오냐 (yes): USAGE 일상 생활에서 yes보다 허물없거나 함부로 하는 말 ***Oh, ~? 정말이니? ***Y~ man!*** (미·속어) 그렇다!, 좋아! 《찬성·기쁨을 나타냄》
yeah-yeah [-jέə] *int.* (구어) 아 그래 《불신을 나타내는 비꼬는 말투》
yeah-yeah-yeah [-jέəjέə] *int.* (구어) 이제 됐어 그만 《수다스러움에 대한 핀잔》
yean [jíːn] *vt., vi.* 〈양·염소가〉 (새끼를) 낳다

thesaurus **yearn** *v.* long, crave, pine, desire, want, wish, hanker, hunger, thirst

yean·ling [jíːnliŋ] *n.* 새끼 양, 새끼 염소
— *a.* 갓 태어난; 어린

‡**year** [jíər] *n.* **1** 해, 1년; 1년간: last ~ 작년/the ~ before (그) 전 해/every other[second] ~ 한 해 걸러/a ~ (from) today 오늘부터 1년 후에; 내년의 오늘/for ~s 수년간, 몇 해 동안/in a ~'s time 1년 지나면/in the ~ 1988 1988년에/next ~ 내년에 ★*the next* year 다음 해/the ~ of grace[Christ, Our Lord] 서력/this ~ 금년에 **2** 〖천문〗 태음년(=lunar ~); 태양년(=astronomical ~); 항성년(=sidereal ~) **3 a** (특정 계산법에 의한 역법·관행상의) 역년; 연도, 학년: the academic[school] ~ 대학[학교]의 연도 《영·미에서는 보통 9월에 시작함》 **b** [집합적] 동기생, 동연도생 **4 a** [수사와 함께] …살: She is twenty ~s old[~s of age]. 그녀는 20세이다. **b** [*pl.*] 나이, 연령; 《특히》 노년: a man of his ~s 그 사람 연배의 남자/declining ~s 노령(老齡)/put ~ on a person (1) 나이 먹게 하다; 노인 다루는 듯한 말을 하다 (2) 몹시 초조하게 만들다/*Y*~s bring wisdom. 《속담》 나이를 먹으면 철이 난다. **5** [*pl.*] 《구어》 여러 해, 다년: ~s ago 여러 해 전에 **6** [*pl.*] 시대; 시기, 기간: the ~s of Queen Victoria 빅토리아 여왕 시대/the ~s of hardship 고난의 시기 **7** 《미·속어》 1달러 (지폐)
all the ~ round 1년 내내 ***a ~ and a day*** 〖법〗 만 1개년 《꼭 1년하고 하루의 유예(猶豫) 기간》 ***bad ~*** 흉년, 흉작[불경기]인 해 ***common ~*** 평년 ***from ~ to ~*** = YEAR after year. ***in*** [***since, from***] ***the ~ one*** [***dot***] 《구어》 서력 1년에; 옛날에 ***in ~s*** 《고어》 나이 많이 먹어서 ***It's donkey's ~s since I saw him.*** 《속어》 그와 만난 지 꽤 오래다. ***never*** [***not***] ***in a million*** [***a hundred,*** etc] ***~s*** 《구어》 절대로 …하지 않다 ***of late*** [***recent***] ***~s*** 근년에, 최근에 ***of the ~*** (1) 연간 최우수의: a man[woman] *of the* ~ 올해의 인물 (2) 특별히 뛰어난, 월등한 ***old in ~s but young in vigor*** 나이 먹어도 원기는 왕성하여 ***take ~s off*** a person …을 나이보다 젊어지게 하다 ***~ after*** [***by***] ***~*** 매년, 해마다; 연년 ***~ in, ~ out*** = ***~ in and ~ out*** 해마다, 쉴 사이 없이, 항상 ▷ yéarly *a.*

year-a·round [jíərəráund | jə́ːr-] *a.* = YEAR-ROUND

year·book [jíərbùk] *n.* **1** 연감, 연보(年報)(annual): an encyclopedia ~ 백과사전의 별책 연감 **2** (대학 등의) 졸업 앨범

yéar dót [the ~] 《영·구어》 서기 1년, 옛날, 태곳적

year-end [jíərénd] *n., a.* 연말(의): a ~ report 연말 보고서/a ~ sale 연말 세일

year·ling [jíərliŋ] *n.* **1** 만 한 살배기 《동물의》 **2** 〖경마〗 한 살 난 말 《난 해의 1월부터 계산하여 1년 미만》 — *a.* **1** Ⓐ 한 살 먹은 **2** 1년 된; 1년 만기의: a ~ bride 결혼한 지 1년 된 신부

year·long [jíərlɔ̀ːŋ, -lɑ̀ŋ | -lɔ̀ŋ] *a.* 1년간 계속되는, 1년에 걸치는

‡**year·ly** [jíərli] *a.* 연 1회의; 매년의; 그 해(뿐)의; 1년간의: a ~ income 연수입(年收入)/a ~ plant 1년생 식물, 한해살이풀
— *ad.* 1년에 한 번; 매년
— *n.* 1년에 한 번의 간행물[행사]

‡**yearn** [jə́ːrn] *vi.* **1** 동경하다, 사모하다 《*for, after*》; 그리워하다, 사모의 정을 품다 《*toward, to*》: (~+전+명) ~ *for*[*after*] home 고향을 그리워하다/~ *toward*[*to*] a person …에게 사모의 정을 품다/~ *for* freedom 자유를 갈망하다 **2** 몹시 …하고 싶어하다, 열망하다(desire): (~+*to* do) They ~*ed to* see their motherland again. 그들은 모국을 다시 한번 보기를 갈망했다. **3** 동정하다, 불쌍히 여기다 《*over, toward*(*s*), *for*》: (~+전+명) She ~*ed over*[Her heart ~*ed for*] the orphan. 그녀는 그 고아를 불쌍히 여겼다. **~·er** *n.*

*__yearn·ing__ [jə́ːrniŋ] *n.* ⓊⒸ **1** 동경, 열망, 그리움 《*for, of, toward*》: They felt strong ~*s toward* home. 그들은 집이 무척 그리웠다. **2** 간절한 생각: (~+*to* do) This is man's infinite ~ *to* know the truth. 이는 진리를 알려는 인간의 무한한 욕구이다.
— *a.* 동경하는, 그리는, 사모하는, 열망하는: a ~ heart 모정(慕情) **~·ly** *ad.*

yéar of gráce [the ~] 그리스도 기원(紀元), 서기(西紀) ★ year of Christ[Our Lord]라고도 함.

-year-old [jíəròuld | jə́ː-] 《연결형》 「…세의 (사람)」의 뜻: a three-*year-old* boy 3살 난 남자 아이

year-on-year [jíərɑnjíər | -ɔn-] *a.* 〖경제〗 전년(前年) 대비의, 연도별의

yéar plànner 연간 예정표 《사무실 벽에 걸어 두고 쓰는 대형의 행사 예정 및 연간 계획표》

year-round [jíərráund | jə́ː-] *a.* 1년 내내의, 연중 계속되는: a ~ vacation spot 연중 무휴의 휴양지
— *ad.* 1년 내내

year-round·er [-ər] *n.* 피서지[피한지]에서 1년 내내 사는 사람; 1년 내내 쓸 수 있는 것

yéar's mínd 〖가톨릭〗 (죽은 지 1년 만에 올리는) 진혼[추도] 미사

yéars of discrétion 〖법〗 분별 연령(age of discretion)

yea·say·er [jéisèiər] *n.* **1** 인생 긍정론자 **2** = YES-MAN

*__yeast__ [jíːst] *n.* Ⓤ **1** 효모(균), 이스트, 뜸팡이, 누룩 **2** 고체 이스트(=~ cake) **3** 거품(foam) **4** 큰 소동 **5** (소동·흥분 등의) 불씨, 계기, 자극, 감화[영향]력
— *vi.* **1** 발효하다 **2** 거품이 일다
— *vt.* …에 효모균을 넣다 ▷ yéasty *a.*

yéast càke 《주로 미》 **1** 고체 이스트 **2** 달콤한 빵

yeast·er [jíːstər] *n.* 《미·속어》 맥주를 마시는[마시고 있는] 사람

yéast èxtract 효모 추출물

yéast infèction 《미》 〖병리〗 질의 진균 감염, 질염(thrush)

yéast plànt[**cèll**] 이스트균, 효모균

yeast-pow·der [jíːstpàudər] *n.* 《영》 베이킹 파우더(baking powder)

yeast·y [jíːsti] *a.* (**yeast·i·er**; **-i·est**) **1** 효모의[같은], 발효하는 **2** 거품이 나는; 거품으로 된 〈물결 등〉 **3** 활기 넘치는 **4** 뒤끓는; 침착치 못한, 불안정한; 경박한
yéast·i·ly *ad.* **yéast·i·ness** *n.*

Yeats [jéits] *n.* 예이츠 **William Butler ~** (1865-1939) 《아일랜드의 극작가·시인; 노벨 문학상 수상》

ye·bo [jébɔː | -bɔ] *int.* 《남아공·구어》 **1** 응, 그래 **2** 안녕

ye(**c**)**ch** [jéx, jék, jʌ́x, jʌ́k] *int.* 《미·구어》 왝, 윽, 악 《구토·혐오·심한 불쾌감을 나타냄》

ye(**c**)**ch·y** [jéxi, jéki, jʌ́xi, jʌ́ki] *a.* 《미·속어》 = YUCKY

yegg [jég], **yegg·man** [jégmən] *n.* 《미·속어》 강도, 금고털이; 살인 청부업자; 부랑자

yeh [jéi] *ad.* 《미·구어》 = YES

yelk [jélk] *n.* 《드물게》 = YOLK

‡**yell** [jél] *vi.* **1** 큰소리를 지르다, 소리치다(cry), 찢어지는 듯한 소리를 내다 《*with*》: (~+전+명) ~ *for* help 도와달라고 외치다/She ~*ed with* delight. 그녀는 기쁜 나머지 소리질렀다. **2** 《미·캐나다》 (…에게) 응원의 함성을 보내다 《*for*》 **3** 폭소하다, 포복절도하다
— *vt.* 외쳐 말하다 《*out*》: (~+목+부) ~ *out* an oath 큰소리로 악담을 하다 // (~+목+전+명) ~ an order *to* the troops 큰 소리로 부대에 명령하다
~ at …에게 호통치다 ***~*** one***'s head off*** = ***~*** one***'s guts out*** 《미·구어》 큰 소리로 외치다; 불평하다
— *n.* **1** 고함 소리, 외침; (고통 등의) 부르짖음: raise the ~ 《속어》 항의하다 **2** 《미·캐나다》 (자기편 선수 응원용) 합성(cheer) **~·er** *n.*

---

yell *v.* shout, cry out, howl, scream, shriek, screech, squeal, roar, bawl, whoop

‡**yel·low** [jélou] *n.* **1** Ⓤ 노랑, 황색, 황금색 **2** 노란빛의 것; 노른자위; 노란 옷; ((경멸)) 피부가 노란 사람, 황색인(人) **3** Ⓤ 황색 그림물감[안료] **4** 황색의 나비[나방] **5** [the ~s] 황달(黃疸) ((가축의)); 〖식물〗 황화병(黃化病) **6** Ⓤ ((구어)) 겁(많음); ((영·고어)) 질투, 시기
NOTE (1) yellow는 사랑·평화·지성·풍요 등을 상징함. (2) 한편, 그리스도를 배신한 유다의 옷 빛깔에서 좋지 않은 이미지를 갖게 하는 색이기도 하며, 겁·비겁·정신의 퇴폐 등을 연상케 한다고 함.
— *a.* **1** 노란, 황색의: the sear and ~ leaf 노년 ((「황색 가랑잎」의 뜻에서)) **2** 〈피부가〉 누런; 황색[몽고] 인종의 **3** 질투 많은, 의심 많은 **4** ((구어)) 겁 많은 **5** ((미)) 〈신문 등이〉 저속한, 선정적인
— *vt., vi.* 황색으로 하다[되다], 노래지다; 노랗게 물들이다 **~·ness** *n.* ▷ yéllowish, yéllowy *a.*

yéllow alért **1** 황색 경보 ((적기(敵機)의 접근을 알리는 제 1 단계 경보)) **2** 유독 화학 물질 유출 경보

yel·low·back [jéloubæ̀k] *n.* 노란 표지책 ((옛날의 값싼 선정 소설))

yel·low-bel·lied [-bèlid] *a.* **1** 〈새가〉 배가 노란 **2** ((속어)) 겁 많은(cowardly, lily-livered)

yel·low·bel·ly [-bèli] *n.* ((속어)) 겁쟁이; 피부가 노란 사람

yéllow bíle 황담즙(黃膽汁)(choler) ((4가지 humor의 하나))

yel·low·bill [-bìl] *n.* 〖조류〗 검둥오리 무리 ((북미산(産)))

yel·low·bird [-bə̀ːrd] *n.* 〖조류〗 노랑새, 방울새 ((특히 아메리카방울새))

Yéllow Bòok **1** 황서(黃書) ((프랑스·중국 정부 간행 공식 보고서; cf. WHITE BOOK)) **2** 예방 접종 증명서 (Yellow Card) ((정식명 International Certificate of Vaccination))

yéllow bráss 황동(黃銅) ((구리 70%와 아연 30%의 합금))

yel·low·cake [-kèik] *n.* 〖화학〗 우라늄염(塩) (uranium salt)

yéllow cárd 〖축구〗 옐로카드 ((심판이 선수에게 경고할 때 보이는 황색 카드)); [Y- C-] = YELLOW BOOK 2

yéllow dírt ((미·속어)) 돈(money)

yéllow dóg ((미·속어)) **1** 인간 말짜, 망나니, 쓰레기; 겁쟁이 **2** 똥개, 잡종개 **3** 노동조합 비가입 노동자

yel·low-dog [-dɔ́ːg | -dɔ́g] *a.* 똥개 같은; 겁 많고 비겁한, 비굴한(mean); 반노동조합(주의)의

yéllow-dóg còntract ((미)) 〖노동〗 황견(黃犬) 계약 ((노조에 가입하지 않겠다는 조건하의 고용 계약))

yéllow éarth = YELLOW OCHER

yéllow féver 〖병리〗 황열병(yellow jack) ((열대병))

Yellow Finn 옐로우 핀 ((껍질과 속이 노란, 감자의 한 변종))

yél·low-fin túna [-fìn-] 〖어류〗 노랑살다랭이

yéllow flág 황색기, 검역기 ((국제 신호))

yéllow flú ((미)) 옐로 플루 ((인종 차별을 없애기 위한 강제 합동 버스 통학(busing)에 항의하기 위한 백인 학생들의 꾀병 집단 결석; 버스 색깔이 노란색인 데서))

yéllow gírl ((미·속어)) 백인과 흑인과의 혼혈녀; (성적 매력 있는) 피부색이 엷은 흑인 여자

yéllow góods 내구 소비재 ((냉장고·텔레비전·자동차처럼 다시 사서 바꾸는 일이 극히 드물고, 이익률이 비교적 높은 상품; cf. RED GOODS, ORANGE GOODS))

yel·low-green [-gríːn] *n.* Ⓤ 황록색
— *a.* 황록색의: ~ alga 〖식물〗 황록조(黃綠藻)

yéllow gúm **1** 〖병리〗 소아(小兒) 황달 **2** 〖식물〗 유칼립투스나무의 총칭

yel·low·ham·mer [-hæ̀mər] *n.* 〖조류〗 **1** 노랑촉새 ((소명금(小鳴禽))) **2** (남미산(産)) 딱따구리의 일종

Yéllowhammer Stàte [the ~] 미국 Alabama 주의 속칭

***yel·low·ish** [jélouiʃ] *a.* 노르스름한, 노란빛을 띤

yéllow jàck 〖병리〗 = YELLOW FEVER; = YELLOW FLAG; 〖어류〗 갈전갱이류 ((서인도 제도산(産)))

yéllow jàcket (중국 조정에서) 황족·고관이 입던 옷; 〖곤충〗 말벌; ((속어)) 페노바르비탈(phenobarbital) ((진정제))

yéllow jóurnalism 〖신문〗 선정적 저널리즘

Yel·low·knife [jélounàif] *n.* (*pl.* **~, ~s**) 옐로나이프족(族) ((캐나다의 Great Slave호 동쪽에 사는 아메리칸 인디언))

yel·low·legs [jélouлègz] *n. pl.* [단수·복수 취급] 〖조류〗 노랑발도요

yéllow líght 황색 신호등

yéllow líne ((영)) (주차 규제 구역임을 나타내는 길 옆의) 황색선; ((미)) 추월 금지를 나타내는 황색 중앙선

yéllow métal 놋쇠 ((아연 4, 구리 6의 합금)); 금(gold)

yéllow ócher 〖광물〗 황토; 옐로오커 ((담황갈색 그림물감))

yéllow páges [페이지 색이 노랗다고 해서] [종종 **Y- P-**] (전화번호부의) 업종별 번호란; 업종별 기업[영업, 제품] 안내

yéllow péril [종종 **Y- P-**] [the ~] 황화(黃禍) ((황색 인종이 서양 문명을 압도한다는 백색 인종의 공포심; Wilhelm II가 주장한 말)); 동양인, 황색 인종

yéllow píne ((미)) 소나무의 일종 ((미국산(産))); 그 재목

yéllow póplar = TULIP TREE

yéllow préss [the ~] 황색 신문 ((흥미 본위의 선정적 신문))

yéllow quártz 〖광물〗 황수정

yéllow ráce [the ~] 황색 인종

yéllow ráin 황색[노란] 비 ((화학전 때 비행기에서 살포되는 황색의 유독 분말))

yéllow ríbbon 노란 리본 ((멀리 떠난 사람이 돌아오기를 기원하여 나무 등에 묶어 두는))

Yéllow Ríver [the ~] 황허 강(Huang He[Ho])

Yéllow Séa [the ~] 황해(黃海) (Huang Hai)

yéllow sóap (노란색) 가정용 비누

yéllow spòt 〖해부〗 (망막의) 황반(黃斑)

Yel·low·stone [jéloustòun] *n.* [the ~] 옐로스톤 강 ((미국 Wyoming주 북서부에서 발원하여 Yellowstone 국립 공원을 지나 Missouri 강으로 흘러듦))

Yéllowstone Nátional Párk 옐로스톤 국립공원 ((미국 Wyoming주 북서부와 Idaho, Montana 양 주 일부에 걸쳐 있음))

yéllow strèak ((구어)) 겁 많은 성격

yéllow súnshine ((미·속어)) = LSD[1]

yel·low·tail [jéloutèil] *n.* (*pl.* **~s, ~**) 〖어류〗 방어류 ((California 연안산(産)))

yéllow wárbler 〖조류〗 아메리카솔새

yel·low·wood [-wùd] *n.* 노란 재목[염료]을 얻는 각종 나무; Ⓤ 그 재목 ((Osage orange, buckthorn, smoke tree 등))

yel·low·y [jéloui] *a.* = YELLOWISH

***yelp** [jélp] *vi.* **1** 〈개가〉 깽깽 울다(⇨ bark[1] 유의어) **2** 〈사람이〉 새된 소리를 지르다, 비명을 지르다: give [let out] a ~of pain 아파서 비명을 지르다
— *vt.* 큰소리로 말하다
— *n.* (개가 성내어) 짖는 소리, 깽깽 우는 소리; (사람의) 날카로운 외침 소리, 비명

yelp·er [jélpər] *n.* 새된 소리를 지르는 것; 깽깽 짖는 개; 칠면조 암컷 소리를 내는 기구 ((사냥꾼이 씀))

Yelt·sin [jéltsìn] *n.* 옐친 **Boris ~** (1931-2007) ((러시아 연방 대통령(1991-99)))

Yem·en [jémən, jéim-] *n.* 예멘 ((정식명 the Republic of Yemen; 아라비아 반도 남부의 공화국; 수도는 San'a[Sana]))

Yem·en·ite [jémənàit], **Ye·me·ni** [jéməni] *a.* 예멘의, 예멘 사람의 — *n.* 예멘 사람

thesaurus **yield** *v.* **1** 산출하다 produce, bear, give, supply, provide **2** (이익을) 낳다 return, bring in, fetch, earn, net, generate, furnish **3** 굴복하다

yen[1] [jén] [Jap.] *n.* [단수·복수 취급] 엔《일본의 화폐 단위; 기호 Y, ￥; =100 sen》
yen[2] *n.* 《구어》 열망(strong desire), 동경(longing) 《*for, to* do》: have a ~ *for* …을 열망하다
— *vi.* 《미·구어》 원하다, 열망하다; 동경하다(yearn)
Yeng·lish [jíŋgliʃ] [*Y*iddish+*English*] *n.* 《익살》 (미국 유대인이 말하는) 영어와 이디시의 혼성어; 이디시적 표현[사투리]이 많은 영어 방언
yén slèep 《속어》 (아편·헤로인으로 인한) 황홀[몽롱]한 상태
yen·ta, yen·te [jéntə] *n.* 《속어》 수다쟁이《여자》, 참견 잘하는 여자
yentz [jénts] *vt.* 《미·속어》 사취하다; 《미·속어》 학대하다; 《미·비어》 성교하다
yeo(**m**). yeomanry
*__yeo·man__ [jóumən] [ME 'young man'에서] *n.* (*pl.* **-men** [-mən]) **1** 〖영국사〗 **자유 농민**, 향사(鄕士) **2** 《미》 〖해군〗 서무계 (하사관) **3** 《영》 자작농, 소지주 **4** 《고어》 시종《제후·국왕의》 **5** 《영》 기마 의용병 《향사 계급의 자제들로 조직》 **6** 헌신[공헌]하는 사람
the Y~ of the Guard (영국 왕실의) 근위병《정식명 the King's[Queen's] Bodyguard of the Yeomen of the Guard; cf. BEEFEATER 2》
yeo·man·ly [jóumənli] *a.* yeoman의 지위의; 용감한, 충실한 — *ad.* 향사답게; 용감하게
yeo·man·ry [jóumənri] *n.* Ⓤ [집합적] 자유 농민, 향사; 소지주들, 자작농; 《영》 기마 의용병《향사 계급의 자제들로 조직》
yéoman('**s**) **sèrvice** (유사시의) 훌륭한 행동, 커다란 공헌
ye·ow [jiːáu] *int.* 아야, 아이고《고통의 소리》; 우아, 야호《기쁨·놀람의 소리》
yep [jép] *ad., n.* 《미·속어》 =YES ★ yep 및 nope의 [p]는 입술을 다문 채 끝나며, 파열시키지 않음.
yer [jər] *pron.* 《방언》 =YOUR
-yer [jər] *suf.* 「…하는 사람」의 뜻: bow*yer*, law*yer*, saw*yer*
yer·ba bue·na [jέərbə-bwéinə, jə́ːr-] 〖식물〗 부에나 풀《미국 캘리포니아 주산의 다년생 덩굴풀》
yer·ba ma·té [jέərbə-mάːtei] 〖식물〗 =MATÉ
yerk [jə́ːrk] 《영·방언》 *vt.* **1** 때리다, 치다 **2** 자극하다, 흥분시키다 — *vi.* 차다(kick)
Yerk·ish [jə́ːrkiʃ] *n.* Ⓤ 여키스 어(語)《사람과 침팬지와의 의사 소통을 위해 기하학적 도형을 사용한 인공 언어》
‡**yes** ⇨ yes (p. 2926)
yes-but [jésbʌ̀t] *n.* 《구어》 조건부 승낙
yes-girl [jésgə̀ːrl] *n.* 《미·속어》 (섹스 제의에) 바로 응하는 여자
ye·shi·va(**h**) [jəʃíːvə] *n.* (*pl.* **~s, -vot**(**h**) [jəʃiː-vóut]) 탈무드 학원, 예시바《Talmud의 고도한 연구를 하는 유대교 대학; 종교 교육 외에 보통 교육도 하는 유대교의 초등학교》
yes-man [jésmæ̀n] *n.* 《구어》 예스맨《무엇이든 예 예 하고 윗사람 말에 동조하는 사람》(opp. *no-man*)
yés-nó quèstion 〖문법〗 yes나 no의 대답을 요구하는 질문[의문문] 《예를 들어 Has the plane left yet?와 같은 것; cf. WH-QUESTION》
yes·sir [jésəːr] *int.* 《미·구어》 예, 그렇지, 맞아《자신의 의견을 강조하거나 강한 동의를 표현할 때 쓰는 말》
yes·ter [jéstər] *a.* 《고어》 어제의
yester- [jéstər] 《연결형》 「어제의; 지난…」의 뜻
‡**yes·ter·day** [jéstərdèi, -di] *ad.* **1** 어제(는): It was rainy ~. 어제는 비가 왔다. **2** 요즈음에, 최근에, 바로 얼마 전에 **3** 《구어》 성급하게; 급히: I need[want] it ~. 나는 그것이 당장 필요합니다.《주문품 등을 재촉하는 말》

give in, submit, give up, surrender, relinquish, turn over, renounce, resign, abdicate, forgo (opp. *resist, withstand, defy*)

— *n.* **1** 어제: the day before ~ 그저께 / ~ week = a week (from) ~ 지난 주일의 어제 **2** [종종 *pl.*] 최근, 작금(昨今), 요즈음, 요사이: an invention of ~ 최근의 발명 **3** [보통 *pl.*] 과거, 지난날
all ~ 어제 종일 ***not born ~*** 《미·구어》 바보는 아닌 ***with a face like ~*** 《속어》 무뚝뚝한, 뚱한 ***~'s papers*** 《속어》 실패 ***~, today, and forever*** 《속어》 매일 남은 음식을 보태어 다시 내놓는 해시(hash) 요리《식당 등에서 쓰이는 익살 표현》 ***Y~ wouldn't be too soon.*** 《구어》 급히 부탁합니다.
— *a.* 어제의: ~ morning[afternoon] 어제 아침[오후] 《★ last morning[afternoon]이라고 하지 않음. 「어젯밤, 간밤」은 last night라 하며, yesterday night라고 하지 않음》/ ~ evening 어제 저녁 《★ last evening이라고도 함》
yes·ter·eve [jéstəríːv], **-eve·ning** [-íːvniŋ] *n., ad.* 《시어·고어》 어제 저녁(에), 어젯밤(에)(yesterday evening)
yes·ter·morn [jéstərmɔ́ːrn], **-morn·ing** [jéstərmɔ́ːrniŋ] *n., ad.* 《시어·고어》 어제 아침(에)(yesterday morning)
yes·ter·night [jéstərnáit] *n., ad.* Ⓤ 《고어·방언》 간밤(에), 어젯밤(에)(last night)
yes·ter·noon [jéstərnúːn] *n., ad.* 《고어·시어》 어제 정오(에)
yes·ter·week [jéstərwíːk] *n., ad.* 《고어·시어》 지난주(에)
yes·ter·year [jéstərjíər | -jə́ː] *n., ad.* 《시어》 작년(에); 지난해(에)(last year); 근년(에); 지난 세월(에), 왕년(에)
yes·treen [jestríːn] *n., ad.* 《스코·시어》 어제 저녁(에), 어젯밤(에) (yesterday evening)
‡**yet** ⇨ yet (p. 2927)
yet·i [jéti] *n.* [때로 **Y~**] 설인(雪人)(abominable snowman)
*__yew__ [júː] *n.* 〖식물〗 주목(=~ **trèe**)《흔히 묘지에 심는 상록수; 죽음·슬픔·부활의 상징》; Ⓤ 주목재《이전에는 활의 재료, 지금은 가구재》
yé-yé [jéijéi] [F] *a., n.* 《구어》 (프랑스식) 로큰롤의 (장단을 맞추는 소리); (십대 젊은이처럼) 광적으로 유행을 따르는 (사람)
Y-fronts [wáifrʌ̀nts | -frɔ̀nts] *n. pl.* (앞 솔기가 Y자꼴로 된) 남성용 팬츠《상표명》: a pair of ~ 팬츠 한 벌
Ygg·dra·sil, Yg- [ígdrəsil] *n.* 〖북유럽신화〗 우주수(宇宙樹)《우주를 떠받치고 있다는 거대한 물푸레나무》
Y-gun [wáigʌ̀n] *n.* (구축함의) 대(對)잠수함용 폭뢰 발사 장치
YHA 《영》 Youth Hostels Association
YHVH, YHWH [jάːwe, -wei | -wei] *n.* Yahweh의 기호화 (⇨ tetragrammaton)
yid [jíd] *n.* 《속어·경멸》 유대인(Jew)
Yid. Yiddish
Yid·dish [jídiʃ] [G 「유대의」의 뜻에서] *n.* Ⓤ 이디시 말《독일어에 슬라브 어·히브리 어를 섞어 히브리 문자로 씀; 유럽과 미국의 유대인 사이에서 주로 쓰며, London의 East End에서도 씀》 — *a.* 이디시 말의
Yid·dish·er [jídiʃər] *n., a.* **1** 유대인(의) **2** 이디시 말을 하는 (유대인)
Yid·dish·ism [jídiʃìzm] *n.* Ⓤ 이디시 말 특유의 어법[어구]; 이디시 말[문화] 옹호 운동 **-ist** *n.*
‡**yield** [jíːld] *v., n.*

OE 「지불하다」의 뜻에서
「주다」 ─┬→(가져오다)→「산출하다」 타 **1**
　　　　└→「양도하다」 **3**→(승리를 양도하다)
　　　　　　→「지다」 자 **2**

— *vt.* **1** 〈작물·제품 등을〉 **산출**(産出)**하다**, 내다: Sheep ~ wool. 양에서 양모가 나온다. **2** 〈이자·이익 등을〉 **낳다**, 가져오다; 〈결과 등을〉 초래하다, 야기하다

yes

yes는 no의 대응어인데 우리말과 용법이 다르므로 주의해야 한다. 질문이 긍정문이든 부정문이든 간에, 대답하는 내용이 긍정이면 yes를, 부정이면 no를 쓰는 것이 보통이다. 즉 질문이 Do you like it? 이든 Don't you like it? 이든 「좋아한다」면 Yes, 「좋아하지 않는다」면 No가 된다. 그러므로 yes, no이 대답이 우리말에서는 반대가 되는 경우가 많다.

‡yes [jés] *ad., n., v.*
— *ad.* **1 a** [질문·부탁 등에 대답하여] 네; [부정의 질문에 대답하여] 아니오(opp. *no*): "Do you want that?" — "*Y*~, I do." 저걸 원합니까? — 네, 그래요. / "Isn't it raining?" — "*Y*~, it is." 비는 오지 않고 있습니까? — 아니오, 오고 있습니다. / "Don't you like grapes?" — "*Y*~, I do." 포도를 안 좋아하세요? — 아니, 좋아합니다. **b** [부름·출석 점호 등에 대답하여] 네: "Ned!" — "*Y*~, Mother." 네드야! — 네, 어머니. / "You there!" — "*Y*~." 어이 자네! — 예. **c** [상대방 말에 동의를 나타내어] 그래, 맞았어; 과연 그렇다: "This is a very good dictionary." — "*Y*~ [jɛ́:s], it is." 이것은 아주 좋은 사전이다. — 정말 그렇다. / "They must be very nice men." — "*Y*~, they are." 그들은 좋은 사람들임에 틀림없다. — 그렇고말고.
2 [~ and 또는 ~ or로 강조적으로 추가 표현을 나타내어] 게다가, 더욱이, 뿐만 아니라: He will insult you, ~, *and* cheat you as well. 그는 자네를 모욕할 것이다, 아니 그뿐 아니라 속이기도 할 것이다.
3 [상대의 부정적인 발언·명령 등에 반박하며] 아니 (opp. *no*): "Don't do that!" — "Oh, ~, I will." 그러지 마! — 아니 할 거야.
4 [대개 의문형으로] 《↗조로 발음》 **a** [부름에 대답하여] 네?, 무슨 일입니까?: "I have a question." — "*Y*~?" 질문이 있습니다만. — 네, 무엇이죠? **b** [상대방 말에 의심을 나타내거나 맞장구 쳐서] 그래?, 설마?: "I was always good at drawing." — "*Y*~?" 나는 언제나 그림 그리기를 잘했어. — 그래? (정말이야?) **c** [상대방의 이야기를 재촉하여] 그래, 그래서?, 흠: *Y*~? And then what happened? 그래, 그리고 나서 어떻게 됐는데? **d** [말 없이 기다리고 있는 사람을 보고] 무슨 일로?: "*Y*~?" he said as he opened the door. "무슨 일이신가요?"라고 그는 문을 열며 말했다. / "*Y*~?" he said as he saw the stranger waiting to speak to him. "무슨 용건이시죠?"하고 그는 낯선 손님이 그와 이야기를 하려고 기다리는 것을 보고 말했다. **e** [자기가 말한 것을 상대방에게 확인하여] 그렇지?, 알겠어?: "You have to finish this work by seven. *Y*~?" 이 일을 7시까지 끝내야 한다, 알았지?
~ *and no* 《구어》 [이해(利害)가 반반인 제안 등에 대하여] 글쎄 어떨지, 뭐라고 말할 수 없는데…: "Are you an atheist?" — "*Y*~ *and no.*" 당신은 무신론자입니까? — 글쎄요.
— *n.* (*pl.* **~·es**) **1** Ⓤ [구체적으로는 Ⓒ] 「네(yes)」라고 하는 말[대답], 긍정, 승낙(opp. *no*): say ~ 「네」라고 말하다, 승낙하다 / Answer with a "*y*~" or "no." 「예스」나 「노」로 분명히 대답하시오. / He refused to give a *y*~ or no answer. 그는 가부(可否)의 대답을 거부하였다.
2 [보통 *pl.*] 찬성 투표(자) 《ay(e)를 쓰는 것이 일반적임》: The proposal was passed by seven ~*es* to four noes. 그 제안은 7대 4로 가결되었다.
— *vt., vi.* (**~(s)ed**; **~·(s)ing**) 「네」라고 말하다, 승낙하다; 동의하다

---

3 〈영토 등을〉 **양보하다,** 내주다, 양도하다, 명도하다; 굴복하다; 포기하다 《*up*》: ~ submission 복종하다 // (~+목+전+명) ~ ground *to* the enemy 적에게 진지를 내주다 // (~+목+부) ~ oneself *up* to temptation 유혹에 지다 // (~+목+(**as**) 보) ~ oneself (*as*) prisoner 항복해서 포로가 되다 // (~+목+목) He ~*ed* me his property. 《주로 미》 그는 나에게 재산을 양도해 주었다.

> 유의어 **yield** 「양보하여 일시적으로 굴하다」의 뜻이 포함되어 있다: *yield* a fort 요새를 내주다 / *yield* consent 승락하다 **submit** 권위·강자에 (저절로) 복종하다: I don't *submit* myself to my husband. 남편 시키는 대로 (무조건) 따르지 않는다. **surrender** 완전히 굴복하여 포기하다: The army *surrendered* the fortress to the enemy. 군은 적에게 요새를 넘겨주었다.

4 〈권리·지위 등을〉 **주다,** 인정하다: ~ one's consent 승낙하다 / ~ precedence 우선권을 주다 // (~+목+전+명) ~ the right of way *to* pedestrians 보행자에게 선행권을 주다
— *vi.* **1** 〈토지 등이〉 **농작물을 산출하다,** 〈노력 등이〉 보수를 가져오다; 〈나무 등에〉 열매가 맺히다: (~+부) The apple tree ~*s well*[*poorly*] this year. 금년은 사과의 수확이 좋다[나쁘다]. **2 굴복하다,** 지다, 굴하다, 따르다 《*to*》: (~+전+명) ~ *to* despair 실망하다 / ~ *to* conditions 양보하여 조건에 따르다 / ~ *to* force[temptation] 폭력에 굴하다[유혹에 지다] **3** (압력 때문에) 굽다, 우그러지다, 휘다, 무너지다 《*to*》: (~+전+명) The floor ~*ed under* the heavy box. 무거운 상자로 마룻바닥이 휘었다. **4** 지위[권리, 의견]를 양보하다; (…에) 뒤지다, 못하다; 《미》 (의회에서) 발언권을 내주다; (자동차 등에) 길을 양보하다 《*to*》: *Y*~. 《게시》 양보하시오. **5** 완쾌하다 《*to*》: (~+전+명) ~ *to* treatment 치료하여 좋아지다
~ one*self* (*up*) *to* …에 몰두하다 **~ *the palm to*** …에게 승리를 양보하다 **~ *to none*** 아무에게도 양보하지 않다[지지 않다] **~ *up the life*[*ghost, soul, breath, spirit*]** 《고어》 죽다
— *n.* **1 산출**; 산출액, 생산량, 수확: a large ~ 풍작 **2** 보수; 이윤율, 이익 배당 **3** 핵출력 《핵폭탄의 폭발력》 **4** (전자 부품의) 양품(良品)률; 〖화학〗 수율(收率)
~·er *n.*
yield·ing [jí:ldiŋ] *a.* **1** 영향[감화]을 받기 쉬운, 하라는 대로 하는, 고분고분한 **2** 휘기 쉬운, 굽힐 수 있는, 유연한 **3** 〈토지가〉 수확량이 …의
~·ly *ad.* 양순하게, 고분고분히
yíeld pòint 〖물리〗 항복점(降伏點) 《탄성 한계를 넘어 되돌아가지 못하는 점》
yíeld strèngth 〖물리〗 (금속 등의) 항복 강도
yíeld strèss 〖물리〗 항복 응력(應力)
yíeld to matúrity 〖채권〗 만기 이율
YIG [jíg] [yttrium iron garnet] *n.* 〖물리〗 이그 《마이크로파(波)용 자성 재료》
yike [jáik] *n., vi.* 《호주·구어》 토론[입씨름](하다)
yikes [jáiks] *int.* 《구어》 이크, 어이구, 어어 《놀라거나 무서울 때 내는 말》
yill [jíl] *n.* 《스코》 = ALE
yin [jín] [Chin.] *n.* Ⓤ (동양 철학의) 음(陰)(opp. *yang*) **~ *and yang*** (동양 철학의) 음양
Yin·glish [jíŋgliʃ, jíŋl-] *n.* Yiddish의 단어가 많이 섞인 영어
y-in·ter·cept [wáiìntərsépt] *n.* 〖수학〗 y절편(截片)

yet

yet은 부사와 등위접속사의 두 가지 용법으로 쓰인다.
부사로서는 (a) 부정문에 써서 「아직 …않다」의 뜻을, (b) 의문문에 써서 「벌써」의 뜻을 나타내며, 접속사로서는 「그럼에도 불구하고」의 뜻을 나타낸다.
부사의 yet과 already의 관계는, any와 some의 관계와 비슷하며, 부정문이나 의문문에서 yet이 쓰이는 곳에 긍정문에서는 보통 already가 쓰인다. 그러나 yet은 긍정문에 있어서도 「여전히」(still)의 뜻으로 쓰이는 경우도 있으며, 그 밖에 접속사의 경우도 포함하여, 광범위하게 still과 바꾸어 쓸 수 있음에 유의해야 한다.

‡**yet** [jét] *ad.*, *conj.*
— *ad.* **1** [부정문에서] **아직** (…않다), 아직[지금]까지는 (…않다); 아직 당분간은 (…않다)(⇨ still[1] *ad.* 유의어): The work is *not* ~ finished. 일은 아직 끝나지 않았다. / I have*n't* seen him ~. 나는 아직 그를 보지 못했다. / We have heard *nothing* from him ~. 그로부터는 아직 아무런 소식이 없다. / She wo*n't* come just ~. 그녀는 지금 당장은 오지 않을 것이다. / Have*n't* you been there ~? 아직 거기에 가 본 적이 없습니까?
2 [의문문에서] (지금 또는 그때에) **이미**, 벌써, 이제 지금 《★ 이 뜻으로 already를 쓰면 뜻이 달라져서 「놀라움·미심쩍음」의 기분을 나타내게 되므로 주의: ⇨ already》: Have you done your assignment ~? 벌써 숙제를 다 끝냈니? / Is it raining ~? 지금 비가 오고 있습니까? 《비교 Is it *still* raining? 아직도 비가 오고 있습니까?》 / I wonder if she has returned ~. 그녀가 이제 돌아왔을까 궁금하다.
3 [최상급과 함께] 현재까지로는: the *largest* diamond ~ found 이제까지 발견된 것 중에서 가장 큰 다이아몬드 / This is *the best* film I've seen ~. 이것은 지금까지 본 중에서 최고의 영화이다.
4 a [긍정문에서] 아직: There is ~ time. 아직 시간이 있다 / It's early ~. 아직 이르다. **b** [미래를 예측하여] 이윽고, 언젠가는, 이제부터[앞으로] (…하여) 《*to* do》: events ~ *to* happen 앞으로 일어날 사건들 / I have ~ *to* meet him. 나는 언젠가는 그를 만나야만 한다. ★ 거의 같은 의미로 I have *still* to meet him.도 쓰여지지만 이것은 실현 가능성이 실제로 존재할 경우에 씀 / You'll regret it ~. 너는 언젠가 후회할 것이다. / He may ~ be happy. 그는 언젠가 행복하게 될 날이 있을 것이다. / I'll do it ~! 앞으로 두고 보자!
5 [진행형이나 그 자체가 계속의 뜻을 갖는 동사와 함께 긍정문에서] 《문어》 **지금** (아직), 지금도, 여전히; (그 당시에는) 아직 ★ 이 용법에서는 still쪽이 일반적이지만 yet에는 감정이 포함됨: She is chattering ~. 그녀는 아직도 지껄이고 있다. / Much ~ remains to be done. 지금도 해야 할 일이 많다.
6 다시, 게다가, 그것에 더하여: *Y*~ once more I forbid you to go. 되풀이해서 말하지만 가서는 안 된다. / There's ~ another chance. 아직 한 번 더 기회가 있다. / The mail brought ~ another reply. 우편으로 답장이 한 통 더 왔다.
7 [nor와 함께 강조적으로] 《문어》 …도 또 (…않다), (뿐만 아니라) …까지도 (…않다): He wouldn't listen to me *nor* ~ to my father. 그는 나의 말은 듣지 않을 뿐더러 아버지의 말씀조차도 들으려고 하지 않았다. / I have never read it, *nor* ~ intend to. 그것을 읽어 본 일도 없고 또 그럴 의향도 없다.
8 [비교급을 강조하여] 더욱 더, 한층 ★ 이 용법에서는 still쪽이 일반적임: a ~ *more* interesting story 더욱 더 재미있는 이야기 / He spoke ~ *more* harshly. 그는 한층 격렬한 어조로 말하였다.
9 [and ~ 또는 but ~으로] 그럼에도 불구하고, 그런데도, 게다가 (더욱): He was an ugly man, *and* ~ she loved him. 그는 추남이었는데도 그녀는 그를 사랑했다. / It is well on in March, *but* ~ it is almost as cold as midwinter. 3월도 꽤 지나가려는데도 거의 한겨울처럼 날씨가 춥다.
and ~ ⇨ *ad.* 9
as ~ (장차는 몰라도) 지금까지로[그때까지]는, 아직까지 《종종 완료형 동사와 함께 부정문에서 쓰임》: He has *not* come *as* ~. 그는 지금까지는 아직 오지 않았다. / Little is known about it *as* ~. 그것에 관해서는 지금까지는 아직 알려진 것이 거의 없다.
be ~ to do 아직 …하지 않고 있다: The worst *was* ~ *to* come. 최악의 사태는 아직 오지 않았다. 《최악의 사태가 기다리고 있었다》
but ~ ⇨ *ad.* 9
have ~ to do 아직 …해야 하다, 아직 …하고 있지 않다: He *has* ~ *to* learn good manners. 그는 (아직) 예법을 익히지 못하고 있다. / I *have* ~ *to* learn it. 아직도 그것을 모른다.
just ~ 바로 지금; [부정어와 함께] 지금 당장은 (…하지 않다)(⇨ *ad.* 1)
not ~ (1) ⇨ *ad.* 1 (2) [부정문을 대표하여] 아직도 (…않다): "Have you finished it?" — "*Not* ~." 그것을 끝냈습니까? — 아직 못 끝냈습니다. ★ Not ~. 은 No, I have*n't* finished it ~.의 약식
~ again = ***~ once more*** 다시 한번, 한번 더
— *conj.* **1 그럼에도 불구하고,** 하지만, 그래도 《★ nevertheless와 뜻이 같으나 but보다는 강하고 still보다는 약함》: a strange ~ true story 이상하지만 실화인 이야기 / I'm tired, ~ I can't sleep. 나는 피곤한데도 잠이 오지 않는다.
2 [although, though와 상관적으로] 그래도, 그런데도: *Though* she seems happy, ~ she is worried. 그녀는 행복하게 보이지만 그래도 걱정이 있다.

Yín-Yáng Schòol [jínjɑ́:ŋ-, -jǽŋ-] (동양 철학의) 음양오행설
yip [jíp] [의성어] 《구어》 *vi.* (**~ped**; **~·ping**) 〈강아지 등이〉 깽깽 울다(yelp) — *n.* 깽깽(거리는 소리)
yipe(s) [jáip(s)] *int.* 아야!, 이크!, 어렵쇼! 《아픔·놀람 등을 나타내는 소리》
yip·pee [jípi(:)] *int.* 야!, 와! 《기쁨·득의에 찬 함성》; 만세! (hurrah)
yip·pie [jípi] [*Y*outh *I*nternational *P*arty+hip*pie*] *n.* hippie와 New Left의 중간을 자처하는 미국의 젊은이
Ý jòint 〖해부〗 Y자형 관절
-yl [il, əl | il, ail] *suf.* 〖화학〗 「근(根)」의 뜻: meth*yl*
y·lang-y·lang [í:lɑ:ŋí:lɑ:ŋ] *n.* 〖식물〗 일랑일랑 《말레이산 교목; 꽃에서 향유를 채취》
yld. 〖증권〗 yield
y·lem [áiləm] *n.* 〖천문·물리〗 (팽창 우주의 초기에 있었던) 시원(始源) 물질
Ý lèvel Y자형 수준기(水準器)
Ý lìgament 〖해부〗 Y자형 인대(靭帶)
YMCA Young Men's Christian Association 기독교 청년회 **YMCath.A.** Young Men's Catholic Association **YMHA** Young Men's Hebrew Association 유대교[히브리] 청년회

Y·mir [íːmiər] *n.* 〖북유럽신화〗 이미르 《거인족의 조상; 그의 시체로 이 세상이 만들어졌다고 함》
Y·mo·dem [wáimòudem] *n.* 〖컴퓨터〗 Y모뎀 《파일 전송 프로토콜》
yo [jóu] *int.* 여어! 《격려·주의의 뜻으로 지르는 소리》; = YO-HO
y.o., yo year(s) old
yob [jáb | jɔ́b], **yob·bo** [jábou | jɔ́b-] [boy를 거꾸로 철자한 말] *n.* (영·속어) 똘마니, 건달, 깡패, 버릇없는 놈; 신병
y.o.b., YOB year of birth 생년
yocto- [jáːktou | jɔ́k-] *pref.* 「10^{-24}」의 뜻 《측량 단위에 사용되는 접두어》: *yocto*joule 10^{-24}줄
yock [ják | jɔ́k] *n., vi., vt* (미·속어) = YUCK[1]
yod, yodh [júd, jɔ́ːd | jɔ́d] *n.* 요드 《히브리어 자모(字母)의 10번째 글자》
yo·del [jóudl] *n.* 요들 《스위스나 티롤(Tyrol) 산중 사람들이 부르는 민요》 **—***vt., vi.* (**~ed**; **~·ing** | **~led**; **~·ling**) 요들을 부르다, 요들 창법으로 노래하다
yo·del·(l)er [jóudlər] *n.* 요들 가수
yo·dle [jóudl] *n., v.* = YODEL
yo·ga, Y- [jóugə] [Skt. 「통일」의 뜻에서] *n.* Ⓤ **1** 〖힌두교〗 요가, 유가(瑜伽) 《관행 상응리(觀行相應理)의 뜻》; 유가파 《인도 6파 철학의 하나》; 요가[유가]의 수행 《5감의 작용을 제어하여 정관(靜觀)을 위주로 하는 명상 수행법》 **2** (심신의 건강을 위해서 하는) 요가
yogh [jóuk, jóug | jɔ́g, jóug] *n.* 요흐 《중세 영어의 자모 ȝ》
yo·ghurt, yo·ghourt [jóugərt | jɔ́g-] *n.* = YOGURT
yo·gi [jóugi], **yo·gin** [-gin] *n.* **1** 요가[유가] 수행자(修行者) **2** 명상적인 사람
yo·gic [jóugik] *a.* **1** 요가의 **2** [**Y~**] 요가 철학의
yógic flýing 요가 공중 부양 《명상 중에 앉은 자세로 공중에 뜨기》
yo·gi·ni [jóugəni] *n.* YOGI의 여성형
yo·gism [jóugizm] *n.* 요가의 수행; [**Y~**] Ⓤ 요가[유가]의 철리[교리]
yo·gurt [jóugərt | jɔ́g-] [Turk.] *n.* Ⓤ 요구르트 《우유로 만든 유산균 발효유》
yo-heave-ho [jóuhíːvhóu] [의성어] *int.* 〖항해〗 어기야디야 닻 감아라! 《닻을 감아올릴 때 뱃사람이 지르는 소리》
yo·him·bine [jouhímbiːn] *n.* Ⓤ 〖약학〗 요힘빈 《독성 알칼로이드; 최음제로 쓰인 일도 있음》
yo-ho [jouhóu] [의성어] *int., vi.* 에야디야 (소리지르다) 《주의를 끌거나 함께 힘을 모을 때의 함성》
yoicks [jɔ́iks] *int.* (영) 쉿 《사냥개를 부추기는 소리》 **—***vt.* 〈여우 사냥개를〉 쉿 하고 부추기다 《*on*》
yok [ják | jɔ́k] *n., vi., vt.* (**~ked**; **~·king**) (속어) = YUCK[1]
‡yoke¹ [jóuk] *n.* (*pl.* **~s**) **1** (한 쌍의 소 등에 메우는) 멍에 《결합·고생·운명 등의 상징》: put to the ~ 멍에를 얹다, 멍에에 매다 **2** (*pl.* ~) yoke로 메운 한 쌍의 소 **3** 멍에 모양의 것; 목도 **4** 종을 매어 다는 들보 **5** [the ~] **a** 〖로마사〗 멍에문 《복종의 표시로 적병을 기어나가게 한 멍에 또는 창 세 개를 세워 만든 문》 **b** 속박, 굴레: pass[come, fall] under *the* ~ 굴복하다 / send under *the* ~ 굴복시키다, 지배받게 하다 / submit to a person's ~ …의 지배에 복종하다 **6** 유대; 지배, 권력 **7** 연결, 결합; 인연 **8** 〖기계〗 이음쇠; 〖건축〗 이음목 **9** (비행기의) 조종간 **10** 〖항해〗 (작은 배의) 키 손잡이 **11** 어깻죽지 《속옷·윗옷·블라우스 등의》, 허리 《스커트의》 **12** 〖TV〗 요크 《전자빔을 주사(走査)하기 위해 싼 코일》 ***shake*** [***cast, fling, throw***] ***off the*** ~ 멍에를 뿌리치다; 속박을 벗어나다

yoke¹ *n.* **1**

—*vt.* **1** …에 멍에를 얹다, 멍에로 매다; 〈소 등을〉 (…에) 매다 《*to*》: (~+目+前+名) ~ oxen *to* a plow (두 마리의) 소를 쟁기에 매다 **2** 이어매다, 결합시키다; 결혼시키다, 짝짓다: (~+目+前+名) be ~*d in* marriage 결혼으로 결합되다 **3** 일을 하게 하다
—*vi.* **1** 동행이 되다, 함께 되다 **2** 어울리다, 섭받다, 서로 조화하다: (~+副) They ~ *well.* 그들은 잘 어울린다. **3** 함께 일하다 《*together, with*》: (~+副) ~ *together* 함께 일하다
yoke² *n.* = YOLK
yóke bòne 〖해부〗 광대뼈, 관골(觀骨)
yoke·fel·low [jóukfèlou] *n.* **1** (고어) 함께 일하는 사람, 동료, 단짝 **2** 배우자(spouse)
yo·kel [jóukəl] *n.* (경멸) 시골뜨기(rustic) **~·ish** *a.*
yoke·lines [jóuklàinz], **yoke-ropes** [-ròups] *n. pl.* 〖항해〗 키 밧줄 《키 조종용》
yoke·mate [-mèit] *n.* = YOKEFELLOW
Yo·lan·de [joulǽndə] *n.* 여자 이름
***yolk** [jóuk, jóulk | jóuk] *n.* **1** ⓊⒸ (알의) 노른자위, 난황(卵黃) **2** 핵심, 진수 **3** Ⓤ 양털 기름
yólked [-t] *a.* **~·less** *a.*
yolk-bag [jóukbæ̀g] *n.* 〖동물〗 = YOLK SAC
yólk sàc 〖동물〗 난황낭(卵黃囊)
yólk stàlk 〖동물〗 난황자루 《배체(胚體)와 난황낭을 연결하는 잘룩한 부분》
yolk·y [jóuki, jóulki | jóuki] *a.* (**yolk·i·er**; **-i·est**) **1** 노른자위의[같은] **2** 〈깎은 양털이〉 기름진
Yom Kip·pur [jɔ́ːm-kípər, jám- | jɔ́m-] [Heb. =day of atonement] 〖유대교〗 속죄일 《유대력의 Tishri의 10일; 단식을 함》
Yóm Kíppur Wár 제4차 중동 전쟁 《1973년 10월 6일 유대교의 속죄일에 이집트·시리아가 이스라엘을 공격하여 일어난 전쟁》
yomp [jáːmp | jɔ́mp] (영·구어) *vi.* 〈군인이〉 중무장하고 장거리 행군하다 **—***n.* (군인들의) 행군
yon [ján | jɔ́n] *a., ad.* (영·고어·방언) = YONDER **—***pron.* (고어) 저쪽의 물건[사람]
yond [jánd | jɔ́nd] *a., ad.* (고어·방언) = YONDER **—***prep.* (고어) …의 저편에, …을 지나서
‡yon·der [jándər | jɔ́n-] *ad., a.* 저쪽에[의], 저곳에[의]: the ~ side 저쪽 / Look ~. 저길 봐. **—***pron.* 저기에 있는 물건[사람]
yo·ni [jóuni] [Skt. =vulva] *n.* 〖힌두교〗 여음상(女陰像) 《여자의 생식력의 표상으로 예배》
yonks [jáŋks | jɔ́ŋks] *n.* (영·구어) 오랜 기간: for ~ 오랫동안
yon·nie [jáni | jɔ́ni] *n.* (호주·유아어·속어) 돌멩이
yoof [júːf] (영·익살) *n.* Ⓤ 젊은이들 **—***a.* Ⓐ 젊은이(대상)의 〈잡지·TV 프로 등〉
yoo-hoo [júːhùː] [의성어] *int.* 어이, 야호; 잠깐, 여보게, 야 《주의 환기·사람을 부를 때》 **—***vi.* 「야」하고 부르다[소리치다]
yor·dim [jɔːrdíːm] *n. pl.* (경멸) 국외[《특히》 미국]로 이주하는 이스라엘 시민
yore [jɔ́ːr] *n.* Ⓤ (고어) 옛날 ★ 지금은 다음의 성구뿐임. ***of*** ~ 옛날의, 옛날에는 ***in days of*** ~ 옛날에는 **—***ad.* (폐어) 옛날에
york [jɔ́ːrk] *vt.* 〖크리켓〗 yorker로 〈타자를〉 아웃시키다 **~·er** *n.* 타자 바로 앞에 떨어지도록 던진 공
York [jɔ́ːrk] *n.* = YORKSHIRE
the House of ~ 〖영국사〗 요크가(家) 《1461-85년의 영국 왕가; Edward IV, Edward V, Richard III가 나옴; 문장(紋章)은 흰 장미》
Yórk-and-Lán·cas·ter ròse [jɔ́ːrkəndlǽŋkəstər-] [장미전쟁 때 두 왕가의 문장이 홍백 장미였다 해서] 홍백 얼룩 장미

thesaurus **yoke¹** *n.* **1** 멍에 harness, collar, coupling **2** 속박 oppression, tyranny, enslavement, slavery, servitude, bondage **3** 결합 tie, link, bond

York·ie [jɔ́:rki] *n.* ＝YORKSHIRE TERRIER
York·ist [jɔ́:rkist] *a.* 요크가(家)(출신)의; 요크[흰 장미] 당원의 《장미전쟁 당시의》
— *n.* 요크가(家)의 사람; 요크 당원[지지자]
Yorks [jɔ́:rks] *n.* ＝Yorkshire
York·shire [jɔ́:rkʃiər, -ʃər] *n.* 요크셔 《잉글랜드 북동부의 옛 주; 1974년에 North Yorkshire, Humberside, Cleveland의 일부, South Yorkshire, West Yorkshire로 분할; York(s)라고도 함》
come ~ over*[*on*]** a person＝put ~ on*** a peron 《구어》 …을 속이다
Yórkshire púdding 요크셔 푸딩 《고기즙을 쳐서 굽는 푸딩; 로스트 비프와 같이 먹음》
Yórkshire stóne 요크셔 석재 《건축용》
Yórkshire térrier 요크셔테리어 《작고 털이 긴 애완용 개》
York·town [jɔ́:rktàun | jɔ́:k-] *n.* 요크타운 《미국 Virginia 주 남동부의 도시》
Yo·ru·ba [jɔ́:rəbə | jɔ́ru-] *n.* (*pl.* **~, ~s**) [the ~(s)] 요루바 족(族) 《서아프리카 Guinea 지방에 사는 흑인 원주민》
Yo·sem·i·te [jousémiti] *n.* [the ~] 요세미티 계곡 《California 주 동부의 빙하 침식에 의한 대계곡》
Yosémite Nátional Párk 요세미티 국립공원 《미국 California 주 Yosemite 계곡을 중심으로 한》
yotta- [jɑ́:tə | jɔ́tə] *pref.* 「10^{24}」의 뜻 《측량 단위에 사용되는 접두어》
‡**you** [jú:, 《약하게》 ju, jə] *pron.* (*pl.* ~) **1 a** [인칭대명사 제2인칭, 주격 및 목적격 (소유격 **your**)] 당신[너희, 자네](들)은[이]; 당신[너희, 자네](들)에게[을]: all of ~ 여러분 모두 / between ~ and me 우리끼리만의 이야기지만 / the rest of ~ (너희들 가운데서) 남은 사람들 / ~ fellows[people, guys, chaps] 자네들 / We can't help ~. 우리는 당신을 도울 수 없습니다. **b** [명령문]: *Y~* begin. ＝Begin ~. 자네, 시작하게! **2** [부정대명사] 《일반적으로》 사람(은 누구나): *Y~* never can tell. (앞일 등은) 아무도 예측할 수 없는 거야. **3** [호칭으로 주의를 환기할 때 또는 감탄문에서 명사와 동격으로]: *Y~*, there, what's your name? 이봐, 이름이 뭐지? / *Y~* liar, ~! 이 거짓말쟁이! **4** 《구어》 [동명사의 주어로서 your 대신]: There's no sense in ~ getting upset. 네가 화내도 소용없는 일이다. **5** 《고어》 ＝YOURSELF: Get ~ gone. 꺼져라!, 가라! / Make ~ ready. 준비해라. ***Are ~ there?*** 〖전화〗 여보세요? ***There's a rogue for ~!*** 저놈이야말로 천하의 악당이다! ***to ~*** (1) 당신이 사용하는 이름을 쓰자면: Not John, but Mr. Doe *to* ~. 존, 아니 당신이 사용하는 이름으로 하자면 도씨. (2) 알기 쉽게 말하자면: TNT *to* ~ 알기 쉽게 말하자면 TNT ***~ and I*[*me*]** 당신과 나 《항상 you를 먼저 말함》 ***Y~ and your …!*** …은 너의 입버릇이구나! 《또 시작했구나 등》 ***~ know what*[*something*]*?*** 있잖아, 말이야 《어떤 의견이나 정보를 말하려고 할 때 관심을 유도하는 말》 ***~ know who*[*what*]** 모두 알고 있는 사람[물건]; 굳이 이름을 말할 필요가 없는 사람[물건] ***Y~'re another.*** 《속어》 너야말로 《욕설 등에 대꾸할 때에》 ***Y~ see*** 《구어》 실은 …; 안 그래요?, …이잖아요: *Y~ see,* I have been poor all my life. 나는 이제까지 줄곧 가난했잖아요. ***Y~ there!*** 이봐 자네!, 여보세요! 《모르는 사람을 부르는 말》
— *n.* (*pl.* **~s** [-z]) **1** [상대를 연상시키는 것을 가리키며] 당신과 똑같은 사람[물건]; 당신다운 것: That bright red shirt just isn't ~. 그런 화려한 붉은 셔츠는 당신한테 안 어울려요. **2** 당신의 개성[본래의 모습]: Try to discover the hidden ~. 숨은 당신의 참모습을 찾아내려고 노력해라.

---

young *a.* **1** 젊은, 어린 youthful, juvenile, junior, adolescent (opp. *old, elderly, mature*) **2** 신흥의 new, recent, undeveloped

you-all [ju:ɔ́:l, jɔ́:l], **y'all** [jɔ:l] *pron.* 《미남부》 [복수의 사람을 직접 부르는 말] 자네들, 당신들
‡**you'd** [jú:d, jud, jəd] you had[would]의 단축형
you-know-what [jú:nòuhwɑ̀t | -hwɔ̀t] *n.* 저 그거 말이야 《필요치 않은 또는 말하기 싫은 이름의 대용》 ★ 사람의 경우 you-know-who라고 함.
‡**you'll** [jú:l, jul, jəl] you will[shall]의 단축형
you-name-it [ju:néimit] *n.* 그 밖에 뭐든지 《동류의 것 몇 가지를 열거한 다음에》
‡**young** [jʌ́ŋ] *a.* (**~·er** [jʌ́ŋgər]; **~·est** [jʌ́ŋgist]) **1** 젊은, 어린(opp. *old*); 손아래의: a ~ girl 소녀 / ~ and old (alike) (남녀)노소 / ~ people 젊은이, 《특히》 결혼기에 있는 남녀들 / ~ things 《익살》 젊은 사람들 / He is two years ~*er* than his sister. 그는 누나보다 두 살 아래다. (cf. YOUNGER)

> 유의어 **young** 「젊은」을 뜻하는 일반어 **youthful** 좋은 의미에서 「젊음이 넘치는」 것을 가리킴 **juvenile** 종종 유치함, 미숙함 등 젊음의 좋지 않은 면을 의미 **adolescent** 사춘기의

2 한창인, 기운찬; 청춘 시대의, 청년의: ~ Jones 청년 존스 / ~ love[ambition] 청춘 시대의 사랑[야망] / in one's ~ days 젊었을 때에는 **3** Ⓟ 미숙한, 경험 없는 《*in, at*》: ~ *in* teaching[one's trade] 교사[장사] 경험이 적은 **4** 손아래의, 연하의(junior) 《같은 이름[성]의 친족 등》: (the) ~ Jones 아들 존스, 작은 존스 **5 a** 〈국가·회사 등이〉 역사가 짧은, 신흥의, 아직 요람기에 있는; 〈시일·계절·밤 등이〉 아직 이른: a ~ nation 신흥 국가 / The night is still ~. 밤은 아직 깊지 않다[초저녁이다]. **b** 〈포도주 등이〉 숙성되지 않은; 〈야채 등이〉 일찌감치 수확한; 여리고 부드러운 **6** [보통 **Y~**] 진보파의 《정치 운동 등에서》, 청년당의: *Y~* Socialists Alliance 사회주의 청년 동맹 **7** 《속어·익살·호칭》 작은: you ~ rascal 이 장난꾸러기야
— *n.* Ⓤ **1** [the ~; 집합적; 복수 취급] 젊은이들, 아이들 **2** [집합적; 복수 취급] 새끼 《동물·새의》
with*[*in*] ~** 〈동물이〉 새끼를 배어 ***~ and old 남녀노소 **~·ness** *n.* ▷ yóuth *n.*; yóuthful, yóungish *a.*; yóungling, yóungster *n.*
yóung adúlt 1 (12-18세의) 청소년 《출판사·도서관원 등이 독자에 대해 쓰는 용어; 略 YA》 **2** 성년 초반의 사람
young·ber·ry [jʌ́ŋbèri, -bəri | -bəri] *n.* (*pl.* **-ries**) 〖식물〗 나무딸기의 개량종 《미국 남서부산(産)》
yóung blóod 청춘의 혈기; [집합적] 혈기 왕성한 청년
Yóung Éngland [the ~] 영국 청년당 《Victoria 왕조 초기의 Tory 당의 일파》
young·er [jʌ́ŋgər] *a.* **1** YOUNG의 비교급 **2** (형제 중) 어린 쪽의(opp. *elder*); 나이 적은 쪽의: the ~ Pitt ＝Pitt the ~ 작은 피트 《아들 피트》 ***a*[*one's*] *~ brother*[*sister*]** 남동생[여동생] ***~ branch of a family*** 분가(分家) — *n.* **1** 연하(年下)의 사람(junior) **2** [보통 *pl.*] 젊은이; 자녀
young·est [jʌ́ŋgist] *a.* YOUNG의 최상급
— *n.* (*pl.* ~) 최연소자, 《특히》 가장 나이 어린 가족, 막내 아이
young-eyed [jʌ́ŋàid] *a.* **1** 눈이 맑은, 눈에 총기가 있는(bright-eyed) **2** 견해가 참신한; 열정적인
yóung fámily 아이가 아직 어린 가정
young·ish [jʌ́ŋiʃ] *a.* 좀 젊은; 아직 젊은 축의
Yóung Ítaly [the ~] 청년 이탈리아당(黨) 《1831년에 결성한 비밀 결사》
yóung lády 1 젊은 숙녀 《보통 미혼의》 **2** [보통 one's ~] 애인: his ~ 그의 애인
young·ling [jʌ́ŋliŋ] *n.* **1** 어린 것 《어린아이·짐승 새끼·어린 나무 등》 **2** 《드물게》 초심자, 풋내기, 미숙한 사람(novice) — *a.* 젊은(young, youthful)
yóung mán 청년; [보통 one's ~] 애인: her ~ 그녀의 애인 / (Look here) ~! (여보게) 젊은이!

Yóung Mén's Chrístian Associátion [the ~] 기독교 청년회 (略 YMCA)
yóung offénder = YOUTHFUL OFFENDER
young-old [jʌ́ŋóuld] *a.* 노인이지만 젊어 보이는
yóung òne **1** 아이, 어린이(child); 동물[새]의 새끼; [*pl.*] 자손(offspring) **2** [호칭] 이봐 젊은이
yóung pérson 젊은 사람; 젊은 여자 (하녀가 초면의 여성의 내방을 주인에게 알릴 때 쓰는 말); [the ~] 손진한[이린] 청소년 (법적으로 14세 이상 18세 미만의)
Yóung's módulus [영국의 물리학자 이름에서] [물리] 영률(率), 세로 탄성률
‡**young·ster** [jʌ́ŋstər] *n.* **1** 젊은이; 어린이, (특히) 소년 **2** 어린 동물, (특히) 망아지
yóung thíng (특히) 젊은 여성; 젊은이; 어린 동물
Yóung Túrk (Kemal Pasha가 영도한) 터키 청년당원; 정당 내부의 반당 분자; [때로 **y- T-, y- t-**] (조직내의) 개혁론자, 급진주의자; [**y- t-**] 난폭한 청년
young'un [jʌ́ŋʌn] (구어) = YOUNG ONE
yóung wóman = YOUNG LADY
Yóung Wómen's Chrístian Associátion [the ~] 기독교 여자 청년회 (略 YWCA)
youn·ker [jʌ́ŋkər] *n.* (고어·속어) = YOUNGSTER
‡**your** [júər, jɔ́:r | jɔ́:, júə; (약하게) jər] *pron.* **1** [you의 소유격] **당신(들)의**, 자네(들)의, 너(희들)의: I like ~ idea. 자네 생각이 마음에 들어. **2** [총칭] 사람의, 모두의: The library is on ~ left. 도서관은 왼쪽에 있습니다. **3** (구어) 흔히들 말하는, 소위, 이른바, 예(例)의 ★ 종종 경멸의 뜻: So this is ~ good works! 그래 이것이 이른바 그 훌륭하다는 작품이구나! / Take ~ factory worker, for instance. 예컨대 공장 노동자를 예로 들자. **4** [you 대신에 경칭으로서]: *Y*~ Highness 전하(殿下) ***by ~ leave*** 실례올시다만, 황송합니다만
‡**you're** [júər | júə, jɔ́:; (약하게) jər] you are의 단축형
yourn [júərn, jɔ́:rn] *pron.* (방언) = YOURS
‡**yours** [júərz, jɔ́:rz | jɔ́:z, júəz] *pron.* **1** [you의 소유대명사] **당신(들)의 것**: my father and ~ 우리 아버지와 자네 아버지 / *Y*~ is much better than mine. 자네 것이 내 것보다 훨씬 좋다. / This is ~ if you will accept it. 받아 주신다면 이것을 당신에게 드리겠소. **2** [of ~] 당신의 (것인): that book *of* ~ 자네의 그 책 / a friend *of* ~ 자네의 (한) 친구 **3 a** 당신의 가족: All good wishes to you and ~. 당신과 댁내 여러분이 모두 평안하시기를 축원합니다. **b** 당신의 편지: ~ of the 15th inst. 이 달 15일자의 당신의 편지 **c** 당신의 역할, 당신의 책임, 당신의 본분: It is ~ to help him. 그를 돕는 것이 자네의 의무야. **4** [편지 맺음말(complimentary close)로 써서] 경구(敬具), 경백(敬白), …드림, …올림: *Y*~ respectfully (윗사람에게 씀) / *Y*~ faithfully = Faithfully ~ (회사나 면식 없는 사람 앞으로의 격식차린 편지에서) / *Y*~ truly (사무적으로 또는 약간 아는 사람 앞으로의 격식차린 편지에서) / *Y*~ sincerely = Sincerely ~ (친구·지기 앞으로의 편지에서) / *Y*~ (ever) (친한 친구, 여성간에) / *Y*~ affectionately = Affectionately ~ (친척간에) ***Up ~ (and twist it)!*** (속어) 맘대로 해, 뒈져라! ***What's ~?*** (구어) (술은) 뭘로 마실까? ***~ truly*** (1) ⇨ 4 (2) (구어·익살) 나(I, me) (3인칭 단수 취급)
‡**your·self** [juərsélf, jɔ:r- | jɔ:-, juə-, jə-] *pron.* (*pl.* **-selves** [-sélvz]) **1** [강조 용법] **당신 자신(이)**: You ~ said so. 자네 자신이 그렇게 말하였지. **2** [재귀 용법] **당신 자신을[에게]** **a** [동사의 목적어]: Know ~. 네 자신을 알라. / Did you ever ask ~ why? '왜'라고 자문한 일이 있느냐? **b** [전치사의 목적어]: Please take care of ~. 부디 몸조심하세요. **3** (구어) [you 대신에 강조적으로]: Ted and ~ have been elected. 테드와 당신이 선출되었다. **4** 평소의[정상적인] 당신: You aren't ~ today. 오늘은 평소의 당신답지 않다. **5** [총칭적으로] = ONESELF: The surest way is to do it ~. 가장 확실한 방법은 자기 자신이 스스로 하는 것이다.
(***all***) ***by ~*** 혼자서, 혼자 힘으로 ***Be ~!*** (미·속어) 침착해라! ***for ~*** 자네 자신을 위하여; 스스로; 혼자 힘으로 ***Help ~.*** (음식 등을) 마음대로 드시오. ***How's ~?*** (속어) 당신은 어떻습니까? (How are you? 등의 인사에 대답한 후에 하는 말)
‡**your·selves** [juərsélvz, jɔ:r- | jɔ:-, juə-, jə-] *pron.* YOURSELF의 복수
yous(e) [jú:z, jəz] *pron.* YOU의 복수형 (호칭)
‡**youth** [jú:θ] *n.* (*pl.* **~s** [jú:θs, jú:ðz | jú:ðz]) Ⓤ **1** 젊음: the secret of keeping one's ~ 젊음을 유지하는 비결 **2** (청년 특유의) 원기, 혈기 **3 청년 시절,** 청춘기(opp. *maturity*): be past one's ~ 청년 시절이 지나다 **4** 초기, 초창기, 발육기: the ~ of nations 국가[민족]의 (역사가 짧은) 발달 초기의 시대 / the ~ of the world 고대, 태고 / Our business is still in its ~. 우리 사업은 아직 초창기에 있다. **5** Ⓒ **젊은이,** 청년 (보통 남성): a ~ of twenty 20세의 청년 / promising ~*s* 전도유망한 젊은이들 **6** [집합적] **청춘 남녀,** 젊은이들: the ~ of our country 우리 나라의 청춘 남녀 / *Y*~ sometimes lack(s) prudence. 젊은이들은 때때로 신중함이 부족하다.
from ~ onwards 청년 시절부터 줄곧 ***in my hot*** [***raw, vigorous***] ***~*** 나의 혈기 왕성할 무렵에 ***in the days of his ~*** 그의 청년 시절에 ***Y~'s a stuff will not endure.*** 청춘은 오래 가지 않는다. (Shak. *Twelfth Night* 중에서)
▷ yóung, yóuthful *a.*
yóuth cènter (영) = YOUTH CLUB
yóuth clùb 유스 클럽 (청소년들의 여가 활동을 위한 클럽)
yóuth còurt 소년 법원 (잉글랜드와 웨일스에서 10-17세의 청소년의; 캐나다에서는 18세 미만의 죄인을 재판하는; cf. JUVENILE COURT)
yóuth cùlture 젊은이[청년] 문화
yóuth cústody 소년원 감호[구금]
youth·en [jú:θən] *vt.* 젊게 하다, 되젊게 만들다
—*vi.* 젊어지다
‡**youth·ful** [jú:θfəl] *a.* **1 젊은**(⇨ young 유의어); **팔팔한,** 기운찬, 발랄한: ~ mothers 젊은 어머니들 **2** 젊은이의, 청년 특유의; 젊은이에 알맞은: ~ enthusiasm 청년다운 열정 **3** 초기의, 〈계절 등이〉 이른 **4** [지질] 유년기의 **~·ly** *ad.* 팔팔하게; 청년답게 **~·ness** *n.* Ⓤ 젊음; 팔팔함
yóuthful offénder 청소년 범죄자 (교화 대상이 되는 14-21세의 보통 초범의 소년범)(= **yóuth offénder**)
yóuth gròup (정당·교회의) 청년회
youth·hood [jú:θhùd] *n.* Ⓤ 젊음, 청춘 (시절); [집합적] 젊은이들
yóuth hòstel 유스 호스텔
yóuth hòsteler 유스 호스텔 숙박자
yóuth hòsteling 유스 호스텔을 이용하면서 여행하기
youth·quake [jú:θkwèik] *n.* (1960-70년대의 체제를 뒤흔든 과격적 가치관의) 젊은이의 반란
Yóuth Tráining Schème (영) 청소년 직업 훈련 계획 (略 YTS)
You·Tube [jú:tù:b | -tjù:b] *n.* Ⓤ 유튜브 (무료 동영상 공유 사이트; 상표명)
‡**you've** [jú:v, juv, jəv] you have의 단축형
yow [jáu] *int.* 아야, 이크, 이런, 아뿔싸 (아픔·놀람·당황·실망 등의 소리)
yowl [jául] *vi.* 〈동물이〉 길고 슬프게 (우)짖다, 신음하다; 비통한 목소리로 불평을 말하다
—*n.* (동물의) 구슬프게 (우)짖는 소리 **~·er** *n.*
yo-yo [jóujou] *n.* (*pl.* **~s**) **1** 요요 (장난감) **2** (몇 번이나 급격히) 변동하는 것 **3** (미·속어) 바보, 멍청이
—*a.* (구어) 오르내리는; 변동하는
—*vi.* (구어) 오르내리다; 변동하다
—*vt.* (구어) …을 상하[앞뒤]로 움직이게 하다, …을 변동시키다

yó-yo díeting 요요 다이어트 《다이어트 성공 후 다시 살이 찌는》
y·per·ite [íːpəràit] *n.* Ⓤ 〔화학〕 이페리트(mustard gas)
YR 〔화폐〕 Yemeni riyal(s)[rial(s)] **yr., yr** year(s); younger; your **yrbk.** yearbook **yrs.** years; yours **YSO** 〔천문〕 young stellar object **Yt** 〔화학〕 yttrium **YT** Youth Training; Yukon Territory **YTD** 〔회계〕 year to date
Ý tràck Y형 궤도(軌道) 《기관차의 방향 전환용》
YTS 《영》 Youth Training Scheme
yt·ter·bi·a [itə́ːrbiə] *n.* Ⓤ 〔화학〕 산화이테르븀
yt·ter·bic [itə́ːrbik] *a.* 〔화학〕 이테르븀의
yt·ter·bi·um [itə́ːrbiəm] *n.* Ⓤ 〔화학〕 이테르븀 《희금속 원소; 기호 Yb, 번호 70》
yt·tri·a [ítriə] *n.* Ⓤ 〔화학〕 산화이트륨
yt·tric [ítrik] *a.* 〔화학〕 이트륨의[을 함유한]
yt·trif·er·ous [itrífərəs] *a.* 〔화학〕 이트륨을 함유한
yt·tri·ous [ítriəs] *a.* 〔화학〕 이트륨의
yt·tri·um [ítriəm] *n.* Ⓤ 〔화학〕 이트륨 《희금속 원소; 기호 Y, Yt, 번호 39》
ýttrium mètal 〔화학〕 이트륨족 금속
ýttrium óxide 〔화학〕 산화이트륨(yttria)
Y2K 〔컴퓨터〕 2000년 문제 《Y는 연도(year), K는 1000을 뜻하는 킬로(kilo)를 의미하며, 연도의 마지막 두 자리만 사용한 컴퓨터 프로그램으로 2000년을 1900년으로 인식하는 컴퓨터 프로그램의 오류》
YU Yale University
yu·an [juːáːn] [Chin.] *n.* (*pl.* ~) 위안, 원 《元》 《중국의 화폐 단위; 기호 Y; =100 fen》
Yü·an [juːáːn] *n.* 〔중국사〕 원(나라), 원조(元朝) (1279-1368)
Yu·ca·tán [jùːkətǽn | -táːn] *n.* 유카탄 반도[주] 《멕시코 남동부의 반도[주]》
yuc·ca [jʌ́kə] *n.* 〔식물〕 실난초, 유카 《유카과(科)》
yuck[1] [jʌ́k] *n.*, *v.* 《속어》 떠들썩하게 웃음[웃다], 한바탕 웃기[웃다](hearty laugh)
yuck[2] *int.* = YE(C)CH
yuck·y [jʌ́ki] *a.* 《미·속어》 지독히 맛없는, 몹시 싫은[불쾌한], 역겨운
Yu·e [jəwéi, juéi] *n.* = CANTONESE
Yug. Yugoslavia
Yu·ga [júgə] *n.* 〔힌두교〕 **1** 시대(age of time) **2** (세계를 4기로 나눈 중) 1세대
Yugo. Yugoslavia
Yu·go·slav [júːgouslàːv, -slæ̀v | -slàːv] *a.* 유고슬라비아 (사람)의 **—** *n.* 유고슬라비아 사람
Yu·go·sla·vi·a [jùːgousláːviə] *n.* 유고슬라비아 《유럽 남부의 공화국; 수도 Belgrade》
-vi·an [-viən] *a.*, *n.*
Yu·go·slav·ic [jùːgousláːvik] *a.* = YUGOSLAV
yuk[1] [jʌ́k] *n.*, *vi.*, *vt.* = YUCK[1]
yuk[2] *int.* = YUCK[2]
yuk·ky [jʌ́ki] *a.* = YUCKY
Yu·kon [júːkɑn | -kɔn] *n.* **1** 유콘(= ~ **Térritory**) 《캐나다 북서부의 준주(準州)》 **2** [the ~] 유콘 강 《Yukon에서 시작하여 알래스카 중앙부를 지나 베링 해로 흘러가는 강》
Yúkon (**Stándard**) **Tìme** 《미》 유콘 표준시 《Yukon 준주 및 Alaska주 남부를 포함하는 시간대; GMT보다 9시간 늦음; 지금은 Alaska Time이라고 함》
yuk-yuk [jʌ́kjʌ́k] *n.* 《미·속어》 = YAK-YAK
yu·lan [júːlæn] *n.* 〔식물〕 백목련
yule [júːl] *n.* [종종 **Y~**] 《고어》 ⓊⒸ 성탄절, 크리스마스 (계절)
yúle blòck[**clòg**] = YULE LOG 1
yúle lòg **1** 크리스마스 전야에 난로에 때는 굵은 장작 **2** 1과 모양이 비슷한 케이크
yule·tide [júːltàid] *n.* [종종 **Y~**] Ⓤ 《시어·문어》 크리스마스 계절
yum [jʌ́m] *int.* = YUM-YUM
Yu·man [júːmən] *n.*, *a.* 유마어족(語族)(의) 《미국 남서부 및 멕시코 북서부의 인디언 어족》
yum·my [jʌ́mi] *a.* (**-mi·er**; **-mi·est**) 《구어》 **1** 맛있는 《주로 유아·여성 용어》 **2** 아주 매력적인
yúmmy múmmy (*pl.* **-ies**) 《영·구어》 자녀가 있지만 여전히 매력적인 여성
Yum·pie, Yum·py [jʌ́mpi] [*y*oung *u*pwardly *m*obile *p*rofessional+*-ie*] *n.* [때로 **y~**] 《미》 염피 《출세 지향적인 젊은 지적 직업인》
yum·pish [jʌ́mpiʃ] *a.* 염피족(族)풍의
yum-yum [jʌ́mjʌ́m] [의성어] 《속어》 *int.* 아이 맛있어! **—** *n.* 맛있는 것[음식], 냠냠
yup[1] [jʌ́p] *ad.* 《구어》 = YES(cf. YEP)
yup[2] *n.* = YUPPIE
yup·pese [jʌpíːz] *n.* yuppie가 쓰는 말 《yupspeak라고도 함》
yup·pie [jʌ́pi] [*y*oung *u*rban *p*rofessional+*-ie*] *n.* [때로 **Y~**] 《미》 《구어》 여피족 《미국의 전후(1940년대 말에서 50년대 초)에 태어난 대도시 근교에 거주하는 부유한 젊은 엘리트층》
yúppie flù[**disèase**] 《구어》 (yuppie형의 사람에 잘 걸리는) 만성 피로 증후군(chronic fatigue syndrome)
yup·pi·fy [jʌ́pifài] *vt.* (**-fied**) 여피풍[식]으로 바꾸다
yùp·pi·fi·cá·tion *n.*
yurt [júərt] *n.* (몽골 유목민의) 천막집
Y·vonne [iváŋ, iː- | ivɔ́n] *n.* 여자 이름
YWCA Young Women's Christian Association 기독교 여자 청년회 **YWHA** Young Women's Hebrew Association 유대교[히브리] 여자 청년회
y·wis [iwís] *ad.* 《고어》 = IWIS

Z z

z, Z[1] [zíː | zéd] *n.* (*pl.* **z's, zs, Z's, Zs** [-z]) **1** 제트《영어 알파벳의 제26자》 **2** (연속물의) 26번째(의 것); (J를 넣지 않을 때의) 25번째(의 것) **3** Z자형(의 것) **4** 〖수학〗 제3 미지수(cf. X, Y)
from A to Z ⇨ a[1], A[1]
Z[2] [zíː] *n.* 《미·구어》 한숨 자기[쉬기]: get[catch] a few *Zs*[*Z's*] 한숨 자다, 잠시 자다[졸다]
— *int.* 쿨쿨, 드렁드렁《코 고는 소리; cf. ZZZ》
Z 〖화학〗 atomic number; 〖천문〗 zenith distance
Z., z. zero; zone **Z**^{0} 〖물리〗 Z-zero particle
za [zɑ́ː] *n.* 《미·속어》 피자(pizza)
za·ba·glio·ne [zɑ̀ːbəljóuni | zæ̀b-, zɑ̀ːb-], **za·ba·io·ne, -jo-** [zɑ̀ːbəjóuni | zæ̀b-, zɑ̀ːb-] [It.] *n.* 〖요리〗 자발리오네《노른자위·설탕·포도주 등으로 만드는 커스터드 비슷한 디저트》
Zach·a·ri·ah [zæ̀kəráiə] *n.* **1** 〖성서〗 사가랴《세례 요한의 아버지》 **2** 남자 이름
Zach·a·ri·as [zæ̀kəráiəs] *n.* **1** = ZACHARIAH 1 **2** (Douay Bible에서의) Zechariah의 라틴어식 어형
zad·dik [tsɑ́ːdik] *n.* 〖유대교〗 덕이 있고 경건한 사람; 하시디즘(Hasidism)파의 정신적 지도자
Zad·ki·el [zǽdkiəl, -èl] *n.* 재드키엘력(曆)《민간에서 쓰는 점성술의 책력》
Za·dok [zéidɑk | -dɔk] *n.* 남자 이름
zaf·fer | zaf·fre [zǽfər] *n.* Ⓤ 불순한 산화 코발트, 화감청(花紺靑)《에나멜·도자기 등의 착색료(着色料)》
zaf·tig [zɑ́ːftik, -tig] [Yid. =juicy] *a.* 《속어》 〈여자가〉 풍만한, 곡선미가 있는, 글래머의
zag [zǽg] *n.* 지그재그로 꺾이는 코스에서 가파른 각; (정책 등의) 급변한 방향 전환
— *vi.* (~**ged**; ~·**ging**) (지그재그로 나아가는 과정에서) 급히 꺾이다; 급히 방향을 바꾸다
Za·greb [zɑ́ːgreb] *n.* 자그레브《크로아티아의 수도》
zai·bat·su [zàibɑ́tsuː] [Jap.] 재벌
Za·ire, Za·ïre [zɑːíər, ⌐–|–⌐] *n.* **1** 자이르《아프리카 중부의 공화국; 수도 Kinshasa》 **2** [the ~] 자이르 강《콩고 강의 별칭》 **3** [**z~**] 자이르《자이르의 화폐 단위》 **Za·ir·i·an, -e·an** [zɑːíəriən] *a.*, *n.*
za·kat [zəkɑ́ːt] *n.* 〖이슬람교〗 자카트, (자선용) 세금《연수입·자산의 2.5%》
Zal·o·phus [zǽləfəs] *n.* 〖동물〗 강치속(屬)
Zam·be·zi [zæmbíːzi] *n.* [the ~] 잠베지 강《남아프리카에서 인도양으로 흐르는 강》
Zam·bi·a [zǽmbiə] *n.* 잠비아《아프리카 남부에 있는 영연방 내의 공화국; 수도 Lusaka》 **-bi·an** *a.*, *n.*
zam·bo [zǽmbou] *n.* (*pl.* ~**s**) 잠보(sambo)《흑인과 아메리칸 인디언과의 혼혈아》
Zam·bo·ni [zæmbóuni] *n.* 잼보니《스케이트 링크용 정빙기(整氷機); 상표명》
— *vt.* 〈빙면을〉 정빙기로 고르다
Za·men·hof [zɑ́ːmənhɔ̀ːf, -hɑ̀f | -hɔ̀f] *n.* 자멘호프 **Lazarus Ludwig ~** (1859-1917)《폴란드의 안과 의사; 에스페란토(Esperanto)의 창안자》
za·mi·a [zéimiə] *n.* 〖식물〗 자미아《소철과(科)의 나무; 열대 아메리카·남아프리카산(産)》
za·min·dar [zəmiːndɑ́ːr] *n.* 〖인도사〗 자민다르 **1** 무굴(Mogul) 제국하의 공조(貢租) 징수 관리 **2** 영국 정부에 지조(地租)를 바치고 토지 사유권을 확보한 대지주
Z àngles = ALTERNATE ANGLES
ZANU [zɑ́ːnuː, zǽnuː] [*Z*imbabwe *A*frican *N*ational *U*nion] *n.* 짐바브웨 아프리카 민족 동맹
za·ny [zéini] *n.* (*pl.* **-nies**) **1** 어릿광대 **2** (익살스런) 기인 **3** 〖역사〗 희극 광대(clown)의 보조역 **4** 바보 **5** 아첨꾼, 알랑쇠 — *a.* (**-ni·er**; **-ni·est**) 어릿광대 같은; 어리석기 짝이 없는; 미치광이 같은
zá·ni·ly *ad.* **zá·ni·ness** *n.*
Zan·zi·bar [zǽnzəbɑ̀ːr, ⌐–⌐] *n.* 잔지바르《아프리카 동해안의 섬; 1963년 공화국으로 독립; 1964년 Tanganyika와 합병하여 Tanzania의 일부가 됨》
Zan·zi·ba·ri [zæ̀nzəbɑ́ːri] *n.* **1** 잔지바르 사람 **2** Ⓤ 잔지바르 말 — *a.* 잔지바르의
zap [zǽp] 《구어》 *v.* (~**ped**; ~·**ping**) *vt.* **1** (단숨에) 해치우다; 때리다 **2** 죽이다 **3** 공격하다, 쏘다, 사격하다 **4** 《속어》 (비디오테이프의) 〈광고 방송 장면을〉 건너뛰게 빨리 지나가게 하다; (리모컨으로) 〈TV의〉 채널을 바꾸다, 〈TV의〉 스위치를 끄다 **5** 재빨리 움직이다 **6** 〖컴퓨터〗 화면에서 지우다, 〈데이터를〉 삭제하다 **7** 《미·구어》 〈음식을〉 전자 레인지로 조리하다
— *vi.* **1** 잽싸게 움직이다, 휙 가다 **2** 리모컨으로 채널을 바꾸다, 비디오테이프의 광고 방송 장면을 빨리 지나가게 하다
— *n.* **1** 힘, 세력, 기력, 정력, 원기 **2** (전기 등의) 충격 **3** 적과의 대결; 적의 공격 **4** 흥미, 흥분, 매력 **5** 〖컴퓨터〗 완전히 삭제하기
— *int.* 앗!, 쉭!《급변·급속·돌연 등을 표현》; 탕!, 휙!《총소리 등》
Za·pá·ta mústache [zəpɑ́ːtə-] [멕시코의 혁명가 이름에서] 사파타 수염《팔자형》
za·pa·te·a·do [zɑ̀ːpəteiɑ́ːdou] [Sp.] *n.* **1** 사파테아도《율동적인 발뒤꿈치의 탭을 특징으로 하는 스페인의 플라멩고 무용》 **2** 사파테아도의 무곡
za·pa·te·o [zɑ̀ːpətéiou] *n.* = ZAPATEADO 1
Za·pa·tis·ta [zɑ̀ːpəːtíːstəː] [Sp.] *n.* 사파타주의자《멕시코의 저항적 정치 결사 단체 당원》
zap·per [zǽpər] *n.* 《미·구어》 (TV의) 리모컨; (해충·잡초 등의) 마이크로파 구제[제거] 장치
zap·py [zǽpi] *a.* (**-pi·er**; **-pi·est**) 《구어》 **1** 원기 왕성한, 활발한, 민첩한 **2** 눈에 띄는, 이목을 끄는
ZAPU [zɑ́ːpuː, zǽpuː] [*Z*imbabwe *A*frican *P*eople's *U*nion] *n.* 짐바브웨 아프리카 인민 동맹《1961년 처음에 게릴라 조직으로서 결성된 것》
ZAR South African rand 자르《남아프리카공화국의 랜드화(貨)》
Zar·a·thus·tra [zæ̀rəθúːstrə] *n.* = ZOROASTER
za·re·ba, -ri- [zəríːbə] *n.* 가시나무 울타리[방책]《Sudan 등의 촌락·캠프 등의 방위용》
zarf [zɑ́ːrf] *n.* (금속제) 컵 받침《손잡이 대용》
zar·zue·la [zɑːrzwéilə, -zwíː- | -zwéi-] [Sp.] *n.* **1** 사르수엘라《대화 부분도 넣은 스페인의 소규모 오페라》 **2** 어패류로 만든 스페인식 스튜
zax [zǽks] *n.* 슬레이트(slate)를 자르는 연장
z-ax·is [zíːæ̀ksis | zéd-] *n.* (*pl.* **-ax·es** [-ǽksiːz]) 〖수학〗 z축(軸)
zaz·zle [zǽzəl] *n.* 《미·속어》 성욕; 성적 매력
Z-bar [zíːbɑ̀ːr | zédbɑ̀ː] *n.* Z형 강재(鋼材)
ZBB zero-base(d) budgeting
Z bòson 〖물리〗 = Z PARTICLE
Z chàrt 〖통계〗 Z형 도형[관리도]
z-co·or·di·nate [zìːkouɔ́ːrdənit, -nèit | zèd-] *n.* 〖수학〗 z좌표

thesaurus **zealous** *a.* ardent, fervent, fervid, passionate, eager, keen, earnest, vigorous, energetic, zestful (opp. *apathetic, indifferent*)

ZD 〖전자〗 zener diode; 〖천문〗 zenith distance; 〖경영〗 zero defects

Z-DNA [zí:dì:ènéi | zéd-] *n.* 〖생화학〗 좌선(左旋)의 이중 나선(double helix) 구조의 DNA 《보통은 우선(右旋); 1981년 발견》

‡**zeal** [zí:l] [Gk 「경쟁」의 뜻에서] *n.* Ⓤ **열심**, 열성, 열의, 열중(ardor) 《*for*》: show ~ *for* one's work 일에 열의를 보이다 / He feels ~ *for* his work. 그는 일에 대해 열의를 가지고 있다. ***with*** (great) ~ (아주) 열심히 ▷ zéalous *a.*

Zea·land [zí:lənd] *n.* 질란드 《덴마크 최대의 섬》

zeal·ot [zélət] *n.* **1** 열중자, 《경멸》 열광자; 광신자 《*for*》 **2** [**Z~**] 〖유대교〗 열심당원(熱心黨員) 《기원전 1세기에 활약한 정치적·종교적 과격파; 로마군에 저항함》

zeal·ot·ry [zélətri] *n.* Ⓤ 《경멸·드물게》 열광; 열광적 행동

‡**zeal·ous** [zéləs] *a.* **1** **열심인**, **열광적인**: make ~ efforts 열심히 노력하다 **2** Ⓟ 열망하여 《*for*, *to* do》; 열중하여 《*in*》: (~+***to*** do) He is ~ *to* please his wife. 그는 아내를 애써 기쁘게 해주고 싶어한다. **~·ly** *ad.* 열심히, 열광적으로 **~·ness** *n.*

ze·a·tin [zí:ətin] *n.* 〖식물〗 제아틴 《옥수수의 배젖에서 분리한 시토키닌(cytokinin)》

ze·bec(k) [zí:bek] *n.* = XEBEC

Zeb·e·dee [zébədì:] *n.* 〖성서〗 세베대 《사도 야고보와 요한의 아버지》

*__ze·bra__ [zí:brə | zéb-, zí:b-] *n.* (*pl.* **~s**, [집합적] ~) **1** 〖동물〗 **얼룩말** 《아프리카산(産)》 **2** 얼룩 무늬가 있는 것 **3** 얼룩말 나비 (= **~ bùtterfly**) **4** 《속어》 〖미식축구〗 (줄무늬 셔츠를 입은) 심판원 **5** = ZEBRA CROSSING

zébra cròssing 《영》 (길 위에 흰색 사선을 칠한) 횡단보도

zébra dànio 〖어류〗 제브라다니오 《얼룩말 무늬가 있는 태생 관상어(胎生觀賞魚)》

ze·brass [zí:bræ̀s | zéb-, zí:b-] [*zebra*+*ass*] *n.* 〖동물〗 수얼룩말과 암나귀의 잡종

ze·bra·wood [zí:brəwùd] *n.* 재목에 줄무늬가 있고 단단한 나무의 총칭; 그 재목

ze·brine [zí:brain, -brin | zébrain, zí:b-] *a.* 얼룩말속(屬)의; 얼룩말을 닮은

ze·bu [zí:bju:] *n.* 〖동물〗 혹소 《등에 큰 혹이 있음》

zec·chi·no [zəkí:nou] [It.] *n.* (*pl.* **~s**, **-ni** [-ni:]) = SEQUIN 1

Zech. 〖성서〗 Zechariah

Zech·a·ri·ah [zèkəráiə] *n.* **1** 남자 이름 **2** 〖성서〗 **a** 스가랴 《기원전 6세기의 Israel의 예언자》 **b** 스가랴서 《구약 성서의 한 편; 略 Zech.》

zech·in [zékin, zekí:n] *n.* = SEQUIN 1

zed [zéd] *n.* 《영》 **1** Z [z]자의 명칭(cf. ZEE) **2** Z자형의 것 (***as***) ***crooked as the letter*** ~ 몹시 굽은, 꼬불꼬불한

Zed·e·ki·ah [zèdəkáiə] *n.* **1** 남자 이름 **2** 〖성서〗 시드기야 《바빌로니아 유수(幽囚) 직전의 마지막 유대왕; 예레미야 52: 1-11》

zed·o·a·ry [zédouèri | -əri] *n.* Ⓤ 〖식물〗 제도아리 뿌리 《인도·스리랑카산(産); 건위제·향료로 씀》

ze·donk [zí:dɑŋk, -dɔ:ŋk | zédɔŋk] [*ze*bra+*doney*] *n.* 〖동물〗 제동크 《얼룩말의 수컷과 암나귀와의 잡종》

zee [zí:] *n.* 《미》 Z [z]자의 명칭(cf. ZED)

Zee·land [zí:lənd] *n.* 젤란드 《네덜란드 남서부의 주》

Zee·man [zéimɑ̀:n | zí:mən] *n.* 제만 **Pieter ~** (1865-1943) 《네덜란드의 물리학자; 노벨 물리학상 수상(1902)》

Zéeman effèct 〖물리〗 제만 효과 《빛의 진동수가 자장(磁場)의 작용으로 변하는 현상》

ZEG zero economic growth

---

zenith *n.* highest point, height, top, peak, pinnacle, climax, prime, apex (opp. *bottom*)

zero *n.* naught, nothing, cipher

---

ze·in [zí:in] *n.* 〖생화학〗 제인 《옥수수에서 추출한 단백질; 천·플라스틱의 원료》

Zeiss [záis, tsáis] *n.* 차이스 《독일의 광학 정밀 기계 제조 회사; 그 회사의 렌즈; 상표명》

zeit·ge·ber [tsáitgèibər, záit-] [G = time giver] *n.* (*pl.* **~**, **~s**) 〖생물〗 차이트게버 《생물 시계의 움직임에 영향을 주는 빛·어둠·기온 등의 요소》

zeit·geist [tsáitgàist, záit-] [G = spirit of the time] *n.* [the ~; 종종 **Z~**] 시대 정신[사조]

zek [zék] [Russ.] *n.* (구소련의 교도소·수용소의) 죄수

Zel·ig [zélig] [Woody Allen의 영화 *Zelig*의 주인공 이름에서] 젤리그 《어떤 상황에서도 자유자재로 변신할 수 있는 사람》

zel·ko·va [zélkəvə, zelkóu-] *n.* 〖식물〗 느티나무

ze·lo·so [zilóusou] [It.] *a.*, *ad.* 〖음악〗 열렬한[히]

ze·min·dar [zəmi:ndɑ́:r | zémindɑ̀:, zəmi:ndɑ́:] *n.* = ZAMINDAR

zem·stvo [zémstvou] [Russ.] *n.* (*pl.* **~s**) (제정 러시아 시대의) 지방 자치회

Zen [zén] [Jap.] *n.* Ⓤ 〖불교〗 선(禪); 선종(禪宗) **~·ist** *n.* 선하는 사람

ze·na·na [zenɑ́:nə] *n.* (인도·페르시아 상류 가정의) 규방; [집합적] 규방의 여성들 **—** *a.* 규방의

zenána mìssion 인도 규방 전도회 《여자 전도사가 규방을 방문 전도하게 한 그리스도교 전도회》

Zén Búddhism 〖불교〗 선종(禪宗) 《달마의 선(禪)에 의해 불도를 터득하는 종파》 **Zén Búddhist**

Zend [zénd] *n.* **1** 젠드 《조로아스터교의 경전 Avesta의 주해서》 **2** Avestan의 옛 이름

Zend-A·ves·ta [zèndəvéstə] *n.* 젠드 아베스타 《경전 Avesta와 그 주해서 Zend의 합본》

zé·ner dìode [zí:nər-] [발명자인 미국의 물리학자 이름에서] [종종 **Z- d-**] 〖전자〗 제너 다이오드 《반도체의 정(定)전압 다이오드》

Ze·ni·a [zí:niə, -njə] *n.* 여자 이름

*__ze·nith__ [zí:niθ | zén-, zí:n-] [Arab. 「머리 위의 길」의 뜻에서] *n.* **1** [the ~] **천정**(天頂)(opp. *nadir*) **2** (명성·성공·권세 등의) **정점**, 극도, 절정: at the ~ of …의 절정에 / be at one's[its] ~ 성공[영광, 권세]의 절정에 있다, 최고조에 달해 있다 ▷ zénithal *a.*

ze·nith·al [zí:niθəl | zén-, zí:n-] *a.* 천정의; 정점의, 절정의

zénithal (**equidístant**) **projéction** = AZIMUTHAL EQUIDISTANT PROJECTION

zénith dìstance 〖천문〗 천정(天頂) 거리

zénith tùbe[**tèlescope**] 〖천문〗 천정의(儀) 《시간·위도 측정 망원경》

Ze·no [zí:nou] *n.* 제논 **1 ~ of Ci·ti·um** [síʃiəm] (335?-263? B.C.) 《그리스의 철학자; 스토아 학파의 시조》 **2 ~ of E·le·a** [í:liə] (490?-430 B.C.) 《그리스 엘레아 학파의 철학자》

Ze·no·bi·a [zənóubiə] *n.* 여자 이름

ze·o·lite [zí:əlàit] *n.* Ⓤ 〖광물〗 비석(沸石), 제올라이트

Zeph. 〖성서〗 Zephaniah

Zeph·a·ni·ah [zèfənáiə] *n.* **1** 남자 이름 **2** 〖성서〗 **a** 스바냐 《유대의 예언자》 **b** 스바냐서 《그의 예언을 기록한 구약 성서의 한 편; 略 Zeph.》

zeph·yr [zéfər] *n.* **1** [**Z~**] 《시어》 (의인화된) 서풍(西風) **2** 산들바람, 미풍, 연풍 **3** ⓊⒸ 엷은 여성용 옷감의 일종; 아주 얇은 모직의 운동복

zéphyr clòth 얇고 가벼운 여성·아동용 하복지

zeph·yr·e·an [zèfərí:ən], **ze·phyr·i·an** [zəfíəriən], **zeph·yr·ous** [zéfərəs] *a.* 서풍의, 미풍의, 산들바람 같은

Zeph·y·rus [zéfərəs] *n.* 〖그리스신화〗 제피로스 《서풍(西風)의 신》

zéphyr yàrn (자수용) 가는 털실

zep·pe·lin [zépəlin] [설계자인 독일 장군의 이름에서] *n.* [종종 **Z~**] 체펠린형 비행선

‡**ze·ro** [zíərou] [Arab. = empty] *n.* (*pl.* **~(e)s**)

1 0, 영(naught) 《아라비아 숫자의》 **2** Ⓤ **a** (성적·시합 등의) 영점; (온도계 등의) 0도, 빙점(氷點): at 10 below ~ 영하 10도에서 **b** (측정의) 제로 점[시], 기점(基點·起點) **3** 무(無), 제로(nothing) **4** Ⓤ (비교 또는 계산의) 최하점, 최하위 **5** 〖언어〗 제로 형태, 제로 교차형 **6** 영점 시점 **7** Ⓤ 〖항공〗 제로 고도 《500피트 이하의 고도》 **8** 《속어》 가치 없는 것[사람] ***absolute*** ~ 절대 0도 《섭씨 영하 273.15°》
— *a.* Ⓐ **1** 0(도)의, 제로의: the ~ meridian 기준 자오선/the ~ point 0점, 0도 **2** 조금도 없는, 결여되어 있는 **3** 〖기상〗 〈시계(視界)가〉 제로인 《수직 50피트, 수평 165피트 이하》
— *vt.* 〈계기(計器)·미터의 바늘 등을〉 0에 맞추다, 0의 자리로 돌려 놓다 **~ *in*** 〈소총 등의 가늠자를〉 영점 조준을 하다 **~ *in on*** (1) (포 등의) 조준을 〈목표에〉 맞추다; …에 포화를 집중하다 (2) …에 주의력을 집중하다, …에 초점을 맞추다 (3) 〈사람 등이〉 …을 향하여 모이다[다가가다] **~ *out*** 소거[삭제]하다; 세금을 안 내고 넘어가다; 《미·속어》 파산하다; 최저의 상태로 되다; 완전히 실패하다
USAGE (1) [**전화번호 · 건물 번호 등의 0**] 보통 oh [ou]로 읽음: 043-1032 (oh four three, one oh three two.) 《미》에서는 oh 이외에 zero도 흔히 쓰이며, 《영》에서는 oh 이외에 nought, nil을 쓰기도 함. (2) [**스포츠 점수의 0**] 〖축구·럭비 등〗 Our team won 5-0. 우리팀이 5대 0으로 이겼다(《미》 five (to) nothing, 《영》 five nil). 〖테니스〗 The score is 30-0. 득점은 30대 영.(thirty love)(⇨ tennis USAGE)/[스포츠 방송] It's Texas over Florida, 8-0. 텍사스가 플로리다에 8대 0으로 이기고 있다(eight-zip). [야구의 타율] .207(two oh seven) 2할 7푼/.300 (three hundred) 3할

ze·ro-base [zíəroubèis] *vt.* 〈예산 등을〉 백지 상태로 되돌려 결정하다, 〈문제 등을〉 출발점으로 되돌아가 결정[검토]하다 **—** *a.* = ZERO-BASED

ze·ro-based [-bèist] *a.* (지출 등의) 각 항목을 비용과 필요성의 관점에서 백지 상태에서 검토한, 제로베이스의

zéro-base(d) búdgeting (모든 것을 영에서부터 생각한) 제로 베이스 예산 편성 《略 ZBB》

ze·ro-car·bon [-kɑ́:rbən] *a.* 제로 카본의, 탄소 제로의(cf. CARBON NEUTRAL)

zé·ro-cou·pon bónd [-kjù:pɑn- | -pɔn-] 〖금융〗 제로 쿠폰채(債), 무이자 할인채 《기업이 자금 조달을 위해 금융 시장에서 발행하는 회사채의 일종》

zéro defécts 무결함 운동 《제품 생산의 전 공정에서 완전 무결을 기하자는 운동》

zé·ro-e·mis·sion véhicle [-imìʃən-] 공해 물질을 내뿜지 않는 자동차 《略 ZEV》

ze·ro-g [-dʒí:] *n.* = ZERO GRAVITY

zéro grávity 〖물리〗 무중력 (상태): ~ manufacturing 〖우주〗 무중력 상태에서의 제품 생산

zéro grázing 사내사양(舍內飼養) 《가축을 방목하지 않고 사내(舍內)에서 급여하는 사양 방법》

zéro grówth (경제[인구]의) 제로 성장(zero economic[population] growth); 개발[확장] 억제 정책

zéro hòur **1 a** 〖군사〗 행동 개시 예정 시각(cf. H-HOUR) **b** (로켓 등의) 발사 시각 **2** 《구어》 예정 시각 **3** 결정적[위기의] 순간 **4** 0시 《시간의 기본시》

ze·ro·ish [zíərouìʃ] *a.* 0(零)도에 가까운

ze·ro·ize [zíərouàiz] *vt.* 〖컴퓨터〗 프로그램 초기화를 제로로 하다; 기억 영역을 제로로 채우다

zéro láunch 〖로켓〗 제로 거리 발사 《발사용 레일이 없는 발사대에 의한》

zéro nórm 《영》 = NIL NORM

zéro óption 〖군사〗 제로 옵션, 0의 선택 《NATO와 구소련이 쌍방에서 유럽의 전역(戰域) 핵전력을 전부 폐기한다는 구상》

zé·ro-point ènergy [zíəroupɔ̀int-] 〖물리〗 영점 에너지 《절대 영도에서의 물질의 내부 에너지》

zéro populátion gròwth 인구의 제로 성장

ze·ro-rat·ed [-réitid] *a.* 〈상품이〉 부가 가치세가 면세된

ze·ro-sum [-sʌ̀m] *a.* 〈게임·관계 등이〉 쌍방 득실(得失)의 차가 무(無)인: a ~ economy 제로섬 경제

zéro-sum gáme 〖경제〗 제로섬 게임 《득실의 합계가 항시 제로가 되는 것과 같은 게임; 저성장 경제하의 동일 시장 규모 내에서 벌어지는 시장 점유이 쟁탈 경쟁 등에 대해서 쓰는 말》

zéro suppréssion 〖컴퓨터〗 제로 억제 《수치의 표현에서 의미가 없는 0은 표현하지 않는 것》

ze·roth [zíərouθ] *a.* 영(번째)의, 영차(零次)의

zéro tíllage 〖농업〗 (땅을 갈지 않고 좁은 골을 파서 심는) 무경산(無耕墾) 농법(no-tillage)

zéro tòlerance (규칙·법 등의) 제로 용인 《엄격히 적용하여 일체의 정상 참작이 없음》

zéro vèctor 〖수학〗 영[제로] 벡터

ze·ro-ze·ro [zíərouzíərou] *a.* 〖기상·항공〗 시계(視界)가 수평·수직 모두 0(zero)의: ~ weather 〖항공〗 시계 제로의 악천후 《비행 불가능 상태》

***zest** [zést] [F 「(풍미용의) 오렌지 껍질」의 뜻에서] *n.* Ⓤ **1** [또는 a ~] **열정**, 강한 흥미 《*for*》: give [add] (a) ~ to …에 묘미[흥취]를 더하다/with ~ 대단한 흥미[열성]를 가지고 **2** 강한 풍미 **3** (음식물에 넣는) 풍미를 더하는 것 《레몬·오렌지 껍질 등의 한 조각》 **4** [또는 a ~] 기분 좋은 자극, 매력, 풍취, 묘미 **5** 활기, 생기; 활력을 주는 것
— *vt.* …에 풍미[흥미]를 더하다 **~·less** *a.*
▷ zéstful, zésty *a.*

zest·er [zéstər] *n.* 오렌지[레몬] 껍질 벗기는 조리기구

zest·ful [zéstfəl] *a.* **1** 열심인; 흥미를 가진 **2** 향미[풍취] 있는 **~·ly** *ad.* **~·ness** *n.*

zest·y [zésti] *a.* 강한 풍미를 가진; 자극을 주는

ze·ta [zéitə, zí:- | zí:-] *n.* 제타 《그리스 자모의 제6자; Z, ζ; 영어의 Z, z에 해당》

ZETA, Ze·ta [zéitə, zí:tə] [*z*ero-*e*nergy *t*hermonuclear *a*pparatus] *n.* 〖물리〗 제타 《제로 열핵(熱核) 반응 장치》

ze·tet·ic [zitétik] *a.* 의문[탐구심]을 갖고 나아가는
— *n.* 조사, 연구; 회의론자

Zet·land [zétlənd] *n.* SHETLAND의 구칭

zetz [zéts] 《미·속어》 *n.* 일격, 구타
— *vt.* …에(게) 일격을 가하다, 한 대 먹이다

zeug·ma [zú:gmə | zjú:g-] *n.* Ⓤ 〖문법·수사학〗 액어법(軛語法) 《하나의 형용사 또는 동사를 가지고 다른 종류의 2개(이상)의 명사를 억지로 수식 또는 지배시키는 것; with *weeping* eyes and *bleeding* hearts라고 해야 할 것을 with *weeping* eyes and hearts라고 하는 등》 **zeug·mat·ic** [zu:gmǽtik | zju:g-] *a.* **-mat·i·cal·ly** *ad.*

***Zeus** [zú:s | zjú:s] *n.* 〖그리스신화〗 **제우스** 《Olympus 산의 최고의 신; 로마 신화의 Jupiter에 해당》

ZEV zero-emission vehicle **ZG** Zoological Garden(s)

z-gun [-gʌ̀n] *n.* 《영국군속어》 고사로켓포

Zhao Zi·yang [dʒóu-zə́:jɑ́:ŋ] 자오쯔양, 조자양(趙紫陽)(1919-2005) 《중국의 정치가; 수상(1980-89)》

Zhe·jiang [dʒʌ́dʒiɑ́:ŋ] *n.* 저장(浙江) 《중국 동부의 성》

Zheng·zhou [dʒʌ́ŋdʒóu] *n.* 정저우(鄭州) 《허난(河南)성 중부의 도시》

Zhou En·lai [dʒóu-ènlái] *n.* 저우언라이, 주은래(周恩來)(1898-1976) 《중국의 정치가; 수상(1949-76)》

ZI 〖군사〗 Zone of Interior 《미국내》

zib·el·(l)ine [zíbəlàin, -lì:n] *a.* 검정담비(sable)의
— *n.* **1** 검정담비의 모피 **2** Ⓤ 보풀이 긴 두터운 모직물

zi·do·vu·dine [zaidóuvju:dì:n] *n.* 〖약학〗 지도부딘 《AZT의 일반명; 略 ZDV》

ziff [zíf] *n.* 《호주·구어》 (짧은) 턱수염

ZIFT, Zift [zíft] [*z*ygote *i*ntra-*f*allopian *t*ransfer] *n.* 〖의학〗 접합자 난관 내 이식(법)

zig [zíg] *n.* **1** 지그재그 코스에서 꺾이는 각 **2** (정책·

진행 등의) 급격한 변경, 방향 전환
— *vi.* (**~ged**; **~·ging**) (지그재그의 진행 과정에서) 급하게 꺾이다; 급히 방향 전환하다
zig·ger·zag·ger [zígərzæ̀gər] *n.* 《영·속어》 시끄럽게 떠들어대는 사람(noisemaker)
zig·get·ty, -git- [zígəti] *int.* 《미·속어》 좋아, 잘한다, 대단하군, 해냈구나, 야
zig·gu·rat [zíguræ̀t], **zik·(k)u·rat** [zíkuræ̀t] *n.* 지구라트 《고대 바빌로니아·앗시리아의 피라미드 형태의 신전》

ziggurat

‡**zig·zag** [zígzæ̀g] *n.* **1** Z자형, 지그재그(형): walk in *~s* 지그재그로 걷다 **2** Z자 꼴의 것 《장식·선·번갯불·도로 등》
— *a.* Ⓐ Z자형[지그재그]의: by a ~ path 지그재그로 굽은 길을 통하여
— *ad.* 지그재그[Z자 꼴]로
— *v.* (**~ged**; **~·ging**) *vt.* 지그재그꼴로 하다, 지그재그로 움직이다[나아가게 하다]
— *vi.* **1** 〈길·강이〉 Z자 꼴로 흐르다[꼴을 이루다]; 〈사람이〉 갈지자로 걷다 **2** Z자 꼴이 되다[꼴로 나아가다]: (~+전+명) The demonstrators *~ged along* the street. 시위대는 거리를 지그재그로 행진해 갔다.
~·ger *n.*
Zil [zíl] *n.* 질 《구소련제 요인(要人)용 고급차》
zilch [zíltʃ] *n.* 《미·속어》 **1** 제로, 0, 무 **2** (매력·능력이 없는) 보잘것없는 사람, 무능한 사람 **3** [때로 **Z~**] 무명의 사람[일반 사람]을 가리킬 때의 이름, 모씨(某氏)
zil·lah [zílə] *n.* (인도의) 주(州), 군(郡)
zil·lion [zíljən] *n.* (*pl.* **~s, ~**), *a.* 《구어》 헤아릴 수 없이 많은 수(의), 무수(한)(jillion): a ~ mosquitoes = *~s* of mosquitoes 무수한 모기
zil·lion·aire [zìljənέər] *n.* 《구어》 억만장자
Zim·bab·we [zimbɑ́:bwei, -wi] *n.* 짐바브웨 《아프리카 남동부의 공화국; 수도 Harare; 구칭 Southern Rhodesia》 **~·an** *a.*, *n.*
Zimbábwe Rhodésia 짐바브웨 로디지아 《흑인 백인 연립 정권하(1979-80)의 짐바브웨》
Zim·mer [zímər] *n.* 《영·구어》 = ZIMMER FRAME
Zímmer fràme 《영》 (노인·신체장애자용) 보행 보조기 《상표명》 (《미》 walker)
‡**zinc** [zíŋk] *n.* Ⓤ 〖화학〗 아연 《금속 원소; 기호 Zn, 번호 30》: ~ galvanizing 아연 도금 ***butter of ~*** (연고 상태의) 염화아연 ***flowers of ~*** 산화아연, 아연화(亞鉛華) ***sulfate of ~*** 황산아연
— *vt.* (**zincked, ~ed**; **zinck·ing, ~·ing**) …에 아연을 입히다, 아연으로 도금하다
▷ zíncky *a.*; zíncify *v.*
zinc·ate [zíŋkeit] *n.* 〖화학〗 아연산염(酸塩)
zínc blènde 〖광물〗 섬(閃)아연광
zínc chlóride 〖화학〗 염화아연(butter of zinc)
zinc·ic [zíŋkik] *a.* 아연의, 아연을 함유한[닮은]
zinc·if·er·ous [ziŋkífərəs, zinsíf-] *a.* 아연을 함유[생성]하는
zinc·i·fy [zíŋkəfài] *vt.* (**-fied**) …에 아연을 입히다[도금하다]; 아연을 함유하게 하다 **zìnc·i·fi·cá·tion** *n.*
zinc·ite [zíŋkait] *n.* Ⓤ 〖광물〗 홍(紅)아연광
zinck·y [zíŋki] *a.* 아연을 함유한, 아연 비슷한
zin·co [zíŋkou] *n.* (*pl.* **~s**), *v.* 《영》 = ZINCOGRAPH
zinc·ode [zíŋkoud] *n.* (전지의) 양극(陽極)
zin·co·graph [zíŋkəgræ̀f | -grɑ̀:f] *n.* 〖인쇄〗 아연판(版); 아연 판화[인쇄물]
— *vt.* 아연판에 식각(蝕刻)하다; 아연 제판술로 인쇄하다 — *vi.* 아연판에 식각하다
zin·cog·ra·phy [ziŋkɑ́grəfi | -kɔ́g-] *n.* Ⓤ 〖인쇄〗 아연 제판(술); 아연 조각술
-pher *n.* 아연 판화가; 아연 제판공
zìn·co·gráph·ic, -i·cal *a.* 아연 제판(술)의
zinc·oid [zíŋkɔid] *a.* 아연의; 아연 같은
zínc óintment 〖약학〗 아연화 연고
zin·co·type [zíŋkətàip] *n.* = ZINCOGRAPH
zinc·ous [zíŋkəs] *a.* = ZINCIC
zínc óxide 〖화학〗 산화아연, 아연화(華)
zínc súlfate 〖화학〗 황산아연 《안료 원료·의약품이 됨》
zínc whíte 〖화학〗 아연백(白) 《산화아연으로 만든 백색 안료》
zinc·y [zíŋki] *a.* = ZINCKY
zine, 'zine [zí:n] *n.* = FANZINE; 《미·구어》 잡지(magazine)
zin·eb [zíneb] *n.* Ⓤ 〖화학〗 지네브 《살충·살균제》
zin·fan·del [zínfəndèl] *n.* (캘리포니아산) 흑포도; 그것으로 만든 적포도주
zing [zíŋ] [의성어] 《속어》 *n.* **1** 핑핑[쌩쌩](하는 소리) **2** Ⓤ,Ⓒ 원기, 활기, 열의, 열정
— *vi.* 쌩쌩 소리내다[내며 달리다] — *vt.* **1** 쌩하는 소리를 내며 나아가게 하다; 《미·구어》 〈총탄 등을〉 관통시키다 **2** 《미·속어》 통렬히 비난하다, 급소를 찌르다
zin·ga·ra [zíŋgərɑ̀:] [It.] *n.* (*pl.* **-re** [-rei]) ZINGARO의 여성형
zin·ga·ro [zíŋgərou] [It.] *n.* (*pl.* **-ri** [-ri:]) 집시(Gypsy); 방랑자, 부랑자
zing·er [zíŋər] *n.* 《속어》 **1** 활기찬 발언[행동, 사람], 재치 있는 대답 **2** 깜짝 놀라게 하는 행동[소식]
zing·y [zíŋi] *a.* (**zing·i·er**; **-i·est**) 《구어》 **1** 생기 있는, 싱싱한 **2** 흥분시키는, 재미있는 **3** 매력적인
Zin·jan·thro·pus [zindʒǽnθrəpəs, zìndʒænθróu-] *n.* (*pl.* **-pi** [-pài, -pì:], **~·es**) 진잔트로푸스 《아프리카 동부에서 발견된 구석기 시대 전기의 화석 인류》
zink·y [zíŋki] *a.* = ZINCKY
zin·ni·a [zíniə] *n.* 〖식물〗 지니아 《엉거싯과(科)의 각종 식물》, 《특히》 백일초
Zi·on [záiən] *n.* **1 a** 시온 산 《Jerusalem 성지의 언덕》 **b** (유대인의 고향·유대교의 상징으로서의) 팔레스타인 **c** [집합적] 이스라엘 백성; 유대 민족 **2 a** Ⓤ 고대 유대의 신정(神政) **b** 그리스도 교회(Christian Church) **c** Ⓤ 하늘의 예루살렘, 천당, 천국; Ⓒ 《영》 비(非)국교파의 교회당
Zi·on·ism [záiənìzm] *n.* Ⓤ 시온주의, 시오니즘 《Palestine에 유대인 국가를 건설하려는 유대 민족 운동》
Zi·on·ist [záiənist] *n.* 시온주의자, 시오니스트
— *a.* 시온주의의, 시오니즘을 신봉[옹호]하는
Zì·on·ís·tic *a.*
Zíon Nátional Párk (미국 Utah주 남서부의) 자이온 국립공원
Zi·on·ward(s) [záiənwərd(z)] *ad.* 천국으로
zip¹ [zíp] [의성어] *n.* **1** 핑, 휭, 찍 《탄환이 날아가는 소리, 또는 천을 찢는 소리》 **2** Ⓤ 《구어》 기력, 원기, 기운
— *v.* (**~ped**; **~·ping**) *vi.* **1** 〈차·총알 등이〉 핑하고 소리내며 나아가다[움직이다]: (~+부) ~ *by* 핑 소리 내며 지나가다 **2** 《구어》 힘차게 나아가다: (~+전+명) ~ *along* the street 거리를 힘차게 나아가다 / (~+부) A car *~s* north. 자동차가 북쪽을 향해 질주한다. **3** 《구어》 〈일이〉 빨리 되어 나가다, 〈사람이〉 신속하게 하다 — *vt.* **1** …에 속력[힘]을 가하다 **2** …에게 활기를 주다 《*up*》 **~ *across the horizon*** 《미·구어》 갑자기 유명해지다
zip² *n.* 《영》 = ZIPPER
— *v.* (**~ped**; **~·ping**) *vt.* **1** 지퍼로 잠그다[열다]: (~+목+전+명) He *~ped* the money *into* his wallet. 그는 지퍼를 열고 돈을 지갑에 넣었다. // (~+목+보) ~ one's bag open[closed] 가방의 지퍼를 열다[잠그다] // (~+목+부) ~ *up* one's jacket 재킷의 지퍼를 잠그다 **2** 〈입 등을〉 다물다(close); …에 지퍼를 달다 **~ (*up*) one's lip [*mouth*]** = **~ *it* (*up*)** 《미·속어》 입을 다물다, 침묵하다
— *vi.* 〈옷 따위가〉 지퍼로 열리다[잠기다]

zip[3] (속어) *n.* **1** (스포츠 득점 등의) 제로, 영 **2** (미·경멸) 베트남 사람
— *vt.* (**~ped**; **~·ping**) 완봉[영봉]하다 《야구 등에서》
zip[4], **Zip** [zíp] *n.* (미·구어) =ZIP CODE
— *vt.* …에 우편 번호를 기입하다
ZIP [zíp] *n.* 〖컴퓨터〗 집 《데이터 압축 프로그램 PKzip을 취급하는 파일 포맷》
Zi·pan·gu [zipǽŋgu:] *n.* 지팡구 《Marco Polo가 일본(Japan)을 가리킨 말》
‡**zíp**[**ZÍP, Zíp**] **còde** [*z*one *i*mprovement *p*rogram[*p*lan]] (미) 우편번호((영) postcode): ~ system 우편번호제
zip[**ZIP, Zip**]**-code** [zípkòud] *vt.* (미) …에 우편번호를 써 넣다 **-còd·ing** *n.* Ⓤ 우편번호화(化)
zip-fas·ten·er [-fæ̀snər | -fɑ̀:s-] *n.* (영) 지퍼 ((미) zipper)
zíp file 〖컴퓨터〗 집 파일 《보관이나 전송을 위해 압축된 확장 파일》
zíp fùel (미·구어) 〖항공·우주〗 고(高) 에너지 연료 《열 함유도가 높은 제트[로켓]용 연료》
zíp gùn (미·속어) 수제(手製) 권총
zip-in [-ìn] *a.* 지퍼가 달려서 붙일 수 있는: a coat with a ~ lining 안을 지퍼로 붙일 수 있는 코트
zip-lock [-lɑ̀k | -lɔ̀k] *a.* 〈비닐 주머니가〉 집록식의 《요철 모양의 입구 끝을 눌러서 닫을 수 있는》
Zíploc bàg [zíplɑk | -lɔk-] (미) (식품 보관용) 비닐 백 《밀폐용 지퍼가 달림; 상표명》
zip-off [-ɔ̀:f | -ɔ̀f] *a.* 지퍼로 분리할 수 있는
zip-on [-ɑ̀n | -ɔ̀n] *a.* 지퍼로 덧붙일 수 있는
zip-out [-àut] *a.* 〈의복 등이〉 지퍼로 여닫을 수 있는, 지퍼식의
zip·per [zípər] *n.* **1** zip[2]하는 사람[것] **2** (미) 지퍼
— *v.* =ZIP[2]
zip·pered [zípərd] *a.* 지퍼가 달린, 지퍼를 채운
ZIP+4 [zípplʌ̀sfɔ́:r] (미) 집 플러스포 《종래의 5자리 zip code에 더 세분한 배달 구역을 나타내는 4자리 숫자가 더하여진 우편 번호》
zip·py [zípi] *a.* (**-pi·er**; **-pi·est**) (구어) **1** 기운찬, 생기 넘치는, 활발한 **2** 빠른, 신속한
zip-top [zíptɑ̀p | -tɔ̀p] *a.* Ⓐ 뚜껑 가두리의 금속테를 말면서 따는 〈깡통 《의》〉
zip-up [-ʌ̀p] *a.* 지퍼로 잠그는[잠글 수 있는]
zir·ca·loy, -cal·loy [zə́:rkəlɔ̀i] *n.* Ⓤ 〖야금〗 지르칼로이, 지르코늄 합금
zir·con [zə́:rkɑn | -kɔn] *n.* Ⓤ 〖광물〗 지르콘
zir·con·ate [zə́:rkənèit] *n.* 〖화학〗 지르콘산염
zir·co·ni·a [zə:rkóuniə] *n.* Ⓤ 〖화학〗 지르코니아, 산화지르코늄(zirconium oxide)
zir·con·ic [zə:rkɑ́nik | -kɔ́n-] *a.* 〖화학〗 지르코늄의[과 비슷한]; 지르코늄을 함유한: ~ acid 지르콘산
zir·co·ni·um [zə:rkóuniəm] *n.* Ⓤ 〖화학〗 지르코늄 《금속 원소; 기호 Zr, 번호 40》
zircónium óxide 〖화학〗 산화지르코늄(zirconia)
zit [zít] *n.* (미·속어) **1** 여드름(pimple) **2** (피부의) 키스 마크
zith·er [zíðər, zíθ- | zíð-] *n.* 치터 《Tyrol 지방의 현악기의 이름; 하프(harp)류》
— *vi.* 치터를 연주하다
~·ist *n.* 치터 연주자

zither

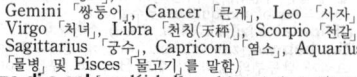

zith·ern [zíðərn, zíθ- | zíð-] *n.* **1** =CITTERN **2** =ZITHER
zi·ti [zí:ti] *n.* (*pl.* ~) 지티 《길이·굵기가 중간 정도인 속이 빈 파스타(pasta)》
zit·tern [zítərn] *n.* =CITTERN
zi·zith [tsitsí:t] *n. pl.* 〖유대교〗 술 《기도 때의 남성 어깨걸이에 다는 청색과 흰색 끈으로 꼰》
zizz [zíz] *n., vi.* **1** (구어) 한숨 (자다), 앉아 졸기 [졸다], 선잠 (자다) **2** (영·구어) 붕붕 소리 (내다)
ziz·zy [zízi] *a.* (속어) 화려한, 야한; 떠들썩한
Zl zloty(s)
zlo·ty [zlɔ́:ti | zlɔ́ti] *n.* (*pl.* **~s,** ~) **1** 즐로티 《폴란드의 화폐 단위; 기호 Zl; =100 groszy》 **2** 1즐로티 동전[지폐]
Z·mo·dem [zí:mòudem] *n.* 〖컴퓨터〗 Z모뎀 《Xmodem에 기능이 추가되어 개발된 통신 프로토콜》
Zn 〖화학〗 zinc
zo·a [zóuə] *n.* ZOON의 복수
ZOA Zionist Organization of America 재미(在美) 시온단(團) 《유대인 단체》
-zoa [zóuə] 《연결형》 「동물」의 뜻: Hydro*zoa*
zo·an·thro·py [zouǽnθrəpi] *n.* Ⓤ 〖정신의학〗 동물화(化) 망상 《자신을 동물로 생각하는 정신 장애》
Zo·ar [zóuər, zóuɛər | zóuɑ:] *n.* 〖성서〗 소알 《소돔과 고모라가 멸망했을 때 롯(Lot)과 그의 가족이 피난한 마을; 창세기 19 : 20-30》
zod. zodiac
*__zo·di·ac__ [zóudiæ̀k] [Gk 「동물을 포함한 (원)」의 뜻에서] *n.* **1** [the ~] 〖천문〗 황도대(黃道帶), 수대(獸帶) **2** 〖점성〗 12궁(宮); 12궁도(圖) **3** (시간·세월 등의) 일주(一周)(round)
the signs of the **~** 〖천문·점성〗 12궁(宮) 《Aries 「백양」, Taurus 「황소」, Gemini 「쌍둥이」, Cancer 「큰게」, Leo 「사자」, Virgo 「처녀」, Libra 「천칭(天秤)」, Scorpio 「전갈」, Sagittarius 「궁수」, Capricorn 「염소」, Aquarius 「물병」 및 Pisces 「물고기」를 말함》

zodiac 2

zo·di·a·cal [zoudáiəkəl] *a.* 〖천문·점성〗 수대(獸帶)의, 황도대(내)의; 12궁의: ~ light 황도광(黃道光)
Zo·e [zóui, zóu | zóui] *n.* 여자 이름
zo·e·trope [zóuitròup] *n.* 활동 요지경 《회전 장치의 장난감; 들여다보면 통 안의 그림이 움직이는 것처럼 보임》
zof·tig [zɑ́ftik, -tig | zɔ́f-] *a.* =ZAFTIG
Zo·har [zóuhɑ:r] *n.* [the ~] 14세기경의 유대교 신비주의의 경전
zo·ic [zóuik] *a.* **1** 동물의; 동물 생활의 **2** 〖지질〗 〈암석이〉 동식물의 화석을 함유한
-zoic [zóuik] 《연결형》 「동물의 생활이 …양식인」의 뜻: cyto*zoic*
Zo·la [zóulə] *n.* 졸라 **Émile** ~ (1840-1902) 《프랑스의 자연주의 소설가》
Zo·la·esque [zòuləésk] *a.* 졸라(Zola)(풍)의
Zo·la·ism [zóuləìzm] *n.* Ⓤ 졸라주의, 졸라의 작풍(作風); 사실주의, 졸라풍의 자연주의 **-ist** *n.*
Zoll·ver·ein [tsɔ́:lfəràin | tsɔ́l-] [G] *n.* (특히 19세기 독일의) 관세 동맹
zom·bi(**e**) [zɑ́mbi | zɔ́m-] *n.* **1** 죽은 자를 되살아나게 하는 영력(靈力) 《서인도 제도 원주민의 미신》; 그 힘으로 되살아난 시체 **2** (구어) (무의지적·기계적인 느낌의) 무기력한 사람, 멍청이 **3** (구어) 괴짜, 기인 **4** 좀비 《럼술이 든 칵테일의 일종》
zómbi bànk 영업은 하지만 제 구실을 못하는 은행
zon·al [zóunl] *a.* **1** 띠의, 띠 모양의 **2 a** 지구[구역]로 갈라진, 지구[구역]제의 **b** 지구의, 구역의 **~·ly** *ad.*
zo·na pel·lu·ci·da [zóunə-pəlú:sidə, pelјú:-] (*pl.* **zo·nae pel·lu·ci·dae** [zóuni:-pəlú:sidì:, -pelјú:-]) 〖해부〗 투명대 《포유동물의 난세포를 둘러싸 보호하는 투명한 층》

zo·na·ry [zóunəri] *a.* 띠 모양의, 대상(帶狀)의

zon·ate, -at·ed [zóuneit(id)] *a.* 띠(모양의 무늬)가 있는, 윤층대(輪層帶)가 있는

zo·na·tion [zounéiʃən] *n.* Ⓤ **1** 띠 모양의 배열 **2** (생물의) 대상(帶狀) 분포

‡**zone** [zóun] [Gk 「띠」의 뜻에서] *n.* **1** 지대, 지역, 구역: a demilitarized ~ 비무장 지대 / ~ of influence 세력 범위

> 유의어 **zone** 확실한 특징이 있는 경계가 명확한 구역 **area** 경계가 애매하고 분명치 않은 지역 **belt, strip** 특히 어떤 지역적 특징을 갖는 가늘고 긴 지역

2 〖지리〗 (한대·열대 등의) 대(帶) ⇨ Frigid Zone, Temperate Zone, Torrid Zone **3** 〖생태〗 (같은 종류의 동식물이 생육하고 있는) 대(帶): the alpine ~ 고산 식물대 **4** 〖수학〗 (구면·원뿔 등의) 대(帶): spherical ~ 〖수학〗 구면대(球面帶), 구대(球帶) **5** (도로의) 교통 규제 구역; (교통 기관의) 동일 운임 구간: a no-parking ~ 주차 금지 구역 **6** (도시 계획 등의) 지구 **7** 시간대(time zone) **8** (미) (소포 우편·전화 등의) 동일 요금 구역; (미) (도시의) 우편 번호구: a postal ~ 우편 구역 **9** 〖컴퓨터〗 존 《문자를 나타낼 목적으로 사용되는 몇 개의 특정 비트가 놓이는 장소》 ***in a ~*** (미·속어) (특히 마약 사용으로) 멍하여, 무아지경의
— *vt.* **1** 띠(모양으)로 두르다[감다] **2** 〈장소를〉 …지역으로 나누다[구획하다]: (~+목+전+명) ~ the world *into* climatic provinces 세계를 풍토상의 지역으로 구분하다 **3** 〈도시를〉 구획하다: (~+목+*as* 보) ~ a district *as* residential 어떤 지역을 주택 구역으로서 구획하다 **4** (미) (특정 구역에서) 금하다, 제한하다 《*out*》: (~+목+전+명) ~ horse racing *out* of the city 시내에서 경마를 금지하다
~ out (미·속어) …을 의식에서 지우다, 잊다
— *vi.* 띠 모양으로 되다; 지역을 형성하다
▷ zónal, zónate *a.*

zoned [zóund] *a.* **1** 지대[지구]로 나뉘어진, 띠 모양으로 구분된 **2** 정조대를 찬, 정숙한; 처녀인 **3** (미·속어) (술·마약에) 취한; 피곤해서 녹초가 된 《*out*》

zóne defénse (농구 등에서) 지역 방어

zóne of fíre 〖군사〗 사계(射界), 사격 구역

zóne of intérior 내국 지대 《교전권 내에서 작전 지구에 포함되지 않는 지역》

zóne of saturátion 〖지질〗 포화대(帶)

zóne plàte 〖광학〗 동심원 회절판(回折板) 《광선을 초점에 집중시키는 유리판》

zóne tìme (Greenwich 표준시에 대하여) 지방시

Zon·i·an [zóuniən] *n., a.* Panama 운하 지역에 사는 미국인(의)

zon·ing [zóuniŋ] *n.* Ⓤ **1** (도시 계획의) 지대 설정, 지역제 **2** (소포 우편) 구역제

zonk [záŋk, zɔ́:ŋk | zɔ́ŋk] (속어) *vi.* **1** (마약·술에) 취하다, 몽롱하다 《*out*》 **2** 푹 잠들다 《*out*》 **3** 죽다
— *vt.* **1** (마약·술로) 취하게 하다, 정신을 잃게 하다; 압도하다 **2** (진정제로) 진정시키다, 마취[마비]시키다 **3** 한 방 때리다, 기절시키다, 때려눕히다

zonked [záŋkt, zɔ́:ŋkt | zɔ́ŋkt] *a.* (속어) **1** (마약·술에) 취한 **2** 지친; (지쳐서) 푹 잠든 ***be ~ out*** (속어) (1) 녹초가 되다; 푹 잠들다 (2) 만취하다

zonk·ers [záŋkərz, zɔ́:ŋk- | zɔ́ŋk-] *a.* (미·속어) [다음 성구로] ***go ~*** 열광하다

Zón·ta Clùb [zántə- | zɔ́n-] 존타 클럽 《도시별·직업별로 결성된 여성 경영자의 국제적 사교 단체》

zon·u·lar [zóunjulər | zɔ́n-] *a.* 작은 띠(모양)의, 소대(상)(小帶(狀))의

zon·ule [zóunju:l | zɔ́n-] *n.* 작은 띠; 〖해부〗 (눈의) 모양 소대(毛樣小帶)

‡**zoo** [zú:] [*zoo*logical (garden)] *n.* (*pl.* **~s**) (구어) **1** 동물원(zoological garden) **2** [the Z~] (영) 런던 동물원(the Zoological Gardens) **3** (속어) [a ~] 난장판, 시끌벅적한[몹시 혼잡한] 곳[상태]

zoo- [zóuə] 《연결형》 「동물 (생활)…」의 뜻

zo·o·blast [zóuəblæ̀st | -blɑ̀:st] *n.* 〖생물〗 동물 세포(animal cell)

zoochem. zoochemistry

zo·o·chem·is·try [zòuəkémistri] *n.* Ⓤ 동물 화학

zo·o·dy·nam·ics [zòuədainǽmiks] *n. pl.* [단수 취급] 동물 역학; 동물 생리학

zo·o·flag·el·late [zòuəflǽdʒəlit, -lèit] *n.* 〖동물〗 동물성 편모충

zo·og·a·my [zouágəmi | -ɔ́g-] *n.* Ⓤ 〖생물〗 (동물의) 유성 생식(有性生殖)

zo·o·gen·ic [zòuədʒénik], **zo·og·e·nous** [zouádʒənəs | -ɔ́dʒ-] *a.* 〈세균 등이〉 동물에 의해 만들어진; 동물 발달[진화]에 관한

zo·og·e·ny [zouádʒəni | -ɔ́dʒ-] *n.*

zoogeog. zoogeography

zo·o·ge·og·ra·phy [zòuədʒiágrəfi | -ɔ́g-] *n.* Ⓤ 동물 지리학 **-pher** *n.* **zò·o·gè·o·gráph·ic, -i·cal** *a.*

zo·o·gl(o)e·a [zòuəglí:ə] *n.* (*pl.* **~s, -gl(o)e·ae** [-glí:i:]) 〖세균〗 (젤리 모양의) 세균 집단

zo·o·gl(o)e·al [zòuəglí:əl] *a.*

zo·o·graft·ing [zóuəgræ̀ftiŋ | -grɑ̀:ft-] *n.* Ⓤ 동물 조직의 인체 이식(移植)

zo·og·ra·phy [zouágrəfi | -ɔ́g-] *n.* Ⓤ 동물지학(動物誌學) **-pher** [-fər] *n.* **zò·o·gráph·ic, -i·cal** *a.* 동물지학의

zo·oid [zóuɔid] *a.* 동물(성)의, 동물 비슷한
— *n.* 〖동물〗 (군체(群體)를 구성하는) 개충(個蟲); (분열·증식으로 생기는) 개체(個體)

zoo·keep·er [zú:kì:pər] *n.* 동물원의 사육사[관리자]

zooks [zúks, zú:ks | zú:ks] *int.* 제기랄

zool. zoological; zoologist; zoology

zo·ol·a·ter [zouálətər | -ɔ́l-] *n.* 동물 숭배자

zo·ol·a·try [zouálətri | -ɔ́l-] *n.* Ⓤ 동물 숭배(animal worship); 동물 편애, 《특히》 애완동물 편애

zo·o·lite [zóuəlàit] *n.* 화석(化石) 동물

zo·o·log·ic [zòuəládʒik | -lɔ́dʒ-] *a.* = ZOOLOGICAL

‡**zo·o·log·i·cal** [zòuəládʒikəl | -lɔ́dʒ-] *a.* **1** 동물학(상)의 **2** 동물에 관한 **~·ly** *ad.* ▷ zoólogy *n.*

zoológical gárden(s) 동물원; [the Z- G-s] 《특히》 런던 동물원 《종종 the Zoo라고도 함》

zo·ol·o·gist [zouálədʒist | -ɔ́l-] *n.* 동물학자

‡**zo·ol·o·gy** [zouálədʒi | -ɔ́l-] *n.* Ⓤ 동물학
▷ zoológical *a.*

***zoom** [zú:m] [의성어] *n.* **1** 〖항공〗 급상승; (물가의) 급등 **2** 〖영화·TV〗 줌 《영상의 급격한 확대[축소]》; 〖사진〗 줌 렌즈 **3** [a ~] (차 등의) 붕 소리
— *vi.* **1** 〈비행기가〉 급상승하다 《*up*》 **2** 붕 소리내다; 〈자동차·운전자 등이〉 붕 소리내며 달리다, 질주하다: (~+전+명) The racing cars *~ed around* the course. 경주용 차들이 붕 소리를 내며 코스를 돌았다. **3** 〈영상이〉 (줌 렌즈에 의해) 급격히 확대[축소]되다 **4** 〈물가 등이〉 급등하다 《*up*》; 급락하다 《*down*》
— *vt.* **1** 〈비행기를〉 급상승시키다 **2** 〈영상을〉 급격히 확대[축소]시키다 ***~ in*** 〖영화·TV〗 〈카메라가〉 (줌 렌즈로) 화상을 서서히 확대하다 《*on*》 ***~ off*** (속어) 급히 나가다, 떠나다 ***~ out*** 〖영화·TV〗 〈카메라가〉 (줌 렌즈로) 화상을 서서히 축소하다; (속어) 자제력을 잃다 ***~ up*** 〈비행기·물가 등이〉 급상승하다

zo·o·man·cy [zóuəmæ̀nsi] *n.* Ⓤ 동물점(占)

zóom bòx 〖컴퓨터〗 줌 박스 《윈도를 전화면으로 확대하거나 원래의 크기로 되돌아가게 하는 버튼》

zo·o·me·chan·ics [zòuəməkǽniks] *n. pl.* [단수 취급] 동물 역학(zoodynamics)

zoom·er [zú:mər] *n.* = ZOOM LENS

zo·om·e·try [zouámətri | -ɔ́m-] *n.* Ⓤ 동물 측정학(cf. BIOMETRY)

zóom lèns 〖사진〗 줌 렌즈 《영상을 확대·축소시키기 위하여 초점 거리를 자유롭게 바꿀 수 있는 렌즈》

zo·o·mor·phic [zòuəmɔ́:rfik] *a.* 동물 형태를 본

뜬; 수형신(獸形神)의

zo·o·mor·phism [zòuəmɔ́:rfizm] *n.* Ⓤ **1** 동물 형태관(觀) ((신(神) 등을 동물 모양으로 나타내는)) **2** 동물 도형

zoom·y [zú:mi] *a.* ((미·속어)) 속도감 있는, 근사한

zo·on [zóuɑn | -ɔn] *n.* (*pl.* **~s, zo·a** [zóuə]) **1** 〖동물〗 개충 ((군체를 이루는 개체)) **2** 개체(zooid)

-zoon [zóuɑn | -ɔn] ((연결형)) 「동물·생물」의 뜻. spermato*zoon*

zo·on·o·my [zouɑ́nəmi | -ɔ́n-] *n.* Ⓤ 동물 생리학

zo·on·o·sis [zouɑ́nəsis, zòuənóu- | zouɔ́nə-] *n.* (*pl.* **-ses** [-si:z, si:z]) ⓊⒸ 〖병리〗 동물원성(原性) 감염증 ((동물로부터 사람에게 전염되는 질병))

zo·o·not·ic [zòuənɑ́tik | -nɔ́t-] *a.*

zóon po·lit·i·kón [-pòulitikɑ́n | -kɔ́n] [Gk.] 정치적 동물 ((인간))

zo·o·par·a·site [zòuəpǽrəsàit] *n.* 기생[원생] 동물; 동물에 기생하는 생물

zo·oph·a·gous [zouɑ́fəgəs | -ɔ́f-] *a.* 육식(동물)의

zo·o·phile [zóuəfàil] *n.* 〖식물〗 동물 매개 식물(의씨); 동물 애호자; 〖정신의학〗 동물 성애자(性愛者)

zo·o·phil·i·a [zòuəfíliə] *n.* **1** 동물 애호 **2** 〖정신의학〗 동물 성애(性愛), 수간(獸姦)

zo·oph·i·list [zouɑ́fəlist | -ɔ́f-] *n.* 동물 애호가; 동물 성애자

zo·oph·i·lous [zouɑ́fələs | -ɔ́f-] *a.* **1** 〖식물〗 동물에 의해 수분(受粉)되는, 동물 매개의(cf. ANEMOPHILOUS, ENTOMOPHILOUS) **2** 동물 애호의

zo·oph·i·ly [zouɑ́fəli | -ɔ́f-] *n.* Ⓤ 동물 애호[성애]

zo·o·pho·bi·a [zòuəfóubiə] *n.* Ⓤ 동물 공포증

zo·o·phyte [zóuəfàit] *n.* 〖동물〗 식충(植蟲)류 ((말미잘·불가사리·산호·해면 등))

zo·o·phyt·ic, -i·cal [zòuəfítik(əl)] *a.* 식충(성)의

zo·o·phy·tol·o·gy [zòuəfaitɑ́lədʒi | -tɔ́l-] *n.* Ⓤ 식충학(學), 식충론 **-gist** *n.* 식충학자

zóo plàne ((미)) 선거 운동 중에 후보자를 따르는 보도진을 나르는 비행기

zo·o·plank·ton [zòuəplǽŋktən] *n.* Ⓤ [보통 집합적] 동물성 플랑크톤

zo·o·plas·ty [zóuəplæ̀sti] *n.* = ZOOGRAFTING

zo·o·psy·chol·o·gy [zòuəsaikɑ́lədʒi | -kɔ́l-] *n.* Ⓤ 동물 심리학

zo·o·se·mi·ot·ics [zòuəsemiɑ́tiks | -ɔ́t-] *n. pl.* [단수 취급] 동물 기호학 ((동물 사이의 커뮤니케이션 연구))

zo·o·sperm [zóuəspə̀:rm] *n.* 〖동물〗 정충(精蟲), 정자(精子); = ZOOSPORE

zo·o·spo·ran·gi·um [zòuəspərǽndʒiəm] *n.* (*pl.* **-gi·a**) 〖식물〗 유주자낭(遊走子囊)

zo·o·spore [zóuəspɔ̀:r] *n.* 〖생물〗 정포자(精胞子), 유주자(遊走子) **zò·o·spór·ic** *a.*

zo·os·ter·ol [zouɑ́stərɔ̀:l, -rɑ̀l | -ɔ́stərɔ̀l] *n.* Ⓤ 〖생화학〗 동물 스테롤

zoot [zú:t] ((속어)) *a.* 지나치게 화려한, 최신 유행의 — *n.* 젠체하는 사람, 멋쟁이

zo·o·tax·y [zóuətæ̀ksi] *n.* Ⓤ 동물 분류학

zo·o·tech·nics [zòuətékniks] *n. pl.* [단수 취급] = ZOOTECHNY

zo·o·tech·ny [zóuətèkni] *n.* Ⓤ 축산 기술, 축산학

zo·o·the·ism [zóuəθiìzm, zòuəθí:izm] *n.* Ⓤ 동물신(動物神) 숭배

zo·ot·o·my [zouɑ́təmi | -ɔ́t-] *n.* Ⓤ 동물 해부(학) **zò·o·tóm·ic, -i·cal** *a.* **zo·ót·o·mist** *n.*

zo·o·tox·in [zòuətɑ́ksin | -tɔ́k-] *n.* 동물 독소 ((뱀독(毒) 등))

zóot snòot ((미·속어)) 큼직한 코; 코주부; 꼬치꼬치 캐기 좋아하는 사람

zóot sùit ((구어)) 어깨가 넓고 길이가 긴 상의와 아랫자락이 좁고 통이 넓은 하의로 된 1940년대에 유행한 남성복 **zóot sùiter**

zoot·y [zú:ti] *a.* ((구어)) 화려한, 초현대적인

zor·bing [zɔ́:rbiŋ] *n.* ((뉴질)) 〖스포츠〗 조빙 ((큰 투명 구체 안에 들어가 평지나 언덕을 굴러 내려오는 스포츠))

zor·il [zɔ́:ril, zɑ́r- | zɔ́r-], **zo·rille** [zəríl], **zo·ril·la** [zərílə] *n.* 〖동물〗 족제빗과(科)의 일종 ((남아프리카산(産)))

Zo·ro·as·ter [zɔ́:rouæ̀stər, ⌐—⌐— | zɔ̀rouǽs-] *n.* 조로아스터교의 교조 ((기원전 600년경))

Zo·ro·as·tri·an [zɔ̀:rouǽstriən | zɔ̀r-] *a.* 조로아스터(교)의 — *n.* 조로아스터교도, 배화교도(拜火敎徒)

Zo·ro·as·tri·an·ism [zɔ̀:rouǽstriənìzm | zɔ̀r-], **-trism** [-trizm] *n.* Ⓤ 조로아스터교, 배화교(拜火敎)

Zor·ro [zɔ́:rou] *n.* 조로 ((J. McCulley의 만화(1919)의 주인공; 스페인령 California에서 활약하는 검은 복면의 쾌걸))

zos·ter [zɑ́stər | zɔ́s-] *n.* **1** 허리띠 ((고대 그리스 남자의)) **2** 〖병리〗 대상포진(帶狀疱疹)(=herpes ~)

Zou·ave [zu:ɑ́:v, zwɑ́:v] *n.* **1** 주아브병(兵) ((프랑스 보병(infantry); 원래 알제리 사람으로 편성되고 아라비아 옷을 입었음)) **2** (미국 남북 전쟁 때에) 주아브 복장을 모방하여 입은 의용병 **3** [**z~**] 주아브형 재킷 ((여성용)) **4** [**z~**] (위가 넓고 발목으로 내려갈수록 점점 좁아지는) 여성용 바지(peg-top trousers)

zouk [zú:k] *n.* 〖음악〗 (프랑스의 Guadeloupe 지방에서 유래한) 화려한 음조의 팝 음악

zounds [záundz] [God's wounds에서] *int.* ((고어)) 제기랄 ((놀람·분노의 소리))

Zo·vi·rax [zouváiræks] *n.* 〖약학〗 조비랙스 ((아시클로비어(acyclovir)의 상표명))

zow·ie [záui, zauí:] [의성어] *int.* ((미)) 야, 와 ((놀람·감탄을 나타냄))

zoy·si·a [zɔ́isiə, -ziə] [독일의 식물학자 이름에서] *n.* 〖식물〗 잔디 ((볏과(科) 잔디속(屬)의 각종 풀))

Ź pàrticle 〖물리〗 Z입자 ((핵 안에서 약한 힘을 전달한다고 하는 가설적인 입자))

ZPG zero population growth 인구 제로 성장 **Zr** 〖화학〗 zirconium **ZS** Zoological Society 동물학회

Ź thèrapy [zí:-, zéd-] [미국의 정신과 의사 R.W. Zaslow에서] 〖정신의학〗 Z요법 ((환자에게 여러 사람이 육체적·정신적으로 거칠게 대하여 억압된 감정을 해방시키고자 함))

Ź twìst 〖섬유〗 z 꼬임[꼬기]

zuc·chet·to [zu:kétou] [It.] *n.* (*pl.* **-ti** [-ti:], **~s**) 〖가톨릭〗 모관(毛冠) ((신부는 검정, 주교는 보라, 추기경은 빨강, 교황은 흰 것을 씀))

zuc·chi·ni [zu:kí:ni] [It. =gourd] *n.* (*pl.* **~, ~s**) ((미)) 〖식물〗 주키니 ((오이 비슷한 서양호박))(((영)) courgette)

zuch [zʌ́tʃ] *n.* ((미·속어)) 밀고자

Zug·zwang [tsú:ktsvɑŋ, zʌ́gzwæŋ, zú:g-] [G] *n.* 〖체스〗 추크츠방 ((자기에게 불리하게 되도록 말을 쓸 수 밖에 없는 국면))
— *vt.* 〈상대방을〉 추크츠방으로 몰아넣다

Zui·der Zee [záidər-zéi, -zí:] [the ~] 조이데르해(海) ((네덜란드 북쪽 해안의 얕은 만(灣); 지금은 둑으로 바다와 차단됨))

Zu·lu [zú:lu:] *n.* (*pl.* **~s, ~**) **1** [the ~(s)] 줄루 족 ((남아프리카 공화국 Natal주에 사는 용맹한 종족)); 줄루 사람 **2** Ⓤ 줄루 말 **3** 문자 Z를 나타내는 통신 용어
— *a.* 줄루 사람[말]의

Zu·lu·land [zú:lu:læ̀nd] *n.* 남아프리카 공화국 Natal 주 북동부의 준주(準州)

Zu·ni [zú:ni], **Zu·ñi** [zú:ni, -nji] *n.* (*pl.* **~s, ~**) [the ~(s)] 주니 족 ((Arizona주 북동부에 사는 아메리칸 인디언)); Ⓤ 주니 말

Zu·ni·an [zú:niən], **Zu·ñi·an** [zú:njiən] *n.* 〖언어〗 주니 어족(語族) — *a.* 주니 족의; 주니 말의

zunk [zʌ́ŋk] *int.* 푹, 쓱, 삭, 쿵, 퉁 ((찌르거나 자르거나 충돌하는 소리))

zup·pa in·gle·se [zú:pə-iŋgléizei] [It.] *n.* [종종 **Z- I-**] 추퍼 잉글레제 ((럼으로 맛들인 스펀지케이크를 겹쳐 커스터드 크림 등을 친 디저트))

Zu·rich, Zü·rich [zúərik | zjúər-] *n.* 취리히 ((스

위스 북부의 주; 그 주도》
Zweig [zwáig, swáig] *n.* 츠바이크 **Stefan ~** (1881-1942) 《오스트리아 태생의 반(反)나치 작가》
zwie·back [zwáibæ̀k, -bɑ̀:k, zwí:-, swái-, swí:- | zwái-, zwí:-] [G] *n.* 러스크(rusk)의 일종 《계란을 넣은 빵을 바삭하게 구운》
Zwing·li [zwíŋgli, swíŋ-] *n.* 츠빙글리 **Ulrich ~** (1484-1531) 《스위스의 종교 개혁자》
Zwing·li·an [zwíŋgliən, swíŋ-, tsvíŋli-] *a.*, *n.* 츠빙글리파의 (교도) **~·ism** *n.*
zwit·ter·i·on [tsvítəràiən] *n.* 〖물리〗 쌍성[양성] 이온 《음전기와 양전기를 띤 이온》
zy·de·co [záidəkòu] *n.* (*pl.* **~s**) [종종 **Z~**] 〖음악〗 자이데코 《프랑스 기원의 댄스곡에 카리브 음악이나 블루스의 요소를 도입한 남부 Louisiana의 대중음악》
zy·gal [záigəl] *a.* 〖해부〗 H자 모양의
zyg·a·poph·y·sis [zìgəpɑ́fəsis, zàig- | -pɔ́f-] *n.* (*pl.* **-ses** [-sì:z]) 〖해부〗 척추 관절 돌기
zygo- [záigou, -gə, zíg-] 《연결형》 「멍에(yoke); 결합된(yoked); 한 쌍의(pair)」의 뜻: *zygo*morphic
zy·go·dac·tyl [zàigədǽktl, zìg- | -til] *a.* 〈새가〉 대지족(對指足)의 **—** *n.* 대지족류의 새 《딱따구리 등》
zy·go·gen·e·sis [zàigoudʒénəsis, zìgou-] *n.* 〖생물〗 **1** 접합자 형성 **2** 배우자 생식
-ge·net·ic [-dʒənétik] *a.*
zy·goid [záigɔid, zíg-] *a.* 〖생물〗 접합자[체]의
zy·go·ma [zaigóumə, zi-] *n.* (*pl.* **~·ta** [-tə], **~s**) 〖해부〗 광대뼈, 관골(顴骨), 협골(頰骨), 관골 돌기
zy·go·mat·ic [zàigəmǽtik, zìg-] *a.* 〖해부〗 광대뼈[관골, 협골]의
zygomátic árch 〖해부〗 관골궁(弓)
zygomátic bóne 〖해부〗 광대뼈, 관골(顴骨)(malar, cheekbone)
zygomátic prócess 〖해부〗 관골[광대뼈] 돌기
zy·go·mor·phic [zàigəmɔ́:rfik, zìg-], **-phous** [-fəs] *a.* 〖생물〗 〈꽃이〉 좌우 동형의; 좌우 대칭의
zy·go·phyte [záigəfàit, zíg-] *n.* 〖식물〗 접합(接合) 식물
zy·go·sis [zaigóusis, zi-] *n.* (*pl.* **-ses** [-si:z]) UC 〖생물〗 (생식 세포의) 접합(接合)
zy·gos·i·ty [zaigɑ́səti, zi- | -gɔ́s-] *n.* 접합자(接合子)의 구조[특징]
zy·go·spore [záigəspɔ̀:r, zíg-], **-sperm** [-spə̀:rm] *n.* 〖식물〗 접합 포자
zy·gote [záigout, zíg-] *n.* 〖생물〗 접합자(接合子), 접합체 **zy·got·ic** [zaigɑ́tik | -gɔ́t-] *a.*
zy·go·tene [záigətì:n, zíg-] *n.* 〖생물〗 접합기, 합사기(合絲期) 《감수 분열 전기의 세사기(細絲期)에 이어지는 시기로, 양친에게서 온 상동(相同) 염색사가 접합함》
zym- [zaim, zim], **zymo-** [záimou, -mə] 《연결형》 「효소」의 뜻 《모음 앞에서는 zym-》
zy·mase [záimeis] *n.* UC 〖생화학〗 치마아제 《당류를 분해하여 알코올이 되게 하는 효소》
zyme [záim] *n.* 《고어》 효소(ferment), 《특히》 세균성 질환의 병소(病素)
zy·mo·gen [záimədʒən, -dʒèn] *n.* U 〖생화학〗 치모겐, 효소원(原); 〖생물〗 발효균
zy·mo·gen·e·sis [zàimədʒénəsis] *n.* 〖생화학〗 (효소원의) 효소화
zy·mo·gen·ic [zàimədʒénik], **zy·mog·e·nous** [zaimɑ́dʒənəs | -mɔ́dʒ-] *a.* 〖생화학〗 효소원의, 발효성의
zy·mo·gram [záiməgræ̀m] *n.* 〖생화학〗 효소도(圖)
zy·mol·o·gy [zaimɑ́lədʒi | -mɔ́l-] *n.* U 발효학, 효소학(enzymology)
-gist *n.* 발효학자 **zỳ·mo·lóg·ic** *a.*
zy·mol·y·sis [zaimɑ́ləsis | -mɔ́l-] *n.* 〖생화학〗 효소 분해 **zy·mo·lyt·ic** [zàiməlítik] *a.*
zy·mom·e·ter [zaimɑ́mətər | -mɔ́m-], **zy·mo·sim·e·ter** [zàiməsímətər] *n.* 발효계(計), 발효도 측정기
zy·mo·san [záiməsæ̀n] *n.* 〖생화학〗 치모산, 자이모산 《효모에서 얻어지는 다당(多糖); 항보체(抗補體) 작용을 함》
zy·mo·sis [zaimóusis] *n.* (*pl.* **-ses** [-si:z]) UC **1** 발효 《특히 병적인》 **2** 〖병리〗 발효병[작용], 전염병
zy·mo·tech·nics [zàimətékniks] *n. pl.* [단수 취급] 발효법, 발효 처리법
zy·mot·ic [zaimɑ́tik | -mɔ́t-] *a.* 발효(성)의
zy·mur·gy [záimə:rdʒi] *n.* U 양조학(釀造學), 발효화학 **zý·mur·gic** *a.*
Zyr·i·an [zíriən] *n.* U 지리안 말 《Finno-Ugric에 속함》 **—** *a.* 지리안 말[사람]의
zz zigzag
ZZZ, zzz [z:, zí:zí:zí:] *int.* 쿨쿨, 드르렁드르렁 《코 고는 소리》; 윙윙 《벌·파리 따위가 나는 소리》

문법 해설

문법 해설 (1)

Apposition (동격)

하나의 **명사**(상당어구) A가 문중에서 다른 **명사**(상당어구) B와 나란히 놓여서 B에 자세한 설명을 보충하거나 한정하는 역할을 하는 경우, A의 **명사**(상당어구)를 B의 **동격어**(구, 절)(Appositive)라 하고, 한정을 받는 어구 B를 **중심어**(Headword)라 하며 A와 B의 관계를 **동격**(Apposition)의 관계에 있다고 말한다. 동격어구로 쓰이는 것은 명사·대명사·부정사·명사절 등의 **명사**(상당어구)이다.

1 appositive+명사
in the year *2008* 2008년의 해에/the American writer *Alvin Toffler* 미국인 작가 앨빈 토플러/my son *Albert* 나의 아들인 앨버트/Captain *Cook* 쿠크 선장
2 명사+appositive 《보통 콤마로 끊음》: *Hamlet*, Prince of Denmark 덴마크의 왕자 햄릿/*Alfred*, King of England 영국왕 앨프레드/*Her father*, a Canadian, died when she was seven. 캐나다 사람인 그녀의 아버지는 그녀가 7세때 죽었다./*Steve Race*, the musician and broadcaster 음악가이자 방송인인 스티브 레이스
㊟ 동격표현과 관사
a 신분·자격·직업·관직명 등에는 일반적으로 관사가 붙지 않는다: *Bush*, President of the United States of America 부시 미국 대통령/*Ernest Hemingway*, author of 'A Farewell to Arms' '무기여 잘 있거라'의 작가 어니스트 헤밍웨이/The witness was *Albert Elmer*, gardner. 목격자는 정원사인 앨버트 엘머였다.
b 동격어구가 강조되거나 특정한 것을 가리킬 때는 정관사가 붙는다: *Solzhenitsyn*, the Russian novelist (who won the Nobel Prize) 노벨상 수상 작가인 러시아의 소설가 솔제니친 **c** 동격명사가 소유격일 때는 아래 두 형태 중 어느 것을 써도 좋다: I bought it at *Smith*, the bookseller's./I bought it at *Smith's*, the bookseller's. 나는 그것을 스미스 서점에서 샀다.

3 명사+appositive 대명사 (**all, each, both, -self** 등)
They were all working hard. 그들 모두는 열심히 일하고 있었다./*Tom, Dick, and Harry* each put forward a different scheme. 톰, 딕, 그리고 해리 각자는 서로 다른 계획을 제시했다./*They* have each told me the same story. 그들 각자는 나에게 같은 얘기를 했다./*We* both want to go. 우리는 둘 다 가기를 원한다./*She* herself bought it. 그녀 자신이 그것을 샀다./*We* shall none of us forget her kindness. 우리는 아무도 그녀의 친절을 잊지 못할 것이다.
㊟ 재귀대명사, all, each, both 등의 대명사는 주어와 동격으로 쓰여 부사적 역할을 한다. 동격으로 쓰이는 oneself는 강의적 용법임.
4 명사+appositive 부정사:
I have but *one wish* in life, to live in honesty. 나는 인생에 있어서 성실하게 산다는 단 하나의 소원을 가지고 있다./I have but *one purpose* in my work, to be entirely professional. 나는 내 일에 있어 단 하나의 목적이 있다. 즉 완전히 전문가가 되는 것이다.
5 명사+appositive 명사절(**that**/**whether** 절):
The thought that women should stay in the home is still generally accepted. 여자들은 가정에 있어야 한다는 사고는 아직도 일반적으로 받아들여지고 있다./There goes *a rumor* that he will go to England to study medicine. 그가 의학을 공부하기 위해

영국으로 간다는 소문이 있다. / There remains *the question* whether he agrees to it or not. 그가 그것에 동의하는가 안하는가 하는 문제가 남아 있다.
㊟ 동격의 that절을 취하는 명사는 이 외에도 argument, assumption, conclusion, difference, doubt, feeling, fear, fact, hope, idea, impression, knowledge, news, observation 등이 있다.
6 동격의 of(명사 A+of+명사 B): *the Mayor of London* 런던시의 시장 / He is *a member of the golf club.* 그는 골프 클럽의 회원이다. / She had *the idea of becoming an artist.* 그녀는 미술가가 되려는 생각을 갖고 있었다. / He has no *intention of marrying yet.* 그는 아직 결혼할 의향이 없다.
㊟ 격의 일치
주어[주격보어]와 동격의 대명사는 주격이 되고, 목적어[목적격 보어]와 동격의 대명사는 목적격이다: *The visitors,* Jim and I, were warmly welcomed. 방문자인 짐과 나는 따뜻한 환영을 받았다. / He invited *both of us,* my brother and me. 그는 우리들, 형과 나 둘을 초청했다.
7 문 전체(동격어구가 설명하는 대상이 문 전체인 경우): He took care of his own business himself, *a rare thing* for him to do. 그는 혼자서 자기 일을 처리했다. 그에게 있어서는 드문 일이다. / My pet Puppy, which had disappeared three nights — *her first disappearance* — at length returned at daylight. 내 애완견 퍼피는 3일 동안 실종되었다가, 그것은 처음 있는 일이었는데, 마침내 오늘 새벽에 돌아왔다.

문법 해설 (2)

Case (격(格))

명사 또는 대명사가 문중에서 다른 어구에 대해서 갖는 문법적 관계를 나타내는 어형 변화를 **격**(Case)이라고 한다. 예를 들면 명사가 동사의 주어인가 목적어인가 등을 나타내는 것을 말한다. She likes me. (그녀는 나를 좋아한다)에서 She는 「그녀」라는 뜻말고도 주어가 되어 있으며(목적격이면 her), me는 「나」라는 뜻말고도 목적어임을 나타낸다(주어이면 I). 또 her book에서 her는 「그녀의」라는 뜻 외에 이 말이 다른 명사를 꾸며 주고 있음을 나타낸다. 영어의 격에는 she, he와 같은 **주격**(Nominative case), me, her, him과 같은 **목적격**(Objective case), my, his 같은 **소유격**(Possessive case) 또는 **속격**(屬格)(Genitive case)의 3가지가 있다. 한편 명사는 the girl's doll에서와 같이 소유격에는 특별한 형태가 있지만, The boy likes the girl. (그 소년은 그 소녀를 좋아한다), The girl likes the boy. (그 소녀는 그 소년을 좋아한다)의 예에서와 같이 주격과 목적격이 형태상 구별이 없으므로, 이 둘 대신에 **통격**(通格)(Common case)을 마련해서, 통격과 소유격과의 2가지를 인정할 수가 있다.
목적격은 직접 목적으로 쓰일 때에는 특히 **대격**(對格)(Accusative case)이라고 해서, 간접 목적으로 쓰일 때의 **여격**(與格)(Dative case)과 대립시키는 일도 있는데, 영어에는 대격과 여격을 구별하는 형태는 없다.
「소유격」에 대해서는 ⇨ 문법해설 Possessive Case

(1) 격의 형태
명사의 소유격은 's를 붙여서 만들고, 복수형은 이미 복수의 s가 어미에 붙어 있기 때문에 -s's로 하지 않고 아포스트로피(apostrophe)만을 붙인다. 단, 복수형 어미에 s가 오지 않는 것에는 소유격의 's가 붙는다.
㉨ men's, children's

	단수	복수
통격	girl	girls
소유격	girl's	girls'

인칭대명사는 주격·소유격·목적격의 3형태를 가진다.

	단수	복수
주격	I	we
소유격	my	our
목적격	me	us
	단수	복수
주격	you *	you
소유격	your *	your
목적격	you *	you

* 2인칭 단수로는 고형(古形)의 thou(주격), thy(소유격), thee(목적격)도 있다.

	단수	복수
주 격	he she it	they
소유격	his her its	their
목적격	him her it	them

㊟ 여기서 보인 이외의 소유격의 형태 변화 및 용법에 관해서는 ⇨ Possessive Case. 또 하기(下記) 이외의 주격·목적격에 관한 것은 각기 ⇨ Subject, Object.
(2) 격의 용법
A 주격(통격 포함) (Nominative case)
문[절] 중에서 명사나 대명사가 주어가 될 때의 어형을 말한다. 주로 주어·주격보어, 상대방을 부르는 말에 쓰여진다. 준동사의 의미상의 주어로 쓰여지는 것도 있다. 명사의 주격은 목적격과 같지만 대명사에는 형이 같은 것(you—you, it—it 등)과 형이 다른 것(I—me, she—her 등)이 있다. 주격은 주어 외에 다음과 같은 역할을 하는 경우에도 쓰인다.
(1) **자동사의 주격 보어**(Subjective complement)
She became *a great artist.* 그녀는 위대한 예술가가 되었다. / *Who* is it? — It's *I.* 누구입니까? — 접니다.

㊟ **It's I.**와 **It's me.** It is 다음에 오는 대명사는 주격 보어이므로 문법적으로는 I가 옳지만 《구어》에서는 영·미 다같이 It's me.를 쓰는 것이 통례이다.

(2) **주어와 동격일 때**

You are dangerous, *you and Holmes.* 너희들은 위험 인물이다, 너와 홈스는.

(3) **상대를 부르는 말로 쓰일 때**

You'd better go there, *David.* 데이비드, 거기 가는 것이 좋을 거야.

(4) **준동사의 의미상의 주어로 쓰일 때**

He being sick, I had to take care of him. 그는 아파서 내가 그를 돌보아야만 되었다.

(5) **감탄문으로 쓰일 때**

She a liar! 그녀가 거짓말쟁이라니 (그럴 리가)!

He a gentleman! 그가 신사라고 (당치도 않다)!

㊟ 위 두 문장에서는 주어 다음의 be동사가 격한 감정의 영향으로 탈락된 경우이다.

(6) **Who가 문두에서 목적어로 쓰일 때**

Who did you send for a doctor? 의사를 모시러 누구를 보냈니? / *Who* was your wife angry with? 자네 부인은 누구에게 화를 냈던 것인가?

B 목적격(Objective case)

명사·대명사가 타동사·전치사 및 일부의 형용사에 대해 「…에」, 「…을」 등 목적어의 관계가 있을 경우의 어형을 말한다. 명사의 목적격은 주격과 동형(통격으로도 부름)이지만 대명사에는 주어와 동형인 것(you → you, it → it)과 주어와 다른 형(I → me, he → him, who → whom 등)이 있다. 주로 목적어·목적격 보어로 쓰이며, 또 전치사의 목적어, 부사적 수식어로서 쓰이는 것도 있다.

(1) **동사의 직접 목적어**

Give me *some water.* 내게 물 좀 주시오.

㊟ ① 간접 목적어는 보통 「사람」을, 직접 목적어는 「사물」을 나타내는 경우가 많다.

㊟ ② 자동사가 타동사로 쓰여 직접 목적어를 취하는 경우도 있다: He stared *me* in the face. 그는 내 얼굴을 빤히 보았다.

(2) **동사의 간접 목적어**

The boy offered *the old woman* his seat. 그 소년은 그의 자리를 노부인에게 내주었다. / Will you pass *me* the salt? 소금 좀 건네 주시겠습니까?

(3) **목적(어의) 보어**

타동사가 목적어만으로는 완전한 문장을 이루지 못하는 경우 그것을 보완하는 의미로 목적어 다음에 두는 명사·대명사를 말한다: Please keep it *a secret.* 그것을 비밀로 해주시오.

(4) **전치사의 목적어**

He lives with *his parents* in *the country.* 그는 양친과 함께 시골에 살고 있다. / This is a secret between *you and me.* 이것은 너와 나만의 비밀이다.

(5) **형용사의 목적어**(**전치사 취급**)

like, near, next, opposite, worth 등의 뒤에서: It isn't worth *a penny.* 그것은 한푼의 가치도 없다. / Let him sit near *me.* 그를 내 곁에 앉히시오.

(6) **부사적 용법**

'시간·정도·공간·양태' 등을 나타내는 명사에는 전치사 없이 부사적으로 쓰이는 것이 있다: He arrived *this afternoon.* 그는 오늘 오후에 도착했다. / Our town is *eighty miles*, north of Seoul. 우리 읍은 서울에서 80마일 북쪽에 있다. / Well, have it *your own way.* 자네 방식대로 해라.

(7) **형용사적 용법**

'형상·색채·연령' 등을 나타내는 명사는 그 앞의 전치사가 빠져 형용사의 역할을 한다: They are *the same age*(=of the same age). 그들은 동갑이다. / It's *no use*(=of no use) trying to help them. 그들을 도우려 해봤자 허사이다.

참고 목적격은 부정사·동명사의 의미상의 주어가 되기도 한다. ⇨ 문법 해설 Infinitive, Gerund

문법 해설 (3)

Clause (절(節))

문장의 일부를 이루면서 「주어+술어동사」의 구조를 갖춘 낱말의 집합을 **절**(節)(Clause)이라 한다. 이에 대해 「주어+술어동사」의 구조를 취하지 않는 낱말의 집합이 구(句)(Phrase)이다(⇨ Phrase). 완전히 대등한 관계에 있는 두 개 이상의 절(節)로 이루어진 문(文)에서 각각의 절을 **독립절**(Independent clause)이라 부른다. 이에 대해 주와 종속적 관계에 있는 2개 이상의 절로 이루어진 문에서 주된 절은 **주절**(主節)(Principal clause), 이것에 종속하는 관계에 있는 절을 **종속절**(Subordinate clause)이라 한다. 문에 포함되는 둘 이상의 절은 주로 접속사(Conjunction)와 관계사(Relatives)가 연결 요소로 쓰여 절과 절을 연결한다. 둘 이상의 절을 포함하는 문은 **복문**(複文)(Complex sentence)과 **중문**(重文)(Compound sentence)으로 분류된다. 〈주부+술부〉의 관계로만 이루어진 문은 **단문**(單文)(Simple sentence)이라 하며, 이것도 독립절이다.

I **복문**(複文)(Complex sentence)

문(文)의 구조상의 분류의 하나로 하나의 주절과 하나 이상의 종속절로 이루어진 것을 말한다. 이 경우 종속절은 종위접속사(Subordinate conjunction), 관계대명사(Relative pronoun)·관계부사(Relative adverb)의 관계사 등에 의해 이끌리고 그 기능에 따라 명사절, 형용사절, 부사절로 나누어진다.

A 명사절(Noun clause)

문 중에서 주어·목적어·보어가 되어 구문상 명사와 같은 구실을 하는 절(節)을 말한다. 접속사(that, whether, if, but, lest 등), 의문사(who, what, where 등), 관계사(what, where, how, why 등)에 이끌린다.

(**1**) **접속사에 이끌리는 절**

That the situation was serious was evident. 상황이 심각하다는 것은 명백했다. / *It* is true (*that*) *happiness consists in loving others.* 행복은 남을 사랑하는 데에 있다는 것은 사실이다.

㊟ ① that절을 흔히 선행하는 It로 받게 되는데, 이 경우 that가 생략되는 일이 있다.

Whether the bone is broken or not is not certain. 뼈가 부러졌는지 아닌지는 확실치 않다. / I'm not sure *if*[*whether*] *the plane will arrive on time.* 비행기가 정시에 도착할지는 나는 확신할 수 없다. / They were afraid *lest* they should be caught by the police. 그들은 경찰에 잡히는 것은 아닌가 하고 두려워했다. / I think *it* likely *that they are some help.* 그것들이 얼마간의 도움이 되지 않을까 하는 생각이 든다.

㊟ ② 발음을 일시 중단하려고 할 때에는 that 앞에서 끊는 것이 보통이다: I know | (that) you are tired.

(**2**) **의문사에 이끌리는 절**(who, what, when, how 등)

My question is *what her real name is.* 나의 의문점은 그녀의 본명은 무언가 하는 것이다. / Everything depends on *which way you will take.* 네가 어떤 길

을 선택하는가에 따라 모든 것이 좌우된다. / *Who will go* hasn't been decided yet. 누가 갈 것인지 아직 정해지지 않았다.

(3) 관계사에 이끌리는 절

What surprised me was his cold attitude. 나를 놀라게 한 것은 그의 냉담한 태도였다.

B 형용사절(Adjective clause)

명사·대명사를 수식하여 형용사적인 역할을 하는 종속절을 말한다. 주로 who, which, that, when, where 등의 관계대명사나 관계부사 등의 관계사에 의해 이끌린다.

Those *who make the best use of their time* have none to spare. 시간을 가장 잘 활용하는 사람에게는 여분의 시간이란 것은 없다. / Let's find a quiet corner *where we can talk*. 얘기할 수 있는 조용한 곳을 찾아보자. / You must tell me all *(that) you know about him*. 그에 대해 당신이 알고 있는 것 모두를 말해 주시오.

[주] 관계대명사가 생략되어 선행사에 직접 연결되는 형용사절을 접촉절(Contact clause)이라 한다. 관계대명사가 생략되는 것은 주로 관계대명사가 주격인 경우와 목적격인 경우이다: The car *(that) he is driving* is not his. 그가 모는 차는 그의 차가 아니다. 《The car는 driving의 목적어》/ There is a man below *(who) wants to speak to you*. 당신과 얘기하고 싶어하는 사람이 아래에 와 있다. 《a man은 wants의 주어》/ The bed *(which) I sleep in* is comfortable. 내가 자는 침대는 쾌적하다. 《The bed는 in의 목적어》/ He is not the man *he used to be*. 그는 과거의 그가 아니다. 《the man은 be의 보어》

C 부사절(Adverb clause)

부사적인 역할을 하는 종속절을 말한다. '때·장소·양태·비교·원인·목적·조건·양보·결과' 등을 나타내는 종속접속사 when, where, as, if, though, because 등과 whatever, however, whenever 등의 관계부사에 의해 이끌린다. '조건·가정'을 나타내는 부사절, 양보를 나타내는 부사절은 특히 각각 **조건절**(Conditional clause), **양보절**(Concessive clause)라 부른다.

① **때**(when, as, while, after, before, until, no sooner ... than 등의 접속사):

These days some students study *as they listen to music*. 요즈음 일부 학생들은 음악을 들으며 공부한다. / My father often falls asleep *while he is watching TV*. 나의 아버지는 종종 텔레비전을 보시면서 잠드신다.

② **장소**(where, wherever 등):

You can go *where you like*. 원하는 곳으로 가도 된다. / *Wherever you go*, you'll always find the same thing. 어디를 가나 언제나 같을 것이다.

③ **양태**(as, as if, as though, like 등):

He hasn't behaved *as a gentleman should*. 그는 신사답게 예의범절을 지키지 않았다. / It happened *like you might expect it would*. 네가 일어날지도 모른다고 예상한 대로 사건은 터졌다.

④ **비교**(as, than):

It is not as[so] cold *as it was yesterday*. 어제만큼 춥지 않다. / I suppose the winters are colder *than they used to be*. 옛날보다 겨울이 추워졌다고 생각한다.

⑤ **비례**(as, according as 등):

As he grew older, he became more silent. 나이가 들어감에 따라 그는 말수가 적어졌다.

⑥ **제한, 범위**(as, as far as, as ... as 등):

She is a good daughter, *as daughters go*. 그녀는 딸치고는 착한 딸이다. / *So far as I am concerned*, I have no objection. 저로서는 이의가 없습니다.

⑦ **조건**(if, unless, on condition (that); suppose, provided; once, only (that) 등):

Suppose we fail to catch the last bus, what shall we do? 마지막 버스를 놓치면 어떻게 하지?

⑧ **제외**(but (that), except (that), save (that) 등):

The suit will do *except that the sleeves are little too short*. 소매가 좀 짧은 것말고는 이 양복은 좋습니다. / I am happy *save that I have no children*. 아이들이 없는 것을 제외하고는 나는 행복합니다.

⑨ **양보**(though, (even) if, as; admitting (that); whether ~ or 등):

Though he was young, he supported his family. 그는 젊었지만 그의 가족을 부양했다. / *Tired as he was*, he decided to walk all the way without taking a taxi. 그는 피곤했지만 택시를 타지 않고 쭉 걷기로 마음먹었다.

⑩ **원인·이유**(because, since, as, that, now (that), seeing (that), in as much as 등):

I could not arrive on time *because I met with an accident on my way*. 도중에서 사고를 만났기 때문에 제 시간에 도착할 수 없었다. / *Since Mr. Fox was sick*, he had to cancel the appointment. 폭스 씨는 병이 났기 때문에 약속을 취소할 수밖에 없었다.

Ⅱ 중문(重文)(Compound sentence)

문(文)의 구조상의 하나로, 「주어+술어동사」로 된 둘 이상의 등위절(Coordinate conjunction)이 and, but 등 등위접속사에 의해 또는 접속사 대신에 콜론(:)이나 세미콜론(;)에 의해 결합된 문장을 말한다.

She turned *and* left the room. 그녀는 돌아서서 방을 나갔다. / He's a shy man, *but* he's not scared of anything or anyone. 그는 수줍음을 타는 사람이지만 어느 것도 어느 누구도 두려워하지 않는다. / There is not a breath of wind; it must be very hot out of doors. 바람 한 점 없는 걸 보니 바깥은 무척 덥겠는걸.

문법 해설 (4)

Comparison (비교 변화)

형용사·부사가 성질·상태·수량의 정도의 차이를 나타내기 위해 어형의 변화를 갖는 것을 **비교 변화**(Comparison)라 하며, 비교 변화에는 **원급**(Positive degree), **비교급**(Comparative degree), **최상급**(Superlative degree)의 세 가지 변화형이 있다.

원급은 형용사·부사의 원형 그대로, 비교급·최상급은 각각 어미에 -er, -est를 붙이거나 앞에 각각 more, most를 놓는다. 또 비교급·최상급을 만드는 경우에 -er, -est를 붙여서 어형을 변화시키거나 또는 more, most를 기계적으로 붙여도 좋은 것은 **규칙 비교 변화**(Regular comparison), 그렇지 않은 것은 **불규칙 비교 변화**(Irregular comparison)라고 한다.

이처럼 형용사·부사는 「비교」에 의해서 형태가 변하는데 아래 표에 요약한 것처럼 세 가지 형태를 취한다. 이 세 가지 형태의 하나하나를 형용사·부사의 **급**(Degree of comparison)이라고 한다. 변화하는 모양의 분류에 대해서는 다음 페이지 「어형 변화」를 참조.

원 급 (Positive degree)	비 교 급 (Comparative degree)	최 상 급 (Superlative degree)
a *fast* train 빠른 열차	a *faster*[the *faster*] train 더 빠른[빠른 쪽의] 열차	the *fastest* train 가장 빠른 열차
Tom is *tall*. 톰은 키가 크다.	John is *taller* than Tom. 존은 톰보다 키가 크다.	Ben is the *tallest* of all. 벤은 모든 사람 중에서 가장 키가 크다.
My dog runs *fast*. 내 개는 빨리 달린다.	Your dog runs *faster* than mine. 네 개는 내 개보다 빨리 달린다.	His dog runs *fastest* of all. 그의 개는 모든 개 중에서 가장 빨리 달린다.

형태상 변화가 나타나 있지 않은 원래 형태의 형용사·부사에 대해서도, 「비교」의 견지에서 이를 고찰할 수 있는 경우가 있다: He is *as tall as* I. 그는 키가 나와 같은 정도이다.

원급(Positive degree)

(1) 일반적인 용법

원급에 의한 비교의 표현에는 동등(同等)의 비교를 나타내는 「**as+원급+as**」와 열세(劣勢)의 비교를 나타내는 「not+so[as]+원급+as」가 있다. 그런데 이들 구문에서 뒤의 as 이하가 문맥상 분명할 경우에는 생략되는 경우도 있다.

(2) 동등 비교

Tom is ***as*** *tall* ***as*** I am. 톰은 키가 나만큼 크다. / He has *as* much money *as* I have. 그는 내가 갖고 있는 만큼의 돈이 있다.

㊟ ① 부정에는 2가지 형태가 있다: ⓐ Tom is ***not so*** *tall* ***as*** I am. 톰은 나만큼 키가 크지 않다. ⓑ Tom is ***not as*** *tall* ***as*** I am. 톰과 나는 키가 같지가 않다. — 즉, ⓐ에서는 톰의 키가 나에 미치지 못한다는 뜻, ⓑ에서는 톰과 나와는 키가 단지 같지 않다는 뜻으로, 톰이 큰 경우도 있을 수 있다. 그러나 실제로는 양자는 엄밀히는 구별되지 않고 모두 ⓐ의 뜻으로 쓰인다. 단, ⓐ를 ⓑ의 뜻으로 쓰는 일은 없다.

㊟ ② 다음과 같은 구문에서는 둘째 *as*는 종종 생략된다: This is as good (*as*) or even better than that. 이건 그것에 못지 않으며, 아니 그것보다 더 낫다.

(3) 배수(倍數)의 용법

This book is *twice*[*three times, half*] ***as*** *thick* ***as*** that. 이 책은 두께가 그 책의 2배[3배, 반]이다. / This bridge is *one and a half times* ***as*** *long* ***as*** that. 이 다리는 저 다리의 1배 반 길다. / They want at least double their salaries. (=*twice* ***as*** *much* ***as*** they now earn) 그들은 적어도 현재의 2배의 급료를 원한다.

비교급(Comparative degree)

어떤 점에 있어서 두 사물의 정도를 비교하여 한 쪽이 다른 쪽보다 나은 경우는 「비교급+than」, 못한 경우는 「less+원급+than」으로 나타낸다. 비교급이 사용된 문장에는 than 이하의 「주어+동사」가 생략되는 경우가 많다. 또 전후 관계가 명확한 경우는 than 이하를 번역하지 않는 경우도 있다.

(1) 일반적인 용법

John is *taller* ***than*** Mary. 존은 메리보다 키가 크다. / John is ***the*** *taller* ***of*** the two. 존은 두 사람 중에서 키가 큰 편이다. / This watch is *cheaper* ***than*** that one. 이 시계는 저 시계보다 싸다. / It is sometimes *quicker* to walk ***than*** take a bus. 때로 걷는 것이 버스로 가는 것보다 빠르다. / He is now *happier* ***than*** (he was) ten years ago. 그는 이제 10년 전보다는 행복해져 있다. 《두 시기에 있어서의 같은 것[사람]의 비교》/ He is *more strong* ***than*** rough. 그는 거칠다기보다는 힘이 센 것이다. 《같은 시기에 있어서의 같은 것[사람]의 성질의 비교에는 -er형을 쓰지 않음》

㊟ than과 함께 반드시 비교급(rather, other, else를 포함)을 쓰게 되어 있다: 《잘못》 I want time than money. → 《바름》 I want time ***rather*** *than* money. 돈보다도 시간이 필요하다.

(2) 차이의 정도를 나타내는 법

A) 부정량(不定量) John is ***a little***[***much, far, a great deal***] *taller* than Tom. 존은 톰보다 키가 좀[훨씬] 크다. / We're walking ***by far*** the slowest. 우리는 가장 천천히 걷고 있다. / She is ***a little*** *older than* he. 그녀는 그보다 약간 나이가 많다.

㊟ ① 「훨씬」이란 뜻으로 very taller는 잘못이지만, very much taller는 괜찮다. a lot를 much의 뜻으로 쓸 수 있지만, 매우 구어적이다. considerably, substantially를 쓰면 「상당히」, 「꽤, 어지간히」의 뜻.

㊟ ② 강조의 far와 by far의 구별: 비교급 형용사 바로 앞에 올 때에는 far, 그 이외에서는 by far: This is *far* better than that. 이쪽 것이 그것보다 훨씬 좋다. / This one is *by far* the better. (둘 중에) 이쪽 것이 훨씬 좋다.

B) 정량(定量) He is ***five inches*** *taller* than me. =He is *taller* than me ***by five inches***. 그는 나보다 키가 5인치 크다.

(3) still+비교급

John is tall. Ben is ***still*** *taller* (than John). 존은 키가 크다. 벤은 (존보다) 더(욱) 크다. / John is taller than Tom. Ben is ***still*** *taller* (than John). 존은 톰보다 키가 크다. 벤은 키가 (존보다) 더(욱) 크다.

㊟ ① still taller라고 하면 비교의 상대도 키가 크다는 뜻을 갖는다. 단지 taller than이라고 할 때에는 이런 뜻이 반드시 포함되지는 않는다. 따라서 taller than을 「키가 더 크다」고 해석하는 것보다 「…에 비해서 키가 크다」로 하는 것이 옳다.

㊟ ② 「even+비교급」은 「still+비교급」의 뜻에 가까울 때가 많다: This is ***even*** *better* than that. (이것은 저것보다 좋기까지 하다. →) 이것은 저것보다 더(욱) 좋다.

(4) the+비교급…, the+비교급

The *higher* prices rose, ***the more*** money the employees asked for. 물가가 오르면 오를수록 종업원들은 더 많은 임금을 요구했다.

㊟ ① 종속절이 뒤에 오면, 선행하는 주절 중의 「the+비교급」은 절의 끝에 온다: One wants ***the*** *more*, ***the*** *more* one has. 인간은 가지면 가질수록 더욱 많은 것을 원하게 된다.

㊟ ② 「the+비교급」은 「이유·원인」을 나타내는 어구와 함께 쓰이어 「그만큼 더…, 도리어」의 뜻을 나타낸다: She looks ***the*** *worse* for her dieting. 그녀는 다이어트를 하더니 얼굴이 도리어 못해졌다.

(5) less+원급
「열세(劣勢) 비교」라고 하며, 정도의 약함을 나타낸다: Tom is ***less*** *tall* than John. 톰은 존보다 키가 작다.
㊟ 이 형태는 그다지 쓰이지 않으며, "Tom is *not so* [*as*] *tall as* John." 또는 "Tom is *shorter than* John."이 보다 많이 사용된다.
(6) 비교의 의미가 약화된 용법 (절대 비교급)
This book is written for the *younger* generation. 이 책은 청년층을 위해 저술되었다. / French was the language of the *upper* classes in England. 프랑스어는 영국의 상류 계급의 언어였다.

최상급(Superlative degree)
3인 또는 3개 이상의 물건을 비교하여 그 정도가 가장 높은 경우 「the+최상급+of[in, among]」의 형으로 나타낸다.
(1) 일반적인 용법
This box is *the largest* of the three. 이 상자가 세 개 중 가장 크다. / It is *the least* interesting among his novels. 이것이 그의 소설 중 가장 재미없다. / This is *the coldest* winter in ten years, I hear. 이번 겨울이 10년만에 가장 추운 겨울이란다.
㊟ ① 형용사의 최상급에는 정관사 또는 소유·지시 형용사 등 확정적인 수식어(修飾語)가 붙는다. 단, 형용사가 서술적으로 쓰이고 있을 때에는 보통 the를 생략한다: It seems *best* to try another method. 다른 방법을 써 보는 것이 가장 좋을 듯하다. 동일한 것을 비교할 때에도 보통 the가 붙지 않는다: She feels *happiest* when she is reading. 그녀는 독서하고 있을 때 가장 행복한 기분이 든다. / The snow is *deepest* about this time of the year. 일년 중 이맘때가 눈이 가장 깊다.
㊟ ② 부사의 최상급에는 흔히 정관사를 붙이지 않는다: He worked *hardest* of them all. 그들 모두 중에서 그가 가장 열심히 일했다.
㊟ ③ 최상급의 의미를, 원급·비교급을 써서 나타낼 수도 있다: No other city in Korea is so[as] *large* as Seoul. 한국에서 다른 어떤 도시도 서울만큼 크지는 않다. / Seoul is *larger* than any other city in Korea. 서울은 한국에서 다른 어떤 도시보다도 크다.
(2) even(까지도, 조차)의 뜻이 포함된 경우
The *brightest* student cannot master English in a year or so. 가장 똑똑한 학생이라도 1년 남짓으로는 영어를 정복할 수 없다.
(3) 단순한 강조(절대 최상급)
We have had a *most delightful* evening. 우리는 매우 즐거운 저녁을 보냈다. / She was sitting in a chair, looking *saddest*. 그녀는 몹시 슬픈 표정으로 의자에 앉아 있었다.
㊟ ① 보통 -est의 어미를 붙이는 말도 이 용법에서는 most에 의한 최상급의 형태가 쓰이는 일이 많다.
㊟ ② 관사는, 가산(可算) 명사에서는 a를 붙이고, 불가산(不可算) 명사에서는 붙이지 않는 일이 많다. ⇨ 문법해설 Countable, Uncountable

어형 변화
단음절어와 -er, -ow, -y, -le 등으로 끝나는 2음절어 및 제2음절에 강세가 있는 2음절어에는 **-er, -est**를 붙이고, 그 외는 **more, most**를 붙인다.
(1) 원급에 -er, -est를 붙이는 것
① 단음절어

원 급	비교급	최상급
tall	taller	tallest
long	longer	longest
large	larger	largest
free	freer	freest
thin	thinner	thinnest

② -er, -ow, -y, -le로 끝나는 2음절어

clever	cleverer	cleverest
slender	slenderer	slenderest
narrow	narrower	narrowest
happy	happier	happiest
gentle	gentler	gentlest
simple	simpler	simplest

③ 제2음절에 강세가 있는 2음절어

divine	diviner	divinest
profound	profounder	profoundest

㊟ ① 원급이 e로 끝나는 것은 -r, -st 만을 붙인다. 다음 발음에 주의: freer [fríːər], freest[fríːist] 《[friər] [friːst]로는 안 됨》
㊟ ② 원급이 -le로 끝나는 말은 -r, -st만을 붙인다.
㊟ ③ 원급이 "단모음+자음"으로 끝나는 것은 그 자음자를 겹쳐 준다.
㊟ ④ 원급이 "자음자+y"로 끝나는 것은, y를 i로 바꾼 다음, -er, -est를 붙인다. 단, 단음절어에서는 shy—shyer, shier—shyest, shiest처럼 두 가지 형태를 가진 것이 많다.
㊟ ⑤ long처럼 [ŋ] 소리로 끝나는 것은, longer [-ŋgər], longest[-ŋgist]와 같이 발음상 [g]가 들어간다.
㊟ ⑥ 보통은 -er의 어미를 취하는 말도 때에 따라서는 예외가 있다. 예를 들면 같은 것[사람]의 두 가지 다른 성질을 비교하는 경우: He was *more shrewd* than wise. 그는 현명하기보다는 빈틈없는 편이었다.
(2) 원급 앞에 more, most를 덧붙이는 것 (2음절 이상의 말; 단음절어의 일부)

원 급	비교급	최상급
careful	more careful	most careful
famous	more famous	most famous
difficult	more difficult	most difficult
French *	more French	most French

㊟ *는 단음절이지만, 국적을 나타내는 것
(3) 불규칙 변화
불규칙 변화를 하는 것은 다음과 같은 것들이 있다.
① 원급과 다른 어간으로 비교급·최상급이 오는 것
② 최상급이 -most로 끝나는 것
③ 라틴어에서 온 비교급으로 -(i)or로 끝나는 것

원 급	비교급	최상급
many, much	more	most
little	less	least
good, well	better	best
bad, ill	worse	worst
far *	farther	farthest
	further	furthest
late *	later **	latest **
	latter	last
old *	older **	oldest **
	elder	eldest
fore	former	foremost[first]
in	inner	in(ner)most
out	outer	out(er)most

㊟ ① *는 의미에 따라 2가지 비교 변화를 하는 말. **는 규칙 변화
㊟ ② 위에 보인 표의 little의 변화형은 「적은」, 「적게」의 뜻인 경우에 한한다. 「작은」의 뜻으로는 흔히 smaller, smallest를 쓴다
㊟ ③ other, another도 본래는 비교급으로서, 원급·최상급이 없는 것

라틴어계(語系)의 비교급
superior, inferior, senior, junior, major, minor 등. ㊟ 이것들과 함께 쓰일 때에는 than 대신 to가 쓰인다: This computer is *superior to* that. 이 컴퓨터는 저것보다 낫다.

문법 해설 (**5**)

Complement (보어)

문(文)의 요소의 하나로, 동사가 주어·목적어와의 결합만으로는 완전한 의미를 나타낼 수 없는 경우, 그 의미를 완전하게 하기 위해 동사를 「보충하는 말」을 **보어**(Complement)라고 하며 **서술사**(Predicative)라고도 한다. 불완전 자동사를 보충하는 **주격 보어**(Subjective complement)와 불완전 타동사를 보충하는 **목적격 보어**(Objective complement)가 있다. 보어가 될 수 있는 것에는 명사와 형용사 및 그것들의 상당어구, 형용사적 수식어로는 형용사 및 형용사 상당어구 등이 있다.

A. 주격 보어를 취하는 불완전 자동사

불완전 자동사 《be, become, come(…이 되다, 이다); grow, get, fall(…이 되다); remain, seem, appear(…인 듯하다); look(…로 보이다) 등》는 보어가 없으면 완전한 문장을 나타낼 수가 없다. 이 경우의 보어는 주어를 설명하는 것으로 「주격 보어」에 속한다.
문형은 「S+V+C」로 제 2문형이다.

(1) be 동사

「상태」 또는 「상태의 계속」을 나타낸다.
How **are** children, John? 아이들은 잘 있니, 존? / The most unusual thing about England's weather **is** her *fog.* 영국의 날씨에서 가장 유별난 것은 안개이다. / Water **is** as *important* as fire in humankind. 인간에게 물은 불과 같이 중요하다.

(2) look, seem, appear 등

It **looks** very *suspicious* to me. 그것은 내게는 매우 의심스러워 보인다. / I didn't recognize him in uniform. He **looked** quite *different.* 나는 제복을 입은 그를 몰라보았다. 그는 딴사람처럼 보였다. / The situation **seemed** quite *hopeless.* 사태는 매우 절망적인 것 같이 생각되었다. / There **seems** every *hope* that business will get better. 사업이 호전될 것이라는 충분한 희망이 있다고 여겨진다. / She **appears** a little *upset.* 그녀는 조금 당황한 듯 보인다.

(3) become, get, fall, grow, turn 등

Soon it **became** *dark* all around. 이내 주위는 어두워졌다. / It's already beginning to **get** *dark.* 날은 이미 어두워지기 시작한다. / I went to bed, and soon **fell** sound *asleep.* 나는 잠자리에 들자 곧 깊은 잠에 빠졌다. / He **grew** *angry* when I told him about it. 내가 그것에 대해 말하자 그는 화를 내었다. / The traffic light has **turned** *red.* 교통 신호가 빨간색으로 바뀌었다. / The well **ran** *dry.* 우물은 말라버렸다.

㊟ ① 다음과 같은 표현은 숙어적: He **fell** *ill.* 그는 병이 났다. / She **went** *mad.* 그녀는 미쳐버렸다. / That **comes** *cheap.* 그것은 싸게 치인다.

㊟ ② "He **was born** *poor* but **died** *rich.*" 「그는 가난하게 태어났다가 부자로 죽었다.」도 이런 부류에 속한다.

㊟ ③ "She will **make** a good *wife.*" 「그녀는 좋은 아내가 될 것이다.」의 make는, become과 뜻이 비슷해지므로 이런 유(類)의 make도 같은 부류로 생각할 수 있다. 《보통은 타동사로 분류되지만》

(4) keep, remain, stand, stay 등

I hope you're **keeping** *well.* 건강하시겠지요. / He **kept** *awake.* 그는 계속 자지 않고 있었다. / He still **remains** *poor.* 그는 여전히 가난하다. / She **remained** *unmarried.* 그녀는 독신으로 지내고 있었다. / The door **stood** *open.* 문이 열려 있었다. / She **stands** *first* in her class. 그녀는 반에서 일등이다. / He **stays** *young.* 그는 언제나 젊다. / If the weather **stays** *fine,* we'll go camping. 날씨가 계속 좋으면 우리는 캠핑을 가겠다.

(5) feel, sound, smell, taste 등

I **feel** *good* this morning. 오늘 아침에는 기분이 좋다. / This velvet **feels** *soft.* 이 벨벳은 촉감이 보드랍다. / The music **sounds** *sweet.* 그 음악은 감미롭다. / That **sounds** *like* a good idea. 그것은 좋은 생각 같다. / It **smells** *like* violets. 그것은 제비꽃 같은 향기가 난다.

(6) 기타 (…상태로 되다)

Things will **come** *right.* 만사가 잘 될 것이다. / My zipper **came** *undone.* 지퍼가 저절로 열려 버렸다. / Snow **lay** *deep* in the street. 거리에 눈이 수북이 쌓여 있었다. / They **sat** *smoking* in silence for a few minutes. 그들은 잠시 말없이 담배를 피우며 앉아 있었다. / He **stood** *accused* of having betrayed his friend. 그는 친구를 배신했다고 비난받았다. / Many crimes **go** *unreported.* 많은 범죄가 보도되지 않은 채 지나간다. / The child **went** *asleep.* 그 아이는 잠들었다.

B. 목적격 보어를 취하는 불완전 타동사

(1) think, believe, find, consider 등

He **thinks** himself a great *poet.* 그는 자신이 위대한 시인이라고 생각한다. / Do you **believe** such inquiries *useful*? 이와 같은 조사가 쓸모있다고 생각합니까? / I **find** them (to be) *fool.* 나는 그들이 바보같다고 생각한다. / They **considered** me *unfit* for the job. 그들은 내가 그 일에 적합하지 않다고 생각했다.

(2) call, name, elect 등

You may **call** him *professor.* 그는 교수라고 해도 무방하다. / He **called** his country the world's best *hope.* 그는 자기 나라를 세계에서 가장 희망이 있는 나라라고 말했다. / They **named** the ship *Queen Mary.* 그 배를 「퀸 메리호」라 명명했다. / We **elected** him (to be) *chairman.* 우리는 그를 회장으로 뽑았다.

(3) keep, leave 등

Do you mind if I **keep** you *company* for a while? 잠시 함께 얘기해도 좋겠습니까? / This garden is always **kept** *well.* 이 정원은 언제나 깨끗이 손질되어 있다. / **Leave** the door *open.* 문을 열어 두시오. / The insult **left** me *speechless.* 그 모욕으로 나는 말문이 막혀 버렸다.

(4) make, get 등

My answer **made** him *angry.* 내 대답이 그를 화나게 했다. / Don't **make** your eyes *tired* by reading too late. 너무 늦게까지 독서해서 눈을 피로하게 하지 마라. / I must **get** the breakfast *ready.* 아침 식사를 준비해야 한다.

(5) paint, turn, like, wash, break, open 등

He **painted** the door a bright *color.* 그는 밝은 색으로 문을 칠했다. / **Turn** the lights *on.* 전등을 켜시오. / This heat will **turn** the grass *brown.* 이 더위로 잔디가 갈색으로 변할 것이다. / I **like** my tea *sweet.* 나는 홍차가 단것이 좋다. / **Wash** your hands *clean* before each meal. 식전엔 꼭 손을 깨끗이 씻어라. / You may have to **break** the door *open.* 문을 부수고 열어야 할지도 모른다. / **Open** your mouth *wide.* 입을 크게 벌려라. / The Governor **set** the prisoners *free.* 주지사는 죄수들을 석방했다. / The pain **drove** her almost *mad.* 고통으로 그녀는 거의 미칠 지경이었다. / He **shouted** himself *hoarse.* 그는 소리소리 질러서 목이 쉬어 버렸다. / He **tore** the letter *open.* 그는 편지 겉봉을 찢어서 열었다. / He **had** his pocket *picked.* 그는 소매치기를 당했다.

C. 보어가 될 수 있는 어구

명사·형용사 및 그 상당어구. 단, 사역동사·지각동사의 목적격 보어로는 원칙적으로 to 없는 부정사.
(**1**) **명사**: They made her *a doctor.* 그들은 그녀를 의사가 되게 했다. / We thought him *a foreigner.* 우리는 그를 외국인으로 여겼다.
(**2**) **형용사**: It is getting *colder.* 날씨가 추워지고 있다. / The court declared him *guilty.* 법정은 그를 유죄로 선고했다.
(**3**) **분사**: I remained *waiting* for hours. 나는 몇 시간이나 계속 기다렸다. / He seemed *absorbed* in his work. 그는 일에 열중해 있는 것처럼 보였다. / He kept me *standing* out. 그는 나를 계속 바깥에 세워 두었다. / She always kept her drawer *locked.* 그녀는 늘 서랍을 잠가 두었다.
(**4**) **구**(句): Whether you do it or not is *of little consequence.* 당신이 그것을 하느냐 안하느냐는 그다지 중요하지 않다. / Make yourself *at home.* 스스러워 말고 편히 하시지요. / The question is *when to go there.* 문제는 언제 거기 가느냐이다.
주 age, size, color 등은 원래 of로 시작되는 구(句)인데 of가 생략될 때가 많다: The boys are (*of*) the same age. 그 소년들은 동갑이다. / What color (=*Of* what color) is her hair? 그녀의 머리칼은 무슨 색깔인가?
(**5**) **절**(節): The question is *whether it's possible or not.* 문제는 그것이 가능하느냐 안 하느냐다. / You've made me *what I am.* 지금의 나라는 존재는 당신 덕분입니다.
(**6**) **부정사**: They made me *wait* for a long time. 그들은 나를 오랫동안 기다리게 했다. / I saw a plane *take off.* 비행기가 이륙하는 것이 보였다.
참고 ① 다음 구별에 주의: She made him *a doctor.* 그녀는 그를 의사로 키웠다 《him은 목적, doctor는 그 보어》/ She made him a cake. 그녀는 그를 위해 과자를 구웠다. 《him은 간접목적, cake는 직접목적》/ He called me *a coward.* 그는 나를 겁쟁이라고 불렀다. / He called me a taxi. 그는 (나를 위해) 택시를 불러 주었다.
다음 예도 같은 부류로 이해된다: She made herself *a good wife.* (그녀는 자신을 좋은 아내로 만들었다. →) 그녀는 좋은 아내가 되었다. 《이 경우 wife는 herself를 꾸미는 목적 보어. herself는 생략할 수 있음》/ She made him a good wife. 그녀는 그를 위해 좋은 아내가 되었다. 《him은 간접목적(이해의 여격(與格))으로서 생략할 수 있다. wife는 직접목적이지 보어는 아니다.》

문법 해설 (6)

Conjugation (동사 변화)

인칭(Person)·수(Number)·시제(Tense)·법(Mood)·태(Voice)를 나타내기 위한 동사의 어형 변화를 동사 변화(Conjugation)라고 한다. 동사의 변화형은 대별하여 **정형**(定形)(Finite form)과 **비정형**(非定形)(Non-finite form)으로 구별된다. 정형 동사는 주어와 결합되어 있어서, 일정한 서법(敍法), 일정한 시제(Tense)에 속한다. 이를테면 am은 be 동사의 직설법 현재 제1인칭 단수형이다. 정형 동사는 일정한 서법을 가지기 때문에 진술의 구실을 하여 「문장」을 구성할 수 있다. ⇨ 문법 해설 Mood, Sentence
비정형 동사는 주어와 결합되어 있지 않아서 일정한 서법에 속하지 않으며, 시제에 관해서도 극히 제한되어 있다. 부정사·동명사·현재분사·과거분사가 동사의 비정형인데, 이들은 「서법」이 없으므로 진술 능력이 없어 「문장」을 구성할 수 없다.
동사의 정형·비정형의 모든 형태를 만드는 데는, **원형**과 **과거형**과 **과거분사형** 3단계의 변화형이 있는데 이를 **3기본형**(Three principal parts)이라 한다. 이 3기본형과 동시에 **직설법 현재 제3인칭 단수형**과 **현재분사형**을 알면 되는 것이다. 그 중에서도 직설법 현재 제3인칭 단수형과 현재분사형은 비교적 규칙적으로 만들 수 있지만, 3기본형에는 불규칙 동사가 있다(be 동사는 예외적으로 변화가 많다).
동사의 원형에다 -ed (또는 -d)를 붙여서 과거형·과거분사형을 만드는 것을 **규칙 활용**(Regular conjugation)이라 하고, 이와 다른 방식으로 과거·과거분사형을 만드는 것을 **불규칙 활용**(Irregular conjugation)이라 한다. 이와 같은 활용을 하는 동사를 각기 **규칙 동사**(Regular verb), **불규칙 동사**(Irregular verb)라 한다. 또한 넓은 의미로는 조동사에 관해서도 Conjugation이라는 말을 쓸 수 있다.

(1) 직설법 현재 제3인칭 단수형
be 동사 이외의 현재형은 원형과 같지만 3인칭 단수 현재는 어미에 -s 또는 -es를 붙인다. be의 3인칭 단수 현재는 is가 되고, have의 3인칭 단수 현재는 has가 되는 것과 같은 불규칙적인 예는 있지만, 대체로 규칙적으로 변화한다.
A) 원칙적으로 원형에 -s를 붙인다: change → change*s*, lead → lead*s*, leave → leave*s*, make → make*s*, play → play*s*, walk → walk*s*
B) 어미가 y일 경우,
① y의 직전이 자음자이면 y를 ie로 바꾼 뒤에 -s를 붙인다: carry → carr*ies*, study → stud*ies*
② y의 직전이 모음자이면 y를 그대로 두고 -s를 붙인다: employ → employ*s*, destroy → destroy*s*, play → play*s*
주 say [séi] → say*s* [séz]와 같이, -s의 첨가로 인해 모음의 발음이 변하는 예외도 있다.
C) 원형의 어미가 발음상 [s, z; ʃ, ʒ; tʃ, dʒ]로 끝나는 것에는, 철자상으로는 -es를 붙인다(발음은 [-iz]): catch [kǽtʃ] → catch*es*, pass [pǽs | pɑ́:s] → pass*es*, wish [wíʃ] → wish*es*
주 ① 단, 원형의 철자가 e로 끝나 있으면 -s만을 붙인다(발음은 [-iz]): pleas*e* [plí:z] → pleas*es* [plí:ziz], judg*e* [dʒʌ́dʒ] → judg*es* [dʒʌ́dʒiz]
주 ② s, z로 끝나는 단어로서, 바로 앞의 모음이 단모음이면 s 또는 z를 겹치고 -es를 붙인다: gas → gas*ses*, quiz → quiz*zes* 단, bus(버스로 가다)의 경우는 bus*ses*와 bus*es*
주 ③ bias, focus 등에서는 영국식으로는 -s를 겹친다: 《미》 bias*es*, focus*es*; 《영》 bias*ses*, focus*ses*
D) 원형의 어미가 o로 끝날 때는 일반적으로 -es를 붙인다: go → go*es*, radio → radio*es*, veto → veto*es*
주 do → do*es*는 철자상으로는 이 항에 해당하지만, 발음은 [dʌ́z]로 되어 불규칙적이다(do를 포함하는 복합어도 마찬가지: overdo → overdo*es*)
발음상의 주의: 3인칭 단수 현재의 s는 위에서 특별히 지시한 것 이외에는, 무성음 뒤에서는 [s], 유성음 뒤에서는 [z]로 발음된다: hates [héits]; hears [híərz], leads [lí:dz], leaves [lí:vz], makes [méiks], plays [pléiz], studies [stʌ́diz]
(2) 현재분사, 동명사
원형 뒤에 -ing를 덧붙인다. 이때 철자상으로 주의를 요하는 점은 다음과 같다.

A) 원형의 어미의 e는 없앤다: assume → assum*ing*, come → com*ing*, dine → din*ing*, make → mak*ing*
주 dye (염색하다)는 dye*ing*으로 e를 빼지 않아, 다음 항의 die (죽다) → dy*ing*과 구별된다. singe (그을리다)도 singe*ing* [síndʒiŋ]으로 e를 그대로 지녀, sing (노래하다) → sing*ing* [síŋiŋ]과 구별된다. free (해방하다) → free*ing*도 그대로
B) 원형의 어미가 ie일 경우는, e를 없애는 외에 i를 y로 바꾼다. d*ie* → d*ying*; l*ie*[1] (거짓말하다), l*ie*[2] (눕다) → l*ying*; t*ie* → t*ying*; v*ie* → v*ying* 주 단, eye → eye*ing*, ey*ing*
C) 어미가 "단모음+자음자 1개"로 끝나고 그 단모음에 강세가 있을 경우, 자음자를 겹치고 나서 -ing를 붙인다(원형이 단음절일 때도 마찬가지): admít → admit*ting*, beg → beg*ging*, forgét → forget*ting*, stop → stop*ping*
주 ① 단모음이라도 철자상으로 모음자가 2개 포함되어 있는 경우에는 어미의 자음을 겹치지 않는다: head → head*ing*, look → look*ing*
주 ② visit → visit*ing*에서는 강세가 원형의 최종 음절에 있지 않으며, butt → butt*ing*, jump → jump*ing*, lock → lock*ing*에서는 어미의 자음이 1개가 아닌데, 이런 경우에는 원형의 최종 자음자를 겹치지 않는다.
주 ③ hándicap [hǽndikæ̀p] → handicap*ping*과 같이 최종 음절에 제2의 강세가 있는 경우에도, 자음의 바로 앞이 영·미 모두 강하게 발음할 수 있는 단모음이면 마찬가지로 취급한다.
D) 어미가 r로 끝나고 최종 음절에 강세가 있는 경우(원형이 단음절일 때도 마찬가지)에는, ① 만일 r의 앞에 모음자가 1개밖에 없으면 r을 겹친다: occúr → occur*ring*, refér → refer*ring*, bar → bar*ring* (비교: énter ⇨ enter*ing*)
② r의 앞에 2개 이상의 모음자가 계속해 있으면 r을 겹치지 않는다: air → air*ing*, devour → devour*ing*, hear → hear*ing*, roar → roar*ing*,
E) 어미가 l로 끝나고 그 앞에 모음자가 1개일 때, 영국식으로는 l을 겹치지만 미국식으로는 최종 음절에 강세가 있을 때만 겹친다: annul → (미), (영) annul*ling*; equal → (미) equal*ing*, (영) equal*ling*; travel → (미) travel*ing*, (영) travel*ling* 주 단, parallel → (미), (영) parallel*ing*
F) 어미가 s로 끝나고 그 앞의 모음이 단모음일 때, 영국식에서는 단음절어가 아니라도 -s를 겹친다: bias → (미) bias*ing*, (영) bias*sing*; focus → (미) focus*ing*, (영) focus*sing*
G) 어미가 c로 끝나는 것에는 k를 덧붙이고 -ing를 붙인다: panic → panic*king*, picnic → picnic*king*, traffic → traffic*king*

(3) 과거형·과거분사형

규칙 동사의 경우와 불규칙 동사의 경우의 둘로 대별된다.
A) 규칙 동사의 경우: 과거형·과거분사형은 둘 다 원형에 -ed 혹은 -d를 붙여서 만든다.(따라서 과거형과 과거분사형은 같음)
① 원형에 -ed를 붙인다: play → play*ed*, walk → walk*ed*
② 원형이 e자로 끝날 때는 -d만을 붙인다: like → lik*ed*, love → lov*ed*
③ 단음절의 동사로, 모음이 단모음이고 끝이 하나의 자음자로 끝나는 것에는 끝의 자음자를 겹치고 -ed를 붙인다: beg → beg*ged*, omit → omit*ted*, prefer → preferr*ed*(비교: pick → pick*ed*)
주 ① prefer와 같이 r로 끝나는 동사는, (2) D)의 -ing의 경우와 같이 취급된다.
주 ② 단모음이라도 그 철자가 모음자를 2개 포함하는 경우, 끝의 자음자를 겹치지 않는다: head → head*ed*, look → look*ed*
④ 원형이 2음절 이상의 동사로서 최종 음절이 강세가 있는 단모음을 포함하고, 자음자 1개로 끝나는 것에는, 그 자음자를 겹친다: occúr → occur*red*, permít → permit*ted*
주 ① occur와 같이 r로 끝나는 동사는, (2) D)의 -ing의 경우와 마찬가지로 취급된다. 따라서 r 앞에 모음자가 2개 이상 있으면 r을 겹치지 않는다:
devour → devour*ed*
주 ② óffer → offer*ed*에서는, 강세가 최종 음절에 있지 않기 때문에 자음자를 겹치지 않는다.
⑤ 원형의 어미가 "자음자+y"인 경우에는 y를 i로 바꾸고 나서 -ed를 붙이지만, y의 앞이 모음자인 것에는 그대로 -ed를 붙인다: cry → cr*ied*, study → stud*ied*; play → play*ed*
⑥ 원형이 l로 끝나고 그 앞에 모음자가 하나일 경우, 영국식으로는 l을 겹치고, 미국식으로는 최종 음절에 강세가 있는 것에 한해서만 l을 겹친다: annul → (미), (영) annul*led*; travel → (미) travel*ed*, (영) travel*led*
주 단, parallel → parallel*ed*
⑦ bias, focus 등 어미가 s로 끝나고, 바로 앞의 모음이 단모음이면, 영국식으로는 -s를 겹친다: bias → (미) bias*ed*, (영) bias*sed*; focus → (미) focus*ed*, (영) focus*sed*
⑧ 원형의 어미가 c로 끝나는 것에는 k를 덧붙이고 나서 -ed를 붙인다: panic → panic*ked*, picnic → picnic*ked*
발음상의 주의: 어미의 -ed는 다음과 같이 세 가지로 발음된다. ① 원형의 어미가 t, d에 이어지는 ed는 [-id]로 발음된다: fad*ed* [féidid], mend*ed* [méndid], wait*ed* [wéitid]
② 어미가 [t] 이외의 무성 자음에 이어지는 ed는 [-t]로 발음된다: look*ed* [lúkt], laugh*ed* [lǽft | lɑ́:ft], miss*ed* [míst], wash*ed* [wɔ́:ʃt, wɑ́ʃt | wɔ́ʃt], fetch*ed* [fétʃt]
③ 원형의 어미가 [d] 이외의 유성 자음 또는 모음에 이어지는 ed는 [-d]로 발음된다: begg*ed* [bégd], call*ed* [kɔ́:ld], learn*ed* [lə́:rnd], lov*ed* [lʌ́vd], stay*ed* [stéid], studi*ed* [stʌ́did]
④ 과거분사가 분사형용사로 쓰여지는 경우는 [id]가 된다: learn*ed* [lə́:rnid](박학한) (learn*ed* [lə́:rnt, lə́:rnd] 과거·과거분사); bless*ed* [blésid](행복한) (bless*ed* [blést] 과거·과거분사)
B) 불규칙 동사의 경우: 대별하여 다음의 5가지가 있다.(권말의 불규칙 동사표 참조)
① AAA형 (원형·과거형·과거분사형이 같은 것):
cost—cost—cost, hit—hit—hit, let—let—let
② ABB형(과거형과 과거분사형이 같은 것):
buy—bought—bought, win—won—won
③ AAB형(원형과 과거형이 같은 것):
beat—beat—beaten
④ ABA형(원형과 과거분사형이 같은 것):
come—came—come, run—ran—run
⑤ ABC형(원형·과거형·과거분사형이 각각 다른 것):
begin—began—begun, sing—sang—sung, see—saw—seen, swim—swam—swum

문법 해설 (7)

Correlative Conjunction

(상관 접속사)

both ... and, either ... or, neither ... nor, not only ... but (also) 등처럼 한 쌍의 어구가 연관되어 접속 작용을 하는 것을 **상관접속사**(Correlative conjunction)라 하며, 각 쌍의 제1(both

등), 제2(and 등) 요소를 **상관어구**(Correlative)라 한다. 여기서는 and 등의 등위 접속사를 내포하여 등위 접속사에 상당하는 기능을 가진 것을 다루는데, 이것을 **등위 상관 접속사**(Coordinate correlative conjunction)라고 부른다. 이 밖에 scarcely ... when, hardly ... before, no sooner ... than, so ... that, such ... that, whether ... or처럼 **종위 상관 접속사**(Subordinate correlative conjunction)라고 불리는 것이 있는데, 본 항목에서는 다루지 않는다. 등위 상관 접속사 전반에 공통된 것으로서는 다음과 같은 사항에 주목할 필요가 있다.

(1) 병렬(竝列)의 형식

both A and B 등에 있어서 A와 B는 같은 품사이든가 또는 문법상의 기능이 같아야 하는 것이 원칙이다.

A) This is both *interesting* and *instructive*. 이것은 재미도 있고 교육적이기도 하다.

B) He must be either *a singer* or *a dancer*. 그는 틀림없이 가수 아니면 무용가일 것이다.

C) You should neither *drink* nor *smoke*. 너는 술도 담배도 해서는 안 된다.

D) She is well-known not only *in Korea*, but also *in many other countries*[but *all over the world*]. 그녀는 한국에서 뿐만 아니라 많은 다른 나라에서도[전 세계에서도] 유명하다. / Not only *you* but also *your friends* must apologize. 너뿐만 아니라 너의 친구들도 사과해야만 한다.

위 예문들 중 A)에서는 interesting과 instructive가 같은 형용사이고, B)에서는 a singer와 a dancer가 다 같이 관사가 붙은 보통 명사, C)에서는 drink와 smoke가 같은 동사, D)에서는 in Korea와 in many other countries[all over the world]가 모두 장소를 나타내는 부사구이다.

D)에서 She is well-known not only *in Korea* but *many other countries.*라고 하면 균형이 깨지게 된다(in Korea가 부사구인데 대해 many other countries는 명사구인 것이다). 실제로는 어조 관계로 both *on Sunday* and *Saturday*와 같은 불균형이 저질러지기도 하지만 전통적 문법에서는 잘못으로 간주된다. 우리들 외국인으로서는 초보 단계에 있을 동안은 이를 피하는 것이 안전하다.

(2) 주어와 동사

상관 접속사를 사용한 어구가 주어가 되는 경우 동사의 인칭과 수에 주의할 필요가 있다.

A) both A and B는 항상 복수: *Both* my brother *and* I *are* students. ⦅my brother and I = we⦆

B) 다른 세 상관 접속사에서는 ① A, B가 취하는 동사형이 일치하면 동사는 이에 맞추고, ② A, B가 취하는 동사형이 다른 경우에는 동사는 B에 맞춘다.

① Either he or she *is* to blame. 그와 그녀 중 어느 한 쪽이 나쁘다[책망받아야 한다]. ⦅he *is*, she *is*⦆/ Neither he nor I *was* wrong. 그도 나도 잘못이 아니었다. ⦅he *was*, I *was*⦆/ Not only we but (also) they *know*. 우리들뿐만 아니라 그들도 알고 있다. ⦅we *know*, they *know*⦆

② Either he or I *am* to blame. 그와 나 중에서 어느 한 쪽이 나쁘다. ⦅he is, I *am*⦆/ Not only he but we *were* glad. 그 사람뿐만 아니라 우리들도 기뻐했다. ⦅he was, we *were*⦆/ Not only she but (also) they *know*. 그녀뿐만 아니라 그들도 알고 있다. ⦅she knows, they *know*⦆

[주] 단, ②의 형태는 되도록 피하고 다음과 같이 바꾸어 말하는 것이 무난하다: Either *he is* to blame, or *I am*. 그가 나쁘든지 내가 나쁘든지 어느 한 쪽이 나쁘다. / Both *she* and *they* know. 그녀와 그들이 모두 알고 있다.

[참고] ① A **as well as** B와 **both** A **and** B, **not only** A **but** (**also**) B, 이들 셋은 대체로 그 뜻은 같지만 A as well as B에서 B는 「더부살이」로서 동사는 A 만으로 정해진다: *He* as well as I *is* to blame. 나와 마찬가지로 그도 나쁘다[책망받아야 한다]. → 위 A), B)의 해당 예문과 비교할 것.

[참고] ② **both** A **and** B의 both, 및 **either** A **or** B의 either는 「더부살이」이며 이것들을 빼놓아도 별로 뜻이 달라지지 않는 경우가 흔히 있다. 위의 주어와 동사에 관한 법칙도 각각 A ***and*** B, A ***or*** B에 대한 일반 법칙의 응용에 불과하다.

[참고] ③ **not only** A **but** (**also**) B에 있어서의 **also**의 유무

A) **also** 없음: ① ⦅B가 A를 포함⦆ He is well-known *not only* in Korea *but* throughout the world. 그는 한국뿐만 아니라 전 세계에서 유명하다. ② ⦅B는 A의 자세한 진술⦆ This dictionary is *not only* good, *but* very good. 이 사전은 그냥 좋을 뿐만 아니라 대단히 좋다.

B) 두 형식 병용 ⦅A와 B는 대등하며 별개⦆: There is *not only* concision in these lines *but* elegance too. (이 시구는 간결함뿐만 아니라 우아함도 갖추고 있다.)

[참고] ④ **not only에 이어지는 절의 어순**: not only A but B에서 A, B는 보통은 문장의 한 요소(주어·술어 동사·목적어·보어·부사 등)에 불과하지만 때로(주로 글로 쓴 문장에서) A, B에 절을 사용하고 싶을 때가 생긴다. 그런 경우 보통 A에서의 주어와 동사가 도치된다.: *Not only was* he driving too fast *but* he was also thinking of something else. 그는 과속으로 차를 몰았을 뿐만 아니라 뭔가 다른 생각을 하고 있었다.

A) be, have 및 일반 조동사(곧 변칙 정형(定形) 동사)인 경우에는 그대로 도치: Not only *was he* the right man, but *his friends were* very cooperative. 그가 적임자였을 뿐만 아니라 그의 친구들도 매우 협조적이었다.

[비교]: Not only *he* but *she* is kind. 그 사람뿐만 아니라 그녀도 친절하다. ⦅A, B는 모두 주어뿐⦆

B) 일반 동사의 경우에는 동사에 조동사 do를 덧붙여 도치 ⦅물론 do는 인칭·시제·수에 따라 변화한다⦆: Not only *do we know* him, but *we know* him inside out. 우리들은 그를 알고 있을 뿐만 아니라 그의 일이라면 속속들이 다 알고 있다.

위 A)의 예문에서는 A, B가 주부·술부에서 모두 공통점을 갖고 있지 않으므로 보통 형식으로 바꿀 수가 없지만 B)의 예문에서는 주어가 공통되어 있으므로 도치를 쓰지 않은 보통 형식으로 바꾸어 말할 수가 있다: We not only *know* him, but *know* him inside out. 따라서 이 경우 Not only를 글 첫머리에 놓은 것은 주로 문장을 강조하기 위한 것이다.

문법 해설 (8)

Countable, Uncountable

(가산(可算) 명사와 불가산(不可算) 명사)

명사는 여러 관점에서 분류할 수 있는데, 그 한 가지로 **가산 명사**(Countable)와 **불가산 명사**(Uncountable)로 구별하는 방식이 있다.

가산 명사란 하나, 둘 같이 수사를 사용하여 셀 수 있는 것으로 부정 관사 a, an이나 many, few를 붙이거나 복수형으로 만들 수 있는 명사를 말한다. man, boy, dog, tree 등의 **보통 명사**(Common noun)나 army, chorus(합창단), class, family, nation(국민) 등의 **집합 명사**(Collective noun)가 이에 속한다. 반대로 하나, 둘 하고 셀 수 없는 명사, 예컨대 love(사랑) 같은 추상 명사를 불가산 명사라고 한다. 같은 낱말일지라도 그 뜻에 따라 가산 명사로 되기도 하고 불가산 명사가 되기도 하는 것이 있다. 즉, 하나하나의 구체적인 사실을 나타낼 경우는 가산 명사인데도 추상적인 뜻을 나타낼 경우에는 불가산 명사가 된다. 이를테면 beauty는 「아름다움」이란 추상 개념을 나타내어 불가산 명사이지만 「아름다운 사람」이란 뜻으로는 가산 명사가 된다.

따라서 대체로 어떠한 명사가 어떠한 뜻에서 가산 명사 내지 불가산 명사로 많이 쓰이는가의 경향을 파악하는 것은 유익하다고 하겠으나, 동시에 그 구분이 절대적인 것이 아니라는 점에도 유의해 둘 필요가 있다.

(1) 가산 명사

단수(Singular), 복수(Plural)의 구별이 있고, 단수는 보통 관사 없이는 쓰이지 않아 부정관사 a, an 등을 붙이고, 복수에는 many, (a) few, several 등을 붙일 수가 있다: *a* book (한 권의 책) / *an* animal (한 마리[종류]의 동물) / *a* large family ((하나의) 대가족) / *many* children (많은 아이들) / *a few*[*few*] weeks ago 2, 3주 전 / *several* nations (몇몇 민족들) ⇨ 문법 해설 Number

이에 속하는 명사:

A) **보통 명사**(Common noun): book, man, child, lady, summer, river, etc.

B) **집합 명사**(Collective noun): audience, cattle, police, people, family, nation, army, etc.

C) **고유 명사**(Proper noun) ① 보통 명사적으로 쓰인 것: His wife was *a Wilson.* 그의 아내는 윌슨 가문의 사람이었다. / There are *three Smiths* in my class. 내 반에는 스미스 성의 사람이 3명 있다. / He will make *another Lincoln* some day. 그는 언젠가는 링컨과 같은 훌륭한 사람이 될 것이다.

② the *New York Yankees* 「뉴욕 양키스」 《야구팀 이름》

(2) 불가산 명사

단수·복수의 구별은 없고 관사 없이 쓰든가 much, (a) little 등을 붙인다: *much* water (대량의 물) / *a little* patience (다소의 인내)

이에 속하는 명사:

A) **물질 명사**(Material noun): salt, air, wood, water, ink, money, etc.

㊟ 다음 낱말도 물질 명사로 취급한다: furniture, fruit 《종류에 관계없이 총칭적인 뜻인 경우》, fish 《「어육」의 뜻인 경우》

B) **추상 명사**(Abstract noun): hope, beauty, virtue, kindness, patience, attention, knowledge, etc.

[참고] ① 불가산 명사가 주어가 될 경우에 동사는 단수: Much time *has* been wasted. 많은 시간이 낭비되었다. / Kindness *is* a virtue. 친절은 하나의 미덕이다.

[참고] ② 불가산 명사에 수(數)의 개념을 주기 위해서는 보통 그 명사 앞에 다음과 같은 말을 덧붙여야 한다: *a cup of* tea (한 잔의 차) / *a sheet of* paper (1장의 종이) / *two pairs of* scissors 가위 두 자루 / *a glass of* milk (한 컵의 우유) / *a piece of* advice (한마디의 충고) / *a piece of* furniture (한 점의 가구) / *several pieces of* chalk (몇 개의 분필) / *a few bits* [*slices*] *of* bread (몇 조각의 빵) / *two pounds of* meat 고기 2파운드

[참고] ③ 보통 불가산 명사로 쓰이는 낱말이 가산 명사로 쓰여 부정 관사나 복수형을 취할 때도 있는데 이 경우에는 그 뜻이 달라진다: This is *an excellent coffee.* 이것은 고급 커피입니다. 《종류》 / I bought *an iron* made in Korea. 나는 한국제 다리미를 샀다. 《제품》 / Everybody feels happy when he has done *a kindness.* 사람은 누구나 친절을 베풀었을 때는 행복감을 느낀다. 《구체적 행위》 / cross the *waters* (바다를 건너가다) / drink [take] the *waters* (약수(광천수)를 마시다; 온천 치료를 하다) 《낱말 뜻의 전화(轉化)》

문법 해설 (9)

Ellipsis (생략)

문장의 전후 관계, 언어 경험, 또는 관용적으로 글 뜻이 분명할 때에, 반복을 피하고 간결하게 하기 위해서 문장의 일부를 나타내지 않는 것을 **생략**(Ellipsis)이라고 한다. 생략에는 반복어구의 생략과 비반복어구의 생략이 있으며, 주로 회화·일기문·전보문·게시·격언·표어·광고문 등에서 자주 쓰인다.

생략은, 문의 주요소인 주어·동사(구)·「주어+동사」 및 기타 어구에서 일어난다.

(1) 주어의 생략: (*I*) Thank you very much. 대단히 감사합니다. / (*I*) Beg your pardon. 죄송합니다. / (*It*) Doesn't matter. 상관없다. / (*It*) Serves him right. 그것 참 고소하다. 《미운 사람이 잘못되는 것을 보고 하는 말》 / (*You*) Behave yourself. 얌전하게 굴어요. 《명령문의 you의 생략》 / (*I*) Got up at six. 6시에 일어났다. 《일기문의 I의 생략》

(2) 동사, 동사+기타어의 생략: Can you swim? — Yes, I can (*swim*). 수영할 줄 압니까? — 네, 할 줄 압니다. / To err is human, to forgive (*is*) divine. 실수는 인지상사요, 이를 용서함은 신의 본성이다. / I can run faster than you (*can run*). 나는 너보다 빨리 달릴 수 있다. / Some of them learn English, and others (*learn*) French. 그들 중에는 영어를 배우는 사람도 있고, 불어를 배우는 사람도 있다. / What (*would happen*) if you should fail? 네가 실패하면 어쩌겠는가? (큰일이다) / You may go, if you want to (*go*). 가고 싶으면 가도 좋다. / (*Give me*) Your name and address, please. 이름과 주소를 알려 주십시오.

(3) 「주어+동사」의 생략:

a) 접속사(when, though, if, while 등) 뒤에서 「주어+be동사」를 생략하는 경우: When (*he was*) young, he was very bright. 젊어서는 그는 아주 머리가 좋았다. / Though (*she was*) alone, she never felt lone-

ly. 그녀는 혼자였지만 결코 외로움을 느끼지 않았다. / I'll go with you, if (*it is*) necessary. 만약에 필요하다면 함께 가도록 하겠다. / Never make a noise with your mouth while (*you are*) eating or drinking. 먹거나 마시거나 할 때에 입으로 소리를 내서는 안 된다.
b) 감탄문·명령문·의문문·응답의 문장 등에서 : (*You are*) Welcome! 어서 오십시오! / What a fine day (*it is*)! 참 좋은 날씨로구나! / What (*does it matter*) if I fail? 실패한들 무슨 상관이냐? / (*I wish you*) A Happy New Year! 근하신년! / ((*You*) *tell me*) Your name, please. 성함을 말씀해 주시오. / ((*You*) *take your*) Hats off! 탈모! / (*Have you*) Got a lighter? 라이터 있습니까? / (*Have you*) Ever been in Seoul? — No, (*I have*) never (*been there*). 서울에 계신 적이 있습니까? — 아뇨, 없습니다. / How are you? — (*I am*) Quite well, (*I*) thank you. And (*how are*) you? 안녕하세요? — 네, 감사합니다. 당신은요? / Money (*which is*) lent is money (*which is*) spent. 꾸어준 돈은 써버린 돈이다. 《관계 대명사와 be 동사의 생략》
(4) 어구의 생략
a) I called at my uncle's (*house*). 《명사》 나는 아저씨 댁을 방문했다. / I met him at a barber's (*shop*). 《명사》 나는 그를 이발관에서 만났다. / He sat on a bench reading a paper, (*with a*) pipe in (*his*) mouth. 《전치사·대명사》 그는 입에 파이프를 물고 신문을 읽으며 벤치에 앉아 있었다. / Were I a bird, I would fly to you. = *If* I were a bird, ... 《If의 생략》 내가 새라면 네게로 날아갈 텐데. / That is the house (*which*) he lives in. 《관계대명사》 저것이 그가 사는 집이다. / I think (*that*) he is clever. 《접속사》 그가 영리하다고 생각한다. / (*Being*) Tired with walking, she went to bed early. 《분사》 걷느라 지쳐서 그녀는 일찍 잠자리에 들었다.
b) **수사(數詞) 뒤의 생략**: a boy of seven (*years of age*) 7세의 소년 / at five (*minutes*) past ten (*o'clock*) 10시 5분에
(5) 속담·게시문 등
(*If one is*) Out of sight, (*one is*) out of mind. 만나지 않으면 마음도 소원해진다. / (*There is*) No smoke without fire. 아니 땐 굴뚝에 연기 날까. / No parking (*is allowed here*). 주차 금지. / No smoking (*is permitted here*). 금연. / (*This is*) Not for sale. 비매품. / A cook (*is*) wanted. 요리사 구함.

문법 해설 (10)

Emphasis (강조)

문중의 특정 어구를 특히 **강조**(Emphasis)해서 표현하는 방법으로서, 다음과 같은 문법적 방식이 있다. ① It is ~ that[who, which, *etc.*] ② 조동사 do[does, did]의 사용 ③ 강조어구(Intensifier)의 사용 ④ 재귀대명사의 사용 ⑤ 동일 어구 또는 유사어의 반복 사용 ⑥ 어순의 변경·도치 ⑦ 수사의문 등의 형식을 취한다.

(1) 강조 구문 It is ... that[who, which, *etc.*] ...
이 구문으로 문중의 주어·목적어·부사(구) 등을 강조할 수 있다 《단 술어 동사를 이 구문으로 강조할 수는 없다》.
A) **주어를 강조**: *It is* **Tom** *that* solves this problem. 이 문제를 푸는 사람은 톰이다.
B) **목적어를 강조**: *It was* **America** *that* Columbus discovered. 콜럼버스가 발견한 것은 아메리카였다.
C) **부사(구)를 강조**: *It is* **seldom** *that* he comes this way. 그가 이 길로 오는 일은 드물다.
[주] ① 강조되는 부사구가 「때」 또는 「장소」를 나타낼 때에는 that 대신에 각각 when, where를 쓰기도 한다: It was after dark *when* we reached home. 우리가 집에 도착한 것은 해가 완전히 저문 후였다. / It was on the street corner *where* we met for the first time. 우리가 처음 만난 곳은 그 거리의 모퉁이였다.
[주] ② '전치사+명사'의 부사구를 강조하는 경우, 부사구 전체를 앞에 내놓아도 되고 명사만을 내놓아도 될 때가 있다:

They are fighting for their freedom.
→ It is *for their freedom* that they are fighting.
  It is *their freedom* that they are fighting for.

[참고] ① It is ... that ...로 주어가 강조될 때, that는 관계대명사이며, 종종 who[which]로 바뀐다. 그 다음에 계속되는 동사의 인칭·수는 강조되는 명사·대명사와 일치한다: It is *you who are* wrong. 틀린 것은 너다. / It's *I who am* right. 옳은 것은 나다.
[참고] ② 강조 구문 It is ... that ...의 be 동사의 시제는 종속절의 시제에 일치시킨다: It *was* in San Francisco *that* I *met* him. 그를 만난 것은 샌프란시스코에서였다. — 다만, it must[may, can] be의 경우엔, it must[may, can] have been의 형으로 현재의 판단을 나타낼 수가 있다: It *may have been* my husband who *sent* this. 이것을 보낸 것은 내 남편일지도 모른다.
(2) 도치에 의한 강조
Away went the patrolman. 순찰 경찰관은 가 버렸다. / *Happy is* the man who is contented. 만족하는 사람은 행복하다. ⇨ 문법 해설 Inversion
(3) 조동사 do에 의한 강조
동사를 강조하기 위해서 조동사 do를 쓰며, 시제·인칭·수 등의 일치를 do에 맡기고 본래 동사를 원형으로 한다: I *do* think you ought to go. 너는 꼭 가야 한다고 생각한다. / Who *did* break the window? 도대체 누가 창문을 깼니?
[주] ① 발음 강세는 본동사에 두지 않고, do에 둔다.
[주] ② be 동사에 대해서는 이 방법은 명령형에만 쓰인다: *Do* be quiet! 조용히 하라니까!
[주] ③ 명령형 이외의 be의 정형(定形) 동사는, 그 자체에 발음의 강세를 두어 강조한다 《인쇄에서는 보통 이탤릭체로 이것을 나타낸다》: I *am*[ǽm] tired. 정말 지쳤어요.
(4) 강조 어구
이것은 문중 어디를 특히 강조하느냐를 나타내는 것이 아니라, 단지 어느 부분을 강조해서 말하는 방법이다. 주요한 것은 다음과 같다.
A) **부정의 강조** not a ..., at all, in the least, by any means, never, on earth, whatever 등: *Not a* soul was to be seen in the street. 거리에는 단 한 사람의 그림자도 보이지 않았다. / I'm not tired *in the least*. 전혀 피곤하지 않다. / It's no use *on earth*. 조금도 쓸모가 없다. / *Never* was she so frightened. 그녀가 그처럼 놀란 적은 한 번도 없었다. / I saw nothing *whatever*. 전혀 아무것도 보이지 않았다.
B) **특정의 부사구와 의문사의 병용** ever, on earth, in the world 등: Did you *ever* hear of such a thing? 도대체 그런 일을 들어본 적이 있습니까? / What

on earth is the matter? 도대체 어찌된 일이냐? / Who *in the world* broke the vase? 도대체 누가 그 꽃병을 깼느냐?

C) **oneself**에 의한 강조 「…자신; 몸소; …까지(도)」: You ought to do that *yourself*. 너 스스로 그것을 하는 것이 당연하다. / That poor boy was *myself*. 그 가엾은 소년은 바로 나였다.

D) **all, every**의 강조 「가능한; 생각[상상]할 수 있는」의 뜻의 possible, conceivable, imaginable 등을 덧붙인다: use every *conceivable* method 생각할 수 있는 모든 방법을 사용하다 / I tried all *possible* means, but I couldn't persuade him. 가능한 모든 수단을 시도해 봤지만 그를 설득할 수가 없었다.

E) 비교급·최상급의 강조 much, by far, ever 등을 쓴다: *By far* the better means is this. 훨씬 더 좋은 방법은 이것이다. / the *very* best one 단연 최고로 좋은 것 / He is the greatest poet that *ever* lived. 여태까지 그처럼 위대한 시인은 없다.

F) **as ... as, so, such**의 강조 ever를 쓴다: be it *ever* so humble 아무리 그것이 초라할지라도 / Be as quick as *ever* you can! 될 수 있는 대로 빨리 해라!

G) 강의어에 의한 강조 very, highly, exceedingly, terribly, extremely 등: It's *terribly* cold today. 오늘은 굉장히 춥다. / He did it under my *very* nose. 그는 그것을 바로 나의 코 앞에서 했다.

H) 동일어구의 반복에 의한 강조

many, many years ago 아주 먼 옛날 / It rained for *hours* and *hours*. 몇 시간이고 비가 내렸다.

I) 수사(修辭) 의문에 의한 강조

Who knows? (=No one knows.) 누가 알겠는가? (아무도 모른다) / *Isn't* it funny? (=It is very funny.) 정말 재미있지 않은가?

문법 해설 (11)

Gerund (동명사)

부정사·분사와 함께 준동사형에 속하는 동사의 변화형의 하나이며 어미가 -ing로 끝나는 점에서 현재분사와 형태가 같다. 그러나 현재분사가 본래의 동사적 성질의 일부와 형용사적 성질을 겸하여 갖추고 있는 데 대해, **동명사**(動名詞; Gerund)는 본래의 동사적 성질의 일부와 명사적 성질을 겸하고 있다.
동명사의 동사적 성격은 목적어·보어·부사(구)를 취하고 혹은 부사 요소(副詞要素)에 의해 수식될 수 있으며 완료형이나 수동태를 만든다. 명사적 성질이 우선할 경우는 관사 및 형용사 등 수식어구를 취하고 전치사의 목적어가 되며 복합어를 만들 수 있다.
동명사에는 4가지 형태가 있는데 그 어느 것에든 -ing가 포함된다.

	능동태	수동태
단순형	writ*ing* 쓰기	be*ing* written 쓰이는 일
완료형	hav*ing* written 쓴 일	hav*ing* been written 쓰여진 일

㊟ -ing를 붙일 때 동사의 철자에 생기는 변화는 현재분사의 경우와 같다.
⇨ 문법 해설 Conjugation. 또한 현재분사의 용법에 관하여는 ⇨ 문법 해설 Participle.

(1) 동명사와 -ing형의 명사

It means a lot to me *seeing* you every week. (매주 당신을 만나는 것은 내게 매우 중요하다.)에서 seeing은 동사 see에 어미 -ing를 붙인 것으로 본래 동사이기 때문에 you라는 목적어를 취하고 있고 주어의 역할도 하고 있다.

(2) 동명사와 현재분사

동사의 원형에 -ing를 붙이는 점에서 동명사와 현재분사는 똑같은 형태이지만 동명사는 명사의 역할을 하고 현재분사는 형용사의 역할을 하는 점에서 아주 별개의 기능을 갖는다. a *walking* stick(=a stick used for walking)처럼 동명사가 명사 앞에 놓여 있을지라도 본질적으로는 「명사+명사」여서 a schóol bùs (통학 버스)가 복합어인 것처럼 복합어이다. 반대로 a *walking* dictionary (살아 있는 사전)의 경우는 walking (걷는, 걸어 다니는)이 형용사로서 다음 명사를 수식하여 「형용사+명사」의 형태이다.
따라서 「동명사+명사」에서는 일반적으로 앞의 동명사에 1차 강세(primary stress)를, 뒤의 명사에 2차 강세(secondary stress)를 주어 발음하는데, 「현재분사+명사」의 경우는 뒤의 명사에도 주 강세가 놓여 2중 강세가 된다: a dáncing gìrl (무희) 《동명사》, a dáncing gírl (춤추고 있는 소녀) 《현재분사》

㊟ 이 강세의 구별은 기본 원칙에 지나지 않는다.

(3) 준동사(準動詞; verbal)로서의 동명사

동명사는 준동사의 일종이기 때문에 술어동사는 될 수 없지만 그 밖의 동사적 기능을 지니고 있다.

A) 목적어나 보어를 수반한다:

Doing *everything* is doing *nothing*. 모든 것을 하는 것은 아무것도 하지 않는 것과 같다. 《everything, nothing이 각각 동명사의 목적어》 / I'm sorry for giving *you* so much *trouble*. 당신께 많은 폐를 끼쳐 미안합니다. 《you는 간접목적어, trouble은 직접목적어》 / Becoming *a doctor* requires years of study. 의사가 되기 위해서는 여러 해의 공부가 필요하다. 《a doctor가 보어》

B) 부사적 수식어를 수반한다:

What will running *away* accomplish? 도망가서 무엇 하나? 《부사》 / Fishing *in this lake* is forbidden. 이 호수에서 낚시질하는 것은 금지되어 있다. 《부사구》 / There are laws against driving *while* (*you are*) *under the influence of liquor*. 음주 운전을 해서는 안 된다는 법률이 있다. 《부사절》

㊟ 다음과 같이 형용사로 수식되는 -ing형은 이미 명사화 되었다고도 볼 수 있다:

Heavy smoking caused his lung cancer. 심한 흡연은 그에게 폐암을 일으켰다. 《명사화》 (비교) Smoking *heavily* caused his lung cancer. 《동명사》

(4) 동명사의 주어

A) 동명사의 주어는 명사[대명사]의 소유격으로 나타낸다:

I don't like *your* coming late every time. 나는 네가 늘 늦게 오는 것이 마음에 들지 않는다. / They talked about *Paul's* missing classes. 그들은 폴이 수업을 빼먹은 것에 대해 얘기했다.

B) one's -ing (동명사의 주어+동명사)가 동사 또는 전치사의 목적어의 위치에 올 때에는 동명사의 주어가 목적격이 되는 경향이 강하다.

① 동명사의 주어가 추상명사 또는 성(性)이 없는 명사인

경우:
I can't stand *things* not being kept in their proper places. 나는 물건이 제자리에 있지 않는 것은 참지 못한다.
② 동명사의 주어가 사람인 경우에도 절(節)이나 구를 이루거나 수식구를 가질 경우:
Was there any chance of *the people in the next room* hearing the conversation? 옆방의 사람들에게 그 대화가 들릴 가능성이 있었을까? / The teacher insisted on *whoever broke the window* apologizing. 선생님은 유리창을 깨뜨린 사람이 누구일지라도 사과해야 한다고 주장하셨다. 《whoever의 주격은 관계절 중의 broke에 대한 것으로서 관계절 전체가 apologizing의 주어 구실을 한다.》
③ 동명사의 주어가 사람이고 짧은 어구로 표현되어 있으나, 구어인 경우:
I remember *my teacher* saying so. 선생님이 그렇게 말씀하신 것을 기억하고 있다.
㊟ 구어에서는 동명사의 주어가 대명사라도 목적격을 취할 때가 있다:
Pardon *me* saying it. 제가 그것을 말씀드리는 것을 용서해 주십시오. / I can't excuse *him* speaking so rudely. 그가 그토록 무례하게 말하는 것을 용서할 수가 없다.
④ all, each, this, some, few가 동명사의 주어가 될 경우:
Is there any likelihood of *this* being true? 이것이 사실일 수가 있습니까? / There is a possibility of *several* coming later. 나중에 몇몇 사람이 더 올 가능성이 있다.
C) 동명사의 주어가 문장 전체의 주어와 일치하거나 일반적 사항을 말하는 동명사일 경우에는 일부러 동명사의 주어를 표시할 필요는 없다:
I'm sorry for *giving* you so much trouble. 당신께 많은 폐를 끼쳐 미안합니다.
㊟ 주어 이외의 문장 중의 명사·대명사가 동명사의 주어가 될 때에도 이것이 생략될 때가 있다:
The pain in my throat made *speaking* difficult. 목이 아파서 말하기가 곤란했다. 《의미상의 주어는 「나」》.

(5) 동명사의 용법
동명사는 명사 상당어(相當語)이므로 주어·보어·목적어가 된다.
A) 주어가 될 경우:
Teaching is learning. 가르치는 일은 배우는 일이다. / *Being* honest at all times is not always easy. 어떠한 때에든 정직하다는 것은 쉬운 일이 아니다.
B) 보어가 될 경우:
Seeing is *believing*. 보는 것이 믿는 것이다; 백문이 불여일견. / His business is *selling* books. 그의 직업은 책을 파는 일이다.
C) 목적어가 될 경우:
She enjoys *making* her own dresses. 그녀는 자기의 드레스를 만들기 좋아한다. / I don't like *being disturbed* while reading. 나는 책을 읽는 동안 방해 받는 것을 좋아하지 않는다.

(6) 동명사와 부정사
A) 부정사도 주어·보어·동사의 목적어가 될 수 있기 때문에, *Seeing* is *believing*. →*To see* is *to believe*. / His business is *selling* books. →His business is *to sell* books. / I like *swimming*. →I like *to swim*.으로 각기 바꾸어 쓸 수는 있다. 하지만 동사의 목적어가 될 경우에는 그 동사에 따라 동명사를 취하든가, 부정사를 취하든가, 그 양쪽을 모두 취하든가의 차이가 있으므로 주의할 필요가 있다. 둘 다 취할 경우, 그 사이에 의미상의 큰 차이가 없는 것이 보통이지만 차이가 생기는 경우도 있다: He wants *to paint*. 그는 그림을 그리고 싶어한다. / The door wants *painting*. 그 문은 페인트칠이 필요하다.
① 주로 동명사만을 목적어로 하는 동사:
acknowledge, admit, deny, own, report, adore, escape, evade, fancy, finish, justify, mind, miss, postpone, resent, risk, stop, tolerate, understand 등
② 동명사·부정사의 양쪽을 목적어로 하는 동사: begin, cease, commence, decline, deserve, hate, like, propose, regret, remember 등
B) 부정사는 전치사의 목적어가 될 수 없지만 동명사는 될 수 있다:
I am fond *of teaching*. 나는 가르치기를 좋아한다. 《I am fond *of* to teach.라고는 할 수 없다.》

(7) 동명사의 시제와 태(態)
A) 다른 준동사와 같이 동명사도 시제의 차이를 형태상으로 표현할 수가 없다. 따라서 단순형의 동명사는 주동사의 시제나 그 의미에 따라 현재·과거·미래로 다른 시제를 나타낸다:
Please refrain from *smoking* in the vehicle. (차 안에서는 담배를 삼가시오.)에서 smoking은 현재를 나타낸다. I am sure of *arriving* in time for the train. (나는 기차 시간에 댈 수 있게 도착하리라는 것을 확신하고 있다.)에서 arriving은 미래를 나타낸다. We thank them for *coming*. (우리는 와 준 데 대해 그들에게 감사한다.)에서 coming은 과거를 나타낸다.
B) 문맥만으로 동명사의 동작이 문장의 술어동사의 동작보다 시간적으로 앞서 있다는 것을 명확히 나타낼 수 없을 때에는 완료형을 쓴다:
He regrets *having said* such things. (그는 그런 말을 한 것을 후회하고 있다.)에서 having said는 현재완료나 또는 과거를 나타낸다. He regretted *having said* such things. (그는 그런 말을 한 것을 후회했다.)에서는 having said가 과거완료를 나타낸다.
C) 동명사는 태(voice)에 무관하다:
His house wants *mending*. (그의 집은 수리할 필요가 있다.) 또는 The subject is not worth *discussing*. (그 문제는 논의할 가치가 없다.)에서 mending, discussing은 각기 수동의 뜻이다. 단, 능동과 수동에 따라 뜻이 달라질 우려가 있을 때에는 특히 수동형이 쓰인다:
He was afraid of *being punished*. 그는 벌받을 것을 두려워하고 있었다. (비교 He was afraid of *punishing*. 그는 벌주는 것을 두려워하고 있었다.)
㊟ 다음과 같은 경우도 있다:
She deserved *punishing* for *punishing* me. 그녀는 나를 벌준 죄로 벌을 받아도 쌌다.

(8) 동명사의 관용
A) There is no -ing (…할 수가 없다):
There is no saying what may happen. 무슨 일이 일어날지 알 게 뭐야(말할 수가 없다). / *There was no believing* a word she uttered. 그녀가 한 말은 한 마디도 믿을 수가 없었다. / *There is no accounting* for tastes. 《속담》 기호라는 것은 설명할 수가 없다; 사람의 기호는 천차만별이다.
B) cannot help -ing (…하지 않을 수 없다):
I *cannot help laughing*. 나는 웃지 않을 수가 없다. / I *cannot help thinking* so. 나는 그렇게 생각하지 않을 수가 없다. ㊟ help는 「피하다」의 뜻.
C) feel like -ing (…하고 싶은 마음이 들다):
I *feel like crying*. 나는 울고 싶은 마음이 든다. / I *feel like reading* that book. 나는 그 책을 읽고 싶은 마음이 든다.
D) be far from -ing (조금도 …않다, …하기는 커녕 (조금도 않다)):
She *is far from being* a kind girl. 그녀는 도저히 친절한 소녀라고는 할 수 없다.
E) It is no use -ing (…해도 소용없다):
It is no use your *trying* to advise him. 그를 충고하려고 해도 소용없다. / *It is no use crying* over spilt milk. 엎지른 우유는 울어도 소용없다; 엎지른 물은 되담을 수 없다. ㊟ 주어 it는 뒤의 동명사를 대신하는 가주어(假主語)로 해석된다.
F) be worth -ing (…할 가치가 있다):
The book *is worth reading*. 그 책은 읽을 가치가 있다. / The place *is worth visiting*. 그 장소는 가 볼 가치가 있다.

G) be busy (in) -ing (…하기에 바쁘다): Mother *is busy* (*in*) *making* cookies. 어머니는 쿠키를 만들기에 바쁘다. ㊟ in이 없는 편이 구어적이며, 그 경우 -ing는 현재분사로도 볼 수 있다.

H) It[That] goes without saying (말할 나위도 없다): *It goes without saying* that an experienced person will do it better than someone without experience. 경험이 있는 사람이 경험이 없는 사람보다 그것을 잘 할 것은 말할 나위도 없다.

문법 해설 (12)

Infinitive (부정사)

명사적 성격을 갖는 동사의 한 형태로, **분사**(Participle), **동명사**(Gerund)와 함께 준동사형에 속한다. 문장의 술어동사로서는 쓰이지 않으므로 문장의 주어의 인칭·수에 호응하는 어형 변화는 없다. 어형으로는 동사의 원형을 그대로 쓰는 경우와 원형 앞에 to를 붙이는 경우가 있다. 전자를 **원형부정사**(Bare infinitive) 또는 **to없는 부정사**(Infinitive without 'to')라고 하고, 후자를 **to부정사**(To-infinitive) 또는 **to있는 부정사**(Infinitive with 'to')라 한다.

	능 동 태		수 동 태
	부 정 형	진 행 형	
단순형	(to) speak	(to) be speaking	(to) be spoken
완료형	(to) have spoken	(to) have been speaking	(to) have been spoken

부정사의 의미상의 주어

부정사의 의미상의 주어는 ① 문장 중에 나타나 있는 경우와 ② 문장 중에 나타나 있지 않은 경우가 있다.

문장 중에 나타나 있는 경우는 다시

a 문장의 주어가 부정사의 의미상의 주어인 경우
b 동사의 목적어가 부정사의 의미상의 주어인 경우
c 「for+(대)명사+to부정사」의 형으로 나타나 있는 경우
d 「of+(대)명사+to부정사」의 형으로 나타나 있는 경우로 나누어진다.

(1) 의미상의 주어가 문장 중에 나타나 있는 경우

a 문장의 주어가 부정사의 의미상의 주어인 경우: He stood up *to ask* a question. 그는 질문을 하려고 일어섰다. 《to ask의 의미상의 주어는 He》/ I am glad *to see* you. 만나뵙게 되어 반갑습니다.

b 동사의 목적어가 부정사의 의미상의 주어인 경우: He ordered the *boy* not *to go* out. 그는 그 소년에게 밖에 나가지 말라고 명령했다. 《부정사의 의미상의 주어는 He가 아니라 boy》/ I believe *him to have* a talent for music. 나는 그가 음악에 대한 재능이 있다고 생각한다.

c 「for+(대)명사+to부정사」의 형으로 부정사의 의미상의 주어가 나타나 있는 경우: It was necessary **for the fireman** *to break* down the doors. 소방수는 문을 부술 필요가 있었다. / Is there any need **for you** *to hurry*? 네가 서두를 필요가 있니?

d 「of+(대)명사+to부정사」의 형으로 부정사의 의미상의 주어가 나타나 있는 경우: It was careless **of him** *to leave* his camera in the taxi. 그는 부주의하게도 카메라를 택시 안에 두고 내렸다. / How kind it is **of you** *to help* me! 저를 도와주시다니 참으로 친절하시군요!

(2) 의미상의 주어가 문장 중에 나타나 있지 않은 경우

의미상의 주어가 일반인 또는 부정(不定)의 사람인 경우, 또는 문장의 전후 관계로 유추할 수 있을 경우는 문장 중에는 나타나 있지 않다.

It is impossible *to master* English in a year or two. 영어를 1, 2년 내에 숙달하기란 불가능하다. / It is wiser *to make* no reply to angry words. 성내는 말에는 대꾸를 하지 않는 것이 현명하다.

「to부정사」의 용법

명사·형용사·부사의 구실을 한다.

(1) 명사적 용법

「…하는 것」, 「…하기」의 뜻을 나타내며 명사와 똑같이 쓰인다. 따라서 그 용법도 주어·목적어·보어로 나뉜다. 그 밖에 「의문사+부정사」의 형태로 구(句) 전체가 명사적으로 쓰이는 경우도 있다. 종종 형식 주어인 it가 선행한다.

A) **주어로서**: *To smoke* too much is bad for the health. 지나친 흡연은 건강에 해롭다.

이런 경우, 주어가 되어야 할 「to부정사」를 뒤로 돌리고 그 대신 형식 주어 'it'를 문두에 가져올 때가 많다: *It* is fun *to watch* a football game on television. 축구 경기를 TV로 보는 것은 재미있다.

B) **목적어로서**: I want *to speak* good English. 나는 영어를 잘하고 싶다. / I want *you to speak* good English. 나는 네가 영어를 잘하기를 원한다.

㊟ ① 둘째 예문에서는 you가 to speak의 의미상의 주어인데 동시에 술어동사 want의 목적어로 되어 있다. 이런 형태를 부정사가 딸린 대격(對格)(Accusative with infinitive)이라고 한다. 《대격이란 직접목적어의 격을 말한다 ⇨ 문법 해설 Case》

㊟ ② He makes *it* a rule *to take* a walk every morning. (그는 매일 아침 산책하기로 정하고 있다.)에서 it는 형식목적어로서 to take 이하가 의미상의 목적어, 즉 진(眞)목적어이다. 《←그는 그것을 습관으로 하고 있다, 매일 아침 산책하는 것을.》

C) **「의문사+to부정사」의 명사적 용법**

to부정사가 know, show나, 「가르치다, 가리키다」의 뜻인 tell 등의 동사의 목적어가 될 경우에는 의문사를 수반한다. 《learn, teach도 흔히 그러하다》: *How to live* is the most important thing in life. 어떻게 사는가 하는 것은 인생에서 가장 중요한 일이다. / I had no idea *which way to go*. 나는 어느 길로 가야 할지를 몰랐다.

㊟ ③ to부정사가 의문사와 함께 쓰일 때, 전치사 'of'의 목적어가 될 때가 있다: He had his choice of *what to do* with the money. 그 돈을 어떻게 하느냐 하는 것은 그의 자유였다.

D) 보어로서:

Their hope was for Mary *to become* a pianist. 그들의 희망은 메리가 피아니스트가 되는 것이었다. / My policy is *to wait* and *see*. 나의 방침은 되어가는 형편을 지켜보는 것이다.

이상은, 불완전 자동사에서의 주격 보어이다. 아래 예문에서의 부정사는 불완전 타동사의 목적격 보어로서, him은 각기 앞서 말한 부정사가 딸린 대격이다:

I thought him *to be* a musician. 나는 그를 음악가라고 생각하고 있었다. / I found him *to be* a great liar. 나는 그가 엄청난 거짓말쟁이임을 알았다.

(2) 형용사적 용법

부정사의 형용사적 용법에는 명사의 뒤에 와서 수식하는 용법과 보어로서의 서술 용법이 있다.

① 수식 용법

a 명사가 의미상의 주어인 경우

I am looking for an American *to teach* me English. 나는 나에게 영어를 가르쳐 줄 미국인을 찾고 있다. / I wanted to take a taxi but there wasn't one *to be* found. 나는 택시를 잡으려고 했지만 택시라고는 보이지 않았다.

b 명사가 의미상의 목적어인 경우

This is a good opportunity for him *to take*. 이것은 그가 잡아야 할 절호의 기회이다.

She is looking for someone *to travel* with. 그녀는 같이 여행할 사람을 찾고 있다.

c 부정사가 명사의 내용을 설명하는 경우

I had the good fortune *to meet* the musician. 나는 그 음악가를 만날 행운을 가졌다.

d「전치사+관계대명사+부정사」의 경우

He looked for a place *in which to sleep*. 그는 잠잘 장소를 찾았다. / She knew no one *with whom to trust* her daughter. 그녀는 딸을 맡겨도 좋은 사람을 알지 못했다. / I had no money *with which to buy* the book. 나는 그 책을 살 돈이 없었다.

② 서술 용법

서술 용법에는 **a** to부정사가 be 동사에 뒤이어 '예정·의무·가능·운명·의도' 등을 나타내는 경우 **b** to부정사가 seem, appear 등의 동사에 이어지는 경우 **c** to부정사가 come, get 등에 이어지는 경우 등이 있다.

a be+to부정사

He *is to speak* over television tonight. 그는 오늘밤 텔레비전에서 말할 예정이다. / You *are to stay* here till we return. 우리가 돌아올 때까지 이 곳에 남아 있어야 한다. / The report *was* not *to be found* in the newspaper. 그 보도는 신문에서 찾을 수 없었다. / He *was* never *to see* his homeland again. 그는 두번 다시 그의 조국을 보지 못할 운명이었다.

b seem [appear, happen 등]+to부정사

He *seems to be* out of sorts today. 그는 오늘은 활기가 없어 보인다. / You *appear to be mistaken*. 너는 오해하고 있는 것 같다.

c get [come 등]+to부정사

When you *get to know* him better, you'll like him. 그를 더 잘 알게 되면 당신은 그를 좋아하게 될 것이다. / He *came to be known* as a great poet. 그는 위대한 시인으로 알려지게 되었다.

㊟ 명사 앞에 오는 부정사에는 다음과 같은 것이 있다: a *never-to-be-forgotten* sight 결코 잊혀질 수 없는 광경 / these *not-to-be-avoided* expenses 이 불가피한 비용

(3) 부사적 용법

A) 동사를 수식

「…하기 위해」, 「…하여 (그 결과) ~하다」, 「…하다니」, 「…하고」 등의 뜻으로, '목적·결과·원인·판단의 근거·조건' 등을 나타낸다:

We opened a new branch office *to increase* our sales. 《목적》 우리는 판매고를 늘리기 위해 새로운 지점을 개설했다. / The girl grew up *to be* a doctor. 《결과》 소녀는 자라서 의사가 되었다. / I rejoice *to hear* of your recovery. 《원인》 당신이 회복되셨다는 소식을 들으니 기쁩니다. / He cannot be a gentleman *to do* such a thing. 《판단의 근거》 그러한 짓을 하다니 그는 신사일 리가 없다. / I should be happy *to be* of any service to you. 《조건》 조금이라도 도움이 된다면 기쁘겠습니다.

B) 형용사를 수식

형용사 뒤에 놓여 「…하기에」, 「…하여」 등 목적 또는 원인을 나타낸다:

Korean is not *easy to learn*. 한국어는 배우기가 쉽지 않다. / His words were *hard* for me *to believe*. 그의 말은 나로서는 믿기 어려웠다. / I am *glad to see* you. 나는 당신을 만나서 기쁩니다.

㊟ 이 용법에서는 맨 끝에 전치사가 오는 경우가 많다: He is *hard to deal with*. 그는 다루기 어렵다.

(4) 관용적 용법

주요한 관용적 용법에는 다음과 같은 것이 있다:

enough to ~ (…하기에 족할 만큼), in order to ~ (…하기 위하여), so as to ~ (…하기 위하여), so ... as to ~ (~할 정도로 …), too ... to ~ (~하기에는 너무 …한)

Your hair is *so* long *as to touch* the floor. 너의 머리는 마룻바닥에 닿을 정도로 길다. / He is rich *enough to buy* a car. 그는 차를 살 수 있을 만큼 부유하다. / You are *too* young *to travel* alone. 너는 혼자 여행하기에는 너무 어리다.

「원형부정사」의 용법

다음과 같은 경우에 to없는 부정사, 즉 원형부정사가 쓰인다.

(1) 조동사의 뒤

will, shall, can, may, must, do 등의 뒤에서:

He can *drive* a car very well. 그는 차 운전을 매우 잘한다. / You may *smoke* here if you like. 여기서는 담배를 피워도 괜찮습니다. / I will never again *take* a drop. 나는 다시는 한 잔도 술을 마시지 않겠다.

㊟ dare와 need 다음에는 원형부정사가 오거나 to부정사가 쓰이거나 한다. ⇨ dare, need

(2) 지각동사의 뒤

see, hear, feel, watch, smell, notice, observe 등 「지각동사」 다음에 목적격 보어로 쓰일 때:

We saw her *go* out. 우리는 그녀가 외출하는 것을 보았다. / We heard him *sing* a song. 우리는 그가 노래 부르는 것을 들었다. / I watched him *swim* across the river. 그가 강을 헤엄쳐 건너는 것을 지켜보았다.

㊟ 단, 수동태의 구문이 되면 to를 붙인다: She was seen *to* go out. 그녀가 외출하는 것이 보였다.

(3) 사역동사의 뒤

let, make, have 등 사역동사의 뒤:

I let them *talk* away. 그들로 하여금 멋대로 지껄이게 했다. / He made me *laugh*. 그는 나를 웃겼다. / I can't have him *say* such things. 그에게 그런 것을 말하도록 둘 수는 없다.

㊟ 이 경우에도 수동태가 되면 to를 붙인다: I was made *to laugh*. 나는 웃지 않을 수 없었다.

(4) help의 뒤에:

She helped (*to*) *paint* the house. 그녀는 집의 페인트칠을 도왔다.

이것은 She helped *them*[*her husband*] (to) paint the house.와 같이 help의 다음에 그 목적어가 있어야 할 것의 생략형이다. 또한 to없는 형태는 주로 《미》, to있는 형태는 주로 《영》이지만, 《구어》로는 to없는 형태가 《미》 《영》 공통적이다.

(5) 관용적 용법

I think you *had better* not *park* your car here. 여기에 당신의 차를 주차시키지 않는 것이 좋다고 생각한다. / I *cannot but laugh*. 나는 웃지 않을 수가 없다. (= I cannot help laughing.) / He does *nothing but laugh*. 그는 웃고만 있다. 《but 대신 except, save 도 쓰임》

(6) 부정사가 몇 개 계속될 때
보통 2번째 이하의 to를 생략한다.
I must learn to speak, *read*, and *write* English. 나는 영어를 말하고, 읽고, 쓰는 것을 배워야 한다.
(7) 《미》에서 be동사의 다음에:
What I've got to do is *go* and *see* him. 내가 해야 할 일은 그를 만나러 가는 일이다. / All he does is *complain*. 그는 불평만 한다.
㊟ to부정사를 쓰는 것은 《미》《영》 공통.

단순부정사와 완료부정사
단순부정사는 술어동사의 시제로 보아 동시 또는 미래를 나타내며, 완료부정사는 seem, appear 등의 동사와 함께 이미 완료되어 있거나 동사보다 이전의 때를 나타낸다. 또, hope, want, wish, intend, expect 등과 함께 쓰여 실현되지 않은 희망이나 기대를 나타낸다. 또 「be+to 부정사」의 구문과 조동사 can, could, may, might, must, need, ought to, should 등의 뒤에도 완료부정사가 쓰인다.
(1) 이유를 나타내는 부정사의 경우:
I am happy *to see* you again. 너를 다시 만나서 기쁘다. 《현재 「만나고」 있는 상태》 / I am happy *to have had* this talk with you. 당신과 이 이야기를 할 수 있었던 것이 기쁘다. 《이야기는 이미 끝나 있는 상태》
(2) 판단의 동사 다음에
seem, be thought 등 추단(推斷)의 뜻을 나타내는 동사 다음에 쓰이는 경우:
He *seems to be* rich. 그는 부자로 보인다. (=It *seems* that he *is* rich.) / He *seemed to be* rich. 그는 부자로 보였다. (=It *seemed* he *was* rich.) / He *seems to have been* rich. 그는 부자였던 것처럼 보인다. (=It *seems* he *has been*[*was*] rich. 《현재완료 또는 과거》) / He *seemed to have been* rich. 그는 부자였던 것처럼 보였다. (=It *seemed* he *had been* rich. 《과거완료》) / They *were thought to be* dead. 그들은 죽은 것으로 생각되었다. (=It *was thought* that they *were* dead.)
(3) 희망·기대의 동사 다음에
(would) like, wish, hope, expect 등 미래의 개념을 나타내는 동사 다음에 쓰이는 경우:
He *hopes to finish* the work. 그는 그 일을 끝내기를 바라고 있다. 《to finish the work는 미래를 나타낸다》 / He *hoped to finish* the work. 그는 그일을 끝내기를 바랐다. 《to finish는 과거에서 본 미래를 나타낸다. 그 후 끝냈는지 어떤지는 분명치 않다》 / He *hoped to have finished* the work. 그는 그 일을 끝내기를 바랐었다. 《to have finished는 그 일을 끝내지 못한 것을 암시한다. 이와 같이 희망·기대의 동사 뒤의 완료부정사는 실현되지 않았음을 나타낸다》
(4) 타동사에 수반될 경우:
I suppose him *to be guilty*. 나는 그를 유죄라고 생각한다. 《to be guilty는 현재를 나타낸다》 / We know him *to have been* a partisan. 그가 유격대원이었음을 우리는 알고 있다. 《to have been a partisan은 과거를 나타낸다》 / The doctor ordered the patient *to take* two doses of medicine. 의사는 환자에게 약을 두 봉지 복용하라고 지시했다. 《to take는 주동사보다 미래를 나타낸다》 / I found him *to have aged* shockingly. 나는 그가 형편없이 늙었음을 알았다. 《to have aged는 과거완료에 상당한다》

독립[절대]부정사(Absolute infinitive)
문장 전체를 꾸미며 문장 속의 다른 부분에 대해 독립된 처지에 있는 부정사로서 조건 또는 양보를 나타내는 것:
To be honest, I don't like his way of talking. 정직하게 말하면, 나는 그의 말투를 좋아하지 않는다. / *To tell the truth*, I can't agree with him. 사실인즉 나는 그의 말에 동의할 수 없다.
이밖에 to put it roughly (개략적으로 말하면), to say nothing of (…은 말할 것도 없이), to return to the subject (본론으로 돌아가서), to begin with (우선, 무엇보다 먼저), to do a person justice (공평히 말하면), to be sure (확실히), to make matters worse (설상가상으로) 등이 있다.

분리부정사(Split infinitive)
부정사를 수식하는 부사(구)는 그 앞 또는 뒤에 두는 것이 일반적이다. 이에 비해 의미를 강하게 하거나 확실하게 하기 위해 부사(구)를 to와 부정사의 사이에 두는 경우가 있다. 이 경우의 부정사를 분리부정사라 한다: It is necessary *to clearly understand* this. 이것을 분명히 이해하는 것이 필요하다. / I do not intend *to in any way object* to his plan. 나는 어쨌든 그의 계획을 반대할 의도는 없다.

대(代)부정사(Pro-infinitive)
같은 동사의 반복을 피하기 위해 두 번째의 to부정사의 to만을 동사 대신에 쓰는 것:
Don't go unless you have *to*. 꼭 가야 할 일이 아니면 가지 마시오. / Would you like to come with me? — Yes, I'd love *to*. 저와 함께 같이 가주시겠습니까? — 예, 그러죠.

특수 용법
have+to부정사
'의무·필요' 등의 뜻을 나타낸다:
You *do not have to write* a letter. 너는 편지를 쓸 필요가 없다. / You *have only to write* a letter. 자넨 그저 편지를 쓰기만 하면 된다.
㊟ ① 구어에서는 흔히 have got to의 형태가 쓰인다: I*'ve got to do* it. 나는 그것을 하지 않으면 안 된다.
㊟ ② have to는 보통 [hǽf-tə, həf-tə], has to는 [hǽs-tə, həs-tə]로 발음된다.
㊟ ③ 상세한 것은 ⇨ have

문법 해설 (13)

Interrogative (의문사)

의문대명사(who, what, which), **의문형용사**(whose, what, which) 및 **의문부사**(when, where, how, why) 등을 총칭하여 의문사라고 한다. 특히 의문대명사만을 가리키는 경우도 있다.
이들의 공통된 특징은 yes 또는 no로 대답할 수 있는 일반 의문문 외에 yes 또는 no로 대답하지 않는 특수 의문문을 이끈다는 점이다.
특수 의문문에서 의문사가 주어인 경우에 어순은 도치되지 않지만 주어가 아닌 경우는 주어와 (조)동사의 어순이 도치된다.
음조는 원칙적으로 하강조(↘)를 쓴다. 또 의미를 강조할 때는 의문사에 ever, on earth, in the world 등을 덧붙이기도 하며 이것을 강조 의문이라 한다.

(1) 품사별 기능
a 의문대명사는 주어·목적어 및 보어로 쓰인다《단 who는 격변화한다; 소유격 whose, 목적격 whom》: *Who* said so? 누가 그렇게 말했나? / *What*[*Who*] is that? 저것은 무엇[누구]인가?
b「**의문형용사+명사**」는 의문대명사가 형용사적으로 명사 앞에 놓여 수식하는 것으로, what, which가 이에 해당한다: *Which* book do you want? 어느 책을 원합니까? / *What* time do you get up? 몇 시에 일어납니까?
의문대명사 who의 소유격 whose는 한편으로 대명사(주로 동사 be의 보어)로서의 기능을 가짐과 동시에, 또 한편으로는 의문형용사로서의 기능도 가지고 있다: *Whose* (book) is this? 이것은 누구의 것[책]입니까?
c 의문부사는 '때·장소·이유·방법'을 묻기 위한 부사로 쓰이며, when, where, why, how가 이에 해당한다: *How* can I get to Hyde Park? 하이드 파크로는 어떻게 가면 됩니까?
(2) 어순의 원칙
의문사는 그것에 이끌리는 특수의문문[절]의 문두[절두]에 온다: *Where* do you live? 너는 어디 사니? / I wonder *who* that is. 저 이는 누구일까?
(3) 의문문에서의 주어와 동사
a 의문사 자체(의문대명사, 또는 의문형용사+명사)가 주어일 때는, 원칙 (2)에 따라 그것은 당연히 문두에 온다. 이 경우에는 도치되지 않으며, 조동사 do도 쓰지 않는다: *What* happened? 무슨 일이 일어났는가? / *Who*[*Whose son*] won? 누가[누구의 아들이] 이겼는가? / *Which* (*boy*) came? 어느 쪽(의 소년)이 왔는가?
b 의문사가 주어가 아닌 경우에는 주어와 동사 사이에 일반 의문문과 마찬가지의 도치가 생긴다: Who *is he*? 그는 누구인가? 《보어》 / Whose *is this*? 이것은 누구 것인가? 《보어》 / When *did she* arrive? 그녀는 언제 도착했는가? 《부사》 / What *will people* say? 사람들은 무어라 말할 것인가? 《목적어》
(4) 절 중의 어순
의문사에 이끌리는 종속절 중의 주어와 동사는 도치하지 않고 평서문의 어순을 취한다: I'm not sure on which day *he came*. 어느 날 그가 왔는지 확실히는 모른다. / Tell me when *you got* it. 그것을 언제 구했는지 말해 주시오. / Do you know when *he will come* next? 다음에 그가 언제 올지 아십니까?
㈜ ① 절을 이끄는 의문사에는 그 자체에 접속력이 있기 때문에, "I know *that how* kind he is."와 같이 앞에 that이 놓이지 않는다. 다만 다음과 같이 의문사에 이끌리는 절이 한 요소《주어》가 되어, 다시 새로운 절을 생기게 하는 경우는 다르다: I know *that* how kind he was is the most important point here. 여기서는 그가 얼마나 친절했는가 하는 것이 문제의 핵심이라는 것을 나는 알고 있다.
㈜ ② 이 경우의 where, when은 접속사의 경우와 위치가 비슷하기 때문에 구별에 주의를 요한다.
(5) do you think 등이 삽입될 경우
Whose idea do you believe *it is*? 그것은 누구의 발상이라고 생각하는가? / *Who* shall I say *wants* to speak to him? 《전화를 바꿔 줄 때》 (어느 분이 그와 이야기하고 싶어한다고 전할까요?) → 어느 분이라고 말씀드릴까요?
즉, 원칙 (2)에 따라 의문사는 문두에 오고, 원칙 (4)에 따라 절 중의 주어(제2의 예에서는 의문사 자체)와 동사는 평서문의 어순을 취하고 있다. 여기서 이들 예문은 각각 whose, who에 대한 대답을 기대하는 특수 의문문이므로, do you believe나 shall I say가 주절이지만, 원칙 (2)를 지키기 위해 이들을 의문사 다음에 삽입하게 된 것이다. 이에 대해
Do you know *how* I did it? (내가 그것을 어떤 식으로 했는지 아십니까?)에서는, 문 전체로서는 how 이하를 알고 있는지 어떤지를 묻는, 다시 말하면 yes나 no로 대답해야 할 의문문이기 때문에, 의문사가 아니라 주절이 문두에 나와 있다. 회화에서는 원칙 (3)의 형식의 보통의문문 뒤에 do you think나 I wonder를 붙이는 수가 있다: Which is better, *do you think*? 어느 쪽이 좋다고 생각하십니까? / How much is it, *I wonder*? 얼마나 될까?
(6) 부정사와 함께
의문을 나타내는 종속절을 단축하여, '의문사+to 부정사'로 나타낼 수 있는 경우가 있다: I don't know *what to do*. 어떻게 해야 할지 모르겠다. / We could not decide *which to choose*. 우리는 어느 쪽을 선택할 것인가를 정할 수 없었다. / He told me *how to make* it. 그는 나에게 (그것을 어떻게 만드는지→) 그것을 만드는 방법을 알려 주었다.
㈜ 이를테면 I don't know *what to do*.는 I don't know *what* I am going *to do*.를 단축한 것으로 볼 수 있다.
(7) 반문의 의문사
회화에서, 가령 상대방이 I was born in Seoul. (나는 서울에서 태어났다.)고 말했을 때, in Seoul을 잘 알아듣지 못했다면, You were born *where*? (어디서 태어났다고?)라고 반문할 수가 있다. 결국 상대방의 발언 그 자체의 구문을 써서 불분명한 부분에 의문사를 넣는 것이다. 단, I was born 다음에 장소를 말했는지 때를 말했는지 미처 못 알아들었을 경우에는 You were born *what*? (「태어났다」 다음에 뭐라고 했지?)라고 말할 수 있다.
(8) God knows나 I don't know 등과의 결합
I don't know[God knows] *where* he is gone. (그가 어디로 가버렸는지 나는 모른다[신만이 안다, 아무도 모른다].)는 상기 (4)의 한 경우에 지나지 않으며, I don't know where[what, who, etc.] ..., God knows where ...는, 물론 각각 완결된 문장으로서의 기능을 가지고 있다. 또 상대방의 잔에 술을 따를 때와 같은 경우에 말하는 *Say when*. (그만 받고 싶을 때 말해 주게.)도, *Say when* I should stop. 등의 생략형으로 생각할 수 있다.
(9) 수사(修辭)의문
Who can do such a thing? 누가 그런 일을 할 수 있겠나? (아무도 못한다)(=*Nobody* can do such a thing.)
의문문으로 되어 있지만 내용상 부정문에 가깝고, 자기의 생각을 반어적으로 의문형으로 표현한 것이다.

문법 해설 (14)

Inversion (도치)

영어 문장에서 「주어+술어동사」가 보통의 기본적인 어순이지만 문법상의 필요에 의해 「술어동사+주어」의 순서로 되는 경우가 종종 있는데, 이를 **도치**(倒置)라 한다.
도치는, (1) 의문문이나 감탄문에서 이루어지고, (2) 「There[Here] is+주어」의 구문에서처럼 어법상 정해진 경우가 있고, (3) 부사나 보어·목적어 등을 강조하기 위해 문두에 놓을 때 이루어지기도 한다.
술어동사에 조동사(can, may, will 등)가 있는 경우는 조동사만 주어 앞에 놓인다. 또한 be동사 이외의 경우는 조동사 do를 주어 앞에 놓는다.

(1) 문장의 종류를 명백히 하기 위해
A) 의문문: *Are you* a student? 당신은 학생입니까? / *Can you* play tennis? 테니스를 하십니까? / Whose *is this book*? 이 책은 누구의 것입니까?
B) 감탄문: How tall *you are*! 정말 키가 크구나!
㊟ how, what이 문두에 오는 점을 제외하면 「주어+동사」의 어순은 평서문과 같다.
C) 기원문: *May God* bless you! 하느님의 축복이 있으시기를!
㊟ May ...로 시작되는 기원문은 문어적인 표현이며, 《구어》에서는 도치가 일어나지 않는 경우도 있다: God bless you!
D) if가 생략된 조건절: *Had I* been there(= If I had been there), I could have helped him. 내가 거기 있었더라면 그를 도울 수 있었을 텐데.
㊟ 다음의 용법은 「V+S」는 아니지만 부사절 가운데의 어순에 관한 관련 사항으로서 주목을 요한다: *Rich as he is*, he is industrious. 그는 부자이지만 부지런하다[열심히 일한다]. / *Do what he may*, he will not succeed. 무엇을 할지라도 그는 성공하지 못할 것이다. 이것들은 Though he is rich 또는 Whatever he may do의 뜻이지만, 본래는 Be he rich as he is, ... = Let him be rich as he is, ... (그가 그렇게 부자라고 할지라도…); Do he what he may, ... = Let him do what he may, ... (그가 할 수 있는 것을 무엇이든지 한다고 할지라도…)의 뜻이다.
(2) 어법상 도치되는 경우
A) There[Here] is[are, come(s), etc.]의 구문에서: Here'*s the picture* you are looking for. 여기 당신이 찾고 있는 사진이 있다. / Here *lies the difficulty*. 여기에 그 난관이 있다. / There *lived* once *a great king*. 옛날에 위대한 임금님이 한 분 살아계셨다. / There *comes the bus*! 야 버스가 온다! 《단, There *it comes*! 라고 쓰이기도 함》 / There *was born a child* to them. 그들에게 아기가 하나 태어났다.
B) neither, so가 문두에 놓여 「나[그, 그들]도 마찬가지로」라는 뜻으로 쓰일 때: I'm not satisfied with the present job. — Neither[Nor] *am I*. 나는 지금의 일에 만족하지 않는다. — 나도 그래. / He is rich. — So *is she*. (= She is also so.) 그는 부자이다. — 그녀도 부자이다.
㊟ Are you in a hurry? — So *I am*. 너는 서두르고 있니? — 서두르고 있고말고. / I am in a hurry. — So *am I*. 나는 서두르고 있다. — 나도 그래. / I think he is a poet. — So *he is*. 나는 그가 시인이라고 생각해. — 그렇고말고. / She is an early riser. — So *is her brother*. 그녀는 아침 일찍 일어나는 사람이야. — 그녀의 오빠도 그래.
C) 부정문[절]의 연속을 나타내는 nor 뒤에서: He couldn't swim at all, nor *could I*. (= and (indeed) I couldn't swim.) 그는 수영을 전혀 못했는데 나도 못했다. / I'm not going to buy it and nor *is he*. 나는 그것을 살 생각이 없거니와 그도 마찬가지다. 《nor 앞에 and나 but를 놓는 것은 《영》 용법》
D) 「the+비교급, the+비교급」의 구문 안에서 《단, 「S+V」의 어순도 쓰임》: The sooner we get there, the more likely *are we* to get seats. 거기에 도착하는 것이 빠르면 빠를수록 좌석을 얻을 가능성이 크다.
E) 직접화법의 전달부에서: "Who is the man?" *asked the woman*. 「저 사내는 누구니?」 하고 그 여자는 물었다. ★ 이 경우는 반드시 도치되는 것은 아니고 the woman asked도 일반적임》
(3) 강조를 위해 도치되는 경우
강조하려고 하는 어구를 글의 첫머리에 놓기 때문에 술어동사가 이에 이끌려 주어 앞에 나올 때가 있다:
Such *was the case*. 사태는 그런 형편이었다. / Especially interesting *is the sight* of the old cathedral from the other side of the river. 강 건너편에서 보는 옛 성당의 경치는 특히 흥미롭다. 《다음의 어감과 비슷함: 「특히 흥미로운 것은 강 건너편에서 보는 옛 성당의 경치이다.」》 / Only on one point *are we* agreed. 단 한 가지 점에서만 우리들의 의견이 일치하고 있다. / So angry *was he* that he could not speak. 몹시 화가 난 나머지 그는 말도 할 수가 없었다. / Blessed *are the poor* in spirit; for theirs is the kingdom of heaven. 마음이 가난한 자는 복이 있나니 천국이 저희 것임이요. / Fools *are we* all that serve them. 그들을 섬기고 있는 우리는 모두 바보다. / Never *did I* dream such a happy result. 그렇게 만족스러운 결과를 나는 꿈에도 생각지 못했다. / Thus, and only thus, *will you* succeed. 이렇게, 단지 이렇게 함으로써 너는 성공할 것이다. / On *went her old brown jacket*; on *went her brown hat*. 그녀는 갈색의 낡은 재킷을 휙 걸치고, 다음에는 갈색의 모자를 푹 썼다.
(4) 수사상(修辭上), 문장의 균형을 이루기 위해 도치되는 경우
When I got to the town, down *came the rain* with a clap of thunder. 시내로 들어섰을 때 천둥이 치더니 비가 쏟아지기 시작했다. / Her hair was almost pure auburn. With it *went dark beautiful eyes*. 그녀의 머리털은 순수한 적갈색이었다. 거기에다가 검고 아름다운 눈을 갖고 있었다. / In the house just opposite ours, *dwelt three spinsters*. 우리집 맞은편 집에는 3명의 노처녀가 살고 있었다.

문법 해설 (15)

Mood (법, 서법(敍法))

말하는 사람의 심적 태도를 나타내는 동사의 어형 변화를 서법(Mood)이라고 한다. 우리가 무엇인가를 말할 경우의 심적 태도를 영어에서는 크게 세 가지로 분류한다.
① 어떤 사항을 사실로 기술하는 것을 **직설법**(Indicative mood)이라 하고,
② 어떤 사항을 상상·가정·소망으로서 기술하는 것을 **가정법**(Subjunctive mood)이라 하고,
③ 어떤 사항을 말하는 사람의 의지에서 기술하는 것을 **명령법**(Imperative mood)이라 한다.
이상의 세 가지 서법의 심적 태도의 차이를 확실히 나타내는 동사의 형은 현대 영어에는 현재형과 과거형의 일부에 존재할 뿐이다. 따라서 가정법의 일부에서와 같이 조동사를 이용하거나 시제(時制)의 형태로 나타내기도 한다. 또 명령법에 쓰여지는 동사형에도 독특한 것은 남아 있지 않다.
직설법에 대해서는 ⇨ 문법 해설 Tense. 가정법에 대해서는 ⇨ 문법 해설 Subjunctive Mood.

시제(時制)와의 관계

(1) 서법과 시제
동사가 문(文)의 주요 요소로서 술어동사가 되기 위하여는 반드시 여기에 서법과 시제도 따르게 되어 동사의 형태에 함께 나타난다. 예를 들면 동사 be의 변화형의 하나인 am은, 주어가 제1인칭 단수라는 것 외에 또 서법이 직설법(가정법·명령법이면 be)이고, 시제가 현재(과거

면 was, were)라는 것을 나타내고 있다.

(2) 현재시제와 서법

옛 영어는 차치하고 현대 영어에서는 직설법과 가정법 사이에 동사의 어형상의 차이는 극히 적다. 현재시제에서 제3인칭 단수의 주어를 갖는 동사의 어미 -s의 유무만이 직설법과 가정법을 구별하는 유일한 수단이다(따라서 소위 「3인칭 단수 현재의 s」는 엄밀하게는 「3인칭 단수 직설법 현재의 s」라고 해야 할 것이다). 단지 be동사만이 직설법 현재에서 I *am*, you *are*, he[she, it] *is*, we *are* ... 인데 대해, 가정법 현재는 I *be*, you *be*, he[she, it] *be*, we *be* ...로 형태상의 차이를 나타낸다. 따라서 가정법이라는 것을 분명히 나타내기가 어려운 경우도 생겨, may 등의 조동사가 그 결함을 보충한다. *May* you succeed!(당신이 성공하기를 바랍니다! →성공하시기를)의 may는 주어 앞에 놓아 succeed가 사실에 관한 것이 아니고 바라고 있음을 나타낸다.

(3) 과거시제와 서법

과거시제에서 직설법과 가정법 사이에 동사 어형의 차이가 나타나는 것은 I[he, she, it] *was* 《직설법》, I[he, she, it] *were* 《가정법》 이외는 존재하지 않는다. 따라서 일반적 경우에는 동사의 어형 그 자체에 의하여 판단하기보다는, 의미상에서는 현재의 일을 말하고 있는데 형태상으로는 과거형이 쓰여 있을 때, 가정법 과거라고 단정하게 되는 것이다: It is time you *went* to bed. 너는 (이제) 자야 할 시간이다. / I wish I *were* young again. (이젠 늙은 몸이지만) 다시 한번 젊어진다면 좋으련만.

그런데 실제로는 가정법 과거의 were와 직설법 과거인 was도 종종 혼용된다. 특히 《구어》에서는 was를 쓰는 것이 일반적이다: I wish he *was*[*were*] here. 그가 여기에 있다면 좋을 텐데.

명령법

말하는 사람이 어떤 사항을 자기 의지로써 명령·의뢰·요구·금지 등을 나타내는 것을 말하며, 보통 제2인칭에 대해서 말하는 것으로 주어 you를 생략한다. 명령법에는 직접 명령과 간접 명령이 있다.

(1) 어형(語形)

동사는 항상 원형(=원형 부정사)이 쓰인다. 시제는 현재밖에 없다.

㊟ Be gone!(꺼져, 가버려!), Have done!(그만둬!)은 본래 명령법의 현재완료시제인데 지금에 와서는 특수한 관용적 표현이 되었으며 일반적으로 명령법에는 현재시제 외에는 없다고 해도 좋다.

(2) 직접 명령

직접 명령은 보통 제2인칭에 대한 것으로 원칙적으로는 주어를 필요로 하지 않는다. 그러나 강조를 위해 강세의 주어를 두기도 한다. 또 비교적 드물게는 직접 명령이 제3인칭에 대한 것도 있다. 이때는 반드시 주어를 나타낸다. 금지를 나타내는 부정의 명령에는 don't[do not] 또는 never를 쓴다. 또 강한 의뢰의 경우는 do를 덧붙이기도 하고 혹은 be sure to, mind, I tell you 등을 덧붙이기도 한다: *Come* closer. 좀더 가까이 오시오. / *Be* here at seven o'clock. 여기에 7시에 오시오. / *You* go first. 네가 먼저 가라. / *Somebody* open this door. 누군가 이 문을 열어라. / *Don't* talk so loud. 그렇게 큰 소리로 말하지 마시오. / *Never* come here alone. 절대로 혼자서 오지 마라. / *Do* hurry! 서두르시오! / *Be sure to* write me soon. 나에게 곧 편지하는 것 잊지 마라. / Pay no attention to me, *I tell you.* 내게 마음 쓰지 않아도 좋다. / *Mind* and come back before ten. 10시 전에 꼭 돌아오도록 해.

㊟ ① 명령문 뒤에 will you?, won't you?를 붙이면 정중한 명령이 된다: *Have* a cup of tea, *won't you*? 차 한 잔 드시지요?

㊟ ② 명령형은 능동태로 쓰는 것이 보통이지만 구어에서는 get에 의한 수동태도 쓰인다: *Get* shaved before you go out. 외출하기 전에는 면도하십시오.

(3) 간접 명령

간접 명령도 2인칭에 대한 것이지만 명령의 내용이 간접적으로 1인칭 또는 3인칭에 향해지는 점이 직접명령과 다르다. 간접명령은 let을 쓰고 부정의 명령은 don't let을 쓴다.

① 1인칭의 경우: *Let* me do that for you. 나에게 저 일을 시켜 주시오. / *Let* me introduce myself to you. 제 자신을 소개하겠습니다. / *Let*'s go out, shall we? 우리 나갈까요?

② 3인칭의 경우: Just *let* her try! 어쨌든 그녀에게 시켜 보시오! / *Don't let* this happen again. 다시는 이런 일이 없도록 하시오.

(4) 조건·가정을 나타내는 명령법

명령법 뒤에 and를 놓고(때로 and 없이) 평서문(平敍文)을 계속하면 명령법은 「…하면」이라는 조건·가정을 나타낼 수가 있다. 명령법 뒤에 or가 오면 「그렇지 않으면」의 뜻이 된다: *Hurry* up, *and* you will be on time. 서두르면 제 시간에 댈 수 있을 것이다.(=If you hurry up, you will be on time.) / *Stir*, *and* you are a dead man. 움직이면 죽는다. / *Turn* to the left, *and* you will see the post office. 왼쪽으로 돌면 우체국을 찾을 것이다. / *Watch* your step, *or* you will slip. 발 밑을 조심해, 그렇잖으면 미끄러질지 몰라. / *Go* at once, *or* you will miss the train. 즉시 가지 않으면 열차를 놓칠 것이다. / *Wear* your coat, *or* you'll catch cold. 코트를 입어라, 그렇잖으면 감기에 걸릴 것이다.

문법 해설 (16)

Narration (화법)

남이 말하거나 생각한 것을 — 또는 자기가 말하거나 생각한 것을 — 화자[말하는 이] 또는 필자가 듣는 이 또는 독자에게 전달하는 방식을 화법(Narration)이라고 한다. 본래의 말을 그대로 전달하는 형식을 **직접화법**(Direct narration)이라 하고, 본래의 말을 화자의 말로 고쳐서 전달하는 방식을 **간접화법**(Indirect narration)이라 한다:

《직접화법》 He said, "I know her." 「나는 그녀를 안다」고 그는 말했다.

《간접화법》 He said that he knew her. 그는 그녀를 안다고 말했다.

위 예문의 said와 같이 말을 직접·간접으로 전달하는 동사를 **전달동사**(Reporting verb)라고 하며, 전달동사를 포함하는 He said의 부분을 **전달부** 또는 **전달절**(Reporting clause)이라고 한다. 직접화법으로 전달되는 말("…"의 부분)은 **피전달부**(Reported speech)라고 한다.

직접화법과 간접화법의 중간에 위치하는, 묘출화법(Represented speech)이라 불리는 표현 형식이 있어, 특히 소설에서 빈번히 쓰인다. 전달부는 없어지고, 문맥에 의해서 이해된다. 형식·구문은 직접화법에, 인칭·시제 등은 간접화법에 가까운 때가 많다: He said that he had no idea. *How did he know?* 그는 전혀 알 수 없다고 말했다. 어찌 알겠는가?(라고 하는 투이다) 《<He said, "How do I know?"》

직접화법을 간접화법으로 바꾸는 방법

전달부가 문두에 오는 경우:

① 우선 전달동사 다음의 콤마와 피전달부의 인용부호(Quotation marks)를 없앤다. ② 피전달부가 평서문일 경우에는 전달동사 다음에 접속사 that을 놓는다. 《단, 이 that은 생략되는 수가 있다》 ③ that 다음은 (고유명사·고유형용사가 아닌 한) 소문자로 시작한다. ④ 문중의 갖가지 요소에도 주의할 점이 있다.

(1) 인칭에 관한 주의

피전달부 안의 인칭은, 그 내용에 따라, 모두 화자[말하는 이]의 입장에서 본 것으로 바뀐다.

A) 전달부의 주어가 1인칭일 때, 원래가 듣는 이에게 (또는 혼잣말로 자기 자신에게) 발설했던 말을 전달하는 데는 인칭의 변화는 생기지 않는다. 그 밖의 경우에는: *I*→I. *you*→he, she, they. *he*, *she*, *they*→he, she, they, you.

예 I said (to him), "*You* are very tall."
→I said (that) *he* was very tall.
I said (to him), "*She* resembles *your* mother."
→I said (that) *she* resembled *his* mother.

B) 전달부의 주어가 2인칭일 때 " " 안의 주어는: *I*→you. *we* 《화자 자신을 포함하지 않음》→you. *we* 《화자 자신을 포함함》→we. *you*→I, we, he, she, it, they. *he*, *she*, *it*→I, he, she, it.

예 You say, "*I* am busy."
→You say (that) *you* are busy.
You said (to me), "*You* are lovely."
→You said (that) *I* was lovely.
You said (to her), "*You* are lovely."
→You said (that) *she* was lovely.

C) 전달부의 주어가 3인칭일 때, " " 안의 주어는: *I*→he, she. *we* 《화자를 포함하지 않음》→they, you. *we* 《화자를 포함함》→we. *he*, *she*, *it*→I, you, he, she, it. *they*→we, you, they.

예 He said, "*I* am honest."
→He said (that) *he* is honest.
He said (to her), "*You* are honest."
→He said (that) *she* was honest.
She said, "*We* are honest."
→She said (that) *they* were honest. 《"we"가 듣는 이도 말하는 이도 포함하지 않은 경우》
She said, "*We* are honest."
→She said (that) *you* were honest. 《"we"가 듣는 이만 포함하고 말하는 이는 포함하지 않은 경우》
She said, "*We* are honest."
→She said (that) *we* were honest. 《"we"가 말하는 이를 포함한 경우》

주 간접화법에서의 they, you, we 등이 불명료한 경우에는, 실제로는 이것을 보충하는 갖가지 대책이 강구된다. 이를테면 they 대신에: She said (that) *she and her brother* were honest.

(2) 시제

전달동사의 시제에 따라 피전달부의 시제가 변화하는 수가 있다. 규칙은 다음과 같다.

A) 전달부의 시제가 현재·현재완료·미래·미래완료 중의 하나일 경우에는 시제는 변화하지 않는다.

He *says*, "I *am*[*was, have been*] hungry."
→He *says* (that) he *is*[*was, has been*] hungry.
I *have said*, "I always *get* up at six."
→I *have said* (that) I always *get* up at six.

B) 전달동사가 과거 또는 과거완료인 경우에는, 피전달부의 시제는 다음과 같이 변화한다. 이와 같은 주절의 동사와 종속절의 동사 사이의 시제의 연관을 **시제의 일치**(Sequence of tenses)라고 한다:

《직접화법》	《간접화법》
현 재	과 거
현재완료	과거완료
과 거	과거완료
과거완료	과거완료 (그대로)
will, shall	would, should
can, may	could, might
must	must (그대로)

참고 ① must는 변화하지 않는다: He *said*, "I *must* go."→He *said* (that) he *must* go.
should (…해야 하다)도 변화하지 않는다.

참고 ② will, shall은 위와 같이 시제가 변하는 것 외에, 현재형의 용법에 따라, 인칭의 변화에 의해 교환된다: My father said, "I *shall* be back late."→My father said (that) he *would* be back late.

참고 ③ 전달동사가 피전달부의 동사에 흡수되는 수가 있다: She *said* to me, "*Thank* you very much."→She *thanked* me very much.

C) 화자가 피전달부를 불변의 진리·습관적 사실·역사적 사실 등을 나타낸다고 생각하는 경우에는 피전달부의 동사의 시제는 변하지 않는다:

He said to us, "The earth *moves* round the sun."→He told us that the earth *moves* round the sun.
My friend said, "I *get* up at six every morning."→My friend said (that) he *gets* up at six every morning.
He said, Columbus *discovered* America in 1492.
→He said (that) Columbus *discovered* America in 1492.

주 화자가 피전달부의 진술에 의문을 갖고 있든가, 그 진위를 문제 삼지 않고 여하튼 말한 그대로를 전달하는 경우는 보통의 법칙에 따른다: He *said* that the earth *was* slightly flatter than a perfect sphere. 그는, 지구는 완전한 구의 형태라기보다 약간은 납작하다는 취지의 말을 했다. 《나로서는 어떤지 모르지만》

D) 가정법은 전달부의 시제의 영향을 받지 않는다:

She said (to me), "I wish I *could* be a singer."
→She said that she wished she *could* be a singer. 그녀는 가수가 되는 것이 꿈이라고 말했다.
They said, "It *could*[*might*] be true."
→They said (that) it *could*[*might*] be true. 그들은 어쩌면 그것이 사실일지도 모른다고 말했다.
I said to him, "You *should* have been there."
→I told him that he *should* have been there. 나는 그에게 거기에 있었어야 하는 건데라고 말했다.

(3) 부사·지시대명사의 경우

피전달부 중의 장소나 때를 나타내는 부사·형용사가, 현재 그것을 전달하고 있는 장소나 때와 다른 경우는 다음과 같이 변화한다:

this→that. these→those. here→there. now→then. ago→before. today→that day. yesterday→the day before[the previous day]. tomorrow→the day after[the following day, the next day]. last week→the week before[the previous week]. next year→the following year.

He said, "I was ill *yesterday*."→He said (that) he had been ill *the day before*.
He said, "I saw *this* boy *here* long *ago*."→He said (that) he had seen *that* boy *there* long *before*.

(4) 피전달부가 의문문인 경우

피전달부가 의문문인 경우에는 의문부호(?)를 없애고, 전달동사를 ask, inquire, wonder 등으로 바꾸며, 어순을 「주어+동사」로 고친다.

A) who, which, what, when, where, how 등의 의문사로 시작되는 의문문은, 의문사를 본래의 위치에 남겨 연결사로 삼는다(⇨ Interrogative (4)):

I said to him, "*Where* are you staying?"
→I asked him *where* he was staying.

B) 의문사가 없는 의문문의 경우에는, 평서문의 접속사 that 대신에 if 또는 whether를 연결사로 쓴다:

He *said to* me, "Do you know the lady?"
→He *asked* me *if* I knew the lady.

(5) 피전달부가 명령문인 경우

피전달부가 명령문일 경우는 전달동사를 command; order; request; tell; ask; beg; forbid 등으로 바꾸

고, 피전달부의 명령형의 동사를 to부정사로 고쳐 「동사+목적어+부정사」의 형태로 한다. 부정의 명령은 to부정사 앞에 not을 놓는데, 때로는 「동사+that절」로 되는 경우도 있다:
He *said to* me, "*Wait* a moment."
→He *told* me *to wait* a moment.
He *said to* us, "*Wait* a moment, please."
→He *asked* us *to wait* a moment.
The doctor *said to* me, "*Don't smoke.*"
→The doctor *ordered*[*advised*] me *not to smoke.* 또는 The doctor *ordered*[*advised*] *that I should not smoke.*

(6) 피전달부가 감탄문·기원문의 경우
피전달부가 감탄문이나 기원문인 경우에는 감탄부호(!)를 없애고, 전달동사를 피전달부의 내용에 따라 cry, exclaim, shout, sigh, pray, wish 등으로 바꾸며, 경우에 따라서는 적당한 수식 어구를 첨가하기도 한다:
She *said*, "*How* brave he is!"
→She *cried*[*said loudly*] that he was really brave. 그녀는 그가 참으로 용감하다고 외쳤다.
She *said*, "*May* my dream come true!"
→She *wished* that her dream *might* come true. 그녀는 꿈이 이루어지기를 기원했다.

묘출화법(Represented speech)
묘출화법은 직접화법과 간접화법의 중간적인 것으로, 문의 구조나 어순은 직접화법에 가깝고, 인칭·시제나 때·장소의 부사·형용사 등은 간접화법에 가깝다. 소설 등에서 작가가 주인공의 심리를 묘사하는 데 사용된다.

(1) 전달부가, 앞에 있는 간접화법으로 이해되는 경우
He told them that he wanted to make an appointment with them. *Were they free the following afternoon?* 그는 그들에게 날짜를 정하여 만나고 싶다고 말했다. 다음날 오후에 시간이 있는가(라고 묻는 것이었다).
즉 직접화법 "Are you free tomorrow afternoon?" he said.와 간접화법 He asked (them) if they were free the following afternoon. 과의 중간으로, 전달부 he said나 He asked (them)은, 앞의 He told them으로 미루어 이해된다.

(2) 전달부의 암시가 더욱 간접적인 경우
He hesitated. *He certainly liked that sort of job, but could he really do it? What if he should fail?* 그는 망설였다. 나는 확실히 이런 종류의 일이 좋다. 그러나 정말 내가 그걸 할 수 있을까? 만일 실패하면 어떻게 하나?
직접화법이라면 다음과 같이 된다: He thought, "*I* certainly *like this* sort of job, but *can I* really do it? What if *I* should fail?"

직접화법의 어순과 구두법의 해설
전달부(he said 등)의 위치에는 문두·문말·문중의 3가지 경우가 있으며, 그에 따라 구두점 및 전달부 자체의 주어·동사의 어순이 변화하는 수가 있다.

(1) 전달부의 위치와 구두점
A) 전달부가 문두에 올 때는 다음에 콤마(,)를 찍고, 피전달부 전체를 인용부호(" ") 속에 넣으면 된다:
I am happy. →He said, "I am happy."
Are you busy? →He asked, "Are you busy?"
B) 전달부가 문말에 올 때:
① 피전달부 문말의 마침표(.)는 콤마(,)로 바꾼다:
Yes, please, thank you.
→"Yes, please, thank you," I said.
② 물음표(?) 및 느낌표(!)는 그대로:
Are you busy? →"Are you busy?" he asked.
What a cute baby he is!
→"What a cute baby he is!" she exclaimed.
C) 전달부가 피전달부 도중에 삽입되는 경우:
① 피전달부가 둘 이상의 문으로 구성되고, 첫 문 끝에 전달부를 삽입할 때, 이 부분에 대해서는 B)의 규칙을 적용하고, 전달부를 일단 마침표로 끝낸 다음, 다시 " "을 써서 피전달부의 나머지를 대문자로 시작한다:
I'm afraid I can't come. My mother is ill.
→"I'm afraid I can't come," he said. "*My* mother is ill."
삽입된 전달부(he said)의 종지부는, 그 바로 앞의 " "안의 말미가 본래 피전달부 중의 문말임을 나타낸다.
② 전달부가 피전달부의 문중에 삽입되는 경우는, 전달부 바로 앞에 있는 "의 안쪽에도, 전달부의 문말에도 모두 콤마(,)를 찍으며, 피전달부의 나머지는 "의 다음에 소문자로 시작한다:
My mother is seriously ill.
→"My mother," he said, "*is* seriously ill."
This is not much, but I hope you'll like it.
→"This is not much," she said, "but I hope you'll like it."
㈜ 두 번째 예와 같이, 분할된 피전달부의 전반부가 본래 콤마로 끝나면 콤마는 그대로 남는다.

(2) 전달부의 도치
전달부의 주어가 명사, 특히 명사구일 경우 문말 또는 문중에 놓이면 종종 도치된다《동사가 say인 경우에 특히 많다》:
"Thank you," *said the old man.* / "I know," *said my friend*, "that you did your best."
㈜ 전달부의 주어가 인칭대명사일 때는, 주로 정치(正置)한다: "Thank you," *he said.* / "I know," *she said*, "that you did your best."

문법 해설 (17)

Number (수 : 단수와 복수)

명사·대명사에 있어 하나의 것을 가리키거나 둘 이상의 것을 가리킬 때의 차이가 어형 변화에 나타나는 것을 말한다. 하나를 나타낼 경우를 **단수**(Singular (form)), 둘 이상을 나타낼 경우를 **복수**(Plural (form))라고 한다. 이와 같은 단수와 복수의 구별을 문법에서 **수**(Number)라 한다. 동사에도 수가 있지만, 명사·대명사의 경우처럼 개념에 일치하는 것은 아니고, 그 동사의 주어가 단수인가 복수인가의 차이에 호응(concord)하여 정해지는 것에 지나지 않는다.

명사의 복수
형태에서 보면 명사의 복수는 단수를 기초로 하여 만들어진다. 즉 단수형의 어미에 -(e)s를 붙여 복수를 만드는 것이 대부분이지만 그 외에 어미가 -en으로 변하는 것, 어간 모음이 변하는 것, 외국어의 특수 어미로 되는 것 등이 있다. 또 단수·복수 동형인 것도 있다.

(1) 규칙적인 복수
A) 가장 간단한 것. 단수형에 -s만을 붙여 [-s] 또는 [-z]로 발음. ① 모음 및 유성자음 다음에서는 s = [z] : boys, eggs ② 무성자음 다음에서는 s = [s] : pipes, hats

B) 단, s, x, z, sh, ch = [s, z, ʃ, tʃ]로 끝나는 말에는 -es = [-iz]를 덧붙인다: gas*es*, bus(s)*es*, quiz(z)*es*, dish*es*, match*es*
㊟ ① 발음은 [s, z, ʃ, tʃ]로 끝나도 단수형의 철자가 e로 끝나는 것 및 ce, (d)ge [-ʒ, -dʒ]로 끝나는 것에는 -s를 덧붙인다(발음은 [-iz]): horse*s*, axe*s*, maze*s*, race*s*, bridge*s*
㊟ ② ch(e)의 발음이 [k]이면, -s만을 붙인다(발음은 [-s]): aches[éiks], stomachs[stʌ́məks]
㊟ ③ house[háus]는 houses[háuziz]로 된다
C) 자음자+y는 y를 i로 바꾼 다음 -es를 붙인다: city[síti]—citi*es*[sítiz], lady[léidi]—ladi*es*[léidiz]
㊟ 모음자+y에서는 단지 -s: boy*s*, day*s*
D) 자음자+o로 끝나는 말에는 -es(발음은 [-z]): echo*es*, hero*es*, motto*es*, potato*es*, tomato*es*
㊟ 예외가 많음: auto*s*, photo*s*, piano*s*, radio*s*, bamboo*s*; cargo(e)*s*; kangaroo(*s*) 등
E) f, fe로 끝나는 어미는 -ve로 바꾼 다음 -s를 붙인다(발음은 [-vz]): knife—kni*ves*, leaf—lea*ves*, loaf—loa*ves*, thief—thie*ves*
㊟ 예외 많음: belief*s*, chief*s*, cliff*s*, handkerchief*s*(단, handkerchie*ves*도 됨), roof*s* 등
참고 위의 D)와 E)에 속하는 말에 대해서는 본사전에서 각 표제어에 복수형을 보여주고 있다

(2) 불규칙적인 복수

A) 어미의 변화: child[tʃáild]—child*ren*[tʃíldrən], ox—ox*en* ㊟ child—children에서는 어간(語幹) 모음의 발음 변화를 수반한다
B) 모음의 변화: foot—f*ee*t, goose—g*ee*se, man—m*e*n, woman[wúmən]—wom*e*n[wímin], mouse—m*i*ce 등
C) 단수·복수 동형
의미상으로 보면 단수는 한 개의 것을 나타내고 복수는 단수의 n배를 의미하지만 항상 그런 것은 아니다. 복수가 넓이나 강조를 나타내기도 하고 한 개의 개체를 나타내는 것도 있고 또 반대로 단수가 개체의 집합체를 나타내는 것도 있다.
① 동물의 이름: deer, sheep, salmon, trout, fish 등 ㊟ ① 동물 이름이라도 규칙적인 것은 많음: horse*s*, lion*s*, tiger*s*; eagle*s* 등 ㊟ ② fish에는 fish*es*도 있으며 종류를 나타낼 때에 씀
② 본래 복수형인 것: means「방법」, headquarters「본부」 등
③ Chinese, Swiss 등
④ series, species 등
⑤ aircraft, apparatus(복수 apparatuses도 있음) 등
D) 복합명사의 복수: son*s*-in-law, m*e*n-of-war (군함들), looker*s*-on (《비교 ONLOOKERS》), passer*s*-by, attorney*s* general[attorney general*s*] (법무장관), secretar*ies*-general (사무총장), pickpocket*s*, go-between*s* 등 ㊟ sons-in-law[brothers-in-law 등]는 구어에서는 흔히 son-in-law*s*처럼 됨
E) 항상 복수인 것
① 2부분으로 되어 있는 것(의류·기구·건축물·병명, 신체의 각부 명칭): breeche*s* (바지), compasse*s* (컴퍼스), scissor*s* (가위), spectacle*s* (안경), tong*s* (부젓가락), trouser*s* (바지), bowel*s* (장), measle*s* (홍역) 등 ㊟ ① 항상 복수인 명사의 갯수는 *a pair of* scissors (가위 한 자루), *two pair*(*s*) *of* pants[trousers] (바지 2벌)과 같이 pair를 써서 나타냄. 또한 pair의 복수는 s를 붙이는 것이 보통. ㊟ ② 1개라도 *these* compasses 또는 this pair of compasses (이 컴퍼스), *those* spectacles 또는 that pair of spectacles (저 안경)처럼 복수적으로 나타낸다. 어쩌다 this[a] scissors처럼 단수 취급할 때도 있으나 보통 피함 ㊟ ③ 이런 종류는 두 구성 부분이 밀접히 붙어 있다는 점에서, 보통 「쌍」을 이루는 shoes 등과는 다름. 후자에서는 분리가 가능하므로 these *shoes* (이 구두 한 켤레, 또는 몇 켤레), a pair of *shoes* (구두 한 켤레)와 같은 복수 외에, a shoe (구두 한 짝), this shoe (이 한 짝의 구두)와 같은 단수형이 정상적으로 쓰임 ㊟ ④ compasses에는 a compass의 형태도 있음 ⇨ compass
② 학문의 이름: economic*s*, physic*s*, politic*s* 등 ㊟ 흔히 단수 취급: *Mathematics is* a difficult subject. 수학은 어려운 학과이다.
F) 2중 복수(복수형이 2개인 말): brother—brother*s* (형제), breth*ren* (동포); cloth—cloth*s* (몇 종류의 천), cloth*es* (옷가지); penny—penn*ies* (화폐의 복수), pence (가격의 복수); genius—genius*es* (천재), geni*i* (수호신, 악마) 등
G) 인명·기호·말 등: three Mary*s* (Mary라는 사람 세 사람), two i*'s* (i자(字) 둘), do*'s* and don't*s* (수칙(守則) 주의 사항)
H) 외래어: formula—formula*e*[formula*s*], axis—ax*es*, focus—foc*i* 등
I) 단수에는 없는 새로운 뜻이 복수에 있는 경우: air (공기)—air*s* (뽐내는 꼴), custom (관습)—custom*s* (관세), letter (문자, 편지)—letter*s* (학문, 문학), work (일)—work*s* (공장)

대명사·형용사의 복수

(1) 대명사

인칭대명사(Personal pronoun), 지시대명사(Demonstrative pronoun), 부정대명사(Indefinite pronoun) 중에는 형태상 단·복수의 구별을 하는 것이 있지만 그 밖의 대명사는 구별이 없다
A) 단수·복수 동형: ① all, any, none, some, you ② 의문대명사·관계대명사: who, what, which ③ 관계대명사 that ④ 소유대명사 mine, yours, his, hers, ours, yours, theirs ㊟ ① you의 단수·복수는 보통 앞뒤 관계로 정해지는데, you boys (너희 소년들)처럼 동격명사로 명시될 때가 있다 ㊟ ② *Who* is he?—*Who* are they? ㊟ ③ *Mine* is a small house. 내 것은 작은 집이다.—His brothers are tall. *Mine* are short. 그의 형제는 키가 크다. 우린[우리 형제는] 키가 작다.
B) 그 밖의 주의: ① 인칭대명사: they (그들, 그녀들, 그것들 《it의 복수》) ㊟ 마지막 뜻을 잊지 않도록 할 것 ② 부정대명사: If you buy dictionaries, buy good *ones.* 사전을 산다면, 좋은 것을 사시오. 《형용사가 붙어 있음》—If you have many pencils, lend me *some.* 연필을 많이 갖고 있으면, 조금 빌려주시오. 《형용사가 없음》

(2) 형용사

단수·복수의 구별이 있는 것은 this, that뿐: *this* book (이 책)—*these* books (이 책들), that child (그 아이)—*those* children (그 아이들)

주어와 술어동사

주어의 단수·복수에 따라 동사도 형태를 바꾼다: My *friend lives* in town. 내 친구는 읍내에 살고 있다.—My *friends live* in town. 내 친구들은 읍내에 살고 있다. / The *child was* happy. 아이는 행복했다.—The *children were* happy. 아이들은 행복했다. ㊟ 동사에서 단수·복수가 문제가 되는 것은 일반적으로 직설법 현재(및 현재완료)뿐이지만, be동사는 예외로서 과거에도 단수·복수가 있다

수의 일치에 관한 주의 사항

A) 둘 이상의 단수의 주어가 **and**로 이어진 경우 동사는 복수형: He *and* I *are* (of) the same age. 그와 나와는 동갑이다. / Fire *and* water *do* not agree. 불과 물은 상극이다.
B) 둘 이상의 단수의 주어가 **and**로 이어져 있어도 그것이 단일 개념을 나타낼 때에는 동사는 단수형을 취한다: Bread *and* butter *was* my usual breakfast. 버터 바른 빵은 나의 평상시의 아침 식사였다. / Truth *and* honesty *wins* in the long run. 결국은 진실과 정직이 이긴다. / The scholar *and* poet *loves* nature. 《관사 1개: 동일인》 학자이자 시인인 그 사람은 자연을 사랑한다. (≠ The scholar *and the* poet *love*

nature. 《관사 2개; 별개의 사람》 그 학자와 그 시인은 자연을 사랑한다.) 囹 ① 단, 관사에 의한 위의 구별의 원칙은 꼭 지켜지지는 않음 囹 ② 여기서 말한 사항 이외 것은 AND 참조

C) 복수형으로 쓰이는 명사 중 학문명·병명·놀이명·시설명·국명·출판물명, 대응하는 단수형이 없는 것(news, means) 등은 원칙적으로 단수형 동사에 일치한다.: Mathematics *is* his weak point. 수학은 그의 약한 부분이다. / By the side of Hyde Park *stands* Kensington Gardens. 하이드 파크의 옆에 켄싱턴 공원이 있다. / The United Nations *is* going to send relief party to that country. 국제 연합은 그 나라에 구조대를 파견할 예정이다.

D) and로 이어져 있고 동일 개념을 나타내지 않는 둘 이상의 단수 명사라도 각기 명사 앞에 **each, every, no**가 와 있으면 동사는 단수형: *Every* worker and *every* machine *counts*. 한 사람의 직공, 하나의 기계라도 소홀히 할 수 없다.

E) 둘 이상의 주어가 **or** 또는 **nor**로 이어져 있을 때, 동사의 수(및 인칭)는 최종의 주어와 일치한다: You *or* he *is* wrong. 자네 아니면 그가 잘못돼 있다. / Either he *or* his parents *were* to blame. 그 아니면 그의 부모가 비난받아야 했다. / Neither Jane, Tom, *nor* their children *live* here. 제인도 톰도 그들의 아이들도 이곳엔 살고 있지 않다. 囹 그 밖에 as well as, not only ... but (also)—에 대해서는 ⇨ 문법 해설 Correlative Conjunction

F) 집합명사는 단수형의 주어라도 그 구성원 하나하나를 생각하는 경우에는 복수동사를 취한다. 그 명사의 앞에 'the members of', 'all of'를 붙일 수 있는지의 차이로 판단할 수 있다: This class *is* large. 이 반은 크다(학생이 많다). / Our class *are* all present. 우리반 학생은 모두 출석했다.(=The members[students] of our class ...) / The family *is* old. 오래된 가문이다. / My family *are* all very well. 우리 가족은 모두 건강하다.

G) **all**은 사람을 가리키면 복수, 사물이나 관념을 가리키면 단수: *All were* happy. 모두 즐거웠다. / *All is* still. 만물이 고요하다.

H) 부분이 주어인 경우, 동사의 수는 전체를 나타내는 명사의 수에 따른다: Half[Two-thirds] of *the town was* damaged by the storm. 마을의 반은 [3분의 2는] 폭풍의 피해를 입었다. / Half[One-third] of *the houses were* destroyed by the storm. 폭풍으로 가옥의 반[3분의 1]이 파괴되었다.

① **None** *are* completely happy. 완전히 행복한 사람은 아무도 없다. 囹 none은 원래 단수이지만(=no one), 오늘날에는 복수 취급이 일반적임

② It is **I who** *am* responsible. 책임이 있는 것은 나다. ⇨ 문법 해설 Emphasis

③ **The rich** (=The rich people) *are* not always happy. 부자라고 해서 반드시 행복한 것은 아니다.

④ **Many a** man *has been* successful. 많은 사람이 성공을 거두어 왔다.

⑤ **The number** of the graduates this year *is* 90 in all. 금년도 졸업생의 총수는 90명이다. / **A number of** houses *are* under water. 많은 주택들이 물에 잠겨 있다.

⑥ **No** books *are* so interesting. 이만큼 재미있는 책은 없다.

⑦ **One or two** explanations *were* needed. 한 두 가지 설명이 필요했다.

⑧ **More than one** writer *is* interested in the story. (한 사람이 아닌) 많은 작가들이 그 소설에 흥미를 갖고 있다. 囹 명사와 동사 양 쪽의 단수형에 주의. 복수는 쓰지 않음

문법 해설 (18)

Numeral (수사) I

—기수와 서수, 분수와 배수 등—

수량형용사(Quantitative adjective) 중 수를 나타내는 말은 **수사**(Numeral)라고 하며, 이것에는 one, two, three...처럼 수를 세는 **기수**(Cardinal number, Cardinal numeral, Cardinal)와, first, second, third...와 같이 순번을 나타내는 **서수**(Ordinal number, Ordinal numeral, Ordinal)와의 2계열이 있다. 또한 이 2계열에서 소수·분수·배수가 만들어진다.

본 항에서는 오로지 수사에 관한 일반적인 문법상의 사실을 해설한다. 크고 작은 구체적인 수의 명칭, 로마 숫자 등은 ⇨ 문법 해설 Numeral Ⅱ.

기수와 서수

(1) 기수의 일반 용법

A) **형용사**

It is now *twenty* years since he died. 그의 사후 20년이 된다. / We have a baby boy, *six* weeks old. 생후 6주의 남자 아기가 있다. / I paid *one* dollar for it. 그것에 1달러 주었다.

B) **명사**

① *One* and *one* make(s) *two*. 1+1 =2 / You may select any *two* of these books. 이들 책 중 어느 것이라도 2개를 골라도 좋다.

② *Two millions* is a large number. 2백만은 큰 숫자이다.

③ *Four* of them were absent. 그들 중 4명이 결석하였다. 《「4명」은 「그들」의 일부》 ≠ The *four* of them (=They *four*) were absent. 그들 네 사람은 결석하였다. 《「네 사람」은 「그들」의 전부》 囹 이 두 예문에서 관사의 유무에 주의. of는 전자에서는 부분을, 후자에서는 동격을 나타낸다.

④ a family of *five* 「다섯 식구(≠five families 다섯 가족[가구])」 / a child of *three* 「3살짜리 아이(≠three children 세 아이)」

⑤ an *eight*, a *nine*, ... 8, 9, …의 숫자의 한 자; (카드의) 8, 9, …의 패 1장; 기타 8, 9, …의 번호가 매겨져 있는 것

⑥ *Five* (persons, sheets, etc.) is[are] enough. 다섯[5명, 5장 등]이면 충분하다 囹 Five persons 《Five는 형용사》도, 단순한 Five 《명사》도 여기서는 「5개의 것」이라는 구체성을 지니며, ③의 Four와 마찬가지로 본래 복수이지만 하나로 합쳐진 수량으로 보아서 모두 단수로 취급되는 수가 많다. 같은 구문이라도 ②의 Two millions는 추상적인 「2백만이라는 수」의 뜻으로 언제나 단수.

⑦ *hundreds*[*thousands, millions*] of men (몇 백[몇 천, 몇 백만]명의 사람)

⑧ 특수 용법: *dozens of* people 수십 명 / She was in her late *thirties.* 그녀는 30대 후반이었다. / The girl was married in her *teens.* 그 소녀는 10대에 결혼했다.
참고 성구(成句)에 대해서는 ⇨ two, three 등 각항

(2) 서수의 일반 용법

A) 형용사

① the *first* train (첫(번)째 열차, 첫차), the *second* year (둘째 해)
② the (*one*) *hundredth*[*thousandth, millionth*] part 100[1,000, 100만]분의 1. 주 one은 생략하기도 하고, one 대신에 a를 쓰기도 함
③ William I = William the *First* (윌리엄 1세)
주 ①, ②와는 순서가 거꾸로임

B) 명사

He was the *first* to come. 그가 제일 먼저 왔다. / Of the speakers the *second* was the best. 연설자 중 두번 째가 가장 훌륭했다. / the *fifth* of May, May the *fifth* (5월 5일) 주 흔히 May 5 또는 May 5th로 쓰고 위와 같이 읽음. 이 밖에 미국에서는 May fifth, May five와 같이 말할 때도 있음

C) 관용적 용법

at *first* (처음에는), at *first* hand (직접적으로), *first* of all (우선 첫째로), for the *first* time (처음으로), *second* to none (누구에게도 뒤지지 않는)

D) 부사

stand *first* 선두에 서다 / travel *second* 2등으로 여행하다 / *First,* ...; *second,* ...; *third,* ...; *fourth,* ... 첫째로…; 둘째로…; 셋째로…; 넷째로… / *First* come, *first* served. 《속담》 먼저 온 사람이 먼저 대접 받는다, 선착자 우선. ⇨ first, second

(3) 서수와 관사

상기 (2)의 A), B)에서 알 수 있듯이, 서수의 형용사적 및 명사적 용법에는 보통 the를 붙이는데, 다음의 예외가 있다.

A) my, this 등, 정관사와 맞먹는 말이 앞에 올 때에는 관사가 붙지 않는다: *my first* visit to Italy 나의 최초의 이탈리아 여행 / *this sixth* day of July 오늘 7월 6일 《조약 기타 공문서에서 조인 당일임을 나타내는 데 쓰임》

B) 「다른 또 하나의」의 뜻일 때에는 부정 관사가 붙는다: Two people came from England, and *a third* from France, and *a fourth* from Germany. 두 사람은 영국에서, 또 한 사람은 프랑스에서, 또 한 사람은 독일에서 왔다. / I tried it *a second*[*third,* ...] time. (이미 한 번[두 번, …] 해 보았는데) 다시 한 번 해 보았다. 주 for the second[third, ...] time과 거의 같은 뜻이지만, a를 사용한 경우에는 추가의 함축성이 강함

C) 다음의 명사와 결합해서 복합 명사적인 색채가 짙어질 때: My friend is *a third son,* and I am another. We are both *third sons.* 내 친구는 셋째 아들이고, 나도 셋째 아들, 우리는 둘 다 셋째 아들이다. 《비교 He is *the third son* of my friend. 그는 내 친구의 셋째 아들이다.》

(4) 서수와 기수의 혼동에 주의

우리말에서는 정식으로 말할 때 외에는 서수의 경우에도 「제(第)」를 흔히 붙이지 않는다. 예를 들어 「8페이지」라고 할 때, 이것은 페이지 수 《*eight* pages》를 가리키기도 하고, 또한 페이지 번호 《서수: the *eighth* page = page 8》를 나타낼 수도 있다. 영어에서는 이것이 항상 뚜렷이 구별된다: *The eighth page* is badly printed. 8페이지(째)는 인쇄가 나쁘다. / *Eight pages* are missing. 8페이지의 낙장(落張)이 있다.

(5) 서수의 대용

형식상 기수로 서수의 뜻을 나타내는 방법이 있다.

A) 일반적인 것

page 123 (제) 123페이지(= the 123rd page) 《p. 123으로 생략해서 쓰며, page one hundred and twenty-three 또는 page one two three로 읽음》 / line 7 (제) 7행(= the seventh line) 《l. 7로 생략, line seven이라고 읽음》 / Article 5 제5조(= the fifth article) 《읽기 Article Five》 / Act I 제1막(= the first act) 《읽기 Act One》 / Chapter Ⅷ 제8장(= the eighth chapter) 《읽기 Chapter Eight》.
주 ① 이런 때 흔히 명사 앞에 the를 붙이지 않는다: *page* 2 《비교 *the* second page》. 주 ② Act the First, Chapter the Eighth처럼 읽을 때도 있으나 그리 흔하지 않음. 단, William I = William the First 《위의 (2) A) ③》 등의 경우는 별도임. 주 ③ page, Article 등의 대문자, 소문자로 구별해 쓰기는 절대적은 아니지만 습관상 page, line 등은 보통 소문자, 그밖의 경우에는 흔히 대문자. 또 로마 숫자, 아라비아 숫자의 사용법도 절대적인 것이 아니어서 Chapter Ⅷ, Chapter 8처럼 사람의 취향에 달린 경우도 많음. 주 ④ page 123(= the 123rd page) ≒ 123 pages. ⇨ 위의 (4).

B) 연호(年號) 읽기

① 1999 = nineteen (hundred) ninety-nine처럼 백 자리와 십 자리에서 나누어 말하는 것이 가장 일반적이며 hundred는 생략될 때가 많음. 단, 다음과 같은 경우에는 생략할 수 없음: 1900 = nineteen hundred / 1600 = sixteen hundred.
② 공문서 등에서 the year가 붙을 때나, the year가 붙지 않더라도 1,000미만의 연호일 때에는 보통대로 읽는다: the year 1972 = the year one thousand nine hundred and seventy-two / (the year) 863 = (the year) eight hundred and sixty-three / (the year) 900 = (the year) nine hundred
③ 기타: 7,213 = seven thousand two hundred and thirteen. 주 ① 서력 기원전을 475 B.C.처럼 쓰기 때문에 이와 구별하여 서력 연호를 A.D.385처럼 쓸 때가 있음. 주 ② 고종(高宗) 14년 (the fourteenth year of Gojong) 등은, 쓰는 입장에서 보아 보통 19…처럼 서력으로 고치는 것이 좋다.

C) 전화 번호

302-7095 = three O [ou] two (dash) seven O nine five.

D) 시간

5: 40 p.m = five forty p.m. [píːém] 오후 5시 40분

분수 · 소수의 읽기, 배수사(倍數詞) 등

(1) 분수(fraction)

문법상 부분 수사(partitive numeral)라고도 한다.

A) 보통 분수(common fraction)

분자를 numerator, 분모를 denominator라고 한다.
① 분자가 1인 것: $^1/_2$ = (a) half 《⇨ half》 / $^1/_3$ = one[a] third, a[the] third part / $^1/_4$ = a quarter, one[a] fourth, a[the] fourth part / $^1/_{10}$ = one[a] tenth, a[the] tenth part / $^1/_{100}$ = one[a] hundredth, a[the] hundredth part.
주 ① ... part가 붙지 않는 간단한 형태가 일반적임.
주 ② $^1/_{10}$에 대해서 tithe는 오늘날 특수한 의미에 한정됨. ⇨ tithe. 주 ③ 분수는 서수를 써서 나타내므로, 상기(上記) 외는 ⇨ 문법 해설 Numeral Ⅱ.
② 분자가 2 이상의 것: $^2/_3$ = two-thirds / $^3/_4$ = three-quarters, three-fourths / $^4/_7$ = four-sevenths / $^{63}/_{100}$ = sixty-three hundredths, sixty-three over a hundred 《비교 $^{60}/_{300}$ = sixty three hundredths, sixty over three hundred》 주 큰 수나 복잡한 숫자의 분수에는 over를 씀.

B) 대분수(mixed number)

분수 앞에 and를 넣는다: 8 $^3/_4$ = eight *and* three quarters

(2) 소수(decimal fraction)

43.02 = forty-three point[decimal] naught two / 3.141,592 = three (decimal) point one four one five nine two; three, and one hundred and forty-one thousand, five hundred and ninety-two millionths

(3) 횟수·도수(度數)

배수사(倍數詞)(multiplicative) 등으로 불린다. 기수사에 fold가 붙는 것, -ble, -ple로 끝나는 것 등이 있다.
① half(반); single(단일); double(2배, 2중[겹]);

treble [triple] (3배, 3중[겹]); quadruple(4배, 4중[겹] 등) 《⇨ 각각의 항》
② once(1회[번], 1배); twice(2회[번], 2배); three times(3회[번], 3배) 《thrice는 문어적》; four times (4회[번], 4배) ⇨ 각각의 단어 및 time
③ twofold(2배, 2중); threefold(3배, 3중); thousandfold(천배) 《⇨ -fold》

Numeral (수사) II

—정수(整數)의 표—

이 항에서는 표기(表記)의 구체적인 수의 명칭, 로마 숫자에 의해 나타내는 방법 등을 다룬다. 수사에 관한 일반적인 문법상의 해설은 ⇨ 문법 해설 Numeral I. 또한 각개의 수에 관한 주의는 각각의 [주]를, 특히 로마 숫자에 대해서는 [주] ⑫-⑭를 참조.

1에서 100,000,000(1억)까지의 수

기수(cardinal numeral)			서수(ordinal numeral)	
명 칭	아라비아 숫자 (Arabic numeral)	로마숫자[⑫] (Roman numeral)	명 칭	약 기
naught, zero	0		zeroth[zíərouθ][⑮]	
one[①]	1	I	first	lst
two	2	II	second	2nd, 2d
three	3	III	third	3rd, 3d
four	4	IV, IIII[⑬]	fourth	4th
five	5	V	fifth[fifθ]	5th
six	6	VI	sixth	6th
seven	7	VII	seventh	7th
eight	8	VIII	eighth [éitθ][⑯]	8th
nine	9	IX, VIIII[⑬]	ninth [náinθ][⑰]	9th
ten	10	X	tenth	10th
eleven	11	XI	eleventh	11th
twelve	12	XII	twelfth [twélfθ][⑱]	12th
thirteen[θə̀ːrtíːn][②]	13	XIII	thirteenth	13th
fourteen[fɔ̀ːrtíːn][②]	14	XIV, XIIII[⑬]	fourteenth	14th
fifteen[fiftíːn][②]	15	XV	fifteenth	15th
sixteen[sìkstíːn][②]	16	XVI	sixteenth	16th
seventeen[sèvəntíːn]	17	XVII	seventeenth	17th
eighteen[èitíːn][②]	18	XVIII	eighteenth	18th
nineteen[nàintíːn][②]	19	XIX, XVIIII[⑬]	nineteenth	19th
twenty	20	XX	twentieth [twéntiiθ][⑲]	20th
twenty-one[③]	21	XXI	twenty-first	21st
twenty-two	22	XXII	twenty-second	22nd
twenty-three	23	XXIII	twenty-third	23rd
twenty-four	24	XXIV	twenty-fourth	24th
twenty-five	25	XXV	twenty-fifth	25th
twenty-six	26	XXVI	twenty-sixth	26th
twenty-seven	27	XXVII	twenty-seventh	27th
twenty-eight	28	XXVIII	twenty-eighth	28th
twenty-nine	29	XXIX	twenty-ninth	29th
thirty[④]	30	XXX	thirtieth [θə́ːrtiiθ][⑲]	30th
thirty-one	31	XXXI	thirty-first	31st
thirty-two	32	XXXII	thirty-second	32nd
thirty-three	33	XXXIII	thirty-third	33rd
…				
thirty-nine	39	XXXIX	thirty-ninth	39th
forty[⑤]	40	XL, XXXX[⑬]	fortieth[⑲]	40th
forty-one	41	XLI	forty-first	41st
forty-two	42	XLII	forty-second	42nd
forty-three	43	XLIII	forty-third	43rd
…				
forty-nine	49	XLIX	forty-ninth	49th
fifty	50	L	fiftieth[⑲]	50th
sixty	60	LX	sixtieth[⑲]	60th
seventy	70	LXX	seventieth[⑲]	70th
eighty[⑥]	80	LXXX, XXC[⑬]	eightieth[⑲]	80th
ninety	90	XC, LXXXX[⑬]	ninetieth[⑲]	90th

one hundred[⑦]	100	C	one hundredth[⑳]	100th
one hundred and one[⑧]	101	CI	one hundred and first[⑳]	101st
one hundred and two[⑧]	102	CII	one hundred and second[⑳]	102nd
one hundred and fifty[⑧]	150	CL	one hundred and fiftieth[⑲, ⑳]	150th
two hundred[⑨]	200	CC	two hundredth	200th
three hundred	300	CCC	three hundredth	300th
four hundred	400	CD, CCCC[⑬]	four hundredth	400th
five hundred	500	D, IↃ[⑬]	five hundredth	500th
six hundred	600	DC, IↃC[⑬]	six hundredth	600th
seven hundred	700	DCC, IↃCC[⑬]	seven hundredth	700th
eight hundred	800	DCCC	eight hundredth	800th
nine hundred	900	CM	nine hundredth	900th
one thousand[⑦]	1,000	M, CIↃ[⑬]	one thousandth[⑳]	1,000th
two thousand[⑨]	2,000	MM	two thousandth	2,000th
ten thousand 1만[⑨, ⑩]	10,000	$\overline{\mathrm{X}}$[⑭]	ten thousandth	10,000th
one hundred thousand 10만[⑧, ⑩]	100,000	$\overline{\mathrm{C}}$[⑭]	one hundred thousandth[⑳]	100,000th
one million 100만[⑦]	1,000,000	$\overline{\mathrm{M}}$[⑭]	one millionth[⑳]	1,000,000th
ten million(s) 1000만[⑪]	10,000,000		ten millionth	10,000,000th
one hundred million(s) 1억[⑪]	100,000,000		one hundred millionth[⑳]	100,000,000th

① one에 관해서는 ⇨ one
② 13에서 19까지는, 대체로 3에서 9까지의 말에 -teen을 붙인 것인데, thirteen, fifteen, eighteen 《eighteen이 되지 않음》처럼 약간 형태가 바뀌는 것도 있다
③ 이하 예전 형태로서 one-and-twenty 등의 표현법이 있다. 오늘날에는 짐짓 점잔빼는 표현으로, 또 주로 20대의 수에 한정된다
④ thirty [θə́ːrti]. 위의 thirteen [θəːrtíːn]과 혼동하지 않도록 주의. forty 이하도 같음
⑤ forty의 철자. u가 없는 점에 주의
⑥ eighty. 철자는 eight+ty가 아니고, t가 하나 빠진다. eighteen의 경우와 같다
⑦ one hundred, one thousand, one million ... 대신 종종 a hundred, a thousand, a million ... 이 쓰인다. 또 정관사나 기타의 수식어가 앞에 올 때에는, 보통 the[these, my] hundred books처럼 one을 붙이지 않고 쓰인다
⑧ hundred 다음의 and는 《미》에서는 종종 생략된다
⑨ two hundreds, three thousands처럼 s가 붙는 일은 없다. 단, 부정(不定)의 경우는 다름: *hundreds*[*thousands*] of people (수백[수천]이나 되는 사람들), *hundreds of thousands* of dollars (몇 십만 달러나 되는 돈), a good many *hundreds* of years (족히 몇 백 년이나)
⑩ 이하, 문자대로는 「십천(十千)」 「백천(百千)」이 되어 우리말의 경우와는 호칭의 형성이 달라지는 점에 주의
⑪ 수로서 독립해서 쓰일 때에는, hundred, thousand의 경우와 달라서 two millions, three millions와 같이 s가 붙는다. 단, two million people처럼 다음에 명사가 오거나, two million three hundred thousand (2,300,000)와 같이 「우수리」가 붙을 때에는 단수형이 보통
⑫ 로마숫자(Roman numeral)는 주로 서책의 장(章)번호·연호(年號), 시계의 문자판 등에 쓴다. 원칙 ⓐ 병렬(竝列)은 덧셈을 나타낸다: VI = V+I = 6, XXIV = XX+IV = 24 (다음 항 참조). 원칙 ⓑ 작은 수의 기호 오른쪽에 큰 수의 기호가 오면 후자에서 전자를 뺀다: IV = V−I = 4, IX = X−I = 9, XC = C−X = 90. 《뺄셈은 1 단위만: IX = X−I은 쓰이지만, IIX = X−II와 같이는 보통 하지 않음. 예 Chapter III 제3장, the year MCMLXII 1962년》
⑬ IV, IIII 중 좌측이 보통형. 이하 IX와 VIIII도 같음. IↃ, CIↃ는 각기 하나의 기호
⑭ $\overline{\mathrm{X}}$ 등의 상부 가로선은 1,000배를 나타낸다. 생략할 때도 있음
⑮ zeroth 제 0번(의). 수학·물리학 등, 특수한 경우에 한하여 씀
⑯ eight+th가 아니고, t가 하나 없어지는 점에 주의. 단, 발음에서는 t가 살아서 [eitθ]. [tθ]는 단숨에 발음되어 [ts] 비슷한 음. twenty-eighth 등도 같음
⑰ ninth. nine의 e가 빠진 점에 주의. twenty-ninth(29th)부터 ninety-ninth(99th)까지도 같음. 단, 발음은 [nainθ]이며 [ninθ]가 아님. 이에 대하여 ninety, ninetieth, nineteen, nineteenth에서는 e가 탈락되지 않음
⑱ twelfth[twelfθ]는 twelveth가 아닌 점에 주의
⑲ twentieth[twéntiiθ] 이하 ninetieth[náintiiθ]까지의 -tieth는 2음절 [-tiiθ]로 발음됨. [-tiːθ]나 [-tiθ]로는 안 됨
⑳ the hundredth와 같이, 앞에 the가 붙으면 one이 빠질 때가 많음.

* * *

일반적인 수의 예

A) 123,456,789 「1억2천3백4십5만6천7백89」 = one hundred and twenty-three million, four hundred and fifty-six thousand, seven hundred and eighty nine. 이것을 직역하면 「123 million, 456 thousand, 789」가 된다. 즉 영어에서는 1, 10, 100의 호칭이 되풀이되어 3자리마다 호칭이 바뀐다 《thousand, million》. 숫자를 세 개씩 끊는 것은 그 때문임

B) 1,100이나 1,800처럼 4자리의 수로서 마지막 2자리가 0인 것은, one thousand one[eight] hundred라고도 하지만, 종종 eleven[eighteen] hundred처럼 100을 단위로 한 간결한 표현도 쓰인다

1,000,000,000(10억) 이상의 수

10억 이상은 다음과 같이 《미》 《영》의 호칭이 다르다

	미 국	영 국
1,000,000,000(10억) 10,000,000,000(100억) 100,000,000,000(1,000억) 1,000,000,000,000(1조)	one billion* ten billions one hundred billions one trillion	one thousand millions ten thousand millions one hundred thousand millions one billion*

이하 같은 식으로 된다. 즉 《미》 식에서는 1,000(thousand) 배마다, 《영》 식으로는 100만(million) 배마다 명칭이 변한다. 그래서 위 *처럼 같은 one billion이라도, 《미》《영》에서 수가 달라지게 된다《미는 10억 $=10^9$; 영은 1조 $=10^{12}$》. 이것은 trillion 이상에서도 마찬가지이다《이하 one billion 등의 one은 생략》

명 칭	미 국	영 국
billion	million×thousand $=10^{9}$	million×million $=10^{12}$
trillion	billion×thousand $=10^{12}$	billion×million $=10^{18}$
quardillion	trillion×thousand $=10^{15}$	trillion×million $=10^{24}$
quintillion	quadrillion×thousand $=10^{18}$	quadrillion×million $=10^{30}$
sextillion	quintillion×thousand $=10^{21}$	quintillion×million $=10^{36}$
septillion	sextillion×thousand $=10^{24}$	sextillion×million $=10^{42}$
octillion	septillion×thousand $=10^{27}$	septillion×million $=10^{48}$
nonillion	octillion×thousand $=10^{30}$	octillion×million $=10^{54}$
decillion	nonillion×thousand $=10^{33}$	nonillion×million $=10^{60}$

문법 해설 (19)

Object (목적어)

문(文)의 요소로서의 말의 분류의 하나로 동사가 작용하는 대상을 목적어(Object)라 한다. 목적어를 취하는 동사는 타동사이나, 이 밖에 전치사 및 소수의 형용사도 목적어를 취한다. 타동사에는 하나의 목적어를 취하는 것과 두 개의 목적어, 즉 직접목적어와 간접목적어를 취하는 것이 있다. 목적어가 될 수 있는 어구는 명사·대명사·부정사·동명사 및 명사구와 명사절 등이다.

목적어가 되는 어·구·절

타동사를 비롯하여 전치사·형용사도 목적어를 취하는데, 목적어가 되는 어·구·절은 다음과 같다:

[명사] I bought a *bicycle*. 나는 자전거를 샀다.

[대명사] He loves *her* very much. 그는 그녀를 매우 사랑한다.

[부정사] I want *to go* to America. 나는 미국에 가고 싶다.

[동명사] Paris is a city worth *visiting*. 파리는 방문할 가치가 있는 도시이다. 《형용사의 목적어》

[절] I don't think *that it will rain*. 비는 오지 않으리라 생각한다. 《타동사의 목적절》/ Whether or not he passes the exam depends on *how hard he studies*. 시험의 합격 여부는 그가 얼마만큼 열심히 공부하느냐에 달려 있다. 《전치사의 목적절》

목적어의 용법

(1) 부사적 목적어

거리·시간·시점·수량·방법 등을 나타낼 때 부사적으로 표현되어 목적어의 역할을 하는 것을 말하며 명사가 주로 쓰인다: We walked *five miles* an hour. 우리는 한 시간에 5마일을 걸었다. / I don't care *a bit*. 나는 조금도 개의치 않는다.

참고 관계대명사 that가 다음과 같이 관계부사적으로 (즉, in which, on which 등과 동등하게) 쓰일 경우에는 사실은 관계절 가운데의 부사적 목적어라고 생각된다: Look at the way *that* he walks. 그의 걸음걸이를 보시오.
즉, 이 that는 관계절 속에서 this way와 같은 기능을 갖고 있는데, 이와 같은 that는 흔히 생략된다.

(2) 동족(同族)목적어

본래의 자동사가 어원적으로 동일한 명사를 목적어로 취할 때가 있다. 이러한 목적어를 **동족목적어**(Cognate object)라고 부른다. 동족목적어는 종종 형용사로 수식된다: smile a *happy smile* 행복한 듯한 미소를 짓다 / die a *violent death* 변사[횡사]하다 / sleep a *sound sleep* 깊은 잠을 자다 / He told me a *funny tale*. 그는 나에게 우스운 이야기를 했다. / She lives a *happy life*. 그녀는 행복하게 살고 있다.(=She lives happily.)

주 동족목적어가 어원적 관계를 반드시 필요로 하는 것은 아니며, 동사와 목적어가 의미상으로만 같은 종류일 경우도 있다: fight a *battle* 전투를 벌이다 / run a *race* 경주를 하다

(3) 직접목적어와 간접목적어

동사가 두 개의 목적어를 취할 때, 이 경우 「사람」을 나타내는 목적어는 앞에 두고 「사물」의 목적어는 뒤에 둔다. 전자를 간접목적어(Indirect object), 후자를 직접목적어(Direct object)라 한다: She wrote *him a friendly letter*. 그녀는 그에게 우정 어린 편지를 썼다.

주 직접목적어와 간접목적어를 가지는 동사는 bring, buy, give, lend, send, show, tell 등이며 이들을 수여(授與)동사라 한다.

(4) 재귀목적어(Reflexive object)

주어와 같은 대명사에 -self, -selves를 붙인 재귀대명사의 목적어를 말한다. 재귀목적어를 취하는 동사를 재귀동사(Reflexive verb)라 한다: I absented *myself* from school yesterday. 나는 어제 학교를 결석했다.

(5) 형식목적어와 의미목적어
I make *it* a rule *to take a walk* early in the morning. 나는 이른 아침에 늘 산보를 한다.
위 예문의 it는 불완전타동사 make의 목적어이지만 형식을 갖추기 위한 형식목적어이고 진짜 목적어는 to take a walk early in the morning이다. 이를 의미목적어라 한다.
(6) 전치사의 목적어
He is extremely fond *of music*. 그는 음악을 무척 좋아한다. / He sat *behind me*. 그는 내 뒤에 앉아 있었다. / I am *about to start*. 지금 막 출발하려고 한다. / I am thinking *of what course to pursue*. 어떤 방침을 따라야 할지 생각 중이다.
(7) 형용사의 목적어
소수의 형용사(like, unlike, worth)는 관용적으로 명사·대명사·동명사를 목적어로 취한다: She is *like* her father. 그녀는 그녀의 아버지를 닮았다. / It is not *worth* a penny. 그것은 한 푼의 가치도 없다.

영어의 표현과 우리말의 격조사(格助詞)
(1) 직접목적어가 「…에(게)」로 번역되는 경우
「…을」이라고 번역될 부분이 영어에서는 전치사 뒤에 놓인다: She furnished *the room with* new curtains. 그녀는 방에 새 커튼을 달았다. / They informed *me of* their decision. 그들은 나에게 그들의 결정을 알려 주었다.
(2) 직접목적어가 「…을」「…에(게)」 이외의 격조사로 번역되는 경우
The man robbed *me of* my wallet. 그 남자는 나에게서 지갑을 빼앗았다. / The men fought *the fire* desperately. 사람들은 필사적으로 화재와 싸웠다.

문법 해설 (20)

Participle (분사)

준동사(準動詞)(Verbal)의 하나이며, 동사 본래의 특징과 기능을 보유하여 부분적이나마 시제(Tense)와 태(Voice)를 나타내고 목적어나 보어를 취하며, 부사에 의해 수식되기도 하고, 동시에 자신이 수식어로서 형용사의 역할을 하는 것을 **분사**(分詞)(Participle)라고 한다.
분사에는 **현재분사**(Present participle)와 **과거분사**(Past participle)의 두 가지가 있는데, 「현재」 또는 「과거」로 불리지만 이것들은 사실상 현재 또는 과거를 나타내는 것은 아니고 단지 동작·상태가 전개 중에 있는가 완료되어 있는가의 차이를 나타내는 데 불과하다(더욱이 그것도 그리 엄격하지는 않다).
현재분사는 어미가 -ing로 끝나고 (형태로서는 동명사와 같음), 과거분사의 대다수는 -ed 또는 -en(ask*ed*, spok*en*)으로 끝나고 일부는 더 불규칙한 것도 있다. build와 come을 예로 들면, 현재분사는 building, coming, 과거분사는 built, come이며 현재분사에는 또한 다음과 같은 변화형이 있다.
*현재분사의 변화형인데 각기 별개의 명칭을 가지고 있다: **완료분사**(Perfect participle), **완료진행분사**(Perfect progressive participle)

	타동사 (예 build)		자동사 (예 come)
	능동태	수동태	
Present participle	build*ing*	be*ing* built	com*ing*
Perfect participle*	hav*ing* built	hav*ing* been built	hav*ing* come
Perfect progressive participle*	hav*ing* been building	——	hav*ing* been coming

분사의 기능
동사로서의 본래의 성질과 수식어(= 형용사, 때로 부사)로서의 성질을 나누어 생각할 수가 있다.
(1) 동사적 성질
본래의 동사로서 목적어·보어·부사(구)를 수반한다: a ship *carrying oil* 석유를 운반하는 배 《목적어》/ leaves *turning yellow* 누렇게 변하기 시작하는 나뭇잎 《보어》/ a new train *running at a speed of 250 miles per hour* 시속 250마일로 달리는 새 열차 《부사구》/ a cottage *painted white* 하얗게 칠한 오두막 《보어》/ a job *done quickly* 재빨리 처리한 일 《부사》/ a symphony *composed by Beethoven* 베토벤 작곡의 교향곡 《부사구》
(2) 분사의 동사적 용법
분사는 술어동사로서의 역할은 하지 않지만 조동사 be, have를 동반하면 술어동사가 될 수 있다
A) 현재분사는 be동사와 함께 동사의 진행형을 만든다: He *is writing* a letter. 그는 편지를 쓰고 있다.
B) 과거분사는 조동사 have(때로 be)와 함께 완료시제를 만든다: He *has written* a letter. 그는 편지를 다 썼다.
C) 타동사의 과거분사는 조동사 be와 함께 수동태를 만든다: The house *is built* of brick. 그 집은 벽돌로 지어져 있다.
(3) 분사의 형용사적 성질
A) 현재분사는 일반적으로 능동적인 뜻을 갖는 형용사가 되고, 과거분사는 수동적인 뜻을 갖는다(단, 자동사의 과거분사는 능동적이다): *boiling* water 끓는 물 / a *wounded* soldier(상처를 입은 병사 →) 부상병 / a *retired* professor 은퇴한 교수 《자동사》/ a *fallen* apple 떨어진 사과 《자동사》/ days *gone* by 지나간 날들 《자동사》
B) 형용사의 역할을 하는 분사에는 명사·부사·형용사 등이 첨가되어 합성 형용사가 만들어지기도 한다: *epoch*-making 획기적인 / *well*-bred 본데 있게 자란 / *good*-looking (사람이) 잘생긴.
㊟ 특히 '명사(-)~ing'와 '명사(-)~ed'의 구별을 할 필요가 있다: a *man-eating* tiger 사람을 잡아먹는 호랑이(=a tiger that eats man) / *spellbound* 주문(呪文)에 묶인; 매혹된(= bound by spell)
C) 형용사적 분사의 기능과 위치
① 한정 형용사로서: *drunken* driving 음주 운전 / a *spoiled* child 응석받이[둥이] ㊟ 일반 형용사와 마찬가지로 명사 뒤에 놓일 때가 있다: on the day *following*

다음날(=on the *following* day) / The girl *playing* over there is my daughter. 저기서 놀고 있는 소녀가 내 딸이요. 《이 경우는 동사적 성격이 강함》
② 동격적 위치: A woman, *frightened* and *quaking*, ran up the steps. 한 여자가 겁에 질려 떨면서 계단을 뛰어 올라갔다. / *Disgusted*, he left the room. 비위가 뒤틀린 그는 방에서 나왔다. ㈜ 이것들은 분사구문의 일종이다(⇨ 아래 「분사구문」).
③ "the+분사"는 복수 명사 또는 추상 명사를 만든다: She visited the poor and *the suffering*. 그녀는 가난한 사람들과 고통받는 사람들을 방문했다. / *The unknown* was a mysterious attraction. 미지의 것에는 불가사의하게 사람을 끄는 힘이 있었다.
④ 보어로 쓰인다: The news was *surprising* to me. 그 소식에 나는 놀랐다. / The girl seemed *worried*. 소녀는 걱정이 되는 모양이었다. / The children came *running* toward us. 아이들이 우리를 향해 달려왔다. / I became *acquainted* with him. 나는 그와 아는 사이가 되었다. / He thinks her very *charming*. 그는 그녀를 아주 매력적이라고 생각한다. / She seemed *tired*. 그녀는 지친 듯했다. / He kept me *waiting*. 그는 나를 기다리게 했다. / He always leaves things *undone*. 그는 항상 일을 중도에서 내버려둔다. / I heard him *singing*. 나는 그가 노래부르고 있는 것을 들었다. / I found the theater *crowded*. 극장에 가보니까 혼잡했다. / I had my watch *mended*. 나는 내 시계를 고치게 했다[수리시켰다].
㈜ 완료분사는 동격적 용법과 타동사의 목적격보어로만 쓰인다: The orator, *having given* his opinion, stepped down. 연사는 자기 의견을 진술하고 나서 연단을 내려왔다. 《동격》

(4) 분사의 부사적 용법

A) 현재분사에 한하여 쓰이며 「…할 만큼 ~한」의 뜻을 나타낸다: *dripping* wet 물방울이 떨어질 만큼 흠뻑 젖은 / *burning* hot 타는 듯이 더운
B) go *shopping*(쇼핑하러 가다), go *fishing* (낚시질하러 가다), fall *crying*(울기 시작하다), set *going* (움직이게 하다) 등은 본래 go *a*-fishing, fall *a*-crying에서 온 것이며 a는 on의 약한 형태였다. 즉, 이들 -ing형은 현재분사가 아니고 동명사여서 「…하러 가다」, 「…하는 상태가 되다」의 뜻을 나타냈었다. 지금에 와서는 그 유래가 잊혀져, 이들 -ing형은 분사이며 동사의 보어로 해석된다.

분사의 시제(時制)

일반적 현재분사·과거분사 외에 완료분사·완료진행분사가 있는데, 이것들은 엄격히 말하면 시제의 구별을 나타내는 것은 아니다. 현실의 시간과는 관계없이 대부분은 문장의 술어동사의 시제와의 시간적 전후 관계를 나타내고 있는 것에 불과하다.

(1) 현재분사 (Present participle) (1)

현재분사는 보통 주문의 동사와 같은 때를 나타낸다: He spends most of his time, *watching* TV. 그는 대부분의 시간을 TV를 보면서 보낸다. 《시간을 보내는 것과 TV를 보는 것은 모두 현재의 습관》 / The girl, *reading* a book, smiled brightly. 소녀는 책을 읽다가 환하게 웃었다. 《책을 읽던 것과 웃은 것은 모두 과거》 / One *smoking* cigarettes will be cautioned. 담배를 피우는 사람은 주의를 받을 것이다. 《담배를 피우는 것과 주의를 받는 것은 모두 미래》

(2) 현재분사 (2)

현재분사는 술어동사의 시제와 관계없이 문장이 쓰인[진술된] 때를 나타낼 경우가 있다: The building now *being built* will be rented. 지금 건축 중인 그 건물은 임대될 것이다.

(3) 과거분사 (Past participle)

과거분사는 주문의 동사에 의해 나타난 때보다 그 전의 때를 나타낸다: I bought a picture *painted* by a famous painter. 유명한 화가가 그린 그림을 한 점 샀다. / The trees *knocked down* by the wind were chopped up for firewood. 바람에 쓰러진 나무는 모두 땔감으로 잘게 쪼개졌다.

(4) 완료분사 (Perfect participle)

「having+과거분사」의 형태로 쓰이며, 과거분사의 경우와 마찬가지로 주문의 동사에 의해 나타난 때보다 그 전의 때를 나타내지만, 완료분사는 과거분사보다도 능동·수동의 뜻을 명확히 표현할 수가 있다: *Having prepared* for my lesson, I listened to the radio. 예습을 마친 후 나는 라디오를 들었다.
㈜ ① Having prepared ... =After I had prepared ...의 뜻
㈜ ② 문장의 뜻에서 시간의 전후 관계가 분명할 경우에는 완료분사 대신에 일반 현재분사로 족하다: *Having written* the letter, he mailed it at once. →*Writing* the letter, he mailed it at once.

(5) 완료진행분사

완료진행분사도 과거분사와 마찬가지로 쓰이지만 능동형밖에 없으며 쓰이는 일도 드물다: *Having been driving* all day, we were tired. 하루 종일 운전을 하고 있었으므로 우리는 피곤했다.
㈜ 시간의 전후 관계는 문장의 뜻에서 분명해지므로 현재분사 또는 완료분사로 족하다: *Driving* all day, we were ... 또는 *Having driven* all day, we were ...

분사구문(Participial construction)

분사가 문 전체를 수식하는 부사적 수식어구로 쓰여져 「(논리적 주어+)분사」의 형식을 취하여 실제적으로는 절의 역할을 하는 부사구를 분사구문(Participial construction)이라고 한다: *When he* saw me, *he* ran off. →*Seeing* me, he ran off. 나를 보자 그는 도망쳤다. / *Having* no money with me, I could not buy it. 나는 돈이 없었으므로 그것을 살 수가 없었다.(= As I had no money with me, ...)
㈜ ① 진행형으로서의 "being+-ing"라는 형태는 쓰지 않고 being을 생략한다: While I was walking along the street, I met an old friend of mine. →*Walking* along the street, I met an old friend of mine. 거리를 걸어가다가 옛 친구를 만났다. 《walk*ing* ←*was* walk*ing*》.
㈜ ② 수동형으로서의 "being+과거분사"의 being은 생략할 수 있다: *Being tired* [*Tired*], I went to bed immediately. 피곤했기 때문에 나는 곧 잤다.

(1) 분사구문의 의미

분사구문을 의미상으로 보면, '때·이유·원인·조건·양보·부대상황' 등을 나타낸다: *Looking* up(=When I looked up), I saw him come in. 고개를 들자 그가 들어오는 것이 보였다. 《때》 / *Living*(=Because I live) in a remote village, I seldom go up to town. 외진 벽촌에 살기 때문에 좀처럼 읍내에 나가지 않는다. 《이유》 / *Turning*(= If you turn) to the right, you will come to a public library. 오른편으로 돌면 공립 도서관으로 가게 됩니다. 《조건》 / *Admitting*(=Though I admit) what you say, I cannot yet believe the story. 네가 말하는 것은 인정할지라도 나는 아직 그 이야기가 믿어지지 않는다. 《양보》 / He was reading the newspaper, *eating* breakfast. 그는 아침 식사를 하면서 신문을 읽고 있었다. 《부대 상황》
㈜ *Speeding* down the road, the clock tower came into sight. (길을 재촉하여 가니까 시계탑이 보였다)에서 speed한 것은 문장의 주어인 the clock tower가 아닌 것이 분명하다. 이 분사 speeding은 문장의 주어와 관계가 없이 공중에 뜨게 되는데 이러한 분사는 현수분사(懸垂分詞)(Dangling participle)라 불린다. speed down한 사람이 누구인가에 따라 다음과 같이 하는 편이 좋다: As I[he, they, ...] sped down the road, the clock tower came into sight.

(2) 독립 분사구문

주절의 주어와 부사절의 주어가 다를 때에 분사구문으로 바꿀 경우, 부사절의 주어를 생략하지 않는다. 이것을 독립 분사구문(Absolute participial construction)이라고 부른다: *Dinner* being over(=After *dinner* was over), we played a game. 정찬을 마치고 나서 우린

게임을 했다.

(3) 비인칭 독립분사

독립 분사구문에서 분사의 의미상의 주어가 특정적이 아니고 일반 사람(we, you, one 등)을 나타내는 경우에는 생략한다. 이 경우의 분사는 특히 비인칭 독립분사(Impersonal absolute participle)라고 불린다: *Considering* his age, he did very well. 그의 나이에 비하면 그는 매우 잘했다.

㊟ 과거분사의 경우를 참조: *Admitted* he is not to blame, who is responsible for the accident? 그가 책망받아야 할 일이 아니라고 인정하고, 누구에게 사고의 책임이 있는가? (<*Admitting* he is not to blame, ...<If *we admit* he is not to blame, ...).

문법 해설 (21)

Perfect Tense (완료 시제)

"조동사 have+과거분사"로 이루어지는 시제를 **완료 시제**(Perfect tense)라고 하며, have가 현재형이면 **현재완료**(Present perfect), have가 과거형 had이면 **과거완료**(Past perfect), have 앞에 will이나 shall이 선행하면 **미래완료**(Future perfect)가 된다. 완료 시제는 모두 어느 때를 기준으로 그때와 그보다 전의 사항과의 관계를 기준으로 하는데, 현재완료는 과거의 동작·상태의 현재까지의 계속이나 경험, 현재의 직전에 완료된 동작 등을 나타내고, 과거완료는 과거의 어느 때를 기준으로 해서, 미래완료는 미래의 어느 때를 기준으로, 동사가 나타내는 행위·상태가 이미 그 시점 이전에 발생·존재했지만, 그 시점에 어떠한 의미로 밀접한 관계를 갖고 있음을 나타낸다(이를테면, 이전의 사건의 결과가 남아 있다든가, 이미 완료되어서 이제는 계속하고 있지 않다든가 하는 따위).

(1) 현재완료: have+과거분사

현재완료에는 다음의 4가지 용법이 있다.

A) 《**완료**》 어떤 동작이 현재 이미 완료되었음을 나타낸다: I *have* just *finished* my homework. 나는 방금 숙제를 끝마쳤다. 《현재 끝나 있다》

㊟ ① 완료를 나타내는 현재완료에는, just, now, already, this year[week, month], lately, recently 등의 부사(구)를 수반하는 일이 많다. 그러나 yesterday, last week[month, year], ago, when 등 과거를 나타내는 부사(구)와 함께 쓰이지는 않는다. ㊟ ② just와 now는 각각 현재완료와 함께 쓰이지만, just now는 a little time ago 「조금 전」이라는 뜻으로 과거여서, 현재완료와 함께 쓰이지 않는다. just now가 at this very moment 「바로 지금」을 의미할 때는, 현재형과 함께(I'm busy just now.), presently 「머지 않아, 곧」을 의미할 때는 미래형과 함께(I'll do it just now.) 쓰인다.

B) 《**결과**》 완료 후의 상태가 지금도 그 결과로서 계속되고 있음을 나타낸다: Somebody *has broken* the window. 누군가 창문을 깨뜨렸다. 《지금 깨져 있다》 / I *have lost* my wallet somewhere. 어디선가 지갑을 잃어버렸다. 《잃어서 현재 가지고 있지 않다》

㊟ 잃었던 지갑을 찾았거나, 이미 새로운 지갑을 사서 현재 곤란을 받고 있지 않다면 과거를 쓴다: I *lost* my wallet yesterday, and I have a new one now.

C) 《**경험**》 현재로서의 (과거의) 경험의 유무를 나타낸다: I *have* never *heard* such nonsense in all my life. 이런 터무니없는 소리는 내 평생에 들어본 적이 없다.

㊟ 경험을 나타내는 현재완료에는 ever, never, before, once[twice, three times, etc.] 등의 부사(구)가 수반되는 일이 많다. 그런데 이런 부사(구)가 있으면 과거형을 대신 사용해도 좋다: *Have* you *ever visited* the Tower of London? ⇌ *Did* you *ever visit* the Tower of London? 런던탑을 방문한 적이 있습니까? / the largest house they *have ever built* ⇌ the largest house they *ever built* 그들이 지금까지 건축한 최대의 집

㊟ 이 경우, 현재완료는 보통의 의문에, 과거는 강한 의심이나 놀람 등을 담은 의문에 쓰이는 경향이 있다.

D) 《**계속**》 현재까지의 상태의 계속을 나타낸다: There *has been* no rain here for over two months. 2개월 이상이나 이곳에는 비가 오지 않고 있다. / We *have known* each other for ten years. 우리는 10년 지기다.

㊟ 진행형을 쓸 수 있는 동사의 경우엔 *have been* (do)*ing*의 형을 취한다: He *has been* sing*ing* two hours. 그는 두 시간 계속 노래하고 있다.

have been to [***in, at***] 《장소·의식 등》 …에 간[다녀온, 있은, 참가한] 경험이 있다: *Have* you ever *been to* America? 미국에 가 본 적이 있습니까? (㊊ *Has* she *gone to* America? 그녀는 미국으로 가버렸습니까?) / I *have been to* the station. 역에 다녀왔다. / I *have* never *been in* Jeju-do. 나는 제주도에 산[가 본] 적이 없다.

have been to (do) …하고 왔다, 현재까지 …했다: I *have been to* see him off. 그를 전송하고 왔다. / I *have been to* see the movie three times. 그 영화를 지금까지 세 번 봤다.

have got, have got to (do) ⇨ have

(2) 과거완료: had+과거분사

과거완료는 과거의 어느 때를 기준으로 하여 그때 이전에 일어났던 일에 관해서 쓴다: When I got to the station, the train *had left* already. 내가 역에 도착했을 때 열차는 이미 떠나버린 뒤였다. / I hardly recognized him; he *had grown* up so fast. 나는 그를 쉽사리 알아보지 못했다. 그는 몰라보게 커 있었다. / He *had lived* there for ten years until he went to America. 그는 미국으로 건너가기 전까지 거기 십년간 살고 있었다.

㊟ ① after 등 때를 나타내는 접속사에 의해 이끌리는 부사절에서는 과거완료 대신에 단순 과거형을 써도 지장이 없다: After I *got*(=had got) to the house, I opened the box. 집에 도착하고 나서 그 상자를 열었다. ㊟ ② 전주(前註)에서 언급한 이외의 종속절에서도, 단순 과거가 과거완료에 대용되는 수가 있다: He was reproached, because he *did* not keep(=had not kept) his promise. 그는 약속을 지키지 않았기 때문에 비난을 받았다.

(3) 미래완료: will[shall] have+과거분사

미래완료는 미래의 어느 때까지 어떤 동작이 완료되어 있을 것을 추정하는 표현이다: We *shall have pitched* the tent by the time it gets dark. 날이 어두워지기까지는 천막을 쳐 놓을 수 있을 것이다. / I *shall have finished* this work by five o'clock. 5시까지는 이 일을 끝마치게 될 것이다. / I *shall have worked* out a plan by then. 그때까지는 그 계획을 끝마칠 수 있을 것이다. / Before his vacation is over, he *will have*

made many new friends. 휴가가 끝나기 전에 그는 많은 새로운 친구를 사귀게 될 것이다.
㊟ 「will have+과거분사」가 현재까지의 경험·완료에 대한 추측을 나타내는 수가 있다: You *will have read* about it. 그것에 관해서 읽은 적이 있을 것이다. / They *will have arrived* by now. 그들은 지금쯤 이미 도착했을 것이다.
참고 **부사절의 시제** ① 위의 예에서 「때」를 나타내는 부사절 속의 동사가 현재형인 점에 주의: by the time it *gets* dark 또는 Before his vacation *is* over는 논리적으로 by the time it *will* get dark 또는 Before his vacation *will* be over로 써야 하지만, 영어에는 부사절 안에서는 현재 시제가 미래 시제를 대신한다는 원칙이 있다. ② 마찬가지로, 「때」의 부사절에서의 미래완료는, 현재완료로 대용한다: Tell me when you *have finished* the work. (이 일을 끝마치는 대로 알려 주시오)에서 when you *will have finished* the work라고 will을 쓰지 않는 것에 주의해야 한다.

문법 해설 (22)

Phrase (구)

두 개 이상의 단어가 모인 것으로, (1) 주어와 술어동사를 포함하지 않으며, (2) 문장 중에서 한 단어처럼 어떤 품사의 역할을 하는 경우, 그와 같은 어군(語群)을 **구**(句)(Phrase)라고 한다. 구(句)는 언어의 단위로서는 단어와 절(節)의 중간에 위치한다고 하겠으며 '주어+술어동사'의 구조를 갖추지 않는 점에서 절과 다르다.
부정사·동명사·분사, 즉 준동사(準動詞)를 중심으로 하는 어군도 구를 만든다: *To say*[*Saying*] is one thing, *to do*[*doing*] is another. 말하는 것과 행하는 것은 별개의 것이다.
구는 흔히 그 어군의 중심이 되는 단어의 품사와 기능이 다르다. 위의 예에서 say는 동사이지만 to say 또는 saying은 문장의 주어로서 명사 역할을 하고 있다.

(1) 명사구(Noun phrase)
명사처럼 주어·보어로 쓰이며, 동사 또는 전치사의 목적어로 쓰인다. 명사구에는 중심어로서 부정사를 포함하는 것과 동명사를 포함하는 것도 있다.
A) 주어로서: *Training lions* takes patience. 사자를 훈련하는 것은 인내를 필요로 한다. / *Your doing it for me* will be appreciated. 당신이 저를 위해 그것을 해 주시면 고맙게 생각하겠습니다. / *To see* is to believe. 《속담》 백문이 불여일견. 《뒤의 to believe는 보어로 쓰였음》
B) 보어로서: His habit was *to sit up late at night*. 그의 버릇은 밤늦게까지 자지 않는 것이었다.
C) 동사·전치사의 목적어로서: I did not know *what to do*. 어떻게 해야 좋을지 몰랐다. / I don't like *your going*. 나는 당신이 가는 걸 좋아하지 않아요. / You'll find it difficult *to take care of her*. 그녀를 돌보기가 어렵다는 것을 알게 되리라. / It depends on *what course to take*. 그것은 어떤 방침을 취하느냐에 달려 있다. / There is no possibility of *her telling lies*. 그녀가 거짓말을 할 리 없다.
(2) 형용사구(Adjective phrase)
형용사와 같이 명사에 대해 그 의미를 한정 또는 수식하기도 하고, 또는 보어로 쓰이기도 한다:
a man *of great importance* 아주 중요한 인물 / This book will be *of great value* for your studies. 이 책은 자네의 연구에 커다란 가치가 있을 것이다. / He is *in perfect health*. 그는 더없이 건강하다. / We took it *for granted*. 우리는 그것을 당연한 것으로 생각했다. / Is there anything *to eat* in the kitchen? 부엌에 뭐 먹을 것 있어요? / Hurry up! There is no time *to lose*. 서두르시오! 꾸물거릴 시간이 없습니다. / It's time *to get started*. 출발할 시간이다.
(3) 부사구(Adverbial phrase)
부사와 같이 형용사·부사·동사·문 전체의 수식에 쓰인다.
A) 장소: *In the garden* we saw a lot of buds on the trees. 정원에서 우리는 나무에 많은 눈이 나와 있는 것을 보았다.
B) 때: It happened *in* 2002. 그것은 2002년에 일어났다. / He has been ill *since your leaving England*. 당신이 영국을 떠난 뒤로 그는 계속 앓고 있소.
C) 양태: He is living *in comfort*. 그는 안락하게 살고 있다. / He solved the problem *without difficulty*. 그는 그 문제를 거뜬히 풀었다. / Don't write a letter *this way*. 이런 식으로 편지를 써서는 안된다.
D) 조건: *Without water*, every living thing would die. 만약에 물이 없다면 생물은 모두 죽고 말 것이다. / You will do well *to follow my advice*. 당신은 나의 충고를 따르는 편이 좋소. / *Generally speaking*, women are stronger in languages than men. 일반적으로 말하자면 여성이 남성보다 어학에 강하다.
E) 제외: Everyone came *except Tom*. 톰말고는 모두 왔다.
F) 양보: *With all his merits*, he was not proud. 그만큼 장점이 많음에도 불구하고 그는 뽐내지 않았다. / *Rain or shine*, I'll go. 비가 오든 볕이 나든[무슨 일이 있어도] 나는 갈 거다.
G) 원인·이유: I am glad *to see you*. 만나 뵙게 되어 기쁩니다. / *Because of the storm* the electricity was cut off for several hours. 폭풍 때문에 몇 시간이나 전기가 나갔다.
H) 목적: I dropped in on him *for a talk*. 나는 이야기를 하러 그에게 들렀다. / They'd do anything (*in order*) *to win the game*. 경기에 이기기 위해 그들은 무슨 짓이든지 할 것이다.
I) 결과: I tried hard only *to fail*. 열심히 해봤지만 결국 실패했다. / He lived *to be ninety*. 그는 90세까지 살았다. / He awoke *to find himself famous*. 그가 눈을 떠보니 자신이 유명해져 있었다. / She's wise enough *to know that*. 그녀는 현명하기 때문에 그것을 알고 있다.
J) 정도: The surface of the earth began to change *little by little*. 지구의 표면은 조금씩 변하기 시작했다.
(4) 동사구(Verb phrase) 또는 **구동사**(Phrasal verb)
I *get up* at six every morning. 매일 아침 6시에 일어난다. / She *looked back* fondly on her school days. 그녀는 학창 시절을 그립게 회상했다. / Please *take care of* your health. 부디 건강에 유의하시오.
㊟ 동사구에서는 중심이 되는 단어가 동사고, 구도 동사 역할을 하여 문장 중의 품사 기능은(종종 자동사 기능과 타동사 기능과의 사이에 전환이 생기는 외에는) 변하지 않지만, 어군 전체가 한 단어와 똑같은 기능을 갖기 때문에 역시 구로 간주할 수 있다: They *laughed at* him. → He was *laughed at* (by them). / We *lost sight of* the ship. → The ship was *lost sight of*.
(5) 접속사구(Conjunction phrase)

The boy talks *as if he were a wise man.* 그 소년은 마치 현자와 같은 투로 말한다. / I'll let you know *as soon as I hear.* 듣는 즉시 알려 드리겠습니다.
(6) **전치사구**(Prepositional phrase) 또는 **구전치사**(Phrasal preposition)
The picnic was put off *on account of* rain. 소풍은 비 때문에 연기되었다. / He can't see very well *in spite of* his spectacles. 그는 안경을 쓰고 있어도 눈이 잘 안 보인다. / *According to* the weather forecast, it will clear up in the afternoon. 일기 예보에 의하면 오후에는 날이 갤 것이라 한다. ★ 전치사구라고 하면 '전치사+명사'의 구(by foot 등)를 지칭하기도 하므로 혼동을 피하여 구전치사 또는 군전치사(Group preposition)라 하기도 한다.
(7) **대명사구**(Pronominal phrase)
They looked at *each other* for a while. 그들은 잠시 서로 쳐다보았다.
(8) **감탄사구**(Interjectional phrase)
By Heaven, I'll keep my promise. 맹세코 약속을 지키겠다.

문법 해설 (23)

Possessive Case (소유격)

명사·대명사가 문(文) 중에서 다른 말에 대해 갖는 관계를 나타내는 어형 변화, 즉 격(格)의 하나로 주로 '소속·소유' 관계를 나타내는 것을 소유격이라 한다. 속격(屬格)이라고도 한다. ⇨ 문법 해설 Case

소유격을 만드는 법
(1) **대명사의 소유격**
A) 인칭대명사

	단 수	복 수
제1인칭	my 나의	our 우리의
제2인칭	your[《고어》 thy] 당신의	your 당신들의
제3인칭	his 그의 her 그녀의 its 그것의	their 그들의 그녀들의 그것들의

㊟ 이것들은 **소유형용사**(Possessive adjective)라고도 불린다. 이에 대해, mine(나의 것), yours[《고어》 thine](당신의 것), his(그의 것), hers(그녀의 것), ours(우리들의 것), yours(당신들의 것), theirs(그들의 것, 그녀들의 것) 등은 **소유대명사**(Possessive pronoun)라 불리며 뒤에 명사를 두지 않고 독립적으로 쓰인다.
B) 의문대명사 who의 소유격은 whose
C) 관계대명사 who의 소유격은 whose; 관계대명사 which의 소유격은 of which(때로 whose)

	의문 · 관계대명사	관계대명사
주 격	who	which
소유격	whose	of which*
목적격	whom	which

* 때로는 whose를 대용
D) 부정대명사 's 어미를 쓴다:
One must fulfill *one's* [wʌ́nz] duty. 자기 의무를 다하지 않으면 안 된다. / *Everybody's* [évribὰdiz | -bɔ̀diz] business is *nobody's* business. 《속담》 모두의 일은 아무의 일도 아니다; 공동 책임은 무책임.
(2) **명사의 소유격**
A) 단수명사: 공통격(共通格)(=주격과 목적격)의 형에 's(=apostrophe *s*)를 붙인다. 발음의 규칙은 복수형의 경우와 같지만 철자상으로는 그 경우와 달라, 어미의 y를 ie로 바꾸거나, 어미에 e를 덧붙이거나 하지 않는다. ⇨ 문법 해설 Number
① 어미가 다음 항 ②에서 언급하는 이외의 음(音)일 경우, 's는 모음 또는 유성 자음 다음에서는 [z], 무성 자음 다음에서는 [s]로 발음: lady → lady'*s* [léidiz] (숙녀의) 《비교 lady→ladies [léidiz] 숙녀들》 / gentleman'*s* [dʒéntlmənz] (신사의) / Pat'*s* [pǽts] (패트의)
② 치찰음·파찰음 [s, z, (t)ʃ, (d)ʒ]으로 끝나는 명사에서는, 덧붙인 's의 발음은 [iz]가 된다. 단, 이 경우도 철자상으로는 직접 's를 붙인다: Mr. Bush'*s* [búʃiz] son (부시 씨의 아들) / the church'*s* [tʃə́:rtʃiz] doctrine (교회의 교리) / the witch'*s* [wítʃiz] head (마녀의 머리) / the judge'*s* [dʒʌ́dʒiz] decision (재판관의 판결) / George'*s* [dʒɔ́:rdʒiz] brother (조지의 형) / Mrs. James'*s* [dʒéimziz] anxiety (제임스 부인의 걱정) ㊟ 다음의 복수형과 비교: wish*es* [wíʃiz] (소망) / watch*es* [wátʃiz | wɔ́tʃiz] (손목시계) / lens*es* [lénziz] (렌즈)
[참고] ① 특히 s로 끝나는 고유명사에서는 ⟨'⟩만 붙이고 s를 생략하는 형태도 있는데, 어조상으로 흔히 이것이 애용된다: James' [dʒéimz] brother (제임스의 형), Keats' [kí:ts] poems (키츠의 시), Moses' [móuziz], Jesus' [dʒí:zəs], Odysseus' [oudísju:s], Xerxes' [zə́:rksi:z], Achilles' [əkíli:z], Archimedes' [ὰ:rkəmí:di:z] ② 다음의 경우에는 보통 ⟨'⟩만을 붙인다: princess' [prínsis | prinsés], for conscience' sake [fər-kɑ́nʃəns-sèik | -kɔ́n-] 《for goodness'[old times'] sake 등도 마찬가지》
B) 복수명사 s로 끝나는 것에는 ⟨'⟩만을 붙이고 기타는 ⟨'s⟩를 붙인다: boys' [bɔ́iz] shirts 남아용 셔츠 / these ladies' [léidiz] names 이 부인들의 이름 / the cooks' salaries 요리사들의 봉급 / men'*s* [ménz] hats 남자용 모자 / children'*s* [tʃíldrənz] room 어린이 방
(3) **어군(語群)의 소유격**
Mr. Jones's children 존스 씨의 아이들 / *the Duke of Wellington's* fame 웰링턴공(公)의 명성 / *St. James's* Park 세인트제임스 공원 / *my brother-in-law's* house 나의 처남[매부, 동서]의 집 / *ten minutes'* walk 걸어서 10분 거리
㊟ 이 종류의 격을 **군속격**(群屬格)(Group genitive)이라고 부르기도 한다.
(4) **a, this, any, no 등과 소유격**
이를테면 a my friend나 my a friend와 같이 a, this, any, no 등과 소유격을 같이 써서 동일한 명사를 수식하는 것은 허용되지 않는다. 다음과 같이 한다.
a book *of* Jones's 존스의 책 / *that* watch *of* my father's 나의 아버지의 저 시계 / *Any* friend *of* my brother's is welcome. 내 동생의 친구라면 누구라도 환영한다. / *a* picture *of* my *father's* 나의 부친이 소유하는 한 장의 그림≒*a* picture *of* my *father* 나의 부친을 그린 한 장의 그림

소유격의 용법
소유격은 다음과 같은 의미를 나타낸다:
(1) **소유**
my house 나의 집
(2) **작자·발명자**

Turner's pictures 터너가 그린 그림들 / *Newton's* law of gravitation 뉴턴의 인력의 법칙
(3) 동작의 주체
the *doctor's* care 의사의 돌봄[치료] / Mr. *White's* suggestion of a new plan 화이트 씨의[가 내놓은] 새로운 계획의 제안 / Mrs. *Gray's* education 그레이 선생의[이 실시하는] 교육 / I have no objection to *your*[*Tom's*, *Tom*] going there. 당신[톰]이 거기 가는 일에 난 반대하지 않는다.
(4) 동작의 목적
his dismissal 그의 해고 《고용주가 그를 해고하는 것》/ my *children's* education 나의 아이들의[에 대한] 교육
(5) 성질·특색
These are *lady's* gloves. 이것들은 숙녀용 장갑이다. / He speaks *child's* language. 그는 어린애 말씨를 쓴다. / Here is a pretty *girl's* handkerchief. 여기 소녀용의 예쁜 손수건이 있다. 《a pretty는 girl이 아니라 handkerchief를 수식한다》
(6) 수량
three *week's* vacation 3주간의 휴가 / a *boat's* length 보트 한 척의 길이 / two *tons'* weight 2톤의 중량 / a nine *days'* wonder 9일간의 경이(=오래 가는 소문 없다) / one *shilling's* worth 1실링의 가치
(7) 기타의 관용
today's newspaper 오늘 신문 / at one's *wits'*[*wit's*] end 어찌할 바를 모르고 / for *conscience'* sake 양심에 거리낌이 없도록, 양심 때문에 / one's *journey's* end 여로의 끝; 인생 행로의 종말
(8) 소유격의 독립 용법
A) 전후 관계로 명사를 생략하는 경우: This camera is my *father's* (camera). 이 카메라는 내 아버지의 것이다. / This book is *mine*(=my book). 이 책은 내 것이다. 《my book의 명사 book이 생략되면 소유형용사 my는 소유대명사 mine으로 바뀐다》
B) 건물을 가리키는 경우: *St. Paul's* (Cathedral) 세인트폴 성당 / a *butcher's* (shop) 푸줏간 / He stayed at his *brother's*. 그는 형의 집에서 유숙했다.(=*his brother's* house) / I went to the *dentist's*. 나는 치과(병원)에 갔다.(=*the dentist's* office) / Take this to the *watchmaker's*. 이것을 시계방으로 가져 가시오.(=*the watchmaker's* shop)
(9) 의인화: *Fortune's* smile 운명의 미소 / *Nature's* lesson 자연의 교훈

소유격과 of
(1) 인간·동물 이외의 것
일반적으로 소유격이 아니라 of를 쓴다: the legs *of* this chair 이 의자의 다리 《비교 the boy's legs 소년의 다리》
주 단 앞의 (6) 및 (7) 등의 경우는 예외
(2) 동작의 목적
of를 쓰는 일이 많다: his love *of music* 그의 음악에 대한 애호 / the education *of children* by good teachers 좋은 교사들에 의한 아동 교육
참고 소유격의 경우도 of의 경우도 동작의 주체를 나타내느냐 목적을 나타내느냐는 흔히 전후 관계에 따른다: *Tom's* education 톰이 하는[받는] 교육 / the shooting *of* the enemies 적군이[을] 쏘기

문법 해설 (24)

Prepositional Adverb

(전치사적 부사)

다음 예문의 out, over, on처럼 전치사와 부사를 겸한 말의 총칭이다:
《전치사》 He hurried *out* of the room. 그는 급히 방에서 나갔다.
《부 사》 He has gone *out* fishing. 그는 낚시하러 갔다.
《전치사》 There's a bridge *over* a river. 강에 다리가 걸려 있다.
《부 사》 Come *over* to me. 나에게 오시오.
《전치사》 There are boats *on* the sea. 바다 위에 배들이 떠 있다.
《부 사》 Get *on* the bus. 버스에 오르시오.
이들 전치사적 부사는 기본어인 동시에 두 가지 기능을 겸하고 있어 매우 중요하다. 뿐만 아니라 기본적 동사와 결합하여 다수의 숙어 동사구를 만든다.

주요한 전치사적 부사
주요한 전치사적 부사(이하 PA로 약칭)는 in, out; on, off; up, down; about, across, (a)round, over, through 등인데 이밖에 by, to 등도 포함된다. out는 이 대로의 형태로는 주로 부사로 쓰여 전치사로서의 용법은 한정되어 있지만, out of라는 전치사 상당 어구로 널리 활용된다. 마찬가지로 away (from)도 이 부류에 넣어 생각할 수가 있다. 또한 at, with 등은 보통 부사의 기능은 없지만 전치사로서 유사한 동사구를 많이 만들기 때문에 여기서 함께 다루기로 한다(이 경우의 전치사를 부사로 생각하는 사람도 있다).

PA와 결합하는 주요 동사
break, bring, call, come, fall, get, give, go, lay, make, put, set, take, turn 등, 주로 단음절의 기본적인 동사이다.

동사구의 종류
우선 자동사의 경우와 타동사의 경우로 갈라지며 또한 PA의 기능에도 전치사, 부사, 양쪽 공용의 세 가지 경우가 있다.

자동사 가운데에는 타동사가 자동사화한 것이 상당한 부분을 차지하는데, 그 자동사화 중의 한 중요한 형태로서 다음의 get와 take의 경우처럼, ( ) 안에서와 같이 oneself가 있는 글을 일단 가상(假想)하였다가 이 oneself가 생략된 것 같은 의미의 관계로 해석할 수 있는 것이 적지 않다: *Get* up. 일어나시오.(←*Get yourself* up. 당신 자신을 일으키시오.) / He *took* to drinking. 그는 음주 습관이 생겼다.(←He *took himself* to drinking. 그는 자기를 음주로 데리고 갔다.)
(1) 자동사+PA (전치사)
PA가 전치사로서만 쓰이고 이에 상당하는 부사적 용법이 없는 경우이다.
You must *carry out* your first plan. 너는 최초의 계획을 실행해야 한다. / He was very surprised and *sent for* the doctor. 그는 매우 놀라서 의사를 부르러 보냈다. / Don't *laugh at* me. 나를 비웃지 마시오. / We *got to* the station at five. 우리는 5시에 정거장에 도착했다. / He *takes after* his father. 그는 아버지를 닮았다. / He doesn't *mix with* his neighbors. 그는 이웃사람과 사귀지 않는다.
이와 같이 「자동사+전치사」는 전체로서 타동사의 기능을

갖고 있다. 또, 동사가 본래의 자동사인 경우 He *was laughed at.*처럼 동사구로서 쉽사리 수동형이 될 수 있는 것이 상당히 많으며 이러한 경향은, We *sleep in* this bed.에서의 sleep in과 같이 그 결합이 느슨한 것에도 미칠 때가 있다: The bed must have *been slept in* till a few minutes ago. 그 침대는 불과 몇 분 전까지 사람이 자고 있었음에 틀림없다.

(2) 자동사+PA (부사)
위의 것과는 반대로 PA가 부사로만 쓰이고 이에 상당하는 전치사적 용법이 없는 경우이다. 이 경우에도 타동사의 자동사화가 많다: *Get up.* 일어나시오. / War *broke out.* 전쟁이 터졌다.《다음 (3)의 broke out (of ...)와 비교》

(3) 자동사+PA (전치사·부사)
같은 동사구이면서 PA가 전치사로서도 부사로서도 쓰일 경우, 다시 말해 부사를 전치사의 목적어가 생략된 것으로도 볼 수 있는 경우이다: He *went up* (the mountain). 그는 (산을) 올라갔다. / Let's *get on* (the train). (열차에) 올라 탑시다. / They *broke out* (of jail). 그들은 (교도소에서) 탈출했다.

(4) 타동사+PA (부사)
이 경우에는 구문상에 주의할 필요가 있다. 부사가 목적어의 앞에 올 때와 뒤에 올 때가 있기 때문이다: We *gave up* Jack[the idea]. 우리는 잭[그 생각]을 포기했다. — We *gave* him[it] *up.* 우리는 그를[그것을] 포기했다. / *Take off* your hat. 모자를 벗으시오. —*Take* your hat *off*. 《같은 뜻》

A) PA가 목적어 뒤에 올 경우(동사와 PA가 떨어질 경우)
① 목적어가 짧고 특히 강세가 없는 단음절의 인칭대명사일 때: We *gave* **him** *up.* 우리는 그를 단념했다. / *Put* **it** *on.* 그것을 입으시오[신으시오, 쓰시오]. / He *put* **them** *off* till the next Saturday. 그는 그것들《예정 등》을 다음 토요일까지 연기했다. / We want to *speed* **things** *up.* 우리는 매사에 속도를 내고[능률을 올리고] 싶어한다.
② PA가 and와 그 밖의 등위접속사로 다른 부사와 결합되어 있을 때: *Draw* your stomach *in and up.* 당신의 배를 들이넣고 위로 끌어 올리시오.
③ PA가 바로 그 뒤에 있는 전치사구(특히 방향을 나타내는 것)와 긴밀히 결합되어 있을 때: They *took* the boy *away from* his parents. 그들은 소년을 그 부모에게서 데려가 버렸다. / He *asked* me *out to* a movie. 그는 영화 보러 가자고 나를 불러냈다. / They *talked* me *out of* going. 그들은 여러가지 말로 내가 가는 것은 그만두게 했다. / *Put* me *down for* 50 dollars. 내 이름으로 50달러 (기부)를 적어 놓으세요. ㈜ PA 자체가 전치사인 경우에는, 물론 이 어순을 취한다: He *put* the book *into* his bag. 그는 그 책을 가방 안에 넣었다.
④ PA를 목적어 앞에 놓으면 습관상 오해를 일으키기 쉬울 때: The doctor *looked* Tom *over.* (의사는 톰을 진찰했다.)의 경우 ... *looked over* Tom이라고 하면 「톰 위로 저편을 보았다」의 뜻으로 들리기 쉽다.

B) PA가 목적어 앞에 올 경우(PA가 동사 바로 다음에 이어질 경우)
① 목적어가 절·동명사를 내포하거나 매우 길 때:
They *put up* **a fight against a new dam.** 그들은 새 댐 건설 반대의 투쟁을 했다.
② 위 A)의 ②와는 반대로 동사가 다른 동사와 등위접속사로 결합되어 목적어를 함께 소유할 때: He *set and went up* **a ladder**. 그는 사닥다리를 세우고 올라갔다.
③ 목적어가 다른 (대)명사와 등위접속사로 결합되어 있을 때: They *brought back* **themselves** *and* **as many men as they could.** 그들은 자신들 뿐 아니라 되도록 많은 사람들을 데리고 돌아왔다.
④ 목적어가 단음절이기는 하지만 고유명사인 경우: Don't *give up* **Jack**. 잭을 포기[단념]하지 마라.《비교 Don't *give* him *up.* 그를 포기하지 마라.》 ★ 아래 ⑥ 및 위의 A)의 ④ 참조.
⑤ 목적어가 대명사이긴 하지만 비교적 길고 강세가 있을 경우: They *brought back* **themselves** as they had been told to do. 미리 지시받았던 대로 그들은 스스로 돌아왔다. / Mother doesn't want us to *give up* **everything**. 어머니는 우리들이 모든 것을 다 포기할 것을 바라시지는 않는다.
⑥ 목적어가 단음절의 인칭대명사이긴 하지만, 특히 강조를 받아 부사 뒤에 올 경우: If you want to blow up somebody, *blow up* **me**. 당신이 누군가 야단칠 상대가 필요하면 나를 야단치십시오. ㈜ 이 경우 **me**는 강하게 발음한다.

C) 어순 선택의 마무리
① 목적어와의 관계: 대체적으로 목적어가 짧거나 가벼울 경우(특히 단음절의 인칭대명사인 경우)는 동사와 PA가 목적어를 사이에 두고 갈라지고, 목적어가 길거나 무거울 경우(다(多)음절 어구 및 단음절·다음절의 고유명사의 경우)에는 PA가 목적어 앞에 나와 동사와 직결된다. 전체적으로는 직결 구문이 보통이다. 목적어가 3음절 이상의 경우에는 분리하는 일이 적지만 2음절 정도의 경우는 두 가지 형태가 거의 비슷하게 분포하며 같은 동사구로 양쪽이 모두 가능한 경우조차 있다: They *put down* their pens and walked out of the classroom. 그들은 펜을 내려놓고 교실 밖으로 걸어 나갔다. / He *put* the phone *down* and hurried out of his office. 그는 수화기를 내려놓고 서둘러 사무실을 나갔다.
② 결합의 소밀(疎密)(엉성함과 빽빽함): 위의 *put down* 「내려놓다」와 (4)의 예문 가운데의 *take off* (〈옷 등을〉 벗다) 처럼 동사와 PA가 본래의 뜻을 잘 보존하고 있는 동사구는 갈라지기 쉽고, give up (포기하다)처럼 결합의 결과 뜻이 비유적·추상적이 된 것은 갈라지기 어렵다. 따라서 같은 carry out이라도 그 뜻에 따라 *Carry* your things *out.* 「너의 물건을 들어내라.」에 대해 *Carry out* the plan. 「계획을 실행하라.」처럼 달라지게 된다.
③ 수동태: 여기서 다룬 「타동사+PA (부사)」에서는 타동사가 그 기능을 유지하여 자동사화하고 있지는 않으므로 항상 수동태가 가능하다. 또한 이 경우 목적어가 주어로 바뀌었으므로 동사와 PA는 갈라지지 않는다: The plan *was carried out*. 그 계획은 실행되었다. / Your things *were carried out.* 너의 물건이 반출되었다.

참고 He *went up* the mountain.과 He *gave up* the plan.의 경우, 동사와 PA의 순서는 같지만 앞의 것은 「자동사+전치사」(위의 구문 (3))이며 뒤의 것은 「타동사+부사」(구문 (4)의 B)인 것에 주의할 필요가 있다. 후자에서는 (4)의 A)에 따라 He *gave* it *up.*이 가능하지만 전자에서는 "He *went* it *up.*"이 되기는 불가능하다. 때로는 꼭 같은 동사와 PA의 결합이 두 가지 용법으로 쓰여 뜻이 달라질 경우가 있다:

(1) (a) She *turned on* the man. 그녀는 그 남자에게 대들었다.
(b) She *turned on* him. 그녀는 그에게 대들었다.

(2) (a) She *turned on* the gas. 그녀는 가스 꼭지를 틀었다.
(b) She *turned* it *on.* 그녀는 그것(=가스)의 꼭지를 틀었다.

즉, (1)에서 turn은 자동사화하여 on은 명백한 전치사, (2)는 「타동사+부사」이며 (a)에서는 언뜻 보아 같은 형태이지만 (b)에서는 그 차이가 분명히 나타난다.

문법 해설 (25)

Progressive Form (진행형)

시제의 하나로 어느 시점에서 동작이 진행·계속 중이거나 어느 시점까지 계속·미완료인 것을 나타낸다.

동사의 "be+현재분사"로 나타내며 완료형과 마찬가지로 여러 가지 시제를 취하여 **현재진행형**(Present progressive form), **과거진행형**(Past progressive form), **미래진행형**(Future progressive form) 등을 만든다. 능동형을 동사 play를 예로, 수동형을 동사 build를 예로 들어, 진행형의 시제를 표로 나타내면 다음과 같다.

	능 동 태	수 동 태
현재진행형	He *is* play*ing*.	The house *is being* built.
현재완료 진행형	He *has been* play*ing*.	* ————
과거진행형	He *was* play*ing*.	The house *was being* built.
과거완료 진행형	He *had been* play*ing*.	* ————
미래진행형	He *will be* play*ing*.	The house *will be being* built.
미래완료 진행형	He *will have been* play*ing*.	* ————

*공란의 진행형은 실제로는 쓰이지 않는다.

[注] The book is interesting.(이 책은 재미있다)에서는 틀림없는 "be+-ing"의 형태이지만, 이것은 동사 interest의 진행형으로는 볼 수 없다. 그 이유는 (1) The book is *very* interesting.처럼 interesting을 very로 꾸며 줄 수 있으며, very가 수식하는 것은 동사가 아닌 형용사라고 생각할 수 있다. (2) 「이 책은 나에게는 재미있다」는 The book is interesting *to me*.로 된다. interest는 본래 타동사여서, interesting me라고 목적어를 취할 수 있는데 여기서는 그렇지 않았기 때문에, 이 interesting은 형용사이며 to me라는 부사구에 의해 수식되어 있는 것이다.

(1) 현재진행형의 용법·의미

「be+현재분사」로 쓰며 동사가 나타내는 행위(드물게는 상태)가 이미 시작되어서 현재 전개 중이며 미래에도 계속됨을 나타내는데 특히 그 '전개 중'이라는 점에 역점을 둔다. 여기에서 몇 개의 파생적 의미가 발생한다.

A) 동작의 진행 계속

Someone *is knocking* on the door. 누군가 문을 노크하고 있다. / Look! The sky *is clearing* up. 봐라, 하늘이 개고 있다.

B) 현재의 습관적·반복적 행위

현재진행형에 의해 나타내는 습관은 현재형의 경우에 비해 일시적이다. 또 반복적 행위에는 always, constantly, all the time 등의 부사(구)를 수반하는 경우가 많다: They *are having* breakfast at seven. 그들은 아침을 7시에 먹고 있다. / She *is* always *dreaming* of something fantastic. 그녀는 항상 뭔가 환상적인 일을 꿈꾸고 있다.

C) 가까운 미래

이 용법은 go, come, arrive, depart 등 '왕래·발착'을 나타내는 동사가 많다. 현재 예정 또는 계획을 나타낸다: We *are going* to a concert tonight. 우리는 오늘밤 음악회에 간다. / I'*m calling* or *writing* him tonight. 나는 오늘밤 그에게 전화를 걸거나 편지를 쓰려고 한다.

D) 감정적 색채를 나타내는 경우

반복적·습관적 동작을 나타내는 용법 중에도 '불평·비난·초조·절망·만족' 등의 감정적 색채를 나타내는 경우가 있다: I'*m* always *telling* you to comb your hair, but you never do what I say. 나는 늘 네게 머리를 빗도록 말하는데도 너는 내 말대로 한 적이 없다. / She *is* constantly *complaining* about her salary. 그녀는 노상 봉급에 대해서 불평을 하고 있다. / I *am* now *living* in a very pleasant flat. 나는 쾌적한 아파트에 살고 있다.

E) be going to (do)

go의 진행형은 뒤에 "to 부정사"를 수반하여, '가까운 장래' 또는 '예정'을 나타내는 데 자주 쓰인다: It'*s going to* rain. 비가 올 것 같다. / I'*m going to* invite Helen. (일간) 헬렌을 초대하려 한다. / *Is* Bess *going to* have a baby? 베스가 아기를 갖게 되나요?

be going to는 will, shall과 같은 '미래'의 조동사 대신에 쓰인다고 해도 무방할 정도여서, 이렇게 조동사화(化)된 결과 He *shall* not do such a thing. (그에게 그런 일은 못하게 하겠다.)도 He *is* not *going to* do such a thing.으로 하며, I *am going to* go there.라는 말도 I'll go there.의 의미로 허용된다. 또 be going to는 '예정'의 뜻을 포함하면 '먼 미래'에 대해서도 말할 수 있게 되었다: What *are* you *going to* be when you grow up? 커서 뭐가 될래?

[참고] **진행형이 되지 않는 동사**: 「계속·상태」나 「지각·심리 상태」를 나타내는 동사가 본래의 의미로 사용된 때에는 원칙적으로 진행형을 가지지 않는다: resemble, have (단, I'*m having* a good time. 즐겁게 지내고 있다.), belong, contain, seem, appear, see(단, I'*m seeing* her tomorrow. 내일 그녀를 만납니다.), hear, smell, taste, feel(단, *Are* you *feeling* better? 기분은 좋아졌나요? / He *is hearing* lectures on English literature. 그는 영문학 강의를 듣고 있다.), know, believe, think, love, hate, remember, want, wish, hope, forget, doubt, suppose 등

(2) 현재완료 진행형

과거에서 현재까지 계속되어 오면서 완료되지 않고 앞으로도 계속될 것, 되풀이해 행해진 것을 나타낸다(단순한 현재완료에 비해 생기 있는 표현): It *has been raining* since noon. 정오부터 비가 계속해서 내리고 있다(지금도 오고 있다). / He *has been sleeping* for ten hours. 그는 10시간이나 잠을 자고 있다. (아직도 잠자고 있다.) 《[비교] He *has slept* for ten hours. 그는 10시간이나 잤다.(완료)》

[注] 현재완료 진행형은 어떤 행위가 지금까지 계속되고 앞으로도 계속됨을 나타내는 경우와, 계속되어 온 동작이 지금 바로 직전에 완료되었음을 뜻하는 경우가 있다: I *have been waiting* for the bus for twenty minutes. 20분 전부터 버스를 기다리고 있습니다[기다리고 있었습니다]. 《이 문은 버스가 아직 오지 않은 경우에도, 버스가 마침내 도착한 경우에도 다 같이 쓸 수 있음》

(3) 과거진행형

현재진행형을 과거로 옮겨놓은 것으로서, 과거의 어느 때를 기준으로 동작·상태의 진행과 계속 등을 나타낸다: My daughter *was drawing* a picture when I walked into her room. 내가 그녀의 방에 들어갔을 때 내 딸은 그림을 그리고 있었다. / They all had colds and *were sniffing* and *sneezing*. 그들은 모두 감기가 들어 코를 킁킁거리거나 재채기를 하고 있었다. 《과거의 반복적 행위》

(4) 과거완료 진행형

과거의 어떤 때 이전에 시작된 동작·상태가 그 과거의 때까지 계속되었거나, 계속 중에 있었음을 나타낸다: I *had been reading* a novel till you came here. 나는 네가 여기 올 때까지 소설을 읽고 있었다.

(5) 미래진행형

미래의 어떤 때에 동작·상태가 진행중에 있을 것임을 나타낸다: It *will be snowing* when you get to Seoul. 네가 서울에 도착했을 때는 눈이 내리고 있을 것이다. / When *will* you *be having* the house painted? 언제 집에 페인트를 칠할 예정입니까? 《가까운 미래의 예정》

(6) 미래완료 진행형

미래의 어느 때까지 동작·상태가 계속되는 셈이거나 그때

까지 아직 계속중에 있을 것임을 나타낸다: It *will have been raining* for three days on end if it does not stop tomorrow. 만일 내일 멎지 않으면 사흘 동안 계속 비가 내리게 되는 셈이다. / I *shall have been teaching* here for three years by next summer. 다음 여름이면 내가 여기서 가르친 지 3년이 되는 셈이다.

(7) 수동태 진행형

수동태 진행형은 거의 현재형과 과거형에만 국한된다: Preparations *are* just now *being* completed. 준비는 이제 막 끝나가고 있다. / The cat *was being* chased. 고양이는 쫓기고 있었다.

㊟ 수동태 진행형은 19세기 초에 이르러서야 비로소 쓰이기 시작한 것으로, 그때까지 「관념적 수동태(Notional passive)」라고 해서 'be+현재분사'가 쓰이고 있었는데 지금도 그 자취는 많다: The house *is building*(=being built). 집은 건축중이다. / The book *is* now *printing*(=being printed). 책은 현재 인쇄중이다. / Corn *is selling* well(=being sold well). 곡물은 잘 팔리고 있다.

문법 해설 (26)

Relative (관계사)

접속사와 대명사의 기능을 함께 갖는 **관계대명사**(Relative pronoun)와 접속사와 부사의 기능을 함께 갖는 **관계부사**(Relative adverb)를 총칭한 것을 **관계사**라 한다. 관계대명사에는 형용사적으로 쓰이는 **관계형용사**(Relative adjective)도 포함되는데, 관계사의 중심이 되는 것은 관계대명사이다.

(1) 관계대명사

대명사의 하나로 대명사와 접속사의 기능을 겸한 말, 즉 인칭대명사같이 앞에 나온 말을 받는 동시에 그 말(어군)과 뒤에 이어지는 절을 잇는 역할을 한다. who, which, that, what의 네 가지를 비롯하여, as, but, than이 있다.

A) 기본 예문

① Anyone *who* wants to come is welcome. 오고 싶은 사람은 누구라도 환영이다.
② That is the man (*whom*[*that*]) I saw yesterday. 저분이 내가 어제 만난 사람이다.
③ I have a friend *whose* father is a musician. 나에게는 부친이 음악가인 친구가 있다.
④ My friend has a dog *which*[*that*] barks loudly at everybody. 나의 친구는 누구에게나 마구 짖어대는 개를 갖고 있다.
⑤ Please show me the watch (*which*[*that*]) you bought yesterday. 어제 당신이 산 시계를 보여 주십시오.

B) 관계절과 선행사

A)의 예문 ① Anyone *who* wants to come is welcome.은 Anyone is welcome.+Anyone(=He) wants to come.처럼 두 문(文)이 결합된 것으로 생각할 수가 있다. anyone이 두 번 되풀이되므로 일반적으로는 두 번째 anyone 대신에 인칭대명사 he가 들어서야 할 것인데, 두 문 가운데 하나를 종속절로 만들어 다른 문(=주절)에 결합시킬 때에는 관계대명사를 명사 대신에 쓴다. 다시 말해 who는 후반(後半)의 문[절]을 전반(前半)의 문[절]에 연결시키는 접속사의 역할과 후반의 절 속에서의 he라는 대명사의 역할을 겸하고 있다. 이와 같이 접속사와 대명사의 역할을 겸하는 것이 관계대명사이다.

여기서 Anyone is welcome이 주절이고 who wants to come은 anyone을 수식하는 종속절인데 이와 같이 관계대명사나 관계부사에 이끌리는 종속절을 **관계절**(Relative clause)이라고 한다. 관계절은 본질적으로 형용사절이다.

관계대명사 who는 명사 anyone을 받고 있다. 이 관계를 'anyone은 who의 **선행사**(先行詞)(Antecedent)'라고 한다.

C) 관계대명사의 격(格)

위 A)의 예문 ①, ②, ③에 있어서
① *he* wants to come → *who* wants to come
② I saw *him* yesterday → *whom* I saw yesterday
③ *his* father is a musician → *whose* father is a musician

의 *who, whom, whose*는 관계절 안에서 각각 주격(主格), 목적격(目的格), 소유격(所有格)을 나타내고 있다. 이것을 '관계대명사의 격'이라고 한다.

주격	who	which	that
소유격	whose	of which (whose)	—
목적격	whom	which	that
적용 대상	사람(때로 동물)	물건·동물	물건·동물·사람

관계대명사의 격은 주로 관계절 속에서의 역할로 정해지는 것이며, 선행사가 주절 속에서 갖는 격과는 관계가 없다.

㊟ (1) which에는 소유격이 없기 때문에 소유격의 뜻을 of which로 나타내며 종종 whose도 쓰인다: Novels *of which* the authors[*whose* authors] are famous sell readily. 유명한 작가의 소설은 잘 팔린다.

㊟ (2) 최상급을 동반할 때에는 that을 쓰는 일이 많다: This is the cutest baby *that* I have ever seen. 이 아기는 내가 본 중 가장 귀여운 아기이다. / "Love story" is the most interesting movie *that* I have ever seen. '러브스토리'는 지금까지 내가 본 것 중에서 가장 재미있는 영화이다.

단, who, which도 아주 쓰지 않는 것은 아니다.

㊟ (3) that는 항상 제한적으로 쓰며, 비제한적 용법《⇨ 아래 (4)》은 없다.

D) 관계대명사의 수(數)

관계대명사는 그 선행사와 인칭·수가 일치한다.

I, who *am* your friend, advise you. 너의 친구인 내가 너에게 충고한다. / *Those* who *love their* country cannot do such a thing. 조국을 사랑하는 사람들은 그런 일을 할 수 없다.

E) 관계대명사의 생략

관계대명사가 목적격으로 제한적 용법인 경우는 생략할 수 있다. 이것은 특히 구어에서 자주 쓰인다.

This is the man (*whom*) I met yesterday. 이 사람은 어제 내가 만난 사람이다.

(a) 보어의 무리: There is a man below (*who*) wants to see you. 당신을 만나고자 하는 사람이 아래에 있다. / I am not the man (*that*) I was. 나는 옛날의 내가 아니다. 《주격 보어》/ He is not the fool (*that*) we thought him. 그는 우리들이 생각했던 것 같은 바보가 아니다. 《목적격 보어》/ That's all (*that*) there is to it. (그것이 그것에 대해 있는 전부다 →) 단지 그것 뿐인 것이다. 《is의 진주어(眞主語)인 that가 생략되는 것이 보통임》

(b) 관계부사적으로 쓰인 that: I entered high school the year (*that*) you were born. 나는 네가 태어난 해에 고등학교에 들어갔다.

㈜ 주절이 there is로 시작되는 문 중에서 다음과 같은 who의 생략은 특히 구어적이다: There is a man (*who*) wants to see you. 당신을 만나고 싶어하는 사람이 있습니다.

F) 전치사+관계대명사

① This is the house *in which* I was born.(← I was born *in it.*) 이것이 내가 태어난 집이다. ⇨ 아래 (3) A) ①

② That is the boy *with whom* I played.(← I played *with him.*) 저 아이는 나와 함께 놀았던 소년이다.

㈜ (1) ①에서 우리말에 이끌려 in을 빠뜨리고 This is the house (*which*) I was born.이라고 하면 잘못이다. I was born *in the house.*라고는 하지만 I was born *the house.*라고는 할 수 없기 때문이다.

㈜ (2) 전치사를 동반할 수 있는 것은 who(m)과 which, what에 한정된다. that를 쓰는 경우나, 관계대명사가 생략되는 경우는 전치사가 절 끝에 온다: This is the house (*that*) I was born *in.* / That is the boy (*that*) I played *with.*

G) 선행사를 포함하는 관계대명사

That is *what*(=the thing *that*) I want. 그것이 내가 원하는 것이다. / Take *whatever*(=anything *that*) you like of these books. 이 책들 중에서 무슨 책이든 네가 좋아하는 것을 가져라. 《명사절을 이끈다》/ *Whoever*(=Anyone who) may come, don't open the door. 누가 오더라도 문을 열어 주지 마라. 《양보의 부사절을 이끈다》

위의 예문에서 what, whatever, whoever는 각각 ( ) 안의 낱말들과 거의 같은 뜻을 갖기 때문에 '선행사+관계대명사'의 역할을 하고 있는 것이다.

㈜ whoever와 whomever의 구별에 특히 주의를 요한다:

(1) I will give this book to *whoever*(=anyone *who*) wants it. 누구든지 원하는 사람에게 이 책을 주겠다.

(2) *Whomever*(=anyone *whom*) you like may come. 당신이 좋아하는 사람이면 누구나 와도 좋다.

(1)에서 whoever에 포함된 anyone은 주절 가운데서 목적격이지만 동시에 같은 whoever에 포함된 who는 관계절 가운데서 주격이므로 whoever를 쓴다. (2)에서는 관계절의 동사 like의 목적격이다. 기타 상세한 것은 ⇨ what, whatever, whichever, whoever, whomever, whosever

H) 강조 구문

It is you *who*[*that*] are in the wrong. 잘못한 사람은 자네이다. (자세한 것은 ⇨ it *pron.* 7, 문법 해설 Emphasis)

I) 그 밖의 관계대명사는 ⇨ as, than, but

(2) 관계형용사

형용사적으로 쓰이는 관계대명사를 말한다. 따라서 관계형용사를 '관계대명사의 형용사적 용법'이라고도 한다.

what, which, whatever, whichever, whose가 여기에 속한다.

① I will give him *what* money I have. 나는 그에게 내가 가진 돈 전부를 주겠다.

② We consulted him, *which* step later proved effective. 우리들은 그에게 의논했는데, 그 조치는 효과적이었다는 것이 나중에 판명되었다.

①은 I will give him money.+I have that money. 처럼 두 문을 하나로 결합한 것이다. 이 경우에 (a) 주절이 되는 문과 종속절이 되는 문에서 같은 명사가 되풀이되어 있기 때문에, 주절 쪽의 명사가 생략되고, (b) 종속절 속의 지시형용사 대신에 관계형용사가 놓이고(that →what), (c) '관계형용사+명사'가 종속절 첫머리로 옮겨진다.

②는 We consulted him.+That step later proved effective.로 이루어졌다.

That step은 그 내용으로 보아 선행문 전체, 즉 「그에게 의논한 것」을 가리킨다.

(3) 관계부사

부사의 일종으로 부사와 접속사의 기능을 아울러 갖춘 낱말이다. 보통 쓰여지는 관계부사는 when, where, why, how 등이지만, -ever에 연결된 복합관계부사(Compound relative adverb) wherever, whenever, however나 whither, whence 등도 있다. when 등의 관계부사는 형용사절을 이끌고, 선행사가 있는 경우와 선행사 없이 쓰이는 경우가 있다. 또한 선행사와 함께 쓰이는 경우에도 관계절이 직접 선행사를 한정하는 제한적 용법과 관계절이 선행사를 간접으로 받아 그것을 설명하는 비제한적 용법이 있다. ⇨ 아래 (4)

A) 기본 예문

① This is the house *where* (=in which) I was born. 이것이 내가 태어난 집이다.

② Now is the time *when* (=in which) we have to make a decision. 지금이야말로 우리가 결단을 내려야 할 때다. / The winter is the season *when* (=in which) we ski. 겨울은 우리가 스키 타는 계절이다.

③ That is the reason *why* (=for which) I was late. 그것이 내가 지각한 이유입니다.

이와 같이 관계부사는 '전치사+관계대명사', 즉 접속사와 부사를 겸한 기능을 가지고 있다.

㈜ (1) 위 예문을 간결하게 표현하기 위해 선행사를 생략하는 경우가 많다. ⇨ (3) B

㈜ (2) ③의 예문에서도, 선행사 the reason이 생략되어 That is *why* I was late.라고 하는 쪽이 일반적인데, the reason을 쓰면 why가 생략되어 That is the reason I was late.라고 한다.

B) 선행사의 생략

① We camped (at a place) *where* we could get enough water. 우리들은 물을 충분히 얻을 수 있는 곳에서 야영을 했다. 《이 where는 접속사로도 취급됨》/ We came out from (the place) *where* we were hiding. 우리들은 숨어 있던 곳에서 나왔다. / That's (the point) *where* you are wrong. 그것이 네가 잘못된 점이다.

② We got home (at the time) *when* it was getting dark. 우리들은 어두워지기 시작할 무렵 집에 도착했다. 《이 when은 접속사로 취급됨》

③ That is (the reason) *why* I was late. 그것이 내가 지각한 이유이다. 《특히 This[That] is why ...의 구문에서 생략이 일어남》

C) 그 밖의 관계부사

⇨ wherever, whenever 등

(4) 관계절의 제한적 용법과 비제한적 용법

위 (1) A) ① Anyone *who* wants to come is welcome.과 (3) A) ① This is the house *where* I was born.에서 who 및 where 이하의 관계절은 각각 anyone 및 house를 수식하여 그 뜻을 제한하며 그것들이 붙어서 비로소 「어떤 사람」인지 「어떤 집」인지가 분명해진다. 이러한 용법을 관계절(따라서 관계사)의 **제한(적) 용법**(Restrictive use)이라고 한다. 한편 관계절이 선행사의 뜻을 한정한다기보다는 덧붙여 설명하는 역할을 하는 경우를 **비제한(적) 용법**(Nonrestrictive use) 또는 **연속적 용법**(Continuative use)이라고 한다.

① He has a son, *who* has become a lawyer. 그는 아들이 하나 있는데, 그는 변호사가 되었다.

② My father, *who* is fond of swimming, goes to the seaside every summer. 우리 아버지는 수영을 좋아하셔 여름마다 해변으로 가신다. 《삽입적 설명》

③ I stepped into the art gallery, *where* (=and there) I unexpectedly met my old friend. 나는 미술관에 들어갔는데, 거기서 뜻밖에 나의 옛 친구를 만났다.

④ They all like him, *which* (=and this) shows that he is a kind man. 그들은 모두 그를 좋아하는데, 이것은 그가 친절한 사람이라는 것을 증명한다. 《선행사는

They all like him의 절 전체》
⑤ We reached the village, *when* (=and then) it began to rain. 우리들은 그 마을에 도착했는데, 그때 비가 내리기 시작했다. 《선행사는 앞의 절 전체. 어구를 선행사로 하는 when의 비제한적 용법의 예는 ⇨ when *ad*. B b》
㊟ (1) 비제한적 용법에서는 관계사 앞에서 어조가 내려가 단절이 생기는 경향이 있으며 앞에 보통 콤마(comma)를 찍는다.
㊟ (2) 동일한 문을 두 가지 용법으로 쓸 수 있는 경우가 종종 있다: My friend has two brothers *who* are older than I. 내 친구는 나보다 연상인 형제가 둘 있다. 《제한적 용법: 그 밖에도 형제가 있음을 암시》/ My friend has two brothers, *who* are older than I. 내 친구는 형제가 둘 있는데 그들은 나보다 연상이다. 《비제한적 용법: 형제는 둘뿐임》

문법 해설 (27)

Sentence (문)

낱말(word)이 모여 하나의 정리된 의미를 나타내며, 보통은 주어와 술어동사를 갖추고 앞뒤에 음성의 단락이 있는 것을 문(文)이라고 한다.
모든 문은 **주부**(Subject)와 **술부**(Predicate)의 두 부분으로 이루어진다. 문이 표현하는 주제가 되는 말을 **주어**(Subject)라 하고 이에 대해 주어에 관한 어떤 사항을 진술하는 술부의 중심이 되는 말을 **술어동사**(Predicate verb)라고 한다. 술어동사 중에는 「~을 …하다」의 「~을」에 해당하는 말, 즉 **목적어**(Object)나 「…이다」, 「~을 …의 상태로 만들다」, 「…로 되다」의 「…」에 해당하는 말, 즉 **보어**(Complement)를 필요로 하는 것도 있다. 주어·술어동사·목적어·보어는 **수식어**(Modifier)를 수반하기도 한다. 수식어 중 형용사적 역할을 하는 것을 형용사적 수식어, 부사적 역할을 하는 것을 부사적 수식어라고 한다. 주어나 목적어가 될 수 있는 것에는 명사 및 명사 상당어구, 술어동사에는 동사 및 동사구, 보어에는 명사와 형용사, 부사 및 그 상당어구, 부사적 수식어에는 부사 및 부사 상당어구가 있다.

주어와 술어동사

(1) 명령문과 주어
영어에서는 주어와 술어동사를 갖춘 어군이라야 비로소 「문」이 되는 것이지만, 명령문에서는 보통 주어가 나타나지 않는다. 그러나 이것은 명령문이 주어를 갖지 않는다는 말은 아니다.
A) 때로는 주어가 나타난다: *You* sit down here! 당신은 여기 앉아요! / Don't *you* worry about that! 그 일일랑 걱정하지 마시오! / This must be done quickly, mind *you*. 이것은 속히 해야만 합니다, 유념하시오.
B) 문중에 yourself, yourselves가 있어서 그것이 주어가 you임을 알려 준다: Do it *yourself*. 스스로 하시오. / Take good care of *yourselves*. 몸조심들 하세요.
㊟ He praised *him*. (그는 그를 칭찬했다.)에서는 주어와 목적어가 딴 사람이며, He praised *himself*. (그는 자기 자신을 칭찬했다. → 자화자찬했다)에서는 주어와 목적어가 동일인이다. 따라서, Take good care of *yourselves*.의 주어는 당연히 you이다.
(2) **생략문**(Elliptical sentence)
주어나 술어동사, 또는 양쪽이 모두 나타나 있지 않아도 어군이 언명·의문·감탄을 나타내는 수가 있다. 이것을 생략문이라고 한다: (You are) Welcome! 어서 오십시오! / (I wish you) Many happy returns! 축하합니다! / (Have you) Got a match? 성냥 있습니까? / (This is) Not for sale 《게시》 비매품 / How nice! 야 근사하구나! (=How nice it is!)
생략문은 위의 괄호 속에서 보인 바와 같이 주어와 술어동사를 보충하여 비로소 보통의 문이 된다. 생략된 부분은 음성의 높낮이(인토네이션)와 주위 상황이나 문맥에 의해서 보충된다. 따라서, 생략문이 쓰이는 경우는 당사자가 대면해서 이야기를 나누고 있을 때와 같은 한정된 경우뿐이며 길고 상세한 서술 등은 생략문만 갖고 하기는 불가능하다.
㊟ Thank you! (=I thank you.)와 같이 생략이 습관화돼 버린 표현도 있다.
참고 ① yes와 no는 물음에 대해 언명(긍정·부정)을 하고 있는 말로서 문 상당어이다.
참고 ② "주어+술어동사"의 형식을 영어의 「문」의 기본으로 생각할 수 있지만, 그것이 어떤 언어에도 적용된다고 생각할 수는 없다. 우리말에서는 주어가 나타나지 않는 문장이 빈번히 쓰이고 있으며 술어로는 동사만이 아니라 형용사도 쓰인다: 집에 다녀왔다 / 이 꽃은 아름답다 / 굉장히 재미있었다

문의 종류(의미상의 분류)
문은 주로 그 의미상으로 보아 다음과 같이 4종류로 분류된다.
(1) **평서문**(Declarative sentence)
어떤 사항을 그대로 기술하는 문으로 보통은 「주어+술어동사」의 어순을 취한다: I didn't sleep well last night. 간밤에 잠을 잘 이루지 못했다.
(2) **의문문**(Interrogative sentence)
의문을 나타내는 문으로 보통 「술어동사+주어」 또는 「조동사+주어+본동사」의 어순을 취하고 문미에 의문부호를 붙인다: May I use this telephone? 이 전화 좀 써도 될까요?
(3) **명령문**(Imperative sentence)
명령·의뢰·충고·금지 등을 나타내며 보통은 주어를 생략한다. 마침표를 찍지만 강조할 경우는 느낌표를 붙이기도 한다: Don't say any more. 더 이상 아무 말도 마시오. / Listen! 들으시오!
(4) **감탄문**(Exclamatory sentence)
감탄을 나타내며 「주어+술어동사」의 어순을 취하며, 느낌표를 붙인다: How tall you've grown! 참으로 많이도 자랐구나!
또 하나의 기능면에서 **긍정문**(Affirmative sentence)과 **부정문**(Negative sentence)의 두 종류로 구별할 수가 있다. 상기한 4종류의 문은 어느 것이나 긍정으로도 부정으로도 될 수 있다.

문의 구조

(1) 문의 5형식
동사는 **자동사**(Intransitive verb) 아니면 **타동사**(Transitive verb)이며, 타동사는 목적어(Object)를 취한다. 자동사에도 타동사에도 보어를 필요로 하는 것이 있다. 즉, **불완전 자동사**(Incomplete intransitive verb)와 **불완전 타동사**(Incomplete transitive verb)이다. 또, 타동사에는 **직접목적**(Direct object)과 **간접목적**(Indirect object)의 2개의 목적어를 취하는 이른바 **수여동사**(Dative verb)가 있다.
술어동사가 이들 동사 분류의 어느 것에 속하느냐로 다음의 5개 기본 문형이 생긴다.
(1) S+V Birds sing.
(2) S+V+C He is a doctor.
(3) S+V+O I love you.

(4) S+V+ind.O+dir.O He gave me a book.
(5) S+V+O+C He made her angry.
㈜ S=subject, V=verb, C=complement, O=object, ind.=indirect, dir.=direct

(2) 단문·중문·복문
문의 형태(즉 "주어+술어동사")를 갖춘 어군이 2개 이상 모여, 언명·의문·명령·감탄을 나타내고 있는 것이 있다. 하나의 문이 단 하나의 "주어+술어동사"만으로 이루어졌을 때 이것을 단문(單文)(Simple sentence)이라고 하며, 하나의 문에 2개 이상의 "주어+술어동사"를 가진 어군이 포함되어 있을 때 그 어군의 각각을 절(節)(Clause)이라고 한다. 문중에서 절이 같은 자격으로 나열되어 있을 때 그 문을 중문(重文)(Compound sentence)이라고 하며, 문중에서 주절에 종속절이 명사·형용사·부사의 역할을 하고 있을 때 그 문을 복문(複文)(Complex sentence)이라고 한다. 그리고 단문과 복문 또는 복문과 복문이 등위접속사로 이어진 문을 혼합문이라 한다.

문법 해설 (28)

Strong Form, Weak Form

(강형(强形)과 약형(弱形))

어느 말이 단독으로 확실히 발음되는 경우의 형으로 강세의 정도에 따라 동일한 낱말에 뚜렷이 서로 다른 발음의 변종(變種)이 있을 때, 강하게 발음되었을 때의 형을 **강형**(Strong form), 약하게 발음되었을 때의 형을 **약형**(Weak form)이라고 부른다. 이것들을 이 책에서는 다음과 같이 나타낸다: **her** [*h*ər, hə̀ːr, hə́ːr]. 즉, 처음의 [*h*ər(=hər, ər)]는 약형이며 뒤의 [hə̀ːr, hə́ːr]가 강형이다. 이것은 약형이 강형보다 빈도수가 높은 경우인데, 강형이 빈도수가 높은 경우에는 그 반대로 강형을 앞에 표시한다: I said a[éi] hat and an[ǽn] umbrella. 나는 모자 하나와 우산 한 개라고 말했다.

(1) 약형이 있는 낱말의 종류
문법적 기능을 주로 한, 관사·전치사·접속사·조동사·대명사·의문사 등 소수이긴 하지만 사용도가 높은 일부 낱말들에는 강형·약형의 구별이 있는 것이 많다. 이 책에서 테두리를 두른 각 항목 가운데서 「문법 해설」을 제외한 어휘 항목은 그 대표적인 것이며 대부분이 이에 해당한다. 또한 이 낱말들은 기능어(機能語)(Function word)라고 불리는 것과 거의 일치한다.

(2) 강형의 용도
A) 낱말로서 단독으로 발음되든가 또는 「…이라는 말」이라는 뜻으로 인용적으로 쓸 경우: "*Her*" [hə́ːr] is a pronoun. "her"는 대명사이다. / "*A*" [éi] and "*an*" [ǽn] are indefinite articles. "a"와 "an"은 부정관사이다.
B) 위치 관계 때문에 필연적으로 강하게 발음되는 경우: Run as fast as you *can* [-kǽn]. 힘껏 빨리 달려라.
C) 대비(對比) 등으로 강세를 받을 때: Are you *for* [-fɔ́ːr-] or against the bill? 당신은 그 법안에 찬성입니까 반대입니까? / You look happy.—I *am* [-ǽm-] happy. 행복해 보이는군요.—그래요, 실지로 행복해요. ((am은 look와 대비되어 있다. 필기에서는 밑줄을 치고 인쇄에서는 이탤릭체를 쓰는 습관이 있다)) / Who broke this vase?—Tom *did* [-díd]. 누가 이 꽃병을 깼니?—톰이에요. ((broke와 did는 대비되어 있는데, 의문문에 대한 대답으로 쓰이는 대동사 do에는 반드시 강세가 있다)) / Write "*a* [-éi-] man", not "*the* [-ðíː-] man." 「그 남자」가 아니고 「한 남자」라고 써라.
D) 강세가 없어도 속도가 느리든가 (받아쓰기 등에서) 일부러 매우 천천히 발음하는 경우 등: This—is—a—dictionary. [ðís-ìz-ei-díkʃənèri]
E) 인접하는 음과의 관계: He'll *be* in. [hiːl-biː-ín] ((이것은 [-bi-ín]보다 발음하기 쉽기 때문임))

(3) 약형의 용도
보통 속도로 (2)에 해당하지 않을 경우에는 대체로 약형이 쓰인다: It's *a* [-ə-] pencil. / I like *to* [-tə-] play tennis. / *Shall* [ʃəl-] we go?

(4) 약형의 특징
A) 음의 탈락: am [æm] → [əm] → [m] / can [kæn] → [kən] → [kn] / had [hæd] → [həd] → [əd] → [d] / shall [ʃæl] → [ʃəl] → [l] / his [hiz] → [iz]: What's *his* name? [*h*wɑ̀ts-iz-néim | wɔ̀ts-] / to [tuː] → [tə] → [ə]: You ought *to* know. [ju-ɔ́ːt-ə-nóu] / than [ðæn] → [ðən] → [ðn]: He'll do it better *than* I.
㈜ it'*s* [its], he'*s* [hiːz] is*n't* [íznt] 등의 단축형은 각각 [it]+[s], [hiː]+[z], [iz]+[nt]로 생각되기 때문에 음성면에서만 보면 [s, z]는 모음 탈락에 의한 is 또는 has의 약형, 마찬가지로 [nt]는 not의 약형이라고 할 수가 있다. 그러나 이 경우 철자에 변화가 일어나 단축형으로서 그 전의 말과 같은 말로 통틀어 다루는 습관이 있기 때문에 이 책에서도 그렇게 취급하고 is, has, not의 약형으로서는 다루지 않는다. 특히 단축형에는 don't [dount], can't의 영국음 [kɑːnt]처럼 결합 요소의 음이 아주 변해버려 분리할 수 없는 것도 있으므로 이런 취급 방식이 타당하다.
B) 음의 변화, 특히 모음의 약화
(1) 모음의 [ə], [ər]로의 변화 ((특히 많음)): can[kæn] → [kən] / them [ðem] → [ðəm] / to [tuː] → [tə] ((자음의 앞: easy *to* read)) / my [mai] → [mə] ((빠른 말투로 자음의 앞: Give it to *my* brother.)) / there [ðεər] → [ðər] (("예비의 there": *There* is ...))
(2) 모음의 긴장의 감소 ((장모음 → 단모음)): to [tuː] → [tu] ((모음의 앞: *to* own a house)) / be [biː] → [bi] ((자음의 앞: Try to *be* nice.))

문법 해설 (29)

Subject (주어)

문(文)을 이루는 요소의 하나로, 문의 주체가 되는 말을 **주어**라 한다. 이 주어에 대해서 서술의 중심이 되는 동사를 술어동사라 한다. 이와 같이 주어는 술어동사가 나타내는 행위·상태의 주체를 가리키는 것이라고 말할 수 있지만, 그러한 의미상으로서의 규정 외에 주어는 명사·대명사(또는 명사 상당어구·명사절)이며, 그 위에 술어동사와의 사이에 인칭 및 수의 일치를 보인다고 하는 특징을 가지고 있다. 주어와 술어동사 사이의 수의 일치에 관해서는 ⇨ 문법 해설 Number.

술어동사와의 인칭·수의 일치가 없는 경우, 즉 술어동사 이외의 동사의 변화형에 있어서도 의미상으로는 주어·술어 관계가 생기는 수가 있다《의미상의 주어》: I want to *go.* 나는 가고 싶다 《go의 의미상의 주어는 문장의 주어와 같은 I》. I want *you* to *go.* (나는 당신이 가기를 원한다→) 당신이 가 주었으면 좋겠다《go의 의미상의 주어는 you》.

주어로서의 it의 특수 용법

(1) 비인칭 주어 it

우리말의 「비가 내린다」라는 의미를, 영어는 to rain 그 자체 가운데 전부 포함하고 있다. 그러나 영어에서는 문에 주어를 요하기 때문에, "It rains."라는 식으로 주어에 특정 명사를 대신하는 것이 아닌 it를 놓고 술어동사는 그 주어와 인칭·수에 있어 일치하여 현재형으로는 rains가 된다. 이런 종류의 it를 비인칭 주어(Impersonal subject)라고 한다.

a) 날씨·기온·시간·거리·명암 등에 관한 표현에서 비인칭 주어 it가 많이 쓰인다: *It* began to rain in earnest just as we got to the station. 우리가 막 역에 다다랐을 때 비가 본격적으로 내리기 시작했다. 《날씨》/ *It* is very cold in the northern part of Korea. 한국의 북부는 아주 춥다. 《기온》/ *It* will be another week before he gets well. 그가 회복되기까지는 1주일이 더 걸릴 것이다. 《시간》/ How far is *it* from here to the park? 여기서 공원까지 거리가 얼마나 됩니까? 《거리》/ *It* was still dark when he got up. 그가 일어났을 때는 아직 어두웠다. 《명암》

b) appear, happen, seem 등 동사의 주어로 쓰인다: *It seems* (that) a storm is approaching. 폭풍이 다가오고 있는 것 같다.

(2) 상황을 나타내는 it

주위의 상황을 어떤 것이라고 명사로 지적하지 않고 it로 대용한다: How goes *it* with you? 형편이[지내시기가] 어떻습니까? / Who is *it*? 누구십니까? 《이를테면 문을 노크하는 소리가 들렸을 때 방 안에서 출입구를 향해》

(3) 형식 주어 it

문두(文頭) 혹은 문두에 가까이 it를 주어로서 내놓고 뒤에 다 동명사·부정사·절 등을 진짜 주어로 놓는다. 이때 it는 **형식 주어**(Formal subject)이고, 뒤에 나오는 것이 **진주어**(Real subject)이다: *It*'s no use *crying over spilt milk.* 《속담》 엎질러진 물이다; 이미 지난 일을 가지고 울고불고 해 봤자 소용없다. / It is important *to choose good friends.* 좋은 친구를 고르는 것은 중요하다. / It is doubtful *whether he will come or not.* 그가 올지 안 올지 의문이다.

(4) 강조 형식 it is ... that[wh.] ...의 it

이 구문으로 문의 주어·목적어·부사(구) 등을 강조한다: *It was* yesterday *that* Mary came to see me. 메리가 나를 만나러 온 것은 어제였다. / *It is* you *that* are angry. 화내고 있는 것은 당신입니다. 《that는 관계대명사이며 you를 선행사로 하고 있다》 상세한 것은 ⇨ it *pron.* 7 및 문법 해설 Emphasis, that.

주어의 생략

(1) 명령문의 주어 you

명령문에서는 주어 you가 생략되는 것이 보통: Behave yourself. 얌전하게 굴어요.(*You* behave yourself!) / Come over here. 이리로 오너라.(= *You* come over here!) / Don't make the same mistake again. 같은 잘못을 다시는 하지 마라.(= Don't *you* make the same mistake again!)

(2) 관용적 생략

Thank you. 감사합니다.(= *I* thank you.) / Beg your pardon. 죄송합니다.(= *I* beg your pardon.) / Got up at six, and left home at seven. 6시 기상 후 7시 집을 나섰다. 《일기》 (= *I* got up ...) / See you again. 그럼 또 만납시다; 안녕.(= *I* will see you again.—조동사도 생략됨) / Serves him right. 그놈 꼴 좋다[고소하다].(= *It* serves him right.—여기의 it는 「상황」의 it)

(3) 스스럼없는 어조

주어와 함께 (조)동사 등도 생략된다: Seems he's tired. 그는 지친 것 같다.(= *It* seems he's tired.) / Going shopping? 쇼핑 가세요? (= *Are you* going shopping?)

(4) as나 than 뒤에서의 it의 생략

본래의 비인칭의 it, 상황을 나타내는 it, 형식 주어인 it 등이 생략된다: Come as soon *as* possible. 될 수 있는 한 빨리 오시오.(= Come as soon as *it is* possible.—be동사도 생략됨) / Don't stay there longer *than* is necessary. 필요 이상으로 거기서 오래 머물지 마라.(= ... than *it is* necessary (to stay there).)

문법 해설 (30)

Subjunctive Mood (가정법)

어떤 사물을 서술함에 있어서, 사실대로 서술하는 것이 아니고 가정·상상·요망·바람을 나타내는 경우의 동사 형태를 **가정법**(Subjunctive mood)이라고 한다. 현대 영어에서는 가정법 본래의 동사형은 **가정법 현재**(Subjunctive present)와 **가정법 과거**(Subjunctive past)의 일부에 남아 있을 뿐으로 그 밖의 경우는 조동사의 도움을 받는다.

가정법의 시제는 가정법 현재(Subjunctive present), 가정법 과거(Subjunctive past), 가정법 과거완료(Subjunctive past perfect), 가정법 미래(Subjunctive future)를 주된 것으로 들 수 있다. 그러나 가정법의 시제라는 것은 실제의 때를 나타낸다기보다는 서술 내용의 현실성이 가능성에 있어서 얼마나 크고 작은가에 따라서 동사의 형태가 달라지는 것이라고 이해해야 할 것이다.

형태

(1) 가정법 현재 현재 또는 미래에 관해서의 상상·가정·소망·양보 등의 의미를 나타내고 인칭과 수에 관계 없이 동사의 원형을 쓴다. be, have를 제외한 일반동사에서 3인칭 단수형 어미에 s가 붙지 않는 점만이 직설법 현재와 다르다(have의 경우는 직설법의 has에 대해서 가정법에서는 have). be동사는 주어의 인칭·수에 관계없이 be이다.

(2) 가정법 과거 현재의 사실에 반대되는 실현 불가능한 소망을 나타내며 형태는 be 동사 이외의 동사에 있어서는 직설법의 과거와 같다. be 동사는 주어의 인칭·수에 관계없이 were가 된다.

(3) 가정법 과거완료 과거의 사실에 반대되는 가상이나 과거에 있어서의 실현 불가능했던 소망을 나타내고 형태는 직설법의 과거완료와 같다.

(4) 가정법 미래 'would[should]+동사 원형'

용법

(1) 가정법 현재

A) **주절** 기원·소망을 나타낸다:

God *bless* you! 그대에게 하느님의 은총이 내려지기를!/Long *live* the Queen! (여왕께서 만수무강하시기를→) 여왕 폐하 만세!

㊟ 오늘날에는 조동사 may를 써서 이 뜻을 나타내는 일이 많다: *May* God bless you!/*May* the King live long!/*May* you be happy! 행복하시기를!

B) 명사절 요망을 나타내는 주절 다음의 that로 이끌리는 명사절에 쓰인다:

I suggest (*that*) your son *spend* a week with us. 댁의 아드님이 우리와 함께 1주일 지내기로 하면 어떻겠습니까./I demanded *that* he *be* present. 그가 출석할 것을 요구했다.

㊟ ① 이 가정법 현재는 demand, desire, insist(강력히 요구하다), move(동의하다), order, propose, request, suggest(제안하다) 등에 후속되는 명사절에 흔히 쓰인다. 주로 《미》의 용법이며, 《영》식에서는 보통 should를 쓴다 (단, should는 미국에서도 사용된다): I suggest that everyone of you *should* try. 여러분 모두가 해보는 게 좋으리라 생각합니다.

㊟ ② if, whether로 이끌리는 명사절에서도 가정법 현재가 사용되는 일이 있는데 이는 옛 용법이다(현재는 직설법이 보통):

We do not know *if* the rumor *be* true. 풍설이 사실인지 어떤지 우린 모른다.(=if the rumor *is* true)

C) if로 이끌리는 부사절 현재 또는 미래에 관한 불확실한 일을 나타내며 다음의 구문을 취한다

> If ... 동사 원형 ..., — {shall / will} ~.
> 만일 …하다면, ~할 것이다.

If there *be* any way to help you, I shall be glad to. 만약에 당신을 도울 방법이 있다면 기꺼이 도와주겠소.

㊟ 현대 영어에서는 If there *is* ....처럼 직설법 현재가 쓰임

D) 「양보」의 부사절

Whatever excuses he *make*, we do not believe him. 그가 어떤 변명을 하든 우린 그의 말을 믿지 않는다. 《현재는 보통 he *may make*, 또는 he *makes*,》

E) 「목적」을 나타내는 부사절

They hasten *that* no time *be* lost. 그들은 촌각도 낭비하지 않으려고 서두른다.

㊟ 현재 일반적으로는 *so that* no time *may*[《미》 종종 *will*] be lost.

(2) 가정법 과거

현재 또는 장래에 있어서 실현 가능성이 없는 소망이나, 현재의 사실에 반대되는 가정을 나타낸다. 또 it is time에 이어지는 형용사절에 쓰인다. 그 형태는, 동사가 be이면 주어의 인칭·수에 관계없이 항상 were, 기타의 동사·조동사는 직설법의 과거형과 같다.

㊟ 이 were는 구어에서는 주어가 1인칭·3인칭 단수일 때에는 was로 될 때가 있다.

A) 명사절 현재·미래에 있어서의 실현 가능성이 없는 소망을 나타낸다:

I wish I *could* fly. 날 수 있다면 좋겠는데(사실은 날 수 없다)./I wish I *were* a bird. 내가 새라면 좋으련만./I wish I *could* go with you. 함께 갈 수 있다면 좋으련만.

B) 부사절 if로 이끌리는 부사절에 쓰이어 다음과 같은 구문을 이루어서 현재의 사실에 반대의 가정을 나타낸다:

> If ... {were / 동사 과거형 / 조동사 과거형+동사 원형} ...,
> — {should / would / could / might} ~.
> 만약 …하다면, ~할[일] 텐데.

If I *were* in his place, I *would* accept the job that was offered to him. 만일 내가 그의 처지라면 그에게 제의됐던 일을 맡을 텐데./We *could* save them, if only we *had* a helicopter. 우리에게 헬리콥터만 있다면 그들을 구할 수 있을 텐데.

㊟ If ... were to (do), ...는 미래에 관한 실현성이 없는 강한 가정을 나타낸다: If I *were* to die tomorrow, what would my children do? 만일 내가 내일이라도 죽는다고 하면 아이들을 어떻게 할까?

㊟ 이 'were to (do)'는 미래에 대한 말을 하는 것이므로 분류상 가정법 미래에 넣는 일도 있지만, were는 본래 가정법 과거의 형태이므로 가정법 과거의 용법 중에 포함시켜 설명하는 일이 많다.

(3) 가정법 과거완료

형태는 'had+과거분사'로서 직설법 과거완료와 같지만 의의·용법이 다르다.

A) 명사절 과거의 사실에 반대되는 소망을 나타낸다:

I wish I *had known* the truth at that time. 그때 진상을 알고 있었더라면 좋았을 것을./I wish you *could have come* with me. 당신이 함께 올 수 있었더(라)면 좋았을 텐데.

B) 부사절 if로 이끌리는 종속절 중에서 과거의 사실에 반대의 가정을 나타내며, 다음과 같은 구문이 된다:

> If ... had+과거분사..., {should / would / could / might / must} have+과거분사~.
> 만약 …이었다면[했다면], ~했을 텐데.

If he *had taken* his doctor's advice, he *might have lived* a little longer. 그가 의사의 충고를 들었더라면 좀 더 오래 살았을는지도 모른다.

㊟ If절의 'had+과거분사'에 대하여, 결과를 나타내는 주절은 'should[would] have+과거분사'로 된다.

(4) 가정법 미래

미래에 대한 가정을 'would[should]+동사원형'의 형태로 나타낸다:

A) 'if+가정법 과거'인 종속절에 대해, 주절에 쓰인다:

If you *were* to quarrel with him, I *should feel* very sorry. 만약에 자네가 그와 싸우는 일이 있다면 나는 몹시 섭섭하게 여길 것이다.

㊟ would[should]의 위치에 could, might를 사용할 수도 있다(⇨ 위의 (2) B).

B) if로 인도되는 종속절이 없는 경우, would, should는 will, shall의 어감을 약화시킨 표현이 될 수 있다. 어감이 약하므로 종종 겸허한 자세의 정중한 표현이 되며, should는 또한 「…해야 하다」의 뜻이 되기도 한다:

Would you speak more slowly, please? 더 천천히 말씀해 주시겠습니까?/I *should* think so. 그러리라고 생각합니다만./You *should* go by all means. 꼭 가야 됩니다; 꼭 다녀 오세요.

C) if로 이끌리는 종속절 중에서 주어의 인칭에 관계없이 항상 should를 써서 「만일 …하면[이면]」의 뜻을 나타내며, would를 써서 「만일 …하고 싶다면」의 의미를 나타낸다:

> If ... {should / would} +동사 원형..., {should / would} ~.
> 만일 {…하(다)면, ~. / …하고 싶으면, ~.}

If you *should* meet him, please give him this letter. 만일 그를 만나시면 부디 이 편지를 전해 주십시오./If he *should* hear of your marriage, he *would* be shocked. 만일 그가 너의 결혼 소식을 듣는다면 그는 충격받을 것이다.

특별 용법

(1) 도치(倒置)에 의한 if의 생략

가정법 과거·과거완료·미래를 포함한 if부사절에서는, 주어와 동사·조동사를 도치함으로써 if를 생략할 수가 있다:
Should I be late(=*If I should* be late), don't wait for me. 만일 내가 늦는다면 나를 기다리지 마시오./*Had we* known what was about to happen (=*If we had* known ...), we would have changed our plan. 우리가 무슨 일이 일어날 줄 알았더라면 우리의 계획을 바꾸었을 것이다.
(2) 가정법을 쓴 종속절이 없는 경우
A) 조건절을 부사구로 대용한 것:
I *could* read more comfortably *at home.* 집에 있으면 좀 더 편히 독서를 할 수 있을 텐데./You *would* be stupid not *to accept his proposal of marriage.* 그의 결혼 신청을 받아들이지 않는다면 너는 바보야./*Without water*, no living thing *could* survive. 물이 없다면 어떤 생물도 살아남을 수 없을 것이다.
B) 관용구 'but for ...(=without ...)'에 의한 if 절의 대용:
But for your love(=*If it were not for* your love), I *would* not be able to make a comeback. 당신의 사랑이 없다면 나는 재기할 수 없을 것이다.
C) 주어에 의한 암시:
A gentleman would not use such an expression. 신사라면 감히 그런 표현을 쓰지 않을 게다. 《If the speaker were a gentleman과 같은 조건절이 생략되었음》
D) 앞뒤 관계:
I *could* have lent you the money. Why didn't you ask me? 자네에게 그 돈을 꾸어 줄 수가 있었는데, 왜 말하지 않았던가?
(3) 가정절(節)만에 의한 소망의 표현
If only I *were* a millionaire! 내가 백만장자라면 좋으련만!/Oh, *had* he listened to us then! 아아, 그때 그가 우리 말을 들었던들!
(4) 관용어구
A) 가정법 현재: So *be* it! 그렇다면 그래도 좋다[할 수 없지]; 그렇지어다!/*be* that as it may 그것은 어쨌든/*come* what may 무슨 일이 일어나든
㊟ be를 사용한 것이 많다.
B) 가정법 과거 및 과거완료
① 가정법을 포함하는 성구: He is, **as it were**, an endless dreamer. 그는 말하자면 끝도 없는 공상가이다./You **had better** go at once. 당장 가는 게 좋을 거요./I **would rather** die **than** disgrace myself. 나는 수치를 당하느니(보다) 차라리 죽는 것이 낫겠다./I **should**[**would**] **like to** have a cup of coffee. 커피를 한 잔 마시고 싶습니다만.
② 가정법을 수반하는 성구: **It is time** you *were* in bed. 이제 자야 할 시간이에요.
③ **as if**: He talks *as if* he *knew* all about it. 그는 마치 그것에 대해서 뭐든지 알고 있는 것처럼 말한다.
(5) 가정법과 시제의 호응
가정법은 일반적으로 시제의 호응의 영향을 받지 않는다(⇨ 문법 해설 Narration): I *wish* I *were* younger[I *had seen* him]. 나는 내가 더 젊었으면 좋겠다[그를 만나보았더(라)면 좋았겠다]고 생각한다. →I *wished* I *were* younger[I *had seen* him]. … 《위와 같음》고 생각했다.

문법 해설 (31)

Tense (시제)

동사는 어형 변화에 의해, 그것이 나타내는 행위·상태의 시간 관계를 나타낸다. 이것을 **시제**(Tense)라고 한다. 영어에는 **현재시제**(Present tense), **과거시제**(Past tense), **미래시제**(Future tense)의 3개의 **단순시제**(Simple tense)가 인정된다. 이 세 가지 시제에, 각각 "have+과거분사"의 형을 취하는 완료형이 있는데, 이를 **완료시제**(Perfect tense)라 한다. 즉, **현재완료시제**(Present perfect tense), **과거완료시제**(Past perfect tense), **미래완료시제**(Future perfect tense)의 3가지이다. ⇨ 문법 해설 Perfect tense.
단순·완료시제에는 각각, "be+현재분사"로 이루어지는 **진행형**(Progressive form)이 있다. 이것도 시제의 일종으로 볼 수 있다. 동사의 각종 시제의 형태 변화에 관해서는 ⇨ 문법 해설 Conjugation.
다음은 직설법 시제의 용법에 관한 것이며, 가정법 시제의 용법에 대해서는 ⇨ 문법 해설 Subjunctive mood.

시제의 의미·용법
(1) 현재시제
현재의 사실·상태·습관이나 불변의 진리를 나타내며, 과거나 미래의 상황까지도 나타내는 것이 있다. 동사의 원형을 쓴다. 단, 3인칭 단수의 경우는 -(e)s를 붙인다.
A) 현재의 사실
This cloth *feels* soft. 이 천은 촉감이 부드럽다. 《현재의 상태》/He *is painting* out in the garden. 그는 정원에서 그림을 그리고 있다. 《현재 진행중인 행위》/He sometimes *takes* a walk. 그는 가끔 산책을 한다. 《현재의 습관》
㊟ 마지막 예문처럼 반복되는 행위·습관도 나타낸다.
B) 영속적인 상태 · 진리
Water *boils* at 100℃. 물은 섭씨 100도에서 끓는다./The earth *goes* (a)round the sun. 지구는 태양 주위를 돌고 있다./Two and two *make*(*s*) four. 2+2 =4이다.
C) 과거의 사건에 대한 생생한 묘사
Caesar now *crosses* the Rubicon. 시저는 드디어 루비콘 강을 건너간다.
㊟ 이것은 **역사적 현재**(Historical present) 또는 **극적 현재**(Dramatic present)로 불리는 용법.
D) 확실하다고 느껴지는 미래의 일에 관해서 미래시제의 대용
What time *does* the concert end this evening? 오늘 저녁 음악회는 몇 시에 끝납니까?/The ship *sails* tomorrow. 그 배는 내일 출항한다.
㊟ 이 용법에 속하는 "be going to (do)"는 미래시제의 대용으로서 아주 널리 쓰인다.
E) 「때·조건」의 부사절 중에서 미래를 대신한다
Let's wait until he *comes.* 그가 올 때까지 기다립시다./We'll not go on a picnic next Sunday if it *rains.* 만약 비가 오면 다음 일요일에 소풍은 안 간다.
(2) 과거시제
과거의 동작·상태·습관을 나타낸다. 동사의 과거형을 쓴다.
A) 과거의 사실
We *had* a very nice time last evening. 어제 저녁은 아주 즐거웠다./The game *was* over about five. 경기는 5시경에 끝났다./I *went* to church every Sunday when (I was) a boy. 소년 시절에는 일요일마다 교회에 다녔다. 《과거의 습관》/She *was painting*

a picture when I called on her. 내가 방문했을 때 그녀는 그림을 그리고 있었다.

B) **정중한 표현에 현재 대신에 과거시제를 씀**

Did you want to see me now? 지금 저를 보자고 하십니까? 《Do you want to see me now? 보다 정중한 표현》

(3) 미래시제

단순히 미래의 사항을 나타내는 단순미래와 의지를 포함한 미래를 나타내는 의지미래가 있다. 조동사 shall 또는 will에 원형부정사를 이어서 나타낸다.

A) **미래의 예상·의지**

The paint *will* be dry in an hour. 페인트는 1시간 지나면 마를 겁니다. / *Won't* you have some more tea? 차를 더 드시지 않겠습니까? / When *shall* the wedding be? (결혼 당사자를 보고) 결혼식은 언제 올립니까?

[주] 조동사 shall, will에 의한 미래시제에 관한 자세한 내용은 ⇨ shall, will의 각 항.

B) **현재에 관한 추측**

That *will be* the Rockefeller Center. 그것은 록펠러 센터 건물일 것이다.

[주] "will[shall] have+과거분사"(미래완료)는 미래에 완료되어 있거나 미래의 한 시점까지 어떤 상태가 계속됨을 나타냄: He *will have arrived* at his destination by tomorrow[this time]. 그는 내일까지는[지금쯤이면] 목적지에 도착해 있을 것이다.

C) **be going to / be about to의 표현**

We *are going to* do the sights of Paris next week. 다음 주 우리는 파리 관광을 할 예정이다. / I feel something terrible *is about to* happen. 뭔가 무서운 일이 일어날 것 같은 기분이 든다.

시제의 일치

종속 명사절의 동사의 시제는 주절의 동사의 시제와의 관계에서 생각하지 않으면 안 된다. 종속절의 시제가 주절의 시제에 의해 영향을 받는 것을 **시제의 일치**(Sequence of tenses)라고 한다.

(1) 주절이 현재시제인 경우

종속절에는 모든 시제가 가능하다. 주절이 현재완료 시제일 때도 여기에 준한다: I *believe*[*have learned*] that he *is* innocent. 나는 그가 결백하다고 믿는다[하다는 것을 알았다]. / I *believe* that his innocence *will be* proved. 그의 결백이 증명될 것으로 믿는다. / I *believe* that he *was* innocent. 나는 그가 결백했다고 믿는다. / I *believe* that he *has* not *done* it. 그가 그것을 한 것이 아니라고 나는 믿는다. / I *believe* that he *had* already *left* the spot when it *happened*. 그 일이 일어났을 때 그는 이미 그 자리를 떠났었으리라고 나는 믿는다.

(2) 주절이 과거시제인 경우

종속 명사절의 동사도 과거 또는 과거완료가 된다. 주절이 과거완료시제일 때도 여기에 준한다: I *believed* that he *was* innocent. 나는 그가 결백하다고 믿었다. / I *believed* that his innocence *would be* proved. 나는 그의 결백이 증명될 것으로 믿었다. ⇨ 문법 해설 Narration.

[주] 예외로서 다음의 경우는 주절의 동사가 과거시제가 되어도 시제의 일치가 이루어지지 않을 수 있다:

(1) 불변의 진리: He *told* us that the earth *goes* (a)round the sun. 그는 우리에게 지구는 태양의 주위를 돌고 있다고 말했다.

(2) 역사적 사실: He *said* that Milton *was* born in 1608. 그는 밀턴이 1608년생이라고 말했다.

(3) 가정법의 (조)동사: He *said* if I *was* tired I *could* take a rest. 그는 내가 피곤하다면 쉬어도 좋다고 말했다. ⇨ 문법 해설 Narration 및 Subjunctive Mood.

문법 해설 (32)

Voice (태(態))

문의 주어와 술어동사가 나타내는 동작에서 주어가 작용을 주거나 작용을 받거나 하는 동사의 형태를 태(Voice)라고 한다. 문의 주어가 작용을 주는 경우의 동사 형태를 **능동태**(Active voice), 주어가 다른 것의 작용을 받는 경우의 동사 형태를 **수동태**(Passive voice)라 한다: Father *made* the doghouse. 아버지가 그 개 집을 만드셨다. 《주어인 Father가 만드는 행동을 하였으므로 능동태》. → The doghouse *was made* by Father. 그 개 집은 아버지에 의해 만들어졌다. 《주어인 doghouse는 아버지의 동작을 받았기 때문에 수동태》.

수동태는 'be+과거분사'의 형태로 되며, 수동태가 되는 동사는 타동사 및 타동사와 같은 기능을 가진 구동사(句動詞)(look after, laugh at, *etc.*)에 국한된다.

(1) 능동태에서 수동태로

능동태 문의 목적어를 주어로 하고 동사를 'be+과거분사'로 해서 본래 문의 시제와 같은 시제로 하고 능동태의 주어에 by를 붙여 부사구로 바꾼다:

The government *awarded* him a pension. → He *was awarded* a pension by the government. 그에게 정부에서 연금이 지급되었다. / The flood *has destroyed* a number of bridges. → A number of bridges *have been destroyed* by the flood. 홍수로 몇몇 교량이 파괴되었다.

USAGE ① 조동사나 조동사와 유사한 동사구는 원칙적으로 그대로 남고 그 뒤에 이어지는 본동사가 'be+과거분사'로 된다:

The police *can arrest* drunken drivers. → Drunken drivers *can be arrested* by the police. 음주 운전자는 경찰에 체포될 수 있다. / The government *will have to make* a difficult choice. → A difficult choice *will have to be made* by the government. 어려운 선택을 정부에서 해야만 되게 될 것이다.

② 능동태의 주어(행위자)가 일반적인 의미의 one, they, we, you, people 등일 경우는 수동태에서 이를 'by one' 'by them' 등으로 하지 않고 일반적으로 생략한다: *They*[*People*] *say* that the mayor is going to resign. → *It is said* that the mayor is going to resign. 시장은 사임할 것이라고들 한다.

(2) by와 with

능동태를 수동태로 바꿀 때, 능동태 문의 주어는 by에 의해서 부사구로 되지만 by 이외에 with도 종종 쓰인다. by는 주로 동작의 주체를 나타내며, with는 주로 도구·수단을 나타낸다 (그러나 이 경계가 반드시 분명한 것은 아니다):

A reckless driver killed him. → He was killed *by* a reckless driver. 그는 폭주 운전자 때문에 생명을 잃었다. / The poison killed him. → He was killed *with* the poison. 그는 그 독 때문에 죽었다.

USAGE 다음 예문을 참고: He was slain *by* his

enemy *with* the sword. 적에게 검으로 살해되었다. / It was done *by* him *with* my assistance. 나의 조력을 받아서 그가 했다.

A) by는 원인·이유·방법을 나타낸다: The parcel was carried *by* rail. 소포는 철도로 운반되었다.

B) with는 상태를 나타내는 형용사 용법으로 쓰인 동사와 함께 쓰인다: The mountains are *covered with* snow. 산들은 눈으로 덮여 있다. / The streets were *crowded with* people. 거리는 사람들로 붐비고 있었다.

C) by, with 이외의 전치사도 쓰인다: The fire destroyed the whole building.→The whole building was destroyed *in*[*by*] the fire. 건물은 그 화재로 전소되었다.

D) 동사 know의 경우에는 to가 쓰인다: They did not know the news. → The news *was* not *known to* them. 그 뉴스는 그들에게 알려져 있지 않았다.

(3) 수동태가 될 수 있는 동사에 관한 주의 사항

A) 이중 목적어를 취하는 타동사

직접목적어와 간접목적어를 취하는 타동사에는 이들 두 개의 목적어 중 어느 쪽이 수동태의 주어가 되느냐에 따라, 두 개의 수동태가 가능한 경우가 있다. 주어로 바뀌지 않고 남은 쪽의 목적어를 **잔류 목적어**(Retained object)라고 한다:

My uncle *gave* me the watch. 큰 아버지가 내게 그 시계를 주셨다. → ① I *was given* the watch by my uncle. ② The watch *was given* (*to*) me by my uncle. ★ 대명사 me처럼 목적격임이 분명한 경우는 전치사 to를 생략할 수 있음.

USAGE ① 위와 같은 두 가지 수동 문형이 가능한 것은 원래 이중 목적어를 취하는 타동사 give, tell, accord 등 소수의 경우에 한정된다. 즉,

They told us a story. = They told a story to us. 의 두 문형이 가능한 타동사가 아니면 안된다.

② 한편 전치사 for를 쓰는 동사에서는 간접목적어를 주어로 한 수동문은 성립되지 않는다: Mother *made* me a doll. = Mother *made* a doll *for* me. 어머니는 내게 인형을 만들어 주셨다. → A doll *was made* (*for*) me by Mother.는 가능하지만, I was made a doll by Mother.는 불가함. 또한 She *brought* me a cup of coffee. 그녀는 내게 커피 한 잔을 갖다 주었다. → A cup of coffee *was brought to* me by her.는 가능하지만, I was brought a cup of coffee by her.는 불가함.

B) 자동사+전치사

'자동사+전치사'로 된 구동사가 타동사와 같은 구실을 하여 수동태가 될 수 있다:

He *put off* the appointment till next Monday. 그는 그 약속을 다음 월요일까지 연기했다. → The appointment *was put off* till next Monday by him. 그 약속은 그에 의해 다음 월요일까지 연기되었다. / I'll *look after* your baby. 내가 당신의 아기를 돌봐 주겠습니다. → Your baby will *be looked after* by me. / Everybody *laughed at* me. 모두가 나를 비웃었다. → I *was laughed at* by everybody. / Nobody *listened to* his warnings. 아무도 그의 경고에 귀를 기울이지 않았다. → His warnings *were listened to* by nobody[*were* not *listened to* by anybody].

C) 타동사+목적어+전치사

구동사로서 전체가 하나의 타동사 취급을 받아 수동태로 되는 일이 있다:

They *lost sight of* the ship in the fog. 그들은 안개 속에서 그 배를 놓쳐버렸다. → The ship *was lost sight of* in the fog (by them). / They did not *pay attention to* the problem. 그들은 그 문제에 주의를 기울이지 않았다. → The problem *was* not *paid attention to*. / The committee will *take care of* the matter. 위원회가 그 문제를 처리할 것이다. → The matter will *be taken care of* by the committee. / They *made an example of* him. 그들은 그를 본보기로 징계했다. → He *was made an example of*.

USAGE 놀라움·슬픔·기쁨·만족·실망 등의 「감정」을 나타내는 동사는, 영어에서는 수동태로 표현되는 것이 보통이다: I *was surprised* at the news. 그 소식을 듣고 놀랐다. / He *was satisfied* with the result. 그는 그 결과에 만족했다.

(4) get+과거분사

'get+과거분사'는 《미·구어》에서 많이 쓰는 수동태의 변형으로서, 상태·동작의 변화를 강조한다《갑작스럽거나 뜻밖의 일을 당하여 불쾌감이 따르는 경우가 많음》: My car *got stolen*. 내 차는 도난당했다. / She *got divorced*. 그녀는 이혼했다. / In 1980 he *was* not *married*; he *got married* in 1983. 그는 1980년에는 독신이었고, 1983년에 결혼했다.

(5) have[get]+목적어+타동사의 과거분사

영어의 수동적 표현의 하나로, 주어의 수동이 아니라 주어와 관련해서 주어 이외의 것의 수동을 나타내는 구문이 있다. 「…을 …시키다[…해 받다]」 「…을 …당하다」 등에 해당하는 것이 많다: We *had* our tent *blown* down by the wind. 바람으로 우리 천막이 납작해졌다. / I *had* a letter *written* for me. 편지를 1통 대필시켰다[대필해 받았다]. / I *got* my right leg *broken* in the accident. 사고로 나의 오른쪽 다리가 부러졌다. ★ get은 have보다 한층 구어적.

세계 유산 일람표(World Heritage List)

(2007년 7월 UNESCO등재 목록)

* *는 국가간에 걸쳐 존재하는 목록임.
* ( )안은 세계유산에 등록된 연도임.
* 총 851건(660(문화)+166(자연)+25(복합))

Afghanistan 아프가니스탄
- Minaret and Archaeological Remains of Jam (2002) 얌의 첨탑과 고고학적 유적
- Cultural Landscape and Archaeological Remains of the Bamiyan Valley (2003) 바미얀 계곡의 문화경관과 고고유적지

Albania 알바니아
- Butrint (1992, 1999) 부트린티의 고고유적
- Museum-City of Gjirokastra (2005) 쥐로카스트라 박물관 도시

Algeria 알제리
- Al Qal'a of Beni Hammad (1980) 베니 하마드 요새
- Djémila (1982) 지에밀라 고고유적
- M'Zab Valley (1982) 므자브 계곡
- Tassili n'Ajjer (1982) 타실리 나제르
- Timgad (1982) 팀가드 고고유적
- Tipasa (1982) 티파사 고고유적
- Kasbah of Algiers (1992) 알제의 카스바

Andorra 안도라
- Madriu-Perafita-Claror Valley (2004, 2006) 마드리듀-글라러-피러비타 계곡

Argentina 아르헨티나
- Los Glaciares (1981) 로스 글래시아레스 국립공원
- Jesuit Missions of the Guaranis: San Ignacio Mini, Santa Ana, Nuestra Señora de Loreto and Santa Maria Mayor (Argentina), Ruins of Sao Miguel das Missoes (Brazil) (1983, 1984) * 과라니 족의 예수교 선교단 시설
- Iguazu National Park (1984) 이구아수 국립공원
- Cueva de las Manos, Río Pinturas (1999) 리오 핀투라스 암각화
- Península Valdés (1999) 발데스 반도
- Ischigualasto / Talampaya Natural Parks (2000) 이치구알라스토/타람파야 자연공원
- Jesuit Block and Estancias of Córdoba (2000) 코르도바의 예수회 수사유적
- Quebrada de Humahuaca (2003) 우마우카 협곡

Armenia 아르메니아
- Monasteries of Haghpat and Sanahin (1996, 2000) 하흐파트 수도원
- Cathedral and Churches of Echmiatsin and the Archaeological Site of Zvartnots (2000) 에크미아신의 교회와 쯔바르트노츠의 고고유적
- Monastery of Geghard and the Upper Azat Valley (2000) 게하르트 수도원과 아자계곡

Australia 오스트레일리아
- Great Barrier Reef (1981) 대보초
- Kakadu National Park (1981, 1987, 1992) 카카두 국립공원
- Willandra Lakes Region (1981) 윌랜드라 호수지역
- Lord Howe Island Group (1982) 로드 하우 군도
- Tasmanian Wilderness (1982, 1989) 타즈매니안 야생지대
- Central Eastern Rainforest Reserves (Australia) (1986, 1994) 중동부 열대우림지대
- Uluru-Kata Tjuta National Park (1987, 1994) 울루루 카타 추타 국립공원
- Wet Tropics of Queensland (1988) 퀸즈랜드 열대습윤지역
- Shark Bay, Western Australia (1991) 샤크만
- Fraser Island (1992) 프레이저 섬
- Australian Fossil Mammal Sites (Riversleigh / Naracoorte) (1994) 호주 포유류 화석 보존지구
- Heard and McDonald Islands (1997) 허드와 맥도날드 제도
- Macquarie Island (1997) 맥커리 섬
- Greater Blue Mountains Area (2000) 블루마운틴 산악지대
- Purnululu National Park (2003) 푸눌룰루 국립공원
- Royal Exhibition Building and Carlton Gardens (2004) 왕립 전시관
- Sydney Opera House (2007) 시드니 오페라하우스

Austria 오스트리아
- Historic Centre of the City of Salzburg (1996) 잘쯔부르크시의 역사지구
- Palace and Gardens of Schönbrunn (1996) 쉔브룬 궁전과 정원
- Hallstatt-Dachstein Salzkammergut Cultural Landscape (1997) 할스타트-다슈타인 문화경관
- Semmering Railway (1998) 젬머링 철도
- City of Graz-Historic Centre (1999) 그라쯔시 역사지구
- Wachau Cultural Landscape (2000) 와차우 문화경관
- Fertö / Neusiedlersee Cultural Landscape (2001) * 페르퇴/노지들레르씨
- Historic Centre of Vienna (2001) 비엔나 역사지구

Azerbaijan 아제르바이잔
- Walled City of Baku with the Shirvanshah's Palace and Maiden Tower (2000) 바쿠 성곽 도시
- Gobustan Rock Art Cultural Landscape (2007) 고부스탄 암각화 문화경관

Bahrain 바레인
- Qal'at al-Bahrain-Ancient Harbour and Capital of Dilmun (2005) 딜먼의 고대만

Bangladesh 방글라데시
- Historic Mosque City of Bagerhat (1985) 바게르하트의 모스크 도시
- Ruins of the Buddhist Vihara at Paharpur (1985) 파하르푸르의 불교유적
- The Sundarbans (1997) 순다르반

Belarus 벨로루시
- Belovezhskaya Pushcha / Bialowieza Forest (1979, 1992) * 벨로베즈스카야 푸시차/바이알로비에자 삼림지대
- Mir Castle Complex (2000) 미르성
- Architectural, Residential and Cultural Complex of the Radziwill Family at Nesvizh (2005) 니스비쉬의 란치빌가 생가
- Struve Geodetic Arc (2005) * 스트루브 천문대

Belgium 벨기에
- Flemish Béguinages (1998) 베긴 수녀원
- La Grand-Place, Brussels (1998) 브뤼셀의 라 그랑쁠라스
- The Four Lifts on the Canal du Centre and their Environs, La Louvière and Le Roeulx (Hainault) (1998) 중앙운하의 다리와 그 주변
- Belfries of Belgium and France (1999, 2005) * 플랑드르와 왈로니아 종루
- Historic Centre of Brugge (2000) 브루거 역사지구
- Major Town Houses of the Architect Victor Horta (Brussels) (2000) 건축가 빅토르 호르타의 마을
- Neolithic Flint Mines at Spiennes (Mons) (2000) 스피엔네스의 플린트 광산
- Notre-Dame Cathedral in Tournai (2000) 뚜르나이의 노트르 데임 성당
- Plantin-Moretus House-Workshops-Museum Complex (2005) 플랜틴-모레터스 뮤지엄

Belize 벨리제
- Belize Barrier Reef Reserve System (1996) 벨리제 산호초 보호지역

Benin 베냉
- Royal Palaces of Abomey (1985) 아보메이 왕궁

Bolivia 볼리비아
- City of Potosí (1987) 포토시 광산도시
- Jesuit Missions of the Chiquitos (1990) 치키토스의 예수회 선교단 시설
- Historic City of Sucre (1991) 수크레 역사도시
- Fuerte de Samaipata (1998) 사마이파타 암벽화
- Noel Kempff Mercado National Park (2000) 노엘 캠프 메르카도 국립공원
- Tiwanaku: Spiritual and Political Centre of the Tiwanaku Culture (2000) 티와나쿠

Bosnia and Herzegovina 보스니아 헤르체코비나
- Old Bridge Area of the Old City of Mostar (2005) 모스타 도시와 다리
- Mehmed Pasa Sokolovic Bridge in Visegrad (2007) 비세그라드의 메흐메드 파사 소콜로빅 다리

Botswana 보츠와나
- Tsodilo (2001) 초디로

Brazil 브라질
- Historic Town of Ouro Preto (1980) 오루로 프레토 역사도시
- Historic Centre of the Town of Olinda (1982) 올린다 역사지구
- Jesuit Missions of the Guaranis: San Ignacio Mini, Santa Ana, Nuestra Señora de Loreto and Santa Maria Mayor (Argentina), Ruins of Sao Miguel das Missoes (Brazil) (1983, 1984) * 과라니족의 예수회 선교단 시설
- Historic Centre of Salvador de Bahia (1985) 살바도르 데 바이아 역사지구
- Sanctuary of Bom Jesus do Congonhas (1985) 콩고나스의 봉 제수스 성역
- Iguaçu National Park (1986) 이과수 국립공원
- Brasilia (1987) 브라질리아
- Serra da Capivara National Park (1991) 세라 다 카피바라 국립공원
- Historic Centre of São Luís (1997) 세인트 루이스 역사지구
- Atlantic Forest South-East Reserves (1999) 남동부 대서양림 보호지역
- Discovery Coast Atlantic Forest Reserves (1999) 디스커버리 해안 대서양림 보호지역
- Historic Centre of the Town of Diamantina (1999) 디아만티나시 역사지구
- Central Amazon Conservation Complex (2000, 2003) 아마존 열대수림 보호지역
- Pantanal Conservation Area (2000) 판타날 보존지구
- Brazilian Atlantic Islands: Fernando de Noronha and Atol das Rocas Reserves (2001) 브라질 대서양제도
- Cerrado Protected Areas: Chapada dos Veadeiros and Emas National Parks (2001) 케라도 열대우림보호지역
- Historic Centre of the Town of Goiás (2001) 고이아스 역사지구

Bulgaria 불가리아
- Boyana Church (1979) 보야나 교회
- Madara Rider (1979) 마다라 기수상
- Rock-Hewn Churches of Ivanovo (1979) 이바노보의 암석교회군
- Thracian Tomb of Kazanlak (1979) 카잔락의 트라키안 무덤
- Ancient City of Nessebar (1983) 네세바르 구 도시
- Pirin National Park (1983) 피린 국립공원
- Rila Monastery (1983) 릴라 수도원

- Srebarna Nature Reserve (1983) 스레바르나 자연보호구역
- Thracian Tomb of Sveshtari (1985) 스베시타리의 트라키안 무덤

Cambodia 캄보디아
- Angkor (1992) 앙코르

Cameroon 카메룬
- Dja Faunal Reserve (1987) 드야의 동물보호구역

Canada 캐나다
- L'Anse aux Meadows National Historic Site (1978) 란세오 메도스 국립역사공원
- Nahanni National Park (1978) 나하니 국립공원
- Dinosaur Provincial Park (1979) 알버타주 공룡공원
- Kluane / Wrangell-St Elias / Glacier Bay / Tatshenshini-Alsek (1979, 1992, 1994) * 알래스카-캐나다 국경의 산악공원군
- Head-Smashed-In Buffalo Jump (1981) 헤드-스매쉬드-버팔로 지대
- SGang Gwaay (1981) 앤소니 섬
- Wood Buffalo National Park (1983) 우드 버팔로 국립공원
- Canadian Rocky Mountain Parks (1984, 1990) 캐나디언 록키산맥공원
- Historic District of Old Québec (1985) 퀘벡 역사지구
- Gros Morne National Park (1987) 그로스 몬 국립공원
- Old Town Lunenburg (1995) 루넨버그 구 시가지
- Waterton Glacier International Peace Park (1995) * 워터톤 글래시아 국제 평화공원
- Miguasha National Park (1999) 미구아사 공원
- Rideau Canal (2007) 리도 운하

Central African Republic 중앙아프리카 공화국
- Manovo-Gounda St Floris National Park (1988) 마노보-군다 성 플로리스 국립공원

Chile 칠레
- Rapa Nui National Park (1995) 라파 누이 국립공원
- Churches of Chiloé (2000) 칠로에 교회
- Historic Quarter of the Seaport City of Valparaíso (2003) 발파라이소 항구도시의 역사지구
- Humberstone and Santa Laura Saltpeter Works (2005) 험블톤과 산타로라의 초석 작품
- Sewell Mining Town (2006) 세웰 광산마을

China 중국
- Imperial Palaces of the Ming and Qing Dynasties in Beijing and Shenyang (1987, 2004) 명·청대 궁전: 자금성
- Mausoleum of the First Qin Emperor (1987) 진시황릉
- Mogao Caves (1987) 돈황의 막고굴
- Mount Taishan (1987) 태산
- Peking Man Site at Zhoukoudian (1987) 주구점의 북경원인유적
- The Great Wall (1987) 만리장성
- Mount Huangshan (1990) 황산
- Huanglong Scenic and Historic Interest Area (1992) 황용 자연경관 및 역사지구
- Jiuzhaigou Valley Scenic and Historic Interest Area (1992) 주자이거우 자연경관 및 역사지구
- Wulingyuan Scenic and Historic Interest Area (1992) 무릉원의 자연경관 및 역사지구
- Ancient Building Complex in the Wudang Mountains (1994) 무당산의 고대 건축물군
- Historic Ensemble of the Potala Palace, Lhasa (1994, 2000, 2001) 라사의 포탈라 궁
- Mountain Resort and its Outlying Temples, Chengde (1994) 청대의 유하산장
- Temple and Cemetery of Confucius and the Kong Family Mansion in Qufu (1994) 곡부의 공자유적
- Lushan National Park (1996) 노산 국립공원
- Mount Emei Scenic Area, including Leshan Giant Buddha Scenic Area (1996) 아미산과 낙산대불
- Ancient City of Ping Yao (1997) 핑야오 고대도시
- Classical Gardens of Suzhou (1997, 2000) 소주전통정원
- Old Town of Lijiang (1997) 리지앙 고대마을
- Summer Palace, an Imperial Garden in Beijing (1998) 이화원
- Temple of Heaven: an Imperial Sacrificial Altar in Beijing (1998) 천단
- Dazu Rock Carvings (1999) 대족 암각화
- Mount Wuyi (1999) 무이산
- Ancient Villages in Southern Anhui-Xidi and Hongcun (2000) 안휘-시디와 홍춘 고대마을
- Imperial Tombs of the Ming and Qing Dynasties (2000, 2003, 2004) 명과 청 시대의 황릉
- Longmen Grottoes (2000) 용문 석굴
- Mount Qingcheng and the Dujiangyan Irrigation System (2000) 친청산과 듀장안 용수로 시스템
- Yungang Grottoes (2001) 운강석굴
- Three Parallel Rivers of Yunnan Protected Areas (2003) 윈난성 보호구역의 세 하천
- Capital Cities and Tombs of the Ancient Koguryo Kingdom (2004) 고대 고구려 왕국의 수도와 묘지
- Historic Centre of Macao (2005) 역사지구 마카오
- Sichuan Giant Panda Sanctuaries (2006) 신츄안 펜더 서식지역
- Yin Xu (2006) 진쉬
- Kaiping Diaolou and Villages (2007) 카이핑 마을
- South China Karst (2007) 중국 남부 카르스트

Colombia 콜롬비아
- Port, Fortresses and Group of Monuments, Cartagena (1984) 카타제나의 항구, 요새 역사기념물관
- Los Katíos National Park (1994) 로스 카티오스 국립공원

- Historic Centre of Santa Cruz de Mompox (1995) 산타 크루즈 데 몸포 역사지구
- National Archeological Park of Tierradentro (1995) 티에라덴트로 국립고고공원
- San Agustín Archeological Park (1995) 산 아구스틴 고고학공원
- Malpelo Fauna and Flora Sanctuary (2006) 말페로 동식물 안식처

Costa Rica 코스타리카
- Talamanca Range-La Amistad Reserves/La Amistad National Park (1983, 1990) * 라 아미스테드 보호지역 및 국립공원
- Cocos Island National Park (1997, 2002) 코코스 섬 국립공원
- Area de Conservación Guanacaste (1999, 2004) 구아나카스트 보호지역

Côte d'Ivoire 코트디브와르
- Mount Nimba Strict Nature Reserve (1981, 1982) * 님바산의 자연보호지역
- Taï National Park (1982) 타이 국립공원
- Comoé National Park (1983) 코모에 국립공원

Croatia 크로아티아
- Historical Complex of Split with the Palace of Diocletian (1979) 스플리트의 디오클레티안 궁전과 역사 건축물
- Old City of Dubrovnik (1979, 1994) 두보로브니크 구 시가지
- Plitvice Lakes National Park (1979, 2000) 플리트비스 호수 국립공원
- Episcopal Complex of the Euphrasian Basilica in the Historic Centre of Porec (1997) 포렉 역사지구 성공회 건축물
- Historic City of Trogir (1997) 트로지르 역사도시
- The Cathedral of St James in Sibenik (2000) 시베닉 성 야고보 성당

Cuba 쿠바
- Old Havana and its Fortifications (1982) 구 하바나 시와 요새
- Trinidad and the Valley de los Ingenios (1988) 트리니다드와 로스 인제니오스 계곡
- San Pedro de la Roca Castle, Santiago de Cuba (1997) 산티아고 로타 섬
- Desembarco del Granma National Park (1999) 데셈바르코 델 그란마 국립공원
- Viñales Valley (1999) 비날레스 계곡
- Archaeological Landscape of the First Coffee Plantations in the South-East of Cuba (2000) 쿠바 동남부의 최초 커피 재배지 고고학적 경관
- Alejandro de Humboldt National Park (2001) 훔볼트 국립공원
- Urban Historic Centre of Cienfuegos (2005) 시에푸고에스의 역사 중심도시

Cyprus 사이프러스
- Paphos (1980) 파포스의 고고유적
- Painted Churches in the Troodos Region (1985, 2001) 트루도스 지역의 벽화 교회군
- Choirokoitia (1998) 크로코티아 고고유적

Czech Republic 체코
- Historic Centre of Ceský Krumlov (1992) 체스키 크루믈로프 역사센터
- Historic Centre of Prague (1992) 프라하 역사지구
- Historic Centre of Telc (1992) 텔치 역사센터
- Pilgrimage Church of St John of Nepomuk at Zelená Hora (1994) 젤레나 호라의 성 요한 순례교회
- Kutná Hora: Historical Town Centre with the Church of St Barbara and the Cathedral of Our Lady at Sedlec (1995) 쿠트나 호라 역사타운
- Lednice-Valtice Cultural Landscapc (1996) 레드니스-발티스 문화경관
- Gardens and Castle at Kromeríz (1998) 크로메리즈의 정원과 성
- Holasovice Historical Village Reservation (1998) 홀라소비스 역사마을 보존지구
- Litomysl Castle (1999) 리토미슬 성
- Holy Trinity Column in Olomouc (2000) 올로모크의 삼위일체 석주
- Tugendhat Villa in Brno (2001) 브르노 지역의 투겐하트 별장
- Jewish Quarter and St Procopius' Basilica in Trebíc (2003) 트레빅의 유대인 지구와 성 프로코피오 교회

Democratic People's Republic of Korea 북한
- Complex of Koguryo Tombs (2004) 고구려 고분군

Democratic Republic of the Congo 콩고
- Virunga National Park (1979) 비룽가 국립공원
- Garamba National Park (1980) 가람바 국립공원
- Kahuzi-Biega National Park (1980) 카후지-비에가 국립공원
- Salonga National Park (1984) 살롱가 국립공원
- Okapi Wildlife Reserve (1996) 오카피 야생생물 보존지구

Denmark 덴마크
- Jelling Mounds, Runic Stones and Church (1994) 옐링의 흙으로 쌓은 보루, 비석, 성당
- Roskilde Cathedral (1995) 로스킬드 대성당
- Kronborg Castle (2000) 크론보르그 성
- Ilulissat Icefjord (2004) 일룰시사트 얼음 피요르드

Dominica 도미니카 연방
- Morne Trois Pitons National Park (1997) 모르네 트로이 피통 국립공원

Dominican Republic 도미니카 공화국
- Colonial City of Santo Domingo (1990) 산토 도밍고 식민도시

Ecuador 에콰도르
- City of Quito (1978) 키토 구 도시

- Galápagos Islands (1978, 2001) 갈라파고스 섬
- Sangay National Park (1983) 산가이 국립공원
- Historic Centre of Santa Ana de los Ríos de Cuenca (1999) 쿠엔카 역사지구

Egypt 이집트
- Abu Mena (1979) 아부 메나 그리스도교 유적
- Ancient Thebes with its Necropolis (1979) 고대 테베와 네크로폴리스
- Islamic Cairo (1979) 이슬람도시 카이로
- Memphis and its Necropolis: the Pyramid Fields from Giza to Dahshur (1979) 멤피스와 네크로폴리스: 기자에서 다 쉬르까지의 피라미드 지역
- Nubian Monuments from Abu Simbel to Philae (1979) 누비아 유적: 아부 심벨에서 필래까지
- Saint Catherine Area (2002) 성 캐더린 지구
- Wadi Al-Hitan (Whale Valley) (2005) 와디 알히탄

El Salvador 엘살바도르
- Joya de Ceren Archaeological Site (1993) 호야 데 세렌 고고유적지

Estonia 에스토니아
- Historic Centre (Old Town) of Tallinn (1997) 탈린 역사지구
- Struve Geodetic Arc (2005) * 스트루브 천문대

Ethiopia 에티오피아
- Rock-Hewn Churches, Lalibela (1978) 라리벨라 암굴교회
- Simien National Park (1978) 시멘 국립공원
- Fasil Ghebbi, Gondar Region (1979) 파실 게비, 곤다르 유적
- Aksum (1980) 악숨 고고유적
- Lower Valley of the Awash (1980) 아와시 계곡
- Lower Valley of the Omo (1980) 오모 계곡
- Tiya (1980) 티야 비석군
- Harar Jugol, the Fortified Historic Town (2006) 하갈 주골, 역사 방어 지구

Finland 핀란드
- Fortress of Suomenlinna (1991) 수오멘리나 요새
- Old Rauma (1991) 라우마 구 시가지
- Petäjävesi Old Church (1994) 페타야베시 교회
- Verla Groundwood and Board Mill (1996) 벨라의 제재·판지 공장
- Bronze Age Burial Site of Sammallahdenmäki (1999) 사말라덴마키 청동기 시대 매장지
- Kvarken Archipelago / High Coast (2000, 2006) 발칸 군도와 하이코스트
- Struve Geodetic Arc (2005) * 스트루브 천문대

France 프랑스
- Chartres Cathedral (1979) 샤르트르 대성당
- Mont-Saint-Michel and its Bay (1979) 몽셀미셀 만
- Palace and Park of Versailles (1979) 베르사이유 궁전
- Prehistoric Sites and Decorated Caves of the Vézère Valley (1979) 베제레 계곡의 동굴벽화
- Vézelay, Church and Hill (1979) 베젤레 교회와 언덕
- Amiens Cathedral (1981) 아미엥 대성당
- Arles, Roman and Romanesque Monuments (1981) 아를르의 로마시대 기념물
- Cistercian Abbey of Fontenay (1981) 퐁테네의 시토파 수도원
- Palace and Park of Fontainebleau (1981) 퐁텐블로 궁전과 정원
- Roman Theatre and its Surroundings and the "Triumphal Arch" of Orange (1981) 오랑주 지방의 로마시대 극장과 개선문
- Royal Saltworks of Arc-et-Senans (1982) 아르크-에-세낭 왕립제염소
- Abbey Church of Saint-Savin sur Gartempe (1983) 생 사뱅 쉬르 가르탕페 교회
- Gulf of Porto: Calanche of Piana, Gulf of Girolata, Scandola Reserve (1983) 지롤라타 곶과 포르토만, 스캔돌라 자연보호지역
- Place Stanislas, Place de la Carrière and Place d'Alliance in Nancy (1983) 낭시의 스태니슬라스 광장, 캐리에르와 알리앙스 광장
- Pont du Gard (Roman Aqueduct) (1985) 퐁 뒤 가르(로마시대 수로)
- Strasbourg-Grande île (1988) 스트라스부르 구 시가지
- Cathedral of Notre-Dame, Former Abbey of Saint-Remi and Palace of Tau, Reims (1991) 노트르담 성당과 상트레미 수도원 및 타우 궁전
- Paris, Banks of the Seine (1991) 파리의 세느 강변
- Bourges Cathedral (1992) 보르쥬 대성당
- Historic Centre of Avignon: Papal Palace, Episcopal Ensemble and Avignon Bridge (1995) 아비뇽 역사지구
- Canal du Midi (1996) 미디 운하
- Historic Fortified City of Carcassonne (1997) 까르까손느 역사도시
- Pyrénées-Mont Perdu (1997, 1999) * 피레네-몽페르뒤
- Historic Site of Lyons (1998) 리용 유적지
- Routes of Santiago de Compostela in France (1998) 꽁포스텔라의 쌍띠아쥬 길
- Belfries of Belgium and France (1999, 2005) * 플랑드르와 왈로니아 종루
- Jurisdiction of Saint-Emilion (1999) 생때밀리옹 포도 재배 지구
- The Loire Valley between Sully-sur-Loire and Chalonnes (2000) 루아르 계곡
- Provins, Town of Medieval Fairs (2001) 프로방스 지역의 중세도시 상가지역
- Le Havre, the City Rebuilt by Auguste Perret (2005) 르 아브르 도시
- Bordeaux, Port of the moon (2007) 달의 항구, 보르도

Gabon 가봉
- Ecosystem and Relict Cultural Landscape of Lopé-Okada (2007) Lopé-Okada 생태계 및 문화 경관

Gambia 감비아

- James Island and Related Sites (2003) 제임스 섬과 관련 유적
- Stone Circles of Senegambia (2006) 세네감비아의 돌 원형

Georgia 그루지야

- Bagrati Cathedral and Gelati Monastery (1994) 바그라티 성당과 겔라티 수도원
- Historical Monuments of Mtskheta (1994) 츠헤타 중세 교회
- Upper Svaneti (1996) 어퍼 스배네티

Germany 독일

- Aachen Cathedral (1978) 아헨 대성당
- Speyer Cathedral (1981) 슈파이어 대성당
- Würzburg Residence with the Court Gardens and Residence Square (1981) 뷔르츠부르크 궁전
- Pilgrimage Church of Wies (1983) 비스 순례교회
- Castles of Augustusburg and Falkenlust at Brühl (1984) 브륄의 아우구스투스부르크 성
- St Mary's Cathedral and St Michael's Church at Hildesheim (1985) 성 마리아 대성당과 성 미카엘 교회
- Roman Monuments, Cathedral of St Peter and Church of Our Lady in Trier (1986) 트리에르의 로마시대 기념물, 성당과 라이브 프로엔 교회
- Frontiers of the Roman Empire (1987, 2005) * 로마 제국의 국경
- Hanseatic City of Lübeck (1987) 뤼베크 한자도시
- Palaces and Parks of Potsdam and Berlin (1990, 1992, 1999) 베를린과 포츠담의 궁전과 공원들
- Abbey and Altenmünster of Lorsch (1991) 로쉬의 수도원과 알텐 뮌스터
- Mines of Rammelsberg and Historic Town of Goslar (1992) 람멜스부르크 광산과 고슬라 역사지구
- Maulbronn Monastery Complex (1993) 마울브론 수도원지구
- Town of Bamberg (1993) 밤베르크 중세도시 유적
- Collegiate Church, Castle, and Old Town of Quedlinburg (1994) 퀘들린부르크의 협동마을, 성, 구 시가지
- Völklingen Ironworks (1994) 푀크링겐 제철소
- Messel Pit Fossil Site (1995) 메셀 피트의 화석유적
- Bauhaus and its Sites in Weimar and Dessau (1996) 바이마르와 뎃소 소재 바우하우스 유적
- Cologne Cathedral (1996) 꼴로뉴 성당
- Luther Memorials in Eisleben and Wittenberg (1996) 아이슬레벤과 비텐베르크 소재 루터 기념관
- Classical Weimar (1998) 바이마르 지역
- Museumsinsel (Museum Island), Berlin (1999) 뮤지엄신셀(박물관 섬)
- Wartburg Castle (1999) 와트버그 성
- Garden Kingdom of Dessau-Wörlitz (2000) 데소-뵐리츠의 수도원 섬
- Monastic Island of Reichenau (2000) 라이체노이의 수도원 섬
- Zollverein Coal Mine Industrial Complex in Essen (2001) 에센의 졸버레인 탄광지
- Historic Centres of Stralsund and Wismar (2002) 슈트랄준트와 비스마르크의 역사지구
- Upper Middle Rhine Valley (2002) 중북부 라인 계곡
- Dresden Elbe Valley (2004) 드레스덴 에벨 계곡
- Muskauer Park / Park Muzakowski (2004) * 뮤자코우스키 공원
- Town Hall and Roland on the Marketplace of Bremen (2004) 브레멘 시장의 구시청 건물과 로랜드 상
- Old town of Regensburg with Stadtamhof (2006) 레겐스부르크의 중세도시 유적지

Ghana 가나

- Forts and Castles, Volta, Greater Accra, Central and Western Regions (1979) 가나의 성채
- Asante Traditional Buildings (1980) 아샨티 전통 건축물

Greece 그리스

- Temple of Apollo Epicurius at Bassae (1986) 밧세의 아폴로 에피큐리우스 신전
- Acropolis, Athens (1987) 아테네의 아크로폴리스
- Archaeological Site of Delphi (1987) 델피 고고유적지
- Archaeological Site of Epidaurus (1988) 에피다우루스 고고유적
- Medieval City of Rhodes (1988) 로데스 중세도시
- Meteora (1988) 메테오라
- Mount Athos (1988) 아토스 산
- Paleochristian and Byzantine Monuments of Thessalonika (1988) 테살로니카 지역의 고대 그리스도교 및 비잔틴 기념물군
- Archaeological Site of Olympia (1989) 올림피아 고고유적
- Mystras (1989) 미스트라스의 중세도시
- Delos (1990) 델로스 섬
- Monasteries of Daphni, Hossios Luckas and Nea Moni of Chios (1990) 다프니, 호시오스 루카스, 키오스의 비잔틴 중기 수도원
- Pythagoreion and Heraion of Samos (1992) 사모스 섬의 피타고리온과 헤라 신전
- Archaeological Site of Vergina (1996) 베르기나 고고유적
- Archaeological Sites of Mycenae and Tiryns (1999) 미키네와 티린의 고고유적
- Historic Centre (Chorá) with the Monastery of Saint John "the Theologian" and the Cave of the Apocalypse on the Island of Pátmos (1999) 역사센터(성 요한 수도원과 파트모스 섬 요한 계시록 동굴)
- Old Town of Corfu (2007) 코르푸 옛 마을

Guatemala 과테말라

- Antigua Guatemala (1979) 안티구아 시
- Tikal National Park (1979) 티칼 국립공원
- Archaeological Park and Ruins of Quirigua (1981) 퀴리구아 고고유적 공원

Guinea 기니
- Mount Nimba Strict Nature Reserve (1981, 1982) * 님바산의 자연보호지역

Haiti 아이티
- National History Park-Citadel, Sans Souci, Ramiers (1982) 국립역사공원-시터들, 상수시, 라미에르

Holy See 바티칸 시국
- Historic Centre of Rome, the Properties of the Holy See in that City Enjoying Extraterritorial Rights and San Paolo Fuori le Mura (1980, 1990) * 로마 역사지구
- Vatican City (1984) 바티칸

Honduras 온두라스
- Maya Site of Copan (1980) 코판의 마야유적
- Río Plátano Biosphere Reserve (1982) 리오 플래타노 생물권 보호지역

Hungary 헝가리
- Budapest, including the Banks of the Danube, the Buda Castle Quarter and Andrássy Avenue (1987, 2002) 부다페스트, 다뉴브의 제방과 부다성 지구
- Old Village of Hollókö and its Surroundings (1987) 홀로쾨 전통마을
- Caves of Aggtelek Karst and Slovak Karst (1995, 2000) * 애그텔레크 동굴과 슬로바크의 카르스트 지형
- Millenary Benedictine Abbey of Pannonhalma and its Natural Environment (1996) 파논할마의 베네딕트 천년 왕궁 수도원과 자연환경
- Hortobágy National Park-the Puszta (1999) 호르토바기 국립공원
- Early Christian Necropolis of Pécs (Sopianae) (2000) 소피아나 초기 기독교 묘지
- Fertö / Neusiedlersee Cultural Landscape (2001) * 페르퇴/노지들레르씨
- Tokaj Wine Region Historic Cultural Landscape (2002) 토카지 와인 지역 문화유산

Iceland 아이슬랜드
- þingvellir National Park (2004) 딩베리어 국립공원

India 인도
- Agra Fort (1983) 아그라 요새
- Ajanta Caves (1983) 아잔타 동굴
- Ellora Caves (1983) 엘로라 동굴
- Taj Mahal (1983) 타지 마할
- Group of Monuments at Mahabalipuram (1984) 마하발리푸람 기념물군
- Sun Temple, Konârak (1984) 코나라크의 태양신 사원
- Kaziranga National Park (1985) 카지랑카 국립공원
- Keoladeo National Park (1985) 케올라디오 국립공원
- Manas Wildlife Sanctuary (1985) 마나스 야생동물 보호구역
- Churches and Convents of Goa (1986) 고아의교회와 수도원
- Fatehpur Sikri (1986) 파테푸르 시크리
- Group of Monuments at Hampi (1986) 함피 기념물군
- Khajuraho Group of Monuments (1986) 카주라호 기념물군
- Elephanta Caves (1987) 엘레판타 동굴
- Great Living Chola Temples (1987, 2004) 대촐라 사원
- Group of Monuments at Pattadakal (1987) 파타다칼 기념물군
- Sundarbans National Park (1987) 순다르반스 국립공원
- Nanda Devi and Valley of Flowers National Parks (1988, 2005) 난다 데비 국립공원
- Buddhist Monuments at Sanchi (1989) 산치의 불교기념물군
- Humayun's Tomb, Delhi (1993) 델리의 후마윤 묘지
- Qutb Minar and its Monuments, Delhi (1993) 델리의 구트브 미나르 유적지
- Mountain Railways of India (1999, 2005) 인도의 철로
- Mahabodhi Temple Complex at Bodh Gaya (2002) 보드 가야의 마하보디 사원 단지
- Rock Shelters of Bhimbetka (2003) 빔베트카의 바위 그늘 유적
- Champaner-Pavagadh Archaeological Park (2004) 챔파너-파바가드
- Chhatrapati Shivaji Terminus (formerly Victoria Terminus) (2004) 차트라바띠 시와지 역
- Red Fort Complex (2007) 붉은 항구 복합 건물

Indonesia 인도네시아
- Borobudur Temple Compounds (1991) 보로 부두르 불교사원
- Komodo National Park (1991) 코모도 국립공원
- Prambanan Temple Compounds (1991) 프람바난 힌두사원
- Ujung Kulon National Park (1991) 우중 쿨론 국립공원
- Sangiran Early Man Site (1996) 생기란 초기 인류 유적지
- Lorentz National Park (1999) 로렌쯔 국립공원
- Tropical Rainforest Heritage of Sumatra (2004) 수마트라의 열대우림지역

Iran (Islamic Republic of) 이란
- Meidan Emam, Esfahan (1979) 메이던 에맘, 에스파한
- Persepolis (1979) 페르세폴리스
- Tchogha Zanbil (1979) 초가 잔빌
- Takht-e Soleyman (2003) 타흐트 슐레이만
- Bam and its Cultural Landscape (2004) 밤과 문화경관
- Pasargadae (2004) 피사르가데

- Soltaniyeh (2005) 솔타니예
- Bisotun (2006) 비소툰 유적지

Iraq 이라크
- Hatra (1985) 하트라
- Ashur (Qal'at Sherqat) (2003) 아슈르
- Samarra Archaeological City (2007) 사마라 고고유적 도시

Ireland 아일랜드
- Archaeological Ensemble of the Bend of the Boyne (1993) 보인 굴곡부의 고고학 유적
- Skellig Michael (1996) 스켈리그 마이클

Israel 이스라엘
- Masada (2001) 마사다 국립공원
- Old City of Acre (2001) 아크르 고대 항구도시
- White City of Tel-Aviv--the Modern Movement (2003) 텔아비브 white시-모더니즘 운동
- Biblical Tels-Megiddo, Hazor, Beer Sheba (2005) 성경지구
- Incense Route-Desert Cities in the Negev (2005) 네제브 지역의 사막 도시와 향로

Italy 이탈리아
- Rock Drawings in Valcamonica (1979) 발카모니카 암각화
- Church and Dominican Convent of Santa Maria delle Grazie with "The Last Supper" by Leonardo da Vinci (1980) 산타 마리아의 교회와 도미니카 수도원 및 레오나르도 다 빈치의 "최후의 만찬"
- Historic Centre of Rome, the Properties of the Holy See in that City Enjoying Extraterritorial Rights and San Paolo Fuori le Mura (1980, 1990) * 로마 역사지구
- Historic Centre of Florence (1982) 플로렌스 역사센터
- Piazza del Duomo, Pisa (1987) 피사의 듀오모 광장
- Venice and its Lagoon (1987) 베니스와 석호
- Historic Centre of San Gimignano (1990) 산 지미나노 역사지구
- I Sassi di Matera (1993) 이 사시 디 마테라 주거지
- City of Vicenza and the Palladian Villas of the Veneto (1994, 1996) 비센자 시와 팔라디안 건축물
- Crespi d'Adda (1995) 크레스피 다다
- Ferrara, City of the Renaissance, and its Po Delta (1995, 1999) 르네상스 도시 페라라와 포 삼각주
- Historic Centre of Naples (1995) 나폴리 역사지구
- Historic Centre of Siena (1995) 시에나 역사지구
- Castel del Monte (1996) 몬테 성
- Early Christian Monuments of Ravenna (1996) 라베나의 초기 그리스도교 기념물
- Historic Centre of the City of Pienza (1996) 피엔자 시 역사지구
- The Trulli of Alberobello (1996) 알베로벨로의 트룰리
- 18th-Century Royal Palace at Caserta with the Park, the Aqueduct of Vanvitelli, and the San Leucio Complex (1997) 까세르따 18세기 궁전과 공원, 반비텔리 수로 및 산 루치오
- Archaeological Area of Agrigento (1997) 아그리젠토 고고학 지역
- Archaeological Areas of Pompei, Herculaneum and Torre Annunziata (1997) 폼페이 및 허큐라네움 고고학 지역과 토레 아눈치아타
- Botanical Garden (Orto Botanico), Padua (1997) 파두아 식물원
- Cathedral, Torre Civica and Piazza Grande, Modena (1997) 모데나의 토레 씨비카와 피아짜 그란데 성당
- Costiera Amalfitana (1997) 코스티에라 아말피타라
- Portovenere, Cinque Terre, and the Islands (Palmaria, Tino and Tinetto) (1997) 포르토베리네, 생케 테레와 섬들
- Residences of the Royal House of Savoy (1997) 사보이 궁중 저택
- Su Nuraxi di Barumini (1997) 수 누락시 디 바루미디
- Villa Romana del Casale (1997) 카잘레의 빌라 로마나
- Archaeological Area and the Patriarchal Basilica of Aquileia (1998) 아퀴레이아 고고유적지 및 카톨릭 교회
- Cilento and Vallo di Diano National Park with the Archeological sites of Paestum and Velia, and the Certosa di Padula (1998) 시렌토, 발로, 디 디아노 국립공원
- Historic Centre of Urbino (1998) 울비노 역사 유적지
- Villa Adriana (Tivoli) (1999) 아드리아나 고대 건축
- Assisi, the Basilica of San Francesco and Other Franciscan Sites (2000) 아씨시, 성 프란체스코의 바실리카 유적
- City of Verona (2000) 베로나 도시
- Isole Eolie (Aeolian Islands) (2000) 에올리안 섬
- Villa d'Este, Tivoli (2001) 티볼리에 있는 르네상스식 빌라
- Late Baroque Towns of the Val di Noto (South-Eastern Sicily) (2002) 발 디 노토의 후기 바로크 도시(시실리아 동남부)
- Sacri Monti of Piedmont and Lombardy (2003) 피에드몽과 롬바르디의 지방의 영산
- Etruscan Necropolises of Cerveteri and Tarquinia (2004) 세르베티아 타르퀴니아의 에트루니아 네크로폴리스
- Val d'Orcia (2004) 발도르시아
- Syracuse and the Rocky Necropolis of Pantalica (2005) 시라쿠스와 암석 묘지
- Genoa: Le Strade Nuove and the system of the Palazzi dei Rolli (2006) 제노바의 롤리 왕궁 및 신작로

Japan 일본
- Buddhist Monuments in the Horyu-ji Area (1993) 호류사의 불교기념물군
- Himeji-jo (1993) 히메지죠

- Shirakami-Sanchi (1993) 시라카미 산치
- Yakushima (1993) 야쿠시마
- Historic Monuments of Ancient Kyoto (Kyoto, Uji and Otsu Cities) (1994) 고대 교토의 역사기념물
- Historic Villages of Shirakawa-go and Gokayama (1995) 시라가와고와 고카야마의 역사 마을
- Hiroshima Peace Memorial (Genbaku Dome) (1996) 히로시마 평화기념관(원폭돔)
- Itsukushima Shinto Shrine (1996) 이쯔쿠시마 신사
- Historic Monuments of Ancient Nara (1998) 나라 역사기념물
- Shrines and Temples of Nikko (1999) 니코 사당과 사원
- Gusuku Sites and Related Properties of the Kingdom of Ryukyu (2000) 규슈큐 유적 및 류큐 왕국 유적
- Sacred Sites and Pilgrimage Routes in the Kii Mountain Range (2004) 기산 유적지
- Shiretoko (2005) 시레토코
- Iwami Ginzan Silver Mine and its Cultural Landscape (2007) 이와미 은광 및 문화경관

Jerusalem (Site proposed by Jordan) 예루살렘(요르단 신청)
- Old City of Jerusalem and its Walls (1981) 예루살렘

Jordan 요르단
- Petra (1985) 페트라
- Quseir Amra (1985) 쿼세이르 아므라
- Um er-Rasas (Kastrom Mefa'a) (2004) 엄 에르 라자

Kazakhstan 카자흐스탄
- Mausoleum of Khoja Ahmed Yasawi (2003) 코자 암드 야사위의 영묘
- Petroglyphs within the Archaeological Landscape of Tamgaly (2004) 탐갈 역사지구

Kenya 케냐
- Lake Turkana National Parks (1997, 2001) 시빌로이/중앙섬 국립공원
- Mount Kenya National Park/Natural Forest (1997) 케냐 국립공원
- Lamu Old Town (2001) 라무 고대 성읍

Lao People's Democratic Republic 라오스
- Town of Luang Prabang (1995) 루앙 프라방 시
- Vat Phou and Associated Ancient Settlements within the Champasak Cultural Landscape (2001) 참파삭 문화 지역 내 푸 사원과 고대 주거지

Latvia 라트비아
- Historic Centre of Riga (1997) 리가 역사지구
- Struve Geodetic Arc (2005) * 스트루브 천문대

Lebanon 레바논
- Anjar (1984) 안자르 유적
- Baalbek (1984) 바알벡
- Byblos (1984) 비블로스
- Tyre (1984) 티르 고고유적
- Ouadi Qadisha (the Holy Valley) and the Forest of the Cedars of God (Horsh Arz el-Rab) (1998) 콰디사 계곡 및 삼목 숲

Libyan Arab Jamahiriya 리비아
- Archaeological Site of Cyrene (1982) 시레네 고고유적
- Archaeological Site of Leptis Magna (1982) 렙티스 마그나 고고유적
- Archaeological Site of Sabratha (1982) 사브라타 고고유적
- Rock-Art Sites of Tadrart Acacus (1985) 타드라트 아카쿠스의 암각 예술 유적
- Old Town of Ghadamès (1986) 가다메스 구 도시

Lithuania 리투아니아
- Vilnius Historic Centre (1994) 빌니우스 역사지구
- Curonian Spit (2000) * 크로니안 스피트
- Kernave Archaeological Site (Cultural Reserve of Kernave) (2004) 커네바 고대지구
- Struve Geodetic Arc (2005) * 스트루브 천문대

Luxembourg 룩셈부르크
- City of Luxembourg: its Old Quarters and Fortifications (1994) 룩셈부르크 중세 요새 도시

Madagascar 마다가스카르
- Tsingy de Bemaraha Strict Nature Reserve (1990) 베마라하 자연보호구역
- Royal Hill of Ambohimanga (2001) 암보히만가 왕실 언덕
- Rainforests of the Atsinanana (2007) 아치나나나 열대우림

Malawi 말라위
- Lake Malawi National Park (1984) 말라위 호수 국립공원
- Chongoni Rock Art Area (2006) 총고니 고원 암석화 유적지

Malaysia 말레이시아
- Gunung Mulu National Park (2000) 구능 물루 국립공원
- Kinabalu Park (2000) 키나바루 공원

Mali 말리
- Old Towns of Djenné (1988) 제네의 구 시가지
- Timbuktu (1988) 팀북투
- Cliff of Bandiagara (Land of the Dogons) (1989) 반디아가라 절벽
- Tomb of Askia (2004) 아스키아 무덤

Malta 말타
- City of Valletta (1980) 발레타 구 시가지
- Hal Saflieni Hypogeum (1980) 할 사플리에니 지하신전

- Megalithic Temples of Malta (1980, 1992) 거석 사원

Mauritania 모리타니
- Banc d'Arguin National Park (1989) 방 다르긴 국립공원
- Ancient *Ksour* of Ouadane, Chinguetti, Tichitt and Oualata (1996) 오우아데인, 칭게티, 티치트, 오왈래타 고대도시

Mauritius 모리셔스
- Aapravasi Ghat (2006) 아프라바시 선착장 유적지

Mexico 멕시코
- Historic Centre of Mexico City and Xochimilco (1987) 멕시코시티 역사지구
- Historic Centre of Oaxaca and Archaeological Site of Monte Albán (1987) 옥사카 역사지구 및 몬테 알반 고고유적지
- Historic Centre of Puebla (1987) 푸에블라 역사지구
- Pre-Hispanic City and National Park of Palenque (1987) 팔렝케의 선 스페인 도시와 국립공원
- Pre-Hispanic City of Teotihuacan (1987) 테오티와칸의 선 스페인 도시
- Sian Ka'an (1987) 시안 카안 생물권 보호지역
- Historic Town of Guanajuato and Adjacent Mines (1988) 구아나후아토 타운과 주변 광산지대
- Pre-Hispanic City of Chichen-Itza (1988) 치첸이트사의 선 스페인 도시
- Historic Centre of Morelia (1991) 모렐리아 역사지구
- El Tajin, Pre-Hispanic City (1992) 엘 타진
- Historic Centre of Zacatecas (1993) 자카테카스 역사지구
- Rock Paintings of the Sierra de San Francisco (1993) 시에라 데 샌프란시스코 암벽화
- Whale Sanctuary of El Vizcaino (1993) 엘 비즈카이노 고래보호지역
- Earliest 16th-Century Monasteries on the Slopes of Popocatepetl (1994) 포포카테페틀의 16세기 수도원
- Historic Monuments Zone of Querétaro (1996) 퀘레타로 역사 기념물 지대
- Pre-Hispanic Town of Uxmal (1996) 욱스말 선 스페인 도시
- Hospicio Cabañas, Guadalajara (1997) 과달라하라의 호스피시오 카바나스
- Archeological Zone of Paquimé, Casas Grandes (1998) 파큄 카사스 그란데스 고고유적지
- Historic Monuments Zone of Tlacotalpan (1998) 티아코탈판 역사기념물 지역
- Archaeological Monuments Zone of Xochicalco (1999) 소치칼코 고고학 기념 지역
- Historic Fortified Town of Campeche (1999) 캄페체 요새도시
- Ancient Maya City of Calakmul, Campeche (2002) 칼라크물, 캄페체의 고대 마야도시
- Franciscan Missions in the Sierra Gorda of Querétaro (2003) 콰레타라의 시에라 고르다의 프란치스코 선교본부
- Luis Barragán House and Studio (2004) Luis Barragán의 집과 스튜디오
- Islands and Protected Areas of the Gulf of California (2005) 캘리포니아 걸프 지역의 보호지역 섬
- Agave Landscape and Ancient Industrial Facilities of Tequila (2006) 용설란 재배지 경관 및 구 데킬라 공장 유적지
- Central University City Campus of the Universiad Nacional Autónoma de México (2007) 국립대학(UNAM) 중앙대학 도시 캠퍼스

Mongolia 몽골
- Uvs Nuur Basin (2003) * 웁스 분시
- Orkhon Valley Cultural Landscape (2004) 오르혼 계곡 문화 경관

Montenegro 몬테네그로
- Natural and Culturo-Historical Region of Kotor (1979) 코토르 지역의 자연문화 유적지
- Durmitor National Park (1980, 2005) 두르미토르 국립공원

Morocco 모로코
- Medina of Fez (1981) 페즈의 메디나
- Medina of Marrakesh (1985) 마라케쉬의 메디나
- Ksar of Ait-Ben-Haddou (1987) 아이트-벤-하도우
- Historic City of Meknes (1996) 메크네스 역사도시
- Archaeological Site of Volubilis (1997) 볼루빌리스 고고학지역
- Medina of Tétouan (formerly known as Titawin) (1997) 테투안의 메디나
- Medina of Essaouira (formerly Mogador) (2001) 에사우리라의 메디나
- Portuguese City of Mazagan (El Jadida) (2004) 마자간의 포르투갈 요새

Mozambique 모잠비크
- Island of Mozambique (1991) 모잠비크섬

Namibia 나미비아
- Twyfelfontein or /Ui-//aes (2007) Twyfelfontein암각화 지대

Nepal 네팔
- Kathmandu Valley (1979) 카트만두 계곡
- Sagarmatha National Park (1979) 사가르마타 국립공원
- Royal Chitwan National Park (1984) 왕립 시트완 국립공원
- Lumbini, the Birthplace of the Lord Buddha (1997) 룸비니 석가탄신지

Netherlands 네덜란드
- Schokland and Surroundings (1995) 쇼크란트와 그 주변지역
- Defence Line of Amsterdam (1996) 암스테르담 방어선

- Historic Area of Willemstad, Inner City and Harbour, Netherlands Antilles (1997) 윌렘스타드 내륙지방 역사지역과 항구
- Mill Network at Kinderdijk-Elshout (1997) 킨더디지크-엘슈트 풍차망
- Ir.D.F. Woudagemaal (D.F. Wouda Steam Pumping Station) (1998) D.F. Wouda 증기기관 양수장
- Droogmakerij de Beemster (Beemster Polder) (1999) 벰스터 간척지
- Rietveld Schröderhuis (Rietveld Schröder House) (2000) 리에트벨드 슈로더 하우스

New Zealand 뉴질랜드
- Te Wahipounamu-South West New Zealand (1990) 테 와히포우나무 공원
- Tongariro National Park (1990, 1993) 통가리로 국립공원
- New Zealand Sub-Antarctic Islands (1998) 남극 연안 섬

Nicaragua 니카라과
- Ruins of León Viejo (2000) 레온 비에즈 유적

Niger 니제르
- Air and Ténéré Natural Reserves (1991) 아이르, 테네레 자연 보호지역
- W National Park of Niger (1996) "W"국립공원

Nigeria 나이지리아
- Sukur Cultural Landscape (1999) 수쿠 문화조경
- Osun-Osogbo Sacred Grove (2005) 오선-오송보 신성 숲

Norway 노르웨이
- Bryggen (1979) 베르겐의 브리겐 지역
- Urnes Stave Church (1979) 우르네스 목조교회
- Røros Mining Town (1980) 로로스 광산도시
- Rock Art of Alta (1985) 알타의 암석화
- Vegaøyan -- The Vega Archipelago (2004) 베가연-베가 제도
- Struve Geodetic Arc (2005) * 스트루브 천문대
- West Norwegian Fjords - Geirangerfjord and Nærøyfjord (2005) 서부 노르웨이 피요르드

Oman 오만
- Bahla Fort (1987) 바흐라 요새
- Archaeological Sites of Bat, Al-Khutm and Al-Ayn (1988) 바트, 알쿠틈, 알아윈 고고유적
- Land of Frankincense (2000) 프란킨센스 유적
- Aflaj Irrigation Systems of Oman (2006) 아플라지 관개 시설 유적지

Pakistan 파키스탄
- Archaeological Ruins at Moenjodaro (1980) 모헨조다로 고고유적
- Buddhist Ruins of Takht-i-Bahi and Neighbouring City Remains at Sahr-i-Bahlol (1980) 탁티바이 불교유적과 사리바롤 주변도시 유적
- Taxila (1980) 탁실라 고고유적
- Fort and Shalamar Gardens in Lahore (1981) 라오르의 성채와 샬라마르 정원
- Historical Monuments of Thatta (1981) 타타기념물
- Rohtas Fort (1997) 로타스 요새

Panama 파나마
- Fortifications on the Caribbean Side of Panama: Portobelo-San Lorenzo (1980) 포토벨로와 산 로렌조 요새
- Darien National Park (1981) 다리엔 국립공원
- Talamanca Range-La Amistad Reserves/La Amistad National Park (1983, 1990) * 라 아미스테드 보호지역 및 국립공원
- Archaeological Site of Panamá Viejo and Historic District of Panamá (1997, 2003) 살롱 볼리바르와 파나마 역사지구
- Coiba National Park and its Special Zone of Marine Protection (2005) 코이바 국립공원

Paraguay 파라과이
- Jesuit Missions of La Santísima Trinidad de Paraná and Jesús de Tavarangue (1993) 라 산티시마 데 파라스 제수스 데타바란게

Peru 페루
- City of Cuzco (1983) 쿠스코 시
- Historic Sanctuary of Machu Picchu (1983) 맞추 피추 역사보호지구
- Chavin (Archaeological Site) (1985) 차번 고고유적지
- Huascarán National Park (1985) 후아스카란 국립공원
- Chan Chan Archaelogical Zone (1986) 찬찬 고고유적지대
- Manú National Park (1987) 마누 국립공원
- Historic Centre of Lima (1988, 1991) 리마 역사지구
- Río Abiseo National Park (1990, 1992) 리오 아비세오 국립공원
- Lines and Geoglyphs of Nasca and Pampas de Jumana (1994) 나스카와 후마나 평원
- Historical Centre of the City of Arequipa (2000) 아레큐파 역사도시

Philippines 필리핀
- Baroque Churches of the Philippines (1993) 필리핀 바로크 양식 교회
- Tubbataha Reef Marine Park (1993) 투비타 암초 해양공원
- Rice Terraces of the Philippine Cordilleras (1995) 필리핀의 계단식 벼 경작지, 코르디레라스
- Historic Town of Vigan (1999) 비간 역사도시
- Puerto-Princesa Subterranean River National Park (1999) 푸에르토-프린세사 지하강 국립공원

Poland 폴란드
- Cracow's Historic Centre (1978) 크라코프 역사지구

- Wieliczka Salt Mine (1978) 비에리치카 소금광산
- Auschwitz Concentration Camp (1979) 아우슈비츠 수용소
- Belovezhskaya Pushcha/Bialowieza Forest (1979, 1992) * 벨로베즈스카야 푸시차/바이알로비에자 삼림지대
- Historic Centre of Warsaw (1980) 바르샤바 역사지구
- Old City of Zamosc (1992) 자모스치 구 시가지
- Castle of the Teutonic Order in Malbork (1997) 말보크의 게르만양식 성
- Medieval Town of Torun (1997) 토룬 중세마을
- Kalwaria Zebrzydowska: the Mannerist Architectural and Park Landscape Complex and Pilgrimage Park (1999) 칼아리아 제브르지도우카
- Churches of Peace in Jawor and Swidnica (2001) 자워와 스위드니카의 자유교회
- Wooden Churches of Southern Little Poland (2003) 남부 리틀 폴란드의 목조교회
- Muskauer Park/Park Muzakowski (2004) * 뮤자코우스키 공원
- Centennial Hall in Wroclaw (2006) 브로츠와프의 백년홀

Portugal 포르투갈
- Central Zone of the Town of Angra do Heroismo in the Azores (1983) 앙고라 도 헤로이스모 시 중앙지역
- Convent of Christ in Tomar (1983) 토마르의 그리스도 수도원
- Monastery of Batalha (1983) 바탈하 수도원
- Monastery of the Hieronymites and Tower of Belém in Lisbon (1983) 하이에로니미테스 수도원과 리스본의 벨렘 탑
- Historic Centre of Évora (1986) 에보라 역사지구
- Monastery of Alcobaça (1989) 알코바샤 수도원
- Cultural Landscape of Sintra (1995) 신트라 문화경관
- Historic Centre of Oporto (1996) 오포르토 역사센터
- Prehistoric Rock-Art Sites in the Côa Valley (1998) 코아 계곡 선사시대 암벽화
- Laurisilva of Madeira (1999) 마데이라의 라우리실바
- Alto Douro Wine Region (2001) 알토도우로 포도주 산지
- Historic Centre of Guimarães (2001) 구이마레에스 역사지구
- Landscape of the Pico Island Vineyard Culture (2004) 피코섬의 포도주 농장

Republic of Korea 한국
- Haeinsa Temple Janggyeong Panjeon, the Depositories for the Tripitaka Koreana Woodblocks (1995) 해인사 장경판전
- Jongmyo Shrine (1995) 종묘
- Seokguram Grotto and Bulguksa Temple (1995) 석굴암과 불국사
- Changdeokgung Palace Complex (1997) 창덕궁
- Hwaseong Fortress (1997) 수원 화성
- Gochang, Hwasun, and Ganghwa Dolmen Sites (2000) 고창, 화순, 강화 고인돌 유적
- Gyeongju Historic Areas (2000) 경주 역사 유적지구
- Jeju Volcanic Island and Lava Tubes (2007) 제주 화산섬과 용암 동굴

Republic of Moldova 몰도바
- Struve Geodetic Arc (2005) * 스트루브 천문대

Romania 루마니아
- Danube Delta (1991) 다뉴브강 삼각주
- Churches of Moldavia (1993) 몰다비아 교회
- Monastery of Horezu (1993) 호레주 수도원
- Villages with Fortified Churches in Transylvania (1993, 1999) 트랜실바니아 요새교회
- Dacian Fortresses of the Orastie Mountains (1999) 오라스티산 다시안 요새
- Historic Centre of Sighisoara (1999) 시기소아라 역사지구
- Wooden Churches of Maramures (1999) 마라무레스 목조교회

Russian Federation 러시아
- Historic Centre of Saint Petersburg and Related Groups of Monuments (1990) 샹트 페테르스부르그 역사지구와 관련 기념물군
- Kizhi Pogost (1990) 키지 섬
- Kremlin and Red Square, Moscow (1990) 모스크바의 크레믈린 궁과 붉은 광장
- Cultural and Historic Ensemble of the Solovetsky Islands (1992) 솔로베츠키 섬
- Historic Monuments of Novgorod and Surroundings (1992) 노브고로드 역사 기념물군과 주변지역
- White Monuments of Vladimir and Suzdal (1992) 블라디미르와 수즈달의 백색 기념물군
- Architectural Ensemble of the Trinity Sergius Lavra in Sergiev Posad (1993) 트리니디 세르기우즈 수도원
- Church of the Ascension, Kolomenskoye (1994) 콜로멘스코예 교회
- Virgin Komi Forests (1995) 버진 코미 삼림지대
- Lake Baikal (1996) 바이칼 호
- Volcanoes of Kamchatka (1996, 2001) 캄차카 반도의 화산군
- Golden Mountains of Altai (1998) 알타이 황금산
- Western Caucasus (1999) 코카서스 서부지역
- Curonian Spit (2000) * 크로니안 스피트
- Ensemble of the Ferrapontov Monastery (2000) 훼라폰토프 수도원
- Historic and Architectural Complex of the Kazan Kremlin (2000) 카잔 크렘린 역사건축물
- Central Sikhote-Alin (2001) 씨커트 알린 산맥 중부지역
- Citadel, Ancient City and Fortress Buildings of Derbent (2003) 성채: 데벤트의 고대도시와 요새
- Uvs Nuur Basin (2003) * 웁스 분지

- Ensemble of the Novodevichy Convent (2004) 노보데비치 수도원
- Natural System of Wrangel Island Reserve (2004) 브랑겔 섬의 자연보호지구
- Historical Centre of the City of Yaroslavl (2005) 야로슬라블 역사지구
- Struve Geodetic Arc (2005) * 스트루브 천문대

Saint Kitts and Nevis 세인트 키츠네비스
- Brimstone Hill Fortress National Park (1999) 유황산 요새 국립공원

Saint Lucia 세인트 루시아
- Pitons Management Area (2004) PMA 산지 경관

Senegal 세네갈
- Island of Gorée (1978) 고레 섬
- Djoudj National Bird Sanctuary (1981) 주드 조류 보호지
- Niokolo-Koba National Park (1981) 니오콜로-코바 국립공원
- Island of Saint-Louis (2000) 세인트루이스 섬
- Stone Circles of Senegambia (2006) 세네감비아의 돌 원형

Serbia 세르비아
- Stari Ras and Sopocani (1979) 스타리 라스와 소포카니
- Studenica Monastery (1986) 스튜데니카 수도원
- Medieval Monuments in Kosovo (2004, 2006) 코소보의 지중해 기념군
- Gamzigrad-Romuliana, Palace of Galerius (2007) 갈레리우스 궁전

Seychelles 세이셸
- Aldabra Atoll (1982) 알다브라
- Vallée de Mai Nature Reserve (1983) 마이 자연보호지역

Slovakia 슬로바키아
- Historic Town of Banská Stiavnica and the Technical Monuments in its Vicinity (1993) 반스카 스티아브니카
- Spisský Hrad and its Associated Cultural Monuments (1993) 스피시키 흐라드 문화기념물군
- Vlkolínec (1993) 블콜리넥 전통건축물 보존지구
- Caves of Aggtelek Karst and Slovak Karst (1995, 2000) * 애그텔레크 동굴과 슬로바크의 카르스트 지형
- Bardejov Town Conservation Reserve (2000) 바르데조프 도시보존 지구
- Primeval Beech forests of the Carpathians (2007) * 카르파티아 원시 너도밤나무 숲

Slovenia 슬로베니아
- Skocjan Caves (1986) 스코얀 동굴

Solomon Islands 솔로몬 제도
- East Rennell (1998) 동 렌넬

South Africa 남아프리카공화국
- Fossil Hominid Sites of Sterkfontein, Swartkrans, Kromdraai, and Environs (1999, 2005) 스텍폰테인, 스와트크란, 그롬드라이 화석 호미니드 지역
- Greater St Lucia Wetland Park (1999) 성 루시아 습지 공원
- Robben Island (1999) 로벤 섬
- uKhahlamba / Drakensberg Park (2000) 우카람바/드라겐스버그 공원
- Mapungubwe Cultural Landscape (2003) 마푼구베 문화경관
- Cape Floral Region Protected Areas (2004) 식물구계 보호지구
- Vredefort Dome (2005) 프레드포트돔
- Richtersveld Cultural and Botanical Landscape (2007) Richtersveld문화 및 식물 경관

Spain 에스파냐
- Alhambra, Generalife and Albayzín, Granada (1984, 1994) 알함브라, 알바이진, 그라나다
- Burgos Cathedral (1984) 브르고스 대성당
- Historic Centre of Cordoba (1984, 1994) 코르도바 역사지구
- Monastery and Site of the Escurial, Madrid (1984) 마드리드의 에스큐리알 수도원 유적
- Works of Antoni Gaudí (1984, 2005) 안토니 가우디의 작품
- Altamira Cave (1985) 알타미라 동굴
- Monuments of Oviedo and the Kingdom of the Asturias (1985, 1998) 오비에도 및 아스투리아스 왕국 기념물군
- Old Town of Ávila with its Extra-Muros Churches (1985) 아빌라 구 시가지
- Old Town of Segovia and its Aqueduct (1985) 세고비아 구 시가지와 수로
- Santiago de Compostela (Old Town) (1985) 산티아고 데 콤포스텔라 순례길
- Garajonay National Park (1986) 가라호네이 국립공원
- Historic City of Toledo (1986) 톨레도 구 시가지
- Mudejar Architecture of Aragon (1986, 2001) 아라곤의 무데하르 건축
- Old Town of Cáceres (1986) 카세레스 구 시가지
- Cathedral, Alcázar and Archivo de Indias in Seville (1987) 세비야 대성당과 요새
- Old City of Salamanca (1988) 살라만카 구 도시
- Poblet Monastery (1991) 포블렛트 수도원
- Archaeological Ensemble of Mérida (1993) 메리다 고고유적군
- Route of Santiago de Compostela (1993) 산티아고 데 콤포스텔라 순례길
- Royal Monastery of Santa María de Guadalupe (1993) 산타마리아 과달루페의 왕립수도원
- Doñana National Park (1994) 도나나 국립공원
- Historic Walled Town of Cuenca (1996) 쿠엔카 구 성곽도시
- La Lonja de la Seda de Valencia (1996) 라 론야 데 라 세다 데 발렌시아

- Las Médulas (1997) 라스 메둘라스
- Palau de la Música Catalana and Hospital de Sant Pau, Barcelona (1997) 뮤지카 카탈라나 팔라우와 바르셀로나 산트 파우 병원
- Pyrénées-Mont Perdu (1997, 1999) * 피레니 몽 뻬르뒤 산맥
- San Millán Yuso and Suso Monasteries (1997) 산 밀란 유소-수소 사원
- Rock Art of the Mediterranean Basin on the Iberian Peninsula (1998) 이베리아 반도 지중해 연안 암벽화 지역
- University and Historic Precinct of Alcalá de Henares (1998) 알카라 드 헤나레스 대학 및 역사지구
- Ibiza, Biodiversity and Culture (1999) 이비자 생물 다양성과 문화
- San Cristóbal de La Laguna (1999) 성 라구나 그리스탈
- Archaeological Ensemble of Tárraco (2000) 타라코 고고유적
- Archaeological Site of Atapuerca (2000) 아타푸에카 고고유적
- Catalan Romanesque Churches of the Vall de Boí (2000) 발드보와의 카탈란 로마네스코 교회
- Palmeral of Elche (2000) 엘체시의 야자수림 경관
- Roman Walls of Lugo (2000) 루고 성벽
- Aranjuez Cultural Landscape (2001) 아란조에즈 문화 경관지역
- Renaissance Monumental Ensembles of Úbeda and Baeza (2003) 우베다 베자의 르네상스 기념물군
- Vizcaya Bridge (2006) 비스카야 대교
- Teide National Park (2007) 타이드 국립공원

Sri Lanka 스리랑카
- Ancient City of Polonnaruwa (1982) 폴로나루바 고대도시
- Ancient City of Sigiriya (1982) 시기리야 고대도시
- Sacred City of Anuradhapura (1982) 아누라드하푸라 신성도시
- Old Town of Galle and its Fortifications (1988) 갈레 구도시 및 요새
- Sacred City of Kandy (1988) 칸디 신성도시
- Sinharaja Forest Reserve (1988) 신하라자 삼림보호지역
- Golden Temple of Dambulla (1991) 담불라의 황금사원

Sudan 수단
- Gebel Barkal and the Sites of the Napatan Region (2003) 게벨 바르칼과 나파탄 지구유적

Suriname 수리남
- Central Suriname Nature Reserve (2000) 수리남 자연보존지구
- Historic Inner City of Paramaribo (2002) 파라마리보의 역사적 내부도시

Sweden 스웨덴
- Royal Domain of Drottningholm (1991) 드로트닝홀름 왕실 영지
- Birka and Hovgården (1993) 비르카와 호브가르덴
- Engelsberg Ironworks (1993) 엥겔스버그 제철소
- Rock Carvings in Tanum (1994) 타눔 암각화
- Skogskyrkogården (1994) 스코그스키르코가르덴 묘지공원
- Hanseatic Town of Visby (1995) 비스비 한자동맹 도시
- Church Village of Gammelstad, Luleå (1996) 가멜스태드, 룰리아의 교회마을
- Laponian Area (1996) 라포니안 지역
- Naval Port of Karlskrona (1998) 칼스크로나 항구
- Agricultural Landscape of Southern Öland (2000) 남부 올랜드 경관
- Kvarken Archipelago / High Coast (2000, 2006) 발칸 군도와 하이 코스트
- Mining Area of the Great Copper Mountain in Falun (2001) 파룬지역 동광지역
- Varberg Radio Station (2004) 발부르크 라디오 방송국
- Struve Geodetic Arc (2005) * 스트루브 천문대

Switzerland 스위스
- Benedictine Convent of St John at Müstair (1983) 뮤스테르의 성 요한 베네딕트 수도원
- Convent of St Gall (1983) 세인트 갤 수도원
- Old City of Berne (1983) 베른 구 시가지
- Three Castles, Defensive Wall and Ramparts of the Market-Town of Bellinzone (2000) 베린존 시장마을의 성과 성벽
- Jungfrau-Aletsch-Bietschhorn (2001, 2007) 알프스 융프라우 및 인근지역
- Monte San Giorgio (2003) 성 죠지 산
- Lavaux, Vineyard Terraces (2007) 라보 포도원 테라스

Syrian Arab Republic 시리아
- Ancient City of Damascus (1979) 다마스커스 구시가지
- Ancient City of Bosra (1980) 보스라 구 시가지
- Site of Palmyra (1980) 팔미라 유적
- Ancient City of Aleppo (1986) 알레포 구 시가지
- Crac des Chevaliers and Qal' at Salah El-Din (2006) 기사의 성채와 살라딘의 요새

Thailand 태국
- Historic City of Ayutthaya (1991) 아유타야 역사도시
- Historic Town of Sukhotai and Associated Historic Towns (1991) 수코타이 역사도시
- Thungyai-Huai Kha Khaeng Wildlife Sanctuaries (1991) 툰야이-후아이 카캥-동물보호지역
- Ban Chiang Archaeological Site (1992) 반 치앙 고고유적
- Dong Phayayen-Khao Yai Forest Complex (2005) 동 퐈얀예-카오 예 숲

the Former Yugoslav Republic of Macedonia 마케도니아
- Natural and Cultural Heritage of the Ohrid

region (1979, 1980) 오흐리드 지방의 역사 건축물과 자연

Togo 토고
- Koutammakou, the Land of the Batammariba (2004) 코타마코, 바타마리 지역

Tunisia 튀니지
- Amphitheatre of El Jem (1979) 엘 젬의 원형극장
- Medina of Tunis (1979) 튜니스의 메디나
- Site of Carthage (1979) 카르타고 고고유적
- Ichkeul National Park (1980) 이츠케울 국립공원
- Punic Town of Kerkuane and its Necropolis (1985, 1986) 케르쿠안의 카르타고 유적 및 대규모 공동묘지
- Kairouan (1988) 카이로우안 고대도시
- Medina of Sousse (1988) 수스의 메디나
- Dougga / Thugga (1997) 두가/투가

Turkey 터키
- Göreme National Park and the Rock Sites of Cappadocia (1985) 궤레메 국립공원과 카파도키아 바위유적
- Great Mosque and Hospital of Divrigi (1985) 대모스크와 디브리지 병원
- Historic Areas of Istanbul (1985) 이스탄불 역사지구
- Hattusha: the Hittite Capital (1986) 하츄사
- Nemrut Dag (1987) 넴루트 댁 고고유적
- Hierapolis-Pamukkale (1988) 히에라폴리스-파무칼레
- Xanthos-Letoon (1988) 크산토스-레툰
- City of Safranbolu (1994) 사프란볼루 시
- Archaeological Site of Troy (1998) 트로이 고고유적

Turkmenistan 투르크메니스탄
- State Historical and Cultural Park "Ancient Merv" (1999) 고대 메르프 역사문화공원
- Kunya-Urgench (2005) 쿤냐-우르겐치
- Parthian Fortresses of Nisa (2007) 니사의 파르티아 성채

Uganda 우간다
- Bwindi Impenetrable National Park (1994) 브윈디 천연 국립공원
- Rwenzori Mountains National Park (1994) 르웬조리 국립공원
- Tombs of Buganda Kings at Kasubi (2001) 카스비에 있는 부간다족 왕릉단지

Ukraine 우크라이나
- Kiev: Saint-Sophia Cathedral and Related Monastic Buildings, Kiev-Pechersk Lavra (1990) 키에프의 성 소피아 대성당과 수도원 건물들, 키에프-페체르스크 라브라
- L'viv-the Ensemble of the Historic Centre (1998) 리비브 유적지구
- Struve Geodetic Arc (2005) * 스트루브 천문대
- Primeval Beech forests of the Carpathians (2007) * 카르파티아 원시 너도밤나무 숲

United Kingdom of Great Britain and Northern Ireland 영국
- Castles and Town Walls of King Edward in Gwynedd (1986) 에드워드 1세 시대의 성과 읍성들
- Durham Castle and Cathedral (1986) 더햄 성과 대성당
- Giant's Causeway and Causeway Coast (1986) 대방축 연안
- Ironbridge Gorge (1986) 아이언브리지 계곡
- St Kilda (1986, 2004, 2005) 성 킬다 섬
- Stonehenge, Avebury and Associated Sites (1986) 스톤헨지 유적
- Studley Royal Park including the Ruins of Fountains Abbey (1986) 파운틴 수도원 유적을 포함한 스터들리 왕립공원
- Blenheim Palace (1987) 블렌하임 궁전
- City of Bath (1987) 배쓰 시
- Frontiers of the Roman Empire (1987, 2005) * 로마제국의 국경
- Westminster Palace, Westminster Abbey and Saint Margaret's Church (1987) 웨스트민스트 궁, 수도원과 세인트 마가렛 교회
- Canterbury Cathedral, St Augustine's Abbey, and St Martin's Church (1988) 캔터베리 대성당, 성 오거스틴 수도원 및 성 마틴교회
- Henderson Island (1988) 핸더슨 섬
- Tower of London (1988) 런던 타워
- Gough and Inaccessible Islands (1995, 2004) 고우섬 야생 생물 보호구역
- Old and New Towns of Edinburgh (1995) 에딘버러 신·구 도시
- Maritime Greenwich (1997) 그리니치 해변
- Heart of Neolithic Orkney (1999) 오크니 제도 신석기 유적
- Blaenavon Industrial Landscape (2000) 블래나본 산업경관
- Historic Town of St George and Related Fortifications, Bermuda (2000) 성 조지 역사 마을과 버뮤다 방어물
- Derwent Valley Mills (2001) 데르웬트 계곡 방직공장
- Dorset and East Devon Coast (2001) 도르셋, 동부 데본 해안 절벽
- New Lanark (2001) 뉴 라나르크
- Saltaire (2001) 솔테이어 공업촌
- Royal Botanic Gardens, Kew (2003) 큐 왕립식물원
- Liverpool-Maritime Mercantile City (2004) 리버풀 해양산업도시
- Cornwall and West Devon Mining Landscape (2006) 콘월, 서부 데본 광산지대

United Republic of Tanzania 탄자니아
- Ngorongoro Conservation Area (1979) 느고론고로 자연보호지역
- Ruins of Kilwa Kisiwani and Ruins of Songo Mnara (1981) 킬와 키시와니/손고므나라 유적

- Serengeti National Park (1981) 세렌게티 국립공원
- Selous Game Reserve (1982) 셀로스 동물 보호지역
- Kilimanjaro National Park (1987) 킬리만자로 국립공원
- Stone Town of Zanzibar (2000) 잔지바 석조 해양도시
- Kondoa Rock Art Sites (2006) 콘도아 암벽 예술지구

United States of America 미국
- Mesa Verde National Park (1978) 메사 베르데
- Yellowstone National Park (1978) 옐로우스톤 국립공원
- Everglades National Park (1979) 에버글래드 국립공원
- Grand Canyon National Park (1979) 그랜드 캐년
- Independence Hall (1979) 독립기념관
- Kluane / Wrangell-St Elias / Glacier Bay / Tatshenshini-Alsek (1979, 1992, 1994) * 알래스카-캐나다 국경의 산악 공원군
- Redwood National Park (1980) 레드우드 국립공원
- Mammoth Cave National Park (1981) 맘모스 동굴 국립공원
- Olympic National Park (1981) 올림픽 국립공원
- Cahokia Mounds State Historic Site (1982) 카호키아 역사유적
- La Fortaleza and San Juan National Historic Site in Puerto Rico (1983) 푸에르토리코 소재 라 포탈레자-산 후안 역사지구
- Great Smoky Mountains National Park (1983) 그레이트 스모키 산맥공원
- Statue of Liberty (1984) 자유의 여신상
- Yosemite National Park (1984) 요세미티 국립공원
- Chaco Culture (1987) 차코 문화 역사공원
- Hawaii Volcanoes National Park (1987) 하와이 화산공원
- Monticello and the University of Virginia in Charlottesville (1987) 몬티셀로와 버지니아 대학
- Pueblo de Taos (1992) 푸에블로 데 타오스
- Carlsbad Caverns National Park (1995) 칼스배드 동굴 국립공원
- Waterton Glacier International Peace Park (1995) * 워터톤 글래시아 국제 평화공원

Uruguay 우루과이
- Historic Quarter of the City of Colonia del Sacramento (1995) 콜로니아 델 새크라멘토 역사지구

Uzbekistan 우즈베키스탄
- Itchan Kala (1990) 이찬 칼라
- Historic Centre of Bukhara (1993) 부카라 역사지구
- Historic Centre of Shakhrisyabz (2000) 샤크리스얍즈 역사지구
- Samarkand-Crossroads of Cultures (2001) 샤마르칸드: 문화교차로

Venezuela (Bolivarian Republic of) 베네수엘라
- Coro and its Port (1993) 코로 항구
- Canaima National Park (1994) 카나이마 국립공원
- Ciudad Universitaria de Caracas (2000) 카라카스 대학 건축물

Viet Nam 베트남
- Complex of Hué Monuments (1993) 후에 기념물 집중지대
- Ha Long Bay (1994, 2000) 하롱만
- Hoi An Ancient Town (1999) 회안 고 도시
- My Son Sanctuary (1999) 성자 신전
- Phong Nha-Ke Bang National Park (2003) 퐁나케방 국립공원

Yemen 예멘
- Old Walled City of Shibam (1982) 시밤 고대 성곽도시
- Old City of Sana'a (1986) 사나 구 시가지
- Historic Town of Zabid (1993) 자비드 역사도시

Zambia 잠비아
- Mosi-oa-Tunya / Victoria Falls (1989) * 모시-오아-툰야/빅토리아 폭포

Zimbabwe 짐바브웨
- Mana Pools National Park, Sapi and Chewore Safari Areas (1984) 마나 풀스 국립공원: 사피츄어 수렵지역
- Great Zimbabwe National Monument (1986) 대짐바브웨 유적
- Khami Ruins National Monument (1986) 카미 유적
- Mosi-oa-Tunya / Victoria Falls (1989) * 모시-오아-툰야/빅토리아 폭포
- Matobo Hills (2003) 매토보 언덕

도량형 환산표

길 이 (Linear Measure)	1 inch = 2.54 cm (1 cm = 0.3937 in.) 12 inches = 1 foot = 0.3048 m (1 m = 3.2808 ft.) 3 feet = 1 yard = 0.9144 m (1 m = 1.0936 yd.) 5.5 yards = 1 rod = 5.029 m (1 m = 0.1988 rd.) 320 rods = 1 mile = 1.6093 km (1 km = 0.6214 mi.)
넓 이 (Square Measure)	1 square inch = 6.452 cm^2 (1 cm^2 = 0.1550 sq. in.) 144 square inches = 1 square foot = 929.0 cm^2 (1 cm^2 = 0.0011 sq. ft.) 9 square feet = 1 square yard = 0.8361 m^2 (1 m^2 = 1.1960 sq. yd.) 30.25 square yards = 1 square rod = 25.29 m^2 (1 m^2 = 0.0395 sq. rd.) 160 square rods = 1 acre = 0.4047 ha (1 ha = 2.4711 acres) 640 acres = 1 square mile = 2.590 km^2 (1 km^2 = 0.3861 sq. mi.)
부 피 (Cubic Measure)	1 cubic inch = 16.387 cm^3 (1 cm^3 = 0.0610 cu. in.) 1728 cubic inches = 1 cubic foot = 0.0283 m^3 (1 m^3 = 35.3148 cu. ft.) 27 cubic feet = 1 cubic yard = 0.7646 m^3 (1 m^3 = 1.3080 cu. yd.)
액 량 (Liquid Measure) USA[Great Britain]	1 gill = 0.1183 [0.142] l (1 lit. = 8.4531 [7.0423] gi.) 4 gills =1 pint = 0.4732 [0.568] l (1 lit. = 2.1133 [1.7606] pt.) 2 pints =1 quart = 0.9464 [1.136] l (1 lit. = 1.0566 [0.8803] qt.) 4 quarts =1 gallon = 3.7853 [4.546] l (1 lit. = 0.2642 [0.2200] gal.)
건 량 (Dry Measure) USA[Great Britain]	1 pint = 0.5506 [0.568] l (1 lit. = 1.8162 [1.7606] pt.) 2 pints = 1 quart = 1.1012 [1.136] l (1 lit. = 0.9081 [0.8803] qt.) 8 quarts = 1 peck = 8.8096 [9.092] l (1 lit. = 0.1135 [0.1100] pk.) 4 pecks = 1 bushel = 35.2383 [36.368] l (1 lit. = 0.0284 [0.0275] bu.)
무 게 (Avoirdupois Weight)	1 dram = 1.772 g (1 g = 0.5643 dr. av.) 16 drams = 1 ounce = 28.35 g (1 g = 0.0353 oz. av.) 16 ounces = 1 pound = 453.59 g (1 kg = 2.2046 lb. av.) 2000 pounds = 1 (short) ton = 907.185 kg (1 kg = 0.0011 s. t.) 2240 pounds = 1 (long) ton = 1016.05 kg (1 kg = 0.0010 l. t.)
금은보석 무게 (Troy Weight)	1 grain = 0.0648 g (1 g = 15.4321 gr.) 24 grains = 1 pennyweight = 1.5552 g (1 g = 0.6430 pwt.) 20 pennyweights = 1 ounce = 31.1035 g (1 g = 0.0322 oz. t.) 12 ounces = 1 pound = 373.24 g (1 kg = 2.6792 lb. t.)

불규칙 동사표

다음 표에서 이탤릭체(italics)는 고체(古體) 또는 방언이다. 규칙 동사로도 쓰이는 것은 편의상 둘을 모두 적었다. 복합 동사(overcome, understand 등)는 단순 동사(come, stand 등)와 같은 변화임에 주의해야 한다.

현재형	과거형	과거분사	현재형	과거형	과거분사
abide	abode, abided	abided	**bide**	bode, bided	bided
			bind	bound	bound
alight[1]	alighted, *alit*	alighted, *alit*	**bite**	bit	bitten, bit
arise	arose	arisen	**bleed**	bled	bled
awake	awoke, awakened	awoken	**blend**	blended, *blent*	blended, *blent*
backbite	backbit	backbitten, backbit	**bless**	blessed, blest	blessed, blest
backslide	backslid	backslid, backslidden	**blow**[1]	blew	blown, blowed
be [am, is ; are]	was, were	been	**blow**[3]	blew	blown
			break	broke	broken
bear	bore	borne, born	**breast-feed**	breast-fed	breast-fed
beat	beat	beaten	**breed**	bred	bred
become	became	become	**bring**	brought	brought
befall	befell	befallen	**broadcast**	broadcast	broadcast
beget	begot, *begat*	begotten	**browbeat**	browbeat	browbeaten
begin	began	begun	**build**	built	built
begird	begirt, begirded	begirt	**burn**	burned, burnt	burned, burnt
			burst	burst	burst
behold	beheld	beheld	**buy**	bought	bought
bend	bent	bent	**can**	could	—
bereave	bereaved, bereft	bereaved, bereft	**cast**	cast	cast
			catch	caught	caught
beseech	besought, beseeched	besought, beseeched	**chide**	chided, chid	chidden, chid
			choose	chose	chosen
beset	beset	beset	**cleave**[1]	cleaved, cleft, clove	cleaved, cleft, cloven
bespeak	bespoke, *bespake*	bespoken, bespoke			
bespread	bespread	bespread	**cleave**[2]	cleaved	cleaved
bestrew	bestrewed	bestrewed, bestrewn	**cling**	clung	clung
			clip	clipped	clipped, clipt
bestride	bestrode	bestridden	**clothe**	clothed, *clad*	clothed, *clad*
bet	bet, betted	bet, betted	**come**	came	come
betake	betook	betaken	**cost**	cost	cost
bethink	bethought	bethought	**creep**	crept	crept
bid	bade, bid	bidden, bid	**crow**	crowed, crew	crowed

현재형	과거형	과거분사
curse	cursed, curst	cursed, curst
cut	cut	cut
dare	dared, *durst*	dared
deal	dealt	dealt
dig	dug	dug
dive	dived, (미) dove	dived
do, does	did	done
draw	drew	drawn
dream	dreamed, dreamt	dreamed, dreamt
dress	dressed, *drest*	dressed, *drest*
drink	drank	drunk
drip	dripped, dript	dripped, dript
drive	drove	driven
dwell	dwelt, dwelled	dwelt, dwelled
eat	ate	eaten
enwind	enwound	enwound
fall	fell	fallen
feed	fed	fed
feel	felt	felt
fight	fought	fought
find	found	found
flee	fled	fled
fling	flung	flung
fly	flew	flown
forbear	forbore	forborne
forbid	forbade, forbad	forbidden
fordo	fordid	fordone
forecast	forecast	forecast
forego	forewent	foregone
foreknow	foreknew	foreknown
forerun	foreran	forerun
foresee	foresaw	foreseen
foreshow	foreshowed	foreshown
foretell	foretold	foretold
forget	forgot	forgotten
forgive	forgave	forgiven
forsake	forsook	forsaken
forswear	forswore	forsworn
freeze	froze	frozen

현재형	과거형	과거분사
gainsay	gainsaid	gainsaid
get	got	got, (미) gotten
gild	gilded, gilt	gilded, gilt
gird	girded, girt	girded, girt
give	gave	given
gnaw	gnawed	gnawed, gnawn
go	went	gone
grave[3]	graved	graved, graven
grind	ground	ground
grow	grew	grown
hamstring	hamstrung, *hamstringed*	hamstrung, *hamstringed*
hang	hung, hanged	hung, hanged
have, has	had	had
hear	heard	heard
heave	heaved, hove	heaved, hove
hew	hewed	hewn, hewed
hide	hid	hidden, hid
hit	hit	hit
hold	held	held
hurt	hurt	hurt
indwell	indwelt	indwelt
inlay	inlaid	inlaid
inlet	inlet	inlet
inset	inset	inset
interbreed	interbred	interbred
keep	kept	kept
kneel	knelt, (미) kneeled	knelt, (미) kneeled
knit	knit, knitted	knit, knitted
know	knew	known
lade	laded	laden
lay	laid	laid
lead	led	led
lean[1]	leaned, (영) leant	leaned, (영) leant
leap	(미) leaped, leapt	(미) leaped, leapt
learn	learned, learnt	learned, learnt
leave	left	left

현재형	과거형	과거분사	현재형	과거형	과거분사
lend	lent	lent	**overdrive**	overdrove	overdriven
let	let	let	**overeat**	overate	overeaten
lie[2]	lay	lain	**overfeed**	overfed	overfed
light[3]	lighted, lit	lighted, lit	**overflow**	overflowed	overflown
lose	lost	lost	**overgrow**	overgrew	overgrown
make	made	made	**overhang**	overhung	overhung
may	might	—	**overhear**	overheard	overheard
mean	meant	meant	**overlay**	overlaid	overlaid
meet	met	met	**overleap**	overleaped,	overleaped,
misdeal	misdealt	misdealt		overleapt	overleapt
misdo	misdid	misdone	**overlie**	overlay	overlain
misgive	misgave	misgiven	**overpay**	overpaid	overpaid
mishear	misheard	misheard	**overread**	overread	overread
mislay	mislaid	mislaid	**override**	overrode	overridden
mislead	misled	misled	**overrun**	overran	overrun
misread	misread	misread	**oversee**	oversaw	overseen
misspell	misspelled,	misspelled,	**oversell**	oversold	oversold
	misspelt	misspelt	**overset**	overset	overset
misspend	misspent	misspent	**overshine**	overshone	overshone
mistake	mistook	mistaken	**overshoot**	overshot	overshot
misunder-	misunder-	misunder-	**oversleep**	overslept	overslept
stand	stood	stood	**overspend**	overspent	overspent
mow	mowed	mowed,	**overspread**	overspread	overspread
		mown	**overtake**	overtook	overtaken
must	—, (must)	—	**overthrow**	overthrew	overthrown
ought	—, (ought)	—	**overwind**	overwound	overwound
outbid	outbid	outbid	**overwork**	overworked,	overworked,
outdo	outdid	outdone		overwrought	overwrought
outgo	outwent	outgone	**overwrite**	overwrote	overwritten
outgrow	outgrew	outgrown	**partake**	partook	partaken
outlay	outlaid	outlaid	**pay**	paid	paid
outride	outrode	outridden	**pen**[2]	penned,	penned,
outrun	outran	outrun		pent	pent
outsell	outsold	outsold	**plead**	pleaded,	pleaded,
outshine	outshone	outshone		(미) pled	(미) pled
outshoot	outshot	outshot	**prepay**	prepaid	prepaid
outspread	outspread	outspread	**proofread**	proofread	proofread
outwear	outwore	outworn	**prove**	proved	proved,
overbear	overbore	overborne			(미) proven
overblow	overblew	overblown	**put**	put	put
overcast	overcast	overcast	**read**	read	read
overcome	overcame	overcome	**reave**	reaved, *reft*	reaved, *reft*
overdo	overdid	overdone	**rebind**	rebound	rebound
overdraw	overdrew	overdrawn	**rebuild**	rebuilt	rebuilt
overdrink	overdrank	overdrunk	**recast**	recast	recast

현재형	과거형	과거분사	현재형	과거형	과거분사
relay	relaid	relaid	**sing**	sang	sung
rend	rent	rent	**sink**	sank, *sunk*	sunk, sunken
repay	repaid	repaid	**sit**	sat	sat
reread	reread	reread	**slay**	slew	slain
resell	resold	resold	**sleep**	slept	slept
reset	reset	reset	**slide**	slid	slid
retake	retook	retaken	**sling**	slung	slung
retell	retold	retold	**slink**[1]	slunk, *slank*	slunk
rewrite	rewrote	rewritten	**slink**[2]	slinked, slunk	slinked, slunk
rid	rid, ridded	rid, ridded	**slit**	slit	slit
ride	rode, *rid*	ridden, *rid*	**smell**	(미) smelled, (영) smelt	(미) smelled, (영) smelt
ring[2]	rang, *rung*	rung	**smite**	smote	smitten
rise	rose	risen	**sow**	sowed	sowed, sown
rive	rived	riven, rived	**speak**	spoke	spoken
roughcast	roughcast	roughcast	**speed**	sped, speeded	sped, speeded
run	ran	run	**spell**	(미) spelled, (영) spelt	(미) spelled, (영) spelt
saw	sawed	sawn, sawed	**spend**	spent	spent
say	said	said	**spill**	(미) spilled, (영) spilt	(미) spilled, (영) spilt
see	saw	seen	**spin**	spun, *span*	spun
seek	sought	sought	**spit**[1]	spat, (미) spit	spat, (미) spit
sell	sold	sold	**split**	split	split
send	sent	sent	**spoil**	spoiled, spoilt	spoiled, spoilt
set	set	set	**spread**	spread	spread
sew	sewed	sewed, sewn	**spring**	sprang, (미) sprung	sprung
shake	shook	shaken	**squat**	squatted, squat	squatted, squat
shall	should	—	**stand**	stood	stood
shave	shaved	shaved, shaven	**stave**	staved, stove	staved, stove
shear	sheared	sheared, shorn	**steal**	stole	stolen
shed	shed	shed	**stick**	stuck	stuck
shew	shewed	shewn	**sting**	stung	stung
shine	shone, shined	shone, shined	**stink**	stank, stunk	stunk
shoe	shod	shod	**strew**	strewed	strewed, strewn
shoot	shot	shot	**stride**	strode	stridden
show	showed	shown, showed	**strike**	struck	struck, *stricken*
shred	shredded, *shred*	shredded, *shred*	**string**	strung	strung
shrink	shrank, shrunk	shrunk, shrunken			
shrive	shrived, shrove	shrived, shriven			
shut	shut	shut			

현재형	과거형	과거분사	현재형	과거형	과거분사
strive	strove,	striven,	**understand**	understood	understood
			undertake	undertook	undertaken
strow	strowed	strown,	**underwrite**	underwrote	underwritten
		strowed	**undo**	undid	undone
sublet	sublet	sublet	**unlay**	unlaid	unlaid
sunburn	sunburned,	sunburned,	**unsay**	unsaid	unsaid
	sunburnt	sunburnt	**unstring**	unstrung	unstrung
swear	swore	sworn	**unwind**	unwound	unwound
sweep	swept	swept	**uphold**	upheld	upheld
swell	swelled	swollen,	**upset**	upset	upset
		swelled	**wake**	waked,	waked,
swim	swam	swum		woke	woken
swing	swung	swung	**waylay**	waylaid	waylaid
take	took	taken	**wear**[1]	wore	worn
teach	taught	taught	**wear**[2]	wore	worn, wore
tear	tore	torn	**weave**	wove	woven
telecast	telecast	telecast	**wed**	wedded,	wedded,
tell	told	told		*wed*	*wed*
think	thought	thought	**weep**	wept	wept
thrive	throve,	thriven,	**wet**	wet, wetted	wet, wetted
	thrived	thrived	**will**	would	—
throw	threw	thrown	**win**	won	won
thrust	thrust	thrust	**wind**[2]	wound	wound
tread	trod	trodden, trod	**wind**[3]	winded,	winded,
typewrite	typewrote	typewritten		wound	wound
unbend	unbent	unbent	**wiredraw**	wiredrew	wiredrawn
unbind	unbound	unbound	**wit**	wist	wist
underbid	underbid	underbidden,	**withdraw**	withdrew	withdrawn
		underbid	**withhold**	withheld	withheld
undercut	undercut	undercut	**withstand**	withstood	withstood
undergo	underwent	undergone	**work**	worked,	worked,
underlay	underlaid	underlaid		*wrought*	*wrought*
underlie	underlay	underlain	**wring**	wrung	wrung
undersell	undersold	undersold	**write**	wrote	written